A NEW CONCORDANCE
OF THE BIBLE

A NEW
CONCORDANCE
OF THE BIBLE

THESAURUS OF THE LANGUAGE OF THE BIBLE
HEBREW AND ARAMAIC
ROOTS, WORDS, PROPER NAMES
PHRASES AND SYNONYMS

EDITED BY

ABRAHAM EVEN-SHOSHAN

"KIRYAT SEFER" PUBLISHING HOUSE LTD., JERUSALEM

מַהְדוּרָה מְחֻדֶּשֶׁת תש״ן 1990

ISBN - 965-17-0192-7 - מסת״ב

FROM THE EDITOR'S PREFACE

A CONCORDANCE OF THE BIBLE is still regarded as a "sealed book" for the ordinary layman, who on opening the classical work is likely to be overawed by its great bulk and the density of its print. Moreover, his efforts to trace the location of some word or phrase are likely to be frustrating. The ordinary Bible lover, therefore, who comes up against some linguistic difficulty, will try to find a solution in a dictionary which may provide him with a general or more detailed answer to his quest. Why, therefore, should he make use of the Concordance, which to this day is the exclusive vade mecum of biblical experts and philologists, researchers and commentators?

In actual fact, however, the Concordance of the language of the Bible can be a great aid to all people interested in Holy Writ, since it is much more than a dictionary. The function of the latter is to provide definitions – both specific and general – for every word in the language, accompanied here and there by one or more quotations from the Bible as authority for such definition, whereas the Concordance of the Bible presents the reader not only with the meaning of the word and its exact location in Scripture, but also points out all the places in the Pentateuch, the Prophets and the Hagiographa where the word occurs. In the Concordance, moreover, each word may be seen in all its forms, regular and irregular, declensions or conjugations, vocalisation, combinations and contexts, according to the biblical Massora.

The Concordance may thus serve as a key to the language of the Bible in its original, and to the spiritual life of the Jewish people in the time of the Bible.

All this, however, depends on whether some change can be brought about in the severe and rather awesome appearance of the Concordance, and some way can be found of simplifying its structure and of adapting it to the needs and tastes of the modern reader.

It is this principle objective that has guided the editor of THE NEW CONCORDANCE that is here presented to the reader. As its name implies, the work is entirely new in conception, structure, form and method, so that the reader, whether student, scholar or layman, will find the location of each and every word in the Bible with the greatest of ease.

The following are some of the salient features of the work:

1. All words and terms appearing in the Bible, whether Hebrew or Aramaic, proper names, etc., are listed in single alphabetical order.
2. All words and concepts are listed in accordance with the form in which they appear in a modern dictionary rather than by their root.
3. Names of books and places appear in full, without abbreviation.
4. The main uses and meaning of each entry are given, and synonyms are often supplied.
5. The various places in which the words appear are numbered so as to aid readers in referring the various meanings to the exact location of the quotation in Scripture.

6. All quotations from the Bible are fully vocalised so as to avert mispronunciation or misquotation.
7. Wherever a word or term appears as many as hundreds or even thousands of times, only a condensed listing of locations is provided so as to render the work of more practical use.

The name concordance (Latin; concordantia, pl.concordantiae) was coined in the middle of the thirteenth century for books containing all, or most, of the words in a specific text, usually organized in alphabetical order. Next to each word are given quotations from the text in which the word appears, either in the same or in a different grammatical form.

The Bible was the first and most commonly used text for a concordance. Other concordances were recently compiled for the Talmud and for secular texts, i.e. the works of Goethe, Shakespeare, Pushkin and others.

In Christian tradition, Antonius De Padua (1195–1231) was the first to compile a Biblical concordance, his work being based on the Latin translation of the Bible. The first authentic concordance to become famous was compiled by the Dominican monk Hugo de Sancto Caro in 1244 with the assistance of hundreds of monks. His work was entitled "Concordantiae Sacrorum Bibliorum". It is possible that Caro was the person who coined the name concordance. The aim of Caro's work was to help members of the Church in their theological debates and discussions by providing references from the Bible. Caro's work was reedited by the Franciscan Arlotto di Pratto in 1290. With the invention of the printing press, new concordances were printed, some of them appearing in many editions.

In 1470, Conrad, a German priest, published the "Concordantiae Bibliorum", several editions of which appeared in print in the 16th century. Iohannes Frobenius printed a concordance at the same time in Basel, which went through many printings.

Thomas Gibson printed in England in 1535 the first English language concordance, based on the English translation of the Bible and New Testaments. The first concordance to the Greek Translation of the Bible was printed in 1607, Erasmus Schmidt published a new concordance to the Greek translation of the Bible in 1638, which became the prototype for many other concordances.

THE FIRST HEBREW CONCORDANCE "MEIR NATIV"

The Rabbis in the Talmud during the 4th and 5th centuries occupied themselves with the Biblical text. They were the first to study the text of the Bible letter by letter and word by word. In the 8th and 9th centuries grammarians started to compile lists of Biblical words: words that appear only once in the text, words that appear twice, thrice etc. Other lists were of words that appear in slightly different forms. These were the first lists of words that had a concordance-like quality.

Only in the middle of the 15th century was the first Hebrew concordance compiled by Isaac Nathan, son of Kalonymus, who lived in the South of France. His work was based on di Pratto's concordance, and was compiled to help Jewish scholars in debates with Christian theologians. Isaac Nathan named his work "Meir Nativ". In his introduction to the concordance he states;

'In spite of trying to avoid theological debates, I found a need to answer many religious questions. In a book called a concordance, I found great help in locating the answers. Trying to copy the book for my use, I realized that the compiler was not accurate in his work and translations of the same Hebrew word varied, so I decided not to copy the book but to compile a Hebrew concordance.'

Isaac Nathan adopted the system of the compilers of his time. The Books are listed according to the Vulgate. He also adopted the divisions to chapter and verse according to the Christian Bible. The entries are according to verb roots — a system adopted by all Hebrew concordances that followed. Eighty years after Isaac Nathan's death, his work was printed in Venice. Next to each entry is given the Latin translation of the Hebrew word.

In 1621, Marius de Calasio, a Franciscan monk, published a new edition of Meir Nativ with many additions and corrections, including Aramaic words as well as proper nouns. The book was well received and was reprinted several times.

SEFER ZICHRONOT by ELIAHU BACHUR

In 1516 (eight years before the printing of Meir Nativ), Eliahu Ben Asher HaLevi, also known as Eliahu Bachur, started to write his concordance. The first edition was completed in 1525, and was dedicated to Cardinal Aegidius de Viterbo, who was Bachur's pupil and who also paid all his expenses while he worked on the concordance. The manuscript is in the national library in Munich. Ten years later Bachur reedited his work, and this time dedicated it to his other pupil, Bishop Georges de la Bar. This manuscript is in the national library in Paris.

Bachur's work was never printed.

For three hundred years no other concordance was compiled by a Jew. Meir Nativ was the only concordance in use, and served as a prototype for all works that followed.

Christian scholars continued to compile concordances. Iohannes Buxtorf (1564–1629), a Swiss scholar who was a Professor of Hebrew in the University of Basel, published many important works on Hebrew language and grammar, and also started to compile a new concordance. His son, also named Iohannes Buxtorf, inherited his father's chair in the university, and three years after his fathers death (1632) published "Concordantiae Bibliorum Hebraicae et Chaldaicae". This work included an Aramaic addition for the Aramaic parts of the Bible.

Buxtorf used Bachur's system, but kept the divisions of Meir Nativ. This work became the classic concordance for the Hebrew Bible for a period of more than 200 years.

Important additions to Buxtorf's work were published in 1679 by Christian Noldius and in 1754 by John Taylor.

In 1840, Joseph Alssari, also known as Julius Fürst, published the first modern Hebrew concordance. Fürst was a Professor of Oriental Languages in the University of Leipzig. His work is entitled "Librorum Sacrorum Veteris Testamenti Concordantiae". Fürst enlarged the scope of Buxtorf's work by adding many annotations as well as new entries.

Twenty years after Fürst's work was printed, Bernhard Baer republished Buxtorf's work in 1861, including in this edition Buxtorf's lengthy Latin introduction and adding a German translation to the existing Latin.

Benjamin Davidson published "A Concordance of the Hebrew and Chaldee Scriptures" in 1876. This 900-page work includes all the Hebrew and Aramaic words in the Bible. Davidson followed Buxtorf's and Fürst's work in his book. Next to each entry is the English translation. Davidson's book was meant for the English-speaking Bible student.

A popular edition of the concordance, based on Buxtorf-Bear and Fürst, was published by Solomon Gelblum in 1877.

HECHAL HAKODESH by Dr. Solomon Mandelkern

The major concordance to be published in our time is without doubt "Hechal HaKodesh" by Dr. Solomon Mandelkern. First published in 1896, this work was the most accurate and complete concordance yet compiled. Mandelkern found more than 5000 missing entries in previous concordances as well as numerous mistakes in entries, chapter and verse numbers. Mandelkern was the first to use the Jewish order of the Bible, and used more complete verses in his entries. Next to each entry comes a short scientific explanation, as well as the Latin translation of the word.

Since its appearance, Mandelkern's concordance was accepted as the best work of its kind. Various scholars edited and added to Mandelkern's work: Brody, Herner, Goshen-Gottstein, Brecher, Avrunin, and Skoss are scholars who corrected, added, completed, and edited the Mandelkern concordance. A very important new concordance was started in Israel in 1957. The work is called "Otzar Leshon HaMikra" and is a concordance as well as a scientific Biblical Hebrew-English dictionary. Only three volumes (Letters Aleph-Tet) have been published to date. A Hebrew concordance using an original approach was published in Germany in 1957 by G. Lisowsky. His work "Konkordanz zum Hebräischen Alten Testament ausgearbeitet und geschrieben" has all entries in alphabetical order listed according to their syntactical function. This work is meant to provide the scholar with material for semantic research.

Eliezer Katz published a concordance in 4 volumes (Jerusalem-New York 1964–1974). This work is divided into 55 sections, each dealing with a specific Biblical topic. This work is important for scholars studying daily life in the period of the Bible.

INSTRUCTION FOR USING THIS CONCORDANCE

1. All words of the Bible, Hebrew and Aramaic, are listed alphabetically in lexical form; each word is entered according to its spelling in the Bible.
   Example: תְּשׁוּעָה from ישע begins with ת, and is listed with other words beginning with ת.
2. Verbal forms are listed according to their verbal roots.
   Example: יְבַקְשׁוּ is listed under בקש.
3. When the verbal root is not immediately clear, it is listed alphabetically.
   Example: הוּתַל from תלל is listed under "ה".
4. To enable the user to find at a glance verbal stems and substantival forms, each verbal root has a complete list of derivatives.
   Example: דבר lists all forms derived from this verbal stem.
5. For easy identification, words within each entry are listed according to their grammatical form.
6. Nouns are listed in the simple form first, followed by the occurrence of the same word in various forms.
   Example: The noun מלך appears 2518 times in the text. Numbers 1–107 give the singular absolute form מֶלֶךְ in the right hand margin. Numbers 108–114 give the singular absolute with waw-conjunctive ומלך in the right hand margin, followed by the definite article, prepositions, etc.
7. Adjectives are listed in the simple (masculine singular) form first, followed by the same form with preformatives, then the feminine singular, masculine plural, and feminine plural forms.
   Example: The entry חכם lists 137 occurrences. 1–50 list masculine singular without preformatives, 51–54 list the same form with waw-conjunctive, 55–60 with the definite article, etc.
8. Verbs are listed in the infinite absolute of the Qal form first, followed by the same forms in Niphal, Piel, Pual, Hitpael, Hiphil, and Hophal.
   Example: The verb שמע appears in the text 1159 times. On the right hand margin are listed the various forms of the verb.
9. Meanings and definitions of words are given in modern Hebrew at the beginning of each entry. Meanings are listed by a letter of the Hebrew alphabet corresponding to the occurrence listed consecutively in the entry below.
   Example: The entry lists five meanings for the word ראש. They are marked by the letters א, ב, ג, ד, ה at the beginning of the entry.
10. This concordance can be used with all Massoretic Hebrew texts.
11. All entries are according to the Qere reading. The Ketiv follows in parenthesis.
    Example: 2 Samuel chapter 21 verse 20 Qere מָדוֹן (Ketiv מדין).
12. Entries are fully vocalized according to Massoretic tradition.
13. Words are numbered consecutively in their entry, the number of the last occurrence gives the total number of occurrences.
14. Words sharing similar meaning are listed, and are marked by the term Krovim following the definitions.
    Example: The list of synonyms for חַלּוֹן.

15. Collocations are located after the definitions and synonyms, and before the list of occurrences. The grouping of the collocations is marked with a space and a short horizontal line. Collocations are listed alphabetically.

    Example: the entry for אִישׁ lists the following collocations:

    1. אִישׁ בְּאִישׁ 2. אִישׁ וָאִישׁ
    3. אִישׁ וְאִשְׁתּוֹ 4. אִישׁ אֶל אָחִיו
    5. אִישׁ אֶל רֵעֵהוּ 6. אִישׁ אֶל עֲמִיתוֹ
    7. כְּאִישׁ אֶחָד 8. כָּל אִישׁ
    9. מֵאִישׁ וְעַד אִשָּׁה

16. All entries are fully vocalized in accordance with the Massoretic (Tiberian) pronunciation to facilitate accuracy in identifying specific words. The modern Hebrew definitions and comments are not vocalized.

17. The number of times each letter occurs in the Tora is given just below the large letter at the head of the page. In the boxes next to it, is the Massora for this letter.

    Example: The Massora for ב notes 16344 Bets in the text. It also notes 27 occurrences of variation for that letter.

18. Specific expressions occurring very frequently are not quoted in full, only a few exemplary passages being fully quoted, followed by all other occurrences listed by Book, chapter, and verse.

    Example: הַדְּבָרִים הָאֵלֶּה, Note that a large dot * separates the references.

19. When a single word occurs in the text with high frequency and with little or no variation in meaning, it is listed in sequence with the order of occurrences by Book, chapter, and verse.

20. Parentheses are used when words or expressions differ only in minor details. These details are in parentheses.

21. Words that are similar but have different meanings are marked by different numbers.

    Example: אולָם lists 3 different meanings, each numbered separately.

TABLES OF ABBREVIATIONS, TERMS AND SIGNS

General Abbreviations and Terms (in Alphabetical Order)

בהשאלה — metaphor. Marks a metaphorical use of a word in the definitions (1.5).

בינוני — participle (biblical Hebrew). Used to distinguish similar forms in the participle and perfect of some verbs. For example, בָּא is a perfect (page 154, right column, number 351) and a participle (page 155, right column, number 753).

במקומו — "in its own entry"

דה"א — 1 Chronicles

דה"ב — 2 Chronicles

המשך — continuation. Marks the continuation of an entry in successive columns.

ז — masculine noun

זו"נ — masculine and feminine gender

יְיָ — Tetragrammaton

כ' — Ketib

כמו — "as," "equals" (=)

כנ"ל — "as mentioned above," "as previously mentioned"

כת' — Ketiv

להלן — "below," "as mentioned below"

מ"א — 1 Kings

מ"ב — 2 Kings

מ"ג — pronoun

מ"ח — conjunction

מ"י — preposition, particle

מ"ק — interjection, exclamation

מ"ש — interrogative

נ' — feminine noun

נוסח אחר — "another text." For example, for אֲבָדוֹ on page 6 (right column) "another text" has אֲבָדָה.

(עבר) — past tense (e.g., בָּא, page 154, right column, number 351). Used to distinguish similar forms in the perfect (past) and participle of some verbs. (See בינוני above.)

עַיֵּן — "see," "refer to." Directs the reader to another section or entry (as does ראה).

פ" — verb

ק' — Qere reading

קרובים — "synonyms"

ראה — "see," "refer to," "q.v."

ש"א — 1 Samuel

ש"ב — 2 Samuel

שה"ש — Song of Songs

ש"מ — numeral. For example, עֶשֶׂר (page 927, left column) is 10-ש"מ, or "number 10."

ש"פ — proper noun, personal name

שפ"ז — masculine proper noun, personal name

שפ"נ — feminine proper noun, personal name

ת' — adjective

תה"פ — adverb

תו"ז — both an adjective and a masculine noun

* — An asterisk after an entry word means that the word does not occur in the Bible in this form. This is its lexical form, singular absolute for nouns and adjectives, third-masculine singular perfect for verbs. See *אֲרִיָּה (page 110, right column), which occurs in the Bible only as a plural.

° — A circle after a word marks it as a Qere reading.

- — A *maqqeph* after a word in the right margin signals the construct state. It means not that all or any examples cited in the biblical text have a *maqqeph*, but rather that all are in the construct state (with or without the *maqqeph* in the text).

ˆ — *athnach*. Marks the pausal form of a word.

ˋ — *tifcha*. Marks nouns accented on the penultima.

ˊ — *merecha*. Marks accent in verbal forms.

• — A dot separates material within a single line.

/ — A slash after a letter or group of letters marks an abbreviation. Hebrew words are usually abbreviated by omitting the letters at the end. The length of the abbreviation is usually determined by the space available.

= — "the same as"

( ) — A parenthesis marks information that is supplied to aid the reader. The general purpose is to distinguish such information from actual citation of the biblical text.

Books of the Bible

בראשית	—	Genesis
שמות	—	Exodus
ויקרא	—	Leviticus
במדבר	—	Numbers
דברים	—	Deuteronomy
יהושע	—	Joshua
שופטים	—	Judges
שמואל א (ש"א)	—	1 Samuel
שמואל ב (ש"ב)	—	2 Samuel
מלכים א (מ"א)	—	1 Kings
מלכים ב (מ"ב)	—	2 Kings
ישעיהו	—	Isaiah
ירמיהו	—	Jeremiah
יחזקאל	—	Ezekiel
הושע	—	Hosea
יואל	—	Joel
עמוס	—	Amos
עובדיה	—	Obadiah
יונה	—	Jonah
מיכה	—	Micah
נחום	—	Nahum
חבקוק	—	Habakkuk
צפניה	—	Zephaniah
חגי	—	Haggai
זכריה	—	Zechariah
מלאכי	—	Malachi
תהלים	—	Psalms
משלי	—	Proverbs
איוב	—	Job
שה"ש	—	Song of Songs
רות	—	Ruth
איכה	—	Lamentations
קהלת	—	Ecclesiastes
אסתר	—	Esther
דניאל	—	Daniel
עזרא	—	Ezra
נחמיה	—	Nehemiah
דה"א	—	1 Chronicles
דה"ב	—	2 Chronicles

Hebrew Verbal Stems

פָּ'	—	Qal
נפ'	—	Niphal
פִּ'	—	Piel
פֻּ'	—	Pual
הִפ'	—	Hiphil
הָפ'	—	Hophal
הִת'	—	Hithpael

Aramaic Verbal Stems

פְּ'	—	Peal
פַּ'	—	Pael
אֶתְפְּ'	—	Hithpeel ('Ithpeel)
אִתְפַּ'	—	Hithpaal ('Ithpaal)
אַפ'	—	'Aphel
הַפ'	—	Haphel

Hebrew/English Numbers

Chapter numbers are marked with Hebrew numbers. The English equivalents are:

א	—	1	נא-נט	—	51–59
ב	—	2	ס	—	60
ג	—	3	סא־סט	—	61–69
ד	—	4	ע	—	70
ה	—	5	עא־עט	—	71–79
ו	—	6	פ	—	80
ז	—	7	פא־פט	—	81–89
ח	—	8	צ	—	90
ט	—	9	צא־צט	—	91–99
י	—	10	ק	—	100
יא	—	11	קא־קט	—	101–9
יב	—	12	קי	—	110
יג	—	13	קיא־קיט	—	111–19
יד	—	14	קכ	—	120
טו	—	15	קכא־קכט	—	121–29
טז	—	16	קל	—	130
יז	—	17	קלא־קלט	—	131–39
יח	—	18	קמ	—	140
יט	—	19	קמא־קמט	—	141–49
כ	—	20	קנ	—	150
כא־כט	—	21–29	קנא־קנט	—	151–59
ל	—	30	קס	—	160
לא־לט	—	31–39	קסא־קסט	—	161–69
מ	—	40	קע	—	170
מא־מט	—	41–49	קעא־קעט	—	171–79
נ	—	50			

ORDER OF THE BOOKS OF THE BIBLE IN NUMBERS

DIVISION	BOOK #	NAME	CHAPTERS	VERSES	WORDS*	LETTERS**
TORAH	1	GENESIS	50	1534	20512	78064
	2	EXODUS	40	1209	16723	63529
	3	LEVITICUS	27	859	11950	44790
	4	NUMBERS	36	1288	16368	63530
	5	DEUTERONOMY	34	955	14294	54892
TOTAL IN TORAH			187	5845	79847	304805
FORMER PROPHETS	6	JOSHUA	24	656	10015	38100
	7	JUDGES	21	618	9771	37100
	8	1 SAMUEL	31	811	13257	50400
		2 SAMUEL	24	695	10971	41700
	9	1 KINGS	22	817	13113	49800
		2 KINGS	25	717	12323	46500
TOTAL IN FORMER PROPHETS			147	4314	69359	263600
LATTER PROPHETS	10	ISAIAH	66	1291	16920	64300
	11	JEREMIAH	52	1364	21673	82400
	12	EZEKIEL	48	1273	19123	72700
	13	HOSEA	14	197	2379	9000
		JOEL	4	73	967	3700
		AMOS	9	146	2053	7800
		OBADIAH	1	21	291	1100
		JONAH	4	48	690	2600
		MICAH	7	105	1395	5300
		NAHUM	3	47	558	2100
		HABAKKUK	3	56	670	2500
		ZEPHANIAH	3	53	765	2900
		HAGGAI	2	38	568	2200
		ZECHARIAH	14	211	3127	11900
		MALACHI	3	55	876	3400
TOTAL IN LATTER PROPHETS			233	4978	72055	273900
WRITINGS	14	PSALMS	150	2527	19479	74000
	15	PROVERBS	31	915	6912	26200
	16	JOB	42	1070	8392	31900
	17	SONG OF SOLOMON	8	117	1251	4700
	18	RUTH	4	85	1286	4800
	19	LAMENTATIONS	5	154	1491	5600
	20	ECCLESIASTES	12	222	2997	11400
	21	ESTHER	10	167	3045	11600
	22	DANIEL	12	357	5924	22500
	23	EZRA	10	280	3778	14300
		NEHEMIAH	13	406	5284	20000
	24	1 CHRONICLES	29	914	10457	39700
		2 CHRONICLES	36	813	13344	50700
TOTAL IN WRITINGS			362	8054	83640	317400
TOTAL IN BIBLE			929	23191	304901	~ 1159705

* Number of words in Torah according to Tanach Yehoash. In other books of the Bible according to the editor and associates.

** Number of letters in Torah according to Massora. In the rest of the Bible by using the approximation of 3.8 letters per word.

קוֹנְקוֹרְדַנְצְיָה חֲדָשָׁה

לְתוֹרָה נְבִיאִים וּכְתוּבִים

קוֹנְקוֹרְדַנְצְיָה חֲדָשָׁה

לְתוֹרָה נְבִיאִים וּכְתוּבִים

אוֹצַר לְשׁוֹן הַמִּקְרָא – עִבְרִית וַאֲרָמִית

שָׁרָשִׁים, מִלִּים, שֵׁמוֹת פְּרָטִיִּים

צֵרוּפִים וְנִרְדָּפִים

בַּעֲרִיכַת

אַבְרָהָם אֶבֶן־שׁוֹשָׁן

הוֹצָאַת "קִרְיַת־סֵפֶר" בְּע"מ יְרוּשָׁלַיִם

מַהְדוּרָה מְחֻדֶּשֶׁת תש"ן 1990

ISBN – 965–17–0192–7 – מסת"ב

הַתֹּכֶן

מן ההקדמה למהדורה הראשונה

הקונקורדַנציה לתנ״ך היא עדיין בחזקת ״ספר הֶחָתום״ לרוב הציבור, לשאינם מומחים בתחום חֵקר התנ״ך והלשון. דומה, כי אפילו השם הלועזי ״קוֹנְקוֹרְדַנְצְיָה״, הקָשה במקצת להגייה לדובר העברי, מרתיע כלשהו. מי שנזדמנה לידו באקראי קונקורדנציה קלאסית, עלול ״להיבהל״ מגודלה ומכובדה, משֶפע עמודיה מרובעי־הטורים, הזרועים שורות צפופות של אותיות זעירות שאין להן סוף... וגם אם יתגבר וינסה לדפדף בה כדי לחפש מלה, שֵם או פועל – הריהו עלול להיתקל בקשיים לא מועטים, ודִפדף, ורגז – ואין נחת...

אכן, המשכיל העממי, אוהב התנ״ך, די לו לכאורה במילון העברי: אם ייתָקל בשאלה לשונית, יֵלך אצלו ואף ימצא בו תשובה, כללית או מפורטת יותר – וקונקורדַנציה למה לו? וכך נשארה עד היום הקונקורדַנציה לתנ״ך נחלתם הבִלעדית כמעט של ״יחידי סגולה״, מומחים בתנ״ך ובלשון, חוקרים ופרשנים, כאשר אמנם הייתה במשך דורות רבים בישראל ובעמים.

והרי לאמיתו של דבר, הקונקורדַנציה לתנ״ך עשויה להיות כלי מחזיק ברכה וספר־עֵזר לכל אדם בישראל, המתעניין בכתבי־הקודש שלנו. שֶכֵּן הקונקורדנציה היא הרבה יותר ממילון: המילון עיקר תפקידו לתת הגדרות שונות וכלליות לכל מלה, ופה ושם יביא כאסמכתה להגדרת מלה גם מובאה אחת או שתיים מן המקרא – ואילו הקונקורדנציה לתנ״ך מגישה לקורא לא רק את משמעה של המלה ואת מקומה המדויק בתנ״ך, אלא את כל המקומות בתורה, בנביאים ובכתובים, שֶמלה זו מצויה בהם בפסוקים השונים, על כל צירופיה והקשריה, צורותיה התקניות והחורגות, נטיותיה וכתיבה, ניקודה במחובר ובהפסק – הכול בתחום המסורה שבמקרא. וכך עשויה הקונקורדנציה לפתוח פתח לכל מי שהתנ״ך ולשונו קרובים ללבו – להכרת הלשון המקראית במקורה וחיי הרוח בתקופת המקרא.

במה דברים אמורים – אם תִמָצא דרך לשַנות את פניה ״חֲמורי הסֵבר״ של הקונקורדַנציה, לפַשט את מסגרותיה ולהתאימה יותר לצרכיו ולטעמו של הקורא בן־ימינו, כדי שיוכל לְהַלֵּךְ בבטחה בשביליה וליהנות בלא מאמץ מטובה.

מטרה עיקרית זו היתה לעיני עורך ״הקונקורדנציה החדשה״ המוגשת בזה לקורא, לאורה נערכה ונקבעה מתכונתה.

בסקירה "הקונקורדנציות העבריות למקרא" המובאת להלן (עמ' ט"ו–ל"ה) ימצא הקורא את פרשת תולדותיהן של הקונקורדנציות העבריות, על מהדורותיהן וצורותיהן – למן אמצע המאה הט"ו ועד עצם הימים האלה.

הצד השָוה בכולן – המגמה לכינוס, חלקי או מלא יותר, של האוצר הלשוני שבתנ"ך, עריכת המלים בסדר אלפביתי בצורותיהן השונות וציון מראי־מקומותיהן בתנ"ך – "איש על מחנהו ואיש על דגלו". כל עורך למד מנסיון קודמיו, השתדל להימנע מפגמיהם ולהשלים את שהחסירו, עורך עורך ודרכו ושיטתו והמטרות שהציב לעצמו ולחוג הקוראים, אשר להם הועיד את חיבורו.

אף אנו למדנו וקיבלנו מקודמינו, מן הראשונים ומן האחרונים, וביחוד מן הקונקורדַנציה הקלאסית "היכל הקודש" של שלמה מַנדלקרן, שבמהדורותיה האחרונות נוספו לה מאות תיקונים ומילואים*. החריש הכולל והמקיף שנעשה על־ידי הקודמים באוצר לשון המקרא פטר אותנו מלהיזקק למַחְשֵב, שהוא בימינו מכשיר־עזר חיוני לחיבור קונקורדנציות. עם זאת נאלצנו לבדוק מחדש כל פסוק וכל מראה־מקום, אגב ניקודה של כל מובאה לפי דיוקה המקראי ושיבוצה במקומה המתאים לפי שיטתנו. שכן, עיקר תפקידנו היה בעריכה החדשה של החומר הקונקורדַנציוני בשיטה השונה במהותה מזו שבקונקורדנציות הקודמות. להלן עיקרי שיטתנו:

א. הנוסח המקראי
הנוסח המקראי שהיה לפנינו הוא בעיקרו של התנ"ך רב־התפוצה שבהוצאת קורן, שהוגה בידי צֶות מומחים. היו לעינינו גם התנ"ך שבהוצאת קיטל־קאַהלה, וכן מהדורת אהרן דותן, שהופיעה זה מקרוב. שתי מהדורות אלה מבוססות על כתב־יד לנינגראד, הוא הכתב־יד הקדום ביותר המיוחס לאהרן בן משה בן אָשר, אך בדרך כלל העדפנו את הנוסח המסוֹרתי המקובל בתפוצות ישראל מדורי דורות.

ב. קרי וכתיב
בכל ספרי המקרא מצויות, כידוע, מלים רבות הרשומות בגוף הגליון בצורה אחת ("כְּתִיב"), ובשוליים – צורת קריאתן השונה במעט או בהרבה ("קְרִי").

בלא להיכנס בשאלה הביקורתית־מדעית איזו משתי הצורות היא העיקרית, רשמנו בספרנו את צורת ה"קרי" כשהיא מנוקדת כדין ובסוגרַיים, אחריה רשמנו את ה"כתיב" בלי ניקוד, למשל: "עֻבְּרָם" (כת' "עברנו") (יהושע חו).

כך נהגנו רק במלת־הערך. בשאר המלים המופיעות במובאה רשמנו את ה"קרי" בלבד וציַינו עיגול קטן לידו לסימן כי הכתיב שונה מזה.

ג. ניקוד מלא
ב"קונקורדַנציה החדשה" נוקדו כל הפסוקים וחלקי־הפסוקים שהובאו מן המקרא ניקוד מלא ומדויק. נטלנו על עצמנו את המַטָלה הכבדה והאחריות הרבה שבניקוד הטקסט המקראי ובקבלת הכרעות במקומות שיש בהם שינויים קלים בין נוסח לנוסח – משום שאנו רואים

* עיין במבוא ע' ל"א.

בכך לא שיפור טכני־חיצוני בלבד, אלא יסוד חשוב בכל ספר־עזר שדיוק הקריאה בו מֵקל על הבנת התוכן*, וכל־שכן בקונקורדנציה למקרא, שכֵּן הטקסט המקראי אינו עקיב – הכתיב "החסר" רב בו ביותר, והוא עלול לשַמש אבן־נגף לקורא שאינו בקי בכתובים**.

ד.
סדר אלפביתי אחד

כל האוצר הלשוני של המקרא – המלים העבריות, הארמיות, מלות־השימוש והיחס, השמות הפרטיים (אנשים, נשים, מקומות, נהרות, הרים וכו׳) – כל אלה ניתנו ב"קונקורדנציה החדשה" בסדר אָלפביתי אחד, ללא הפיצול במדורים ובנספחים, שהיה נהוג ברוב הקונקורדנציות עד כה. הקורא הרוצה למצוא בספר־העזר שלו ערך מסוים, לא יצטרך "לנדוד" בין דפי מוספים ומדורים שונים, אלא ימצא כל ערך, עברי או ארמי, במקומו בספר. מי, דרך משל, "ידען" שיעלה על דעתו כי מלים כגון "אִילָן", "בְּלוֹ", "בְּרַם", "גְּלָל", "יַצִּיב" ורבות אחרות יש לחפשׂן במדור הארמי דַוקא?... הוא הדין לגבי מִלות־הגוף, שמות פרטיים ודומיהם***.

ה.
סדר הערכים

כל השֵמות רשומים בספרנו לפי הסדר המקובל בימינו – לפי סדר אותיותיהם בצורתם היסודית, ולא לפי שורשיהם (אֶזְרָח, אֶפְרֹחַ, אֶתְנַן – באות א׳; מוֹעֵד, מוֹפֵת, מִצְוָה – באות מ׳; תּוֹדָה, תְּמוּנָה, תִּקְוָה – באות ת׳ וכדומה).

רק הפעלים ערוכים לפי שורשיהם – בצורתם בבניין קל (פָּעַל) עבר נסתר (גוף שלישי זכר), שכן זוהי צורתו הפשוטה ביותר של הפועל. כל הַפעלים "העלולים", שיש בנטיותיהם פה ושם סטיה מן הצורה הדקדוקית הרגילה והיא עלולה לשַמש מכשול לקורא שאינו "מדקדק" מומחה – לאלה ניתנו "רמיזות" בגוף הספר, אגב הפנָיה אל השורש (הוֹשִׁיעַ – עין ישע; הִצִּיל – עין נצל; הֵצֵל – עין צלל). כן ניתנו רמיזות והפנָיות לצורות חורגות במקרא, כגון: הֶאֱזִנִיחוּ, וַיַּכְּתוּם, מַלְּפֵנוּ, תִּתָּבַר.

לתועלת הקורא המעוניין בסקירת כל המלים המקראיות הנגזרות מן השורש, ניתנה ליד כל שורש (במקומו האָלפביתי!) רשימת כל נגזריו: הפעלים לבנייניהם, שמות, תארים, מִליות, שמות פרטיים, מלים ארמיות, למשל:

אמר : אָמַר, לֵאמֹר, נֶאֱמַר, הִתְאַמֵּר, הֶאֱמִיר; ארמית: אֲמַר; אֹמֶר, אִמְרָה, אָמִיר? מַאֲמָר; ש״פ אִמֵּר, אִמְרִי, אֲמַרְיָה(וּ).

ו.
סדר הצורות הדקדוקיות

ברישום סדר הצורות הדקדוקיות של כל ערך לא הלכנו בדרך המקובלת בקונקורדַנציות הקודמות, אלא קבענו את הסֵדר המקובל בספרי הדקדוק בימינו, היינו:

השמות ניתנו לפי הסֵדר הבא: נפרד (עם אותיות־השימוש: ה׳ הידיעה,

* המחבר הלך בשיטתו זו בניקוד ב"מילון החדש" שבעריכתו, ואף זכה להכרה על כך.

** בכל הקונקורדנציות אין הפסוקים מנוקדים, פרט לשתיים: ב"ספר הזכרונות" של אליהו בחור מן המאה הט״ו (עיין עליו ותצלום ממנו בסקירה הביבליוגראפית עמ׳ כ—כ״ד); ובימינו — בקונקורדנציה העברית־גרמנית של ג. ליסובסקי (שם עמ׳ לה).

*** עורכי "אוצר לשון המקרא" (הסקירה הביבליוגראפית עמ׳ ל״ד) קבעו בגוף הקונקורדנציה את השמות הפרטיים, אבל לא את הארמית.

ו׳ החבור, בכל״ם וכו׳); נסמך (כנ״ל)*; הנטיות לפי סדר הגופים הרווח: שלי, שלך, שלך, שלו, שלה, וכו׳. כך ביחיד וברבוי.
שמות התואר: יחיד, יחידה, רבים, רבות – הכול לפי המצוי במקרא.
הפעלים – לפי סדר הצורות והזמנים המקובל: מקור, מקור נסמך (שם־הפועל), עבר, הווה (בינוני), עתיד, ציווי – לפי סדר־הגופים: אני, אתה, את, הוא, היא וכו׳; ולפי סדר הבניינים המקובל: פָעל, נפעל, פִעל, פֻעל, התפעל, הִפעיל, הָפעל. והוא הדין במלות־היחס לנטיותיהן.

ז. מראי המקומות — מראי־המקומות ניתנו כולם בעברית וללא קיצורים: בראשית, שמות, נחום, תהלים, נחמיה וכו׳. רק השמות המורכבים של ספרי המקרא ניתנו בקיצור: ש״א, ש״ב, מ״א, מ״ב, שה״ש, דה״א, דה״ב. רק במקומות מועטים, שרישום השם במילואו הצריך הוספת שורה, קיצרנוהו כלשהו.
הפרקים סומנו באותיות והפסוקים – במספרים, לשם הבחנה בין אלה לאלה: בראשית ג 5 [= בראשית פרק ג פסוק 5].

✶

עד כה סקרנו את הקוים העיקריים שבסדר ובצורה בקונקורדנציה החדשה, השונים מן המקובל בקונקורדנציות אחרות – לשם הקלת השימוש בה. נציין עתה את חידושיה המהותיים העיקריים.

ח. מפתח המשמעים — הקונקורדנציה, כאמור לעיל, אינה מילון. אין תפקידה לנתח ניתוח לקסיקאלי מקיף כל מלה המובאת בה, את גזרונה וגלגוליה. דבר זה ניתן במילונים לתנ״ך ובאנציקלופדיות המקראיות. מצד שני, לא יתכן לעיין בחומר הלשוני הרב המכונס בקונקורדנציה בלא שתינתן הבחנה או חלוקה, ולו כללית ביותר, של המלים לפי משמעיהן העיקריים. מחברי הקונקורדנציות נהגו עד כה לתת בראש כל ערך הערה מילונית, קצרה או מפורטת יותר, ואחריה הובאו טורי הפסוקים ומראי־מקומותיהם לפי סדר הספרים ולפי צורותיהם הדקדוקיות, ללא הבחנה במשמעים השונים של הפסוקים.

אנו קבענו שיטה חדשה: בצד כל פסוק המובא במערכת המובאות (הערוכות כרגיל לפי הצורות הדקדוקיות ולפי סדר הספרים) נרשם מספר סודר מ־1 ועד אחרון הפסוקים של הערך, ואילו בפירוט המשמעים שבראש הערך צינו ליד כל משמע את מספרי הפסוקים המתאימים לאותו משמע; כך ניתן לקורא ״מפתח המשמעים״, שבאמצעותו לא יתעה עוד ב״לאבירינת״ הפסוקים (המגיעים למאות ואף לאלפים!), אלא ימצא בנקל את הפסוקים הקרובים לכל משמע.

* הפרדנו את הנסמך מן הנפרד גם בשמות שאין הבדל צורני ביניהם, כגון: אֶבֶן – אֶבֶן־, אִישׁ – אִישׁ־, בֶּגֶד – בֶּגֶד־ וכו׳. בכל הקונקורדנציות אין הבחנה בין הנפרד לנסמך במלים מסוג זה והן ניתנות בערבוביה, לפי היקרותן בספרי המקרא.

לפי שיטה חדשה זו של ציון הפסוקים במספרים סודרים• יֵקל לקורא לעמוד גם על שכיחותו של כל ערך במקרא וכן לראות את הסיכום הכללי של המלים השוטפות בכל ערך וערך.

ט. רשימת "קרובים" עיקר שני ב"קונקורדנציה החדשה" – רשימה מרוכזת של מלים נרדפות וקרובות־משמע ליד ערכים רבים. קראנו לרשימה זאת בשם "קרובים", שכן למעשה מועטים בלשון נרדפים ("סינונימים") ממש, ורובם אינם אלא קרובים במשמע. המחפש בקונקורדנציה מושג מסוים ונתעלמה ממנו המלה המציינת אותו, יוכל לפנות אל ערך הקרוב במשמעו לאותו מושג, ולידו ימצא את שאר המלים "הנרדפות" וביניהן את המלה המבוקשת. הרוצה למשל, למצוא, את המקומות במקרא הדנים באבנים שונות, או בקרבנות למיניהם, או בביטויי שמחה וכו׳ – יעיין ברשימות ה"קרובים" ליד הערך "אֶבֶן" או ליד הערך "קָרְבָּן" או ליד הערך "גִּיל" או "שִׂמְחָה" – וימצא את מבוקשו. רשימת "הקרובים" תסייע למעיין למצוא את רובי העניינים הניתנים בקונקורדנציה עניינית למקרא.

י. מפתח הצירופים ועיקר שלישי – "ומן השלשה הכי נכבד" – מפתח הצירופים הערוך בסדר אָלפביתי ליד מרבית הערכים. ליד כל צירוף – מספרי הפסוקים (הממוספרים!) שצירוף זה משובץ בהם. המעיין פונה לעיתים קרובות אל הקונקורדַנציה לא לשם איתורה של מלה בודדת, אלא למצוא או לאַשש קיומו של צירוף לשוני. מעתה לא יצטרך לטרוח ולעבור על טורי הפסוקים המרובים כדי לגַלות את הצירוף שהוא מעוניין בו, אלא ימצאנו מיד במפתח שבראש אחת המלים המרכיבות צירוף זה, והוא יַפנֵנו אל הפסוקים המתאימים. כך, למשל, ליד הערך "אָב" ניתן מפתח של צירופי "אָב" כנסמך ("אַב הֲמוֹן גּוֹיִם", "אֲבִי יְתוֹמִים" "אֲבִי עַד" וכו׳), צירופי "אָב" כסומך ("בֵּית אָב", "מוּסַר אָב", "נַחֲלַת אָבוֹת" וכו׳), וכן צירופי "אָב" עם פועל ("כַּבֵּד אָבִיו", "שִׂמַּח אָבִיו", "שָׁכַב עִם אֲבוֹתָיו" וכו׳). מי שרצה עד כה למצוא, למשל, את המקראות שבהם הצירוף "אִישׁ אֱלֹהִים", היה אנוס לעבור בקונקורדנציה על הרשימה הארוכה ורבת־הטורים של הערך "אִישׁ", או על הרשימה הארוכה עוד יותר של הערך "אֱלֹהִים"... לא כן בספרנו: במפתח שליד הערך "אִישׁ" (או ליד הערך "אֱלֹהִים"!) ימצא לפי הסדר האלפביתי שבו את הערך "אִישׁ אֱלֹהִים" ולידו מספרי כל הפסוקים שצירוף זה משובץ בהם.

מפתח הצירופים נתון ליד כל שֵם או פועל, ואף ליד שם פרטי, ליד מִלות ואף ליד מלים ארמיות רבות, אם אמנם המספר הרב של הפסוקים הבא אחריהן מצדיק קביעת מפתח. ליד כל פועל בעל תפוצה רבה במקרא ניתנות ב"מפתח" גם הצרכותיו העיקריות, היינו מלות־השימוש המתקשרות אליו (אָבַד לְ־, אָבַד מִן־, אָבַד אֶת־ וכו׳). וכך משמש "המפתח" גם מדריך לבירור ענייני תחביר ושימוש־הלשון במקרא הלכה למעשה.

• שיטה זו נקטנו כבר ב"קונקורדנציה לשירת ביאליק" בהוצאת "קרית ספר", ירושלים תש"ד.

יא. צמצום לעומת הרחבה

מפתחות המשמעים והצירופים, רשימות ה״קרובים״, השרשים לגזריהם, הניקוד המלא ועוד – כל אלה הרחיבו במידה רבה את היקף ספרנו.

לעומת הרחבה זאת נקטנו דרכים מיוחדות לצמצום ההיקף: **צמצום טכני־גראפי** וצמצום ענייני – הכול כדי להקל ולפשט את השימוש בספר.

הצמצום הטכני־הגראפי הושג על־ידי הדפסת הכותרות של הצורות הדקדוקיות לקבוצות־הפסוקים לא בראשה של כל קבוצה, כנהוג בכל ספרי הקונקורדנציות, אלא בצידה, בשולי הטור. על־ידי־כך נחסך מספר רב של שורות־סדר בכל עמוד, ועם זאת הוקל גם הסיקור הכללי של הצורות הדקדוקיות השונות של כל ערך.

הצמצום העניני הוא בשיטת המובאות בספרנו, הערוכה לפי הכלל הבא: מלה או צורה דקדוקית מסוימת החוזרת ונשנית בפסוקי המקרא מספר פעמים רב מאוד (עשׂרות, מאות ואפילו אלפי פעמים!) באופן סטיריאוטיפי, ללא חידוש משמעי מיוחד – מראי־המקומות של כל הפסוקים האלה הובאו במרוכז בלא הבאת הפסוקים עצמם. בדרך זו נחסכו עשׂרות ומאות רבות של עמודי־סֵדֶר – לנוחותו של המשתמש בקונקורדַנציה.

נבהיר דרך זו על־ידי עיון באחד הערכים: הערך ״אָמַר״ כולל בין השאר את הצורה הדקדוקית ״וַיֹּאמֶר״. צורה זו במשמעה הרגיל (״השמיע דברים״) מצויה במקרא למעלה מאלף ושבע מאות פעם! ב״היכל הקודש״ תופסים פסוקי קבוצת ״וַיֹּאמֶר״ שבעה עמודים תמימים (28 טורים!), וב״אוצר לשון המקרא״ למעלה מעשׂרה עמודים (42 טורים!). בספרנו הוקדשו ל״וַיֹּאמֶר״ על שימושיו והצרכותיו כ־40 פסוקי־הדגמה, ואילו במקום הבאת המאות הרבות של שאָר הפסוקים הסטיריאוטיפיים – רשמנו במרוכז רק את מראי־מקומותיהם לפי סדר הספרים, ובריכוזם אינם תופסים אלא כשלושה טורים! הקורא לא יָצא נפסד, שכן ריבוי הפסוקים לא יוסיף לו להבהרת המשמעים, ואילו הרוצה לטרוח ולעיין בפסוקים נוספים, יוכל למצאם בלי קושי לפי מראי־המקומות.

ריכוז דומה לכך של מראי־מקומות ניתן באותו ערך ״אָמַר״ ליד הצורה הדקדוקית ״לֵאמֹר״ במשמעה הרגיל ״כדברים האלה״ (״וידבר ה׳ אל משה לֵאמֹר״ וכדומה). ״לֵאמֹר״ מופיעה במשמע זה במקרא למעלה מתשע מאות פעם. בקונקורדנציות השונות היא תופסת טורים רבים, ובריכוזי מראי־המקומות שבספרנו היא תופסת מקום מועט ביותר.

דרך זו נקטנו גם לגבי כל צירוף לשוני החוזר ונשנה במקרא פעמים רבות ככתבו וכלשונו. כך, למשל, הצירוף ״בַּיּוֹם הַהוּא״ החוזר במקרא למעלה ממאתיים פעם (עיין בערך ״הוא״) – מראי־המקומות שלו ניתנו במרוכז, ללא הבאת הפסוקים, שצירוף זה, משובץ בהם*.

* ראוי לציין, כי כל אותם המקראות ״שקופחו״ לכאורה והושמטו בשל ריכוז מראי־מקומותיהם ליד ערך מסוים, מובאים בדרך כלל במקומות אחרים בקונקורדנציה ליד ציוני המלים האחרות שבהרכבן.

כל זאת לא רק לשם צמצום ממדיו של הספר, אלא כדי שלא להכביד על הקורא בעמודים רבים של מובאות שאין בהן תוספת חידוש, ולהנעים על־ידי־כך את השימוש בקונקורדנציה והעיון בגופי הדברים.

הננו מקוים, כי הקונקורדנציה במתכונתה החדשה תקרב אליה את לבם ואת דעתם של הקוראים העברים חובבי התנ״ך והלשון, שיראוה מעתה כספר־עזר שימושי ונוח לאיתור כל מלה או ניב או פסוק במקרא, לפתרון סתומות בכתיב או בניקוד, למציאת תשובה מהירה לשאלות בחידוני התנ״ך וכדומה. רבה אמונתנו, כי גם בספריות בתי־הספר ובבתי־האולפנה האחרים לא ייפקד מעתה מקומה של הקונקורדנציה בין ספרי־היען המקובלים והשווים לכל נפש בלימודי התנ״ך, הספרות והלשון.

★

חיבור קונקורדנציה לתנ״ך – עבודה קשה היא הדורשת יגיעה מרובה.
לא הייתי יכול לעמוד במשימה קשה זו בלא עזרת בני יובל, שעמד לימיני בכל שלבי העבודה ועדר עמי באמונה בהעתקה ובהשואה, בספירה, בניקוד ובהגהה.
לר׳ יצחק אבינרי, בעל ״היכל רש״י״, ״יד הלשון״ ו״היכל המשקלים״, הריני חב הרבה על כמה מן העקרונות שהונחו ביסוד הקונקורדנציה, וביחוד על אשר חיזק את ידי לגשת לפעלי זה וסמכני בהערות ובהארות חשובות.
תודתי הנאמנה לד״ר דב ירדן, שנועצתי בו רבות בעבודתי, לפרופ׳ ח׳ רבין, לפרופ׳ ד״ש לוינגר, למר ב״צ לוריא ולמר מ׳ מדן, שעיינו ביריעות־ההגהה הראשונות והעירו הערותיהם, ולד״ר י׳ מהלמן על הארותיו לסקירה הביבליוגראפית שניתנה להלן בראש הספר.

מנהלי ״קרית ספר״, פנינה ושלום סיון ובנם אברהם, לא חסכו כל עמל וכל הוצאה לשם ביצוע המפעל במתכונתו במלא היקפו. על אף המכה הקשה אשר ניחתה עליהם בתוך שנת הדפסת הכרך הראשון – בהילקח מעליהם בנם־בכורם איתן ז״ל בדמי ימיו (אף הוא נמנה עם מנהלי ״קרית ספר״ והתעניין מקרוב בשלבי התקדמותה של הקונקורדנציה), לא רפו ידיהם והמשיכו בעבודה במלא התנופה. יבורך חילם.

הנהלת דפוס ״סיון״ וחבר עובדיו טרחו בשקידה ובנאמנות בהתקנת הספר, איש איש במקצועו – בסידור, בעימוד ובהדפסה – לכולם התודה והברכה.

תודה מיוחדת לסדרים הוותיקים א׳ עמיאל ומ׳ ליפשיץ על עזרתם היעילה בהגהה האחרונה, נוסף לעיסוקם בהתקנת היריעות לדפוס.

א׳ א״ש

ירושלים, ערב חנוכה תשל״ז

למהדורה השלישית

במהדורה חדשה זו תוקנו כמה טעויות דפוס שגילינו או שהובאו לידיעתנו ע״י קוראים ומעיינים.

כן עלה בידנו לשבץ בתוך גוף הספר את ההשמטות האחדות שעמדנו עליהן.

נכיר טובה גם להבא לכל קורא ומעיין שיואיל להעמידנו על כל פגימה או טעות, קלה כחמורה – בניקוד, במראה־מקום, במיספור וכיו״ב, אם יגַלה אגב עיון.

✶

ביגון עמוק נזכיר כאן את שני האישים אשר הלכו לעולמם בתקופה שבין הופעת הכרך הראשון של הקונקורדנציה ובין מהדורה זו.

האחד – יצחק אבינרי ז״ל, אביר לשוננו ובונה היכליה, שעורר את המחבר לגשת לפעלו זה ועודדהו בכל עת בעצה טובה.

והשני – המו״ל הוותיק, מנהל ״קרית ספר״ וראשה שלום סיון ז״ל, אשר נאמנותו ללא סייג לספר העברי, אֱמונו המלא בדרכו של המחבר, ואמונתו בערך מעשה זה עמדו לנו בעבודתנו הממושכת והקשה. וצר מאוד, כי לא זכה לראות את המפעל בהשלמתו.

א׳ א״ש

ירושלים, תשרי תשמ־א

הַקּוֹנְקוֹרְדַנְצְיוֹת הָעִבְרִיּוֹת לַמִּקְרָא

סקירה ביבליוגראפית•

א קוֹנְקוֹרְדַנְצְיָה מַה הִיא

השם "קוֹנְקוֹרְדַנְצְיָה" (לאטינית: Concordantia, "התאמה", ובריבוי: Concordantiae "התאמות") נתייחד מאמצע המאה ה־13 בערך לספר המכיל את כל המלים (או את רובן) שבתוך טקסט מסוים, כשהן ערוכות על־פי־רוב בסדר אלפביתי; ליד כל מלה רשומות המובאות המתאימות שבהן משובצת אותה מלה כמות שהיא או בצורותיה הדקדוקיות השונות. לכל מובאה מתאימה ניתן מראה־מקומה בטקסט••.

הטקסט הראשון והנפוץ ביותר, ששימש לעריכת קונקורדנציות, היה ספר התנ"ך במקורו או בתרגומיו. בדורות האחרונים חוברו בלשונות שונות קונקורדנציות גם לטקסטים חילוניים של סופרי־מופת, כגון – לכתבי גיתה, שקספיר, פושקין ורבים אחרים. בעברית נתפרסמו, נוסף על הקונקורדנציות הרבות למקרא, גם קונקורדנציות למשנה, לתלמוד, לבן־סירא, למגילות מדבר יהודה, לשירת ביאליק ועוד.

הקונקורדנציה הייתה והנה מספרי־העזר החשובים לחוקר הספרות, לבלשן ולכל מתעניין – לאיתור כל מלה וכל צווּ־ה לשונית במשמעיה השונים בטקסט ספרותי מסוים בדרך נוחה ומהירה.

• נ:עריכת סקירה זאת, ביחוד בפרקים הראשונים, היו לעינינו בין השאר מחקרו של א. ר. מלאכי "אוצר הלכסיקוגראפיה העברית", שצורף למהדורת שולזינגר של "היכל הקודש"; מחקרו של א. מ. הברמן "המקרא והקונקורדאנציה" בכרך הראשון של "אוצר לשון המקרא", וכן ההקדמות המפורטות של מחברי הקונקורדנציות השונות – פירסט, מנדלקרן, טיילור, דוידזון ואחרים. הננו מודים בהזדמנות זאת לעובדי הספריה הלאומית והאו־ניברסיטאית בירושלים, אשר טרחו להמציא לשימושנו את רוב הספרים, ביניהם נדירים ביותר, שלא היו עד כה בהישג עינינו, ועל עזרתם בצילום כמה מעמודי הספרים העתיקים שניתנו בסקירה זאת. כן אנו מודים להנהלת הספריה הלאומית בפאריס על הרשות שניתנה לנו לצלם דפים אחדים מתוך המיקרופילמים השמורים בספריה הלאומית והאוניברסיטאית בירושלים.

•• היו שקראו על שום כך בעברית לקונקורדנציה "סֵפֶר הַמַּתְאִימוֹת" (כך מנדלקרן ב"פתח ההיכל" לקונקורדנציה, תרנ"ה; ל. רבינוביץ קרא כן לחוברת לדוגמה של הקונקורדנציה שלו, תרס"ב; הרב ח. קוסובסקי בשער הקונקורדנציה למשנה, תרפ"ו). בשנים האחרונות הועלתה ההצעה הקצרה "מַתְאִימוֹן" (ע"מ "מילון", "ניבון" וכדומה).

ב הַקּוֹנְקוֹרְדַנְצְיוֹת הָרִאשׁוֹנוֹת לְתַרְגּוּמֵי הַתַּנַ"ךְ

המסורת הנוצרית מייחסת לנזיר אנטוני מפדואה (1195–1231) (Anthonius de Padua) את חיבור הקונקורדנציה הראשונה לתנ"ך בתרגומו הלאטיני – ה"וולגאטה"•.

אולם החיבור האותנטי הראשון של קונקורדנציה שנודע בעולם חובר בידי הנזיר הדומיניקאני הוגו קארו (Hugo de Sancto Caro) בקירוב בשנת 1244, אף הוא לוולגאטה ונקרא בשם "Concordantiae Sacrorum Bibliorum" (קונקורדנציה של כתבי הקודש). סבורים, כי קארו הוא שטבע הראשון את המונח "קונ־קורדנציה". בהכנת הקונקורדנציה נעזר קארו בצוות של מאות נזירים. מטרתה של הקונקורדנציה היתה דתית־תיאולוגית בעיקרה: לסייע בידי אנשי הכנסיה במציאת האסמכתות המתאימות בתנ"ך לטענותיהם בויכוחיהם בענייני דת ואמונה עם חכמי היהודים, שהיו בקיאים במקרא ובמפרשיו.

קונקורדנציה ראשונה זו הוגהה ונערכה מחדש כעבור דור בידי הנזיר הפראנציסקאני ארלוטו (Arlotto di Pratto) בחיבורו החדש שהופיע בשנת 1290. באותם הימים הופיעו גם עיבודים אחרים של הקונקורדנציה – כולם בלאטינית לוולגאטה.

בדורות הבאים הלך והתפשט השימוש בקונקורדנציות לתנ"ך (ול"ברית החדשה").

תנופה רבה לפרסום הקונקורדנציות באה עם המצאת הדפוס (באמצע המאה ה־15).

בשנת 1470 הופיעה הקונקורדנציה הראשונה בדפוס "Concordantiae Bibliorum" מאת הכומר קונראד מגרמניה. מהדורות אחדות ממנה הופיעו בדפוס במאה ה־16.

סמוך לאותה תקופה הודפסה בבאזל קונקורדנציה חדשה, אף היא לוולגאטה, מאת פרוֹבֶּניוּס (Iohannes Frobenius), שזכתה אף היא למהדורות רבות.

• "וולגאטה" – הנפוצה בציבור; כן נקרא התרגום הלאטיני של התנ"ך (חוץ מספר תהלים) שנעשה בידי הירונימוס הקדוש (בערך 340־420), נזיר נוצרי שישב בבית־לחם. הוא תרגם גם את הברית החדשה ללאטינית. הוולגאטה נתקבלה כנוסח המקודש של כתבי־הקודש בכנסיה הקאתולית.

בשנת 1535 נדפסה באנגליה הקונקורדנציה הראשונה לתרגום האנגלי של התנ״ך והברית החדשה מאת תומאס גיבסון.

בשנת 1607 נדפסה הקונקורדנציה הראשונה לתרגום ״השבעים״, הוא התרגום היווני הקדום למקרא.

בשנת 1638 פורסמה קונקורדנציה חדשה לתרגום היווני של התנ״ך ע״י אֶראסמוס שמיד, והיא שימשה אבטיפוס לקונקורדנציות רבות אחרות, ערוכות בהיקף ובשיטות שונות, שהופיעו מאז ועד ימינו בלשונות רבות.

ג

הַקּוֹנְקוֹרְדַּנְצְיָה הָעִבְרִית הָרִאשׁוֹנָה ״מֵאִיר נָתִיב״

כבר במאות הרביעית והחמישית הרבו חכמי התלמוד לעסוק בענייני נוסח, מלים ואותיות במקרא, קרי וכתיב, ״תיקוני סופרים״, ״עיטורי סופרים״ ועוד. ״לפיכך נקראו ראשונים סופרים שהיו סופרים כל האותיות שבתורה״ (קידושין ל. ועוד). במאות השמינית והתשיעית נעשו על־ידי האסכולות השונות של המדקדקים חכמי ״המסורה״ נסיונות חשובים ראשונים של הכנת רשימות שונות של מלים במקרא: מלים יחידאיות (שאין להן אָח במקום אחר), מלים המופיעות פעמיים או שלוש וכו׳, ואף עשרות פעמים; זוגות של מלים המופיעות במקרא פעם בלי ו׳ ופעם עם ו׳ החיבור (״א״ב מן חַד וחד, חד א׳ וחד וא׳ ולֵית דכוותהון״), כגון: ״אָכְלָה״ (ש״א א 9) ״וְאָכְלָה״ (בראשית כט 19); ״אָמְרָה – וְאָמְרָה״, אָחִיהָ – וְאָחִיהָ״ ועוד 224 זוגות כאלה; צירופי מלים שונות המופיעות פעם בלי ה׳ הידיעה ופעם עם ה׳ הידיעה, כגון: ״אַשְׁרֵי אִישׁ״ (תהלים קיב 1), אַשְׁרֵי הָאִישׁ (תהלים א 1). כל אלה ורבות אחרות דומיהן נרשמו על־ידי חכמי המסורה בשולי הגליונות של ספרי המקרא. ברבות הימים צורפו כל ההערות לקונטרסים והופצו ברבים לשם הקניית הקריאה הנכונה בתנ״ך. ״אלמלא בעלי המסורת שהעמידו התורה והקבלה על עמדה כמעט לא מצא אדם ידיו ורגליו במחלוקות, וכבר נשתכחה תורה מישראל ונעשית תורה בכמה תורות ח״ו [חלילה וחס], ולא היינו מוצאים שני ספרים בכל ספרי המקרא שהיו מסכימים יחד״•.

הרְשימות המרובות של ״המסורה״ (״מסורה קטנה״ ו״מסורה גדולה״) כונסו בדורות האחרונים והן משמשות אוצר בלום לחקר נוסח המקרא. אולם כל אלה לא הובאו בשיטה קונקורדנציונית, ואין לראותם אלא כניצנים ראשונים של קונקורדנציה למקרא.

רק באמצע המאה הט״ו נתחברה הקונקורדנציה העברית הראשונה לתנ״ך. מחברה היה ר׳ יצחק־נתן בן קלונימוס מן העיר אַרל (Arles) שבפרובאנס בדרום צרפת.

• מתוך ההקדמה ל״מנחת שי״ לר״י מנורצי.

ר׳ יצחק נתן, שחי במחצית הראשונה של המאה ה־15, קנה לו שֵׁם בדורו בידיעותיו בתורה, בתלמוד, בפילוסופיה ובויכוחיו עם הנוצרים. כמה מחיבוריו נשארו גנוזים בכתב־יד. לפרסום זכתה הקונקורדנציה שלו שנקראה בשם ״מֵאִיר נָתִיב״ (או ״יָאִיר נָתִיב״ על־פי הכתוב באיוב מא 24), שחיברה בעקבות הקונ־קורדנציה של אַרלוֹטוֹ (ר׳ לעיל).

מַטרת חיבורו של ר׳ יצחק־נתן• היתה אף היא דתית־פולמוסִית – כדי שהיהודים ימצאו בו עזר והדרכה בויכוחיהם עם הנוצרים.

בסוף פתיחתו ל״מאיר נתיב הנקרא קונקור־דאנשייש״ כותב ר״י נתן••:

– – – ״בעת נערותי, בהיותי דופק על דלתות מלמדי, השכלתי ונתעוררתי בדבר הזה, ויום יום הייתי יוצא ובא בין חכמי הנצרים, ועם היותי בורח מהויכוח בדת ובעניני אמונתינו הכוני פצעוני בשוט לשון הלצייות דרכיהם ומקומותיהם יחשבום מופתים מוחלטים, והיו בלבי כאש בוערת, ואהי נגוע כל היום מהתפארות קצת קטניהם בתוכחות הבלי ציורים והזיות ודברים מרבים ההבל, והיו אצלם חזקים כראי מוצק שאין בהם מדחה, הם הרה[י]בוני הלהיבוני להשיב עליהם. ומצאתי בספריהם ספר אחד יקראוהו בלשונם קונקורדאנש״יאש מהב(ל)בליא״ה ודרכו דרך השרשים הרחבים ומקבץ כל פסוקי המכתב הקדוש כלו בלוח אחד איש לא נעדר, ויהי לי לצור מעוז ולחומ[ה] בצורה דוח[ה] כל אבן משליך אליה, ועם הספר ההוא לא היתה טענה אשר שגבה ממנו לנתוש ולנתוץ, ולכן חמדתיו אהבתיו אחזתיו עד שהבאתיו אל חדר בית מדרשי וגמרתי אומר להעתיקו. כי אז שערתי להיות רב ממני הדרך להמציא כמוהו בלשוננו, ונחמתי מעשותו, כי ראיתי לא תועיל לנו ההעתק[ה] לפי לשוננו העבריי לחוף השמו[ת] והפעל[ים] אשר שם המעתיק גירוני״מו החליף ושנה לפי מה שראה והבין מהבאור בם לפי מקומותיהם, כמו שם ״מחוקק״ – פעם העתיקו ״סופר״ ופעם ״חכם״ ופעם ״נביא״ ופע[ם] ״מושל״, ולזה שערתי יהיה תועלתו מועט אצל בעלי הלשון העבריי, ולכן נסוגותי ממלאכת ההעתקה עם קלותה ובחרתי להמציאו בלשוננו, כי מצאתי דרך ממציאו. ולמען לא אצא מדרכו ויקל למצא כל פסוק, נדרשהו בשתי הלשונות רשמתי כל עשרים וארבע[ה] למספר פרשיות הנצרים, למען לא ניגע למצא מה שנרצהו מהם – – – אמנם כוָנתי היתה רצויה וטרדות העתים לא נתנוני להוציא הכלי הזה על שלמותו למעשהו, ועם זה לא נמנעתי מעשות החלק הזה אשר יכולתי עליו...והבא אחרי וימלא חסרוני חן ימצא ושכל טוב בעיני אלהים ואדם——״.

• בשער הפנימי של ״מאיר נתיב״ נרשם: ״חיבר הפילוסוף האלהי החכם ר׳ מרדכי נתן״, אבל בפתיחה לספר נאמר: ״ר׳ יצחק נתן״. ורבו הויכוחים בין החוקרים בדבר שמו הנכון של המחבר.

•• הפיסוק והניקוד החלקי בקטע זה וכן בקטעים האחרים המובאים להלן הוכנסו להקלת הבנת התוכן. הכתיב לא שונה.

שער המהדורה הראשונה של "מאיר נתיב", ויניציה רפ"ד (1524)

אתן אבנט אראל ארגז אגרטלי אדרכן אחשדרפנים אחשתרנים אלגביש ארגמן בבת באר באש

ותרא האתון את מלאך יי׳ וגו׳
ותט האתון וגו׳ ויך בלעם את
האתון כב כג
ותרא האתון את מלאך יי׳ כב כה
ותרא האתון וגו׳ ויך בלעם את
האתון במקל כב כז
ויפתח יי׳ את פי האתון כב כח
ויאמר בלעם לאתון כב כט
ותאמר האתון אל בלעם
הלא אנכי אתנך כב ל
את אתנך זה שלש רגלים כב לב
ותראני האתון ותט לפני כב לג

שופטים

רכבי אתנות צחרות ה י

שמואל א׳

ותאבדנה האתנות לקיש וגו׳
לך בקש את האתנות ט ג
פן יחדל אבי מן האתונות ט ה
ולאתונות האבדות לך היום ט יט
נמצאו האתנות וגו׳ והנה נטש
אביך את דברי האתונות י ג
ויאמר לבקש את האתונות י יו
כי נמצאו האתונות י יח

מלכים ב׳

אחד מן הנערים ואחת האתונות ד כב
ותחבש האתון ותאמר ד כד

דברי הימים א׳

ועל האתונות יחדיהו המרנתי כז לא

איוב

וחמש מאות אתונות א ג
והאתונות רועות על ידיהם א יד
ואלף אתונות מב יג

זכריה

עיר בן אתונות ט ט

ואשר הם מיותר משלש אותיות

אבנט והוא אזור המכנסים׳

שמות

מצנפת ואבנט כח ה
ואבנט תעשה מעשה רוקם כח ם
ועשית להם אבנטים כח מא
וחגרת אותם אבנט כט ט
ואת האבנט שש משזר לט כט

ויקרא

ויחגר אותו באבנט ח ז
ויחגר אותם באבנט ח יג
ובאבנט בד יחגר יו ד

ישעית

ואבנטך אחזקנו כב כא

אראל ופירושו מלאך או חזק׳

שמואל ב׳

את שני אריאל מואב כג כ
וד״ה א׳ יא כב

ישעית

הן אראלם צעקו חוצה לג ז

ארגז ופירושו תיבה׳

שמואל א׳

תשימו בארגז מצדו ו ח
ואת הארגז ואת עכברי הזהב ו יא
את ארון יי׳ ואת הארגז אשר אתו ו טו

ארגטלי ופירושו כלי למים׳

עזרא

אגרטלי זהב שלשים ארגטלי
כסף אלף א ט

אדרכן ופירושו מטבע מה׳

דברי הימים א׳

ואדרכונים רבו כט ז

עזרא

לאדרכנים אלף ח כז

אחשדרפנים פירושו פריס׳

עזרא

לאחשדרפני המלך ופחוות ח לו

אסתר

אל אחשדרפני המלך ג יב
ואל האחשדרפנים והפחות ח ט
והאחשדרפנים והפחות ט ג

אחשתרנים והם בהמו׳ גרולו׳ ובכברות

אסתר

רכבי הרכש האחשתרני׳ ח י וח יד

אלגביש והם אבני הברד הגדולות

יחזקאל

אבני אלגביש תפלנה יג יא
ואבני אלגביש בחמה לכלה יג יג
ואבני אלגביש לח כב

ארגמן והוא שם הצבע האדום הנקר׳ כרמז ועמו ארגון כי הוא תמורת מ״ם

שמות

ותכלת וארגמן ותולעת שני כה ד
ולה ו ולו ח ולט בט
שש משזר ותכלת וארגמן כו א
תכלת וארגמן ותולעת שני כו לא
וכו לו וכז נו וכח ז וכח ט וכח
יו ולו לה ולח יח ולט ב ולט ה
ואת התכלת ואת הארגמן כח ו
תכלת וארגמן ותולעת שני כח לד
ולט ח ולט כד
את התכלת ואת הארגמן לה כה
ורוקם בתכלת ובארגמן לה לה
ולח כג
ומן התכלת והארגמן לט א
ובתוך הארגמן לט ג

במדבר

בגד ארגמן ד יג

שופטים

ובגדי הארגמן שעל מלכי מדין ח כו

דברי הימים ב׳

ובארגון וכרמיל ותכלת ב ז
בארגמן ובתכלת ובבוץ ב יד
תכלת וארגמן וכרמיל ובוץ ג טו

אסתר

וארגמן על גלילי כסף א ו
ותכריך בוץ וארגמן ח טו

משלי

שש וארגמן לבושה לא יט

שיר השירים

מרכבו ארגמן ג י
ודלת ראשך כארגמן ז ו

ירמיה

תכלת וארגמן לבושם י ט

יחזקאל

וארגמן מאיי אלישה כז ז
בנפך ארגמן כז יו

שרשי אות הבית

בבת כל ספירושו אישון העין והוא שם לשחרות אשר בו

תהלים

כאישון בת עין יז ח

איכה

ואל תדום בת עינך ב יח

זכריה

נוגע בבבת עינו ב יב

באר פתים המה פארותיו

א פה סעניכו פירום

דברים

הואיל משה באר א ה
באר היטב כו כז

חבקוק

ובאר על הלוחות ב ב

ב מה ספירושו בור

בראשית

ועמק השדים בארות בארות יד י
על כן קרא לבאר באר לחי ראי יו יד
ותרא באר מים כא יט
על אודות באר המים כא כה
כי חפרתי את הבאר הזאת כא ל
מחוץ לעיר אל באר המים כד יא
ותרץ עוד אל הבאר לשאב כד כ
וכל הבארות אשר חפרו כו טו
ויחפר את בארות המים כו יח
וימצאו שם באר מים חיים כו יט
ויקרא שם הבאר עשק כו כ
ויחפרו באר אחרת ויריבו כו כא
ויחפר באר אחרת ולא רבו כו כב
ויכרו שם עבדי יצחק באר כו כה
על אודות הבאר אשר חפרו כו לב
וירא והנה באר בשדה וגו׳ כי מן
הבאר ההוא וגו׳ והאבן גדולה
על פי הבאר כט ב
וגללו את האבן מעל פי הבאר וגו׳
והשיבו את הארץ על פי הבאר
למקמה כט ג
וגללו את האבן מעל פי הבאר כט ח
ויגל את האבן מעל פי הבאר כט י

שמות׳

וישב על הבאר ב טו

במדבר

ולא נשתה מי באר כ יז
ומשם בארה היא הבאר כא יז
עלי באר ענו לה כא יח
באר חפרוה שרים כא יט
לא נשתה מי באר כא כג

שמואל ב׳

ולו באר בחצרו וירדו שם יז יח
את המסך על פני הבאר יז יט
ויהי אחרי לכתם ויעלו מהבאר יז כא

נחמיה

ובבאר שבע ובנותיה יא כז
ויחנו מבאר שבע יא ל

תהלים

תורידם לבאר שחת נה כד
ואל תאטר עלי באר פיה סט יו

משלי

ונוזלים מתוך בארך ה טו
ובאר צרה נכריה כג כז

שיר השירים

באר מים חיים ד טו

ירמיה

בארות בארות נשברים ב יג

באש מה סעניכו סרחון אף תעוב או מיאוב ועמה באושים

בראשית

להבאישני ביושב הארץ לד ל

שמות

אשר הבאשתם את ריחנו ה כא
והדגה אשר ביאור תמות ובאש
היאור ז כ
והדגה אשר ביאור מתה ויבאש
היאור ז כג
חמרים חמרים ותבאש הארץ ח י
וירם תולעים ויבאש יו כ
ולא הבאיש ורמה לא היתה בו יו כד

שמואל א׳

וגם נבאש ישראל בפלשתים יג ד
הבאש הבאיש בעמו בישראל כז יב

שמואל א׳

ויראו בני עמון כי נבאשו בדוד י ו
וישמע כל ישראל כי נבאשת את
אביך יו כא

דברי הימים א׳

כי התבאשו עם דוד יט ו

איוב

ותחת שעורה באשה לא ם

תהלים

הבאישו נמקו חבורותי לח ו

משלי

ורשע יבאיש ויחפיר יג ה

קהלת

זבובי מות יבאיש יביע י א

ישעיה

ויעש באושים ה ב וה ד
ופגריהם יעלו באשם לד ג
הבאש דגתם מאין מים נ ב

יואל

ועלה באשו ב יט

עמוס

ואעלה באוש מחניכם ד י

בג

עמוד מתוך ״מאיר נתיב״

יצחק בן קלונימוס נתן

ספר מאיר נתיב

נקרא מקורדנסייש שחיבר הרר מרדכי נתן

ובו תמצא מספר כל השרשים · וביאור המלות חמורות מכל המקרא · ומלות
ושותפים מכל ספרי ארבע ועשרים · וגם כן תמצא בנקלה
הפסוקים על מקומותם מכל פרשה ופרשה ·
ובכמה פסוקים מכל קאפיטולה

וראיתי אני מאיר ן׳ יעקב פרינץ רב תועלת וקורת רוח לתלמידים
העוסקים בתורה וכמעט אי אפשר לעשות
זולתו אמרתי עת לעשות ליי׳:

נדפס במצות השר משיר אלוויזי בראגדין ·

שנמשת אלפים שלש מאות עשרים וארבע ליצירה

פה ויניציא

שער של ״מאיר נתיב״ במהדורת מאיר פרינץ, ויניציה שכ״ד (1564)

מטרתו של ר׳ יצחק־נתן היתה בעיקרה, כאמור, לתת בידי חכמי ישראל ספר שיהא בו עזר בויכוחיהם עם חכמי הגויים: בו יוכלו למצוא בנקל במקרא כל מלה הנדרשת להם ולהוכיח לכהני הנוצרים את משמעותם האמיתית של המלים והפסוקים, ולא את הכוונות המזויפות שייחסו להם הנוצרים לחיזוק טענותיהם. עם זאת היתה רבה בו גם התועלת לשמה, ללימוד התנ״ך ולקניית הבקיאות בו.

ר׳ יצחק־נתן הלך בחיבורו בשיטתם של מחברי הקונקורדנציות הלאטיניות של זמנו: את ספרי המקרא שהובאו כמראי־מקומות רשם לפי הסֵדר שבוולגאטה•. כן קיבל מהם את החלוקה לפרקים (״קאפיטולי״)•• ואת סימון הפסוקים במספרים•••. בראש ספרו נתן רשימת הפרשיות של כל ספרי התנ״ך עם ההתחלות שלהן. את הערכים נתן לפי השרשים, ובכך שימש אב לכל הקונקורדנציות העבריות שבאו אחריו. הפעלים, השמות והתארים וכו׳ ניתנו אצלו ב״דֶגל״ אחד – ללא כל חלוקה לפי חלקי הדיבור וללא הבחנה בין הנטיות והכינויים – אלא לפי סדר הספרים הנ״ל. מלות השימוש, מלות הגוף, שמות פרטיים והארמית שבמקרא – לא הובאו כלל. בסוף הקדמתו מנמק ר״י נתן את טעם ההשמטות האלה:

״השמטתי כמלות רובם למה שאינן מורות ענין עומד בעצמו ולרוב מציאותם במכתב – – – אמנם אחשוב עלתה בידי המלאכה, זולתי מה שהשמטתי מהמלות להקל מעלי, וגם מהם נחמתי כי לא עשיתים, אך היתה הכונה ממני למהר ולהחיש ההכרחיי ממנו והנחתי הבלתי הכרחיי פן ימנעני מהשגת ההכרחיי עם שראיתי שבקונקורדאנש״יש אשר בלשון הלאטי״ן לא יחסר שום מלה מהמלות, גם שמו בם שמות העצם, כי היה כונת ממציאה למצא בנקלה חיי האנשים והנהגתם בדרכיהם אשר ירצו לדבר בם בדר(ס)שותיהם, וזה למיעוט הרגלם המכתב הקדוש האלהיי וידיעתם בו, ואם ימצאו בזה הכלי שגיאות או טעיות בחלוף שום הפסוקים על הדגל הראוי להם יקל התקון למשתמש ממנו ולהוגה בו. אמנם לא אחשוב שיפקדו פסוקים בשמות ובפעלים אשר החלותי לוחותיהם – – –״.

על אף שקידתו הרַבה של ר׳ יצחק־נתן ורצונו להוציא מתחת ידו כלי מתוקן, רבו במפעלו החלוצי השמטות, טעויות ואי־דיוקים.

• בראשית, שמות, ויקרא, במדבר, דברים, יהושע, שופטים, רות, מלכים (ארבעת הספרים: שמואל א׳, שמואל ב׳, מלכים א׳, מלכים ב׳), דה״א, דה״ב, עזרא, נחמיה, אסתר, איוב, תהלים, משלי, קהלת, שה״ש, ישעיה, ירמיה, איכה, יחזקאל, דניאל, תרי עשר.

•• את החלוקה לפרקים (״קאפיטולי״) הנהיג הקרדינאל סטיפאן לאנגטון בראשית המאה ה־13.

••• בכתבי היד ובדפוסים הראשונים של המקרא לא סומנו הפסוקים במספרים. לראשונה הונהג ציון המספר לכל פסוק בדפוסי התנ״ך משנת 1570 בערך ואילך.

שמונה שנים שקד ר׳ יצחק נתן על חיבור הקונקור־דנציה (קצ״ח – ר״ח, 1437–1445). כתב־היד זכה בלי ספק להעתקות שונות. רק מקץ שמונים שנה (כיובל שנים אחרי מות המחבר) הודפס לראשונה בדפוס דניאל בומברג בוונציה – בשנת רפ״ד (1524). במהדורה זאת ניתן ליד כל ערך גם תרגומו הלאטיני. כעבור ארבעים שנה (שכ״ד – 1564) נדפסה מהדורה שניה של ״מאיר נתיב״ ע״י מאיר בן יעקב פרינץ, גם היא בוונציה. מאז הופיעו מהדורות נוספות רבות של הספר (גם בשמות אחרים).

בשנת 1621 פרסם הכומר הפראנציסקאני Marius de Calasio מהדורה מתוקנת ומורחבת של ״מאיר נתיב״ – בהוספת שמות פרטיים. לכל שם הביא מובאה אחת בלבד. כן הכניס גם מלים ארמיות. קונקורדנציה זאת הופיעה בתבנית גדולה בארבעה כרכים – בעברית ובתרגום כל מובאה מן התנ״ך ללאטינית על־פי הוולגאטה, שורה מול שורה, בשני טורים. בסוף הכרך הרביעי הוסיף רשימות של המלים הארמיות, שמות פרטיים ומִליות. קונקורדנציה זאת זכתה למהדורות אחדות (קלן 1646, לונדון 1648, רומא 1657). כן זכתה לתפוצה רבה באותם הימים מהדורה מקוצרת של הקונקורדנציה בעריכת אנתוני רויכלין בשטראסבורג (באזל 1656).

ד
״סֵפֶר הַזִּכְרוֹנוֹת״ לְאֵלִיָּהוּ בָּחוּר

שֶפר חלקה של הקונקורדנציה ״מאיר נתיב״, שזכתה להופיע בדפוס ונפוצה במהדורותיה ובעיבודיה השונים בעמים ובישראל.

לא כן היה גורלה של הקונקורדנציה העברית האחרת שחיברה אליהו בן אָשר הלוי, הידוע יותר בכינויו ״אליהו בחור״•. אין אנו יודעים אם ראה אליהו בחור את כתב־היד של ״מאיר נתיב״, מכל מקום כבר בשנת רע״ו (1516), (היינו כשמונה שנים לפני הדפסת המהדורה הראשונה של ״מאיר נתיב״) התחיל לשקוד על חיבור קונקורדנציה עברית על יסוד המסורה, וקרָאָהּ בשם ״סֵפֶר זִכְרוֹנוֹת״ (״כי זֵכֶר כל המעשים המועלים למקרא בתוכו באו והוא דורש את עניני המלות כלם״). ההעתק הראשון של ״ספר זכרונות״ נסתיים בשנת 1525 והוקדש לקארדינל אֶגידיוס (Aegidius de Viterbo) שהיה תלמידו לעברית ואף שילם לו את שכרו במשך כל שנות עבודתו על החיבור. כתב־יד זה שמור עד היום בספריה הממלכתית במינכן. הספר נערך כעבור עשר שנים

• אליהו בן אשר הלוי אשכנזי (רכ״ח–ש״ח, 1469–1549), מדקדק, בלשן ולקסיקוגראף נודע, ישב רוב ימים באיטליה ועסק בהוראת הלשון והדקדוק העברי ליהודים ולאנשי מדע וכמורה נוצרים. התפרסם בחיבוריו בחקר הלשון והמסורה, בחיבור מילונים לעברית ולארמית, גם לאידיש. בסוף ימיו השתקע בוונציה ועסק בהגהת ספרים בבית דפוסו הנודע של דניאל בומברג.

260

13?

pars prima

ספר זכרונות

מבקש חשבונות

מכל מלות שונות

אשר הן חונות

[illegible]ר אמונות

בדקדוק לשונות

ומלה נכונות

במסורת טמונות

שער של "ספר זכרונות" לאליהו בחור בכתב-ידו, משנת רפ"ה (1525)

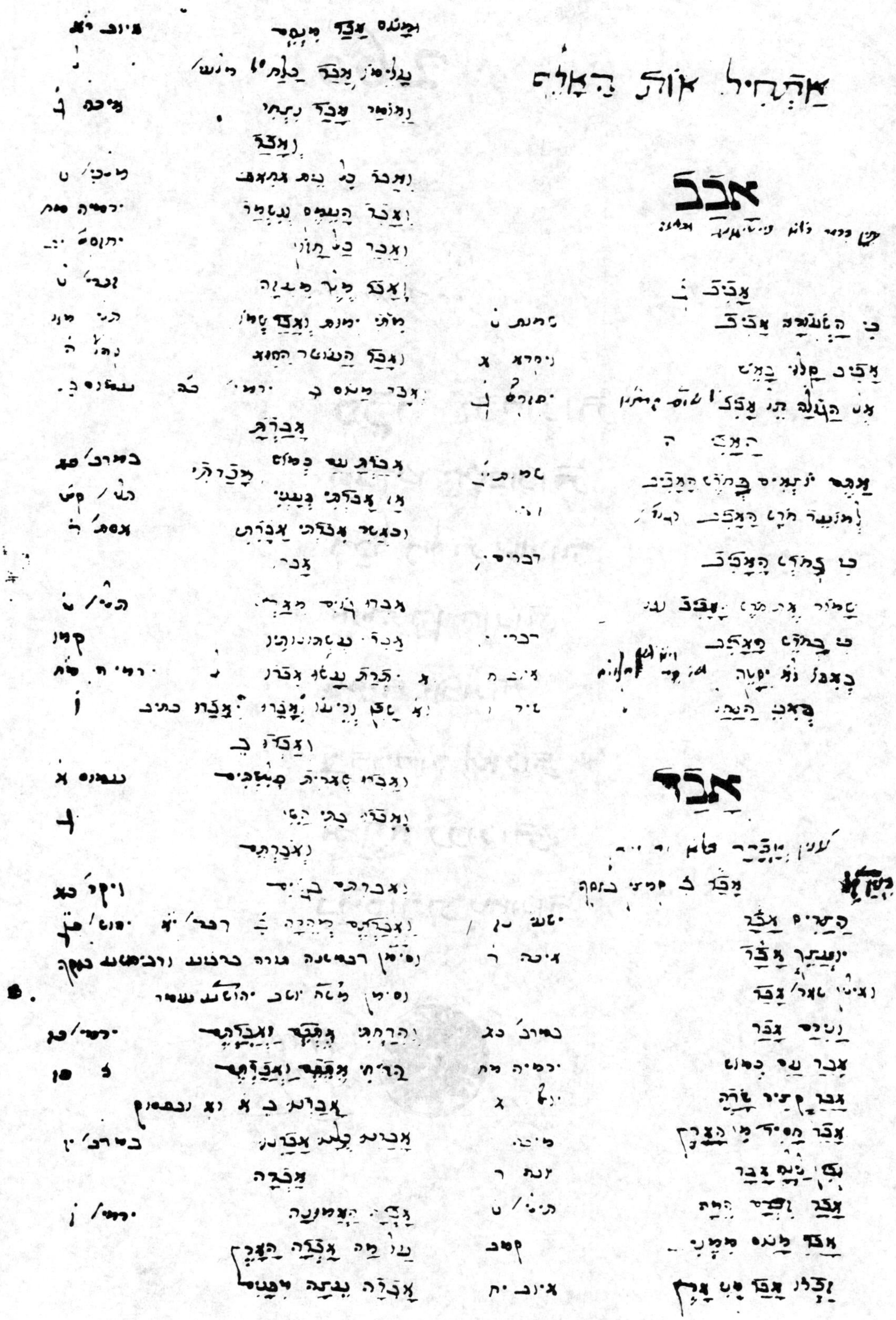

אתחיל אות האלף

אבב

[illegible]

אָבִיב ב

כי השעורה אביב — שמות ט

אביב קלוי באש — ויקרא ב

את חג המצות [illegible] אביב [illegible] — שמות כג

האביב ה

אתם יוצאים בחדש האביב — שמות יג

ושמרת חדש האביב [illegible]

כי בחדש האביב — דברים

שמור את חדש האביב ועשית

כי בחדש האביב — דברים

באבו לא יקטף [illegible] — איוב ח

באבי הנחל — שיר ו

אבד

עיין [illegible]

[illegible] אבד ב [illegible]

הצדיק אבד — ישעי נז

ונצחי אבד — איכה ג

ואיש [illegible] אבד

[illegible] אבד

אבד עם כמוש

אבד קציר שדה

אבד חסיד מן הארץ — מיכה ז

[illegible] אבד

אבד זכרם המה — תהל ט

אבד מנוס ממני — קמב

וזכרו אבד מני ארץ — איוב יח

ומנוס אבד מנהם — איוב יא

עלימו אבד כלח [illegible] — ל

ותאמר אבד נצחי — איכה ג

ואבד

ואבד כי [illegible] — מיכ ט

ואבד [illegible] — ירמיה מט

ואבד [illegible] — יחזקאל ז

ואבד [illegible] — זכרי ט

[illegible] ואבד [illegible] — תהל קיב

ואבד [illegible] — נחום ה

אבד [illegible] ב ירמי כב [illegible]

אבדת

אבדת עם כמוש — במדבר כא

[illegible] אבדתי — תהל קיט

[illegible] אבדתי אבדתי — אסתר ד

אבדו

אבדו גוים מארצו — תהל י

אבדו [illegible] — דברי

[illegible] אבדו — ירמיה מח

[illegible] אבדו [illegible]

ואבדו ב

ואבדו [illegible] — עמוס א

ואבדו [illegible] — ד

ואבדתם

ואבדתם בגוים — ויקרא כו

ואבדתם מהרה — דברים יא — יהוש כג

[illegible]

[illegible]

והרחקתי אתכם ואבדתם — ירמי כז

[illegible] ואבדתם — ירמיה מח

אבדנו [illegible]

אבדנו כלנו אבדנו — במדבר יז

אבדה

אבדה האמונה — ירמי ז

[illegible] אבדה [illegible]

אבדה [illegible] — איוב יח

עמוד ראשון של "ספר זכרונות"

עריכה שנייה והוקדש לתלמידו הבישוף Georges de la Bar. כתב־יד זה שמור בספריה הלאומית בפאריז•. "ספר זכרונות" לא זכה לראות את אור הדפוס, ורק דפים אחדים ממנו (ערכים א ב ד – א ג ם) העתיק והדפיס דב גולדברג בשנת תרל"ה••.

בהקדמתו מזכיר אליהו, כי "נזהר בכל עוז שלא לכתוב שם או פעל אחד רק במקום אחד ולא בשנים או בשלשה מקומות כמו שעשה בעל ספר הקונקורדנציא ללא תועלת"... יתכן כי נתכוון לאחת הקונקורדנציות שחיברו חכמי הנוצרים, ולאו דווקא ל"מאיר נתיב". גם הוא, כר' יצחק נתן, שם לו לאחת המטרות "שיהיה הספר טוב לספר נצחון ויועיל מאד להתווכח עם המתנגדים אלינו באמונתנו" (עי' עוד להלן).

יתרונו של "ספר זכרונות" על "מאיר נתיב" בכך, שהצורות השונות של כל ערך ניתנו בו בסדר דקדוקי ומילוני – הפעלים לנטיותיהם ולבנייניהם, השמות – לכינוייהם וכו'. כן צורפו בו שמות פרטיים, מלות שימוש רבות, וליד כולם הערות שונות של המסורה.

אליהו בחור נזהר, כדבריו בהקדמה, "שלא להרבות כמות הספר הזה יותר מדאי", ומרוב רצונו זה לקצר ולצמצם השמיט במתכוון, ואף שלא במתכוון, הרבה מראי מקומות ומקראות, לעומת זאת נהג מפעם לפעם, אמנם ללא שיטה קבועה, לתת ליד שרשי מלים שונות רשימה מרוכזת של שמות עם צירופיהם בלא מראי מקום. לרשימות מרוכזות אלה קרא בשם "והאספסוף"... כן רשם פה ושם רמיזות לשמות שונים שניתן למצאם ליד הפועל השכיח שהם מצטרפים אליו. כך למשל, ליד השם "דם" רשם: "עין בשרש שפך", או בראש השם "סוס" כתב "עין בשרש רכב"...

עניין רב יש בסיום ההקדמה ל"ספר זכרונות", שבה פירט אליהו בחור את כל המטרות וה"תועליות" שבחיבורו. להלן כמה מעיקרי דבריו שיש בהם עניין גם בימינו:

"והנה התועליות המגיעות מזה הספר הם עשרה:

התועלת הא' הוא שיהיה הספר כדמות ספר השרשים, מבאר כל המלות הנמצאים בכ"ד ספרים – – –

התועלת הב' שיהיה הספר הזה כדמות ספר דקדוק, וזה כי יבוארו בו דקדוק כל המלות הנמצאות בשורש ההוא...

התועלת הג' הוא שיהיה הספר כדמות תקון ספר תורה, כי בו יגיה כל אדם כל כ"ד ספרים במלוי וחסרון, במלעיל ומלרע, בקריין וכתיבן, בתקון סופרים, באותיות גדולות וקטנות...

התועלת הד' הוא שיהיה הספר כדמות באור למסורה גדולה וקטנה. ומבטיח אני כל המעיין בספר הזה ישכיל ויבין דברי בעלי המסורת אשר לפנים בלא ידעם.

התועלת הה' שיהיה הספר הזה כדמות מראה מקום לכל מי שיקרא באחד מן הספרים מקרא, משנה, גמרא, קבלה, דקדוק ופירושים, וימצא שם ראיות פסוק ולא ידע מקומו, הלא בזה הספר קל מהרה יבין דרכו וידע את מקומו וימצאהו באיזה ספר ובאיזה פרשה, ר"ל קאפיטולי הוא...

התועלת הו' הוא שיהיה הספר הזה מבחר וטוב לכל הבא לעשות איזה פרשה וירצה להביא ראיות מהפסוקים לדרוש ההוא. והמשל: הרוצה לדרוש בענייני צדקה הלא יעיין בשרש "צָדַק" במחנה "צדקה"... וכן כמו כן אם ידרוש בענין שלום או בענין שמחה, יבקש בשרש "שָׁלַם" או "שָׂמַח".

התועלת הז', מי שירצה לכתוב כתבים בלשון עברי על פי פסוק, הלא ימצא הפסוקים כפי הדרוש אשר יחפוץ... אם רוצה לכתוב כתב לחברו מענין מלבושים שיקנה לו או יעשה לו, ועיין בשרש לָבַשׁ ואם לא ימצא שם מבוקשו יעיין בשרש בָּגַד או בשרש כסה בענין כסות או בשרש חָלַץ בענין מחלצות.

התועלת הח' הרוצה לעשות חרוז או שיר שקל, הלא ימצא בכל שרש במלות הדומות במבטא בסוף התיבה. והמשל: הרוצה לעשות שיר משובח, שיהיה סוף כל חרוזותיו: "בָרִים", וצריך לעשות אבָרִים, גבָרִים, דבָרִים, חבָרִים, נבָרִים, עבָרִים, שְׁבָרִים, הלא יעיין בשרשי המלות האלה וימצא פסוקים מכל אלה ויבחר הנאותים למבוקשו...

התועלת הט' הוא שיהיה הספר הזה טוב לעניין הקבלה, כי ימצאו בו כל השמות הקדושים...

התועלת הי' הוא, שיהיה הספר הזה טוב לספר נצחון, ויועיל מאד להתווכח עם המתנגדים אלינו באמונתנו. וזה בשני אופנים: האחד, שהם רגילים להתווכח עמנו ומביאים ראיה מן הפסוקים על פי הסימנים שעשו בכל העשרים וארבעה, וקראו להם כך וכך קאפיטולי ואומרים: הלא כתוב בספר פלוני בכך וכך קאפיטולי. ומי שירגיל עצמו בספר הזה ידע ויבין לעשות כן גם הוא. והאופן השני, ידוע הוא כי רוב הויכוח אשר בינינו ובינם הוא בענין המשיח, אם כבר בא או עתיד לבוא, ועל אריכות הגלות, ועל הגאולה, ועל הגן עדן והגיהנם. ומי שבא להתווכח על זה, יעיין בשרש "משח" ובשרש "גלה" ובשרש "גאל" וימצא כל הפסוקים שמדברים מזה. – –•

• תצלומי מיקרופילם משני כתבי־היד של "ספר זכרונות" שמורים בספריה הלאומית והאוניברסיטאית בירושלים.

•• העתקה לא מדויקת ובשינויים של המהדיר!

• לפי תצלום כתב־היד המצוי בספריה הלאומית והאוניברסיטאית בירושלים.

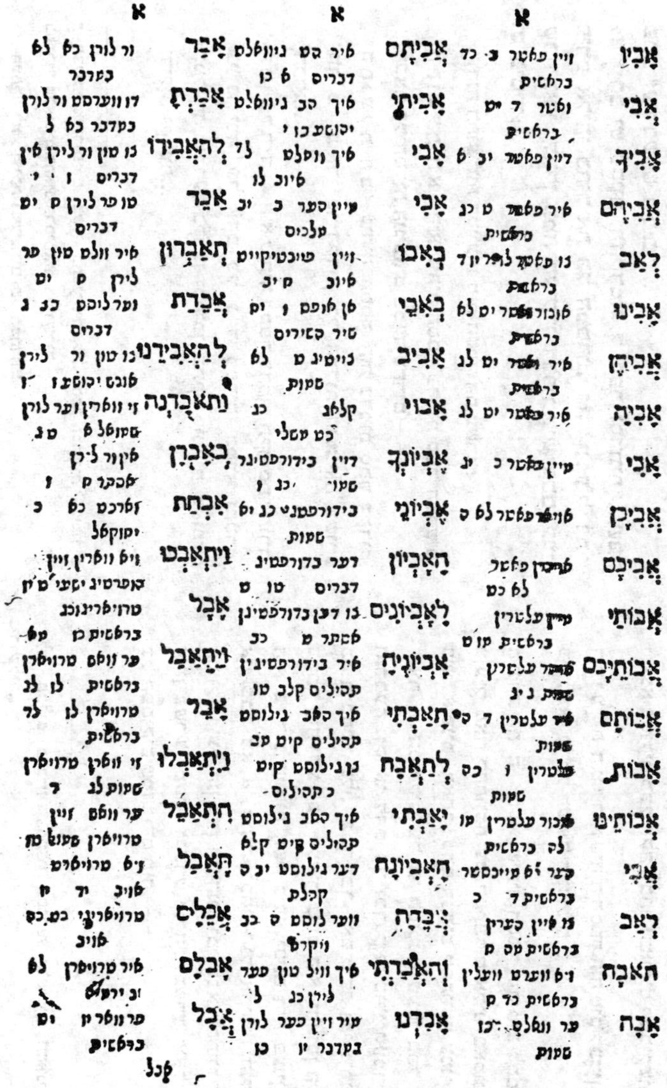

השער ועמוד מ״ספר רבי אנשיל״ (״מרכבת המשנה״), קראקו שמ״ד (1584)

בהקדמתו זאת, שנכתבה, כאמור, בערך בשנים רע״ו–רפ״א, (1516–1525) מיצה אליהו בחור כמעט כל שניתן ללמוד מן הקונקורדנציה לתנ״ך בימיו. ברם, כאמור, איתרע מזלו של ״ספר זכרונות״ שנשאר גנוז בכתב־יד בבתי הנכות ולא זכה לראות עד היום את אור הדפוס. לא יפלא איפוא, שהקונקורדנציה של ר׳ יצחק-נתן ״מאיר נתיב״ היתה ונשארה הקונקורדנציה העברית הראשונה והיחידה שזכתה לתפוצה ולשמש אבטיפוס לקונקור־דנציות המשוכללות יותר שבאו אחריה.

ה. קוּנְטְרֵסִים וּסְפִיחֵי קוֹנְקוֹרְדַנְצִיּוֹת

מאז הקונקורדנציה העברית ״מאיר נתיב״ של ר׳ יצחק-נתן ו״ספר הזכרונות״ של אליהו בחור באמצע המאה ה־16 ועד אמצע המאה ה־19, במשך תקופה של כשלוש מאות שנה בקירוב, לא חוברה בידי יהודים קונקורדנציה נוספת לתנ״ך.

אמנם פה ושם נתפרסמו חיבורים וקונטרסים שבשערם נרשם השם ״קונקורדנציא״, ברם למעשה לא היו אלה אלא ילקוטים של שרשים, או קיצורים של ילקוטים שהופיעו לפניהם, או כעין מילונים, אולם לכלל קונקור־דנציה ממש לא הגיעו. נציין אחדים מן העיקריים שבהם:

בשנת ש״ט (1549) נדפס בקושטא ספר בן 200 עמוד בשם ״מכלל יפי״ מאת ר׳ שלמה ן׳ מלך ס״ט ובשערו המפורט נרשם בין היתר: ״עם הפסוקים והמלים... על סדר הפרשיות כאשר חלקם החכם ר׳ מרדכי נתן ז״ל בעל ספר יאיר נתיב הנקרא קונקורדנסיאש בלעז״... למעשה אין זה אלא לקט של פירושים על פסוקים קשים ושרשים מחולקים לפי פרשיות התנ״ך.

בשנת שי״ב (1552) הופיע הספר ״מרכבת המשנה״ שבסוף שערו נרשם: ״נאם צעירי המחוקקים שמואל בר חיים ז״ל העליץ, אשר בר חיים ז״ל העליץ״. מהדורה שניה של הספר (קט״ז דפים כפולי טורים) הופיעה בקראקה בשנת שמ״ד (1584) בשם ״ספר רב אַנשיל, והוא מרכבת המשנה לקונקורדנציה היותו מורכב משתי הלשונות ׳לשון הקודש ולשון אשכנז׳...והוא מלמד ללמוד דברי תורה נביאים וכתובים הוא כל העשרים וארבע והאיש הנלבב שירצה להבין דברי תורה נביאים וכתובים בספר זה לבד יוכל להבין אותו״... אף זה הוא בעיקרו לקט של שמות ופעלים מן התנ״ך מתורגמים ליידיש על־פי רוב עם מראה־מקום אחד.

בשנת תצ״ב (1732) פורסם קונטרס בשם ״גזע יהודה״ מאת יהודה ליב מקרפינטראץ, ובשערו נרשם ״קיצור מן קונקרטאנציאש״... והוא מהדורה מקוצרת של ספרו שנדפס בשנת תע״ט (1719) בשם ״אהלי יהודה״ הכולל שמות ופעלים מן התנ״ך, ערוכים בסדר א״ב.

בשנת תקי״ג (1753) הודפס בליוורנו קונטרס בן 41 דף מאת יצחק די משה די פאס, בשם ״הדרת זקנים״ חלק א ״והוא קיצור של הקונקורדאנציא על דרך אלפא ביתא״...

בשנת תק״כ (1760) הודפס בברלין הספר ״מלים לאלוה״ מאת ר׳ יהודה ליב מינדין ״מבאר כל שם ופעל ומלה שבתוכה נביאים וכתובים, באורן בלה״ק ותרגומן בלשון אשכנז ומראה מקום תחנותן בתנ״כ... עם תוספת באורים מספר הקונקורדנ״ץ...״.

בשנת תקכ״ח (1768) פורסם קונטרס בן 47 דף בתבנית גדולה בשם ״שרש ישי״ מאת ר׳ יצחק ב״ר צבי הירש מזלדין: ״והוא קיצור הספר מאיר נתיב הנקרא קונקורדאנציא בלע״ז שחיבר הפילוסוף רבי מרדכי נתן זללה״ה... וחיברתי ולקטתי ממנו... רק השרשים וראשים... וקצרתי בתכלית הקיצור רק לכל שרש וראש איזה פסוקים השייכים להם וביאורם... ומה שנשתנה ביאורם ע״י דרש מרז״ל ולדעת הקמחי והמכלל יופי וספר אהלי יהודה ושאר מפרשי התורה״...

זהו כמעט כל היבול הספרותי של מחברים יהודים בתחום הקונקורדנציות בכל אותה תקופה ארוכה.

היזמה להמשך שכלול הקונקורדנציות לתנ״ך נשארה למשך דורות רבים בידי חוקרים ומלומדים נוצרים.

ו. הַקוֹנְקוֹרְדַנְצִיּוֹת שֶׁל בּוּקְסְטוֹרְף וְשֶׁל נוֹלְדְיוּס

מפנה חשוב בתולדות הקונקורדנציות לתנ״ך העברי חל עם הופעת הקונקורדנציה לתנ״ך של בוקסטורף (Iohannes Buxtorf, 1564–1629) מזרחן שווייצי, פרופסור לעברית באוניברסיטה בבאזל, פרסם מחקרים רבים וחשובים בחקר הלשון העברית ודקדוקה. בוקסטורף עסק במשך שנים בהתקנת מהדורה חדשה של התנ״ך בצירוף התרגום הארמי, המסורה והפרשנים העברים השונים. באחרית ימיו שקד על התקנת קונקורדנציה גדולה לתנ״ך בעברית, אך לא זכה להשלימה. בנו, גם הוא כשם אביו יוהאנס בוקסטורף, ירש את מקום אביו כפרופסור לעברית, המשיך בעבודת הקונקורדנציה, השלימה מקץ שלוש שנים למות אביו והוציאה לאור בשנת 1632, בשמה הלאטיני: ״Concordantiae Bibliorum Hebraicae et Chaldaicae״. הוא הקדים לקונקורדנציה מבוא ארוך בלאטינית על תולדות הקונקורדנציות ועל עקרונות הספר, והוסיף תוספת קונקורדנציונית גדולה גם לחלק הארמי של התנ״ך. בוקסטורף נקט את שיטתו של אליהו בחור בסידור השרשים וחלוקתם לפעלים לבנייניהם ולגזרותיהם ולשמות למשקליהם ולנטיותיהם, אך המבנה הכללי הוא כשל ״מאיר נתיב״. הוא השאיר גם את הביאורים

Joannis Buxtorfi

CONCORDANTIAE

Bibliorum

Hebraicae et Chaldaicae.

In nova editione in his rebus emendatâ:

1. *Ordo* vocum plerisque in locis mutatus est, radicibus summa cum diligentia recens disquisitis.
2. *Sensus* atque *Versio* vocum plurimarum emendata et correcta sunt, collatis tum antiquis tum recentissimis operibus et lexicalicis et grammaticalibus.
3. *Voces* ab auctore promiscue modo plena modo defectiva scriptione confusae secundum Masoreticam lectionem distinctae sunt.

Adjecta sunt

1. Omnes Hebraicae *Particulae*, ab auctore omnino neglectae;
2. Latinae vocum versioni ubique *versio Germanica* litteris Hebraicis excusa;
3. Tabula omnium vocabulorum et *Hebraicorum et Germanicorum*, lectore rejecto ad Bibliorum locos, in quibus inveniuntur.

Editore

Bernhardo Baer.

Fasciculus I continens litteras א et ב.

STETTINI.

Sumptibus et typis E. Schrentzelii.

ANNO MDCCCLXI.

אוצר שרשי לשון הקדש

המכונה

ספר

קונקורדאנציא

על תורה נביאים וכתובים

כולל מלות לשון הקדש וכל המלים אשר בתרגום של כתובים על פי סדר אלף בית.

והוא המוציא והמביא במספר את כל הבנינים והמשקלים והמלים כל המקומות ממקראי קדש כל אחד על מקומו מדויק היטב על פי סדר ספרי קדש.

ומבוארים בו באר היטב

כל שרשי לשון הקדש לכל חלקי הלשון, שם, פעל, מלה, ונעתקו כל אחד ואחד במספר צבא ההוראות השונות לכל שרש ללשון רומי ואשכנזי.

ונספחו אליו בספר הזה בסופו

לוח כל השרשים במספר הוראותיהם לבית אבותיהם ומראה מקום איפה תוצאותם בגוף הספר ובזה האופן גם לוח מלות אשכנזיות כפי סדר אלפא ביתא.

וגם נתקנו בו

כל המגרעות, והשבושים הרבים אשר עד הנה נשתבש בם החבור הזה, הן בדברים הנוגעים למלא והסר, הן לדגש ורפי, הן מצד הקדמת האחור ואחור המוקדם:

הן אלה קצות מעלותיו הנשקפות כמו שחר המשחר בבחינה והשקפה ראשונה ועוד רבות במעלות יוודעו לכל עברי בעמק העיון בזה החבור.

הוציאו לאור

ישׂשכר ב למה"ו כהרר יהודה ז"ל

המכונה בערנהארד בעער

מחברת א.

שטעטטין שנת תרכ"א לפק.

בהוצאת ובדפוס האדון הנכבד ע: שרענטצעל.

מהדורת בעער של הקונקורדאנציה לבוקסטורף, שטטין תרכ"א (1861)

הקצרים שצירף ר׳ יצחק-נתן לכל שורש ככתבם וכלשונם והוסיף להם תרגום לאטיני. קונקורדנציה זאת נדפסה בתבנית גדולה ובכרך רב־עמודים, והפכה עד מהרה להקונקורדנציה הקלאסית לתנ״ך העברי במשך תקופה של מאתיים שנה בערך. היא הופיעה מאז במהדורות רבות ובחיקויים ובעיבודים שונים (עין להלן סעיף ח).

השלמה חשובה לקונקורדנציה של בוקסטורף הביא בשנת 1679 התיאולוג נולדיוס (Christian Noldius) עם חיבורו קונקורדנציה של מלות־השימוש, שלא הופיעו עד כה בשום קונקורדנציה: ״Concordantiae Particularum Ebraeo-Chaldaicarum״.

המהדורה הראשונה הופיעה בקופנהאגן 1679, ומהדורה שניה – בײנה בשנת 1734, כשהיא מורחבת על־ידי החוקרים טימפיוס, דאנציוס, מיכָאֵליס וקרבֶּריוס, שהוסיפו גם שני מילונים למיליות שבמקרא. בקונקורדנציה יחידה במינה זו הובאו כל מלות־החבור, מלות־הגוף ומלות־היחס, עם פירוט משמעויותיהן ושימושיהן, מבוארות בהרחבה בלאטינית. חלק ממראי־המקומות בתנ״ך הובאו עם ציטאטות והשאר – במראי־מקומות בלבד.

בשנת 1754 הוציא התיאולוג האנגלי ג׳והן טיילור קונקורדנציה גדולה בת שני כרכים גדולים שהיא תרגום והרחבה של הקונקורדנציה של בוקסטורף בצירוף חלק רב של מלות־השימוש שבקונקורדנציה של נולדיוס. כל ערך ניתן בעברית, לידו תרגום בלאטינית ובאנגלית בלי כל ציטאטות מן המקרא, רק מראה מקום בלאטינית.

ז **״אוֹצַר לְשׁוֹן הַקֹּדֶשׁ״ שֶׁל פִּירְסְט**

עד אמצע המאה שעברה שלטה, כאמור, הקונקורדנציה של בוקסטורף על מהדורותיה ועיבודיה בעולם המחקר התנ״כי והיתה בחזקתו של המדע הנוצרי וחוקריו.

מאמצע המאה שעברה חזרה תורה לאכסניה של החוקרים היהודים ואף הגיעה להישגים גדולים.

הקונקורדנציה העברית המודרנית הראשונה והמקיפה הופיעה בשנת 1840, ומחברה הוא המזרחן והלקסיקוגראף יוסף אלסארי המכונה יוליוס פירסט (1805–1873). פירסט שהיה פרופסור ללשונות המזרח באוניברסיטת ליפסיאה, פירסם מחקרים וספרים רבים בחכמת ישראל ובחקר המקרא והלשון העברית. אולם את עיקר פרסומו קנה בקונקורדנציה לתנ״ך ״אוצר לשון הקדש, הוא הנקרא קונקורדנציא לתורה נביאים וכתובים, בו ערוכים ומסודרים שרשי לשון הקדש והמעטים מלשון ארמית שבתנ״ך על פי סדר האלף בית. בו מבוארים ומפורשים תמצית שרשי הלשון לפי גזרתם ושמושם, ההוראות השונות לכל שרש, משקלי השמות ותמונות הבנינים והמשקלים״ וכו׳. בהקדמתו הלאטינית המפורטת הוא מודה: ״ביסוד עבודתי אמנם היתה הקונקורדנציה של בוקסטורף, אולם הנני רשאי לומר, שלא זו בלבד שבדקתי והרחבתי את החיבור הנ״ל, אלא גם עיבדתי אותו במידה כזאת, שאין לי היסוס לקרא את שמי על הספר הזה. העשרתי את ספרי בתוספות רבות, למשל: הוספתי הרבה הערות משל וולף היידנהיים שהיו בכתב־יד, וכן השלמתי כל הערכים שהושמטו על ידי בוקסטורף בפועל ״היה״ ובשם ״יהוה״ ועוד. כל התוספות הן פרי ההתקדמות הפילולוגית והאטימולוגית. במקומות רבים סללתי לי דרך חדשה לגמרי המיוסדת על חקירה מדוקדקת של מוצא המלים וצורותיה״.

ואמנם כן: פירסט הכניס בקונקורדנציה שלו חומר חדש, ואף התאים את הצורה הגראפית לפי טעם הזמן החדש. בין השאר החליף את המספרים הרומיים שבמראי־המקומות במספרים אירופיים (ערביים) המקובלים. ליד כל ערך רשם מחקר בלשני מרוכז בהתאם למחקר בימיו. עם זאת הרחיק לכת בהרבה בשיטתו על הקשר האטימולוגי בין המלים השמיות ללשונות ההודו־אירופיות. השקפותיו הקיצוניות על מוצא המלים השפיעו כמובן גם על סדר הערכים ומקומם בקונקורדנציה. כך, למשל, מופיע אצלו הערך ״דָּם״ כנגזר מן הערך ״אָדָם״, וכהמה רבים.

פירסט שמר בחיבורו על סדר הספרים שבוולגאטה, כפי שהיה נהוג לפניו בכל הקונקורדנציות, ומראי־המקומות נרשמו כרגיל בלאטינית. למהדורה הראשונה של ספרו צירף שורה שלמה של תוספות מעניינות, ביניהן: רשימה אטימולוגית, רשימת 2668 שמות פרטיים בתנ״ך בסדר א״ב (בלא ציון מראי מקומם), ענייני מסורה, תולדות לשון המקרא ועוד.

הקונקורדנציה של פירסט זכתה להתעניינות רבה. בשנת תרצ״ב יצאה לאור ע״י יונתן פרעגער מהדורה מצולמת מוקטנת של הקונקורדנציה ובהשמטת הנספחים הרבים. מהדורה זו זכתה לתפוצה רבה עד ימינו.

ח **״אוֹצַר שָׁרָשֵׁי לְשׁוֹן הַקֹּדֶשׁ״ מַהֲדוּרַת בֶּער**

על אף פרסומו ותפוצתו הרבה של ״אוצר לשון הקדש״ לפירסט, לא נרתע המו״ל יששכר (ברנהארד) בער והוציא כעבור עשרים שנה (תרכ״א – 1861) מהדורה חדשה, מתוקנת ומוגהת של הקונקורדנציה של בוקסטורף בשם ״אוצר שרשי לשון הקודש המכונה ספר קונקורדנציה על תורה נביאים וכתובים״ ובשער נאמר עוד: ״כולל מלות לשון הקדש וכל המלים אשר בתרגום של כתובים על פי סדר אלף בית...ומבוארים בו באר היטב כל שרשי לשון הקדש לכל חלקי הלשון שם פעל, מלה...וגם נתקנו בו כל המגרעות והשבושים הרבים אשר עד הנה נשתבש בם

אוצר לשון הקדש

הוא הנקרא

ספר קונקורדאנציא על תורה נביאים וכתובים

בו ערוכים ומסודרים

שרשי לשון הקדש והמעטים מלשון ארמית שבתנ״ך על פי סדר אלף בית

כאשר נמצאים במדרשי מלין אשר לנו:

גם אוספו ולוקטו בו

לכל גזרה ומשקל ולכל בנין ולתמונות הפעל כל המקומות למושבותם
בתנ״ך באר היטב על פי סדר ספרי קדש:

ומחובר אליו

ספר מדרש מלין על תורה נביאים וכתובים

בלשון רומי ועברי:

בו תמצא מבואר ומפורש

תוצאות שרשי הלשון לפי גדרם ושמושם ומספר ההוראות השונות לכל שרש ולהנגזרות ממנו ומספר בניני הפעלים ומשקלי השמות ותמונת הבנינים והמשקלים לכל מובן מהמובנים ; וההוראות העקריות חקור חקרתי ודרשתי מבאר התרגומים על תנ״ך · ד״מ מהעתקת אונקלוס וירושלמי ומהעתקת סעדיה אלפיומי הגאון · ותרתי אחרי העתקת שבעים זקנים ואחרי העתקה שומרונית לתורה וכאלה הרבה ; ונוספות עוד חקירות הלשון ע״י חפוש צד השווי עם שפתי מזרח ומערב כיד ה׳ הטובה עלי:

ובסוף הספר נלוים אליו עוד

קבוצים אחדים מענינים השייכים לידיעת לשון הקדש

דרך משל קצור אוצר הלשון על פי הסדר בקונקורדאנציא · קבוץ שמות עצמים פרטים ע״פ סדר א״ב · אם שנמצאו בתנ״ך · או אצל הכנענים ויושבי האיים · חקוקים על מטבעות ומצבות וגו׳ · וכן קבוץ המלות עם באור הרכבותיהן · ולקוטים מעניני מסורת ולמוד דקדוק השמות וזכרונות שפת קדש וקורותיה מיום נסתם החזון עד היום הזה:

ממני הצעיר בעמי

יוסף בלא״מ מוה׳ יעקב אלסארי ז״ל

המכונה יוליוס פירסט · מורה בבית מדרש החכמות בעיר לפסיא:

לפסיא התר לפ״ג

נדפס בהוצאת האדון המדפיס קרלו טויכניטץ

שער המהדורה הראשונה של הקונקורדנציה ליוליוס פירסט, ליפסיה ת״ר (1840)

LIBRORUM SACRORUM

VETERIS TESTAMENTI

CONCORDANTIAE

HEBRAICAE ATQUE CHALDAICAE

QUIBUS

AD OMNIA CANONIS SACRI VOCABULA

TUM HEBRAICA TUM CHALDAICA

LOCI IN QUIBUS REPERIUNTUR

AD UNUM OMNES CERTO ORDINE RECENSENTUR

ADDITO

LEXICO LINGUAE SACRAE HEBRAICAE ET CHALDAICAE

DUPLICI

UNO NEOHEBRAICE ALTERO LATINE SCRIPTO

QUO

COLLATIS INTERPRETAMENTIS TRANSLATIONIBUSQUE ANTIQUISSIMIS

VOCABULORUM ORIGINES AC FORMAE

HISTORICA ATQUE ANALYTICA RATIONE EXPLICANTUR.

ADIECTA SUNT

NOMENCLATURA OMNIUM VOCABULORUM HEBRAICORUM, AD QUAE LOCI SCRIPTURAE SACRAE ADDUCTI SUNT. ONOMASTICON SACRUM. SYLLABUS NOMINUM PROPRIORUM PHOENICIO-PUNICORUM. INDEX VOCABULORUM ARAMAICORUM ET NEOHEBRAICORUM AD EXPLICANDA SACRAE SCRIPTURAE VOCABULA ADHIBITORUM. CONSPECTUS FORMARUM NOMINALIUM. PROPYLAEA MASORAE. BREVIARIUM HISTORIAE GRAMMATICAE SACRAE. DENIQUE TABULA RADICUM COMPARATIVA.

AUCTORE

JULIO FUERSTIO

PHILOSOPHIAE DOCTORE, LINGUAE ARAMAICAE, TALMUDICAE, RABBINICAE PUBLICO IN ACADEMIA LIPSIENSI MAGISTRO.

EDITIO STEREOTYPA.

LIPSIAE

SUMTIBUS ET TYPIS CAROLI TAUCHNITII.

ANNO ARTIS TYPOGRAPHICAE SECULARI QUARTO

1840.

השער הלאטיני כנ"ל

החבור הזה...הן מצד הקדמת האחור ואחור המוקדם...״ במהדורה זו הקפיד בער על הכתיב המלא והחסר לפי המסורה. בשער צירף למהדורתו את השער הלאטיני של בוקסטורף ואת ההקדמה הארוכה של בוקסטורף הבן, וכן צירף לביאורים בעברית שבראש כל ערך (של ר׳ יצחק נתן) את התרגום הלאטיני של בוקסטורף וגם תרגום גרמני באותיות עבריות. מראי המקומות ניתנו בעברית.

ט
הַקּוֹנְקוֹרְדַּנְצְיָה שֶׁל דָּוִידְזוֹן

ראוי להזכיר עוד קונקורדנציה עברית שיצאה לאור בשנת 1876, שלושים שנה לאחר פירסט, מאת בנימין דוידזון בשם A Concordance of the Hebrew and chaldee Scriptures by B. Davidson. ב־900 עמודים בני ארבעה טורים ריכז דוידזון את כל אוצר המלים העברי והארמי שבתנ״ך בעקבות בוקס׳ ופירסט. ליד כל שורש נתן את התרגום ועיקרי משמעיו באנגלית, את הפסוקים הביא בקיצור רב, באותיות קטנות ובסימון כל ערך וערך שבפסוק באות ראשונה שלו בלבד. הוא לא סטה מרוב החידושים של פירסט לגבי גזירת שמות משרשים. את מלות היחס לא נתן בגוף החיבור, אלא ברשימה קצרה ובתרגום לאנגלית בלא כל מראי־מקומות. ספרו של דוידזון נועד למשכיל ולחובב התנ״ך האנגלי.

י
״סֵפֶר הַמִּלִּים״ מֵאֵת שבי״ל

קונקורדנציה קטנה, שהיה בה חידוש רב בשעתה, יצאה לאור בשנת תרל״ז (1877) וזכתה לתפוצה רבה ביותר, הלא הוא ״ספר המלים״ מאת שבי״ל. בשער הספר נרשם: ״ספר המלים הוא קונקורדנציה החדש האוצר כל השמות והפעלים גם מלות הבאים בספרי קדש בכל נטיותיהם למיניהם איש איש על דגלו ושרשו, ומראה כל מקומות המצאם בתנ״ך עם פתרון הוראותיהם בכלל ובפרט״. בסוף הקדמתו הקצרה כתב המחבר שבי״ל, הוא שלמה גלבלום: ״והנה ספר המלים הזה אשר ערכתי בעזה״י, אל ידמה הרואה אותו בתחילה כי הוא רק העתק מספר קונקור־דאנציא הגדול, ומי אשר לו הקונקורדאנציא לא יצטרך אליו עוד, אמנם לא כן הוא, ערך הספר הזה תועלותיו בו מאד, מלבד הוראות השרשים כללותיהן ופרטותיהן ודקדוקיהן (אשר) לא העמיקו בהן בעלי השרשים האחרונים, וביאורי הכתובים לפיהן הצפונים בו כאשר יראה הקורא בעינים פקוחות״.

בקונקורדנציה זו בת 755 עמודים בתבנית מוקטנת כינס המחבר את מרבית שרשי המקרא והשמות הנגזרים מהם (כנראה, לפי הקונקורדנציות של בוקסטורף־בער ופירסט) ונתן להם מראי־מקומות בלבד, ללא כל הבאות פסוקים. בסוף ספרו נתן גם רשימה קצרה של מלות שימוש (בלא מראי־מקומות) וכמה הערות ״להקל לדורש ומבקש המלים מעל הספר״ – והכול בצמצום רב ובקצרה.

״ספר המלים״ של שבי״ל, עם כל מגרעותיו (העדר פסוקים, השמטות מרובות, טעויות במראי מקום ועוד), זכה, כאמור, לתפוצה רבה ביותר, שכן היה שוה כל נפש במחירו, ואף ענה באופן חלקי על דרישות המעיין הרגיל בחיפושי מלים במקרא. לא בכדי זכה למהדורות מרובות מאז הופעתו (תרמ״ג, תרנ״ג, תרס״ח ועוד), ואף בימינו הופיעו כמה מהדורות מצולמות ממנו בארצות־הברית (תרצ״ו) ובישראל (תרצ״ח).

יא
קוֹנְקוֹרְדַּנְצְיוֹת לְשֵׁמוֹת פְּרָטִיִּים

סמוך לאותם הימים הופיעו שתי קונקורדנציות קצרות לשמות פרטיים בתנ״ך (שמות אנשים, מקומות וכדומה).

בשנת תרל״ו (1876) יצא לאור קונטרס בן 80 עמוד בשם ״אלה הכתובים בשמות״: ״מראה מקום (קונקורדאנציא) על כל שם עצם פרטי הנזכר בתנ״ך. חברו... הרופא ר׳ גדליה ברעכער ונשלמה מלאכתו ע״י בנו הרופא אהרן, עם הוספות ותיקונים נלקטו מספר העצמים כ״י [כתב יד] להחכם... ר׳ וואלף היידענהיים... פראנקפורט דמיין... תרל״ו״. השמות שנלקטו מן המקרא וכן זיהויָם הקצר נכתבו בעברית, ואילו מראי־המקומות ניתנו בגרמנית.

חיבור מקיף יותר הוציא מקץ שנתיים י״ל שוסלוביץ בשם ״ספר אוצר השמות, הוא חלק שני להספר מאיר נתיב המכונה קונקורדאנציא יאצור בקרבו כל שמות העצמים הפרטיים מעמים אנשים ונשים ארצות ומקומות וערים... על פי סדר אלפא ביתא, איש איש על מקומו... מאתי יהודא ליב ב״ר מרדכי ז״ל שוסלאוויץ משקלאוו, ווילנא תרל״ח״.

בהקדמה מעלה המחבר על נס את פעלו של ר׳ יצחק נתן בעל ״מאיר נתיב״ ומציין, כי כיון שב״מאיר נתיב״ לא ניתנו שמות פרטיים, הריהו רואה בחיבורו זה ״חלק שני״ ל״מאיר נתיב״.

שני החיבורים הנ״ל, וביחוד השני שבהם, אמנם תרמו תרומת־מה למפעל הקונקורדנציות למקרא, בהשלימם את שחסר בקונקורדנציות עד ימיהם, אולם בהיותם מצומצמים בהיקפם, ואף משופעים בהשמטות ובטעויות, לא היה ערכם רב. ראוי להזכיר כי כבר פירסט הביא בנספחים ל״אוצרו״ רשימה מפורטת של השמות הפרטיים במקרא.

יב
"הֵיכַל הַקֹּדֶשׁ"
לְד"ר שְׁלֹמֹה
מַנְדֶּלְקֶרְן

גולת הכותרת של הקונקורדנציות העבריות בימינו היא בלי ספק הקונקורדנציה "היכל הקדש" של ד"ר שלמה מנדלקֶרן, שזכתה מאז הופעתה בשנת תרנ"ו (1896) לתפוצה רבה בעשרות מהדורות באירופה, בארצות־הברית ובישראל, גם בצילומים מוקטנים בכרך אחד או בשני כרכים עד היום הזה.

שלמה מנדלקרן (תר"ו – תרס"ב), יליד עיירה ליד דובנא, היה רב־כשרונות ורב־ידע בתחומים רבים – בשירה ובביקורת, בתרגום ובחקר המקרא והלשון העברית. למד בבית־המדרש לרבנים בוילנה ושפות מזרחיות באוניברסיטת פטרבורג. באודיסה למד תורת המשפטים. בּוֶינה קיבל תואר "דוקטור" על מחקרו על השינויים בנוסחים של ספרי מלכים ודברי־הימים. כבר בצעירותו, בגיל שלושים, החל לרקום רעיון קונקורדנציה עברית שלמה ומקיפה. אחרי הפרעות של שנות השמונים ברוסיה ("הסופות בנגב") עבר לגרמניה והשתקע בליפסיאה (ליפציג), ושם ניגש להגשמת חלום חייו – עריכת קונקורדנציה חדשה שקראה בשם "הֵיכַל הַקֹּדֶש". קרוב לעשרים שנה הקדיש מנדלקרן לעבודתו. בשנת 1884 הוציא בגרמניה חוברת לדוגמה של הקונקורדנציה החדשה, שנתקבלה באהדה וברוב שבחים על־ידי אנשי־המדע. בשנת תרנ"ו (1896) הופיע בליפסיאה בדפוס "היכל הקדש" בכל הדרו.

את רובי חידושיו ויתרונותיו של "היכל הקדש" פירט מנדלקרן במבוא המפורט לספרו – "פתח ההיכל". נציין כאן את העיקריים בהם:

א) מבחינת היקף והחומר – היתה זאת הקונקורדנציה השלמה והמדויקת מכל אלה שהופיעו לפניו. הוא בדק וגילה למעלה מ־5000 השמטות בקונקורדנציות הקודמות, לרבות של פירסט, בוקסטורף־בער ודוידזון. כן תיקן שגיאות מרובות בהבאות מן המקרא, בחלוקת המשפטים ובמראי־המקומות.

ב) את הפסוקים הביא לפי סדר הספרים של המסורת היהודית, ולא לפי הוולגאטה, כאשר נהגו הכול לפניו.

ג) תשומת־לב רבה הקדיש לחלוקה ההגיונית של המובאות ולא לקיצוץ טכני בפסוקים, כפי שנהגו אחרים.

ד) הוא נתן קונקורדנציה שלמה מיוחדת לשמות הגוף, לאוצר המלים הארמי שבתנ"ך, לשמות הפרטיים עם כל מראי־מקומותיהם.

ה) ליד כל ערך נתן בקיצור נמרץ ביאור קצר ומדעי, וגם תרגום ללאטינית.

הקונקורדנציה של מנדלקרן זכתה עם הופעתה להכרה בעולם המדע היהודי והנוצרי ודחקה כמעט כליל את רגלי הקונקורדנציות האחרות.

בשנת תרנ"ז יצא לאור גם קיצור של הקונקורדנציה שלו ובה כל אוצר המלים עם מראי־מקומות בלבד בשם – "תַּבְנִית הַהֵיכָל". "תבנית ההיכל" דמתה במבנה ל"ספר המלים" של שבי"ל, שהופיע כעשרים שנה לפניו; אך זו של מנדלקרן היתה מקיפה ומדויקת הרבה יותר. הקונקורדנציה הגדולה של ד"ר שלמה מנדלקרן זכתה, כאמור, לפרסום בכל תפוצות ישראל ואף על־ידי חכמי המדע בעמים כקונקורדנציה המקיפה והמושלמת ביותר, ביחוד לאחר התיקונים המרובים והמילואים שנוספו לה במשך השנים על־ידי חוקרים ומלומדים רבים, יהודים ונוצרים.

ראשון המבקרים (סמוך להופעת "היכל הקדש") היה החוקר הנודע חיים ברודי, שרשם תיקונים רבים שנכנסו למהדורה השניה (בהוצאת פ. מרגולין, ברלין תרפ"ה). בשנת 1909 פרסם חוקר המקרא סוון הֶרנר חוברת ביקורתית ובה מאות תיקונים והשלמות לקונקורדנציה. כל אלה ניתנו כמוסף בסוף הספר במהדורות משנת תרפ"ה ואילך. בשנת תשט"ו הובאה במהדורה בהוצאת שוקן בירושלים רשימה נוספת של תיקונים ומילואים וכן רשימת מלים שקשה למצאן לפי שרשיהן, מאת פרופ' משה גושן־גוטשטין. באותה שנה יצאה מהדורה מיוחדת בהוצאת שולזינגר בארצות־הברית ובה הגהות מאת הרב חיים מרדכי בְּרֶכֶר, המדקדק אברהם אברונין, ד"ר שלמה סקוז ואחרים.

יג
נְסִיוֹנוֹת וְהַתְחָלוֹת
לְקוֹנְקוֹרְדַנְצְיוֹת
חֲדָשׁוֹת

מן הדין להזכיר להלן לפחות שניים מן הנסיונות לקונקורדנציות חדשות שנעשו אחרי הופעת "היכל הקדש" למנדלקרן.

בשנת 1902, שש שנים אחרי הופעת "היכל הקודש", נתעורר עורך העתון היומי "המליץ" ליאון רבינוביץ, (איש יהודי) לחבר קונקורדנציה עברית חדשה, ואף הוציא לאור באותה שנה חוברת לדוגמה. בשער החוברת נאמר: "ספר המתאימות בכתבי הקדש (קונקורדנציא עברית וארמית) בו נקבצו כל השמות, הפעלים והמלים, אשר באו בתורה, נביאים וכתובים, יחד עם שרשיהם, באורם בעברית, פסוקיהם ומקומותיהם במקראי קדש, כל אחד על מקומו הנכון, בסדר א"ב, למען ימצא בו כל מעיין את מבוקשו על נקלה – נערך ויצא על־ידי ל. רבינוביץ (איש יהודי) עורך המליץ ומו"לו. פטרבורג בדפוס המליץ אלף תתל"ד לחרבן". בהקדמתו המנוקדת והמודפסת באותיות גדולות פירט רבינוביץ את נימוקיו לשלילת הקונקורדנציות שהופיעו לפניו, וביניהן גם "היכל הקודש", ובראשן הדגיש את הטענה שכל אלה התאימו את עצמן לקורא שאינו יהודי – על־ידי סדר הספרים שבוולגאטה, סימון מראי המקומות

ספר

הֵיכַל הַקֹּדֶשׁ

הלא הוא

קוֹנְקוֹרְדַנְצְיָא עִבְרִית וַאֲרָמִית

עֲרוּכָה בַכֹּל וּשְׁלֵמָה

לספרי תורה נביאים וכתובים.

כולל

כל השרשים והמלים שבאו כבר בקונקורדנציות הראשונות,

ובהם נמלאו אלפי החסרונות וההשמטות ונתקנו כל המעֻוָּתות והשגיאות הרבות, גם קצורי הפסוקים נעשו

בטוב טעם וביתרון הכשר מאשר לפנים, ומנֻקדות זעיר שם זעיר שם להָקֵל הקריאה;

תוספות כל מלות השמוש והיחס, שלא בא זכרן בקונקורדנציות הראשונות;

חִבּור כולל כל מלות הגוף למיניהן ולנטיותיהן;

ספר כולל שמות עצמיים פרטים למיניהם, איש לא נעדר.

כל אלה נעשו בתכלית הדיוק על־פי המסורה הגדולה

ולפי סדר כתבי הקדש המקֻבל בישראל

וְחֻברו יחדו עם תרגום רומי והערות בשפת־עבר

מאת

ד״ר שלמה מאנדעלקערן.

כִּי הַבַּיִת אֲשֶׁר־אֲנִי בוֹנֶה גָּדוֹל וְהַפְלֵא.
דהי״ב ב׳ ח׳

LIPSIAE

Veit et Comp.

MDCCCXCVI

שער המהדורה הראשונה של ״היכל הקודש״ למנדלקרן, ליפסיה תרנ״ו (1896)

VETERIS TESTAMENTI
Concordantiae
HEBRAICAE ATQUE CHALDAICAE

QUIBUS CONTINENTUR

CUNCTA QUAE IN PRIORIBUS CONCORDANTIIS REPERIUNTUR VOCABULA
LACUNIS OMNIBUS EXPLETIS
EMENDATIS CUIUSQUEMODI VITIIS
LOCIS UBIQUE DENUO EXCERPTIS ATQUE IN MELIOREM FORMAM REDACTIS
VOCALIBUS INTERDUM ADSCRIPTIS

PARTICULAE OMNES ADHUC NONDUM COLLATAE

PRONOMINA OMNIA HIC PRIMUM CONGESTA ATQUE ENARRATA

NOMINA PROPRIA OMNIA SEPARATIM COMMEMORATA

SERVATO TEXTU MASORETICO LIBRORUMQUE SACRORUM ORDINE TRADITO

SUMMA CURA COLLEGIT ET CONCINNAVIT

Solomon Mandelkern

PHIL. ET JUR. DOCTOR

ὅτι ὁ οἶκος ὃν ἐγὼ οἰκοδομῶ μέγας καὶ ἔνδοξος

Παραλ. β′ II 8

LIPSIAE

Veit et Comp.

MDCCCXCVI

השער הלאטיני כנ״ל

בלאטינית, ההקדמות הכתובות לאטינית, וכן הביאורים ליד כל ערך: "ולא רק התרגום, כי אם גם תכונת המלים הדקדוקיות... נכתבו ברבות מן הקונקורדנציות רומאית וכן גם בקונקורדנציא "היכל הקדש" הטובה מכל ההולכות לפניה"... כן יצא חוצץ נגד השיטה של מתן כל שם ליד שרשו דוקא, והביא כמה דוגמאות דוקא "מהמעולה שבקונקורדנציות מ"היכל הקדש" למנדלקרן" להוכיח עד כמה "כבדה מלאכת החיפוש, שהיא מלאכה וחכמה בכל הקונקורדנציות, מפני שנתנו לענינים שונים לכל אחד מדור בפני עצמו". והוא מסיים: "...יהיה מעתה ספר המתאימות בכתבי הקדש (הקונ־קורדנציא היותר גדולה) לקנין הרבים בהיות ביד כל אחד להביאו אל תוך ביתו, כי שמנו לב לא רק לצורך כי אם גם ליכולת, ובהוצאה זו צורך ויכולת נפגשו"...

בדפים לדוגמה שהביא בחוברת (ערכים אָב – אֲחֻזָּה) הדגים רבינוביץ את הצורה שבה התכוון להוציא את הקונקורדנציה החדשה שלו. אם רבו הטעויות גם בחוברת לדוגמה (כפי שהראו זאת כמה מן המבקרים), הרי היו בתכניתו שיפורים ופרטים חשובים לקונ־קורדנציה עברית שערכם אכן הוכר בימינו. אך לא נסתייע פעלו של ליאון רבינוביץ – ונסיונו ל"ספר מתאימות" עברי חדש לא היה לו המשך.

נסיון חדש אחר שונה מזה נעשה בשנת תרצ"ה (1935) על־ידי ד"ר יהודה יונוביץ, המו"ל של "הספריה הפילוסופית". בחוברת לדוגמה בשם "אוצר הקודש, קונקורדנציה עברית לכתבי הקודש" הדגים את הצעתו המקורית לרכז ולצמצם את הקונקורדנציה בממדיה ע"י סידור הפסוקים לפי מקביליהם וע"י שורת קיצורים, צירופים וסימנים לצמצום הפסוקים ומראי מקומותיהם. אלא שמרוב הצמצומים ו"הסימנים שנתן בהם ר' יהודה" נעשה הרישום מסורבל ומסובך ביותר. נראה, כי יונוביץ עצמו נוכח לבסוף כי תכניתו קשה לביצוע וערכה השימושי מפוקפק, ולפיכך נגנזה התכנית ולא יצאה לכלל מעשה.

יד
"אוצַר לְשׁוֹן הַמִּקְרָא"

התחלה חשובה לקונקורדנציה חדשה מדעית גדולה ומקיפה נעשה בימינו עם הוצאת "אוצר לשון המקרא" בהוצאת "קונקורדנציה תנ"כית ירושלים" ע"י המדפיס והמנהל אלעזר ב. וייס ובעריכת צוות גדול של חוקרים ומומחים (שמואל א. ליונשטם, יהושע בלאו, א"מ הברמן, מ"צ קדרי ואחרים). "אוצר לשון המקרא" נועד להיות הקונקורדנציה העברית השלמה והמעודכנת עם מילון מקראי מקיף המבוסס על תוצאות המחקר הלשוני המדעי והארכיאולוגי, כתוב עברית ומתורגם אנגלית. מכאן היקפו הכמותי הרב של החיבור.

הכרך הראשון בן 450 עמוד, המכיל את המבואות והאות א' הופיע בשנת 1957 (שנת ההוצאה לא נזכרה אגב בכרך זה!), השני (אותיות ב'–ו') – בשנת 1959, השלישי (אותיות ז–ט) – בשנת 1968, ועדיין אין זה אלא כשליש החיבור כולו.

"אוצר לשון המקרא", לפי ההודעה המפורשת של המערכת בראש ההקדמה, מאַחד בתוכו שני ספרים: קונקורדנציה עברית שלמה למקרא ומילון מדעי כפול– עברי ואנגלי. על־ידי־כך גדל "האוצר" במידה לא מועטה ומהלך הכנתו הסתרבל, ואין תימה שאחרי תקופה של כעשרים שנה עדיין לא הגיע האוצר עד היום למחצית דרכו.

אשר לעצם הקונקורדנציה שב"אוצר", רבים בה החידושים והשיפורים לעומת כל הקונקורדנציות הקודמות (לרבות את "היכל הקודש"):

א) השמות מובאים כאן לראשונה לא ליד שרשיהם, אלא כל שם במקומו, כנהוג בלקסיקוגראפיה המודרנית ("אכל" – באות א', "מאכל" – באות מ').

ב) מראי המקומות נתונים בעברית (כבקונקורדנציה של בוקסטורף־בער ואחרים.

ג) שונה סדר הצורות של הפועל (הזמנים, המקור וכו') – בהתאם לשיטת הדקדוק המדעי.

ד) השמות הפרטיים שובצו בגוף הספר (אך לא הארמית המקראית!)

ה) הובאו בו כל מלות השימוש והיַחס (גם "את", "ב־", "ל־") וכן כל שמות הגוף (אני, אתה, אשר, אלה, זה וכו').

ו) ציטוט הפסוקים נעשה לפי התנ"ך במהדורת קיטל־קאהלה המבוסס על כתב־היד הקדום ביותר.

ז) המובאות מן הפסוקים הוארכו פה ושם לשם שלמות התוכן או לשם הדגשת התקבולת המקראית וכו'.

כל השיפורים האלה ורבים אחרים הם בגדר התקדמות רבה במלאכת הקונקורדנציה. עם זאת חובה להעיר על מגרעת רצינית ב"אוצר" לעומת הקונקורדנציה של מנדלקרן, והוא – העדר ניקוד, חלקי לפחות, במלים המרובות המובאות (כדין!) בכתיב חסר בפסוקים, ביחוד במלים שבלא ניקוד חלקי קריאתן מכשילה את הקורא שאינו בקי בתנ"ך (הדוגמות לכך רבות מספור). כן לא מועטות הטעויות במראי המקומות, שנפלו, כנראה, אגב תרגום מראי־המקומות הלועזיים לעבריים.

"אוצר לשון המקרא" נועד, כפי שמשתמע מקביעת עורכיו, להיות הפוסק האחרון והמעודכן ביותר בפרשנות המקרא ובעריכה הקונקורדנציונית של נוסח המקרא. ואמנם ניתן לשער, כי עם השלמת המפעל ותיקון פגמיו שנתגלו עד כה ויתגלו להבא, אכן יירש זה את מקום הקונקורדנציות הגדולות הקודמות ויתפוס את מקומו הראוי לו על שולחן החוקר ואיש־המדע בתחומי המקרא.

טו

קוֹנְקוֹרְדַּנְצְיוֹת מְיֻחָדוֹת

בשנת תרפ״ה פרסם בעל ״האוצרות״ הנודע יהודה דוד אייזנשטיין את הספר ״אוצר מאמרי התנ״ך – מערכה למאמרים, פתגמים ובטויים בכתבי הקדש, כולל כל שמות הנרדפים, שמות אפיים ושמות קרובי ענין וכל השרשים הנמצאים בתורה נביאים וכתובים, עברית וארמית״ (ניו יורק 1925).

בהקדמה כותב העורך: ״האוצר הזה הוא ספר מערכת (קונקורדנציה) לתנ״ך... הוא כולל כל המלים בתנ״ך... בנטיות ובטויים שונים מבלי לכפול הפסוקים... בכל ענין או ערך נמצא שמות כל הנרדפים, עם שרשיהם... עוד נוספו במערכה זאת ערכין הכוללים שמות קרובי ענין, כמו כל האבנים השונות, כל אברי הגוף... כל מיני אכילה ושתיה, כל שמות אילנות, בגדים״...

״אוצר״ זה הוא למעשה אחד הנסיונות הראשונים לקונקורדנציה עניינית של התנ״ך, אך היא קרובה יותר, לפי מבנֶהָ וסידורהּ, כהודאת המחבר, ל״ספר מכלול (אנציקלופדיא)״ או ללקסיקון של ערכים מקראיים.

קונקורדנציה עברית למקרא ערוכה בשיטה מקורית פורסמה בשנת 1957 בשטוטגארט בגרמניה על־ידי ג. ליסובסקי: Konkordanz zum Hebräischen Alten Testament, ausgearbeited und geschrieben von Gerhard Lisowsky. בקונקורדנציה זו (שהטקסט שלהּ הוא צילום מן הכתב שנכתב ונוקד בעצם ידיו של המחבר!) ערוכות המלים לפי סדר א״ב, כשֶׁכל ערך מסודר לא לפי צורותיו הדקדוקיות, אלא לפי תפקידו התחבירי: השמות נחלקו למדורים לפי נוֹשְׂאִים, מַשָּׂאִים וכו׳; הפעלים – עם ציון הנושא הקשור אליהם. שמות פרטיים ניתנו ברשימה מיוחדת עם השמות הנסמכים אליהם. קונקורדנציה זו נועדה, לפי דברי המחבר, לספק חומר למחקר הסימאנטי של המלים, ובתחום זה אכן עניין מיוחד בהּ.

מיוחדת במבנֶהָ – ״קונקורדנציה עניינית של התורה הנביאים והכתובים לענייניהם השונים״ מאת אליעזר כ״ץ (ארבעה כרכים, ירושלים־ניו יורק, תשכ״ד–תשל״ד).

בחיבור רב־כמות זה ממוינים כל הערכים הריאליים והעיוניים שבמקרא לפי ענייניהם בחמישים וחמישה מדורים בסדר א״ב: אבנים, אָדָם, אדמה, אלהים, אלילים, ארצות, בהמות וכו׳ – ועד האחרונים: תבואה, תולדות, תכשיטים. בכל מדור – הפריטים המופיעים בו, ליד כל פריט – מראה מקום אחד (ראשון) בתנ״ך.

הקונקורדנציה היא דו־לשונית: הנוסח העברי ובהקבלה לו התרגום האנגלי המקובל של התנ״ך. בקונקורדנציה מיוחדת זו עֵזר רב למי שמתעניין בנושאים שונים הקשורים לחיי יום־יום בתקופת המקרא.

לבסוף נזכיר את הספר שהופיע בשנת תשל״ג בקנדה, ובשערו נאמר: ״מגדלור, ספר הקונקורדנציה החדשה לתנ״ך, ראה זה חדש לא היה לעולמים, כל פסוקי התנ״ך מסודרים בסדר הא״ב...רעיון המרכזי ״הרי שלך לפניך״ – כשולחן ערוך; ספר שמושי נועד לרבנים מורים, תלמידים ולספריות הבית – מאת הרב חיים צבי לייכטאג וקסמן״.

בהקדמה הקצרה מעבר לדף מציין המחבר כי ״שכלל את הקונקורדנציה בשיטה שאפילו תינוקות ש[ל] בית רבן י[ו]כלו להשתמש בהּ... כי שיטתי ממש שיטת ספר טלפון היא למצא הכל על אתר״...

למעשה אין כאן אלא רשימה של כל (?) פסוקי התנ״ך או חלקיהם, מועתקים בסדר א״ב לפי התחלותיהם. כך פותח הספר במחצית הפסוק ״אאזרך ולא ידעתני״ (ישעיה מה 5) וממשיך ב״אאמצכם במו פי״ (איוב טז 5) וכו׳. כספר־עזר למי שזוכר תחילתו של פסוק ורוצה למצא מקומו בתנ״ך – יש בו תועלת. ברם הקשר בין הקונקורדנציה, שעיקרהּ הערך הלשוני, המלה, צורותיה, משמעיה, צירופיה והקשריה וכו׳ ובין ״קונקורדנציה״ זו – הוא, כנראה, בשם בלבד.

הֶסְבֵּרִים לְשִׁמּוּשׁ בַּקּוֹנְקוֹרְדַנְצְיָה

(סיכום הסעיפים העיקריים שרובם הוסברו ביתר הרחבה בהקדמה וסעיפים נוספים)

א כל שם־עצם, כל תואר, כל מספר – רשום בתבניתו הדקדוקית היסודית, היינו: בצורת נפרד (אֶבֶן, אֲדָמָה; אָדֹם, לָבָן; אַרְבַּע, שְׁלֹשִׁים).

ב כל פועל – בבניין פָּעַל עבר נסתר (אָכַל, יָשַׁב).
פועל שאינו מגזרת השלמים רשום כנ״ל ליד השורש הנתון בסוגריים (בין), (שוב). פועל שאינו מצוי בבניין פָּעַל שרשו רשום כנ״ל בסוגריים: (בלג), (אפק). פעלים עלולים (שאינם מגזרת השלמים) המצויים במקרא בנטיות או בצורות חורגות שיש בהן להקשות את מציאת השורש – צורתם החורֶגת מובאת ככתבה ולידה הפְנָיה אל השורש (וַיֵּאת – עין אתה; תִּתָּבָר – עין ברר)

ג ערך שאינו מצוי במקרא בנפרד (אלא בנטיה או בריבוי וכדומה) – מסומן בכוכב קטן לידו (אֶפֶס*, אָרֹךְ*).

ד ערך המוטעם מלעֵיל – הברתו המוטעמת מסומנת בטִפְחָא (בֶּ֖גֶד).
מלה המופיעה בהפסק – מסומנת באֶתְנַחְתָּא (אָ֑בֶן).

ה ליד כל ערך צוין חלק־הדיבור (שם זכר, נקבה, תואר, פועל וכו׳) – רשימת הסימנים בעמוד הבא.

ו כל שורש שמסתעפים ממנו נגזרים שונים – רשום באות גדולה במקומו האָלפביתי ולידו כל נגזריו בעברית ובארמית, למשל:
אכל: אָכַל, נֶאֱכַל, אֻכַּל, הֶאֱכִיל; אר׳ אֲכַל;
אֹכֶל, אוֹכִיל, אֲכִילָה, אָכְלָה, מַאֲכָל וכו׳

ז בראש כל ערך ״מפתח המשמעים״ העיקריים שלו; ליד כל משמע – מִסְפְּרֵי המקראות המתאימים למשמע זה.

ח אחרי ״מפתח המשמעים״ נתונה ליד ערכים רבים רשימת ״קרובים״ – מלים נרדפות או קרובות במשמען (ליד אִישׁ: אָדָם / אֱנוֹשׁ / בַּעַל / גֶּבֶר וכו׳); ליד אָמַר: בטא / בטה / דִּבֵּר / הִבִּיעַ / הגה / הִגִּיד וכו׳)

ט ליד רוב הערכים מובא מפתח הצירופים.
ליד כל צירוף – מִספרי המקראות המתאימים לצירוף זה. ערך המופיע בפסוק בכנויים (אָבִי, אָבִיךָ, אֲבִיהֶם) רשום בצירופים בכנוי נסתר (אֲחִי אָבִיו, אֵשֶׁת אָבִיו).

י ערך (בעיקר שֵׁם, כגון: בַּיִת) **אשר צירופיו רבים, הצירופים מחולקים לקבוצות לפי הסֵדר הבא:**
א) הערך בנפרד עם תְּאָרָיו (בַּיִת אֶחָד...בַּיִת חָדָשׁ...)
ב) הערך כסומך (אוּלָם הַבַּיִת... אוֹצַר הַבַּיִת...)
ג) הערך כנסמך (בֵּית אָב...בֵּית אֲבָנִים...)
ד) הערך בכינויים (אֹהֶל בֵּיתוֹ...אַנְשֵׁי בֵיתוֹ...)
ה) כנ״ל ברבוי.

יא אחרי המפתחות – טורי המובאות (״הפסוקים״).
לכל פסוק מספר סודר לשם זיהויו ואיתורו בנקל (עין סעיפים ז, ט, י).

יב הפסוקים ערוכים בקבוצות לפי צורותיהם הדקדוקיות הרשומות בַּכּוֹתֶרֶת בשוליים בצד ימין באות קטנה. סדר הפסוקים בכל קבוצה – לפי סדר הספרים שבמקרא (עין עמ׳ לח).

יג ליד כל פסוק – מראה־מקומו: שם הספר, הפרק (באות עברית), הפסוק (במספר), למשל: בראשית ג 5.

יד מלה המופיעה בפסוק פעמיים או שלוש וכו׳ – רשומה מעל למִספר הפסוק סִפרה זעירה מתאימה (ירמיה יד19[2]; בראשית ג 18[3]).

טו מלה או צירוף החוזרים ונשנים באותו משמע פעמים רבות בפסוקי המקרא (עשׂרות רבות, מֵאות ואפילו אלפים!) – מובא רק ריכוז מראי־מקומותיהם (בלא הבאת הפסוקים עצמם!). בין ספר לספר בריכוז – נקודה שחוֹרָה(•).

טז כותרת ליד קבוצת פסוקים שרשומה לידה בסוגריים אות קטנה (א), (ב) וכו׳ – פירושה שכל הפסוקים שבקבוצה זו משמעם מתאים לסימון המשמע הרשום ב״מפתח המשמעים״ ליד הערך.

יז המלים בפסוקים רשומות תמיד לפי ה״קְרִי״. ליד מלת־הערך שיש לה ״כתיב״ שונה – נרשם הכתיב אחרי המלה בסוגריים [בָּמֳתֵי (כת׳ במותי)]. ליד מלים אחרות כנ״ל – הקרי ועיגול קטן בצידו (״הַיְצֵא״°).

סֵדֶר הַצּוּרוֹת וְהַזְּמַנִּים שֶׁל הַפֹּעַל

א) מָקוֹר
ב) מָקוֹר נִסְמָךְ (שם־הפועל)
ג) בכל־ם
ד) עָבָר
ה) הֹוֶה (בֵּינוֹנִי פוֹעֵל או פָּעוּל)
ו) עָתִיד
ז) צִוּוּי

סֵדֶר הַבִּנְיָנִים

א) פָּעַל (קַל)
ב) נִפְעַל
ג) פִּעֵל
ד) פֻּעַל
ה) הִתְפַּעֵל
ו) הִפְעִיל
ז) הָפְעַל

סֵדֶר הַצּוּרוֹת בַּשֵּׁם

א) נפרד (ואחריו הַנִּפְרָד עם אותיות־השימוש)
ב) נסמך (כנ״ל)
ג) כִּנּויים (כנ״ל)
ד) כנ״ל בנקבה וברבוי

סֵדֶר הַגּוּפִים בַּפֹּעַל וּבַשֵּׁם

א)	אֲנִי	שֶׁלִּי
ב)	אַתָּה	שֶׁלְּךָ
ג)	אַתְּ	שֶׁלָּךְ
ד)	הוּא	שֶׁלּוֹ
ה)	הִיא	שֶׁלָּהּ
ו)	אֲנַחְנוּ	שֶׁלָּנוּ
ז)	אַתֶּם	שֶׁלָּכֶם
ח)	אַתֶּן	שֶׁלָּכֶן
ט)	הֵם	שֶׁלָּהֶם
י)	הֵן	שֶׁלָּהֶן

רָאשֵׁי־תֵבוֹת, קִצּוּרִים וְסִימָנִים

ז׳ – שם זכר
נ׳ – שם נקבה
זו״נ – זכר ונקבה
פ׳ – פועל
ת׳ – תואר
תו״ז – תואר וזכר
מ״ג – מלת גוף
מ״ח – מלת חיבור
מ״י – מלת יחס
מ״ק – מלת קריאה
מ״ש – מלת שאלה
תה״פ – תואר הפועל
ש״מ – שם מספר
ש״פ – שם פרטי
שפ״ז – שם פרטי זכר
שפ״נ – שם פרטי נקבה
כת׳ – כְּתיב
אר׳ – ארמית
ש״א – שמואל א׳
ש״ב – שמואל ב׳
מ״א – מלכים א׳
מ״ב – מלכים ב׳
שה״ש – שיר השירים
דה״א – דברי הימים א׳
דה״ב – דברי הימים ב׳
יתר ספרי המקרא רשומים במלואם (לפעמים בקיצור קל: בהשמטת אות אחרונה או שתי אותיות אחרונות)

• (כוכב) אחרי ערך מציין כי הערך אינו מופיע במקרא בצורת נפרד יחיד (אָרֹךְ•)
° (עגול) אחרי מלה – סימן שהיא לפי ה״קרי״
־ (מקף) בכותרת אחרי שם – סימן לנסמך (בֶּן־)
‸ (אתנחתא) תחת מלה – סימן לצורת הֶפסק (אָ֑בֶן)
֖ (טִפחא) תחת ערך – לציון מלעֵיל (בֶּ֖גֶד)

קיצורי הבניינים

עברית		ארמית	
פָּ׳	פָּעַל (קַל)	פְּ׳	פְּעַל
נפ׳	נִפְעַל	פַּ׳	פַּעֵל
פִּ׳	פִּעֵל	אֶתְפְּ׳	אֶתְפְּעֵל
פֻּ׳	פֻּעַל	אִתְפַּ׳	אִתְפַּעַל
הִת׳	הִתְפַּעֵל	אַפ׳	אַפְעֵל
הִפ׳	הִפְעִיל	הַפ׳	הַפְעֵל
הָפ׳	הָפְעַל		

סֵדֶר סִפְרֵי הַמִּקְרָא בְּמִסְפָּרִים

חלוקת הספרים	מנין הספרים לפי המסורה	שמות הספרים	פרקים	פסוקים	מלים*	אותיות**
	א	בְּרֵאשִׁית	50	1,534	20,512	78,064
	ב	שְׁמוֹת	40	1,209	16,723	63,529
תּוֹרָה	ג	וַיִּקְרָא	27	859	11,950	44,790
	ד	בְּמִדְבַּר	36	1,288	16,368	63,530
	ה	דְּבָרִים	34	955	14,294	54,892
		ס״ה בתורה	187	5,845	79,847	304,805
	ו	יְהוֹשֻׁעַ	24	656	10,015	38,100
	ז	שׁוֹפְטִים	21	618	9,771	37,100
	ח	שְׁמוּאֵל א׳	31	811	13,257	50,400
נְבִיאִים רִאשׁוֹנִים		שְׁמוּאֵל ב׳	24	695	10,971	41,700
	ט	מְלָכִים א׳	22	817	13,113	49,800
		מְלָכִים ב׳	25	717	12,232	46,500
		ס״ה בנביאים ראשונים	147	4,314	69,359	263,600
	י	יְשַׁעְיָהוּ	66	1,291	16,920	64,300
	יא	יִרְמְיָהוּ	52	1,364	21,673	82,400
	יב	יְחֶזְקֵאל	48	1,273	19,123	72,700
		הוֹשֵׁעַ	14	197	2,379	9,000
		יוֹאֵל	4	73	967	3,700
		עָמוֹס	9	146	2,053	7,800
		עוֹבַדְיָה	1	21	291	1,100
		יוֹנָה	4	48	690	2,600
נְבִיאִים אַחֲרוֹנִים	יג (תרי עשר)	מִיכָה	7	105	1,395	5,300
		נַחוּם	3	47	558	2,100
		חֲבַקּוּק	3	56	670	2,500
		צְפַנְיָה	3	53	765	2,900
		חַגַּי	2	38	568	2,200
		זְכַרְיָה	14	211	3,127	11,900
		מַלְאָכִי	3	55	876	3,400
		ס״ה בנביאים אחרונים	233	4,978	72,055	273,900
	יד	תְּהִלִּים	150	2,527	19,479	74,000
	טו	מִשְׁלֵי	31	915	6,912	26,200
	טז	אִיּוֹב	42	1,070	8,392	31,900
	יז	שִׁיר הַשִּׁירִים	8	117	1,251	4,700
	יח	רוּת	4	85	1,286	4,800
	יט	אֵיכָה	5	154	1,491	5,600
כְּתוּבִים	כ	קֹהֶלֶת	12	222	2,997	11,400
	כא	אֶסְתֵּר	10	167	3,045	11,600
	כב	דָּנִיֵּאל	12	357	5,924	22,500
	כג	עֶזְרָא	10	280	3,778	14,300
		נְחֶמְיָה	13	406	5,284	20,000
	כד	דִּבְרֵי הַיָּמִים א׳	29	941	10,457	39,700
		דִּבְרֵי הַיָּמִים ב׳	36	813	13,344	50,700
		ס״ה בכתובים	362	8,054	83,640	317,400
		ס״ה בכל המקרא	**929**	**23,191**	**304,901**	**~1,159,705**

* מניין המלים בתורה — לפי ספירת הרב ח״מ ברכר בתנ״ך יהואש, בהערותיו בסוף ס׳ ויקרא;
בשאר ספרי המקרא — לפי ספירת העורך וחבר ״סופרים״.

** מניין האותיות בתורה — לפי מסורת עתיקה; בשאר ספרי המקרא — בקירוב, לפי ממוצע של 3.8 אותיות למלה.

הַקּוֹנְקוֹרְדַנְצְיָה

א׳ זעירא	רָאוּ Job. 33:21	רָאשׁ IISh. 12:1,4	אֲרַעא Dan. 2:39
וַיִּקְרָא Lev. 1:1	א׳ יתֵרה	אָבוּא Is. 28:12	מָרָאי Dan. 4:16,21
א׳ רבתי	הֶהָלְכוּא Josh. 10:24	שֹׁאסַיִךְ Jer. 30:16	וְשֵׁיצִיא Ez. 6:15
אָדָם ICh. 1:1	חֵלָאמָה IISh. 10:17	וַנֵּאשַׁאר Ezek. 9:8	יָפוֹא Ez. 3:7
א׳ דגושה	הַמַּלְאכִים IISh. 10:17	נָקִיא Joel 4:19, Jon. 1:14	נשִׁאים Neh. 5:7
וַיָּבִיאּוּ Gen. 43:26 Ez. 8:18	וַיִּראוּ IISh. 11:24	וְקָאם Hos. 10:14	לְמוֹאל Neh. 12:38
תָּבִיאּוּ Lev. 23:17	הַמּוֹרְאִים IISh. 11:24	מאוּם Dan. 1:4	דָּאג Neh. 12:16

מסורה מסורה מסורה
מסורה מסורה מסורה
מסורה מסורה מסורה
מסורה מסורה
מסורה א מסורה
מסורה מסורה
מסורה מסורה
מסורה מסורה
מסורה מסורה
מסורה מסורה מסורה
מסורה מסורה מסורה
מסורה מסורה מסורה

אלפי״ן בתורה 27 057

א׳ חסרה	מֵרֵשִׁית Deut. 11:12	וַתֹּחֶז IISh. 20:9	יָצָתִי Job. 1:21
	הַיֹּצֵת Deut. 28:57	וַתַּזְרֵנִי IISh. 22:40	בַּשָּׁו Job. 15:31
מֶחֲטוֹ Gen. 20:6	צָמֵתִי Jud. 4:19	וְתִשֶּׁנָה Jer. 9:17	מָלֵתִי Job. 32:18
תוֹמִם Gen. 25:24	שֵׁלָתֵךְ ISh. 1:17	מָלוּ Ezek. 28:16	מַשֵּׁתוֹ Job. 41:17
וְנִטְמֵתֶם Lev. 11:43	בָּנוּ ISh. 25:8	וְנָשׁוּ Ezek. 39:26	וַתִּשֶּׁנָה Ruth 1:14
מָצָתִי Num. 11:11	וּלְהַשְׁמִיל IISh. 14:19	אָבִי Mic. 1:15	צַוָּרָם Neh. 3:5
לְחַטָּת Num. 15:24	תֹּמְרוּ IISh. 19:14	וַתִּשֶּׁנָה Zeh. 5:9	שֵׁרִית ICh. 12:39

אָאֹר (Gen. 12:3) – עַיֵן אָרַר

אָב ז׳ א) מוליד, איש ביחס לילדיו: רוב המקראות 1-723
ב) איש ביחס לנכדיו: 137, 138; או לבני הדורות הבאים: 49, 50, 54—57, 59, 60, 140—142, 301, 367, 667, 668, 678
ג) ראשון, יוצר, ממציא: 19, 51, 52
ד) יועץ, פטרון, מדריך: 10—11, 18, 37—42, 44, 47, 48, 71, 72, 182, 183, 185, 284, 644—647
ה) מיַסד, בונה מקום ישוּב: 69, 77—78, 93-121, 125
ו) פנית כבוד לנביא, למלך וכדומה: 174-179, 255
ז) [בֵּית-אָב] משפחה או חלק ממנה: עַיֵן בצרוּפים
ח) [אָבוֹת] הורים: 725-740, 742/3, 793/4, 1087, 1090/1
משפחות: 741, 748-759, 761-790, 792; 795-800
הדורות הקודמים: 801-1086, 1088/9, 1092—1111, 1161—1215
ט) [בֵּית־אָבוֹת] משפחות: עַיֵן בצֵרוּפים
קרובים: הוֹרֶה / יוֹלֵד / יוֹצֵר / מוֹלִיד (ילד)

אָב – מרכיב בשמות פרטיים רבים שתחילתם אַב־, אֶב־, אֲבִי־(אַבְנֵר, אֶבְיָתָר, אֲבִיעֶזֶר) או סיומם ־אָב (אַחְאָב, יוֹאָב) – עַיֵן כל שֵׁם במקומו

– אָב וָאֵם 6, 17, 21, 45, 46, 144/5, 180, 184, 259, 260, 271, 283, 304, 366-368, 375, 387-391, 398, 401, 404, 444, 447, 450, 571-573, 577-582, 594,598, 606-608,678
אָב זָקֵן 2, 638, 666; אַב הֲמוֹן גּוֹיִם 49, 50
– אֲבִי אִמּוֹ 58, 70; אֲ׳ יְתוֹמִים 72; אֲ׳ נָבָל 73
אֲ׳ הַנַּעֲרָה 61-68,126-127; אֲ׳ עַד 71; אֲ׳ צַדִּיק 74
– אֵבֶל אָבִיו 135; אֲחוֹת אָ׳ 278, 281; אֲחִי אָ׳ 280, 603; אֲחֵי אָ׳ 396, 642, 683, 722; אֱלֹהֵי אָ׳ 136-141, 264-7, 384, 453, 647, 664, 665, 681; אֵשֶׁת אָ׳ 273, 276, 392, 399, 402; בֵּית אָב (אָבִי) 3, 22-30, 234-254, 344-357, 369-373, 551-567, 596/7, 626-633, 639, 643, 689; בְּנֵי אָבִיו 269, 640; בִּרְכוֹת אָ׳ 270; בַּת אָ׳ 128, 275, 394-395, 446; דִּבְרֵי אָ׳ 379; דָּוִד אָבִיו 148-171, 288-298, 409-421, 423-436; דֶּרֶךְ אָ׳ 441-442, 454; חַטֹּאת אָ׳ 437, 438; יַד אָ׳ 385; יְצוּעֵי אָ׳ 452; כְּנַף אָ׳ 400, 403; כִּסֵּא אָ׳ 443; מְגוּרֵי אָ׳ 382; מוֹלֶדֶת אָ׳ 277; מוּסַר אָ׳ 13, 16, 302, 448; מוֹת אָ׳ 456, 608; מַטֵּה אָ׳ 605, 684; מַמְלְכוּת אָ׳ 147; מַמְלֶכֶת אָ׳ 455; מִצְוַת אָ׳ 303, 687, 688; מִקְנֵה אָ׳ 663; מִשְׁכְּבֵי אָ׳ 268; מִשְׁפַּחַת אָ׳ 143, 721; מָתְנֵי אָ׳ 172, 173; נְבִיאֵי אָ׳ 300; נַחֲלַת אָ׳ 720; נֶפֶשׁ אָ׳ 32; נְשֵׁי אָ׳ 383; עֶבֶד אָ׳ 286, 378, 422; עֲבוֹדַת אָ׳ 299, 306; עֲוֹן אָ׳ 33, 34, 445; עֶרְוַת אָ׳ 7, 272, 274, 376, 393, 679, 680; פַּחַד אָ׳ 380; פִּילֶגֶשׁ אָ׳ 146, 287, 381, 407; פְּנֵי אָ׳ 386, 675; צֹאן אָ׳ 405, 68״, 718; קֶבֶר אָ׳ 144, 406, 408; קָדְשֵׁי אָ׳ 439, 440; קוֹל אָבִיו 397, 685
רֵעַ אָ׳ 305; שְׁאֵר אָ׳ 279; שֵׁבֶט אָ׳ 282; שֵׁם אָ׳ 641

– הָיָה לְאָב 38, 39, 42, 44, 48, 50; לָעַג לְאָ׳ 46; שָׂם לְאָ׳ 37; שָׁמַע לְאָ׳ 360
– גָּזַל אָבִיו 450; הִכָּה אָ׳ 387; הִכְלִים אָ׳ 449; הֵקֵל אָ׳ 6; הִקְלָה אָ׳ 401; יָרֵא אָ׳ 571; כִּבֵּד אָ׳ 9, 271, 283; נִבֵּל אָ׳ 8; עָזַב אָ׳ 368; קִלֵּל אָ׳ 388—391; שָׁאַל אָ׳ 285; שִׁדֵּד אָ׳ 17; שִׂמַּח אָ׳ 14, 15, 451
– אָבוֹת וּבָנִים 5, 8, 12—16, 31—34, 36, 129, 261, 302/3, 583/4, 725-739, 742-743, 794, 841, 1085, 1087, 1090, 1091; בֵּית אָבוֹת 724, 744-747, 760, 791, 865—867, 958, 1016, 1112-1147, 1202-1208; נַחֲלַת אָ׳ 740, 807, 814, 870, 945; נְשִׂיאֵי אָ׳ 758,759; רָאשֵׁי אָ׳ 748-754, 761-789, 795-800, 1184; שָׂרֵי אָ׳ 790, 792
– אֲבוֹת הַלְוִיִּם 795-796; אֲ׳ הַמַּטּוֹת 798-800; אֲ׳ הָעֵדָה 797; אֲבוֹתָיו וַאֲבוֹת אֲבוֹתָיו 801, 802
– אֲחֻזַּת אֲבוֹתָיו 864; אֱלֹהֵי אֲ׳ 823-826, 921-925, 932, 947-949, 959, 997-1004, 1006, 1008-1009, 1075-1076, 1082/3, 1186-1201; אֶרֶץ אֲ׳ 820, 996; בְּרִית אֲ׳ 827, 952; גִּלּוּלֵי אֲ׳ 1089; דּוֹר אֲ׳ 926; דֶּרֶךְ אֲ׳ 1013; חַיֵּי אֲ׳ 803; חֻקֵּי אֲ׳ 1012; חֵקֶר אֲ׳ 1092; יְגִיעַ אֲ׳ 950; יַד אֲ׳ 816; יְמֵי אֲ׳ 956, 1014, 1015; מַטֵּה אֲ׳ 868, 869, 946, 1005, 1079-1081; מִקְוֵה אֲ׳ 1183; מִשְׂרְפוֹת אֲ׳ 840; עֲוֹן (-נוֹת) אֲ׳ 927, 951, 955, 1010, 1077/8, 1085/6, 1185; עֱנִי אֲ׳ 957; עֹרֶף אֲ׳ 1084; קֶבֶר אֲ׳ 836; קִבְרוֹת אֲ׳ 808/9, 933; רָעוֹת אֲ׳ 1011; שֵׁם אֲ׳ 806; שְׂרֵפַת אֲ׳ 931; תּוֹעֲבֹת אֲ׳ 1088
– אָצְרוּ אֲבוֹתָיו 837/8; הִתְהַלְּכוּ אֲ׳ 805; יָרְדוּ אֲ׳ 944; יָרְשׁוּ אֲ׳ 832; סִפְּרוּ אֲ׳ 953; עָשׂוּ אֲ׳ 842; שְׂעָרוּם אֲ׳ 1007; אֻסַּף עַל (אֶל) אֲבוֹתָיו 839, 844; בָּא אֶל אֲ׳ 819; הָלַךְ עִם אֲ׳ 843; נֶאֱסַף אֶל אֲ׳ 871; נִקְבַּר עִם אֲ׳ 906-913; קְבָרוֹ עִם אֲ׳ 914-918; שָׁכַב עִם (אֶת) אֲבוֹתָיו 804, 834/5, 872-905, 919/20, 930

אָב
1 הֲיֵשׁ־לָכֶם אָב אוֹ־אָח Gen. 44:19
2 יֶשׁ־לָנוּ אָב זָקֵן Gen. 44:20
3 וּנְשִׂיא בֵית־אָב לַגֵּרְשֻׁנִּי Num. 3:24
4 אֵלֶּה הַחֻקִּים...בֵּין־אָב לְבִתּוֹ Num. 30:17
5 אָב לְבָנִים יוֹדִיעַ אֶל־אֲמִתֶּךָ Is. 38:19
6 אָב וָאֵם הֵקַלּוּ בָךְ Ezek. 22:7
7 עֶרְוַת־אָב גִּלָּה־בָךְ Ezek. 22:10
8 כִּי־בֵן מְנַבֵּל אָב Mic. 7:6
9 בֵּן יְכַבֵּד אָב וְעֶבֶד אֲדֹנָיו Mal. 1:6
10 וְאִם־אָב אָנִי אַיֵּה כְבוֹדִי Mal. 1:6
11 הֲלוֹא אָב אֶחָד לְכֻלָּנוּ Mal. 2:10
12 כְּרַחֵם אָב עַל־בָּנִים Ps. 103:13
13 שִׁמְעוּ בָנִים מוּסַר אָב Prov. 4:1
14/5 בֵּן חָכָם יְשַׂמַּח־אָב Prov. 10:1,15,20
16 בֵּן חָכָם מוּסַר אָב Prov. 13:1
17 מְשַׁדֶּד־אָב יַבְרִיחַ אֵם Prov. 19:26

אָב (המשך)
18 אָב אָנֹכִי לָאֶבְיוֹנִים Job 29:16
19 הֲיֵשׁ־לַמָּטָר אָב Job 38:28
20 יְתוֹמִים הָיִינוּ וְאֵין אָב Lam. 5:3
21 כִּי אֵין לָהּ אָב וָאֵם Es. 2:7
22-30 בֵּית אָב (לְבֵ־) Num. 3:30,35; 17:17; 25:14,15
Josh. 22:14 • I Ch. 23:11, 24:6 • II Ch. 35:5

וְאָב
31 וְאָב לֹא יִשָּׂא בַּעֲוֹן הַבֵּן Ezek. 18:20

הָאָב
32 כְּנֶפֶשׁ הָאָב וּכְנֶפֶשׁ הַבֵּן Ezek. 18:4
33 מַדֻּעַ לֹא־נָשָׂא הַבֵּן בַּעֲוֹן הָאָב Ezek. 18:19
34 בֵּן לֹא־יִשָּׂא בַּעֲוֹן הָאָב Ezek. 18:20

כְּאָב
35 כִּי מִנְּעוּרַי גְּדֵלַנִי כְאָב Job. 31:18

וּכְאָב
36 וּכְאָב אֶת־בֵּן יִרְצֶה Prov. 3:12

לְאָב
37 וַיְשִׂימֵנִי לְאָב לְפַרְעֹה Gen. 45:8
38 וֶהְיֵה־לִי לְאָב וּלְכֹהֵן Jud. 17:10
39 וֶהְיֵה־לָנוּ לְאָב וּלְכֹהֵן Jud. 18:19
40/1 אֲנִי אֶהְיֶה־לּוֹ לְאָב IISh. 7:14 • IICh. 17:13
42 וְהָיָה לְאָב לְיוֹשֵׁב יְרוּשָׁלַםִ Is. 22:21
43 הוֹי אֹמֵר לְאָב מַה־תּוֹלִיד Is. 45:10
44 כִּי־הָיִיתִי לְיִשְׂרָאֵל לְאָב Jer. 31:8(9)
45 כִּי אִם־לְאָב וּלְאֵם...יִטַּמָּאוּ Ezek. 44:25
46 עַיִן תִּלְעַג לְאָב וְתָבֻז לִיקְּהַת אֵם Prov. 30:17
47 וַאֲנִי־לוֹ לְאָב I Ch. 22:10(9)
48 וַאֲנִי אֶהְיֶה־לּוֹ לְאָב I Ch. 28:6

אַב־
49 כִּי אַב־הֲמוֹן גּוֹיִם נְתַתִּיךָ Gen. 17:5

לְאַב־
50 וְהָיִיתָ לְאַב הֲמוֹן גּוֹיִם Gen. 17:4

אֲבִי־
51 אֲבִי יֹשֵׁב אֹהֶל וּמִקְנֶה Gen. 4:20
52 אֲבִי כָּל־תֹּפֵשׂ כִּנּוֹר וְעוּגָב Gen. 4:21
53 וְחָם הוּא אֲבִי כְנָעַן Gen. 9:18
54 אֲבִי כָּל־בְּנֵי־עֵבֶר Gen. 10:21
55 הוּא אֲבִי־מוֹאָב Gen. 19:37
56 הוּא אֲבִי בְנֵי־עַמּוֹן Gen. 19:38
57 וְאֶת־קְמוּאֵל אֲבִי אֲרָם Gen. 22:21
58 בֵּיתָה בְתוּאֵל אֲבִי אִמֶּךָ Gen. 28:2
59-60 עֵשָׂו אֲבִי אֱדוֹם Gen. 36:9,43
61-68 אֲבִי הַנַּעֲרָ(ה) Deut. 22:15,16
Jud. 19:3, 4, 5, 6, 8, 9,
69 בְּכוֹר מְנַשֶּׁה אֲבִי הַגִּלְעָד Josh. 17:1
70 מִשְׁפַּחַת בֵּית־אֲבִי אִמּוֹ Jud. 9:1
71 אֲבִי־עַד שַׂר־שָׁלוֹם Is. 9:5
72 אֲבִי יְתוֹמִים וְדַיַּן אַלְמָנוֹת Ps. 68:6
73 וְלֹא־יִשְׂמַח אֲבִי נָבָל Prov. 17:21
74 גִּיל יָגִיל אֲבִי צַדִּיק Prov. 23:24
75/6 הוּא אֲבִי־יִשַׁי אֲבִי דָוִד Ruth 14:17
77/8 שׁוֹבָל אֲבִי קִרְיַת יְעָרִים I Ch. 2:50,52
79-92 אֲבִי (א) Gen. 9:22; 11:29; 33:19; 34:6
Josh. 15:13, 21:11, 24:2, 32 • Jud. 9:28
I Sh. 3:9; 14:51² • I Ch. 2:58; 4:11
93-121 אֲבִי (ה) ICh. 2:21,23,24,42²,44,45,49²
2:51²; 4:3,4³,5,12,14,17,18¹,19,21²; 7:14,31; 8:29;
9:35

וַאֲבִי־

122 אֲבִי־מִלְכָּה וַאֲבִי יִסְכָּה Gen. 11:29

123 תֶּרַח אֲבִי אַבְרָהָם וַאֲבִי נָחוֹר Josh. 24:2

124 וַאֲבִי עֲמָשָׂא יֶתֶר ICh. 2:17

125 אֲבִי מַכְבֵּנָה וַאֲבִי גִבְעָא I Ch. 2:49

לַאֲבִי־

126/7 לַאֲבִי הַנַּעֲרָ(ה) Deut. 22:19,29

אָבִי

128 וְגַם־אָמְנָה אֲחֹתִי בַת־אָבִי הִוא Gen. 20:12

129 וַיֹּאמֶר אָבִי וַיֹּאמֶר הִנֶּנִּי בְנִי Gen. 22:7

130 אוּלַי יְמֻשֵּׁנִי אָבִי Gen. 27:12

131 יָקֻם אָבִי וְיֹאכַל מִצֵּיד בְּנוֹ Gen. 27:31

132/3 בָּרְכֵנִי גַם־אָנִי אָבִי Gen. 27:34,38

134 הַבְרָכָה אַחַת הִוא־לְךָ אָבִי Gen. 27:38

135 יִקְרְבוּ יְמֵי אֵבֶל אָבִי Gen. 27:41

136 וֵאלֹהֵי אָבִי הָיָה עִמָּדִי Gen. 31:5

137 אֱלֹהֵי אָבִי אֱלֹהֵי אַבְרָהָם Gen. 31:42

138 אֱלֹהֵי אָבִי אַבְרָהָם Gen. 32:9(10)

139 וֵאלֹהֵי אָבִי יִצְחָק Gen. 32:9 (10)

140 אֱלֹהֵי אָבִי וַאֲרֹמְמֶנְהוּ Ex. 15:2

141 כִּי־אֱלֹהֵי אָבִי בְּעֶזְרִי Ex. 18:4

142 אֲרַמִּי אֹבֵד אָבִי Deut. 26:5

143 מִשְׁפַּחַת אָבִי בְּיִשְׂרָאֵל I Sh.18:18

144 וְאָמֻת בְּעִירִי עִם קֶבֶר אָבִי II Sh. 19:38

145 יֵצֵא־נָא אָבִי וְאִמִּי אִתְּכֶם I Sh.22:3

146 מַדּוּעַ בָּאתָה אֶל־פִּילֶגֶשׁ אָבִי II Sh. 3:7

147 יָשִׁיבוּ לִי... אֵת מַמְלְכוּת אָבִי II Sh. 16:3

171-148 (לְ)דָוִ(י)ד אָבִי I K. 2:24,26,44 3:6, 7; 5:17, 19; 8:15, 17, 18, 20, 24, 25, 26 • IICh. 1:8, 9; 2:2, 6; 6:4, 7, 8, 10, 15, 16

172/3 קָטָנִּי עָבָה מִמָּתְנֵי... IK. 12:10 • IICh. 10:10

177-174 אָבִי אָבִי רֶכֶב יִשְׂרָאֵל II K.2:12,13:14

178 אָבִי דָּבָר גָּדוֹל הַנָּבִיא דִּבֶּר אֵלֶיךָ IIK.5:13

179 הַאַכֶּה אַכֶּה אָבִי II K.6:21

180 בְּטֶרֶם יֵדַע הַנַּעַר קְרֹא אָבִי וְאִמִּי Is. 8:4

181 אֹמְרִים לָעֵץ אָבִי אַתָּה Jer. 2:27

182 הֲלוֹא מֵעַתָּה קָרָאת לִי אָבִי Jer. 3:4

183 אָבִי תִּקְרְאִי־לִי Jer. 3:19

184 כִּי־אָבִי וְאִמִּי עֲזָבוּנִי Ps. 27:10

185 הוּא יִקְרָאֵנִי אָבִי אָתָּה Ps. 89:27

186 לַשַּׁחַת קָרָאתִי אָבִי אָתָּה Job. 17:14

187 (?)אָבִי יִבָּחֵן אִיּוֹב עַד־נֶצַח Job. 34:36

233-188 אָבִי Gen. 19:34; 27:18; 44:24,27,30,32,34[2]; 9, 13; 47:1; 48:18; 50:5[2] • Josh. 2:13; • Jud. 9:17; 11:36 • ISh. 9:5; 14:29; 19:2, 3[2]; 20:2[2], 9, 20:12, 13[2]; 23:17[2] • IK. 2:26; 12:11[2],14[1]; 15:19; 20:34[2] • Jer. 20:15 • ICh. 28:4 • IICh. 2:12; 10:11[2],14; 16:3

בֵּית אָבִי

254-234 בֵּית אָבִי(וּבֵ־/ בְּבֵ־/ וּבְבֵ־/ מִבֵּ־/ וּמִבֵּ־) Gen. 20:13; 24:7, 38, 40; 28:21; 41:51; 46:31 • Josh. 2:12 • Jud. 6:15; 9:18; 11:7 • ISh. 22:15; 24:22 (21) • IISh. 14:9; 19:29; 24:17 • IK. 2:31 • Neh. 1:6 • ICh. 21:17; 28:4[2]

וְאָבִי

255 וְאָבִי רְאֵה גַּם רְאֵה I Sh.24:12(11)

256 וְאָבִי דָוִד לֹא יָדָע I K. 2:32

לְאָבִי

257 וְחָטָאתִי לְאָבִי כָּל־הַיָּמִים Gen. 44:32

258 וְהִגַּדְתֶּם לְאָבִי אֶת-כָּל-כְּבוֹדִי Gen. 45:13

259 לְאָבִי וּלְאִמִּי לֹא הִגַּדְתִּי Jud. 14:16

260 אֶשְּׁקָה־נָּא לְאָבִי וּלְאִמִּי I K. 19:20

261 כִּי־בֵן הָיִיתִי לְאָבִי Prov. 4:3

אָבִיךָ

262 לֶךְ־לְךָ מֵאַרְצְךָ...וּמִבֵּית אָבִיךָ Gen. 12:1

263 אֲשֶׁר נִשְׁבַּעְתִּי לְאַבְרָהָם אָבִיךָ Gen. 26:3

267-264 אֱלֹהֵי אָבִיךָ Gen.46:3; 3:17 Ex. 3:6 • ICh. 28:9

268 כִּי עָלִיתָ מִשְׁכְּבֵי אָבִיךָ Gen. 49:4

269 יִשְׁתַּחֲווּ לְךָ בְּנֵי אָבִיךָ Gen. 49:8

אָבִיךָ (המשך)

270 בִּרְכֹת אָבִיךָ גָּבְרוּ Gen. 49:26

271 כַּבֵּד אֶת־אָבִיךָ וְאֶת־אִמֶּךָ Ex. 20:12

272 עֶרְוַת אָבִיךָ... לֹא תְגַלֵּה Lev. 18:7

273 עֶרְוַת אֵשֶׁת־אָבִיךָ Lev. 18:8

274 עֶרְוַת אָבִיךָ הִוא Lev. 18:8

275 עֶרְוַת אֲחוֹתְךָ בַת־אָבִיךָ Lev. 18:9

276 עֶרְוַת בַּת־אֵשֶׁת אָבִיךָ Lev. 18:11

277 מוֹלֶדֶת אָבִיךָ אֲחוֹתְךָ הִוא Lev. 18:11

278 עֶרְוַת אֲחוֹת־אָבִיךָ Lev. 18:12

279 שְׁאֵר אָבִיךָ הִוא Lev. 18:12

280 עֶרְוַת אֲחִי־אָבִיךָ לֹא תְגַלֵּה Lev. 18:14

281 אֲחוֹת אִמְּךָ וַאֲחוֹת אָבִיךָ Lev. 20:19

282 מַטֵּה לֵוִי שֵׁבֶט אָבִיךָ Num. 18:2

283 כַּבֵּד אֶת־אָבִיךָ וְאֶת־אִמֶּךָ Deut. 5:16

284 הֲלוֹא־הוּא אָבִיךָ קָּנֶךָ Deut. 32:6

285 שְׁאַל אָבִיךָ וְיַגֵּדְךָ Deut. 32:7

286 אֶהְיֶה עֶבֶד אָבִיךָ II Sh. 15:34

287 בּוֹא אֶל־פִּלַגְשֵׁי אָבִיךָ II Sh. 16:21

298-288 (לְ)דָוִ(י)ד אָבִיךָ IK.3:14; 6:12, 9:4,5,11,12 • IIK. 20:5 • Is. 38:5 • IICh. 2:13; 7:17, 18; 21:12

299 הָקֵל מֵעֲבֹדַת אָבִיךָ הַקָּשָׁה I K. 12:4

300 לֵךְ אֶל־נְבִיאֵי אָבִיךָ II K.3:13

301 אָבִיךָ הָרִאשׁוֹן חָטָא Is. 43:27

302 שְׁמַע בְּנִי מוּסַר אָבִיךָ Prov. 1:8

303 נְצֹר בְּנִי מִצְוַת אָבִיךָ Prov. 6:20

304 יִשְׂמַח־אָבִיךָ וְאִמֶּךָ Prov. 23:25

305 רֵעֲךָ וְרֵעַ אָבִיךָ אַל־תַּעֲזֹב Prov. 27:10

306 הָקֵל מֵעֲבֹדַת אָבִיךָ הַקָּשָׁה II Ch. 10:4

343-307 אָבִיךָ Gen. 26:24; 27:6; 28:13 47:5. 6; 48:1; 49:25; 50:6, 16 • ISh. 10:2; 14:28; 20:1, 3, 6, 8, 10 • IISh. 9:7[2]; 10:3; 13:5; 16:19, 21 17:8, 10 • IK. 12:4, 9, 10; 15:19; 20:34 • Is. 58:14 Jer. 22:15 • ICh. 19:3 • ICh. 10:4,9,10; 16:3; 21:12

בֵּית אָבִיךָ

357-344 בֵּית אָבִיךָ (וּבֵ־/ לְבֵ־) Gen. 31:30 Num. 18:1 • ISh. 2:27, 28, 30, 31; 9:20; 22:16, 22 • IISh. 3:8 • IK. 18:18 • Is. 7:17 • Jer. 12:6 • IICh. 21:13

וְאָבִיךָ

358 וְאָבִיךָ אִישׁ מִלְחָמָה II Sh. 17:8

לְאָבִיךָ

359 וְאֶעֱשֶׂה אֹתָם מַטְעַמִּים לְאָבִיךָ Gen. 27:9

360 שְׁמַע לְאָבִיךָ זֶה יְלָדֶךָ Prov. 23:22

363–361 לְאָבִיךָ Gen. 27:10 • Jud. 6:25[2]

מֵאָבִיךָ

364 כַּבִּיר מֵאָבִיךָ יָמִים Job. 15:10

אָבִיךְ

365 הֲיֵשׁ בֵּית־אָבִיךְ מָקוֹם Gen. 24:23

366 וְאֶת־אָבִיךְ וְאֶת־אִמֵּךְ... תַּאַסְפִי Josh. 2:18

367 אָבִיךְ הָאֱמֹרִי וְאִמֵּךְ חִתִּית Ezek. 16:3

368 וַתַּעַזְבִי אָבִיךְ וְאִמֵּךְ Ruth 2:11

בֵּית אָבִיךְ

373-369 בֵּית אָבִיךְ (וּבֵ־) Gen. 38:11 Josh. 2:18 • Jud. 14:15 • Ps. 45:11 Es. 4:14

מֵאָבִיךְ

374 אֲשֶׁר בָּחַר־בִּי מֵאָבִיךְ II Sh. 6:21

אָבִיו

375 יַעֲזָב־אִישׁ אֶת־אָבִיו וְאֶת-אִמּוֹ Gen. 2:24

376 וַיַּרְא חָם... אֵת עֶרְוַת אָבִיו Gen. 9:22

377 וַיָּמָת הָרָן עַל־פְּנֵי תֶּרַח אָבִיו Gen. 11:28

378 הַבְּאֵרֹת אֲשֶׁר חָפְרוּ עַבְדֵי אָבִיו Gen. 26:15

379 כִּשְׁמֹעַ עֵשָׂו אֶת־דִּבְרֵי אָבִיו Gen. 27:34

380 וַיִּשָּׁבַע יַעֲקֹב בְּפַחַד אָבִיו Gen. 31:53

381 בִּלְהָה פִּילֶגֶשׁ אָבִיו Gen. 35:22

382 וַיֵּשֶׁב יַעֲקֹב בְּאֶרֶץ מְגוּרֵי אָבִיו Gen. 37:1

383 וְאֶת־בְּנֵי זִלְפָּה נְשֵׁי אָבִיו Gen. 37:2

384 וַיִּזְבַּח זְבָחִים לֵאלֹהֵי אָבִיו Gen. 46:1

385 וַיִּתְמֹךְ יַד־אָבִיו Gen. 48:17

386 וַיִּפֹּל יוֹסֵף עַל־פְּנֵי אָבִיו Gen. 50:1

אָבִיו (המשך)

387 וּמַכֵּה אָבִיו וְאִמּוֹ Ex. 21:15

388/9 (וּ)מְקַלֵּל אָבִיו וְאִמּוֹ Ex. 21:17 • Prov. 20:20

390 אֲשֶׁר יְקַלֵּל אֶת־אָבִיו וְאֶת־אִמּוֹ Lev. 20:9

391 אָבִיו וְאִמּוֹ קִלֵּל דָּמָיו בּוֹ Lev. 20:9

392 אֲשֶׁר יִשְׁכַּב אֶת־אֵשֶׁת אָבִיו Lev. 20:11

393 עֶרְוַת אָבִיו גִּלָּה Lev. 20:11

394/5 אֲחֹתוֹ בַּת־אָבִיו Lev. 20:17 • Deut. 27:22

396 וּנְתַתֶּם... לַאֲחֵי אָבִיו Num. 27:10

397 אֵינֶנּוּ שֹׁמֵעַ בְּקוֹל אָבִיו Deut. 21:18

398 וְתָפְשׂוּ בוֹ אָבִיו וְאִמּוֹ Deut. 21:19

399 לֹא־יִקַּח אִישׁ אֶת־אֵשֶׁת אָבִיו Deut. 23:1

400 וְלֹא יְגַלֶּה כְּנַף אָבִיו Deut. 23:1

401 אָרוּר מַקְלֶה אָבִיו וְאִמּוֹ Deut. 27:16

402 אָרוּר שֹׁכֵב עִם־אֵשֶׁת אָבִיו Deut. 27:20

403 כִּי גִלָּה כְּנַף אָבִיו Deut. 27:20

404 וַיֹּאמֶר לוֹ אָבִיו וְאִמּוֹ Jud. 14:3

405 לִרְעוֹת אֶת־צֹאן אָבִיו I Sh. 17:15

406 וַיִּקְבְּרֻהוּ בְּקֶבֶר אָבִיו II Sh. 2:32

407 וַיָּבֹא אַבְשָׁלוֹם אֶל־פִּלַגְשֵׁי אָבִיו IISh. 16:22

408 וַיִּקָּבֵר בְּקֶבֶר אָבִיו II Sh. 17:23

421-409 (כְּ)דָוִ(י)ד אָבִיו(א) IK. 2:12; 3:3; 7:51; 11:4,6 27,23,43 • I Ch. 29:23 • II Ch. 2:16; 5:1; 8:14; 9:31;

422 וַאֲנָשִׁים אֲדֹמִיִּים מֵעַבְדֵי אָבִיו I K. 11:17

436-423 (כְּ)דָוִ(י)ד אָבִיו(ב) I K. 15:3,11,24 22:51 • IIK. 14:3; 15:38; 16:2; 18:3; 22:2 IICh. 17:3; 28:1; 29:2; 34:2,3

437/8 (בְּ)כָל-חַטֹּאות אָבִיו IK. 15:3 • Ezek. 18:14

439/40 וַיָּבֵא...קָדְשֵׁי אָבִיו IK. 15:15 • IICh. 15:8

441/2 וַיֵּלֶךְ בְּדֶרֶךְ אָבִיו IK. 15:26; 22:53

443 וְשַׂמְתֶּם עַל־כִּסֵּא אָבִיו IIK. 10:3

444 כּוֹס תַּנְחוּמִים עַל-אָבִיו וְעַל-אִמּוֹ Jer. 16:7

445 הוּא לֹא יָמוּת בַּעֲוֹן אָבִיו Ezek. 18:17

446 אֲחֹתוֹ בַת־אָבִיו עִנָּה־בָךְ Ezek. 22:11

447 וְאָמְרוּ אֵלָיו אָבִיו וְאִמּוֹ יֹלְדָיו Zeh. 13:3

448 אֱוִיל יִנְאַץ מוּסַר אָבִיו Prov. 15:5

449 וְרֹעֶה זוֹלְלִים יַכְלִים אָבִיו Prov. 28:7

450 גּוֹזֵל אָבִיו וְאִמּוֹ Prov. 28:24

451 אִישׁ־אֹהֵב חָכְמָה יְשַׂמַּח אָבִיו Prov. 29:3

452 וּבְחַלְּלוֹ יְצוּעֵי אָבִיו ICh. 5:1

453 כִּי לֵאלֹהֵי אָבִיו דָּרָשׁ II Ch. 17:4

454 וַיֵּלֶךְ בְּדֶרֶךְ אָבִיו אָסָא IICh. 20:32

455 וַיָּקָם יְהוֹרָם עַל־מַמְלֶכֶת אָבִיו IICh. 21:4

456 אַחֲרֵי מוֹת אָבִיו IICh. 22:4

550-457 אָבִיו Gen. 22:7; 26:15,18[2] 27:14, 18,19,22,26,30,32,38,39,41; 28:7,8; 31:18; 34:4 34:13; 35:27; 36:24; 37:10[2], 22, 35; 42:37; 43:8; 44:22[2]; 46:29; 47:7, 11, 12; 48:9, 17, 18, 19; 50:2, 7 50:14[2] • Lev. 16:32 • Jud. 8:32; 14:3, 9; 16:31 • ISh. 14:27; 19:4; 20:32, 33, 34 • IISh. 10:2[2], 21:14 • IK. 1:6; 12:6; 22:43, 47, 54 • IIK. 3:2; 4:18, 19; 9:25; 13:25; 14:3, 5, 21; 15:3, 34, 21:3, 20, 21[2]; 23:30, 34; 24:9 • Jer. 22:11 • Ezek. 18:18 • Prov. 30:11 • ICh. 19:2[2] • IICh. 4:16; 10:6; 17:2; 24:22; 25:3; 26:1, 4; 27:2; 33:3, 22[2], 23; 36:1

בֵּית אָבִיו

567-551 בֵּית אָבִיו (וּבֵ־/ לְבֵ־) Gen. 34:19 46:31; 47:12; 50:8,22 • Jud. 6:27; 9:5 • I Sh. 17:25 18:2; 22:1, 11 • IISh. 3:29 • Is. 3:6; 22:23; 22:24 • ICh. 9:19; 12:29 (28)

וְאָבִיו

568 וְאָבִיו קָרָא־לוֹ בִנְיָמִין Gen. 35:18

569 וְאָבִיו שָׁמַר אֶת־הַדָּבָר Gen. 37:11

570 וְאָבִיו אֲהֵבוֹ Gen. 44:20

571 אִישׁ אִמּוֹ וְאָבִיו תִּירָאוּ Lev. 19:3

וְאָבִיו (המשך) 572 וְאָבִיו וְאִמּוֹ לֹא יָדְעוּ — Jud. 14:4

573 וַיֵּרֶד שִׁמְשׁוֹן וְאָבִיו וְאִמּוֹ — Jud. 14:5

574/5 וְאָבִיו אִישׁ־צֹרִי — IK. 7:14 • IICh. 2:13

576 וְאִישׁ וְאָבִיו יֵלְכוּ — Am. 2:7

כְּאָבִיו 577 רַק לֹא כְאָבִיו וּכְאִמּוֹ — IIK. 3:2

לְאָבִיו 578/9 לְאָבִיו וּלְאִמּוֹ(...) לֹא יִטַּמָּא — Lev. 21:11; Num. 6:7

580 הָאֹמֵר לְאָבִיו וּלְאִמּוֹ לֹא רְאִיתִיו — Deut. 33:9

581/2 לְאָבִיו וּלְאִמּוֹ — Jud. 14:2,6

583 כַּעַס לְאָבִיו בֵּן כְּסִיל — Prov. 17:25

584 הַוֹּת לְאָבִיו בֵּן כְּסִיל — Prov. 19:13

585-592 לְאָבִיו — Gen. 27:31^2,34; 45:23; 50:10; Num. 27:11 • Jud. 9:56 • ISh. 17:34

וּלְאָבִיו 593 וּלְאָבִיו שָׁלַח כְּזֹאת — Gen. 45:23

594 לְאִמּוֹ וּלְאָבִיו וְלִבְנוֹ וּלְבִתּוֹ — Lev. 21:2

595 וּלְאָבִיו לֹא הִגִּיד — ISh. 14:1

אָבִיהוּ 596/7 בֵּית אָבִיהוּ — Jud. 14:19; 16:31

598 וּדְקָרֻהוּ אָבִיהוּ וְאִמּוֹ יֹלְדָיו — Zech. 13:3

599-602 אָבִיהוּ — Jud. 14:10; IK. 5:15 • ICh. 26:10 • IICh. 3:1

אָבִיהָ 603 כִּי אֲחִי אָבִיהָ הוּא — Gen. 29:12

604 וַתֵּשֶׁב בֵּית אָבִיהָ — Gen. 38:11

605 מִמִּשְׁפַּחַת מַטֵּה אָבִיהָ — Num. 36:8

606 וּבָכְתָה אֶת־אָבִיהָ וְאֶת־אִמָּהּ — Deut. 21:13

607 וְאֶת־אָבִיהָ וְאֶת־אִמָּהּ — Josh. 6:23

608 וּבְמוֹת אָבִיהָ וְאִמָּהּ — Es. 2:7

609-625 אָבִיהָ — Gen. 19:33; 31:35; 34:11; Ex. 22:16 • Lev. 21:9; 22:13 • Num. 30:5^2,6^2; Josh. 15:18 • Jud. 1:14; 11:37,39; 15:1,2,6

בֵּית אָבִיהָ 626-633 בֵּית אָבִיהָ — Lev. 22:13 • Num. 30:4,17; Deut. 22:21^2 • Josh. 6:25 • Jud. 19:2,3

וְאָבִיהָ 634 וְאָבִיהָ יָרֹק יָרַק בְּפָנֶיהָ — Num. 12:14

לְאָבִיהָ 635 עִם־הַצֹּאן אֲשֶׁר לְאָבִיהָ — Gen. 29:9

636/7 לְאָבִיהָ — Gen. 29:12; 31:19

אָבִינוּ 638 אָבִינוּ זָקֵן — Gen. 19:31

639 חֵלֶק וְנַחֲלָה בְּבֵית אָבִינוּ — Gen. 31:14

640 שְׁנֵים־עָשָׂר... אַחִים בְּנֵי אָבִינוּ — Gen. 42:32

641 לָמָּה יִגָּרַע שֵׁם־אָבִינוּ — Num. 27:4

642 אֲחֻזָּה בְּתוֹךְ אֲחֵי אָבִינוּ — Num. 27:4

643 לֹא־תִנְחַל בְּבֵית־אָבִינוּ — Jud. 11:2

644/5 אַתָּה אָבִינוּ... אַתָּה יְיָ אָבִינוּ — Is. 63:16

646 וְעַתָּה יְיָ אָבִינוּ אָתָּה — Is. 64:7

647 יְיָ אֱלֹהֵי יִשְׂרָאֵל אָבִינוּ — ICh. 29:10

648-656 אָבִינוּ — Gen. 19:32; 42:13,32; 44:25,31 • Num. 27:3 • Jer. 35:6,8,10

לְאָבִינוּ 657 לָקַח... אֵת כָּל־אֲשֶׁר לְאָבִינוּ — Gen. 31:1

658 וּמֵאֲשֶׁר לְאָבִינוּ עָשָׂה — Gen. 31:1

659 שָׁלוֹם לְעַבְדְּךָ לְאָבִינוּ — Gen. 43:28

מֵאָבִינוּ 660/1 וּנְחַיֶּה מֵאָבִינוּ זָרַע — Gen. 19:32,34

662 אֲשֶׁר הִצִּיל אֱלֹהִים מֵאָבִינוּ — Gen. 31:16

אֲבִיכֶם 663 וַיַּצֵּל אֱלֹהִים אֶת־מִקְנֵה אֲבִיכֶם — Gen. 31:9

664 וֵאלֹהֵי אֲבִיכֶם אֶמֶשׁ אָמַר אֵלַי — Gen. 31:29

665 וֵאלֹהֵי אֲבִיכֶם נָתַן לָכֶם מַטְמוֹן — Gen. 43:23

666 הֲשָׁלוֹם אֲבִיכֶם הַזָּקֵן — Gen. 43:27

667 וָאֶקַּח אֶת־אֲבִיכֶם — Josh. 24:3

668 הַבִּיטוּ אֶל־אַבְרָהָם אֲבִיכֶם — Is. 51:2

669-674 אֲבִיכֶם — Gen. 43:7; 44:17; 45:18,19; 49:2 • Jer. 35:18

אֲבִיכֶן 675 רֹאֶה אָנֹכִי אֶת־פְּנֵי אֲבִיכֶן — Gen. 31:5

676 בְּכָל־כֹּחִי עָבַדְתִּי אֶת־אֲבִיכֶן — Gen. 31:6

וַאֲבִיכֶן 677 וַאֲבִיכֶן הֵתֶל בִּי — Gen. 31:7

678 אִמְּכֶן חִתִּית וַאֲבִיכֶן אֱמֹרִי — Ezek. 16:45

אֲבִיהֶם 679 וַיְכַסּוּ אֵת עֶרְוַת אֲבִיהֶם — Gen. 9:23

680 וְעֶרְוַת אֲבִיהֶם לֹא רָאוּ — Gen. 9:23

681 יִשְׁפְּטוּ בֵינֵינוּ אֱלֹהֵי אֲבִיהֶם — Gen. 31:53

682 לִרְעוֹת אֶת־צֹאן אֲבִיהֶם — Gen. 37:12

683 אֲחֻזַּת נַחֲלָה בְּתוֹךְ אֲחֵי אֲבִיהֶם — Num. 27:7

684 לְמִשְׁפַּחַת מַטֵּה אֲבִיהֶם תִּהְיֶינָה — Num. 36:6

685 וְלֹא יִשְׁמְעוּ לְקוֹל אֲבִיהֶם — ISh. 2:25

686 וַיֹּאמֶר וּמִי אֲבִיהֶם — ISh. 10:12

687 כִּי שָׁמְעוּ אֶת מִצְוַת אֲבִיהֶם — Jer. 35:14

688 הֵקִימוּ... אֶת־מִצְוַת אֲבִיהֶם — Jer. 35:16

689 הַמִּמְשָׁלִים לְבֵית אֲבִיהֶם — ICh. 26:6

690-713 אֲבִיהֶם — Gen. 37:2,4,32; 42:29,36; 43:2,11; 45:25,27; 46:5; 49:28; 50:15 • Ex. 40:15; Num. 3:4 • Josh. 19:47 • Jud. 18:29 • IK. 13:12; Job. 42:15 • ICh. 7:22; 24:2,19; 25:3,6 • IICh. 21:3

וַאֲבִיהֶם 714 וַיִּרְאוּ... הֵמָּה וַאֲבִיהֶם — Gen. 42:35

לַאֲבִיהֶם 715 וַיְסַפְּרוּם לַאֲבִיהֶם — IK. 13:11

אֲבִיהֶן 716 וַתַּשְׁקֶיןָ אֶת־אֲבִיהֶן יַיִן — Gen. 19:33

717 וַתַּשְׁקֶיןָ... אֶת־אֲבִיהֶן — Gen. 19:35

718 לְהַשְׁקוֹת צֹאן אֲבִיהֶן — Ex. 2:16

719 וַתָּבֹאנָה אֶל־רְעוּאֵל אֲבִיהֶן — Ex. 2:18

720 וְהַעֲבַרְתָּ אֶת־נַחֲלַת אֲבִיהֶן — Num. 27:7

721 עַל־מַטֵּה מִשְׁפַּחַת אֲבִיהֶן — Num. 36:12

722 נַחֲלָה בְּתוֹךְ אֲחֵי אֲבִיהֶן — Josh. 17:4

מֵאֲבִיהֶן 723 וַתַּהֲרֶיןָ.. בְנוֹת־לוֹט מֵאֲבִיהֶן — Gen. 19:36

אָבוֹת 724 וְיִקְחוּ... שֶׂה לְבֵית־אָבֹת — Ex. 12:3

725 פֹּקֵד עֲוֹן אָבֹת עַל־בָּנִים — Ex. 20:5

726-728 פֹּקֵד עֲוֹן אָבוֹת עַל־בָּנִים — Ex. 34:7; Num. 14:18 • Deut. 5:9

729/30 לֹא־יוּמְתוּ אָבוֹת עַל־בָּנִים — Deut. 24:16; IIK. 14:6

731/2 וּבָנִים לֹא־יוּמְתוּ עַל־אָבוֹת — Deut. 24:16; IIK. 14:6

733 וְכָשְׁלוּ בָם אָבוֹת וּבָנִים — Jer. 6:21

734/5 אָבוֹת אָכְלוּ(יֹאכְלוּ) בֹסֶר וְשִׁנֵּי בָנִים(הַבָּ־) תִּקְהֶינָה — Jer. 31:29(28) • Ezek. 18:2

736 וּמְשַׁלֵּם עֲוֹן אָבוֹת אֶל־חֵיק בְּנֵיהֶם — Jer. 32:18

737 לֹא־הִפְנוּ אָבוֹת אֶל־בָּנִים — Jer. 47:3

738 אָבוֹת יֹאכְלוּ בָנִים בְּתוֹכֵךְ — Ezek. 5:10

739 וְהֵשִׁיב לֵב־אָבוֹת עַל־בָּנִים — Mal. 3:24

740 בַּיִת וָהוֹן נַחֲלַת אָבוֹת — Prov. 19:14

741 אָבוֹת הָרֹאשׁ לְעֻמַּת אָחִיו — ICh. 24:31

742 לֹא־יָמוּתוּ אָבוֹת עַל־בָּנִים — IICh. 25:4

743 וּבָנִים לֹא־יָמוּתוּ עַל־אָבוֹת — IICh. 25:4

בֵּית אָבוֹת 744 רָאשֵׁי בֵּית אָבוֹת — ICh. 7:7

745-7 לְבֵית אָבוֹת — ICh. 24:4 • IICh. 25:5; 35:12

רָאשֵׁי א׳ 748-754 רָאשֵׁי אָבוֹת — Num. 36:1; Neh. 12:22 • ICh. 8:6,10,28; 9:9,33

לְאָבוֹת 755 וְאֶחָיו רָאשִׁים לְאָבוֹת — Neh. 11:13

756 לַחֶבְרוֹנִי לְתֹלְדֹתָיו לְאָבוֹת — ICh. 26:31

הָאָבוֹת 757 לְבַד מִמְכָּרָיו עַל־הָאָבוֹת — Deut. 18:8

758/9 נְשִׂיאֵי הָאָבוֹת — IK. 8:1 • IICh. 5:2

בֵּית הָא׳ 760 לִפְלֻגּוֹת בֵּית הָאָבוֹת — IICh. 35:5

רָאשֵׁי הָא׳ 761-789 (וְ־/לְ־/וּמֵ־) רָאשֵׁי הָאָבוֹת — Num. 36:1; Josh. 19:51 • Ez. 1:5; 2:68; 3:12; 4:2,3; 10:16; Neh. 7:69(70),70(71); 8:13; 12:12,23 • ICh. 7:11; 8:13; 9:34; 15:12; 23:9, 24; 24:6, 31; 26:21, 26, 32; 27:1 • IICh. 1:2; 19:8; 23:2; 26:12

790 וְהַלְוִיִּם וְשָׂרֵי־הָאָבוֹת לְיִשְׂרָאֵל — Ez. 8:29

791 רָאשֵׁי בֵּית־הָאָבוֹת — ICh. 7:40

792 שָׂרֵי הָאָבוֹת וְשָׂרֵי שִׁבְטֵי יִשְׂרָאֵל — I Ch. 29:6

וְהָאָבוֹת 793 וְהָאָבוֹת מְבַעֲרִים אֶת־הָאֵשׁ — Jer. 7:18

794 וְהָאָבוֹת וְהַבָּנִים יַחְדָּו — Jer. 13:14

אֲבוֹת־ 795/6 רָאשֵׁי אֲבוֹת הַלְוִיִּם — Ex. 6:25 • Josh. 21:1

797 וְרָאשֵׁי אֲבוֹת הָעֵדָה — Num. 31:26

798-800 (וְ)רָאשֵׁי אֲבוֹת הַמַּטּוֹת — Num. 32:28; Josh. 14:1; 21:1

וַאֲבוֹת־ 801 אֲבֹתֶיךָ וַאֲבוֹת אֲבֹתֶיךָ — Ex. 10:6

802 אֲבֹתָיו וַאֲבוֹת אֲבֹתָיו — Dan. 11:24

אֲבוֹתַי 803 יְמֵי שְׁנֵי חַיֵּי אֲבֹתַי — Gen. 47:9

804 וְשָׁכַבְתִּי עִם־אֲבֹתַי — Gen. 47:30

805 אֲשֶׁר הִתְהַלְּכוּ אֲבֹתַי לְפָנָיו — Gen. 48:15

806 וְיִקָּרֵא בָהֶם שְׁמִי וְשֵׁם אֲבֹתַי — Gen. 48:16

807 מִתִּתִּי אֶת־נַחֲלַת אֲבֹתַי — IK. 21:3

808 בֵּית־קִבְרוֹת אֲבֹתַי — Neh. 2:3

809 אֶל־עִיר קִבְרוֹת אֲבֹתַי — Neh. 2:5

810-12 אֲבֹתַי — IIK. 19:12 • Is. 37:12 • IICh. 32:14

אֲבוֹתָי 813 קִבְרוּ אֹתִי אֶל־אֲבֹתָי — Gen. 49:29

814 לֹא־אֶתֵּן לְךָ אֶת־נַחֲלַת אֲבוֹתָי — IK. 21:4

815 תּוֹשָׁב כְּכָל־אֲבוֹתָי — Ps. 39:13

816 לְהַצִּיל עַמּוֹ מִיָּדִי וּמִיַּד אֲבוֹתָי — IICh. 32:15

וַאֲבוֹתַי 817 מֶה עָשִׂיתִי אֲנִי וַאֲבוֹתַי — IICh. 32:13

מֵאֲבֹתָי 818 לֹא־טוֹב אָנֹכִי מֵאֲבֹתָי — IK. 19:4

אֲבוֹתֶיךָ 819 תָּבוֹא אֶל־אֲבֹתֶיךָ בְּשָׁלוֹם — Gen. 15:15

820 שׁוּב אֶל־אֶרֶץ אֲבוֹתֶיךָ — Gen. 31:3

821/2 אֲבֹתֶיךָ וַאֲבוֹת אֲבֹתֶיךָ — Ex. 10:6

823-6 יְיָ אֱלֹהֵי(־)אֲבֹתֶיךָ — Deut. 1:21; 6:3; 12:1; 27:3

827 וְלֹא יִשְׁכַּח אֶת־בְּרִית אֲבֹתֶיךָ — Deut. 4:31

828 כִּי אָהַב אֶת־אֲבֹתֶיךָ — Deut. 4:37

829 וְלֹא יָדְעוּן אֲבֹתֶיךָ — Deut. 8:3

830 אֲשֶׁר לֹא־יָדְעוּן אֲבֹתֶיךָ — Deut. 8:16

831 בְּשִׁבְעִים נֶפֶשׁ יָרְדוּ אֲבֹתֶיךָ — Deut. 10:22

832 הָאָרֶץ אֲשֶׁר־יָרְשׁוּ אֲבֹתֶיךָ — Deut. 30:5

833 כַּאֲשֶׁר־שָׂשׂ עַל־אֲבֹתֶיךָ — Deut. 30:9

834 הִנְּךָ שֹׁכֵב עִם־אֲבֹתֶיךָ — Deut. 31:16

835 וְשָׁכַבְתָּ אֶת־אֲבֹתֶיךָ — IISh. 7:12

836 לֹא־תָבוֹא... אֶל־קֶבֶר אֲבֹתֶיךָ — IK. 13:22

837/8 וַאֲשֶׁר אָצְרוּ אֲבֹתֶיךָ — IIK. 20:17 • Is. 39:6

839 הִנְנִי אֹסִפְךָ עַל־אֲבֹתֶיךָ — IIK. 22:20

840 וּבְמִשְׂרְפוֹת אֲבוֹתֶיךָ...יִשְׂרְפוּ־לָךְ — Jer. 34:5

841 תַּחַת אֲבֹתֶיךָ יִהְיוּ בָנֶיךָ — Ps. 45:17

842 גְּבוּל עוֹלָם אֲשֶׁר עָשׂוּ אֲבוֹתֶיךָ — Prov. 22:28

843 מָלְאוּ יָמֶיךָ לָלֶכֶת עִם־אֲבֹתֶיךָ — ICh. 17:11

844 הִנְנִי אֹסִפְךָ אֶל־אֲבֹתֶיךָ — IICh. 34:28

וַאֲבוֹתֶיךָ 845 לֹא יָדַעְתָּ אַתָּה וַאֲבֹתֶיךָ — Deut. 13:7

846/7 לֹא־יָדַעְתָּ אַתָּה וַאֲבֹתֶיךָ — Deut. 28:36,64

בַּאֲבוֹתֶיךָ 848 רַק בַּאֲבֹתֶיךָ חָשַׁק יְיָ — Deut. 10:15

לַאֲבוֹתֶיךָ 849-860 נִשְׁבַּע (יְיָ) לַאֲבֹתֶיךָ — Ex.13:5 • Deut.6:10, 18; 7:12,13; 8:18,9:5; 13:18; 19:8; 28:11; 29:12; 30:20

861 הָאָרֶץ אֲשֶׁר דִּבֶּר לָתֵת לַאֲבֹתֶיךָ — Deut. 19:8

וְלַאֲבוֹתֶיךָ 862 כַּאֲשֶׁר נִשְׁבַּע לְךָ וְלַאֲבֹתֶיךָ — Ex. 13:11

מֵאֲבוֹתֶיךָ 863 וְהֵיטִבְךָ וְהִרְבְּךָ מֵאֲבֹתֶיךָ — Deut. 30:5

אֲבוֹתָיו 864 וְאֶל־אֲחֻזַּת אֲבֹתָיו יָשׁוּב — Lev. 25:41

865-7 בֵּית(־)אֲבֹתָיו (לְבֵ־) — Num. 1:4,44; 2:34

868 אִישׁ... לְמַטֵּה אֲבֹתָיו תִּשְׁלָחוּ — Num. 13:2

869 בְּנַחֲלַת מַטֵּה אֲבֹתָיו יִדְבְּקוּ — Num. 36:7

870 יִירְשׁוּ... אִישׁ נַחֲלַת אֲבֹתָיו — Num. 36:8

871 כָּל־הַדּוֹר.. נֶאֶסְפוּ אֶל־אֲבוֹתָיו — Jud. 2:10

872 כִּשְׁכַב אֲדֹנִי־הַמֶּלֶךְ עִם־אֲבֹתָיו — IK. 1:21

873-904 וַיִּשְׁכַּב (...) עִם־אֲבֹתָיו — IK. 2:10; 11:43; 14:20,31; 15:8,24; 16:6,28; 22:40,5 • IIK. 8:24; 10:35; 13:9,13; 14:16,29; 15:7,22,38; 16:20; 20:21; 21:18; 24:6 • IICh. 9:31; 12:16; 13:23; 16:13; 26:23; 27:9; 28:27; 32:33; 33:20

אֲבוֹתָיו (המשך) 905 כִּי־שָׁכַב דָּוִד עִם־אֲבֹתָיו IK. 11:21
913-906 וַיִּקָּבֵר (...) עִם־אֲבֹתָיו IK. 14:31
15:24; 22:51 • IIK. 8:24; 14:20; 15:38; 16:20 • IICh. 21:1
918-914 וַיִּקְבְּרוּ אֹתוֹ (...) עִם־אֲבֹתָיו IIK. 9:28
12:22; 15:7 • IICh. 25:28; 26:23
919/20 אַחֲרֵי שְׁכַב־הַמֶּלֶךְ עִם־אֲבֹתָיו IIK. 14:22
IICh. 26:2
925-921 אֱלֹהֵי אֲבֹתָיו IIK. 21:22
Dan. 11:37 • IICh. 21:10; 28:25; 33:12
926 תָּבוֹא עַד־דּוֹר אֲבוֹתָיו Ps. 49:20
927 יִזָּכֵר עֲוֹן אֲבֹתָיו אֶל־יְיָ Ps. 109:14
928/9 אֲבֹתָיו וַאֲבוֹת אֲבֹתָיו Dan. 11:24
930 וַיִּשְׁכַּב יְהוֹשָׁפָט עִם־אֲבוֹתָיו IICh. 21:1
931 וְלֹא־עָשׂוּ לוֹ... כִּשְׂרֵפַת אֲבֹתָיו IICh. 21:19
932 יְיָ אֱלֹהֵי אֲבוֹתָיו IICh. 30:19
933 וַיִּקָּבֵר בְּקִבְרוֹת אֲבֹתָיו IICh. 35:24
939-934 אֲבֹתָיו IK. 15:12
IIK. 12:19; 15:9; 23; 32,37 • Dan. 11:38
לַאֲבוֹתָיו 940 אֲשֶׁר נִשְׁבַּעְתָּ לַאֲבֹתָיו Num. 11:12
941 אֲשֶׁר־נִשְׁבַּעְתִּי לַאֲבֹתָיו Deut. 31:20
אֲבוֹתֵינוּ 942 גַּם־אֲנַחְנוּ גַּם־אֲבֹתֵינוּ Gen. 46:34
943 גַּם־אֲנַחְנוּ גַּם־אֲבוֹתֵינוּ Gen. 47:3
944 וַיֵּרְדוּ אֲבֹתֵינוּ מִצְרַיְמָה Num. 20:15
945 וְנִגְרְעָה נַחֲלָתָן מִנַּחֲלַת אֲבֹתֵינוּ Num. 36:3
946 וּמִנַּחֲלַת מַטֵּה אֲבֹתֵינוּ Num. 36:4
949-947 אֱלֹהֵי אֲבֹתֵינוּ Deut. 26:7
Ez. 7:27 • IICh. 20:6
950 אֶת־יְגִיעַ אֲבוֹתֵינוּ מִנְּעוּרֵינוּ Jer. 3:24
951 יָדַעְנוּ יְיָ רִשְׁעֵנוּ עֲוֹן אֲבוֹתֵינוּ Jer. 14:20
952 לְחַלֵּל בְּרִית אֲבֹתֵינוּ Mal. 2:10
953 אֲבוֹתֵינוּ סִפְּרוּ־לָנוּ Ps. 44:3(2)
954 אֲבֹתֵינוּ חָטְאוּ וְאֵינָם Lam. 5:7
955 כִּי בַחֲטָאֵינוּ וּבַעֲוֹנוֹת אֲבֹתֵינוּ Dan. 9:16
956 מִימֵי אֲבֹתֵינוּ אֲנַחְנוּ בְּאַשְׁמָה Ez. 9:7
957 וַתֵּרֶא אֶת־עֳנִי אֲבֹתֵינוּ Neh. 9:9
958 לְהָבִיא... לְבֵית־אֲבֹתֵינוּ Neh. 10:35
959 יֵרֶא אֱלֹהֵי אֲבוֹתֵינוּ ICh. 12:18(17)
972-960 אֲבֹתֵינוּ Deut. 5:3 • Josh. 24:17
IK. 8:21, 53, 57, 58 • IIK 22:13 • Is. 64:10 • Ps.
22:5; 106:6 • ICh. 29:15, 18 • IICh. 29:6
979-973 אֲבוֹתֵינוּ Josh. 22:28 • Jud. 6:13
Jer. 16:19 • Ps. 78:5; 106:7 • IICh. 29:9; 34:21
וַאֲבוֹתֵינוּ 980 חָטָאנוּ אֲנַחְנוּ וַאֲבוֹתֵינוּ Jer. 3:25
981 וַאֲבוֹתֵינוּ סִפְּרוּ־לָנוּ Ps. 78:3
982 כַּאֲשֶׁר עָשִׂינוּ אֲנַחְנוּ וַאֲבֹתֵינוּ Jer. 44:17
983/4 שָׂרֵינוּ... וַאֲבֹתֵינוּ Dan. 9:6 • Neh. 9:34
985 וְהֵם וַאֲבֹתֵינוּ הֵזִידוּ Neh. 9:16
לַאֲבוֹתֵינוּ 986 אֲשֶׁר נִשְׁבַּע לַאֲבֹתֵינוּ Deut. 6:23
992-987 לַאֲבֹתֵינוּ Deut. 26:3,15
IK. 8:40 • Mic. 7:20 • Neh. 9:36 • IICh. 6:31
וְלַאֲבוֹתֵינוּ 993 וַיָּרֵעוּ לָנוּ מִצְרַיִם וְלַאֲבֹתֵינוּ Num. 20:15
994 לִמְלָכֵינוּ לְשָׂרֵינוּ וְלַאֲבֹתֵינוּ Dan. 9:8
995 וְלִנְבִיאֵינוּ וְלַאֲבֹתֵינוּ Neh. 9:32
אֲבוֹתֵיכֶם 996 וְהֵשִׁיב אֶתְכֶם אֶל־אֶרֶץ אֲבֹתֵיכֶם Gen. 48:21
997 אֱלֹהֵי אֲבוֹתֵיכֶם שְׁלָחַנִי אֲלֵיכֶם Ex. 3:13
1004-998 (כ)יְיָ אֱלֹהֵי(־)אֲבֹתֵיכֶם Ex. 3:15,16
Deut. 4:1 • Ez. 8:28; 10:11 • IICh. 13:12; 29:5
1005 לְמַטּוֹת אֲבֹתֵיכֶם תִּתְנֶחָלוּ Num. 33:54
1006 יְיָ אֱלֹהֵי אֲבוֹתֵכֶם יֹסֵף עֲלֵיכֶם Deut. 1:11
1007 לֹא שְׂעָרוּם אֲבֹתֵיכֶם Deut. 32:17
1008/9 אֱלֹהֵי(־)אֲבוֹתֵיכֶם Josh. 18:3 • IICh. 28:9
1010 עֲוֹנֹתֵיכֶם וַעֲוֹנֹת אֲבוֹתֵיכֶם Is. 65:7

אֲבוֹתֵיכֶם (המשך) 1011 הֲשִׁכַחְתֶּם אֶת־רָעוֹת אֲבוֹתֵיכֶם Jer. 44:9
1012 בְּחוּקֵּי אֲבוֹתֵיכֶם אַל־תֵּלֵכוּ Ezek. 20:18
1013 הַבְדֶרֶךְ אֲבוֹתֵיכֶם אַתֶּם נִטְמְאִים Ezek. 20:30
1014 בִּימֵיכֶם וְאִם בִּימֵי אֲבֹתֵיכֶם Joel 1:2
1015 לְמִימֵי אֲבֹתֵיכֶם סַרְתֶּם מֵחֻקַּי Mal. 3:7
1016 וְהָכִינוּ לְבֵית־אֲבֹתֵיכֶם IICh. 35:4
1024-1017 אֲבֹתֵיכֶם Num. 32:8,14
ISh. 12:7,8 • IIK. 17:13 • Zeh. 1:6; 8:14 • Neh. 13:18
1048-1025 אֲבוֹתֵיכֶם Josh. 24:2,6[2]
24:14,15 • ISh. 12:6,8 • Jer. 2:5; 3:18; 7:22,25;
11:4; 16:11; 17:22; 34:13,14; 44:10 • Ezek. 20:27, 36
37:25 • Hosh. 9:10 • Zeh. 1:2,5 • Ps. 95:9
וַאֲבוֹתֵיכֶם 1050-1049 אַתֶּם וַאֲבוֹתֵיכֶם Jer. 16:13; 44:21
1051 אַתֶּם וַאֲבֹתֵיכֶם Jer. 44:3
בַּאֲבוֹתֵיכֶם 1052 הָעֵד הַעִדֹתִי בַּאֲבוֹתֵיכֶם Jer. 11:7
וּבַאֲבוֹתֵיכֶם 1053 וְהָיְתָה יַד־יְיָ בָּכֶם וּבַאֲבוֹתֵיכֶם ISh. 12:15
כַּאֲבוֹתֵיכֶם 1054 אַל־תִּהְיוּ כַאֲבֹתֵיכֶם Zeh. 1:4
1055 וְאַל־תִּהְיוּ כַּאֲבוֹתֵיכֶם IICh. 30:7
1056 אַל־תַּקְשׁוּ עָרְפְּכֶם כַּאֲבוֹתֵיכֶם IICh. 30:8
לַאֲבוֹתֵיכֶם 60-1057 נִשְׁבַּע יְיָ לַאֲבֹתֵיכֶם Deut. 1:8; 8:1; 11:9,21
1065-1061 לַאֲבֹתֵיכֶם Deut. 1:35; 7:8
Jud. 2:1 • Ezek. 36:28; 47:14
1069-1066 לַאֲבוֹתֵיכֶם Jer. 7:7; 11:5
Ezek. 20:42 • IICh. 33:8
וְלַאֲבוֹתֵיכֶם 2-1070 לָכֶם וְלַאֲבוֹתֵיכֶם Jer. 7:14; 23:39; 25:5
1073 לָכֶם וְלַאֲבֹתֵיכֶם Jer. 35:15
מֵאֲבוֹתֵיכֶם 1074 הֲרֵעֹתֶם לַעֲשׂוֹת מֵאֲבוֹתֵיכֶם Jer. 16:12
אֲבוֹתָם 1075/6 יְיָ אֱלֹהֵי אֲבֹתָם Ex. 4:5 • Deut. 29:24
1077 בַּעֲוֹנֹת אֲבֹתָם אִתָּם יִמָּקּוּ Lev. 26:39
1078 אֶת־עֲוֹנָם וְאֶת־עֲוֹן אֲבֹתָם Lev. 26:40
1079 נְשִׂיאֵי מַטּוֹת אֲבוֹתָם Num. 1:16
1080 וְהַלְוִיִּם לְמַטֵּה אֲבֹתָם Num. 1:47
1081 לִשְׁמוֹת מַטּוֹת־אֲבֹתָם יִנְחָלוּ Num. 26:55
1082/3 יְיָ אֱלֹהֵי אֲבוֹתָם Jud. 2:12 • IICh. 28:6
1084 וַיַּקְשׁוּ אֶת־עָרְפָּם כְּעֹרֶף אֲבוֹתָם IIK. 17:14
1085 הָכִינוּ לְבָנָיו מַטְבֵּחַ בַּעֲוֹן אֲבוֹתָם Is. 14:21
1086 עֲוֹנֹת אֲבוֹתָם הָרִאשֹׁנִים Jer. 11:10
1087 וּבָנִים יֹאכְלוּ אֲבוֹתָם Ezek. 5:10
1088 אֶת־תּוֹעֲבֹת אֲבוֹתָם הוֹדִיעֵם Ezek. 20:4
1089 וְאַחֲרֵי גִּלּוּלֵי אֲבוֹתָם הָיוּ עֵינֵיהֶם Ezek. 20:24
1090 וְהֵשִׁיב...וְלֵב בָּנִים עַל־אֲבוֹתָם Mal. 3:24
1091 וְתִפְאֶרֶת בָּנִים אֲבוֹתָם Prov. 17:6
1092 וְכוֹנֵן לְחֵקֶר אֲבוֹתָם Job 8:8
1095-1093 אֲבֹתָם IK. 9:9; 14:22 • IIK. 17:41
1111-1096 אֲבוֹתָם Josh. s:21
Jud. 2:17,20,22; 3:4; 21:22 • IIK. 17:15
21:15 • Jer. 9:13; 11:10; 16:3; 23:27; 31:31(32)
Am. 2:4 • Ps. 78:12 • Job 30:1
בֵּית אָ׳ 1147-1112 בֵּית(־)אֲבֹתָם (לְבֵ־) Ex. 6:14
Num. 1:2,18,20,22,24,26,28,30,32,34,36,38,40
1:42,45; 2:2,32; 3:15,20; 4:2,22,29,34,38,40,42,46
7:2; 17:17,21; 26:2; 34:14[2] • Ez. 10:16 • Neh. 7:61
1160-1148 בֵּית(־)אֲבוֹתָם (לְבֵ־) Num. 17:18
Josh. 22:14 • Ez. 2:59 • IICh. 5:15,24[2]; 7:2,4,9
9:13; 12:31(30); 24:4; 26:13
וַאֲבוֹתָם 1161 אֲשֶׁר לֹא יָדְעוּ הֵמָּה וַאֲבוֹתָם Jer. 9:15
1162 הֵמָּה וַאֲבוֹתָם פָּשְׁעוּ בִי Ezek. 2:3
כַּאֲבוֹתָם 1163 וְלֹא יִהְיוּ כַּאֲבוֹתָם Ps. 78:8
1164 וַיִּסֹּגוּ וַיִּבְגְּדוּ כַּאֲבוֹתָם Ps. 78:57
לַאֲבוֹתָם 1165/6 הָאָרֶץ אֲשֶׁר(־)נִשְׁבַּעְתִּי לַאֲבֹתָם
Num. 14:23 • Deut. 10:11
1167 הָאָרֶץ אֲשֶׁר נִשְׁבַּע יְיָ לַאֲבֹתָם Deut. 31:7

לַאֲבוֹתָם (המשך) 1168 הָאָרֶץ אֲשֶׁר־נָתַתִּי לַאֲבֹתָם Jer. 30:3
1169 אַרְצָם אֲשֶׁר נָתַתָּה לַאֲבֹתָם IICh. 6:38
1170/9 לַאֲבוֹתָם Josh. 1:6; 5:6; 21:41,42 • IK. 8:34
8:48 • IIK. 21:8 • Jer. 16:15; 32:22 • IICh. 6:38
מֵאֲבוֹתָם 1180 יָשֻׁבוּ וְהִשְׁחִיתוּ מֵאֲבוֹתָם Jud. 2:19
1181 הֵרֵעוּ מֵאֲבוֹתָם Jer. 7:26
1182 וְלֹא כִחֲדוּ מֵאֲבוֹתָם Job 15:18
אֲבוֹתֵיהֶם 1183 וּמִקְוֵה אֲבוֹתֵיהֶם יְיָ Jer. 50:7
1184 וְאֵלֶּה רָאשֵׁי אֲבֹתֵיהֶם Ez. 8:1
1185 וַעֲוֹנוֹת אֲבֹתֵיהֶם Neh. 9:2
1189-1186 אֱלֹהֵי אֲבֹתֵיהֶם (לֵא־) ICh. 5:25
29:20 • IICh. 7:22; 20:33
1201-1190 אֱלֹהֵי אֲבוֹתֵיהֶם (לֵא־) IICh. 11:16
13:18; 14:3; 15:12; 19:4; 24:18,24; 30:7,22; 34:32,33; 36:15
בֵּית אָ׳ 1206-1202 בֵּית אֲבוֹתֵיהֶם (וּבֵ־/ לְבֵ־) ICh. 4:38
5:13; 23:24 • IICh. 17:14; 31:17
1207/8 לְבֵית אֲבֹתֵיהֶם ICh. 9:9; 24:30
וַאֲבוֹתֵיהֶם 1209 לֹא־יְדָעוּם הֵמָּה וַאֲבוֹתֵיהֶם Jer. 19:4
1210 וַאֲבֹתֵיהֶם עַל־מַחֲנֵה יְיָ ICh. 9:19
לַאֲבוֹתֵיהֶם 1211 אֲשֶׁר נָתַן לַאֲבוֹתֵיהֶם IK. 14:15
1212 אֲשֶׁר־אָמַרְתָּ לַאֲבֹתֵיהֶם Neh. 9:23
1213 מִשְׁפְּחוֹת הַלֵּוִי לַאֲבֹתֵיהֶם ICh. 6:4
וְלַאֲבוֹתֵיהֶם 1214 נָתַתִּי לָהֶם וְלַאֲבוֹתֵיהֶם Jer. 24:10
1215 אֲשֶׁר־נָתַתָּה לָהֶם וְלַאֲבֹתֵיהֶם IICh. 6:25

אַב ז׳ ארמית = אָב: 1-6; אַבְהָתָא = אָבוֹת: 7-9
אַבִי 1 דִּי הַיְתִי מַלְכָּא אַבִי מִן־יְהוּד Dan. 5:13
אֲבוּךְ 2/3 וּבְיוֹמֵי אֲבוּךְ..וּנְבֻכַדְנֶצַּר אֲבוּךְ Dan. 5:11
4/5 אֲבוּךְ Dan. 5:11,18
אֲבוּהִי 6 דִּי הַנְפֵּק נְבוּכַדְנֶצַּר אֲבוּהִי Dan. 5:2
אֲבָהָתִי 7 לָךְ אֱלָהּ אֲבָהָתִי מְהוֹדֵא... אֲנָה Dan. 2:23
אֲבָהָתָךְ 8 בִּסְפַר־דָּכְרָנַיָּא דִּי אֲבָהָתָךְ Ez. 4:15
אֲבָהָתַנָא 9 הַרְגִּזוּ אֲבָהָתַנָא לֶאֱלָהּ שְׁמַיָּא Ez. 5:12

אֹב ראה אוב

אֵב* ז׳ צמח רענן; רעננות
בְּאִבּוֹ 1 עֹדֶנּוּ בְאִבּוֹ לֹא יִקָּטֵף Job 8:12
בְּאִבֵּי־ 2 יָרַדְתִּי לִרְאוֹת בְּאִבֵּי הַנָּחַל S.ofS. 6:11

אבב : אָב, אָבִיב; ארמית: אִנְבָּא

אֲבַגְתָא שפ״ז — מן הסריסים של המלך אחשורוש
1 בִּגְתָא וַאֲבַגְתָא... שִׁבְעַת הַסָּרִיסִים Es. 1:10

אבד : אָבַד, אִבֵּד, הֶאֱבִיד; אֲבֵדָה, אֲבֵדוֹ, אֲבַדּוֹן, אַבְדָן, אָבְדָן, אוֹבֵד; ארמית: אֲבַד, הוּבַד, הוֹבֵד

אָבַד פָּ׳ א) כָּלָה, נשמד: 1—60, 62, 76—79, 81—116
ב) תּעה, נדח: 61, 63—73
ג) נעלם, לא נמצא: 74, 80, 117
ד) [פִּ׳ אִבַּד] כלה, השמיד: 118—146, 147—158
ה) [הִ׳ הֶאֱבִיד] השמיד, מחה: 159—184
קרובים: הרג / חבל / חרב / חרם / כחד / כלה / כרת / מחה / סוף / ספה / צמת / קטל / שחת / שמד / תמם
— אָבַד לְ־ 74, 117; אָ׳ מִן־ 19, 21-23, 25, 31, 34, 36, 41, 55, 80, 81, 82; אָ׳ מֵעַל־ 8; אָ׳ מִתּוֹךְ־ 115
— אָבַד דֶּרֶךְ 93; אָ׳ זִכְרוֹ 20, 23; אָ׳ חָזוֹן 33; אָ׳ חָסִיד 19; אָ׳ יוֹם 76; אָ׳ יוֹעֵץ 28; אָ׳ לִבּוֹ 75; אָ׳ לָנֶצַח 79; אָ׳ מֶלֶךְ 36; אָ׳ מָנוֹס 21, 22, 31, 34; אָ׳ נִצְחוֹ 25; אָ׳ כֶּלַח 24; אָ׳ הָעֹשֶׁר 37; אָ׳ צַדִּיק 26; אָ׳ קָצִיר 18; אָ׳ שְׁמוֹ 35; אָבְדָה דַרְכּוֹ 85; אָ׳ הָאֱמוּנָה 39; אָ׳ הָאָרֶץ 40; אָ׳ חָכְמָתוֹ 45; אָ׳ עֵצָה מִמֶּנּוּ 41; אָ׳ קִנְאָתוֹ 44; אָ׳ שְׁאֵרִיתוֹ 46, 58; אָ׳ תַּאֲוָתוֹ 86; אָ׳ תּוֹחַלְתּוֹ 25, 43; אָ׳ תּוֹרָה 81, 82; אָ׳ תִּקְוָתוֹ 42, 47, 84, 87, 88; אָבְדוּ אוֹיְבִים 98, 108;

אָבְדוּ עֶשְׁתּוֹנֹתָיו 56; אָבְדוּ רְשָׁעִים 5, 99, 104
– אוֹבֵד עֵצוֹת 68; בִּרְכַּת אוֹבֵד 65; כְּלִי אוֹבֵד 62;
לַיִשׁ א׳ 64; כְּשֶׂה א׳ 63; צֹאן אֹבְדוֹת 73
– אַבֵּד בָּמוֹת 134; א׳ הוֹן 147; א׳ זֵכֶר ל־ 146;
א׳ זֶרַע 153; א׳ טוֹבָה 148; א׳ לֵב 150;
א׳ נְפָשׁוֹת 122; א׳ קוֹל 138; א׳ שְׁמוֹ 141
– הֶאֱבִיד אֶת־מִן־ 168-170, 172, 174, 179, 182, 183;
הֶאֱבִיד שְׁמוֹ 179; הֶא׳ תִּקְוָתוֹ 178

אָבֹד 1-3 כִּי(־)אָבֹד תֹּאבֵדוּן Deut. 4:26; 8:19; 30:18
אֲבֹד 4 עַד־אֲבֹד הַנִּשְׁאָרִים Deut. 7:20
וּבַאֲבֹד 5 וּבַאֲבֹד רְשָׁעִים רִנָּה Prov. 11:10
אֲבָדְךָ 6 וְעַד־אֲבָדְךָ מַהֵר Deut. 28:20
אָבְדֶךָ 7 וּרְדָפוּךָ עַד אָבְדֶךָ Deut. 28:22
אֲבָדְכֶם 8 עַד אֲבָדְכֶם מֵעַל הָאֲדָמָה Josh. 23:13
אָבְדָם 9 וְאַל־תִּשְׂמַח... בְּיוֹם אָבְדָם Ob. 12
וּבַאֲבְדָם 10 וּבַאֲבְדָם יִרְבּוּ צַדִּיקִים Prov. 28:28
אָבַדְתִּי(בְ) 11 לוּלֵי... אָז אָבַדְתִּי בְעָנְיִי Ps. 119:92
12/3 וְכַאֲשֶׁר אָבַדְתִּי אָבָדְתִּי Es. 4:16
אָבַדְתָּ 14 אָבַדְתָּ עַם־כְּמוֹשׁ Num. 21:29
אָבַדְתְּ 15 אֵיךְ אָבַדְתְּ נוֹשֶׁבֶת מִיַּמִּים Ezek. 26:17
אָבַד 16 וַנִּירָם אָבַד חֶשְׁבּוֹן Num. 21:30
17 אָבַד עַם־כְּמוֹשׁ Jer. 48:46
18 אָבַד קְצִיר שָׂדֶה Joel 1:11
19 אָבַד חָסִיד מִן־הָאָרֶץ Mic. 7:2
20 אָבַד זִכְרָם הֵמָּה Ps. 9:7
21 אָבַד מָנוֹס מִמֶּנִּי Ps. 142:5
22 וּמָנוֹס אָבַד מִנְהֶם Job 11:20
23 זִכְרוֹ־אָבַד מִנִּי־אָרֶץ Job 18:17
24 עָלֵימוֹ אָבַד כָּלַח Job 30:2
25 אָבַד נִצְחִי וְתוֹחַלְתִּי מֵיְיָ Lam. 3:18
אָבָד 26 הַצַּדִּיק אָבָד וְאֵין אִישׁ שָׂם עַל־לֵב Is. 57:1
27 שֶׁבִּן־לַיְלָה הָיָה וּבִן־לַיְלָה אָבָד Jon. 4:10
28 אִם־יוֹעֲצֵךְ אָבָד Mic. 4:9
29 זְכָר־נָא מִי הוּא נָקִי אָבָד Job 4:7
וְאָבַד 30 וְאָבַד כָּל־בֵּית אַחְאָב IIK. 9:8
31 וְאָבַד מָנוֹס מִן־הָרֹעִים Jer. 25:35
32 וְאָבַד הָעֵמֶק וְנִשְׁמַד הַמִּשֹׁר Jer. 48:8
33 יַאַרְכוּ הַיָּמִים וְאָבַד כָּל־חָזוֹן Ezek. 12:22
34 וְאָבַד מָנוֹס מִקָּל Am. 2:14
35 מָתַי יָמוּת וְאָבַד שְׁמוֹ Ps. 41:6
36 וְאָבַד מֶלֶךְ מֵעַזָּה Zeh. 9:5
37 וְאָבַד הָעֹשֶׁר הַהוּא בְּעִנְיַן רָע Eccl. 5:13
אָבְדָה 38 הֲטֶרֶם תֵּדַע כִּי אָבְדָה מִצְרָיִם Ex. 10:7
39 אָבְדָה הָאֱמוּנָה וְנִכְרְתָה מִפִּיהֶם Jer. 7:28
40 עַל־מָה אָבְדָה הָאָרֶץ Jer. 9:11
41 אָבְדָה עֵצָה מִבָּנִים Jer. 49:7
42 וַתֵּרֶא כִּי נוֹחֲלָה אָבְדָה תִּקְוָתָהּ Ezek. 19:5
אָבָדָה 43 וְתוֹחֶלֶת אוֹנִים אָבָדָה Prov. 11:7
44 גַּם־קִנְאָתָם כְּבָר אָבָדָה Eccl. 9:6
וְאָבְדָה 45 וְאָבְדָה חָכְמַת חֲכָמָיו Is. 29:14
46 וְאָבְדָה שְׁאֵרִית יְהוּדָה Jer. 40:15
47 יָבְשׁוּ עַצְמוֹתֵינוּ וְאָבְדָה תִקְוָתֵנוּ Ezek. 37:11
אָבַדְנוּ(בְ) 48/9 הֵן גָּוַעְנוּ אָבַדְנוּ כֻּלָּנוּ אָבָדְנוּ Num. 17:27
וַאֲבַדְתֶּם 50 וַאֲבַדְתֶּם בַּגּוֹיִם Lev. 26:38
51/2 וַאֲבַדְתֶּם מְהֵרָה מֵעַל הָאָרֶץ Deut. 11:17; Josh. 23:16
53 וְהִדַּחְתִּי אֶתְכֶם וַאֲבַדְתֶּם Jer. 27::10
54 לְמַעַן הַדִּיחִי אֶתְכֶם וַאֲבַדְתֶּם Jer. 27:15
אָבְדוּ 55 אָבְדוּ גוֹיִם מֵאַרְצוֹ Ps. 10:16
56 בַּיּוֹם הַהוּא אָבְדוּ עֶשְׁתֹּנֹתָיו Ps. 146:4
אָבָדוּ 57 עַל־כֵּן יִתְרַת עָשָׂה אָבָדוּ Jer. 48:36
וְאָבְדוּ 58 וְאָבְדוּ שְׁאֵרִית פְּלִשְׁתִּים Am. 1:8
59 וְאָבְדוּ בָּתֵּי הַשֵּׁן Am. 3:15
וְאָבָדוּ 60 שָׁכֵן וְרֵעוֹ וְאָבָדוּ (כת׳ יאבדו) Jer. 6:21
אוֹבֵד 61 אֲרַמִּי אֹבֵד אָבִי Deut. 26:5
62 הָיִיתִי כִּכְלִי אֹבֵד Ps. 31:13
63 תָּעִיתִי כְּשֶׂה אֹבֵד Ps. 119:176
64 לַיִשׁ אֹבֵד מִבְּלִי־טָרֶף Job 4:11
65 בִּרְכַּת אֹבֵד עָלַי תָּבֹא Job 29:13
66 יֵשׁ צַדִּיק אֹבֵד בְּצִדְקוֹ Eccl. 7:15
67 אִם־אֶרְאֶה אוֹבֵד מִבְּלִי לְבוּשׁ Job 31:19
אֹבַד 68 כִּי־גוֹי אֹבַד עֵצוֹת הֵמָּה Deut. 32:28
לְאוֹבֵד 69 תְּנוּ־שֵׁכָר לְאוֹבֵד Prov. 31:6
הָאֹבֶדֶת 70 וְאֶת־הָאֹבֶדֶת לֹא בִקַּשְׁתֶּם Ezek. 34:4
71 אֶת־הָאֹבֶדֶת אֲבַקֵּשׁ Ezek. 34:16
הָאֹבְדִים 72 וּבָאוּ הָאֹבְדִים בְּאֶרֶץ אַשּׁוּר Is. 27:13
אֹבְדוֹת 73 צֹאן אֹבְדוֹת הָיוּ עַמִּי Jer. 50:6
הָאֹבְדוֹת 74 וְלָאֲתֹנוֹת הָאֹבְדוֹת לְךָ... ISh. 9:20
יֹאבַד 75 יֹאבַד לֵב־הַמֶּלֶךְ וְלֵב הַשָּׂרִים Jer. 4:9
76 יֹאבַד יוֹם אִוָּלֶד בּוֹ Job 3:3
יֹאבֵד 77 וְיָפִיחַ כְּזָבִים יֹאבֵד Prov. 19:9
78 עֵד־כְּזָבִים יֹאבֵד Prov. 21:28
79 כְּגֶלְלוֹ לָנֶצַח יֹאבֵד Job 20:7
תֹּאבַד 80 אֲבֵדַת אָחִיךָ אֲשֶׁר־תֹּאבַד מִמֶּנּוּ Deut. 22:3
81 כִּי לֹא־תֹאבַד תּוֹרָה מִכֹּהֵן Jer. 18:18
82 וְתוֹרָה תֹּאבַד מִכֹּהֵן Ezek. 7:26
83 תִּקְוַת עֲנִיִּים תֹּאבַד לָעַד Ps. 9:19
84 בְּמוֹת אָדָם רָשָׁע תֹּאבַד תִּקְוָה Prov. 11:7
תֹּאבֵד 85 וְדֶרֶךְ רְשָׁעִים תֹּאבֵד Ps. 1:6
86 תַּאֲוַת רְשָׁעִים תֹּאבֵד Ps. 112:10
87 וְתִקְוַת רְשָׁעִים תֹּאבֵד Prov. 10:28
88 וְתִקְוַת חָנֵף תֹּאבֵד Job 8:13
נֹאבֵד 89-90 ...וְלֹא נֹאבֵד Jon. 1:6; 3:9
נֹאבְדָה 91 אַל־נָא נֹאבְדָה בְּנֶפֶשׁ הָאִישׁ Jon. 1:14
תֹּאבֵדוּ 92 וְאַתְּ וּבֵית־אָבִיךְ תֹּאבֵדוּ Es. 4:14
וְתֹאבְדוּ 93 פֶּן־יֶאֱנַף וְתֹאבְדוּ דֶרֶךְ Ps. 2:12
תֹּאבֵדוּן 94 כִּי־אָבֹד תֹּאבֵדוּן מַהֵר Deut. 4:26
95/6 כִּי אָבֹד תֹּאבֵדוּן Deut. 8:19; 30:18
97 כַּגּוֹיִם... כֵּן תֹּאבֵדוּן Deut. 8:20
יֹאבְדוּ 98 כֵּן יֹאבְדוּ כָל־אוֹיְבֶיךָ יְיָ Jud. 5:31
99 יֹאבְדוּ רְשָׁעִים מִפְּנֵי אֱלֹהִים Ps. 68:3
יֹאבֵדוּ 100 הֵמָּה יֹאבֵדוּ וְאַתָּה תַעֲמֹד Ps. 102:27
101 אֲשֶׁר לֹא־יַעַבְדוּךְ יֹאבֵדוּ Is. 60:12
102/3 בְּעֵת פְּקֻדָּתָם יֹאבֵדוּ Jer. 10:15; 51:18
104 כִּי רְשָׁעִים יֹאבֵדוּ Ps. 37:20
105 יַחַד כְּסִיל וָבַעַר יֹאבֵדוּ Ps. 49:11
106 כִּי־הִנֵּה רְחֵקֶיךָ יֹאבֵדוּ Ps. 73:27
107 מִגַּעֲרַת פָּנֶיךָ יֹאבֵדוּ Ps. 80:17
108 כִּי־הִנֵּה אֹיְבֶיךָ יֹאבֵדוּ Ps. 92:10
109 מִנִּשְׁמַת אֱלוֹהַּ יֹאבֵדוּ Job 4:9
110 מִבְּלִי מֵשִׂים לָנֶצַח יֹאבֵדוּ Job 4:20
וְיֹאבְדוּ 111 יִהְיוּ כְאַיִן וְיֹאבְדוּ אַנְשֵׁי רִיבֶךָ Is. 41:11
112 יִכָּשְׁלוּ וְיֹאבְדוּ מִפָּנֶיךָ Ps. 9:4
וְיֹאבֵדוּ 113 וְיַחְפְּרוּ וְיֹאבֵדוּ Ps. 83:18
114 יַעֲלוּ בַתֹּהוּ וְיֹאבֵדוּ Job 6:18
וַיֹּאבְדוּ 115 וַיֹּאבְדוּ מִתּוֹךְ הַקָּהָל Num. 16:33
116 וַיֹּאבְדוּ כְּלֵי מִלְחָמָה IISh. 1:27
וַתֹּאבַדְנָה 117 וַתֹּאבַדְנָה הָאֲתֹנוֹת לְקִישׁ ISh. 9:3
אַבֵּד 118 אַבֵּד תְּאַבְּדוּן אֶת־כָּל־הַמְּקֹמוֹת Deut. 12:2
וְאַבֵּד 119 וְנָתַשְׁתִּי... נָתוֹשׁ וְאַבֵּד Jer. 12:17
120/1 הָרְגוּ הַיְּהוּדִים וְאַבֵּד Es. 9:6,12
לְאַבֵּד 122 לִשְׁפָּךְ־דָּם לְאַבֵּד נְפָשׁוֹת Ezek. 22:27
123 עֵת לְבַקֵּשׁ וְעֵת לְאַבֵּד Eccl. 3:6
124 כְּתָב לְאַבֵּד אֶת־הַיְּהוּדִים Es. 8:5
וּלְאַבֵּד 125-7 לְהַשְׁמִיד (וּ)לַהֲרֹג וּלְאַבֵּד Es. 3:13; 7:4; 8:11
לְאַבְּדֵנִי 128 לִי קִוּוּ רְשָׁעִים לְאַבְּדֵנִי Ps. 119:95
לְאַבְּדָם 129 יִכָּתֵב לְאַבְּדָם Es. 3:9
130 ...בַּיְּהוּדִים לְאַבְּדָם Es. 4:7
131 חָשַׁב עַל־הַיְּהוּדִים לְאַבְּדָם Es. 9:24
וּלְאַבְּדָם 132 וְהִפִּל פּוּר... לְהֻמָּם וּלְאַבְּדָם Es. 9:24
אִבַּדְתִּי 133 שִׁכַּלְתִּי אִבַּדְתִּי אֶת־עַמִּי Jer. 15:7
וְאִבַּדְתִּי 134 וְאִבַּדְתִּי בָּמוֹתֵיכֶם Ezek. 6:3
אִבַּדְתָּ 135 גָּעַרְתָּ גוֹיִם אִבַּדְתָּ רָשָׁע Ps. 9:6
אִבַּד 136 אֶת־הַבָּמוֹת אֲשֶׁר אִבַּד חִזְקִיָּהוּ IIK. 21:3
137 אִבַּד וְשִׁבַּר בְּרִיחֶיהָ Lam. 2:9
וְאִבַּד 138 וְאִבַּד מִמֶּנָּה קוֹל גָּדוֹל Jer. 51:55
אִבְּדָם 139 כִּי אִבְּדָם מֶלֶךְ אֲרָם IIK. 13:7
וְאִבַּדְתֶּם 140 וְאִבַּדְתֶּם אֵת כָּל־מַשְׂכִּיֹּתָם Num. 33:52
141 וְאִבַּדְתֶּם אֶת־שְׁמָם Deut. 12:3
מְאַבְּדִים 142 מְאַבְּדִים... אֶת־צֹאן מַרְעִיתִי Jer. 23:1
וָאַבֶּדְךָ 143 וָאַבֶּדְךָ כְּרוּב הַסֹּכֵךְ Ezek. 28:16
תְּאַבֵּד 144 תְּאַבֵּד דֹּבְרֵי כָזָב Ps. 5:7
145 פִּרְיָמוֹ מֵאֶרֶץ תְּאַבֵּד Ps. 21:11
וַתְּאַבֵּד 146 וַתְּאַבֵּד כָּל־זֵכֶר לָמוֹ Is. 26:14
יְאַבֶּד־ 147 וְרֹעֶה זוֹנוֹת יְאַבֶּד־הוֹן Prov. 29:3
יְאַבֵּד 148 וְחוֹטֶא אֶחָד יְאַבֵּד טוֹבָה הַרְבֵּה Eccl. 9:18
וִיאַבֵּד 149 וִיאַבֵּד אֶת־אַשּׁוּר Zep. 2:13
150 וִיאַבֵּד אֶת־לֵב מַתָּנָה Eccl. 7:7
וַיְאַבְּדֵם 151 וַיְאַבְּדֵם יְיָ עַד הַיּוֹם הַזֶּה Deut. 11:4
152 מַשְׂגִּיא לַגּוֹיִם וַיְאַבְּדֵם Job 12:23
וַתְּאַבֵּד 153 וַתְּאַבֵּד אֵת כָּל־זֶרַע הַמַּמְלָכָה IIK. 11:1
תְּאַבְּדֵם 154 וְשַׁלְוַת כְּסִילִים תְּאַבְּדֵם Prov. 1:32
תְּאַבֵּדוּ 155 כָּל־צַלְמֵי מַסֵּכֹתָם תְּאַבֵּדוּ Num. 33:52
תְּאַבְּדוּן 156 אַבֵּד תְּאַבְּדוּן אֶת־כָּל־הַמְּקֹמוֹת Deut. 12:2
וַיְאַבְּדוּם 157 וְנָתְנוּ... בָּאֵשׁ... וַיְאַבְּדוּם IIK. 19:18
158 וְנָתֹן... בָּאֵשׁ... וַיְאַבְּדוּם Is. 37:19
הַאֲבִיד 159 לְמַעַן הַאֲבִיד אֶת־עֹבְדֵי הַבַּעַל IIK. 10:19
לְהַאֲבִיד 160 יָשִׂישׂ יְיָ... לְהַאֲבִיד אֶתְכֶם Deut. 28:63
וּלְהַאֲבִיד 161/2 לִנְתוֹשׁ וְלִנְתוֹץ וּלְהַאֲבִיד Jer. 1:10; 18:7
163 וְלַהֲרֹס וּלְהַאֲבִיד וּלְהָרַע Jer. 31:27(28)
הַאֲבִידוֹ 164 וְאָכַל... עַד הַאֲבִידוֹ אֹתָךְ Deut. 28:51
לְהַאֲבִידוֹ 165 וּמְשַׁלֵּם לְשֹׂנְאָיו... לְהַאֲבִידוֹ Deut. 7:10
166 וַיְשַׁלְּחֵם בִּיהוּדָה לְהַאֲבִידוֹ IIK. 24:2
לְהַאֲבִידֵנוּ 167 לָתֵת... בְּיַד הָאֱמֹרִי לְהַאֲבִידֵנוּ Josh. 7:7
וְהַאֲבַדְתִּי 168 וְהַאֲבַדְתִּי אֶת־הַנֶּפֶשׁ הַהוּא... Lev. 23:30
169 וְהַאֲבַדְתִּי מֵהֶם קוֹל שָׂשׂוֹן Jer. 25:10
170 וְהַאֲבַדְתִּי מִשָּׁם מֶלֶךְ וְשָׂרִים Jer. 49:38
171 וְהַאֲבַדְתִּי אֶת־... חוֹף הַיָּם Ezek. 25:16
172 וְהַאֲבַדְתִּי גִלּוּלִים... מִנֹּף Ezek. 30:13
173 וְהַאֲבַדְתִּי אֶת־כָּל־בְּהֶמְתָּהּ Ezek. 32:13
174 וְהַאֲבַדְתִּי חֲכָמִים מֵאֱדוֹם Ob. 8
175 וְהַאֲבַדְתִּי מַרְכְּבֹתֶיךָ Mic. 5:9
וְהַאֲבַדְתִּיךָ 176 וְהַאֲבַדְתִּיךָ מִן־הָאֲרָצוֹת Ezek. 25:7
וְהַאֲבַדְתִּיךְ 177 וְהַאֲבַדְתִּיךְ מֵאֵין יוֹשֵׁב Zep. 2:5
הֶאֱבַדְתָּ 178 וְתִקְוַת אֱנוֹשׁ הֶאֱבַדְתָּ Job 14:19
וְהַאֲבַדְתָּ 179 וְהַאֲבַדְתָּ אֶת שְׁמָם מִתַּחַת הַשָּׁמָיִם Deut. 7:24
180 וְהַאֲבַדְתָּ כָּל־צֹרְרֵי נַפְשִׁי Ps. 143:12
וְהַאֲבַדְתָּם 181 וְהוֹרַשְׁתָּם וְהַאֲבַדְתָּם מַהֵר Deut. 9:3
וְהֶאֱבִיד 182 וְהֶאֱבִיד שָׂרִיד מֵעִיר Num. 24:19
מַאֲבִיד 183 כַּגּוֹיִם אֲשֶׁר יְיָ מַאֲבִיד מִפְּנֵיכֶם Deut. 8:20
אֲבִידָה 184 אֲבִידָה עִיר וְיֹשְׁבֵי בָהּ Jer. 46:8

אֲבַד פ׳ ארמ׳= אֲבַד: 1; הוֹבֵד=הֶאֱבִיד: 2-6; הוּבַד=הָאֲבַד: 7
יֵאבַדוּ 1 אֱלָהַיָּא... יֵאבַדוּ מֵאַרְעָא Jer. 10:11
לְהוֹבָדָה 2 לְהוֹבָדָה לְכֹל חַכִּימֵי בָבֶל Dan. 2:12
לְהוֹבָדָא 3 לְהוֹבָדָא לְחַכִּימֵי בָבֶל Dan. 2:24

וּלְהוֹבָדָה 4 לְהַשְׁמָדָה וּלְהוֹבָדָה עַד־סוֹפָא Dan. 7:26
תְּהוֹבֵד 5 לְחַכִּימֵי בָבֶל אַל־תְּהוֹבֵד Dan. 2:24
יְהוֹבְדוּן 6 דִּי לָא יְהוֹבְדוּן דָּנִיֵּאל וְחַבְרוֹהִי Dan. 2:18
וְהוּבַד 7 וְהוּבַד גִּשְׁמַהּ Dan. 7:11

אבד ז׳ אבדן, כליון – ראה אוֹבֵד

אֲבֵדָה נ׳ דבר שאבד ונעלם • אֲבֵדַת אָחִיךָ 4
אֲבֵדָה 1 עַל־כָּל־אֲבֵדָה אֲשֶׁר יֹאמַר... Ex. 22:8
2 אוֹ־מָצָא אֲבֵדָה וְכִחֶשׁ בָּהּ Lev. 5:22
הָאֲבֵדָה 3 וְהֵשִׁיב... אֶת־הָאֲבֵדָה אֲשֶׁר מָצָא Lev. 5:23
אֲבֵדַת־ 4 וְכֵן תַּעֲשֶׂה לְכָל־אֲבֵדַת אָחִיךָ Deut. 22:3

אֲבַדּוֹ ז׳ (נוסח אחר: אֲבַדֹּה) = אֲבַדּוֹן
וַאֲבַדּוֹ 1 שְׁאוֹל וַאֲבַדּוֹ לֹא תִשְׂבַּעְנָה Prov. 27:20

אֲבַדּוֹן ז׳ שאול, מָוֶת, קבר
קרובים: אַבְדָן / אָבְדָן / דּוּמָה / מָוֶת / מוּתָה / קֶבֶר / שְׁאוֹל / שַׁחַת / תֹּפֶת / תָּפְתֶּה
אֲבַדּוֹן 1 אֲבַדּוֹן וָמָוֶת אָמְרוּ... Job 28:22
2 אֵשׁ הִיא עַד־אֲבַדּוֹן תֹּאכֵל Job 31:12
וַאֲבַדּוֹן 3 שְׁאוֹל וַאֲבַדּוֹן נֶגֶד יְיָ Prov. 15:11
בָּאֲבַדּוֹן 4 הַיְסֻפַּר בַּקֶּבֶר... בָּאֲבַדּוֹן Ps. 88:12
לָאֲבַדּוֹן 5 עָרוֹם שְׁאוֹל... וְאֵין כְּסוּת לָאֲבַדּוֹן Job 26:6

אַבְדָן ז׳ אָבְדָן, כליון
קרובים: אֲבַדּוֹן / אָבְדָן / אוֹבֵד / הֶרֶג / חֵרֶם / כִּלָּיוֹן
וְאַבְדָן 1 מַכַּת־חֶרֶב וְהֶרֶג וְאַבְדָן Es. 9:5

אָבְדָן* ז׳ אבדן, כליון
בְּאָבְדַן־ אֵיכָכָה... וְרָאִיתִי בְּאָבְדַן מוֹלַדְתִּי Es. 8:6

אבה : אָבָה; אֲבוֹי(?) אֶבְיוֹן(?) אֲבִיּוֹנָה(?)

אָבָה פ׳ רצה, חפץ; בשלילה [לֹא אָבָה] מֵאֵן
קרובים: אָוָה / הוֹאִיל (יאל) / חפץ / יאב / רצה / תאב
אָבָה 49, 53; לֹא אָבָה 8, 10, 13, 21, 27, 32, 45, 46, 48;
לֹא אָבָה (לפני מקור נסמך) 1-7, 9, 11-12, 14-20, 22-25, 28-31, 34-40, 42-43, 47, 50-52, 54; לֹא אָבָה(אֶת־) 33, 41; לֹא אָבָה לוֹ 26, 44
אָבִיתִי 1 וְלֹא אָבִיתִי לִשְׁמֹעַ לְבִלְעָם Josh. 24:10
2 וְלֹא אָבִיתִי לִשְׁלֹחַ יָדִי ISh. 26:23
אָבָה 3 וְלֹא אָבָה לְשַׁלְּחָם Ex. 10:27
4 וְלֹא אָבָה סִיחֹן... הַעֲבִרֵנוּ Deut. 2:30
5 לֹא־אָבָה יְיָ הַשְׁחִיתֶךָ Deut. 10:10
6 וְלֹא־אָבָה יְיָ אֱלֹהֶיךָ לִשְׁמֹעַ Deut. 23:6
7 לֹא אָבָה יַבְּמִי Deut. 25:7
8 וְגַם אֶל־...מוֹאָב שָׁלַח וְלֹא אָבָה Jud. 11:17
9 וְלֹא־אָבָה הָאִישׁ לָלוּן Jud. 19:10
10 וְלֹא אָבָה נֹשֵׂא כֵלָיו ISh. 31:4
11 וְלֹא־אָבָה עֲשָׂהאֵל לָסוּר IISh. 2:21
12 וְלֹא־אָבָה דָוִד לְהָסִיר אֵלָיו IISh. 6:10
13 וְלֹא אָבָה וְלֹא־בָרָה אִתָּם לָחֶם IISh. 12:17
14 וְלֹא אָבָה לִשְׁמֹעַ בְּקוֹלָהּ IISh. 13:14
15 וְלֹא אָבָה לִשְׁמֹעַ לָהּ IISh. 13:16
16 וַיִּפְרָץ־בּוֹ וְלֹא־אָבָה לָלֶכֶת IISh. 13:25
17 וַיִּשְׁלַח... וְלֹא אָבָה לָבוֹא אֵלָיו IISh. 14:29
18 וַיִּשְׁלַח עוֹד שֵׁנִית וְלֹא אָבָה לָבוֹא IISh. 14:29
19-20 וְלֹא אָבָה לִשְׁתּוֹתָם IISh. 23:16,17
21 וְלֹא אָבָה יְהוֹשָׁפָט IK. 22:50
22/3 וְלֹא־אָבָה יְיָ לְהַשְׁחִית IIK. 8:19 • IICh. 21:7
24 וְלֹא אָבָה הַשְׁחִיתָם IIK. 13:23
25 וְלֹא־אָבָה יְיָ לִסְלֹחַ IIK. 24:4
26 וְיִשְׂרָאֵל לֹא־אָבָה לִי Ps. 81:12
27 וְלֹא אָבָה נֹשֵׂא כֵלָיו ICh. 10:4

אָבָה (המשך)
28 וְלֹא־אָבָה דָוִיד לִשְׁתּוֹתָם ICh. 11:18
29 וְלֹא אָבָה לִשְׁתּוֹתָם ICh. 11:19
30 וְלֹא־אָבָה אָדָם לְהוֹשִׁיעַ ICh. 19:19
אֲבִיתֶם 31 וְלֹא אֲבִיתֶם לַעֲלֹת Deut. 1:26
32 בְּהַשְׁקֵט וּבְבִטְחָה...וְלֹא אֲבִיתֶם Is. 30:15
33 וְתוֹכַחְתִּי לֹא אֲבִיתֶם Prov. 1:25
אָבוּ 34 וְלֹא־אָבוּ הָאֲנָשִׁים לִשְׁמֹעַ לוֹ Jud. 19:25
35 וְלֹא אָבוּ בְּנֵי בִנְיָמִן לִשְׁמֹעַ Jud. 20:13
36 וְלֹא אָבוּ הַחֲרִימָם ISh. 15:9
37 וְלֹא־אָבוּ... לִשְׁלֹחַ אֶת־יָדָם ISh. 22:17
38 לֹא־אָבוּ שְׁמוֹעַ תּוֹרַת יְיָ Is. 30:9
39 וְלֹא־אָבוּ בִדְרָכָיו הָלוֹךְ Is. 42:24
40 וַיַּמְרוּ־בִי וְלֹא אָבוּ לִשְׁמֹעַ אֵלַי Ezek. 20:8
41 לֹא־אָבוּ לַעֲצָתִי Prov. 1:30
אָבוּא 42 וְלֹא אָבוּא שְׁמוֹעַ Is. 28:12
אוֹבִים 43 כִּי־אֵינָם אֹבִים לִשְׁמֹעַ אֵלָי Ezek. 3:7
תֹאבֶה 44 לֹא־תֹאבֶה לוֹ וְלֹא תִשְׁמַע אֵלָיו Deut. 13:9
45 אַל־תִּשְׁמַע וְלוֹא תֹאבֶה IK. 20:8
תֹבֵא 46 אִם־יְפַתּוּךָ חַטָּאִים אַל־תֹּבֵא Prov. 1:10
יֹאבֶה 47 לֹא־יֹאבֶה יְיָ סְלֹחַ לוֹ Deut. 29:19
48 וְלֹא־יֹאבֶה כִּי תַרְבֶּה־שֹׁחַד Prov. 6:35
49 הֲיֹאבֶה רֵים עָבְדֶךָ Job 39:9
תֹאבֶה 50 אוּלַי לֹא־תֹאבֶה הָאִשָּׁה לָלֶכֶת Gen. 24:5
51 וְאִם־לֹא תֹאבֶה הָאִשָּׁה לָלֶכֶת Gen. 24:8
תֹאבוּ 52 וְלֹא תֹאבוּ לִשְׁמֹעַ לִי Lev. 26:21
53 אִם־תֹּאבוּ וּשְׁמַעְתֶּם... Is. 1:19
יֹאבוּ 54 לֹא יֹאבוּ לִשְׁמֹעַ אֵלֶיךָ Ezek. 3:7

אֵבֶה ז׳ קנה גומא
אֵבֶה 1 חָלְפוּ עִם־אֳנִיּוֹת אֵבֶה Job 9:26

אֲבוֹי מ״ק אוֹי, וי • קרובים: אֲהָהּ / אוֹי / אוֹיָה / אָח² / אִי / אַלְלַי / הָהּ / הוֹ / הוֹי
אֲבוֹי 1 לְמִי אוֹי לְמִי אֲבוֹי... לַמְאַחֲרִים... Prov. 23:29

אָבוּס ת׳ מפוטם קרובים: מַרְבֵּק / מְרִיא
אָבוּס 1 טוֹב... מִשּׁוֹר אָבוּס וְשִׂנְאָה־בוֹ Prov. 15:17
אֲבוּסִים 2 וּבַרְבֻּרִים אֲבוּסִים IK. 5:3

אֵבוּס ז׳ כלי לאוכל לבהמה קרובים: רַהַט / שֹׁקֶת
אֵבוּס־ 1 יָדַע שׁוֹר... וַחֲמוֹר אֵבוּס בְּעָלָיו Is. 1:3
2 בְּאֵין אֲלָפִים אֵבוּס בָּר Prov. 14:4
אֲבוּסֶךָ 3 רֵים... אִם־יָלִין עַל־אֲבוּסֶךָ Job 39:9

אִבְחָה* נ׳ תנופה? טבחה?
אִבְחַת־ 1 עַל... שַׁעֲרֵיהֶם נָתַתִּי אִבְחַת־חָרֶב Ezek. 21:20

אֲבַטִּיחַ* ז׳ פרי מקשה ממשפחת הדלועיים
הָאֲבַטִּחִים 1 אֵת הַקִּשֻּׁאִים וְאֵת הָאֲבַטִּחִים Num. 11:5

אָבִי מ״ק אבוֹי (?) מי יתן; (?) [ראה אָב 187]
1 אָבִי יִבָּחֵן אִיּוֹב עַד־נֶצַח Job 34:36

אֲבִי שפ־נ – אם חזקיהו מלך יהודה [קצור מן אֲבִיָּה]
1 וְשֵׁם אִמּוֹ אֲבִי בַּת־זְכַרְיָה IIK. 18:2

אֲבִי הָעֶזְרִי ת׳ – המתיחס למשפחת אֲבִיעֶזֶר
1 אֲשֶׁר לְיוֹאָשׁ אֲבִי הָעֶזְרִי Jud. 6:11
2 בְּעָפְרַת אֲבִי הָעֶזְרִי Jud. 6:24
3 בְּעָפְרָה אֲבִי הָעֶזְרִי Jud. 8:32

אֲבִי־עַלְבוֹן שפ־ז – מגבורי דוד, אולי הוא אֲבִיאֵל 3
1 אֲבִי־עַלְבוֹן הָעַרְבָתִי IISh. 23:31

אֲבִיאֵל שפ־ז א) אבי קיש ואבנר, סבו של שאול המלך: 1-2
ב) מגבורי דוד: 3
1 קִישׁ בֶּן־אֲבִיאֵל ISh. 9:1
2 וְנֵר אֲבִי־אַבְנֵר בֶּן־אֲבִיאֵל ISh. 14:51
3 (וְגִבּוֹרֵי הַחֲיָלִים) ..אֲבִיאֵל הָעַרְבָתִי ICh. 11:32

אֲבִיאָסָף שפ־ז – מבני קרח בן יצהר, נקרא גם אֶבְיָסָף
וַאֲבִיאָסָף 1 וּבְנֵי קֹרַח... וְאֶלְקָנָה וַאֲבִיאָסָף Ex. 6:24

אָבִיב ז׳ שבלי התבואה בעוד גרעיניהן רכים: 1-2
חֹדֶשׁ הָאָבִיב: 3-8
אָבִיב 1 כִּי הַשְּׂעֹרָה אָבִיב Ex. 9:31
2 אָבִיב קָלוּי בָּאֵשׁ Lev. 2:14
הָאָבִיב 3 אַתֶּם יֹצְאִים בְּחֹדֶשׁ הָאָבִיב Ex. 13:4
4/5 לְמוֹעֵד חֹדֶשׁ הָאָבִיב Ex. 23:15; 34:18
6 בְּחֹדֶשׁ הָאָבִיב יָצָאתָ מִמִּצְרָיִם Ex. 34:18
7 שָׁמוֹר אֶת־חֹדֶשׁ הָאָבִיב Deut. 16:1
8 כִּי בְּחֹדֶשׁ הָאָבִיב הוֹצִיאֲךָ יְיָ Deut. 16:1

אֲבִיגַיִל שפ־נ א) אשת נָבָל; לאחר מות נבל – אשת דוד: 1-9, 12-15; ב) אחות דוד: 10-11
אֲבִיגַיִל 1 וַתְּמַהֵר אֲבִיגַיִל (כת׳ אבוגיל) וַתִּקַּח ISh. 25:18
2-5 אֲבִיגַיִל ISh. 25:23,36,40,42
אֲבִגָיִל 6 וְשֵׁם אִשְׁתּוֹ אֲבִגָיִל ISh. 25:3
וַאֲבִיגַיִל 7 וַאֲבִיגַיִל אֵשֶׁת־נָבָל הַכַּרְמְלִית ISh. 27:3
8/9 וַאֲבִיגַיִל אֵשֶׁת נָבָל הַכַּרְמְלִי IISh. 2:2
10 וַאֲבִיגַיִל יָלְדָה אֶת־עֲמָשָׂא ICh. 2:17
11 וְאַחְיֹתֵיהֶם צְרוּיָה וַאֲבִיגָיִל ICh. 2:16
בַּאֲבִיגַיִל 12 וַיְדַבֵּר בַּאֲבִיגַיִל ISh. 25:39
לַאֲבִיגַיִל 13 לַאֲבִיגַיִל (כת׳ לאביגל) אֵשֶׁת נָבָל IISh. 3:3
14 שֵׁנִי דָּנִיֵּאל לַאֲבִיגַיִל הַכַּרְמְלִית ICh. 3:1
וְלַאֲבִיגַיִל 15 וְלַאֲבִיגַיִל אֵשֶׁת נָבָל ISh. 25:14

אֲבִיגַל שפ־נ – נוסח אחר לשם אֲבִיגַיִל
א) אשת נבל: 2 ב) בת נָחָשׁ אחות דוד: 1
אֲבִיגַל 1 בָּא אֶל־אֲבִיגַל בַּת־נָחָשׁ IISh. 17:25
לַאֲבִיגַל 2 וַיֹּאמֶר דָּוִד לַאֲבִיגַל ISh. 25:32

אֲבִידָן שפ־ז – נשיא שבט בנימין בימי משה
1-5 אֲבִידָן בֶּן־גִּדְעֹ(ו)נִי Num. 1:11; 2:22; 7:60,65; 10:24

אֲבִידָע שפ־ז – בן מדין בן קטורה אשת אברהם
1/2 וּבְנֵי מִדְיָן... וַאֲבִידָע Gen. 25:4 • ICh. 1:33

אֲבִיָּה שפ־ם זו־נ–א) בן בֶּכֶר בן בנימין: 21
ב) אשת חֶצְרוֹן בן פרץ: 5
ג) השני בבני שמואל הנביא: 1, 7
ד) ראש משמר כהנים בימי דוד: 23
ה) מלך יהודה, בן רחבעם: 6, 8-19
ו) מלך ישראל, בן ירבעם: 2
ז) אם חזקיהו מלך יהודה, אשת אחז: 20
ח) כהן משבי הגולה עם זרובבל: 22, 3/4
אֲבִיָּה 1 וְשֵׁם מִשְׁנֵהוּ אֲבִיָּה ISh. 8:2
2 חָלָה אֲבִיָּה בֶן־יָרָבְעָם IK. 14:1
3/4 אֲבִיָּה Neh. 10:8; 12:4
5 וְאֵשֶׁת חֶצְרוֹן אֲבִיָּה ICh. 2:24
6 רְחַבְעָם אֲבִיָּה בְנוֹ אָסָא בְנוֹ ICh. 3:10
7 וּבְנֵי שְׁמוּאֵל... וְשֵׁנִי וַאֲבִיָּה ICh. 6:13
8 וַתֵּלֶד לוֹ אֶת־אֲבִיָּה IICh. 11:20
אֲבִיָּה 9-19 IICh. 11:22; 12:16; 13:1,2,3,4,15,17,19,22,23
20 וְשֵׁם אִמּוֹ אֲבִיָּה בַּת־זְכַרְיָהוּ IICh. 29:1
וַאֲבִיָּה 21 וְעָמְרִי וִירֵמוֹת וַאֲבִיָּה ICh. 7:8
לַאֲבִיָּה 22 לַאֲבִיָּה זִכְרִי Neh. 12:17
23 לַאֲבִיָּה הַשְּׁמִינִי ICh. 24:10

אֲבִיָּהוּ שפ־ז – מלך יהודה, בן רחבעם, הוא אֲבִיָּה
1-2 אֲבִיָּהוּ IICh. 13:20,21

אֲבִיהוּא שפ־ז – בנו השני של אהרן הכהן
אֲבִיהוּא 1-2 אֶת־נָדָב וְאֶת־אֲבִיהוּא Ex. 6:23 • Num. 26:60
וַאֲבִיהוּא 3-12 נָדָב וַאֲבִיהוּא Ex. 24:1,9; 28:1 • Lev. 10:1 • Num. 3:2,4; 26:61 • ICh. 5:29; 24:1,2

אֲבִיהוּד
שפ״ז – בן בלע בן בנימין בן יעקב

וַאֲבִיהוּד 1 אַדָּר וְגֵרָא וַאֲבִיהוּד ICh. 8:3

אֲבִיהַיִל
שפ״נ – א) אשת אבישור מבני יהודה: 2

ב) בת אליאב בן ישי, אולי היא אשת רחבעם: 1

אֲבִיהַיִל 1 וַיִּקַּח־לוֹ רְחַבְעָם אִשָּׁה... אֲבִיהַיִל IICh. 11:18
אֲבִיהָיִל 2 וְשֵׁם אֵשֶׁת אֲבִישׁוּר אֲבִיהָיִל ICh. 2:29

אֶבְיוֹן
ז׳ עני, דל, מסכן

קרובים: דַּךְ / דַּל / חֵלְכָה / מָךְ / מִסְכֵּן / עָנִי / רָשׁ

– דַּל וְאֶבְיוֹן 28, 30,46; עָנִי וְאֶבְיוֹן 16–20, 23–26, 29, 31–35, 43, 47, 54, 55; עָשִׁיר וְאֶבְיוֹן 27
– בְּנֵי אֶבְיוֹן 10; יְמִין אֶבְיוֹן 13; מִשְׁפַּט אֶ׳ 42, 45, 50; נֶפֶשׁ אֶ׳ 7, 44, 49
– אֶנְקַת אֶבְיוֹנִים 47; אֶבְיוֹנֵי אָדָם 60; אֶ׳ עַמּוֹ 59

אֶבְיוֹן 1 אֶפֶס כִּי לֹא יִהְיֶה־בְּךָ אֶבְיוֹן Deut. 15:4
2 כִּי־יִהְיֶה בְךָ אֶבְיוֹן מֵאַחַד אַחֶיךָ Deut. 15:7
3 לֹא־יֶחְדַּל אֶבְיוֹן מִקֶּרֶב הָאָרֶץ Deut. 15:11
4/5 מֵאַשְׁפֹּת יָרִים אֶבְיוֹן ISh. 2:8 • Ps. 113:7
6 וּבְדַבֵּר אֶבְיוֹן מִשְׁפָּט Is. 32:7
7 כִּי הִצִּיל אֶת־נֶפֶשׁ אֶבְיוֹן Jer. 20:13
8 שִׁמְעוּ־זֹאת הַשֹּׁאֲפִים אֶבְיוֹן Am. 8:4
9 כִּי לֹא לָנֶצַח יִשָּׁכַח אֶבְיוֹן Ps. 9:19
10 יוֹשִׁיעַ לִבְנֵי אֶבְיוֹן Ps. 72:4
11 כִּי־יַצִּיל אֶבְיוֹן מְשַׁוֵּעַ Ps. 72:12
12 וַיְשַׂגֵּב אֶבְיוֹן מֵעוֹנִי Ps. 107:41
13 כִּי־יַעֲמֹד לִימִין אֶבְיוֹן Ps. 109:31
14 וּמְכַבְּדוֹ חֹנֵן אֶבְיוֹן Prov. 14:31
15 וַיֹּשַׁע... וּמִיַּד חָזָק אֶבְיוֹן Job 5:15
וְאֶבְיוֹן 16 לֹא־תַעֲשֹׁק שָׂכִיר עָנִי וְאֶבְיוֹן Deut. 24:14
17 דָּן דִּין־עָנִי וְאֶבְיוֹן Jer. 22:16
18 וְיַד־עָנִי וְאֶבְיוֹן לֹא הֶחֱזִיקָה Ezek. 16:49
19 עָנִי וְאֶבְיוֹן הוֹנָה Ezek. 18:12
20 וְעָנִי וְאֶבְיוֹן הוֹנוּ Ezek. 22:29
21/2 וְאֶבְיוֹן בַּעֲבוּר נַעֲלָיִם Am. 2:6; 8:6
23 מַצִּיל... וְעָנִי וְאֶבְיוֹן מִגֹּזְלוֹ Ps. 35:10
24 לְהַפִּיל עָנִי וְאֶבְיוֹן Ps. 37:14
25/6 וַאֲנִי עָנִי וְאֶבְיוֹן Ps. 40:18; 70:6
27 יַחַד עָשִׁיר וְאֶבְיוֹן Ps. 49:3
28 יָחֹס עַל־דַּל וְאֶבְיוֹן Ps. 72:13
29 עָנִי וְאֶבְיוֹן יְהַלְלוּ שְׁמֶךָ Ps. 74:21
30 פַּלְּטוּ־דַל וְאֶבְיוֹן Ps. 82:4
31 כִּי־עָנִי וְאֶבְיוֹן אָנִי Ps. 86:1
32 וַיִּרְדֹּף אִישׁ־עָנִי וְאֶבְיוֹן Ps. 109:16
33 כִּי־עָנִי וְאֶבְיוֹן אָנֹכִי Ps. 109:22
34 שְׁפָט־צֶדֶק וְדִין עָנִי וְאֶבְיוֹן Prov. 31:9
35 יִקְטָל־עָנִי וְאֶבְיוֹן Job 24:14
הָאֶבְיוֹן 36 וְלֹא תִקְפֹּץ אֶת־יָדְךָ מֵאָחִיךָ הָאֶבְיוֹן Deut. 15:7
37 וְרָעָה עֵינְךָ בְּאָחִיךָ הָאֶבְיוֹן Deut. 15:9
לָאֶבְיוֹן 38 מָעוֹז לָאֶבְיוֹן בַּצַּר־לוֹ Is. 25:4
39 וְיָדֶיהָ שִׁלְּחָה לָאֶבְיוֹן Prov. 31:20
40 עָגְמָה נַפְשִׁי לָאֶבְיוֹן Job 30:25
41 וְאֵין כְּסוּת לָאֶבְיוֹן Job 31:19
אֶבְיֹנְךָ 42 לֹא תַטֶּה מִשְׁפַּט אֶבְיֹנְךָ בְּרִיבוֹ Ex. 23:6
וּלְאֶבְיֹנְךָ 43 לְאָחִיךָ לַעֲנִיֶּךָ וּלְאֶבְיֹנְךָ בְּאַרְצֶךָ Deut. 15:11
אֶבְיוֹנִים 44 דַּם נַפְשׁוֹת אֶבְיוֹנִים נְקִיִּים Jer. 2:34
45 וּמִשְׁפַּט אֶבְיוֹנִים לֹא שָׁפָטוּ Jer. 5:28
46 הָעֹשְׁקוֹת דַּלִּים הָרֹצְצוֹת אֶבְיוֹנִים Am. 4:1
47 מִשֹּׁד עֲנִיִּים מֵאַנְקַת אֶבְיוֹנִים Ps. 12:6
48 כִּי־שֹׁמֵעַ אֶל־אֶבְיוֹנִים יְיָ Ps. 69:34
49 וְנַפְשׁוֹת אֶבְיוֹנִים יוֹשִׁיעַ Ps. 72:13
50 דִּין עָנִי מִשְׁפַּט אֶבְיֹנִים Ps. 140:13
51 יַטּוּ אֶבְיֹנִים מִדָּרֶךְ Job 24:4
וְאֶבְיוֹנִים 52 וְאֶבְיוֹנִים לָבֶטַח יִרְבָּצוּ Is. 14:30
53 וְאֶבְיוֹנִים בַּשַּׁעַר הִטּוּ Am. 5:12
54 עֲנִיִּים מֵאֶרֶץ וְאֶבְיוֹנִים מֵאָדָם Prov. 30:14
וְהָאֶבְיוֹנִים 55 הָעֲנִיִּים וְהָאֶבְיוֹנִים מְבַקְשִׁים מַיִם Is. 41:17
לָאֶבְיוֹנִים 56 פִּזַּר נָתַן לָאֶבְיוֹנִים Ps. 112:9
57 אָב אָנֹכִי לָאֶבְיוֹנִים Job 29:16
58 וּמַתָּנוֹת לָאֶבְיֹנִים Es. 9:22
אֶבְיֹנֵי־ 59 וְאָכְלוּ אֶבְיֹנֵי עַמֶּךָ Ex. 23:11
וְאֶבְיוֹנֵי־ 60 וְאֶבְיוֹנֵי אָדָם... יָגִילוּ Is. 29:19
אֶבְיוֹנֶיהָ 61 אֶבְיוֹנֶיהָ אַשְׂבִּיעַ לָחֶם Ps. 132:15

אֲבִיּוֹנָה
נ׳ פרי הצלף(?) תַּאֲוָה?

הָאֲבִיּוֹנָה 1 וְיִסְתַּבֵּל הֶחָגָב וְתָפֵר הָאֲבִיּוֹנָה Eccl. 12:5

אֲבִיחַיִל
שפ״ז א) לוי, אבי נשיא בית אב למשפחת מררי: 4

ב) מבני גד: 3 ג) אבי אסתר המלכה: 1-2

אֲבִיחַיִל 1/2 אֶסְתֵּר(...) בַּת־אֲבִיחַיִל Es. 2:15; 9:29
3 אֵלֶּה בְּנֵי אֲבִיחַיִל בֶּן־חוּרִי ICh. 5:14
אֲבִיחָיִל 4 צוּרִיאֵל בֶּן־אֲבִיחָיִל Num. 3:35

אֲבִיטוּב
שפ״ז – מבני בנימין

1 וּמֵחֻשִׁים הוֹלִיד אֶת־אֲבִיטוּב ICh. 8:11

אֲבִיטַל*
שפ״נ – מנשי המלך דוד: 1–2

אֲבִיטָל 1 וְהַחֲמִישִׁי שְׁפַטְיָה בֶן־אֲבִיטָל IISh. 3:4
לַאֲבִיטָל 2 הַחֲמִישִׁי שְׁפַטְיָה לַאֲבִיטָל ICh. 3:3

אֲבִיָּם
שפ״ז – מלך יהודה, הוא אֲבִיָּה, הוא אֲבִיָּהוּ: 1-5

1 מָלַךְ אֲבִיָּם עַל־יְהוּדָה IK. 15:1
2-5 אֲבִיָּם IK. 14:31; 15:7², 8

אֲבִימָאֵל
שפ״ז – בן יקטן, מבני עבר: 1–2.

1-2 וְאֶת־אֲבִימָאֵל Gen. 10:28 • ICh. 1:22

אֲבִימֶלֶךְ
שפ״ז א) מלך גרר בימי אברהם ויצחק: 1–21, 54, 55, 62.

ב) בן גדעון, מלך שכם: 22-52, 56, 57, 59-61, 63-67

ג) כנוי לאָכיש מלך גת(?): 53

ד) בן אביתר הכהן (ראה אֲחִימֶלֶךְ): 58

בֵּית אֲ׳ 2; עַבְדֵי אֲ׳ 3; רֹאשׁ אֲ׳ 23; רָעַת אֲ׳ 24

אֲבִימֶלֶךְ 1 וַיִּשְׁלַח אֲבִימֶלֶךְ מֶלֶךְ גְּרָר Gen. 20:2
2 בְּעַד כָּל־רֶחֶם לְבֵית־אֲבִימֶלֶךְ Gen. 20:18
3 אֲשֶׁר גָּזְלוּ עַבְדֵי אֲבִימֶלֶךְ Gen. 21:25
4-21 אֲבִימֶלֶךְ Gen. 20:3,8,9,10; 20:14,15,17; 21:22,25,26,29,32; 26:1,8,9,10,11,16
22 וַיֵּלֶךְ אֲבִימֶלֶךְ בֶּן־יְרֻבַּעַל שְׁכֶמָה Jud. 9:1
23 וַתַּשְׁלֵךְ... עַל־רֹאשׁ אֲבִימֶלֶךְ Jud. 9:53
24 וַיָּשֶׁב אֱלֹהִים אֵת רָעַת אֲבִימֶלֶךְ Jud. 9:56
25-52 אֲבִימֶלֶךְ Jud. 8:31; 9:3,4,6; 9:16,18,20,21,22,23,24,27,28,29,31,34,35,38,40,41; 9:48²,49,50,52,55; 10:1 • IISh. 11:21
53 בְּשַׁנּוֹתוֹ אֶת־טַעְמוֹ לִפְנֵי אֲבִימֶלֶךְ Ps. 34:1
וַאֲבִימֶלֶךְ 54 וַאֲבִימֶלֶךְ לֹא קָרַב אֵלֶיהָ Gen. 20:4
55 וַאֲבִימֶלֶךְ הָלַךְ אֵלָיו מִגְּרָר Gen. 26:26
56 וַאֲבִימֶלֶךְ וְהָרָאשִׁים... פָּשְׁטוּ Jud. 9:44
57 וַאֲבִימֶלֶךְ נִלְחָם בָּעִיר Jud. 9:45
58 וְצָדוֹק... וַאֲבִימֶלֶךְ בֶּן־אֶבְיָתָר ICh. 18:16
בַּאֲבִימֶלֶךְ 59 שִׂמְחוּ בַּאֲבִימֶלֶךְ Jud. 9:19
60/1 בַּאֲבִימֶלֶךְ Jud. 9:23,39
לַאֲבִימֶלֶךְ 62 וַיִּקַּח אַבְרָהָם..וַיִּתֵּן לַאֲבִימֶלֶךְ Gen. 21:27
63/4 וַיֻּגַּד לַאֲבִימֶלֶךְ Jud. 9:25,47
65/6 לַאֲבִימֶלֶךְ Jud. 9:29,42
מֵאֲבִימֶלֶךְ 67 תֵּצֵא אֵשׁ מֵאֲבִימֶלֶךְ וְתֹאכַל Jud. 9:20

אֲבִינָדָב
שפ״ז א) איש מקרית יערים: 1, 5–8

ב) בנו השני של ישי אבי דוד: 2, 3, 12

ג) בן שאול: 4, 9-11 (וראה עוד בֶּן־אֲבִינָדָב)

אֲבִינָדָב 1 וַיָּבִאוּ אֹתוֹ אֶל־בֵּית אֲבִינָדָב ISh. 7:1
2 וַיִּקְרָא יִשַׁי אֶל־אֲבִינָדָב ISh. 16:8
3 אֱלִיאָב הַבְּכוֹר וּמִשְׁנֵהוּ אֲבִינָדָב ISh. 17:13
4 אֶת־יְהוֹנָתָן וְאֶת־אֲבִינָדָב ISh. 31:2
5-8 אֲבִינָדָב IISh. 6:3², 4 • ICh. 13:2
9-11 אֲבִינָדָב ICh. 8:33; 9:39; 10:7
וַאֲבִינָדָב 12 וַאֲבִינָדָב הַשֵּׁנִי וְשִׁמְעָא הַשְּׁלִשִׁי ICh. 2:13

אֲבִינֹעַם
שפ״ז – אביו של ברק שנלחם בסיסרא

1 וַתִּקְרָא לְבָרָק בֶּן־אֲבִינֹעַם Jud. 4:6
2-4 בֶּן־אֲבִינֹעַם Jud. 4:12; 5:1,12

אֲבִינֵר
שפ״ז הוא אַבְנֵר, שר צבא שאול

1 וְשֵׁם שַׂר־צְבָאוֹ אֲבִינֵר בֶּן־נֵר ISh. 14:50

אֶבְיָסָף
שפ״ז – הוא אֲבִיאָסָף בן קרח

אֶבְיָסָף 1-2 בֶּן־אֶבְיָסָף בֶּן־קֹרַח ICh. 6:22; 9:19
וְאֶבְיָסָף 3 אֶלְקָנָה בְנוֹ וְאֶבְיָסָף בְּנוֹ ICh. 6:8

אֲבִיעֶזֶר
שפ״ז א) בן גלעד בן מנשה (ראה גם אִיעֶזֶר, אֲבִי הָעֶזְרִי): 1–3 ב) בן המֹלֶכֶת אחות גלעד: 4

ג) מגבורי דוד: 5–7

בְּנֵי אֲבִיעֶזֶר 1 בְּצִיר אֲבִיעֶזֶר 3

1 לִבְנֵי אֲבִיעֶזֶר וְלִבְנֵי־חֵלֶק Josh. 17:2
2 וַיִּזָּעֵק אֲבִיעֶזֶר אַחֲרָיו Jud. 6:34
3 טוֹב עֹלְלוֹת אֶפְרַיִם מִבְצִיר אֲבִיעֶזֶר Jud. 8:2
4 אֶת־אִישׁ הוֹד וְאֶת־אֲבִיעֶזֶר ICh. 7:18
5-7 אֲבִיעֶזֶר הָעַנְּת(וֹ)תִי IISh. 23:27 • ICh. 11:28; 27:12

אַבִּיר
תו״ז א) חזק, גבור, אמיץ: 1,3,13

ב) ראש, מנהל: 2 ג) קשה, קשוח: 10,12

ד) פר: 4–8, 11,14 ה) סוס, פרש(?): 9, 15–17

קרובים: אֵיתָן / אַמִּיץ / גִּבּוֹר / גָּדוֹל / חָזָק / חָסֹן / חָסִין / כַּבִּיר / עַז / עִזּוּז / עָצוּם / קָשֶׁה / שַׂגִּיא / תַּקִּיף

– אַבִּיר הָרֹעִים 2; אַבִּירֵי לֵב 10,12; אַ׳ בָשָׁן 11
– בְּשַׂר אַבִּירִים 5; לֶחֶם אַ׳ 7; עֲדַת אַ׳ 6;
– דַּהֲרוֹת אַבִּירָיו 15; מִצְהֲלוֹת אַ׳ 16; פַּרְסוֹת אַ׳ 17

אַבִּיר 1 וְיָסִירוּ אַבִּיר לֹא בְיָד Job 34:20
אַבִּיר־ 2 אַבִּיר הָרֹעִים אֲשֶׁר לְשָׁאוּל ISh. 21:8
כַּאבִּיר 3 וְאוֹרִיד כַּאבִּיר יוֹשְׁבִים Is. 10:13
אַבִּירִים 4 וּפָרִים עִם־אַבִּירִים Is. 34:7
5 הַאוֹכַל בְּשַׂר אַבִּירִים Ps. 50:13
6 עֲדַת אַבִּירִים בְּעֶגְלֵי עַמִּים Ps. 68:31
7 לֶחֶם אַבִּירִים אָכַל אִישׁ Ps. 78:25
8 וּמָשַׁךְ אַבִּירִים בְּכֹחוֹ Job 24:22
כְּאַבִּירִים 9 וְתִצְהֲלוּ כָּאַבִּרִים Jer. 50:11
אַבִּירֵי־ 10 שִׁמְעוּ אֵלַי אַבִּירֵי לֵב Is. 46:12
11 אַבִּירֵי בָשָׁן כִּתְּרוּנִי Ps. 22:13
12 אֶשְׁתּוֹלְלוּ אַבִּירֵי לֵב Ps. 76:6
אַבִּירַי 13 סִלָּה כָל־אַבִּירַי אֲדֹנָי בְּקִרְבִּי Lam. 1:15
אַבִּירֶיךָ 14 מַדּוּעַ נִסְחַף אַבִּירֶיךָ Jer. 46:15
אַבִּירָיו 15 מִדַּהֲרוֹת דַּהֲרוֹת אַבִּירָיו Jud. 5:22
16 מִקּוֹל מִצְהֲלוֹת אַבִּירָיו Jer. 8:16
17 מִקּוֹל שַׁעֲטַת פַּרְסוֹת אַבִּירָיו Jer. 47:3

אָבִיר*
ז׳ אַבִּיר, גבור – תואר לאלהי ישראל

אֲבִיר יַעֲקֹב: 1, 3–6; אֲבִיר יִשְׂרָאֵל: 2

אֲבִיר־ 1 מִידֵי אֲבִיר יַעֲקֹב Gen. 49:24
2 הָאָדוֹן יְיָ צְבָאוֹת אֲבִיר יִשְׂרָאֵל Is. 1:24
3-4 וְגֹאֲלֵךְ אֲבִיר יַעֲקֹב Is. 49:26; 60:16
לַאֲבִיר־ 5 נָדַר לַאֲבִיר יַעֲקֹב Ps. 132:2
6 מִשְׁכָּנוֹת לַאֲבִיר יַעֲקֹב Ps. 132:5

אֲבִירָם
שפ״ז א) בן אליאב משבט ראובן, בימי משה: 1–10
ב) בן בכור לחיאל בית האֱלִי, בימי אחאב: 11

אֲבִירָם 1 וַתְּכַס עַל־עֲדַת אֲבִירָם Ps. 106:17
וַאֲבִירָם 2 וְדָתָן וַאֲבִירָם בְּנֵי אֱלִיאָב Num. 16:1
4-3 קֹרַח דָּתָן וַאֲבִירָם Num. 16:24,27
8-5 (וְ)דָתָן וַאֲבִירָם Num. 16:25,27; 26:9²
וְלַאֲבִירָם 9 וַיִּשְׁלַח...לִקְרֹא לְדָתָן וְלַאֲבִירָם Num. 16:12
10 וַאֲשֶׁר עָשָׂה לְדָתָן וְלַאֲבִירָם Deut. 11:6
בַּאֲבִירָם 11 בַּאֲבִירָם בְּכֹרוֹ יִסְּדָהּ IK. 16:34

אֲבִישַׁג
שפ״ג – השונמית, סוכנת דוד המלך

אֲבִישַׁג 1 וַיִּמְצְאוּ אֶת־אֲבִישַׁג הַשּׁוּנַמִּית IK. 1:3
4-2 אֲבִישַׁג הַשּׁוּנַמִּית IK. 2:17,21,22
וַאֲבִישַׁג 5 וַאֲבִישַׁג הַשּׁוּנַמִּית מְשָׁרַת אֶת־הַמֶּלֶךְ IK. 1:15

אֲבִישׁוּעַ
שפ״ז – א) בן פינחס בן אלעזר בן אהרן: 1-4
ב) בן בֶּלַע בן בנימין: 5

אֲבִישׁוּעַ 1 בֶּן־אֲבִישׁוּעַ בֶּן־פִּינְחָס בֶּן־אֶלְעָזָר Ez. 7:5
2 פִּינְחָס הֹלִיד אֶת־אֲבִישׁוּעַ ICh. 5:30
3 פִּינְחָס בְּנוֹ אֲבִישׁוּעַ בְּנוֹ ICh. 6:35
וַאֲבִישׁוּעַ 4 וַאֲבִישׁוּעַ הוֹלִיד אֶת־בֻּקִּי ICh. 5:31
5 וַאֲבִישׁוּעַ וְנַעֲמָן וַאֲחוֹחַ ICh. 8:4

אֲבִישׁוּר
שפ״ז – ירחמאלי, משבט יהודה

אֲבִישׁוּר 1 וְשֵׁם אֵשֶׁת אֲבִישׁוּר אֲבִיהָיִל ICh. 2:29
וַאֲבִישׁוּר 2 וּבְנֵי שַׁמַּי נָדָב וַאֲבִישׁוּר ICh. 2:28

אֲבִישַׁי
שפ״ז – בן צרויה אחות דוד, נוסח אחר: אַבְשַׁי

אֲבִישַׁי 1 וְאֶל־אֲבִישַׁי בֶּן־צְרוּיָה ISh. 26:6
2 וַיֹּאמֶר אֲבִישַׁי אֲנִי אֵרֵד ISh. 26:6
ISh. 26:8,9 • IISh. 10:14; 16:9,11; 18:2,5,12; 19:22; 20:6; 21:17
וַאֲבִישַׁי 14 וַיָּבֹא דָוִד וַאֲבִישַׁי אֶל־הָעָם ISh. 26:7
15 וַאֲבִישַׁי... הוּא רֹאשׁ הַשְּׁלֹשָׁה IISh. 23:18
19-16 וַאֲבִישַׁי IISh. 2:18,24; 3:30; 20:10

אֲבִישָׁלוֹם
שפ״ז – אבי מעכה אשת רחבעם

2-1 וְשֵׁם אִמּוֹ מַעֲכָה בַּת־אֲבִישָׁלוֹם IK. 15:2,10

אֶבְיָתָר
שפ״ז – בן אחימלך, מכֹּהני דוד

אֶבְיָתָר 1 בֵּן־אֶחָד לַאֲחִימֶלֶךְ..וּשְׁמוֹ אֶבְיָתָר ISh. 22:20
2 וַיֹּאמֶר אֶל־אֶבְיָתָר הַכֹּהֵן ISh. 23:9
3 וַאֲבִימֶלֶךְ בֶּן־אֶבְיָתָר כֹּהֲנִים ICh. 18:16
17-4 אֶבְיָתָר ISh. 22:21; 23:6; 30:7² • IISh. 8:17; 15:24,27; 17:15; 19:12 • IK. 1:7,42; 2:27,35 • ICh. 24:6
וְאֶבְיָתָר 18 צָדוֹק וְאֶבְיָתָר הַכֹּהֲנִים IISh. 15:35
22-19 וְאֶבְיָתָר IISh. 15:29; 20:25 • IK. 4:4 • ICh. 27:34
לְאֶבְיָתָר 23 וַיֹּאמֶר דָּוִד לְאֶבְיָתָר ISh. 22:22
24 אֲחִימַעַץ לְצָדוֹק וִיהוֹנָתָן לְאֶבְיָתָר IISh. 15:36
וּלְאֶבְיָתָר 25 לְצָדוֹק וּלְאֶבְיָתָר הַכֹּהֲנִים IISh. 15:35
30-26 וּלְאֶבְיָתָר IK. 1:19,25; 2:22,26 • ICh. 15:11

אבך
: הת׳ הִתְאַבֵּךְ – הסתלסל, הִתַּמֵּר; התערבב(?)

וַיִּתְאַבְּכוּ 1 וַיִּתְאַבְּכוּ גֵּאוּת עָשָׁן Is. 9:17

אבל
: אָבַל, הִתְאַבֵּל, הֶאֱבִיל; אָבֵל; אֵבֶל

אָבַל
פ׳ א) נבל, יבש, חרב: 1–2, 5–6, 8–9, 13, 15–17
ב) היה אָבֵל, עצוב: 3–4, 7, 10–12, 14, 18
ג) [הִתְ׳ הִתְאַבֵּל] היה שרוי באֵבל: 19–37
ד) [הִפ׳ הֶאֱבִיל] יִבֵּשׁ, החריב: 38–39

קרובים: אנה / בכה / הגה / יגה / נהה / ספד / עצב / קונן

– אָבְלָה אֲדָמָה 9; אָ׳ הָאָרֶץ 5, 8, 15-17; אָ׳ נַפְשׁוֹ 18
– הִתְאַבֵּל אֶל־ 19, 20; הִתְאַבֵּל עַל־ 22-25, 29-31

אָבַל 1 אָבַל תִּירוֹשׁ אֻמְלְלָה־גָפֶן Is. 24:7
2 אָבַל אֻמְלְלָה אָרֶץ Is. 33:9
3 כִּי־אָבַל עָלָיו עַמּוֹ Hosh. 10:5
וְאָבַל 4 וְאָבַל כָּל־יוֹשֵׁב בָּהּ Am. 8:8
אָבְלָה 5 אָבְלָה נָבְלָה הָאָרֶץ Is. 24:4
6 אָבְלָה עָלַי שְׁמֵמָה Jer. 12:11
7 אָבְלָה יְהוּדָה וּשְׁעָרֶיהָ אֻמְלְלוּ Jer. 14:2
8 כִּי־מִפְּנֵי אָלָה אָבְלָה הָאָרֶץ Jer. 23:10
9 שֻׁדַּד שָׂדֶה אָבְלָה אֲדָמָה Joel 1:10
אָבְלוּ 10 אָבְלוּ הַכֹּהֲנִים מְשָׁרְתֵי יְיָ Joel 1:9
וְאָבְלוּ 11 וְאָנוּ וְאָבְלוּ פְּתָחֶיהָ Is. 3:26
12 וְאָנוּ הַדַּיָּגִים וְאָבְלוּ... Is. 19:8
13 וְאָבְלוּ נְאוֹת הָרֹעִים Am. 1:2
14 וְאָבְלוּ כָּל־יוֹשְׁבֵי בָהּ Am. 9:5
תֶּאֱבַל 15 עַל־זֹאת תֶּאֱבַל הָאָרֶץ Jer. 4:28
16 עַד־מָתַי תֶּאֱבַל הָאָרֶץ Jer. 12:4
17 עַל־כֵּן תֶּאֱבַל הָאָרֶץ Hosh. 4:3
תֶּאֱבָל 18 וְנַפְשׁוֹ עָלָיו תֶּאֱבָל Job 14:22
הִתְאַבֵּל 19 כִּי־הִתְאַבֵּל שְׁמוּאֵל אֶל־שָׁאוּל ISh. 15:35
מִתְאַבֵּל 20 עַד־מָתַי אַתָּה מִתְאַבֵּל אֶל־שָׁאוּל ISh. 16:1
21 אֲנִי דָנִיֵּאל הָיִיתִי מִתְאַבֵּל Dan. 10:2
22 כִּי מִתְאַבֵּל עַל־מַעַל הַגּוֹלָה Ez. 10:6
מִתְאַבֶּלֶת 23 כְּאִשָּׁה... מִתְאַבֶּלֶת עַל־מֵת IISh. 14:2
מִתְאַבְּלִים 24 מִתְאַבְּלִים עַל־יֹאשִׁיָּהוּ IICh. 35:24
הַמִּתְאַבְּלִים 25 שִׂישׂוּ.. כָּל־הַמִּתְאַבְּלִים עָלֶיהָ Is. 66:10
וָאֶתְאַבְּלָה 26 וָאֶבְכֶּה וָאֶתְאַבְּלָה יָמִים Neh. 1:4
יִתְאַבָּל 27 וְהַמּוֹכֵר אַל־יִתְאַבָּל Ezek. 7:12
28 הַמֶּלֶךְ יִתְאַבָּל וְנָשִׂיא יִלְבַּשׁ שְׁמָמָה Ezek. 7:27
וַיִּתְאַבֵּל 29 וַיִּתְאַבֵּל עַל־בְּנוֹ יָמִים רַבִּים Gen. 37:34
30 וַיִּתְאַבֵּל עַל־בְּנוֹ כָּל־הַיָּמִים IISh. 13:37
31 וַיִּתְאַבֵּל עַל־אַבְשָׁלוֹם IISh. 19:2
32 וַיִּתְאַבֵּל אֶפְרַיִם אֲבִיהֶם ICh. 7:22
תִּתְאַבְּלוּ 33 אַל־תִּתְאַבְּלוּ וְאַל־תִּבְכּוּ Neh. 8:9
וַיִּתְאַבְּלוּ 34 וַיִּתְאַבְּלוּ הָעָם מְאֹד Num. 14:39
35 וַיִּתְאַבְּלוּ הָעָם כִּי־הִכָּה יְיָ ISh. 6:19
וַיִּתְאַבָּלוּ 36 וַיִּשְׁמַע הָעָם... וַיִּתְאַבָּלוּ Ex. 33:4
הִתְאַבְּלִי 37 וַיֹּאמֶר אֵלֶיהָ הִתְאַבְּלִי־נָא IISh. 14:2
הֶאֱבַלְתִּי 38 הֶאֱבַלְתִּי כִּסֵּתִי עָלָיו אֶת־תְּהוֹם Ezek. 31:15
וַיַּאֲבֶל־ 39 וַיַּאֲבֶל־חֵל וְחוֹמָה Lam. 2:8

אָבֵל[1]
תו״ז עצוב, מֵצר (ביחוד על מת)

קרובים: דָּוֶה / זָעֵף / נוּגֶה / סַר / עָצוּב / קוֹדֵר

אָבֵל וַחֲפוּי רֹאשׁ 2; אֲבֶל־אֵם 3 אֲבֵלֵי צִיּוֹן 6; דְּרָכִים אֲבֵלוֹת 8

אָבֵל 1 כִּי־אֵרֵד אֶל־בְּנִי אָבֵל שְׁאֹלָה Gen. 37:35
2 וְהָמָן נִדְחַף... אָבֵל וַחֲפוּי רֹאשׁ Es. 6:12
כַּאֲבֶל־ 3 כַּאֲבֶל־אֵם קֹדֵר שַׁחוֹתִי Ps. 35:14
אֲבֵלִים 4 לְנַחֵם כָּל־אֲבֵלִים Is. 61:2
5 כַּאֲשֶׁר אֲבֵלִים יְנַחֵם Job 29:25
לַאֲבֵלֵי־ 6 לָשׂוּם לַאֲבֵלֵי צִיּוֹן... פְּאֵר Is. 61:3
וְלַאֲבֵלָיו 7 וַאֲשַׁלֵּם נִחֻמִים לוֹ וְלַאֲבֵלָיו Is. 57:18
אֲבֵלוֹת 8 דַּרְכֵי צִיּוֹן אֲבֵלוֹת Lam. 1:4

אָבֵל[2]
נ׳ אֶבֶן (בחילוף ל׳ בנ׳): אָבֵל הַגְּדוֹלָה

1 אֲשֶׁר הִנִּיחוּ עָלֶיהָ אֵת אֲרוֹן יְיָ ISh. 6:18

אָבֵל[3]
עיר בנחלת נפתלי, היא אָבֵל בֵּית־מַעֲכָה

בְּאָבֵל 1 שָׁאוֹל יְשָׁאֲלוּ בְּאָבֵל וְכֵן הֵתַמּוּ IISh. 20:18

אֵבֶל
ז׳ צער ויגון (ביחוד על מת)

קרובים: אוֹן[2] / אֲנִיָּה / בְּכִי / בְּכִית / דְּאָבוֹן / דְּוַי / הֶגֶה / הִי / יָגוֹן / מִסְפֵּד / מַעֲצֵבָה / נְהִי / נְכָאִים / עֶצֶב / עַצֶּבֶת / צַעַר / קִינָה / שִׁמָּמוֹן / תַּאֲנִיָּה / תּוּגָה / תַּמְרוּרִים

אֵבֶל גָּדוֹל 9; אֵ׳ כָּבֵד 19; אֵ׳ יָחִיד 21, 22; אֵ׳ אָבִיו 18; בִּגְדֵי אֵבֶל 2; בֵּית אֵ׳ 7, 8; יְמֵי אֵ׳ 18,23; מֵאֵבֶל לְיוֹם טוֹב 17

אֵבֶל 1 וַיַּעַשׂ לְאָבִיו אֵבֶל שִׁבְעַת יָמִים Gen. 50:10
2 וְלִבְשִׁי־נָא בִגְדֵי־אֵבֶל IISh. 14:2
3 שֶׁמֶן שָׂשׂוֹן תַּחַת אֵבֶל Is. 61:3
4 וְלֹא־יִפְרְסוּ לָהֶם עַל־אֵבֶל Jer. 16:7
5 מֵתִים אֵבֶל לֹא־תַעֲשֶׂה Ezek. 24:17
6 וְקָרְאוּ אִכָּר אֶל־אֵבֶל Am. 5:16
7 טוֹב לָלֶכֶת אֶל־בֵּית־אֵבֶל Eccl. 7:2
8 לֵב חֲכָמִים בְּבֵית אֵבֶל Eccl. 7:4
9 אֵבֶל גָּדוֹל לַיְּהוּדִים Es. 4:3
וְאֵבֶל 10 אֶעֱשֶׂה... וְאֵבֶל כִּבְנוֹת יַעֲנָה Mic. 1:8
הָאֵבֶל 11 וַיַּרְא... אֶת־הָאֵבֶל בְּגֹרֶן הָאָטָד Gen. 50:11
12 וַיַּעֲבֹר הָאֵבֶל וַיִּשְׁלַח דָּוִד... IISh. 11:27
לְאֵבֶל 13 וַתְּהִי הַתְּשֻׁעָה... לְאֵבֶל לְכָל־הָעָם IISh. 19:3
14 וְהָפַכְתִּי חַגֵּיכֶם לְאֵבֶל Am. 8:10
15 וַיְהִי לְאֵבֶל כִּנֹּרִי Job 30:31
16 נֶהְפַּךְ לְאֵבֶל מְחֹלֵנוּ Lam. 5:15
וּמֵאֵבֶל 17 מְיָגוֹן לְשִׂמְחָה וּמֵאֵבֶל לְיוֹם טוֹב Es. 9:22
אֵבֶל־ 18 יִקְרְבוּ יְמֵי אֵבֶל אָבִי Gen. 27:41
19 אֵבֶל־כָּבֵד זֶה לְמִצְרָיִם Gen. 50:11
20 וַיִּתְּמוּ יְמֵי בְכִי אֵבֶל מֹשֶׁה Deut. 34:8
21 אֵבֶל יָחִיד עֲשִׂי־לָךְ Jer. 6:26
כְּאֵבֶל־ 22 וְשַׂמְתִּיהָ כְּאֵבֶל יָחִיד Am. 8:10
אֶבְלֵךְ 23 וְשָׁלְמוּ יְמֵי אֶבְלֵךְ Is. 60:20
אֶבְלָם 24 וְהָפַכְתִּי אֶבְלָם לְשָׂשׂוֹן Jer. 31:12(13)

אֲבָל
מ״ח א) אולם: 3–11 ב) אכן: 1–2

קרובים: אוּלָם / אַךְ / אָכֵן / אָמְנָה / אָמְנָם / אֶפֶס / רַק

1 אֲבָל שָׂרָה אִשְׁתְּךָ יֹלֶדֶת לְךָ בֵּן Gen. 17:19
2 אֲבָל אֲשֵׁמִים אֲנַחְנוּ Gen. 42:21
3 אֲבָל אִשָּׁה־אַלְמָנָה אָנִי IISh. 14:5
4 אֲבָל אֲדֹנֵינוּ.. הִמְלִיךְ אֶת־שְׁלֹמֹה IK. 1:43
5 אֲבָל בֵּן אֵין־לָהּ IIK. 4:14
6 אֲבָל חֲרָדָה גְדֹלָה נָפְלָה עֲלֵיהֶם Dan. 10:7
7 אֲבָל אַגִּיד לְךָ אֶת־הָרָשׁוּם Dan. 10:21
8 אֲבָל הָעָם רָב וְהָעֵת גְּשָׁמִים Ez. 10:13
9 אֲבָל אֲרוֹן הָאֱלֹהִים הֶעֱלָה דָוִיד IICh. 1:4
10 אֲבָל דְּבָרִים טוֹבִים נִמְצְאוּ IICh. 19:3
11 אֲבָל עוֹד הָעָם זֹבְחִים IICh. 33:17

אָבֵל בֵּית־מַעֲכָה
עיר בנחלת נפתלי

אָבֵל בֵּ׳ 1 וַיַּךְ... וְאֵת אָבֵל בֵּית־מַעֲכָה IK. 15:20
2 וַיִּקַּח... וְאֶת־אָבֵל בֵּית־מַעֲכָה IIK. 15:29
אָבֵלָה וּבֵ׳ 3 וַיַּעֲבֹר... אָבֵלָה וּבֵית מַעֲכָה IISh. 20:14
בְּאָבֵלָה בֵּ׳ 4 וַיָּצֻרוּ עָלָיו בְּאָבֵלָה בֵּית הַמַּעֲכָה IISh. 20:15

אָבֵל כְּרָמִים
עיר או כפר בארץ בני עמון

אָבֵל כְּ׳ 1 מֵעֲרוֹעֵר... וְעַד אָבֵל כְּרָמִים Jud. 11:33

אָבֵל מְחוֹלָה
עיר מולדתו של אלישע הנביא, בגלעד

אָבֵל מְ׳ 1 וַיָּנָס... עַד שְׂפַת־אָבֵל מְחוֹלָה Jud. 7:22
2 מִבֵּית שְׁאָן עַד אָבֵל מְחוֹלָה IK. 4:12
מֵאָבֵל מְ׳ 3 אֱלִישָׁע בֶּן־שָׁפָט מֵאָבֵל מְחוֹלָה IK. 19:16

אָבֵל מָיִם
עיר בנחלת נפתלי, היא אָבֵל בֵּית מַעֲכָה

אָבֵל מָ׳ 1 וַיַּכּוּ אֶת־עִיּוֹן... וְאֵת אָבֵל מָיִם IICh. 16:4

אָבֵל מִצְרַיִם
מקום במזרח הירדן, שם הוספד יעקב

1 אֵבֶל־כָּבֵד זֶה לְמִצְרָיִם עַל־כֵּן
אָבֵל מִצְ׳ קָרָא שְׁמָהּ אָבֵל מִצְרַיִם Gen. 50:11

אָבֵל הַשִּׁטִּים
עיר בערבות מואב, נקראת גם שִׁטִּים

אָבֵל הַשִּׁ׳ 1 מִבֵּית הַיְשִׁמֹת עַד אָבֵל הַשִּׁטִּים Num. 33:49

אֶבֶן[1] נ׳ א) גוש סלע, קטן או גדול, מחובר או תלוש; או חומר סלעי לבניה, לפִסול, לקִשוט וכד׳ – רוב המקראות

ב) משקל קדמון: 9,8, 32, 33, 61, 123, 222, 233, 236

ג) בצֵרופים שונים – ראה להלן

קרובים: בַּהַט/ גּוּשׁ /גָּזִית / גִּיר/ גְּלָל / דַּר/ חַלּוּק/ חַלָּמִישׁ/ חָצָץ / סוֹחֶרֶת / סֶלַע / צוּר / צֹר/ שַׁיִשׁ / שֵׁשׁ

– אֶבֶן גְּדוֹלָה 12, 15, 17, 82, 84, 93; אֶ׳ יָצוּק 62; אֶ׳ יְקָרָה 25, 26,39,40, 42, 53-59,100,107; אֶ׳ נִרְאָה 20; אֶ׳ שְׁלֵמָה 9, 19, 61; אֶ׳ וָאֶבֶן 8, 32,33 (67,68, 72); עֵץ וָאֶבֶן 41, 63-66, 69-71

– אֶבֶן אֹפֶל 116; אֶ׳ בְּדִיל 91; אֶ׳ בֹּחַן 111; אֶ׳ בָּרָד 121; אֶ׳ דּוּמָם 125; אֶ׳ חֵן 118; אֶ׳ יָד 122; אֶ׳ יִשְׂרָאֵל 109; אֶ׳ לְמוּסָדוֹת 60; אֶ׳ הַמֶּלֶךְ 123; אֶ׳ מַעֲמָסָה 115; אֶ׳ מַשְׂכִּית 120; אֶ׳ נֶגֶף 126; אֶ׳ סַפִּיר 112, 124; אֶ׳ עוֹפֶרֶת 114; אֶ׳ (לְ)פִנָּה 22, 60, 117; אֶ׳ צֶדֶק 9; אֶ׳ קִיר 110; אֶ׳ הָרֹאשָׁה 90; אֶ׳ שֹׁהַם 119; אֶ׳ תַּרְשִׁישׁ 113

– חוֹצְבֵי אֶבֶן 85; חָרַשׁ אֶ׳ 2,41,110; חֲרֹשֶׁת אֶ׳ 4-5; טוּרֵי אֶ׳ 48, 49; כֹּבֶד אֶ׳ 36; לֵב אֶ׳ 87, 88; לוּחוֹת אֶ׳ 6, 78; מִלֵּאת אֶ׳ 3; מַצֶּבֶת אֶ׳ 46; צְרוֹר אֶ׳ 34

– גָּלַל אֶבֶן 17,35,74,75,77; הוֹצִיא אֶ׳ 90; הִצִּיב אֶ׳ 46; הֵקִים אֶ׳ 12; הֵרִים אֶ׳ 10; הֵשִׁיב אֶ׳ 76; הִשְׁלִיךְ אֶבֶן 114,127; זָעֲקָה אֶ׳ 27; טָבְעָה אֶ׳ 83; יִדָּה אֶ׳ 37; יִסַּד אֶ׳ 51; יָרָה אֶ׳ 117; לָקַח אֶ׳ 1,12, 16,18,22, 45, 73; מָאַס אֶ׳ 31; מִלֵּא אֶ׳ 3-5,49; נָאַף אֶ׳ 86; נָתַן אֶ׳ 89; עָבַד אֶ׳ 69, 70; קִלַּע אֶ׳ 18; רָגַם אֶ׳ 11,21,24,43,44,50; קָשַׁר אֶ׳ 23; שָׂם אֶ׳ 28, 92; שֵׁרֵת אֶ׳ 71

– הִכָּה בְּאֶבֶן 94,122; נָגַף בָּאֶ׳ 97; קָלַע בָּאֶ׳ 96; רָגַם בָּאֶ׳ 95,98,99; נָדַם כָּאֶ׳ 103; הָיָה לָאֶ׳ 104, 105; סִקֵּל מֵאֶ׳ 108

– אֲבָנִים אֲחֵרוֹת 138; אֲ׳ גְּדוֹלוֹת 139-145; אֲ׳ יְקָרוֹת 157-160; אֲ׳ מְנֻפָּצוֹת 254; אֲ׳ שְׁלֵמוֹת 147, 154; עֵצִים וַאֲ׳ 169, 192, 207, 208,247,248, 260-262

– בֵּית־אֲבָנִים 163; גֶּדֶר אֲ׳ 263; גַּל אֲ׳ 152-153, 156; חוֹמַת אֲ׳ 269; חַלֻּקֵי אֲ׳ 155; כֹּחַ אֲ׳ 162; לוּחוֹת אֲ׳ 131-137, 175-177, 185; מִזְבַּח אֲ׳ 130, 146, 154; מַרְצֶפֶת אֲ׳ 161

– אַבְנֵי אֶלְגָּבִישׁ 229, 250-251; אַ׳ אֶקְדָּח 255; אַ׳ אֵשׁ 230, 231; אַ׳ בֹהוּ 249; אַ׳ בוֹר 227; אַ׳ בָּרָד 253; אַ׳ גָזִית 223,232,240; אַ׳ גִיר 254; אַ׳ זִכָּרוֹן 219/20; אַ׳ חֵפֶץ 256; אַ׳ כִיס 236; אַ׳ מִזְבֵּחַ 228; אַ׳ מַחְצֵב 242,247,248; אַ׳ מִלֻּאִים 221,243,245; אַ׳ הַמָּקוֹם 258; אַ׳ מִרְמָה 233; אַ׳ נֵזֶר 235; אַ׳ פוּךְ 241; אַ׳ צֶדֶק 222; אַ׳ קֹדֶשׁ 239; אַ׳ קֶלַע 234, 238; אַ׳ קְלָעִים 257; אַ׳ הָרָמָה 225,226; אַ׳ הַשָּׂדֶה 237; אַבְנֵי שֹׁהַם 214-218, 2.44; אַ׳ שַׁיִשׁ 42, 252

– הִגִּיר אֲבָנִים 266; הֵכִין אֲ׳ 192; הִסִּיעַ אֲ׳ 167; הֵקִים אֲ׳ 178; הִשְׁאִיר אֲ׳ 265; הִשְׁלִיךְ אֲ׳ 165; הִשְׁתַּפְּכוּ אֲ׳ 239; הִתְנוֹסְסוּ אֲ׳ 235; חִיָּה אֲ׳ 189; חִלֵּץ אֲ׳ 172,174; חָצַב אֲ׳ 240; כָּנַס אֲ׳ 166; לָקַח אֲ׳ 129,138; לִקֵּט אֲ׳ 128; נָשָׂא אֲ׳ 151,225,226; פִּתַּח אֲ׳ 170; קָנָה אֲ׳ 242; רָצָה אֲ׳ 267; שָׁחַק אֲ׳ 164; שָׂם אֲ׳ 228

– הֵימִין בָּאֲבָנִים 206; הִכְאִיב בָּאֲ׳ 205; הִשְׂמְאִיל בָּאֲ׳ 206; יָרָה בָּאֲ׳ 209; סָקַל בָּאֲ׳ 196/7,199—201, 204; סִקֵּל בָּאֲ׳ 202, 203; רָגַם בָּאֲ׳ 193-195, 198

אֶבֶן	1 וַיִּקְחוּ־אֶבֶן וַיָּשִׂימוּ תַחְתָּיו	Ex. 17:12
	2 מַעֲשֵׂה חָרַשׁ אֶבֶן פִּתּוּחֵי חֹתָם	Ex. 28:11
	3 וּמִלֵּאתָ בוֹ מִלֻּאַת אֶבֶן	Ex. 28:17
אֶבֶן (המשך)	4/5 וּבַחֲרֹשֶׁת אֶבֶן לְמַלֹּאת	Ex. 31:5; 35:33
	6 לֻחֹת אֶבֶן כְּתֻבִים בְּאֶצְבַּע אֱלֹהִים	Ex. 31:18
	7 אוֹ בְכָל־אֶבֶן אֲשֶׁר־יָמוּת בָּהּ	Num. 35:23
	8 לֹא־יִהְיֶה לְךָ בְּכִיסְךָ אֶבֶן וָאָבֶן	Deut. 25:13
	9 אֶבֶן שְׁלֵמָה וָצֶדֶק יִהְיֶה־לָּךְ	Deut. 25:15
	10 וְהָרִימוּ לָכֶם אִישׁ אֶבֶן אַחַת	Josh. 4:5
	11 וַיִּרְגְּמוּ אֹתוֹ כָל־יִשְׂרָאֵל אֶבֶן	Josh. 7:25
	12 וַיִּקַּח אֶבֶן גְּדוֹלָה וַיְקִימֶהָ שָּׁם	Josh. 24:26
	13/4 שִׁבְעִים אִישׁ עַל־אֶבֶן אֶחָת	Jud. 9:5,18
	15 וְשָׁם אֶבֶן גְּדוֹלָה	ISh. 6:14
	16 וַיִּקַּח שְׁמוּאֵל אֶבֶן אַחַת	ISh. 7:12
	17 גֹּלּוּ אֵלַי הַיּוֹם אֶבֶן גְּדוֹלָה	ISh. 14:33
	18 וַיִּקַּח מִשָּׁם אֶבֶן וַיְקַלַּע	ISh. 17:49
	19 אֶבֶן־שְׁלֵמָה מַסָּע נִבְנָה	IK. 6:7
	20 הַכֹּל אֶרֶז אֵין אֶבֶן נִרְאָה	IK. 6:18
	21 וַיִּרְגְּמוּ כָל־יִשְׂרָאֵל בּוֹ אֶבֶן	IK. 12:18
	22 וְלֹא־יִקְחוּ מִמְּךָ אֶבֶן לְפִנָּה	Jer. 51:26
	23 תִּקְשֹׁר עָלָיו אֶבֶן	Jer. 51:63
	24 וְרָגְמוּ עֲלֵיהֶן אֶבֶן קָהָל	Ezek. 23:47
	25 וּבְכָל־אֶבֶן יְקָרָה וְזָהָב	Ezek. 27:22
	26 כָּל־אֶבֶן יְקָרָה מְסֻכָתֶךָ	Ezek. 28:13
	27 כִּי־אֶבֶן מִקִּיר תִּזְעָק	Hab. 2:11
	28/9 מִטֶּרֶם שׂוּם־אֶבֶן אֶל־אֶבֶן	Hag. 2:15
	30 עַל־אֶבֶן אַחַת שִׁבְעָה עֵינָיִם	Zech. 3:9
	31 אֶבֶן מָאֲסוּ הַבּוֹנִים	Ps. 118:22
	32 אֶבֶן וָאֶבֶן אֵיפָה וְאֵיפָה	Prov. 20:10
	33 תּוֹעֲבַת יְיָ אֶבֶן וָאָבֶן	Prov. 20:23
	34 כִּצְרוֹר אֶבֶן בְּמַרְגֵּמָה	Prov. 26:8
	35 וְגֹלֵל אֶבֶן אֵלָיו תָּשׁוּב	Prov. 26:27
	36 כֹּבֶד־אֶבֶן וְנֵטֶל הַחוֹל	Prov. 27:3
	37 וַיַּדּוּ־אֶבֶן בִּי	Lam. 3:53
	38 הִשְׁלַכְתָּ בִמְצוֹלֹת כְּמוֹ־אֶבֶן	Neh. 9:11
	39/40 אֶבֶן יְקָרָה	ICh. 20:2 • IICh. 3:6
	41 וְחָרָשֵׁי אֶבֶן וָעֵץ	ICh. 22:15(14)
	42 וְכָל אֶבֶן יְקָרָה וְאַבְנֵי־שַׁיִשׁ	ICh. 29:2
	43 וַיִּרְגְּמוּ־בוֹ בְנֵי־יִשְׂרָאֵל אֶבֶן	IICh. 10:18
	44 וַיִּקְשְׁרוּ עָלָיו וַיִּרְגְּמֻהוּ אֶבֶן	IICh. 24:21
אָבֶן	45 וַיִּקַּח יַעֲקֹב אָבֶן וַיְרִימֶהָ מַצֵּבָה	Gen. 31:45
	46 וַיַּצֵּב יַעֲקֹב... מַצֶּבֶת אָבֶן	Gen. 35:14
	47 יָרְדוּ בִמְצוֹלֹת כְּמוֹ־אָבֶן	Ex. 15:5
	48 אַרְבָּעָה טוּרִים אָבֶן	Ex. 28:17
	49 וַיְמַלְאוּ־בוֹ אַרְבָּעָה טוּרֵי אָבֶן	Ex. 39:10
	50 וַיִּרְגְּמוּ אֹתוֹ אָבֶן	Lev. 24:23
	51 הִנְנִי יִסַּד בְּצִיּוֹן אָבֶן	Is. 28:16
	52 לִבּוֹ יָצוּק כְּמוֹ־אָבֶן	Job 41:16
וְאֶבֶן	53 וּמִשְׁקָלָהּ כִּכַּר זָהָב וְאֶבֶן יְקָרָה	IISh. 12:30
	54-59 וְאֶבֶן יְקָרָה	IK. 10:2,10,11 • IICh. 9:1,9,10
	60 אֶבֶן לְפִנָּה וְאֶבֶן לְמוֹסָדוֹת	Jer. 51:26
	61 וְאֶבֶן שְׁלֵמָה רְצוֹנוֹ	Prov. 11:1
	62 וְאֶבֶן יָצוּק נְחוּשָׁה	Job 28:2
וָאֶבֶן	63-65 מַעֲשֵׂה יְדֵי־אָדָם עֵץ וָאֶבֶן	Deut. 4:28 • IIK. 19:18 • Is. 37:19
	66 עֵץ וָאֶבֶן כֶּסֶף וְזָהָב	Deut. 29:16
	67 אֶבֶן וָאֶבֶן אֵיפָה וְאֵיפָה	Prov. 20:10
וָאָבֶן	68 לֹא־יִהְיֶה לְךָ בְּכִיסְךָ אֶבֶן וָאָבֶן	Deut. 25:13
	69/70 וְעָבַדְתָּ שָּׁם... עֵץ וָאָבֶן	Deut. 28:36,64
	71 לְשָׁרֵת עֵץ וָאָבֶן	Ezek. 20:32
	72 תּוֹעֲבַת יְיָ אֶבֶן וָאָבֶן	Prov. 20:23
הָאֶבֶן	73 וַיִּקַּח אֶת־הָאֶבֶן..וַיָּשֶׂם אֹתָהּ מַצֵּבָה	Gen. 28:18
	74/5 וְגָלֲלוּ אֶת־הָאֶבֶן מֵעַל פִּי הַבְּאֵר	Gen. 29:3,8
	76 וְהֵשִׁיבוּ אֶת־הָאֶבֶן עַל־פִּי הַבְּאֵר	Gen. 29:3
	77 וַיָּגֶל אֶת־הָאֶבֶן מֵעַל פִּי הַבְּאֵר	Gen. 29:10
הָאֶבֶן (המשך)	78 וְאֶתְּנָה לְךָ אֶת־לֻחֹת הָאֶבֶן	Ex. 24:12
	79 שִׁשָּׁה מִשְּׁמֹתָם עַל הָאֶבֶן הָאֶחָת	Ex. 28:10
	80 וְאֶת־שְׁמוֹת... עַל־הָאֶבֶן הַשֵּׁנִית	Ex. 28:10
	81 הָאֶבֶן הַזֹּאת תִּהְיֶה־בָּנוּ לְעֵדָה	Josh. 24:27
	82 וַיָּשִׂמוּ אֶל־הָאֶבֶן הַגְּדוֹלָה	ISh. 6:15
	83 וַתִּטְבַּע הָאֶבֶן בְּמִצְחוֹ	ISh. 17:49
	84 הֵם עִם־הָאֶבֶן הַגְּדוֹלָה...	IISh. 20:8
	85 וְלַגֹּדְרִים וּלְחֹצְבֵי הָאֶבֶן	IIK. 12:13
	86 וַתִּנְאַף אֶת־הָאֶבֶן וְאֶת־הָעֵץ	Jer. 3:9
	87 וַהֲסִרֹתִי לֵב הָאֶבֶן מִבְּשָׂרָם	Ezek. 11:19
	88 וַהֲסִרֹתִי אֶת־לֵב הָאֶבֶן מִבְּשַׂרְכֶם	Ezek. 36:26
	89 הָאֶבֶן אֲשֶׁר נָתַתִּי לִפְנֵי יְהוֹשֻׁעַ	Zech. 3:9
	90 וְהוֹצִיא אֶת־הָאֶבֶן הָרֹאשָׁה	Zech. 4:7
	91 וְרָאוּ אֶת־הָאֶבֶן הַבְּדִיל...	Zech. 4:10
וְהָאֶבֶן	92 וְהָאֶבֶן הַזֹּאת אֲשֶׁר־שַׂמְתִּי מַצֵּבָה	Gen. 28:22
	93 וְהָאֶבֶן גְּדֹלָה עַל־פִּי הַבְּאֵר	Gen. 29:2
בְּאֶבֶן	94 וְהִכָּה... בְּאֶבֶן אוֹ בְאֶגְרֹף	Ex. 21:18
בָּאֶבֶן	95 בָּאֶבֶן יִרְגְּמוּ אֹתָם	Lev. 20:27
	96 קֹלֵעַ בָּאֶבֶן אֶל־הַשַּׂעֲרָה	Jud. 20:16
	97 פֶּן־תִּגֹּף בָּאֶבֶן רַגְלֶךָ	Ps. 91:12
בָּאָבֶן	98 עַם הָאָרֶץ יִרְגְּמֻהוּ בָאָבֶן	Lev. 20:2
	99 וְרָגְמוּ אוֹתָךְ בָּאָבֶן	Ezek. 16:40
וּבְאֶבֶן	100 בְּזָהָב וּבְכֶסֶף וּבְאֶבֶן יְקָרָה	Dan. 11:38
וּבָאֶבֶן	101 וַיֶּחֱזַק דָּוִד... בַּקֶּלַע וּבָאֶבֶן	ISh. 17:50
כָּאֶבֶן	102 כָּאֶבֶן מַיִם יִתְחַבָּאוּ	Job 38:30
כָּאָבֶן	103 בִּגְדֹל זְרוֹעֲךָ יִדְּמוּ כָּאָבֶן	Ex. 15:16
לְאָבֶן	104 וַתְּהִי לָהֶם הַלְּבֵנָה לְאָבֶן	Gen. 11:3
	105 וַיָּמָת לִבּוֹ... וְהוּא הָיָה לְאָבֶן	ISh. 25:37
וְלָאֶבֶן	106 אֹמְרִים... וְלָאֶבֶן אַתְּ יְלִדְתָּנוּ°	Jer. 2:27
וּלְאֶבֶן	107 לְכֶסֶף וּלְזָהָב וּלְאֶבֶן יְקָרָה	IICh. 32:27
מֵאֶבֶן	108 סֹלּוּ סֹלּוּ הַמְסִלָּה סַקְּלוּ מֵאֶבֶן	Is. 62:10
אֶבֶן־	109 מִשָּׁם רֹעֶה אֶבֶן יִשְׂרָאֵל	Gen. 49:24
	110 וְחָרָשֵׁי עֵץ וְחָרָשֵׁי אֶבֶן קִיר	IISh. 5:11
	111 אֶבֶן בֹּחַן פִּנַּת יִקְרַת	Is. 28:16
	112 כְּמַרְאֵה אֶבֶן־סַפִּיר דְּמוּת כִּסֵּא	Ezek. 1:26
	113 וּמַרְאֵה... כְּעֵין אֶבֶן תַּרְשִׁישׁ	Ezek. 10:9
	114 וַיַּשְׁלֵךְ אֶת־אֶבֶן הָעוֹפֶרֶת...	Zech. 5:8
	115 אֶבֶן מַעֲמָסָה לְכָל־הָעַמִּים	Zech. 12:3
	116 אֶבֶן אֹפֶל וְצַלְמָוֶת	Job 28:3
	117 אוֹ מִי־יָרָה אֶבֶן פִּנָּתָהּ	Job 38:6
	118 אֶבֶן־חֵן הַשֹּׁחַד בְּעֵינֵי בְעָלָיו	Prov. 17:8
וְאֶבֶן־	119 שָׁם הַבְּדֹלַח וְאֶבֶן הַשֹּׁהַם	Gen. 2:12
	120 וְאֶבֶן מַשְׂכִּית לֹא תִתְּנוּ בְּאַרְצְכֶם	Lev. 26:1
	121 נֶפֶץ וָזֶרֶם וְאֶבֶן בָּרָד	Is. 30:30
בְּאֶבֶן־	122 וְאִם בְּאֶבֶן יָד... הִכָּהוּ וַיָּמֹת	Num. 35:17
	123 מָאתַיִם שְׁקָלִים בְּאֶבֶן הַמֶּלֶךְ	IISh. 14:26
כְּאֶבֶן־	124 כְּאֶבֶן סַפִּיר כְּמַרְאֵה דְּמוּת כִּסֵּא	Ezek. 10:1
לְאֶבֶן־	125 הוֹי אֹמֵר... עוּרִי לְאֶבֶן דּוּמָם	Hab. 2:19
וּלְאֶבֶן־	126 וּלְאֶבֶן נֶגֶף וּלְצוּר מִכְשׁוֹל	Is. 8:14
אַבְנוֹ	127 יַשְׁלִיכוּ אִישׁ־אַבְנוֹ וּמִלְאוּהָ	IIK. 3:25
אֲבָנִים	128 וַיֹּאמֶר יַעֲקֹב.. לִקְטוּ אֲבָנִים	Gen. 31:46
	129 וַיִּקְחוּ אֲבָנִים וַיַּעֲשׂוּ־גָל	Gen. 31:46
	130 וְאִם־מִזְבַּח אֲבָנִים תַּעֲשֶׂה־לִּי	Ex. 20:22
אֲבָנִים	131-137 שְׁנֵי (־)לֻחֹת אֲבָנִים	Ex. 34:1,4[2] • Deut. 4:13; 5:19; 10:1,3
	138 וְלָקְחוּ אֲבָנִים אֲחֵרוֹת	Lev. 14:42
	139-145 אֲבָנִים גְּדֹלוֹת	Deut. 27:2 • Josh. 10:11,18,27 • IK. 5:31; 7:10 • Jer. 43:9
	146 וּבָנִיתָ שָּׁם... מִזְבַּח אֲבָנִים	Deut. 27:5
	147 אֲבָנִים שְׁלֵמוֹת תִּבְנֶה	Deut. 27:6
	148-50 שְׁתֵּים-עֶשְׂרֵה אֲבָנִים	Josh. 4:3,9 • IK. 18:31
	151 וַיִּשְׂאוּ שְׁתֵּי־עֶשְׂרֵה אֲבָנִים	Josh. 4:8

אֲבָנִים (המשך)
152/3 גַּל־אֲבָנִים גָּדוֹל Josh. 7:26; 8:29
154 מִזְבַּח אֲבָנִים שְׁלֵמוֹת Josh. 8:31
155 וַיִּבְחַר־לוֹ חֲמִשָּׁה חַלֻּקֵי־אֲבָנִים ISh. 17:40
156 גַּל־אֲבָנִים גָּדוֹל מְאֹד IISh. 18:17
157–160 אֲבָנִים יְקָרוֹת IK. 5:31; 7:9,10,11
161 וַיִּתֵּן אֹתוֹ עַל מַרְצֶפֶת אֲבָנִים IIK. 16:17
162 אִם־כֹּחַ אֲבָנִים כֹּחִי Job 6:12
163 בֵּית אֲבָנִים יֶחֱזֶה Job 8:17
164 אֲבָנִים שָׁחֲקוּ מַיִם Job 14:19
165 עֵת לְהַשְׁלִיךְ אֲבָנִים Eccl. 3:5
166 וְעֵת כְּנוֹס אֲבָנִים Eccl. 3:5
167 מַסִּיעַ אֲבָנִים יֵעָצֵב בָּהֶם Eccl. 10:9
168 וְהַנִּמְצָא אִתּוֹ אֲבָנִים נָתְנוּ... ICh. 29:8
וַאֲבָנִים 169 וְעֵצִים וַאֲבָנִים הֲכִינוֹתִי ICh. 22:14
הָאֲבָנִים 170 תְּפַתַּח אֶת־שְׁתֵּי הָאֲבָנִים Ex. 28:11
171 וְשַׂמְתָּ אֶת־שְׁתֵּי הָאֲבָנִים... Ex. 28:12
172 וְחִלְּצוּ אֶת־הָאֲבָנִים... Lev. 14:40
173 וְהֵבִיאוּ אֶל־תַּחַת הָאֲבָנִים Lev. 14:42
174 אַחַר חִלֵּץ אֶת־הָאֲבָנִים Lev. 14:43
175–177 (שְׁנֵי) לוּחֹת הָאֲבָנִים Deut. 9:9,10,11
178 תָּקִימוּ אֶת־הָאֲבָנִים הָאֵלֶּה Deut. 27:4
179 וְכָתַבְתָּ עַל־הָאֲבָנִים... Deut. 27:8
180 מָה הָאֲבָנִים הָאֵלֶּה לָכֶם Josh. 4:6
181 וְהָיוּ הָאֲבָנִים הָאֵלֶּה לְזִכָּרוֹן Josh. 4:7
182 וְאֵת שְׁתֵּים עֶשְׂרֵה הָאֲבָנִים... Josh. 4:20
183 מָה הָאֲבָנִים הָאֵלֶּה Josh. 4:21
184 וַיִּכְתָּב־שָׁם עַל־הָאֲבָנִים... Josh. 8:32
185 רַק שְׁנֵי לֻחוֹת הָאֲבָנִים IK. 8:9
186 וַיִּבְנֶה אֶת־הָאֲבָנִים מִזְבֵּחַ IK. 18:32
187 ...וְאֶת־הָאֲבָנִים וְאֶת־הֶעָפָר IK. 18:38
188 וְתַחַת הָאֲבָנִים בַּרְזֶל Is. 60:17
189 הַיְחַיּוּ אֶת־הָאֲבָנִים מֵעֲרֵמוֹת הֶעָפָר Neh. 3:34
וְהָאֲבָנִים 190 וְהָאֲבָנִים.. עַל־שְׁמֹת בְּנֵי־יִשְׂרָאֵל Ex. 28:21
191 וְהָאֲבָנִים עַל־שְׁמֹת בְּנֵי־יִשְׂרָאֵל Ex. 39:14
192 וַיָּכִינוּ הָעֵצִים וְהָאֲבָנִים IK. 5:32
בָּאֲבָנִים 193 וַיֹּאמְרוּ.. לִרְגּוֹם אֹתָם בָּאֲבָנִים Num. 14:10
194 רָגוֹם אֹתוֹ בָאֲבָנִים כָּל־הָעֵדָה Num. 15:35
195 וַיִּרְגְּמוּ אֹתוֹ בָּאֲבָנִים וַיָּמֹת Num. 15:36
196 וּסְקַלְתּוֹ בָאֲבָנִים וָמֵת Deut. 13:11
197 וּסְקַלְתָּם בָּאֲבָנִים וָמֵתוּ Deut. 17:5
198 וּרְגָמֻהוּ... בָאֲבָנִים וָמֵת Deut. 21:21
199 וּסְקָלוּהָ אַנְשֵׁי עִירָהּ בָּאֲבָנִים Deut. 22:21
200 וּסְקַלְתֶּם אֹתָם בָּאֲבָנִים וָמֵתוּ Deut. 22:24
201 וַיִּסְקְלוּ אֹתָם בָּאֲבָנִים Josh. 7:25
202/3 וַיְסַקֵּל בָּאֲבָנִים IISh. 16:6,13
204 וַיִּסְקְלֻהוּ בָאֲבָנִים וַיָּמֹת IK. 21:13
205 הַחֶלְקָה הַטּוֹבָה תַּכְאִבוּ בָּאֲבָנִים IIK. 3:19
206 מַיְמִינִים וּמַשְׂמִאלִים בָּאֲבָנִים ICh. 12:2
207 בַּבַּרְזֶל בָּאֲבָנִים וּבָעֵצִים IICh. 2:13
וּבָאֲבָנִים 208 וְהָיָה דָם... וּבָעֵצִים וּבָאֲבָנִים Ex. 7:19
209 לִירוֹא בַּחִצִּים וּבָאֲבָנִים IICh. 26:15
כָּאֲבָנִים 210 וַיִּתֵּן הַמֶּלֶךְ אֶת־הַכֶּסֶף.. כָּאֲבָנִים IK. 10:27
כָּאֲבָנִים 211/12 וַיִּתֵּן.. אֶת־הַכֶּסֶף.. כָּאֲבָנִים IICh. 1:15; 9:27
לָאֲבָנִים 213 כִּסְאוֹ מִמַּעַל לָאֲבָנִים הָאֵלֶּה Jer. 43:10
אַבְנֵי־ 214–218 אַבְנֵי־שֹׁהַם (הַשֹּׁ־) Ex. 25:7; 28:9; 35:27; 39:6 • ICh. 29:2
219/20 אַבְנֵי זִכָּרֹן לִבְנֵי יִשְׂרָאֵל Ex. 28:12; 39:7
221 וְאֵת אַבְנֵי הַמִּלֻּאִים Ex. 35:27
222 מֹאזְנֵי צֶדֶק אַבְנֵי־צֶדֶק Lev. 19:36
223 לְיַסֵּד הַבַּיִת אַבְנֵי גָזִית IK. 5:31
224 וּמְיֻסָּד... אַבְנֵי עֶשֶׂר אַמּוֹת IK. 7:10
225/6 וַיִּשְׂאוּ אֶת־אַבְנֵי הָרָמָה IK. 15:22 • IICh. 16:6

אַבְנֵי (המשך)
227 יוֹרְדֵי אֶל־אַבְנֵי־בוֹר Is. 14:19
228 בְּשׂוּמוֹ כָּל־אַבְנֵי מִזְבֵּחַ... Is. 27:9
229 וְאַתֵּנָה אַבְנֵי אֶלְגָּבִישׁ תִּפֹּלְנָה Ezek. 13:11
230 בְּתוֹךְ אַבְנֵי־אֵשׁ הִתְהַלָּכְתָּ Ezek. 28:14
231 וָאַבֶּדְךָ... מִתּוֹךְ אַבְנֵי־אֵשׁ Ezek. 28:16
232 שֻׁלְחָנוֹת לָעוֹלָה אַבְנֵי גָזִית Ezek. 40:42
233 וּבְכִיס אַבְנֵי מִרְמָה Mic. 6:11
234 וְאָכְלוּ וְכָבְשׁוּ אַבְנֵי־קֶלַע Zech. 9:15
235 כִּי אַבְנֵי־נֵזֶר מִתְנוֹסְסוֹת... Zech. 9:16
236 מַעֲשֵׂהוּ כָּל־אַבְנֵי־כִיס Prov. 16:11
237 כִּי עִם־אַבְנֵי הַשָּׂדֶה בְרִיתֶךָ Job 5:23
238 לְקַשׁ נֶהְפְּכוּ־לוֹ אַבְנֵי־קָלַע Job 41:20
239 תִּשְׁתַּפֵּכְנָה אַבְנֵי־קֹדֶשׁ... Lam. 4:1
240 לַחְצוֹב אַבְנֵי גָזִית ICh. 22:2(1)
241 אַבְנֵי־פוּךְ וְרִקְמָה ICh. 29:2
242 לִקְנוֹת אַבְנֵי מַחְצֵב וְעֵצִים IICh. 34:11
וְאַבְנֵי־ 243 אַבְנֵי־שֹׁהַם וְאַבְנֵי מִלֻּאִים Ex. 25:7
244/5 וְאַבְנֵי־שֹׁהַם וְאַבְנֵי מִלֻּאִים Ex. 35:9
246 וְאַבְנֵי שְׁמֹנֶה אַמּוֹת IK. 7:10
247/8 עֵצִים וְאַבְנֵי מַחְצֵב IIK. 12:13; 22:6
249 קַו־תֹהוּ וְאַבְנֵי־בֹהוּ Is. 34:11
250/51 וְאַבְנֵי אֶלְגָּבִישׁ Ezek. 13:13; 38:22
252 וְאַבְנֵי־שַׁיִשׁ לָרֹב ICh. 29:2
בְּאַבְנֵי־ 253 אֲשֶׁר־מֵתוּ בְּאַבְנֵי הַבָּרָד Josh. 10:11
כְּאַבְנֵי־ 254 כְּאַבְנֵי־גִר מְנֻפָּצוֹת Is. 27:9
לְאַבְנֵי־ 255 וּשְׁעָרַיִךְ לְאַבְנֵי אֶקְדָּח Is. 54:12
256 וְכָל־גְּבוּלֵךְ לְאַבְנֵי־חֵפֶץ Is. 54:12
וּלְאַבְנֵי־ 257 וַיָּכֶן לָהֶם... וּלְאַבְנֵי קְלָעִים IICh. 26:14
מֵאַבְנֵי־ 258 וַיִּקַּח מֵאַבְנֵי הַמָּקוֹם... Gen. 28:11
אֲבָנַיִךְ 259 הִנֵּה אָנֹכִי מַרְבִּיץ בַּפּוּךְ אֲבָנַיִךְ Is. 54:11
וַאֲבָנַיִךְ 260 וַאֲבָנַיִךְ וְעֵצַיִךְ וַעֲפָרֵךְ... Ezek. 26:12
אֲבָנָיו 261 וְנָתַץ... אֶת־אֲבָנָיו וְאֶת־עֵצָיו Lev. 14:45
262 וְכִלַּתּוּ וְאֶת־עֵצָיו וְאֶת־אֲבָנָיו Zech. 5:4
263 וְגֶדֶר אֲבָנָיו נֶהֱרָסָה Prov. 24:31
אֲבָנֶיהָ 264 אֶרֶץ אֲשֶׁר אֲבָנֶיהָ בַרְזֶל Deut. 8:9
265 עַד־הִשְׁאִיר אֲבָנֶיהָ בַּקִּיר חֲרָשֶׂת IIK. 3:25
266 וְהִגַּרְתִּי לַגַּי אֲבָנֶיהָ Mic. 1:6
267 כִּי־רָצוּ עֲבָדֶיךָ אֶת־אֲבָנֶיהָ Ps. 102:15
268 מְקוֹם־סַפִּיר אֲבָנֶיהָ Job 28:6
אַבְנֵיהֶם 269 וּפָרַץ חוֹמַת אַבְנֵיהֶם Neh. 3:35

אֶבֶן[2] נ׳ ארמית = אֶבֶן; אַבְנָא = הָאֶבֶן • אֶבֶן גְּלָל 5,4
אֶבֶן 1/2 הִתְגְּזֶרֶת אֶבֶן דִּי־לָא בִידַיִן Dan. 2:34,45
3 וְהֵיתָיִת אֶבֶן חֲדָה... Dan. 6:18
אֶבֶן־ 4 וְהוּא מִתְבְּנֵא אֶבֶן גְּלָל Ez. 5:8
5 נִדְבָּכִין דִּי־אֶבֶן גְּלָל תְּלָתָא Ez. 6:4
וְאַבְנָא 6 וְאַבְנָא... הֲוָת לְטוּר רַב Dan. 2:35
7/8 נְחָשָׁא פַרְזְלָא אָעָא וְאַבְנָא Dan. 5:4,23

אֶבֶן אָזֶל* ציון למקום שהסתתר שם דוד
הָאֶבֶן הָאָ׳ 1 וְיָשַׁבְתָּ אֵצֶל הָאֶבֶן הָאָזֶל ISh. 20:19

אֶבֶן בֹּהַן בֶּן־רְאוּבֵן מקום על גבול יהודה ובנימין
אֶבֶן בֹּהַן 1/2 אֶבֶן בֹּהַן בֶּן־רְאוּבֵן Josh. 15:6; 18:17

אֶבֶן הַזֹּחֶלֶת מקום בקרבת ירושלים, שם זבח אדוניה
אֶבֶן הַזּ׳ 1 עִם אֶבֶן הַזֹּחֶלֶת אֲשֶׁר־אֵצֶל עֵין רֹגֵל IK. 1:9

אֶבֶן הָעֵזֶר מקום בקרבת מצפה
אֶבֶן הָעֶ׳ 1 וַיִּקַּח שְׁמוּאֵל אֶבֶן... וַיָּשֶׂם בֵּין־הַמִּצְפָּה
וּבֵין הַשֵּׁן וַיִּקְרָא אֶת־שְׁמָהּ אֶבֶן הָעָזֶר ISh. 7:12
הָאֶבֶן הָעֶ׳ 2 וַיַּחֲנוּ עַל־הָאֶבֶן הָעֵזֶר ISh. 4:1
מֵאֶבֶן הָעֶ׳ 3 וַיְבִאֻהוּ מֵאֶבֶן הָעֵזֶר אַשְׁדּוֹדָה ISh. 5:1

אבנה כ׳ – ראה אֲמָנָה ק׳

אַבְנֵט ז׳ אזור רחב שנחגר מעל לכתונת של הכהנים
קרובים: אֵזוֹר / חֲגוֹר / חֲגוֹרָה / חֵשֶׁב
אַבְנֵט 1 וְחָגַרְתָּ אֹתָם אַבְנֵט Ex. 29:9
2 וַיַּחְגֹּר אֹתָם אַבְנֵט Lev. 8:13
וְאַבְנֵט 3 וּכְתֹנֶת תַּשְׁבֵּץ מִצְנֶפֶת וְאַבְנֵט Ex. 28:4
4 וְאַבְנֵט תַּעֲשֶׂה מַעֲשֵׂה רֹקֵם Ex. 28:39
הָאַבְנֵט 5 וְאֶת־הָאַבְנֵט שֵׁשׁ מָשְׁזָר Ex. 39:29
בָּאַבְנֵט 6 וַיַּחְגֹּר אֹתוֹ בָּאַבְנֵט Lev. 8:7
וּבְאַבְנֵט־ 7 וּבְאַבְנֵט בַּד יַחְגֹּר Lev. 16:4
וְאַבְנֵטְךָ 8 וְאַבְנֵטְךָ אֲחַזְּקֶנּוּ Is. 22:21
אַבְנֵטִים 9 וְעָשִׂיתָ לָהֶם אַבְנֵטִים Ex. 28:40

אָבְנַיִם ז״ז א) שולחן הקדר: 2
ב) מושב אשה בלדתה: 1
הָאָבְנָיִם 1 וּרְאִיתֶן עַל־הָאָבְנָיִם Ex. 1:16
2 הוּא עֹשֶׂה מְלָאכָה עַל־הָאָבְנָיִם Jer. 18:3

אַבְנֵר שפ״ז – בן נר, שר צבא שאול המלך (נ״א: אֲבִינֵר)
אֲבִי אַבְנֵר 1; אַנְשֵׁי א׳ 3; בֶּן א׳ 8; דְּמֵי א׳ 4; קֶבֶר א׳ 7,6
אַבְנֵר 1 וְנֵר אֲבִי־אַבְנֵר בֶּן־אֲבִיאֵל ISh. 14:51
2 אָמַר (שָׁאוּל) אֶל־אַבְנֵר שַׂר הַצָּבָא ISh. 17:55
3 הִכּוּ מִבִּנְיָמִן וּבְאַנְשֵׁי אַבְנֵר IISh. 2:31
4 נָקִי אָנֹכִי... מִדְּמֵי אַבְנֵר IISh. 3:28
5 וַיִּקְבְּרוּ אֶת־אַבְנֵר בְּחֶבְרוֹן IISh. 3:32
6 וַיֵּבְךְּ אֶל־קֶבֶר אַבְנֵר IISh. 3:32
7 וַיִּקְבְּרוּ בְקֶבֶר־אַבְנֵר בְּחֶבְרוֹן IISh. 4:12
8 לְבִנְיָמִן יַעֲשִׂיאֵל בֶּן־אַבְנֵר ICh. 27:21
9–50 אַבְנֵר ISh. 17:55[2], 57; 20:25; 26:14[3], 15
IISh. 2:12,14,17,19[2],20,21,22,23,24,25,26,30; 3:7, 11, 12, 16, 17, 19[2], 20, 21[2], 23, 24, 25, 26, 27, 31, 33[2], 37; 4:1 • IK. 2:32
וְאַבְנֵר 51 וְאַבְנֵר בֶּן־נֵר שַׂר־צְבָאוֹ ISh. 26:5
52–57 וְאַבְנֵר ISh. 26:7 • IISh. 2:8,29; 3:6,22 • ICh. 26:28
לְאַבְנֵר 58 וְיוֹאָב וַאֲבִישַׁי אָחִיו הָרְגוּ לְאַבְנֵר IISh. 3:30
59–62 לְאַבְנֵר IISh. 3:8,9,20 • IK. 2:5

אבם : אֵבוּס; אָבוּס, מַאֲבוּס

אֲבַעְבֻּעָה* נ׳ בועה, תפיחה בעור
אֲבַעְבֻּעֹת 1 וְהָיָה... לִשְׁחִין פֹּרֵחַ אֲבַעְבֻּעֹת Ex. 9:9
2 וַיְהִי שְׁחִין אֲבַעְבֻּעֹת פֹּרֵחַ Ex. 9:10

אֶבֶץ* שם עיר בנחלת יששכר
וָאָבֶץ 1 וְהָרַבִּית וְקִשְׁיוֹן וָאָבֶץ Josh. 19:20

אִבְצָן שפ״ז – השופט העשירי (התשיעי?) בימי השופטים
1 וַיִּשְׁפֹּט אַחֲרָיו..אִבְצָן מִבֵּית לָחֶם Jud. 12:8
2 וַיָּמָת אִבְצָן וַיִּקָּבֵר בְּבֵית לָחֶם Jud. 12:10

אבק : נֶאֱבַק; אָבָק, אֲבָקָה

(אָבַק) [נס׳ נֶאֱבַק] התגושש, נלחם
בְּהֵאָבְקוֹ 1 וַתֵּקַע... בְּהֵאָבְקוֹ עִמּוֹ Gen. 32:26(25)
וַיֵּאָבֵק 2 וַיֵּאָבֵק אִישׁ עִמּוֹ Gen. 32:25(24)

אָבָק ז׳ גרגרים זעירים של עפר הנשאים ברוח
קרובים: אֲבָקָה / אֵפֶר / גַּרְגַּר / חוֹל / עָפָר / פִּיחַ / שַׁחַק
אָבָק וְעָפָר 1; אָבָק דַּק 2; אֲבַק רַגְלָיו 5
אָבָק 1 אֶת־מְטַר אַרְצְךָ אָבָק וְעָפָר Deut. 28:24
כְּאָבָק 2 וְהָיָה כְּאָבָק דַּק הֲמוֹן זָרָיִךְ Is. 29:5
כָּאָבָק 3 וּפִרְחָם כָּאָבָק יַעֲלֶה Is. 5:24
לְאָבָק 4 וְהָיָה לְאָבָק עַל כָּל־אֶרֶץ מִצְרָיִם Ex. 9:9
אֲבַק־ 5 וְעָנָן אֲבַק רַגְלָיו Nah. 1:3
אֲבָקָם 6 מִשִּׁפְעַת סוּסָיו יְכַסְּךָ אֲבָקָם Ezek. 26:10

אֲבָקָה* נ׳ סממן שחוק לאבק — קרובים: ראה אָבָק

אַבְקַת־ 1 מְקֻטֶּרֶת... מִכֹּל אַבְקַת רוֹכֵל — S.ofS. 3:6

אבר : הֶאֱבִיר; אֵבֶר, אֶבְרָה; אַבִּיר, אָבִיר

(אָבַר) [הפ׳ הֶאֱבִיר] פֵּרשׂ אֵבֶר, טס

יַאֲבֶר 1 הֲמִבִּינָתְךָ יַאֲבֶר־נֵץ יִפְרֹשׂ כְּנָפָו — Job 39:26

אֵבֶר ז׳ הנוצות הגדולות בכנף • קרובים: אֶבְרָה / גַּף / כָּנָף

אֵבֶר 1 יַעֲלוּ אֵבֶר כַּנְּשָׁרִים — Is. 40:31

2 מִי־יִתֶּן־לִּי אֵבֶר כַּיּוֹנָה — Ps. 55:7

הָאֵבֶר 3 גְּדוֹל הַכְּנָפַיִם אֶרֶךְ הָאֵבֶר — Ezek. 17:3

אֶבְרָה נ׳ כנף — קרובים: אֵבֶר / גַּף / כָּנָף

אֶבְרָה 1 אִם־אֶבְרָה חֲסִידָה וְנֹצָה — Job 39:13

אֶבְרָתוֹ 2 יִשָּׂאֵהוּ עַל־אֶבְרָתוֹ — Deut. 32:11

בְּאֶבְרָתוֹ 3 בְּאֶבְרָתוֹ יָסֶךְ לָךְ — Ps. 91:4

וְאֶבְרוֹתֶיהָ 4 וְאֶבְרוֹתֶיהָ בִּירַקְרַק חָרוּץ — Ps. 68:14

אַבְרָהָם שפ״ז – בן תרח, ראשון האבות; בתחלה: אַבְרָם

אַבְרָהָם אַבְרָהָם 12; א׳ אָבִיו 34, 35, 56, 150; א׳ אֹהֲבוֹ 55, 67; א׳ עַבְדּוֹ 60, 63; אֲבִי א׳ 50; אֲחִי א׳ 15, 16; אֱלֹהֵי א׳ 20–23, 34, 35, 42–48, 51-53, 59; אֵשֶׁת א׳ 8; בֵּית א׳ 6; בֶּן א׳ 31, 32, 41; בְּנֵי א׳ 65; בְּרִית א׳ 49, 54, 61–62; בִּרְכַּת א׳ 40; זֶרַע א׳ 55, 57, 60, 67; חַיֵּי א׳ 28; יְמֵי א׳ 36–38; יֶרֶךְ א׳ 19; מוֹת א׳ 29–30; עֶבֶד א׳ 25–27; עֵינֵי א׳ 9; פִּילֶגֶשׁ א׳ 66

אַבְרָהָם 1 וְהָיָה שִׁמְךָ אַבְרָהָם — Gen. 17:5

4-2 וַיֹּאמֶר אֱלֹהִים אֶל־אַבְרָ׳ — Gen. 17,9,15; 21:12

5 וַיִּפֹּל אַבְרָהָם עַל־פָּנָיו וַיִּצְחָק — Gen. 17:17

6 כָּל־זָכָר בְּאַנְשֵׁי בֵּית אַבְרָהָם — Gen. 17:23

7 נִמּוֹל אַבְרָהָם וְיִשְׁמָעֵאל בְּנוֹ — Gen. 17:26

8 עַל־דְּבַר שָׂרָה אֵשֶׁת אַבְרָהָם — Gen. 20:18

9 וַיֵּרַע הַדָּבָר מְאֹד בְּעֵינֵי אַבְרָהָם — Gen. 21:11

10 וְהָאֱלֹהִים נִסָּה אֶת־אַבְרָהָם — Gen. 22:1

11 וַיֹּאמֶר אֵלָיו אַבְרָהָם וַיֹּאמֶר הִנֵּנִי — Gen. 22:1

12/3 וַיֹּאמֶר אַבְרָהָם אַבְרָהָם — Gen. 22:11

14 וַיֵּשֶׁב אַבְרָהָם בִּבְאֵר שָׁבַע — Gen. 22:19

15/6 (לְ)נָחוֹר אֲחִי אַבְרָהָם — Gen. 22:23; 24:15

17 וַיִּשְׁתַּחוּ אַבְרָהָם לִפְנֵי עַם־הָאָרֶץ — Gen. 23:12

18 וַיי בֵּרַךְ אֶת־אַבְרָהָם בַּכֹּל — Gen. 24:1

19 תַּחַת יֶרֶךְ אַבְרָהָם אֲדֹנָיו — Gen. 24:9

23-20 יי אֱלֹהֵי...אַבְרָהָם — Gen. 24:12,27,42,48

24 וַעֲשֵׂה־חֶסֶד עִם אֲדֹנִי אַבְרָהָם — Gen. 24:12

25 עֶבֶד אַבְרָהָם אָנֹכִי — Gen. 24:34

26/7 עֶבֶד אַבְרָהָם — Gen. 24:52,59

אַבְרָהָם 28 וְאֵלֶּה יְמֵי שְׁנֵי־חַיֵּי אַבְרָהָם — Gen. 25:7

30-29 אַחֲרֵי מוֹת אַבְרָהָם — Gen. 25:11; 26:18

31 תֹּלְדֹת יִשְׁמָעֵאל בֶּן־אַבְרָהָם — Gen. 25:12

32 וְאֵלֶּה תּוֹלְדֹת יִצְחָק בֶּן־אַבְרָהָם — Gen. 25:19

33 אַבְרָהָם הוֹלִיד אֶת־יִצְחָק — Gen. 25:19

34/5 אֱלֹהֵי אַבְרָהָם אָבִיךָ — Gen. 26:24; 28:13

38-36 בִּימֵי אַבְרָהָם — Gen. 26:1,15,18

39 בַּעֲבוּר אַבְרָהָם עַבְדִּי — Gen. 26:24

40 וְיִתֶּן־לְךָ אֶת־בִּרְכַּת אַבְרָהָם — Gen. 28:4

41 מַחֲלַת בַּת־יִשְׁמָעֵאל בֶּן־אַבְרָהָם — Gen. 28:9

42 אֱלֹהֵי אַבְרָהָם וּפַחַד יִצְחָק — Gen. 31:42

43 אֱלֹהֵי אַבְרָהָם וֵאלֹהֵי נָחוֹר — Gen. 31:53

44 אֱלֹהֵי אָבִי אַבְרָהָם — Gen. 32:10(9)

47-45 אֱלֹהֵי אַבְרָהָם אֱלֹהֵי יִצְחָק וֵאלֹהֵי יַעֲקֹב — Ex. 3:6,15; 4:5

48 אֱלֹהֵי אַבְרָהָם יִצְחָק וְיַעֲקֹב — Ex. 3:16

49 וְאַף אֶת־בְּרִיתִי אַבְרָהָם אֶזְכֹּר — Lev. 26:42

אַבְרָהָם (המשך) 50 תֶּרַח אֲבִי אַבְרָהָם — Josh. 24:2

53-51 יי אֱלֹהֵי אַבְרָהָם יִצְחָק וְיִשְׂרָאֵל — IK. 18:36 • ICh. 29:18 • IICh. 30:6

54 בְּרִיתוֹ אֶת־אַבְרָהָם יִצְחָק וְיַעֲקֹב — IIK. 13:23

55 זֶרַע אַבְרָהָם אֹהֲבִי — Is. 41:8

56 הַבִּיטוּ אֶל־אַבְרָהָם אֲבִיכֶם — Is. 51:2

57 אֶל־זֶרַע אַבְרָהָם יִשְׂחָק וְיַעֲקֹב — Jer. 33:26

58 אֶחָד הָיָה אַבְרָהָם — Ezek. 33:24

59 עַם אֱלֹהֵי אַבְרָהָם — Ps. 47:10

60 זֶרַע אַבְרָהָם עַבְדּוֹ — Ps. 105:6

61/2 בְּרִיתוֹ... אֲשֶׁר כָּרַת אֶת־אַבְרָהָם — Ps. 105:9 • ICh. 16:6

63 כִּי־זָכַר... אֶת־אַבְרָהָם עַבְדּוֹ — Ps. 105:42

64 אַבְרָם הוּא אַבְרָהָם — ICh. 1:27

65 בְּנֵי אַבְרָהָם יִצְחָק וְיִשְׁמָעֵאל — ICh. 1:28

66 וּבְנֵי קְטוּרָה פִּילֶגֶשׁ אַבְרָהָם — ICh. 1:32

67 וַתִּתְּנָהּ לְזֶרַע אַבְרָהָם אֹהַבְךָ — IICh. 20:7

139-68 אַבְרָהָם — Gen. 17:18, 22, 23

18:6, 7, 13, 19, 23, 27, 33; 19:27, 29; 20:1, 2, 10, 11, 17; 21:3, 4, 8, 14, 22, 24, 25, 27, 28, 29, 34; 22:3, 4, 5, 6, 7, 8, 9, 10, 13[2], 14, 15, 19; 23:2, 3, 5, 7, 10, 14, 16[2], 19; 24:2, 6; 25:1, 5, 6, 8, 10[2]; 26:5; 35:27; 48:15, 16; 49:30, 31; 50:13 • Ex. 2:24; 6:3 • Josh. 24:4(3) • Is. 29:22; 63:16 • Neh. 9:7 • ICh. 1:34

וְאַבְרָהָם 140 וְאַבְרָהָם בֶּן־תִּשְׁעִים וָתֵשַׁע שָׁנָה בְּהִמֹּלוֹ — Gen. 17:24

141 וְאַבְרָהָם וְשָׂרָה זְקֵנִים — Gen. 18:11

142 וְאַבְרָהָם הֹלֵךְ עִמָּם לְשַׁלְּחָם — Gen. 18:16

143 וְאַבְרָהָם הָיוֹ יִהְיֶה לְגוֹי גָּדוֹל — Gen. 18:18

144 וְאַבְרָהָם עוֹדֶנּוּ עֹמֵד לִפְנֵי יי — Gen. 18:22

145 וְאַבְרָהָם שָׁב לִמְקֹמוֹ — Gen. 18:33

146 וְאַבְרָהָם בֶּן־מְאַת שָׁנָה... — Gen. 21:5

147 וְאַבְרָהָם זָקֵן בָּא בַּיָּמִים — Gen. 24:1

לְאַבְרָהָם 148 וַתֵּלֶד שָׂרָה לְאַבְרָהָם בֵּן לִזְקֻנָיו — Gen. 21:2

149 מִי מִלֵּל לְאַבְרָהָם — Gen. 21:7

150 אֲשֶׁר נִשְׁבַּעְתִּי לְאַבְרָהָם אָבִיךָ — Gen. 26:3

151 זְכֹר לְאַבְרָהָם לְיִצְחָק וּלְיִשְׂרָאֵל — Ex. 32:13

154-152 נִשְׁבַּעְתִּי לְאַבְרָהָם לְיִצְחָק וּלְיַעֲקֹב — Ex. 33:1 • Num. 32:11 • Deut. 34:4

161-155 לְאַבְרָהָם לְיִצְחָק וּלְיַעֲקֹב — Gen. 50:24

Deut. 1:8; 6:10; 9:5,27; 29:12; 30:20

לְאַבְרָהָם 162 תִּתֵּן... חֶסֶד לְאַבְרָהָם — Mic. 7:20

174-163 לְאַבְרָהָם — Gen. 20:9,14; 21:9,10; 22:20; 23:18,20; 25:6,12; 28:4; 35:12 • Ex. 6:8

מֵאַבְרָהָם 175 הַמְכַסֶּה אֲנִי מֵאַבְרָהָם — Gen. 18:17

אַבְרֵךְ מלה סתומה: כרע ברך!(?) הֱיֵה בְרָכָה!(?)

1 וַיִּקְרְאוּ לְפָנָיו אַבְרֵךְ — Gen. 41:43

אַבְרָם שפ״ז – שמו הראשון של אַבְרָהָם

א׳ הָעִבְרִי 56; אֵשֶׁת א׳ 3, 4, 8-10; בֶּן־אֲחִי א׳ 12; בַּעֲל בְּרִית א׳ 13; מִקְנֵה א׳ 11

אַבְרָם 1 וַיְחִי־תֶרַח... וַיּוֹלֶד אֶת־אַבְרָם — Gen. 11:26

2 תֶּרַח הוֹלִיד אֶת־אַבְרָם — Gen. 11:27

3 שֵׁם אֵשֶׁת־אַבְרָם שָׂרָי — Gen. 11:29

4 שָׂרַי כַּלָּתוֹ אֵשֶׁת אַבְרָם בְּנוֹ — Gen. 11:31

5 וַיֹּאמֶר יי אֶל־אַבְרָם לֶךְ־לְךָ — Gen. 12:1

6/7 וַיֵּרָא יי אֶל־אַבְרָם — Gen. 12:7; 17:1

10-8 שָׂרַי אֵשֶׁת אַבְרָם — Gen. 12:17; 16:1,3

11 רִיב בֵּין רֹעֵי מִקְנֵה־אַבְרָם וּבֵין... — Gen. 13:7

12 וַיִּקְחוּ אֶת־לוֹט.. בֶּן־אֲחִי אַבְרָם — Gen. 14:12

13 וְהֵם בַּעֲלֵי בְרִית־אַבְרָם — Gen. 14:13

אַבְרָם (המשך) 14 בָּרוּךְ אַבְרָם לְאֵל עֶלְיוֹן — Gen. 14:19

15 אֲנִי הֶעֱשַׁרְתִּי אֶת־אַבְרָם — Gen. 14:23

Gen. 11:29,31; 12:4,5,6,9,10,14; 13:1,4,5,8,12,14,18; 14:14,21,22; 15:1[2],2,3; 15:11,12,18; 16:2[2],3,5,6,15; 17:1,3,5 • ICh. 1:27

וְאַבְרָם 51 וְאַבְרָם בֶּן־חָמֵשׁ שָׁנִים וְשִׁבְעִים... — Gen. 12:4

52 וְאַבְרָם כָּבֵד מְאֹד בַּמִּקְנֶה — Gen. 13:2

53 וְאַבְרָם בֶּן־שְׁמֹנִים שָׁנָה וְשֵׁשׁ שָׁנִים בְּלֶדֶת־הָגָר אֶת־יִשְׁמָעֵאל — Gen. 16:16

בְּאַבְרָם 54 אַתָּה הוּא... אֲשֶׁר בָּחַרְתָּ בְּאַבְרָם — Neh. 9:7

לְאַבְרָם 55 וַיִּקְרָא פַרְעֹה לְאַבְרָם — Gen. 12:18

56 וַיַּגֵּד לְאַבְרָם הָעִבְרִי — Gen. 14:13

57 וַיֹּאמֶר לְאַבְרָם יָדֹעַ תֵּדַע כִּי.. — Gen. 15:13

60-58 לְאַבְרָם — Gen. 16:3,15,16

וּלְאַבְרָם 61 וּלְאַבְרָם הֵיטִיב בַּעֲבוּרָהּ — Gen. 12:16

אַבְשַׁי שפ״ז – הוא אֲבִישַׁי בן צרויה: 1—6

אַבְשַׁי 1/2 יֶתֶר הָעָם נָתַן בְּיַד אַבְשַׁי — IISh. 10:10 • ICh. 19:11

3/4 אַבְשַׁי — ICh. 2:16; 19:15

וְאַבְשַׁי 5 וְאַבְשַׁי... הוּא הָיָה רֹאשׁ הַשְּׁלוֹשָׁה — ICh. 11:20

6 וְאַבְשַׁי בֶּן־צְרוּיָה הִכָּה אֶת־אֱדוֹם — ICh. 18:12

אַבְשָׁלוֹם שפ״ז א) בן דוד: 1—15, 18—109

ב) הוא אֲבִישָׁלוֹם אבי מעכה אשת רחבעם: 16—17

אֲחוֹת אַבְשָׁלוֹם 2; בֵּית א׳ 3; בַּת א׳ 16—17; יַד א׳ 11; לֵב א׳ 10; נַעֲרֵי א׳ 4; עַבְדֵי א׳ 6—7; עֵינֵי א׳ 9; עַל־פִּי א׳ 5

אַבְשָׁלוֹם 1 וְהַשְּׁלִשִׁי אַבְשָׁלוֹם בֶּן־מַעֲכָה — IISh. 3:3

2 אֶת־תָּמָר אֲחוֹת אַבְשָׁלֹם... אֲנִי אֹהֵב — IISh. 13:4

3 וַתֵּשֶׁב... בֵּית אַבְשָׁלוֹם אָחִיהָ — IISh. 13:20

4 וַיַּעֲשׂוּ נַעֲרֵי אַבְשָׁלוֹם... כַּאֲשֶׁר — IISh. 13:29

5 עַל־פִּי אַבְשָׁלוֹם הָיְתָה שׂוּמָה — IISh. 13:32

6/7 עַבְדֵי אַבְשָׁלוֹם — IISh. 14:30; 17:20

8 וַיְגַנֵּב אַבְשָׁלוֹם אֶת־לֵב אַנְשֵׁי יִשְׂרָאֵל — IISh. 15:6

9 וַיִּישַׁר הַדָּבָר בְּעֵינֵי אַבְשָׁלֹם — IISh. 17:4

10 וַיִּתָּקְעֵם בְּלֵב אַבְשָׁלוֹם — IISh. 18:14

11 וַיִּקָּרֵא לָהּ יַד אַבְשָׁלוֹם — IISh. 18:18

12/3 בְּנִי אַבְשָׁלוֹם בְּנִי בְנִי אַבְשָׁלוֹם — IISh. 19:1

14/5 בְּנִי אַבְשָׁלוֹם אַבְשָׁלוֹם בְּנִי בְנִי — IISh. 19:5

16/7 אֶת־מַעֲכָה בַּת־אַבְשָׁלוֹם — IICh. 11:20,21

79-18 אַבְשָׁלוֹם — IISh. 13:20, 22[2], 23

24, 25, 26, 27, 28, 29, 30, 34, 39; 14:1, 21, 23, 24, 28, 29, 31, 32, 33; 15:1, 2[2], 3, 4, 6, 7, 10[2], 11, 12[2], 13, 31; 16:8, 16[2], 17, 20, 22; 17:5, 6[2], 7, 14[2], 25; 18:5, 9, 15, 17; 19:1, 2, 7, 10; 20:6 • 2:7, 28 • Ps. 3:1

86-80 אַבְשָׁלֹם — IISh. 15:14; 16:18,21; 17:1,9,15; 18:10

וְאַבְשָׁלוֹם 87/8 וְאַבְשָׁלוֹם בָּרַח — IISh. 13:37,38

89 וְאַבְשָׁלֹם עָבַר אֶת־הַיַּרְדֵּן — IISh. 17:24

93-90 וְאַבְשָׁלוֹם — IISh. 15:37; 16:15; 18:9; 19:11

94/5 וְאַבְשָׁלֹם — IISh. 17:26; 18:18

בְּאַבְשָׁלוֹם 96 שִׁמְרוּ־מִי בַּנַּעַר בְּאַבְשָׁלוֹם — IISh. 18:12

וּכְאַבְשָׁלוֹם 97 וּכְאַבְשָׁלוֹם לֹא־הָיָה אִישׁ־יָפֶה — IISh. 14:25

לְאַבְשָׁלוֹם 98 וַיִּהְיוּ גֹזְזִים לְאַבְשָׁלוֹם — IISh. 13:23

99 וַיִּוָּלְדוּ לְאַבְשָׁלוֹם שְׁלוֹשָׁה בָנִים — IISh. 14:27

100 לְאַט־לִי לַנַּעַר לְאַבְשָׁלוֹם — IISh. 18:5

101/2 (הֲ)שָׁלוֹם לַנַּעַר לְאַבְשָׁלוֹם — IISh. 18:29,32

103-6 לְאַבְשָׁלוֹם — IISh. 14:33; 15:34; 16:22 • ICh. 3:2

107/8 לְאַבְשָׁלֹם — IISh. 16:23; 17:18

וּלְאַבְשָׁלוֹם 109 וּלְאַבְשָׁלוֹם בֶּן־דָּוִד אָחוֹת יָפָה — IISh. 13:1

אֹבֹת תחנה במסעי בני ישראל ממצרים, אחרי פּוּנֹן

בְּאֹבֹת 2-1 וַיִּסְעוּ... וַיַּחֲנוּ בְּאֹבֹת — Num. 21:10; 33:43

מֵאֹבֹת 4-3 וַיִּסְעוּ מֵאֹבֹת וַיַּחֲנוּ... — Num. 21:11; 33:44

אָגָא שפ״ז – אבי אחד מגבורי דוד
1 וְאַחֲרָיו שַׁמָּה בֶן־אָגֵא הָרָרִי IISh. 23:11

אֲגַג שפ״ז – מלך עמלק א) בימי שאול: 1–7
ב) בימי משה: 8
אֲגַג 1 וַיִּתְפֹּשׂ אֶת־אֲגַג מֶלֶךְ־עֲמָלֵק חָי ISh. 15:8
2 וַיֵּלֶךְ אֵלָיו אֲגַג מַעֲדַנֹּת ISh. 15:32
4-3 אֲגַג ISh. 15:20,32
אֲגָג 5 וַיַּחְמֹל שָׁאוּל וְהָעָם עַל־אֲגָג ISh. 15:9
6 וַיֹּאמֶר אֲגַג אָכֵן סָר מַר־הַמָּוֶת ISh. 15:32
7 וַיְשַׁסֵּף שְׁמוּאֵל אֶת־אֲגָג ISh. 15:33
מֵאֲגַג 8 וְיָרֹם מֵאֲגַג מַלְכּוֹ Num. 24:7

אֲגָגִי ת״ז – שם משפחתו של המן בן המדתא
הָאֲגָגִי 1-3 הָמָן בֶּן־הַמְּדָתָא הָאֲגָגִי Es. 3:1; 8:5; 9:24
4 לְהָמָן בֶּן־הַמְּדָתָא הָאֲגָגִי Es. 3:10
5 לְהַעֲבִיר אֶת־רָעַת הָמָן הָאֲגָגִי Es. 8:3

אגד : אֲגֻדָּה
אֲגֻדָּה נ׳ א) קבוצה, חבורה: 1, 3 ב) צרור: 4,2
אֲגֻדַּת אֵזוֹב 2; אֲגֻדּוֹת מוֹטָה 4
קרובים: א) חֶבֶל/חֶבֶר/עֵדָה/קָהָל; ב) צְרוֹר/קֶשֶׁר
לַאֲגֻדָּה 1 וַיִּהְיוּ לַאֲגֻדָּה אֶחָת IISh. 2:25
אֲגֻדַּת־ 2 וּלְקַחְתֶּם אֲגֻדַּת אֵזוֹב Ex. 12:22
וַאֲגֻדָּתוֹ 3 וַאֲגֻדָּתוֹ עַל־אֶרֶץ יְסָדָהּ Am. 9:6
אֲגֻדּוֹת־ 4 הַתֵּר אֲגֻדּוֹת מוֹטָה Is. 58:6

אֱגוֹז ז׳ עץ פרי: אֶל־גִּנַּת אֱגוֹז יָרַדְתִּי S.ofS. 6:11

אָגוּר שפ״ז – חכם קדמון
אָגוּר 1 דִּבְרֵי אָגוּר בִּן־יָקֶה Prov. 30:1

אֲגוֹרָה* נ׳ יחידת משקל קטנה ששמשה לתשלום
קרובים: בֶּקַע / גֵּרָה / פִּים / קְשִׂיטָה
לַאֲגוֹרַת־ 1 לְהִשְׁתַּחֲוֹת לוֹ לַאֲגוֹרַת כֶּסֶף ISh. 2:36

אֵגֶל* ז׳ טפה • קרובים: נֵטֶף / רְסִיס
אֶגְלֵי־ 1 מִי־הוֹלִיד אֶגְלֵי־טָל Job 38:28

אֶגְלַיִם עיר במואב: עַד־אֶגְלַיִם יִלְלָתָהּ Is. 15:8

אגם : אֲגַם, אֲגַם? אַגְמוֹן
אֲגַם א) מקוה מים: 1–5,7–9
ב) קנה על שפת האגם: 6
קרובים: בּוֹר / בְּרֵכָה / גֵּב / גֶּבֶא / יָם / מִקְוֶה
לַאֲגַם 1 וְהָיָה הַשָּׁרָב לַאֲגַם Is. 35:7
אֲגַם־ 2 הַהֹפְכִי הַצּוּר אֲגַם־מָיִם Ps. 114:8
לַאֲגַם־ 3 אָשִׂים מִדְבָּר לַאֲגַם־מַיִם Is. 41:18
4 יָשֵׂם מִדְבָּר לַאֲגַם־מַיִם Ps. 107:35
הָאֲגַמִּים 5 עַל־הַיְאֹרִים וְעַל־הָאֲגַמִּים Ex. 8:1
6 וְאֶת־הָאֲגַמִּים שָׂרְפוּ בָאֵשׁ Jer. 51:32
וַאֲגַמִּים 7 ...וַאֲגַמִּים אוֹבִישׁ Is. 42:15
וְאַגְמֵי־ 8 וְשַׂמְתִּיהָ לְמוֹרַשׁ קִפֹּד וְאַגְמֵי־מָיִם Is. 14:23
אַגְמֵיהֶם 9 עַל־יְאֹרֵיהֶם וְעַל־אַגְמֵיהֶם Ex. 7:19

אָגֵם* ת׳ עגום, עצוב
אַגְמֵי־ 1 כָּל־עֹשֵׂי שֶׂכֶר אַגְמֵי־נָפֶשׁ Is. 19:10

אַגְמוֹן ז׳ קנה הגדל במים • קרובים: אֵבֶה / סוּף / קָנֶה
אַגְמוֹן 1 הֲתָשִׂים אַגְמֹן בְּאַפּוֹ Job 40:26
וְאַגְמוֹן 2/3 רֹאשׁ וְזָנָב כִּפָּה וְאַגְמוֹן Is. 9:13; 19:15
4 כְּדוּד נָפוּחַ וְאַגְמֹן Job 41:12
כְּאַגְמֹן 5 הֲלָכֹף כְּאַגְמֹן רֹאשׁוֹ Is. 58:5

אַגָּן* ז׳ כלי עגול לנוזלים • קרובים: מִזְרָק / סֵפֶל / קְעָרָה
אַגַּן־ 1 שָׁרְרֵךְ אַגַּן הַסַּהַר S.ofS. 7:3
הָאַגָּנוֹת 2 מִכְּלֵי הָאַגָּנוֹת וְעַד.. כְּלֵי הַנְּבָלִים Is. 22:24
בָּאַגָּנֹת 3 וַיִּקַּח מֹשֶׁה חֲצִי הַדָּם וַיָּשֶׂם בָּאַגָּנֹת Ex. 24:6

אֲגַף* ז׳ גדוד־צבא • קרובים: גְּדוּד / מַחֲנֶה
אֲגַפֶּיךָ 2-1 אַתָּה וְכָל־אֲגַפֶּיךָ Ezek. 38:9; 39:4
אֲגַפָּיו 3 וְכָל־אֲגַפָּיו אֱזָרֶה לְכָל־רוּחַ Ezek. 12:14
4 וְאֵת כָּל־מִבְרָחָו בְּכָל־אֲגַפָּיו Ezek. 17:21
6-5 אֲגַפָּיו Ezek. 38:6,22
אֲגַפֶּיהָ 7 גֹּמֶר וְכָל־אֲגַפֶּיהָ Ezek. 38:6

אגר : אָגַר, אָגוּר
אָגַר פ׳ אסף • קרובים: אסף / אצר / כנס / לקט / צבר
אָגְרָה 1 אָגְרָה בַקָּצִיר מַאֲכָלָהּ Prov. 6:8
אֹגֵר 2 אֹגֵר בַּקַּיִץ בֵּן מַשְׂכִּיל Prov. 10:5
תֶאֱגֹר 3 לֹא־תִשְׁתֶּה וְלֹא תֶאֱגֹר Deut. 28:39

אִגְּרָה נ׳ ארמית = אִגֶּרֶת; אִגַּרְתָּא = הָאִגֶּרֶת
אִגְּרָה 1 כְּתַבוּ אִגְּרָה חֲדָה עַל־יְרוּשְׁלֶם Ez. 4:8
אִגַּרְתָּא 2 דְּנָה פַּרְשֶׁגֶן אִגַּרְתָּא... Ez. 4:11
3 פַּרְשֶׁגֶן אִגַּרְתָּא דִּי־שְׁלַח תַּתְּנַי Ez. 5:6

אֶגְרֹף ז׳ יד קמוצה • אֶגְרוֹף רֶשַׁע 2
בְּאֶגְרֹף 1 וְהִכָּה... בְּאֶבֶן אוֹ בְאֶגְרֹף Ex. 21:18
בְּאֶגְרֹף־ 2 וּלְהַכּוֹת בְּאֶגְרֹף רֶשַׁע Is. 58:4

אֲגַרְטָל* או **אֲגַרְטֵל*** ז׳ כלי או סל(?)
אֲגַרְטְלֵי־ 1 אֲגַרְטְלֵי זָהָב שְׁלֹשִׁים Ez. 1:9
2 אֲגַרְטְלֵי־כֶסֶף אָלֶף Ez. 1:9

אִגֶּרֶת נ׳ מכתב שלוח
אִגֶּרֶת פְּתוּחָה 2; א׳ הַפֻּרִים 4; אִגְּרוֹת הַמֶּלֶךְ 9
הַלְכוּ אִגְּרוֹת 10; כָּתַב א׳ 7; נָתַן א׳ 9,5;
קִיֵּם א׳ 4; שָׁלַח א׳ 6
וְאִגֶּרֶת 1 וְאִגֶּרֶת אֶל־אָסָף שֹׁמֵר הַפַּרְדֵּס Neh. 2:8
2 וְאִגֶּרֶת פְּתוּחָה בְּיָדוֹ Neh. 6:5
הָאִגֶּרֶת 3 עַל־כָּל־דִּבְרֵי הָאִגֶּרֶת הַזֹּאת Es. 9:26
אִגֶּרֶת־ 4 לְקַיֵּם אֵת אִגֶּרֶת הַפֻּרִים הַזֹּאת Es. 9:29
אִגְּרוֹת 5 אִגְּרוֹת יִתְּנוּ־לִי Neh. 2:7
6 אִגְּרוֹת שָׁלַח טוֹבִיָּה לְיָרְאֵנִי Neh. 6:19
7 וְגַם־אִגְּרוֹת כָּתַב עַל־אֶפְרַיִם IICh. 30:1
בָּאִגְּרוֹת 8 וַיֵּלְכוּ הָרָצִים בָּאִגְּרוֹת IICh. 30:6
אִגְּרוֹת־ 9 וָאֶתְּנָה לָהֶם אֵת אִגְּרוֹת הַמֶּלֶךְ Neh. 2:9
אִגְּרוֹתֵיהֶם 10 אִגְּרוֹתֵיהֶם הוֹלְכוֹת עַל־טוֹבִיָּה Neh. 6:17

אֵד ז׳ הבל, מים המתאדים בהתחממם: 1–2
קרובים: הֶבֶל / טַל / עָנָן / עֲרָפֶל / קִיטוֹר
וְאֵד 1 וְאֵד יַעֲלֶה מִן־הָאָרֶץ Gen. 2:6
לְאֵדוֹ 2 יָזֹקּוּ מָטָר לְאֵדוֹ Job 36:27

אדב [הפ׳ הֶאֱדִיב] הדאיב, הכאיב
וּלְאַדִיב 1 לְכַלּוֹת אֶת־עֵינֶיךָ וְלַאֲדִיב אֶת־נַפְשֶׁךָ ISh. 2:33

אַדְבְּאֵל שפ״ז – בן ישמעאל
וְאַדְבְּאֵל 2-1 וְקֵדָר וְאַדְבְּאֵל וּמִבְשָׂם Gen. 25:13 • ICh. 1:29

אֲדַד שפ״ז – הוא הֲדַד, בנו או נכדו של השמיני במלכי אדום
1 וַיִּבְרַח אֲדַד... וַהֲדַד נַעַר קָטָן IK. 11:17

אִדּוֹ שפ״ז – מן הנתינים בימי עזרא
1 עַל־אִדּוֹ הָרֹאשׁ בְּכָסִפְיָא Ez. 8:17
2 לְדַבֵּר אֶל־אִדּוֹ אָחִיו Ez. 8:17

אֱדוֹם שפ״ז א) כִּנּוּיוֹ של עֵשָׂו בן יצחק: 1, 9,4,3
ב) העם שהתיחס על בני עשו: 5, 11, 12, 13, 15,
16, 25, 38–39, 41–72, 95–97, 99, 100
ג) שֵׁם הארץ מדרום-מזרח לים המלח: 2,6–8,10,
14, 17–24, 26–37, 40, 73–94, 98
אֲבִי אֱדוֹם 12,5; אָהֳלֵי א׳ 41; אֱלֹהֵי א׳ 47;
אַלּוּפֵי א׳ 11, 13, 45–46; אֶרֶץ א׳ 6–8, 10, 17–24;
בְּנֵי א׳ 42; בַּת א׳ 43, 44; גְּבוּל א׳ 26, 27;
גִּבּוֹרֵי א׳ 38; דֶּרֶךְ א׳ 37; מִדְבַּר א׳ 36;
מֶלֶךְ א׳ 14, 29–35; פִּשְׁעֵי א׳ 39; שְׁאֵרִית א׳ 40;
שְׂדֵה א׳ 2, 28
אֱדוֹם 1 עַל־כֵּן קָרָא־שְׁמוֹ אֱדוֹם Gen. 25:30
2 וַיִּשְׁלַח...אַרְצָה שֵׂעִיר שְׂדֵה אֱדוֹם Gen. 32:4(3)
3/4 עֵשָׂו הוּא אֱדוֹם Gen. 36:1,8
5 וְאֵלֶּה תֹּלְדוֹת עֵשָׂו אֲבִי אֱדוֹם Gen. 36:9
8-6 אַלּוּפֵי... בְּאֶרֶץ אֱדוֹם Gen. 36:16,17,21
9 אֵלֶּה בְנֵי־עֵשָׂו... הוּא אֱדוֹם Gen. 36:19
10 אֲשֶׁר מָלְכוּ בְּאֶרֶץ אֱדוֹם Gen. 36:31
11 אֵלֶּה אַלּוּפֵי אֱדוֹם לְמֹשְׁבֹתָם Gen. 36:43
12 הוּא עֵשָׂו אֲבִי אֱדוֹם Gen. 36:43
13 אָז נִבְהֲלוּ אַלּוּפֵי אֱדוֹם Ex. 15:15
14 וַיִּשְׁלַח..מִקָּדֵשׁ אֶל־מֶלֶךְ אֱדוֹם Num. 20:14
15 וַיֹּאמֶר אֵלָיו אֱדוֹם Num. 20:18
16 וַיֵּצֵא אֱדוֹם לִקְרָאתוֹ בְּעַם כָּבֵד Num. 20:20
24-17 (בְ)אֶרֶץ(־)אֱדוֹם Num. 20:23; 21:4; 33:37
• Jud. 11:18 • IK. 9:26 • Is. 34:6 • ICh. 1:43
• IICh. 8:17
25 וְהָיָה אֱדוֹם יְרֵשָׁה Num. 24:18
26 אֶל־גְּבוּל אֱדוֹם מִדְבַּר־צִן Josh. 15:1
27 אֶל־גְּבוּל אֱדוֹם בַּנֶּגְבָּה Josh. 15:21
28 יְיָ... בְּצַעְדְּךָ מִשְּׂדֵה אֱדוֹם Jud. 5:4
35-29 (וּ)מֶלֶךְ(־)אֱדוֹם Jud. 11:17² •
IIK. 3:9,12,26 • Jer. 27:3 • Am. 2:1
36 דֶּרֶךְ מִדְבַּר אֱדוֹם IIK. 3:8
37 וְהִנֵּה־מַיִם בָּאִים מִדֶּרֶךְ אֱדוֹם IIK. 3:20
38 וְהָיָה לֵב גִּבּוֹרֵי אֱדוֹם Jer. 49:22
39 עַל־שְׁלֹשָׁה פִּשְׁעֵי אֱדוֹם Am. 1:11
40 לְמַעַן יִירְשׁוּ אֶת־שְׁאֵרִית אֱדוֹם Am. 9:12
41 אָהֳלֵי אֱדוֹם וְיִשְׁמְעֵאלִים Ps. 83:7
42 זְכֹר יְיָ לִבְנֵי אֱדוֹם Ps. 137:7
43 שִׂישִׂי וְשִׂמְחִי בַּת־אֱדוֹם Lam. 4:21
44 פָּקַד עֲוֹנֵךְ בַּת־אֱדוֹם Lam. 4:22
45/6 אַלּוּפֵי אֱדוֹם ICh. 1:51,54
47 כִּי דָרְשׁוּ אֵת אֱלֹהֵי אֱדוֹם IICh. 25:20
אֱדוֹם 72-48 אֱדוֹם (ב) Num. 20:21 • IISh. 8:14 •
IIK. 8:20,21,22; 14:7,10 • Is. 11:14; 34:4(5) • Jer.
9:25; 25:21; 49:20 • Ezek. 25:12; 36:5 • Mal. 1:4
• Ps. 60:2,10; 108:10 • Dan. 11:41 • ICh. 18:12,13
• IICh. 21:8,9,10; 25:19
81-73 אֱדוֹם (ג) Num. 34:3
• IISh. 8:14 • IK. 11:15 • Jer. 49:17 • Ezek. 25:13;
32:29; 35:15 • Ps. 60:11; 108:11
וֶאֱדוֹם 82 וֶאֱדוֹם לְמִדְבַּר שְׁמָמָה Joel 4:19
בֶּאֱדוֹם 83 וַיִּמְלֹךְ בֶּאֱדוֹם בֶּלַע בֶּן־בְּעוֹר Gen. 36:32
84 וַיָּשֶׂם בֶּאֱדוֹם נְצִבִים IISh. 8:14
90-85 בֶּאֱדוֹם IK. 11:14,15,16;
22:48 • Ezek. 25:14 • ICh. 18:13
91 בֶּאֱדֹם Ezek. 25:14
וּבֶאֱדוֹם 92/3 בְּמוֹאָב... וּבֶאֱדוֹם ISh. 14:47 • Jer. 40:11
לֶאֱדוֹם 94 לֶאֱדוֹם כֹּה אָמַר יְיָ צְבָאוֹת Jer. 49:7
97-95 לֶאֱדוֹם Am. 1:6,9 • Ob. 1
מֵאֱדוֹם 98 מִי־זֶה בָּא מֵאֱדוֹם Is. 63:1
99 וְהַאֲבַדְתִּי חֲכָמִים מֵאֱדוֹם Ob. 8
100 מֵאֱדוֹם וּמִמּוֹאָב וּמִבְּנֵי עַמּוֹן ICh. 18:11

אֲדוֹמִי ת׳ המתיחס על אֱדוֹם, בן ארץ אֱדוֹם
אֲדֹמִי 1 לֹא־תְתַעֵב אֲדֹמִי Deut. 23:8
הָאֲדֹמִי 6-2 דֹּאֵג (דּוֹיֵג) הָאֲדֹמִי ISh. 21:8;
22:9,18,22 • Ps. 52:2
7 הֲדַד הָאֲדֹמִי IK. 11:14

אֲדוֹמִים 8 אַחֲרֵי בוֹא...מֵהַכּוֹת אֶת־אֲדוֹמִים IICh. 25:14
9 וְעוֹד אֲדוֹמִים בָּאוּ וַיַּכּוּ IICh. 28:17
וַאֲדוֹמִים 10 וַאֲדוֹמִים (כת׳ וארומים) בָּאוּ אֵילַת IIK. 16:6
אֲדוֹמִיִּים 11 וַיִּבְרַח אֲדַד הוּא וַאֲנָשִׁים אֲדֹמִיִּים IK. 11:17
אֲדוֹמִיּוֹת 12 מוֹאֲבִיּוֹת עַמֳּנִיּוֹת אֲדֹמִיֹּת IK. 11:1

אָדוֹן ז׳ א) שליט, ראש, מושל, מנהל: 1—4, 14, 15
ב) כנוי כבוד לה׳: 5—13, 16—21, 222—224, 229, 230, 306—309, 311, 312
ג) [אֲדֹנִי, אֲדֹנֵי, אֲדֹנָ(י)נוּ] תואר כבוד בפניה לגדול ונכבד וכן כנוי בפי העבד לבעליו – רוב המקראות 22—217, 231, 302—305, 310
ד) [אֲדֹנִים, אֲדֹנָיו וכו׳] בעלים, בעל קנין: 218—228, 232—301, 313—334
קרובים: אַלּוּף / בַּעַל / גְּבִיר / מוֹשֵׁל / מְצַוֶּה / נָגִיד / נָשִׂיא / רֹאשׁ / שַׂר / שַׁלִּיט
– הוֹי אָדוֹן 1,2; הָאָדוֹן יְיָ 6-12; אֲדוֹן כָּל הָאָרֶץ 16-21; פְּנֵי הָאָדוֹן 6,7
– אֲהָהּ אֲדֹנִי 111,112; בִּי אֲדֹנִי 39—45
– אֲדֹנִי הַמֶּלֶךְ 50—100, 106, 107, 109, 110, 188, 189, 191, 198—202
– אֲדוֹנִים קָשֶׁה 220; אֲדֹנֵי הָאֲדוֹנִים 223, 224; אֲדוֹנֵי הָאָרֶץ 226—227; אֲ׳ הָהָר 228
– אוֹיְבֵי אֲדוֹנָיו 106/7; אָזְנֵי אֲ׳ 46; אֲחִי אֲ׳ 33; אֲחִי אֲ׳ 30; אֱלֹהֵי אֲ׳ 25-28; אַף אֲ׳ 49; אֵשֶׁת אֲ׳ 31,260,261; בֵּית אֲ׳ 233, 240, 249, 259, 262,319,330; בֶּן אֲ׳ 32,232,237-239,242,317,318,320; גְּמַלֵּי אֲ׳ 257; דִּבְרֵי אֲ׳ 47; הוֹרֵג אֲ׳ 269; חַכְמֵי אֲ׳ 116; טוּב אֲ׳ 258; יַד אֲ׳ 108,220,331; כִּסֵּא אֲ׳ 110; נַעֲרֵי אֲ׳ 102; נֶפֶשׁ אֲ׳ 104,271; נְשֵׁי אֲ׳ 241; עֶבֶד אֲ׳ 115; עַבְדֵי אֲ׳ 105, 186, 236, 243, 265—267, 316; עֲבוֹדַת אֲ׳ 332; עֵינֵי אֲ׳ 34, 35, 38, 48, 109, 298; רַגְלֵי אֲ׳ 105, 268; שֹׁמֵר אֲ׳ 272

אָדוֹן 1 הוֹי אָדוֹן וְהוֹי הֹדֹה Jer. 22:18
2 וְהוֹי אָדוֹן יִסְפְּדוּ־לָךְ Jer. 34:5
3 שְׂפָתֵינוּ אִתָּנוּ מִי אָדוֹן לָנוּ Ps. 12:5
4 שָׂמוֹ אָדוֹן לְבֵיתוֹ Ps. 105:21
5 מִלִּפְנֵי אָדוֹן חוּלִי אָרֶץ Ps. 114:7
הָאָדוֹן 6 יֵרָאֶה... אֶל־פְּנֵי הָאָדֹן יְיָ Ex. 23:17
7 יֵרָאֶה... אֶת־פְּנֵי הָאָדֹן יְיָ Ex. 34:23
8-12 הָאָדוֹן יְיָ צְבָאוֹת Is. 1:24; 3:1; 10:16; 33; 19:4
13 הָאָדוֹן אֲשֶׁר־אַתֶּם מְבַקְשִׁים Mal. 3:1
לְאָדוֹן 14 שָׂמַנִי אֱלֹהִים לְאָדוֹן לְכָל־מִצְרָיִם Gen. 45:9
וּלְאָדוֹן 15 לְאָב לְפַרְעֹה וּלְאָדוֹן לְכָל־בֵּיתוֹ Gen. 45:8
אֲדוֹן־ 16-20 אֲדוֹן כָּל־הָאָרֶץ Josh. 3:11, 13 • Zech. 4:14; 6:5 • Ps. 97:5
לַאֲדוֹן־ 21 וְחֵילָם לַאֲדוֹן כָּל־הָאָרֶץ Mic. 4:13
אֲדוֹנִי 22 שְׁמָעֵנוּ אֲדֹנִי Gen. 23:6
23 לֹא־אֲדֹנִי שְׁמָעֵנִי Gen. 23:11
24 אֲדֹנִי שְׁמָעֵנִי Gen. 23:15
25-28 יְיָ אֱלֹהֵי אֲדֹנִי אַבְרָהָם Gen. 24:12; 24:27,42,48
29 וַתֹּאמֶר שְׁתֵה אֲדֹנִי Gen. 24:18
30 נָחַנִי יְיָ בֵּית אֲחֵי אֲדֹנִי Gen. 24:27
31 וַתֵּלֶד שָׂרָה אֵשֶׁת אֲדֹנִי Gen. 24:36
32 אֲשֶׁר־הֹכִיחַ יְיָ לְבֶן־אֲדֹנִי Gen. 24:44
33 לָקַחַת אֶת־בַּת־אֲחִי אֲדֹנִי Gen. 24:48
34 אַל־יִחַר בְּעֵינֵי אֲדֹנִי Gen. 31:35
35 לִמְצֹא־חֵן בְּעֵינֵי אֲדֹנִי Gen. 33:8
36 אֲדֹנִי יֹדֵעַ כִּי־הַיְלָדִים רַכִּים Gen. 33:13
37 יַעֲבָר־נָא אֲדֹנִי לִפְנֵי עַבְדּוֹ Gen. 33:14

אֲדוֹנִי (המשך) 38 אֶמְצָא־חֵן בְּעֵינֵי אֲדֹנִי Gen. 33:15
39-45 בִּי אֲדֹנִי Gen. 43:20; 44:18 • Num. 12:11 • Jud. 6:13 • ISh. 1:26 • IK. 3:17,26
46 יְדַבֶּר־נָא עַבְדְּךָ דָבָר בְּאָזְנֵי אֲדֹנִי Gen. 44:18
47 וַנַּגֶּד־לוֹ אֵת דִּבְרֵי אֲדֹנִי Gen. 44:24
48 נִמְצָא־חֵן בְּעֵינֵי אֲדֹנִי Gen. 47:25
49 אַל־יִחַר אַף אֲדֹנִי Ex. 32:22
50-100 אֲדֹנִי(־)הַמֶּלֶךְ ISh. 24:9(8); 26:17, 19 IISh. 3:21; 9:11; 13:33, 14:9, 12, 17², 18, 19², 22; 15:15, 21²; 16:4, 9; 18:31; 19:20, 21, 27, 28, 31, 36, 38; 24:21, 22 • IK. 1:13, 18, 20², 21, 24, 27²; 31, 36, 37; 2:38; 20:4 • IIK. 6:12, 26; 8:5 • Is. 36:8 • Jer. 37:20; 38:9 • Dan. 1:10 • ICh. 21:3, 23
101 וַתֹּאמֶר בִּי־אֲנִי אֲדֹנִי הֶעָוֹן ISh. 25:24
102 לֹא רָאִיתִי אֶת־נַעֲרֵי אֲדֹנִי ISh. 25:25
103 הַמִּתְהַלְּכִים בְּרַגְלֵי אֲדֹנִי ISh. 25:27
104 נֶפֶשׁ אֲדֹנִי צְרוּרָה בִּצְרוֹר הַחַיִּים ISh. 25:29
105 לִרְחֹץ רַגְלֵי עַבְדֵי אֲדֹנִי ISh. 25:41
106/7 (בְּ)אֹיְבֵי אֲדֹנִי ISh. 29:8 • IISh. 18:32
108 וְאִם־תַּסְגִּרֵנִי בְּיַד־אֲדֹנִי ISh. 30:15
109 וְעֵינֵי אֲדֹנִי־הַמֶּלֶךְ רֹאוֹת IISh. 24:3
110 וִיגַדֵּל... מִכִּסֵּא אֲדֹנִי הַמֶּלֶךְ IK. 1:37
111/2 אֲהָהּ אֲדֹנִי IIK. 6:5,15
113/4 אַחַד עַבְדֵי אֲדֹנִי IIK. 18:24 • Is. 36:9
115 וְהֵיךְ יוּכַל עֶבֶד אֲדֹנִי זֶה Dan. 10:17
116 וְחַכְמֵי אֲדֹנִי דָּוִיד אָבִיךָ IICh. 2:13
117-183 אֲדֹנִי Gen. 24:12, 14, 27; 24:35, 37, 39, 49, 65; 33:14; 39:8; 42:10; 44:5, 7, 19, 20, 22; 47:18² • Ex. 21:5 • Num. 11:28; 32:25, 27; 36:2 • Josh. 5:14 • Jud. 4:18 • ISh. 1:15, 26; 22:12; 25:25, 26², 28, 31; 26:18; 30:13 • IISh. 1:10; 11:11; 13:32; 14:15; 19:20 • IK. 1:17; 18:7, 10 • IIK. 2:19; 4:16, 28; 5:3, 18, 20, 22; 8:12; 10:9; 18:23, 27 • Is. 36:12 • Zech. 1:9; 4:4, 5, 13; 6:4 • Ruth 2:13 • Dan. 10:16, 17, 19; 12:8 • ICh. 21:3 • IICh. 2:14
וַאדֹנִי 184 הָיְתָה־לִּי עֶדְנָה וַאדֹנִי זָקֵן Gen. 18:12
185 וַאדֹנִי צֻוָּה בַיְיָ לָתֵת אֶת־הָאָרֶץ Num. 36:2
186 וַאדֹנִי יוֹאָב וְעַבְדֵי אֲדֹנִי... IISh. 11:11
187 וַאדֹנִי חָכָם כְּחָכְמַת מַלְאַךְ הָאֱלֹהִים IISh. 14:20
188 וַאדֹנִי הַמֶּלֶךְ כְּמַלְאַךְ הָאֱלֹהִים IISh. 19:28
189 וַאדֹנִי הַמֶּלֶךְ לָמָּה חָפֵץ בַּדָּבָר הַזֶּה IISh. 24:3
בַּאדֹנִי 190 וָאֹמַר לֹא־אֶשְׁלַח יָדִי בַּאדֹנִי ISh. 24:11(10)
191 נָשְׂאוּ אֶת־יָדָם בַּאדֹנִי הַמֶּלֶךְ IISh. 18:28
לַאדֹנִי 192 וַתֵּלֶד שָׂרָה... בֵן לַאדֹנִי Gen. 24:36
193 וַיֹּאמֶר שַׁלְּחֻנִי לַאדֹנִי Gen. 24:54
194 שַׁלְּחוּנִי וְאֵלְכָה לַאדֹנִי Gen. 24:56
195 כֹּה תֹאמְרוּן לַאדֹנִי לְעֵשָׂו Gen. 32:5(4)
196 מִנְחָה הִוא שְׁלוּחָה לַאדֹנִי Gen. 32:19
197 נִהְיֶה לַאדֹנִי לַעֲבָדִים Gen. 44:9
198-202 לַאדֹנִי הַמֶּלֶךְ IISh. 4:8; 19:29 • IK. 1:2²; 20:9
203 נְאֻם יְיָ לַאדֹנִי שֵׁב לִימִינִי Ps. 101:1
204-215 לַאדֹנִי Gen. 32:6(5); 44:16², 33 • ISh. 24:6; 25:27, 28, 30, 31² • IK. 18:13 • ICh. 21:3
מֵאֲדוֹנִי 216 לֹא־נִכְחַד מֵאֲדֹנִי Gen. 47:18
אֲדוֹנֵנוּ 217 יֹאמַר־נָא אֲדֹנֵנוּ... ISh. 16:16
אֲדוֹנִים 218/19 לֹא־אֲדֹנִים לָאֵלֶּה IK. 22:17 • IICh. 18:16
220 וְסִכַּרְתִּי... בְּיַד אֲדֹנִים קָשֶׁה Is. 19:4
221 בְּעָלוּנוּ אֲדֹנִים זוּלָתֶךָ Is. 26:13
222 וְאִם־אֲדוֹנִים אָנִי אַיֵּה מוֹרָאִי Mal. 1:6
הָאֲדוֹנִים 223 אֱלֹהֵי הָאֱלֹהִים וַאֲדֹנֵי הָאֲדֹנִים Deut. 10:17
224 הוֹדוּ לַאֲדֹנֵי הָאֲדֹנִים Ps. 136:3

אֲדוֹנֵי־ 225 וַיִּקַּח אֲדֹנֵי יוֹסֵף אֹתוֹ Gen. 39:20
226/7 הָאִישׁ אֲדֹנֵי הָאָרֶץ Gen. 42:30,33
228 עַל שֶׁם־שֶׁמֶר אֲדֹנֵי הָהָר שֹׁמְרוֹן IK. 16:24
וַאֲדוֹנֵי־ 229 אֱלֹהֵי הָאֱלֹהִים וַאֲדֹנֵי הָאֲדֹנִים Deut. 10:17
לַאֲדוֹנֵי־ 230 הוֹדוּ לַאֲדֹנֵי הָאֲדֹנִים Ps. 136:3
אֲדוֹנַי 231 הִנֶּה נָּא־אֲדֹנַי סוּרוּ נָא Gen. 19:2
אֲדוֹנֶיךָ 232 וּתְהִי אִשָּׁה לְבֶן־אֲדֹנֶיךָ Gen. 24:51
233 וְאֵיךְ נִגְנֹב מִבֵּית אֲדֹנֶיךָ Gen. 44:8
234 לֹא שְׁמַרְתָּ אֶל־אֲדֹנֶיךָ הַמֶּלֶךְ ISh. 26:15
235 ...לְהַשְׁחִית אֶת־הַמֶּלֶךְ אֲדֹנֶיךָ ISh. 26:15
236 וְעַבְדֵי אֲדֹנֶיךָ אֲשֶׁר־בָּאוּ אִתָּךְ ISh. 29:10
237 אֲשֶׁר הָיָה לְשָׁאוּל...נָתַתִּי לְבֶן־אֲדֹנֶיךָ IISh. 9:9
238 וְהָיָה לְבֶן־אֲדֹנֶיךָ לֶחֶם וַאֲכָלוֹ IISh. 9:10
239 וּמְפִיבֹשֶׁת בֶּן־אֲדֹנֶיךָ יֹאכַל IISh. 9:10
240 וָאֶתְּנָה לְךָ אֶת־בֵּית אֲדֹנֶיךָ IISh. 12:8
241 וְאֶת־נְשֵׁי אֲדֹנֶיךָ בְּחֵיקֶךָ IISh. 12:8
242 וַיֹּאמֶר הַמֶּלֶךְ וְאַיֵּה בֶּן־אֲדֹנֶיךָ IISh. 16:3
243 קַח אֶת־עַבְדֵי אֲדֹנֶיךָ IISh. 20:6
244/5 הַיּוֹם יְיָ לֹקֵחַ אֶת־אֲדֹנֶיךָ IIK. 2:3,5
246 יֵלְכוּ־נָא וִיבַקְשׁוּ אֶת־אֲדֹנֶיךָ IIK. 2:16
247 אֶת־בֵּית אַחְאָב אֲדֹנֶיךָ IIK. 9:7
248 הַעַל אֲדֹנֶיךָ וְאֵלֶיךָ שְׁלָחַנִי אֲדֹנִי IIK. 18:27
249 קְלוֹן בֵּית אֲדֹנֶיךָ Is. 22:18
250 הַאֶל אֲדֹנֶיךָ וְאֵלֶיךָ שְׁלָחַנִי אֲדֹנִי Is. 36:12
לַאדוֹנֶיךָ 251-253 לֵךְ אֱמֹר לַאדֹנֶיךָ IK. 18:8,11,14
אֲדוֹנַיִךְ 254 כֹּה־אָמַר אֲדֹנַיִךְ יְיָ Is. 51:22
255 כִּי־הוּא אֲדֹנַיִךְ וְהִשְׁתַּחֲוִי־לוֹ Ps. 45:12
אֲדוֹנָיו 256 תַּחַת יֶרֶךְ אַבְרָהָם אֲדֹנָיו Gen. 24:9
257 וַיִּקַּח... גְמַלִּים מִגְּמַלֵּי אֲדֹנָיו Gen. 24:10
258 וַיֵּלֶךְ וְכָל־טוּב אֲדֹנָיו בְּיָדוֹ Gen. 24:10
259 וַיְהִי בְּבֵית אֲדֹנָיו הַמִּצְרִי Gen. 39:2
260 וַתִּשָּׂא אֵשֶׁת־אֲדֹנָיו אֶת־עֵינֶיהָ Gen. 39:7
261 וַיֹּאמֶר אֶל־אֵשֶׁת אֲדֹנָיו Gen. 39:8
262 אֲשֶׁר אִתּוֹ בְמִשְׁמַר בֵּית אֲדֹנָיו Gen. 40:7
263 לֹא־תַסְגִּיר עֶבֶד אֶל־אֲדֹנָיו Deut. 23:16
264 הַמִּתְפָּרְצִים אִישׁ מִפְּנֵי אֲדֹנָיו ISh. 25:10
265-267 עַבְדֵי אֲדֹנָיו IISh. 11:9,13 • IIK. 9:11
268 קוֹל רַגְלֵי אֲדֹנָיו אַחֲרָיו IIK. 6:32
269 הֲשָׁלוֹם זִמְרִי הֹרֵג אֲדֹנָיו IIK. 9:31
270 בֵּן יְכַבֵּד אָב וְעֶבֶד אֲדֹנָיו Mal. 1:6
271 וְנֶפֶשׁ אֲדֹנָיו יָשִׁיב Prov. 25:13
272 וְשֹׁמֵר אֲדֹנָיו יְכֻבָּד Prov. 27:18
273 אַל־תַּלְשֵׁן עֶבֶד אֶל־אֲדֹנָו Prov. 30:10
274-293 אֲדֹנָיו Gen. 39:3, 16, 19 • Ex. 21:4, 6² Deut. 23:16 • Jud. 19:11, 12 • ISh. 20:38; 29:4 • IK. 11:23 • IIK. 5:1, 25; 5:1, 25; 8:14; 19:4 • Is. 37:4 • Hosh. 12:15 • ICh. 12:20(19) • IICh. 13:6
כַּאדוֹנָיו 294 כָעָם כַּכֹּהֵן כַּעֶבֶד כַּאדֹנָיו Is. 24:2
לַאדוֹנָיו 295 שְׁלֹשִׁים שְׁקָלִים יִתֵּן לַאדֹנָיו Ex. 21:32
296 וַיָּבֹא וַיַּגֵּד לַאדֹנָיו לֵאמֹר IIK. 5:4
מֵאֲדוֹנָיו 297 וְעֶבֶד חָפְשִׁי מֵאֲדֹנָיו Job 3:19
אֲדוֹנֶיהָ 298 אִם־רָעָה בְּעֵינֵי אֲדֹנֶיהָ Ex. 21:8
299 בֵּית־הָאִישׁ אֲשֶׁר־אֲדוֹנֶיהָ שָּׁם Jud. 19:26
300 וַיָּקָם אֲדֹנֶיהָ בַּבֹּקֶר Jud. 19:27
לַאדוֹנֶיהָ 301 הָאִשָּׁה וִילָדֶיהָ תִּהְיֶה לַאדֹנֶיהָ Ex. 21:4
אֲדוֹנֵינוּ 302 מַלְאָכִים... לְבָרֵךְ אֶת־אֲדֹנֵינוּ ISh. 25:14
303 כִּי־כָלְתָה הָרָעָה אֶל־אֲדֹנֵינוּ ISh. 25:17
304 אֲבָל אֲדֹנֵינוּ הַמֶּלֶךְ־דָּוִד... IK. 1:43
305 לְבָרֵךְ אֶת־אֲדֹנֵינוּ הַמֶּלֶךְ דָּוִד IK. 1:47
306/7 יְיָ אֲדֹנֵינוּ מָה־אַדִּיר שִׁמְךָ Ps. 8:2,10
308 גָּדוֹל אֲדוֹנֵינוּ וְרַב־כֹּחַ Ps. 147:5
309 אֶת־כָּל־מִצְוֹת יְיָ אֲדֹנֵינוּ Neh. 10:30

וַאדֹנֵינוּ 310 וַאדֹנֵינוּ דָוִד לֹא יָדָע IK. 1:11
311 גָּדוֹל יְיָ וַאֲדֹנֵינוּ מִכָּל־אֱלֹהִים Ps. 135:5
לַאֲדֹנֵינוּ 312 כִּי־קָדוֹשׁ הַיּוֹם לַאֲדֹנֵינוּ Neh. 8:10
אֲדֹנֵיכֶם 313 לֹא־שְׁמַרְתֶּם עַל־אֲדֹנֵיכֶם ISh. 26:16
314 עֲשִׂיתֶם הַחֶסֶד הַזֶּה עִם־אֲדֹנֵיכֶם IISh. 2:5
315 כִּי־מֵת אֲדֹנֵיכֶם שָׁאוּל IISh. 2:7
316 קְחוּ... אֶת־עַבְדֵי אֲדֹנֵיכֶם IK. 1:33
317 וְאִתְּכֶם בְּנֵי אֲדֹנֵיכֶם IIK. 10:2
318 וּרְאִיתֶם הַטּוֹב וְהַיָּשָׁר מִבְּנֵי אֲדֹנֵיכֶם IIK. 10:3
319 וְהִלָּחֲמוּ עַל־בֵּית אֲדֹנֵיכֶם IIK. 10:3
320 אֶת־רָאשֵׁי אַנְשֵׁי בְנֵי־אֲדֹנֵיכֶם IIK. 10:6
323-321 כֹּה תֹאמְרוּ(ן) אֶל־אֲדֹנֵיכֶם IIK. 19:6 • Is. 37:6 • Jer. 27:4
אֲדֹנֵיהֶם 324 וְהִנֵּה אֲדֹנֵיהֶם נֹפֵל אַרְצָה Jud. 3:25
325 וַיֹּאמְרוּ... אֶל־חָנוּן אֲדֹנֵיהֶם IISh. 10:3
326 וְשָׁב לֵב הָעָם הַזֶּה אֶל־אֲדֹנֵיהֶם IK. 12:27
327 וְיִשְׁתּוּ וְיֵלְכוּ אֶל־אֲדֹנֵיהֶם IIK. 6:22
328 וַיְשַׁלְּחֵם וַיֵּלְכוּ אֶל־אֲדֹנֵיהֶם IIK. 6:23
329 וְצִוִּיתָ אֹתָם אֶל־אֲדֹנֵיהֶם Jer. 27:3(4)
330 הַמְמַלְאִים בֵּית אֲדֹנֵיהֶם חָמָס Zep. 1:9
331 כְּעֵינֵי עֲבָדִים אֶל־יַד אֲדוֹנֵיהֶם Ps. 123:2
332 לֹא־הֵבִיאוּ צַוָּרָם בַּעֲבֹדַת אֲדֹנֵיהֶם Neh. 3:5
לַאֲדֹנֵיהֶם 333 חָטְאוּ... לַאֲדֹנֵיהֶם לְמֶלֶךְ מִצְרָיִם Gen. 40:1
334 הָאֹמְרֹת לַאֲדֹנֵיהֶם הָבִיאָה וְנִשְׁתֶּה Am. 4:1

אַדּוֹן אחת מערי בבל שממנה עלו הגולים בימי עזרא
1 הָעוֹלִים מִתֵּל מֶלַח... אַדּוֹן וְאִמֵּר Neh. 7:61

אֲדֹנִיָּה ראה טוֹב אֲדוֹנִיָּה

אֲדוֹרַיִם שם עיר בנחלת יהודה
1 וְאֶת־אֲדוֹרַיִם וְאֶת־לָכִישׁ IICh. 11:9

אדות ראה אודות

אֱדַיִן תה״פ ארמית = אָז, אֱזַי; בֵּאדַיִן=אָז; מִן־אֱדַיִן = מֵאָז
א) לפני נושא המשפט: 2-4, 8-26, 28-30, 33-44
ב) לפני הנשוא (הפועל): 1, 5-7, 27, 31-32, 45-56
אֱדַיִן 1 אֱדַיִן מִלְּתָא הוֹדַע אַרְיוֹךְ לְדָנִיֵּאל Dan. 2:15
2 אֱדַיִן דָּנִיֵּאל לְבַיְתֵהּ אֲזַל Dan. 2:17
3 אֱדַיִן לְדָנִיֵּאל בְּחֶזְוָא... רָזָא גְלִי Dan. 2:19
4 אֱדַיִן דָּנִיֵּאל בָּרִךְ לֶאֱלָהּ שְׁמַיָּא Dan. 2:19
5 אֱדַיִן עָלִּין כֹּל חַכִּימֵי מַלְכָּא Dan. 5:8
6 אֱדַיִן אֲזַל מַלְכָּא לְהֵיכְלֵהּ Dan. 6:19
7 אֱדַיִן צְבִית לְיַצָּבָא עַל־חֵיוְתָא Dan. 7:19
8 אֱדַיִן כְּנֵמָא אֲמַרְנָא לְּהֹם Ez. 5:4
26-9 אֱדַיִן Dan. 2:25,48; 3:24; 4:16; 5:6,9; 6:4,5,6, 7,12,15,22 • Ez. 4:9,23; 5:9,16; 6:13
27 וּמִן־אֱדַיִן וְעַד־כְּעַן מִתְבְּנֵא... Ez. 5:16
וֶאֱדַיִן 28 וֶאֱדַיִן יְתִיבוּן נִשְׁתְּוָנָא עַל־דְּנָה Ez. 5:5
בֵּאדַיִן 29 בֵּאדַיִן דָּנִיֵּאל הֲתִיב עֵטָא וּטְעֵם Dan. 2:14
30 בֵּאדַיִן נְבוּכַדְנֶצַּר הִתְמְלִי חֱמָא Dan. 3:19
31 בֵּאדַיִן מִתְכַּנְּשִׁין אֲחַשְׁדַּרְפְּנַיָּא Dan. 3:3
32 בֵּאדַיִן קְרֵב נְבוּכַדְנֶצַּר לִתְרַע Dan. 3:26
44-33 בֵּאדַיִן (א) Dan. 2:46; 3:13^{2}; 5:13,24; 6:16,17,20,24,26; 7:1 • Ez. 6:1
56-45 בֵּאדַיִן (ב) Dan. 2:35; 3:21,30; 4:4; 5:3,17,29; 6:13,14; 7:11 • Ez. 4:24; 5:2

אַדִּיר תו״ז א) גדול, כביר: 1-8, 10-11, 13-15, 17
ב) כנוי לאדם נכבד: 9, 12, 14, 18-28
קרובים: ראה אַבִּיר

– אֶרֶץ אַדִּיר 3; צִי אַ׳ 2; שֵׁם אַ׳ 4-5; גֶּפֶן אַדֶּרֶת 10
– אֱלֹהִים אַדִּירִים 17; גּוֹיִם אַ׳ 13; מַיִם אַ׳ 11; מְלָכִים אַ׳ 16; מִשְׁבְּרֵי יָם אַ׳ 15; סֵפֶל אַ׳ 12; אַדִּירֵי הַצֹּאן 20, 21, 23

אַדִּיר 1 כִּי אִם־שָׁם אַדִּיר יְיָ לָנוּ Is. 33:21
2 וְצִי אַדִּיר לֹא יַעַבְרֶנּוּ Is. 33:21
3 וְהָיָה לְאֶרֶז אַדִּיר Ezek. 17:23
4/5 מָה־אַדִּיר שִׁמְךָ בְּכָל־הָאָרֶץ Ps. 8:2,10
6 נָאוֹר אַתָּה אַדִּיר מֵהַרְרֵי־טָרֶף Ps. 76:5
7 אַדִּיר בַּמָּרוֹם יְיָ Ps. 93:4
בְּאַדִּיר 8 וְהַלְּבָנוֹן בְּאַדִּיר יִפּוֹל Is. 10:34
אַדִּירוֹ 9 וְהָיָה אַדִּירוֹ מִמֶּנּוּ Jer. 30:21
אַדֶּרֶת 10 לִהְיוֹת לְגֶפֶן אַדָּרֶת Ezek. 17:8
אַדִּירִים 11 צָלְלוּ כַּעוֹפֶרֶת בְּמַיִם אַדִּירִים Ex. 15:10
12 בְּסֵפֶל אַדִּירִים הִקְרִיבָה חֶמְאָה Jud. 5:25
13 אוֹתָהּ וּבְנוֹת גּוֹיִם אַדִּרִם Ezek. 32:18
14 אֲשֶׁר אַדִּרִים שֻׁדָּדוּ Zech. 11:2
15 אַדִּירִים מִשְׁבְּרֵי־יָם Ps. 93:4
16 וַיַּהֲרֹג מְלָכִים אַדִּירִים Ps. 136:18
הָאַדִּירִים 17 מִיַּד הָאֱלֹהִים הָאַדִּירִים ISh. 4:8
18 וְאֶת־הָאַדִּירִים וְאֶת־הַמּוֹשְׁלִים IICh. 23:20
לְאַדִּירִים 19 אָז יְרַד שָׂרִיד לְאַדִּירִים עָם Jud. 5:13
אַדִּירֵי־ 20 וְהִתְפַּלְּשׁוּ אַדִּירֵי הַצֹּאן Jer. 25:34
21 וִילְלַת אַדִּירֵי הַצֹּאן Jer. 25:36
וְאַדִּירֵי־ 22 וְאַדִּירֵי כָּל־חֶפְצִי־בָם Ps. 16:3
מֵאַדִּירֵי־ 23 וּפְלֵיטָה מֵאַדִּירֵי הַצֹּאן Jer. 25:35
אַדִּירֶיךָ 24 נָמוּ רֹעֶיךָ... יִשְׁכְּנוּ אַדִּירֶיךָ Nah. 3:18
אַדִּירָיו 25 יִזְכֹּר אַדִּירָיו יִכָּשְׁלוּ בַּהֲלִיכָתָם Nah. 2:6
אַדִּירֵיהֶם 26 מַחֲזִיקִים עַל־אֲחֵיהֶם אַדִּירֵיהֶם Neh. 10:30
וְאַדִּירֵיהֶם 27 וְאַדִּרֵיהֶם שָׁלְחוּ צְעִירֵיהֶם Jer. 14:3
28 וְאַדִּירֵיהֶם לֹא־הֵבִיאוּ צַוָּרָם Neh. 3:5

אֲדַלְיָא שפ״ז – מעשרת בני הָמָן
1 וְאֵת פּוֹרָתָא וְאֵת אֲדַלְיָא Es. 9:8

אדם : אָדֹם, מְאָדָּם, הָאֳדִים, הִתְאַדֵּם; אָדָם, אֹדֶם, אֲדַמְדָּם, אַדְמוֹנִי; אֱדוֹם; אָדָם? אֲדָמָה? דָּם?

אָדַם פ׳ א) היה אדום: 1
ב) [פֻּע׳ בינוני מְאָדָּם] צבוע בצבע אדום: 2-8
ג) [הִפ׳ הָאֳדִים] נעשה אדום: 9
ד) [הת׳ הִתְאַדֵּם] התנוצץ בצבע אדום: 10
אָדְמוּ 1 אָדְמוּ עֶצֶם מִפְּנִינִים סַפִּיר גִּזְרָתָם Lam. 4:7
מְאָדָּם 2 מָגֵן גִּבֹּרֵיהוּ מְאָדָּם Nah. 2:4
מְאָדָּמִים 3-5 וְעֹרֹת אֵילִם מְאָדָּמִים Ex. 25:5; 35:7,23
6-7 עֹרֹת אֵילִם מְאָדָּמִים Ex. 26:14; 36:19
הַמְאָדָּמִים 8 עוֹרֹת הָאֵילִם הַמְאָדָּמִים Ex. 39:34
יַאְדִּימוּ 9 אִם־יַאְדִּימוּ כַתּוֹלָע כַּצֶּמֶר יִהְיוּ Is. 1:18
יִתְאַדָּם 10 אַל־תֵּרֶא יַיִן כִּי יִתְאַדָּם Prov. 23:31

אָדֹם ת׳ שצבעו כצבע הדם: 1-9
הָאָדֹם הָאָדֹם 4-5; סוּס אָדֹם 2,8,9; צַח וְאָדֹם 3
פָּרָה אֲדֻמָּה 6; מַיִם אֲדֻמִּים 7
אָדֹם 1 מַדּוּעַ אָדֹם לִלְבוּשֶׁךָ Is. 63:2
2 רֹכֵב עַל־סוּס אָדֹם Zech. 1:8
וְאָדֹם 3 דּוֹדִי צַח וְאָדוֹם דָּגוּל מֵרְבָבָה S.ofS. 5:10
הָאָדֹם 4-5 הַלְעִיטֵנִי נָא מִן־הָאָדֹם הָאָדֹם הַזֶּה Gen. 25:30
אֲדֻמָּה 6 פָרָה אֲדֻמָּה תְּמִימָה Num. 19:2
אֲדֻמִּים 7 וַיִּרְאוּ... אֶת־הַמַּיִם אֲדֻמִּים IIK. 3:22
8 סוּסִים אֲדֻמִּים שְׂרֻקִּים וּלְבָנִים Zech. 1:8
9 בַּמֶּרְכָּבָה הָרִאשֹׁנָה סוּסִים אֲדֻמִּים Zech. 6:2

אֹדֶם ז׳ אבן טובה שצבעה אדום: 1-3
קרובים: אַחְלָמָה / אֶקְדָּח / בְּדֹלַח / בָּרֶקֶת / גָּבִישׁ / יַהֲלֹם / יָשְׁפֵה / כַּדְכֹּד / לֶשֶׁם / נֹפֶךְ / סַפִּיר / פִּטְדָה / שְׁבוֹ / שֹׁהַם / תַּרְשִׁישׁ
אֹדֶם 1-2 אֹדֶם פִּטְדָה וּבָרֶקֶת Ex. 28:17; 39:10
3 אֹדֶם פִּטְדָה וְיַהֲלֹם Ezek. 28:13

אָדָם שפ״ז א) שמו של האיש הראשון שברא אלהים: 1-8, 33, 171, 181, 362, 374, 375, 391-411, 529
ב) כל בני המין האנושי או כל יחיד: רוב המקראות
ג) בשר־ודם (בניגוד לאלהים): 13,16,23,36,104,105, 122, 123, 127-130, 138, 139, 167-170, 352, 359-361, 443-447, 458, 462, 542, 547
ד) במשפט שלילה – שום איש, גם אחד לא: 34-35, 40,44,46,52,54,55,58-61,106,107,132,144,184,353
ה) [בֶּן־אָדָם] גבר, איש, אנוש: 76-98, 229-312; [בְּנֵי־אָדָם] אנשים ונשים: 313-344, 502-517; [בְּנוֹת־הָאָדָם] נשים: 413, 414 [ראה עוד הצירופים]
קרובים: אִישׁ | אֱנוֹשׁ | אִשָּׁה | גֶּבֶר | (מַת?) מְתִים | נֶפֶשׁ
– אָדָם... וּבְהֵמָה 11, 57-71, 377-384, 390, 425-433, 462, 532-539; אָ׳ בְּלִיַּעַל 141; אָ׳ חַי 176; אָ׳ חָנֵף 173; אָ׳ חֲסַר־לֵב 150,160; אָ׳ יְלוּד אִשָּׁה 169; אָ׳ יָקָר 147; אָ׳ עָרוּם 146; אָ׳ עָשׁוּק 162; אָ׳ רָע 388; אָ׳ רָשָׁע 172; אָ׳ תּוֹעֶה 158; הָאָדָם הַמַּעֲלָה 466
– אֶבְיוֹנֵי אָדָם 48; אִוֶּלֶת אָ׳ 152; אֵין אָ׳ 40,184; אַשְׁרֵי אָ׳ 126, 134/5, 140, 142, 161; בִּינַת אָ׳ 166; בְּכוֹר אָ׳ 10,11,437; בֶּן־אָ׳ 76-98,229-312; בְּנֵי־אָ׳ 313-344; בְּשַׂר אָ׳ 12; גַּאֲוַת אָ׳ 164; גַּבְהוּת אָ׳ 45,450; גִּלּוּלֵי אָ׳ 455; דִּבְרֵי אָ׳ 38; דְּמוּת אָ׳ 72; דְּמֵי (דַּם) אָ׳ 118-119,423; הוֹן אָ׳ 147; זוֹבְחֵי אָ׳ 115; זֶרַע אָ׳ 57; חֶבְלֵי אָ׳ 114; חַטֹּאת אָ׳ 435; חָכְמַת אָ׳ 177; חֵלֶק אָ׳ 172; חֲמַת אָ׳ 133; חֶרְדַּת אָ׳ 165; חֶרְפַּת אָ׳ 125; טֻמְאַת אָ׳ 14,15; יַד אָ׳ 39,99,183,421; יְדֵי אָ׳ 28-32,73,101,145,467; יְמֵי אָ׳ 7,8; כָּל־אָ׳ 17,127,128,131; כְּסִיל אָ׳ 148, 159; לֹא־אָ׳ 51, 175; לֵב אָ׳ 37, 149, 420, 459; מֵאֵין אָ׳ 46,58-61; מוֹכִיחַ אָ׳ 163; מוֹקֵשׁ אָ׳ 156; מַחֲטִיאֵי אָ׳ 49; מַחְשְׁבוֹת אָ׳ 136; מַכֵּה אָ׳ 19; מַעֲשֵׂה יְדֵי אָ׳ 28-32, 467; מַרְאֵה אָ׳ 75, 180; מֵת אָ׳ 113; מַתַּן אָ׳ 151; נִבְלַת אָ׳ 451; נְסִיכֵי אָ׳ 116; נֶפֶשׁ אָ׳ 18, 20-22, 25-27, 103, 182, 422, 438; נִשְׁמַת אָ׳ 157; עֲבוֹדַת אָ׳ 457; עֵין אָ׳ 120,460; עֲמַל אָ׳ 463; עֶצֶם אָ׳ 24,111; עַצְמוֹת אָ׳ 41-43; עֹשֶׁק אָ׳ 137; פִּגְרֵי אָ׳ 453; פְּנֵי אָ׳ 74,100,112; פֹּעַל אָ׳ 367; פְּעֻלּוֹת אָ׳ 124; פֶּרֶא אָ׳ 9,168; צֹאן אָ׳ 108-110; צֵאת אָ׳ 454; קוֹל אָ׳ 44,179; רִאשׁוֹן אָ׳ 171; רַב אָ׳ 102; רָב־אָ׳ 155; רֶגֶל אָ׳ 106,107; רוּחַ אָ׳ 121; רֶכֶב אָ׳ 47; רָעַת אָ׳ 464; שֵׂכֶל אָ׳ 153; שְׂכַר אָ׳ 456; תַּאֲוַת אָ׳ 154; תּוֹלְדוֹת אָ׳ 3; תִּפְאֶרֶת אָ׳ 53; תְּשׁוּעַת אָ׳ 129-130
– בְּנוֹת הָאָדָם 413, 414; בְּנֵי הָאָ׳ 502-517; כְּאַחַד הָאָ׳ 443-444; כְּכָל־הָאָ׳ 445; כָּל־הָאָ׳ 418, 465, 518-528; מִכָּל־הָאָ׳ 436; מוֹתַר הָאָ׳ 462; נוֹצֵר הָאָ׳ 461; תּוֹר הָאָ׳ 466; תּוֹרַת הָאָ׳ 448; בְּזוּי בָּאָדָם 543; יָשָׁר בָּאָדָם 544
אָדָם 1 נַעֲשֶׂה אָדָם בְּצַלְמֵנוּ Gen. 1:26
2 וַיֵּדַע אָדָם עוֹד אֶת־אִשְׁתּוֹ Gen. 4:25
3 זֶה סֵפֶר תּוֹלְדֹת אָדָם Gen. 5:1
4 בְּיוֹם בְּרֹא אֱלֹהִים אָדָם Gen. 5:1
5 וַיִּקְרָא אֶת־שְׁמָם אָדָם Gen. 5:2
6 וַיְחִי אָדָם שְׁלֹשִׁים וּמְאַת... Gen. 5:3

אָדָם (המשך)

7 וַיִּהְיוּ יְמֵי־אָדָם אַחֲרֵי הוֹלִידוֹ... Gen. 5:4
8 וַיִּהְיוּ כָּל־יְמֵי אָדָם...תְּשַׁע מֵאוֹת... Gen. 5:5
9 וְהוּא יִהְיֶה פֶּרֶא אָדָם Gen. 16:12
10 וְכֹל בְּכוֹר אָדָם בְּבָנֶיךָ תִּפְדֶּה Ex. 13:13
11 מִבְּכֹר אָדָם וְעַד־בְּכוֹר בְּהֵמָה Ex. 13:15
12 עַל־בְּשַׂר אָדָם לֹא יִיסָךְ Ex. 30:32
13 אָדָם כִּי־יַקְרִיב מִכֶּם Lev. 1:2
14 אוֹ כִי יִגַּע בְּטֻמְאַת אָדָם Lev. 5:3
15 כִּי־תִגַּע... בְּטֻמְאַת אָדָם Lev. 7:21
16 אָדָם כִּי־יִהְיֶה בְעוֹר־בְּשָׂרוֹ Lev. 13:2
17 וְכָל־אָדָם לֹא־יִהְיֶה בְּאֹהֶל מוֹעֵד Lev. 16:17
18 וְאִישׁ כִּי יַכֶּה כָּל־נֶפֶשׁ אָדָם Lev. 24:17
19 וּמַכֵּה אָדָם יוּמָת Lev. 24:21
20/1 טְמֵאִים לְנֶפֶשׁ אָדָם Num. 9:6,7
22 הַנֹּגֵעַ בְּמֵת לְכָל־נֶפֶשׁ אָדָם Num. 19:11
23 אָדָם כִּי־יָמוּת בְּאֹהֶל Num. 19:14
24 אוֹ־בְעֶצֶם אָדָם אוֹ בְקָבֶר Num. 19:16
25 וְנֶפֶשׁ אָדָם מִן־הַנָּשִׁים Num. 31:35
26/7 וְנֶפֶשׁ אָדָם שִׁשָּׁה עָשָׂר אָלֶף Num. 31:40,46
32-28 מַעֲשֵׂה יְדֵי(־)אָדָם Deut. 4:28 • IIK. 19:18 • Is. 37:19 • Ps. 115:4; 135:15
33 אֲשֶׁר בָּרָא אֱלֹהִים אָדָם Deut. 4:32
34/5 וְדָבָר אֵין־לָהֶם עִם־אָדָם Jud. 18:7,28
36 כִּי לֹא אָדָם הוּא לְהִנָּחֵם ISh. 15:29
37 אַל־יִפֹּל לֵב־אָדָם עָלָיו ISh. 17:32
38 לָמָּה תִשְׁמַע אֶת־דִּבְרֵי אָדָם ISh. 24:10(9)
39 וּבְיַד־אָדָם אַל־אֶפֹּלָה IISh. 24:14
40 אֵין אָדָם אֲשֶׁר לֹא־יֶחֱטָא IK. 8:46
43-41 (וְ)עַצְמוֹת אָדָם IK. 13:2 • IIK. 23:14,20
44 אֵין־שָׁם אִישׁ וְקוֹל אָדָם IIK. 7:10
45 עֵינֵי גַּבְהוּת אָדָם שָׁפֵל Is. 2:11
46 ...וּבָתִּים מֵאֵין אָדָם Is. 6:11
47 בְּרֶכֶב אָדָם פָּרָשִׁים Is. 22:6
48 וְאֶבְיוֹנֵי אָדָם... יָגִילוּ Is. 29:19
49 מַחֲטִיאֵי אָדָם בְּדָבָר Is. 29:21
50 וּמִצְרַיִם אָדָם וְלֹא־אֵל Is. 31:3
51 וְחֶרֶב לֹא־אָדָם תֹּאכְלֶנּוּ Is. 31:8
52 אָמַרְתִּי... לֹא־אַבִּיט אָדָם עוֹד Is. 38:11
53 כְּתִפְאֶרֶת אָדָם לָשֶׁבֶת בָּיִת Is. 44:13
54 נָקָם אֶקָּח וְלֹא אֶפְגַּע אָדָם Is. 47:3
55 ...וְלֹא־יָשַׁב אָדָם שָׁם Jer. 2:6
56 הֲיַעֲשֶׂה־לּוֹ אָדָם אֱלֹהִים Jer. 16:20
57 זֶרַע אָדָם וְזֶרַע בְּהֵמָה Jer. 31:27(26)
58 שְׁמָמָה הִיא מֵאֵין אָדָם וּבְהֵמָה Jer. 32:43
59/60 מֵאֵין אָדָם(...) וּמֵאֵין בְּהֵמָה Jer. 33:10^{2}
61 הֶחָרֵב מֵאֵין־אָדָם וְעַד־בְּהֵמָה Jer. 33:12
71-62 אָדָם וּבְהֵמָה Jer. 36:29 • Ezek. 14:13,17, 19, 21; 25:13; 22:8 • Zep. 1:3 • Zech. 2:8 • Ps. 36:7
72 דְּמוּת אָדָם לָהֵנָּה Ezek. 1:5
73 וִידֵי אָדָם מִתַּחַת כַּנְפֵיהֶם Ezek. 1:8
74 פְּנֵי אָדָם וּפְנֵי אַרְיֵה Ezek. 1:10
75 דְּמוּת כְּמַרְאֵה אָדָם עָלָיו Ezek. 1:26
98-76 וְאַתָּה בֶן־אָדָם Ezek. 2:6, 8; 3:25; 4:1 5:1; 7:2; 12:3; 13:17; 21:11,19,24,33; 22:2; 24:25; 27:2; 33:7; 33:10,12,30; 36:1; 37:16; 39:1,17
99 תַּבְנִית יַד־אָדָם Ezek. 10:8
100 וּפְנֵי הַשֵּׁנִי פְּנֵי אָדָם Ezek. 10:14
101 וּדְמוּת יְדֵי אָדָם תַּחַת כַּנְפֵיהֶם Ezek. 10:21
102 וְאֶל־אֲנָשִׁים מֵרֹב אָדָם Ezek. 23:42
103 בְּנֶפֶשׁ אָדָם וּכְלֵי נְחֹשֶׁת Ezek. 27:13
104/5 וְאַתָּה אָדָם וְלֹא־אֵל Ezek. 28:2,9

אָדָם (המשך)

106 לֹא תַעֲבָר־בָּהּ רֶגֶל אָדָם Ezek. 29:11
107 וְלֹא תִדְלָחֵם רֶגֶל־אָדָם עוֹד Ezek. 32:13
108 וְאַתֵּן צֹאנִי... אָדָם אַתֶּם Ezek. 34:31
109 אַרְבֶּה אֹתָם כַּצֹּאן אָדָם Ezek. 36:37
110 הֶעָרִים... מְלֵאוֹת צֹאן אָדָם Ezek. 36:38
111 וְרָאָה עֶצֶם אָדָם Ezek. 39:15
112 וּפְנֵי אָדָם אֶל־הַתִּמֹרָה מִפּוֹ Ezek. 41:19
113 וְאֶל־מֵת אָדָם לֹא יָבוֹא לְטָמְאָה Ezek.44:25
114 בְּחַבְלֵי אָדָם אֶמְשְׁכֵם Hosh. 11:4
115 זֹבְחֵי אָדָם עֲגָלִים יִשָּׁקוּן Hosh. 13:2
116 שִׁבְעָה... וּשְׁמֹנָה נְסִיכֵי אָדָם Mic. 5:4
117 הִגִּיד לְךָ אָדָם מַה־טּוֹב Mic. 6:8
118/9 מִדְּמֵי אָדָם וַחֲמַס־אֶרֶץ Hab. 2:8,17
120 כִּי לַיְיָ עֵין אָדָם Zech. 9:1
121 וְיֹצֵר רוּחַ־אָדָם בְּקִרְבּוֹ Zech. 12:1
122 כִּי־אָדָם הִקְנַנִי מִנְּעוּרָי Zech. 13:5
123 הֲיִקְבַּע אָדָם אֱלֹהִים Mal. 3:8
124 לִפְעֻלּוֹת אָדָם בִּדְבַר שְׂפָתֶיךָ Ps. 17:4
125 חֶרְפַּת אָדָם וּבְזוּי עָם Ps. 22:7
126 אַשְׁרֵי־אָדָם לֹא יַחְשֹׁב יְיָ לוֹ עָוֹן Ps. 32:2
127 אַךְ־כָּל־הֶבֶל כָּל־אָדָם Ps. 39:6
128 אַךְ הֶבֶל כָּל־אָדָם סֶלָה Ps. 39:12
130-129 וְשָׁוְא תְּשׁוּעַת אָדָם Ps. 60:13; 108:13
131 וַיִּירְאוּ כָּל־אָדָם Ps. 64:10
132 וְעִם־אָדָם לֹא יְנֻגָּעוּ Ps. 73:5
133 כִּי־חֲמַת אָדָם תּוֹדֶךָּ Ps. 76:11
134 אַשְׁרֵי אָדָם עוֹז־לוֹ בָךְ Ps. 84:6
135 אַשְׁרֵי אָדָם בֹּטֵחַ בָּךְ Ps. 84:13
136 יְיָ יֹדֵעַ מַחְשְׁבוֹת אָדָם Ps. 94:11
137 פְּדֵנִי מֵעֹשֶׁק אָדָם Ps. 119:134
138 מָה־אָדָם וַתֵּדָעֵהוּ Ps. 144:3
139 אָדָם לַהֶבֶל דָּמָה Ps. 144:4
140 אַשְׁרֵי אָדָם מָצָא חָכְמָה Prov. 3:13
141 אָדָם בְּלִיַּעַל אִישׁ אָוֶן Prov. 6:12
142 אַשְׁרֵי־אָדָם שֹׁמֵעַ לִי Prov. 8:34
143 בְּמוֹת אָדָם רָשָׁע תֹּאבַד תִּקְוָה Prov. 11:7
144 לֹא־יִכּוֹן אָדָם בְּרֶשַׁע Prov. 12:3
145 וּגְמוּל יְדֵי־אָדָם יָשִׁיב לוֹ Prov. 12:14
146 אָדָם עָרוּם כֹּסֶה דָּעַת Prov. 12:23
147 וְהוֹן־אָדָם יָקָר חָרוּץ Prov. 12:27
148 וּכְסִיל אָדָם בּוֹזֶה אִמּוֹ Prov. 15:20
149 לֵב אָדָם יְחַשֵּׁב דַּרְכּוֹ Prov. 16:9
150 אָדָם חֲסַר־לֵב תּוֹקֵעַ כָּף Prov. 17:18
151 מַתָּן אָדָם יַרְחִיב לוֹ Prov. 18:16
152 אִוֶּלֶת אָדָם תְּסַלֵּף דַּרְכּוֹ Prov. 19:3
153 שֵׂכֶל אָדָם הֶאֱרִיךְ אַפּוֹ Prov. 19:11
154 תַּאֲוַת אָדָם חַסְדּוֹ Prov. 19:22
155 רָב־אָדָם יִקְרָא אִישׁ חַסְדּוֹ Prov. 20:6
156 מוֹקֵשׁ אָדָם יָלַע קֹדֶשׁ Prov. 20:25
157 נֵר יְיָ נִשְׁמַת אָדָם Prov. 20:27
158 אָדָם תּוֹעֶה מִדֶּרֶךְ הַשְׂכֵּל Prov. 21:16
159 וּכְסִיל אָדָם יְבַלְּעֶנּוּ Prov. 21:20
160 וְעַל־כֶּרֶם אָדָם חֲסַר־לֵב Prov. 24:30
161 אַשְׁרֵי אָדָם מְפַחֵד תָּמִיד Prov. 28:14
162 אָדָם עָשֻׁק בְּדַם־נָפֶשׁ Prov. 28:17
163 מוֹכִיחַ אָדָם אַחֲרַי חֵן יִמְצָא Prov. 28:23
164 גַּאֲוַת אָדָם תַּשְׁפִּילֶנּוּ Prov. 29:23
165 חֶרְדַּת אָדָם יִתֵּן מוֹקֵשׁ Prov. 29:25
166 וְלֹא־בִינַת אָדָם לִי Prov. 30:2
167 כִּי־אָדָם לְעָמָל יוּלָּד Job 5:7
168 וְעַיִר פֶּרֶא אָדָם יִוָּלֵד Job 11:12
169 אָדָם יְלוּד אִשָּׁה קְצַר יָמִים Job 14:1

אָדָם (המשך)

170 וַיִּגְוַע אָדָם וַאַיּוֹ Job 14:10
171 הֲרִאישׁוֹן אָדָם תִּוָּלֵד Job 15:7
172 זֶה חֵלֶק־אָדָם רָשָׁע עִם־אֵל Job 27:13
173 מִמְּלֹךְ אָדָם חָנֵף מִמֹּקְשֵׁי עָם Job 34:30
174 יִרְעֲפוּ עֲלֵי אָדָם רָב Job 36:28
175 מִדְבָּר לֹא־אָדָם בּוֹ Job 38:26
176 מַה־יִּתְאוֹנֵן אָדָם חָי Lam. 3:39
177 חָכְמַת אָדָם תָּאִיר פָּנָיו Eccl. 8:1
178 אֵין אָדָם שַׁלִּיט בָּרוּחַ Eccl. 8:8
179 וָאֶשְׁמַע קוֹל־אָדָם Dan. 8:16
180 וַיֹּסֶף וַיִּגַּע־בִּי כְּמַרְאֵה אָדָם Dan. 10:18
181 אָדָם שֵׁת אֱנוֹשׁ ICh. 1:1
182 וְנֶפֶשׁ אָדָם מֵאָה אָלֶף ICh. 5:21
183 וּבְיַד־אָדָם אַל־אֶפֹּל ICh. 21:13
184 כִּי אֵין אָדָם אֲשֶׁר לֹא־יֶחֱטָא IICh. 6:36
228-185 אָדָם ISh. 25:29 • Is. 2:9; 5:15 43:4; 58:5 • Jer. 10:14; 51:14, 17 • Ezek. 19:3, 6; 36:10, 11, 12, 13, 14 • Jon. 4:11 • Hab. 1:14 • Ps. 49:21; 56:12; 58:12; 94:10; 104:23; 105:14; 118:6; 124:2 • Prov. 3:30; 28:12, 28 • Job 20:4, 29; 21:33; 32:21; 33:17; 34:11, 29; 36:25; 37:7 • Lam. 3:36 • Eccl. 2:21; 6:10; 7:20, 28 • Neh. 2:10; 9:29

בֶּן אָדָם

312-229 בֶּן־אָדָם(וּבֶן/וּל/בְּ/מִבְּ/וּמִ) Num. 23:19 Is. 51:12; 56:2 • Jer. 49:18, 33; 50:40; 51:43 • Ezek. 2:1, 3; 3:1, 3, 4, 10, 17; 4:16; 6:2; 8:5, 6, 8, 12, 15, 17; 11:2, 4, 15; 12:2, 9, 18, 22, 27; 13:2; 14:2(3), 13(12); 15:2; 16:2; 17:2; 20:3, 4, 27; 21:2, 7, 14, 17; 22:18, 24; 23:2, 36; 24:2, 16; 25:2; 26:2; 28:2, 12, 21; 29:2, 18; 30:2, 21; 31:2; 32:2, 18; 33:2, 24; 34:2; 35:2; 36:17; 37:3, 9, 11; 38:2, 14; 40:4; 43:7, 10, 18; 44:5; 47:6 • Ps. 8:5; 80:18; 146:3 • Job 16:21; 25:6; 35:8 • Dan. 8:17

בְּנֵי־אָדָם

344-313 בְּנֵי(־)אָדָם (וּבְ/ לִבְ/ מִבְּ) Deut. 32:8 IISh. 7:14 • Is. 42:14 • Jer. 32:19 • Ezek. 31:14 • Joel 1:12 • Mic. 5:6 • Ps. 11:4; 12:2, 9; 14:2; 21:11; 31:20; 36:8; 45:3; 49:3; 53:3; 57:5; 58:2; 62:10; 66:5; 89:48; 90:3; 107:8, 15, 21, 31; 115:16 • Prov. 8:4, 31; 15:11 • Dan. 10:16

וְאָדָם

345 וְאָדָם אַיִן לַעֲבֹד אֶת־הָאֲדָמָה Gen. 2:5
346 אוֹקִיר... וְאָדָם מִכֶּתֶם אוֹפִיר Is. 13:12
347 וְאָדָם עָלֶיהָ בָרָאתִי Is. 45:12
348 וְאָדָם בִּיקָר בַּל־יָלִין Ps. 49:13
349 וּמְצָא־חֵן... בְּעֵינֵי אֱלֹהִים וְאָדָם Prov. 3:4
350 אַשְׁרֵי... וְאָדָם יָפִיק תְּבוּנָה Prov. 3:13
351 וְאָדָם מַה־יָּבִין דַּרְכּוֹ Prov. 20:24
352 וְאָדָם עַל־עָפָר יָשׁוּב Job 34:15
353 וְאָדָם לֹא זָכַר אֶת־הָאִישׁ Eccl. 9:15

בְּאָדָם

354 נֶגַע צָרַעַת כִּי תִהְיֶה בְּאָדָם Lev. 13:9
355 אוֹ בְאָדָם אֲשֶׁר יִטְמָא־לוֹ Lev. 22:5
356 וּבוֹגְדִים בְּאָדָם תּוֹסִף Prov. 23:28
357 עֵת אֲשֶׁר שָׁלַט הָאָדָם בְּאָדָם Eccl. 8:9

וּבְאָדָם

358 וּבְאָדָם מֵבִין יֹדֵעַ כֵּן יַאֲרִיךְ Prov. 28:2

כְּאָדָם

359 וְהֵמָּה כְּאָדָם עָבְרוּ בְרִית Hosh. 6:7
360 אָכֵן כְּאָדָם תְּמוּתוּן Ps. 82:7
361 אִם־כִּסִּיתִי כְאָדָם פְּשָׁעָי Job 31:33

לְאָדָם

362 וַיַּעַשׂ...לְאָדָם וּלְאִשְׁתּוֹ כָּתְנוֹת עוֹר Gen. 3:21
363 וְהָיָה לְאָדָם לְבָעֵר Is. 44:15
364 וּמַגִּיד לְאָדָם מַה־שֵּׂחוֹ Am. 4:13
365 לְאָדָם מַעַרְכֵי־לֵב Prov. 16:1
366 וְתוֹעֲבַת לְאָדָם לֵץ Prov. 24:9
367 וְהֵשִׁיב לְאָדָם כְּפָעֳלוֹ Prov. 24:12
368 הָאֹנֶכִי לְאָדָם שִׂיחִי Job 21:4
369 לְהַגִּיד לְאָדָם יָשְׁרוֹ Job 33:23

לְאָדָם (המשך) 370 כִּי לְאָדָם... נָתַן חָכְמָה וְדַעַת Eccl. 2:26
371 וְלֹא־הִגַּדְתִּי לְאָדָם Neh. 2:12
372 כִּי לֹא לְאָדָם הַבִּירָה ICh. 29:1
373 כִּי לֹא לְאָדָם תִּשְׁפְּטוּ כִּי לַיְיָ IICh. 19:6
וּלְאָדָם 374 וּלְאָדָם לֹא־מָצָא עֵזֶר כְּנֶגְדּוֹ Gen. 2:20
375 וּלְאָדָם אָמַר כִּי־שָׁמַעְתָּ... Gen. 3:17
376 וּלְאָדָם שֶׁלֹּא עָמַל־בּוֹ יִתְּנֶנּוּ Eccl. 2:21
מֵאָדָם 383-377 מֵאָדָם (וְ)עַד־בְּהֵמָה Gen. 6:7
7:23 • Ex. 9:25; 12:12 • Num. 3:13 • Jer. 50:3
Ps. 135:8
מֵאָדָם 384 אֲשֶׁר יַחֲרִם... מֵאָדָם וּבְהֵמָה Lev. 27:28
385 וְחָרָשִׁים הֵמָּה מֵאָדָם Is. 44:11
386 ...וְשִׁכַּלְתִּים מֵאָדָם Hosh. 9:12
387 כְּעֵדֶר... תְּהִימֶנָה מֵאָדָם Mic. 2:12
388 חַלְּצֵנִי יְיָ מֵאָדָם רָע Ps. 140:2
389 עֲנִיִּים... וְאֶבְיוֹנִים מֵאָדָם Prov. 30:14
לְמֵאָדָם 390 לְמֵאָדָם וְעַד־בְּהֵמָה Jer. 51:62
הָאָדָם 391 וַיִּבְרָא אֱלֹהִים אֶת־הָאָדָם Gen. 1:27
392 וַיִּיצֶר יְיָ אֱלֹהִים אֶת־הָאָדָם Gen. 2:7
393 וַיְהִי הָאָדָם לְנֶפֶשׁ חַיָּה Gen. 2:7
394 לֹא־טוֹב הֱיוֹת הָאָדָם לְבַדּוֹ Gen. 2:18
395 וַיְגָרֶשׁ אֶת־הָאָדָם Gen. 3:24
411-396 הָאָדָם Gen. 2:8,15,16,19[2]
2:20,21,22[2],23,25; 3:8,9,12,20,22
412 וַיְהִי כִּי־הֵחֵל הָאָדָם לָרֹב Gen. 6:1
414-413 בְּנוֹת הָאָדָם Gen. 6:2,4
415 כִּי רַבָּה רָעַת הָאָדָם בָּאָרֶץ Gen. 6:5
416 וַיִּנָּחֶם יְיָ כִּי־עָשָׂה אֶת־הָאָדָם Gen. 6:6
417 אֶמְחֶה אֶת־הָאָדָם אֲשֶׁר־בָּרָאתִי Gen. 6:7
418 וַיִּגְוַע כָּל־בָּשָׂר... וְכֹל הָאָדָם Gen. 7:21
419 לֹא אֹסִף לְקַלֵּל... בַּעֲבוּר הָאָדָם Gen. 8:21
420 כִּי יֵצֶר לֵב הָאָדָם רַע מִנְּעֻרָיו Gen. 8:21
421 וּמִיַּד הָאָדָם מִיַּד אִישׁ אָחִיו Gen. 9:5
422 אֶדְרֹשׁ אֶת־נֶפֶשׁ הָאָדָם Gen. 9:5
423 שֹׁפֵךְ דַּם הָאָדָם... דָּמוֹ יִשָּׁפֵךְ Gen. 9:6
424 בְּצֶלֶם אֱלֹהִים עָשָׂה אֶת־הָאָדָם Gen. 9:6
433-425 הָאָדָם... (וְ)הַבְּהֵמָה Ex. 9:19,22 • Num.
31:47 • Jon. 3:7,8 • Hag. 1:11 • Jer. 7:20; 21:6; 27:5
434 כִּי לֹא־יִרְאַנִי הָאָדָם וָחָי Ex. 33:20
435 מִכָּל־חַטֹּאת הָאָדָם לִמְעֹל מַעַל Num. 5:6
436 עָנָו מְאֹד מִכֹּל הָאָדָם Num. 12:3
437 תִּפְדֶּה אֵת בְּכוֹר הָאָדָם Num. 18:15
438 הַנֹּגֵעַ בְּמֵת בְּנֶפֶשׁ הָאָדָם Num. 19:13
439 לֹא עַל־הַלֶּחֶם לְבַדּוֹ יִחְיֶה הָאָדָם Deut. 8:3
440 עַל־כָּל־מוֹצָא פִי־יְיָ יִחְיֶה הָאָדָם Deut. 8:3
441 כִּי הָאָדָם עֵץ הַשָּׂדֶה... Deut. 20:19
442 הָאָדָם הַגָּדוֹל בָּעֲנָקִים הוּא Josh. 14:15
443/4 וְהָיִיתִי כְּאַחַד הָאָדָם Jud. 16:7,11
445 וְהָיִיתִי כְּכָל־הָאָדָם Jud. 16:17
446 כִּי לֹא אֲשֶׁר יִרְאֶה הָאָדָם ISh. 16:7
447 כִּי הָאָדָם יִרְאֶה לַעֵינַיִם ISh. 16:7
448 וְזֹאת תּוֹרַת הָאָדָם IISh. 7:19
449 וַיֶּחְכַּם מִכָּל־הָאָדָם IK. 5:11
450 וְשַׁח גַּבְהוּת הָאָדָם Is. 2:17
451 וְנָפְלָה נִבְלַת הָאָדָם Jer. 9:21
452 כָּל־הָאָדָם הָאֹכֵל הַבֹּסֶר Jer. 31:30(29)
453 וּלְמַלְאָם אֶת־פִּגְרֵי הָאָדָם Jer. 33:5
454 בְּגֶלְלֵי צֵאַת הָאָדָם תְּעֻגֶנָה Ezek. 4:12
455 צְפִיעֵי הַבָּקָר תַּחַת גֶּלְלֵי הָאָדָם Ezek. 4:15
456 שְׂכַר הָאָדָם לֹא נִהְיָה Zech. 8:10
457 וְעֵשֶׂב לַעֲבֹדַת הָאָדָם Ps. 104:14
458 כָּל־הָאָדָם כֹּזֵב Ps. 116:11

הָאָדָם (המשך) 459 ...כֵּן לֵב־הָאָדָם לָאָדָם Prov. 27:19
460 וְעֵינֵי הָאָדָם לֹא תִשְׂבַּעְנָה Prov. 27:20
461 מָה אֶפְעַל לָךְ נֹצֵר הָאָדָם Job 7:20
462 וּמוֹתַר הָאָדָם מִן־הַבְּהֵמָה אָיִן Eccl. 3:19
463 כָּל־עֲמַל הָאָדָם לְפִיהוּ Eccl. 6:7
464 רָעַת הָאָדָם רַבָּה עָלָיו Eccl. 8:6
465 כִּי־זֶה כָּל־הָאָדָם Eccl. 12:13
הָאָדָם 466 וּרְאִיתַנִי כְּתוֹר הָאָדָם הַמַּעְלָה IICh. 17:17
467 מַעֲשֵׂה יְדֵי הָאָדָם IICh. 32:19
501-468 הָאָדָם Ex. 9:9 • Lev. 5:4,22; 18:5; 27:29 •
Num. 31:28,30 • Deut. 5:21 • Is. 2:20,22; 6:12;
17:7 • Jer. 4:25; 47:2 • Ezek. 20:11,13,21 • Zep.
1:3 • Zech. 11:6 • Eccl. 2:12; 2:11,22; 6:1; 7:14,29;
8:9,17[2]; 9:1,2; 10:14; 11:8; 12:5 • IICh. 6:18
בְּנֵי הָאָדָם 517-502 בְּנֵי הָאָדָם (לְבְ־/מִבְּ־) Gen. 11:5
ISh. 26:19 • IK. 8:39 • Ps. 33:13; 145:12 • Eccl. 1:13;
2:3,8; 3:10,18,19,21; 8:11; 9:3,12 • IICh. 6:31(30)
כָּל־הָאָדָם 528-518 כָּל־הָאָדָם (וְכֹל/וְכָל־/לְכָל־) Num. 16:29[2]
16:32 • Josh. 11:14 • IK. 8:38 • Ezek. 38:20 • Zech.
8:10 • Eccl. 3:13; 5:18; 7:2 • IICh. 6:29
וְהָאָדָם 529 וְהָאָדָם יָדַע אֶת־חַוָּה אִשְׁתּוֹ Gen. 4:1
בָּאָדָם 530 לֹא־יָדוֹן רוּחִי בָאָדָם Gen. 6:3
531 בָּאָדָם דָּמוֹ יִשָּׁפֵךְ Gen. 9:6
539-532 בָּאָדָם וּבַבְּהֵמָה Ex. 8:13,14;
9:10; 13:2 • Num. 8:17; 18:15; 31:11,26
540 כַּאֲשֶׁר יִתֵּן מוּם בָּאָדָם Lev. 24:20
541 מוֹשֵׁל בָּאָדָם צַדִּיק IISh. 23:3
542 אָרוּר הַגֶּבֶר אֲשֶׁר יִבְטַח בָּאָדָם Jer. 17:5
543 קָטֹן נְתַתִּיךָ בַּגּוֹיִם בָּזוּי בָּאָדָם Jer. 49:15
544 וְיָשָׁר בָּאָדָם אָיִן Mic. 7:2
545 לָקַחְתָּ מַתָּנוֹת בָּאָדָם Ps. 68:19
546 אֹהֶל שִׁכֵּן בָּאָדָם Ps. 78:60
547 טוֹב לַחֲסוֹת בַּיְיָ מִבְּטֹחַ בָּאָדָם Ps. 118:8
548 אֵין־טוֹב בָּאָדָם שֶׁיֹּאכַל וְשָׁתָה Eccl. 2:24
וּבָאָדָם 549 שַׂמְתָּ...אֹתוֹת...וּבְיִשְׂרָאֵל וּבָאָדָם Jer. 32:20
לָאָדָם 550 מִי שָׂם פֶּה לָאָדָם Ex. 4:11
551 כִּי לֹא לָאָדָם דַּרְכּוֹ Jer. 10:23
552 וַהֲצֵרֹתִי לָאָדָם וְהָלְכוּ כַּעִוְרִים Zep. 1:17
553 ...כֵּן לֵב־הָאָדָם לָאָדָם Prov. 27:19
554 מַה־יִּתְרוֹן לָאָדָם בְּכָל־עֲמָלוֹ Eccl. 1:3
555 מֶה־הֹוֶה לָאָדָם בְּכָל־עֲמָלוֹ Eccl. 2:22
556 מִי־יוֹדֵעַ מַה־טּוֹב לָאָדָם בַּחַיִּים Eccl. 6:12
557 אֵין־טוֹב לָאָדָם.. כִּי אִם־לֶאֱכֹל Eccl. 8:15
561-558 לָאָדָם Job 28:28 • Eccl. 2:18; 6:11,12

אָדָם[2] שֵׁם עִיר בְּכִכַּר הַיַּרְדֵּן

1 הַרְחֵק מְאֹד מֵאָדָם (כת׳ באדם) הָעִיר Josh. 3:16

אֲדַמְדַּם* ת׳ אדום מעט

קרוב: אַדְמוֹנִי

אֲדַמְדָּם 1 נֶגַע לָבָן אֲדַמְדָּם Lev. 13:42
2 יְרַקְרַק אוֹ אֲדַמְדָּם Lev. 13:49
אֲדַמְדֶּמֶת 3 אֲדַמְדֶּמֶת אוֹ לְבָנָה Lev. 13:24
4 שְׂאֵת־הַנֶּגַע לְבָנָה אֲדַמְדֶּמֶת Lev. 13:43
אֲדַמְדָּמֶת 5 אוֹ בַהֶרֶת לְבָנָה אֲדַמְדָּמֶת Lev. 13:19
אֲדַמְדַּמּוֹת 6 יְרַקְרַקֹּת אוֹ אֲדַמְדַּמֹּת Lev. 14:37

אֲדָמָה[1] נ׳

א) קרקע שמעבדים אותה, שְׂדֵה זרע: 1,6,7, 9-11, 15, 17, 18, 20, 21, 25, 27,28, 31, 32,67,69,74, 99,100, 102-105, 112,113, 118-121, 127-128, 133-134, 169-175, 177-180, 186, 191-192, 196-203, 208, 215

ב) עפר, חומר הקרקע: 2, 3, 5, 12-14, 16, 22-24, 26, 30, 129, 135-137, 163

ג) פני הארץ שחיים עליהָ, ארץ, מדינה: 4, 8, 19, 29, 33-66, 68, 70-73, 75-98, 101, 106-111, 114-117, 122-126, 130-132, 138-162, 164-168, 176, 181-185, 187-190, 193-195, 204-207, 209-214, 216-224

קרובים: א) יַבָּשָׁה / עָפָר / קַרְקַע; ב) אֶרֶץ / גָּלִיל / חֶבֶל / מְדִינָה / מָחוֹז / נָפָה / עוֹלָם / פֶּלֶךְ / תֵּבֵל

– אֲדָמָה טְמֵאָה 8; אֲ׳ שְׁמֵנָה 17; הָאֲ׳ הַטּוֹבָה 109-111
– אַדְמַת יְהוּדָה 144; אַ׳ יְיָ 143; אַ׳ יִשְׂרָאֵל 146-160, 164-165; אַ׳ הַכֹּהֲנִים 139,141; אַ׳ מִצְרַיִם 138,140; אַ׳ נֵכָר 162; אַ׳ עַמִּי 145; אַ׳ עָפָר 163; אַ׳ קֹדֶשׁ 142, 161; אֹהֵב אֲדָמָה 11; אִישׁ אֲ׳ 69; בִּכּוּרֵי אֲ׳ 169—170, 198; חָרְשֵׁי אֲ׳ 5; מִזְבַּח אֲ׳ 2; מַלְכֵי הָאֲ׳ 117; מַעֲבֵה הָאֲ׳ 113; מַעְשַׂר הָאֲ׳ 199; מִשְׁפְּחוֹת הָאֲ׳ 70-71,125; עֲבוֹדַת הָאֲ׳ 128; עֲבִי הָאֲ׳ 129; עוֹבֵד אֲ׳ 1,9,120,191-192; פִּי הָאֲ׳ 99; פְּנֵי הָאֲ׳ 10,21,33-63,66; פְּרִי הָאֲ׳ 28,102-105, 172-175,177-180,216; צֶמַח אֲ׳ 72; רֶמֶשׂ אֲ׳ 19,64,124; שְׁאֵרִית אֲ׳ 4; תְּבוּאַת הָאֲ׳ 119; עֲלֵי אֲדָמוֹת 225
– אָבְלָה אֲדָמָה 6; אֲרוּרָה הָאֲ׳ 25; בָּלְעָה אֲ׳ 99; הוֹצִיאָה הָאֲ׳ 127; זָעֲקָה אֲ׳ 167; חֻלְּקָה אֲ׳ 181; חַתָּה אֲ׳ 121; יָרְאָה אֲ׳ 7; כִּפֶּר אֲ׳ 182; מָכַר אֲ׳ 208; נִבְקְעָה הָאֲ׳ 100; נֶעֶזְבָה הָאֲ׳ 116; עָבַד הָאֲ׳ 27, 31; פִּתַּח הָאֲ׳ 186; רָמְשָׂה הָאֲ׳ 68; שִׂדֵּד הָאֲ׳ 186; שָׁמְמָה הָאֲ׳ 132

אֲדָמָה 1 וְקַיִן הָיָה עֹבֵד אֲדָמָה Gen. 4:2
2 מִזְבַּח אֲדָמָה תַּעֲשֶׂה־לִּי Ex. 20:21
3 מַשָּׂא צֶמֶד־פְּרָדִים אֲדָמָה IIK. 5:17
4 לִפְלֵיטַת מוֹאָב...וְלִשְׁאֵרִית אֲדָמָה Is. 15:9
5 חֶרֶשׂ אֶת־חַרְשֵׂי אֲדָמָה Is. 45:9
6 שֻׁדַּד שָׂדֶה אָבְלָה אֲדָמָה Joel 1:10
7 אַל־תִּירְאִי אֲדָמָה Joel 2:21
8 עַל־אֲדָמָה טְמֵאָה תָּמוּת Am. 7:17
9 אִישׁ־עֹבֵד אֲדָמָה אָנֹכִי Zech. 13:5
10 וּתְחַדֵּשׁ פְּנֵי אֲדָמָה Ps. 104:30
11 כִּי־אֹהֵב אֲדָמָה הָיָה IICh. 26:10
וַאֲדָמָה 14-12 וַאֲדָמָה עַל־רֹאשׁוֹ ISh. 4:12 • IISh. 1:2; 15:32
15 וַאֲדָמָה יְחַלֵּק בִּמְחִיר Dan. 11:39
16 בְּצוֹם וּבְשַׂקִּים וַאֲדָמָה עֲלֵיהֶם Neh. 9:1
17 עָרִים בְּצֻרוֹת וַאֲדָמָה שְׁמֵנָה Neh. 9:25
וּמֵאֲדָמָה 18 וּמֵאֲדָמָה לֹא־יִצְמַח עָמָל Job 5:6
הָאֲדָמָה 19 וְאֵת כָּל־רֶמֶשׂ הָאֲדָמָה Gen. 1:25
20 וְאָדָם אַיִן לַעֲבֹד אֶת־הָאֲדָמָה Gen. 2:5
21 וְהִשְׁקָה אֶת־כָּל־פְּנֵי הָאֲדָמָה Gen. 2:6
22 וַיִּיצֶר... עָפָר מִן־הָאֲדָמָה Gen. 2:7
23/4 וַיַּצְמַח/וַיִּצֶר/...מִן־הָאֲדָמָה Gen. 2:9,19
25 אֲרוּרָה הָאֲדָמָה בַּעֲבוּרֶךָ Gen. 3:17
26 עַד שׁוּבְךָ אֶל־הָאֲדָמָה Gen. 3:19
27 וַיְשַׁלְּחֵהוּ... לַעֲבֹד אֶת־הָאֲדָמָה Gen. 3:23
28 וַיָּבֵא קַיִן מִפְּרִי הָאֲדָמָה Gen. 4:3
29 דְּמֵי אָחִיךָ צֹעֲקִים... מִן־הָאֲדָמָה Gen. 4:10
30 אָרוּר אָתָּה מִן־הָאֲדָמָה... Gen. 4:11
31 כִּי תַעֲבֹד אֶת־הָאֲדָמָה... Gen. 4:12
32 מִן־הָאֲדָמָה אֲשֶׁר אֵרְרָהּ יְיָ Gen. 5:29
63-33 (מֵ)עַל־פְּנֵי הָאֲדָמָה Gen. 4:14; 6:1, 7
7:4, 23; 8:8 • Ex. 32:12; 33:16 • Num. 12:3 • Deut.
6:15; 7:6; 14:2 • ISh. 20:15 • IISh. 14:7 • IK. 8:40;
9:7; 13:34; 17:14; 18:1 • Is. 23:17 • Jer. 8:2; 16:4;
25:26,33; 28:16; 35:7 • Ezek. 38:20 • Am. 9:8 • Zep.
1:2, 3 • IICh. 6:31
64 מִכֹּל רֶמֶשׂ הָאֲדָמָה לְמִינֵהוּ Gen. 6:20
65 וְכֹל אֲשֶׁר־רֹמֵשׂ עַל־הָאֲדָמָה Gen. 7:8
66 וְהִנֵּה חָרְבוּ פְּנֵי הָאֲדָמָה Gen. 8:13
67 לֹא־אֹסִף לְקַלֵּל עוֹד אֶת־הָאֲדָמָה Gen. 8:21
68 בְּכֹל אֲשֶׁר תִּרְמֹשׂ הָאֲדָמָה Gen. 9:2

הָאֲדָמָה (המשך)
69 וַיָּחֶל נֹחַ אִישׁ הָאֲדָמָה Gen. 9:20
70/1 וְנִבְרְכוּ בְךָ כֹּל מִשְׁפְּחֹת הָאֲדָמָה Gen. 12:3; 28:14
72 אֶת־הֶעָרִים... וְצֶמַח הָאֲדָמָה Gen. 19:25
73 וַהֲשִׁבֹתִיךָ אֶל־הָאֲדָמָה הַזֹּאת Gen. 28:15
74 וּזְרַעְתֶּם אֶת־הָאֲדָמָה Gen. 47:23
75 וְגַם הָאֲדָמָה אֲשֶׁר־הֵם עָלֶיהָ Ex. 8:17
76-97 (מֵ)עַל(־)הָאֲדָמָה Ex. 10:6; 20:12 Num. 11:12 • Deut. 4:10,40; 5:16; 7:13; 11:9,21; 12:1; 25:15; 28:11,63; 30:18,20; 31:13; 32:47 • ISh. 20:31 • IISh. 17:12 • Is. 24:21 • Jer. 25:5 • Ezek. 38:20
98 וּבְכֹל אֲשֶׁר תִּרְמֹשׂ הָאֲדָמָה Lev. 20:25
99 וּפָצְתָה הָאֲדָמָה אֶת־פִּיהָ וּבָלְעָה. Num. 16:30
100 וַתִּבָּקַע הָאֲדָמָה אֲשֶׁר תַּחְתֵּיהֶם Num. 16:31
101 אִם־יִרְאוּ... אֵת הָאֲדָמָה Num. 32:11
102 מֵרֵאשִׁית כָּל־פְּרִי הָאֲדָמָה Deut. 26:2
103-105 פְּרִי הָאֲדָמָה Deut. 26:10 • Jer. 7:20 • Mal. 3:11
106 וְאֵת הָאֲדָמָה אֲשֶׁר נָתַתָּה לָנוּ Deut. 26:15
107 עַד כַּלֹּתוֹ אֹתְךָ מֵעַל הָאֲדָמָה Deut. 28:21
108 כִּי־אֲבִיאֶנּוּ אֶל־הָאֲדָמָה... Deut. 31:20
109-111 מֵעַל הָאֲדָמָה הַטּוֹבָה הַזֹּאת Josh. 23:13, 15 • IK. 14:15
112 וְעָבַדְתָּ לּוֹ אֶת־הָאֲדָמָה IISh. 9:10
113 יְצָקָם הַמֶּלֶךְ בְּמַעֲבֵה הָאֲדָמָה IK. 7:46
114 וַהֲשֵׁבֹתָם אֶל־הָאֲדָמָה... IK. 8:34
115 לְהָנִיד רֶגֶל יִשְׂרָאֵל מִן־הָאֲדָמָה IIK. 21:8
116 בְּטֶרֶם יֵדַע הַנַּעַר.. תֵּעָזֵב הָאֲדָמָה Is. 7:16
117 וְעַל־מַלְכֵי הָאֲדָמָה Is. 24:21
118 אֲשֶׁר־תִּזְרַע אֶת־הָאֲדָמָה Is. 30:23
119 וְלֶחֶם תְּבוּאַת הָאֲדָמָה Is. 30:23
120 וְהָאֲלָפִים וְהָעֲיָרִים עֹבְדֵי הָאֲדָמָה Is. 30:24
121 בַּעֲבוּר הָאֲדָמָה חַתָּה Jer. 14:4
122 עַד־תֻּמָּם מֵעַל הָאֲדָמָה Jer. 24:10
123 וּשְׁבוּ אֶל־הָאֲדָמָה... Jer. 35:15
124 וְעִם־עוֹף הַשָּׁמַיִם וְרֶמֶשׂ הָאֲדָמָה Hosh. 2:20
125 מִכֹּל מִשְׁפְּחוֹת הָאֲדָמָה Am. 3:2
126 הֲיַעֲלֶה־פַּח מִן־הָאֲדָמָה Am. 3:5
127 וְעַל אֲשֶׁר תּוֹצִיא הָאֲדָמָה Hag. 1:11
128 מְלֶאכֶת הַשָּׂדֶה לַעֲבֹדַת הָאֲדָמָה ICh. 27:26
129 יְצָקָם הַמֶּלֶךְ בַּעֲבִי הָאֲדָמָה IICh. 4:17
130 וַהֲשֵׁיבוֹתָם אֶל־הָאֲדָמָה... IICh. 6:25
131 לְהָסִיר אֶת־רֶגֶל.. מֵעַל הָאֲדָמָה IICh. 33:8
וְהָאֲדָמָה 132 וְהָאֲדָמָה לֹא תֵשָׁם Gen. 47:19
133 וְהָאֲדָמָה לֹא תִתֵּן אֶת־יְבוּלָהּ Deut. 11:17
134 וְהָאֲדָמָה תִּשָּׁאֶה שְׁמָמָה Is. 6:11
בָּאֲדָמָה 135 תַּבְנִית כָּל־רֹמֵשׂ בָּאֲדָמָה Deut. 4:18
136 כִּי־יִמָּצֵא חָלָל בָּאֲדָמָה Deut. 21:1
לָאֲדָמָה 137 הָיוּ דֹּמֶן לָאֲדָמָה Ps. 83:11
אַדְמַת־ 138 אֶת־כָּל־אַדְמַת מִצְרַיִם Gen. 47:20
139 רַק אַדְמַת הַכֹּהֲנִים לֹא קָנָה Gen. 47:22
140 לְחֹק... עַל־אַדְמַת מִצְרַיִם Gen. 47:26
141 רַק אַדְמַת הַכֹּהֲנִים לְבַדָּם Gen. 47:26
142 הַמָּקוֹם... אַדְמַת־קֹדֶשׁ הוּא Ex. 3:5
143 וְהִתְנַחֲלוּם... עַל אַדְמַת יְיָ Is. 14:2
144 אַדְמַת יְהוּדָה לְמִצְרַיִם לְחָגָּא Is. 19:17
145 עַל אַדְמַת עַמִּי קוֹץ... תַּעֲלֶה Is. 32:13
146-160 אַדְמַת יִשְׂרָאֵל Ezek. 11:17; 12:19,22; 13:9; 18:2; 20:38,42; 21:7; 25:3,6; 33:24; 36:6; 37:12; 38:18,19
161 וְנָחַל... עַל אַדְמַת הַקֹּדֶשׁ Zech. 2:16
162 אֵיךְ נָשִׁיר... עַל אַדְמַת נֵכָר Ps. 137:4
163 וְרַבִּים מִיְּשֵׁנֵי אַדְמַת־עָפָר יָקִיצוּ Dan. 12:2

לְאַדְמַת־ 164 לְאַדְמַת יִשְׂרָאֵל קֵץ Ezek. 7:2
165 וְאָמַרְתָּ לְאַדְמַת יִשְׂרָאֵל Ezek. 21:8
אַדְמָתִי 166 עַד־הֱיוֹתִי עַל־אַדְמָתִי Jon. 4:2
167 אִם־עָלַי אַדְמָתִי תִזְעָק Job 31:38
168 וּנְתַשְׁתִּים מֵעַל אַדְמָתִי IICh. 7:20
אַדְמָתְךָ 169/70 רֵאשִׁית בִּכּוּרֵי אַדְמָתְךָ Ex. 23:19; 34:26
171 וְלֹא תְטַמֵּא אֶת־אַדְמָתְךָ Deut. 21:23
172 פְּרִי־בִטְנְךָ וּפְרִי אַדְמָתֶךָ Deut. 28:4
173-5 פְּרִי (וּפ־, וּב־) אַדְמָתְךָ Deut. 28:33,51; 30:9
אַדְמָתֶךָ 176 כָּל־יָמֶיךָ עַל־אַדְמָתֶךָ Deut. 12:19
177-80 וּפְרִי (וּבִ־) אַדְמָתֶךָ Deut. 7:13; 28:11,18,42
וְאַדְמָתְךָ 181 וְאַדְמָתְךָ בַּחֶבֶל תְּחֻלָּק Am. 7:17
אַדְמָתוֹ 182 וְכִפֶּר אַדְמָתוֹ עַמּוֹ Deut. 32:43
183 וַיִּגֶל יִשְׂרָאֵל מֵעַל אַדְמָתוֹ IIK. 17:23
184/5 וַיִּגֶל יְהוּדָה מֵעַל אַדְמָתוֹ IIK.25:21•Jer.52:27
186 יְפַתַּח וִישַׂדֵּד אַדְמָתוֹ Is. 28:24
187 וְהִנַּחְתִּיו עַל־אַדְמָתוֹ Jer. 27:11
188/9 וְיִשְׂרָאֵל.. יִגְלֶה מֵעַל אַדְמָתוֹ Am. 7:11,17
190 מִתְנוֹסְסוֹת עַל־אַדְמָתוֹ Zech. 9:16
191/2 עֹבֵד אַדְמָתוֹ יִשְׂבַּע־לָחֶם Prov. 12:11; 28:19
193 וְשָׁב אֶל־אַדְמָתוֹ Dan. 11:9
לְאַדְמָתוֹ 194 תֵּצֵא רוּחוֹ יָשֻׁב לְאַדְמָתוֹ Ps. 146:4
אַדְמָתָהּ 195 נִטְּשָׁה עַל־אַדְמָתָהּ Am. 5:2
אַדְמָתֵנוּ 196 נָמוּת.. גַּם־אֲנַחְנוּ גַּם־אַדְמָתֵנוּ Gen. 47:19
197 קְנֵה־אֹתָנוּ וְאֶת־אַדְמָתֵנוּ... Gen. 47:19
198 וּלְהָבִיא אֶת־בִּכּוּרֵי אַדְמָתֵנוּ Neh. 10:36
199 וּמַעְשַׂר אַדְמָתֵנוּ לַלְוִיִּם Neh. 10:38
וְאַדְמָתֵנוּ 200 בִּלְתִּי אִם־גְּוִיָּתֵנוּ וְאַדְמָתֵנוּ Gen. 47:18
201 אֲנַחְנוּ וְאַדְמָתֵנוּ עֲבָדִים Gen. 47:19
אַדְמַתְכֶם 202 קָנִיתִי... וְאֶת־אַדְמַתְכֶם Gen. 47:23
203 אַדְמַתְכֶם... זָרִים אֹכְלִים אֹתָהּ Is. 1:7
204 לְמַעַן הַרְחִיק... מֵעַל אַדְמַתְכֶם Jer. 27:10
205 וְהֵשִׁיב אֶתְכֶם אֶל־אַדְמַתְכֶם Jer. 42:12
206 וְהֵבֵאתִי אֶתְכֶם אֶל־אַדְמַתְכֶם Ezek. 36:24
207 וְהִנַּחְתִּי אֶתְכֶם עַל־אַדְמַתְכֶם Ezek. 37:14
אַדְמָתָם 208 לֹא מָכְרוּ אֶת־אַדְמָתָם Gen. 47:22
209 אַתֶּם תִּירְשׁוּ אֶת־אַדְמָתָם Lev. 20:24
210 וַיִּתְּשֵׁם יְיָ מֵעַל אַדְמָתָם Deut. 29:27
211 הִנְנִי נֹתְשָׁם מֵעַל אַדְמָתָם Jer. 12:14
212 וַהֲבִיאוֹתִים אֶל־אַדְמָתָם Ezek. 34:13
213 וְהֵבֵאתִי אוֹתָם אֶל־אַדְמָתָם Ezek. 37:21
214 וְכִנַּסְתִּים אֶל־אַדְמָתָם Ezek. 39:28
215 וְלֹא יִנָּתְשׁוּ... מֵעַל אַדְמָתָם Am. 9:15
216 וַיֹּאכַל פְּרִי אַדְמָתָם Ps. 105:35
217-224 עַל־אַדְמָתָם Is. 14:1 • Jer. 16:15; 23:8 • Ezek. 28:25; 34:27; 36:17; 39:26 • Am. 9:15
אֲדָמוֹת 225 קָרְאוּ בִשְׁמוֹתָם עֲלֵי אֲדָמוֹת Ps. 49:12

אֲדָמָה² שֵׁם עיר בנחלת נפתלי
וַאֲדָמָה 1 וַאֲדָמָה וְהָרָמָה וְחָצוֹר Josh. 19:36

אַדְמָה מן הערים שנהפכו במהפכת סדום
אַדְמָה 1 שִׁנְאָב מֶלֶךְ אַדְמָה Gen. 14:2
2 וּמֶלֶךְ אַדְמָה וּמֶלֶךְ צְבוֹיִם Gen. 14:8
3 כְּמַהְפֵּכַת סְדֹם וַעֲמֹרָה אַדְמָה Deut. 29:22
וְאַדְמָה 4 סְדֹמָה וַעֲמֹרָה וְאַדְמָה וּצְבֹיִם Gen. 10:19
כְּאַדְמָה 5 אֵיךְ אֶתֶּנְךָ כְאַדְמָה... כִּצְבֹאיִם Hosh. 11:8

אַדְמוֹנִי ת' נוטה לאדום
קרוב: אֲדַמְדָּם
אַדְמוֹנִי 1 וַיֵּצֵא הָרִאשׁוֹן אַדְמוֹנִי Gen. 25:25
2 אַדְמוֹנִי עִם־יְפֵה עֵינַיִם ISh. 16:12
וְאַדְמֹנִי 3 וְאַדְמֹנִי עִם־יְפֵה מַרְאֶה ISh. 17:42

אֲדָמִי עיר בנחלת נפתלי
וַאֲדָמִי 1 וַאֲדָמִי הַנֶּקֶב וְיַבְנְאֵל Josh. 19:33

(מַעֲלֵה) אֲדֻמִּים ש"פ – רכס הרים בין ירושלים ליריחו: 2,1
1/2 אֲשֶׁר־נֹכַח (לְ)מַעֲלֵה אֲדֻמִּים Josh. 15:7; 18:17

אַדְמָתָא שפ"ז – משרי המלך אחשורוש
1 כַּרְשְׁנָא שֵׁתָר אַדְמָתָא תַרְשִׁישׁ Es. 1:14

אֶדֶן* ז' יסוד, בסיס
אַדְנֵי הֶחָצֵר 26; א' כֶּסֶף 18–20, 22, 37–40; א' נְחֹשֶׁת 21; א' פָּז 28; א' הַפָּרֹכֶת 24; א' פֶּתַח הָאֹהֶל 25; א' הַקֹּדֶשׁ 23; א' שַׁעַר הֶחָצֵר 27
לְאָדֶן 1 כִּכָּר לָאָדֶן Ex. 38:27
אֲדָנִים 2-7 שְׁנֵי אֲדָנִים תַּחַת(־)הַקֶּרֶשׁ הָאֶחָד Ex. 26:19; 26:21,25; 36:24,26,30
8-16 אֲדָנִים Ex. 26:19,21,25²; 36:24,26,30²; 38:2
וְהָאֲדָנִים 17 וְהָאֲדָנִים לָעַמֻּדִים נְחֹשֶׁת Ex. 38:17
אַדְנֵי־ 18/9 וְאַרְבָּעִים אַדְנֵי־כֶסֶף Ex. 26:19; 36:24
20 עַל־אַרְבָּעָה אַדְנֵי־כָסֶף Ex. 26:32
21 חֲמִשָּׁה אַדְנֵי־נְחֹשֶׁת Ex. 26:37
22 אַרְבָּעָה אַדְנֵי־כָסֶף Ex. 36:36
23 לָצֶקֶת אֵת אַדְנֵי הַקֹּדֶשׁ Ex. 38:27
24 וְאֵת אַדְנֵי הַפָּרֹכֶת Ex. 38:27
25 אֶת־אַדְנֵי פֶּתַח אֹהֶל מוֹעֵד Ex. 38:30
26 וְאֶת־אַדְנֵי הֶחָצֵר סָבִיב Ex. 38:31
27 וְאֶת־אַדְנֵי שַׁעַר הֶחָצֵר Ex. 38:31
28 מְיֻסָּדִים עַל־אַדְנֵי־פָז S.ofS. 5:15
אֲדָנָיו 29 אֶת־עַמֻּדָיו וְאֶת־אֲדָנָיו Ex. 35:11
30 וַיִּתֵּן אֶת־אֲדָנָיו Ex. 40:18
וַאֲדָנָיו 31 בְּרִיחָו וְעַמֻּדָיו וַאֲדָנָיו Ex. 39:33
32/3 וּבְרִיחָיו וְעַמֻּדָיו וַאֲדָנָיו Num. 3:36; 4:31
אֲדָנֶיהָ 34 אֶת־עַמֻּדָיו וְאֶת־אֲדָנֶיהָ Ex. 35:17
35 אֶת־עַמֻּדֶיהָ וְאֶת־אֲדָנֶיהָ Ex. 39:40
36 עַל־מָה אֲדָנֶיהָ הָטְבָּעוּ Job 38:6
אַדְנֵיהֶם 37/8 וְאַרְבָּעִים אַדְנֵיהֶם כָּסֶף Ex. 26:21; 36:26
וְאַדְנֵיהֶם 39-40 וְאַדְנֵיהֶם כָּסֶף Ex. 26:25; 36:30
41-57 וְאַדְנֵיהֶם Ex. 27:10,11,12,14,15,16,17,18; 36:38; 38:10,11,12,14,15,19 • Num. 3:37; 4:32

אַדָּן נ"א אַדּוֹן; עיר בבבל שממנה עלו גולים בימי עזרא
1 הָעֹלִים מִתֵּל מֶלַח.. כְּרוּב אַדָּן אִמֵּר Ez. 2:59

אֲדֹנָי שפ"ז – משמותיו של אלהי ישראל בורא העולם; נכתב תמיד חסר, רק פעם אחת מלא (412).
קרובים: אֶהְיֶה / אֵל / אֱלֹהִים / אֱלוֹהַּ / יָהּ / יְהֹוָה / שַׁדַּי
אֲדֹנָי יֱהֹוִה 2,1, 15–24, 130,135,147–319,415,416,418; אֲהָהּ א' יֱהֹוִה 15–24; יֱהֹוִה א' 320–324; אֲרוֹן בְּרִית א' 28; בִּי א' 8, 9, 25, 26, 412; גְּבוּרוֹת א' 135; דְּבַר־א' 122–124; דֶּרֶךְ א' 126–129; חַי א' 121; יַד א' 125; יִרְאַת א' 139; כֹּחַ א' 14; נְאֻם א' יֱהֹוִה 29–118; נֹעַם א' 138; עֵינֵי א' 27,130; עֲצַת א' 145; פְּנֵי א' 140; קוֹל א' 119; רוּחַ א' 120; שֻׁלְחַן א' 131
1 אֲדֹנָי יֱהֹוִה מַה־תִּתֶּן־לִי Gen. 15:2
2 אֲדֹנָי יֱהֹוִה בַּמָּה אֵדַע Gen. 15:8
אֲדֹנָי 3 אֲדֹנָי אִם־נָא מָצָאתִי חֵן Gen. 18:3
4-5 הוֹאַלְתִּי לְדַבֵּר אֶל־אֲדֹנָי Gen. 18:27,31
6 אַל־נָא אֲדֹנָי Gen. 19:18
7 אֲדֹנָי הֲגוֹי גַּם־צַדִּיק תַּהֲרֹג Gen. 20:4
8 בִּי אֲדֹנָי לֹא אִישׁ דְּבָרִים אָנֹכִי Ex. 4:10
9 בִּי אֲדֹנָי שְׁלַח־נָא בְּיַד־תִּשְׁלָח Ex. 4:13
10 אֲדֹנָי לָמָה הֲרֵעֹתָה לָעָם הַזֶּה Ex. 5:22
11 מִקְּדָשׁ אֲדֹנָי כּוֹנְנוּ יָדֶיךָ Ex. 15:17

אֲדֹנָי (המשך)

12 אִם־נָא מָצָאתִי חֵן בְּעֵינֶיךָ אֲדֹנָי Ex. 34:9
13 יֵלֶךְ־נָא אֲדֹנָי בְּקִרְבֵּנוּ Ex. 34:9
14 וְעַתָּה יִגְדַּל־נָא כֹּחַ אֲדֹנָי Num. 14:17
24-15 אֲהָהּ אֲדֹנָי יֱהוִה Josh. 7:7
Jud. 6:22 • Jer. 1:6; 4:10; 14:13; 32:17 • Ezek. 4:14; 9:8; 11:13; 21:5
25 בִּי אֲדֹנָי מָה אֹמַר... Josh. 7:8
26 בִּי אֲדֹנָי בַּמָּה אוֹשִׁיעַ... Jud. 6:15
27 וַיִּיטַב הַדָּבָר בְּעֵינֵי אֲדֹנָי IK. 3:10
28 וַיַּעֲמֹד לִפְנֵי אֲרוֹן בְּרִית־אֲדֹנָי IK. 3:15
118-29 נְאֻם־אֲדֹנָי יֱהוִה Is. 3:15; 56:8
Jer. 2:22; 49:5 • Ezek. 5:11; 11:8,21; 12:25,29; 13:8, 16; 14:11, 14, 16, 18, 20, 23; 15:8; 16:8, 14, 19, 23, 30, 43, 48, 63; 17:16; 18:3, 9, 23, 30, 32; 20:3, 31, 33, 36, 40, 44; 21:12, 18; 22:12, 31; 23:34; 24:14; 25:14; 26:5, 14, 21; 28:10; 29:20; 30:6; 31:18; 32:8, 14, 16, 31, 32; 33:11; 34:8, 15, 30, 31; 35:6, 11; 36:14, 15, 23, 32; 38:18, 21; 39:5, 8, 10, 13, 20, 29; 43:19, 27; 44:12, 15, 27; 45:9, 15; 47:23; 48:29 • Am. 3:13; 4:5; 8:3, 9, 11
119 וָאֶשְׁמַע אֶת־קוֹל אֲדֹנָי Is. 6:8
120 רוּחַ אֲדֹנָי יֱהוִה עָלָי Is. 61:1
121 חַי־אֲדֹנָי יֱהוִה Jer. 44:26
122-4 שִׁמְעוּ דְּבַר־אֲדֹנָי יֱהוִה Ezek. 6:3; 25:3; 36:4
125 וַתִּפֹּל עָלַי שָׁם יַד אֲדֹנָי יֱהוִה Ezek. 8:1
126-9 לֹא יִתָּכֵן דֶּרֶךְ אֲדֹנָי Ezek. 18:25,29; 33:17,20
130 עֵינֵי אֲדֹנָי יֱהוִה בַּמַּמְלָכָה Am. 9:8
131 שֻׁלְחַן אֲדֹנָי מְגֹאָל הוּא Mal. 1:12
132 עוּרָה לָמָּה תִישַׁן אֲדֹנָי Ps. 44:24
133 אֲדֹנָי שְׂפָתַי תִּפְתָּח Ps. 51:17
134 בָּרוּךְ אֲדֹנָי יוֹם יוֹם Ps. 68:20
135 אָבוֹא בִּגְבֻרוֹת אֲדֹנָי יֱהוִה Ps. 71:16
136 אוֹדְךָ אֲדֹנָי אֱלֹהַי בְּכָל־לְבָבִי Ps. 86:12
137 וְאַתָּה אֲדֹנָי אֵל־רַחוּם וְחַנּוּן Ps. 86:15
138 וִיהִי נֹעַם אֲדֹנָי אֱלֹהֵינוּ עָלֵינוּ Ps. 90:17
139 הֵן יִרְאַת אֲדֹנָי הִיא חָכְמָה Job 28:28
140 שִׁפְכִי... לִבֵּךְ נֹכַח פְּנֵי אֲדֹנָי Lam. 2:19
141 וָאֶתְּנָה אֶת־פָּנַי אֶל־אֲדֹנָי הָאֱלֹהִים Dan. 9:3
142 אָנָּא אֲדֹנָי הָאֵל הַגָּדוֹל Dan. 9:4
143 לְךָ אֲדֹנָי הַצְּדָקָה וְלָנוּ בֹּשֶׁת Dan. 9:7
144 וְעַתָּה אֲדֹנָי אֱלֹהֵינוּ... Dan. 9:15
145 לְהוֹצִיא כָל־נָשִׁים... בַּעֲצַת אֲדֹנָי Ez. 10:3
146 אֶת־אֲדֹנָי הַגָּדוֹל וְהַנּוֹרָא זְכֹרוּ Neh. 4:8
319-147 אֲדֹנָי יֱהוִה Deut. 3:24; 9:26
Jud. 16:28 • IISh. 7:18, 19^{2}, 20, 28, 29 • IK. 2:26; 8:53 • Is. 7:7; 25:8; 28:16; 30:15; 40:10, 48:16; 49:22; 50:4, 5, 9; 52:4; 61:11; 65:13, 15 • Jer. 7:20; 32:25 • Ezek. 2:4; 3:11, 27; 5:5, 7, 8; 6:3, 11; 7:2, 5; 11:7, 16, 17; 12:10, 19, 23, 28; 13:3, 8, 9, 13, 18, 20; 14:4, 6, 21; 15:6; 16:3, 36, 59; 17:3, 9, 19, 22; 20:3, 5, 27, 30, 39; 21:3, 29, 31, 33; 22:3, 19, 28; 23:22, 28, 32, 35, 46, 49; 24:3, 6, 9, 21, 24; 25:3, 6, 8, 12, 13, 15, 16; 26:3, 7, 15, 19; 27:3; 28:2, 6, 12, 22, 24, 25; 29:3, 8, 13, 16, 19; 30:2, 10, 13, 22; 31:10, 15; 32:3, 11; 33:25, 27; 34:2, 10, 11, 17, 20; 35:3, 14; 36:2, 3; 36:4, 5, 6, 7, 13, 22, 33, 37; 37:3, 5, 9, 12, 19, 21; 38:3, 10, 14; 38:17; 39:1, 17, 25; 43:18; 44:6, 9; 45:9, 18; 46:1, 16; 47:13 • Am. 1:8; 3:7, 8, 11; 4:2; 5:3; 6:8; 7:1, 2, 4^{2}, 5, 6; 8:1 • Ob. 1 • Mic. 1:2 • Zep. 1:7 • Ps. 71:5
324-320 (וְ)יֱהוִה אֲדֹנָי Hab. 3:19
Ps. 68:21; 109:21; 140:8; 141:8
IK. 22:6 • IIK. 19:23
Is. 3:17, 18; 4:4; 6:1, 11; 7:14, 20; 8:7; 9:7, 16; 10:12; 11:11; 21:6, 8, 16; 29:13; 30:20; 37:24; 38:14, 16 •

אֲדֹנָי (המשך)

Ezek. 21:14 • Am. 5:16; 7:7, 8; 9:1 • Mic. 1:2 • Zech. 9:4 • Ps. 2:4; 16:2; 30:9; 35:17, 22; 37:13; 38:10, 16, 23; 39:8; 40:18; 54:6; 55:10; 57:10; 59:12; 62:13; 66:18; 68:12, 18, 23, 27, 33; 73:20; 77:3, 8; 78:65; 79:12; 86:3, 4, 5, 8, 9; 89:50, 51; 90:1; 110:5; 130:2, 3 • Lam. 1:14, 15^{2}; 2:1, 2, 5, 7, 18, 20; 3:31, 36, 37, 58 • Dan. 1:2; 9:16, 17, 19^{3} • Neh. 1:11
אֲדוֹנָי 412 וַיֶּעְתַּר... וַיֹּאמַר בִּי אֲדוֹנָי Jud. 13:8
וַאדֹנָי 413 וַאדֹנָי הִשְׁמִיעַ אֶת־מַחֲנֵה אֲרָם IIK. 7:6
414 עֲזָבַנִי יְיָ וַאדֹנָי שְׁכֵחָנִי Is. 49:14
415 וַאדֹנָי יֱהוִה יַעֲזָר־לִי Is. 50:7
416 וַאדֹנָי יֱהוִה בַּשּׁוֹפָר יִתְקָע Zech. 9:14
417 הָעִירָה... אֱלֹהַי וַאדֹנָי לְרִיבִי Ps. 35:23
בַּאדֹנָי 418 שַׁתִּי בַּאדֹנָי יֱהוִה מַחְסִי Ps. 73:28
לַאדֹנָי 420-419 אַל־נָא יִחַר לַאדֹנָי Gen. 18:30,32
421 הִנֵּה חָזָק וְאַמִּץ לַאדֹנָי Is. 28:2
422 וְזֹבֵחַ מָשְׁחָת לַאדֹנָי Mal. 1:14
423 יְסֻפַּר לַאדֹנָי לַדּוֹר Ps. 22:31
424 נַפְשִׁי לַאדֹנָי מִשֹּׁמְרִים לַבֹּקֶר Ps. 130:6
425 לַאדֹנָי אֱלֹהֵינוּ הָרַחֲמִים וְהַסְּלִחוֹת Dan. 9:9

אֲדֹנִי־בֶזֶק
שפ״ז – מלך בֶּזֶק בימי השופטים
1 וַיִּמְצְאוּ אֶת־אֲדֹנִי בֶזֶק בְּבֶזֶק Jud. 1:5
2 וַיָּנָס אֲדֹנִי בֶזֶק וַיִּרְדְּפוּ אַחֲרָיו Jud. 1:6
3 וַיֹּאמֶר אֲדֹנִי־בֶזֶק Jud. 1:7

אֲדֹנִי־צֶדֶק
שפ״ז – מלך ירושלים בימי יהושע
1 כִּשְׁמֹעַ אֲדֹנִי־צֶדֶק מֶלֶךְ יְרוּשָׁלִַם Josh. 10:1
2 וַיִּשְׁלַח אֲדֹנִי־צֶדֶק מֶלֶךְ יְרוּשָׁלִַם Josh. 10:3

אֲדֹנִיָּה
שפ״ז א) בן דוד וחגית, הוא אֲדֹנִיָּהוּ: 1–5, 7
ב) אבי משפחה שחתם על האמנה בימי נחמיה: 6
אֲדֹנִיָּה 1 וְהָרְבִיעִי אֲדֹנִיָּה בֶן־חַגִּית IISh. 3:4
2 וַיַּעְזְרוּ אַחֲרֵי אֲדֹנִיָּה IK. 1:7
3 וְעַתָּה הִנֵּה אֲדֹנִיָּה מָלָךְ IK. 1:18
4 כִּי יוֹאָב נָטָה אַחֲרֵי אֲדֹנִיָּה IK. 2:28
5 הָרְבִיעִי אֲדֹנִיָּה בֶן־חַגִּית ICh. 3:2
6 אֲדֹנִיָּה בִגְוַי עָדִין Neh. 10:17
וַאֲדֹנִיָּה 7 וַאֲדֹנִיָּה בֶן־חַגִּית מִתְנַשֵּׂא IK. 1:5

אֲדֹנִיָּהוּ
שפ״ז א) בן דוד, הוא אֲדֹנִיָּה: 1–14,16–19
ב) איש לוי בימי יהושפט: 15
אֲדֹנִיָּהוּ 1 וְצָדוֹק.. וּבְנָיָהוּ.. לֹא הָיוּ עִם־אֲדֹנִיָּהוּ IK. 1:8
2 וַיִּזְבַּח אֲדֹנִיָּהוּ צֹאן וּבָקָר IK. 1:9
3 מָלַךְ אֲדֹנִיָּהוּ בֶן־חַגִּית IK. 1:11
13-4 אֲדֹנִיָּהוּ IK. 1:13, 24, 25; 1:41, 42, 51; 2:13, 19, 23, 24
וַאֲדֹנִיָּהוּ 14 וַאֲדֹנִיָּהוּ יָרֵא מִפְּנֵי שְׁלֹמֹה IK. 1:50
וַאֲדֹנִיָּהוּ 15 וַאֲדֹנִיָּהוּ וְטוֹבִיָּהוּ... הַלְוִיִּם IICh. 17:8
לַאֲדֹנִיָּהוּ 16 וַיַּעַן יוֹנָתָן וַיֹּאמֶר לַאֲדֹנִיָּהוּ IK. 1:43
19-17 לַאֲדֹנִיָּהוּ IK. 1:49; 2:21,22

אֲדֹנִיקָם
שפ״ז – אבי משפחה שעלתה מבבל עם זרובבל
אֲדֹנִיקָם 1 בְּנֵי אֲדֹנִיקָם שֵׁשׁ מֵאוֹת שִׁשִּׁים וְשִׁשָּׁה Ez. 2:13
3-2 אֲדֹנִיקָם Ez. 8:13 • Neh. 7:18

אֲדֹנִירָם
שפ״ז – שר המסים בימי דוד ושלמה, הוא אֲדֹרָם
וַאֲדֹנִירָם 1 וַאֲדֹנִירָם בֶּן־עַבְדָּא עַל־הַמַּס IK. 4:6
2 וַאֲדֹנִירָם עַל־הַמַּס IK. 5:28

אדר
: נֶאְדַּר, הֶאְדִּיר; אַדִּיר, אֶדֶר; אַדֶּרֶת? ש״פ אַדָּר?
א) [נפ׳ נֶאְדַּר] – היה אדיר ונהדר: 1, 2
ב) [הפ׳ הֶאְדִּיר] – פאר: 3
נֶאְדָּר 1 מִי כָּמֹכָה נֶאְדָּר בַּקֹּדֶשׁ Ex. 15:11
נֶאְדָּרִי 2 יְמִינְךָ יְיָ נֶאְדָּרִי בַּכֹּחַ Ex. 15:6
וְיַאְדִּיר 3 יַגְדִּיל תּוֹרָה וְיַאְדִּיר Is. 42:21

אַדָּר[1]
שפ״ז – בן בלע בן בנימין, הוא אַרְדְּ
אַדָּר 1 אַדָּר וְגֵרָא וַאֲבִיהוּד ICh. 8:3

אַדָּר*[2]
ישוב בנחלת יהודה, אולי הוא חֲצַר־אַדָּר
אַדָּרָה 1 וְעָבַר חֶצְרוֹן וְעָלָה אַדָּרָה Josh. 15:3

אֶדֶר
ז׳ א) אדרת, מעיל־עור: 1
ב) כנ״ל; ויש סוברים: פאר, הוד: 2
אֶדֶר 1 מִמּוּל שַׂלְמָה אֶדֶר תַּפְשִׁטוּן Mic. 2:8
2 אֶדֶר הַיְקָר אֲשֶׁר יָקַרְתִּי מֵעֲלֵיהֶם Zech. 11:13

אֲדָר
ז׳ שם החודש השנים עשר מניסן (גם ארמית)
אֲדָר 8-1 (לְ)חֹדֶשׁ אֲדָר Es. 3:7,13; 8:12; 9:1,15,17,19,21
9 עַד יוֹם תְּלָתָה לִירַח אֲדָר Ez. 6:15

אִדַּר*
ז׳ ארמית: גורן
אִדְּרֵי־ 1 כְּעוּר מִן־אִדְּרֵי־קַיִט (כמוץ מגרנות־קיץ) Dan. 2:35

אֲדַרְגָּזַר*
ז׳ ארמית: אֲדַרְגָּזְרַיָּא – ראשי השופטים
2-1 אֲדַרְגָּזְרַיָּא גְדָבְרַיָּא Dan. 3:2, 3

אַדְרַזְדָּא
תה״פ ארמית: בזריזות, מהר
1 יִתְעֲבֵד אַדְרַזְדָּא לְבֵית אֱלָהּ שְׁמַיָּא Ez. 7:23

אֲדַרְכּוֹן*
ז׳ מטבע זהב פרסי • קרוב: דַּרְכְּמוֹן
וַאֲדַרְכֹנִים 1 וַאֲדַרְכֹנִים רִבּוֹ ICh. 29:7
לַאֲדַרְכֹנִים 2 לַאֲדַרְכֹנִים אָלֶף Ez. 8:27

אֲדֹרָם
שפ״ז – שר המסים בימי דוד ושלמה, הוא אֲדֹנִירָם
אֲדֹרָם 1 אֶת־אֲדֹרָם אֲשֶׁר עַל־הַמַּס IK. 12:18
וַאֲדֹרָם 2 וַאֲדֹרָם עַל־הַמַּס IISh. 20:24

אַדְרַמֶּלֶךְ
שפ״ז א) אחד מאלהי ספרוים: 1
ב) בן סנחריב מלך אשור: 2–3
לְאַדְרַמֶּלֶךְ 1 לְאַדְרַמֶּלֶךְ וַעֲנַמֶּלֶךְ אֱלֹהֵי סְפַרְוָיִם IIK. 17:31
וְאַדְרַמֶּלֶךְ 3-2 וְאַדְרַמֶּלֶךְ וְשַׂרְאֶצֶר בָּנָיו הִכֻּהוּ בַחֶרֶב IIK. 19:37 • Is. 37:38

אֶדְרָע
נ׳ ארמית: זרוע [בהשאלה: כוח, עוז]
בְּאֶדְרָע 1 וּבַטִּלוּ הִמּוֹ בְּאֶדְרָע וְחָיִל Ez. 4:23

אֶדְרֶעִי
א) עיר בארץ הבשן: 1–4,6–8
ב) עיר בנחלת נפתלי: 5
אֶדְרֶעִי 2-1 וַיֵּצֵא עוֹג... לַמִּלְחָמָה אֶדְרֶעִי Num. 21:33
Deut. 3:1
וְאֶדְרֶעִי 3 וְכָל־הַבָּשָׁן עַד־סַלְכָה וְאֶדְרֶעִי Deut. 3:10
4 וְעַשְׁתָּרוֹת וְאֶדְרֶעִי עָרֵי... עוֹג Josh. 13:31
וְאֶדְרֶעִי 5 וְקֶדֶשׁ וְאֶדְרֶעִי וְעֵין חָצוֹר Josh. 19:37
בְּאֶדְרֶעִי 6 אֲשֶׁר־יוֹשֵׁב בְּעַשְׁתָּרֹת בְּאֶדְרֶעִי Deut. 1:4
וּבְאֶדְרֶעִי 7 הַיּוֹשֵׁב בְּעַשְׁתָּרוֹת וּבְאֶדְרֶעִי Josh. 12:4
8 אֲשֶׁר־מָלַךְ בְּעַשְׁתָּרוֹת וּבְאֶדְרֶעִי Josh. 13:12

אַדֶּרֶת
נ׳ א) מעיל מעור בהמה [״גֶּפֶן אַדֶּרֶת״ – ע׳ אַדִּיר 10]
ב) תפארת: 11
אַדֶּרֶת אֵלִיָּהוּ 4,3; אַ׳ שִׁנְעָר 2; אַ׳ שֵׂעָר 6,5
הָאַדֶּרֶת 1 וְאֶת־הַכֶּסֶף וְאֶת־הָאַדֶּרֶת Josh. 7:24
אַדֶּרֶת־ 2 אַדֶּרֶת שִׁנְעָר אַחַת טוֹבָה Josh. 7:21
3 וַיָּרֶם אֶת־אַדֶּרֶת אֵלִיָּהוּ IIK. 2:13
4 וַיִּקַּח אֶת־אַדֶּרֶת אֵלִיָּהוּ IIK. 2:14
5 וְלֹא יִלְבְּשׁוּ אַדֶּרֶת שֵׂעָר Zech. 13:4
כְּאַדֶּרֶת־ 6 כֻּלּוֹ כְּאַדֶּרֶת שֵׂעָר Gen. 25:25
אַדַּרְתּוֹ 7 וַיַּשְׁלֵךְ אַדַּרְתּוֹ אֵלָיו IK. 19:19
8 וַיִּקַּח אֵלִיָּהוּ אֶת־אַדַּרְתּוֹ IIK. 2:8
9 וַיַּעֲבֵר אַדַּרְתּוֹ מֵעָלָיו Jon. 3:6
בְּאַדַּרְתּוֹ 10 וַיָּלֶט פָּנָיו בְּאַדַּרְתּוֹ IK. 19:13
אַדַּרְתָּם 11 יְלָלַת הָרֹעִים כִּי שֻׁדְּדָה אַדַּרְתָּם Zech. 11:3

אדש
ראה דוש

אהב : אָהַב, נֶאֱהַב, אִהֵב; אוֹהֵב, מְאַהֵב; אַהֲבָה, אֲהָבִים, אֳהָבִים

אָהַב פָּע׳ א) חִבֵּב, התיחס באהבה לזולת (לַה׳, לאדם, לדברי חומר או רוח וכדומה) – רוב המקראות
ב) היה מרוצה, שמח: 21, 80, 119, 121
ג) [נִפ׳ נֶאֱהַב] היה אהוב: 192
ד) [פִּע׳ אִהֵב] חשק, עגב (במובן שלילי): 193–208

קרובים: חבב / חמד / חשק / לבב / נטה / עגב / רצה

– אָהַב (אֶת־) רוב המקראות; אָהַב לְ־ 40, 41
– אוֹהֵב וָרֵעַ 96; אוֹהֵב אֲדָמָה 112; א׳ גֵּר 113; א׳ דַּעַת 99; א׳ חָכְמָה 109 א׳ חָמָס 114; א׳ יַיִן וָשֶׁמֶן 106; א׳ יָמִים 93; א׳ כֶּסֶף 110; א׳ מוּסָר 98; א׳ מַצָּה 102; א׳ מִשְׁפָּט 94,92,91; א׳ נַפְשׁוֹ 104; א׳ פֶּשַׁע 101; א׳ צְדָקָה 92; א׳ צַדִּיקִים 97; א׳ רָע 127; א׳ שֹׁחַד 90; א׳ שִׂמְחָה 105 • פִּצְעֵי אוֹהֵב 108
– אוֹהֲבֵי אֲשִׁישֵׁי... 126; א׳ יְיָ 125; א׳ יְשׁוּעָתוֹ 124; א׳ עָשִׁיר 129; א׳ שְׁמוֹ 130,128,122; א׳ תּוֹרָתוֹ 131; א׳ תְּשׁוּעָתוֹ 123 • אֲהוּבַת רֵעַ 156, 187

כְּאָהֳבָם	1 וַיִּהְיוּ שִׁקּוּצִים כְּאָהֳבָם	Hosh. 9:10
לֶאֱהֹב	2 עֵת לֶאֱהֹב וְעֵת לִשְׂנֹא	Eccl. 3:8
לְאַהֲבָה	3 חָשַׁק יְיָ לְאַהֲבָה אוֹתָם	Deut. 10:15
	4-11 לְאַהֲבָה אֶת־יְיָ	Deut. 11:13; 11:22; 19:9; 30:6,16,20 • Josh. 22:5; 23:11
	12 לְאַהֲבָה אֶת־שֹׂנְאֶיךָ	IISh. 19:7
	13 בָּהֶם דָּבַק שְׁלֹמֹה לְאַהֲבָה	IK. 11:2
וּלְאַהֲבָה	14 כִּי אִם־לְיִרְאָה... וּלְאַהֲבָה אֹתוֹ	Deut. 10:12
	15 וּלְאַהֲבָה אֶת־שֵׁם יְיָ	Is. 56:6
אָהַבְתִּי	16 מַטְעַמִּים כַּאֲשֶׁר אָהַבְתִּי	Gen. 27:4
	17 אָהַבְתִּי אֶת־אֲדֹנִי... לֹא אֵצֵא	Ex. 21:5
	18 לוֹא כִּי־אָהַבְתִּי זָרִים	Jer. 2:25
	19 אָהַבְתִּי אֶתְכֶם אָמַר יְיָ	Mal. 1:2
	20 יְיָ אָהַבְתִּי מְעוֹן בֵּיתֶךָ	Ps. 26:8
	21 אָהַבְתִּי כִּי־יִשְׁמַע יְיָ אֶת־קוֹלִי	Ps. 116:1
	22 מָה־אָהַבְתִּי תוֹרָתֶךָ	Ps. 119:97
	23 לָכֵן אָהַבְתִּי עֵדֹתֶיךָ	Ps. 119:119
	24 עַל־כֵּן אָהַבְתִּי מִצְוֺתֶיךָ	Ps. 119:127
	25 וְזֶה־אָהַבְתִּי נֶהְפְּכוּ־בִי	Job 19:19
אָהָבְתִּי	26 בְּמִצְוֺתֶיךָ אֲשֶׁר אָהָבְתִּי	Ps. 119:47
	27 אֶל־מִצְוֺתֶיךָ אֲשֶׁר אָהָבְתִּי	Ps. 119:48
	28 סֵעֲפִים שָׂנֵאתִי וְתוֹרָתְךָ אָהָבְתִּי	Ps. 119:113
	29 רְאֵה כִּי־פִקּוּדֶיךָ אָהָבְתִּי	Ps. 119:159
	30 שֶׁקֶר שָׂנֵאתִי...תּוֹרָתְךָ אָהָבְתִּי	Ps. 119:163
אֲהַבְתִּיךָ	31 נִכְבַּדְתָּ וַאֲנִי אֲהַבְתִּיךָ	Is. 43:4
אֲהַבְתִּיךְ	32 אֵיךְ תֹּאמַר אֲהַבְתִּיךְ	Jud. 16:15
	33 וְאַהֲבַת עוֹלָם אֲהַבְתִּיךְ	Jer. 31:3(2)
אָהַבְתָּ	34 אֶת־בִּנְךָ... אֲשֶׁר־אָהַבְתָּ	Gen. 22:2
	35 כִּי זָנִיתָ... אָהַבְתָּ אֶתְנָן	Hosh. 9:1
	36 אָהַבְתָּ צֶּדֶק וַתִּשְׂנָא רֶשַׁע	Ps. 45:8
	37 אָהַבְתָּ רָּע מִטּוֹב	Ps. 52:5
	38 אָהַבְתָּ כָל־דִּבְרֵי־בָלַע	Ps. 52:6
	39 רְאֵה חַיִּים עִם־אִשָּׁה אֲשֶׁר־אָהַבְתָּ	Eccl. 9:9
וְאָהַבְתָּ	40 וְאָהַבְתָּ לְרֵעֲךָ כָּמוֹךָ	Lev. 19:18
	41 וְאָהַבְתָּ לוֹ כָּמוֹךָ	Lev. 19:34
	42/3 וְאָהַבְתָּ אֵת יְיָ אֱלֹהֶיךָ	Deut. 6:5,; 11:1
אֲהַבְתָּנִי	44 רַק־שְׂנֵאתַנִי וְלֹא אֲהַבְתָּנִי	Jud. 14:16
אֲהַבְתָּנוּ	45 וַאֲמַרְתֶּם בַּמָּה אֲהַבְתָּנוּ	Mal. 1:2
אָהַבְתְּ	46 אָהַבְתְּ מִשְׁכָּבָם יָד חָזִית	Is. 57:8
	47 וְאֵת כָּל־אֲשֶׁר אָהַבְתְּ	Ezek. 16:37
אָהַב	48 וְיִשְׂרָאֵל אָהַב אֶת־יוֹסֵף	Gen. 37:3
	49 כִּי־אֹתוֹ אָהַב אֲבִיהֶם	Gen. 37:4
	50 כִּי אָהַב אֶת־אֲבֹתֶיךָ	Deut. 4:37
	51 אָהַב נָשִׁים נָכְרִיּוֹת רַבּוֹת	IK. 11:1
אָהֵב	52 מַטְעַמִּים כַּאֲשֶׁר אָהֵב אָבִיו	Gen. 27:14
אָהֵֽב	53 מַטְעַמִּים לְאָבִיךָ כַּאֲשֶׁר אָהֵב	Gen. 27:9
	54 כִּי אֶת־חַנָּה אָהֵב	ISh. 1:5
	55 כְּנַעַן... לַעֲשֹׁק אָהֵב	Hosh. 12:8
	56 חִלֵּל... קֹדֶשׁ יְיָ אֲשֶׁר אָהֵב	Mal. 2:11
	57 כִּי־צַדִּיק יְיָ צְדָקוֹת אָהֵב	Ps. 11:7
	58 אֶת גְּאוֹן יַעֲקֹב אֲשֶׁר־אָהֵב	Ps. 47:5
	59 אֶת־הַר צִיּוֹן אֲשֶׁר אָהֵב	Ps. 78:68
	60 וְעֹז מֶלֶךְ מִשְׁפָּט אָהֵב	Ps. 99:4
אֲהֵבְךָ	61 כִּי אֲהֵבְךָ וְאֶת־בֵּיתֶךָ	Deut. 15:16
	62 כִּי אֲהֵבְךָ יְיָ אֱלֹהֶיךָ	Deut. 23:6
וַאֲהֵבְךָ	63 וַאֲהֵבְךָ וּבֵרַכְךָ וְהִרְבֶּךָ	Deut. 7:13
אֲהֵבוֹ	64 וְיֶלֶד זְקֻנִים... וְאָבִיו אֲהֵבוֹ	Gen. 44:20
	65 כִּי־אַהֲבַת נַפְשׁוֹ אֲהֵבוֹ	ISh. 20:17
	66 וַתִּקְרָא אֶת־שְׁמוֹ שְׁלֹמֹה וַיְיָ אֲהֵבוֹ	IISh. 12:24
	67 יְיָ אֲהֵבוֹ יַעֲשֶׂה חֶפְצוֹ	Is. 48:14
אֲהֵבָהּ	68 גְּדוֹלָה הַשִּׂנְאָה..מֵאַהֲבָה אֲשֶׁר אֲהֵבָהּ	IISh.13:15
	69 צְרוּפָה אִמְרָתְךָ...וְעַבְדְּךָ אֲהֵבָהּ	Ps. 119:140
שֶׁאָהֲבָה	70 הַגִּידָה לִּי שֶׁאָהֲבָה נַפְשִׁי	S.ofS. 1:7
	71 בִּקַּשְׁתִּי אֵת שֶׁאָהֲבָה נַפְשִׁי	S.ofS. 3:1
	72 אֲבַקְשָׁה אֵת שֶׁאָהֲבָה נַפְשִׁי	S.ofS. 3:2
	73 אֵת שֶׁאָהֲבָה נַפְשִׁי רְאִיתֶם	S.ofS. 3:3
	74 עַד שֶׁמָּצָאתִי אֵת שֶׁאָהֲבָה נַפְשִׁי	S.ofS. 3:4
אֲהֵבָתֶךְ	75 כַּלָּתֵךְ אֲשֶׁר־אֲהֵבָתֶךְ	Ruth 4:15
אֲהֵבַתְהוּ	76 וּמִיכַל בַּת־שָׁאוּל אֲהֵבַתְהוּ	ISh. 18:28
אֲהַבְתֶּם	77 כִּי כֵן אֲהַבְתֶּם בְּנֵי יִשְׂרָאֵל	Am. 4:5
וַאֲהַבְתֶּם	78 וַאֲהַבְתֶּם אֶת־הַגֵּר	Deut. 10:19
אָהֲבוּ	79 וְעַמִּי אָהֲבוּ כֵן	Jer. 5:31
	80 כֵּן אָהֲבוּ לָנוּעַ... וַיְיָ לֹא רָצָם	Jer. 14:10
	81 הַזְנֵה הִזְנוּ אָהֲבוּ הֵבוּ	Hosh. 4:18
	82 כָּל־מְשַׂנְאַי אָהֲבוּ מָוֶת	Prov. 8:36
אֲהֵבוּךָ	83 וְכָל־עֲבָדָיו אֲהֵבוּךָ	ISh. 18:22
	84 עַל־כֵּן עֲלָמוֹת אֲהֵבוּךָ	S.ofS. 1:3
	85 מֵישָׁרִים אֲהֵבוּךָ	S.ofS. 1:4
אֲהֵבוּם	86 אֲשֶׁר אֲהֵבוּם וַאֲשֶׁר עֲבָדוּם	Jer. 8:2
אוֹהֵב	87 וְכָל־יִשְׂרָאֵל... אֹהֵב אֶת־דָּוִד	ISh. 18:16
	88 אֶת־תָּמָר... אֲנִי אֹהֵב	IISh. 13:4
	89 כִּי אֹהֵב הָיָה חִירָם לְדָוִד	IK. 5:15
	90 כֻּלּוֹ אֹהֵב שֹׁחַד	Is. 1:23
	91 כִּי אֲנִי יְיָ אֹהֵב מִשְׁפָּט	Is. 61:8
	92 אֹהֵב צְדָקָה וּמִשְׁפָּט	Ps. 33:5
	93 אֹהֵב יָמִים לִרְאוֹת טוֹב	Ps. 34:13
	94 כִּי יְיָ אֹהֵב מִשְׁפָּט	Ps. 37:28
	95 אֹהֵב יְיָ שַׁעֲרֵי צִיּוֹן	Ps. 87:2
	96 הִרְחַקְתָּ מִמֶּנִּי אֹהֵב וָרֵעַ	Ps. 88:19
	97 יְיָ אֹהֵב צַדִּיקִים	Ps. 146:8
	98/9 אֹהֵב מוּסָר אֹהֵב דָּעַת	Prov. 12:1
	100 בְּכָל־עֵת אֹהֵב הָרֵעַ	Prov. 17:17
	101/2 אֹהֵב פֶּשַׁע אֹהֵב מַצָּה	Prov. 17:19
	103 וְיֵשׁ אֹהֵב דָּבֵק מֵאָח	Prov. 18:24
	104 קֹנֶה־לֵּב אֹהֵב נַפְשׁוֹ	Prov. 19:8
	105 אִישׁ מַחְסוֹר אֹהֵב שִׂמְחָה	Prov. 21:17
	106 אֹהֵב יַיִן־וָשֶׁמֶן לֹא יַעֲשִׁיר	Prov. 21:17
	107 אֹהֵב טְהָר־לֵב	Prov. 22:11
	108 נֶאֱמָנִים פִּצְעֵי אוֹהֵב	Prov. 27:6
	109 אִישׁ־אֹהֵב חָכְמָה יְשַׂמַּח אָבִיו	Prov. 29:3
	110 אֹהֵב כֶּסֶף לֹא־יִשְׂבַּע כֶּסֶף	Eccl. 5:9
	111 וּמִי־אֹהֵב בֶּהָמוֹן לֹא תְבוּאָה	Eccl. 5:9
	112 כִּי־אֹהֵב אֲדָמָה הָיָה	IICh. 26:10
וְאוֹהֵב	113 וְאֹהֵב גֵּר לָתֶת לוֹ לֶחֶם	Deut. 10:18
	114 וְאֹהֵב חָמָס שָׂנְאָה נַפְשׁוֹ	Ps. 11:5
אוֹהֲבִי	115 זֶרַע אַבְרָהָם אֹהֲבִי	Is. 41:8
אוֹהַבְךָ	116 לְזֶרַע אַבְרָהָם אֹהַבְךָ לְעוֹלָם	IICh. 20:7
וְאוֹהֲבוֹ	117 וְאֹהֲבוֹ שִׁחֲרוֹ מוּסָר	Prov. 13:24
אוֹהֶבֶת	118 וְרִבְקָה אֹהֶבֶת אֶת־יַעֲקֹב	Gen. 25:28
אוֹהַבְתִּי	119 עֶגְלָה מְלֻמָּדָה אֹהַבְתִּי לָדוּשׁ	Hosh. 10:11
אוֹהֲבִים	120 הֲיִשְׁכֶם אֹהֲבִים אֶת־יְיָ	Deut. 13:4
אוֹהֲבֵי־	121 הֹזִים שֹׁכְבִים אֹהֲבֵי לָנוּם	Is. 56:10
	122 וְיַעְלְצוּ בְךָ אֹהֲבֵי שְׁמֶךָ	Ps. 5:12
	123 יָשִׂישׂוּ... אֹהֲבֵי תְּשׁוּעָתֶךָ	Ps. 40:17
	124 יָשִׂישׂוּ... אֹהֲבֵי יְשׁוּעָתֶךָ	Ps. 70:5
	125 אֹהֲבֵי יְיָ שִׂנְאוּ רָע	Ps. 97:10
וְאוֹהֲבֵי־	126 וְאֹהֲבֵי אֲשִׁישֵׁי עֲנָבִים	Hosh. 3:1
	127 שֹׂנְאֵי טוֹב וְאֹהֲבֵי רָע	Mic. 3:2
	128 וְאֹהֲבֵי שְׁמוֹ יִשְׁכְּנוּ־בָהּ	Ps. 69:37
	129 וְאֹהֲבֵי עָשִׁיר רַבִּים	Prov. 14:20
לְאוֹהֲבֵי־	130 כְּמִשְׁפָּט לְאֹהֲבֵי שְׁמֶךָ	Ps. 119:132
	131 שָׁלוֹם רָב לְאֹהֲבֵי תוֹרָתֶךָ	Ps. 119:165
אוֹהֲבַי	132 אֹהֲבַי וְרֵעַי מִנֶּגֶד... יַעֲמֹדוּ	Ps. 38:12
	133 לְהַנְחִיל אֹהֲבַי יֵשׁ	Prov. 8:21
	134 אֲנִי אֹהֲבַי (כתיב אהביה) אֵהָב	Prov. 8:17
לְאוֹהֲבַי	135/6 לְאֹהֲבַי וּלְשֹׁמְרֵי מִצְוֺתָי	Ex. 20:6 • Deut. 5:10
אוֹהֲבֶיךָ	137 וְלִשְׂנֹא אֶת־אֹהֲבֶיךָ	IISh. 19:7
	138 לְמָגוֹר לְךָ וּלְכָל־אֹהֲבֶיךָ	Jer. 20:4
	139 אַתָּה וְכָל־אֹהֲבֶיךָ	Jer. 20:6
אוֹהֲבָיִךְ	140 יִשְׁלָיוּ אֹהֲבָיִךְ	Ps. 122:6
אוֹהֲבָיו	141 שׁוֹמֵר יְיָ אֶת־כָּל־אֹהֲבָיו	Ps. 145:20
	142 וַיִּשְׁלַח וַיָּבֵא אֶת־אֹהֲבָיו	Es. 5:10
	143 זֶרֶשׁ אִשְׁתּוֹ וְכָל־אֹהֲבָיו	Es. 5:14
	144 לְזֶרֶשׁ אִשְׁתּוֹ וּלְכָל־אֹהֲבָיו	Es. 6:13
וְאוֹהֲבָיו	145 וְאֹהֲבָיו כְּצֵאת הַשֶּׁמֶשׁ בִּגְבֻרָתוֹ	Jud. 5:31
לְאוֹהֲבָיו	146-148 לְאֹהֲבָיו וּלְשֹׁמְרֵי מִצְוֺתָו	Deut. 7:9 Dan. 9:4 • Neh. 1:5
אוֹהֲבֶיהָ	149 וְגִילוּ בָהּ כָּל־אֹהֲבֶיהָ	Is. 66:10
	150 אֵין־לָהּ מְנַחֵם מִכָּל־אֹהֲבֶיהָ	Lam. 1:2
וְאוֹהֲבֶיהָ	151 וְאֹהֲבֶיהָ יֹאכַל פִּרְיָהּ	Prov. 18:21
וְאָהוּב	152 וְאָהוּב לֵאלֹהָיו הָיָה	Neh. 13:26
אֲהוּבָה	153 הָאַחַת אֲהוּבָה וְהָאַחַת שְׂנוּאָה	Deut. 21:15
הָאֲהוּבָה	154 וְיָלְדוּ־לוֹ...הָאֲהוּבָה וְהַשְּׂנוּאָה	Deut. 21:15
	155 לֹא יוּכַל לְבַכֵּר אֶת־בֶּן־הָאֲהוּבָה	Deut.21:16
אֲהוּבַת־	156 אֲהֻבַת רֵעַ וּמְנָאָפֶת	Hosh. 3:1
אֵהָב	157 אֲנִי אֹהֲבַי אֵהָב	Prov. 8:17
וָאֹהַב	158 וָאֹהַב אֶת־יַעֲקֹב	Mal. 1:2
וָאֹהֲבֵהוּ	159 כִּי נַעַר יִשְׂרָאֵל וָאֹהֲבֵהוּ	Hosh. 11:1
אֹהֲבֵם	160 אֶרְפָּא מְשׁוּבָתָם אֹהֲבֵם נְדָבָה	Hosh. 14:5
וָאֹהֲבֵם	161 שָׁמְרָה נַפְשִׁי עֵדֹתֶיךָ וָאֹהֲבֵם	Ps. 119:167
תֶּאֱהַב	162 אַל־תֶּאֱהַב שֵׁנָה	Prov. 20:13
תֶּאֱהָב	163 הֲלָרָשָׁע לַעְזֹר וּלְשֹׂנְאֵי יְיָ תֶּאֱהָב	IICh. 19:2
יֶאֱהַב	164 אֶת אֲשֶׁר יֶאֱהַב יְיָ יוֹכִיחַ	Prov. 3:12
	165 לֹא־יֶאֱהַב לֵץ הוֹכֵחַ לוֹ	Prov. 15:12
יֶאֱהָב	166 וּמְרַדֵּף צְדָקָה יֶאֱהָב	Prov. 15:9
	167 וְדֹבֵר יְשָׁרִים יֶאֱהָב	Prov. 16:13
וַיֶּאֱהַב	168 וַיֶּאֱהַב יִצְחָק אֶת־עֵשָׂו	Gen. 25:28
	169 וַיֶּאֱהַב יַעֲקֹב אֶת־רָחֵל	Gen. 29:18
	170 וַיֶּאֱהַב גַּם־אֶת־רָחֵל מִלֵּאָה	Gen. 29:30
	171 וַיֶּאֱהַב אֶת־הַנַּעֲרָ	Gen. 34:3
	172 וַיֶּאֱהַב אִשָּׁה בְּנַחַל שֹׂרֵק	Jud. 16:4
	173 וַיֶּאֱהַב שְׁלֹמֹה אֶת־יְיָ	IK. 3:3
	174 וַיֶּאֱהַב קְלָלָה וַתְּבוֹאֵהוּ	Ps. 109:17
	175 וַיֶּאֱהַב הַמֶּלֶךְ אֶת־אֶסְתֵּר	Es. 2:17
	176 וַיֶּאֱהַב רְחַבְעָם אֶת־מַעֲכָה	IICh. 11:21

יֶאֱהָבַנִי 177 כִּי עַתָּה יֶאֱהָבַנִי אִישִׁי Gen. 29:32
וְיֶאֱהָבֶךָּ 178 הוֹכַח לְחָכָם וְיֶאֱהָבֶךָּ Prov. 9:8
וַיֶּאֱהָבֵהוּ 179 וַיֶּאֱהָבֵהוּ (כת׳ ויאהבו) יְהוֹנָתָן כְּנַפְשׁוֹ ISh. 18:1
180 וַיָּבֹא דָוִד אֶל־שָׁאוּל... וַיֶּאֱהָבֵהוּ ISh. 16:21
וַיֶּאֱהָבֶהָ 181 וַתְּהִי־לוֹ לְאִשָּׁה וַיֶּאֱהָבֶהָ Gen. 24:67
182 וַיֶּאֱהָבֶהָ אַמְנוֹן בֶּן־דָּוִד IISh. 13:1
וַתֶּאֱהַב 183 וַתֶּאֱהַב מִיכַל... אֶת־דָּוִד ISh. 18:20
תְּאֵהֲבוּ 184 עַד־מָתַי פְּתָיִם תְּאֵהֲבוּ פֶתִי Prov. 1:22
תֶּאֱהָבוּ 185 וּשְׁבֻעַת שֶׁקֶר אַל־תֶּאֱהָבוּ Zech. 8:17
תֶּאֱהָבוּן 186 עַד־מֶה... תֶּאֱהָבוּן רִיק Ps. 4:3
אֱהַב 187 לֵךְ אֱהַב־אִשָּׁה אֲהֻבַת רֵעַ Hosh. 3:1
אֱהָבֶהָ 188 אַל־תַּעַזְבֶהָ... אֱהָבֶהָ וְתִצְּרֶךָּ Prov. 4:6
אֶהֱבוּ 189 אֶהֱבוּ אֶת־יְיָ כָּל־חֲסִידָיו Ps. 31:24
אֱהָבוּ 190 וְהָאֱמֶת וְהַשָּׁלוֹם אֱהָבוּ Zech. 8:19
וְאֶהֱבוּ 191 שִׂנְאוּ־רָע וְאֶהֱבוּ טוֹב Am. 5:15
הַנֶּאֱהָבִים 192 הַנֶּאֱהָבִים וְהַנְּעִימִם בְּחַיֵּיהֶם IISh. 1:23
מְאַהֲבַי 193 אֵלְכָה אַחֲרֵי מְאַהֲבַי Hosh. 2:7
מְאַהֲבָי 194 אֲשֶׁר נָתְנוּ־לִי מְאַהֲבָי Hosh. 2:14
195 אֲשֶׁר הֻכֵּיתִי בֵּית מְאַהֲבָי Zech. 13:6
לִמְאַהֲבַי 196 קָרָאתִי לִמְאַהֲבַי הֵמָּה רִמּוּנִי Lam. 1:19
מְאַהֲבַיִךְ 197 כָּל־מְאַהֲבַיִךְ שְׁכֵחוּךְ Jer. 30:14
198 נָתַתְּ אֶת־נְדָנַיִךְ לְכָל־מְאַהֲבַיִךְ Ezek. 16:33
199 הִנְנִי מְקַבֵּץ אֶת־כָּל־מְאַהֲבַיִךְ Ezek. 16:37
200 הִנְנִי מֵעִיר אֶת־מְאַהֲבַיִךְ עָלַיִךְ Ezek. 23:22
מְאַהֲבָיִךְ 201 כִּי נִשְׁבְּרוּ כָּל־מְאַהֲבָיִךְ Jer. 22:20
202 בְּתַזְנוּתַיִךְ עַל־מְאַהֲבַיִךְ Ezek. 16:36
וּמְאַהֲבַיִךְ 203 וּמְאַהֲבַיִךְ בַּשְּׁבִי יֵלֵכוּ Jer. 22:22
מְאַהֲבֶיהָ 204 וַתַּעְגַּב עַל־מְאַהֲבֶיהָ Ezek. 23:5
205 לָכֵן נְתַתִּיהָ בְּיַד־מְאַהֲבֶיהָ Ezek. 23:9
206 וְרִדְּפָה אֶת־מְאַהֲבֶיהָ Hosh. 2:9
207 אֲגַלֶּה אֶת־נַבְלֻתָהּ לְעֵינֵי מְאַהֲבֶיהָ Hosh.2:12
208 וַתֵּלֶךְ אַחֲרֵי מְאַהֲבֶיהָ Hosh. 2:15

אֹהַב* ראה אֳהָבִים | אַהַב* ראה אֲהָבִים

אַהֲבָה נ׳ חִבָּה עַזָּה, רגש ידידות

קרובים: אֲהָבִים / אֳהָבִים / דּוֹדִים / חֶמְדָּה / חֵשֶׁק / יְדִידוּת / תַּאֲוָה / תְּשׁוּקָה
אַהֲבָה וְשִׂנְאָה 11,31,40; אַ׳ מְסֻתֶּרֶת 19; אַ׳ עַזָּה 10
חוֹלַת אַהֲבָה 6, 8; עֲבֹתוֹת אַ׳ 2; רָצוּף אַ׳ 7;
אַהֲבַת חֶסֶד 23; אַ׳ יְיָ (אֱלֹהִים) 24—28;
אַ׳ כְּלוּלוֹת 21; אַ׳ נֶפֶשׁ 20,34; אַ׳ נָשִׁים 29,32;
אַ׳ עוֹלָם 22
אָבְדָה אַהֲבָה 40; בִּקֵּשׁ אַ׳ 1, 4; יָפְתָה אַ׳ 9;
כִּבָּה אַ׳ 16; כִּסְּתָה אַ׳ 3; נִפְלְאָתָה אַ׳ 29;
הֶחֱרִישׁ בְּאַהֲבָתוֹ 37; שָׁגָה בְּאַהֲבָתָהּ 38

אַהֲבָה 1 מַה־תֵּיטִבִי דַּרְכֵּךְ לְבַקֵּשׁ אַהֲבָה Jer. 2:33
2 אֲמַשְׁכֵם בַּעֲבֹתוֹת אַהֲבָה Hosh. 11:4
3 וְעַל כָּל־פְּשָׁעִים תְּכַסֶּה אַהֲבָה Prov. 10:12
4 מְכַסֶּה־פֶּשַׁע מְבַקֵּשׁ אַהֲבָה Prov. 17:9
5 וְדִגְלוֹ עָלַי אַהֲבָה S.ofS. 2:4
6 כִּי־חוֹלַת אַהֲבָה אָנִי S.ofS. 2:5
7 תּוֹכוֹ רָצוּף אַהֲבָה מִבְּנוֹת יְרוּשָׁלָם S.ofS.3:10
8 שֶׁחוֹלַת אַהֲבָה אָנִי S.ofS. 5:8
9 מַה־יָּפִית... אַהֲבָה בַּתַּעֲנוּגִים S.ofS. 7:7
10 כִּי־עַזָּה כַמָּוֶת אַהֲבָה S.ofS. 8:6
11 גַּם־אַהֲבָה גַּם־שִׂנְאָה... Eccl. 9:1
וְאַהֲבָה 12 טוֹב אֲרֻחַת יָרָק וְאַהֲבָה־שָׁם... Prov. 15:17
הָאַהֲבָה 13-15 תָּעִירוּ... אֶת־הָאַהֲבָה S.ofS. 2:7; 3:5; 8:4
16 מַיִם... יוּכְלוּ לְכַבּוֹת אֶת־הָאַהֲבָה S.ofS. 8:7
בָּאַהֲבָה 17 יִתֵּן... אֶת־כָּל־הוֹן בֵּיתוֹ בָּאַהֲבָה S.ofS. 8:7
מֵאַהֲבָה 18 כִּי גְדוֹלָה... מֵאַהֲבָה אֲשֶׁר אֲהֵבָהּ IISh. 13:15
19 טוֹבָה תּוֹכַחַת מְגֻלָּה מֵאַהֲבָה מְסֻתָּרֶת Prov.27:5

אַהֲבַת־ 20 כִּי־אַהֲבַת נַפְשׁוֹ אֲהֵבוֹ ISh. 20:17
21 חֶסֶד נְעוּרַיִךְ אַהֲבַת כְּלוּלֹתָיִךְ Jer. 2:2
וְאַהֲבַת־ 22 וְאַהֲבַת עוֹלָם אֲהַבְתִּיךְ Jer. 31:3(2)
23 עֲשׂוֹת מִשְׁפָּט וְאַהֲבַת חֶסֶד Mic. 6:8
בְּאַהֲבַת־ 24 בְּאַהֲבַת יְיָ אֶת־יִשְׂרָאֵל IK. 10:9
25 בְּאַהֲבַת יְיָ אֶת־עַמּוֹ IICh. 2:10
26 בְּאַהֲבַת אֱלֹהַיִךְ אֶת־יִשְׂרָאֵל IICh. 9:8
כְּאַהֲבַת־ 27 כְּאַהֲבַת יְיָ אֶת־בְּנֵי יִשְׂרָאֵל Hosh. 3:1
מֵאַהֲבַת־ 28 כִּי מֵאַהֲבַת יְיָ אֶתְכֶם... Deut. 7:8
29 נִפְלְאַתָה אַהֲבָתְךָ לִי מֵאַהֲבַת נָשִׁים IISh.1:26
אַהֲבָתִי 30 תַּחַת־אַהֲבָתִי יִשְׂטְנוּנִי Ps. 109:4
31 וְשִׂנְאָה תַּחַת אַהֲבָתִי Ps. 109:5
אַהֲבָתְךָ 32 נִפְלְאַתָה אַהֲבָתְךָ לִי מֵאַהֲבַת נָשִׁים IISh.1:26
בְּאַהֲבָתוֹ 33 כְּיָמִים אֲחָדִים בְּאַהֲבָתוֹ אֹתָהּ Gen. 29:20
34 בְּאַהֲבָתוֹ אֹתוֹ כְּנַפְשׁוֹ ISh. 18:3
35 לְהַשְׁבִּיעַ אֶת־דָּוִד בְּאַהֲבָתוֹ אֹתוֹ ISh. 20:17
36 בְּאַהֲבָתוֹ וּבְחֶמְלָתוֹ הוּא גְאָלָם Is. 63:9
37 יַחֲרִישׁ בְּאַהֲבָתוֹ Zep. 3:17
בְּאַהֲבָתָהּ 38 בְּאַהֲבָתָהּ תִּשְׁגֶּה תָמִיד Prov. 5:19
אַהֲבָתָם 39 לֹא אוֹסֵף אַהֲבָתָם Hosh. 9:15
40 גַּם אַהֲבָתָם גַּם־שִׂנְאָתָם... אָבָדָה Eccl. 9:6

אֲהָבִים ז״ר תענוגי אהבה

בָּאֳהָבִים 1 נִרְוֶה דֹדִים.. נִתְעַלְּסָה בָּאֳהָבִים Prov. 7:18

אֳהָבִים ז״ר א) דברי אהבה: 1; ב) חן, חמדה: 2

אֲהָבִים 1 אֶפְרַיִם הִתְנוּ אֲהָבִים Hosh. 8:9
2 אַיֶּלֶת אֲהָבִים וְיַעֲלַת חֵן Prov. 5:19

אהד : שמות פרטיים: אֹהַד, אֵהוּד

אֹהַד שפ״ז — בן שמעון בן יעקב

1-2 יְמוּאֵל וְיָמִין וְאֹהַד Gen. 46:10 • Ex. 6:15

אֲהָהּ מ״ק לצער • קרובים: ראה אֲבוֹי

אֲהָהּ 1 אֲהָהּ אֲדֹנָי יֱהוִֹה לָמָּה הֶעֱבַרְתָּ... Josh. 7:7
2 אֲהָהּ אֲדֹנָי יֱהוִֹה כִּי־עַל־כֵּן רָאִיתִי Jud. 6:22
3 אֲהָהּ בִּתִּי הַכְרֵעַ הִכְרַעְתִּנִי Jud. 11:35
4 אֲהָהּ כִּי־קָרָא יְיָ לִשְׁלֹשֶׁת הַמְּלָכִים IIK. 3:10
5 אֲהָהּ אֲדֹנִי וְהוּא שָׁאוּל IIK. 6:5
6 אֲהָהּ אֲדֹנִי אֵיכָה נַעֲשֶׂה IIK. 6:15
7-14 אֲהָהּ אֲדֹנָי יֱהוִֹה Jer. 1:6; 4:10; 14:13; 32:17 • Ezek. 4:14; 9:8; 11:13; 21:15
15 אֲהָהּ לַיּוֹם כִּי קָרוֹב יוֹם יְיָ Joel 1:5

אַהֲוָא שם מקום בבבל ושם הנהר העובר בו

אַהֲוָא 1 וָאֶקְבְּצֵם אֶל־הַנָּהָר הַבָּא אֶל־אַהֲוָא Ez. 8:15
2 וָאֶקְרָא שָׁם צוֹם עַל־הַנָּהָר אַהֲוָא Ez. 8:21
3 וַנִּסְעָה מִנְּהַר אַהֲוָא...לָלֶכֶת יְרוּשָׁלָם Ez. 8:31

אֵהוּד שפ״ז א) בן גֵּרָא, מבנימין, שופט בישראל: 1—8 ב) בן בִּלְהָן בן יְדִיעֲאֵל, מבנימין: 9

אֵהוּד 1 אֶת־אֵהוּד בֶּן־גֵּרָא בֶּן־הַיְמִינִי Jud. 3:15
2 וַיַּעַשׂ לוֹ אֵהוּד חֶרֶב Jud. 3:16
3 וַיִּשְׁלַח אֵהוּד אֶת־יַד שְׂמֹאלוֹ Jud. 3:21
4/5 אֵהוּד Jud. 3:20,23
וְאֵהוּד 6 וְאֵהוּד בָּא אֵלָיו Jud. 3:20
7/8 וְאֵהוּד Jud. 3:26; 4:1
9 יְעוּשׁ וּבִנְיָמִן וְאֵהוּד ICh. 7:10

אֱהִי מ״ש אַיֵּה?

אֱהִי 1 אֱהִי מַלְכְּךָ אֵפוֹא וְיוֹשִׁיעֲךָ Hosh. 13:10
2 אֱהִי דְבָרֶיךָ מָוֶת Hosh. 13:14
3 אֱהִי קָטָבְךָ שְׁאוֹל Hosh. 13:14

אֶהְיֶה מכנוייו של אלהי ישראל שהיה, הוה ויהיה

אֶהְיֶה 1-2 וַיֹּאמֶר אֱלֹהִים...אֶהְיֶה אֲשֶׁר אֶהְיֶה Ex. 3:14
3 אֶהְיֶה שְׁלָחַנִי אֲלֵיכֶם Ex. 3:14

אהל : אָהַל, יָהֵל, הֶאֱהִיל; אֹהֶל; ש״פ אֹהֶל, אָהֳלָה, אָהֳלִיאָב, אָהֳלִיבָה, אָהֳלִיבָמָה

אָהַל פ׳ א) נטה אוהל, הקים אוהלים: 1—2;

ב) [פ׳ אָהַל] [יָהֵל = יַאֲהֵל] נטה אוהל: 3
ג) [הפ׳ הֶאֱהִיל] פרש אור, זרח: 4

וַיֶּאֱהַל 1 וַיֶּאֱהַל עַד־סְדֹם Gen. 13:12
2 וַיֶּאֱהַל אַבְרָם וַיָּבֹא וַיֵּשֶׁב Gen. 13:18
יָהֵל 3 וְלֹא־יָהֵל שָׁם עֲרָבִי Is. 13:20
יַאֲהִיל 4 הֵן עַד־יָרֵחַ וְלֹא יַאֲהִיל Job 25:5

אֹהֶל[1] ז׳ א) משכן יריעות לשכון־ארעי – רוב המקראות

ב) כסוי, מכסה רחב: 5, 12, 13
ג) כנוי למקום מגורים: 230, 291-293, 308-324, 342-344
– אֹהֶל הָאֲמָהוֹת 233; אֹ׳ בֵּיתוֹ 230; אֹ׳ בַּת צִיּוֹן 231; אֹ׳ דָּוִד 228; אֹ׳ יוֹסֵף 229; אֹ׳ יְיָ 187—189;
אֹ׳ יָעֵל 186; אֹ׳ יַעֲקֹב 193, 232; אֹ׳ יְשָׁרִים 191;
אֹ׳ לֵאָה 232, 242; אֹ׳ מוֹעֵד 76—183, 195—226, 235—239, 243; אֹ׳ הָעֵדוּת 184, 185, 227, 240/1
אֹ׳ רָחֵל 194; אֹ׳ רֵעִי 234; אֹ׳ רְשָׁעִים 192
– בֵּית הָאֹהֶל 39; יְרִיעוֹת הָאֹ׳ 28, 29; יְתַד הָאֹ׳ 36; כְּלֵי הָאֹ׳ 30; מִכְסֵה הָאֹ׳ 33; סְבִיבוֹת הָאֹ׳ 34; עֲבֹדַת הָאֹ׳ 35; פְּנֵי הָאֹ׳ 26; פֶּתַח הָאֹ׳ 14—24, 79—122, 263, 264, 266, 329
– מְקוֹם אָהֳלוֹ 255; מְתֵי אֹ׳ 247; סֵתֶר אָהֳלוֹ 269
– יוֹשֵׁב (אֹהֶל) אֹהָלִים 1,281; שֹׁכְנֵי בְּאָהֳלֵיב 286
– אָהֳלֵי אֱדוֹם 294; אָ׳ הָאֲנָשִׁים 290 אָ׳ אַפַּדְנוֹ 297; אָ׳ חָם 300; אָ׳ יְהוּדָה 293; אָ׳ יַעֲקֹב 291,304;
אָ׳ יִשְׁמְעֵאלִים 294; אָ׳ כוּשָׁן 292; אָ׳ מִקְנֶה 298;
אָ׳ צַדִּיקִים 302; אָ׳ קֵדָר 295, 303; אָ׳ רֶשַׁע 301; אָ׳ שֹׁחַד 296; אָ׳ שֵׁם 299; אִישׁ לְאֹהָלָיו 312-321
– הִטָּה אֹהֶל 38; הִפְרִיחַ אֹ׳ 191; חִבֵּר אֹ׳ 27, 31;
נָטָה אֹ׳ 7, 9, 257, 259, 260, 262; נָטַע אֹ׳ 297;
נָפַל אֹ׳ 37; צָעַן אֹ׳ 4; שָׁדַד אֹ׳ 244, 305;
שָׂם אֹ׳ 5; תָּקַע אֹ׳ 261, 282

אֹהֶל 1 יָבָל... אֲבִי יֹשֵׁב אֹהֶל וּמִקְנֶה Gen. 4:20
2 וַיָּבֹאוּ אֶל־אֹהֶל אֶחָד וַיֹּאכְלוּ IIK. 7:8
3 וַיָּשֻׁבוּ וַיָּבֹאוּ אֶל־אֹהֶל אַחֵר IIK. 7:8
4 אֹהֶל בַּל־יִצְעָן Is. 33:20
5 לַשֶּׁמֶשׁ שָׂם־אֹהֶל בָּהֶם Ps. 19:5
6 וַיִּטֹּשׁ מִשְׁכַּן שִׁלוֹ אֹהֶל שִׁכֵּן בָּאָדָם Ps. 78:60
7 וַיָּכֶן מָקוֹם לַאֲרוֹן... וַיֶּט־לוֹ אֹהֶל ICh. 15:1
8 וָאֶהְיֶה מֵאֹהֶל אֶל־אֹהֶל ICh. 17:5
9 כִּי נָטָה־לוֹ אֹהֶל בִּירוּשָׁלָם IICh. 1:4
בְּאֹהֶל 10 אָדָם כִּי־יָמוּת בְּאֹהֶל Num. 19:14
11 וָאֶהְיֶה מִתְהַלֵּךְ בְּאֹהֶל וּבְמִשְׁכָּן IISh. 7:6
לְאֹהֶל 12/3 לְאֹהֶל עַל־הַמִּשְׁכָּן Ex. 26:7; 36:14
הָאֹהֶל 14 וְהוּא יֹשֵׁב פֶּתַח־הָאֹהֶל Gen. 18:1
15-24 פֶּתַח הָאֹהֶל (לְפֶ־ / מִפֶּ־) Gen. 18:2,10 • Ex. 26:36; 33:9, 10; 36:37; 39:38 • Num. 12:5 • Deut. 31:15 • Jud. 4:20
25 וַיְמַשֵּׁשׁ לָבָן אֶת־כָּל־הָאֹהֶל Gen. 31:34
26 אֶל־מוּל פְּנֵי הָאֹהֶל Ex. 26:9
27 וְחִבַּרְתָּ אֶת־הָאֹהֶל Ex. 26:11
28 וְסֶרַח הָעֹדֵף בִּירִיעֹת הָאֹהֶל Ex. 26:12
29 בְּאֹרֶךְ יְרִיעֹת הָאֹהֶל Ex. 26:13
30 וְאֵת כָּל־כְּלֵי הָאֹהֶל Ex. 31:7
31 לְחַבֵּר אֶת־הָאֹהֶל Ex. 36:18
32 וַיִּפְרֹשׂ אֶת־הָאֹהֶל עַל הַמִּשְׁכָּן Ex. 40:19
33 וַיָּשֶׂם אֶת־מִכְסֵה הָאֹהֶל Ex. 40:19
34 וַיַּעֲמֵד אֹתָם סְבִיבֹת הָאֹהֶל Num. 11:24
35 ...לְכֹל עֲבֹדַת הָאֹהֶל Num. 18:4

הָאֹהֶל (הֶמְשֵׁך) 36 וַתִּקַּח... אֶת־יְתַד הָאֹהֶל Jud. 4:21
37 וַיַּהַפְכֵהוּ לְמַעְלָה וְנָפַל הָאֹהֶל Jud. 7:13
38 וַיַּטּוּ לְאַבְשָׁלוֹם הָאֹהֶל IISh. 16:22
39 לְבֵית־הָאֹהֶל לְמִשְׁמָרוֹת ICh. 9:23
40-54 הָאֹהֶל Ex. 33:7, 8, 11; 39:33
Num. 9:17; 12:10; 18:3; 19:14, 18 • Josh. 7:23 • Jud. 7:13 • IISh. 6:17 • IK. 1:39 • Ezek. 41:1 • ICh. 16:1
וְהָאֹהֶל 55 וּמִשְׁמֶרֶת... הַמִּשְׁכָּן וְהָאֹהֶל Num. 3:25
הָאֹהֱלָה 56 וַיְמַהֵר אַבְרָהָם הָאֹהֱלָה Gen. 18:6
57-63 הָאֹהֱלָה Gen. 24:67 • Ex. 18:7; 33:8,9 • Num. 11:26 • Josh. 7:22 • Jud. 4:18
בָּאֹהֶל 64 אַיֵּה שָׂרָה... וַיֹּאמֶר הִנֵּה בָאֹהֶל Gen. 18:9
65 וְכָל־אֲשֶׁר בָּאֹהֶל יִטְמָא Num. 19:14
66 וַיֵּרָא יְיָ בָּאֹהֶל בְּעַמּוּד עָנָן Deut. 31:15
67 יָעֵל... מִנָּשִׁים בָּאֹהֶל תְּבֹרָךְ Jud. 5:24
68/9 כְּלֵי הַקֹּדֶשׁ אֲשֶׁר בָּאֹהֶל IK. 8:4 • IICh. 5:5
כָּאֹהֶל 70 וַיִּמְתָּחֵם כָּאֹהֶל לָשָׁבֶת Is. 40:22
לָאֹהֶל 71 וְעָשִׂיתָ מִכְסֶה לָאֹהֶל Ex. 26:14
72 וַיַּעַשׂ מִכְסֶה לָאֹהֶל Ex. 36:19
73 שֹׁמְרֵי הַסִּפִּים לָאֹהֶל ICh. 9:19
מֵאֹהֶל 74 יַחְתְּךָ וְיִסָּחֲךָ מֵאֹהֶל Ps. 52:7
75 וָאֶהְיֶה מֵאֹהֶל אֶל־אֹהֶל ICh. 17:5
אֹהֶל־ 76-8 בְּבֹאָם אֶל־אֹהֶל מוֹעֵד Ex.28:43; 30:20; 40:32
79-122 פֶּתַח אֹהֶל־מוֹעֵד (וּפ־/ מִפּ־) Ex. 29:4
29:11,32,42; 38:8,30; 40:12 • Lev. 1:3,5; 3:2; 4:4,7, 18; 8:3,4,31,33,35; 10:7; 12:6; 14:11,23; 15:14,29; 16:7; 17:4,5,6,9; 19:21 • Num. 3:25; 4:25; 6:10,13, 18; 10:3; 16:18,19; 17:15; 20:6; 25:6; 27:2 • Josh. 19:51 • ISh. 2:22
123-181 אֹהֶל־מוֹעֵד Ex. 29:10, 30, 44; 30:16, 18, 26
31:7; 33:7²; 35:21; 39:32; 40:2,6,7,29,30; 40:34,35 • Lev. 3:8,13; 4:5,14,16; 6:9,19,23; 9:23; 10:9; 16:20,23,33 • Num. 2:17; 3:7,8,38; 4:25,30; 7:5 89; 8:9,15,24; 11:16; 12:4; 17:7; 18:4,6,21,22,23; 19:4; 31:54 • Josh. 18:1 • IK. 8:4 • ICh. 6:17; 23:32 • IICh. 1:3,13; 5:5
182/3 פְּנֵי אֹהֶל מוֹעֵד Lev. 9:5 • Num. 17:8
184/5 אֹהֶל הָעֵדוּת Num. 17:23; 18:2
186 וְסִיסְרָא נָס... אֶל־אֹהֶל יָעֵל Jud. 4:17
187-189 אֹהֶל יְיָ IK. 2:28,29,30
190 וְאַיֵּה אֹהֶל מִשְׁכְּנוֹת רְשָׁעִים Job 21:28
וְאֹהֶל־ 191 וְאֹהֶל יְשָׁרִים יַפְרִיחַ Prov. 14:11
192 וְאֹהֶל רְשָׁעִים אֵינֶנּוּ Job 8:22
בְּאֹהֶל־ 193 וַיָּבֹא לָבָן בְּאֹהֶל־יַעֲקֹב Gen. 31:33
194 וַיֵּצֵא... וַיָּבֹא בְּאֹהֶל רָחֵל Gen. 31:33
195-226 בְּאֹהֶל מוֹעֵד Ex. 27:21; 30:36
40:22, 24, 26 • Lev. 4:7, 18; 16:17; 24:3 • Num. 1:1; 3:25; 4:3, 4, 15, 23, 28, 31, 33, 35, 37, 39, 41, 43, 47; 8:19, 22, 26; 14:10; 17:19; 18:31 • Deut. 31:14²
227 וַיַּנַּח... לִפְנֵי יְיָ בְּאֹהֶל הָעֵדֻת Num. 17:22
228 וְיָשַׁב עָלָיו בֶּאֱמֶת בְּאֹהֶל דָּוִד Is. 16:5
229 וַיִּמְאַס בְּאֹהֶל יוֹסֵף Ps. 78:67
230 אִם־אָבֹא בְּאֹהֶל בֵּיתִי Ps. 132:3
231 בְּאֹהֶל בַּת־צִיּוֹן שָׁפַךְ כָּאֵשׁ חֲמָתוֹ Lam. 2:4
וּבְאֹהֶל־ 232 בְּאֹהֶל־יַעֲקֹב וּבְאֹהֶל לֵאָה Gen. 31:33
233 וּבְאֹהֶל שְׁתֵּי הָאֲמָהֹת Gen. 31:33
כְּאֹהֶל־ 234 נִסַּע וְנִגְלָה מִנִּי כְּאֹהֶל רֹעִי Is. 38:12
לְאֹהֶל־ 235-239 לְאֹהֶל־מוֹעֵד Ex. 39:40 • Lev. 16:16 • Num. 2:2 • ICh. 9:21 • IICh. 1:6
240/1 לְאֹהֶל הָעֵדֻ(וּ)ת Num. 9:15 • IICh. 24:6
מֵאֹהֶל־ 242 וַיֵּצֵא מֵאֹהֶל לֵאָה Gen. 31:33
243 וַיְדַבֵּר יְיָ אֵלָיו מֵאֹהֶל מוֹעֵד Lev. 1:1
אָהֳלִי 244 אָהֳלִי שֻׁדַּד וְכָל־מֵיתָרַי נִתָּקוּ Jer. 10:20

אָהֳלִי (הֶמְשֵׁך) 245 אֵין־נֹטֶה עוֹד אָהֳלִי Jer. 10:20
246 בְּסוֹד אֱלוֹהַּ עֲלֵי אָהֳלִי Job 29:4
247 אִם־לֹא אָמְרוּ מְתֵי אָהֳלִי Job 31:31
הָאָהֳלִי 248 טְמֻנִים בָּאָרֶץ בְּתוֹךְ הָאָהֳלִי Josh. 7:21
לְאָהֳלִי 249 וַיַּחֲנוּ סָבִיב לְאָהֳלִי Job 19:12
אָהֳלֶךָ 250 וְיָדַעְתָּ כִּי־שָׁלוֹם אָהֳלֶךָ Job 5:24
בְּאָהָלְךָ 251 אָגוּרָה בְאָהָלְךָ עוֹלָמִים Ps. 61:5
בְּאָהֳלֶךָ 252 יְיָ מִי־יָגוּר בְּאָהֳלֶךָ Ps. 15:1
253 וְנֶגַע לֹא־יִקְרַב בְּאָהֳלֶךָ Ps. 91:10
מֵאָהֳלֶךָ 254 תַּרְחִיק עַוְלָה מֵאָהֳלֶךָ Job 22:23
אָהֳלֵךְ 255 הַרְחִיבִי מְקוֹם אָהֳלֵךְ Is. 54:2
אָהֳלֹה 256 וַיִּתְגַּל בְּתוֹךְ אָהֳלֹה Gen. 9:21
257 וַיַּעְתֵּק מִשָּׁם... וַיֵּט אָהֳלֹה Gen. 12:8
258 אֲשֶׁר־הָיָה שָׁם אָהֳלֹה בַּתְּחִלָּה Gen. 13:3
259 וַיֵּט אָהֳלֹה מֵהָלְאָה לְמִגְדַּל־עֵדֶר Gen. 35:21
אָהֳלוֹ 260 וַיֶּט־שָׁם אָהֳלוֹ Gen. 26:25
261 וְיַעֲקֹב תָּקַע אֶת־אָהֳלוֹ Gen. 31:25
262 אֲשֶׁר נָטָה־שָׁם אָהֳלוֹ Gen. 33:19
263 וְנִצְּבוּ אִישׁ פֶּתַח אָהֳלוֹ Ex. 33:8
264 וְהִשְׁתַּחֲווּ אִישׁ פֶּתַח אָהֳלוֹ Ex. 33:10
265 אֶת־אָהֳלוֹ וְאֶת־מִכְסֵהוּ Ex. 35:11
266 בֹּכֶה... אִישׁ לְפֶתַח אָהֳלוֹ Num. 11:10
267 וְאֶת־אָהֳלוֹ וְאֶת־כָּל־אֲשֶׁר־לוֹ Josh. 7:24
268 וַיֵּט אָהֳלוֹ עַד־אֵלוֹן בְּצַעֲנַנִּים Jud. 4:11
269 יַסְתִּרֵנִי בְּסֵתֶר אָהֳלוֹ Ps. 27:5
בְּאָהֳלוֹ 270 אִישׁ לַאֲשֶׁר בְּאָהֳלוֹ תִּקָּחוּ Ex. 16:16
271 וְהִנֵּה טְמוּנָה בְּאָהֳלוֹ Josh. 7:22
272 וְאֶת־כֵּלָיו שָׂם בְּאָהֳלוֹ ISh. 17:54
273 אִישׁ בְּאָהֳלוֹ יָקוּמוּ Jer. 37:10
274 וְאֶזְבְּחָה בְאָהֳלוֹ זִבְחֵי תְרוּעָה Ps. 27:6
275 אוֹר חָשַׁךְ בְּאָהֳלוֹ Job 18:6
276 תִּשְׁכּוֹן בְּאָהֳלוֹ מִבְּלִי־לוֹ Job 18:15
277 יֵרַע שָׂרִיד בְּאָהֳלוֹ Job 20:26
לְאָהֳלוֹ 278 וְיָשַׁב מִחוּץ לְאָהֳלוֹ Lev. 14:8
279 לֹא נֵלֵךְ אִישׁ לְאָהֳלוֹ Jud. 20:8
מֵאָהֳלוֹ 280 יִנָּתֵק מֵאָהֳלוֹ מִבְטַחוֹ Job 18:14
אֹהָלִים 281 אִישׁ תָּם יֹשֵׁב אֹהָלִים Gen. 25:27
282 תָּקְעוּ עָלֶיהָ אֹהָלִים Jer. 6:3
283 יִשְׁלָיוּ אֹהָלִים לְשֹׁדְדִים Job 12:6
וְאֹהָלִים 284 צֹאן־וּבָקָר וְאֹהָלִים Gen. 13:5
285 הַסּוּס אָסוּר... וְאֹהָלִים כַּאֲשֶׁר הֵמָּה IIK.7:10
בָּאֳהָלִים 286 דֶּרֶךְ הַשְּׁכוּנֵי בָאֳהָלִים Jud. 8:11
287 בָּאֳהָלִים תֵּשְׁבוּ כָּל־יְמֵיכֶם Jer. 35:7
288 וַנֵּשֶׁב בָּאֳהָלִים וַנִּשְׁמַע וַנַּעַשׂ Jer. 35:10
289 עֹד אוֹשִׁיבְךָ בָאֳהָלִים כִּימֵי מוֹעֵד Hosh.12:10
אָהֳלֵי־ 290 אָהֳלֵי הָאֲנָשִׁים הָרְשָׁעִים Num. 16:26
291 הִנְנִי־שָׁב שְׁבוּת אָהֳלֵי יַעֲקוֹב Jer. 30:18
292 תַּחַת אָוֶן רָאִיתִי אָהֳלֵי כוּשָׁן Hab. 3:7
293 וְהוֹשִׁיעַ יְיָ אֶת־אָהֳלֵי יְהוּדָה Zech. 12:7
294 אָהֳלֵי אֱדוֹם וְיִשְׁמְעֵאלִים Ps. 83:7
295 שָׁכַנְתִּי עִם־אָהֳלֵי קֵדָר Ps. 120:5
296 וְאֵשׁ אָכְלָה אָהֳלֵי־שֹׁחַד Job 15:34
297 וְיִטַּע אָהֳלֵי אַפַּדְנוֹ Dan. 11:45
298 וְגַם־אָהֳלֵי מִקְנֶה הִכּוּ IICh. 14:14
בְּאָהֳלֵי־ 299 וְיִשְׁכֹּן בְּאָהֳלֵי־שֵׁם Gen. 9:27
300 רֵאשִׁית אוֹנִים בְּאָהֳלֵי־חָם Ps. 78:51
301 מִדּוּר בְּאָהֳלֵי־רֶשַׁע Ps. 84:11
302 רִנָּה וִישׁוּעָה בְּאָהֳלֵי צַדִּיקִים Ps. 118:15
כְּאָהֳלֵי־ 303 כְּאָהֳלֵי קֵדָר כִּירִיעוֹת שְׁלֹמֹה S.ofS. 1:5
מֵאָהֳלֵי־ 304 עֵר וְעֹנֶה מֵאָהֳלֵי יַעֲקֹב Mal. 2:12
אֹהָלָי 305 פִּתְאֹם שֻׁדְּדוּ אֹהָלָי Jer. 4:20
אֹהָלֶיךָ 306 מַה־טֹּבוּ אֹהָלֶיךָ יַעֲקֹב Num. 24:5

בְּאֹהָלֶיךָ 307 וּזְבוּלֻן בְּצֵאתֶךָ וְיִשָּׂשכָר בְּאֹהָלֶיךָ Deut.33:18
308 וְאַל־תַּשְׁכֵּן בְּאֹהָלֶיךָ עַוְלָה Job 11:14
לְאֹהָלֶיךָ 309 וּפָנִיתָ בַבֹּקֶר וְהָלַכְתָּ לְאֹהָלֶיךָ Deut. 16:7
310 וְהִשְׁכַּמְתֶּם... וְהָלַכְתָּ לְאֹהָלֶךָ* Jud. 19:9
311 וַיָּשָׁבוּ הָעָם... לְאֹהָלֶיךָ יִשְׂרָאֵל IK. 12:16
312 אִישׁ לְאֹהָלֶיךָ יִשְׂרָאֵל IICh. 10:16
לְאֹהָלָיו 313/4 שִׁלַּח אִישׁ לְאֹהָלָיו Jud. 7:8 • ISh. 13:2
315/6 וַיָּנֻסוּ אִישׁ לְאֹהָלָיו ISh. 4:10 • IICh. 25:22
317/8 נָסוּ (וַיָּנֻסוּ) אִישׁ לְאֹהָלָו IISh.18:17 • IIK.14:12
319 וְיִשְׂרָאֵל נָס אִישׁ לְאֹהָלָיו IISh. 19:9
320 אִישׁ לְאֹהָלָיו יִשְׂרָאֵל IISh. 20:1
321 וַיָּפֻצוּ מֵעַל־הָעִיר אִישׁ לְאֹהָלָיו IISh. 20:22
322 וַיֵּלֶךְ יִשְׂרָאֵל לְאֹהָלָיו IK. 12:16
323 וַיָּנָס הָעָם לְאֹהָלָיו IIK. 8:21
324 וַיֵּלֶךְ כָּל־יִשְׂרָאֵל לְאֹהָלָיו IICh. 10:16
אָהֳלֵיכֶם 325 שׁוּבוּ אֶל־אָהֳלֵיכֶם Josh. 22:8
בְּאָהֳלֵיכֶם 326 וַתֵּרָגְנוּ בְאָהֳלֵיכֶם Deut. 1:27
לְאָהֳלֵיכֶם 327 שׁוּבוּ לָכֶם לְאָהֳלֵיכֶם Deut. 5:27
328 פְּנוּ וּלְכוּ לָכֶם לְאָהֳלֵיכֶם Josh. 22:4
אָהֳלֵיהֶם 329 יָצְאוּ נִצָּבִים פֶּתַח אָהֳלֵיהֶם Num. 16:27
330 וְאֶת־בָּתֵּיהֶם וְאֶת־אָהֳלֵיהֶם Deut. 11:6
331 וַיֵּלְכוּ אֶל־אָהֳלֵיהֶם Josh. 22:6
332 שִׁלְּחָם יְהוֹשֻׁעַ אֶל־אָהֳלֵיהֶם Josh. 22:7
333 וַיַּעַזְבוּ אֶת־אָהֳלֵיהֶם IIK. 7:7
334 אָהֳלֵיהֶם וְצֹאנָם יִקָּחוּ Jer. 49:29
335 וַיַּכּוּ אֶת־אָהֳלֵיהֶם ICh. 4:41
וְאָהֳלֵיהֶם 336 וּמִקְנֵיהֶם יַעֲלוּ וְאָהֳלֵיהֶם Jud. 6:5
בְּאָהֳלֵיהֶם 337 וַיֵּשְׁבוּ בְנֵי־יִשְׂרָאֵל בְּאָהֳלֵיהֶם IIK. 13:5
338 קִמּוֹשׂ יִירָשֵׁם חוֹחַ בְּאָהֳלֵיהֶם Hosh. 9:6
339 בְּאָהֳלֵיהֶם אַל־יְהִי יֹשֵׁב Ps. 69:26
340 וַיַּשְׁכֵּן בְּאָהֳלֵיהֶם שִׁבְטֵי יִשְׂרָאֵל Ps. 78:55
341 וַיֵּרָגְנוּ בְאָהֳלֵיהֶם Ps. 106:25
342 וַיִּפְּלוּ בְּיָדָם וַיֵּשְׁבוּ בְּאָהֳלֵיהֶם ICh. 5:10
לְאָהֳלֵיהֶם 343 וַיֵּלְכוּ לְאָהֳלֵיהֶם שְׂמֵחִים IK. 8:66
344 שִׁלַּח אֶת־הָעָם לְאָהֳלֵיהֶם IICh. 7:10
מֵאָהֳלֵיהֶם 345 וַיְהִי בִּנְסֹעַ הָעָם מֵאָהֳלֵיהֶם Josh. 3:14

אֹהֶל² שפ״ז – בן זרובבל, מזרע בית דוד

וְאֹהֶל 1 וַחֲשֻׁבָה וְאֹהֶל וּבֶרֶכְיָה ICh. 3:20

אָהָל* ז׳ צמח בושם ריחני

אֲהָלִים 1 מֹר אֲהָלִים וְקִנָּמוֹן Prov. 7:17
כַּאֲהָלִים 2 כַּאֲהָלִים נָטַע יְיָ Num. 24:6
וַאֲהָלוֹת 3 מֹר־וַאֲהָלוֹת קְצִיעוֹת כָּל־בִּגְדֹתֶיךָ Ps. 45:9
4 מֹר וַאֲהָלוֹת עִם כָּל־רָאשֵׁי בְשָׂמִים S.ofS.4:14

אָהֳלָה שפ״נ – שם סמלי לשומרון

1-2 אָהֳלָה הַגְּדוֹלָה...שֹׁמְרוֹן אָהֳלָה Ezek. 23:4
3 וַתִּזֶן אָהֳלָה תַּחְתָּי Ezek. 23:5
4-5 אָהֳלָה Ezek. 23:36,44

אָהֳלִיאָב שפ״ז – אומן במלאכת המשכן, למטה דן

אָהֳלִיאָב 1-2 אָהֳלִיאָב בֶּן־אֲחִיסָמָךְ Ex. 31:6; 38:23
3 וַיִּקְרָא...אֶל־בְּצַלְאֵל וְאֶל־אָהֳלִיאָב Ex. 36:2
וְאָהֳלִיאָב 4-5 וְאָהֳלִיאָב Ex. 35:34; 36:1

אָהֳלִיבָה שפ״נ – שם סמלי לירושלים

אָהֳלִיבָה 1 שֹׁמְרוֹן אָהֳלָה וִירוּשָׁלַםִ אָהֳלִיבָה Ezek. 23:4
2-5 אָהֳלִיבָה Ezek. 23:11,22,36,44
וְאָהֳלִיבָה 6 אָהֳלָה הַגְּדוֹלָה וְאָהֳלִיבָה אֲחוֹתָהּ Ezek. 23:4

*ס״א: לְאֹהָלֶיךָ; ויש סבורים כי הוא לשון יחיד, אך הנקוד מוכיח כי הוא לשון רבוי.

אָהֳלִיבָמָה ש״פ נר״ז א) אשת עשׂו: 1–4, 7–8
ב) כנויו של אחד מאלופי אדום: 5-6

אָהֳלִיבָמָה 1-2 אָהֳלִיבָמָה בַּת־עֲנָה Gen. 36:2,14
3-4 אָהֳלִיבָמָה(...) אֵשֶׁת עֵשָׂו Gen. 36:18^2
5-6 אַלּוּף אָהֳלִיבָמָה Gen. 36:41 • ICh. 1:52
וְאָהֳלִיב׳ 7 וְאָהֳלִיבָמָה יָלְדָה אֶת־יְעוּשׁ Gen. 36:5
8 וְאָהֳלִיבָמָה בַּת־עֲנָה Gen. 36:25

אַהֲרֹן שפ״ז – הכהן הגדול, בן עמרם, אחי משה
אַהֲרֹן וּמֹשֶׁה 30-31, 34-35, 112,137; א׳ וּבָנָיו 59-75, 80-86, 89-96, 102, 122-123, 318-329; מֹשֶׁה וְא׳ 7-29, 37-39, 57, 130, 264, 268-301, 315, 343-347; אֹזֶן א׳ 87, 105; אֲחוֹת א׳ 38; בִּגְדֵי א׳ 77; בֵּית א׳ 131—133, 135; בֶּן א׳ 33, 98—101, 113—121, 136; בְּנֵי א׳ 76, 139-186; דּוֹד א׳ 107; זְקַן א׳ 134; זֶרַע א׳ 109-111; יַד א׳ 86,138; כַּפֵּי א׳ 88,106; לֵב א׳ 78; מַטֵּה א׳ 36,125-127; מֵצַח א׳ 79; מִשְׁחַת א׳ 103; קָרְבַּן א׳ 102; רֹאשׁ א׳ 104; שֵׁם א׳ 124; תּוֹלְדוֹת א׳ 112

אַהֲרֹן 1 אַהֲרֹן אָחִיךָ הַלֵּוִי... יְדַבֵּר Ex. 4:14
2-6 וַיֹּאמֶר (וַיְדַבֵּר) יְיָ אֶל־אַהֲרֹן Ex. 4:27 •
Lev. 10:8 • Num. 18:1,8,20
7-12 אֶת־מֹשֶׁה וְאֶת־אַהֲרֹן Ex. 5:20; 10:8;
12:50 • Josh. 24:5 • ISh. 12:6,8
13-29 וַיְדַבֵּר (וַיֹּאמֶר) יְיָ אֶל־מֹשֶׁה
וְאֶל־אַהֲרֹן Ex. 6:13; 7:8; 9:8; 12:1
Lev. 11:1; 13:1; 14:33; 15:1 • Num. 2:1; 4:1, 17;
12:4; 14:26; 16:20; 19:1; 20:12, 23 • Ex. 6:20
30/1 וַתֵּלֶד...אֶת־אַהֲרֹן וְאֶת־מֹשֶׁה Num. 26:59
32 וַיִּקַּח אַהֲרֹן אֶת־אֱלִישֶׁבַע...לְאִשָּׁה Ex. 6:23
33 וְאֶלְעָזָר בֶּן־אַהֲרֹן לָקַח־לוֹ Ex. 6:25
34/5 אַהֲרֹן וּמֹשֶׁה Ex. 6:26 • ICh. 23:13
36 וַיִּבְלַע מַטֵּה־אַהֲרֹן אֶת־מַטֹּתָם Ex. 7:12
37 מֹשֶׁה אַהֲרֹן וְחוּר Ex. 17:10
38 מִרְיָם הַנְּבִיאָה אֲחוֹת אַהֲרֹן Ex. 15:20
39-48 וַיֹּאמֶר (וַיְדַבֵּר) מֹשֶׁה אֶל־אַהֲרֹן Ex. 16:9,33;
32:21 • Lev. 8:31; 9:7; 10:3,6,12; 21:24 • Num. 17:11
49-57 עַל־מֹשֶׁה וְעַל־אַהֲרֹן (אֶל.. וְאֶל..) Ex. 16:2 •
Num. 13:26; 14:2; 15:33; 16:3; 17:6,7; 20:2; 26:9
58 אַהֲרֹן וְחוּר Ex. 24:14
59-75 אַהֲרֹן וּבָנָיו Ex. 27:21; 29:9, 10; 29:15
19, 32; 30:19 • Lev. 6:9; 8:14, 18, 22, 31, 36 •
Num. 4:5, 15, 19, 27
76 נָדָב וַאֲבִיהוּא... בְּנֵי אַהֲרֹן Ex. 28:1
77 וְעָשׂוּ אֶת־בִּגְדֵי אַהֲרֹן לְקַדְּשׁוֹ Ex. 28:3
78 וְהָיוּ עַל־לֵב אַהֲרֹן בְּבֹאוֹ לִפְנֵי יְיָ Ex. 28:30
79 וְהָיָה עַל־מֵצַח אַהֲרֹן Ex. 28:38
80-85 אֶל־אַהֲרֹן וְאֶל־בָּנָיו (עַל- וְעַל-) Ex. 28:43
• Lev. 6:18; 17:2; 22:2,18 • Num. 6:23
86 וּמִלֵּאתָ יַד־אַהֲרֹן וְיַד־בָּנָיו Ex. 29:9
87 וְנָתַתָּה עַל־תְּנוּךְ אֹזֶן אַהֲרֹן Ex. 29:20
88 וְשַׂמְתָּ הַכֹּל עַל כַּפֵּי אַהֲרֹן Ex. 29:24
89-96 (וְ)אֶת אַהֲרֹן וְאֶת־בָּנָיו Ex. 29:4,44; 30:30;
40:12 • Lev. 6:2; 8:2,6 • Num. 3:10
97 כִּי־פְרָעֹה אַהֲרֹן לְשִׁמְצָה Ex. 32:25
98-101 אִיתָמָר בֶּן־אַהֲרֹן הַכֹּהֵן Ex. 38:21
Num. 4:28,33; 7:8
102 זֶה קָרְבַּן אַהֲרֹן וּבָנָיו Lev. 6:13
103 זֹאת מִשְׁחַת אַהֲרֹן וּמִשְׁחַת בָּנָיו Lev. 7:35
104 וַיִּצֹק... עַל רֹאשׁ אַהֲרֹן Lev. 8:12
105 וַיִּתֵּן עַל־תְּנוּךְ אֹזֶן־אַהֲרֹן הַיְמָנִית Lev. 8:23
106 וַיִּתֵּן אֶת־הַכֹּל עַל כַּפֵּי אַהֲרֹן Lev. 8:27
107 בְּנֵי עֻזִּיאֵל דֹּד אַהֲרֹן Lev. 10:4

אַהֲרֹן (המשך)
108 בְּזֹאת יָבֹא אַהֲרֹן אֶל־הַקֹּדֶשׁ Lev. 16:3
109-111 מִזֶּרַע אַהֲרֹן Lev. 21:21;
22:4 • Num. 17:5
112 וְאֵלֶּה תּוֹלְדֹת אַהֲרֹן וּמֹשֶׁה Num. 3:1
113-121 אֶלְעָזָר בֶּן־אַהֲרֹן (הַכֹּהֵן) Num. 3:32
4:16; 17:2; 25:7, 11; 26:1 • Josh. 24:33 • Jud. 20:28 •
Ez. 7:5
122/3 לִפְנֵי אַהֲרֹן וְלִפְנֵי בָנָיו Num. 8:13,22
124 שֵׁם אַהֲרֹן תִּכְתֹּב עַל־מַטֵּה לֵוִי Num. 17:18
125 וּמַטֵּה אַהֲרֹן בְּתוֹךְ מַטּוֹתָם Num. 17:21
126 וְהִנֵּה פָּרַח מַטֵּה־אַהֲרֹן Num. 17:23
127 הָשֵׁב אֶת־מַטֵּה אַהֲרֹן... לְמִשְׁמֶרֶת Num. 17:25
128 וַיָּמָת אַהֲרֹן שָׁם בְּרֹאשׁ הָהָר Num. 20:28
129 וַיִּבְכּוּ אֶת־אַהֲרֹן שְׁלֹשִׁים יוֹם Num. 20:29
130 וָאֶשְׁלַח... אֶת־מֹשֶׁה אַהֲרֹן וּמִרְיָם Mic. 6:4
131 בֵּית אַהֲרֹן בִּטְחוּ בַיְיָ Ps. 115:10
132 יְיָ... יְבָרֵךְ אֶת־בֵּית אַהֲרֹן Ps. 115:12
133 יֹאמְרוּ־נָא בֵית־אַהֲרֹן Ps. 118:3
134 יֹרֵד עַל־הַזָּקָן זְקַן־אַהֲרֹן Ps. 133:2
135 בֵּית אַהֲרֹן בָּרְכוּ אֶת־יְיָ Ps. 135:19
136 וְהָיָה הַכֹּהֵן בֶּן־אַהֲרֹן עִם־הַלְוִיִּם Neh. 10:39
137 אַהֲרֹן וּמֹשֶׁה וּמִרְיָם ICh. 5:29
138 כְּמִשְׁפָּטָם בְּיַד אַהֲרֹן אֲבִיהֶם ICh. 24:19
139-186 בְּנֵי אַהֲרֹן (בִּבְ-/ לִ-/ וְלִ-/ מִבְּ-) Ex. 28:40
Lev. 1:5, 7, 8, 11; 2:2; 3:2, 5, 8, 13; 6:7, 11; 7:10, 33;
8:13, 24; 9:9, 12, 18; 10:1, 16; 16:1; 21:1 • Num. 3:2,
3; 10:8 • Josh. 21:4, 10, 13, 19 • Neh. 12:47 • ICh.
5:29; 6:35, 39, 42; 15:4; 23:28, 32; 24:1^2, 31 • IICh.
13:9, 10; 26:18; 29:21; 31:19; 35:14^2
187-263 אַהֲרֹן Ex. 4:30; 7:9, 10, 19; 8:1, 2, 12, 13
16:10, 34; 18:12; 28:1^2, 12, 29, 30, 35, 38, 41; 29:5,
21; 30:7, 8, 10; 32:1, 2, 3, 5^2, 22, 35; 34:30, 31; 40:13
• Lev. 8:30^2; 9:2, 8, 21, 22; 10:3, 19; 13:2; 16:2, 6,
8, 9, 11; 17:21, 23; 21:17; 24:3 • Num. 3:4, 6; 8:2,
3, 11, 21^2; 9:6; 12:5, 10, 11; 17:12, 15; 20:24, 25, 26,
28, 29; 27:13; 33:38 • Deut. 9:20; 10:6; 32:50 •
Ps. 105:26 • ICh. 23:13
וְאַהֲרֹן 264 וַיֵּלֶךְ מֹשֶׁה וְאַהֲרֹן וַיַּאַסְפוּ Ex. 4:29
265 וְאַהֲרֹן אָחִיךָ יִהְיֶה נְבִיאֶךָ Ex. 7:1
266 וְאַהֲרֹן אָחִיךָ יְדַבֵּר אֶל־פַּרְעֹה Ex. 7:2
267 הֱיֵה לִפְנֵי יְיָ אַתָּה וָהֵם וְאַהֲרֹן Num. 16:16
268-301 מֹשֶׁה וְאַהֲרֹן Ex. 5:1, 4; 6:27; 7:6, 10, 20
8:8; 10:3; 11:10; 12:28, 43; 16:6; 24:9; 40:31 • Lev.
9:23 • Num. 1:17, 44; 3:38, 39; 4:34, 37, 41, 45, 46;
8:20; 14:5; 16:18; 17:8; 20:6, 10; 26:64; 33:1 • Ps.
77:21; 99:6
302-313 וְאַהֲרֹן Ex. 7:7; 17:12; 19:24; 24:1 • Num.
1:3; 12:1; 16:11,17; 20:8,26; 33:39 • ICh. 6:34
וּבְאַהֲרֹן 314 וּבְאַהֲרֹן הִתְאַנַּף יְיָ מְאֹד Deut. 9:20
לְאַהֲרֹן 315 וַיַּגֵּד מֹשֶׁה לְאַהֲרֹן Ex. 4:28
316/7 בִּגְדֵי־קֹדֶשׁ לְאַהֲרֹן אָחִיךָ Ex. 28:2,4
318-329 לְאַהֲרֹן וּלְבָנָיו Ex. 29:28,35; 39:27
• Lev. 2:3,10; 7:31; 9:1; 24:9 • Num. 3:9; 3:48,
51; 8:19
330-342 לְאַהֲרֹן Ex. 29:26, 27, 29; 31:10; 35:19
39:1,41 • Lev. 7:34 • Num. 18:28; 26:60 • Ps. 106:16
• ICh. 12:28(27); 27:17
וּלְאַהֲרֹן 343-347 (לְ)מֹשֶׁה וּלְאַהֲרֹן Ex. 8:4,21; 9:27; 10:16; 12:3

אוֹ מ״ח מורה על ברירה –
א) בין שני שמות או בין שני תארים: 1—149
ב) בין שמות או תארים אחדים: 150—251
ג) בין שני פעלים (או אחדים): 252—303
ד) בראש משפט-תנאי ובהדגשת הברירה, במשמע: ״וְאִם״: 304-308; או במשמע ״אלא אם כן״: 309-311; או במשמע: ״ואם לאו״: 312
ה) [אוֹ אָז] רק במקרה זה: 313
ו) [הֲ... אוֹ] 314—319
ז) [אִם... אוֹ] ראה ערך אם

אוֹ (א) 1 וְאֶפְנֶה עַל־יָמִין אוֹ עַל־שְׂמֹאל Gen. 24:49
2 לֹא נוּכַל דַּבֵּר... רַע אוֹ־טוֹב Gen. 24:50
3 תֵּשֵׁב הַנַּעֲרָ... יָמִים אוֹ עָשׂוֹר Gen. 24:55
4 וְלִבְנֹתַי מָה־אֶעֱשֶׂה...אוֹ לִבְנֵיהֶן Gen. 31:43
5 וְאֵיךְ נִגְנֹב... כֶּסֶף אוֹ זָהָב Gen. 44:8
6 הֲיֵשׁ־לָכֶם אָב אוֹ־אָח Gen. 44:19
7-149 אוֹ (א) Ex. 5:3; 21:4,6,18,20; 21:21,26,27,28,
29, 31^2, 32, 33, 37; 22:4, 6; 23:4 • Lev. 1:10, 14; 3:6;
5:2, 4, 6, 7, 11, 21^2, 24; 7:16; 12:6^2; 12:7, 8; 13:2, 19,
24^2, 29^2, 30, 38, 42^2, 43, 47, 49, 55; 14:22; 14:30, 37;
15:14, 23, 29; 17:3, 8, 13; 18:9^2, 10; 20:17, 27; 21:19^2;
22:4^2, 5^2, 21^2, 28; 25:47; 27:10 • Num. 5:6, 30; 6:2,
10; 9:21; 15:3^4, 5, 8^2, 14; 22:18; 24:13; 30:7, 15;
35:18, 23 • Deut. 4:16; 13:2^2, 4, 6, 8; 15:12, 21; 17:2,
5^2, 6, 12; 19:15; 22:1, 4, 6^3; 24:14; 27:22 • Josh. 7:3 •
Jud. 11:34; 18:19; 19:13; 21:22 • ISh. 13:19; 14:6;
20:2; 21:9; 22:15; 29:3 • IISh. 2:21; 3:35; 17:9 • IK.
8:46 • IIK. 2:16; 4:13; 13:19 • Is. 50:1 • Jer. 40:5 •
Ezek. 46:12 • Am. 3:12 • Prov. 30:31 • Job 3:15 •
S.ofS. 2:7,9,17; 3:5; 8:14 • IICh. 6:36
אוֹ (ב) 150-2 אִלֵּם אוֹ חֵרֵשׁ אוֹ פִקֵּחַ אוֹ עִוֵּר Ex. 4:11
153/4 חֲמוֹר אוֹ־שׁוֹר אוֹ־שֶׂה Ex. 22:9
155-7 כְּלִי־עֵץ אוֹ־בֶגֶד אוֹ־עוֹר אוֹ שָׂק Lev. 11:32
158/9 שְׂאֵת אוֹ־סַפַּחַת אוֹ בַהֶרֶת Lev. 13:2
160-162 בַּבֶּגֶד אוֹ־בַשְּׁתִי אוֹ־בָעֵרֶב אוֹ בְעוֹר
Lev. 13:51
163-167 עַוֶּרֶת אוֹ שָׁבוּר אוֹ־חָרוּץ אוֹ־יַבֶּלֶת
אוֹ גָרָב אוֹ יַלֶּפֶת Lev. 22:22
168-251 אוֹ (ב) Ex. 22:5^2; • Lev. 5:2^2; 5:23^3; 7:21^2;
13:48^4, 49^4, 52^4, 53^3, 56^3, 57^3, 58^3, 59^4; 17:3^2; 21:18^3, 20^6;
22:27^2; 25:49^3 • Num. 9:10^2; 9:22^3; 15:11^3; 18:17^2;
19:16^3, 18^3 • Deut. 13:7^4; 17:3^2; 29:17^3 • ISh. 2:14^3 •
Jer. 23:33^2
אוֹ (ג) 252 סָקוֹל יִסָּקֵל אוֹ יָרֹה יִיָּרֶה Ex. 19:13
253 וְכִי־יִפְתַּח אִישׁ בּוֹר אוֹ כִּי־יִכְרֶה Ex. 21:33
254 וּטְבָחוֹ אוֹ מְכָרוֹ Ex. 21:37
255/6 וּמֵת אוֹ נִשְׁבַּר אוֹ־נִשְׁבָּה Ex. 22:9
257-303 אוֹ (ג) Ex. 4:11; 22:13; 28:43; 30:20
Lev. 4:23, 28; 5:1^2, 4, 21; 13:59; 15:3, 25; 19:20;
25:14, 49 • Num. 5:14; 11:8; 14:2; 30:3, 11; 35:20;
35:21, 22 • Deut. 14:21; 24:3 • ISh. 20:10; 21:4;
26:10^2 • IK. 20:39; 21:6 • Is. 7:11; 41:22 • Ezek.
14:17, 19 • Job 3:16; 12:8; 13:22; 16:3; 22:11; 35:7;
38:5, 6, 28, 31, 36
אוֹ (ד) 304 אוֹ נוֹדַע כִּי שׁוֹר נַגָּח הוּא Ex. 21:36
305 אוֹ כִי יִגַּע בְּטֻמְאַת אָדָם Lev. 5:3
306 אוֹ־מָצָא אֲבֵדָה וְכִחֶשׁ בָּהּ Lev. 5:22
307 אוֹ כִי יָשׁוּב הַבָּשָׂר הַחַי Lev. 13:16
308 אוֹ לָאַיִל תַּעֲשֶׂה מִנְחָה סֹלֶת Num. 15:6
309 אוֹ־עָשִׂיתִי בְנַפְשׁוֹ שֶׁקֶר IISh. 18:13
310 אוֹ יַחֲזֵק בְּמָעֻזִּי Is. 27:5
311 אוֹ נָשִׂישׂ שֵׁבֶט בְּנִי מֹאֶסֶת כָּל־עֵץ Ezek. 21:15
312 אוֹ אַיֵּה אֱלֹהֵי הַמִּשְׁפָּט Mal. 2:17
אוֹ־אָז 313 ...אוֹ־אָז יִכָּנַע לְבָבָם הֶעָרֵל Lev. 26:41
הֲ...אוֹ 314 הֲנִהְיָה כַּדָּבָר..אוֹ הֲנִשְׁמַע כָּמֹהוּ Deut. 4:32
315 הֲשָׁמַע עָם קוֹל אֱלֹהִים... אוֹ הֲנִסָּה
אֱלֹהִים לָבוֹא Deut. 4:33, 34

הֲ...אוֹ (המשך)
316 הֲמִן־הַגֹּרֶן אוֹ מִן־הַיָּקֶב IIK. 6:27
317 הֲיִרְצְךָ אוֹ הֲיִשָּׂא פָנֶיךָ Mal. 1:8
318 הֶחָכָם יִהְיֶה אוֹ סָכָל Eccl. 2:19
319 אֵי זֶה יִכְשַׁר הֲזֶה אוֹ־זֶה Eccl. 11:6

אוּאֵל
שפ״ז – מבני בָּנִי, בימי עזרא
וְאוּאֵל 1 מִבְּנֵי בָנִי מַעֲדַי עַמְרָם וְאוּאֵל Ez. 10:34

אוֹב
ז׳ א) קול כעין רוח המת העולה מקברו: 3-9
ב) הקוסם המעלה את רוח המת כנ״ל: 1-2,10-16
ג) נאד, נבל עור למשקה: 17
קרובים: ראה כְּשָׁפִים
אוֹב וְיִדְּעֹנִי 2,5,6,10-16; בַּעֲלַת אוֹב 3,4;
דָּרַשׁ אֶל אוֹב 15; עָשָׂה א׳ 5, 6; פָּנָה אֶל א׳ 10;
קָסַם בָּא׳ 7; שָׁאַל א׳ 2; שָׁאַל בָּא׳ 8

אוֹב 1 אוֹב אוֹ יִדְּעֹנִי Lev. 20:27
2 וְשֹׁאֵל אוֹב וְיִדְּעֹנִי Deut. 18:11
3 בַּקְּשׁוּ־לִי אֵשֶׁת בַּעֲלַת־אוֹב ISh. 28:7
4 הִנֵּה אֵשֶׁת בַּעֲלַת־אוֹב ISh. 28:7
5 וְעָשָׂה אוֹב וְיִדְּעֹנִים IIK. 21:6
6 וְעָשָׂה אוֹב וְיִדְּעוֹנִי IICh. 33:6
בָּאוֹב 7 קָסֳמִי־נָא לִי בָּאוֹב ISh. 28:8
8 וְגַם־לִשְׁאוֹל בָּאוֹב לִדְרוֹשׁ ICh. 10:13
כְּאוֹב 9 וְהָיָה כְּאוֹב מֵאֶרֶץ קוֹלֵךְ Is. 29:4
הָאֹבֹת 10 אַל־תִּפְנוּ אֶל־הָאֹבֹת וְאֶל־הַיִּדְּעֹנִים Lev. 19:31
11 אֶל־הָאֹבֹת וְאֶל־הַיִּדְּעֹנִים Lev. 20:6
12 וְשָׁאוּל הֵסִיר הָאֹבוֹת וְאֶת־הַיִּדְּעֹנִים ISh. 28:3
13 הִכְרִית אֶת־הָאֹבוֹת וְאֶת־הַיִּדְּעֹנִי ISh. 28:9
14 אֶת־הָאֹבוֹת וְאֶת־הַיִּדְּעֹנִים IIK. 23:24
15 דִּרְשׁוּ אֶל־הָאֹבוֹת וְאֶל־הַיִּדְּעֹנִים Is. 8:19
16 וְאֶל־הָאֹבוֹת וְאֶל־הַיִּדְּעֹנִים Is. 19:3
כְּאֹבוֹת 17 כְּאֹבוֹת חֲדָשִׁים יִבָּקֵעַ Job 32:19

אוֹבֵד
ז׳ אַבְדָן, כְּלָיָה [ראה אָבַד]
אֹבֵד 1 וְאַחֲרִיתוֹ עֲדֵי אֹבֵד Num. 24:20
2 וְגַם־הוּא עֲדֵי אֹבֵד Num. 24:24

אוֹבִיל
שפ״ז – ממונה על גמלי דוד המלך
אוֹבִיל 1 וְעַל־הַגְּמַלִּים אוֹבִיל הַיִּשְׁמְעֵלִי ICh. 27:30

אוּבָל
ז׳ יובל, נחל
הָאוּבָל 1 אַיִל אֶחָד עֹמֵד לִפְנֵי הָאֻבָל Dan. 8:3
2 אֲשֶׁר רָאִיתִי עֹמֵד לִפְנֵי הָאֻבָל Dan. 8:6
אוּבַל־ 3 וַאֲנִי הָיִיתִי עַל־אוּבַל אוּלָי Dan. 8:2

אוּד
ז׳ גזר עץ שרוף בחלקו באש
אוּד 1 הֲלוֹא זֶה אוּד מֻצָּל מֵאֵשׁ Zech. 3:2
כְּאוּד 2 כְּאוּד מֻצָּל מִשְּׂרֵפָה Am. 4:11
הָאוּדִים 3 מִשְּׁנֵי זַנְבוֹת הָאוּדִים הָעֲשֵׁנִים הָאֵלֶּה Is. 7:4

אוֹדוֹת
נ״ר דברים, מעשים
רק בצֵרוּף: עַל־אוֹדוֹת = עַל־דבר
אוֹדוֹת 1 וַיֵּרַע... עַל אוֹדֹת בְּנוֹ Gen. 21:11
2 עַל־אֹדוֹת בְּאֵר הַמַּיִם Gen. 21:25
3 וַיַּגִּדוּ לוֹ עַל־אֹדוֹת הַבְּאֵר Gen. 26:32
4 עָשָׂה... לְפַרְעֹה... עַל אוֹדֹת יִשְׂרָאֵל Ex. 18:8
5 וַתְּדַבֵּר... עַל־אֹדוֹת הָאִשָּׁה Num. 12:1
6 עַל אוֹדוֹת הָאֶשְׁכּוֹל Num. 13:24
7 זָעֲקוּ... עַל אֹדוֹת מִדְיָן Jud. 6:7
8 אַל־אוֹדֹת הָרָעָה הַגְּדוֹלָה IISh. 13:16
9 עַל־כָּל־אֹדוֹת אֲשֶׁר נִאֲפָה Jer. 3:8
אוֹדֹתַי 10 עַל אֹדוֹתַי וְעַל־אֹדוֹתֶיךָ Josh. 14:6
אוֹדֹתֶיךָ 11 עַל אֹדוֹתַי וְעַל־אֹדוֹתֶיךָ Josh. 14:6

אוה[1]
: אִוָּה, הִתְאַוָּה; אַוָּה, הַוָּה? מַאֲוַיִּים, תַּאֲוָה; אוּאֵל(?)

אִוָּה
פ׳ א) חשק, בקש: 1–11
ב) [הת׳ הִתְאַוָּה] חפץ מאד, חשק: 12–26
קרובים: אבה / חמד / חפץ / חשק / ערג / רצה / תאב
אִוִּיתִךָ 1 נַפְשִׁי אִוִּיתִךָ בַּלַּיְלָה Is. 26:9
אִוִּתִיהָ 2 פֹּה אֵשֵׁב כִּי אִוִּתִיהָ Ps. 132:14
אִוָּהּ 3 בָּחַר יְיָ בְּצִיּוֹן אִוָּהּ לְמוֹשָׁב לוֹ Ps. 132:13
אִוְּתָה 4 בִּכּוּרָה אִוְּתָה נַפְשִׁי Mic. 7:1
5 נֶפֶשׁ רָשָׁע אִוְּתָה־רָע Prov. 21:10
6 וְנַפְשׁוֹ אִוְּתָה וַיָּעַשׂ Job 23:13
תְּאַוֶּה 7 כִּי־תְאַוֶּה נַפְשְׁךָ לֶאֱכֹל בָּשָׂר Deut. 12:20
8 בְּכֹל אֲשֶׁר־תְּאַוֶּה נַפְשְׁךָ Deut. 14:26
9 וְקַח־לְךָ כַּאֲשֶׁר תְּאַוֶּה נַפְשֶׁךָ ISh. 2:16
10/11 בְּכֹל אֲשֶׁר־תְּאַוֶּה נַפְשֶׁךָ IISh.3:21 • IK.11:37
הִתְאַוֵּיתִי 12 וְיוֹם אָנוּשׁ לֹא הִתְאַוֵּיתִי Jer. 17:16
הִתְאַוָּה 13 כָּל־הַיּוֹם הִתְאַוָּה תַאֲוָה Prov. 21:26
הִתְאַוּוּ 14 וְהָאסַפְסֻף... הִתְאַוּוּ תַּאֲוָה Num. 11:4
מִתְאַוָּה 15 מִתְאַוָּה וָאַיִן נַפְשׁוֹ עָצֵל Prov. 13:4
הַמִּתְאַוִּים 16 קָבְרוּ אֶת־הָעָם הַמִּתְאַוִּים Num. 11:34
17 הוֹי הַמִּתְאַוִּים אֶת־יוֹם יְיָ Am. 5:18
תִתְאַוֶּה 18 וְלֹא תִתְאַוֶּה בֵּית רֵעֶךָ Deut. 5:18
תִּתְאָו 19/20 אַל־תִּתְאָו לְמַטְעַמּוֹתָיו Prov. 23:3,6
21 וְאַל־תִּתְאָו לִהְיוֹת אִתָּם Prov. 24:1
יִתְאַוֶּה 22 וְאֵינֶנּוּ חָסֵר... מִכֹּל אֲשֶׁר־יִתְאַוֶּה Eccl. 6:2
וַיִּתְאַוֶּה 23 וַיִּתְאַוֶּה דָוִד וַיֹּאמַר מִי יַשְׁקֵנִי מַיִם IISh. 23:15
וְיִתְאָו 24 וְיִתְאָו הַמֶּלֶךְ יָפְיֵךְ Ps. 45:12
וַיִּתְאָו 25 וַיִּתְאָו דָוִיד וַיֹּאמַר מִי יַשְׁקֵנִי מַיִם ICh. 11:17
וַיִּתְאַוּוּ 26 וַיִּתְאַוּוּ תַאֲוָה בַּמִּדְבָּר Ps. 106:14

אוה[2]
: [הת׳ הִתְאַוָּה] תוה, סִמֵּן – עיין תאה
וְהִתְאַוִּיתֶם 1 וְהִתְאַוִּיתֶם לָכֶם לִגְבוּל קֵדְמָה Num. 34:10

אַוָּה
נ׳ חֵשֶׁק, תשוקה; עפ״ר בצֵרוּף: אַוַּת־נֶפֶשׁ
קרובים: חֶמְדָּה / חֵפֶץ / חֵשֶׁק / רָצוֹן / תַּאֲוָה / תְּשׁוּקָה
אַוַּת־ 1 בְּכָל־אַוַּת נַפְשְׁךָ תִּזְבַּח Deut. 12:15
2 בְּכָל־אַוַּת נַפְשְׁךָ תֹּאכַל בָּשָׂר Deut. 12:20
3 וְאָכַלְתָּ... בְּכֹל אַוַּת נַפְשֶׁךָ Deut. 12:21
4 וְכִי־יָבֹא... וּבָא בְּכָל־אַוַּת נַפְשׁוֹ Deut. 18:6
5 לְכָל־אַוַּת נַפְשְׁךָ הַמֶּלֶךְ ISh. 23:20
בְּאַוַּת־ 6 בְּאַוַּת נַפְשָׁהּ שָׁאֲפָה רוּחַ Jer. 2:24
בְּאַוָּתִי 7 בְּאַוָּתִי וְאֶסֳּרֵם Hosh. 10:10

אוֹהֵב
ז׳ עיין אָהַב

אוּזַי
שפ״ז אבי אחד ממחזיקי חומת ירושלים בימי נחמיה
אוּזַי 1 פָּלָל בֶּן־אוּזַי מִנֶּגֶד הַמִּקְצוֹעַ Neh. 3:25

אוּזָל
א) מבני יקטן בן עבר: 1–2; ב) שם מקום(?): 3(?)
אוּזָל 1/2 וְאֶת־הֲדוֹרָם וְאֶת־אוּזָל Gen.10:27 • ICh. 1:21
מְאוּזָּל 3 וְיָוָן מְאוּזָּל (=מֵאוּזָל?) בְּעִזְבוֹנַיִךְ Ezek. 27:19

אוֹי
מ״ק אבוי, וַי • קרובים: ראה אֲבוֹי
אוֹי 1–3; אוֹי לְ־ 4–16, 19–20; אוֹי אוֹי לְ־ 17;
אוֹי־נָא לְ־ 22–24
אוֹי 1 אוֹי מִי יִחְיֶה מִשֻּׂמוֹ אֵל Num. 24:23
2/3 אוֹי עִיר הַדָּמִים Ezek. 24:6,9
4 אוֹי־לְךָ מוֹאָב אָבַדְתָּ עַם־כְּמוֹשׁ Num. 21:29
5 וַיִּרְאוּ הַפְּלִשְׁתִּים... וַיֹּאמְרוּ אוֹי לָנוּ ISh. 4:7
6 אוֹי לָנוּ מִי יַצִּילֵנוּ ISh. 4:8
7 אוֹי לְנַפְשָׁם כִּי־גָמְלוּ לָהֶם רָעָה Is. 3:9
8 אוֹי לְרָשָׁע רָע Is. 3:11
9 אוֹי־לִי כִי־נִדְמֵיתִי Is. 6:5
10 רָזִי־לִי רָזִי־לִי אוֹי לִי Is. 24:16
11 אוֹי לָנוּ כִּי שֻׁדָּדְנוּ Jer. 4:13
12 אוֹי לָנוּ כִּי־פָנָה הַיּוֹם Jer. 6:4
13 אוֹי לִי עַל־שִׁבְרִי Jer. 10:19

אוֹי (המשך)
14 אוֹי לָךְ יְרוּשָׁלַםִ Jer. 13:27
15 אוֹי־לִי אִמִּי כִּי יְלִדְתִּנִי Jer. 15:10
16 אוֹי־לְךָ מוֹאָב אָבַד עַם־כְּמוֹשׁ Jer. 48:46
17/8 אוֹי אוֹי לָךְ נְאֻם אֲדֹנָי יֱהוִה Ezek. 16:23
19 אוֹי לָהֶם כִּי־נָדְדוּ מִמֶּנִּי Hosh. 7:13
20 כִּי־גַם־אוֹי לָהֶם בְּשׂוּרִי מֵהֶם Hosh. 9:12
21 לְמִי אוֹי לְמִי אֲבוֹי Prov. 23:29
אוֹי־נָא 22 אוֹי־נָא לִי כִּי־עָיְפָה נַפְשִׁי Jer. 4:31
23 אָמַרְתָּ אוֹי־נָא לִי Jer. 45:3
24 אוֹי־נָא לָנוּ כִּי חָטָאנוּ Lam. 5:16

אֱוִי
שפ״ז – אחד מחמשת מלכי מדין בימי משה
אֱוִי 1 אֶת־אֱוִי וְאֶת־רֶקֶם...מַלְכֵי מִדְיָן Num. 31:8
2 וְאֶת־נְשִׂיאֵי מִדְיָן אֶת־אֱוִי... Josh. 13:21

אוֹיֵב
ז׳ שונא, מבקש להרע [עיין גם אוֹיֶבֶת, אָיַב]
קרובים: מְשַׂנֵּא (שׂנא) / מִתְנַקֵּם (נקם) / עָר / צַר / צוֹרֵר / קָם / שׂוֹנֵא / שׁוּר / שׁוֹרֵר
אוֹיֵב חִנָּם 114; א׳ בְּנֶפֶשׁ 103; א׳ שֶׁקֶר 109, 110;
צַר וְאוֹיֵב 39, 40; אֶרֶץ א׳ 9, 41, 224, 225,
244–246, 260, 262; יַד א׳ 3, 13, 19, 20, 190, 196,
214, 227, 228, 250-259; כַּעַס א׳ 5; כַּף א׳ 21, 179,
191-2, 211/3, 215; לֹא־א׳ 4; לַחַץ א׳ 14,15; מַכַּת
א׳ 8; פַּחַד א׳ 17; פַּרְעוֹת א׳ 6; קוֹל א׳ 16
אוֹיְבֵי אִישׁ 88; א׳ דָוִד 83/4, 95; א׳ הַיְּהוּדִים 90;
א׳ יְיָ 85/6, 92; א׳ יִשְׂרָאֵל 91/2; א׳ הַמֶּלֶךְ 87/9, 93/4;
חֶרֶב אוֹיְבָיו 155, 261; נֶפֶשׁ א׳ 148, 149, 197;
עַל אַף א׳ 112; עֹרֶף א׳ 137; רֹאשׁ א׳ 199, 212;
שְׁלַל א׳ 85, 143, 187, 226; שַׁעַר א׳ 182

אוֹיֵב 1 יְמִינְךָ יְיָ תִּרְעַץ אוֹיֵב Ex. 15:6
2 אָמַר אוֹיֵב אֶרְדֹּף אַשִּׂיג Ex. 15:9
3 וְנִתַּתֶּם בְּיַד־אוֹיֵב Lev. 26:25
4 וְהוּא לֹא־אוֹיֵב לוֹ Num. 35:23
5 לוּלֵי כַּעַס אוֹיֵב אָגוּר Deut. 32:27
6 מִדַּם חָלָל...מֵרֹאשׁ פַּרְעוֹת אוֹיֵב Deut. 32:42
7 וַיְגָרֶשׁ מִפָּנֶיךָ אוֹיֵב Deut. 33:27
8 מַכַּת אוֹיֵב הִכִּיתִיךְ Jer. 30:14
9 וְשָׁבוּ מֵאֶרֶץ אוֹיֵב Jer. 31:16(15)
10 יִרַדֹּף אוֹיֵב נַפְשִׁי Ps. 7:6
11/12 אוֹיֵב וּמִתְנַקֵּם Ps. 8:3; 44:17
13 וְלֹא הִסְגַּרְתַּנִי בְּיַד־אוֹיֵב Ps. 31:9
14/5 קֹדֵר אֵלֵךְ... בְּלַחַץ אוֹיֵב Ps. 42:10; 43:2
16 מִקּוֹל אוֹיֵב מִפְּנֵי עָקַת רָשָׁע Ps. 55:4
17 מִפַּחַד אוֹיֵב תִּצֹּר חַיָּי Ps. 64:2
18 כָּל־הֵרַע אוֹיֵב בַּקֹּדֶשׁ Ps. 74:3
19 וַיִּגְאָלֵם מִיַּד אוֹיֵב Ps. 106:10
20 זָנַח אֲדֹנָי... הִסְגִּיר בְּיַד־אוֹיֵב Lam. 2:7
21 וַיַּצִּילֵנוּ מִכַּף אוֹיֵב Ez. 8:31
22-38 אוֹיֵב IK. 8:33, 46 • Jer. 18:17 • Hosh. 8:3
Ps. 55:13; 61:4; 74:10, 18; 89:23; 143:3 • Lam. 1:9, 16; 2:3, 17 • IICh. 6:24, 36; 25:8
וְאוֹיֵב 39 יָבֹא צַר וְאוֹיֵב בְּשַׁעֲרֵי יְרוּשָׁלָםִ Lam. 4:12
40 אִישׁ צַר וְאוֹיֵב הָמָן הָרָע הַזֶּה Es. 7:6
הָאוֹיֵב 41 וְשָׁבוּם שֹׁבֵיהֶם אֶל־אֶרֶץ הָאוֹיֵב IK. 8:46
42 וּבְעֵת צָרָה אֶת־הָאֹיֵב Jer. 15:11
43 יַעַן אָמַר הָאוֹיֵב עֲלֵיכֶם הֶאָח Ezek. 36:2
44 הָאוֹיֵב תַּמּוּ חֳרָבוֹת לָנֶצַח Ps. 9:7
45 לַעְזֹר לַמֶּלֶךְ עַל־הָאוֹיֵב IICh. 26:13
כְּאוֹיֵב 46 דָּרַךְ קַשְׁתּוֹ כְּאוֹיֵב נִצָּב יְמִינוֹ כְּצָר Lam. 2:4
47 הָיָה אֲדֹנָי כְּאוֹיֵב בִּלַּע יִשְׂרָאֵל Lam. 2:5
לְאוֹיֵב 48 וַיֵּהָפֵךְ לָהֶם לְאוֹיֵב Is. 63:10
49 כִּי חֶרֶב לְאֹיֵב מָגוֹר מִסָּבִיב Jer. 6:25

לְאוֹיֵב (המשך)
50 וְאֶתְמוּל עַמִּי לְאוֹיֵב יְקוֹמֵם Mic. 2:8
51 וְתַחְשְׁבֵנִי לְאוֹיֵב לָךְ Job 13:24
52 יַחְשְׁבֵנִי לְאוֹיֵב לוֹ Job 33:10

מֵאוֹיֵב
53 תְּבַקְשִׁי מָעוֹז מֵאוֹיֵב Nah. 3:11
54 לְעָזְרֵנוּ מֵאוֹיֵב בַּדָּרֶךְ Ez. 8:22

אוֹיְבִי
55 וַתְּשַׁלְּחִי אֶת־אֹיְבִי וַיִּמָּלֵט ISh. 19:17
56 וַיֹּאמֶר אַחְאָב... הַמְצָאתַנִי אֹיְבִי IK. 21:20
57 עַד־אָנָה יָרוּם אֹיְבִי עָלָי Ps. 13:3
58 פֶּן־יֹאמַר אֹיְבִי יְכָלְתִּיו Ps. 13:5
59 כִּי לֹא־יָרִיעַ אֹיְבִי עָלָי Ps. 41:12
60 יְהִי כְרָשָׁע אֹיְבִי וּמִתְקוֹמְמִי כְעַוָּל Job 27:7
61 אֲשֶׁר־טִפַּחְתִּי וְרִבִּיתִי אֹיְבִי כִלָּם Lam. 2:22

מֵאוֹיְבִי
62/3 יַצִּילֵנִי מֵאֹיְבִי עָז IISh. 22:18 • Ps. 18:18

אוֹיִבְךָ
64 כִּי תִפְגַּע שׁוֹר אֹיִבְךָ Ex. 23:4
65/6 אֲשֶׁר יָצִיק לְךָ אֹיִבְךָ Deut. 28:55,57
67 סִגַּר... אֶת־אֹיִבְךָ בְּיָדֶךָ ISh. 26:8
68 אִישׁ־בֹּשֶׁת בֶּן־שָׁאוּל אֹיִבְךָ IISh. 4:8
69 אָנֹכִי נֹתֵן אֶת־אֹיִבְךָ (כת׳ איביך) בְּיָדֶךָ ISh. 24:5(4)
70 בִּנְפֹל אוֹיִבְךָ (כת׳ אויביך) אַל־תִּשְׂמָח Prov.24:17

אוֹיִבֶךָ
71 אֲשֶׁר־יָצִיק לְךָ אֹיְבֶךָ Deut. 28:53

אוֹיְבֵךְ
72 הֵסִיר יְיָ מִשְׁפָּטַיִךְ פִּנָּה אֹיְבֵךְ Zep. 3:15

אוֹיְבוֹ
73 וְכִי־יִמְצָא אִישׁ אֶת־אֹיְבוֹ ISh. 20:20 (19)
74 כִּי יָצַר־לוֹ אֹיְבוֹ בְּאֶרֶץ שְׁעָרָיו IK. 8:37
75 כִּי־יֵצֵא עַמְּךָ לַמִּלְחָמָה עַל־אֹיְבוֹ IK. 8:44
76 בְּיַד... אֹיְבוֹ וּמְבַקֵּשׁ נַפְשׁוֹ Jer. 44:30

אוֹיְבֵנוּ
77 נָתַן... אֵת שִׁמְשׁוֹן אוֹיְבֵנוּ Jud. 16:23
78 נָתַן אֱלֹהֵינוּ בְּיָדֵנוּ אֶת־אוֹיְבֵנוּ Jud. 16:24

אוֹיְבִים
79 כִּי־יְדַבְּרוּ אֶת־אוֹיְבִים בַּשָּׁעַר Ps. 127:5

לְאוֹיְבִים
80 לְאֹיְבִים הָיוּ לִי Ps. 139:22
81 הָיוּ לָהּ לְאֹיְבִים Lam. 1:2

מֵאוֹיְבִים
82 מֵאוֹיְבִים מִנֵּהוּ Ps. 68:24

אוֹיְבֵי־
83 בְּהַכְרִת יְיָ אֶת־אֹיְבֵי דָוִד ISh. 20:15
84 וּבִקֵּשׁ יְיָ מִיַּד אֹיְבֵי דָוִד ISh. 20:16
85 בְּרָכָה מִשְּׁלַל אֹיְבֵי יְיָ ISh. 30:26
86 נִאֵץ נִאַצְתָּ אֶת־אֹיְבֵי יְיָ IISh. 12:14
87 יִהְיוּ כַנַּעַר אֹיְבֵי אֲדֹנִי הַמֶּלֶךְ IISh. 18:32
88 אֹיְבֵי אִישׁ אַנְשֵׁי בֵיתוֹ Mic. 7:6
89 יִפְּלוּ בְּלֵב אוֹיְבֵי הַמֶּלֶךְ Ps. 45:6
90 אֲשֶׁר שִׂבְּרוּ אֹיְבֵי הַיְּהוּדִים Es. 9:1
91 נִלְחַם יְיָ עִם אוֹיְבֵי יִשְׂרָאֵל IICh. 20:29

וְאוֹיְבֵי־
92 וְאֹיְבֵי יְיָ כִּיקַר כָּרִים Ps. 37:20

בְּאוֹיְבֵי־
93 לְהִנָּקֵם בְּאֹיְבֵי הַמֶּלֶךְ ISh. 18:25
94 וְנִלְחַמְתִּי בְּאֹיְבֵי אֲדֹנִי הַמֶּלֶךְ ISh. 29:8

לְאוֹיְבֵי־
95 כֹּה־יַעֲשֶׂה אֱלֹהִים לְאֹיְבֵי דָוִד ISh. 25:22

אוֹיְבַי
96 לָקֹב אֹיְבַי לְקַחְתִּיךָ Num. 23:11
97 לָקֹב אֹיְבַי קְרָאתִיךָ Num. 24:10
98 רָחַב פִּי עַל־אוֹיְבַי ISh. 2:1
99 פָּרַץ יְיָ אֶת־אֹיְבַי לְפָנַי IISh. 5:20
100 אֶרְדְּפָה אֹיְבַי וָאַשְׁמִידֵם IISh. 22:38
101 כִּי־הִכִּיתָ אֶת־כָּל־אֹיְבַי לֶחִי Ps. 3:8
102 בְּשׁוּב־אוֹיְבַי אָחוֹר יִכָּשְׁלוּ Ps. 9:4
103 אֹיְבַי בְּנֶפֶשׁ יַקִּיפוּ עָלָי Ps. 17:9
104 וּמִן־אֹיְבַי אִוָּשֵׁעַ Ps. 18:4
105 רְאֵה־אֹיְבַי כִּי־רָבּוּ Ps. 25:19
106 יָרוּם רֹאשִׁי עַל אֹיְבַי סְבִיבוֹתַי Ps. 27:6
107 וְלֹא־שִׂמַּחְתָּ אֹיְבַי לִי Ps. 30:2
108 הַצִּילֵנִי מִיַּד־אוֹיְבַי Ps. 31:16
109 אַל־יִשְׂמְחוּ־לִי אֹיְבַי שֶׁקֶר Ps. 35:19
110 מַצְמִיתַי אֹיְבַי שֶׁקֶר Ps. 69:5
111 לְמַעַן אֹיְבַי פְּדֵנִי Ps. 69:19
112 עַל אַף אֹיְבַי תִּשְׁלַח יָדֶךָ Ps. 138:7

אוֹיְבַי (המשך)
113 כָּל־אֹיְבַי שָׁמְעוּ רָעָתִי שָׂשׂוּ Lam. 1:21
114 צוֹד צָדוּנִי כַּצִּפּוֹר אֹיְבַי חִנָּם Lam. 3:52
115-120 אוֹיְבַי Ps. 18:38; 25:2; 41:6; 56:10; 71:10 • ICh. 14:11

אוֹיְבָי
121 יֵבֹשׁוּ וְיִבָּהֲלוּ מְאֹד כָּל־אֹיְבָי Ps. 6:11
122 כָּל־הַיּוֹם חֵרְפוּנִי אוֹיְבָי Ps. 102:9
123 וּבְחַסְדְּךָ תַּצְמִית אֹיְבָי Ps. 143:12

וְאוֹיְבַי
124 וְאֹיְבַי תַּתָּה לִּי עֹרֶף IISh. 22:41
125 וְאֹיְבַי נָתַתָּה לִּי עֹרֶף Ps. 18:41
126 צָרַי וְאֹיְבַי לִי הֵמָּה כָשְׁלוּ וְנָפָלוּ Ps. 27:2
127 וְאֹיְבַי חַיִּים עָצֵמוּ Ps. 38:20

וּבְאוֹיְבַי
128 הִצִּילָנִי וּבְאֹיְבַי רָאֲתָה עֵינִי Ps. 54:9

מֵאוֹיְבַי
129 וְנִקַּמְתִּי מֵאֹיְבַי ISh. 14:24
130 הַצִּילֵנִי מֵאֹיְבַי אֱלֹהָי Ps. 59:2
131 מֵאֹיְבַי תְּחַכְּמֵנִי מִצְוֺתֶךָ Ps. 119:98
132 הַצִּילֵנִי מֵאֹיְבַי יְיָ Ps. 143:9

מֵאוֹיְבָי
133 וּמוֹצִיאִי מֵאֹיְבָי וּמִקָּמַי תְּרוֹמְמֵנִי IISh.22:49
134 אֶנָּחֵם מִצָּרַי וְאִנָּקְמָה מֵאוֹיְבָי Is. 1:24
135 מְפַלְטִי מֵאֹיְבָי Ps. 18:49

וּמֵאוֹיְבַי
136 וּמֵאֹיְבַי אִוָּשֵׁעַ IISh. 22:4

אוֹיְבֶיךָ
137 יָדְךָ בְּעֹרֶף אֹיְבֶיךָ Gen. 49:8
138 וְאָיַבְתִּי אֶת־אֹיְבֶיךָ Ex. 23:22
139 וְנָתַתִּי אֶת־כָּל־אֹיְבֶיךָ אֵלֶיךָ עֹ Ex. 23:27
140 קוּמָה יְיָ וְיָפֻצוּ אֹיְבֶיךָ Num. 10:35
141 לַהֲדֹף אֶת־כָּל־אֹיְבֶיךָ מִפָּנֶיךָ Deut. 6:19
142 כִּי־תֵצֵא לַמִּלְחָמָה עַל־אֹיְבֶ Deut. 20:1
143 וְאָכַלְתָּ אֶת־שְׁלַל אֹיְבֶיךָ Deut. 20:14
144 כִּי־תֵצֵא לַמִּלְחָמָה עַל־אֹיְבֶיןָ Deut. 21:10
145 כִּי־תֵצֵא מַחֲנֶה עַל־אֹיְבֶיךָ Deut. 23:10
146 וְנָתַן... עַל־אֹיְבֶיךָ וְעַל־שֹׂנְאֶ Deut. 30:7
147 כֵּן יֹאבְדוּ כָל־אוֹיְבֶיךָ יְיָ Jud. 5:31
148 וְאֵת נֶפֶשׁ אֹיְבֶיךָ יְקַלְּעֶנָּה ISh. 25:29
149 וְלֹא שָׁאַלְתָּ נֶפֶשׁ אֹיְבֶיךָ IK. 3:11
150 אוֹיְבֶיךָ יֶהֱמָיוּן Ps. 83:3
151 בִּזְרוֹעַ עֻזְּךָ פִּזַּרְתָּ אוֹיְבֶיךָ Ps. 89:11
152 אֲשֶׁר חֵרְפוּ אוֹיְבֶיךָ יְיָ Ps. 89:52
153 כִּי הִנֵּה אֹיְבֶיךָ יְיָ Ps. 92:10
154 כִּי־הִנֵּה אֹיְבֶיךָ יֹאבֵדוּ Ps. 92:10
155 וְחֶרֶב־אוֹיְבֶיךָ לְמַשֶּׂגֶת ICh. 21:12
156-174 אֹיְבֶיךָ Deut. 23:15 25:19; 28:7,25,48; 33:29 • Josh. 7:13 • ISh. 25:26 • IISh. 7:9, 11 • Jer. 15:14; 17:4 • Mic. 5:8 • Ps. 21:9; 66:3; 110:1, 2 • ICh. 17:8, 10

לְאוֹיְבֶיךָ
175 צֹאנְךָ נְתֻנוֹת לְאֹיְבֶיךָ Deut. 28:31
176 וְהִתְמַכַּרְתֶּם שָׁם לְאֹיְבֶיךָ Deut. 28:68

מֵאוֹיְבֶיךָ
177 עָשָׂה לְךָ יְיָ נְקָמוֹת מֵאֹיְבֶיךָ Jud. 11:36

אוֹיְבַיִךְ
178 פָּצוּ עָלַיִךְ פִּיהֶם כָּל־אֹיְבַיִךְ Lam. 2:16

אוֹיְבָיִךְ
179 יִגְאָלֵךְ יְיָ מִכַּף אֹיְבָיִךְ Mic. 4:10

לְאוֹיְבַיִךְ
180 אִם־אֶתֵּן... מַאֲכָל לְאֹיְבַיִךְ Is. 62:8
181 לְאֹיְבַיִךְ... נִפְתְּחוּ שַׁעֲרֵי אַרְצֵךְ Nah. 3:13

אוֹיְבָיו
182 וְיִרַשׁ זַרְעֲךָ אֵת שַׁעַר אֹיְבָיו Gen. 22:17
183 וְהָיָה יְרֵשָׁה שֵׂעִיר אֹיְבָיו Num. 24:18
184 עַד הוֹרִישׁוֹ אֶת־אֹיְבָיו Num. 32:21
185 הָפַךְ יִשְׂרָאֵל עֹרֶף לִפְנֵי אֹיְבָיו Josh. 7:8
186 עַד־יִקֹּם גּוֹי אֹיְבָיו Josh. 10:13
187 אָכֹל הַיּוֹם הָעָם מִשְּׁלַל אֹיְבָיו ISh. 14:30
188 וַיִּלָּחֶם סָבִיב בְּכָל־אֹיְבָיו ISh. 14:47
189 הֵנִיחַ־לוֹ מִסָּבִיב מִכָּל־אֹיְבָיו IISh. 7:1
190 כִּי־שְׁפָטוֹ יְיָ מִיַּד אֹיְבָיו IISh. 18:19
191/2 הִצִּיל.. מִכַּף כָּל־אֹיְבָיו IISh. 22:1 • Ps. 18:1

* ס״א אוֹיְבֶיךָ; ויש סוברים: לשון יחיד בהפסק, אך השוה 144

אוֹיְבָיו (המשך)
193 וְאֶת־אֹיְבָיו יְסַכְסֵךְ Is. 9:10
194 עַל־אֹיְבָיו יִתְגַּבָּר Is. 42:13
195 וְזָעַם אֶת־אֹיְבָיו Is. 66:14
196 בְּיַד אֹיְבָיו וּבְיַד מְבַקְשֵׁי נַפְשׁוֹ Jer. 44:30
197 וְאַל־תִּתְּנֵהוּ בְּנֶפֶשׁ אֹיְבָיו Ps. 41:3
198 יָקוּם אֱלֹהִים יָפוּצוּ אוֹיְבָיו Ps. 68:2
199 יִמְחַץ רֹאשׁ אֹיְבָיו Ps. 68:22
200 הִשְׂמַחְתָּ כָּל־אוֹיְבָיו Ps. 89:43
201 אוֹיְבָיו אַלְבִּישׁ בֹּשֶׁת Ps. 132:18
202 גַּם־אוֹיְבָיו יַשְׁלִם אִתּוֹ Prov. 16:7
203 וַהֲנִיחוֹתִי לוֹ מִכָּל־אוֹיְבָיו ICh. 22:9(8)
204 כִּי יָצַר־לוֹ אֹיְבָיו IICh. 6:28
205 יֵצֵא עַמְּךָ לַמִּלְחָמָה עַל־אֹיְבָיו IICh. 6:34

וְאוֹיְבָיו
206 וְאֹיְבָיו יְרַדֶּף־חֹשֶׁךְ Nah. 1:8
207 וְאֹיְבָיו עָפָר יְלַחֵכוּ Ps. 72:9

לְאוֹיְבָיו
208 חֵמָה לְצָרָיו גְּמוּל לְאֹיְבָיו Is. 59:18
209 קוֹל יְיָ מְשַׁלֵּם גְּמוּל לְאֹיְבָיו Is. 66:6
210 נֹקֵם יְיָ לְצָרָיו וְנוֹטֵר הוּא לְאֹיְבָיו Nah. 1:2

אוֹיְבֶיהָ
211 נָתַתִּי... בְּכַף אֹיְבֶיהָ Jer. 12:7
212 הָיוּ צָרֶיהָ לְרֹאשׁ אֹיְבֶיהָ שָׁלוּ Lam. 1:5

אוֹיְבֵינוּ
213 וְיֹשִׁעֵנוּ מִכַּף אֹיְבֵינוּ ISh. 4:3
214 וְעַתָּה הַצִּילֵנוּ מִיַּד אֹיְבֵינוּ ISh. 12:10
215 הַמֶּלֶךְ הִצִּילָנוּ מִכַּף אֹיְבֵינוּ IISh. 19:10
216 פָּצוּ עָלֵינוּ פִּיהֶם כָּל־אֹיְבֵינוּ Lam. 3:46
217 וַיְהִי כַּאֲשֶׁר שָׁמְעוּ אוֹיְבֵינוּ Neh. 4:9
218 מֵחֶרְפַּת הַגּוֹיִם אוֹיְבֵינוּ Neh. 5:9
219 לְסַנְבַלַּט... וּלְיֶתֶר אֹיְבֵינוּ Neh. 6:1
220 וַיְהִי כַּאֲשֶׁר שָׁמְעוּ כָּל־אוֹיְבֵינוּ Neh. 6:16

וְאוֹיְבֵינוּ
221 וְאֹיְבֵינוּ פְּלִילִים Deut. 32:31
222 וְאֹיְבֵינוּ יִלְעֲגוּ־לָמוֹ Ps. 80:7

אוֹיְבֵיכֶם
223 וּרְדַפְתֶּם אֶת־אֹיְבֵיכֶם Lev. 26:7
224 וְאָכְלָה אֶתְכֶם אֶרֶץ אֹיְבֵיכֶם Lev. 26:38
225 יִמַּקּוּ בַּעֲוֺנָם בְּאַרְצֹת אֹיְבֵיכֶם Lev. 26:39
226 חִלְקוּ שְׁלַל־אֹיְבֵיכֶם עִם־אֲחֵיכֶם Josh. 22:8
227 וַיַּצֵּל אֶתְכֶם מִיַּד אֹיְבֵיכֶם ISh. 12:11
228 יַצִּיל אֶתְכֶם מִיַּד כָּל־אֹיְבֵיכֶם IIK. 17:39
229-242 אֹיְבֵיכֶם Lev. 26:8, 16, 17, 32, 34, 37 • Num. 14:42 • Deut. 1:42; 12:10; 20:3,4 • Josh. 10:19,25 • Jud. 3:28

מֵאוֹיְבֵיכֶם
243 וְנוֹשַׁעְתֶּם מֵאֹיְבֵיכֶם Num. 10:9

אוֹיְבֵיהֶם
244 וְהַנִּשְׁאָרִים... בְּאַרְצֹת אֹיְבֵיהֶם Lev. 26:36
245 וְהֵבֵאתִי אֹתָם בְּאֶרֶץ אֹיְבֵיהֶם Lev. 26:41
246 בִּהְיוֹתָם בְּאֶרֶץ אֹיְבֵיהֶם Lev. 26:44
247 וְלֹא יֻכְלוּ.. לָקוּם לִפְנֵי אֹיְבֵיהֶם Josh. 7:12
248 עֹרֶף יִפְנוּ לִפְנֵי אֹיְבֵיהֶם Josh. 7:12
249 הֵנִיחַ... מִכָּל־אֹיְבֵיהֶם מִסָּבִיב Josh. 23:1
250 וַיִּמְכְּרֵם בְּיַד אוֹיְבֵיהֶם Jud. 2:14
Jud. 2:18; 8:34 • IISh. 3:18 • IK. 21:14 • Jer. 20:5; 21:7; 34:20, 21 • Neh. 9:28

260 וְשָׁבוּ אֵלֶיךָ... בְּאֶרֶץ אֹיְבֵיהֶם IK. 8:48
261 וְנָפְלוּ בְּחֶרֶב אֹיְבֵיהֶם Jer. 20:4
262 וְקִבַּצְתִּי אֹתָם מֵאַרְצוֹת אֹיְבֵיהֶם Ezek. 39:27
263-266 אוֹיְבֵיהֶם Jud. 2:14 • Ps. 78:53; 81:15; 106:42
267-275 אֹיְבֵיהֶם Josh. 21:42[2] • IIK. 21:14 • Jer. 15:9; 19:7,9; 49:37 • Am. 9:4 • Es. 9:5

מֵאוֹיְבֵיהֶם
276 עֲתִידִים... לְהִנָּקֵם מֵאֹיְבֵיהֶם Es. 8:13
277 וְנוֹחַ מֵאֹיְבֵיהֶם וְהָרוֹג בְּשֹׂנְאֵיהֶם Es. 9:16
278 אֲשֶׁר־נָחוּ... מֵאֹיְבֵיהֶם Es. 9:22
279 כִּי־שִׂמְּחָם יְיָ מֵאוֹיְבֵיהֶם IICh. 20:27

אוֹיֶבֶת* נ׳ שׂוֹנֵאת, מבקשת להרע • קרובים ראה: אוֹיֵב

אוֹיַבְתִּי 1 אַל־תִּשְׂמְחִי אֹיַבְתִּי לִי Mic. 7:8

2 וְתֵרֶא אֹיַבְתִּי וּתְכַסֶּהָ בוּשָׁה Mic. 7:10

אוֹיָה מ״ק אוֹי, וַי • קרובים ראה: אוֹי

1 אוֹיָה־לִי כִּי־גַרְתִּי מֶשֶׁךְ Ps. 120:5

אֱוִיל תו״ז חסר דעת, שאינו חכם, בוזה מוסר

קרובים: בַּעַר / בּוֹעֵר / כְּסִיל / נִבְעַר / סָכָל / פֶּתִי / רֵיק

אֱוִיל מַחֲרִישׁ 10; אֱ׳ מַשְׁרִישׁ 14; אֱ׳ שְׂפָתַיִם 16, 17; אִישׁ אֱוִיל 13; דֶּרֶךְ אֱ׳ 6; כַּעַס אֱ׳ 12; מוּסַר אֱ׳ 3, 24; פִּי אֱ׳ 4, 8;

אֱוִיל 1 כִּי אֱוִיל עַמִּי אוֹתִי לֹא יָדָעוּ Jer. 4:22

2 אֱוִיל הַנָּבִיא מְשֻׁגָּע אִישׁ הָרוּחַ Hosh. 9:7

3 וּכְעֶכֶס אֶל־מוּסַר אֱוִיל Prov. 7:22

4 וּפִי־אֱוִיל מְחִתָּה קְרֹבָה Prov. 10:14

5 וְעֶבֶד אֱוִיל לַחֲכַם־לֵב Prov. 11:29

6 דֶּרֶךְ אֱוִיל יָשָׁר בְּעֵינָיו Prov. 12:15

7 אֱוִיל בַּיּוֹם יִוָּדַע כַּעְסוֹ Prov. 12:16

8 בְּפִי־אֱוִיל חֹטֶר גַּאֲוָה Prov. 14:3

9 אֱוִיל יִנְאַץ מוּסַר אָבִיו Prov. 15:5

10 גַּם אֱוִיל מַחֲרִישׁ חָכָם יֵחָשֵׁב Prov. 17:28

11 וְכָל־אֱוִיל יִתְגַּלָּע Prov. 20:3

12 וְכַעַס אֱוִיל כָּבֵד מִשְּׁנֵיהֶם Prov. 27:3

13 אִישׁ־חָכָם נִשְׁפָּט אֶת־אִישׁ אֱוִיל Prov. 29:9

14 אֲנִי־רָאִיתִי אֱוִיל מַשְׁרִישׁ Job 5:3

הָאֱוִיל 15 אִם־תִּכְתּוֹשׁ אֶת־הָאֱוִיל בַּמַּכְתֵּשׁ Prov. 27:22

וֶאֱוִיל 16/7 וֶאֱוִיל שְׂפָתַיִם יִלָּבֵט Prov. 10:8,10

לֶאֱוִיל 18 רָאמוֹת לֶאֱוִיל חָכְמוֹת Prov. 24:7

19 כִּי־לֶאֱוִיל יַהֲרָג־כָּעַשׂ Job 5:2

אֱוִילִים 20 אַךְ־אֱוִלִים שָׂרֵי צֹעַן Is. 19:11

21 אֱוִלִים מִדֶּרֶךְ פִּשְׁעָם Ps. 107:17

22 חָכְמָה וּמוּסָר אֱוִילִים בָּזוּ Prov. 1:7

23 אֱוִלִים יָלִיץ אָשָׁם Prov. 14:9

24 וּמוּסַר אֱוִלִים אִוֶּלֶת Prov. 16:22

וֶאֱוִילִים 25 הֹלֵךְ דֶּרֶךְ וֶאֱוִילִים לֹא יִתְעוּ Is. 35:8

26 וֶאֱוִילִים בַּחֲסַר־לֵב יָמוּתוּ Prov. 10:21

אֱוִילִי ת׳ של אויל

אֱוִלִי 1 קַח־לְךָ כְּלִי רֹעֶה אֱוִלִי Zech. 11:15

אֱוִיל מְרֹדַךְ שפ״ז – מלך בבל שמלך אחרי נבוכדנאצר

2-1 אֱוִיל מְרֹדַךְ מֶלֶךְ בָּבֶל IIK. 25:27 • Jer. 52:31

אוֹכִיל ז׳ אֹכֶל, מַאֲכָל(?)

אוֹכִיל 1 וְאַט אֵלָיו אוֹכִיל Hosh. 11:4

אוּל* ז׳ כֹּחַ, אֱיָל(?); גּוּף(?)

אוּלָם 1 אֵין חַרְצֻבּוֹת לְמוֹתָם וּבָרִיא אוּלָם Ps. 73:4

אוּלַי¹ מ״ח א) מלה המורה על אפשרות, שמא – לפני פועל בעתיד: 1-37

ב) לפני פועל בעבר: 38,39 ג) לפני בינוני: 40-45

אוּלַי (א) 1 אוּלַי אִבָּנֶה מִמֶּנָּה Gen. 16:2

2 אוּלַי יַחְסְרוּן חֲמִשִּׁים הַצַּדִּיקִם Gen. 18:28

3 אוּלַי יִמָּצְאוּן שָׁם אַרְבָּעִים Gen. 18:29

4 אוּלַי לֹא־תֹאבֶה הָאִשָּׁה Gen. 24:5

5 אֻלַי לֹא־תֵלֵךְ הָאִשָּׁה Gen. 24:39

6 אוּלַי יְמֻשֵּׁנִי אָבִי Gen. 27:12

7 אֲכַפְּרָה פָנָיו... אוּלַי יִשָּׂא פָנָי Gen. 32:20(21)

8 אוּלַי יַעֲשֶׂה זָרִים יִבְלָעֻהוּ Hosh. 8:7

9-27 אוּלַי (א) Gen. 18:30, 31, 32 • Ex. 32:30

Num. 22:6, 11; 23:3, 27 • ISh. 6:5; 9:6; 14:6 • IISh. 14:15; 16:12 • IK. 18:5; 20:31 • IIK. 19:4 • Is. 37:4; 47:12² • Jer. 20:10; 21:2; 26:3; 36:3, 7; 51:8 • Ezek. 12:3 • Am. 5:15 • Jon. 1:6 • Zep. 2:3

אוּלַי (ב) 38 אוּלַי נָטְתָה מִפָּנַי כִּי עַתָּה... Num. 22:33

39 כִּי אָמַר אִיּוֹב אוּלַי חָטְאוּ בָנַי Job 1:5

אוּלַי (ג) 40 אוּלַי יֵשׁ חֲמִשִּׁים צַדִּיקִם Gen. 18:24

41 אוּלַי מִשְׁגֶּה הוּא Gen. 43:12

42 אוּלַי בְּקִרְבִּי אַתָּה יוֹשֵׁב Josh. 9:7

43 אוּלַי יְיָ אוֹתִי וְהוֹרַשְׁתִּים Josh. 14:12

44 אוּלַי יָשֵׁן הוּא וְיִקָץ IK. 18:27

45 אוּלַי יֵשׁ תִּקְוָה Lam. 3:29

אוּלַי²* שֵׁם נהר בקרבת שושן בפרס

אוּלָי 1 וַאֲנִי הָיִיתִי עַל־אוּבַל אוּלָי Dan. 8:2

2 וָאֶשְׁמַע קוֹל־אָדָם בֵּין אוּלָי Dan. 8:16

אוּלָם¹ מ״ח אֲבָל, אַךְ • קרובים: ראה אֲבָל

אוּלָם 1 אוּלָם שְׁלַח־נָא יָדְךָ Job 2:5

2 אוּלָם אֲנִי אֶדְרֹשׁ אֶל־אֵל Job 5:8

3 אוּלָם אֲנִי אֶל־שַׁדַּי אֲדַבֵּר Job 13:3

וְאוּלָם 4 וְאוּלָם לוּז שֵׁם־הָעִיר לָרִאשֹׁנָה Gen. 28:19

5 וְאוּלָם אָחִיו הַקָּטֹן יִגְדַּל מִמֶּנּוּ Gen. 48:19

6 וְאוּלָם בַּעֲבוּר זֹאת הֶעֱמַדְתִּיךָ Ex. 9:16

7 וְאוּלָם חַי־אָנִי וְיִמָּלֵא כְבוֹד־יְיָ Num. 14:21

8 וְאוּלָם שְׁמַע־נָא אִיּוֹב Job 33:1

9-18 וְאוּלָם Jud. 18:29 • ISh. 20:3; 25:34 • IK. 20:23 • Mic. 3:8 • Job 1:11; 11:5; 12:7; 13:4; 14:18

וְאֻלָּם 19 וְאֻלָּם כֻּלָּם תָּשֻׁבוּ וּבֹאוּ נָא Job 17:10

אוּלָם² ז׳ חדר מרווח, טרקלין [ראה גם אֵילָם]

קרובים: אִיתוֹן / בִּיאָה / דְּבִיר / חֶדֶר / עֲלִיָּה / תָּא

אֵל אוּלָם 1; אֹרֶךְ הָא׳ 4; דַּלְתוֹת הָא׳ 10; דֶּרֶךְ הָא׳ 23, 24, 25; כִּתְפוֹת הָא׳ 6; פְּנֵי הָא׳ 5; תַּבְנִית הָא׳ 8; אוּלָם הַבַּיִת 22,33; אֻ׳ הַהֵיכָל 30; אֻ׳ יְיָ 26, 32; אֻ׳ הַכִּסֵּא 27; אֻ׳ הַמִּשְׁפָּט 17; אֻ׳ הָעַמּוּדִים 16; אֻ׳ הַשַּׁעַר 18-21, 23-25, 28, 29, 31; אוּלַמֵּי הֶחָצֵר 34

אוּלָם 1 וַיָּמָד אֵל אֻלָם חָמֵשׁ אַמּוֹת Ezek. 40:48

וְאוּלָם 2 וְאוּלָם עַל־פְּנֵיהֶם IK. 7:6

הָאוּלָם 3 בֵּין הָאוּלָם וּבֵין הַמִּזְבֵּחַ Ezek. 8:16

4 אֹרֶךְ הָאֻלָם עֶשְׂרִים אַמָּה Ezek. 40:49

5 אֶל־פְּנֵי הָאוּלָם מֵהַחוּץ Ezek. 41:25

6 וְחַלּוֹנִים.. אֶל־כִּתְפוֹת הָאוּלָם Ezek. 41:26

7 בֵּין הָאוּלָם וְלַמִּזְבֵּחַ יִבְכּוּ Joel 2:17

8 אֶת־תַּבְנִית הָאוּלָם וְאֶת־בָּתָּיו ICh. 28:11

9 אֲשֶׁר בָּנָה לִפְנֵי הָאוּלָם IICh. 8:12

10 גַּם סָגְרוּ דַּלְתוֹת הָאוּלָם IICh. 29:7

וְהָאוּלָם 11 וְהָאוּלָם עַל־פְּנֵי הֵיכַל הַבַּיִת IK. 6:3

12 וְהָאוּלָם אֲשֶׁר עַל־פְּנֵי הָאֹרֶךְ IICh. 3:4

בָּאוּלָם 13 וְכֹתָרֹת... מַעֲשֵׂה שׁוּשַׁן בָּאוּלָם IK. 7:19

כָּאוּלָם 14 וּבֵית יַעֲשֶׂה... כָּאוּלָם הַזֶּה IK. 7:8

לָאוּלָם 15 חָצֵר הָאַחֶרֶת מִבֵּית לָאוּלָם IK. 7:8

אוּלָם־ 16 וְאֵת אוּלָם הָעַמּוּדִים עָשָׂה IK. 7:6

17 אֻלָם הַמִּשְׁפָּט עָשָׂה IK. 7:7

21-18 אֻלָם הַשַּׁעַר Ezek. 40:7,8,9,15

22 וַיְבִאֵנִי אֶל־אֻלָם הַבַּיִת Ezek. 40:48

25-23 (מ)דֶּרֶךְ אוּלָם הַשַּׁעַר Ezek. 44:3; 46:2,8

26 אֶת־מִזְבַּח יְיָ אֲשֶׁר לִפְנֵי אוּלָם יְיָ IICh. 15:8

וְאוּלָם־ 27 וְאוּלָם הַכִּסֵּא אֲשֶׁר יִשְׁפָּט־שָׁם IK. 7:7

וְאֻלָם־ 28 וְאֻלָם הַשַּׁעַר מֵהַבָּיִת Ezek. 40:9

וּבְאוּלָם־ 29 וּבְאֻלָם הַשַּׁעַר שְׁנַיִם שֻׁלְחָנוֹת Ezek. 40:39

לְאוּלָם־ 30 אֶת־הָעַמֻּדִים לְאֻלָם הַהֵיכָל IK. 7:21

31 הַכָּתֵף... אֲשֶׁר לְאֻלָם הַשַּׁעַר Ezek. 40:40

32 וּבְיוֹם... בָּאוּ לְאוּלָם יְיָ IICh. 29:17

וּלְאוּלָם־ 33 וְלַחֲצַר בֵּית־יְיָ... וּלְאֻלָם הַבָּיִת IK. 7:12

וְאוּלַמֵּי־ 34 וְהַהֵיכָל הַפְּנִימִי וְאֻלַמֵּי הֶחָצֵר Ezek. 41:15

אוּלָם³ שפ״ז – א) איש משבט מנשה: 1–2

ב) איש ממטה בנימין: 3–4

1 וּבָנָיו אוּלָם וָרָקֶם ICh. 7:16

2 וּבְנֵי אוּלָם בְּדָן ICh. 7:17

3 אוּלָם בְּכֹרוֹ יְעוּשׁ הַשֵּׁנִי ICh. 8:39

4 וַיִּהְיוּ בְנֵי־אוּלָם... גִּבֹּרֵי־חַיִל ICh. 8:40

אִוֶּלֶת נ׳ תכונת האויל • קרובים: כְּסִילוּת / סִכְלוּת

זִמַּת אִוֶּלֶת 13; אִ׳ אָדָם 16; אִ׳ כְּסִילִים 15, 17; אִ׳ קְשׁוּרָה 12

הִבִּיעַ אִוֶּלֶת 7; הֵרִים אִ׳ 6; נָחַל אִ׳ 4; סָרָה אִ׳ 21; עָנָה כְּאִ׳ 24, 25; עָשָׂה אִ׳ 3; פָּרַשׂ אִ׳ 2; קָרָא אִ׳ 1; רָעָה אִ׳ 8; שָׁנָה בְּאִ׳ 23

אִוֶּלֶת 1 וְלֵב כְּסִילִים יִקְרָא אִוֶּלֶת Prov. 12:23

2 וּכְסִיל יִפְרֹשׂ אִוֶּלֶת Prov. 13:16

3 קְצַר־אַפַּיִם יַעֲשֶׂה אִוֶּלֶת Prov. 14:17

4 נָחֲלוּ פְתָאיִם אִוֶּלֶת Prov. 14:18

5 אִוֶּלֶת כְּסִילִים אִוֶּלֶת Prov. 14:24

6 וּקְצַר־רוּחַ מֵרִים אִוֶּלֶת Prov. 14:29

7 וּפִי כְסִילִים יַבִּיעַ אִוֶּלֶת Prov. 15:2

8 וּפִי כְסִילִים יִרְעֶה אִוֶּלֶת Prov. 15:14

9 אִוֶּלֶת שִׂמְחָה לַחֲסַר־לֵב Prov. 15:21

10 וּמוּסַר אֱוִלִים אִוֶּלֶת Prov. 16:22

11 אִוֶּלֶת הִיא־לוֹ וּכְלִמָּה Prov. 18:13

12 אִוֶּלֶת קְשׁוּרָה בְלֶב־נָעַר Prov. 22:15

13 זִמַּת אִוֶּלֶת חַטָּאת Prov. 24:9

וְאִוֶּלֶת 14 וְאִוֶּלֶת בְּיָדֶיהָ תֶהֶרְסֶנּוּ Prov. 14:1

אִוֶּלֶת־ 15 אִוֶּלֶת כְּסִילִים אִוֶּלֶת Prov. 14:24

16 אִוֶּלֶת אָדָם תְּסַלֵּף דַּרְכּוֹ Prov. 19:3

וְאִוֶּלֶת־ 17 וְאִוֶּלֶת כְּסִילִים מִרְמָה Prov. 14:8

אִוַּלְתִּי 18 נָמַקּוּ חַבּוּרֹתָי מִפְּנֵי אִוַּלְתִּי Ps. 38:6

לְאִוַּלְתִּי 19 אֱלֹהִים אַתָּה יָדַעְתָּ לְאִוַּלְתִּי Ps. 69:6

אִוַּלְתּוֹ 20 וּבְרֹב אִוַּלְתּוֹ יִשְׁגֶּה Prov. 5:23

21 לֹא־תָסוּר מֵעָלָיו אִוַּלְתּוֹ Prov. 27:22

בְּאִוַּלְתּוֹ 22 ...וְאַל־כְּסִיל בְּאִוַּלְתּוֹ Prov. 17:12

23 כְּסִיל שׁוֹנֶה בְאִוַּלְתּוֹ Prov. 26:11

כְּאִוַּלְתּוֹ 24 אַל־תַּעַן כְּסִיל כְּאִוַּלְתּוֹ Prov. 26:4

25 עֲנֵה כְסִיל כְּאִוַּלְתּוֹ Prov. 26:5

אוֹמֵן ז׳ מגדל, מטפל בתינוק [עיין גם אָמַן]

הָאוֹמֵן 1 כַּאֲשֶׁר יִשָּׂא הָאֹמֵן אֶת־הַיֹּנֵק Num. 11:12

הָאוֹמְנִים 2 וַיִּשְׁלַח... וְאֶל־הָאֹמְנִים אַחְאָב IIK. 10:1

3 וַאֲשֶׁר עַל־הָעִיר וְהַזְּקֵנִים וְהָאֹמְנִים IIK. 10:5

אוֹמְנַיִךְ 4 וְהָיוּ מְלָכִים אֹמְנַיִךְ Is. 49:23

אוֹמֶנֶת נ׳ מגדלת, מטפלת בתינוק

לְאוֹמֶנֶת 1 וַתְּהִי־לוֹ לְאֹמֶנֶת Ruth 4:16

אוֹמַנְתּוֹ 2 וַתִּשָּׂאֵהוּ אֹמַנְתּוֹ וַתָּנֹס IISh. 4:4

אוֹמָר שפ״ז – בן אליפז בן עשו, מאלופי אדום

אוֹמָר 1 וַיִּהְיוּ בְּנֵי אֱלִיפָז תֵּימָן אוֹמָר Gen. 36:11

2 אַלּוּף תֵּימָן אַלּוּף אוֹמָר Gen. 36:15

וְאוֹמָר 3 בְּנֵי אֱלִיפָז תֵּימָן וְאוֹמָר ICh. 1:36

און : אָוֶן, אוֹן, תְּאֻנִים; ש״פ אוֹן, אוֹנוֹ, אוֹנָם, אוֹנָן

אָוֶן ז׳ א) עָוֹן, עָוֶל, שֶׁקֶר, הבל – רוב המקראות

ב) אָסוֹן, צָרָה: 33,39,40,45,50,73

ג) כנוי־גנאי לעיר המצרית און: 35

קרובים: הֶבֶל / חָמָס / כָּזָב / מִרְמָה / עָוֶל / עַוְלָה / עָוֹן / עָמָל / עֹשֶׁק / רִיק / שָׁוְא / שֶׁקֶר / תֹּהוּ

– אָוֶן (וְ)עָמָל 39,42,69; עָמָל (וָ)אָוֶן 30,56,70,71; אָ׳ וּמִרְמָה 43; אָ׳ וַעֲצָרָה 2; אָ׳ וּתְרָפִים 68;

אִישׁ אָוֶן 28, 48; אַנְשֵׁי אָ׳ 58; בּוֹגְדֵי אָ׳ 47;
בַּחוּרֵי אָ׳ 35; בָּמוֹת אָ׳ 36; חוֹרְשֵׁי אָ׳ 54;
חוֹשְׁבֵי אָ׳ 38,34; חִקְקֵי אָ׳ 3; מַחְשְׁבוֹת אָ׳ 32,
75,49; מַעֲשֵׂי אָ׳ 31; מְתֵי אָ׳ 57; פּוֹעֲלֵי אָ׳ 5-25,
72,46; שׁוֹקְדֵי אָ׳ 4; שְׂפַת אָ׳ 51

– אָנָּה אָוֶן 50; דִּבֶּר אָ׳ 41; הִבִּיט אָ׳ 1; הוֹלִיד אָ׳
30; הֵמִיט אָ׳ 45; הֶרְאָה אָ׳ 39; חִבֵּל אָ׳ 42;
חָשַׁב אָ׳ 34; יָלַד אָ׳ 56; עָשָׂה אָ׳ 26; פָּעַל אָ׳ 53;
צָפַן אָ׳ 76; קָבַץ אָ׳ 44; קָצַר אָ׳ 52; שָׁב מֵאָ׳ 74

אָוֶן 1 לֹא־הִבִּיט אָוֶן בְּיַעֲקֹב Num. 23:21
2 לֹא־אוּכַל אָוֶן וַעֲצָרָה Is. 1:13
3 הוֹי הַחֹקְקִים חִקְקֵי־אָוֶן Is. 10:1
4 וְנִכְרְתוּ כָּל־שֹׁקְדֵי אָוֶן Is. 29:20
5 וְקָם... וְעַל־עֶזְרַת פֹּעֲלֵי אָוֶן Is. 31:2
6-25 פֹּעֲלֵי־אָוֶן Hosh. 6:8 • Ps. 5:6; 6:9; 14:4
28:3; 36:13; 53:5; 64:3; 92:8, 10; 94:4, 16; 101:8;
141:4, 9 • Prov. 10:29; 21:15 • Job 31:3; 34:8, 22
26 וְלִבּוֹ יַעֲשֶׂה־אָוֶן Is. 32:5
27 הֵן כֻּלָּם אָוֶן אֶפֶס מַעֲשֵׂיהֶם Is. 41:29
28 יַעֲזֹב... וְאִישׁ אָוֶן מַחְשְׁבֹתָיו Is. 55:7
29 שְׁלַח אֶצְבַּע וְדַבֶּר־אָוֶן Is. 58:9
30 הָרוֹ עָמָל וְהוֹלֵיד אָוֶן Is. 59:4
31 מַעֲשֵׂיהֶם מַעֲשֵׂי־אָוֶן Is. 59:6
32 מַחְשְׁבֹתֵיהֶם מַחְשְׁבוֹת אָוֶן Is. 59:7
33 וּמַשְׁמִיעַ אָוֶן מֵהַר אֶפְרָיִם Jer. 4:15
34 אֵלֶּה הָאֲנָשִׁים הַחֹשְׁבִים אָוֶן Ezek. 11:2
35 בַּחוּרֵי אָוֶן וּפִי־בֶסֶת בַּחֶרֶב יִפֹּלוּ Ezek. 30:17
36 וְנִשְׁמְדוּ בָּמוֹת אָוֶן Hosh. 10:8
37 אִם־גִּלְעָד אָוֶן אַךְ־שָׁוְא הָיוּ Josh. 12:12
38 הוֹי חֹשְׁבֵי־אָוֶן וּפֹעֲלֵי רָע Mic. 2:1
39 לָמָּה תַרְאֵנִי אָוֶן וְעָמָל תַּבִּיט Hab. 1:3
40 תַּחַת אָוֶן רָאִיתִי אָהֳלֵי כוּשָׁן Hab. 3:7
41 הַתְּרָפִים דִּבְּרוּ־אָוֶן Zech. 10:2
42 הִנֵּה יְחַבֶּל־אָוֶן וְהָרָה עָמָל Ps. 7:15
43 דִּבְרֵי־פִיו אָוֶן וּמִרְמָה Ps. 36:4
44 לִבּוֹ יִקְבָּץ־אָוֶן Ps. 41:7
45 כִּי־יָמִיטוּ עָלַי אָוֶן Ps. 55:4
46 הַצִּילֵנִי מִפֹּעֲלֵי אָוֶן Ps. 59:3
47 אַל־תָּחֹן כָּל־בֹּגְדֵי אָוֶן סֶלָה Ps. 59:6
48 אָדָם בְּלִיַּעַל אִישׁ אָוֶן Prov. 6:12
49 לֵב חֹרֵשׁ מַחְשְׁבוֹת אָוֶן Prov. 6:18
50 לֹא־יְאֻנֶּה לַצַּדִּיק כָּל־אָוֶן Prov. 12:21
51 מֵרַע מַקְשִׁיב עַל־שְׂפַת־אָוֶן Prov. 17:4
52 זוֹרֵעַ עַוְלָה יִקְצָר־אָוֶן Prov. 22:8
53 וְאָמְרָה לֹא־פָעַלְתִּי אָוֶן Prov. 30:20
54 כַּאֲשֶׁר רָאִיתִי חֹרְשֵׁי אָוֶן Job 4:8
55 אִם־אָוֶן בְּיָדְךָ הַרְחִיקֵהוּ Job 11:14
56 הָרֹה עָמָל וְיָלֹד אָוֶן Job 15:35
57 אֲשֶׁר דָּרְכוּ מְתֵי־אָוֶן Job 22:15
58 עַל־תְּשֻׁבֹת בְּאַנְשֵׁי־אָוֶן Job 34:36
59-67 אָוֶן Is. 66:3 • Ps. 36:5; 56:8,10—18 •
Prov. 19:28 • Job 5:6; 11:11; 36:21
וְאָוֶן 68 וְאָוֶן וּתְרָפִים הַפְצַר ISh. 15:23
69 וְאָוֶן וְעָמָל בְּקִרְבָּהּ Ps. 55:11
וָאָוֶן 70 תַּחַת לְשׁוֹנוֹ עָמָל וָאָוֶן Ps. 10:7
וָאָוֶן 71 וְרָהְבָּם עָמָל וָאָוֶן Ps. 90:10
הָאָוֶן 72 יוֹלִיכֵם יְיָ אֶת־פֹּעֲלֵי הָאָוֶן Ps. 125:5
לְאָוֶן 73 וּבֵית־אֵל יִהְיֶה לְאָוֶן Am. 5:5
מֵאָוֶן 74 וַיֹּאמֶר כִּי־יְשׁוּבוּן מֵאָוֶן Job 36:10
אוֹנֵךְ 75 תָּלִין בְּקִרְבֵּךְ מַחְשְׁבוֹת אוֹנֵךְ Jer. 4:14
אוֹנוֹ 76 אֱלוֹהַּ יִצְפֹּן־לְבָנָיו אוֹנוֹ Job 21:19
אוֹנָם 77 וַיָּשֶׁב עֲלֵיהֶם אֶת־אוֹנָם Ps. 94:23

אוֹן[1]

ז׳ כֹּחַ • קרובים: גְּבוּרָה / הוֹן / כֹּחַ / עֹז / עֹצֶם / עָצְמָה
צַעֲדֵי אוֹנוֹ 4; רֵאשִׁית אוֹנוֹ 9,3,2; אֵין אוֹנִים 11
רֵאשִׁית אוֹנִים 12; רֹב א׳ 10; תּוֹחֶלֶת א׳ 13
אוֹן 1 אַךְ עָשַׁרְתִּי מָצָאתִי אוֹן לִי Hosh. 12:9
אוֹנִי 2 בְּכֹרִי אַתָּה כֹּחִי וְרֵאשִׁית אוֹנִי Gen. 49:3
אוֹנוֹ 3 כִּי־הוּא רֵאשִׁית אֹנוֹ Deut. 21:17
4 יֵצְרוּ צַעֲדֵי אוֹנוֹ Job 18:7
5 יְהִי־רָעֵב אֹנוֹ Job 18:12
6 וְיָדָיו תָּשֵׁבְנָה אוֹנוֹ Job 2:10
וְאוֹנוֹ 7 וְאוֹנוֹ בִּשְׁרִירֵי בִטְנוֹ Job 40:16
וּבְאוֹנוֹ 8 וּבְאוֹנוֹ שָׂרָה אֶת־אֱלֹהִים Hosh. 12:4
אוֹנָם 9 כָּל־בְּכוֹר... רֵאשִׁית לְכָל־אוֹנָם Ps. 105:36
אוֹנִים 10 מֵרֹב אוֹנִים וְאַמִּיץ כֹּחַ Is. 40:26
11 וּלְאֵין אוֹנִים עָצְמָה יַרְבֶּה Is. 40:29
12 רֵאשִׁית אוֹנִים בְּאָהֳלֵי־חָם Ps. 78:51
13 וְתוֹחֶלֶת אוֹנִים אָבָדָה Prov. 11:7

אוֹן*[2]

ז׳ אֵבֶל, יגון • קרובים: ראה אֵבֶל
אוֹנִי 1 וַיְהִי...כִּי מֵתָה וַתִּקְרָא שְׁמוֹ בֶּן-אוֹנִי Gen. 35:18
בְּאֹנִי 2 לֹא־אָכַלְתִּי בְאֹנִי מִמֶּנּוּ Deut. 26:14
אוֹנִים 3 כְּלֶחֶם אוֹנִים לָהֶם Hosh. 9:4

אוֹן[3]

שפ״ז – בן פֶּלֶת, משבט ראובן, מעדת קרח
וְאוֹן 1 קֹרַח... וְאוֹן בֶּן-פֶּלֶת בְּנֵי רְאוּבֵן Num. 16:1

אוֹן[4]

שֵׁם עיר פולחן השֶׁמש במצרים התחתונה
אוֹן 1-2 בַּת־פּוֹטִי פֶרַע כֹּהֵן אֹן Gen. 41:45; 46:20
3 בַּת־פּוֹטִי פֶרַע כֹּהֵן אוֹן Gen. 41:50

אוֹנוֹ

שֵׁם עיר בנחלת בנימין, בקרבת לוד
אוֹנוֹ 1 בַּכְּפִירִים בְּבִקְעַת אוֹנוֹ Neh. 6:2
2 הוּא בָּנָה אֶת־אוֹנוֹ וְאֶת־לֹד ICh. 8:12
וְאוֹנוֹ 3/4 בְּנֵי־לֹד חָדִיד וְאוֹנוֹ Ez. 2:33 • Neh. 7:37
5 לֹד וְאוֹנוֹ גֵּי הַחֲרָשִׁים Neh. 11:35

אוֹנָם

שפ״ז א) בן שׁוֹבָל, מבני החורי: 3—4
ב) בן יַרחמאל, משבט יהודה: 1—2
אוֹנָם 1 אִשָּׁה... לִירַחְמְאֵל...הִיא אֵם אוֹנָם ICh. 2:26
2 וַיִּהְיוּ בְנֵי־אוֹנָם שַׁמַּי וְיָדָע ICh. 2:28
וְאוֹנָם 3 וְאֵלֶּה בְּנֵי שׁוֹבָל... שְׁפוֹ וְאוֹנָם Gen. 36:23
4 בְּנֵי שׁוֹבָל... שְׁפִי וְאוֹנָם ICh. 1:40

אוֹנָן

שפ״ז – בן יהודה ובת־שוע בת חידה העדולמי
אוֹנָן 1 וַתִּקְרָא אֶת־שְׁמוֹ אוֹנָן Gen. 38:4
2 וַיֵּדַע אוֹנָן כִּי לֹּא לוֹ יִהְיֶה הַזָּרַע Gen. 38:9
וְאוֹנָן 3 וּבְנֵי יְהוּדָה עֵר וְאוֹנָן וְשֵׁלָה Gen. 46:12
4-7 עֵר וְאוֹנָן Gen. 46:2
Num. 26:19[2] • ICh. 2:3
לְאוֹנָן 8 וַיֹּאמֶר יְהוּדָה לְאוֹנָן Gen. 38:8

אוֹפֶה

ז׳ נחתום, אומן באפיה • ראה גם אָפָה
מַעֲשֵׂה אוֹפֶה 1; חוּץ הָאוֹפִים 11; שַׂר הָא׳ 6-10
אוֹפֶה 1 מִכֹּל מַאֲכַל פַּרְעֹה מַעֲשֵׂה אֹפֶה Gen. 40:17
וְהָאוֹפֶה 2 מַשְׁקֵה מֶלֶךְ־מִצְרַיִם וְהָאֹפֶה Gen. 40:1
3 הַמַּשְׁקֶה וְהָאֹפֶה Gen. 40:5
מֵאוֹפֶה 4 כְּמוֹ תַנּוּר בֹּעֵרָה מֵאֹפֶה Hosh. 7:4
אוֹפֵהֶם 5 כָּל־הַלַּיְלָה יָשֵׁן אֹפֵהֶם Hosh. 7:6
הָאוֹפִים 6 וַיִּקְצֹף... וְעַל שַׂר הָאוֹפִים Gen. 40:2
7-10 שַׂר(־)הָאֹפִים Gen. 40:16,20,22; 41:10
11 כִּכַּר־לֶחֶם לַיּוֹם מִחוּץ הָאֹפִים Jer. 37:21
וּלְאוֹפוֹת 12 לְרַקָּחוֹת וּלְטַבָּחוֹת וּלְאֹפוֹת ISh. 8:13

אוּפָז

שֵׁם ארץ שממֶנה הובא זהב מובחר
אוּפָז 1 וּמָתְנָיו חֲגֻרִים בְּכֶתֶם אוּפָז Dan. 10:5
מֵאוּפָז 2 כֶּסֶף... מִתַּרְשִׁישׁ יוּבָא וְזָהָב מֵאוּפָז Jer. 10:9

אוֹפִיר[1]

שֵׁם ארץ שממנה הובא זהב מובחר
זְהַב אוֹפִיר 5; כֶּתֶם אוֹפִיר 1,2,4
אוֹפִיר 1 אוֹקִיר אֱנוֹשׁ מִפָּז וְאָדָם מִכֶּתֶם אוֹפִיר Is. 13:12
2 נִצְּבָה שֵׁגַל... בְּכֶתֶם אוֹפִיר Ps. 45:10
3 וּבְצוּר נְחָלִים אוֹפִיר Job 22:24
4 לֹא־תְסֻלֶּה בְּכֶתֶם אוֹפִיר Job 28:16
5 ...כִּכְּרֵי זָהָב מִזְּהַב אוֹפִיר ICh. 29:4
אוֹפִירָה 6 וַיָּבֹאוּ אוֹפִירָה וַיִּקְחוּ מִשָּׁם זָהָב IK. 9:28
7 לָלֶכֶת אוֹפִירָה לַזָּהָב IK. 22:49
8 וַיָּבֹאוּ עִם-עַבְדֵי שְׁלֹמֹה אוֹפִירָה IICh. 8:18
מֵאוֹפִיר 9 אֳנִי חִירָם אֲשֶׁר־נָשָׂא זָהָב מֵאוֹפִיר IK. 10:11
10 הֵבִיא מֵאֹפִיר עֲצֵי אַלְמֻגִּים IK. 10:11
11 אֲשֶׁר־הֵבִיאוּ זָהָב מֵאוֹפִיר IICh. 9:10

אוֹפִיר[2]

שפ״ז – בן יקטן בן עֵבר, מבני שֵׁם
אוֹפִיר 1 וְאֶת־אוֹפִר וְאֶת־חֲוִילָה Gen. 10:29
2 וְאֶת־אוֹפִיר וְאֶת־חֲוִילָה ICh. 1:23

אוֹפַן

ז׳ גלגל של רֶכב
אוֹפַן מֶרְכָּבָה 12,13; א׳ עֲגָלָה 14; קוֹמַת אוֹפַן 6;
רַעַשׁ א׳ 3; יְדוֹת הָאוֹפַנִּים 17; מַעֲשֵׂה הָא׳ 18;
מַרְאֵה הָא׳ 19,24; קוֹל הָא׳ 23; אוֹפַנֵּי נְחֹשֶׁת 34
אוֹפַן 1 וְהִנֵּה אוֹפַן אֶחָד בָּאָרֶץ Ezek. 1:15
2 אוֹפַן אֶחָד אֵצֶל הַכְּרוּב אֶחָד Ezek. 10:9
אוֹפָן 3 קוֹל שׁוֹט וְקוֹל רַעַשׁ אוֹפָן Nah. 3:2
4 מְזָרֶה רְשָׁעִים.. וַיָּשֶׁב עֲלֵיהֶם אוֹפָן Prov. 20:26
וְאוֹפַן 5 וְאוֹפַן אֶחָד אֵצֶל הַכְּרוּב אֶחָד Ezek. 10:9
הָאוֹפַן(פָּ) 6 וְקוֹמַת הָאוֹפַן הָאֶחָד אַמָּה... IK. 7:32
7-10 יִהְיֶה הָאוֹפַן בְּתוֹךְ הָאוֹפָן Ezek. 1:16; 10:10
11 וַיָּבֹא וַיַּעֲמֹד אֵצֶל הָאוֹפָן Ezek. 10:6
אוֹפַן־ 12 וַיָּסַר אֵת אֹפַן מַרְכְּבֹתָיו Ex. 14:25
13 כְּמַעֲשֵׂה אוֹפַן הַמֶּרְכָּבָה IK. 7:33
וְאוֹפַן־ 14 וְאוֹפַן עֲגָלָה עַל־כַּמֹּן יוּסָּב Is. 28:27
אוֹפַנִּים 15 וָאֶרְאֶה וְהִנֵּה אַרְבָּעָה אוֹפַנִּים Ezek. 10:9
הָאוֹפַנִּים 16 וְאַרְבַּעַת הָאוֹפַנִּים לְמִתַּחַת... IK. 7:32
17 וִידוֹת הָאוֹפַנִּים בַּמְּכוֹנָה IK. 7:32
18 וּמַעֲשֵׂה הָאוֹפַנִּים כְּמַעֲשֵׂה... IK. 7:33
19 מַרְאֵה הָאוֹפַנִּים...כְּעֵין תַּרְשִׁישׁ Ezek. 1:16
20 וּבְלֶכֶת הַחַיּוֹת יֵלְכוּ הָאוֹפַנִּים Ezek. 1:19
21 וּבְהִנָּשֵׂא הַחַיּוֹת...יִנָּשְׂאוּ הָאוֹפַנִּים Ezek. 1:19
22 יִנָּשְׂאוּ הָאוֹפַנִּים לְעֻמָּתָם Ezek. 1:21
23 וְקוֹל הָאוֹפַנִּים לְעֻמָּתָם Ezek. 3:13
24 וּמַרְאֵה הָאוֹפַנִּים כְּעֵין אֶבֶן תַּרְשִׁישׁ Ezek.10:9
25 וּבְלֶכֶת הַכְּרוּבִים יֵלְכוּ הָאוֹפַנִּים Ezek. 10:16
26 לֹא־יִסַּבּוּ הָאוֹפַנִּים גַּם־הֵם Ezek. 10:16
וְהָאוֹפַנִּים 27 וְהָאוֹפַנִּים יִנָּשְׂאוּ לְעֻמָּתָם Ezek. 1:20
28 וְהָאוֹפַנִּים מְלֵאִים עֵינַיִם סָבִיב Ezek. 10:12
29-30 וְהָאוֹפַנִּים לְעֻמָּתָם Ezek. 10:19; 11:22
בָּאוֹפַנִּים 31-32 כִּי רוּחַ הַחַיָּה בָּאוֹפַנִּים Ezek. 1:20,21
לָאוֹפַנִּים 33 לָאוֹפַנִּים לָהֶם קוֹרָא הַגַּלְגַּל Ezek. 10:13
אוֹפַנֵּי־ 34 וְאַרְבָּעָה אוֹפַנֵּי נְחֹשֶׁת לַמְּכוֹנָה IK. 7:30
אוֹפַנֵּיהֶם 35 לְאַרְבַּעְתָּם אוֹפַנֵּיהֶם Ezek. 10:12

אוץ

א) [פָּע׳ אָץ] מִהֵר: 1, 2, 4—8 ב) היה צר: 3
ג) [הִפ׳ הֵאִיץ] דחק, זֵרז: 9, 10
אַצְתִּי 1 לֹא־אַצְתִּי מֵרֹעֶה אַחֲרֶיךָ Jer. 17:16
אָץ (עבר) 2 וַיַּעֲמֹד הַשֶּׁמֶשׁ... וְלֹא־אָץ לָבוֹא Josh. 10:13
3 כִּי־אָץ לְךָ הַר־אֶפְרָיִם Josh. 17:15
4 וְכָל־אָץ אַךְ־לְמַחְסוֹר Prov. 21:5
אָץ(בינוני) 5 חָזִיתָ אִישׁ אָץ בִּדְבָרָיו Prov. 29:20
וְאָץ 6 וְאָץ בְּרַגְלַיִם חוֹטֵא Prov. 19:2
7 וְאָץ לְהַעֲשִׁיר לֹא יִנָּקֶה Prov. 28:20

אָצִים 8 וְהַנֹּגְשִׂים אָצִים... כַּלּוּ מַעֲשֵׂיכֶם Ex. 5:13
תָּאִיצוּ 9 שְׁעוּ מִנִּי... אַל־תָּאִיצוּ לְנַחֲמֵנִי Is. 22:4
וַיָּאִיצוּ 10 וַיָּאִיצוּ הַמַּלְאָכִים בְּלוֹט Gen. 19:15

אוֹצָר ז׳ אוסף דברים, וכן המקום שהם שמורים בו
אוֹצָר נֶחְמָד 1; א׳ רָב 6; בֵּית הָא׳ 3, 4, 10;
אוֹצַר בֵּית יְיָ 8, 13; א׳ יְיָ 7; א׳ אֱלֹהָיו 10;
אוֹצַר הַמְּלָאכָה 11, 12; א׳ כְּלִי חֶמְדָּה 9;
רַבַּת אוֹצָרוֹת 17; אוֹצְרוֹת בֵּית יְיָ (הָאֱלֹהִים) 28-31,41,48,50-54,59,62; א׳ בֵּית הַמֶּלֶךְ 32-35,45,55-57;
א׳ בָּרָד 46; א׳ חֹשֶׁךְ 36; א׳ יַיִן 58; א׳ מַאֲכָל 47;
א׳ הַמֶּלֶךְ 37, 43, 49; א׳ הַקֳּדָשִׁים 42, 60, 61;
א׳ רֶשַׁע 38,39; א׳ שֶׁלֶג 40; א׳ שֶׁמֶן 44

אוֹצָר 1 אוֹצָר נֶחְמָד וָשֶׁמֶן בִּנְוֵה חָכָם Prov. 21:20
הָאוֹצָר 2 וַיָּבֹא בֵית-הַמֶּלֶךְ אֶל-תַּחַת הָאוֹצָר Jer. 38:11
3 הָבִיאוּ... אֶל־בֵּית הָאוֹצָר Mal. 3:10
4 יַעֲלוּ.. אֶל-הַלְּשָׁכוֹת לְבֵית הָאוֹצָר Neh. 10:39
לָאוֹצָר 5 הַתִּרְשָׁתָא נָתַן לָאוֹצָר זָהָב Neh. 7:69
מֵאוֹצָר 6 טוֹב־מְעַט בְּיִרְאַת יְיָ מֵאוֹצָר רָב Prov. 15:16
אוֹצַר־ 7 קֹדֶשׁ הוּא לַיְיָ אוֹצַר יְיָ יָבוֹא Josh. 6:19
8 רַק הַכֶּסֶף... נָתְנוּ אוֹצַר בֵּית־יְיָ Josh. 6:24
9 הוּא יִשְׁסֶה אוֹצַר כָּל־כְּלִי חֶמְדָּה Hosh. 13:15
10 הֵבִיא בֵּית אוֹצַר אֱלֹהָיו Dan. 1:2
לְאוֹצַר־ 11/2 נָתְנוּ לְאוֹצַר הַמְּלָאכָה Ez. 2:69 • Neh. 7:70
13 אֲבָנִים נָתְנוּ לְאוֹצַר בֵּית־יְיָ ICh. 29:8
אוֹצָרוֹ 14 יִפְתַּח יְיָ לְךָ אֶת־אוֹצָרוֹ Deut. 28:12
15 יִרְאַת יְיָ הִיא אוֹצָרוֹ Is. 33:6
16 פָּתַח יְיָ אֶת־אוֹצָרוֹ Jer. 50:25
אוֹצָרוֹת 17 רַבַּת אוֹצָרֹת בָּא קִצֵּךְ Jer. 51:13
18 נָשַׁמּוּ אֹצָרוֹת נֶהֶרְסוּ מַמְּגֻרוֹת Joel 1:17
19-20 אוֹצָרוֹת Prov. 21:6 • Neh. 13:13
וְאוֹצָרוֹת 21 וְאוֹצָרוֹת עָשָׂה-לוֹ לְכֶסֶף וּלְזָהָב IICh. 32:27
הָאוֹצָרוֹת 22 וּשְׁבֻאֵל... נָגִיד עַל־הָאֹצָרוֹת ICh. 26:24
23 וְעַל הָאֹצָרוֹת בַּשָּׂדֶה בֶּעָרִים... ICh. 27:25
בְּאוֹצָרוֹת 24 נֹתֵן בְּאוֹצָרוֹת תְּהוֹמוֹת Ps. 33:7
לָאוֹצָרוֹת 25 לָאוֹצָרוֹת לַתְּרוּמוֹת... Neh. 12:44
26 הֵבִיאוּ מַעְשַׂר הַדָּגָן...לָאוֹצָרוֹת Neh. 13:12
וְלָאוֹצָרוֹת 27...לְכָל־דָּבָר וְלָאֹצָרוֹת IICh. 8:15
אוֹצְרוֹת- 28-30 אֹצְרוֹת בֵּית(־) יְיָ IK. 14:26 • ICh. 26:22 • IICh. 12:9
31 אוֹצְרוֹת בֵּית יְיָ IIK. 24:13
32-4 אוֹצְרוֹת בֵּ׳הַמֶּלֶךְ IK.14:26;15:18 • IICh.25:24
35 אֹצְרוֹת בֵּית הַמֶּלֶךְ IICh. 12:9
36 וְנָתַתִּי לְךָ אוֹצְרוֹת חֹשֶׁךְ Is. 45:3
37 וְאֵת כָּל־אוֹצְרוֹת מַלְכֵי יְהוּדָה Jer. 20:5
38 עוֹד הַאִשׁ בֵּית רָשָׁע אֹצְרוֹת רֶשַׁע Mic. 6:10
39 לֹא־יוֹעִילוּ אוֹצְרוֹת רֶשַׁע Prov. 10:2
40 הֲבָאתָ אֶל־אֹצְרוֹת שָׁלֶג Job 38:22
41 עַל־אוֹצְרוֹת בֵּית הָאֱלֹהִים ICh. 26:20
42 עַל כָּל־אֹצְרוֹת הַקֳּדָשִׁים ICh. 26:26
43 וְעַל אֹצְרוֹת הַמֶּלֶךְ עַזְמָוֶת ICh. 27:25
44 וְעַל־אֹצְרוֹת הַשֶּׁמֶן יוֹעָשׁ ICh. 27:28
וְאוֹצְרוֹת- 45 וְאוֹצְרוֹת בֵּית הַמֶּלֶךְ IIK. 24:13
46 וְאוֹצְרוֹת בָּרָד תִּרְאֶה Job 38:22
47 וְאֹצְרוֹת מַאֲכָל וְשֶׁמֶן וָיָיִן IICh. 11:11
48 וְאֹצְרוֹת בֵּית יְיָ IICh. 36:18
49 וְאֹצְרוֹת הַמֶּלֶךְ וְשָׂרָיו IICh. 36:18
הָאוֹצְרוֹת- 50 וְעַל־הָאֹצְרוֹת בֵּית הָאֱלֹהִים ICh. 9:26
בְּאוֹצְרוֹת- 51 נָתַן בְּאֹצְרוֹת בֵּית יְיָ IK. 7:51
52 הַנּוֹתָרִים בְּאוֹצְרוֹת בֵּית־יְיָ IK. 15:18
53 הַנִּמְצָא בְּאֹצְרוֹת בֵּית־יְיָ IIK. 12:19
54 נָתַן בְּאֹצְרוֹת בֵּית הָאֱלֹהִים IICh. 5:1

וּבְאוֹצְרוֹת- 55/6 וּבְאוֹצְרוֹת בֵּית הַמֶּלֶךְ IIK. 14:14; 18:15
57 וּבְאֹצְרֹת בֵּית הַמֶּלֶךְ IIK. 16:8
לְאוֹצְרוֹת- 58 וְעַל שֶׁבַּכְּרָמִים לְאֹצְרוֹת הַיַּיִן ICh. 27:27
59 לְאֹצְרוֹת בֵּית הָאֱלֹהִים ICh. 28:12
וּלְאוֹצְרוֹת- 60/1 וּלְאֹצְרוֹת הַקֳּדָשִׁים ICh. 26:20; 28:12
מֵאוֹצְרוֹת- 62 וַיֹּצֵא... מֵאֹצְרוֹת בֵּית יְיָ IICh. 16:2
בְּאוֹצְרֹתָי 63 כָּמֻס עִמָּדִי חָתוּם בְּאוֹצְרֹתָי Deut. 32:34
64 אֲשֶׁר לֹא־הִרְאִיתִם בְּאֹצְרֹתָי IIK. 20:15
65 אֲשֶׁר לֹא־הִרְאִיתִים בְּאוֹצְרֹתָי Is. 39:4
אוֹצְרוֹתֶיךָ 66 כָּל־אוֹצְרוֹתֶיךָ לָבַז אֶתֵּן Jer. 17:3
וְאוֹצְרוֹתֶיךָ 67 חֵילְךָ וְאוֹצְרֹתֶיךָ לָבַז אֶתֵּן Jer. 15:13
בְּאוֹצְרוֹתֶיךָ 68 וַתַּעַשׂ זָהָב וָכֶסֶף בְּאוֹצְרוֹתֶיךָ Ezek. 28:4
וּבְאוֹצְרוֹתַיִךְ 69 בִּטְחֵךְ בְּמַעֲשַׂיִךְ וּבְאוֹצְרוֹתַיִךְ Jer. 48:7
בְּאוֹצְרוֹתָיו 70 כָּל־אֲשֶׁר נִמְצָא בְּאוֹצְרֹתָיו IIK. 20:13
71 כָּל־אֲשֶׁר נִמְצָא בְּאוֹצְרֹתָיו Is. 39:2
לְאוֹצְרוֹתָיו 72 וְאֵין קֵצֶה לְאֹצְרֹתָיו Is. 2:7
מֵאוֹצְרוֹתָיו 73/4 וַיּוֹצֵא רוּחַ מֵאֹצְרֹתָיו Jer. 10:13; 51:16
75 מוֹצֵא־רוּחַ מֵאוֹצְרוֹתָיו Ps. 135:7
אוֹצְרוֹתֶיהָ 76 חֶרֶב אֶל־אוֹצְרֹתֶיהָ וּבֻזָּזוּ Jer. 50:37
בְּאוֹצְרוֹתֶיהָ 77 הַבַּת... הַבֹּטְחָה בְּאֹצְרֹתֶיהָ Jer. 49:4
אוֹצְרוֹתָם 78 וְעַל־דַּבֶּשֶׁת גְּמַלִּים אוֹצְרֹתָם Is. 30:6
וְאוֹצְרוֹתֵיהֶם 79 וְאֹצְרֹתֵיהֶם אֲמַלֵּא Prov. 8:21

אור : אוֹר, נָאוֹר, הֵאִיר; אוֹר, אוּר, אוֹרָה, אוֹרִים, מָאוֹר, מְאוֹרָה, מְאוּרָה; אוּר, אוּרִי, אוּרִיאֵל, אוּרִיָּה, אוּרִיָּהוּ

אוֹר פָּ׳ א) הֵפֶךְ מִן חָשַׁךְ, נעשה אור [גם בהשאלה]: 1–6
ב) [נפ׳ נָאוֹר] כנ״ל, ביחוד בהשאלה: 7–9
ג) [הִפ׳ הֵאִיר] נתן אור (גם בהשאלה): 10–43
ד) [כנ״ל] הדליק, הבעיר אור (אש): 23, 35
אוֹר לוֹ 2, 9; אוֹרוּ עֵינָיו 4, 5
הֵאִיר (פ״ע) 18, 27/8, 36; הֵאִיר (אֶת) 14/5, 19-24, 29, 30-32,34,41-43; הֵאִיר לְ-12,15,16,25,33; הֵאִיר עַל- 10, 11, 17; הֵאִיר אוֹרוֹ 26; הֵאִיר נֵרוֹ 24; הֵאִיר עֵינָיו 14,21, 22, 42; הֵאִיר פָּנָיו 30,31,34,37-41,43

אוֹר 1 הַבֹּקֶר אוֹר וְהָאֲנָשִׁים שֻׁלְּחוּ Gen. 44:3
וְאוֹר 2 וְאוֹר לָכֶם וָלֵכוּ ISh. 29:10
וָאוֹר 3 הוֹלֵךְ וָאוֹר עַד־נְכוֹן הַיּוֹם Prov. 4:18
אֹרוּ 4 רְאוּ־נָא כִּי־אֹרוּ עֵינַי ISh. 14:29
וַתָּאֹרְנָה 5 וַיָּשֶׁב יָדוֹ אֶל־פִּיו וַתָּאֹרְנָה עֵינָיו ISh. 14:27
אוֹרִי 6 קוּמִי אוֹרִי כִּי בָא אוֹרֵךְ Is. 60:1
לֵאוֹר 7 לֵאוֹר בְּאוֹר הַחַיִּים Job 33:30
נָאוֹר 8 נָאוֹר אַתָּה אַדִּיר מֵהַרְרֵי־טָרֶף Ps. 76:5
וַיֵּאוֹר 9 וַיֵּאֹר לָהֶם בְּחֶבְרוֹן IISh. 2:32
לְהָאִיר 10-11 לְהָאִיר עַל־הָאָרֶץ Gen. 1:15,17
12 וְלַיְלָה בְּעַמּוּד אֵשׁ לְהָאִיר לָהֶם Ex. 13:21
13 וְאֵשׁ לְהָאִיר לָיְלָה Ps. 105:39
14 לְהָאִיר עֵינֵינוּ אֱלֹהֵינוּ Ez. 9:8
15 לְהָאִיר לָהֶם אֶת־הַדֶּרֶךְ Neh. 9:12
16 עַמּוּד הָאֵשׁ בְּלַיְלָה לְהָאִיר לָהֶם Neh. 9:19
וְהֵאִיר 17 וְהֵאִיר עַל־עֵבֶר פָּנֶיהָ Ex. 25:37
הֵאִירָה 18 וְהָאָרֶץ הֵאִירָה מִכְּבֹדוֹ Ezek. 43:2
הֵאִירוּ 19 הֵאִירוּ בְרָקִים תֵּבֵל Ps. 77:19
20 הֵאִירוּ בְרָקָיו תֵּבֵל Ps. 97:4
מֵאִיר 21 מֵאִיר־עֵינֵי שְׁנֵיהֶם יְיָ Prov. 29:13
מְאִירַת־ 22 מִצְוַת יְיָ בָּרָה מְאִירַת עֵינָיִם Ps. 19:9
מְאִירוֹת 23 נָשִׁים בָּאוֹת מְאִירוֹת אוֹתָהּ Is. 27:11
תָּאִיר 24 כִּי־אַתָּה תָּאִיר נֵרִי Ps. 18:29
יָאִיר 25 הַיָּרֵחַ לֹא־יָאִיר לָךְ Is. 60:19
26 וְיָרֵחַ לֹא־יָאִיר אוֹרוֹ Ezek. 32:7
27 פֵּתַח-דְּבָרֶיךָ יָאִיר Ps. 119:130
28 וְלַיְלָה כַּיּוֹם יָאִיר Ps. 139:12
29 אַחֲרָיו יָאִיר נָתִיב Job 41:24

יָאֵר 30 יָאֵר יְיָ פָּנָיו אֵלֶיךָ וִיחֻנֶּךָּ Num. 6:25
31 יָאֵר פָּנָיו אִתָּנוּ סֶלָה Ps. 67:2
וַיָּאֶר 32 וַיָּאֶר אֶת־הַלָּיְלָה Ex. 14:20
33 אֵל יְיָ וַיָּאֶר לָנוּ Ps. 118:27
תָּאִיר 34 חָכְמַת אָדָם תָּאִיר פָּנָיו Eccl. 8:1
תָּאִירוּ 35 וְלֹא־תָאִירוּ מִזְבְּחִי חִנָּם Mal. 1:10
יָאִירוּ 36 אֶל-מוּל... יָאִירוּ שִׁבְעַת הַנֵּרוֹת Num. 8:2
הָאֵר 37 הָאֵר פָּנֶיךָ וְנִוָּשֵׁעָה Ps. 80:20
38 פָּנֶיךָ הָאֵר בְּעַבְדֶּךָ Ps. 119:135
וְהָאֵר 39-40 וְהָאֵר פָּנֶיךָ וְנִוָּשֵׁעָה Ps. 80:4,8
41 וְהָאֵר פָּנֶיךָ עַל־מִקְדָּשְׁךָ הַשָּׁמֵם Dan. 9:17
הָאִירָה 42 הָאִירָה עֵינַי פֶּן־אִישַׁן הַמָּוֶת Ps. 13:4
43 הָאִירָה פָּנֶיךָ עַל־עַבְדֶּךָ Ps. 31:17

אוֹר ז׳ נֹגַהּ, זֹהַר, הֵפֶךְ מן חֹשֶׁךְ (הרבה בהשאלה)
קרובים: אוֹרָה[1] / בָּרָק / זֹהַר / זִיו / נֹגַהּ / נְגֹהוֹת / נְהָרָה
– אוֹר וָחֹשֶׁךְ 4, 7, 10, 11, 13, 19, 25,26,31,39,40,42, (43) 47, 49, 50, 52 (60), 61, 108, 117; א׳ זָרוּעַ 17;
א׳ מָתוֹק 53; אוֹרִים גְּדֹלִים 122
– אוֹר אֵשׁ 88; א׳ בֹּקֶר 66—72, 86, 95; א׳ גּוֹיִם 96, 97; א׳ הַחַיִּים 87, 91; א׳ הַחַמָּה 74, 80, 92;
א׳ יְיָ 85; א׳ יוֹמָם 99, 102; א׳ יְקָרוֹת 75;
א׳ יִשְׂרָאֵל 73; א׳ הַלְּבָנָה 74, 92; א׳ לַיְלָה 103;
א׳ נֹגַהּ 57, 94; א׳ נֵר 81; א׳ עוֹלָם 100, 101; א׳ עֵינַיִם 82; א׳ עַמִּים 98; אוֹר עָנָן 79; א׳ פָּנִים 76, 83, 84, 89, 90; א׳ צַדִּיקִים 77; א׳ צֶדֶק 58;
א׳ רְשָׁעִים 78; א׳ שִׁבְעַת הַיָּמִים 93; יוֹם אוֹר 12;
יוֹצֵר א׳ 7; כּוֹכְבֵי א׳ 21; מְאוֹרֵי א׳ 8; מֹרְדֵי א׳ 29; עֲנַן א׳ 115; תּוֹרָה א׳ 22; תַּכְלִית א׳ 31
– בָּא אוֹר 110; דָּעַךְ א׳ 78; הֵאִיר א׳ 113;
הִגִּיהַּ א׳ 112; הֵהֵל א׳ 33,38,119; הוֹפִיעַ א׳ 79;
הוֹצִיא א׳ 32; הָיָה א׳ 1-3, 14; זָרַח א׳ 19, 108;
הֵפִיץ א׳ 115; חָשַׁךְ א׳ 27,42; יָדַע א׳ 30; יָצָא א׳ 9; יָצַר א׳ 7; כִּסָּה א׳ 34; נִבְקַע א׳ 107;
נָגַהּ א׳ 5, 28; נֶחֱלַק א׳ 37; נִמְנַע א׳ 121;
עָטָה א׳ 18; פָּרַשׂ א׳ 114; רָאָה א׳ 4,15,16,23, 35,48,109; שָׁכַן א׳ 36; שָׁלַח א׳ 106; שָׂמַח א׳ 77
– הוֹצִיא כָּאוֹר 58; הוֹצִיא לָאוֹר 62, 64;
נָתַן לָא׳ 63; הָלַךְ לָא׳ 117; שָׂם לָא׳ 40

אוֹר 1/2 וַיֹּאמֶר אֱלֹהִים יְהִי־אוֹר וַיְהִי־אוֹר Gen. 1:3
3 וּלְכָל־בְּנֵי יִשְׂרָאֵל הָיָה אוֹר Ex. 10:23
4 הָעָם הַהֹלְכִים בַּחֹשֶׁךְ רָאוּ אוֹר גָּדוֹל Is. 9:1
5 אוֹר נָגַהּ עֲלֵיהֶם Is. 9:1
6 כְּחֹם צַח עֲלֵי־אוֹר Is. 18:4
7 יוֹצֵר אוֹר וּבוֹרֵא חֹשֶׁךְ Is. 45:7
8 כָּל־מְאוֹרֵי אוֹר בַּשָּׁמַיִם Ezek. 32:8
9 וּמִשְׁפָּטֶיךָ אוֹר יֵצֵא Hosh. 6:5
10 הוּא־חֹשֶׁךְ וְלֹא־אוֹר Am. 5:18
11 הֲלֹא־חֹשֶׁךְ יוֹם יְיָ וְלֹא־אוֹר Am. 5:20
12 וְהַחֲשַׁכְתִּי לָאָרֶץ בְּיוֹם אוֹר Am. 8:9
13 כִּי־אֵשֵׁב בַּחֹשֶׁךְ יְיָ אוֹר לִי Mic. 7:8
14 לְעֶת־עֶרֶב יִהְיֶה־אוֹר Zech. 14:7
15 בְּאוֹרְךָ נִרְאֶה־אוֹר Ps. 36:10
16 עַד־נֵצַח לֹא יִרְאוּ־אוֹר Ps. 49:20
17 אוֹר זָרֻעַ לַצַּדִּיק Ps. 97:11
18 עֹטֶה־אוֹר כַּשַּׂלְמָה Ps. 104:2
19 זָרַח בַּחֹשֶׁךְ אוֹר לַיְשָׁרִים Ps. 112:4
20 וְלַיְלָה אוֹר בַּעֲדֵנִי Ps. 139:11
21 הַלְלוּהוּ כָּל־כּוֹכְבֵי אוֹר Ps. 148:3
22 כִּי נֵר מִצְוָה וְתוֹרָה אוֹר Prov. 6:23
23 כְּעֹלְלִים לֹא־רָאוּ אוֹר Job 3:16
24 לָמָּה יִתֵּן לְעָמֵל אוֹר Job 3:20

אוֹר (המשך)
25 יְמַשְׁשׁוּ־חֹשֶׁךְ וְלֹא־אוֹר Job 12:25
26 אוֹר קָרוֹב מִפְּנֵי־חֹשֶׁךְ Job 17:12
27 אוֹר חָשַׁךְ בְּאָהֳלוֹ Job 18:6
28 וְעַל־דְּרָכֶיךָ נָגַהּ אוֹר Job 22:28
29 הֵמָּה הָיוּ בְּמֹרְדֵי אוֹר Job 24:13
30 לֹא־יָדְעוּ אוֹר Job 24:16
31 עַד־תַּכְלִית אוֹר עִם־חֹשֶׁךְ Job 26:10
32 וְתַעֲלֻמָהּ יֹצִא אוֹר Job 28:11
33 אִם־אֶרְאֶה אוֹר כִּי יָהֵל Job 31:26
34 עַל־כַּפַּיִם כִּסָּה־אוֹר Job 36:32
35 וְעַתָּה לֹא רָאוּ אוֹר Job 37:21
36 אֵי־זֶה הַדֶּרֶךְ יִשְׁכָּן־אוֹר Job 38:19
37 אֵי־זֶה הַדֶּרֶךְ יֵחָלֶק אוֹר Job 38:24
38 עֲטִישֹׁתָיו תָּהֶל אוֹר Job 41:10
39 וַיֹּלַךְ חֹשֶׁךְ וְלֹא־אוֹר Lam. 3:2
וְאוֹר 40 שָׂמִים חֹשֶׁךְ לְאוֹר וְאוֹר לְחֹשֶׁךְ Is. 5:20
41 נֵר־לְרַגְלִי... וְאוֹר לִנְתִיבָתִי Ps. 119:105
וָאוֹר 42 חֹשֶׁךְ צַר וָאוֹר חָשַׁךְ בַּעֲרִיפֶיהָ Is. 5:30
לְאוֹר 43 שָׂמִים חֹשֶׁךְ לְאוֹר וְאוֹר לְחֹשֶׁךְ Is. 5:20
44 וְקִוִּיתֶם לְאוֹר וְשָׂמָהּ לְצַלְמָוֶת Jer. 13:16
45 יְקַו־לְאוֹר וָאַיִן Job 3:9
46 וַאֲיַחֲלָה לְאוֹר וַיָּבֹא אֹפֶל Job 30:26
מֵאוֹר 47 יֶהְדְּפֻהוּ מֵאוֹר אֶל־חֹשֶׁךְ Job 18:18
הָאוֹר 48 וַיַּרְא אֱלֹהִים אֶת־הָאוֹר כִּי־טוֹב Gen. 1:4
49 וַיַּבְדֵּל אֱלֹהִים בֵּין הָאוֹר וּבֵין הַחֹשֶׁךְ Gen. 1:4
50 וּלְהַבְדִּיל בֵּין הָאוֹר וּבֵין הַחֹשֶׁךְ Gen. 1:18
51 וַתִּפֹּל... בֵּית־הָאִישׁ...עַד־הָאוֹר Jud. 19:26
52 כִּיתְרוֹן הָאוֹר מִן־הַחֹשֶׁךְ Eccl. 2:13
53 וּמָתוֹק הָאוֹר וְטוֹב לַעֵינַיִם Eccl. 11:7
54 מִן־הָאוֹר עַד־מַחֲצִית הַיּוֹם Neh. 8:3
וְהָאוֹר 55 הַשֶּׁמֶשׁ וְהָאוֹר וְהַיָּרֵחַ Eccl. 12:2
בָּאוֹר 56 פָּדָה נַפְשׁוֹ... וְחַיָּתוֹ בָּאוֹר תִּרְאֶה Job 33:28
כָּאוֹר 57 וְנֹגַהּ כָּאוֹר תִּהְיֶה Hab. 3:4
58 וְהוֹצִיא כָאוֹר צִדְקֶךָ Ps. 37:6
לָאוֹר 59 וַיִּקְרָא אֱלֹהִים לָאוֹר יוֹם Gen. 1:5
60 אָשִׂים מַחְשָׁךְ לִפְנֵיהֶם לָאוֹר Is. 42:16
61 נְקַוֶּה לָאוֹר וְהִנֵּה־חֹשֶׁךְ Is. 59:9
62 יוֹצִיאֵנִי לָאוֹר אֶרְאֶה בְּצִדְקָתוֹ Mic. 7:9
63 בַּבֹּקֶר בַּבֹּקֶר מִשְׁפָּטוֹ יִתֵּן לָאוֹר Zep. 3:5
64 וַיֹּצֵא לָאוֹר צַלְמָוֶת Job 12:22
65 לָאוֹר יָקוּם רוֹצֵחַ Job 24:14
אוֹר־ 66-72 עַד־אוֹר הַבֹּקֶר Jud. 16:2 • ISh. 14:36; 25:22,34,36 • IISh. 17:22 • IIK. 7:9
73 וְהָיָה אוֹר־יִשְׂרָאֵל לְאֵשׁ Is. 10:17
74 וְהָיָה אוֹר־הַלְּבָנָה כְּאוֹר הַחַמָּה Is. 30:26
75 אוֹר יְקָרוֹת וְקִפָּאוֹן Zech. 14:6
76 נְסָה־עָלֵינוּ אוֹר פָּנֶיךָ יְיָ Ps. 4:7
77 אוֹר־צַדִּיקִים יִשְׂמָח Prov. 13:9
78 גַּם אוֹר רְשָׁעִים יִדְעָךְ Job 18:5
79 וְהוֹפִיעַ אוֹר עֲנָנוֹ Job 37:15
וְאוֹר־ 80 וְאוֹר הַחַמָּה יִהְיֶה שִׁבְעָתַיִם Is. 30:26
81 קוֹל רֵחַיִם וְאוֹר נֵר Jer. 25:10
82 וְאוֹר־עֵינַי גַּם־הֵם אֵין אִתִּי Ps. 38:11
83 וְאוֹר פָּנֶיךָ כִּי רְצִיתָם Ps. 44:4
84 וְאוֹר פָּנַי לֹא יַפִּילוּן Job 29:24
בְּאוֹר־ 85 לְכוּ וְנֵלְכָה בְּאוֹר יְיָ Is. 2:5
86 בְּאוֹר הַבֹּקֶר יַעֲשׂוּהָ Mic. 2:1
87 לְהִתְהַלֵּךְ... בְּאוֹר הַחַיִּים Ps. 56:14
88 וְכָל־הַלַּיְלָה בְּאוֹר אֵשׁ Ps. 78:14
89 בְּאוֹר־פָּנֶיךָ יְהַלֵּכוּן Ps. 89:16
90 בְּאוֹר־פְּנֵי־מֶלֶךְ חַיִּים Prov. 16:15
91 לֵאוֹר בְּאוֹר הַחַיִּים Job 33:30
כְּאוֹר־ 92 וְהָיָה אוֹר־הַלְּבָנָה כְּאוֹר הַחַמָּה Is. 30:26
93 ...כְּאוֹר שִׁבְעַת הַיָּמִים Is. 30:26
94 כְּאוֹר נֹגַהּ הוֹלֵךְ וָאוֹר Prov. 4:18
וּכְאוֹר־ 95 וּכְאוֹר בֹּקֶר יִזְרַח־שָׁמֶשׁ IISh. 23:4
לְאוֹר־ 96 וְאֶתֶּנְךָ לִבְרִית עָם לְאוֹר גּוֹיִם Is. 42:6
97 וּנְתַתִּיךָ לְאוֹר גּוֹיִם Is. 49:6
98 וּמִשְׁפָּטִי לְאוֹר עַמִּים אַרְגִּיעַ Is. 51:4
99 לֹא־יִהְיֶה... הַשֶּׁמֶשׁ לְאוֹר יוֹמָם Is. 60:19
100 וְהָיָה־לָךְ יְיָ לְאוֹר עוֹלָם Is. 60:19
101 כִּי יְיָ יִהְיֶה־לָּךְ לְאוֹר עוֹלָם Is. 60:20
102 נֹתֵן שֶׁמֶשׁ לְאוֹר יוֹמָם Jer. 31:35(34)
103 וְכוֹכָבִים לְאוֹר לָיְלָה Jer. 31:35(34)
104 לְאוֹר חִצֶּיךָ יְהַלֵּכוּ Hab. 3:11
אוֹרִי 105 יְיָ אוֹרִי וְיִשְׁעִי מִמִּי אִירָא Ps. 27:1
אוֹרְךָ 106 שְׁלַח־אוֹרְךָ וַאֲמִתְּךָ הֵמָּה יַנְחוּנִי Ps. 43:3
אוֹרֶךָ 107 אָז יִבָּקַע כַּשַּׁחַר אוֹרֶךָ Is. 58:8
108 וְזָרַח בַּחֹשֶׁךְ אוֹרֶךָ Is. 58:10
בְּאוֹרְךָ 109 בְּאוֹרְךָ נִרְאֶה־אוֹר Ps. 36:10
אוֹרֵךְ 110 קוּמִי אוֹרִי כִּי בָא אוֹרֵךְ Is. 60:1
לְאוֹרֵךְ 111 וְהָלְכוּ גוֹיִם לְאוֹרֵךְ Is. 60:3
אוֹרוֹ 112 וְיָרֵחַ לֹא־יַגִּיהַּ אוֹרוֹ Is. 13:10
113 וְיָרֵחַ לֹא־יָאִיר אוֹרוֹ Ezek. 32:7
114 הֵן־פָּרַשׂ עָלָיו אוֹרוֹ Job 36:30
115 יָפִיץ עֲנַן אוֹרוֹ Job 37:11
וְאוֹרוֹ 116 וְאוֹרוֹ עַל־כַּנְפוֹת הָאָרֶץ Job 37:3
לְאוֹרוֹ 117 לְאוֹרוֹ אֵלֶךְ חֹשֶׁךְ Job 29:3
אוֹרֵהוּ 118 וְעַל־מִי לֹא־יָקוּם אוֹרֵהוּ Job 25:3
אוֹרָם 119 כּוֹכְבֵי הַשָּׁמַיִם...לֹא יָהֵלּוּ אוֹרָם Is. 13:10
120 וְאֶל־הַשָּׁמַיִם וְאֵין אוֹרָם Jer. 4:23
121 וְיִמָּנַע מֵרְשָׁעִים אוֹרָם Job 38:15
אוֹרִים 122 לְעֹשֵׂה אוֹרִים גְּדֹלִים Ps. 136:7

אוּר1 ז׳ אֵשׁ • ראה גם אוּרִים
אוּר 1 אֲשֶׁר־אוּר לוֹ בְּצִיּוֹן Is. 31:9
2 הֶאָח חַמּוֹתִי רָאִיתִי אוּר Is. 44:16
3 אֵין־גַּחֶלֶת לַחְמָם אוּר לָשֶׁבֶת נֶגְדּוֹ Is. 47:14
בָּאוּר 4 שְׁלִשִׁית בָּאוּר תַּבְעִיר Ezek. 5:2
בְּאוּר־ 5 לְכוּ בְּאוּר אֶשְׁכֶם וּבְזִיקוֹת בְּעַרְתֶּם Is. 50:11
בָּאֻרִים 6 עַל־כֵּן בָּאֻרִים כַּבְּדוּ יְיָ Is. 24:15

אוּר2 שפ־ז – אבי אליפל, מגבורי דוד
1 אֱלִיפַל בֶּן־אוּר ICh. 11:35

אוּר כַּשְׂדִּים עיר בדרום ארם נהרים, מולדת אברהם
בְּאוּר כ׳ 1 בְּאֶרֶץ מוֹלַדְתּוֹ בְּאוּר כַּשְׂדִּים Gen. 11:28
מֵאוּר כ׳ 2 וַיֵּצְאוּ אִתָּם מֵאוּר כַּשְׂדִּים Gen. 11:31
3 אֲשֶׁר הוֹצֵאתִיךָ מֵאוּר כַּשְׂדִּים Gen. 15:7
4 וְהוֹצֵאתוֹ מֵאוּר כַּשְׂדִּים Neh. 9:7

אוֹרֵב ז׳ א) יוֹשֵׁב בְּמַאֲרָב: 1–12, 14, 15;
ב) מַאֲרָב: 13 [עיין עוד אָרַב]
אֹרֵב 1 שִׂים־לְךָ אֹרֵב לָעִיר מֵאַחֲרֶיהָ Josh. 8:2
2-3 אֹרֵב Josh. 8:12,14
וְאֹרֵב 4 וְאֹרֵב יִשְׂרָאֵל מֵגִיחַ מִמְּקֹמוֹ Jud. 20:33
הָאֹרֵב 5 כִּי־לָכַד הָאֹרֵב אֶת־הָעִיר Josh. 8:21
6-8 הָאֹרֵב Jud. 20:36,37,38
וְהָאוֹרֵב 9 וְהָאוֹרֵב קָם מְהֵרָה מִמְּקוֹמוֹ Josh. 8:19
10-12 וְהָאֹרֵב Jud. 16:9,12; 20:37
מֵהָאוֹרֵב 13 וְאַתֶּם תָּקֻמוּ מֵהָאוֹרֵב... Josh. 8:7
אֹרְבִים 14 וַיָּשֶׂם יִשְׂרָאֵל אֹרְבִים Jud. 20:29
הָאֹרְבִים 15 הָקִימוּ שֹׁמְרִים הָכִינוּ הָאֹרְבִים Jer. 51:12

אוֹרֵג ז׳ קוֹלֵעַ חוּטֵי עֵרֶב בִּשְׁתִי
אֹרֵג 1-3 מַעֲשֵׂה אֹרֵג Ex. 28:32; 39:22,27
וְאֹרֵג 4 חֹשֵׁב וְרֹקֵם...וְאֹרֵג Ex. 35:35
כָּאֹרֵג 5 קִפַּדְתִּי כָאֹרֵג חַיַּי Is. 38:12
אֹרְגִים 6-8 וְעֵץ חֲנִיתוֹ כִּמְנוֹר אֹרְגִים ISh. 17:7 • IISh. 21:19 • ICh. 20:5
9 וַיַּךְ אֶלְחָנָן בֶּן־יַעְרֵי אֹרְגִים IISh. 21:19
10 וּבְיַד הַמִּצְרִי חֲנִית כִּמְנוֹר אֹרְגִים ICh. 11:23

אוֹרָה1 נ׳ אוֹר • קרובים: ראה אור
אוֹרָה 1 לַיְּהוּדִים הָיְתָה אוֹרָה Es. 8:16
כָּאוֹרָה 2 כַּחֲשֵׁיכָה כָּאוֹרָה Ps. 139:12
אוֹרֹת 3 כִּי טַל אוֹרֹת טַלֶּךָ Is. 26:19

אוֹרָה2* נ׳ אחד מעשבי הבר הראויים למאכל
אוֹרֹת 1 וַיֵּצֵא... לְלַקֵּט אֹרֹת IIK. 4:39

אֻרָוָה* נ׳ אוּרְוָה
לָאֲוֵרוֹת 1 וְאֻרָוֹת... וַעֲדָרִים לָאֲוֵרוֹת IICh. 32:28

אוֹרֵחַ ז׳ עוֹבֵר אֹרַח • קרובים: הֵלֶךְ • מְלוֹן אוֹרְחִים 4
הָאֹרֵחַ 1 וַיַּרְא אֶת־הָאִישׁ הָאֹרֵחַ Jud. 19:17
לָאֹרֵחַ 2 לַעֲשׂוֹת לָאֹרֵחַ הַבָּא לוֹ IISh. 12:4
וּכְאֹרֵחַ 3 כְּגֵר בָּאָרֶץ וּכְאֹרֵחַ נָטָה לָלוּן Jer. 14:8
אֹרְחִים 4 מִי־יִתְּנֵנִי בַמִּדְבָּר מְלוֹן אֹרְחִים Jer. 9:1

אוּרִי שפ־ז א) אבי בצלאל, מאומני המשכן: 1–4, 7, 8
ב) אביו של אחד מנציבי שלמה: 5
ג) מן הלויים השוערים בימי עזרא: 6
אוּרִי 1-4 בְּצַלְאֵל בֶּן־אוּרִי בֶן־חוּר שמות לא2 30 לה22 • דה״ב א5
5 גֶּבֶר בֶּן־אֻרִי בְּאֶרֶץ גִּלְעָד IK. 4:19
6 וּמִן־הַשֹּׁעֲרִים שַׁלֻּם וָטֶלֶם וְאוּרִי Ez. 10:24
7 וְחוּר הוֹלִיד אֶת־אוּרִי ICh. 2:20
וְאוּרִי 8 וְאוּרִי הוֹלִיד אֶת־בְּצַלְאֵל ICh. 2:20

אוּרִיאֵל שפ־ז א) שר מבני קהת בימי דוד: 1–2, 4
ב) אבי מִיכָיָהוּ אמו של המלך אֲבִיָּם: 3
אוּרִיאֵל 1 תַּחַת בְּנוֹ אוּרִיאֵל בְּנוֹ ICh. 6:9
2 לִבְנֵי קְהָת אוּרִיאֵל הַשָּׂר ICh. 15:5
3 וְשֵׁם אִמּוֹ מִיכָיָהוּ בַת־אוּרִיאֵל IICh. 13:2
לְאוּרִיאֵל 4 וְלַלְוִיִּם לְאוּרִיאֵל עֲשָׂיָה וְיוֹאֵל ICh. 15:11

אוּרִיָּה שפ־ז א) הַחִתִּי, בעלה של בת־שבע: 1–25, 36
ב) כהן גדול בימי אחז: 26–31
ג) כהן בימי עזרא ונחמיה: 32–34
ד) אחד מרבי העם בימי עזרא: 35
אוּרִיָּה 1 בַּת־שֶׁבַע... אֵשֶׁת אוּרִיָּה הַחִתִּי IISh. 11:3
2-25 אוּרִיָּה IISh. 11:6[2],7–9,10[2],11; 11:12[2],14–17; 11:21,24,26[2]; 12:9,10,15; 23:39 • IK. 15:5 • ICh. 11:41
26 וַיִּשְׁלַח... אָחָז אֶל־אוּרִיָּה הַכֹּהֵן IIK. 16:10
27-31 אוּרִיָּה הַכֹּהֵן IIK. 16:11[2],15,16 • Is. 8:2
32-34 מְרֵמוֹת בֶּן־אוּרִיָּה Ez. 8:33 • Neh. 3:4,21
וְאוּרִיָּה 35 וַיַּעֲמֹד אֶצְלוֹ מַתִּתְיָה... וְאוּרִיָּה Neh. 8:4
לְאוּרִיָּה 36 וַיֹּאמֶר דָּוִד לְאוּרִיָּה רֵד לְבֵיתְךָ IISh. 11:8

אוּרִיָּהוּ שפ־ז – נביא בימי ירמיהו
1 אִישׁ הָיָה מִתְנַבֵּא בְּשֵׁם יְיָ אוּרִיָּהוּ Jer. 26:20
2 וַיִּשְׁמַע אוּרִיָּהוּ וַיִּרָא וַיִּבְרַח Jer. 26:21
3 וַיּוֹצִיאוּ אֶת־אוּרִיָּהוּ מִמִּצְרַיִם Jer. 26:23

אוּרִים ז־ר [עַל־פִּי־רֹב בְּצֵרוּף עִם "תֻּמִּים"] כנוי לגורלות הקודש שהיו בחושן הכהן הגדול
הָאוּרִים 1 וְנָתַתָּ אֶל־חֹשֶׁן הַמִּשְׁפָּט אֶת־הָאוּרִים וְאֶת־הַתֻּמִּים Ex. 28:30
2 אֶת־הָאוּרִים וְאֶת־הַתֻּמִּים Lev. 8:8
3 וְשָׁאַל לוֹ בְּמִשְׁפַּט הָאוּרִים Num. 27:21
בָּאוּרִים 4 וְלֹא עָנָהוּ יְיָ... גַּם בָּאוּרִים ISh. 28:6
לְאוּרִים 5 עַד עֲמֹד כֹּהֵן לְאוּרִים וּלְתֻמִּים Ez. 2:63
6 עַד עֲמֹד הַכֹּהֵן לְאוּרִים וְתֻמִּים Neh. 7:65
וְאוּרֶיךָ 7 תֻּמֶּיךָ וְאוּרֶיךָ לְאִישׁ חֲסִידֶךָ Deut. 33:8

אורנה (כתיב) – ראה אֲרַוְנָה

אות : נֵאוֹת; אוֹת

[נפ׳ נֵאוֹת] – הסכים, הואיל

נֵאוֹת 1 אַךְ־בְּזֹאת נֵאוֹת לָכֶם Gen. 34:15

נֵאוֹתָה 2 אַךְ נֵאוֹתָה לָהֶם וְיֵשְׁבוּ אִתָּנוּ Gen. 34:23

יֵאֹתוּ 3 אַךְ־בְּזֹאת יֵאֹתוּ לָנוּ הָאֲנָשִׁים Gen. 34:22

וַיֵּאֹתוּ 4 וַיֵּאֹתוּ הַכֹּהֲנִים לְבִלְתִּי קְחַת־כֶּסֶף IIK. 12:9

אוֹת

זו״נ א) סימן, ציון: 1-3, 5-9, 11-20, 25-29, 37-44, 68

ב) ציון לקביעת מועדים: 65

ג) מופת, מעשה פלא: 4, 21-24, 45-60, 62-64, 67-79

ד) סֵמל יחידה צבאית: 61

ה) משל: 10, 30—36, 66

אוֹת וּמוֹפֵת 4,10,24,34; א׳ אֱמֶת 41; א׳ בְּרִית 39, 40, 42, 43; א׳ עוֹלָם 44; קוֹל הָא׳ 21, 22; אוֹתוֹת וּמוֹפְתִים 45,46,48,49,55,56,60,62-64,66,69; א׳ בַּדִּים 67; א׳ הַשָּׁמַיִם 68; בָּא אוֹת 24,58,59; הָיָה א׳ 23, 43; נָתַן א׳ 4,9,41,49; עָשָׂה א׳ 6, 14, 51, 53, 54, 72; שָׂם א׳ 1, 12, 46, 47, 71, 75, 76, (78) הֵפֵר אוֹתוֹת 67; הִרְבָּה א׳ 69; נִכַּר א׳ 79; רָאָה א׳ 77; שָׁלַח א׳ 48; שָׁת א׳ 70

אוֹת 1 וַיָּשֶׂם יְיָ לְקַיִן אוֹת Gen. 4:15

2 כִּי אוֹת הִוא בֵּינִי וּבֵינֵיכֶם Ex. 31:13

3 אוֹת הִוא לְעֹלָם Ex. 31:17

4 וְנָתַן אֵלֶיךָ אוֹת אוֹ מוֹפֵת Deut. 13:2

5 לְמַעַן תִּהְיֶה זֹאת אוֹת בְּקִרְבְּכֶם Josh. 4:6

6 וְעָשִׂיתָ לִּי אוֹת שָׁאַתָּה מְדַבֵּר עִמִּי Jud. 6:17

7 מָה אוֹת כִּי־יִרְפָּא יְיָ לִי IIK. 20:8

8 שְׁאַל־לְךָ אוֹת מֵעִם יְיָ Is. 7:11

9 לָכֵן יִתֵּן אֲדֹנָי הוּא לָכֶם אוֹת Is. 7:14

10 אוֹת וּמוֹפֵת עַל־מִצְרַיִם Is. 20:3

11 מָה אוֹת כִּי אֶעֱלֶה בֵּית יְיָ Is. 38:22

12 וְשַׂמְתִּי בָהֶם אוֹת Is. 66:19

13 אוֹת הִיא לְבֵית יִשְׂרָאֵל Ezek. 4:3

14 עֲשֵׂה־עִמִּי אוֹת לְטוֹבָה Ps. 86:17

הָאוֹת 15-20 (וְ)זֶה־לְּךָ הָאוֹת Ex. 3:12 • ISh. 2:34 • IIK. 19:29; 20:9 • Is. 37:30; 38:7

21 וְלֹא יִשְׁמְעוּ לְקֹל הָאֹת הָרִאשׁוֹן Ex. 4:8

22 וְהֶאֱמִינוּ לְקֹל הָאֹת הָאַחֲרוֹן Ex. 4:8

23 לְמָחָר יִהְיֶה הָאֹת הַזֶּה Ex. 8:19

24 וּבָא הָאוֹת וְהַמּוֹפֵת Deut. 13:3

25 וְזֶה־לָּנוּ הָאוֹת ISh. 14:10

26 וְזֹאת לָכֶם הָאוֹת נְאֻם־יְיָ Jer. 44:29

לְאוֹת 27 וְהָיָה הַדָּם לָכֶם לְאֹת...וּפָסַחְתִּי Ex. 12:13

28/9 לְאוֹת עַל־יָדְךָ(כָה) Ex. 13:9,16

30 וְיִהְיוּ לְאוֹת לִבְנֵי יִשְׂרָאֵל Num. 17:3

31 לְמִשְׁמֶרֶת לְאוֹת לִבְנֵי־מֶרִי Num. 17:25

32 וּקְשַׁרְתָּם לְאוֹת עַל־יָדֶךָ Deut. 6:8

33 וּקְשַׁרְתֶּם אֹתָם לְאוֹת עַל־יֶדְכֶם Deut. 11:18

34 וְהָיוּ בְךָ לְאוֹת וּלְמוֹפֵת Deut. 28:46

35 וְהָיָה לְאוֹת וּלְעֵד Is. 19:20

36 וַהֲשִׂמֹתִיהוּ לְאוֹת וְלִמְשָׁלִים Ezek. 14:8

37/8 לְאוֹת בֵּינִי וּבֵינֵיהֶם Ezek. 20:12,20

אוֹת־ 39-40 זֹאת אוֹת־הַבְּרִית Gen. 9:12,17

41 וּנְתַתֶּם לִי אוֹת אֱמֶת Josh. 2:12

לְאוֹת־ 42 לְאוֹת בְּרִית בֵּינִי וּבֵין הָאָרֶץ Gen. 9:13

43 וּנְמַלְתֶּם... וְהָיָה לְאוֹת בְּרִית Gen. 17:11

44 לְאוֹת עוֹלָם לֹא יִכָּרֵת Is. 55:13

אוֹתוֹת 45 וַיִּתֵּן יְיָ אוֹתֹת וּמֹפְתִים גְּדֹלִים Deut. 6:22

46 אֲשֶׁר־שַׂמְתָּ אֹתוֹת וּמֹפְתִים Jer. 32:20

47 שָׂמוּ אוֹתֹתָם אֹתוֹת Ps. 74:4

48 שָׁלַח אוֹתֹת וּמֹפְתִים...בְּפַרְעֹה Ps. 135:9

49 וַתִּתֵּן אֹתֹת וּמֹפְתִים Neh. 9:10

הָאוֹתוֹת 50 ...גַּם לִשְׁנֵי הָאֹתוֹת הָאֵלֶּה Ex. 4:9

51 הַמַּטֶּה...אֲשֶׁר תַּעֲשֶׂה-בּוֹ אֶת-הָאֹתֹת Ex. 4:17

52 וְאֵת כָּל־הָאֹתֹת אֲשֶׁר צִוָּהוּ Ex. 4:28

53 וַיַּעַשׂ הָאֹתֹת לְעֵינֵי הָעָם Ex. 4:30

54 בְּכֹל הָאֹתוֹת אֲשֶׁר עָשִׂיתִי Num. 14:11

55 הָאֹתֹת וְהַמֹּפְתִים הַגְּדֹלִים Deut. 29:2

56 לְכָל־הָאֹתֹת וְהַמּוֹפְתִים Deut. 34:11

57 אֶת־הָאֹתוֹת הַגְּדֹלוֹת הָאֵלֶּה Josh. 24:17

58 כִּי תְבֹאֶנָה הָאֹתוֹת הָאֵלֶּה ISh. 10:7

59 וַיָּבֹאוּ כָּל־הָאֹתוֹת הָאֵלֶּה ISh. 10:9

וְהָאוֹתוֹת 60 וְהָאֹתֹת וְהַמֹּפְתִים... Deut. 7:19

בְּאוֹתוֹת 61 אִישׁ עַל־דִּגְלוֹ בְאֹתֹת... יַחֲנוּ Num. 2:2

62 בְּמַסֹּת בְּאֹתֹת וּבְמוֹפְתִים Deut. 4:34

63 בְּאֹתוֹת וּבְמוֹפְתִים וּבְיָד חֲזָקָה Jer. 32:21

וּבְאוֹתוֹת 64 וַיּוֹצִיאֵנוּ יְיָ... וּבְאֹתוֹת וּבְמֹפְתִים Deut. 26:8

לְאוֹתוֹת 65 וְהָיוּ לְאֹתֹת וּלְמוֹעֲדִים Gen. 1:14

66 אָנֹכִי וְהַיְלָדִים...לְאֹתוֹת וּלְמוֹפְתִים Is. 8:18

אוֹתוֹת־ 67 מֵפֵר אֹתוֹת בַּדִּים וְקֹסְמִים יְהוֹלֵל Is. 44:25

וּמֵאוֹתוֹת- 68 וּמֵאֹתוֹת הַשָּׁמַיִם אַל־תֵּחָתּוּ Jer. 10:2

אוֹתוֹתַי 69 וְהִרְבֵּיתִי אֶת־אֹתֹתַי וְאֶת־מוֹפְתַי Ex. 7:3

70 לְמַעַן שִׁתִי אֹתֹתַי אֵלֶּה בְּקִרְבּוֹ Ex. 10:1

71 וְאֶת־אֹתֹתַי אֲשֶׁר־שַׂמְתִּי בָם Ex. 10:2

72 אֹתֹתַי אֲשֶׁר־עָשִׂיתִי בְמִצְרַיִם Num. 14:22

מֵאוֹתוֹתֶיךָ 73 וַיִּירְאוּ יֹשְׁבֵי קְצָוֹת מֵאוֹתֹתֶיךָ Ps. 65:9

אוֹתוֹתָיו 74 וְאֶת־אֹתֹתָיו וְאֶת־מַעֲשָׂיו Deut. 11:3

75 אֲשֶׁר־שָׂם בְּמִצְרַיִם אוֹתוֹתָיו Ps. 78:43

76 שָׂמוּ־בָם דִּבְרֵי אֹתוֹתָיו Ps. 105:27

אוֹתוֹתֵינוּ 77 אוֹתֹתֵינוּ לֹא רָאִינוּ Ps. 74:9

אוֹתוֹתָם 78 שָׂמוּ אוֹתֹתָם אֹתוֹת Ps. 74:4

וְאוֹתוֹתָם 79 וְאֹתֹתָם לֹא תְנַכֵּרוּ Job 21:29

אוֹתִי, אוֹתְךָ וְכוּ׳ – ראה אֵת[1]

אָז

תה״פ א) [במשפט שֵׁמני] בעָבר, באותם הימים: 1—8,123

ב) [לפני פועל עָבר] בעת ההיא: 9—46

ג) [לפני פועל עתיד] ציון לעתיד: 47-88,120-122

ד) [כנ״ל, בראש משפט): ציון לעָבר: 89—105

ה) [כִּי אָז] כתוצאה מן הקודם: 106—116

ו) [אוֹ אָז] רק במקרה זה: 117

ז) [וְלֹא אָז] הַאם לא היה כך וכך?: 118

ח) [מִן־אָז, מֵאָז] 1) מזמן שֶׁ־: 119, 124—127, 129, 131, 140, 141; 2) מקדם, מִתָּמִיד: 128, 130, 132-139

אָז (א) 1 וְהַכְּנַעֲנִי אָז בָּאָרֶץ Gen. 12:6

2 וְהַכְּנַעֲנִי וְהַפְּרִזִּי אָז יֹשֵׁב בָּאָרֶץ Gen. 13:7

3 כְּכֹחִי אָז וּכְכֹחִי עָתָּה Josh. 14:11

4/5 וְדָוִ(י)ד אָז בַּמְּצוּדָה IISh. 23:14 • ICh. 11:16

6 וּמַצַּב פְּלִשְׁתִּים אָז בֵּית לָחֶם IISh. 23:14

7 כִּי טוֹב לִי אָז מֵעָתָּה Hosh. 2:9

8 וּנְצִיב פְּלִשְׁתִּים אָז בְּבֵית לָחֶם ICh. 11:16

אָז (ב) 9 אָז הוּחַל לִקְרֹא בְּשֵׁם יְיָ Gen. 4:26

10 אָז חִלַּלְתָּ יְצוּעִי עָלָה Gen. 49:4

11 אָז אָמְרָה חֲתַן דָּמִים לַמּוּלֹת Ex. 4:26

12 אָז נִבְהֲלוּ אַלּוּפֵי אֱדוֹם Ex. 15:15

13 אָז הִצַּלְתֶּם אֶת־בְּנֵי יִשְׂרָאֵל Josh. 22:31

14 אָז לָחֶם שְׁעָרִים Jud. 5:8

15 אָז יָרְדוּ לַשְּׁעָרִים עַם־יְיָ Jud. 5:11

16 אָבִיךָ הֲלוֹא אָכַל... אָז טוֹב לוֹ Jer. 22:15

17 דָּן דִּין־עָנִי וְאֶבְיוֹן אָז טוֹב Jer. 22:16

18 לוּלֵי תוֹרָתְךָ... אָז אָבַדְתִּי בְעָנְיִי Ps. 119:92

19 וְלָמָּה חָכַמְתִּי אֲנִי אָז יֹתֵר Eccl. 2:15

46-20 אָז (ב) Josh. 10:33 • Jud. 5:19, 22; 8:3; 13:21 • IISh. 21:17, 18 • IK. 8:12; 9:24; 22:50 • IIK. 13:19; 14:8 • Is. 33:23 • Jer. 11:18 • Hab. 1:11 • Mal. 3:16 • Ps. 40:8; 89:20 • Job 28:27 • S.ofS.8:10 • ICh.15:2; 16:7; 20:4 • IICh. 6:1; 8:12, 17; 24:17

אָז (ג) 47 אָז תִּנָּקֶה מֵאָלָתִי Gen. 24:41

48 וּמַלְתָּה אֹתוֹ אָז יֹאכַל בּוֹ Ex. 12:44

49 אָז תִּרְצֶה הָאָרֶץ אֶת-שַׁבְּתֹתֶיהָ Lev. 26:34

50 אָז יְרַד שָׂרִיד לְאַדִּירִים עָם Jud. 5:13

51 אָז תֵּרָפְאוּ וְנוֹדַע לָכֶם... ISh. 6:3

52 וִיהִי כְּשָׁמְעֲךָ... אָז תֶּחֱרָץ IISh. 5:24

53 אַחֲלֵי... אָז יֶאֱסֹף אֹתוֹ מִצָּרַעְתּוֹ IIK. 5:3

54 אָז תִּפָּקַחְנָה עֵינֵי עִוְרִים Is. 35:5

55 אָז יְדַלֵּג כָּאַיָּל פִּסֵּחַ Is. 35:6

56 יִגְּשׁוּ אָז יְדַבֵּרוּ Is. 41:1

57 אָז יִבָּקַע כַּשַּׁחַר אוֹרֶךָ Is. 58:8

58 אָז תִּתְעַנַּג עַל־יְיָ Is. 58:14

59 אָז תִּרְאִי וְנָהַרְתְּ Is. 60:5

60 כִּי רָעָתֵכִי אָז תַּעֲלֹזִי Jer. 11:15

61 אָז תִּשְׂמַח בְּתוּלָה בְּמָחוֹל Jer. 31:13(12)

62 לֹא־גָזַלְתִּי אָז אָשִׁיב Ps. 69:5

63 וְאֹזֵל לוֹ אָז יִתְהַלָּל Prov. 20:14

64 כִּי־עַתָּה שָׁכַבְתִּי...יָשַׁנְתִּי אָז יָנוּחַ לִי Job 3:13

65 כְּשָׁמְעֲךָ... אָז תֵּצֵא בַמִּלְחָמָה ICh. 14:15

88-66 אָז (ג) Lev. 26:34 • Josh. 20:6 • Is. 58:9 • Ezek. 32:14 • Mic. 3:4 • Ps. 2:5; 19:14; 51:21[2]; 56:10; 96:12; 119:6; 126:2[2] • Prov. 1:28; 2:5,9; 3:23 • Job 9:31; 13:20; 33:16 • ICh. 16:33; 22:13(12)

אָז (ד) 89 אָז יָשִׁיר־מֹשֶׁה וּבְנֵי יִשְׂרָאֵל Ex. 15:1

90 אָז יָשִׁיר יִשְׂרָאֵל... עֲלִי בְאֵר Num. 21:17

91 אָז יַבְדִּיל מֹשֶׁה שָׁלֹשׁ עָרִים Deut. 4:41

92 אָז יִבְנֶה יְהוֹשֻׁעַ מִזְבֵּחַ Josh. 8:30

93 אָז יְדַבֵּר יְהוֹשֻׁעַ לַיְיָ Josh. 10:12

105-94 אָז Josh. 22:1 • IK. 3:16; 8:1; 9:11; 11:7; 16:21 • IIK. 8:22 • 12:18; 15:16; 16:5 • IICh. 5:2; 21:10

כִּי־אָז 106 כִּי אָז יֶעְשַׁן אַף־יְיָ Deut. 29:19

107 כִּי־אָז תַּצְלִיחַ אֶת־דְּרָכֶךָ Josh. 1:8

108 כִּי אָז מֵהַבֹּקֶר נַעֲלָה הָעָם IISh. 2:27

109 כִּי אָז יָצָא יְיָ לְפָנֶיךָ IISh. 5:24

110 לוּ אַבְשָׁלוֹם חַי...כִּי-אָז יָשָׁר בְּעֵינֶיךָ IISh. 19:7

111 כִּי אָז תֵּבֹשִׁי וְנִכְלַמְתְּ Jer. 22:22

112 כִּי־אָז אֶהְפֹּךְ אֶל-עַמִּים שָׂפָה... Zep. 3:9

113 כִּי־אָז אָסִיר מִקִּרְבֵּךְ עַלִּיזֵי... Zep. 3:11

114 כִּי־אָז תִּשָּׂא פָנֶיךָ מִמּוּם Job 11:15

115 כִּי־אָז עַל־שַׁדַּי תִּתְעַנָּג Job 22:26

116 יָדַעְתָּ כִּי־אָז תִּוָּלֵד Job 38:21

אוֹ־אָז 117 אוֹ־אָז יִכָּנַע לְבָבָם הֶעָרֵל Lev. 26:41

וְלֹא־אָז 118 וְלֹא־אָז אֶשְׁלַח אֵלֶיךָ ISh. 20:12

מִן־אָז 119 וּמִן־אָז חָדַלְנוּ... חָסַרְנוּ כֹל Jer. 44:18

וְאָז 120 וְאָז יִקְרַב לַעֲשֹׂתוֹ Ex. 12:48

121 וְאָז יִרְצוּ אֶת־עֲוֹנָם Lev. 26:41

122 תַּצְלִיחַ... וְאָז תַּשְׂכִּיל Josh. 1:8

123 וְאָז חֵיל...בָּבֶל צָרִים עַל-יְרוּשָׁלָםִ Jer. 32:2

מֵאָז 124 וַיְהִי מֵאָז הִפְקִיד אֹתוֹ בְּבֵיתוֹ Gen. 39:5

125 גַּם מֵאָז דַּבֶּרְךָ אֶל־עַבְדֶּךָ Ex. 4:10

126 ...מֵאָז הָיְתָה לְגוֹי Ex. 9:24

127 מֵאָז דִּבֶּר יְיָ אֶת־הַדָּבָר הַזֶּה Josh. 14:10

128 עֶבֶד אָבִיךָ וַאֲנִי מֵאָז וְעַתָּה IISh. 15:34

129 מֵאָז שָׁכַבְתָּ לֹא-יַעֲלֶה הַכֹּרֵת Is. 14:8

130 אֲשֶׁר דִּבֶּר יְיָ אֶל־מוֹאָב מֵאָז Is. 16:13

131 הֲלֹא מֵאָז הִשְׁמַעְתִּיךָ Is. 44:8

132 מִי הִשְׁמִיעַ... מֵאָז הִגִּידָהּ Is. 45:21

133 הָרִאשֹׁנוֹת מֵאָז הִגַּדְתִּי Is. 48:3

134 וָאַגִּיד לְךָ מֵאָז בְּטֶרֶם תָּבוֹא... Is. 48:5

מְאָז (המשך)
135 עַתָּה נִבְרְאוּ וְלֹא מֵאָז Is. 48:7
136 גַּם מֵאָז לֹא־פִתְּחָה אָזְנֶךָ Is. 48:8
137 וּמִי־יַעֲמֹד לְפָנֶיךָ מֵאָז אַפֶּךָ Ps. 76:8
138 נָכוֹן כִּסְאֲךָ מֵאָז מֵעוֹלָם אָתָּה Ps. 93:2
139 קֶדֶם מִפְעָלָיו מֵאָז Prov. 8:22
140 מֵאָז הַבֹּקֶר וְעַד־עַתָּה Ruth 2:7
וּמֵאָז 141 וּמֵאָז בָּאתִי אֶל־פַּרְעֹה... Ex. 5:23

אֶזְבַּי* שפ״ז – אבי אחד מגבורי דוד
אֶזְבָּי 1 חֶצְרוֹ הַכַּרְמְלִי נַעֲרַי בֶּן־אֶזְבָּי ICh. 11:37

אֲזַד* פ׳ ארמית: הלך; אַזְדָּא – עברה, אזלה
אַזְדָּא 1 מִלְּתָה מִנִּי אַזְדָּא Dan. 2:5
2 דִּי־אַזְדָּא מִנִּי מִלְּתָא Dan. 2:8

אֲזָה* פ׳ ארמית; אַזֵה = הוסק; לְמֵזֵא = להסיק
אַזֵה 1 וְאַתּוּנָא אַזֵה יַתִּירָה Dan. 3:22
לְמֵזֵא 2 וְאָמַר לְמֵזֵא לְאַתּוּנָא Dan. 3:19
לְמֵזְיֵהּ 3 חַד־שִׁבְעָה עַל דִּי חֲזֵה לְמֵזְיֵהּ Dan. 3:19

אֵזוֹב ז׳ צמח רב־שנתי ממשפחת השפתניים
אֵזוֹב 1 וּלְקַחְתֶּם אֲגֻדַּת אֵזוֹב Ex. 12:12
2 וְלָקַח אֵזוֹב וְטָבַל בַּמַּיִם Num. 19:18
וְאֵזוֹב 3–4 וּשְׁנִי תוֹלַעַת וְאֵזֹב Lev. 14:4,49
5 עֵץ אֶרֶז וְאֵזוֹב וּשְׁנִי תוֹלָעַת Num. 19:6
הָאֵזוֹב 6 וְאֶת־שְׁנִי הַתּוֹלַעַת וְאֶת־הָאֵזֹב Lev. 14:6
7 וְאֶת־הָאֵזֹב וְאֵת שְׁנִי הַתּוֹלַעַת Lev. 14:51
8 וְעַד הָאֵזוֹב אֲשֶׁר יֹצֵא בַּקִּיר IK. 5:13
בְּאֵזוֹב 9 תְּחַטְּאֵנִי בְאֵזוֹב וְאֶטְהָר Ps. 51:9
וּבָאֵזֹב 10 וּבְעֵץ הָאֶרֶז וּבָאֵזֹב... Lev. 14:52

אֵזוֹר ז׳ חגורה או בגד קצר עד למתנים הנקשר בחגורה
קרובים: אַבְנֵט / חֲגוֹר / חֲגוֹרָה / חֵשֶׁב
– חֲגוֹרֵי אֵזוֹר 1; אֵזוֹר חֲלָצָיו 10, 12; אֵ׳ מָתְנָיו 11; אֵ׳ עוֹר 14; אֵ׳ פִּשְׁתִּים 13
– אָסַר אֵזוֹר 2; דָּבַק אֵ׳ 8; לָקַח אֵ׳ 4–6; נִפְתַּח אֵ׳ 10; נִשְׁחַת אֵ׳ 7; קָנָה אֵ׳ 3, 13
אֵזוֹר 1 חֲגוּרֵי אֵזוֹר בְּמָתְנֵיהֶם Ezek. 23:15
2 וַיֶּאְסֹר אֵזוֹר בְּמָתְנֵיהֶם Job 12:18
הָאֵזוֹר 3 וָאֶקְנֶה אֶת־הָאֵזוֹר כִּדְבַר יְיָ Jer. 13:2
4 קַח אֶת־הָאֵזוֹר... אֲשֶׁר עַל־מָתְנֶיךָ Jer. 13:4
5 וְקַח מִשָּׁם אֶת־הָאֵזוֹר Jer. 13:6
6 וָאֶחְפֹּר וָאֶקַּח אֶת־הָאֵזוֹר Jer. 13:7
7 נִשְׁחַת הָאֵזוֹר לֹא יִצְלַח לַכֹּל Jer. 13:7
8 יִדְבַּק הָאֵזוֹר אֶל־מָתְנֵי־אִישׁ Jer. 13:11
כָּאֵזוֹר 9 כָּאֵזוֹר הַזֶּה אֲשֶׁר לֹא־יִצְלַח לַכֹּל Jer. 13:10
אֵזוֹר־ 10 וְלֹא נִפְתַּח אֵזוֹר חֲלָצָיו Is. 5:27
11 וְהָיָה צֶדֶק אֵזוֹר מָתְנָיו Is. 11:5
12 וְהָאֱמוּנָה אֵזוֹר חֲלָצָיו Is. 11:5
13 וְקָנִיתָ לְּךָ אֵזוֹר פִּשְׁתִּים Jer. 13:1
וְאֵזוֹר־ 14 וְאֵזוֹר עוֹר אָזוּר בְּמָתְנָיו IIK. 1:8

אֲזַי תה״פ אז, כי אז [ראה ערך אז]
1 לוּלֵי יְיָ... אֲזַי חַיִּים בְּלָעוּנוּ Ps. 124:3
2 אֲזַי הַמַּיִם שְׁטָפוּנוּ Ps. 124:4
3 אֲזַי עָבַר עַל־נַפְשֵׁנוּ הַמַּיִם... Ps. 124:5

אַזְכָּרָה נ׳ מנחת זכרון: החלק מקרבן המנחה שהקטיר הכהן, וכן הלבונה שהוקטרה עם סלוק מערכת לחם־הפנים בסוף השבוע
לְאַזְכָּרָה 1 וְהָיְתָה לַלֶּחֶם לְאַזְכָּרָה אִשֶּׁה לַיְיָ Lev. 24:7
אַזְכָּרָתָהּ 2-3 וְהִקְטִיר הַכֹּהֵן אֶת־אַזְכָּרָתָהּ Lev. 2:2,16
4 וְהֵרִים הַכֹּהֵן מִן־הַמִּנְחָה אֶת־אַזְכָּרָתָהּ Lev. 2:9
5 וְקָמַץ...מְלוֹא קֻמְצוֹ אֶת־אַזְכָּרָתָהּ Lev. 5:12
6 וְהִקְטִיר הַמִּזְבֵּחַ... אַזְכָּרָתָהּ לַיְיָ Lev. 6:8
7 וְקָמַץ...מִן־הַמִּנְחָה אֶת־אַזְכָּרָתָהּ Num. 5:26

אזל : אָזַל; אֵזֶל; אוזל (?) ארמית: אֲזַל

אָזַל פ׳ א) הלך, עבר: 4; ב) כלה, אפס: 1-3
קרובים: הלך/ חלף/ יצא/ עבר/ אפס/ גמר/ כלה/ תם
אָזַל 1 כִּי הַלֶּחֶם אָזַל מִכֵּלֵינוּ ISh. 9:7
אָזְלַת 2 כִּי־אָזְלַת יָד וְאֶפֶס עָצוּר וְעָזוּב Deut. 32:36
אָזְלוּ 3 אָזְלוּ־מַיִם מִנִּי־יָם Job 14:11
וְאֹזֵל 4 וְאֹזֵל לוֹ אָז יִתְהַלָּל Prov. 20:14

אֲזַל פ׳ ארמית – אָזַל, הלך
אֲזַל 1 אֱדַיִן דָּנִיֵּאל לְבַיְתֵהּ אֲזַל Dan. 2:17
2 אֲזַל וְכֵן אֲמַר־לֵהּ Dan. 2:24
3 אֱדַיִן אֲזַל מַלְכָּא לְהֵיכְלֵהּ Dan. 6:19
4 לְגֻבָּא דִי־אַרְיָוָתָא אֲזַל Dan. 6:20
אֲזַלְנָא 5 דִּי־אֲזַלְנָא לִיהוּד מְדִינְתָּא Ez. 5:8
אֲזַלוּ 6 אֲזַלוּ בִבְהִילוּ לִירוּשְׁלֶם... Ez. 4:23
אֵזֶל 7 שָׂא אֵזֶל־אֲחֵת הִמּוֹ בְּהֵיכְלָא Ez. 5:15

אֶזֶל ראה אֶבֶן הָאָזֶל

אזן : א) אֹזֶן; מֹאזְנַיִם
ב) הֶאֱזִין; אָזֵן; אֹזֶן, אָזְנוֹת, אָזְנַי, אֲזַנְיָה, יַאֲזַנְיָה

אָזַן פ׳ א) שקל: 1
ב) [הפ׳ הֶאֱזִין] הטה אזנו לשמוע, הקשיב
[מֵזִין = מַאֲזִין, אָזִין = אַאֲזִין]: 2–42
– הֶאֱזִין 5–7, 12, 20–21, 29–31, 33, 35, 36, 38–40; הֶאֱ׳ (אֶת־) 10,11,14-16,18,19,22-24,26,28,32,41,42; הֶאֱ׳ אֶל־ 3, 4, 25, 34; הֶאֱ׳ לְ־ 2, 17, 27, 37; הֶאֱ׳ עַד 9, 13; הֶאֱ׳ עַל־ 8
וְאִזֵּן 1 וְאִזֵּן וְחִקֵּר תִּקֵּן מְשָׁלִים הַרְבֵּה Eccl. 12:9
וְהַאֲזַנְתָּ 2 וְהַאֲזַנְתָּ לְמִצְוֹתָיו Ex. 15:26
הֶאֱזִין 3 וְלֹא הֶאֱזִין אֲלֵיכֶם Deut. 1:45
וְהַאֲזִין 4 קוֹלִי אֶל־אֱלֹהִים וְהַאֲזִין אֵלָי Ps. 77:2
הֶאֱזִינוּ 5 וּמֵעוֹלָם לֹא־שָׁמְעוּ לֹא הֶאֱזִינוּ Is. 64:3
הֶאֱזִינוּ 6 וַתָּעַד בָּם... וְלֹא הֶאֱזִינוּ Neh. 9:30
7 וַיָּעִידוּ בָם וְלֹא הֶאֱזִינוּ IICh. 24:19
מֵזִין 8 שֶׁקֶר מֵזִין עַל־לְשׁוֹן הַוֹּת Prov. 17:4
אָזִין 9 אָזִין עַד־תְּבוּנֹתֵיכֶם Job 32:11
יַאֲזִין 10 מִי בָכֶם יַאֲזִין זֹאת Is. 42:23
11 לֹא־אַאֲמִין כִּי־יַאֲזִין קוֹלִי Job 9:16
יַאֲזִינוּ 12 אָזְנַיִם לָהֶם וְלֹא יַאֲזִינוּ Ps. 135:17
הַאֲזִינָה 13 הַאֲזִינָה עָדַי בְּנוֹ צִפֹּר Num. 23:18
14 אֲמָרַי הַאֲזִינָה יְיָ Ps. 5:2
15 הַקְשִׁיבָה רִנָּתִי הַאֲזִינָה תְפִלָּתִי Ps. 17:1
16 שִׁמְעָה... וְשַׁוְעָתִי הַאֲזִינָה Ps. 39:13
17 הַאֲזִינָה לְאִמְרֵי־פִי Ps. 54:4
18 הַאֲזִינָה אֱלֹהִים תְּפִלָּתִי Ps. 55:2
19 הַאֲזִינָה עַמִּי תּוֹרָתִי הַטּוּ אָזְנְכֶם Ps. 78:1
20 רֹעֵה יִשְׂרָאֵל הַאֲזִינָה Ps. 80:2
21 הַאֲזִינָה אֱלֹהֵי יַעֲקֹב Ps. 84:9
22 הַאֲזִינָה יְיָ תְּפִלָּתִי Ps. 86:6
23 הַאֲזִינָה יְיָ קוֹל תַּחֲנוּנָי Ps. 140:7
24 הַאֲזִינָה קוֹלִי בְּקָרְאִי־לָךְ Ps. 141:1
25 הַאֲזִינָה אֶל־תַּחֲנוּנַי Ps. 143:1
26 וְכָל־דְּבָרַי הַאֲזִינָה Job 33:1
27 הַאֲזִינָה לְקוֹל מִלָּי Job 34:16
28 הַאֲזִינָה זֹּאת אִיּוֹב Job 37:14
וְהַאֲזִינִי 29 שִׁמְעוּ שָׁמַיִם וְהַאֲזִינִי אֶרֶץ Is. 1:2
הַאֲזִינוּ 30 הַאֲזִינוּ הַשָּׁמַיִם וַאֲדַבֵּרָה Deut. 32:1
31 שִׁמְעוּ מְלָכִים הַאֲזִינוּ רֹזְנִים Jud. 5:3
32 הַאֲזִינוּ תּוֹרַת אֱלֹהֵינוּ Is. 1:10
33 הַאֲזִינוּ וְשִׁמְעוּ קוֹלִי Is. 28:23
34 הַקְשִׁיבוּ... וּלְאוּמִּי אֵלַי הַאֲזִינוּ Is. 51:4
35 וּבֵית הַמֶּלֶךְ הַאֲזִינוּ Hosh. 5:1
36 הַאֲזִינוּ כָּל־יֹשְׁבֵי חָלֶד Ps. 49:2
37 וְיֹדְעִים הַאֲזִינוּ לִי Job 34:2
וְהַאֲזִינוּ 38 וְהַאֲזִינוּ כֹּל מֶרְחַקֵּי־אָרֶץ Is. 8:9
39 שִׁמְעוּ וְהַאֲזִינוּ אַל־תִּגְבָּהוּ Jer. 13:15
40 וְהַאֲזִינוּ כֹּל יוֹשְׁבֵי הָאָרֶץ Joel 1:2
הַאְזֵנָּה 41 נְשֵׁי לֶמֶךְ הַאְזֵנָּה אִמְרָתִי Gen. 4:23
42 בָּנוֹת בֹּטְחוֹת הַאְזֵנָּה אִמְרָתִי Is. 32:9

אֹזֶן נ׳ אבר השמיעה; על־פי־רוב בהשאלה על השמיעה
– אֹזֶן אֲנָשִׁים 25; אֹ׳ בָּנָיו 16; אֹ׳ חֲכָמִים 26; אֹ׳ הַמִּטַּהֵר 18-21; אֹ׳ עַבְדּוֹ 23-24; אֹ׳ קַשֶּׁבֶת 46-47; אֹ׳ שֹׁמַעַת 7, 8, 9
– בְּדַל אֹ׳ 4; נֹטַע אֹ׳ 6; לְשֵׁמַע אֹ׳ 13; תְּנוּךְ אֹ׳ 16-21
– אָזְנוֹ בְּחַנָּה 10,12; אֹ׳ הִקְשִׁיבָה 51,53; אֹ׳ כְּבֵדָה 59; אֹ׳ לְקָחָה 33, 66; אֹ׳ נִמְלָאָה 14; אֹ׳ עֲרֵלָה 71; אֹ׳ פְּתֻחָה 50; אֹ׳ שָׁמְעָה 1, 11, 13, 34
– אָטַם אָזְנוֹ 58, 60, 62; גָּלָה אֹ׳ 22–25, 27–30, 43, 48, 49, 78, 79; הִטָּה אֹ׳ 31, 32, 35–42, 45, 52, 54–56, 61, 65, 67–69, 72–77; הֵסִיר אֹ׳ 63; הֶעֱלִים אֹ׳ 44; נָטַע אֹ׳ 6; פָּתַח אֹ׳ 3; רָצַע אֹ׳ 57
– הַשְׁמָעוֹת אָזְנַיִם 86; כָּרָה אֹ׳ 84; פָּקַח אֹ׳ 80
– אָזְנֵי חֵרְשִׁים 90; אֹ׳ הָעָם 91; אֹ׳ כֶּלֶב 127; אֹ׳ שׁוֹמְעִים 89; אֹ׳ נָשִׁים 101
– אָזְנָיו חֵרְשׁוּ 178; אֹ׳ נִפְתְּחוּ 90; אֹ׳ צָלְלוּ 158, 159, 161; אֹ׳ קָשְׁבוּ 89; אֹ׳ קַשֻּׁבוֹת 133; אֹ׳ שָׁמְעוּ 87, 132, 147
הִכְבִּיד אָזְנָיו 162, 179; כָּרָה אֹ׳ 84; מִשְׁמַע אֹ׳ 160
– אָמַר בְּאָזְנֵי 134,137,145,157; בָּא בְּאֹ׳ 165; בָּכָה בְּאֹ׳ 103; דִּבֵּר בְּאֹ׳ 93-96, 104-107, 109-116, 126, 138, 150, 176, 180, 184; דּוֹבֵר בְּאֹ׳ 129, 174; הִגִּיד בְּאֹ׳ 124; הֶחֱזִיק בְּאֹ׳ 127; הִתְאוֹנֵן בְּאֹ׳ 102; נִגְלָה בְּאֹ׳ 143; סִפֵּר בְּאֹ׳ 97; עָלָה בְּאֹ׳ 140, 141; עָנָה בְּאֹ׳ 92; צִוָּה בְּאֹ׳ 169; קָרָא בְּאֹ׳ 100, 108, 117-123, 125, 128, 135, 136, 170, 183, 185-187; שָׂם בְּאֹ׳ 99; שָׁמַע בְּאֹ׳ 152-154, 158, 167, 171-173, 175, 177
אֹזֶן 1 לִשְׁמוֹעַ אֹזֶן יִשָּׁמְעוּ לִי IISh. 22:45
2 יָעִיר לִי אֹזֶן לִשְׁמֹעַ כַּלִּמּוּדִים Is. 50:4
3 אֲדֹנָי יְיָ פָּתַח־לִי אֹזֶן Is. 50:5
4 שְׁתֵּי כְרָעַיִם אוֹ בְדַל־אֹזֶן Am. 3:12
5 לְשֵׁמַע אֹזֶן יִשָּׁמְעוּ לִי Ps. 18:45
6 הֲנֹטַע אֹזֶן הֲלֹא יִשְׁמָע Ps. 94:9
7 אֹזֶן שֹׁמַעַת תּוֹכַחַת חַיִּים Prov. 15:31
8 אֹזֶן שֹׁמַעַת וְעַיִן רֹאָה Prov. 20:12
9 מוֹכִיחַ חָכָם עַל־אֹזֶן שֹׁמָעַת Prov. 25:12
10 הֲלֹא־אֹזֶן מִלִּין תִּבְחָן Job 12:11
11 כִּי אֹזֶן שָׁמְעָה וַתְּאַשְּׁרֵנִי Job 29:11
12 כִּי־אֹזֶן מִלִּין תִּבְחָן Job 34:3
13 לְשֵׁמַע־אֹזֶן שְׁמַעְתִּיךָ Job 42:5
14 וְלֹא־תִמָּלֵא אֹזֶן מִשְּׁמֹעַ Eccl. 1:8
אֹזֶן־ 15 וְנָתַתָּה עַל־תְּנוּךְ אֹזֶן אַהֲרֹן Ex. 29:20
16 וְעַל־תְּנוּךְ אֹזֶן בָּנָיו הַיְמָנִית Ex. 29:20
17 עַל־תְּנוּךְ אֹזֶן־אַהֲרֹן הַיְמָנִית Lev. 8:23
18-21 עַל־תְּנוּךְ אֹזֶן הַמִּטַּהֵר Lev. 14:14,17,25,28
22 וַיְיָ גָּלָה אֶת־אֹזֶן שְׁמוּאֵל ISh. 9:15
23/4 גָּלִיתָ(ה) אֶת־אֹזֶן עַבְדְּךָ IISh.7:27 • ICh.17:25
25 אָז יִגְלֶה אֹזֶן אֲנָשִׁים Job 33:16
וְאֹזֶן־ 26 וְאֹזֶן חֲכָמִים תְּבַקֶּשׁ־דָּעַת Prov. 18:15
אָזְנִי 27 וְלֹא יִגְלֶה אֶת־אָזְנִי ISh. 20:2
28 וְלֹא גָלוּ אֶת־אָזְנִי (כת׳ אזנו) ISh. 22:17
29 קְשַׁרְתֶּם.. עָלַי וְאֵין־גֹּלֶה אֶת־אָזְנִי ISh. 22:8
30 וְאֵין חֹלֶה... וְגֹלֶה אֶת־אָזְנִי ISh. 22:8
31 אַטֶּה לְמָשָׁל אָזְנִי Ps. 49:5

אָזְנִי (המשך) 32 וְלִמְלַמְּדַי לֹא־הִטִּיתִי אָזְנִי Prov. 5:13
33 וַתִּקַּח אָזְנִי שֵׁמֶץ מֶנְהוּ Job 4:12
34 שָׁמְעָה אָזְנִי וַתָּבֶן לָהּ Job 13:1
אָזְנְךָ 35/6 הַטֵּה יְיָ אָזְנְךָ וּשְׁמָע IIK. 19:16 • Is. 37:17
37 הַט־אָזְנְךָ לִי שְׁמַע אִמְרָתִי Ps. 17:6
38 הַטֵּה אֵלַי אָזְנְךָ מְהֵרָה Ps. 31:3
39 הַטֵּה־אֵלַי אָזְנְךָ וְהוֹשִׁיעֵנִי Ps. 71:2
40 הַטֵּה־יְיָ אָזְנְךָ עֲנֵנִי Ps. 86:1
41 הַטֵּה־אָזְנְךָ לְרִנָּתִי Ps. 88:3
42 הַט אָזְנְךָ וּשְׁמַע דִּבְרֵי חֲכָמִים Prov. 22:17
43 וַאֲנִי אָמַרְתִּי אֶגְלֶה אָזְנְךָ לֵאמֹר Ruth 4:4
44 אַל־תַּעְלֵם אָזְנְךָ לְרַוְחָתִי Lam. 3:56
45 הַטֵּה אֱלֹהַי אָזְנְךָ וּשְׁמָע Dan. 9:18
46/7 תְּהִי נָא אָזְנְךָ־קַשֶּׁבֶת Neh. 1:6,11
אָזְנֶךָ 48/9 וְגָלִיתִי אֶת־אָזְנֶךָ ISh. 20:12,13
50 גַּם מֵאָז לֹא־פִתְּחָה אָזְנֶךָ Is. 48:8
51 תָּכִין לִבָּם תַּקְשִׁיב אָזְנֶךָ Ps. 10:17
52 הַטֵּה־אֵלַי אָזְנֶךָ Ps. 102:3
53 לְהַקְשִׁיב לַחָכְמָה אָזְנֶךָ Prov. 2:2
54 לַאֲמָרַי הַט־אָזְנֶךָ Prov. 4:20
55 לִתְבוּנָתִי הַט־אָזְנֶךָ Prov. 5:1
אָזְנֵךְ 56 שִׁמְעִי־בַת וּרְאִי וְהַטִּי אָזְנֵךְ Ps. 45:11
אָזְנוֹ 57 וְרָצַע אֲדֹנָיו אֶת־אָזְנוֹ Ex. 21:6
58 אֹטֵם אָזְנוֹ מִשְּׁמֹעַ דָּמִים Is. 33:15
59 וְלֹא כָבְדָה אָזְנוֹ מִשְּׁמוֹעַ Is. 59:1
60 כְּמוֹ־פֶתֶן חֵרֵשׁ יַאְטֵם אָזְנוֹ Ps. 58:5
61 כִּי־הִטָּה אָזְנוֹ לִי Ps. 116:2
62 אֹטֵם אָזְנוֹ מִזַּעֲקַת־דָּל Prov. 21:13
63 מֵסִיר אָזְנוֹ מִשְּׁמֹעַ תּוֹרָה Prov. 28:9
בְאָזְנוֹ 64 וְנָתַתָּה בְאָזְנוֹ וּבַדֶּלֶת Deut. 15:17
אָזְנְכֶם 65 הַטּוּ אָזְנְכֶם וּלְכוּ אֵלַי Is. 55:3
66 וְתִקַּח אָזְנְכֶם דְּבַר־פִּיו Jer. 9:19
67/8 וְלֹא הִטִּיתֶם אֶת־אָזְנְכֶם Jer. 25:4; 35:15
69 הַטּוּ אָזְנְכֶם לְאִמְרֵי־פִי Ps. 78:1
אָזְנָם 70 עַל־תְּנוּךְ אָזְנָם הַיְמָנִית Lev. 8:24
71 הִנֵּה עֲרֵלָה אָזְנָם Jer. 6:10
72-77 וְלֹא־הִטּוּ אֶת־אָזְנָם Jer. 7:24,26; 11:8; 17:23; 34:14; 44:5
78 וַיִּגֶל אָזְנָם לַמּוּסָר Job 36:10
79 וְיִגֶל בַּלַּחַץ אָזְנָם Job 36:15
אָזְנַיִם 80 פָּקוֹחַ אָזְנַיִם וְלֹא יִשְׁמָע Is. 42:20
81/2 אָזְנַיִם לָהֶם וְלֹא יִשְׁמָעוּ Jer. 5:21
Ps. 115:6
83 אָזְנַיִם לָהֶם לִשְׁמֹעַ וְלֹא שָׁמֵעוּ Ezek. 12:2
84 אָזְנַיִם כָּרִיתָ לִּי Ps. 40:7
85 אָזְנַיִם לָהֶם וְלֹא יַאֲזִינוּ Ps. 135:17
אָזְנָיִם 86 יָבוֹא... לְהַשְׁמָעוּת אָזְנָיִם Ezek. 24:26
וְאָזְנַיִם 87 וְעֵינַיִם לִרְאוֹת וְאָזְנַיִם לִשְׁמֹעַ Deut. 29:3
88 וְחֵרְשִׁים וְאָזְנַיִם לָמוֹ Is. 43:8
וְאָזְנֵי־ 89 וְאָזְנֵי שֹׁמְעִים תִּקְשַׁבְנָה Is. 32:3
90 וְאָזְנֵי חֵרְשִׁים תִּפָּתַחְנָה Is. 35:5
91 וְאָזְנֵי כָל־הָעָם אֶל־סֵפֶר הַתּוֹרָה Neh. 8:3
בְּאָזְנֵי־ 92 וַיַּעַן... בְּאָזְנֵי בְנֵי־חֵת Gen. 23:10
93 וַיְדַבֵּר... בְּאָזְנֵי עַם־הָאָרֶץ Gen. 23:13
94 אֲשֶׁר דִּבֶּר בְּאָזְנֵי בְנֵי־חֵת Gen. 23:16
95 יְדַבֶּר... דָבָר בְּאָזְנֵי אֲדֹנִי Gen. 44:18
96 דַּבְּרוּ־נָא בְּאָזְנֵי פַרְעֹה Gen. 50:4
97 וּלְמַעַן תְּסַפֵּר בְּאָזְנֵי בִנְךָ Ex. 10:2
98 דַּבֶּר־נָא בְּאָזְנֵי הָעָם Ex. 11:2
99 כְּתֹב... וְשִׂים בְּאָזְנֵי יְהוֹשֻׁעַ Ex. 17:14
100 וַיִּקְרָא בְּאָזְנֵי הָעָם Ex. 24:7
101 נִזְמֵי הַזָּהָב אֲשֶׁר בְּאָזְנֵי נְשֵׁיכֶם Ex. 32:2

בְּאָזְנֵי־ (המשך) 102 כְּמִתְאֹנְנִים רַע בְּאָזְנֵי יְיָ Num. 11:1
103 כִּי בְּכִיתֶם בְּאָזְנֵי יְיָ Num. 11:18
104 וַיְדַבֵּר... בְּאָזְנֵי כָּל־קְהַל יִשְׂרָאֵל Deut. 31:30
105/6 וַיְדַבֵּר(בְּרוּ)... בְּאָזְנֵי הָעָם Deut. 32:44 • ISh. 11:4
107 וְדִבֶּר בְּאָזְנֵי זִקְנֵי הָעִיר Josh. 20:4
108 קְרָא נָא בְּאָזְנֵי הָעָם Jud. 7:3
109 דַּבְּרוּ־נָא בְּאָזְנֵי כָל־בַּעֲלֵי שְׁכֶם Jud. 9:2
110 וַיְדַבְּרוּ... בְּאָזְנֵי כָּל־בַּעֲלֵי שְׁכֶם Jud. 9:3
111 וַיְדַבְּרֵם בְּאָזְנֵי יְיָ ISh. 8:21
112 וַיְדַבְּרוּ עַבְדֵי שָׁאוּל בְּאָזְנֵי דָוִד ISh. 18:23
113 וַיְדַבֵּר גַּם־אַבְנֵר בְּאָזְנֵי בִנְיָמִין IISh. 3:19
114 וַיֵּלֶךְ... לְדַבֵּר בְּאָזְנֵי דָוִד IISh. 3:19
115/6 וְאַל־תְּדַבֵּר... בְּאָזְנֵי הָעָם IIK. 18:26 • Is. 36:11
117 הָלֹךְ וְקָרָאתָ בְאָזְנֵי יְרוּשָׁלִַם Jer. 2:2
118 וַיִּקְרָא... אֶת־הַסֵּפֶר בְּאָזְנֵי יִרְמְיָהוּ Jer. 29:29
119 וְקָרָאתָ בַמְּגִלָּה... בְּאָזְנֵי הָעָם Jer. 36:6
120 וְגַם בְּאָזְנֵי כָל־יְהוּדָה Jer. 36:6
121 וַיִּקְרָא... בְּאָזְנֵי כָּל־הָעָם Jer. 36:10
122 בִּקְרֹא בָרוּךְ בַּסֵּפֶר בְּאָזְנֵי הָעָם Jer. 36:13
123 אֲשֶׁר קָרָאתָ בָּהּ בְּאָזְנֵי הָעָם Jer. 36:14
124 וַיַּגִּידוּ בְּאָזְנֵי הַמֶּלֶךְ Jer. 36:20
125 וַיִּקְרָאֶהָ יְהוּדִי בְּאָזְנֵי הַמֶּלֶךְ Jer. 36:21
126 בְּאָזְנֵי כְסִיל אַל־תְּדַבֵּר Prov. 23:9
127 מַחֲזִיק בְּאָזְנֵי־כָלֶב Prov. 26:17
128 נִקְרָא בְּסֵפֶר מֹשֶׁה בְּאָזְנֵי הָעָם Neh. 13:1
וּבְאָזְנֵי־ 129 אָנֹכִי דֹּבֵר... וּבְאָזְנֵי כָּל־הָעָם Jer. 28:7
130 בְּאָזְנֵי הַמֶּלֶךְ וּבְאָזְנֵי כָּל־הַשָּׂרִים Jer. 36:21
131 לְעֵינֵי... יִשְׂר׳... וּבְאָזְנֵי אֱלֹהֵינוּ ICh. 28:8
אָזְנָי 132 בַּקָּמִים עָלַי... תִּשְׁמַעְנָה אָזְנָי Ps. 92:12
וְאָזְנַי 133 עֵינַי יִהְיוּ פְתֻחוֹת וְאָזְנַי קַשֻּׁבוֹת IICh. 7:15
בְּאָזְנַי 134 וְאַתְּ אָלִית וְגַם אָמַרְתְּ בְּאָזְנַי Jud. 17:2
135/6 וְקָרְאוּ (וַיִּקְרָא) בְאָזְנַי קוֹל גָּדוֹל Ezek. 8:18; 9:1
137 וּלְאֵלֶּה אָמַר בְּאָזְנַי Ezek. 9:5
בְּאָזְנָי 138 כַּאֲשֶׁר דִּבַּרְתֶּם בְּאָזְנָי Num. 14:28
139 וּמֶה קוֹל־הַצֹּאן הַזֶּה בְּאָזְנָי ISh. 15:14
140/1 וְשַׁאֲנַנְךָ עָלָה בְאָזְנָי IIK. 19:28 • Is. 37:29
142 בְּאָזְנָי יְיָ צְבָאוֹת Is. 5:9
143 וְנִגְלָה בְאָזְנָי יְיָ צְבָאוֹת Is. 22:14
144 לָהֶם קוֹרָא הַגַּלְגַּל בְּאָזְנָי Ezek. 10:13
145 אַךְ אָמַרְתָּ בְאָזְנָי Job 33:8
אָזְנֶיךָ 146 תִּהְיֶינָה אָזְנֶיךָ קַשֻּׁבוֹת Ps. 130:2
וְאָזְנֶיךָ 147 וְאָזְנֶיךָ תִּשְׁמַעְנָה דָבָר Is. 30:21
148 וְאָזְנֶךָ לְאִמְרֵי דָעַת Prov. 23:12
149 עֵינֶיךָ פְּתֻחוֹת וְאָזְנֶיךָ קַשֻּׁבוֹת IICh. 6:40
בְּאָזְנֶיךָ 150 וּתְדַבֶּר־נָא אֲמָתְךָ בְּאָזְנֶיךָ ISh. 25:24
151 אֲשֶׁר אָנֹכִי דֹּבֵר בְּאָזְנֶיךָ Jer. 28:7
וּבְאָזְנֶיךָ 152 קַח בִּלְבָבְךָ וּבְאָזְנֶיךָ שְׁמָע Ezek. 3:10
153/4 וּרְאֵה בְעֵינֶיךָ וּבְאָזְנֶיךָ שְׁמָע Ezek. 40:4; 44:5
אָזְנָיִךְ 155 וָאֶתֵּן נֶזֶם... וַעֲגִילִים עַל־אָזְנָיִךְ Ezek. 16:12
וְאָזְנַיִךְ 156 אַפֵּךְ וְאָזְנַיִךְ יָסִירוּ Ezek. 23:25
בְּאָזְנַיִךְ 157 עוֹד יֹאמְרוּ בְאָזְנַיִךְ בְּנֵי שִׁכֻּלָיִךְ Is. 49:20
אָזְנָיו 158 כָּל־שֹׁמְעוֹ תְּצִלֶּינָה שְׁתֵּי אָזְנָיו ISh. 3:11
159 כָּל־שֹׁמְעָהּ תִּצַּלְנָה שְׁתֵּי אָזְנָיו IIK. 21:12
160 וְלֹא־לְמִשְׁמַע אָזְנָיו יוֹכִיחַ Is. 11:3
161 כָּל־שֹׁמְעָהּ תִּצַּלְנָה אָזְנָיו Jer. 19:3
וְאָזְנָיו 162 הַשְׁמֵן לֵב... וְאָזְנָיו הַכְבֵּד Is. 6:10
163 עֵינֵי יְיָ... וְאָזְנָיו אֶל־שַׁוְעָתָם Ps. 34:16
בְּאָזְנָיו 164 וְיִשְׁמַע... וְשַׁוְעָתִי בְּאָזְנָיו IISh. 22:7
165 וְשַׁוְעָתִי לְפָנָיו תָּבוֹא בְאָזְנָיו Ps. 18:7
166 קוֹל־פְּחָדִים בְּאָזְנָיו Job 15:21

וּבְאָזְנָיו 167 פֶּן־יִרְאֶה בְעֵינָיו וּבְאָזְנָיו יִשְׁמָע Is. 6:10
בְּאָזְנֵינוּ 168 אֲשֶׁר־שָׁמַעְנוּ בְּאָזְנֵינוּ IISh. 7:22
169 כִּי בְאָזְנֵינוּ צִוָּה הַמֶּלֶךְ... IISh. 18:12
170 שֵׁב נָא וּקְרָאֶנָּה בְּאָזְנֵינוּ Jer. 36:15
171 אֱלֹהִים בְּאָזְנֵינוּ שָׁמַעְנוּ Ps. 44:2
172 בְּאָזְנֵינוּ שָׁמַעְנוּ שִׁמְעָהּ Job 28:22
173 בְּכֹל אֲשֶׁר־שָׁמַעְנוּ בְּאָזְנֵינוּ ICh. 17:20
בְּאָזְנֵיכֶם 174 אָנֹכִי דֹּבֵר בְּאָזְנֵיכֶם הַיּוֹם Deut. 5:1
175 כַּאֲשֶׁר שְׁמַעְתֶּם בְּאָזְנֵיכֶם Jer. 26:11
176 שְׁלָחַנִי... לְדַבֵּר בְּאָזְנֵיכֶם Jer. 26:15
177 שִׁמְעוּ... וְאַחֲוָתִי בְּאָזְנֵיכֶם Job 13:17
אָזְנֵיהֶם 178 אָזְנֵיהֶם תֶּחֱרַשְׁנָה Mic. 7:16
וְאָזְנֵיהֶם 179 וְאָזְנֵיהֶם הִכְבִּידוּ מִשְּׁמוֹעַ Zech. 7:11
בְּאָזְנֵיהֶם 180 וַיְדַבֵּר... בְּאָזְנֵיהֶם וַיִּירְאוּ Gen. 20:8
181 וְאֶת־הַנְּזָמִים אֲשֶׁר בְּאָזְנֵיהֶם Gen. 35:4
182 נִזְמֵי הַזָּהָב אֲשֶׁר בְּאָזְנֵיהֶם Ex. 32:3
183 תִּקְרָא... נֶגֶד כָּל־יִשְׂ׳ בְּאָזְנֵיהֶם Deut. 31:11
184 וַאֲדַבְּרָה בְּאָזְנֵיהֶם Deut. 31:28
185/6 וַיִּקְרָא בְאָזְנֵיהֶם IIK. 23:2 • IICh. 34:30
187 וַיִּקְרָא בָרוּךְ בְּאָזְנֵיהֶם Jer. 36:15

אָזֵן*
ז׳ כְּלִי זַיִן? תְּלִי לִכְלֵי־מִלְחָמָה אוֹ לִכְלֵי־דֶרֶךְ?
אֲזֵנֶךָ 1 וְיָתֵד תִּהְיֶה לְךָ עַל־אֲזֵנֶךָ Deut. 23:14

אֻזֵּן שֶׁאֱרָה
שֵׁם מָקוֹם בְּנַחֲלַת אֶפְרַיִם
1 וּבִתּוֹ שֶׁאֱרָה וַתִּבֶן... וְאֵת אֻזֵּן שֶׁאֱרָה ICh. 7:24

אַזְנוֹת תָּבוֹר
שֵׁם מָקוֹם בְּנַחֲלַת נַפְתָּלִי
1 וְשָׁב הַגְּבוּל יָמָּה אַזְנוֹת תָּבוֹר Josh. 19:34

אזנח
עַיֵּן זנח

אָזְנִי
שפ״ז – בֶּן גָּד, הוּא אֶצְבּוֹן
הָאָזְנִי 1 לְאָזְנִי מִשְׁפַּחַת הָאָזְנִי Num. 26:16
לְאָזְנִי 2 לְאָזְנִי מִשְׁפַּחַת הָאָזְנִי Num. 26:16

אֲזַנְיָה
שפ״ז – מִן הַלְוִיִּם, אֲבִי יֵשׁוּעַ, שֶׁחָתַם עַל הָאֲמָנָה
1 וְהַלְוִיִּם וְיֵשׁוּעַ בֶּן־אֲזַנְיָה Neh. 10:10

אֲזִקִּים*
ז״ר כְּבָלִים, נְחֻשְׁתַּיִם
הָאֲזִקִּים 1 הִנֵּה פִתַּחְתִּיךָ הַיּוֹם מִן־הָאזִקִּים Jer. 40:4
בָּאזִקִּים 2 וְהוּא־אָסוּר בָּאזִקִּים Jer. 40:1

אזר
: אָזַר, נֶאְזַר, אֵזוֹר, הִתְאַזֵּר; אֵזוֹר

אָזַר
פ׳ א) חגר, שם על מתניו [בהשאלה: התחזק]: 1-6
ב) [נפ׳ נֶאְזַר] נחגר, מלא [בהשאלה]: 7
ג) [פִּ׳ אִזֵּר] חגר [ובהשאלה: חזק]: 8–13
ד) [הת׳ הִתְאַזֵּר] התחזק: 16,15,14
קרובים: אפד / חגר / קשר / שנס
– אָזַר חַיִל 1; א׳ חֲלָצָיו 5–6; א׳ מָתְנָיו 2, 3
– נֶאְזָר בִּגְבוּרָה 7
– אִזֵּר חַיִל 8, 11, 13; א׳ זִיקוֹת 9; א׳ שִׂמְחָה 12
– הִתְאַזֵּר עֹז 14

אָזְרוּ 1 וְנִכְשָׁלִים אָזְרוּ חָיִל ISh. 2:4
אָזוּר 2 וְאֵזוֹר עוֹר אָזוּר בְּמָתְנָיו IIK. 1:8
תֶּאְזֹר 3 וְאַתָּה תֶּאְזֹר מָתְנֶיךָ Jer. 1:17
יַאַזְרֵנִי 4 כְּפִי כֻתָּנְתִּי יַאַזְרֵנִי Job 30:18
אֱזָר 5/6 אֱזָר־נָא כְגֶבֶר חֲלָצֶיךָ Job 38:3; 40:7
נֶאְזָר 7 מֵכִין הָרִים בְּכֹחוֹ נֶאְזָר בִּגְבוּרָה Ps. 65:7
הַמְאַזְּרֵנִי 8 הָאֵל הַמְאַזְּרֵנִי חָיִל Ps. 18:33
מְאַזְּרֵי־ 9 קֹדְחֵי אֵשׁ מְאַזְּרֵי זִיקוֹת Is. 50:11
אֲאַזֶּרְךָ 10 אֲאַזֶּרְךָ וְלֹא יְדַעְתָּנִי Is. 45:5
וַתְּאַזְּרֵנִי 11 וַתְּאַזְּרֵנִי חַיִל לַמִּלְחָמָה Ps. 18:40
וַתְּאַזְּרֵנִי 12 פִּתַּחְתָּ שַׂקִּי וַתְּאַזְּרֵנִי שִׂמְחָה Ps. 30:12

וַתַּזְרֵנִי 13 וַתַּזְרֵנִי חַיִל לַמִּלְחָמָה IISh. 22:40

הִתְאַזָּר 14 לָבֵשׁ יְיָ עֹז הִתְאַזָּר Ps. 93:1

הִתְאַזְּרוּ 15/6 הִתְאַזְּרוּ וָחֹתּוּ הִתְאַזְּרוּ וָחֹתּוּ Is. 8:9

אֶזְרוֹעַ ג׳ זרוע

וּבְאֶזְרוֹעַ 1 וּבְיָד חֲזָקָה וּבְאֶזְרוֹעַ נְטוּיָה Jer. 32:21

וְאֶזְרוֹעִי 2 כְּתֵפִי... וְאֶזְרֹעִי מִקָּנָה תִשָּׁבֵר Job 31:22

אֶזְרָח ז׳ א) תּוֹשב הארץ: 1-9,11-17 ב) עץ מושרש: 10

אֶזְרָח רַעֲנָן 10; אֶזְרַח הָאָרֶץ 15–17;

הָאֶזְרָח וְהַגֵּר 1–2, 6–8, 11–15, 17

הָאֶזְרָח 1-2 הָאֶזְרָח וְהַגֵּר... Lev. 16:29; 18:26

3 כָּל־הָאֶזְרָח בְּיִשְׂרָאֵל Lev. 23:42

4 כָּל־הָאֶזְרָח יַעֲשֶׂה־כָּכָה Num. 15:13

5 הָאֶזְרָח בִּבְנֵי יִשְׂרָאֵל Num. 15:29

6 מִן־הָאֶזְרָח וּמִן־הַגֵּר Num. 15:30

בָּאֶזְרָח 7 בָּאֶזְרָח וּבַגֵּר Lev. 17:15

כְּאֶזְרָח 8 כְּאֶזְרָח מִכֶּם יִהְיֶה לָכֶם הַגֵּר Lev. 19:34

9 כְּאֶזְרָח בִּבְנֵי יִשְׂרָאֵל Ezek. 47:22

10 וּמִתְעָרֶה כְּאֶזְרָח רַעֲנָן Ps. 37:35

כָּאֶזְרָח 11 כָּל־הָעֵדָה כַּגֵּר כָּאֶזְרָח Lev. 24:16

12 מִשְׁפַּט אֶחָד... לָכֶם כַּגֵּר כָּאֶזְרָח Lev. 24:22

13 וְכָל־יִשְׂרָאֵל... כַּגֵּר כָּאֶזְרָח Josh. 8:33

לָאֶזְרָח 14 תּוֹרָה אַחַת יִהְיֶה לָאֶזְרָח וְלַגֵּר Ex. 12:49

וּבְאֶזְרַח־ 15 בַּגֵּר וּבְאֶזְרַח הָאָרֶץ Ex. 12:19

כְּאֶזְרַח־ 16 וְהָיָה כְּאֶזְרַח הָאָרֶץ Ex. 12:48

וּלְאֶזְרַח־ 17 וְלַגֵּר וּלְאֶזְרַח הָאָרֶץ Num. 9:14

אֶזְרָחִי שת״ז – כנוי־יחס לאיתן ולהימן המשוררים

הָאֶזְרָחִי 1 וַיֶּחְכַּם... מֵאֵיתָן הָאֶזְרָחִי IK. 5:11

2 מַשְׂכִּיל לְהֵימָן הָאֶזְרָחִי Ps. 88:1

3 מַשְׂכִּיל לְאֵיתָן הָאֶזְרָחִי Ps. 89:1

אָח[1] ז׳ א) בן אביו או בן אמו או בן אביו ואמו: רוב המקראות

ב) קרוב, בן משפחתו או בן עמו: 63,95-140,361-374, 152-154,341,381,388,393-456,532-629

332,340,342,346]

ג) כנוי־חִבּה לרֵע, לידיד: 15,60,65-68,305,306,307,

ד) [אִישׁ אֶל־ (אֶת־, בְּ־ וכו׳) אָחִיו]–ראה בצֵרופים

ה) דומה למישהו: 10

אָח – מרכיב בשמות פרטיים שתחילתם אַח־,אֲחִי־ (אַחְאָב, אֲחִיטוּב) או סיומם ־אָח (יוֹאָח) ראה כל שֵם במקומו

– אָח לְצָרָה 13; אָ׳ נִפְשָׁע 11; אָ׳ רָחוֹק 19; כְּרֵעַ־כְּאָח 15; גְּזֵל אָח 7; הוֹי אָחִי 66, 68

דָּבֵק מֵאָח 18; הִתְהַלֵּךְ כְּאָח 15; נְתָנוֹ כְּאָח 16

– אֲחִי אָבִיו 29, 30; אֲ׳ אֲדוֹנִי 24; אֲ׳ אִמּוֹ 25-28

– אָחִיו הַבְּכוֹר 295/6; אָ׳ הַגָּדוֹל 64; אָ׳ הַקָּטֹן 275, 277; אֲבֵדַת אָ׳ 107; אַף אָ׳ 91; אֵשֶׁת אָ׳ 92/3, 168, 177; בֵּית אָ׳ 114, 183, 295, 296, 313; בֶּן אָ׳ 21, 151; דְּמֵי אָ׳ 83, 84; חֲמוֹר אָ׳ 108; חֲמַס אָ׳ 112; חֲמַת אָ׳ 90; חֶרֶב אָ׳ 189; יַד אָ׳ 59; מַכֵּה אָ׳ 185; מִמְכַּר אָ׳ 179; נֶפֶשׁ אָ׳ 186; עֶרְוַת אָ׳ 94, 178; שֵׁם אָ׳ 150, 182

– אִישׁ אֶל אָחִיו 155—167; אִישׁ אֶת אָ׳ 171—176, 259; אִישׁ וְאָ׳ 235, 236; אִישׁ בְּאָ׳ 239—245, 261; אִישׁ כְּאָ׳ 247/8; אִישׁ לְאָ׳ 249, 254; אִישׁ מֵאָ׳ 257 אָחִינוּ בְשָׂרֵנוּ 269

– אֲנָשִׁים אַחִים 298; בְּרִית אַ׳ 306; שֶׁבֶת אַ׳ 307

– אֲחֵי אָבִיו 315—317, 329; אֲ׳ אֲדֹנִי 313; אֲ׳ אִמּוֹ 318, 319; אֲ׳ רָשׁ 320

– אַחַי וְרֵעָי 342; בְּנוֹת אֶחָיו 363; לְבַב אֶ׳ 396; נְזִיר אֶ׳ 391, 392; פֶּשַׁע אֶ׳ 360; קוֹל אֶ׳ 574; רֹב אֶ׳ 398; רְצוּי אֶ׳ 397; שְׁלוֹם אֶ׳ 357

אָח 1 וּלְרִבְקָה אָח וּשְׁמוֹ לָבָן Gen. 24:29

2 הַעוֹד לָכֶם אָח Gen. 43:6

3 הֲיֵשׁ לָכֶם אָח Gen. 43:7

4 הֲיֵשׁ־לָכֶם אָב אוֹ־אָח Gen. 44:19

5 וְעַל־כָּל־אָח אַל־תִּבְטָחוּ Jer. 9:3

6 כִּי כָל־אָח עָקוֹב יַעְקֹב Jer. 9:3

7 כִּי־עָשַׁק עֹשֶׁק גָּזַל גֵּזֶל אָח Ezek. 18:18

8 הֲלוֹא־אָח עֵשָׂו לְיַעֲקֹב Mal. 1:2

9 אָח לֹא־פָדֹה יִפְדֶּה אִישׁ Ps. 49:8

10 אָח הוּא לְבַעַל מַשְׁחִית Prov. 18:9

11 אָח נִפְשָׁע מִקִּרְיַת־עֹז Prov. 18:19

12 אָח הָיִיתִי לְתַנִּים וְרֵעַ לִבְנוֹת יַעֲנָה Job 30:29

וְאָח 13 וְאָח לְצָרָה יִוָּלֵד Prov. 17:17

וָאָח 14 גַּם בֵּן וָאָח אֵין־לוֹ Eccl. 4:8

כְּאָח 15 כְּרֵעַ־כְּאָח לִי הִתְהַלָּכְתִּי Ps. 35:14

16 מִי יִתֶּנְךָ כְּאָח לִי S.ofS. 8:1

לְאָח 17 ...וּלְבֵן וּלְבַת לְאָח וּלְאָחוֹת Ezek. 44:25

מֵאָח 18 וְיֵשׁ אֹהֵב דָּבֵק מֵאָח Prov. 18:24

19 טוֹב שָׁכֵן קָרוֹב מֵאָח רָחוֹק Prov. 27:10

אֲחִי־ 20 אֲחִי יֶפֶת הַגָּדוֹל Gen. 10:21

21 בֶּן־אֲחִי אַבְרָם Gen. 14:12

22-23 אֲחִי אַבְרָהָם Gen. 22:23; 24:15

24 לָקַחַת אֶת־בַּת־אֲחִי אֲדֹנִי Gen. 24:48

25 מִבְּנוֹת לָבָן אֲחִי אִמֶּךָ Gen. 28:2

26-28 לָבָן אֲחִי אִמּוֹ Gen. 29:10[3]

29 כִּי אֲחִי אָבִיהָ הוּא Gen. 29:12

30 עֶרְוַת אֲחִי־אָבִיךָ לֹא תְגַלֵּה Lev. 18:14

31-54 אֲחִי Gen. 14:13; 28:5; 42:4 • Josh. 15:17 • Jud. 1:13; 3:9 • ISh. 14:3; 26:6 • IISh.13:3,32; 18:2; 21:21; 23:18,24 • ICh.2:32,42; 4:11; 11:20, 26, 38; 20:5, 7; 24:25; 27:7

וַאֲחִי־ 55 אֲחִי אֶשְׁכֹּל וַאֲחִי עָנֵר Gen. 14:13

אָחִי 56 הֲשֹׁמֵר אָחִי אָנֹכִי Gen. 4:9

57 וְהִיא־גַם־הִוא אָמְרָה אָחִי הוּא Gen. 20:5

58 הֲכִי־אָחִי אַתָּה וַעֲבַדְתַּנִי חִנָּם Gen. 29:15

59 הַצִּילֵנִי נָא מִיַּד אָחִי מִיַּד עֵשָׂו Gen. 32:11(12)

60 צַר־לִי עָלֶיךָ אָחִי יְהוֹנָתָן IISh. 1:26

61 אֲחוֹת אַבְשָׁלֹם אָחִי IISh. 13:4

62 אַל־אָחִי אַל־תְּעַנֵּנִי IISh. 13:12

63 הֲשָׁלוֹם אַתָּה אָחִי IISh. 20:9

64 הוּא אָחִי הַגָּדוֹל מִמֶּנִּי IK. 2:22

65 מָה הֶעָרִים... אֲשֶׁר־נָתַתָּה לִּי אָחִי IK. 9:13

66 וַיִּסְפְּדוּ עָלָיו הוֹי אָחִי IK. 13:30

67 וַיֹּאמֶר הַעוֹדֶנּוּ חַי אָחִי הוּא IK. 20:32

68 לֹא־יִסְפְּדוּ לוֹ הוֹי אָחִי וְהוֹי אָחוֹת Jer. 22:18

69—80 אָחִי Gen. 20:13; 27:11, 41, 43; 32:17(18) 33:9; 45:12 • Jud. 20:23, 28 • ISh. 20:29 • IISh. 13:26 • Neh. 7:2

לְאָחִי 81 וַתִּסֹּב הַמְּלוּכָה וַתְּהִי לְאָחִי IK. 2:15

אָחִיךָ 82 אֵי הֶבֶל אָחִיךָ Gen. 4:9

83 קוֹל דְּמֵי אָחִיךָ צֹעֲקִים אֵלַי Gen. 4:10

84 ...לָקַחַת אֶת־דְּמֵי אָחִיךָ Gen. 4:11

85 יָלְדָה... בָּנִים לְנָחוֹר אָחִיךָ Gen. 22:20

86 אָבִיךָ מְדַבֵּר אֶל־עֵשָׂו אָחִיךָ Gen. 27:6

87 בָּא אָחִיךָ בְּמִרְמָה Gen. 27:35

88 וְאֶת־אָחִיךָ תַּעֲבֹד Gen. 27:40

89 עֵשָׂו אָחִיךָ מִתְנַחֵם לְךָ לְהָרְגֶךָ Gen. 27:42

90 עַד אֲשֶׁר־תָּשׁוּב חֲמַת אָחִיךָ Gen. 27:44

91 עַד־שׁוּב אַף־אָחִיךָ מִמְּךָ Gen. 27:45

92 בֹּא אֶל־אֵשֶׁת אָחִיךָ וְיַבֵּם אֹתָהּ Gen. 38:8

93 עֶרְוַת אֵשֶׁת־אָחִיךָ לֹא תְגַלֵּה Lev. 18:16

94 עֶרְוַת אָחִיךָ הִוא Lev. 18:16

95 לֹא־תִשְׂנָא אֶת־אָחִיךָ בִּלְבָבֶךָ Lev. 19:17

96 כִּי־יָמוּךְ אָחִיךָ וּמָכַר מֵאֲחֻזָּתוֹ Lev. 25:25

97 וְכִי־יָמוּךְ אָחִיךָ וּמָטָה יָדוֹ Lev. 25:35

98 וְחֵי אָחִיךָ עִמָּךְ Lev. 25:36

99 וְכִי־יָמוּךְ אָחִיךָ עִמָּךְ Lev. 25:39

100 וּמָךְ אָחִיךָ עִמּוֹ Lev. 25:47

101 כֹּה אָמַר אָחִיךָ יִשְׂרָאֵל Num. 20:14

102 כִּי־יִמָּכֵר לְךָ אָחִיךָ Deut. 15:12

103 אִישׁ נָכְרִי אֲשֶׁר לֹא־אָחִיךָ הוּא Deut. 17:15

104 אֶת־שׁוֹר אָחִיךָ אוֹ אֶת־שֵׂיוֹ Deut. 22:1

105 וְאִם־לֹא קָרוֹב אָחִיךָ אֵלֶיךָ... Deut. 22:2

106 עַד דְּרֹשׁ אָחִיךָ אֹתוֹ Deut. 22:2

107 וְכֵן תַּעֲשֶׂה לְכָל־אֲבֵדַת אָחִיךָ Deut. 22:3

108 אֶת־חֲמוֹר אָחִיךָ אוֹ שׁוֹרוֹ Deut. 22:4

109 לֹא־תְתַעֵב אֲדֹמִי כִּי אָחִיךָ הוּא Deut. 23:8

110 וְנִקְלָה אָחִיךָ לְעֵינֶיךָ Deut. 25:3

111 וַיֹּאמְרוּ אָחִיךָ בֶן־הֲדַד IK. 20:33

112 מֵחֲמַס אָחִיךָ יַעֲקֹב תְּכַסְּךָ בוּשָׁה Ob. 10

113 וְאַל־תֵּרֶא בְיוֹם־אָחִיךָ בְּיוֹם נָכְרוֹ Ob. 12

114 וּבֵית אָחִיךָ אַל־תָּבוֹא בְּיוֹם אֵידֶךָ Prov.27:10

115-132 אָחִיךָ Gen. 32:7(6); 35:1 • Ex. 4:14; 7:1, 2 28:1,2,4,41 • Lev. 16:2 • Num.20:8; 27:13 • Deut. 13:7; 15:3; 32:50 • IISh. 2:22 • IK. 2:7, 21

בְּאָחִיךָ 133 וְרָעָה עֵינְךָ בְּאָחִיךָ Deut. 15:9

134 בְּאָחִיךָ תְדַבֵּר בְּבֶן־אִמְּךָ תִּתֶּן־דֹּפִי Ps. 50:20

לְאָחִיךָ 135 ...וְהָקֵם זֶרַע לְאָחִיךָ Gen. 38:8

136 פָּתֹחַ תִּפְתַּח.. לְאָחִיךָ לַעֲנִיֶּךָ Deut. 15:11

137 הָשֵׁב תְּשִׁיבֵם לְאָחִיךָ Deut. 22:1

138 לֹא־תַשִּׁיךְ לְאָחִיךָ נֶשֶׁךְ... Deut. 23:20

וּלְאָחִיךָ 139 לַנָּכְרִי תַשִּׁיךְ וּלְאָחִיךָ לֹא תַשִּׁיךְ Deut. 23:21

מֵאָחִיךָ 140 וְלֹא תִקְפֹּץ אֶת־יָדְךָ מֵאָחִיךָ Deut. 15:7

אָחִיךְ 141 לְכִי נָא בֵּית אַמְנוֹן אָחִיךְ IISh. 13:7

142 הַאֲמִינוֹן אָחִיךְ הָיָה עִמָּךְ IISh. 13:20

143 וְעַתָּה אֲחוֹתִי הַחֲרִישִׁי אָחִיךְ הוּא IISh.13:20

לְאָחִיךְ 144 הִנֵּה נָתַתִּי אֶלֶף כֶּסֶף לְאָחִיךְ Gen. 20:16

אָחִיו 145 וַתֹּסֶף לָלֶדֶת אֶת־אָחִיו אֶת־הָבֶל Gen. 4:2

146 וַיֹּאמֶר קַיִן אֶל־הֶבֶל אָחִיו Gen. 4:8

147 וַיָּקָם קַיִן אֶל־הֶבֶל אָחִיו Gen. 4:8

148 וְשֵׁם אָחִיו יוּבָל Gen. 4:21

149 מִיַּד אִישׁ אָחִיו אֶדְרֹשׁ... Gen. 9:5

150 וְשֵׁם אָחִיו יָקְטָן Gen. 10:25

151 וְאֶת־לוֹט בֶּן־אָחִיו Gen. 12:5

152 וַיִּפָּרְדוּ אִישׁ מֵעַל אָחִיו Gen. 13:11

153 וַיִּשְׁמַע אַבְרָם כִּי נִשְׁבָּה אָחִיו Gen. 14:14

154 וְגַם אֶת־לוֹט אָחִיו וּרְכֻשׁוֹ הֵשִׁיב Gen. 14:16

155-167 (וְ)אִישׁ אֶל־אָחִיו Gen. 37:19; 42:21, 28 Ex. 16:15; 25:20; 37:9 • Num. 14:4 • IIK. 7:6 • Is. 9:18 • Jer. 13:14; 23:35; 25:26 • Ezek. 24:23

168 וְהָיָה אִם־בָּא אֶל־אֵשֶׁת אָחִיו Gen. 38:9

169 אָחִיו הַקָּטֹן יִגְדַּל מִמֶּנּוּ Gen. 48:19

170 לֹא־רָאוּ אִישׁ אֶת־אָחִיו Ex. 10:23

Ex.32:27 • Lev. 25:14 • Jer. 31:34 (33); 34:14 • Ezek. 33:30 • Zech. 7:9

177 וְאִישׁ אֲשֶׁר יִקַּח אֶת־אֵשֶׁת אָחִיו Lev. 20:21

178 נִדָּה הִוא עֶרְוַת אָחִיו גִּלָּה Lev. 20:21

179 וְגָאַל אֵת מִמְכַּר אָחִיו Lev. 25:25

180 בֵּין־אִישׁ וּבֵין־אָחִיו וּבֵין גֵּרוֹ Deut. 1:16

181 לֹא־יִגֹּשׂ אֶת־רֵעֵהוּ וְאֶת־אָחִיו Deut. 15:2

182 יָקוּם עַל־שֵׁם אָחִיו הַמֵּת Deut. 25:6

183 אֲשֶׁר לֹא־יִבְנֶה אֶת־בֵּית אָחִיו Deut. 25:9

184 נַעֲלָה הָעָם אִישׁ מֵאַחֲרֵי אָחִיו IISh. 2:27

אָחִיו (המשך) 185 תְּנִי אֶת־מַכֵּה אָחִיו IISh. 14:7
186 וּנְמִתֵהוּ בְּנֶפֶשׁ אָחִיו אֲשֶׁר הָרָג IISh. 14:7
187 בַּבֶּטֶן עָקַב אֶת־אָחִיו Hosh. 12:4
188 וְאִישׁ אָחִיו לֹא יִדְחָקוּן Joel 2:8
189 אִישׁ בְּחֶרֶב אָחִיו Hag. 2:22
190 וְרָעַת אִישׁ אָחִיו אַל־תַּחְשְׁבוּ Zech. 7:10
232-191 אָחִיו Gen. 22:21; 25:26; 27:23, 30; 32:3(4), 13(14); 33:3; 35:7; 36:6; 38:29, 30; 42:38; 43:29,30; 45:14 • Jud. 1:3,17; 9:21; 21:6 • ISh. 17:28 • IISh. 3:27,30; 4:6,9; 10:10; 20:10 • IK. 1:10 • Am. 1:11 • Ez. 8:17 • ICh. 1:19; 7:16, 35; 8:39; 11:45; 19:11,15; 24:31; 26:22 • IICh. 31:13; 36:4², 10

וְאָחִיו 233 וְאָחִיו מֵת וַיִּוָּתֵר הוּא לְבַדּוֹ Gen. 44:20
234 וְאָחִיו אָסָף הָעֹמֵד עַל־יְמִינוֹ ICh. 6:24
235 כִּי־יִנָּצוּ... יַחְדָּו אִישׁ וְאָחִיו Deut. 25:11
236 וְנָשַׁמּוּ אִישׁ וְאָחִיו וְנָמַקּוּ בַּעֲוֹנָם Ezek. 4:17
בְּאָחִיו 237 עֵד־שֶׁקֶר הָעֵד שֶׁקֶר עָנָה בְאָחִיו Deut. 19:18
238 תֵּרַע עֵינוֹ בְאָחִיו Deut. 28:54
239 וְכָשְׁלוּ אִישׁ־בְּאָחִיו Lev. 26:37
240-5 אִישׁ(־)בְּאָחִיו Lev. 25:46 • Is. 3:6; 19:2 • Ezek. 38:21 • Mal. 2:10 • Neh. 5:7
וּבְאָחִיו 246 כִּי אִישׁ בִּבְנוֹ וּבְאָחִיו Ex. 32:29
כְּאָחִיו 247 לְכָל־בְּנֵי אַהֲרֹן תִּהְיֶה אִישׁ כְּאָחִיו Lev.7:10
248 וּנְחַלְתֶּם אוֹתָהּ אִישׁ כְּאָחִיו Ezek. 47:14
לְאָחִיו 249 וַיִּשָּׁבְעוּ אִישׁ לְאָחִיו Gen. 26:31
250 לְבִלְתִּי נְתָן־זֶרַע לְאָחִיו Gen. 38:9
251 לְאָחִיו וּלְאַחֹתוֹ לֹא־יִטַּמָּא Num. 6:7
252 ...כַּאֲשֶׁר זָמַם לַעֲשׂוֹת לְאָחִיו Deut. 19:19
253 לְהָקִים לְאָחִיו שֵׁם בְּיִשְׂרָאֵל Deut. 25:7
254 אִישׁ לְאָחִיו וְאִישׁ לְרֵעֵהוּ Jer. 34:17
וּלְאָחִיו 255 לִבְנוֹ וּלְבִתּוֹ וּלְאָחִיו Lev. 21:2
256 וּלְאָחִיו יֹאמַר חֲזָק Is. 41:6
מֵאָחִיו 257 רְחוֹקִים אִישׁ מֵאָחִיו Neh. 4:13
אָחִיהוּ 258 לְבִלְתִּי עֲבָד־..בִּיהוּדִי אָחִיהוּ אִישׁ Jer. 34:9
259 אִישׁ אֶת־אָחִיהוּ יָצוּדוּ חֵרֶם Mic. 7:2
260 וְשִׁמְעִי אָחִיהוּ מִשְׁנֶה IICh. 31:12
בְּאָחִיהוּ 261 אִישׁ־בְּאָחִיהוּ יְדֻבָּקוּ Job 41:9
אָחִיהָ 262 וַיֹּאמֶר אָחִיהָ וְאִמָּהּ Gen. 24:55
263 וַתֵּלֶךְ תָּמָר בֵּית אַמְנוֹן אָחִיהָ IISh. 13:8
264 וַתָּבֹא לְאַמְנוֹן אָחִיהָ IISh. 13:10
265/6 אַבְשָׁלוֹם אָחִיהָ IISh. 13:20²
לְאָחִיהָ 267 וּמִגְדָּנֹת נָתַן לְאָחִיהָ וּלְאִמָּהּ Gen. 24:53
אָחִינוּ 268 מַה־בֶּצַע כִּי נַהֲרֹג אֶת־אָחִינוּ Gen. 37:26
269 כִּי־אָחִינוּ בְשָׂרֵנוּ הוּא Gen. 37:27
270 אֲשֵׁמִים אֲנַחְנוּ עַל־אָחִינוּ Gen. 42:21
271 אִם־יֶשְׁךָ מְשַׁלֵּחַ אֶת־אָחִינוּ Gen. 43:4
272 אִם־יֵשׁ אָחִינוּ הַקָּטֹן אִתָּנוּ Gen. 44:26
273 נַחֲלַת צְלָפְחָד אָחִינוּ Num. 36:2
274 כִּי אָמְרוּ אָחִינוּ הוּא Jud. 9:3
וְאָחִינוּ 275 וְאָחִינוּ הַקָּטֹן אֵינֶנּוּ אִתָּנוּ Gen. 44:26
לְאָחִינוּ 276 חֶלְקַת הַשָּׂדֶה אֲשֶׁר לְאָחִינוּ Ruth 4:3
אֲחִיכֶם 277 בְּבוֹא אֲחִיכֶם הַקָּטֹן הֵנָּה Gen. 42:15
278 שִׁלְחוּ... וְיִקַּח אֶת־אֲחִיכֶם Gen. 42:16
279 אֲחִיכֶם אֶחָד יֵאָסֵר Gen. 42:19
280 וְאֶת־אֲחִיכֶם הַקָּטֹן תָּבִיאוּ אֵלַי Gen. 42:20
292-281 אֲחִיכֶם Gen. 42:33,34²; 43:3,5,7,13,14,29; 44:23; 45:4 • Jud. 9:18
אֲחִיהֶם 293 לָשׂוּם עַל־אֲבִימֶלֶךְ אֲחִיהֶם Jud. 9:24
294 הֵמִית אֶת־עֲשָׂהאֵל אֲחִיהֶם IISh. 3:30
296-295 בְּבֵית אֲחִיהֶם הַבְּכוֹר Job 1:13,18
וַאֲחִיהֶם 297 וַאֲחִיהֶם שַׁלּוּם הָרֹאשׁ ICh. 9:17

אַחִים 298 כִּי־אֲנָשִׁים אַחִים אֲנָחְנוּ Gen. 13:8
299 אַחִים אֲנַחְנוּ בְּנֵי אִישׁ־אֶחָד Gen. 42:13
300 שְׁנֵים־עָשָׂר אֲנַחְנוּ אַחִים Gen. 42:32
301 שִׁמְעוֹן וְלֵוִי אַחִים Gen. 49:5
302 וְאִם־אֵין לוֹ אַחִים Num. 27:10
303 וְאִם־אֵין אַחִים לְאָבִיו Num. 27:11
304 כִּי־יֵשְׁבוּ אַחִים יַחְדָּו Deut. 25:5
305 (?)כִּי הוּא בֵּין אַחִים יַפְרִיא Hosh. 13:15
306 וְלֹא זָכְרוּ בְּרִית אַחִים Am. 1:9
307 מַה־טּוֹב.. שֶׁבֶת אַחִים גַּם־יָחַד Ps. 133:1
308 וּמְשַׁלֵּחַ מְדָנִים בֵּין אַחִים Prov. 6:19
309 וּבְתוֹךְ אַחִים יַחֲלֹק נַחֲלָה Prov. 17:2
310 וְלוֹ־אַחִים בְּנֵי יְהוֹשָׁפָט IICh. 21:2
וְאַחִים 311 בָּנִים וְאַחִים בְּנֵי־חָיִל ICh. 26:9
312 כָּל־בָּנִים וְאַחִים לְחֹסָה... ICh. 26:11
אֲחִי־ 313 נָחַנִי יְיָ בֵּית אֲחֵי אֲדֹנִי Gen. 24:27
314 שִׁמְעוֹן וְלֵוִי אֲחֵי דִינָה Gen. 34:25
315 אֲחֻזָּה בְּתוֹךְ אֲחֵי אָבִינוּ Num. 27:4
316 אֲחֻזַּת נַחֲלָה בְּתוֹךְ אֲחֵי אֲבִיהֶם Num. 27:7
317 נַחֲלָה בְּתוֹךְ אֲחֵי אֲבִיהֶן Josh. 17:4
318/9 אֲחֵי(־)אִמּוֹ Jud. 9:1,3
320 כָּל אֲחֵי־רָשׁ שְׂנֵאֻהוּ Prov. 19:7
328-321 אֲחֵי Gen. 42:3,6; 45:16; 50:15 • IIK. 10:13² • ICh. 12:30(29) • IICh. 22:8
לַאֲחֵי־ 329 וּנְתַתֶּם אֶת־נַחֲלָתוֹ לַאֲחֵי אָבִיו Num. 27:10
מֵאֲחֵי־ 330 מֵאֲחֵי שָׁאוּל מִבִּנְיָמִן ICh. 12:2
331 לִיהוּדָה אֱלִיהוּ מֵאֲחֵי דָוִיד ICh. 27:18
אַחַי 332 אַל־נָא אַחַי תָּרֵעוּ Gen. 19:7
333 אַחַי מֵאַיִן אַתֶּם Gen. 29:4
334 שִׂים כֹּה נֶגֶד אַחַי וְאַחֶיךָ Gen. 31:37
335 אֶת־אַחַי אָנֹכִי מְבַקֵּשׁ Gen. 37:16
336 אַחַי וּבֵית־אָבִי... בָּאוּ אֵלָי Gen. 46:31
337 וְאָשׁוּבָה אֶל־אַחַי אֲשֶׁר־בְּמִצְרַיִם Ex. 4:18
338 וְהַחֲיִתֶם..וְאֶת־אַחַי וְאֶת־אַחְיוֹתַי Josh. 2:13
339 וַיֹּאמַר אַחַי בְּנֵי־אִמִּי הֵם Jud. 8:19
340 אַל־אַחַי אַל־תָּרֵעוּ Jud. 19:23
341 אַחַי אַתֶּם עַצְמִי וּבְשָׂרִי IISh. 19:13
342 לְמַעַן אַחַי וְרֵעָי... Ps. 122:8
343 אַחַי בָּגְדוּ כְמוֹ־נָחַל Job 6:15
344 אַחַי מֵעָלַי הִרְחִיק Job 19:13
345 וְגַם־אֲנִי אַחַי וּנְעָרַי Neh. 5:10
346 שְׁמָעוּנִי אַחַי וְעַמִּי ICh. 28:2
אֶחָי 347 אִמָּלְטָה נָּא וְאֶרְאֶה אֶת־אֶחָי ISh. 20:29
348 וַיֹּאמֶר דָּוִד לֹא־תַעֲשׂוּ כֵן אֶחָי ISh. 30:23
וְאַחַי 349 אָבִי וְאַחַי וְצֹאנָם...בָּאוּ Gen. 47:1
350 וְאַחַי אֲשֶׁר עָלוּ עִמִּי... Josh. 14:8
351 וְאֵין אֲנִי וְאַחַי... פֹשְׁטִים בְּגָדֵינוּ Neh. 4:17
352 אֲנִי וְאַחַי...לֹא אָכַלְתִּי Neh. 5:14
לְאֶחָי 353 אֲסַפְּרָה שִׁמְךָ לְאֶחָי Ps. 22:23
354 מוּזָר הָיִיתִי לְאֶחָי... לִבְנֵי אִמִּי Ps. 69:9
מֵאַחַי 355 וַיָּבֹא חֲנָנִי אֶחָד מֵאַחַי Neh. 1:2
אַחֶיךָ 356 הֲלוֹא אַחֶיךָ רֹעִים בִּשְׁכֶם Gen. 37:13
357 רְאֵה אֶת־שְׁלוֹם אַחֶיךָ Gen. 37:14
358 שְׁכֶם אַחַד עַל־אַחֶיךָ Gen. 48:22
359 יְהוּדָה אַתָּה יוֹדוּךָ אַחֶיךָ Gen. 49:8
360 שָׂא נָא פֶּשַׁע אַחֶיךָ וְחַטָּאתָם Gen. 50:17
361 כִּי־יִהְיֶה בְךָ אֶבְיוֹן מֵאַחַד אַחֶיךָ Deut. 15:7
362 מִקֶּרֶב אַחֶיךָ תָּשִׂים עָלֶיךָ מֶלֶךְ Deut. 17:15
363 הַאֵין בִּבְנוֹת אַחֶיךָ וּבְכָל־עַמִּי Jud. 14:3
364/5 אַחֶיךָ אַחֶיךָ אַנְשֵׁי גְאֻלָּתֶךָ Ezek. 11:15
366 כִּי־תַחְבֹּל אַחֶיךָ חִנָּם Job 22:6
367 וְגַם אֶת־אַחֶיךָ בֵית־אָבִיךָ... IICh. 21:13

Gen. 45:17; 47:6 • Num. 16:10; 18:2 • ISh. 17:18 • IISh. 15:20 • Jer. 12:6
וְאַחֶיךָ 375 שִׂים כֹּה נֶגֶד אַחַי וְאַחֶיךָ Gen. 31:37
376 הֲבוֹא נָבוֹא אֲנִי וְאִמְּךָ וְאַחֶיךָ Gen. 37:10
377 אָבִיךָ וְאַחֶיךָ בָּאוּ אֵלֶיךָ Gen. 47:5
לְאַחֶיךָ 378 הֱוֵה גְבִיר לְאַחֶיךָ Gen. 27:29
379 קַח־נָא לְאַחֶיךָ אֵיפַת הַקָּלִיא ISh. 17:17
380 ...וְהָרֵץ הַמַּחֲנֶה לְאַחֶיךָ ISh. 17:17
מֵאַחֶיךָ 381 נָבִיא מִקִּרְבְּךָ מֵאַחֶיךָ כָּמֹנִי Deut. 18:15
382 מֵאַחֶיךָ אוֹ מִגֵּרְךָ Deut. 24:14
אַחַיִךְ 383 וְאֶת־אַחַיִךְ וְאֵת כָּל־בֵּית אָבִיךְ Josh. 2:18
אֶחָיו 384 וַיַּגֵּד לִשְׁנֵי־אֶחָיו בַּחוּץ Gen. 9:22
385 וְעַל־פְּנֵי כָל־אֶחָיו יִשְׁכֹּן Gen. 16:12
386 עַל־פְּנֵי כָל־אֶחָיו נָפָל Gen. 25:18
387 וְאֶת־כָּל־אֶחָיו נָתַתִּי לוֹ לַעֲבָדִים Gen. 27:37
388 וַיִּקַּח אֶת־אֶחָיו עִמּוֹ Gen. 31:23
389 וְלָבָן תָּקַע אֶת־אֶחָיו בְּהַר הַגִּלְעָד Gen.31:25
390 בְּהִתְוַדַּע יוֹסֵף אֶל־אֶחָיו Gen. 45:1
391/2 וּלְקָדְקֹד נְזִיר אֶחָיו Gen. 49:26 • Deut. 33:16
393 וַיִּגְדַּל מֹשֶׁה וַיֵּצֵא אֶל־אֶחָיו Ex. 2:11
394 ...חֵלֶק וְנַחֲלָה עִם־אֶחָיו Deut. 10:9
395 וְנַחֲלָה לֹא־יִהְיֶה־לּוֹ בְּקֶרֶב אֶחָיו Deut.18:2
396 וְלֹא יִמַּס אֶת־לְבַב אֶחָיו Deut. 20:8
397 וּלְאָשֵׁר אָמַר...יְהִי רְצוּי אֶחָיו Deut. 33:24
398 וְגָדוֹל לַיְּהוּדִים וְרָצוּי לְרֹב אֶחָיו Es. 10:3
456-399 אֶחָיו Gen. 37:2, 4², 8; 37:10, 11, 12, 17; 37:23, 26, 27, 30; 38:1; 42:4, 7, 8, 28; 44:33; 45:3², 4, 15², 24; 46:31; 47:2, 3, 11, 12; 50:18, 24 • Ex. 1:6 • Num. 8:26; 25:6 • Deut. 18:7; 33:9 • Jud. 9:5, 24, 41, 56; 11:3; 16:31 • ISh. 16:13; 22:1 • IISh. 3:8 • IK. 1:9 • IIK. 9:2 • Jer. 35:3 • Mic. 5:2 • Job 42:11 • Ruth 4:10 • Ez. 8:19 • Neh. 3:34 • ICh. 7:22; 15:17; 26:7 • IICh. 21:4; 35:9

וְאֶחָיו 457 וַיָּבֹא יְהוּדָה וְאֶחָיו בֵּיתָה יוֹסֵף Gen. 44:14
458 וְכֹל בֵּית יוֹסֵף וְאֶחָיו וּבֵית אָבִיו Gen. 50:8
459 וַיָּשָׁב יוֹסֵף מִצְרַיְמָה הוּא וְאֶחָיו Gen. 50:14
460 שֻׁדַּד זַרְעוֹ וְאֶחָיו וּשְׁכֵנָיו Jer. 49:10
509-461 וְאֶחָיו Jud. 9:26, 31 • Ez. 3:2², 9; 8:18; 10:18 • Neh. 3:1; 11:13; 12:8, 36 • ICh. 5:7; 9:19; 15:5, 6, 7, 8, 9, 10; 16:7, 39; 25:9, 10, 11, 12, 13, 14, 15, 16, 17, 18, 19, 20, 21, 22, 23, 24, 25, 26, 27, 28, 29, 30, 31; 26:25, 26, 28, 30, 32

בְּאֶחָיו 510 כִּי יְהוּדָה גָּבַר בְּאֶחָיו ICh. 5:2
511 וַיַּעֲמֵד לָרֹאשׁ...לְנָגִיד בְּאֶחָיו IICh. 11:22
כְּאֶחָיו 512 פֶּן־יָמוּת גַּם־הוּא כְּאֶחָיו Gen. 38:11
לְאֶחָיו 513 עֶבֶד עֲבָדִים יִהְיֶה לְאֶחָיו Gen. 9:25
514 וַיֹּאמֶר יַעֲקֹב לְאֶחָיו Gen. 31:46
515 וַיִּקְרָא לְאֶחָיו לֶאֱכָל־לָחֶם Gen. 31:54
516 וַיַּחֲלֹם יוֹסֵף חֲלוֹם וַיַּגֵּד לְאֶחָיו Gen. 37:5
517 וַיְסַפֵּר אֹתוֹ לְאֶחָיו Gen. 37:9
518 וּנְתַתֶּם אֶת־נַחֲלָתוֹ לְאֶחָיו Num. 27:9
519 וַיִּשְׁאַל לְאֶחָיו לְשָׁלוֹם ISh. 17:22
וּלְאֶחָיו 520 וּלְאֶחָיו אֵין בָּנִים רַבִּים ICh. 4:27
521 וַיַּעֲזָב־שָׁם...לְאָסָף וּלְאֶחָיו ICh. 16:37
מֵאֶחָיו 522 מַכֶּה אִישׁ־עִבְרִי מֵאֶחָיו Ex. 2:11
523 וְהַכֹּהֵן הַגָּדוֹל מֵאֶחָיו Lev. 21:10
524 אֶחָד מֵאֶחָיו יִגְאָלֶנּוּ Lev. 25:48
525 לְבִלְתִּי רוּם־לְבָבוֹ מֵאֶחָיו Deut. 17:20
526 אִישׁ גֹּנֵב נֶפֶשׁ מֵאֶחָיו Deut. 24:7
527 וּבַקְבֻּקְיָה מִשְׁנֶה מֵאֶחָיו Neh. 11:17
528 וַיְהִי יַעְבֵּץ נִכְבָּד מֵאֶחָיו ICh. 4:9

אַחֶיהָ 529 וַיֹּאמֶר שְׁכֶם... וְאֶל־אַחֶיהָ Gen. 34:11
530 וְאֶת־אִמָּהּ וְאֶת־אַחֶיהָ Josh. 6:23
אַחֵינוּ 531 נֶגֶד אַחֵינוּ הַכֶּר־לְךָ... Gen. 31:32
532 וְלוּ גָוַעְנוּ בִּגְוַע אַחֵינוּ לִפְנֵי יְיָ Num. 20:3
533 אַחֵינוּ הֵמַסּוּ אֶת־לְבָבֵנוּ Deut. 1:28
534 וַנַּעֲבֹר מֵאֵת אַחֵינוּ בְנֵי־עֵשָׂו Deut. 2:8
535 לָתֶת־לָנוּ נַחֲלָה בְּתוֹךְ אַחֵינוּ Josh. 17:4
536 מַדּוּעַ גְּנָבוּךָ אַחֵינוּ IISh. 19:42
537 כִּבְשַׂר אַחֵינוּ בְּשָׂרֵנוּ Neh. 5:5
538 קָנִינוּ אֶת־אַחֵינוּ הַיְּהוּדִים Neh. 5:8
539 נִשְׁלְחָה עַל־אַחֵינוּ הַנִּשְׁאָרִים ICh. 13:2
אֲחֵיכֶם 540 קִרְבוּ שְׂאוּ אֶת־אֲחֵיכֶם Lev. 10:4
541 לָקַחְתִּי אֶת־אֲחֵיכֶם הַלְוִיִּם Num. 18:6
542 שָׁמֹעַ בֵּין־אֲחֵיכֶם וּשְׁפַטְתֶּם צֶדֶק Deut. 1:16
543 בִּגְבוּל אֲחֵיכֶם בְּנֵי־עֵשָׂו Deut. 2:4
544 לִפְנֵי אֲחֵיכֶם בְּנֵי־יִשְׂרָאֵל Deut. 3:18
557-545 אֲחֵיכֶם • Josh. 1:14; 22:3,8
מ״א י • IK. 12:24 • Is. 66:5,20 • Jer. 7:15; 29:16
Neh. 4:8; 5:8 • IICh. 11:4; 19:10; 30:9
הַאַחֵיכֶם 558 הַאֲחֵיכֶם יָבֹאוּ לַמִּלְחָמָה... Num. 32:6
וַאֲחֵיכֶם 559 וַאֲחֵיכֶם כָּל־בֵּית יִשְׂרָאֵל Lev. 10:6
560 הִתְקַדְּשׁוּ אַתֶּם וַאֲחֵיכֶם ICh. 15:12
וּבַאֲחֵיכֶם 561 וּבַאֲחֵיכֶם בְּנֵי־יִשְׂרָאֵל Lev. 25:46
וְכַאֲחֵיכֶם 562 וְאַל־תִּהְיוּ כַּאֲבוֹתֵיכֶם וְכַאֲחֵיכֶם IICh. 30:7
לַאֲחֵיכֶם 563 עַד אֲשֶׁר־יָנִיחַ יְיָ לַאֲחֵיכֶם Deut. 3:20
564 עַד אֲשֶׁר־יָנִיחַ יְיָ לַאֲחֵיכֶם Josh. 1:15
565 הֵנִיחַ יְיָ אֱלֹהֵיכֶם לַאֲחֵיכֶם Josh. 22:4
566 אִמְרוּ לַאֲחֵיכֶם עַמִּי Hosh. 2:3
567 ...לַאֲחֵיכֶם בְּנֵי הָעָם IICh. 35:5
568 וְהִתְקַדְּשׁוּ וְהָכִינוּ לַאֲחֵיכֶם IICh. 35:6
מֵאֲחֵיכֶם 569 מֵאֲחֵיכֶם הַיֹּשְׁבִים בְּעָרֵיהֶם IICh. 19:10
570 הַשִּׁבְיָה אֲשֶׁר שְׁבִיתֶם מֵאֲחֵיכֶם IICh. 28:11
אֲחֵיהֶם 571 עַל שֵׁם אֲחֵיהֶם יִקָּרְאוּ Gen. 48:6
572 נָבִיא...מִקֶּרֶב אֲחֵיהֶם כָּמוֹךָ Deut. 18:18
573 וּלְחֶצְיוֹ נָתַן יְהוֹשֻׁעַ עִם־אֲחֵיהֶם Josh. 22:7
574 לִשְׁמֹעַ בְּקוֹל אֲחֵיהֶם בְּנֵי־יִשְׂר׳ Jud. 20:13
607-575 אֲחֵיהֶם Jud. 18:8²;
18:14; 21:22 • IISh. 2:26 • IIK. 23:9 • Jer. 41:8 •
ירמי׳ Job 42:15 • Ez. 3:8 • Neh. 3:18; 5:1; 10:30;
• ICh. 6:29; 8:32²; 9:32; 9:38²; 12:33(32), 40(39):
15:16, 17, 18; 23:22, 32; 24:31; 25:7; 26:12 • IICh.
28:15; 29:15, 34; 35:15
וַאֲחֵיהֶם 608 בְּנֵיהֶם וַאֲחֵיהֶם הַלְוִיִּם Ez. 3:9
609 וַאֲחֵיהֶם שְׁבַנְיָה הוֹדִיָּה... Neh. 10:11
623-610 וַאֲחֵיהֶם Neh. 11:12, 14, 19; 12:7, 24
ICh. 5:13; 6:33; 7:5; 9:6, 9, 13, 25; 16:38; 26:8
לַאֲחֵיהֶם 624 וַעֲלֵיהֶם לַחֲלֹק לַאֲחֵיהֶם Neh. 13:13
625 לָתֵת לַאֲחֵיהֶם בְּמַחְלְקוֹת IICh. 31:15
וְלַאֲחֵיהֶם 626 וְלַאֲחֵיהֶם הַכֹּהֲנִים וְלָהֶם Ez. 6:20
627 וְלַאֲחֵיהֶם מְלֻבָּשִׁים בּוּץ IICh. 5:12
מֵאֲחֵיהֶם 628 וְעִמָּהֶם מֵאֲחֵיהֶם עֲשָׂרָה Ez. 8:24
629 וַיִּשְׁבּוּ בְנֵי־יִשְׂרָאֵל מֵאֲחֵיהֶם IICh. 28:8

אָח² מ״ק וַי, אוֹי — קרובים: ראה אֲבוֹי
1 וּרְקַע בְּרַגְלְךָ וֶאֱמָר־אָח Ezek. 6:11
2 (?) וְעָשָׂה אָח מֵאַחַד מֵאֵלֶּה Ezek. 18:10
3 אָח עֲשׂוּיָה לְבָרָק מְעֻטָּה לְטָבַח Ezek. 21:20

אָח³ נ׳ כלי־חמום, כירה, תנור
הָאָח 1 וְאֶת־הָאָח לְפָנָיו מְבֹעָרֶת Jer. 36:22
2 וְהַשְׁלֵךְ אֶל־הָאֵשׁ אֲשֶׁר אֶל־הָאָח Jer. 36:23
3 ...עַל־הָאֵשׁ אֲשֶׁר עַל־הָאָח Jer. 36:23

אַח* ז׳ ארמית: אָח; אֲחָךְ = אָחִיךָ
אֲחָךְ 1 וּמָה דִי עֲלָךְ וְעַל־אֲחָךְ (כת׳ אחיך) Ez. 7:18

אֹחַ* ז׳ עוף מסדרת דורסי לילה
אֹחִים 1 וּמָלְאוּ בָתֵּיהֶם אֹחִים Is. 13:21

אַחְאָב שפ״ז א) בן עמרי, מלך ישראל: 1—80,82—92
ב) בן קוליה, נביא שקר בימי ירמיהו: 81
בֵּית אַחְאָב 20—37; בֶּן אַ׳ 10—17; בַּת אַ׳ 18—19;
דִּבְרֵי אַ׳ 7; הֵיכַל אַ׳ 5; יַד אַ׳ 4; מוֹת אַ׳ 8—9;
שֵׁם אַ׳ 6
אַחְאָב 1 וַיִּמְלֹךְ אַחְאָב בְּנוֹ תַּחְתָּיו IK. 16:28
2 וַיִּמְלֹךְ אַחְאָב בֶּן־עָמְרִי עַל־יִשְׂרָאֵל IK. 16:29
3 וַיַּעַשׂ אַחְאָב בֶּן־עָמְרִי הָרַע בְּעֵינֵי יְיָ IK. 16:30
4 כִּי־אַתָּה נֹתֵן אֶת־עַבְדְּךָ בְּיַד־אַחְאָב IK. 18:9
5 כֶּרֶם הָיָה...אֵצֶל הֵיכַל אַחְאָב IK. 21:1
6 וַתִּכְתֹּב סְפָרִים בְּשֵׁם אַחְאָב IK. 21:8
7 וְיֶתֶר דִּבְרֵי אַחְאָב IK. 22:39
8 וַיִּפְשַׁע מוֹאָב...אַחֲרֵי מוֹת אַחְאָב IIK. 1:1
9 וַיְהִי כְּמוֹת אַחְאָב וַיִּפְשַׁע IIK. 3:5
10/2 (וִ)יהוֹרָם בֶּן־אַחְאָב IIK. 3:1 • IICh. 22:5,6
17-13 (לְ)יוֹרָם בֶּן־אַחְאָב IIK. 8:16,25,28,29; 9:29
18/9 בַּת־אַחְאָב...לוֹ (לְ)אִשָּׁה IIK. 8:18 • IICh. 21:6
37-20 בֵּית(־)אַחְאָב (כְּבֵ־ / לְבֵ־) IIK. 8:18, 27³
9:7, 8, 9; 10:10, 11, 30; 21:13 • Mic. 6:16 • IICh. 21:6,
13; 22:3, 4, 7, 8
80-38 אַחְאָב IK. 16:33²; 17:1
18:1, 2, 3, 5, 6, 16², 17², 20, 42, 44, 45, 46; 19:1; 20:2,
13, 14; 21:2, 3, 4, 15, 16², 18, 20, 27, 29; 22:20, 40, 50,
52 • IIK. 9:25; 10:1, 18; 21:3 • IICh. 18:2², 3, 19
81 כֹּה־אָמַר יְיָ...אֶל־אַחְאָב בֶּן־קוֹלָיָה Jer. 29:21
וְאַחְאָב 82 וְאַחְאָב בֶּן־עָמְרִי מָלַךְ עַל־יִשְׂרָאֵל IK. 16:29
כְּאַחְאָב 83 רַק לֹא־הָיָה כְאַחְאָב IK. 21:25
לְאַחְאָב 84 וּבָאתִי לְהַגִּיד לְאַחְאָב IK. 18:12
85 וַיִּתְחַתֵּן לְאַחְאָב IICh. 18:1
91-86 לְאַחְ׳ IK. 18:41; 21:12,24; 22:41 • IIK. 9:8; 10:17
וּלְאַחְאָב 92 וּלְאַחְאָב שִׁבְעִים בָּנִים IIK. 10:1

אֶחָב שפ״ז – נביא שקר בימי ירמיהו, הוא אַחְאָב 81
1 יְשִׂמְךָ יְיָ כְּצִדְקִיָּהוּ וּכְאֶחָב Jer. 29:22

אַחְבָּן שפ״ז – בן אבישור, ירחמאלי, מזרע יהודה
1 וַתֵּלֶד לוֹ אֶת־אַחְבָּן ICh. 2:29

אחד: הִתְאַחֵד; אֶחָד, אַחַת, חַד; אֵחוּד; ארמית: חַד, חֲדָא
(אחד) [הת׳ הִתְאַחֵד] אולי: התחבר; לדעה אחרת: התחדד
הִתְאַחֲדִי 1 הִתְאַחֲדִי הֵימִינִי הָשִׂימִי הַשְׂמִילִי Ezek. 21:21

אֶחָד ש״מ א) הראשון במספרים השלמים–רוב המקראות
ב) יחיד, שאין שני לו: 1, 38, 64, 81, 89, 100, 101,
102, 103, 104/5, 117, 122, 138
ג) מאוחד: 1,3,4,7,8,18—23, 29, 48, 54—57, 70, 84—86,
92, 94, 96, 108, 128, 133, 136, 140, 141, 143, 619—623
ד) [בלי שם־עצם צמוד] מישהו: 26, 58—61, 71—74,
76, 87—88, 127, 494, 638—640, 642—644, 647
ה) [במשפט שלילה] שום איש, שום דבר: 13—17,
51—53, 65—66, 68, 104—106.
ו) [אֲחָדִים] מעטים לא רבים: 695—699
ז) בצרופים שונים עם שמות – עיין להלן
– אֶחָד אָחֻז 32, 33, 139; אֶ׳ אֶל אֶחָד 90; אֶ׳ בְּאֶחָד 111; אֶ׳ לְמֵאָה 137; אֶ׳ מֵאֶלֶף 118; אֶ׳ מִנִּי אֶלֶף 110; אֶ׳ מֵעִיר 83; אֶ׳ קָדוֹשׁ 126,127
– אִישׁ אֶחָד 11, 12, 27, 28, 37, 44, 45, 49, 50, 75 ועוד; כְּאִישׁ אֶ׳ 29, 54—57, 67, 128, 133; אֵל אֶ׳ 103; בָּשָׂר אֶ׳ 3; גּוֹי אֶ׳ 64, 94, 138; דָּבָר אֶ׳ 51, 52, 68; דֶּרֶךְ אֶ׳ 41, 42, 85; יוֹם אֶ׳ 5, 6, 63, 77, 95; בְּיוֹם אֶ׳ 24, 62, 69, 78, 80, 82, 98, 123, 125,142; יְיָ אֶ׳ 100; כִּיס אֶ׳ 108; לֹא־אֶ׳ 109; לֵב אֶ׳ 84, 86, 136, 143; מָקוֹם אֶ׳ 2, 115, 116; מִקְרֶה אֶ׳ 112,113,119,120; מִשְׁפָּט(פְּ־) אֶ׳ 25,30; נֵד אֶ׳ 46, 47; נָשִׂיא אֶ׳ 34, 35; עַד אֶ׳ 36, 39, 40; עֵד אֶ׳ 15, 17, 53; עַם אֶ׳ 4, 7, 8, 122; פֶּה אֶ׳ 48, 70, 141; קוֹל אֶ׳ 18, 140; בְּקָנֶה אֶ׳ 9, 10; רֶגַע אֶ׳ 21; רוּחַ אֶ׳ 114; שְׁכֶם אֶ׳ 96
– (בְּ)אֶחָד לַחֹדֶשׁ 97, 129—131, 134, 597—613, 616; כְּאֶחָד 617-623; הוּא בְּאֶחָד 614; הָאֶחָד וְעֶשְׂרִים 495; חַד אֶת אַחַד 645; לְאַחַד אֶחָד 79
– אַחַד הָאָדָם 686, 687; אַ׳ הַבְּכֹרוֹת 675; אַ׳ הֶהָרִים 662, 684; אַ׳ הַחֲלָקִים 671, 690; אַ׳ הַמְּקֹמוֹת 681-683; אַ׳ הַנְּבָלִים 689; אַ׳ הָעָם 663, 666; אַ׳ הַצְּבָיִם 688; אַ׳ הָרֵיקִים 667; אַ׳ הַשְּׁבָטִים 668,676,685,694; אַ׳ הַשֹּׁפְטִים 673; אַ׳ הַשְּׁעָרִים 677—680, 693; אַ׳ הַשָּׂרִים 691; אַ׳ עָשָׂר 664, 674; שְׁכֶם אַ׳ 635
– דְּבָרִים אֲחָדִים 695; יָמִים אֲחָדִים 696—698; לַאֲחָדִים 699

אֶחָד 1 וַיְהִי־עֶרֶב וַיְהִי־בֹקֶר יוֹם אֶחָד Gen. 1:5
2 יִקָּווּ הַמַּיִם... אֶל־מָקוֹם אֶחָד Gen. 1:9
3 וְהָיוּ לְבָשָׂר אֶחָד Gen. 2:24
4 הֵן עַם אֶחָד וְשָׂפָה אַחַת לְכֻלָּם Gen. 11:6
5 לָמָה אֶשְׁכַּל גַּם־שְׁנֵיכֶם יוֹם אֶחָד Gen. 27:45
6 וּדְפָקוּם יוֹם אֶחָד וָמֵתוּ Gen. 33:13
7 וְהָיִינוּ לְעַם אֶחָד Gen. 34:16
8 לִהְיוֹת לְעַם אֶחָד Gen. 34:22
9/10 שֶׁבַע שִׁבֳּלִים עֹלוֹת בְּקָנֶה אֶחָד Gen. 41:5,22
11 בְּנֵי אִישׁ־אֶחָד נָחְנוּ Gen. 42:11
12 בְּנֵי אִישׁ־אֶחָד בְּאֶרֶץ כְּנָעַן Gen. 42:13
13 וַיָּסַר הֶעָרֹב...לֹא נִשְׁאַר אֶחָד Ex. 8:27
14 וּמִמִּקְנֵה בְנֵי־יִשׂ׳ לֹא־מֵת אֶחָד Ex. 9:6
15 לֹא־מֵת מִמִּקְנֵה יִשׂ׳ עַד־אֶחָד Ex. 9:7
16 לֹא נִשְׁאַר אַרְבֶּה אֶחָד Ex. 10:19
17 לֹא־נִשְׁאַר בָּהֶם עַד־אֶחָד Ex. 14:28
18 וַיַּעַן כָּל־הָעָם קוֹל אֶחָד Ex. 24:3
19 וְחִבַּרְתָּ...וְהָיָה הַמִּשְׁכָּן אֶחָד Ex. 26:6
20 וְחִבַּרְתָּ אֶת־הָאֹהֶל וְהָיָה אֶחָד Ex. 26:11
21 רֶגַע אֶחָד אֶעֱלֶה בְקִרְבְּךָ Ex. 33:5
22 וַיְחַבֵּר...וַיְהִי הַמִּשְׁכָּן אֶחָד Ex. 36:13
23 לְחַבֵּר אֶת־הָאֹהֶל לִהְיֹת אֶחָד Ex. 36:18
24 לֹא תִשְׁחֲטוּ בְּיוֹם אֶחָד Lev. 22:28
25 מִשְׁפַּט אֶחָד יִהְיֶה לָכֶם Lev. 24:22
26 אֶחָד מֵאֶחָיו יִגְאָלֶנּוּ Lev. 25:48
27/8 אִישׁ אֶחָד אִישׁ אֶחָד לְמַטֵּה... Num. 13:2
29 וְהֵמַתָּה אֶת־הָעָם... כְּאִישׁ אֶחָד Num. 14:15
30 וּמִשְׁפָּט אֶחָד יִהְיֶה לָכֶם Num. 15:16
31 אֶחָד נֶפֶשׁ מֵחֲמֵשׁ הַמֵּאוֹת Num. 31:28
32 אֶחָד אָחֻז מִן־הַחֲמִשִּׁים Num. 31:30
33 אֶת־הָאָחֻז אֶחָד מִן־הַחֲמִשִּׁים Num. 31:47
34/5 וְנָשִׂיא אֶחָד נָשִׂיא אֶחָד מִמַּטֶּה Num. 34:18
36 וְעֵד אֶחָד לֹא־יַעֲנֶה בְנֶפֶשׁ Num. 35:30
אֶחָד 37 וָאֶקַּח...אִישׁ אֶחָד לַשָּׁבֶט Deut. 1:23
38 שְׁמַע יִשְׂרָאֵל יְיָ אֱלֹהֵינוּ יְיָ אֶחָד Deut. 6:4
39 לֹא יוּמַת עַל־פִּי עֵד אֶחָד Deut. 17:6
40 לֹא־יָקוּם עֵד אֶחָד בְּאִישׁ Deut. 19:15

41/2 בְּדֶרֶךְ אֶחָד Deut. 28:7,25
43 אֵיכָה יִרְדֹּף אֶחָד אֶלֶף Deut. 32:30
44/5 אִישׁ־אֶחָד אִישׁ־אֶחָד לַשָּׁבֶט Josh. 3:12
46 הַמַּיִם הַיֹּרְדִים... וְיַעַמְדוּ נֵד אֶחָד Josh. 3:13
47 וַיַּעַמְדוּ...קָמוּ נֵד־אֶחָד Josh. 3:16
48 וַיִּתְקַבְּצוּ יַחְדָּו לְהִלָּחֵם..פֶּה אֶחָד Josh. 9:2
49 וְהוּא אִישׁ אֶחָד לֹא גָוַע בַּעֲוֹנוֹ Josh. 22:20
50 אִישׁ־אֶחָד מִכֶּם יִרְדָּף־אָלֶף Josh. 23:10
51 כִּי לֹא־נָפַל דָּבָר אֶחָד Josh. 23:14
52 לֹא־נָפַל מִמֶּנּוּ דָּבָר אֶחָד Josh. 23:14
53 לֹא נִשְׁאַר עַד־אֶחָד Jud. 4:16
54 וְהִכִּיתָ אֶת־מִדְיָן כְּאִישׁ אֶחָד Jud. 6:16
55 וַיָּקָם כָּל־הָעָם כְּאִישׁ אֶחָד Jud. 20:8
56 וַיֵּאָסֵף...כְּאִישׁ אֶחָד חֲבֵרִים Jud. 20:11
57 וַיֵּצְאוּ כְּאִישׁ אֶחָד ISh. 11:7
61-58 אֶחָד מֵהַנְּעָרִים ISh. 16:18; 25:14; 26:22 • IISh. 2:21
62 בְּיוֹם אֶחָד יָמוּתוּ שְׁנֵיהֶם ISh. 2:34
63 אֶסָּפֶה יוֹם־אֶחָד בְּיַד־שָׁאוּל ISh. 27:1
64 וּמִי...כְּיִשְׂרָאֵל גּוֹי אֶחָד בָּאָרֶץ IISh. 7:23
65 וְלֹא־נוֹתַר מֵהֶם אֶחָד IISh. 13:30
66 וְלֹא־נוֹתַר בּוֹ... גַּם־אֶחָד IISh. 17:12
67 כָּל־אִישׁ־יְהוּדָה כְּאִישׁ אֶחָד IISh. 19:15
68 לֹא־נָפַל דָּבָר אֶחָד מִכֹּל דְּבָרוֹ IK. 8:56
69 מֵאָה־אֶלֶף רַגְלִי בְּיוֹם אֶחָד IK. 20:29
70 דִּבְרֵי הַנְּבִיאִים פֶּה־אֶחָד IK. 22:13
71 וַיַּעַן אֶחָד מֵעַבְדֵי מֶלֶךְ־יִשְׂרָאֵל IIK. 3:11
72 שִׁלְחָה...אֶחָד מִן־הַנְּעָרִים IIK. 4:22
73 הֹלִיכוּ שָׁמָּה אֶחָד מֵהַכֹּהֲנִים IIK. 17:27
74 וַיָּבֹא אֶחָד מֵהַכֹּהֲנִים IIK. 17:28
75 וְהֶחֱזִיקוּ שֶׁבַע נָשִׁים בְּאִישׁ אֶחָד Is. 4:1
76 וַיָּעָף אֵלַי אֶחָד מִן־הַשְּׂרָפִים Is. 6:6
77 וַיַּכְרֵת...כִּפָּה וְאַגְמוֹן יוֹם אֶחָד Is. 9:13
78 וְאָכְלָה שִׁיתוֹ וּשְׁמִירוֹ בְּיוֹם אֶחָד Is. 10:17
79 תְּלֻקְּטוּ לְאַחַד אֶחָד בְּנֵי יִשְׂרָאֵל Is. 27:12
80 וְתָבֹאנָה...רֶגַע בְּיוֹם אֶחָד Is. 47:9
81 כִּי־אֶחָד קְרָאתִיו וַאֲבָרְכֵהוּ Is. 51:2
82 הֲיוּחַל אֶרֶץ בְּיוֹם אֶחָד Is. 66:8
83 אֶחָד מֵעִיר וּשְׁנַיִם מִמִּשְׁפָּחָה Jer. 3:14
84/5 לֵב אֶחָד וְדֶרֶךְ אֶחָד Jer. 32:39
86 וְנָתַתִּי לָהֶם לֵב אֶחָד Ezek. 11:19
87/8 וַתַּעַל/וַתִּקַּח/אֶחָד מִגֻּרֶיהָ Ezek. 19:3,5
89 אֶחָד הָיָה אַבְרָהָם... Ezek. 33:24
90/1 וְקָרַב אֹתָם אֶחָד אֶל־אֶחָד Ezek. 37:17
92/3 וַעֲשִׂיתִם לְעֵץ אֶחָד וְהָיוּ אֶחָד Ezek. 37:19
94 וְעָשִׂיתִי אֹתָם לְגוֹי אֶחָד Ezek. 37:22
95 לָבוֹא בָעִיר מַהֲלַךְ יוֹם אֶחָד Jon. 3:4
96 לְעָבְדוֹ שְׁכֶם אֶחָד Zep. 3:9
97 בַּחֹדֶשׁ הַשִּׁשִּׁי בְּיוֹם אֶחָד לַחֹדֶשׁ Hag. 1:1
98 וּמַשְׁתִּי אֶת־עֲוֹן...בְּיוֹם אֶחָד Zech. 3:9
99 וְהָיָה יוֹם־אֶחָד הוּא יִוָּדַע לַיי Zech. 14:7
100/1 יִהְיֶה יְיָ אֶחָד וּשְׁמוֹ אֶחָד Zech. 14:9
102 הֲלוֹא אָב אֶחָד לְכֻלָּנוּ Mal. 2:10
103 הֲלוֹא אֵל אֶחָד בְּרָאָנוּ Mal. 2:10
104/5 אֵין עֹשֵׂה־טוֹב אֵין גַּם־אֶחָד Ps. 14:3; 53:4
אֶחָד 106 אֶחָד מֵהֶם לֹא נוֹתָר Ps. 106:11
107 יָמִים יֻצָּרוּ וְלוֹ אֶחָד בָּהֶם Ps. 139:16
108 כִּיס אֶחָד יִהְיֶה לְכֻלָּנוּ Prov. 1:14
109 מִי־יִתֵּן טָהוֹר מִטָּמֵא לֹא אֶחָד Job 14:4
110 מַלְאָךְ מֵלִיץ אֶחָד מִנִּי־אָלֶף Job 33:23
111 אֶחָד בְּאֶחָד יִגַּשׁוּ Job 41:8
112 שֶׁמִּקְרֶה אֶחָד יִקְרֶה אֶת־כֻּלָּם Eccl. 2:14

113 וּמִקְרֶה אֶחָד לָהֶם Eccl. 3:19
114 ...וְרוּחַ אֶחָד לַכֹּל Eccl. 3:19
115/6 אֶל־מָקוֹם אֶחָד Eccl. 3:20; 6:6
117 יֵשׁ אֶחָד וְאֵין שֵׁנִי Eccl. 4:8
118 אָדָם אֶחָד מֵאֶלֶף מָצָאתִי Eccl. 7:28
119 מִקְרֶה אֶחָד לַצַּדִּיק וְלָרָשָׁע Eccl. 9:2
120 כִּי־מִקְרֶה אֶחָד לַכֹּל Eccl. 9:3
121 וְחוֹטֶא אֶחָד יְאַבֵּד טוֹבָה הַרְבֵּה Eccl. 9:18
122 יֶשְׁנוֹ עַם־אֶחָד מְפֻזָּר וּמְפֹרָד Es. 3:8
123 טַף וְנָשִׁים בְּיוֹם אֶחָד Es. 3:13
124 חַרְבוֹנָה אֶחָד מִן־הַסָּרִיסִים Es. 7:9
125 בְּיוֹם אֶחָד בְּכָל־מְדִינוֹת Es. 8:12
126 וָאֶשְׁמְעָה אֶחָד־קָדוֹשׁ מְדַבֵּר Dan. 8:13
127 וַיֹּאמֶר אֶחָד קָדוֹשׁ לַפַּלְמוֹנִי Dan. 8:13
128 וַיֵּאָסְפוּ הָעָם כְּאִישׁ אֶחָד Ez. 3:1
129 מִיּוֹם אֶחָד לַחֹדֶשׁ הַשְּׁבִיעִי Ez. 3:6
130 בְּיוֹם אֶחָד לַחֹדֶשׁ הָעֲשִׂירִי Ez. 10:16
131 עַד יוֹם אֶחָד לַחֹדֶשׁ הָרִאשׁוֹן Ez. 10:17
132 וַיָּבֹא חֲנָנִי אֶחָד מֵאַחַי Neh. 1:2
133 וַיֵּאָסְפוּ כָל־הָעָם כְּאִישׁ אֶחָד Neh. 8:1
134 בְּיוֹם אֶחָד לַחֹדֶשׁ הַשְּׁבִיעִי Neh. 8:2
135 לְהָבִיא אֶחָד מִן־הָעֲשָׂרָה Neh. 11:1
136 לֵב אֶחָד לְהַמְלִיךְ אֶת־דָּוִיד ICh. 12:39
137 אֶחָד לְמֵאָה הַקָּטָן ICh. 12:15
138 וּמִי כְּעַמְּךָ גּוֹי אֶחָד בָּאָרֶץ ICh. 17:21
139 בֵּית־אָב אֶחָד אָחֻז לְאֶלְעָזָר ICh. 24:6
140 לְהַשְׁמִיעַ קוֹל־אֶחָד IICh. 5:13
141 פֶּה־אֶחָד טוֹב אֶל־הַמֶּלֶךְ IICh. 18:12
142 וַיַּהֲרֹג פֶּקַח...בְּיוֹם אֶחָד IICh. 28:6
143 לָתֵת לָהֶם לֵב אֶחָד IICh. 30:12
473-144 אֶחָד Gen. 40:5; 41:11,25,26; 42:16,19
Ex. 11:1; 12:46; 17:12^2; 25:19^2; 29:1,3,23; 37:8^2,19 • Lev. 5:7; 7:14; 8:26; 12:8; 14:10,21^2, 22; 15:15; 16:5, 8^2; 23:18, 19; 26:26 • Num. 1:41, 44; 2:28; 6:11,14^2,19; 7:11^2,13,15^3,16,19,21^3,22,25,27^3,28, 31, 33^3, 34, 37, 39^3, 40, 43, 45^3, 46, 49, 51^3, 52, 55, 57^3, 58, 61, 63^3, 64, 67, 69^3, 70, 73, 75^3, 76, 79, 81^3, 82; 11:19; 13:23; 15:24^2; 16:15, 22; 17:18, 21^2; 28:4, 11, 15, 19, 22, 27, 30; 29:2^2, 4, 5, 8^2, 11, 16, 19, 22, 25, 28, 31, 34, 36^2, 38; 31:34; 31:39 • Josh. 4:2^2, 4^2; 7:21; 12:9^2, 10^2, 11^2, 12^2; 12:13^2, 14^2, 15^2, 16^2, 17^2, 18^2, 19^2, 20^2, 21^2, 22^2, 23^2, 24; 17:14^2,17; 22:14^2 • Jud. 8:18; 9:2, 37; 13:2; 15:4; 16:29; 18:19; 20:1; 21:3, 6, 8 • ISh. 1:1; 6:17; 7:9; 9:15; 10:3; 13:17, 18^2; 14:40^2; 16:20; 22:20; 24:15(14); 26:20 • IISh. 3:13; 6:19; 12:1; 18:10 • IK. 3:17; 4:19; 5:2; 6:25; 7:37^2, 38; 11:13, 36; 13:11; 18:6^2; 19:4, 5; 20:13, 35; 22:8, 9 • IIK. 4:39; 7:8, 13; 8:6; 12:10; 15:20; 25:19 • Is. 23:15; 30:17^2 • Jer. 24:2^2; 51:60; 52:20, 25 • Ezek. 1:15, 16; 4:9; 8:7, 8; 9:2; 10:9^4, 10; 17:7; 21:24; 23:13; 33:2; 34:23; 37:16^2, 17, 22, 24; 40:5^2, 6^3, 7^3, 8, 26, 43, 44, 49; 41:11^2; 45:11; 48:1, 2, 3, 4, 5, 6, 7, 23, 24, 25, 26, 27, 31^3, 32^3, 33^3, 34^3 • Hosh. 2:2 • Am. 6:9 • Zech. 4:3; 11:8 • Mal. 2:15 • Job 31:15; 42:11 • Eccl. 12:11 • Dan. 8:3; 9:27; 10:5, 21; 11:27; 12:5 • Ez. 10:13 • Neh. 5:18^2 • ICh. 24:17; 29:1 • IICh. 3:17; 4:15; 18:7.8: 24:8; 32:12
וְאֶחָד 474 אֶחָד לְחַטָּאת וְאֶחָד לְעֹלָה Lev. 5:7
475 וְאֶחָד וַחֲמִשִּׁים אָלֶף Num. 2:16
476 אֶחָד עָשִׁיר וְאֶחָד רָאשׁ IISh. 12:1
477 בְּעֶשְׂרִים וְאֶחָד לַחֹדֶשׁ Hag. 2:1
478 שֵׁשׁ מֵאוֹת עֶשְׂרִים וְאֶחָד Ez. 2:26
492-479 וְאֶחָד Lev. 12:8 • Num. 6:11 • ISh. 10:3^2 • Josh. 12:24 • Jud. 16:29 • Ezek. 40:26,49 • Zech. 4:3 • Dan. 10:13; 12:5 • Neh. 7:30,37 • IICh. 3:17

הָאֶחָד 493 שֵׁם הָאֶחָד פִּישׁוֹן Gen. 2:11
494 הָאֶחָד בָּא־לָגוּר וַיִּשְׁפֹּט שָׁפוֹט Gen. 19:9
495 עַד יוֹם הָאֶחָד וְעֶשְׂרִים Ex. 12:18
497-496 וַיַּכּוֹ הָאֶחָד אֶת־הָאֶחָד IISh. 14:6
498 וּמָה הָאֶחָד מְבַקֵּשׁ Mal. 2:15
499 טוֹבִים הַשְּׁנַיִם מִן־הָאֶחָד Eccl. 4:9
500 הָאֶחָד יָקִים אֶת־חֲבֵרוֹ Eccl. 4:10
592-501 הָאֶחָד Gen. 10:25; 42:27, 32, 33; 44:28
Ex. 18:3, 4; 25:32, 33^2; 26:16, 17, 19^2, 21^2, 25^2, 26; 28:17; 29:15, 39, 40; 36:21, 22, 24^2, 26^2, 30; 37:18, 19; 39:10 • Lev. 14:12, 30, 31^2; 15:30^2 • Num. 7:85; 8:12^2; 11:26; 15:5, 11^2; 28:7, 12^2, 13, 21, 28^2, 29; 29:4, 9, 10, 14^2, 15 • Deut. 25:11 • ISh. 14:4^2, 5 • IISh. 4:2 • IK. 4:7; 6:26, 27; 7:15, 32, 38^2, 44; 11:32; 12:29^2, 30; 18:23^2, 25 • IIK. 6:3, 5; 25:16, 17 • Jer. 52:21 • Ezek. 10:14; 43:13 • Eccl. 4:10, 12 • ICh. 1:19 • IICh. 3:11, 12
וְהָאֶחָד 593 וְהָאֶחָד אֵינֶנּוּ Gen. 42:13
594/5 ...וְהָאֶחָד עֹלָה Lev. 14:22; 15:15
596 ...וְהָאֶחָד מִנֶּגֶב מוּל גָּבַע ISh. 14:5
בְּאֶחָד 597 בָּעֲשִׂירִי בְּאֶחָד לַחֹדֶשׁ Gen. 8:5
598 בָּרִאשׁוֹן בְּאֶחָד לַחֹדֶשׁ Gen. 8:13
613-599 בְּאֶחָד לַחֹדֶשׁ Ex. 40:2,17 • Lev. 23:24
Num. 1:1,18; 29:1; 33:38 • Deut. 1:3 • Ezek. 26:1; 29:17; 31:1; 32:1; 45:18 • Ez. 7:9 • IICh. 29:17

614 וְהוּא בְאֶחָד וּמִי יְשִׁיבֶנּוּ Job 23:13
615 אֶחָד בְּאֶחָד יִגַּשׁוּ Job 41:8
וּבְאֶחָד 616 וּבְאֶחָד לַחֹדֶשׁ הַחֲמִישִׁי Ez. 7:9
כְּאֶחָד 617 זְאֵב וְטָלֶה יִרְעוּ כְאֶחָד Is. 65:25
618 וְאִם־שְׁנֵיהֶם כְּאֶחָד טוֹבִים Eccl. 11:6
619/20 כָּל־הַקָּהָל כְּאֶחָד Ez. 2:64 • Neh. 7:66
621 וּבָנָיו בְּנֵי־יְהוּדָה כְּאֶחָד Ez. 3:9
622 הַכֹּהֲנִים וְהַלְוִיִּם כְּאֶחָד Ez. 6:20
623 וַיְהִי כְאֶחָד לַמְחַצְּרִים... IICh. 5:13
לְאֶחָד 624 וּשְׁנֵי־עָשָׂר בָּקָר... וְשׁוֹר לְאֶחָד Num. 7:3
625 וְהָיוּ לְאֶחָד מִבְּנֵי... לְנָשִׁים Num. 36:3
626 לְאֶחָד מִמִּשְׁפַּחַת מַטֵּה אָבִיהָ Num. 36:8
627 שֵׁשׁ כְּנָפַיִם שֵׁשׁ כְּנָפַיִם לְאֶחָד Is. 6:2
628 וְאַרְבָּעָה פָנִים לְאֶחָד Ezek. 10:14
629 אַרְבָּעָה אַרְבָּעָה פָנִים לְאֶחָד Ezek. 10:21
630 וְאַרְבַּע כְּנָפַיִם לְאֶחָד Ezek. 10:21
631 לְאֶחָד וְעֶשְׂרִים לְהוֹתִיר ICh. 25:28
לָאֶחָד 632 שְׁנֵי הָעֹמֶר לָאֶחָד Ex. 16:22
633 כָּכָה תַּעֲשׂוּ לָאֶחָד כְּמִסְפָּרָם Num. 15:12
וּלְאֶחָד 634 וּלְאֶחָד אֵיךְ יֵחָם Eccl. 4:11
אַחַד 635 שְׁכֶם אַחַד עַל־אַחֶיךָ Gen. 48:22
636 אוֹ אֶל־אַחַד מִבָּנָיו Lev. 13:2
637 וְלֹא הֲרֵעֹתִי אֶת־אַחַד מֵהֶם Num. 16:15
638 וּמֵת אַחַד מֵהֶם Deut. 25:5
639 וַיְמַלֵּא אֶת־יַד אַחַד מִבָּנָיו Jud. 17:5
640 קַח...אֶת־אַחַד מֵהַנְּעָרִים ISh. 9:3
641 עַד־אַחַד לֹא נֶעְדָּר IISh. 17:22
642 אָשִׂים...כְּנֶפֶשׁ אַחַד מֵהֶם IK. 19:2
643 יְהִי־נָא דְבָרְךָ כִּדְבַר אַחַד מֵהֶם IK. 22:13
644 וַיֹּאמֶר אַחַד מֵעֲבָדָיו IIK. 6:12
645 וְדִבֶּר־חַד אֶת־אַחַד Ezek. 33:30
בְּאַחַד 646 בְּאַחַד עֲנָק מִצַּוְּרֹנָיִךְ S.ofS. 4:9
כְּאַחַד 647 הֵן הָאָדָם הָיָה כְּאַחַד מִמֶּנּוּ Gen. 3:22
648 וַיְהִי הַנַּעַר לוֹ כְּאַחַד מִבָּנָיו Jud. 17:11

כְּאֶחָד (המשך)
649 וְהָיָה...הֶעָרֵל הַזֶּה כְּאַחַד מֵהֶם ISh. 17:36
650 אֹכֵל...כְּאַחַד מִבְּנֵי הַמֶּלֶךְ IISh. 9:11
651 גַּם־אַתָּה כְּאַחַד מֵהֶם Ob. 11
652 יְהִי־נָא דְבָרְךָ כְּאַחַד מֵהֶם IICh. 18:12
לְאַחַד 653 מִתֵּת לְאַחַד מֵהֶם מִבְּשַׂר... Deut. 28:55
654 וַיִּקְרָא דָוִד לְאַחַד מֵהַנְּעָרִים IISh. 1:15
655 קָרָא לְאַחַד מִבְּנֵי הַנְּבִיאִים IIK. 9:1
656 וְאַתֶּם תְּלֻקְּטוּ לְאַחַד אֶחָד Is. 27:12
657 וְכִי־יִתֵּן...לְאַחַד מֵעֲבָדָיו Ezek. 46:17
658 לְאַחַד קָרָאתִי נֹעַם Zech. 11:7
וּלְאַחַד 659 וּלְאַחַד קָרָאתִי חֹבְלִים Zech. 11:7
מֵאַחַד 660 וְעָשָׂה אָח מֵאַחַד מֵאֵלֶּה Ezek. 18:10
אַחַד־ 661 תַּחַת אַחַד הַשִּׂיחִם Gen. 21:15
662 וְהַעֲלֵהוּ...עַל אַחַד הֶהָרִים Gen. 22:2
663 כִּמְעַט שָׁכַב אַחַד הָעָם Gen. 26:10
664 וְאֶת־אַחַד עָשָׂר יְלָדָיו Gen. 32:23
665 אַחַד עָשָׂר יוֹם מֵחֹרֵב Deut. 1:2
666 כִּי־בָא אַחַד הָעָם לְהַשְׁחִית ISh. 26:15
667 כְּהִגָּלוֹת נִגְלוֹת אַחַד הָרֵקִים IISh. 6:20
668 אֶת־אַחַד שִׁבְטֵי יִשְׂרָאֵל IISh. 7:7
669/70 אַחַד עַבְדֵי אֲדֹנִי IIK. 18:24 • Is. 36:9
671 לְעֻמּוֹת אַחַד הַחֲלָקִים Ezek. 45:7
672 וְהִנֵּה מִיכָאֵל אַחַד הַשָּׂרִים Dan. 10:13
673 אֶת־אַחַד שֹׁפְטֵי יִשְׂרָאֵל ICh. 17:6
וְאַחַד־ 674 וְאַחַד עָשָׂר כּוֹכָבִים Gen. 37:9
בְּאַחַד־ 675 וְנַשְׁלִכֵהוּ בְּאַחַד הַבֹּרוֹת Gen. 37:20
676 אֲשֶׁר־יִבְחַר יְיָ בְּאַחַד שְׁבָטֶיךָ Deut. 12:14
677 מֵאַחַד אַחֶיךָ בְּאַחַד שְׁעָרֶיךָ Deut. 15:7
678-80 בְּאַחַד שְׁעָרֶיךָ Deut. 16:5; 17:2; 23:17
681 וְנִקְרְבָה בְּאַחַד הַמְּקֹמוֹת Jud. 19:13
682/3 ...בְּאַחַד הַמְּקוֹמֹת IISh. 17:9,12
684 וַיַּשְׁלִכֻהוּ בְּאַחַד הֶהָרִים IIK. 2:16
כְּאַחַד־ 685 ...כְּאַחַד שִׁבְטֵי יִשְׂרָאֵל Gen. 49:16
686/7 וְהָיִיתִי כְּאַחַד הָאָדָם Jud. 16:7,11
688 כְּאַחַד הַצְּבָיִם אֲשֶׁר בַּשָּׂדֶה IISh. 2:18
689 כְּאַחַד הַנְּבָלִים בְּיִשְׂרָאֵל IISh. 13:13
690 וְאֹרֶךְ כְּאַחַד הַחֲלָקִים Ezek. 48:8
וּכְאַחַד־ 691 וּכְאַחַד הַשָּׂרִים תִּפֹּלוּ Ps. 82:7
מֵאַחַד־ 692 כִּי־יִהְיֶה בְךָ אֶבְיוֹן מֵאַחַד אַחֶיךָ Deut. 15:7
693 וְכִי־יָבֹא הַלֵּוִי מֵאַחַד שְׁעָרֶיךָ Deut. 18:6
694 מֵאַחַד שִׁבְטֵי־יִשְׂרָאֵל עַבְדֶּךָ IISh. 15:2
אֲחָדִים 695 שָׂפָה אֶחָת וּדְבָרִים אֲחָדִים Gen. 11:1
696 וְיָשַׁבְתָּ עִמּוֹ יָמִים אֲחָדִים Gen. 27:44
697 וַיִּהְיוּ בְעֵינָיו כְּיָמִים אֲחָדִים Gen. 29:20
698 וּבְיָמִים אֲחָדִים יִשָּׁבֵר Dan. 11:20
לַאֲחָדִים 699 וְהָיוּ לַאֲחָדִים בְּיָדֶךָ Ezek. 37:17

אָחוּ ז׳ צמחי־מרעה
אָחוּ 1 הֲיִגְאֶה...גֹּמֶא...יִשְׂגֶּא אָחוּ בְלִי מָיִם Job 8:11
בָּאָחוּ 2-3 שֶׁבַע פָּרוֹת...וַתִּרְעֶינָה בָּאָחוּ Gen. 41:2,18

אֵחוּד שפ״ז – איש מבנימין
1 וְאֵלֶּה בְּנֵי אֵחוּד ICh. 8:6

אַחְוָה* נ׳ חוות־דעת, דבור
וְאַחֲוָתִי 1 שִׁמְעוּ שָׁמוֹעַ מִלָּתִי וְאַחֲוָתִי בְּאָזְנֵיכֶם Job13:17

אַחֲוָה נ׳ קרבת אחים
הָאַחֲוָה 1 הָאַחֲוָה בֵּין יְהוּדָה וּבֵין יִשְׂרָאֵל Zech. 11:14

אֲחוֹחַ שפ״ז – בן בלע בן בנימין
וַאֲחוֹחַ 1 וַאֲבִישׁוּעַ וְנַעֲמָן וַאֲחוֹחַ ICh. 8:4

אֲחוֹחִי שת״ז – למשפחת אחוח
אֲחוֹחִי 1 אֶלְעָזָר בֶּן־דֹּדֹו בֶּן־אֲחוֹחִי IISh. 23:9
הָאֲחוֹחִי 2 צַלְמוֹן הָאֲחוֹחִי IISh. 23:28
3 אֶלְעָזָר בֶּן־דּוֹדוֹ הָאֲחוֹחִי ICh. 11:12
4-5 הָאֲחוֹחִי ICh. 11:29; 27:4

אַחֲוָיַת נ׳ ארמית: פתרון [אַחֲוָיַת אֲחִידָן = פתרון חידות]
וְאַחֲוָיַת־ 1 וְאַחֲוָיַת אֲחִידָן וּמְשָׁרֵא קִטְרִין Dan. 5:12

אֲחוּמַי שפ״ז – איש משבט יהודה
1 וְיַחַת הוֹלִיד אֶת־אֲחוּמַי ICh. 4:2

אָחוֹר ז׳ ותה״פ א) גב, הפך מן "פנים": 21, 25–28, 32
ב) לצד האחורי: 1–20, 22–24, 33–36
ג) לאחרית־הימים, לעתיד: 29–31
ד) [אֲחוֹרָיו] גבו, חלקו האחורי: 37–41

אָחוֹר וָקֶדֶם 21,26,35; פָּנִים וְאָחוֹר 25, 27, 28,36; הִכָּה אָחוֹר 19; הָלַךְ אָ׳ 9; הֻסַּג אָ׳ 8; הֵשִׁיב אָ׳ 6, 16, 23, 24; כָּשַׁל אָ׳ 4; נָזוֹר אָ׳ 3; נָסוֹג אָ׳ 2,5,7, 10, 11, 13, 14, 15, 17,20; נָפַל אָ׳ 1; שָׁב אָ׳ 12, 18, 22; סָבַב לְאָחוֹר 33–34

אָחוֹר 1 וַיִּפֹּל רֹכְבוֹ אָחוֹר Gen. 49:17
2 קֶשֶׁת יְהוֹנָתָן לֹא נָשׂוֹג אָחוֹר IISh. 1:22
3 עָזְבוּ אֶת־יְיָ...נָזֹרוּ אָחוֹר Is. 1:4
4 וְכָשְׁלוּ אָחוֹר וְנִשְׁבָּרוּ Is. 28:13
5 נָסֹגוּ אָחוֹר יֵבֹשׁוּ בֹשֶׁת Is. 42:17
6 מֵשִׁיב חֲכָמִים אָחוֹר Is. 44:25
7 אָחוֹר לֹא נְסוּגֹתִי Is. 50:5
8 וְהֻסַּג אָחוֹר מִשְׁפָּט Is. 59:14
9 נָטַשְׁתְּ אֹתִי...אָחוֹר תֵּלֵכִי Jer. 15:6
10 הָטְבְּעוּ בַבֹּץ רַגְלֶךָ נָסֹגוּ אָחוֹר Jer. 38:22
11 הֵמָּה חַתִּים נְסֹגִים אָחוֹר Jer. 46:5
12 בְּשׁוּב־אוֹיְבַי אָחוֹר Ps. 9:4
13 יִסֹּגוּ אָחוֹר וְיַחְפְּרוּ Ps. 35:4
14/5 יִסֹּגוּ אָחוֹר וְיִכָּלְמוּ Ps. 40:15; 70:3
16 תְּשִׁיבֵנוּ אָחוֹר מִנִּי־צָר Ps. 44:11
17 לֹא־נָסוֹג אָחוֹר לִבֵּנוּ Ps. 44:19
18 אָז יָשׁוּבוּ אוֹיְבַי אָחוֹר Ps. 56:10
19 וַיַּךְ־צָרָיו אָחוֹר Ps. 78:66
20 יֵבֹשׁוּ וְיִסֹּגוּ אָחוֹר Ps. 129:5
21 אָחוֹר וָקֶדֶם צַרְתָּנִי Ps. 139:5
22 גַּם־הִיא נֶאֶנְחָה וַתָּשָׁב אָחוֹר Lam. 1:8
23 פָּרַשׂ רֶשֶׁת לְרַגְלַי הֱשִׁיבַנִי אָחוֹר Lam. 1:13
24 הֵשִׁיב אָחוֹר יְמִינוֹ מִפְּנֵי אוֹיֵב Lam. 2:3
וְאָחוֹר 25 וְהִיא כְתוּבָה פָּנִים וְאָחוֹר Ezek. 2:10
26 הֵן קֶדֶם... וְאָחוֹר וְלֹא־אָבִין לוֹ Job 23:8
27 הָיְתָה פְנֵי־הַמִּלְחָמָה...פָּנִים וְאָחוֹר ICh. 19:10
28 וְהִנֵּה לָהֶם הַמִּלְחָמָה פָּנִים וְאָחוֹר IICh.13:14
בְּאָחוֹר 29 וְחָכָם בְּאָחוֹר יְשַׁבְּחֶנָּה Prov. 29:11
לְאָחוֹר 30 הַגִּידוּ הָאֹתִיּוֹת לְאָחוֹר Is. 41:23
31 יַקְשֵׁב וְיִשְׁמַע לְאָחוֹר Is. 42:23
32 וַיִּהְיוּ לְאָחוֹר וְלֹא לְפָנִים Jer. 7:24
33/4 הַיַּרְדֵּן יִסֹּב (תִּסֹּב) לְאָחוֹר Ps. 114:3,5
מֵאָחוֹר 35 אֲרָם מִקֶּדֶם וּפְלִשְׁתִּים מֵאָחוֹר Is. 9:11
וּמֵאָחוֹר 36 הָיְתָה... הַמִּלְחָמָה מִפָּנִים וּמֵאָחוֹר IISh. 10:9
אֲחֹרֵי־ 37 תִּסְרַח עַל אֲחֹרֵי הַמִּשְׁכָּן Ex. 26:12
אֲחֹרָי 38 וְרָאִיתָ אֶת־אֲחֹרָי וּפָנַי לֹא יֵרָאוּ Ex. 33:23
אֲחוֹרֵיהֶם 39/40 וְכָל־אֲחֹרֵיהֶם בָּיְתָה IK. 7:25 • IICh. 4:4
41 אֲחֹרֵיהֶם אֶל־הֵיכַל יְיָ Ezek. 8:16

אֲחוֹרַנִּית ראה אֲחֹרַנִּית

אָחוֹת נ׳ א) נקבה מן אָח [עיין המשמעים שם]
ב) כנוי לאהובה: 30–35

אָח וְאָחוֹת 2,4,112; אָחוֹת גְּדוֹלָה 54; אָ׳ יָפָה 1; אָ׳ קְטַנָּה 3, 55, 79; הוֹי אָחוֹת 2
אָחוֹת אָבִיו 7,24; אָ׳ אָחוֹתוֹ 25,47; אָ׳ אִמּוֹ 8,9; אָ׳ אִשְׁתּוֹ 11; אֲחוֹתִי כַלָּה 31–34; אָ׳ רַעְיָתִי 35; בֶּן־אֲחוֹתוֹ 59; דֶּרֶךְ אָ׳ 51; זְנוּנֵי אָ׳ 88; יְדֵי אָ׳ 57; כּוֹס אָ׳ 52, 53; עֶרְוַת אָ׳ 7–9,45,63; שֵׁם אָ׳ 67,97; אִשָּׁה אֶל אֲחוֹתָהּ 73–78, 83–85

אָחוֹת 1 וּלְאַבְשָׁלוֹם...אָחוֹת יָפָה וּשְׁמָהּ תָּמָר IISh.13:1
2 הוֹי אָחִי וְהוֹי אָחוֹת Jer. 22:18
3 אָחוֹת לָנוּ קְטַנָּה S.ofS. 8:8
וּלְאָחוֹת 4 לְאָח וּלְאָחוֹת...יִטַּמָּאוּ Ezek. 44:25
אֲחוֹת־ 5 אֲחוֹת לָבָן הָאֲרַמִּי Gen. 25:20
6 מִרְיָם הַנְּבִיאָה אֲחוֹת אַהֲרֹן Ex. 15:20
7 עֶרְוַת אֲחוֹת־אָבִיךָ לֹא תְגַלֵּה Lev. 18:12
8 עֶרְוַת אֲחוֹת־אִמְּךָ לֹא תְגַלֵּה Lev. 18:13
9 וְעֶרְוַת אֲחוֹת אִמְּךָ... לֹא תְגַלֵּה Lev. 20:19
10 אֲחוֹת אַבְשָׁלֹם אָחִי IISh. 13:4
11/2 אֲחוֹת אִשְׁתּוֹ אֲחוֹת תַּחְפְּנֵיס IK. 11:19
13-20 אֲחוֹת Gen. 28:9; 36:3 • Ex. 6:23 • IISh. 17:25 • IK. 11:20 • IIK. 11:2 • ICh. 4:19 • IICh. 22:11
וַאֲחוֹת־ 21 וַאֲחוֹת תּוּבַל־קַיִן נַעֲמָה Gen. 4:22
22/3 וַאֲחוֹת לוֹטָן תִּמְנָע Gen. 36:22 • ICh. 1:39
24 אֲחוֹת אִמְּךָ וַאֲחוֹת אָבִיךָ Lev. 20:19
25 וַאֲחוֹת אֲחוֹתֵךְ אַתְּ Ezek. 16:45
אֲחֹתִי 26 אִמְרִי־נָא אֲחֹתִי אָתְּ Gen. 12:13
27 וַיֹּאמֶר אַבְרָהָם...אֲחֹתִי הִוא Gen. 20:2
28 וְגַם־אָמְנָה אֲחֹתִי בַת־אָבִי הִוא Gen. 20:12
29 נַפְתּוּלֵי אֱלֹהִים נִפְתַּלְתִּי עִם־אֲחֹתִי Gen. 30:8
30 אֱמֹר לַחָכְמָה אֲחֹתִי אָתְּ Prov. 7:4
31 לִבַּבְתִּנִי אֲחֹתִי כַלָּה S.ofS. 4:9
32 מַה־יָּפוּ דֹדַיִךְ אֲחֹתִי כַלָּה S.ofS. 4:10
33 גַּן נָעוּל אֲחֹתִי כַלָּה S.ofS. 4:12
34 בָּאתִי לְגַנִּי אֲחֹתִי כַלָּה S.ofS. 5:1
35 פִּתְחִי־לִי אֲחֹתִי רַעְיָתִי S.ofS. 5:2
36-40 אֲחֹתִי Gen. 12:19; 20:5; 26:7,9 • IISh. 13:6
41-43 אֲחוֹתִי IISh. 13:5,11,20
וַאֲחֹתִי 44 קָרָאתִי...אִמִּי וַאֲחֹתִי לָרִמָּה Job 17:14
אֲחוֹתְךָ 45 עֶרְוַת אֲחוֹתְךָ בַת־אָבִיךָ Lev. 18:9
46 מוֹלֶדֶת אָבִיךָ אֲחוֹתְךָ הִוא Lev. 18:11
אֲחוֹתֵךְ 47 וַאֲחוֹת אֲחוֹתֵךְ אַתְּ Ezek. 16:45
48-50 סְדֹם אֲחוֹתֵךְ Ezek. 16:48,49,56
51 בְּדֶרֶךְ אֲחוֹתֵךְ הָלָכְתְּ Ezek. 23:31
52 כּוֹס אֲחוֹתֵךְ תִּשְׁתִּי Ezek. 23:32
53 כּוֹס אֲחוֹתֵךְ שֹׁמְרוֹן Ezek. 23:33
וַאֲחוֹתֵךְ 54 וַאֲחוֹתֵךְ הַגְּדוֹלָה שֹׁמְרוֹן Ezek. 16:46
55 וַאֲחוֹתֵךְ הַקְּטַנָּה מִמֵּךְ Ezek. 16:46
לַאֲחוֹתֵךְ 56 כְּלִמָּתֵךְ אֲשֶׁר פִּלַּלְתְּ לַאֲחוֹתֵךְ Ezek. 16:52
אֲחֹתוֹ 57 הַצְּמִדִים עַל־יְדֵי אֲחֹתוֹ Gen. 24:30
58 וּכְשָׁמְעוֹ אֶת־דִּבְרֵי רִבְקָה אֲחֹתוֹ Gen. 24:30
59 אֶת־שֵׁמַע יַעֲקֹב בֶּן־אֲחֹתוֹ Gen. 29:13
60 וַתֵּתַצַּב אֲחֹתוֹ מֵרָחֹק Ex. 2:4
61/2 אֲחֹתוֹ בַּת־אָבִיו Lev. 20:17 • Ezek. 22:11
63 עֶרְוַת אֲחֹתוֹ גִּלָּה Lev. 20:17
64-66 תָּמָר אֲחֹתוֹ IISh. 13:2,22,32
67 וְשֵׁם אֲחֹתוֹ מַעֲכָה ICh. 7:15
68/9 אֲחֹתוֹ Ex. 2:7 • Deut. 27:22
וַאֲחֹתוֹ 70 וַאֲחֹתוֹ הַמֹּלֶכֶת יָלְדָה ICh. 7:18
וְלַאֲחֹתוֹ 71 וְלַאֲחֹתוֹ הַבְּתוּלָה הַקְּרוֹבָה אֵלָיו Lev. 21:3

וּלְאַחֹתוֹ 72 לְאָחִיו וּלְאַחֹתוֹ לֹא־יִטַּמָּא Num. 6:7
אֲחֹתָהּ 73/4 חֹבֶרֶת אִשָּׁה אֶל־אֲחֹתָהּ Ex. 26:3²
75-77 אִשָּׁה אֶל־אֲחֹתָהּ Ex. 26:5,6,17
78 וְאִשָּׁה אֶל־אֲחֹתָהּ לֹא תִקָּח Lev. 18:18
79 הֲלֹא אֲחוֹתָהּ הַקְּטַנָּה... Jud. 15:2
80 וַתֵּרֶא בָּגוֹדָה אֲחוֹתָהּ יְהוּדָה Jer. 3:7
81 וְלֹא יָרְאָה בֹּגֵדָה יְהוּדָה אֲחוֹתָהּ Jer. 3:8
82 לֹא־שָׁבָה אֵלַי בָּגוֹדָה אֲחוֹתָהּ Jer. 3:10
83-85 אִשָּׁה אֶל־אֲחוֹתָהּ Ezek. 1:9,23; 3:13
86 אָהֳלָה...וְאָהֳלִיבָה אֲחוֹתָהּ Ezek. 23:4
87 וַתֵּרֶא אֲחוֹתָהּ אָהֳלִיבָה Ezek. 23:11
88 וַתַּשְׁחֵת...מִזְּנוּנֵי אֲחוֹתָהּ Ezek. 23:11
89 נָקְעָה נַפְשִׁי מֵעַל אֲחוֹתָהּ Ezek. 23:18
בַּאֲחֹתָהּ 90 וַתְּקַנֵּא רָחֵל בַּאֲחֹתָהּ Gen. 30:1
אֲחֹתֵנוּ 91 אֲחֹתֵנוּ אַתְּ הֲיִי לְאַלְפֵי רְבָבָה Gen. 24:60
92 לָתֵת אֶת־אֲחֹתֵנוּ לְאִישׁ Gen. 34:14
93 הַכְזוֹנָה יַעֲשֶׂה אֶת־אֲחוֹתֵנוּ Gen. 34:31
לַאֲחֹתֵנוּ 94 מַה־נַּעֲשֶׂה לַאֲחֹתֵנוּ... S.ofS. 8:8
אֲחֹתָם 95 וַיְשַׁלְּחוּ אֶת־רִבְקָה אֲחֹתָם Gen. 24:59
96 אֲשֶׁר טִמֵּא אֵת דִּינָה אֲחֹתָם Gen. 34:13
97 וְשֵׁם אֲחוֹתָם הַצְלֶלְפּוֹנִי ICh. 4:3
98-100 אֲחֹתָם Gen. 46:17 • Num. 25:18; 26:59
101-105 אֲחוֹתָם Gen. 34:27; ICh. 3:9,19; 7:30,32
אַחְיוֹתַי 106 וְאֶת־אַחַי וְאֶת־אַחְיוֹתַי (כת׳ אחותי) Josh. 2:13
אַחְיוֹתֵךְ 107 וּשְׂאִי כְלִמָּתֵךְ בְּצַדֶּקְתֵּךְ אַחְיוֹתֵךְ Ezek. 16:52
אֲחוֹתַיִךְ 108 בְּקַחְתֵּךְ אֶת־אֲחוֹתַיִךְ הַגְּדֹלוֹת Ezek. 16:61
109 וַתְּצַדְּקִי אֶת־אֲחוֹתַיִךְ (כת׳ אחותך) Ezek. 16:51
וַאֲחוֹתַיִךְ 110 וַאֲחוֹתַיִךְ סְדֹם וּבְנוֹתֶיהָ Ezek. 16:55
וְלַאֲחוֹתֵיכֶם 111 אִמְרוּ...וְלַאֲחוֹתֵיכֶם רֻחָמָה Hosh. 2:3
אַחְיוֹתָיו 112 וַיָּבֹאוּ... כָּל־אֶחָיו וְכָל־אַחְיֹתָיו Job 42:11
אַחְיוֹתֵיהֶם 113 וְקָרְאוּ לִשְׁלֹשֶׁת אַחְיֹתֵיהֶם Job 1:4
וְאַחְיוֹתֵיהֶם 114 וְאַחְיוֹתֵיהֶם צְרוּיָה וַאֲבִיגָיִל ICh. 2:16

אחז

אָחַז, אָחוּז, נֶאֱחַז, אַחַז, מַאֲחָז, אֲחֻזָּה; אָחָז, אַחְזַי, אֲחַזְיָה, אֲחַזְיָהוּ, אֲחֻזָּם, אֲחֻזַּת, יְהוֹאָחָז, יוֹאָחָז

אָחַז

פ׳ א) תפס, החזיק: רוב המקראות
ב) תקף אותו או נתקף ב־: 9,12-14,16-20,44,49,52,53
ג) צִפָּה, כִּסָּה: 42
ד) סגר על בריח: 59
ה) [אָחוּז מִן־] לקוח מתוך: 22,27
[אָחוּז בּ־, לְ־] מחובר, צמוד: 23-26,29-30, 32
ו) [נפ׳ נֶאֱחַז] נתפס: 60, 63
ז) [נפ׳ נֹאחַז] התישב באחוזה: 61,62,64—66
ח) [פ׳ אָחַז] צִפָּה: 67
ט) [הפ׳ מַאֲחָז] אחוז: 68

אָחַז (אֶת־) 2, 4, 6, 8, 9,12-14, 16-21, 38, 39, 42-44, 48-54,56, 58, 59; אָחַז בּ־ 1, 3, 5, 7, 10, 11, 15, 23, 28, 32-37, 40, 41, 45-47, 55, 57

אָחַז שַׂעַר 19; אֲחָזוּ חִיל 9; אָ׳ רַעַד 44; אָ׳ שָׁבָץ 13; אֲחָזַתְנִי זַלְעָפָה 16; אָ׳ פַּלָּצוּת 12; אָ׳ צָרָה 17; אָ׳ רְעָדָה 14,18; אֲחָזוּהָ חֲבָלִים 49, 53; אֲחָזוּהוּ יְמֵי עֹנִי 52; אָ׳ צִירִים 20, 49; אֹחֵז רֹמַח וְצִנָּה 21; אֲחֻזֵי חֶרֶב 31

אֱחֹז 1 לְבִלְתִּי אֱחֹז בְּקִירוֹת־הַבָּיִת IK. 6:6
בֶּאֱחֹז 2 בֶּאֱחֹז אוֹתוֹ פְלִשְׁתִּים בְּגַת Ps. 56:1
לֶאֱחֹז 3 לֶאֱחֹז בְּכַנְפוֹת הָאָרֶץ Job 38:13
4 וַיִּשְׁלַח...לֶאֱחֹז אֶת־הָאָרוֹן ICh. 13:9
וְלֶאֱחֹז 5 וְלִבִּי נֹהֵג בַּחָכְמָה וְלֶאֱחֹז בְּסִכְלוּת Eccl. 2:3
אֲחַזְתִּיו 6 אֲחַזְתִּיו וְלֹא אַרְפֶּנּוּ S.ofS. 3:4
אָחַזְתָּ 7 אָחַזְתָּ בְּיַד־יְמִינִי Ps. 73:23
8 אָחַזְתָּ שְׁמֻרוֹת עֵינָי Ps. 77:5
אָחַז 9 חִיל אָחַז יֹשְׁבֵי פְּלָשֶׁת Ex. 15:14
10 וְהִנֵּה אָחַז בְּקַרְנוֹת הַמִּזְבֵּחַ IK. 1:51
וְאָחַז 11 וְאָחַז בְּעָרְפִּי וַיְפַצְפְּצֵנִי Job 16:12
12 וְאָחַז בְּשָׂרִי פַּלָּצוּת Job 21:6
אֲחָזַנִי 13 וּמוֹתְתֵנִי כִּי אֲחָזַנִי הַשָּׁבָץ IISh. 1:9
אָחֲזָה 14 אָחֲזָה רְעָדָה חֲנֵפִים Is. 33:14
15 בַּאֲשֻׁרוֹ אָחֲזָה רַגְלִי Job 23:11
אֲחָזַתְנִי 16 זַלְעָפָה אֲחָזַתְנִי מֵרְשָׁעִים Ps. 119:53
אֲחָזַתָּה 17 צָרָה וַחֲבָלִים אֲחָזַתָּה Jer. 49:24
אֲחָזָתַם 18 רְעָדָה אֲחָזָתַם שָׁם Ps. 48:7
אָחֲזוּ 19 וְקַדְמֹנִים אָחֲזוּ שָׂעַר Job 18:20
אֲחָזוּנִי 20 צִירִים אֲחָזוּנִי כְּצִירֵי יוֹלֵדָה Is. 21:3
אֹחֵז 21 אֹחֵז רֹמַח וְצִנָּה IICh. 25:5
אָחֻז 22 אֶחָד אָחֻז מִן־הַחֲמִשִּׁים Num. 31:30
23 אָחוּז בְּחַבְלֵי־בוּץ וְאַרְגָּמָן Es. 1:6
24 בֵּית־אָב אֶחָד אָחֻז לְאֶלְעָזָר ICh. 24:6
25 וְאָחֻז אָחֻז לְאִיתָמָר ICh. 24:6
וְאָחוּז 26 וְאָחֻז אָחֻז לְאִיתָמָר ICh. 24:6
הָאָחֻז 27 הָאָחֻז אֶחָד מִן־הַחֲמִשִּׁים Num. 31:47
אֹחֶזֶת 28 וְיָדוֹ אֹחֶזֶת בַּעֲקֵב עֵשָׂו Gen. 25:26
אֲחוּזִים 29 סָבִיב סָבִיב לִהְיוֹת אֲחוּזִים Ezek. 41:6
30 וְלֹא־יִהְיוּ אֲחוּזִים בְּקִיר הַבָּיִת Ezek. 41:6
אֲחֻזֵי־ 31 אֲחֻזֵי חֶרֶב מְלֻמְּדֵי מִלְחָמָה S.ofS. 3:8
הָאֲחוּזוֹת 32 וְכַצִּפֳּרִים הָאֲחֻזוֹת בַּפָּח Eccl. 9:12
וָאֹחֵז 33 וָאֹחֵז בְּפִילַגְשִׁי וָאֲנַתְּחֶהָ Jud. 20:6
אֹחֲזָה 34 אֶעֱלֶה בְתָמָר אֹחֲזָה בְּסַנְסִנָּיו S.ofS. 7:9
וָאֹחֲזָה 35 וָאֹחֲזָה בוֹ וָאֶהַרְגֵהוּ בְּצִקְלָג IISh. 4:10
תֶּאֱחֹז 36 טוֹב אֲשֶׁר תֶּאֱחֹז בָּזֶה... Eccl. 7:18
יֹאחֵז 37 יֹאחֵז בְּעָקֵב פָּח Job 18:9
וְיֹאחֵז 38 וְיִנְהֹם וְיֹאחֵז טֶרֶף Is. 5:29
39 וְיֹאחֵז צַדִּיק דַּרְכּוֹ Job 17:9
וַיֹּאחֶז 40 וַיֹּאחֶז בּוֹ כִּי שָׁמְטוּ הַבָּקָר IISh. 6:6
וַיֶּאֱחֹז 41 וַיֶּאֱחֹז בְּדַלְתוֹת שַׁעַר־הָעִיר Jud. 16:3
42 וַיֶּאֱחֹז אֶת־הַבַּיִת בַּעֲצֵי אֲרָזִים IK. 6:10
שֶׁיֹּאחֵז 43 אַשְׁרֵי שֶׁיֹּאחֵז וְנִפֵּץ אֶת־עֹלָלַיִךְ Ps. 137:9
יֹאחֲזֵמוֹ 44 אֵילֵי מוֹאָב יֹאחֲזֵמוֹ רָעַד Ex. 15:15
וְתֹאחֵז 45 וְתֹאחֵז בְּמִשְׁפָּט יָדִי Deut. 32:41
וַתֹּחֶז 46 וַתֹּחֶז יַד־יְמִין יוֹאָב בִּזְקַן עֲמָשָׂא IISh. 20:9
וַתֹּאחֶז 47 הָבִי הַמִּטְפַּחַת... וַתֹּאחֶז בָּהּ Ruth 3:15
וְתֹאחֲזֵנִי 48 יָדְךָ תַנְחֵנִי וְתֹאחֲזֵנִי יְמִינֶךָ Ps. 139:10
יֹאחֵזוּן 49 צִירִים וַחֲבָלִים יֹאחֵזוּן Is. 13:8
וַיֹּאחֲזוּ 50 וַיִּרְדְּפוּ אַחֲרָיו וַיֹּאחֲזוּ אוֹתוֹ Jud. 1:6
51 וַיֹּאחֲזוּ אוֹתוֹ וַיִּשְׁחָטוּהוּ Jud. 12:6
יֹאחֲזוּנִי 52 יֹאחֲזוּנִי יְמֵי־עֹנִי Job 30:16
יֹאחֱזוּךְ 53 הֲלוֹא חֲבָלִים יֹאחֱזוּךְ Jer. 13:21
וַיֹּאחֲזוּהוּ 54 וַיֹּאחֲזוּהוּ פְלִשְׁתִּים Jud. 16:21
וֶאֱחֹז 55 שְׁלַח יָדְךָ וֶאֱחֹז בִּזְנָבוֹ Ex. 4:4
56 וֶאֱחֹז לְךָ אֶחָד מֵהַנְּעָרִים IISh. 2:21
וְאֶחֳזִי 57 הָבִי הַמִּטְפַּחַת...וְאֶחֳזִי־בָהּ Ruth 3:15
אֶחֱזוּ 58 אֶחֱזוּ־לָנוּ שׁוּעָלִים...קְטַנִּים S.ofS. 2:15
וֶאֱחֹזוּ 59 יָגִיפוּ הַדְּלָתוֹת וֶאֱחֹזוּ Neh. 7:3
נֶאֱחַז 60 נֶאֱחַז בַּסְּבַךְ בְּקַרְנָיו Gen. 22:13
נֹאחֲזוּ 61 אֶרֶץ אֲחֻזָּתָם אֲשֶׁר נֹאחֲזוּ־בָהּ Josh. 22:9
וְנֹאחֲזוּ 62 וְנֹאחֲזוּ בְתֹכְכֶם בְּאֶרֶץ כְּנָעַן Num. 32:30
שֶׁנֶּאֱחָזִים 63 כַּדָּגִים שֶׁנֶּאֱחָזִים בִּמְצוֹדָה Eccl. 9:12
וַיֵּאָחֲזוּ 64 וַיֵּשֶׁב... בְּאֶרֶץ גֹּשֶׁן וַיֵּאָחֲזוּ בָהּ Gen. 47:27
וְהֵאָחֲזוּ 65 שְׁבוּ וּסְחָרוּהָ וְהֵאָחֲזוּ בָּהּ Gen. 34:10
66 עִבְרוּ לָכֶם... וְהֵאָחֲזוּ בְּתוֹכֵנוּ Josh. 22:19
מְאַחֵז 67 מְאַחֵז פְּנֵי־כִסֵּה פַּרְשֵׁז עָלָיו עֲנָנוֹ Job 26:9
מָאֳחָזִים 68 וְכֶבֶשׁ בַּזָּהָב לַכִּסֵּא מָאֳחָזִים IICh. 9:18

אָחָז

שפ״ז א) בן יותם, מלך יהודה: 1—38
ב) מצאצאי יהונתן בן שאול: 39—41

בֶּן אָחָז 17; דִּבְרֵי אָ׳ 14; יְמֵי אָ׳ 21-24; מַעֲלוֹת אָ׳ 18—19; עֲלִיַּת אָ׳ 20

אָחָז 1 וַיִּמְלֹךְ אָחָז בְּנוֹ תַּחְתָּיו IIK. 15:38
2 מָלַךְ אָחָז בֶּן־יוֹתָם מֶלֶךְ יְהוּדָה IIK. 16:1
3-13 הַמֶּלֶךְ אָחָז • IIK. 16:10²,11²,15; 16:16,17 Is. 14:28 • IICh. 28:16,22; 29:19
14 וְיֶתֶר דִּבְרֵי אָחָז אֲשֶׁר עָשָׂה IIK. 16:19
15/6 וַיִּשְׁכַּב אָחָז עִם־אֲבֹתָיו IIK. 16:20 • IICh. 28:27
17 מֶלֶךְ חִזְקִיָּה בֶן־אָחָז IIK. 18:1
18/9 יָרְדָה בְּמַעֲלוֹת אָחָז IIK. 20:11 • Is. 38:8
20 הַמִּזְבְּחוֹת אֲשֶׁר עַל־הַגָּג עֲלִיַּת אָחָז IIK. 23:12
21 וַיְהִי בִּימֵי אָחָז...עָלָה רְצִין Is. 7:1
22/3 בִּימֵי עֻזִּיָּהוּ יוֹתָם אָחָז Is. 1:1 • Hosh. 1:1
24 בִּימֵי יוֹתָם אָחָז Mic. 1:1
25-37 אָחָז IIK. 16:2,5,7,8 • Is. 7:3; 7:10,12 • ICh. 3:13 • IICh. 27:9; 28:1,19,21,24
לְאָחָז 38 בִּשְׁנַת...לְאָחָז מֶלֶךְ יְהוּדָה IIK. 17:1
וְאָחָז 39 וּבְנֵי מִיכָה פִּיתוֹן...וְאָחָז ICh. 8:35
40 וְאָחָז הוֹלִיד אֶת־יְהוֹעַדָּה ICh. 8:36
41 וְאָחָז הוֹלִיד אֶת־יַעְרָה ICh. 9:42

אֲחֻזָּה

נ׳ נחלה, קרקע להאחז בה, קנין קנים: 1—66

אֲחֻזַּת אֲבֹתָיו 16; אֲ׳ הָאָרֶץ 17; אֲ׳ בְּנֵי יִשְׂרָאֵל 20,32; אֲ׳ יְיָ 21; אֲ׳ הַלְוִיִּם 33; אֲ׳ נַחֲלָה 18,19; אֲ׳ עוֹלָם 14,15,25; אֲ׳ הָעִיר 22—24, 30, 31, 34; אֲ׳ קֶבֶר 13, 26—29; אֶרֶץ אֲחֻזָּתוֹ 43, 52—56, 60; נַחֲלַת אֲ׳ 59; עִיר אֲ׳ 38,57; שְׂדֵה אֲ׳ 39,41,42

אֲחֻזָּה 1 וַיִּתֵּן לָהֶם אֲחֻזָּה בְּאֶרֶץ מִצְרַיִם Gen. 47:11
2 וְהִתְנַחַלְתֶּם...לָרֶשֶׁת אֲחֻזָּה Lev. 25:46
3 תְּנָה־לָּנוּ אֲחֻזָּה בְּתוֹךְ אֲחֵי אָבִינוּ Num. 27:4
וַאֲחֻזָּה 4 וַאֲחֻזָּה לֹא־תִתְּנוּ לָהֶם Ezek. 44:28
לַאֲחֻזָּה 5 אֲשֶׁר אֲנִי נֹתֵן לָכֶם לַאֲחֻזָּה Lev. 14:34
6 תְּקִנּוּ... וְהָיוּ לָכֶם לַאֲחֻזָּה Lev. 25:45
7 יֻתַּן אֶת־הָאָרֶץ הַזֹּאת...לַאֲחֻזָּה Num. 32:5
8 הָאָרֶץ הַזֹּאת לָכֶם לַאֲחֻזָּה Num. 32:22
9 ...אֶת־אֶרֶץ הַגִּלְעָד לַאֲחֻזָּה Num. 32:29
10 אֲנִי נֹתֵן לִבְנֵי יִשְׂרָאֵל לַאֲחֻזָּה Deut. 32:49
11 וְהָיָה לַלְוִיִּם...לָהֶם לַאֲחֻזָּה Ezek. 45:5
12 יִהְיֶה־לּוֹ לַאֲחֻזָּה בְּיִשְׂרָאֵל Ezek. 45:8
אֲחֻזַּת־ 13 תְּנוּ לִי אֲחֻזַּת־קֶבֶר Gen. 23:4
14 לְזַרְעֲךָ אַחֲרֶיךָ אֲחֻזַּת עוֹלָם Gen. 48:4
15 כִּי־אֲחֻזַּת עוֹלָם הוּא לָהֶם Lev. 25:34
16 וְאֶל־אֲחֻזַּת אֲבֹתָיו יָשׁוּב Lev. 25:41
17 לַאֲשֶׁר־לוֹ אֲחֻזַּת הָאָרֶץ Lev. 27:24
18 נָתֹן תִּתֵּן לָהֶם אֲחֻזַּת נַחֲלָה Num. 27:7
19 וְאִתָּנוּ אֲחֻזַּת נַחֲלָתֵנוּ Num. 32:32
20 בְּתוֹךְ אֲחֻזַּת בְּנֵי־יִשְׂרָאֵל Josh. 21:39
21 עִבְרוּ לָכֶם אֶל־אֶרֶץ אֲחֻזַּת יְיָ Josh. 22:19
22 וְאֶל־פְּנֵי אֲחֻזַּת הָעִיר Ezek. 45:7
23 תָּרִימוּ...אֶל־אֲחֻזַּת הָעִיר Ezek. 48:20
וַאֲחֻזַּת־ 24 וַאֲחֻזַּת הָעִיר תִּתְּנוּ... Ezek. 45:6
לַאֲחֻזַּת־ 25 כָּל־אֶרֶץ כְּנַעַן לַאֲחֻזַּת עוֹלָם Gen. 17:8
26 יִתְּנֶנָּה לִי...לַאֲחֻזַּת־קָבֶר Gen. 23:9
27 וַיָּקָם...לְאַבְרָהָם לַאֲחֻזַּת־קָבֶר Gen. 23:20
28/9 קָנָה...לַאֲחֻזַּת־קָבֶר Gen. 49:30; 50:13
וְלַאֲחֻזַּת־ 30/1 לִתְרוּמַת(־)הַקֹּדֶשׁ וְלַאֲחֻזַּת הָעִיר Ezek. 45:7; 48:21
מֵאֲחֻזַּת־ 32 ...מֵאֲחֻזַּת בְּנֵי־יִשְׂרָאֵל Num. 35:8
וּמֵאֲחֻזַּת־ 33/4 וּמֵאֲחֻזַּת הַלְוִיִּם וּמֵאֲחֻזַּת הָעִיר Ezek. 48:22

וַאֲחֻזָּתְךָ 35 וְאֶתְּנָה...וַאֲחֻזָּתְךָ אַפְסֵי־אָרֶץ Ps. 2:8
אֲחֻזָּתוֹ 36 וְשַׁבְתֶּם אִישׁ אֶל־אֲחֻזָּתוֹ Lev. 25:10
37 תָּשֻׁבוּ אִישׁ אֶל־אֲחֻזָּתוֹ Lev. 25:13
38 וְיָצָא...וְעִיר אֲחֻזָּתוֹ בַּיֹּבֵל Lev. 25:33
39 וְאִם מִשְּׂדֵה אֲחֻזָּתוֹ יַקְדִּישׁ אִישׁ Lev. 27:16
40 לַכֹּהֵן תִּהְיֶה אֲחֻזָּתוֹ Lev. 27:21
41 אֲשֶׁר לֹא מִשְּׂדֵה אֲחֻזָּתוֹ Lev. 27:22
42 וּמִשְּׂדֵה אֲחֻזָּתוֹ לֹא יִמָּכֵר Lev. 27:28
43 יָשׁוּב הָרֹצֵחַ אֶל־אֶרֶץ אֲחֻזָּתוֹ Num. 35:28
בַּאֲחֻזָּתוֹ 44 נָתְנוּ לְכָלֵב בֶּן־יְפֻנֶּה בַּאֲחֻזָּתוֹ Josh. 21:12
45 יָשְׁבוּ אִישׁ בַּאֲחֻזָּתוֹ בְּעָרֵיהֶם Neh. 11:3
לַאֲחֻזָּתוֹ 46/7 וְשָׁב לַאֲחֻזָּתוֹ Lev. 25:27,28
48 וַיָּשׁוּבוּ...אִישׁ לַאֲחֻזָּתוֹ לְעָרֵיהֶם IICh. 31:1
מֵאֲחֻזָּתוֹ 49 יָמוּךְ אָחִיךָ וּמָכַר מֵאֲחֻזָּתוֹ Lev. 25:25
50 מֵאֲחֻזָּתוֹ יַנְחִל אֶת־בָּנָיו Ezek. 46:18
51 לֹא־יָפֻצוּ עַמִּי אִישׁ מֵאֲחֻזָּתוֹ Ezek. 46:18
אֲחֻזַּתְכֶם 52 בְּבֵית אֶרֶץ אֲחֻזַּתְכֶם Lev. 14:34
53 וּבְכֹל אֶרֶץ אֲחֻזַּתְכֶם... Lev. 25:24
54 וּלְכוּ...אֶל־אֶרֶץ אֲחֻזַּתְכֶם Josh. 22:4
55 אִם־טְמֵאָה אֶרֶץ אֲחֻזַּתְכֶם Josh. 22:19
אֲחֻזָּתָם 56 לְמֹשְׁבֹתָם בְּאֶרֶץ אֲחֻזָּתָם Gen. 36:43
57 וְעָרֵי הַלְוִיִּם בָּתֵּי עָרֵי אֲחֻזָּתָם Lev. 25:32
58 הִוא אֲחֻזָּתָם בְּתוֹךְ בְּנֵי יִשְׂרָאֵל Lev. 25:33
59 וְנָתְנוּ לַלְוִיִּם מִנַּחֲלַת אֲחֻזָּתָם Num. 35:2
60 לָלֶכֶת...אֶל־אֶרֶץ אֲחֻזָּתָם Josh. 22:9
61 אֲנִי אֲחֻזָּתָם Ezek. 44:28
62 אֲחֻזָּתָם הִיא בְּנַחֲלָה Ezek. 46:16
וַאֲחֻזָּתָם 63 וַאֲחֻזָּתָם וּמֹשְׁבוֹתָם בֵּית־אֵל... ICh. 7:28
64 עָזְבוּ...אֶת־מִגְרְשֵׁיהֶם וַאֲחֻזָּתָם IICh. 11:14
בַּאֲחֻזָּתָם 65 אֲשֶׁר בַּאֲחֻזָּתָם בְּעָרֵיהֶם ICh. 9:2
מֵאֲחֻזָּתָם 66 וְלֹא־יִקַּח...לְהוֹנֹתָם מֵאֲחֻזָּתָם Ezek. 46:18

אַחְזַי
שפ״ז – כהן שנכדיו ישבו בירושלים בימי נחמיה
1 וַעֲמַשְׁסַי בֶּן־עֲזַרְאֵל בֶּן־אַחְזַי Neh. 11:13

אֲחַזְיָה
שפ״ז א) בן אחאב, מלך ישראל: 1, 5
ב) בן־יהורם, מלך יהודה: 7,6,4,3,2
אֲחַזְיָה 1 וַיִּפֹּל אֲחַזְיָה בְּעַד הַשְּׂבָכָה IIK. 1:2
2 וַיֹּאמֶר...מִרְמָה אֲחַזְיָה IIK. 9:23
3 מָלַךְ אֲחַזְיָה עַל־יְהוּדָה IIK. 9:29
4 וַתִּקַּח...אֶת־יוֹאָשׁ בֶּן־אֲחַזְיָה IIK. 11:2
5 אֶתְחַבַּר...עִם אֲחַזְיָה מֶלֶךְ־יִשְׂרָאֵל IICh. 20:35
וַאֲחַזְיָה 6-7 וַאֲחַזְיָה מֶלֶךְ יְהוּדָה IIK. 9:16,27

אֲחַזְיָהוּ
שפ״ז א) מלך ישראל, הוא אֲחַזְיָה: 1—4, 13
ב) מלך יהודה, הוא אֲחַזְיָה: 5—12, 14—30
אֲחוֹת אֲ׳ 18,12; אֲחֵי אֲ׳ 7-9; אֵם אֲ׳ 11-12; בֵּית אֲ׳ 17; בֶּן אֲ׳ 14-15; דִּבְרֵי אֲ׳ 4; תְּבוּסַת אֲ׳ 16
אֲחַזְיָהוּ 1 וַיִּמְלֹךְ אֲחַזְיָהוּ בְנוֹ תַּחְתָּיו IK. 22:40
2 אָז אָמַר אֲחַזְיָהוּ בֶן־אַחְאָב IK. 22:50
3 אֲחַזְיָהוּ בֶן־אַחְאָב מָלַךְ עַל־יִשְׂרָאֵל IK. 22:52
4 וְיֶתֶר דִּבְרֵי אֲחַזְיָהוּ IIK. 1:18
5 וַיִּמְלֹךְ אֲחַזְיָהוּ בְנוֹ תַּחְתָּיו IIK. 8:24
6 מָלַךְ אֲחַזְיָהוּ בֶן־יְהוֹרָם IIK. 8:25
7 וְיֵהוּא מָצָא אֶת־אֲחֵי אֲחַזְיָהוּ IIK. 10:13
8/9 אֲחֵי אֲחַזְיָהוּ IIK. 10:13 • IICh. 22:8
10/1 וַעֲתַלְיָה אֵם אֲחַזְיָהוּ IIK. 11:1 • IICh. 22:10
12 וַתִּקַּח...אֲחוֹת אֲחַזְיָהוּ אֶת־יוֹאָשׁ IIK. 11:2
13 כְּהִתְחַבֶּרְךָ עִם־אֲחַזְיָהוּ IICh. 20:37
14/5 (לְ)יוֹאָשׁ בֶּן־אֲחַזְיָהוּ IIK. 13:1 • IICh. 22:11
16 וּמֵאֱלֹהִים הָיְתָה תְּבוּסַת אֲחַזְיָהוּ IICh. 22:7
17 וְאֵין לְבֵית אֲחַזְיָהוּ לַעְצֹר כֹּחַ IICh. 22:9
18 כִּי הִיא הָיְתָה אֲחוֹת אֲחַזְיָהוּ IICh. 22:11

19-26 אֲחַזְיָהוּ IIK. 8:26; 9:23; 14:13 • ICh. 3:11 • IICh. 22:1²,2,9
וַאֲחַזְיָהוּ 27 וַאֲחַזְיָהוּ...יָרַד לִרְאוֹת אֶת־יוֹרָם IIK. 8:29
28/9 וַאֲחַזְיָהוּ IIK. 9:21; 12:19
לַאֲחַזְיָהוּ 30 וּבְנֵי... מְשָׁרְתִים לַאֲחַזְיָהוּ IICh. 22:8

אֲחֻזָּם
שפ״ז – בן אַשְׁחוּר, משבט יהודה
אֲחֻזָּם 1 וַתֵּלֶד לוֹ נַעֲרָה אֶת־אֲחֻזָּם ICh. 4:6

אֲחֻזַּת
שפ״ז – רֵעוֹ של אֲבִימֶלֶךְ מלך גרר
וַאֲחֻזַּת 1 וַאֲבִימֶלֶךְ...וַאֲחֻזַּת מֵרֵעֵהוּ Gen. 26:26

אַחְטוּב
ראה אֲחִיטוּב | **אֲחִי** ראה אָחוֹחִי

אֵחִי
שפ״ז – מבני בנימין
אֵחִי 1 וּבְנֵי בִנְיָמִן...אֵחִי וָרֹאשׁ Gen. 46:21

אֲחִי
שפ״ז א) בן עבדיאל, ראש בית־אב משבט גד: 1
ב) מבני שֶׁמֶר, משבט אשר: 2
אֲחִי 1 אֲחִי בֶּן־עַבְדִּיאֵל בֶּן־גּוּנִי ICh. 5:15
2 וּבְנֵי שָׁמֶר אֲחִי וְרָהְגָּה׳וְחֻבָּה ICh. 7:34

אֲחִיאָם
שפ״ז – אחד מגִּבּוֹרֵי דוד
אֲחִיאָם 1 אֲחִיאָם בֶּן־שָׁרָר הָאֲרָרִי IISh. 23:33
2 אֲחִיאָם בֶּן־שָׂכָר הַהֲרָרִי ICh. 11:35

אֲחִידָה*
נ׳ ארמית: חידה; אַחִידָן = חידות
אַחִידָן 1 וְאַחֲוָיַת אֲחִידָן וּמְשָׁרֵא קִטְרִין Dan. 5:12

אֲחִיָּה
שפ״ז א) בן ירחמאל, משבט יהודה: 4
ב) בן אחוד, משבט בנימין: 18
ג) בן אחיטוב, מזרע עלי הכהן: 19,15
ד) לוי בימי דוד: 14
ה) מגבורי דוד: 13
ו) סופר לשלמה: 16
ז) השילוני, נביא בימי ירבעם: 1—8
ח) אבי בעשא מלך ישראל: 9—12
ט) אבי משפחה שחתמה על האמנה בימי נחמיה: 17
אֲחִיָּה 1 אֲחִיָּה הַשִּׁילֹנִי הַנָּבִיא IK. 11:29
2 וַיִּתְפֹּשׂ אֲחִיָּה בַּשַּׂלְמָה IK. 11:30
3 דִּבֶּר יְיָ בְּיַד אֲחִיָּה הַשִּׁילֹנִי IK. 12:15
4 וּבוּנָה וָאֹרֶן וָאֹצֶם אֲחִיָּה ICh. 2:25
5-8 אֲחִיָּה IK. 14:2,4; 15:29 • IICh. 9:29
9 וַיִּקְשֹׁר עָלָיו בַּעְשָׁא בֶּן־אֲחִיָּה IK. 15:27
10-12 בַּעְשָׁא בֶּן־אֲחִיָּה IK. 15:33; 21:22 • IIK. 9:9
13 אֲחִיָּה הַפְּלֹנִי ICh. 11:36
14 אֲחִיָּה עַל־אוֹצְרוֹת בֵּית הָאֱלֹהִים ICh. 26:20
וַאֲחִיָּה 15 וַאֲחִיָּה בֶן־אֲחִטוּב...כֹּהֵן יְיָ בְּשִׁלוֹ ISh. 14:3
16 אֱלִיחֹרֶף וַאֲחִיָּה...סֹפְרִים IK. 4:3
17 וַאֲחִיָּה חָנָן עָנָן Neh. 10:27
18 וְנַעֲמָן וַאֲחִיָּה וְגֵרָא הוּא הֶגְלָם ICh. 8:7
לַאֲחִיָּה 19 וַיֹּאמֶר שָׁאוּל לַאֲחִיָּה ISh. 14:18

אֲחִיָּהוּ
שפ״ז – הוא אֲחִיָּה השילוני הנביא: 1—5
אֲחִיָּהוּ 1 וַיְיָ אָמַר אֶל־אֲחִיָּהוּ IK. 14:5
2/3 אֲחִיָּהוּ IK. 14:6,18
4 אֲשֶׁר דִּבֶּר בְּיַד אֲחִיָּהוּ הַשִּׁלוֹנִי IICh. 10:15
וַאֲחִיָּהוּ 5 וַאֲחִיָּהוּ לֹא־יָכֹל לִרְאוֹת IK. 14:4

אֲחִיהוּד
שפ״ז – נשיא לבני אשר
אֲחִיהוּד 1 נָשִׂיא אֲחִיהוּד בֶּן־שְׁלֹמִי Num. 34:27

אַחְיוֹ
שפ״ז א) ראש בית אב לבנימין: 3; ב) מתושבי גבעון מבנימין: 4—5; ג) בן אבינדב מקרית יערים: 6,2,1
וְאַחְיוֹ 1 וְעֻזָּא וְאַחְיוֹ בְּנֵי אֲבִינָדָב IISh. 6:3
2 וְאַחְיוֹ הֹלֵךְ לִפְנֵי הָאָרוֹן IISh. 6:4
3 וְאַחְיוֹ שָׁשָׁק וִירֵמוֹת ICh. 8:14
4-5 וּגְדוֹר וְאַחְיוֹ ICh. 8:31; 9:37
6 וְעֻזָּא וְאַחְיוֹ נֹהֲגִים בָּעֲגָלָה ICh. 13:7

אֲחִיחֻד
שפ״ז – איש משבט בנימין
1 אֶת־עֻזָּא וְאֶת־אֲחִיחֻד ICh. 8:7

אֲחִיטוּב
שפ״ז א) בן פינחס בן עלי הכֹּהֵן: 1—5
ב) כֹּהֵן בן אֲמַרְיָה ואבי צדוק: 6—15
אֲחִיטוּב 1 וַאֲחִיָּה בֶן־אֲחִטוּב אֲחִי אִיכָבוֹד ISh. 14:3
2 אֶל־אֲחִימֶלֶךְ בֶּן־אֲחִטוּב ISh. 22:9
3 אֶת־אֲחִימֶלֶךְ בֶּן־אֲחִיטוּב הַכֹּהֵן ISh. 22:11
4-5 בֶּן־אֲחִ(י)טוּב ISh. 22:12,20
6-7 וְצָדוֹק בֶּן־אֲחִיטוּב IISh. 8:17 • ICh. 18:16
8-13 אֲחִיטוּב Ez. 7:2 • Neh. 11:11 ICh. 5:33,37; 6:37; 9:11
וַאֲחִיטוּב 14-15 וַאֲחִיטוּב הוֹלִיד אֶת־צָדוֹק ICh. 5:34,38

אֲחִילוּד
שפ״ז א) אבי יהושפט, מזכיר דוד ושלמה: 1—4;
ב) אביו של אחד מנציבי שלמה: 5
אֲחִילוּד 1-4 וִיהוֹשָׁפָט בֶּן־אֲחִילוּד (הַ)מַּזְכִּיר IISh. 8:16
IISh. 8:16; 20:24 • IK. 4:3 • ICh. 18:15
5 בַּעֲנָא בֶּן־אֲחִילוּד IK. 4:12

אֲחִימוֹת
שפ״ז – בן אלקנה, מבני קהת
אֲחִימוֹת 1 וּבְנֵי אֶלְקָנָה עֲמָשַׂי וַאֲחִימוֹת ICh. 6:10

אֲחִימֶלֶךְ
שפ״ז א) בן אחיטוב בן פינחס בן עלי הכהן: 1, 2, 4—10, 15—17
ב) נכדו, אולי הוא אֲבִימֶלֶךְ 11-13
ג) כהן מבני איתמר: 14
ד) חִתִּי, מגבורי דוד: 3
אֲחִימֶלֶךְ 1 וַיָּבֹא דָוִד... אֶל־אֲחִימֶלֶךְ הַכֹּהֵן ISh. 21:2
2 וַיְהִי בִּבְרֹחַ אֶבְיָתָר בֶּן־אֲחִימֶלֶךְ ISh. 23:6
3 וַיֹּאמֶר אֶל־אֲחִימֶלֶךְ הַחִתִּי ISh. 26:6
4 בָּא דָוִד אֶל־בֵּית אֲחִימֶלֶךְ Ps. 52:2
5-10 אֲחִימֶלֶךְ ISh. 21:2; 22:9,11,14,16; 30:7
וַאֲחִימֶלֶךְ 11 וְצָדוֹק...וַאֲחִימֶלֶךְ בֶּן־אֶבְיָתָר כֹּהֲנִים IISh. 8:17
12-13 וַאֲחִימֶלֶךְ ICh. 24:6,31
14 וַאֲחִימֶלֶךְ מִן־בְּנֵי אִיתָמָר ICh. 24:3
לַאֲחִימֶלֶךְ 15 וַיֹּאמֶר דָּוִד לַאֲחִימֶלֶךְ הַכֹּהֵן ISh. 21:3
16-17 לַאֲחִימֶלֶךְ ISh. 21:9; 22:20

אֲחִימָן
שפ״ז א) מילידי הענק בחברון: 1—3;
ב) מן הלוים השוערים בימי עזרא: 4
אֲחִימָן 1 וְשָׁם אֲחִימַן שֵׁשַׁי וְתַלְמַי Num. 13:22
2/3 וְאֶת־אֲחִימַן וְאֶת־תַּלְמַי Josh. 15:14 • Jud. 1:10
וַאֲחִימָן 4 וְהַשֹּׁעֲרִים...וְטַלְמֹן וַאֲחִימָן ICh. 9:17

אֲחִימַעַץ
שפ״ז א) אבי אחינעם אשת שאול: 11
ב) בן צדוק הכֹּהֵן: 1—2, 4—10, 12—15
ג) משנים־עשר נציבי שלמה: 3
אֲחִימַעַץ 1 אֲחִימַעַץ לְצָדוֹק וִיהוֹנָתָן לְאֶבְיָתָר IISh. 15:36
2 אַיֵּה אֲחִימַעַץ וִיהוֹנָתָן IISh. 17:20
3 אֲחִימַעַץ בְּנַפְתָּלִי IK. 4:15
4-10 אֲחִימַעַ׳ IISh. 18:22,23,27,28,29 • ICh. 5:34; 6:38
אֲחִימָעַץ 11 אֵשֶׁת שָׁאוּל אֲחִינֹעַם בַּת־אֲחִימָעַץ ISh. 14:50
וַאֲחִימַעַץ 12 וַאֲחִימַעַץ בִּנְךָ וִיהוֹנָתָן IISh. 15:27
13-15 וַאֲחִימַעַץ IISh. 17:17; 18:19 • ICh. 5:35

אַחְיָן
שפ״ז – בן שְׁמִידָע, משבט מנשה
אַחְיָן 1 בְּנֵי שְׁמִידָע אַחְיָן וָשֶׁכֶם ICh. 7:19

אֲחִינָדָב
שפ״ז – בן עִדֹּא, משנים־עשר נציבי שלמה
אֲחִינָדָב 1 אֲחִינָדָב בֶּן־עִדֹּא מַחֲנָיְמָה IK. 4:14

אֲחִינֹעַם
שפ״נ א) אשת שאול המלך: 1
ב) מנשי דוד המלך: 2—7
אֲחִינֹעַם 1 וְשֵׁם אֵשֶׁת שָׁאוּל אֲחִינֹעַם ISh. 14:50
2 וְאֶת־אֲחִינֹעַם לָקַח דָּוִד ISh. 25:43

3 אֲחִינֹעַם הַיִּזְרְעֵאלִת וַאֲבִיגַיִל ISh. 27:3
5-4 אֲחִינֹעַם הַיִּזְרְעֵלִית ISh. 30:5 • IISh. 2:2
לַאֲחִינֹעַם 6 בְכוֹרוֹ אַמְנוֹן לַאֲחִינֹעַם הַיִּזְרְעֵאלִת IISh. 3:2
7 הַבְּכוֹר אַמְנֹן לַאֲחִינֹעַם הַיִּזְרְעֵאלִית ICh. 3:1

אֳחִיסָמָךְ שפ״ז – אבי אהליאב למטה דן, אומן בימי משה
אֳחִיסָמָךְ 2-1 אָהֳלִיאָב בֶּן־אֲחִיסָמָךְ Ex. 31:6; 38:23
3 וְאָהֳלִיאָב בֶּן־אֲחִיסָמָךְ Ex. 35:34

אֲחִיעֶזֶר שפ״ז א) נשיא למטה דן בימי משה: 1–5
ב) מגבורי דוד: 6
אֲחִיעֶזֶר 5-1 אֲחִיעֶזֶר בֶּן־עַמִּישַׁדָּי Num. 1:12; 2:25; 7:66,71; 10:25
6 הָרֹאשׁ אֲחִיעֶזֶר וְיוֹאָשׁ ICh. 12:3

אֲחִיקָם שפ״ז בן שפן, משרי יאשיהו מלך יהודה
אֲחִיקָם 2-1 אֲחִיקָם בֶּן־שָׁפָן IIK. 22:12 • IICh. 34:20
3 יַד אֲחִיקָם... הָיְתָה אֶת־יִרְמְיָהוּ Jer. 26:24
19-4 גְּדַלְיָהוּ בֶּן־אֲחִיקָם IIK. 25:22 • Jer. 39:14; 40:5,6,7,9,11,14,16; 41:1,2,6,10,16,18; 43:6
וַאֲחִיקָם 20 וַיֵּלֶךְ חִלְקִיָּהוּ הַכֹּהֵן וַאֲחִיקָם IIK. 22:14

אֲחִירָם שפ״ז – בן בנימין בן יעקב
לַאֲחִירָם 1 לַאֲחִירָם מִשְׁפַּחַת הָאֲחִירָמִי Num. 26:38

אֲחִירָמִי שת״ז – המתיחס לַאֲחִירָם
הָאֲחִירָמִי 1 לַאֲחִירָם מִשְׁפַּחַת הָאֲחִירָמִי Num. 26:38

אֲחִירַע שפ״ז – נשיא לבני נפתלי
אֲחִירַע 5-1 אֲחִירַע בֶּן־עֵינָן Num. 1:15; 2:29; 7:78,83; 10:27

אֲחִישַׁחַר* שפ״ז – איש מזרע בנימין
וַאֲחִישָׁחַר 1 וּבְנֵי יְדִיעֲאֵל...וְתַרְשִׁישׁ וַאֲחִישָׁחַר ICh. 7:10

אֲחִישָׁר שפ״ז – ממונה על בית המלך שלמה
וַאֲחִישָׁר 1 וַאֲחִישָׁר עַל־הַבָּיִת IK. 4:6

אֲחִיתֹפֶל שפ״ז – הגילוני, יועץ דוד • עֲצַת אֲחִיתֹפֶל 3-8
אֲחִיתֹפֶל 1 אֶת־אֲחִיתֹפֶל הַגִּילֹנִי יוֹעֵץ דָּוִד IISh. 15:12
2 אֲחִיתֹפֶל בַּקֹּשְׁרִים עִם־אַבְשָׁלוֹם IISh. 15:31
3 סַכֶּל־נָא אֶת־עֲצַת אֲחִיתֹפֶל IISh. 15:31
8-4 (וּ/מֵ)עֲצַת אֲחִיתֹפֶל IISh. 15:34; 16:23²; 17:14²
17-9 אֲחִיתֹפֶל IISh. 16:20,21; 17:1,6,7,15,21; 23:3
IISh. 16:15 • ICh. 27:34
וַאֲחִיתֹפֶל 18 וְאַבְשָׁלוֹם...וַאֲחִיתֹפֶל אִתּוֹ IISh. 17:23 •
20-19 וַאֲחִיתֹפֶל ICh. 27:33

אַחְלָב שם עיר בנחלת אָשֵׁר
1 וְאֶת־אַחְלָב וְאֶת־אַכְזִיב Jud. 1:31

אַחֲלַי, אַחֲלֵי מ״ק לואי, מי יתן!
אַחֲלַי 1 אַחֲלַי יִכֹּנוּ דְרָכָי Ps. 119:5
אַחֲלֵי 2 וַתֹּאמֶר...אַחֲלֵי אֲדֹנִי... IIK. 5:3

אַחְלַי* שפ״ז א) מבני חֶצְרוֹן בן פֶּרֶץ: 1;
ב) אבי זָבָד, מגבורי דוד: 2
אַחְלָי 1 וּבְנֵי שֵׁשָׁן אַחְלָי ICh. 2:31
2 זָבָד בֶּן־אַחְלָי ICh. 11:41

אַחְלָמָה ז׳ אבן טובה, כנראה אדומה • קרובים: ראה אֹדֶם
וְאַחְלָמָה 2–1 לֶשֶׁם שְׁבוֹ וְאַחְלָמָה Ex. 28:19; 39:12

אַחְמְתָא ארמית, עיר הבירה הקיצית של מלך מָדַי
אַחְמְתָא 1 בְּאַחְמְתָא בְּבִירְתָא דִּי בְּמָדַי מְדִינְתָּא Ez. 6:2

אַחְסְבַּי שפ״ז – אבי אליפלט, מגבורי דוד
אַחְסְבָּי 1 אֱלִיפֶלֶט בֶּן־אֲחַסְבַּי IISh. 23:34

אחר: אַחַר, הוֹחִיר (וַיּוֹחֶר); אָחוֹר, אַחַר, אַחֵר, אַחֲרוֹן, אַחֲרֵי, אַחֲרִית, אֲחֹרַנִּית; מָחָר? מָחֳרָת? ש״פ אַחֵר אר׳ אָחֳרָן

אַחַר תה״פ ומ״י א) [עפ״ר לפני שם או שם־פעולה] מלת־יחס של זמן או מקום, הפך מן־״לפני״: 1-38, 52-63
ב) [לפני פועל] לציון זמן, אחרי־כן: 39–44, 65–92
ג) [כנ״ל] אחרי ש־: 45–47
ד) [מֵאַחַר] ממקום שמאחורי־: 94–96
אַחַר אִם 93; אַחַר אֲשֶׁר 48,49; אַחַר זֶה 50; אַחַר כֵּן 51, 91, 92

אַחַר (א) 1 וַיְחִי־נֹחַ אַחַר הַמַּבּוּל Gen. 9:28
2 וַיִּוָּלְדוּ לָהֶם בָּנִים אַחַר הַמַּבּוּל Gen. 10:1
4-3 אַחַר הַמַּבּוּל Gen. 10:32; 11:10
12-5 אַחַר הַדְּבָרִים הָאֵלֶּה Gen. 15:1; 22:1; 39:7; 40:1 • IK. 17:17; 21:1 • Es. 2:1; 3:1
13 וַיֵּלֶךְ יוֹסֵף אַחַר אֶחָיו Gen. 37:17
14 וַיִּנְהַג אֶת־הַצֹּאן אַחַר הַמִּדְבָּר Ex. 3:1
15 הַשִּׁפְחָה אֲשֶׁר אַחַר הָרֵחָיִם Ex. 11:5
16 צִפֹּרָה אֵשֶׁת מֹשֶׁה אַחַר שִׁלּוּחֶיהָ Ex. 18:2
17 בְּמִסְפַּר שָׁנִים אַחַר הַיּוֹבֵל Lev. 25:15
18 וְאִם־אַחַר הַיֹּבֵל יַקְדִּישׁ Lev. 27:18
19 אַחַר הִתְגַּלְּחוֹ אֶת־נִזְרוֹ Num. 6:19
20 וַיָּבֹא אַחַר אִישׁ־יִשְׂרָאֵל Num. 25:8
21 וַיָּבֹא גַם־הַנִּצָּב אַחַר הַלַּהַב Jud. 3:22
22 וִהְיִתֶם...אַחַר יְיָ אֱלֹהֵיכֶם ISh. 12:14
23 אַחַר הַדָּבָר הַזֶּה לֹא־שָׁב...מִדַּרְכּוֹ IK. 13:33
24 וְהַשְּׁלִשִׁית בַּשַּׁעַר אַחַר הָרָצִים IIK. 11:6
25 וַיֵּלֶךְ אַחַר חַטֹּאת יָרָבְעָם IIK. 13:2
26 לָלֶכֶת אַחַר יְיָ וְלִשְׁמֹר מִצְוֹתָיו IIK. 23:3
27 וַיִּרְדְּפוּ...אַחַר הַמֶּלֶךְ IIK. 25:5
28 הַהֹלְכִים... אַחַר מַחְשְׁבֹתֵיהֶם Is. 65:2
29 ...אַחַר אַחַת בַּתָּוֶךְ Is. 66:17
30 אַחַר שַׁלַּח אֹתוֹ נְבוּזַרְאֲדָן Jer. 40:1
31 הַנְּבִיאִם... הֹלְכִים אַחַר רוּחָם Ezek. 13:3
32 לֶקֶשׁ אַחַר גִּזֵּי הַמֶּלֶךְ Am. 7:1
33 אַחַר כָּבוֹד שְׁלָחַנִי אֶל־הַגּוֹיִם Zech. 2:12
34 קִדְּמוּ שָׁרִים אַחַר נֹגְנִים Ps. 68:26
35 הִנֵּה־זֶה עוֹמֵד אַחַר כָּתְלֵנוּ S.ofS. 2:9
36 וְשָׁבוּ הֶעָבִים אַחַר הַגָּשֶׁם Eccl. 12:2
37 אַחַר כֶּסֶף־שְׁקָלִים אַרְבָּעִים Neh. 5:15
38 לֹא יִפְתָּחוּם עַד אַחַר הַשַּׁבָּת Neh. 13:19
אַחַר (ב) 39 וְסַעֲדוּ לִבְּכֶם אַחַר תַּעֲבֹרוּ Gen. 18:5
40 וְהִנֵּה־אַיִל אַחַר נֶאֱחַז בַּסְּבַךְ Gen. 22:13
41 תֵּשֵׁב הַנַּעֲרָ...אַחַר תֵּלֵךְ Gen. 24:55
42 אַחַר תֵּאָסֵף אֶל־עַמֶּיךָ Num. 31:2
43 אַחַר יָשֻׁבוּ בְּנֵי יִשְׂרָאֵל... Hosh. 3:5
44 אַחַר וּבָנִיתָ בֵיתֶךָ Prov. 24:27
אַחַר (ג) 45 אַחַר חִלֵּץ אֶת־הָאֲבָנִים Lev. 14:43
46 אַחַר הִכָּה אֶת־גְּדַלְיָה Jer. 41:16
47 וַיְהִי אַחַר דִּבֶּר יְיָ Job 42:7
אַחַר אֲשֶׁר 48 אַחַר אֲשֶׁר הֻכְּתָה הָעִיר Ezek. 40:1
49 אַחַר אֲשֶׁר אֶמְצָא־חֵן בְּעֵינָיו Ruth 2:2
אַחַר זֶה 50 אַחַר זֶה שָׁלַח סַנְחֵרִיב IICh. 32:9
אַחַר כֵּן 51 אַחַר כֵּן תָּבוֹא גִּבְעַת הָאֱלֹהִים ISh. 10:5
וְאַחַר (א) 52 ...אַחֲרֵי שָׁאוּל וְאַחַר שְׁמוּאֵל ISh. 11:7
53 וְאַחַר הָרוּחַ רַעַשׁ IK. 19:11
54 וְאַחַר הָרַעַשׁ אֵשׁ IK. 19:12
55 וְאַחַר הָאֵשׁ קוֹל דְּמָמָה דַקָּה IK. 19:12
56 וְאַחַר הַדֶּלֶת וְהַמְּזוּזָה Is. 57:8
57 וְאַחַר כָּבוֹד תִּקָּחֵנִי Ps. 73:24
58 וְאַחַר נְדָרִים לְבַקֵּר Prov. 20:25

וְאַחַר (א) (המשך) 59 וְאַחַר עוֹרִי נִקְּפוּ־זֹאת Job 19:26
60 וְאַחַר דַּבְּרִי תַלְעִיג Job 21:3
61 וְאַחַר עֵינַי הָלַךְ לִבִּי Job 31:7
62 וְאַחַר כָּל־יָרוֹק יִדְרוֹשׁ Job 39:8
63 וְאַחַר הַדְּבָרִים הָאֵלֶּה Ez. 7:1
64 וְאַחַר מוֹת־חֶצְרוֹן ICh. 2:24
וְאַחַר (ב) 65 וְאַחַר נָפֹצוּ מִשְׁפְּחוֹת הַכְּנַעֲנִי Gen. 10:18
66 וְאַחַר יָלְדָה בַּת Gen. 30:21
67 וְאַחַר נִגַּשׁ יוֹסֵף וְרָחֵל Gen. 33:7
68 וְאַחַר יָצָא אָחִיו Gen. 38:30
69 וְאַחַר בָּאוּ מֹשֶׁה וְאַהֲרֹן Ex. 5:1
70 כִּי אִם־נִקַּמְתִּי בָכֶם וְאַחַר אֶחְדָּל Jud. 15:7
71 סְעָד לִבְּךָ...וְאַחַר תֵּלֵכוּ Jud. 19:5
90-72 וְאַחַר (ב) Lev. 14:8, 19; 15:28; 22:7 • Num. 5:26; 6:20; 12:14, 16; 19:7; 31:24; 32:22 • Josh. 2:16; 24:5 • Jud. 1:9; 7:11 • Prov. 20:17 • Job 18:2 • ICh. 2:21 • IICh. 35:14
וְאַחַר כֵּן 91 וְאַחַר כֵּן יָבֹא הַכֹּהֵן Lev. 14:36
92 וְאַחַר כֵּן תָּבוֹא אֵלֶיהָ Deut. 21:13
וְאַחַר אִם 93 וְאַחַר אִם־אֵינְכֶם שֹׁמְעִים Ezek. 20:39
מֵאַחַר 94 לְקַחְתִּיךָ מִן־הַנָּוֶה מֵאַחַר הַצֹּאן IISh. 7:8
95 וְנָסוֹג מֵאַחַר אֱלֹהֵינוּ Is. 59:13
96 מֵאַחַר עָלוֹת הֱבִיאוֹ... Ps. 78:71

אחר פ׳ א) פ״ע השתהה, התמהמה: 1–6, 8–15
ב) פ״י השהה, עכב: 7,16
ג) [הפ׳ וַיּוֹחֶר] אֵחַר: 17
אֵחַר 1 וְלֹא־אֵחַר הַנַּעַר לַעֲשׂוֹת הַדָּבָר Gen. 34:19
אֵחֲרוּ 2 מַדּוּעַ אֵחֱרוּ פַּעֲמֵי מַרְכְּבוֹתָיו Jud. 5:28
לַמְאַחֲרִים 3 לַמְאַחֲרִים עַל־הַיָּיִן Prov. 23:30
מְאַחֲרֵי־ 4 מְאַחֲרֵי בַנֶּשֶׁף יַיִן יַדְלִיקֵם Is. 5:11
5 מַשְׁכִּימֵי קוּם מְאַחֲרֵי־שֶׁבֶת Ps. 127:2
וָאֵחַר 6 עִם־לָבָן גַּרְתִּי וָאֵחַר עַד־עָתָּה Gen. 32:5(4)
תְאַחֵר 7 מְלֵאָתְךָ וְדִמְעֲךָ לֹא תְאַחֵר Ex. 22:28
8 נֶדֶר... לֹא תְאַחֵר לְשַׁלְּמוֹ Deut. 23:22
9 נֶדֶר... אַל־תְּאַחֵר לְשַׁלְּמוֹ Eccl. 5:3
תְּאַחַר 10 אֱלֹהַי אַל־תְּאַחַר Ps. 40:18
11 יְיָ אַל־תְּאַחַר Ps. 70:6
12 הַקְשִׁיבָה וַעֲשֵׂה אַל־תְּאַחַר Dan. 9:19
יְאַחֵר 13 לֹא יְאַחֵר לְשֹׂנְאוֹ... יְשַׁלֶּם־לוֹ Deut. 7:10
14 כִּי־בֹא יָבֹא לֹא יְאַחֵר Hab. 2:3
תְאַחֵר 15 וּתְשׁוּעָתִי לֹא תְאַחֵר Is. 46:13
תְּאַחֲרוּ 16 אַל־תְּאַחֲרוּ אֹתִי Gen. 24:56
וַיּוֹחֶר 17 וַיֵּלֶךְ... וַיּוֹחֶר מִן־הַמּוֹעֵד IISh. 20:5

אַחֵר[1] ת׳ א) הבא אַחֲרֵי־, לא זה – רוב המקראות
ב) זר: 2, 7, 8, 10–19, 24, 37, 40 ועוד
אִישׁ אַחֵר 2,10-19; אֵל א׳ 8; בֵּן א׳ 3; דּוֹר א׳ 25, 34, 39; זֶרַע א׳ 1; חֲלוֹם א׳ 4; יוֹם א׳ 28; לֵב א׳ 26; מָקוֹם א׳ 20-22, 44; עַם א׳ 24, 37, 48; אֶרֶץ אַחֶרֶת 62, 66; אִשָּׁה א׳ 63, 69, 72; לָשׁוֹן א׳ 65; מְגִלָּה א׳ 67, 68; רוּחַ א׳ 61; בַּשָּׁנָה הָא׳ 71; אֱלֹהִים אֲחֵרִים 81–143; יָמִים אֲ׳ 79, 80, 154
שאר הצרופים עם ״אַחֵר״ – במובאות

אַחֵר 1 שָׁת־לִי אֱלֹהִים זֶרַע אַחֵר Gen. 4:25
2 ...מִתִּתִּי אֹתָהּ לְאִישׁ אַחֵר Gen. 29:19
3 יֹסֵף יְיָ לִי בֵּן אַחֵר Gen. 30:24
4 וַיַּחֲלֹם עוֹד חֲלוֹם אַחֵר Gen. 37:9
5 וְשִׁלַּח לָכֶם אֶת־אֲחִיכֶם אַחֵר Gen. 43:14
6 וְכֶסֶף אַחֵר הוֹרַדְנוּ בְיָדֵנוּ Gen. 43:22
7 וּבִעֵר בִּשְׂדֵה אַחֵר Ex. 22:4

אַחֵר (המשך)

8 כִּי לֹא תִשְׁתַּחֲוֶה לְאֵל אַחֵר Ex. 34:14
9 וְעָפָר אַחֵר יִקַּח... Lev. 14:42
19-10 לְאִישׁ (וְאִישׁ) אַחֵר Lev. 27:20
Deut. 20:5, 6, 7; 24:2; 28:30 • ISh. 10:6 • IISh. 18:26 • IK. 20:37 • Jer. 3:1
22-20 אֶל־מָקוֹם אַחֵר Num. 23:13, 27 • Ezek. 12:3
23 ...מִמַּטֶּה לְמַטֶּה אַחֵר Num. 36:9
24 בָּנֶיךָ וּבְנֹתֶיךָ נְתֻנִים לְעַם אַחֵר Deut. 28:32
25 וַיָּקָם דּוֹר אַחֵר אַחֲרֵיהֶם Jud. 2:10
26 וַיַּהֲפָךְ־לוֹ אֱלֹהִים לֵב אַחֵר ISh. 10:9
27 וַיִּסֹּב מֵאֶצְלוֹ אֶל־מוּל אַחֵר ISh. 17:30
28 ...וּבִשַּׂרְתָּ בְּיוֹם אַחֵר IISh. 18:20
29 וַיֵּלֶךְ בְּדֶרֶךְ אַחֵר IK. 13:10
30 שַׂר־חֲמִשִּׁים אַחֵר IIK. 1:11
31 וַיָּבֹאוּ אֶל־אֹהֶל אַחֵר IIK. 7:8
32 וְלַעֲבָדָיו יִקְרָא שֵׁם אַחֵר Is. 65:15
33 וְשָׁב וַיַּעֲשֵׂהוּ כְּלִי אַחֵר Jer. 18:4
34 ...וּבְנֵיהֶם לְדוֹר אַחֵר Joel 1:3
35 וּמַלְאָךְ אַחֵר יֹצֵא לִקְרָאתוֹ Zech. 2:7
36 יִרְבּוּ עַצְּבוֹתָם אַחֵר מָהָרוּ Ps. 16:4
37 מִמַּמְלָכָה אֶל־עַם אַחֵר Ps. 105:13
38 פְּקֻדָּתוֹ יִקַּח אַחֵר Ps. 109:8
39 בְּדוֹר אַחֵר יִמַּח שְׁמָם Ps. 109:13
40 וְסוֹד אַחֵר אַל־תְּגָל Prov. 25:9
41 וּמֵעָפָר אַחֵר יִצְמָחוּ Job 8:19
42/3 בְּשָׂדֶה אַחֵר Ruth 2:8, 22
44 רֶוַח...לַיְּהוּדִים מִמָּקוֹם אַחֵר Es. 4:14
45/6 בְּנֵי עֵילָם אַחֵר... Ez. 2:31 • Neh. 7:34
47 אַנְשֵׁי נְבוֹ אַחֵר... Neh. 7:33
48 וּמִמַּמְלָכָה אֶל־עַם אַחֵר ICh. 16:20

וְאַחֵר
49 לֹא יִבְנוּ וְאַחֵר יֵשֵׁב Is. 65:22
50 לֹא יִטְּעוּ וְאַחֵר יֹאכֵל Is. 65:22
51 אֶזְרְעָה וְאַחֵר יֹאכֵל Job 31:8

הָאַחֵר
52 וָאֹמַר אֵלֶיהָ בַּיּוֹם הָאַחֵר IIK. 6:29
53/4 לִכְנַף הַכְּרוּב הָאַחֵר IICh. 3:11, 12

לְאַחֵר
55/6 וּכְבוֹדִי לְאַחֵר לֹא־אֶתֵּן Is. 42:8; 48:11
57 תִּטְחַן לְאַחֵר אִשְׁתִּי Job 31:10

אַחֶרֶת
58 וַיַּחְפְּרוּ בְּאֵר אַחֶרֶת Gen. 26:21
59 וַיַּחְפֹּר בְּאֵר אַחֶרֶת Gen. 26:22
60 אִם־אַחֶרֶת יִקַּח־לוֹ Ex. 21:10
61 עֵקֶב הָיְתָה רוּחַ אַחֶרֶת עִמּוֹ Num. 14:24
62 וַיַּשְׁלִכֵם אֶל־אֶרֶץ אַחֶרֶת Deut. 29:27
63 כִּי בֶן־אִשָּׁה אַחֶרֶת אָתָּה Jud. 11:2
64 כִּי אֵין אַחֶרֶת זוּלָתָהּ בָּזֶה ISh. 21:10
65 וּבְלָשׁוֹן אַחֶרֶת יְדַבֵּר אֶל־הָעָם Is. 28:11
66 וְהֵטַלְתִּי אֹתְךָ...עַל הָאָרֶץ אַחֶרֶת Jer. 22:26
67 שׁוּב קַח־לְךָ מְגִלָּה אַחֶרֶת Jer. 36:28
68 וְיִרְמְיָהוּ לָקַח מְגִלָּה אַחֶרֶת Jer. 36:32
69 וַתְּהִי אִשָּׁה אַחֶרֶת לִירַחְמְאֵל ICh. 2:26
70 וְלַחוּצָה הַחוֹמָה אַחֶרֶת IICh. 32:5

הָאַחֶרֶת
71 לַמּוֹעֵד הַזֶּה בַּשָּׁנָה הָאַחֶרֶת Gen. 17:21
72 וַתֹּאמֶר הָאִשָּׁה הָאַחֶרֶת IK. 3:22
73 וּבֵיתוֹ...חָצֵר הָאַחֶרֶת IK. 7:8
74 וְאֶל־הַכָּתֵף הָאַחֶרֶת Ezek. 40:40
75/6 וְהַכָּנָף הָאַחֶרֶת אַמּוֹת חָמֵשׁ IICh. 3:11, 12

לְאַחֶרֶת
77 וּשְׁתֵּי דְלָתוֹת לָאַחֶרֶת Ezek. 41:24

מֵאַחֶרֶת
78 הָרָעָה הַגְּדוֹלָה הַזֹּאת מֵאַחֶרֶת IISh. 13:16

אֲחֵרִים
79 וַיָּחֶל עוֹד שִׁבְעַת יָמִים אֲחֵרִים Gen. 8:10
80 וַיִּיָּחֶל עוֹד שִׁבְעַת יָמִים אֲחֵרִים Gen. 8:12
81/2 לֹא־יִהְיֶה לְךָ אֱלֹהִים אֲחֵרִים
עַל־פָּנָי Ex. 20:3 • Deut. 5:7
83 וְשֵׁם אֱלֹהִים אֲחֵרִים לֹא תַזְכִּירוּ Ex. 23:13

אֲחֵרִים (המשך)

143-84 אֱלֹהִים אֲחֵרִים (בְּא-/ לְא-) Deut. 6:14
7:4; 8:19; 11:16, 28; 13:3, 7, 14; 17:3; 18:20; 28:14, 36, 64; 29:25; 30:17; 31:18, 20 • Josh. 23:16; 24:2, 16 • Jud. 2:12, 17, 19,; 10:13 • ISh. 8:8; 26:19 • IK. 9:6, 9; 11:4, 10; 14:9 • IIK. 5:17; 17:7, 35, 37; 17:38; 22:17 • Jer. 1:16; 7:6, 9, 18; 11:10; 13:10; 16:11, 13; 19:4, 13; 22:9; 25:6; 32:29; 35:15; 44:3, 5, 8, 15 • Hosh. 3:1 • IICh. 7:19, 22; 28:25; 34:25
147-144 וְלָבַשׁ (וַיִּלְבַּשׁ / וְלָבְשׁוּ) בְּגָדִים אֲחֵרִים
Lev. 6:4 • ISh. 28:8 • Ezek. 42:14; 44:19
148 וַיִּשְׁלַח מַלְאָכִים אֲחֵרִים ISh. 19:21
149 וַיַּעֲמֵד אֲחֵרִים תַּחְתָּם Job 34:24
150 גַּם־אַתְּ קִלַּלְתָּ אֲחֵרִים Eccl. 7:22
151 וְהִנֵּה שְׁנַיִם אֲחֵרִים עֹמְדִים Dan. 12:5
152 כֵּלִים אֲחֵרִים אָלֶף Ez. 1:10
153 וְלֹא־הָיָה לֶאֱלִיעֶזֶר בָּנִים אֲחֵרִים ICh. 23:17
154 לַעֲשׂוֹת שִׁבְעַת יָמִים אֲחֵרִים IICh. 30:23

לַאֲחֵרִים
155 וְנָסַבּוּ בָתֵּיהֶם לַאֲחֵרִים Jer. 6:12
156 אֶתֵּן אֶת־נְשֵׁיהֶם לַאֲחֵרִים Jer. 8:10
157 וְעָזְבוּ לַאֲחֵרִים חֵילָם Ps. 49:11
158 פֶּן־תִּתֵּן לַאֲחֵרִים הוֹדֶךָ Prov. 5:9
159 וּשְׂדֹתֵינוּ וּכְרָמֵינוּ לַאֲחֵרִים Neh. 5:5

וְלַאֲחֵרִים
160 ...וְלַאֲחֵרִים מִלְּבַד־אֵלֶּה Dan. 11:4

אֲחֵרִין
161 וְעָלֶיהָ יִכְרְעוּן אֲחֵרִין Job 31:10

אֲחֵרוֹת
162/3 עוֹד שֶׁבַע־שָׁנִים אֲחֵרוֹת Gen. 29:27, 30
164/5 שֶׁבַע(־)פָּרוֹת אֲחֵרוֹת Gen. 41:3, 19
166 וְלָקְחוּ אֲבָנִים אֲחֵרוֹת Lev. 14:42

אַחֵר²
שפ״ז – איש מזרע בנימין

אַחֵר
1 ...חֻשִׁם בְּנֵי אַחֵר ICh. 7:12

אַחֲרוֹן
ת׳ א) הבא אחרי הקודם (במקום או בזמן): 1–22, 32–51
ב) [אַחֲרֹנִים] הדורות הבאים: 36, 51
ג) [בָּאַחֲרוֹנָה] בסוף: 23–28
ד) [לָאַחֲרוֹנָה] באחרית, לבסוף: 30, 31

רִאשׁוֹן... אַחֲרוֹן 2, 3, 10, 16, 18, 20–22, 42–50; אוֹת אַחֲרוֹן 10; אִישׁ א׳ 12, 13; דּוֹר א׳ 4–7, 14; חֶסֶד א׳ 20; יוֹם א׳ 1, 8, 21; הַיָּם הָאַחֲרוֹן 11, 15, 17, 19

אַחֲרוֹן
1 וּתְהִי לְיוֹם אַחֲרוֹן לָעַד עַד־עוֹלָם Is. 30:8
2 אֲנִי רִאשׁוֹן וַאֲנִי אַחֲרוֹן Is. 44:6
3 אֲנִי רִאשׁוֹן אַף אֲנִי אַחֲרוֹן Is. 48:12
4 לְמַעַן תְּסַפְּרוּ לְדוֹר אַחֲרוֹן Ps. 48:14
5 לֹא נְכַחֵד מִבְּנֵיהֶם לְדוֹר אַחֲרוֹן Ps. 78:4
6 לְמַעַן יֵדְעוּ דּוֹר אַחֲרוֹן Ps. 78:6
7 תִּכָּתֶב זֹאת לְדוֹר אַחֲרוֹן Ps. 102:19
8 וַתִּשְׂחַק לְיוֹם אַחֲרוֹן Prov. 31:25

וְאַחֲרוֹן
9 וְאַחֲרוֹן עַל־עָפָר יָקוּם Job 19:25

הָאַחֲרוֹן
10 וְהֶאֱמִינוּ לְקֹל הָאֹת הָאַחֲרוֹן Ex. 4:8
11 מִן־הַנָּהָר נְהַר־פְּרָת וְעַד הַיָּם הָאַחֲרוֹן
יִהְיֶה גְּבֻלְכֶם Deut. 11:24
12 וּשְׂנֵאָהּ הָאִישׁ הָאַחֲרוֹן Deut. 24:3
13 אוֹ כִי יָמוּת הָאִישׁ הָאַחֲרוֹן Deut. 24:3
14 וְאָמַר הַדּוֹר הָאַחֲרוֹן Deut. 29:21
15 אֶרֶץ יְהוּדָה עַד הַיָּם הָאַחֲרוֹן Deut. 34:2
16 הָרִאשׁוֹן... וְזֶה הָאַחֲרוֹן עִצְּמוֹ Jer. 50:17
17 וְסֹפוֹ אֶל־הַיָּם הָאַחֲרוֹן Joel 2:20
18 גָּדוֹל יִהְיֶה...הָאַחֲרוֹן מִן־הָרִאשׁוֹן Hag. 2:9
19 וְחֶצְיָם אֶל־הַיָּם הָאַחֲרוֹן Zech. 14:8
20 הֵיטַבְתְּ חַסְדֵּךְ הָאַחֲרוֹן מִן־הָרִאשׁוֹן Ruth 3:10
21 מִן־הַיּוֹם הָרִאשׁוֹן עַד הַיּוֹם הָאַחֲרוֹן Neh. 8:18

וְהָאַחֲרוֹן
22 הָרִאשׁוֹן... וְהָאַחֲרוֹן הִכְבִּיד Is. 8:23

בָּאַחֲרוֹנָה
23 יָדְךָ תִּהְיֶה־בּוֹ בָרִאשׁוֹנָה לַהֲמִיתוֹ
וְיַד כָּל־הָעָם בָּאַחֲרֹנָה Deut. 13:10
24 יַד הָעֵדִים תִּהְיֶה־בּוֹ בָרִאשֹׁנָה לַהֲמִיתוֹ
וְיַד כָּל־הָעָם בָּאַחֲרֹנָה Deut. 17:7
25 וְדָוִד וַאֲנָשָׁיו עֹבְרִים בָּאַחֲרֹנָה ISh. 29:2
26 כִּי־מָרָה תִהְיֶה בָּאַחֲרוֹנָה IISh. 2:26
27 וְלָךְ וְלִבְנֵךְ תַּעֲשִׂי בָּאַחֲרֹנָה IK. 17:13
28 וְהַגְּבֹהָה עֹלָה בָּאַחֲרֹנָה Dan. 8:3

וְכָאַחֲרוֹנָה
29 וְלֹא־תִהְיֶה כָרִאשֹׁנָה וְכָאַחֲרוֹנָה Dan. 11:29

לָאַחֲרוֹנָה
30 לָאַחֲרֹנָה יִסְעוּ לְדִגְלֵיהֶם Num. 2:31
31 ...עִם שֶׁיִּהְיוּ לָאַחֲרֹנָה Eccl. 1:11

אַחֲרֹנִים
32 וַיָּשֶׂם... וְאֶת־לֵאָה וִילָדֶיהָ אַחֲרֹנִים Gen. 33:2
33 וְאֶת־רָחֵל וְאֶת־יוֹסֵף אַחֲרֹנִים Gen. 33:2
34 לָמָּה תִהְיוּ אַחֲרֹנִים לְהָשִׁיב IISh. 19:12
35 וְלָמָּה תִהְיוּ אַחֲרֹנִים לְהָשִׁיב IISh. 19:13
36 וְאֶת־אַחֲרֹנִים אֲנִי־הוּא Is. 41:4
37 עַל־יוֹמוֹ נָשַׁמּוּ אַחֲרֹנִים Job 18:20
38 וּמִבְּנֵי אֲדֹנִיקָם אַחֲרֹנִים Ez. 8:13

הָאַחֲרוֹנִים
39 וְאֵלֶּה דִּבְרֵי דָוִד הָאַחֲרֹנִים IISh. 23:1
40 גַּם הָאַחֲרוֹנִים לֹא יִשְׂמְחוּ־בוֹ Eccl. 4:16
41 בְדִבְרֵי דָוִיד הָאַחֲרוֹנִים ICh. 23:27

וְהָאַחֲרֹנִים
42 וְדִבְרֵי דָּוִיד...הָרִאשֹׁנִים וְהָאַחֲרֹנִים ICh. 29:29
43 דִּבְרֵי שְׁלֹמֹה הָרִאשֹׁנִים וְהָאַחֲרוֹנִים IICh. 9:29
50-44 הָרִאשׁ(וֹ)נִים וְהָאַחֲר(וֹ)נִים IICh. 12:15; 16:11; 20:34; 25:26; 26:22; 28:26; 35:27

לָאַחֲרֹנִים
51 וְגַם לָאַחֲרֹנִים שֶׁיִּהְיוּ... Eccl. 1:11

אַחְרַח
שפ״ז – בן בנימין

וְאַחְרַח
1 וּבִנְיָמִן הוֹלִיד...וְאַחְרַח הַשְּׁלִישִׁי ICh. 8:1

אֲחַרְחֵל
שפ״ז – איש משבט יהודה

אֲחַרְחֵל
1 וּמִשְׁפְּחֹת אֲחַרְחֵל בֶּן־הָרֻם ICh. 4:8

אַחֲרַי
מלה סתומה: אַחֲרַי? אחראי?

אַחֲרַי
1 מוֹכִיחַ אָדָם אַחֲרַי חֵן יִמְצָא
מִמַּחֲלִיק לָשׁוֹן Prov. 28:23

אַחֲרֵי¹
תה״פ ומ״י – צורת רבוי וסמיכות מן ״אַחַר״ (עיין שם)

א) לפני מקור נסמך (שם־הפועל) או ליד פועל ביחוד בצרופים ״אַחֲרֵי אֲשֶׁר״, או ״אַחֲרֵי־כֵן״ לציון הזמן: 1–68, 243–284, 301–322, 347–349
ב) לפני שם או לפני מלה אחרת – לציון מקום או זמן: 69–242, 285–300
ג) החלק או הצד האחורי בדבר או במקום: 323, 335-346, 368, 369, 377, 388, 412, 419-421, 430, 518, 520, 521, 523, 533, 534, 537, 543, 607, 608, 612, 613
ד) בכנויים אַחֲרַי, אַחֲרֶיךָ וכו׳ – לציון מקום ובהשאלה לציון זמן – רוב המקראות 350-619

אַחֲרֵי אֲשֶׁר 243–250; אַחֲרֵי כַּאֲשֶׁר 251; אַחֲרֵי זֹאת 106, 107; אַחֲרֵי כָל־זֹאת 108, 285; אַחֲרֵי־כֵן 252–276, 301–322; אַחֲרֵי מָתַי 105; מֵאַחֲרֵי־כֵן 347–349

אַחֲרֵי (א)
1 אַחֲרֵי הוֹלִידוֹ אֶת־שֵׁת Gen. 5:4
2 אַחֲרֵי הוֹלִידוֹ אֶת־אֱנוֹשׁ Gen. 5:7
17-3 אַחֲרֵי הוֹלִידוֹ אֶת־... Gen. 5:10, 13; 5:16, 19, 22, 26, 30; 11:11, 13, 15, 17, 19, 21, 23, 25
18 אַחֲרֵי הִפָּרֶד־לוֹט מֵעִמּוֹ Gen. 13:14
19 אַחֲרֵי שׁוּבוֹ מֵהַכּוֹת... כְּדָרְלָעֹמֶר Gen. 14:17
20 הֲגַם הֲלֹם רָאִיתִי אַחֲרֵי רֹאִי Gen. 16:13
21 אַחֲרֵי בְלֹתִי הָיְתָה־לִּי עֶדְנָה Gen. 18:12

אַחֲרֵי (א) (המשך)
22/3 אַחֲרֵי מוֹת אַבְרָהָם Gen. 25:11; 26:18
24 אַחֲרֵי הוֹדִיעַ אֱלֹהִים אוֹתְךָ Gen. 41:39
25 אַחֲרֵי רְאוֹתִי אֶת־פָּנֶיךָ Gen. 46:30
26 אַחֲרֵי קָבְרוֹ אֶת־אָבִיו Gen. 50:14
27 אַחֲרֵי הַכּוֹת־יְיָ אֶת־הַיְאֹר Ex. 7:25
28 אַחֲרֵי הֵרָאֹתוֹ אֶל־הַכֹּהֵן Lev. 13:7
29 וְאִם־פָּשֹׂה...אַחֲרֵי טָהֳרָתוֹ Lev. 13:35
30 אַחֲרֵי הֻכַּבֵּס אֶת־הַנֶּגַע Lev. 13:55
31 אַחֲרֵי הֻכַּבֵּס אֹתוֹ Lev. 13:56
32 אַחֲרֵי הִטֹּחַ אֶת־הַבָּיִת Lev. 14:48
43-33 אַחֲרֵי מוֹת (תי) Lev. 16:1 • Deut. 31:27,29
Josh. 1:1 • Jud. 1:1 • IISh. 1:1 • IIK. 1:1; 14:17 •
Ruth 2:11 • IICh. 22:4; 25:25
44 אַחֲרֵי נִמְכַּר גְּאֻלָּה תִּהְיֶה־לּוֹ Lev. 25:48
45 וַיְהִי אַחֲרֵי הֵסַבּוּ אֹתוֹ ISh. 5:9
46 אַחֲרֵי הַנִּרְאָה אֵלַי בַּתְּחִלָּה Dan. 8:1
Num. 7:88; 30:16 • Deut. 1:4
12:30 • ISh. 1:9 • IISh. 1:10; 5:13; 17:21 • IK. 13:23,
31 • IIK. 14:22 • Jer. 3:7; 12:15; 24:1; 28:12; 29:2;
31:19(18); 32:16; 34:8; 36:27 • IICh. 25:14; 26:2

אַחֲרֵי (ב) 69 וַתֵּלֶד...בֵן לַאדֹנִי אַחֲרֵי זִקְנָתָהּ Gen. 24:36
70 וַתֵּלַכְנָה אַחֲרֵי הָאִישׁ Gen. 24:61
71 וַיִּנָּחֵם יִצְחָק אַחֲרֵי אִמּוֹ Gen. 24:67
72 וְלֹא רָדְפוּ אַחֲרֵי בְּנֵי יַעֲקֹב Gen. 35:5
73 לֹא־תִהְיֶה אַחֲרֵי־רַבִּים לְרָעֹת Ex. 23:2
74 לִנְטֹת אַחֲרֵי רַבִּים לְהַטֹּת Ex. 23:2
75 וְהִבִּיטוּ אַחֲרֵי מֹשֶׁה Ex. 33:8
76 וְזָנוּ אַחֲרֵי אֱלֹהֵיהֶם Ex. 34:15
77 וְלֹא תָתוּרוּ אַחֲרֵי לְבַבְכֶם Num. 15:39
87-78 אַחֲרֵי יְיָ Num. 32:12 • Deut. 1:36; 13:5
Josh. 14:8, 9, 14 • ISh. 7:2 • IK. 11:6 • Hosh. 11:10 •
IICh. 34:31
103-88 אַחֲרֵי אֱלֹהִים אֲחֵרִים Deut. 6:14; 8:19
11:28; 13:3; 28:14 • Jud. 2:12, 17, 19 • IK. 11:4;
11:10 • Jer. 7:9; 11:10; 13:10; 16:11; 25:6; 35:15
104 וַיֵּלְכוּ אַחֲרֵי הַהֶבֶל וַיֶּהְבָּלוּ Jer. 2:5
105 לֹא תִטְהֲרִי אַחֲרֵי מָתַי עֹד Jer. 13:27
106 וַיְחִי אִיּוֹב אַחֲרֵי־זֹאת Job 42:16
107 מַה־נֹּאמַר אֱלֹהֵינוּ אַחֲרֵי־זֹאת Ez. 9:10
108 אַחֲרֵי כָּל־זֹאת אֲשֶׁר הֵכִין IICh. 35:20
111-109 וַיְהִי אַחֲרֵי הַדְּבָרִים הָאֵלֶּה
Gen. 22:20; 48:1 • Josh. 24:29
242-112 אַחֲרֵי (ב) Gen. 32:20(19); 44:4
Ex. 14:8; 34:16^{2} • Lev. 20:5 • Num. 3:23; 25:19 •
Deut. 4:3; 11:30; 19:6; 31:16 • Josh. 6:9, 13; 8:16,
17^{2}; 10:19; 24:6, 31 • Jud. 2:7; 4:16; 7:23; 8:5, 33;
9:3, 49; 10:1; 13:11; 18:12 • ISh. 8:3; 11:5, 7; 12:21;
13:4; 14:36, 37; 15:31; 17:13, 14, 53; 20:37, 38;
21:10; 22:20; 23:25, 28; 24:9(8), 15(14)^{4}; 25:13, 42;
26:18; 30:8, 21 • IISh. 2:10, 19, 24, 25, 28; 3:26, 31;
15:13; 17:1.9; 18:16. 22; 20:2, 7, 10, 11, 13^{2}; 21:1 •
IK. 1:6, 7; 2:28; 11:2, 5; 12:20; 13:14; 14:9, 10; 16:3,
21^{2}, 22^{2}; 18:18; 19:20; 19:21; 21:26 • IIK. 5:21;
7:14; 9:25; 17:15 • Is. 38:17 • Jer. 2:23; 3:17; 9:13;
16:12; 18:12; 31:33(32); 52:8 • Ezek. 6:9; 16:23;
20:16; 23:30, 35; 33:31; 44:10; 46:12 • Hosh. 2:7,
15; 5:11 • Job 29:22 • Ruth 1:15; 2:3, 7; 3:10 • Eccl.
2:12 • Neh. 4:10; 9:26 • ICh. 5:25; 10:2; 17:7 • IICh.
2:16; 13:19; 32:1

אַחֲרֵי אֲשֶׁר 243 אַחֲרֵי אֲשֶׁר הֻטַּמָּאָה Deut. 24:4
244 אַחֲרֵי אֲשֶׁר הָפַךְ יִשְׂרָאֵל עֹרֶף Josh. 7:8
245 אַחֲרֵי אֲשֶׁר־כָּרְתוּ לָהֶם בְּרִית Hosh. 9:16

אַחֲרֵי אֲשֶׁר (המשך) 246 אַחֲרֵי אֲשֶׁר־הֵנִיחַ יְיָ לְיִשְׂרָאֵל Josh. 23:1
247 אַחֲרֵי אֲשֶׁר־הֵיטִיב לָכֶם Josh. 24:20
248 אַחֲרֵי אֲשֶׁר עָשָׂה לְךָ יְיָ נְקָמוֹת Jud. 11:36
249 אַחֲרֵי אֲשֶׁר־בָּא הָאִישׁ הַזֶּה Jud. 19:23
250 אַחֲרֵי אֲשֶׁר בָּא אֲדֹנִי הַמֶּלֶךְ IISh. 19:31
אַחֲרֵי כַּאֲ׳ 251 אַחֲרֵי כַּאֲשֶׁר יָצְאוּ הָרֹדְפִים Josh. 2:7
אַחֲרֵי־כֵן 252 וְגַם אַחֲרֵי־כֵן אֲשֶׁר יָבֹאוּ... Gen. 6:4
253 מִפְּנֵי הָרָעָב הַהוּא אַחֲרֵי־כֵן Gen. 41:31
254 אַחֲרֵי־כֵן יְשַׁלַּח אֶתְכֶם Ex. 11:1
255 וַיַּכֵּם יְהוֹשֻׁעַ אַחֲרֵי־כֵן Josh. 10:26
256 וַיְהִי אַחֲרֵי־כֵן וַיֶּאֱהַב אִשָּׁה Jud. 16:4
268-257 וַיְהִי אַחֲרֵי־כֵן ISh. 24:6(5)
IISh. 2:1; 8:1; 10:1; 13:1; 21:18 • IIK. 6:24 • ICh.
18:1; 19:1; 20:4 • IICh. 20:1; 24:4
276-269 אַחֲרֵי־כֵן ISh. 9:13; 24:9(8)
• IISh. 21:14; 24:10 • Is. 1:26 • Jer. 34:11
• Joel 3:1 • Job 3:1

וְאַחֲרֵי־(א) 277 וְאַחֲרֵי הִקְצוֹת אֶת־הַבָּיִת Lev. 14:43
278 וְאַחֲרֵי הִטּוֹחַ Lev. 14:43
279 וְאַחֲרֵי־מוֹת הַכֹּהֵן הַגָּדֹל יָשׁוּב Num. 35:28
280 אַחֲרֵי אָכְלָה בְשִׁלֹה וְאַחֲרֵי שָׁתֹה ISh. 1:9
281 אַחֲרֵי אָכְלוֹ לֶחֶם וְאַחֲרֵי שְׁתוֹתוֹ IK. 13:23
282 וְאַחֲרֵי הִוָּדְעִי סָפַקְתִּי עַל־יָרֵךְ Jer. 31:19(18)
283 וְאַחֲרֵי טָהֳרָתוֹ...יִסְפְּרוּ־לוֹ Ezek. 44:26
284 וְאַחֲרֵי מוֹת יְהוֹיָדָע IICh. 24:17
וְאַחֲרֵי־(ב) 285 וְאַחֲרֵי כָּל־זֹאת נְגָפוֹ יְיָ IICh. 21:18
286 אַחֲרֵי לְבַבְכֶם וְאַחֲרֵי עֵינֵיכֶם Num. 15:39
287 רָדַף אַחֲרֵי הָרֶכֶב וְאַחֲרֵי הַמַּחֲנֶה Jud. 4:16
288 וְאַחֲרֵי אַבְשָׁלוֹם לֹא נָטָה IK. 2:28
289 וְאַחֲרֵי כָּל־הַבָּא עָלֵינוּ Ez. 9:13
300-290 וְאַחֲרֵי (ב) IK. 11:5; 16:3 • IIK. 17:15 •
Jer. 2:8; 7:6; 9:13 • Ezek. 20:24, 30 • Dan. 9:26 •
ICh. 10:2; 27:34

וְאַחֲרֵי כֵן 301 וְאַחֲרֵי־כֵן יֵצְאוּ בִּרְכֻשׁ גָּדוֹל Gen. 15:14
302 וְאַחֲרֵי־כֵן קָבַר אַבְרָהָם... Gen. 23:19
303 וְאַחֲרֵי־כֵן יָצָא אָחִיו Gen. 25:26
304 וְאַחֲרֵי־כֵן אֶרְאֶה פָנָיו Gen. 32:21(20)
305 וְאַחֲרֵי כֵן דִּבְּרוּ אֶחָיו אִתּוֹ Gen. 45:15
322-306 וְאַחֲרֵי־כֵן Ex. 3:20; 11:8; 34:32
Lev. 16:26, 28 • Num. 4:15; 8:15, 22; 9:17 • Josh.
8:34 • Jer. 16:16; 21:7; 46:26; 49:6 • Ez. 3:5 • IICh.
20:35; 33:14

בְּאַחֲרֵי־ 323 וַיַּכֵּהוּ אַבְנֵר בְּאַחֲרֵי הַחֲנִית IISh. 2:23
מֵאַחֲרֵי־ 324 כִּי־עַל־כֵּן שַׁבְתֶּם מֵאַחֲרֵי יְיָ Num. 14:43
334-325 מֵאַחֲרֵי יְיָ Josh. 22:16, 18, 23, 29
ISh. 12:20 • IIK. 17:21 • Hosh. 1:2 • Zep. 1:6 • IICh.
25:27; 34:33
335 אֹרְבִים לָעִיר מֵאַחֲרֵי הָעִיר Josh. 8:4
336 כִּי־אֹרֵב לוֹ מֵאַחֲרֵי הָעִיר Josh. 8:14
337 וַיַּעַל שָׁאוּל מֵאַחֲרֵי פְּלִשְׁתִּים ISh. 14:46
338 וּכְעָמִיר מֵאַחֲרֵי הַקֹּצֵר Jer. 9:21
339 וַיִּקָּחֵנִי יְיָ מֵאַחֲרֵי הַצֹּאן Am. 7:15
340 וָאַעֲמִיד...מֵאַחֲרֵי לַחוֹמָה Neh. 4:7
341-6 מֵאַחֲרֵי ISh. 24:2 • IISh. 2:19, 26, 27, 30; 20:2
מֵאַחֲרֵי כֵן 347 וַיִּשְׁמַע דָּוִד מֵאַחֲרֵי כֵן IISh. 3:28
348 וַיְהִי מֵאַחֲרֵי כֵן וַיַּעַשׂ לוֹ אַבְשָׁלוֹם IISh. 15:1
349 וַיִּנַּשֵּׂא לְעֵינֵי...הַגּוֹיִם מֵאַחֲרֵי־כֵן IICh. 32:23

אַחֲרַי 350 אוּלַי לֹא־תֹאבֶה...לָלֶכֶת אַחֲרַי Gen. 24:5
351 וַיֹּאמֶר אֲלֵהֶם רִדְפוּ אַחֲרַי Jud. 3:28
352 וַיֹּאמֶר יוֹנָתָן...עֲלֵה אַחֲרַי ISh. 14:12
353/4 כִּי־שְׁלֹמֹה בְנֵךְ יִמְלֹךְ אַחֲרַי IK. 1:13, 30
355 וַאֲשֶׁר הָלַךְ אַחֲרַי בְּכָל־לְבָבוֹ IK. 14:8

אַחֲרַי (המשך) 356 לְכוּ אַחֲרַי וְאוֹלִיכָה אֶתְכֶם IIK. 6:19
357 זָכַרְתִּי לָךְ...לֶכְתֵּךְ אַחֲרַי בַּמִּדְבָּר Jer. 2:2
358 וָאֶשְׁמַע אַחֲרַי קוֹל רַעַשׁ גָּדוֹל Ezek. 3:12
359 מוֹכִיחַ אָדָם אַחֲרַי(?) חֵן יִמְצָא Prov. 28:23
360 וְאַנְשֵׁי הַמִּשְׁמָר אֲשֶׁר אַחֲרָי Neh. 4:17
אַחֲרָי 361 אֻלַי לֹא־תֵלֵךְ הָאִשָּׁה אַחֲרָי Gen. 24:39
362 מַה־פִּשְׁעִי...כִּי דָלַקְתָּ אַחֲרָי Gen. 31:36
363 וְעַבְדִּי כָלֵב...וַיְמַלֵּא אַחֲרָי Num. 14:24
364 כִּי לֹא־מִלְאוּ אַחֲרָי Num. 32:11
365 אִם־תַּכְרִית אֶת־זַרְעִי אַחֲרָי ISh. 24:22(21)
366 כִּי־שְׁלֹמֹה בְנֵךְ יִמְלֹךְ אַחֲרָי IK. 1:17
367 אֲדֹנִיָּהוּ יִמְלֹךְ אַחֲרָי IK. 1:24
368/9 סֹב אֶל־אַחֲרָי IIK. 9:18, 19
370 שֶׁאַנִּיחֶנּוּ לָאָדָם שֶׁיִּהְיֶה אַחֲרָי Eccl. 2:18
וְאַחֲרַי 371 לְפָנַי...וְאַחֲרַי לֹא יִהְיֶה Is. 43:10
מֵאַחֲרַי 372 כִּי־יָסִיר אֶת־בִּנְךָ מֵאַחֲרַי Deut. 7:4
373 כִּי־שָׁב מֵאַחֲרַי ISh. 15:11
374 אִם־שׁוֹב תְּשֻׁבוּן...מֵאַחֲרַי IK. 9:6
375 אִישׁ אִישׁ... וְיִנָּזֵר מֵאַחֲרַי Ezek. 14:7
376 לְמַעַן לֹא־יִתְעוּ עוֹד... מֵאַחֲרַי Ezek. 14:11
מֵאַחֲרָי 377 סוּר לְךָ מֵאַחֲרָי IISh. 2:22
וּמֵאַחֲרַי 378 וּמֵאַחֲרַי לֹא תָשׁוּבִי Jer. 3:19
אַחֲרֶיךָ 379 בֵּינִי וּבֵינֶךָ וּבֵין זַרְעֲךָ אַחֲרֶיךָ Gen. 17:7
387-380 (ו-/ ל-/ ול-) זַרְעֲךָ אַחֲרֶיךָ Gen. 17:7;
17:8, 9, 10; 35:12; 48:4 • IISh. 7:12 • ICh. 17:11
388 אַל־תַּבִּיט אַחֲרֶיךָ Gen. 19:17
389 וְאִם־לֹא תֹאבֶה...לָלֶכֶת אַחֲרֶיךָ Gen. 24:8
390-2 לְךָ וּלְבָנֶיךָ אַחֲרֶיךָ Deut. 4:40; 12:25, 28
393 לֹא תְפָאֵר אַחֲרֶיךָ Deut. 24:20
394 לֹא תְעוֹלֵל אַחֲרֶיךָ Deut. 24:21
395 וַיְזַנֵּב... כָּל־הַנֶּחֱשָׁלִים אַחֲרֶיךָ Deut. 25:18
396 אַחֲרֶיךָ בִנְיָמִין בַּעֲמָמֶיךָ Jud. 5:14
397 אֶשְּׁקָה־נָּא...וְאֵלְכָה אַחֲרֶיךָ IK. 19:20
398 וּבִעַרְתִּי אַחֲרֶיךָ IK. 21:21
400-399 אַחֲרַיִךְ רֹאשׁ הֵנִיעָה IIK. 19:21 • Is. 37:22
401 קָרְאוּ אַחֲרֶיךָ מָלֵא Jer. 12:6
402 לֹא־אַצְתִּי מֵרֹעֶה אַחֲרֶיךָ Jer. 17:16
403 הָרִיעוּ בֵּית אָוֶן אַחֲרֶיךָ בִּנְיָמִין Hosh. 5:8
404 וַתַּשְׁלֵךְ דְּבָרַי אַחֲרֶיךָ Ps. 50:17
405 דָּבְקָה נַפְשִׁי אַחֲרֶיךָ Ps. 63:9
406 אִם־יְשַׂדֵּד עֲמָקִים אַחֲרֶיךָ Job 39:10
407 מָשְׁכֵנִי אַחֲרֶיךָ נָּרוּצָה S.ofS. 1:4
408 אֵין זוּלָתְךָ לִגְאוֹל וְאָנֹכִי אַחֲרֶיךָ Ruth 4:4
וְאַחֲרֶיךָ 409 וְאַחֲרֶיךָ לֹא־יָקוּם כָּמוֹךָ IK. 3:12
410 וְאַחֲרֶיךָ לֹא יִהְיֶה־כֵּן IICh. 1:12
מֵאַחֲרֶיךָ 411 וְלֹא־יִרְאֶה... וְשָׁב מֵאַחֲרֶיךָ Deut. 23:15
412 וְאָזְנֶיךָ תִּשְׁמַעְנָה דָבָר מֵאַחֲרֶיךָ Is. 30:21
אַחֲרַיִךְ 413 וַאֲנִי אָבוֹא אַחֲרַיִךְ... IK. 1:14
414 אַחֲרַיִךְ יֵלֵכוּ בַּזִּקִּים יַעֲבֹרוּ Is. 45:14
415 אַחֲרַיִךְ תֵּלֶךְ חָרֶב Jer. 48:2
וְאַחֲרַיִךְ 416 וְאַחֲרַיִךְ לֹא זוּנָּה Ezek. 16:34
מֵאַחֲרָיִךְ 417 אַל־תִּפְגְּעִי־בִי... לָשׁוּב מֵאַחֲרָיִךְ Ruth 1:16
אַחֲרָיו 418 לִבְרִית עוֹלָם לְזַרְעוֹ אַחֲרָיו Gen. 17:19
419 ...פֶּתַח הָאֹהֶל וְהוּא אַחֲרָיו Gen. 18:10
420 אֶת־בָּנָיו וְאֶת־בֵּיתוֹ אַחֲרָיו Gen. 18:19
421 וְהַדֶּלֶת סָגַר אַחֲרָיו Gen. 19:6
422 וַיִּרְדֹּף אַחֲרָיו דֶּרֶךְ שִׁבְעַת יָמִים Gen. 31:23
423 חֻקַּת עוֹלָם לוֹ וּלְזַרְעוֹ אַחֲרָיו Ex. 28:43
424 וּבִגְדֵי הַקֹּדֶשׁ...יִהְיוּ לְבָנָיו אַחֲרָיו Ex. 29:29
425 וְהִשְׁאִיר אַחֲרָיו בְּרָכָה Joel 2:14
426 לֹא־יֵרֵד אַחֲרָיו כְּבוֹדוֹ Ps. 49:18
427 צַדִּיק אַשְׁרֵי בָנָיו אַחֲרָיו Prov. 20:7

אַחֲרָיו (המשך)
428 כִּי מַה־חֶפְצוֹ בְּבֵיתוֹ אַחֲרָיו Job 21:21
429 אַחֲרָיו יִשְׁאַג־קוֹל Job 37:4
430 אַחֲרָיו יָאִיר נָתִיב Job 41:24
431 לִרְאוֹת בְּמֶה שֶׁיִּהְיֶה אַחֲרָיו Eccl. 3:22
432 מִי־יַגִּיד לָאָדָם מַה־יִּהְיֶה אַחֲרָיו Eccl. 6:12
433 שֶׁלֹּא יִמְצָא הָאָדָם אַחֲרָיו מְאוּמָה Eccl. 7:14
434-442 אַחֲרָיו הֶחֱזִיק... Neh. 3:16; 3:21,23²,24,29,30²,31
443-445 אַחֲרָיו הֶחֱזִיקוּ... Neh. 3:17,18,27
446 אַחֲרָיו הַחֲרָה הֶחֱזִיק Neh. 3:20
447-498 אַחֲרָיו Lev. 20:5
Num. 16:25; 25:13 • Deut. 4:37 • Josh. 3:3; 20:5 • Jud. 1:6; 3:28; 4:14; 6:34, 35; 8:27; 9:4; 10:3; 12:8, 11, 13; 20:40, 45 • ISh. 13:7; 14:13²; 17:35; 24:8(9); 26:3 • IISh. 1:7; 2:20; 11:8; 13:34; 20:6,7,14; 23:10 • IK. 1:20, 27, 35, 40; 15:4; 18:21² • IIK. 2:24; 5:20, 21; 6:32; 9:27; 14:19 • Ezek. 9:5; 10:11 • Neh. 3:25 • ICh. 27:4 • IICh. 25:27; 26:17

וְאַחֲרָיו
499 לְפָנָיו... וְאַחֲרָיו לֹא יִהְיֶה־כֵּן Ex. 10:14
500 וְלֹא הָיָה כַּיּוֹם הַהוּא לְפָנָיו וְאַחֲרָיו Josh. 10:14
501-3 לְפָנָיו(...)וְאַחֲרָיו IIK. 23:25 • Joel 2:3²
504 וְאַחֲרָיו (כתי׳ ואחרו) אֶלְעָזָר בֶּן־דֹּדוֹ IISh. 23:9
505 וְאַחֲרָיו לֹא־הָיָה כָמֹהוּ IIK. 18:5
506 וְאַחֲרָיו הֶחֱזִיקוּ הַכֹּהֲנִים Neh. 3:22
507 וְאַחֲרָיו הֶחֱזִיק שְׁמַעְיָה Neh. 3:29
508-517 וְאַחֲרָיו Jud. 3:31 • IISh. 23:11
Jer. 51:46 • Joel 2:2 • Zech. 8:1 • Ps. 94:15 • Job 21:33 • Eccl. 9:3 • Neh. 11:8 • ICh. 11:12

מֵאַחֲרָיו
518 וַתַּבֵּט אִשְׁתּוֹ מֵאַחֲרָיו Gen. 19:26
519 כִּי תְשׁוּבֻן מֵאַחֲרָיו Num. 32:15
520 וְלֹא־אָבָה... לָסוּר מֵאַחֲרָיו IISh. 2:21
521 וַתֵּצֵא הַחֲנִית מֵאַחֲרָיו IISh. 2:23
522 וְשַׁבְתֶּם מֵאַחֲרָיו וְנִכָּה וָמֵת IISh. 11:15
523 וְרֹאשׁ־עָגֹל לַכִּסֵּא מֵאַחֲרָיו IK. 10:19
524 וַיָּשָׁב מֵאַחֲרָיו וַיִּקַּח... הַבָּקָר IK. 19:21
525 וַיְהִי כִּרְאוֹת... וַיָּשׁוּבוּ מֵאַחֲרָיו IK. 22:33
526 וַיִּדְבַּק בַּיי לֹא־סָר מֵאַחֲרָיו IIK. 18:6
527 אֲשֶׁר עַל־כֵּן סָרוּ מֵאַחֲרָיו Job 34:27
528 וַאֲשֶׁר יִהְיֶה מֵאַחֲרָיו מִי יַגִּיד לוֹ Eccl. 10:14
529 וַיְהִי כִּרְאוֹת... וַיָּשׁוּבוּ מֵאַחֲרָיו IICh. 18:32

אַחֲרֶיהָ
530 וַתֵּצֶאןָ כָל־הַנָּשִׁים אַחֲרֶיהָ Ex. 15:20
531 וַיָּקָם אִישָׁהּ וַיֵּלֶךְ אַחֲרֶיהָ Jud. 19:3
532 וַיֵּלֶךְ... הָלוֹךְ וּבָכֹה אַחֲרֶיהָ IISh. 3:16
533 וּנְעֹל הַדֶּלֶת אַחֲרֶיהָ IISh. 13:17
534 וְנָעַל הַדֶּלֶת אַחֲרֶיהָ IISh. 13:18
535 וַיָּקָם וַיֵּלֶךְ אַחֲרֶיהָ IIK. 4:30
536 וְהַבָּא אַחֲרֶיהָ הָמֵת בֶּחָרֶב IIK. 11:15
537 הַגִּזְרָה אֲשֶׁר עַל־אַחֲרֶיהָ Ezek. 41:15
538 בְּתוּלוֹת אַחֲרֶיהָ רֵעוֹתֶיהָ Ps. 45:15
539 הוֹלֵךְ אַחֲרֶיהָ פִּתְאֹם Prov. 7:22
540 וְהַתּוֹדָה הַשֵּׁנִית... וַאֲנִי אַחֲרֶיהָ Neh. 12:38
541 וְהַבָּא אַחֲרֶיהָ יוּמַת IICh. 23:14

וְאַחֲרֶיהָ
542 וְאַחֲרֶיהָ לָקַח אֶת־מַעֲכָה IICh. 11:20

מֵאַחֲרֶיהָ
543 שִׂים־לְךָ אֹרֵב לָעִיר מֵאַחֲרֶיהָ Josh. 8:2

אַחֲרֵינוּ
544 וְהִנֵּה גַם־הוּא אַחֲרֵינוּ Gen. 32:19
545 הִנֵּה עַבְדְּךָ יַעֲקֹב אַחֲרֵינוּ Gen. 32:21(20)
546 וְיָצְאוּ אַחֲרֵינוּ עַד הַתִּיקֵנוּ אוֹתָם Josh. 8:6
547 ...וּבֵין דּוֹרוֹתֵינוּ אַחֲרֵינוּ Josh. 22:27

אַחֲרֵיכֶם
548 ...וְאֶת־זַרְעֲכֶם אַחֲרֵיכֶם Gen. 9:9
549 וְהִתְנַחַלְתֶּם.. לִבְנֵיכֶם אַחֲרֵיכֶם Lev. 25:46
550 וַהֲרִיקֹתִי אַחֲרֵיכֶם חָרֶב Lev. 26:33
551 אֲשֶׁר הֵצִיף... בְּרָדְפָם אַחֲרֵיכֶם Deut. 11:4

אַחֲרֵיכֶם
552 הִנְנִי אַחֲרֵיכֶם בָּאָה ISh. 25:19
553 וְהָרָעָב... שָׁם יִדְבַּק אַחֲרֵיכֶם Jer. 42:16
554 וְהִנְחַלְתֶּם לִבְנֵיכֶם אַחֲרֵיכֶם ICh. 28:8

מֵאַחֲרֵיכֶם
555 בְּנֵיכֶם אֲשֶׁר יָקוּמוּ מֵאַחֲרֵיכֶם Deut. 29:21

אַחֲרֵיהֶם
556 שֶׁבַע שִׁבֳּלִים.. צְמֻחוֹת אַחֲרֵיהֶם Gen. 41:23
557 אֲשֶׁר־הוֹלַדְתָּ אַחֲרֵיהֶם Gen. 48:6
558 וְחִזַּקְתִּי... וְרָדַף אַחֲרֵיהֶם Ex. 14:4
559-602 אַחֲרֵיהֶם Ex. 14:9,10,17,23,28 • Lev. 17:7; 20:6 • Num. 15:39 • Deut. 1:8; 10:15; 12:30 • Josh. 2:5,7²; 6:8; 8:16,20 • Jud. 2:10; 8:12 • ISh. 6:12; 14:22 • IISh. 5:23 • IK. 9:21; 20:19 • IIK. 7:15 • Jer. 8:2; 9:15; 25:26; 29:18; 32:18,39; 39:5; 49:37; 50:21 • Ezek. 5:2,12; 12:14; 29:16 • Am. 2:4 • Zech. 6:6; 7:14 • Neh. 12:32 • ICh. 14:14 • IICh. 8:8

וְאַחֲרֵיהֶם
603 וְאַחֲרֵיהֶם פָּקַד אֶת־כָּל־הָעָם IK. 20:15
604 כִּי־אָהַבְתִּי זָרִים וְאַחֲרֵיהֶם אֵלֵךְ Jer. 2:25
605 וְאַחֲרֵיהֶם בְּפִיהֶם יִרְצוּ סֶלָה Ps. 49:14
606 וְאַחֲרֵיהֶם מִכֹּל שִׁבְטֵי יִשְׂרָאֵל IICh. 11:16

מֵאַחֲרֵיהֶם
607 וַיִּסַּע מַלְאַךְ... וַיֵּלֶךְ מֵאַחֲרֵיהֶם Ex. 14:19
608 וַיִּסַּע... הֶעָנָן...וַיַּעֲמֹד מֵאַחֲרֵיהֶם Ex. 14:19
609 וַהֲשֵׁבֹתֶם בְּנֵיהֶם מֵאַחֲרֵיהֶם ISh. 6:7
610 לֹא־סָר יֵהוּא מֵאַחֲרֵיהֶם IIK. 10:29
611 לֹא־אָשׁוּב מֵאַחֲרֵיהֶם Jer. 32:40
612 הֵסֵב... הַמַּאֲרָב לָבוֹא מֵאַחֲרֵיהֶם IICh. 13:13
613 ...וְהַמַּאֲרָב מֵאַחֲרֵיהֶם IICh. 13:13

אַחֲרֵיהֶן
614/5 פָּרוֹת אֲחֵרוֹת עֹלוֹת אַחֲרֵיהֶן Gen. 41:3,19
616 שֶׁבַע שִׁבֳּלִים... צְמֻחוֹת אַחֲרֵיהֶן Gen. 41:6
617 הַפָּרוֹת... הָעֹלֹת אַחֲרֵיהֶן Gen. 41:27
618 וְקָמוּ שֶׁבַע שְׁנֵי רָעָב אַחֲרֵיהֶן Gen. 41:30
619 תִדְבָּקִין עִם־נַעֲרֹתָי.. וְהָלַכְתְּ אַחֲרֵיהֶן Ruth 2:9

אַחֲרֵי² מ״י ארמית – כמו בעברית

אַחֲרֵי
1/2 מָה דִּי לֶהֱוֵא אַחֲרֵי דְנָה Dan. 2:29,45

אַחֲרֵיהֹן
3 וְאָחֳרָן יְקוּם אַחֲרֵיהֹן Dan. 7:24

אָחֳרִי ת״נ ארמית – עיין אָחֳרָן

אַחֲרִי* נ׳ ארמית – עיין אַחֲרִית²

אָחֳרֵין ת׳ ארמית – אחרון

1 וְעַד אָחֳרֵין עַל קָדָמַי דָּנִיֵּאל Dan. 4:5

אַחֲרִית¹ נ׳

א) קָצֶה, סוֹף של מקום: 28
ב) קֵץ הזמן (בעבר או בעתיד): 1,7,14–27
ג) סוֹף, תּוֹצָאָה: 2–6, 8–13, 29–35, 38–55, 57, 59–61
ד) שְׁאֵרִית, שָׂרִיד: 36, 37, 56, 58

קרובים: סוֹף / קֵץ / קְצָת / קָצֶה / שְׁאָר / שְׁאֵרִית / שָׂרִיד

אַחֲרִית... רֵאשִׁית 1,7,10,11; אַחֲרִית גּוֹיִם 8; אַ׳ דָּבָר 11; אַ׳ זַעַם 29; אַ׳ יָם 28; אַ׳ הַיָּמִים 14–26; אַ׳ מַלְכוּת 30; אַ׳ רְשָׁעִים 9; אַ׳ שָׁנָה 7; אַ׳ הַשָּׁנִים 27

אַחֲרִית
1 מַגִּיד מֵרֵאשִׁית אַחֲרִית Is. 46:10
2 לָתֵת לָכֶם אַחֲרִית וְתִקְוָה Jer. 29:11
3 כִּי־אַחֲרִית לְאִישׁ שָׁלוֹם Ps. 37:37
4 יֵשׁ אַחֲרִית וְתִקְוָתְךָ לֹא תִכָּרֵת Prov. 23:18
5 אִם־מָצָאתָ וְיֵשׁ אַחֲרִית Prov. 24:14
6 כִּי לֹא־תִהְיֶה אַחֲרִית לָרָע Prov. 24:20

אַחֲרִית־
7 מֵרֵשִׁית הַשָּׁנָה וְעַד אַחֲרִית שָׁנָה Deut. 11:12
8 הִנֵּה אַחֲרִית גּוֹיִם מִדְבָּר... Jer. 50:12
9 אַחֲרִית רְשָׁעִים נִכְרָתָה Ps. 37:38
10 וַיי בֵּרַךְ...אַחֲרִית אִיּוֹב מֵרֵאשִׁתוֹ Job 42:12
11 טוֹב אַחֲרִית דָּבָר מֵרֵאשִׁיתוֹ Eccl. 7:8
12 וָאֹמְרָה אֲדֹנִי מָה אַחֲרִית אֵלֶּה Dan. 12:8

וְאַחֲרִית־
13 וְאַחֲרִית פִּיהוּ הוֹלֵלוּת רָעָה Eccl. 10:13

בְּאַחֲרִית־
14 אֲשֶׁר־יִקְרָא אֶתְכֶם בְּאַחֲרִית הַיָּמִים Gen. 49:1
15-17 וְהָיָה בְּאַחֲרִית הַיָּמִים Is. 2:2 • Jer. 49:39 • Mic. 4:1
18-26 בְּאַחֲרִית הַיָּמִים Num. 24:14
Deut. 4:30; 31:29 • Jer. 23:20; 30:24; 48:47 • Ezek. 38:16 • Hosh. 3:5 • Dan. 10:14
27 תִּפָּקֵד בְּאַחֲרִית הַשָּׁנִים Ezek. 38:8
28 אֶשְׁכְּנָה בְּאַחֲרִית יָם Ps. 139:9
29 אֲשֶׁר־יִהְיֶה בְּאַחֲרִית הַזָּעַם Dan. 8:19

וּבְאַחֲרִית־
30 וּבְאַחֲרִית מַלְכוּתָם כְּהָתֵם... Dan. 8:23

אַחֲרִיתִי
31 וּתְהִי אַחֲרִיתִי כָּמֹהוּ Num. 23:10

וְאַחֲרִיתְךָ
32 וְאַחֲרִיתְךָ יִשְׂגֶּה מְאֹד Job 8:7

בְּאַחֲרִיתֶךָ
33 לְהֵיטִבְךָ בְּאַחֲרִיתֶךָ Deut. 8:16
34 וְנָהַמְתָּ בְאַחֲרִיתֶךָ Prov. 5:11
35 לְמַעַן תֶּחְכַּם בְּאַחֲרִיתֶךָ Prov. 19:20

וְאַחֲרִיתֵךְ
36 וְאַחֲרִיתֵךְ בַּחֶרֶב תִּפּוֹל Ezek. 23:25
37 וְאַחֲרִיתֵךְ תֵּאָכֵל בָּאֵשׁ Ezek. 23:25

לְאַחֲרִיתֵךְ
38 וְיֵשׁ־תִּקְוָה לְאַחֲרִיתֵךְ Jer. 31:17(16)

אַחֲרִיתוֹ
39 יְהִי־אַחֲרִיתוֹ לְהַכְרִית Ps. 109:13
40 אַחֲרִיתוֹ כְּנָחָשׁ יִשָּׁךְ Prov. 23:32

וְאַחֲרִיתוֹ
41 וְאַחֲרִיתוֹ עֲדֵי אֹבֵד Num. 24:20
42 וְאַחֲרִיתוֹ יִהְיֶה מָנוֹן Prov. 29:21

וּבְאַחֲרִיתוֹ
43 וּבְאַחֲרִיתוֹ יִהְיֶה נָבָל Jer. 17:11

לְאַחֲרִיתוֹ
44 וְלֹא לְאַחֲרִיתוֹ וְלֹא כְמָשְׁלוֹ Dan. 11:4

אַחֲרִיתָהּ
45 ...לֹא זָכַרְתְּ אַחֲרִיתָהּ Is. 47:7
46 לֹא זָכְרָה אַחֲרִיתָהּ Lam. 1:9

וְאַחֲרִיתָהּ
47 וְאַחֲרִיתָהּ כְּיוֹם מָר Am. 8:10
48 וְאַחֲרִיתָהּ מָרָה כַלַּעֲנָה Prov. 5:4
49-50 וְאַחֲרִיתָהּ דַּרְכֵי־מָוֶת Prov. 14:12; 16:25
51 וְאַחֲרִיתָהּ שִׂמְחָה תוּגָה Prov. 14:13
52 וְאַחֲרִיתָהּ לֹא תְבֹרָךְ Prov. 20:21

בְּאַחֲרִיתָהּ
53 פֶּן מַה־תַּעֲשֶׂה בְּאַחֲרִיתָהּ Prov. 25:8

לְאַחֲרִיתָהּ
54 וּמַה־תַּעֲשׂוּ לְאַחֲרִיתָהּ Jer. 5:31

אַחֲרִיתֵנוּ
55 לֹא יִרְאֶה אֶת־אַחֲרִיתֵנוּ Jer. 12:4

וְאַחֲרִיתְכֶן
56 וְאַחֲרִיתְכֶן בְּסִירוֹת דּוּגָה Am. 4:2

אַחֲרִיתָם
57 אֶרְאֶה מָה אַחֲרִיתָם Deut. 32:20

וְאַחֲרִיתָם
58 וְאַחֲרִיתָם בַּחֶרֶב אֶהֱרֹג Am. 9:1

לְאַחֲרִיתָם
59 לוּ חָכְמוּ... יָבִינוּ לְאַחֲרִיתָם Deut. 32:29
60 עַד־אָבוֹא... אָבִינָה לְאַחֲרִיתָם Ps. 73:17

אַחֲרִיתָן
61 וְנָשִׂימָה לִבֵּנוּ וְנֵדְעָה אַחֲרִיתָן Is. 41:22

אַחֲרִית² נ׳ ארמית – כמו בעברית

אַחֲרִית־
1 מָה דִּי לֶהֱוֵא בְּאַחֲרִית יוֹמַיָּא Dan. 2:28

אָחֳרָן ת״ז ארמית = אַחֵר; לנקבה: אָחֳרִי = אַחֶרֶת

אָחֳרָן
1 וּמַלְכוּתָה לְעַם אָחֳרָן לָא תִשְׁתְּבִק Dan. 2:44
2 לָא אִיתַי אֱלָהּ אָחֳרָן... Dan. 3:29

וְאָחֳרָן
3 וְאָחֳרָן לָא אִיתַי דִּי יְחַוִּנֵּהּ Dan. 2:11
4 וְאָחֳרָן יְקוּם אַחֲרֵיהֹן Dan. 7:24

לְאָחֳרָן
5 וּנְבָזְבְּיָתָךְ לְאָחֳרָן הַב Dan. 5:17

אָחֳרִי
6 וּבָתְרָךְ תְּקוּם מַלְכוּ אָחֳרִי Dan. 2:39
7 וּמַלְכוּ תְלִיתָאָה אָחֳרִי Dan. 2:39
8 וַאֲרוּ חֵיוָה אָחֳרִי תִנְיָנָה Dan. 7:5
9–10 אָחֳרִי Dan. 7:6,8

וְאָחֳרִי
11 וְאָחֳרִי דִּי סִלְקַת וּנְפַלָה Dan. 7:20

אֲחֹרַנִּית תה״פ לאחור, לצד האחורי

אֲחֹרַנִּית 1/2 וַיֵּלְכוּ אֲחֹרַנִּית וַיְכַסּוּ אֵת־עֶרְוַת
אֲבִיהֶם וּפְנֵיהֶם אֲחֹרַנִּית Gen. 9:23
3 וַיִּפֹּל מֵעַל־הַכִּסֵּא אֲחֹרַנִּית ISh. 4:18
4 הֲסִבֹּתָ אֶת־לִבָּם אֲחֹרַנִּית IK. 18:37
7-5 אֲחֹרַנִּית עֶשֶׂר מַעֲלוֹת IIK. 20:10,11 • Is. 38:8

אֲחַשְׁדַּרְפַּן* ז׳ נציב (פרסית: חְשַׁתְרַפַּן)

הָאֲחַשְׁדַּרְפְּנִים 1 הָאֲחַשְׁדַּרְפְּנִים וְהַפַּחוֹת Es. 8:9
וְהָאֲחַשְׁדַּרְפְּנִים 2 וְהָאֲחַשְׁדַּרְפְּנִים וְהַפַּחוֹת Es. 9:3
אֲחַשְׁדַּרְפְּנֵי־ 3 אֶל־אֲחַשְׁדַּרְפְּנֵי־הַמֶּלֶךְ Es. 3:12
לַאֲחַשְׁדַּרְפְּנֵי־ 4 וַיִּתְּנוּ... לַאֲחַשְׁדַּרְפְּנֵי הַמֶּלֶךְ Ez. 8:36

אֲחַשְׁדַּרְפַּן* ז׳ ארמית – כמו בעברית

אֲחַשְׁדַּרְפְּנַיָּא 1/2 אֲחַשְׁדַּרְפְּנַיָּא סִגְנַיָּא Dan. 3:3,27
3 דִּי־לֶהֱוֺן אֲחַשְׁדַּרְפְּנַיָּא אִלֵּין Dan. 6:3
וַאֲחַשְׁדַּרְפְּנַיָּא 4 סָרְכַיָּא וַאֲחַשְׁדַּרְפְּנַיָּא Dan. 6:4
7-5 וַאֲחַשְׁדַּרְפְּנַיָּא Dan. 6:5,7,8
לַאֲחַשְׁדַּרְפְּנַיָּא 8 לְמִכְנַשׁ לַאֲחַשְׁדַּרְפְּנַיָּא Dan. 3:2
9 וַהֲקִים... לַאֲחַשְׁדַּרְפְּנַיָּא Dan. 6:2

אֲחַשְׁוֵרוֹשׁ שפ״ז – מלך פרס (חְשַׁיַארְשַׁא)

אֲחַשְׁוֵרוֹשׁ 1 וַיְהִי בִּימֵי אֲחַשְׁוֵרוֹשׁ Es. 1:1
2 אֲחַשְׁוֵרוֹשׁ הַמֹּלֵךְ מֵהֹדּוּ וְעַד־כּוּשׁ Es. 1:1
3 וַתִּלָּקַח אֶסְתֵּר אֶל־הַמֶּלֶךְ אֲחַשְׁוֵרוֹשׁ Es. 2:16
4 וַיָּשֶׂם... אֲחַשְׁוֵרוֹשׁ (כת׳ אחשרש) מַס Es. 10:1
5 בִּשְׁנַת אַחַת לְדָרְיָוֶשׁ בֶּן־אֲחַשְׁוֵרוֹשׁ Dan. 9:1
28-6 אֲחַשְׁוֵרוֹשׁ Es. 1:2,9,10,15,16,17,19; 2:1,12,21; 3:1,6,7,8; 6:2; 7:5; 8:1,12; 9:2,20,30; 10:3 • Ez. 4:6
31–29 אֲחַשְׁוֵרֹשׁ Es. 3:12; 8:7,10

אֲחַשְׁתָּרִי שפ״ז – בן אַשחור, משבט יהודה

הָאֲחַשְׁתָּרִי 1 וְאֶת־תֵּימְנִי וְאֶת־הָאֲחַשְׁתָּרִי ICh. 4:6

אֲחַשְׁתְּרָן* ת׳ מלכותי (פרסית: חְשַׁתְרַא = שלטון, מלכות)

הָאֲחַשְׁתְּרָנִים 2-1 רֹכְבֵי הָרֶכֶשׁ הָאֲחַשְׁתְּרָנִים Es. 8:10,14

אַחַת ש״מ א) ראשון המספרים נקבה – רוב המקראות; המשמעים העיקריים – עיין אֶחָד

ב) דבר אחד: 54׳, 56, 57, 59, 63, 237
ג) קִצּוּר של ״פַּעַם אַחַת״: 170,72,60,45,44,43,13,12 236]
ד) [אַחַת אֶל אַחַת] זו לזו: 14–19, 52–53

אַחַת בְּ־ 13,12; אַ׳ לְ־ 72,66,65,43; אַ׳ מִן־ 25-27, 33,35,38,46,49,55,58,71,186,238/9,246/7; אַ׳ אֶל אַ׳ 14-19, 52/3; אַ׳ לְאַ׳ 63; אַ׳ דָּתוֹ 64; אַ׳ הִיא 62,59; אַ׳ מְעַט 50; אַ׳ עֶשְׂרֵה 250, 251, 256-260, 267-268; הָאַחַת עֶשְׂרֵה 261; אַחַת הָאֲתוֹנוֹת 255; אַ׳ הַגֵּאָיוֹת 266; אַ׳ הַכֹּהֲנוֹת 252; אַ׳ הַלְּשָׁכוֹת 253; אַ׳ הַנְּבָלוֹת 254; אַ׳ הֶעָרִים 248,249, 262-264; אַ׳ הַפְּחָתִים 265; אַ׳ הַשְּׁפָחוֹת 271

אֶבֶן אַחַת 51; אֲגֻדָּה אַ׳ 141; בְּרָכָה אַ׳ 3; חֻקָּה אַ׳ 29,30; מִדָּה אַ׳ 8-11,2-41; מָנָה אַ׳ 36; מִקְשָׁה אַ׳ 6,7; נֶפֶשׁ אַ׳ 23,24; נָקָם אַ׳ 35; פַּעַם אַ׳ 34,37,137-140, 142,143; שְׁאֵלָה אַ׳ 39,40; שָׁנָה אַ׳ 135, 136; שְׁנַת אַ׳ 65-70; שָׂפָה אַ׳ 2,134; תּוֹרָה אַ׳ 4,28,31,32

אַחַת 1 וַיִּקַּח אַחַת מִצַּלְעֹתָיו Gen. 2:21
2 וְשָׂפָה אַחַת לְכֻלָּם Gen. 11:6
3 הַבְרָכָה אַחַת הִוא־לְךָ אָבִי Gen. 27:38
4 תּוֹרָה אַחַת יִהְיֶה לָאֶזְרָח וְלַגֵּר Ex. 12:49
5 קַח צִנְצֶנֶת אַחַת Ex. 16:33
6/7 כַּלָּהּ מִקְשָׁה אַחַת Ex. 25:36; 37:22
8/9 מִדָּה אַחַת לְכָל־הַיְרִיעֹת Ex. 26:2; 36:9

אַחַת (המשך) 10/11 מִדָּה אַחַת לְעַשְׁתֵּי עֶשְׂרֵה יְרִיעֹת Ex. 20:8; 36:15
12 וְכִפֶּר אַהֲרֹן... אַחַת בַּשָּׁנָה Ex. 30:10
13 אַחַת בַּשָּׁנָה יְכַפֵּר עָלָיו Ex. 30:10
17-14 וַיְחַבֵּר... אַחַת אֶל־אֶחָת Ex. 36:10[2],12,22
18/9 וַיְחַבֵּר... אַחַת אֶל־אַחַת Ex. 36:13
22-20 אַחַת מִכָּל־מִצְוֺת יְיָ Lev. 4:13,22; 5:17
23/4 וְאִם־נֶפֶשׁ אַחַת תֶּחֱטָא Lev.4:27 • Num.15:27
25 נֶפֶשׁ.. בַּעֲשֹׂתָהּ אַחַת מִמִּצְוֺת יְיָ.. Lev. 4:27
26/7 עַל־אַחַת מִכֹּל אֲשֶׁר־יַעֲשֶׂה Lev. 5:22,26
28 תּוֹרָה אַחַת לָהֶם Lev. 7:7
29 חֻקָּה אַחַת יִהְיֶה לָכֶם Num. 9:14
30 הַקָּהָל חֻקָּה אַחַת לָכֶם Num. 15:15
31 תּוֹרָה אַחַת וּמִשְׁפָּט אֶחָד Num. 15:16
32 תּוֹרָה אַחַת יִהְיֶה לָכֶם Num. 15:29
33 וְנָס אֶל־אַחַת מִן־הֶעָרִים Deut. 4:42
34 וַיָּסֹבּוּ אֶת־הָעִיר... פַּעַם אַחַת Josh. 6:14
35 וְאִנָּקְמָה נְקַם־אַחַת מִשְּׁתֵי עֵינַי Jud. 16:28
36 וּלְחַנָּה יִתֵּן מָנָה אַחַת אַפָּיִם ISh. 1:5
37 אַכֶּנּוּ... פַּעַם אַחַת וְלֹא אֶשְׁנֶה לוֹ ISh. 26:8
38 בְּחַר־לְךָ אַחַת־מֵהֶם IISh. 24:12
39 שְׁאֵלָה אַחַת אָנֹכִי שֹׁאֵל מֵאִתָּךְ IK. 2:16
40 שְׁאֵלָה אַחַת קְטַנָּה אָנֹכִי שֹׁאֶלֶת pop2:20
41/2 מִדָּה אַחַת (וְ)קֶצֶב אֶחָד IK. 6:25; 7:37
43 אַחַת לְשָׁלֹשׁ שָׁנִים תָּבוֹא IK. 10:22
44 אַחַת הֵנָּה וְאַחַת הֵנָּה IIK. 4:35
45 וְהִזְהִירֹה... לֹא־אַחַת וְלֹא שְׁתָּיִם IIK. 6:10
46 אַחַת מֵהֵנָּה לֹא נֶעְדָּרָה Is. 34:16
47 אַחַר אַחַת (כת׳ אחד) בַּתָּוֶךְ Is. 66:17
48 רָעָה אַחַת רָעָה הִנֵּה בָאָה Ezek. 7:5
49 לַעֲשׂוֹת לָךְ אַחַת מֵאֵלֶּה Ezek. 16:5
50 עוֹד אַחַת מְעַט הִיא... Hag. 2:6
51 עַל־אֶבֶן אַחַת שִׁבְעָה עֵינָיִם Zech. 3:9
52/3 וְהָלְכוּ יוֹשְׁבֵי אַחַת אֶל־אַחַת Zech. 8:21
54 אַחַת שָׁאַלְתִּי מֵאֵת־יְיָ Ps. 27:4
55 אַחַת מֵהֵנָּה לֹא נִשְׁבָּרָה Ps. 34:21
56 אַחַת דִּבֶּר אֱלֹהִים שְׁתַּיִם־זוּ שָׁמָעְתִּי Ps. 62:12
57 אַחַת נִשְׁבַּעְתִּי בְקָדְשִׁי Ps. 89:36
58 לֹא־יַעֲנֶנּוּ אַחַת מִנִּי־אָלֶף Job 9:3
59 אַחַת הִיא עַל־כֵּן אָמַרְתִּי Job 9:22
60 אַחַת דִּבַּרְתִּי וְלֹא אֶעֱנֶה Job 40:5
61 אַחַת הִיא יוֹנָתִי תַמָּתִי S.ofS. 6:9
62 אַחַת הִיא לְאִמָּהּ S.ofS. 6:9
63 אַחַת לְאַחַת לִמְצֹא חֶשְׁבּוֹן Eccl. 7:27
64 אַחַת דָּתוֹ לְהָמִית Es. 4:11
65 עַד־שְׁנַת אַחַת לְכוֹרֶשׁ Dan. 1:21
66 בִּשְׁנַת אַחַת לְדָרְיָוֶשׁ Dan. 9:1
70-67 (וּבִ־)בִּשְׁנַת אַחַת Dan. 9:2; 11:1 Ez. 1:1 • IICh. 36:22
71 בְּחַר־לְךָ אַחַת מֵהֵנָּה ICh. 21:10
72 אַחַת לְשָׁלוֹשׁ שָׁנִים תָּבוֹאנָה IICh. 9:21
133-73 אַחַת Ex. 29:23[2] • Lev. 8:26[2]; 14:10; 16:34 Num.6:14,19; 7:13,14,19,20,25,26; 7:31,32,37,38, 43,44,49,50,55,56,61,62,67,68; 7:73,74,79,80 • Josh.4:5; 7:21; 20:4 • Jud.9:53; 20:31 • ISh.1:2,24; 6:4,12; 7:12 • IISh. 6:19; 12:3; 14:27 • IIK. 4:1; 8:26 • Ezek. 23:2; 40:10[2],12,42[2]; 45:15; 46:22 • Am. 4:7[2],8 • Zech. 5:7 • Dan. 8:9 • IICh. 22:2

אֶחָת 134 וַיְהִי כָל־הָאָרֶץ שָׂפָה אֶחָת Gen. 11:1
135 לֹא אֲגָרְשֶׁנּוּ מִפָּנֶיךָ בְּשָׁנָה אֶחָת Ex. 23:29
136 נָקִי יִהְיֶה לְבֵיתוֹ שָׁנָה אֶחָת Deut. 24:5

אֶחָת (המשך) 137 הַקֵּיף אֶת־הָעִיר פַּעַם אֶחָת Josh. 6:3
140-138 פַּעַם אֶחָת Josh. 6:11; 10:42 • Is. 66:8
141 וַיִּהְיוּ לַאֲגֻדָּה אֶחָת IISh. 2:25
142 עַל־שְׁמֹנֶה מֵאוֹת חָלָל
בְּפַעַם אֶחָת (כת׳ אחד) IISh. 23:8
143 שְׁלֹשׁ־מֵאוֹת חָלָל בְּפַעַם אֶחָת ICh. 11:11
166-144 אֶחָת Ex. 36:10[2],12,22 Jud. 9:5,18 • ISh. 6:7 • IISh. 2:25; 6:19; 12:1; 18:11 • IK. 10:14 • IIK. 6:2 • Is. 5:10 • Ezek. 40:12,42; 41:24; 42:4; 43:14 • Am. 4:7 • Job 42:11 • ICh. 23:11 • IICh. 9:13

וְאַחַת 167 ...וְאַחַת גִּבְעָתָה בַּשָּׂדֶה Jud. 20:31
168 וְאַרְבָּעִים וְאַחַת שָׁנָה מָלַךְ IK. 15:10
169 בִּשְׁנַת שְׁלֹשִׁים וְאַחַת שָׁנָה IK. 16:23
170 אַחַת הֵנָּה וְאַחַת הֵנָּה IIK. 4:35
174-171 אַרְבָּעִים וְאַחַת IK. 14:21 • IIK. 14:23 • IICh. 12:13; 16:13
176-175 וּשְׁלֹשִׁים וְאַחַת שָׁנָה מָלַךְ IIK. 22:1 IICh. 34:1
179-177 בֶּן־עֶשְׂרִים וְאַחַת שָׁנָה... IIK. 24:18 • Jer. 52:1 • IICh. 36:11
180 ...וְאַחַת מַחֲזֶקֶת הַשָּׁלַח Neh. 4:11

הָאַחַת 181 שֵׁם הָאַחַת עָדָה וְשֵׁם הַשֵּׁנִית... Gen. 4:19
182 אִם־יָבוֹא עֵשָׂו אֶל־הַמַּחֲנֶה הָאַחַת Gen. 32:9(8)
183 אֲשֶׁר שֵׁם הָאַחַת שִׁפְרָה Ex. 1:15
184 הָאַחַת אֲהוּבָה וְהָאַחַת שְׂנוּאָה Deut. 21:15
185 וַתֹּאמֶר הָאִשָּׁה הָאַחַת IK. 3:17
186 וּמִן־הָאַחַת מֵהֶם יָצָא... Dan. 8:9
198-187 הָאַחַת Ex. 26:2, 8; 36:9, 15 Num. 7:85 • IK. 6:34; 7:30, 38 • Jer. 52:22 • Job 42:14 • Ruth 1:4 • ICh. 27:1

הָאֶחָת 200-199 עַל־צַלְעוֹ הָאֶחָת Ex. 25:12; 37:3
201-7 הַיְרִיעָה הָאֶחָת Ex. 26:2,4,8,10; 36:9,11,15
229-208 הָאֶחָת Ex. 26:5, 24 27:9; 28:10; 36:12,29,31 • Lev. 14:5,50; 24:5 • IK. 6:24; 7:16, 17, 18, 27, 34, 42; 10:10, 17 • IICh. 4:13; 9:15, 16

וְהָאַחַת 230 הָאַחַת אֲהוּבָה וְהָאַחַת שְׂנוּאָה Deut. 21:15
231 וְהָאַחַת גְּבֹהָה מִן־הַשֵּׁנִית Dan. 8:3

בְּאַחַת 232 וַיְהִי בְּאַחַת וְשֵׁשׁ־מֵאוֹת שָׁנָה Gen. 8:13
233 וְאִם־בְּאַחַת יִתְקָעוּ... Num. 10:4
234 כִּי־בְאַחַת יְדַבֶּר־אֵל Job 33:14
235 לִבַּבְתִּנִי בְּאַחַת (כת׳ באחד) מֵעֵינַיִךְ S.ofS. 4:9

בְּאֶחָת 236 וְנֶעְקַשׁ דְּרָכַיִם יִפּוֹל בְּאֶחָת Prov. 28:18
וּבְאַחַת 237 וּבְאַחַת יִבְעֲרוּ וְיִכְסָלוּ Jer. 10:8

לְאַחַת 238 וְאָשֵׁם לְאַחַת מֵאֵלֶּה Lev. 5:4
239 וְהָיָה כִי־יֶאְשַׁם לְאַחַת מֵאֵלֶּה Lev. 5:5
240 וּתְנוּ אֶת־הַחֲצִי לְאַחַת IK. 3:25
241 וְאַרְבַּע כְּנָפַיִם לְאַחַת לָהֶם Ezek. 1:6
242 אַחַת לְאַחַת לִמְצֹא חֶשְׁבּוֹן Eccl. 7:27

לְאֶחָת 243 וְאֶת־הַחֲצִי לְאֶחָת IK. 3:25
244 עִיר הַהֶרֶס יֵאָמֵר לְאֶחָת Is. 19:18
245 וְאַרְבָּעָה פָנִים לְאֶחָת Ezek. 1:6

מֵאַחַת 246 וְעָשָׂה מֵאַחַת מֵהֵנָּה Lev. 4:2
247 אֲשֶׁר־חָטָא מֵאַחַת מֵאֵלֶּה Lev. 5:13

אַחַת־ 248 יָנוּס אֶל־אַחַת הֶעָרִים־הָאֵלֶּה Deut. 19:5
249 וְנָס אֶל־אַחַת הֶעָרִים הָאֵל Deut. 19:11
250/1 אַחַת־עֶשְׂרֵה Josh. 15:51 • IIK. 9:29
252 סְפָחֵנִי נָא אֶל־אַחַת הַכְּהֻנּוֹת ISh. 2:36
253 אֶל־אַחַת הַלְּשָׁכוֹת Jer. 35:2
254 כְּדַבֵּר אַחַת הַנְּבָלוֹת תְּדַבֵּרִי Job 2:10

וְאַחַת־ 255 אֶחָד מִן־הַנְּעָרִים וְאַחַת הָאֲתֹנוֹת IIK. 4:22

260-256 וְאַחַת עֶשְׂרֵה שָׁנָה מָלַךְ IIK. 23:36; 24:18
• Jer. 52:1 • IICh. 36:5,11

הָאַחַת־ 261 וּבַשָּׁנָה הָאַחַת עֶשְׂרֵה IK. 6:38

בְּאַחַת־ 262 כִּי־תִשְׁמַע בְּאַחַת עָרֶיךָ Deut. 13:13

263 יִתְּנוּ־לִי מָקוֹם בְּאַחַת עָרֵי הַשָּׂדֶה ISh. 27:5

264 הַאֶעֱלֶה בְּאַחַת עָרֵי יְהוּדָה IISh. 2:1

265 הוּא־נֶחְבָּא בְּאַחַת הַפְּחָתִים IISh. 17:9

266 בְּאַחַד הֶהָרִים אוֹ בְּאַחַת הַגֵּאָיוֹת IIK. 2:16

267/8 וַיְהִי בְּאַחַת עֶשְׂרֵה שָׁנָה Ezek. 30:20; 31:1

269 בְּאַחַת יָדוֹ עֹשֶׂה בַמְּלָאכָה Neh. 4:11

כְּאַחַת־ 270 גִּבְעוֹן כְּאַחַת עָרֵי הַמַּמְלָכָה Josh. 10:2

271 לֹא אֶהְיֶה כְּאַחַת שִׁפְחֹתֶךָ Ruth 2:13

אַט תה״פ וז׳ א) לא בחפזון: 1–3 ב) מתינות: 4

אַט 1 וַיִּשְׁכַּב בַּשָּׂק וַיְהַלֵּךְ אַט IK. 21:27

לְאַט 2 לְאַט־לִי לַנַּעַר לְאַבְשָׁלוֹם IISh. 18:5

3 מֵי הַשִּׁלֹחַ הַהֹלְכִים לְאַט Is. 8:6

לְאִטִּי 4 אֶתְנַהֲלָה לְאִטִּי לְרֶגֶל הַמְּלָאכָה Gen. 33:14

אִט* ז׳ עַיֵּן אִטִּים

אָטָד ז׳ צמח קוֹצני (Lycium)

אָטָד 1 בְּטֶרֶם יָבִינוּ סִירֹתֵיכֶם אָטָד Ps. 58:10

הָאָטָד 2 וַיֹּאמְרוּ כָל־הָעֵצִים אֶל־הָאָטָד Jud. 9:14

3 וַיֹּאמֶר הָאָטָד אֶל־הָעֵצִים Jud. 9:15

4 תֵּצֵא אֵשׁ מִן־הָאָטָד Jud. 9:15

אָטוּם* ת׳ עַיֵּן אטם

אֵטוּן ז׳ אריג מְשׁוּבָּח (מִפִּשְׁתָּן?)

אֵטוּן־ 1 מַרְבַדִּים... חֲטֻבוֹת אֵטוּן מִצְרָיִם Prov. 7:16

אִטִּים ז״ר קוֹסמים, מְכַשְּׁפִים

הָאִטִּים 1 וְדָרְשׁוּ אֶל-הָאֱלִילִים וְאֶל-הָאִטִּים Is. 19:3

אטם : אָטַם, אוֹטֵם, אָטוּם, יַאְטֵם

אָטַם פָּ׳ סָתַם, סגר

אוֹטֵם 1 אֹטֵם אָזְנוֹ מִשְּׁמֹעַ דָּמִים Is. 33:15

2 אֹטֵם שְׂפָתָיו נָבוֹן Prov. 17:28

3 אֹטֵם אָזְנוֹ מִזַּעֲקַת־דָּל Prov. 21:13

אֲטוּמִים 4 חַלּוֹנֵי שְׁקֻפִים אֲטֻמִים IK. 6:4

אֲטוּמוֹת 5 וְחַלֹּונוֹת אֲטֻמוֹת אֶל־הַתָּאִים Ezek. 40:16

6 וְחַלֹּונִים אֲטֻמוֹת וְתִמֹרִים Ezek. 41:26

הָאֲטוּמוֹת 7 וְהַחַלֹּונִים הָאֲטֻמוֹת וְהָאַתִּיקִים Ezek. 41:16

יַאְטֵם 8 כְּמוֹ־פֶתֶן חֵרֵשׁ יַאְטֵם אָזְנוֹ Ps. 58:5

אטר : אָטַר; אִטֵּר; ש״פ אָטֵר

אָטַר פָּ׳ סגר, סתם

תֶּאְטַר 1 וְאַל־תֶּאְטַר־עָלַי בְּאֵר פִּיהָ Ps. 69:16

אִטֵּר ת׳ בְּצֵרוּף: ״אִטֵּר יַד יְמִינוֹ״ – זריז גם ביד שׂמאלו

אִטֵּר 2-1 אִטֵּר יַד־יְמִינוֹ Jud. 3:15; 20:16

אָטֵר שפ״ז א) אבי משפחת שָׁבֵי הגולה שחתמו על האמָנה: 1–3

ב) אבי משפחת לויים שוערים: 4–5

אָטֵר 1 בְּנֵי־אָטֵר לִיחִזְקִיָּה Ez. 2:16

2 בְּנֵי־אָטֵר לְחִזְקִיָּה Neh. 7:21

3 אָטֵר חִזְקִיָּה עַזּוּר Neh. 10:18

4/5 הַשֹּׁעֲרִים... בְּנֵי־אָטֵר Ez. 2:42 • Neh. 7:45

אֵי מ״ש מקוצרת מן ״אַיֵּה״ א) אַיֵּה: 1–4

ב) [אֵי־זֶה] אֵיזֶה: 6–18, 26–29

ג) [אֵי־מִזֶּה] מֵאַיִן, מֵאֵיזֶה מָקוֹם: 19–25, 30, 31

אֵי 1 אֵי הֶבֶל אָחִיךָ Gen. 4:9

2 וְאָמַר אֵי אֱלֹהֵימוֹ Deut. 32:37

3 רְאֵה אֵי־חֲנִית הַמֶּלֶךְ ISh. 26:16

4 וּלְרוֹזְנִים אֵי (כת׳ או) שֵׁכָר Prov. 31:4

אֵי לָזֹאת 5 אֵי לָזֹאת אֶסְלַח־לָךְ Jer. 5:7

אֵי-זֶה 6 אֵי־זֶה בֵּית הָרֹאֶה ISh. 9:18

7 אֵי־זֶה הַדֶּרֶךְ הָלָךְ IK. 13:12

8 אֵי־זֶה עָבַר רוּחַ־יְיָ מֵאִתִּי IK. 22:24

9 אֵי־זֶה הַדֶּרֶךְ נַעֲלֶה IIK. 3:8

10 אֵי זֶה סֵפֶר כְּרִיתוּת אִמְּכֶם Is. 50:1

11 אֵי־זֶה בַיִת אֲשֶׁר תִּבְנוּ־לִי Is. 66:1

12 אֵי־זֶה דֶרֶךְ הַטּוֹב וּלְכוּ־בָהּ Jer. 6:16

13 אֵי־זֶה הַדֶּרֶךְ יִשְׁכָּן־אוֹר Job 38:19

14 וְחֹשֶׁךְ אֵי־זֶה מְקֹמוֹ Job 38:19

15 אֵי־זֶה הַדֶּרֶךְ יֵחָלֶק אוֹר Job 38:24

16 אֵי־זֶה טוֹב לִבְנֵי הָאָדָם Eccl. 2:3

17 אֵי זֶה יִכְשַׁר הֲזֶה אוֹ־זֶה Eccl. 11:6

18 אֵי זֶה הַדֶּרֶךְ עָבַר רוּחַ־יְיָ IICh. 18:23

אֵי-מִזֶּה 19 אֵי־מִזֶּה בָאת וְאָנָה תֵלֵכִי Gen. 16:8

20 וְלֹא שְׁאִלְתִּיהוּ אֵי־מִזֶּה הוּא Jud. 13:6

21 לֹא יָדַעְתִּי אֵי מִזֶּה הֵמָּה ISh. 25:11

22 אֵי מִזֶּה תָּבוֹא IISh. 1:3

23 אֵי מִזֶּה אָתָּה IISh. 1:13

24 אֵי־מִזֶּה עִיר אַתָּה IISh. 15:2

25 אֵי מִזֶּה תָּבֹא Job 2:2

וְאֵי-זֶה 26 וְאֵי־זֶה מָקוֹם מְנוּחָתִי Is. 66:1

27/8 וְאֵי זֶה מְקוֹם בִּינָה Job 28:12,20

29 מִי הוּא זֶה וְאֵי־זֶה הוּא Es. 7:5

וְאֵי מִזֶּה 30 לְמִי־אַתָּה וְאֵי מִזֶּה אָתָּה ISh. 30:13

31 וְאֵי־מִזֶּה עַם אָתָּה Jon. 1:8

אִי 1 ז׳ א) חבל ארץ מוקף ים: 1–5

ב) [אִיִּים] כִּנּוּי לארצות שמעבר לַיָּם: 6–36

אִי כַפְתּוֹר 5; יוֹשְׁבֵי אִי (אִיִּים) 1-3, 21-22; אִיִּים רַבִּים 14–16; אִיִּים רְחוֹקִים 18; אִיֵּי אֱלִישָׁה 35; אִ׳ הַגּוֹיִם 29,31; אִ׳ הַיָּם 32,33,36; אִ׳ כִּתִּיִּים 30,34; יוֹשֵׁב (יוֹשְׁבֵי) אִי 1–3, 10, 21, 22; מַלְכֵי הָאִי 4

אִי 1 דֹּמּוּ יֹשְׁבֵי אִי Is. 23:2

2 הֵילִילוּ יֹשְׁבֵי אִי Is. 23:6

הָאִי 3 וְאָמַר יֹשֵׁב הָאִי הַזֶּה Is. 20:6

4 וְאֵת מַלְכֵי הָאִי אֲשֶׁר בְּעֵבֶר הַיָּם Jer. 25:22

אִי־ 5 שֹׁדֵד יְיָ... שְׁאֵרִית אִי כַפְתּוֹר Jer. 47:4

אִיִּים 6 הֵן אִיִּים כַּדַּק יִטּוֹל Is. 40:15

7 הַחֲרִישׁוּ אֵלַי אִיִּים Is. 41:1

8 רָאוּ אִיִּים וְיִירָאוּ Is. 41:5

9 וּלְתוֹרָתוֹ אִיִּים יְיַחֵלוּ Is. 42:4

10 שִׁירוּ... אִיִּים וְיֹשְׁבֵיהֶם Is. 42:10

11 שִׁמְעוּ אִיִּים אֵלַי וְהַקְשִׁיבוּ לְאֻמִּים Is. 49:1

12 אֵלַי אִיִּים יְקַוּוּ Is. 51:5

13 כִּי־לִי אִיִּים יְקַוּוּ Is. 60:9

14 רֹכֶלֶת הָעַמִּים אֶל־אִיִּים רַבִּים Ezek. 27:3

15 אִיִּים רַבִּים סְחֹרַת יָדֵךְ Ezek. 27:15

16 תָּגֵל הָאָרֶץ יִשְׂמְחוּ אִיִּים רַבִּים Ps. 97:1

וְאִיִּים 17 מַלְכֵי תַרְשִׁישׁ וְאִיִּים Ps. 72:10

הָאִיִּים 18 הָאִיִּים הָרְחֹקִים אֲשֶׁר לֹא־שָׁמְעוּ Is. 66:19

19 מִקּוֹל מַפַּלְתֵּךְ.. יִרְעֲשׁוּ הָאִיִּים Ezek. 26:15

20 וְנִבְהֲלוּ הָאִיִּים אֲשֶׁר־בַּיָּם Ezek. 26:18

21 כֹּל יֹשְׁבֵי הָאִיִּים שָׁמְמוּ עָלַיִךְ Ezek. 27:35

22 ...וּבְיֹשְׁבֵי הָאִיִּים לָבֶטַח Ezek. 39:6

הָאִיִּן 23 עַתָּה יֶחְרְדוּ הָאִיִּן Ezek. 26:18

בָּאִיִּים 24 וּתְהִלָּתוֹ בָּאִיִּים יַגִּידוּ Is. 42:12

25 וְהַגִּידוּ בָאִיִּים מִמֶּרְחָק Jer. 31:10(9)

לָאִיִּים 26 וְשַׂמְתִּי נְהָרוֹת לָאִיִּים Is. 42:15

27 לָאִיִּים גְּמוּל יְשַׁלֵּם Is. 59:18

לְאִיִּים 28 וְיָשֵׂם פָּנָיו לְאִיִּים Dan. 11:18

אִיֵּי־ 29 מֵאֵלֶּה נִפְרְדוּ אִיֵּי הַגּוֹיִם Gen. 10:5

30 עִבְרוּ אִיֵּי כִתִּיִּים וּרְאוּ Jer. 2:10

31 וְיִשְׁתַּחֲווּ... כֹּל אִיֵּי הַגּוֹיִם Zep. 2:11

וְאִיֵּי־ 32 וַיָּשֶׂם... מַס עַל־הָאָרֶץ וְאִיֵּי הַיָּם Es. 10:1

בְּאִיֵּי־ 33 כַּבְּדוּ יְיָ בְּאִיֵּי הַיָּם שֵׁם יְיָ Is. 24:15

מֵאִיֵּי־ 34 בַּת־אֲשֻׁרִים מֵאִיֵּי כִּתִּים Ezek. 27:6

35 תְּכֵלֶת וְאַרְגָּמָן מֵאִיֵּי אֱלִישָׁה Ezek. 27:7

וּמֵאִיֵּי־ 36 וּמִשִּׁנְעָר וּמֵחֲמָת וּמֵאִיֵּי הַיָּם Is. 11:11

אִי 2* ז׳ בעל־חיים השׁוֹכן במקום שׁוֹמם

אִיִּים 1 וְעָנָה אִיִּים בְּאַלְמְנוֹתָיו Is. 13:22

2 וּפָגְשׁוּ צִיִּים אֶת־אִיִּים Is. 34:14

3 יֵשְׁבוּ צִיִּים אֶת־אִיִּים Jer. 50:39

אִי 3 מלת־שלילה: לא, בלתי

אִי־ 1 יְמַלֵּט אִי־נָקִי וְנִמְלַט בְּבֹר כַּפֶּיךָ Job 22:30

אִי 4 מ״ק אוֹי, הוֹי: 1 [אִי־לוֹ] אוֹי לוֹ: 2

אִי 1 אִי־לָךְ אֶרֶץ שֶׁמַּלְכֵּךְ נָעַר Eccl. 10:16

וְאִי 2 וְאִי־לוֹ (נ״א וְאִילוֹ) הָאֶחָד שֶׁיִּפּוֹל Eccl. 4:10

אִי־כָבוֹד שפ״ז עַיֵּן אִיכָבוֹד

איב : אָיַב; אוֹיֵב, אוֹיֶבֶת, אֵיבָה; ש״פ אִיּוֹב

אָיַב פָּ׳ שׂנא [עַיֵּן גם אוֹיֵב]

קרובים: ראה שׂנא

וְאָיַבְתִּי 1 וְאָיַבְתִּי אֶת־אֹיְבֶיךָ וְצַרְתִּי... Ex. 23:22

אוֹיֵב 2 וַיְהִי שָׁאוּל אֹיֵב אֶת-דָּוִד כָּל-הַיָּמִים ISh. 18:29

אֹיֵב ז׳ ראה אוֹיֵב **אֹיֶבֶת** נ׳ ראה אוֹיֶבֶת

אֵיבָה נ׳ שִׂנְאָה

קרובים: חֵמָה / כַּעַס / עֶבְרָה / קִנְאָה / שִׂטְנָה / שִׂנְאָה

אֵיבַת עוֹלָם 4, 5

אֵיבָה 1 וְאִם-בְּפֶתַע בְּלֹא-אֵיבָה הֲדָפוֹ Num. 35:22

וְאֵיבָה 2 וְאֵיבָה אָשִׁית בֵּינְךָ וּבֵין הָאִשָּׁה Gen. 3:15

בְּאֵיבָה 3 אוֹ בְאֵיבָה הִכָּהוּ בְיָדוֹ Num. 35:21

אֵיבַת־ 4 לְמַשְׁחִית אֵיבַת עוֹלָם Ezek. 25:15

5 יַעַן הֱיוֹת לְךָ אֵיבַת עוֹלָם Ezek. 35:5

אֵיד ז׳ אָסוֹן, צָרָה: 1–24

קרובים: אָסוֹן / הַוָּה / הֹוָה / דְּחִי / כִּיד / מְחִתָּה / מְשׁוֹאָה / פִּיד / פֶּרֶץ / צֶלַע / צָרָה / שֶׁבֶר / שִׁבָּרוֹן / שׁוֹאָה

אֵיד אֵל 7; אֵיד מוֹאָב 5; אֵיד עֵשָׂו 6; אָרְחוֹת אֵידוֹ 24; יוֹם אֵ׳ 1,8-12,16-18,21; עֵת אֵ׳ 20; אָתָה אֵידוֹ 14; בָּא אֵ׳ 13,23; הֵבִיא אֵ׳ 19; נָכוֹן אֵ׳ 2; קָם אֵ׳ 22; קָרוֹב אֵ׳ 5

אֵיד 1 כִּי לְיוֹם אֵיד יֵחָשֶׂךְ רָע Job 21:30

2 הֲלֹא־אֵיד לְעַוָּל וְנֵכֶר לְפֹעֲלֵי אָוֶן Job 31:3

וְאֵיד 3 וְאֵיד נָכוֹן לְצַלְעוֹ Job 18:12

לְאֵיד 4 שָׂמֵחַ לְאֵיד לֹא יִנָּקֶה Prov. 17:5

אֵיד־ 5 קָרוֹב אֵיד־מוֹאָב לָבוֹא Jer. 48:16

6 כִּי אֵיד עֵשָׂו הֵבֵאתִי עָלָיו Jer. 49:8

7 כִּי־פַחַד אֵלַי אֵיד אֵל Job 31:23

אֵידִי 8 יְקַדְּמֻנִי בְּיוֹם אֵידִי IISh. 22:19

9 יְקַדְּמוּנִי בְיוֹם־אֵידִי Ps. 18:19

אֵידֶךָ 10 אַל־תָּבוֹא בְּיוֹם אֵידֶךָ Prov. 27:10

אֵידוֹ 11 אַל־תֵּרֶא... בְּרָעָתוֹ בְּיוֹם אֵידוֹ Ob. 13

12 וְאַל־תִּשְׁלַחְנָה בְחֵילוֹ בְּיוֹם אֵידוֹ Ob. 13

13 פִּתְאֹם יָבוֹא אֵידוֹ פֶּתַע יִשָּׁבֵר Prov. 6:15

וְאֵידְכֶם 14 וְאֵידְכֶם כְּסוּפָה יֶאֱתֶה Prov. 1:27

בְּאֵידְכֶם 15 גַּם־אֲנִי בְּאֵידְכֶם אֶשְׂחָק Prov. 1:26

אֵידָם 16 כִּי קָרוֹב יוֹם אֵידָם Deut. 32:35

17 עֹרֶף וְלֹא-פָנִים אֶרְאֵם בְּיוֹם אֵידָם Jer. 18:17

18 כִּי יוֹם אֵידָם בָּא עֲלֵיהֶם Jer. 46:21

*

19 וּמִכָּל־עֲבָרָיו אָבִיא אֶת־אֵידָם Jer. 49:32
20 בְּעֵת אֵידָם בְּעֵת עֲוֹן קֵץ Ezek. 35:5
21 אַל־תָּבוֹא... בְּיוֹם אֵידָם Ob. 13
22 כִּי־פִתְאֹם יָקוּם אֵידָם Prov. 24:22
23 וְיָבֹא עָלֵימוֹ אֵידָם Job 21:17
24 וַיָּסֹלּוּ עָלַי אָרְחוֹת אֵידָם Job 30:12

אַיָּה[1]
נ׳ שם כולל לעופות טורפים, קרובים לַבַּז

אַיָּה 1 וְלֹא שְׁזָפַתּוּ עֵין אַיָּה Job 28:7
הָאַיָּה 2 וְאֶת־הָאַיָּה לְמִינָהּ Lev. 11:14
3 וְאֶת־הָאַיָּה וְהַדַּיָּה לְמִינָהּ Deut. 14:13

אַיָּה[2]
שפ״ז א) אבי רצפה, פילגש שאול: 1–4
ב) מבני צבעון, מצאצאי שׂעיר: 5–6

אַיָּה 1 וּלְשָׁאוּל פִּלֶגֶשׁ וּשְׁמָהּ רִצְפָּה בַת־אַיָּה IISh.3:7
2-4 רִצְפָּה בַת־אַיָּה IISh. 21:8,10,11
5 וּבְנֵי צִבְעוֹן אַיָּה וַעֲנָה ICh. 1:40
וְאַיָּה 6 וְאֵלֶּה בְנֵי־צִבְעוֹן וְאַיָּה וַעֲנָה Gen. 36:24

אַיֵּה
מ״ש: איפה, היכן (על־פי־רוב לפני שם־עצם): 1-6,
10–53; לפני בינוני: 7–9
אַיֵּה אֵפוֹא 4, 44, 52; אַיֵּה־נָא 10

אַיֵּה 1 אַיֵּה שָׂרָה אִשְׁתֶּךָ Gen. 18:9
2 אַיֵּה הָאֲנָשִׁים אֲשֶׁר־בָּאוּ Gen. 19:5
3 אַיֵּה הַקְּדֵשָׁה הִוא בָעֵינַיִם Gen. 38:21
4 אַיֵּה אֵפוֹא פִיךָ Jud. 9:38
5 אַיֵּה אֲחִימַעַץ וִיהוֹנָתָן IISh. 17:20
6 אַיֵּה יְיָ אֱלֹהֵי אֵלִיָּהוּ IIK. 2:14
7/8 אַיֵּה סֹפֵר אַיֵּה שֹׁקֵל Is. 33:18
9 אַיֵּה סֹפֵר אֶת־הַמִּגְדָּלִים Is. 33:18
10 אַיֵּה־נָא אֱלֹהֵיהֶם Ps. 115:2
11-37 אַיֵּה IIK. 18:34[2]
Is.36:19[2]; 37:13; 63:11[2],15 • Jer.2:6,8; 13:20; 17:15
• Ezek. 13:12 • Joel 2:17 • Nah. 2:12 • Zech. 1:5 •
Mal. 1:6[2]; 2:17 • Ps. 42:4, 11; 79:10; 89:50 • Job
15:23; 21:28; 35:10 • Lam. 2:12
וְאַיֵּה 38 הִנֵּה הָאֵשׁ...וְאַיֵּה הַשֶּׂה לְעֹלָה Gen. 22:7
39 וְאַיֵּה כָל־נִפְלְאוֹתָיו Jud. 6:13
40 וְאַיֵּה בֶּן־אֲדֹנֶיךָ IISh. 16:3
41 וְאַיֵּה חֲמַת הַמֵּצִיק Is. 51:13
42 וְאַיֵּה אֱלֹהֶיךָ אֲשֶׁר עָשִׂיתָ לָּךְ Jer. 2:28
43 וְאַיֵּה (כת׳ ואיו) נְבִיאֵיכֶם Jer. 37:19
44 וְאַיֵּה אֵפוֹ תִקְוָתִי Job 17:15
45 וְאַיֵּה אֹהֶל מִשְׁכְּנוֹת רְשָׁעִים Job 21:28
אַיֶּכָּה 46 וַיֹּאמֶר לוֹ אַיֶּכָּה Gen. 3:9
אַיּוֹ 47 אַיּוֹ מֶלֶךְ־חֲמָת וּמֶלֶךְ אַרְפָּד IIK. 19:13
48 אַיּוֹ יְיָ אֱלֹהָיִךְ Mic. 7:10
49 רֹאָיו יֹאמְרוּ אַיּוֹ Job 20:7
וְאַיּוֹ 50 וַיֹּאמֶר אֶל־בְּנֹתָיו וְאַיּוֹ Ex. 2:20
51 וַיִּגְוַע אָדָם וְאַיּוֹ Job 14:10
אַיָּם 52 אַיָּם אֵפוֹא חֲכָמֶיךָ Is. 19:12
53 וְלֹא־נוֹדַע מְקוֹמוֹ אַיָּם Nah. 3:17

אִיּוֹב
שפ״ז – איש מארץ עוץ, גבור הספר בכתובים
אַחֲרִית אִיּוֹב 22; בְּנוֹת א׳ 23; דִּבְרֵי א׳ 15;
עַבְדִּי א׳ 2–3,17–19,54; פְּנֵי א׳ 20; רֵעֵי א׳ 5;
שְׁבוּת א׳ 21

אִיּוֹב 1 אִישׁ הָיָה בְאֶרֶץ־עוּץ אִיּוֹב שְׁמוֹ Job 1:1
2/3 הֲשַׂמְתָּ לִבְּךָ עַל־(אֶל) עַבְדִּי אִיּוֹב Job 1:8; 2:3
4 בְּכָל־זֹאת לֹא־חָטָא אִיּוֹב Job 1:22
5 וַיִּשְׁמְעוּ שְׁלֹשֶׁת רֵעֵי אִיּוֹב Job 2:11
6-14 וַיַּעַן אִיּוֹב וַיֹּאמַר Job 3:2; 6:1; 9:1;
12:1; 16:1; 19:1; 21:1; 23:1; 26:1

אִיּוֹב (המשך) 15 תַּמּוּ דִּבְרֵי אִיּוֹב Job 31:40
16 אָבִי יִבָּחֵן אִיּוֹב עַד־נֶצַח Job 34:36
17/8 לֹא דִבַּרְתֶּם... כְּעַבְדִּי אִיּוֹב Job 42:7,8
19 וּלְכוּ אֶל־עַבְדִּי אִיּוֹב Job 42:8
20 וַיִּשָּׂא יְיָ אֶת־פְּנֵי אִיּוֹב Job 42:9
21 וַייָ שָׁב אֶת־שְׁבוּת אִיּוֹב Job 42:10
22 וַייָ בֵּרַךְ אֶת־אַחֲרִית אִיּוֹב Job 42:12
23 וְלֹא נִמְצָא... כִּבְנוֹת אִיּוֹב Job 42:15
24-50 אִיּוֹב Job 1:5[3], 9, 14, 20
2:7, 10; 3:1; 27:1; 29:2; 32:1, 3, 4; 33:1, 31; 34:5, 35;
37:14; 38:1; 40:1, 3, 6; 42:1, 7, 16, 17
וְאִיּוֹב 51 וְהָיוּ... נֹחַ דָּנִאֵל וְאִיּוֹב Ezek. 14:14
52 וְנֹחַ דָּנִאֵל וְאִיּוֹב בְּתוֹכָהּ Ezek. 14:20
53 וְאִיּוֹב הֶבֶל יִפְצֶה־פִּיהוּ Job 35:16
54 וְאִיּוֹב עַבְדִּי יִתְפַּלֵּל עֲלֵיכֶם Job 42:8
בְּאִיּוֹב 55 בְּאִיּוֹב חָרָה אַפּוֹ Job 32:2
כְּאִיּוֹב 56 מִי־גֶבֶר כְּאִיּוֹב Job 34:7
לְאִיּוֹב 57 וְהִנֵּה אֵין לְאִיּוֹב מוֹכִיחַ Job 32:12
58 וַיֹּסֶף יְיָ אֶת־כָּל־אֲשֶׁר לְאִיּוֹב Job 42:10

אִיזֶבֶל
שפ״נ – בת מלך צידון, אשת אחאב מלך ישׂראל
בְּשַׂר אִיזֶבֶל 18; זְנוּנֵי א׳ 3; יַד א׳ 17
נִבְלַת א׳ 4; שֻׁלְחַן א׳ 15

אִיזֶבֶל 1 וַיִּקַּח אִשָּׁה אֶת־אִיזֶבֶל בַּת־אֶתְבַּעַל IK. 16:31
2 בְּהַכְרִית אִיזֶבֶל אֵת נְבִיאֵי יְיָ IK. 18:4
3 עַד־זְנוּנֵי אִיזֶבֶל אִמְּךָ IIK. 9:22
4 וְהָיְתָ נִבְלַת אִיזֶבֶל כְּדֹמֶן IIK. 9:37
5-14 אִיזֶבֶל • IK. 18:13; 19:2; 21:5,7,14,15[2],23,25
IIK. 9:10
אִיזָבֶל 15 אֹכְלֵי שֻׁלְחַן אִיזָבֶל IK. 18:19
16 כַּאֲשֶׁר שָׁלְחָה אֲלֵיהֶם אִיזָבֶל IK. 21:11
17 וּדְמֵי כָּל־עַבְדֵי יְיָ מִיַּד אִיזָבֶל IIK. 9:7
18 יֹאכְלוּ הַכְּלָבִים אֶת־בְּשַׂר אִיזָבֶל IIK. 9:36
19 לֹא־יֹאמְרוּ זֹאת אִיזָבֶל IIK. 9:37
וְאִיזֶבֶל 20 וַיָּבוֹא יֵהוּא... וְאִיזֶבֶל שָׁמְעָה IIK. 9:30
לְאִיזֶבֶל 21 וַיַּגֵּד אַחְאָב לְאִיזֶבֶל IK. 19:1
22 וְגַם־לְאִיזֶבֶל דִּבֶּר יְיָ IK. 21:23

אֵיךְ
תה״פ א) באיזה אֹפֶן, כיצד: 1,3,4,9–11, 14–15, 17,
18, 20, 41–61
ב) שאלת תוכחה: 2,5,16,21,22,31-35,37,40
ג) מִלַּת־קריאה בפתיחה לקינה, להבעת
צער רב: 6–8, 12, 13, 19, 23–30, 36, 38, 39

קרובים: אֵיכָה / אֵיכָכָה

אֵיךְ 1 כִּי־אֵיךְ אֶעֱלֶה אֶל־אָבִי Gen. 44:34
2 אֵיךְ תֹּאמַר אֲהַבְתִּיךְ וְלִבְּךָ אֵין אִתִּי Jud. 16:15
3 אֵיךְ אֵלֵךְ וְשָׁמַע שָׁאוּל וַהֲרָגָנִי ISh. 16:2
4 אֵיךְ יָדַעְתָּ כִּי־מֵת שָׁאוּל IISh. 1:5
5 אֵיךְ לֹא יָרֵאתָ לִשְׁלֹחַ יָדְךָ IISh. 1:14
6-8 אֵיךְ נָפְלוּ גִבּוֹרִים IISh. 1:19,25,27
9 אֵיךְ יָבוֹא אֵלַי אֲרוֹן יְיָ IISh. 6:9
10 אֵיךְ אַתֶּם נוֹעָצִים לְהָשִׁיב... IK. 12:6
11 מוֹרֶה אֹתָם אֵיךְ יִירְאוּ אֶת־יְיָ IIK. 17:28
12 אֵיךְ שָׁבַת נֹגֵשׂ Is. 14:4
13 אֵיךְ נָפַלְתָּ מִשָּׁמַיִם הֵילֵל בֶּן־שָׁחַר Is. 14:12
14 אֵיךְ תֹּאמְרוּ אֶל־פַּרְעֹה... Is. 19:11
15 לְמַעֲנִי אֶעֱשֶׂה כִּי אֵיךְ יֵחָל Is. 48:11
16 אֵיךְ תֹּאמְרִי לֹא נִטְמֵאתִי Jer. 2:23
17 אֵיךְ אֲשִׁיתֵךְ בַּבָּנִים Jer. 3:19
18 כִּי־אֵיךְ אֶעֱשֶׂה מִפְּנֵי בַּת־עַמִּי Jer. 9:6
19 כִּי קוֹל נְהִי נִשְׁמַע... אֵיךְ שֻׁדָּדְנוּ Jer. 9:18

אֵיךְ (המשך) 20 אֵיךְ כָּתַבְתָּ אֶת־כָּל־הַדְּבָרִים Jer. 36:17
21 אֵיךְ תִּשְׁקֹטִי וַייָ צִוָּה־לָהּ Jer. 47:7
22 אֵיךְ תֹּאמְרוּ גִּבּוֹרִים אֲנָחְנוּ Jer. 48:14
23/4 אֵיךְ חַתָּה... אֵיךְ הִפְנָה־עֹרֶף Jer. 48:39
25 אֵיךְ לֹא־עֻזְּבָה עִיר תְּהִלָּת Jer. 49:25
26 אֵיךְ נִגְדַּע וַיִּשָּׁבֵר פַּטִּישׁ כָּל־הָאָרֶץ Jer. 50:23
27/8 אֵיךְ הָיְתָה לְשַׁמָּה בָּבֶל Jer. 50:23; 51:41
29 אֵיךְ נִלְכְּדָה שֵׁשַׁךְ... Jer. 51:41
30 אֵיךְ אָבַדְתְּ נוֹשֶׁבֶת מִיַּמִּים Ezek. 26:17
31 אֵיךְ אֶתֶּנְךָ אֶפְרַיִם אֲמַגֶּנְךָ יִשְׂרָאֵל Hosh. 11:8
32 אֵיךְ אֶתֶּנְךָ כְאַדְמָה... Hosh. 11:8
33 אֵיךְ יָמִישׁ לִי... Mic. 2:4
34 אִם־גַּנָּבִים בָּאוּ... אֵיךְ נִדְמֵיתָה Ob. :5
35 אֵיךְ נֶחְפְּשׂוּ עֵשָׂו נִבְעוּ מַצְפֻּנָיו Ob. :6
36 אֵיךְ הָיְתָה לְשַׁמָּה Zep. 2:15
37 אֵיךְ תֹּאמְרוּ לְנַפְשִׁי Ps. 11:1
38 אֵיךְ הָיוּ לְשַׁמָּה כְרָגַע Ps. 73:19
39 אֵיךְ נָשִׁיר אֶת־שִׁיר־יְיָ... Ps. 137:4
40 אֵיךְ שָׂנֵאתִי מוּסָר Prov. 5:12
41 עַד אֲשֶׁר תֵּדְעִין אֵיךְ יִפֹּל דָּבָר Ruth 3:18
42 וּלְאֶחָד אֵיךְ יֵחָם Eccl. 4:11
43 אֵיךְ אַתֶּם נוֹעָצִים לְהָשִׁיב IICh. 10:6
וְאֵיךְ 44 וְאֵיךְ אָמַרְתָּ אֲחֹתִי הִוא Gen. 26:9
45 וְאֵיךְ אֶעֱשֶׂה הָרָעָה... Gen. 39:9
46 וְאֵיךְ נִגְנֹב מִבֵּית אֲדֹנֶיךָ Gen. 44:8
47 וְאֵיךְ יִשְׁמָעֵנִי פַרְעֹה Ex. 6:12
48 וְאֵיךְ יִשְׁמַע אֵלַי פַּרְעֹה Ex. 6:30
49 וְאֵיךְ אֶכְרָת־לְךָ בְרִית Josh. 9:7
50 וְאֵיךְ נֶהְפַּכְתְּ לִי סוּרֵי הַגֶּפֶן Jer. 2:21
51 וְאֵיךְ תְּתַחֲרֶה אֶת־הַסּוּסִים Jer. 12:5
52 וְאֵיךְ תַּעֲשֶׂה בִּגְאוֹן הַיַּרְדֵּן Jer. 12:5
53 וְאֵיךְ תְּנַחֲמוּנִי הָבֶל Job 21:34
54 וְאֵיךְ יָמוּת הֶחָכָם עִם־הַכְּסִיל Eccl. 2:16
55-61 וְאֵיךְ • IISh. 2:22; 12:18 • IIK. 10:4; 18:24 •
Is. 20:6; 36:9 • Ezek. 33:10

אִיכָבוֹד
שפ״ז – בן פינחס בן עלי הכֹּהן

אִיכָבוֹד 1 אִיכָבוֹד בֶּן־פִּינְחָס בֶּן־עֵלִי ISh. 14:3
אִי כָבוֹד 2 וַתִּקְרָא לַנַּעַר אִי כָבוֹד ISh. 4:21

אֵיכָה
תה״פ א) איך: 1–7, 9, 11
ב) מִלַּת־קריאה בפתיחה לקינה: 8,10,14-17
ג) איפה: 12–13

אֵיכָה 1 אֵיכָה אֶשָּׂא לְבַדִּי טָרְחֲכֶם Deut. 1:12
2 אֵיכָה אוּכַל לְהוֹרִישָׁם Deut. 7:17
3 אֵיכָה יַעַבְדוּ הַגּוֹיִם הָאֵלֶּה Deut. 12:30
4 אֵיכָה נֵדַע אֶת־הַדָּבָר... Deut. 18:21
5 אֵיכָה יִרְדֹּף אֶחָד אֶלֶף Deut. 32:30
6 אֵיכָה נִהְיְתָה הָרָעָה הַזֹּאת Jud. 20:3
7 אֲהָהּ אֲדֹנִי אֵיכָה נַעֲשֶׂה IIK. 6:15
8 אֵיכָה הָיְתָה לְזוֹנָה קִרְיָה נֶאֱמָנָה Is. 1:21
9 אֵיכָה תֹאמְרוּ חֲכָמִים אֲנַחְנוּ Jer. 8:8
10 אֵיכָה נִשְׁבַּר מַטֵּה־עֹז Jer. 48:17
11 וְאָמְרוּ אֵיכָה יָדַע־אֵל Ps. 73:11
12/3 אֵיכָה תִרְעֶה אֵיכָה תַּרְבִּיץ S.ofS. 1:7
14 אֵיכָה יָשְׁבָה בָדָד הָעִיר Lam. 1:1
15 אֵיכָה יָעִיב בְּאַפּוֹ Lam. 2:1
16 אֵיכָה יוּעַם זָהָב Lam. 4:1
17 אֵיכָה נֶחְשְׁבוּ לְנִבְלֵי־חֶרֶשׂ Lam. 4:2

אֵיכֹה
תה״פ איפה

אֵיכֹה 1 וַיֹּאמֶר לְכוּ וּרְאוּ אֵיכֹה הוּא IIK. 6:13

אֵיכָכָה תה"פ איך

אֵיכָכָה 1 פָּשַׁטְתִּי אֶת־כֻּתָּנְתִּי אֵיכָכָה אֶלְבָּשֶׁנָּה S.ofS. 5:3
2 רָחַצְתִּי אֶת־רַגְלַי אֵיכָכָה אֲטַנְּפֵם S.ofS. 5:3
אֵיכָכָה 3 אֵיכָכָה אוּכַל וְרָאִיתִי בָּרָעָה Es. 8:6
וְאֵיכָכָה 4 וְאֵיכָכָה אוּכַל וְרָאִיתִי בְּאָבְדַן... Es. 8:6

אַיִל ז׳ א) הזכר בכבשים: רוב המקראות
ב) כנוי לאדיר ולמנהיג: 165—169
ג) עמוד או מזוזה בפתח הבנין: 22, 59, 87—89,105, 150—151, 153, 164, 171—182

אַיִל מְשֻׁלָּשׁ 23; אַ׳ תָּמִים 2-4; רֹאשׁ הָאַיִל 62-64
אֵיל אוּלָם 88; אֵ׳ אָשָׁם 85,91,92; אֵ׳ הֶחָצֵר 87;
אֵ׳ כִּפֻּרִים 86; אֵ׳ מִלֻּאִים 81, 82, 84, 93—95;
אֵ׳ הָעוֹלָה 83; אֵ׳ הַפֶּתַח 89; אֵ׳ צֹאן 90, 170;
אַלְפֵי אֵילִים 106; חֵלֶב אֵ׳ 101; כִּלְיוֹת אֵ׳ 103;
עוֹלוֹת אֵ׳ 102; עוֹרוֹת אֵ׳ 96-100; קְטֹרֶת אֵ׳ 107;
אֵילֵי גִבּוֹרִים 169; אֵ׳ הָאָרֶץ 166,167; אֵ׳ צֹאנוֹ 170

אַיִל 1 וַיַּרְא וְהִנֵּה־אַיִל... בַּסְּבַךְ Gen. 22:13
4-2 אַיִל תָּמִים Lev. 5:15,18,25
21-5 אַיִל אֶחָד Num. 7:15,21,27,33,39; 7:45,51, 57,63,69,75,81; 28:27; 29:2,8,36 • Dan. 8:3
22 וְאֶל־אֵיל תִּמֹרִים Ezek. 40:16
וְאַיִל 23 וְאַיִל מְשֻׁלָּשׁ Gen. 15:9
25-24 וְאַיִל לְעֹלָה Lev. 9:2; 16:3
32-26 וְאַיִל Lev. 16:5 • Num. 6:14; 28:11,19 • Ezek. 43:23,25; 46:4
וָאַיִל 33 וְשׁוֹר וָאַיִל לִשְׁלָמִים Lev. 9:4
37-34 פַּר וָאַיִל Num. 23:2,4,14,30
38 וְשֵׁשֶׁת כְּבָשִׂים וָאָיִל Ezek. 46:6
הָאַיִל 39 וַיִּקַּח אֶת־הָאַיִל... Gen. 22:13
40 רָאִיתִי אֶת־הָאַיִל מְנַגֵּחַ... Dan. 8:4
58-41 הָאַיִל Ex. 29:15; 29:17, 18, 19, 20, 22, 32 Lev. 8:20, 21, 22; 9:18, 19 • Num. 6:17, 19 • Dan. 8:6, 7[2], 20
59 הָאַיִל מְזוּזוֹת חֲמִשִׁית IK. 6:31
הָאָיִל 60/1 וְשָׁחַטְתָּ אֶת־הָאָיִל Ex. 29:15,16
64-62 וְסָמְכוּ... עַל־רֹאשׁ הָאָיִל Ex. 29:19 Lev. 8:18,22
בָּאַיִל 65 וְלֹא־הָיָה כֹחַ בָּאַיִל... Dan. 8:7
לָאַיִל 66 אוֹ לָאַיִל תַּעֲשֶׂה מִנְחָה Num. 15:6
67 לַשּׁוֹר הָאֶחָד אוֹ לָאַיִל הָאֶחָד Num. 15:11
79-68 לָאָיִל Num. 28:12,14,20,28; 29:9,14,37 Ezek. 45:24; 46:5,7,11 • Dan. 8:7
לָאָיִל 80 שְׁנֵי עֶשְׂרֹנִים לָאָיִל Num. 29:3
אֵיל־ 81 כִּי אֵיל מִלֻּאִים הוּא Ex. 29:22
82 וְאֵת אֵיל הַמִּלֻּאִים תִּקָּח Ex. 29:31
83 וַיַּקְרֵב אֵת אֵיל הָעֹלָה Lev. 8:18
84 הָאַיִל הַשֵּׁנִי אֵיל הַמִּלֻּאִים Lev. 8:22
85 וְהֵבִיא... אֵיל אָשָׁם Lev. 19:21
86 מִלְּבַד אֵיל הַכִּפֻּרִים Num. 5:8
87 וְאֶל־אֵיל הֶחָצֵר הַשַּׁעַר סָבִיב Ezek. 40:14
88 וַיָּמָד אֵל אֻלָם חָמֵשׁ אַמּוֹת Ezek. 40:48
89 וַיָּמָד אֵיל־הַפֶּתַח שְׁתַּיִם אַמּוֹת Ezek. 41:3
90 וַאֲשֵׁמִים אֵיל־צֹאן עַל־אַשְׁמָתָם Ez. 10:19
בְּאֵיל־ 91 וְכִפֶּר עָלָיו בְּאֵיל הָאָשָׁם Lev. 5:16
92 וְכִפֶּר עָלָיו...בְּאֵיל הָאָשָׁם Lev. 19:22
מֵאֵיל־ 93-5 מֵאֵיל הַמִּלֻּאִים Ex. 29:26,27 • Lev. 8:29
אֵילִים 100-96 (וְ)עֹרֹת אֵילִם מְאָדָּמִים Ex. 25:5; 26:14; 35:7,23; 36:19
101 לְהַקְשִׁיב מֵחֵלֶב אֵילִים ISh. 15:22
102 שָׂבַעְתִּי עֹלוֹת אֵילִים Is. 1:11
103 מֵחֵלֶב כִּלְיוֹת אֵילִים Is. 34:6

אֵילִים (הניקוד) 104 אֵילִים כָּרִים וְעַתּוּדִים פָּרִים Ezek. 39:18
105 אֵילִים שִׁשִּׁים אַמָּה Ezek. 40:14
106 הֲיִרְצֶה יְיָ בְּאַלְפֵי אֵילִים Mic. 6:7
107 עֹלוֹת... עִם־קְטֹרֶת אֵילִים Ps. 66:15
116-108 אֵילִים Num. 23:1; IIK. 3:4 • Ezek. 45:23 • Job 42:8; Ez. 8:35 • ICh. 15:26; 29:21 • IICh. 17:11; 29:32
138-117 אֵילִם Num. 7:17,23; 7:29,35,41,47,53,59,65,71,77,83,87,88; 23:29; 29:13,17,20,23,26.29,32
וְאֵילִים 139 רְחֵלִים מָאתַיִם וְאֵילִים עֶשְׂרִים Gen. 32:15
140 וְאֵילִם שְׁנַיִם תְּמִימִם Ex. 29:1
141 וּפַר בֶּן־בָּקָר אֶחָד וְאֵילִם שְׁנָיִם Lev. 23:18
142 וְאֵילִים בְּנֵי־בָשָׁן וְעַתּוּדִים Deut. 32:14
143 בְּכָרִים וְאֵילִם וְעַתּוּדִים... Ezek. 27:21
144 בְּפַר בֶּן־בָּקָר וְאֵילִם שִׁבְעָה IICh. 13:9
145 פָּרִים־שִׁבְעָה וְאֵילִים שִׁבְעָה IICh. 29:21
הָאֵילִים 146 וְאֶת־הַפָּר וְאֵת שְׁנֵי הָאֵילִם Ex. 29:3
147 עוֹרֹת הָאֵילִם הַמְאָדָּמִים Ex. 39:34
148 וְאֵת שְׁנֵי הָאֵילִים Lev. 8:2
149 שְׁנֵי עֶשְׂרֹנִים... לִשְׁנֵי הָאֵילִם Num. 29:14
150 וְעַמֻּדִים אֶל־הָאֵילִים Ezek. 40:49
151 וַיָּמָד אֶת־הָאֵילִים Ezek. 41:1
152 וַיִּשְׁחֲטוּ הָאֵלִים IICh. 29:22
בְּאֵילִים 153 וְלִשְׁכָּה... בְּאֵילִים הַשְּׁעָרִים Ezek. 40:38
כְּאֵילִים 154 כְּאֵילִים עִם־עַתּוּדִים Jer. 51:40
155 הֶהָרִים רָקְדוּ כְאֵילִים Ps. 114:4
156 הֶהָרִים תִּרְקְדוּ כְאֵילִים Ps. 114:6
לָאֵילִים 162-157 לַפָּרִים לָאֵילִם וְלַכְּבָשִׂים Num. 29:18; 29:21,24,27,30,33
163 לָאֵילִים וְלָעַתּוּדִים Ezek. 34:17
164 וּמִדָּה אַחַת לָאֵלָם Ezek. 40:10
אֵילֵי־ 165 אֵילֵי מוֹאָב יֹאחֲזֵמוֹ רָעַד Ex. 15:15
166/7 אֵילֵי הָאָרֶץ IIK. 24:15 • Ezek. 17:13
168 אֵילֵי נְבָיוֹת יְשָׁרְתוּנֶךְ Is. 60:7
169 יְדַבְּרוּ־לוֹ אֵלֵי גִבּוֹרִים Ezek. 32:21
וְאֵילֵי־ 170 וְאֵילֵי צֹאנְךָ לֹא אָכָלְתִּי Gen. 31:38
אֵילָיו 171 וּמָדַד אֵילוֹ וְאֵילַמּוֹ Ezek. 40:24
172 וְאֶחָד מִפּוֹ אֶל־אֵילוֹ Ezek. 40:26
176-173 אֵילוֹ (אֵלָיו) Ezek. 40:31,34,36,37
וְאֵילָיו 177 וְאֵילוֹ שְׁתַּיִם אַמּוֹת Ezek. 40:9
178 וְאֵילוֹ וְאֵלַמּוֹ הָיָה כְּמִדַּת... Ezek. 40:21
181-179 וְאֵילוֹ Ezek. 40:29,33,37
אֵלֵיהֶמָה 182 וְאֶל אֵלֵיהֶמָה לִפְנִימָה Ezek. 40:16

אֵיל פָּארָן מקום במדבר פארן
אֵיל פ׳ 1 אֵיל פָּארָן אֲשֶׁר עַל־הַמִּדְבָּר Gen. 14:6

אֱיָל ז׳ כֹּחַ • קרובים: ראה כֹּחַ
אֱיָל 1 הָיִיתִי כְּגֶבֶר אֵין־אֱיָל Ps. 88:5

אַיָּל זו"נ א) חיה טהורה ממשפחת מפריסי פרסות ומעלי גרה: 1—2, 4—11
ב) נקבת האיל: 3
אַיָּל 1 אַיָּל וּצְבִי וְיַחְמוּר Deut. 14:5
הָאַיָּל 2 אֶת־הַצְּבִי וְאֶת־הָאַיָּל Deut. 12:22
כְּאַיָּל 3 כְּאַיָּל תַּעֲרֹג עַל־אֲפִיקֵי־מָיִם Ps. 42:2
כָּאַיָּל 4 אָז יְדַלֵּג כָּאַיָּל פִּסֵּחַ Is. 35:6
וְכָאַיָּל 5 יֹאכְלֶנּוּ כַּצְּבִי וְכָאַיָּל Deut. 12:15
6 תֹּאכְלֶנּוּ... כַּצְּבִי וְכָאַיָּל Deut. 15:22
מֵאַיָּל 7 לְבַד מֵאַיָּל וּצְבִי וְיַחְמוּר IK. 5:3
הָאַיָּלִים 10-8 לִצְבִי אוֹ לְעֹפֶר הָאַיָּלִים S.ofS. 2:9,17; 8:14
כְּאַיָּלִים 11 הָיוּ שָׂרֶיהָ כְּאַיָּלִים Lam. 1:6

אַיָּלָה, אַיֶּלֶת נ׳ א) נקבת האיל: 1—3, 5—11
ב) כנוי לכוכב הבוקר: 4
אַיָּלָה שְׁלֻחָה 1; אַיֶּלֶת אֲהָבִים 3; אַיְלוֹת הַשָּׂדֶה 10-11; אַיֶּלֶת הַשַּׁחַר 4
אַיָּלָה 1 נַפְתָּלִי אַיָּלָה שְׁלֻחָה... Gen. 49:21
אַיֶּלֶת 2 גַּם־אַיֶּלֶת בַּשָּׂדֶה יָלְדָה וְעָזוֹב Jer. 14:5
אַיֶּלֶת־ 3 אַיֶּלֶת אֲהָבִים וְיַעֲלַת חֵן Prov. 5:19
4 לַמְנַצֵּחַ עַל־אַיֶּלֶת הַשַּׁחַר Ps. 22:1
אַיָּלוֹת 5 קוֹל יְיָ יְחוֹלֵל אַיָּלוֹת Ps. 29:9
6 חֹלֵל אַיָּלוֹת תִּשְׁמֹר Job 39:1
כָּאַיָּלוֹת 7/8 מְשַׁוֶּה רַגְלַי כָּאַיָּלוֹת IISh. 22:34 • Ps. 18:34
9 וַיָּשֶׂם רַגְלַי כָּאַיָּלוֹת Hab. 3:19
בְּאַיְלוֹת־ 10/1 בִּצְבָאוֹת אוֹ בְּאַיְלוֹת הַשָּׂדֶה S.ofS. 2:7; 3:5

אֵילוֹ ראה אַיִל

אַיָּלוֹן א) עיר כנענית בנחלת דן, על שמה העמק: 1—9
ב) עיר בנחלת זבולון: 10
אַיָּלוֹן 1 שֶׁמֶשׁ בְּגִבְעוֹן דּוֹם וְיָרֵחַ בְּעֵמֶק אַיָּלוֹן Josh. 10:12
2 אֶת־אַיָּלוֹן וְאֶת־מִגְרָשֶׁהָ Josh. 21:24
3 וְאֶת־צָרְעָה וְאֶת־אַיָּלוֹן IICh. 11:10
4 אֶת־בֵּית־שֶׁמֶשׁ וְאֶת־אַיָּלוֹן IICh. 28:18
5/6 אַיָּלוֹן Zep. 6:54; 8:13
אַיָּלֹנָה 7 וַיַּכּוּ... מִמִּכְמָשׂ אַיָּלֹנָה ISh. 14:31
וְאַיָּלוֹן 8 וְשַׁעֲלַבִּין וְאַיָּלוֹן וְיִתְלָה Josh. 19:42
בְּאַיָּלוֹן 9 הָאֱמֹרִי... בְּאַיָּלוֹן וּבְשַׁעַלְבִים Jud. 1:35
10 וַיִּקָּבֵר בְּאַיָּלוֹן בְּאֶרֶץ זְבוּלֻן Jud. 12:12

אֵילוֹן[1] אולי היא העיר אַיָּלוֹן
וְאֵילוֹן 1 וְאֵילוֹן וְתִמְנָתָה וְעֶקְרוֹן Josh. 19:43
2 וּבֵית שֶׁמֶשׁ וְאֵילוֹן בֵּית חָנָן IK. 4:9

אֵילוֹן[2] שפ"ז א) חותן עשו: 1, 2
ב) שופט בישראל: 3, 4
אֵילוֹן 1 וְאֶת־בָּשְׂמַת בַּת־אֵילֹן הַחִתִּי Gen. 26:34
2 עָדָה בַּת־אֵילוֹן הַחִתִּי Gen. 36:2
3 וַיִּשְׁפֹּט אַחֲרָיו... אֵילוֹן הַזְּבוּלֹנִי Jud. 12:11
4 וַיָּמָת אֵילוֹן הַזְּבוּלֹנִי וַיִּקָּבֵר בְּאַיָּלוֹן Jud. 12:12

אֱיָלוּת* נ׳ כֹּחַ, עוֹז (עין גם אֱיָל)
אֱיָלוּתִי 1 אֱיָלוּתִי לְעֶזְרָתִי חוּשָׁה Ps. 22:20

אֵילוֹת היא אֵילַת, עיר על חוף מפרץ עקבה
אֵילוֹת 1 בְּעֶצְיֹן־גֶּבֶר אֲשֶׁר אֶת־אֵלוֹת IK. 9:26
2 וְאֶל־אֵילוֹת עַל־שְׂפַת הַיָּם IICh. 8:17
3 הוּא בָּנָה אֶת־אֵילוֹת IICh. 26:2
מֵאֵילוֹת 4 וַיְנַשֵּׁל אֶת־הַיְּהוּדִים מֵאֵילוֹת IIK. 16:6

אֵילָם ז׳ אולם, טרקלין, יציע
וְאֵילַמָּיו 1 וְאֵילָו וְאֵלַמָּו Ezek. 40:21
5-2 וְאֵילַמָּו Ezek. 40:22[2],24,31
10-6 וְאֵלַמָּו Ezek. 40:26,29,33,34,36
וּלְאֵילַמָּיו 11 וְחַלּוֹנִים לוֹ וּלְאֵילַמָּו Ezek. 40:25
13-12 וּלְאֵלַמָּו Ezek. 40:29,33
וְאֵילַמּוֹת 14 וְאֵלַמּוֹת סָבִיב סָבִיב Ezek. 40:30
לָאֵילַמּוֹת 15 וְכֵן לָאֵלַמּוֹת Ezek. 40:16

אֵילִם התחנה השניה במסעי יוצאי מצרים
אֵילִם 1 אֲשֶׁר בֵּין־אֵילִם וּבֵין סִינָי Ex. 16:1
מֵאֵילִם 2 וַיִּסְעוּ מֵאֵילִם... אֶל־מִדְבַּר־סִין Ex. 16:1
3 וַיִּסְעוּ מֵאֵילִם וַיַּחֲנוּ עַל־יַם־סוּף Num. 33:10
וּבְאֵילִם 4 וּבְאֵילִם שְׁתֵּים עֶשְׂרֵה עֵינֹת מַיִם Num. 33:9
אֵילִמָה 5/6 וַיָּבֹאוּ אֵילִמָה Ex. 15:27 • Num. 33:6

אִילָן
ז׳ ארמית: עֵץ; אִילָנָא = הָעֵץ

אִילָן 1 אִילָן בְּגוֹא אַרְעָא וְרוּמֵהּ שַׂגִּיא Dan. 4:7
אִילָנָא 2 רְבָה אִילָנָא וּתְקִף... Dan. 4:8
6-3 אִילָנָא Dan. 4:11,17,20,23

אֵילַת
עיר על חוף מפרץ ים-סוף; נקראת גם אֵילוֹת

אֵילַת 1 הוּא בָּנָה אֶת־אֵילַת IIK. 14:22
2 הֵשִׁיב רְצִין... אֶת־אֵילַת לַאֲרָם IIK. 16:6
3 וַאֲדוֹמִים בָּאוּ אֵילַת וַיֵּשְׁבוּ שָׁם IIK. 16:6
מֵאֵילַת 4 וַנַּעֲבֹר... מֵאֵילַת וּמֵעֶצְיֹן גָּבֶר Deut. 2:8

אַיֶּלֶת
ראה אַיָּלָה

אים
: אָיֹם; אֵימָה, אֵימָתָה; ארמית: אֵימְתָן

אָיֹם
ת׳ מעורר אימה, נורא

אָיֹם 1 אָיֹם וְנוֹרָא הוּא Hab. 1:7
אֲיֻמָּה 3-2 אֲיֻמָּה כַּנִּדְגָּלוֹת S.ofS. 6:4,10

אֵימָה
נ׳ פחד

קרובים: בֶּהָלָה / בְּעוּת / חִיל / חַלְחָלָה / חֲרָדָה / יִרְאָה / מָגוֹר / מְגוֹרָה / מוֹרָא / מֹרֶךְ / פַּחַד / פַּלָּצוּת / רֶטֶט / רְתֵת

אֵימַת מֶלֶךְ 8; אֵ׳ מָוֶת 14; בְּעֲתַתּוּ אֵימָה 12-10; הָגָה אֵ׳ 3; נָפְלָה אֵ׳ עַל-13-4,7; הָלַךְ אֵימִים עַל-15

אֵימָה 1 וְהִנֵּה אֵימָה חֲשֵׁכָה גְדֹלָה Gen. 15:12
2 מִחוּץ... חֶרֶב וּמֵחֲדָרִים אֵימָה Deut. 32:25
3 לִבְּךָ יֶהְגֶּה אֵימָה Is. 33:18
4 הוֹד נַחְרוֹ אֵימָה Job 39:20
5 סְבִיבוֹת שִׁנָּיו אֵימָה Job 41:6
בְּאֵימָה 6 כִּי בְּאֵימָה עֲלֵיהֶם מֵעַמֵּי הָאֲרָצוֹת Ez. 3:3
אֵימָתָה 7 תִּפֹּל עֲלֵיהֶם אֵימָתָה וָפַחַד Ex. 15:16
אֵימַת־ 8 נַהַם כַּכְּפִיר אֵימַת מֶלֶךְ Prov. 20:2
אֵימָתִי 9 אֶת־אֵימָתִי אֲשַׁלַּח לְפָנֶיךָ Ex. 23:27
10 הִנֵּה אֵמָתִי לֹא תְבַעֲתֶךָּ Job 33:7
וְאֵמָתְךָ 11 וְאֵמָתְךָ אַל־תְּבַעֲתַנִּי Job 13:21
וְאֵמָתוֹ 12 וְאֵמָתוֹ אַל־תְּבַעֲתַנִּי Job 9:34
אֵימַתְכֶם 13 וְכִי־נָפְלָה אֵימַתְכֶם עָלֵינוּ Josh. 2:9
וְאֵימוֹת־ 14 וְאֵימוֹת מָוֶת נָפְלוּ עָלָי Ps. 55:5
אֵימִים 15 יַהֲלֹךְ עָלָיו אֵמִים Job 20:25
וּבָאֵימִים 16 אֶרֶץ פְּסִלִים הִיא וּבָאֵימִים יִתְהֹלָלוּ Jer. 50:38
אֵימֶיךָ 17 נָשָׂאתִי אֵמֶיךָ אָפוּנָה Ps. 88:16

אֵימִים
שפ״ז – תּוֹשָׁבֵיה הקדמונים של ארץ מואב

אֵימִים 1 וְהַמֹּאָבִים יִקְרְאוּ לָהֶם אֵמִים Deut. 2:11
הָאֵימִים 2 וְאֵת הָאֵימִים בְּשָׁוֵה קִרְיָתָיִם Gen. 14:5
3 הָאֵמִים לְפָנִים יָשְׁבוּ בָהּ Deut. 2:10

אֵימְתָן*
ת׳ ארמית: איום; אֵימְתָנִי = איומה, נוראה

וְאֵימְתָנִי 1 חֵיוָה רְבִיעָאָה דְּחִילָה וְאֵימְתָנִי Dan. 7:7

אַיִן[1]
ז׳ מלת־שלילה א) [אַיִן] אפס, לא־כלום: 42—34
ב) [אַיִן] לא נמצא, לא קָיָם: 33-17,16,12-11,8,5,4,1
ג) [וְאִם אַיִן] אִם לֹא, וָלֹא: 2, 3, 6, 7, 10, 15
ד) [אֵין־] לא נמצא: 43—339, 401—529, 656, 686
ה) [אֵין־ לפני בינוני], לא: 340—392, 530—631
ו) [אֵין־ לפני שם-פועל] אָסוּר, אי-אפשר: 393-400
ז) [הַאֵין־] וכי לא קָיָם? 632—636
ח) [בְּאֵין־] כְּשֶׁלֹּא קָיָם: 637—646
ט) [כְּאֵין־] כמי שאין לו: 647
י) [לְאֵין־] לְלֹא: 648-655
יא) [מֵאֵין־] כנ״ל: 657-685
יב) [בכנויים בלא בינוני] במשמע (ד): 687,696—698, 709,711-729,748-758,765,773,782-784,786,788,789
יג) [בכנויים לפני בינוני – אֵינֶנִּי וכו׳] אֵין אֲנִי וכו׳ במשמע (ה): 688,689—695, 699—708, 710, 730—747, 759—764, 766—772, 774—781, 785—787

(וְ)אִם אַיִן 17,15,10,9,7,6,4,2; כְּאַיִן (וּכְאֶפֶס) 39-34
אֵין אוֹנִים 656; אֵ׳ אֱיָל 90; אֵ׳ אִישׁ 429,416,47; אֵ׳ אֹמֶר 84; אֵ׳ דָּבָר 408,53; אֵ׳ דְּבָרִים 84; אֵ׳ הָבִין 349; אֵ׳ זֹאת 81,65,59; אֵ׳ זֶה כִּי אִם 103,46; אֵ׳ חֲלִיפוֹת 87; אֵ׳ חֵפֶץ 79; אֵ׳ חֵקֶר 438,98,94,92,75; אֵ׳ יֵשׁ 91; אֵ׳ יִתְרוֹן 439; אֵ׳ כֹּחַ 651,419; אֵ׳ כֹּל 68; אֵ׳ כָּמֹהוּ 64,52,42, 67, 70, 89, 95, 96, 104, 106, 679—680; אֵ׳ כָּמוֹהָ 66; אֵ׳ לְאֵל יָדוֹ 403, 440; אֵ׳ לֵב 80, 430; אֵ׳ מוֹשִׁיעַ 538; אֵ׳ מַחֲרִיד 537,533; אֵ׳ מִסְפָּר 50, 76, 86, 93, 97, 99, 101, 102, 105; אֵ׳ מַרְפֵּא 655,654; אֵ׳ נַפְשׁוֹ 77; אֵ׳ נָקִי 72; אֵ׳ עוֹד 55,54, 71, 88, 420-428, 636; אֵ׳ עָוֶל 404; אֵ׳ עֵינַיִם 647; אֵ׳ עֲרֹךְ 85; אֵ׳ קוֹנֶה 540; אֵ׳ קֵץ (קֵצֶה) 74,409-415; אֵ׳ רוֹדֵף 534/5; אֵ׳ רָע 82/3; אֵ׳ שַׁחַר 73
בְּאֵין חוֹמָה 638; בְּאֵ׳ חָזוֹן 645; בְּאֵ׳ מֵבִין 637; בְּאֵ׳ מוּסָר 639; בְּאֵ׳ סוֹד 644; בְּאֵ׳ תַּחְבֻּלוֹת 642
לְאֵ׳ מִחְיָה 652; לְאֵ׳ מִסְפָּר 650; לְאֵ׳ מַרְפֵּא 654, 655; לְאֵ׳ מַשָּׂא 653; לְאֵ׳ שְׁאֵרִית 648
מֵאֵין הֲפוּגוֹת 661; מֵאֵ׳ אָדָם 662—666, 685; מֵאֵ׳ בְּהֵמָה 683—684; מֵאֵ׳ יוֹשֵׁב 667—678,685; מֵאֵ׳ מַיִם 658; מֵאֵ׳ מָקוֹם 682,681; מֵאֵ׳ עוֹבֵר 659; מֵאֵ׳ רוֹעֶה 660

אַיִן (א) 1 וְאָדָם אַיִן לַעֲבֹד אֶת־הָאֲדָמָה Gen. 2:5
2 וְאִם־אַיִן מֵתָה אָנֹכִי Gen. 30:1
3 וְאִם־אַיִן מְחֵנִי נָא מִסִּפְרְךָ Ex. 32:32
4 הֲיֵשׁ־בָּהּ עֵץ אִם־אַיִן Num. 13:20
5 וּמַיִם אַיִן לִשְׁתּוֹת Num. 20:5
6/7 וְאִם־אַיִן תֵּצֵא אֵשׁ... Jud. 9:15,20
8 וַנִּרְאֶה כִּי־אַיִן וַנָּבוֹא אֶל־שְׁמוּאֵל ISh. 10:14
9 אִם־אַיִן אַתָּה דַבֵּר IISh. 17:6
10 וְאִם־אַיִן לֹא יִהְיֶה IIK. 2:10
11/2 וְכֹחַ אַיִן לְלֵדָה IIK. 19:3 • Is. 37:3
13 וּמוֹשִׁיעַ אַיִן זוּלָתִי Is. 45:21
14 וּמוֹשִׁיעַ אַיִן בִּלְתִּי Hosh. 13:4
15 אִם־אַיִן אַתָּה שְׁמַע־לִי Job 33:33
16 וְעַתָּה כִּי־אַיִן פָּקַד אַפּוֹ Job 35:15
אָיִן 17 הֲיֵשׁ יְיָ בְּקִרְבֵּנוּ אִם־אָיִן Ex. 17:7
18 וְכָשְׁלוּ... וְרֹדֵף אָיִן Lev. 26:37
19 הֲיֵשׁ־פֹּה אִישׁ וְאָמַרְתְּ אָיִן Jud. 4:20
20 שָׁלַח... לְבַקֶּשְׁךָ וְאָמְרוּ אָיִן IK. 18:10
21 וְיָשָׁר בָּאָדָם אָיִן Mic. 7:2
22 מְחִיר... לִקְנוֹת חָכְמָה וְלֶב־אָיִן Prov. 17:16
23 נְשִׂיאִים וְרוּחַ וְגֶשֶׁם אָיִן Prov. 25:14
24 וּמוֹתַר הָאָדָם מִן־הַבְּהֵמָה אָיִן Eccl. 3:19
וָאַיִן 25 וַיַּעַבְרוּ בְאֶרֶץ־שַׁעֲלִים וָאַיִן ISh. 9:4
26 הָעֲנִיִּים... מְבַקְשִׁים מַיִם וָאַיִן Is. 41:17
27 נְקַוֶּה לַמִּשְׁפָּט וָאַיִן Is. 59:11
28 וָאֲקַוֶּה לָנוּד וָאַיִן Ps. 69:21
29 מִתְאַוָּה וָאַיִן נַפְשׁוֹ עָצֵל Prov. 13:4
30 יְקַו־לְאוֹר וָאַיִן Job 3:9
וָאָיִן 31 וּבִקְשׁוּ שָׁלוֹם וָאָיִן Ezek. 7:25
32 בִּקֶּשׁ־לֵץ חָכְמָה וָאָיִן Prov. 14:6
33 וְשָׁאַל בַּקָּצִיר וָאָיִן Prov. 20:4
כְּאַיִן 34 כָּל־הַגּוֹיִם כְּאַיִן נֶגְדּוֹ Is. 40:17
35 יִהְיוּ כְאַיִן וְיֹאבְדוּ אַנְשֵׁי רִיבֶךָ Is. 41:11
36 יִהְיוּ כְאַיִן וּכְאֶפֶס... Is. 41:12
37 הֲלוֹא כָמֹהוּ כְּאַיִן בְּעֵינֵיכֶם Hag. 2:3
38 וְחֶלְדִּי כְאַיִן נֶגְדֶּךָ Ps. 39:6
39 וַאֲנִי... כְּאַיִן שֻׁפְּכוּ אֲשֻׁרָי Ps. 73:2
לְאָיִן 40 הַנּוֹתֵן רוֹזְנִים לְאָיִן Is. 40:23
מֵאַיִן 41 אַתֶּם מֵאַיִן וּפָעָלְכֶם מֵאָפַע Is. 41:24
42 כִּי גָדוֹל הַיּוֹם הַהוּא מֵאַיִן כָּמֹהוּ Jer. 30:7
אֵין־ (ד) 43 וַתְּהִי שָׂרַי עֲקָרָה אֵין לָהּ וָלָד Gen. 11:30
44 וְאִישׁ אֵין בָּאָרֶץ Gen. 19:31
45 רַק אֵין־יִרְאַת אֱלֹהִים... Gen. 20:11
46 אֵין זֶה כִּי אִם־בֵּית אֱלֹהִים Gen. 28:17
47 אֵין אִישׁ עִמָּנוּ Gen. 31:50
48 וְהַבּוֹר רֵק אֵין בּוֹ מָיִם Gen. 37:24
49 אֵין־נָבוֹן וְחָכָם כָּמוֹךָ Gen. 41:39
50 חָדַל לִסְפֹּר כִּי־אֵין מִסְפָּר Gen. 41:49
51 כִּי־אֵין כַּייָ אֱלֹהֵינוּ Ex. 8:6
52 כִּי אֵין כָּמֹנִי בְּכָל־הָאָרֶץ Ex. 9:14
53 רַק אֵין־דָּבָר בְּרַגְלַי אֶעֱבֹרָה Num. 20:19
54 אֵין עוֹד מִלְבַדּוֹ Deut. 4:35
55 וְעַל־הָאָרֶץ מִתָּחַת אֵין עוֹד Deut. 4:39
56 אֵין כָּאֵל יְשֻׁרוּן Deut. 33:26
57/8 וְלִגְמַלֵּיהֶם אֵין מִסְפָּר Jud. 6:5; 7:12
59 אֵין זֹאת בִּלְתִּי אִם־חֶרֶב גִּדְעוֹן Jud. 7:14
60 אֵיךְ תֹּאמַר... וְלִבְּךָ אֵין אִתִּי Jud. 16:15
61/2 אֵין־קָדוֹשׁ כַּייָ כִּי־אֵין בִּלְתֶּךָ ISh. 2:2
63 אֵין חָזוֹן נִפְרָץ ISh. 3:1
64 כִּי אֵין כָּמֹהוּ בְּכָל־הָעָם ISh. 10:24
65 וּמַדּוּעַ יַסְתִּיר אָבִי... אֵין זֹאת ISh. 20:2
66 אֵין כָּמוֹהָ תְּנֶנָּה לִּי ISh. 21:10
67 אֵין כָּמוֹךָ וְאֵין אֱלֹהִים זוּלָתֶךָ IISh. 7:22
68 וְלָרָשׁ אֵין־כֹּל כִּי אִם־כִּבְשָׂה IISh. 12:3
69 אֵין בָּאָרוֹן רַק שְׁנֵי לֻחוֹת הָאֲבָנִים IK. 8:9
70 אֵין־כָּמוֹךָ אֱלֹהִים... IK. 8:23
71 יְיָ הוּא הָאֱלֹהִים אֵין עוֹד IK. 8:60
72 הִשְׁמִיעַ אֶת־כָּל־יְהוּדָה אֵין נָקִי IK. 15:22
73 כַּדָּבָר הַזֶּה אֲשֶׁר אֵין־לוֹ שָׁחַר Is. 8:20
74 ...וּלְשָׁלוֹם אֵין־קֵץ Is. 9:6
75 אֵין חֵקֶר לִתְבוּנָתוֹ Is. 40:28
76 שְׁכֵחוּנִי יָמִים אֵין מִסְפָּר Jer. 2:32
77 אֵין נַפְשִׁי אֶל־הָעָם הַזֶּה Jer. 15:1
78 אֵין עֵינֶיךָ... כִּי אִם־עַל־בִּצְעֶךָ Jer. 22:17
79 ...אִם־כְּלִי אֵין חֵפֶץ בּוֹ Jer. 22:28
80 אֶפְרַיִם כְּיוֹנָה פוֹתָה אֵין לֵב Hosh. 7:11
81 הַאַף אֵין־זֹאת בְּנֵי יִשְׂרָאֵל Am. 2:11
82 וְכִי־תַגִּשׁוּן עִוֵּר לִזְבֹּחַ אֵין רָע Mal. 1:8
83 וְכִי תַגִּישׁוּ פִּסֵּחַ וְחֹלֶה אֵין רָע Mal. 1:8
84 אֵין־אֹמֶר וְאֵין דְּבָרִים Ps. 19:4
85 אֵין עֲרֹךְ אֵלֶיךָ Ps. 40:6
86 רָעוֹת עַד־אֵין מִסְפָּר Ps. 40:13
87 אֲשֶׁר אֵין חֲלִיפוֹת לָמוֹ Ps. 55:20
88 אֵין־עוֹד נָבִיא Ps. 74:9
89 אֵין־כָּמוֹךָ בָאֱלֹהִים אֲדֹנָי Ps. 86:8
90 הָיִיתִי כְּגֶבֶר אֵין־אֱיָל Ps. 88:5
91 אַף אֵין־יֶשׁ־רוּחַ בְּפִיהֶם Ps. 135:17
92 וְלִגְדֻלָּתוֹ אֵין חֵקֶר Ps. 145:3
93 לִתְבוּנָתוֹ אֵין מִסְפָּר Ps. 147:5
94 וְלֵב מְלָכִים אֵין חֵקֶר Prov. 25:3
95/6 כִּי אֵין כָּמֹהוּ בָּאָרֶץ Job 1:8; 2:3
97 נִפְלָאוֹת עַד־אֵין מִסְפָּר Job 5:9
98 עֹשֶׂה גְדֹלוֹת עַד־אֵין חֵקֶר Job 9:10
99 וְנִפְלָאוֹת עַד־אֵין מִסְפָּר Job 9:10
100 וְאֶת־מִי־אֵין כְּמוֹ־אֵלֶּה Job 12:3
101 ...וּלְפָנָיו אֵין מִסְפָּר Job 21:33
102 וַעֲלָמוֹת אֵין מִסְפָּר S.ofS. 6:8
103 אֵין זֶה כִּי־אִם רֹעַ לֵב Neh. 2:2
104 יְיָ אֵין כָּמוֹךָ ICh. 17:20
105 וְלַנְּחֹשֶׁת וְלַבַּרְזֶל אֵין מִסְפָּר ICh. 22:16(15)
106 אֵין־כָּמוֹךָ אֱלֹהִים בַּשָּׁמַיִם IICh. 6:14

אַיִן (ד) (המשך) 339–107 אֵין (ד) Gen. 37:29; 44:31; 45:6; 47:4,13 • Ex. 2:12; 12:30^2; 14:11; 21:11; 22:1, 2,13; 32:18 • Lev. 11:10,12; 13:4,21,26,31^2,32; 22:13; 25:31 • Num. 5:8,13; 11:6; 14:42; 19:2,15; 21:5; 22:26; 27:4,8,9,10,11,17; 35:27 • Deut.7:15; 12:12; 14:10,27,29; 19:6; 22:26; 25:5; 31:17 • Josh. 18:17; 22:25,27 • Jud. 11:34; 13:9; 14:6; 17:6; 18:1,7,10,28; 19:1,19; 21:9,25 • ISh. 1:2; 9:7; 11:3; 14:6,17; 17:50; 18:25; 21:2,5,10; 24:12(11); 27:1; 30:4 • IISh. 15:3; 18:18,22; 19:7; 20:1; 21:4 • IK. 3:18; 5:18,20; 8:46; 18:43; 22:1,17,48 • IIK. 1:3,6,16; 4:2,6,14; 5:15; 7:5,10 • Is. 1:6,30; 3:7; 5:27; 23:10; 27:4; 33:19; 34:10; 40:16^2; 44:6; 45:5,9; 47:1,14,15; 48:22; 50:2; 55:1; 57:21; 59:15, 16; 63:3 • Jer. 4:25; 5:13; 8:13,17,19^2,22^2; 12:12; 14:6; 26:16; 30:13; 38:6,9; 39:10; 46:11; 48:2,38; 49:1^2,12 • Ezek.37:8; 38:11 • Hosh.3:4; 4:1; 8:7,8; 10:3 • Joel 1:18 • Am. 3:4,5 • Ob.7 • Mic.3:7; 4:9; 7:1 • Nah.3:19 • Hab.2:19 • Zech.8:10; 9:11; 10:2 • Mal.1:10 • Ps.3:3; 5:10; 6:6; 10:4; 14:1,3; 34:10; 36:2; 38:4^2,11; 53:2,4; 73:4; 139:4; 144:14 • Prov. 6:7; 7:19; 8:8; 21:30; 22:27; 25:28^2; 28:24,27; 30:27 • Job 6:13; 20:21; 28:14; 32:5; 34:22; 41:25 • S.ofS. 4:2,7; 6:6; 8:8 • Ruth 4:4 • Lam.2:9; 4:4 • Eccl.1:11; 2:16,24; 3:12,22; 4:8,16; 5:3; 7:20; 8:8,15; 9:6,10; 12:1,12 • Es.2:7 • Dan.1:4 • Neh.2:12, 20 • ICh.4:27; 22:3(2), 14(13) • IICh. 5:10; 6:36; 14:10; 15:5; 18:16; 19:7; 20:12; 25:7; 35:3

אֵין־ (ה) 340 אֵין שַׂר בֵּית־הַסֹּהַר רֹאֶה... Gen. 39:23

341/2 וּפֹתֵר אֵין אֹתוֹ Gen. 40:8; 41:15

343 אֵין נִגְרָע מֵעֲבֹדַתְכֶם דָּבָר Ex. 5:11

344 תֶּבֶן אֵין נִתָּן לַעֲבָדֶיךָ... Ex. 5:16

345 אוֹ־נִשְׁבַּר אוֹ־נִשְׁבָּה אֵין רֹאֶה Ex. 22:9

346 אִם־אֵין פָּנֶיךָ הֹלְכִים... Ex. 33:15

347 אֵין יוֹצֵא וְאֵין בָּא Josh. 6:1

348 אֵין הַמֶּלֶךְ יוּכַל אֶתְכֶם דָּבָר Jer. 38:5

349 כְּסוּס כְּפֶרֶד אֵין הָבִין Ps. 32:9

392-350 אֵין (ה) IK. 6:18; 10:21; 21:15 • Is.41:26^3; 47:10; 51:18; 59:4,16 • Jer. 8:6; 10:5,20; 12:11; 30:13, 17 • Ezek. 8:12; 13:15 • Hosh. 7:7 • Am. 5:2 • Ps. 14:1,3; 22:12; 33:16; 53:2,4; 71:11; 142:5 • Job 32:12 • Lam. 1:2,9, 17, 21; 5:8 • Eccl. 8:11; 9:1 • Es. 1:8; 2:20; 3:5, 8; 7:4 • Neh. 4:17 • IICh. 9:20

אֵין־ (ו) 393 עָלָיו אֵין לְהוֹסִיף Eccl. 3:14

394 וּמִמֶּנּוּ אֵין לִגְרֹעַ Eccl. 3:14

395 אֵין לָבוֹא... בִּלְבוּשׁ שָׂק Es. 4:2

396 כְּתָב אֲשֶׁר־נִכְתָּב... אֵין לְהָשִׁיב Es. 8:8

397 אֵין לַעֲמוֹד לְפָנֶיךָ עַל־זֹאת Ez. 9:15

398 וְגַם לַלְוִיִּם אֵין־לָשֵׂאת... ICh. 23:26

399 אֵין לִשְׁמוֹר לְמַחְלְקוֹת IICh. 5:11

400 אֵין לָהֶם לָסוּר מֵעַל עֲבֹדָתָם IICh. 35:15

וְאֵין־ (ד) 401 וְאֵין אִישׁ מֵאַנְשֵׁי הַבַּיִת שָׁם Gen. 39:11

402 וְאֵין מַיִם לִשְׁתֹּת הָעָם Ex. 17:1

403 ...וְאֵין לְאֵל יָדֶךָ Deut. 28:32

404 אֵל אֱמוּנָה וְאֵין עָוֶל Deut. 32:4

405 וְאֵין עִמּוֹ אֵל נֵכָר Deut. 32:12

406 וְאֵין בָּהֶם תְּבוּנָה Deut. 32:28

407 אֲנִי הוּא וְאֵין אֱלֹהִים עִמָּדִי Deut. 32:39

408 כִּי־שָׁלוֹם לְךָ וְאֵין דָּבָר ISh. 20:21

415-409 וְאֵין קֵצֶה (קֵץ) Is. 2:7^2 • Nah. 2:10; 3:3,9 • Job 22:5 • Eccl. 4:8

416 וָאֵרֶא וְאֵין אִישׁ Is. 41:28

417 ...וְאֵין בָּכֶם זָר Is. 43:12

וְאֵין (ד) (המשך) 418 וְאֵין צוּר בַּל־יָדָעְתִּי Is. 44:8

419 גַּם־רָעֵב וְאֵין כֹּחַ Is. 44:12

3-420 אֲנִי יְיָ וְאֵין(־)עוֹד Is. 45:5,6,18,21

8-424 וְאֵין(־)עוֹד Is. 45:14,21,22; 46:9 • Joel 2:27

429 מַדּוּעַ בָּאתִי וְאֵין אִישׁ Is. 50:2

430 עַם סָכָל וְאֵין לֵב Jer. 5:21

431/2 שָׁלוֹם שָׁלוֹם וְאֵין שָׁלוֹם Jer. 6:14; 8:11

437-433 וְאֵין(...) מִסְפָּר Jer. 46:23 • Joel 1:6 • Ps. 104:25; 105:34 • IICh. 12:3

438 עֹשֶׂה גְדֹלוֹת וְאֵין חֵקֶר... Job 5:9

439 וְאֵין יִתְרוֹן לְבַעַל הַלָּשׁוֹן Eccl. 10:11

440 ...וְאֵין לְאֵל יָדֵנוּ Neh. 5:5

529-441 וְאֵין (ד) Ex. 32:18 • Num. 21:5 • Josh. 6:1 • ISh. 2:2; 9:2 • IISh. 7:22; 21:4 • IK. 5:18; 18:26,29^2 • IIK.4:31^2 • Is.3:7; 34:12; 50:2,10; 59:8 • Jer.4:23; 7:33; 8:13, 15; 14:19^2; 30:5, 10; 46:27 • Ezek. 13:10, 16; 42:6 • Hosh. 3:4^4; 4:1^2 • Hab. 3:17^2 • Hag. 1:6^3; 2:17 • Ps. 19:4; 32:2; 37:10; 38:8,15; 69:3; 86:8; 119:165; 142:5; 144:14 • Prov. 5:17; 6:15; 10:25; 13:7; 21:30^2; 28:3; 29:1, 9, 19 • Job 18:19; 19:7; 24:7; 26:6; 31:19; 34:22 • Eccl. 1:9; 2:11; 4:1^2,8,10; 5:13; 8:8^2; 9:5 • Lam. 5:3 • Dan. 9:26; 11:15 • Ez. 10:13 • Neh. 2:14; 7:4 • ICh. 17:20 • IICh. 14:5; 20:6, 24; 22:9

וְאֵין־ (ה) 530 וְאֵין־פּוֹתֵר אוֹתָם לְפַרְעֹה Gen. 41:8

531 וָאֹמַר... וְאֵין מַגִּיד לִי Gen. 41:24

532 וְאִם־דַּל הוּא וְאֵין יָדוֹ מַשֶּׂגֶת Lev. 14:21

533 וּשְׁכַבְתֶּם וְאֵין מַחֲרִיד Lev. 26:6

534 וְנַסְתֶּם וְאֵין־רֹדֵף אֶתְכֶם Lev. 26:17

535 וְנָפְלוּ וְאֵין רֹדֵף Lev. 26:36

536 צָעֲקָה... וְאֵין מוֹשִׁיעַ לָהּ Deut. 22:27

537 וְהָיְתָה נִבְלָתְךָ... וְאֵין מַחֲרִיד Deut. 28:26

538 עָשׁוּק וְגָזוּל... וְאֵין מוֹשִׁיעַ Deut. 28:29

539 ...וְאֵין לְךָ מוֹשִׁיעַ Deut. 28:31

540 וְהִתְמַכַּרְתֶּם... וְאֵין קֹנֶה Deut. 28:68

541 וְאֵין מִיָּדִי מַצִּיל Deut. 32:39

542 וְאֵין־מַכְלִים דָּבָר Jud. 18:7

631-543 וְאֵין (ה) Jud. 18:28; 19:15, 18, 28 • ISh. 14:26,39; 22:8^2; 26:12^3 • IISh. 14:6; 22:42 • IK. 18:26, 29 • IIK. 9:10; 14:26 • Is. 1:31; 5:27, 29; 13:14; 14:31; 17:2; 22:22^2; 41:28; 42:22^2; 43:11,13; 51:18; 57:1; 59:4; 60:15; 63:5^2; 64:6; 66:4 • Jer. 4:4, 29; 9:21; 13:19; 14:16; 16:19; 21:12; 44:2; 49:5; 50:32 • Ezek.7:14; 9:9; 13:15; 34:6^2,28; 39:26 • Hosh.5:14 • Am.5:6 • Mic.4:4; 5:7 • Nah.2:9,12; 3:18 • Zep.3:13 • Ps.7:3; 18:42; 19:7; 50:22; 72:12; 79:3; 105:37; 107:12; 144:14 • Prov.1:24; 28:1 • Job 2:13; 5:4; 10:7; 11:3,19 • Lam. 1:7 • Dan. 8:4,5,27; 10:21; 11:16,45 • Ez. 3:13 • Neh. 4:17 • ICh. 29:15

הַאֵין־ 632 הַאֵין בִּבְנוֹת אַחֶיךָ Jud. 14:3

635-633 הַאֵין פֹּה נָבִיא לַייָ IK. 22:7 • IIK. 3:11 • IICh. 18:6

636 הַאֵין עוֹד חָכְמָה בְּתֵימָן Jer. 49:7

בְּאֵין־ 637 ...נֶאֱסָפִים בְּאֵין מֵבִין Is. 57:1

638 כֻּלָּם יֹשְׁבִים בְּאֵין חוֹמָה Ezek. 38:11

639 הוּא יָמוּת בְּאֵין מוּסָר Prov. 5:23

640 בְּאֵין־תְּהֹמוֹת חוֹלָלְתִּי Prov. 8:24

641 בְּאֵין מַעְיָנוֹת נִכְבַּדֵּי־מָיִם Prov. 8:24

642 בְּאֵין תַּחְבֻּלוֹת יִפָּל־עָם Prov. 11:14

643 בְּאֵין אֲלָפִים אֵבוּס בָּר Prov. 14:4

644 הָפֵר מַחֲשָׁבוֹת בְּאֵין סוֹד Prov. 15:22

645 בְּאֵין חָזוֹן יִפָּרַע עָם Prov. 29:18

וּבְאֵין־ 646 וּבְאֵין נִרְגָּן יִשְׁתֹּק מָדוֹן Prov. 26:20

וּכְאֵין־ 647 וּכְאֵין עֵינַיִם נְגַשֵּׁשָׁה Is. 59:10

לְאֵין־ 648 עַד־כַּלֵּה לְאֵין שְׁאֵרִית וּפְלֵיטָה Ez. 9:14

649 וְשִׁלְחוּ מָנוֹת לְאֵין נָכוֹן לוֹ Neh. 8:10

650 וַעֲצֵי אֲרָזִים לְאֵין מִסְפָּר ICh. 22:4(3)

651 אֵין־עִמְּךָ לַעְזוֹר בֵּין רַב לְאֵין כֹּחַ IICh. 14:10

652 וַיִּפֹּל מִכּוּשִׁים לְאֵין־לָהֶם מִחְיָה IICh. 14:12

653 וַיְנַצְּלוּ לָהֶם לְאֵין מַשָּׂא IICh. 20:25

654 נְגָפוֹ... לָחֳלִי לְאֵין מַרְפֵּא IICh. 21:18

655 חֲמַת־יְיָ בְּעַמּוֹ עַד־לְאֵין מַרְפֵּא IICh. 36:16

וּלְאֵין־ 656 וּלְאֵין אוֹנִים עָצְמָה יַרְבֶּה Is. 40:29

מֵאֵין־ 657 מֵאֵין עוֹד פְּנוֹת אֶל־הַמִּנְחָה Mal. 2:13

658 תִּבְאַשׁ דְּגָתָם מֵאֵין מַיִם Is. 50:2

659 וְשָׁמְמוּ הָרֵי יִשְׂרָאֵל מֵאֵין עוֹבֵר Ezek. 33:28

660 צֹאנִי לְאָכְלָה... מֵאֵין רֹעֶה Ezek. 34:8

661 עֵינִי נִגְּרָה... מֵאֵין הֲפֻגוֹת Lam. 3:49

6-662 מֵאֵין(־)אָדָם Is. 6:11 • Jer. 32:43; 33:10^2,12

678-667 מֵאֵין יוֹשֵׁב Is. 5:9; 6:11 • Jer. 4:7; 26:9; 34:22; 44:22; 46:19; 48:9; 51:29, 37 • Zep. 2:5; 3:6

680-679 מֵאֵין כָּמוֹךָ Jer. 10:6,7

682-681 מֵאֵין מָקוֹם Jer. 7:32; 19:11

וּמֵאֵין־ 684-683 וּמֵאֵין בְּהֵמָה Jer. 33:10^2

685 מֵאֵין אָדָם וּמֵאֵין יוֹשֵׁב Jer. 33:10

שֶׁאֵין־ 686 בְּבֶן־אָדָם שֶׁאֵין לוֹ תְשׁוּעָה Ps. 146:3

אֵינֶנִּי (יב) 687 כִּי אֵינֶנִּי בְּקִרְבְּכֶם Deut. 1:42

אֵינֶנִּי (יב) 688 אֵינֶנִּי נֹתֵן לָכֶם תֶּבֶן Ex. 5:10

689 אֵינֶנִּי עֹבֵר אֶת־הַיַּרְדֵּן Deut. 4:22

690 גַּם כִּי־תַרְבּוּ תְפִלָּה אֵינֶנִּי שֹׁמֵעַ Is. 1:15

691 כִּי־אֵינֶנִּי שֹׁמֵעַ אֹתָךְ Jer. 7:16

692 אֵינֶנִּי שֹׁמֵעַ בְּעֵת קָרְאָם אֵלַי Jer. 11:14

693 כִּי יָצֻמוּ אֵינֶנִּי שֹׁמֵעַ אֶל־רִנָּתָם Jer. 14:12

694 וְכִי יַעֲלוּ... אֵינֶנִּי רֹצָם Jer. 14:12

695 אֵינֶנִּי נֹפֵל עַל־הַכַּשְׂדִּים Jer. 37:14

וְאֵינֶנִּי (יב) 696 בְּטֶרֶם אֵלֵךְ וְאֵינֶנִּי Ps. 39:14

697 עֵינֶיךָ בִּי וְאֵינֶנִּי Job 7:8

698 וְשִׁחֲרְתַּנִי וְאֵינֶנִּי Job 7:21

אֵינְךָ (יב) 699 וְאִם־אֵינְךָ מֵשִׁיב דַּע... Gen. 20:7

700 וְאִם־אֵינְךָ מְשַׁלֵּחַ לֹא נֵרֵד Gen. 43:5

701 כִּי אִם־אֵינְךָ מְשַׁלֵּחַ... Ex. 8:17

702 וָאֶרְאֶה כִּי־אֵינְךָ מוֹשִׁיעַ Jud. 12:3

703 אִם־אֵינְךָ מְמַלֵּט אֶת־נַפְשְׁךָ ISh. 19:11

704 כִּי בַייָ נִשְׁבַּעְתִּי כִּי־אֵינְךָ יוֹצֵא IISh. 19:8

705 אֵינְךָ יוֹדֵעַ מַה־דֶּרֶךְ הָרוּחַ Eccl. 11:5

706 אֵינְךָ יוֹדֵעַ אֵי זֶה יִכְשַׁר Eccl. 11:6

707 וְאַתָּה אֵינְךָ חוֹלֶה Neh. 2:2

וְאֵינְךָ (יב) 708 וְאֵינְךָ אֹכֵל לָחֶם IK. 21:5

709 בַּלָּהוֹת הָיִיתָ וְאֵינְךָ עַד־עוֹלָם Ezek. 28:19

הַאֵינְךָ (יב) 710 הַאֵינְךָ רֹאֶה מָה הֵמָּה עֹשִׂים Jer. 7:17

וְאֵינֵךְ (יב) 711 בַּלָּהוֹת אֶתְּנֵךְ וְאֵינֵךְ Ezek. 26:21

712 בַּלָּהוֹת הָיִית וְאֵינֵךְ עַד־עוֹלָם Ezek. 27:36

אֵינֶנּוּ (יב) 713 אֵינֶנּוּ עִמּוֹ כִּתְמוֹל שִׁלְשׁוֹם Gen. 31:2

714 כִּי־אֵינֶנּוּ אֵלַי כִּתְמֹל שִׁלְשֹׁם Gen. 31:5

715 הַיֶּלֶד אֵינֶנּוּ וַאֲנִי אָנָה אֲנִי־בָא Gen. 37:30

716 שְׁנֵים עָשָׂר... וְהָאֶחָד אֵינֶנּוּ Gen. 42:13

717 הָאֶחָד אֵינֶנּוּ וְהַקָּטֹן... Gen. 42:32

718/9 יוֹסֵף אֵינֶנּוּ וְשִׁמְעוֹן אֵינֶנּוּ Gen. 42:36

720 וְאָחִינוּ הַקָּטֹן אֵינֶנּוּ אִתָּנוּ Gen. 44:26

721 וְהַנַּעַר אֵינֶנּוּ אִתָּנוּ Gen. 44:30

722 וְהַנַּעַר אֵינֶנּוּ אִתִּי Gen. 44:34

723 וְאֵת אֲשֶׁר אֵינֶנּוּ פֹּה Deut. 29:14

אֵינֶנּוּ (יב) (המשך)
724 וְאַבְנֵר אֵינֶנּוּ עִם־דָּוִד בְּחֶבְרוֹן IISh. 3:22
725 וַיְהִי עַבְדְּךָ עֹשֶׂה... וְהוּא אֵינֶנּוּ IK. 20:40
726 בְּטֶרֶם בֹּקֶר אֵינֶנּוּ Is. 17:14
727 לְהִנָּחֵם עַל־בָּנֶיהָ כִּי אֵינֶנּוּ Jer. 31:15(14)
728 וַיַּעֲבֹר וְהִנֵּה אֵינֶנּוּ Ps. 37:36
729 וְאֹהֶל רְשָׁעִים אֵינֶנּוּ Job 8:22
אֵינֶנּוּ (יג) 730 כֹּל אֲשֶׁר־אֵינֶנּוּ נָקֹד וְטָלוּא Gen. 30:33
731 אֵינֶנּוּ גָדוֹל בַּבַּיִת הַזֶּה מִמֶּנִּי Gen. 39:9
732 וְהַסְּנֶה אֵינֶנּוּ אֻכָּל Ex. 3:2
733 וּפַרְסָה אֵינֶנּוּ מַפְרִיס Lev. 11:4
734 אֵינֶנּוּ עָמֹק מִן־הָעוֹר Lev. 13:34
735 אֵינֶנּוּ שֹׁמֵעַ בְּקוֹל אָבִיו Deut. 21:18
736 אֵינֶנּוּ שֹׁמֵעַ בְּקֹלֵנוּ Deut. 21:20
737 אֵינֶנּוּ פֹתֵחַ דַּלְתוֹת הָעֲלִיָּה Jud. 3:25
738 אֲשֶׁר אֵינֶנּוּ יֹצֵא אַחֲרֵי שָׁאוּל ISh. 11:7
739 הָאִישׁ הַזֶּה אֵינֶנּוּ דֹרֵשׁ לְשָׁלוֹם Jer. 38:4
740 וְהַיָּם אֵינֶנּוּ מָלֵא Eccl. 1:7
741 אֵינֶנּוּ מַנִּיחַ לוֹ לִישׁוֹן Eccl. 5:11
742 כִּי־אֵינֶנּוּ יֹדֵעַ מַה־שֶּׁיִּהְיֶה Eccl. 8:7
743 אֲשֶׁר אֵינֶנּוּ יָרֵא מִלִּפְנֵי אֱלֹהִים Eccl. 8:13
744 שֵׁנָה בְּעֵינָיו אֵינֶנּוּ רֹאֶה Eccl. 8:16
745 וְלַזֹּבֵחַ וְלַאֲשֶׁר אֵינֶנּוּ זֹבֵחַ Eccl. 9:2
746 וְכָל־זֶה אֵינֶנּוּ שֹׁוֶה לִי Es. 5:13
747 אֵינֶנּוּ מִתְנַבֵּא עָלַי לְטוֹבָה IICh. 18:7
וְאֵינֶנּוּ (יב) 748 וְאֵינֶנּוּ כִּי־לָקַח אֹתוֹ אֱלֹהִים Gen. 5:24
749 יִבַשׁ נִדַּף וְאֵינֶנּוּ Is. 19:7
750 שֻׁדַּד זַרְעוֹ וְאֶחָיו וּשְׁכֵנָיו וְאֵינֶנּוּ Jer. 49:10
751 יְבֻקַּשׁ אֶת־עֲוֹן יִשְׂרָאֵל וְאֵינֶנּוּ Jer. 50:20
752 וְהִתְבּוֹנַנְתָּ עַל־מְקוֹמוֹ וְאֵינֶנּוּ Ps. 37:10
753 כִּי רוּחַ עָבְרָה־בּוֹ וְאֵינֶנּוּ Ps. 103:16
754 הֲתָעִיף־עֵינֶיךָ בּוֹ וְאֵינֶנּוּ Prov. 23:5
755 הַמְחַכִּים לַמָּוֶת וְאֵינֶנּוּ Job 3:21
756 הֵן קֶדֶם אֶהֱלֹךְ וְאֵינֶנּוּ Job 23:8
757 רוֹמּוּ מְּעַט וְאֵינֶנּוּ Job 24:24
758 עֵינָיו פָּקַח וְאֵינֶנּוּ Job 27:19
וְאֵינֶנּוּ (יג) 759 וְאֵינֶנּוּ חָסֵר לְנַפְשׁוֹ Eccl. 6:2
אֵינֶנָּה (יג) 760 וּמִן־הַבְּהֵמָה אֲשֶׁר אֵינֶנָּה טְהֹרָה Gen. 7:8
761 וְשֶׁסַע אֵינֶנָּה שֹׁסַעַת Lev. 11:26
762 וְגֵרָה אֵינֶנָּה מַעֲלָה Lev. 11:26
763/4 וּשְׁפָלָה אֵינֶנָּה מִן־הָעוֹר Lev. 13:21,26
אֵינֶנָּה (יב) 765 וּשְׂכַר הַבְּהֵמָה אֵינֶנָּה Zech. 8:10
אֵינְנוּ (יג) 766 אֵינֶנּוּ שֹׁמְעִים אֵלֶיךָ Jer. 44:16
אֵינְכֶם (יג) 767 אֵינְכֶם מַאֲמִינִם בַּיְיָ אֱלֹהֵיכֶם Deut. 1:32
768 וּתְמוּנָה אֵינְכֶם רֹאִים Deut. 4:12
769 מַדּוּעַ אֵינְכֶם מְחַזְּקִים אֶת־בֶּדֶק... IIK. 12:8
770 אִם־אֵינְכֶם שֹׁמְעִים אֵלָי Ezek. 20:39
771 כִּי אֵינְכֶם שָׂמִים עַל־לֵב Mal. 2:2
772 כְּפִי אֲשֶׁר אֵינְכֶם שֹׁמְרִים Mal. 2:9
אֵינָם (יב) 773 וּרְשָׁעִים עוֹד אֵינָם Ps. 104:35
אֵינָם (יג) 774 אֵינָם יֹדְעִים אֶת־מִשְׁפַּט אֱלֹהֵי... IIK. 17:26
775 אֵינָם יְרֵאִים אֶת־יְיָ IIK. 17:34
776 כִּי־אֵינָם אֹבִים לִשְׁמֹעַ אֵלָי Ezek. 3:7
777 וְשָׁמְעוּ... וְעֹשִׂים אֵינָם אוֹתָם Ezek. 33:32
778 אֵינָם יוֹדְעִים לַעֲשׂוֹת רָע Eccl. 4:17
779 וְהַמֵּתִים אֵינָם יוֹדְעִים מְאוּמָה Eccl. 9:5
780 וּדְבָרָיו אֵינָם נִשְׁמָעִים Eccl. 9:16
781 וְאֶת־דָּתֵי הַמֶּלֶךְ אֵינָם עֹשִׂים Es. 3:8
וְאֵינָם (יב) 782 בָּנַי יְצָאֻנִי וְאֵינָם Jer. 10:20
783 הָפוֹךְ רְשָׁעִים וְאֵינָם Prov. 12:7
784 אֲבֹתֵינוּ חָטְאוּ וְאֵינָם (כת׳ אינם) Lam. 5:7
וְאֵינָם (יג) 785 וְאֵינָם עֹשִׂים כְּחֻקֹּתָם IIK. 17:34
786 וְאֵינָם שֹׁמְעִים לָקַחַת מוּסָר Jer. 32:33

787 וְאֵינָם מַכִּירִים לְדַבֵּר יְהוּדִית Neh. 13:24
אֵינֵמוֹ (יב) 788 בַּעֲמַל אֱנוֹשׁ אֵינֵמוֹ Ps. 73:5
וְאֵינֵמוֹ (יב) 789 כַּלֵּה בְחֵמָה כַּלֵּה וְאֵינֵמוֹ Ps. 59:14

אַיִן²
תה״פ רק בצירוף "מֵאַיִן" – מהיכן? מִנַּיִן?
מֵאַיִן 1 אַחַי מֵאַיִן אַתֶּם Gen. 29:4
2 וַיֹּאמֶר אֲלֵהֶם מֵאַיִן בָּאתֶם Gen. 42:7
3 מֵאַיִן לִי בָּשָׂר לָתֵת לְכָל־הָעָם Num. 11:13
4 וְלֹא יָדַעְתִּי מֵאַיִן הֵמָּה Josh. 2:4
5 וַיֹּאמֶר־לוֹ מִיכָה מֵאַיִן תָּבוֹא Jud. 17:9
6 וַיֹּאמֶר... מֵאַיִן (כת׳ מאן) גֵּחֲזִי IIK. 5:25
7 וַיֹּאמֶר... מֵאַיִן אוֹשִׁיעֵךְ IIK. 6:27
8 מֵאַיִן אֲבַקֵּשׁ מְנַחֲמִים לָךְ Nah. 3:7
9 מֵאַיִן יָבֹא עֶזְרִי Ps. 121:1
10 וַיֹּאמֶר יְיָ... מֵאַיִן תָּבֹא Job 1:7
11 וְהַחָכְמָה מֵאַיִן תִּמָּצֵא Job 28:12
12 וְהַחָכְמָה מֵאַיִן תָּבוֹא Job 28:20
וּמֵאַיִן 13 מִי אַתֶּם וּמֵאַיִן תָּבֹאוּ Josh. 9:8
14 אָנָה תֵלֵךְ וּמֵאַיִן תָּבוֹא Jud. 19:17
15/6 וּמֵאַיִן יָבֹאוּ אֵלֶיךָ IIK. 20:14 • Is. 39:3
17 מַה־מְּלַאכְתְּךָ וּמֵאַיִן תָּבוֹא Jon. 1:8

אִין
מלת־שאלה: אִם [לדעה אחרת: אַיִן]
וְאִין 1 וְאִין יֶשׁ־פֹּה תַחַת־יָדְךָ חֲנִית... ISh. 21:9

אִיעֶזֶר
שפ״ז – בן גלעד, הוא אֲבִיעֶזֶר
אִיעֶזֶר 1 אִיעֶזֶר מִשְׁפַּחַת הָאִיעֶזְרִי Num. 26:30

אִיעֶזְרִי
שת״ז – המתיחס על משפחת איעזר
הָאִיעֶזְרִי 1 אִיעֶזֶר מִשְׁפַּחַת הָאִיעֶזְרִי Num. 26:30

אֵיפָה
נ׳ מדת נפח לִיבֵשׁ = 3 סאים = 10 עֳמָרים
קרובים: בַּת² / הִין / חֹמֶר / כֹּר / לֹג / לֶתֶךְ / סְאָה / עֹמֶר / עִשָּׂרוֹן

אֵיפָה וְאֵיפָה 1, 3, 9; אֵ׳ שְׁלֵמָה 2; עֲשִׂירִית הָאֵיפָה 16–20; שִׁשִּׁית הָאֵ׳ 21–22; אֵיפַת צֶדֶק 36, 39; אֵ׳ קָלִיא 37; אֵ׳ קֶמַח 38; אֵ׳ רָזוֹן 40

אֵיפָה 1 אֵיפָה וְאֵיפָה גְּדוֹלָה וּקְטַנָּה Deut. 25:14
2 אֵיפָה שְׁלֵמָה וָצֶדֶק יִהְיֶה־לָּךְ Deut. 25:15
3 אֶבֶן וָאֶבֶן אֵיפָה וְאֵיפָה Prov. 20:10
8-4 אֵיפָה Is. 5:10 • Ezek. 45:24; 46:5,11 • Am. 8:5
וְאֵיפָה 9 אֵיפָה וְאֵיפָה גְּדוֹלָה וּקְטַנָּה Deut. 25:14
15-10 וְאֵיפָה ISh. 1:24 • Ezek. 45:24; 46:7²,11 • Prov. 20:10
הָאֵיפָה 16 וְהָעֹמֶר עֲשִׂרִית הָאֵ(י)פָה הוּא Ex. 16:36
20-17 עֲשִׂירִת הָאֵ(י)פָה Lev. 5:11; 6:13 Num. 5:15; 28:5
22-21 שִׁשִּׁית הָאֵיפָה Ezek. 45:13; 46:14
30-23 הָאֵיפָה Ezek. 45:11²,13 • Zech. 5:6,7,8,9,10
כָּאֵיפָה 31 וַיְהִי כְּאֵיפָה שְׂעֹרִים Ruth 2:17
לָאֵיפָה 35-32 וְשֶׁמֶן הִין לָאֵיפָה Ezek. 45:24; 46:5,7,11
אֵיפַת־ 36 אֵיפַת צֶדֶק וְהִין צֶדֶק יִהְיֶה לָכֶם Lev. 19:36
37 קַח־נָא... אֵיפַת הַקָּלִיא הַזֶּה ISh. 17:17
וְאֵיפַת־ 38 וְאֵיפַת־קֶמַח מַצּוֹת Jud. 6:19
39 וְאֵיפַת־צֶדֶק וּבַת־צֶדֶק Ezek. 45:10
40 וְאֵיפַת רָזוֹן זְעוּמָה Mic. 6:10

אֵיפֹה
תה״פ אֵיה? באיזה מקום?
א) לפני פֹּעַל: 1–4, 10 ב) לפני שֵׁם: 5–9
אֵיפֹה 1 הַגִּידָה־נָּא לִי אֵיפֹה הֵם רֹעִים Gen. 37:16
2 וּרְאִי אֵיפֹה לֹא שֻׁגַּלְתְּ Jer. 3:2
3 אֵיפֹה הָיִיתָ בְּיָסְדִי־אָרֶץ Job 38:4
4 אֵיפֹה לִקַּטְתְּ הַיּוֹם Ruth 2:19
5 אֵיפֹה הָאֲנָשִׁים אֲשֶׁר הֲרַגְתֶּם Jud. 8:18
6 אֵיפֹה שְׁמוּאֵל וְדָוִד ISh. 19:22

אֵיפֹה (המשך) 7 וַיֹּאמֶר לוֹ הַמֶּלֶךְ אֵיפֹה הוּא IISh. 9:4
8 אֵלֶּה אֵיפֹה הֵם Is. 49:21
9 וְאִישׁ אַל־יֵדַע אֵיפֹה אַתֶּם Jer. 36:19
וְאֵיפֹה 10 וְאֵיפֹה יְשָׁרִים נִכְחָדוּ Job 4:7

אֵיפוֹא, עַיֵּן אֵפוֹא

אִישׁ
ז׳ א) אדם, גבר, מישהו: רוב המקראות
ב) בעל אשה: 5, 30, 36, 1019, 1035-7, 1214, 1240–1244, 1319, 1341, 1392, 1571, 1599–1654, 2171–2179
ג) כל אחד, כל מי ש־: 325-540, 753-913, 966-1004, 1018, 1270–1281
ד) [במשפט שלילה או שאלה] שום אחד: 541-626, 1005–1017, 1282–1283
ה) [בספירה מ־11 ומעלה] אנשים, בני־אדם: 627–752, 1041–1045, 1360
ו) [כנסמך לשם־עצם] בעל מקצוע או תכונה וכד׳: רוב המקראות 1374-1598, 1928-2128
ז) [כשם קבוצי] בני שבט או עַם: 1473–1538, 1558–1570, 1572, 1573, 1580, 1586–1589
ח) [אִישִׁים] אנשים: 1655–1657
קרובים: אָדָם / אֱנוֹשׁ / בַּעַל / גֶּבֶר / מְתִים / נֶפֶשׁ

– אִישׁ אִישׁ 773–808, 976–977; אִ׳ בְּאִישׁ 1208; אִ׳ וְ(וָ)אִישׁ 927,1018; אִ׳ וְאִשְׁתּוֹ 5,6; אִ׳ (אֶל,אֶת...) אָחִיו 821–858, 981–983; אִ׳ (אֶל, אֶת...) רֵעֵהוּ 866-913, 967-975; אִ׳ ...עֲמִיתוֹ 548-9; כְּאִישׁ אֶחָד 1221-1229; כָּל אִישׁ 48,753-772; מֵאִישׁ וְעַד אִשָּׁה 1320–1325, 1332–1333

– אִ׳ אֶבְיוֹן 91; אִ׳ אֱוִיל 118; אִ׳ אַחֵר 3-921,1238,1241, 1243,1246,1249; אִ׳ אִטֵּר 41; אִ׳ בָּחוּר 4-632; אִ׳ בַּעַר 90; אִ׳ בָּרִיא 42; אִ׳ גִּבּוֹר 48, 128; אִ׳ גָּדוֹל 62,68, 1190; אִ׳ גֵּר 56; אִ׳ זָקֵן 46,54; אִ׳ זָר 33,1240,1244; אִ׳ חָכָם 17,58,64,113, 117, 131, 136-137, 928, 1055; אִ׳ חֲכַם־לֵב 25,26; אִ׳ חָלָק 11; אִ׳ טָהוֹר 34,35; אִ׳ טוֹב 61,99; אִ׳ טְמֵא־שְׂפָתַיִם 71; אִ׳ יְהוּדִי 83, 132; אִ׳ יְמִינִי 47,63,133; אִ׳ יָפֶה 59; אִ׳ יְרֵא יְיָ 1060; אִ׳ יָשָׁר 120, 121; אִ׳ הַיִּשְׂרְאֵלִי 920; אִ׳ כֹּהֵן 31; אִ׳ כְּנַעֲנִי 13; אִ׳ כְּסִיל 1252; אִ׳ לֵוִי 45; אִ׳ מֵבִין 135; אִ׳ מָהִיר 111; אִ׳ מוֹכִיחַ 1250; אִ׳ מִסְכֵּן 131, 1063; אִ׳ מָצוֹק 52; אִ׳ מַצְלִיחַ 15; אִ׳ מִצְרִי 14, 18,20-23; אִ׳ מַר־נֶפֶשׁ 53; אִ׳ מְשֻׁגָּע 77; אִ׳ מִשְׁתַּגֵּעַ 51; אִ׳ מַשְׁחִית 1254; אִ׳ נָבוּב 932; אִ׳ נָבוֹן 17; אִ׳ נָבִיא 43; אִ׳ נִדְהָם 1233; אִ׳ נִכְבָּד 1189; אִ׳ נָכְרִי 38, 130; אִ׳ נִקְלֶה 50; אִ׳ סָרִיס 78; אִ׳ עִבְרִי 16, 19; אִ׳ עֲדוּלָמִי 12; אִ׳ עִוֵּר 32; אִ׳ עֲמָלֵקִי 56, 1247; אִ׳ עָנִי 39, 91; אִ׳ עָצֵל 112; אִ׳ עָשִׁיר 114; אִ׳ עִתִּי 29; אִ׳ פִּסֵּחַ 32; אִ׳ פְּתִי 1327; אִ׳ צַדִּיק 4,57; אִ׳ צַר וְאוֹיֵב 134; אִ׳ צָרוּעַ 28; אִ׳ צֳרִי 65, 66; אִ׳ רַךְ 1039; אִ׳ רָע 55,116; אִ׳ רַע־עָיִן 115; אִ׳ רָשׁ 50, 1048; אִ׳ רָשָׁע 110; אִ׳ שׁוֹגֶה 1327; אִ׳ שִׁכּוֹר 1234; אִ׳ שָׂעִיר 10; אִ׳ תָּם 9, 120–121

– אִישׁ אֲדָמָה 1334; אִ׳ אָוֶן 1375,1544; אִ׳ אֱלֹהִים 1403–1472, 1557, 1581–1585; אִ׳ אֱמוּנוֹת 1386; אִ׳ אֱמוּנִים 1551; אִ׳ אֱמֶת 1578; אִ׳ אַף 1388; אִ׳ אֶפְרָיִם 1514-1516; אִ׳ הָאִשָּׁה 1342; אִ׳ הַבֵּינַיִם 1347,1348; אִ׳ בְּלִיַּעַל 55, 1349, 1355, 1378, 1541; אִ׳ בִּנְיָמִין 1537, 1538; אִ׳ בְּשׂוֹרָה 1354; אִ׳ גְּדוּדִים 1368; אִ׳ דְּבָרִים 1336; אִ׳ דָּמִים 1352, 1353, 1370, 1541; אִ׳ דַּעַת 1552; אִ׳ זְרוֹעַ 1556; אִ׳ חַיִל 1340, 1350, 1357-1358, 1360-1361, 1396, 1401; אִ׳ חֵיקֶהָ 1571; אִ׳ חֵמָה 1377; אִ׳ חֲמוּדוֹת 1393–1394; אִ׳ חָמָס 1374,1380,1574,1594; אִ׳ חֲמָסִים 1593,

1596/7; א׳ חֶסֶד 1376; א׳ חַסְדּוֹ 1383; א׳ חֲסִידוֹ 1579;
א׳ חֶרְמוֹ 1364; א׳ חֵמוֹת 1385; א׳ יְהוּדָה 1518-
1536, 1562, 1570-1566, 1573, 1587-9; א׳ יְמִינוֹ 1372;
א׳ יִשָּׂשכָר 1517; א׳ יִשְׂרָאֵל 1513-1473, 1561-1558,
1565-1563, 1572, 1580; א׳ כָּזָב 1598; א׳ לָשׁוֹן 1373;
א׳ מָגֵן 1577,1576; א׳ מִדָּה 1397, 1399; א׳ מָדוֹן
1367,1356; א׳ מִדְיָנִים 1553; א׳ מָוֶת 1362; א׳ מְזִמּוֹת
1548—1547; א׳ מַחְסוֹר 1384; א׳ מַכְאוֹבוֹת
1366; א׳ מִלְחָמָה 1337,1339, 1346—1343, 1539,1542;
א׳ מִלְחָמוֹת 1575,1402,1398,1351; א׳ מְנוּחָה 1400;
א׳ מַרְאֶה 1359; א׳ מִרְמָה 1595; א׳ מַתָּן 1592;
א׳ עָוֶל 1389; א׳ עֲצָתוֹ 1543,1365; א׳ הָרוּחַ 1369;
א׳ רִיב 1341, 1367; א׳ רִיבוֹ 1391; א׳ רֵעִים 1382;
א׳ שָׂדֶה 1335; א׳ שֵׂיבָה 1338; א׳ שֵׂכֶל 1395;
א׳ שָׁלוֹם 1590; א׳ שְׁלוֹמוֹ 1371; א׳ שְׂפָתַיִם 1390;
א׳ תֹּאַר 1540; א׳ תְּבוּנָה 1381, 1549,1550,1591;
א׳ תְּבוּנוֹת 1546; א׳ תַּהְפּוּכוֹת 1379; א׳ תוֹכָחוֹת
1387; א׳ תְּכָכִים 1555; א׳ תְּרוּמוֹת 1554

– אוֹיְבֵי אִישׁ 80; אַמַּת א׳ 37; אֹרַח א׳ 125;
אַשְׁרֵי(הָ)א׳ 92,1059,2130-2131; אֵשֶׁת א׳ 1019,94,30;
בֵּית א׳ 1626,1622; בֶּן־אִישׁ 60,49; בְּנֵי א׳ 84,
87, 88, 129; בְּשַׂר א׳ 122; בַּת־א׳ 31; דֶּרֶךְ א׳
108, 109; דַּרְכֵי א׳ 93, 100, 101, 126; יַד א׳ 1058;
כִּבְשַׁת הָאִישׁ 1048; כְּנַף א׳ 83; כַּף א׳ 67, 1051;
לֶב א׳ 107,106,103,96,69; מַכֵּה א׳ 75; לֹא־אִישׁ
127,123,85,79,73; מִשְׁפַּט א׳ 1053,119; מָתְנֵי א׳ 76;
נֶפֶשׁ א׳ 98; עֶבֶד א׳ 24; עוֹלַת א׳ 27; עֵינֵי א׳
1618; פִּי א׳ 105,102,97,95; פְּנֵי א׳ 124; קוֹל א׳ 40;
קֶרֶב א׳ 89; רֶכֶב א׳ 72; רוּחַ א׳ 104; רִכְסֵי א׳ 86;
שׁוֹקֵי א׳ 1062; שְׂמֹאל א׳ 70; תַּבְנִית א׳ 74

– אֱלֹהִים וַאֲנָשִׁים 1768, 1769; אֲנָשִׁים אַחִים 1659;
אֲ׳ בּוֹעֲרִים 1680; אֲ׳ זְקֵנִים 1916; אֲ׳ חַטָּאִים
1668; אֲ׳ חֲכָמִים 1669, 1670; אֲ׳ יְדוּעִים 1670;
אֲ׳ עִבְרִים 1664; אֲ׳ פּוֹחֲזִים 1671; אֲ׳ צַדִּיקִים
1773; אֲ׳ רֵיקִים 1671, 1672, 1684; אֲ׳ רְשָׁעִים
1790; חֲדַל אִישִׁים 1655

– אָהֳלֵי אֲנָשִׁים 1790; אֹזֶן אֲ׳ 1683; אַמְתְּחוֹת אֲ׳
1784; דַּם אֲ׳ 1799,1792; זֶרַע אֲ׳ 1673; יַד אֲ׳ 1680,
1796,1795; לֶחֶם אֲ׳ 1682—1681; מִצְוַת אֲ׳ 1679;
מִצְחוֹת אֲ׳ 1798; מִצְעַר אֲ׳ 1685; עֵינֵי אֲ׳ 1789,
1794; פִּגְרֵי אֲ׳ 1793, 1797; רָאשֵׁי אֲ׳ 1791;
רַגְלֵי אֲ׳ 1783; רוּם אֲ׳ 167־, 1678; שֵׁבֶט אֲ׳ 1676;
שְׁמוֹת אֲ׳ 1788—1785; בָּא בָּאֲנָשִׁים 1914

– אַנְשֵׁי אָוֶן 2117; אַ׳ אֱמֶת 1942; אַ׳ אֳנִיּוֹת 1997;
אַ׳ בּוֹגְדוֹת 2019; אַ׳ בֵּיתוֹ 2124,2120,2017,1929;
אַ׳ בְּלִיַּעַל 1999; אַ׳ בְּרִיתוֹ 2015; אַ׳ גְאֻלָּתוֹ 2009;
אַ׳ דָמִים 2128,2110,2027,2022,2021; אַ׳ הָאָרֶץ 1944:
אַ׳ חַיִל 1940, 1941, 1943, 1985-1984, 2001, 2018, 2023,
2032, 2105, 2107; אַ׳ חֶסֶד 2106; אַ׳ יִשְׂרָאֵל 1986—
1993, 2101; אַ׳ לֵבָב 2029, 2030; אַ׳ הַכִּכָּר 2036;
אַ׳ לָצוֹן 2002, 2026; אַ׳ מִדָּה 2006; אַ׳ מִדּוֹת
1945; אַ׳ מוֹפֵת 2020; אַ׳ מָוֶת 1996; אַ׳ מְלָאכָה
2041; אַ׳ מִלְחָמָה 1949—1970, 2108, 2113, 2119;
אַ׳ מִלְחַמְתּוֹ 2014,2013,2008,2005; אַ׳ מִסְפָּר 2010;
אַ׳ מַעֲשֵׂהוּ 2031; אַ׳ מַצָּבָה 1994; אַ׳ מִצְוּתוֹ 2004;
אַ׳ הַמָּקוֹם 1932—1934, 1936, 1937, 2099;
אַ׳ מְקוֹמוֹ 2033; אַ׳ הַמִּשְׁמָר 2111; אַ׳ מִקְנֶה 1938,
1939; אַ׳ הָעִיר 1930, 1931, 1935, 1971—1983, 1998,
2097; אַ׳ עֲצָתוֹ 2024; אַ׳ צָבָא 1947, 1948, 2039;
אַ׳ קֹדֶשׁ 2098; אַ׳ רִיבוֹ 2003; אַ׳ רָכִיל 2011;
אַ׳ רָע 2025; אַ׳ רָעָה 2116; אַ׳ רֶשַׁע 2028;

אַ׳ שְׁלוֹמוֹ 2016,2007; אַ׳ הַשֵּׁם 1946,1928; אַ׳ שֵׁמוֹת
2038, 2040; אַ׳ תָּמִיד 2109; אַ׳ הַתָּרִים 2126-2127

קרובים: אָדָם / אֱנוֹשׁ / בָּחוּר / גֶּבֶר / זָכָר / מְתִים / נֶפֶשׁ / עֶלֶם

אִישׁ (א)

1 עַל־כֵּן יַעֲזָב־אִישׁ אֶת־אָבִיו... Gen. 2:24
2 קָנִיתִי אִישׁ אֶת־יְיָ Gen. 4:1
3 כִּי אִישׁ הָרַגְתִּי לְפִצְעִי Gen. 4:23
4 נֹחַ אִישׁ צַדִּיק תָּמִים הָיָה Gen. 6:9
5 שִׁבְעָה שִׁבְעָה אִישׁ וְאִשְׁתּוֹ Gen. 7:2
6 שְׁנַיִם אִישׁ וְאִשְׁתּוֹ Gen. 7:2
7 שְׁתֵּי בָנוֹת אֲשֶׁר לֹא־יָדְעוּ אִישׁ Gen. 19:8
8 וַיְהִי עֵשָׂו אִישׁ יֹדֵעַ צַיִד Gen. 25:27
9 וְיַעֲקֹב אִישׁ תָּם יֹשֵׁב אֹהָלִים Gen. 25:27
10/1 אָחִי אִישׁ שָׂעִר וְאָנֹכִי אִישׁ חָלָק Gen. 27:11
12 וַיֵּט עַד־אִישׁ עֲדֻלָּמִי Gen. 38:1
13 וַיַּרְא־שָׁם... בַּת־אִישׁ כְּנַעֲנִי Gen. 38:2
14 וַיִּקְנֵהוּ... שַׂר הַטַּבָּחִים אִישׁ מִצְרִי Gen. 39:1
15 וַיְהִי אִישׁ מַצְלִיחַ Gen. 39:2
16 רְאוּ הֵבִיא לָנוּ אִישׁ עִבְרִי Gen. 39:14
17 יֵרֶא פַרְעֹה אִישׁ נָבוֹן וְחָכָם Gen. 41:33
18/9 וַיַּרְא אִישׁ מִצְרִי מַכֶּה אִישׁ־עִבְרִי Ex. 2:11
23-20 אִישׁ(־)מִצְרִי Ex. 2:19 • Lev. 24:10 • ISh. 30:11 • IISh. 23:21
24 וְכָל־עֶבֶד אִישׁ מִקְנַת־כָּסֶף Ex. 12:44
25/6 וְכֹל / כָּל־ / אִישׁ חֲכַם־לֵב Ex. 36:1,2
27 הַמַּקְרִיב אֶת־עֹלַת אִישׁ Lev. 7:8
28 אִישׁ־צָרוּעַ הוּא Lev. 13:44
29 וְשִׁלַּח בְּיַד־אִישׁ עִתִּי Lev. 16:21
30 אֲשֶׁר יִנְאַף אֶת־אֵשֶׁת אִישׁ Lev. 20:10
31 וּבַת אִישׁ כֹּהֵן כִּי תֵחֵל לִזְנוֹת Lev. 21:9
32 אִישׁ עִוֵּר אוֹ פִסֵּחַ Lev. 21:18
33 לֹא־יִקְרַב אִישׁ זָר Num. 17:5
34 וְאָסַף אִישׁ טָהוֹר Num. 19:9
35 וְטָבַל בַּמַּיִם אִישׁ טָהוֹר Num. 19:18
36 וְכָל־אִשָּׁה יֹדַעַת אִישׁ Num. 31:17
37 עַרְשׂוֹ... רָחְבָּהּ בְּאַמַּת־אִישׁ Deut. 3:11
38 אִישׁ נָכְרִי אֲשֶׁר לֹא־אָחִיךָ הוּא Deut. 17:15
39 וְאִם־אִישׁ עָנִי הוּא Deut. 24:12
40 ...לִשְׁמֹעַ יְיָ בְּקוֹל אִישׁ Josh. 10:14
41 אִישׁ אִטֵּר יַד־יְמִינוֹ Jud. 3:15
42 וְעֶגְלוֹן אִישׁ בָּרִיא מְאֹד Jud. 3:17
43 וַיִּשְׁלַח יְיָ אִישׁ נָבִיא Jud. 6:8
44 כֹּהֵן לְבֵית אִישׁ אֶחָד Jud. 18:19
45 וַיְהִי אִישׁ לֵוִי גָּר בְּיַרְכְּתֵי... Jud. 19:1
46 וְהִנֵּה אִישׁ זָקֵן בָּא מִן־מַעֲשֵׂהוּ Jud. 19:16
47 וּשְׁמוֹ קִישׁ... בֶּן־אִישׁ יְמִינִי ISh. 9:1
48 כָּל־אִישׁ גִּבּוֹר וְכָל־בֶּן־חַיִל ISh. 14:52
49 וְדָוִד בֶּן־אִישׁ אֶפְרָתִי ISh. 17:12
50 וְאָנֹכִי אִישׁ־רָשׁ וְנִקְלֶה ISh. 18:23
51 הִנֵּה תִרְאוּ אִישׁ מִשְׁתַּגֵּעַ ISh. 21:15
52 כָּל־אִישׁ מָצוֹק ISh. 22:2
53 וְכָל־אִישׁ מַר־נֶפֶשׁ ISh. 22:2
54 וַתֹּאמֶר אִישׁ זָקֵן עֹלֶה ISh. 28:14
55 וַיַּעַן כָּל־אִישׁ רָע וּבְלִיַּעַל ISh. 30:22
56 בֶּן־אִישׁ גֵּר עֲמָלֵקִי אָנֹכִי IISh. 1:13
57 הָרְגוּ אֶת־אִישׁ־צַדִּיק בְּבֵיתוֹ IISh. 4:11
58 וְיוֹנָדָב אִישׁ חָכָם מְאֹד IISh. 13:3
59 וּכְאַבְשָׁלוֹם לֹא־הָיָה אִישׁ־יָפֶה IISh. 14:25
60 וַעֲמָשָׂא בֶן־אִישׁ וּשְׁמוֹ יִתְרָא IISh. 17:25
61 וַיֹּאמֶר הַמֶּלֶךְ אִישׁ־טוֹב זֶה IISh. 18:27
62 כִּי־אִישׁ גָּדוֹל הוּא מְאֹד IISh. 19:33
63 שֶׁבַע בֶּן־בִּכְרִי אִישׁ יְמִינִי IISh. 20:1
64 כִּי אִישׁ חָכָם אָתָּה IK. 2:9

אִישׁ (א) (המשך)

66-65 וְאָבִיו אִישׁ־צֹרִי IK. 7:14 • IICh. 2:13
67 עָב קְטַנָּה כְּכַף־אִישׁ IK. 18:44
68 וְנַעֲמָן... הָיָה אִישׁ גָּדוֹל לִפְנֵי אֲדֹנָיו IIK. 5:1
69 כָּל־כֶּסֶף אֲשֶׁר יַעֲלֶה עַל לֶב־אִישׁ IIK. 12:5
70 אֲשֶׁר־עַל־שְׂמֹאול אִישׁ IIK. 23:8
71 אִישׁ טְמֵא־שְׂפָתַיִם אָנֹכִי Is. 6:5
72 וְהִנֵּה־זֶה בָא רֶכֶב אִישׁ Is. 21:9
73 וְנָפַל אַשּׁוּר בְּחֶרֶב לֹא־אִישׁ Is. 31:8
74 וַיַּעֲשֵׂהוּ כְּתַבְנִית אִישׁ Is. 44:13
75 שׁוֹחֵט הַשּׁוֹר מַכֵּה־אִישׁ Is. 66:3
76 כַּאֲשֶׁר יִדְבַּק הָאֵזוֹר אֶל־מָתְנֵי אִישׁ Jer.13:11
77 לְכָל־אִישׁ מְשֻׁגָּע וּמִתְנַבֵּא Jer. 29:26
78 עֶבֶד־מֶלֶךְ הַכּוּשִׁי אִישׁ סָרִיס Jer. 38:7
79 אֵל אָנֹכִי וְלֹא־אִישׁ Hosh. 11:9
80 אֹיְבֵי אִישׁ אַנְשֵׁי בֵיתוֹ Mic. 7:6
81 כְּפִי־אִישׁ לֹא־נָשָׂא רֹאשׁוֹ Zech. 2:4
82 הִנֵּה־אִישׁ צֶמַח שְׁמוֹ Zech. 6:12
83 וְהֶחֱזִיקוּ בִּכְנַף אִישׁ יְהוּדִי Zech. 8:23
84 בְּנֵי־אִישׁ עַד־מֶה כְבוֹדִי לִכְלִמָּה Ps. 4:3
85 וְאָנֹכִי תוֹלַעַת וְלֹא־אִישׁ Ps. 22:7
86 תַּסְתִּירֵם... מֵרֻכְסֵי אִישׁ Ps. 31:21
87 גַּם־בְּנֵי אָדָם גַּם־בְּנֵי־אִישׁ Ps. 49:3
88 הֶבֶל בְּנֵי־אָדָם כָּזָב בְּנֵי אִישׁ Ps. 62:10
89 וְקֶרֶב אִישׁ וְלֵב עָמֹק Ps. 64:7
90 אִישׁ־בַּעַר לֹא יֵדָע Ps. 92:7
91 וַיִּרְדֹּף אִישׁ־עָנִי וְאֶבְיוֹן Ps. 109:16
92 אַשְׁרֵי־אִישׁ יָרֵא אֶת־יְיָ Ps. 112:1
93 נֹכַח עֵינֵי יְיָ דַּרְכֵי־אִישׁ Prov. 5:21
94 וְאֵשֶׁת אִישׁ נֶפֶשׁ יְקָרָה תָצוּד Prov. 6:26
95 מִפְּרִי פִי־אִישׁ יִשְׂבַּע־טוֹב Prov. 12:14
96 דְּאָגָה בְלֶב־אִישׁ יַשְׁחֶנָּה Prov. 12:25
97 מִפְּרִי פִי־אִישׁ יֹאכַל טוֹב Prov. 13:2
98 כֹּפֶר נֶפֶשׁ־אִישׁ עָשְׁרוֹ Prov. 13:8
99 וּמֵעָלָיו אִישׁ טוֹב Prov. 14:14
100 כָּל־דַּרְכֵי־אִישׁ זַךְ בְּעֵינָיו Prov. 16:2
101 בִּרְצוֹת יְיָ דַּרְכֵי־אִישׁ Prov. 16:7
102 מַיִם עֲמֻקִּים דִּבְרֵי פִי־אִישׁ Prov. 18:4
103 לִפְנֵי־שֶׁבֶר יִגְבַּהּ לֶב־אִישׁ Prov. 18:12
104 רוּחַ אִישׁ יְכַלְכֵּל מַחֲלֵהוּ Prov. 18:14
105 מִפְּרִי פִי־אִישׁ תִּשְׂבַּע בִּטְנוֹ Prov. 18:20
106 רַבּוֹת מַחֲשָׁבוֹת בְּלֶב־אִישׁ Prov. 19:21
107 מַיִם עֲמֻקִּים עֵצָה בְלֶב־אִישׁ Prov. 20:5
108 כָּל־דֶּרֶךְ־אִישׁ יָשָׁר בְּעֵינָיו Prov. 21:2
109 הֲפַכְפַּךְ דֶּרֶךְ אִישׁ וָזָר Prov. 21:8
110 הֵעֵז אִישׁ רָשָׁע בְּפָנָיו Prov. 21:29
111 חָזִיתָ אִישׁ מָהִיר בִּמְלַאכְתּוֹ Prov. 22:29
112 עַל־שְׂדֵה אִישׁ־עָצֵל עָבַרְתִּי Prov. 24:30
113 רָאִיתָ אִישׁ חָכָם בְּעֵינָיו Prov. 26:12
114 חָכָם בְּעֵינָיו אִישׁ עָשִׁיר Prov. 28:11
115 נִבְהָל לַהוֹן אִישׁ רַע עָיִן Prov. 28:22
116 בְּפֶשַׁע אִישׁ רָע מוֹקֵשׁ Prov. 29:6
117/8 אִישׁ־חָכָם נִשְׁפָּט אֶת־אִישׁ אֱוִיל Prov. 29:9
119 וּמֵיְיָ מִשְׁפַּט־אִישׁ Prov. 29:26
120/1 אִישׁ תָּם וְיָשָׁר Job 1:8; 2:3
122 וְרוּחַ כָּל־בְּשַׂר־אִישׁ Job 12:10
123 אֵל יִדְּפֶנּוּ לֹא־אִישׁ Job 32:13
124 אַל־נָא אֶשָּׂא פְּנֵי־אִישׁ Job 32:21
125 וּכְאֹרַח אִישׁ יַמְצִאֶנּוּ Job 34:11
126 כִּי־עֵינָיו עַל־דַּרְכֵי־אִישׁ Job 34:21
127 לְהַמְטִיר עַל־אֶרֶץ לֹא־אִישׁ Job 38:26
128 אִישׁ גִּבּוֹר חַיִל מִמִּשְׁפַּחַת אֱלִימֶלֶךְ Ruth 2:1
129 וַיַּגֶּה בְּנֵי־אִישׁ Lam. 3:33

אִישׁ (א) (המשך)

130 כִּי אִישׁ נָכְרִי יֹאכְלֶנּוּ Eccl. 6:2
131 וּמָצָא בָהּ אִישׁ מִסְכֵּן חָכָם Eccl. 9:15
132 אִישׁ יְהוּדִי הָיָה בְּשׁוּשַׁן הַבִּירָה Es. 2:5
133 בֶּן־קִישׁ אִישׁ יְמִינִי Es. 2:5
134 אִישׁ צַר וְאוֹיֵב Es. 7:6
135 אִישׁ־מֵבִין וְסוֹפֵר הוּא ICh. 27:32
136 וְעַתָּה שְׁלַח־לִי אִישׁ־חָכָם IICh. 2:6
137 וְעַתָּה שָׁלַחְתִּי אִישׁ־חָכָם IICh. 2:12
138-324 אִישׁ (א) Gen. 32:25; 37:15; 41:38
42:11,13; 44:15; 49:6 • Ex. 2:1; 19:13; 21:7,12,16, 20,26,28,29,33^{2},35,37; 22:4,15; 30:33,38; 36:6 • Lev. 15:18,24; 21:17,19; 22:4,5; 27:2,16,26,28,31 • Num. 1:4, 44; 5:6, 10, 13, 19, 20, 30; 6:2; 15:32; 21:9; 23:19; 25:6; 27:8, 16, 18; 30:3, 17; 31:50 • Deut. 1:31; 8:5; 17:2; 22:13, 22, 23, 28; 23:1, 11; 24:1, 5, 7; 29:17 • Josh. 5:13; 22:20; 23:10 • Jud. 1:24; 4:20; 7:13; 9:2; 11:39; 13:2; 17:1; 21:12 • ISh. 1:1; 2:9,25^{2}; 9:1,16; 10:12,22; 13:14; 14:28; 16:16, 17; 17:8,10; 20:15; 21:8; 24:20; 26:15; 27:9 • IISh. 1:2; 3:15; 9:3; 15:5; 16:5,23; 17:18; 18:10,24,26^{2}; 19:23; 20:21 • IK. 5:20: 20:37,39^{2}; 22:8 • IIK. 1:6,8; 4:29^{2}; 5:7,26; 6:32; 12:10; 13:21; 18:21 • Is. 2:9; 5:15; 7:21; 32:2; 36:6 • Jer. 3:1; 6:11; 22:30; 23:24; 26:20; 29:32; 44:7; 51:22 • Ezek. 18:8; 22:30; 33:2; 40:3 • Am. 5:19 • Mic. 2:11 • Ob. 9 • Hag. 2:12 • Zech. 1:8; 2:5; 13:3,5 • Mal. 3:17 • Ps. 39:7,12; 49:17; 62:4; 78:25; 87:5; 105:17; 112:5 • Prov. 6:27,28; 12:8; 14:12; 16:25; 25:14,18,27; 27:8; 29:3,20 • Job 1:1; 9:32 • Job 12:14; 15:16; 34:23; 37:20 • S.ofS. 8:7 • Ruth 1:1; 4:7 • Eccl. 6:2,3 • Es. 6:7,9 • Dan. 10:5 • IICh. 7:18; 18:7

אִישׁ (ג)

325 מֵאֵלֶּה נִפְרְדוּ... אִישׁ לִלְשֹׁנוֹ Gen. 10:5
326 וַיִּקְחוּ... אֲחֵי דִינָה אִישׁ חַרְבּוֹ Gen. 34:25
327 אִישׁ חֲלֹמוֹ בְּלַיְלָה אֶחָד Gen. 40:5
328/9 אִישׁ כְּפִתְרוֹן חֲלֹמוֹ Is. 40:5; 41:11
330 אִישׁ כַּחֲלֹמוֹ פָּתָר Gen. 41:12
331 לִקְטוּ מִמֶּנּוּ אִישׁ לְפִי אָכְלוֹ Ex. 16:16
332 שְׁבוּ אִישׁ תַּחְתָּיו Gen. 16:29
333 שִׂימוּ אִישׁ־חַרְבּוֹ עַל־יְרֵכוֹ Ex. 32:27
334 אִישׁ אִמּוֹ וְאָבִיו תִּירָאוּ Lev. 19:3
335 אִישׁ עַל־דִּגְלוֹ... יַחֲנוּ Num. 2:2
336 אַנְשֵׁי הַצָּבָא בָּזְזוּ אִישׁ לוֹ Num. 31:53
337 אִישׁ כְּפִי נַחֲלָתוֹ Num. 35:8
338 עֹשִׂים... אִישׁ כָּל־הַיָּשָׁר בְּעֵינָיו Deut. 12:8
339 אִישׁ כְּמַתְּנַת יָדוֹ Deut. 16:17
340 וַיֵּלְכוּ אִישׁ לִמְקֹמוֹ Jud. 9:55
341/2 אִישׁ הַיָּשָׁר בְּעֵינָיו יַעֲשֶׂה Jud. 17:6; 21:25
343 וַיָּנֻסוּ אִישׁ לְאֹהָלָיו ISh. 4:10
344 הוּא וַאֲנָשָׁיו אִישׁ וּבֵיתוֹ ISh. 27:3
345 הֶעֱלָה דָוִד אִישׁ וּבֵיתוֹ IISh. 2:3
346 אִישׁ לְאֹהָלָיו יִשְׂרָאֵל IISh. 20:1
347/8 אִישׁ תַּחַת גַּפְנוֹ... IK. 5:5 • Mic. 4:4
349 וְכִלְכְּלוּ הַנִּצָּבִים... אִישׁ חָדְשׁוֹ IK. 5:7
350 אִישׁ בְּשַׂר־זְרֹעוֹ יֹאכֵלוּ Is. 9:19
351 אִישׁ לְעֶבְרוֹ תָּעוּ Is. 47:15
352 וְחָרְדוּ לִרְגָעִים אִישׁ לְנַפְשׁוֹ Ezek. 32:10
353 יֵלְכוּ אִישׁ בְּשֵׁם אֱלֹהָיו Mic. 4:5
354 וְאַתֶּם רָצִים אִישׁ לְבֵיתוֹ Hag. 1:9
355 וַיָּשׁוּבוּ... אִישׁ לְעִירוֹ Neh. 7:6
356 אִישׁ לְאֹהָלֶיךָ יִשְׂרָאֵל IICh. 10:16
357 אִישׁ כְּפִי עֲבֹדָתוֹ IICh. 31:2

אִישׁ (ג) (המשך)

358-540 אִישׁ (ג) Gen. 42:25,35; 43:21;
44:1,11^{2},13; 47:20; 49:28 • Ex. 1:1; 7:12; 12:3,4; 16:16,18,21; 28:21; 30:12; 32:29; 33:8,10; 39:14 • Lev. 10:1; 25:10,13 • Num. 1:52; 2:17,34; 7:5; 11:10; 16:17^{3},18; 17:17,24; 25:5; 26:54; 32:18; 36:7,8,9 • Deut. 1:41; 3:20; 24:16 • Josh. 4:5; 6:5,20; 24:28 • Jud. 2:6; 7:7,8,21; 8:24,25; 9:49; 16:5; 21:21,22,24^{2} • ISh. 8:22; 10:25; 13:2,20; 14:34^{2}; 25:10,13^{2}; 30:6,22 • IISh. 6:19; 13:29; 15:30; 18:17; 19:9; 20:22 • IK. 1:49; 5:8; 7:36; 8:38; 10:25; 12:24; 20:20,24; 22:10,17,36 • IIK. 3:25; 6:2; 9:13,21; 11:8,9,11; 12:5,6; 14:6,12; 18:31^{2},33; 23:10,35 • Is. 3:5; 13:14; 14:18; 31:7; 36:16^{2},18; 53:6; 56:11 • Jer. 1:15; 5:8; 6:3; 11:8; 12:15; 16:12; 18:11; 22:7; 23:14; 25:5; 26:3; 31:30(29); 34:9,10,16; 35:15; 36:3,7; 37:10; 49:5; 50:16; 51:6,9,45 • Ezek. 1:9,11; 7:16; 8:12; 10:22; 18:30; 20:7,8,39; 22:6; 33:20; 46:18 • Jon. 1:5; 3:8 • Zep. 2:11 • Zech. 13:4 • Job 1:4; 2:11,12; 42:11 • S.ofS. 3:8; 8:11 • Es. 1:8 • Ez. 2:1 • Neh. 3:28; 4:9,12,16,17; 8:16; 11:3,20; 13:10,30 • ICh. 16:43 • IICh. 6:29; 9:24; 11:4; 18:9,16; 23:7,8; 25:4,22; 31:1

אִישׁ (ד)

541 אֵין אִישׁ עִמָּנוּ Gen. 31:50
542 אִישׁ מִמֶּנּוּ... לֹא־יִכְלֶה Gen. 23:6
543 וְאֵין אִישׁ מֵאַנְשֵׁי הַבַּיִת Gen. 39:11
544 לֹא־יָרִים אִישׁ אֶת־יָדוֹ Gen. 41:44
545 וְלֹא־קָמוּ אִישׁ מִתַּחְתָּיו Ex. 10:23
546 לֹא תֵצְאוּ אִישׁ מִפֶּתַח־בֵּיתוֹ Ex. 12:22
547 אַל־יֵצֵא אִישׁ מִמְּקֹמוֹ Ex. 16:29
548 וְלֹא־תְשַׁקְּרוּ אִישׁ בַּעֲמִיתוֹ Lev. 19:11
549 וְלֹא תוֹנוּ אִישׁ אֶת־עֲמִיתוֹ Lev. 25:17
550-626 אִישׁ (ד) Gen. 13:16; 45:1
Ex. 2:12; 16:19; 33:4; 34:3,24 • Num. 26:64; 26:65; 31:49 • Deut. 1:17,35; 7:24; 11:25; 34:6 • Josh. 1:5; 8:17; 10:8; 21:42; 23:9 • Jud. 2:21; 3:28,29; 19:15, 18; 20:8^{2}; 21:1,8,9 • ISh. 9:2; 11:13; 12:4; 14:36; 21:3; 30:2, 17 • IISh. 19:8; 21:4 • IK. 2:4; 3:13; 8:25; 9:5; 18:40 • IIK. 7:5, 10; 10:5, 14, 19, 21, 25; 23:18 • Is. 40:26; 41:28; 50:2; 57:1; 59:16; 63:3 • Jer. 2:6; 4:29; 5:1; 8:6; 9:9; 12:11; 33:17, 18; 35:19; 38:24; 49:18,33; 50:40 • Hosh. 4:4^{2} • Zep. 3:6 • Ps. 49:8 • Eccl. 1:8 • IICh. 6:16

אִישׁ (ה)

627 וְאַרְבַּע־מֵאוֹת אִישׁ עִמּוֹ Gen. 32:7(6)
628 כִּשְׁלֹשֶׁת אַלְפֵי אִישׁ Ex. 32:28
629 שְׁנֵים עָשָׂר אִישׁ Num. 1:44
630 שִׁבְעִים אִישׁ מִזִּקְנֵי יִשְׂרָאֵל Num. 11:16
631 הַחֲמִשִּׁים וּמָאתַיִם אִישׁ Num. 16:35
632/3 שְׁבַע מֵאוֹת אִישׁ בָּחוּר Jud. 20:15,16
634 שְׁלֹשֶׁת אֲלָפִים אִישׁ בָּחוּר ISh. 24:2
635–752 אִישׁ (ה) Gen. 33:1 •
Num. 11:24, 25; 26:10 • Josh. 3:12; 4:4; 7:3^{2}, 4, 5; 8:3,12 • Jud. 1:4; 3:29,31; 4:6,10,14; 7:6,19; 8:10, 14; 9:2,5,18,49; 14:19; 15:11,15,16; 16:27; 18:11, 16; 20:2,15,17,21,25,31,34,35,39,44,45^{2},46,47; 21:10 • ISh. 4:2; 6:19^{2}; 9:22; 13:15; 14:2,14; 18:27; 22:2,18; 23:13; 25:13; 26:2; 27:2; 30:9,10^{2},17 • IISh. 2:30,31; 8:4,5; 10:6^{2}; 15:1,11,18; 17:1; 19:18; 24:9,15 • IK. 1:5; 5:27; 18:4,13^{2},22; 20:30; 22:6 • IIK. 2:7,17; 3:26; 4:43; 10:6,7,14,24; 15:25; 25:19 • Jer. 41:5; 52:25 • Ezek. 8:11,16; 11:1 • Es. 9:6,12, 15 • Neh. 5:17 • ICh. 18:4,5; 19:18; 21:5^{2},14 • IICh. 2:1^{2}; 13:3^{2}, 17; 18:5

כָּל־אִישׁ

753 הוֹצִיאוּ כָל־אִישׁ מֵעָלָי Gen. 45:1
754 מֵאֵת כָּל־אִישׁ אֲשֶׁר יִדְּבֶנּוּ לִבּוֹ Ex. 25:2
755 כָּל־אִישׁ אֲשֶׁר־נְשָׂאוֹ לִבּוֹ Ex. 35:21
756 וְכָל־אִישׁ אֲשֶׁר הֵנִיף Ex. 35:22
757 וְכָל־אִישׁ אֲשֶׁר־נִמְצָא אִתּוֹ Ex. 35:23
758–772 (וְ)כָל־אִישׁ Ex. 35:29
Lev. 21:18, 21; 22:3 • Josh. 1:18 • ISh. 2:13 • IISh. 13:9^{2}; 15:4; 19:15; 20:13 • Jer. 51:43 • Ezek. 9:6 • Es. 1:22; 4:11

אִישׁ אִישׁ

773/4 וַיָּבֹאוּ... אִישׁ אִישׁ מִמְּלַאכְתּוֹ Ex. 36:4
775/6 אִישׁ אִישׁ מִבֵּית יִשְׂרָאֵל Lev. 17:3
777 וְאִישׁ אִישׁ מִבֵּית יִשְׂרָאֵל Lev. 17:10
778 וְאִישׁ אִישׁ מִבְּנֵי יִשְׂרָאֵל Lev. 17:13
779-808 אִישׁ אִישׁ Lev. 15:2;
17:8; 18:6; 20:2,9; 22:4,18; 24:15 • Num. 1:4; 4:19,49; 5:12; 9:10 • Ezek. 14:4,7
809/10 אִישׁ אֶחָד אִישׁ אֶחָד לְמַטֵּה... Num. 13:2
811 אִישׁ אֶחָד לַשָּׁבֶט Deut. 1:23
812/3 אִישׁ־אֶחָד אִישׁ־אֶחָד לַשָּׁבֶט Josh. 3:12
814/7 אִישׁ־אֶחָד אִישׁ־אֶחָד מִשָּׁבֶט Josh. 4:2,4

אִישׁ...אָחִיו

818 מִיַּד אִישׁ אָחִיו אֶדְרֹשׁ Gen. 9:5
819 וַיִּפָּרְדוּ אִישׁ מֵעַל אָחִיו Gen. 13:11
820 וַיִּשָּׁבְעוּ אִישׁ לְאָחִיו Gen. 26:31
821 וַיֹּאמְרוּ אִישׁ אֶל־אָחִיו Gen. 37:19
822 לֹא־רָאוּ אִישׁ אֶת־אָחִיו Ex. 10:23
823 לְכָל־בְּנֵי אַהֲרֹן תִּהְיֶה אִישׁ כְּאָחִיו Lev. 7:10
824 אִישׁ בְּאָחִיו לֹא־תִרְדֶּה בוֹ Lev. 25:46
825-858 אִישׁ אֶל־(אֶת־...) אָחִיו Gen. 42:21, 28
Ex. 16:15; 25:20; 37:9; 32:27 • Lev. 25:14; 26:37 • Num. 14:4 • Deut. 1:16; 25:11 • IISh. 2:27 • IIK. 7:6 • Is. 3:6; 9:18; 19:2 • Jer. 13:14; 25:26; 34:9, 14, 17 • Ezek. 4:17; 24:23; 33:30; 38:21; 47:14 • Mic. 7:2 • Hag. 2:22 • Zech. 7:9,10 • Mal. 2:10 • Job 41:9 • Neh. 4:13; 5:7

אִישׁ...רֵעֵהוּ

859 וַיֹּאמְרוּ אִישׁ אֶל־רֵעֵהוּ Gen. 11:3
860 לֹא יִשְׁמְעוּ אִישׁ שְׂפַת רֵעֵהוּ Gen. 11:7
861 אִישׁ־בִּתְרוֹ לִקְרַאת רֵעֵהוּ Gen. 15:10
862 כִּי נִסָּתֵר אִישׁ מֵרֵעֵהוּ Gen. 31:49
863 וְיִשְׁאֲלוּ אִישׁ מֵאֵת רֵעֵהוּ Ex. 11:2
864 וַיִּשְׁאֲלוּ אִישׁ־לְרֵעֵהוּ לְשָׁלוֹם Ex. 18:7
865 וְשָׁפַטְתִּי בֵּין אִישׁ וּבֵין רֵעֵהוּ Ex. 18:16
866-913 אִישׁ אֶל־(אֶת־...) רֵעֵהוּ Gen. 43:33
Ex. 21:14, 18; 22:6,9,13; 33:11 • Deut. 19:11; 22:26 • Jud. 6:29; 7:22; 10:18 • ISh. 10:11; 14:20; 20:41^{2} • IISh. 2:16 • IK. 8:31 • IIK. 3:23; 7:3,9 • Is. 13:8; 41:6 • Jer. 7:5; 9:3; 22:8; 23:27, 30, 35; 31:34(33); 34:15; 36:16; 46:16 • Jon. 1:7 • Zech. 3:10; 8:10,16; 11:6; 14:13 • Mal. 3:16 • Ps. 12:3 • Prov. 26:19 • Ruth 3:14 • Eccl. 4:4 • Es. 9:19, 22 • IICh. 6:22; 20:23

וְאִישׁ (א)

914 וְאִישׁ אֵין בָּאָרֶץ... Gen. 19:31
915 בְּתוּלָה וְאִישׁ לֹא יְדָעָהּ Gen. 24:16
916/7 וְאִישׁ אוֹ(־)אִשָּׁה כִּי־יִהְיֶה Lev. 13:29,38
918 וְאִישׁ כִּי יִמָּרֵט רֹאשׁוֹ Lev. 13:40
919 וְאִישׁ אֲשֶׁר יִגַּע בְּמִשְׁכָּבוֹ Lev. 15:5
920 בֶּן הַיִּשְׂרְאֵלִית...וְאִישׁ הַיִּשְׂרְאֵלִי Lev. 24:10
921 פֶּן־יָמוּת... וְאִישׁ אַחֵר יַחְנְכֶנּוּ Deut. 20:5
922 פֶּן־יָמוּת... וְאִישׁ אַחֵר יְחַלְּלֶנּוּ Deut. 20:6
923 פֶּן־יָמוּת... וְאִישׁ אַחֵר יִקָּחֶנָּה Deut. 20:7
924 וְאִישׁ בְּמָעוֹן וּמַעֲשֵׂהוּ בַכַּרְמֶל ISh. 25:2
925 וְאִישׁ אֶחָד מִבְּנֵי הַנְּבִיאִים IK. 20:35
926 וְאִישׁ־אֶחָד בְּתוֹכָם לָבֻשׁ בַּדִּים Ezek. 9:2

וְאִישׁ (א) (המשך)

927 אִישׁ וְאִישׁ יֻלַּד־בָּהּ — Ps. 87:5

928 וְאִישׁ חָכָם יְכַפְּרֶנָּה — Prov. 16:14

929 וְאִישׁ שׁוֹמֵעַ לָנֶצַח יְדַבֵּר — Prov. 21:28

930 וְאִישׁ יַחַד פְּנֵי־רֵעֵהוּ — Prov. 27:17

931 וְאִישׁ לְפִי מַהֲלָלוֹ — Prov. 27:21

932 וְאִישׁ נָבוּב יִלָּבֵב — Job 11:12

933 וְאִישׁ שָׁכַב וְלֹא־יָקוּם — Job 14:12

934–965 וְאִישׁ (א) — Lev. 15:16; 19:20; 20:10, 11, 12, 13, 14, 15, 17, 18, 20, 21, 27; 22:14, 21; 24:17,19; 25:26,29; 27:14 • Num. 5:10; 19:20 • Deut. 28:30 • Josh. 22:14 • IISh. 20:11; 23:7 • IK. 22:34 • IIK. 4:42 • Ezek. 18:5; 43:6 • Am. 2:7 • Mic. 2:2 • IICh. 18:33

וְאִישׁ (ג)

966 וְאִישׁ אֶת־קְרֹבוֹ — Ex. 32:27

967–975 וְאִישׁ אֶת־ (אֶל/בְּ־) רֵעֵהוּ — Ex. 32:27 • Is. 3:5; 19:2 • Jer. 9:4; 19:9; 34:17 • Ezek. 22:11; 33:26 • Zech. 8:17

976 וְאִישׁ אִישׁ מִבֵּית יִשְׂרָאֵל — Lev. 17:10

977 וְאִישׁ אִישׁ מִבְּנֵי יִשְׂרָאֵל — Lev. 17:13

978 וְאִישׁ אֶל־מִשְׁפַּחְתּוֹ תָּשֻׁבוּ — Lev. 25:10

979 וְאִישׁ עַל־דִּגְלוֹ לְצִבְאֹתָם — Num. 1:52

980 וְאִישׁ אֶל־אַרְצוֹ — IK. 22:36

981–983 וְאִישׁ אֶת־ (אֶל־) אָחִיו — Jer. 23:35; 31:34(33) • Joel 2:8

984 וְאִישׁ מִשְׁעַנְתּוֹ בְּיָדוֹ — Zech. 8:4

985–1004 וְאִישׁ (ג) — ISh. 14:34 • IISh.23:7 • IIK.18:31 • Is.13:14; 36:16 • Jer.12:15; 18:12; 34:9,10,16; 50:16 • Ezek.1:12; 8:11; 9:1,2; 22:11² • Joel 2:7 • Job 42:11 • Neh. 7:3 • IICh.23:10

וְאִישׁ (ד)

1005 וְאִישׁ לֹא־יַעֲלֶה עִמָּךְ — Ex. 34:3

1006 וְאִישׁ לֹא־אַכְרִית לְךָ — ISh. 2:33

1007 וְאִישׁ אֵין אִתָּךְ — ISh. 21:2

1008 וְאִישׁ וְאִשָּׁה לֹא־יְחַיֶּה דָוִד — ISh. 27:11

1009 וְאִישׁ אַל־יֵדַע אֵיפֹה אַתֶּם — Jer. 36:19

1010 וְאַכֶּה... וְאִישׁ לֹא יֵדָע — Jer. 40:15

1011 וְאִישׁ לֹא יָדָע — Jer. 41:4

1012 וְאִישׁ בַּעֲוֹנוֹ חַיָּתוֹ לֹא־יִתְחַזָּקוּ — Ezek. 7:13

1013 וְאִישׁ לֹא יוֹנֶה — Ezek. 18:7

1014 וְאִישׁ לֹא הוֹנָה — Ezek. 18:16

1015 וְאִישׁ לֹא־יָבֹא בוֹ — Ezek. 44:2

1016 וְאִישׁ לֹא־יַצִּילֶנָּה מִיָּדִי — Hosh. 2:12

1017 וְאִישׁ לֹא־עָמַד לִפְנֵיהֶם — Es. 9:2

וָאִישׁ

1018 לַעֲשׂוֹת כִּרְצוֹן אִישׁ־וָאִישׁ — Es. 1:8

הָאִישׁ

1019 וְעַתָּה הָשֵׁב אֵשֶׁת־הָאִישׁ — Gen. 20:7

1020 וַיִּקַּח הָאִישׁ נֶזֶם זָהָב — Gen. 24:22

1021 וַיִּקֹּד הָאִישׁ וַיִּשְׁתַּחוּ לַיְיָ — Gen. 24:26

1022 וַיָּרָץ לָבָן אֶל־הָאִישׁ הַחוּצָה — Gen. 24:29

1023 הֲתֵלְכִי עִם־הָאִישׁ הַזֶּה — Gen. 24:58

1024 מִי־הָאִישׁ הַלָּזֶה הַהֹלֵךְ — Gen. 24:65

1025 וַיִּגְדַּל הָאִישׁ וַיֵּלֶךְ הָלוֹךְ וְגָדֵל — Gen. 26:13

1026 וַיִּפְרֹץ הָאִישׁ מְאֹד מְאֹד — Gen. 30:43

1027 גַּם הָאִישׁ מֹשֶׁה גָּדוֹל מְאֹד — Ex. 11:3

1028/9 כִּי־זֶה מֹשֶׁה הָאִישׁ... — Ex. 32:1,23

1030 (?)הָאִישׁ אֶחָד יֶחֱטָא... — Num. 16:22

1031 מִי־הָאִישׁ אֲשֶׁר בָּנָה... — Deut. 20:5

1032 וּמִי־הָאִישׁ אֲשֶׁר נָטַע... — Deut. 20:6

1033 וּמִי־הָאִישׁ אֲשֶׁר־אֵרַשׂ... — Deut. 20:7

1034 מִי־הָאִישׁ הַיָּרֵא וְרַךְ הַלֵּבָב — Deut. 20:8

1035 וּשְׂנֵאָהּ הָאִישׁ הָאַחֲרוֹן — Deut. 24:3

1036 אוֹ כִי יָמוּת הָאִישׁ הָאַחֲרוֹן — Deut. 24:3

1037 וְאִם־לֹא יַחְפֹּץ הָאִישׁ... — Deut. 25:7

הָאִישׁ (המשך)

1038 אָרוּר הָאִישׁ אֲשֶׁר יַעֲשֶׂה פֶסֶל — Deut. 27:15

1039 הָאִישׁ הָרַךְ בְּךָ וְהֶעָנֹג — Deut. 28:54

1040 אָרוּר הָאִישׁ לִפְנֵי יְיָ — Josh. 6:26

1041 בִּשְׁלֹשׁ מֵאוֹת הָאִישׁ הַמְלַקְקִים — Jud. 7:7

1042 וּבִשְׁלֹשׁ־מֵאוֹת הָאִישׁ הֶחֱזִיק — Jud. 7:8

1043 וַיַּחַץ אֶת־שְׁלֹשׁ־מֵאוֹת הָאִישׁ — Jud. 7:16

1044 וּשְׁלֹשׁ־מֵאוֹת הָאִישׁ אֲשֶׁר אִתּוֹ — Jud. 8:4

1045 וְשֵׁשׁ־מֵאוֹת הָאִישׁ... — Jud. 18:17

1046/7 אָרוּר הָאִישׁ אֲשֶׁר־יֹאכַל — ISh. 14:24,28

1048 וַיִּקַּח אֶת־כִּבְשַׂת הָאִישׁ הָרָאשׁ — IISh. 12:4

1049 כִּי בֶן־מָוֶת הָאִישׁ הָעֹשֶׂה זֹאת — IISh. 12:5

1050 וַיֹּאמֶר נָתָן אֶל־דָּוִד אַתָּה הָאִישׁ — IISh. 12:7

1051 לְהַצִּיל אֶת־אֲמָתוֹ מִכַּף הָאִישׁ — IISh. 14:16

1052 כָּל־הָאִישׁ אֲשֶׁר־יִהְיֶה־לּוֹ־רִיב — IISh. 15:2

1053 מֶה מִשְׁפַּט הָאִישׁ אֲשֶׁר עָלָה — IIK. 1:7

1054 הֲזֶה הָאִישׁ מַרְגִּיז הָאָרֶץ — Is. 14:16

1055 מִי־הָאִישׁ הֶחָכָם וְיָבֵן... — Jer. 9:11

1056 אָרוּר הָאִישׁ אֲשֶׁר לֹא יִשְׁמַע... — Jer. 11:3

1057 אָרוּר הָאִישׁ אֲשֶׁר בִּשַּׂר אֶת־אָבִי — Jer. 20:15

1058 וּבְיַד הָאִישׁ קְנֵה הַמִּדָּה — Ezek. 40:5

1059 אַשְׁרֵי־הָאִישׁ אֲשֶׁר לֹא הָלַךְ... — Ps. 1:1

1060 מִי־זֶה הָאִישׁ יְרֵא יְיָ — Ps. 25:12

1061 מִי־הָאִישׁ הֶחָפֵץ חַיִּים — Ps. 34:13

1062 לֹא־בְשׁוֹקֵי הָאִישׁ יִרְצֶה — Ps. 147:10

1063 לֹא זָכַר אֶת־הָאִישׁ הַמִּסְכֵּן — Eccl. 9:15

1064–1185 הָאִישׁ — Gen.24:30²,32,61 37:15,17; 42:30,33; 43:3,5,7,13,14,17²,19,24; 44:17,26 • Ex. 2:20,21; 22:6 • Lev. 14:11; 17:4,9; 20:4 • Num. 5:15,31; 9:13; 15:35; 16:7; 17:20 • Deut. 4:3; 17:5²,12; 18:19; 22:18,22,24,25³,29 • Jud. 1:25,26; 4:22; 10:18; 13:10,11²; 17:8,11; 19:6,7,9,10,17²,20,22²; 19:23²,25,26,28; 20:4 • ISh. 1:3,21; 2:16,18; 9:9,17; 17:24,25²; 25:3; 29:4 • IISh. 17:3; 18:12; 20:12; 21:5 • IK.20:35,37; 20:39 • IIK. 6:19; 9:11; 10:24; 13:21² • Jer. 20:16; 22:28,30; 23:34; 38:4² • Ezek. 9:3,11; 10:2,3,6; 40:4; 47:3 • Jon.1:14 • Zech.1:10 • Prov.7:19 • Job1:1,3 • Ruth 1:2; 2:19,20; 3:8,16,18 • Es. 6:9; 9:4 • Dan. 12:7 • Neh.1:11; 5:13 • ICh.11:23

וְהָאִישׁ

1186 וְהָאִישׁ מִשְׁתָּאֵה לָהּ — Gen. 24:21

1187 וְהָאִישׁ אֲשֶׁר־הוּא טָהוֹר — Num. 9:13

1188 וְהָאִישׁ מֹשֶׁה עָנָו מְאֹד — Num. 12:3

1189 וְהָאִישׁ נִכְבָּד — ISh. 9:6

1190 וְהָאִישׁ גָּדוֹל מְאֹד — ISh. 25:2

1191–1202 וְהָאִישׁ — Deut. 17:12; 24:11 • Jud. 17:5; 19:16 • ISh. 4:13,14; 17:12,41; 25:3 • IK. 11:28 • IIK. 5:1 • Dan. 9:21

הַאִישׁ

1203 הַאִישׁ כָּמוֹנִי יִבְרָח — Neh. 6:11

בְּאִישׁ

1204 לֹא־יָקוּם עֵד אֶחָד בְּאִישׁ — Deut. 19:15

1205 כִּי־יָקוּם עֵד־חָמָס בְּאִישׁ — Deut. 19:16

1206 וְכִי־יִהְיֶה בְאִישׁ חֵטְא — Deut. 21:22

1207 וְלֹא־קָמָה עוֹד רוּחַ בְּאִישׁ — Josh. 2:11

1208 וְנִגַּשׂ הָעָם אִישׁ בְּאִישׁ — Is. 3:5

1209 וְהֶחֱזִיקוּ שֶׁבַע נָשִׁים בְּאִישׁ אֶחָד — Is. 4:1

1210 אַל־תִּתְחַר...בְּאִישׁ עֹשֶׂה מְזִמּוֹת — Ps. 37:7

1211 פָּגוֹשׁ דֹּב שַׁכּוּל בְּאִישׁ — Prov. 17:12

1212 וְלֹא־בָחַרְתִּי בְאִישׁ — IICh. 6:5

בָּאִישׁ

1213 וַיִּפְצְרוּ בָאִישׁ בְּלוֹט מְאֹד — Gen. 19:9

1214 הַנֹּגֵעַ בָּאִישׁ הַזֶּה וּבְאִשְׁתּוֹ — Gen. 26:11

1215 אֶתֵּן אֶת־פָּנַי בָּאִישׁ הַהוּא — Lev. 20:3

1216 וְשַׂמְתִּי אֲנִי אֶת־פָּנַי בָּאִישׁ... — Lev. 20:5

1217 יֶעְשַׁן אַף־יְיָ... בָּאִישׁ הַהוּא — Deut. 29:19

בָּאִישׁ (המשך)

1218 וַיִּחַר־אַף דָּוִד בָּאִישׁ — IISh. 12:5

1219 וְנָתַתִּי פָנַי בָּאִישׁ הַהוּא — Ezek. 14:8

1220 מַה־לַּעֲשׂוֹת בָּאִישׁ... — Es. 6:6

כְּאִישׁ

1221 וְהֵמַתָּה אֶת־הָעָם...כְּאִישׁ אֶחָד — Num. 14:15

1222 וַתִּקָּהֵל הָעֵדָה כְּאִישׁ אֶחָד — Jud. 20:1

1223 וַיָּקָם כָּל־הָעָם כְּאִישׁ אֶחָד — Jud. 20:8

1224 וַיֵּאָסֵף... כְּאִישׁ אֶחָד חֲבֵרִים — Jud. 20:11

1225–1229 כְּאִישׁ אֶחָד — Jud. 6:16 • ISh. 11:7 • IISh. 19:15 • Ez. 3:1 • Neh. 8:1

1230 כְּאִישׁ אֲשֶׁר אִמּוֹ תְּנַחֲמֶנּוּ — Is. 66:13

1231/2 עָרוּךְ כְּאִישׁ לַמִּלְחָמָה — Jer. 6:23; 50:42

1233 לָמָּה תִהְיֶה כְּאִישׁ נִדְהָם — Jer. 14:9

1234 הָיִיתִי כְּאִישׁ שִׁכּוֹר — Jer. 23:9

1235 כְּאִישׁ אֲשֶׁר־יֵעוֹר מִשְּׁנָתוֹ — Zech. 4:1

1236 וָאֱהִי כְּאִישׁ אֲשֶׁר לֹא־שֹׁמֵעַ — Ps. 38:15

כָּאִישׁ

1237 קוּם...וּפְגַע־בָּנוּ כִּי כָאִישׁ גְּבוּרָתוֹ — Jud. 8:21

לְאִישׁ (א)

1238 מִתִּתִּי אֹתָהּ לְאִישׁ אַחֵר — Gen. 29:19

1239 מִי שָׂמְךָ לְאִישׁ שַׂר וְשֹׁפֵט — Ex. 2:14

1240 וּבַת־כֹּהֵן כִּי תִהְיֶה לְאִישׁ זָר — Lev. 22:12

1241 וְאִם־מָכַר... לְאִישׁ אַחֵר — Lev. 27:20

1242 וְאִם־הָיוֹ תִהְיֶה לְאִישׁ — Num. 30:7

1243 וְהָלְכָה וְהָיְתָה לְאִישׁ־אַחֵר — Deut. 24:2

1244 לֹא־תִהְיֶה...הַחוּצָה לְאִישׁ זָר — Deut. 25:5

1245 אִם־יֶחֱטָא אִישׁ לְאִישׁ — ISh. 2:25

1246 וְנֶהְפַּכְתָּ לְאִישׁ אַחֵר — ISh. 10:6

1247 עֶבֶד לְאִישׁ עֲמָלֵקִי — ISh. 30:13

1248 וְחָזַקְתָּ וְהָיִיתָ לְאִישׁ — IK. 2:2

1249 וְהָיְתָה לְאִישׁ־אַחֵר — Jer. 3:1

1250 וְלֹא־תִהְיֶה לָהֶם לְאִישׁ מוֹכִיחַ — Ezek. 3:26

1251 אֱמֶת יַעֲשֶׂה בֵּין אִישׁ לְאִישׁ — Ezek. 18:8

1252 לֵךְ מִנֶּגֶד לְאִישׁ כְּסִיל — Prov. 14:7

1253 וְעֶבֶד לֹוֶה לְאִישׁ מַלְוֶה — Prov. 22:7

1254 חָבֵר הוּא לְאִישׁ מַשְׁחִית — Prov. 28:24

1255–1269 לְאִישׁ (א) — Gen. 34:14; 38:25 • Lev. 19:20; 21:3 • Deut. 21:15,18; 22:23 • IISh. 12:4 • Jer. 10:23 • Ezek. 44:25 • Hosh. 3:3 • Job 35:8 • Ruth 1:12²,13

לְאִישׁ (ג)

1270 לְאִישׁ חַלַּת לֶחֶם אַחַת — IISh. 6:19

1271 חֲמִשִּׁים שְׁקָלִים כֶּסֶף לְאִישׁ — IIK. 15:20

1272 וְלָתֵת לְאִישׁ כִּדְרָכָו — Jer. 17:10

1273 הַמַּשָּׂא יִהְיֶה לְאִישׁ דְּבָרוֹ — Jer. 23:36

1274 לָתֵת לְאִישׁ כִּדְרָכָיו — Jer. 32:19

1275–1281 לְאִישׁ (ג) — Ezek. 1:11,23; 46:16 • Mic. 5:6 • Zech. 10:1 • Ps. 62:13 • ICh. 16:3

לְאִישׁ (ד)

1282 לֹא־חָרַץ... לְאִישׁ אֶת־לְשֹׁנוֹ — Josh. 10:21

1283 לֹא־הִנִּיחַ לְאִישׁ לְעָשְׁקָם — ICh. 16:21

לָאִישׁ

1284 לְהַגִּיד לָאִישׁ הַעוֹד לָכֶם אָח — Gen. 43:6

1285 וְהוֹרִידוּ לָאִישׁ מִנְחָה — Gen. 43:11

1286 לָאִישׁ חֲלִפוֹת שְׂמָלֹת — Gen. 45:22

1287 דָּם יֵחָשֵׁב לָאִישׁ הַהוּא — Lev. 17:4

1288 כָּכָה יֵעָשֶׂה לָאִישׁ... — Deut. 25:9

1289 מִשְׁפַּט־מָוֶת לָאִישׁ הַזֶּה — Jer. 26:11

1290 אֵין־לָאִישׁ הַזֶּה מִשְׁפַּט־מָוֶת — Jer. 26:16

1291 שִׂמְחָה לָאִישׁ בְּמַעֲנֵה־פִיו — Prov. 15:23

1292 כָּבוֹד לָאִישׁ שֶׁבֶת מֵרִיב — Prov. 20:3

1293 עָרֵב לָאִישׁ לֶחֶם שָׁקֶר — Prov. 20:17

1294 אָשִׁיב לָאִישׁ כְּפָעֳלוֹ — Prov. 24:29

1295 וְכֹל אֲשֶׁר לָאִישׁ יִתֵּן בְּעַד נַפְשׁוֹ — Job 2:4

1296/7 כָּכָה יֵעָשֶׂה לָאִישׁ... — Es. 6:9,11

1298–1315 לָאִישׁ — Lev. 25:27 • Num. 5:8 • Deut. 22:16 • Jud. 16:19 • ISh. 2:15; 9:7; 17:26,27; 26:23 • IISh. 12:4

18:11 • IK. 8:39 • IIK. 22:15 • Mal. 2:12 • Ruth 3:3 • Dan. 12:6 • IICh. 6:30; 34:23

וּלְאִישׁ 1316 וּלְאִישׁ אֲשֶׁר יִשְׁכַּב עִם־טְמֵאָה Lev. 15:33
1317 וּלְאִישׁ שְׁתַּיִם מְכַסּוֹת לָהֵנָּה Ezek. 1:23
וְלָאִישׁ 1318 וְלָאִישׁ הַזֶּה לֹא תַעֲשׂוּ...הַנְּבָלָה Jud. 19:24
מֵאִישׁ 1319 כִּי מֵאִישׁ לֻקֳחָה־זֹּאת Gen. 2:23
1320 וַיַּחֲרִימוּ... מֵאִישׁ וְעַד־אִשָּׁה Josh. 6:21
1325-1321 מֵאִישׁ (וְ)עַד־אִשָּׁה Josh. 8:25 • ISh. 15:3; 22:19 • Neh. 8:2 • ICh. 16:3
1326 כֵּן־מִשְׁחַת מֵאִישׁ מַרְאֵהוּ Is. 52:14
1327 מֵאִישׁ שֹׁגֶה וּמִפֶּתִי Ezek. 45:20
1328 מֵאִישׁ מְדַבֵּר תַּהְפֻּכוֹת Prov. 2:12
1329 כִּי בַעַר אָנֹכִי מֵאִישׁ Prov. 30:2
1330 ...מֵאִישׁ שֹׁמֵעַ שִׁיר כְּסִילִים Eccl. 7:5
לְמֵאִישׁ 1331 לֹא יֶחֱרַץ.. לְמֵאִישׁ וְעַד־בְּהֵמָה Ex. 11:7
1332 וַיְחַלֵּק... לְמֵאִישׁ וְעַד־אִשָּׁה IISh. 6:19
1333 יוּמָת... לְמֵאִישׁ וְעַד־אִשָּׁה IICh. 15:13
אִישׁ־(ו) 1334 וַיָּחֶל נֹחַ אִישׁ הָאֲדָמָה Gen. 9:20
1335 וַיְהִי עֵשָׂו... אִישׁ שָׂדֶה Gen. 25:27
1336 לֹא אִישׁ דְּבָרִים אָנֹכִי Ex. 4:10
1337 יְיָ אִישׁ מִלְחָמָה יְיָ שְׁמוֹ Ex. 15:3
1338 יוֹנֵק עִם־אִישׁ שֵׂיבָה Deut. 32:26
1339 כִּי הוּא הָיָה אִישׁ מִלְחָמָה Josh. 17:1
1340 כָּל־שָׁמֵן וְכָל־אִישׁ חָיִל Jud. 3:29
1341 אִישׁ רִיב הָיִיתִי אֲנִי וְעַמִּי Jud. 12:2
1342 וַיַּעַן... אִישׁ הָאִשָּׁה הַנִּרְצָחָה Jud. 20:4
1346–1343 אִישׁ מִלְחָמָה Jud. 20:17 • ISh. 17:33 • IISh. 17:8 • Ezek. 39:20
1347 וַיֵּצֵא אִישׁ־הַבֵּנַיִם... ISh. 17:4
1348 וְהִנֵּה אִישׁ הַבֵּנַיִם עוֹלֶה ISh. 17:23
1349 אֶל־אִישׁ הַבְּלִיַּעַל הַזֶּה ISh. 25:25
1350 וַיָּקוּמוּ כָּל־אִישׁ חַיִל ISh. 31:12
1351 כִּי־אִישׁ מִלְחֲמוֹת תֹּעִי הָיָה IISh. 8:10
1352 צֵא צֵא אִישׁ הַדָּמִים IISh. 16:7
1353 כִּי אִישׁ דָּמִים אַתָּה IISh. 16:8
1354 לֹא אִישׁ בְּשֹׂרָה אַתָּה IISh. 18:20
1355 וְשָׁם נִקְרָא אִישׁ בְּלִיַּעַל IISh. 20:1
1356 וַיְהִי אִישׁ מָדוֹן IISh. 21:20
1357/8 בֶּן־אִישׁ חַיִל רַב־פְּעָלִים IISh. 23:20 • ICh. 11:22
1359 הִכָּה... אִישׁ (כת׳ אשר) מַרְאֶה IISh. 23:21
1360 שְׁמֹנֶה מֵאוֹת אֶלֶף אִישׁ־חַיִל IISh. 24:9
1361 בֹּא כִּי אִישׁ חַיִל אַתָּה IK. 1:42
1362 כִּי אִישׁ מָוֶת אָתָּה IK. 2:26
1363 ...מֵעֵבֶר אִישׁ לֹיוֹת (?) IK. 7:30
1364 יַעַן שִׁלַּחְתָּ אֶת־אִישׁ חֶרְמִי IK. 20:42
1365 מֵאֶרֶץ מֶרְחָק אִישׁ עֲצָתִי Is. 46:11
1366 אִישׁ מַכְאֹבוֹת וִידוּעַ חֹלִי Is. 53:3
1367 אִישׁ רִיב וְאִישׁ מָדוֹן Jer. 15:10
1368 וּכְחַכֵּי אִישׁ גְּדוּדִים Hosh. 6:9
1369 אֱוִיל הַנָּבִיא מְשֻׁגָּע אִישׁ הָרוּחַ Hosh. 9:7
1370 אִישׁ־דָּמִים וּמִרְמָה יְתָעֵב יְיָ Ps. 5:7
1371 גַּם־אִישׁ שְׁלוֹמִי... הִגְדִּיל עָלַי Ps. 41:10
1372 תְּהִי־יָדְךָ עַל־אִישׁ יְמִינֶךָ Ps. 80:18
1373 אִישׁ לָשׁוֹן בַּל־יִכּוֹן בָּאָרֶץ Ps. 140:12
1374 אִישׁ־חָמָס רָע Ps. 140:12
1375 אָדָם בְּלִיַּעַל אִישׁ אָוֶן Prov. 6:12
1376 גֹּמֵל נַפְשׁוֹ אִישׁ חָסֶד Prov. 11:17
1377 אִישׁ חֵמָה יְגָרֶה מָדוֹן Prov. 15:18
1378 אִישׁ בְּלִיַּעַל כֹּרֶה רָעָה Prov. 16:27
1379 אִישׁ תַּהְפֻּכוֹת יְשַׁלַּח מָדוֹן Prov. 16:28
1380 אִישׁ חָמָס יְפַתֶּה רֵעֵהוּ Prov. 16:29

אִישׁ־(ו) (המשך) 1381 יְקַר־רוּחַ אִישׁ תְּבוּנָה Prov. 17:27
1382 אִישׁ רֵעִים לְהִתְרוֹעֵעַ Prov. 18:24
1383 רָב־אָדָם יִקְרָא אִישׁ חַסְדּוֹ Prov. 20:6
1384 אִישׁ מַחְסוֹר אֹהֵב שִׂמְחָה Prov. 21:17
1385 וְאֶת־אִישׁ חֵמוֹת לֹא תָבוֹא Prov. 22:24
1386 אִישׁ אֱמוּנוֹת רַב־בְּרָכוֹת Prov. 28:20
1387 אִישׁ תּוֹכָחוֹת מַקְשֶׁה־עֹרֶף Prov. 29:1
1388 אִישׁ־אַף יְגָרֶה מָדוֹן Prov. 29:22
1389 תּוֹעֲבַת צַדִּיקִים אִישׁ עָוֶל Prov. 29:27
1390 וְאִם־אִישׁ שְׂפָתַיִם יִצְדָּק Job 11:2
1391 וְסֵפֶר כָּתַב אִישׁ רִיבִי Job 31:35
1392 וַיָּמָת אֱלִימֶלֶךְ אִישׁ נָעֳמִי Ruth 1:3
1393 דָּנִיֵּאל אִישׁ־חֲמֻדוֹת הָבֵן Dan. 10:11
1394 אַל־תִּירָא אִישׁ־חֲמֻדוֹת Dan. 10:19
1395 אִישׁ שֶׂכֶל מִבְּנֵי מַחְלִי Ez. 8:18
1396 וַיָּקוּמוּ כָּל־אִישׁ חַיִל ICh. 10:12
1397 אִישׁ מִדָּה חָמֵשׁ בָּאַמָּה ICh. 11:23
1398 כִּי־אִישׁ מִלְחֲמוֹת תֹּעוּ הָיָה ICh. 18:10
1399 וַיְהִי אִישׁ מִדָּה ICh. 20:6
1400 הוּא יִהְיֶה אִישׁ מְנוּחָה ICh. 22:8
1401 אִישׁ־חַיִל בַּכֹּחַ לַעֲבֹדָה ICh. 26:8
1402 כִּי אִישׁ מִלְחָמוֹת אַתָּה ICh. 28:3
1408-1403 מֹשֶׁה אִישׁ(־)הָאֱלֹהִים Deut. 33:1 • Josh. 14:6 • Ps. 90:1 • Ez. 3:2 • ICh. 23:14 • IICh. 30:16
1410-1409 שְׁמַעְיָה(וּ) אִישׁ־הָאֱלֹהִים IK. 12:22 • IICh. 11:2
1411 חָנָן בֶּן־יִגְדַּלְיָהוּ אִישׁ הָאֱלֹהִים Jer. 35:4
1414-1412 דָּוִיד אִישׁ(־)הָאֱלֹהִים Neh. 12:24,36 • IICh. 8:14
1466-1415 אִישׁ(־)הָאֱלֹהִים Jud. 13:6, 8 ISh. 9:10 • IK. 13:4, 5, 6², 7, 8, 11; 13:12, 14², 21, 26, 29, 31; 17:18; 20:28 • IIK. 1:9; 1:11, 12, 13; 4:16, 21, 22, 25², 27², 40; 5:8, 14, 15, 20; 6:6, 9, 10, 15; 7:2, 17, 18, 19; 8:2, 4, 7, 8, 11; 13:19; 23:16, 17 • IICh. 25:9
1472-1467 אִישׁ(־)אֱלֹהִים ISh. 2:27; 9:6 • IK. 13:1; 17:24 • IIK. 1:10; 4:9
אִישׁ־(ז) 1473 וַיָּבֹא אַחַר אִישׁ־יִשְׂרָאֵל Num. 25:8
1474 וַיִּדְקֹר... אֵת אִישׁ יִשְׂרָאֵל Num. 25:8
1475 וְשֵׁם אִישׁ יִשְׂרָאֵל הַמֻּכֶּה Num. 25:14
1476 וְאָמְרוּ אֶל־כָּל־אִישׁ יִשְׂרָאֵל Deut. 27:14
1513–1477 אִישׁ(־)יִשְׂרָאֵל Deut. 29:9 Josh. 9:6, 7; 10:24 • Jud. 7:8, 14, 23; 8:22; 9:55; 20:11, 20², 22, 33, 36, 39, 42 • ISh. 14:22; 17:19, 24, 25 • IISh. 15:13; 16:15, 18; 17:14, 24; 19:42, 43, 44²; 20:2; 23:9 • IK. 8:2 • ICh. 10:1, 7; 16:3 • IICh. 5:3
1514 וַיִּצָּעֵק כָּל־אִישׁ אֶפְרַיִם Jud. 7:24
1515/6 אִישׁ אֶפְרַיִם Jud. 8:1; 12:1
1517 בֶּן דּוֹדוֹ אִישׁ יִשָּׂשכָר Jud. 10:1
1518 וַיֹּאמְרוּ אִישׁ יְהוּדָה Jud. 15:10
1519 וַעֲשֶׂרֶת אֲלָפִים אֶת־אִישׁ יְהוּדָה ISh. 15:4
1536-1520 אִישׁ(־)יְהוּדָה IISh. 19:17, 42, 43, 44²; 20:4 • IIK. 23:2 • Jer. 4:4; 11:2; 17:25; 18:11; 36:31; 44:26, 27 • IICh. 13:15²; 20:27; 34:30
1537/8 אִישׁ(־)בִּנְיָמִן Jud. 20:41 • ISh. 4:12
וְאִישׁ־(ו) 1539/40 וְאִישׁ מִלְחָמָה... וְאִישׁ תֹּאַר ISh. 16:18
1541 אִישׁ הַדָּמִים וְאִישׁ הַבְּלִיָּעַל IISh. 16:7
1542 גִּבּוֹר וְאִישׁ מִלְחָמָה Is. 3:2
1543 וְאִישׁ עֲצָתוֹ יוֹדִיעֶנּוּ Is. 40:13
1544 יַעֲזֹב רָשָׁע...וְאִישׁ אָוֶן מַחְשְׁבֹתָיו Is. 55:7
1545 אִישׁ רִיב וְאִישׁ מָדוֹן Jer. 15:10

וְאִישׁ־(ו) (המשך) 1546 וְאִישׁ תְּבוּנוֹת יַחֲרִישׁ Prov. 11:12
1547 וְאִישׁ מְזִמּוֹת יַרְשִׁיעַ Prov. 12:2
1548 וְאִישׁ מְזִמּוֹת יִשָּׂנֵא Prov. 14:17
1549 וְאִישׁ תְּבוּנָה יְיַשֶּׁר־לָכֶת Prov. 15:21
1550 וְאִישׁ תְּבוּנָה יִדְלֶנָּה Prov. 20:5
1551 וְאִישׁ אֱמוּנִים מִי יִמְצָא Prov. 20:6
1552 וְאִישׁ־דַּעַת מְאַמֶּץ־כֹּחַ Prov. 24:5
1553 וְאִישׁ מִדְיָנִים לְחַרְחַר־רִיב Prov. 26:21
1554 וְאִישׁ תְּרוּמוֹת יֶהֶרְסֶנָּה Prov. 29:4
1555 רָשׁ וְאִישׁ תְּכָכִים נִפְגָּשׁוּ Prov. 29:13
1556 וְאִישׁ זְרוֹעַ לוֹ הָאָרֶץ Job 22:8
1557 וְאִישׁ הָאֱלֹהִים בָּא אֵלָיו IICh. 25:7
וְאִישׁ־(ז) 1558 וְאִישׁ יִשְׂרָאֵל הִתְפָּקְדוּ Jud. 20:17
1559 וְאִישׁ יִשְׂרָאֵל הָפַךְ Jud. 20:41
1560 וְאִישׁ יִשְׂרָאֵל שָׁבוּ... Jud. 20:48
1561 וְאִישׁ יִשְׂרָאֵל נִשְׁבַּע... Jud. 21:1
1562 וְאִישׁ יְהוּדָה שְׁלֹשִׁים אָלֶף ISh. 11:8
1563 וְאִישׁ יִשְׂרָאֵל רָאוּ כִּי צַר־לוֹ ISh. 13:6
1564 וְאִישׁ־יִשְׂרָאֵל נִגַּשׂ בַּיּוֹם הַהוּא ISh. 14:24
1565 וְשָׁאוּל וְאִישׁ־יִשְׂרָאֵל נֶאֶסְפוּ ISh. 17:2
1566 וְאִישׁ יְהוּדָה דָּבְקוּ בְמַלְכָּם IISh. 20:2
1567 וְאִישׁ יְהוּדָה חֲמֵשׁ־מֵאוֹת אָלֶף IISh. 24:9
1568 יוֹשֵׁב יְרוּשָׁלַםִ וְאִישׁ יְהוּדָה Is. 5:3
1569 וְאִישׁ יְהוּדָה נְטַע שַׁעֲשׁוּעָיו Is. 5:7
1570 וְאִישׁ יְהוּדָה וְיֹשְׁבֵי יְרוּשָׁלָםִ Jer. 32:32
בְּאִישׁ־ 1571 תֵּרַע עֵינָהּ בְּאִישׁ חֵיקָהּ Deut. 28:56
1572 לְהַכּוֹת חֲלָלִים בְּאִישׁ־יִשְׂרָאֵל Jud. 20:39
1573 נִמְצָא־קֶשֶׁר בְּאִישׁ יְהוּדָה Jer. 11:9
1574 אַל־תְּקַנֵּא בְּאִישׁ חָמָס Prov. 3:31
1575 כְּאִישׁ מִלְחָמוֹת יָעִיר קִנְאָה Is. 42:13
כְּאִישׁ־ 1576/7 וּמַחְסֹרְ(י)ךָ כְּאִישׁ מָגֵן Prov. 6:11; 24:34
1578 כִּי־הוּא כְּאִישׁ אֱמֶת... Neh. 7:2
לְאִישׁ־ 1579 תֻּמֶּיךָ וְאוּרֶיךָ לְאִישׁ חֲסִידֶךָ Deut. 33:8
1580 וְהַמּוֹעֵד הָיָה לְאִישׁ יִשְׂרָאֵל Jud. 20:38
1585-1581 לְאִישׁ הָאֱלֹהִים ISh. 9:7,8 • IIK. 4:7,42 • IICh. 25:9
1586 לְאִישׁ יָבֵישׁ גִּלְעָד ISh. 11:9
1587-9 לְאִישׁ יְהוּדָה Jer. 4:3; 35:13 • Dan. 9:7
1590 כִּי־אַחֲרִית לְאִישׁ שָׁלוֹם Ps. 37:37
1591 וְחָכְמָה לְאִישׁ תְּבוּנָה Prov. 10:23
1592 וְכָל־הָרֵעַ לְאִישׁ מַתָּן Prov. 19:6
מֵאִישׁ־ 1593 מֵאִישׁ חֲמָסִים תַּצִּילֵנִי IISh. 22:49
1594 מֵאִישׁ חָמָס תַּצִּילֵנִי Ps. 18:49
1595 מֵאִישׁ־מִרְמָה וְעַוְלָה תְפַלְּטֵנִי Ps. 43:1
1596/7 מֵאִישׁ חֲמָסִים תִּנְצְרֵנִי Ps. 140:2,5
1598 וְטוֹב־רָשׁ מֵאִישׁ כָּזָב Prov. 19:22
אִישִׁי 1599 כִּי עַתָּה יֶאֱהָבַנִי אִישִׁי Gen. 29:32
1600 הַפַּעַם יִלָּוֶה אִישִׁי אֵלַי Gen. 29:34
1601 הַמְעַט קַחְתֵּךְ אֶת־אִישִׁי Gen. 30:15
1602 הַפַּעַם יִזְבְּלֵנִי אִישִׁי Gen. 30:20
1603 אִשָּׁה־אַלְמָנָה אָנִי וַיָּמָת אִישִׁי IISh. 14:5
1604 עַבְדְּךָ אִישִׁי מֵת IIK. 4:1
1605 וְאָשׁוּבָה אֶל־אִישִׁי הָרִאשׁוֹן Hosh. 2:9
1606 וְהָיָה בַיּוֹם־הַהוּא···תִּקְרְאִי אִישִׁי Hosh. 2:18
לְאִישִׁי 1607 אֲשֶׁר־נָתַתִּי שִׁפְחָתִי לְאִישִׁי Gen. 30:18
1608 לְבִלְתִּי שִׂים־לְאִישִׁי שֵׁם וּשְׁאֵרִית IISh. 14:7
אִישֵׁךְ 1609 וְאֶל־אִישֵׁךְ תְּשׁוּקָתֵךְ Gen. 3:16
1610 שָׂטִית טֻמְאָה תַּחַת אִישֵׁךְ Num. 5:19
1611 וְאַתְּ כִּי שָׂטִית תַּחַת אִישֵׁךְ Num. 5:20
1612 ...מִבַּלְעֲדֵי אִישֵׁךְ Num. 5:20
1613 פַּתִּי אֶת־אִישֵׁךְ Jud. 14:15
1614 כֹּל אֲשֶׁר־עָשִׂית...אַחֲרֵי מוֹת אִישֵׁךְ Ruth 2:11

לְאִישֵׁךְ 1615 הֲשָׁלוֹם לָךְ הֲשָׁלוֹם לְאִישֵׁךְ IIK. 4:26
אִישׁוֹ 1616 וַיַּכּוּ אִישׁ אִישׁוֹ וַיָּנֻסוּ IK. 20:20
אִישָׁהּ 1617 וַתִּתֵּן אֹתָהּ לְאַבְרָם אִישָׁהּ Gen. 16:3
1618 וְנֶעְלַם מֵעֵינֵי אִישָׁהּ Num. 5:13
1619 אֲשֶׁר תִּשְׂטֶה אִשָּׁה תַּחַת אִישָׁהּ Num. 5:29
1620 וְשָׁמַע אִישָׁהּ... וְהֶחֱרִישׁ לָהּ Num. 30:8
1621 וְאִם בְּיוֹם שְׁמֹעַ אִישָׁהּ... Num. 30:9
1622 וְאִם־בֵּית אִישָׁהּ נָדָרָה Num. 30:11
1623 וּמָנוֹחַ אִישָׁהּ אֵין עִמָּהּ Jud. 13:9
1624 וַיָּקָם אִישָׁהּ וַיֵּלֶךְ אַחֲרֶיהָ Jud. 19:3
1625 ...וְאָנֹכִי לֹא אִישָׁהּ Hosh. 2:4
1626 וּמְצֶאןָ מְנוּחָה אִשָּׁה בֵּית אִישָׁהּ Ruth 1:9
1641-1627 אִישָׁהּ Num. 30:12, 13²; 30:14, 15
Deut. 25:11 • ISh. 1:8,23; 2:19 • IISh. 3:16; 11:26 •
IIK. 4:9, 22 • Ezek. 16:32, 45

וְאִישָׁהּ 1642 אִישָׁהּ יְקִימֶנּוּ וְאִישָׁהּ יְפֵרֶנּוּ Num. 30:14
1643 וּמֵת חָמִיהָ וְאִישָׁהּ ISh. 4:19
1644 וְאֶל־חָמִיהָ וְאִישָׁהּ ISh. 4:21
1645 בֵּן אֵין־לָהּ וְאִישָׁהּ זָקֵן IIK. 4:14
בְּאִישָׁהּ 1646 וַתִּמְעֹל מַעַל בְּאִישָׁהּ Num. 5:27
לְאִישָׁהּ 1647 וַתִּתֵּן גַּם־לְאִישָׁהּ עִמָּהּ Gen. 3:6
1648 וַתֹּאמֶר לְאִישָׁהּ לֵאמֹר Jud. 13:6
1649 וַתָּרָץ וַתַּגֵּד לְאִישָׁהּ Jud. 13:10
1650 כִּי־אָמְרָה לְאִישָׁהּ... ISh. 1:22
1651 וּלְנָעֳמִי מוֹדַע לְאִישָׁהּ Ruth 2:1
וּלְאִישָׁהּ 1652 וּלְאִישָׁהּ נָבָל לֹא הִגִּידָה ISh. 25:19
מֵאִישָׁהּ 1653 וְאִשָּׁה גְּרוּשָׁה מֵאִישָׁהּ לֹא יִקָּחוּ Lev. 21:7
וּמֵאִישָׁהּ 1654 וַתִּשָּׁאֵר... מִשְּׁנֵי יְלָדֶיהָ וּמֵאִישָׁהּ Ruth 1:5
אִישִׁים 1655 נִבְזֶה וַחֲדַל אִישִׁים Is. 53:3
1656 ...אֶת־אִישִׁים פֹּעֲלֵי־אָוֶן Ps. 141:4
1657 אֲלֵיכֶם אִישִׁים אֶקְרָא Prov. 8:4
אֲנָשִׁים 1658 וַיְצַו עָלָיו פַּרְעֹה אֲנָשִׁים Gen. 12:20
1659 כִּי־אֲנָשִׁים אַחִים אֲנָחְנוּ Gen. 13:8
1660 שְׁלֹשָׁה אֲנָשִׁים נִצָּבִים עָלָיו Gen. 18:2
1661 שָׂרִיתָ עִם-אֱלֹהִים וְעִם-אֲנָשִׁים Gen. 32:28
1662 וַיַּעַבְרוּ אֲנָשִׁים מִדְיָנִים Gen. 37:28
1663 וּמִקְצֵה אֶחָיו לָקַח חֲמִשָּׁה אֲנָשִׁים Gen. 47:2
1664 שְׁנֵי־אֲנָשִׁים עִבְרִים נִצִּים Ex. 2:13
1665 וַיּוֹתִרוּ אֲנָשִׁים מִמֶּנּוּ Ex. 16:20
1666 בְּחַר־לָנוּ אֲנָשִׁים וְצֵא הִלָּחֵם Ex. 17:9
1667 וְכִי־יְרִיבֻן אֲנָשִׁים Ex. 21:18
1668 תַּרְבּוּת אֲנָשִׁים חַטָּאִים Num. 32:14
1669 הָבוּ לָכֶם אֲנָשִׁים חֲכָמִים Deut. 1:13
1670 אֲנָשִׁים חֲכָמִים וִידֻעִים Deut. 1:15
1671 וַיִּשְׂכֹּר.. אֲנָשִׁים רֵיקִים וּפֹחֲזִים Jud. 9:4
1672 וַיִּתְלַקְּטוּ... אֲנָשִׁים רֵיקִים Jud. 11:3
1673 וְנָתַתָּה לַאֲמָתְךָ זֶרַע אֲנָשִׁים ISh. 1:11
1674 גַּם עִם־יְיָ וְגַם עִם־אֲנָשִׁים ISh. 2:26
1675 וְכָל־מַרְבִּית בֵּיתְךָ יָמוּתוּ אֲנָשִׁים ISh. 2:33
1676 וְהֹכַחְתִּיו בְּשֵׁבֶט אֲנָשִׁים IISh. 7:14
1677 וְשַׁח רוּם אֲנָשִׁים Is. 2:11
1678 וְשָׁפֵל רוּם אֲנָשִׁים Is. 2:17
1679 מִצְוַת אֲנָשִׁים מְלֻמָּדָה Is. 29:13
1680 וּנְתַתִּיךְ בְּיַד אֲנָשִׁים בֹּעֲרִים Ezek. 21:36
1681/2 וְלֶחֶם אֲנָשִׁים לֹא תֹאכֵל(וּ) Ezek. 24:17,22
1683 אָז יִגְלֶה אֹזֶן אֲנָשִׁים Job 33:16
1684 וַיִּקָּבְצוּ עָלָיו אֲנָשִׁים רֵקִים IICh. 13:7
1685 כִּי בְמִצְעַר אֲנָשִׁים בָּאוּ IICh. 24:24
1766-1686 אֲנָשִׁים Ex. 21:22 • Num. 9:6;
11:26; 13:2,3; 31:3 • Deut. 1:22,23; 13:14; 25:1,11 •
Josh. 2:1,2; 4:2; 7:2; 10:18; 18:4 • Jud. 6:27;
18:2²,25; 20:10,12 • ISh. 10:2,3; 28:8; 31:3 • IISh.

אֲנָשִׁים (המשך) 3:20; 4:2,11; 12:1; 21:6 • IK. 2:32; 11:18,24; 13:25;
20:17; 21:10 • IIK. 2:16; 7:3; 25:19,25 • Is. 7:13 •
Jer. 5:26; 26:17,22; 37:10; 38:10; 40:7; 41:1,5,8,15;
43:9; 52:25 • Ezek. 9:2; 14:1; 20:1; 23:42 • Am. 6:9
• Zech. 8:23 • Job 4:13; 33:15,27; 36:24; 37:24 •
Ruth 4:2 • Ez. 10:1,16,17 • Neh. 12:44; 13:25 • ICh.
4:42; 5:18,24; 7:40; 8:40; 9:9 • IICh. 28:12; 30:11;
31:19

וַאֲנָשִׁים 1767 וַאֲנָשִׁים מִבְּנֵי־יִשְׂרָאֵל... Num. 16:2
1768 אֲשֶׁר־בִּי יְכַבְּדוּ אֱלֹהִים וַאֲנָשִׁים Jud. 9:9
1769 תִּירוֹשִׁי הַמְשַׂמֵּחַ אֱלֹהִים וַאֲנָשִׁים Jud. 9:13
1770 דָּוִד וַאֲנָשִׁים אֲשֶׁר אִתּוֹ ISh. 22:6
1771 הוּא וַאֲנָשִׁים אֲדֹמִיִּים IK. 11:17
1772 אֶת־אֶלְנָתָן... וַאֲנָשִׁים אִתּוֹ Jer. 26:22
1773 וַאֲנָשִׁים צַדִּיקִם הֵמָּה... Ezek. 23:45
1774 עִיר קְטַנָּה וַאֲנָשִׁים בָּהּ מְעָט Eccl. 9:14
1775 וַיָּבֹא... הוּא וַאֲנָשִׁים מִיהוּדָה Neh. 1:2
1776 אֲנִי וַאֲנָשִׁים מְעַט עִמִּי Neh. 2:12
הָאֲנָשִׁים 1777 וְחֵלֶק הָאֲנָשִׁים אֲשֶׁר הָלְכוּ אִתִּי Gen. 14:24
1778 וַיָּקֻמוּ מִשָּׁם הָאֲנָשִׁים... Gen. 18:16
1779 וַיִּפְנוּ מִשָּׁם הָאֲנָשִׁים... Gen. 18:22
1780 אַיֵּה הָאֲנָשִׁים אֲשֶׁר-בָּאוּ אֵלֶיךָ Gen. 19:5
1781 וַיִּשְׁלְחוּ הָאֲנָשִׁים אֶת־יָדָם Gen. 19:10
1782 וְאֶת־הָאֲנָשִׁים... הִכּוּ בַּסַּנְוֵרִים Gen. 19:11
1783 לִרְחֹץ רַגְלָיו וְרַגְלֵי הָאֲנָשִׁים Gen. 24:32
1784 מַלֵּא אֶת־אַמְתְּחֹת הָאֲנָשִׁים Gen. 44:1
1785/6 וְאֵלֶּה שְׁמוֹת הָאֲנָשִׁים Num. 1:5; 34:19
1787/8 אֵלֶּה שְׁמוֹת הָאֲנָשִׁים Num. 13:16; 34:17
1789 הַעֵינֵי הָאֲנָשִׁים הָהֵם תְּנַקֵּר Num. 16:14
1790 אָהֳלֵי הָאֲנָשִׁים הָרְשָׁעִים Num. 16:26
1791 הֲלוֹא בְּרָאשֵׁי הָאֲנָשִׁים הָהֵם ISh. 29:4
1792 הֲדַם הָאֲנָשִׁים הַהֹלְכִים בְּנַפְשׁוֹתָ' IISh. 23:17
1793 בְּפִגְרֵי הָאֲנָשִׁים הַפֹּשְׁעִים בִּי Is. 66:24
1794 וְשָׁבַרְתָּ הַבַּקְבֻּק לְעֵינֵי הָאֲנָשִׁים Jer. 19:10
1795 וְאִם-אֶתֶּנְךָ בְּיַד הָאֲנָשִׁים הָאֵלֶּה Jer. 38:16
1796 וְלֹא תִנָּתֵן בְּיַד הָאֲנָשִׁים... Jer. 39:17
1797 אֵת כָּל־פִּגְרֵי הָאֲנָשִׁים... Jer. 41:9
1798 וְהִתְוִיתָ תָּו עַל־מִצְחוֹת הָאֲנָשִׁים Ezek. 9:4
1799 הֲדַם הָאֲנָשִׁים הָאֵלֶּה אֶשְׁתֶּה ICh. 11:19
1897-1800 הָאֲנָשִׁים Gen. 19:12, 16; 20:8
34:7,21,22; 43:15,16²,17,18,24,33; 44:4 • Ex. 4:19;
5:9; 10:7; 35:22 • Num. 1:17; 9:7; 14:22,37,38;
16:30; 22:9, 20, 35; 31:42; 32:11 • Deut. 19:17;
31:12 • Josh. 2:3,4²,5,9,14,17,23; 6:22; 7:2; 9:14;
18:8,9 • Jud. 8:18; 9:51; 16:27; 18:7,14,17; 19:25;
20:13 • ISh. 2:17; 6:10; 11:12; 14:8; 17:26, 28;
30:21 • IISh. 1:11; 10:5; 11:23; 17:12; 18:28 • IK.
21:13 • IIK. 5:24; 10:24; 12:16; 18:27; 20:14 • Is.
36:12; 39:3 • Jer. 34:18; 38:9, 11; 41:2, 12; 42:17;
43:2; 44:15 • Ezek. 11:2; 14:3,14,16,18 • Jon. 1:10²,
13,16 • Zep. 1:12 • Job 32:1,5 • Neh. 8:3; 11:2 • ICh.
19:5² • IICh. 2:16; 28:15

וְהָאֲנָשִׁים 1898 הוּא וְהָאֲנָשִׁים אֲשֶׁר־עִמּוֹ Gen. 24:54
1899 הַבֹּקֶר אוֹר וְהָאֲנָשִׁים שֻׁלְּחוּ Gen. 44:3
1900 וְהָאֲנָשִׁים רֹעֵי צֹאן Gen. 46:32
1901 וְהָאֲנָשִׁים אֲשֶׁר עָלוּ עִמּוֹ Num. 13:31
1902 וְהָאֲנָשִׁים טֹבִים לָנוּ מְאֹד ISh. 25:15
1903 וְהָאֲנָשִׁים הָאֵלֶּה... קָשִׁים מִמֶּנִּי IISh. 3:39
1904 וְהָאֲנָשִׁים עֹשִׂים בֶּאֱמוּנָה IICh. 34:12
1913–1905 וְהָאֲנָשִׁים Num. 14:36 • Josh. 2:5,7
• Jud. 18:22 • ISh. 5:12 •
IK. 20:33 • IIK. 25:23 • Jer. 41:7 • Dan. 10:7

בַּאֲנָשִׁים 1914 וְהָאִישׁ... זָקֵן בָּא בַאֲנָשִׁים ISh. 17:12
בָּאֲנָשִׁים 1915 אִם-יִרְאֶה אִישׁ בָּאֲנָשִׁים הָאֵלֶּה Deut. 1:35
1916 וַיָּחֵלּוּ בָּאֲנָשִׁים הַזְּקֵנִים Ezek. 9:6
כַּאֲנָשִׁים 1917 צֵל הֶהָרִים אַתָּה רֹאֶה כַּאֲנָשִׁים Jud. 9:36
לַאֲנָשִׁים 1918 הִתְחַזְּקוּ וִהְיוּ לַאֲנָשִׁים פְּלִשְׁתִּים ISh. 4:9
1919 וִהְיִיתֶם לַאֲנָשִׁים וְנִלְחַמְתֶּם ISh. 4:9
1920 וְנָתַתִּי לַאֲנָשִׁים אֲשֶׁר לֹא יָדַעְתִּי ISh. 25:11
1921 וַיִּצְקוּ לַאֲנָשִׁים לֶאֱכוֹל IIK. 4:40
1922 בְּנוֹתֵיכֶם תְּנוּ לַאֲנָשִׁים Jer. 29:6
1923 לַאֲנָשִׁים בָּאִים מִמֶּרְחָק Ezek. 23:40
1924 ...וְהָיוּ לָכֶם לַאֲנָשִׁים Ruth 1:11
וְלַאֲנָשִׁים 1925 לְאַבְנֵר וְלַאֲנָשִׁים אֲשֶׁר־אִתּוֹ IISh. 3:20
לָאֲנָשִׁים 1926 לָאֲנָשִׁים הָאֵל אַל־תַּעֲשׂוּ דָבָר Gen. 19:8
מֵהָאֲנָשִׁים 1927 מֵהָאֲנָשִׁים אֲשֶׁר הָלְכוּ עִם־דָּוִד ISh. 30:22
אַנְשֵׁי־ 1928 הַגִּבֹּרִים אֲשֶׁר מֵעוֹלָם אַנְשֵׁי הַשֵּׁם Gen. 6:4
1929 וְכָל־אַנְשֵׁי בֵיתוֹ יְלִיד בָּיִת Gen. 17:27
1930 וְאַנְשֵׁי הָעִיר אַנְשֵׁי סְדֹם נָסַבּוּ Gen. 19:4
1931 וּבְנוֹת אַנְשֵׁי הָעִיר יֹצְאֹת Gen. 24:13
1932 וַיִּשְׁאֲלוּ אַנְשֵׁי הַמָּקוֹם לְאִשְׁתּוֹ Gen. 26:7
1933 פֶּן־יַהַרְגֻנִי אַנְשֵׁי הַמָּקוֹם Gen. 26:7
1934 וַיֶּאֱסֹף לָבָן... אַנְשֵׁי הַמָּקוֹם Gen. 29:22
1935 וַיְדַבְּרוּ אֶל־אַנְשֵׁי עִירָם Gen. 34:20
1936 וַיִּשְׁאַל אֶת־אַנְשֵׁי מְקֹמָהּ Gen. 38:21
1937 וְגַם אַנְשֵׁי הַמָּקוֹם אָמְרוּ... Gen. 38:22
1938 כִּי־אַנְשֵׁי מִקְנֶה הָיוּ Gen. 46:32
1939 אַנְשֵׁי מִקְנֶה הָיוּ עֲבָדֶיךָ Gen. 46:34
1940 וְאִם־יָדַעְתָּ וְיֶשׁ־בָּם אַנְשֵׁי-חַיִל Gen. 47:6
1941 אַנְשֵׁי־חַיִל יִרְאֵי אֱלֹהִים Ex. 18:21
1942 אַנְשֵׁי אֱמֶת שֹׂנְאֵי בָצַע Ex. 18:21
1943 וַיִּבְחַר מֹשֶׁה אַנְשֵׁי־חַיִל Ex. 18:25
1944 הַתּוֹעֵבֹת... עָשׂוּ אַנְשֵׁי־הָאָרֶץ Lev. 18:27
1945 וְכָל־הָעָם... אַנְשֵׁי מִדּוֹת Num. 13:32
1946 קְרִאֵי מוֹעֵד אַנְשֵׁי־שֵׁם Num. 16:2
1948-1947 אַנְשֵׁי הַצָּבָא Num. 31:21,53
1970-1949 אַנְשֵׁי (הַ)מִּלְחָמָה Num. 31:28,49 •
Deut. 2:14,16 • Josh. 5:4,6; 6:3; 10:24 • ISh. 18:5
• IK. 9:22 • IIK. 25:4,19 • Jer. 38:4; 39:4; 41:3,16;
49:26; 52:7,25 • Joel 4:9 • ICh. 12:39(38) •
IICh. 8:9

1971 וּרְגָמֻהוּ כָּל־אַנְשֵׁי עִירוֹ Deut. 21:21
1972 וּסְקָלוּהָ אַנְשֵׁי עִירָהּ בָּאֲבָנִים Deut. 22:21
1983-1973 אַנְשֵׁי(־)הָעִיר Josh. 8:14 •
Jud. 6:27,28,30; 8:17; 14:18; 19:22 •
ISh. 5:9 • IISh. 11:17 • IIK. 2:19; 23:17
1984/5 כָּל-אֵלֶּה אַנְשֵׁי(־)חָיִל Jud. 20:44,46
1993-1986 אַנְשֵׁי(־)יִשְׂרָאֵל ISh. 7:11;
8:22; 11:15; 17:52; 31:1,7² • IISh. 15:6
1994 וַיַּעֲנוּ אַנְשֵׁי הַמַּצָּבָה אֶת־יוֹנָתָן ISh. 14:12
1995 אֲשֶׁר יָדַע כִּי אַנְשֵׁי־חַיִל שָׁם IISh. 11:16
1996 כִּי אִם־אַנְשֵׁי־מָוֶת לַאדֹנִי IISh. 19:29
1997 אַנְשֵׁי אֳנִיּוֹת יֹדְעֵי הַיָּם IK. 9:27
1998 וַיַּעֲשׂוּ אַנְשֵׁי עִירוֹ הַזְּקֵנִים IK. 21:11
1999 וַיְעִדֻהוּ אַנְשֵׁי הַבְּלִיַּעַל IK. 21:13
2000 רָאשֵׁי אַנְשֵׁי בְנֵי־אֲדֹנֵיכֶם IIK. 10:6
2001 וְאֵת כָּל־אַנְשֵׁי הַחַיִל... IIK. 24:16
2002 שִׁמְעוּ דְבַר־יְיָ אַנְשֵׁי לָצוֹן Is. 28:14
2003 יִהְיוּ כְאַיִן וְיֹאבְדוּ אַנְשֵׁי רִיבֶךָ Is. 41:11
2004 תְּבַקְשֵׁם וְלֹא תִמְצָאֵם אַנְשֵׁי מַצֻּתֶךָ Is. 41:12
2005 כְאַיִן וּכְאֶפֶס אַנְשֵׁי מִלְחַמְתֶּךָ Is. 41:12
2006 כּוּשׁ וּסְבָאִים אַנְשֵׁי מִדָּה Is. 45:14
2007 הִסִּיתוּךָ וְיָכְלוּ לְךָ אַנְשֵׁי שְׁלֹמֶךָ Jer. 38:22
2008 וְכָל־אַנְשֵׁי מִלְחַמְתָּהּ יִדַּמּוּ Jer. 50:30

אַנְשֵׁי־ (המשך)

2009 אַחֶיךָ אַחֶיךָ אַנְשֵׁי גְאֻלָּתֶךָ Ezek. 11:15

2010 וְהוֹתַרְתִּי מֵהֶם אַנְשֵׁי מִסְפָּר Ezek. 12:16

2011 אַנְשֵׁי רָכִיל הָיוּ בָךְ Ezek. 22:9

2012 וַתֵּרֶא אַנְשֵׁי מְחֻקֶּה עַל־הַקִּיר Ezek. 23:14

2013 פָּרַס וְלוּד... אַנְשֵׁי מִלְחַמְתֵּךְ Ezek. 27:10

2014 וְכָל־אַנְשֵׁי מִלְחַמְתֵּךְ אֲשֶׁר־בָּךְ Ezek. 27:27

2015/6 כֹּל אַנְשֵׁי בְרִיתֶךָ.. אַנְשֵׁי שְׁלֹמֶךָ Ob. 7

2017 אֹיְבֵי אִישׁ אַנְשֵׁי בֵיתוֹ Mic. 7:6

2018 אַנְשֵׁי־חַיִל מְתֻלָּעִים Nah. 2:4

2019 נְבִיאֶיהָ פֹּחֲזִים אַנְשֵׁי בֹּגְדוֹת Zep. 3:4

2020 כִּי־אַנְשֵׁי מוֹפֵת הֵמָּה Zech. 3:8

2021 ...וְעִם־אַנְשֵׁי דָמִים חַיָּי Ps. 26:9

2022 אַנְשֵׁי דָמִים וּמִרְמָה... Ps. 55:24

2023 וְלֹא־מָצְאוּ כָל־אַנְשֵׁי־חַיִל יְדֵיהֶם Ps. 76:6

2024 גַּם־עֵדֹתֶיךָ שַׁעֲשֻׁעָי אַנְשֵׁי עֲצָתִי Ps. 119:24

2025 אַנְשֵׁי־רָע לֹא־יָבִינוּ מִשְׁפָּט Prov. 28:5

2026 אַנְשֵׁי לָצוֹן יָפִיחוּ קִרְיָה Prov. 29:8

2027 אַנְשֵׁי דָמִים יִשְׂנְאוּ־תָם Prov. 29:10

2028 וְלָלֶכֶת עִם־אַנְשֵׁי־רֶשַׁע Job 34:8

2029 לָכֵן אַנְשֵׁי לֵבָב שִׁמְעוּ לִי Job 34:10

2030 אַנְשֵׁי לֵבָב יֹאמְרוּ לִי Job 34:34

2031 לָדַעַת כָּל־אַנְשֵׁי מַעֲשֵׂהוּ Job 37:7

2032 וְהִתְעַוְּתוּ אַנְשֵׁי הֶחָיִל Eccl. 12:3

2033 יְנַשְּׂאוּהוּ אַנְשֵׁי מְקֹמוֹ Ez. 1:4

2034/5 אַנְשֵׁי עַם יִשְׂרָאֵל Ez. 2:2 • Neh. 7:7

2036 הֶחֱזִיקוּ הַכֹּהֲנִים אַנְשֵׁי הַכִּכָּר Neh. 3:22

2037 אַרְבַּע מֵאוֹת... אַנְשֵׁי־חָיִל Neh. 11:6

2038 אֲנָשִׁים גִּבּוֹרֵי חַיִל אַנְשֵׁי שֵׁמוֹת ICh. 5:24

2039 אַנְשֵׁי צָבָא לַמִּלְחָמָה ICh. 12:9(8)

2040 גִּבּוֹרֵי חַיִל אַנְשֵׁי שֵׁמוֹת ICh. 12:31(30)

2041 אַנְשֵׁי מְלָאכָה לַעֲבֹדָתָם ICh. 25:1

2095-2042 אַנְשֵׁי Josh. 7:4,5; 8:20,21,25; 10:6
Jud. 8:8^2,15,16; 9:28,49,57; 12:4^2,5 • ISh. 5:7; 6:20; 7:1; 11:1,5,10; 23:3; 24:5(4) • IISh. 2:4^2,5; 19:42; 20:7; 21:17 • IK. 1:9 • Jer. 11:21,23; 48:31,36 • Jon. 3:5 • Prov. 25:1 • Ez. 2:22,23,27,28; 10:9 • Neh. 3:2; 3:7; 7:26,27,28,29,30,31,32,33 • ICh. 4:12; 7:21

וְאַנְשֵׁי־ 2096 וְאַנְשֵׁי סְדֹם רָעִים וְחַטָּאִים Gen. 13:13

2097 וְאַנְשֵׁי הָעִיר אַנְשֵׁי סְדֹם נָסַבּוּ Gen. 19:4

2098 וְאַנְשֵׁי־קֹדֶשׁ תִּהְיוּן לִי Ex. 22:30

2099 וְאַנְשֵׁי הַמָּקוֹם בְּנֵי יְמִינִי Jud. 19:16

2100 וְאַנְשֵׁי בֵית־שֶׁמֶשׁ הֶעֱלוּ עֹלוֹת ISh. 6:15

2101 וַיִּנָּגֶף אַבְנֵר וְאַנְשֵׁי יִשְׂרָאֵל IISh. 2:17

2102 וְאַנְשֵׁי בָבֶל עָשׂוּ אֶת־סֻכּוֹת בְּנוֹת IIK. 17:30

2103 וְאַנְשֵׁי־כוּת עָשׂוּ אֶת־נֵרְגַל IIK. 17:30

2104 וְאַנְשֵׁי חֲמָת עָשׂוּ אֶת־אֲשִׁימָא IIK. 17:30

2105 וְאַנְשֵׁי־חַיִל לִמְסֹךְ שֵׁכָר Is. 5:22

2106 וְאַנְשֵׁי־חֶסֶד נֶאֱסָפִים Is. 57:1

2107 וְאַנְשֵׁי־חַיִל לַמִּלְחָמָה Jer. 48:14

2108 וְאַנְשֵׁי הַמִּלְחָמָה נִבְהָלוּ Jer. 51:32

2109 וְאַנְשֵׁי תָמִיד יַבְדִּילוּ Ezek. 39:14

2110 וְאַנְשֵׁי דָמִים סוּרוּ מֶנִּי Ps. 139:19

2111 וְאַנְשֵׁי הַמִּשְׁמָר אֲשֶׁר אַחֲרַי Neh. 4:17

2112 וְיוֹקִים וְאַנְשֵׁי כֹזֵבָא וְיוֹאָשׁ ICh. 4:22

2113 וְאַנְשֵׁי מִלְחָמָה גִּבּוֹרֵי חַיִל IICh. 17:13

בְּאַנְשֵׁי־ 2114 כָּל־זָכָר בְּאַנְשֵׁי בֵּית אַבְרָהָם Gen. 17:23

2115 וַיַּךְ בְּאַנְשֵׁי בֵית־שֶׁמֶשׁ ISh. 6:19

2116 אַל־תְּקַנֵּא בְּאַנְשֵׁי רָעָה Prov. 24:1

2117 עַל־תְּשֻׁבֹת בְּאַנְשֵׁי־אָוֶן Job 34:36

וּבְאַנְשֵׁי־ 2118 הִכּוּ מִבִּנְיָמִן וּבְאַנְשֵׁי אַבְנֵר IISh. 2:31

כְּאַנְשֵׁי־ 2119 כְּאַנְשֵׁי מִלְחָמָה יַעֲלוּ חוֹמָה Joel 2:7

לְאַנְשֵׁי־ 2120 וַתִּקְרָא לְאַנְשֵׁי בֵיתָהּ Gen. 39:14

2121 וַיֹּאמֶר לְאַנְשֵׁי סֻכּוֹת Jud. 8:5

2122 וַיֹּאמֶר גַּם־לְאַנְשֵׁי פְנוּאֵל Jud. 8:9

2123 וַיַּגִּידוּ לְאַנְשֵׁי יָבֵישׁ וַיִּשְׂמָחוּ ISh. 11:9

מֵאַנְשֵׁי־ 2124 וְאֵין אִישׁ מֵאַנְשֵׁי הַבַּיִת שָׁם Gen. 39:11

2125 וַיִּלְכָּד־נַעַר מֵאַנְשֵׁי סֻכּוֹת Jud. 8:14

2126 לְבַד מֵאַנְשֵׁי הַתָּרִים וּמִסְחַר... IK. 10:15

2127 לְבַד מֵאַנְשֵׁי הַתָּרִים וְהַסֹּחֲרִים IICh. 9:14

וּמֵאַנְשֵׁי־ 2128 וּמֵאַנְשֵׁי דָמִים הוֹשִׁיעֵנִי Ps. 59:3

אֲנָשַׁי 2129 הֲיַסְגִּרוּ... אֹתִי וְאֶת־אֲנָשַׁי ISh. 23:12

אֲנָשֶׁיךָ 2130 אַשְׁרֵי אֲנָשֶׁיךָ אַשְׁרֵי עֲבָדֶיךָ IK. 10:8

2131 אַשְׁרֵי אֲנָשֶׁיךָ וְאַשְׁרֵי עֲבָדֶיךָ IICh. 9:7

וַאֲנָשֶׁיךָ 2132 אִתִּי תֵּצֵא בַמַּחֲנֶה אַתָּה וַאֲנָשֶׁיךָ ISh. 28:1

לַאֲנָשֶׁיךָ 2133 כִּי נִתֵּן לַאֲנָשֶׁיךָ הַיְּעֵפִים לָחֶם Jud. 8:15

אֲנָשָׁיו 2134 וְאֶת־עֶבֶד אַבְרָהָם וְאֶת־אֲנָשָׁיו Gen. 24:59

2135 הִרְגוּ אִישׁ אֲנָשָׁיו Num. 25:5

2136 לָצוּר אֶל־דָּוִד וְאֶל־אֲנָשָׁיו ISh. 23:8

2137 עֹטְרִים אֶל־דָּוִד וְאֶל־אֲנָשָׁיו ISh. 23:26

2138 וַיְשַׁסַּע דָּוִד אֶת־אֲנָשָׁיו ISh. 24:8(7)

2139 וַיָּמָת שָׁאוּל... גַּם כָּל־אֲנָשָׁיו ISh. 31:6

2140 וַיַּעֲבֹר אִתַּי הַגִּתִּי וְכָל־אֲנָשָׁיו IISh. 15:22

2141-3 אֲנָשָׁיו IISh. 17:8 • IIK. 11:9 • IICh. 23:8

וַאֲנָשָׁיו 2144 וַיָּקָם דָּוִד וַיֵּלֶךְ הוּא וַאֲנָשָׁיו ISh. 18:27

2161-2145 (וְ)דָוִד(...) וַאֲנָשָׁ(י)ו ISh. 23:5; 23:13,24,26; 24:2, 3,22; 25:20; 27:3,8; 29:2,11; 30:1,3,31 • IISh. 5:21; 16:13

2162 וְשָׁאוּל וַאֲנָשָׁיו עֹטְרִים אֶל־דָּוִד ISh. 23:26

2163 וְאַבְנֵר וַאֲנָשָׁיו הָלְכוּ בָּעֲרָבָה IISh. 2:29

2164-8 וַאֲנָשָׁיו ISh. 23:25 • I Sh. 2:3,32; 5:6 • Zech. 7:2

לַאֲנָשָׁיו 2169 וַיֹּאמֶר לַאֲנָשָׁיו חָלִילָה לִּי מֵיְיָ ISh. 24:7(6)

2170 וַיֹּאמֶר דָּוִד לַאֲנָשָׁיו... ISh. 25:13

אֲנָשֶׁיהָ 2171 וְכָל־אֲנָשֶׁיהָ גִּבֹּרִים Josh. 10:2

אֲנָשֵׁינוּ 2172 הֲמִבַּלְעֲדֵי אֲנָשֵׁינוּ עָשִׂינוּ Jer. 44:19

וְאַנְשֵׁיהֶם 2173 וַיָּבֹאוּ... הֵמָּה וְאַנְשֵׁיהֶם IIK. 25:23

2174 וְאַנְשֵׁיהֶם יִהְיוּ הֲרֻגֵי מָוֶת Jer. 18:21

2175/6 הֵמָּה וְאַנְשֵׁיהֶם Jer. 40:7,8

וּלְאַנְשֵׁיהֶם 2177/8 לָהֶם... וּלְאַנְשֵׁיהֶם IIK. 25:24 • Jer. 40:9

אַנְשֵׁיהֶן 2179 אֲשֶׁר גָּעֲלוּ אַנְשֵׁיהֶן וּבְנֵיהֶן Ezek. 16:45

אִישׁ־בֹּשֶׁת שפ״ז – בן שאול, הוא אֶשְׁבַּעַל: 1-11

בֵּית אִישׁ־בֹּשֶׁת 4; דִּבְרֵי א׳ 3; עַבְדֵי א׳ 2; רֹאשׁ א׳ 5–7

אִישׁ־בֹּשֶׁת 1 לָקַח אֶת־אִישׁ־בֹּשֶׁת בֶּן־שָׁאוּל IISh. 2:8

2 וְעַבְדֵי אִישׁ־בֹּשֶׁת בֶּן־שָׁאוּל IISh. 2:12

3 וַיִּחַר לְאַבְנֵר... עַל־דִּבְרֵי אִישׁ־בֹּשֶׁת IISh. 3:8

4 וַיָּבֹאוּ... אֶל־בֵּית אִישׁ בֹּשֶׁת IISh. 4:5

7-5 רֹאשׁ אִישׁ־בֹּשֶׁת IISh. 4:8^2,12

10-8 אִישׁ־בֹּשֶׁת IISh. 2:10; 3:14,15

וּלְאִישׁ־בֹּשֶׁת 11 לְבִנְיָמִן וּלְאִישׁ בֹּשֶׁת בֶּן־שָׁאוּל IISh. 2:15

אִישׁ הוֹד שפ״ז – איש משבט מנשה

אִישׁ הוֹד 1 וַאֲחֹתוֹ הַמֹּלֶכֶת יָלְדָה אֶת־אִישׁ הוֹד דה״א 7 18

אִישׁוֹן ז׳ א) בָּבַת העין: 1–3 ב) [בהשאלה] אמצע: 4

כְּאִישׁוֹן עֵינוֹ 1–3; בְּאִישׁוֹן לַיְלָה 4

כְּאִישׁוֹן־ 1 יִצְּרֶנְהוּ כְּאִישׁוֹן עֵינוֹ Deut. 32:10

2 שָׁמְרֵנִי כְּאִישׁוֹן בַּת־עָיִן Ps. 17:8

3 וְתוֹרָתִי כְּאִישׁוֹן עֵינֶיךָ Prov. 7:2

בְּאִישׁוֹן־ 4 בְּעֶרֶב יוֹם בְּאִישׁוֹן לַיְלָה וַאֲפֵלָה Prov. 7:9

אִישַׁי שפ״ז – הוא יִשַׁי אבי דוד

וְאִישַׁי 1 וְאִישַׁי הוֹלִיד... אֶת־אֱלִיאָב ICh. 2:13

אִיתוֹן ז׳ מָבוֹא (?)

הָאִיתוֹן 1 וְעַל־פְּנֵי הַשַּׁעַר הָאִיתוֹן (כת׳ היאתון) Ezek. 40:15

אִיתַי[1] שפ״ז – מִגִּבּוֹרֵי דוד, הוא אִתַּי

אִיתַי 1 אִיתַי בֶּן־רִיבַי מִגִּבְעַת בְּנֵי בִנְיָמִן ICh. 11:31

אִיתַי[2] תה״פ ארמית: יֵשׁ; לָא אִיתַי = לא יש; אִיתָךְ = יֶשְׁךָ

אִיתַי 1 לָא־אִיתַי אֱנָשׁ עַל־יַבֶּשְׁתָּא Dan. 2:10

6-2 (וְ)לָא אִיתַי Dan. 2:11; 3:25,29; 4:32 • Ez. 4:16

7 בְּרַם אִיתַי אֱלָהּ בִּשְׁמַיָּא... Dan. 2:28

8 אִיתַי גֻּבְרִין יְהוּדָאִין... Dan. 3:12

12-9 אִיתַי Dan. 2:30; 3:17; 5:11 • Ez. 5:17

הַאִיתָךְ 13 הַאִיתָךְ (כ׳ האיתיך) כָּהֵל לְהוֹדָעֻתַנִי Dan. 2:26

אִיתוֹהִי 14 דִּי מְדָרְהוֹן עִם־בִּשְׂרָא לָא אִיתוֹהִי Dan. 2:11

אִיתָנָא 15 לֵאלָהָךְ לָא־אִיתָנָא פָלְחִין Dan. 3:18

אִיתֵיכוֹן 16 לֵאלָהַי לָא אִיתֵיכוֹן פָּלְחִין Dan. 3:14

17 כְּעַן הֵן אִיתֵיכוֹן עֲתִידִין Dan. 3:15

אִיתִיאֵל שפ״ז א) איש מבנימין: 1 ב) חכם קדמון: 3,2

אִיתִיאֵל 1 סַלֻּא... בֶּן־אִיתִיאֵל בֶּן־יְשַׁעְיָה Neh. 11:7

לְאִיתִיאֵל 2 הַמַּשָּׂא נְאֻם הַגֶּבֶר לְאִיתִיאֵל Prov. 30:1

3 לְאִיתִיאֵל וְאֻכָל Prov. 30:1

אֵיתָם (תהלים יט14) – עין תָּמַם (48)

אִיתָמָר שפ״ז – בן אהרן הכהן

אִיתָמָר 1 וַתֵּלֶד לוֹ.. אֶת־אֶלְעָזָר וְאֶת־אִיתָמָר Ex. 6:23

5-2 בְּיַד אִיתָמָר בֶּן־אַהֲרֹן הַכֹּהֵן Ex. 38:21 • Num. 4:28,33; 7:8

10-6 בְּנֵי אִיתָמָר (מ־/וּבְ־/וְלִבְ־) Ez. 8:2 • ICh. 24:3; 24:4^2,5

13-11 אִיתָמָר Lev. 10:12,16 • Num. 26:60

וְאִיתָמָר 17-14 נָדָב וַאֲבִיהוּא אֶלְעָזָר וְאִיתָמָר Ex. 28:1 • Num. 3:2 • ICh. 5:29; 24:1

19-18 אֶלְעָזָר וְאִיתָמָר Num. 3:4 • ICh. 24:2

לְאִיתָמָר 20 וְאָחֻז אָחֻז לְאִיתָמָר ICh. 24:6

וּלְאִיתָמָר 21 וּלְאֶלְעָזָר וּלְאִיתָמָר בָּנָיו Lev. 10:6

אֵיתָן[1] תו״ז א) חָזָק: 3,1, 8,9,12-14 ב) חוֹזֶק: 2,4-7,10,11

קרובים: ראה אַבִּיר

גּוֹי אֵיתָן 3; נַהֲרוֹת א׳ 7; נְוֵה א׳ 4-5; נַחַל א׳ 2,6 יֶרַח הָאֵתָנִים 13

אֵיתָן 1 אֵיתָן מוֹשָׁבֶךָ וְשִׂים בַּסֶּלַע קִנֶּךָ Num. 24:21

2 וְהוֹרִדוּ... אֶל־נַחַל אֵיתָן Deut. 21:4

3 גּוֹי אֵיתָן הוּא גּוֹי מֵעוֹלָם הוּא Jer. 5:15

4/5 כְּאַרְיֵה יַעֲלֶה.. אֶל־נְוֵה אֵיתָן Jer. 49:19; 50:44

6 כַּמַּיִם מִשְׁפָּט וּצְדָקָה כְּנַחַל אֵיתָן Am. 5:24

7 אַתָּה הוֹבַשְׁתָּ נַהֲרוֹת אֵיתָן Ps. 74:15

8 וְדֶרֶךְ בֹּגְדִים אֵיתָן Prov. 13:15

9 וְרוֹב עֲצָמָיו אֵתָן Job 33:19

בְּאֵיתָן 10 וַתֵּשֶׁב בְּאֵיתָן קַשְׁתּוֹ Gen. 49:24

לְאֵיתָנוֹ 11 וַיָּשָׁב הַיָּם לִפְנוֹת בֹּקֶר לְאֵיתָנוֹ Ex. 14:27

וְאֵיתָנִים 12 מוֹלִיךְ כֹּהֲנִים שׁוֹלָל וְאֵיתָנִים יְסַלֵּף Job 12:19

הָאֵיתָנִים 13 וַיִּקָּהֲלוּ... בְּיֶרַח הָאֵתָנִים בֶּחָג IK. 8:2

וְהָאֵיתָנִים 14 שִׁמְעוּ הָרִים.. וְהָאֵתָנִים מֹסְדֵי אָרֶץ Mic. 6:2

אֵיתָן[2] שפ״ז א) האזרחי, מחכמי הקדם בימי שלמה: 6–8 ב) אנשים משבט יהודה: 1, 5 ג) אנשים משבט לוי: 2,3,4

אֵיתָן 1 וּבְנֵי אֵיתָן עֲזַרְיָה ICh. 2:8

2 בֶּן־אֵיתָן בֶּן־זִמָּה בֶּן־שִׁמְעִי ICh. 6:27

3 וּבְנֵי מְרָרִי... אֵיתָן בֶּן־קִישִׁי ICh. 6:29

4 ...אֵיתָן בֶּן־קוּשָׁיָהוּ ICh. 15:17

וְאֵיתָן 5 וּבְנֵי זֶרַח זִמְרִי וְאֵיתָן ICh. 2:6

6 הַמְשֹׁרְרִים הֵימָן אָסָף וְאֵיתָן ICh. 15:19

לְאֵיתָן 7 מַשְׂכִּיל לְאֵיתָן הָאֶזְרָחִי Ps. 89:1

מֵאֵיתָן 8 וַיֶּחְכַּם... מֵאֵיתָן הָאֶזְרָחִי הֵימָן IK. 5:11

אַךְ

מ״ח א) רק, בלבד: 1–37, 159–161
ב) אבל, אולם: 38–97
ג) תֵּכֶף ל־, מיד אחרי ש־: 98, 99
ד) [להדגשה] אמנם, אכן: 100–158
קרובים: ראה אֲבָל
אַךְ אִם 40, 161; אַךְ אֲשֶׁר 5; אַךְ זֶה 106, 112

אַךְ (א) 1 וַיִּשָּׁאֶר אַךְ־נֹחַ Gen. 7:23
2 וַאֲדַבְּרָה אַךְ־הַפַּעַם Gen. 18:32
3 אַךְ שְׁמַע בְּקֹלִי וְלֵךְ קַח־לִי Gen. 27:13
4 שָׂא נָא חַטָּאתִי אַךְ הַפַּעַם Ex. 10:17
5 אַךְ אֲשֶׁר יֵאָכֵל לְכָל־נֶפֶשׁ Ex. 12:16
6 הֲרַק אַךְ־בְּמֹשֶׁה דִּבֶּר יְיָ Num. 12:2
7 וְהָיִיתָ אַךְ שָׂמֵחַ Deut. 16:15
8 וְעוֹד לוֹ אַךְ הַמְּלוּכָה ISh. 18:8
9 תֶּהְגּוּ אַךְ־נְכָאִים Is. 16:7
10 וַאֲנִי אָמַרְתִּי אַךְ־דַּלִּים הֵם Jer. 5:4
11 וְכָל־אָץ אַךְ־לְמַחְסוֹר Prov. 21:5
12-37 אַךְ (א) Gen. 34:15, 22, 23
Deut. 28:29 • Jud. 3:24; 6:39; 10:15; 16:28 • ISh. 1:23; 12:24; 21:5 • IISh. 23:10 • IIK. 18:20 • Is. 36:5; 45:14; 63:8 • Jer. 32:30² • Ps. 23:6; 37:8; 139:11 • Prov. 11:23, 24; 14:23; 21:5; 22:16

אַךְ (ב) 38 אַךְ־בָּשָׂר בְּנַפְשׁוֹ דָמוֹ... Gen. 9:4
39 בַּת־אָבִי הִוא אַךְ לֹא בַת־אִמִּי Gen. 20:12
40 אַךְ אִם־אַתָּה לוּ שְׁמָעֵנִי Gen. 23:13
41 אַךְ בַּיּוֹם הָרִאשׁוֹן תַּשְׁבִּיתוּ Ex. 12:15
42 אַךְ אֶת־זֶה לֹא תֹאכְלוּ Lev. 11:4
43 אַךְ בַּייָ אַל־תִּמְרֹדוּ Num. 14:9
44 אַךְ אַל־תָּסוּרוּ מֵאַחֲרֵי יְיָ ISh. 12:20
45 אַךְ הַבָּמוֹת לֹא־סָרוּ IK. 22:44
46 אַךְ מִשְׁפָּטִים אֲדַבֵּר אוֹתָךְ Jer. 12:1
47 אַךְ שְׁמַע־נָא הַדָּבָר הַזֶּה Jer. 28:7
48 אַךְ אֹתְךָ לֹא־אֶעֱשֶׂה כָלָה Jer. 30:11
49 אַךְ אֶת־נַפְשׁוֹ שְׁמֹר Job 2:6
50-97 אַךְ (ב) Ex. 21:21 • Lev. 11:21, 36; 21:23; 23:27, 39; 27:26, 28 • Num. 1:49; 18:3, 15, 17; 26:55; 31:22, 23; 36:6 • Deut. 12:22; 14:7; 18:20 • Josh. 3:4 • ISh. 8:9; 16:6; 20:39; 29:9 • IISh. 2:10; 3:13 • IK. 9:24; 11:12, 39; 17:13 • IIK. 12:14; 13:6; 22:7; 23:9, 26, 35; 24:3 • Jer. 5:5; 10:24; 26:15, 24; 34:4 • Ezek. 46:17 • Job 13:15, 20 • Ez. 10:15 • IICh. 20:33; 30:11

אַךְ (ג) 98 אַךְ יָצֹא יָצָא יַעֲקֹב...וְעֵשָׂו...בָּא Gen. 27:30
99 אַךְ הָקֵם הֵקִימוּ אֶת־הַשֹּׁמְרִים וַיִּתְקְעוּ בַּשּׁוֹפָרוֹת Jud. 7:19

אַךְ (ד) 100 אַךְ הִנֵּה אִשְׁתְּךָ הִוא Gen. 26:9
101 אַךְ עַצְמִי וּבְשָׂרִי אָתָּה Gen. 29:14
102 וָאֹמַר אַךְ טָרֹף טֹרָף Gen. 44:28
103 אַךְ אֶת־שַׁבְּתֹתַי תִּשְׁמֹרוּ Ex. 31:13
104 אַךְ אֶל־שְׁאוֹל תּוּרָד Is. 14:15
105 אַךְ שָׁב אַפּוֹ מִמֶּנִּי Jer. 2:35
106 אַךְ זֶה חֳלִי וְאֶשָּׂאֶנּוּ Jer. 10:19
107 אַךְ־שֶׁקֶר נָחֲלוּ אֲבוֹתֵינוּ Jer. 16:19
108 אַךְ־כָּל־הֶבֶל כָּל־אָדָם... Ps. 39:6
109 אַךְ־הֶבֶל יֶהֱמָיוּן Ps. 39:7
110 אַךְ־אֱלֹהִים יִפְדֶּה נַפְשִׁי Ps. 49:16
111 אַךְ טוֹב לְיִשְׂרָאֵל... Ps. 73:1
112 אַךְ זֶה הַיּוֹם שֶׁקִּוִּינֻהוּ Lam. 2:16
113 אַךְ יִתֶּן־לְךָ יְיָ שֶׂכֶל ICh. 22:12(11)
114-158 אַךְ (ד) Jud. 20:39 • ISh. 18:17; 25:21 • IK. 22:32 • IIK. 5:7 • Is. 19:11; 34:14, 15; 43:24;

אַךְ (ד) (המשך) 45:24 • Jer. 3:13 • Hosh. 4:4; 12:9, 12 • Jon. 2:5 • Zep. 1:18; 3:7 • Zech. 1:6 • Ps. 39:7, 12; 58:12²; 62:2, 3, 5, 6, 7, 10; 68:7, 22; 73:13; 73:18; 75:9; 85:10; 140:14 • Prov. 17:11 • Job 14:22; 16:7; 18:21; 19:13; 23:6; 30:24; 33:8; 35:13 • Lam. 3:3

וְאַךְ (א) 159 וְאַךְ אֶת־דִּמְכֶם לְנַפְשֹׁתֵיכֶם Gen. 9:5
160 וְאַךְ אֶת־הַדָּבָר אֲשֶׁר־אֲדַבֵּר Num. 22:20
161 וְאַךְ אִם־טְמֵאָה אֶרֶץ אֲחֻזַּתְכֶם Josh. 22:19

אַכַּד

שֵׁם עיר בארץ שנער
אַכַּד 1 בָּבֶל וְאֶרֶךְ וְאַכַּד...בְּאֶרֶץ שִׁנְעָר Gen. 10:10

אַכְזָב

ז׳ דבר כוזב
אַכְזָב 1 תִהְיֶה...כְּמוֹ אַכְזָב מַיִם לֹא נֶאֱמָנוּ Jer. 15:18
לְאַכְזָב 2 בָּתֵּי אַכְזִיב לְאַכְזָב לְמַלְכֵי יִשְׂרָאֵל Mic. 1:14

אַכְזִיב

א) עיר בנחלת אשר: 1
ב) עיר בנחלת יהודה בסביבות עדולם: 2–4
אַכְזִיב 1 אֲשֶׁר לֹא הוֹרִישׁ... וְאֶת־אַכְזִיב Jud. 1:31
2 בָּתֵּי אַכְזִיב לְאַכְזָב לְמַלְכֵי יִשְׂרָאֵל Mic. 1:14
וְאַכְזִיב 3 וּקְעִילָה וְאַכְזִיב וּמָרֵאשָׁה Josh. 15:44
אַכְזִיבָה 4 תֹּצְאֹתָיו הַיָּמָּה מֵחֶבֶל אַכְזִיבָה Josh. 19:29

אַכְזָר

ת׳ א) חֲסַר רחמים, קשה: 1, 3, 4
ב) אמיץ, נטול־פחד: 2
אַכְזָר 1 חֲמַת תַּנִּינִם.. וְרֹאשׁ פְּתָנִים אַכְזָר Deut. 32:33
2 לֹא־אַכְזָר כִּי יְעוּרֶנּוּ Job 41:2
לְאַכְזָר 3 תֵּהָפֵךְ לְאַכְזָר לִי Job 30:21
4 בַּת־עַמִּי לְאַכְזָר כַּיְעֵנִים בַּמִּדְבָּר Lam. 4:3

אַכְזָרִי

ת״ז א) אכזר, קשה ביותר: 1–5, 7–8
ב) אכזריות: 6
יוֹם אַכְזָרִי 1; מוּסַר א׳ 3; מַלְאָךְ א׳ 7
אַכְזָרִי 1 יוֹם־יְיָ בָּא אַכְזָרִי וְעֶבְרָה וַחֲרוֹן אָף Is. 13:9
2 אַכְזָרִי הוּא וְלֹא יְרַחֵמוּ Jer. 6:23
3 מַכַּת אוֹיֵב הִכִּיתִיךְ מוּסַר אַכְזָרִי Jer. 30:14
4 אַכְזָרִי הֵמָּה וְלֹא יְרַחֵמוּ Jer. 50:42
5 וְעֹכֵר שְׁאֵרוֹ אַכְזָרִי Prov. 11:17
6 וְרַחֲמֵי רְשָׁעִים אַכְזָרִי Prov. 12:10
7 וּמַלְאָךְ אַכְזָרִי יְשֻׁלַּח־בּוֹ Prov. 17:11
לְאַכְזָרִי 8 ...לַאֲחֵרִים הוֹדֶךָ וּשְׁנֹתֶיךָ לְאַכְזָרִי Prov. 5:9

אַכְזְרִיּוּת

נ׳ חוסר רחמים, קשיחות לב
אַכְזְרִיּוּת־ 1 אַכְזְרִיּוּת חֵמָה וְשֶׁטֶף אָף Prov. 27:4

אֲכִילָה

נ׳ לעיסת מזון ובליעתו
הָאֲכִילָה 1 וַיֵּלֶךְ בְּכֹחַ הָאֲכִילָה הַהִיא.. IK. 19:8

אָכִישׁ

שפ״ז – מלך פלשתים בגת
אָכִישׁ 1 וַיָּבֹא אֶל־אָכִישׁ מֶלֶךְ גַּת ISh. 21:11
2 וַיֹּאמְרוּ עַבְדֵי אָכִישׁ אֵלָיו ISh. 21:12
3 וַיֵּשֶׁב דָּוִד עִם־אָכִישׁ בְּגַת ISh. 27:3
4-21 אָכִישׁ ISh. 21:13, 15; 27:2, 5; 27:6, 9, 10, 12; 28:1, 2²; 29:2, 3, 6, 8, 9 • IK. 2:39, 40

אכל:

אָכַל, נֶאֱכַל, אֻכַּל, הֶאֱכִיל; אר׳ אֲכַל; אֹכֶל, אוֹכִיל, אֲכִילָה, אָכְלָה, מַאֲכָל, מַאֲכֶלֶת, מַאֲכֹלֶת, מַכֹּלֶת

אָכַל

פ׳ א) לעס מזון ובלעו – רוב המקראות
ב) [בהשאלה] כִּלָּה, השמיד – ראה להלן הצרופים עם "אֵשׁ", "חֶרֶב" וכד׳
ג) תפס מקום: 646
ד) [נפ׳ נֶאֱכַל] היה למאכל: 739–783
ה) [פֻּ׳ אֻכַּל] נאכל [בהשאלה] נשרף, נשמד: 784–788
ו) [הפ׳ הֶאֱכִיל] נתן לאכול: 789–807

אָכַל (אֶת־) רב המקראות; אָ׳ בְּ־ 28, 329, 397; אָ׳ לְ־ 311; אָ׳ מִן־ 1, 15, 19, 34, 81, 86, 87, 89, 90, 93, 103, 105, 107, 122, 207, 215, 265, 268, 278, 280, 336, 347, 348, 377, 440, 450, 498, 506, 554, 562-564, 661, 667/8, 724, 739, 743; אָ׳ וְשָׁתָה 7, 8, 9, 35-42, 91-92, 123, 127, 210, 300-302, 304-306, 379, 453, 455, 458, 476, 477, 660, 665, 666, 669, 710, 717, 725, 726; אָ׳ דָּם 18, 588; אָ׳ עַל־ (אֶל־) הַדָּם 26, 27; אָ׳ חֶמְאָה 401; אָ׳ עַל שֻׁלְחָנוֹ 269–270; אוֹכֵל שֻׁלְחָנוֹ 314, 320, 321; אָכְלָה אֵשׁ 20, 21, 163, 169–174, 176–179, 181–183, 185–198, 200, 201, 204, 205, 288–292, 493, 507, 508, 510, 512, 513–525, 527–532, 534, 535, 538, 539, 542–544, 546, 547, 549; אָכְלָה הָאָרֶץ 180, 293; אָ׳ חֶרֶב 164, 166, 168, 184, 287, 495–497, 499, 541; אֵשׁ אוֹכְלָה (אוֹכֵלָה, אוֹכֶלֶת) 285-286, 289, 290, 291, 292, 295; אֲכָלוֹ חֹרֶב 157; אֲכָלוֹ עָשׁ 160; נֶאֱכַל בָּאֵשׁ, 773–776; אֻכַּל בָּאֵשׁ 785–787; אֻכַּל חֶרֶב 788; הֶאֱכִילוֹ לַעֲנָה 795

אָכוֹל 1 מִכֹּל עֵץ־הַגָּן אָכֹל תֹּאכֵל Gen. 2:16
2 וַיֹּאכַל גַּם־אָכוֹל אֶת־כַּסְפֵּנוּ Gen. 31:15
3 אָכוֹל תֹּאכְלוּ אֹתָהּ בַּקֹּדֶשׁ Lev. 10:18
4 לוּא אָכֹל אָכַל הַיּוֹם הָעָם... ISh. 14:30
5 כִּי כֹה אָמַר יְיָ אָכוֹל וְהוֹתֵר IIK. 4:43
6 אָכוֹל הַשָּׁנָה סָפִיחַ IIK. 19:29
7 עָרֹךְ הַשֻּׁלְחָן... אָכוֹל שָׁתֹה Is. 21:5
8 אָכֹל בָּשָׂר וְשָׁתוֹת יָיִן Is. 22:13
9 אָכוֹל וְשָׁתוֹ כִּי מָחָר נָמוּת Is. 22:13
10 אָכוֹל הַשָּׁנָה סָפִיחַ Is. 37:30
11 וַאֲכַלְתֶּם אָכוֹל וְשָׂבוֹעַ Joel 2:26
12 אָכוֹל וְאֵין־לְשָׂבְעָה Hag. 1:6
13 אָכֹל דְּבַשׁ הַרְבּוֹת לֹא־טוֹב Prov. 25:27
14 אָכוֹל וְשָׂבוֹעַ וְהוֹתֵר עַד־לָרוֹב IICh. 31:10
הֶאָכוֹל 15 הֶאָכוֹל אָכַלְנוּ מִן־הַמֶּלֶךְ IISh. 19:43
וְאָכוֹל 16 וְאָכֹל לֹא תֹאכְלֻהוּ Lev. 7:24
17 וַיֵּלֶךְ הָלוֹךְ וְאָכֹל Jud. 14:9
אֲכֹל 18 רַק חֲזַק לְבִלְתִּי אֲכֹל הַדָּם Deut. 12:23
אֲכָל־ 19 אֲשֶׁר צִוִּיתִיךָ לְבִלְתִּי אֲכָל־מִמֶּנּוּ Gen. 3:11
בַּאֲכֹל 20 בַּאֲכֹל הָאֵשׁ אֵת חֲמִשִּׁים... אִישׁ Num. 26:10
כֶּאֱכֹל 21 לָכֵן כֶּאֱכֹל קַשׁ לְשׁוֹן אֵשׁ Is. 5:24
לֶאֱכֹל 22 וַיּוּשַׂם לְפָנָיו לֶאֱכֹל Gen. 24:33
23 וְנָתַן־לִי לֶחֶם לֶאֱכֹל Gen. 28:20
24 וַיְהִי כַּאֲשֶׁר כִּלּוּ לֶאֱכֹל Gen. 43:2
25 סְפָחֵנִי נָא... לֶאֱכֹל פַּת־לָחֶם ISh. 2:36
26 חֹטְאִים לַייָ לֶאֱכֹל עַל־הַדָּם ISh. 14:33
27 וְלֹא־תֶחֶטְאוּ לַייָ לֶאֱכֹל אֶל־הַדָּם ISh. 14:34
28 וַיֶּרֶב הַיַּעַר לֶאֱכֹל בָּעָם IISh. 18:8
29 לֶאֱכֹל לְשָׂבְעָה וְלִמְכַסֶּה עָתִיק Is. 23:18
30 לֶאֱכֹל וּלְהַשְׁחִית Jer. 15:3
31 יָעֻפוּ כְּנֶשֶׁר חָשׁ לֶאֱכוֹל Hab. 1:8
32 כְּמוֹ־לֶאֱכֹל עָנִי בַּמִּסְתָּר Hab. 3:14
33 בִּקְרֹב.. מְרֵעִים לֶאֱכֹל אֶת־בְּשָׂרִי Ps. 27:2
34 לֶאֱכֹל עֲנִיִּים מֵאֶרֶץ Prov. 30:14
35-41 לֶאֱכֹל וְלִשְׁתּוֹת IISh. 11:11 • IK. 18:42 • Jer. 16:8 • Job 1:4 • Ruth 3:3 • Eccl. 8:15 • Neh. 8:12
42 לֶאֱכוֹל וְלִשְׁתּוֹת Eccl. 5:17
43-62 לֶאֱכֹל Gen. 43:32 • Ex. 16:8; 32:6 • Lev. 25:7 • Deut. 12:17, 20; 31:17 • ISh. 9:13 • IISh. 13:11 • IK. 1:41 • IIK. 4:40; 18:27 • Is. 36:12; 56:9 • Jer. 2:7 • Ps. 59:16 • Job 34:3; 78:24 • Eccl. 6:2 • Neh. 9:36

לֶאֱכוֹל 72-63 לֶאֱכוֹל ISh. 20:5, 24
IISh. 13:9; 16:2; 17:29 • IIK. 4:40 • Ezek. 16:20 •
Am. 7:2 • Mic. 7:1 • IICh. 7:13
לֶאֱכָל־ 78-73 לֶאֱכָל־לֶחֶם Gen. 31:54; 37:25 • Ex. 18:12
• IIK. 4:8² • Ezek. 44:3
וְלֶאֱכֹל 79 וּלְאָכְלְכֶם... וְלֶאֱכֹל לְטַפְּכֶם Gen. 47:24
מֵאֲכֹל 80 כִּי־שָׁכַחְתִּי מֵאֲכֹל לַחְמִי Ps. 102:5
אֲכָלְךָ 81 בְּיוֹם אֲכָלְךָ מִמֶּנּוּ מוֹת תָּמוּת Gen. 2:17
אָכְלוֹ 82 וַיְהִי אַחֲרֵי אָכְלוֹ לֶחֶם... IK. 13:23
לְאָכְלוֹ 83 לַחַיָּה נְתַתִּיו לְאָכְלוֹ Ezek. 33:27
אָכְלָה 84 וַתָּקָם חַנָּה אַחֲרֵי אָכְלָה בְשִׁלֹה ISh. 1:9
בְּאָכְלֵנוּ 85 בְּאָכְלֵנוּ לֶחֶם לָשֹׂבַע Ex. 16:3
אֲכָלְכֶם 86 כִּי בְּיוֹם אֲכָלְכֶם מִמֶּנּוּ... Gen. 3:5
בַּאֲכָלְכֶם 87 וְהָיָה בַּאֲכָלְכֶם מִלֶּחֶם הָאָרֶץ Num. 15:19
בְּאָכְלָם 88 בְּאָכְלָם אֶת־קָדְשֵׁיהֶם Lev. 22:16
89 בְּאָכְלָם מֵעֲבוּר הָאָרֶץ Josh. 5:12
כְּאָכְלָם 90 וַיְהִי כְּאָכְלָם מֵהַנָּזִיד IIK. 4:40
אָכַלְתִּי 91/2 לֶחֶם לֹא אָכַלְתִּי וּמַיִם לֹא שָׁתִיתִי Deut. 9:9,18
93 לֹא־אָכַלְתִּי בְאֹנִי מִמֶּנּוּ Deut. 26:14
94 וּנְבֵלָה וּטְרֵפָה לֹא־אָכַלְתִּי Ezek. 4:14
95 אִם־כֹּחָהּ אָכַלְתִּי בְלִי־כָסֶף Job 31:39
96 אָכַלְתִּי יַעְרִי עִם־דִּבְשִׁי S.ofS. 5:1
97 לֶחֶם חֲמֻדוֹת לֹא אָכַלְתִּי Dan. 10:3
98 לֶחֶם הַפֶּחָה לֹא אָכַלְתִּי Neh. 5:14
אָכָלְתִּי 99 וְאֵילֵי צֹאנְךָ לֹא אָכָלְתִּי Gen. 31:38
100 כִּי־אֵפֶר כַּלֶּחֶם אָכָלְתִּי Ps. 102:10
וְאָכַלְתִּי 101 ...וְאָכַלְתִּי חַטָּאת הַיּוֹם Lev. 10:19
102 אֹכֶל בַּכֶּסֶף תַּשְׁבִּרֵנִי וְאָכַלְתִּי Deut. 2:28
103 לְמַעַן אֲשֶׁר אֶרְאֶה וְאָכַלְתִּי מִיָּדָהּ IISh. 13:5
אָכַלְתָּ 104 פִּתְּךָ־אָכַלְתָּ תְקִיאֶנָּה Prov. 23:8
אָכָלְתָּ 105 הֲמִן־הָעֵץ... אָכָלְתָּ Gen. 3:11
וְאָכַלְתָּ 106 וְאָכַלְתָּ אֶת־עֵשֶׂב הַשָּׂדֶה Gen. 3:18
107 וְקָרָא לְךָ וְאָכַלְתָּ מִזִּבְחוֹ Ex. 34:15
110-108 וְאָכַלְתָּ וְשָׂבָעְתָּ Deut. 6:11; 8:10; 11:15
111 וְאָכַלְתָּ אֶת־כָּל־הָעַמִּים Deut. 7:16
120-112 וְאָכַלְתָּ Deut. 12:15,21; 14:23,26; 16:7;
20:14; 23:25; 27:7; 28:53
אָכָלְתְּ 121 וּדְבַשׁ וָשֶׁמֶן אָכָלְתְּ (כת׳ אכלתי) Ezek. 16:13
וְאָכַלְתְּ 122 וְאָכַלְתְּ מִן־הַלֶּחֶם Ruth 2:14
אָכַל 123 לֶחֶם לֹא אָכַל וּמַיִם לֹא שָׁתָה Ex. 34:28
124 וְלֹא־אָכַל בְּיוֹם־הַחֹדֶשׁ הַשֵּׁנִי ISh. 20:34
125/6 לֹא(־)אָכַל לֶחֶם ISh. 28:20; 30:12
127 אָבִיךָ הֲלוֹא אָכַל וְשָׁתָה Jer. 22:15
128 יֶתֶר הַגָּזָם אָכַל הָאַרְבֶּה Joel 1:4
129 כִּי אָכַל אֶת־יַעֲקֹב... Ps. 79:7
140-130 אָכַל ISh. 14:30
IK. 13:28; 21:4 • Ezek. 18:11 • Joel 1:4²; 2:25 • Ps.
78:25 • Job 21:25; 31:17 • Ez. 10:6
אָכָל 141 אֶל־הֶהָרִים לֹא אָכָל Ezek. 18:6
142 עַל־הֶהָרִים לֹא אָכָל Ezek. 18:15
143/4 וַיִּלְמַד לִטְרָף־טֶרֶף אָדָם אָכָל Ezek. 19:3,6
וְאָכַל 145 וְלָקַח... וְאָכַל וָחַי לְעֹלָם Gen. 3:22
146 וְאָכַל הָעוֹף אֶת־בְּשָׂרְךָ Gen. 40:19
147 וְאָכַל אֶת־יֶתֶר הַפְּלֵטָה Ex. 10:5
148 וְאָכַל וְשָׂבַע וְדָשֵׁן Deut. 31:20
155-149 וְאָכַל Ex. 10:5; 29:32 • Lev. 7:21 •
Deut. 28:51 • IIK. 25:29 • Jer. 5:17; 52:33
וְאָכָל 156 וְהֵבֵאתָ לְאָבִיךָ וְאָכָל Gen. 27:10
אֲכָלַנִי 157 הָיִיתִי בַיּוֹם אֲכָלַנִי חֹרֶב Gen. 31:40
158 אֲכָלַנִי (כת׳ אכלנו) הֲמָמַנִי Jer. 51:34
אֲכָלוֹ 159 הָרִאשׁוֹן אֲכָלוֹ מֶלֶךְ אַשּׁוּר Jer. 50:17
160 כְּבֶגֶד אֲכָלוֹ עָשׁ Job 13:28

וַאֲכָלוֹ 161 וְהָיָה לְבֶן־אֲדֹנֶיךָ לֶחֶם וַאֲכָלוֹ IISh. 9:10
וַאֲכָלָהּ 162 לַגֵּר... תִּתְּנֶנָּה וַאֲכָלָהּ Deut. 14:21
אָכְלָה 163 אֵשׁ יָצְאָה... אָכְלָה עָר מוֹאָב Num. 21:28
164 ...מֵאֲשֶׁר אָכְלָה הַחֶרֶב IISh. 18:8
165 עַל־כֵּן אָלָה אָכְלָה אֶרֶץ Is. 24:6
166 אָכְלָה חַרְבְּכֶם נְבִיאֵיכֶם Jer. 2:30
167 וְהַבֹּשֶׁת אָכְלָה אֶת־יְגִיעַ אֲבוֹתֵינוּ Jer. 3:24
168 כִּי־אָכְלָה חֶרֶב סְבִיבֶיךָ Jer. 46:14
169 אֵת שְׁנֵי קְצוֹתָיו אָכְלָה הָאֵשׁ Ezek. 15:4
170 כִּי־אֵשׁ אָכְלָה נְאוֹת מִדְבָּר Joel 1:19
171 וְאֵשׁ אָכְלָה נְאוֹת הַמִּדְבָּר Joel 1:20
172 לְפָנָיו אָכְלָה אֵשׁ וְאַחֲרָיו... לֶהָבָה Joel 2:3
173 אָכְלָה אֵשׁ בְּרִיחָיִךְ Nah. 3:13
174 בַּחוּרָיו אָכְלָה־אֵשׁ Ps. 78:63
175 אָכְלָה וּמָחֲתָה פִיהָ Prov. 30:20
176 וְאֵשׁ אָכְלָה אָהֳלֵי־שֹׁחַד Job 15:34
177 וְיִתְרָם אָכְלָה אֵשׁ Job 22:20
178 כְּאֵשׁ לֶהָבָה אָכְלָה סָבִיב Lam. 2:3
אָכָלָה 179 וַתֵּצֵא אֵשׁ... פִּרְיָהּ אָכָלָה Ezek. 19:14
וְאָכְלָה 180 וְאָכְלָה אֶתְכֶם אֶרֶץ אֹיְבֵיכֶם Lev. 26:38
181 וְאָכְלָה שִׁיתוֹ וּשְׁמִירוֹ Is. 10:17
182 וְאָכְלָה אַרְמְנוֹת יְרוּשָׁלִָם Jer. 17:27
183 וְאָכְלָה כָּל־סְבִיבֶיהָ Jer. 21:14
184 וְאָכְלָה חֶרֶב וְשָׂבְעָה Jer. 46:10
185 וְאָכְלָה וְאֵין־מְכַבֶּה Am. 5:6
186 וְאָכְלָה אֶת־הַחֵלֶק Am. 7:4
197-187 וְאָכְלָה Jer. 49:27; 50:32 • Ezek. 21:3 •
Hosh. 8:14 • Am. 1:4,7,10,12,14; 2:2,5
וְאָכָלָה 198 וְכִלְּתָה בַדָּיו וְאָכָלָה Hosh. 11:6
אֲכָלָתְנִי 199 כִּי־קִנְאַת בֵּיתְךָ אֲכָלָתְנִי Ps. 69:10
אֲכָלַתְךְ 200 וָאוֹצִא־אֵשׁ מִתּוֹכֵךְ הִיא אֲכָלַתְךְ Ezek. 28:18
אֲכָלַתְהוּ 201 אַף כִּי־אֵשׁ אֲכָלַתְהוּ וַיֵּחָר Ezek. 15:5
אֲכָלָתְהוּ 202/3 חַיָּה רָעָה אֲכָלָתְהוּ Gen. 37:20,33
204 מַטֵּה עֻזָּהּ אֵשׁ אֲכָלָתְהוּ Ezek. 19:12
אֲכָלָתַם 205 ...וְהָעָם הַזֶּה עֵצִים וַאֲכָלָתַם Jer. 5:14
וַאֲכָלָתַם 206 וַאֲכָלָתַם חַיַּת הַשָּׂדֶה Hosh. 2:14
אָכַלְנוּ 207 הֶאָכוֹל אָכַלְנוּ מִן־הַמֶּלֶךְ IISh. 19:43
וַאֲכַלְנֻהוּ 208 וַעֲשִׂיתִיהוּ... וַאֲכַלְנֻהוּ וָמָתְנוּ IK. 17:12
אֲכַלְתֶּם 209 מַדּוּעַ לֹא־אֲכַלְתֶּם...בִּמְקוֹם הַקֹּדֶשׁ Lev. 10:17
210 לֶחֶם לֹא אֲכַלְתֶּם... לֹא שְׁתִיתֶם Deut. 29:5
211 אֲכַלְתֶּם פְּרִי־כָחַשׁ Hosh. 10:13
וַאֲכַלְתֶּם 212 וַאֲכַלְתֶּם אֹתוֹ בְּחִפָּזוֹן Ex. 12:11
213 וַאֲכַלְתֶּם אֹתָהּ בְּמָקוֹם קָדוֹשׁ Lev. 10:13
214 וַאֲכַלְתֶּם לָשֹׂבַע Lev. 25:19
215 וַאֲכַלְתֶּם מִן־הַתְּבוּאָה Lev. 25:22
216 וַאֲכַלְתֶּם לַחְמְכֶם לָשֹׂבַע Lev. 26:5
217 וַאֲכַלְתֶּם יָשָׁן נוֹשָׁן Lev. 26:10
218 וַאֲכַלְתֶּם וְלֹא תִשְׂבָּעוּ Lev. 26:26
219 וַאֲכַלְתֶּם אֶת־טוּב הָאָרֶץ Ez. 9:12
230-220 וַאֲכַלְתֶּם Lev. 26:29 • Num. 11:18²
18:31 • Deut. 2:6; 12:7 • ISh. 9:19; 14:34 • Ezek.
39:17, 19 • Joel 2:26
אָכְלוּ 231 רַק אֲשֶׁר אָכְלוּ הַנְּעָרִים Gen. 14:24
232 וּבְנֵי יִשְׂרָאֵל אָכְלוּ אֶת־הַמָּן Ex. 16:35
233 אֶת־הַמָּן אָכְלוּ עַד־בֹּאָם... Ex. 16:35
234 כִּי אִם־אָכְלוּ מַצּוֹת IIK. 23:9
235 כִּי־אָכְלוּ אֶת־יַעֲקֹב Jer. 10:25
236 אָבוֹת אָכְלוּ בֹסֶר... Jer. 31:29(28)
237 וְאֶל־הֶהָרִים אָכְלוּ בָךְ Ezek. 22:9
238 אָכְלוּ זָרִים כֹּחוֹ Hosh. 7:9
239 וַאֲשֶׁר אָכְלוּ שְׁאֵר עַמִּי Mic. 3:3
240/1 אֹכְלֵי עַמִּי אָכְלוּ לֶחֶם Ps. 14:4; 53:5

242 אָכְלוּ וַיִּשְׁתַּחֲווּ כָּל־דִּשְׁנֵי־אֶרֶץ Ps. 22:30
243 אָכְלוּ אֶת־הַפֶּסַח בְּלֹא כַכָּתוּב IICh. 30:18
אָכָלוּ 244 נֶפֶשׁ אָכָלוּ חֹסֶן וִיקָר יִקָּחוּ Ezek. 22:25
וְאָכְלוּ 245 וְאָכְלוּ אֶת־חֻקָּם Gen. 47:22
246 וְאָכְלוּ אֶת־הַבָּשָׂר בַּלַּיְלָה הַזֶּה Ex. 12:8
247 וְאָכְלוּ אֶבְיֹנֵי עַמֶּךָ Ex. 23:11
248 וְאָכְלוּ אֹתָם אֲשֶׁר כֻּפַּר בָּהֶם Ex. 29:33
249 וְאָכְלוּ חֹדֶשׁ יָמִים Num. 11:21
250 וּבָא הַלֵּוִי... וְאָכְלוּ וְשָׂבֵעוּ Deut. 14:29
251 וְאָכְלוּ בִשְׁעָרֶיךָ וְשָׂבֵעוּ Deut. 26:12
252 וְנָטְעוּ כְרָמִים וְאָכְלוּ פִּרְיָם Is. 65:21
253 וְאָכְלוּ־לֶחֶם בְּמִשְׁקָל Ezek. 4:16
254 וְאָכְלוּ וְלֹא יִשְׂבָּעוּ Hosh. 4:10
255 וְאָכְלוּ אֶת־שֹׁפְטֵיהֶם Hosh. 7:7
256 וְאָכְלוּ אֶת־פְּרִיהֶם Am. 9:14
257 וְאָכְלוּ וְכָבְשׁוּ אַבְנֵי־קֶלַע Zech. 9:15
258 וְאָכְלוּ עַל־יָמִין וְעַל־שְׂמֹאול Zech. 12:6
וַאֲכָלֻהוּ 259 וַאֲכָלֻהוּ בְּמָקוֹם קָדֹשׁ Lev. 24:9
260 וּזְרַעְתֶּם... וַאֲכָלֻהוּ אֹיְבֵיכֶם Lev. 26:16
261 ...אֶת־יַעֲקֹב וַאֲכָלֻהוּ וַיְכַלֻּהוּ Jer. 10:25
אֲכָלוּם 262 כָּל־מוֹצְאֵיהֶם אֲכָלוּם Jer. 50:7
וַאֲכָלוּם 263 וְדָלְקוּ בָהֶם וַאֲכָלוּם Ob. 18
אוֹכֵל 264 הַלֶּחֶם אֲשֶׁר־הוּא אוֹכֵל Gen. 39:6
265 וְהָעוֹף אֹכֵל אֹתָם מִן־הַסַּל Gen. 40:17
266 כָּל־אֹכֵל חָמֵץ וְנִכְרְתָה הַנֶּפֶשׁ Ex. 12:15
267 כָּל־אֹכֵל מַחְמֶצֶת וְנִכְרְתָה הַנֶּפֶשׁ Ex. 12:19
268 כָּל־אֹכֵל חֵלֶב מִן־הַבְּהֵמָה... Lev. 7:25
269 וּמְפִיבֹשֶׁת אֹכֵל עַל־שֻׁלְחָנִי IISh. 9:11
270 עַל־שֻׁלְחַן הַמֶּלֶךְ תָּמִיד הוּא אֹכֵל IISh. 9:13
271 מַה־זֶּה רוּחֵךְ סָרָה וְאֵינָךְ אֹכֵל לָחֶם IK. 21:5
272 כַּאֲשֶׁר יַחֲלֹם הָרָעֵב וְהִנֵּה אוֹכֵל Is. 29:8
273 אוֹכֵל לַחְמִי הִגְדִּיל עָלַי עָקֵב Ps. 41:10
274 בְּתַבְנִית שׁוֹר אֹכֵל עֵשֶׂב Ps. 106:20
275 צַדִּיק אֹכֵל לְשֹׂבַע נַפְשׁוֹ Prov. 13:25
276 אִם־יִנּוֹעוּ וְנָפְלוּ עַל־פִּי אוֹכֵל Nah. 3:12
וְאֹכֵל 277 הַכְּסִיל חֹבֵק... וְאֹכֵל אֶת־בְּשָׂרוֹ Eccl. 4:5
הָאֹכֵל 278 הָאֹכֵל מִבֵּיצֵיהֶם יָמוּת Is. 59:5
279 הָאֹכֵל הַבֹּסֶר תִּקְהֶינָה שִׁנָּיו Jer. 31:30(29)
וְהָאֹכֵל 280 וְהָאֹכֵל מִנִּבְלָתָהּ יְכַבֵּס בְּגָדָיו Lev. 11:40
281 וְהָאֹכֵל בַּבַּיִת יְכַבֵּס אֶת־בְּגָדָיו Lev. 14:47
מֵהָאֹכֵל 282 מֵהָאֹכֵל יָצָא מַאֲכָל Jud. 14:14
בָּאֹכֵל 283 וְגָעַרְתִּי לָכֶם בָּאֹכֵל Mal. 3:11
לָאֹכֵל 284 וְנָתַן זֶרַע לַזֹּרֵעַ וְלֶחֶם לָאֹכֵל Is. 55:10
אֹכְלָה 285/6 אֵשׁ אֹכְלָה הוּא Deut. 4:24; 9:3
287 חֶרֶב לַייָ אֹכְלָה מִקְצֵה־אֶרֶץ Jer. 12:12
288 כְּקוֹל לַהַב אֵשׁ אֹכְלָה קָשׁ Joel 2:5
אוֹכֵלָה 290-289 וְלַהַב אֵשׁ אוֹכֵלָה Is. 29:6; 30:30
291 מִי יָגוּר לָנוּ אֵשׁ אוֹכֵלָה Is. 33:14
אֹכֶלֶת 292 כְּאֵשׁ אֹכֶלֶת בְּרֹאשׁ הָהָר Ex. 24:17
293 אֶרֶץ אֹכֶלֶת יוֹשְׁבֶיהָ הִוא Num. 13:32
294 אֹכֶלֶת אָדָם אָתְּ Ezek. 36:13
אֹכָלֶת 295 וּלְשׁוֹנוֹ כְּאֵשׁ אֹכָלֶת Is. 30:27
הָאֹכֶלֶת 296 וְהַנֶּפֶשׁ הָאֹכֶלֶת מִמֶּנּוּ... Lev. 7:18
297 וְנִכְרְתָה הַנֶּפֶשׁ הָאֹכֶלֶת מֵעַמֶּיהָ Lev. 7:25
298 ...בַּנֶּפֶשׁ הָאֹכֶלֶת אֶת־הַדָּם Lev. 17:10
אֹכְלִים 299 אֲשֶׁר לֹא־נְטַעְתֶּם אַתֶּם אֹכְלִים Josh. 24:13
300 אֹכְלִים וְשֹׁתִים וְחֹגְגִים ISh. 30:16
301 וְהִנָּם אֹכְלִים וְשֹׁתִים לְפָנָיו IK. 1:25
302 אֹכְלִים וְשֹׁתִים וּשְׂמֵחִים IK. 4:20
303 אַדְמַתְכֶם... זָרִים אֹכְלִים אֹתָהּ Is. 1:7
304/5 אֹכְלִים וְשֹׁתִים יַיִן Job 1:13,18
306 יָמִים שְׁלוֹשָׁה אֹכְלִים וְשׁוֹתִים ICh. 12:40(39)

וְאוֹכְלִים 307 וְאֹכְלִים כָּרִים מִצֹּאן Am. 6:4
הָאוֹכְלִים 308 וְלַמִּצְרִים הָאֹכְלִים אִתּוֹ לְבַדָּם Gen. 43:32
309 הָאֹכְלִים בְּשַׂר הַחֲזִיר Is. 65:4
310 הֲלוֹא אַתֶּם הָאֹכְלִים... Zech. 7:6
311 הָאֹכְלִים לְמַעֲדַנִּים נָשַׁמּוּ בַּחוּצוֹת Lam. 4:5
312/3 הָאֹכְלִים אֵת פַּת־בַּג הַמֶּלֶךְ Dan. 1:13,15
אוֹכְלֵי־ 314 אֹכְלֵי שֻׁלְחַן אִיזָבֶל IK. 18:19
315 אֹכְלֵי בְּשַׂר הַחֲזִיר וְהַשֶּׁקֶץ Is. 66:17
316/7 אֹכְלֵי עַמִּי אָכְלוּ לֶחֶם Ps. 14:4; 53:5
318 אֹכְלֵי לֶחֶם הָעֲצָבִים Ps. 127:2
וְאוֹכְלֵי־ 319 וְאֹכְלֵי פַת־בָּגוֹ יִשְׁבְּרוּהוּ Dan. 11:26
בְּאוֹכְלֵי־ 320 וַתָּשֶׁת אֶת־עַבְדְּךָ בְּאֹכְלֵי שֻׁלְחָנֶךָ IISh.19:29
321 וְהָיוּ בְּאֹכְלֵי שֻׁלְחָנֶךָ IK. 2:7
אוֹכְלַיִךְ 322 לָכֵן כָּל־אֹכְלַיִךְ יֵאָכֵלוּ Jer. 30:16
אוֹכְלָיו 323 כָּל־אֹכְלָיו יִכָּרֵת Lev. 17:14
324 כָּל־אֹכְלָיו יֶאְשָׁמוּ Jer. 2:3
325 כָּל־אֹכְלָיו יִטַּמָּאוּ Hosh. 9:4
וְאוֹכְלָיו 326 וְאֹכְלָיו עֲוֹנוֹ יִשָּׂא Lev. 19:8
אוֹכְלֶיהָ 327 בִּרְבוֹת הַטּוֹבָה רַבּוּ אוֹכְלֶיהָ Eccl. 5:10
אֹכַל 328 לֹא אֹכַל עַד אִם־דִּבַּרְתִּי Gen. 24:33
329 לֹא־אֹכַל בְּלַחְמֶךָ Jud. 13:16
330 וַיְמָאֵן וַיֹּאמֶר לֹא אֹכַל ISh. 28:23
331 אִם־יִטְעַם עַבְדְּךָ אֶת־אֲשֶׁר אֹכַל IISh.19:36
332/3 וְלֹא־אֹכַל לֶחֶם IK. 13:8,16
וְאֹכַל 334 וְאֹכַל פִּתִּי לְבַדִּי Job 31:17
וְאֹכֵל 335 אֶצְלֶה בָשָׂר וְאֹכֵל Is. 44:19
וָאֹכַל 336 וָאֹכַל מִכֹּל בְּטֶרֶם תָּבוֹא Gen. 27:33
וָאֹכֵל 337 הִוא נָתְנָה־לִּי מִן־הָעֵץ וָאֹכֵל Gen. 3:12
338 הַנָּחָשׁ הִשִּׁיאַנִי וָאֹכֵל Gen. 3:13
הַאוֹכַל 339 הַאוֹכַל בְּשַׂר אַבִּירִים... Ps. 50:13
אֹכְלָה 340 וְאָמַרְתָּ אֹכְלָה בָשָׂר Deut. 12:20
וָאֹכְלָה 341 וָאֹכְלָה וַתְּהִי בְּפִי כִּדְבַשׁ לְמָתוֹק Ezek. 3:3
וְאֹכְלָה 342 הַגִּשָׁה לִּי וְאֹכְלָה מִצֵּיד בְּנִי Gen. 27:25
וְאֹכֵלָה 343 וְהָבִיאָה לִּי וְאֹכֵלָה Gen. 27:4
344 וַעֲשֵׂה־לִי מַטְעַמִּים וְאֹכֵלָה Gen. 27:7
וְאֹכְלֵם 345 וְאֶקְרַע.. לְבָם וְאֹכְלֵם שָׁם כְּלָבִיא Hosh.13:8
וָאֹכְלֵם 346 נִמְצְאוּ דְבָרֶיךָ וָאֹכְלֵם Jer. 15:16
תֹאכַל 347/8 לֹא תֹאכַל מִמֶּנּוּ Gen. 2:17; 3:17
349 וְעָפָר תֹּאכַל כָּל־יְמֵי חַיֶּיךָ Gen. 3:14
350 בְּזֵעַת אַפֶּיךָ תֹּאכַל לֶחֶם Gen. 3:19
351 שִׁבְעַת יָמִים תֹּאכַל מַצֹּת Ex. 13:6
352/3 שִׁבְעַת יָמִים תֹּאכַל מַצּוֹת Ex. 23:15; 34:18
354 לֹא בְמִסְכֵּנֻת תֹּאכַל־בָּהּ לֶחֶם Deut. 8:9
367-355 תֹּאכַל Deut. 8:12; 12:20, 23; 14:3
16:3[2], 8; 28:31 • IISh. 9:7 • IK. 13:9, 17, 22 • Mic. 6:14
תֹּאכֵל 368 מִכֹּל עֵץ־הַגָּן אָכֹל תֹּאכֵל Gen. 2:16
369 וְדָם...יִשָּׁפֵךְ...וְהַבָּשָׂר תֹּאכֵל Deut. 12:27
370 רַק אֶת־דָּמוֹ לֹא תֹאכֵל Deut. 15:23
371 כִּי מִמֶּנּוּ תֹאכֵל Deut. 20:19
372/3 הִנְּךָ רֹאֶה...וּמִשָּׁם לֹא תֹאכֵל IIK. 7:2,19
374 לַחְמְךָ בְּרַעַשׁ תֹּאכֵל Ezek. 12:18
375 וְלֶחֶם אֲנָשִׁים לֹא תֹאכֵל Ezek. 24:17
376 יְגִיעַ כַּפֶּיךָ כִּי תֹאכֵל אַשְׁרֶיךָ Ps. 128:2
וַתֹּאכַל 377 וַתֹּאכַל מִן־הָעֵץ... Gen. 3:17
378 קַמְתָּ וַתֹּאכַל לָחֶם IISh. 12:21
379 וַתֹּאכַל לֶחֶם וַתֵּשְׁתְּ מָיִם IK. 13:22
תֹּאכְלֶנּוּ 380 בְּקֹדֶשׁ הַקֳּדָשִׁים תֹּאכְלֶנּוּ Num. 18:10
381 לִפְנֵי יְיָ אֱלֹהֶיךָ תֹּאכְלֶנּוּ Deut. 12:18
382 אַךְ כַּאֲשֶׁר... כֵּן תֹּאכְלֶנּוּ Deut. 12:22
383 לֹא תֹאכְלֶנּוּ עַל־הָאָרֶץ תִּשְׁפְּכֶנּוּ Deut. 12:24
384 לֹא תֹאכְלֶנּוּ לְמַעַן יִיטַב לְךָ Deut. 12:25

385 לִפְנֵי יְיָ אֱלֹהֶיךָ תֹּאכְלֶנּוּ Deut. 15:20
386 בִּשְׁעָרֶיךָ תֹּאכְלֶנּוּ Deut. 15:22
תֹּאכְלֶנּוּ 387 שְׁלֹשׁ־מֵאוֹת וְתִשְׁעִים יוֹם תֹּאכְלֶנּוּ Ezek. 4:9
388 וּמַאֲכָלְךָ אֲשֶׁר תֹּאכְלֶנּוּ Ezek. 4:10
389 מֵעֵת עַד־עֵת תֹּאכְלֶנּוּ Ezek. 4:10
תֹּאכֲלֶנָּה 390 בְּעִצָּבוֹן תֹּאכֲלֶנָּה Gen. 3:17
תֹּאכְלֶנָּה 391 וְעֻגַת שְׂעֹרִים תֹּאכְלֶנָּה Ezek. 4:12
תֹּאכְלִי 392 וְאַל־תֹּאכְלִי כָּל־טָמֵא Jud. 13:4
393 וְאַל־תֹּאכְלִי כָּל־טֻמְאָה Jud. 13:7
394 לָמֶה תִבְכִּי וְלָמֶה לֹא תֹאכְלִי ISh. 1:8
395 אָדָם לֹא־תֹאכְלִי עוֹד Ezek. 36:14
יֹאכַל 396 בַּבֹּקֶר יֹאכַל עַד Gen. 49:27
397 כָּל־בֶּן־נֵכָר לֹא־יֹאכַל בּוֹ Ex. 12:43
398 לֹא יִשְׁכַּב עַד־יֹאכַל טֶרֶף Num. 23:24
399 יֹאכַל גּוֹיִם צָרָיו Num. 24:8
400 פְּרִי אַדְמָתְךָ וְכָל־יְגִיעֲךָ יֹאכַל Deut. 28:33
401 מֵרֹב עֲשׂוֹת חָלָב יֹאכַל חֶמְאָה Is. 7:22
402/3 וְאַרְיֵה כַּבָּקָר יֹאכַל־תֶּבֶן Is. 11:7; 65:25
404 נֹצֵר תְּאֵנָה יֹאכַל פִּרְיָהּ Prov. 27:18
436-405 יֹאכַל Ex. 12:44, 45, 48; 29:33
Lev. 6:22; 7:19; 17:10, 12; 22:4, 6, 7, 8, 10[2], 11, 13, 14
• Num. 18:10, 11 • ISh. 9:13; 14:24, 28 • IISh. 9:10 •
Jer. 5:17[2] • Am. 4:9 • Zech. 11:16 • Prov. 13:2; 18:21
• Job 18:13[2] • Eccl. 2:25
יֹאכֵל 437 וּמִן הַקֳּדָשִׁים יֹאכֵל Lev. 21:22
438 וַעֲנָבִים לַחִים וִיבֵשִׁים לֹא יֹאכֵל Num. 6:3
439 מֵחַרְצַנִּים וְעַד־זָג לֹא יֹאכֵל Num. 6:4
440 מִתֵּת... מִבְּשַׂר בָּנָיו אֲשֶׁר יֹאכֵל Deut. 28:55
441/2 חֶמְאָה וּדְבַשׁ יֹאכֵל Is. 7:15,22
443 עַל־חֶצְיוֹ בָּשָׂר יֹאכֵל Is. 44:16
444 לֹא יִטְּעוּ וְאַחֵר יֹאכֵל Is. 65:22
445 אֲשֶׁר קְצִירוֹ רָעֵב יֹאכֵל Job 5:5
446 אֶזְרְעָה וְאַחֵר יֹאכֵל Job 31:8
447 חָצִיר כַּבָּקָר יֹאכֵל Job 40:15
448 אִם־מְעַט וְאִם־הַרְבֵּה יֹאכֵל Eccl. 5:11
449 גַּם כָּל־יָמָיו בַּחֹשֶׁךְ יֹאכֵל Eccl. 5:16
וְיֹאכַל 450 יָקֻם אָבִי וְיֹאכַל מִצֵּיד בְּנוֹ Gen. 27:31
451 קִרְאֶן לוֹ וְיֹאכַל לָחֶם Ex. 2:20
452 וְיֹאכַל אֶת־כָּל־עֵשֶׂב הָאָרֶץ Ex. 10:12
453 וְיֹאכַל לֶחֶם וְיֵשְׁתְּ מָיִם IK. 13:18
454 יָבֹא דוֹדִי לְגַנּוֹ וְיֹאכַל פְּרִי מְגָדָיו S.ofS. 4:16
וַיֹּאכַל 455 וַיֹּאכַל וַיֵּשְׁתְּ וַיָּקָם וַיֵּלַךְ Gen. 25:34
456 וַיֹּאכַל גַּם־אָכוֹל אֶת־כַּסְפֵּנוּ Gen. 31:15
457 וַיֹּאכַל לֶחֶם בְּבֵיתוֹ... IK. 13:19
458 וַיֹּאכַל וַיֵּשְׁתְּ וַיָּשָׁב וַיִּשְׁכָּב IK. 19:6
470-459 וַיֹּאכַל
Ex. 10:15 • Num. 25:2
Deut. 32:13 • ISh. 9:24; 14:32 • ISh. 11:13 • IK. 19:8
• IIK. 9:34 • Is. 9:19 • Ps. 105:35[2] • Ruth 3:7
וַיֹּאכֵל 471 וַתִּתֵּן גַּם־לְאִישָׁהּ עִמָּהּ וַיֹּאכֵל Gen. 3:6
472 וַיַּגֶּשׁ־לוֹ וַיֹּאכַל Gen. 27:25
473 וַיָּשִׂימוּ לוֹ לֶחֶם וַיֹּאכַל IISh. 12:20
474/5 וַיֹּאכַל ISh. 30:11,12
שֶׁיֹּאכַל 476 אֵין־טוֹב בָּאָדָם שֶׁיֹּאכַל וְשָׁתָה Eccl. 2:24
477 וְגַם כָּל־הָאָדָם שֶׁיֹּאכַל וְשָׁתָה Eccl. 3:13
יֹאכְלֶנּוּ 478 כָּל־זָכָר בַּכֹּהֲנִים יֹאכְלֶנּוּ Lev. 7:6
479 כָּל־טָהוֹר בְּבֵיתְךָ יֹאכְלֶנּוּ Num. 18:13
480 הַטָּמֵא וְהַטָּהוֹר יֹאכְלֶנּוּ Deut. 12:15
481 הַטָּמֵא וְהַטָּהוֹר יַחְדָּו יֹאכְלֶנּוּ Deut. 12:22
יֹאכְלֶנּוּ 482 רָעָב וָדֶבֶר יֹאכְלֶנּוּ Ezek. 7:15
483 כִּי אִישׁ נָכְרִי יֹאכְלֶנּוּ Eccl. 6:2
יֹאכְלֶנָּה 484 כָּל־זָכָר בִּבְנֵי אַהֲרֹן יֹאכְלֶנָּה Lev. 6:11

485 הַכֹּהֵן הַמְחַטֵּא אֹתָהּ יֹאכְלֶנָּה Lev. 6:19
יֹאכְלֵם 486 כַּבֶּגֶד יִבְלוּ עָשׁ יֹאכְלֵם Is. 50:9
487 כִּי כַבֶּגֶד יֹאכְלֵם עָשׁ Is. 51:8
488 וְכַצֶּמֶר יֹאכְלֵם סָס Is. 51:8
489 עַתָּה יֹאכְלֵם חֹדֶשׁ אֶת־חֶלְקֵיהֶם Hosh. 5:7
וַיֹּאכְלֵם 490 יְשַׁלַּח בָּהֶם עָרֹב וַיֹּאכְלֵם Ps. 78:45
יֹאכְלֵמוֹ 491 תְּשַׁלַּח חֲרֹנְךָ יֹאכְלֵמוֹ כַּקַּשׁ Ex. 15:7
תֹּאכַל 492 וְיִתְרָם תֹּאכַל חַיַּת הַשָּׂדֶה Ex. 23:11
493 אֲשֶׁר תֹּאכַל הָאֵשׁ אֶת־הָעֹלָה Lev. 6:3
494 כָּל־נֶפֶשׁ מִכֶּם לֹא־תֹאכַל דָּם Lev. 17:12
495 וְחַרְבִּי תֹּאכַל בָּשָׂר Deut. 32:42
496 הֲלָנֶצַח תֹּאכַל חֶרֶב IISh. 2:26
497 כִּי־כָזֹה וְכָזֶה תֹּאכַל הֶחָרֶב IISh. 11:25
498 מִפִּתּוֹ תֹאכַל וּמִכֹּסוֹ תִשְׁתֶּה IISh. 12:3
499 וּכְפִירַיִךְ תֹּאכַל חָרֶב Nah. 2:14
504-500 תֹּאכַל Lev. 7:20,27; 17:15 • Jud. 13:14[2]
תֹּאכֵל 505 בִּתְרוּמַת הַקֳּדָשִׁים לֹא תֹאכֵל Lev. 22:12
506 מִלֶּחֶם אָבִיהָ תֹּאכֵל Lev. 22:13
507/8 וְאֵשׁ(־)מִפִּיו תֹּאכֵל IISh. 22:9 • Ps. 18:9
509 שָׁמִיר וָשַׁיִת תֹּאכֵל Is. 9:17
510 אֵשׁ־לְפָנָיו תֹּאכֵל Ps. 50:3
511 וְלֶחֶם עַצְלוּת לֹא תֹאכֵל Prov. 31:27
512 אֵשׁ הִיא עַד־אֲבַדּוֹן תֹּאכֵל Job 31:12
תֹאכַל 513 וַתִּבְכֶּה וְלֹא תֹאכַל ISh. 1:7
וְתֹאכַל 514 וְתֹאכַל אֶת־אַרְזֵי הַלְּבָנוֹן Jud. 9:15
515 תֵּצֵא אֵשׁ מֵאֲבִימֶלֶךְ וְתֹאכַל... Jud. 9:20
516 ...וְתֹאכַל אֶת־אֲבִימֶלֶךְ Jud. 9:20
517/8 וְתֹאכַל אֹתְךָ וְאֶת־חֲמִשֶּׁיךָ IIK. 1:10,12
519 פְּתַח ...וְתֹאכַל אֵשׁ בַּאֲרָזֶיךָ Zech. 11:1
וַתֹּאכַל 520/1 וַתֵּצֵא אֵשׁ מִלִּפְנֵי יְיָ וַתֹּאכַל Lev. 9:24; 10:2
522 וַתֹּאכַל בִּקְצֵה הַמַּחֲנֶה Num. 11:1
523 וַתֹּאכַל אֵת הַחֲמִשִּׁים וּמָאתַיִם Num. 16:35
524 וַתֹּאכַל אֶרֶץ וִיבֻלָהּ Deut. 32:22
525 וַתַּעַל הָאֵשׁ וַתֹּאכַל אֶת־הַבָּשָׂר Jud. 6:21
526 וַתֹּאכַל הִיא־וָהוּא וּבֵיתָהּ יָמִים IK. 17:15
527 וַתֹּאכַל אֶת־הָעֹלָה IK. 18:38
528/9 וַתֹּאכַל אֹתוֹ וְאֶת־חֲמִשָּׁיו IIK. 1:10,12
530 וַתֹּאכַל אֶת־שְׁנֵי שָׂרֵי הַחֲמִשִּׁים IIK. 1:14
531 וַתֹּאכַל פְּאַת מוֹאָב Jer. 48:45
532 וַתֹּאכַל אֶת־תְּהוֹם רַבָּה Am. 7:4
533 וַתֹּאכַל וַתִּשְׂבַּע וַתֹּתַר Ruth 2:14
534 וַיַּצֶּת־אֵשׁ בְּצִיּוֹן וַתֹּאכַל יְסוֹדֹתֶיהָ Lam. 4:11
535 וַתֹּאכַל הָעֹלָה וְהַזְּבָחִים IICh. 7:1
וַתֹּאכֵל 536 וַתִּקַּח מִפִּרְיוֹ וַתֹּאכַל Gen. 3:6
537 וַתֵּלֶךְ הָאִשָּׁה לְדַרְכָּהּ וַתֹּאכַל ISh. 1:18
תֹּאכְלֵךְ 538/9 תֹּאכְלֵךְ אֵשׁ... תֹּאכְלֵךְ כַּיָּלֶק Nah. 3:15
תֹּאכְלֶנּוּ 540 כִּי תֹאכְלֶנּוּ הַתֹּלָעַת Deut. 28:39
541 וְחֶרֶב לֹא־אָדָם תֹּאכְלֶנּוּ Is. 31:8
תְּאָכְלֵהוּ 542 תְּאָכְלֵהוּ אֵשׁ לֹא־נֻפָּח Job 20:26
תֹּאכְלֵנוּ 543 כִּי תֹאכְלֵנוּ הָאֵשׁ הַגְּדֹלָה Deut. 5:22
תֹּאכַלְכֶם 544 רוּחֲכֶם אֵשׁ תֹּאכַלְכֶם Is. 33:11
תֹּאכְלֵם 545 כִּי־תֹאכְלֵם בְּחֹסֶר־כֹּל בַּסָּתֶר Deut. 28:57
546 אַף־אֵשׁ צָרֶיךָ תֹאכְלֵם Is. 26:11
547 מֵהָאֵשׁ יָצָאוּ וְהָאֵשׁ תֹּאכְלֵם Ezek. 15:7
548 וְחַיַּת הָאָרֶץ לֹא תֹאכְלֵם Ezek. 34:28
וְתֹאכְלֵם 549 בְּאַפּוֹ יְבַלְּעֵם וְתֹאכְלֵם אֵשׁ Ps. 21:10
וַתֹּאכְלֵם 550 וַתִּבְעַר בַּצֹּאן וּבַנְּעָרִים וַתֹּאכְלֵם Job 1:16
נֹּאכַל 551 מַה־נֹּאכַל בַּשָּׁנָה הַשְּׁבִיעִת Lev. 25:20
552 אֲשֶׁר־נֹאכַל בְּמִצְרַיִם חִנָּם Num. 11:5
553 וְאֶת־בְּנִי נֹאכַל מָחָר IIK. 6:28
נֹאכֵל 554 מִפְּרִי עֵץ־הַגָּן נֹאכֵל Gen. 3:2
555 ...לֵאמֹר לַחְמֵנוּ נֹאכֵל Is. 4:1

וְנֹאכְלָה 556 וְיִתְּנוּ־לָנוּ מִן־הַזֵּרֹעִים וְנֹאכְלָה Dan. 1:12
557 וְנִקְחָה דָגָן וְנֹאכְלָה וְנִחְיֶה Neh. 5:2
וְנֹאכֵלָה 558 תְּנָה־לָּנוּ בָשָׂר וְנֹאכֵלָה Num. 11:13
וְנֹאכְלֶנּוּ 559/60 תְּנִי אֶת־בְּנֵךְ וְנֹאכְלֶנּוּ IIK. 6:28,29
וַנֹּאכְלֵהוּ 561 וַנְּבַשֵּׁל אֶת־בְּנִי וַנֹּאכְלֵהוּ IIK. 6:29
תֹּאכְלוּ 562 לֹא תֹאכְלוּ מִכֹּל עֵץ הַגָּן Gen. 3:1
563 לֹא תֹאכְלוּ מִמֶּנּוּ וְלֹא תִגְּעוּ בּוֹ Gen. 3:3
564 אַל־תֹּאכְלוּ מִמֶּנּוּ נָא Ex. 12:9
565 וְכָכָה תֹּאכְלוּ אֹתוֹ Ex. 12:11
566 בָּעֶרֶב תֹּאכְלוּ מַצֹּת Ex. 12:18
567-587 תֹּאכְלוּ Ex. 12:20; 16:12 • Lev. 7:26
8:31; 10:14, 18; 11:4, 9, 21; 19:25, 26; 23:14; 25:12, 22 • Deut. 14:7, 9, 12, 21 • Zech. 7:6 • Es. 4:16
תֹּאכֵלוּ 588 בְּנַפְשׁוֹ דָמוֹ לֹא תֹאכֵלוּ Gen. 9:4
589 שִׁבְעַת יָמִים מַצּוֹת תֹּאכֵלוּ Ex. 12:15
590 טוּב הָאָרֶץ תֹּאכֵלוּ Is. 1:19
591 חֵיל גּוֹיִם תֹּאכֵלוּ Is. 61:6
592-615 תֹּאכֵלוּ Ex. 12:20; 22:30 • Lev. 3:17
7:23; 11:3, 8, 9, 11, 22; 17:14; 23:6; 26:29 • Deut. 12:16; 14:4, 6, 8, 9, 10, 11, 20 • Ezek. 24:22; 33:25; 34:3; 39:18
תֹּאכְלוּן 616 לֹא יוֹם אֶחָד תֹּאכְלוּן... Num. 11:19
תֹּאכְלוּהוּ 617 וְאָכֹל לֹא תֹאכְלֻהוּ Lev. 7:24
תֹּאכְלוּם 618 לֹא תֹאכְלוּם כִּי־שֶׁקֶץ הֵם Lev. 11:42
יֹאכְלוּ 619 עַל־כֵּן לֹא־יֹאכְלוּ בְנֵי־יִשְׂ׳ Gen. 32:32
620 כִּי אִתִּי יֹאכְלוּ הָאֲנָשִׁים Gen. 43:16
621 אַחֲרֵי־כֵן יֹאכְלוּ הַקְּרֻאִים ISh. 9:13
622 לָכֵן אָבוֹת יֹאכְלוּ בָנִים בְּתוֹכֵךְ Ezek. 5:10
623 וּבָנִים יֹאכְלוּ אֲבוֹתָם Ezek. 5:10
624 אָבוֹת יֹאכְלוּ בֹסֶר... Ezek. 18:2
625 יֹאכְלוּ עֲנָוִים וְיִשְׂבָּעוּ Ps. 22:27
626-645 יֹאכְלוּ Gen. 43:25 • Ex. 12:7 • Lev. 6:9
22:11 • IK. 14:11[2]; 16:4[2]; 21:23, 24[2] • IIK. 9:10, 36 • Jer. 5:17 • Ezek. 4:13; 25:4; 42:13; 44:31 • Ez. 2:63 • Neh. 7:65
יוּכְלוּ 646 כִּי־יוּכְלוּ אֲתִיקִים מֵהֵנָּה Jer. 42:5
יֹאכֵלוּ 647 חֵלֶק כְּחֵלֶק יֹאכֵלוּ Deut. 18:8
648 אֲשֶׁר חֵלֶב זְבָחֵימוֹ יֹאכֵלוּ Deut. 32:38
649 כִּי־פְרִי מַעַלְלֵיהֶם יֹאכֵלוּ Is. 3:10
650 אִישׁ בְּשַׂר־זְרֹעוֹ יֹאכֵלוּ Is. 9:19
651 עֲבָדַי יֹאכֵלוּ וְאַתֶּם תִּרְעָבוּ Is. 65:13
652 וְאִישׁ בְּשַׂר־רֵעֵהוּ יֹאכֵלוּ Jer. 19:9
653 לַחְמָם בִּדְאָגָה יֹאכֵלוּ Ezek. 12:19
654-659 יֹאכֵלוּ
Is. 5:17; 30:24 • Hosh. 4:8; 9:3 • Eccl. 10:16, 17
וַיֹּאכְלוּ 660 וַיֹּאכְלוּ וַיִּשְׁתּוּ וַיֵּלְכוּ אֶל־אֲדֹנֵיהֶם IIK. 6:22
661 וְיֹאכְלוּ מִפְּרִי־דַרְכָּם Prov. 1:31
וְיֹאכֵלוּ 662 צַק לָעָם וְיֹאכֵלוּ IIK. 4:41
663/4 תֵּן לָעָם וְיֹאכֵלוּ IIK. 4:42, 43
וַיֹּאכְלוּ 665 וַיֹּאכְלוּ וַיִּשְׁתּוּ הוּא וְהָאֲנָשִׁים Gen. 24:54
666 וַיַּעַשׂ לָהֶם מִשְׁתֶּה וַיֹּאכְלוּ וַיִּשְׁתּוּ Gen. 26:30
667 וַיֹּאכְלוּ מֵעֲבוּר הָאָרֶץ Josh. 5:11
668 וַיֹּאכְלוּ מִתְּבוּאַת אֶרֶץ כְּנַעַן Josh. 5:12
669 וַיָּבֹאוּ... וַיֹּאכְלוּ וַיִּשְׁתּוּ Jud. 9:27
670 וַיֹּאכְלוּ וַיּוֹתִרוּ כִּדְבַר יְיָ IIK. 4:44
671 וַיֹּאכְלוּ אֶת־יִשְׂרָאֵל בְּכָל־פֶּה Is. 9:11
672 וַיָּבוֹאוּ וַיֹּאכְלוּ אֶרֶץ וּמְלוֹאָהּ Jer. 8:16
673 וַיֹּאכְלוּ וַיִּשְׂבְּעוּ וַיַּשְׁמִינוּ Neh. 9:25
674-689 וַיֹּאכְלוּ Gen. 31:46, 54 • Ex. 24:11
Jud. 19:4, 6, 8, 21 • IIK. 6:23; 7:8 • Jer. 41:1 • Ps. 78:29; 106:28 • Job 42:11 • Ez. 6:21 • ICh. 29:22 • IICh. 30:22

וַיֹּאכֵלוּ 690 וְהוּא עֹמֵד.. תַּחַת הָעֵץ וַיֹּאכֵלוּ Gen. 18:8
691 וּמַצּוֹת אָפָה וַיֹּאכֵלוּ Gen. 19:3
692-695 וַיֹּאכֵלוּ Jud. 14:9 • ISh. 28:25 •
IK. 19:21 • Hosh. 8:13
יֹאכְלוּן 696 וְלֹא יֹאכְלוּן וְלֹא יְרִיחֻן Deut. 4:28
יֹאכֵלוּן 697 אִשֵּׁי יְיָ וְנַחֲלָתוֹ יֹאכֵלוּן Deut. 18:1
יֹאכְלֻהוּ 698 וּמַצּוֹת עַל־מְרֹרִים יֹאכְלֻהוּ Ex. 12:8
699 אַהֲרֹן וּבָנָיו יֹאכְלֻהוּ Lev. 8:31
700 עַל־מַצּוֹת וּמְרֹרִים יֹאכְלֻהוּ Num. 9:11
701 כִּי מְאַסְפָיו יֹאכְלֻהוּ Is. 62:9
יֹאכְלוּהָ 702 בַּחֲצַר אֹהֶל־מוֹעֵד יֹאכְלוּהָ Lev. 6:9
וְיֹאכְלוּהָ 703 וְיֹאכְלוּהָ בְנֵי־נָשֶׁר Prov. 30:17
יֹאכְלוּם 704 הַמִּנְחָה...וְהָאָשָׁם הֵמָּה יֹאכְלוּם Ezek. 44:29
תֹּאכַלְנָה 705 תֹּאכַלְנָה אִשָּׁה אֶת־בְּשַׂר רְעוּתָהּ Zech. 11:9
706 אִם־תֹּאכַלְנָה נָשִׁים פִּרְיָם Lam. 2:20
וַתֹּאכַלְנָה 707 וַתֹּאכַלְנָה הַפָּרוֹת רָעוֹת הַמַּרְאֶה Gen. 41:4
708 וַתֹּאכַלְנָה הַפָּרוֹת הָרַקּוֹת Gen. 41:20
אֱכֹל 709 הַנִּשְׁאָר שִׂים־לְפָנֶיךָ אֱכֹל ISh. 9:24
710 עֲלֵה אֱכֹל וּשְׁתֵה IK. 18:41
711 וַיֹּאמֶר לוֹ קוּם אֱכוֹל IK. 19:5
712 וַיִּגַּע־בּוֹ וַיֹּאמֶר קוּם אֱכֹל IK. 19:7
713 דְּבַשׁ מָצָאתָ אֱכֹל דַּיֶּךָּ Prov. 25:16
714 לֵךְ אֱכֹל בְּשִׂמְחָה לַחְמֶךָ Eccl. 9:7
אֱכוֹל 715 אֵת אֲשֶׁר־תִּמְצָא אֱכוֹל Ezek. 3:1
716 אֱכוֹל אֶת־הַמְּגִלָּה הַזֹּאת Ezek. 3:1
717 אֱכוֹל וּשְׁתֵה יֹאמַר לָךְ Prov. 23:7
אֱכָל־ 718 קוּם אֱכָל־לֶחֶם וְיִטַב לִבֶּךָ IK. 21:7
719 אֱכָל־בְּנִי דְבַשׁ כִּי־טוֹב Prov. 24:13
וֶאֱכוֹל 720 וְאָשִׂמָה לְפָנֶיךָ פַּת־לֶחֶם וֶאֱכוֹל ISh. 28:22
וֶאֱכֹל 721 לֵךְ אִתִּי הַבַּיְתָה וֶאֱכֹל לָחֶם IK. 13:15
722 פְּצֵה פִיךָ וֶאֱכֹל... Ezek. 2:8
וֶאֱכָל־ 723 וֶאֱכָל־שָׁם לֶחֶם וְשָׁם תִּנָּבֵא Am. 7:12
וְאָכְלָה 724 שְׁבָה וְאָכְלָה מִצֵּידִי Gen. 27:19
אִכְלוּ 725 אִכְלוּ רֵעִים שְׁתוּ וְשִׁכְרוּ דּוֹדִים S.ofS. 5:1
726 אִכְלוּ מַשְׁמַנִּים וּשְׁתוּ מַמְתַקִּים Neh. 8:10
אִכְלֻהוּ 727 וַיֹּאמֶר מֹשֶׁה אִכְלֻהוּ הַיּוֹם Ex. 16:25
וְאִכְלוּ 728 וְאִכְלוּ אֶת־חֵלֶב הָאָרֶץ Gen. 45:18
729 וְאִכְלוּ אִישׁ־גַּפְנוֹ וְאִישׁ תְּאֵנָתוֹ IIK. 18:31
730 וְנִטְעוּ כְרָמִים וְאִכְלוּ פִרְיָם IIK. 19:29
731 וְאִכְלוּ אִישׁ־גַּפְנוֹ וְאִישׁ תְּאֵנָתוֹ Is. 36:16
732 וְנִטְעוּ כְרָמִים וְאִכְלוּ פִרְיָם Is. 37:30
733 שִׁמְעוּ שָׁמוֹעַ אֵלַי וְאִכְלוּ־טוֹב Is. 55:2
734 סְפוּ עַל־זִבְחֵיכֶם וְאִכְלוּ בָשָׂר Jer. 7:21
735 וְנִטְעוּ גַנּוֹת וְאִכְלוּ אֶת־פִּרְיָן Jer. 29:5
736 וְנִטְעוּ גַנּוֹת וְאִכְלוּ אֶת־פְּרִיהֶן Jer. 29:28
וֶאֱכֹלוּ 737 לְכוּ שִׁבְרוּ וֶאֱכֹלוּ Is. 55:1
וְאִכְלוּהָ 738 וְאִכְלוּהָ מַצּוֹת אֵצֶל הַמִּזְבֵּחַ Lev. 10:12
הֵאָכֹל 739 וְאִם הֵאָכֹל יֵאָכֵל מִבְּשַׂר־זֶבַח Lev. 7:18
740 וְאִם הֵאָכֹל יֵאָכֵל... פִּגּוּל הוּא Lev. 19:7
וְנֶאֱכַל 741 כִּי־תֵצֵא אֵשׁ... וְנֶאֱכַל גָּדִישׁ Ex. 22:5
הַנֶּאֱכֶלֶת 742 לְהַבְדִּיל...וּבֵין הַחַיָּה הַנֶּאֱכֶלֶת Lev. 11:47
יֵאָכֵל 743 מִכָּל־מַאֲכָל אֲשֶׁר יֵאָכֵל Gen. 6:21
744 אַךְ אֲשֶׁר יֵאָכֵל לְכָל־נֶפֶשׁ Ex. 12:16
745 בְּבַיִת אֶחָד יֵאָכֵל Ex. 12:46
746 וְלֹא יֵאָכֵל חָמֵץ Ex. 13:3
747 מַצּוֹת יֵאָכֵל אֵת שִׁבְעַת הַיָּמִים Ex. 13:7
748 וְלֹא יֵאָכֵל אֶת־בְּשָׂרוֹ Ex. 21:28
749 כַּאֲשֶׁר יֵאָכֵל אֶת־הַצְּבִי Deut. 12:22
750-765 יֵאָכֵל Ex. 29:34
Lev. 7:6, 15, 16[2], 18, 19; 11:34, 41; 17:13; 19:6, 7, 23; 22:30 • Num. 28:17 • Ezek. 45:21
וַיֵּאָכֵל 766 וַיֵּאָכֵל חֲצִי בְשָׂרוֹ Num. 12:12

הֲיֵאָכֵל 767 הֲיֵאָכֵל תָּפֵל מִבְּלִי־מֶלַח Job 6:6
תֵּאָכֵל 768 מַצּוֹת תֵּאָכֵל בְּמָקוֹם קָדֹשׁ Lev. 6:9
769 כָּלִיל תִּהְיֶה לֹא תֵאָכֵל Lev. 6:16
770 בְּמָקוֹם קָדֹשׁ תֵּאָכֵל Lev. 6:19
771 וְכָל־חַטָּאת... לֹא תֵאָכֵל Lev. 6:23
772 וּבֵין הַחַיָּה אֲשֶׁר לֹא תֵאָכֵל Lev. 11:47
773 וְאַחֲרִיתֵךְ תֵּאָכֵל בָּאֵשׁ Ezek. 23:25
774 וּבְאֵשׁ קִנְאָתוֹ תֵּאָכֵל כָּל־הָאָרֶץ Zep. 1:18
775 בְּאֵשׁ קִנְאָתִי תֵּאָכֵל כָּל־הָאָרֶץ Zep. 3:8
776 וְהִיא בָּאֵשׁ תֵּאָכֵל Zech. 9:4
יֵאָכְלוּ 777 לֹא־יֵאָכְלוּ שֶׁקֶץ הֵם Lev. 11:13
יֵאָכֵלוּ 778 וְכֹל שֶׁרֶץ הָעוֹף... לֹא יֵאָכֵלוּ Deut. 14:19
779 לָכֵן כָּל־אֹכְלַיִךְ יֵאָכֵלוּ Jer. 30:16
תֵּאָכַלְנָה 780-83 לֹא־תֵאָכַלְנָה מֵרֹעַ Jer. 24:2, 3, 8; 29:17
אֻכְּלוּ 784 אֻכְּלוּ כְּקַשׁ יָבֵשׁ Nah. 1:10
785/6 וּשְׁעָרֶיהָ אֻכְּלוּ בָאֵשׁ Neh. 2:3, 13
אֻכָּל 787 וְהַסְּנֶה אֵינֶנּוּ אֻכָּל Ex. 3:2
תְּאֻכְּלוּ 788 וְאִם־תְּמָאֲנוּ... חֶרֶב תְּאֻכְּלוּ Is. 1:20
הֶאֱכַלְתִּי 789 אֲשֶׁר הֶאֱכַלְתִּי אֶתְכֶם בַּמִּדְבָּר Ex. 16:32
וְהַאֲכַלְתִּי 790 וְהַאֲכַלְתִּי אֶת־מוֹנַיִךְ אֶת־בְּשָׂרָם Is. 49:26
הֶאֱכַלְתִּיךְ 791 סֹלֶת וָשֶׁמֶן וּדְבַשׁ הֶאֱכַלְתִּיךְ Ezek. 16:19
וְהַאֲכַלְתִּיךָ 792 וְהַאֲכַלְתִּיךָ נַחֲלַת יַעֲקֹב אָבִיךָ Is. 58:14
וְהַאֲכַלְתִּים 793 וְהַאֲכַלְתִּים אֶת־בְּשַׂר בְּנֵיהֶם Jer. 19:9
הֶאֱכַלְתָּם 794 הֶאֱכַלְתָּם לֶחֶם דִּמְעָה... Ps. 80:6
מַאֲכִיל 795 הִנְנִי מַאֲכִיל אוֹתָם לַעֲנָה Jer. 23:15
הַמַּאֲכִלְךָ 796 הַמַּאֲכִלְךָ מָן בַּמִּדְבָּר Deut. 8:16
מַאֲכִילָם 797 הִנְנִי מַאֲכִילָם אֶת־הָעָם הַזֶּה Jer. 9:14
תַּאֲכֵל 798 בִּטְנְךָ תַאֲכֵל וּמֵעֶיךָ תְמַלֵּא Ezek. 3:3
וַיַּאֲכִלֵנִי 799 וַיַּאֲכִלֵנִי אֵת הַמְּגִלָּה הַזֹּאת Ezek. 3:2
וַיַּאֲכִלְךָ 800 וַיַּאֲכִלְךָ אֶת־הַמָּן... Deut. 8:3
וַיַּאֲכִילֵהוּ 801 וַיַּאֲכִילֵהוּ מֵחֵלֶב חִטָּה Ps. 81:17
יַאֲכִלֵנוּ 802 מִי יַאֲכִלֵנוּ בָּשָׂר Num. 11:4, 18
וַיַּאֲכִילוּם 803 וַיַּאֲכִלוּם וַיַּשְׁקוּם וַיְסֻכוּם IICh. 28:15
הַאֲכִילֵהוּ 804 אִם־רָעֵב שֹׂנַאֲךָ הַאֲכִילֵהוּ לָחֶם Prov. 25:21
וְהַאֲכִילֻהוּ 805 וְהַאֲכִילֻהוּ לֶחֶם לַחַץ IK. 22:27
806 וְהַאֲכִלֻהוּ לֶחֶם לַחַץ IICh. 18:26
לְהָכִיל 807 חֶרֶב...מְרוּטָה לְהָכִיל לְמַעַן בָּרָק
(=לְהַאֲכִיל?) Ezek. 21:33

אֲכַל

פ׳ ארמית: אכל

אֲכַלוּ 1 דִּי־אֲכַלוּ קַרְצֵיהוֹן דִּי דָנִיֵּאל Dan. 6:25
וַאֲכַלוּ 2 וַאֲכַלוּ קַרְצֵיהוֹן דִּי יְהוּדָיֵא Dan. 3:8
אָכְלָה 3 וַאֲרוּ חֵיוָה... אָכְלָה וּמַדֱּקָה Dan. 7:7
4 שִׁנַּהּ דִּי־פַרְזֶל... אָכְלָה מַדֱּקָה Dan. 7:19
יֵאכֻל 5 וְעִשְׂבָּא כְתוֹרִין יֵאכֻל Dan. 4:30
וְתֵאכֻל 6 וְתֵאכֻל כָּל־אַרְעָא וּתְדוּשִׁנַּהּ Dan. 7:23
אֲכֻלִי 7 קוּמִי אֲכֻלִי בְּשַׂר שַׂגִּיא Dan. 7:5

אֹכֶל

ז׳ מזון, מאכל

לִבְלִי אֹכֶל 22; מְעַט־אֹכֶל 8,7; נֶשֶׁךְ א׳ 13; עֵת הָאֹכֶל 30; רַב־אֹכֶל 18; כְּפִי אָכְלוֹ 36; לְפִי אָכְלוֹ 33—35;

אֹכֶל 1 וַיִּצְבְּרוּ...אֹכֶל בֶּעָרִים וְשָׁמָרוּ Gen. 41:35
2 וַיִּתֶּן־אֹכֶל בֶּעָרִים Gen. 41:48
3 מֵאֶרֶץ כְּנַעַן לִשְׁבָּר־אֹכֶל Gen. 42:7
4-6 לִשְׁבָּר־אֹכֶל Gen. 42:10; 43:20, 22
7/8 שֻׁבוּ שִׁבְרוּ־לָנוּ מְעַט־אֹכֶל Gen. 43:2; 44:25
9 נֵרְדָה וְנִשְׁבְּרָה לְךָ אֹכֶל Gen. 43:4
10 מַלֵּא אֶת־אַמְתְּחֹת הָאֲנָשִׁים אֹכֶל Gen. 44:1
11 אֹכֶל תִּשְׁבְּרוּ מֵאִתָּם בַּכֶּסֶף Deut. 2:6
12 אֹכֶל בַּכֶּסֶף תַּשְׁבִּרֵנִי Deut. 2:28
13 לֹא־תַשִּׁיךְ...נֶשֶׁךְ כֶּסֶף נֶשֶׁךְ אֹכֶל Deut. 23:20

אכל (המשך)
14 הֲלוֹא נֶגֶד עֵינֵינוּ אֹכֶל נִכְרָת Joel 1:16
15 וּשְׁדֵמוֹת לֹא־עָשָׂה אֹכֶל Hab. 3:17
16 וַיְנַסּוּ־אֵל...לִשְׁאָל־אֹכֶל לְנַפְשָׁם Ps. 78:18
17 כָּל־אֹכֶל תְּתַעֵב נַפְשָׁם Ps. 107:18
18 רָב־אֹכֶל נִיר רָאשִׁים Prov. 13:23
19 כְּנֶשֶׁר יָטוּשׂ עֲלֵי־אֹכֶל Job 9:26
20 וְחֵךְ אֹכֶל יִטְעַם־לוֹ Job 12:11
21 יִתֶּן־אֹכֶל לְמַכְבִּיר Job 36:31
22 יִתְעוּ לִבְלִי־אֹכֶל Job 38:41
23 מִשָּׁם חָפַר־אֹכֶל Job 39:29
24 כִּי־בִקְשׁוּ אֹכֶל לָמוֹ Lam. 1:19
אֹכֶל־ 25 וְיִקְבְּצוּ...אֹכֶל הַשָּׁנִים הַטֹּבוֹת Gen. 41:35
26 וַיִּקְבֹּץ אֶת־כָּל־אֹכֶל שֶׁבַע שָׁנִים Gen. 41:48
27 אֹכֶל שְׂדֵה־הָעִיר... נָתַן בְּתוֹכָהּ Gen. 41:48
הָאֹכֶל 28 וְהָיָה הָאֹכֶל לְפִקָּדוֹן Gen. 41:36
29 מִכָּל־הָאֹכֶל אֲשֶׁר יֵאָכֵל Lev. 11:34
30 לְעֵת הָאֹכֶל גֹּשִׁי הֲלֹם Ruth 2:14
בְּאֹכֶל 31 נָתְנוּ מַחֲמַדֵּיהֶם בְּאֹכֶל Lam. 1:11
אָכְלֶךָ 32 וּבְמַרְבִּית לֹא־תִתֵּן אָכְלֶךָ Lev. 25:37
אָכְלוֹ 33 אִישׁ לְפִי אָכְלוֹ תָּכֹסּוּ עַל־הַשֶּׂה Ex. 12:4
34/5 לְפִי(־)אָכְלוֹ Ex. 16:16,18
36 וַיִּלְקְטוּ אֹתוֹ... אִישׁ כְּפִי אָכְלוֹ Ex. 16:21
37 וְנִיבוֹ נִבְזֶה אָכְלוֹ Mal. 1:12
לְאָכְלוֹ 38 אֵין־שָׂרִיד לְאָכְלוֹ Job 20:21
וּלְאָכְלְכֶם 39 לְזֶרַע הַשָּׂדֶה וּלְאָכְלְכֶם... Gen. 47:24
אָכְלָם 40 וַיִּקְחוּ...וְאֶת־כָּל־אָכְלָם וַיֵּלֵכוּ Gen. 14:11
41 עוֹד אָכְלָם בְּפִיהֶם Ps. 78:30
42 וּלְבַקֵּשׁ מֵאֵל אָכְלָם Ps. 104:21
43 לָתֵת אָכְלָם בְּעִתּוֹ Ps. 104:27
44 וְאַתָּה נוֹתֵן...אֶת־אָכְלָם בְּעִתּוֹ Ps. 145:15

אֻכָל
שפ״ז – שם אדם(?)
אֻכָל 1 נְאֻם הַגֶּבֶר... לְאִיתִיאֵל וְאֻכָל Prov. 30:1

אָכְלָה
נ׳ אוכל, אכילה (גם בהשאלה): 1–18
לְאָכְלָה 1/2 לָכֶם יִהְיֶה לְאָכְלָה Gen. 1:29; 9:3
3 אֶת־כָּל־יֶרֶק עֵשֶׂב לְאָכְלָה Gen. 1:30
4 וְהָיָה לְךָ וְלָהֶם לְאָכְלָה Gen. 6:21
5 אֲשֶׁר נָתַן יְיָ לָכֶם לְאָכְלָה Ex. 16:15
6 אֲשֶׁר־הִיא לָכֶם לְאָכְלָה Lev. 11:39
7 וְהָיְתָה שַׁבַּת הָאָרֶץ לָכֶם לְאָכְלָה Lev. 25:6
8 כָּל־חַיַּת הַשָּׂדֶה הֵתָיוּ לְאָכְלָה Jer. 12:9
9 הִנֵּה לָאֵשׁ נִתַּן לְאָכְלָה Ezek. 15:4
10 אֲשֶׁר־נְתַתִּיו לָאֵשׁ לְאָכְלָה Ezek. 15:6
11 לָאֵשׁ תִּהְיֶה לְאָכְלָה Ezek. 21:37
18-12 לְאָכְלָה Ezek. 23:37; 29:5; 34:5,8,10; 35:12; 39:4

אָכֵן
תה״פ אמנם כן
אָכֵן 1 אָכֵן יֵשׁ יְיָ בַּמָּקוֹם הַזֶּה Gen. 28:16
2 אָכֵן נוֹדַע הַדָּבָר Ex. 2:14
3 אָכֵן סָר מַר־הַמָּוֶת ISh. 15:32
4 אָכֵן יַטּוּ אֶת־לְבַבְכֶם IK. 11:2
5 אָכֵן חָצִיר הָעָם Is. 40:7
6 אָכֵן אַתָּה אֵל מִסְתַּתֵּר Is. 45:15
7 אָכֵן מִשְׁפָּטִי אֶת־יְיָ Is. 49:4
8 אָכֵן חֳלָיֵנוּ הוּא נָשָׂא Is. 53:4
18-9 אָכֵן Jer. 3:20,23^2; 4:10; 8:8 • Zep. 3:7 • Ps. 31:23; 66:19; 82:7 • Job 32:8

אכף
: אֶכֶף; אָכַף

אכף
פ׳ לָחַץ, הכביד
אָכַף 1 נֶפֶשׁ עָמֵל עָמְלָה לּוֹ כִּי־אָכַף עָלָיו פִּיהוּ Prov. 16:26

אֶכֶף*
ז׳ לַחַץ
וְאַכְפִּי 1 וְאַכְפִּי עָלֶיךָ לֹא־יִכְבָּד Job 33:7

אִכָּר
ז׳ עוֹבֵד אדמה
אִכָּר 1 וְנִפַּצְתִּי בְךָ אִכָּר וְצִמְדּוֹ Jer. 51:23
2 וְקָרְאוּ אִכָּר אֶל־אֵבֶל Am. 5:16
אִכָּרִים 3 בֹּשׁוּ אִכָּרִים חָפוּ רֹאשָׁם Jer. 14:4
4 אִכָּרִים וְנָסְעוּ בַּעֵדֶר Jer. 31:24(23)
5 הֹבִישׁוּ אִכָּרִים הֵילִילוּ כֹּרְמִים Joel 1:11
6 אִכָּרִים וְכֹרְמִים בֶּהָרִים וּבַכַּרְמֶל IICh. 26:10
אִכָּרֵיכֶם 7 וּבְנֵי נֵכָר אִכָּרֵיכֶם וְכֹרְמֵיכֶם Is. 61:5

אַכְשָׁף
עיר בנחלת אָשֵׁר
אַכְשָׁף 1 וְאֶל־מֶלֶךְ שִׁמְרוֹן וְאֶל־מֶלֶךְ אַכְשָׁף Josh. 11:1
2 מֶלֶךְ אַכְשָׁף אֶחָד Josh. 12:20
וְאַכְשָׁף 3 וַיְהִי גְּבוּלָם חֶלְקַת... וְאַכְשָׁף Josh. 19:25

אַל־[1]
מִלת שלילה – א) [לפני פועל עתיד נוֹכֵחַ יחיד או רבוי; בנוכח בפעלים שונים – עתיד מקוצר: ״אַל־תֹּסֶף״(9), ״אַל־תְּהִי״(54), ״אַל־תַּעַן״(68) וכד׳, להוציא 29,3 ועוד] לציון שלילה, אִסּוּר, אַזהרה: 1–428, 578–682
ב) [לפני פועל עתיד בגופים אחרים] כנ״ל: 429–545, 683–717
ג) [אַל־נָא] לציון בקשה שלא לעשות: 546–563
ד) [לפני שם־עצם או כמלה לעצמהּ] לא: 564–576, 718–724
ה) במשמע אָן, לְאָן: 577
ו) [לְאַל] לְאֶפֶס: 725
קרובים: בַּל / בִּלְתִּי / לֹא
אַל... וְאַל 3, 5, 7, 11–16, 19–25, 30, 36–38, 40–41, 43, 44, 49, 55, 58-64, 69, 71-73, 75, 447, 449, 451, 453, 454, 457, 460, 461, 566; אַל... וְאַל... וְאַל... 18, 39, 459, 463; אַל... וְלֹא 31; אַל־דֳּמִי 572, 574; אַל־מָוֶת 575; אַל־נָא 546–563; שָׂם לְאַל 725;

אַל־(א) 1 אַל־תִּירָא אַבְרָם Gen. 15:1
2 לָאֲנָשִׁים הָאֵל אַל־תַּעֲשׂוּ דָבָר Gen. 19:8
3 אַל־תַּבִּיט אַחֲרֶיךָ וְאַל־תַּעֲמֹד Gen. 19:17
4 מַה־לָּךְ הָגָר אַל־תִּירְאִי Gen. 21:17
5 אַל־תִּשְׁלַח יָדְךָ... וְאַל... Gen. 22:12
6 אַל־תִּשְׁפְּכוּ־דָם Gen. 37:22
7 אַל־תֵּעָצְבוּ וְאַל־יִחַר בְּעֵינֵיכֶם Gen. 45:5
8 אַל־תִּרְגְּזוּ בַּדָּרֶךְ Gen. 45:24
9 אַל־תֹּסֶף רְאוֹת פָּנַי Ex. 10:28
10 אַל־תּוֹנוּ אִישׁ אֶת־אָחִיו Lev. 25:14
14-11 אַל־תִּירָא וְאַל־תֵּחָת Deut. 1:21 • Josh. 8:1 • ICh. 22:13(12); 28:20
15 אַל־תָּצַר אֶת־מוֹאָב וְאַל... Deut. 2:9
16 אַל־תְּצֻרֵם וְאַל־תִּתְגָּר בָּם Deut. 2:19
17 זְכֹר אַל־תִּשְׁכַּח Deut. 9:7
18 אַל־תִּירְאוּ וְאַל־תַּחְפְּזוּ וְאַל... Deut. 20:3
19 אַל־תִּירְאוּ וְאַל־תַּעַרְצוּ מִפְּנֵיהֶם Deut. 31:6
20 אַל־תַּעֲרֹץ וְאַל־תֵּחָת Josh. 1:9
24-21 אַל־תִּירְאוּ וְאַל־תֵּחָתּוּ Josh. 10:25 • IICh. 20:15,17; 32:7
25 אַל־תִּשְׁתִּי יַיִן... וְאַל־תֹּאכְלִי... Jud. 13:7
26 אַל־תַּרְבּוּ תְדַבְּרוּ גְּבֹהָה גְבֹהָה ISh. 2:3
27 אַל־תַּגִּידוּ בְגַת IISh. 1:20
28 אַל־תְּבַשְּׂרוּ בְּחוּצֹת אַשְׁקְלוֹן IISh. 1:20
29 אַל־תַּעֲשֵׂה אֶת־הַנְּבָלָה הַזֹּאת IISh. 13:12
30 אַל־תֹּאכַל לֶחֶם וְאַל־תֵּשְׁתְּ מָיִם IK. 13:22
31 אַל־תִּשְׁמַע וְלוֹא תֹאבֶה IK. 20:8

אַל־(א) (המשך)
35-32 אַל־תִּירָא עַבְדִּי יַעֲקֹב Is. 44:2 • Jer. 30:10; 46:27,28
36 אַל־תִּפְחֲדוּ וְאַל־תִּרְהוּ Is. 44:8
37 אַל־תִּירְאִי... וְאַל־תִּכָּלְמִי Is. 54:4
38 אַל־תִּקְצֹף יְיָ... וְאַל... Is. 64:8
39 אַל־תִּתְפַּלֵּל... וְאַל־תִּשָּׂא... וְאַל... Jer. 7:16
40 אַל־תִּתְפַּלֵּל... וְאַל־תִּשָּׂא... Jer. 11:14
41 אַל־תִּבְכּוּ לְמֵת וְאַל־תָּנֻדוּ לוֹ Jer. 22:10
42 אַל־תִּשְׂמַח יִשְׂרָאֵל אֶל־גִּיל Hosh. 9:1
43 אַל־תֵּרֶא... וְאַל־תִּשְׁלַחְנָה Ob. 13
44 אַל־תִּטְּשֵׁנִי וְאַל־תַּעַזְבֵנִי Ps. 27:9
45 אַל־תַּשְׁלִיכֵנִי מִלְּפָנֶיךָ Ps. 51:13
46 וְרוּחַ קָדְשְׁךָ אַל־תִּקַּח מִמֶּנִּי Ps. 51:13
47 אַל־תַּשְׁלִיכֵנִי לְעֵת זִקְנָה Ps. 71::9
48 כִּכְלוֹת כֹּחִי אַל־תַּעַזְבֵנִי Ps. 71:9
49 אַל־תֶּחֱרַשׁ וְאַל־תִּשְׁקֹט אֵל Ps. 83:2
50/1 אַל־תִּגְּעוּ בִמְשִׁיחָי Ps. 105:15 • ICh. 16:22
52 אַל־תִּבְטְחוּ בִנְדִיבִים Ps. 146:3
53 וְאֶל־בִּינָתְךָ אַל־תִּשָּׁעֵן Prov. 3:5
54 אַל־תְּהִי חָכָם בְּעֵינֶיךָ Prov. 3:7
55 מוּסַר יְיָ בְּנִי אַל־תִּמְאָס וְאַל... Prov. 3:11
56 אַל־תִּירָא מִפַּחַד פִּתְאֹם Prov. 3:25
57 אַל־תִּמְנַע־טוֹב מִבְּעָלָיו Prov. 3:27
58 אַל־תְּקַנֵּא בְּאִישׁ חָמָס וְאַל... Prov. 3:31
59 אַל־תִּשְׁכַּח וְאַל־תֵּט מֵאִמְרֵי־פִי Prov. 4:5
60 בְּאֹרַח רְשָׁעִים אַל־תָּבֹא וְאַל... Prov. 4:14
61 אַל־תַּחְמֹד יָפְיָהּ... וְאַל... Prov. 6:25
62 אַל־תִּגְזָל־דָּל... וְאַל־תְּדַכֵּא... Prov. 22:22
63 אַל־תִּלְחַם אֶת־לֶחֶם... וְאַל Prov. 23:6
64 אַל־תְּקַנֵּא בְּאַנְשֵׁי רָעָה וְאַל... Prov. 24:1
65 בִּנְפֹל אוֹיִבְךָ אַל־תִּשְׂמָח Prov. 24:17
66 עִם־שׁוֹנִים אַל־תִּתְעָרָב Prov. 24:21
67 וּבִמְקוֹם גְּדֹלִים אַל־תַּעֲמֹד Prov. 25:6
68 אַל־תַּעַן כְּסִיל כְּאִוַּלְתּוֹ Prov. 26:4
69 אֶרֶץ אַל־תְּכַסִּי דָמִי וְאַל... Job 16:18
70 אַל־תִּרְאוּנִי שֶׁאֲנִי שְׁחַרְחֹרֶת S.ofS. 1:6
71 אַל־תִּתֵּן אֶת־פִּיךָ לַחֲטִיא.. וְאַל.. Eccl. 5:5
72 אַל־תְּהִי צַדִּיק הַרְבֵּה וְאַל... Eccl. 7:16
73 אַל־תִּרְשַׁע הַרְבֵּה וְאַל־תְּהִי סָכָל Eccl. 7:17
74 אַל־תְּדַמִּי בְנַפְשֵׁךְ Es. 4:13
75 אַל־תִּתְאַבְּלוּ וְאַל־תִּבְכּוּ Neh. 8:9
428-76 אַל־(א) Gen. 24:56; 26:2, 24; 35:17; 37:22; 42:22; 43:23; 45:9; 46:3; 49:4; 50:19,21 • Ex. 3:5; 12:9; 14:13; 19:15; 20:20; 23:1, 7, 21; 33:15 • Lev. 10:6, 9; 11:43; 18:24; 19:4, 29, 31^2; 25:36 • Num. 4:18; $14:9^3$, 42; 16:15; 21:34; 32:5 • Deut. 2:5; 3:2, 26; 9:4, 26, 27 • Josh. 1:7; 3:4; $7:3^2$, 19; 8:4; 10:6, 8, 19^2; 11:6; $22:19^2$, 22 • Jud. 4:18; 6:23; 18:9, 25; 19:20, 23^2 • ISh. 1:16; 4:20; 6:3; 7:8; 9:20; $12:20^2$; 16:7; 20:38; 22:23; 23:17; 26:9; 28:13 • IISh. 9:7; 13:12, 20, 28; 14:18; 17:16 • IK. 2:9, 16, 20; 3:26; 17:13 • IIK. 1:15; 2:18; 4:3, 16, 24; 6:16; 12:8; 18:31; 19:6; 25:24 • Is. 7:4; 10:24; 14:29; 16:3; 22:4; 28:22; 35:4; 36:16; 37:6; 40:9; $41:10^2$, 13, 14; 43:1, 5, 6; $43:18^2$; $51:7^2$; 52:11; 54:2; 58:1; 65:5,8 • Jer. 1:7, 8, 17; 4:6; 5:10; $6:25^2$; 7:4, 6; 9:3; $10:2^2$, 5; 12:6; 13:15; 14:9, 11, 21^3; 15:15; 16:5; 17:17; $18:23^2$; $22:3^3$; 23:16; 26:2; 27:9, 16, 17; 37:9; 38:14, 25; 40:9, 16; 41:8; $42:11^2$, 19; 45:5; 50:2, 14; 51:6, 50 • Ezek. $2:6^4$, 8; $9:6^2$; 20:7, 18^2 • Joel 2:21, 22 • Ob. 13 • Mic. $1:10^2$; 2:6; $7:5^2$, 8 • Zep. 3:16 • Hag. 2:5 • Zech. 1:4; $7:10^2$; 8:13, 15, 17^2 • Ps. 6:2; 10:12; 22:12, 20; 25:7; 26:9; $27:9^2$, 12; 28:1, 3; 32:9; $35:22^2$; $37:1^2$, 7, 8; 38:2, 22^2; 39:9, 13; 40:18; 44:24; 49:17; 57:1;

אַל־(א) (המשך) 58:1; 59:1,6,12; 62:11^{3}; 70:6; 71:12,18; 74:19^{2},23; 75:1,5^{2},6; 79:8; 95:8; 102:3,25; 105:15; 109:1,14; 119:8, 10, 19, 31; 132:10; 138:8; 140:9^{2}; 141:4, 8; 143:7 • Prov. 1:10, 15; 3:1,28,29,30; 4:2,6,13,15; 4:27; 6:4; 7:25; 9:8; 19:18; 20:13,22; 22:24,26,28; 23:3, 4, 9; 23:10^{2}, 13, 20, 31; 24:15^{2}, 17, 19^{2}, 28, 29; 25:6,8,9; 26:25; 27:1, 10^{2}; 30:6,7,8; 30:10; 31:3,4^{2} • Job 1:12; 5:17,22; 10:2; 13:20; 36:20,21; 40:32 • Ruth 1:16,20; 2:8; 3:3,11,17 • Lam. 2:18; 3:56,57; 4:15 • Eccl. 5:1,3,7; 7:9,10, 18,21; 8:3^{2}; 10:4,20^{2}; 11:6 • Es. 6:10 • Dan. 9:19; 10:12,19 • Ez. 9:12^{2} • Neh. 3:37; 4:8 • ICh. 16:22 • IICh. 6:42; 13:12; 29:11; 30:8

אַל־(ב)
429 אַל־יֵרַע בְּעֵינֶיךָ Gen. 21:12
430 אַל־אֶרְאֶה בְּמוֹת הַיָּלֶד Gen. 21:16
431 אַל־יִחַר בְּעֵינֵי אֲדֹנִי Gen. 31:35
432 וְיָדֵנוּ אַל־תְּהִי־בוֹ Gen. 37:27
433 וְעֵינְכֶם אַל־תָּחֹס עַל־כְּלֵיכֶם Gen. 45:20
434 בְּסֹדָם אַל־תָּבֹא נַפְשִׁי Gen. 49:6
435 בִּקְהָלָם אַל־תֵּחַד כְּבֹדִי Gen. 49:6
436 רַק אַל־יֹסֵף פַּרְעֹה הָתֵל... Ex. 8:25
437 אִישׁ אַל־יוֹתֵר מִמֶּנּוּ עַד־בֹּקֶר Ex. 16:19
438 אַל־יֵצֵא אִישׁ מִמְּקֹמוֹ Ex. 16:29
439 אַל־יֶהֶרְסוּ לַעֲלֹת אֶל־יְיָ Ex. 19:24
440 אַל־יִחַר אַף אֲדֹנִי Ex. 32:22
441 וְגַם־אִישׁ אַל־יֵרָא בְּכָל־הָהָר Ex. 34:3
442 גַּם־הַצֹּאן וְהַבָּקָר אַל־יִרְעוּ Ex. 34:3
443 אַל־יַעֲשׂוּ־עוֹד מְלָאכָה Ex. 36:6
444 אַל־יֵרַךְ לְבַבְכֶם Deut. 20:3
445 אַל־יִחַר אַפְּךָ בִּי Jud. 6:39
446 אַל־יִפֹּל לֵב־אָדָם עָלָיו ISh. 17:32
447 אַל־יַחֲשָׁב־לִי אֲדֹנִי עָוֹן וְאַל... IISh. 19:20
448 וּבְיַד־אָדָם אַל־אֶפֹּלָה IISh. 24:14
449 אַל־יַעַזְבֵנוּ וְאַל־יִטְּשֵׁנוּ IK. 8:57
450 אַל־יִתְהַלֵּל חֹגֵר כִּמְפַתֵּחַ IK. 20:11
451 אַל־יִתְהַלֵּל חָכָם בְּחָכְמָתוֹ וְאַל.. Jer. 9:22
452 אַל־יִתְהַלֵּל עָשִׁיר בְּעָשְׁרוֹ Jer. 9:22
453 אַל־יַשִּׁיאוּ לָכֶם נְבִיאֵיכֶם.. וְאַל.. Jer. 29:8
454 אַל־יָנוּס הַקַּל וְאַל... Jer. 46:6
455 הַקּוֹנֶה אַל־יִשְׂמָח Ezek. 7:12
456 וְהַמּוֹכֵר אַל־יִתְאַבָּל Ezek. 7:12
457 אַךְ אִישׁ אַל־יָרֵב וְאַל־יוֹכַח אִישׁ Hosh. 4:4
458 בְּךָ בָטַחְתִּי אַל־אֵבוֹשָׁה Ps. 25:2
459 אַל־תִּשְׁטְפֵנִי שִׁבֹּלֶת...וְאַל...וְאַל... Ps. 69:16
460 אַל־יְהִי־לוֹ מֹשֵׁךְ חָסֶד וְאַל... Ps. 109:12
461 אַל־יִדְרְשֵׁהוּ אֱלוֹהַּ... וְאַל... Job 3:4
462 אַל־יֶחְסַר הַמָּזֶג S.ofS. 7:3
463 אַל־יַשִּׁיא אֶתְכֶם...וְאַל...וְאַל... IICh. 32:15
545-464 אַל־(ב) Jud. 13:14^{2} • ISh. 18:17; 19:4; 20:3; 21:3; 22:15; 26:20 • IISh. 11:25; 13:32, 33 • IK. 18:40: 22:8 • IK. 6:27; 9:15; 10:19, 25; 11:15; 18:29; 19:10; 23:18 • Is. 7:4; 36:14; 37:10 • Jer. 20:14; 29:8; 36:19; 38:24; 50:26, 29 • Ezek. 9:5 • Hosh. 4:15 • Jon. 3:7^{3} • Zep. 3:16 • Mal. 2:15 • Ps. 9:20; 19:14; 25:2, 20; 31:2, 18; 34:6; 35:19, 25; 36:12^{2}; 66:7; 69:7^{2}, 26, 29; 71:1; 74:21; 119:122; 121:3; 141:5 • Prov. 3:21; 4:21; 7:25; 23:17; 28:17 • Job 3:6^{2}, 7; 6:29; 9:34; 13:21; 15:31; 20:17; 32:21; 36:18 • Ruth 3:14 • Lam. 2:18 • Eccl. 5:1; 9:8 • Neh. 9:32 • ICh. 21:13 • IICh. 14:10; 18:7; 25:7

אַל־נָא
546 אַל־נָא תְהִי מְרִיבָה Gen. 13:8
547 אַל־נָא תַעֲבֹר מֵעַל עַבְדֶּךָ Gen. 18:3

אַל־נָא (המשך)
548/9 אַל־נָא יִחַר לַאדֹנָי Gen. 18:30,32
550 אַל־נָא אַחַי תָּרֵעוּ Gen. 19:7
551 אַל־נָא אֲדֹנָי Gen. 19:18
552 אַל־נָא אִם־נָא מָצָאתִי חֵן Gen. 33:10
553 אַל־נָא תַּעֲזֹב אֹתָנוּ Num. 10:31
554 אַל־נָא תָשֵׁת עָלֵינוּ חַטָּאת Num. 12:11
555 אַל־נָא תְהִי כַּמֵּת Num. 12:12
556 אַל־נָא יָשִׂים אֲדֹנִי אֶת־לִבּוֹ ISh. 25:25
563-557 אַל־נָא Num. 22:16 • Jud. 6:18 • ISh. 3:17 • IISh. 13:25; 14:18 • Jer. 44:4 • Jon. 1:14

אַל־(ד)
564 אַל־אַחַי Jud. 19:23
565 אַל בָּנָי כִּי לוֹא־טוֹבָה הַשְּׁמֻעָה ISh. 2:24
566 אַל־טַל וְאַל־מָטָר עֲלֵיכֶם IISh. 1:21
567 אַל־אָחִי IISh. 13:12
568 אַל(?)־אוֹדֹת הָרָעָה הַגְּדוֹלָה IISh. 13:16
569 אַל־בְּנִי IISh. 13:25
570 אַל כִּי־קָרָא יְיָ IIK. 3:13
571 אַל־אֲדֹנִי אִישׁ הָאֱלֹהִים IIK. 4:16
572 אַל־דֳּמִי לָכֶם Is. 62:6
573 אַל־בְּאַפְּךָ פֶּן־תַּמְעִטֵנִי Jer. 10:24
574 אֱלֹהִים אַל־דֳּמִי־לָךְ Ps. 83:2
575 וְדֶרֶךְ נְתִיבָה אַל־מָוֶת Prov. 12:28
576 אַל בְּנֹתַי כִּי־מַר־לִי מְאֹד Ruth 1:13

אַל־(ה)
577 וַיֹּאמֶר אָכִישׁ אַל־פְּשַׁטְתֶּם הַיּוֹם
וַיֹּאמֶר דָּוִד עַל־נֶגֶב יְהוּדָה ISh. 27:10

וְאַל־(א)
578 וְאַל־תַּעֲמֹד בְּכָל־הַכִּכָּר Gen. 19:17
579 וְאַל־תַּעַשׂ לוֹ מְאוּמָה Gen. 22:12
580 וְאַל־תִּגְּעוּ בְּכָל־אֲשֶׁר לָהֶם Num. 16:26
581 וְאַל־תִּתְגָּר בָּם מִלְחָמָה Deut. 2:9
583-582 וְאַל־תַּעַרְצוּ מִפְּנֵיהֶם Deut. 20:3; 31:6
585-584 ...וְאַל תֵּחָת Josh. 1:9; 8:1
586 וְאַל־תִּשְׁתִּי יַיִן וְשֵׁכָר Jud. 13:4
587 וְאַל־תְּדַבֵּר עִמָּנוּ יְהוּדִית IIK. 18:26
588 שִׁמְעוּ שָׁמוֹעַ וְאַל־תָּבִינוּ Is. 6:9
589 וְאַל־תִּתְּנוּ דֳמִי לוֹ Is. 62:7
590 נִירוּ... וְאַל־תִּזְרְעוּ אֶל־קֹצִים Jer. 4:3
591 וְאַל־תִּתֵּן נַחֲלָתְךָ לְחֶרְפָּה Joel 2:17
592 רִגְזוּ וְאַל־תֶּחֱטָאוּ Ps. 4:5
593 וְאַל־תַּשְׁלֶט־בִּי כָל־אָוֶן Ps. 119:133
594/5 וְאַל־תִּטֹּשׁ תּוֹרַת אִמֶּךָ Prov. 1:8; 6:20
596 וְאַל־תִּתְחַכַּם יוֹתֵר Eccl. 7:16
597 וְאַל־תְּהִי סָכָל Eccl. 7:17
598 וְאַל־תִּהְיוּ כַּאֲבוֹתֵיכֶם IICh. 30:7
682-599 וְאַל־(א) Deut. 1:21; 2:19; 20:3; 21:8 Josh. 10:25 • Jud. 13:4, 7 • IISh. 14:2; 19:20 • IK. 13:22 • IIK. 18:32 • Is. 2:9; 6:9; 36:11; 44:8; 54:4; 64:8 • Jer. 7:16^{2}; 11:14; 14:17; 16:5^{2}; 17:21; 22:10; 25:6; 27:14; 29:6, 8; 30:10; 35:15; 37:20; 39:12; 46:27; 51:3 • Ezek. 9:5 • Hosh. 4:4, 15^{3} • Am. 5:5 • Jon. 1:14 • Ob. 12^{3}, 13, 14^{2} • Ps. 6:2; 27:9; 41:3; 55:2; 69:18; 83:2; 103:2; 119:43, 116; 143:2 • Prov. 3:11, 31; 4:5, 14; 5:7, 8; 8:33; 22:22; 23:6, 22, 23; 24:1 • Job 11:14 • Es. 4:16 • Eccl. 5:5 • Neh. 3:37; 8:9, 10, 11; 13:14 • ICh. 22:13(12); 28:20 • IICh. 20:15, 17; 32:7, 15

32:7,15

וְאַל־(ב)
683 וְאַל־יִחַר אַפְּךָ בְּעַבְדֶּךָ Gen. 44:18
684 וְאַל־יִחַר בְּעֵינֵיכֶם Gen. 45:5
685 וְאַל־יִשְׁעוּ בְּדִבְרֵי־שָׁקֶר Ex. 5:9
686 וְאַל־אֶרְאֶה בְּרָעָתִי Num. 11:15
687 יְחִי רְאוּבֵן וְאַל־יָמֹת Deut. 33:6

וְאַל־(ב) (המשך)
688 הִתְפַּלֵּל... וְאַל־נָמוּת ISh. 12:19
689/90 וְאַל־יַבְטַח אֶתְכֶם IIK. 18:30 • Is. 36:15
691 יֵבֹשׁוּ רֹדְפַי וְאַל־אֵבֹשָׁה אָנִי Jer. 17:18
692 וְאַל־יְהִי חוֹנֵן לִיתוֹמָיו Ps. 109:12
717-693 וְאַל־(ב) Ex. 20:19 • Lev. 16:2 IISh. 3:29 • IK. 8:57 • Is. 56:3^{2} • Jer. 17:18; 18:18; 46:16 • Hosh. 4:4 • Ps. 35:24; 50:3; 69:15, 16^{2}, 28; 85:9 • Prov. 6:25 • Job 3:4, 9; 16:18 • IICh. 15:7; 23:6; 32:15; 35:21

וְאַל־(ד)
718 אַל־טַל וְאַל־מָטָר עֲלֵיכֶם IISh. 1:21
719 וְקִרְעוּ לְבַבְכֶם וְאַל־בִּגְדֵיכֶם Joel 2:13
720 דִּרְשׁוּ־טוֹב וְאַל־רָע Am. 5:14
721 הַט... וְאַל אֶל־בָּצַע Ps. 119:36
722 קְחוּ־מוּסָרִי וְאַל־כָּסֶף Prov. 8:10
723 פָּגוֹשׁ דֹּב... וְאַל־כְּסִיל בְּאִוַּלְתּוֹ Prov. 17:12
724 יְהַלֶּלְךָ זָר וְלֹא־פִיךָ
נָכְרִי וְאַל־שְׂפָתֶיךָ Prov. 27:2

לְאַל
725 מִי יַכְזִבֵנִי וְיָשֵׂם לְאַל מִלָּתִי Job 24:25

אַל־[2]

ארמית – אַל, לֹא

אַל־
1 לְחַכִּימֵי בָבֶל אַל־תְּהוֹבֵד Dan. 2:24
2 חֶלְמָא וּפִשְׁרֵהּ אַל־יְבַהֲלָךְ Dan. 4:16
3 אַל־יְבַהֲלוּךְ רַעְיוֹנָךְ Dan. 5:10
4 וְזִיוָךְ אַל־יִשְׁתַּנּוֹ Dan. 5:10

אֵל[1]

ז׳ א) אלהים, בורא העולם: רוב המקראות

ב) כנוי לאלילי הגוים: 216,207,201,179,177,176,55

ג) סֵמל לגודל, לשֶׂגב: 54 ,46

״אֵל״ – מרכיב בשמות פרטיים רבים שתחלתם אֶלְ־ (אֶלְדָּד, אֶלְיָסָף), אֱלִי־ (אֱלִיהוּא, אֱלִימֶלֶךְ), אֵלִי־ (אֵלִיָּהוּ), או סיומם ־אֵל (יִשְׂרָאֵל)

אֵל אָבִיו 218; אֵ׳ אֶחָד 44; אֵ׳ אַחֵר 176; אֵ׳ אֱלֹהִים 47, 202, 203; אֵ׳ אֵלִים 213,(234); אֵ׳ אֱמוּנָה 200; אֵ׳ אֱמֶת 209; אֵ׳ גִּבּוֹר 168,160,153,32,31; אֵ׳ גָּדוֹל 23, 168—166,160,153,60,52; אֵ׳ גְּמוּלוֹת 206; אֵ׳ דֵּעוֹת 204; אֵ׳ זוֹעֵם 146; אֵ׳ זָר 179,55; אֵ׳ חַי 178,57,39,26; אֵ׳ חַיָּי 214; אֵ׳ חַנּוּן וְרַחוּם 40, 77; אֵ׳ יַעֲקֹב 219; אֵ׳ יְשׁוּעָה 205; אֵ׳ יִשְׂרָאֵל 210; אֵ׳ כַּבִּיר 72; אֵ׳ הַכָּבוֹד 208; אֵ׳ מִסְתַּתֵּר 35; אֵ׳ נֶאֱמָן 152; אֵ׳ נוֹקֵם 42; אֵ׳ נוֹרָא 168-166,153,23; אֵ׳ נוֹשֵׂא 61; אֵ׳ נֵכָר 216,207,201; אֵ׳ נַעֲרָץ 59; אֵ׳ נְקָמוֹת 211/2; אֵ׳ סַלְעִי 215; אֵ׳ עוֹלָם 197; אֵ׳ עֶלְיוֹן 174/5,147,2,1; אֵ׳ צַדִּיק 37; אֵ׳ קָדוֹשׁ 169; אֵ׳ קַנָּא 6, 8, 19, 21, 22; אֵ׳ קַנּוֹא 42,27; אֵ׳ רֳאִי 196; אֵ׳ רַחוּם (וְחַנּוּן) 58,20,7; אֵ׳ שַׂגִּיא 73; אֵ׳ שַׁדַּי 3-5, 38, 144,145,171; אֵ׳ הַשָּׁמָיִם 217

אֵיד אֵל 70; אִמְרֵי אֵל 14, 15, 62; אַרְזֵי אֵ׳ 54; בֵּית אֵ׳ 150; בַּת אֵ׳ 207; דַּרְכֵי אֵ׳ 76; הַרְרֵי אֵ׳ 46; חַי אֵ׳ 68; חֶסֶד אֵ׳ 48; יַד אֵ׳ 69; כְּבוֹד אֵ׳ 45; כּוֹכְבֵי אֵ׳ 33; לֹא־אֵל 34,25; מוֹעֲדֵי אֵ׳ 51; מַעַלְלֵי אֵ׳ 53; מִקְדְּשֵׁי אֵ׳ 50; מַרְגִּיזֵי אֵ׳ 66; נִפְלְאוֹת אֵ׳ 75; נִשְׁמַת אֵ׳ 74; עֲדַת אֵ׳ 56; עִמָּנוּ אֵ׳ 29-30; פְּנֵי אֵ׳ 43; קוֹל אֵ׳ 38; רוּחַ אֵ׳ 71; רוֹמְמוֹת אֵ׳ 63; שׁוֹכְחֵי אֵ׳ 65; תַּנְחוּמוֹת אֵ׳ 67;
אֵל אֵלִים 213, (234); בְּנֵי אֵלִים 232, 233

אֵל
1 וּבָרוּךְ אֵל עֶלְיוֹן אֲשֶׁר־מִגֵּן... Gen. 14:20
2 אֵל עֶלְיוֹן קֹנֵה שָׁמַיִם וָאָרֶץ Gen. 14:22
3/4 אֲנִי־אֵל שַׁדַּי Gen. 17:1; 35:11
5 אֵל שַׁדַּי נִרְאָה־אֵלַי בְּלוּז Gen. 48:3
6 אָנֹכִי יְיָ אֱלֹהֶיךָ אֵל קַנָּא Ex. 20:5
7 יְיָ יְיָ אֵל רַחוּם וְחַנּוּן Ex. 34:6
8 אֵל קַנָּא הוּא Ex. 34:14
9 אֵל נָא רְפָא נָא לָהּ Num. 12:13

אֵל (המשך)

10 מָה אֶקֹּב לֹא קַבֹּה אֵל Num. 23:8

11 לֹא אִישׁ אֵל וִיכַזֵּב Num. 23:19

12 אֵל מוֹצִיאָם מִמִּצְרָיִם Num. 23:22

13 כָּעֵת יֵאָמֵר... מַה־פָּעַל אֵל Num. 23:23

14/5 נְאֻם שֹׁמֵעַ אִמְרֵי־אֵל Num. 24:4,16

16 אֵל מוֹצִיאוֹ מִמִּצְרַיִם Num. 24:8

17 אוֹי מִי יִחְיֶה מִשֻּׂמוֹ אֵל Num. 24:23

18 אֲשֶׁר מִי־אֵל בַּשָּׁמַיִם וּבָאָרֶץ... Deut. 3:24

19 אֵשׁ אֹכְלָה הוּא אֵל קַנָּא Deut. 4:24

20 כִּי אֵל רַחוּם יְיָ אֱלֹהֶיךָ Deut. 4:31

21 כִּי אָנֹכִי יְיָ אֱלֹהֶיךָ אֵל קַנָּא Deut. 5:9

22 כִּי אֵל קַנָּא יְיָ אֱלֹהֶיךָ בְּקִרְבֶּךָ Deut. 6:15

23 אֵל גָּדוֹל וְנוֹרָא Deut. 7:21

24 וַתִּשְׁכַּח אֵל מְחֹלְלֶךָ Deut. 32:18

25 הֵם קִנְאוּנִי בְלֹא־אֵל Deut. 32:21

26 כִּי אֵל חַי בְּקִרְבְּכֶם Josh. 3:10

27 אֵל־קַנּוֹא הוּא Josh. 24:19

28 כִּי מִי־אֵל מִבַּלְעֲדֵי יְיָ IISh. 22:32

29-30 ...עִמָּנוּ אֵל Is. 8:8,10

31 פֶּלֶא יוֹעֵץ אֵל גִּבּוֹר Is. 9:5

32 שְׁאָר יָשׁוּב... אֶל־אֵל גִּבּוֹר Is. 10:21

33 מִמַּעַל לְכוֹכְבֵי־אֵל אָרִים כִּסְאִי Is. 14:13

34 וּמִצְרַיִם אָדָם וְלֹא־אֵל Is. 31:3

35 אָכֵן אַתָּה אֵל מִסְתַּתֵּר Is. 45:15

36 וּמִתְפַּלְלִים אֶל־אֵל לֹא יוֹשִׁיעַ Is. 45:20

37 אֵל־צַדִּיק וּמוֹשִׁיעַ אַיִן זוּלָתִי Is. 45:21

38 כְּקוֹל אֵל־שַׁדַּי בְּדַבְּרוֹ Ezek. 10:5

39 יֵאָמֵר לָהֶם בְּנֵי אֵל־חָי Hosh. 2:1

40 כִּי אַתָּה אֵל־חַנּוּן וְרַחוּם Jon. 4:2

41 מִי־אֵל כָּמוֹךָ נֹשֵׂא עָוֹן Mic. 7:18

42 אֵל קַנּוֹא וְנֹקֵם יְיָ Nah. 1:2

43 וְעַתָּה חַלּוּ־נָא פְנֵי־אֵל Mal. 1:9

44 הֲלוֹא אֵל אֶחָד בְּרָאָנוּ Mal. 2:10

45 הַשָּׁמַיִם מְסַפְּרִים כְּבוֹד־אֵל Ps. 19:2

46 צִדְקָתְךָ כְּהַרְרֵי־אֵל Ps. 36:7

47 אֵל אֱלֹהִים יְיָ דִּבֶּר... Ps. 50:1

48 חֶסֶד אֵל כָּל־הַיּוֹם Ps. 52:3

49 הָאֵל לָנוּ אֵל לְמוֹשָׁעוֹת Ps. 68:21

50 עַד־אָבוֹא אֶל־מִקְדְּשֵׁי־אֵל Ps. 73:17

51 שָׂרְפוּ כָל־מוֹעֲדֵי־אֵל בָּאָרֶץ Ps. 74:8

52 מִי־אֵל גָּדוֹל כֵּאלֹהִים Ps. 77:14

53 וְלֹא יִשְׁכְּחוּ מַעַלְלֵי־אֵל Ps. 78:7

54 וַעֲנָפֶיהָ אַרְזֵי־אֵל Ps. 80:11

55 לֹא־יִהְיֶה בְךָ אֵל זָר Ps. 81:10

56 אֱלֹהִים נִצָּב בַּעֲדַת־אֵל Ps. 82:1

57 לִבִּי וּבְשָׂרִי יְרַנְּנוּ אֶל אֵל־חָי Ps. 84:3

58 וְאַתָּה אֲדֹנָי אֵל־רַחוּם וְחַנּוּן Ps. 86:15

59 אֵל נַעֲרָץ בְּסוֹד־קְדֹשִׁים רַבָּה Ps. 89:8

60 כִּי אֵל גָּדוֹל יְיָ וּמֶלֶךְ גָּדוֹל Ps. 95:3

61 אֵל נֹשֵׂא הָיִיתָ לָהֶם Ps. 99:8

62 כִּי־הִמְרוּ אִמְרֵי־אֵל Ps. 107:11

63 רוֹמְמוֹת אֵל בִּגְרוֹנָם Ps. 149:6

64 הַלְלוּ־אֵל בְּקָדְשׁוֹ Ps. 150:1

65 כֵּן אָרְחוֹת כָּל־שֹׁכְחֵי אֵל Job 8:13

66 וּבַטֻּחוֹת לְמַרְגִּיזֵי אֵל Job 12:6

67 הַמְעַט מִמְּךָ תַּנְחֻמוֹת אֵל Job 15:11

68 חַי־אֵל הֵסִיר מִשְׁפָּטִי Job 27:2

69 אוֹרֶה אֶתְכֶם בְּיַד־אֵל Job 27:11

70 כִּי־פַחַד אֵלַי אֵיד אֵל Job 31:23

71 רוּחַ־אֵל עָשָׂתְנִי Job 33:4

72 הֶן־אֵל כַּבִּיר וְלֹא יִמְאָס Job 36:5

73 הֶן־אֵל שַׂגִּיא וְלֹא נֵדָע Job 36:26

אֵל (המשך)

74 מִנִּשְׁמַת־אֵל יִתֶּן־קָרַח Job 37:10

75 עֲמֹד וְהִתְבּוֹנֵן נִפְלְאוֹת אֵל Job 37:14

76 הוּא רֵאשִׁית דַּרְכֵי־אֵל Job 40:19

77 כִּי אֵל־חַנּוּן וְרַחוּם אָתָּה Neh. 9:31

78-143 אֵל IISh. 23:5 • Is. 40:18; 43:10, 12; 44:10, 15; 45:14, 22; 46:6, 9 • Ezek. 28:2[2], 9 • Hosh. 11:9; 12:1 • Ps. 5:5; 10:11, 12; 16:1; 17:6; 43:4; 52:7; 55:20; 73:11; 77:10; 78:8, 18, 19, 34, 41; 83:2; 90:2; 106:14, 21; 118:27; 139:17, 23 • Job 5:8; 8:5, 20; 9:2; 13:3; 15:4, 13, 25; 16:11; 18:21; 19:22; 20:15; 22:13; 25:4; 27:9, 13; 31:14; 32:13; 33:14, 29; 34:12, 23, 31; 35:13; 36:22; 37:5; 38:41 • Lam. 3:41 • Dan. 11:36

וְאֵל

144 וְאֵל שַׁדַּי יְבָרֵךְ אֹתְךָ Gen. 28:3

145 וְאֵל שַׁדַּי יִתֵּן לָכֶם רַחֲמִים Gen. 43:14

146 וְאֵל זֹעֵם בְּכָל־יוֹם Ps. 7:12

147 אֱלֹהִים צוּרָם וְאֵל עֶלְיוֹן גֹּאֲלָם Ps. 78:35

148 וְאֵל הֵרַךְ לִבִּי Job 23:16

149 וְאֵל הֵסִיר מִשְׁפָּטִי Job 34:5

הָאֵל

150 אָנֹכִי הָאֵל בֵּית־אֵל Gen. 31:13

151 אָנֹכִי הָאֵל אֱלֹהֵי אָבִיךָ Gen. 46:3

152 הָאֵל הַנֶּאֱמָן שֹׁמֵר הַבְּרִית Deut. 7:9

153 הָאֵל הַגָּדֹל הַגִּבֹּר וְהַנּוֹרָא Deut. 10:17

154/5 הָאֵל תָּמִים דַּרְכּוֹ IISh. 22:31 • Ps. 18:31

156 הָאֵל מָעוּזִּי חָיִל IISh. 22:33

157/8 הָאֵל הַנֹּתֵן נְקָמֹת לִי IISh. 22:48 • Ps. 18:48

159 כֹּה־אָמַר הָאֵל יְיָ Is. 42:5

160 הָאֵל הַגָּדוֹל הַגִּבּוֹר Jer. 32:18

161 הָאֵל הַמְאַזְּרֵנִי חָיִל Ps. 18:33

162 יַעֲמָס־לָנוּ הָאֵל יְשׁוּעָתֵנוּ Ps. 68:20

163 הָאֵל לָנוּ אֵל לְמוֹשָׁעוֹת Ps. 68:21

164 אַתָּה הָאֵל עֹשֵׂה פֶלֶא Ps. 77:15

165 אֶשְׁמְעָה מַה־יְדַבֵּר הָאֵל Ps. 85:9

166/7 הָאֵל הַגָּדוֹל וְהַנּוֹרָא Dan. 9:4 • Neh. 1:5

168 הָאֵל הַגָּדוֹל הַגִּבּוֹר וְהַנּוֹרָא Neh. 9:32

וְהָאֵל

169 וְהָאֵל הַקָּדוֹשׁ נִקְדָּשׁ בִּצְדָקָה Is. 5:16

הַאֵל

170 הַאֵל יְעַוֵּת מִשְׁפָּט Job 8:3

בְּאֵל

171 וָאֵרָא אֶל־אַבְרָהָם... בְּאֵל שַׁדָּי Ex. 6:3

כָּאֵל

172 אֵין כָּאֵל יְשֻׁרוּן Deut. 33:26

173 וְאִם־זְרוֹעַ כָּאֵל לָךְ Job 40:9

לְאֵל

174 וְהוּא כֹהֵן לְאֵל עֶלְיוֹן Gen. 14:18

175 בָּרוּךְ אַבְרָם לְאֵל עֶלְיוֹן Gen. 14:19

176 לֹא תִשְׁתַּחֲוֶה לְאֵל אַחֵר Ex. 34:14

177 וּשְׁאֵרִיתוֹ לְאֵל עָשָׂה Is. 44:17

178 צָמְאָה נַפְשִׁי לֵאלֹהִים לְאֵל חָי Ps. 42:3

179 וַנִּפְרֹשׂ כַּפֵּינוּ לְאֵל זָר Ps. 44:21

לָאֵל

180 מִזְבֵּחַ לָאֵל הַנִּרְאֶה אֵלֶיךָ Gen. 35:1

181 לָאֵל הָעֹנֶה אֹתִי בְּיוֹם צָרָתִי Gen. 35:3

182 אֶקְרָא... לָאֵל גֹּמֵר עָלָי Ps. 57:3

183 אִם־לָאֵל תְּרִיבוּן Job 13:8

184 וַיֹּאמְרוּ לָאֵל סוּר מִמֶּנּוּ Job 21:14

185 הָאֹמְרִים לָאֵל סוּר מִמֶּנּוּ Job 22:17

186 כִּי־כִחַשְׁתִּי לָאֵל מִמָּעַל Job 31:28

187 הֶן־אֲנִי כְפִיךָ לָאֵל Job 33:6

188 חָלִלָה לָאֵל מֵרֶשַׁע Job 34:10

189 וְיִרֶב אֲמָרָיו לָאֵל Job 34:37

הַלָאֵל

190 הַלָאֵל תְּדַבְּרוּ עַוְלָה Job 13:7

191 הַלְאֵל יְלַמֶּד־דָּעַת Job 21:22

192 הַלְאֵל יִסְכָּן־גָּבֶר Job 22:2

מֵאֵל

193 וּלְבַקֵּשׁ מֵאֵל אָכְלָם Ps. 104:21

194 וְנַחֲלַת אִמְרוֹ מֵאֵל Job 20:29

195 אָמַרְתָּ צִדְקִי מֵאֵל Job 35:2

אֵל־

196 וַתִּקְרָא שֵׁם־יְיָ... אַתָּה אֵל רֳאִי Gen. 16:13

197 וַיִּקְרָא־שָׁם בְּשֵׁם יְיָ אֵל עוֹלָם Gen. 21:33

198 וַיִּקְרָא־לוֹ אֵל אֱלֹהֵי יִשְׂרָאֵל Gen. 33:20

199 אֵל אֱלֹהֵי הָרוּחֹת לְכָל־בָּשָׂר Num. 16:22

200 אֵל אֱמוּנָה וְאֵין עָוֶל Deut. 32:4

201 וְאֵין עִמּוֹ אֵל נֵכָר Deut. 32:12

202/3 אֵל אֱלֹהִים יְיָ Josh. 22:22[2]

204 כִּי אֵל דֵּעוֹת יְיָ ISh. 2:3

205 הִנֵּה אֵל יְשׁוּעָתִי אֶבְטַח Is. 12:2

206 כִּי אֵל גְּמֻלוֹת יְיָ Jer. 51:56

207 וּבָעַל בַּת־אֵל נֵכָר Mal. 2:11

208 אֵל־הַכָּבוֹד הִרְעִים Ps. 29:3

209 פָּדִיתָה אוֹתִי יְיָ אֵל אֱמֶת Ps. 31:6

210 אֵל יִשְׂרָאֵל הוּא נֹתֵן עֹז... Ps. 68:36

211/2 אֵל־נְקָמוֹת יְיָ אֵל נְקָמוֹת הוֹפִיעַ Ps. 94:1

213 וְעַל אֵל אֵלִים יְדַבֵּר נִפְלָאוֹת Dan. 11:36

לְאֵל־

214 תְּפִלָּה לְאֵל חַיָּי Ps. 42:9

215 אוֹמְרָה לְאֵל סַלְעִי... Ps. 42:10

216 וְלֹא תִשְׁתַּחֲוֶה לְאֵל נֵכָר Ps. 81:10

217 הוֹדוּ לְאֵל הַשָּׁמָיִם... Ps. 136:26

מֵאֵל־

218 מֵאֵל אָבִיךָ וְיַעְזְרֶךָּ Gen. 49:25

שֶׁאֵל־

219 אַשְׁרֵי שֶׁאֵל יַעֲקֹב בְּעֶזְרוֹ Ps. 146:5

אֵלִי

220 זֶה אֵלִי וְאַנְוֵהוּ Ex. 15:2

221 הַצִּילֵנִי כִּי אֵלִי אָתָּה Is. 44:17

222 אֵלִי צוּרִי אֶחֱסֶה־בּוֹ Ps. 18:3

223/4 אֵלִי אֵלִי לָמָה עֲזַבְתָּנִי Ps. 22:2

225 מִבֶּטֶן אִמִּי אֵלִי אָתָּה Ps. 22:11

226 אֱלֹהִים אֵלִי אַתָּה אֲשַׁחֲרֶךָּ Ps. 63:2

227 הֲלִיכוֹת אֵלִי מַלְכִּי בַקֹּדֶשׁ Ps. 68:25

228 אֵלִי וְצוּר יְשׁוּעָתִי Ps. 89:27

229 אֵלִי אַל־תַּעֲלֵנִי בַּחֲצִי יָמָי Ps. 102:25

230 אֵלִי אַתָּה וְאוֹדֶךָּ Ps. 118:28

231 אָמַרְתִּי לַיְיָ אֵלִי אָתָּה Ps. 140:7

אֵלִים

232 הָבוּ לַיְיָ בְּנֵי אֵלִים Ps. 29:1

233 מִי... יִדְמֶה לַיְיָ בִּבְנֵי אֵלִים Ps. 89:7

234 וְעַל אֵל אֵלִים יְדַבֵּר נִפְלָאוֹת Dan. 11:36

בָּאֵלִם

235 מִי־כָמֹכָה בָּאֵלִם יְיָ Ex. 15:11

אֵל[2]

ז׳ כֹּחַ (?) [רק בצרוף לְאֵל יָדִי, ־יָדְךָ וכו׳]

לְאֵל

1 יֶשׁ־לְאֵל יָדִי לַעֲשׂוֹת עִמָּכֶם רָע Gen. 31:29

2 וְאֵין לְאֵל יָדֶךָ Deut. 28:32

3 כִּי יֶשׁ־לְאֵל יָדָם Mic. 2:1

4 בִּהְיוֹת לְאֵל יָדְךָ לַעֲשׂוֹת Prov. 3:27

5 וְאֵין לְאֵל יָדֵנוּ Neh. 5:5

אֵל[3]

קִצּוּר מִן "אֵלֶּה"

אֵל

1 אֵל נוּלְּדוּ לְהָרָפָא בְּגַת IChr. 20:8

הָאֵל

2 רַק לָאֲנָשִׁים הָאֵל אַל־תַּעֲשׂוּ Gen. 19:8

3 וַיַּהֲפֹךְ אֶת־הֶעָרִים הָאֵל Gen. 19:25

4/5 כָּל־הָאֲרָצֹת הָאֵל Gen. 26:3,4

6 אֶת־כָּל־הַתּוֹעֵבֹת הָאֵל עָשׂוּ Lev. 18:27

7 אֶל־אַחַת מִן־הֶעָרִים הָאֵל Deut. 4:42

8 וְנָשַׁל... אֶת־הַגּוֹיִם הָאֵל Deut. 7:22

9 וְנָס אֶל־אַחַת הֶעָרִים הָאֵל Deut. 19:11

אֵל[4]

ארמית: קצור מן "אֵלֶּה", כמו בעברית

אֵל

1 אֵל (כתי׳ אלה) מָאנַיָּא שֵׂא אֱזֵל־אֲחֵת Ez. 5:15

אֵל אֱלֹהֵי יִשְׂרָאֵל

מזבח שהקים יעקב על־יד שכם

אֵל א״י

1 וַיִּקְרָא לוֹ אֵל אֱלֹהֵי יִשְׂרָאֵל Gen. 33:20

אֵל בֵּית אֵל

מקום, אולי הוא בֵּית־אֵל [עין בית אל]

אֵל ב״א

1 וַיִּקְרָא לַמָּקוֹם אֵל בֵּית־אֵל Gen. 35:7

אֵל בְּרִית

אל כנעני, הוא בַּעַל־בְּרִית

אֵל בְּרִית

1 וַיָּבֹאוּ אֶל־צְרִיחַ בֵּית אֵל בְּרִית Jud. 9:46

אֶל־ מלת־יַחס המצַינת:

א) [אחרי פעלי־תנועה, כגון: הלך, בא, ירד, הביא] תנועה למקום מסוים או למישהו: 1998-1 ושאר רוב המקראות שבראשם הציון (א)

ב) [אחרי פעלי אמירה או רגש, כגון: אמר, דבר, שמע, קוה] לציון פְּנִיָּה: 1999—3403 ושאר רוב המקראות שבראשם הציון (ב)

ג) במשמע: עַל, עַל־אוֹדוֹת, בגלל: 3404—3417

ד) [אַחַת אֶל אַחַת, זֶה אֶל זֶה, פָּנִים אֶל פָּנִים ועוד צרופים בתבנית ~ אֶל ~]: 3418—3456

אֶל אֲשֶׁר, ראה אֲשֶׁר; **אֶל־חִנָּם** 3457; **אֶל־מִבֵּית** 3458; **אֶל־מוּל** 3459-3471; **אֶל־מִחוּץ** 3472-3490; **אֶל־נָכוֹן** 3491, 3492; **אֶל־נֹכַח** 3493; **אֶל־תּוֹךְ** 3494—3500; **אֶל־תַּחַת** 3501—3504; **הִנְנִי אֵלֶיךָ** (אֵלַיִךְ וְכד׳) 4290—4295, 4522—4525, 5099, 5100; **לֹא אֲלֵיכֶם** 5101

אֶל־(א)

1 יִקָּווּ הַמַּיִם... אֶל־מָקוֹם אֶחָד Gen. 1:9
2 וַיָּבֵא אֶל־הָאָדָם Gen. 2:19
3 וַיְבִאֶהָ אֶל־הָאָדָם Gen. 2:22
4 עַד שׁוּבְךָ אֶל־הָאֲדָמָה Gen. 3:19
5 וַיָּקָם קַיִן אֶל־הֶבֶל אָחִיו Gen. 4:8
6 אֲשֶׁר יָבֹאוּ... אֶל־בְּנוֹת הָאָדָם Gen. 6:4
7 וּבָאתָ אֶל־הַתֵּבָה Gen. 6:18
8 וַתָּשָׁב אֵלָיו אֶל־הַתֵּבָה Gen. 8:9
9 לֶךְ־לְךָ... אֶל־הָאָרֶץ Gen. 12:1
10-11 וַיֵּרָא יְיָ אֶל־אַבְרָם Gen. 12:7; 17:1
12 הֲרִמֹתִי יָדִי אֶל־יְיָ Gen. 14:22
13 אֶל־אַרְצִי וְאֶל־מוֹלַדְתִּי תֵּלֵךְ Gen. 24:4
14-1998 אֶל־(א) Gen. 6:19; 7:1, 7, 9^2, 13; 7:15^2; 8:9

13:4; 14:3, 7, 17; 15:15; 16:2, 4, 9; 18:6, 7; 19:2, 3, 27; 20:3, 13; 21:14, 32; 22:2, 3, 9, 12, 19^2; 23:19; 24:5^2, 10^2, 11, 20^2; 24:29^2, 30, 38, 41, 42; 25:6, 8, 9^2, 17; 26:1; 27:9, 18, 22; 27:43; 28:5, 9, 15, 21; 29:13, 30; 30:14, 25, 39, 40; 31:3, 4, 13, 18, 24; 32:4, 7^2, 9; 33:14; 34:6, 20; 35:4, 9, 27, 29; 36:6; 37:22^2, 23, 29, 30, 32, 35, 36; 38:8, 9, 16, 22, 25; 39:7, 16, 20; 40:3, 11; 41:14, 21^2, 55, 57; 42:17, 25, 28, 29; 43:13, 19, 21; 44:17, 24, 30, 34; 45:9, 25; 46:28; 47:15, 17, 18; 48:21; 49:29^3, 33^2; 50:24 • Ex. 2:11, 18; 3:1, 8^3, 10, 11, 13, 17^2, 18; 4:7^2, 18^2; 5:22, 23; 6:3^2, 8; 7:10, 15, 23, 26; 9:1, 14, 20, 29, 33; 10:1, 3, 8; 12:4, 22, 23, 25; 13:5, 11; 14:5, 23, 24; 15:13, 22, 25; 16:1, 3, 10, 35^2; 18:5^2, 19, 26, 27; 19:3, 10, 14, 15, 20^2, 21, 22, 23, 24, 25; 20:21; 21:6^3; 22:6, 7, 9; 23:17, 20, 23; 24:1, 2, 13, 15, 18; 25:16, 20^2; 26:3^2, 5, 6, 9, 17, 24; 28:7, 24, 26, 28, 29, 30, 35, 43^2; 29:4, 12, 30; 30:20^2; 31:18; 32:3, 19, 30, 31, 34; 33:1, 3, 7, 8, 11; 34:2, 4; 36:2, 29^2; 37:9^2, 38:14; 39:19, 21, 33; 40:12, 20, 21, 32^2, 35 • Lev. 1:3, 15, 16; 2:2, 8^2; 4:4, 5, 7, 12^2, 16, 18, 25, 30, 34; 5:8, 9, 12, 18, 25; 6:4, 7, 23; 8:4, 8, 15; 9:5, 7, 8, 9, 22, 23; 10:9, 18; 11:33; 12:6^2; 13:2^2, 7^2, 9, 16, 19; 14:2, 5, 8, 23^2, 34, 38, 46, 51; 15:14^2, 29^2; 16:2^2, 3, 15, 18, 22, 23^2, 26, 28; 17:5; 18:6, 14, 18; 19:4, 21, 23, 31; 20:6, 16; 21:23; 22:3, 13; 23:10^2; 24:11; 25:2, 10^2, 13, 41; 26:25 • Num. 4:10, 12, 15; 5:15, 17, 23, 25; 6:10^2, 13; 7:5, 6, 89; 8:19; 10:3, 29, 30; 11:16, 30; 12:4, 10; 13:26^2, 27, 30, 31, 32; 14:3, 8, 10, 16, 24, 30, 40^2, 44; 15:2, 18, 33; 16:14, 15, 19^2, 25; 17:7, 8, 12, 15^2, 23, 24, 28; 18:3.22; 19:3, 6, 7, 14, 17; 20:4, 5, 6, 10, 12, 14, 24^2, 27; 21:7, 9, 21; 22:5, 7, 9, 13, 14, 16, 20, 25^2,

אֶל־(א) (המשך)

36; 23:4, 5, 13, 14, 16^2, 27; 24:1, 10, 11; 25:1, 6, 8^2; 27:13; 31:2, 12, 24, 48, 54; 32:7, 9, 14, 17, 18; 33:38, 51, 54; 34:2; 35:25, 28, 32 • Deut. 2:26, 29, 37; 4:1, 21, 39, 42; 6:10; 7:1, 10^2, 26; 8:7; 9:21, 27, 28; 11:13, 27, 28, 29; 12:5, 9, 26; 13:4^2, 17; 14:25; 16:6; 17:5, 8, 9, 12^2, 14; 18:6, 9, 11, 14, 19; 19:5, 11; 20:2, 10, 19; 21:2, 3, 4, 6, 19; 22:2, 15, 21, 24; 23:6, 16; 24:10; 25:1, 7; 26:1, 2, 3^2, 9; 27:2, 3; 28:13, 36; 29:6, 27; 30:1, 5, 10, 13; 31:7, 9, 18, 20^2, 21, 23; 32:40, 49, 50^2, 52; 33:28; 34:1 • Josh 1:2, 17; 2:3, 23; 4:8, 13, 18; 5:3, 14; 7:3, 23; 8:5, 9, 18^2, 20, 23, 29; 9:6^2, 17, 27; 10:3^2, 6^2, 15, 18, 19, 20, 21^2, 24^3, 27, 43; 11:1, 5, 19; 13:22; 14:6; 15:1, 3, 7^3, 8^2, 9^2, 10^2, 11, 15, 21; 16:2, 3; 17:7^2, 8; 18:9, 12, 13, 14, 15, 16^2, 17, 18, 19^3; 19:11, 12, 27; 20:4, 6; 21:1; 22:4, 6, 7, 8, 9^2, 10, 11^2, 13^2, 15^2, 18, 19, 32^2; 24:8, 11, 23 • Jud. 1:1, 10, 11; 2:1^2, 10, 17; 4:7, 13, 17; 6:8, 20, 39, 40; 7:4, 5, 6, 10, 11, 15, 25^2; 8:15; 9:1, 31, 46, 50; 11:3, 12, 14, 17^2, 19, 32, 34, 39; 12:3, 6; 13:3, 9, 11, 21; 14:9^2, 10; 15:1, 11; 16:3; 18:8, 10, 15, 26; 19:2^2, 11, 12, 22, 23, 29; 20:1, 11, 16, 20, 24, 29, 30^2, 32, 36^2, 37, 42, 45, 47, 48; 21:5^2, 6, 8^3, 12, 23 • ISh. 1:19, 25; 2:27^2, 34^2, 36; 3:5, 6, 8, 12, 21; 4:3, 5, 6, 7; 5:4, 6; 6:8, 11, 14, 15, 21; 7:1, 3^2, 7; 8:4; 9:10; 10:3, 5, 14, 22; 13:13, 17^2, 23; 14:1, 6, 8, 11, 26^2, 27, 32, 34, 36; 15:13, 19, 34; 16:1, 7, 13, 19, 20, 21, 22, 23; 17:3^2, 20, 33, 40, 41, 49^2, 51; 18:10; 19:7, 9, 11, 13, 16, 18, 23; 20:12, 13, 19, 25, 27, 29, 38, 40; 21:2, 3, 5, 11, 14, 16; 22:1, 9, 11, 14; 23:3, 6, 8, 10, 16, 19, 24, 26, 27; 24:4(3), 8(7), 23(22); 25:1, 5, 17, 25, 26, 36, 40; 26:1, 2, 5, 6^2, 7, 15; 27:1, 2, 8, 9; 28:8, 21, 23; 29:4^2, 11; 30:1, 3, 7, 11, 15^2, 21, 26; 31:3 • IISh. 1:2, 10; 2:5, 9, 22, 23^2; 3:7, 8, 12, 14, 20, 21, 23, 24, 27; 4:5, 6, 8; 5:1, 3, 6, 8, 11, 17, 19, 23; 6:3, 6; 8:3, 7, 10; 9:6, 8; 10:2; 11:4, 6, 9, 10^2, 11, 14, 16^2, 20, 21, 24, 25, 27; 12:1, 15, 20, 27; 13:7, 24, 30, 33, 37, 39; 14:3, 22, 24^2, 29^2, 31, 32, 33^2; 15:2, 6, 13; 16:21, 22; 17:7, 13^2, 14, 18, 20, 23^3, 25; 18:4, 12, 17, 24^2; 19:6, 12^4, 15, 28, 31, 36, 42; 20:3, 10, 15, 22^3; 21:10; 22:42; 23:10, 13^3, 16, 23; 24:3, 6, 7, 9, 13, 18, 21 • IK. 1:13, 15, 33; 2:13, 19, 28, 29, 30, 39, 40; 3:1, 5, 16; 5:7, 8, 15, 16, 22; 6:8^2, 18; 7:14, 34; 8:1, 2, 6^4, 7, 28, 29^2, 34, 38, 41, 46, 52, 59; 9:2, 24, 28; 10:2, 7, 19; 11:18, 21, 22, 40; 12:12; 13:1, 10, 18, 20, 22, 29^2; 14:10, 13^2, 28; 15:18; 16:7, 13, 18; 17:10, 19; 18:1, 2, 5, 19, 20, 21, 40, 42, 46; 19:2, 3, 9; 20:2, 9, 13, 22, 30^2, 31, 32, 38; 21:4, 8, 14, 16; 22:2, 13, 15^2, 17, 26, 35, 36^2 • IIK. 1:6, 15; 2:3, 5, 21, 25; 3:7^2, 13, 24, 26; 4:8, 11, 18^2, 19, 20, 25^2, 27^2, 39^2, 41; 5:5, 6, 8, 11, 15, 23, 24, 25; 6:5, 8, 9, 10, 11, 19, 22, 23; 7:4, 5, 8^2, 10; 8:1; 9:3, 6, 11, 12, 13; 9:14, 18, 19, 27, 32, 33; 10:1, 5, 14, 15; 11:7, 8, 9, 13; 11:14; 14:8, 9^2; 16:7, 9, 10; 17:4; 18:14, 17, 32, 37; 19:2, 5, 9, 20, 32, 34; 20:2, 12, 14; 22:4. 8. 9. 14. 16. 20; 23:6, 9, 11, 12, 25; 25:6, 23 • Is. 2:3^2; 3:8; 7:3; 9:18; 10:21; 13:14^2; 14:2, 15^2, 19; 16:1, 12; 17:7, 8; 18:2, 7; 22:5, 8, 11, 15, 18; 24:18; 29:11; 30:29; 36:2, 10, 17, 22; 37:2, 5, 7, 9, 21, 23, 33; 38:2; 39:1, 3; 49:22; 55:7; 56:3, 7; 60:8; 65:2; 66:17, 19 • Jer. 2:7; 4:3, 5; 5:5; 6:19, 21; 7:12, 20; 8:14; 11:23; 13:11, 14; 14:18; 19:2, 15; 21:4; 26:9, 11, 22, 23^2; 27:3^2, 22; 28:3, 4, 6, 8; 29:1, 3, 10, 14, 16, 25, 26; 30:2, 3; 31:6(5), 9(8), 12(11), 21(20); 32:8, 12, 16, 18, 37, 42; 33:4; 34:7, 8, 17^2, 22; 35:2^2, 4, 11, 15, 17; 36:14, 20, 23^2, 32; 37:3, 13, 14, 16, 18; 38:2, 6, 7, 9, 11^3, 14, 17, 18, 19, 22, 23, 27; 39:1, 5, 14^2, 16; 40:5^2, 6, 8, 12, 13; 41:1, 6, 7^2, 10, 12, 14, 15; 42:12, 20; 44:7; 46:10, 16^2; 47:3, 5, 6; 48:8, 11, 19, 21^2, 40, 44^2;

אֶל־(א) (המשך)

49:19, 28, 31, 36; 50:5, 6, 16, 19, 36^2, 37^2, 38, 44; 51:9, 12, 35, 60^2, 63; 52:9, 15, 26 • Ezek. 1:9, 10, 12^2, 23; 2:3^2; 3:4, 5^2, 6, 11^2, 13, 15^2, 22, 23, 26; 4:8; 5:4^2; 6:2, 13; 7:12, 13^2, 16; 8:3, 7, 14^2, 16^2, 17; 9:3; 10:1, 7^2, 11, 22; 11:1, 11, 24; 12:3, 12; 13:9, 14, 17; 14:4^2, 7^2, 19, 21; 16:5, 25, 26, 28, 29, 61; 17:3, 4, 8^2; 18:6^2, 15; 19:4, 9, 11; 20:6, 10, 15, 28, 35, 42^2; 21:9, 12, 17^2, 26, 34, 35; 22:13; 23:39, 42, 44^2; 24:2; 25:2; 26:7, 20; 27:3, 29; 28:21; 29:18; 30:25; 31:4, 7, 10, 12, 14^3, 17, 18; 32:6, 18, 24; 33:25; 34:13^2, 14, 21; 36:20, 24; 37:7, 12, 17, 21; 38:2, 8; 39:15, 28; 40:2^2, 6, 16, 17^2, 18, 26, 27, 28, 31^2, 32, 34, 35, 37, 44^2, 46, 48, 49; 41:1, 4, 9, 12, 15, 19^2, 25^2, 26; 42:1^2, 2, 3, 4, 7, 10, 13, 14^2, 19; 43:1, 3^2, 4, 5, 13, 16, 17, 19; 44:4^2, 7, 9, 11, 13, 16^2, 17, 19^3, 21, 27^2, 30; 45:2, 7^2, 11, 16, 19; 46:19^2, 20, 21^2; 47:1, 2, 7, 8^2. 9. 16. 19; 48:1^2, 12, 20, 21, 28 • Hosh. 2:9; 3:1; 5:4, 13^2, 15; 6:1; 7:10; 8:1; 9:13; 11:5; 12:5; 14:3 • Joel 2:13, 20^3; 4:2, 8, 12 • Am. 2:7; 3:7; 4:8; 7:10, 12; 8:2 • Jon. 1:2, 4, 5^2, 12, 13, 15; 2:5, 8, 11; 3:2, 3, 6 • Mic. 4:2 • Hab. 1:13 • Zep. 3:2, 9 • Hag. 1:6, 9; 2:12, 16^2 • Zech. 2:4, 12, 15; 5:4, 8^2; 6:6^3, 8; 8:3, 21; 11:13^2; 14:2, 5, 8^2, 17 • Mal. 2:13; 3:1, 10; 5:8; 22:9, 28 • Ps. 25:15; 28:2; 30:10; 33:14, 15; 40:5; 41:2; 42:8; 43:3, 4^2; 50:4; 51:2; 52:2; 69:19; 73:17; 78:54; 79:6, 12; 84:8; 90:16; 95:11; 102:18, 20; 104:8; 105:13; 107:7, 30; 119:36^2, 48, 5, 9; 121:1; 137:9; 138:2 • Prov. 2:18; 5:8; 6:6, 29; 7:22^2, 23, 25, 27; 15:12; 16:3; 17:8; 19:24: 26:15; 30:10; 31:8 • Job 1:14; 2:3, 5^2; 10:21; 13:3, 15; 15:13, 25; 16:11, 20; 18:18; 22:26; 30:22; 34:18, 23; 36:21; 38:20, 22; 40:23; 41:1; 42:8 • S.ofS. 2:4; 3:4; 4:6; 6:11; 8:2 • Ruth 1:7, 15, 16; 2:9, 11; 3:16, 17; 4:11 • Lam. 2:12; 3:21, 41^2; 4:4, 17^2 • Eccl. 1:6^2, 7^2; 3:20; 4:17; 6:6; 7:2^3; 9:1, 3, 4; 10:15; 12:5, 6, 7 • Es. 1:22^2; 2:3, 8^3, 12, 13, 14^3, 15, 16^2; 3:9, 13; 4:2, 6^2, 8, 11^3; 4:13, 15, 16; 5:4, 5, 8, 10, 12, 14; 6:12^2, 14; 7:7, 8; 9:20, 30^2 • Dan. 8:9; 9:3; 10:3; 11:6, 7, 9; 12:7 • Ez. 3:1, 7, 8; 4:2; 7:7, 9; 8:15^2; 9:5, 11; 10:6 • Neh. 1:9; 2:5^2, 7, 8, 9, 11, 12, 14; 3:36; 4:5, 9^2; 6:10^2, 11; 7:5; 8:1, 3, 13^2; 9:23, 29; 10:29, 38, 39, 40; 13:6 • ICh. 2:21; 7:23; 8:6; 11:1, 3, 15, 18; 12:1, 9(8), 20(19), 21(20); 13:6, 13^2; 14:1; 15:3^2, 12; 16:20; 18:10; 19:2^2; 21:5, 11, 27; 28:1 • IICh. 2:2, 10; 4:2; 5:2, 3, 7^4; 6:19, 20^2, 25, 27, 29, 32, 36, 37; 7:2, 12; 8:18; 9:1, 12; 10:12; 11:4; 12:5^2, 11; 16:2, 4^2, 7; 18:2^2, 5, 14^2, 25, 28; 19:1, 2, 4; 20:24, 27, 28, 37; 22:7^2, 9; 23:2, 7, 12, 14, 15; 24:11^2, 12, 19, 23; 25:17, 18^2; 26:16; 27:2; 29:18; 30:6^2; 32:6; 34:9, 16, 22, 28^2; 35:21; 36:13, 20

אֶל־(ב)

1999 וַיֹּאמֶר אֶל־הָאִשָּׁה Gen. 3:1
2000 וַתֹּאמֶר הָאִשָּׁה אֶל־הַנָּחָשׁ Gen. 3:2
2001 וַיֹּאמֶר הַנָּחָשׁ אֶל־הָאִשָּׁה Gen. 3:4
2002 וַיִּקְרָא יְיָ אֱלֹהִים אֶל־הָאָדָם Gen. 3:9
2003 וַיִּשַׁע יְיָ אֶל־הֶבֶל וְאֶל־מִנְחָתוֹ Gen. 4:4
2004/5 וַיֹּאמֶר יְיָ אֶל־קָיִן Gen. 4:6,9
2006 וַיֹּאמֶר קַיִן אֶל־הֶבֶל אָחִיו Gen. 4:8
2007 וַיִּתְעַצֵּב אֶל־לִבּוֹ Gen. 6:6
2008 וַיְדַבֵּר אֱלֹהִים אֶל־נֹחַ Gen. 8:15
2009 וַיֹּאמֶר יְיָ אֶל־לִבּוֹ Gen. 8:21
2010 וַיֹּאמֶר אֱלֹהִים אֶל־נֹחַ וְאֶל־בָּנָיו Gen. 9:8
2011 וַיֹּאמְרוּ אִישׁ אֶל־רֵעֵהוּ Gen. 11:3
2012 וַיֹּאמֶר יְיָ אֶל־אַבְרָם לֶךְ־לְךָ... Gen. 12:1
2013 וַיִּתְפַּלֵּל אַבְרָהָם אֶל־הָאֱלֹהִים Gen. 20:17
2014 שָׁמַע אֱלֹהִים אֶל־קוֹל הַנַּעַר Gen. 21:17

אֶל־(ב) 2015 וַיִּשְׁמַע יַעֲקֹב אֶל־אָבִיו וְאֶל־אִמּוֹ Gen. 28:7

(המשך) 2016 כִּי־נִכְמְרוּ רַחֲמָיו אֶל־אָחִיו Gen. 43:30

3403-2017 אֶל־ (ב) Gen. 3:14,16; 4:13; 9:17; 12:11,15; 13:8,14; 14:21,22; 15:1; 16:2, 5, 6, 11; 17:9,15,18; 18:13,27,31,33; 19:5,12, 14, 31, 34; 20:10; 21:12,17,22,29; 22:5,7,15; 23:3,13,16; 24:2,39,45,65; 25:30; 26:16; 27:5,6[2],11,19,20, 21,38,46; 28:1; 29:21,25; 30:1, 14, 17, 25; 31:3,35,43; 32:17,20; 34:4,11, 20, 24, 30; 35:1,2; 37:2,10,13,19,26; 39:8,10; 40:14,16; 41:15,17,24,25,28,32,38,39,41,44,55; 42:21,28,37; 43:8,33; 44:20,21,22,23; 45:1,3,4,17[2]; 46:30,31; 47:3[2],4,5,8,9,23; 48:3,9,11,18,21; 49:1,2,; 50:4,16,24 • Ex. 1:9,19; 2:7,20,23; 3:6,11,13,14,15[2]; 4:4,10[2],16,19,21,22,27,30; 5:1,10,15; 6:1,2,9[2],10,11,13[2],27,28,29[2]; 7:1, 2, 7, 8, 9,14,19[2],26; 8:1[2],4,8,12[2],15,16,21,25,26; 9:1,8,12,13,21,22,28; 10:1,12,18,21,24; 11:1,9; 12:1,3,43; 13:1,3; 14:1,2,10,11,13,15[2],26,; 15:25; 16:4,6,9[2],10, 11, 15, 20, 28, 33, 34; 17:4, 5, 9, 14; 18:6,19; 19:6,8,9[2],10,15,21,23; 20:19[2],20,22[2]; 24:12,16; 25:1,2,22; 28:3; 30:11,17,22,34; 31:1,12,13; 32:7,9,17,21,30,33; 33:1,5[2], 11[2], 12, 17; 34:1,27,34; 35:4,30; 36:2,5; 40:1 • Lev. 1:1,2; 4:1,2; 5:14,20; 6:1,12,17,18; 7:22,23,28,29; 8:1,5,31; 9:2,7; 10:3,4,6,8,12,19; 11:1,2; 12:1,2; 13:1; 14:1,33; 15:1,2; 16:1,2[2]; 17:1,2; 18:1,2; 19:1,2; 20:1; 21:1[2],16,17,24; 22:1, 2, 17, 18, 26; 23:1,2,9,10,23,24,26,33,34,44; 24:1,13,23; 25:1,2; 27:1,2,34 • Num. 1:1,48; 2:1; 3:5,11,14,40,44; 4:1,17,21; 5:1,4,5,6, 11, 12, 19; 6:1,2,22,23; 7:4,11; 8:1,2,5,23[2]; 9:1, 4, 9, 10; 10:1; 11:2[2],6,11,16,23,24; 12:4,11,13,14; 13:1; 14:4,7,11,13,14,26,39; 15:1,2,17,18, 22, 35, 37, 38; 16:5,8,15,16,20,23,24,26; 17:1, 2, 9, 11, 16, 17,21,25,27; 18:1,8,20,25; 19:1,2; 20:7,8,12,16,23; 21:7,8,34; 22:4,10, 12, 13, 18, 30, 34,35,37,38; 23:1,11,15,25,26,27,29; 24:10,12[2]; 25:4,5,10,16; 26:1,52; 27:6,12,15,18; 28:1; 30:1,2; 31:1,3,21,25,49; 32:2,25,31; 33:50,51; 34:1,16 35:1,9.10; 36:13 • Deut. 1:1,3; 3:23; 4:45; 5:1,22(19); 9:26; 15:9; 20:2,5,8,9; 21:20; 22:16; 24:15; 26:7; 27:9,14; 29:1; 31:1, 14, 16; 32:45,48 • Josh.1:1,3; 2:9,24; 3:5,6,7,9; 4:1,4,8,10,15,21; 5:2,9,14,15; 6:2,6,7,8,16; 7:10,19; 8:1,18; 9:7,8,19; 10:8; 11:6,23; 14:6,10; 17:17; 18:3; 20:1,2; 21:43; 22:31; 24:2,7,19, 21, 22, 24, 27 • Jud. 2:4; 3:9,15; 4:3,14; 6:6,7,29,30,36,39; 7:2,4,5,7; 8:18,22; 9:14, 15, 36, 48, 54; 10:10,11,14,15,18; 11:8,9,10, 13, 28, 35, 36, 37; 13:8,11,13[2],15,16,17,22; 14:3; 15:18; 16:6, 10, 13, 26, 28; 18:14, 23; 19:5, 6, 11, 22; 21:13 • ISh. 1:26, 27; 3:4, 11, 12, 15; 4:16, 19, 21; 7:3, 5, 8[2], 9; 8:6, 7, 10, 22[2]; 9:3,26,27; 10:11,16,17,18,24,25; 11:1,12,14; 12:1,6,8.10,17,18,19[2],20; 13:13; 14:1,6,12,19[2],40[2], 41, 43, 45; 15:1,6,10,11,19,20,24,26,35; 16:1[2],7,8 10, 11, 17, 26; 17:8,26,28,32,33,34,37,39,43,44,45, 55; 18:1.17.18.21.22; 19:1,3,4,17[2]; 20:4,5,10,11,12,27,34; 21:15; 22:3,5; 23:2,9; 24:17(16),18(17); 25:9; 26:6,8,9,14[2],15,25; 27:1,5; 28:1,2[2],12,13,15; 29:3,6,8,9; 30:7 • IISh. 1:5,13,24; 2:14,22,26; 3:7,18,21,31,32,33,38; 4:8; 5:19; 6:21;

אֶל־(ב) (המשך) 7:2, 3, 4, 5, 17, 19, 28; 9:2, 3, 4, 9, 11; 10:3 11:10,11,12,19,23,25[2]; 12:5,7,13[2],19; 13:6, 10, 13, 25, 35; 14:4,8,9,12,15[2],18,21,30,32,33; 15:7, 15, 19:27; 16:2, 3, 9, 11, 16, 17, 18, 20, 21; 17:1, 7, 15, 21; 18:2,12,22,26,28,32; 19:12,20,24,29,31,34, 35, 42; 20:4, 6, 16, 21, 23; 21:3, 5; 24:2, 3, 4, 10, 11, 12, 14, 16, 17, 22, 23, 24 • IK. 1:11; 2:18,44; 3:26; 5:19; 6:11,12; 8:18, 29[2], 30[2], 35, 42,44,47,54; 10:6; 11:2,21; 12:3,15,20,22,23,27[3]; 13:6,7,8,11,13,20,21,27,31; 14:5[2]; 15:20; 16:1,12; 17:1,18,20,21,24; 18:1, 3, 5, 22, 43, 44; 20:12,28,31,35,39; 21:2, 3, 6, 15, 17, 20,22,28; 22:3,4[2],5,8,9,18,30,50 • IIK. 1:3,10,15; 2:2,9,19; 3:13; 4:1,6,9, 12, 13[2], 19[2], 22,24,25,33,36[2]; 5:3; 6:1,8,11, 18, 21, 32; 7:3,6,9,10,12,18; 8:1,3,4,5,8,14; 9:5,23,25; 10:9,17,30; 12:5; 15:12; 18:18,19,22, 26[2], 30,31; 19:6,10,32; 20:2,5,8,11,16,19; 21:7; 22:8 • Is. 7:3,10; 8:19[2]; 13:8; 16:13; 19:3, 11,20; 23:11; 28:11; 29:22; 32:6; 36:4,7, 11[2], 15, 16; 37:6,10,15; 38:2,4,5,18,19; 39:5,8; 45:20; 51:1,2,6; 62:11;65:1; 66:2,5 • Jer. 5:8; 7:1,4; 10:2; 11:1,2,12; 14:1,12; 15:1; 18:1,11,18; 19:14; 21:1,3; 22:8,11,18; 23:35,37; 25:26,30; 26:3,8,11, 12, 13, 16, 17, 18, 19; 27:1,4,9,13,14,16,19; 28:5, 12, 13, 15, 16; 29:7,8,16,19,21,30,31; 30:1,4; 32:1,16,26; 33:1,14,19,23,26; 34:1,2,6,12; 35:1,12,13; 36:1,7,16[2],19,27; 37:2,3,6,7,18; 38:1,4,8,12,14,15,16,17,19,24,25; 40:1, 2, 4, 15, 16; 41:8; 42:2[2],4,5,7,8,10,20; 43:1,2,8; 44:1[2], 20, 24; 45:1; 46:1,13,25; 47:1[2],7; 48:1,31,36; 49:2,20[2],34[2]; 50:1[2],14,18[2],29[2],45[2]; 51:3, 12, 61, 62 • Ezek. 1:3; 3:1; 6:9,11; 7:13,14; 10:2; 11:25; 12:19; 13:2,11,16,19,20; 14:6; 17:2,11; 19:1; 20:18,27,30; 21:2[2],7,33; 23:5,12,14; 24:1,18,23[3]; 25:3,6; 30:22; 31:2,8,18; 33:2,10,12; 34:10; 36:1,29; 37:9; 44:6[2] • Hosh. 1:1,2; 3:5; 9:1; 12:7 • Joel 1:1,14 • Am. 5:16[2]; 7:12,14,15 • Jon. 1:1,5,6,7,14; 2:2,3; 3:1,8; 4:1,2,9 • Mic. 1:1; 3:4; 7:17 • Nah. 1:9 • Zep. 1:1 • Hag. 1:1; 2:2,20,21 • Zech. 1:1,7; 2:2,8; 3:2,4; 4:4,6; 5:10; 6:4; 7:1,3,5,8 • Mal. 1:1; 3:16 • Ps. 3:5; 4:6; 5:1; 27:14[2]; 28:5; 31:7; 33:18; 34:16; 37:34; 39:13; 52:17; 62:2; 69:34; 77:2[2]; 80:1; 84:3; 85:9; 99:6; 107:6, 13, 19, 28; 109:14; 119:6,20; 120:1; 123:2[3]; 130:7; 131:3; 142:2[2],7; 143:1 • Prov. 3:5; 8:4; 31:8 • Job 1:7, 8, 12; 2:2,3,6; 5:8; 8:5; 10:2; 13:3; 33:26; 34:31; 38:41; 42:7[2] • Ruth 2:2,8,22; 4:14 • Lam. 2:18 • Es. 3:12; 6:7; 8:9 • Dan. 1:11; 9:2,6,17; 10:16 • Ez. 8:17 • Neh. 1:6,11; 2:4; 4:3,8,13; 5:1; 9:4,16,34 • ICh. 10:4; 17:1,2,3,4,15; 21:2,8,9,10,13, 17,18,22,23,26 • IICh. 6:8,19,20[2],21[2],26,32; 9:5; 10:3,15[2]; 11:2,3; 12:7; 14:10; 16:10; 18:3,4,7,8,12,17,29; 19:2,6; 20:21; 30:20: 32:19,24; 33:7,10,18; 34:15; 35:22

אֶל־(ג) 3404 וַיֹּאמֶר אַבְרָהָם אֶל־שָׂרָה אִשְׁתּוֹ אֲחֹתִי הִוא Gen. 20:2

3405 נָתַן חֵלֶק... אֶל־פִּי יְיָ לִיהוֹשֻׁעַ Josh. 15:13

3406 וַיִּתֵּן לָהֶם אֶל־פִּי יְיָ נַחֲלָה Josh. 17:4

3407 וַיִּתְּנוּ... מִנַּחֲלָתָם אֶל־פִּי יְיָ Josh. 21:3

3408 רְאוּ חֶלְקַת יוֹאָב אֶל־יָדִי IISh. 14:30

3409 אֶל־שָׁאוּל וְאֶל־בֵּית הַדָּמִים IISh. 21:1

3410 לִצְעֹק... אֶל־בֵּיתָהּ וְאֶל־שָׂדָהּ IIK. 8:3

אֶל־(ג) (המשך) 3411 וַיָּנֻסוּ אֶל־נַפְשָׁם IIK. 7:7

3412 הִתְפַּלַּלְתָּ אֵלַי אֶל־סַנְחֵרִיב Is. 37:21

3413 וְצִוִּיתָ אֹתָם אֶל־אֲדֹנֵיהֶם Jer. 27:4

3414 שֶׁקֶר אַתָּה דֹבֵר אֶל־יִשְׁמָעֵאל Jer. 40:16

3415 לְיֹשְׁבֵי יְרוּשָׁלַםִ אֶל־אַדְמַת יִשְׂרָאֵל Ezek. 12:19

3416 וַתְּצַוֵּהוּ אֶל־מָרְדֳּכָי Es. 4:10

3417 אֲסַפְּרָה אֶל חֹק Ps. 2:7

~אֶל~ 3422-3418 פָּנִים אֶל־פָּנִים Gen. 32:31(30) • Ex. 33:11 • Deut. 34:10 • Jud. 6:22 • Ezek. 20:35

3423/4 זֶה אֶל־זֶה Ex. 14:20 • Is. 6:3

3425/6 מִן־הַקָּצָה אֶל־הַקָּצָה Ex. 26:28; 36:33

3427-31 אַחַת אֶל־אֶחָת Ex. 36:10[2],12,13,22

3432 פֶּה אֶל־פֶּה אֲדַבֶּר־בּוֹ Num. 12:8

3433/4 מִיּוֹם אֶל־יוֹם Num. 30:15 • ICh. 16:23

3435 וְלֹא־תִסֹּב...מִמַּטֶּה אֶל־מַטֶּה Num. 36:7

3436 וַיֶּפֶן זָנָב אֶל־זָנָב Jud. 15:4

3437 כָּנָף אֶל־כָּנָף IK. 6:27

3438/9 (וּ)מֶחֱזָה אֶל־מֶחֱזָה IK. 7:4,5

3440-4 (מִ)גּוֹי אֶל־גּוֹי Is. 2:4 • Jer. 25:32 • Mic. 4:3 • Ps. 105:13 • ICh. 16:20

3445 מֵרָעָה אֶל־רָעָה יָצָאוּ Jer. 9:2

3446 וְלֹא־הוּרַק מִכְּלִי אֶל־כֶּלִי Jer. 48:11

3447 וּשְׁמֻעָה אֶל־שְׁמוּעָה תִּהְיֶה Ezek. 7:26

3448/9 כַּף אֶל־כַּף / כַּפִּי / Ezek. 21:19,22

3450 צֵלָע אֶל־צֵלָע Ezek. 41:6

3451 וַיָּמָד מִשַּׁעַר אֶל־שַׁעַר Ezek. 40:23

3452 מִטֶּרֶם שׂוּם־אֶבֶן אֶל־אֶבֶן Hag. 2:15

3453 יֵלְכוּ מֵחַיִל אֶל־חָיִל Ps. 84:8

3454 מְפִיקִים מִזַּן אֶל זַן Ps. 144:13

3455 לְשִׁבְעַת הַיָּמִים מֵעֵת אֶל־עֵת ICh. 9:25

3456 וָאֶהְיֶה מֵאֹהֶל אֶל־אֹהֶל ICh. 17:5

אֶל־חִנָּם 3457 לֹא אֶל־חִנָּם דִּבַּרְתִּי Ezek. 6:10

אֶל־מִבֵּית 3458 הוֹצִיאוּ אֹתָהּ אֶל־מִבֵּית לַשְּׂדֵרֹת IIK.11:15

אֶל־מוּל 3459 וְנָתַתָּה עַל־כִּתְפוֹת הָאֵפֹד אֶל־מוּל פָּנָיו Ex. 28:25

3471-3460 אֶל־מוּל Ex. 34:3; 39:18; 28:37 • Lev. 8:9 • Num. 8:2,3 • Josh. 8:33[2]; 9:1; 22:11 • ISh. 17:30 • IISh. 11:15

אֶל־מִחוּץ 3472 וְהוֹצִיא... אֶל־מִחוּץ לַמַּחֲנֶה Lev. 4:12

3490-3473 אֶל־מִחוּץ Lev. 4:21; 6:4; 10:4, 5 14:3, 40, 41, 45, 53; 16:27; 24:14, 23 • Num. 5:3,4; 15:36; 19:3; 31:13 • Deut. 23:11

אֶל־נָכוֹן 3491 וְשַׁבְתֶּם אֵלַי אֶל־נָכוֹן ISh. 23:23

3492 וַיֵּדַע כִּי־בָא שָׁאוּל אֶל־נָכוֹן ISh. 26:4

אֶל־נֹכַח 3493 וְהִזָּה אֶל־נֹכַח פְּנֵי אֹהֶל־מוֹעֵד Num. 19:4

אֶל־תּוֹךְ 3494 וַהֲבֵאתָהּ אֶל־תּוֹךְ בֵּיתֶךָ Deut. 21:12

3500-3495 אֶל־תּוֹךְ Deut. 23:11,12 • Josh. 4:5 • IK. 6:27 • Ezek. 22:19,20

אֶל־תַּחַת 3501 וְהֵבִיאוּ אֶל־תַּחַת הָאֲבָנִים Lev. 14:42

3504-3502 אֶל־תַּחַת Jud. 6:19 • Ezek. 10:2 • Zech. 3:10

וְאֶל־(א) 3505 כִּי־עָפָר אַתָּה וְאֶל־עָפָר תָּשׁוּב Gen. 3:19

3506 וְאֶל־אַמָּה תְּכַלֶּנָּה מִלְמַעְלָה Gen. 6:16

3507 וְאֶל־הַבָּקָר רָץ אַבְרָהָם Gen. 18:7

3508 וְאֶל־אֲצִילֵי בְּנֵי יִשְׂרָאֵל לֹא שָׁלַח יָדוֹ Ex. 24:11

3509 וְאֶל־הַמִּזְבֵּחַ לֹא־יַעֲלוּ... Lev. 2:12

3510 אֶל־הַמְּנוּחָה וְאֶל־הַנַּחֲלָה Deut. 12:9

3511 וְאֶל־כֶּלְיְךָ לֹא תִתֵּן Deut. 23:25

3512 וְאֶל־עַמּוֹ תְּבִיאֶנּוּ Deut. 33:7

וְאֶל־ (א) (המשך)
3580-3513 וְאֶל־ (א) Ex. 25:21 • Lev. 12:4
17:4,9; 18:19,20 • Num. 4:19 • Deut. 1:7 • Josh. 1:16; 11:2 • ISh. 6:20; 27:10 • IISh. 3:29; 11:13; 18:27; 23:23; 24:5,6 • IIK. 7:12; 19:33 • Is. 37:34 • Jer. 3:6; 4:23; 9:16; 25:2,9; 26:15^{2}; 36:31; 50:21,35^{3}; 51:1 • Ezek. 2:6; 4:7; 13:9; 18:6; 20:38; 22:9; 23:42; 29:10; 31:13; 38:12; 40:14,40^{2},43; 41:17; 43:20^{2}; 44:25: 48:32 • Joel 4:3 • Zech. 10:10 • Ps. 80:12; 104:22,29 • Job 5:1,5; 10:9; 15:25 • Eccl. 1:5 • Neh. 2:13^{2}; 11:25 • ICh. 11:25 • IICh. 8:17

וְאֶל־ (ב)
3581 וְאֶל־אִישֵׁךְ תְּשׁוּקָתֵךְ Gen. 3:16
3582/3 וְאֶל־קַיִן וְאֶל־מִנְחָתוֹ לֹא שָׁעָה Gen. 4:5
3584 וְאֶל־מֹשֶׁה אָמַר Ex. 24:1
3585 וְאֶל־בְּנֵי יִשְׂרָאֵל תֹּאמַר Lev. 20:2
3586 וְאֶל־הָעָם תֹּאמַר Num. 11:18
3587 וְאֶל־הַלְוִיִּם תְּדַבֵּר Num. 18:26
3588/9 לִשְׁמֹעַ אֶל־הָרִנָּה וְאֶל־הַתְּפִלָּה
IK. 8:28 • IICh. 6:19
3801-3590 (אֶל)... וְאֶל־ (ב) Gen. 4:4
9:8; 24:4,38; 28:7; 34:11,24,30; 35:2; 37:10; 46:31 • Ex. 6:3,13^{2}; 7:8; 9:8; 12:1,22; 36:2^{2} • Lev. 6:18; 8:31; 10:4,12^{2}; 11:1; 13:1; 14:33; 15:1; 17:2; 19:31; 20:6^{2}; 21:23, 24^{2}; 22:2,18^{2}; 25:41 • Num. 2:1; 4:1,17; 6:23; 10:30; 12:4^{2}; 13:26^{2}; 14:26; 15:33^{2}; 16:5,20; 18:3; 19:1; 20:12,23; 26:1; 31:12^{2}; 32:2^{2} • Deut. 4:1; 9:27^{2}; 17:9; 18:14; 31:9 • Josh. 7:23; 10:3^{3}; 11:1^{2},2; 20:6; 21:1^{2}; 22:13^{2},15^{2},31^{2} • Jud. 8:18; 13:21; 14:9 • ISh. 4:21; 16:7; 19:1; 23:8,26; 26:6,14; 30:1 • IISh. 2:9^{2}; 3:8,31; 16:11; 17:15; 19:12; 21:1 • IK. 8:28,52; 12:23; 16:7; 18:5; 21:8; 22:26 • IIK. 3:13; 8:3; 9:33; 10:1; 21:7 • Is. 8:19; 19:9^{3}; 49:22; 51:1,2; 55:7 • Jer. 26:11, 12, 16; 27:3^{4},9^{4}; 29:1^{3},16,21,25^{2},26; 30:4; 33:4; 34:7,17; 35:17; 37:16; 40:4; 42:8; 44:24; 46:16; 47:7; 48:21; 50:18,37^{2} • Ezek. 21:33; 23:44; 25:3^{2}; 31:2; 40:16^{2}; 42:10; 45:7,19 • Hosh. 3:5 • Mic. 4:2 • Hag. 1:1; 2:2^{2},12^{4} • Prov. 2:18; 3:5 • Job 2:5 • S.ofS. 3:4; 4:6 • Ruth 1:15 • Es. 1:22; 3:12^{2}; 8:9^{2} • Dan. 8:9^{2}; 9:6,17 • Ez. 4:2 • Neh. 1:11; 2:14; 4:8^{2},13^{2} • ICh. 21:2 • IICh. 6:19; 11:3; 18:25; 33:7,10
3830-3802 וְאֶל־ (ב) Ex. 24:14; 30:31
Lev. 9:3; 24:15 • Num. 27:8 • IISh. 22:7 • IIK. 22:18 • Is. 8:22; 40:18,25; 66:2 • Jer. 21:8; 27:12,16; 29:24; 39:15 • Ezek. 7:18; 11:21; 18:12 • Hosh. 4:8; 11:7 • Ps. 18:7; 30:9; 69:27 • Prov. 19:18 • Job 5:8; 8:5; 32:21 • IICh. 34:26

הַאֶל־
3831 הַאֶל אֲדֹנֶיךָ וְאֵלֶיךָ שְׁלָחַנִי אֲדֹנִי Is. 36:12

אֱלֵי־
3832 הַשְּׂמֵחִים אֱלֵי־גִיל Job 3:22
3833 תָּבוֹא בְכֶלַח אֱלֵי־קָבֶר Job 5:26
3834 וְצָפוּי הוּא אֱלֵי־חָרֶב Job 15:22
3835 שָׁרְשִׁי פָתוּחַ אֱלֵי־מָיִם Job 29:19

אֵלַי (א)
3836 הַפַּעַם יִלָּוֶה אִישִׁי אֵלַי Gen. 29:34
3837 וַתֹּאמֶר אֵלַי תָּבוֹא Gen. 30:16
3838 בָּא אֵלַי לִשְׁכַּב עִמִּי Gen. 39:14
3839 בָּא אֵלַי הָעֶבֶד הָעִבְרִי Gen. 39:17
3840 וְאֶת-אֲחִיכֶם הַקָּטֹן תָּבִיאוּ אֵלַי Gen. 42:20
3841 וְהָבִיאוּ אֶת־אֲחִיכֶם הַקָּטֹן Gen. 42:34
3953-3842 אֵלַי (א) Gen. 31:52; 45:4,9,10
48:3,9 • Ex. 3:16; 11:8; 18:15,16; 24:12

אֵלַי (א) (המשך)
Num. 24:12 • Deut. 1:22,23(20); 9:10,11; 10:1; 31:28 • Josh. 2:4; 10:4,22; 18:6,8 • Jud. 4:18; 11:7,12; 12:3; 13:6,10 • ISh. 5:10; 13:9,12; 14:33,34; 15:32; 16:19; 17:43,44,45; 19:15; 20:31; 22:13; 29:6 • IISh. 6:9; 11:6; 14:10; 15:36; 19:43 • IK. 2:7; 5:23; 12:12; 17:18; 18:19,30; 20:7,39 • IIK. 4:6; 5:7,8,11,22; 10:6; 18:31; 19:28 • Is. 6:6; 39:3; 44:22; 45:22; 48:16; 50:8; 55:3,11 • Jer. 2:27; 3:1,7,10; 4:1; 13:11; 24:7; 30:21; 32:33; 37:7 • Ezek. 14:1; 33:21,22^{2}; 43:19; 44:13,15 • Zech. 1:3; 12:10 • Mal. 3:7 • Ps. 25:16; 31:3; 40:2; 71:2; 86:16; 102:3; 119:132 • Job 21:5 • Dan. 8:1^{2}; 9:21 • Ez. 9:1 • Neh. 1:9; 6:2,4,5 • ICh. 12:18(17); 13:12 • IICh. 10:12

אֵלַי (ב)
3954 קוֹל דְּמֵי אָחִיךָ צֹעֲקִים אֵלַי Gen. 4:10
3955 הַכְּצַעֲקָתָהּ הַבָּאָה אֵלַי עָשׂוּ Gen. 18:21
3956 כֹּה־דִבֶּר אֵלַי הָאִישׁ Gen. 24:30
3957 וְאָמְרָה אֵלַי גַּם־אַתָּה שְׁתֵה Gen. 24:44
3958 כִּי־אֵינֶנּוּ אֵלַי כִּתְמֹל שִׁלְשֹׁם Gen. 31:5
3959 וַיֹּאמֶר אֵלַי מַלְאַךְ הָאֱלֹהִים Gen. 31:11
3960 וֵאלֹהֵי אֲבִיכֶם אֶמֶשׁ אָמַר אֵלַי Gen. 31:29
4204-3961 אֵלַי (ב) Gen. 32:10
34:11; 48:4 • Ex. 6:12,30; 22:22,26; 33:12 • Num. 11:12; 22:17 • Deut. 1:17,41,42; 2:2,9,17; 2:31; 3:2,26^{2}; 4:10; 5:28(25); 9:12,13,19; 10:1,10,11; 31:2 • Jud. 9:7; 10:12; 16:10,13; 18:24 • ISh. 9:16; 9:21; 15:16; 19:17; 21:3; 23:22; 28:21 • IISh. 1:7; 1:9 • IK. 2:42; 12:9; 13:17,18; 22:14,16 • IIK. 2:9; 6:28; 9:12; 10:19; 18:22,25; 19:20 • Is. 8:1,3,5,11; 18:4; 21:6,11; 31:4; 36:7,10,16; 37:21,29; 41:1; 46:3,12; 48:12; 49:1; 51:1,4^{2},5; 51:7; 55:2; 63:15 • Jer. 1:4,7,9,11,12,13; 2:1; 3:6,11; 7:26; 11:6,11,14; 13:1,3,6,8; 14:14; 15:1; 16:1; 17:19,24,27; 18:5; 24:3,4; 25:7,15; 26:4; 27:2; 28:1; 32:6,8,25; 33:3; 34:14,17; 36:18 • Ezek. 2:3; 3:1,3,16,22,24; 4:15,16; 6:1; 7:1; 8:5; 8:6,8,12,15,17; 9:9; 11:5,14; 12:1,8,17,21,26; 13:1; 14:2,12; 15:1; 16:1; 17:1,11; 18:1; 20:2,8; 21:1,6; 21:13,23; 22:1,17,23; 23:1,36; 24:1,15,19,20; 25:1; 26:1; 27:1; 28:1,11,20; 29:1,17; 30:1,20; 31:1; 32:1,17; 33:1,23; 34:1; 35:1; 36:16; 37:3,4,9,11,15; 38:1; 40:4; 41:4,22; 42:13; 43:6,7,18; 44:2,5; 46:20; 47:6,8 • Hosh. 3:1; 7:14,15 • Am. 7:8; 8:2 • Mic. 7:10 • Hag. 2:17 • Zech. 1:4,9,14; 2:2,6; 4:2,5,6,8,13; 5:2,3,5,11; 6:8,9; 7:4; 8:18; 11:13 • Ps. 2:7; 7:7; 42:4,11 • Job 31:23; 32:14; 42:7,8 • Ruth 2:21 • Dan. 8:14,17; 10:11,12 • IICh. 10:9; 18:15

אֵלָי (א)
4205 מַדּוּעַ בָּאתֶם אֵלָי Gen. 26:27
4206 וַתֹּאמֶר... הוֹרִדֻהוּ אֵלָי Gen. 44:21
4207 מִי לַיָי אֵלָי Ex. 32:26
4237-4208 אֵלָי Gen. 38:16; 43:23
45:18; 46:31 • Ex. 19:4; 32:2 • Num. 22:10; 22:16,37 • Deut. 5:19; 10:4 • Josh. 18:4 • Jud. 13:10 • ISh. 16:17; 17:8; 21:15 • IISh. 12:23 • IK. 5:22; 12:5; 13:6 • IIK. 22:15 • Jer. 30:21; 49:4 • Ezek. 2:9; 26:2 • Ps. 69:17; 101:2 • ICh. 21:2 • IICh. 10:5; 34:23

אֵלָי (ב)
4238 עָשִׂיתִי כַּאֲשֶׁר דִּבַּרְתָּ אֵלָי Gen. 27:19
4239 וְאֶתְּנָה כַּאֲשֶׁר תֹּאמְרוּ אֵלָי Gen. 34:12
4281-4240 אֵלָי (ב) Gen. 24:40; 43:29 •
Ex. 3:9; 14:15 • Num. 22:8 • Deut. 2:1; 3:26

אֵלָי (ב) (המשך)
5:25; 18:17 • ISh. 28:21 • IIK. 19:27 • Is. 21:16; 37:28 • Jer. 1:14; 2:29; 11:9; 14:11; 16:12; 17:15; 18:19; 25:3; 29:12; 35:14,15,16; 38:15 • Ezek. 2:1,2; 3:4,7,10; 8:9,10; 11:2; 20:39; 40:45 46:24 • Hosh. 7:7 • Zech. 6:5; 11:15 • Ps. 77:2 • Eccl. 9:13

וְאֵלַי (א)
4282 וְאֵלַי יֵאָסְפוּ כֹּל חָרֵד... Ez. 9:4

וְאֵלַי (ב)
4283 וְאֵלַי יְחַשְּׁבוּ־רָע Hosh. 7:15
4284 וְאֵלַי דָּבָר יְגֻנָּב Job 4:12

אֵלֶיךָ (א)
4285 שְׁנַיִם מִכֹּל יָבֹאוּ אֵלֶיךָ Gen. 6:20
4286 קַח־לְךָ... וְאָסַפְתָּ אֵלֶיךָ Gen. 6:21
4287 שׁוֹב אָשׁוּב אֵלֶיךָ כָּעֵת חַיָּה Gen. 18:10
4288 לַמּוֹעֵד אָשׁוּב אֵלֶיךָ כָּעֵת חַיָּה Gen. 18:14
4289 אֲשֶׁר־בָּאוּ אֵלֶיךָ הַלָּיְלָה Gen. 19:5
4290 הִנְנִי אֵלֶיךָ זָדוֹן Jer. 50:31
4295-4291 הִנְנִי אֵלֶיךָ Jer. 51:25
Ezek. 29:10; 35:3; 38:3; 39:1
4393–4296 אֵלֶיךָ (א) Gen. 31:39
31:52; 35:1; 42:37^{2}; 43:9; 44:8,32; 47:5; 48:2,5 • Ex. 4:1,5; 7:16; 18:6,22; 19:9; 20:24(21); 23:27; 25:16,21; 27:20; 28:1 • Lev. 24:2 • Num. 10:3,4; 19:2; 22:37,38 • Deut. 13:2,3,8; 22:2; 23:16; 24:1; 28:7; 30:14 • Jud. 4:7; 6:18; 9:33; 11:8 • ISh. 9:16; 10:8^{2}; 11:3; 20:12 • IISh. 3:12,24; 10:3; 14:32; 17:3; 20:21 • IK. 8:33,48; 20:5,6; 21:21 • IIK. 5:6^{2}; 8:9; 9:11; 20:14 • Is. 14:16; 39:3; 55:5; 65:5 • Jer. 1:19; 2:31; 15:19,20; 16:19; 32:7; 38:25; 40:15 • Ezek. 2:8; 3:3; 4:8; 7:7; 24:26; 33:31 • Ps. 32:9; 51:15; 88:10; 91:7,10; 143:6,9 • Job 4:2,5; 15:8 • Lam. 5:21 • Dan. 10:11,20 • Ez. 9:6 • Neh. 9:26 • ICh. 17:18; 19:3; 29:18 • IICh. 6:38

אֵלֶיךָ (ב)
4394 כֹּל אֲשֶׁר תֹּאמַר אֵלֶיךָ שָׂרָה Gen. 21:12
4395/6 אֲשֶׁר אֹמַר אֵלֶיךָ Gen. 22:2; 26:2
4397 לֹא נוּכַל דַּבֵּר אֵלֶיךָ רַע אוֹ-טוֹב Gen. 24:50
4398 כֹּל אֲשֶׁר אָמַר אֱלֹהִים אֵלֶיךָ Gen. 31:16
4509–4399 אֵלֶיךָ (ב) Ex. 4:23; 6:29
14:12; 29:42 • Num. 6:25,26; 22:20,35; 23:26 • Deut. 5:27(24),28(25),31(28); 15:16 • Josh. 1:17 • Jud. 3:19,20; 7:4^{2} • ISh. 3:9,17^{2}; 8:7; 9:17,23; 10:2; 16:3; 17:45; 24:5(4) • IISh. 7:20,27; 20:16 • IK. 8:33,43,47,48,52; 12:10; 13:22; 22:18 • IIK. 3:14; 5:13^{2}; 9:5^{2} • Is. 14:10 • Jer. 7:27; 11:20; 12:1,6; 13:12; 15:2; 16:10; 19:2; 20:12; 30:2; 36:2^{2}; 38:20,25^{2}; 39:12; 44:16 • Ezek. 2:8; 3:6,7,10; 12:9; 21:12; 37:18 • Joel 1:19,20 • Jon. 2:8; 3:2 • Hab. 1:2 • Ps. 5:3; 22:6; 25:1; 28:1,2; 30:3,9; 31:23; 32:6; 40:6; 42:2; 56:4; 59:10,18; 61:3; 86:2; 86:3,4; 88:14; 102:2; 104:27; 123:1; 141:8; 142:6; 143:8; 145:15 • Job 30:20; 40:27^{2} • Dan. 10:11 • Neh. 9:27 • IICh. 6:33,34,37; 10:10; 18:17; 20:9

וְאֵלֶיךָ (א)
4510 הַעַל אֲדֹנֶיךָ וְאֵלֶיךָ שְׁלָחַנִי IIK. 18:27
4511 הַאֶל אֲדֹנֶיךָ וְאֵלֶיךָ שְׁלָחַנִי Is. 36:12

וְאֵלֶיךָ (ב)
4512 וְאֵלֶיךָ תְּשׁוּקָתוֹ Gen. 4:7

אֵלָיִךְ (א)
4513 הָבָה נָּא אָבוֹא אֵלַיִךְ Gen. 38:16
4514 הוֹצִיאִי הָאֲנָשִׁים הַבָּאִים אֵלַיִךְ Josh. 2:3
4515 תַּאַסְפִי אֵלַיִךְ הַבָּיְתָה Josh. 2:18
4516 דָּוִד שְׁלָחָנוּ אֵלַיִךְ ISh. 25:40
4517 וְאָנֹכִי שָׁלוּחַ אֵלַיִךְ קָשָׁה IK. 14:6
4518 כִּי לֹא־תִקְרַב אֵלָיִךְ Is. 54:14
4519 לְהָבִיא אֵלַיִךְ חֵיל גּוֹיִם Is. 60:11
4520 כְּבוֹד הַלְּבָנוֹן אֵלַיִךְ יָבוֹא Is. 60:13

אֵלַיִךְ (א) (המשך) 4521 וְהָלְכוּ אֵלַיִךְ שְׁחוֹחַ בְּנֵי מְעַנַּיִךְ Is. 60:14

4525-4522 הִנְנִי אֵלַיִךְ Jer. 21:13 • Ezek. 21:8 • Nah. 2:14; 3:5

4526 לָבוֹא אֵלַיִךְ מִסָּבִיב Ezek. 16:33

אֵלַיִךְ (ב) 4527 הַמְדַבֵּר אֵלַיִךְ וַהֲבֵאתוֹ אֵלַי IISh. 14:10

4528 אֵלַיִךְ יִתְפַּלָּלוּ Is. 45:14

4529 וְלֹא פַחְדָּתִי אֵלַיִךְ Jer. 2:19

4530 דִּבַּרְתִּי אֵלַיִךְ בְּשַׁלְוֹתַיִךְ Jer. 22:21

4531 וְהִקְרִיחוּ אֵלַיִךְ קָרְחָה Ezek. 27:31

4532 וּבָכוּ אֵלַיִךְ בְּמַר־נֶפֶשׁ Ezek. 27:31

4533 וְנָשְׂאוּ אֵלַיִךְ בְּנִיהֶם קִינָה Ezek. 27:32

4534 וְלֹא־אַשְׁמִיעַ אֵלַיִךְ עוֹד... Ezek. 36:15

אֵלָיִךְ (א) 4535 בָּא הַקֵּץ הֵקִיץ אֵלָיִךְ Ezek. 7:6

4536 ...וְגַם־אֲנִי אֵלָיִךְ Hosh. 3:3

4537 כִּי־יְיָ צְבָאוֹת שְׁלָחַנִי אֵלָיִךְ Zech. 2:15

אֵלָיִךְ (ב) 4538 וְהַעֲלִי לִי אֵת אֲשֶׁר־אֹמַר אֵלָיִךְ ISh. 28:8

4539 וַיֹּאמֶר דָּבָר לִי אֵלָיִךְ IK. 2:14

וְאֵלַיִךְ 4540 וְאֵלַיִךְ יִשְׁתַּחֲווּ Is. 45:14

אֵלָיו (א) 4541 וַתָּשָׁב אֵלָיו אֶל־הַתֵּבָה Gen. 8:9

4542 וַיָּבֵא אֹתָהּ אֵלָיו אֶל־הַתֵּבָה Gen. 8:9

4543 וַתָּבֹא אֵלָיו הַיּוֹנָה לְעֵת עֶרֶב Gen. 8:11

4544 וְלֹא־יָסְפָה שׁוּב־אֵלָיו עוֹד Gen. 8:12

4545 וַיִּבֶן... לַיְיָ הַנִּרְאֶה אֵלָיו Gen. 12:7

4703-4546 אֵלָיו (א) Gen. 18:1; 19:3; 26:2,24,26 29:23; 35:7; 39:21; 44:18; 46:29; 47:18; 48:10,13 • Ex. 3:2; 32:26; 34:30,31; 36:3 • Lev. 9:9,12,13,18; 21:2,3; 25:25 • Num. 5:8; 12:6; 16:5^{2},9; 17:21; 23:6,17; 27:11; 32:16 • Deut. 4:7; 25:9; 28:25 • Josh. 3:4; 5:13; 9:16; 10:23 • Jud. 3:13, 20; 4:21; 6:12,14,19; 8:14; 11:28 • ISh. 14:52; 15:32; 22:1,2; 30:12^{2} • IISh. 6:10; 10:9; 11:4,7; 12:1,4,23; 13:11; 14:29; 17:12; 23:21 • IK. 3:21; 8:58; 9:2; 11:9; 13:4,6; 14:3; 18:15,30; 19:19^{2}; 20:10,33; 21:5 • IIK. 1:5,9^{2},11; 2:18,20; 3:12; 4:23,36; 5:10,26; 6:18,32,33; 7:17; 8:21; 9:32; 10:7,15; 11:4; 13:14,15; 20:1; 23:1 • Is. 2:2; 36:3; 38:1; 49:5 • Jer. 21:1; 38:14; 42:6,9; 51:44 • Ezek. 17:6,12; 31:8; 40:49 • Hosh. 11:4 • Jon. 1:6 • Hab. 2:5^{2} • Mal. 2:3 • Ps. 32:6; 34:6; 36:3; 51:2 • Prov. 26:27 • Job 1:12; 7:17; 9:4; 11:13; 15:26; 21:19; 34:14^{2}; 39:11; 42:11 • Lam. 2:19 • Es. 1:14; 7:7 • Dan. 8:6; 11:16,23 • Ez. 10:1 • Neh. 2:8; 6:8 • ICh. 11:23; 12:24(23); 13:13; 19:10 • IICh. 21:9,12; 25:10,15; 26:20; 30:9; 32:1,6; 35:21

אֵלָיו (ב) 4704 כַּאֲשֶׁר דִּבֶּר אֵלָיו יְיָ Gen. 12:4

4705 וְהִנֵּה דְבַר־יְיָ אֵלָיו Gen. 15:4

4706 וַיֹּאמֶר אֵלָיו הָאֱלֹהִים Gen. 20:6

4707 וַיִּקְרָא אֵלָיו מַלְאַךְ יְיָ Gen. 22:11

4708 וַיֹּאמְרוּ אֵלָיו וְאֶל־אִישׁ יִשְׂרָאֵל Josh. 9:6

4709 וַיֹּאמֶר דּוֹד שָׁאוּל אֵלָיו ISh. 10:14

4710 וַיֹּאמֶר אֵלָו שָׁאוּל ISh. 22:13

4711 וַיֹּאמֶר יְיָ אֵלָו Ezek. 9:4

4712 וַיֹּאמֶר אֵלָו רֻץ דַּבֵּר Zech. 2:8

4973-4713 אֵלָיו (ב) Gen. 15:7,9; 17:1 18:9 29; 19:21; 22:1; 24:5,6,24,25; 26:9; 27:1^{2}, 26, 39 42; 30:27,29; 32:28; 33:13; 39:17,19; 40:8; 42:10,31; 43:3,19; 44:7; 45:9,27; 46:31; 50:17 • Ex. 3:4,18; 4:2,11,15; 6:2; 71:16,26; 7:16; 9:1,13,29; 10:3,7; 13:14; 18:17; 19:3,24; 32:1; 33:15 • Lev. 1:1; 4:23,28 • Num. 7:89^{2}; 8:2; 9:7; 10:30; 11:25; 20:18,19; 22:7,32; 23:4,6,13 • Deut. 4:7; 13:9; 18:15; 25:8; 26:3; 31:7; 34:4,9 • Josh. 7:3; 9:9; 13:1; 14:6 • Jud. 4:6,18; 13,15, 16,17,20,27; 7:9; 8:1; 9:36,38; 11:36; 13:10;

אֵלָיו (ב) (המשך) 16:9,12,14,15; 17:9; 18:25; 19:12,18; 20:23 • ISh. 2:16,27; 3:7; 8:5; 11:3; 15:28; 16:15; 17:58; 19:4; 20:32; 21:12; 23:3,17; 24:5(4); 25:17; 28:7,9,21; 29:6; 30:15; 31:11 • IISh. 1:3,4,8,14,16; 2:1; 3:16; 9:2,9; 12:18^{2},21; 13:5; 14:3,31; 15:2,3; 17:6 • IK. 1:13; 2:16,30,42; 3:11; 9:3; 10:2; 11:10; 12:7,10; 13:14,15; 17:2,8; 18:17,31; 19:9,13,15; 20:8,23,31,34,40,42; 21:4,5,7,19^{2}; 22:13,15^{2},16,21 • IIK. 1:6^{2}; 1:8,9,11,13^{2},16; 2:3,5,16; 5:13,25; 6:15,26; 8:10; 10:15; 13:4; 16:9; 19:3; 20:1,4,14; 22:18; 23:17 • Is. 7:4; 11:10; 19:17; 37:3; 38:1; 39:3; 44:17; 46:7 • Jer. 1:2; 9:11; 20:3; 34:2; 36:4,15; 37:14; 40:2,14; 45:4 • Ezek. 19:4; 32:2 • Hosh. 1:4; 14:3 • Jon. 1:8,10,11 • Zech. 3:4; 4:11,12; 6:12; 13:3,6 • Ps. 4:4; 22:25; 66:17 • Job 2:13; 9:12; 22:27; 33:13 • Ruth 2:10 • Es. 3:4; 6:5 • Dan. 8:7 • ICh. 29:23 • IICh. 10:7; 16:7,9; 18:12,14,15,20; 25:7,15,16; 31:10; 33:13, 18; 34:26

וְאֵלָיו (ב) 4974 וְאֵלָיו הוּא נֹשֵׂא אֶת־נַפְשׁוֹ Deut. 24:15

אֵלֶיהָ (א) 4975 וַאֲבִימֶלֶךְ לֹא קָרַב אֵלֶיהָ Gen. 20:4

4976 לֹא־נְתַתִּיךָ לִנְגֹּעַ אֵלֶיהָ Gen. 20:6

Gen. 29:21,23; 30:3,4 38:2,16,18 • Deut. 21:13; 22:13,14 • Jud. 4:5,18,22; 16:1,5,18 • ISh. 28:7 • IISh. 12:24; 20:17 • IIK. 4:5 • Is. 66:12 • Jer. 3:1,8,17; 6:3; 36:2; 48:44; 49:19; 50:14,44 • Ezek. 2:10; 4:3; 23:17,44; 24:4 • Ruth 4:13 • Eccl. 9:14

אֵלֶיהָ (ב) 5014 וַתִּקְרָא שֵׁם־יְיָ הַדֹּבֵר אֵלֶיהָ Gen. 16:13

5015 הַנַּעֲרָ אֲשֶׁר אֹמַר אֵלֶיהָ Gen. 24:14

5016 וְאָמַרְתִּי אֵלֶיהָ הַשְׁקִינִי־נָא Gen. 24:43

5017 וָאֹמַר אֵלֶיהָ הַשְׁקִינִי נָא Gen. 24:45

5018 וַיִּקְרְאוּ לְרִבְקָה וַיֹּאמְרוּ אֵלֶיהָ Gen. 24:58

5053-5019 אֵלֶיהָ (ב) Gen. 30:22; 39:10 Deut. 20:10 • Josh. 2:17 • Jud. 4:8, 19, 20; 13:3; 16:7,11,13; 19:28 • ISh. 1:14; 25:40 • IISh. 13:20; 14:2 • IK. 14:5; 17:10,11,13,19; 21:6 • IIK. 4:2,6,13,17; 6:29; 22:14 • Is. 40:2 • Hosh. 3:3 • Jon. 3:2 • Job 2:10 • Ruth 1:18; 3:5 • IICh. 34:22

אֵלֵינוּ (א) 5054 הוֹצִיאֵם אֵלֵינוּ וְנֵדְעָה אֹתָם Gen. 19:5

5055 בָּאָה אֵלֵינוּ הַצָּרָה הַזֹּאת Gen. 42:21

5056 כִּי בָאָה נַחֲלָתֵנוּ אֵלֵינוּ Num. 32:19

5076-5057 אֵלֵינוּ (א) Deut. 1:25 • Josh. 10:6^{2} Jud. 13:8; 21:22 • ISh. 4:3; 14:12 • IISh. 11:23; 18:3^{2} • IIK. 4:10 • Is. 7:6; 14:10 • Jer. 29:28; 40:10; 42:5 • Neh. 4:14; 5:17 • ICh. 13:2,3

אֵלֵינוּ (ב) 5077 וְאִם־לֹא תִשְׁמְעוּ אֵלֵינוּ Gen. 34:17

5078 אֲשֶׁר רָאִינוּ... בְּהִתְחַנְנוֹ אֵלֵינוּ Gen. 42:21

5079 וַיֹּאמֶר אֵלֵינוּ הָאִישׁ Gen. 42:33

5080 כִּי־הָאִישׁ אָמַר אֵלֵינוּ Gen. 43:5

5094-5081 אֵלֵינוּ Gen. 44:27 • Ex. 8:23 Deut. 1:6; 5:27(24) • Josh. 9:11; 22:28 • ISh. 14:9 • IIK. 1:6; 4:13; 10:5 • Is. 36:11 • Jer. 26:16; 44:16 • Ps. 40:6

אֲלֵיכֶם (א) 5095 אוֹצִיאָה־נָּא אֶתְהֶן אֲלֵיכֶם Gen. 19:8

5096 וְנִשְׁתַּחֲוֶה וְנָשׁוּבָה אֲלֵיכֶם Gen. 22:5

5097 אֱלֹהֵי אֲבוֹתֵיכֶם שְׁלָחַנִי אֲלֵיכֶם Ex. 3:13

5098 אֶהְיֶה שְׁלָחַנִי אֲלֵיכֶם Ex. 3:14

5100-5099 הִנְנִי אֲלֵיכֶם Ezek. 13:8; 36:9

5101 לוֹא אֲלֵיכֶם כָּל־עֹבְרֵי דֶרֶךְ Lam. 1:12

אֲלֵיכֶם (א) (המשך) 5129-5102 אֲלֵיכֶם (א) Ex. 3:15; 24:14 Lev. 9:4,6; 26:9 • Num. 18:4 • Josh. 9:12 • ISh. 6:21; 11:10; 14:9 • IIK. 10:2; 17:13 • Jer. 7:25; 23:38; 25:4; 26:5; 35:15; 42:21; 44:4 • Ezek. 14:22; 36:9 • Zech. 1:3; 4:9; 6:15 • Mal. 2:4; 3:5,7 • Neh. 6:3

אֲלֵיכֶם (ב) 5130 הוּא אֲשֶׁר דִּבַּרְתִּי אֲלֵכֶם Gen. 42:14

5131 הֲלוֹא אָמַרְתִּי אֲלֵיכֶם Gen. 42:22

5132 כִּי־פִי הַמְדַבֵּר אֲלֵיכֶם Gen. 45:12

5135-5133 וָאֹמַר אֲלֵכֶם Deut. 1:9,20,29

5136 בִּרְכַּת־יְיָ אֲלֵיכֶם Ps. 129:8

5164-5137 אֲלֵיכֶם (ב) Ex. 7:4,9; 11:9 12:26; 23:13 • Num. 15:23 • Deut. 1:43,45; 4:12,15; 10:4 • Josh. 6:10; 20:2; 23:15 • Jud. 9:7 • IISh. 13:28 • IIK. 1:7; 2:18 • Is. 8:19 • Jer. 7:13; 25:3; 27:9,14; 29:12; 35:14 • Ezek. 13:12 • Mal. 2:1 • Prov. 8:4

אֲלֵיהֶם (א) 5165 וַיֵּצֵא אֲלֵהֶם לוֹט הַפֶּתְחָה Gen. 19:6

5166 וַיָּבִיאוּ אֶת־לוֹט אֲלֵיהֶם Gen. 19:10

5167 לְכָה וְאֶשְׁלָחֲךָ אֲלֵיהֶם Gen. 37:13

5168 וּבְטֶרֶם יִקְרַב אֲלֵיהֶם... Gen. 37:18

5169 וַיָּבֹא אֲלֵיהֶם יוֹסֵף בַּבֹּקֶר Gen. 40:6

5170 בָּא עַד־אֲלֵיהֶם וְלֹא־שָׁב IIK. 9:20

5208-5171 אֲלֵיהֶם (א) Num. 20:6 Deut. 28:32 • Josh. 20:4 • Jud. 9:57; 19:23,25 • ISh. 5:8; 14:8,9 • IK. 21:11^{2} • IIK. 10:6,7; 13:23 • Is. 1:23 • Jer. 2:3; 11:11; 15:19; 25:15,17; 29:19; 36:14; 43:1 • Ezek. 2:4; 3:6; 20:9; 23:16,27,40; 40:41,42 • Es. 9:23,26 • Neh. 6:17 • ICh. 12:41(40); 19:17 • IICh. 8:11; 14:8

5218-5209 אֲלֵהֶם (א) Gen. 42:24 43:23,34 • Ex. 24:14 • IIK. 9:19; 18:18 • Ezek. 16:37 • Eccl. 8:14^{2} • Ez. 6:21

אֲלֵיהֶם (ב) 5219 וַיֹּאמֶר אֲלֵהֶם רְאוּבֵן Gen. 37:22

5220-3 וַיֹּאמֶר אֲלֵהֶם יוֹסֵף Gen. 40:8; 42:14,18; 50:19

5224 וַיִּתְנַכֵּר אֲלֵיהֶם Gen. 42:7

5343-5225 אֲלֵיהֶם (ב) Gen. 34:14; 37:6; 43:2 Lev. 10:11; 17:2 • Num. 22:8; 31:15; 32:20 • Deut. 18:18; 21:18 • Josh. 4:12; 7:2; 9:11,21,22; 10:9,25; 17:15; 21:2; 22:2,8 • Jud. 7:17; 8:2,8; 9:1; 12:2; 18:18; 21:22 • ISh. 11:2; 12:5 • IISh. 2:5; 18:4; 21:2 • IK. 8:52; 12:5,7,9,10,14 • IIK. 1:5,12; 6:11; 9:11; 11:15; 18:27; 22:15 • Is. 28:12; 36:4; 37:6; 48:13 • Jer. 1:17; 5:19; 7:27^{2},28; 8:4; 11:3, 11; 13:12,13; 14:14,17; 15:2; 16:11; 17:20; 19:11; 21:3; 23:21,33; 25:27,28,30^{2}; 26:2,4; 27:17; 35:5,17; 36:25,31; 38:4,26; 41:6; 42:4,9; 43:10 • Ezek. 2:4,7; 3:4,11^{2},27; 6:2; 9:7; 12:10, 23^{2},28; 14:4; 20:5,27; 24:3,20; 33:2,11; 34:2,20; 37:4,12,21 • Jon. 1:9,12 • Zech. 1:4; 11:12 • Ps. 99:7 • Job 42:9 • Es. 3:4 • Neh. 13:21 • IICh. 24:17

5456-5344 אֲלֵהֶם (ב) Gen. 19:18 24:56; 26:27; 42:7,9,12,24,36; 43:11; 44:4,6; 45:24,27; 49:29 • Ex. 3:13,16; 5:4,21; 7:13,22; 8:11,15; 9:12,27; 10:8,10; 12:21; 16:3,12,15,19,23; 19:25; 32:2,13; 34:31^{2}; 35:1 • Lev. 1:2; 10:4; 11:1; 15:2; 18:2; 19:2; 21:1; 22:3,18; 23:2,10; 25:2; 27:2 • Num. 5:12; 6:2; 9:8; 13:17; 14:2,28; 15:2,18,38; 16:3; 18:26,30; 28:2; 32:29; 33:51; 34:2; 35:10 • Deut. 1:3; 5:1; 20:3; 29:1; 31:2; 32:46 • Josh. 6:6; 9:8; 23:2 • Jud. 3:28; 8:23,24; 18:2,4; 19:23 • IK.

אֲלֵהֶם (המשך) 12:16,28; 13:12; 22:6 • IIK. 1:2,3,7,; 2:18; 6:19; 10:18; 12:8; 18:19 • Ezek. 20:3,7,29; 33:25,27; 37:19 • Zech. 1:3 • Job 29:24 • Ez. 8:28; 10:10 • Neh. 2:17 • IICh. 10:5,7,9,10,14; 18:5; 23:14

אֵלֵימוֹ (ב) 5457 אָז יְדַבֵּר אֵלֵימוֹ בְאַפּוֹ Ps. 2:5

וַאֲלֵיהֶם (א) 5458 וַאֲלֵיהֶם לֹא־בָא IISh. 20:3

וַאֲלֵהֶם (ב) 5459 וַאֲלֵהֶם תֹּאמַר... Lev. 17:8

אֲלֵיהֶן (א) 5460 בְּטֶרֶם תָּבוֹא אֲלֵהֶן הַמְיַלֶּדֶת Ex. 1:19

5461 וְאֵת הֶעָרִים אֲשֶׁר נָבֹא אֲלֵיהֶן Deut. 1:22

5462 וַעֲשׂוּיָה אֲלֵיהֶן...דַּלְתוֹת הַהֵיכָל Ezek. 41:25

5463 וְלֹא עָשׂוּ כַּאֲשֶׁר דִּבֶּר אֲלֵיהֶן Ex. 1:17

אֲלֵיהֶן (ב) 5464 וַתֹּאמֶר אֲלֵיהֶן אַל־תִּקְרֶאנָה לִי... Ruth 1:20

אֵלָא

שפ־ז – אבי שמעי – אחד מנִצָּבֵי שלמה

1 שִׁמְעִי בֶן־אֵלָא בְּבִנְיָמִן IK. 4:18

אֶלְגָּבִישׁ

ז׳ כנוי לברד גדול • אַבְנֵי אֶלְגָּבִישׁ 1–3

1 וְאַתֵּנָה אַבְנֵי אֶלְגָּבִישׁ תִּפֹּלְנָה Ezek. 13:11

2 וְאַבְנֵי אֶלְגָּבִישׁ בְּחֵמָה לְכַלָּה Ezek. 13:13

3 וְגֶשֶׁם שׁוֹטֵף וְאַבְנֵי אֶלְגָּבִישׁ Ezek. 38:22

אַלְגּוּמִים

ז״ר צורת־משנה של אַלְמֻגִּים – עֲצֵי אַלְמֹג

אַלְגּוּמִים 1 הֵבִיאוּ עֲצֵי אַלְגּוּמִים וְאֶבֶן יְקָרָה IICh. 9:10

וְאַלְגּוּמִים 2 עֲצֵי אֲרָזִים בְּרוֹשִׁים וְאַלְגּוּמִים IICh. 2:7

הָאַלְגּוּמִים 3 וַיַּעַשׂ הַמֶּלֶךְ אֶת־עֲצֵי הָאַלְגּוּמִּים IICh. 9:11

אֶלְדָּד

שפ־ז – איש בימי משה שהתנבא במחנה

1 שֵׁם הָאֶחָד אֶלְדָּד... הַשֵּׁנִי מֵידָד Num. 11:26

2 אֶלְדָּד וּמֵידָד מִתְנַבְּאִים בַּמַּחֲנֶה Num. 11:27

אֶלְדָּעָה

שפ־ז – בן מדין בן קְטוּרָה (אשת אברהם)

1-2 וַאֲבִידָע וְאֶלְדָּעָה Gen. 25:4 • ICh. 1:33

אלה

: אָלָה, הָאֵלָה; אֵלָה, תַּאֲלָה

אָלָה

פ׳ א) נשבע: 1 ב) קלל: 2 ג) יִלֵּל, זעק: 3
ד) [הִ׳ הָאֱלָה] הִשְׁבִּיעַ: 4–6

אָלֹה 1 אָלֹה וְכַחֵשׁ וְרָצֹחַ וְגָנֹב Hosh. 4:2

אָלִית 2 וְאַתְּ אָלִית וְגַם אָמַרְתְּ בְּאָזְנַי Jud. 17:2

אֱלִי 3 אֱלִי כִּבְתוּלָה חֲגֻרַת־שַׂק Joel 1:8

לְהַאֲלֹתוֹ 4-5 וְנָשָׁא־בוֹ אָלָה לְהַאֲלֹתוֹ IK. 8:31 • IICh. 6:22

וַיֹּאֶל 6 וַיֹּאֶל שָׁאוּל אֶת־הָעָם ISh. 14:24

אָלָה

נ׳ א) שבועה בקללה נמרצת: 1-6,9,10,13-16,19-21, 27—37 ב) קְללה: 7, 8, 11, 12, 17, 18, 22-26

קוֹל אָלָה 2; שְׁבוּעַת אָ׳ 13; אָלוֹת הַבְּרִית 33; אָ׳ שָׁוְא 34; בָּזָה אָלָה 9, 10, 31; הָיְתָה אָ׳ 1; יָצְאָה אָ׳ 17; רָבְצָה אָ׳ 16; בָּא בְּאָלָה 21; הֵבִיא בְּאָ׳ 19; הָיָה לְאָ׳ 23; נִקָּה מֵאָ׳ 29, 30

אָלָה 1 תְּהִי נָא אָלָה בֵּינוֹתֵינוּ Gen. 26:28

2 וְנֶפֶשׁ כִּי־תֶחֱטָא וְשָׁמְעָה קוֹל אָלָה Lev. 5:1

3/4 וְנָשָׁא־בוֹ אָלָה לְהַאֲלֹתוֹ IICh. 6:22

5/6 וּבָא אָלָה לִפְנֵי מִזְבַּחֲךָ IK. 8:31 • IICh. 6:22

7 עַל־כֵּן אָלָה אָכְלָה אֶרֶץ Is. 24:6

8 מִפְּנֵי אָלָה אָבְלָה הָאָרֶץ Jer. 23:10

9 אֲשֶׁר־בָּזִית אָלָה לְהָפֵר בְּרִית Ezek. 16:59

10 וּבָזָה אָלָה לְהָפֵר בְּרִית Ezek. 17:18

11 אָלָה פִּיהוּ מָלֵא Ps. 10:7

12 אָלָה יִשְׁמַע וְלֹא יַגִּיד Prov. 29:24

הָאָלָה 13 וְהִשְׁבִּיעַ הַכֹּהֵן.. בִּשְׁבֻעַת הָאָלָה Num. 5:21

14 אֶת־הַבְּרִית...וְאֶת־הָאָלָה הַזֹּאת Deut. 29:13

15 בְּשָׁמְעוֹ אֶת־דִּבְרֵי הָאָלָה הַזֹּאת Deut. 29:18

16 וְרָבְצָה בּוֹ כָּל־הָאָלָה Deut. 29:19

17 זֹאת הָאָלָה הַיּוֹצֵאת Zech. 5:3

18 וַתִּתַּךְ עָלֵינוּ הָאָלָה וְהַשְּׁבֻעָה Dan. 9:11

בְּאָלָה 19 וַיָּבֵא אֹתוֹ בְּאָלָה Ezek. 17:13

20 לִשְׁאֹל בְּאָלָה נַפְשׁוֹ Job 31:30

21 וּבָאִים בְּאָלָה וּבִשְׁבוּעָה Neh. 10:30

לְאָלָה 22 יִתֵּן יְיָ אוֹתָךְ לְאָלָה וְלִשְׁבֻעָה Num. 5:21

23 וְהָיְתָה הָאִשָּׁה לְאָלָה בְּקֶרֶב עַמָּהּ Num. 5:21

24/5 לְאָלָה וּלְשַׁמָּה... וּלְחֶרְפָּה Jer. 29:18; 42:18

26 לְאָלָה לְשַׁמָּה וְלִקְלָלָה וּלְחֶרְפָּה Jer. 42:12

וּמֵאָלָה 27 וּמֵאָלָה וּמִכַּחַשׁ יְסַפֵּרוּ Ps. 59:13

אָלָתִי 28 אִם־לֹא אָלָתִי אֲשֶׁר בָּזָה Ezek. 17:19

מֵאָלָתִי 29 אָז תִּנָּקֶה מֵאָלָתִי Gen. 24:41

30 וְהָיִיתָ נָקִי מֵאָלָתִי Gen. 24:41

אָלָתוֹ 31 אֲשֶׁר בָּזָה אֶת־אָלָתוֹ Ezek. 17:16

וּבְאָלָתוֹ 32 בִּבְרִית יְיָ אֱלֹהֶיךָ וּבְאָלָתוֹ Deut. 29:11

אָלוֹת־ 33 כְּכֹל אָלוֹת הַבְּרִית... Deut. 29:20

34 דַּבְּרוּ דְבָרִים אָלוֹת שָׁוְא Hosh. 10:4

הָאָלֹת 35 וְכָתַב אֶת־הָאָלֹת הָאֵלֶּה Num. 5:23

36 וְנָתַן יְיָ...אֵת כָּל־הָאָלוֹת הָאֵלֶּה Deut. 30:7

37 הִנְנִי מֵבִיא... אֵת כָּל־הָאָלוֹת IICh. 34:24

אַלָּה

נ׳ אֵלָה, עץ בָּטְנִים

הָאַלָּה 1 ...תַּחַת הָאַלָּה אֲשֶׁר בְּמִקְדַּשׁ יְיָ Josh. 24:26

אֵלָה[1]

נ׳ עץ בָּטְנִים (Pistacia) • קרובים: ראה אַלּוֹן

אֵלָה 1 וְתַחַת כָּל־אֵלָה עֲבֻתָּה Ezek. 6:13

וְאֵלָה 2 תַּחַת אַלּוֹן וְלִבְנֶה וְאֵלָה Hosh. 4:13

הָאֵלָה 3 תַּחַת הָאֵלָה אֲשֶׁר עִם־שְׁכֶם Gen. 35:4

4 וַיֵּשֶׁב תַּחַת הָאֵלָה Jud. 6:11

5 וַיּוֹצֵא אֵלָיו אֶל־תַּחַת הָאֵלָה Jud. 6:19

6 תַּחַת שׂוֹבֶךְ הָאֵלָה הַגְּדוֹלָה IISh. 18:9

7 עוֹדֶנּוּ חַי בְּלֵב הָאֵלָה IISh. 18:14

8 וַיִּמְצָאֵהוּ יֹשֵׁב תַּחַת הָאֵלָה IK. 13:14

9 וַיִּקְבְּרוּ... תַּחַת הָאֵלָה בְּיָבֵשׁ ICh. 10:12

בָּאֵלָה 10 וַיֶּחֱזַק רֹאשׁוֹ בָאֵלָה IISh. 18:9

11 רָאִיתִי אֶת־אַבְשָׁלֹם תָּלוּי בָּאֵלָה IISh. 18:10

כְּאֵלָה 12 כִּי תִהְיוּ כְּאֵלָה נֹבֶלֶת עָלֶהָ Is. 1:30

כָּאֵלָה 13 כָּאֵלָה וְכָאַלּוֹן אֲשֶׁר בְּשַׁלֶּכֶת Is. 6:13

בָּאֵלִים 14 הַנֵּחָמִים בָּאֵלִים תַּחַת כָּל־עֵץ Is. 57:5

מֵאֵילִים 15 כִּי יֵבֹשׁוּ מֵאֵילִים אֲשֶׁר חֲמַדְתֶּם Is. 1:29

אֵלֵי 16 אֵילֵי הַצֶּדֶק מַטַּע יְיָ Is. 61:3

אֵלֵיהֶם 17 וְלֹא־יַעַמְדוּ אֵלֵיהֶם בְּגָבְהָם Ezek. 31:14

אֵלָה[2]

שפ־ז – א) מאלופי אדום: 1,2
ב) בן כָּלֵב בן יפונה: 11—12
ג) בן בעשא, מלך ישראל: 3—6
ד) אבי הושע מלך ישראל: 7—10
ה) ראש בית אב מבנימין בימי נחמיה: 13

אֵלָה 1/2 אַלּוּף אֵלָה אַלּוּף פִּינֹן Gen. 36:41 • ICh. 1:52

3 וַיִּמְלֹךְ אֵלָה בְנוֹ תַּחְתָּיו IK. 16:6

4 מָלַךְ אֵלָה בֶן־בַּעְשָׁא IK. 16:8

5/6 אֵלָה IK. 16:13,14

7 וַיִּקְשָׁר־קֶשֶׁר הוֹשֵׁעַ בֶּן־אֵלָה IIK. 15:30

10-8 (לְ)הוֹשֵׁעַ בֶּן־אֵלָה IIK. 17:1; 18:1,9

11 וּבְנֵי כָּלֵב... עִירוּ אֵלָה וָנָעַם ICh. 4:15

12 וּבְנֵי אֵלָה וּקְנַז ICh. 4:15

13 וְאֵלָה בֶן־עֻזִּי בֶּן־מִכְרִי ICh. 9:8

אֵלֶּה[1]

כנוי רומז לרבים ולרבות, בא על־פי־רוב:
א) לפני שמות־עצם בנסמך, בכנויים או בידוע: 1—133, 319—404
ב) אחרי שמות־עצם בכנויים: 134—147
ג) אחרי מלת ״כל־״: 148—202; או אחרי מספר: 203—208
ד) במשמע סתמי (במקום: ״הדברים האלה״, ״האנשים האלה״ וכד׳): 209-318, 405-425, 701-745

אֵלֶּה (א) 1 אֵלֶּה תוֹלְדוֹת הַשָּׁמַיִם וְהָאָרֶץ Gen. 2:4

2 אֵלֶּה תּוֹלְדֹת נֹחַ Gen. 6:9

3 אֵלֶּה בְנֵי־חָם לְמִשְׁפְּחֹתָם... Gen. 10:20

4 אֵלֶּה בְנֵי־שֵׁם לְמִשְׁפְּחֹתָם... Gen. 10:31

5 אֵלֶּה מִשְׁפְּחֹת בְּנֵי־נֹחַ Gen. 10:32

6 אֵלֶּה תּוֹלְדֹת שֵׁם Gen. 11:10

7 אֵלֶּה הֵם בְּנֵי יִשְׁמָעֵאל Gen. 25:16

8 אֵלֶּה בְנֵי־עֵשָׂו Gen. 36:19

9 אֵלֶּה הַדְּבָרִים אֲשֶׁר תְּדַבֵּר Ex. 19:6

10/11 אֵלֶּה אֱלֹהֶיךָ יִשְׂרָאֵל Gen. 32:4,8

12 אֵלֶּה הֵם מוֹעֲדָי Lev. 23:2

13 אֵלֶּה הַחֻקִּים וְהַמִּשְׁפָּטִים Lev. 26:46

14 אֵלֶּה הַמִּצְוֹת אֲשֶׁר צִוָּה יְיָ Lev. 27:34

15 אֵלֶּה הַדְּבָרִים עֲשִׂיתִם Is. 42:16

16 אֵלֶּה הָאֲנָשִׁים הַחֹשְׁבִים אָוֶן Ezek. 11:2

17 גַּם־אֵלֶּה מִשְׁלֵי שְׁלֹמֹה Prov. 25:1

18 אֵלֶּה מִשְׁכְּנוֹת עַוָּל Job 18:21

19 הֶן־אֵלֶּה קְצוֹת דְּרָכָו Job 26:14

24-20 אֵלֶּה הֵם Num. 3:20,21,27,33 • ICh. 8:6

133-25 אֵלֶּה (א) Gen. 35:26
36:5,10,12,13,15,16²,17²,18,20,21,27,28,29; 36:30,43; 37:2; 46:15 b8,22,25 • Ex. 6:14²,15; 6:19,24,25; 35:1; 38:21 • Lev. 23:4,37; Num. 1:16,44; 2:32; 3:3,17; 4:15,37,41,45; 10:28; 13:16; 26:7,14,18,22,25,27,30,34,45,37²,41,42,47,50; 26:51,58,63; 30:17; 33:1; 34:17; 36:13 • Deut. 1:1; 4:45; 12:1; 28:69 • Josh. 17:2; 19:51 • IISh. 23:8 • IK. 9:23 • Ezek. 43:18; 46:24 • Zech. 2:2,4; 4:14; 8:16 • Neh. 7:6,67; 10:9; 12:7 • ICh. 1:29,31,54; 2:1,33,50; 4:2,4,6,12,31,38,41; 5:14; 7:17,33; 8:10,28; 9:34,44; 23:9,10,24; 24:30; 26:19; 27:22

אֵלֶּה (ב) 134 לְמַעַן שִׁתִי אֹתֹתַי אֵלֶּה בְּקִרְבּוֹ Ex. 10:1

135 וְיָרְדוּ כָל־עֲבָדֶיךָ אֵלֶּה אֵלַי Gen. 11:8

136 וְשַׂמְתֶּם אֶת־דְּבָרַי אֵלֶּה... Deut. 11:18

137 אַשְׁרֵי עֲבָדֶיךָ אֵלֶּה IK. 10:8

138 שֻׁבִי אֶל־עָרַיִךְ אֵלֶּה Jer. 31:21(20)

139 זָכְרָה אֱלֹהַי... כְּמַעֲשָׂיו אֵלֶּה Neh. 6:14

147-140 אֵלֶּה (ב) Deut. 5:3
IK. 8:59; 22:23 • IIK. 1:13; 6:20 • Ez. 2:65 • IICh. 9:7; 18:22

כָּל־אֵלֶּה 148 כָּל־אֵלֶּה בְּנֵי יָקְטָן Gen. 10:29

149 כָּל־אֵלֶּה חָבְרוּ אֶל־עֵמֶק... Gen. 14:3

150 וַיִּקַּח־לוֹ אֶת־כָּל־אֵלֶּה Gen. 15:10

151 אַל־תִּטַּמְּאוּ בְּכָל־אֵלֶּה Lev. 18:24

152 לֹא תַקְרִיבוּ... מִכָּל־אֵלֶּה Lev. 22:25

153 אֲנִי יְיָ עֹשֶׂה כָל־אֵלֶּה Is. 45:7

154 וְאֶת־כָּל־אֵלֶּה יָדִי עָשָׂתָה Is. 66:2

155 מִי לֹא־יָדַע בְּכָל־אֵלֶּה Job 12:9

156 הֶן־כָּל־אֵלֶּה יִפְעַל־אֵל Job 33:29

157 וְאִשָּׁה בְכָל־אֵלֶּה לֹא מָצָאתִי Eccl. 7:28

158 עַל־כָּל־אֵלֶּה יְבִיאֲךָ... בַּמִּשְׁפָּט Eccl. 11:9

159 לְעֹלָה לַיְיָ כָּל־אֵלֶּה IICh. 29:32

202-160 כָּל־(בְּכָל־) אֵלֶּה Gen. 25:4
49:28 • Lev. 18:24; 20:23 • Deut. 3:5 • Jud. 13:23; 20:25,35,44,46 • IK. 7:9 • IIK. 10:9 • Is. 66:2 • Jer. 2:34; 3:7; 5:19; 14:22 • Ezek. 16:30; 16:43; 17:18; 18:11 • Hag. 2:13 • Zech. 8:12,17 • Dan. 12:7 • Ez. 10:44 • ICh. 1:23,33; 2:23; 7:8,11; 7:40; 8:38,40; 9:9; 12:39(38); 25:5,6; 26:8; 27:31; 29:17 • IICh. 14:7; 21:2

אֵלֶּה (ג) 203 שְׁלֹשָׁה אֵלֶּה בְּנֵי־נֹחַ Gen. 9:19

204 שְׁמֹנָה אֵלֶּה יָלְדָה מִלְכָּה Gen. 22:23

אֵלֶּה (ג) (המשך)
205 וְאִם־שְׁלָשׁ־אֵלֶּה לֹא יַעֲשֶׂה לָהּ Ex. 21:11
206 אֶת־אַרְבַּעַת אֵלֶּה יֻלְּדוּ לְהָרָפָה IISh.21:22
207 וְתָבֹאנָה לָּךְ שְׁתֵּי־אֵלֶּה Is. 47:9
208 וְרָאוּ... שִׁבְעָה־אֵלֶּה Zech. 4:10

אֵלֶּה (ד)
209 וּלְמִי אֵלֶּה לְפָנֶיךָ Gen. 32:18
210 וַיֹּאמֶר מִי־אֵלֶּה לָּךְ Gen. 33:5
211 לְאִישׁ אֲשֶׁר־אֵלֶּה לּוֹ... Gen. 38:25
212 וְאֶת־אֵלֶּה תְּשַׁקְּצוּ מִן־הָעוֹף Lev. 11:13
213 יַעֲשֶׂה־כָּכָה אֶת־אֵלֶּה Num. 15:13
214 אִם־כְּמוֹת כָּל־הָאָדָם יְמֻתוּן אֵלֶּה Num.16:29
215 אֵלֶּה עָשׂוּ שְׁלֹשֶׁת הַגִּבֹּרִים IISh. 23:17
217-216 וַיַּחֲנוּ אֵלֶּה נֹכַח־אֵלֶּה IK. 20:29
218 מִי־אֵלֶּה כָּעָב תְּעוּפֶינָה Is. 60:8
219 הַעַל־אֵלֶּה תִתְאַפַּק יְיָ Is. 64:11
220 דַּרְכֵּךְ וּמַעֲלָלַיִךְ עָשׂוֹ אֵלֶּה לָךְ Jer. 4:18
221 הַעַל־אֵלֶּה לוֹא־אֶפְקֹד Jer. 5:9
222 מִי חָכָם וְיָבֵן אֵלֶּה Hosh. 14:10
223 אֵלֶּה מִזֶּה וְאֵלֶּה מִזֶּה Josh. 8:22
224 וַיֵּשְׁבוּ אֵלֶּה עַל־הַבְּרֵכָה מִזֶּה IISh. 2:13
225 הִנֵּה־אֵלֶּה מֵרָחוֹק יָבֹאוּ Is. 49:12
226 וְהִנֵּה־אֵלֶּה מִצָּפוֹן וּמִיָּם Is. 49:12
227 מִי יָלַד־לִי אֶת־אֵלֶּה... Is. 49:21
228 אֵלֶּה בָרֶכֶב וְאֵלֶּה בַסּוּסִים Ps. 20:8
229 אֵלֶּה לְחַיֵּי עוֹלָם וְאֵלֶּה לַחֲרָפוֹת Dan. 12:2
230 עֹשֵׂה אֵלֶּה לֹא יִמּוֹט לְעוֹלָם Ps. 15:5
231 אֵלֶּה אֶזְכְּרָה וְאֶשְׁפְּכָה עָלַי נַפְשִׁי Ps. 42:5
232 הִגְדִּיל יְיָ לַעֲשׂוֹת עִם־אֵלֶּה Ps. 126:2
233 גַּם־אֵלֶּה לַחֲכָמִים Prov. 24:23
234 וְאֶת־מִי־אֵין כְּמוֹ־אֵלֶּה Job 12:3
235 עַל־אֵלֶּה אֲנִי בוֹכִיָּה Lam. 1:16
236 עַל־אֵלֶּה חָשְׁכוּ עֵינֵינוּ Lam. 5:17
237/8 וַיַּחְלְקוּם... אֵלֶּה עִם־אֵלֶּה ICh. 24:5
318-239 אֵלֶּה (ד) Gen. 46:18,25
48:8 • Lev. 11:22,31; 21:14; 22:22; 26:18 • 28:23; 29:39; 34:29; 35:29 • Deut. 18:12; 22:5; 25:3,16; 27:12 • Josh. 13:32; 20:9 • ISh. 2:23; 4:8 • IISh. 3:5; 16:2; 23:22 • Is. 28:7; 40:26; 44:21; 47:7; 48:14; 49:15,21; 57:6; 65:5 • Jer. 5:25,29; 9:8; 13:22; 30:15 • Ezek. 4:6; 17:12,15; 23:30; 24:19; 36:20; 37:18 • Mic. 2:7 • Hab. 2:6 • Zech. 1:9[2],10; 2:2,4[2]; 4:4,5,13; 6:4,5 • Ps. 50:21; 73:12; 107:43 • Job 8:2 • Dan. 10:21; 11:4; 12:8 • Ez. 2:62; 9:1 • Neh. 7:64; 12:26; 13:26 • ICh. 8:28; 9:25,34; 11:19,24; 12:15(14),16(15); 24:19 • IICh. 17:19. 35:7

וְאֵלֶּה (א)
319 וְאֵלֶּה תּוֹלְדֹת בְּנֵי־נֹחַ Gen. 10:1
320 וְאֵלֶּה תּוֹלְדֹת תֶּרַח Gen. 11:27
321 וְאֵלֶּה יְמֵי שְׁנֵי־חַיֵּי אַבְרָהָם Gen. 25:7
322 וְאֵלֶּה שְׁמוֹת בְּנֵי יִשְׂרָאֵל Ex. 1:1
323 וְאֵלֶּה הַמִּשְׁפָּטִים... Ex. 21:1
324 וְאֵלֶּה הַצֹּאן מֶה עָשׂוּ IISh. 24:17
404-325 וְאֵלֶּה (א) Gen. 25:12
25:13,16,17,19; 36:1,9,13,14,17,18,19,23,24,25,26, 31,40; 46:8 • Ex. 6:16; 28:4 • Num. 1:5; 3:1,2,18; 13:4; 26:36,57; 27:1; 33:2; 34:19 • Deut. 22:17 • Josh. 9:13[2]; 12:1,7; 17:3 • Jud. 3:1 • ISh. 6:17 • IISh. 5:14; 23:1 • IK. 4:2,8 • Jer. 29:1; 30:4 • Ezek. 43:13; 48:1,16,29,30 • Ruth 4:18 • Ez. 1:9; 2:1; 8:1,13 • Neh. 11:3,7; 12:1 • ICh. 1:43; 2:18; 3:1; 4:3,18; 5:24; 6:2,4,35,39; 8:6,38; 9:33,44; 11:10,11; 12:1, 24(23); 14:4; 21:17 • IICh. 8:10

וְאֵלֶּה (ד)
405 וְאֵלֶּה יַעַמְדוּ עַל־הַקְּלָלָה Deut. 27:13
406/7 וְאֵלֶּה יָצְאוּ מִן־הָעִיר Josh. 8:22 • IK. 20:19
408 אֵלֶּה מִזֶּה וְאֵלֶּה מִזֶּה Josh. 8:22
409 וְאֵלֶּה אֲשֶׁר־נָחֲלוּ בְנֵי־יִשְׂרָאֵל Josh. 14:1
410 וְאֵלֶּה בָּאוּ בֵּית מִיכָה Jud. 18:18
411 וְאֵלֶּה עַל־הַבְּרֵכָה מִזֶּה IISh. 2:13
412 וְאֵלֶּה מֵאֶרֶץ סִינִים Is. 49:12
413 וְאֵלֶּה מִי גִדֵּל Is. 49:21
414 אֵלֶּה בָרֶכֶב וְאֵלֶּה בַסּוּסִים Ps. 20:8
415 וְאֵלֶּה צָפַנְתָּ בִלְבָבֶךָ Job 10:13
416 וְאֵלֶּה יִמָּלְטוּ מִיָּדוֹ Dan. 11:41
417 וְאֵלֶּה לַחֲרָפוֹת Dan. 12:2
418 וְאֵלֶּה הָעֹלִים מִתֵּל מֶלַח Ez. 2:59
419 וְאֵלֶּה הָעוֹלִים מִתֵּל מֶלַח Neh. 7:61
420 וְאֵלֶּה נוֹלְדוּ־לוֹ בִּירוּשָׁלָיִם ICh. 3:5
421 וְאֵלֶּה אֲשֶׁר הֶעֱמִיד דָּוִיד ICh. 6:16
422 וְאֵלֶּה הָעֹמְדִים וּבְנֵיהֶם ICh. 6:18
423 וְאֵלֶּה הוּסַד שְׁלֹמֹה IICh. 3:3
424 וְאֵלֶּה פְקֻדָּתָם לְבֵית אֲבוֹתֵיהֶם IICh. 17:14
425 וְאֵלֶּה הַמִּתְקַשְּׁרִים עָלָיו IICh. 24:26

הָאֵלֶּה
429-426 (וְ)אַחַר הַדְּבָרִים הָאֵלֶּה Gen. 15:1
Es. 2:1; 3:1 • Ez. 7:1
430 אֲשֶׁר עָבַר בֵּין הַגְּזָרִים הָאֵלֶּה Gen. 15:17
431 וַיְדַבֵּר אֶת־כָּל־הַדְּבָרִים הָאֵלֶּה Gen. 20:8
432 מָה הֵנָּה שֶׁבַע כְּבָשֹׂת הָאֵלֶּה Gen. 21:29
433-7 וַיְהִי אַחַר הַדְּבָרִים הָאֵלֶּה Gen. 22:1
39:7; 40:1 • IK. 17:17; 21:1
438-40 וַיְהִי אַחֲרֵי הַדְּבָרִים הָאֵלֶּה Gen. 22:20
48:1 • Josh. 24:29
441 הָאֲנָשִׁים הָאֵלֶּה שְׁלֵמִים הֵם אִתָּנוּ Gen. 34:21
442 הַחֹתֶמֶת... וְהַמַּטֶּה הָאֵלֶּה Gen. 38:25
443 הַשָּׁנִים הַטֹּבוֹת הַבָּאֹת הָאֵלֶּה Gen. 41:35
444/5 מִכֹּל הַתּוֹעֵבֹת הָאֵלֶּה Lev. 18:26,29
446 ...אֵת כָּל־הַמִּצְוֹת הָאֵלֶּה Lev. 26:14
447 וַיִּקַּח... אֵת הָאֲנָשִׁים הָאֵלֶּה Num. 1:17
448 אֶל־אַחַת הֶעָרִים־הָאֵלֶּה Deut. 19:5
449 וְיָסַפְתָּ לְךָ... עַל הַשָּׁלֹשׁ הָאֵלֶּה Deut. 19:9
450 וְזֵרִתִים לְכֹל הָרֻחוֹת הָאֵלֶּה Jer. 49:36
451 הֲתִחְיֶינָה הָעֲצָמוֹת הָאֵלֶּה Ezek. 37:3
452 אַחֲרֵי הַדְּבָרִים וְהָאֱמֶת הָאֵלֶּה IICh. 32:1
533-453 הַדְּבָרִים (כַּ־/בַּ־) הָאֵלֶּה Gen. 24:28
29:13; 39:17,19; 43:7; 44:6,7 • Ex. 19:7; 20:1; 24:8; 34:27[2] • Num. 14:39; 16:31 • Deut. 4:30; 5:22(19); 6:6; 12:28; 30:1; 31:1,28; 32:45 • Josh. 24:26 • Jud. 2:4; 9:3 • ISh. 2:23; 11:6; 17:23; 18:23; 18:24,26; 19:7; 21:13; 24:17(16); 25:9,12,37 • IISh. 7:17; 13:21; 14:19 • IK. 18:36; 21:27 • IIK. 1:7; 18:27; 23:16,17 • Is. 36:12 • Jer. 3:12; 7:27; 11:6; 16:10; 20:1; 22:5; 25:30; 26:7,10,15; 27:12; 34:6; 36:16,17,18,24; 38:4,24,27; 43:1; 45:1; 51:60,61 • Zech. 8:9 • Job 42:7 • Es. 9:20 • Dan. 10:15 • Neh. 1:4; 5:6; 6:6,7,8 • ICh. 17:15 • IICh. 15:8
700-534 הָאֵלֶּה Ex. 4:9; 11:10
25:39 • Num. 5:19,22,23; 15:22; 16:26,28,30; 17:3; 21:25; 22:9; 35:15,24 • Deut. 1:35; 3:21; 4:6; 6:24; 7:12,17; 9:4,5; 10:21; 11:23; 12:30; 16:12; 17:19; 18:12,14; 20:15,16; 26:16; 27:4; 28:2,15,45; 30:7; 31:3,17 • Josh. 4:6,7,20,21; 10:16,22,23,24[2],42; 11:5,10; 12,14,18; 17:9,12; 19:8,16,31,48; 20:4; 21:3,8; 21:9,16,42(40)[2]; 23:3,4,7[2],12[2],13; 24:17 • Jud. 2:23; 18:14 • ISh. 4:8; 7:16; 10:7,9; 14:6;

הָאֵלֶּה (המשך)
17:11,18; 23:2; 29:3; 31:4 • IISh. 3:39 • IK. 5:7; 7:45; 9:13; 17:1 • IIK. 2:21; 3:10,13; 4:4; 7:8; 17:41; 20:14; 21:11; 25:16 • Is. 7:4; 36:20; 39:3 • Jer. 7:2,10,13; 17:20; 22:2; 24:5; 25:9,11; 27:6; 28:14; 31:36(35); 32:14; 38:9,16; 43:10; 52:20 • Ezek. 14:3,14,16,18; 18:13; 33:24; 37:4; 37:5,9,11; 40:24,25,28,29,32,33,35; 42:9; 47:8,9 • Am. 6:2 • Zech. 3:7; 4:11; 8:9,15; 13:6 • Job 32:1 • Ruth 3:17 • Es. 1:5; 9:26,27,28[2],31,32 • Dan. 1:17 • Ez. 9:14 • ICh. 4:33; 6:50; 10:4; 11:19 • IICh. 3:13; 4:18; 14:5,6; 32:14

בְּאֵלֶּה
701 וְאִם־לֹא יִגָּאֵל בְּאֵלֶּה Lev. 25:54
702 וְאִם־בְּאֵלֶּה לֹא תִוָּסְרוּ לִי Lev. 26:23
703 בְּאֵלֶּה תְּנַגַּח אֶת־אֲרָם IK. 22:11
704 כִּי־בְאֵלֶּה חָפַצְתִּי Jer. 9:23
705 בְּאֵלֶּה יָשְׁבוּ בְּנֵי יוֹסֵף ICh. 7:29
706 בְּאֵלֶּה תְּנַגַּח אֶת־אֲרָם IICh. 18:10

בָּאֵלֶּה
707 לֹא־בָחַר יְיָ בָּאֵלֶּה ISh. 16:10
708 לֹא אוּכַל לָלֶכֶת בָּאֵלֶּה ISh. 17:39

וּבְאֵלֶּה
709 וּבְאֵלֶּה לֹא־הָיָה אִישׁ מִפְּקוּדֵי... Num. 26:64

כְּאֵלֶּה
710/1 לֹא־כְאֵלֶּה חֵלֶק יַעֲקֹב Jer. 10:16; 51:19
712 שָׁמַעְתִּי כְאֵלֶּה רַבּוֹת Job 16:2

כָּאֵלֶּה
713 ...אִשָּׁה מִבְּנוֹת־חֵת כָּאֵלֶּה Gen. 27:46
714 וַתִּקְרֶאנָה אֹתִי כָּאֵלֶּה Lev. 10:19
715 כָּאֵלֶּה תַּעֲשׂוּ לַיּוֹם Num. 28:24
716 מִי רָאָה כָּאֵלֶּה Is. 66:8
717 מִי שָׁמַע כָּאֵלֶּה Jer. 18:13
718 יַעֲשֶׂה כָאֵלֶּה שִׁבְעַת הַיָּמִים Ezek. 45:25

וְכָאֵלֶּה
719 וְכָאֵלֶּה לָעַמּוּד הַשֵּׁנִי IIK. 25:17
720 וְכָאֵלֶּה לָעַמּוּד הַשֵּׁנִי Jer. 52:22

לְאֵלֶּה
721 לְאֵלֶּה מַחְלְקוֹת הַשֹּׁעֲרִים ICh. 26:12

לָאֵלֶּה
722 מָה־אֶעֱשֶׂה לָאֵלֶּה הַיּוֹם Gen. 31:43
723 לָאֵלֶּה תֵּחָלֵק הָאָרֶץ בְּנַחֲלָה Num. 26:53
724 לֹא־אֲדֹנִים לָאֵלֶּה IK. 22:17
725 לֹא־יַטִּפוּ לָאֵלֶּה Mic. 2:6
726 לֹא־אֲדֹנִים לָאֵלֶּה IICh. 18:16

וּלְאֵלֶּה
727 וּלְאֵלֶּה תִּטַּמָּאוּ Lev. 11:24
728 וּלְאֵלֶּה אָמַר בְּאָזְנַי עִבְרוּ בָעִיר Ezek. 9:5
729 וּלְאֵלֶּה תִּהְיֶה תְרוּמַת־הַקֹּדֶשׁ Ezek. 48:10

מֵאֵלֶּה
730 מֵאֵלֶּה נִפְרְדוּ אִיֵּי הַגּוֹיִם Gen. 10:5
731 אֲשֶׁר יֵעָשֶׂה מֵאֵלֶּה לַיְיָ Lev. 2:8
732 וְאָשֵׁם לְאַחַת מֵאֵלֶּה Lev. 5:4
733 וְהָיָה כִי־יֶאְשַׁם לְאַחַת מֵאֵלֶּה Lev. 5:5
734 אֲשֶׁר־חָטָא מֵאַחַת מֵאֵלֶּה Lev. 5:13
735 שָׂרִים רַבִּים וְנִכְבָּדִים מֵאֵלֶּה Num. 22:15
736 רוּחַ מָלֵא מֵאֵלֶּה יָבוֹא לִי Jer. 4:12
737 תּוֹעֵבוֹת גְּדֹלוֹת מֵאֵלֶּה Ezek. 8:15
738 לַעֲשׂוֹת לָךְ אַחַת מֵאֵלֶּה Ezek. 16:5
739 וְעָשָׂה אָח מֵאַחַד מֵאֵלֶּה Ezek. 18:10
740 ... הָרִאשֹׁנִים הָיוּ טוֹבִים מֵאֵלֶּה Eccl. 7:10
741 מֵאֵלֶּה יָצְאוּ הַצָּרְעָתִי וְהָאֶשְׁתָּאֻלִי ICh. 2:53
742 מֵאֵלֶּה לְנַצֵּחַ עַל־מְלֶאכֶת בֵּית יְיָ ICh. 23:4

וּמֵאֵלֶּה
743 וּמֵאֵלֶּה נָפְצָה כָל־הָאָרֶץ Gen. 9:19
744 וּמֵאֵלֶּה נִפְרְדוּ הַגּוֹיִם בָּאָרֶץ Gen. 10:32
745 וְאֵרֶא... וּמֵאֵלֶּה וְאֵין יוֹעֵץ Is. 41:28

אֵלֶּה[2] ארמית, כמו בעברית: אֵלֶּה

1 יֵאבַדוּ מֵאַרְעָא וּמִן־תְּחוֹת שְׁמַיָּא אֵלֶּה Jer. 10:11

אֱלָהּ ז׳ ארמית, אלוה, אלהים

אֱלָהּ רַב 2; אֱ׳ אֱלָהִין 17; אֱ׳ יְרוּשְׁלֶם 20; אֱ׳ יִשְׂרָאֵל 18-19,25; אֱ׳ שְׁמַיָּא 8,10-16,21-24

בֵּית אֱלָהָא 32-50, 60, 61, 71, 75; בַּר אֱלָהִין 81; דָּת אֱ׳ 64,63; חָכְמַת אֱ׳ 86,62; רוּחַ אֱ׳ 82-87,85

אֱלָהּ 1 בְּרַם אִיתַי אֱלָהּ בִּשְׁמַיָּא Dan. 2:28
2 אֱלָהּ רַב הוֹדַע לְמַלְכָּא Dan. 2:45
3 וּמַן־הוּא אֱלָהּ דִּי יְשֵׁיזְבִנְכוֹן Dan. 3:15
4/5 אֱלָהּ וֶאֱנָשׁ Dan. 6:8,13
6/7 אֱלָהּ Dan. 3:28,29

אֱלָהּ־ 8 לְמִבְעֵא מִן־קֳדָם אֱלָהּ שְׁמַיָּא Dan. 2:18
9 לָךְ אֱלָהּ אֲבָהָתִי מְהוֹדֵא... Dan. 2:23
10-16 אֱלָהּ שְׁמַיָּא Dan. 2:37,44
Ez. 5:11; 7:12,21,23[2]
17 הוּא אֱלָהּ אֱלָהִין Dan. 2:47
18/9 אֱלָהּ יִשְׂרָאֵל Ez. 5:1; 6:14
20 קֳדָם אֱלָהּ יְרוּשְׁלֶם Ez. 7:19

לֶאֱלָהּ־ 21 אֱדַיִן דָּנִיֵּאל בָּרִךְ לֶאֱלָהּ שְׁמַיָּא Dan. 2:19
22-24 לֶאֱלָהּ שְׁמַיָּא Ez. 5:12; 6:9,10
25 הִתְנַדַּבוּ לֶאֱלָהּ יִשְׂרָאֵל Ez. 7:15

אֱלָהָא 26 לֶהֱוֵא שְׁמֵהּ דִּי־אֱלָהָא מְבָרַךְ Dan. 2:20
27-30 אֱלָהָא עִלָּאָה Dan. 3:26,32; 5:18,21
31 מְנֵה־אֱלָהָא מַלְכוּתָךְ וְהַשְׁלְמַהּ Dan. 5:26
32-50 בֵּית (כב׳/ל׳ו׳) אֱלָהָא Dan. 5:3 • Ez. 4:24
5:2,8,13,14,15,16,17; 6:3,5[2],7[2],8; 6:12,16,17; 7:24
51 דָּנִיֵּאל עֲבֵד אֱלָהָא חַיָּא Dan. 6:21
52 אֱלָהָא חַיָּא וְקַיָּם לְעָלְמִין Dan. 6:27
53/4 אֱלָהָא Ez. 5:2; 6:18

וֵאלָהָא 55 וֵאלָהָא דִּי־שַׁכִּן שְׁמֵהּ תַּמָּה Ez. 6:12

וְלֵאלָהָא 56 וְלֵאלָהָא... לָא הַדַּרְתָּ Dan. 5:23

אֱלָהִי 57 דִּי־שְׁמֵהּ בֵּלְטְשַׁאצַּר כְּשֻׁם אֱלָהִי Dan. 4:5
58 אֱלָהִי שְׁלַח מַלְאֲכֵהּ... Dan. 6:23

אֱלָהָךְ 59 בְּדָת אֱלָהָךְ דִּי בִידָךְ Ez. 7:14
60 וּמָאנַיָּא... לְפָלְחָן בֵּית אֱלָהָךְ Ez. 7:19
61 וּשְׁאָר חַשְׁחוּת בֵּית אֱלָהָךְ Ez. 7:20
62/3 וְאַנְתְּ עֶזְרָא כְּחָכְמַת אֱלָהָךְ דִּי־
בִידָךְ... לְכָל־יָדְעֵי דָּתֵי אֱלָהָךְ Ez. 7:25
64 דָּתָא דִי־אֱלָהָךְ וְדָתָא דִּי מַלְכָּא Ez. 7:26

אֱלָהֵהּ 65 לָהֵן הַשְׁכַּחְנָא עֲלוֹהִי בְּדָת אֱלָהֵהּ Dan. 6:6
66-68 קֳדָם אֱלָהֵהּ Dan. 6:11,12,27

בֵּאלָהֵהּ 69 ...דִּי הֵימִן בֵּאלָהֵהּ Dan. 6:24

אֱלָהַנָא 70 הֵן אִיתַי אֱלָהַנָא דִּי־אֲנַחְנָא פָלְחִין Dan. 3:17

אֱלָהֲכֹם 71 עַל־מַדְבְּחָה דִּי בֵּית אֱלָהֲכֹם Ez. 7:17
72 כִּרְעוּת אֱלָהֲכֹם תַּעַבְדוּן Ez. 7:18

אֱלָהֲכוֹן 73 דִּי אֱלָהֲכוֹן הוּא אֱלָהּ אֱלָהִין Dan. 2:47

אֱלָהֲהֹם 74 וְעֵין אֱלָהֲהֹם הֲוָת עַל־שָׂבֵי יְהוּדָיֵא Ez. 5:5
75 מִתְנַדְּבִין לְבֵית אֱלָהֲהֹם Ez. 7:16

אֱלָהֲהוֹן 76 בְּרִיךְ אֱלָהֲהוֹן דִּי־שַׁדְרַךְ Dan. 3:28
77 דִּי־יֵאמַר שָׁלוּ עַל־אֱלָהֲהוֹן Dan. 3:29

לֵאלָהֲהוֹן 78 דִּי לָא־יִפְלְחוּן... לָהֵן לֵאלָהֲהוֹן Dan. 3:28

אֱלָהִין 79 אֱלָהִין דִּי מְדָרְהוֹן עִם־בִּשְׂרָא Dan. 2:11
80 הוּא אֱלָהּ אֱלָהִין וּמָרֵא מַלְכִין Dan. 2:47
81 וְרֵוֵהּ... דָּמֵה לְבַר־אֱלָהִין Dan. 3:25
82-85 רוּחַ־אֱלָהִין קַדִּישִׁין Dan. 4:5,6,15; 5:11
86 כְּחָכְמַת־אֱלָהִין הִשְׁתְּכַחַת בֵּהּ Dan. 5:11
87 וְשִׁמְעֵת עֲלָךְ דִּי רוּחַ אֱלָהִין בָּךְ Dan. 5:14

אֱלָהַיָּא 88 אֱלָהַיָּא דִּי־שְׁמַיָּא וְאַרְקָא לָא עֲבַדוּ Jer. 10:11

לֵאלָהֵי־ 89 וְשַׁבַּחוּ לֵאלָהֵי דַּהֲבָא וְכַסְפָּא Dan. 5:4

וְלֵאלָהֵי־ 90 וְלֵאלָהֵי כַסְפָּא־וְדַהֲבָא... שַׁבַּחְתָּ Dan. 5:23

לֵאלָהַי 91 לֵאלָהַי לָא אִיתֵיכוֹן פָּלְחִין Dan. 3:14

אֱלָהָךְ 92/3 אֱלָהָךְ דִּי אַנְתְּ פָּלַח־לֵהּ Dan. 6:17,21

לֵאלָהָךְ 94 לֵאלָהָךְ (כ׳ לאלהיך) לָא פָלְחִין Dan. 3:12
95 לֵאלָהָךְ (כ׳ לאלהיך) לָא־אִיתַנָא פָלְחִ׳ Dan. 3:18

אֱלֹהִים ז־ר [תמיד בחולם חסר, להוציא מס׳ 1581, 1724]
א) האל בורא העולם, בא על־הרוב ביחיד, אך לפעמים גם ברבוי: 137, 179, 182, 208 ועוד
ב) אלים, אלילי העמים: 78,79,82-125, 140-141,150, 1065, 1115—1129, 1172, 1200—1207, 1371, 1374, 1405, 1406, 1415-17, 1419-1425, 1493-1496, 1503-1506 ועוד
ג) כנוי כבוד לזקני המשפט: 80, 701—703
ד) מלאכי מרום, שליחי אל: 256—261
ה) כסומך לשמות רבים בהוראה: גודל, שגב — עין בצרופים

– אֱלֹהִים וַאֲנָשִׁים 151, 152; אֱ׳ אֲחֵרִים 78, 79, 82 —125; אֱ׳ חֲדָשִׁים 150; אֱ׳ חַי 190—193; אֱ׳ חַיִּים 176, 177, 206, 208; אֱ׳ צְבָאוֹת 250-254; אֱ׳ צַדִּיק 226; אֱ׳ קְדֹשִׁים 147

– אִישׁ אֱלֹהִים 157—162; אֵל אֱ׳ 142—144; אַף אֱ׳ 134, 249; אֶצְבַּע אֱ׳ 75, 127, 138; אֲרוֹן אֱ׳ 164, 165; אֵשׁ אֱ׳ 189, 268; בֵּית אֱ׳ 59, 61, 156, 230, 236, 238, 281; בְּנֵי אֱ׳ 269; בְּרִית אֱ׳ 248, 282; גְּמוּל אֱ׳ 199; גַּן אֱ׳ 215, 218—219; דְּבַר אֱ׳ 149, 166, 276; דִּבְרֵי אֱ׳ 208; דּוֹרְשֵׁי אֱ׳ 246; דַּעַת אֱ׳ 221, 222, 262; הַר אֱ׳ 217, 243; הַר קֹדֶשׁ אֱ׳ 216; זִבְחֵי אֱ׳ 235; זֶרַע אֱ׳ 225; חָכְמַת אֱ׳ 188; חֶסֶד אֱ׳ 183, 237; חֶרְדַּת אֱ׳ 175; חִתַּת אֱ׳ 69; יְיָ אֱלֹהִים 14-51; יְרֵא אֱ׳ 56, 265—267, 272; יִרְאֵי אֱ׳ 77, 242; יִרְאַת אֱ׳ 53, 186, 274; יֵשַׁע אֱ׳ 234; כְּבוֹד אֱ׳ 264; לֹא אֱ׳ 194—195, 203—205,223,277; לֵב אֱ׳ 213,214; מַהְפֵּכַת אֱ׳ 196—198; מוֹשַׁב אֱ׳ 212; מִזְבַּח אֱ׳ 231; מַחֲנֵה אֱ׳ 65, 275; מַכֵּה אֱ׳ 200; מִכְתַּב אֱ׳ 131; מַלְאַךְ אֱ׳ 55, 180; מַלְאֲכֵי אֱ׳ 58, 64; מַעֲנֵה אֱ׳ 224; מַעַרְכוֹת אֱ׳ 176—177; מַעֲשֵׂה אֱ׳ 130; מִפְעֲלוֹת אֱ׳ 241; מַרְאוֹת אֱ׳ 209-210, 220; מַתַּת אֱ׳ 270, 271; נְאוֹת אֱ׳ 255; נְזִיר אֱ׳ 153—155; נַחֲלַת אֱ׳ 185; נַפְתּוּלֵי אֱ׳ 63; נֵר אֱ׳ 163; נְשִׂיא אֱ׳ 57; עֵינֵי אֱ׳ 263; עִיר אֱ׳ 232; עַם אֱ׳ 184; פַּחַד אֱ׳ 228, 279; פִּי אֱ׳ 283; פֶּלֶג אֱ׳ 240; פְּנֵי אֱ׳ 68, 229; פֹּעַל אֱ׳ 239; צֶלֶם אֱ׳ 11, 52; קוֹל אֱ׳ 136, 137; קוֹלוֹת אֱ׳ 76; קִלְלַת אֱ׳ 139; קִרְבַת אֱ׳ 201, 247; רוּחַ אֱ׳ 2, 70, 126, 132—133, 167—174, 211, 278, 280; רֶכֶב אֱ׳ 244; שְׁבוּעַת אֱ׳ 273; שֹׁכְחֵי אֱ׳ 227; שֵׁם אֱ׳ 82, 233, 245; תּוֹרַת אֱ׳ 148

– אֹהֶל מוֹעֵד הָאֱלֹהִים 922; אִישׁ הָאֱ׳ 714—782; אֲרוֹן הָאֱ׳ 795—829; בֵּית הָאֱ׳ 789, 842—896; בְּנֵי הָאֱ׳ 689, 690, 839, 840; בְּרִית הָאֱ׳ 790—793; גִּבְעַת הָאֱ׳ 832; גַּן הָאֱ׳ 837; דְּבַר הָאֱ׳ 835, 921; דִּבְרֵי הָאֱ׳ 920; הַר הָאֱ׳ 694, 696, 699, 704, 836; חַי הָאֱ׳ 834; חֻקֵּי הָאֱ׳ 700; יַד הָאֱ׳ 794, 830, 841, 901, 925; יִרְאֵי הָאֱ׳ 900; כְּלֵי קֹדֶשׁ הָאֱ׳ 918; כְּלֵי שִׁיר הָאֱ׳ 915; מַטֵּה הָאֱ׳ 695,698; מַלְאַךְ הָאֱ׳ 692, 697, 783—788; מַלְאֲכֵי הָאֱ׳ 928; מַעֲשֵׂה הָאֱ׳ 897-9; נִדְבוֹת הָאֱ׳ 926; עֶבֶד הָאֱ׳ 903, 910-912; עֵינֵי הָאֱ׳ 705, 916; עִיר הָאֱ׳ 838; קְהַל הָאֱ׳ 913; רֹאשׁ הָאֱ׳ 2, 923; שָׂרֵי הָאֱ׳ 919; תּוֹרַת הָאֱ׳ 906-9

– אֱלֹהֵי אָבִיו 1194/5, 1198, 1208-1210, 1372/3, 1568, 1584/5,1587/8,1603,1614; אֱ׳ אֲבוֹתָיו 1218-45, 1409-1411, 1413/4, 1523-6, 1563-5, 1567, 1579/80, 1600-15; אֱ׳ אַבְרָהָם 1192-6, 1211-3, 1246, 1497-9, 1551; אֱ׳ אֱדוֹם 1573; אֱ׳ אֲדֹנִי 1188-91,1492; אֱ׳ אֵלִיָּהוּ 1507; אֱ׳ הָאֱמֹרִי 1419/20; אֱ׳ אָמֵן 1597/8; אֱ׳ אֱמֶת 1570; אֱ׳ הָאֱלֹהִים 1412,1610,713; אֱ׳ אֲרָם 1421; אֱ׳ הָאָרֶץ 1508-10,1534,1539,1582; אֱ׳ הָאֲרָצוֹת 1518/9; אֱ׳ בְּנֵי עַמּוֹן 1424,1495; אֱ׳ בְּנֵי שֵׂעִיר 1571; אֱ׳ כָּל־בָּשָׂר 1536; אֱ׳ הַגּוֹיִם 1415/6,1512/3,1520/1, 1575,1602; אֱ׳ דָּוִד 1522,1531/2, 1617; אֱ׳ דַרְמֶשֶׂק 1616; אֱ׳ הָרִים 1500/1; אֱ׳ זָהָב 1405, 1592; אֱ׳ חֲמַת 1514/5; אֱ׳ חַסְדּוֹ 1553/4; אֱ׳ יְחִזְקִיָּהוּ 1576; אֱ׳ יַעֲקֹב 1491, 1527/8, 1542-47, 1589-91, 1607-9; אֱ׳ יִצְחָק 1211-6, 1497-9,1583; אֱ׳ יְרוּשָׁלַיִם 1577; אֱ׳ יְשׁוּעָתוֹ 1559; אֱ׳ יִשְׁעִי 1490,1529,1548/9, 1555-8, 1581; אֱ׳ יִשְׂרָאֵל 1199, 1253-1370, 1375-1404, 1426-1432, 1452-1488, 1497-9, 1569, 1594, 1596; אֱ׳ כֶּסֶף 1374; אֱ׳ מוֹאָב 1423,1494; אֱ׳ הַמְּלָכִים 1524; אֱ׳ מַסֵּכָה 1406,1593; אֱ׳ מָעֻזּוֹ 1550; אֱ׳ מַעַרְכוֹת 1451; אֱ׳ מִצְרַיִם 1371, 1537/8; אֱ׳ מִקָּרֹב 1595; אֱ׳ מָרוֹם 1605; אֱ׳ מֵרָחוֹק 1535; אֱ׳ הַמִּשְׁפָּט 1530,1540; אֱ׳ נָחוֹר 1586; אֱ׳ נֵכָר 1200-7,1417; אֱ׳ סְפַרְוַיִם 1511,1516/7; אֱ׳ הָעִבְרִים 1248-52; אֱ׳ עוֹלָם 1533; אֱ׳ הָעָם 1572; אֱ׳ הָעַמִּים 1560/1,1566,1578,1618-20; אֱ׳ עֲמָקִים 1502; אֱ׳ עֶקְרוֹן 1503-1506; אֱ׳ פְלִשְׁתִּים 1425; אֱ׳ הַצְּבָאוֹת 33-41, 1450; אֱ׳ צִדְקִי 1541; אֱ׳ צוּרִי 1489, 1490; אֱ׳ צִידוֹנִים 1493, 1496; אֱ׳ קֶדֶם 1418; אֱ׳ הָרוּחֹת 1407/8; אֱ׳ שֵׁם 1178; אֱ׳ הַשָּׁמַיִם 1179-1187; אֱלֹהֵי תְהִלָּתִי 1562; אֱלֹהֵי תְשׁוּעָתִי 1552

– אַהֲבַת אֱלֹהָיו 1787; אָזְנֵי אֱ׳ 2219; אַף אֱ׳ 2214; אֲרוֹן אֱ׳ 2216; בֵּית אֱ׳ 1642, 1650—1653, 1708, 1778, 2105, 2109, 2113, 2116, 2184, 2195—2209, 2509, 2511, 2530—2532; בְּרִית אֱ׳ 1755, 2160; גַּעֲרַת אֱ׳ 2078; דְּבַר אֱ׳ 2179; הֲדַר אֱ׳ 2178; זִבְחֵי אֱ׳ 2601; חַצְרוֹת אֱ׳ 2193; יַד אֱ׳ 1645, 1647, 2114, 2210—2212; יְהוָה אֱ׳ 1622—1637, 1685—1707, 1743—1752, 1760, 1761, 1788—2065, 2072—2075, 2084, 2089—2090, 2118—2146, 2163—2168, 2183, 2185, 2220—2310, 2353—2491, 2495—2500, 2518, 2520—2521, 2525, 2537—2570; יוֹדְעֵי אֱ׳ 2111; יִרְאַת אֱ׳ 2215; יְשׁוּעַת אֱ׳ 2181,2194; כּוֹכְבֵי אֱ׳ 2510; כַּף אֱ׳ 2082; לֶחֶם אֱ׳ 1758, 2093—2095, 2492, 2524; מִצְוַת אֱ׳ 2213; מִקְדַּשׁ אֱ׳ 2091; מִשְׁמֶרֶת אֱ׳ 2536; מִשְׁפַּט אֱ׳ 2103—2104, 2534, 2535; מְשָׁרְתֵי אֱ׳ 1709, 2182; נֵזֶר אֱ׳ 2097; עִיר אֱ׳ 2188—2189; עָרֵי אֱ׳ 2174, 2217; פְּסִילֵי אֱ׳ 2157, 2527, 2528; קָרְבַּן אֱ׳ 2493; רַגְלֵי אֱ׳ 2218; שֵׁם אֱ׳ 1713, 1756, 1757, 2107, 2186-7, 2502—2503, 2523, 2529; תּוֹרַת אֱ׳ 1771, 2108, 2176

אֱלֹהִים 1 בְּרֵאשִׁית בָּרָא אֱלֹהִים... Gen. 1:1
2 וְרוּחַ אֱלֹהִים מְרַחֶפֶת עַל־פְּנֵי הַמָּיִם Gen. 1:2
3 וַיֹּאמֶר אֱלֹהִים יְהִי־אוֹר Gen. 1:3
4-8 וַיַּרְא אֱלֹהִים כִּי־טוֹב Gen. 1:10,12,18,21,25
9 וַיֹּאמֶר אֱלֹהִים נַעֲשֶׂה אָדָם Gen. 1:26
10 וַיִּבְרָא אֱלֹהִים אֶת־הָאָדָם בְּצַלְמוֹ Gen. 1:27
11 בְּצֶלֶם אֱלֹהִים בָּרָא אֹתוֹ Gen. 1:27
12 וַיֹּאמֶר לָהֶם אֱלֹהִים פְּרוּ וּרְבוּ Gen. 1:28
13 וַיְבָרֶךְ אֱלֹהִים אֶת־יוֹם הַשְּׁבִיעִי Gen. 2:3
14 בְּיוֹם עֲשׂוֹת יְיָ אֱלֹהִים אֶרֶץ וְשָׁמָיִם Gen. 2:4
15-51 יְיָ אֱלֹהִים Gen. 2:5,7,8,9,15
2:16,18,19,21,22; 3:1,8[2],9,13,14,21,22,23 • Ex. 9:30 • IISh. 7:22,25 • IIK. 19:19 • Jer. 10:10 • Jon. 4:6 • Ps. 59:6; 72:18; 84:12 • ICh. 17:16; 17:17; 28:20; 29:1 • IICh. 1:9; 6:41[2],42; 26:18
52 בְּצֶלֶם אֱלֹהִים עָשָׂה אֶת־הָאָדָם Gen. 9:6
53 אֵין־יִרְאַת אֱלֹהִים בַּמָּקוֹם הַזֶּה Gen. 20:11
54 כַּאֲשֶׁר הִתְעוּ אֹתִי אֱלֹהִים... Gen. 20:13
55 וַיִּקְרָא מַלְאַךְ אֱלֹהִים אֶל־הָגָר Gen. 21:17
56 יָדַעְתִּי כִּי־יְרֵא אֱלֹהִים אַתָּה Gen. 22:12
57 נְשִׂיא אֱלֹהִים אַתָּה בְּתוֹכֵנוּ Gen. 23:6

אֱלֹהִים (המשך)

58 מַלְאֲכֵי אֱלֹהִים עֹלִים וְיֹרְדִים בּוֹ Gen. 28:12
59 אֵין זֶה כִּי אִם־בֵּית אֱלֹהִים Gen. 28:17
60 אִם־יִהְיֶה אֱלֹהִים עִמָּדִי Gen. 28:20
61 וְהָאֶבֶן הַזֹּאת.. יִהְיֶה בֵּית אֱלֹהִים Gen. 28:22
62 הֲתַחַת אֱלֹהִים אָנֹכִי Gen. 30:2
63 נַפְתּוּלֵי אֱלֹהִים נִפְתַּלְתִּי... Gen. 30:8
64 וַיִּפְגְּעוּ־בוֹ מַלְאֲכֵי אֱלֹהִים... Gen. 32:2
65 מַחֲנֵה אֱלֹהִים זֶה Gen. 32:3(2)
66 שָׂרִיתָ עִם־אֱלֹהִים Gen. 32:29(28)
67 רָאִיתִי אֱלֹהִים פָּנִים אֶל־פָּנִים Gen. 32:31
68 רָאִיתִי פָנֶיךָ כִּרְאֹת פְּנֵי אֱלֹהִים Gen. 33:10
69 וַיְהִי חִתַּת אֱלֹהִים עַל־הֶעָרִים Gen. 35:5
70 אִישׁ אֲשֶׁר רוּחַ אֱלֹהִים בּוֹ Gen. 41:38
71 יְשִׂמְךָ אֱלֹהִים כְּאֶפְרַיִם וְכִמְנַשֶּׁה Gen. 48:20
72 וְהָיָה אֱלֹהִים עִמָּכֶם... Gen. 48:21
73 כִּי הֲתַחַת אֱלֹהִים אָנִי Gen. 50:19
74 רְאֵה נְתַתִּיךָ אֱלֹהִים לְפַרְעֹה Ex. 7:1
75 אֶצְבַּע אֱלֹהִים הִוא Ex. 8:15
76 וְרַב מִהְיֹת קֹלֹת אֱלֹהִים וּבָרָד Ex. 9:28
77 אַנְשֵׁי־חַיִל יִרְאֵי אֱלֹהִים Ex. 18:21
78/9 לֹא־יִהְיֶה לְךָ אֱלֹהִים אֲחֵרִים
עַל־פָּנָי Ex. 20:3 • Deut. 5:7
80 אֲשֶׁר יַרְשִׁיעֻן אֱלֹהִים יְשַׁלֵּם... Ex. 22:8
81 אֱלֹהִים לֹא תְקַלֵּל Ex. 22:27
82 וְשֵׁם אֱלֹהִים אֲחֵרִים לֹא תַזְכִּירוּ Ex. 23:13
125-83 אֱלֹהִים אֲחֵרִים Deut. 6:14; 7:4; 8:19
11:16,28; 13:3,7,14; 17:3; 18:20; 28:14,36,64;
29:25; 31:18,20 • Josh.23:16; 24:2,16 • Jud.2:12;
2:17,19; 10:13 • ISh. 8:8; 26:19 • IK. 9:6; 11:4,10;
14:9 • IIK. 17:7,35,37,38 • Jer. 7:6,9; 11:10; 13:10;
16:11,13; 25:6; 35:15 • Hosh. 3:1 • IICh. 7:19
126 וָאֲמַלֵּא אֹתוֹ רוּחַ אֱלֹהִים Ex. 31:3
127 כְּתֻבִים בְּאֶצְבַּע אֱלֹהִים Ex. 31:18
128/9 עֲשֵׂה־לָנוּ אֱלֹהִים Ex. 32:1,23
130 וְהַלֻּחֹת מַעֲשֵׂה אֱלֹהִים הֵמָּה Ex. 32:16
131 וְהַמִּכְתָּב מִכְתַּב אֱלֹהִים הוּא Ex. 32:16
132/3 רוּחַ אֱלֹהִים Ex. 35:31 • Num. 24:2
134 וַיִּחַר־אַף אֱלֹהִים כִּי־הוֹלֵךְ הוּא Num. 22:22
135 וַעֲבַדְתֶּם..אֱלֹהִים מַעֲשֵׂה יְדֵי אָדָם Deut.4:28
136 הֲשָׁמַע עָם קוֹל אֱלֹהִים... Deut. 4:33
137 אֲשֶׁר שָׁמַע קוֹל אֱלֹהִים חַיִּים Deut. 5:26(23)
138 כְּתֻבִים בְּאֶצְבַּע אֱלֹהִים Deut. 9:10
139 כִּי־קִלְלַת אֱלֹהִים תָּלוּי Deut. 21:23
140 אֱלֹהִים אֲשֶׁר לֹא־יְדָעוּם Deut. 29:25
141 אֱלֹהִים לֹא יְדָעוּם Deut. 32:17
142-4 אֵל אֱלֹהִים יְיָ Josh. 22:22[2] • Ps. 50:1
145/6 אֶת־אֱלֹהִים אֲשֶׁר עָבְדוּ אֲבוֹתֵיכֶם
Josh. 24:14,15
147 כִּי־אֱלֹהִים קְדֹשִׁים הוּא Josh. 24:19
148 וַיִּכְתֹּב... בְּסֵפֶר תּוֹרַת אֱלֹהִים Josh. 24:26
149 דְּבַר־אֱלֹהִים לִי אֵלֶיךָ Jud. 3:20
150 יִבְחַר אֱלֹהִים חֲדָשִׁים... Jud. 5:8
151 אֲשֶׁר־בִּי יְכַבְּדוּ אֱלֹהִים וַאֲנָשִׁים Jud. 9:9
152 תִּירוֹשִׁי הַמְשַׂמֵּחַ אֱלֹהִים וַאֲנָשִׁים Jud. 9:13
153/4 כִּי־נְזִיר אֱלֹהִים יִהְיֶה הַנַּעַר Jud. 13:5,7
155 כִּי־נְזִיר אֱלֹהִים אֲנִי Jud. 16:17
156 וְהָאִישׁ מִיכָה לוֹ בֵּית אֱלֹהִים Jud. 17:5
157 וַיָּבֹא אִישׁ(־)אֱלֹהִים אֶל־עֵלִי ISh. 2:27
162-158 אִישׁ־אֱלֹהִים ISh. 9:6
IK. 13:1; 17:24 • IIK. 1:10; 4:9
163 וְנֵר אֱלֹהִים טֶרֶם יִכְבֶּה ISh. 3:3
164 ...אֲשֶׁר־שָׁם אֲרוֹן אֱלֹהִים ISh. 3:3

אֱלֹהִים (המשך)

165 וַאֲרוֹן אֱלֹהִים נִלְקָח ISh. 4:11
166 וְאַשְׁמִיעֲךָ אֶת־דְּבַר אֱלֹהִים ISh. 9:27
167 וַתִּצְלַח עָלָיו רוּחַ אֱלֹהִים ISh. 10:10
170-168 רוּחַ(־)אֱלֹהִים ISh. 11:6; 19:20,23
171-4 רוּחַ(־)אֱלֹהִים (רָעָה) ISh. 16:15,16,23; 18:10
175 וַתְּהִי לְחֶרְדַּת אֱלֹהִים ISh. 14:15
176/7 חָרֵף מַעַרְכוֹת אֱלֹהִים חַיִּים ISh. 17:26,36
178 וְיֵדְעוּ.. כִּי יֵשׁ אֱלֹהִים לְיִשְׂרָאֵל ISh. 17:46
179 אֱלֹהִים רָאִיתִי עֹלִים מִן־הָאָרֶץ ISh. 28:13
180 טוֹב אַתָּה בְּעֵינַי כְּמַלְאַךְ אֱלֹהִים ISh. 29:9
181 וְאֵין אֱלֹהִים זוּלָתֶךָ IISh. 7:22
182 הָלְכוּ־אֱלֹהִים לִפְדּוֹת־לוֹ לְעָם IISh. 7:23
183 וְאֶעֱשֶׂה עִמּוֹ חֶסֶד אֱלֹהִים IISh. 9:3
184 וְלָמָּה חָשַׁבְתָּה כָּזֹאת עַל־עַם אֱלֹהִים
IISh. 14:13
185 לְהַשְׁמִיד אֹתִי... מִנַּחֲלַת אֱלֹהִים IISh. 14:16
186 צַדִּיק מוֹשֵׁל יִרְאַת אֱלֹהִים IISh. 23:3
187 יֵיטֵב אֱלֹהִים (כת׳ אלהיך)
אֶת־שֵׁם שְׁלֹמֹה IK. 1:47
188 כִּי־חָכְמַת אֱלֹהִים בְּקִרְבּוֹ IK. 3:28
189 וַתֵּרֶד אֵשׁ־אֱלֹהִים מִן־הַשָּׁמַיִם IIK. 1:12
190-3 לְחָרֵף אֱלֹהִים חַי IIK. 19:4,16 • Is. 37:4,17
194/5 כִּי לֹא אֱלֹהִים הֵמָּה IIK. 19:18 • Is. 37:19
198-196 כְּמַהְפֵּכַת אֱלֹהִים אֶת־סְדֹם וְאֶת־
עֲמֹרָה Is. 13:19 • Jer. 50:40 • Am. 4:11
199 נָקָם יָבוֹא גְּמוּל אֱלֹהִים Is. 35:4
200 נָגוּעַ מֻכֵּה אֱלֹהִים וּמְעֻנֶּה Is. 53:4
201 קִרְבַת אֱלֹהִים יֶחְפָּצוּן Is. 58:2
202 הַהֵימִיר גּוֹי אֱלֹהִים Jer. 2:11
203/4 וְהֵמָּה לֹא אֱלֹהִים Jer. 2:11; 16:20
205 וַיִּשָּׁבְעוּ בְּלֹא אֱלֹהִים Jer. 5:7
206 הוּא־אֱלֹהִים חַיִּים וּמֶלֶךְ עוֹלָם Jer. 10:10
207 הֲיַעֲשֶׂה־לּוֹ אָדָם אֱלֹהִים Jer. 16:20
208 וַהֲפַכְתֶּם אֶת־דִּבְרֵי אֱלֹהִים חַיִּים Jer. 23:36
209 וָאֶרְאֶה מַרְאוֹת אֱלֹהִים Ezek. 1:1
210 וַתָּבֵא אֹתִי... בְּמַרְאוֹת אֱלֹהִים Ezek. 8:3
211 וַתְּבִאֵנִי... בַּמַּרְאֶה בְּרוּחַ אֱלֹהִים Ezek.11:24
212 מוֹשַׁב אֱלֹהִים יָשַׁבְתִּי בְּלֵב יַמִּים Ezek. 28:2
213 וַתִּתֵּן לִבְּךָ כְּלֵב אֱלֹהִים Ezek. 28:2
214 יַעַן תִּתְּךָ אֶת־לְבָבְךָ כְּלֵב אֱלֹהִים Ezek.28:6
215 בְּעֵדֶן גַּן־אֱלֹהִים הָיִיתָ Ezek. 28:13
216 בְּהַר קֹדֶשׁ אֱלֹהִים הָיִיתָ Ezek. 28:14
217 וָאֲחַלֶּלְךָ מֵהַר אֱלֹהִים Ezek. 28:16
218/19 בְּגַן־אֱלֹהִים Ezek. 31:8[2]
220 בְּמַרְאוֹת אֱלֹהִים הֱבִיאַנִי... Ezek. 40:2
221 וְאֵין־דַּעַת אֱלֹהִים בָּאָרֶץ Hosh. 4:1
222 ...וְדַעַת אֱלֹהִים מֵעֹלוֹת Hosh. 6:6
223 ...וְלֹא אֱלֹהִים הוּא Hosh. 8:6
224 כִּי אֵין מַעֲנֵה אֱלֹהִים Mic. 3:7
225 וּמָה הָאֶחָד מְבַקֵּשׁ זֶרַע אֱלֹהִים Mal. 2:15
226 וּבֹחֵן לִבּוֹת וּכְלָיוֹת אֱלֹהִים צַדִּיק Ps. 7:10
227 כָּל־גּוֹיִם שְׁכֵחֵי אֱלֹהִים Ps. 9:18
228 אֵין־פַּחַד אֱלֹהִים לְנֶגֶד עֵינָיו Ps. 36:2
229 מָתַי אָבוֹא וְאֵרָאֶה פְּנֵי אֱלֹהִים Ps. 42:3
230 אֶדַּדֵּם עַד־בֵּית אֱלֹהִים Ps. 42:5
231 וְאָבוֹאָה אֶל־מִזְבַּח אֱלֹהִים Ps. 43:4
232 פְּלָגָיו יְשַׂמְּחוּ עִיר־אֱלֹהִים Ps. 46:5
233 כְּשִׁמְךָ אֱלֹהִים כֵּן תְּהִלָּתְךָ Ps. 48:11
234 אַרְאֶנּוּ בְּיֵשַׁע אֱלֹהִים Ps. 50:23
235 זִבְחֵי אֱלֹהִים רוּחַ נִשְׁבָּרָה Ps. 51:19
236 וַאֲנִי כְּזַיִת רַעֲנָן בְּבֵית אֱלֹהִים Ps. 52:10
237 בָּטַחְתִּי בְחֶסֶד־אֱלֹהִים עוֹלָם וָעֶד Ps. 52:10

אֱלֹהִים (המשך)

238 בְּבֵית אֱלֹהִים נְהַלֵּךְ בְּרָגֶשׁ Ps. 55:15
239 וַיַּגִּידוּ פֹּעַל אֱלֹהִים Ps. 64:10
240 פֶּלֶג אֱלֹהִים מָלֵא מָיִם Ps. 65:10
241 לְכוּ וּרְאוּ מִפְעֲלוֹת אֱלֹהִים Ps. 66:5
242 שִׁמְעוּ וַאֲסַפְּרָה כָּל־יִרְאֵי אֱלֹהִים Ps. 66:16
243 הַר־אֱלֹהִים הַר־בָּשָׁן Ps. 68:16
244 רֶכֶב אֱלֹהִים רִבֹּתַיִם Ps. 68:18
245 אֲהַלְלָה שֵׁם־אֱלֹהִים בְּשִׁיר Ps. 69:31
246 דֹּרְשֵׁי אֱלֹהִים וִיחִי לְבַבְכֶם Ps. 69:33
247 וַאֲנִי קִרֲבַת אֱלֹהִים לִי טוֹב Ps. 73:28
248 לֹא שָׁמְרוּ בְּרִית אֱלֹהִים Ps. 78:10
249 וְאַף אֱלֹהִים עָלָה בָהֶם Ps. 78:31
252-250 יְיָ אֱלֹהִים צְבָאוֹת Ps. 80:5,20; 84:9
253/4 אֱלֹהִים צְבָאוֹת Ps. 80:8,15
255 נִירְשָׁה לָּנוּ אֵת נְאוֹת אֱלֹהִים Ps. 83:13
256 וּמֶלֶךְ גָּדוֹל עַל־כָּל־אֱלֹהִים Ps. 95:3
257/8 נוֹרָא הוּא עַל־כָּל־אֱלֹהִים Ps. 96:4
ICh. 16:25
259 הִשְׁתַּחֲווּ־לוֹ כָּל־אֱלֹהִים Ps. 97:7
260 מְאֹד נַעֲלֵיתָ עַל־כָּל־אֱלֹהִים Ps. 97:9
261 גָּדוֹל יְיָ וַאֲדֹנֵינוּ מִכָּל־אֱלֹהִים Ps. 135:5
262 וְדַעַת אֱלֹהִים תִּמְצָא Prov. 2:5
263 וּמְצָא־חֵן... בְּעֵינֵי אֱלֹהִים וְאָדָם Prov. 3:4
264 כְּבֹד אֱלֹהִים הַסְתֵּר דָּבָר Prov. 25:2
267-265 (וִ)יְרֵא אֱלֹהִים וְסָר מֵרָע Job 1:1,8; 2:3
268 אֵשׁ אֱלֹהִים נָפְלָה מִן־הַשָּׁמַיִם Job 1:16
269 וַיָּרִיעוּ כָּל־בְּנֵי אֱלֹהִים Job 38:7
270/1 מַתַּת אֱלֹהִים הִיא Eccl. 3:13; 5:18
272 כִּי־יְרֵא אֱלֹהִים יֵצֵא אֶת־כֻּלָּם Eccl. 7:18
273 וְעַל דִּבְרַת שְׁבוּעַת אֱלֹהִים Eccl. 8:2
274 לֹא־עָשִׂיתִי...מִפְּנֵי יִרְאַת אֱלֹהִים Neh. 5:15
275 לְמַחֲנֶה גָדוֹל כְּמַחֲנֵה אֱלֹהִים ICh. 12:23(22)
276 וַיְהִי דְּבַר־אֱלֹהִים אֶל־נָתָן ICh. 17:3
277 וְהָיָה כֹהֵן לְלֹא אֱלֹהִים IICh. 13:9
278 הָיְתָה עָלָיו רוּחַ אֱלֹהִים IICh. 15:1
279 וַיְהִי פַּחַד אֱלֹהִים עַל כָּל־מַמְלְכוֹת
הָאֲרָצוֹת IICh. 20:29
280 וְרוּחַ אֱלֹהִים לָבְשָׁה אֶת־זְכַרְיָה IICh. 24:20
281 אֶת־הַכֶּסֶף הַמּוּבָא בֵית־אֱלֹהִים IICh. 34:9
282 וַיַּעֲשׂוּ... כִּבְרִית אֱלֹהִים IICh. 34:32
283 דִּבְרֵי נְכוֹ מִפִּי אֱלֹהִים IICh. 35:22
681-284 אֱלֹהִים Gen. 1:4[2],5
1:6,7,8,9,10,11,14,16,17,20,21,22,24,25,28,29,31;
2:2,3; 3:1,3,5; 4:25; 5:1[2],24; 6:12,13,22;
7:9, 16; 8:1[2], 15; 9:1, 8, 12, 16, 17, 27;
17:3,9,15,19,22,23; 19:29[2]; 20:3,17;
21:2,4,6,12,17[2],19,20,22; 22:8; 25:11; 28:4;
30:6,17,18,20,22[2],23; 31:7,9,16[2],24,42,50; 33:5,11;
35:1,9,10,11,13,15; 41:16,39,51,52; 42:28; 43:29;
45:5,7,9; 46:2; 48:9,11; 50:20,25 • Ex. 1:20;
2:24[2],25[2]; 3:4,14,15; 6:2; 13:17[2],18,19;
18:1,15,19,23; 20:1, 19(16) • Num. 22:9,12,20,38;
23:4 • Deut. 4:7,32,34; 5:24(21); 25:18; 32:39 •
Josh. 2:11; 22:33 • Jud. 1:7; 4:23; 6:31,40; 8:3;
9:7,23,56,57; 13:22; 15:19; 18:10 • ISh.2:25; 3:17;
4:7; 9:9; 10:9,26; 14:44,45; 22:3; 23:7,14; 25:22;
26:8 • IISh. 3:9,35; 7:26; 14:14; 19:14; 21:14 • IK.
2:23; 3:5,11; 5:9; 8:23,27; 10:24; 11:23; 18:27,36;
19:2; 20:10; 21:10,13 • IIK. 1:3,6,16; 5:15; 6:31 •
Is.41:23; 44:6; 45:5,14,21; 46:9; 64:3 • Ezek.28:9 •
Hosh. 12:4 • Jon. 3:8; 4:8,9 • Zech. 8:23 • Mal.
3:8,14,15,18 • Ps. 5:11

אֱלֹהִים (המשך)

7:11,12; 10:4,13; 14:1,2,5; 25:22; 36:8; 42:2; 43:1,4; 44:2,5,22; 45:3,7,8; 46:2,6²,11; 47:6,7,8,9²; 48:4,9,10,15; 49:16; 50:2,6,7,16; 51:3,12,16,19; 52:9; 53:2,3²,5,6²,7; 54:3,4,5,6; 55:2,17,20,24; 56:2,8,10,13,14; 57:2,4,6,8,12; 58:7,12; 59:10,11; 59:14,18; 60:3,8,12²; 61:2,6,8; 62:2,8,9,12; 63:2; 64:2,8; 65:2; 66:10,19,20; 67:2,4,6,7,8; 68:2,3; 68:4,6,7,8,9²,10,11,17,19,22,25,27,29,36²; 69:2, 6,14,30,36; 70:2,5,6; 71:11,12,17; 71:18,19²; 72:1; 73:1,26; 74:1,10,22; 75:2,8; 76:2,10; 77:2²,4,14,17; 78:35,56,59; 79:1; 80:4; 82:1²,6,8; 83:2; 84:8,10; 86:10,14; 100:3; 108:2,6,8,12²; 138:1; 144:9 • Job 1:5,9; 2:9; 5:8; 28:23; 34:9 • Eccl. 1:13; 3:10; 8:13 • Neh. 6:12; 13:26 • ICh. 4:10; 5:25; 13:10; 17:17,20,24; 21:30; 26:5; 29:1 • IICh. 1:7,11; 6:14; 6:18; 13:16; 15:6; 18:31; 20:6; 25:16; 26:5; 32:29; 33:7; 34:27

וֵאלֹהִים

682 וֵאלֹהִים פָּקֹד יִפְקֹד אֶתְכֶם Gen. 50:24
683 וֵאלֹהִים סָר מֵעָלַי ISh. 28:15
684 וֵאלֹהִים זוּלָתִי לֹא תֵדָע Hosh. 13:4
685 וֵאלֹהִים מַלְכִּי מִקֶּדֶם Ps. 74:12
686 וֵאלֹהִים אָמַר לְבַהֲלֵנִי IICh. 35:21

הָאֱלֹהִים

687/8 וַיִּתְהַלֵּךְ חֲנוֹךְ אֶת־הָאֱלֹהִים Gen. 5:22,24
689 וַיִּרְאוּ בְנֵי־הָאֱלֹהִים אֶת־בְּנוֹת הָאָדָם Gen. 6:2
690 אֲשֶׁר יָבֹאוּ בְּנֵי הָאֱלֹהִים Gen. 6:4
691 וְיִתֶּן־לְךָ הָאֱלֹהִים מִטַּל הַשָּׁמַיִם Gen. 27:28
692 וַיֹּאמֶר אֵלַי מַלְאַךְ הָאֱלֹהִים Gen. 31:11
693 כִּי שָׁם נִגְלוּ אֵלָיו הָאֱלֹהִים Gen. 35:7
694 וַיָּבֹא אֶל־הַר הָאֱלֹהִים חֹרֵבָה Ex. 3:1
695 וַיִּקַּח מֹשֶׁה אֶת־מַטֵּה הָאֱלֹהִים Ex. 4:20
696 וַיֵּלֶךְ וַיִּפְגְּשֵׁהוּ בְּהַר הָאֱלֹהִים Ex. 4:27
697 וַיִּסַּע מַלְאַךְ הָאֱלֹהִים... Ex. 14:19
698 וּמַטֵּה הָאֱלֹהִים בְּיָדִי Ex. 17:9
699 אֲשֶׁר־הוּא חֹנֶה שָׁם הַר הָאֱלֹהִים Ex. 18:5
700 וְהוֹדַעְתִּי אֶת־חֻקֵּי הָאֱלֹהִים Ex. 18:16
701 וְהִגִּישׁוֹ אֲדֹנָיו אֶל־הָאֱלֹהִים Ex. 21:6
702 וְנִקְרַב בַּעַל־הַבַּיִת אֶל־הָאֱל׳ Ex. 22:7
703 עַד הָאֱלֹהִים יָבֹא דְּבַר־שְׁנֵיהֶם Ex. 22:8
704 וַיַּעַל מֹשֶׁה אֶל־הַר הָאֱלֹהִים Ex. 24:13
705 אוּלַי יִישַׁר בְּעֵינֵי הָאֱלֹהִים Num. 23:27
711-706 יְיָ הוּא הָאֱלֹהִים Deut. 4:35,39
IK. 8:60; 18:39² • IICh. 33:13
712 כִּי־יְיָ אֱלֹהֶיךָ הוּא הָאֱלֹהִים Deut. 7:9
713 אֱלֹהֵי הָאֱלֹהִים וַאֲדֹנֵי הָאֲדֹנִים Deut. 10:17
714 אֲשֶׁר בֵּרַךְ מֹשֶׁה אִישׁ הָאֱלֹהִים Deut. 33:1
715 דִּבֶּר יְיָ אֶל־מֹשֶׁה אִישׁ־הָאֱלֹהִים Josh. 14:6
782-716 (לְ־) אִישׁ הָאֱלֹהִים Jud. 13:6,8
ISh. 9:7,8,10 • IK. 12:22; 13:4,5,6²; 13:7,8,11, 12,14²,21,26,31; 17:18; 20;28 • IIK. 1:9,11, 12,13; 4:7,16,21,22,25²,27²,40,42; 5:8,14,15,20; 6:6,9,10,15; 7:2,17,18,19; 8:2,4,7,8,11; 13:19; 23:16,17 • Jer. 35:4 • Ps. 90:1 • Ez. 3:2 • Neh. 12:24,36 • ICh. 23:14 • IICh. 8:14; 11:2; 25:7,9²; 30:16
783 וַיֹּאמֶר אֵלָיו מַלְאַךְ הָאֱלֹהִים Jud. 6:20
788-784 (כְּ)מַלְאַךְ הָאֱלֹהִים Jud. 13:6,9
IISh. 14:17,20; 19:28
789 בֵּית־הָאֱלֹהִים בְּשִׁלֹה Jud. 18:31
793-790 אֲרוֹן בְּרִית(־) הָאֱלֹהִים Jud. 20:27
ISh. 4:4 • IISh. 15:24 • ICh. 16:6
794 מִי יַצִּילֵנוּ מִיַּד הָאֱלֹהִים הָאַדִּירִים ISh. 4:8
795 לִבּוֹ חָרֵד עַל אֲרוֹן הָאֱלֹהִים ISh. 4:13

הָאֱלֹהִים (המשך)

796 וַאֲרוֹן הָאֱלֹהִים נִלְקָחָה ISh. 4:17
797 כְּהַזְכִּירוֹ אֶת־אֲרוֹן הָאֱלֹהִים ISh. 4:18
829-798 (וְ־ / לַ־) אֲרוֹן הָאֱלֹהִים ISh. 4:19
4:21,22; 5:1,2,10²; 14:18² • IISh. 6:2,3,4,6; 6:7,12²; 7:2; 15:24,25,29 • ICh. 13:5,6,7,12,14; 15:1,2²,15,24; 16:1 • IICh. 1:4
830 כָּבְדָה מְאֹד יַד הָאֱלֹהִים שָׁם ISh. 5:11
831 לִפְנֵי יְיָ הָאֱלֹהִים הַקָּדוֹשׁ הַזֶּה ISh. 6:20
832 אַחַר כֵּן תָּבוֹא גִּבְעַת הָאֱלֹהִים ISh. 10:5
833 נִקְרְבָה הֲלֹם אֶל־הָאֱלֹהִים ISh. 14:36
834 חַי הָאֱלֹהִים כִּי לוּלֵא דִּבַּרְתָּ... IISh. 2:27
835 יִשְׁאַל־אִישׁ בִּדְבַר הָאֱלֹהִים IISh. 16:23
836 וַיֵּלֶךְ... עַד הַר הָאֱלֹהִים חֹרֵב IK. 19:8
837 כָּל־עֲצֵי־עֵדֶן אֲשֶׁר בְּגַן הָאֱל׳ Ezek. 31:9
838 נִכְבָּדוֹת מְדֻבָּר בָּךְ עִיר הָאֱל׳ Ps. 87:3
840-839 וַיָּבֹאוּ בְּנֵי הָאֱלֹהִים... Job 1:6; 2:1
841 כִּי מִיַּד הָאֱלֹהִים הִיא Eccl. 2:24
842 כַּאֲשֶׁר תֵּלֵךְ אֶל־בֵּית הָאֱלֹהִים Eccl. 4:17
896-843 (לְבֵ־ / בְּבֵ־) בֵּית הָאֱלֹהִים Dan. 1:2
Ez. 1:4; 2:68; 3:8,9; 6:22; 8:36; 10:1,6,9 • Neh. 6:10; 8:16; 11:11,16,22; 12:40; 13:7,9,11 • ICh. 6:33; 9:11,13,26,27; 22:1,2; 23:28; 25:6; 26:20; 28:12,21; 29:7 • IICh. 3:3; 4:11,19; 5:1,14; 7:5; 15:18; 22:12; 23:3,9; 24:7,13,27; 25:24; 28:24²; 31:13,21; 33:7; 35:8; 36:18,19
899-897 מַעֲשֵׂה הָאֱלֹהִים Eccl. 7:13; 8:17; 11:5
900 אֲשֶׁר יִהְיֶה־טּוֹב לְיִרְאֵי הָאֱלֹהִים Eccl. 8:12
901 אֲשֶׁר הַצַּדִּיקִים...בְּיַד הָאֱלֹהִים Eccl. 9:1
902 וָאֶתְּנָה אֶת־פָּנַי אֶל־אֲדֹנָי הָאֱל׳ Dan. 9:3
903 בְּתוֹרַת מֹשֶׁה עֶבֶד־הָאֱלֹהִים Dan. 9:11
904 לְכֹל הֵעִיר הָאֱלֹהִים אֶת־רוּחוֹ Ez. 1:5
905 וַיְבָרֶךְ עֶזְרָא אֶת־יְיָ הָאֱלֹהִים Neh. 8:6
906 וַיִּקְרְאוּ בַסֵּפֶר בְּתוֹרַת הָאֱלֹהִים Neh. 8:8
909-907 תּוֹרַת הָאֱלֹהִים Neh. 8:18; 10:29,30
912-910 מֹשֶׁה עֶבֶד־הָאֱלֹהִים Neh. 10:30
ICh. 6:34 • IICh. 24:9
913 אֲשֶׁר לֹא־יָבוֹא...בִּקְהַל הָאֱלֹהִים Neh. 13:1
914 וַיְהִי בֶּעְזֹר הָאֱלֹהִים אֶת־הַלְוִיִּם ICh. 15:26
915 חֲצֹצְרוֹת... וּכְלֵי שִׁיר הָאֱלֹהִים ICh. 16:42
916 וַיֵּרַע בְּעֵינֵי הָאֱלֹהִים... ICh. 21:7
917 וּבְנוּ אֶת־מִקְדַּשׁ יְיָ הָאֱלֹהִים ICh. 22:19(18)
918 וּכְלֵי קֹדֶשׁ הָאֱלֹהִים ICh. 22:19(18)
919 שָׂרֵי־קֹדֶשׁ וְשָׂרֵי הָאֱלֹהִים ICh. 24:5
920 חֹזֵה הַמֶּלֶךְ בְּדִבְרֵי הָאֱלֹהִים ICh. 25:5
921 לְכֹל־דְּבַר הָאֱלֹהִים ICh. 26:32
922 שָׁם הָיָה אֹהֶל מוֹעֵד הָאֱלֹהִים IICh. 1:3
923 וְהִנֵּה עִמָּנוּ בָרֹאשׁ הָאֱלֹהִים... IICh. 13:12
924 הַמֵּבִין בִּרְאֹת הָאֱלֹהִים IICh. 26:5
925 הָיְתָה יַד הָאֱלֹהִים לָתֵת... IICh. 30:12
926 וְקוֹרֵא...עַל נִדְבוֹת הָאֱלֹהִים IICh. 31:14
927 דִּבְּרוּ עֲבָדָיו עַל־יְיָ הָאֱלֹהִים IICh. 32:16
928 מַלְעִבִים בְּמַלְאֲכֵי הָאֱלֹהִים IICh. 36:16
1049-929 הָאֱלֹהִים Gen. 6:9,11; 17:18; 20:6,17 22:3,9; 41:25,28,32²; 42:18; 44:16; 45:8; 48:15² • Ex. 1:17,21; 2:23; 3:6,11,12,13; 18:11,12,19²; 19:3,17; 20:20(17),21(18); 24:11 • Num. 22:10 • Josh. 22:34; 24:1 • Jud. 6:36,39; 7:14; 10:14; 13:9; 16:28; 20:2; 21:2 • ISh. 4:8; 10:3,7 • IISh. 6:7; 7:28; 12:16 • IK. 18:21,24²,37 • IIK. 19:15 • Is. 37:16; 45:18 • Jer. 11:12 • Jon. 1:6; 3:9,10²; 4:7 • Ps. 136:2 • Job 2:10 • Eccl. 2:26; 3:11,14,17,18; 5:1²,5,6,17,18,19; 6:2²; 7:14,26,29; 8:15; 9:7; 11:9; 12:7,13,14 • Dan. 1:9,17 • Ez. 1:3 • Neh. 4:9; 5:13;

הָאֱלֹהִים (המשך)

7:2; 9:7; 12:43 • ICh. 13:8,12; 14:11,14,15,16; 16:1; 17:2,21,26; 21:8,15,17; 25:5 • IICh. 2:4; 9:23; 10:15; 18:5; 19:3; 24:16,20; 25:8; 26:5,7; 29:36; 30:19; 32:31

וְהָאֱלֹהִים

1050 וְהָאֱלֹהִים נִסָּה אֶת־אַבְרָהָם Gen. 22:1
1051 וְהָאֱלֹהִים יַעֲנֶנּוּ בְקוֹל Ex. 19:19
1052 וְהָאֱלֹהִים אִנָּה לְיָדוֹ Ex. 21:13
1053 וְהָאֱלֹהִים עָשָׂה שֶׁיִּרְאוּ מִלְּפָנָיו Eccl. 3:14
1054 וְהָאֱלֹהִים יְבַקֵּשׁ אֶת־נִרְדָּף Eccl. 3:15
1055 וְהָאֱלֹהִים אָמַר לִי לֹא־תִבְנֶה ICh. 28:3
1056 וְהָאֱלֹהִים נָגַף אֶת־יָרָבְעָם IICh. 13:15

מֵהָאֱלֹהִים

1057 כִּי מֵהָאֱלֹהִים הַמִּלְחָמָה ICh. 5:22
1058 כִּי מֵהָאֱלֹהִים הִיא IICh. 25:20

הַאֱלֹהִים

1059 הַאֱלֹהִים אָנִי לְהָמִית וּלְהַחֲיוֹת IIK. 5:7

בֵּאלֹהִים

1060 הִשָּׁבְעָה לִּי בֵאלֹהִים הֵנָּה Gen. 21:23
1061 וַיְדַבֵּר הָעָם בֵּאלֹהִים וּבְמֹשֶׁה Num. 21:5
1062 שְׁאַל־נָא בֵאלֹהִים וְנֵדְעָה... Jud. 18:5
1063 וַיַּעֲלוּ... וַיִּשְׁאֲלוּ בֵאלֹהִים Jud. 20:18
1064 וַיִּשְׁאַל שָׁאוּל בֵּאלֹהִים ISh. 14:37
1065 וַיַּחֲזִיקוּ בֵּאלֹהִים אֲחֵרִים IICh. 7:22
1089-1066 בֵּאלֹהִים ISh. 22:13,15; 23:16; 30:15
IK. 9:9 • Jon. 3:5 • Ps. 3:3; 44:9; 56:5²,11,12; 60:14; 62:8; 63:12; 78:7,19,22; 108:14 • Neh. 13:25 • ICh. 14:10,14 • IICh. 25:8; 36:13

בָּאֱלֹהִים

1090 אֵין־כָּמוֹךָ בָאֱלֹהִים Ps. 86:8

כֵּאלֹהִים

1091 וִהְיִיתֶם כֵּאלֹהִים יֹדְעֵי טוֹב וָרָע Gen. 3:5
1092 וּבֵית דָּוִיד כֵּאלֹהִים Zech. 12:8
1093 מִי־אֵל גָּדוֹל כֵּאלֹהִים Ps. 77:14

לֵאלֹהִים

1094 לִהְיוֹת לְךָ לֵאלֹהִים Gen. 17:7
1098-1095 וְהָיִיתִי לָהֶם לֵאלֹהִים Gen. 17:8
Ex. 29:45 • Jer. 31:33(32) • Ezek. 37:27
1099 וְהָיָה יְיָ לִי לֵאלֹהִים Gen. 28:21
1100 וְאֵיךְ אֶעֱשֶׂה...וְחָטָאתִי לֵאל׳ Gen. 39:9
1101 הֲלוֹא לֵאלֹהִים פִּתְרֹנִים Gen. 40:8
1102 וְאַתָּה תִּהְיֶה־לּוֹ לֵאלֹהִים Ex. 4:16
1103 וְהָיִיתִי לָכֶם לֵאלֹהִים Ex. 6:7
1104 וַיִּקַּח...עֹלָה וּזְבָחִים לֵאלֹהִים Ex. 18:12
1109-1105 לִהְי(וֹ)ת לָכֶם (לָהֶם) לֵאלֹהִים
Lev. 11:45; 22:33; 25:38; 26:45 • Num. 15:41
1111-1110 וְהָיִיתִי לָכֶם לֵאלֹהִים Lev. 26:12
Jer. 7:23
1112 כִּי הַמִּשְׁפָּט לֵאלֹהִים הוּא Deut. 1:17
1113 לִהְיוֹת לְךָ לֵאלֹהִים Deut. 26:17
1114 וְהוּא יִהְיֶה־לְּךָ לֵאלֹהִים Deut. 29:12
1115 וְהִשְׁתַּחֲוִיתָ לֵאלֹהִים אֲחֵרִים Deut. 30:17
1129-1116 לֵאלֹהִים אֲחֵרִים IIK. 5:17
22:17 • Jer. 1:16; 7:18; 19:4,13; 22:9; 32:29; 44:3,5; 44:8,15 • IICh. 28:25; 34:25
1139-1130 אֶהְיֶה לָכֶם (לָהֶם) לֵאלֹהִים
Jer. 11:4; 24:7; 30:22; 32:38 • Ezek. 11:20; 14:11; 34:24; 36:28; 37:23 • Zech. 8:8
1140 וְנִינְוֵה הָיְתָה עִיר־גְּדוֹלָה לֵאלֹהִים Jon. 3:3
1141 צָמְאָה נַפְשִׁי לֵאלֹהִים לְאֵל חָי Ps. 42:3
1144-1142 הוֹחִ(י)לִי לֵאלֹהִים Ps. 42:6,12; 43:5
1145 הָרִיעוּ לֵאלֹהִים בְּקוֹל רִנָּה Ps. 47:2
1146 הָרִיעוּ לֵאלֹהִים כָּל־הָאָרֶץ Ps. 66:1
1147 וְלֹא־נָתַן תִּפְלָה לֵאלֹהִים Job 1:22
1171-1148 לֵאלֹהִים Jud. 8:33
IISh. 7:24; 15:32 • Jer. 30:25 • Ps. 47:10; 49:8; 50:14; 57:3; 62:6,12; 66:3; 68:5,32,33,35; 81:2 • Eccl. 5:3 • Neh. 12:46 • ICh. 5:20; 17:22 • IICh. 1:8; 13:8; 13:8; 20:15; 25:14

לָאֱלֹהִים 1172 זֹבֵחַ לָאֱלֹהִים יָחֳרָם Ex. 22:19
מֵאֱלֹהִים 1173 וַתְּחַסְּרֵהוּ מְּעַט מֵאֱלֹהִים Ps. 8:6
1174 זֶה חֵלֶק־אָדָם רָשָׁע מֵאֱלֹהִים Job 20:29
1175 ...עַל־צַדְּקוֹ נַפְשׁוֹ מֵאֱלֹהִים Job 32:2
1176 חֲדַל־לְךָ מֵאֱלֹהִים אֲשֶׁר־עִמִּי IICh. 35:21
וּמֵאֱלֹהִים 1177 וּמֵאֱלֹהִים הָיְתָה תְּבוּסַת אֲחַזְיָהוּ IICh. 22:7
אֱלֹהֵי־ 1178 בָּרוּךְ יְיָ אֱלֹהֵי שֵׁם Gen. 9:26
1179 וְאַשְׁבִּיעֲךָ בַּייָ אֱלֹהֵי הַשָּׁמַיִם Gen. 24:3
1187-1180 אֱלֹהֵי הַשָּׁמַיִם Gen. 24:7 • Jon. 1:9
Ez. 1:2 • Neh. 1:4,5; 2:4,20 • IICh. 36:23
1188-91 אֱלֹהֵי אֲדֹנִי אַבְרָהָם Gen. 24:12,27,42,48
1192 אָנֹכִי אֱלֹהֵי אַבְרָהָם אָבִיךָ Gen. 26:24
1193 אֲנִי יְיָ אֱלֹהֵי אַבְרָהָם אָבִיךָ Gen. 28:13
1194/5 אֱלֹהֵי אָבִי אֱלֹהֵי אַבְרָהָם Gen. 31:42
1196/7 אֱלֹהֵי אַבְרָהָם וֵאלֹהֵי נָחוֹר
יִשְׁפְּטוּ בֵינֵינוּ אֱלֹהֵי אֲבִיהֶם Gen. 31:53
1198 אֱלֹהֵי אָבִי אַבְרָהָם Gen. 32:10(9)
1199 וַיַּצֶּב־שָׁם מִזְבֵּחַ וַיִּקְרָא־לוֹ
אֵל אֱלֹהֵי יִשְׂרָאֵל Gen. 33:20
1200 הָסִרוּ אֶת־אֱלֹהֵי הַנֵּכָר Gen. 35:2
1207-1201 אֱלֹהֵי (הַ)נֵּכָר Gen. 35:4
Josh. 24:20,23 • Jud. 10:16 • ISh. 7:3 • Jer. 5:19 •
IICh. 33:15
1208 אָנֹכִי הָאֵל אֱלֹהֵי אָבִיךָ Gen. 46:3
1209 שָׂא נָא לְפֶשַׁע עַבְדֵי אֱלֹהֵי אָבִיךָ Gen.50:17
1210 אָנֹכִי אֱלֹהֵי אָבִיךָ... Ex. 3:6
1216-1211 אֱלֹהֵי אַבְרָהָם אֱלֹהֵי יִצְחָק
וֵאלֹהֵי יַעֲקֹב Ex. 3:6,15; 4:5
1217 אֱלֹהֵי אֲבוֹתֵיכֶם שְׁלָחַנִי אֲלֵיכֶם Ex. 3:13
1245-1218 (לַ)יְיָ אֱלֹהֵי אֲבוֹתֵיכֶם (־הֶם, ־תָם)
Ex. 3:15,16; 4:5 • Deut. 1:11; 4:1; 29:24 • Josh.
18:3 • Jud. 2:12 • Ez. 8:28; 10:11 • ICh. 29:20 •
IICh. 7:22; 11:16; 13:12,16,18; 14:3; 15:12; 19:4;
24:18,24; 28:6,9; 29:5; 30:7,22; 34:33; 36:15
1246 אֱלֹהֵי אַבְרָהָם יִצְחָק וְיַעֲקֹב Ex. 3:16
1247 אֱלֹהֵי הָעִבְרִיִּים נִקְרָה עָלֵינוּ Ex. 3:18
1252-1248 אֱלֹהֵי הָעִבְ׳ Ex. 5:3; 7:16; 9:1,13; 10:3
1253 כֹּה־אָמַר יְיָ אֱלֹהֵי יִשְׂרָאֵל Ex. 5:1
1370-1254 (לַ־, וּבַ־) יְיָ אֱלֹהֵי יִשְׂרָאֵל Ex. 32:27
34:23 • Josh. 7:13,19,20; 8:30; 9:18,19; 10:40,42;
13:14,33; 14:14; 22:24; 24:2,23 • Jud. 4:6; 5:3,5;
6:8; 11:21,23; 21:3 • ISh. 2:30; 10:18; 14:41; 20:12;
23:10,11; 25:32,34 • IISh. 12:7 • IK. 1:30,48;
8:15,17,20,23,25; 11:9,31; 14:7,13; 15:30;
16:13,26,33; 17:1,14; 22:54 • IIK. 9:6; 10:31;
14:25; 19:15,20; 21:12; 22:15,18 • Is. 17:6; 2:17;
24:15; 37:21 • Jer. 11:3; 13:12; 21:4; 23:2; 24:5;
25:15; 30:2; 32:36; 33:4; 34:2,13; 37:7; 42:9; 45:2 •
Ezek. 44:2 • Mal. 2:16 • Ps. 41:14; 106:48 • Ruth
2:12 • Ez. 1:3; 4:1,3; 6:21; 7:6; 9:15 ICh. 15:12,14;
16:4,36; 22:6(5); 23:25; 24:19; 28:4 • IICh. 2:11;
6:4,7,10,14,16,17; 11:16; 13:5; 15:4; 20:19; 29:10;
30:1,5; 32:17; 33:16,18; 34:23,26; 36:13
1371 וּבְכָל־אֱלֹהֵי מִצְרַיִם אֶעֱשֶׂה שְׁפָטִים
Ex. 12:12
1372 אֱלֹהֵי אָבִי וַאֲרֹמְמֶנְהוּ Ex. 15:2
1373 כִּי־אֱלֹהֵי אָבִי בְּעֶזְרִי Ex. 18:4
1374 אֱלֹהֵי כֶסֶף וֵאלֹהֵי זָהָב Ex. 20:23(20)
1404-1375 אֱלֹהֵי(־)יִשְׂרָאֵל Ex. 24:10
Num. 16:9 • IISh. 23:3 • IK. 8:26 • IIK. 18:5 • Is.
29:23; 41:17; 45:3,15; 48:2; 52:12 • Jer. 35:17;
38:17; 44:7 • Ezek. 8:4; 9:3,10,19; 10:20; 11:22;
43:13 • Ps. 59:6; 68:9; 69:7; 72:18 • Ez. 3:2; 6:22;

אֱלֹהֵי־ (המשך) 9:4 • ICh. 5:26 • IICh. 15:13
1405 וַיַּעֲשׂוּ לָהֶם אֱלֹהֵי זָהָב Ex. 32:31
1406 אֱלֹהֵי מַסֵּכָה לֹא תַעֲשֶׂה־לָּךְ Ex. 34:17
1407 אֵל אֱלֹהֵי הָרוּחֹת לְכָל־בָּשָׂר Num. 16:22
1408 יִפְקֹד יְיָ אֱלֹהֵי הָרוּחֹת Num. 27:16
1411-1409 כַּאֲשֶׁר דִּבֶּר יְיָ אֱלֹהֵי(־)
אֲבֹתֶיךָ לָךְ Deut. 1:21; 6:3; 27:3
1412 הוּא אֱלֹהֵי הָאֱלֹהִים Deut. 10:17
1413 אֲשֶׁר נָתַן יְיָ אֱלֹהֵי אֲבֹתֶיךָ לָךְ Deut. 12:1
1414 וַנִּצְעַק אֶל־יְיָ אֱלֹהֵי אֲבֹתֵינוּ Deut. 26:7
1415/6 אֱלֹהֵי הַגּוֹיִם Deut. 29:17 • IICh. 32:14
1417 וְזָנָה אַחֲרֵי אֱלֹהֵי נֵכַר־הָאָרֶץ Deut. 31:16
1418 מְעֹנָה אֱלֹהֵי קֶדֶם Deut. 33:27
1419 ...וְאִם אֶת־אֱלֹהֵי הָאֱמֹרִי Josh. 24:15
1420 לֹא תִירְאוּ אֶת־אֱלֹהֵי הָאֱמֹרִי Jud. 6:10
1425-1421 וַיַּעַבְדוּ... וְאֶת־אֱלֹהֵי אֲרָם
וְאֶת־אֱלֹהֵי צִידוֹן וְאֵת אֱלֹהֵי מוֹאָב וְאֵת
אֶ׳ בְנֵי־עַמּוֹן וְאֵת אֶ׳ פְלִשְׁתִּים Jud. 10:6
1432-1426 (לַ־)אֲרוֹן אֱלֹהֵי יִשְׂרָאֵל ISh. 5:7,8[3]
5:10,11; 6:3
1450-1433 (וּ־/לַ־) יְיָ אֱלֹהֵי (הַ)צְבָאוֹת IISh. 5:10
IK. 19:10,14 • Jer. 5:14; 15:16; 35:17; 38:17; 44:7 •
Hosh. 12:6 • Am. 3:13; 4:13; 5:14,15,16,27; 6:8,14
• Ps. 89:9
1451 אֱלֹהֵי מַעַרְכוֹת יִשְׂרָאֵל ISh. 17:45
1488-1452 יְיָ צְבָאוֹת אֱלֹהֵי יִשְׂרָאֵל IISh. 7:27
Is. 21:10; 37:16 • Jer. 7:3,21; 9:14; 16:9; 19:3,15;
25:27; 27:4,21; 28:2,14; 29:4,8,21,25; 31:23(22);
32:14; 32:15; 35:13,18,19; 39:6; 42:15,18; 43:10;
44:2,11,25; 46:25; 48:1; 50:18; 51:33 • Zep. 2:9 •
ICh. 17:24
1489 אֱלֹהֵי צוּרִי אֶחֱסֶה־בּוֹ IISh. 22:3
1490 וְיָרֻם אֱלֹהֵי צוּר יִשְׁעִי IISh. 22:47
1491 מְשִׁיחַ אֱלֹהֵי יַעֲקֹב IISh. 23:1
1492 כֵּן יֹאמַר יְיָ אֱלֹהֵי אֲדֹנִי הַמֶּלֶךְ IK. 1:36
1493 וַיִּשְׁתַּחֲווּ לְעַשְׁתֹּרֶת אֱלֹהֵי צִדֹנִין IK. 11:33
1494 לִכְמוֹשׁ אֱלֹהֵי מוֹאָב IK. 11:33
1495 וּלְמִלְכֹּם אֱלֹהֵי בְנֵי־עַמּוֹן IK. 11:33
1496 אַחֲרֵי עַשְׁתֹּרֶת אֱלֹהֵי צִדֹנִים IK. 11:5
1499-1497 יְיָ אֱלֹהֵי אַבְרָהָם יִצְחָק וְיִשְׂרָאֵל
IK. 18:36 • ICh. 29:18 • IICh. 30:6
1500 אֱלֹהֵי הָרִים אֱלֹהֵיהֶם IK. 20:23
1501 אֱלֹהֵי הָרִים יְיָ IK. 20:28
1502 וְלֹא־אֱלֹהֵי עֲמָקִים הוּא IK. 20:28
1503-6 בְּבַעַל זְבוּב אֱלֹהֵי עֶקְרוֹן IIK. 1:2,3,6,16
1507 אַיֵּה יְיָ אֱלֹהֵי אֵלִיָּהוּ IIK. 2:14
1510-1508 מִשְׁפַּט אֱלֹהֵי הָאָרֶץ IIK. 17:26[2],27
1511 לְאַדְרַמֶּלֶךְ וַעֲנַמֶּ׳ אֱלֹהֵי סְפַרְוָיִם IIK 17:31
1512 (הַהִצֵּל) הִצִּילוּ אֱלֹהֵי הַגּוֹיִם IIK. 18:33
1513 הַהִצִּילוּ אֱלֹהֵי הַגּוֹיִם Is. 36:18
1514/5 אַיֵּה אֱלֹהֵי חֲמָת IIK. 18:34 • Is. 36:19
1516/7 אַיֵּה אֱלֹהֵי סְפַרְוַיִם IIK. 18:34 • Is. 36:19
1518/9 מִי בְּכָל־אֱלֹהֵי הָאֲרָצוֹת IIK. 18:35
Is. 36:20
1520/1 הַהִצִּילוּ אֹ(וֹ)תָם אֱלֹהֵי הַגּוֹיִם IIK. 19:12
Is. 37:12
1522 כֹּה־אָמַר יְיָ אֱלֹהֵי דָּוִד אָבִיךָ IIK. 20:5
1526-1523 יְיָ אֱלֹהֵי אֲבֹתָיו IIK. 21:22
IICh. 21:10; 28:25 • IICh. 30:19
1528-1527 וְנַעֲלֶה... אֶל־בֵּית אֱלֹהֵי יַעֲקֹב
Is. 2:3 • Mic. 4:2
1529 כִּי שָׁכַחַתְּ אֱלֹהֵי יִשְׁעֵךְ Is. 17:10
1530 כִּי־אֱלֹהֵי מִשְׁפָּט יְיָ Is. 30:18

אֱלֹהֵי־ (המשך) 1531/2 יְיָ אֱלֹהֵי דָּוִד אָבִיךָ Is. 38:5 • IICh. 21:12
1533 אֱלֹהֵי עוֹלָם יְיָ Is. 40:28
1534 אֱלֹהֵי כָל־הָאָרֶץ יִקָּרֵא Is. 54:5
1535 הַאֱלֹהֵי מִקָּרֹב אָנִי...
וְלֹא אֱלֹהֵי מֵרָחֹק Jer. 23:23
1536 הִנֵּה אֲנִי יְיָ אֱלֹהֵי כָּל־בָּשָׂר Jer. 32:27
1538-1537 אֱלֹהֵי מִצְרָיִם Jer. 43:12,13
1539 כִּי רָזָה אֵת כָּל־אֱלֹהֵי הָאָרֶץ Zep. 2:11
1540 אוֹ אַיֵּה אֱלֹהֵי הַמִּשְׁפָּט Mal. 2:17
1541 בְּקָרְאִי עֲנֵנִי אֱלֹהֵי צִדְקִי Ps. 4:2
1547-1542 אֱלֹהֵי יַעֲקֹב Ps. 20:2
46:8,12; 76:7; 84:9; 94:7
1548/9 אֱלֹהֵי יִשְׁעִי Ps. 25:5; 27:9
1550 כִּי־אַתָּה אֱלֹהֵי מָעוּזִּי Ps. 43:2
1551 עַם אֱלֹהֵי אַבְרָהָם Ps. 47:10
1552 ...אֱלֹהִים אֱלֹהֵי תְּשׁוּעָתִי Ps. 51:16
1553 אֱלֹהֵי חַסְדִּי יְקַדְּמֵנִי Ps. 59:11
1554 אֱלֹהִים מִשְׂגַּבִּי אֱלֹהֵי חַסְדִּי Ps. 59:18
1558-1555 אֱלֹהֵי יִשְׁעֵנוּ Ps. 65:6
79:9; 85:5 • ICh. 16:35
1559 יְיָ אֱלֹהֵי יְשׁוּעָתִי... Ps. 88:2
1560/1 כָּל־אֱלֹהֵי הָעַמִּים אֱלִילִים Ps. 96:5
ICh. 16:26
1562 אֱלֹהֵי תְהִלָּתִי אַל־תֶּחֱרַשׁ Ps. 109:1
1563 וְעַל־אֱלֹהֵי אֲבֹתָיו לֹא יָבִין Dan. 11:37
1564/5 יְיָ אֱלֹהֵי אֲבוֹתֵינוּ Ez. 7:27 • IICh. 20:6
1566 וַיִּזְנוּ אַחֲרֵי אֱלֹהֵי עַמֵּי־הָאָרֶץ ICh. 5:25
1567 יֵרֶא אֱלֹהֵי אֲבוֹתֵינוּ וְיוֹכַח ICh. 12:18(17)
1568 דַּע אֶת־אֱלֹהֵי אָבִיךָ וְעָבְדֵהוּ ICh. 28:9
1569 בָּרוּךְ אַתָּה יְיָ אֱלֹהֵי יִשְׂרָאֵל ICh. 29:10
1570 וְיָמִים רַבִּים.. לְלֹא אֱלֹהֵי אֱמֶת IICh. 15:3
1571 וַיָּבֵא אֶת־אֱלֹהֵי בְּנֵי שֵׂעִיר IICh. 25:14
1572 לָמָּה דָרַשְׁתָּ אֶת־אֱלֹהֵי הָעָם IICh. 25:15
1573 כִּי דָרְשׁוּ אֵת אֱלֹהֵי אֱדוֹם IICh. 25:20
1574 אֱלֹהֵי מַלְכֵי־אֲרָם הֵם מַעְזְרִים IICh. 28:23
1575 הֲיָכוֹל יָכְלוּ אֱלֹהֵי גּוֹיֵ הָאֲרָצוֹת IICh. 32:13
1576 לֹא־יַצִּיל אֱלֹהֵי יְחִזְקִיָּהוּ IICh. 32:17
1577/8 וַיְדַבְּרוּ אֶל־אֱלֹהֵי יְרוּשָׁלִַם
כְּעַל אֱלֹהֵי עַמֵּי הָאָרֶץ IICh. 32:19
1579 וַיִּכָּנַע... מִלִּפְנֵי אֱלֹהֵי אֲבֹתָיו IICh. 33:12
1580 אֱלֹהִים אֱלֹהֵי אֲבוֹתֵיהֶם IICh. 34:32
אֱלוֹהֵי־ 1581 וְיָרוּם אֱלוֹהֵי יִשְׁעִי Ps. 18:47
וֵאלֹהֵי־ 1582 אֱלֹהֵי הַשָּׁמַיִם וֵאלֹהֵי הָאָרֶץ Gen. 24:3
1583 אֱלֹהֵי אַבְרָהָם...וֵאלֹהֵי יִצְחָק Gen. 28:13
1584 וֵאלֹהֵי אָבִי הָיָה עִמָּדִי Gen. 31:5
1585 וֵאלֹהֵי אֲבִיכֶם אֶמֶשׁ אָמַר אֵלַי Gen. 31:29
1586 אֱלֹהֵי אַבְרָהָם וֵאלֹהֵי נָחוֹר Gen. 31:53
1587 אֱלֹהֵי...וֵאלֹהֵי אָבִי יִצְחָק Gen. 32:10(4)
1588 אֱלֹהֵיכֶם וֵאלֹהֵי אֲבִיכֶם Gen. 43:23
1589-91 אֱלֹהֵי יִצְחָק וֵאלֹהֵי יַעֲקֹב Ex. 3:6,15; 4:5
1592 אֱלֹהֵי כֶסֶף וֵאלֹהֵי זָהָב Ex. 20:20
1593 וֵאלֹהֵי מַסֵּכָה לֹא תַעֲשׂוּ לָכֶם Lev. 19:4
1594 וֵאלֹהֵי יִשְׂרָאֵל יִתֵּן אֶת־שֵׁלָתֵךְ ISh. 1:17
הַאֱלֹהֵי־ 1595 הַאֱלֹהֵי מִקָּרֹב אֲנִי נְאֻם־יְיָ Jer. 23:23
בֵּאלֹהֵי־ 1596 אֲשֶׁר מְעַלְתֶּם בֵּאלֹהֵי יִשְׂרָאֵל Josh. 22:16
1597 יִתְבָּרֵךְ בֵּאלֹהֵי אָמֵן... Is. 65:16
1598 יִשָּׁבַע בֵּאלֹהֵי אָמֵן Is. 65:16
1599 אָגִילָה בֵּאלֹהֵי יִשְׁעִי Hab. 3:18
1600 וַיִּמְעֲלוּ בֵּאלֹהֵי אֲבֹתֵיהֶם ICh. 5:25
וּבֵאלֹהֵי־ 1601 וּבֵאלֹהֵי יִשְׂרָאֵל יַזְכִּירוּ Is. 48:1
כֵּאלֹהֵי־ 1602 כֵּאלֹהֵי גּוֹיֵי הָאֲרָצוֹת... IICh. 32:17
לֵאלֹהֵי־ 1603 וַיִּזְבַּח... לֵאלֹהֵי אָבִיו יִצְחָק Gen. 46:1

לֵאלֹהֵי־ (המשך)
1604 וּנְתַתֶּם לֵאלֹהֵי יִשְׂרָאֵל כָּבוֹד ISh. 6:5
1605 בַּמָּה...אִכַּף לֵאלֹהֵי מָרוֹם Mic. 6:6
1606 אוֹחִילָה לֵאלֹהֵי יִשְׁעִי Mic. 7:7
1607-1609 לֵאלֹהֵי יַעֲקֹב Ps. 75:10; 81:2,5
1610 הוֹדוּ לֵאלֹהֵי הָאֱלֹהִים Ps. 136:2
1611–1613 לֵאלֹהֵי יִשְׂרָאֵל Ez. 8:35
ICh. 4:10 • IICh. 29:7
1614 כִּי לֵאלֹהֵי אָבִיו דָּרָשׁ IICh. 17:4
1615 לֹא־הֵכִינוּ לְבָבָם לֵאלֹ/אֱבֹתֵיהֶם IICh.20:33
1616 וַיִּזְבַּח לֵאלֹהֵי דַרְמֶשֶׂק IICh. 28:23
1617 לִדְרוֹשׁ לֵאלֹהֵי דָּוִיד אָבִיו IICh. 34:3
מֵאֱלֹהֵי־ 1618/9 מֵאֱלֹהֵי הָעַמִּים...סְבִיבוֹתֵי' Deut. 6:14; 13:8
1620 מֵאֱלֹהֵי הָעַמִּים... סְבִיבוֹתֵיהֶם Jud. 2:12
1621 יִשָּׂא...וּצְדָקָה מֵאֱלֹהֵי יִשְׁעוֹ Ps. 24:5
אֱלֹהַי 1622-1637 (לַ־)יְיָ (אֲדֹנָי) אֱלֹהָי IISh. 24:24
IK. 5:18 • Is. 25:1 • Hab. 1:12 • Zech. 14:5 • Ps. 7:2,4; 18:29; 30:13; 40:6; 86:12; 104:1 • Dan. 9:4,20 • Ez. 7:28 • ICh. 21:17
1638 עַל כִּי־אֵין אֱלֹהַי בְּקִרְבִּי Deut. 31:17
1639 אֶת־אֱלֹהַי אֲשֶׁר־עָשִׂיתִי לְקַחְתֶּם Jud. 18:24
1640 וְאֶל־אֱלֹהַי אֶקְרָא IISh. 22:7
1641 אָמַרְתִּי אֱלֹהַי אָתָּה Ps. 31:15
1642 בָּחַרְתִּי הִסְתּוֹפֵף בְּבֵית אֱלֹהַי Ps. 84:11
1643 אֵלִי אַתָּה... אֱלֹהַי אֲרוֹמְמֶךָּ Ps. 118:28
1644 אֲרוֹמִמְךָ אֱלוֹהַי הַמֶּלֶךְ Ps. 145:1
1645 ...כְּיַד־אֱלֹהַי הַטּוֹבָה עָלָי Neh. 2:8
1646 ...מָה אֱלֹהַי נֹתֵן אֶל־לִבִּי Neh. 2:12
1647 וָאַגִּיד לָהֶם אֶת־יַד אֱלֹהַי Neh. 2:18
1648/9 זָכְרָה־לִּי אֱלֹהַי לְטוֹבָה Neh. 5:19; 13:31
1650-53 (בְּ־)לְבֵית אֱלֹהַי Neh. 13:14 • ICh. 29:2,3²
1654 אֲשֶׁר־יֹאמַר אֱלֹהַי אֹתוֹ אֲדַבֵּר IICh. 18:13
1655-1683 אֱלֹהָי Is. 57:21 • Hosh. 8:2; 9:17
Ps. 3:8; 18:7; 22:3; 25:2; 35:23; 38:22; 40:9,18; 42:7; 71:4,12; 83:14; 86:2; 91:2 • Dan.9:18,19 • Ez. 9:6² • Neh. 6:14; 7:5; 13:14,22 • ICh. 17:25; 28:20; 29:17 • IICh. 6:40
אֱלֹהָ֑י 1684 לָמָּה גָנַבְתָּ אֶת־אֱלֹהָי Gen. 31:30
1685 ...לַעֲבֹר אֶת־פִּי יְיָ אֱלֹהָי Num. 22:18
1686–1707 יְיָ אֱלֹהָי Deut. 4:5; 18:16; 26:14
Josh. 14:8,9 • IK. 3:7; 5:19; 8:28; 17:20,21 • Jer. 31:18(17) • Jon. 2:7 • Zech. 11:4; 13:9 • Ps. 13:4; 30:3; 35:24; 109:26 • Ez. 9:5 • ICh. 22:7(6) • IICh. 2:3; 6:19
1708 וְשֹׁאֲבֵי מַיִם לְבֵית אֱלֹהָי Josh. 9:23
1709 לִינוּ בַשַּׂקִּים מְשָׁרְתֵי אֱלֹהָי Joel 1:13
1710 אוֹחִילָה...יִשְׁמָעֵנִי אֱלֹהָי Mic. 7:7
1711 וְאוֹדְךָ בְכִנּוֹר אֱלֹהִים אֱלֹהָי Ps. 43:4
1712 סוּרוּ...וְאֶצְּרָה מִצְוֹת אֱלֹהָי Ps. 119:115
1713 ...וְתָפַשְׂתִּי שֵׁם אֱלֹהָי Prov. 30:9
1714 עַמֵּךְ עַמִּי וֵאלֹהַיִךְ אֱלֹהָי Ruth 1:16
1715-1723 אֱלֹהָי Is. 7:13; 49:4 • Hosh. 2:25; 9:8
Ps. 38:16; 59:2; 71:22 • Dan. 9:20 • Neh. 13:29
אֱלוֹהָי 1724 לַמְּדֵנִי...כִּי־אַתָּה אֱלוֹהָי Ps. 143:10
וֵאלֹהַי 1725 וֵאלֹהַי הָיָה עֻזִּי Is. 49:5
1726 וֵאלֹהַי לְצוּר מַחְסִי Ps. 94:22
וֵאלֹהָי 1727/8 ...מַלְכִּי וֵאלֹהָי Ps. 5:3; 84:4
1729/30 יְשׁוּעֹת פָּנַי וֵאלֹהָי Ps. 42:12; 43:5
בֵּאלֹהַי 1731 בֵּאלֹהַי אֲדַלֶּג־שׁוּר IISh. 22:30
1732 תָּגֵל נַפְשִׁי בֵּאלֹהַי Is. 61:10
וּבֵאלֹהַי 1733 וּבֵאלֹהַי אֲדַלֶּג־שׁוּר Ps. 18:30
לֵאלֹהַי 1734/5 אֲזַמְּרָה לֵאלֹהַי Ps. 104:33; 146:2
לֵאלֹהָי 1736 כָּלוּ עֵינַי מְיַחֵל לֵאלֹהָי Ps. 69:4

מֵאֱלֹהַי 1737 חָלִילָה לִּי מֵאֱלֹהַי ICh. 11:19
מֵאֱלֹהָי 1738/9 וְלֹא(־)רָשַׁעְתִּי מֵאֱלֹהָי IISh. 22:22 • Ps. 18:22
וּמֵאֱלֹהַי 1740 וּמֵאֱלֹהַי מִשְׁפָּטִי יַעֲבוֹר Is. 40:27
אֱלֹהֶיךָ 1741 כִּי הִקְרָה יְיָ אֱלֹהֶיךָ לְפָנָי Gen. 27:20
1742 עִם אֲשֶׁר תִּמְצָא אֶת־אֱלֹהֶיךָ Gen. 31:32
1743 אִם־שָׁמוֹעַ תִּשְׁמַע לְקוֹל יְיָ אֱלֹהֶיךָ Ex. 15:26
1744/5 אָנֹכִי יְיָ אֱלֹהֶיךָ... Ex. 20:2 • Deut. 5:6
1746/7 אָנֹכִי יְיָ אֱלֹהֶיךָ אֵל קַנָּא Ex.20:5 • Deut. 5:9
1748/9 לֹא תִשָּׂא אֶת־שֵׁם־יְיָ אֱלֹהֶיךָ לַשָּׁוְא
Ex. 20:7 • Deut. 5:11
1750 וְיוֹם הַשְּׁבִיעִי שַׁבָּת לַייָ אֱלֹהֶיךָ Ex. 20:10
1751/2 תָּבִיא בֵּית יְיָ אֱלֹהֶיךָ Ex. 23:19; 34:26
1753/4 אֵלֶּה אֱלֹהֶיךָ יִשְׂרָאֵל Ex. 32:4,8
1755 וְלֹא תַשְׁבִּית מֶלַח בְּרִית אֱלֹהֶיךָ Lev. 2:13
1756 וְלֹא תְחַלֵּל אֶת־שֵׁם אֱלֹהֶיךָ Lev. 18:21
1757 וְחִלַּלְתָּ אֶת־שֵׁם אֱלֹהֶיךָ Lev. 19:12
1758 אֶת־לֶחֶם אֱלֹהֶיךָ הוּא מַקְרִיב Lev. 21:8
1759 נָתַן יְיָ אֱלֹהֶיךָ לְפָנֶיךָ אֶת־הָאָרֶץ Deut.1:21
1760-1 וְאָהַבְתָּ אֵת יְיָ אֱלֹהֶיךָ Deut. 6:5; 11:1
1762 הוּא תְהִלָּתְךָ וְהוּא אֱלֹהֶיךָ Deut. 10:21
1763 אֵת אֲשֶׁר יוֹרִישְׁךָ כְּמוֹשׁ אֱלֹהֶיךָ Jud. 11:24
1764 הִנֵּה אֱלֹהֶיךָ יִשְׂרָאֵל IK. 12:28
1765/6 אַל־יַשִּׁאֲךָ אֱלֹהֶיךָ IIK. 19:10 • Is. 37:10
1767 אַל־תִּשְׁתָּע כִּי־אֲנִי אֱלֹהֶיךָ Is. 41:10
1768 וְאַיֵּה אֱלֹהֶיךָ אֲשֶׁר עָשִׂיתָ לָּךְ Jer. 2:28
1769/70 מִסְפַּר עָרֶיךָ הָיוּ אֱלֹהֶיךָ Jer. 2:28; 11:13
1771 וַתִּשְׁכַּח תּוֹרַת אֱלֹהֶיךָ Hosh. 4:6
1772 כִּי זָנִיתָ מֵעַל אֱלֹהֶיךָ Hosh. 9:1
1773 וְקַוֵּה אֶל־אֱלֹהֶיךָ תָּמִיד Hosh. 12:7
1774 הִכּוֹן לִקְרַאת־אֱלֹהֶיךָ יִשְׂרָאֵל Am. 4:12
1775 חֵי אֱלֹהֶיךָ דָּן Am. 8:14
1776 קוּם קְרָא אֶל־אֱלֹהֶיךָ Jon. 1:6
1777 וְהַצְנֵעַ לֶכֶת עִם־אֱלֹהֶיךָ Mic. 6:8
1778 מִבֵּית אֱלֹהֶיךָ אַכְרִית פֶּסֶל Nah. 1:14
1779/80 אַיֵּה אֱלֹהֶיךָ Ps. 42:4,11
1781/2 אֱלֹהִים אֱלֹהֶיךָ Ps. 45:8; 50:7
1783 צִוָּה אֱלֹהֶיךָ עֻזֶּךָ Ps. 68:29
1784 וּלְהִתְעַנּוֹת לִפְנֵי אֱלֹהֶיךָ Dan. 10:12
1785 אֱלֹהֶיךָ אֲשֶׁר הֶעֶלְךָ מִמִּצְרָיִם Neh. 9:18
1786 כִּי עֲזָרְךָ אֱלֹהֶיךָ ICh. 12:19(18)
1787 בְּאַהֲבַת אֱלֹהֶיךָ אֶת־יִשְׂרָאֵל IICh. 9:8
1788-2065 (לַ־)יְיָ אֱלֹהֶיךָ Ex. 20:12; 34:24
Deut. 1:31; 2:7², 30; 4:3, 10, 19, 21, 23, 24, 25, 29, 30, 31, 40; 5:12, 14, 15², 16²; 6:2, 10, 13, 15²; 7:1, 2, 6², 9, 12, 16, 18, 19², 20, 21, 22, 23, 25; 8:2, 5, 6, 7, 10, 11, 14, 18, 19; 9:3, 4, 5, 6, 7; 10:9, 12², 14, 20, 22; 11:12², 29; 12:7, 9, 15, 18³, 20, 21, 27², 28, 29, 31; 13:6, 11, 13, 17, 19²; 14:2, 21, 23², 24², 25, 26, 29; 15:4, 5, 6, 7, 10, 14, 15, 18, 19, 20, 21; 16:1², 2, 5, 6, 7, 8, 10², 11², 15², 16, 17, 18, 20, 21, 22; 17:1², 2², 8, 12, 14, 15; 18:5, 9, 12, 13, 14, 15, 16; 19:1², 2, 3, 8, 9, 10, 14; 20:1, 13, 14, 16, 17; 21:1, 5, 10, 23; 22:5; 23:6³, 15, 19², 21, 22², 24; 24:4, 9, 13, 18, 19; 25:15, 16, 19²; 26:1, 2², 3, 4, 5, 10², 11, 13, 16, 19; 27:2, 3, 5, 6², 7, 9, 10; 28:1², 2, 8, 9, 13, 15, 45, 47, 52, 53, 58, 62; 25:11²; 30:1, 2, 3², 4, 5, 6², 7, 9, 10², 16², 20:31:3, 6, 11 • Josh.1:9, 17; 9:9, 24 • Jud.6:26 • ISh.12:19; 13:13; 15:15, 21, 30; 25:29 • IISh.14:11, 17; 18:28; 24:3, 23 • IK.1:17; 2:3; 10:9; 13:6, 21; 17:12; 18:10 • IIK.19:4 • Is.7:11; 37:4²; 41:13; 43:3; 48:17; 51:15; 55:5 • Jer.40:2; 42:2, 3, 5 • Hosh.12:10; 13:4; 14:2 • Am.9:15 • Ps.81:11 • ICh.11:2; 22:11(10), 12(11) • IICh.5; 9:8²; 16:7
בֵּאלֹהֶיךָ 2066 וְאַתָּה בֵּאלֹהֶיךָ תָשׁוּב Hosh. 12:7

מֵאֱלֹהֶיךָ 2067/8 וְיָרֵאתָ מֵּאֱלֹהֶיךָ אֲנִי יְיָ Lev. 19:14,32
2069-2071 וְיָרֵאתָ מֵאֱלֹהֶיךָ Lev. 25:17,36,43
אֱלֹהַיִךְ 2072 לְשֵׁם יְיָ אֱלֹהַיִךְ וְלִקְדוֹשׁ יִשְׂרָאֵל Is. 60:9
2073 עָזְבֵךְ אֶת־יְיָ אֱלֹהַיִךְ Jer. 2:17
2074 כִּי בַּייָ אֱלֹהַיִךְ פָּשָׁעַתְּ Jer. 3:13
2075 יְיָ אֱלֹהַיִךְ בְּקִרְבֵּךְ... Zep. 3:17
2076 יִמְלֹךְ..אֱלֹהַיִךְ צִיּוֹן לְדֹר וָדֹר Ps. 146:10
2077 הַלְלִי אֱלֹהַיִךְ צִיּוֹן Ps. 147:12
אֱלֹהָ֑יִךְ 2078 הַמְלֵאִים...גַּעֲרַת אֱלֹהָיִךְ Is. 51:20
2079 אֹמֵר לְצִיּוֹן מָלַךְ אֱלֹהָיִךְ Is. 52:7
2080/1 ...אָמַר אֱלֹהָיִךְ Is. 54:6; 66:9
2082 וּצְנִיף מְלוּכָה בְּכַף־אֱלֹהָיִךְ Is. 62:3
2083 עָזְבֵךְ אֶת־יְיָ אֱלֹהָיִךְ Jer. 2:19
2084 הָאֹמְרָה אֵלַי אַיּוֹ יְיָ אֱלֹהָיִךְ Mic. 7:10
2085 יָשִׂישׂ עָלַיִךְ אֱלֹהָיִךְ Is. 62:5
וֵאלֹהַיִךְ 2086 אֲדֹנַיִךְ יְיָ וֵאלֹהַיִךְ יָרִיב עַמּוֹ Is. 51:22
2087 ...וֵאלֹהַיִךְ לְתִפְאַרְתֵּךְ Is. 60:19
2088 עַמֵּךְ עַמִּי וֵאלֹהַיִךְ אֱלֹהָי Ruth 1:16
אֱלֹהָיו 2089 וַיְחַל מֹשֶׁה אֶת־פְּנֵי יְיָ אֱלֹהָיו Ex. 32:11
2090 אַחַת מִכָּל־מִצְוֹת יְיָ אֱלֹהָיו Lev. 4:22
2091 וְלֹא יְחַלֵּל אֵת מִקְדַּשׁ אֱלֹהָיו Lev. 21:12
2092 נֵזֶר שֶׁמֶן מִשְׁחַת אֱלֹהָיו עָלָיו Lev. 21:12
2093 לְהַקְרִיב לֶחֶם אֱלֹהָיו Lev. 21:17
2094/5 לֶחֶם אֱלֹהָיו Lev. 21:21,22
2096 אִישׁ אִישׁ כִּי־יְקַלֵּל אֱלֹהָיו Lev. 24:15
2097 כִּי נֵזֶר אֱלֹהָיו עַל־רֹאשׁוֹ Num. 6:7
2098 יְיָ אֱלֹהָיו עִמּוֹ... Num. 23:21
2099 וַיִּהְיוּ עֹשִׂים גּוֹי גּוֹי אֱלֹהָיו IIK. 17:29
2100/1 בֵּית נִסְרֹךְ אֱלֹהָיו IIK. 19:37 • Is. 37:38
2102 הֲלוֹא־עַם אֶל־אֱלֹהָיו יִדְרֹשׁ Is. 8:19
2103 וְיִסְּרוֹ לַמִּשְׁפָּט אֱלֹהָיו יוֹרֶנּוּ Is. 28:26
2104 וּמִשְׁפַּט אֱלֹהָיו לֹא עָזָב Is. 58:2
2105 מַשְׂטֵמָה בְּבֵית אֱלֹהָיו Hosh. 9:8
2106 וַיִּזְעֲקוּ אִישׁ אֶל־אֱלֹהָיו Jon. 1:5
2107 יֵלְכוּ אִישׁ בְּשֵׁם אֱלֹהָיו Mic. 4:5
2108 תּוֹרַת אֱלֹהָיו בְּלִבּוֹ Ps. 37:31
2109 וַיְבִיאֵם אֶרֶץ־שִׁנְעָר בֵּית אֱלֹהָיו Dan. 1:2
2110 הַכֵּלִים הֵבִיא בֵּית אוֹצַר אֱלֹהָיו Dan. 1:2
2111 וְעַם יֹדְעֵי אֱלֹהָיו יַחֲזִקוּ וְעָשׂוּ Dan. 11:32
2112 יְהִי אֱלֹהָיו עִמּוֹ וְיַעַל לִירוּשָׁלִַם Ez. 1:3
2113 וַיִּתְּנֵם בְּבֵית אֱלֹהָיו Ez. 1:7
2114 כְּיַד־אֱלֹהָיו הַטּוֹבָה עָלָיו Ez. 7:9
2115 וַיָּנַח לוֹ אֱלֹהָיו מִסָּבִיב IICh. 20:30
2116 וַיָּשָׁב...וַיָּבֹא בֵּית אֱלֹהָיו IICh. 32:21
2117 וּתְפִלָּתוֹ אֶל־אֱלֹהָיו IICh. 33:18
2118 יְיָ אֱלֹהָיו עִמּוֹ וְיָעַל IICh. 36:23
2119-2146 (בְּ־/וַ־/לַ־/שֶׁ־) יְיָ אֱלֹהָיו Deut. 17:19
18:7 • ISh.30:6 • IK.5:17; 11:4; 15:3,4 • IIK.5:11; 16:2 • Jer. 7:28 • Jt. 2:2 • Mic. 5:3 • Ps. 33:12 • 144:15; 146:5 • Ez. 7:6 • IICh. 1:1; 14:1,10; 15:9; 26:16; 27:6; 28:5; 31:20; 33:12; 34:8; 36:5,12
וֵאלֹהָיו 2147 אֲשֶׁר פָּדִיתָ...גּוֹיִם וֵאלֹהָיו IISh. 7:23
בֵּאלֹהָיו 2148 וַיְקַלֵּל...אֶת־דָּוִד בֵּאלֹהָיו ISh. 17:43
2149 יִבְטַח בְּשֵׁם יְיָ וְיִשָּׁעֵן בֵּאלֹהָיו Is. 50:10
וּבֵאלֹהָיו 2150 וְקִלֵּל בְּמַלְכּוֹ וּבֵאלֹהָיו Is. 8:21
לֵאלֹהָיו 2151 כִּי־קָדֹשׁ הוּא לֵאלֹהָיו Lev. 21:7
2152 תַּחַת אֲשֶׁר קִנֵּא לֵאלֹהָיו Num. 25:13
2153 מַעֲלֶה בָמָה וּמַקְטִיר לֵאלֹהָיו Jer. 48:35
2154 וְאָהוּב לֵאלֹהָיו הָיָה Neh. 13:26
2155 אֲשֶׁר־הֵחֵל...לִדְרֹשׁ לֵאלֹהָיו IICh. 31:21
מֵאֱלֹהָיו 2156 לֹא־אַלְמָן יִשְׂרָאֵל... מֵאֱלֹהָיו Jer. 51:5
אֱלֹהֶיהָ 2157 וְכָל־פְּסִילֵי אֱלֹהֶיהָ שִׁבַּר Is. 21:9

אֱלֹהֶיהָ (המשך)

2158 וְעַל־מִצְרַיִם וְעַל־אֱלֹהֶיהָ Jer. 46:25

2159 אֶל־אֱלֹהֶיהָ לֹא קָרֵבָה Zep. 3:2

2160 וְאֶת־בְּרִית אֱלֹהֶיהָ שָׁכֵחָה Prov. 2:17

2161 שָׁבָה... אֶל־עַמָּהּ וְאֶל־אֱלֹהֶיהָ Ruth 1:15

בֵּאלֹהֶיהָ 2162 כִּי מָרְתָה בֵּאלֹהֶיהָ Hosh. 14:1

אֱלֹהֵינוּ 2163/4 וְנִזְבְּחָה לַיְיָ אֱלֹהֵינוּ Ex. 3:18; 5:3

2165 כִּי־אֵין כַּיְיָ אֱלֹהֵינוּ Ex. 8:6

2166 כָּל־אֲשֶׁר יְדַבֵּר יְיָ אֱלֹהֵינוּ Deut. 5:27(24)

2167 יְיָ אֱלֹהֵינוּ יְיָ אֶחָד Deut. 6:4

2168 הַנִּסְתָּרֹת לַיְיָ אֱלֹהֵינוּ Deut. 29:28

2169 נַעֲבֹד אֶת־יְיָ כִּי־הוּא אֱלֹהֵינוּ Josh. 24:18

2170 וְכִי עָזַבְנוּ אֶת־אֱלֹהֵינוּ Jud. 10:10

2171/2 נָתַן אֱלֹהֵינוּ בְּיָדֵנוּ Jud. 16:23,24

2173 עָלֵינוּ וְעַל דָּגוֹן אֱלֹהֵינוּ ISh. 5:7

2174 חֲזַק וְנִתְחַזַּק...וּבְעַד עָרֵי אֱל׳ IISh. 10:12

2175 וּמִי צוּר מִבַּלְעֲדֵי אֱלֹהֵינוּ IISh. 22:32

2176 הַאֲזִינוּ תּוֹרַת אֱלֹהֵינוּ Is. 1:10

2177 הִנֵּה אֱלֹהֵינוּ זֶה קִוִּינוּ לוֹ Is. 25:9

2178 יִרְאוּ כְבוֹד־יְיָ הֲדַר אֱלֹהֵינוּ Is. 35:2

2179 וּדְבַר אֱלֹהֵינוּ יָקוּם לְעוֹלָם Is. 40:8

2180 הָאֹמְרִים לְמַסֵּכָה אַתֶּם אֱלֹהֵינוּ Is. 42:17

2181 וְרָאוּ...אֵת יְשׁוּעַת אֱלֹהֵינוּ Is. 52:10

2182 מְשָׁרְתֵי אֱלֹהֵינוּ יֵאָמֵר לָכֶם Is. 61:6

2183 קוּמוּ וְנַעֲלֶה צִיּוֹן אֶל־יְיָ אֱל׳ Jer. 31:6(5)

2184 נִכְרַת מִבֵּית אֱלֹהֵינוּ שִׂמְחָה וָגִיל Joel 1:16

2185 וַאֲנַחְנוּ נֵלֵךְ בְּשֵׁם־יְיָ אֱלֹהֵינוּ Mic. 4:5

2186 וּבְשֵׁם־אֱלֹהֵינוּ נִדְגֹּל Ps. 20:6

2187 אִם־שָׁכַחְנוּ שֵׁם אֱלֹהֵינוּ Ps. 44:21

2188 בְּעִיר אֱלֹהֵינוּ הַר־קָדְשׁוֹ Ps. 48:2

2189 בְּעִיר־יְיָ צְבָאוֹת בְּעִיר אֱלֹהֵינוּ Ps. 48:9

2190 זֶה אֱלֹהִים אֱלֹהֵינוּ עוֹלָם וָעֶד Ps. 48:15

2191 יְבָרְכֵנוּ אֱלֹהִים אֱלֹהֵינוּ Ps. 67:7

2192 וִיהִי נֹעַם אֲדֹנָי אֱלֹהֵינוּ עָלֵינוּ Ps. 90:17

2193 בְּחַצְרוֹת אֱלֹהֵינוּ יַפְרִיחוּ Ps. 92:14

2194 רָאוּ...אֵת יְשׁוּעַת אֱלֹהֵינוּ Ps. 98:3

2195 שֶׁעֹמְדִים...בְּחַצְרוֹת בֵּית אֱל׳ Ps. 135:2

2196-2209 בֵּית (לְבֵ־) אֱלֹהֵינוּ Ez. 8:17,25
8:30,33; 9:9 • Neh. 10:33,34,35,37²,38,39,40; 13:4

2210 כְּיַד־אֱלֹהֵינוּ הַטּוֹבָה עָלֵינוּ Ez. 8:18

2211 יַד־אֱל׳ עַל־כָּל־מְבַקְשָׁיו לְטוֹבָה Ez. 8:22

2212 וְיַד אֱלֹהֵינוּ הָיְתָה עָלֵינוּ Ez. 8:31

2213 וְהַחֲרֵדִים בְּמִצְוַת אֱלֹהֵינוּ Ez. 10:3

2214 לְהָשִׁיב חֲרוֹן אַף־אֱלֹהֵינוּ מִמֶּנּוּ Ez. 10:14

2215 הֲלוֹא בְּיִרְאַת אֱלֹהֵינוּ תֵּלֵכוּ Neh. 5:9

2216 וְנָסֵבָּה אֶת־אֲרוֹן אֱלֹהֵינוּ אֵלֵינוּ ICh. 13:3

2217 וְנִתְחַזְּקָה...וּבְעַד עָרֵי אֱלֹהֵינוּ ICh. 19:13

2218 וְלַהֲדֹם רַגְלֵי אֱלֹהֵינוּ ICh. 28:2

2219 לְעֵינֵי...יִשְׂרָאֵל...וּבְאָזְנֵי אֱלֹהֵינוּ ICh. 28:8

2220-2310 (כַּ־/כְּ־/לַ־) יְיָ אֱלֹהֵינוּ Ex. 8:22,23
10:25,26 • Deut. 1:6,19,20,25,41; 2:29,33,36,37; 3:3; 4:7; 5:2,24(21),25(22),27(24); 6:20,24,25,; 29:14,17 • Josh. 18:6; 22:19,29; 24:17,24 • Jud. 11:24 • ISh. 7:8 • IK. 8:57,59,61,65 • IIK. 18:22; 19:19 • Is. 26:13; 36:7; 37:20 • Jer. 3:12,23,25²; 5:19,24; 8:14; 14:22; 16:10; 26:16; 37:3; 42:6²,20²; 43:2; 50:28; 51:10 • Mic. 7:17 • Ps. 20:8; 94:23; 99:5,8,9²; 105:7; 106:47; 113:5; 122:9; 123:2 • Dan. 9:9,10,13,14,15 • Ez. 9:8 • Neh. 10:35 • ICh. 13:2; 15:13; 16:14; 29:16 • IICh. 2:3; 13:10,11; 14:6,10²; 19:7; 29:6; 32:8,11

2311-2336 אֱלֹהֵינוּ Is. 55:7; 59:13
Jer. 23:36 • Hosh. 14:4 • Ps. 18:32; 50:3; 66:8; 95:7; 147:1 • Dan. 9:17; Ez. 8:21; 9:8,9,10,13 • Neh. 3:36; 4:3,14; 6:16; 9:32; 13:2,18 • ICh. 29:13 • IICh. 2:4; 20:7,12

וֵאלֹהֵינוּ 2337 וֵאלֹהֵינוּ...כֹּל אֲשֶׁר־חָפֵץ עָשָׂה Ps. 115:3

2338 חַנּוּן יְיָ וְצַדִּיק וֵאלֹהֵינוּ מְרַחֵם Ps. 116:5

בֵּאלֹהֵינוּ 2339 אֲנַחְנוּ מָעַלְנוּ בֵאלֹהֵינוּ Ez. 10:2

2340 הֲנִשְׁמַע... לִמְעֹל בֵּאלֹהֵינוּ Neh. 13:27

כֵּאלֹהֵינוּ 2341 וְאֵין צוּר כֵּאלֹהֵינוּ ISh. 2:2

לֵאלֹהֵינוּ 2342 נֵלְכָה נִזְבְּחָה לֵאלֹהֵינוּ Ex. 5:8

2343 הָבוּ גֹדֶל לֵאלֹהֵינוּ Deut. 32:3

2344 יַשְּׁרוּ בָּעֲרָבָה מְסִלָּה לֵאלֹהֵינוּ Is. 40:3

2345 וְיוֹם נָקָם לֵאלֹהֵינוּ Is. 61:1

2346 וְנִשְׁאַר גַּם־הוּא לֵאלֹהֵינוּ Zech. 9:7

2347 שִׁיר חָדָשׁ תְּהִלָּה לֵאלֹהֵינוּ Ps. 40:4

2348 זַמְּרוּ לֵאלֹהֵינוּ בְכִנּוֹר Ps. 147:7

2349 לִבְנוֹת בַּיִת לֵאלֹהֵינוּ Ez. 4:3

2350 וְעַתָּה נִכְרָת־בְּרִית לֵאלֹהֵינוּ Ez. 10:3

מֵאֱלֹהֵינוּ 2351 וַנְּבַקְשָׁה מֵאֱלֹהֵינוּ עַל־זֹאת Ez. 8:23

אֱלֹהֵיכֶם 2352 אֱלֹהֵיכֶם וֵאלֹהֵי אֲבִיכֶם Gen. 43:23

2353 כִּי אֲנִי יְיָ אֱלֹהֵיכֶם Ex. 6:7

2354 וּזְבַחְתֶּם לַיְיָ אֱלֹהֵיכֶם Ex. 8:24

2355 לְכוּ עִבְדוּ אֶת־יְיָ אֱלֹהֵיכֶם Ex. 10:8

2356 חָטָאתִי לַיְיָ אֱלֹהֵיכֶם Ex. 10:16

2357 וְהַעְתִּירוּ לַיְיָ אֱלֹהֵיכֶם Ex. 10:17

2358 וִידַעְתֶּם כִּי אֲנִי יְיָ אֱלֹהֵיכֶם Ex. 16:12

2359 וַעֲבַדְתֶּם אֵת יְיָ אֱלֹהֵיכֶם Ex. 23:25

2360-2391 אֲנִי יְיָ אֱלֹהֵיכֶם Lev. 11:44
18:2,4,30; 19:2,3,4,10, 25,31,34,36; 20:7,24; 23:22,43; 24:22; 25:17,38,55; 26:1,13 • Num. 10:10; 15:41² • Deut. 29:5 • Jud. 6:10 • Ezek. 20:5; 20:7,19,20 • Joel 4:17

2392-2491 (בַּ־/לַ־/וַ־) יְיָ אֱלֹהֵיכֶם Lev. 23:28,40
Num. 10:9 • Deut. 1:10,26,30,32; 3:18,20,21,22; 4:2,23,34; 5:32(29),33(30); 6:1,16,17; 8:20; 9:16,23; 10:17; 11:2, 25, 27, 28, 31; 12:4, 5, 7, 10, 11, 12; 13:4²,5,6; 20:4, 18; 29:9; 31:12, 13,26 • Josh. 1:11,13,15; 2:11; 3:3,9; 4:5,23²,24; 8:7; 10:19; 22:3,4; 23:3²,5²,8,10,13²,14,15²,16 • ISh. 10:19; 12:12.14 • IIK. 17:39; 23:21 • Jer. 13:16; 26:13; 42:4,13,20,21 • Joel 1:14; 2:13,14; 2:23,26,27 • Zech. 6:15 • Ps. 76:12 • Neh. 8:9; 9:5 • ICh. 22:18(17), 19(18); 28:8; 29:20 • IICh. 20:20; 28:10; 30:8,9; 35:3

2492 לֹא תַקְרִיבוּ...לֶחֶם אֱלֹהֵיכֶם Lev. 22:25

2493 עַד הֲבִיאֲכֶם...קָרְבַּן אֱלֹהֵיכֶם Lev. 23:14

2494 וְהָיוּ...לְזִכָּרוֹן לִפְנֵי אֱלֹהֵיכֶם Num. 10:10

2495 וְאַתֶּם הַדְּבֵקִים בַּיְיָ אֱלֹהֵיכֶם Deut. 4:4

2496-2499 לְאַהֲבָה אֶת־יְיָ אֱלֹהֵיכֶם Deut. 11:13
11:22 • Josh. 22:5; 23:11

2500 בָּנִים אַתֶּם לַיְיָ אֱלֹהֵיכֶם Deut. 14:1

2501 מֵעֲלֵיכֶם וּמֵעַל אֱלֹהֵיכֶם ISh. 6:5

2502 וּקְרָאתֶם בְּשֵׁם אֱלֹהֵיכֶם IK. 18:24

2503 וְקִרְאוּ בְּשֵׁם אֱלֹהֵיכֶם IK. 18:25

2504 הִנֵּה אֱלֹהֵיכֶם נָקָם יָבוֹא Is. 35:4

2505 נַחֲמוּ נַחֲמוּ עַמִּי יֹאמַר אֱלֹהֵיכֶם Is. 40:1

2506 אִמְרִי... הִנֵּה אֱלֹהֵיכֶם Is. 40:9

2507 מַבְדִּלִים בֵּינֵכֶם לְבֵין אֱלֹהֵיכֶם Is. 59:2

2508 אֲנִי אֱלֹהֵיכֶם נְאֻם אֲדֹנָי Ezek. 34:31

2509 כִּי נִמְנַע מִבֵּית אֱלֹהֵיכֶם Joel 1:13

2510 כּוֹכַב אֱלֹהֵיכֶם אֲשֶׁר עֲשִׂיתֶם Am. 5:26

2511 לְחַזֵּק אֶת־בֵּית אֱלֹהֵיכֶם IICh. 24:5

2512 כִּי יוּכַל אֱלֹהֵיכֶם לְהַצִּיל IICh. 32:14

2513 אַף כִּי אֱלֹהֵיכֶם לֹא־יַצִּילוּ IICh. 32:15

בֵּאלֹהֵיכֶם 2514 פֶּן־תְּכַחֲשׁוּן בֵּאלֹהֵיכֶם Josh. 24:27

לֵאלֹהֵיכֶם 2515 לְכוּ זִבְחוּ לֵאלֹהֵיכֶם בָּאָרֶץ Ex. 8:21

2516 וִהְיִיתֶם קְדֹשִׁים לֵאלֹהֵיכֶם Num. 15:40

2517 כִּי כָכֶם נִדְרוֹשׁ לֵאלֹהֵיכֶם Ez. 4:2

אֱלֹהֵיהֶם 2518 וְיַעַבְדוּ אֶת־יְיָ אֱלֹהֵיהֶם Ex. 10:7

2519 כִּי תַעֲבֹד אֶת־אֱלֹהֵיהֶם Ex. 23:33

2520/1 אֲנִי יְיָ אֱלֹהֵיהֶם Ex. 29:46²

2522 וְזָנוּ אַחֲרֵי אֱלֹהֵיהֶם Ex. 34:15

2523 וְלֹא יְחַלְּלוּ שֵׁם אֱלֹהֵיהֶם Lev. 21:6

2524 לֶחֶם אֱלֹהֵיהֶם הֵם מַקְרִיבִם Lev. 21:6

2525 כִּי אֲנִי יְיָ אֱלֹהֵיהֶם Lev. 26:44

2526 וְלֹא תַעֲבֹד אֶת־אֱלֹהֵיהֶם Deut. 7:16

2527 פְּסִילֵי אֱלֹהֵיהֶם תִּשְׂרְפוּן בָּאֵשׁ Deut. 7:25

2528 וּפְסִילֵי אֱלֹהֵיהֶם תְּגַדֵּעוּן Deut. 12:3

2529 וּבְשֵׁם אֱלֹהֵיהֶם לֹא־תַזְכִּירוּ Josh. 23:7

2530-2532 בֵּית אֱלֹהֵיהֶם Jud. 9:27
Am. 2:8 • ICh. 10:10

2533 לִזְבֹּחַ...לְדָגוֹן אֱלֹהֵיהֶם Jud. 16:23

2534-2535 דֶּרֶךְ יְיָ מִשְׁפַּט אֱלֹהֵיהֶם Jer. 5:4,5

2536 וַיִּשְׁמְרוּ מִשְׁמֶרֶת אֱלֹהֵיהֶם Neh. 12:45

2537-2565 (בַּ־/לַ־) יְיָ אֱלֹהֵיהֶם Jud. 3:7; 8:34
ISh. 12:9 • IK. 9:9 • IIK. 17:7,9,14; 17:16,19; 18:12 • Jer. 3:21; 22:9; 30:9; 43:1²; 50:4 • Hosh. 1:7; 3:5; 7:10 • Zep. 2:7 • Hag. 1:12² • Zech. 9:16 • Neh. 9:3²,4 • IICh. 31:6; 33:17; 34:33

2566-2570 אֲנִי יְיָ אֱלֹהֵיהֶם Ezek. 28:26
34:30; 39:22,28 • Zech. 10:6

2571-2587 אֱלֹהֵיהֶם Deut. 12:2,30 • Jud. 3:6
16:24 • IK. 11:2; 20:23 • IIK. 17:33; 19:18 • Is. 37:19 • Hosh. 4:12; 5:4 • Joel 2:17 • Zech. 12:5 • Ps. 79:10; 115:2 • Dan. 11:8 • ICh. 14:12

וֵאלֹהֵיהֶם 2588 וֵאלֹהֵיהֶם יִהְיוּ לָכֶם לְמוֹקֵשׁ Jud. 2:3

וּבֵאלֹהֵיהֶם 2589 וּבֵאלֹהֵיהֶם עָשָׂה יְיָ שְׁפָטִים Num. 33:4

לֵאלֹהֵיהֶם 2590 לֹא־תִשְׁתַּחֲוֶה לֵאלֹהֵיהֶם Ex. 23:24

2591 וְזָנוּ...וְזָבְחוּ לֵאלֹהֵיהֶם Ex. 34:15

2592 קְדֹשִׁים יִהְיוּ לֵאלֹהֵיהֶם Lev. 21:6

2593 וּפֶן־תִּדְרֹשׁ לֵאלֹהֵיהֶם Deut. 12:30

2594 תּוֹעֲבַת יְיָ... עָשׂוּ לֵאלֹהֵיהֶם Deut. 12:31

2595 ...יִשְׂרְפוּ בָאֵשׁ לֵאלֹהֵיהֶם Deut. 12:31

2596 תּוֹעֲבֹתָם אֲשֶׁר עָשׂוּ לֵאלֹהֵיהֶם Deut. 20:18

וְלֵאלֹהֵיהֶם 2597 לֹא־תִכְרֹת...וְלֵאלֹהֵיהֶם בְּרִית Ex. 23:32

אֱלֹהֵימוֹ 2598 וְאָמַר אֵי אֱלֹהֵימוֹ Deut. 32:37

אֱלֹהֵיהֶן 2599 וְזָנוּ בְנֹתָיו אַחֲרֵי אֱלֹהֵיהֶן Ex. 34:16

2600 וְהִזְנוּ אֶת־בָּנֶיךָ אַחֲרֵי אֱלֹהֵיהֶן Ex. 34:16

2601 וַתִּקְרֶאןָ לָעָם לְזִבְחֵי אֱלֹהֵיהֶן Num. 25:2

לֵאלֹהֵיהֶן 2602 וַיֹּאכַל הָעָם וַיִּשְׁתַּחֲווּ לֵאלֹהֵיהֶן Num. 25:2

2603 מַקְטִירוֹת וּמְזַבְּחוֹת לֵאלֹהֵיהֶן IK. 11:8

אִלּוּ

מלת־תנאי

וְאִלּוּ 1 וְאִלּוּ חָיָה אֶלֶף שָׁנִים פַּעֲמַיִם... Eccl. 6:6

2 וְאִלּוּ לַעֲבָדִים... נִמְכַּרְנוּ הֶחֱרַשְׁתִּי Es. 7:4

אֲלוּ

מ״ח ארמית: הִנֵּה

וַאֲלוּ 1 וַאֲלוּ צְלֵם חַד שַׂגִּיא Dan. 2:31

2-5 וַאֲלוּ Dan. 4:7,10; 7:8²

אֱלוֹהַּ

ז׳ א) אל, אלהים, אלהי ישראל: רוב המקראות
ב) אלוהות, אלהי העמים: 55

אֱלוֹהַּ יַעֲקֹב 54; אֱ׳ נֵכָר 55; אֱ׳ סְלִיחוֹת 56; אִמְרַת אֱלוֹהַּ 8; בִּעוּתֵי אֱ׳ 11; חֵלֶק אֱ׳ 19; חֵקֶר אֱלוֹהַּ 12; יַד אֱ׳ 14; יְמֵי אֱ׳ 17; מוֹכִיחַ אֱ׳ 21; נִשְׁמַת אֱ׳ 10; סוֹד אֱ׳ 18,13; רוּחַ אֱ׳ 16; שׁוֹכְחֵי אֱ׳ 6

אֱלוֹהַּ 1 וַיִּטֹּשׁ אֱלוֹהַּ עָשָׂהוּ Deut. 32:15

2 יִזְבְּחוּ לַשֵּׁדִים לֹא אֱלֹהַּ Deut. 32:17

אֱלוֹהַּ (המשך) 3 הֲיֵשׁ אֱלוֹהַּ מִבַּלְעָדַי Is. 44:8
4 אֱלוֹהַּ מִתֵּימָן יָבוֹא Hab. 3:3
5 כִּי מִי אֱלוֹהַּ מִבַּלְעֲדֵי יְיָ Ps. 18:32
6 בִּינוּ־נָא זֹאת שֹׁכְחֵי אֱלוֹהַּ Ps. 50:22
7 אִם־תִּקְטֹל אֱלוֹהַּ רָשָׁע Ps. 139:19
8 כָּל־אִמְרַת אֱלוֹהַּ צְרוּפָה Prov. 30:5
9 אַל־יִדְרְשֵׁהוּ אֱלוֹהַּ מִמָּעַל Job 3:4
10 מִנִּשְׁמַת אֱלוֹהַּ יֹאבֵדוּ Job 4:9
11 בִּעוּתֵי אֱלוֹהַּ יַעַרְכוּנִי Job 6:4
12 הַחֵקֶר אֱלוֹהַּ תִּמְצָא Job 11:7
13 הַבְסוֹד אֱלוֹהַּ תִּשְׁמָע Job 15:8
14 כִּי יַד־אֱלוֹהַּ נָגְעָה בִּי Job 19:21
15 וְלֹא שֵׁבֶט אֱלוֹהַּ עֲלֵיהֶם Job 21:9
16 וְרוּחַ אֱלוֹהַּ בְּאַפִּי Job 27:3
17 כִּימֵי אֱלוֹהַּ יִשְׁמְרֵנִי Job 29:2
18 בְּסוֹד אֱלוֹהַּ עֲלֵי אָהֳלִי Job 29:4
19 וּמֶה חֵלֶק אֱלוֹהַּ מִמָּעַל Job 31:2
20 עַל־אֱלוֹהַּ נוֹרָא הוֹד Job 37:22
21 מוֹכִיחַ אֱלוֹהַּ יַעֲנֶנָּה Job 40:2
22-47 אֱלוֹהַּ Job 3:23; 5:17; 6:8,9
9:13; 10:2; 11:5,6; 12:6; 16:20,21; 19:6,26;
21:19; 22:12,26; 27:8,10; 31:6; 33:12,26; 35:10;
37:15; 39:17 • Dan. 11:37 • IICh. 32:15
וֶאֱלוֹהַּ 48 וֶאֱלוֹהַּ לֹא־יָשִׂים תִּפְלָה Job 24:12
לֶאֱלוֹהַּ 49 קֹרֵא לֶאֱלוֹהַּ וַיַּעֲנֵהוּ Job 12:4
50 כִּי־עוֹד לֶאֱלוֹהַּ מִלִּים Job 36:2
וְלֶאֱלוֹהַּ 51 וְלֶאֱלֹהַּ מָעֻזִּים עַל־כַּנּוֹ יְכַבֵּד Dan. 10:38
52 וְלֶאֱלוֹהַּ אֲשֶׁר לֹא־יְדָעֻהוּ אֲבֹתָיו Dan. 11:38
מֵאֱלוֹהַּ 53 הַאֱנוֹשׁ מֵאֱלוֹהַּ יִצְדָּק Job 4:17
אֱלוֹהַּ־ 54 חוּלִי אָרֶץ מִלִּפְנֵי אֱלוֹהַּ יַעֲקֹב Ps. 114:7
55 מָעֻזִּים עִם־אֱלוֹהַּ נֵכָר Dan. 11:39
56 וְאַתָּה אֱלוֹהַּ סְלִיחוֹת Neh. 9:17
לֶאֱלֹהוֹ 57 ...זוּ כֹחוֹ לֶאֱלֹהוֹ Hab. 1:11

אֱלוּל ז׳ שם החודש השישי מניסן
בְּעֶשְׂרִים וַחֲמִשָּׁה לֶאֱלוּל Neh. 6:15

אַלּוֹן[1] ז׳ עץ־יער
קרובים: אֵלָה / אַלָּה / אֵלוֹן / אֶרֶז / אֹרֶן / בְּרוֹשׁ / בְּרוֹת / לִבְנֶה / שִׁקְמָה / תְּאַשּׁוּר / תִּדְהָר / תִּרְזָה
אַלּוֹן 1 תַּחַת אַלּוֹן וְלִבְנֶה וְאֵלָה Hosh. 4:13
וְאַלּוֹן 2 וַיִּקַּח תִּרְזָה וְאַלּוֹן Is. 44:14
הָאַלּוֹן 3 וַתִּקָּבֵר...תַּחַת הָאַלּוֹן Gen. 35:8
וְכָאַלּוֹן 4 כָּאֵלָה וְכָאַלּוֹן אֲשֶׁר בְּשַׁלֶּכֶת Is. 6:13
אַלּוֹנִים 5 אַלּוֹנִים מִבָּשָׁן עָשׂוּ מִשּׁוֹטָיִךְ Ezek. 27:6
כָּאַלּוֹנִים 6 וְחָסֹן הוּא כָּאַלּוֹנִים Am. 2:9
אַלּוֹנֵי־ 7 וְעַל כָּל־אַלּוֹנֵי הַבָּשָׁן Is. 2:13
8 הֵילִילוּ אַלּוֹנֵי בָשָׁן Zech. 11:2

אַלּוֹן[2] שפ״ז – אחד מבני שמעון
אַלּוֹן 1 וְזִיזָא בֶּן־שִׁפְעִי בֶּן־אַלּוֹן ICh. 4:37

אַלּוֹן בָּכוּת שם עץ ליד בית־אל
אַלּוֹן בָּ׳ 1 וַתִּקָּבֵר... תַּחַת הָאַלּוֹן וַיִּקְרָא
שְׁמוֹ אַלּוֹן בָּכוּת Gen. 35:8

אֵלוֹן[1] שפ״ז – אחד מבני זבולון
וְאֵלוֹן 1 וּבְנֵי זְבוּלֻן סֶרֶד וְאֵלוֹן וְיַחְלְאֵל Gen. 46:14
לְאֵלוֹן 2 לְאֵלוֹן מִשְׁפַּחַת הָאֵלֹנִי Num. 26:26

אֵלוֹן[2] ז׳ אַלּוֹן, עץ־יער – במקרא רק בצרופים:

אֵלוֹן בְּצַעֲנַנִּים מקום בקרבת קֶדֶשׁ
אֵלוֹן בְּצ׳ 1 וַיֵּט אָהֳלוֹ עַד־אֵלוֹן בְּצַעֲנַנִּים Jud. 4:11
מֵאֵלוֹן בְּ׳ 2 וַיְהִי גְבוּלָם... מֵאֵלוֹן בְּצַעֲנַנִּים Josh. 19:33

אֵלוֹן מוֹרֶה מקום או חורשה ליד שכם
1 עַד מְקוֹם שְׁכֶם עַד אֵלוֹן מוֹרֶה Gen. 12:6

אֵלוֹן מְעוֹנְנִים מקום או חורשה בקרבת שכם
אֵלוֹן מְ׳ 1 בָּא מִדֶּרֶךְ אֵלוֹן מְעוֹנְנִים Jud. 9:37

אֵלוֹן מֻצָּב עץ מקודש ליד שכם
אֵלוֹן מֻ׳ 1 עִם־אֵלוֹן מֻצָּב אֲשֶׁר בִּשְׁכֶם Jud. 9:6

אֵלוֹן תָּבוֹר עץ מפורסם בין רמה לגבעה
אֵלוֹן תָּ׳ 1 וּבָאתָ עַד־אֵלוֹן תָּבוֹר ISh. 10:3

אֵלֹנִי ת״ז – של משפחת אֵלוֹן
הָאֵלֹנִי 1 לְאֵלוֹן מִשְׁפַּחַת הָאֵלֹנִי Num. 26:26

אֵלוֹנֵי מֹרֶה שם אחר לאֵלוֹן מוֹרֶה
אֵלוֹנֵי מ׳ 1 מוּל הַגִּלְגָּל אֵצֶל אֵלוֹנֵי מֹרֶה Deut. 11:30

אֵלוֹנֵי מַמְרֵא מקום או חורשה ליד חֶבְרוֹן
בְּאֵלוֹנֵי מַ׳ 1 בְּאֵלֹנֵי מַמְרֵא אֲשֶׁר בְּחֶבְרוֹן Gen. 13:18
2/3 בְּאֵלֹנֵי מַמְרֵא Gen. 14:13; 18:1

אַלּוּף ז׳ א) בעל־חיים מבוית, כבש, בָּקָר: 67,1
ב) ראש, מנהיג (גם בהשאלה): 2–66, 68, 69
אַלּוּף נְעוּרִים 50,49; אַלּוּפִי וּמְיֻדָּעַי 51
אַלּוּף 1 וַאֲנִי כְּכֶבֶשׂ אַלּוּף יוּבַל לִטְבוֹחַ Jer. 11:19
2 וְנִרְגָּן מַפְרִיד אַלּוּף Prov. 16:28
3 וְשֹׁנֶה בְדָבָר מַפְרִיד אַלּוּף Prov. 17:9
בְּאַלּוּף 4 אַל־תִּבְטְחוּ בְּאַלּוּף Mic. 7:5
כְּאַלֻּף 5 וְהָיָה כְּאַלֻּף בִּיהוּדָה Zech. 9:7
אַלּוּף־ 6/7 אַלּוּף תֵּימָן אַלּוּף אוֹמָר Gen. 36:15
8/9 אַלּוּף צְפוֹ אַלּוּף קְנַז Gen. 36:15
10-48 אַלּוּף Gen. 36:16^{3},17^{4},18^{3}
36:29^{4},30^{3},40^{3},41^{3},42^{3},43^{2} • ICh. 1:51^{3},52^{3},53^{3},54^{2}
49 אַלּוּף נְעֻרַי אָתָּה Jer. 3:4
50 הַעֹזֶבֶת אַלּוּף נְעוּרֶיהָ Prov. 2:17
אַלּוּפִי 51 אֱנוֹשׁ כְּעֶרְכִּי אַלּוּפִי וּמְיֻדָּעִי Ps. 55:14
אַלֻּפִים 52 לִמַּדְתְּ אֹתָם עָלַיִךְ אַלֻּפִים לְרֹאשׁ Jer. 13:21
אַלּוּפֵי־ 53 אֵלֶּה אַלּוּפֵי בְנֵי־עֵשָׂו Gen. 36:15
54 אָז נִבְהֲלוּ אַלּוּפֵי אֱדוֹם Ex. 15:15
55 וְאָמְרוּ אַלֻּפֵי יְהוּדָה בְּלִבָּם Zech. 12:5
56 אָשִׂים אֶת־אַלֻּפֵי יְהוּדָה כְּכִיּוֹר אֵשׁ Zech. 12:6
57-66 אַלּוּפֵי Gen. 36:16,17,18
36:21,29,30,40,43 • ICh. 51,54
אַלּוּפֵינוּ 67 אַלּוּפֵינוּ מְסֻבָּלִים Ps. 144:14
אַלּוּפֵיהֶם 68 אֵלֶּה בְנֵי־עֵשָׂו וְאֵלֶּה אַלּוּפֵיהֶם Gen. 36:19
לְאַלֻּפֵיהֶם 69 אֵלֶּה אַלּוּפֵי הַחֹרִי לְאַלֻּפֵיהֶם Gen. 36:30

אָלוּשׁ מקום בדרך מסעי ישראל בצאתם ממצרים
בְּאָלוּשׁ 1 וַיִּסְעוּ מִדָּפְקָה וַיַּחֲנוּ בְּאָלוּשׁ Num. 33:13
מֵאָלוּשׁ 2 וַיִּסְעוּ מֵאָלוּשׁ וַיַּחֲנוּ בִּרְפִידִם Num. 33:14

אֶלְזָבָד שפ״ז א) מבני גד שבאו אל דוד בצקלג: 1
ב) בן שמעיה בן עובד־אדום, משוערי המקדש: 2
אֶלְזָבָד 1 יוֹחָנָן הַשְּׁמִינִי אֶלְזָבָד הַתְּשִׁיעִי ICh. 12:13(12)
2 וּרְפָאֵל וְעוֹבֵד אֶלְזָבָד אֶחָיו ICh. 26:7

אלח : נפ׳ נֶאֱלַח, נטמא, נשחת • קרובים: טמא, זהם, שחת
נֶאֱלָחוּ 1 הַכֹּל סָר יַחְדָּו נֶאֱלָחוּ Ps. 14:3
2 כֻּלּוֹ סָג יַחְדָּו נֶאֱלָחוּ Ps. 53:4
וְנֶאֱלָח 3 אַף כִּי־נִתְעָב וְנֶאֱלָח Job 15:16

אֶלְחָנָן שפ״ז א) בן דודו, מגבורי דוד: 3,2
ב) בן יָעִיר (יַעֲרֵי) מגבורי דוד: 4,1
אֶלְחָנָן 1 וַיַּךְ אֶלְחָנָן בֶּן־יַעְרֵי אֹרְגִים...
אֵת גָּלְיַת הַגִּתִּי IISh. 21:19
2 אֶלְחָנָן בֶּן־דֹּדוֹ בֵּית לָחֶם IISh. 23:24

אֶלְחָנָן (המשך) 3 אֶלְחָנָן בֶּן דּוֹדוֹ מִבֵּית לָחֶם ICh. 11:26
4 וַיַּךְ אֶלְחָנָן בֶּן־יָעִיר אֶת־לַחְמִי
אֲחִי גָּלְיָת הַגִּתִּי ICh. 20:5

אֱלִיאָב שפ״ז א) נשיא למטה זבולון בימי משה: 1–5
ב) בכור ראובן: 6–10
ג) אבי סבו של שמואל: 17
ד) בנו בכורו של ישי: 11–16
ה) מבני גד שהתלקטו אל דוד בצקלג: 18
ו) מן המשוררים בימי דוד: 19–20
אֱלִיאָב 1-5 אֱלִיאָב בֶּן־חֵלֹן Num. 1:9; 2:7; 7:24,29; 10:16
6 וְדָתָן וַאֲבִירָם בְּנֵי אֱלִיאָב Num. 16:1
7 לְדָתָן וְלַאֲבִירָם בְּנֵי אֱלִיאָב Num. 16:12
8 וּבְנֵי פַלּוּא אֱלִיאָב Num. 26:8
9 וּבְנֵי אֱלִיאָב נְמוּאֵל וְדָתָן וַאֲבִירָם Num.26:9
10 בְּנֵי אֱלִיאָב בֶּן־רְאוּבֵן Deut. 11:6
11 וַיְהִי בְּבוֹאָם וַיַּרְא אֶת־אֱלִיאָב ISh. 16:6
12 אֱלִיאָב הַבְּכוֹר וּמִשְׁנֵהוּ אֲבִינָדָב ISh 17:13
13-16 אֱלִיאָב ISh. 17:28^{2} • ICh. 2:13 • IICh. 11:18
17 אֱלִיאָב בְּנוֹ יְרֹחָם בְּנוֹ ICh. 6:12
18 עֹבַדְיָה הַשֵּׁנִי אֱלִיאָב הַשְּׁלִשִׁי ICh. 12:10(9)
19 וִיחִיאֵל וְעֻנִּי אֱלִיאָב וּבְנָיָהוּ ICh. 15:18
וֶאֱלִיאָב 20/21 וֶאֱלִיאָב ICh. 15:20; 16:5

אֱלִיאֵל שפ״ז א) אבי סבו של שמואל, הוא אֱלִיאָב(ג): 1;
ב) מראשי האבות של חצי שבט המנשה: 6
ג) אחדים מגבורי דוד: 4,3,2
ד) מראשי האבות לשבט בנימין בירושלים: 8,7
ה) שר בני חברון הלוים בימי דוד: 9,5
ו) פקיד בבית המקדש בימי חזקיהו: 10
אֱלִיאֵל 1 בֶּן־אֱלִיאֵל בֶּן־תּוֹחַ ICh. 6:19
2 אֱלִיאֵל הַמַּחֲוִים וִירִיבַי ICh. 11:46
3 אֱלִיאֵל וְעוֹבֵד וְיַעֲשִׂיאֵל ICh. 11:47
4 עַתַּי הַשִּׁשִּׁי אֱלִיאֵל הַשְּׁבִיעִי ICh. 12:12(11)
5 לִבְנֵי חֶבְרוֹן אֱלִיאֵל הַשָּׂר ICh. 15:9
וֶאֱלִיאֵל 6 וְעֵפֶר וְיִשְׁעִי וֶאֱלִיאֵל וְעַזְרִיאֵל ICh. 5:24
7 וֶאֱלִיעֵינַי וְצִלְּתַי וֶאֱלִיאֵל ICh. 8:20
8 וְיִשְׁפָּן וָעֵבֶר וֶאֱלִיאֵל ICh. 8:22
9 שְׁמַעְיָה וֶאֱלִיאֵל וְעַמִּינָדָב ICh. 15:11
10 וְיוֹזָבָד וֶאֱלִיאֵל וְיִסְמַכְיָהוּ IICh. 31:13

אֱלִיאָתָה שפ״ז לוי מבני הֵימָן
אֱלִיאָתָה 1 אֱלִיאָתָה גִּדַּלְתִּי וְרֹמַמְתִּי עֶזֶר ICh. 25:4

אֱלִידָד שפ״ז – נשיא מטה בנימין בימי משה ויהושע
אֱלִידָד 1 לְמַטֵּה בִנְיָמִן אֱלִידָד בֶּן־כִּסְלוֹן Num. 34:21

אֶלְיָדָע שפ״ז א) בן דוד מן הפילגשים: 3–4
ב) אבי רזון, מיסד שושלת בארם דמשק: 2
ג) איש מבנימין, שר צבא בימי יהושפט: 1
אֶלְיָדָע 1 וּמִן־בִּנְיָמִן גִּבּוֹר חַיִל אֶלְיָדָע IICh. 17:17
2 וַיָּקֶם...אֶת־רְזוֹן בֶּן־אֶלְיָדָע IK. 11:23
וְאֶלְיָדָע 3/4 אֱלִישָׁמָע וְאֶלְיָדָע IISh. 5:16 • ICh. 3:8

אַלְיָה נ׳ זנבה השמן של כבשה
הָאַלְיָה 1 וְהִקְרִיב...חֶלְבּוֹ הָאַלְיָה תְמִימָה Lev. 3:9
2 אֵת הָאַלְיָה וְאֶת־הַחֵלֶב... Lev. 7:3
3 וַיִּקַּח אֶת־הַחֵלֶב וְאֶת־הָאַלְיָה Lev. 8:25
4 הָאַלְיָה וְהַמְכַסֶּה וְהַכְּלָיֹת Lev. 9:19
וְהָאַלְיָה 5 וְלָקַחְתָּ...הַחֵלֶב וְהָאַלְיָה Ex. 29:22

אֵלִיָּה שפ״ז א) הוא אֵלִיָּהוּ הנביא: 1-5
ב) מראשי אבות בנימין בירושלים בימי דוד: 8
ג) כהן בימי עזרא: 6 ד) מבני עילם בימי עזרא: 7
אֵלִיָּה 1 וּמַלְאַךְ יְיָ דִּבֶּר אֶל־אֵלִיָּה הַתִּשְׁבִּי IIK. 1:3
2 אָנֹכִי שֹׁלֵחַ לָכֶם אֵת אֵלִיָּה הַנָּבִיא Mal. 3:23
3-5 אֵלִיָּה IIK. 1:4,8,12

וְאֵלִיָּה 6 וּמִבְּנֵי חָרִם מַעֲשֵׂיָה וְאֵלִיָּה Ez. 10:21
7 וּמִבְּנֵי עֵילָם...וִירֵמוֹת וְאֵלִיָּה Ez. 10:26
8 וְאֵלִיָּה וְזִכְרִי בְּנֵי יְרֹחָם ICh. 8:27

אֵלִיָּהוּ
שפ״ז הַתִּשְׁבִּי, נביא ישראל: 1-6,2
אֵלִיָּהוּ הַנָּבִיא 63,5; א׳ הַתִּשְׁבִּי 11,1; אַדֶּרֶת אֵלִיָּהוּ 7,6; אֱלֹהֵי א׳ 8; דְּבַר א׳ 2; יַד א׳ 3; יְדֵי א׳ 10; קוֹל א׳ 4; רוּחַ א׳ 9

אֵלִיָּהוּ 1 וַיֹּאמֶר אֵלִיָּהוּ הַתִּשְׁבִּי מִתֹּשָׁבֵי גִלְעָד IK. 17:1
2 וַתֵּלֶךְ וַתַּעֲשֶׂה כִּדְבַר אֵלִיָּהוּ IK. 17:15
3 כִּדְבַר יְיָ אֲשֶׁר דִּבֶּר בְּיַד אֵלִיָּהוּ IK. 17:16
4 וַיִּשְׁמַע יְיָ בְּקוֹל אֵלִיָּהוּ IK. 17:22
5 וַיִּגַּשׁ אֵלִיָּהוּ הַנָּבִיא וַיֹּאמַר IK. 18:36
6/7 וַיָּרֶם / וַיִּקַּח / אֶת־אַדֶּרֶת אֵלִיָּהוּ IIK. 2:13,14
8 וַיֹּאמַר אַיֵּה יְיָ אֱלֹהֵי אֵלִיָּהוּ IIK. 2:14
9 נָחָה רוּחַ אֵלִיָּהוּ עַל־אֱלִישָׁע IIK. 2:15
10 אֲשֶׁר־יָצַק מַיִם עַל־יְדֵי אֵלִיָּהוּ IIK. 3:11
11 בְּיַד־עַבְדּוֹ אֵלִיָּהוּ הַתִּשְׁבִּי IIK. 9:36
60-12 אֵלִיָּהוּ IK. 17:13,18,23,24²; 18:1,2; 7², 8, 11, 14, 15, 16, 17, 21, 22, 25, 27, 30, 31; 18:40²,41,46; 19:1,2,9,13²,19,20,21; 21:17,20,28 • IIK. 1:10, 13, 15, 17; 2:1², 2, 4, 6, 8, 11; 10:10, 17
וְאֵלִיָּהוּ 61 וְאֵלִיָּהוּ עָלָה אֶל־רֹאשׁ הַכַּרְמֶל IK. 18:42
62 וְאֵלִיָּהוּ אָמַר אֶל־אֱלִישָׁע IIK. 2:9
מֵאֵלִיָּהוּ 63 וַיָּבֹא... מִכְתָּב מֵאֵלִיָּהוּ הַנָּבִיא IICh. 21:12

אֱלִיהוּ
שפ״ז א) בן שמעיה מבני עֹבֵד אֱדֹם: 1
ב) מאחי דוד, אולי הוא אֱלִיאָב: 2
ג) הוא אֱלִיהוּא (ב) מרעי איוב: 3, 4
אֱלִיהוּ 1 בְּנֵי שְׁמַעְיָה...אֱלִיהוּ וּסְמַכְיָהוּ ICh. 26:7
2 לִיהוּדָה אֱלִיהוּ מֵאֲחֵי דָוִיד ICh. 27:18
3 וַיַּעַן אֱלִיהוּ וַיֹּאמַר Job 35:1
וֶאֱלִיהוּ 4 וֶאֱלִיהוּ חִכָּה אֶת־אִיּוֹב בִּדְבָרִים Job 32:4

אֱלִיהוּא
שפ״ז א) אבי סבו של שמואל, אולי הוא אֱלִיאֵל: 1
ב) בן בַּרַכְאֵל, הצעיר בְּרֵעֵי איוב: 2—6
ג) מראשי בני מנשה שבאו אל דוד בצקלג: 7
אֱלִיהוּא 1 אֶלְקָנָה בֶּן־יְרֹחָם בֶּן־אֱלִיהוּא ISh. 1:1
2 וַיִּחַר אַף אֱלִיהוּא בֶן־בַּרַכְאֵל Job 32:2
3 וַיַּרְא אֱלִיהוּא כִּי אֵין מַעֲנֶה Job 32:5
6-4 אֱלִיהוּא Job 32:6; 34:1; 36:1
וֶאֱלִיהוּא 7 וְיוֹזָבָד וֶאֱלִיהוּא וְצִלְּתָי ICh. 12:21(20)

אֶלְיְהוֹעֵינַי
שפ״ז א) שוער מבית אסף בימי דוד: 2
ב) מראשי העולים עם עזרא: 1
אֶלְיְהוֹעֵינַי 1 אֶלְיְהוֹעֵינַי בֶּן־זְרַחְיָה Ez. 8:4
2 יְהוֹחָנָן הַשִּׁשִּׁי אֶלְיְהוֹעֵינַי הַשְּׁבִיעִי ICh. 26:3

אֶלְיוֹעֵינַי
שפ״ז א) נשיא לשבט מנשה: 6
ב) בן בכר בן בנימין: 7
ג) כהנים בימי עזרא ונחמיה: 2,1
ד) מבני זתוא בימי עזרא: 3
ה) מצאצאי זרובבל: 5,4
אֶלְיוֹעֵינַי 1 וּמִבְּנֵי פַּשְׁחוּר אֶלְיוֹעֵינַי... Ez. 10:22
2 וְהַכֹּהֲנִים...אֶלְיוֹעֵינַי זְכַרְיָה Neh. 12:41
3 וּמִבְּנֵי זַתּוּא אֶלְיוֹעֵנַי אֶלְיָשִׁיב Ez. 10:27
4 וּבֶן־נְעַרְיָה אֶלְיוֹעֵינַי וְחִזְקִיָּה ICh. 3:23
5 וּבְנֵי אֶלְיוֹעֵינַי הוֹדַיְוָהוּ וְאֶלְיָשִׁיב ICh. 3:24
וְאֶלְיוֹעֵנַי 6 וְאֶלְיוֹעֵנַי וְיַעֲקֹבָה ICh. 4:36
7 וּבְנֵי בֶכֶר זְמִירָה...וְאֶלְיוֹעֵינַי... ICh. 7:8

אֶלְיַחְבָּא
שפ״ז — מגבורי דוד
2-1 אֶלְיַחְבָּא הַשַּׁעַלְבֹנִי IISh. 23:32 • ICh. 11:33

אֱלִיחֹרֶף
שפ״ז אחד מסופרי המלך שלמה
אֱלִיחֹרֶף וַאֲחִיָּה בְּנֵי שִׁישָׁא סֹפְרִים IK. 4:3

אֱלִיל
ז׳ א) הבל, שוא: 1—4 • קרובים: ראה אָוֶן
ב) [אֱלִילִים] כנוי גנאי לאלהי הגוים: 5-20
מַמְלְכוֹת הָאֱלִיל 3; רֹעִי הָאֱ׳ 4; רֹפְאֵי אֱ׳ 1; אֱלִילֵי זָהָב 16, 19; אֱלִילֵי כֶסֶף 18,15

אֱלִיל 1 אַתֶּם טֹפְלֵי־שָׁקֶר רֹפְאֵי אֱלִל כֻּלְּכֶם Job 13:4
וֶאֱלִיל 2 חֲזוֹן שֶׁקֶר וְקֶסֶם וֶאֱלִיל Jer. 14:14
הָאֱלִיל 3 מָצְאָה יָדִי לְמַמְלְכֹת הָאֱלִיל Is. 10:10
4 הוֹי רֹעִי הָאֱלִיל עֹזְבִי הַצֹּאן Zech. 11:17
אֱלִילִים 5 לֹא־תַעֲשׂוּ לָכֶם אֱלִילִם Lev. 26:1
6 וַתִּמָּלֵא אַרְצוֹ אֱלִילִים Is. 2:8
7 וְהִשְׁבַּתִּי אֱלִילִים מִנֹּף Ezek. 30:13
8 לַעֲשׂוֹת אֱלִילִים אִלְּמִים Hab. 2:18
10-9 כָּל־אֱלֹהֵי הָעַמִּים אֱלִילִים Ps. 96:5 ICh. 16:26
הָאֱלִילִים 11 אַל־תִּפְנוּ אֶל־הָאֱלִילִם Lev. 19:4
12 וְדָרְשׁוּ אֶל־הָאֱלִילִים וְאֶל־הָאִטִּים Is. 19:3
וְהָאֱלִילִים 13 וְהָאֱלִילִים כָּלִיל יַחֲלֹף Is. 2:18
בָּאֱלִילִים 14 הַמִּתְהַלְלִים בָּאֱלִילִים Ps. 97:7
אֱלִילֵי־ 15/6 יַשְׁלִיךְ הָאָדָם אֵת אֱלִילֵי כַסְפּוֹ וְאֵת אֱלִילֵי זְהָבוֹ Is. 2:20
17 וְנָעוּ אֱלִילֵי מִצְרַיִם מִפָּנָיו Is. 19:1
18 יִמְאָסוּן אִישׁ אֱלִילֵי כַסְפּוֹ... Is. 31:7
וֶאֱלִילֵי 19 ...אֱלִילֵי כַסְפּוֹ וֶאֱלִילֵי זְהָבוֹ Is. 31:7
וְלֶאֱלִילֶיהָ 20 כַּאֲשֶׁר עָשִׂיתִי לְשֹׁמְרוֹן וְלֶאֱלִילֶיהָ Is. 10:11

אֱלִימֶלֶךְ
שפ״ז — איש נעמי
אֱלִימֶלֶךְ 1 וְשֵׁם הָאִישׁ אֱלִימֶלֶךְ Ruth 1:2
2 וַיָּמָת אֱלִימֶלֶךְ אִישׁ נָעֳמִי Ruth 1:3
4/3 ...מִמִּשְׁפַּחַת אֱלִימֶלֶךְ Ruth 2:1,3
לֶאֱלִימֶלֶךְ 5 הַשָּׂדֶה אֲשֶׁר לְאָחִינוּ לֶאֱלִימֶלֶךְ Ruth 4:3
6 קָנִיתִי אֶת־כָּל־אֲשֶׁר לֶאֱלִימֶלֶךְ Ruth 4:9

אֵלִּין
מ״ג ארמית — אֵלֶּה לרבים [ראה גם אִלֵּךְ]
1 כָּל־אִלֵּין תַּדִּק וְתֵרֹעַ Dan. 2:40
2 תַּדִּק וְתָסֵף כָּל־אִלֵּין מַלְכְוָתָא Dan. 2:44
3 סָרְכַיָּא וַאֲחַשְׁדַּרְפְּנַיָּא אִלֵּן Dan. 6:7
5-4 אִלֵּין Dan. 6:3; 7:17

אֶלְיָסָף
שפ״ז א) נשיא בני גד בימי משה: 1—5
ב) ראש בית אב לגרשוני בימי משה: 6
אֶלְיָסָף 4-1 אֶלְיָסָף בֶּן־דְּעוּאֵל Num. 1:14; 7:42,47; 10:20
5 אֶלְיָסָף בֶּן־רְעוּאֵל Num. 2:14
6 אֶלְיָסָף בֶּן־לָאֵל Num. 3:24

אֱלִיעֶזֶר
שפ״ז א) עבד אברהם: 1 ב) בן משה: 14,13,11,5,2
ג) בן בכר בן בנימין: 9 ד) כהן בימי דוד: 10
ה) נגיד לשבט ראובן בימי דוד: 6
ו) נביא בימי יהושפט: 4
ז) מראשי העם בימי עזרא: 12
ח) כהן ולוי בימי עזרא: 8,7
ט) מבני חרים בימי עזרא: 3
אֱלִיעֶזֶר 1 וּבֶן־מֶשֶׁק בֵּיתִי הוּא דַּמֶּשֶׂק אֱלִיעֶזֶר Gen. 15:2
2 וְשֵׁם הָאֶחָד אֱלִיעֶזֶר Ex. 18:4
3 וּבְנֵי חָרִם אֱלִיעֶזֶר יִשִּׁיָּה Ez. 10:31
4 וַיִּתְנַבֵּא אֱלִיעֶזֶר בֶּן־דֹּדָוָהוּ IICh. 20:37
5 וַיִּהְיוּ בְנֵי־אֱלִיעֶזֶר רְחַבְיָה הָרֹאשׁ ICh. 23:17
6 לָרְאוּבֵנִי נָגִיד אֱלִיעֶזֶר בֶּן־זִכְרִי ICh. 27:16
וֶאֱלִיעֶזֶר 7 מַעֲשֵׂיָה וֶאֱלִיעֶזֶר וְיָרִיב וּגְדַלְיָה Ez. 10:18
8 פְּתַחְיָה יְהוּדָה וֶאֱלִיעֶזֶר Ez. 10:23
9 וּבְנֵי בֶכֶר זְמִירָה וְיוֹעָשׁ וֶאֱלִיעֶזֶר ICh. 7:8
10 וּבְנָיָהוּ וֶאֱלִיעֶזֶר הַכֹּהֲנִים ICh. 15:24
11 בְּנֵי מֹשֶׁה גֵּרְשׁוֹם וֶאֱלִיעֶזֶר ICh. 23:15

לֶאֱלִיעֶזֶר 12 וָאֶשְׁלְחָה לֶאֱלִיעֶזֶר לַאֲרִיאֵל Ez. 8:16
13 וְלֹא־הָיָה לֶאֱלִיעֶזֶר בָּנִים אֲחֵרִים ICh. 23:17
14 וְאֶחָיו לֶאֱלִיעֶזֶר רְחַבְיָהוּ בְנוֹ ICh. 26:25

אֱלִיעָם
שפ״ז א) אבי בת־שבע: 1
ב) בן אחיתפל, מגבורי דוד: 2
אֱלִיעָם 1 הֲלוֹא־זֹאת בַּת־שֶׁבַע בַּת־אֱלִיעָם IISh. 11:3
2 אֱלִיעָם בֶּן־אֲחִיתֹפֶל הַגִּלֹנִי IISh. 23:34

אֱלִיעֵנַי
שפ״ז — מראשי האבות של בני בנימין
וֶאֱלִיעֵנַי 1 וֶאֱלִיעֵנַי וְצִלְּתַי וֶאֱלִיאֵל ICh. 8:20

אֱלִיפַז
שפ״ז א) בכור עשו: 1-3,10-15 ב) מרעי איוב: 4-9
אֱלִיפַז 1 אֱלִיפַז בֶּן־עָדָה אֵשֶׁת עֵשָׂו Gen. 36:10
3-2 אֱלִיפָז Gen. 36:15,16
4 אֱלִיפַז הַתֵּימָנִי וּבִלְדַּד הַשּׁוּחִי Job 2:11
9-5 אֱלִיפַז הַתֵּימָנִי Job 4:1; 15:1; 22:1; 42:7,9
אֱלִיפָז 13-10 אֱלִיפָז Gen. 36:4,11 • ICh. 1:35,36
לֶאֱלִיפַז 14 פִּילֶגֶשׁ לֶאֱלִיפַז בֶּן־עֵשָׂו Gen. 36:12
15 וַתֵּלֶד לֶאֱלִיפַז אֶת־עֲמָלֵק Gen. 36:12

אֱלִיפָל
שפ״ז — מגבורי דוד
אֱלִיפַל 1 אֱלִיפַל בֶּן־אוּר ICh. 11:35

אֱלִיפְלֵהוּ
שפ״ז — לוי מבית מררי בימי דוד
וֶאֱלִיפְלֵהוּ 2-1 וּמַתִּתְיָהוּ וֶאֱלִיפְלֵהוּ ICh. 15:18,21

אֱלִיפֶלֶט
שפ״ז א) מגבורי דוד: 1 ב) מבני דוד: 8,7,6,4
ג) איש מבנימין, נכד שאול: 5
ד) מן העולים עם עזרא: 3,2
אֱלִיפֶלֶט 1 אֱלִיפֶלֶט בֶּן־אֲחַסְבַּי בֶּן־הַמַּעֲכָתִי IISh. 23:34
2 אֱלִיפֶלֶט יְעִיאֵל וּשְׁמַעְיָה Ez. 8:13
3 מִבְּנֵי חָשֻׁם...זָבָד אֱלִיפָלֶט Ez. 10:33
וֶאֱלִיפֶלֶט 4 וֶאֱלִישָׁמָע וְאֶלְיָדָע וֶאֱלִיפֶלֶט ICh. 3:8
5 יְעוּשׁ הַשֵּׁנִי וֶאֱלִיפֶלֶט הַשְּׁלִשִׁי ICh. 8:39
וֶאֱלִיפָלֶט 6 וֶאֱלִישָׁמָע וְאֶלְיָדָע וֶאֱלִיפָלֶט IISh. 5:16
8-7 וֶאֱלִיפָלֶט ICh. 3:6; 14:7

אֱלִיצוּר
שפ״ז — נשיא לבני ראובן
5-1 אֱלִיצוּר בֶּן־שְׁדֵיאוּר Num. 1:5; 2:10; 7:30,35; 10:18

אֱלִיצָפָן
שפ״ז א) נשיא בית־אב מבני קהת: 1—3
ב) נשיא מטה זבולון בימי משה ויהושע: 4
אֱלִיצָפָן 1 וּנְשִׂיא ב׳־אָב...אֱלִיצָפָן בֶּן־עֻזִּיאֵל Num. 3:30
3-2 אֱלִיצָפָן ICh. 15:8 • IICh. 29:13
4 נָשִׂיא אֱלִיצָפָן בֶּן־פַּרְנָךְ Num. 34:25

אֱלִיקָא
שפ״ז — מגבורי דוד
אֱלִיקָא 1 שַׁמָּה הַחֲרֹדִי אֱלִיקָא הַחֲרֹדִי IISh. 23:25

אֶלְיָקִים
שפ״ז א) שר, בן דורו של ישעיהו הנביא: 1-8,12
ב) מלך יהודה (הוא יהויקים): 9, 10
ג) כהן בימי נחמיה: 11
אֶלְיָקִים 1 וַיֵּצֵא אֲלֵהֶם אֶלְיָקִים בֶּן־חִלְקִיָּהוּ IIK. 18:18
2 וַיֹּאמֶר אֶלְיָקִים...אֶל־רַבְשָׁקֵה IIK. 18:26
8-3 אֶלְיָקִים IIK. 18:37; 19:2 • Is. 36:3,11,22; 37:2
9 וַיַּמְלֵךְ...אֶת־אֶלְיָקִים בֶּן־יֹאשִׁיָּהוּ IIK. 23:34
10 וַיַּמְלֵךְ...אֶת־אֶלְיָקִים אָחִיו IICh. 36:4
11 וְהַכֹּהֲנִים אֶלְיָקִים מַעֲשֵׂיָה Neh. 12:41
לְאֶלְיָקִים 12 לְעַבְדִּי לְאֶלְיָקִים בֶּן־חִלְקִיָּהוּ Is. 22:20

אֱלִישֶׁבַע
שפ״ז — אשת אהרן
אֱלִישֶׁבַע 1 וַיִּקַּח אַהֲ׳ אֶת־אֱלִישֶׁבַע בַּת־עַמִּינָדָב Ex. 6:23

אֱלִישָׁה
שפ״ז א) מבני יָוָן 1—2
ב) [אִיֵּי אֱלִישָׁה] איים בים התיכון: 3
אֱלִישָׁה 2-1 וּבְנֵי יָוָן אֱלִישָׁה וְתַרְשִׁישׁ(ה) Gen. 10:4 ICh. 1:7
3 תְּכֵלֶת וְאַרְגָּמָן מֵאִיֵּי אֱלִישָׁה Ezek. 27:7

אֱלִישׁוּעַ שפ״ז – מבני דוד, הוא אֱלִישָׁמָע (ב)

וֶאֱלִישׁוּעַ 2-1 וְיִבְחָר וֶאֱלִישׁוּעַ IISh. 5:15 • ICh. 14:5

אֶלְיָשִׁיב שפ״ז א) אבי משמר כהנים בימי דוד: 17

ב) מצאצאיו של זרובבל: 16

ג) מן המשוררים בימי עזרא: 2

ד) מבני זַתּוּא בימי עזרא: 3

ה) מבני בָנִי בימי עזרא: 4

ו) כהן גדול בימי נחמיה: 1, 5–15

אֶלְיָשִׁיב 1 אֶל־לִשְׁכַּת יְהוֹחָנָן בֶּן־אֶלְיָשִׁיב Ez. 10:6

2 וּמִן־הַמְשֹׁרְרִים אֶלְיָשִׁיב Ez. 10:24

3 אֶלְיוֹעֵנַי אֶלְיָשִׁיב מַתַּנְיָה Ez. 10:27

4 וַנְיָה מְרֵמוֹת אֶלְיָשִׁיב Ez. 10:36

5 וַיָּקָם אֶלְיָשִׁיב הַכֹּהֵן הַגָּדוֹל Neh. 3:1

14-6 אֶלְיָשִׁיב Neh. 3:20,21²; 12:10,22,23; 13:4,7,28

וְאֶלְיָשִׁיב 15 וְאֶלְיָשִׁיב אֶת־יוֹיָדָע Neh. 12:10

16 וּבְנֵי אֶלְיוֹעֵינַי הוֹדַוְיָהוּ וְאֶלְיָשִׁיב ICh. 3:24

לְאֶלְיָשִׁיב 17 לְאֶלְיָשִׁיב עַשְׁתֵּי עָשָׂר ICh. 24:12

אֱלִישָׁמָע שפ״ז א) נשיא מטה אפרים בימי משה: 1–6

ב) בן דוד, הוא אֱלִישׁוּעַ: 14–17

ג) כהן בימי יהושפט: 13

ד) סופר המלך יהויקים: 9–11

ה) סבו של ישמעאל – רוצחו של גדליהו: 7–8

ו) מצאצאי בתו של שֵׁשָׁן: 12

אֱלִישָׁמָע 5-1 אֱלִישָׁמָע בֶּן־עַמִּיהוּד Num. 1:10

2:18; 7:48,53; 10:22

6 עַמִּיהוּד בְּנוֹ אֱלִישָׁמָע בְּנוֹ ICh. 7:26

7/8 יִשְׁמָעֵאל...בֶּן־אֱלִישָׁמָע IIK. 25:25 • Jer. 41:1

9 הִפְקִדוּ בְּלִשְׁכַּת אֱלִישָׁמָע הַסֹּפֵר Jer. 36:20

10/1 אֱלִישָׁמָע הַסֹּפֵר Jer. 36:12,21

12 וִיקַמְיָה הוֹלִיד אֶת־אֱלִישָׁמָע ICh. 2:41

13 וְעִמָּהֶם אֱלִישָׁמָע וִיהוֹרָם הַכֹּהֲנִים IICh. 17:8

וֶאֱלִישָׁמָע 14 וֶאֱלִישָׁמָע וְאֶלְיָדָע וֶאֱלִיפָלֶט IISh. 5:16

17-15 וֶאֱלִישָׁמָע ICh. 3:6,8; 14:6

אֱלִישָׁע שפ״ז – בן שפט, נביא ישראל: 1–58

אֱלִישָׁע אִישׁ הָאֱלֹהִים 3; אֱ׳ הַנָּבִיא 5, 52; דְּבַר אֱ׳ 2,7; נַעַר אֱ׳ 4; עַצְמוֹת אֱ׳ 10; קֶבֶר אֱ׳ 9; רֹאשׁ אֱ׳ 8

אֱלִישָׁע 1 וְאֶת־אֱלִישָׁע בֶּן־שָׁפָט.. תִּמְשַׁח לְנָבִיא IK. 19:16

2 כִּדְבַר אֱלִישָׁע אֲשֶׁר דִּבֵּר IIK. 2:22

3 וַיְהִי כִּשְׁמֹעַ אֱלִישָׁע אִישׁ־הָאֱלֹהִים IIK. 5:8

4 וַיֹּאמֶר גֵּיחֲזִי נַעַר אֱלִישָׁע IIK. 5:20

5 כִּי־אֱלִישָׁע הַנָּבִיא...יַגִּיד IIK. 6:12

6 סוּסִים וְרֶכֶב אֵשׁ סְבִיבֹת אֱלִישָׁע IIK. 6:17

7 וַיַּכֵּם בַּסַּנְוֵרִים כִּדְבַר אֱלִישָׁע IIK. 6:18

8 אִם־יַעֲמֹד רֹאשׁ אֱלִישָׁע...עָלָיו IIK. 6:31

9 וַיַּשְׁלִיכוּ אֶת־הָאִישׁ בְּקֶבֶר אֱלִישָׁע IIK. 13:21

10 וַיִּגַּע הָאִישׁ בְּעַצְמוֹת אֱלִישָׁע IIK. 13:21

50-11 אֱלִישָׁע IK. 19:17,19 • IIK. 2:2²,3
2:4,5,9²,14,15,19; 3:11,13,14; 4:1,2,8,17,32; 5:10, 25; 6:1,17,18,19,20,21; 7:1; 8:4,5,7,10,13,14²; 13:15,16,17,20

וֶאֱלִישָׁע 51 וַיֵּלֶךְ אֵלִיָּהוּ וֶאֱלִישָׁע מִן־הַגִּלְגָּל IIK. 2:1

52 וֶאֱלִישָׁע הַנָּבִיא קָרָא לְאַחַד... IIK. 9:1

57-53 וֶאֱלִישָׁע IIK. 2:12; 4:38; 6:32; 8:1; 13:14

לֶאֱלִישָׁע 58 וַיַּעֲמֹד פֶּתַח־הַבַּיִת לֶאֱלִישָׁע IIK. 5:9

אֱלִישָׁפָט שפ״ז – משרי המאות בימי יהוידע הכהן

אֱלִישָׁפָט 1 וְאֶת־אֱלִישָׁפָט בֶּן־זִכְרִי עִמּוֹ בַבְּרִית IICh. 23:1

אֱלִיָּתָה שפ״ז הוא אֱלִיאָתָה, מן המשוררים בימי דוד

לֶאֱלִיָּתָה 1 לְעֶשְׂרִים לֶאֱלִיָּתָה ICh. 25:27

אֱלָךְ מ״ג ארמית – אֵלֶּה לרבים [עַיֵּן גם אִלֵּין]

אִלֵּךְ 1 גֻּבְרַיָּא אִלֵּךְ לָא־שָׂמוּ...טְעֵם Dan. 3:12

12-2 (לְ)(וְ)גֻבְרַיָּא אִלֵּךְ Dan. 3:13,21
3:22,23,27; 6:6,12,16,25 • Ez. 4:21; 6:8

13 לְשָׁבַיָּא אִלֵּךְ Ez. 5:9

אַלְלַי מ״ק אוי, אהה קרובים: ראה אֲבוֹי

אַלְלַי 1 אַלְלַי לִי כִּי הָיִיתִי כְּאָסְפֵּי־קַיִץ Mic. 7:1

2 אִם־רָשַׁעְתִּי אַלְלַי לִי Job 10:15

אלם: נֶאֱלַם, אִלֵּם; אִלֵּם, אֵלֶם; אֲלֻמָּה, אַלְמוֹנִי [? אַלְמָן, אַלְמָנָה, אַלְמוֹן, אַלְמְנוּת]

(אָלַם) א) [נפ׳ נֶאֱלַם] השתתק, דמם: 1–8

ב) [פִּ׳ אִלֵּם] קשר אלומות: 9

נֶאֱלַמְתִּי 1 וַיִּפָּתַח פִּי וְלֹא נֶאֱלַמְתִּי עוֹד Ezek. 33:22

2 נֶאֱלַמְתִּי דוּמִיָּה הֶחֱשֵׁיתִי מִטּוֹב Ps. 39:3

3 נֶאֱלַמְתִּי לֹא אֶפְתַּח־פִּי Ps. 39:10

וְנֶאֱלָמְתִּי 4 נָתַתִּי פָנַי אַרְצָה וְנֶאֱלָמְתִּי Dan. 10:15

וְנֶאֱלַמְתָּ 5 וּלְשׁוֹנְךָ אַדְבִּיק אֶל־חִכֶּךָ וְנֶאֱלַמְתָּ Ezek. 3:26

נֶאֱלָמָה 6 וּכְרָחֵל לִפְנֵי גֹזְזֶיהָ נֶאֱלָמָה Is. 53:7

תֵאָלֵם 7 וּתְדַבֵּר וְלֹא תֵאָלֵם עוֹד Ezek. 24:27

תֵּאָלַמְנָה 8 תֵּאָלַמְנָה שִׂפְתֵי שָׁקֶר Ps. 31:19

מְאַלְּמִים 9 וְהִנֵּה אֲנַחְנוּ מְאַלְּמִים אֲלֻמִּים Gen. 37:7

אִלֵּם ת׳ שנטל כושר דבורו

אִלֵּם 1 מִי שָׂם פֶּה... אוֹ מִי־יָשׂוּם אִלֵּם Ex. 4:11

2 וְתָרֹן לְשׁוֹן אִלֵּם Is. 35:6

וּכְאִלֵּם 3 וּכְאִלֵּם לֹא יִפְתַּח־פִּיו Ps. 38:14

לְאִלֵּם 4 פְּתַח־פִּיךָ לְאִלֵּם Prov. 31:8

אִלְּמִים 5 כְּלָבִים אִלְּמִים לֹא יוּכְלוּ לִנְבֹּחַ Is. 56:10

6 לַעֲשׂוֹת אֱלִילִים אִלְּמִים Hab. 2:18

אֵלֶם ז׳ דומיה? אי־יכולת הדבור?

אֵלֶם 1 לַמְנַצֵּחַ עַל־יוֹנַת אֵלֶם רְחֹקִים Ps. 56:1

2 הַאֻמְנָם אֵלֶם צֶדֶק תְּדַבֵּרוּן Ps. 58:2

אֵלָם עַיֵּן אוּלָם²

אַלְמֹג* ז׳ מין עץ נבחר מאופיר [לדעת אחרים: קוֹרָל]

אַלְמֻגִּים 1 עֲצֵי אַלְמֻגִּים הַרְבֵּה מְאֹד IK. 10:11

2 לֹא בָא־כֵן עֲצֵי אַלְמֻגִּים IK. 10:12

הָאַלְמֻגִּים 3 וַיַּעַשׂ הַמֶּלֶךְ אֶת־עֲצֵי הָאַלְמֻגִּים IK. 10:12

אֲלֻמָּה* נ׳ אגודת שבלים, עומר

אֲלֻמָּתִי 1 וְהִנֵּה קָמָה אֲלֻמָּתִי Gen. 37:7

לַאֲלֻמָּתִי 2 וַתִּשְׁתַּחֲוֶיןָ לַאֲלֻמָּתִי Gen. 37:7

אֲלֻמִּים 3 וְהִנֵּה אֲנַחְנוּ מְאַלְּמִים אֲלֻמִּים Gen. 37:7

אֲלֻמֹּתָיו 4 בֹּא־יָבֹא בְרִנָּה נֹשֵׂא אֲלֻמֹּתָיו Ps. 126:6

אֲלֻמֹּתֵיכֶם 5 וְהִנֵּה תְסֻבֶּינָה אֲלֻמֹּתֵיכֶם Gen. 37:7

אַלְמוֹדָד שפ״ז – מבני יקטן בן עבר

אַלְמוֹדָד 2-1 וְיָקְטָן יָלַד אֶת־אַלְמוֹדָד Gen. 10:26 • ICh. 1:20

אַלְמוֹן ז׳ מצב האלמן או האלמנה

אַלְמוֹן 1 וְתָבֹאנָה לָּךְ...שְׁכוֹל וְאַלְמֹן Is. 47:9

אַלְמֹנִי ת׳ רק בצרוף ״פלוני אלמוני״, כנוי סתמי למישהו (אדם או מקום) • קרובים: פְּלֹנִי / פַּלְמוֹנִי

אַלְמֹנִי 1 יוֹדַעְתִּי אֶל־מְקוֹם פְּלֹנִי אַלְמוֹנִי ISh. 21:3

2 אֶל־מְקוֹם פְּלֹנִי אַלְמֹנִי תַּחֲנֹתִי IIK. 6:8

3 שְׁבָה־פֹּה פְּלֹנִי אַלְמֹנִי Ruth 4:1

אַלַּמֶּלֶךְ, (נ״א אַלַ־) עיר בנחלת אָשֵׁר

וְאַלַּמֶּלֶךְ 1 וְאַלַּמֶּלֶךְ וְעַמְעָד וּמִשְׁאָל Josh. 19:26

אַלְמָן ז׳ איש שֶׁאשתו מתה

אַלְמָן 1 לֹא־אַלְמָן יִשְׂרָאֵל וִיהוּדָה מֵאֱלֹהָיו Jer. 51:5

אַלְמָנָה נ׳ אשה שבעלהּ מת – כל המקראות [להוציא: אַלְמְנוֹתָיו = אַרְמְנוֹתָיו (בחילוף ר׳ בל׳) 51,55]

אַלְמָנָה וּגְרוּשָׁה 3,5,28; אַ׳ וְיָתוֹם 2,12,16,18,29; יָתוֹם וְאַלְמָנָה 23–27, 30, 33–35, 38–40, 41, 42, 45; אִשָּׁה אַלְמָנָה 7–11; בֶּגֶד אַ׳ 6; גְּבוּל אַ׳ 19; לֵב אַ׳ 21; מִשְׁפַּט אַ׳ 23,24; נֶדֶר אַ׳ 5; עֵינֵי אַ׳ 22; רִיב אַ׳ 13; שׁוֹר אַ׳ 20; דַּיַּן אַלְמָנוֹת 45

אַלְמָנָה 1 שְׁבִי אַלְמָנָה בֵית־אָבִיךְ Gen. 38:11

2 כָּל־אַלְמָנָה וְיָתוֹם לֹא תְעַנּוּן Ex. 22:21

3 אַלְמָנָה וּגְרוּשָׁה וַחֲלָלָה Lev. 21:14

4 וּבַת־כֹּהֵן כִּי תִהְיֶה אַלְמָנָה Lev. 22:13

5 וְנֵדֶר אַלְמָנָה וּגְרוּשָׁה... Num. 30:10

6 וְלֹא תַחֲבֹל בֶּגֶד אַלְמָנָה Deut. 24:17

7 אֲבָל אִשָּׁה־אַלְמָנָה אָנִי IISh. 14:5

11-8 אִשָּׁה אַלְמָנָה IK. 7:14; 11:26; 17:9,10

12 שִׁפְטוּ יָתוֹם רִיבוּ אַלְמָנָה Is. 1:17

13 וְרִיב אַלְמָנָה לֹא־יָבוֹא אֲלֵיהֶם Is. 1:23

14 לֹא אֵשֵׁב אַלְמָנָה Is. 47:8

15 ...אֲשֶׁר־תִּהְיֶה אַלְמָנָה מִכֹּהֵן Ezek. 44:22

16 שְׂכַר־שָׂכִיר אַלְמָנָה וְיָתוֹם Mal. 3:5

17 אַלְמָנָה וְגֵר יַהֲרֹגוּ Ps. 94:6

18 יִהְיוּ־בָנָיו יְתוֹמִים וְאִשְׁתּוֹ אַלְמָנָה Ps. 109:9

19 וְיַצֵּב גְּבוּל אַלְמָנָה Prov. 15:25

20 יַחְבְּלוּ שׁוֹר אַלְמָנָה Job 24:3

21 וְלֵב אַלְמָנָה אַרְנִן Job 29:13

22 וְעֵינֵי אַלְמָנָה אֲכַלֶּה Job 31:16

וְאַלְמָנָה 23 עֹשֶׂה מִשְׁפַּט יָתוֹם וְאַלְמָנָה Deut. 10:18

24 אָרוּר מַטֶּה מִשְׁפַּט גֵּר־יָתוֹם וְאַלְמָנָה Deut. 27:19

25 גֵּר יָתוֹם וְאַלְמָנָה לֹא תַעֲשֹׁקוּ Jer. 7:6

26 וְגֵר יָתוֹם וְאַלְמָנָה אַל־תֹּנוּ Jer. 22:3

27 יָתוֹם וְאַלְמָנָה הוֹנוּ בָךְ Ezek. 22:7

28 וְאַלְמָנָה וּגְרוּשָׁה לֹא יִקְחוּ Ezek. 44:22

29 וְאַלְמָנָה וְיָתוֹם...אַל־תַּעֲשֹׁקוּ Zech. 7:10

30 יָתוֹם וְאַלְמָנָה יְעוֹדֵד Ps. 146:9

31 וְאַלְמָנָה לֹא יְיֵטִיב Job 24:21

הָאַלְמָנָה 32 הֲגַם עַל־הָאַלְמָנָה... הֲרֵעוֹתָ IK. 17:20

וְהָאַלְמָנָה 5-33 וְהַגֵּר וְהַיָּתוֹם וְהָאַלְמָנָה דג Deut.14::16:11,14

36 וְהָאַלְמָנָה אֲשֶׁר־תִּהְיֶה אַל׳ מִכֹּהֵן Ezek. 44:22

כְּאַלְמָנָה 37 הָעִיר רַבָּתִי עָם הָיְתָה כְּאַלְמָנָה Lam. 1:1

וְלָאַלְמָנָה 40-38 לַגֵּר לַיָּתוֹם וְלָאַלְמָנָה Deut. 24:19,20,21

41/2 לַלֵּוִי לַגֵּר לַיָּתוֹם וְלָאַלְמָנָה Deut. 26:12,13

אַלְמָנוֹת 43 וְהָיוּ נְשֵׁיכֶם אַלְמָנוֹת Ex. 22:23

44 לִהְיוֹת אַלְמָנוֹת שְׁלָלָם Is. 10:2

45 אֲבִי יְתוֹמִים וְדַיַּן אַלְמָנוֹת Ps. 68:6

46 אַלְמָנוֹת שִׁלַּחְתָּ רֵיקָם Job 22:9

וְאַלְמָנוֹת 47 וְתִהְיֶנָה נְשֵׁיהֶם שַׁכֻּלוֹת וְאַלְמָנוֹת Jer. 18:21

כְּאַלְמָנוֹת 48 אִמֹּתֵינוּ כְּאַלְמָנוֹת Lam. 5:3

וְאַלְמְנוֹתֶיךָ 49 וְאַלְמְנוֹתֶיךָ עָלַי תִּבְטָחוּ Jer. 49:11

אַלְמְנֹתָיו 50 וְאֶת־אַלְמְנֹתָיו לֹא יְרַחֵם Is. 9:16

51 וַיֵּדַע אַלְמְנוֹתָיו וְעָרֵיהֶם הֶחֱרִיב Ezek. 19:7

52 עָצְמוּ־לִי אַלְמְנוֹתָו מֵחוֹל יַמִּים Jer. 15:8

וְאַלְמְנוֹתָיו 53/4 וְאַלְמְנֹתָיו לֹא תִבְכֶּינָה Ps. 78:64
Job 27:15

בְּאַלְמְנוֹתָיו 55 וְעָנָה אִיִּים בְּאַלְמְנוֹתָיו Is. 13:22

אַלְמְנוֹתֶיהָ 56 אַלְמְנוֹתֶיהָ הִרְבּוּ בְתוֹכָהּ Ezek. 22:25

אַלְמְנוּת נ׳ מצב האלמנה

אַלְמְנוּת 1 צְרֻרוֹת עַד־יוֹם מֻתָן אַלְמְנוּת חַיּוּת IISh. 20:3

אַלְמְנוּתָהּ 2 וַתָּסַר בִּגְדֵי אַלְמְנוּתָהּ Gen. 38:14
3 וַתִּלְבַּשׁ בִּגְדֵי אַלְמְנוּתָהּ Gen. 38:19
אַלְמְנוּתַיִךְ 4 וְחֶרְפַּת אַלְמְנוּתַיִךְ לֹא תִזְכְּרִי־עוֹד Is. 54:4

אֵלֹנֵי־מַמְרֵא עַיֵּן אֵלוֹנֵי מַמְרֵא

אֶלְנַעַם* שפ״ז – אביהם של שנים מגבורי דוד
אֶלְנָעַם וִירִיבַי וְיוֹשַׁוְיָה בְּנֵי אֶלְנָעַם ICh. 11:46

אֶלְנָתָן שפ״ז א) אבי נחושתא אשת יהויקים: 1
ב) שׂר צבא בימי יהויקים: 2–4
ג) שלושה אנשים מביני דבר בימי עזרא: 5-7
אֶלְנָתָן 1 וְשֵׁם אִמּוֹ נְחֻשְׁתָּא בַת־אֶלְנָתָן IIK. 24:8
2 וַיִּשְׁלַח...אֶת־אֶלְנָתָן בֶּן־עַכְבּוֹר Jer. 26:22
3 כָּל־הַשָּׂרִים...וְאֶ׳ בֶּן־עַכְבּוֹר Jer. 36:12
4 אֶלְנָתָן וּדְלָיָהוּ... הִפְגִּעוּ בַמֶּלֶךְ Jer. 36:25
וּלְאֶלְנָתָן 5 וָאֶשְׁלְחָה... לְשְׁמַעְיָה וּלְאֶלְנָתָן Ez. 8:16
6 וּלְאֶלְנָתָן וּלְנָתָן... רָאשִׁים Ez. 8:16
7 וּלְיוֹיָרִיב וּלְאֶלְנָתָן מְבִינִים Ez. 8:16

אֶלָּסָר שם מדינה (בבבל?)
2-1 (וְ)אַרְיוֹךְ מֶלֶךְ אֶלָּסָר Gen. 14:1,9

אֶלְעָד שפ״ז – איש מבני אפרים
וְשׁוּתֶלַח בְּנוֹ וְעֶזֶר וְאֶלְעָד ICh. 7:21

אֶלְעָדָה שפ״ז – איש מבני אפרים
וְאֶלְעָדָה בְנוֹ וְתַחַת בְּנוֹ ICh. 7:20

אֶלְעוּזַי שפ״ז – מגבורי דוד
אֶלְעוּזַי וִירִימוֹת וּבְעַלְיָה ICh. 12:6(5)

אֶלְעָזָר שפ״ז א) בן אהרן הכהן: 1–45, 53–66, 69–72
ב) בן אבינדב שבביתו היה ארון ה׳: 46
ג) בכור מחלי בן מררי, לוי: 50–52
ד) מגבורי דוד: 47, 49
ה) מעוזריו של מְרֵמוֹת הכהן בימי עזרא: 48
ו) מבני פרעֹש הכהן בימי עזרא: 67
ז) איש שהשתתף בחנוכת החומה בימי נחמיה: 68
אֶלְעָזָר 1 וַתֵּלֶד לוֹ... אֶת־אֶלְעָזָר וְאֶת... Ex. 6:23
2 נָדָב וַאֲבִיהוּא אֶלְעָזָר וְאִיתָמָר Ex. 28:1
3 וְאֶל אֶלְעָזָר וְאֶל־אִיתָמָר בָּנָיו Lev. 10:12
4 וַיִּקְצֹף עַל־אֶלְעָזָר וְעַל־אִיתָמָר Lev. 10:16
7-5 נָדָב וַאֲבִיהוּא אֶלְעָזָר וְאִיתָמָר Num. 3:2
ICh. 5:29; 24:1
8 וַיְכַהֵן אֶלְעָזָר וְאִיתָמָר... Num. 3:4
12-9 אֶלְעָזָר בֶּן־אַהֲרֹן הַכֹּ׳ Num. 3:32; 4:16; 17:2; 26:1
28-13 אֶלְעָזָר הַכֹּהֵן Num. 17:4
19:3,4; 27:2,19,21,22; 31:12,21; 32:2,28; 34:17 •
Josh. 14:1; 17:4; 19:51; 21:1
37-29 (וּ)פִּינְחָס בֶּן־אֶלְעָזָר Num. 25:7,11
31:6 • Josh. 22:13,31,32 • Jud. 20:28 • Ez. 7:5 •
ICh. 9:20
45-38 אֶלְעָזָר Num. 20:25,26,28
26:60 • Deut. 10:6 • ICh. 5:30; 6:35; 24:2
46 וְאֶת־אֶלְעָזָר בְּנוֹ קִדְּשׁוּ ISh. 7:1
47 וְאַחֲרָו אֶלְעָזָר בֶּן־דֹּדוֹ° IISh. 23:9
48 וְעִמּוֹ אֶלְעָזָר בֶּן־פִּינְחָס Ez. 8:33
49 וְאַחֲרָיו אֶלְעָזָר בֶּן־דּוֹדוֹ ICh. 11:12
50 בְּנֵי מַחְלִי אֶלְעָזָר וְקִישׁ ICh. 23:21
51 וַיָּמָת אֶלְעָזָר וְלֹא־הָיוּ לוֹ בָּנִים ICh. 23:22
52 לְמַחְלִי אֶלְעָזָר וְלֹא־הָיָה לוֹ בָּנִים ICh. 24:28
56-53 (לְ־, מִ־) בְּנֵי(־)אֶלְעָזָר ICh. 24:3,4^2,5
וְאֶלְעָזָר 57 וְאֶלְעָזָר בֶּן־אַהֲרֹן לָקַח־לוֹ... Ex. 6:25
58 וַיֵּרֶד מֹשֶׁה וְאֶלְעָזָר מִן־הָהָר Num. 20:28

וְאֶלְעָזָר (המשך) 65-59 וְאֶלְעָזָר הַכֹּ׳ Num. 26:3,63; 31:13,26,31,51,54
66 וְאֶלְעָזָר בֶּן־אַהֲרֹן מֵת Josh. 24:33
67 וּמִיִּשְׂרָאֵל... וּמִיָּמִן וְאֶלְעָזָר Ez. 10:25
68 וּמַעֲשֵׂיָה וּשְׁמַעְיָה וְאֶלְעָזָר Neh. 12:42
לְאֶלְעָזָר 69 וְנָתַתָּה לְאֶלְעָזָר הַכֹּהֵן Num. 31:29
70 וַיִּתֵּן מֹשֶׁה... לְאֶלְעָזָר הַכֹּהֵן Num. 31:41
71 בֵּית־אָב אֶחָד אָחֻז לְאֶלְעָזָר ICh. 24:6
וּלְאֶלְעָזָר 72 וּלְאֶלְעָזָר וּלְאִיתָמָר בָּנָיו Lev. 10:6

אֶלְעָלֵא, אֶלְעָלֵה עיר במואב בנחלת ראובן
אֶלְעָלֵא 1 וּבְנֵי רְאוּבֵן בָּנוּ וְאֶת־אֶלְעָלֵא Num. 32:37
אֶלְעָלֵה 2 מִזַּעֲקַת חֶשְׁבּוֹן עַד־אֶלְעָלֵה Jer. 48:34
וְאֶלְעָלֵה 5-3 (וְ)חֶשְׁבּוֹן וְאֶלְעָלֵה Num. 32:3 • Is. 15:4; 16:9

אֶלְעָשָׂה שפ״ז א) בן שפן, מפקידי צדקיהו: 1
ב) מבני ירחע עבד מצרי: 2, 6
ג) מזרע יהונתן בן־שאול: 3,4
ד) כהן מבני פשחור בימי עזרא: 5
1 בְּיַד אֶלְעָשָׂה בֶן־שָׁפָן... Jer. 29:3
2 וְחֶלֶץ הֹלִיד אֶת־אֶלְעָשָׂה ICh. 2:39
4-3 אֶלְעָשָׂה בְנוֹ אָצֵל בְּנוֹ ICh. 8:37; 9:43
וְאֶלְעָשָׂה 5 וּמִבְּנֵי פַּשְׁחוּר...יוֹזָבָד וְאֶלְעָשָׂה Ez. 10:22
6 וְאֶלְעָשָׂה הֹלִיד אֶת־סִסְמָי ICh. 2:40

אלף: א) אָלַף, אִלֵּף, מַלְּפֵנוּ (= מְאַלְּפֵנוּ); אַלּוּף, אֶלֶף1
ב) הֶאֱלִיף; אֶלֶף2; ארמית: אֲלַף

אָלַף פָּ׳ א) התרגל, למד: 1
ב) [פִּ׳ אִלֵּף] לִמד: 2–4 [מַלְּפֵנוּ = מְאַלְּפֵנוּ]
ג) [הִפ׳ הֶאֱלִיף] התרבה לאלפיו: 5
תֶּאֱלַף 1 פֶּן־תֶּאֱלַף אֹרְחֹתָו Prov. 22:25
מַלְּפֵנוּ 2 מַלְּפֵנוּ מִבַּהֲמוֹת אָרֶץ Job 35:11
אֲאַלֶּפְךָ 3 הַחֲרֵשׁ וַאֲאַלֶּפְךָ חָכְמָה Job 33:33
יְאַלֵּף 4 כִּי יְאַלֵּף עֲוֹנְךָ פִיךָ Job 15:5
מַאֲלִיפוֹת 5 צֹאונֵנוּ מַאֲלִיפוֹת...בְּחוּצוֹתֵינוּ 144:13

אֶלֶף*1 ז׳ בָּקָר
אָלֶף 1 (?)...בְּהֵמוֹת בְּהַרְרֵי־אָלֶף Ps. 50:10
אֲלָפִים 2 בְּאֵין אֲלָפִים אֵבוּס בָּר Prov. 14:4
וַאֲלָפִים 3 צֹנֶה וַאֲלָפִים כֻּלָּם Ps. 8:8
וְהָאֲלָפִים 4 וְהָאֲלָפִים וְהָעֲיָרִים עֹבְדֵי הָאֲדָמָה Is. 30:24
אֲלָפֶיךָ 8-5 שְׁגַר(־)אֲלָפֶיךָ וְעַשְׁתְּרֹ(ו)ת צֹאנֶךָ
Deut. 7:13; 28:4,18,51

אֶלֶף2 א) עשר מאות, 1000. העצם הספור – על־פי־רוב ביחיד, כגון: 1–10; אך הרבה גם ברבוי, כגון: 11, 17, 19
ב) חֵלק משבט או יחידה: 314, 493, 495, 499, 503, 504, 509
אֶלֶף אֲלָפִים 25,26,352,353; אֶ׳ אִישׁ 14/5,292,305; אֶ׳ אַמָּה 10,295; אֶ׳ גֶּפֶן 303; אֶ׳ דּוֹר 306-308; אֶ׳ כֶּסֶף 1, 303; אֶ׳ עוֹלוֹת 17; אֶ׳ פְּעָמִים 11; אֶ׳ שָׁנִים 22
אֶחָד מֵאֶלֶף 312; אֶחָד מִנִּי אָלֶף 226; אַחַת מִנִּי אָלֶף 225; הַרְרֵי אָלֶף 224; שַׂר אֶלֶף 223,302
אַלְפַּיִם 315–345; רָאשֵׁי אֲלָפִים 480; שָׂרֵי אֲ׳ 354-360,468-479; לְמֵאוֹת וַאֲלָפִים 484, 485
אַלְפֵי אִישׁ 487,494; אַ׳ זָהָב וָכֶסֶף 505; אַ׳ יְהוּדָה 495,499; אַ׳ יִשְׂרָאֵל 488-492,503,504; אַ׳ מְנַשֶּׁה 493; אַ׳ צֹאן 497; אַ׳ רְבָבָה 501; אַ׳ שִׁנְאָן 496
אֶלֶף 1 הִנֵּה נָתַתִּי אֶלֶף כֶּסֶף לְאָחִיךְ Gen. 20:16
2 כְּשֵׁשׁ־מֵאוֹת אֶלֶף רַגְלִי Ex. 12:37
3 לְשֵׁשׁ־מֵאוֹת אֶלֶף וּשְׁלֹשֶׁת אֲלָפִים Ex. 38:26
4/5 שִׁשָּׁה וְאַרְבָּעִים אֶלֶף Num. 1:21; 2:11

אֶלֶף (המשך) 6/7 תִּשְׁעָה וַחֲמִשִּׁים אֶלֶף Num. 1:23; 2:13
8 שְׁנֵים־עָשָׂר אֶלֶף חֲלוּצֵי צָבָא Num. 31:5
9 שִׁשָּׁה עָשָׂר אֶלֶף...שָׁקֶל Num. 31:52
10 אֶלֶף אַמָּה סָבִיב Num. 35:4
11 יֹסֵף עֲלֵיכֶם כָּכֶם אֶלֶף פְּעָמִים Deut. 1:11
12 אֵיכָה יִרְדֹּף אֶחָד אֶלֶף Deut. 32:30
13 כְּאַרְבָּעִים אֶלֶף חֲלוּצֵי הַצָּבָא Josh. 4:13
14 וַיַּךְ־בָּהּ אֶלֶף אִישׁ Jud. 15:15
15 בִּלְחִי הַחֲמוֹר הִכֵּיתִי אֶלֶף אִישׁ Jud. 15:16
16 וְאַרְבָּעִים אֶלֶף פָּרָשִׁים IISh. 10:18
17 אֶלֶף עֹלוֹת יַעֲלֶה שְׁלֹמֹה IK. 3:4
18 הַיֹּצֵאת אֶלֶף תַּשְׁאִיר מֵאָה Am. 5:3
19 אֶלֶף שָׁנִים בְּעֵינֶיךָ כְּיוֹם אֶתְמוֹל Ps. 90:4
20 יִפֹּל מִצִּדְּךָ אֶלֶף Ps. 91:7
21 אֶלֶף הַמָּגֵן תָּלוּי עָלָיו S.ofS. 4:4
22 וְאִלּוּ חָיָה אֶלֶף שָׁנִים פַּעֲמַיִם Eccl. 6:6:
23 יָמִים אֶלֶף מָאתַיִם וְתִשְׁעִים Dan. 12:11
24 זָהָב דַּרְכְּמוֹנִים אֶלֶף Neh. 7:69(70)
25 וַיְהִי כָל־יִשְׂרָאֵל אֶלֶף אֲלָפִים ICh. 21:5
26 וְכֶסֶף אֶלֶף אֲלָפִים כִּכָּרִים ICh. 22:14(13)
222-27 אֶלֶף Num. 1:25,27,29,31,33,35,37,39,41,
1:43, 46; 2:4, 6, 8, 9^2, 15, 16, 19, 21, 23, 24, 26;
2:28, 30, 31^2, 32; 3:43; 11:21; 17:14; 26:7, 14, 18,
22, 25, 27, 34, 37, 41, 43, 47, 50, 51, 62;
31:4^2,5,6,32^2,36^2,39,43^2,45 • Josh. 8:3 • Jud. 5:8;
7:3; 8:10^2,26; 16:5; 17:2,3; 20:2,15,
17,21,25,35,44,46; 21:10 • ISh. 4:10; 6:19; 11:8;
13:5; 15:4 • IISh. 8:4^2,5; 10:6^3; 17:1; 18:12;
24:9^2,15 • IK. 5:6^2,25,27,29; 8:63; 10:26^2; 12:21;
20:29,30 • IIK. 3:4^2; 15:19; 24:16 • Is. 7:23; 30:17 •
Ezek. 45:1,3,5,6; 47:3,4^2,5; 48:8,9,10,13^2,15,20,21^2
• Job 42:12 • S.ofS. 8:11 • Dan. 12:12 • Ez. 2:7;
2:12,31,37,38,39 • Neh. 7:12,34,40,41,42 • ICh.
5:18,21^2; 7:2,5,7,9,11; 9:13; 12:32(31),36; 18:4^2,5;
19:6,7,18; 21:5^2,14; 22:14(13); 26:30; 29:7,21^3 •
IICh. 1:14^2; 2:1^2,9^2,16,17^2; 7:5; 9:25; 11:1; 12:3,31;
13:3^2,17; 14:7,8; 17:16,18; 25:5,6; 26:13; 28:6,8;
30:24^2; 35:7
אָלֶף 223 וַיְשִׂמֵהוּ לוֹ שַׂר־אָלֶף ISh. 18:13
224 בְּהֵמוֹת בְּהַרְרֵי־אָלֶף Ps. 50:10
225 לֹא־יַעֲנֶנּוּ אַחַת מִנִּי־אָלֶף Job 9:3
226 מַלְאָךְ מֵלִיץ אֶחָד מִנִּי־אָלֶף Job 33:23
227 אֲגַרְטְלֵי־כֶסֶף אָלֶף Ez. 1:9
287-228 אָלֶף Num. 3:39; 25:9; 31:33,34,35
31:38,40,44,46 • Josh. 8:25; 23:10 • Jud. 12:6 •
ISh. 11:8 • IISh. 6:1; 8:13; 18:7 • IK. 8:63 • IIK.
19:35 • Is. 37:36 • Ezek. 45:1; 48:10,20,35 • Ps.
60:2 • Es. 9:16 • Ez. 1:10; 8:27 • ICh. 5:21; 7:4,40;
12:32,34,35^2; 12:37,38; 18:12; 23:3,4;
27:1, 2,4,5,7,8,9,10,11, 12,13,14,15 • IICh. 1:6;
2:9^2; 7:5; 14:7; 17:14,15,17
וְאֶלֶף 288 וְאֶלֶף וּשְׁבַע מֵאוֹת...שֶׁקֶל Ex. 38:25
289 וּמֵאָה לָאֶלֶף וְאֶלֶף לָרְבָבָה Jud. 20:10
290 וְאֶלֶף הָיוּ עִם־יוֹנָתָן ISh. 13:2
291 צֹאן שְׁלֹשֶׁת־אֲלָפִים וְאֶלֶף עִזִּים ISh. 25:2
292 וְאֶלֶף אִישׁ עִמּוֹ מִבִּנְיָמִן IISh. 19:18
293/4 וְאֶלֶף־צֶמֶד בָּקָר וְאֶלֶף אֲתוֹנוֹת Job 42:12
295 וְאֶלֶף אַמָּה בַּחוֹמָה Neh. 3:13
וָאֶלֶף 296 וּשְׁלֹשׁ מֵאוֹת וָאֶלֶף Num. 3:50
297 שֵׁשׁ־רִבֹּאוֹת וָאֶלֶף Ez. 2:69
וָאָלֶף 298 שֵׁשׁ־מֵאוֹת אֶלֶף וָאָלֶף Num. 26:51
299 וַיְהִי שִׁירוֹ חֲמִשָּׁה וָאָלֶף IK. 5:12

הָאֶלֶף 300 וְאֶת־הָאֶלֶף וּשְׁבַע הַמֵּאוֹת... Ex. 38:28
301 הָאֶלֶף לְךָ שְׁלֹמֹה... S.ofS. 8:12
הָאָלֶף 302 וְאֵת עֲשֶׂרֶת... תָּבִיא לְשַׂר הָאָלֶף ISh. 17:18
בְּאֶלֶף 303 אֶלֶף גֶּפֶן בְּאֶלֶף כָּסֶף Is. 7:23
304 בְּאֶלֶף וּמָאתַיִם רֶכֶב IICh. 12:3
כְּאֶלֶף 305 וַיָּמֻתוּ...כְּאֶלֶף אִישׁ וְאִשָּׁה Jud. 9:49
לְאֶלֶף 306 וּלְשֹׁמְרֵי מִצְוֹתָו לְאֶלֶף דּוֹר Deut. 7:9
307/8 צִוָּה לְאֶלֶף דּוֹר Ps. 105:8 • ICh. 16:15
לָאָלֶף 309 ...וְהַגָּדוֹל לְאָלֶף ICh. 12:15(14)
לָאֶלֶף 310 וּמֵאָה לָאֶלֶף וְאֶלֶף לָרְבָבָה Jud. 20:10
311 הַקָּטֹן יִהְיֶה לָאֶלֶף Is. 60:22
מֵאֶלֶף 312 אָדָם אֶחָד מֵאֶלֶף מָצָאתִי Eccl. 7:28
מֵאָלֶף 313 טוֹב־יוֹם בַּחֲצֵרֶיךָ מֵאָלֶף Ps. 84:11
אַלְפִּי 314 הִנֵּה אַלְפִּי הַדַּל בִּמְנַשֶּׁה Jud. 6:15
אַלְפַּיִם 315 אַלְפַּיִם שְׁבַע מֵאוֹת וַחֲמִשִּׁים Num. 4:36
316 אַלְפַּיִם וְשֵׁשׁ מֵאוֹת וּשְׁלֹשִׁים Num. 4:40
317 וַיַּכּוּ מִמֶּנּוּ אַלְפַּיִם אִישׁ Jud. 20:45
318 אַלְפַּיִם בַּת יָכִיל IK. 7:26
320-319 אַלְפַּיִם סוּסִים IIK. 18:23 • Is. 36:8
340-321 אַלְפָּיִם Num. 7:85; 35:5[4] • ISh. 13:2
Dan. 8:14 • Ez. 2:3,6,14,64 • Neh. 7:8,11,17; 7:19,66,70(71) • ICh. 26:32 • IICh. 26:12; 35:8
אַלְפָּיִם 341 וְכֶסֶף מָנִים אַלְפָּיִם Neh. 7:71(72)
342 וַחֲמוֹרִים אַלְפָּיִם ICh. 5:21
וְאַלְפַּיִם 343 וְאַלְפַּיִם וְאַרְבַּע־מֵאוֹת Ex. 38:29
כְּאַלְפַּיִם 344 כְּאַלְפַּיִם אַמָּה בַּמִּדָּה Josh. 3:4
345 כְּאַלְפַּיִם אִישׁ...יַעֲלוּ Josh. 7:3
אֲלָפִים 348-346 (לְ)שֵׁשׁ־מֵאוֹת אֶלֶף וּשְׁלֹשֶׁת אֲלָפִים... Ex. 38:26 • Num. 1:46; 2:32
349 וּשְׁמֹנִים אֶלֶף וְשֵׁשֶׁת־אֲלָפִים Num. 2:9
350 וְשֵׁשֶׁת אֲלָפִים פָּרָשִׁים ISh. 13:5
351 חֲמֵשֶׁת־אֲלָפִים שְׁקָלִים ISh. 17:5
352 אֶלֶף אֲלָפִים וּמֵאָה אֶלֶף ICh. 21:5
353 וַיֵּצֵא...בְּחַיִל אֶלֶף אֲלָפִים IICh. 14:8
360-354 שָׂרֵי אֲלָפִים Ex. 18:21,25 • Deut. 1:15 • ISh. 8:12; 22:7 • IISh. 18:1 • IICh. 17:14
466-361 אֲלָפִים Num. 2:24; 3:22,28,34; 4:44,48 31:32,36,43 • Josh. 7:3,4; 8:12 • Jud. 1:4; 3:29; 4:6,14; 7:3; 15:11; 16:27; 20:34,45 • ISh. 4:2; 13:2; 15:4; 24:3(2); 25:2; 26:2 • IISh. 18:3 • IK. 5:12; 5:28,30; 19:18; 20:15 • IIK. 5:5; 13:7; 14:7; 24:14,16 • Jer. 52:28,30 • Ezek. 45:3[2],5,6; 48:9[2],10[2],13[2],15,16[4],18[2],30,32,33,34 • Job 42:12 • Es. 3:9 • Ez. 1:11; 2:35,65,67,69 • Neh. 7:38,67,68(69) • ICh. 12:25(24), 26(25), 27(26), 28(27), 30(29); 18:4; 19:18; 22:14(13); 23:4,5[2]; 29:4[2],7[3] • IICh. 2:1; 2:16,17; 4:5; 9:25; 15:11; 17:11[2]; 25:11,12,13; 26:13; 27:5[2]; 29:33; 30:24[2]; 35:7,9
הָאֲלָפִים 467 וְלִי נָתְנוּ הָאֲלָפִים ISh. 18:8
479-468 (וְ־,לְ־) שָׂרֵי הָאֲלָפִים Num. 31:14 31:48,52,54 • ICh. 13:1; 15:25; 26:26; 27:1; 28:1; 29:6 • IICh. 1:2; 25:5
480 רָאשֵׁי הָאֲלָפִים אֲשֶׁר לִמְנַשֶּׁה ICh. 12:21(20)
לַאֲלָפִים 483-481 (וְ)עֹשֶׂה חֶסֶד לַאֲלָפִים Ex. 20:6 • Deut. 5:10 • Jer. 32:18
וְלַאֲלָפִים 484 עֹבְרִים לְמֵאוֹת וְלַאֲלָפִים ISh. 29:2
485 ... יָצְאוּ לְמֵאוֹת וְלַאֲלָפִים IISh. 18:4
לָאֲלָפִים 486 נֹצֵר חֶסֶד לָאֲלָפִים Ex. 34:7
אַלְפֵי־ 487 וַיִּפֹּל...כִּשְׁלֹשֶׁת אַלְפֵי אִישׁ Ex. 32:28
488 שׁוּבָה יְיָ רִבְבוֹת אַלְפֵי יִשְׂרָאֵל Num. 10:36
492-489 (וְ)רָאשֵׁי אַלְפֵי יִשְׂרָאֵל Num. 1:16; 10:4 • Josh. 22:21,30

אַלְפֵי־ (המשך) 493 וְהֵם אַלְפֵי מְנַשֶּׁה Deut. 33:17
494 וַיַּעַל בְּרַגְלָיו עֲשֶׂרֶת אַלְפֵי אִישׁ Jud. 4:10
495 וְחִפַּשְׂתִּי אֹתוֹ בְּכֹל אַלְפֵי יְהוּדָה ISh. 23:23
496 רֶכֶב אֱלֹהִים רִבֹּתַיִם אַלְפֵי שִׁנְאָן Ps. 68:18
497 וַיְהִי מִקְנֵהוּ שִׁבְעַת אַלְפֵי־צֹאן Job 1:3
498 וּשְׁלֹשֶׁת אַלְפֵי גְמַלִּים Job 1:3
בְּאַלְפֵי־ 499 צָעִיר לִהְיוֹת בְּאַלְפֵי יְהוּדָה Mic. 5:1
500 הֲיִרְצֶה יְיָ בְּאַלְפֵי אֵילִים Mic. 6:7
לְאַלְפֵי־ 501 אֲחֹתֵנוּ אַתְּ הֲיִי לְאַלְפֵי רְבָבָה Gen. 24:60
502 הַפְּקֻדִים אֲשֶׁר לְאַלְפֵי הַצָּבָא Num. 31:48
503 בֵּית־אֲבוֹתָם... לְאַלְפֵי יִשְׂרָאֵל Josh. 22:14
מֵאַלְפֵי־ 504 וַיִּמָּסְרוּ מֵאַלְפֵי יִשְׂרָאֵל... Num. 31:5
505 טוֹב־לִי...מֵאַלְפֵי זָהָב וָכָסֶף Ps. 119:72
בַּאֲלָפָו 508-506 הִכָּה שָׁאוּל בַּאֲלָפָו ISh. 18:7; 21:12; 29:5
וּלְאַלְפֵיכֶם 509 לְשִׁבְטֵיכֶם וּלְאַלְפֵיכֶם ISh. 10:19

אֲלַף ז׳ ארמית: אֶלֶף; אַלְפָּא = הָאֶלֶף
אֲלַף 1 עֲבַד לְחֶם רַב לְרַבְרְבָנוֹהִי אֲלַף Dan. 5:1
אַלְפָּא 2 וְלָקֳבֵל אַלְפָּא חַמְרָא שָׁתֵה Dan. 5:1
אַלְפִין 3 אֶלֶף אַלְפִין (כת׳ אלפים) יְשַׁמְּשׁוּנֵּהּ Dan. 7:10

אֶלְפֶּלֶט* שפ״ז – בן דוד, הוא אֱלִיפֶלֶט
אֶלְפָּלֶט 1 וְיִבְחָר וֶאֱלִישׁוּעַ וְאֶלְפָּלֶט ICh. 14:5

אֶלְפַּעַל שפ״ז – איש מבנימין
אֶלְפַּעַל 1 וּבְנֵי אֶלְפַּעַל עֵבֶר וּמִשְׁעָם ICh. 8:12
אֶלְפָּעַל 2 אֶת־אֲבִיטוּב וְאֶת־אֶלְפָּעַל ICh. 8:11
3 וְיִשְׁמְרַי...וְיוֹבָב בְּנֵי אֶלְפָּעַל ICh. 8:18

אלץ : פ׳ אִלֵּץ, הֵצִיק
וַתְּאַלְצֵהוּ 1 הֵצִיקָה לּוֹ...כָּל־הַיָּמִים וַתְּאַלְצֵהוּ Jud. 16:16

אֶלְצָפָן שפ״ז – אבי בית־אב של לויים, הוא אֱלִיצָפָן
אֶלְצָפָן 1 וַיִּקְרָא מֹשֶׁה אֶל־מִישָׁאֵל וְאֶל אֶלְצָפָן Lev. 10:4
וְאֶלְצָפָן 2 מִישָׁאֵל וְאֶלְצָפָן וְסִתְרִי Ex. 6:22

אַלְקוּם מלה סתומה: אַל קוּם (אין תקומה נגדו) (?)
1 וּמֶלֶךְ אַלְקוּם עִמּוֹ Prov. 30:31

אֶלְקָנָה שפ״ז א) מבני קרח: 1, 19
ב) אבי שמואל הנביא: 3–12
ג) לויים שונים: 2,13,14,16
ד) מגבורי דוד בצקלג: 17
ה) אבי משפחת משוררים: 15, 20
ו) משנה למלך אחז: 18
אֶלְקָנָה 1 אֶלְקָנָה בְנוֹ וְאֶבְיָסָף בְּנוֹ ICh. 6:8
2 וּבְנֵי אֶלְקָנָה עֲמָשַׂי וַאֲחִימוֹת ICh. 6:10
3 אִישׁ... וּשְׁמוֹ אֶלְקָנָה בֶּן־יְרֹחָם ISh. 1:1
4 וַיֵּדַע אֶלְקָנָה אֶת־חַנָּה אִשְׁתּוֹ ISh. 1:19
5 בֶּן־אֶלְקָנָה בֶּן־יְרֹחָם בֶּן־אֱלִיאֵל ICh. 6:19
12-6 אֶלְקָנָה ISh. 1:4,8,21,23; 2:11,20 • ICh. 6:12
13 בְּנֵי אֶלְקָנָה צוֹפַי בְּנוֹ... ICh. 6:11
14 בֶּן־צוּף בֶּן־אֶלְקָנָה בֶּן־מַחַת ICh. 6:20
15 בֶּן־אֶלְקָנָה בֶּן־יוֹאֵל בֶּן־עֲזַרְיָה ICh. 6:21
16 וּבֶרֶכְיָה בֶּן־אָסָא בֶּן־אֶלְקָנָה ICh. 9:16
17 אֶלְקָנָה וְיִשִּׁיָּהוּ...הַקָּרְחִים ICh. 12:6(7)
18 וַיַּהֲרֹג...וְאֵת אֶלְקָנָה מִשְׁנֵה הַמֶּלֶךְ IICh. 28:7
וְאֶלְקָנָה 19 וּבְנֵי קֹרַח אַסִּיר וְאֶלְקָנָה Ex. 6:24
20 וּבֶרֶכְיָה וְאֶלְקָנָה שֹׁעֲרִים לָאָרוֹן ICh. 15:23

אֶלְקֹשִׁי שם־יחס של הנביא נַחוּם ע״ש מקום הולדתו (?)
הָאֶלְקֹשִׁי 1 סֵפֶר חֲזוֹן נַחוּם הָאֶלְקֹשִׁי Nah. 1:1

אֶלְתּוֹלַד עיר בנחלת שמעון, היא תּוֹלָד
וְאֶלְתּוֹלַד 1 וְאֶלְתּוֹלַד וּכְסִיל וְחָרְמָה Josh. 15:30
2 וְאֶלְתּוֹלַד וּבְתוּל וְחָרְמָה Josh. 19:4

אֶלְתְּקֵא, אֶלְתְּקֵה עיר בנחלת דן
אֶלְתְּקֵא 1 אֶת־אֶלְתְּקֵא וְאֶת־מִגְרָשֶׁהָ Josh. 21:23
וְאֶלְתְּקֵה 2 וְאֶלְתְּקֵה וְגִבְּתוֹן וּבַעֲלָת Josh. 19:44

אֶלְתְּקֹן עיר בהרי יהודה
וְאֶלְתְּקֹן 1 וּמַעֲרָת וּבֵית־עֲנוֹת וְאֶלְתְּקֹן Josh. 15:59

אֵם נ׳ א) אשה ביחס לילדיה: רוב המקראות
ב) יולדת בבעלי־החיים: 12–14, 100–103
ג) תּוֹאַר כָּבוֹד למנהיגה: 2
ד) כינוי לעיר ראשית במדינה: 9
ה) [אֵם הַדֶּרֶךְ] פרשת דרכים: 18
קרובים: הוֹרָה / יוֹלֵדָה / תְּחוֹלֵל? (חיל)

אֵם עַל בָּנִים 1,5,12; אָב וָאֵם ר׳ אָב; עִיר וָאֵם 9; אֵם כָּל־חָי 16; א׳ הַבָּנִים 19; א׳ הַדֶּרֶךְ 18; אֵם הַמֶּלֶךְ 31; יִקְהַת אֵם 8
אֲבִי אִמּוֹ 72, 110; אֲחוֹת א׳ 61, 63; אֲחִי א׳ 73, 96–98; אַחֵי א׳ 109, 111; בֶּטֶן א׳ 35, 42, 46, 48, 50, 123; בֵּית א׳ 52, 54, 199, 203; בֶּן־א׳ 70, 77, 99; בְּנֵי א׳ 34, 44, 51, 71; בַּת א׳ 32, 76, 89, 105, 106; דֶּרֶךְ א׳ 112; חַטַּאת א׳ 115; חֵיק א׳ 219; חֲלֵב א׳ 101–103; מְעֵי א׳ 37, 45; נְבִיאֵי א׳ 80; סֵפֶר כְּרִיתוּת א׳ 211; עֶרְוַת א׳ 64/5, 79; קוֹל א׳ 108; רֶחֶם א׳ 107; שְׁאֵר א׳ 62; שְׁדֵי א׳ 41, 53; שֵׁם א׳ 124–153; תּוּגַת א׳ 117; תּוֹרַת א׳ 82, 83
בּוֹשָׁה אִמּוֹ 213; זָנְתָה א׳ 216; זָקְנָה א׳ 84; חִבְּלַתּוּ א׳ 85; יֶחֱמַתְנִי א׳ 43; יְלָדַתּוּ א׳ 38, 67, 218; יִסְּרַתּוּ א׳ 121; נִחֲמַתּוּ א׳ 113; שִׂמְחָה א׳ 87; הֵבִישׁ אִמּוֹ 119; יָרֵא א׳ 104; כַּבֵּד א׳ 74, 75

אֵם 1 פֶּן־יָבוֹא וְהִכַּנִי אֵם עַל־בָּנִים Gen. 32:11
2 עַד...שַׁקַּמְתִּי אֵם בְּיִשְׂרָאֵל Jud. 5:7
3 הֵבֵאתִי לָהֶם עַל־אֵם בָּחוּר Jer. 15:8
4 בְּנוֹת אֵם־אַחַת הָיוּ Ezek. 23:2
5 אֵם עַל־בָּנִים רֻטָּשָׁה Hosh. 10:14
6 כַּאֲבֶל־אֵם קֹדֵר שַׁחוֹתִי Ps. 35:14
7 מְשַׁדֶּד־אָב יַבְרִיחַ אֵם Prov. 19:26
8 עַיִן תִּלְעַג לְאָב וְתָבֻז לִיקְּהַת אֵם Prov. 30:17
וְאֵם 9 לְהָמִית עִיר וְאֵם בְּיִשְׂרָאֵל IISh. 20:19
וָאֵם 10 אָב וָאֵם הֵקַלּוּ בָךְ Ezek. 22:7
11 כִּי אֵין לָהּ אָב וָאֵם Es. 2:7
הָאֵם 12 לֹא־תִקַּח הָאֵם עַל־הַבָּנִים Deut. 22:6
13 שַׁלֵּחַ תְּשַׁלַּח אֶת־הָאֵם Deut. 22:7
וְהָאֵם 14 וְהָאֵם רֹבֶצֶת עַל־הָאֶפְרֹחִים Deut. 22:6
וּלְאֵם 15 כִּי אִם־לְאָב וּלְאֵם...יִטַּמָּאוּ Ezek. 44:25
אֵם־ 16 כִּי הוּא הָיְתָה אֵם כָּל־חָי Gen. 3:20
17 אֲחִי רִבְקָה אֵם יַעֲקֹב וְעֵשָׂו Gen. 28:5
18 כִּי־עָמַד...אֶל־אֵם הַדֶּרֶךְ Ezek. 21:26
19 אֵם־הַבָּנִים שְׂמֵחָה Ps. 113:9
30-20 אֵם־ Ex. 2:8 • Jud. 5:28 • IISh. 17:25 • IK. 1:11; 2:13 • IIK. 4:30; 11:1; 24:15 • ICh. 2:26 • IICh. 15:16; 22:10
לְאֵם־ 31 וַיָּשֶׂם כִּסֵּא לְאֵם הַמֶּלֶךְ IK. 2:19
אִמִּי 32 בַּת־אָבִי הוּא אַךְ לֹא בַת־אִמִּי Gen. 20:12
33 וְהַחֲיִתֶם אֶת־אָבִי וְאֶת־אִמִּי Josh. 2:13
34 אַחַי בְּנֵי־אִמִּי הֵם Jud. 8:19
35 נְזִיר אֱלֹהִים אֲנִי מִבֶּטֶן אִמִּי Jud. 16:17
36 וַיֹּאמֶר...שְׁאַלִי אִמִּי IK. 2:20
37 מִמְּעֵי אִמִּי הִזְכִּיר שְׁמִי Is. 49:1
38 אוֹי־לִי אִמִּי כִּי יְלִדְתִּנִי Jer. 15:10
39 יוֹם אֲשֶׁר־יְלָדַתְנִי אִמִּי... Jer. 20:14
40 וַתְּהִי־לִי אִמִּי קִבְרִי Jer. 20:17

אִמִּי (המשך)

41 מִבְטִיחִי עַל־שְׁדֵי אִמִּי Ps. 22:10
42 מִבֶּטֶן אִמִּי אֵלִי אָתָּה Ps. 22:11
43 וּבְחֵטְא יֶחֱמַתְנִי אִמִּי Ps. 51:7
44 וְנָכְרִי לִבְנֵי אִמִּי Ps. 69:9
45 מִמְּעֵי אִמִּי אַתָּה גוֹזִי Ps. 71:6
46 תְּסֻכֵּנִי בְּבֶטֶן אִמִּי Ps. 139:13
47 רַךְ וְיָחִיד לִפְנֵי אִמִּי Prov. 4:3
48 עָרֹם יָצָתִי מִבֶּטֶן אִמִּי Job 1:21
49 לַשַּׁחַת קָרָאתִי...אִמִּי Job 17:14
50 וּמִבֶּטֶן אִמִּי אַנְחֶנָּה Job 31:18
51 בְּנֵי אִמִּי נִחֲרוּ־בִי S.ofS. 1:6
52 עַד־שֶׁהֲבֵיאתִיו אֶל־בֵּית אִמִּי S.ofS. 3:4
53 מִי יִתֶּנְךָ כְּאָח לִי יוֹנֵק שְׁדֵי אִמִּי S.ofS. 8:1
54 אֲבִיאֲךָ אֶל־בֵּית אִמִּי תְּלַמְּדֵנִי S.ofS. 8:2

וְאִמִּי 55 יֵצֵא־נָא אָבִי וְאִמִּי אִתְּכֶם ISh. 22:3
56 וְאָמֻת בְּעִירִי עִם קֶבֶר אָבִי וְאִמִּי IISh.19:38
57 אָבִי וְאִמִּי עֲזָבוּנִי וַיְיָ יַאַסְפֵנִי Ps. 27:10
58 בְּטֶרֶם יֵדַע...קְרֹא אָבִי וְאִמִּי Is. 8:4

וּלְאִמִּי 59 הִנֵּה לְאָבִי וּלְאִמִּי לֹא הִגַּדְתִּי Jud. 14:16
60 אֶשְּׁקָה־נָּא לְאָבִי וּלְאִמִּי IK. 19:20

אִמְּךָ 61 עֶרְוַת אֲחוֹת־אִמְּךָ לֹא תְגַלֵּה Lev. 18:13
62 כִּי־שְׁאֵר אִמְּךָ הוּא Lev. 18:13
63 וְעֶרְוַת אֲחוֹת אִמְּךָ...לֹא תְגַלֵּה Lev. 20:19
64/5 וְעֶרְוַת אִמְּךָ לֹא תְגַלֵּה אִמְּךָ הִוא Lev. 18:7
66 עַד־זְנוּנֵי אִיזֶבֶל אִמְּךָ IIK. 9:22
67 וְאֶת־אִמְּךָ אֲשֶׁר יְלָדַתְךָ Jer. 22:26
68 מָה אִמְּךָ לְבִיָּא... Ezek. 19:2
69 אִמְּךָ כַגֶּפֶן בְּדָמְךָ Ezek. 19:10
70 בְּבֶן־אִמְּךָ תִּתֶּן־דֹּפִי Ps. 50:20

אִמֶּךָ 71 וְיִשְׁתַּחֲווּ לְךָ בְּנֵי אִמֶּךָ Gen. 27:29
72 בֵּיתָה בְתוּאֵל אֲבִי אִמֶּךָ Gen. 28:2
73 אִשָּׁה מִבְּנוֹת לָבָן אֲחִי אִמֶּךָ Gen. 28:2
74/5 כַּבֵּד אֶת־אָבִיךָ וְאֶת־אִמֶּ׳ Ex.20:12•Deut.5:16
76 בַּת־אָבִיךָ אוֹ בַת־אִמֶּךָ Lev. 18:9
77 כִּי יְסִיתְךָ אָחִיךָ בֶן־אִמֶּךָ Deut. 13:7
78 כֵּן־תִּשְׁכַּל מִנָּשִׁים אִמֶּךָ ISh. 15:33
79 לְבָשְׁתְּךָ וּלְבֹשֶׁת עֶרְוַת אִמֶּךָ ISh. 20:30
80 לֵךְ...וְאֶל־נְבִיאֵי אִמֶּךָ IIK. 3:13
81 וְכָשַׁלְתָּ...וְדָמִיתִי אִמֶּךָ Hosh. 4:5
82/3 וְאַל־תִּטֹּשׁ תּוֹרַת אִמֶּךָ Prov. 1:8; 6:20
84 וְאַל־תָּבוּז כִּי־זָקְנָה אִמֶּךָ Prov. 23:22
85 שָׁמָּה חִבְּלַתְךָ אִמֶּךָ S.ofS. 8:5

וְאִמְּךָ 86 הֲבוֹא נָבוֹא אֲנִי וְאִמְּךָ וְאַחֶיךָ Gen. 37:10

וְאִמֶּךָ 87 יִשְׂמַח־אָבִיךָ וְאִמֶּךָ Prov. 23:25

אִמֵּךְ 88 וְאֶת־אָבִיךְ וְאֶת־אִמֵּךְ...תַּאַסְפִי Josh. 2:18
89 בַּת־אִמֵּךְ אַתְּ... Ezek. 16:45

וְאִמֵּךְ 90 אָבִיךְ הָאֱמֹרִי וְאִמֵּךְ חִתִּית Ezek. 16:3
91 וַתַּעַזְבִי אָבִיךְ וְאִמֵּךְ Ruth 2:11

אִמּוֹ 92 יַעֲזָב־אִישׁ אֶת־אָבִיו וְאֶת־אִמּוֹ Gen. 2:24
93 וַתִּקַּח־לוֹ אִמּוֹ אִשָּׁה Gen. 21:21
94 וַיְבִאֶהָ יִצְחָק הָאֹהֱלָה שָׂרָה אִמּוֹ Gen. 24:67
95 וַיִּנָּחֵם יִצְחָק אַחֲרֵי אִמּוֹ Gen. 24:67
96 בַּת־לָבָן אֲחִי אִמּוֹ Gen. 29:10
97/8 (וְ)אֶת־צֹאן לָבָן אֲחִי אִמּוֹ Gen. 29:10^{2}
99 וַיַּרְא אֶת־בִּנְיָמִין אָחִיו בֶּן־אִמּוֹ Gen. 43:29
100 שִׁבְעַת יָמִים יִהְיֶה עִם־אִמּוֹ Ex. 22:29
103-101 לֹא־תְבַשֵּׁל גְּדִי בַּחֲלֵב אִמּוֹ Ex. 23:19
34:26 • Deut. 14:21
104 אִישׁ אִמּוֹ וְאָבִיו תִּירָאוּ Lev. 19:3
105/6 בַּת־אָבִיו אוֹ בַת־אִמּוֹ Lev.20:17 • Deut.27:22
107 אֲשֶׁר בְּצֵאתוֹ מֵרֶחֶם אִמּוֹ Num. 12:12
108 בְּקוֹל אָבִיו וּבְקוֹל אִמּוֹ Deut. 21:18

אִמּוֹ (המשך)

109 וַיֵּלֶךְ...אֶל־אֲחֵי אִמּוֹ Jud. 9:1
110 מִשְׁפַּחַת בֵּית־אֲבִי אִמּוֹ Jud. 9:1
111 וַיְדַבְּרוּ אֲחֵי־אִמּוֹ עָלָיו Jud. 9:3
112 וַיֵּלֶךְ בְּדֶרֶךְ אָבִיו וּבְדֶרֶךְ אִמּוֹ IK. 22:53
113 כְּאִישׁ אֲשֶׁר אִמּוֹ תְּנַחֲמֶנּוּ Is. 66:13
114 כּוֹס תַּנְחוּמִים עַל־אָבִיו וְעַל־אִמּוֹ Jer. 16:7
115 וְחַטַּאת אִמּוֹ אַל־תִּמָּח Ps. 109:14
116 כְּגָמֻל עֲלֵי אִמּוֹ Ps. 131:2
117 וּבֵן כְּסִיל תּוּגַת אִמּוֹ Prov. 10:1
118 וּכְסִיל אָדָם בּוֹזֶה אִמּוֹ Prov. 15:20
119 וְנַעַר מְשֻׁלָּח מֵבִישׁ אִמּוֹ Prov. 29:15
120 אָבִיו יְקַלֵּל וְאֶת־אִמּוֹ לֹא יְבָרֵךְ Prov. 30:11
121 מַשָּׂא אֲשֶׁר־יִסְּרַתּוּ אִמּוֹ Prov. 31:1
122 בָּעֲטָרָה שֶׁעִטְּרָה־לּוֹ אִמּוֹ S.ofS. 3:11
123 כַּאֲשֶׁר יָצָא מִבֶּטֶן אִמּוֹ Eccl. 5:14
153-124 וְשֵׁם אִמּוֹ Lev. 24:11
IK. 11:26; 14:21,31; 15:2,10; 22:42 • IIK. 8:26; 12:2; 14:2; 15:2,33; 18:2; 21:1,19; 22:1; 23:31,36; 24:8,18 • Jer. 52:1 • IICh. 12:13; 13:2; 20:31; 22:2; 24:1; 25:1; 26:3; 27:1; 29:1
170-154 אִמּוֹ Gen. 27:11,13,14; 28:7; 30:14
Lev. 20:9; 22:27 • Jud. 14:9; 17:2,3,4 • ISh. 2:19 • IK. 3:27; 15:13 • IIK. 4:19,20 • IICh. 22:3

וְאִמּוֹ 171 וּמַכֵּה אָבִיו וְאִמּוֹ מוֹת יוּמָת Ex. 21:15
172 וּמְקַלֵּל אָבִיו וְאִמּוֹ מוֹת יוּמָת Ex. 21:17
181-173 (וְ)אָבִיו וְאִמּוֹ Lev. 20:9 • Deut. 21:19; 27:16 • Jud. 14:3,4,5 • Zech. 13:3 • Prov. 20:20; 28:24
182 הוּא וְאִמּוֹ וַעֲבָדָיו וְשָׂרָיו IIK. 24:12
183 וּדְקָרֻהוּ אָבִיהוּ וְאִמּוֹ יֹלְדָיו Zech. 13:3
184 וְאִמּוֹ קָרְאָה שְׁמוֹ יַעְבֵּץ ICh. 4:9

וּכְאִמּוֹ 185 רַק לֹא כְאָבִיו וּכְאִמּוֹ IIK. 3:2

לְאִמּוֹ 186 וַיִּקַּח וַיָּבֵא לְאִמּוֹ Gen. 27:14
187 וַיִּוָּתֵר הוּא לְבַדּוֹ לְאִמּוֹ Gen. 44:20
188 לִשְׁאֵרוֹ... לְאִמּוֹ וּלְאָבִיו Lev. 21:2
189 וַיֹּאמֶר לְאִמּוֹ אֶלֶף וּמֵאָה הַכֶּסֶף Jud. 17:2
190 וַיָּשֶׁב אֶת־אֶלֶף... הַכֶּסֶף לְאִמּוֹ Jud. 17:3
191 וַיָּשֶׁב אֶת־הַכֶּסֶף לְאִמּוֹ Jud. 17:4
192 וַיַּעַן הַמֶּלֶךְ שְׁלֹמֹה וַיֹּאמֶר לְאִמּוֹ IK. 2:22
193 וַיִּקַּח אֵלִיָּהוּ...וַיִּתְּנֵהוּ לְאִמּוֹ IK. 17:23

וּלְאִמּוֹ 194/5 לְאָבִיו וּלְאִמּוֹ(...) לֹא יִטַּמָּא Lev. 21:11
Num. 6:7
196 הָאֹמֵר לְאָבִיו וּלְאִמּוֹ לֹא רְאִיתִיו Deut. 33:9
197 וַיַּעַל וַיַּגֵּד לְאָבִיו וּלְאִמּוֹ Jud. 14:2
198 וְלֹא הִגִּיד לְאָבִיו וּלְאִמּוֹ Jud. 14:6

אִמָּהּ 199 וַתָּרָץ הַנַּעֲרָ וַתַּגֵּד לְבֵית אִמָּהּ Gen. 24:28
200 אֲשֶׁר יִקַּח אֶת־אִשָּׁה וְאֶת־אִמָּהּ Lev. 20:14
201 וּבָכְתָה אֶת־אָבִיהָ וְאֶת־אִמָּהּ Deut. 21:13
202 אֶת־רָחָב וְאֶת־אָבִיהָ וְאֶת־אִמָּהּ Hosh. 6:23
203 שֹׁבְנָה אִשָּׁה לְבֵית אִמָּהּ Ruth 1:8

וְאִמָּהּ 204 וַיֹּאמֶר אָחִיהָ וְאִמָּהּ Gen. 24:55
205 וְלָקַח אֲבִי הַנַּעֲרָ וְאִמָּהּ Deut. 22:15
206 וּבְמוֹת אָבִיהָ וְאִמָּהּ Es. 2:7

בְּאִמָּהּ 207 בַּת קָמָה בְאִמָּהּ Mic. 7:6

כְּאִמָּהּ 208 יִמְשֹׁל לֵאמֹר כְּאִמָּהּ בִּתָּהּ Ezek. 16:44

לְאִמָּהּ 209 אַחַת הִיא לְאִמָּהּ S.ofS. 6:9

וּלְאִמָּהּ 210 וּמִגְדָּנֹת נָתַן לְאָחִיהָ וּלְאִמָּהּ Gen. 24:53

אִמְּכֶם 211 אֵי זֶה סֵפֶר כְּרִיתוּת אִמְּכֶם Is.50:1
212 וּבְפִשְׁעֵיכֶם שֻׁלְּחָה אִמְּכֶם Is. 50:1
213 בּוֹשָׁה אִמְּכֶם מְאֹד Jer. 50:12

בְּאִמְּכֶם 214 רִיבוּ בְאִמְּכֶם רִיבוּ Hosh. 2:4

אִמְּכֶן 215 אִמְּכֶן חִתִּית וַאֲבִיכֶן אֱמֹרִי Ezek. 16:45

אִמָּם 216 כִּי זָנְתָה אִמָּם הֹבִישָׁה הוֹרָתָם Hosh. 2:7

אִמּוֹתֵינוּ 217 ...אִמֹּתֵינוּ כְּאַלְמָנוֹת Lam. 5:3

אִמּוֹתָם 218 וְעַל־אִמּוֹתָם הַיֹּלְדוֹת אוֹתָם Jer. 16:3
219 בְּהִשְׁתַּפֵּךְ נַפְשָׁם אֶל־חֵיק אִמֹּתָם Lam. 2:12

לְאִמּוֹתָם 220 לְאִמֹּתָם יֹאמְרוּ אַיֵּה דָּגָן וָיָיִן Lam. 2:12

אִם מלת־תנאי

א) פתיחת תנאי במשפט: 1 — 488, 579 — 599, 603—615, 789—1041
ב) במשמע: אֲשֶׁר, כִּי: 8, 742—745
ג) [במשפט שבועה או קללה] לשלילה, שלא: 489—543, 1042—1054
ד) [אִם־לֹא – במשפט שבועה] לחיוב: 544—578
ה) [בִּלְתִּי־אִם] חוץ מאשר, אלא אם כן: 616-619;
ו) [כִּי אִם] אלא, רק: 621-741
ז) [עַד אִם] עד אשר: 742—745

אִם... אוֹ 603-604, 798, 799; אִם... אִם 588-599; אִם... אִם... אִם... 600-602 אִם... וְאִם 979-1054; אִם אַיִן 606, 607; אִם יֵשׁ 608-615; אִם כֵּן אֵפוֹא 605; אִם־לֹא 544—578; אִם־נָא 579—587; הַאִם 1070/1; הֲ...אִם 749—788; גַּם אִם 619, 620; אַף אִם 23; אֲשֶׁר אִם 3, 16; בִּלְתִּי אִם 616-619; כִּי אִם 621-741; עַד אִם 742-745; עַד אֲשֶׁר אִם 746-748; וְאִם אַיִן 1065-1069; הֲ...וְאִם 1055-1064

אִם (א)

1 הֲלוֹא אִם־תֵּיטִיב שְׂאֵת Gen. 4:7
2 אִם־הַשְּׂמֹאל וְאֵימִנָה Gen. 13:9
3 אֲשֶׁר אִם־יוּכַל אִישׁ לִמְנוֹת... Gen. 13:16
4 וּסְפֹר הַכּוֹכָבִים אִם־תּוּכַל לִסְפֹּר Gen. 15:5
5 לֹא אַשְׁחִית אִם־אֶמְצָא שָׁם... Gen. 18:28
6 לֹא אֶעֱשֶׂה אִם־אֶמְצָא שָׁם... Gen. 18:30
7 אִם־יִהְיֶה אֱלֹהִים עִמָּדִי Gen. 28:20
8 אִם אָנִי לֹא אֶעֱבֹר אֵלֶיךָ Gen. 31:52
9 אִם־בֵּן הוּא וַהֲמִתֶּן אֹתוֹ Ex. 1:16
10 אִם־שָׁמוֹעַ תִּשְׁמַע לְקוֹל יְיָ Ex. 15:26
11 אִם־בְּגַפּוֹ יָבֹא בְּגַפּוֹ יֵצֵא Ex. 21:3
12 אִם־בְּחֻקֹּתַי תֵּלֵכוּ Lev. 26:3
13 אִם־מָצָאתִי חֵן בְּעֵינֶיךָ Num. 11:15
14 כְּעוֹלֵלֹת אִם־כָּלָה בָצִיר Is. 24:13
15 אִם־כְּחֹמֶר הַיֹּצֵר יֵחָשֵׁב Is. 29:16
16 אֲשֶׁר אִם־עָבַר וְרָמַס Mic. 5:7
17 אִם־שְׁלֵמִים וְכֵן רַבִּים... Nah. 1:12
18 אִם־יִתְמַהְמָהּ חַכֵּה־לוֹ Hab. 2:3
19 אִם־אָמַרְתִּי אֲסַפְּרָה כְמוֹ... Ps. 73:15
20 אִם־אֶשְׁכָּחֵךְ יְרוּשָׁלִָם תִּשְׁכַּח... Ps. 137:5
21 אִם־כֹּחַ אֲבָנִים כֹּחִי Job 6:12
22 אִם־אָמְרִי אֶשְׁכְּחָה שִׂיחִי Job 9:27
23 אַף אִם־יָבִין מִפְרְשֵׂי עָב Job 36:29
24 אִם־יֵשׁ מַכְאוֹב כְּמַכְאֹבִי Lam. 1:12
31-25 אִם־עַל־הַמֶּלֶךְ טוֹב Es. 1:19
3:9; 5:4; 8:5; 9:13 • Neh. 2:5,7
488-32 אִם (א) Gen. 18:26; 23:13; 26:29; 27:46
30:31; 31:8; 32:9; 34:15; 38:9,17; 42:19,37; 43:9; 44:23; 44:26,32; 47:16,18 • Ex. 4:8,9; 8:17; 9:2; 10:4; 18:23; 19:5; 21:3,4,8,10,19,30; 22:1,2^{2}, 3,6,7^{2},10,12,14^{2},16,22^{2},24,25; 23:22; 32:32; 33:15 • Lev. 1:3; 3:1,7; 4:3; 5:1; 7:12; 13:27; 25:51; 27:7,17 • Num. 5:19,27; 12:6; 14:8,35; 15:24; 16:29; 21:2,9; 22:18,20,34; 24:13,22; 32:5,20^{2},29 • Deut. 5:25(22); 7:5; 8:19; 11:13,22,28; 15:5; 20:11,12; 21:14; 24:1; 25:2; 28:1,15,58; 30:4; 32:30,41 • Josh. 2:14,19; 7:12; 17:15; 22:19,22; 23:12; 24:15 • Jud. 4:8,20; 5:8; 6:3,31^{2},37; 9:2,15,16; 11:9,25,30; 13:16; 14:12; 16:7,11,13,17; 21:21 • ISh. 1:11; 2:25; 3:9; 6:3,9; 7:3; 12:14; 14:9; 15:17; 17:9; 19:11; 20:6,7, 9,14,21,29

אם (א) (המשך)

21:5,10; 26:19 • IISh. 10:11; 11:20; 13:33; 15:8,25; 15:33; 18:3,25; 19:36 • IK. 1:27,52; 2:4; 6:12; 8:25; 9:4,6; 11:38; 12:7,27; 13:8; 18:21; 20:18,23,25,39; 21:2,6; 22:28 • IIK. 1:2,12; 2:10; 4:24; 7:4^2; 10:6; 18:23; 20:9,19; 21:8 • Is. 1:18^2,19; 4:4; 7:9; 8:20; 10:15,22; 21:12; 27:7; 28:25; 33:21; 36:8; 53:10; 58:9,13; 66:9 • Jer. 2:22,28; 4:1; 5:1^2,22; 7:5^2; 8:4; 12:16; 14:7,18; 15:1,19; 17:24; 18:14; 22:4,24; 23:24; 26:4,15; 30:6; 31:36(35),37(36); 33:20,25; 37:10; 38:17; 40:4; 42:6,10,15; 44:26; 48:27; 49:1,9^2; 51:14 • Ezek. 2:5,7; 3:11; 14:16; 15:3; 16:48; 20:39; 21:18; 33:11 • Hosh. 4:15; 9:12; 12:12 • Am. 3:6^2; 5:22; 6:2,9; 7:2; 9:2 • Ob. 4,5^3 • Mic. 2:7 • Nah. 3:12 • Hab. 3:8^2 • Hag. 2:13 • Zech. 3:7; 6:15; 11:12 • Mal. 2:2 • Ps. 7:4^2,5,13; 27:3^2; 44:21; 50:12,18; 59:16; 63:7; 66:18; 68:14; 77:10; 78:20,34; 81:9; 88:11; 89:31,32; 94:9,18; 95:7; 127:1^2; 130:3; 131:2; 132:12; 138:7; 139:8,19,24 • Prov. 1:10,11; 2:1,3,4; 3:24,30,34; 4:16^2; 6:1,28; 9:12; 19:19; 20:11; 22:27; 23:2,15; 24:11,14; 25:21; 27:22; 30:32 • Job 4:17; 6:5,6,12; 6:28,30; 7:4; 8:4,5,6,18; 9:3,15,16,19,20,23,30; 10:4,5,14; 10:15; 11:7,10,13,14; 13:8,9,10; 14:5,7,8,14; 16:6; 17:2,13,16; 19:5; 20:6,12; 22:20,23; 27:4^2, 10,14,16; 30:24,25; 31:5,7,9; 31:13,16, 19,20,21, 24,25,26,29,31,33,36,38,39; 33:5,23,32; 34:14,32; 35:6,7; 36:11; 37:20; 38:4,18,33; 39:9,10,13,27; 40:27 • S.ofS. 1:8; 5:8; 7:13; 8:7,9 • Ruth 3:10; 3:13,18; 4:4 • Lam. 2:20^2; 3:32; 5:22 • Eccl. 5:7; 5:11; 6:3; 10:4,10,11; 11:3,8; 12:14 • Es. 2:14; 4:14^2; 5:8; 6:13; 7:3 • Ez. 2:59 • Neh. 1:9; 3:35; 7:61; 13:21 • ICh. 4:10; 12:18(17); 13:2; 19:12; 21:12; 22:13(12); 28:7,9 • IICh. 6:16,22; 7:17; 10:7; 18:27; 20:9; 30:9; 33:8

אם (ג)

489 הֲרִמֹתִי יָדִי...אִם־מִחוּט... Gen. 14:23
490 הִשָּׁבְעָה... אִם־תִּשְׁקֹר לִי Gen. 21:23
491 חֵי פַרְעֹה אִם־תֵּצְאוּ מִזֶּה Gen. 42:15
492 חַי אָנִי...אִם־יִרְאוּ אֶת־הָאָרֶץ Num. 14:23
493 כֹּה יַעֲשֶׂה־לְּךָ אֱלֹהִים...אִם־תְּכַחֵד ISh. 3:17
494 חֵי־נַפְשְׁךָ הַמֶּלֶךְ אִם־יָדָעְתִּי ISh. 17:55
495 חַי־יְיָ אִם־יוּמָת ISh. 19:6
496 הִשָּׁבְעָה לִּי בֵאלֹהִים אִם־תְּמִיתֵנִי ISh. 30:15
497 חַיֶּךָ...אִם־אֶעֱשֶׂה אֶת־הַדָּבָר הַזֶּה IISh. 11:11
501-498 חַי־יְיָ וְחֵי... אִם־אֶעֶזְבֶךָּ IIK. 2:2,4,6; 4:30

543-502 אם (ב) Gen. 31:50; Num. 14:30; 32:11 • Deut. 1:35 • ISh. 3:14; 14:45; 24:7(6), 22(21); 25:22,34; 28:10 • IISh. 14:11; 14:19; 19:8; 20:20 • IK. 1:51; 2:8; 17:1,12; 18:10; 20:10 • IIK. 3:14; 5:16; 6:31 • Is. 22:14; 62:8 • Jer. 38:16 • Ezek. 18:3; 20:3,31 • Am. 8:7 • Ps. 89:36; 95:11; 132:3^2,4 • Job 27:5 • S.ofS. 2:7; 3:5 • Neh. 13:25

אם לא (ד)

544 אִם־לֹא אֶל־בֵּית־אָבִי תֵּלֵךְ Gen. 24:38
545 אִם־לֹא כַּאֲשֶׁר... כֵּן אֶעֱשֶׂה Num. 14:28
546 אִם־לֹא הָאָרֶץ...לְךָ תִהְיֶה... Josh. 14:9
547 אִם־לֹא כִדְבָרְךָ כֵּן נַעֲשֶׂה Jud. 11:10
548 תִּדְבַּק לְשׁוֹנִי...אִם־לֹא אֶזְכְּרֵכִי Ps. 137:6
549 אִם־לֹא אַעֲלֶה אֶת־יְרוּשָׁלַםִ... Ps. 137:6
578-550 אִם־לֹא IISh. 19:14 • IIK. 9:26 • Is. 5:9; 10:9^2; 14:24 • Jer. 15:11^2; 22:6; 42:5; 49:20^2; 50:45^2 • Ezek. 3:6; 5:11; 17:16,19; 20:33; 33:27; 34:8; 35:6; 36:5,7; 38:19 • Mal. 3:10 • Job 1:11; 2:5; 9:24

אם־נא

586-579 אִם־נָא מָצָאתִי חֵן בְּעֵינֶיךָ Gen. 18:3; 30:27; 33:10; 47:29 • Ex. 33:13; 34:9 • Jud. 6:17 • ISh. 27:5
587 אִם־נָא מָצָאתִי חֵן בְּעֵינֵיכֶם Gen. 50:4

אם..אם

588/89 אִם־בְּהֵמָה־אִם־אִישׁ לֹא יִחְיֶה Ex. 19:13
590/1 אִם־זָכָר אִם־נְקֵבָה... יַקְרִיבֶנּוּ Lev. 3:1
592/3 אִם־שׁוֹר אִם־שֶׂה לַיְיָ הוּא Lev. 27:26
594/5 אִם־שׁוֹר אִם־שֶׂה Deut. 18:3
596/7 אִם־לְמָוֶת אִם־לְחַיִּים IISh. 15:21
598/99 אִם־בֵּן אִם־בַּת יַצִּילוּ Ezek. 14:20

אם..אם..אם

600-2 אִם־לְשֵׁבֶט אִם־לְאַרְצוֹ אִם־לְחֶסֶד יַמְצִאֵהוּ Job 37:13

אם..או

603 אַךְ אִם־יוֹם אוֹ יוֹמַיִם יַעֲמֹד Ex. 21:21
604 אִם־עֶבֶד יִגַּח הַשּׁוֹר אוֹ אָמָה Ex. 21:32

אם־כן

605 אִם־כֵּן אֵפוֹא זֹאת עֲשׂוּ Gen. 43:11

אם־אין

606 אִם־אַיִן אַתָּה דַּבֵּר IISh. 17:6
607 אִם־אַיִן אַתָּה שְׁמַע־לִי Job 33:33

אם־יש

608 אִם־יֵשׁ אֶת־נַפְשְׁכֶם לִקְבֹּר... Gen. 23:8
609 אִם־יֶשְׁךָ־נָּא מַצְלִיחַ דַּרְכִּי Gen. 24:42
610 אִם־יֶשְׁכֶם עֹשִׂים חֶסֶד..הַגִּידוּ לִי Gen. 24:49
611 אִם־יֶשְׁךָ מְשַׁלֵּחַ אֶת־אָחִינוּ... Gen. 43:4
612 אִם־יֶשְׁךָ מוֹשִׁיעַ בְּיָדִי... Jud. 6:36
613 כִּי אִם־יֶשְׁנוֹ בְּיוֹנָתָן בְּנִי ISh. 14:39
614 וְהָיָה אִם־יֶשְׁנוֹ בָאָרֶץ... ISh. 23:23
615 אִם־יֵשׁ נַפְשְׁכֶם אַל־יֵצֵא פָלִיט IIK. 9:15

בלתי אם

616 בִּלְתִּי אִם־גְּוִיָּתֵנוּ וְאַדְמָתֵנוּ Gen. 47:18
617 אֵין זֹאת בִּלְתִּי אִם־חֶרֶב גִּדְעוֹן Jud. 7:14
618 הֲיֵלְכוּ שְׁנַיִם... בִּלְתִּי אִם־נוֹעָדוּ Am. 3:3
618א הֲיִתֵּן כְּפִיר קוֹלוֹ...בִּלְתִּי אִם־לָכָד Am. 3:4

גם אם

619 גַּם אִם־יִשְׁכְּבוּ שְׁנַיִם וְחַם לָהֶם Eccl. 4:11
620 וְגַם אִם־יֹאמַר הֶחָכָם לָדַעַת Eccl. 8:17

כי אם

621 כִּי־אִם אֲשֶׁר יֵצֵא מִמֵּעֶיךָ... Gen. 15:4
622 אֵין זֶה כִּי אִם־בֵּית אֱלֹהִים Gen. 28:17
623 לֹא אֲשַׁלֵּחֲךָ כִּי אִם־בֵּרַכְתָּנִי Gen. 32:27(26)
624 לֹא יַעֲקֹב...כִּי אִם־יִשְׂרָאֵל Gen. 32:28
625 אַל תֹּאכְלוּ מִמֶּנּוּ...כִּי אִם־צְלִי־אֵשׁ Ex. 12:9
626 כִּי אִם־אֶל־אַרְצִי... אֵלֵךְ Num. 10:30
627 לֹא־הָיוּ לוֹ בָּנִים כִּי אִם־בָּנוֹת Num. 26:33
628 אֵין אֱלֹהִים... כִּי אִם־בְּיִשְׂרָאֵל IIK. 5:15
629 כִּי אִם־בְּזֹאת יִתְהַלֵּל הַמִּתְהַלֵּל Jer. 9:23
630 אֵין זֶה כִּי־אִם רֹעַ לֵב Neh. 2:2
741-631 כִּי אִם Gen. 35:10; 39:6,9; 40:14; 42:15 • Lev. 21:2,14; 22:6 • Num. 14:30; 26:65; 35:33 • Deut. 10:12; 12:5,14,18; 16:6 • Josh. 14:4; 17:3; 23:8 • Jud. 15:7 • ISh. 2:15; 8:19; 21:5,6,7; 26:10; 30:17,22 • IISh. 3:13,35; 5:6; 12:3; 15:21; 19:29; 21:2 • IK. 8:19; 17:1,12; 18:18; 20:6; 22:8,18,31 • IIK. 4:2; 5:17,20; 7:10; 9:35; 10:23; 13:7; 14:6; 17:36,39,40; 19:18; 23:9,23 • Is. 37:19; 42:19; 55:10,11; 59:2; 65:6,18 • Jer. 3:10; 7:23,32; 16:15; 19:6; 20:3; 22:17; 23:8; 31:30(29); 38:4,6; 39:12; 44:14 • Ezek. 12:23; 33:11; 36:22; 44:10, 22,25 • Am. 3:7; 8:11 • Mic. 6:8 • Zech. 4:6 • Ps. 1:4,2 • Prov. 18:2; 23:17, 18 • Job 42:8 • Ruth 3:12 • Eccl. 3:12; (4:10); 5:10; 8:15 • Es. 2:15; 5:12 • Dan. 10:21 • Neh. 2:12 • ICh. 2:34; 15:2; 23:22 • IICh. 2:5; 18:17,30; 21:17; 23:6; (25:8)

עד אם

742 עַד אִם־כִּלּוּ לִשְׁתֹּת Gen. 24:19
743 ...עַד אִם־דִּבַּרְתִּי דְּבָרָי Gen. 24:33
744 עַד אִם־נוֹתַרְתֶּם כַּתֹּרֶן Is. 30:17
745 עַד אִם־כִּלּוּ אֵת כָּל־הַקָּצִיר Ruth 2:21

עד אשר אם

746 לֹא אֶעֱזָבְךָ עַד אֲשֶׁר אִם־עָשִׂיתִי Gen. 28:15
747 עַד אֲשֶׁר אִם־הֲבִיאֹנֻם אֶל־מְקוֹמָם Num. 32:17
748 עַד אֲשֶׁר אִם־שָׁאוּ עָרִים Is. 6:11

הֲ...אם

749 הַהִצְלִיחַ יְיָ דַּרְכּוֹ אִם־לֹא Gen. 24:21
750 וּרְאִיתֶם... הַמְעַט הוּא אִם־רָב Num. 13:18
751 הֲטוֹבָה הִוא אִם־רָעָה Num. 13:19

הֲ...אם (המשך)

752 ...הַבְּמַחֲנִים אִם בְּמִבְצָרִים Num. 13:19
753 הֲלָנוּ אַתָּה אִם־לְצָרֵינוּ Josh. 5:13
754 הַאוֹסִף עוֹד...אִם־אֶחְדָּל Jud. 20:28
755 הֲבֵן יַקִּיר לִי אֶפְרַיִם אִם יֶלֶד. Jer. 31:20(19)
756 הֲיָם־אָנִי אִם־תַּנִּין... Job 7:12
788-757 הֲ(הַ)...אִם... Gen. 27:21; 37:8,32 • Ex. 16:4; 17:7 • Num. 11:12,22,23; 13:20^2 • Deut. 8:2 • Jud. 2:22 • IISh. 19:36,43 • IK. 22:6,15 • Is. 40:28; 66:8 • Jer. 2:14,31; 3:5; 5:22,29; 8:19,22; 9:8; 14:19; 22:28 • Ezek. 22:14 • Am. 6:12 • Mic. 4:9 • IICh. 18:5,14

וְאם (א)

789 ...וְאִם־לֹא אֵדָעָה Gen. 18:21
790 וְאִם־אֵינְךָ מֵשִׁיב דַּע... Gen. 20:7
791 וְאִם־לֹא תֹאבֶה הָאִשָּׁה... Gen. 24:8
792 וְאִם־לֹא יִתְּנוּ לָךְ... Gen. 24:41
793 וְאִם־לֹא תִשְׁמְעוּ אֵלֵינוּ Gen. 34:17
794 וְאִם־לֹא חֵי פַרְעֹה... Gen. 42:16
795 וְאִם־יָדַעְתָּ וְיֶשׁ־בָּם אַנְשֵׁי־חַיִל Gen. 47:6
796 וְאִם־מָאֵן אַתָּה לְשַׁלֵּחַ... Ex. 7:27
797 וְאִם־יִמְעַט הַבַּיִת מִהְיוֹת מִשֶּׂה Ex. 12:4
798 וְאִם־נֶדֶר אוֹ נְדָבָה זֶבַח קָרְבָּנוֹ Lev. 7:16
799 וְאִם עַל־הַמִּשְׁכָּב הוּא אוֹ עַל־הַכְּלִי Lev. 15:23
800 וְאִם־בְּרִיאָה יִבְרָא יְיָ Num. 16:30
801 וְאִם־יַרְחִיב יְיָ אֱלֹהֶיךָ אֶת־גְּבֻלְךָ Deut. 19:8
802 וְאִם בִּגְבוּרֹת שְׁמוֹנִים שָׁנָה Ps. 90:10
978-803 וְאִם (א) Ex. 13:13; 20:25(22); 21:5,9,11,23,27,29; 22:11; 29:34; 34:20; 40:37 • Lev. 1:10,14; 2:5,7,14; 3:1,6,12; 4:13,27,32; 5:7,11,17; 6:21; 7:18; 12:5,8; 13:4,7,12,21,22,23,26,28,35,37,41,53,56,57; 14:21, 43:48; 15:24, 28; 17:16; 19:7; 20:4; 25:28, 30, 52,54; 26:14,15^2, 18, 21, 23, 27; 27:4, 5, 6, 7, 8, 9, 10, 11, 13, 15, 16, 18, 19, 20^2, 22, 27^2, 31, 33 • Num. 5:8,28; 10:4; 11:15; 15:27; 19:12; 20:19; 27:9,10,11; 30:6,7,9,11,13,15,16; 32:23; 33:55; 35:16,17,20,22,26; 36:4 • Deut. 22:2,20,25; 24:12; 25:7; 30:17 • Josh. 2:20; 22:23^2,24 • Jud. 7:10; 9:16^2,19 • ISh. 2:16; 11:3; 12:25; 20:8 • IISh. 12:8; 14:32; 15:26,34; 17:13 • IK. 1:52; 3:14 • IIK. 1:10 • Is. 49:24; 50:2 • Jer. 5:2; 13:17; 14:22; 17:27; 22:5; 23:22,38; 27:18^2; 38:18,21; 40:4; 42:13; 48:27 • Ezek. 43:11 • Joel 4:4 • Am. 9:3^2,4 • Zech. 14:18 • Mal. 1:6^2 • Ps. 41:7 • Prov. 4:12; 27:24 • Job 21:6; 24:25; 34:16; 36:8,12; 40:9 • Eccl. 4:12; 11:6 • Es. 8:5 • Neh. 2:5 • IICh. 6:24; 7:13,19; 15:2^2

(אם) וְאם (א)

979 אִם...וְאִם לֹא תֵיטִיב... Gen. 4:7
980 אִם...וְאִם־הַיָּמִין וְאַשְׂמְאִילָה Gen. 13:9
981 אִם...וְאִם־לֹא הַגִּידוּ לִי Gen. 24:49
982 אִם...וְאִם־כֹּה יֹאמַר Gen. 31:8
983 אִם... וְאִם אַתָּה לֹא תַעֲבֹר אֵלַי Gen. 31:52
984 אִם...וְאִם־לֹא תִשְׁמְעוּ אֵלֵינוּ Gen. 34:17
985 אִם...וְאִם־אֵינְךָ מְשַׁלֵּחַ לֹא נֵרֵד Gen. 43:5
986 אִם...וְאִם־בַּת הִיא וָחָיָה Ex. 1:16
1041-987 אִם...וְאִם... Num. 32:30 • Deut. 20:12; Josh. 22:22; 24:15 • Jud. 4:8; 13:16; 14:13 • ISh. 2:25; 6:9; 12:15; 14:10; 17:9; 20:7,22; 26:19 • IISh. 10:11; 18:3 • IK. 1:52; 18:21; 20:18 • IIK. 7:4^2 • Is. 1:20 • Jer. 4:1; 12:17; 14:18; 15:19; 42:6 • Ezek. 2:5,7; 3:11 • Am. 9:2 • Ob. 4 • Zech. 3:7; 11:12 • Mal. 2:2 • Prov. 20:11; 25:21; 30:32 • Job 9:19 • S.ofS. 8:9 • Ruth 3:10,13; 4:4 • Eccl. 5:11; 11:3^2; 12:14 • Es. 5:8; 7:3 • ICh. 12:18(17); 19:12; 21:12^2; 28:9

אם..ואם(ב) (המשך) 1042 וְאִם־אֶקַּח מִכָּל־אֲשֶׁר־לָךְ Gen. 14:23
1043 אִם... וְאִם־תִּקַּח נָשִׁים עַל־בְּנֹתַי Gen. 31:50
1044 אִם... וְאִם־תַּסְגִּרֵנִי בְּיַד־אֲדֹנִי ISh. 30:15
1045 אִם־אַבִּיט אֵלֶיךָ וְאִם־אֶרְאֶךָּ IIK. 3:14
1046 אִם... וְאִם־אֶתֶּנְךָ בְּיַד הָאֲנָשִׁים Jer. 38:16
1047-1054 אִם... וְאִם (ב) Num. 5:19
ISh. 24:22(21) • IISh. 20:20 • Is. 62:8 • Ezek. 14:16 • S.ofS. 2:7; 3:5 • Neh. 13:25
הֲ...וְאִם 1055 הַלְּבֶן... וְאִם־שָׂרָה... תֵּלֵד Gen. 17:17
1056 הַעַל־אֵלֶּה לוֹא־אֶפְקֹד...וְאִם... Jer. 5:9
1057-1064 הֲ (הֲ...) וְאִם IISh. 24:13²
Joel 1:2 • Job 8:3; 11:2; 21:4; 22:3; 34:17
וְאִם־אַיִן 1065 וְאִם־אַיִן מֵתָה אָנֹכִי Gen. 30:1
1066 וְאִם־אַיִן מְחֵנִי נָא מִסִּפְרְךָ Ex. 32:32
1067 וְאִם־אַיִן תֵּצֵא אֵשׁ מִן־הָאָטָד Jud. 9:15
1068 וְאִם־אַיִן תֵּצֵא אֵשׁ מֵאֲבִימֶלֶךְ Jud. 9:20
1069 וְאִם־אַיִן לֹא יִהְיֶה IIK. 2:10
הַאִם 1070 הַאִם תַּמְנוּ לִגְוֹעַ Num. 17:28
1071 הַאִם אֵין עֶזְרָתִי בִי Job 6:13

אֹם* ז׳ אֻמָּה, עם
הָאֻמִּים 1 שַׁבְּחוּהוּ כָּל־הָאֻמִּים Ps. 117:1

אֻמָּה*1 נ׳ עַם, שֵׁבֶט • קרובים: אם / גוי / לְאֹם / עם / שבט
אֻמּוֹת 1 רָאשֵׁי אֻמּוֹת בֵּית־אָב Num. 25:15
לְאֻמֹּתָם 2 שְׁנֵים־עָשָׂר נְשִׂיאִם לְאֻמֹּתָם Gen. 25:16

אֻמָּה2 נ׳ ארמית — כבעברית; אֻמַּיָּא = אֻמּוֹת
אֻמָּה 1 דִּי כָל־עַם אֻמָּה וְלִשָּׁן... Dan. 3:29
אֻמַּיָּא 2-7 עַמְמַיָּא אֻמַּיָּא Dan. 3:4,7,31; 5:19; 6:26; 7:14
8 וּשְׁאָר אֻמַּיָּא דִּי הַגְלִי אָסְנַפַּר Ez. 4:10

אָמָה נ׳ א) שפחה: 1,2,6,8,9,25-27,29-33,37,39-41,45-47,51-56
ב) שפחה־פילגש: 3—5, 7, 42, 48, 50
ג) כנוי של הכנעה בדבור לפני גדול ונכבד: 10—24, 28, 34, 36—38, 43—44, 49
עֶבֶד וְאָמָה 2, 25, 27-29, 37, 39, 40, 41, 45-46, 54-56
בֶּן אֲמָתוֹ 4, 5, 9, 21, 22, 42; דִּבְרֵי (דְּבַר) אֲמָתוֹ 17,20,43; עֵין אֲמָתוֹ 40; עֳנִי אָ׳ 15; פֶּשַׁע אָ׳ 18
אָמָה 1 אִם־עֶבֶד יִגַּח הַשּׁוֹר אוֹ אָמָה Ex. 21:32
וְאָמָה 2 מֵהֶם תִּקְנוּ עֶבֶד וְאָמָה Lev. 25:44
הָאָמָה 3 גָּרֵשׁ הָאָמָה הַזֹּאת וְאֶת־בְּנָהּ Gen. 21:10
4 כִּי לֹא יִירַשׁ בֶּן־הָאָמָה הַזֹּאת Gen. 21:10
5 וְגַם אֶת־בֶּן־הָאָמָה לְגוֹי אֲשִׂימֶנּוּ Gen. 21:13
לְאָמָה 6 וְכִי־יִמְכֹּר אִישׁ אֶת־בִּתּוֹ לְאָמָה Ex. 21:7
אֲמָתִי 7 הִנֵּה אֲמָתִי בִלְהָה בֹּא אֵלֶיהָ Gen. 30:3
וַאֲמָתִי 8 אִם־אֶמְאַס מִשְׁפַּט עַבְדִּי וַאֲמָתִי Job 31:13
אֲמָתְךָ 9 וְיִנָּפֵשׁ בֶּן־אֲמָתְךָ וְהַגֵּר Ex. 23:12
10 אַל־תִּתֵּן אֶת־אֲמָתְךָ לִפְנֵי... בְּלִיָּעַל ISh. 1:16
11 וּתְדַבֶּר־נָא אֲמָתְךָ בְּאָזְנֶיךָ ISh. 25:24
12 וַאֲנִי אֲמָתְךָ לֹא רָאִיתִי ISh. 25:25
13 הִנֵּה אֲמָתְךָ לְשִׁפְחָה לִרְחֹץ רַגְלֵי... ISh. 25:41
אֲמָתֶךָ 14 אַל־יֵרַע בְּעֵינֶיךָ...וְעַל־אֲמָתֶךָ Gen. 21:12
15 אִם־רָאֹה תִרְאֶה בָּעֳנִי אֲמָתֶךָ ISh. 1:11
16 וּזְכַרְתַּנִי וְלֹא־תִשְׁכַּח אֶת־אֲמָתֶךָ ISh. 1:11
17 וּשְׁמַע אֵת דִּבְרֵי אֲמָתֶךָ ISh. 25:24
18 שָׂא נָא לְפֶשַׁע אֲמָתֶךָ ISh. 25:28
19 וְזָכַרְתָּ אֶת־אֲמָתֶךָ ISh. 25:31
20 שְׁמַע דִּבְרֵי אֲמָתֶךָ IISh. 20:17
21 וְהוֹשִׁיעָה לְבֶן־אֲמָתֶךָ Ps. 86:16
22 אֲנִי־עַבְדְּךָ בֶּן־אֲמָתֶךָ Ps. 116:16
23 וַתֹּאמֶר אָנֹכִי רוּת אֲמָתֶךָ Ruth 3:9
24 וּפָרַשְׂתָּ כְנָפֶךָ עַל־אֲמָתְךָ Ruth 3:9
וַאֲמָתֶךָ 25 וּבִנְךָ וּבִתֶּךָ עַבְדְּךָ וַאֲמָתֶךָ Ex. 20:10
וַאֲמָתְךָ (המשך) 26 וְעַבְדְּךָ וַאֲמָתְךָ אֲשֶׁר יִהְיוּ־לָךְ Lev. 25:44
27 לְמַעַן יָנוּחַ עַבְדְּךָ וַאֲמָתְךָ כָּמוֹךָ Deut. 5:14
28 וַתִּקַּח...וַאֲמָתְךָ יְשֵׁנָה IK. 3:20
וַאֲמָתֶךָ 29 אַתָּה וּבִנְךָ...וְעַבְדְּךָ וַאֲמָתֶךָ Deut. 5:14
30-32 וּבִנְךָ־וּבִתֶּךָ וַאֲמָתֶךָ Deut. 12:18; 16:11,14
לַאֲמָתְךָ 33 וְאַף לַאֲמָתְךָ תַּעֲשֶׂה־כֵּן Deut. 15:17
34 וְנָתַתָּה לַאֲמָתְךָ זֶרַע אֲנָשִׁים ISh. 1:11
35 נִשְׁבַּעְתָּ לַאֲמָתְךָ לֵאמֹר IK. 1:13
לַאֲמָתֶךָ 36 נִשְׁבַּעְתָּ בַּיי אֱלֹהֶיךָ לַאֲמָתֶךָ IK. 1:17
וְלַאֲמָתֶךָ 37 לְךָ וּלְעַבְדְּךָ וְלַאֲמָתֶךָ Lev. 25:6
38 וְגַם לֶחֶם וָיַיִן יֶשׁ־לִי וְלַאֲמָתֶךָ Jud. 19:19
אֲמָתוֹ 39 אֶת־עַבְדּוֹ אוֹ אֶת־אֲמָתוֹ Ex. 21:20
40 אֶת־עֵין עַבְדּוֹ אוֹ־אֶת־עֵין אֲמָתוֹ Ex. 21:26
41 וְאִם־שֵׁן עַבְדּוֹ אוֹ־שֵׁן אֲמָתוֹ יַפִּיל Ex. 21:27
42 אֶת־אֲבִימֶלֶךְ בֶּן־אֲמָתוֹ Jud. 9:18
43 יַעֲשֶׂה הַמֶּלֶךְ אֶת־דְּבַר אֲמָתוֹ IISh. 14:15
44 לְהַצִּיל אֶת־אֲמָתוֹ מִכַּף הָאִישׁ IISh. 14:16
וַאֲמָתוֹ 45/6 וְעַבְדּוֹ וַאֲמָתוֹ Ex. 20:17(14) • Deut. 5:21(18)
אֲמָתָהּ 47 וַתִּשְׁלַח אֶת־אֲמָתָהּ וַתִּקָּחֶהָ Ex. 2:5
הָאֲמָהוֹת 48 וּבְאֹהֶל שְׁתֵּי הָאֲמָהֹת Gen. 31:33
49 וְעִם־הָאֲמָהוֹת אֲשֶׁר אָמַרְתְּ... IISh. 6:22
אַמְהוֹת־ 50 לְעֵינֵי אַמְהוֹת עֲבָדָיו IISh. 6:20
וְאַמְהֹתַי 51 גָּרֵי בֵיתִי וְאַמְהֹתַי... Job 19:15
וְאַמְהֹתָיו 52 וְאֶת־אִשְׁתּוֹ וְאַמְהֹתָיו Gen. 20:17
וְאַמְהֹתֶיהָ 53 וְאַמְהֹתֶיהָ מְנַהֲגוֹת Nah. 2:8
וְאַמְהֹתֵיכֶם 54 וְעַבְדֵיכֶם וְאַמְהֹתֵיכֶם Deut. 12:12
וְאַמְהֹתֵיהֶם 55/6 עַבְדֵיהֶם וְאַמְהֹתֵיהֶם Ez. 2:65 • Neh. 7:67

אַמָּה1 נ׳ א) מדת אורך, בערך כאורך קנה־הזרוע: 1-247
ב) אֹמְנָה, עמוד: 248
אַמָּה אֲצִילָה 170; אַמַּת אִישׁ 155; אַ׳ בִּצְעוֹ 154; אַמּוֹת הַסִּפִּים 248
אַמָּה 1 שְׁלֹשׁ מֵאוֹת אַמָּה אֹרֶךְ הַתֵּבָה Gen. 6:15
2 חֲמִשִּׁים אַמָּה רָחְבָּהּ Gen. 6:15
3 וּשְׁלֹשִׁים אַמָּה קוֹמָתָהּ Gen. 6:15
4 וְאֶל־אַמָּה תְּכַלֶּנָּה מִלְמַעְלָה Gen. 6:16
5 מָסָךְ עֶשְׂרִים אַמָּה Ex. 27:16
6/7 אַמָּה אָרְכּוֹ וְאַמָּה רָחְבּוֹ Ex. 30:2; 37:25
8 שְׁמֹנֶה עֶשְׂרֵה אַמָּה קוֹמַת הָעַמּוּד... IK. 7:15
9 וְחוּט שְׁתֵּים־עֶשְׂרֵה אַמָּה יָסֹב IK. 7:15
10/11 (הָ)עֵץ... גָּבֹהַּ חֲמִשִּׁים אַמָּה Es. 5:14; 7:9
12-84 אַמָּה Gen. 7:20 • Ex. 27:12,13,14
38:13,14,15,18 • Num. 35:4 • Josh. 3:4 • IK. 6:2²,3,16,20³; 7:2³,6²,31,32 • IIK. 14:13; 25:17 •
Jer. 52:21² • Ezek. 40:12,14,15,19,21,23,25²,29,30, 33²,36²,42³,47²,49²; 41:2²,4²,10, 12²,13²,14,15; 42:4,7,8²; 43:13²,14,17; 45:2 • Neh. 3:13 • IICh. 4:1²; 25:23
וְאַמָּה 85/6 וְאַמָּה וָחֵצִי רָחְבּוֹ Ex. 25:10; 37:1
87-90 וְאַמָּה וָחֵצִי קֹמָתוֹ Ex. 25:10,23; 37:1,10
91/2 וְאַמָּה וָחֵצִי רָחְבָּהּ Ex. 25:17; 37:6
93-96 וְאַמָּה רָחְבּוֹ Ex. 25:23; 30:2; 37:10,25
97-100 וְאַמָּה Ex. 26:16; 36:21 • Ezek. 40:12; 43:13
הָאַמָּה 101/2 וְאַמָּה וַחֲצִי הָאַמָּה Ex. 26:16; 36:21
103 וַיִּקַּח דָּוִד אֶת־מֶתֶג הָאַמָּה(?) IISh. 8:1
104/5 אַמָּה וַחֲצִי הָאַמָּה IK. 7:31,32
106 וּבְרֹאשׁ הַמְּכוֹנָה חֲצִי הָאַמָּה IK. 7:35
107 וְחֵיק הָאַמָּה וְאַמָּה־רֹחַב Ezek. 43:13
108 אַרְבַּע אַמּוֹת וְרֹחַב הָאַמָּה Ezek. 43:14
109 וְהַגְּבוּל סָבִיב אוֹתָהּ חֲצִי הָאַמָּה Ezek. 43:17
וְהָאַמָּה 110/1 וְהָאַמָּה מִזֶּה וְהָאַמָּה מִזֶּה Ex. 26:13
בָּאַמָּה 112/3 שְׁמֹנֶה וְעֶשְׂרִים בָּאַמָּה Ex. 26:2; 36:9
בָּאַמָּה (המשך) 114-116 וְרֹחַב אַרְבַּע בָּאַמָּה Ex. 26:2,8; 36:9
117/18 שְׁלֹשִׁים בָּאַמָּה Ex. 26:8; 36:15
119-153 בָּאַמָּה Ex. 27:9,18; 38:9,11,12
Num. 35:5⁴ • IK. 6:3,6³,17,25,26; 7:23³,24,27³,31,38 • Ezek. 40:5,21; 47:3 • Zech. 5:2² • ICh. 11:23 • IICh. 4:2³,3
אַמַּת־ 154 בָּא קִצֵּךְ אַמַּת בִּצְעֵךְ Jer. 51:13
בְּאַמַּת־ 155 רָחְבָּהּ בְּאַמַּת־אִישׁ Deut. 3:11
אַמָּתַיִם 156/7 אַמָּתַיִם וָחֵצִי אָרְכּוֹ Ex. 25:10; 37:1
158/9 אַמָּתַיִם וָחֵצִי אָרְכָּהּ Ex. 25:17; 37:6
160/1 אַמָּתַיִם אָרְכּוֹ Ex. 25:23; 37:10
וְאַמָּתַיִם 162/3 וְאַמָּתַיִם קֹמָתוֹ Ex. 30:2; 37:25
וּכְאַמָּתַיִם 164 וּכְאַמָּתַיִם עַל־פְּנֵי הָאָרֶץ Num. 11:31
אַמּוֹת 165 עֶשֶׂר אַמּוֹת אֹרֶךְ הַקָּרֶשׁ Ex. 26:16
166 חָמֵשׁ אַמּוֹת אֹרֶךְ Ex. 27:1
167 וְחָמֵשׁ אַמּוֹת רֹחַב Ex. 27:1
168 וְשָׁלֹשׁ אַמּוֹת קֹמָתוֹ Ex. 27:1
169 עֶשֶׂר אַמֹּת אֹרֶךְ הַקָּרֶשׁ Ex. 36:21
170 שֵׁשׁ אַמּוֹת אַצִּילָה Ezek. 41:8
171 אֹרֶךְ אַמּוֹת הַמֵּאָה Ezek. 42:2
172 וְהָרֹחַב חֲמִשִּׁים אַמּוֹת Ezek. 42:2
173-175 הָאֹרֶךְ אַמּוֹת בַּמִּדָּה הָרִאשׁוֹנָה אַמּוֹת שִׁשִּׁים וְרֹחַב אַמּוֹת עֶשְׂרִים IICh. 3:3
176-180 אַמּוֹת עֶשְׂרִים IICh. 3:4,8²,11,13
181-244 אַמּוֹת Ex. 27:18; 36:15; 38:1³,18
Deut. 3:11² • ISh. 17:4 • IK. 6:10,23,24³; 7:10²,16²,19 • IIK. 25:17 • Jer. 52:22 • Ezek. 40:5,7,9²,11²,12²,13,27,29,30,48⁴; 41:1²,2³,3³,5²,9,11,12,22²; 42:4; 43:14²,15 • IICh. 3:11,12²,15²; 4:1; 6:13²
וְאַמּוֹת 245 וְאַמּוֹת שָׁלוֹשׁ קוֹמָתוֹ IICh. 6:13
בָּאַמּוֹת 246 וְאֵלֶּה מִדּוֹת הַמִּזְבֵּחַ בָּאַמּוֹת Ezek. 43:13
לְאַמּוֹת 247 כְּנַף הָאֶחָד לְאַמּוֹת חָמֵשׁ IICh. 3:11
אַמּוֹת־ 248 וַיָּנֻעוּ אַמּוֹת הַסִּפִּים Is. 6:4

אַמָּה*2 נ׳ ארמית — כבעברית; אַמִּין = אַמּוֹת
אַמִּין 1/2 רוּמֵהּ אַמִּין שִׁתִּין פְּתָיֵהּ אַמִּין שִׁת Dan. 3:1
3/4 רוּמֵהּ אַמִּין שִׁתִּין פְּתָיֵהּ אַמִּין שִׁתִּין Ez. 6:3

אָמוּל ת׳ אומלל, חלוש(?)
אֲמֻלָה מָה אֲמֻלָה לִבָּתֵךְ Ezek. 16:30

אָמוֹן1 ז׳ אוּמָן (?) אָמָּן (?)
אָמוֹן 1 וָאֶהְיֶה אֶצְלוֹ אָמוֹן Prov. 8:30

אָמוֹן2 ז׳ הָמוֹן (?)
הָאָמוֹן 1 וְאֵת יֶתֶר הָאָמוֹן הֶגְלָה נְבוּזַרְאֲדָן Jer. 52:15

אָמוֹן3 שפ־ז א) שר העיר שומרון בימי אחאב: 1,17
ב) בן מנשה מלך יהודה: 2—15
ג) מעולי בבל עם זרובבל: 16
אָמוֹן 1 וַהֲשִׁיבֵהוּ אֶל־אָמֹן שַׂר־הָעִיר IK. 22:26
2 וַיִּמְלֹךְ אָמוֹן בְּנוֹ תַּחְתָּיו IIK. 21:18
3 בֶּן־עֶשְׂרִים וּשְׁתַּיִם שָׁנָה אָמוֹן בְּמָלְכוֹ IIK. 21:19
4 וַיִּקְשְׁרוּ עַבְדֵי־אָמוֹן עָלָיו IIK. 21:23
5-11 אָמוֹן IIK. 21:24
ICh. 3:14 • IICh. 33:20,21,22,23,25
12 וְיֶתֶר דִּבְרֵי אָמוֹן אֲשֶׁר עָשָׂה IIK. 21:25
13-15 (לְ)יֹאשִׁיָּהוּ בֶן־אָמוֹן מֶלֶךְ יְהוּדָה Jer. 1:2
25:3 • Zep. 1:1
16 בְּנֵי פֹכֶרֶת הַצְּבָיִים בְּנֵי אָמוֹן Neh. 7:59
17 וַהֲשִׁיבֻהוּ אֶל־אָמוֹן שַׂר־הָעִיר IICh. 18:25

אָמוֹן4 שם אל מצרי בעיר נא
אָמוֹן 1 הִנְנִי פוֹקֵד אֶל־אָמוֹן מִנֹּא Jer. 46:25

אֵמוּן

ז׳ א) נֶאמנוּת, יושר: 1,2,5–7

ב) איש אמון: 3,4, 8 • קרובים: ראה אֱמֶת

אִישׁ אֱמוּנִים 7; עֵד אֱמוּנִים 6; צִיר אֱ׳ 5; שׁוֹמֵר אֱ׳ 2; שְׁלוּמֵי אֱמוּנֵי יִשְׂרָאֵל 8

אֵמוּן 1 בָּנִים לֹא־אֵמֻן בָּם Deut. 32:20
אֱמוּנִים 2 וְיָבֹא גוֹי־צַדִּיק שֹׁמֵר אֱמֻנִים Is. 26:2
3 כִּי־פַסּוּ אֱמוּנִים מִבְּנֵי אָדָם Ps. 12:2
4 אֱמוּנִים נֹצֵר יְיָ Ps. 31:24
5 וְצִיר אֱמוּנִים מַרְפֵּא Prov. 13:17
6 עֵד אֱמוּנִים לֹא יְכַזֵּב Prov. 14:5
7 וְאִישׁ אֱמוּנִים מִי יִמְצָא Prov. 20:6
אֱמוּנֵי־ 8 אָנֹכִי שְׁלֻמֵי אֱמוּנֵי יִשְׂרָאֵל IISh. 20:19

אֱמוּנָה

נ׳ א) תוקף, יציבות: 1 ב) אמת, צדק 2

קרובים: ראה אֱמֶת

אֱמוּנָה אֹמֶן 3; אֵל אֱמוּנָה 2; דֶּרֶךְ אֱ׳ 6; עוֹשֵׂי אֱ׳ 9; אֱמוּנַת עִתִּים 27; אִישׁ אֱמוּנוֹת 49; בִּקֵּשׁ אֱמוּנָה 4; הֵפִיחַ אֱ׳ 8; עָשָׂה בֶּאֱ׳ 14,15,24; רָעָה אֱ׳ 5; חַי בֶּאֱ׳ 45; נִשְׁבַּע בֶּאֱ׳ 41; שָׁפַט בֶּאֱ׳ 46

אֱמוּנָה 1 וַיְהִי יָדָיו אֱמוּנָה עַד בֹּא הַשָּׁמֶשׁ Ex. 17:12
2 אֵל אֱמוּנָה וְאֵין עָוֶל Deut. 32:4
3 עֵצוֹת מֵרָחֹק אֱמוּנָה אֹמֶן Is. 25:1
4 עֹשֶׂה מִשְׁפָּט מְבַקֵּשׁ אֱמוּנָה Jer. 5:1
5 שְׁכָן־אֶרֶץ וּרְעֵה אֱמוּנָה Ps. 37:3
6 דֶּרֶךְ־אֱמוּנָה בָחָרְתִּי Ps. 119:30
7 כָּל־מִצְוֺתֶיךָ אֱמוּנָה Ps. 119:86
8 יָפִיחַ אֱמוּנָה יַגִּיד צֶדֶק Prov. 12:17
9 וְעֹשֵׂי אֱמוּנָה רְצוֹנוֹ Prov. 12:22
וֶאֱמוּנָה 10 כִּי־צֶדֶק... וֶאֱמוּנָה עִנִּיתָנִי Ps. 119:75
11 צֶדֶק עֵדֹתֶיךָ וֶאֱמוּנָה מְאֹד Ps. 119:138
הָאֱמוּנָה 12 אָבְדָה הָאֱמוּנָה וְנִכְרְתָה מִפִּיהֶם Jer. 7:28
וְהָאֱמוּנָה 13 וְהָאֱמוּנָה אֵזוֹר חֲלָצָיו Is. 11:5
בֶּאֱמוּנָה 14 כִּי בֶאֱמֻנָה הֵם עֹשִׂים IIK. 12:16
15 כִּי בֶאֱמוּנָה הֵם עֹשִׂים IIK. 22:7
16 וְאֵין נִשְׁפָּט בֶּאֱמוּנָה Is. 59:4
17 וְאֵרַשְׂתִּיךְ לִי בֶּאֱמוּנָה Hosh. 2:22
18 וְכָל־מַעֲשֵׂהוּ בֶּאֱמוּנָה Ps. 33:4
19 כִּי בֶאֱמוּנָה הֵמָּה ICh. 9:26
20 בֶּאֱמוּנָה עַל מַעֲשֵׂה הַחֲבִתִּים ICh. 9:31
21 בְּיִרְאַת יְיָ בֶּאֱמוּנָה וּבְלֵבָב שָׁלֵם IICh. 19:9
22 וַיָּבִיאוּ... וְהַקֳּדָשִׁים בֶּאֱמוּנָה IICh. 31:12
23 ...בְּעָרֵי הַכֹּהֲנִים בֶּאֱמוּנָה IICh. 31:15
24 וְהָאֲנָשִׁים עֹשִׂים בֶּאֱמוּנָה IICh. 34:12
לֶאֱמוּנָה 25 יְיָ עֵינֶיךָ הֲלוֹא לֶאֱמוּנָה Jer. 5:3
26 וְלֹא לֶאֱמוּנָה גָּבְרוּ בָאָרֶץ Jer. 9:2
אֱמוּנַת־ 27 וְהָיָה אֱמוּנַת עִתֶּיךָ חֹסֶן יְשׁוּעֹת Is. 33:6
אֱמוּנָתִי 28 וֶאֱמוּנָתִי וְחַסְדִּי עִמּוֹ Ps. 89:25
בֶּאֱמוּנָתִי 29 וְלֹא־אֲשַׁקֵּר בֶּאֱמוּנָתִי Ps. 89:34
אֱמוּנָתְךָ 30 אֱמוּנָתְךָ עַד־שְׁחָקִים Ps. 36:6
31 אֱמוּנָתְךָ וּתְשׁוּעָתְךָ אָמָרְתִּי Ps. 40:11
32 הַיְסֻפַּר... אֱמוּנָתְךָ בָּאֲבַדּוֹן Ps. 88:12
33 לְדֹר וָדֹר אוֹדִיעַ אֱמוּנָתְךָ בְּפִי Ps. 89:2
34 שָׁמַיִם תָּכִן אֱמוּנָתְךָ בָהֶם Ps. 89:3
35 אַף־אֱמוּנָתְךָ בִּקְהַל קְדֹשִׁים Ps. 89:6
אֱמוּנָתֶךָ 36 לְדֹר וָדֹר אֱמוּנָתֶךָ Ps. 119:90
37 חֲדָשִׁים לַבְּקָרִים רַבָּה אֱמוּנָתֶךָ Lam. 3:23
וֶאֱמוּנָתְךָ 38 מִי־כָמוֹךָ...וֶאֱמוּנָתְךָ סְבִיבוֹתֶיךָ Ps. 89:9
39 לְהַגִּיד...וֶאֱמוּנָתְךָ בַּלֵּילוֹת Ps. 92:3
בֶּאֱמֻנָתְךָ 40 בֶּאֱמֻנָתְךָ עֲנֵנִי בְּצִדְקָתֶךָ Ps. 143:1
בֶּאֱמוּנָתֶךָ 41 נִשְׁבַּעְתָּ לְדָוִד בֶּאֱמוּנָתֶךָ Ps. 89:50
אֱמוּנָתוֹ 42 וְעַד־דֹּר וָדֹר אֱמוּנָתוֹ Ps. 100:5
43 יָשִׁיב... אֶת־צִדְקָתוֹ וְאֶת־אֱמֻנָתוֹ ISh. 26:23
וֶאֱמוּנָתוֹ 44 זָכַר חַסְדּוֹ וֶאֱמוּנָתוֹ לְבֵית יִשְׂרָאֵל Ps. 98:3
בֶּאֱמוּנָתוֹ 45 וְצַדִּיק בֶּאֱמוּנָתוֹ יִחְיֶה Hab. 2:4
46 יִשְׁפֹּט־תֵּבֵל בְּצֶדֶק וְעַמִּים בֶּאֱמוּנָתוֹ Ps. 96:13
בֶּאֱמוּנָתָם 47 דָּוִיד וּשְׁמוּאֵל הָרֹאֶה בֶּאֱמוּנָתָם ICh. 9:22
48 כִּי בֶאֱמוּנָתָם יִתְקַדְּשׁוּ־קֹדֶשׁ IICh. 31:18
אֱמוּנוֹת 49 אִישׁ אֱמוּנוֹת רַב־בְּרָכוֹת Prov. 28:20

אָמוֹץ

שפ״ז – אבי ישעיהו הנביא: 1–13

אָמוֹץ 1 וַיִּשְׁלַח.. אֶל־יְשַׁעְיָהוּ הַנָּבִיא בֶּן־אָמוֹץ IIK.19:2
2 חֲזוֹן יְשַׁעְיָהוּ בֶן־אָמוֹץ Is. 1:1
3-13 יְשַׁעְיָהוּ בֶּן־אָמוֹץ IIK. 19:20; 20:1
Is. 2:1; 13:1; 20:2; 37:2,21; 38:1 • IICh. 26:22; 32:20,32

אָמִי

שפ״ז – הוא אָמוֹן[3]

אָמִי 1 בְּנֵי פֹכֶרֶת הַצְּבָיִם בְּנֵי אָמִי Ez. 2:57

אֵמִים

עַיֵּן אֵימָה, אֵימִים

אֲמִינוֹן

שפ״ז – הוא אַמְנוֹן, בנו בכורו של דוד

הַאֲמִינוֹן 1 הַאֲמִינוֹן אָחִיךְ הָיָה עִמָּךְ IISh. 13:20

אַמִּיץ

ת׳ חזק, יציב קרובים: ראה אַבִּיר

אַמִּיץ כֹּחַ 2,4,6; אַמִּיץ לֵב 5; קֶשֶׁר אַמִּיץ 1

אַמִּיץ 1 וַיְהִי הַקֶּשֶׁר אַמִּיץ IISh. 15:12
2 אִם־לְכֹחַ אַמִּיץ הִנֵּה Job 9:19
וְאַמִּיץ 3 הִנֵּה חָזָק וְאַמִּץ לַאדֹנָי Is. 28:2
4 מֵרֹב אוֹנִים וְאַמִּיץ כֹּחַ Is. 40:26
5 וְאַמִּיץ לִבּוֹ בַּגִּבּוֹרִים עָרוֹם יָנוּס Am. 2:16
6 חֲכַם לֵבָב וְאַמִּיץ כֹּחַ Job 9:4

אָמִיר

ז׳ צמרת העץ

אָמִיר 1 שְׁנַיִם שְׁלֹשָׁה גַּרְגְּרִים בְּרֹאשׁ אָמִיר Is. 17:6
וְהָאָמִיר 2 כַּעֲזוּבַת הַחֹרֶשׁ וְהָאָמִיר... Is. 17:9

אמל

: אָמוּל, אֻמְלַל; אֲמֵלָל (עַיֵּן גם אָמוּל)

אֻמְלַל

פֻּ׳ א) נבל, קמל, חרב: 1–4,6–8,11,12,15

ב) חָלַשׁ, דוּכָא: 5,9,10,13,14

אֻמְלַל 1 הוֹבִישׁ תִּירוֹשׁ אֻמְלַל יִצְהָר Joel 1:10
2 אֻמְלַל בָּשָׁן וְכַרְמֶל Nah. 1:4
אֻמְלָל 3 כִּי שַׁדְמוֹת חֶשְׁבּוֹן אֻמְלָל Is. 16:8
4 וּפֶרַח לְבָנוֹן אֻמְלָל Nah. 1:4
וְאֻמְלַל 5 וְאֻמְלַל כָּל־יוֹשֵׁב בָּהּ Hosh. 4:3
אֻמְלְלָה 6 אֻמְלְלָה נָבְלָה תֵּבֵל Is. 24:4
7 אָבַל תִּירוֹשׁ אֻמְלְלָה־גָפֶן Is. 24:7
8 אָבַל אֻמְלְלָה אָרֶץ Is. 33:9
9 אֻמְלְלָה יֹלֶדֶת הַשִּׁבְעָה Jer. 15:9
אֻמְלָלָה 10 וְרַבַּת בָּנִים אֻמְלָלָה ISh. 2:5
11 הַגֶּפֶן הוֹבִישָׁה וְהַתְּאֵנָה אֻמְלָלָה Joel 1:12
אֻמְלְלוּ 12 וּשְׁעָרֶיהָ אֻמְלְלוּ קָדְרוּ לָאָרֶץ Jer. 14:2
אֻמְלָלוּ 13 אֻמְלָלוּ מְרוֹם עַם־הָאָרֶץ Is. 24:4
14 וּפֹרְשֵׂי מִכְמֹרֶת...אֻמְלָלוּ Is. 19:8
15 חֵל וְחוֹמָה יַחְדָּו אֻמְלָלוּ Lam. 2:8

אֻמְלַל

ת׳ מסכן, מדוכא

אֻמְלַל 1 חָנֵּנִי יְיָ כִּי אֻמְלַל אָנִי Ps. 6:3

אֲמֵלָל

ת׳ אֻמְלַל, מסכן

אֲמֵלָלִים 1 מָה הַיְּהוּדִים הָאֲמֵלָלִים עֹשִׂים Neh. 3:34

אֲמָם

עיר בנחלת יהודה

אֲמָם 1 אֲמָם וּשְׁמַע וּמוֹלָדָה Josh. 15:26

אמן

: אָמַן, אָמוּן, נֶאֱמַן, הֶאֱמִין; אוֹמֵן, אוֹמֶנֶת, אֵמוּן, אָמוֹן, אֱמוּנָה, אֹמֶן, אָמֵן, אָמָן, אֲמָנָה; אָמְנָה, אָמְנָם, אֻמְנָם, אֱמֶת; אֲמִינוֹן, אַמְנוֹן, אֲמִתַּי; אר׳ הֵימִין

אָמַן

פָּ׳ א) גִּדֵּל, טִפֵּחַ: 1 [עַיֵּן גם אוֹמֵן, אוֹמֶנֶת]

ב) [אָמוּן] מגודל, מטופח: 2

ג) [נפ׳ נֶאֱמַן] היה יציב, בר־קְיָמא: 3, 7, 10, 13, 14–16, 29, 31,35,39; היה מהימן: 4–6, 8, 9, 11, 12, 17-28,30,32-34,36-38,40-47; נִשָּׂא בחיק האומן: 48

ד) [הִפ׳ הֶאֱמִין] חשב לאמת, בטח ב־: 49–99

ה) [כנ״ל] צורת־משנה מן ״ימן״: 100 (ראה ימן)

נֶאֱמַן־רוּחַ 24; אֵל נֶאֱמָן 23; בַּיִת נֶ׳ 10,13,14; כֹּהֵן נֶ׳ 9; לֵב נֶ׳ 21; מָקוֹם נֶ׳ 15,16; עֵד נֶ׳ 19,22; צִיר נֶ׳ 20; עֵדוּת נֶאֱמָנָה 28; קִרְיָה נֶ׳ 25,26; חֳלָיִים נֶאֱמָנִים 35; חֲסָדִים נֶ׳ 36; מַיִם נֶ׳ 31; עֵדִים נֶ׳ 30; פְּצָעִים נֶ׳ 33; מַכּוֹת נֶאֱמָנוֹת 39; נֶאֶמְנֵי אֶרֶץ 38

הֶאֱמִין כִּי־ 51, 69, 79, 85, 89; הֶאֱמִין בְּ־ 53, 58, 59, 61-63, 68, 70-73, 75, 76, 78, 80, 82, 84, 92, 93, 95 – 99; הֶאֱמִין לְ־ 49, 52, 54, 56, 57, 60, 64, 66, 74, 86–88, 90, 91; הֶאֱמִין (אֶת־) 55

אוֹמֵן 1 וַיְהִי אֹמֵן אֶת־הֲדַסָּה Es. 2:7
הָאֱמוּנִים 2 הָאֱמֻנִים עֲלֵי תוֹלָע Lam. 4:5
וְנֶאְמַן 3 וְנֶאְמַן בֵּיתְךָ וּמַמְלַכְתְּךָ IISh. 7:16
נֶאֶמְנָה 4 וְלֹא־נֶאֶמְנָה אֶת־אֵל רוּחוֹ Ps. 78:8
נֶאֶמְנוּ 5 וְלֹא נֶאֶמְנוּ בִּבְרִיתוֹ Ps. 78:37
6 עֵדֹתֶיךָ נֶאֶמְנוּ מְאֹד Ps. 93:5
נֶאֱמָנוּ 7 כְּמוֹ אַכְזָב מַיִם לֹא נֶאֱמָנוּ Jer. 15:18
נֶאֱמָן 8 בְּכָל־בֵּיתִי נֶאֱמָן הוּא Num. 12:7
9 וַהֲקִימֹתִי לִי כֹּהֵן נֶאֱמָן ISh. 2:35
10 וּבָנִיתִי לוֹ בַּיִת נֶאֱמָן ISh. 2:35
11 כִּי־נֶאֱמָן שְׁמוּאֵל לְנָבִיא לַיְיָ ISh. 3:20
12 וּמִי בְכָל־עֲבָדֶיךָ כְּדָוִד נֶאֱמָן ISh. 22:14
13 יַעֲשֶׂה יְיָ לַאדֹנִי בַּיִת נֶאֱמָן ISh. 25:28
14 וּבָנִיתִי לְךָ בַיִת־נֶאֱמָן IK. 11:38
15 וּתְקַעְתִּיו יָתֵד בְּמָקוֹם נֶאֱמָן Is. 22:23
16 הַיָּתֵד הַתְּקוּעָה בְּמָקוֹם נֶאֱמָן Is. 22:25
17 ...לְמַעַן יְיָ אֲשֶׁר נֶאֱמָן Is. 49:7
18 ...וְעִם־קְדוֹשִׁים נֶאֱמָן Hosh. 12:1
19 וְעֵד בַּשַּׁחַק נֶאֱמָן Ps. 89:38
20 צִיר נֶאֱמָן לְשֹׁלְחָיו Prov. 25:13
21 וּמָצָאתָ אֶת־לְבָבוֹ נֶאֱמָן לְפָנֶיךָ Neh. 9:8
וְנֶאֱמָן 22 יְהִי יְיָ בָּנוּ לְעֵד אֱמֶת וְנֶאֱמָן Jer. 42:5
הַנֶּאֱמָן 23 הָאֵל הַנֶּאֱמָן שֹׁמֵר הַבְּרִית Deut. 7:9
וְנֶאֱמַן־ 24 וְנֶאֱמַן־רוּחַ מְכַסֶּה דָבָר Prov. 11:13
נֶאֱמָנָה 25 אֵיכָה הָיְתָה לְזוֹנָה קִרְיָה נֶאֱמָנָה Is. 1:21
26 עִיר הַצֶּדֶק קִרְיָה נֶאֱמָנָה Is. 1:26
27 בְּשִׁבְטֵי יִשְׂרָאֵל הוֹדַעְתִּי נֶאֱמָנָה Hosh. 5:9
28 עֵדוּת יְיָ נֶאֱמָנָה מַחְכִּימַת פֶּתִי Ps. 19:8
נֶאֱמֶנֶת 29 וּבְרִיתִי נֶאֱמֶנֶת לוֹ Ps. 89:29
נֶאֱמָנִים 30 וְאָעִידָה לִּי עֵדִים נֶאֱמָנִים Is. 8:2
31 לַחְמוֹ נִתָּן מֵימָיו נֶאֱמָנִים Is. 33:16
32 נֶאֱמָנִים כָּל־פִּקּוּדָיו Ps. 111:7
33 נֶאֱמָנִים פִּצְעֵי אוֹהֵב Prov. 27:6
34 כִּי נֶאֱמָנִים נֶחְשָׁבוּ Neh. 13:13
וְנֶאֱמָנִים 35 וָחֳלָיִם רָעִים וְנֶאֱמָנִים Deut. 28:59
הַנֶּאֱמָנִים 36 חַסְדֵי דָוִד הַנֶּאֱמָנִים Is. 55:3
לְנֶאֱמָנִים 37 מֵסִיר שָׂפָה לְנֶאֱמָנִים Job 12:20
בְּנֶאֶמְנֵי־ 38 עֵינַי בְּנֶאֶמְנֵי־אֶרֶץ Ps. 101:6
וְנֶאֱמָנוֹת 39 מַכּוֹת גְּדֹלֹת וְנֶאֱמָנוֹת Deut. 28:59
יֵאָמֵן 40 הַדָּבָר...יֵאָמֵן עַד־עוֹלָם ICh. 17:23
41 יֵאָמֵן דְּבָרְךָ עִם דָּוִיד אָבִי IICh. 1:9
42 יֵאָמֵן דְּבָרְךָ אֲשֶׁר דִּבַּרְתָּ IICh. 6:17
יֵאָמֶן 43 יֵאָמֶן נָא דְּבָרְךָ אֲשֶׁר דִּבַּרְתָּ IK. 8:26
וְיֵאָמֵן 44 וְיֵאָמֵן וְיִגְדַּל שִׁמְךָ עַד־עוֹלָם ICh. 17:24

תַּאֲמִנוּ 45 אִם לֹא תַאֲמִינוּ כִּי לֹא תֵאָמֵנוּ Is. 7:9
וְתֵאָמְנוּ 46 הַאֲמִינוּ בַּיְיָ אֱלֹהֵיכֶם וְתֵאָמֵנוּ IICh. 20:20
וְיֵאָמְנוּ 47 וְיֵאָמְנוּ דִבְרֵיכֶם... Gen. 42:20
תֵּאָמַנָה 48 וּבְנֹתַיִךְ עַל־צַד תֵּאָמַנָה Is. 60:4
הֶאֱמַנְתִּי 49 וְלֹא־הֶאֱמַנְתִּי לַדְּבָרִים... IK. 10:7
50 לוּלֵא הֶאֱמַנְתִּי לִרְאוֹת בְּטוּב־יְיָ Ps. 27:13
51 הֶאֱמַנְתִּי כִּי אֲדַבֵּר... Ps. 116:10
52 וְלֹא־הֶאֱמַנְתִּי לְדִבְרֵיהֶם... IICh. 9:6
הֶאֱמָנְתִּי 53 כִּי בְמִצְוֹתֶיךָ הֶאֱמָנְתִּי Ps. 119:66
הֶאֱמִין 54 כִּי לֹא־הֶאֱמִין לָהֶם Gen. 45:26
55 וְלֹא־הֶאֱמִין סִיחוֹן אֶת־יִשְׂרָאֵל Jud. 11:20
56 מִי הֶאֱמִין לִשְׁמֻעָתֵנוּ Is. 53:1
57 וְלֹא־הֶאֱמִין לָהֶם גְּדַלְיָהוּ Jer. 40:14
וְהֶאֱמִן 58 וְהֶאֱמִן בַּיְיָ וַיַּחְשְׁבֶהָ לּוֹ צְדָקָה Gen. 15:6
הֶאֱמַנְתֶּם 59 יַעַן לֹא־הֶאֱמַנְתֶּם בִּי Num. 20:12
60 וְלֹא הֶאֱמַנְתֶּם לוֹ Deut. 9:23
הֶאֱמִינוּ 61 אֲשֶׁר לֹא הֶאֱמִינוּ בַּיְיָ אֱלֹהֵיהֶם IIK. 17:14
62 כִּי לֹא הֶאֱמִינוּ בֵּאלֹהִים Ps. 78:22
63 וְלֹא־הֶאֱמִינוּ בְּנִפְלְאוֹתָיו Ps. 78:32
64 לֹא־הֶאֱמִינוּ לִדְבָרוֹ Ps. 106:24
65 לֹא הֶאֱמִינוּ מַלְכֵי־אֶרֶץ Lam. 4:12
וְהֶאֱמִינוּ 66 וְהֶאֱמִינוּ לְקֹל הָאֹת הָאַחֲרוֹן Ex. 4:8
הַמַּאֲמִין 67 הַמַּאֲמִין לֹא יָחִישׁ Is. 28:16
מַאֲמִינִם 68 וּבַדָּבָר הַזֶּה אֵינְכֶם מַאֲמִינִם Deut. 1:32
אַאֲמִין 69 לֹא־אַאֲמִין כִּי־יַאֲזִין קוֹלִי Job 9:16
תַּאֲמִין 70 וְלֹא תַאֲמִין בְּחַיֶּיךָ Deut. 28:66
תַּאֲמֵן 71 אַל־תַּאֲמֵן בָּם Jer. 12:6
תַּאֲמֶן־ 72 כִּי־יְחַנֵּן קוֹלוֹ אַל־תַּאֲמֶן־בּוֹ Prov. 26:25
הֲתַאֲמִין 73 הֲתַאֲמִין בּוֹ כִּי־יָשִׁיב זַרְעֶךָ Job 39:12
יַאֲמִין 74 פֶּתִי יַאֲמִין לְכָל־דָּבָר Prov. 14:15
75 הֵן בַּעֲבָדָיו לֹא יַאֲמִין Job 4:18
76 הֵן בִּקְדֹשָׁו לֹא יַאֲמִין Job 15:15
77 לֹא־יַאֲמִין שׁוּב מִנִּי־חֹשֶׁךְ Job 15:22
78 יָקוּם וְלֹא־יַאֲמִין בַּחַיִּין Job 24:22
79 וְלֹא־יַאֲמִין כִּי־קוֹל שׁוֹפָר Job 39:24
יַאֲמֵן 80 אַל־יַאֲמֵן בַּשָּׁו נִתְעָה Job 15:31
וַיַּאֲמֵן 81 וַיַּאֲמֵן הָעָם Ex. 4:31
82 וַיַּאֲמֵן אָכִישׁ בְּדָוִד לֵאמֹר ISh. 27:12
תַּאֲמִינוּ 83 אִם לֹא תַאֲמִינוּ כִּי לֹא תֵאָמֵנוּ Is. 7:9
84 אַל־תַּאֲמִינוּ בְרֵעַ... Mic. 7:5
85 לֹא תַאֲמִינוּ כִּי יְסֻפָּר Hab. 1:5
86 וְאַל־תַּאֲמִינוּ לוֹ IICh. 32:15
וְתַאֲמִינוּ 87 לְמַעַן תֵּדְעוּ וְתַאֲמִינוּ לִי Is. 43:10
יַאֲמִינוּ 88 וְהֵן לֹא־יַאֲמִינוּ לִי Ex. 4:1
89 לְמַעַן יַאֲמִינוּ כִּי־נִרְאָה אֵלֶיךָ יְיָ Ex. 4:5
90 וְהָיָה אִם־לֹא יַאֲמִינוּ לָךְ Ex. 4:8
91 אִם־לֹא יַאֲמִינוּ גַּם לִשְׁנֵי הָאֹתוֹת Ex. 4:9
92 וְגַם־בְּךָ יַאֲמִינוּ לְעוֹלָם Ex. 19:9
93 וְעַד־אָנָה לֹא־יַאֲמִינוּ בִי Num. 14:11
94 אֶשְׂחַק אֲלֵהֶם לֹא יַאֲמִינוּ Job 29:24
וַיַּאֲמִינוּ 95 וַיַּאֲמִינוּ בַּיְיָ וּבְמֹשֶׁה עַבְדּוֹ Ex. 14:31
96 וַיַּאֲמִינוּ אַנְשֵׁי נִינְוֵה בֵּאלֹהִים Jon. 3:5
97 וַיַּאֲמִינוּ בִדְבָרָיו Ps. 106:12
הַאֲמִינוּ 98 הַאֲמִינוּ בַּיְיָ אֱלֹהֵיכֶם וְתֵאָמֵנוּ IICh. 20:20
99 הַאֲמִינוּ בִנְבִיאָיו וְהַצְלִיחוּ IICh. 20:20
תַּאֲמִינוּ(?) 100 כִּי תַאֲמִינוּ וְכִי תַשְׂמְאִילוּ Is. 30:21

אֲמַן ארמית: הֵימִן = הֶאֱמִין; מְהֵימַן = נאמן
הֵימִן 1 ...דִּי הֵימִן בֵּאלָהֵהּ Dan. 6:24
מְהֵימַן 2 כָּל־קֳבֵל דִּי־מְהֵימַן הוּא Dan. 6:5
וּמְהֵימַן 3 וְיַצִּיב חֶלְמָא וּמְהֵימַן פִּשְׁרֵהּ Dan. 2:45

אֹמֶן ז' אֱמוּנָה • קרובים ראה: אֱמֶת
אֹמֶן 1 עֵצוֹת מֵרָחוֹק אֱמוּנָה אֹמֶן Is. 25:1

אָמֵן ז' ותה"פ א) אֱמֶת, 18,17
ב) מלת אִשּׁוּר—כן יהי רצון: 1—16, 19—30
אָמֵן 3-16, 19, 20, 24, 27; אָמֵן אָמֵן 1-2, 25-26; אָמֵן וְאָמֵן 21-23 (28-30); אֱלֹהֵי אָמֵן 18,17
אָמֵן 1/2 וְאָמְרָה הָאִשָּׁה אָמֵן אָמֵן Num. 5:22
3 וְעָנוּ כָל־הָעָם וְאָמְרוּ אָמֵן Deut. 27:15
4-15 וְאָמַר כָּל־הָעָם אָמֵן Deut. 27:16,17
27:18,19,20,21,22,23,24,25,26 • Ps. 106:48
16 וַיֹּאמֶר אָמֵן כֵּן יֹאמַר יְיָ... IK. 1:36
17 הַמִּתְבָּרֵךְ.. יִתְבָּרֵךְ בֵּאלֹהֵי אָמֵן Is. 65:16
18 וְהַנִּשְׁבָּע...יִשָּׁבַע בֵּאלֹהֵי אָמֵן Is. 65:16
19 וָאַעַן וָאֹמַר אָמֵן יְיָ Jer. 11:5
20 אָמֵן כֵּן יַעֲשֶׂה יְיָ Jer. 28:6
21 מֵהָעוֹלָם וְעַד־הָעוֹלָם אָמֵן וְאָמֵן Ps. 41:14
22 וְיִמָּלֵא כְבוֹדוֹ... אָמֵן וְאָמֵן Ps. 72:19
23 בָּרוּךְ יְיָ לְעוֹלָם אָמֵן וְאָמֵן Ps. 89:53
24 וַיֹּאמְרוּ כָל־הַקָּהָל אָמֵן Neh. 5:13
25/6 וַיַּעֲנוּ כָל־הָעָם אָמֵן אָמֵן Neh. 8:6
27 וַיֹּאמְרוּ כָל־הָעָם אָמֵן ICh. 16:36
וְאָמֵן 28 מֵהָעוֹלָם וְעַד־הָעוֹלָם אָמֵן וְאָמֵן Ps. 41:14
29 וְיִמָּלֵא כְבוֹדוֹ...אָמֵן וְאָמֵן Ps. 72:19
30 בָּרוּךְ יְיָ לְעוֹלָם אָמֵן וְאָמֵן Ps. 89:53

אָמָּן ז' (נ"א אֻמָּן) בעל־מקצוע מומחה
אָמָּן 1 כְּמוֹ חֲלָאִים מַעֲשֵׂה יְדֵי אָמָּן S.ofS. 7:2

אֲמָנָה¹ נ' חוזה, ברית אמונים
אֲמָנָה 1 אֲנַחְנוּ כֹּרְתִים אֲמָנָה וְכֹתְבִים Neh. 10:1
וַאֲמָנָה 2 ...וַאֲמָנָה עַל־הַמְשֹׁרְרִים Neh. 11:23

אֲמָנָה² א) שם הר בלבנון: 1 ב) אחד מנהרות דמשק: 2
אֲמָנָה 1 תָּשׁוּרִי מֵרֹאשׁ אֲמָנָה... S.ofS. 4:8
2 הֲלֹא טוֹב אֲמָנָה (כת' אבנה) וּפַרְפַּר IIK. 5:12

אָמְנָה¹ מ"ח אמנם
אָמְנָה 1 וְגַם־אָמְנָה אֲחֹתִי בַת־אָבִי הוּא Gen. 20:12
2 אָמְנָה אָנֹכִי חָטָאתִי לַיְיָ Josh. 7:20

אָמְנָה² נ' טפול, חנוך
בְּאָמְנָה 1 כַּאֲשֶׁר הָיְתָה בְאָמְנָה אִתּוֹ Es. 2:20

אֹמְנָה* נ' עמוד נושא בבנין
הָאֹמְנוֹת 1 וְאֶת־הָאֹמְנוֹת אֲשֶׁר צִפָּה חִזְקִיָּה IIK. 18:16

אַמְנוֹן שפ"ז א) בנו בכורו של דוד: 1—22, 24—27
ב) איש מזרע כָּלֵב בֶּן־יְפֻנֶּה: 23
אַמְנֹן 1 בְּכוֹרוֹ אַמְנֹן לַאֲחִינֹעַם הַיִּזְרְעֵאלִת IISh. 3:2
2 וַיֶּאֱהָבֶהָ אַמְנוֹן בֶּן־דָּוִד IISh. 13:1
3 וַיִּפָּלֵא בְּעֵינֵי אַמְנוֹן IISh. 13:2
4 לְכִי נָא בֵּית אַמְנוֹן אָחִיךְ IISh. 13:7
5 וַתֵּלֶךְ תָּמָר בֵּית אַמְנוֹן אָחִיהָ IISh. 13:8
6 כְּטוֹב לֵב־אַמְנוֹן בַּיַּיִן IISh. 13:28
7 הַבְּכוֹר אַמְנֹן לַאֲחִינֹעַם ICh. 3:1
8-22 אַמְנוֹן IISh. 13:4,6²,9
13:10,15²,22²,26,27,28,32,33,39
23 וּבְנֵי שִׁימוֹן אַמְנוֹן וְרִנָּה ICh. 4:20
לְאַמְנוֹן 24 וַיֵּצֶר לְאַמְנוֹן לְהִתְחַלּוֹת IISh. 13:2
25/6 לְאַמְנוֹן IISh. 13:10,29
וּלְאַמְנוֹן 27 וּלְאַמְנוֹן רֵעַ וּשְׁמוֹ יוֹנָדָב IISh. 13:3

אָמְנָם מ"ח אכן, באמת
אָמְנָם כִּי 4; אִם אָמְנָם 7; אַף אָ' 6,5; כִּי אָ' 9,8
אָמְנָם 1/2 אָמְנָם יְיָ הֶחֱרִיבוּ מַלְכֵי אַשּׁוּר IIK. 19:17
Is. 37:18
3 אָמְנָם יָדַעְתִּי כִי־כֵן Job 9:2
4 אָמְנָם כִּי אַתֶּם־עָם Job 12:2
5 וְאַף־אָמְנָם שָׁגִיתִי... Job 19:4
6 אַף־אָמְנָם אֵל לֹא־יַרְשִׁיעַ Job 34:12
7 אִם־אָמְנָם עָלַי תַּגְדִּילוּ Job 19:5
8 כִּי־אָמְנָם לֹא־שֶׁקֶר מִלָּי Job 36:4
9 כִּי אָמְנָם כִּי (אם) גֹאֵל אָנֹכִי Ruth 3:12

אֻמְנָם מ"ח אמנם, באמת – בשאלה או בתמיהה:
אֻמְנָם 1 הַאַף אֻמְנָם אֵלֵד וַאֲנִי זָקַנְתִּי Gen. 18:13
הַאֻמְנָם 2 הַאֻמְנָם לֹא אוּכַל כַּבְּדֶךָ Num. 22:37
3 הַאֻמְנָם יֵשֵׁב אֱלֹהִים עַל־הָאָרֶץ IK. 8:27
4 הַאֻמְנָם אֵלֶם צֶדֶק תְּדַבֵּרוּן Ps. 58:2
5 הַאֻמְנָם יֵשֵׁב אֱלֹהִים אֶת־הָאָדָם IICh. 6:18

אמץ: אָמַץ, אִמֵּץ, הִתְאַמֵּץ, הֶאֱמִיץ; אַמִּיץ, אֹמֶץ, אַמְצָה, מַאֲמָץ; אָמֹץ (?); אָמוֹץ, אַמְצִי, אֲמַצְיָה(וּ)

אָמֵץ פ' א) היה חזק: 1—16
ב) [פ' אִמֵּץ] חזק: 17—35
ג) [הת' הִתְאַמֵּץ] התחזק: 39; הִשְׁתַּדֵּל 36-38
ד) [ה' הֶאֱמִיץ] חזק: 41,40 (ויש סוברים: יַאֲמִץ— עתיד קל)
קרובים: גבר / חזק / עזז / עצם
אָמַץ 5; אָמֵץ מִן 1-4; חֲזַק וֶאֱמָץ 6-16; אַמֵּץ בְּ 19—20; אִ' לְבָבוֹ 21, 24, 27; אִ' בִּרְכַּיִם 25, 35; אִ' זְרוֹעוֹתֶיהָ 29; אִ' כֹּחַ 33,26,22; יַאֲמֵץ לִבּוֹ 41,40
אָמְצוּ 1 מִשֹּׂנְאַי כִּי אָמְצוּ מִמֶּנִּי IISh. 22:18
2 וּמִשֹּׂנְאַי כִּי־אָמְצוּ מִמֶּנִּי Ps. 18:18
3 מֵרֹדְפַי כִּי אָמְצוּ מִמֶּנִּי Ps. 142:7
יֶאֱמָץ 4 וּלְאֹם מִלְאֹם יֶאֱמָץ Gen. 25:23
וַיֶּאֶמְצוּ 5 וַיֶּאֶמְצוּ בְּנֵי יְהוּדָה IICh. 13:18
וֶאֱמַץ 6 רַק חֲזַק וֶאֱמַץ מְאֹד Josh. 1:7
7 חֲזַק וֶאֱמַץ ICh. 28:20
וֶאֱמָץ 8-13 חֲזַק וֶאֱמָץ Deut. 31:7,23
Josh. 1:6,9,18 • ICh. 22:13(12)
וְאִמְצוּ 14-16 חִזְקוּ וְאִמְצוּ Deut. 31:6
Josh. 10:25 • IICh. 32:7
בְּאַמְּצוֹ 17 בְּאַמְּצוֹ שְׁחָקִים מִמָּעַל Prov. 8:28
אִמַּצְתִּיךָ 18 אִמַּצְתִּיךָ אַף־עֲזַרְתִּיךָ Is. 41:10
אִמַּצְתָּ 19 וְעַל־בֵּן אִמַּצְתָּה לָּךְ Ps. 80:16
20 עַל־בֶּן־אָדָם אִמַּצְתָּ לָּךְ Ps. 80:18
וְאִמֵּץ 21 הִקְשָׁה...רוּחוֹ וְאִמֵּץ אֶת־לְבָבוֹ Deut. 2:30
מְאַמֶּץ־ 22 וְאִישׁ־דַּעַת מְאַמֶּץ־כֹּחַ Prov. 24:5
אֲאַמִּצְכֶם 23 אֲאַמִּצְכֶם בְּמוֹ־פִי Job 16:5
תְאַמֵּץ 24 לֹא תְאַמֵּץ אֶת־לְבָבְךָ Deut. 15:7
25 וּבִרְכַּיִם כֹּרְעוֹת תְּאַמֵּץ Job 4:4
יְאַמֵּץ 26 וְחָזָק לֹא־יְאַמֵּץ כֹּחוֹ Am. 2:14
וַיְאַמֵּץ 27 וַיֶּקֶשׁ...וַיְאַמֵּץ אֶת־לְבָבוֹ IICh. 36:13
וַיְאַמֶּץ־ 28 וַיְאַמֶּץ־לוֹ בַּעֲצֵי־יָעַר Is. 44:14
וַתְּאַמֵּץ 29 חָגְרָה...וַתְּאַמֵּץ זְרוֹעֹתֶיהָ Prov. 31:17
תְּאַמְּצֶנּוּ 30 אַף־זְרוֹעִי תְאַמְּצֶנּוּ Ps. 89:22
וַיְאַמְּצוּ 31 וַיְאַמְּצוּ אֶת־רְחַבְעָם IICh. 11:17
וַיְאַמְּצֻהוּ 32 וַיַּעֲמִידוּ אֶת־בֵּית הָאֱלֹהִים
עַל־מַתְכֻּנְתּוֹ וַיְאַמְּצֻהוּ IICh. 24:13
אַמֵּץ 33 חַזֵּק מָתְנַיִם אַמֵּץ כֹּחַ מְאֹד Nah. 2:2
וְאַמְּצֵהוּ 34 וְצַו אֶת־יְהוֹשֻׁעַ וְחַזְּקֵהוּ וְאַמְּצֵהוּ Deut. 3:28
אַמֵּצוּ 35 וּבִרְכַּיִם כֹּשְׁלוֹת אַמֵּצוּ Is. 35:3

הִתְאַמֵּץ 36/7 וְהַמֶּלֶךְ...הִתְאַמֵּץ לַעֲלוֹת בַּמֶּרְכָּבָה לָנוּס יְרוּשָׁלָםִ IK. 12:18 • IICh. 10:18
מִתְאַמֶּצֶת 38 וַתֵּרֶא כִּי־מִתְאַמֶּצֶת הִיא לָלֶכֶת Ruth 1:18
וַיִּתְאַמְּצוּ 39 וַיִּתְאַמְּצוּ עַל־רְחַבְעָם IICh. 13:7
וְיַאֲמֵץ 40 חֲזַק וְיַאֲמֵץ לִבֶּךָ וְקַוֵּה אֶל־יְיָ Ps. 27:14
41 חִזְקוּ וְיַאֲמֵץ לְבַבְכֶם Ps. 31:25

אֹמֶץ ז׳ חֹזֶק

קרובים: אוֹן / אַמְצָה / גְּבוּרָה / חֹזֶק / חֹסֶן / כֹּחַ / עֹז / עֹצֶם / עָצְמָה

אֹמֶץ 1 וּטְהָר־יָדַיִם יֹסִיף אֹמֶץ Job 17:9

אָמֹץ* ת׳ מנומר(?) אָפֹר(?)

אֲמֻצִּים 1 סוּסִים בְּרֻדִּים אֲמֻצִּים Zech. 6:3
וְהָאֲמֻצִּים 2 וְהָאֲמֻצִּים יָצְאוּ... Zech. 6:7

אַמְצָה נ׳ אֹמֶץ(?)

אַמְצָה 1 אַמְצָה לִי יֹשְׁבֵי יְרוּשָׁלַםִ בַּיְיָ Zech. 12:5

אַמְצִי שפ״ז א) לוי מזרע מררי: 2

ב) אֲבִי זקנו של כהן בימי נחמיה: 1

אַמְצִי 1 בֶּן־אַמְצִי בֶּן־זְכַרְיָה Neh. 11:12
2 בֶּן־אַמְצִי בֶּן־בָּנִי בֶּן־שָׁמֶר ICh. 6:31

אֲמַצְיָה שפ״ז א) מלך יהודה: 1—4

ב) כהן בית אל בימי עמוס: 5—7
ג) לוי מצאצאי מררי: 8
ד) איש מזרע שמעון: 9

אֲמַצְיָה 1 וַיִּמְלֹךְ אֲמַצְיָה בְנוֹ תַּחְתָּיו IIK. 12:22
2-4 אֲמַצְיָה IIK. 13:12; 14:8; 15:1
5 וַיִּשְׁלַח אֲמַצְיָה כֹּהֵן בֵּית־אֵל Am. 7:10
6-7 אֲמַצְיָה Am. 7:12,14
8 בֶּן־חֲשַׁבְיָה בֶּן־אֲמַצְיָה ICh. 6:30
9 וְיוֹשָׁה בֶּן־אֲמַצְיָה ICh. 4:34

אֲמַצְיָהוּ שפ״ז — מלך יהודה הוא אֲמַצְיָה(א)

אֲמַצְיָהוּ 1 אֲמַצְיָהוּ בֶן־יוֹאָשׁ מֶלֶךְ יְהוּדָה IIK. 14:1
2/3 וְיֶתֶר דִּבְרֵי אֲמַצְיָהוּ IIK. 14:18 • IICh. 25:26
4-26 אֲמַצְיָהוּ IIK. 14:9,11
14:13,15,17,21; 15:3 • ICh. 3:12 • IICh. 24:27; 25:1,5,9,10,13,14,17,18,20,23,25,27; 26:1,4
וַאֲמַצְיָהוּ 27-28 וַיִּתְרָאוּ פָנִים הוּא וַאֲמַצְיָהוּ IIK. 14:11 IICh. 25:21
29 וַאֲמַצְיָהוּ הִתְחַזַּק וַיִּנְהַג אֶת־עַמּוֹ IICh. 25:11
בַּאֲמַצְיָהוּ 30 וַיִּחַר־אַף יְיָ בַּאֲמַצְיָהוּ IICh. 25:15
לַאֲמַצְיָהוּ 31 בִּשְׁנַת...לַאֲמַצְיָהוּ בֶּן־יוֹאָשׁ IIK. 14:23

אמר: אָמַר, לֵאמֹר, נֶאֱמַר, הִתְאַמֵּר, הֶאֱמִיר; ארמית: אֲמַר; אֹמֶר, אִמְרָה, אָמִיר? מַאֲמָר; אֵמֶר, אִמְרִי, אֲמַרְיָה(ו)

אָמַר פ׳ א) הגיד, הודיע, צוה: כל המקראות שבראשם הציון (א) או שהם ללא ציון

ב) חשב, התכוון — המקראות שבראשם הציון (ב)
ג) [לֵאמֹר] להגיד, להודיע: 15—18, 947—949
ד) [לֵאמֹר] כלומר, הכוונה היא: 19—30
ה) [לֵאמֹר] כַּדברים האלה: 31—944
ו) [לֵאמֹר, בחסרון פועל לפניו] 945—946
ז) [נפ׳ נֶאֱמַר] הֻגַּד, סֻפַּר: 5275—5295
ח) [הת׳ הִתְאַמֵּר] התנשא: 5296
ט) [הפ׳ הֶאֱמִיר] הלל, שבח: 5297, 5298

קרובים: בטא / בטה / דבר / הביע (נבע) / הגה / הגיד (נגד) / הודיע (ידע) / חוה / חשב / ספר / פקד / צוה / תנה

אָמַר לְ־, אֶל־ רוב המקראות; אָמַר עַל 2759; אָמַר לִפְנֵי 2760—2763; אָמַר אֶל לִבּוֹ 2771; אָמַר לְלִבּוֹ 4819; אָמַר בְּלִבּוֹ (בִּלְבָבוֹ) 1052, 1072, 1204, 1215, 2149, 2167/8, 2216, 2395-6, 2416, 2420, 2769, 2770, 2773; לֵאמֹר 15—949; וַיַּעַן וַיֹּאמֶר 2720—2758, 4440—4481, 4580, 4581, 4758, 4759, 4797, 4800, 4868, 4885, 4895, 4896, 4897

אָמַר 1 וְאִם־אָמֹר יֹאמַר הָעֶבֶד Ex. 21:5
2 אָמֹר אָמַרְתִּי כִּי־שָׂנֹא שְׂנֵאתָהּ Jud. 15:2
3 אִם־אָמֹר אֹמַר לַנַּעַר... ISh. 20:21
אָמוֹר 4 כֹּה תְבָרְכוּ...אָמוֹר לָהֶם Num. 6:23
5 אָמוֹר אָמַרְתִּי בֵּיתְךָ וּבֵית אָבִיךָ ISh. 2:30
6 אֹמְרִים אָמוֹר לִמְנַאֲצַי דִּבֶּר יְיָ Jer. 23:17
הֶאָמֹר 7 הֶאָמֹר תֹּאמַר אֱלֹהִים אָנִי Ezek. 28:9
אֲמֹר 8 יַעַן אֲמֹר מוֹאָב וְשֵׂעִיר Ezek. 25:8
אֲמָר־ 9 כִּי טוֹב אֲמָר־לְךָ עֲלֵה הֵנָּה Prov. 25:7
הַאֲמֹר 10 הַאֲמֹר לְמֶלֶךְ בְּלִיָּעַל Job 34:18
בֶּאֱמֹר 11 בֶּאֱמֹר יְיָ אֵלַי הַקְהֶל־לִי Deut. 4:10
12 בֶּאֱמֹר לָהֶם עַם־יְיָ אֵלֶּה Ezek. 36:20
13 בֶּאֱמֹר אֵלַי כָּל־הַיּוֹם אַיֵּה אֱלֹהֶיךָ Ps. 42:4
כֶּאֱמֹר 14 וַיְהִי כֶּאֱמֹר יְהוֹשֻׁעַ אֶל־הָעָם Josh. 6:8
לֵאמֹר (ג) 15 וַיַּעֲנוּ...אֶת־אַבְרָהָם לֵאמֹר לוֹ Gen. 23:5
16 וַיַּעַן עֶפְרוֹן...לֵאמֹר לוֹ Gen. 23:14
17 לֵאמֹר לַאֲסוּרִים צֵאוּ Is. 49:9
18 לֵאמֹר אֶל־הַכֹּהֲנִים... לְבֵית־יְיָ Zech. 7:3
לֵאמֹר (ד) 19 וַיִּקְרָא אֶת־שְׁמוֹ נֹחַ לֵאמֹר... Gen. 5:29
20 וַתִּקְרָא אֶת־שְׁמוֹ יוֹסֵף לֵאמֹר... Gen. 30:24
21 וַתִּקְרָא לַנַּעַר אִי כָבוֹד לֵאמֹר גָּלָה כָבוֹד מִיִּשְׂרָאֵל ISh. 4:21
22 וַתִּקְרֶאנָה לוֹ...שֵׁם לֵאמֹר... Ruth 4:17
23 וְאִמּוֹ קָרְאָה שְׁמוֹ יַעְבֵּץ לֵאמֹר... ICh. 4:9
24 לֵאמֹר הָעָם קָרָאתִי ISh. 9:24
25 לֵאמֹר לֹא־יָבוֹא דָוִד הֵנָּה IISh. 5:6
26 וַיֵּצְאוּ...לְהֵחָבֵה בַשָּׂדֶה לֵאמֹר IIK. 7:12
27 לֵאמֹר מָתַי תְּנַחֲמֵנִי Ps. 119:82
28 וְיִגְדַּל שִׁמְךָ עַד־עוֹלָם לֵאמֹר ICh. 17:24
29 וַיִּבְנוּ לְךָ בָּהּ מִקְדָּשׁ לְשִׁמְךָ לֵאמֹר IICh. 20:8
30 וַיִּסְתְּמוּ אֶת־כָּל־הַמַּעְיָנוֹת...לֵאמֹר IICh. 32:4
לֵאמֹר (ה) 31 וַיְבָרֶךְ אֹתָם אֱלֹהִים לֵאמֹר Gen. 1:22
32 וַיְצַו יְיָ אֱלֹהִים עַל־הָאָדָם לֵאמֹר Gen. 2:16
33 אֲשֶׁר צִוִּיתִיךָ לֵאמֹר Gen. 3:17
34 וַיֹּאמֶר אֱלֹהִים אֶל־נֹחַ...לֵאמֹר Gen. 9:8
35 הָיָה דְבַר־יְיָ...בַּמַּחֲזֶה לֵאמֹר Gen. 15:1
36 וְהִנֵּה דְבַר־יְיָ אֵלָיו לֵאמֹר Gen. 15:4
37 כָּרַת יְיָ... בְּרִית לֵאמֹר Gen. 15:18
38 וַיְדַבֵּר אִתּוֹ אֱלֹהִים לֵאמֹר Gen. 17:3
39-941 לֵאמֹר (ה) Gen. 8:15; 18:12,13,15; 19:15; 21:22; 22:20; 23:3,8,10,13; 24:7,30,37; 26:7,11,20; 27:6^2; 28:6,20; 31:1,29; 32:5,7,18^2,20; 34:4,8,20; 37:15; 38:13,21,24,25,28; 39:12, 14,17,19; 40:7; 41:9,15,16; 42:14,22^2, 28,29,37; 43:3^2,7; 44:1,19,32; 45:16,26; 47:5,15; 48:20; 50:4^2,5,16^2,25 • Ex. 1:22; 3:16; 5:6,8,10; 13,14,15,19; 6:10,12,29; 7:8,9,16; 9:5; 11:8; 12:1,3; 13:1, 8, 14, 19; 14:1, 12; 15:1, 24; 16:11, 12; 17: 4, 7; 19:3, 12, 23; 20:1; 25:1; 30:11, 17, 22, 31; 31:1, 12, 13; 32:12; 33:1; 35:4^2; 36:5, 6; 40:1 • Lev.1:1; 4:1, 2; 5:14, 20; 6:1, 2, 12, 17, 18; 7:22, 23, 28, 29; 8:1, 31; 9:3; 10:3, 8, 16; 11:1, 2; 12:1, 2; 13:1; 14:1, 33, 35; 15:1; 17:1, 2; 18:1; 19:1; 20:1; 21:1, 16, 17; 22:1, 17, 26; 23:1, 9, 23, 24, 26, 33, 34; 24:1, 13, 15; 25:1; 27:1 • Num.1:1, 48; 2:1; 3:5, 11, 14, 44; 4:1, 17, 21; 5:1, 5, 11; 6:1, 22, 23; 7:4; 8:1, 5, 23; 9:1, 9, 10; 10:1; 11:13, 18, 20; 12:13;

לֵאמֹר (ה) (המשך) 13:1,32; 14:7,15,17,26,40; 15:1,17,37; 16:5,20,23,24,26; 17:1,6,9,16,27; 18:25; 19:1,2; 20:3,7,23; 21:21; 22:5; 23:26; 24:12; 25:10,16; 26:1,3,52; 27:2,6,8,15; 28:1; 30:2; 31:1,3; 31:25; 32:2,10,25,31; 33:50; 34:1,13,16; 35:1,9; 36:5,6 • Deut. 1:5,6,9,16,28,34,37; 2:2,4,17,26; 3:18,21,23; 5:5; 6:20; 9:4,13,23; 12:30; 13:3,7,13,14; 15:9,11; 18:16; 19:7; 20:5; 22:17; 27:1,9,11; 29:18; 30:12,13; 31:10,25; 32:48; 34:4 • Josh. 1:1,10,11,12,13,16; 2:1,2,3; 3:3,6,8; 4:1,3,6,15,17; 4:21^2,22; 6:10,26; 7:2; 8:4; 9:11,22^2; 10:3,6,17; 14:9; 17:4,14,17; 18:8; 20:1,2; 21:2; 22:8,11,15,24^2 • Jud. 1:1; 5:1; 6:13,32; 7:2,3,24; 8:9,15; 9:1,31; 10:10; 11:12,17; 13:6; 15:13; 16:2,18; 19:22; 20:8,12,23,28; 21:1,5,10,18,20 • ISh. 5:10; 6:2,21; 7:3; 9:15,26; 10:2; 11:7; 13:3,4; 14:24,28,33; 15:10,12; 16:22; 17:26,27; 18:22,24; 19:2,11,15,19; 20:42; 21:12; 23:1,2,19,27; 24:2(1),9(8),10(9); 25:14, 40; 26:1, 6, 14, 19; 27:11^2, 12; 29:5; 30:8, 26 • IISh. 1:16; 2:1, 4, 22; 3:12^2,13,14,17,18,23,35; 4:10; 5:1,6,19; 6:12; 7:4,7,26,27; 11:10,15,19; 13:7,28,30,33; 14:32^2; 15:8,10,13,31; 17:6,16; 18:5,12; 19:3,9,10,12^2; 20:18^2; 21:17; 24:1, 11 • IK. 1:5, 6, 11, 13, 23, 30, 47, 51^2; 2:1, 4^2, 7, 23, 29, 30, 39, 42; 5:16, 19, 22: 6:11; 8:15, 25, 47, 55; 9:5; 12:3,6,7,9,10^2,12,14,16,22,23; 13:3,4, 9,18,21; 13:27,31; 15:18; 16:1,16; 17:2,8; 18:1,26,31; 19:2; 20:5^2,17; 21:2,9,10, 13,14,17,19^2, 23,28; 22:12,13,31,36 • IIK. 3:7; 4:1,31; 5:4,6,8,10,22; 6:8,9,13,26; 7:10,14,18; 8:1,4,6,7,8,9; 9:12,18,20,36; 10:1,5,6,8; 11:5; 14:6,8,9^2; 15:12; 16:7,15; 17:13,26,27,35; 18:14,30,32,36; 19:9^2,10^2,20; 20:2,4; 21:10; 22:3,10,12; 23:21 • Is. 3:7; 4:1; 7:2,5,10; 8:5,11; 9:8; 14:24; 16:14; 19:25; 20:2; 23:4; 29:11,12; 30:21; 36:15,18,21; 37:9^2,10^2,15,21; 38:4; 44:19; 56:3 • Jer. 1:4; 1:11,13; 2:1,2^2; 4:10; 5:20; 6:14; 7:1,4,23; 8:6,11; 11:1,4,6,7,21; 13:3,8; 16:1; 18:1,5,11; 20:15; 21:1; 23:25, 33, 38; 24:4; 25:2, 5; 26:1, 8, 9, 11, 12, 17, 18; 27:1, 4, 9, 12, 14, 16^2; 28:1, 2; 28:11, 12, 13; 29:3, 22, 24, 25^2, 28, 30, 31; 30:1, 2; 31:34(33); 32:3^2, 6, 7, 13, 16, 26; 33:1, 23, 24; 34:1, 12, 13; 35:1,6,12; 35:15; 36:1,5,14,17,27,29^2; 37:3,6,9,13,19; 38:1,8,10,16; 39:11,15,16; 40:9,15; 42:14,20; 43:2,8; 44:1,4,15,20,25^2; 45:1; 49:34 • Ezek. 3:16; 6:1; 7:1; 9:1,11; 10:6; 11:14; 12:1,8,17,21,22,26; 13:1,10; 14:2,12; 15:1; 16:1,44; 17:1,11; 18:1,2; 20:2,5; 21:1,6,13,23; 22:1,17,23; 23:1; 24:1,15,20; 25:1; 26:1; 27:1; 28:1,11,20; 29:1,17; 30:1,20; 31:1; 32:1; 32:17; 33:1,10,21,23,24,30; 34:1; 35:1,12; 36:16; 37:15,18; 38:1 • Am. 2:12; 3:1; 7:10; 8:5 • Jon. 1:1; 3:1, 7 • Mic. 3:11 • Hag. 1:1, 2, 3, 13; 2:1, 2, 10, 11, 20, 21 • Zech. 1:1, 4, 7, 14, 17; 2:4, 8; 3:4, 6; 4:4, 6^2, 8, 13; 6:8, 9, 12^2; 7:3, 4, 5, 8, 9; 8:1, 18, 21, 23 • Ps. 71:11; 105:11 • Job 24:15 • Ruth 2:15; 4:4 • Eccl.1:16 • Es.6:4 • Ez.1:1; 8:22; 9:1, 11 • Neh.1:8; 6:2, 3, 7, 8, 9; 8:11, 15 • ICh.4:10; 11:1; 12:20(19); 13:12; 14:10; 16:18; 17:3, 6; 21:9, 10, 18; 22:8(7) • IICh.2:2; 6:4, 16, 37; 7:18; 10:3, 6, 7, 9, 10^2, 12, 14, 16; 11:2, 3; 12:7; 16:2; 18:11, 12, 30; 19:9; 20:2, 37; 21:12; 25:4, 7, 17, 18^2; 30:6, 18; 32:6, 9, 11, 12, 17; 34:16, 18, 20; 35:21; 36:22

לֵאמוֹר (ה) 942 וַיְבָרְכֵם בַּיּוֹם הַהוּא לֵאמוֹר Gen. 48:20
943 וַיְהִי דְבַר־יְיָ אֵלַי לֵאמוֹר Jer. 18:5
944 וַיְהִי דְבַר־יְיָ אֶל־יִרְמְיָהוּ לֵאמוֹר Jer. 33:19
לֵאמֹר (ו) 945 לְעַזָּתִים לֵאמֹר בָּא שִׁמְשׁוֹן הֵנָּה Jud. 16:2
946 לֵאמֹר הֵן יְשַׁלַּח אִישׁ אֶת־אִשְׁתּוֹ Jer. 3:1
וְלֵאמֹר (ג) 947 וְלֵאמֹר לִירוּשָׁלַםִ תִּבָּנֶה Is. 44:28
948 וְלֵאמֹר לְצִיּוֹן עַמִּי־אָתָּה Is. 51:16
949 לְחָרֵף...וְלֵאמֹר עָלָיו לֵאמֹר IICh. 32:17
אָמְרִי 950 עַד יוֹם אָמְרִי אֲלֵיכֶם הָרִיעוּ Josh. 6:10
951 אִם־אָמְרִי אֶשְׁכְּחָה שִׂיחִי Job 9:27

באמרי(א) 952 באמרי לרשע מות תמות Ezek. 3:18
953 באמרי לרשע רשע מות תמות Ezek. 33:8
954 באמרי לצדיק חיה יחיה Ezek. 33:13
ובאמרי 955 ובאמרי לרשע מות תמות Ezek. 33:14
אמרך 956 יען אמרך את־שני הגוים... Ezek. 35:10
אמרך 957 על־אמרך לא חטאתי Jer. 2:35
958 יען אמרך האח... Ezek. 25:3
אמרכם 959 יען אמרכם את־הדבר הזה Jer. 23:38
באמרכם 960 באמרכם שלחן יי נבזה Mal. 1:7
961 באמרכם שלחן אדני מגאל Mal. 1:12
962 באמרכם כל־עשה רע טוב... Mal. 2:17
באמרם 963 באמרם אלי כל־היום Ps. 42:11
964 באמרם המלך אחשורוש אמר Es. 1:17
כאמרם 965 ויהי כאמרם (כת׳ באמרם) אליו Es. 3:4
אמרתי(א) 966 הלוא אמרתי אליכם לאמר Gen. 42:22
967 ובכל אשר־אמרתי אליכם Ex. 23:13
968 וכל־הארץ הזאת אשר אמרתי אתן לזרעכם Ex. 32:13 ש
969 על־כן אמרתי לבני ישראל Lev. 17:12
970 על־כן אמרתי להם... Num. 18:24
1006-971 אמרתי (א) Deut. 28:68 • Jud. 2:3
13:13 • ISh. 9:17,23 • IISh. 19:30 • IK. 22:18 •
IIK. 2:18; 4:24,28; 23:27 • Is. 22:4; 45:19; 65:1 •
Jer. 3:19; 18:10 • Ps. 31:15; 32:5; 40:8; 41:5; 75:5;
94:18; 119:57; 140:7; 142:6 • Job 6:22; 9:22; 32:10
• Ruth 4:4 • Eccl. 2:2; 6:3; 7:23; 8:14 • Neh. 4:16 •
ICh. 21:17 • IICh. 18:17
אמרתי (ב) 1007 אמרתי רק אין־יראת אלהים Gen. 20:11
1008 כי אמרתי פן־אמות עליה Gen. 26:9
1009 כי אמרתי פן־תגזל Gen. 31:31
1010 אמרתי כבד אכבדך Num. 24:11
1011 אמרתי אפאיהם Deut. 32:26
1012 אמר אמרתי כי־שנא שנאתה Jud. 15:2
ISh. 2:30 • IISh. 12:22 • IIK. 5:11 • Is. 36:5;
38:10,11; 49:4 • Jer. 5:4; 10:19 • Jon. 2:5 • Zep. 3:7
• Zech. 13:9 • Ps. 30:7; 31:23; 38:17; 39:2; 73:15;
83:15; 82:6; 89:3; 116:11 • Job 7:13; 31:24; 32:7 •
S.ofS. 7:9 • Ruth 1:12 • Lam. 3:54 • Eccl. 2:1;
3:17,18
אמרתי(א) 1042 אמונתך ותשועתך אמרתי Ps. 40:11
ואמרתי(א) 1043 ואמרתי אליה השקיני־נא Gen. 24:43
1044 ואמרתי להם אלהי... שלחני Ex. 3:13
1045 ואמרתי חי אנכי לעלם Deut. 32:40
1046 ואמרתי אליכם הכו את־אמנון IISh. 13:28
1047 ואמרתי לא־אזכרנו Jer. 20:9
1048 ואמרתי חרב תעבר בארץ Ezek. 14:17
1049 ואמרתי ללא־עמי עמי־אתה Hosh. 2:25
1050 וכחשתי ואמרתי מי יי Prov. 30:9
ואמרתי(ב) 1051 אם־שכבתי ואמרתי מתי אקום Job 7:4
1052 ואמרתי אני בלבי Eccl. 2:15
1053 ואמרתי אני טובה חכמה מגבורה Eccl. 9:16
אמרת(א) 1054 למה אמרת אחתי הוא Gen. 12:19
1055 ואיך אמרת אחתי הוא Gen. 26:9
1056 ואתה אמרת היטב... עמך Gen. 32:13(12)
1057 ואתה אמרת ידעתיך בשם Ex. 33:12
1058 ואתה אמרת בשר אתן... Num. 11:21
1059 אתה אמרת אדניהו ימלך אחרי IK. 1:24
1060 אל־המקום אשר אמרת IK. 8:29
1061 אמרת אך־דבר־שפתים IIK. 18:20
1062 ואתה אמרת אלי אדני... Jer. 32:25
1063 אמרת אוי־נא לי Jer. 45:3
1064 אשר אמרת על־הרי ישראל Ezek. 35:12

אמרת(א) (המשך) 1065 אשר אמרת תנה־לי מלך Hosh. 13:10
1066 אך אמרת באזני Job 33:8
1067 אמרת צדקי מאל Job 35:2
1068 אמרת אל־תירא Lam. 3:57
1069 הארץ אשר־אמרת לאבתיהם Neh. 9:23
1070 אל־המקום אשר אמרת IICh. 6:20
1071 אמרת הנה הכית את־אדום IICh. 25:19
אמרת (ב) 1072 ואתה אמרת בלבבך Is. 14:13
ואמרת(א) 1073 ואמרת לעבדך ליעקב Gen. 32:19(18)
1074 ואמרת אלהם למה שלמתם רעה Gen. 44:4
1075 ואמרת אלהם יי... נראה אלי Ex. 3:16
1076 ואמרת אל־פרעה כה אמר יי Ex. 4:22
1077 ואמרת אל־אהרן Ex. 7:9
1078 ואמרת אליו יי... שלחני אליך Ex. 7:16
1091-1079 דבר... ואמרת אלהם Lev. 1:2
18:2; 23:2,10; 25:2; 27:2 • Num. 5:12; 6:2; 15:2;
15:18,38; 33:51; 35:10
1203-1092 ואמרת (א) Ex. 7:26; 8:16; 9:13; 13:14
Lev. 17:2; 19:2; 21:1; 22:18 • Num. 8:2; 18:26,30;
28:2,3; 34:2 • Deut. 6:21; 12:20; 17:14; 26:3,5,13 •
Josh. 7:13 • ISh. 3:9; 16:2; 20:6 • IISh. 7:5; 11:21;
13:5; 15:34 • IK. 22:27 • IIK. 9:3; 20:5 • Is. 6:9; 7:4;
12:1; 38:5 • Jer. 3:12; 5:19; 7:2,28; 8:4; 11:3;
13:12,13; 14:17; 15:2; 16:11; 17:20; 19:3,11; 22:2;
23:33; 25:27,28,30; 26:4; 28:13; 34:2[2]; 35:13;
38:26; 39:16; 43:10; 51:62,64 • Ezek. 2:4; 3:11,27;
6:3; 12:19; 13:2,18; 14:4; 16:3; 17:3; 19:2;
20:3,5,27; 21:3,8,12,14,33[2]; 22:3; 24:3; 25:3; 27:3;
28:12,22; 29:3; 30:2; 32:2; 33:2; 34:2; 35:3;
36:1,3,6; 37:4,9,12; 38:3,11,14; 39:1; 44:6 • Zech.
1:3; 6:12 • Prov. 5:12 • Job 22:13 • ICh. 17:4
ואמרת(ב) 1204 ואמרת בלבבך כחי ועצם ידי Deut. 8:17
ואמרת(א) 1205 ונשאת המשל הזה... ואמרת Is. 14:4
אמרת(א) 1206 ואת אלית וגם אמרת באזני Jud. 17:2
1207 ועם־האמהות אשר אמרת... IISh. 6:22
1208 צור את אמרת אני כלילת יפי Ezek. 27:3
1209 אמרת ליי אדני אתה Ps. 16:2
אמרת (ב) 1210 אמרת אין ראני Is. 47:10
1211 לא אמרת נואש Is. 57:10
1212 אמרת לא אשמע Jer. 22:21
ואמרת(א) 1213 היש־פה איש ואמרת אין Jud. 4:20
1214 ואמרת אליו הלא־אתה אדני IK. 1:13
ואמרת(ב) 1215 ואמרת בלבבך מי ילד־לי Is. 49:21
אמר (א) 1216 אף כי־אמר אל' לא תאכלו Gen. 3:1
1217 אמר אלהים לא תאכלו ממנו Gen. 3:3
1218 אל־האשה אמר הרבה ארבה Gen. 3:16
1219 ולאדם אמר כי שמעת... Gen. 3:17
1220 ויי אמר אל־אברם Gen. 13:14
1221 הלא הוא אמר־לי אחתי הוא Gen. 20:5
1222 ולשרה אמר הנה נתתי... Gen. 20:16
1223 כה אמר עבדך יעקב Gen. 32:5(4)
1224 כה אמר יי בני בכרי ישראל Ex. 4:22
1225/6 כה־אמר יי אלהי ישראל Ex. 5:1; 32:27
1358-1227 כה(־)אמר אדני יהוה Is. 7:7
28:16; 30:15; 49:22; 52:4; 65:13 • Jer. 7:20 • Ezek.
2:4; 3:11,27; 5:5,7,8; 6:3,11; 7:2,5; 11:7,16,17;
12:10,19,23,28; 13:3,8,13,18,20; 14:4,6,21; 15:6;
16:3,36,59; 17:3,9,19,22; 20:3,5,27,30,39;
21:3,29,31,33; 22:3,19,28; 23:22,28,32,35,46;
24:3,6,9,21; 25:3,6; 25:8,12,13,15,16; 26:3,7,15,19;
27:3; 28:2,6,12,22,25; 29:3,8,13,19; 30:2,10,13,22;
31:10,15; 32:3,11; 33:25,27; 34:2,10,11,17,20;
35:3,14; 36:2,3,4,5,6,7,13,22,33,37;

אמר (א) (המשך) 37:5,9,12,19,21; 38:3,10,14,17; 39:1,17,25; 43:18;
44:6,9; 45:9,18; 46:1,16; 47:13 • Am. 3:11; 5:3 •
Ob. 1
1389-1359 אמר יי אלהי ישראל Josh. 7:13
24:2 • Jud. 6:8 • ISh. 10:18 • IISh. 12:7 • IK.
11:31; 14:7; 17:14 • IIK. 9:6; 19:20; 21:12;
22:15,18 • Is. 37:21 • Jer. 11:3; 13:12; 21:4; 23:2;
24:5; 25:15; 30:2; 32:36; 33:4; 34:2,13; 37:7; 42:9;
45:2 • Mal. 2:16 • IICh. 34:23,26
1472-1390 כה אמר יי (אלהי) צבאות ISh. 15:2
IISh. 7:8 • Is. 10:24; 22:15 • Jer. 5:14; 6:6,9; 7:3,21;
9:6,14,16; 11:22; 16:9; 19:3,11,15; 23:15; 23:16;
25:8,27,28,32; 26:18; 27:4,19,21; 28:2,14,
29:4,8,17,21,23(22),25 • 32:14,15; 33:12;
35:13,17,18,19; 38:17; 39:16; 42:15,18; 43:10;
44:2,7,11,25; 48:1; 49:7,35; 50:18,33; 51:33,58 •
Am. 5:16 • Hag. 1:2, 5; 2:6, 11 • Zech. 1:3, 4, 14,
17; 2:12; 3:7; 6:12; 7:9; 8:2, 4, 6, 7, 9, 14, 19, 20,
23 • Mal. 1:4 • ICh. 17:7
1653-1473 כה אמר יי (אדני) Ex. 7:17,26
8:16; 9:1,13; 10:3; 11:4 • ISh. 2:27 • IISh. 7:5;
12:11; 24:12 • IK. 12:24; 13:2,21; 20:13,14,28,42;
21:19[2] 22:11 • IIK. 1:4,6,16; 2:21; 3:16,17; 4:43;
7:1; 9:3,12; 19:6,32; 20:1,5; 22:16 • Is. 8:11; 18:4;
21:16; 29:22; 31:4; 37:6,33; 38:1,5; 43:1,14,16;
44:2, 6, 24; 45:1, 11, 14, 18; 48:17; 49:7, 8, 25;
50:1; 52:3; 56:1,4; 65:8; 66:1,12 • Jer. 2:2,5; 4:3,27;
6:16,21,22; 8:4; 9:22; 10:2,18; 11:11,21; 12:14;
13:1,9,13; 14:10,15; 15:2,19; 16:3,5; 17:5,19,21;
18:11,13; 19:1; 20:4; 21:8,12; 22:1,3,6,11,18,30;
23:38; 24:8; 26:2,4; 27:2,16; 28:11,13,16;
29:10, 16, 31, 32; 30:5, 12, 18; 31:2(1), 7(6), 15(14),
16(15), 35(34); 31:37(36); 32:3, 28, 42; 33:2, 10,
17, 20, 25; 34:2, 4, 17; 36:29, 30; 37:9; 38:2, 3;
44:30; 45:4; 47:2; 48:40; 49:1, 12, 28; 51:1, 36
• Ezek. 11:5; 21:8, 14; 30:6 • Am. 1:3, 6, 9; 1:11, 13;
2:1, 4, 6; 3:12; 5:4; 7:17 • Mic. 2:3; 3:5 • Nah. 1:12 •
Zech. 1:16; 8:3; 11:4 • ICh. 17:4; 21:10, 11 •
IICh. 11:4; 12:5; 18:10; 20:15; 21:12; 34:24
1681-1654 אמר יי (אדני) צבאות Is. 22:14
Jer. 46:25 • Hag. 2:7,9 • Zech. 1:3; 4:6; 7:13; 8:14 •
Mal. 1:6,8,9,10,11,13,14; 2:2,4,8,16; 3:1,5,7,10;
3:11,12,17,19,21
1908-1682 אמר (א) Gen. 22:3,9; 31:16
31:29,49; 32:21; 38:11; 41:54; 42:4; 43:5,17; 44:4;
45:9 • Ex. 2:22; 5:10; 6:26; 13:17; 15:9; 17:10; 18:3;
24:1,14 • Num. 10:29; 14:40; 20:14; 21:16; 22:16;
23:19,30; 26:65 • Deut. 9:25; 10:1; 17:16; 31:2;
33:8,12,13,18,20,22,23,24 • Josh. 1:12; 5:2; 6:22;
11:9 • Jud. 5:23; 11:15 • ISh. 9:5,9,27; 10:15,16;
17:55; 18:17; 19:17; 20:26; 23:22; 24:5(4); 25:21,35
• IISh. 3:18; 16:7,10,11; 18:18,19; 19:1,27; 23:3 •
IK. 1:48; 2:26,30; 8:12[2]; 11:2,18; 14:5;
20:3,5,32,35; 22:27,50 • IIK. 1:11; 2:9; 5:13;
6:10,32; 8:14[2],19; 9:12,18,19; 11:15; 17:12;
18:19,25; 18:29,31; 19:3; 20:17; 21:4,7 • Is. 10:13;
21:6,12; 23:4; 28:12; 29:16; 30:12; 36:4,10,14,16;
37:3; 39:6; 42:5; 45:13,24; 48:22; 49:5; 51:22;
54:1,6,8,10; 57:15,19,21; 59:21[2]; 65:7,25;
66:9,20,21,23 • Jer. 6:15; 8:12; 15:11; 28:1; 30:3;
33:11,13; 40:15; 44:26; 48:8; 49:2,18 • Ezek. 9:5;
29:3,9; 36:2 • Joel 3:5 • Am. 1:5; 1:8,15; 2:3;
5:17,27; 7:3,6,11; 9:15 • Mic. 2:4 • Zep. 3:20 • Hag.
1:8 • Mal. 1:2,13; 3:13 • Ps. 2:7; 10:6,11,13; 14:1;
27:8; 33:9; 50:16; 53:2; 68:23; 105:31,34; 106:34 •
Prov. 22:13; 26:13 • Job 1:5; 3:3; 28:14[2]; 34:5,9;
35:10; 36:23; 37:20 • Ruth 2:21; 3:17

אָמַר(א) (המשך) • Lam. 3:37 • Eccl. 1:2; 12:8 • Es. 1:10,17; 4:7; 9:25 •
Dan. 1:18 • Ez. 1:2 • Neh. 2:18 • ICh. 15:2; 21:18;
23:25; 27:23; 28:3 • IICh. 2:14; 6:1[2]; 8:11;
18:26; 21:7; 23:14; 24:20,22; 29:24; 32:10; 33:4,7;
35:21; 36:23

אָמָר(א) 1909 וַיְיָ אָמָר הַמְכַסֶּה אֲנִי מֵאַבְרָהָם Gen. 18:17
1910 וַיְיָ פָּקַד אֶת־שָׂרָה כַּאֲשֶׁר אָמָר Gen. 21:1
1911 וַיַּעַשׂ כֹּל אֲשֶׁר אָמָר Ex. 18:24
וְאָמַר(א) 1912 וְאָמַר מַה־מַּעֲשֵׂיכֶם Gen. 46:33
1913 וְאָמַר פַּרְעֹה לִבְנֵי יִשְׂרָאֵל Ex. 14:3
1914 וְהִשְׁבִּיעַ...וְאָמַר אֶל־הָאִשָּׁה Num. 5:19
1915 וְאָמַר הַכֹּהֵן לָאִשָּׁה Num. 5:21
1916 וְאָמַר אֲלֵהֶם שְׁמַע יִשְׂרָאֵל... Deut. 20:3
1917-1928 וְאָמַר כָּל־הָעָם אָמֵן Deut. 27:16
27:17,18,19,20,21,22,23,24,25,26 • Ps. 106:48
1929-1962 וְאָמַר Deut. 22:14,16; 25:8; 29:21
31:17; 32:37 • Jud. 4:20; 19:30 • ISh. 2:15;
2:16,20,36; 24:11(10) • IISh. 11:20; 17:9 • Is. 6:3;
20:6; 25:9; 29:11,12; 38:15; 40:6; 57:14; 65:8 •
Am. 6:10[2] • Nah. 3:7 • Zech. 13:5,6[2] • Prov. 26:19 •
S.ofS. 2:10 • Eccl. 10:3 • IICh. 7:21
הֶאָמַר 1963 כִּי־אֶל־אֵל הֶאָמַר נָשָׂאתִי Job 34:31
אָמְרָה(א) 1964 כִּי אָמְרָה הֲגַם הֲלֹם רָאִיתִי Gen. 16:13
1965 וְהִיא־גַם־הִוא אָמְרָה אָחִי הוּא Gen. 20:5
1966 כִּי אָמְרָה אַל־אֶרְאֶה בְּמוֹת... Gen. 21:16
1967 וְרִבְקָה אָמְרָה אֶל־יַעֲקֹב Gen. 27:6
1968 כִּי אָמְרָה כִּי־רָאָה יְיָ בְּעָנְיִי Gen. 29:32
1969 אָז אָמְרָה חֲתַן דָּמִים לַמּוּלֹת Ex. 4:26
1970 כִּי־אָמְרָה לְאִישָׁהּ... ISh. 1:22
1971 הָאִשָּׁה הַזֹּאת אָמְרָה אֵלַי... IIK. 6:28
1972 יַעַן אֲשֶׁר־אָמְרָה צֹּר עַל־יְרוּשָׁ' Ezek. 26:2
1973 כִּי אָמְרָה אֵלְכָה אַחֲרֵי מְאַהֲבַי Hosh. 2:7
1974 אֲשֶׁר אָמְרָה אֶתְנָה הֵמָּה לִי Hosh. 2:14
1975 חֲסַר־לֵב אָמְרָה לּוֹ Prov. 9:4
1976 וְאֵשׁ לֹא־אָמְרָה הוֹן Prov. 30:16
1977 חֶלְקִי יְיָ אָמְרָה נַפְשִׁי Lam. 3:24
1978 רְאֵה זֶה מָצָאתִי אָמְרָה קֹהֶלֶת Eccl. 7:27
וְאָמְרָה(א) 1979 וְאָמְרָה שְׁתֵה וְגַם־גְּמַלֶּיךָ אַשְׁקֶה Gen. 24:14
1980 וְאָמְרָה אֵלַי גַּם־אַתָּה שְׁתֵה Gen. 24:44
1981 וְאָמְרָה הָאִשָּׁה אָמֵן אָמֵן Num. 5:22
1982 וְאָמְרָה מֵאֵן יְבָמִי לְהָקִים... Deut. 25:7
1983 וְעָנְתָה וְאָמְרָה כָּכָה יֵעָשֶׂה לָאִישׁ Deut. 25:9
1984 וְאָמְרָה אֵלְכָה וְאָשׁוּבָה... Hosh. 2:9
1985 מִי־פֶתִי... וַחֲסַר־לֵב וְאָמְרָה לּוֹ Prov. 9:16
1986 וְאָמְרָה לֹא־פָעַלְתִּי אָוֶן Prov. 30:20
אָמַרְנוּ(א) 1987 כִּי־אָמַרְנוּ לַמֶּלֶךְ לֵאמֹר Ez. 8:22
אָמַרְנוּ(ב) 1988 אִם־אָמַרְנוּ נָבוֹא הָעִיר IIK. 7:4
1989 אֲשֶׁר אָמַרְנוּ בְּצִלּוֹ נִחְיֶה Lam. 4:20
וְאָמַרְנוּ(א) 1990 וְאָמַרְנוּ חַיָּה רָעָה אֲכָלָתְהוּ Gen. 37:20
1991 וְאָמַרְנוּ רְאוּ אֶת־תַּבְנִית Josh. 22:28
1992 וְאָמַרְנוּ אֲלֵיהֶם חָנּוּנוּ אוֹתָם Jud. 21:22
אֲמַרְתֶּם(א) 1993 הֲשָׁלוֹם אֲבִיכֶם...אֲשֶׁר אֲמַרְתֶּם Gen. 43:27
1994 הֲזֶה אֲחִיכֶם..אֲשֶׁר אֲמַרְתֶּם אֵלָי Gen. 43:29
1995/6 וְטַפְּכֶם אֲשֶׁר אֲמַרְתֶּם לָבַז יִהְיֶה
Num. 14:31 • Deut. 1:39
1997 שָׁמַעְתִּי...לְכֹל אֲשֶׁר־אֲמַרְתֶּם לִי ISh. 12:1
1998 כִּי אֲמַרְתֶּם כָּרַתְנוּ בְרִית Is. 28:15
1999 כִּי אֲמַרְתֶּם הֵקִים לָנוּ יְיָ נְבִאִים Jer. 29:15
2000 כֵּן אֲמַרְתֶּם בֵּית יִשְׂרָאֵל Ezek. 11:5
2001 ...וּמִקְסַם כָּזָב אֲמַרְתֶּם Ezek. 13:7
2002 כֵּן אֲמַרְתֶּם לֵאמֹר... Ezek. 33:10
2003 וִיהִי... אִתְּכֶם כַּאֲשֶׁר אֲמַרְתֶּם Am. 5:14

2004 אֲמַרְתֶּם שָׁוְא עֲבֹד אֱלֹהִים Mal. 3:14
וַאֲמַרְתֶּם(א) 2005 וַאֲמַרְתֶּם גַּם הִנֵּה עַבְדְּךָ Gen. 32:20
2006 וַאֲמַרְתֶּם אֵלָיו כֹּה אָמַר בִּנְךָ Gen. 45:9
2007 וַאֲמַרְתֶּם אַנְשֵׁי מִקְנֶה הָיוּ עֲבָדֶיךָ Gen. 46:34
2008 וַאֲמַרְתֶּם אֵלָיו יְיָ...נִקְרָה עָלֵינוּ Ex. 3:18
2009 וַאֲמַרְתֶּם זֶבַח־פֶּסַח הוּא לַיְיָ Ex. 12:27
2010 וַאֲמַרְתֶּם כֹּה לֶחָי ISh. 25:6
2011-2032 וַאֲמַרְתֶּם(א) Lev. 15:2
Josh. 4:7; 9:11 • Jud. 7:18 • ISh. 14:34 • IISh. 15:10
• IK. 1:34 • Is. 12:4 • Jer. 7:10 • Ezek. 18:19,25;
33:20 • Mal. 1:2,6; 1:7,13; 2:14,17; 3:7,8,13 •
IICh. 18:26
אָמְרוּ(א) 2033 וְגַם אַנְשֵׁי הַמָּקוֹם אָמְרוּ Gen. 38:22
2034 וְהָאֲנָשִׁים אֲשֶׁר עָלוּ עִמּוֹ אָמְרוּ לֹא
נוּכַל לַעֲלוֹת Num. 13:31
2035 כֹּה אָמְרוּ כֹּל עֲדַת יְיָ Josh. 22:16
2036-2085 אָמְרוּ(א) Jud. 9:3; 12:4; 16:24; 20:32,39
ISh. 4:7; 8:6; 10:27; 29:9; 30:6 • IISh. 12:18; 17:29 •
IK. 20:23,28; 22:32 • IIK. 20:14 • Is. 30:10; 39:3;
51:23; 66:5 • Jer. 2:6,8,31; 5:24; 12:4; 23:17,25;
42:5; 50:7 • Ezek. 9:9; 11:15; 12:9 • Hag. 1:2 • Ps.
12:5; 35:21; 64:6; 71:10; 74:8; 78:19; 83:5,13;
129:8 • Prov. 30:15 • Job 28:22; 31:31 • Lam. 2:16;
4:15 • IICh. 18:31; 22:9; 26:23
אָמְרוּ(ב) 2086 כִּי אָמְרוּ כֻּלָּנוּ מֵתִים Ex. 12:33
2087 כִּי אָמְרוּ פֶּן־תִּבְלָעֵנוּ הָאָרֶץ Num. 16:34
2088 וְלֹא אָמְרוּ לַעֲלוֹת עֲלֵיהֶם Josh. 22:33
2089 כִּי־אָמַר פְּלִשְׁתִּים פֶּן יַעֲשׂוּ ISh. 13:19
וְאָמְרוּ(א) 2090 וְאָמְרוּ אִשְׁתּוֹ זֹאת Gen. 12:12
2091 וְאָמְרוּ־לִי מַה־שְּׁמוֹ Ex. 3:13
2092 וְאָמְרוּ אֶל־יוֹשֵׁב הָאָרֶץ Num. 14:14
2093 וְאָמְרוּ הַגּוֹיִם אֲשֶׁר־שָׁמְעוּ... Num. 14:15
2094 וְאָמְרוּ רַק עַם־חָכָם וְנָבוֹן... Deut. 4:6
2095 וְאָמְרוּ מִי־הָאִישׁ הַיָּרֵא Deut. 20:8
2096 וְעָנוּ וְאָמְרוּ יָדֵינוּ לֹא שָׁפְכוּ Deut. 21:7
2097-2122 וְאָמְרוּ Deut. 21:20; 27:14,15
29:23,24 • ISh. 5:7; 10:2 • IK. 9:8,9; 18:10 • Is. 2:3
• Jer. 13:12; 16:10; 22:8,9; 38:25 • Ezek. 18:29;
26:17; 33:17; 36:35 • Hosh. 10:8 • Am. 8:14 • Mic.
4:2 • Zech. 13:3 • Ps. 73:11 • IICh. 7:22
וְאָמְרוּ(ב) 2123 וְאָמְרוּ נוֹאָשׁ... Jer. 18:12
2124 וְאָמְרוּ אַלֻּפֵי יְהוּדָה בְּלִבָּם Zech. 12:5
אֹמֵר(א) 2125 רְאֵה אַתָּה אֹמֵר אֵלַי... Ex. 33:12
2126/7 וְעַתָּה אַתָּה אֹמֵר לֵךְ אֱמֹר IK. 18:11,14
2128 וַיֹּאמֶר זֶה בְּכֹה וְזֶה אֹמֵר בְּכֹה IK. 22:20
2129 וָאֶשְׁמַע אֶת־קוֹל אֲדֹנָי אֹמֵר Is. 6:8
2130 קוֹל אֹמֵר קְרָא Is. 40:6
2131 אֹמֵר לַדֶּבֶק טוֹב הוּא Is. 41:7
2132 וְאֵין־אֹמֵר הָשַׁב Is. 42:22
2133 כֵּן נַעֲשֶׂה כַּאֲשֶׁר אַתָּה אוֹמֵר Neh. 5:12
2134 כַּדְּבָרִים... אֲשֶׁר אַתָּה אוֹמֵר Neh. 6:8
2135-2146 אֹמֵר(א) Is. 45:10
46:10; 52:7 • Jer. 44:26 • Am. 7:16 • Mic. 6:1 •
Hab. 2:19 • Ps. 45:2 • Prov. 24:24 • Neh. 6:6 •
IICh. 18:19[2]
אוֹמֵר(ב) 2147 הַלְהָרְגֵנִי אַתָּה אֹמֵר... Ex. 2:14
2148 וְהִנְנִי אֹמֵר לִבְנוֹת בַּיִת IK. 5:19
2149 אֹמֵר בְּלִבּוֹ מִי יוֹרִדֵנִי אָרֶץ Ob. 3
2150 וּבְהֵיכָלוֹ כֻּלּוֹ אֹמֵר כָּבוֹד Ps. 29:9
וְאוֹמֵר(א) 2151 גּוֹזֵל...וְאֹמֵר אֵין־פָּשַׁע Prov. 28:24
הָאוֹמֵר(א) 2152 יְיָ הָאֹמֵר אֵלַי שׁוּב לְאַרְצְךָ Gen. 32:10(9)

הָאוֹמֵר(א) (המשך) 2153 הָאֹמֵר לְאָבִיו וּלְאִמּוֹ לֹא רְאִיתִיו Deut. 33:9
2154 מִי הָאֹמֵר שָׁאוּל יִמְלֹךְ עָלֵינוּ... ISh. 11:12
2155 הָאֹמֵר לְךָ אַל־תִּירָא Is. 41:13
2156 הָאֹמֵר לִירוּשָׁלִַם תּוּשָׁב Is. 44:26
2157 הָאֹמֵר לַצּוּלָה חֳרָבִי Is. 44:27
2158 הָאֹמֵר לְכוֹרֶשׁ רֹעִי Is. 44:28
2159 הָאֹמֵר אֶבְנֶה־לִּי בֵּית מִדּוֹת Jer. 22:14
2160 הָאֹמֵר לַחֶרֶס וְלֹא יִזְרָח Job 9:7
הֶאָמוּר 2161 הֶאָמוּר בֵּית־יַעֲקֹב... Mic. 2:7
אוֹמֶרֶת(א) 2162/3 וְזֹאת אֹמֶרֶת לֹא כִי... IK. 3:22,23
2164 זֹאת אֹמֶרֶת זֶה־בְּנִי הַחַי IK. 3:23
2165 וְזֹאת אֹמֶרֶת גַּם־לִי...לֹא יִהְיֶה IK. 3:26
הָאוֹמְרָה(א) 2166 הָאֹמְרָה אֵלַי אַיּוֹ יְיָ Mic. 7:10
הָאוֹמְרָה(ב) 2167 הָאֹמְרָה בִּלְבָבָהּ אֲנִי וְאַפְסִי עוֹד Is. 47:8
2168 הָאֹמְרָה בִּלְבָבָהּ אֲנִי וְאַפְסִי עוֹד Zep. 2:15
אוֹמְרִים(א) 2169 כִּי שָׁמַעְתִּי אֹמְרִים... Gen. 37:17
2170 וּלְבֵנִים אֹמְרִים לָנוּ עֲשׂוּ Ex. 5:16
2171 עַל־כֵּן אַתֶּם אֹמְרִים... Ex. 5:17
2172 מָה־אַתֶּם אֹמְרִים אֶעֱשֶׂה לָכֶם IISh. 21:4
2173 אֹמְרִים לָעֵץ אָבִי אַתָּה Jer. 2:27
2174 הִנֵּה הַנְּבִאִים אֹמְרִים לָהֶם Jer. 14:13
2175 הַנִּבְּאִים בִּשְׁמִי...וְהֵמָּה אֹמְרִים Jer. 14:15
2176 הִנֵּה־הֵמָּה אֹמְרִים אֵלָי... Jer. 17:15
2177 אֹמְרִים אָמוֹר לִמְנַאֲצַי Jer. 23:17
2178-2202 אֹמְרִים Jer. 27:9; 32:36,43
33:10,11; 42:13; 43:2 • Ezek. 8:12; 12:27; 20:32;
21:5; 22:28; 33:24; 36:13; 37:11 • Hosh. 13:2 • Ps.
3:3; 4:7 • Neh. 5:2,3,4; 6:19 • IICh. 13:8; 28:10,13
וְאוֹמְרִים(א) 2203 וְאֹמְרִים נְאֻם־יְיָ... Ezek. 13:7
2204 וּמְהַלְלִים...וְאֹמְרִים הוֹדוּ לַיְיָ IICh. 20:21
הָאוֹמְרִים(א) 2205 הָאֹמְרִים יְמַהֵר יָחִישָׁה מַעֲשֵׂהוּ Is. 5:19
2206 הוֹי הָאֹמְרִים לָרַע טוֹב... Is. 5:20
2207 הָאֹמְרִים לְמַסֵּכָה אַתֶּם אֱלֹהֵינוּ Is. 42:17
2208 הָאֹמְרִים קְרַב אֵלֶיךָ... Is. 65:5
2209 הָאֹמְרִים מִי־יֵחַת עָלֵינוּ Jer. 21:13
2210 הָאֹמְרִים אֲלֵיכֶם לֵאמֹר Jer. 27:14
2211 הָאֹמְרִים לֹא בְקָרוֹב בְּנוֹת בָּתִּים Ezek. 11:3
2212 הָאֹמְרִים נְאֻם־יְיָ... Ezek. 13:6
2213 הָאֹמְרִים הֲלוֹא בְחָזְקֵנוּ לָקַחְנוּ Am. 6:13
2214 הָאֹמְרִים לֹא־תַגִּישׁ... הָרָעָה Am. 9:10
2215 הָאֹמְרִים תֶּחֱנָף... Mic. 4:11
2216 הָאֹמְרִים בִּלְבָבָם לֹא־יֵיטִיב יְיָ Zep. 1:12
2217 הָאֹמְרִים לִי הֶאָח הֶאָח Ps. 40:16
2218 הָאֹמְרִים הֶאָח הֶאָח Ps. 70:4
2219 הָאֹמְרִים עָרוּ עָרוּ... Ps. 137:7
2220 הָאֹמְרִים לָאֵל סוּר מִמֶּנּוּ Job 22:17
בְּאוֹמְרִים(א) 2221 שָׂמַחְתִּי בְּאֹמְרִים לִי... Ps. 122:1
אוֹמְרוֹת(א) 2222 וְהִנֵּה אֹמְרֹת הִסִּיתוּךָ וְיָכְלוּ לְךָ Jer. 38:22
הָאוֹמְרוֹת(א) 2223 הָאֹמְרֹת לַאֲדֹנֵיהֶם הָבִיאָה Am. 4:1
אֹמַר(א) 2224-2228 אֲשֶׁר(־)אֹמַר אֵלֶיךָ Gen. 22:2
26:2 • Jud. 7:4[2] • ISh. 16:3
2229 הַנַּעֲרָ אֲשֶׁר אֹמַר אֵלֶיהָ Gen. 24:14
2230 מָה אֹמַר אֲלֵהֶם Ex. 3:13
2231 בִּי אֲדֹנָי מָה אֹמַר... Josh. 7:8
2232 אִם־אָמֹר אֹמַר לַנַּעַר ISh. 20:21
2233 וְאִם־כֹּה אֹמַר לָעֶלֶם ISh. 20:22
2234 אֵת אֲשֶׁר־אֹמַר אֵלָיִךְ ISh. 28:8
2235 אֹמַר לַצָּפוֹן תֵּנִי Is. 43:6
2236 אִם־אֶרְעַב לֹא־אֹמַר לָךְ Ps. 50:12
2237 אֹמַר לַייָ מַחְסִי וּמְצוּדָתִי Ps. 91:2
2238 אֹמַר אֵלִי אַל־תַּעֲלֵנִי בַּחֲצִי יָמָי Ps. 102:25
2239 אֹמַר אֶל־אֱלוֹהַּ אַל־תַּרְשִׁיעֵנִי Job 10:2

וְאָמַר (א) 2240 וְאָמַר לָכֶם אֵין הַקִּיר Ezek. 13:15
וָאֹמַר (א) 2241 וָאֹמַר לָהּ זֶה חַסְדֵּךְ... Gen. 20:13
2242 וָאֹמַר אֶל־אֲדֹנִי אֻלַי לֹא־תֵלֵךְ Gen. 24:39
2243 וָאֹמַר יְיָ אֱלֹהֵי אֲדֹנִי אַבְרָהָם Gen. 24:42
2244 וָאֹמַר אֵלֶיהָ הַשְׁקִינִי נָא Gen. 24:45
2245 וָאֶשְׁאַל אֹתָהּ וָאֹמַר בַּת־מִי אַתְּ Gen. 24:47
2246 וַיֹּאמֶר אֵלַי.. יַעֲקֹב וָאֹמַר הִנֵּנִי Gen. 31:11
2247 וָאֹמַר (כת׳ ויאמר) אֵלָיו עֲמָלֵקִי אָנֹכִי IISh.1:8
2248 וָאֹמַר (כת׳ ויאמר) רָאִיתִי וְהִנֵּה.. Zech. 4:2
2249 וָאֹמַר (כת׳ ויאמר) לֹא־טוֹב הַדָּבָר Neh. 5:9
2250 וָאֹמַר (כת׳ ויאמר) לָהֶם לֹא יִפָּתְחוּ Neh. 7:3
2318-2251 וָאֹמַר (א) Gen. 41:24 • Ex. 3:17
4:23; 32:24 • Lev. 17:14; 20:24 • Deut. 1:9,20,29;
9:26 • Jud. 2:1 • ISh. 13:12; 24:11(10) • IISh. 1:7 •
IK. 21:6 • IIK. 6:29 • Is. 6:5,8; 6:11; 24:16; 41:9 •
Jer. 1:6,11,13; 4:10; 11:5; 14:13; 24:3; 35:5 • Ezek.
4:14; 9:8; 11:13; 16:6^{2}; 20:7,18,29; 21:5; 23:43;
24:20; 37:3 • Hosh. 3:3 • Am. 7:2,5,8; 8:2 • Mic.
3:1 • Zech. 1:9; 2:2,4,6; 3:5; 4:4,5,11,12,13;
5:2,6,10; 6:4; 11:9,12 • Neh. 1:5; 2:3,5; 4:8,13
וָאֹמַר (ב) 2319 וַיֵּצֵא הָאֶחָד מֵאִתִּי וָאֹמַר Gen. 44:28
2320 וָאֹמַר אַחֲרֵי עֲשׂוֹתָהּ אֶת־כָּל־אֵלֶּה Jer. 3:7
2321 וָאֹמַר אָבִי תִּקְרְאִי־לִי Jer. 3:19
2324-2322 וָאֹמַר לִשְׁפֹּךְ חֲמָתִי Ezek. 20:8,13,21
2325 וָאֹמַר מִי־יִתֶּן־לִּי אֵבֶר כַּיּוֹנָה Ps. 55:7
2326 וָאֹמַר חַלּוֹתִי הִיא... Ps. 77:11
2327 וָאֹמַר עַם תֹּעֵי לֵבָב הֵם Ps. 95:10
2328 וָאֹמַר אַךְ־חֹשֶׁךְ יְשׁוּפֵנִי Ps. 139:11
2329 וָאֹמַר עִם־קִנִּי אֶגְוָע Job 29:18
2330 וָאֹמַר עַד־פֹּה תָבוֹא Job 38:11
2331 וָאֹמַר אָבַד נִצְחִי וְתוֹחַלְתִּי מֵיְיָ Lam. 3:18
וָאוֹמַר(א) 2332 וָאוֹמַר לַמֶּלֶךְ אִם־עַל־הַמּ׳ טוֹב Neh. 2:7
2333 וָאוֹמַר אֲלֵהֶם אַתֶּם רֹאִים הָרָעָה Neh. 2:17
2334 וָאוֹמַר לָהֶם אֱלֹהֵי הַשָּׁמַיִם... Neh. 2:20
אוֹמְרָה(א) 2335 אוֹמְרָה לְאֵל סַלְעִי... Ps. 42:10
וְאֹמְרָה(א) 2336 וְאֹמְרָה אֵלָיו אַחַי...בָּאוּ אֵלָי Gen. 46:31
וָאֹמְרָה(א) 2337 וָאֹמְרָה לָכֶם אֲנִי יְיָ אֱלֹהֵיכֶם Jud. 6:10
2338 וָאֶתְוַדֶּה וָאֹמְרָה אָנָּא אֲדֹנָי Dan. 9:4
2339 וָאֹמְרָה אֶל־הָעֹמֵד לְנֶגְדִּי Dan. 10:16
2354-2340 וָאֹמְרָה (א) Dan. 10:19; 12:8 • Ez. 8:28
9:6 • Neh. 5:7,8,13; 6:11; 13:9,11,17,19^{2},21,22
תֹּאמַר (א) 2355 וְלֹא תֹאמַר אֲנִי הֶעֱשַׁרְתִּי... Gen. 14:23
2356 כֹּה(־)תֹאמַר לִבְנֵי יִשְׂרָאֵל Ex. 3:14
2368-2357 כֹּה תֹאמַר Ex. 3:15; 19:3; 20:19
IISh. 7:8; 11:25 • IK. 12:10 • Jer. 23:37; 45:4 •
Ezek. 33:27 • ICh. 17:7 • IICh. 10:10^{2}
2374-2369 (וְ)אַל־תֹּאמַר Jer. 1:7
Prov. 3:28; 20:22; 24:29 • Eccl. 5:5; 7:10
2394-2375 תֹּאמַר Lev. 17:8; 20:2
Num. 11:12,18; 22:17 • Jud. 9:38; 16:15 • IISh.
2:26 • IIK. 10:5 • Is. 30:22; 36:7; 40:27; 48:5,7 •
Jer. 21:8; 29:24; 36:29 • Ezek. 28:9 • Job 35:3,14
תֹּאמַר (ב) 2395 כִּי תֹאמַר בִּלְבָבְךָ... Deut. 7:17
2396 אַל־תֹּאמַר בִּלְבָבְךָ בַּהֲדֹף יְיָ Deut. 9:4
2401-2397 תֹּאמַר (ב) Deut. 18:21
28:67^{2} • Prov. 24:12 • Eccl. 12:1
תֹּאמַר (א) 2402 ...אֶתֵּן לְךָ כְּכֹל אֲשֶׁר תֹּאמַר IK. 5:20
וַתֹּאמַר(א) 2403/4 וַתֹּאמֶר אֶל־עֲבָדֶיךָ Gen. 44:21,23
2405 וַתֹּאמֶר אֵלַי טוֹב הַדָּבָר IK. 2:42
2406/7 וַתֹּאמֶר בְּרֹב רִכְבִּי אֲנִי עָלִיתִי IIK. 19:23
Is. 37:24

וַתֹּאמֶר (א) (המשך) 2408 גָּבַהּ לִבְּךָ וַתֹּאמֶר אֵל אָנִי Ezek. 28:2
2409 וַתֹּאמֶר שִׁוִּיתִי עֵזֶר עַל־גִּבּוֹר Ps. 89:20
2410 וַתֹּאמֶר שׁוּבוּ בְנֵי־אָדָם Ps. 90:3
2411 וַתֹּאמֶר זַךְ לִקְחִי Job 11:4
2412 כִּי־הִשְׁפִּילוּ וַתֹּאמֶר גֵּוָה Job 22:29
2413 וַתֹּאמֶר לָהֶם לָבוֹא לָרֶשֶׁת... Neh. 9:15
תֹּאמְרִי(א) 2414 אֵיךְ תֹּאמְרִי לֹא נִטְמֵאתִי Jer. 2:23
2415 מַה־תֹּאמְרִי כִּי־יִפְקֹד עָלַיִךְ Jer. 13:21
2416 וְכִי תֹאמְרִי בִּלְבָבֵךְ... Jer. 13:22
2417/8 כֹּל אֲשֶׁר־תֹּאמְרִי אֶעֱשֶׂה Ruth 3:5,11
וַתֹּאמְרִי(א) 2419 וַתֹּאמְרִי לְעוֹלָם אֶהְיֶה גְבָרֶת Is. 47:7
2420 וַתֹּאמְרִי בְּלִבֵּךְ אֲנִי וְאַפְסִי עוֹד Is. 47:10
2421 וַתֹּאמְרִי לֹא אֶעֱבוֹר Jer. 2:20
2422 וַתֹּאמְרִי נוֹאָשׁ Jer. 2:25
2423 וַתֹּאמְרִי כִּי נִקֵּיתִי Jer. 2:35
יֹאמַר (א) 2424 אִם־כֹּה יֹאמַר נְקֻדִּים יִהְיֶה שְׂכָרֶךָ Gen. 31:8
2425 וְאִם־כֹּה יֹאמַר עֲקֻדִּים יִהְיֶה... Gen. 31:8
2426 אֲשֶׁר־יֹאמַר לָכֶם תַּעֲשׂוּ Gen. 41:55
2427 הֲיָדוֹעַ נֵדַע כִּי יֹאמַר... Gen. 43:7
2428 וְזָבַחְנוּ...כַּאֲשֶׁר יֹאמַר אֵלֵינוּ Ex. 8:23
2429 וְאִם־אָמֹר יֹאמַר הָעֶבֶד Ex. 21:5
2430 אֲשֶׁר יֹאמַר כִּי־הוּא זֶה Ex. 22:8
2431 וּבְנֻחֹה יֹאמַר שׁוּבָה יְיָ... Num. 10:36
2432 כַּאֲשֶׁר יֹאמַר מְשַׁל הַקַּדְמֹנִי ISh. 24:14(13)
2433 אַל־יֹאמַר אֲדֹנִי... IISh. 13:32
2437-2434 (וְ)אַל־יֹאמַר IK. 22:8
Is. 56:3^{2} • IICh. 18:7
2447-2438 יֹאמַר יְיָ Deut. 5:27(24)
IK. 1:36; 22:14 • Is. 1:11,18; 33:10; 41:21; 66:9 •
Jer. 42:20 • Ps. 12:6
2448 הַחַלָּשׁ יֹאמַר גִּבּוֹר אָנִי Joel 4:10
2449 מִי־יֹאמַר אֵלָיו מַה־תַּעֲשֶׂה Job 9:12
2482-2450 יֹאמַר (א) Deut. 15:16 • ISh. 16:16; 20:7
IISh. 15:26; 16:10 • Is. 8:12; 10:8; 29:16; 33:24;
40:1,25; 41:6,21; 44:5,20 • Jer. 23:34 • Hosh. 2:25 •
Zech. 11:5; 13:9 • Ps. 13:5; 118:2; 124:1; 129:1 •
Prov. 20:9,14; 23:7 • Job 23:5; 37:6; 39:25 • Eccl.
8:4,17 • Es. 2:15 • IICh. 18:13
וְיֹאמַר (א) 2483 וּשְׁלַח לִקְרָאתָם וְיֹאמַר הֲשָׁלוֹם IIK. 9:17
2484 אַף־יָחֹם וְיֹאמַר הֶאָח Is. 44:16
2485 וְיֹאמַר הַצִּילֵנִי כִּי אֵלִי אָתָּה Is. 44:17
2486 תְּשַׁוַּע וְיֹאמַר הִנֵּנִי Is. 58:9
2487 וְיֹאמַר הוֹי הַמַּרְבֶּה לֹּא־לוֹ Hab. 2:6
2488 וְיֹאמַר אָדָם אַךְ־פְּרִי לַצַּדִּיק Ps. 58:12
וַיֹּאמֶר (א) 2489 וַיֹּאמֶר אֱלֹהִים יְהִי־אוֹר Gen. 1:3
2490 וַיֹּאמֶר אֱלֹהִים יְהִי רָקִיעַ Gen. 1:6
2491 וַיֹּאמֶר אֱלֹהִים יִקָּווּ הַמַּיִם Gen. 1:9
2492 וַיֹּאמֶר אֱלֹהִים תַּדְשֵׁא הָאָרֶץ Gen. 1:11
2493 וַיֹּאמֶר אֱלֹהִים יְהִי מְאֹרֹת Gen. 1:14
2494 וַיֹּאמֶר אֱלֹהִים יִשְׁרְצוּ הַמַּיִם Gen. 1:20
2495 וַיֹּאמֶר אֱלֹהִים תּוֹצֵא הָאָרֶץ Gen. 1:24
2496 וַיֹּאמֶר אֱלֹהִים נַעֲשֶׂה אָדָם Gen. 1:26
2497 וַיֹּאמֶר לָהֶם אֱלֹ׳ פְּרוּ וּרְבוּ Gen. 1:28
2498 וַיֹּאמֶר יְיָ אֱלֹהִים לָאִשָּׁה Gen. 3:13
2499 וַיֹּאמֶר יְיָ אֱלֹהִים אֶל־הַנָּחָשׁ Gen. 3:14
2500 וַיֹּאמֶר יְיָ אֱלֹהִים הֵן הָאָדָם... Gen. 3:22
2501 וַיֹּאמֶר יְיָ אֶל־קָיִן לָמָּה חָרָה לָךְ Gen. 4:6
2502 וַיֹּאמֶר קַיִן אֶל־הֶבֶל אָחִיו Gen. 4:8
2503 וַיֹּאמֶר לֶמֶךְ לְנָשָׁיו Gen. 4:23
2504 וַיֹּאמֶר (כת׳ ויאמרו) אֶל־הָעָם Josh. 6:7
2505 וַיֹּאמֶר (כת׳ ויאמרו) אִישׁ־יִשְׂרָאֵל Josh. 9:7
2506 וַיֹּאמֶר (כת׳ ויאמרו) לוֹ דָּבָר ISh. 15:16

וַיֹּאמֶר (א) (המשך) 2573-2507 וַיֹּאמֶר יְיָ (...) אֶל־מֹשֶׁה Ex. 4:4,6,19,21
6:1; 7:1,8,14,19,26; 8:1,12,16; 9:1,8,13,22;
10:1,12,21; 11:1,9; 12:1,43; 14:15,26; 16:4,28;
17:5,14; 19:9,10,21; 20:22(19); 24:12; 30:34;
31:12; 32:9,33; 33:5,17; 34:1,27 • Lev. 16:2; 21:1 •
Num. 3:40; 7:4,11; 11:16,23; 12:4,14; 14:11;
15:35,37; 17:25; 20:12,23; 21:8,34; 25:4; 26:1;
27:6,12,18; 31:25 • Deut. 31:14,16
2719-2574 וַיֹּאמֶר(...)יְיָ(אֱלֹהִים) Gen. 1:29; 2:18
4:9; 6:3,7,13; 7:1; 8:21; 9:8,12,17; 11:6; 12:1;
17:9,15,19; 18:13,20,26; 21:12; 25:23; 31:3; 35:1;
46:2 • Ex. 3:14; 4:6,27; 33:21 • Num. 14:20;
18:1,20; 22:12 • Deut. 1:42; 2:2,9,31; 3:2,26;
5:28(25); 9:12,13; 10:11; 18:17; 34:4 • Josh. 1:1;
3:7; 4:1,15; 5:9; 6:2; 7:10; 8:1,18; 10:8; 11:6; 13:1 •
Jud. 1:2; 7:2,4,5,7; 10:11; 20:18,23,28 • ISh. 3:11;
8:7,22; 10:22; 16:1,2,7,12; 23:2,11,12 • IISh. 2:1;
5:2,19; 21:1 • IK. 3:5,11; 8:18; 9:3; 11:11; 19:15;
22:17,20,21 • IIK. 10:30; 23:27 • Is. 3:16; 7:3;
8:1,3; 20:3; 29:13 • Jer. 1:7,9,12,14; 3:6,11; 9:12;
11:6,9; 13:6; 14:11,14; 15:1; 24:3 • Ezek. 4:13; 9:4;
23:36; 44:2,5 • Hosh. 1:2,4; 3:1 • Am. 7:8^{2},15; 8:2 •
Jon. 2:11; 4:4,9,10 • Zech. 3:2; 11:13,15 • Job 1:7,8;
1:12; 2:2,3,6; 42:7 • ICh. 11:2; 14:10,14; 21:27 •
IICh. 1:11; 6:8; 18:16,19,20
2720 וַיַּעַן יִצְחָק וַיֹּאמֶר לְעֵשָׂו Gen. 27:37
2721 וַיַּעַן יִצְחָק אָבִיו וַיֹּאמֶר אֵלָיו Gen. 27:39
2723/2 וַיַּעַן יַעֲקֹב וַיֹּאמֶר לְלָבָן Gen. 31:31,36
2724 וַיַּעַן לָבָן וַיֹּאמֶר אֶל־יַעֲקֹב Gen. 31:43
2725 וַיַּעַן יוֹסֵף וַיֹּאמֶר זֶה פִּתְרֹנוֹ Gen. 40:18
2758-2726 וַיַּעַן(...) וַיֹּאמֶר Num. 23:26
ISh. 1:17; 9:21; 10:12; 14:28; 16:18; 21:5,6;
26:6,14,22; 29:9 • IISh. 4:9; 13:32; 14:18; 19:22 •
IK. 1:43; 2:22; 3:27; 20:4,11 • IIK. 3:11; 7:13 • Is.
21:9 • Joel 2:19 • Am. 7:14 • Hab. 2:2 • Hag. 2:14 •
Zech. 3:4; 4:5,6 • Ruth 2:11 • ICh. 12:18(17)
2759 וַיֹּאמֶר חִלְקִיָּהוּ הַכֹּהֵן... עַל... IIK. 22:8
2760 וַיֹּאמֶר מֹשֶׁה לִפְנֵי יְיָ Ex. 6:30
2761 וַיָּבֹא וַיֹּאמֶר לִפְנֵי יְהוֹנָתָן ISh. 20:1
2762 וַיֹּאמֶר לִפְנֵי אֶחָיו וְחֵיל שֹׁמְרוֹן Neh. 3:34
2763 וַיֹּאמֶר מְמוּכָן לִפְנֵי הַמֶּלֶךְ Es. 1:16
2764 וַיֹּאמֶר שְׁלֹמֹה לִבְנוֹת בַּיִת IICh. 1:18
2765 וַיֹּאמֶר הַמֶּלֶךְ וַיַּעֲשׂוּ אֲרוֹן אֶחָד IICh. 24:8
2766 וַיֹּאמֶר חִזְקִיָּהוּ לְהַעֲלוֹת הָעֹלָה IICh. 29:27
2767 וַיֹּאמֶר יְחִזְקִיָּהוּ לְהָכִין לְשָׁכוֹת IICh. 31:11
2768 וַיֹּאמֶר לְבִקְעָם אֵלָיו IICh. 32:1
וַיֹּאמֶר (ב) 2769 וַיֹּאמֶר בְּלִבּוֹ הַלְּבֶן מֵאָה...יִוָּלֵד Gen. 17:17
2770 וַיֹּאמֶר עֵשָׂו בְּלִבּוֹ... Gen. 27:41
2771 וַיֹּאמֶר דָּוִד אֶל־לִבּוֹ ISh. 27:1
2772 וַיֹּאמֶר לְהַכּוֹת אֶת־דָּוִד IISh. 21:16
2773 וַיֹּאמֶר יָרָבְעָם בְּלִבּוֹ IK. 12:26
2774 וַיֹּאמֶר לְהַכּוֹת חָמֵשׁ... פְּעָמִים IIK. 13:19
2775 וַיֹּאמֶר לְהַשְׁמִידָם Ps. 106:23
2776 וַיֹּאמֶר הָמָן בְּלִבּוֹ Es. 6:6
וַיֹּאמֶר(א) 3394-2777 וַיֹּאמֶר (...) אֶל־(אֵלָיו) Gen. 3:1,4
4:13; 12:11; 13:8; 14:21,22; 15:7,9; 16:6; 17:1,18;
19:18,21; 20:2,6,10; 21:22,29; 22:1,5,7;
24:2,5,6,40,56; 25:30; 26:9,16,27;
27:1^{1}, 11, 19, 20, 21, 26, 38; 29:21, 25; 30:25, 27;
31:11; 32:17,28; 33:13; 34:4,11,30; 35:2;
37:6,13,22,26; 39:8; 40:8,16; 41:15,25,38,39,41,44;
42:7,9,12,14,18,28; 42:33,36,37; 43:2,3,8,11;
44:27; 45:3,4,17,24; 46:30,31; 47:3,5,8,9,23,29;
48:3,4,9,11,18,21; 49:29; 50:6,19,24 • Ex. 1:9; 2:20;
3:11,13; 4:2,10,11; 5:4; 6:2; 9:27,29; 10:8,10;
12:21; 13:3; 14:13; 16:6,9,15,19,23,33; 17:9;
18:6,17; 19:15,23

וַיֹּאמֶר(א) (המשך) 19:24, 25; 20:20(17); 32:2, 17, 21, 30; 33:12, 15; 35:1,4,30 • Lev. 8:5,31; 9:2,7; 10:3,4,6 • Num. 9:8; 10:30; 11:11; 12:11; 13:17; 14:13; 16:8, 15, 16; 17:11; 20:18; 22:4, 8, 10, 13, 18, 34, 35, 37, 38; 23:1, 4, 5, 11, 13, 15, 16, 25, 27, 29; 24:10, 12; 25:5; 30:1; 31:15,21; 32:20,29 • Deut. 5:1; 29:1; 31:2,7; 32:46 • Josh. 3:5, 6, 9; 4:21; 5:15; 6:6, 16; 7:2, 19; 9:8; 10:24, 25; 14:6; 17:15, 17; 18:3; 22:2, 8, 31; 23:2; 24:2, 19, 21, 22, 27 • Jud. 3:28; 4:8, 19, 20; 6:12, 13, 15, 16, 17, 20, 36, 39; 7:9, 17; 8:2, 18, 23, 24; 9:15, 36[2], 38, 48; 11:9, 13; 12:2; 13:3, 13, 15, 16, 17, 22; 16:7, 11, 13, 26; 17:9; 18:4, 18; 19:5, 6, 11, 12, 18, 23, 28 • ISh. 1:14; 2:16, 27; 4:16; 7:3; 8:22; 9:3; 10:11, 14, 16, 18, 24; 11:2, 12, 14; 12:1, 5, 6, 20; 13:13; 14:1, 6, 12, 19, 40, 41, 43, 45; 15:1, 6, 16, 20, 24, 26, 28; 16:10, 11[2], 17; 17:26, 32, 33, 34, 37, 39, 43, 44, 45, 58; 18:17, 18, 21; 19:4, 17; 20:4, 5, 10, 11, 12, 27, 32; 21:3, 15; 22:3, 5, 13; 23:9, 17; 24:18(17); 26:8, 9, 15, 25; 27:5; 28:1, 2[2], 15; 29:3, 6, 8; 30:7, 15 • IISh. 1:3, 4, 5, 9, 13, 14, 16; 2:5, 14; 3:7, 16, 21, 31, 38; 6:21; 7:2, 3; 9:2, 3, 4, 9, 11; 11:10, 11, 12, 23, 25; 12:5, 7, 13[2], 19; 13:6, 10, 20, 25, 35; 14:2, 8, 21, 30, 31, 32; 15:3, 7, 19, 22, 27; 16:2, 3, 9, 11, 16, 17, 18, 20, 21; 17:1, 6, 7, 15; 18:2, 4, 12, 22, 28, 32; 19:20, 24, 31, 34, 35; 20:4, 6; 21:2, 3; 24:2, 3, 10, 14, 17; 24:22, 23, 24 • IK. 1:11; 2:30, 44; 11:21; 12:5, 9, 28; 13:6, 8, 13, 14, 15, 31; 17:13, 19; 18:5, 17, 22, 43; 20:12, 28, 34, 40, 42; 21:3, 20; 22:3, 4, 6, 15[2], 16 • IIK. 1:2; 1:5, 6; 2:2, 18; 3:13; 4:2, 6, 12, 19[2], 25, 36; 5:25, 26; 6:11, 15, 19, 21; 7:12; 8:8, 10; 9:11, 12, 23, 25; 10:9, 15, 18; 11:15; 12:5, 8; 18:19, 26, 27; 20:1, 8, 14, 16, 19 • Is. 36:4, 11; 37:6; 38:1; 39:3, 5, 8 • Jer. 19:14; 20:3; 21:3; 26:12, 18; 28:5, 15; 32:8; 37:18; 38:12, 14, 15, 17, 19, 24; 40:2, 16; 41:6; 42:4, 9; 43:2; 44:20, 24; 51:61 • Ezek. 2:1, 3; 3:1, 3, 4, 10, 22, 24; 4:15, 16; 8:5, 6, 8, 9, 12, 13, 15, 17; 9:7, 9; 10:2; 11:2, 5; 37:3, 4, 9, 11; 41:4; 42:13; 43:7, 18; 46:20, 24; 47:6, 8 • Am. 7:12 • Jon. 1:9, 12 • Zech. 1:9, 14; 2:2, 6, 8; 3:4; 4:2, 13, 14; 5:2, 3, 5, 11; 6:5 • Job 2:10 • Ruth 2:8 • Es. 6:7 • Dan. 1:11; 8:14, 17; 10:11, 12 • Ez. 10:10 • ICh. 10:4; 17:1, 2; 21:2, 8, 13, 17, 22, 23 • IICh. 10:5, 9; 16:7; 18:3, 4, 5, 7, 14, 15, 17, 29 • 19:2, 6; 23:14; 31:10; 34:15

3395-3680 וַיֹּאמֶר...לְ-(לוֹ, לָהֶם...) Gen. 3:9,10
4:15; 9:1; 15:5, 13; 16:9, 10, 11; 20:3, 9; 21:17; 27:31, 32, 34; 28:1; 29:4, 5, 6, 14, 15; 31:5, 24, 26, 46, 51; 35:10, 11; 37:10, 13, 14; 38:8, 11, 16; 40:9, 12; 41:55; 42:1; 43:16; 44:15; 48:1 • Ex. 1:15, 18; 2:13; 4:18[2]; 8:5; 10:28; 17:2; 18:15; 32:27 • Num. 10:29; 11:29; 20:10; 22:20, 29; 23:3, 17; 32:6 • Josh. 4:5; 5:13, 14: 15:18 • Jud. 1:3, 14; 6:8, 23, 25, 31; 8:5, 9, 20; 9:7, 9, 29, 54; 11:7, 15, 19; 13:7, 11, 18; 14:3, 12, 14, 16, 18; 15:3, 7, 11, 12; 16:17; 17:2, 9, 10; 18:6; 19:9, 13 • ISh. 1:8, 23; 2:23; 3:9; 9:6, 7, 10, 23; 14:7, 17, 18; 15:13; 17:8, 17, 27; 20:2, 18, 30, 36, 40, 42; 21:2, 3, 9; 22:7, 17; 22:18, 22; 24:7(6), 10(9); 25:5, 13, 32; 28:7, 13, 14; 30:8, 13; 31:4 • IISh. 1:3, 8; 2:21; 5:6; 9:4, 7, 11:8; 12:1; 13:4[2], 5, 11, 15, 26; 14:5, 15:9, 14, 25, 33; 16:4; 18:11, 20, 21, 23; 19:26, 30; 20:9; 24:13, 16, 18 • IK. 1:53; 2:20, 31, 36, 38, 42; 11:22, 31; 14:2; 18:8, 25, 30, 40, 41; 19:5, 9, 20; 20:3, 9, 22, 36; 22:34 • IIK. 2:4, 6; 4:13, 29, 38; 5:19; 6:28; 8:14; 9:1, 6, 11; 10:22, 23, 25; 13:15, 16, 18; 18:22; 19:6; 25:24 • Is. 36:7; 49:3 • Jer. 36:18 • Hosh. 1:6 • Jon. 1:6 • Hag. 1:13 • Ps. 52:2 • Prov. 4:4 • Job 28:28 • Ruth 2:4, 5, 14; 4:3, 8, 9 • Es. 1:13; 3:8, 11; 5:3, 6; 6:10; 7:2, 5; 8:7; 9:12 • Dan. 1:3, 10; 2:3; 8:13; 12:6 • Ez. 2:63; 4:3; 10:2 • Neh. 2:2, 4, 6; 7:65; 8:9, 10 • ICh. 13:2; 15:12, 16; 21:11, 15, 24; 22:7(6); 28:6, 20;

וַיֹּאמֶר(א) (המשך) 29:1, 20 • IICh. 1:2, 7, 8; 7:12; 12:5; 14:3, 6; 15:2; 18:3, 33; 23:3; 24:5, 6, 20; 25:9, 15, 16; 28:9; 29:5, 21, 30; 31:4; 32:12, 24; 33:16; 35:3, 23

3681-4434 וַיֹּאמֶר (א) Gen. 2:23; 3:11,12
4:9, 10; 9:25, 26; 12:7, 18; 15:2, 3, 5; 18:6, 9, 10, 15, 28, 29, 30[2], 31[2], 32[2]; 19:2, 14, 17; 20:11, 15; 21:24, 26, 30; 22:2, 7[3], 8, 11[2], 12, 16; 24:17, 23, 27, 31, 33[2], 54, 55, 65; 25:31, 32, 33; 26:2, 7, 9, 10, 22, 24; 27:2, 18[2], 20, 22, 24[2], 25, 27, 32, 33, 35, 36; 28:16; 29:7, 18, 19, 26; 30:2, 29, 31[2], 34; 31:12, 48; 32:3, 9, 10, 27[2], 28, 29, 30[2]; 33:5, 8[2], 9, 10, 12, 15[2]; 37:9, 16, 17, 21, 33, 35; 38:17, 18, 22, 23, 24, 26; 42:2, 38; 43:6, 23; 43:27, 29, 31; 44:10, 16, 17, 18, 25; 45:4, 28; 46:2[2], 3; 47:1, 16, 31; 48:2, 8, 19; 49:1 • Ex. 1:16; 2:14[2], 18; 3:3, 4[2], 5, 6, 7, 12, 14, 15; 4:1, 2, 3, 7, 13, 14; 5:2, 5, 17; 8:4, 6[2], 21, 22, 24, 25; 10:9, 16, 24, 25, 29; 11:4; 12:31; 14:25; 15:26; 16:8, 25, 32; 17:3, 16; 18:10, 14; 24:8; 32:11, 18, 22, 26, 29; 33:19, 20; 34:9, 10 • Lev. 9:6 • Num. 10:31, 35; 11:21; 12:6; 13:30; 14:41; 16:28; 20:20; 22:9, 30; 32:25 • Deut. 31:23; 32:20; 33:27 • Josh. 3:10; 5:14; 7:7, 25; 10:12, 18, 22; 15:16; 24:16 • Jud. 1:7, 12; 2:1, 20; 3:19[2], 20; 6:14, 22; 7:13, 14, 15; 8:6, 7, 15, 21; 9:28, 37; 11:35, 38; 12:5, 6; 13:11, 12; 14:2; 15:1, 2, 16; 16:20, 30; 17:13; 18:24; 19:8, 17, 20 • ISh. 3:4; 3:5[2], 6[2], 8, 10, 16[2], 17; 4:14, 16, 17; 7:5; 8:10, 11; 9:8, 18, 19, 24; 10:1, 14, 15; 11:5, 13; 12:5; 13:9, 11[2]; 14:8, 29, 33, 34, 36[2], 38, 42, 43, 44; 15:14, 15, 17, 18, 22, 30, 32[2], 33; 16:2, 4, 5, 6, 8, 9, 11; 16:19; 17:10, 25, 28, 29, 30, 37, 55, 56, 58; 18:8, 11, 21, 23, 25; 19:22[2]; 20:3[2], 9, 29, 37; 21:10[2]; 22:12[2], 16; 23:4, 7, 10, 12, 21; 24:17(16); 25:10, 39; 26:6, 10, 17[2], 18, 21; 27:10[2]; 28:8, 11, 15, 16, 23; 30:13, 15, 23 • IISh. 1:4, 6, 13, 15, 18; 2:1[2], 14, 20[2], 26, 27; 3:8, 13, 24, 28; 5:8, 20, 23; 6:9; 7:18; 9:1, 2, 3, 6[2], 8; 10:2, 5, 11; 11:3; 12:22, 27; 13:9, 17, 24, 26; 14:10, 11, 12, 19, 22, 24; 15:2[2], 4, 31; 16:2, 3, 4, 10; 17:5, 8, 14; 18:3, 10; 18:14, 22, 25, 26[2], 27[2], 28, 29[2], 30, 31, 32; 19:6, 23, 39, 44; 20:1, 11, 17[2]; 21:4, 6; 23:17; 24:17, 21[2] • IK. 1:16, 24, 28, 32, 33, 36, 41, 42, 52; 2:13, 14, 15, 17, 30; 3:6, 23, 24, 25; 5:21; 8:15; 9:13; 11:22; 13:2, 14, 16, 26; 14:6; 17:1, 23; 18:7, 9, 15; 18:18, 21, 27, 34[3], 43[2], 44[2]; 19:4, 7, 10, 11, 13, 14, 20; 20:7, 10, 13, 14[4], 18, 28, 32, 33, 37, 39[2]; 21:4, 6, 20; 22:4, 5, 7, 8[2], 9, 11, 14, 17, 18, 19, 20, 21, 22[2], 24, 25, 26, 28[2], 30 • IIK. 2:2, 3, 4, 2, 5, 6, 9, 10, 16, 17, 20, 21; 3:7, 8[2], 10, 11, 12, 13, 14, 16; 4:3, 7, 14[2], 15, 16, 23, 27, 36, 41[2], 42, 43[2]; 5:5, 7, 11, 15, 16, 17, 20, 21, 22, 23, 25; 6:2, 3[2], 5, 6, 7, 12, 13, 16, 20, 22, 27, 31, 33; 7:1, 2, 19; 8:5, 9, 12[2], 13[2], 14; 9:5[3], 15, 17[2], 18[2], 19[2], 21, 22[2], 27, 32, 33, 34, 36; 10:8, 13, 14, 15, 16, 20, 24; 13:17[3], 18; 18:28; 20:7, 9, 10, 14, 15[2], 19; 22:9; 23:17, 18 • Is. 6:7, 9; 6:11; 7:12, 13; 23:12; 36:12, 13; 38:21, 22; 39:3, 4[2], 8; 49:6; 63:8 • Jer. 28:6, 11; 32:6; 37:14, 17[3]; 38:5, 20; 46:8 • Ezek. 10:2 • Hosh. 1:9; 12:9 • Am. 8:2; 9:1 • Jon. 2:3; 3:7; 4:8, 9 • Hag. 2:13 • Zech. 2:4; 5:6[2], 8; 6:7 • Ps. 107:25 • Job 1:21; 33:24, 27; 36:10 • Ruth 3:9, 10, 14, 15; 4:1, 2, 4, 5, 6 • Es. 4:13; 5:5, 12; 6:1, 3; 6:4, 5, 6; 7:5, 8, 9[2]; 9:14 • Dan. 2:2; 8:19; 10:19, 20; 12:9 • Neh. 3:34, 35; 4:4; 6:10 • ICh. 11:6, 19; 14:11, 12; 17:16; 19:2, 5, 12; 21:3; 22:1(21:31); 22:2(1), 5(4); 28:2; 29:10 • IICh. 2:10, 11; 6:4; 13:4[2]; 18:6, 7, 8, 10, 13, 14, 16, 18, 19, 20, 21[2], 23, 24, 25, 27[2]; 20:15, 20; 25:9, 16; 28:23; 29:31; 31:10

וַיֹּאמַר (א) 4435 וַיְבָרְכֵהוּ וַיֹּאמַר בָּרוּךְ אַבְרָם Gen. 14:19
4436 וַיֹּאמַר אֲדֹנָי יֱיִ בַּמָּה אֵדַע Gen. 15:8
4437 וַיֹּאמַר הָגָר שִׁפְחַת שָׂרַי... Gen. 16:8
4438 וַיֹּאמַר אֲדֹנָי אִם־נָא מָצָאתִי חֵן Gen. 18:3
4439 וַיִּגַּשׁ אַבְרָהָם וַיֹּאמַר Gen. 18:23
4440 וַיַּעַן אַבְרָהָם וַיֹּאמַר Gen. 18:27

וַיֹּאמַר(א) (המשך) 4441 וַיַּעַן וַיֹּאמַר הֲלֹא... Num. 23:12
4442 וַיַּעַן הָאִישׁ הַלֵּוִי...וַיֹּאמַר Jud. 20:4
4443-4481 וַיַּעַן...וַיֹּאמַר Josh. 7:20
ISh. 22:9, 14 • IISh. 15:21; 20:20 • IIK. 7:2, 19 • Zech. 1:10, 12 • Job 1:7, 9; 2:2, 4; 3:2; 4:1; 6:1; 8:1; 9:1; 11:1; 12:1; 15:1; 16:1; 18:1; 19:1; 20:1; 21:1; 22:1; 23:1; 25:1; 26:1; 32:6; 34:1; 35:1; 38:1; 40:1, 3, 6; 42:1 • Ruth 2:6

4482-4557 וַיֹּאמַר Gen. 18:29; 19:7; 20:4
24:12, 34; 27:36; 28:13, 17; 30:28; 33:5; 37:30; 43:29; 47:30; 48:9, 15 • Ex. 2:14; 5:22; 32:5, 31; 33:14, 18 • Num. 11:27, 28; 21:2; 23:7, 18; 24:3, 15, 20, 21, 23 • Deut. 33:2, 7 • Jud. 6:18; 8:19; 11:30; 13:8; 15:18; 16:28 • ISh. 3:18; 7:12 • IISh. 3:33; 19:27; 22:2; 23:15 • IK. 1:29; 8:23; 17:10, 11, 20, 21; 18:36 • IIK. 1:8; 2:14; 6:17, 18; 13:14; 19:15 • Is. 38:3 • Am. 1:2 • Jon. 3:4; 4:2 • Ps. 18:2 • Job 1:14, 16, 17, 18; 27:1; 29:1; 36:1 • Dan. 8:16; 9:22 • ICh. 11:17 • IICh. 6:14; 14:10; 20:6

הֲיֹאמַר(א) 4558 הֲיֹאמַר חֹמֶר לְיֹצְרוֹ... Is. 45:9
שֶׁיֹּאמַר(א) 4559 יֵשׁ דָּבָר שֶׁיֹּאמַר רְאֵה־זֶה חָדָשׁ Eccl. 1:10
תֹּאמַר (א) 4560 כֹּל אֲשֶׁר תֹּאמַר אֵלֶיךָ שָׂרָה Gen. 21:12
4561 מַה־תֹּאמַר נַפְשְׁךָ וְאֶעֱשֶׂה־לָּךְ ISh. 20:4
4562 חֲמָסִי.. תֹּאמַר יֹשֶׁבֶת צִיּוֹן Jer. 51:35
4563 וְדָמִי...אֶל־כַּשְׂדִּים תֹּאמַר יְרוּשָׁ׳ Jer. 51:35
4564 כִּי־תֹאמַר אֱדוֹם רֻשַּׁשְׁנוּ Mal. 1:4
4565 כָּל־אֲשֶׁר תֹּאמַר יִנָּתֵן לָהּ Es. 2:13
תֹּאמֵר(א) 4566 ...בָּעִיר אֲמָרֶיהָ תֹאמֵר Prov. 1:21
וַתֹּאמֶר(א) 4567 וַתֹּאמֶר הָאִשָּׁה אֶל־הַנָּחָשׁ Gen. 3:2
4568 וַתֹּאמֶר הָאִשָּׁה הַנָּחָשׁ הִשִּׁיאַנִי Gen. 3:13
4569 וַתֹּאמֶר קָנִיתִי אִישׁ אֶת־יְיָ Gen. 4:1
4570/1 וַתֹּאמֶר שָׂרַי אֶל־אַבְרָם Gen. 16:2,5
4572 וַתֹּאמֶר מִפְּנֵי שָׂרַי גְּבִרְתִּי... Gen. 16:8
4573/4 וַתֹּאמֶר הַבְּכִירָה אֶל־הַצְּ׳ Gen. 19:31,34
4575 וַתֹּאמֶר שָׂרָה צְחֹק עָשָׂה לִי Gen. 21:6
4576 וַתֹּאמֶר מִי מִלֵּל לְאַבְרָהָם... Gen. 21:7
4577 וַתֹּאמֶר לְאַבְרָהָם גָּרֵשׁ הָאָמָה Gen. 21:10
4578 וַתֹּאמֶר שְׁתֵה אֲדֹנִי Gen. 24:18
4579 וַתֹּאמֶר גַּם לִגְמַלֶּיךָ אֶשְׁאָב Gen. 24:19
4580 וַתַּעַן חַנָּה וַתֹּאמֶר לֹא אֲדֹנִי ISh. 1:15
4581 וַתַּעַן הָאִשָּׁה וַתֹּאמֶר IISh. 14:19
4582 וַתֹּאמֶר לֵאמֹר IISh. 20:18
4583-4631 וַתֹּאמֶר (...) אֶל־(אֵלָיו...) Gen. 24:24
24:25, 65; 27:42, 46; 30:1, 14; 31:35 • Ex. 2:7 • Num. 22:30 • Josh. 2:9 • Jud. 4:6, 14, 18; 11:36, 37; 13:10; 16:6, 9, 10, 12, 13, 14, 15 • ISh. 19:17; 28:9, 12, 13, 21 • IISh. 14:4, 9; 20:21 • IK. 2:16; 3:26; 10:6; 17:18, 24; 21:7, 15 • IIK. 4:6, 24; 5:3; 22:15 • Ruth 1:20; 2:10, 22; 3:5 • IICh. 9:5

4632-4662 וַתֹּאמֶר (...) לְ־ (לוֹ...) Gen. 27:13
30:15; 35:17; 39:14 • Ex. 2:8, 9 • Num. 22:28 • Josh. 2:16 • Jud. 1:15; 4:22; 9:11, 13; 13:6, 23 • ISh. 25:19 • IISh. 13:12, 16; 17:20; 20:17 • IK. 1:17 • Job 2:9 • Ruth 1:8; 2:2, 19, 20[2]; 3:1 • Es. 2:22; 4:10; 5:14 • IICh. 34:23

4663-4754 וַתֹּאמֶר Gen. 24:46, 47, 58; 25:22
29:33, 34, 35; 30:3, 6, 8, 11, 13, 15, 16, 18, 20, 23; 38:16, 17, 18, 25, 29; 39:7 • Ex. 2:6, 10; 4:25 • Josh. 2:4; 2:21; 15:19 • Jud. 4:9; 14:16; 16:20; 17:2, 3 • ISh. 1:18, 26; 4:22; 19:14; 25:24, 41; 28:11, 14 • IISh. 6:20; 11:5; 14:4, 5, 11, 12, 13, 15, 17, 18; 20:17 • IK. 1:31; 2:13, 14, 18, 20, 21; 3:17, 22, 26; 17:12 • IIK. 4:2, 13, 16, 22, 23, 26, 28, 30; 6:28; 9:31

וַתֹּאמֶר (המשך) Is. 49:14 • Ruth 1:11,15,16; 2:2,7,13,19,21; 3:9,16; 3:17,18 • Es. 4:15; 5:4; 7:6; 8:5; 9:13 • IICh. 23:13

וַתֹּאמַר 4755 הֵעֵזָה פָנֶיהָ וַתֹּאמַר לוֹ Prov. 7:13

וַתֹּאמַר(א) 4756 וַתִּדֹּר נֶדֶר וַתֹּאמַר ISh. 1:11
4757 וַתִּתְפַּלֵּל חַנָּה וַתֹּאמַר ISh. 2:1
4758 וַתַּעַן אֶסְתֵּר וַתֹּאמַר Es. 5:7
4759 וַתַּעַן אֶסְתֵּר הַמַּלְכָּה וַתֹּאמַר Es. 7:3

נֹּאמַר(א) 4760 וַיֹּאמֶר יְהוּדָה מַה־נֹּאמַר לַאדֹנִי Gen. 44:16
4761 וְאֵיךְ נֹאמַר אֵלָיו מֵת הַיֶּלֶד IISh. 12:18
4762 וְלֹא־נֹאמַר... אֱלֹהֵינוּ לְמַעֲשֵׂה... Hosh. 14:4
4763 הוֹדִיעֵנוּ מַה־נֹּאמַר לוֹ Job 37:19
4764 מַה־נֹּאמַר אֱלֹהֵינוּ אַחֲרֵי־זֹאת Ez. 9:10

וְנֹאמַר(א) 4765 מִי־הִגִּיד מֵרֹאשׁ...וְנֹאמַר צַדִּיק Is. 41:26

וַנֹּאמֶר(א) 4766 וַנֹּאמֶר תְּהִי נָא אָלָה בֵּינוֹתֵינוּ Gen. 26:28
4767 וַנֹּאמֶר אֵלָיו כֵּנִים אֲנָחְנוּ Gen. 42:31
4768 וַנֹּאמֶר אֶל־אֲדֹנִי יֶשׁ־לָנוּ אָב זָקֵן Gen. 44:20
4769 וַנֹּאמֶר אֶל־אֲדֹנִי לֹא־יוּכַל הַנַּעַר Gen. 44:22
4770 וַנֹּאמֶר לֹא נוּכַל לָרֶדֶת Gen. 44:26
4771 וַנֹּאמֶר נַעֲשֶׂה־נָּא לָנוּ... Josh. 22:26
4772 וַנֹּאמֶר וְהָיָה כִּי־יֹאמְרוּ אֵלֵינוּ Josh. 22:28
4773 וַנֹּאמֶר בֹּאוּ וְנָבוֹא יְרוּשָׁלַםִ Jer. 35:11

תֹּאמְרוּ(א) 4774 וַאֲשֶׁר תֹּאמְרוּ אֵלַי אֶתֵּן Gen. 34:11
4775 וְאֶתְּנָה כַּאֲשֶׁר תֹּאמְרוּ אֵלָי Gen. 34:12
4776 כֹּה־תֹאמְרוּ לְיוֹסֵף אָנָּא שָׂא Gen. 50:17
4777 וְכִי תֹאמְרוּ מַה־נֹּאכַל... Lev. 25:20
4778 וּמַה־זֶּה תֹּאמְרוּ אֵלַי מַה־לָּךְ Jud. 18:24
4779 וַיֹּאמֶר שָׁאוּל כֹּה־תֹאמְרוּ לְדָוִד ISh. 18:25
4780/81 כֹּה תֹאמְרוּ אֵלָיו IIK. 22:18 • IICh. 34:26
4782 אֵיךְ תֹּאמְרוּ אֶל־פַּרְעֹה... Is. 19:11
4783 וְהָיָה כִּי תֹאמְרוּ תַּחַת מֶה... Jer. 5:19
4784 אֵיכָה תֹאמְרוּ חֲכָמִים אֲנַחְנוּ Jer. 8:8
4785 כֹּה תֹאמְרוּ אִישׁ עַל־רֵעֵהוּ Jer. 23:35
4786 לֹא תֹאמְרוּ מַשָּׂא יְיָ Jer. 23:38
4787 כֹּה תֹאמְרוּ אֶל־אֲדֹנֵיכֶם Jer. 27:4
4788 כֹּה תֹאמְרוּ אֶל־מֶלֶךְ יְהוּדָה Jer. 37:7
4789 אֵיךְ תֹּאמְרוּ גִּבּוֹרִים אֲנָחְנוּ Jer. 48:14
4790 וְאַתֶּם תֹּאמְרוּ יִגְדַּל יְיָ... Mal. 1:5
4791 אֵיךְ תֹּאמְרוּ לְנַפְשִׁי... Ps. 11:1
4792 כִּי תֹאמְרוּ מַה־נִּרְדָּף־לוֹ Job 19:28
4793 כִּי תֹאמְרוּ אַיֵּה בֵית־נָדִיב Job 21:28
4794 פֶּן־תֹּאמְרוּ מָצָאנוּ חָכְמָה Job 32:13

(תֹּמְרוּ)(א) 4795 וְלַעֲמָשָׂא תֹּמְרוּ... עַצְמִי... אַתָּה IISh. 19:14

תֹּאמֵרוּ(א) 4796 וְאִם־מַשָּׂא יְיָ תֹּאמֵרוּ... Jer. 23:38

וַתֹּאמְרוּ(א) 4797 וַתַּעֲנוּ אֹתִי וַתֹּאמְרוּ... Deut. 1:14
4798 וַתֹּאמְרוּ נִשְׁלְחָה אֲנָשִׁים לְפָנֵינוּ Deut. 1:22
4799 וַתֵּרָגְנוּ בְאָהֳלֵיכֶם וַתֹּאמְרוּ... Deut. 1:27
4800 וַתַּעֲנוּ וַתֹּאמְרוּ אֵלַי חָטָאנוּ לַייָ Deut. 1:41
4801 וַתֹּאמְרוּ הֵן הֶרְאָנוּ יְיָ אֱלֹהֵינוּ Deut. 5:21
4802 וַתֹּאמְרוּ לוֹ... מֶלֶךְ תָּשִׂים עָלֵינוּ ISh. 10:19
4803 וַתֹּאמְרוּ לִי לֹא כִּי־מֶלֶךְ יִמְלֹךְ ISh. 12:12
4804 וַתֹּאמְרוּ לֹא־כִי עַל־סוּס נָנוּס Is. 30:16

תֹּאמְרוּן(א) 4805 כֹּה תֹאמְרוּן לַאדֹנִי לְעֵשָׂו Gen. 32:5(4)
4806 כֹּה תֹאמְרוּן לְאִישׁ יָבֵישׁ גִּלְעָד ISh. 11:9
4807 וְכִי־תֹאמְרוּן אֵלַי אֶל־יְיָ...בָּטָחְנוּ IIK. 18:22
4808/9 כֹּה תֹאמְרוּן אֶל־אֲדֹנֵי IIK. 19:6 • Is. 37:6
4810/11 כֹּה תֹאמְרוּן אֶל־חִזְקִיָּהוּ IIK. 19:10 Is. 37:10
4812 לֹא־תֹאמְרוּן קֶשֶׁר... Is. 8:12
4813 כֹּה תֹאמְרֻן אֶל־צִדְקִיָּהוּ Jer. 21:3

יֹאמְרוּ(א) 4814 כִּי יֹאמְרוּ לֹא־נִרְאָה אֵלֶיךָ יְיָ Ex. 4:1
4815 כִּי־יֹאמְרוּ אֲלֵיכֶם בְּנֵיכֶם Ex. 12:26
4816 לָמָּה יֹאמְרוּ מִצְרַיִם לֵאמֹר Ex. 32:12

יֹאמְרוּ (המשך) 4817 עַל־כֵּן יֹאמְרוּ הַמֹּשְׁלִים Num. 21:27
4818 פֶּן־יֹאמְרוּ לִי אִשָּׁה הֲרָגָתְהוּ Jud. 9:54
4819 וּבַל־יֹאמְרוּ לִלְבָבָם... Hosh. 7:2
4820 אַל־יֹאמְרוּ בְלִבָּם הֶאָח Ps. 35:25
4821 לָמָּה יֹאמְרוּ הַגּוֹיִם אַיֵּה אֱלֹהֵיהֶם Ps. 79:10
4822 אָז יֹאמְרוּ בַגּוֹיִם הִגְדִּיל יְיָ... Ps. 126:2
4823-4829 יֹאמְרוּ אֶל־ Josh. 22:28 • ISh. 8:7; 14:9 • Is. 8:19 • Jer. 15:2 • Ezek. 21:12; 37:18
4830-4836 יֹאמְרוּ לְ־ Deut. 17:11 • Josh. 22:24,27 • Ezek. 38:13 • Job 8:10; 34:34 • Lam. 2:12
4837-4863 יֹאמְרוּ Deut. 9:28; 32:27 • Josh. 8:6 • Jud. 12:5 • ISh. 14:10; 19:24 • IISh. 5:8 • IIK. 9:37 • Is. 8:20; 49:20 • Jer. 2:27; 3:16; 23:7; 31:23(22),29(28) • Hosh. 10:3 • Joel 2:17 • Am. 5:16 • Ps. 35:25; 40:17; 41:6; 107:2; 115:2; 118:3,4 • Prov. 1:11 • Job 20:7

יֹאמֵרוּ(א) 4864 וְאִם חַי־יְיָ יֹאמֵרוּ... Jer. 5:2
4865 וֶעֱזוּז נוֹרְאֹתֶיךָ יֹאמֵרוּ Ps. 145:6
4866 כְּבוֹד מַלְכוּתְךָ יֹאמֵרוּ Ps. 145:11

וְיֹאמְרוּ(א) 4867 שְׁאַל...זְקֵנֶיךָ וְיֹאמְרוּ לָךְ Deut. 32:7
4868 כֻּלָּם יַעֲנוּ וְיֹאמְרוּ אֵלֶיךָ Is. 14:10
4869 וְיִשְׁמְעוּ וְיֹאמְרוּ אֱמֶת Is. 43:9
4870 וְיֹאמְרוּ אַךְ־שֶׁקֶר נָחֲלוּ אֲבוֹתֵינוּ Jer. 16:19
4871 וְיֹאמְרוּ חוּסָה יְיָ עַל־עַמֶּךָ Joel 2:17
4872 וְיֹאמְרוּ תָמִיד יִגְדַּל יְיָ Ps. 35:27
4873 וְיֹאמְרוּ תָמִיד יִגְדַּל אֱלֹהִים Ps. 70:5
4874 הַתְשַׁלַּח...וְיֹאמְרוּ לְךָ הִנֵּנוּ Job 38:35
4875 וְיֹאמְרוּ בַגּוֹיִם יְיָ מָלָךְ ICh. 16:31

וַיֹּאמְרוּ(א) 4876 וַיֹּאמְרוּ אִישׁ אֶל־רֵעֵהוּ Gen. 11:3
4877 וַיֹּאמְרוּ הָבָה נִבְנֶה־לָּנוּ עִיר Gen. 11:4
4878 וַיֹּאמְרוּ כֵּן תַּעֲשֶׂה Gen. 18:5
4879 וַיֹּאמְרוּ אֵלָיו אַיֵּה שָׂרָה אִשְׁתֶּךָ Gen. 18:9
4880 וַיֹּאמְרוּ לֹּא כִּי בָרְחוֹב נָלִין Gen. 19:2
4881 וַיִּקְרְאוּ אֶל־לוֹט וַיֹּאמְרוּ לוֹ Gen. 19:5
4882 וַיֹּאמְרוּ גֶּשׁ־הָלְאָה Gen. 19:9
4883 וַיֹּאמְרוּ הָאֶחָד בָּא־לָגוּר... Gen. 19:9
4884 וַיֹּאמְרוּ הָאֲנָשִׁים אֶל־לוֹט Gen. 19:12
4885 וַיַּעַן לָבָן וּבְתוּאֵל וַיֹּאמְרוּ Gen. 24:50
4886 וַיֹּאמְרוּ נִקְרָא לַנַּעֲרָ... Gen. 24:57
4887 וַיֹּאמְרוּ אֵלֶיהָ הֲתֵלְכִי... Gen. 24:58
4888 וַיְבָרְכוּ אֶת־רִבְקָה וַיֹּאמְרוּ לָהּ Gen. 24:60
4889 וַיֹּאמְרוּ לֵאמֹר אָשִׁירָה לַייָ Ex. 15:1
4890 וַיֹּאמְרוּ כָּל־הָעֵדָה לִרְגּוֹם אֹתָם Num. 14:10
4891 וַיֹּאמְרוּ לֵאמֹר וְלוּ גָוַעְנוּ... Num. 20:3
4892 וַיֹּאמְרוּ לוֹ לֵאמֹר Jud. 15:13
4893 וַיֹּאמְרוּ לֵאמֹר הִנְנוּ עַצְמְךָ... IISh. 5:1
4894 וַיֹּאמְרֻ חָטָאנוּ כִּי עָזַבְנוּ... ISh. 12:10
4895 וַיַּעֲנוּ אֶת־יְהוֹשֻׁעַ וַיֹּאמְרוּ Josh. 9:24
4896 וַיַּעֲנוּ הַכֹּהֲנִים וַיֹּאמְרוּ לֹא Hag. 2:12
4897 וַיַּעֲנוּ הַכֹּהֲנִים וַיֹּאמְרוּ יִטְמָא Hag. 2:13
4898 וַיֹּאמְרוּ כָל־הַקָּהָל לַעֲשׂוֹת כֵּן ICh. 13:4
4899-4908 וַיֹּאמְרוּ(...) אִישׁ אֶל־אָחִיו (רֵעֵהוּ) Gen. 37:19; 45:21 • Ex. 16:15 • Num. 14:4 • Jud. 6:29; 10:18 • IIK. 7:3,6,9 • Jon. 1:7
4909-4998 וַיֹּאמְרוּ(...) אֶל־ (אֵלָיו) Gen. 34:14; 40:8; 42:10; 44:7; 47:3,4 • Ex. 5:1,10,21; 8:15; 10:3,7; 14:11; 16:3; 20:19(16); 32:1; 36:5 • Num. 9:7; 14:2,7; 16:3; 17:27; 20:19; 31:49; 32:2 • Josh. 2:17,24; 7:3; 9:6,8,9,11,21; 24:24 • Jud. 6:30; 8:1,22; 9:14; 10:15; 11:8,10; 18:2,14,25; 19:22 • ISh. 7:8; 8:5; 11:1,3; 12:19; 14:40; 16:15; 21:12; 23:3; 24:5(4); 28:7 • IISh. 4:8; 10:3; 12:21; 15:15;

וַיֹּאמְרוּ(א) (המשך) 17:21; 19:42; 21:5 • IK. 20:8,31 • IIK. 1:6,8; 2:3,5,16,19; 6:1; 19:3; 23:17 • Is. 37:3 • Jer. 26:11, 16, 17; 36:15, 16, 19; 38:4; 40:14; 41:8; 42:2 • Ezek. 24:19 • Jon. 1:8,10,11 • Es. 6:5
4999-5044 וַיֹּאמְרוּ(...) לְ־ (לוֹ...) Gen. 26:32; 37:8; 47:18 • Ex. 32:23 • Num. 22:16 • Josh. 2:14 • Jud. 1:24; 9:8,10,12; 11:2,6; 12:1,5,6; 14:13,15,18; 15:11,12; 16:5; 18:3,5,8,19,23 • ISh. 9:11; 11:9; 29:4 • IISh. 21:4 • IK. 1:2 • IIK. 2:23; 17:26 • Ps. 54:2 • Job 21:14 • Ruth 2:4 • Es. 3:3; 6:13 • Ez. 4:2 • Neh. 1:3; 4:6; 8:1 • ICh. 11:5; 19:3 • IICh. 26:18; 28:13
5045-5174 וַיֹּאמְרוּ Gen. 26:28; 29:4,5,6,8; 34:31; 37:32; 38:21; 42:7,13; 43:7,18,20,28; 47:25; 50:11,15,18 • Ex. 5:3; 14:5; 17:2; 19:8; 24:3,7; 32:4,8 • Num. 11:4; 12:2; 13:27; 16:12,22; 21:7; 22:14; 32:5,16; 36:2 • Deut. 1:25 • Josh. 9:19; 17:16; 24:22 • Jud. 3:24; 6:29; 8:18,25; 15:6[2],10[2]; 16:23,25; 18:9; 20:3,18,32; 21:3,5,6,8,16,17,19 • ISh. 4:3,6,7; 5:8[2]; 5:11; 6:3,4[2],20; 7:6; 8:19; 10:24; 11:10; 12:4; 14:11,12,36; 29:3; 30:20,22 • IISh. 12:19; 14:7; 17:20 • IK. 1:25; 1:39; 18:24,39; 20:5,32,33; 22:6 • IIK. 2:15; 3:23; 4:40; 5:13; 9:12,13; 10:4,13; 11:12 • Is. 29:15 • Jer. 5:12; 6:16,17; 18:18; 35:6; 46:16 • Jon. 1:14 • Zech. 1:6,11 • Ps. 94:7 • Ruth 4:11 • Es. 2:2; 6:3 • Ez. 10:12 • Neh. 2:18,19; 4:5; 5:12,13; 9:5,18 • ICh. 16:36 • IICh. 12:6; 18:5; 23:11; 29:18; 35:25

שֶׁיֹּאמְרוּ(א) 5175 הֲזֹאת הָעִיר שֶׁיֹּאמְרוּ כְּלִילַת יֹפִי Lam. 2:15

יֹמְרוּךָ(א) 5176 אֲשֶׁר יֹמְרוּךָ לִמְזִמָּה Ps. 139:20

תֹּאמַרְנָה(א) 5177 כָּל עַצְמֹתַי תֹּאמַרְנָה... Ps. 35:10
5178 תֹּאמַרְנָה שָׂרוֹת פָּרַס־וּמָדַי Es. 1:18

וַתֹּאמַרְנָה 5179 וַתַּעַן רָחֵל וְלֵאָה וַתֹּאמַרְנָה Gen. 31:14
5180 וַתֹּאמַרְנָה יֵּשׁ הִנֵּה לְפָנֶיךָ ISh. 9:12
5181 וַתֹּאמַרְנָה־לָּהּ כִּי־אִתָּךְ נָשׁוּב Ruth 1:10
5182 וַתֹּאמַרְנָה הֲזֹאת נָעֳמִי Ruth 1:19
5183 וַתֹּאמַרְנָה הַנָּשִׁים אֶל־נָעֳמִי Ruth 4:14

וַתֹּאמַרְןָ(א) 5184 וַתֹּאמַרְןָ הַמְיַלְּדֹת אֶל־פַּרְעֹה Ex. 1:19
5185 וַתֹּאמַרְןָ אִישׁ מִצְרִי הִצִּילָנוּ Ex. 2:19
5186 וַתַּעֲנֶינָה...וַתֹּאמַרְןָ הִכָּה שָׁאוּל ISh. 18:7

אֱמֹר(א) 5187 אֱמֹר אֶל־אַחֶיךָ זֹאת עֲשׂוּ Gen. 45:17
5188 לָכֵן אֱמֹר לִבְנֵי־יִשְׂרָאֵל Ex. 6:6
5189 אֱמֹר אֶל־אַהֲרֹן קַח מַטְּךָ Ex. 7:19
5190 אֱמֹר אֶל־אַהֲרֹן נְטֵה אֶת־יָדְךָ Ex. 8:1
5191 אֱמֹר אֶל־אַהֲרֹן נְטֵה אֶת־מַטְּךָ Ex. 8:12
5192 אֱמֹר אֶל־כָּל־עֲדַת בְּנֵי יִשְׂרָאֵל Ex. 16:9
5193 אֱמֹר אֶל־בְּנֵי־יִשְׂרָאֵל Ex. 33:5
5194 אֱמֹר אֶל־הַכֹּהֲנִים בְּנֵי אַהֲרֹן Lev. 21:1
5195 אֱמֹר אֲלֵהֶם לְדֹרֹתֵיכֶם Lev. 22:3
5196-5213 אֱמֹר אֶל־ (אֵלָיו...) Num. 14:28; 17:2 • IK. 12:23; 18:44 • Ezek. 12:10,23,28; 13:11; 14:6; 20:30; 31:2; 33:10, 11, 12, 25 • Hag. 2:21 • Zech. 7:5 • IICh. 11:3
5214-5228 אֱמֹר (...) לְ־ (לוֹ...) Deut. 1:42 • 5:30(27) • ISh. 9:27 • IK. 18:8,11,14 • Jer. 13:18 • Ezek. 17:12; 24:21; 28:2; 36:22; 39:17 • Ps. 35:3 • Prov. 7:4 • Es. 5:14
5229-5236 אֱמֹר Num. 25:12 Ezek. 11:5,16,17; 12:11; 17:9,12; 21:14

אֱמָר־(א) 5237 וַיֹּאמְרוּ לוֹ אֱמָר־נָא שִׁבֹּלֶת Jud. 12:6
5238 וַיֹּאמֶר לוֹ אֱמָר־נָא אֵלֶיהָ IIK. 4:13
5239 לֵךְ אֱמָר־לוֹ חָיֹה תִחְיֶה IIK. 8:10
5240 אֱמָר־נָא אֶל־אִישׁ יְהוּדָה Jer. 18:11

5241 אֱמָר־לָהּ אַתְּ אֶרֶץ... Ezek. 22:24
5242 אֱמָר־נָא אֶל־זְרֻבָּבֶל Hag. 2:2
וֶאֱמָר־ 5243 וֶאֱמָר־לָהּ הֲשָׁלוֹם לָךְ IIK. 4:26
5244 וּרְקַע בְּרַגְלְךָ וֶאֱמָר־אָח Ezek. 6:11
אִמְרִי 5245 אִמְרִי־נָא אֲחֹתִי אָתְּ Gen. 12:13
5246 אִמְרִי־לִי אָחִי הוּא Gen. 20:13
5247 אִמְרִי־נָא לִשְׁלֹמֹה הַמֶּלֶךְ IK. 2:17
5248 לְכִי אִמְרִי לְיָרָבְעָם IK. 14:7
5249 אִמְרִי לְעָרֵי יְהוּדָה הִנֵּה אֱלֹהֵיכֶם Is. 40:9
5250 אִמְרִי מַה־נִּהְיָתָה Jer. 48:19
אִמְרוּ 5251 אִמְרוּ־נָא אֶל־יוֹאָב... IISh. 20:16
5252 אִמְרוּ לַאדֹנִי הַמֶּלֶךְ IK. 20:9
5253 אִמְרוּ צַדִּיק כִּי־טוֹב Is. 3:10
5254 אִמְרוּ גָּאַל יְיָ עַבְדּוֹ יַעֲקֹב Is. 48:20
5255 אִמְרוּ הִתְיַצֵּב וְהָכֵן לָךְ Jer. 46:14
5256 אִמְרוּ אֵיכָה נִשְׁבַּר מַטֵּה־עֹז Jer. 48:17
5257 אִמְרוּ נִלְכְּדָה בָבֶל Jer. 50:2
5258 אִמְרוּ בִלְבַבְכֶם עַל־מִשְׁכַּבְכֶם Ps. 4:5
5259 אִמְרוּ לֵאלֹ׳ מַה־נּוֹרָא מַעֲשֶׂיךָ Ps. 66:3
5260 אִמְרוּ בַגּוֹיִם יְיָ מָלָךְ Ps. 96:10
5268-5261 אִמְרוּ IIK. 18:19; 22:15
Is.35:4; 36:4; 61:11 • Hosh.2:3; 14:3 • IICh.34:23
וְאִמְרוּ 5269 הַגִּידוּ... הַשְׁמִיעוּ וְאִמְרוּ Jer. 4:5
5270 קִרְאוּ מַלְאוּ וְאִמְרוּ Jer. 4:5
5271 הַשְׁמִיעוּ הַלְלוּ וְאִמְרוּ Jer. 31:7(6)
5272 וְאִמְרוּ מְזָרֵה יִשְׂרָאֵל יְקַבְּצֶנּוּ Jer. 31:10(9)
5273 הַשְׁמִיעוּ...וְאִמְרוּ הֵאָסְפוּ... Am. 3:9
5274 וְאִמְרוּ הוֹשִׁיעֵנוּ אֱלֹהֵי יִשְׁעֵנוּ ICh. 16:35
נֶאֱמַר 5275 וּמַרְאֵה... אֲשֶׁר נֶאֱמַר אֱמֶת הוּא Dan. 8:26
יֵאָמֵר 5276 אֲשֶׁר יֵאָמֵר הַיּוֹם... Gen. 22:14
5277 לֹא יַעֲקֹב יֵאָמֵר עוֹד שִׁמְךָ Gen. 32:29(28)
5278 כָּעֵת יֵאָמֵר לְיַעֲקֹב וּלְיִשְׂרָאֵל Num. 23:23
5279 עִיר הַהֶרֶס יֵאָמֵר לְאֶחָת Is. 19:18
5280 וּלְכִילַי לֹא יֵאָמֵר שׁוֹעַ Is. 32:5
5281 מְשָׁרְתֵי אֱלֹהֵינוּ יֵאָמֵר לָכֶם Is. 61:6
5282 לֹא־יֵאָמֵר לָךְ עוֹד עֲזוּבָה Is. 62:4
5283 וּלְאַרְצֵךְ לֹא־יֵאָמֵר עוֹד שְׁמָמָה Is. 62:4
5284 בָּעֵת הַהִיא יֵאָמֵר לָעָם־הַזֶּה Jer. 4:11
5285 וְלֹא־יֵאָמֵר עוֹד הַתֹּפֶת Jer. 7:32
5286 וְלֹא־יֵאָמֵר עוֹד חַי־יְיָ Jer. 16:14
5287 הֲלוֹא יֵאָמֵר אֲלֵיכֶם אַיֵּה הַטִּיחַ Ezek.13:12
5288 בִּמְקוֹם אֲשֶׁר־יֵאָמֵר לָהֶם Hosh. 2:1
5289 יֵאָמֵר לָהֶם בְּנֵי אֵל־חָי Hosh. 2:1
5290 בַּיּוֹם הַהוּא יֵאָמֵר לִירוּשָׁלַםִ Zep. 3:16
יֵאָמֶר 5291 קָדוֹשׁ יֵאָמֶר לוֹ Is. 4:3
יֵאָמַר 5292 עַל־כֵּן יֵאָמַר כְּנִמְרֹד גִּבּוֹר צַיִד Gen. 10:9
5293 עַל־כֵּן יֵאָמַר בְּסֵפֶר מִלְחֲמֹת יְיָ Num. 21:14
5294 וּלְצִיּוֹן יֵאָמַר...וְאִישׁ יֻלַּד־בָּהּ Ps. 87:5
וַיֵּאָמַר 5295 וַיֵּאָמַר לְמֶלֶךְ יְרִיחוֹ לֵאמֹר Josh. 2:2
יִתְאַמְּרוּ 5296 יִתְאַמְּרוּ כָּל־פֹּעֲלֵי אָוֶן Ps. 94:4
הֶאֱמַרְתָּ 5297 אֶת־יְיָ הֶאֱמַרְתָּ הַיּוֹם... Deut. 26:17
הֶאֱמִירְךָ 5298 וַיְיָ הֶאֱמִירְךָ הַיּוֹם Deut. 26:18

אֲמַר פ׳ ארמית: אמר; לְמֵאמַר = לאמר

לְמֵאמַר 1...הִזְדְּמִנְתּוּן לְמֵאמַר קָדָמַי Dan. 2:9
לְמֵמַר 2 וּכְנֵמָא פִתְגָמָא הֲתִיבוּנָא לְמֵמַר Ez. 5:11
אַמְרֵת 3 וְחֶלְמָא קָדָמוֹהִי אַמְרֵת Dan. 4:5
אֲמַר 4/5 וְכֵן אֲמַר־לֵהּ Dan. 2:24,25
6 וּמִנְחָה וְנִיחֹחִין אֲמַר לְנַסָּכָה לֵהּ Dan. 2:46
7 בִּרְגַז וַחֲמָא אֲמַר לְהַיְתָיָה Dan. 3:13
14-8 אֲמַר Dan. 3:20; 5:2,29; 6:17,24; 7:1,23
וַאֲמַר 15 וַאֲמַר לְהוֹבָדָה לְכֹל חַכִּימֵי בָבֶל Dan. 2:12
18–16 וַאֲמַר Dan. 6:25; 7:16 • Ez. 5:15
וַאֲמֶרֶת 19 עֲנָת מַלְכְּתָא וַאֲמֶרֶת... Dan. 5:10
אֲמַרְנָא 20/1 כְּנֵמָא אֲמַרְנָא לְהֹם Ez. 5:4,9
אֲמַרוּ 22 וְדִי אֲמַרוּ לְמִשְׁבַּק עִקַּר שָׁרְשׁוֹהִי Dan. 4:23
אָמַר 23 וְחֶלְמָא אָמַר אֲנָה קֳדָמֵיהוֹן Dan. 4:4
24 קָרֵא בְחַיִל וְכֵן אָמַר... Dan. 4:11
וְאָמַר 25 עָנֵה מַלְכָּא וְאָמַר לְכַשְׂדָּאֵי Dan. 2:5
29-26 עָנֵה מַלְכָּא וְאָמַר Dan. 2:8; 4:16,26; 6:13
47-30 עָנֵה(...) וְאָמַר Dan. 2:15,20,26,27 2:47;
3:14,19,24,25,26,28; 4:16; 5:7,13,17; 6:17,21; 7:2
48 עִיר וְקַדִּישׁ נָחִת...וְאָמַר Dan. 4:20
אָמְרִין 49 לְכוֹן אָמְרִין עַמְמַיָּא אֻמַיָּא וְלִשָּׁנַיָּא Dan. 3:4
50 לָךְ אָמְרִין נְבוּכַדְנֶצַּר מַלְכָּא Dan. 4:28
54-51 אָמְרִין Dan. 6:6,7; 7:5 • Ez. 5:3
וְאָמְרִין 55 עֲנוֹ תִנְיָנוּת וְאָמְרִין... Dan. 2:7
56 עֲנוֹ כַשְׂדָּאֵי קֳדָם־מַלְכָּא וְאָמְרִין Dan. 2:10
59-57 עֲנוֹ(־)וְאָמְרִין Dan. 3:9,16; 6:14
60 עָנַיִן וְאָמְרִין לְמַלְכָּא Dan. 3:24
61 קְרִבוּ וְאָמְרִין קֳדָם־מַלְכָּא Dan. 6:13
62 הַרְגִּשׁוּ...וְאָמְרִין לְמַלְכָּא Dan. 6:16
יֵאמַר 63 מַלְכָּא חֶלְמָא יֵאמַר לְעַבְדוֹהִי Dan. 2:7
64 דִּי־יֵאמַר שָׁלוּ עַל־אֱלָהֲהוֹן Dan. 3:29
וְיֵאמַר 65 וְיֵאמַר לֵהּ מָה עֲבַדְתְּ Dan. 4:32
נֵאמַר 66 וּפִשְׁרֵהּ נֵאמַר קֳדָם־מַלְכָּא Dan. 2:36
תֵּאמְרוּן 67 כִּדְנָה תֵּאמְרוּן לְהוֹם Jer. 10:11
אֱמַר 68 אֱמַר חֶלְמָא לְעַבְדָךְ Dan. 2:4
69 חֶלְמֵי דִי־חֲזֵית וּפִשְׁרֵהּ אֱמַר Dan. 4:6
70 אַנְתְּ בֵּלְטְשַׁאצַּר פִּשְׁרֵא אֱמַר Dan. 4:15
אֱמַרוּ 71 לָהֵן חֶלְמָא אֱמַרוּ לִי Dan. 2:9

אֹמֶר, אֵמֶר* ז׳ דבר, דבור

קרובים: אִמְרָה / דִּבּוּר / דָּבָר / דִּבֵּר / הֶגֶה / הָגִיג / הִגָּיוֹן / מִלָּה / מִצְוָה / מַאֲמָר / נִיב / קוֹל / תְּפִלָּה

אִמְרֵי אֵל 11, 12, 16; א׳ אֱמֶת 22; א׳ בִינָה 18; א׳ דַעַת 35, 38; א׳ יְיָ 14; א׳ יֹשֶׁר 24; א׳ נוֹאָשׁ 25; א׳ נֹעַם 20, 21; א׳ פִּיו 13, 15, 17, 19, 26, 27, 29–34, 36, 37; אִמְרֵי קָדוֹשׁ 23; א׳ שֶׁפֶר 10; אִמְרֵי שֶׁקֶר 28

גָּזַר אֹמֶר 6; גָּמַר א׳ 5; הִבִּיעַ א׳ 2; נָתַן א׳ 4, 10 הֶחֱלִיק אֲמָרָיו 53,52; הֵשִׁיב אֲ׳ 50,9; חָשַׂךְ אֲ׳ 46; לָקַח אֲ׳ 41, 42; רָדַף אֲ׳ 8; שָׁמַר אֲ׳ 43

אֹמֶר 1 שְׁבֻעוֹת מַטּוֹת אֹמֶר סֶלָה Hab. 3:9
2 יוֹם לְיוֹם יַבִּיעַ אֹמֶר Ps. 19:3
3 אֵין־אֹמֶר וְאֵין דְּבָרִים Ps. 19:4
4 אֲדֹנָי יִתֶּן־אֹמֶר... Ps. 68:12
5 גָּמַר אֹמֶר לְדֹר וָדֹר Ps. 77:9
6 וְתִגְזַר־אֹמֶר וְיָקָם לָךְ Job 22:28
אִמְרוֹ 7 זֶה חֵלֶק־אָדָם...וְנַחֲלַת אִמְרוֹ מֵאֵל Job 20:29
אֲמָרִים 8 מְרַדֵּף אֲמָרִים לוֹ־הֵמָּה Prov. 19:7
9 לְהָשִׁיב אֲמָרִים אֱמֶת לְשֹׁלְחֶיךָ Prov. 22:21
אִמְרֵי־ 10 הַנֹּתֵן אִמְרֵי־שָׁפֶר Gen. 49:21
12-11 נְאֻם שֹׁמֵעַ אִמְרֵי־אֵל Num. 24:4,16
13 וְתִשְׁמַע הָאָרֶץ אִמְרֵי־פִי Deut. 32:1
14 כִּי־הִיא שָׁמְעָה אֵת כָּל־אִמְרֵי יְיָ Josh. 24:27
15 יִהְיוּ לְרָצוֹן אִמְרֵי־פִי Ps. 19:15
16 כִּי־הִמְרוּ אִמְרֵי־אֵל Ps. 107:11
17 כִּי שָׁמְעוּ אִמְרֵי־פִיךָ Ps. 138:4
18 לְהָבִין אִמְרֵי בִינָה Prov. 1:2
19 בְּצֶדֶק כָּל־אִמְרֵי־פִי Prov. 8:8
20 וּטְהֹרִים אִמְרֵי־נֹעַם Prov. 15:26
21 צוּף־דְּבַשׁ אִמְרֵי־נֹעַם Prov. 16:24
אִמְרֵי־ (המשך) 22 לְהוֹדִיעֲךָ קֹשְׁטְ אִמְרֵי אֱמֶת Prov. 22:21
23 כִּי־לֹא כִחַדְתִּי אִמְרֵי קָדוֹשׁ Job 6:10
24 מַה־נִּמְרְצוּ אִמְרֵי־יֹשֶׁר Job 6:25
25 וּלְרוּחַ אִמְרֵי נֹאָשׁ Job 6:26
26 וְרוּחַ כַּבִּיר אִמְרֵי־פִיךָ Job 8:2
27 מֵחֻקִּי צָפַנְתִּי אִמְרֵי־פִיו Job 23:12
בְּאִמְרֵי־ 28 לְחַבֵּל עֲנִיִּים בְּאִמְרֵי־שֶׁקֶר Is. 32:7
29 הֲרַגְתִּים בְּאִמְרֵי־פִי Hosh. 6:5
30 נוֹקַשְׁתָּ בְאִמְרֵי־פִיךָ Prov. 6:2
31 נִלְכַּדְתָּ בְּאִמְרֵי־פִיךָ Prov. 6:2
לְאִמְרֵי־ 32 הַאֲזִינָה לְאִמְרֵי־פִי Ps. 54:4
33 הַטּוּ אָזְנְכֶם לְאִמְרֵי־פִי Ps. 78:1
34 וְהַקְשִׁיבוּ לְאִמְרֵי־פִי Prov. 7:24
35 הָבִיאָה...וְאָזְנֶךָ לְאִמְרֵי־דָעַת Prov. 23:12
מֵאִמְרֵי־ 36 וְאַל־תֵּט מֵאִמְרֵי־פִי Prov. 4:5
37 וְאַל־תָּסוּרוּ מֵאִמְרֵי־פִי Prov. 5:7
38 לִשְׁגוֹת מֵאִמְרֵי־דָעַת Prov. 19:27
אֲמָרַי 39 אֲמָרַי הַאֲזִינָה יְיָ בִּינָה הֲגִיגִי Ps. 5:2
40 וְשָׁמְעוּ אֲמָרַי כִּי נָעֵמוּ Ps. 141:6
אֲמָרָי 41 בְּנִי אִם־תִּקַּח אֲמָרָי Prov. 2:1
42 שְׁמַע בְּנִי וְקַח אֲמָרָי Prov. 4:10
43 בְּנִי שְׁמֹר אֲמָרָי Prov. 7:1
44 יֹשֶׁר־לִבִּי אֲמָרָי Job 33:3
לַאֲמָרַי 45 בְּנִי... לַאֲמָרַי הַט־אָזְנֶךָ Prov. 4:20
אֲמָרָיו 46 חוֹשֵׂךְ אֲמָרָיו יוֹדֵעַ דָּעַת Prov. 17:27
47 וְשִׂים אֲמָרָיו בִּלְבָבֶךָ Job 22:22
48 וְהִנֵּה אֵין...עוֹנֶה אֲמָרָיו מִכֶּם Job 32:12
49 וְיֶרֶב אֲמָרָיו לָאֵל Job 34:37
אֲמָרֶיהָ 50 אַף־הִיא תָּשִׁיב אֲמָרֶיהָ לָהּ Jud. 5:29
51 בָּעִיר אֲמָרֶיהָ תֹאמֵר Prov. 1:21
53-52 מִנָּכְרִיָּה אֲמָרֶיהָ הֶחֱלִיקָה Prov. 2:16; 7:5
אִמְרֵיכֶם 54 אַף אֵין־שֹׁמֵעַ אִמְרֵיכֶם Is. 41:26
וּבְאִמְרֵיכֶם 55 וּבְאִמְרֵיכֶם לֹא אֲשִׁיבֶנּוּ Job 32:14

אִמַּר* ז׳ ארמית: כֶּבֶשׂ; אִמְּרִין = כבשים

אִמְּרִין 1 אִמְּרִין אַרְבַּע מְאָה Ez. 6:17
2 תּוֹרִין דִּכְרִין אִמְּרִין Ez. 7:17
וְאִמְּרִין 3 וּבְנֵי תוֹרִין וְדִכְרִין וְאִמְּרִין Ez. 6:9

אִמֵּר¹ שם־ז א) אבי פשחור הכהן בימי ירמיהו: 1 ב) אבי משפחת כהנים בימי זרובבל: 2–8

אִמֵּר 1 וַיִּשְׁמַע פַּשְׁחוּר בֶּן־אִמֵּר הַכֹּהֵן Jer. 20:1
2/3 בְּנֵי אִמֵּר אֶלֶף חֲמִשִּׁים... Ez. 2:37 • Neh. 7:40
4 וּמִבְּנֵי אִמֵּר חֲנָנִי וּזְבַדְיָה Ez. 10:20
5 אַחֲרָיו הֶחֱזִיק צָדוֹק בֶּן־אִמֵּר Neh. 3:29
6/7 בֶּן־מְשִׁלֵּמוֹת (מְשִׁלֵּמִית) בֶּן־אִמֵּר Neh. 11:13 ICh. 9:12
לְאִמֵּר 8 לְאִמֵּר שִׁשָּׁה עָשָׂר ICh. 24:14

אִמֵּר² שם עיר בבבל; ויש סוברים: שם איש

אִמֵּר 1 הָעֹלִים מִתֵּל מֶלַח...כְּרוּב אַדָּן אִמֵּר Ez. 2:59
וְאִמֵּר 2 הָעוֹלִים מִתֵּל... כְּרוּב אַדּוֹן וְאִמֵּר Neh. 7:61

אִמְרָה* נ׳ אֹמֶר, דבר • קרובים: ראה אֹמֶר

אִמְרָה צְרוּפָה 1, 3, 5, 14; אִמְרַת יְיָ 1, 3, 4, 36; אִמְרַת אֱלוֹהַּ 5; א׳ צֶדֶק 6; א׳ קְדוֹשׁ יִשְׂרָאֵל 2 אִמְרוֹת טְהֹרוֹת 36

אִמְרַת־ 1 אִמְרַת יְיָ צְרוּפָה IISh. 22:31
2 וְאֵת אִמְרַת קְדוֹשׁ־יִשְׂרָאֵל נִאֵצוּ Is. 5:24
3 אִמְרַת־יְיָ צְרוּפָה Ps. 18:31
4 אִמְרַת יְיָ צְרָפָתְהוּ Ps. 105:19
5 כָּל־אִמְרַת אֱלוֹהַּ צְרוּפָה Prov. 30:5
וּלְאִמְרַת־ 6 עֵינַי כָּלוּ...וּלְאִמְרַת צִדְקֶךָ Ps. 119:123

אִמְרָתִי 7 נְשֵׁי לֶמֶךְ הַאְזֵנָּה אִמְרָתִי Gen. 4:23
8 תִּזַּל כַּטַּל אִמְרָתִי Deut. 32:2
9 הַקְשִׁיבוּ וְשִׁמְעוּ אִמְרָתִי Is. 28:23
10 בָּנוֹת בֹּטְחוֹת הַאְזֵנָּה אִמְרָתִי Is. 32:9
11 הַט־אָזְנְךָ לִי שְׁמַע אִמְרָתִי Ps. 17:6
אִמְרָתְךָ 12 כִּי אִמְרָתְךָ חִיָּתְנִי Ps. 119:50
13 וְעַתָּה אִמְרָתְךָ שָׁמָרְתִּי Ps. 119:67
14 צְרוּפָה אִמְרָתְךָ מְאֹד Ps. 119:140
15 אֲשֶׁר אִמְרָתְךָ לֹא שָׁמָרוּ Ps. 119:158
אִמְרָתֶךָ 16 כִּי שָׁמְרוּ אִמְרָתֶךָ Deut. 33:9
17 בְּלִבִּי צָפַנְתִּי אִמְרָתֶךָ Ps. 119:11
18 הָקֵם לְעַבְדְּךָ אִמְרָתֶךָ Ps. 119:38
19 מַה־נִּמְלְצוּ לְחִכִּי אִמְרָתֶךָ Ps. 119:103
20 שָׂשׂ אָנֹכִי עַל־אִמְרָתֶךָ Ps. 119:162
21 תַּעַן לְשׁוֹנִי אִמְרָתֶךָ Ps. 119:172
22 הִגְדַּלְתָּ עַל־כָּל־שִׁמְךָ אִמְרָתֶךָ Ps. 138:2
בְּאִמְרָתֶךָ 23 פְּעָמַי הָכֵן בְּאִמְרָתֶךָ Ps. 119:133
24 קִדְּמוּ...לָשִׂיחַ בְּאִמְרָתֶךָ Ps. 119:148
כְּאִמְרָתְךָ 25 ...כְּאִמְרָתְךָ לְעַבְדֶּךָ Ps. 119:76
26 סָמְכֵנִי כְאִמְרָתְךָ וְאֶחְיֶה Ps. 119:116
27 כְּאִמְרָתְךָ הַצִּילֵנִי Ps. 119:170
כְּאִמְרָתֶךָ 28 וִיבֹאֻנִי חֲסָדֶךָ יְיָ... כְּאִמְרָתֶךָ Ps. 119:41
29 חָנֵּנִי כְּאִמְרָתֶךָ Ps. 119:58
לְאִמְרָתְךָ 30 לְאִמְרָתְךָ חַיֵּנִי Ps. 119:154
לְאִמְרָתֶךָ 31 כָּלוּ עֵינַי לְאִמְרָתֶךָ Ps. 119:82
אִמְרָתֵךְ 32 וּמֵעָפָר תִּשַּׁח אִמְרָתֵךְ Is. 29:4
33 וּמֵעָפָר אִמְרָתֵךְ תְּצַפְצֵף Is. 29:4
אִמְרָתוֹ 34 הַשֹּׁלֵחַ אִמְרָתוֹ אָרֶץ Ps. 147:15
אֶמְרָתוֹ 35 בִּצַּע אֶמְרָתוֹ אֲשֶׁר צִוָּה מִימֵי־קֶדֶם Lam. 2:17
אֲמָרוֹת 36 אֲמָרוֹת יְיָ אֲמָרוֹת טְהֹרוֹת Ps. 12:7
אִמְרוֹת־ 37 אִמְרוֹת יְיָ אֲמָרוֹת טְהֹרוֹת Ps. 12:7

אֱמֹרִי
אחד העמים הכנענים הקדומים
אֱלֹהֵי הָאֱמֹרִי 44-45; אֶרֶץ הָאֱמֹרִי 27,46-49,51; גְּבוּל הָאֱ׳ 9,41-43; הַר הָאֱ׳ 28-30; יַד הָאֱ׳ 8,31-32; יֶתֶר הָאֱ׳ 50; מֶלֶךְ (מַלְכֵי) הָאֱ׳ 11-25,33-40; עֲוֹן הָאֱמֹרִי 6; עָרֵי הָאֱמֹרִי 26

אֱמֹרִי 1 נָתַן... בַּשְּׁבִית לְמֶלֶךְ אֱמֹרִי סִיחוֹן Num. 21:29
2 אִמְּכֶן חִתִּית וַאֲבִיכֶן אֱמֹרִי Ezek. 16:45
הָאֱמֹרִי 3 וְאֶת־הַיְבוּסִי וְאֶת־הָאֱמֹרִי... Gen. 10:16
4 אֶת־הָאֱמֹרִי הַיֹּשֵׁב בְּחַצְצֹן תָּמָר Gen. 14:7
5 וְהוּא שֹׁכֵן בְּאֵלֹנֵי מַמְרֵא הָאֱמֹרִי Gen. 14:13
6 לֹא־שָׁלֵם עֲוֹן הָאֱמֹרִי עַד־הֵנָּה Gen. 15:16
7 וְאֶת־הָאֱמֹרִי וְאֶת־הַכְּנַעֲנִי... Gen. 15:21
8 אֲשֶׁר לָקַחְתִּי מִיַּד הָאֱמֹרִי Gen. 48:22
10-9 מִגְּבֻל הָאֱמֹרִי...בֵּין...וּבֵין הָאֱמֹ׳ Num. 21:13
25-11 (לְ)סִיחֹ(וֹ)ן מֶלֶךְ(...)הָאֱמֹרִי Num. 21:21
21:26,34; 32:33 • Deut. 1:4; 2:24; 3:2; 4:46 • Josh. 12:2; 13:10,21 • Jud. 11:19 • IK. 4:19 • Ps. 135:11; 136:19
26 וַיֵּשֶׁב יִשְׂרָאֵל בְּכָל־עָרֵי הָאֱמֹרִי Num. 21:25
27 וַיֵּשֶׁב יִשְׂרָאֵל בְּאֶרֶץ הָאֱמֹרִי Num. 21:31
30-28 הַר הָאֱמֹרִי Deut. 1:7,19,20
31/2 לָתֵת אֹתָנוּ בְּיַד הָאֱמֹרִי Deut. 1:27 • Josh. 7:7
40-33 (שְׁנֵי) מַלְכֵי הָאֱמֹרִי Deut. 3:8
4:47; 31:4 • Josh. 2:10; 5:1; 9:10; 10:6; 24:12
41-3 (וּ)גְבוּל הָאֱמֹרִי Josh. 13:4 • Jud. 1:36; 11:22
44/5 אֱלֹהֵי הָאֱמֹרִי Josh. 24:15 • Jud. 6:10
46 וָאָבִיא אֶתְכֶם אֶל־אֶרֶץ הָאֱמֹרִי Josh. 24:8
47-9 (בְּ)אֶרֶץ הָאֱמֹרִי Jud. 10:8; 11:21 • Am. 2:10
50 ...כִּי אִם־מִיֶּתֶר הָאֱמֹרִי IISh. 21:2
51 אֶת־אֶרֶץ הַכְּנַעֲנִי הַחִתִּי הָאֱמֹרִי Neh. 9:8

הָאֱמֹרִי (המשך) 52-72 הָאֱמֹרִי Ex. 23:23; 33:2; 34:11
Num. 21:32; 32:39 • Deut. 1:44 • Josh. 10:12; 12:8; 24:11,18 • Jud. 1:34,35; 10:11; 11:23 • ISh. 7:14 • IK. 9:20; 21:26 • IIK. 21:11 • Ezek. 16:3 • Am. 2:9 • ICh. 1:14
וְהָאֱמֹרִי 73-5 הַכְּנַעֲנִי וְהַחִתִּי וְהָאֱמֹרִי Ex. 3:8,17; 13:5
76 וְהַחִתִּי...וְהָאֱמֹרִי יוֹשֵׁב בָּהָר Num. 13:29
77 וְהָאֱמֹרִי יִקְרְאוּ־לוֹ שְׂנִיר Deut. 3:9
78 הַחִתִּי וְהַגִּרְגָּשִׁי וְהָאֱמֹרִי... Deut. 7:1
79 הַחִתִּי וְהָאֱמֹרִי הַכְּנַעֲנִי וְהַפְּרִזִּי Deut. 20:17
80 אֶת־הַכְּנַעֲנִי...וְהָאֱמֹרִי וְהַיְבוּסִי Josh. 3:10
81 הַחִתִּי וְהָאֱמֹרִי הַכְּנַעֲנִי הַפְּרִזִּי Josh. 9:1
82 וְהָאֱמֹרִי וְהַחִתִּי וְהַפְּרִזִּי Josh. 11:3
83 הַחִתִּי וְהָאֱמֹרִי וְהַפְּרִזִּי... Jud. 3:5
84 הָעַמֹּנִי הַמֹּאָבִי הַמִּצְרִי וְהָאֱמֹרִי Ez. 9:1
85 הָעָם הַנּוֹתָר מִן־הַחִתִּי וְהָאֱמֹרִי IICh. 8:7
לָאֱמֹרִי 86 כָּל־אֲשֶׁר־עָשָׂה יִשְׂרָאֵל לָאֱמֹרִי Num. 22:2

אִמְרִי
שפ״ז – א) אבי אחד מבוני החומה בימי נחמיה: 1
ב) מבני פרץ בן יהודה: 2
אִמְרִי 1 וְעַל־יָדוֹ בָּנָה זַכּוּר בֶּן־אִמְרִי Neh. 3:2
2 עוּתַי...בֶּן־עָמְרִי בֶּן־אִמְרִי ICh. 9:4

אֲמַרְיָה
שפ״ז – א) אבי זקנו של צפניה הנביא: 1
ב) זקנו של כהן הראש בימי דוד ושלמה: 2, 8-12
ג) מזרע חברון בן קהת: 7
ד) אבי זקנו של מתישב בירושלים בימי נחמיה: 5
ה) מבני בני בימי עזרא: 3
ו) מחותמי האמנה בימי נחמיה: 4, 6, 13
אֲמַרְיָה 1 צְפַנְיָה בֶּן־כּוּשִׁי... בֶּן־אֲמַרְיָה Zep. 1:1
2 בֶּן־אֲמַרְיָה בֶּן־עֲזַרְיָה בֶּן־מְרָיוֹת Ez. 7:3
3 שַׁלּוּם אֲמַרְיָה יוֹסֵף Ez. 10:42
4 פַּשְׁחוּר אֲמַרְיָה מַלְכִּיָּה Neh. 10:4
5 עֲתָיָה...בֶּן־זְכַרְיָה בֶן־אֲמַרְיָה Neh. 11:4
6 אֲמַרְיָה מַלּוּךְ חַטּוּשׁ Neh. 12:2
7 יְרִיָּהוּ הָרֹאשׁ אֲמַרְיָה הַשֵּׁנִי ICh. 23:19
10-8 אֲמַרְיָה ICh. 5:33,37; 6:37
וַאֲמַרְיָה 11/2 וַאֲמַרְיָה הוֹלִיד אֶת־אֲחִיטוּב ICh. 5:33,37
לַאֲמַרְיָה 13 לְעֶזְרָא מְשֻׁלָּם לַאֲמַרְיָה יְהוֹחָנָן Neh. 12:13

אֲמַרְיָהוּ
שפ״ז – א) כהן הראש בימי יהושפט: 2
ב) הוא אֲמַרְיָה ג׳: 1
ג) כהן בימי חזקיהו: 3
אֲמַרְיָהוּ 1 וּבְנֵי יְרִיָּהוּ אֲמַרְיָהוּ הַשֵּׁנִי ICh. 24:23
2 וְהִנֵּה אֲמַרְיָהוּ כֹּהֵן הָרֹאשׁ עֲלֵיכֶם IICh. 19:11
3 אֲמַרְיָהוּ וּשְׁכַנְיָהוּ בְּעָרֵי הַכֹּהֲנִים IICh. 31:15

אַמְרָפֶל
שפ״ז – מלך שנער בימי אברהם
אַמְרָפֶל 1 וַיְהִי בִּימֵי אַמְרָפֶל מֶלֶךְ־שִׁנְעָר Gen. 14:1
וְאַמְרָפֶל 2 כְּדָרְלָעֹמֶר...וְאַמְרָפֶל מֶלֶךְ שִׁנְעָר Gen. 14:9

אֶמֶשׁ
תה״פ וו׳ א) בלילה שעבר 1-3,5 ב) חושך: 4
אֶמֶשׁ 1 הֵן־שָׁכַבְתִּי אֶמֶשׁ אֶת־אָבִי Gen. 19:34
2 וֵאלֹהֵי אֲבִיכֶם אֶמֶשׁ אָמַר אֵלַי Gen. 31:29
3 אֶת־דְּמֵי נָבוֹת...רָאִיתִי אָמֶשׁ IIK. 9:26
4 אֹמֶשׁ שׁוֹאָה וּמְשֹׁאָה Job 30:3
אָמֶשׁ 5 רָאָה אֱלֹהִים וַיּוֹכַח אָמֶשׁ Gen. 31:42

אֱמֶת
נ׳ א) נכוחה, נאמנות, הפך מן שקר—רוב המקראות
ב) תה״פ אמן, נכון, יציב 3—4,11
קרובים: אָמוּן / אֱמוּנָה / אָמֵן / אָמְנָם / טוֹב / יָשָׁר / יְשָׁרָה / מִשְׁפָּט / נְכוֹנָה / נְכֹחָה / צֶדֶק / צְדָקָה / קֹשֶׁט / תֹּם / תָּמִים
אֱמֶת נָכוֹן 3,4; אֱ׳ וָחֶסֶד 20,21; אֱ׳ וּמִשְׁפָּט 24,32; חֶסֶד וֶאֱמֶת 57—62, 67—75, 115—118, 126, 127; שָׁלוֹם וֶאֱמֶת 63, 64, 66, 76

בֶּאֱמֶת 86, 89, 90, 92-95, 97, 99-101, 103, 107; בֶּאֱמֶת וּבִצְדָקָה 91, 96, 98, 102; בֶּאֱמֶת וּבְתָמִים 8/87, 107
אוֹת אֱמֶת 6; אִישׁ אֱ׳ 51; אֵל אֱ׳ 28; אֱלֹהֵי אֱ׳ 55; אִמְרֵי אֱ׳ 43; אַנְשֵׁי אֱ׳ 2; דְּבַר אֱ׳ 29, 33, 46; דּוֹבֵר אֱ׳ 26; דֶּרֶךְ אֱ׳ 1; זֶרַע אֱ׳ 13; כְּתָב אֱ׳ 49; מִשְׁפַּט אֱ׳ 18, 22; עֵד אֱ׳ 17, 42; עִיר הָאֱ׳ 81; שֶׂכֶר אֱ׳ 40; שְׁלוֹם אֱ׳ 15; שְׂפַת אֱ׳ 41; תּוֹרַת אֱ׳ 25, 52
אָהַב אֱ׳ 82; אָמַר אֱ׳ 11; דִּבֶּר אֱ׳ 10, 16, 23, 56, 65; הָגָה אֱ׳ 39; הִגִּיד אֱ׳ 50; הִשְׁלִיךְ אֱ׳ 47; כָּשְׁלָה אֱ׳ 12; נֶעְדְּרָה אֱ׳ 80; נִשְׁבַּע אֱ׳ 37; נָתַן אֱ׳ 21; עָשָׂה אֱ׳ 19, 53, 57, 58, 60, 61; צָמְחָה אֱ׳ 31; קָנָה אֱמֶת 45; שָׁמַר אֱמֶת 38

אֱמֶת 1 אֲשֶׁר הִנְחַנִי בְּדֶרֶךְ אֱמֶת Gen. 24:48
2 אַנְשֵׁי אֱמֶת שֹׂנְאֵי בָצַע Ex. 18:21
3/4 וְהִנֵּה אֱמֶת נָכוֹן הַדָּבָר Deut. 13:15; 17:4
5 וְאִם־אֱמֶת הָיָה הַדָּבָר Deut. 22:20
6 וּנְתַתֶּם לִי אוֹת אֱמֶת Josh. 2:12
7 וּדְבָרֶיךָ יִהְיוּ אֱמֶת IISh. 7:28
8 אֱמֶת הָיָה הַדָּבָר אֲשֶׁר שָׁמַעְתִּי IK. 10:6
9 וּדְבַר־יְיָ בְּפִיךָ אֱמֶת IK. 17:24
10 לֹא־תְדַבֵּר אֵלַי רַק־אֱמֶת בְּשֵׁם יְיָ IK. 22:16
11 וְיִשְׁמְעוּ וְיֹאמְרוּ אֱמֶת Is. 43:9
12 כִּי־כָשְׁלָה בָרְחוֹב אֱמֶת Is. 59:14
13 נְטַעְתִּיךְ שׂוֹרֵק כֻּלֹּה זֶרַע אֱמֶת Jer. 2:21
14 וַיְיָ אֱלֹהִים אֱמֶת הוּא־אֱלֹהִים חַיִּים Jer.10:10
15 כִּי־שְׁלוֹם אֱמֶת אֶתֵּן לָכֶם Jer. 14:13
16 ...יְדַבֵּר דְּבָרִי אֱמֶת Jer. 23:28
17 יְהִי יְיָ בָּנוּ לְעֵד אֱמֶת וְנֶאֱמָן Jer. 42:5
18 מִשְׁפַּט אֱמֶת יַעֲשֶׂה... Ezek. 18:8
19 וּמִשְׁפָּטַי שָׁמַר לַעֲשׂוֹת אֱמֶת Ezek. 18:9
20 כִּי אֵין־אֱמֶת וְאֵין־חֶסֶד Hosh. 4:1
21 תִּתֵּן אֱמֶת לְיַעֲקֹב חֶסֶד לְאַבְרָהָם Mic. 7:20
22 מִשְׁפַּט אֱמֶת שְׁפֹטוּ Zech. 7:9
23 דַּבְּרוּ אֱמֶת אִישׁ אֶת־רֵעֵהוּ Zech. 8:16
24 אֱמֶת וּמִשְׁפַּט שָׁלוֹם שִׁפְטוּ Zech. 8:16
25 תּוֹרַת אֱמֶת הָיְתָה בְּפִיהוּ Mal. 2:6
26 וְדֹבֵר אֱמֶת בִּלְבָבוֹ Ps. 15:2
27 מִשְׁפְּטֵי־יְיָ אֱמֶת צָדְקוּ יַחְדָּו Ps. 19:10
28 פָּדִיתָה אוֹתִי יְיָ אֵל אֱמֶת Ps. 31:6
29 צְלַח רְכַב עַל־דְּבַר־אֱמֶת Ps. 45:5
30 הֵן־אֱמֶת חָפַצְתָּ בַטֻּחוֹת Ps. 51:8
31 אֱמֶת מֵאֶרֶץ תִּצְמָח Ps. 85:12
32 מַעֲשֵׂי יָדָיו אֱמֶת וּמִשְׁפָּט Ps. 111:7
33 וְאַל־תַּצֵּל מִפִּי דְבַר־אֱמֶת Ps. 119:43
34 צִדְקָתְךָ...וְתוֹרָתְךָ אֱמֶת Ps. 119:142
35 וְכָל־מִצְוֹתֶיךָ אֱמֶת Ps. 119:151
36 רֹאשׁ־דְּבָרְךָ אֱמֶת Ps. 119:160
37 נִשְׁבַּע־יְיָ לְדָוִד אֱמֶת Ps. 132:11
38 הַשֹּׁמֵר אֱמֶת לְעוֹלָם Ps. 146:6
39 כִּי־אֱמֶת יֶהְגֶּה חִכִּי Prov. 8:7
40 וְזֹרֵעַ צְדָקָה שֶׂכֶר אֱמֶת Prov. 11:18
41 שְׂפַת־אֱמֶת תִּכּוֹן לָעַד Prov. 12:19
42 מַצִּיל נְפָשׁוֹת עֵד אֱמֶת Prov. 14:25
43 לְהוֹדִיעֲךָ קֹשְׁטְ אִמְרֵי אֱמֶת Prov. 22:21
44 לְהָשִׁיב אֲמָרִים אֱמֶת לְשֹׁלְחֶיךָ Prov. 22:21
45 אֱמֶת קְנֵה וְאַל־תִּמְכֹּר Prov. 23:23
46 וְכָתוּב יֹשֶׁר דִּבְרֵי אֱמֶת Eccl. 12:10
47 וְתַשְׁלֵךְ אֱמֶת אַרְצָה Dan. 8:12
48 אֲשֶׁר נֶאֱמַר אֱמֶת הוּא Dan. 8:26
49 אֶת־הָרָשׁוּם בִּכְתָב אֱמֶת Dan. 10:21
50 וְעַתָּה אֱמֶת אַגִּיד לָךְ Dan. 11:2

אֱמֶת (המשך) 51 כְּאִישׁ אֱמֶת וְיָרֵא אֶת־הָאֱלֹהִים Neh. 7:2
52 מִשְׁפָּטִים יְשָׁרִים וְתוֹרוֹת אֱמֶת Neh. 9:13
53 כִּי־אֱמֶת עָשִׂיתָ... Neh. 9:33
54 אֱמֶת הַדָּבָר אֲשֶׁר שָׁמַעְתִּי IICh. 9:5
55 לְלֹא אֱלֹהֵי אֱמֶת וּלְלֹא כֹּהֵן IICh. 15:3
56 לֹא־תְדַבֵּר אֵלַי רַק אֱמֶת בְּשֵׁם יְיָ IICh. 18:15
וֶאֱמֶת 57 עֹשִׂים חֶסֶד וֶאֱמֶת אֶת־אֲדֹנִי Gen. 24:49
58 וְעָשִׂיתָ עִמָּדִי חֶסֶד וֶאֱמֶת Gen. 47:29
59 אֶרֶךְ אַפַּיִם וְרַב־חֶסֶד וֶאֱמֶת Ex. 34:6
60 וְעָשִׂינוּ עִמָּךְ חֶסֶד וֶאֱמֶת Josh. 2:14
61 יַעַשׂ־יְיָ עִמָּכֶם חֶסֶד וֶאֱמֶת IISh. 2:6
62 ... אֶת־אַחֶיךָ עִמָּךְ חֶסֶד וֶאֱמֶת IISh. 15:20
63 אִם־שָׁלוֹם וֶאֱמֶת יִהְיֶה בְיָמָי IIK. 20:19
64 כִּי יִהְיֶה שָׁלוֹם וֶאֱמֶת בְּיָמָי Is. 39:8
65 ...יְהָתֵלּוּ וֶאֱמֶת לֹא יְדַבֵּרוּ Jer. 9:4
66 וְגִלֵּיתִי לָהֶם עֲתֶרֶת שָׁלוֹם וֶאֱמֶת Jer. 33:6
67 כָּל־אָרְחוֹת יְיָ חֶסֶד וֶאֱמֶת Ps. 25:10
68 חֶסֶד וֶאֱמֶת מַן יִנְצְרֻהוּ Ps. 61:8
69 חֶסֶד־וֶאֱמֶת נִפְגָּשׁוּ Ps. 85:11
70 אֶרֶךְ אַפַּיִם וְרַב־חֶסֶד וֶאֱמֶת Ps. 86:11
71 חֶסֶד וֶאֱמֶת יְקַדְּמוּ פָנֶיךָ Ps. 89:15
72 חֶסֶד וֶאֱמֶת אַל־יַעַזְבֻךָ Prov. 3:3
73 וְחֶסֶד וֶאֱמֶת חֹרְשֵׁי טוֹב Prov. 14:22
74 בְּחֶסֶד וֶאֱמֶת יְכֻפַּר עָוֹן Prov. 16.6
75 חֶסֶד וֶאֱמֶת יִצְּרוּ־מֶלֶךְ Prov. 20:28
76 וַיִּשְׁלַח... דִּבְרֵי שָׁלוֹם וֶאֱמֶת Es. 9:30
77 וֶאֱמֶת הַדָּבָר וְצָבָא גָדוֹל Dan. 10:1
וֶאֱמֶת־ 78 ...וֶאֱמֶת־יְיָ לְעוֹלָם Ps. 117:2
הָאֱמֶת 79 קָטֹנְתִּי...וּמִכָּל־הָאֱמֶת Gen. 32:10
80 וַתְּהִי הָאֱמֶת נֶעְדֶּרֶת Is. 59:15
81 וְנִקְרְאָה יְרוּשָׁלַםִ עִיר הָאֱמֶת Zech. 8:3
וְהָאֱמֶת 82 וְהָאֱמֶת וְהַשָּׁלוֹם אֱהָבוּ Zech. 8:19
83 וַיַּעַשׂ הַטּוֹב וְהַיָּשָׁר וְהָאֱמֶת IICh. 31:20
84 אַחֲרֵי הַדְּבָרִים וְהָאֱמֶת הָאֵלֶּה IICh. 32:1
הַאֱמֶת 85 וְיִבָּחֲנוּ דִּבְרֵיכֶם הַאֱמֶת אִתְּכֶם Gen. 42:16
בֶּאֱמֶת 86 אִם בֶּאֱמֶת אַתֶּם מֹשְׁחִים אֹתִי... Jud. 9:15
87 אִם־בֶּאֱמֶת וּבְתָמִים עֲשִׂיתֶם Jud. 9:16
88 וְאִם־בֶּאֱמֶת וּבְתָמִים עֲשִׂיתֶם Jud. 9:19
89 וַעֲבַדְתֶּם אֹתוֹ בֶּאֱמֶת ISh. 12:24
90 לָלֶכֶת לְפָנַי בֶּאֱמֶת IK. 2:4
91 בֶּאֱמֶת וּבִצְדָקָה וּבְיִשְׁרַת לֵבָב IK. 3:6
92 הִתְהַלַּכְתִּי... בֶּאֱמֶת וּבְלֵבָב שָׁלֵם IIK. 20:3
93 וְנִשְׁעַן עַל־יְיָ קְדוֹשׁ יִשְׂרָאֵל בֶּאֱמֶת Is. 10:20
94 וְהוּכַן בַּחֶסֶד כִּסֵּא וְיָשַׁב עָלָיו בֶּאֱמֶת Is. 16:5
95 הִתְהַלַּכְתִּי... בֶּאֱמֶת וּבְלֵב שָׁלֵם Is. 38:3
96 לֹא בֶאֱמֶת וְלֹא בִצְדָקָה Is. 48:1
97 וְנָתַתִּי פְעֻלָּתָם בֶּאֱמֶת Is. 61:8
98 וְנִשְׁבַּעְתָּ... בֶּאֱמֶת... וּבִצְדָקָה Jer. 4:2
99 כִּי בֶאֱמֶת שְׁלָחַנִי יְיָ עֲלֵיכֶם Jer. 26:15
100 אֲשֶׁר־שְׁלָחוֹ יְיָ בֶּאֱמֶת Jer. 28:9
101 בֶּאֱמֶת בְּכָל־לִבִּי וּבְכָל־נַפְשִׁי Jer. 32:41
102 אֶהְיֶה... לֵאלֹהִים בֶּאֱמֶת וּבִצְדָקָה Zech. 8:8
103 עֲנֵנִי בֶּאֱמֶת יִשְׁעֶךָ Ps. 69:14
104 עֲשׂוּיִם בֶּאֱמֶת וְיָשָׁר Ps. 111:8
105 לְכֹל אֲשֶׁר יִקְרָאֻהוּ בֶאֱמֶת Ps. 145:18
106 מֶלֶךְ שׁוֹפֵט בֶּאֱמֶת דַּלִּים Prov. 29:14
וּבֶאֱמֶת 107 וְעִבְדוּ אֹתוֹ בְּתָמִים וּבֶאֱמֶת Josh. 24:14
לֶאֱמֶת 108 לֶאֱמֶת יוֹצִיא מִשְׁפָּט Is. 42:3
אֲמִתְּךָ 109 אוֹדְךָ בִכְלִי־נֶבֶל אֲמִתְּךָ Ps. 71:22
אֲמִתֶּךָ 110 לֹא־יְשַׂבְּרוּ יוֹרְדֵי־בוֹר אֶל־אֲמִתֶּךָ Is. 38:18
111 אָב לְבָנִים יוֹדִיעַ אֶל־אֲמִתֶּךָ Is. 38:19
112 הֲיוֹדְךָ עָפָר הֲיַגִּיד אֲמִתֶּךָ Ps. 30:10
113/4 וְעַד־שְׁחָקִים אֲמִתֶּךָ Ps. 57:11; 108:5
115/6 עַל־חַסְדְּךָ (וְ)עַל־אֲמִתֶּךָ Ps. 115:1; 138:2
וַאֲמִתְּךָ 117 לֹא־כִחַדְתִּי חַסְדְּךָ וַאֲמִתְּךָ Ps. 40:11
118 חַסְדְּךָ וַאֲמִתְּךָ תָּמִיד יִצְּרוּנִי Ps. 40:12
119 שְׁלַח־אוֹרְךָ וַאֲמִתְּךָ הֵמָּה יַנְחוּנִי Ps. 43:3
בַּאֲמִתְּךָ 120 בַּאֲמִתְּךָ הַצְמִיתֵם Ps. 54:7
בַּאֲמִתֶּךָ 121 הַדְרִיכֵנִי בַאֲמִתֶּךָ וְלַמְּדֵנִי Ps. 25:5
122 וְהִתְהַלַּכְתִּי בַּאֲמִתֶּךָ Ps. 26:3
123 אֲהַלֵּךְ בַּאֲמִתֶּךָ Ps. 86:11
124 לָשׁוּב...וּלְהַשְׂכִּיל בַּאֲמִתֶּךָ Dan. 9:13
אֲמִתּוֹ 125 צִנָּה וְסֹחֵרָה אֲמִתּוֹ Ps. 81:4
וַאֲמִתּוֹ 126 לֹא־עָזַב חַסְדּוֹ וַאֲמִתּוֹ Gen. 24:27
127 יִשְׁלַח אֱלֹהִים חַסְדּוֹ וַאֲמִתּוֹ Ps. 57:4

אַמְתַּחַת נ׳ שׂק — פִּי אַמְתַּחַת 1, 4–6, 11, 14

אַמְתַּחַת־ 1 תָּשִׂים בְּפִי אַמְתַּחַת הַקָּטֹן Gen. 44:2
בְּאַמְתַּחַת־ 2 וַיִּמָּצֵא הַגָּבִיעַ בְּאַמְתַּחַת בִּנְיָמִן Gen. 44:12
בְּאַמְתַּחְתִּי 3 ...וְגַם הִנֵּה בְאַמְתַּחְתִּי Gen. 42:28
אַמְתַּחְתּוֹ 4 וְהִנֵּה־הוּא בְּפִי אַמְתַּחְתּוֹ Gen. 42:27
5 וְהִנֵּה כֶסֶף־אִישׁ בְּפִי אַמְתַּחְתּוֹ Gen. 43:21
6 וְשִׂים כֶּסֶף־אִישׁ בְּפִי אַמְתַּחְתּוֹ Gen. 44:1
7 וַיּוֹרִדוּ אִישׁ אֶת־אַמְתַּחְתּוֹ אָרְצָה Gen. 44:11
8 וַיִּפְתְּחוּ אִישׁ אַמְתַּחְתּוֹ Gen. 44:11
אַמְתְּחוֹת־ 9 מַלֵּא אֶת־אַמְתְּחֹת הָאֲנָשִׁים אֹכֶל Gen. 44:1
אַמְתְּחוֹתֵינוּ 10 וַנִּפְתְּחָה אֶת־אַמְתְּחֹתֵינוּ Gen. 43:21
11 אֲשֶׁר מָצָאנוּ בְּפִי אַמְתְּחֹתֵינוּ Gen. 44:8
בְּאַמְתְּחוֹתֵינוּ 12 הַכֶּסֶף הַשָּׁב בְּאַמְתְּחֹתֵינוּ Gen. 43:18
13 מִי־שָׂם כַּסְפֵּנוּ בְּאַמְתְּחֹתֵינוּ Gen. 43:22
אַמְתְּחוֹתֵיכֶם 14 ...הַמּוּשָׁב בְּפִי אַמְתְּחֹתֵיכֶם Gen. 43:12
בְּאַמְתְּחוֹתֵיכֶם 15 נָתַן... מַטְמוֹן בְּאַמְתְּחֹתֵיכֶם Gen. 43:23

אֲמִתַּי שפ״ז — אבי יונה הנביא

אֲמִתַּי 1 בְּיַד־עַבְדּוֹ יוֹנָה בֶן־אֲמִתַּי הַנָּבִיא IIK. 14:25
2 וַיְהִי דְּבַר־יְיָ אֶל־יוֹנָה בֶן־אֲמִתַּי Jon. 1:1

אָן, אָנָה תה״פ א) לאיזה מקום? 1, 3–18, 32–36

ב) [עַד אָן, עַד אָנָה] עד מתי: 2, 19–31
ג) [אָנָה וָאָנָה] לכאן ולכאן: 37–42

אָן 1 וַיֹּאמֶר דּוֹד שָׁאוּל... אָן הֲלַכְתֶּם ISh. 10:14
2 עַד־אָן תְּמַלֶּל־אֵלֶּה Job 8:2
(מֵאָן) 3 וַיֹּאמֶר... אֱלִישָׁע מאן (קרי מֵאַיִן) גֵּחֲזִי IIK. 5:25
אָנָה 4 וַאֲנִי אָנָה אֲנִי־בָא Gen. 37:30
5 אָנָה אֲנַחְנוּ עֹלִים Deut. 1:28
6 לֹא יָדַעְתִּי אָנָה הָלְכוּ הָאֲנָשִׁים Josh. 2:5
7 אָנָה אוֹלִיךְ אֶת־חֶרְפָּתִי IISh. 13:13
8 וַיֹּאמֶר דָּוִד אָנָה אֶעֱלֶה IISh. 2:1
9 אָנָה תֵלֵךְ וּמֵאַיִן תָּבוֹא Jud. 19:17
10 וַיֹּאמֶר...אָנָה נָפָל IIK. 6:6
11 וְהָיָה כִּי־יֹאמְרוּ אֵלֶיךָ אָנָה נֵצֵא Jer. 15:2
12 אָנָה פָּנַיִךְ מֻעָדוֹת Ezek. 21:21
13 וָאֹמַר אָנָה אַתָּה הֹלֵךְ Zech. 2:6
14 אָנָה הֵמָּה מוֹלִכוֹת אֶת־הָאֵיפָה Zech. 5:10
15 אָנָה אֵלֵךְ מֵרוּחֶךָ Ps. 139:7
16 אָנָה הָלַךְ דּוֹדֵךְ הַיָּפָה בַּנָּשִׁים S.ofS. 6:1
17 אָנָה פָּנָה דוֹדֵךְ... S.ofS. 6:1
18 וְהַסְּגָנִים לֹא יָדְעוּ אָנָה הָלַכְתִּי Neh. 2:16
עַד־אָנָה 19 עַד־אָנָה מֵאַנְתֶּם לִשְׁמֹר... Ex. 16:28
20 עַד־אָנָה יְנַאֲצֻנִי הָעָם הַזֶּה Num. 14:11
21 וְעַד־אָנָה לֹא־יַאֲמִינוּ בִי Num. 14:11
22 עַד־אָנָה אַתֶּם מִתְרַפִּים Josh. 18:3
23 עַד־אָנָה לֹא תִשְׁקֹטִי Jer. 47:6
24 עַד־אָנָה יְיָ שִׁוַּעְתִּי Hab. 1:2
עַד אָנָה (המשך) 25 עַד־אָנָה יְיָ תִּשְׁכָּחֵנִי נֶצַח Ps. 13:2
26 עַד־אָנָה תַּסְתִּיר אֶת־פָּנֶיךָ מִמֶּנִּי Ps. 13:2
27 עַד־אָנָה אָשִׁית עֵצוֹת בְּנַפְשִׁי Ps. 13:3
28 עַד־אָנָה יָרוּם אֹיְבִי עָלָי Ps. 13:3
29 עַד־אָנָה תְּהוֹתְתוּ עַל־אִישׁ Ps. 62:4
30 עַד־אָנָה תְּשִׂימוּן קִנְצֵי לְמִלִּין Job 18:2
31 עַד־אָנָה תּוֹגְיוּן נַפְשִׁי Job 19:2
וְאָנָה 32 אֵי־מִזֶּה בָאת וְאָנָה תֵלֵכִי Gen. 16:8
33 לְמִי־אַתָּה וְאָנָה תֵלֵךְ Gen. 32:18
34 וְאָנָה תַעַזְבוּ כְבוֹדְכֶם Is. 10:3
35 וְאָנָה מִפָּנֶיךָ אֶבְרָח Ps. 139:7
36 אֵיפֹה לִקַּטְתְּ הַיּוֹם וְאָנָה עָשִׂית Ruth 2:19
אָנֶה וָאָנָה 37-38 וְלֹא־תֵצֵא מִשָּׁם אָנֶה וָאָנָה IK. 2:36
39-40 בְּיוֹם צֵאתְךָ וְהָלַכְתָּ אָנֶה וָאָנָה IK. 2:42
41-42 לֹא־הָלַךְ עַבְדְּךָ אָנֶה וָאָנָה IIK. 5:25

אָנָּא, אָנָּה מ״ק נָא, בבקשה

אָנָּא 1 אָנָּא שָׂא נָא פֶּשַׁע אַחֶיךָ Gen. 50:17
2 אָנָּא חָטָא הָעָם הַזֶּה... Ex. 32:31
3 אָנָּא יְיָ הוֹשִׁיעָה נָּא Ps. 118:25
4 אָנָּא יְיָ הַצְלִיחָה נָּא Ps. 118:25
5 אָנָּא אֲדֹנָי הָאֵל הַגָּדוֹל Dan. 9:4
6 אָנָּא יְיָ אֱלֹהֵי הַשָּׁמַיִם Neh. 1:5
7 אָנָּא אֲדֹנָי תְּהִי נָא אָזְנְךָ־קַשֶּׁבֶת Neh. 1:11
אָנָּה 8-9 אָנָּה יְיָ זְכָר־נָא IIK. 20:3 • Is. 38:3
10 אָנָּה יְיָ אַל־נָא נֹאבְדָה... Jon. 1:14
11 אָנָּה יְיָ הֲלוֹא־זֶה דְבָרִי... Jon. 4:2
12 אָנָּה יְיָ מַלְּטָה נַפְשִׁי Ps. 116:4
13 אָנָּה יְיָ כִּי־אֲנִי עַבְדֶּךָ Ps. 116:16

אִנְבָּא* ז׳ ארמית אֵב, פרי

וְאִנְבֵּהּ 1 עָפְיֵהּ שַׁפִּיר וְאִנְבֵּהּ שַׂגִּיא Dan. 4:9

אֲנָה מ״ג ארמית: אֲנִי

אֲנָה 1 מִן־יַצִּיב יָדַע אֲנָה Dan. 2:8
2 מְהוֹדֵא וּמְשַׁבַּח אֲנָה Dan. 2:23
3 הָא־אֲנָה חָזֵה גֻּבְרִין אַרְבְּעָה Dan. 3:25
4-14 אֲנָה Dan. 4:1,4,6,15,27,31,34; 7:15,28 • Ez. 6:12; 7:21
וַאֲנָה 15 וַאֲנָה לָא בְחָכְמָה דִּי־אִיתַי בִּי Dan. 2:30
16 וַאֲנָה שִׁמְעֵת עֲלָךְ Dan. 5:16

אנה:

א) אָנָה; אֲנִיָּה, תַּאֲנִיָּה
ב) אִנָּה, אֻנָּה, הִתְאַנָּה; תַּאֲנָה, תֹּאֲנָה

אָנָה פ׳ א) אָבַל, ספד: 1, 2 • קרובים: ראה אבל

ב) [פ׳ אֻנָּה] זמן: 3
ג) [פ׳ אִנָּה] קרה, זמן: 4,5
ד) [הת׳ הִתְאַנָּה] חפשׂ תואנה: 6

וְאָנוּ 1 וְאָנוּ וְאָבְלוּ פְּתָחֶיהָ Is. 3:26
2 וְאָנוּ הַדַּיָּגִים וְאָבְלוּ... Is. 19:8
אִנָּה 3 וְהָאֱלֹהִים אִנָּה לְיָדוֹ Ex. 21:13
יְאֻנֶּה 4 לֹא־יְאֻנֶּה לַצַּדִּיק כָּל־אָוֶן Prov. 12:21
תְאֻנֶּה 5 לֹא־תְאֻנֶּה אֵלֶיךָ רָעָה Ps. 91:10
מִתְאַנֶּה 6 כִּי־מִתְאַנֶּה הוּא לִי IIK. 5:7

אנו כתיב (ירמיה מב 6) — קרי: אֲנַחְנוּ

אִנּוּן מ״ג ארמית: הֵם

אִנּוּן 1 וּבְיוֹמֵיהוֹן דִּי מַלְכַיָּא אִנּוּן Dan. 2:44
2 רְמוֹ אִנּוּן בְּנֵיהוֹן וּנְשֵׁיהוֹן Dan. 6:25
3 מִן־אִנּוּן שְׁמָהָת גֻּבְרַיָּא... Ez. 5:4

אָנוּשׁ ת׳ מסוכן, שאין לו מרפא

חֵץ אָנוּשׁ 5; יוֹם אָ׳ 2; כְּאֵב אָ׳ 1; לֵב אָ׳ 6;
מַכְאוֹב אָנוּשׁ 4; שֶׁבֶר אָ׳ 3; מַכָּה אֲנוּשָׁה 8,7

אָנוּשׁ 1 בְּיוֹם נַחֲלָה וּכְאֵב אָנוּשׁ Is. 17:11
2 וְיוֹם אָנוּשׁ לֹא הִתְאַוֵּיתִי Jer. 17:16
3 אָנוּשׁ לְשִׁבְרֵךְ נַחְלָה מַכָּתֵךְ Jer. 30:12
4 אָנוּשׁ מַכְאֹבֵךְ Jer. 30:15
5 אָנוּשׁ חִצִּי בְלִי־פָשַׁע Job 34:6
וְאָנֻשׁ 6 עָקֹב הַלֵּב מִכֹּל וְאָנֻשׁ הוּא Jer. 17:9
אֲנוּשָׁה 7 כְּאֵבִי נֶצַח וּמַכָּתִי אֲנוּשָׁה Jer. 15:18
8 כִּי אֲנוּשָׁה מַכּוֹתֶיהָ Mic. 1:9

אֱנוֹשׁ¹ ז׳ אִישׁ, אדם (רק ביחיד ובלא יִדוּעַ)

קרובים: אָדָם / אִישׁ / גֶּבֶר / נֶפֶשׁ / אר׳ אֱנָשׁ

אֱנוֹשׁ שְׁלוֹמִי 42; אַשְׁרֵי אֱנוֹשׁ 21,7; בֶּן אֱ׳ 20; חֶרֶט אֱ׳ 1; חֶרְפַּת אֱ׳ 6; יְמֵי אֱ׳ 26; לְבַב אֱ׳ 2, 18—19; עֲמַל אֱנוֹשׁ 15; תִּקְוַת אֱ׳ 27

אֱנוֹשׁ 1 וּכְתֹב עָלָיו בְּחֶרֶט אֱנוֹשׁ Is. 8:1
2 וְכָל־לְבַב אֱנוֹשׁ יִמָּס Is. 13:7
3 אוֹקִיר אֱנוֹשׁ מִפָּז Is. 13:12
4 וְנִשְׁאַר אֱנוֹשׁ מִזְעָר Is. 24:6
5 לֹא חָשַׁב אֱנוֹשׁ Is. 33:8
6 אַל־תִּירְאוּ חֶרְפַּת אֱנוֹשׁ Is. 51:7
7 אַשְׁרֵי אֱנוֹשׁ יַעֲשֶׂה־זֹּאת Is. 56:2
8 מָה־אֱנוֹשׁ כִּי־תִזְכְּרֶנּוּ Ps. 8:5
9 קוּמָה יְיָ אַל־יָעֹז אֱנוֹשׁ Ps. 9:20
10 יֵדְעוּ גוֹיִם אֱנוֹשׁ הֵמָּה סֶּלָה Ps. 9:21
11 לַעֲרֹץ אֱנוֹשׁ מִן־הָאָרֶץ Ps. 10:18
12 וְאַתָּה אֱנוֹשׁ כְּעֶרְכִּי Ps. 55:14
13 חָנֵּנִי אֱלֹהִים כִּי־שְׁאָפַנִי אֱנוֹשׁ Ps. 56:2
14 הִרְכַּבְתָּ אֱנוֹשׁ לְרֹאשֵׁנוּ Ps. 66:12
15 בַּעֲמַל אֱנוֹשׁ אֵינֵמוֹ Ps. 73:5
16 תָּשֵׁב אֱנוֹשׁ עַד־דַּכָּא Ps. 90:3
17 אֱנוֹשׁ כֶּחָצִיר יָמָיו Ps. 103:15
18 וְיַיִן יְשַׂמַּח לְבַב־אֱנוֹשׁ Ps. 104:15
19 וְלֶחֶם לְבַב־אֱנוֹשׁ יִסְעָד Ps. 104:15
20 יְיָ מָה־אָדָם...בֶּן־אֱנוֹשׁ וַתְּחַשְּׁבֵהוּ Ps. 144:3
21 אַשְׁרֵי אֱנוֹשׁ יוֹכִחֶנּוּ אֱלוֹהַּ Job 5:17
22 מָה־אֱנוֹשׁ כִּי תְגַדְּלֶנּוּ Job 7:17
23/4 וּמַה־יִּצְדַּק אֱנוֹשׁ עִם־אֵל Job 9:2; 25:4
25 אִם־כִּרְאוֹת אֱנוֹשׁ תִּרְאֶה Job 10:4
26 הֲכִימֵי אֱנוֹשׁ יָמֶיךָ Job 10:5
27 וְתִקְוַת אֱנוֹשׁ הֶאֱבַדְתָּ Job 14:19
28 מָה־אֱנוֹשׁ כִּי־יִזְכֶּה Job 15:14
29 אַף כִּי־אֱנוֹשׁ רִמָּה... Job 25:6
30 לֹא־יָדַע אֱנוֹשׁ עֶרְכָּהּ Job 28:13
31 אֱנוֹשׁ יַבִּיט מֵרָחוֹק Job 36:25
32 יְיָ...אַל־יַעְצֹר עִמְּךָ אֱנוֹשׁ IICh. 14:10
הָאֱנוֹשׁ 33 הַאֱנוֹשׁ מֵאֱלוֹהַּ יִצְדָּק Job 4:17
בֶּאֱנוֹשׁ 34 אִם־כְּהָתֵל בֶּאֱנוֹשׁ תְּהָתֵלּוּ בוֹ Job 13:9
35 אָכֵן רוּחַ־הִיא בֶאֱנוֹשׁ Job 32:8
לֶאֱנוֹשׁ 36 הֲלֹא־צָבָא לֶאֱנוֹשׁ עֲלֵי־אָרֶץ Job 7:1
37 וַיָּשֶׁב לֶאֱנוֹשׁ צִדְקָתוֹ Job 33:26
מֵאֱנוֹשׁ 38 אַשְׁבִּיתָה מֵאֱנוֹשׁ זִכְרָם Deut. 32:26
39 מִי־אַתְּ וַתִּירְאִי מֵאֱנוֹשׁ יָמוּת Is. 51:12
40 דַּלּוּ מֵאֱנוֹשׁ נָעוּ Job 28:4
41 כִּי־יִרְבֶּה אֱלוֹהַּ מֵאֱנוֹשׁ Job 33:12
אֱנוֹשׁ־ 42 כֹּל אֱנוֹשׁ שְׁלוֹמִי שֹׁמְרֵי צַלְעִי Jer. 20:10

אֱנוֹשׁ² שפ״ז – בנו בכורו של שת – נכד אדם

אֱנוֹשׁ 1 וַיִּקְרָא אֶת־שְׁמוֹ אֱנוֹשׁ Gen. 4:26
2 אָדָם שֵׁת אֱנוֹשׁ ICh. 1:1
3-7 אֱנוֹשׁ Gen. 5:6,7,9,10,11

אנח : נֶאֱנַח; אֲנָחָה, אַנְחָתָה

(אנח) נֶאֱנַח נפ׳ התפרץ מגרונו קול נשיפה עמוקה מצער או מכאב, נאנק

קרובים: אנק / הָגָה / זעק / נהם / צעק / צרח / שוע

נֶאֶנְחָה 1 מַה־נֶּאֶנְחָה בְהֵמָה Joel 1:18
2 גַּם־הִיא נֶאֶנְחָה וַתָּשָׁב אָחוֹר Lam. 1:8
נֶאֶנְחוּ 3 נֶאֶנְחוּ כָּל־שִׂמְחֵי־לֵב Is. 24:7
נֶאֱנָח 4 עַל־מָה אַתָּה נֶאֱנָח Ezek. 21:12
נֶאֱנָחָה 5 שָׁמְעוּ כִּי נֶאֱנָחָה אָנִי Lam. 1:21
נֶאֱנָחִים 6 כֹּהֲנֶיהָ נֶאֱנָחִים בְּתוּלֹתֶיהָ נוּגוֹת Lam. 1:4
7 כָּל־עַמָּהּ נֶאֱנָחִים מְבַקְשִׁים לֶחֶם Lam. 1:11
הַנֶּאֱנָחִים 8 הַנֶּאֱנָחִים וְהַנֶּאֱנָקִים Ezek. 9:4
תֵּאָנַח 9 בְּשִׁבְרוֹן מָתְנַיִם וּבִמְרִירוּת תֵּאָנַח Ezek. 21:11
יֵאָנַח 10 וּבִמְשֹׁל רָשָׁע יֵאָנַח עָם Prov. 29:2
וַיֵּאָנְחוּ 11 וַיֵּאָנְחוּ בְנֵי־יִשְׂרָאֵל מִן־הָעֲבֹדָה Ex. 2:23
הֵאָנַח 12 וְאַתָּה בֶן־אָדָם הֵאָנַח Ezek. 21:11

אֲנָחָה נ׳ נשיפה עמוקה מצער או מכאב, אנקה

יָגוֹן וַאֲנָחָה 1—2; קוֹל אַנְחָה 4

קרובים: אֲנָקָה / זְעָקָה / צְעָקָה / שֶׁוַע / שַׁוְעָה

וַאֲנָחָה 1 וְנָסוּ יָגוֹן וַאֲנָחָה Is. 35:10
2 נָסוּ יָגוֹן וַאֲנָחָה Is. 51:11
בַּאֲנָחָה 3 כִּי כָלוּ בְיָגוֹן חַיַּי וּשְׁנוֹתַי בַּאֲנָחָה Ps. 31:11
אַנְחָתִי 4 מִקּוֹל אַנְחָתִי דָּבְקָה עַצְמִי לִבְשָׂרִי Ps. 102:6
5 כִּי־לִפְנֵי לַחְמִי אַנְחָתִי תָבֹא Job 3:24
6 יָדִי כָּבְדָה עַל־אַנְחָתִי Job 23:2
וְאַנְחָתִי 7 וְאַנְחָתִי מִמְּךָ לֹא־נִסְתָּרָה Ps. 38:10
בְּאַנְחָתִי 8/9 יָגַעְתִּי בְּאַנְחָתִי Jer. 45:3 • Ps. 6:7
אַנְחָתָה 10 כָּל־אַנְחָתָה הִשְׁבַּתִּי Is. 21:2
אַנְחֹתַי 11 כִּי־רַבּוֹת אַנְחֹתַי וְלִבִּי דַוָּי Lam. 1:22

אֲנַחְנָא מ״ג ארמית: אנחנו

אֲנַחְנָא 1 לָא־חַשְׁחִין אֲנַחְנָא...לַהֲתָבוּתָךְ Dan. 3:16
2 אֱלָהַנָא דִּי־אֲנַחְנָא פָלְחִין Dan. 3:17
3 מְהוֹדְעִין אֲנַחְנָה לְמַלְכָּא Ez. 4:16
4 אֲנַחְנָא הִמּוֹ עַבְדוֹהִי דִי־אֱלָהּ שְׁמַיָּא Ez. 5:11

אֲנַחְנוּ מ״ג כנוי למדברים, אנו [עיין גם: נַחְנוּ]

אֲנַחְנוּ 1 כִּי־מַשְׁחִתִים אֲנַחְנוּ אֶת־הַמָּקוֹם Gen. 19:13
2 וְהִנֵּה אֲנַחְנוּ מְאַלְּמִים אֲלֻמִּים Gen. 37:7
3 אַחִים אֲנַחְנוּ בְּנֵי אִישׁ־אֶחָד Gen. 42:13
4 אֲבָל אֲשֵׁמִים אֲנַחְנוּ עַל־אָחִינוּ Gen. 42:21
5 גַּם־אֲנַחְנוּ גַּם־אַתָּה... Gen. 43:8
6/7 גַּם־אֲנַחְנוּ גַּם־אֲבֹתֵינוּ Gen. 46:34; 47:3
8 אֲנַחְנוּ הַחֹמֶר וְאַתָּה יֹצְרֵנוּ Is. 64:7
9 אֲנַחְנוּ (כת׳ אנו) שֹׁלְחִים אֹתְךָ אֵלָיו Jer. 42:6
10 מוֹדִים אֲנַחְנוּ לָךְ ICh. 29:13
11-75 אֲנַחְנוּ Gen. 42:11,32; 43:18; 44:9,16
47:19[2] • Num. 9:7; 10:29; 20:4,16 • Deut. 1:28,41; 5:3,25(22); 12:8 • Josh. 2:17,18; 9:11,19,22; 24:18 • Jud. 18:5; 19:18 • ISh. 8:20; 14:8; 20:42; 23:3; 30:14 • IK. 3:18 • IIK. 6:1; 7:3,9,12; 10:5,13 • Jer. 3:25; 8:8,14; 35:8; 44:17,19 • Ezek. 33:10 • Mal. 3:15 • Ps. 100:3 • Job 8:9 • Dan. 9:18 • Ez. 4:2,3; 9:7[2],9; 10:2 • Neh. 2:17; 3:33; 4:17; 5:2,3,5,8; 9:36[2]; 10:1 • ICh. 29:15 • IICh. 13:11

אֲנָחְנוּ 76 כִּי־אֲנָשִׁים אַחִים אֲנָחְנוּ Gen. 13:8
77 וַיֹּאמְרוּ מֵחָרָן אֲנָחְנוּ Gen. 29:4
78 כֵּנִים אֲנָחְנוּ Gen. 42:31
79/80 עַצְמְךָ וּבְשָׂרְךָ אֲנָחְנוּ IISh. 5:1 • ICh. 11:1
81 זָכוּר כִּי־עָפָר אֲנָחְנוּ Ps. 103:14
82-89 אֲנָחְנוּ Josh. 9:8
Jud. 9:28 • IIK. 10:4; 18:26 • Is. 20:6; 36:11 • 37ט 48:14 • Neh. 9:37

וַאֲנַחְנוּ 90 וַאֲנַחְנוּ לֹא־נֵדַע... Ex. 10:26
91 וַאֲנַחְנוּ נֵחָלֵץ חֻשִׁים Num. 32:17
92 דָּמוֹ בְרֹאשׁוֹ וַאֲנַחְנוּ נְקִיִּם Josh. 2:19
93 וַאֲנַחְנוּ נִתַּן־לְךָ אִישׁ אֶלֶף... Jud. 16:5
94 ...וַאֲנַחְנוּ לוֹא נוֹשָׁעְנוּ Jer. 8:20
95 אֶחָד הָיָה אַבְרָהָם.. וַאֲנַחְנוּ רַבִּים Ezek.33:24
96 וַאֲנַחְנוּ נֵלֵךְ בְּשֵׁם־יְיָ אֱלֹהֵינוּ Mic. 4:5
97 וַאֲנַחְנוּ בְּשֵׁם־יְיָ אֱלֹהֵינוּ נַזְכִּיר Ps. 20:8
98 וַאֲנַחְנוּ קַּמְנוּ וַנִּתְעוֹדָד Ps. 20:9
99 וַאֲנַחְנוּ עַמְּךָ וְצֹאן מַרְעִיתֶךָ Ps. 79:13
100 וַאֲנַחְנוּ עַם מַרְעִיתוֹ וְצֹאן יָדוֹ Ps. 95:7
101 וַאֲנַחְנוּ נְבָרֵךְ יָהּ Ps. 115:18
102 הַפַּח נִשְׁבָּר וַאֲנַחְנוּ נִמְלָטְנוּ Ps. 124:7
103 וַאֲנַחְנוּ (כת׳ אנחנו) עֲוֹנֹתֵיהֶם סָבָלְנוּ Lam. 5:7
104-120 וַאֲנַחְנוּ Jud. 21:7,18
IK. 3:18; 22:3 • IIK. 7:9 • Is. 53:4 • Jer. 26:19 • Ezek. 11:3 • Ez. 10:4 • Neh. 2:20; 4:4,13,15; 9:33 • IICh. 2:15; 13:10; 20:12

אֲנָחֲרַת שֵׁם עיר בנחלת יששכר

1 וְהַחֲפָרַיִם וְשִׁיאוֹן וַאֲנָחֲרַת Josh. 19:19

אֲנִי מ״ג כנוי למדבר ולמדברת, אנכי

א) לפני פועל או לפני שם או אחריהם – הכֹּל לפי ההטעמה – רוב המקראות
ב) [כמושא] אותִי: 586—587, 592
ג) [אֲנִי אֲנִי] להדגשה: 23, 37, 41

אֲנִי אֲנִי 23, 37, 41; אֲנִי וַאֲנִי 691—695; אֲנִי הַגֶּבֶר 45; אֲ׳ הוּא 27—30, 34, 39; אֲ׳ וְאַפְסִי 31—33; אֲ׳ וְאָתָּה 13; אֲ׳ וָהוּא 17; אֲ׳ יְיָ 3, 93—250; אַף אֲנִי 15, 19, 20, 22, 36, 43, 50; גַּם אֲנִי 18, 47, 251-278, 597-606; הִנְנִי אֲנִי (אָנִי) 40, 593, 594; חַי אָנִי 607—628

אֲנִי 1 זֹאת אוֹת־הַבְּרִית אֲשֶׁר־אֲנִי נֹתֵן Gen. 9:12
2 אֲנִי הֶעֱשַׁרְתִּי אֶת־אַבְרָם Gen. 14:23
3 אֲנִי יְיָ אֲשֶׁר הוֹצֵאתִיךָ... Gen. 15:7
4/5 אֲנִי(־)אֵל שַׁדַּי Gen. 17:1; 35:11
6 אֲנִי הִנֵּה בְרִיתִי אִתָּךְ Gen. 17:4
7 הַמְכַסֶּה אֲנִי מֵאַבְרָהָם Gen. 18:17
8 אֲשֶׁר אֲנִי עֹשֶׂה Gen. 18:17
9 אֲנִי טֶרֶם אֲכַלֶּה לְדַבֵּר Gen. 24:45
10 שְׁמַע... לַאֲשֶׁר אֲנִי מְצַוָּה אֹתָךְ Gen. 27:8
11 אֲנִי בִּנְךָ בְכֹרְךָ עֵשָׂו Gen. 27:32
12 אֲנִי יְיָ אֱלֹהֵי אַבְרָהָם אָבִיךָ Gen. 28:13
13 נִכְרְתָה בְרִית אֲנִי וָאָתָּה Gen. 31:44
14 וַאֲנִי אָנָה אֲנִי־בָא Gen. 37:30
15 אַף־אֲנִי בַּחֲלוֹמִי Gen. 40:16
16 אֶת־חֲטָאַי אֲנִי מַזְכִּיר הַיּוֹם Gen. 41:9
17 וַנַּחַלְמָה חֲלוֹם...אֲנִי וָהוּא Gen. 41:11
18 וְגַם אֲנִי שָׁמַעְתִּי אֶת־נַאֲקַת.. Ex. 6:5
19 אַף־אֲנִי אֶעֱשֶׂה־זֹּאת לָכֶם Lev. 26:16
20 וְהָלַכְתִּי אַף־אֲנִי עִמָּכֶם בְּקֶרִי Lev. 26:24
21 וַהֲשִׁמֹּתִי אֲנִי אֶת־הָאָרֶץ Lev. 26:32
22 אַף־אֲנִי אֵלֵךְ עִמָּם בְּקֶרִי Lev. 26:41
23/4 רְאוּ עַתָּה כִּי אֲנִי אֲנִי הוּא Deut. 32:39
25 בִּי־אֲנִי אֲדֹנִי הֶעָוֹן ISh. 25:24
26 מִי־יִתֵּן מוּתִי אֲנִי תַחְתֶּיךָ IISh. 19:1
27 וְאֶת־אַחֲרֹנִים אֲנִי־הוּא Is. 41:4
28 וְתָבִינוּ כִּי־אֲנִי הוּא Is. 43:10
29 מִיּוֹם אֲנִי הוּא Is. 43:13
30 וְעַד־זִקְנָה אֲנִי הוּא Is. 46:4
31-33 אֲנִי וְאַפְסִי עוֹד Is. 47:8,10 • Zep. 2:15

אֲנִי (המשך)

34/5 אֲנִי־הוּא אֲנִי רִאשׁוֹן Is. 48:12
36 אַף אֲנִי אַחֲרוֹן Is. 48:12
37/8 אֲנִי אֲנִי דִּבַּרְתִּי... Is. 48:15
39 כִּי־אֲנִי־הוּא הַמְדַבֵּר הִנֵּנִי Is. 52:6
40 הִנְנִי אֲנִי מֵבִיא עֲלֵיכֶם חֶרֶב Ezek. 6:3
41/2 אֲנִי אֲנִי אֶטְרֹף וְאֵלֵךְ Hosh. 5:14
43 אַעֲנֶה אַף־אֲנִי חֶלְקִי Job 32:17
44 אֲנִי לְדוֹדִי וְדוֹדִי לִי S.ofS. 6:3
45 אֲנִי הַגֶּבֶר רָאָה עֳנִי בְּשֵׁבֶט עֶבְרָתוֹ Lam. 3:1
46 וְאָמַרְתִּי אֲנִי בְּלִבִּי Eccl. 2:15
47 כְּמִקְרֵה הַכְּסִיל גַּם־אֲנִי יִקְרֵנִי Eccl. 2:15
48 וּלְמִי אֲנִי עָמֵל... Eccl. 4:8
49 וְכִי מִי אֲנִי וּמִי עַמִּי... ICh. 29:14
50 וְאַף־אֲנִי עָזַבְתִּי אֶתְכֶם IICh. 12:5
84-51 אֲנִי יְיָ אֱלֹהֵיכֶם Ex. 6:7; 16:12
Lev. 11:44; 18:2,4,30; 19:2,3,4,10,25,31,34,36; 20:7,24; 23:22,43; 24:22; 25:17,38,55; 26:1,13 • Num. 10:10; 15:41² • Deut. 29:5 • Jud. 6:10 • Ezek. 20:5,7,19,20 • Joel 4:17.
92-85 אֲנִי יְיָ אֱלֹהֵיהֶם Ex. 29:46 • Lev. 26:44
Ezek. 28:26; 34:30; 39:22,28 • Zech. 10:6
250-93 אֲנִי יְיָ Ex. 6:2,6,8,29; 7:5,17; 8:18; 10:2
12:12; 14:4,18; 15:26; 31:13 • Lev. 11:45; 18:5,6,21; 19:12, 14,16,18,28,30,32,37; 20:8,26; 21:8, 12,15,23; 22:2,3; 22:8,9,16,30,31,32,33; 26:2,45 • Num. 3:13,41,45; 14:35; 35:34 • IK. 20:13,28 • Is. 27:3; 41:4,13,17; 42:6,8; 43:3,15; 45:3,5,6, 7,8,18,19,21; 48:17; 49:23,26; 60:16,22; 61:8 • Jer. 9:23; 17:10; 24:7; 32:27 • Ezek. 5:13,15,17; 6:7,10,13,14; 7:4,9,27; 11:10,12; 12:15,16,20,25; 13:9,14,21,23; 14:4,7,8,9; 15:7; 16:62; 17:21,24²; 20:12,26,38,42,44; 21:4,10,22,37; 22:14,16,22; 23:49; 24:14,24,27; 25:5,7,11,17; 26:6,14; 28:22,23,24; 29:6,9,16,21; 30:8,12,19,25,26; 32:15; 33:29; 34:24,27; 35:4,9,12,15; 36:11,23.36,38; 37:6,13; 37:14,28; 38:23; 39:6,7 • Mal. 3:6 • ICh. 17:16
278-251 (וְ)גַם־אֲנִי Jud. 1:3; 2:21
IISh. 18:2 • IK. 13:18 • Is. 66:4 • Jer. 4:12; 13:26; 31:37(36) • Ezek. 5:11²; 8:18; 9:10; 16:43; 20:15,23,25; 21:22; 24:9 • Hosh. 3:3 • Am. 4:6 • Mal. 2:9 • Ps. 71:22 • Prov. 1:26 • Job 7:11; 40:14 • Es. 4:16 • Neh. 5:10 • IICh. 34:27
584-279 אֲנִי Gen. 34:30; 37:10; 41:44; 42:18
45:3,4; 49:29 • Ex. 6:29,30; 9:14; 10:1; 11:4; 13:15; 18:6; 25:9; 33:16²,19; 34:10 • Lev. 14:34; 18:3,24; 20:5,22,23; 23:10; 25:2 • Num. 5:3; 13:2; 15:2,18; 18:20; 20:19; 35:34 • Deut. 32:39,49,52 • Josh. 5:14; 23:2 • Jud. 8:23; 12:2; 15:3; 16:17; 17:2; 19:18; 20:4 • ISh. 1:26; 3:13; 17:9,10,28; 20:23; 23:4; 26:6 • IISh. 3:13; 7:8,14; 12:23²,28; 13:4; 14:32; 15:20,34; 16:19; 18:27; 19:21,23,44; 21:6 • IK. 1:5,21,26; 3:17; 5:22; 17:20; 18:12,22; 19:10,14; 20:4; 21:7; 22:16,21 • IIK. 2:3,5; 3:14; 6:3; 9:17,25; 10:9,24; 19:23,24; 22:20; 23:17 • Is. 5:5; 10:14; 13:3; 19:11; 37:24,25; 38:10; 41:10,13,14; 42:9; 44:6; 45:2,12,22; 46:4²; 48:13; 49:21; 56:3; 57:11,12,16; 63:1; 65:18; 66:9,22 • Jer. 1:8,11,12,13,19; 3:12; 15:20; 21:5; 23:24; 25:29; 28:3,4; 29:32; 30:11; 34:5; 36:5; 38:14; 38:19,20,26; 42:17; 44:29; 45:4²; 48:30; 49:10,11 • Ezek. 2:3,4,8²; 3:3; 8:1; 11:5; 12:11; 16:60,62; 22:14; 23:34; 26:5; 27:3; 28:10; 34:15,31; 35:13; 36:7,22,32; 37:5,12,19,21; 39:5,17; 40:4; 44:5,28 • Hosh. 5:3; 13:5; 14:9² • Jon. 1:9 • Mic. 6:13 • Hag.

אֲנִי (המשך)

1:13; 2:4,21 • Zech. 1:9,15²; 5:2; 8:11 • Mal. 3:17,21 • Ps. 2:7; 3:6; 17:4,6,15; 26:1; 27:3; 38:18; 39:11; 41:5; 51:5; 55:17; 56:4; 75:3; 82:6; 88:16; 89:48; 116:10,11,16²; 119:67,69,70,78,94; 120:7; 135:5; 143:12 • Prov. 8:12; 8:14,17 • Job 1:15,16,17,19; 5:3,8; 13:3,18; 19:27; 32:6; 33:6,9; 35:4 • S.ofS. 1:5; 2:1; 5:2,5,6; 7:11; 8:10 • Ruth 1:21 • Lam. 1:16; 3:63 • Eccl. 1:12,16²; 2:1,11,12,15,18,20; 3:17,18; 4:1,2,4,7; 7:25,26; 8:2,15 • Es. 5:12,13; 7:4; 8:5 • Dan. 1:10; 8:1,15; 9:2,20,21; 10:2,7; 12:5 • Neh. 1:8; 2:12²,16; 4:17; 5:14; 6:3 • ICh. 17:7,13; 21:10,17; 22:7(60); 28:2' 29:17 • IICh. 2:3,4,5,7,8; 18:15,20; 32:13; 34:28

אָנִי

585 אַתָּה זֶה... וַיֹּאמֶר אָנִי Gen. 27:24
586/7 בָּרְכֵנִי גַם־אָנִי אָבִי Gen. 27:34,38
588 אִם־אָנִי לֹא־אֶעֱבֹר אֵלֶיךָ Gen. 31:52
589 כִּי הֲתַחַת אֱלֹהִים אָנִי Gen. 50:19
590 חֲסַר מְשֻׁגָּעִים אָנִי ISh. 21:16
591 הַחַלָּשׁ יֹאמַר גִּבּוֹר אָנִי Joel 4:10
592 הֲצוֹם צַמְתֻנִי אָנִי Zech. 7:5
593 הִנְנִי־אָנִי וְדָרַשְׁתִּי אֶת־צֹאנִי Ezek. 34:11
594 הִנְנִי־אָנִי וְשָׁפַטְתִּי... Ezek. 34:20
596-595 אֲחַוֶּה דֵעִי אַף־אָנִי Job 32:10,17
606-597 גַּם־אָנִי Lev. 26:24 • Deut. 12:30
IISh. 18:22 • Ezek. 5:8 • Hosh. 4:6 • Zech. 8:21 • Prov. 23:15 • Job 13:2; 33:6 • Eccl. 2:14
628-607 חַי־אָנִי Num. 14:21,28 • Is. 49:18
Jer. 22:24; 46:18 • Ezek. 5:11; 14:16,18,20; 16:48; 17:16,19; 18:3; 20:3,31,33; 33:11,27; 34:8; 35:6,11 • Zep. 2:9
690-629 אָנִי Ex.22:26 • Lev.11:44,45; 26:28 • Jud. 9:2; 13:11 • IISh.14:5; 17:15; 20:7 • IK.13:14; 18:8 • IIK. 1:10,12; 5:7; 16:7 • Is. 41:10; 43:2,5; 44:5; 48:16 • Jer. 17:18²; 23:23; 42:11; 46:28 • Ezek. 9:8; 17:22²; 28:2,9 • Joel 2:27 • Jon. 1:12 • Mal. 1:6²,14 • Ps. 6:3; 25:16; 35:3; 39:5; 45:2; 86:1,2; 89:28; 119:63,125 • Prov. 8:27; 26:19 • Job 7:12; 9:20,21; 13:13; 15:6; 29:15; 34:33 • S.ofS. 2:5; 5:8 • Lam. 1:21 • Eccl. 2:13,24; 5:17; 8:12; 9:16

(אֲנִי)...וַאֲנִי

691 אֲנִי... מָחַצְתִּי וַאֲנִי אֶרְפָּא Deut. 32:39
692 אֲנִי רִאשׁוֹן וַאֲנִי אַחֲרוֹן Is. 44:6
693/4 אֲנִי...וַאֲנִי אֶשָּׂא וַאֲנִי אֶסְבֹּל Is. 46:4
695 אֲנִי אֶרְעֶה...וַאֲנִי אַרְבִּיצֵם Ezek. 34:15

וַאֲנִי

696 וַאֲנִי הִנְנִי מֵבִיא אֶת־הַמַּבּוּל Gen. 6:17
697 וַאֲנִי הִנְנִי מֵקִים אֶת־בְּרִיתִי Gen. 9:9
698 הַאַף אֻמְנָם אֵלֵד וַאֲנִי זָקַנְתִּי Gen. 18:13
699 וַאֲנִי וְהַנַּעַר נֵלְכָה עַד־כֹּה Gen. 22:5
700 וַאֲנִי אֶתְנַהֲלָה לְאִטִּי Gen. 33:14
701 וַאֲנִי מְתֵי מִסְפָּר Gen. 34:30
702 וַאֲנִי אָנָה אֲנִי־בָא Gen. 37:30
703 וַאֲנִי שָׁמַעְתִּי עָלֶיךָ לֵאמֹר Gen. 41:15
704 וַאֲנִי אֲשִׁיבֶנּוּ אֵלֶיךָ Gen. 42:37
705 וַאֲנִי כַּאֲשֶׁר שָׁכֹלְתִּי שָׁכָלְתִּי Gen. 43:14
706 וַאֲנִי בְּבֹאִי מִפַּדָּן... Gen. 48:7
707 וַאֲנִי נָתַתִּי לְךָ שְׁכֶם אַחַד Gen. 48:22
708 וַאֲנִי אֶתֵּן אֶת־שְׂכָרֵךְ Ex. 2:9
709 וַאֲנִי יָדַעְתִּי כִּי לֹא־יִתֵּן Ex. 3:19
710 וַאֲנִי אֲחַזֵּק אֶת־לִבּוֹ Ex. 4:21
711 וַאֲנִי עֲרַל שְׂפָתָיִם Ex. 6:12
712 וַאֲנִי אַקְשֶׁה אֶת־לֵב פַּרְעֹה Ex. 7:3
713 יְיָ הַצַּדִּיק וַאֲנִי וְעַמִּי הָרְשָׁעִים Ex. 9:27
868-714 וַאֲנִי Ex. 14:17; 31:6 • Lev. 17:11
20:3,24 • Num. 3:12; 6:27; 18:6,8 • Deut. 32:21 •

וַאֲנִי (המשך)

Josh. 8:5; 17:14 • ISh. 4:16; 12:2²; 14:40; 16:1; 19:3²; 20:20; 24:18(17); 25:25 • IISh. 11:11; 12:12; 13:13; 14:8; 15:20,34²; 19:39 • IK. 1:14; 5:23; 12:11²,14²; 18:23,24,36; 20:34; 22:8 • Is. 43:4,12; 49:4,21; 59:21; 65:24² • Jer. 1:18; 5:4; 10:19; 11:19; 14:15; 17:16; 23:3,24; 26:14; 29:31; 32:38; 36:18; 40:10 • Ezek. 1:1; 4:5; 11:20; 13:7,22; 14:11; 20:31; 29:3,9; 34:24; 37:23 • Hosh. 5:2,12; 7:15; 10:11 • Joel 2:27 • Jon. 2:5,10; 4:11 • Mic. 7:7 • Hab. 3:18 • Hag. 2:6 • Zech. 2:9; 8:8; 13:9 • Mal. 1:4 • Ps. 2:6; 5:8; 13:6; 26:11; 30:7; 31:7,15,23; 35:13; 38:14; 40:18; 41:13; 52:10; 55:24; 59:17; 69:14,30; 70:6; 71:14; 73:2,22,23,28; 75:10; 88:14; 102:12; 109:4,25; 118:7; 119:87 • Job 6:24; 19:25 • S.ofS. 2:16 • Ruth 4:4 • Es. 4:11 • Dan. 8:2²,5,27; 9:23; 10:4,8,9,12,13,17,20; 11:1; 12:8 • Ez. 7:28; 9:4 • Neh. 1:1,6,11; 5:15; 6:10; 12:38,40 • ICh. 21:17; 22:10(9); 28:6 • IICh. 6:2; 7:14; 10:11²,14²; 18:7

הַאֲנִי 869 הַאֲנִי אַשְׁבִּיר וְלֹא אוֹלִיד Is. 66:9
שֶׁאֲנִי 870 אַל־תִּרְאוּנִי שֶׁאֲנִי שְׁחַרְחֹרֶת S.ofS. 1:6
871 שֶׁאֲנִי עָמֵל תַּחַת הַשָּׁמֶשׁ Eccl. 2:18

אֳנִי

ז' צי של אֳנִיּוֹת

אֳנִי חִירָם 5,3; אֳנִי שַׁיִט 7; אֳנִי תַרְשִׁישׁ 6,4

וָאֳנִי 1 וָאֳנִי עָשָׂה הַמֶּלֶךְ שְׁלֹמֹה IK. 9:26
בָּאֳנִי 2 וַיִּשְׁלַח חִירָם בָּאֳנִי אֶת־עֲבָדָיו IK. 9:27
אֳנִי־ 3 וְגַם אֳנִי חִירָם...הֵבִיא מֵאוֹפִיר IK. 1:11
4 כִּי אֳנִי תַרְשִׁישׁ לַמֶּלֶךְ בַּיָּם IK. 10:22
5 ...עִם אֳנִי חִירָם IK. 10:22
6 אַחַת לְשָׁלֹשׁ שָׁנִים תָּבוֹא אֳנִי תַרְשִׁישׁ IK.10:22
7 בַּל־תֵּלֶךְ בּוֹ אֳנִי־שַׁיִט Is. 33:21

אֳנִיָּה

נ' ספינה

דֶּרֶךְ אֳנִיָּה 2; אֳנִיּוֹת אֵבֶה 27; אֳנִיּוֹת הַיָּם 24; אֳ' סוֹחֵר 30; אֳ' תַרְשִׁישׁ 20—23, 25, 26, 28, 29
אַנְשֵׁי אֳנִיּוֹת 7; חוֹף אֳנִיּוֹת 5
בָּאָה אֳנִיָּה 1, 28; גָּר אֳ' 6; הֵילִילָה אֳ' 22, 23; הָלְכָה אֳ' 10, 14; הִלְּכָה אֳ' 9; נִשְׁבְּרָה אֳ' 3, 8, 12; עָשָׂה אֳ' 20,11,10; שִׁבֵּר אֳ' 26; יָרַד מֵאֳ' 31

אֳנִיָּה 1 וַיִּמְצָא אֳנִיָּה בָּאָה תַרְשִׁישׁ Jon. 1:3
2 דֶּרֶךְ־אֳנִיָּה בְלֶב־יָם Prov. 30:19
וְהָאֳנִיָּה 3 וְהָאֳנִיָּה חִשְּׁבָה לְהִשָּׁבֵר Jon. 1:4
בָּאֳנִיָּה 4 וַיָּטִלוּ אֶת־הַכֵּלִים אֲשֶׁר בָּאֳנִיָּה Jon. 1:5
אֳנִיּוֹת 5 וְהוּא לְחוֹף אֳנִיֹּת Gen. 49:13
6 וְדָן לָמָּה יָגוּר אֳנִיּוֹת Jud. 5:17
7 אַנְשֵׁי אֳנִיּוֹת יֹדְעֵי הַיָּם IK. 9:27
8 כִּי־נִשְׁבְּרוּ אֳנִיּוֹת בְּעֶצְיוֹן גָּבֶר IK. 22:49
9 שָׁם אֳנִיּוֹת יְהַלֵּכוּן Ps. 104:26
10 ...לַעֲשׂוֹת אֳנִיּוֹת לָלֶכֶת תַּרְשִׁישׁ IICh. 20:36
11 וַיַּעֲשׂוּ אֳנִיּוֹת בְּעֶצְיוֹן גָּבֶר IICh. 20:36
12 וַיִּשָּׁבְרוּ אֳנִיּוֹת וְלֹא עָצְרוּ לָלֶכֶת... IICh.20:37
13 וַיִּשְׁלַח...אֳנִיּוֹת וַעֲבָדִים יוֹדְעֵי יָם IICh. 8:18
14 כִּי־אֳנִיּוֹת לַמֶּלֶךְ הֹלְכוֹת תַּרְשִׁישׁ IICh. 9:21
בָּאֳנִיּוֹת 15 וֶהֱשִׁיבְךָ יְיָ מִצְרַיִם בָּאֳנִיּוֹת Deut. 28:68
16 יֵלְכוּ עֲבָדַי עִם־עֲבָדֶיךָ בָּאֳנִיּוֹת IK. 22:50
17 וְכַשְׂדִּים בָּאֳנִיּוֹת רִנָּתָם Is. 43:14
18 יוֹרְדֵי הַיָּם בָּאֳנִיּוֹת Ps. 107:23
וּבָאֳנִיּוֹת 19 בְּרֶכֶב וּבְפָרָשִׁים וּבָאֳנִיּוֹת רַבּוֹת Dan. 11:40
אֳנִיּוֹת־ 20 יְהוֹשָׁפָט עָשָׂה אֳנִיּוֹת תַרְשִׁישׁ IK. 22:49
21 וְעַל כָּל־אֳנִיּוֹת תַּרְשִׁישׁ Is. 2:16
22/3 הֵילִילוּ אֳנִיּוֹת תַּרְשִׁישׁ Is. 23:1,14
24 כָּל־אֳנִיּוֹת הַיָּם וּמַלָּחֵיהֶם Ezek. 27:9
25 אֳנִיּוֹת תַּרְשִׁישׁ שָׁרוֹתַיִךְ מַעֲרָבֵךְ Ezek. 27:25
26 בְּרוּחַ קָדִים תְּשַׁבֵּר אֳנִיּוֹת תַּרְשִׁישׁ Ps. 48:8

אֳנִיּוֹת- (המשך) 27 חָלְפוּ עִם־אֳנִיּוֹת אֵבֶה Job 9:26
28 תָּבוֹאנָה אֳנִיּוֹת תַּרְשִׁישׁ IICh. 9:21
וָאֳנִיּוֹת- 29 ...וָאֳנִיּוֹת תַּרְשִׁישׁ בָּרִאשֹׁנָה Is. 60:9
כָּאֳנִיּוֹת 30 הָיְתָה כָּאֳנִיּוֹת סוֹחֵר Prov. 31:14
מֵאֳנִיּוֹתֵיהֶם 31 וְיָרְדוּ מֵאֳנִיּוֹתֵיהֶם...תֹּפְשֵׂי מָשׁוֹט Ezek. 27:29

אֲנִיָּה נ׳ מִספד, אֵבֶל • קרובים: ראה אֵבֶל
וַאֲנִיָּה 1 ...וְהָיְתָה תַאֲנִיָּה וַאֲנִיָּה Is. 29:2
2 וַיֶּרֶב בְּבַת־יְהוּדָה תַּאֲנִיָּה וַאֲנִיָּה Lam. 2:5

אִנִּין מ״ג לנקבה: ארמית: הֵן
אִנִּין 1 אִלֵּין חֵיוָתָא... דִּי אִנִּין אַרְבַּע Dan. 7:17

אֲנִיעָם שפ״ז – מבני מנשה
אֲנִיעָם 1 וַיִּהְיוּ בְּנֵי שְׁמִידָע... וְלִקְחִי וַאֲנִיעָם ICh. 7:19

אֲנָךְ ז׳ אבן־בדיל של בנאים לישר החומה
אֲנָךְ 1-2 וְהִנֵּה אֲדֹנָי נִצָּב עַל־חוֹמַת אֲנָךְ וּבְיָדוֹ אֲנָךְ Am. 7:7
3 מָה־אַתָּה רֹאֶה עָמוֹס וָאֹמַר אֲנָךְ Am. 7:8
4 הִנְנִי שָׂם אֲנָךְ בְּקֶרֶב עַמִּי Am. 7:8

אָנֹכִי מ״ג אני ("אנכי" – ביחוד בתורה)
אָנֹכִי 1 אָנֹכִי מַמְטִיר עַל־הָאָרֶץ Gen. 7:4
2 אָנֹכִי מָגֵן לָךְ Gen. 15:1
3 אָנֹכִי נָתַתִּי שִׁפְחָתִי בְּחֵיקֶךָ Gen. 16:5
4 מִפְּנֵי שָׂרַי גְּבִרְתִּי אָנֹכִי בֹּרַחַת Gen. 16:8
5 גַּם אָנֹכִי יָדַעְתִּי Gen. 20:6
6 וָאֶחְשֹׂךְ גַּם־אָנֹכִי אוֹתְךָ Gen. 20:6
7 וַיֹּאמֶר אַבְרָהָם אָנֹכִי אִשָּׁבֵעַ Gen. 21:24
8 וְגַם אָנֹכִי לֹא שָׁמַעְתִּי Gen. 21:26
9 גֵּר־וְתוֹשָׁב אָנֹכִי עִמָּכֶם Gen. 23:4
10 הִנֵּה אָנֹכִי הוֹלֵךְ לָמוּת Gen. 25:32
11 אָנֹכִי אֱלֹהֵי אַבְרָהָם אָבִיךָ Gen. 26:24
12 וְאִבָּנֶה גַם־אָנֹכִי מִמֶּנָּה Gen. 30:3
13 מָתַי אֶעֱשֶׂה גַם־אָנֹכִי לְבֵיתִי Gen. 30:30
14 אָנֹכִי אֲחַטֶּנָּה מִיָּדִי תְּבַקְשֶׁנָּה Gen. 31:39
15 אֶת־אַחַי אָנֹכִי מְבַקֵּשׁ Gen. 37:16
16 אָנֹכִי אֶעֶרְבֶנּוּ מִיָּדִי תְּבַקְשֶׁנּוּ Gen. 43:9
17 מִי אָנֹכִי כִּי אֵלֵךְ אֶל־פַּרְעֹה Ex. 3:11
18 וְזֶה־לְּךָ הָאוֹת כִּי אָנֹכִי שְׁלַחְתִּיךָ Ex. 3:12
19 ...הֲלֹא אָנֹכִי יְיָ Ex. 4:11
20-23 אָנֹכִי יְיָ אֱלֹהֶיךָ Ex. 20:2,5 • Deut. 5:6,9
24 הִנֵּה אָנֹכִי שֹׁלֵחַ מַלְאָךְ לְפָנֶיךָ Ex. 23:20
25 בֶּן־מֵאָה וְעֶשְׂרִים שָׁנָה אָנֹכִי הַיּוֹם Deut. 31:2
26/7 אָנֹכִי לַייָ אָנֹכִי אָשִׁירָה Jud. 5:3
28 מִי אָנֹכִי וּמִי חַיַּי ISh. 18:18
29 מִי אָנֹכִי אֲדֹנָי יְיָ וּמִי בֵיתִי IISh. 7:18
30 אָנֹכִי שְׁלֻמֵי אֱמוּנֵי יִשְׂרָאֵל IISh. 20:19
31 כִּי לֹא־טוֹב אָנֹכִי מֵאֲבֹתָי IK. 19:4
32 בְּתוֹךְ עַמִּי אָנֹכִי יֹשָׁבֶת IIK. 4:13
33/4 אָנֹכִי אָנֹכִי יְיָ Is. 43:11
35/6 אָנֹכִי אָנֹכִי הוּא מֹחֶה פְשָׁעֶיךָ Is. 43:25
37/8 אָנֹכִי אָנֹכִי הוּא מְנַחֶמְכֶם Is. 51:12
39 הִנֵּה אָנֹכִי שֹׁלֵחַ לָכֶם Mal. 3:23
40 אָב אָנֹכִי לָאֶבְיוֹנִים Job 29:16
41 אָנֹכִי רוּת אֲמָתֶךָ Ruth 3:9
42-257 אָנֹכִי Gen 24:3,13,27,37,42,43
27:19; 28:15,20; 31:5,13,38; 32:11; 38:17,25; 46:3,4; 47:30; 48:21; 50:5,21,24 • Ex. 3:6,13; 4:23; 7:17,27; 8:24,25; 17:9; 19:9; 32:18; 34:10,11 • Num. 11:12,14,21; 22:30,32 • Deut. 4:1,2[2],8,22,40; 5:1,5,31(28); 6:2,6; 7:11; 8:1,11; 10:13; 11:8,13,22,26,27,28,32; 12:11,14,28; 13:1,19;

אָנֹכִי (המשך) 15:5,11,15; 18:19; 19:7,9; 24:18; 24:22; 27:1,4,10; 28:1,13,14,15; 29:13; 30:2,8,11,16; 31:27; 32:40,46 • Josh. 1:2; 7:20; 11:6; 13:6; 14:7,10; 23:14 • Jud. 6:8,18,37; 7:17,18; 11:9,37; 17:9 • ISh. 1:8; 1:28; 2:23,24; 3:11; 4:16; 9:19; 10:8,18; 12:23; 15:14; 17:8; 20:36; 21:3; 22:22; 24:5(4) • IISh. 1:16; 2:6; 3:13,28; 7:2; 12:7; 13:28; 14:18; 15:28; 18:12; 19:36; 24:12,17 • IK. 2:2,16,18,20 • IIK. 22:19 • Is. 6:5[2]; 8:18; 21:8[2]; 43:12; 44:24; 45:12,13; 46:9; 49:25[2]; 54:11,16; 66:13 • Jer. 1:17; 3:14; 4:6; 6:19; 7:11; 14:12; 18:11; 25:15,16,27,29; 26:3,5; 27:5,6; 28:7; 29:11[2]; 32:42[2]; 33:9[2]; 34:13; 36:3; 50:9; 51:64 • Hosh. 2:10,16; 5:14; 11:9 • Am. 2:13; 4:7; 5:1; 6:8; 9:9 • Jon. 3:2 • Mic. 3:8 • Zech. 11:6,16; 12:2 • Ps. 39:13; 46:11; 75:4; 81:11; 91:15; 104:34; 119:19,141,162; 141:10 • Prov. 24:32; 30:2 • Job 9:14,29,35; 12:3; 13:2; 16:4; 33:9 • Ruth 4:4 • Dan. 10:11 • Neh. 1:6 • ICh. 17:1

אָנֹכִי 258 וָאִירָא כִּי־עֵירֹם אָנֹכִי Gen. 3:10
259 הֲשֹׁמֵר אָחִי אָנֹכִי Gen. 4:9
260 אֶת־הַגּוֹי אֲשֶׁר יַעֲבֹדוּ דָּן אָנֹכִי Gen. 15:14
261 אִם־כֵּן לָמָּה זֶּה אָנֹכִי Gen. 25:22
262 כִּי עָיֵף אָנֹכִי Gen. 25:30
263 וְאִם־אַיִן מֵתָה אָנֹכִי Gen. 30:1
264 הֲתַחַת אֱלֹהִים אָנֹכִי Gen. 30:2
265 לֹא אִישׁ דְּבָרִים אָנֹכִי Ex. 4:10
266 כִּי כְבַד־פֶּה וּכְבַד לָשׁוֹן אָנֹכִי Ex. 4:10
267 כִּי־נַעַר אָנֹכִי Jer. 1:6
268 אַל־תֹּאמַר נַעַר אָנֹכִי Jer. 1:7
269-271 לֹא־נָבִיא אָנֹכִי וְלֹא בֶן־נָבִיא
אָנֹכִי כִּי־בוֹקֵר אָנֹכִי Am. 7:14
272 לֹא נָבִיא אָנֹכִי Zech. 13:5
273 אִישׁ־עֹבֵד אֲדָמָה אָנֹכִי Zech. 13:5
274-293 אָנֹכִי Gen. 24:24,34; 26:24; 29:33
Jud. 19:18 • ISh. 1:15; 9:21; 17:43; 30:13 • IISh. 1:8,13; 2:20; 3:8; 11:5; 20:17 • Jon. 1:9 • Ps. 50:7; 109:22 • Ruth 3:12,13
וְאָנֹכִי 294 וְאָנֹכִי הוֹלֵךְ עֲרִירִי Gen. 15:2
295 וְאָנֹכִי עָפָר וָאֵפֶר Gen. 18:27
296 וְאָנֹכִי לֹא אוּכַל לְהִמָּלֵט Gen. 19:19
297 ...וְאָנֹכִי אִישׁ חָלָק Gen. 27:11
298 וְאָנֹכִי לֹא יָדָעְתִּי Gen. 28:16
299 אָנֹכִי...וְאָנֹכִי אַעַלְךָ גַם־עָלֹה Gen. 46:4
300/1 וְאָנֹכִי אֶהְיֶה עִם־פִּיךָ Ex. 4:12,15
302 הִנֵּה אָנֹכִי חָטָאתִי וְאָנֹכִי הֶעֱוֵיתִי IISh. 24:17
303 וְאָנֹכִי יְיָ אֱלֹהֶיךָ רֹגַע הַיָּם Is. 51:15
304 וְאָנֹכִי תוֹלַעַת וְלֹא־אִישׁ Ps. 22:7
305-357 וְאָנֹכִי Gen. 24:31 • Num. 23:15
Deut. 10:10; 31:18,23 • Hosh. 14:8; 24:15 • Jud. 6:15; 8:5; 11:27,35; 17:9,10 • ISh. 16:3; 17:45; 18:23; 20:5; 23:17 • IISh. 3:39; 12:7 • IK. 3:7; 14:6 • Is. 49:15; 50:5; 54:16; 66:18 • Jer. 2:21; 3:19; 11:4; 23:32; 24:7; 29:23; 30:22; 31:32(31); 35:14 • Ezek. 36:28 • Hosh. 1:9; 2:4; 7:13; 11:3; 12:10,11; 13:4 • Am. 2:9,10 • Job 13:22; 14:15; 21:3; 33:31; 42:4 • Ruth 2:10,13; 4:4
הֶאָנֹכִי? 358 הֶאָנֹכִי הָרִיתִי אֵת כָּל־הָעָם Num. 11:12
359 הֶאָנֹכִי לְאָדָם שִׂיחִי Job 21:4

אנן : הִתְאוֹנֵן; אוֹן₂(?)
(אָנַן) [הת׳ הִתְאוֹנֵן] התלונן, התאבל
כְּמִתְאוֹנְנִים 1 וַיְהִי הָעָם כְּמִתְאֹנְנִים רַע Num. 11:1
יִתְאוֹנֵן 2 מַה־יִּתְאוֹנֵן אָדָם חָי Lam. 3:39

אנם : אוֹנֵס; אֲנַס
אָנַס פ׳ הכריח, לחץ
אוֹנֵס וְהַשְּׁתִיָּה כַדָּת אֵין אֹנֵס Es. 1:8
אֲנַס פ׳ ארמית כמו בעברית: אָנַס, לחץ
אָנֵס וְכָל־רָז לָא־אָנֵס לָךְ Dan. 4:6

אנף : אָנַף, הִתְאַנֵּף; אַף, אֲנָפָה?; ש״פ אַפַּיִם; אר׳ אַנְפִּין
אָנַף פ׳ א) כעס, בער אפו: 1–8
ב) [הת׳ הִתְאַנֵּף] כעס, חרה אפו: 9–14
קרובים: זָעַם / זָעַף / חָרָה/ כָּעַס/ הִתְעַבֵּר(עבר) / רָגַז
אָנַפְתָּ 1 אוֹדְךָ יְיָ כִּי אָנַפְתָּ בִּי Is. 12:1
2 אָנַפְתָּ תְּשׁוֹבֵב לָנוּ Ps. 60:3
וְאָנַפְתָּ 3/4 כִּי יֶחֶטְאוּ־לָךְ ...וְאָנַפְתָּ בָם IK. 8:46
IICh. 6:36
תֶּאֱנַף 5 עַד־מָה יְיָ תֶּאֱנַף לָנֶצַח... Ps. 79:5
6 הַלְעוֹלָם תֶּאֱנַף־בָּנוּ... Ps. 85:6
7 הֲלוֹא תֶאֱנַף־בָּנוּ עַד־כַּלֵּה Ez. 9:14
יֶאֱנַף 8 נַשְּׁקוּ־בַר פֶּן־יֶאֱנַף Ps. 2:12
הִתְאַנַּף 9 גַּם־בִּי הִתְאַנַּף יְיָ בִּגְלַלְכֶם Deut. 1:37
10 וַייָ הִתְאַנֶּף־בִּי עַל־דִּבְרֵיכֶם Deut. 4:21
11 וּבְאַהֲרֹן הִתְאַנַּף יְיָ מְאֹד Deut. 9:20
וַיִּתְאַנַּף 12 וַיִּתְאַנַּף יְיָ בָּכֶם לְהַשְׁמִיד אֶתְכֶם Deut. 9:8
13 וַיִּתְאַנַּף יְיָ בִּשְׁלֹמֹה IK. 11:9
14 וַיִּתְאַנַּף יְיָ מְאֹד בְּיִשְׂרָאֵל IIK. 17:18

אֲנַף* ז׳ ארמית: אַנְפִּין = אַפַּיִם, פנים: 2,1
אַנְפּוֹהִי 1 מַלְכָּא...נְפַל עַל־אַנְפּוֹהִי Dan. 2:46
2 וּצְלֵם אַנְפּוֹהִי אֶשְׁתַּנִּי Dan. 3:19

אֲנָפָה נ׳ עוף טמא, דומה לחסידה
הָאֲנָפָה 1 וְאֵת הַחֲסִידָה הָאֲנָפָה לְמִינָהּ Lev. 11:19
וְהָאֲנָפָה 2 וְהַחֲסִידָה וְהָאֲנָפָה לְמִינָהּ Deut. 14:18

אנק : אָנַק, נֶאֱנַק; אֲנָקָה
אָנַק פ׳ א) נאנח: 1, 2
ב) [נפ׳ נֶאֱנַק] נאנח: 3, 4 • קרובים: ראה אָנַח
בֶּאֱנֹק 1 בֶּאֱנֹק חָלָל בֵּהָרֵג הֶרֶג בְּתוֹכֵךְ Ezek. 26:15
יֶאֱנֹק 2 וּבְכָל־אַרְצָהּ יֶאֱנֹק חָלָל Jer. 51:52
וְהַנֶּאֱנָקִים 3 הָאֲנָשִׁים הַנֶּאֱנָחִים וְהַנֶּאֱנָקִים Ezek. 9:4
הֵאָנֵק 4 הֵאָנֵק דֹּם... Ezek. 24:17

אֲנָקָה[1] נ׳ אנחה קרובים: ראה אֲנָחָה
אֶנְקַת אָסִיר 2, 3; אֶנְקַת אֶבְיוֹנִים 4
וַאֲנָקָה 1 כַּסּוֹת דִּמְעָה... בְּכִי וַאֲנָקָה Mal. 2:13
אֶנְקַת- 2 תָּבוֹא לְפָנֶיךָ אֶנְקַת אָסִיר Ps. 79:11
3 לִשְׁמֹעַ אֶנְקַת אָסִיר Ps. 102:21
מֵאֶנְקַת- 4 מִשֹּׁד עֲנִיִּים מֵאַנְקַת אֶבְיוֹנִים Ps. 12:6

אֲנָקָה[2] נ׳ שרץ טמא כעין לטאה
וְהָאֲנָקָה 1 וְהָאֲנָקָה וְהַכֹּחַ וְהַלְּטָאָה Lev. 11:30

אנשׁ : אָנוּשׁ, נֶאֱנַשׁ; אֱנוֹשׁ, אִישׁ, אִשָּׁה, אֲנָשִׁים, נָשִׁים; ש״פ אֱנוֹשׁ; אר׳: אֱנָשׁ, נְשִׁין
אָנַשׁ [נפ׳ נֶאֱנַשׁ] חלה מחלה קשה
וַיֵּאָנַשׁ 1 וַיִּגֹּף יְיָ אֶת־הַיֶּלֶד... וַיֵּאָנַשׁ IISh. 12:15

אֱנָשׁ ז׳ ארמית אנוש, איש; אֱנָשָׁא = האנשים
בַּר אֱנָשׁ 7; יַד אֱ׳ 3; לְבַב אֱ׳ 6; בְּנֵי אֲנָשָׁא 18,13; זְרַע אֲנָשָׁא 14; מַלְכוּת אֱ׳ 15–17, 19; עֲנִיֵּי אֲנָשָׁא 20; שְׁפַל אֲנָשִׁים 25
אֱנָשׁ 1 לָא־אִיתַי אֱנָשׁ עַל־יַבֶּשְׁתָּא Dan. 2:10
2 דִּי כָל־אֱנָשׁ דִּי־יִשְׁמַע... Dan. 3:10
3 נְפַקָה אֶצְבְּעָן דִּי יַד־אֱנָשׁ Dan. 5:5

אֱנָשׁ (המשך)
4 כָּל־אֱנָשׁ דִּי־יִקְרֵה כְּתָבָה דְנָה Dan. 5:7
5 כָּל־אֱנָשׁ דִּי־יִבְעֵא מִן־כָּל־אֱלָהּ Dan. 6:13
6 וּלְבַב אֱנָשׁ יְהִיב לַהּ Dan. 7:4
7 כְּבַר אֱנָשׁ אָתֵה הֲוָא Dan. 7:13
8 עַבְדָךְ אֱנָשׁ עֲבַר־נַהֲרָה Ez. 4:11
9 כָּל־אֱנָשׁ דִּי יְהַשְׁנֵא פִּתְגָמָא Ez. 6:11
וֶאֱנָשׁ 10/1 מִן־כָּל־אֱלָהּ וֶאֱנָשׁ Dan. 6:8,13
כֶּאֱנָשׁ 12 וְעַל־רַגְלַיִן כֶּאֱנָשׁ הֳקִימַת Dan. 7:4
אֲנָשָׁא 13 וּבְכָל־דִּי דָיְרִין בְּנֵי־אֲנָשָׁא Dan. 2:38
14 מִתְעָרְבִין לֶהֱוֺן בִּזְרַע אֲנָשָׁא Dan. 2:43
17-15 שַׁלִּיט עִלָּאָה בְּמַלְכוּת אֲ׳ Dan. 4:14,22,29
18 וּמִן־בְּנֵי אֲנָשָׁא טְרִיד Dan. 5:21
19 אֱלָהָא עִלָּאָה בְּמַלְכוּת אֲנָשָׁא Dan. 5:21
20 עַיְנִין כְּעַיְנֵי אֲנָשָׁא בְּקַרְנָא־דָא Dan. 7:8
24-21 אֲנָשָׁא Dan. 4:13,22,29,30
אֲנָשִׁים 25 וּשְׁפַל אֲנָשִׁים יְקִים עֲלַהּ Dan. 4:14

אֲנָשִׁים עַיֵּן אִישׁ, אֱנָשׁ

אַנְתְּ מ״ג ארמית אַתָּה (כתיב בכל ס׳ דניאל – אנתה)

אַנְתְּ 1 אַנְתְּ מַלְכָּא רַעְיוֹנָךְ... סְלִקוּ Dan. 2:29
2 אַנְתְּ מַלְכָּא חָזֵה הֲוַיְתָ Dan. 2:31
3 אַנְתְּ מַלְכָּא מֶלֶךְ מַלְכַיָּא Dan. 2:37
10-4 אַנְתְּ Dan. 2:38; 3:10; 4:19; 5:13,18; 6:17,21
וְאַנְתְּ 11/2 וְאַנְתְּ בֵּלְטְשַׁאצַּר... וְאַנְתְּ כָּהֵל Dan. 4:15
15-13 וְאַנְתְּ Dan. 5:22,23 • Ez. 7:25

אַנְתּוּן מ״ג ארמית: אַתֶּם

אַנְתּוּן 1 יָדַע אֲנָה דִּי עִדָּנָא אַנְתּוּן זָבְנִין Dan. 2:8

אָסָא שפ״ז א) מלך יהודה: 1–8, 10–58
ב) לוי, בימי נחמיה: 9

אֵם אָסָא 13; בֶּן אָסָא 6, 9; דִּבְרֵי אָסָא 5, 15; דֶּרֶךְ אָסָא 7; דַּרְכֵי אָסָא 17; יְמֵי אָסָא 8; לְבַב אָסָא 4, 14; מַלְכוּת אָסָא 10–12

אָסָא 1 וַיִּמְלֹךְ אָסָא בְנוֹ תַּחְתָּיו IK. 15:8
2 וּבִשְׁנַת... מָלַךְ אָסָא עַל־יְהוּדָה IK. 15:9
3 וַיַּעַשׂ אָסָא הַיָּשָׁר בְּעֵינֵי יְיָ IK. 15:11
4 רַק לְבַב־אָסָא הָיָה שָׁלֵם עִם־יְיָ IK. 15:14
5 וְיֶתֶר כָּל־דִּבְרֵי אָסָא... IK. 15:23
6 וִיהוֹשָׁפָט בֶּן־אָסָא מָלַךְ... IK. 22:41
7 וַיֵּלֶךְ בְּכָל־דֶּרֶךְ אָסָא אָבִיו IK. 22:43
8 ...אֲשֶׁר נִשְׁאַר בִּימֵי אָסָא אָבִיו IK. 22:47
9 וּבֶרֶכְיָה בֶּן־אָסָא בֶּן־אֶלְקָנָה ICh. 9:16
12-10 ...לְמַלְכוּת אָסָא IICh. 15:10,19; 16:1
13 וְגַם־מַעֲכָה אֵם אָסָא הַמֶּלֶךְ... IICh. 15:16
14 לְבַב־אָסָא הָיָה שָׁלֵם כָּל־יָמָיו IICh. 15:17
15 דִּבְרֵי אָ׳ הָרִאשׁוֹנִים וְהָאַחֲרוֹנִים IICh. 16:11
16 וַיֶּחֱלֶא אָסָא... בְּרַגְלָיו IICh. 16:12
17 וּבְדַרְכֵי אָסָא מֶלֶךְ־יְהוּדָה IICh. 21:12
46-18 אָסָא IK. 15:13,16,18², 20,22², 24,32 • Jer. 41:9 • ICh. 3:10 • IICh. 13:23; 14:1,9,10; 14:11,12; 15:2², 8,16; 16:2,4,7,10², 13; 17:2; 20:32
וְאָסָא 47 וְאָסָא הַמֶּלֶךְ לָקַח אֶת־כָּל־יְהוּדָה IICh. 16:6
לְאָסָא 57-48 לְאָסָא מֶלֶךְ יְהוּדָה IK. 15:17,25,28 15:33; 16:8,10,15,23,29 • IICh. 16:1
58 וַיְהִי לְאָסָא חַיִל נֹשֵׂא צִנָּה IICh. 14:7

אָסוּךְ ז׳ כד חרס לשמן • קרובים: ראה: בַּקְבּוּק

אָסוּךְ־ 1 אֵין... כִּי אִם־אָסוּךְ שָׁמֶן IIK. 4:2

אָסוֹן ז׳ מקרה רע, פֶּגַע קרובים: ראה אֵיד

אָסוֹן 1 כִּי אָמַר פֶּן־יִקְרָאֶנּוּ אָסוֹן Gen. 42:4
2 וּקְרָאָהוּ אָסוֹן בַּדֶּרֶךְ Gen. 42:38

אָסוֹן (המשך)
3 וּלְקַחְתֶּם... וְקָרָהוּ אָסוֹן Gen. 44:29
4 וְנָגְפוּ... וְלֹא יִהְיֶה אָסוֹן Ex. 21:22
5 וְאִם־אָסוֹן יִהְיֶה וְנָתַתָּה נֶפֶשׁ... Ex. 21:23

אָסוּר ת׳ עַיֵּן אָסַר

אֵסוּר ז׳ כֶּבֶל • בֵּית הָאֵסוּר 1

הָאֵסוּר 1 וְנָתְנוּ אוֹתוֹ בֵּית הָאֵסוּר Jer. 37:15
אֲסוּרִים 2 וַחֲרָמִים לִבָּהּ אֲסוּרִים יָדֶיהָ Eccl. 7:26
אֱסוּרָיו 3 וַיִּמַּסּוּ אֱסוּרָיו מֵעַל יָדָיו Jud. 15:14

אֱסוּר ז׳ ארמית: אֵסוּר, כֶּבֶל

וּבֶאֱסוּר 1/2 וּבֶאֱסוּר דִּי־פַרְזֶל וּנְחָשׁ Dan. 4:12,20
וְלֶאֱסוּרִין 3 הֵן־לַעֲנָשׁ נִכְסִין וְלֶאֱסוּרִין Ez. 7:26

אָסִיף ז׳ אִסּוּף יבול מן הגורן ומן היקב • חַג הָאָסִיף 2,1

הָאָסִיף 1 וְחַג הָאָסִף בְּצֵאת הַשָּׁנָה Ex. 23:16
2 וְחַג הָאָסִיף תְּקוּפַת הַשָּׁנָה Ex. 34:22

אַסִּיר[1], אָסִיר ז׳ יושב במאסר, שבוי

אֶנְקַת אָסִיר 4,5; אֲסִירֵי אֶרֶץ 12; אֲ׳ הַמֶּלֶךְ 9; אֲסִירֵי עֳנִי 11; אֲסִירֵי הַתִּקְוָה 10
דַּכֵּא אֲסִירִים 12; הוֹצִיא אֲ׳ 3, 6; שִׁלַּח אֲ׳ 13

אַסִּיר 1 בִּלְתִּי כָרַע תַּחַת אַסִּיר Is. 10:4
2 וְאֻסְּפוּ אֲסֵפָה אַסִּיר עַל־בּוֹר Is. 24:22
3 לְהוֹצִיא מִמַּסְגֵּר אַסִּיר Is. 42:7
אָסִיר 4 תָּבוֹא לְפָנֶיךָ אֶנְקַת אָסִיר Ps. 79:11
5 לִשְׁמֹעַ אֶנְקַת אָסִיר Ps. 102:21
אֲסִירִים 6 מוֹצִיא אֲסִירִים בַּכּוֹשָׁרוֹת Ps. 68:7
7 יַחַד אֲסִירִים שַׁאֲנָנוּ Job 3:18
הָאֲסִירִים 8 וַיִּתֵּן... אֵת כָּל־הָאֲסִירִם Gen. 39:22
אֲסִירֵי־ 9 מְקוֹם אֲשֶׁר־אֲסִירֵי (כת׳ אסורי) הַמֶּלֶךְ אֲסוּרִים Gen. 39:20
10 שׁוּבוּ לְבִצָּרוֹן אֲסִירֵי הַתִּקְוָה Zech. 9:12
11 אֲסִירֵי עֳנִי וּבַרְזֶל Ps. 107:10
12 לְדַכֵּא... כֹּל אֲסִירֵי אָרֶץ Lam. 3:35
אֲסִירַיִךְ 13 שִׁלַּחְתִּי אֲסִירַיִךְ מִבּוֹר Zech. 9:11
אֲסִירָיו 14 אֲסִירָיו לֹא־פָתַח בָּיְתָה Is. 14:17
15 וְאֶת־אֲסִירָיו לֹא בָזָה Ps. 69:34

אַסִּיר[2] שפ״ז א) בן קרח 1–2 ב) בן אֶבְיָסָף 3–4
ג) בן יְכָנְיָה בן יהויקים 5

אַסִּיר 1 וּבְנֵי קֹרַח אַסִּיר וְאֶלְקָנָה Ex. 6:24
2 קֹרַח בְּנוֹ אַסִּיר בְּנוֹ ICh. 6:7
3 בֶּן־אַסִּיר בֶּן־אֶבְיָסָף בֶּן־קֹרַח ICh. 6:22
וְאַסִּיר 4 וְאֶבְיָסָף בְּנוֹ וְאַסִּיר בְּנוֹ ICh. 6:8
אַסִּר 5 וּבְנֵי יְכָנְיָה אַסִּר שְׁאַלְתִּיאֵל בְּנוֹ ICh. 3:17

אָסָם* ז׳ מחסן־תבואה

אֲסָמֶיךָ 1 וְיִמָּלְאוּ אֲסָמֶיךָ שָׂבָע Prov. 3:10
בַּאֲסָמֶיךָ 2 יְצַו יְיָ... אֶת־הַבְּרָכָה בַּאֲסָמֶיךָ Deut. 28:8

אַסְנָה שפ״ז – אבי משפחת נתינים בימי עזרא

אַסְנָה 1 בְּנֵי־אַסְנָה בְנֵי־מְעוּנִים Ez. 2:50

אָסְנַפַּר שפ״ז – שם מלך־אשור

אָסְנַפַּר 1 דִּי הַגְלִי אָסְנַפַּר רַבָּא וְיַקִּירָא Ez. 4:10

אָסְנַת שפ״ז – אשת יוסף

אָסְנַת 1 אָסְנַת בַּת־פּוֹטִי פֶרַע כֹּהֵן אֹן Gen. 41:45
2/3 אֲשֶׁר יָלְדָה־לּוֹ אָסְנַת Gen. 41:50; 46:20

אסף : אָסַף, אָסוּף, נֶאֱסַף, אִסֵּף, אֻסַּף, הִתְאַסֵּף; אָסִיף, אֹסֶף, אָסֹף, אֲסֵפָה, אֲסֻפָּה, אֲסַפְסֻף, מְאַסֵּף; ש״פ אָסָף, אֲבִיאָסָף

אָסַף פָּ׳ א) הקהיל, קבץ (אנשים, בעלי־חיים, תבואה וכו׳) – רוב המקראות 2–105
ב) הכניס למקום: 15,26,38,51,53,56,57,78-81,94
ג) הסיר: 6, 27, 28, 32, 35, 36, 96
ד) כִּלָּה, השמיד: 1, 3, 44, 47 [עי׳ סוף]
ה) [נפ׳ נֶאֱסַף] התקהל, קֻבַּץ – רוב המקראות 106–186
ו) [נפ׳ נֶאֱסַף] כלה, אבד: 113–115, 135, 140, 150, 165
ז) [פִּ׳ אִסֵּף] קִבֵּץ: 187–194
ח) [פֻּ׳ אֻסַּף] קֻבַּץ: 195–199
ט) [הת׳ הִתְאַסֵּף] התקהל: 200

קרובים: אגר / אצר / הזעיק (זעק) / כנס / לקט / העיז (עוז) / הקהיל (קהל) / צבר / קבץ

אָסַף חֶרְפָּתוֹ 28, 96; אָ׳ יָדוֹ 94; אָ׳ מְצֹרָע 32; אָ׳ נָגְהוֹ 35, 36; אָ׳ נַפְשׁוֹ 25, 49; אָ׳ נִשְׁמָתוֹ 53; אָ׳ עֶבְרָתוֹ 19; אָ׳ רַגְלָיו 57; אָ׳ רוּחוֹ 50, 53; אָסַף שְׁלוֹמוֹ 12; אָסְפוּ אֶל אֲבוֹתָיו 41, 42; אָסְפוּ מִצָּרַעְתּוֹ 27, 52; אֲסוּפֵי רָעָב 44; נֶאֱסַף עַל־ 123, 124, 129, 133, 134, 185, 186; נֶאֱ׳ אֶל אֲבוֹתָיו 117; נֶאֱ׳ אֶל עַמּוֹ (עַמָּיו) 109, 137,141,145,154-158,180; נֶאֱ׳ אֶל קִבְרוֹתָיו 110/1; נֶאֶסְפָה שִׂמְחָה 114, 115

אָסֹף 1 אָסֹף אֲסִיפֵם נְאֻם־יְיָ Jer. 8:13
2 אָסֹף אֶאֱסֹף יַעֲקֹב כֻּלָּךְ Mic. 2:12
3 אָסֹף אָסֵף כֹּל מֵעַל פְּנֵי הָאֲדָמָה Zep. 1:2
כֶּאֱסֹף 4 וְהָיָה כֶּאֱסֹף קָצִיר קָמָה Is. 17:5
וְכֶאֱסֹף 5 וְכֶאֱסֹף בֵּיצִים עֲזֻבוֹת... אָסָפְתִּי Is. 10:14
לֶאֱסֹף 6 לֶאֱסֹף אִישׁ מִצָּרַעְתּוֹ IIK. 5:7
7 לֶאֱסֹף גּוֹיִם לְקָבְצִי מַמְלָכוֹת Zep. 3:8
8 וְלַחוֹטֶא נָתַן עִנְיָן לֶאֱסֹף וְלִכְנוֹס Eccl. 2:26
בְּאָסְפְּךָ 9 בְּאָסְפְּךָ אֶת־מַעֲשֶׂיךָ מִן־הַשָּׂדֶה Ex. 23:16
10 בְּאָסְפְּךָ מִגָּרְנְךָ וּמִיִּקְבֶךָ Deut. 16:13
בְּאָסְפְּכֶם 11 בְּאָסְפְּכֶם אֶת־תְּבוּאַת הָאָרֶץ Lev. 23:39
אָסַפְתִּי 12 אָסַפְתִּי אֶת־שְׁלוֹמִי מֵאֵת הָעָם הַזֶּה Jer. 16:5
13 נוּגֵי מִמּוֹעֵד אָסַפְתִּי מִמֵּךְ הָיוּ Zep. 3:18
אָסָפְתִּי 14 כָּל־הָאָרֶץ אֲנִי אָסָפְתִּי Is. 10:14
וְאָסַפְתִּי 15 וְאָסַפְתִּי אוֹתָם אֶל־תּוֹךְ הָעִיר Jer. 21:4
16 וְאָסַפְתִּי אֶתְכֶם מִן־הָאֲרָצוֹת Ezek. 11:17
17 וְאָסַפְתִּי אֶת־כָּל־הַגּוֹיִם Zech. 14:2
18 אֲלַקֳטָה־נָּא וְאָסַפְתִּי בָעֳמָרִים Ruth 2:7
אָסַפְתָּ 19 אָסַפְתָּ כָל־עֶבְרָתֶךָ Ps. 85:4
וְאָסַפְתָּ 20 קַח... מִכָּל־מַאֲכָל... וְאָסַפְתָּ אֵלֶיךָ Gen. 6:21
21 לֵךְ וְאָסַפְתָּ אֶת־זִקְנֵי יִשְׂרָאֵל Ex. 3:16
22/3 וְאָסַפְתָּ אֶת־תְּבוּאָתָהּ Ex. 23:10 • Lev. 25:3
24 וְאָסַפְתָּ דְגָנֶךָ וְתִירשְׁךָ וְיִצְהָרֶךָ Deut. 11:14
25 וְאָסַפְתָּה נַפְשְׁךָ וְנֶפֶשׁ בֵּיתֶךָ Jud. 18:25
וַאֲסַפְתּוֹ 26 וַאֲסַפְתּוֹ אֶל־תּוֹךְ בֵּיתֶךָ Deut. 22:2
27 וַאֲסַפְתּוֹ מִצָּרַעְתּוֹ IIK. 5:6
אָסַף 28 אָסַף אֱלֹהִים אֶת־חֶרְפָּתִי Gen. 30:23
29 הַמַּמְעִיט אָסַף עֲשָׂרָה חֳמָרִים Num. 11:32
30 מִי אָסַף־רוּחַ בְּחָפְנָיו Prov. 30:4
וְאָסַף 31 וְאָסַף... אֵת אֵפֶר הַפָּרָה Num. 19:9
32 וְהֵנִיף יָדוֹ... וְאָסַף הַמְּצֹרָע IIK. 5:11
33 וְאָסַף נִדְחֵי יִשְׂרָאֵל Is. 11:12
אָסְפוּ 34 אֲשֶׁר אָסְפוּ שֹׁמְרֵי הַסַּף מֵאֵת הָעָם IIK. 22:4
35/6 וְכוֹכָבִים אָסְפוּ נָגְהָם Joel 2:10; 4:15
37 אָסְפוּ־הַלְוִיִּם... מִיַּד מְנַשֶּׁה IICh. 34:9
וְאָסְפוּ 38 וְאָסְפוּ אֹתוֹ הָעִירָה אֲלֵיהֶם Josh. 20:4
39 וְאָסְפוּ הֲמוֹן חֲיָלִים רַבִּים Dan. 11:10

הָאוֹסֵף 40 וְכִבֵּס הָאֹסֵף אֶת־אֵפֶר הַפָּרָה Num. 19:10
אֹסִפְךָ 41 לָכֵן הִנְנִי אֹסִפְךָ עַל־אֲבֹתֶיךָ IIK. 22:20
42 הִנְנִי אֹסִפְךָ אֶל־אֲבֹתֶיךָ IICh. 34:28
אֹסְפָם 43 יִצְבֹּר וְלֹא־יֵדַע מִי־אֹסְפָם Ps. 39:7
אֲסוּפֵי־ 44 וְלֹא־יִהְיוּ עוֹד אֲסֻפֵי רָעָב בָּאָרֶץ Ezek. 34:29
אָסֹף 45 אָסֹף אֶאֱסֹף יַעֲקֹב כֻּלָּךְ Mic. 2:12
אֹסְפָה 46 אֹסְפָה הַצֹּלֵעָה וְהַנִּדָּחָה אֲקַבֵּצָה Mic. 4:6
אֹסִפְךָ 47 ...פֶּן־אֹסִפְךָ עִמּוֹ ISh. 15:6
תֶּאֱסֹף 48 זֶרַע רַב תּוֹצִיא... וּמְעַט תֶּאֱסֹף Deut. 28:38
49 אַל־תֶּאֱסֹף עִם־חַטָּאִים נַפְשִׁי Ps. 26:9
תֹּסֵף 50 תֹּסֵף רוּחָם יִגְוָעוּן Ps. 104:29
תַּאַסְפִי 51 ...תַּאַסְפִי אֵלַיִךְ הַבָּיְתָה Josh. 2:18
יֶאֱסֹף 52 אָז יֶאֱסֹף אֹתוֹ מִצָּרַעְתּוֹ IIK. 5:3
53 רוּחוֹ וְנִשְׁמָתוֹ אֵלָיו יֶאֱסֹף Job 34:14
54 כִּי־יָשִׁיב זַרְעֶךָ וְגָרְנְךָ יֶאֱסֹף Job 39:12
וַיֶּאֱסֹף 55 וַיֶּאֱסֹף לָבָן אֶת־כָּל־אַנְשֵׁי... Gen. 29:22
56 וַיֶּאֱסֹף אֹתָם אֶל־מִשְׁמָר Gen. 42:17
57 וַיֶּאֱסֹף רַגְלָיו אֶל־הַמִּטָּה Gen. 49:33
58-74 וַיֶּאֱסֹף Num. 11:24; 21:23
Josh. 24:1 • Jud. 3:13; 11:20 • IISh. 10:17; 12:29 •
IK. 10:26 • Hab. 1:9; 2:5 • ICh. 15:4; 19:17; 23:2 •
IICh. 1:14; 28:24; 29:20; 34:29
וַיֹּסֶף 75 וַיֹּסֶף עוֹד דָּוִד אֶת־כָּל־בָּחוּר IISh. 6:1
יַאַסְפֵנִי 76 כִּי־אָבִי וְאִמִּי עֲזָבוּנִי וַיי יַאַסְפֵנִי Ps. 27:10
יַאַסְפֶךָ 77 כְּבוֹד יְיָ יַאַסְפֶךָ Is. 58:8
וַיַּאַסְפֵהוּ 78 יְגֹרֵהוּ... וְיַאַסְפֵהוּ בְּמִכְמַרְתּוֹ Hab. 1:15
79 וְרָאָה שָׁאוּל... וַיַּאַסְפֵהוּ אֵלָיו ISh. 14:52
וַיַּאַסְפָה 80 וַיִּשְׁלַח דָּוִד וַיַּאַסְפָהּ אֶל־בֵּיתוֹ IISh. 11:27
וַיַּאַסְפֵם 81 וַיַּאַסְפֵם לִרְחוֹב הַמִּזְרָח IICh. 29:4
נֶאֱסֹף 82 וְלֹא נֶאֱסֹף אֶת־תְּבוּאָתֵנוּ Lev. 25:20
וַיַּאַסְפוּ 83 וַיַּאַסְפוּ אֶת־כָּל־זִקְנֵי בְּנֵי יִשְׂרָאֵל Ex. 4:29
84 וַיַּאַסְפוּ אֶת־הַשְּׂלָו Num. 11:32
85/6 וַיַּאַסְפוּ אֶת־כָּל־סַרְנֵי פְלִשְׁתִּים ISh. 5:8,11
87 וַיַּאַסְפוּ פְלִשְׁתִּים אֶת־מַחֲנֵיהֶם ISh. 17:1
88 וַיַּאַסְפוּ אֶת־עַצְמוֹת הַמּוּקָעִים IISh. 21:13
89 וַיַּאַסְפוּ אֵלָיו כָּל־זִקְנֵי יְהוּדָה IIK. 23:1
90 וַיַּאַסְפוּ יַיִן וָקַיִץ הַרְבֵּה מְאֹד Jer. 40:12
91 וַיַּאַסְפוּ־כֶסֶף לָרֹב IICh. 24:11
92 וַיַּאַסְפוּ אֶת־אֲחֵיהֶם וַיִּתְקַדְּשׁוּ IICh. 29:15
אֱסֹף 93 אֱסֹף אֶת־הָעָם Num. 21:16
94 וַיֹּאמֶר שָׁאוּל אֶל־הַכֹּהֵן אֱסֹף יָדֶךָ ISh. 14:19
95 וְעַתָּה אֱסֹף אֶת־יֶתֶר הָעָם IISh. 12:28
96 יִקָּרֵא שִׁמְךָ עָלֵינוּ אֱסֹף חֶרְפָּתֵנוּ Is. 4:1
97 אֱסֹף נְתָחֶיהָ אֵלֶיהָ Ezek. 24:4
אֶסְפָה 98 אֶסְפָה־לִּי שִׁבְעִים אִישׁ Num. 11:16
אִסְפִּי 99 אִסְפִּי מֵאֶרֶץ כִּנְעָתֵךְ Jer. 10:17
אִסְפוּ 100 אִסְפוּ כָּל־חַיַּת הַשָּׂדֶה Jer. 12:9
101 אִסְפוּ יַיִן וָקַיִץ וָשֶׁמֶן Jer. 40:10
102 אִסְפוּ זְקֵנִים כֹּל יֹשְׁבֵי הָאָרֶץ Joel 1:14
103 אִסְפוּ־עָם קַדְּשׁוּ קָהָל Joel 2:16
104 אִסְפוּ עוֹלָלִים וְיוֹנְקֵי שָׁדָיִם Joel 2:16
105 אִסְפוּ־לִי חֲסִידָי Ps. 50:5
הֵאָסֵף 106 הֵאָסֵף יֵאָסֵף עָלֶיךָ כָל־יִשְׂרָאֵל IISh. 17:11
הֵאָסֵף 107 לֹא־עֵת הֵאָסֵף הַמִּקְנֶה Gen. 29:7
108 לֹא נָסַע עַד הֵאָסֵף מִרְיָם Num. 12:15
וְנֶאֱסַפְתָּ 109 וְנֶאֱסַפְתָּ אֶל־עַמֶּיךָ גַּם־אָתָּה Num. 27:13
110 וְנֶאֱסַפְתָּ אֶל־קִבְרֹתֶיךָ בְּשָׁלוֹם IIK. 22:20
111 וְנֶאֱסַפְתָּ אֶל־קִבְרוֹתֶיךָ בְּשָׁלוֹם IICh. 34:28
נֶאֱסַף 112 כַּאֲשֶׁר נֶאֱסַף אַהֲרֹן אָחִיךָ Num. 27:13
113 כִּי־מִפְּנֵי הָרָעָה נֶאֱסַף הַצַּדִּיק Is. 57:1
וְנֶאֱסַף 114 וְנֶאֱסַף שִׂמְחָה וָגִיל מִן־הַכַּרְמֶל Is. 16:10
וְנֶאֶסְפָה 115 וְנֶאֶסְפָה שִׂמְחָה וָגִיל מִכַּרְמֶל Jer. 48:33

וְנֶאֱסַפְתֶּם 116 וְנֶאֱסַפְתֶּם אֶל־עָרֵיכֶם Lev. 26:25
נֶאֶסְפוּ 117 כָּל־הַדּוֹר... נֶאֶסְפוּ אֶל־אֲבוֹתָיו Jud. 2:10
118 וְכָל־מִדְיָן... נֶאֶסְפוּ יַחְדָּו Jud. 6:33
119 וְסַרְנֵי פְלִשְׁתִּים נֶאֶסְפוּ לִזְבֹּחַ Jud. 16:23
120 וּפְלִשְׁתִּים נֶאֶסְפוּ לְהִלָּחֵם ISh. 13:5
121 וְשָׁאוּל וְאִישׁ־יִשְׂרָאֵל נֶאֶסְפוּ ISh. 17:2
122 נֶאֶסְפוּ־שָׁם לַמִּלְחָמָה IISh. 23:9
123 נֶאֶסְפוּ עָלַיִךְ גּוֹיִם רַבִּים Mic. 4:11
124 נֶאֶסְפוּ עָלַי נֵכִים וְלֹא יָדַעְתִּי Ps. 35:15
125 נֶאֶסְפוּ רָאשֵׁי הָאָבוֹת לְכָל־הָעָם Neh. 8:13
126 נֶאֶסְפוּ בְנֵי־יִשְׂרָאֵל בְּצוֹם וּבְשַׂקִּים Neh. 9:1
127 נֶאֶסְפוּ־שָׁם לַמִּלְחָמָה ICh. 11:13
128 וּבְנֵי עַמּוֹן נֶאֶסְפוּ מֵעָרֵיהֶם ICh. 19:7
129 אֲשֶׁר־נֶאֶסְפוּ אֶל־יְרוּשָׁלִָם IICh. 12:5
130 וְהָעָם לֹא־נֶאֶסְפוּ לִירוּשָׁלִָם IICh. 30:3
נֶאֱסָפוּ 131 נְדִיבֵי עַמִּים נֶאֱסָפוּ Ps. 47:10
וְנֶאֶסְפוּ 132 וְנֶאֶסְפוּ־שָׁמָּה כָל־הָעֲדָרִים Gen. 29:3
133 וְנֶאֶסְפוּ עָלַי וְהִכּוּנִי Gen. 34:30
134 וְנֶאֶסְפוּ עָלֶיהָ כֹּל גּוֹיֵי הָאָרֶץ Zech. 12:3
135 וְנֶאֶסְפוּ עִשְּׂבוֹת הָרִים Prov. 27:25
וְנֶאֱסָפוּ 136 וּבְצַלְעִי שָׂמְחוּ וְנֶאֱסָפוּ Ps. 35:25
נֶאֱסָף 137 אֲנִי נֶאֱסָף אֶל־עַמִּי Gen. 49:29
נֶאֱסָפִים 138 וּפְלִשְׁתִּים נֶאֱסָפִים מִכְמָשׂ ISh. 13:11
139 מַמְלְכוֹת גּוֹיִם נֶאֱסָפִים Is. 13:4
140 וְאַנְשֵׁי־חֶסֶד נֶאֱסָפִים Is. 57:1
תֵּאָסֵף 141 אַחַר תֵּאָסֵף אֶל־עַמֶּיךָ Num. 31:2
142 לֹא תֵאָסֵף וְלֹא תִקָּבֵץ Ezek. 29:5
יֵאָסֵף 143 וְלֹא יֵאָסֵף הַבַּיְתָה Ex. 9:19
144 אִם אֶת־כָּל־דְּגֵי הַיָּם יֵאָסֵף לָהֶם Num. 11:22
145 יֵאָסֵף אַהֲרֹן אֶל־עַמָּיו Num. 20:24
146 וְאַהֲרֹן יֵאָסֵף וּמֵת שָׁם Num. 20:26
147 הֵאָסֵף יֵאָסֵף עָלֶיךָ כָל־יִשְׂרָאֵל IISh. 17:11
148 וְאִם־אֶל־עִיר יֵאָסֵף... IISh. 17:13
149 לְשׁוֹבֵב... וְיִשְׂרָאֵל לוֹ יֵאָסֵף Is. 49:5
150 וִירֵחֵךְ לֹא יֵאָסֵף Is. 60:20
151 עָשִׁיר יִשְׁכַּב וְלֹא יֵאָסֵף Job 27:19
וַיֵּאָסֵף 152 וַיֵּאָסֵף מֹשֶׁה אֶל־הַמַּחֲנֶה Num. 11:30
153 וַיֵּאָסֵף כָּל...יִשְׂרָאֵל אֶל־הָעִיר Jud. 20:11
וַיֵּאָסֶף 154-157 וַיִּגְוַע(...)וַיֵּאָסֶף אֶל־עַמָּיו Gen. 25:8
25:17; 35:29; 49:33
158 כַּאֲשֶׁר־מֵת...וַיֵּאָסֶף אֶל־עַמָּיו Deut. 32:50
תֵּאָסֵף 159 תִּסָּגֵר... וְאַחַר תֵּאָסֵף Num. 12:14
יֵאָסְפוּ 160 עַד אֲשֶׁר יֵאָסְפוּ כָּל־הָעֲדָרִים Gen. 29:8
161 לֹא יֵאָסְפוּ וְלֹא יִקָּבֵרוּ Jer. 8:2
162 וְלֹא יֵאָסְפוּ וְלֹא יִקָּבֵרוּ Jer. 25:33
163 וְאֵלַי יֵאָסְפוּ כֹּל חָרֵד... Ez. 9:4
יֵאָסֵפוּ 164 וְכַמַּיִם... אֲשֶׁר לֹא יֵאָסֵפוּ IISh. 14:14
165 וְגַם־דְּגֵי הַיָּם יֵאָסֵפוּ Hosh. 4:3
וְיֵאָסְפוּ 166 הַגּוֹיִם נִקְבְּצוּ... וְיֵאָסְפוּ לְאֻמִּים Is. 43:9
וַיֵּאָסְפוּ 167 וַיֵּאָסְפוּ אֵלָיו כָּל־בְּנֵי לֵוִי Ex. 32:26
168 וַיֵּאָסְפוּ... חֲמֵשֶׁת מַלְכֵי הָאֱמֹרִי Josh. 10:5
169 וַיֵּאָסְפוּ כָּל־בַּעֲלֵי שְׁכֶם Jud. 9:6
170 וַיֵּאָסְפוּ בְּנֵי יִשְׂרָאֵל Jud. 10:17
171 וַיֵּאָסְפוּ בְנֵי־בִנְיָמִן מִן־הֶעָרִים Jud. 20:14
172-178 וַיֵּאָסְפוּ • ISh. 17:1 • IISh. 10:15; 23:11
Ez. 3:1 • Neh. 8:1; 12:28 • IICh. 30:13
יֵאָסֵפוּן 179 תִּזְרַח הַשֶּׁמֶשׁ יֵאָסֵפוּן Ps. 104:22
וְהֵאָסֵף 180 וּמֻת... וְהֵאָסֵף אֶל־עַמֶּיךָ Deut. 32:50
הֵאָסְפִי 181 הוֹי חֶרֶב... הֵאָסְפִי אֶל־תַּעְרֵךְ Jer. 47:6
הֵאָסְפוּ 182 הֵאָסְפוּ וְאַגִּידָה לָכֶם Gen. 49:1
183 הֵאָסְפוּ וְנָבוֹאָה אֶל־עָרֵי הַמִּבְצָר Jer. 4:5
184 הֵאָסְפוּ וְנָבוֹא אֶל־עָרֵי הַמִּבְצָר Jer. 8:14

185 הֵאָסְפוּ מִסָּבִיב עַל־זִבְחִי Ezek. 39:17
186 הֵאָסְפוּ עַל־הָרֵי שֹׁמְרוֹן Am. 3:9
מְאַסֵּף 187 מְאַסֵּף לְכָל־הַמַּחֲנֹת לְצִבְאֹתָם Num. 10:25
188 וְאֵין אִישׁ מְאַסֵּף־אוֹתָם הַבָּיְתָה Jud. 19:15
189 וְאֵין אִישׁ מְאַסֵּף אוֹתִי הַבָּיְתָה Jud. 19:18
190 וְנָפְלָה נִבְלַת הָאָדָם...וְאֵין מְאַסֵּף Jer. 9:21
וְהַמְאַסֵּף 191 וְהַמְאַסֵּף הֹלֵךְ אַחֲרֵי הָאָרוֹן Josh. 6:9
192 וְהַמְאַסֵּף הֹלֵךְ אַחֲרֵי אֲרוֹן יְיָ Josh. 6:13
וּמְאַסִּפְכֶם 193 וּמְאַסִּפְכֶם אֱלֹהֵי יִשְׂרָאֵל Is. 52:12
מְאַסְפָיו 194 כִּי מְאַסְפָיו יֹאכְלֻהוּ Is. 62:9
וְאֻסַּף 195 וְאֻסַּף שְׁלַלְכֶם אֹסֶף הֶחָסִיל Is. 33:4
196 וְאֻסַּף חֵיל כָּל־הַגּוֹיִם Zech. 14:14
וְאֻסְּפוּ 197 וְאֻסְּפוּ אֲסֵפָה אַסִּיר עַל־בּוֹר Is. 24:22
198 וְאֻסְּפוּ עֲלֵיהֶם עַמִּים Hosh. 10:10
מְאֻסָּף 199 וְאֶל־עַם מְאֻסָּף מִגּוֹיִם Ezek. 38:12
בְּהִתְאַסֵּף 200 בְּהִתְאַסֵּף רָאשֵׁי עָם Deut. 33:5

אֹסֶף
ז' לִקּוּט • קרובים: אֲסֵפָה / לֶקֶט / עֲרֵמָה / צִבּוּר
אֹסֶף 1 כִּי כָּלָה בָצִיר אֹסֶף בְּלִי יָבוֹא Is. 32:10
אֹסֶף־ 2 וְאֻסַּף שְׁלַלְכֶם אֹסֶף הֶחָסִיל Is. 33:4
כְּאָסְפֵּי־ 3 הָיִיתִי כְּאָסְפֵּי־קַיִץ כְּעֹלְלֹת בָּצִיר Mic. 7:1

אָסֻף*
ז' אוסף, אוצר [עיין גם אֲסֻפָּה]
הָאֲסֻפִּים 1 וּלְבָנָיו בֵּית הָאֲסֻפִּים ICh. 26:15
וְלָאֲסֻפִּים 2 וְלָאֲסֻפִּים שְׁנַיִם שְׁנָיִם ICh. 26:17
בַּאֲסֻפֵּי־ 3 שֹׁמְרִים... בַּאֲסֻפֵּי הַשְּׁעָרִים Neh. 12:25

אָסָף
שפ"ז א) משורר לוי בימי דוד: 5-7, 9-27, 28-46
ב) אבי יואח מזכיר המלך חזקיהו: 1-4
ג) שומר הפרדס של ארתחשסתא: 8
אָסָף 1-4 וְיוֹאָח בֶּן־אָסָף הַמַּזְכִּיר IIK. 18:18,37
Is. 36:3,22
5/6 הַמְשֹׁרְרִים בְּנֵי אָסָף Ez. 2:41 • Neh. 7:44
7 וְהַלְוִיִּם בְּנֵי־אָסָף בַּמְצִלְתַּיִם Ez. 3:10
8 וְאִגֶּרֶת אֶל־אָסָף שֹׁמֵר הַפַּרְדֵּס Neh. 2:8
9-27 אָסָף Neh. 11:17,22; 12:35
ICh. 6:24²; 9:15; 15:17,19; 16:5,7; 25:1,2³,6; 26:1 •
IICh. 20:14; 29:13; 35:15
וְאָסָף 28 כִּי־בִימֵי דָוִיד וְאָסָף מִקֶּדֶם Neh. 12:46
29 וְאָסָף בַּמְצִלְתַּיִם מַשְׁמִיעַ ICh. 16:5
30 בְּדִבְרֵי דָוִיד וְאָסָף הַחֹזֶה IICh. 29:30
31 כְּמִצְוַת דָּוִיד וְאָסָף וְהֵימָן IICh. 35:15
לְאָסָף 32-35 מִזְמוֹר לְאָסָף Ps. 50:1; 73:1; 79:1; 82:1
36/7 מַשְׂכִּיל לְאָסָף Ps. 74:1; 78:1
38/9 מִזְמוֹר לְאָסָף שִׁיר Ps. 75:1; 76:1
40/1 לְאָסָף מִזְמוֹר Ps. 77:1; 80:1
42 לַמְנַצֵּחַ עַל־הַגִּתִּית לְאָסָף Ps. 81:1
43 שִׁיר מִזְמוֹר לְאָסָף Ps. 83:1
44 וַיַּעֲזָב־שָׁם... לְאָסָף וּלְאֶחָיו ICh. 16:37
45 וַיֵּצֵא הַגּוֹרָל הָרִאשׁוֹן לְאָסָף ICh. 25:9
46 לְאָסָף לְהֵימָן לִידֻתוּן IICh. 5:12

אֲסֵפָה
נ' אסוף
אֲסֵפָה 1 וְאֻסְּפוּ אֲסֵפָה אַסִּיר עַל־בּוֹר Is. 24:22

אֲסֻפָּה
נ' קוֹבֶץ, לֶקֶט
אֲסֻפּוֹת 1 בַּעֲלֵי אֲסֻפּוֹת נִתְּנוּ מֵרֹעֶה אֶחָד Eccl. 12:11

אֲסַפְסֻף*
ז' עֵרֶב־רַב, המון
וְהָאסַפְסֻף 1 וְהָאסַפְסֻף אֲשֶׁר בְּקִרְבּוֹ Num. 11:4

אָסְפַּרְנָא
תה"פ ארמית – בזריזות, בשלמות
אָסְפַּרְנָא 1 וַעֲבִידְתָּא דָךְ אָסְפַּרְנָא מִתְעַבְדָא Ez. 5:8
2-7 אָסְפַּרְנָא Ez. 6:8,12,13; 7:17,21,26

אַסְפָּתָא
שפ"ז – הבן השלישי מעשרת בני המן
אַסְפָּתָא 1 וְאֵת דַּלְפוֹן וְאֵת אַסְפָּתָא Es. 9:7

אסר
אסר : אָסַר, אָסוּר, נֶאֱסַר, אִסָּר; אֵסוּר; אַסִּיר, אָסִיר, אִסָּר, אֱסָר; מוֹסֵר, מוֹסֵרָה, מָסֹרֶת (?); ש״פ אַסִּיר

אָסַר פָּ׳ א) קשר: 1—3,5—9,20,22—24,27—40,44—45,60,65
ב) רתם בהמה לעגלה: 21, 25-26, 41, 43-61, 62-64
ג) חִיֵּב עצמו בנדר שלא לעשות משהו: 4, 10—19
ד) [נפ׳ נֶאֱסַר] נקשר, נכבל: 66—70
ה) [פֻּ׳ אֻסַּר] נאסר, נשבה: 71—72

אָסַר אִסָּר 4, 18, 19; אָ׳ בְּנַפְשׁוֹ 5; אָ׳ מִלְחָמָה 40, 45; אָ׳ מֶרְכַּבְתּוֹ 41; אָ׳ עַל נַפְשׁוֹ 4, 10—18; אִסְרוּ־חַג 65; בֵּית אֲסוּרִים 34—36

אָסַר 1 לֹא כִּי־אָסֹר נֶאֱסָרְךָ Jud. 15:13
2 אִם־אָסוֹר יַאַסְרוּנִי בַּעֲבֹתִים Jud. 16:11
לֶאֱסֹר 3 לֶאֱסוֹר אֶת־שִׁמְשׁוֹן עָלֵינוּ Jud. 15:10
4 לֶאְסֹר אִסָּר עַל־נַפְשׁוֹ Num. 30:3
5 לֶאְסֹר שָׂרָיו בְּנַפְשׁוֹ Ps. 105:22
6 לֶאְסֹר מַלְכֵיהֶם בְּזִקִּים Ps. 149:8
לֶאֱסָרְךָ 7 וַיֹּאמְרוּ לוֹ לֶאֱסָרְךָ יָרַדְנוּ Jud. 15:12
בְּאָסְרָם 8 בְּאָסְרָם לִשְׁתֵּי עוֹנֹתָם Hosh. 10:10
אֲסָרָם 9 לֹא יְשַׁוְּעוּ כִּי אֲסָרָם Job 36:13
אָסְרָה 10 וֶאֱסָרָהּ אֲשֶׁר אָסְרָה עַל־נַפְשָׁהּ Num. 30:5
11-17 אֲשֶׁר־אָסְרָה עַל־נַפְשָׁהּ Num. 30:5
30:6,7,8,9,10,12
18 אוֹ־אָסְרָה אִסָּר עַל־נַפְשָׁהּ Num. 30:11
וְאָסְרָה 19 וְאָסְרָה אִסָּר בְּבֵית אָבִיהָ Num. 30:4
וַאֲסַרְנוּהוּ 20 ...וַאֲסַרְנֻהוּ לְעַנֹּתוֹ Jud. 16:5
וַאֲסַרְתֶּם 21 וַאֲסַרְתֶּם אֶת־הַפָּרוֹת בָּעֲגָלָה ISh. 6:7
וַאֲסָרוּךָ 22 נָתְנוּ עָלֶיךָ עֲבוֹתִים וַאֲסָרוּךָ בָּהֶם Ezek. 3:25
אֹסְרִי 23 אֹסְרִי לַגֶּפֶן עִירֹה Gen. 49:11
אָסוּר 24 מְקוֹם אֲשֶׁר יוֹסֵף אָסוּר שָׁם Gen. 40:3
25/6 הַסּוּס אָסוּר וְהַחֲמוֹר אָסוּר IIK. 7:10
27 וְהוּא־אָסוּר בָּאזִקִּים Jer. 40:1
28 מֶלֶךְ אָסוּר בָּרְהָטִים S.ofS. 7:6
אֲסוּרִים 29 מְקוֹם...אֲסִירֵי־הַמֶּלֶךְ אֲסוּרִים Gen. 39:20
30 אֲשֶׁר אֲסוּרִים בְּבֵית הַסֹּהַר Gen. 40:5
31 יְיָ מַתִּיר אֲסוּרִים Ps. 146:7
32 וְאִם־אֲסוּרִים בַּזִּקִּים... Job 36:8
33 אִישׁ חַרְבּוֹ אֲסוּרִים עַל־מָתְנָיו Neh. 4:12
הָאֲסוּרִים 34 וַיְהִי טוֹחֵן בְּבֵית הָאֲסוּרִים Jud. 16:21
35 וַיִּקְרְאוּ לְשִׁמְשׁוֹן מִבֵּית הָאֲסוּרִים Jud. 16:25
הָסוּרִים 36 כִּי־מִבֵּית הָסוּרִים יָצָא לִמְלֹךְ Eccl. 4:14
לַאֲסוּרִים 37 לֵאמֹר לַאֲסוּרִים צֵאוּ Is. 49:9
וְלַאֲסוּרִים 38 לִקְרֹא... וְלַאֲסוּרִים פְּקַח־קוֹחַ Is. 61:1
אֲסֻרוֹת 39 יָדְךָ לֹא־אֲסֻרוֹת... IISh. 3:34
יֶאְסֹר 40 מִי־יֶאְסֹר הַמִּלְחָמָה IK. 20:14
וַיֶּאְסֹר 41 וַיֶּאְסֹר יוֹסֵף מֶרְכַּבְתּוֹ Gen. 46:29
42/3 וַיֶּאְסֹר אֶת־רִכְבּוֹ Ex. 14:6 • IIK. 9:21
44 וַיֶּאְסֹר אֵזוֹר בְּמָתְנֵיהֶם Job 12:18
45 וַיֶּאְסֹר אֲבִיָּה אֶת־הַמִּלְחָמָה IICh. 13:3
וַיֶּאֱסֹר 46 וַיֶּאֱסֹר אֹתוֹ לְעֵינֵיהֶם Gen. 42:24
וַיַּאַסְרֵהוּ 47 וַיַּאַסְרֵהוּ בֵּית כֶּלֶא IIK. 17:4
48 וַיַּאַסְרֵהוּ פַרְעֹה נְכֹה IIK. 23:33
49-52 וַיַּאַסְרֵהוּ בַּנְחֻשְׁתַּיִם IIK. 25:7
Jer. 39:7; 52:11 • IICh. 36:6
וַתַּאַסְרֵהוּ 53/4 ...וַתַּאַסְרֵהוּ בָּהֶם Jud. 16:8,12
נֶאֱסָרְךָ 55 לֹא כִּי־אָסֹר נֶאֱסָרְךָ Jud. 15:13
יַאַסְרוּנִי 56 אִם־יַאַסְרֻנִי בְּשִׁבְעָה יְתָרִים Jud. 16:7
57 אִם־אָסוֹר יַאַסְרוּנִי בַּעֲבֹתִים Jud. 16:11
וַיַּאַסְרוּהוּ 58 וַיַּאַסְרֻהוּ בִּשְׁנַיִם עֲבֹתִים Jud. 15:13
59 וַיַּאַסְרוּהוּ בַּנְחֻשְׁתַּיִם Jud. 16:21
60 וַיַּאַסְרֻהוּ בַּנְחֻשְׁתַּיִם IICh. 33:11
וַיַּאַסְרוּם 61 וַיַּאַסְרוּם בָּעֲגָלָה ISh. 6:10
אֱסֹר 62 אֱמֹר אֶל־אַחְאָב אֱסֹר וָרֵד IK. 18:44
63 וַיֹּאמֶר יְהוֹרָם אֱסֹר וַיֶּאְסֹר רִכְבּוֹ IIK. 9:21
אִסְרוּ 64 אִסְרוּ הַסּוּסִים וַעֲלוּ הַפָּרָשִׁים Jer. 46:4
65 אִסְרוּ־חַג בַּעֲבֹתִים Ps. 118:27
תֵּאָסֵר 66 וּבַמֶּה תֵּאָסֵר לְעַנּוֹתֶךָ Jud. 16:6
67 הַגִּידָה־נָּא לִי בַּמֶּה תֵּאָסֵר Jud. 16:10
68 הַגִּידָה לִי בַּמֶּה תֵּאָסֵר Jud. 16:13
יֵאָסֵר 69 אֲחִיכֶם אֶחָד יֵאָסֵר Gen. 42:19
הֵאָסְרוּ 70 וְאַתֶּם הֵאָסְרוּ וְיִבָּחֲנוּ דִּבְרֵיכֶם Gen. 42:16
אֻסְּרוּ 71 כָּל־נִמְצָאַיִךְ אֻסְּרוּ יַחְדָּו Is. 22:3
אֻסָּרוּ 72 כָּל־קְצִינַיִךְ... מִקֶּשֶׁת אֻסָּרוּ Is. 22:3

אִסָּר ז׳ נדר שלא לעשות משהו (ראה גם אֱסָר)
שְׁבוּעַת אִסָּר 6; אִסַּר נַפְשָׁהּ 7
אִסָּר 1 לֶאְסֹר אִסָּר עַל־נַפְשׁוֹ Num. 30:3
2 כִּי־תִדֹּר נֶדֶר לַייָ וְאָסְרָה אִסָּר Num. 30:4
3/4 וְכָל־אִסָּר אֲשֶׁר־אָסְרָה עַל־נַפְשָׁהּ Num.30:5,12
5 אוֹ־אָסְרָה אִסָּר עַל־נַפְשָׁהּ Num. 30:11
6 כָּל־נֵדֶר וְכָל־שְׁבֻעַת אִסָּר Num. 30:14
וּלְאִסַּר־ 7 לִנְדָרֶיהָ וּלְאִסַּר נַפְשָׁהּ Num. 30:13

אֱסָר¹ ז׳ נדר שלא לעשות משהו: 1—4
וֶאֱסָרָהּ 1 וְשָׁמַע אָבִיהָ אֶת־נִדְרָהּ וֶאֱסָרָהּ Num. 30:5
אֱסָרֶיהָ 2 אוֹ אֶת־כָּל־אֱסָרֶיהָ Num. 30:15
וֶאֱסָרֶיהָ 3 כָּל־נְדָרֶיהָ וֶאֱסָרֶיהָ Num. 30:6
4 וֶאֱסָרָהּ אֲשֶׁר־אָסְרָה... יָקוּמוּ Num. 30:8

אֱסָר² ז׳ ארמית: אִסּוּר, צַו לא לעשות
אֱסָר 1 לְקַיָּמָה... וּלְתַקָּפָה אֱסָר Dan. 6:8
2 וְאָמְרִין... עַל־אֱסָר מַלְכָּא Dan. 6:13
3 הֲלָא אֱסָר רְשַׁמְתָּ Dan. 6:13
4 כָל־אֱסָר וּקְיָם דִּי־מַלְכָּא Dan. 6:16
אֱסָרָא 5 כְּעַן מַלְכָּא תְּקִים אֱסָרָא Dan. 6:9
6 וְעַל־אֱסָרָא דִּי רְשַׁמְתָּ Dan. 6:14
וֶאֱסָרָא 7 דָּרְיָוֶשׁ רְשַׁם כְּתָבָא וֶאֱסָרָא Dan. 6:10

אֵסַר־חַדֹּן שפ״ז – מלך אשור, בן סנחריב
1/2 וַיִּמְלֹךְ אֵסַר־חַדֹּן בְּנוֹ תַּחְתָּיו IIK. 19:37
Is. 37:38
3 מִימֵי אֵסַר חַדֹּן מֶלֶךְ אַשּׁוּר Ez. 4:2

אֶסְתֵּר שפ״נ – היא הֲדַסָּה, בת אֲבִיחַיִל דוד מרדכי
אֶסְתֵּר הַמַּלְכָּה 14—20; דְּבַר אֶסְתֵּר 12; דִּבְרֵי אֶסְתֵּר 11; מַאֲמַר אֶ׳ 13; מִשְׁתֵּה אֶ׳ 9; נַעֲרוֹת אֶסְתֵּר 10; שְׁלוֹם אֶ׳ 4; תֹּר אֶ׳ 5
אֶסְתֵּר 1 הִיא אֶסְתֵּר בַּת־דֹּדוֹ Es. 2:7
2 וַתִּלָּקַח אֶסְתֵּר אֶל־בֵּית הַמֶּלֶךְ Es. 2:8
3 לֹא־הִגִּידָה אֶסְתֵּר אֶת־עַמָּהּ Es. 2:10
4 לָדַעַת אֶת־שְׁלוֹם אֶסְתֵּר Es. 2:11
5 וּבְהַגִּיעַ תֹּר־אֶסְתֵּר בַּת־אֲבִיחַיִל Es. 2:15
6 וַתְּהִי אֶסְתֵּר נֹשֵׂאת חֵן בְּעֵינֵי... Es. 2:15
7 וַתִּלָּקַח אֶ׳ אֶל־הַמֶּלֶךְ אֲחַשְׁוֵרוֹשׁ Es. 2:16
8 וַיֶּאֱהַב הַמֶּלֶךְ אֶת־אֶסְתֵּר Es. 2:17
9 וַיַּעַשׂ... אֵת מִשְׁתֵּה אֶסְתֵּר Es. 2:18
10 וַתָּבוֹאנָה נַעֲרוֹת אֶסְתֵּר Es. 4:4
11 וַיַּגִּידוּ לְמָרְדֳּכָי אֵת דִּבְרֵי אֶסְתֵּר Es. 4:12
12 מַהֲרוּ... לַעֲשׂוֹת אֶת־דְּבַר אֶסְתֵּר Es. 5:5
13 וּמַאֲמַר אֶסְתֵּר קִיַּם דִּבְרֵי הַפֻּרִים Es. 9:32
14-20 אֶסְתֵּר הַמַּלְכָּה Es. 5:2,3,12
7:1,2,3; 9:29
21-42 אֶסְתֵּר Es. 2:20²,22
4:5, 8, 10, 13, 15, 17; 5:1, 2, 4, 5, 7; 6:14; 7:6, 8;
8: 1, 2, 3, 4; 9:13
וְאֶסְתֵּר 43 מָרְדֳּכַי הַיְּהוּדִי וְאֶסְתֵּר הַמַּלְכָּה Es. 9:31
לְאֶסְתֵּר 44 וַיַּגֵּד לְאֶסְתֵּר הַמַּלְכָּה Es. 2:22
45 וַיָּבוֹא הֲתָךְ וַיַּגֵּד לְאֶסְתֵּר Es. 4:9
46-49 לְאֶסְתֵּר הַמַּלְכָּה Es. 7:5; 8:1,7; 9:12
50-54 לְאֶסְתֵּר Es. 5:2,6; 7:2; 8:4,7
מֵאֶסְתֵּר 55 לְבַקֵּשׁ עַל־נַפְשׁוֹ מֵאֶסְתֵּר הַמַּלְכָּה Es. 7:7

אָע ז׳ ארמית: עץ
אָע 1/2 נְחָשָׁא פַרְזְלָא אָעָא וְאַבְנָא Dan. 5:4,23
3 וְנִדְבָּךְ דִּי־אָע חֲדַת Ez. 6:4
4 יִתְנְסַח אָע מִן־בַּיְתֵהּ Ez. 6:11
וְאָע 5 וְאָע מִתְּשָׂם בְּכֻתְלַיָּא Ez. 5:8

אַף¹ ז׳ א) חוטם, איבר ההרחה: 3, 5, 17, 23, 93,130,145, 154-156, 160-163, 172, 217, 219, 225, 228-230, 232
ב) (בהשאלה) כעס, חרון: רוב המקראות
ג) [אַפַּיִם] פנים: 236—277; כפלים: 262

— אַף וְחֵמָה 20, 24—26, 34, 36, 99—101, 103, 115, 117, 122, 123, 125, 126, 131, 142, 192, 193, 215; אַף יְיָ (אֱלֹהִים) 39, 42—58, 65—81, 83—86, 88, 90—92; אַ׳ אֲדֹנָי 41; אַ׳ אוֹיְבָיו 87, אַ׳ אָחִיו 37; אַף חֲזִיר 93
— אִישׁ אַף 4; בַּעַל אַ׳ 13; וְעַם אַ׳ 213; זַעַף אַ׳ 1; חֲרוֹן אַף 10, 19, 65—73, 89, 102, 109, 111, 139, 143, 147, 166, 167, 171, 173, 180—190; חֳרִי אַ׳ 7—9, 18, 21, 82; מִיץ אַ׳ 5; מִקְנֶה אַ׳ (?) 6; נֶזֶם אַ׳ 23, (93), (160); עַל אַ׳ 80, 84, 87, 100; שֶׁטֶף אַף 14
— אֶרֶךְ אַפּוֹ 137; יוֹם אַ׳ 151; עֶבְרוֹת אַ׳ 150; עֹז אַפּוֹ 148; עֵת אַ׳ 138; רוּחַ אַ׳ 145, 172, 203; רֵיחַ אַפּוֹ 163; שֵׁבֶט אַפּוֹ 97
— אַל בְּאַפְּךָ 152, 153
— אֶרֶךְ אַפַּיִם 238—244, 250, 251, 253—255; אֶרֶךְ אַ׳ 256; וְעַת אַ׳ 265; מִיץ אַ׳ 257; מָנָה אַחַת אַ׳ 262; רוּחַ אַ׳ 266, 277
— בָּעַר אַפּוֹ 191, 197; הֶאֱרִיךְ אַ׳ 98, 201; הֶחֱזִיק אַ׳ 196; הֶחֱרָה אַ׳ 206; הֶעֱלָה אַ׳ 11; הֵשִׁיב אַ׳ 15, 142, 193, 202, 204; חָרָה אַ׳ 38—64, 74—76, 78, 81, 91, 94—96, 108, 112, 113, 133—135, 164, 165, 168—170, 174, 208—210, 233, 234; טָרַף אַ׳ 195, 205; יָצָא מֵאַפּוֹ 230; כָּלָה אַ׳ 103; כִּלָּה אַ׳ 105—107; כָּפָה אַ׳ 12; מָשַׁךְ אַ׳ 141; נָקַב אַ׳ 17; נִתַּךְ אַ׳ 99, 101, 115; עָלָה אַ׳ 2, 11, 92; עָשַׁן אַפּוֹ 77, 140; פָּקַד אַ׳ 211; שָׁב אַ׳ 37, 65, 83, 90, 110, 136, 142, 143, 147, 149, 175—179, 194; שִׁלַּח אַפּוֹ 104; שָׂם אַפּוֹ 16
— הִשְׁתַּחֲוָה אַפַּיִם 236, 237, 246, 247, 249, 258, 259, 268, 274; כָּרַע אַפַּיִם 260; קָד אַ׳ 245, 261; הִשְׁתַּחֲוָה עַל (לְ)אַפּוֹ 267-269, 272, 273-275; נָפַל עַל (לְ)אַפָּיו 264, 274-276

אַף 1 בְּזַעַף אַף וְלַהַב אֵשׁ אוֹכֵלָה Is. 30:30
2 וְגַם־אַף עָלָה בְיִשְׂרָאֵל Ps. 78:21
3 אַף לָהֶם וְלֹא יְרִיחוּן Ps. 115:6
4 אִישׁ־אַף יְגָרֶה מָדוֹן Prov. 29:22
5 וּמִיץ־אַף יוֹצִיא דָם Prov. 30:33
6 (?) מִקְנֶה אַף עַל־עוֹלֶה Job 36:33
7 גָּדַע בָּחֳרִי־אַף כֹּל קֶרֶן יִשְׂרָאֵל Lam. 2:3
אָף 8 וַיֵּצֵא מֵעִם־פַּרְעֹה בָּחֳרִי־אָף Ex. 11:8
9 וַיָּקָם יְהוֹנָתָן... בָּחֳרִי־אָף ISh. 20:34
10 אַכְזָרִי וְעֶבְרָה וַחֲרוֹן אַף Is. 13:9
11 וּדְבַר־עֶצֶב יַעֲלֶה־אָף Prov. 15:1
12 מַתָּן בַּסֵּתֶר יִכְפֶּה־אָף Prov. 21:14

אָף (המשך)	13	אַל־תִּתְרַע אֶת־בַּעַל אָף	Prov. 22:24
	14	אַכְזְרִיּוּת חֵמָה וְשֶׁטֶף אָף	Prov. 27:4
	15	וַחֲכָמִים יָשִׁיבוּ אָף	Prov. 29:8
	16	וְחַנְפֵי־לֵב יָשִׂימוּ אָף	Job 36:13
	17	בְּמוֹקְשִׁים יִנְקָב־אָף	Job 40:24
	18	וַיָּשׁוּבוּ לִמְקוֹמָם בָּחֳרִי־אָף	IICh. 25:10
	19	וַחֲרוֹן אָף עַל־יִשְׂרָאֵל	IICh. 28:13
הָאַף	20	כִּי יָגֹרְתִּי מִפְּנֵי הָאַף וְהַחֵמָה	Deut. 9:19
	21	מֶה חֳרִי הָאַף הַגָּדוֹל הַזֶּה	Deut. 29:23
	22	כִּי־גָדוֹל הָאַף וְהַחֵמָה	Jer. 36:7
הָאָף	23	הַטַּבָּעוֹת וְנִזְמֵי הָאָף	Is. 3:21
בְּאַף	24	בְּאַף וּבְחֵמָה וּבְקֶצֶף גָּדוֹל	Deut. 29:27
	25	בְּאַף וּבְחֵמָה וּבְתֹכְחוֹת חֵמָה	Ezek. 5:15
	26	וְעָשִׂיתִי בְּאַף וּבְחֵמָה נָקָם	Mic. 5:14
	27	בְּאַף תָּדוּשׁ גּוֹיִם	Hab. 3:12
	28	אַל תַּט־בְּאַף עַבְדֶּךָ	Ps. 27:9
	29	בְּאַף עַמִּים הוֹרֵד אֱלֹהִים	Ps. 56:8
	30	אִם־קָפַץ בְּאַף רַחֲמָיו	Ps. 77:10
	31	תִּרְדֹּף בְּאַף וְתַשְׁמִידֵם	Lam. 3:66
בָּאַף	32	רֹדֶה בָאַף גּוֹיִם	Is. 14:6
	33	סַכּוֹתָה בָאַף וַתִּרְדְּפֵנוּ	Lam. 3:43
וּבְאַף	34	וּבְאַף וּבְחֵמָה וּבְקֶצֶף גָּדוֹל	Jer. 21:5
	35	יָמִיטוּ עָלַי אָוֶן וּבְאַף יִשְׂטְמוּנִי	Ps. 55:4
מֵאַף	36	הֶרֶף מֵאַף וַעֲזֹב חֵמָה	Ps. 37:8
אַף־	37	עַד־שׁוּב אַף־אָחִיךָ מִמְּךָ	Gen. 27:45
	38	וַיִּחַר־אַף יַעֲקֹב בְּרָחֵל	Gen. 30:2
	39	וַיִּחַר־אַף יְיָ בְּמֹשֶׁה	Ex. 4:14
	40	וַיִּחַר־אַף מֹשֶׁה וַיַּשְׁלֵךְ מִיָּדָיו...	Ex. 32:19
	41	אַל־יִחַר אַף אֲדֹנִי	Ex. 32:22
	58-42	וַיִּחַר־אַף יְיָ (אֱלֹהִים)	Num. 11:10
			12:9; 22:22; 25:3; 32:10,13 • Deut. 29:26 • Josh. 7:1 • Jud. 2:14,20; 3:8; 10:7 • IISh. 6:7 • IIK. 13:3 • Ps. 106:40 • ICh. 13:10 • IICh. 25:15
	64-59	וַיִּחַר־אַף...	Num. 22:27; 24:10
			ISh. 17:28; 20:30 • IISh. 12:5 • Job 32:2
	65	וְיָשֹׁב חֲרוֹן אַף־יְיָ מִיִּשְׂרָאֵל	Num. 25:4
	73-66	חֲרוֹן אַף־יְיָ	Num. 32:14
			Jer. 4:8; 12:13; 25:37; 30:24; 51:45 • Zep. 2:2 • IICh. 28:11
	74	פֶּן־יֶחֱרֶה אַף־יְיָ אֱלֹהֶיךָ בָּךְ	Deut. 6:15
	75/6	וְחָרָה אַף־יְיָ בָּכֶם	Deut. 7:4; 11:17
	77	כִּי אָז יֶעְשַׁן אַף־יְיָ וְקִנְאָתוֹ	Deut. 29:19
	78	וְחָרָה אַף־יְיָ בָּכֶם	Josh. 23:16
	79	וַיֹּסֶף אַף־יְיָ לַחֲרוֹת בְּיִשְׂרָאֵל	IISh. 24:1
	80	עַל־אַף יְיָ הָיְתָה בִירוּשָׁלַםִ	IIK. 24:20
	81	עַל־כֵּן חָרָה אַף־יְיָ בְּעַמּוֹ	Is. 5:25
	82	...בָּחֳרִי־אַף רְצִין וַאֲרָם	Is. 7:4
	83	לֹא יָשׁוּב אַף־יְיָ	Jer. 23:20
	84	עַל־אַף יְיָ הָיְתָה בִּירוּשָׁלַםִ	Jer. 52:3
	85	בְּטֶרֶם לֹא־יָבוֹא... יוֹם אַף־יְיָ	Zep. 2:2
	86	אוּלַי תִּסָּתְרוּ בְּיוֹם אַף־יְיָ	Zep. 2:3
	87	עַל אַף אֹיְבַי תִּשְׁלַח יָדֶךָ	Ps. 138:7
	88	וְלֹא הָיָה בְּיוֹם אַף־יְיָ פָּלִיט	Lam. 2:22
	89	לְהָשִׁיב חֲרוֹן אַף־אֱלֹהֵינוּ מִמֶּנּוּ	Ez. 10:14
	90	וּבְהִכָּנְעוֹ שָׁב מִמֶּנּוּ אַף־יְיָ	IICh. 12:12
וְאַף־	91	וְאַף יְיָ חָרָה בָעָם	Num. 11:33
	92	וְאַף אֱלֹהִים עָלָה בָהֶם	Ps. 78:31
בְּאַף־	93	נֶזֶם זָהָב בְּאַף חֲזִיר	Prov. 11:22
אַפִּי	94	וְחָרָה אַפִּי וְהָרַגְתִּי אֶתְכֶם	Ex. 22:23
	95	וְיִחַר־אַפִּי בָהֶם וַאֲכַלֵּם	Ex. 32:10
	96	וְחָרָה אַפִּי בוֹ בַיּוֹם־הַהוּא	Deut. 31:17
	97	הוֹי אַשּׁוּר שֵׁבֶט אַפִּי	Is. 10:5
אַפִּי (המשך)	98	לְמַעַן שְׁמִי אַאֲרִיךְ אַפִּי	Is. 48:9
	99	הִנֵּה אַפִּי וַחֲמָתִי נִתֶּכֶת	Jer. 7:20
	100	כִּי עַל־אַפִּי וְעַל־חֲמָתִי	Jer. 32:31
	101	כַּאֲשֶׁר נִתַּךְ אַפִּי וַחֲמָתִי	Jer. 42:18
	102	וְהֵבֵאתִי... אֶת־חֲרוֹן אַפִּי	Jer. 49:37
	103	וְכָלָה אַפִּי וַהֲנִחוֹתִי חֲמָתִי בָּם	Ezek. 5:13
	104	וְשִׁלַּחְתִּי אַפִּי בָךְ	Ezek. 7:3
	105	וְכִלֵּיתִי אַפִּי בָּךְ	Ezek. 7:8
	106	וָאֹמַר... לְכַלּוֹת אַפִּי בָּהֶם	Ezek. 20:8
	107	לְכַלּוֹת אַפִּי בָּם בַּמִּדְבָּר	Ezek. 20:21
	108	חָרָה אַפִּי בָּם	Hosh. 8:5
	109	לֹא אֶעֱשֶׂה חֲרוֹן אַפִּי	Hosh. 11:9
	110	כִּי שָׁב אַפִּי מִמֶּנּוּ	Hosh. 14:5
	111	לִשְׁפֹּךְ... כֹּל חֲרוֹן אַפִּי	Zep. 3:8
	112	עַל־הָרֹעִים חָרָה אַפִּי	Zech. 10:3
	113	חָרָה אַפִּי בְךָ וּבִשְׁנֵי רֵעֶיךָ	Job 42:7
וְאַפִּי	114	וְכָלָה זַעַם וְאַפִּי עַל־תַּבְלִיתָם	Is. 10:25
	115	וַתִּתַּךְ חֲמָתִי וְאַפִּי	Jer. 44:6
בְּאַפִּי	116	כִּי־אֵשׁ קָדְחָה בְאַפִּי	Deut. 32:22
	117	וְאֶדְרְכֵם בְּאַפִּי וְאֶרְמְסֵם בַּחֲמָתִי	Is. 63:3
	118	וְאָבוּס עַמִּים בְּאַפִּי	Is. 63:6
	119	אֵלֶּה עָשָׁן בְּאַפִּי	Is. 65:5
	120	כִּי־אֵשׁ קָדְחָה בְאַפִּי	Jer. 15:14
	121	כִּי־אֵשׁ קְדַחְתֶּם בְּאַפִּי	Jer. 17:4
	122	בְּאַפִּי וּבַחֲמָתִי וּבְקֶצֶף גָּדוֹל	Jer. 32:37
	123	אֲשֶׁר־הִכֵּיתִי בְאַפִּי וּבַחֲמָתִי	Jer. 33:5
	124	וְגֶשֶׁם שֹׁטֵף בְּאַפִּי יִהְיֶה	Ezek. 13:13
	125	כֵּן אֶקְבֹּץ בְּאַפִּי וּבַחֲמָתִי	Ezek. 22:20
	126	תַּעֲלֶה חֲמָתִי בְּאַפִּי	Ezek. 38:18
	127	וָאֲכַל אוֹתָם בְּאַפִּי	Ezek. 43:8
	128	אֶתֶּן־לְךָ מֶלֶךְ בְּאַפִּי	Hosh. 13:11
	129	אֲשֶׁר־נִשְׁבַּעְתִּי בְאַפִּי	Ps. 95:11
	130	וְרוּחַ אֱלוֹהַּ בְּאַפִּי	Job 27:3
כְּאַפִּי	131	וְעָשׂוּ בֶאֱדוֹם כְּאַפִּי וְכַחֲמָתִי	Ezek. 25:14
לְאַפִּי	132	גַּם קָרָאתִי גִבּוֹרַי לְאַפִּי	Is. 13:3
אַפְּךָ	133	וְאַל־יִחַר אַפְּךָ בְּעַבְדֶּךָ	Gen. 44:18
	134	לָמָה יְיָ יֶחֱרֶה אַפְּךָ בְּעַמֶּךָ	Ex. 32:11
	135	אַל־יִחַר אַפְּךָ בִּי	Jud. 6:39
	136	יָשֹׁב אַפְּךָ וּתְנַחֲמֵנִי	Is. 12:1
	137	אַל־לְאֶרֶךְ אַפְּךָ תִּקָּחֵנִי	Jer. 15:15
	138	בְּעֵת אַפְּךָ עֲשֵׂה בָהֶם	Jer. 18:23
	139	וַחֲרוֹן אַפְּךָ יַשִּׂיגֵם	Ps. 69:25
	140	יֶעְשַׁן אַפְּךָ בְּצֹאן מַרְעִיתֶךָ	Ps. 74:1
	141	תִּמְשֹׁךְ אַפְּךָ לְדֹר וָדֹר	Ps. 85:6
	142	יָשָׁב־נָא אַפְּךָ וַחֲמָתְךָ	Dan. 9:16
אַפֶּךָ	143	שׁוּב מֵחֲרוֹן אַפֶּךָ	Ex. 32:12
	144	אִם בַּנְּהָרִים אַפֶּךָ	Hab. 3:8
	145	מִגַּעֲרָתְךָ יְיָ מִנִּשְׁמַת רוּחַ אַפֶּךָ	Ps. 18:16
	146	וּמִי־יַעֲמֹד לְפָנֶיךָ מֵאָז אַפֶּךָ	Ps. 76:8
	147	הֱשִׁיבוֹתָ מֵחֲרוֹן אַפֶּךָ	Ps. 85:4
	148	מִי־יוֹדֵעַ עֹז אַפֶּךָ	Ps. 90:11
	149	תַּסְתִּירֵנִי עַד־שׁוּב אַפֶּךָ	Job 14:13
	150	הָפֵץ עַבְרוֹת אַפֶּךָ	Job 40:11
	151	הָרַגְתָּ בְּיוֹם אַפֶּךָ	Lam. 2:21
בְּאַפְּךָ	152	אַל־בְּאַפְּךָ פֶּן־תַּמְעִטֵנִי	Jer. 10:24
	153	אַל־בְּאַפְּךָ תוֹכִיחֵנִי	Ps. 6:2
בְּאַפֶּךָ	154	יָשִׂימוּ קְטוֹרָה בְּאַפֶּךָ	Deut. 33:10
	155/6	וְשַׂמְתִּי חַחִי בְּאַפֶּךָ	IIK. 19:28 • Is. 37:29
	157	קוּמָה יְיָ בְּאַפֶּךָ	Ps. 7:7
	158	כִּי־כָלִינוּ בְאַפֶּךָ...	Ps. 90:7
כְּאַפְּךָ	159	וְעָשִׂיתִי כְּאַפְּךָ וּכְקִנְאָתְךָ	Ezek. 35:11
אַפֵּךְ	160	וָאֶתֵּן נֶזֶם עַל־אַפֵּךְ	Ezek. 16:12
אַפֵּךְ (המשך)	161	אַפֵּךְ וְאָזְנַיִךְ יָסִירוּ	Ezek. 23:25
	162	אַפֵּךְ כְּמִגְדַּל הַלְּבָנוֹן	S.ofS. 7:5
	163	וְרֵיחַ אַפֵּךְ כַּתַּפּוּחִים	S.ofS. 7:9
אַפּוֹ	164	וַיְהִי כִשְׁמֹעַ אֲדֹנָיו...וַיִּחַר אַפּוֹ	Gen. 39:19
	165	וַיִּשְׁמַע יְיָ וַיִּחַר אַפּוֹ	Num. 11:1
	166	לְמַעַן יָשׁוּב יְיָ מֵחֲרוֹן אַפּוֹ	Deut. 13:18
	167	וַיָּשָׁב יְיָ מֵחֲרוֹן אַפּוֹ	Josh. 7:26
	168	וַיִּשְׁמַע זְבֻל... וַיִּחַר אַפּוֹ	Jud. 9:30
	169	וַיִּחַר אַפּוֹ וַיַּעַל בֵּית אָבִיהוּ	Jud. 14:19
	170	וַיִּחַר אַפּוֹ מְאֹד	ISh. 11:6
	171	וְלֹא־עָשִׂיתָ חֲרוֹן־אַפּוֹ בַּעֲמָלֵק	ISh. 28:18
	172	בְּגַעֲרַת יְיָ מִנִּשְׁמַת רוּחַ אַפּוֹ	IISh. 22:16
	173	אַךְ לֹא־שָׁב יְיָ מֵחֲרוֹן אַפּוֹ הַגָּדוֹל	IIK. 23:26
	174	אֲשֶׁר־חָרָה אַפּוֹ בִּיהוּדָה	IIK. 23:26
	179-175	בְּכָל־זֹאת לֹא־שָׁב אַפּוֹ	Is. 5:25
			9:11,16,20; 10:4
	190-180	(בַּ־/מֵ־) חֲרוֹן אַפּוֹ	Is. 13:13
			Jer. 4:26; 25:38 • Jon. 3:9 • Nah. 1:6 • Ps. 78:49 • Job 20:23 • Lam. 1:12; 4:11 • IICh. 29:10; 30:8
	191	בֹּעֵר אַפּוֹ וְכֹבֶד מַשָּׂאָה	Is. 30:27
	192	וַיִּשְׁפֹּךְ עָלָיו חֵמָה אַפּוֹ	Is. 42:25
	193	לְהָשִׁיב בְּחֵמָה אַפּוֹ...	Is. 66:15
	194	אַךְ שָׁב אַפּוֹ מִמֶּנִּי	Jer. 2:35
	195	וַיִּטְרֹף לָעַד אַפּוֹ...	Am. 1:11
	196	לֹא־הֶחֱזִיק לָעַד אַפּוֹ	Mic. 7:18
	197	כִּי־יִבְעַר כִּמְעַט אַפּוֹ	Ps. 2:12
	198	רָשָׁע כְּגֹבַהּ אַפּוֹ בַּל־יִדְרֹשׁ	Ps. 10:4
	199	וְהִרְבָּה לְהָשִׁיב אַפּוֹ	Ps. 78:38
	200	מָחַץ בְּיוֹם־אַפּוֹ מְלָכִים	Ps. 110:5
	201	שֵׂכֶל אָדָם הֶאֱרִיךְ אַפּוֹ	Prov. 19:11
	202	וְהֵשִׁיב מֵעָלָיו אַפּוֹ	Prov. 24:18
	203	וּמֵרוּחַ אַפּוֹ יִכְלוּ	Job 4:9
	204	אֱלוֹהַּ לֹא־יָשִׁיב אַפּוֹ	Job 9:13
	205	אַפּוֹ טָרַף וַיִּשְׂטְמֵנִי	Job 16:9
	206	וַיַּחַר עָלַי אַפּוֹ	Job 19:11
	207	נִגָּרוֹת בְּיוֹם אַפּוֹ	Job 20:28
	208	בְּאִיּוֹב חָרָה אַפּוֹ	Job 32:2
	209	וּבִשְׁלֹשֶׁת רֵעָיו חָרָה אַפּוֹ	Job 32:3
	210	וַיַּרְא אֱלִיהוּא... וַיִּחַר אַפּוֹ	Job 32:5
	211	וְעַתָּה כִּי־אַיִן פָּקַד אַפּוֹ	Job 35:15
	212	וְלֹא־זָכַר הֲדֹם־רַגְלָיו בְּיוֹם אַפּוֹ	Lam. 2:1
	213	וַיִּנְאַץ בְּזַעַם־אַפּוֹ מֶלֶךְ וְכֹהֵן	Lam. 2:6
וְאַפּוֹ	214	וְעֻזּוֹ וְאַפּוֹ עַל כָּל־עֹזְבָיו	Ez. 8:22
בְּאַפּוֹ	215	אֲשֶׁר הָפַךְ יְיָ בְּאַפּוֹ וּבַחֲמָתוֹ	Deut. 29:22
	216	עָלָה עָשָׁן בְּאַפּוֹ...	IISh. 22:9
	217	...מִן־הָאָדָם אֲשֶׁר נְשָׁמָה בְּאַפּוֹ	Is. 2:22
	218	אָז יְדַבֵּר אֵלֵימוֹ בְאַפּוֹ	Ps. 2:5
	219	עָלָה עָשָׁן בְּאַפּוֹ...	Ps. 18:9
	220	יְיָ בְּאַפּוֹ יְבַלְּעֵם	Ps. 21:10
	221	כִּי רֶגַע בְּאַפּוֹ חַיִּים בִּרְצוֹנוֹ	Ps. 30:6
	222	אֲשֶׁר הֲפָכָם בְּאַפּוֹ	Job 9:5
	223	טֹרֵף נַפְשׁוֹ בְּאַפּוֹ	Job 18:4
	224	חֲבָלִים יְחַלֵּק בְּאַפּוֹ	Job 21:17
	225	הֲתָשִׂים אַגְמֹן בְּאַפּוֹ	Job 40:26
	226	אֵיכָה יָעִיב בְּאַפּוֹ אֲדֹנָי	Lam. 2:1
לְאַפּוֹ	227	יְפַלֵּס נָתִיב לְאַפּוֹ	Ps. 78:50
אַפָּהּ	228	וָאָשִׂם הַנֶּזֶם עַל־אַפָּהּ	Gen. 24:47
וּבְאַפְּכֶם	229	וָאַעֲלֶה בְּאֹשׁ מַחֲנֵיכֶם וּבְאַפְּכֶם	Am. 4:10
מֵאַפְּכֶם	230	עַד אֲשֶׁר־יֵצֵא מֵאַפְּכֶם	Num. 11:20
אַפָּם	231	אָרוּר אַפָּם כִּי עָז	Gen. 49:7
	232	שֹׁלְחִים אֶת־הַזְּמוֹרָה אֶל־אַפָּם	Ezek. 8:17
	233	חַיִּים בְּלָעוּנוּ בַּחֲרוֹת אַפָּם בָּנוּ	Ps. 124:3

234 וַיִּחַר אַפָּם מְאֹד בִּיהוּדָה IICh.25:10
בְּאַפָּם 235 כִּי בְאַפָּם הָרְגוּ אִישׁ Gen.49:6
אַפַּיִם 236 וַיִּשְׁתַּחוּ אַפַּיִם אָרְצָה Gen.19:1
237 וַיִּשְׁתַּחֲווּ־לוֹ אַפַּיִם אָרְצָה Gen.42:6
238/9 אֶרֶךְ אַפַּיִם וְרַב־חֶסֶד וֶאֱמֶת Ex.34:6 Ps.86:15
244-240 (יְיָ) אֶרֶךְ אַפַּיִם וְרַב־חֶסֶד Num.14:18
Joel 2:13 • Jon.4:2 • Ps.103:8 • Neh.9:17
245 וַיִּקֹּד דָּוִד אַפַּיִם אַרְצָה ISh.24:9(8)
246 וַתָּקָם וַתִּשְׁתַּחוּ אַפַּיִם אַרְצָה ISh.25:41
247 וַיִּקֹּד אַפַּיִם אַרְצָה וַיִּשְׁתָּחוּ ISh.28:14
248 וַתִּקֹּד בַּת־שֶׁבַע אַפַּיִם אֶרֶץ IK.1:31
249 אַפַּיִם אֶרֶץ יִשְׁתַּחֲווּ־לָךְ Is.49:23
250 יְיָ אֶרֶךְ אַפַּיִם וּגְדָל־כֹּחַ Nah.1:3
251 אֶרֶךְ אַפַּיִם וּגְדָל־חָסֶד Ps.145:8
252 קְצַר־אַפַּיִם יַעֲשֶׂה אִוֶּלֶת Prov.14:17
253 אֶרֶךְ אַפַּיִם רַב־תְּבוּנָה Prov.14:29
254 וְאֶרֶךְ אַפַּיִם יַשְׁקִיט רִיב Prov.15:18
255 טוֹב אֶרֶךְ אַפַּיִם מִגִּבּוֹר Prov.16:32
256 בְּאֹרֶךְ אַפַּיִם יְפֻתֶּה קָצִין Prov.25:15
257 וּמִיץ אַפַּיִם יוֹצִיא רִיב Prov.30:33
258 וַיִּשְׁתַּחֲוֻ לַייָ אַפַּיִם אָרְצָה Neh.8:6
259 וַיִּשְׁתַּחוּ לְדָוִיד אַפַּיִם אָרְצָה ICh.21:21
260 וַיִּכְרְעוּ אַפַּיִם אַרְצָה עַל־הָרִצְפָּה IICh.7:3
261 וַיִּקֹּד יְהוֹשָׁפָט אַפַּיִם אָרְצָה IICh.20:18
אַפָּיִם 262 וּלְחַנָּה יִתֵּן מָנָה אַחַת אַפָּיִם ISh.1:5
בְּאַפַּיִם 263 וְלֹא בְאַפַּיִם וְלֹא בְמִלְחָמָה Dan.11:20
לְאַפֵּי־ 264 וַתִּפֹּל לְאַפֵּי דָוִד עַל־פָּנֶיהָ ISh.25:23
אַפֶּיךָ 265 בְּזֵעַת אַפֶּיךָ תֹּאכַל לֶחֶם Gen.3:19
266 וּבְרוּחַ אַפֶּיךָ נֶעֶרְמוּ מַיִם Ex.15:8
אַפָּיו 267 וַיִּשְׁתַּחוּ לוֹ עַל־אַפָּיו אַרְצָה IISh.14:33
268 וַיִּשְׁתַּחוּ לַמֶּלֶךְ אַפָּיו אָרְצָה IISh.24:20
269 וַיִּשְׁתַּחוּ לַמֶּלֶךְ עַל־אַפָּיו אָרְצָה IK.1:23
בְּאַפָּיו 270 וַיִּפַּח בְּאַפָּיו נִשְׁמַת חַיִּים Gen.2:7
271 כֹּל אֲשֶׁר נִשְׁמַת־רוּחַ חַיִּים בְּאַפָּיו Gen.7:22
לְאַפָּיו 272 וַיִּשְׁתַּחוּ לְאַפָּיו אָרְצָה Gen.48:12
273 וַיִּקֹּד וַיִּשְׁתַּחוּ לְאַפָּיו Num.22:31
274 וַיִּפֹּל לְאַפָּיו אַרְצָה וַיִּשְׁתַּחוּ ISh.20:41
275 וַיִּשְׁתַּחוּ לַמֶּלֶךְ לְאַפָּיו אָרְצָה IISh.18:28
אַפֶּיהָ 276 וַתִּפֹּל עַל־אַפֶּיהָ אַרְצָה וַתִּשְׁתָּחוּ IISh.14:4
אַפֵּינוּ 277 רוּחַ אַפֵּינוּ מְשִׁיחַ יְיָ נִלְכַּד... Lam.4:20

אַף²

מ״ח א) גם: 1—85, 106—120
ב) [אַף אָמְנָם] גם (בהדגשה): 86, 128
ג) [אַף־גַּם] להדגשה: 110
ד) [אַף כִּי] 1) גם אם, אף־על־פי: 87, 91, 92, 96, 102, 103, 127; 2) על אחת כמה וכמה: 88—90, 93—95, 97—101, 104, 105, 121—125;
3) אפילו: 126
ה) [הַאַף] האם גם?: 130—134
ו) [הַאַף אָמְנָם] האמנם, הבאמת?: 129
ז) [אַף אֲשֶׁר] 107

אַף 1 אַף־אֲנִי בַּחֲלוֹמִי Gen.40:16
2 אַף־אֲנִי אֶעֱשֶׂה־זֹּאת לָכֶם Lev.26:16
3 וְהָלַכְתִּי אַף־אֲנִי עִמָּכֶם בְּקֶרִי Lev.26:24
4 וְיִסַּרְתִּי אֶתְכֶם אַף־אָנִי Lev.26:28
5 אַף־אֲנִי אֵלֵךְ עִמָּם בְּקֶרִי Lev.26:41
6 רְפָאִים יֵחָשְׁבוּ אַף־הֵם כָּעֲנָקִים Deut.2:11
7 אֶרֶץ־רְפָאִים תֵּחָשֵׁב אַף־הִוא Deut.2:20
8 אַף חֹבֵב עַמִּים Deut.33:3
9 וְטָרַף זְרוֹעַ אַף־קָדְקֹד Deut.33:20
10 אַף־שָׁמָיו יַעַרְפוּ־טָל Deut.33:28

אַף (המשך) 82-11 אַף Num.16:14 • Jud.5:29
ISh.2:7 • IISh.20:14 • IIK.2:14 • Is.26:8,9,11; 33:2; 35:2; 40:24^{3}; 41:10^{2},23,26^{3}; 42:13; 43:7,19; 44:15^{2},16; 45:21; 46:6,7,11^{3}; 48:12,13,15 • Ps. 16:6,7,9; 18:49; 44:10; 58:3; 65:14; 68:9,17; 74:16; 77:17,18; 89:6,12,22,28,44; 93:1; 96:10; 108:2; 119:3; 135:17 • Prov.9:2; 22:19; 23:28 • Job 15:4; 32:10,17^{2}; 36:29,33; 37:1,11 • S.ofS.1:16^{2} • Eccl. 2:9 • Es.5:12 • ICh.16:30
83 אַף שֹׁכְנֵי בָתֵּי־חֹמֶר Job4:19
84 אַף־עַל־יָתוֹם תַּפִּילוּ Job6:27
85 אַף־עַל־זֶה פָּקַחְתָּ עֵינֶךָ Job14:3
86 אַף־אָמְנָם אֵל לֹא־יַרְשִׁיעַ Job34:12
אַף כִּי 87 אַף כִּי־אָמַר אֱלֹהִים Gen.3:1
88 אַף כִּי לוּא אָכֹל אָכַל הַיּוֹם הָעָם ISh.14:30
89 אַף כִּי־אֲנָשִׁים רְשָׁעִים IISh.4:11
90 אַף כִּי־הַבַּיִת הַזֶּה IK.8:27
91 אַף כִּי־אַרְבַּעַת שְׁפָטַי הָרָעִים Ezek.14:21
92 אַף כִּי־אֵשׁ אֲכָלַתְהוּ וַיֵּחָר Ezek.15:5
93 אַף כִּי־רָשָׁע וְחוֹטֵא Prov.11:31
94 אַף כִּי־לִבּוֹת בְּנֵי־אָדָם Prov.15:11
95 אַף כִּי־לְנָדִיב שְׂפַת־שָׁקֶר Prov.17:7
96 אַף כִּי מְרֵעֵהוּ רָחֲקוּ מִמֶּנּוּ Prov.19:7
97 אַף כִּי־לְעֶבֶד מְשֹׁל בְּשָׂרִים Prov.19:10
98 אַף כִּי־בְזִמָּה יְבִיאֶנּוּ Prov.21:27
99 אַף כִּי־אָנֹכִי אֶעֱנֶנּוּ Job9:14
100 אַף כִּי־נִתְעָב וְנֶאֱלָח Job15:16
101 אַף כִּי־אֱנוֹשׁ רִמָּה Job25:6
102 אַף כִּי־תֹאמַר לֹא תְשׁוּרֶנּוּ Job35:14
103 אַף כִּי־עָשׂוּ לָהֶם עֵגֶל מַסֵּכָה Neh.9:18
104 אַף כִּי־הַבַּיִת הַזֶּה IICh.6:18
105 אַף כִּי אֱלֹהֵיכֶם IICh.32:15
וְאַף 106 וְאַף בַּעֲוֺנֹת אֲבֹתָם אִתָּם יִמָּקּוּ Lev.26:39
107 וְאַף אֲשֶׁר־הָלְכוּ עִמִּי בְּקֶרִי Lev.26:40
108 וְאַף אֶת־בְּרִיתִי יִצְחָק Lev.26:42
109 וְאַף אֶת־בְּרִיתִי אַבְרָהָם אֶזְכֹּר Lev.26:42
110 וְאַף־גַּם־זֹאת בִּהְיוֹתָם בְּאֶרֶץ... Lev.26:44
111 וְאַף לַאֲמָתְךָ תַּעֲשֶׂה־כֵּן Deut.15:17
120-112 וְאַף Is.44:19
Hab. 2:15 • Ps. 68:19 • Job 36:16 • Neh. 2:18; 13:15 • ICh.8:32; 9:38 • IICh.12:5
וְאַף כִּי 121 וְאַף כִּי־אַחֲרֵי מוֹתִי Deut.31:27
122 וְאַף כִּי הַיּוֹם יִקְדַּשׁ בַּכֶּלִי ISh.21:6
123 וְאַף כִּי־נֵלֵךְ קְעִלָה ISh.23:3
124 וְאַף כִּי־עַתָּה בֶּן־הַיְמִינִי IISh.16:11
125 וְאַף כִּי־אָמַר אֵלֶיךָ רְחַץ וּטְהָר IIK.5:13
126 וְאַף כִּי תִשְׁלַחְנָה לַאֲנָשִׁים Ezek.23:40
127 וְאַף כִּי־הַיַּיִן בֹּגֵד Hab.2:5
וְאַף־אָמְנָם 128 וְאַף־אָמְנָם שָׁגִיתִי Job19:4
הַאַף 129 הַאַף אֻמְנָם אֵלֵד וַאֲנִי זָקַנְתִּי Gen.18:13
130 הַאַף תִּסְפֶּה צַדִּיק עִם־רָשָׁע Gen.18:23
131 הַאַף תִּסְפֶּה וְלֹא־תִשָּׂא לַמָּקוֹם Gen.18:24
132 הַאַף אֵין־זֹאת בְּנֵי יִשְׂרָאֵל Am.2:11
133 הַאַף שׂוֹנֵא מִשְׁפָּט יַחֲבוֹשׁ Job34:17
134 הַאַף תָּפֵר מִשְׁפָּטִי Job40:8

אַף³

מ״ח ארמית – כמו בעברית: גם
וְאַף 1 וְאַף קָדָמָךְ... חֲבוּלָה לָא עַבְדֵת Dan.6:23
2 וְאַף שְׁמָהָתְהֹם שְׁאֵלְנָא לְהֹם Es.5:10
3 וְאַף מָאנֵי בֵית־אֱלָהָא... הַנְפֵּק... Es.6:5

אפד

: אָפַד; אֵפוֹד; אֲפֻדָּה; ש״פ־אֵפֹד

אָפַד

פ׳ חגר, אזר — קרובים: ראה חגר
וְאָפַדְתָּ 1 וְאָפַדְתָּ לוֹ בְּחֵשֶׁב הָאֵפֹד Ex.29:5
וַיֶּאְפֹּד 2 וַיַּחְגֹּר... וַיֶּאְפֹּד לוֹ בּוֹ Lev.8:7

אֵפֹדִי

עיין אֵפוֹד

אֵפֹד²

שפ״ז – אבי נשיא מנשה בימי משה
אֵפֹד 1 נְשִׂיא חַנִּיאֵל בֶּן־אֵפֹד Num.34:23

אֲפֻדָּה

נ׳ א) כסוי, צפוי: 1
ב) חגירה, אזירה: 2, 3
אֲפֻדַּת־ 1 וְטִמֵּאתֶם...וְאֶת־אֲפֻדַּת מַסֵּכַת זְהָבֶךָ Is.30:22
אֲפֻדָּתוֹ 3-2 וְחֵשֶׁב אֲפֻדָּתוֹ אֲשֶׁר עָלָיו Ex.28:8; 39:5

אַפֶּדֶן*

ז׳ היכל, אולם (?)
אַפַּדְנוֹ 1 וְיִטַּע אָהֳלֵי אַפַּדְנוֹ בֵּין יַמִּים Dan. 11:45

אפה

: אָפָה, נֶאֱפָה; אוֹפֶה, מַאֲפֶה, תֻּפִינִים(?)

אָפָה

פ׳ חמם בתנור [עין גם אוֹפֶה]
אָפִיתִי 1 וְאַף אָפִיתִי עַל־גֶּחָלָיו לֶחֶם Is.44:19
וְאָפִיתָ 2 וְאָפִיתָ אֹתָהּ שְׁתֵּים עֶשְׂרֵה חַלּוֹת Lev.24:5
אָפָה 3 וּמַצּוֹת אָפָה וַיֹּאכֵלוּ Gen.19:3
וְאָפָה 4 אַף־יַשִּׂיק וְאָפָה לָחֶם Is.44:15
וְאָפוּ 5 וְאָפוּ עֶשֶׂר נָשִׁים לַחְמְכֶם Lev.26:26
וַתֹּפֵהוּ 6 וַתָּלָשׁ וַתֹּפֵהוּ מַצּוֹת ISh.28:24
תֹּאפוּ 7 אֵת אֲשֶׁר־תֹּאפוּ אֵפוּ Ex.16:23
יֹאפוּ 8 אֲשֶׁר יֹאפוּ אֶת־הַמִּנְחָה Ezek.46:20
וַיֹּאפוּ 9 וַיֹּאפוּ אֶת־הַבָּצֵק... עֻגֹת מַצּוֹת Ex.12:39
אֵפוּ 10 אֵת אֲשֶׁר־תֹּאפוּ אֵפוּ Ex.16:23
תֵּאָפֶה 11 לֹא תֵאָפֶה חָמֵץ Lev.6:10
12 וְכָל־מִנְחָה אֲשֶׁר תֵּאָפֶה בַּתַּנּוּר Lev.7:9
תֵּאָפֶינָה 13 סֹלֶת תִּהְיֶינָה חָמֵץ תֵּאָפֶינָה Lev.23:17

אֵפוֹ, אֵפוֹא

מ״ח להדגשה – בשאלה, בצווי וכדומה
אֵפוֹ 1 וְאַיֵּה אֵפוֹ תִקְוָתִי Job17:15
2 דְּעוּ־אֵפוֹ כִּי־אֱלוֹהַּ עִוְּתָנִי Job19:6
3 מִי־יִתֵּן אֵפוֹ וְיִכָּתְבוּן מִלָּי Job19:23
4 וְאִם־לֹא אֵפוֹ מִי יַכְזִיבֵנִי Job24:25
אֵפוֹא 5 מִי־אֵפוֹא הוּא הַצָּד־צַיִד Gen.27:33
6 וּלְכָה אֵפוֹא מָה אֶעֱשֶׂה Gen.27:37
7 אִם־כֵּן אֵפוֹא זֹאת עֲשׂוּ Gen.43:11
8 וּבַמֶּה יִוָּדַע אֵפוֹא כִּי־מָצָאתִי חֵן Ex.33:16
9 אַיֵּה אֵפוֹא פִיךָ אֲשֶׁר תֹּאמַר... Jud.9:38
10 דְּעוּ אֵפוֹא כִּי לֹא יִפֹּל מִדְּבַר יְיָ IIK.10:10
11 אַיָּם אֵפוֹא חֲכָמֶיךָ וְיַגִּידוּ Is.19:12
12 מַה־לָּךְ אֵפוֹא כִּי־עָלִית Is.22:1
13 אֱהִי מַלְכְּךָ אֵפוֹא וְיוֹשִׁיעֲךָ Hosh.13:10
14 עֲשֵׂה זֹאת אֵפוֹא בְּנִי Prov.6:3
15 אִם־לֹא אֵפוֹא מִי־הוּא Job9:24

אֵפוֹד

ז׳ א) אחד מבגדי הכהן הגדול שאליו היה צמוד החושן: 1, 2, 5—7, 9—34, 38—40, 41, 43—45
ב) בגד בד למשרתים בקודש: 46—49
ג) כלי פולחן שנזכר על־פי רוב יחד עם ״תרפים״: 3, 4, 8, 35—37, 42

אֵפוֹד וּתְרָפִים 3, 4, 8, 37; אֵפוֹד בָּד 46—49; חֵשֶׁב הָאֵ׳ 19, 21, 27, 29, 31, 34; טַבְּעוֹת הָאֵ׳ 20, 30; כִּתְפוֹת הָאֵ׳ 11—15, 18; מְעִיל הָאֵ׳ 24, 25, 32; כְּמַעֲשֵׂה אֵפוֹד 1, 2; עֵבֶר הָאֵ׳ 16; פְּסַל הָאֵ׳ 36

אֵפוֹד 1 כְּמַעֲשֵׂה אֵפֹד תַּעֲשֶׂנּוּ Ex.28:15
2 מַעֲשֵׂה חֹשֵׁב כְּמַעֲשֵׂה אֵפֹד Ex.39:8
3 וַיַּעַשׂ אֵפוֹד וּתְרָפִים Jud.17:5

אֵפוֹד (המשך) 4 אֵפוֹד וּתְרָפִים וּפֶסֶל וּמַסֵּכָה Jud.18:14
5 לָשֵׂאת אֵפוֹד לְפָנָי ISh.2:28
6 כֹּהֵן יְיָ בְּשִׁלוֹ נֹשֵׂא אֵפוֹד ISh.14:3
7 בִּבְרֹחַ אֶבְיָתָר... אֵפוֹד יָרַד בְּיָדוֹ ISh.23:6
8 וְאֵין אֵפוֹד וּתְרָפִים Hosh.3:4
וְאֵפוֹד 9 חֹשֶׁן וְאֵפוֹד וּמְעִיל... Ex.28:4
הָאֵפוֹד 10 וְעָשׂוּ אֶת־הָאֵפֹד זָהָב... Ex.28:6
11-15 כִּתְפֹ(ו)ת הָאֵפֹד Ex.28:12,25; 39:7,18,20
16/7 אֶל־עֵבֶר הָאֵפוֹד בָּיְתָה Ex.28:26; 39:19
18 וְנָתַתָּה... עַל־שְׁתֵּי כִתְפוֹת הָאֵפוֹד Ex.28:27
19 מִמַּעַל לְחֵשֶׁב הָאֵפוֹד Ex.28:27
20 וְיִרְכְּסוּ... אֶל־טַבְּעֹת הָאֵפוֹד Ex.28:28
21 לִהְיוֹת עַל־חֵשֶׁב הָאֵפוֹד Ex.28:28
22 וְלֹא־יִזַּח הַחֹשֶׁן מֵעַל הָאֵפוֹד Ex.28:28
23 וְלֹא־יִזַּח הַחֹשֶׁן מֵעַל הָאֵפֹד Ex.39:21
24 וְעָשִׂיתָ אֶת־מְעִיל הָאֵפוֹד Ex.28:31
25 אֶת־הַכֻּתֹּנֶת וְאֵת מְעִיל הָאֵפֹד Ex.29:5
26 וְאֶת־הָאֵפֹד וְאֶת־הַחֹשֶׁן Ex.29:5
27 וְאָפַדְתָּ לוֹ בְּחֵשֶׁב הָאֵפֹד Ex.29:5
28 וַיַּעַשׂ אֶת־הָאֵפֹד זָהָב Ex.39:2
29 מִמַּעַל לְחֵשֶׁב הָאֵפֹד Ex.39:20
30 וַיִּרְכְּסוּ... אֶל־טַבְּעֹת הָאֵפֹד Ex.39:21
31 לִהְיֹת עַל־חֵשֶׁב הָאֵפֹד Ex.39:21
32 וַיַּעַשׂ אֶת־מְעִיל הָאֵפֹד Ex.39:22
33 וַיִּתֵּן עָלָיו אֶת־הָאֵפֹד Lev.8:7
34 וַיַּחְגֹּר אֹתוֹ בְּחֵשֶׁב הָאֵפֹד Lev.8:7
35 לָקְחוּ אֶת־הַפֶּסֶל וְאֶת־הָאֵפוֹד Jud.18:17
36 וַיִּקְחוּ אֶת־פֶּסֶל הָאֵפוֹד Jud.18:18
37 וַיִּקַּח אֶת־הָאֵפוֹד וְאֶת־הַתְּרָפִים Jud.18:20
38 לוּטָה בַשִּׂמְלָה אַחֲרֵי הָאֵפוֹד ISh.21:10
39/40 וַיֹּאמֶר...הַגִּישָׁה (נָּא לִי) הָאֵפוֹד ISh.23:9;30:7
41 וַיַּגֵּשׁ אֶבְיָתָר אֶת־הָאֵפוֹד אֶל־דָּוִד ISh.30:7
לְאֵפוֹד 42 וַיַּעַשׂ אוֹתוֹ גִדְעוֹן לְאֵפוֹד Jud.8:27
לָאֵפוֹד 43 אַבְנֵי־שֹׁהַם... לָאֵפֹד וְלַחֹשֶׁן Ex.25:7
44 וְאַבְנֵי־שֹׁהַם... לָאֵפוֹד וְלַחֹשֶׁן Ex.35:9
45 אֵת אַבְנֵי הַשֹּׁהַם...לָאֵפוֹד וְלַחֹשֶׁן Ex.35:27
אֵפוֹד־ 46 וּשְׁמוּאֵל... נַעַר חָגוּר אֵפוֹד בָּד ISh.2:18
47 וַיָּמֶת... אִישׁ נֹשֵׂא אֵפוֹד בָּד ISh.22:18
48 וְדָוִד חָגוּר אֵפוֹד בָּד IISh.6:14
49 וְעַל־דָּוִיד אֵפוֹד בָּד ICh.15:27

אֲפִיחַ שפ״ז – מאבות אבותיו של שאול המלך
אֲפִיחַ 1 בֶּן־אֲפִיחַ בֶּן־אִישׁ יְמִינִי ISh.9:1

אָפִיל* ת׳ מאחר להבשיל
אֲפִילֹת 1 וְהַחִטָּה וְהַכֻּסֶּמֶת לֹא נֻכּוּ
כִּי אֲפִילֹת הֵנָּה Ex.9:32

אַפַּיִם שפ״ז – איש מיהודה, מבניו של נדב הירחמאלי
אַפָּיִם 1 וּבְנֵי אַפַּיִם יִשְׁעִי ICh.2:31
וְאַפָּיִם 2 וּבְנֵי נָדָב סֶלֶד וְאַפָּיִם ICh.2:30

אָפִיק ז׳ א) העמק שהנחל או הים זורמים בו, וכן כנוי לזרם המים: 1–14, 17–19
ב) קנה חלול: 16,15
אֲפִיק נְחָלִים 1; מְזִיחַ אֲפִיקִים 2; אֲפִיקֵי הָאָרֶץ 10; אֲ׳ יְהוּדָה 12; אֲ׳ יָם 9; אֲפִיקֵי מַיִם 11, 13, 14, 17; אֲפִיקֵי נְחוּשָׁה 15
כַּאֲפִיק־ 1 כַּאֲפִיק נְחָלִים יַעֲבֹרוּ Job 6:15
אֲפִיקִים 2 וּמְזִיחַ אֲפִיקִים רִפָּה Job 12:21
וַאֲפִיקִים 3 וַאֲפִקִים יִמָּלְאוּן מִמֶּךָּ Ezek.32:6
בָּאֲפִיקִים 4 בָּאֲפִיקִים וּבְכֹל מוֹשְׁבֵי הָאָרֶץ Ezek.34:13
כַּאֲפִיקִים 5 שׁוּבָה יְיָ אֶת־שְׁבִיתֵנוּ כַּאֲפִיקִים בַּנֶּגֶב Ps.126:4

לַאֲפִיקִים 6-8 לָאֲפִיקִים וְלַגֵּאָיוֹת Ezek.6:3; 36:4,6
אֲפִיקֵי־ 9 וַיֵּרָאוּ אֲפִקֵי יָם... IISh.22:16
10 ...בְּכָל־אֲפִיקֵי הָאָרֶץ Ezek.31:12
11 כִּי יָבְשׁוּ אֲפִיקֵי מָיִם Joel 1:20
12 וְכָל־אֲפִיקֵי יְהוּדָה יֵלְכוּ מָיִם Joel 4:18
13 וַיֵּרָאוּ אֲפִיקֵי מַיִם Ps.18:16
14 כְּאַיָּל תַּעֲרֹג עַל־אֲפִיקֵי־מָיִם Ps.42:2
15 עֲצָמָיו אֲפִיקֵי נְחֻשָׁה Job 40:18
16 גַּאֲוָה אֲפִיקֵי מָגִנִּים Job 41:7
17 עֵינָיו כְּיוֹנִים עַל־אֲפִיקֵי מָיִם S.ofS.5:12
אֲפִיקֶיךָ 18 וְגֵיאוֹתֶיךָ וְכָל־אֲפִיקֶיךָ Ezek.35:8
אֲפִיקָיו 19 וְעָלָה עַל־כָּל־אֲפִיקָיו Is.8:7

אֲפִיק שם עיר בנחלת אָשֵׁר, היא אֲפֵק
אֲפִיק 1 וְאֶת־אֲפִיק וְאֶת־רְחֹב Jud.1:31

אפל : אָפֵל; אֹפֶל, אֲפֵלָה, מַאֲפֵל, מַאְפֵּלְיָה; אָפִיל(?)

אָפֵל ת׳ חשוך
וְאָפֵל 1 וְאָפֵל וְלֹא־נֹגַהּ לוֹ Am.5:20

אֹפֶל ז׳ חושך • קרובים: אֲפֵלָה / חֹשֶׁךְ / חֲשֵׁכָה / מַאֲפֵל / מַאְפֵּלְיָה / עֲלָטָה / קַדְרוּת • אֶבֶן אֹפֶל 6
אֹפֶל 1 לִירוֹת בְּמוֹ־אֹפֶל לְיִשְׁרֵי־לֵב Ps.11:2
2 הַלַּיְלָה הַהוּא יִקָּחֵהוּ אֹפֶל Job 3:6
3 אֶרֶץ עֵפָתָה כְּמוֹ אֹפֶל... Job 10:22
4 וַתֹּפַע כְּמוֹ־אֹפֶל Job 10:22
5 וּמִפָּנַי כִּסָּה־אֹפֶל Job 23:17
6 אֶבֶן אֹפֶל וְצַלְמָוֶת Job 28:3
7 וַאֲיַחֲלָה לְאוֹר וַיָּבֹא אֹפֶל Job 30:26
בָּאֹפֶל 8 מִדֶּבֶר בָּאֹפֶל יַהֲלֹךְ Ps.91:6
וּמֵאֹפֶל 9 וּמֵאֹפֶל וּמֵחֹשֶׁךְ... תִּרְאֶינָה Is.29:18

אֲפֵלָה נ׳ אופל, חושך • קרובים: ראה אֹפֶל
אֲפֵלָה 1 וַיְהִי חֹשֶׁךְ־אֲפֵלָה בְּכָל־אֶרֶץ מִצְרָיִם Ex.10:22
וַאֲפֵלָה 2 צָרָה וַחֲשֵׁכָה... וַאֲפֵלָה מְנֻדָּח Is.8:22
3-4 יוֹם חֹשֶׁךְ וַאֲפֵלָה Joel 2:2 • Zep.1:15
5 בְּאִישׁוֹן לַיְלָה וַאֲפֵלָה Prov.7:9
בָּאֲפֵלָה 6 כַּאֲשֶׁר יְמַשֵּׁשׁ הָעִוֵּר בָּאֲפֵלָה Deut.28:29
7 יִהְיֶה דַרְכָּם כַּחֲלַקְלַקּוֹת בָּאֲפֵלָה Jer.23:12
כָּאֲפֵלָה 8 דֶּרֶךְ רְשָׁעִים כָּאֲפֵלָה Prov.4:19
וַאֲפֵלָתְךָ 9 וְזָרַח... וַאֲפֵלָתְךָ כַּצָּהֳרָיִם Is.58:10
בָּאֲפֵלוֹת 10 ...לִנְגֹהוֹת בָּאֲפֵלוֹת נְהַלֵּךְ Is.59:9

אֶפְלָל שפ״ז – מצאצאי בת שֵׁשָׁן וירחע המצרי
אֶפְלָל 1 וְזָבָד הוֹלִיד אֶת־אֶפְלָל ICh.2:37
וְאֶפְלָל 2 וְאֶפְלָל הוֹלִיד אֶת־עוֹבֵד ICh.2:37

אֹפֶן* ז׳ דרך? צד?
אָפְנָיו 1 דָּבָר דָּבֻר עַל־אָפְנָיו Prov.25:11

אפס : אָפֵס; אֶפֶס; אֹפֶס(?)

אָפֵס פ׳ כלה, אזל קרובים: ראה אזל
אָפֵס 1 כִּי אָפֵס כָּסֶף Gen.47:15
2 ...אִם־אָפֵס כָּסֶף Gen.47:16
3 כִּי־אָפֵס הַמֵּץ כָּלָה שֹׁד Is.16:4
4 כִּי־אָפֵס עָרִיץ וְכָלָה לֵץ Is.29:20
הֶאָפֵס 5 הֶאָפֵס לָנֶצַח חַסְדּוֹ Ps.77:9

אֶפֶס ז׳ ומ״ח א) אַיִן: 6–10, 12, 13, 15–29
ב) קֵץ: 30–43
ג) אבל, רק: 1–5,11,14
אֶפֶס כִּי 1, 3–5, 11; כְּאַיִן וּכְאֶפֶס 25; אֶפֶס וָתֹהוּ 26; אַפְסֵי אָרֶץ 30–43

אֶפֶס 1 אֶפֶס כִּי־עַז הָעָם Num.13:28
2 אֶפֶס קָצֵהוּ תִרְאֶה Num.23:13
3 אֶפֶס כִּי לֹא יִהְיֶה־בְּךָ אֶבְיוֹן Deut.15:4
4 אֶפֶס כִּי לֹא תִהְיֶה תִּפְאַרְתְּךָ Jud.4:9
5 אֶפֶס כִּי־נִאֵץ נִאַצְתָּ... יָמוּת IISh.12:14
6 ...עַד אֶפֶס מָקוֹם Is.5:8
7 הֵן כֻּלָּם אָוֶן אֶפֶס מַעֲשֵׂיהֶם Is.41:29
8 כִּי־אֶפֶס בִּלְעָדָי Is.45:6
9 וְאֵין עוֹד אֶפֶס אֱלֹהִים Is.45:14
10 הֵן גּוֹר יָגוּר אֶפֶס מֵאוֹתִי Is.54:15
11 אֶפֶס כִּי לֹא הַשְׁמֵיד אַשְׁמִיד Am.9:8
אָפֶס 12 וְכָל־שָׂרֶיהָ יִהְיוּ אָפֶס Is.34:12
13 וְאָמַר... הַעוֹד עִמָּךְ וְאָמַר אָפֶס Am.6:10
וְאֶפֶס 14 וְאֶפֶס אֶת־הַדָּבָר... תְדַבֵּר Num.22:35
15 וְאֶפֶס עָצוּר וְעָזוּב Deut.32:36
16/7 וְאֶפֶס עָצוּר וְאֶפֶס עָזוּב IIK.14:26
18 וְאֵין עוֹד אֱלֹהִים וְאֶפֶס כָּמוֹנִי Is.46:9
הַאֶפֶס 19 הַאֶפֶס עוֹד אִישׁ לְבֵית שָׁאוּל IISh.9:3
בְּאֶפֶס 20 וְאַשּׁוּר בְּאֶפֶס עֲשָׁקוֹ Is.52:4
21 בְּאֶפֶס עֵצִים תִּכְבֶּה־אֵשׁ Prov.26:20
22 וַיִּכְלוּ בְּאֶפֶס תִּקְוָה Job 7:6
וּבְאֶפֶס 23 וּבְאֶפֶס לְאֹם מְחִתַּת רָזוֹן Prov.14:28
24 וּבְאֶפֶס יָד יִשָּׁבֵר Dan.8:25
וּכְאֶפֶס 25 יִהְיוּ כְאַיִן וּכְאֶפֶס אַנְשֵׁי מִלְחַמְתֶּךָ Is.41:12
מֵאֶפֶס 26 מֵאֶפֶס וָתֹהוּ נֶחְשְׁבוּ־לוֹ Is.40:17
וְאַפְסִי 27-9 אֲנִי וְאַפְסִי עוֹד Is.47:8,10 • Zep.2:15
אַפְסֵי־ 30 עַמִּים יְנַגַּח יַחְדָּו אַפְסֵי־אָרֶץ Deut.33:17
31 יְיָ יָדִין אַפְסֵי־אָרֶץ ISh.2:10
32 וְהִוָּשְׁעוּ כָּל־אַפְסֵי־אָרֶץ Is.45:22
33 וְרָאוּ כָּל־אַפְסֵי־אֶרֶץ אֵת יְשׁוּעַת... Is.52:10
34-41 אַפְסֵי־אָרֶץ Mic.5:3 • Zech.9:10
Ps.2:8; 22:28; 67:8; 72:8; 98:3 • Prov.30:4
לְאַפְסֵי־ 42 אֱלֹהִים מֹשֵׁל... לְאַפְסֵי הָאָרֶץ Ps.59:14
מֵאַפְסֵי־ 43 אֵלֶיךָ גּוֹיִם יָבֹאוּ מֵאַפְסֵי־אָרֶץ Jer.16:19

אֹפֶס* ז׳ קרסול?
אָפְסָיִם 1 וַיַּעֲבִרֵנִי בַמַּיִם מֵי אָפְסָיִם Ezek.47:3

אֶפֶס דַּמִּים מקום בנחלת יהודה [עיין גם פַּס דַּמִּים]
בְּאֶפֶס דַ׳ 1 וַיַּחֲנוּ בֵּין־שׂוֹכֹה... בְּאֶפֶס דַּמִּים ISh.17:1

אֶפַע* ז׳ אפס, שוא
מֵאָפַע 1 הֵן־אַתֶּם מֵאַיִן וּפָעָלְכֶם מֵאָפַע Is.41:24

אֶפְעֶה ז׳ נחש ארסי מן הצפעונים • לְשׁוֹן אֶפְעֶה 3
אֶפְעֶה 1 אֶפְעֶה וְשָׂרָף מְעוֹפֵף Is.30:6
2 וְהַזּוּרֶה תִּבָּקַע אֶפְעֶה Is.59:5
3 תַּהַרְגֵהוּ לְשׁוֹן אֶפְעֶה Job 20:16

אָפַף פָּ׳ סבב, הקיף • קרובים: ראה סָבַב
אָפְפוּ 1 כִּי אָפְפוּ־עָלַי רָעוֹת Ps.40:13
אֲפָפֻנִי 2 כִּי אֲפָפֻנִי מִשְׁבְּרֵי־מָוֶת IISh.22:5
3 אֲפָפוּנִי מַיִם עַד־נֶפֶשׁ תְּהוֹם יְסֹבְבֵנִי Jon.2:6
4/5 אֲפָפוּנִי חֶבְלֵי־מָוֶת Ps.18:5; 116:3

אפק : הִתְאַפֵּק; אָפִיק; אֲפִיק, אֲפֵק, אֲפֵקָה

(אפק) הִתְאַפֵּק הת׳ – התגבר, הבליג: 1–7
לְהִתְאַפֵּק 1 וְלֹא־יָכֹל יוֹסֵף לְהִתְאַפֵּק Gen.45:1
הִתְאַפָּקוּ 2 הֲמוֹן מֵעֶיךָ וְרַחֲמֶיךָ אֵלַי הִתְאַפָּקוּ Is.63:15
אֶתְאַפָּק 3 הֶחֱשֵׁיתִי מֵעוֹלָם אַחֲרִישׁ אֶתְאַפָּק Is.42:14
וָאֶתְאַפַּק 4 וָאֶתְאַפַּק וָאַעֲלֶה הָעֹלָה ISh.13:12
תִתְאַפַּק 5 הַעַל־אֵלֶּה תִתְאַפַּק יְיָ Is.64:11
וַיִּתְאַפַּק 6 וַיִּרְחַץ פָּנָיו וַיֵּצֵא וַיִּתְאַפַּק Gen.43:31
7 וַיִּתְאַפַּק הָמָן וַיָּבוֹא אֶל־בֵּיתוֹ Es.5:10

אֲפֵק

א) עיר בשרון, ממערב לשילה: 1, 3, 6
ב) עיר בנחלת אָשר, היא אֲפִיק: 2
ג) מקום בגולן ממזרח לכנרת: 7, 8
ד) עיר בארם: 4, 5

אֲפֵק 1 מֶלֶךְ אֲפֵק אֶחָד Josh. 12:18
וַאֲפֵק 2 וְעֻמָּה וַאֲפֵק וּרְחֹב Josh. 19:30
בַּאֲפֵק 3 וּפְלִשְׁתִּים חָנוּ בַאֲפֵק ISh. 4:1
4 וְהִכִּיתָ אֶת־אֲרָם בַּאֲפֵק IIK. 13:17
אֲפֵקָה 5 מִתֵּימָן... עַד־אֲפֵקָה Josh. 13:4
6 וַיִּקְבְּצוּ פְלִשְׁתִּים... אֲפֵקָה ISh. 29:1
7 וַיַּעַל אֲפֵקָה לַמִּלְחָמָה IK. 20:26
אֲפֵקָה 8 וַיָּנֻסוּ הַנּוֹתָרִים / אֲפֵקָה אֶל־הָעִיר IK. 20:30

אֲפֵקָה

עיר בהרי יהודה

וַאֲפֵקָה 1 וְיָנוּם וּבֵית־תַּפּוּחַ וַאֲפֵקָה Josh. 15:53

אֵפֶר

ז׳ החומר הנשאָר אחרי השׂרפה

אֵפֶר הַפָּרָה 22,21; מִשְׁלֵי אֵפֶר 6; רֹעֶה אֵפֶר 2;
עָפָר וָאֵפֶר 7, 9, 10; שַׂק וָאֵפֶר 8, 11–13

אֵפֶר 1 וַתִּקַּח תָּמָר אֵפֶר עַל־רֹאשָׁהּ IISh. 13:19
2 רֹעֶה אֵפֶר לֵב הוּתַל הִטָּהוּ Is. 44:20
3 לָתֵת לָהֶם פְּאֵר תַּחַת אֵפֶר Is. 61:3
4 כִּי־יִהְיוּ אֵפֶר תַּחַת כַּפּוֹת רַגְלֵיכֶם Mal. 3:21
5 אֵפֶר כַּלֶּחֶם אָכָלְתִּי Ps. 102:10
6 זִכְרֹנֵיכֶם מִשְׁלֵי־אֵפֶר Job 13:12
וָאֵפֶר 7 וְאָנֹכִי עָפָר וָאֵפֶר Gen. 18:27
8 וְשַׂק וָאֵפֶר יַצִּיעַ Is. 58:5
9 וָאֶתְמַשֵּׁל כֶּעָפָר וָאֵפֶר Job 30:19
10 וְנִחַמְתִּי עַל־עָפָר וָאֵפֶר Job 42:6
11 וַיִּלְבַּשׁ שַׂק וָאֵפֶר Es. 4:1
12 שַׂק וָאֵפֶר יֻצַּע לָרַבִּים Es. 4:3
13 בְּצוֹם וְשַׂק וָאֵפֶר Dan. 9:3
הָאֵפֶר 14 וַיְכַס שַׂק וַיֵּשֶׁב עַל־הָאֵפֶר Jon. 3:6
15 וְהוּא יֹשֵׁב בְּתוֹךְ־הָאֵפֶר Job 2:8
בָּאֵפֶר 16 חִגְרִי־שָׂק וְהִתְפַּלְּשִׁי בָאֵפֶר Jer. 6:26
17 וְיַעֲלוּ עָפָר... בָּאֵפֶר יִתְפַּלָּשׁוּ Ezek. 27:30
18 הִכְפִּישַׁנִי בָּאֵפֶר Lam. 3:16
כָּאֵפֶר 19 כְּפוֹר כָּאֵפֶר יְפַזֵּר Ps. 147:16
לְאֵפֶר 20 וָאֶתֶּנְךָ לְאֵפֶר עַל־הָאָרֶץ Ezek. 28:18
אֵפֶר־ 21 וְאָסַף... אֵת אֵפֶר הַפָּרָה Num. 19:9
22 הָאֹסֵף אֶת־אֵפֶר הַפָּרָה Num. 19:10

אֲפֵר

ז׳ מכסה, מסוֶה

הָאֲפֵר 1 וַיָּסַר אֶת־הָאֲפֵר מֵעֲלֵי עֵינָיו IK. 20:41
בָּאֲפֵר 2 וַיִּתְחַפֵּשׂ בָּאֲפֵר עַל־עֵינָיו IK. 20:38

אֶפְרֹחַ*

ז׳ צעיר בעוף

אֶפְרֹחִים 1 קַן־צִפּוֹר... אֶפְרֹחִים אוֹ בֵיצִים Deut. 22:6
הָאֶפְרֹחִים 2 וְהָאֵם רֹבֶצֶת עַל־הָאֶפְרֹחִים Deut. 22:6
וְאֶפְרֹחָיו 3 וְאֶפְרֹחָו יְעַלְעוּ־דָם Job 39:30
אֶפְרֹחֶיהָ 4 שָׁתָה אֶפְרֹחֶיהָ אֶת־מִזְבְּחוֹתֶיךָ Ps. 84:4

אַפִּרְיוֹן

ז׳ ערשׂ חתונה (?)

אַפִּרְיוֹן 1 אַפִּרְיוֹן עָשָׂה לוֹ הַמֶּלֶךְ שְׁלֹמֹה S.ofS. 3:9

אֶפְרַיִם

שפ״ז א) בנוֹ השני של יוֹסף: 1–6, 107–109
ב) השבט והעם המתיַחסים לאפרים, וכן אזורי ההר והארץ – רוב המקראות
ג) כנוי למלכות עשׂרת השבטים: 53–56, 68–94
ד) עיר בנחלת אפרים: 139
ה) שֵׁם יער בעבר הירדן מזרחה: 140

אֶפְרַיִם וּמְנַשֶּׁה 1, 105/6, 158-164, 169, 178, 180; אִישׁ אֶ׳ 30-31, 33; אֶרֶץ אֶ׳ 25, 38; בֵּית אֶ׳ 137; בְּנֵי אֶ׳ 7, 9, 12-23, 111-115; גְּבוּל אֶ׳ 67; גִּבּוֹר אֶ׳ 104; הַר אֶ׳ 29, 39-50, 117-135; זֶרַע אֶ׳ 144; יַד אֶ׳ 65; יַעַר אֶ׳ 140; מַחֲנֵה אֶ׳ 8, 10; מַטֵּה אֶ׳ 27, 110, 116, 136, 149; מִנִּי אֶ׳ 28; עוֹלְלוֹת אֶ׳ 32; עֲוֹן אֶ׳ 69, 147; עֵץ אֶ׳ 64; עָרֵי אֶ׳ 102; פְּלִיטֵי אֶ׳ 35, 37; קִנְאַת אֶ׳ 59; רֹאשׁ אֶ׳ 3-5, 55; רִבְבוֹת אֶ׳ 24; שֵׁבֶט אֶ׳ 98; שְׂדֵה אֶ׳ 95; שִׁכּוֹרֵי אֶ׳ 61, 143; שַׁעַר אֶ׳ 52, 100, 103, 148

אֶפְרַיִם 1 אֶפְרַיִם וּמְנַשֶּׁה כִּרְאוּבֵן וְשִׁמְעוֹן Gen. 48:5
2 וַיִּקַּח... אֶת־אֶפְרַיִם בִּימִינוֹ Gen. 48:13
3 ...וַיָּשֶׁת עַל־רֹאשׁ אֶפְרַיִם Gen. 48:14
4 יָשִׁית...יְמִינוֹ עַל־רֹאשׁ אֶפְרַיִם Gen. 48:17
5 לְהָסִיר אֹתָהּ מֵעַל רֹאשׁ־אֶפְ׳ Gen. 48:17
6 וַיָּשֶׂם אֶת־אֶפְרַיִם לִפְנֵי מְנַשֶּׁה Gen. 48:20
7 לִבְנֵי יוֹסֵף לִבְנֵי אֶפְרַיִם Num. 1:32
8 דֶּגֶל מַחֲנֵה אֶפְרַיִם לְצִבְאֹתָם יָמָּה Num. 2:18
9 וְנָשִׂיא לִבְנֵי אֶפְרַיִם... Num. 2:18
10 כָּל־הַפְּקֻדִים לְמַחֲנֵה אֶפְרַיִם Num. 2:24
11 וְנָסַע דֶּגֶל מַחֲנֵה בְנֵי־אֶפְרַיִם Num. 10:22
12-23 (וּבְ־/לִבְ־) בְּנֵי־אֶפְרַיִם Num. 26:35
26:37; 34:24 • Josh. 16:5,8,9 • Ps. 78:9 • ICh. 7:20;
9:3; 12:30(31); 27:20 • IICh. 28:12
24 וְהֵם רִבְבוֹת אֶפְרַיִם... Deut. 33:17
25 וְאֶת־אֶרֶץ אֶפְרַיִם וּמְנַשֶּׁה Deut. 34:2
26 וַיֵּשֶׁב הַכְּנַעֲנִי בְּקֶרֶב אֶפְרַיִם Josh. 16:10
27 הַנּוֹתָרִים מִמִּשְׁפְּחֹת מַטֵּה־אֶפְרַיִם Josh. 21:5
28 מִנִּי אֶפְרַיִם שָׁרְשָׁם בַּעֲמָלֵק Jud. 5:14
29 שָׁלַח גִּדְעוֹן בְּכָל־הַר אֶפְרַיִם Jud. 7:24
30 וַיִּצָּעֵק כָּל־אִישׁ אֶפְרַיִם Jud. 7:24
31 וַיֹּאמְרוּ אֵלָיו אִישׁ אֶפְרַיִם Jud. 8:1
32 הֲלוֹא טוֹב עֹלְלוֹת אֶפְרַיִם... Jud. 8:2
33 וַיִּצָּעֵק אִישׁ אֶפְרַיִם... Jud. 12:1
34 וַיַּכּוּ אַנְשֵׁי גִלְעָד אֶת־אֶפְרַיִם Jud. 12:4
35 פְּלִיטֵי אֶפְרַיִם אַתֶּם גִּלְעָד Jud. 12:4
36 בְּתוֹךְ אֶפְרַיִם בְּתוֹךְ מְנַשֶּׁה Jud. 12:4
37 כִּי יֹאמְרוּ פְּלִיטֵי אֶ׳ אֶעֱבֹרָה Jud. 12:5
38 וַיִּקָּבֵר בְּפִרְעָתוֹן בְּאֶרֶץ אֶפְרַיִם Jud. 12:15
39 וַיֵּלֶךְ... וַיָּבֹא הַר־אֶפְרַיִם Jud. 17:8
40-50 (בְּ־/וּבְ־/מֵ־) הַר(־)אֶפְרַיִם Jud. 18:2
19:1,16,18 • ISh. 9:4; 14:22 • IISh. 20:21 • IK. 12:25 • IIK. 5:22 • Jer. 50:19 • IICh. 19:4
51 וַיַּמְלִכֵהוּ... וְעַל־אֶפְרַיִם וְעַל־בִּנְיָמִן IISh. 2:9
52 בְּחוֹמַת יְרוּשָׁלַםִ בְּשַׁעַר אֶפְרַיִם IIK. 14:13
53 יַעַן כִּי־יָעַץ... אֶ׳ וּבֶן־רְמַלְיָהוּ Is. 7:5
54 יֵחַת אֶפְרַיִם מֵעָם Is. 7:8
55 וְרֹאשׁ אֶפְרַיִם שֹׁמְרוֹן... Is. 7:9
56 לְמִיּוֹם סוּר־אֶפְרַיִם מֵעַל יְהוּדָה Is. 7:17
57 וְיָדְעוּ... אֶפְרַיִם וְיוֹשֵׁב שֹׁמְרוֹן Is. 9:8
58 מְנַשֶּׁה אֶת־אֶפְרַיִם... יַחְדָּו... Is. 9:20
59 וְסָרָה קִנְאַת אֶפְרַיִם... Is. 11:13
60 אֶפְרַיִם לֹא־יְקַנֵּא אֶת־יְהוּדָה Is. 11:13
61 עֲטֶרֶת גֵּאוּת שִׁכֹּרֵי אֶפְרַיִם Is. 28:1
62 שָׁמַעְתִּי אֶפְרַיִם מִתְנוֹדֵד Jer. 31:17(18)
63 הֲבֵן יַקִּיר לִי אֶפְרַיִם Jer. 31:19(20)
64 וּכְתוֹב עָלָיו לְיוֹסֵף עֵץ אֶפְרַיִם Ezek. 37:16
65 אֶת־עֵץ יוֹסֵף אֲשֶׁר בְּיַד־אֶפְרַיִם Ezek. 37:19
66 עַד־פְּאַת יָמָּה אֶפְרַיִם אֶחָד Ezek. 48:5
67 וְעַל גְּבוּל אֶ׳ מִפְּאַת קָדִים Ezek. 48:6
68 אֲנִי יָדַעְתִּי אֶפְרַיִם... Hosh. 5:3
69 וְנִגְלָה עֲוֹן אֶפְרַיִם וְרָעוֹת שֹׁמְרוֹן Hosh. 7:1
70-94 אֶפְרַיִם Hosh. 5:3,9,11,13²; 6:4; 7:8²,11; 8:9,11;
9:3,8,11,13,16; 10:6,11; 11:8; 12:1,2,9,15; 13:1; 14:9
95 וְיָרְשׁוּ אֶת־שְׂדֵה אֶפְרַיִם Ob. 19
96 כִּי־דָרַכְתִּי לִי ...מִלֵּאתִי אֶפְרַיִם Zech. 9:13

אֶפְרַיִם (המשך) 97 וְהָיוּ כְגִבּוֹר אֶפְרַיִם Zech. 10:7
98 וּבְשֵׁבֶט אֶפְרַיִם לֹא בָחָר Ps. 78:67
99 לִפְנֵי אֶפְרַיִם וּבִנְיָמִן וּמְנַשֶּׁה Ps. 80:3
100 וּמֵעַל לְשַׁעַר־אֶפְרַיִם... Neh. 12:39
101 וַיִּתְאַבֵּל אֶפְרַיִם אֲבִיהֶם ICh. 7:22
102 בְּאֶרֶץ יְהוּדָה וּבְעָרֵי אֶפְרַיִם IICh. 17:2
103 מִשַּׁעַר אֶפְרַיִם עַד־שַׁעַר הַפּוֹנֶה IICh. 25:23
104 וַיַּהֲרֹג זִכְרִי גִּבּוֹר אֶפְרַיִם... IICh. 28:7
105 אִגְּרוֹת כָּתַב עַל־אֶפְרַיִם וּמְנַשֶּׁה IICh. 30:1
106 עֹבְרִים... בְּאֶרֶץ־אֶפְרַיִם וּמְנַשֶּׁה IICh. 30:10
אֶפְרָיִם 107 וְאֵת שֵׁם הַשֵּׁנִי קָרָא אֶפְרָיִם Gen. 41:52
108/09 אֶת־מְנַשֶּׁה וְאֶת־אֶפְרָיִם Gen. 46:20; 48:1
110 פְּקֻדֵיהֶם לְמַטֵּה אֶפְרָיִם Num. 1:33
111 נָשִׂיא לִבְנֵי אֶפְרָיִם Num. 7:48
112-115 (לִבְ־)בְּנֵי אֶפְרָיִם Josh. 17:8
ICh. 27:10,14 • IICh. 25:7
116 לְמַטֵּה אֶפְרָיִם הוֹשֵׁעַ בִּן־נוּן Num. 13:8
117 כִּי־אָץ לְךָ הַר־אֶפְרָיִם Josh. 17:15
118 אֶת־תִּמְנַת־סֶרַח בְּהַר אֶפְרָיִם Josh. 19:50
119-135 (בְּ/ מֵ) הַר־אֶפְרָיִם Josh. 20:7; 21:21
24:30,33 • Jud. 2:9; 3:27; 4:5; 10:1; 17:1; 18:13 •
ISh. 1:1 • IK. 4:8 • Jer. 4:15; 31:5(6) • ICh. 6:52 •
IICh. 13:4; 15:8
136 וַיְהִי עָרֵי גוֹרָלָם מִמַּטֵּה אֶפְרָיִם Josh. 21:20
137 וּבְבִנְיָמִין וּבְבֵית אֶפְרָיִם Jud. 10:9
138 וַיִּלָּחֶם אֶת־אֶפְרָיִם Jud. 12:4
139 בְּבַעַל חָצוֹר אֲשֶׁר עִם־אֶפְרָיִם IISh. 13:23
140 וַתְּהִי הַמִּלְחָמָה בְּיַעַר אֶפְרָיִם IISh. 18:6
141 נָחָה אֲרָם עַל־אֶפְרָיִם Is. 7:2
142 וִיהוּדָה לֹא־יָצֹר אֶת־אֶפְרָיִם Is. 11:13
143 עֲטֶרֶת גֵּאוּת שִׁכּוֹרֵי אֶפְרָיִם Is. 28:3
144 ...אֵת כָּל־זֶרַע אֶפְרָיִם Jer. 7:15
145 חֲבוּר עֲצַבִּים אֶפְרָיִם Hosh. 4:17
146 לֹא אָשׁוּב לְשַׁחֵת אֶפְרָיִם Hosh. 11:9
147 צָרוּר עֲוֹן אֶפְרָיִם Hosh. 13:12
148 וּבִרְחוֹב שַׁעַר אֶפְרָיִם Neh. 8:16
149 וַיְהִי עָרֵי גְבוּלָם מִמַּטֵּה אֶפְרָיִם ICh. 6:51
וְאֶפְרַיִם 150 וְאֶפְ׳ לֹא הוֹרִישׁ אֶת־הַכְּנַעֲנִי Jud. 1:29
151 וְאֶפְרַיִם אֶת־מְנַשֶּׁה יַחְדָּו... Is. 9:20
152 וְאֶפְרַיִם בְּכֹרִי הוּא Jer. 31:8(9)
153 וְיִשְׂרָאֵל וְאֶפְרַיִם יִכָּשְׁלוּ בַּעֲוֺנָם Hosh. 5:5
154 וְאֶפְרַיִם לְהוֹצִיא אֶל־הֹרֵג בָּנָיו Hosh. 9:13
155 וְאֶפְרַיִם עֶגְלָה מְלֻמָּדָה... Hosh. 10:11
156/7 וְאֶפְרַיִם מָעוֹז רֹאשִׁי Ps. 60:9; 108:9
158 וּבְעָרֵי מְנַשֶּׁה וְאֶפְרַיִם... IICh. 34:6
159 אֲשֶׁר אָסְפוּ.. מִיַּד מְנַשֶּׁה וְאֶפְרַיִם IICh. 34:9
וְאֶפְרָיִם 160 בְּנֵי יוֹסֵף... מְנַשֶּׁה וְאֶפְרָיִם Num. 26:28
161/2 מְנַשֶּׁה וְאֶפְרָיִם Josh. 14:4; 16:4
וּבְאֶפְרַיִם 163 וַיְנַתְּצוּ... וּבְאֶפְרַיִם וּמְנַשֶּׁה IICh. 31:1
כְּאֶפְרַיִם 164 יְשִׂמְךָ אֱלֹהִים כְּאֶ׳ וְכִמְנַשֶּׁה Gen. 48:20
לְאֶפְרַיִם 165 וַיַּרְא יוֹסֵף לְאֶ׳ בְּנֵי שִׁלֵּשִׁים Gen. 50:23
166 לִבְנֵי יוֹסֵף לְאֶפְרַיִם אֱלִישָׁמָע Num. 1:10
167 עָרִים... לְאֶ׳ בְּתוֹךְ עָרֵי מְנַשֶּׁה Josh. 17:9
168 נֶגְבָּה לְאֶפְרַיִם וְצָפוֹנָה לִמְנַשֶּׁה Josh. 17:10
169 אֶל־בֵּית יוֹסֵף לְאֶ׳ וְלִמְנַשֶּׁה Josh. 17:17
170 כִּי אָנֹכִי כַשַּׁחַל לְאֶפְרַיִם Hosh. 5:14
171 שָׁם זְנוּת לְאֶפְרַיִם נִטְמָא יִשְׂרָאֵל Hosh. 6:10
172 וְאָנֹכִי תִרְגַּלְתִּי לְאֶפְרַיִם... Hosh. 11:3
לְאֶפְרָיִם 173 אֶת־מַעְבְּרוֹת הַיַּרְדֵּן לְאֶפְרָיִם Jud. 12:5
174 וַאֲנִי כָעָשׁ לְאֶפְרָיִם Hosh. 5:12
מֵאֶפְרַיִם 175 וַיִּפֹּל בָּעֵת הַהִיא מֵאֶפְרַיִם... Jud. 12:6
176 וְנִשְׁבַּת מִבְצָר מֵאֶפְרַיִם Is. 17:3

מֵאֶפְרַיִם (המשך) 177 וְהִכְרַתִּי־רֶכֶב מֵאֶפְרַיִם Zech. 9:10
178 מֵאֶפְרַיִם וּמְנַשֶּׁה וּמִשִּׁמְעוֹן IICh. 15:9
179 לְהַגְּדוּד אֲשֶׁר־בָּא... מֵאֶפְרַיִם IICh. 25:10
180 רַבַּת מֵא׳ וּמְנַשֶּׁה... לֹא הִטֶּהָרוּ IICh. 30:18

אֲפָרְסָיֵא ז״ר ארמית: בני עממים במלכות פרס
אֲפָרְסָיֵא 1 טַרְפְּלָיֵא אֲפָרְסָיֵא אַרְכְּוָיֵא Ez. 4:9

אֲפַרְסְכָיֵא ז״ר ארמית: בני עממים במלכות פרס
אֲפַרְסְכָיֵא 1-2 אֲפַרְסְכָיֵא דִּי בַּעֲבַר נַהֲרָה Ez. 5:6; 6:6

אֲפַרְסַתְכָיֵא ז״ר ארמית: בני עממים במלכות פרס
וַאֲפָרְסַתְכָיֵא 1 דִּינָיֵא וַאֲפַרְסַתְכָיֵא טַרְפְּלָיֵא... Ez. 4:9

אֶפְרָת, אֶפְרָתָה[1] – היא בית־לֶחם
אֶפְרָת 1 וָאֶקְבְּרֶהָ שָּׁם בְּדֶרֶךְ אֶפְרָת Gen. 48:7
אֶפְרָתָה 2 כִּבְרַת־הָאָרֶץ לָבוֹא אֶפְרָתָה Gen. 35:16
3 בְּדֶרֶךְ אֶפְרָתָה הִוא בֵּית לָחֶם Gen. 35:19
4 בְּעוֹד כִּבְרַת־אֶרֶץ לָבֹא אֶפְרָתָה Gen. 48:7
5 וְאַתָּה בֵּית־לֶחֶם אֶפְרָתָה Mic. 5:1
6 וְאַחַר מוֹת־חֶצְרוֹן בְּכָלֵב אֶפְרָתָה ICh. 2:24
בְּאֶפְרָתָה 7 הִנֵּה־שְׁמַעֲנוּהָ בְאֶפְרָתָה Ps. 132:6
8 וַעֲשֵׂה־חַיִל בְּאֶפְרָתָה Ruth 4:11

אֶפְרָת, אֶפְרָתָה[2] שפ״נ – אשת כָּלֵב, אם בן־חור
אֶפְרָת 1 וַיִּקַּח־לוֹ כָלֵב אֶת־אֶפְרָת ICh. 2:19
אֶפְרָתָה 2 בְּנֵי כָלֵב בֶּן־חוּר בְּכוֹר אֶפְרָתָה ICh. 2:50
3 אֵלֶּה בְנֵי־חוּר בְּכוֹר אֶפְרָתָה ICh. 4:4

אֶפְרָתִי ת׳ א) כנוי לבן שבט אפרים: 1, 3, 4
ב) כנוי לאיש מבני אפרת, היא בית־לחם: 2,5
אֶפְרָתִי 1 אֶלְקָנָה בֶּן־יְרֹחָם.. בֶּן־צוּף אֶפְרָתִי ISh. 1:1
2 וְדָוִד בֶּן־אִישׁ אֶפְרָתִי הַזֶּה ISh. 17:12
3 וְיָרָבְעָם בֶּן־נְבָט אֶפְרָתִי IK. 11:26
הַאֶפְרָתִי 4 וַיֹּאמְרוּ לוֹ... הַאֶפְרָתִי אַתָּה Jud. 12:5
אֶפְרָתִים 5 וְשֵׁם שְׁנֵי־בָנָיו מַחְלוֹן וְכִלְיוֹן אֶפְרָתִים Ruth 1:2

אַפְּתֹם ז׳ ארמית אוצר(?) סוף(?)
וְאַפְּתֹם 1 וְאַפְּתֹם מַלְכִים תְּהַנְזִק Ez. 4:13

אֶצְבּוֹן שפ״ז א) בן בלע בן בנימין: 1
ב) בן גד, הוא אָזְנִי: 2
אֶצְבּוֹן 1 וּבְנֵי בֶלַע אֶצְבּוֹן וְעֻזִּי... ICh. 7:7
וְאֶצְבֹּן 2 וּבְנֵי גָד צִפְיוֹן... וְאֶצְבֹּן Gen. 46:16

אֶצְבַּע נ׳ א) כל אחד מחמשת פרקי קצות כף־היד או כף־הרגל: 1–19, 21–31
ב) מדת־אורך קטנה: 20
אֶצְבַּע אֱלֹהִים 2–4; אֶצְבְּעוֹת יָדָיו 21;
אֶצְבְּעוֹת רַגְלָיו 22; מַעֲשֵׂה אֶצְבְּעוֹתָיו 25
אֶצְבַּע 1 שְׁלַח אֶצְבַּע וְדַבֶּר־אָוֶן Is. 58:9
אֶצְבַּע־ 2 אֶצְבַּע אֱלֹהִים הִוא Ex. 8:15
בְּאֶצְבַּע־ 3/4 כְּתֻבִים בְּאֶצְבַּע אֱלֹהִים Ex. 31:18
Deut. 9:10
בְּאֶצְבָּעֲךָ 5 וְנָתַתָּה עַל־... הַמִּזְבֵּחַ בְּאֶצְבָּעֶךָ Ex. 29:12
אֶצְבָּעוֹ 6 וְטָבַל הַכֹּהֵן אֶת־אֶצְבָּעוֹ בַּדָּם Lev. 4:6
7 וְטָבַל הַכֹּהֵן אֶצְבָּעוֹ מִן־הַדָּם Lev. 4:17
8 וַיִּטְבֹּל אֶצְבָּעוֹ בַּדָּם Lev. 9:9
9 וְטָבַל הַכֹּהֵן אֶת־אֶצְבָּעוֹ הַיְמָנִית Lev. 14:16
בְּאֶצְבָּעוֹ 10/1 וְלָקַח הַכֹּהֵן... בְּאֶצְבָּעוֹ Lev. 4:25,34
12 וְלָקַח הַכֹּהֵן מִדָּמָהּ בְּאֶצְבָּעוֹ Lev. 4:30
13 וַיִּתֵּן עַל־קַרְנוֹת.. סָבִיב בְּאֶצְבָּעוֹ Lev. 8:15
14 וְהִזָּה מִן־הַשֶּׁמֶן בְּאֶצְבָּעוֹ Lev. 14:16
15 וְהִזָּה הַכֹּהֵן בְּאֶצְבָּעוֹ הַיְמָנִית Lev. 14:27

בְּאֶצְבָּעוֹ (המשך) 16 וְלָקַח מִדַּם הַפָּר וְהִזָּה בְאֶצְבָּעוֹ Lev. 16:14
17 יַזֶּה... מִן־הַדָּם בְּאֶצְבָּעוֹ Lev. 16:14
18 וְהִזָּה עָלָיו מִן־הַדָּם בְּאֶצְבָּעוֹ Lev. 16:19
19 וְלָקַח... מִדָּמָהּ בְּאֶצְבָּעוֹ Num. 19:4
אֶצְבָּעוֹת 20 וְעָבְיוֹ אַרְבַּע אֶצְבָּעוֹת נָבוּב Jer. 52:21
וְאֶצְבְּעוֹת־ 21/2 וְאֶצְבְּעֹת יָדָיו וְאֶצְבְּעוֹת רַגְלָיו IISh. 21:20
אֶצְבְּעוֹתַי 23 הַמְלַמֵּד.. אֶצְבְּעוֹתַי לַמִּלְחָמָה Ps. 144:1
וְאֶצְבְּעוֹתַי 24 וְאֶצְבְּעֹתַי מוֹר עֹבֵר S.ofS. 5:5
אֶצְבְּעוֹתֶיךָ 25 אֶרְאֶה שָׁמֶיךָ מַעֲשֵׂה אֶצְבְּעֹתֶיךָ Ps. 8:4
26 קָשְׁרֵם עַל־אֶצְבְּעֹתֶיךָ Prov. 7:3
אֶצְבְּעוֹתָיו 27 יִשְׁתַּחֲווּ לַאֲשֶׁר עָשׂוּ אֶצְבְּעֹתָיו Is. 2:8
אֶצְבְּעוֹתָיו 28 וַאֲשֶׁר עָשׂוּ אֶצְבְּעֹתָיו לֹא יִרְאֶה Is. 17:8
וְאֶצְבְּעוֹתָיו 29 וְאֶצְבְּעֹתָיו שֵׁשׁ־וָשֵׁשׁ ICh. 20:6
בְּאֶצְבְּעוֹתָיו 30 קֹרֵץ בְּעֵינָו...מֹרֶה בְּאֶצְבְּעֹתָיו Prov. 6:13
וְאֶצְבְּעוֹתֵיכֶם 31 כַּפֵּיכֶם... וְאֶצְבְּעוֹתֵיכֶם בֶּעָוֹן Is. 59:3

אֶצְבַּע* נ׳ ארמית כמו בעברית; אֶצְבְּעָן = אצבעות
אֶצְבְּעָן 1 נְפַקָה אֶצְבְּעָן דִּי יַד־אֱנָשׁ... Dan. 5:5
וְאֶצְבְּעָת 2 וְאֶצְבְּעָת רַגְלַיָּא מִנְּהֵן פַּרְזֶל Dan. 2:42
וְאֶצְבְּעָתָא 3 רַגְלַיָּא וְאֶצְבְּעָתָא מִנְּהֵן חֲסַף Dan. 2:41

אָצִיל*[1] ז׳ קצה
וּמֵאֲצִילֶיהָ 1 מִקְצוֹת הָאָרֶץ וּמֵאֲצִילֶיהָ Is. 41:9

אָצִיל*[2] ז׳ נכבד, מיוחס
אֲצִילֵי־ 1 וְאֶל־אֲצִילֵי בְּנֵי יִשְׂרָאֵל... Ex. 24:11

אַצִּיל ז׳ בית־השחי
אַצִּילֵי יָדַיִם 1; אַצִּילוֹת יָדַיִם 2
אַצִּילֵי־ 1 כְּסָתוֹת עַל כָּל־אַצִּילֵי יָדַי Ezek. 13:18
אַצִּילוֹת־ 2 שִׂים נָא בְּלוֹאֵי הַסְּחָבוֹת... Jer. 38:12
תַּחַת אַצִּלוֹת יָדֶיךָ

אַצִּילָה נ׳ מדה קדומה(?)
אַצִּילָה 1 שֵׁשׁ אַמּוֹת אַצִּילָה Ezek. 41:8

אצל : אָצַל, נֶאֱצַל; אָצִיל, אָצִיל, אַצִּיל, אַצִּילָה, אֵצֶל; אָצַל, אֲצַלְיָהוּ, בֵּית־הָאֵצֶל

אָצַל פ׳ א) הפריש: 1–4 ב) [נפ׳ נֶאֱצַל] נלקח: 5
אָצַלְתִּי 1 וְכֹל אֲשֶׁר שָׁאֲלוּ עֵינַי לֹא אָצַלְתִּי מֵהֶם Eccl. 2:10
וְאָצַלְתִּי 2 וְאָצַלְתִּי מִן־הָרוּחַ Num. 11:17
אָצַלְתָּ 3 הֲלֹא־אָצַלְתָּ לִּי בְּרָכָה Gen. 27:36
וַיָּאצֶל 4 וַיָּאצֶל מִן־הָרוּחַ Num. 11:25
נֶאֱצַל 5 עַל־כֵּן נֶאֱצַל מֵהַתַּחְתֹּנוֹת... Ezek. 42:6

אֵצֶל מ״י א) על־יד: 1–40, 43–46, 48–52, 55–60
ב) [מֵאֵצֶל] מן המקום שעל־יד: 41-42, 47,53,54,61
אֵצֶל 1 וַתַּעֲמֹדְנָה אֵצֶל הַפָּרוֹת Gen. 41:3
2 וְהִשְׁלִיךְ אֹתָהּ אֵצֶל הַמִּזְבֵּחַ קֵדְמָה Lev. 1:16
3 וְשָׂמוֹ אֵצֶל הַמִּזְבֵּחַ Lev. 6:3
4 וְאִכְלוּהָ מַצּוֹת אֵצֶל הַמִּזְבֵּחַ Lev. 10:12
5 מוּל הַגִּלְגָּל אֵצֶל אֵלוֹנֵי מֹרֶה Deut. 11:30
6 לֹא־תִטַּע... אֵצֶל מִזְבַּח יְיָ אֱלֹהֶיךָ Deut. 16:21
7 וּרְאִיתִיו מַגִּיעַ אֵצֶל הָאַיִל Dan. 8:7
8 וַיָּבֹא אֵצֶל עָמְדִי Dan. 8:17
9 וַיְבִיאוּם יְרֵחוֹ... אֵצֶל אֲחֵיהֶם IICh. 28:15
10-39 אֵצֶל Jud. 19:14 • ISh. 5:2; 20:19
IK. 1:9; 2:29; 4:12; 10:19; 13:24,25,28,31; 21:1,2 • IIK. 12:10 • Is. 19:19 • Jer. 35:4; 41:17 • Ezek. 1:15; 9:2; 10:6,9³; 33:30; 43:8 • Am. 2:8 • Prov. 7:8 • Dan. 10:13 • Neh. 3:23 • IICh. 9:18
וְאֵצֶל 40 וְאֵצֶל כָּל־פִּנָּה תֶאֱרֹב Prov. 7:12
מֵאֵצֶל 41 וְדָוִד קָם מֵאֵצֶל הַנֶּגֶב ISh. 20:41
42 וְסַף הַשַּׁעַר מֵאֵצֶל אֻלָם הַשַּׁעַר Ezek. 40:7

אֶצְלִי 43/4 וַיַּעֲזֹב בִּגְדוֹ אֶצְלִי Gen. 39:15,18
45 וְאִישׁ הָיָה עֹמֵד אֶצְלִי Ezek. 43:6
46 וְהַתּוֹקֵעַ בַּשּׁוֹפָר אֶצְלִי Neh. 4:12
מֵאֶצְלִי 47 וַתִּקַּח אֶת־בְּנִי מֵאֶצְלִי IK. 3:20
אֶצְלוֹ 48 ...וּבָנָה אֶצְלוֹ צִיּוּן Ezek. 39:15
49 וָאֶהְיֶה אֶצְלוֹ אָמוֹן Prov. 8:30
50 וְהַשֵּׁגַל יוֹשֶׁבֶת אֶצְלוֹ Neh. 2:6
51 וְטוֹבִיָּה הָעַמֹּנִי אֶצְלוֹ Neh. 3:35
52 וַיַּעֲמֹד אֶצְלוֹ... עַל־יְמִינוֹ Neh. 8:4
מֵאֶצְלוֹ 53 וַיִּסֹּב מֵאֶצְלוֹ אֶל־מוּל אַחֵר ISh. 17:30
54 וַיֵּלֶךְ מֵאֶצְלוֹ וַיִּמְצָאֵהוּ הָאַרְיֵה IK. 20:36
אֶצְלָהּ 55 לִשְׁכַּב אֶצְלָהּ לִהְיוֹת עִמָּהּ Gen. 39:10
56 וַתַּנַּח בִּגְדוֹ אֶצְלָהּ Gen. 39:16
57 וְהַחֲמוֹר עֹמֵד אֶצְלָהּ IK. 13:24
אֶצְלָם 58/9 יֵלְכוּ הָאוֹפַנִּים אֶצְלָם Ezek. 1:19; 10:16
60 בָּאוּ הַיְּהוּדִים הַיֹּשְׁבִים אֶצְלָם Neh. 4:6
מֵאֶצְלָם 61 לֹא־יִסַּבּוּ הָאוֹפַנִּים... מֵאֶצְלָם Ezek. 10:16

אָצֵל[1] שפ״ז – מצאצאי שאול המלך
אָצֵל 1-2 אֶלְעָשָׂה בְנוֹ אָצֵל בְּנוֹ ICh. 8:37; 9:43
אָצֵל 3 ...כָּל־אֵלֶּה בְּנֵי אָצֵל ICh. 8:38
4 ...אֵלֶּה בְּנֵי אָצַל ICh. 9:44
וּלְאָצֵל 5-6 וּלְאָצֵל שִׁשָּׁה בָנִים ICh. 8:38; 9:44

אָצֵל[2] שֵׁם מקום קרוב להר הזיתים
אָצַל 1 כִּי־יַגִּיעַ גֵּי־הָרִים אֶל־אָצַל Zech. 14:5

אֲצַלְיָהוּ שפ״ז – סופר יאשיהו המלך
אֲצַלְיָהוּ 1 שָׁלַח הַמֶּלֶךְ אֶת־שָׁפָן בֶּן־אֲצַלְיָהוּ IIK. 22:3
2 שָׁלַח אֶת־שָׁפָן בֶּן־אֲצַלְיָהוּ IICh. 34:8

אֹצֶם שפ״ז א) אחי דוד: 1
ב) בן חצרון בן ירחמאל: 2
אֹצֶם 1 אֹצֶם הַשִּׁשִּׁי דָּוִיד הַשְּׁבִעִי ICh. 2:15
וְאֹצֶם 2 וּבוּנָה וָאֹרֶן וָאֹצֶם אֲחִיָּה ICh. 2:25

אֶצְעָדָה נ׳ תכשיט לרגל או ליד
אֶצְעָדָה 1 אֶצְעָדָה וְצָמִיד טַבַּעַת... Num. 31:50
וְאֶצְעָדָה 2 וְאֶצְעָדָה אֲשֶׁר עַל־זְרֹעוֹ IISh. 1:10

אצר : אָצַר, נֶאֱצַר; אוֹצָר; אֵצֶר

אָצַר פ׳ צבר • קרובים: ראה אסף
אָצְרוּ 1-2 וַאֲשֶׁר אָצְרוּ אֲבֹתֶיךָ IIK. 20:17 • Is. 39:6
הָאוֹצְרִים 3 הָאוֹצְרִים חָמָס וָשֹׁד בְּאַרְמְנוֹתֵיהֶם Am. 3:10
יֵאָצֵר 4 לֹא יֵאָצֵר וְלֹא יֵחָסֵן Is. 23:18
וָאוֹצְרָה 5 וָאוֹצְרָה עַל־אוֹצָרוֹת שֶׁלֶמְיָה Neh. 13:13

אֵצֶר שפ״ז – מאלופי החורי בשעיר
אֵצֶר 1-2 בְּנֵי־אֵצֶר בִּלְהָן וְזַעֲוָן Gen. 36:27 • ICh. 1:42
3 אַלּוּף דִּשֹׁן אַלּוּף אֵצֶר... Gen. 36:30
וְאֵצֶר 4-5 וְאֵצֶר וְדִישָׁן Gen. 36:21 • ICh. 1:38

אֶצָּרְךָ (ישעיה מב6) – עין נצר (39)
אֶצָּרְךָ (ירמיה א5) – עין יצר (33)

אֶקְדָּח ז׳ אבן טובה • קרובים: ראה אֹדֶם
אֶקְדָּח 1 וְשַׂמְתִּי... וּשְׁעָרַיִךְ לְאַבְנֵי אֶקְדָּח Is. 54:12

אַקּוֹ ז׳ עז־בר
וְאַקּוֹ 1 וְאַקּוֹ וְדִישֹׁן וּתְאוֹ וָזָמֶר Deut. 14:5

אר עין אור

אֲרָא שפ״ז – בן יתר מבני אָשֵׁר, ראש בית־אב
וַאֲרָא 1 וּבְנֵי יֶתֶר יְפֻנֶּה וּפִסְפָּה וַאֲרָא ICh. 7:38

אֶרְאֵל* ז׳ מלאך? (עין גם אֲרִיאֵל)
אֶרְאֶלָּם 1 הֵן אֶרְאֶלָּם צָעֲקוּ חֻצָה Is. 33:7

אַרְאֵלִי שפ״ז א) מבני גד: 1
ב) שֵׁם־הַיחס של הנ״ל: 2–3

וְאַרְאֵלִי 1 וּבְנֵי גָד... וְאַרוֹדִי וְאַרְאֵלִי Gen. 46:16
הָאַרְאֵלִי 2 לְאַרְאֵלִי מִשְׁפַּחַת הָאַרְאֵלִי Num. 26:17
לְאַרְאֵלִי 3 לְאַרְאֵלִי מִשְׁפַּחַת הָאַרְאֵלִי Num. 26:17

ארב : אָרַב, מַאֲרָב; אוֹרֵב, אֶרֶב, אֹרֶב, מַאֲרָב;
אַרְבֶּה, אֲרֻבָּה, אֲרָב; אֲרֻבּוֹת, אַרְבִּי, אַרְבְּאֵל(?)

אָרַב פ׳ התחבא כדי להתנפל: כל המקראות
[עיין גם אורב]

אֱרָב־ 1 דִּבְרֵי רְשָׁעִים אֱרָב־דָּם Prov. 12:6
אָרָבְתִּי 2 וְעַל־פֶּתַח רֵעִי אָרָבְתִּי Job 31:9
וְאָרַב 3 וְאָרַב לוֹ וְקָם עָלָיו Deut. 19:11
וַאֲרַבְתֶּם 4 לְכוּ וַאֲרַבְתֶּם בַּכְּרָמִים Jud. 21:20
אָרְבוּ 5 כִּי הִנֵּה אָרְבוּ לְנַפְשִׁי Ps. 59:4
6 בַּמִּדְבָּר אָרְבוּ לָנוּ Lam. 4:19
אוֹרֵב 7 דֹּב אֹרֵב הוּא לִי Lam. 3:10
וְאוֹרֵב 8 מִכַּף אוֹיֵב וְאוֹרֵב עַל־הַדָּרֶךְ Ez. 8:31
לְאֹרֵב 9 הֵקִים בְּנִי... עָלַי לְאֹרֵב ISh. 22:8
10 לָקוּם אֵלַי לְאֹרֵב כַּיּוֹם הַזֶּה ISh. 22:13
אֹרְבִים 11 רְאוּ אַתֶּם אֹרְבִים לָעִיר Josh. 8:4
תֶּאֱרֹב 12 אַל־תֶּאֱרֹב רָשָׁע לִנְוֵה צַדִּיק Prov. 24:15
יֶאֱרֹב 13 יֶאֱרֹב בַּמִּסְתָּר כְּאַרְיֵה בְסֻכֹּה Ps. 10:9
14 יֶאֱרֹב לַחֲטוֹף עָנִי Ps. 10:9
וַיֶּאֱרֹב 15 וַיִּקַּח אֶת־הָעָם...וַיֶּאֱרֹב בַּשָּׂדֶה Jud. 9:43
תֶּאֱרֹב 16 וְאֵצֶל כָּל־פִּנָּה תֶּאֱרֹב Prov. 7:12
17 אַף־הִיא כְּחֶתֶף תֶּאֱרֹב Prov. 23:28
נֶאֶרְבָה 18 נֶאֶרְבָה לְדָם נִצְפְּנָה לְנָקִי חִנָּם Prov. 1:11
יֶאֱרֹבוּ 19 כֻּלָּם לְדָמִים יֶאֱרֹבוּ Mic. 7:2
20 וְהֵם לְדָמָם יֶאֱרֹבוּ Prov. 1:18
וַיֶּאֶרְבוּ 21 וַיֶּאֶרְבוּ עַל־שְׁכֶם Jud. 9:34
22 וַיֶּאֶרְבוּ־לוֹ כָל־הַלַּיְלָה Jud. 16:2
וֶאֱרֹב 23 קוּם לַיְלָה... וֶאֱרֹב בַּשָּׂדֶה Jud. 9:32
מְאָרְבִים 24 מְאָרְבִים עַל רָאשֵׁי הֶהָרִים Jud. 9:25
25 נָתַן יְיָ מְאָרְבִים עַל־בְּנֵי עַמּוֹן IICh. 20:22
וַיָּרֶב(=וַיֶּאֱרֹב) 26 וַיָּבֹא שָׁאוּל... וַיָּרֶב בַּנָּחַל ISh. 15:5

אֶרֶב* ז׳ מחבוא לאורב, מארב
אָרֶב 1 וַתָּבוֹא חַיָּה בְמוֹ־אָרֶב Job 37:8
2 יֵשְׁבוּ בַסֻּכָּה לְמוֹ־אָרֶב Job 38:40

אֹרֶב* ז׳ מחבוא לאורב, מארב
אָרְבּוֹ 1 וּבְקִרְבּוֹ יָשִׂים אָרְבּוֹ Jer. 9:7
בְּאָרְבָּם 2 כִּי־קֵרְבוּ כַתַּנּוּר לִבָּם בְּאָרְבָּם Hosh. 7:6

אֲרָב שם עיר בקרבת חברון
אֲרָב 1 אֲרָב וְדוּמָה וְאֶשְׁעָן Josh. 15:52

אַרְבְּאֵל ראה בֵּית אַרְבְּאֵל

אַרְבֶּה ז׳ חרק ממין החגבים הזולל את הצומח: 1—24
קרובים: גּוֹב / גּוֹבַי / גָּזָם / חָגָב / חָסִיל / יֶלֶק / סָלְעָם

אַרְבֶּה 1 הִנְנִי מֵבִיא מָחָר אַרְבֶּה בִּגְבֻלֶךָ Ex. 10:4
2 לְפָנָיו לֹא־הָיָה כֵן אַרְבֶּה כָּמֹהוּ Ex. 10:14
3 לֹא נִשְׁאַר אַרְבֶּה אֶחָד Ex. 10:19
4 וּבָאוּ כְדֵי־אַרְבֶּה לָרֹב Jud. 6:5
5 אַרְבֶּה חָסִיל כִּי יִהְיֶה IK. 8:37
6 אָמַר וַיָּבֹא אַרְבֶּה Ps. 105:34
7 אַרְבֶּה וְחָסִיל כִּי יִהְיֶה IICh. 6:28
הָאַרְבֶּה 8 וְרוּחַ הַקָּדִים נָשָׂא אֶת־הָאַרְבֶּה Ex. 10:13
9 וַיַּעַל הָאַרְבֶּה עַל כָּל־אֶרֶץ מִצְרַיִם Ex. 10:14
10 רוּחַ־יָם... וַיִּשָּׂא אֶת־הָאַרְבֶּה Ex. 10:19
11 אֶת־הָאַרְבֶּה לְמִינוֹ Lev. 11:22

הָאַרְבֶּה (המשך) 12 כִּי יַחְסְלֶנּוּ הָאַרְבֶּה Deut. 28:38
13 יֶתֶר הַגָּזָם אָכַל הָאַרְבֶּה Joel 1:4
14 וְיֶתֶר הָאַרְבֶּה אָכַל הַיָּלֶק Joel 1:4
15 וְשִׁלַּמְתִּי... אֲשֶׁר אָכַל הָאַרְבֶּה Joel 2:25
בָּאַרְבֶּה 16 נְטֵה יָדְךָ עַל־אֶרֶץ מִצְרַיִם בָּאַרְבֶּה Ex. 10:12
כָּאַרְבֶּה 17 וּמִדְיָן וַעֲמָלֵק... כָּאַרְבֶּה לָרֹב Jud. 7:12
18 הִתְכַּבֵּד כַּיֶּלֶק הִתְכַּבְּדִי כָּאַרְבֶּה Nah. 3:15
19 מִנְּזָרַיִךְ כָּאַרְבֶּה... כְּגוֹב גֹּבָי Nah. 3:17
20 נִנְעַרְתִּי כָּאַרְבֶּה Ps. 109:23
21 הֲתַרְעִישֶׁנּוּ כָּאַרְבֶּה Job 39:20
לָאַרְבֶּה 22 וַיִּתֵּן לֶחָסִיל... וִיגִיעָם לָאַרְבֶּה Ps. 78:46
23 מֶלֶךְ אֵין לָאַרְבֶּה וַיֵּצֵא חֹצֵץ כֻּלּוֹ Prov. 30:27
מֵאַרְבֶּה 24 כִּי רַבּוּ מֵאַרְבֶּה Jer. 46:23

אָרְבָּה* נ׳ בית־שחי?
אָרְבּוֹת־ 1 וְהִשְׁפִּיל גַּאֲוָתוֹ עִם אָרְבּוֹת יָדָיו Is. 25:11

אֲרֻבָּה נ׳ א) פֶּתח לעשן: 1 ב) פֶּתח לשובך: 9
ג) [בהשאלה] פֶּתח בשמים לגשמים: 2-4,6-8
ד) [״] חור העין 5
אֲרֻבּוֹת הַשָּׁמַיִם 6—8

מֵאֲרֻבָּה 1 כְּמֹץ יְסֹעֵר מִגֹּרֶן וּכְעָשָׁן מֵאֲרֻבָּה Hosh. 13:3
אֲרֻבּוֹת 2 הִנֵּה יְיָ עֹשֶׂה אֲרֻבּוֹת בַּשָּׁמַיִם IIK. 7:2
3 וְהִנֵּה יְיָ עֹשֶׂה אֲרֻבּוֹת בַּשָּׁמַיִם IIK. 7:19
4 כִּי־אֲרֻבּוֹת מִמָּרוֹם נִפְתָּחוּ Is. 24:18
בָּאֲרֻבּוֹת 5 וְחָשְׁכוּ הָרֹאוֹת בָּאֲרֻבּוֹת Eccl. 12:3
אֲרֻבּוֹת־ 6 אִם־לֹא אֶפְתַּח..אֵת אֲרֻבּוֹת הַשָּׁמַיִם Mal. 3:10
וַאֲרֻבֹּת־ 7 וַאֲרֻבֹּת הַשָּׁמַיִם נִפְתָּחוּ Gen. 7:11
8 וַיִּסָּכְרוּ... וַאֲרֻבֹּת הַשָּׁמָיִם Gen. 8:2
אֲרֻבֹּתֵיהֶם 9 וְכַיּוֹנִים אֶל־אֲרֻבֹּתֵיהֶם Is. 60:8

אֲרֻבּוֹת שם מקום בשרון, מקום מושב אחד מנציבי שלמה
בָּאֲרֻבּוֹת 1 בֶּן־חֶסֶד בָּאֲרֻבּוֹת IK. 4:10

אַרְבִּי ת׳ המתיחס אל אֲרָב
הָאַרְבִּי 1 חֶצְרַי הַכַּרְמְלִי פַּעֲרַי הָאַרְבִּי IISh. 23:35

אַרְבַּע[1] ש״מ 4 לנקבה
אַרְבַּע אַמּוֹת 55—58, 106, 107; א׳ אֶצְבָּעוֹת 64;
א׳ חַיּוֹת 65; א׳ טַבָּעוֹת 28-31,35,36; א׳ יָדוֹת 141;
א׳ כְּנָפוֹת 134,136,149; א׳ כְּנָפַיִם 113/4; א׳ כְּתֵפוֹת
112; א׳ מֵאוֹת 2-26,79-104,120-122; א׳ מַלְכֻיּוֹת 74;
א׳ מַרְכָּבוֹת 68; א׳ מִשְׁפָּחוֹת 62; א׳ עֲגָלוֹת 133;
א׳ עֶשְׂרֵה 27, 42—45, 115—119; א׳ פֵּאוֹת 128/9;
א׳ פִּנּוֹת 130/1, 135, 138/9, 143; א׳ פְּעָמוֹת 126/7;
א׳ פְּעָמִים 75; א׳ צֹאן 105; א׳ קְצָווֹת 132,142,150;
א׳ קְרָנוֹת 66, 67, 137; א׳ רַגְלַיִם 39, 145, 146;
א׳ רִבּוֹא 76,77; א׳ רוּחוֹת 63, 123—125, 140,
144, 147, 148; הוֹלֵךְ עַל אַרְבַּע 37, 38, 40, 41;
בִּשְׁנַת אַרְבַּע לְ־ 61,69,78; אַרְבַּעְתָּן 151—154

אַרְבַּע 1 וַיְחִי־עֵבֶר אַרְבַּע וּשְׁלֹשִׁים שָׁנָה Gen. 11:16
2 וַעֲבָדוּם... אַרְבַּע מֵאוֹת שָׁנָה Gen. 15:13
3 אֶרֶץ אַרְבַּע מֵאֹת שֶׁקֶל־כֶּסֶף Gen. 23015
4-26 אַרְבַּע(־)מֵאוֹת Gen. 23:16; 33:1
Jud. 20:2,17; 21:12 • ISh. 30:17 • IK. 7:42; 9:28;
18:19²,22 • IIK. 14:13 • Ez. 1:10; 2:15,67 • Neh.
7:68(69); 11:6 • ICh. 21:5 • IICh. 4:13; 8:18; 13:3;
18:5; 25:23
27 עֲבַדְתִּיךָ אַרְבַּע־עֶשְׂרֵה שָׁנָה Gen. 31:41
28-31 אַרְבַּע טַבְּעֹת זָהָב Ex. 25:12,26; 37:3,13
32-34 וְרֹחַב אַרְבַּע בָּאַמָּה Ex. 26:2,8; 36:9
35 אַרְבַּע טַבְּעֹת נְחֹשֶׁת Ex. 27:4
36 וַיִּצֹק אַרְבַּע טַבָּעֹת Ex. 38:5
37/8 שֶׁרֶץ הָעוֹף הַהֹלֵךְ עַל־אַרְבַּע Lev. 11:20,21

אַרְבַּע (המשך) 39 אֲשֶׁר־לוֹ אַרְבַּע רַגְלָיִם Lev. 11:23
40 בְּכֹל הַחַיָּה הַהֹלֶכֶת עַל־אַרְבַּע Lev. 11:27
41 וְכֹל הוֹלֵךְ עַל־אַרְבַּע Lev. 11:42
42-45 אַרְבַּע(־)עֶשְׂרֵה Josh. 15:36; 18:28
Ezek. 43:17 • IICh. 13:21
46-54 עָרִים אַרְבַּע Josh. 19:7
21:18,22,24,29,31,35,37,39(37)
55-58 אַרְבַּע אַמּוֹת IK. 7:19 • Ezek. 41:5; 43:14,15
59-60 אַרְבַּע בָּאַמָּה IK. 7:27,38
61 בִּשְׁנַת אַרְבַּע לְאַחְאָב IK. 22:41
62 וּפָקַדְתִּי עֲלֵיהֶם אַרְבַּע מִשְׁפָּחוֹת Jer. 15:3
63 וְהֵבֵאתִי אֶל־עֵילָם אַרְבַּע רוּחוֹת Jer. 49:36
64 וְעָבְיוֹ אַרְבַּע אֶצְבָּעוֹת Jer. 52:21
65 וּמִתּוֹכָהּ דְּמוּת אַרְבַּע חַיּוֹת Ezek. 1:5
66 וּלְמַעְלָה הַקְּרָנוֹת אַרְבַּע Ezek. 43:15
67 וְהִנֵּה אַרְבַּע קְרָנוֹת Zech. 2:1
68 וְהִנֵּה אַרְבַּע מַרְכָּבוֹת יֹצְאוֹת Zech. 6:1
69 וַיְהִי בִּשְׁנַת אַרְבַּע לְדָרְיָוֶשׁ הַמֶּלֶךְ Zech. 7:1
70 אַרְבַּע לֹא־אָמְרוּ הוֹן Prov. 30:15
71 וְתַחַת אַרְבַּע לֹא־תוּכַל שְׂאֵת Prov. 30:21
72 וַתַּעֲלֶנָה חָזוּת אַרְבַּע תַּחְתֶּיהָ Dan. 8:8
73 וַתַּעֲמֹדְנָה אַרְבַּע תַּחְתֶּיהָ Dan. 8:22
74 אַרְבַּע מַלְכֻיוֹת מִגּוֹי יַעֲמֹדְנָה Dan. 8:22
75 וַיִּשְׁלְחוּ אֵלַי... אַרְבַּע פְּעָמִים Neh. 6:4
76/7 הַקָּהָל.. אַרְבַּע רִבּוֹא Ez. 2:64 • Neh. 7:66
78 בִּשְׁנַת אַרְבַּע לְמַלְכוּתוֹ IICh. 3:2
וְאַרְבַּע 79-81 וְאַרְבַּע מֵאוֹת שָׁנָה Gen. 11:13,15,17
82 וְאַרְבַּע־מֵאוֹת אִישׁ עִמּוֹ Gen. 32:6
83-104 וְאַרְבַּע(־)מֵאוֹת Ex. 12:40,41; 38:29
Num. 1:29,31, 37, 43; 2:6, 8, 9, 16, 23, 30; 7:85;
26:43,47,50 • ISh. 30:10 • IK. 6:1; 10:26 • Ez. 1:11
• IICh. 1:14
105 וְאַרְבַּע־צֹאן תַּחַת הַשֶּׂה Ex. 21:37
106/7 וְאַרְבַּע אַמּוֹת Ex. 36:15 • Deut. 3:11
108-110 עֶשְׂרִים וְאַרְבַּע IISh. 21:20
IK. 15:33 • ICh. 20:6
111 וְאַרְבַּע בָּאַמָּה רָחְבָּהּ IK. 7:27
112 וְאַרְבַּע כְּתֵפוֹת IK. 7:34
113/4 וְאַרְבַּע כְּנָפַיִם Ezek. 1:6; 10:21
בְּאַרְבַּע 115 בְּאַרְבַּע עֶשְׂרֵה שָׁנָה לַמֶּלֶךְ חִזְקִיָּהוּ Is. 36:1
116 בֶּעָשׂוֹר לַחֹדֶשׁ בְּאַרְבַּע עֶשְׂרֵה שָׁנָה Ezek. 40:1
117 בְּאַרְבַּע עֶשְׂרֵה רֹחַב Ezek. 43:17
וּבְאַרְבַּע 118 וּבְאַרְבַּע עֶשְׂרֵה שָׁנָה בָּא... Gen. 14:5
119 וּבְאַרְבַּע עֶשְׂרֵה שָׁנָה... עָלָה... IIK. 18:13
כְּאַרְבַּע 120-2 כְּאַרְבַּע מֵאוֹת אִישׁ ISh. 22:2; 25:13 • IK. 22:6
לְאַרְבַּע 123 לְאַרְבַּע רוּחוֹת מְדָדוֹ Ezek. 42:20
124 לְאַרְבַּע רוּחוֹת יִהְיוּ הַשֹּׁעֲרִים ICh. 9:24
מֵאַרְבַּע 125 מֵאַרְבַּע רוּחוֹת בֹּאִי הָרוּחַ Ezek. 37:9
אַרְבַּע־ 126/7 עַל אַרְבַּע פַּעֲמֹתָיו Ex. 25:12; 37:3
128/9 עַל אַרְבַּע הַפֵּאֹת Ex. 25:26; 37:13
130/1 עַל אַרְבַּע פִּנֹּתָיו Ex. 27:2; 38:2
132 נְחֹשֶׁת עַל אַרְבַּע קְצוֹתָיו Ex. 27:4
133 וְאֵת אַרְבַּע הָעֲגָלֹת... נָתַן... Num. 7:8
134 עַל־אַרְבַּע כַּנְפוֹת כְּסוּתְךָ Deut. 22:12
135 אֶל אַרְבַּע פִּנּוֹת הַמְּכֹנָה IK. 7:34
136 אַרְבַּע (כת׳ ארבעת) כַּנְפוֹת הָאָרֶץ Ezek. 7:2
137 וְנָתַתָּה עַל־אַרְבַּע קַרְנֹתָיו Ezek. 43:20
138/9 אַרְבַּע פִּנּוֹת הָעֲזָרָה Ezek. 43:20; 45:19
140 אֵלֶּה אַרְבַּע רוּחוֹת הַשָּׁמַיִם Zech. 6:5
וְאַרְבַּע־ 141 וְאַרְבַּע הַיָּדֹת יִהְיֶה לָכֶם Gen. 47:24
בְּאַרְבַּע־ 142 טַבָּעֹת בְּאַרְבַּע הַקְּצָוֹת Ex. 38:5
143 וַיִּגַּע בְּאַרְבַּע פִּנּוֹת הַבַּיִת Job 1:19

כְּאַרְבַּע־ 144 כְּאַרְבַּע רוּחוֹת הַשָּׁמַיִם פֵּרַשְׂתִּי Zech.2:10
לְאַרְבַּע־ 145/6 ...אֲשֶׁר לְאַרְבַּע רַגְלָיו Ex.25:26; 37:13
147 וַתַּעֲלֶנָה...לְאַרְבַּע רוּחוֹת הַשָּׁמָיִם Dan.8:8
148 וְתֵחָץ לְאַרְבַּע רוּחוֹת הַשָּׁמָיִם Dan.11:4
מֵאַרְבַּע־ 149 יְקַבֵּץ מֵאַרְבַּע כַּנְפוֹת הָאָרֶץ Is.11:12
150 וְהֵבֵאתִי...מֵאַרְבַּע קְצוֹת הַשָּׁמַיִם Jer.49:36
לְאַרְבַּעְתָּן 151 וּפְנֵי־שׁוֹר מֵהַשְּׂמֹאול לְאַרְבַּעְתָּן Ezek.1:10
152 וּפְנֵי־נֶשֶׁר לְאַרְבַּעְתָּן Ezek.1:10
153 וּדְמוּת אֶחָד לְאַרְבַּעְתָּן Ezek.1:16
154 וְגַבֹּתָם מְלֵאֹת עֵינַיִם...לְאַרְבַּעְתָּן Ezek.1:18

אַרְבַּע[2] ש״מ ארמית: 4 לנקבה

אַרְבַּע 1 אַרְבַּע רוּחֵי שְׁמַיָּא מְגִיחָן Dan.7:2
2 וְלַהּ גַּפִּין אַרְבַּע דִּי־עוֹף עַל־גַּבַּהּ Dan.7:6
3 אִלֵּין חֵיוָתָא... דִּי אִנִּין אַרְבַּע Dan.7:17
4 וְהַקְרִבוּ... אִמְּרִין אַרְבַּע מְאָה Ez.6:17
וְאַרְבַּע 5 וְאַרְבַּע חֵיוָן רַבְרְבָן סָלְקָן Dan.7:3

אַרְבַּע[3] שפ״ז – אבי הענק, על שמו נקראה: חברון "קרית ארבע"; עין קִרְיַת־אַרְבַּע

אַרְבַּע 1 וְשֵׁם חֶבְרוֹן לְפָנִים קִרְיַת אַרְבַּע
הָאָדָם הַגָּדוֹל בָּעֲנָקִים הוּא Josh.14:15
2 אֶת־קִרְיַת אַרְבַּע אֲבִי הָעֲנָק Josh.15:13
3 אֶת־קִרְיַת אַרְבַּע אֲבִי הָעֲנוֹק Josh.21:11

אַרְבָּעָה ש״מ 4 לזכר

אַרְבָּעָה אֲדָנִים 14,13,9,8; א׳ אוֹפַנִּים 142,68,37; א׳ אֲנָשִׁים 70; א׳ בָּנִים 153; א׳ בָּקָר 128; א׳ גִּבּוֹרִים 141; א׳ גְּבִיעִים 5,4; א׳ דּוֹרוֹת 52; א׳ חֳדָשִׁים 67,32,31; א׳ חָרָשִׁים 49; א׳ טוּרִים 33; א׳ יָמִים 129; א׳ כַּדִּים 35; א׳ מְלָכִים 1; א׳ מִקְצוֹעִים 140; א׳ עַמּוּדִים 6, 7, 10; א׳ עָשָׂר 126,125,123,122,120-110,62,60,55-53,51,34,2; א׳ פָּנִים 39, 72/3, 156; א׳ פַּעֲמוֹת 69; א׳ רָאשִׁים 30, 124; א׳ רְבָעִים 139,138,136-134; א׳ שְׁפָטִים 137; א׳ שֻׁלְחָנוֹת 40, 74, 75; אַרְבַּעַת אֲלָפִים 133-131, 155,152-143; אַרְבַּעְתָּם 163-157

אַרְבָּעָה 1 אַרְבָּעָה מְלָכִים אֶת־הַחֲמִשָּׁה Gen.14:9
2 כָּל־נֶפֶשׁ אַרְבָּעָה עָשָׂר Gen.46:22
3 עַד אַרְבָּעָה עָשָׂר יוֹם לַחֹדֶשׁ הַזֶּה Ex.12:6
4/5 וּבַמְּנֹרָה אַרְבָּעָה גְבִעִים Ex.25:34; 37:20
6/7 אַרְבָּעָה עַמּוּדֵי שִׁטִּים Ex.26:32; 36:36
8/9 אַרְבָּעָה אַדְנֵי־כָסֶף Ex.26:32; 36:36
10 (וְ)עַמֻּדֵיהֶם אַרְבָּעָה... Ex.27:16
11/2 אַרְבָּעָה טוּרִים/טוּרֵי אָבֶן Ex.28:17; 39:10
13/4 וְאַדְנֵיהֶם אַרְבָּעָה Ex.27:16; 38:19
15/6 אַרְבָּעָה וְשִׁבְעִים אֶלֶף Num.1:27; 2:4
17/8 אַרְבָּעָה וַחֲמִשִּׁים אֶלֶף Num.1:29; 2:6
19 אַרְבָּעָה עָשָׂר אֶלֶף וּשְׁבַע מֵאוֹת Num.17:14
20 אַרְבָּעָה וְעֶשְׂרִים אָלֶף Num.25:9
21/2 אַרְבָּעָה וְשִׁשִּׁים אָלֶף Num.26:25,43
29-23 כְּבָשִׂים... אַרְבָּעָה עָשָׂר תְּמִימִם
Num.29:13,17,20,23,26,29,32
30 וַיֶּאֶרְבוּ עַל־שְׁכֶם אַר׳ רָאשִׁים Jud.9:34
31/2 אַרְבָּעָה חֳדָשִׁים Jud.19:2; 20:47
33 אַרְבָּעָה טוּרֵי עַמּוּדֵי אֲרָזִים IK.7:2
34 אַרְבָּעָה עָשָׂר יוֹם IK.8:65
35 מִלְאוּ אַרְבָּעָה כַדִּים מַיִם IK.18:34
36 אַרְבָּעָה חֲמִשָּׁה בִּסְעִפֶיהָ פֹּרִיָּה Is.17:6
37 אַרְבָּעָה אוֹפַנִּים אֵצֶל הַכְּרוּבִים Ezek.10:9
38/9 אַרְבָּעָה אַרְבָּעָה פָנִים לְאֶחָד Ezek.10:21
40 אַרְבָּעָה שֻׁלְחָנוֹת מִפֹּה Ezek.40:41

אַרְבָּעָה (המשך) 48-41 ...וְעַל־אַרְבָּעָה לֹא אֲשִׁיבֶנּוּ Am.1:3
1:6,9,11,13; 2:1,4,6
49 וַיַּרְאֵנִי יְיָ אַרְבָּעָה חָרָשִׁים Zech.2:3
50 אַרְבָּעָה הֵם קְטַנֵּי־אָרֶץ Prov.30:24
51 אַרְבָּעָה עָשָׂר אֶלֶף צֹאן Job42:12
52 וַיַּרְא אֶת־בָּנָיו... אַרְבָּעָה דֹּרוֹת Job42:16
55-53 (בְּ)יוֹם אַרְבָּעָה עָשָׂר לְחֹדֶשׁ אֲדָר
Es.9:15,19,21
59-56 אַרְבָּעָה ICh.3:5; 7:1; 23:10,12
60 לְיֶשֶׁבְאָב אַרְבָּעָה עָשָׂר ICh.24:13
61 לְמַעַזְיָהוּ אַרְבָּעָה וְעֶשְׂרִים ICh.24:18
62 בָּנִים אַרְבָּעָה עָשָׂר וּבָנוֹת שָׁלוֹשׁ ICh.25:5
63/4 לַיּוֹם אַרְבָּעָה ICh.26:17[2]
65 אַרְבָּעָה לַמְסִלָּה שְׁנַיִם לַפַּרְבָּר ICh.26:18
וְאַרְבָּעָה 66 עֶשְׂרִים וְאַרְבָּעָה פָּרִים Num.7:88
67 ...יָמִים וְאַרְבָּעָה חֳדָשִׁים ISh.27:7
68 וְאַרְבָּעָה אוֹפַנֵּי נְחֹשֶׁת לַמְּכוֹנָה IK.7:30
69 וְאַרְבָּעָה פַעֲמֹתָיו כְּתֵפֹת לָהֶם IK.7:30
70 וְאַרְבָּעָה אֲנָשִׁים הָיוּ מְצֹרָעִים IIK.7:3
71 כִּקְרוֹא... שָׁלֹשׁ דְּלָתוֹת וְאַרְבָּעָה Jer.36:23
72/3 וְאַרְבָּעָה פָנִים לְאֶחָת(ד) Ezek.1:6; 10:14
74/5 ...וְאַרְבָּעָה שֻׁלְחָנוֹת Ezek.40:41; 42
78-76 (בְּ)בְיוֹם עֶשְׂרִים וְאַרְבָּעָה לַחֹדֶשׁ
Hag.1:15 • Dan.10:4 • Neh.9:1
79/80 (בְּ)עֶשְׂרִים וְאַרְבָּעָה לַתְּשִׁיעִי Hag.2:10,18
81 בְּעֶשְׂרִים וְאַרְבָּעָה לַחֹדֶשׁ Hag.2:20
82 בְּיוֹם עֶשְׂרִים וְאַרְבָּעָה Zech.1:7
83 וְאַרְבָּעָה(כת׳ וארבע) לֹא יְדַעְתִּים Prov.30:18
84 וְאַרְבָּעָה מֵיטִבֵי לָכֶת Prov.30:29
85-9 חֲמִשִּׁים וְאַרְבָּעָה Ez.2:7,15,31 • Neh.7:12,34
90/1 שִׁבְעִים וְאַרְבָּעָה Ez.2:40 • Neh.7:43
92 עֶשְׂרִים וְאַרְבָּעָה Neh.7:23
93 מָאתַיִם שְׁמֹנִים וְאַרְבָּעָה Neh.11:18
94 אַרְבָּעִים וְאַרְבָּעָה אֶלֶף ICh.5:18
95 עֶשְׂרִים... אֶלֶף וּשְׁלֹשִׁים וְאַרְבָּעָה ICh.7:7
109-96 עֶשְׂרִים וְאַרְבָּעָה אָלֶף ICh.23:4
27:1,2,4,5,7,8,9,10,11,12,13,14,15
בְּאַרְבָּעָה 112-110 בְּאַרְבָּעָה עָשָׂר יוֹם לַחֹדֶשׁ Ex.12:18
Num.9:5 • Ezek.45:21
113 בְּאַרְבָּעָה עָשָׂר־יוֹם בַּחֹדֶשׁ הַזֶּה Num.9:3
115-114 בְּאַרְבָּעָה עָשָׂר יוֹם לַחֹדֶשׁ Num.28:16
Josh.5:10
119-116 בְּאַרְבָּעָה עָשָׂר לַחֹדֶשׁ Lev.23:5
Ez.6:19 • IICh.30:15; 35:1
120 בַּחֹדֶשׁ הַשֵּׁנִי בְּאַרְבָּעָה עָשָׂר יוֹם Num.9:11
121 בְּאַרְבָּעָה לַחֹדֶשׁ הַתְּשִׁעִי בְּכִסְלֵו Zech.7:1
122 וְנוֹחַ בְּאַרְבָּעָה עָשָׂר בּוֹ Es.9:17
וּבְאַרְבָּעָה 123 נִקְהֲלוּ... וּבְאַרְבָּעָה עָשָׂר בּוֹ Es.9:18
לְאַרְבָּעָה 124 יִפָּרֵד וְהָיָה לְאַרְבָּעָה רָאשִׁים Gen.2:10
125 וְעִשָּׂרוֹן...לְאַרְבָּעָה עָשָׂר כְּבָשִׂים Num.29:15
126 לְאַרְבָּעָה עָשָׂר מַתִּתְיָהוּ... ICh.25:21
127 לְאַרְבָּעָה וְעֶשְׂרִים לְרוֹמַמְתִּי־... ICh.25:31
אַרְבַּעַת־ 128 וְאֵת אַרְבַּעַת הַבָּקָר נָתַן... Num.7:7
129 לְתַנּוֹת... אַרְבַּעַת יָמִים בַּשָּׁנָה Jud.11:40
130 אֶת־אַרְבַּעַת אֵלֶּה יֻלְּדוּ לְהָרָפָה IISh.21:22
133-131 אַרְבַּעַת אֲלָפִים Jer.52:30
ICh.12:27(26) • IICh.9:25
134/5 אַרְבַּעַת רִבְעֵיהֶם Ezek.1:8; 10:11
136 עַל־אַרְבַּעַת רִבְעֵיהֶן...יֵלֵכוּ Ezek.1:17
137 אַרְבַּעַת שְׁפָטַי הָרָעִים Ezek.14:21
138/9 אַרְבַּעַת רְבָעָיו / רְבָעֶיהָ Ezek.43:16,17
140 אַרְבַּעַת מִקְצוֹעֵי הֶחָצֵר Ezek.46:21

141 אַרְבַּעַת גִּבּוֹרֵי הַשְּׁעָרִים ICh.9:26
וְאַרְבַּעַת־ 142 וְאַרְבַּעַת הָאוֹפַנִּים לְמִתַּחַת IK.7:32
152-143 וְאַרְבַּעַת אֲלָפִים Ezek.48:16[4]
48:30,32,33,34 • ICh.23:5[2]
153 וְאַרְבַּעַת בָּנָיו עִמּוֹ ICh.21:20
בְּאַרְבַּעַת־ 154 בְּאַרְבַּעַת מִקְצֹעוֹת הֶחָצֵר Ezek.46:22
כְּאַרְבַּעַת־ 155 וַיַּכּוּ... כְּאַרְבַּעַת אֲלָפִים אִישׁ ISh.4:2
לְאַרְבַּעַת־ 156 וְהִנֵּה אוֹפַן אֶחָד...לְאַרְבַּעַת פָּנָיו Ezek.1:15
אַרְבַּעְתָּם 157 וְהַיְלָדִים הָאֵלֶּה אַרְבַּעְתָּם... Dan.1:17
לְאַרְבַּעְתָּם 158 וּפְנֵיהֶם וְכַנְפֵיהֶם לְאַרְבַּעְתָּם Ezek.1:8
159 וּפְנֵי אַרְיֵה אֶל־הַיָּמִין לְאַרְבַּעְתָּם Ezek.1:10
160 וּמַרְאֵיהֶם דְּמוּת אֶחָד לְאַרְבַּעְתָּם Ezek.10:10
161 לְאַרְבַּעְתָּם אוֹפַנֵּיהֶם Ezek.10:12
162 מִדָּה אַחַת לְאַרְבַּעְתָּם Ezek.46:22
163 וְטוּר סָבִיב בָּהֶם... לְאַרְבַּעְתָּם Ezek.46:23

אַרְבְּעָה ש״מ ארמית: 4 לזכר

אַרְבְּעָה 1 הָא־אֲנָה חָזֵה גֻּבְרִין אַרְבְּעָה Dan.3:25
2 אַרְבְּעָה מַלְכִין יְקוּמוּן Dan.7:17
וְאַרְבְּעָה 3 וְאַרְבְּעָה רֵאשִׁין לְחֵיוְתָא Dan.7:6

אַרְבָּעִים ש״מ 40 לזכר ולנקבה

אַרְבָּעִים אֲדָנִים 99-96; א׳ אֶלֶף 56-52,124-114,135, 136; א׳ אַמָּה 84; א׳ בָּנִים 65; א׳ בַּת 73; א׳ גָּמָל 78; א׳ יוֹם 12-2,59; א׳ לַיְלָה 10-2,60; א׳ עִיר 57/8; א׳ פָּרוֹת 25; א׳ שָׁנָה 1, 24–21, 51–26, 113–109, 134

אַרְבָּעִים 1 אַרְבָּעִים שָׁנָה וּשְׁמֹנֶה מֵאוֹת שָׁנָה Gen.5:13
10-2 אַרְבָּעִים יוֹם וְאַרְבָּעִים לַיְלָה(לָיְלָה)
Gen.7:4,12 Ex.24:18; 34:28
• Deut.9:9,11,18; 10:10 • IK.19:8
11 וַיְהִי הַמַּבּוּל אַרְבָּעִים יוֹם Gen.7:17
18-12 אַרְבָּעִים יוֹם Gen.8:6; 50:3 • Num.13:25;
14:34 • ISh.17:16 • Ezek.4:6 • Jon.3:4
19 אִם־אֶמְצָא...אַרְבָּעִים וַחֲמִשָּׁה Gen.18:28
20 אוּלַי יִמָּצְאוּן שָׁם אַרְבָּעִים Gen.18:29
21 וַיְהִי יִצְחָק בֶּן־אַרְבָּעִים שָׁנָה Gen.25:20
24-22 בֶּן־אַרְבָּעִים שָׁנָה Gen.26:34
Josh.14:7 • IISh.2:10
25 פָּרוֹת אַרְבָּעִים וּפָרִים עֲשָׂרָה Gen.32:16(15)
26 אָכְלוּ אֶת־הַמָּן אַרְבָּעִים שָׁנָה Ex.16:35
51-27 אַרְבָּעִים שָׁנָה Num.14:33,34; 32:13
Deut.2:7; 8:2,4; 29:4 • Josh.5:6 • Jud.3:11; 5:31;
8:28; 13:1 • ISh.4:18 • IISh.5:4; 15:7 • IK.2:11;
11:42 • Ezek.29:11,12,13 • Am.2:10; 5:25 • Ps.
95:10 • ICh.29:27 • IICh.9:30
56-52 אַרְבָּעִים אֶלֶף(אָ־) Num.1:33
2:19; 26:18 • IK.5:6 • ICh.12:37(36)
57 תִּתְּנוּ אַרְבָּעִים וּשְׁתַּיִם עִיר Num.35:6
58 אַרְבָּעִים וּשְׁמֹנֶה עִיר Num.35:7
60-59 וָאֶתְנַפַּל לִפְנֵי יְיָ אֶת־אַרְבָּעִים הַיּוֹם
וְאֶת־אַרְבָּעִים הַלַּיְלָה Deut.9:25
61 אַרְבָּעִים יַכֶּנּוּ לֹא יֹסִיף Deut.25:3
62 זֶה אַרְבָּעִים וְחָמֵשׁ שָׁנָה... Josh.14:10
63 עָרִים אַרְבָּעִים וּשְׁמֹנֶה Josh.21:41(39)
64 וַיִּפֹּל... אַרְבָּעִים וּשְׁנַיִם אָלֶף Jud.12:6
65 וַיְהִי־לוֹ אַרְבָּעִים בָּנִים... Jud.12:14
72-66 (וְ)אַרְבָּעִים וַחֲמִשָּׁה IK.7:3
Jer.52:30 • Ez.2:34,66 • Neh.7:13,36,67
73 אַרְבָּעִים בַּת יָכִיל IK.7:38
76-74 (בֶּן)־אַרְבָּעִים וְאַחַת שָׁנָה IK.14:21
IIK.14:23 • IICh.12:13
77 וַתְּבַקַּעְנָה... אַרְבָּעִים וּשְׁנֵי יְלָדִים IIK.2:24

אַרְבָּעִים (המשך) 78 מַשָּׂא אַרְבָּעִים גָּמָל IIK.8:9
83-79 אַרְבָּעִים וּשְׁנַיִם (וּשְׁנָיִם) IIK.10:14
Ez.2:10,24 • Neh.7:28; 11:13
84 וַיָּמָד אָרְכּוֹ אַרְבָּעִים אַמָּה Ezek.41:2
85 אַרְבָּעִים אֹרֶךְ וּשְׁלֹשִׁים רֹחַב Ezek.46:22
86/7 אֶלֶף מָאתַיִם אַרְבָּעִים וְשִׁבְעָה Ez.2:38
Neh.7:41
88 כֶּסֶף־שְׁקָלִים אַרְבָּעִים Neh.5:15
90-89 אַרְבָּעִים וּשְׁמֹנָה Neh.7:15,44
91 שְׁבַע מֵאוֹת אַרְבָּעִים וּשְׁלֹשָׁה Neh.7:29
92 אַרְבָּעִים וְאַרְבָּעָה אֶלֶף ICh.5:18
93 בִּשְׁנַת אַרְבָּעִים וְאַחַת לְמָלְכוֹ IICh.16:13
94 בֶּן־אַרְבָּעִים וּשְׁתַּיִם שָׁנָה.. בְּמָלְכוֹ IICh.22:2
וְאַרְבָּעִים 95 שֶׁבַע שָׁנִים וְאַרְבָּעִים וּמְאַת שָׁנָה Gen.47:28
96/7 וְאַרְבָּעִים אַדְנֵי־כֶסֶף Ex.26:19; 36:24
98/9 וְאַרְבָּעִים אַדְנֵיהֶם כָּסֶף Ex.26:21; 36:26
108-100 אַרְבָּעִים יוֹם וְאַרְבָּ׳ לָיְלָה Gen.7:4
7:12 • Ex.24:18; 34:28 • Deut.9:9,11,18; 10:10 •
IK.19:8
109 וְהָיוּ לְךָ... תֵּשַׁע וְאַרְבָּעִים שָׁנָה Lev.25:8
113-110 וְאַרְבָּעִים שָׁנָה IIK.12:2
Job42:16 • Neh.9:21 • IICh.24:1
124-114 וְאַרְבָּעִים אֶלֶף Num.1:21,25,41; 2:11,
15,28; 26:7,41,50 • IISh.10:18 • ICh.19:18
125 וְאַרְבָּעִים בָּאַמָּה הָיָה הַבָּיִת IK.6:17
126 וְאַרְבָּעִים וְאַחַת שָׁנָה מָלַךְ IK.15:10
127/8 וְאַרְבָּעִים וַחֲמִשָּׁה Ez.2:8 • Neh.7:67(68)
129 שְׁבַע מֵאוֹת וְאַרְבָּעִים וּשְׁלֹשָׁה Ez.2:25
130 שֵׁשׁ מֵאוֹת וְאַרְבָּעִים וּשְׁנָיִם Neh.7:62
הָאַרְבָּעִים 131 לֹא אֶעֱשֶׂה בַּעֲבוּר הָאַרְבָּעִים Gen.18:29
132 בִּשְׁנַת הָאַרְבָּעִים לְצֵאת בּ״י Num.33:38
133 בִּשְׁנַת הָאַרְבָּעִים לְמַלְכוּת דָּוִיד ICh.26:31
בְּאַרְבָּעִים 134 וַיְהִי בְּאַרְבָּעִים שָׁנָה...דִּבֶּר מֹשֶׁה Deut.1:3
135 בְּאַרְבָּעִים אֶלֶף בְּיִשְׂרָאֵל Jud.5:8
כְּאַרְבָּעִים 136 כְּאַרְבָּעִים אֶלֶף חֲלוּצֵי הַצָּבָא Josh.4:13

אַרְבַּעְתָּיִם* תה״פ פי ארבעה
אַרְבַּעְתָּיִם 1 וְאֶת־הַכִּבְשָׂה יְשַׁלֵּם אַרְבַּעְתָּיִם IISh.12:6

ארג : אָרַג; אוֹרֵג; אֶרֶג

אָרַג פ׳ קלע חוטים לאריג [עין עוד אוֹרֵג]
וְאוֹרְגִים 1 וּבֹשׁוּ עֹבְדֵי פִשְׁתִּים...וְאֹרְגִים חוֹרָי Is.19:9
אוֹרְגוֹת 2 אֲשֶׁר הַנָּשִׁים אֹרְגוֹת שָׁם IIK.23:7
תַּאַרְגִי 3 תַּאַרְגִי אֶת־שֶׁבַע מַחְלְפוֹת רֹאשִׁי Jud.16:13
יֶאֱרֹגוּ 4 וְקוּרֵי עַכָּבִישׁ יֶאֱרֹגוּ Is.59:5

אֶרֶג ז׳ אֲרִיגָה • יְתַד הָאֶרֶג 2
אֶרֶג 1 יָמַי קַלּוּ מִנִּי־אָרֶג Job7:6
הָאֶרֶג 2 וַיִּסַּע אֶת־הַיְתַד הָאֶרֶג Jud.16:14

אַרְגֹּב¹ שם חבל בארץ הבשן
אַרְגֹּב 1 כָּל־חֶבֶל אַרְגֹּב... בַּבָּשָׁן Deut.3:4
2 יָאִיר... לָקַח אֶת־כָּל־חֶבֶל אַרְגֹּב Deut.3:14
3 לוֹ חֶבֶל אַרְגֹּב אֲשֶׁר בַּבָּשָׁן IK.4:13
הָאַרְגֹּב 4 כֹּל חֶבֶל הָאַרְגֹּב לְכָל־הַבָּשָׁן Deut.3:13

אַרְגֹּב² שפ״ז (?)
אַרְגֹּב 1 וַיַּכֵּהוּ... אֶת־אַרְגֹּב וְאֶת־הָאַרְיֵה IIK.15:25

אַרְגְּוָן ז׳ שינוי צורה מן אַרְגָּמָן, כבארמית
וּבָאַרְגְּוָן 1 לַעֲשׂוֹת...וּבָאַרְגְּוָן וּבַכַּרְמִיל וּבַתְּכֵלֶת IICh.2:6

אַרְגְּוָנָא* ז׳ ארמית: ארגמן
אַרְגְּוָנָא 1 אַרְגְּוָנָא יִלְבַּשׁ Dan.5:7
2 אַרְגְּוָנָא תִלְבַּשׁ Dan.5:16
3 וְהַלְבִּשׁוּ לְדָנִיֵּאל אַרְגְּוָנָא Dan.5:29

אַרְגָּז ז׳ כְּלִי־קִבּוּל, תֵּבָה
הָאַרְגַּז 1 וַיָּשִׂמוּ... אֶל־הָעֲגָלָה וְאֵת הָאַרְגַּז ISh.6:11
2 וְאֶת־הָאַרְגַּז אֲשֶׁר־אִתּוֹ ISh.6:15
בָּאַרְגַּז 3 ...תָּשִׂימוּ בָאַרְגַּז מִצִּדּוֹ ISh.6:8

אַרְגִּיעָה נ׳? תה״פ? הֶרֶף עַיִן, בֶּן־רֶגַע: 1-3
אַרְגִּיעָה 1 כִּי־אַרְגִּיעָה אֲרִיצֶנּוּ מֵעָלֶיהָ Jer.49:19
2 כִּי־אַרְגִּיעָה אֲרִיצֵם מֵעָלֶיהָ Jer.50:44
3 וְעַד־אַרְגִּיעָה לְשׁוֹן שָׁקֶר Prov.12:19

אַרְגָּמָן ז׳ חוטים ואריגים צבועים צבע אדום־כהה
אַרְגָּמָן וְרִקְמָה 2; בֶּגֶד אַר׳ 1, 33; בּוּץ וְאַר׳ 28; שֵׁשׁ וְאַר׳ 27; תְּכֵלֶת וְאַר׳ 4-26, 30-32, 34, 36-37
אַרְגָּמָן 1 וּפָרְשׂוּ עָלָיו בֶּגֶד אַרְגָּמָן Num.4:13
2 אַרְגָּמָן וְרִקְמָה וּבוּץ Ezek.27:16
3 רְפִידָתוֹ זָהָב מֶרְכָּבוֹ אַרְגָּמָן S.ofS.3:10
וְאַרְגָּמָן 26-4 (ו)תְכֵלֶת וְאַרְגָּמָן Ex.25:4
26:1,31,36; 27:16; 28:6,8,15,33; 35:6,23;
36:8,35,37 • IICh.3:14; 39:24,29 • Jer.10:9 •
Ezek.27:7; 38:18; 39:2,5,8
27 שֵׁשׁ וְאַרְגָּמָן לְבוּשָׁהּ Prov.31:22
28 אָחוּז בְּחַבְלֵי־בוּץ וְאַרְגָּמָן Es.1:6
29 וְתַכְרִיךְ בּוּץ וְאַרְגָּמָן Es.8:15
הָאַרְגָּמָן 30/1 וְאֶת־הַתְּכֵלֶת וְאֶת־הָאַרְגָּמָן Ex.28:5; 35:25
32 בְּתוֹךְ הַתְּכֵלֶת וּבְתוֹךְ הָאַרְגָּמָן Ex.39:3
33 לְבַד מִן... וּבִגְדֵי הָאַרְגָּמָן Jud.8:26
וְהָאַרְגָּמָן 34 וּמִן־הַתְּכֵלֶת וְהָאַרְגָּמָן Ex.39:1
בָּאַרְגָּמָן 35 לַעֲשׂוֹת... בָּאַרְגָּמָן בַּתְּכֵלֶת וּבַבּוּץ IICh.2:13
וּבָאַרְגָּמָן 36/7 וְרֹקֵם בַּתְּכֵלֶת וּבָאַרְגָּמָן Ex.35:35; 38:23
כָּאַרְגָּמָן 38 וְדַלַּת רֹאשֵׁךְ כָּאַרְגָּמָן S.ofS.7:6

אַרְדְּ שפ״ז א) בן בלע בן בנימין: 1 ב) בן בנימין: 2
אַרְדְּ 1 וַיִּהְיוּ בְנֵי־בֶלַע אַרְדְּ וְנַעֲמָן Num.26:40
וָאָרְדְּ 2 וּבְנֵי בִנְיָמִן...מֻפִּים וְחֻפִּים וָאָרְדְּ Gen.46:21

אַרְדּוֹן שפ״ז – בן כלב בן חצרון
וְאַרְדּוֹן 1 וְאֵלֶּה בָנֶיהָ יֵשֶׁר וְשׁוֹבָב וְאַרְדּוֹן ICh.2:18

אַרְדִּי ת׳ שם יחס של אֶרֶד
הָאַרְדִּי 1 ...מִשְׁפַּחַת הָאַרְדִּי Num.26:40

ארה : אָרָה; (?)אֻרְוָה, אֻרְיָה

אָרָה פ׳ קטף, לקט פֵּרוֹת
אָרִיתִי 1 אָרִיתִי מוֹרִי עִם־בְּשָׂמִי S.ofS.5:1
וְאָרוּהָ 2 וְאָרוּהָ כָּל־עֹבְרֵי דָרֶךְ Ps.80:13

אֲרוּ מ״ח ארמית: הִנֵּה
וַאֲרוּ 1 וַאֲרוּ אַרְבַּע רוּחֵי שְׁמַיָּא מְגִיחָן Dan.7:2
2 וַאֲרוּ חֵיוָה אָחֳרִי תִנְיָנָה Dan.7:5
5-3 וַאֲרוּ Dan.7:6,7,13

אֲרוֹד שפ״ז – בן גד
לַאֲרוֹד 1 לַאֲרוֹד מִשְׁפַּחַת הָאֲרוֹדִי Num.26:17

אַרְוַד עיר־נמל פיניקית, בנויה על אי
אַרְוַד 1 בְּנֵי אַרְוַד וְחֵילֵךְ Ezek.27:11
וְאַרְוַד 2 יֹשְׁבֵי צִידוֹן וְאַרְוַד Ezek.27:8

אַרְוָדִי ת׳ המתיחס על אַרְוַד
הָאַרְוָדִי 2-1 וְאֶת־הָאַרְוָדִי וְאֶת־הַצְּמָרִי Gen.10:18
ICh.1:16

אֲרוֹדִי ת׳ המתיחס על אֲרוֹד
וַאֲרוֹדִי 1 וּבְנֵי גָד... וַאֲרוֹדִי וְאַרְאֵלִי Gen.46:16
הָאֲרוֹדִי 2 וַאֲרוֹד מִשְׁפַּחַת הָאֲרוֹדִי Num.26:17

אֻרְוָה*, אֻרְיָה* נ׳ מכלאה, רפת [עין גם אֻוְרָה]: 1–3
וְאֻרְוֹת 1 וְאֻרְוֹת לְכָל־בְּהֵמָה וּבְהֵמָה IICh.32:28
אֻרְוֹת־ 2 אַרְבָּעִים אֶלֶף אֻרְוֹת סוּסִים IK.5:6
אֻרְיוֹת־ 3 אַרְבַּעַת אֲלָפִים אֻרְיוֹת סוּסִים IICh.9:25

אָרוּז ת׳ עין אֶרֶז

אֲרוּחָה נ׳ עין אֲרֻחָה

אֲרוּכָה נ׳ קרום העולה על פצע מתרפא, ובהשאלה: תקון, רפואה: 1–6
אֲרוּכָה 1 אַעֲלֶה אֲרֻכָה לָךְ...אֶרְפָּאֵךְ Jer.30:17
2 הִנְנִי מַעֲלֶה־לָּהּ אֲרֻכָה וּמַרְפֵּא Jer.33:6
3 כִּי־עָלְתָה אֲרוּכָה לְחֹמוֹת יְרוּשָׁלַםִ Neh.4:1
4 וַתַּעַל אֲרוּכָה לַמְּלָאכָה בְּיָדָם IICh.24:13
אֲרוּכַת־ 5 מַדּוּעַ לֹא עָלְתָה אֲרֻכַת בַּת־עַמִּי Jer.8:22
וַאֲרוּכָתְךָ 6 וַאֲרֻכָתְךָ מְהֵרָה תִצְמָח Is.58:8

אֲרוּמָה* שֵׁם מקום בהר אפרים
בָּארוּמָה 1 וַיֵּשֶׁב אֲבִימֶלֶךְ בָּארוּמָה Jud.9:1

ארומים כת׳ – ראה אֲדוֹמִי10

אֲרוֹן, אָרוֹן ז׳ (נ׳–מס׳ 193,186)
א) תֵּבָה לשמירת כסף וזהב: 62,56,2,1
ב) תֵּבָה לגוית המת: 52
ג) תֵּבַת לוחות־הברית: 3–51, 53–55, 57–61, 63–201
אֲרוֹן הַבְּרִית 103–108; אֲ׳ בְּרִית יְיָ 78–102, 188–191, 201; אֲ׳ בְּרִית הָאֱלֹהִים 176–179; אֲ׳ (הָ)אֱלֹהִים (יְיָ) 109–174, 179–186, 192–194, 197–200; אֲ׳ הָעֵדוּת 64–75; אֲ׳ עֻזֶּךָ 195, 196; אֲרוֹן עֵץ (עֲצֵי־) 63, 76, 77; אֲ׳ הַקֹּדֶשׁ 187
טַבְּעוֹת הָאָרוֹן 5; מְנוּחַ הָאָ׳ 17; מְקוֹם הָאָ׳ 16, 18; נוֹשְׂאֵי הָאָרוֹן 11-15; צַלְעוֹת הָאָ׳ 3
הֵסֵב הָאָרוֹן 186; לָקַח הָאָ׳ 1; נִלְקַח (־קֳחָה) הָאָ׳ 192, 193; נָסַע הָאָ׳ 10; נָשָׂא הָאָ׳ 11–15, 78, 103, 185; עָשָׂה אָרוֹן 2, 76, 77
הִשְׁלִיךְ לָאָרוֹן 62; רָאָה בָּאָרוֹן 197; שָׂם בָּאָרוֹן 53, 54

אֲרוֹן 1 וַיִּקַּח יְהוֹיָדָע הַכֹּהֵן אֲרוֹן אֶחָד IIK.12:10
2 וַיַּעֲשׂוּ אֲרוֹן אֶחָד IICh.24:8
הָאָרוֹן 3 וְהֵבֵאתָ... בַּטַּבָּעֹת עַל צַלְעֹת הָאָרֹן Ex.25:14
4 לָשֵׂאת אֶת־הָאָרֹן בָּהֶם Ex.25:14
5 בְּטַבְּעֹת הָאָרֹן יִהְיוּ הַבַּדִּים Ex.25:15
6 וְנָתַתָּ אֶל־הָאָרֹן אֵת הָעֵדֻת Ex.25:16
7 וְנָתַתָּ אֶת־הַכַּפֹּרֶת עַל־הָאָרֹן Ex.25:21
8 וְאֶל־הָאָרֹן תִּתֵּן אֶת־הָעֵדֻת Ex.25:21
9 ...וְאֶת־הָאָרֹן לָעֵדֻת Ex.31:7
10 וַיְהִי בִּנְסֹעַ הָאָרֹן... Num.10:35
11 וְהַכֹּהֲנִים נֹשְׂאֵי הָאָרוֹן הַבְּרִית Josh.3:14
15-12 נֹשְׂאֵי הָאָרוֹן Josh.3:15^2,17; 4:10
16 פֹּרְשִׂים כְּנָפַיִם אֶל־מְקוֹם הָאָרוֹן IK.8:7
17 הֶעֱמִיד דָּוִיד... מְנוֹחַ הָאָרוֹן ICh.6:16
18 פֹּרְשִׂים כְּנָפַיִם עַל־מְקוֹם הָאָרוֹן IICh.5:8
29-19 הָאָרֹן Ex.35:12; 37:1,5^2; 40:3,20^3,21
Lev.16:2 • Num.3:31
51-30 הָאָרוֹן Josh.6:4,9 • ISh.6:13; 7:2
IISh.6:4; 11:11 • IK.8:3,5,7 • ICh.13:9,10,13;
15:27; 16:37 • IICh.5:4,5,6,8,9; 6:11; 24:11^2
בָּאָרוֹן 52 וַיִּישֶׂם בָּאָרוֹן בְּמִצְרָיִם Gen.50:26
53 וְאֶכְתֹּב עַל־הַלֻּחֹת...וְשַׂמְתָּם בָּאָרוֹן Deut.10:2
54 וָאָשִׂם אֶת־הַלֻּחֹת בָּאָרוֹן Deut.10:5

בָּאָרוֹן (המשך) 55 אֵין בָּאָרוֹן רַק שְׁנֵי לֻחוֹת IK. 8:9
56 כִּי־רַב הַכֶּסֶף בָּאָרוֹן IIK. 12:11
57 אֵין בָּאָרוֹן רַק שְׁנֵי הַלֻּחוֹת IICh. 5:10
לָאָרוֹן 58 עֹמְדִים מִזֶּה וּמִזֶּה לָאָרוֹן Josh. 8:33
59 וָאָשִׂם שָׁם מָקוֹם לָאָרוֹן IK. 8:21
60/1 ...שֹׁעֲרִים לָאָרוֹן ICh. 15:23,24
62 וַיַּשְׁלִיכוּ לָאָרוֹן עַד־לְכַלֵּה IICh. 24:10
אֲרוֹן־ 63 וְעָשׂוּ אֲרוֹן עֲצֵי שִׁטִּים Ex. 25:10
64 אֲשֶׁר עַל־אֲרֹן הָעֵדֻת Ex. 25:22
72-65 אֲרוֹן הָעֵד(וּ)ת Ex. 26:33,34
30:26; 39:35; 40:3,5,21 • Josh. 4:16
75-73 אֲרֹן הָעֵדֻת Ex. 30:6 • Num. 4:5; 7:89
76 וְעָשִׂיתָ לְּךָ אֲרוֹן עֵץ Deut. 10:1
77 וָאַעַשׂ אֲרוֹן עֲצֵי שִׁטִּים Deut. 10:3
78 לָשֵׂאת אֶת־אֲרוֹן בְּרִית־יְיָ Deut. 10:8
102-79 אֲרוֹן בְּרִית(־)יְיָ (אֲדֹנָי) Deut. 31:9,25,26
Josh. 3:3; 4:7,18; 8:33 • ISh. 4:3,4,5 • IK. 3:15; 6:19; 8:1,6 • Jer. 3:16 • ICh. 15:25; 15:26,28,29; 16:37; 22:19; 28:18 • IICh. 5:2,7
103 שְׂאוּ אֶת־אֲרוֹן הַבְּרִית Josh. 3:6
108-104 אֲרוֹן־הַבְּרִית Josh. 3:6,8,11; 4:9; 6:6
109 אֲרוֹן יְיָ אֲדוֹן כָּל־הָאָרֶץ Josh. 3:13
110 עִבְרוּ לִפְנֵי אֲרוֹן יְיָ אֱלֹהֵיכֶם Josh. 4:5
174-111 אֲרוֹן(־)יְיָ / (הָ)אֱלֹהִים Josh. 4:11
6:6,7,11,12,13^2; 7:6 • ISh. 3:3; 4:6,13,18,19; 4:21,22; 5:1,2,3,4,10^2; 6:1,8,11,15,18,21; 7:1^2; 14:18 • IISh. 6:2,3,4,6,7,9,10,11,12^2,13,15,16,17; 15:24,25,29 • IK. 8:4 • ICh. 13:5,6,7,12,14; 15:2^2,3,12,14,15,24; 16:1,4 • IICh. 1:4
178-175 אֲרוֹן בְּרִית הָאֱלֹהִים Jud. 20:27
ISh. 4:4 • IISh. 15:24 • ICh. 16:6
183-179 אֲרוֹן אֱלֹהֵי יִשְׂרָאֵל ISh. 5:7,8,10,11; 6:3
184 כִּי־נָשָׂאתָ אֶת־אֲרוֹן אֲדֹנָי יְיָ IK. 2:26
185 וְנָסֵבָּה אֶת־אֲרוֹן אֱלֹהֵינוּ אֵלֵינוּ ICh. 13:3
186 אֲשֶׁר־בָּאָה אֲלֵיהֶם אֲרוֹן יְיָ IICh. 8:11
187 תְּנוּ אֶת־אֲרוֹן־הַקֹּדֶשׁ בַּבַּיִת IICh. 35:3
וַאֲרוֹן־ 188 וַאֲרוֹן בְּרִית־יְיָ נֹסֵעַ לִפְנֵיהֶם Num. 10:33
191-189 וַאֲרוֹן בְּרִית־יְיָ Num. 14:44
Josh. 6:8 • ICh. 17:1
192 וַאֲרוֹן אֱלֹהִים נִלְקָח ISh. 4:11
193 וַאֲרוֹן הָאֱלֹהִים נִלְקָחָה ISh. 4:17
194 וַאֲרוֹן הָאֱלֹהִים יֹשֵׁב בְּתוֹךְ הַיְרִיעָה IISh. 7:2
195/6 קוּמָה יְיָ...אַתָּה וַאֲרוֹן עֻזֶּךָ Ps. 132:8
IICh. 6:41
בַּאֲרוֹן־ 197 כִּי רָאוּ בַּאֲרוֹן יְיָ ISh. 6:19
לַאֲרוֹן־ 198 מַה־נַּעֲשֶׂה לַאֲרוֹן אֱלֹהֵי יִשְׂרָאֵל ISh. 5:8
199 מַה־נַּעֲשֶׂה לַאֲרוֹן יְיָ ISh. 6:2
200 וַיָּכֶן מָקוֹם לַאֲרוֹן הָאֱלֹהִים ICh. 15:1
201 בֵּית מְנוּחָה לַאֲרוֹן בְּרִית־יְיָ ICh. 28:2

אֲרַוְנָה
שפ״ז – מלך(?) יבוסי, שדוד קנה ממנו גרן: 1—9
אֲרַוְנָה 1 בְּגֹרֶן אֲרַוְנָה (כת׳ ארניה) הַיְבֻסִי IISh. 24:18
2 וַיַּשְׁקֵף אֲרַוְנָה וַיַּרְא אֶת־הַמֶּלֶךְ IISh. 24:20
3 וַיֵּצֵא אֲרַוְנָה וַיִּשְׁתַּחוּ לַמֶּלֶךְ IISh. 24:20
4 הַכֹּל נָתַן אֲרַוְנָה הַמֶּלֶךְ לַמֶּלֶךְ IISh. 24:23
8-5 אֲרַוְנָה IISh. 24:21,22,23,24
הָאֲרַוְנָה 9 עִם־גֹּרֶן הָאֲרַוְנָה (כ׳ האורנה) הַיְבֻסִי IISh. 24:16

אָרוּר
ת׳ עֵין ארר

ארז
: אָרוּז; (?)אֶרֶז, אַרְזָה

אָרַז*
פ׳ [רק בינוני פעול: אָרוּז] קשור, צרור
וַאֲרֻזִים 1 בַּחֲבָלִים חֲבֻשִׁים וַאֲרֻזִים בְּמַרְכֻלְתֵּךְ Ezek. 27:24

אֶרֶז
ז׳ מעצי המחט הגדלים בלבנון
קרובים: ראה אַלּוֹן
אֶרֶז אַדִּיר 27; לוּחַ אֶרֶז 11; עֵץ א׳ 1-3, 16-14; צַמֶּרֶת הָאֶרֶז 20
בֵּית אֲרָזִים 38-40,57; גֹּבַהּ א׳ 50; כְּרֻתוֹת א׳ 46, 47; עֲצֵי אֲרָזִים 28—37; צַלְעוֹת א׳ 42, 43; בָּחוּר כָּאֲרָזִים 63; אַרְזֵי אֵל 68; א׳ הַלְּבָנוֹן 64—67, 69; קוֹמַת אֲרָזָיו 72, 73

אֶרֶז 1/2 וְעֵץ אֶרֶז וּשְׁנִי תוֹלַעַת וְאֵזֹב Lev. 14:4,49
3 עֵץ אֶרֶז וְאֵזוֹב וּשְׁנִי תוֹלָעַת Num. 19:6
4 הַכֹּל אֶרֶז אֵין אֶבֶן נִרְאָה IK. 6:18
5 אֶתֵּן בַּמִּדְבָּר אֶרֶז שִׁטָּה... Is. 41:19
6 אֶרֶז מִלְּבָנוֹן לָקָחוּ לַעֲשׂוֹת תֹּרֶן Ezek. 27:5
7 הִנֵּה אַשּׁוּר אֶרֶז בַּלְּבָנוֹן Ezek. 31:3
8 הֵילֵל בְּרוֹשׁ כִּי־נָפַל אֶרֶז Zech. 11:2
אָרֶז 9 וַיְצַף מִזְבֵּחַ אָרֶז IK. 6:20
10 יַחְפֹּץ זְנָבוֹ כְמוֹ־אָרֶז Job 40:17
11 נָצוּר עָלֶיהָ לוּחַ אָרֶז S.ofS. 8:9
וְאֶרֶז 12 וְאֶרֶז אֶל־הַבַּיִת פְּנִימָה IK. 6:18
וָאָרֶז 13 ...כְּמִדּוֹת גָּזִית וָאָרֶז IK. 7:11
הָאֶרֶז 14 וְאֶת־עֵץ הָאֶרֶז וְאֶת־שְׁנִי הַתּוֹלַעַת Lev. 14:6
15 וְלָקַח אֶת־עֵץ־הָאֶרֶז וְאֶת־הָאֵזֹב Lev. 14:51
16 וּבְעֵץ הָאֶרֶז וּבָאֵזֹב Lev. 14:52
17 מִן־הָאֶרֶז אֲשֶׁר בַּלְּבָנוֹן... IK. 5:13
18/9 הַחוֹחַ...שָׁלַח אֶל־הָאֶרֶז אֲשֶׁר בַּלְּבָנוֹן
IIK. 14:9 • IICh. 25:18
20 וְלָקַחְתִּי אֲנִי מִצַּמֶּרֶת הָאֶרֶז Ezek. 17:22
הָאָרֶז 21 וַיִּקַּח אֶת־צַמֶּרֶת הָאָרֶז Ezek. 17:3
בָּאֶרֶז 22 וְסָפֻן בָּאֶרֶז מִמַּעַל עַל־הַצֵּלָעֹת IK. 7:3
23 וְסָפוּן בָּאֶרֶז מֵהַקַּרְקַע עַד־הַקַּרְקָע IK. 7:7
בָּאָרֶז 24 וְסָפוּן בָּאָרֶז וּמָשׁוֹחַ בַּשָּׁשַׁר Jer. 22:14
25 ...כִּי אַתָּה מְתַחֲרֶה בָאָרֶז Jer. 22:15
כְּאֶרֶז 26 כְּאֶרֶז בַּלְּבָנוֹן יִשְׂגֶּה Ps. 92:13
לְאֶרֶז 27 ...וְהָיָה לְאֶרֶז אַדִּיר Ezek. 17:23
אֲרָזִים 28 ...וַעֲצֵי אֲרָזִים וְחָרָשֵׁי עֵץ IISh. 5:11
37-29 (ע׳/ בּ־) עֲצֵי אֲרָזִים IK. 5:22,24; 6:10
9:11 • Ez. 3:7 • ICh. 14:1; 22:4^2(3) • IICh. 2:7
38 רְאֵה נָא אָנֹכִי יוֹשֵׁב בְּבֵית אֲרָזִים IISh. 7:2
40-39 בֵּית (בְּבֵית) אֲרָזִים IISh. 7:7 • ICh. 17:6
41 וְיִכְרְתוּ־לִי אֲרָזִים מִן־הַלְּבָנוֹן IK. 5:20
42/3 וַיִּבֶן... בְּצַלְעוֹת אֲרָזִים IK. 6:15,16
44 וְטוּר כְּרֻתֹת אֲרָזִים IK. 6:36
45 עַל אַרְבָּעָה טוּרֵי עַמּוּדֵי אֲרָזִים IK. 7:2
46 וּכְרֻתוֹת אֲרָזִים עַל־הָעַמּוּדִים IK. 7:2
47 וְטוּר כְּרֻתֹת אֲרָזִים IK. 7:12
48 לִכְרָת־לוֹ אֲרָזִים Is. 44:14
49 אֲרָזִים לֹא־עֲמָמֻהוּ בְּגַן־אֱלֹהִים Ezek. 31:8
50 אֲשֶׁר כְּגֹבַהּ אֲרָזִים גָּבְהוֹ Am. 2:9
51 קוֹל יְיָ שֹׁבֵר אֲרָזִים Ps. 29:5
52 עֵץ פְּרִי וְכָל־אֲרָזִים Ps. 148:9
53 קֹרוֹת בָּתֵּינוּ אֲרָזִים S.ofS. 1:17
54 וַתִּשְׁלַח־לוֹ אֲרָזִים IICh. 2:2
וַאֲרָזִים 55 שִׁקְמִים גֻּדָּעוּ וַאֲרָזִים נַחֲלִיף Is. 9:9
הָאֲרָזִים 56 וְאֵת הָאֲרָזִים נָתַן כַּשִּׁקְמִים IK. 10:27
57 הִנֵּה אָנֹכִי יוֹשֵׁב בְּבֵית הָאֲרָזִים ICh. 17:1
58/9 הָאֲרָזִים נָתַן כַּשִּׁקְמִים IICh. 1:15; 9:27
בָּאֲרָזִים 60 וַיִּסְפֹּן... גֵּבִים וּשְׂדֵרֹת בָּאֲרָזִים IK. 6:9
61 יֹשַׁבְתְּי בַּלְּבָנוֹן מְקֻנַּנְתְּי בָּאֲרָזִים Jer. 22:23
כַּאֲרָזִים 62 כַּאֲרָזִים עֲלֵי־מָיִם Num. 24:6
כָּאֲרָזִים 63 מַרְאֵהוּ כַּלְּבָנוֹן בָּחוּר כָּאֲרָזִים S.ofS. 5:15
אַרְזֵי־ 64 וְתֹאכַל אֶת־אַרְזֵי הַלְּבָנוֹן Jud. 9:15
אַרְזֵי־ (המשך) 65 וְעַל כָּל־אַרְזֵי הַלְּבָנוֹן... Is. 2:13
66 גַּם־בְּרוֹשִׁים שָׂמְחוּ לְךָ אַרְזֵי לְבָנוֹן Is. 14:8
67 וַיְשַׁבֵּר יְיָ אֶת־אַרְזֵי הַלְּבָנוֹן Ps. 29:5
68 וַעֲנָפֶיהָ אַרְזֵי־אֵל Ps. 80:11
69 יִשְׂבְּעוּ עֲצֵי יְיָ אַרְזֵי לְבָנוֹן... Ps. 104:16
אֲרָזֶיךָ 70 וְכָרְתוּ מִבְחַר אֲרָזֶיךָ Jer. 22:7
בַּאֲרָזֶיךָ 71 פְּתַח לְבָנוֹן... וְתֹאכַל אֵשׁ בַּאֲרָזֶיךָ Zech. 11:1
אֲרָזָיו 72/3 וְאֶכְרֹת קוֹמַת אֲרָזָיו IIK. 19:23 • Is. 37:24

אַרְזָה
נ׳ תקרת־ארז (?)
אַרְזָה 1 חָרְבָה בַּסַּף כִּי אַרְזָה עֵרָה Zep. 2:14

ארח
: אָרַח; אוֹרֵחַ, אֹרַח, אֹרְחָה, אֲרֻחָה; ש״פ אָרַח

אָרַח
פ׳ הלך בדרך (ראה עוד אורח)
וְאָרַח 1 וְאָרַח לְחֶבְרָה עִם־פֹּעֲלֵי אָוֶן Job 34:8

אֹרַח
זו״נ דֶּרֶךְ (גם בהשאלה): 1—59
אֹרַח כַּנָּשִׁים 1; א׳ לְחַיִּים 9; א׳ אִישׁ 28; א׳ חַיִּים 14,17,18; א׳ יְשָׁרִים 20; א׳ מִישׁוֹר 24; א׳ מִשְׁפָּט 13,22; א׳ עוֹלָם 21; א׳ צַדִּיקִים 19; א׳ צְדָקָה 26, 27; א׳ רָע 8; א׳ רְשָׁעִים 25; א׳ שֶׁקֶר 15, 16; עוֹבֵר אֹרַח 5; עוֹזֵב אֹרַח 10
אָרְחוֹת עֲקַלְקַלּוֹת 34; אֳרָחוֹת עִקְּשִׁים 59; אָרְחוֹת אֵידוֹ 46; א׳ דְּרָכוֹ 43; א׳ חַיִּים 41; א׳ יְיָ 37; א׳ יַמִּים 35; א׳ יֹשֶׁר 40; א׳ מִשְׁפָּט 39, 42; אָרְחוֹת פָּרִיץ 36; אָרְחוֹת צַדִּיקִים 47; דֶּרֶךְ אֹרְחוֹתָיו 50

אֹרַח 1 חָדַל לִהְיוֹת לְשָׂרָה אֹרַח כַּנָּשִׁים Gen. 18:11
2 נָחָשׁ עֲלֵי־דֶרֶךְ שְׁפִיפֹן עֲלֵי־אֹרַח Gen. 49:17
3 אֹרַח לַצַּדִּיק מֵישָׁרִים Is. 26:7
4 סוּרוּ מִנֵּי־דֶרֶךְ הַטּוּ מִנֵּי־אֹרַח Is. 30:11
5 נָשַׁמּוּ מְסִלּוֹת שָׁבַת עֹבֵר אֹרַח Is. 33:8
6 אֹרַח בְּרַגְלָיו לֹא יָבוֹא Is. 41:3
7 יָשִׂישׂ כְּגִבּוֹר לָרוּץ אֹרַח Ps. 19:6
8 מִכָּל־אֹרַח רָע כָּלִאתִי רַגְלָי Ps. 119:101
9 אֹרַח לְחַיִּים שׁוֹמֵר מוּסָר Prov. 10:17
10 מוּסָר רָע לְעֹזֵב אֹרַח Prov. 15:10
וְאֹרַח 11 וְאֹרַח לֹא־אָשׁוּב אֶהֱלֹךְ Job 16:22
לָאֹרַח 12 דְּלָתַי לָאֹרַח אֶפְתָּח Job 31:32
אֹרַח־ 13 אַף אֹרַח מִשְׁפָּטֶיךָ יְיָ קִוִּינוּךָ Is. 26:8
14 תּוֹדִיעֵנִי אֹרַח חַיִּים Ps. 16:11
15 שָׂנֵאתִי כָּל־אֹרַח שָׁקֶר Ps. 119:104
16 כָּל־אֹרַח שֶׁקֶר שָׂנֵאתִי Ps. 119:128
17 אֹרַח חַיִּים פֶּן־תְּפַלֵּס Prov. 5:6
18 אֹרַח חַיִּים לְמַעְלָה לְמַשְׂכִּיל Prov. 15:24
וְאֹרַח־ 19 וְאֹרַח צַדִּיקִים כְּאוֹר נֹגַהּ Prov. 4:18
20 וְאֹרַח יְשָׁרִים סְלֻלָה Prov. 15:19
הַאֹרַח־ 21 הַאֹרַח עוֹלָם תִּשְׁמֹר Job 22:15
בְּאֹרַח־ 22 וַיְלַמְּדֵהוּ בְּאֹרַח מִשְׁפָּט Is. 40:14
23 בְּאֹרַח־זוּ אֲהַלֵּךְ טָמְנוּ פַח לִי Ps. 142:4
24 וּנְחֵנִי בְּאֹרַח מִישׁוֹר Ps. 27:11
25 בְּאֹרַח רְשָׁעִים אַל־תָּבֹא Prov. 4:14
26 בְּאֹרַח־צְדָקָה אֲהַלֵּךְ Prov. 8:20
27 בְּאֹרַח־צְדָקָה חַיִּים Prov. 12:28
וּכְאֹרַח־ 28 ...וּכְאֹרַח אִישׁ יַמְצִאֶנּוּ Job 34:11
אָרְחִי 29 אָרְחִי וְרִבְעִי זֵרִיתָ Ps. 139:3
30 אָרְחִי גָדַר וְלֹא אֶעֱבוֹר Job 19:8
אָרְחֶךָ 31 וַתֵּט אֲשֻׁרֵינוּ מִנִּי אָרְחֶךָ Ps. 44:19
אָרְחוֹ 32 בַּמֶּה יְזַכֶּה־נַּעַר אֶת־אָרְחוֹ Ps. 119:9
אֳרָחוֹת 33 בִּימֵי יָעֵל חָדְלוּ אֳרָחוֹת Jud. 5:6
34 יֵלְכוּ אֳרָחוֹת עֲקַלְקַלּוֹת Jud. 5:6

אָרְחוֹת־ 35 עֹבֵר אָרְחוֹת יַמִּים Ps. 8:9
36 אֲנִי שָׁמַרְתִּי אָרְחוֹת פָּרִיץ Ps. 17:4
37 כָּל־אָרְחוֹת יְיָ חֶסֶד וֶאֱמֶת Ps. 25:10
38 כֵּן אָרְחוֹת כָּל־בֹּצֵעַ בָּצַע Prov. 1:19
39 לִנְצֹר אָרְחוֹת מִשְׁפָּט Prov. 2:8
40 הַעֹזְבִים אָרְחוֹת יֹשֶׁר... Prov. 2:13
41 וְלֹא־יַשִּׂיגוּ אָרְחוֹת חַיִּים Prov. 2:19
42 לְהַטּוֹת אָרְחוֹת מִשְׁפָּט Prov. 17:23
43 יִלָּפְתוּ אָרְחוֹת דַּרְכָּם Job 6:18
44 הִבִּיטוּ אָרְחוֹת תֵּמָא Job 6:19
45 כֵּן אָרְחוֹת כָּל־שֹׁכְחֵי אֵל Job 8:13
46 וַיָּסֹלּוּ עָלַי אָרְחוֹת אֵידָם Job 30:12
וְאָרְחוֹת־ 47 וְאָרְחוֹת צַדִּיקִים תִּשְׁמֹר Prov. 2:20
אָרְחֹתָי 48 וְתִשְׁמוֹר כָּל־אָרְחֹתָי Job 13:27
49 יִשְׁמֹר כָּל־אָרְחֹתָי Job 33:11
אֹרְחֹתֶיךָ 50 וְדֶרֶךְ אֹרְחֹתֶיךָ בִּלֵּעוּ Is. 3:12
51 אֹרְחוֹתֶיךָ לַמְּדֵנִי Ps. 25:4
52 אָשִׂיחָה וְאַבִּיטָה אֹרְחֹתֶיךָ Ps. 119:15
53 דָעֵהוּ וְהוּא יְיַשֵּׁר אֹרְחֹתֶיךָ Prov. 3:6
אֹרְחֹתָיו 54 פֶּן־תֶּאֱלַף אֹרָחֹתָו Prov. 22:25
בְּאֹרְחֹתָיו 55/6 וְיֹרֵנוּ מִדְּרָכָיו וְנֵלְכָה בְּאֹרְחֹתָיו Is. 2:3 • Mic. 4:2
אֹרְחוֹתָם 57 וְלֹא יְעַבְּטוּן אֹרְחוֹתָם Joel 2:7
58 לְעֹבְרֵי־דָרֶךְ הַמְיַשְּׁרִים אֹרְחוֹתָם Prov. 9:15
אָרְחֹתֵיהֶם 59 אֲשֶׁר אָרְחֹתֵיהֶם עִקְּשִׁים Prov. 2:15

אָרַח שפ״ז א) ראש משפחה שעלתה עם זרובבל מן הגולה: 1, 3
ב) אבי חותנו של טוביה העבד העמוני: 2
ג) ראש בית אב לבני אשר: 4

אָרַח 1 בְּנֵי אָרַח שְׁבַע מֵאוֹת... Ez. 2:5
2 כִּי־חָתָן הוּא לִשְׁכַנְיָה בֶּן־אָרַח Neh. 6:18
3 בְּנֵי אָרַח שֵׁשׁ מֵאוֹת... Neh. 7:10
4 וּבְנֵי עֻלָּא אָרַח וְחַנִּיאֵל וְרִצְיָא ICh. 7:39

אֹרְחָה* נ׳ שיירה
אֹרְחַת־ 1 וְהִנֵּה אֹרְחַת יִשְׁמְעֵאלִים בָּאָה Gen. 37:25
אֹרְחוֹת־ 2 בַּיַּעַר בַּעְרַב תָּלִינוּ אֹרְחוֹת דְּדָנִים Is. 21:13

אֹרַח* נ׳ ארמית: דֶּרֶךְ, מִדָּה
אֹרְחָתָךְ 1 דִּי־נִשְׁמְתָךְ בִּידֵהּ וְכָל־אֹרְחָתָךְ לֵהּ Dan. 5:23
וְאֹרְחָתֵהּ 2 כָּל־מַעֲבָדוֹהִי קְשׁוֹט וְאֹרְחָתֵהּ דִּין Dan. 4:34

אֲרֻחָה נ׳ סעודה
אֲרֻחַת יָרָק 4; אֲרֻחַת תָּמִיד 6,5,3,2
אֲרֻחָה 1 וַיִּתֶּן־לוֹ... אֲרֻחָה וּמַשְׂאֵת Jer. 40:5
אֲרֻחַת־ 2/3 אֲרֻחַת תָּמִיד נִתְּנָה־לוֹ IIK. 25:30 • Jer. 52:34
4 טוֹב אֲרֻחַת יָרָק וְאַהֲבָה־שָׁם Prov. 15:17
וַאֲרֻחָתוֹ 5/6 וַאֲרֻחָתוֹ אֲרֻחַת תָּמִיד נִתְּנָה־לוֹ IIK. 25:30 Jer. 52:34

אֲרִי ז׳ חית־טרף ממשפחת החתולים; סמל לגבורה
קרובים: אַרְיֵה / כְּפִיר / לָבִיא / לְבִיא / לַיִשׁ / שַׁחַל
אֲרִי נֹהֵם 3; אֲ׳ נֹעֵר 24; אֲ׳ שׁוֹאֵג 13, 19, 28
גּוּרֵי אֲרָיוֹת 24; כְּפִיר אֲ׳ 19; מְעוֹן אֲ׳ 27, 29
יַד הָאֲרִי 7; פִּי הָאֲ׳ 10; הִתְנַשֵּׂא כַּאֲרִי 16;
כָּרַע שָׁכַב כַּאֲרִי 12;

אֲרִי 1 אָמַר עָצֵל אֲרִי בַחוּץ Prov. 22:13
2 אָמַר עָצֵל... אֲרִי בֵּין הָרְחֹבוֹת Prov. 26:13
3 אֲרִי־נֹהֵם וְדֹב שׁוֹקֵק Prov. 28:15
4 דֹּב אֹרֵב... אֲרִי (כת׳ אריה) בְּמִסְתָּרִים Lam. 3:10
הָאֲרִי 5 וּבָא הָאֲרִי וְאֶת־הַדּוֹב ISh. 17:34
6 גַּם אֶת־הָאֲרִי גַּם־הַדּוֹב ISh. 17:36
7 אֲשֶׁר הִצִּלַנִי מִיַּד הָאֲרִי וּמִיַּד הַדֹּב ISh. 17:37
8/9 יָרַד וְהִכָּה אֶת־הָאֲרִי IISh. 23:20 • ICh. 11:22
10 כַּאֲשֶׁר יַצִּיל הָרֹעֶה מִפִּי הָאֲרִי Am. 3:12
11 כַּאֲשֶׁר יָנוּס אִישׁ מִפְּנֵי הָאֲרִי Am. 5:19
כַּאֲרִי 12 כָּרַע שָׁכַב כַּאֲרִי וּכְלָבִיא Num. 24:9
13 כַּאֲרִי שׁוֹאֵג טֹרֵף טָרֶף Ezek. 22:25
כָּאֲרִי 14 כָּאֲרִי כֵּן יְשַׁבֵּר כָּל־עַצְמוֹתָי Is. 38:13
15 הִקִּיפוּנִי כָּאֲרִי יָדַי וְרַגְלָי Ps. 22:17
וְכַאֲרִי 16 כְּלָבִיא יָקוּם וְכַאֲרִי יִתְנַשָּׂא Num. 23:24
מֵאֲרִי 17 ...וּמֶה עַז מֵאֲרִי Jud. 14:18
אֲרָיִים 18 וּשְׁנֵים עָשָׂר אֲרָיִים עֹמְדִים שָׁם IK. 10:20
אֲרָיוֹת 19 וְהִנֵּה כְּפִיר אֲרָיוֹת שֹׁאֵג לִקְרָאתוֹ Jud. 14:5
20 ...אֲרָיוֹת בָּקָר וּכְרוּבִים IK. 7:29
21 כְּרוּבִים אֲרָיוֹת וְתִמֹרֹת IK. 7:36
22 וּשְׁנַיִם אֲרָיוֹת עֹמְדִים אֵצֶל הַיָּדוֹת IK. 10:19
23 שֶׂה פְזוּרָה יִשְׂרָאֵל אֲרָיוֹת הִדִּיחוּ Jer. 50:17
24 נָעֲרוּ כְּגוֹרֵי אֲרָיוֹת Jer. 51:38
25 לְבִיָּא בֵּין אֲרָיוֹת רָבָצָה Ezek. 19:2
26 וַיִּתְהַלֵּךְ בְּתוֹךְ־אֲרָיוֹת Ezek. 19:6
27 אַיֵּה מְעוֹן אֲרָיוֹת Nah. 2:12
28 שָׂרֶיהָ בְקִרְבָּהּ אֲרָיוֹת שֹׁאֲגִים Zep. 3:3
29 מִמְּעֹנוֹת אֲרָיוֹת מֵהַרְרֵי נְמֵרִים S.ofS. 4:8
30 וּשְׁנַיִם אֲרָיוֹת עֹמְדִים אֵצֶל הַיָּדוֹת IICh. 9:18
31 וּשְׁנֵים עָשָׂר אֲרָיוֹת עֹמְדִים שָׁם IICh. 9:19
הָאֲרָיוֹת 32 וַיְשַׁלַּח יְיָ בָּהֶם אֶת־הָאֲרָיוֹת IIK. 17:25
33 וַיְשַׁלַּח־בָּם אֶת־הָאֲרָיוֹת IIK. 17:26
לַאֲרָיוֹת 34 וּמִתַּחַת לַאֲרָיוֹת וְלַבָּקָר... IK. 7:29
מֵאֲרָיוֹת 35 מִנְּשָׁרִים קַלּוּ מֵאֲרָיוֹת גָּבֵרוּ IISh. 1:23

אֲרִיאֵל¹ ז׳ א) כנוי לגבור־חיל: 1, 5
ב) כנוי לירושלים: 2, 3, 4, 7, 8
ג) כנוי למזבח במקדש יחזקאל: 6, 9
עיין גם: אֶרְאֵל, הַרְאֵל

אֲרִיאֵל 1 הוּא הִכָּה אֵת שְׁנֵי אֲרִאֵל מוֹאָב IISh. 23:20
2/3 הוֹי אֲרִיאֵל אֲרִיאֵל קִרְיַת חָנָה דָוִד Is. 29:1
4 הַצֹּבְאִים עַל־אֲרִיאֵל Is. 29:7
5 הוּא הִכָּה אֵת שְׁנֵי אֲרִיאֵל מוֹאָב ICh. 11:22
וְהָאֲרִיאֵל 6 וְהָאֲרִאֵיל שְׁתֵּים עֶשְׂרֵה אֹרֶךְ Ezek. 43:16
כַּאֲרִיאֵל 7 וְהָיְתָה לִּי כַּאֲרִיאֵל Is. 29:2
לַאֲרִיאֵל 8 וַהֲצִיקוֹתִי לַאֲרִיאֵל Is. 29:2
וּמֵהָאֲרִ׳ 9 וּמֵהָאֲרִאֵיל... הַקְּרָנוֹת אַרְבַּע Ezek. 43:15

אֲרִיאֵל² שפ״ז – אחד העולים לירושלים בימי עזרא
לַאֲרִיאֵל 1 וָאֶשְׁלְחָה לֶאֱלִיעֶזֶר לַאֲרִיאֵל Ez. 8:16

אֲרִידַי שפ״ז – התשיעי בבני הָמָן
אֲרִידַי 1 וְאֵת אֲרִיסַי וְאֵת אֲרִידַי Es. 9:9

אֲרִידָתָא שפ״ז – הששי בבני הָמָן
אֲרִידָתָא 1 וְאֵת אֲדַלְיָא וְאֵת אֲרִידָתָא Es. 9:8

אַרְיֵה¹ ז׳ צורה מארכת מן אֲרִי (עין אֲרִי)
אַרְיֵה מִיַּעַר (בַּ־) 8, 12, 37; אֲ׳ מֵת 32;
אֲ׳ מַשְׁחִית 36; אֲ׳ בְּסֻכָּה 43; גְּוִיַּת אַרְיֵה 24, 25;
גּוּר אֲ׳ 1, 2, 15; לֵב אֲ׳ 26; מַפֶּלֶת אֲ׳ 23; פִּי
אֲ׳ 18; פְּנֵי אֲ׳ 9, 10; שַׁאֲגַת אֲ׳ 19; שִׁנֵּי אַרְיֵה 11
אַרְיֵה אָכַל 21, 22, 28; אֲ׳ הָגָה 31; אֲ׳ הִכָּהוּ
29, 30; אֲ׳ הָלַךְ 14; אֲ׳ זִנֵּק 2; אֲ׳ טָרַף 16, 17;
אֲ׳ מְצָאוֹ 3, 30; אֲ׳ עָלָה 7; אֲ׳ עָמַד 27, 34;
אֲ׳ קָרָא 5; אֲ׳ שָׁאַג 12, 17, 40; אֲ׳ שִׁבְּרוֹ 45
אָרַב כְּאַרְיֵה 43; טָרַף כְּאַ׳ 42; כָּרַע כְּאַ׳ 35;
עָלָה כְּאַרְיֵה 38, 39; רָבַץ כְּאַ׳ 35

אַרְיֵה 1 גּוּר אַרְיֵה יְהוּדָה Gen. 49:9
2 גּוּר אַרְיֵה יְזַנֵּק מִן־הַבָּשָׁן Deut. 33:22
3 וַיִּמְצָאֵהוּ אַרְיֵה בַּדֶּרֶךְ IK. 13:24
4 לִפְלֵיטַת מוֹאָב אַרְיֵה Is. 15:9
5 וַיִּקְרָא אַרְיֵה עַל־מִצְפֶּה Is. 21:8
6 לֹא־יִהְיֶה שָׁם אַרְיֵה... Is. 35:9
7 עָלָה אַרְיֵה מִסֻּבְּכוֹ Jer. 4:7
8 עַל־כֵּן הִכָּם אַרְיֵה מִיַּעַר Jer. 5:6
9 וּפְנֵי אַרְיֵה אֶל־הַיָּמִין Ezek. 1:10
10 וְהַשְּׁלִישִׁי פְּנֵי אַרְיֵה Ezek. 10:14
11 שִׁנָּיו שִׁנֵּי אַרְיֵה Joel 1:6
12 הֲיִשְׁאַג אַרְיֵה בַּיַּעַר וְטֶרֶף אֵין לוֹ Am. 3:4
13 אַרְיֵה שָׁאָג מִי לֹא יִירָא Am. 3:8
14 אֲשֶׁר הָלַךְ אַרְיֵה לָבִיא שָׁם Nah. 2:12
15 גּוּר אַרְיֵה וְאֵין מַחֲרִיד Nah. 2:12
16 אַרְיֵה טֹרֵף בְּדֵי גֹרוֹתָיו Nah. 2:13
17 אַרְיֵה טֹרֵף וְשֹׁאֵג Ps. 22:14
18 הוֹשִׁיעֵנִי מִפִּי אַרְיֵה... Ps. 22:22
19 שַׁאֲגַת אַרְיֵה וְקוֹל שָׁחַל Job 4:10
20 וּפְנֵי אַרְיֵה פְּנֵיהֶם ICh. 12:9(8)
וְאַרְיֵה 21/2 וְאַרְיֵה כַּבָּקָר יֹאכַל־תֶּבֶן Is. 11:7; 65:25
הָאַרְיֵה 23 וַיָּסַר לִרְאוֹת אֵת מַפֶּלֶת הָאַרְיֵה Jud. 14:8
24 וְהִנֵּה עֲדַת דְּבוֹרִים בִּגְוִיַּת הָאַרְיֵה Jud. 14:8
25 מִגְּוִיַּת הָאַרְיֵה רָדָה הַדְּבָשׁ Jud. 14:9
26 אֲשֶׁר לִבּוֹ כְּלֵב הָאַרְיֵה IISh. 17:10
27 וַיִּרְאוּ... וְאֶת־הָאַרְיֵה עֹמֵד IK. 13:25
28 לֹא־אָכַל הָאַרְיֵה אֶת־הַנְּבֵלָה IK. 13:28
29 הִנְּךָ הוֹלֵךְ מֵאִתִּי וְהִכְּךָ הָאַרְיֵה IK. 20:36
30 וַיִּמְצָאֵהוּ הָאַרְיֵה וַיַּכֵּהוּ IK. 20:36
31 כַּאֲשֶׁר יֶהְגֶּה הָאַרְיֵה וְהַכְּפִיר Is. 31:4
32 לְכֶלֶב חַי הוּא טוֹב מִן־הָאַ׳ הַמֵּת Eccl. 9:4
וְהָאַרְיֵה 33 וְהָאַרְיֵה עֹמֵד אֵצֶל הַנְּבֵלָה IK. 13:24
34 וְהַחֲמוֹר וְהָאַ׳ עֹמְדִים אֵצֶל הַנְּבֵלָה IK. 13:28
כְּאַרְיֵה 35 כָּרַע רָבַץ כְּאַרְיֵה וּכְלָבִיא Gen. 49:9
36 אָכְלָה חַרְבְּכֶם... כְּאַרְיֵה מַשְׁחִית Jer. 2:30
37 הָיְתָה־לִּי נַחֲלָתִי כְּאַרְיֵה בַיָּעַר Jer. 12:8
38/9 כְּאַרְיֵה יַעֲלֶה מִגְּאוֹן הַיַּרְדֵּן Jer. 49:19; 50:44
40 אַחֲרֵי יְיָ יֵלְכוּ כְּאַרְיֵה יִשְׁאָג Hosh. 11:10
41 כְּאַרְיֵה בְּבַהֲמוֹת יַעַר Mic. 5:7
42 פֶּן־יִטְרֹף כְּאַרְיֵה נַפְשִׁי Ps. 7:3
43 יֶאֱרֹב בַּמִּסְתָּר כְּאַרְיֵה בְסֻכֹּה Ps. 10:9
44 דִּמְיֹנוֹ כְּאַרְיֵה יִכְסוֹף לִטְרֹף Ps. 17:12
לָאַרְיֵה 45 וַיִּתְּנֵהוּ יְיָ לָאַרְיֵה וַיְשַׁבְּרֵהוּ IK. 13:26

אַרְיֵה² ז׳ ארמית כמו בעברית; אַרְיָוָתָא = האריות
גֹּב אַרְיָוָתָא 2, 3, 4, 5, 8; יַד אַ׳ 10; פֻּם אַ׳ 7

כְּאַרְיֵה 1 קַדְמָיְתָא כְאַרְיֵה וְגַפִּין דִּי־נְשַׁר לַהּ Dan. 7:4
אַרְיָוָתָא 2 יִתְרְמֵא לְגֹב אַרְיָוָתָא Dan. 6:8
3 יִתְרְמֵא לְגוֹב אַרְיָוָתָא Dan. 6:13
4 וּרְמוֹ לְגֻבָּא דִּי אַרְיָוָתָא Dan. 6:17
5 לְגֻבָּא דִי־אַרְיָוָתָא אֲזַל Dan. 6:20
6 הֲיִכִל לְשֵׁיזָבוּתָךְ מִן־אַרְיָוָתָא Dan. 6:21
7 שְׁלַח מַלְאֲכֵהּ וּסֲגַר פֻּם אַרְיָוָתָא... Dan. 6:23
8 וּלְגֹב אַרְיָוָתָא רְמוֹ Dan. 6:25
9 עַד דִּי־שְׁלִטוּ בְהוֹן אַרְיָוָתָא Dan. 6:25
10 דִּי שֵׁיזִב לְדָנִיֵּאל מִן־יַד אַרְיָוָתָא Dan. 6:28

אַרְיֵה³ שפ״ז?
הָאַרְיֵה 1 וַיַּכֵּהוּ... אֶת־אַרְגֹּב וְאֶת־הָאַרְיֵה IIK. 15:25

אֲרִיָה* נ׳ אַרְוָה

אֲרָיוֹת 1 אַרְבַּעַת אֲלָפִים אֻרְיוֹת סוּסִים IICh. 9:25

אַרְיוֹךְ שפ״ז א) מלך אֶלָּסָר בימי אברהם: 5,1
ב) שר הטבחים של נבוכדנאצר: 2-4, 6, 7

אַרְיוֹךְ 1 אַרְיוֹךְ מֶלֶךְ אֶלָּסָר... Gen. 14:1
2 אֱדַיִן מִלְּתָא הוֹדַע אַרְיוֹךְ לְדָנִיֵּאל Dan. 2:15
3/4 אַרְיוֹךְ Dan. 2:24,25
וְאַרְיוֹךְ 5 וְאַרְיוֹךְ מֶלֶךְ אֶלָּסָר Gen. 14:9
לְאַרְיוֹךְ 6 לְאַרְיוֹךְ רַב־טַבָּחַיָּא דִּי־מַלְכָּא Dan. 2:14
7 עָנֵה וְאָמַר לְאַרְיוֹךְ שַׁלִּיטָא דִי־מַלְכָּא Dan. 2:15

אֲרִים עיין אוּרִים

אֲרִיסַי שפ״ז – השמיני בבני הָמָן
1 וְאֵת אֲרִיסַי וְאֵת אֲרִידַי Es. 9:9

ארך : אָרַךְ, הֶאֱרִיךְ; אָרֵךְ, אֹרֶךְ, אֶרֶךְ; אֲרוּכָה? אַרְכָּה, אַרְכִּי; אר׳ אֲרַךְ; אַרְכָה

אָרַךְ פ׳ א) היה ארוך: 1–3
ב) [הפ׳ הֶאֱרִיךְ] פ״ע – היה ארוך: 4, 5, 13, 14, 33,32; פ״י – עשה לארוך יותר: 6,7,15-31,34
אָרְכוּ הַיָּמִים 2,1; הֶאֱרִיךְ אַפּוֹ 15,8; הֶאֱ׳ יָמִים 7, 9–11, 17–19, 21–24, 26, 27; הֶאֱ׳ אֶת יָמָיו 6; הֶאֱ׳ לָשׁוֹן 25; הֶאֱ׳ נַפְשׁוֹ 16; הֶאֱרִיכוּ יָמָיו 28-31

אָרְכוּ 1 וַיְהִי כִּי־אָרְכוּ־לוֹ שָׁם הַיָּמִים Gen. 26:8
יַאַרְכוּ 2 יַאַרְכוּ הַיָּמִים וְאָבַד כָּל־חָזוֹן Ezek. 12:22
וַתֶּאֱרַכְנָה 3 וַתֶּאֱרַכְנָה פֹארֹתָו מִמַּיִם רַבִּים Ezek. 31:5
בְּהַאֲרִיךְ 4 בְּהַאֲרִיךְ הֶעָנָן עַל־הַמִּשְׁכָּן Num. 9:22
וּבְהַאֲרִיךְ 5 וּבְהַאֲרִיךְ הֶעָנָן עַל־הַמִּשְׁכָּן Num. 9:19
וְהַאֲרַכְתִּי 6 וְהַאֲרַכְתִּי אֶת־יָמֶיךָ IK. 3:14
וְהַאֲרַכְתָּ 7 לְמַעַן יִיטַב לָךְ וְהַאֲרַכְתָּ יָמִים Deut. 22:7
הֶאֱרִיךְ 8 שֵׂכֶל אָדָם הֶאֱרִיךְ אַפּוֹ Prov. 19:11
וְהַאֲרַכְתֶּם 9 וְהַאֲרַכְתֶּם יָמִים בָּאָרֶץ Deut. 5:33(30)
הֶאֱרִיכוּ 10 הֶאֱרִיכוּ יָמִים אַחֲרֵי יְהוֹשֻׁעַ Josh. 24:31
11 הֶאֱרִיכוּ יָמִים אַחֲרֵי יְהוֹשׁוּעַ Jud. 2:7
12 הֶאֱרִיכוּ לְמַעֲנִיתָם Ps. 129:3
מַאֲרִיךְ 13 וְיֵשׁ רָשָׁע מַאֲרִיךְ בְּרָעָתוֹ Eccl. 7:15
וּמַאֲרִיךְ 14 חֹטֶא עֹשֶׂה רָע מְאַת וּמַאֲרִיךְ לוֹ Eccl. 8:12
אַאֲרִיךְ 15 לְמַעַן שְׁמִי אַאֲרִיךְ אַפִּי Is. 48:9
16 וּמַה־קִּצִּי כִּי־אַאֲרִיךְ נַפְשִׁי Job 6:11
תַּאֲרִיךְ 17 וּלְמַעַן תַּאֲרִיךְ יָמִים עַל־הָאֲדָמָה Deut. 4:40
יַאֲרִיךְ 18 לְמַעַן יַאֲרִיךְ יָמִים עַל־מַמְלַכְתּוֹ Deut. 17:20
19 יִרְאֶה זֶרַע יַאֲרִיךְ יָמִים Is. 53:10
20 וּבְאָדָם מֵבִין יֹדֵעַ כֵּן יַאֲרִיךְ Prov. 28:2
21 שֹׂנֵא בֶצַע יַאֲרִיךְ יָמִים Prov. 28:16
22 וְלֹא־יַאֲרִיךְ יָמִים כַּצֵּל Eccl. 8:13
תַּאֲרִיכוּ 23 וּלְמַעַן תַּאֲרִיכוּ יָמִים עַל־הָאֲ׳ Deut. 11:9
24 וּבַדָּבָר הַזֶּה תַּאֲרִיכוּ יָמִים Deut. 32:47
תַּאֲרִיכוּ 25 עַל־מִי תַּרְחִיבוּ פֶה תַּאֲרִיכוּ לָשׁוֹן Is. 57:4
תַּאֲרִיכֻן 26/7 לֹא־תַאֲרִיכֻן יָמִים Deut. 4:26; 30:18
יַאֲרִיכוּ 28 לְמַעַן יַאֲרִיכוּ יָמֶיךָ Deut. 25:15
יַאֲרִכוּן 29 לְמַעַן יַאֲרִכוּן יָמֶיךָ Ex. 20:12
יַאֲרִכֻן 30/1 (ו)לְמַעַן יַאֲרִ(י)כֻן יָמֶיךָ Deut. 5:16; 6:2
וַיַּאֲרִכוּ 32/3 וַיַּאֲרִכוּ הַבַּדִּים וַיֵּרָאוּ... IK. 8:8 • IICh. 5:9
הַאֲרִיכִי 34 הַאֲרִיכִי מֵיתָרַיִךְ Is. 54:2

אֲרַךְ* פ׳ ארמית: כמו בעברית
אֲרִיךְ 1 לָא־אֲרִיךְ לַנָא לְמֶחֱזֵא Ez. 4:14

אָרֵךְ* ת׳ א) גדול בארך: 1–14
ב) [אֲרֻכָּה] גדולה, ממושכת: 15–17
אֶרֶךְ הָאֵבֶר 11; אֶ׳ אַפַּיִם 1-10,12,14; אֶ׳ רוּחַ 13

אֶרֶךְ־ 1 אֶרֶךְ אַפַּיִם וְרַב־חֶסֶד וֶאֱמֶת Ex. 34:6
10-2 אֶרֶךְ־אַפַּיִם Num. 14:18
Joel 2:13 • Jon. 4:2 • Nah. 1:3 • Ps. 86:15; 103:8; 145:8 • Prov. 14:29 • Neh. 9:17
11 גְּדוֹל הַכְּנָפַיִם אֶרֶךְ הָאֵבֶר Ezek. 17:3
12 טוֹב אֶרֶךְ אַפַּיִם מִגִּבּוֹר Prov. 16:32
13 טוֹב אֶרֶךְ־רוּחַ מִגְּבַהּ־רוּחַ Eccl. 7:8
וְאֶרֶךְ־ 14 וְאֶרֶךְ אַפַּיִם יַשְׁקִיט רִיב Prov. 15:18
אֲרֻכָּה 15 וַתְּהִי הַמִּלְחָמָה אֲרֻכָּה IISh. 3:1
16 שָׁלַח אֵלֵינוּ... לֵאמֹר אֲרֻכָּה הִיא Jer. 29:28
17 אֲרֻכָּה מֵאֶרֶץ מִדָּהּ Job 11:9

אֹרֶךְ ז׳ גודל במדה, הפך מן ״קֹצֶר״: 1–96
אֹרֶךְ אַפַּיִם 59; אֹרֶךְ יָמִים 51–60,56–62; אֹ׳ הָאוּלָם 48; אֹ׳ הַבִּנְיָן 49; אֹ׳ הֶחָצֵר 44; אֹ׳ הַיְרִיעָה 38–41, 57; אֹ׳ הַלְּשָׁכוֹת 50; אֹ׳ הַמְּכוֹנָה 45; אֹ׳ הַקֹּדֶשׁ 43,42; אֹ׳ הַשַּׁעַר 47,46; אֹ׳ הַתֵּבָה 37; אֹרֶךְ אַפּוֹ 63

אֹרֶךְ 1 אֶת־הַמִּזְבֵּחַ... חָמֵשׁ אַמּוֹת אֹרֶךְ Ex. 27:1
2 מֵאָה בָאַמָּה אֹרֶךְ לַפֵּאָה הָאֶחָת Ex. 27:9
3 קְלָעִים מֵאָה אֹרֶךְ Ex. 27:11
29-4 אֹרֶךְ Ex. 38:18 • IK. 6:20
Ezek. 40:7,25,29,30,33,36,42,47; 41:13²; 42:2,20; 43:16,17; 45:1²,3,5; 46:22; 48:9,10,13² • IICh. 3:15
וְאֹרֶךְ 30 וְאֹרֶךְ חֲמִשָּׁה וְעֶשְׂרִים אֶלֶף Ezek. 45:6
31 וְאֹרֶךְ לְעֻמּוֹת אַחַד הַחֲלָקִים Ezek. 45:7
32 וְאֹרֶךְ כְּאַחַד הַחֲלָקִים Ezek. 48:8
הָאֹרֶךְ 33 הָאֹרֶךְ אַמּוֹת... אַמּוֹת שִׁשִּׁים IICh. 3:3
34 וְהָאוּלָם אֲשֶׁר עַל־פְּנֵי הָאֹרֶךְ IICh. 3:4
בָּאֹרֶךְ 35 וְכֵן לִפְאַת צָפוֹן בָּאֹרֶךְ Ex. 27:11
36 וְהַנּוֹתָר בָּאֹרֶךְ לְעֻמַּת... Ezek. 48:18
אֹרֶךְ־ 37 שְׁלֹשׁ מֵאוֹת אַמָּה אֹרֶךְ הַתֵּבָה Gen. 6:15
41-38 אֹרֶךְ הַיְרִיעָה הָאַחַת Ex. 26:2,8; 36:9,15
42/3 עֶשֶׂר אַמּוֹת אֹרֶךְ הַקָּרֶשׁ Ex. 26:16; 36:21
44 אֹרֶךְ הֶחָצֵר מֵאָה בָאַמָּה Ex. 27:18
45 אַרְבַּע בָּאַמָּה אֹרֶךְ הַמְּכוֹנָה הָאֶחָת IK. 7:27
46 עֶשֶׂר אַמּוֹת אֹרֶךְ הַשַּׁעַר Ezek. 40:11
47 לְעֻמַּת אֹרֶךְ הַשְּׁעָרִים Ezek. 40:18
48 אֹרֶךְ הָאֻלָם עֶשְׂרִים אַמָּה Ezek. 40:49
49 וּמָדַד אֹרֶךְ־הַבִּנְיָן... Ezek. 41:15
50 אֹרֶךְ הַלְּשָׁכוֹת... חֲמִשִּׁים אַמָּה Ezek. 42:8
51 אֹרֶךְ יָמִים עוֹלָם וָעֶד Ps. 21:5
52 אֹרֶךְ יָמִים אַשְׂבִּיעֵהוּ Ps. 91:16
53 כִּי אֹרֶךְ יָמִים... יוֹסִיפוּ לָךְ Prov. 3:2
54 אֹרֶךְ יָמִים בִּימִינָהּ Prov. 3:16
וְאֹרֶךְ־ 55 כִּי הוּא חַיֶּיךָ וְאֹרֶךְ יָמֶיךָ Deut. 30:20
56 ...וְאֹרֶךְ יָמִים תְּבוּנָה Job 12:12
בְּאֹרֶךְ־ 57 ...בְּאֹרֶךְ יְרִיעֹת הָאֹהֶל Ex. 26:13
58 וַיְּיף בְּגָדְלוֹ בְּאֹרֶךְ דָּלִיּוֹתָיו Ezek. 31:7
59 בְּאֹרֶךְ אַפַּיִם יְפֻתֶּה קָצִין Prov. 25:15
לְאֹרֶךְ־ 60 וְשַׁבְתִּי בְּבֵית־יְיָ לְאֹרֶךְ יָמִים Ps. 23:6
61 ...יְיָ לְאֹרֶךְ יָמִים Ps. 93:5
62 לָמָּה... תַּעַזְבֵנוּ לְאֹרֶךְ יָמִים Lam. 5:20
לְאֶרֶךְ־ 63 אַל־לְאֶרֶךְ אַפְּךָ תִּקָּחֵנִי Jer. 15:15
אָרְכּוֹ 64/5 אַמָּתַיִם וָחֵצִי אָרְכּוֹ Ex. 25:10; 37:1
66/7 זֶרֶת אָרְכּוֹ וְזֶרֶת רָחְבּוֹ Ex. 28:16; 39:9
84-68 אָרְכּוֹ Ex. 25:23; 30:2
37:10,25; 38:1 • IK. 6:2,3; 7:2,6 • Ezek. 40:20,21; 41:2,4; 42:7 • IICh. 3:8; 4:1; 6:13
וְאָרְכּוֹ 85 וְאָרְכּוֹ תִּשְׁעִים אַמָּה Ezek. 41:12
86 וְאָרְכּוֹ שְׁתַּיִם־אַמּוֹת... Ezek. 41:22
87 וְאָרְכּוֹ וְקִירֹתָיו עֵץ Ezek. 41:22
אָרְכָּהּ 88/9 אַמָּתַיִם וָחֵצִי אָרְכָּהּ Ex. 25:17; 37:6
90 הִנֵּה עַרְשׂוֹ... תֵּשַׁע אַמּוֹת אָרְכָּהּ Deut. 3:11
91 וַיַּעַשׂ לוֹ אֵהוּד חֶרֶב... גֹּמֶד אָרְכָּהּ Jud. 3:16
92 כַּמָּה־רָחְבָּהּ וְכַמָּה אָרְכָּהּ Zech. 2:6
93 מְגִלָּה עָפָה אָרְכָּהּ עֶשְׂרִים בָּאַמָּה Zech. 5:2
לְאָרְכָּהּ 94 הִתְהַלֵּךְ בָּאָרֶץ לְאָרְכָּהּ וּלְרָחְבָּהּ Gen. 13:17
אָרְכָּם 95 וְכַנְפֵי הַכְּרוּבִים אָרְכָּם אַ׳ עֶשְׂרִים IICh. 3:11
כְּאָרְכָּן 96 כְּאָרְכָּן כֵּן רָחְבָּן Ezek. 42:11

אֶרֶךְ עיר עתיקה בבבל, מראשית ממלכת נמרוד
וְאֶרֶךְ 1 וְאֶרֶךְ וְאַכַּד וְכַלְנֵה Gen. 10:10

אַרְכֻבָּא* נ׳ ארמית: בֶּרֶךְ; אַרְכֻבָּתָא = בִּרְכַּיִם
וְאַרְכֻבָּתֵהּ 1 וְאַרְכֻבָּתֵהּ דָּא לְדָא נָקְשָׁן Dan. 5:6

אַרְכָה נ׳ ארמית: אורך, משך: 1-2
אַרְכָה 1 הֵן תֶּהֱוֵא אַרְכָה לִשְׁלֵוְתָךְ Dan. 4:24
וְאַרְכָה 2 וְאַרְכָה בְחַיִּין יְהִיבַת לְהוֹן Dan. 7:12

אֲרֻכָה עיין אֲרוּכָה

אַרְכְּוָיֵא ת״ר ארמית: תושבי העיר אֶרֶךְ
1 אֲפָרְסָיֵא אַרְכְּוָיֵא בָבְלָיֵא Ez. 4:9

אַרְכִּי ת׳ שם-יחס למשפחה מבנימין על גבול אפרים
הָאַרְכִּי 1 וְעָבַר אֶל־גְּבוּל הָאַרְכִּי עֲטָרוֹת Josh. 16:2
2 וְהִנֵּה לִקְרָאתוֹ חוּשַׁי הָאַרְכִּי IISh. 15:32
3 חוּשַׁי הָאַרְכִּי רֵעֶה דָוִד IISh. 16:16
6-4 (ה׳/ ל׳-) חוּשַׁי הָאַרְכִּי IISh. 17:5,14 • ICh. 27:33

אֲרָם¹ שפ״ז א) בן שם בן נח: 1, 3, 4
ב) בן קמואל בן נחור: 2
ג) מזרע אשר: 5
אֲרָם 1 וּבְנֵי אֲרָם עוּץ וְחוּל... Gen. 10:23
2 וְאֶת־קְמוּאֵל אֲבִי אֲרָם Gen. 22:21
וַאֲרָם 3/4 בְּנֵי שֵׁם... וְלוּד וַאֲרָם Gen. 10:22 • ICh. 1:17
5 וּבְנֵי שָׁמֶר... וְחֻבָּה וַאֲרָם ICh. 7:34

אֲרָם² שם העם והארץ במחוזות הפרת והחידקל. שם העם – על-פי-רב זכר או רבוי: 15,13-11,9,8 ועוד; שם הארץ – נקבה: 7,4 ועוד
אֱלֹהֵי אֲרָם 3; בְּנוֹת אֲ׳ 32; גְּדוּדֵי אֲ׳ 25,16; חֵיל אֲ׳ 38,37,31; יַד אֲ׳ 24; מַחֲנֵה אֲ׳ 17–23; מֶלֶךְ אֲ׳ 40–76; מַלְכֵי אֲ׳ 39,36,14; רֹאשׁ אֲ׳ 28; שְׂדֵה אֲרָם 34

אֲרָם 1 מִן־אֲרָם יַנְחֵנִי בָלָק... Num. 23:7
2 כּוּשַׁן רִשְׁעָתַיִם מֶלֶךְ אֲרָם Jud. 3:10
3 וַיַּעַבְדוּ... וְאֶת־אֱלֹהֵי אֲרָם Jud. 10:6
4 וַתְּהִי אֲרָם לְדָוִד לַעֲבָדִים IISh. 8:6
5 בְּשֻׁבוֹ מֵהַכּוֹתוֹ אֶת־אֲרָם IISh. 8:13
6 וַיַּעֲרֹךְ לִקְרַאת אֲרָם IISh. 10:9
7 אִם־תֶּחֱזַק אֲרָם מִמֶּנִּי... IISh. 10:11
8 וּבְנֵי עַמּוֹן רָאוּ כִּי־נָס אֲרָם IISh. 10:14
9 וַיַּרְא אֲרָם כִּי נִגַּף לִפְנֵי יִשְׂרָאֵל IISh. 10:15
10 וַיֹּצֵא אֶת־אֲרָם אֲשֶׁר מֵעֵבֶר הַנָּהָר IISh. 10:16
11 וַיַּעַרְכוּ אֲרָם לִקְרַאת דָּוִד IISh. 10:17
12 וַיָּנָס אֲרָם מִפְּנֵי יִשְׂרָאֵל IISh. 10:18
13 וַיִּרְאוּ אֲרָם לְהוֹשִׁיעַ עוֹד... IISh. 10:19
14 וּלְמַלְכֵי אֲרָם בְּיָדָם יֹצִאוּ IK. 10:29
15 כִּי־שָׁם אֲרָם נְחִתִּים IIK. 6:9
16 וְלֹא־יָסְפוּ עוֹד גְּדוּדֵי אֲרָם לָבוֹא IIK. 6:23
17 לְכוּ וְנִפְּלָה אֶל־מַחֲנֵה אֲרָם IIK. 7:4
23-18 מַחֲנֵה־אֲרָם IIK. 7:5²,6,10,14,16
24 וַיֵּצְאוּ מִתַּחַת יַד־אֲרָם IIK. 13:5
25 וַיְשַׁלַּח... וְאֶת־גְּדוּדֵי אֲרָם IIK. 24:2

אֲרָם (המשך) 26 נָחָה אֲרָם עַל־אֶפְרָיִם Is. 7:2
27 יַעַן כִּי־יָעַץ עָלֶיךָ אֲרָם רָעָה Is. 7:5
28 כִּי רֹאשׁ אֲרָם דַּמֶּשֶׂק... Is. 7:8
29 אֲרָם מִקֶּדֶם וּפְלִשְׁתִּים מֵאָחוֹר Is. 9:11
30 וּשְׁאָר אֲרָם כִּכְבוֹד בְּנֵי־יִשְׂרָאֵל Is. 17:3
31 בֹּאוּ... וּמִפְּנֵי חֵיל אֲרָם Jer. 35:11
32 כְּמוֹ עֵת חֶרְפַּת בְּנוֹת־אֲרָם Ezek. 16:57
33 אֲרָם סֹחַרְתֵּךְ מֵרֹב מַעֲשָׂיִךְ Ezek. 27:16
34 וַיִּבְרַח יַעֲקֹב שְׂדֵה אֲרָם Hosh. 12:13
35 וְגָלוּ עַם־אֲרָם קִירָה Am. 1:5
36 וּמַלְכֵי אֲרָם בְּיָדָם יוֹצִיאוּ IICh. 1:17
37 עָלָה עָלָיו חֵיל אֲרָם IICh. 24:23
38 בְּמִצְעַר אֲנָשִׁים בָּאוּ חֵיל אֲרָם IICh. 24:24
39 אֱלֹהֵי מַלְכֵי־אֲרָם הֵם מַעְזְרִים IICh. 28:23
76-40 (וּ)מֶלֶךְ־אֲרָם IK. 15:18; 20:1,20,22,23; 22:3,31 • IIK. 5:1,5; 6:8,11,24; 8:7,9,28,29; 9:14,15; 12:18,19; 13:3,4,7,22,24; 15:37; 16:5,6,7 • Is. 7:1 • IICh. 16:2,7²; 18:30; 22:5,6; 28:5
102-77 אֲרָם IK. 11:25; 19:15; 20:26,28,29; 22:1,11,35 • IIK. 7:12,15; 8:13; 13:17,19² • ICh. 18:6; 19:10,12,14,15,16²,17,18,19 • IICh. 18:10,34
וַאֲרָם 103 וַאֲרָם מִלְאוּ אֶת־הָאָרֶץ IK. 20:27
104 וַאֲרָם יָצְאוּ גְדוּדִים וַיִּשְׁבּוּ... IIK. 5:2
105 רְצִין וַאֲרָם וּבֶן־רְמַלְיָהוּ Is. 7:4
106 הֶעֱלֵיתִי... וַאֲרָם מִקִּיר Am. 9:7
107 וַיִּקַּח גְּשׁוּר־וַאֲרָם... מֵאִתָּם ICh. 2:23
בַּאֲרָם 108 וַיַּךְ דָּוִד בַּאֲרָם... IISh. 8:5
109 וַיִּגַּשׁ יוֹאָב... לַמִּלְחָמָה בַּאֲרָם IISh. 10:13
110 ...בְּשִׁבְתִּי בִגְשׁוּר בַּאֲרָם IISh. 15:8
111 וְהִכָּה בַאֲרָם מַכָּה גְדוֹלָה IK. 20:21
112 וְחֵץ־תְּשׁוּעָה בַאֲרָם IIK. 13:17
113 וַיַּךְ דָּוִיד בַּאֲרָם... ICh. 18:5
לַאֲרָם 114 כִּי־בוֹ נָתַן־יְיָ תְּשׁוּעָה לַאֲרָם IIK. 5:1
115 הֵשִׁיב... אֶת־אֵילַת לַאֲרָם IIK. 16:6
מֵאֲרָם 116 מֵאֲרָם וּמִמּוֹאָב וּמִבְּנֵי עַמּוֹן IISh. 8:12
117/8 וַיַּהֲרֹג דָּו(י)ד מֵאֲרָם IISh. 10:18 • ICh. 19:18
119 הָמוֹן רַב מֵעֵבֶר לַיָּם מֵאֲרָם IICh. 20:2

אֲרַם בֵּית־רְחוֹב ממלכה בארם

אֲרַם בֵּ־ר 1 וַיִּשְׂכְּרוּ אֶת־אֲרַם בֵּית־רְחוֹב... IISh. 10:6

אֲרַם דַּמֶּשֶׂק ממלכה בארם

אֲרַם דַּ׳ 1 וַתָּבֹא אֲרַם דַּמֶּשֶׂק לַעְזֹר IISh. 8:5
בַּאֲרַם דַּ׳ 2 וַיָּשֶׂם דָּוִד נְצִבִים בַּאֲרַם דַּמֶּשֶׂק IISh. 8:6

אֲרַם דַּרְמֶשֶׂק היא ארם דמשק

אֲרַם דַּר׳ 1 וַיָּבֹא אֲרַם דַּרְמֶשֶׂק לַעְזוֹר... ICh. 18:5
בַּאֲרַם דַּר׳ 2 וַיָּשֶׂם דָּוִיד בַּאֲרַם דַּרְמֶשֶׂק ICh. 18:6

אֲרַם מַעֲכָה ממלכה ארמית בגולן

אֲרַם מ׳ 1 לִשְׂכֹּר... וּמִן־אֲרַם מַעֲכָה וּמִצּוֹבָה ICh. 19:6

אֲרַם נַהֲרַיִם אזור מסופוטמיה העליונה

אֲרַם נ׳ 1 אֶל־אֲרַם נַהֲרַיִם אֶל־עִיר נָחוֹר Gen. 24:10
2 בִּלְעָם... מִפְּתוֹר אֲרַם נַהֲרַיִם Deut. 23:5
3 בְּיַד... מֶלֶךְ אֲרַם נַהֲרָיִם Jud. 3:8
4 בְּהַצּוֹתוֹ אֶת אֲרַם נַהֲרַיִם... Ps. 60:2
5 לִשְׂכֹּר לָהֶם מִן־אֲרַם נַהֲרַיִם ICh. 19:6

אֲרַם צוֹבָא ממלכה בסוריה הדרומית

אֲרַם צ׳ 1 וַיִּשְׂכְּרוּ... וְאֶת־אֲרַם צוֹבָא IISh. 10:6
2 אֶת אֲרַם נַהֲרַיִם וְאֶת־אֲ׳ צוֹבָה Ps. 60:2
וַאֲרַם צ׳ 3 וַאֲרַם צוֹבָא וּרְחוֹב... בַּשָּׂדֶה IISh. 10:8

אַרְמוֹן ז׳ היכל מלך או שרים, ביחוד בנין מבוצר

קרובים: אַפֶּדֶן / בַּיִת / בִּירָה / הֵיכָל / הַרְמוֹן

בְּרִיחַ אַרְמוֹן 2; אַרְמוֹן בֵּית־הַמֶּלֶךְ 4, 6; אַרְמוֹן זָרִים 5; חוֹמוֹת אַרְמְנוֹתָיו 27; אַרְמְנוֹת בֶּן־הֲדַד 11, 12; אַרְמְנוֹת בָּצְרָה 13; אַרְמְנוֹת יְרוּשָׁלַיִם 9, 10; א׳ הַקְּרִיּוֹת 14

אַרְמוֹן 1 כִּי־אַרְמוֹן נֻטָּשׁ Is. 32:14
2 וּמִדְיָנִים כִּבְרִיחַ אַרְמוֹן Prov. 18:19
וְאַרְמוֹן 3 וְאַרְמוֹן עַל־מִשְׁפָּטוֹ יֵשֵׁב Jer. 30:18
אַרְמוֹן־ 4 וַיָּבֹא אֶל־אַרְמוֹן בֵּית־הַמֶּלֶךְ IK. 16:18
5 אַרְמוֹן זָרִים מֵעִיר... Is. 25:2
בְּאַרְמוֹן־ 6 וַיַּכֵּהוּ... בְּאַרְמוֹן בֵּית־הַמֶּלֶךְ IIK. 15:25
אַרְמְנוֹת 7 הַשְׁמִיעוּ עַל־אַרְמְנוֹת בְּאַשְׁדּוֹד Am. 3:9
8 וְעַל־אַרְמְנוֹת בְּאֶרֶץ מִצְרָיִם Am. 3:9
אַרְמְנוֹת־ 9/10 אַרְמְנוֹת יְרוּשָׁלָם Jer. 17:27 • Am. 2:5
11/12 אַרְמְנוֹת בֶּן־הֲדָד Jer. 49:27 • Am. 1:4
13 וְאָכְלָה אַרְמְנוֹת בָּצְרָה Am. 1:12
14 וְאָכְלָה אַרְמְנוֹת הַקְּרִיּוֹת Am. 2:2
אַרְמְנוֹתָיִךְ 15 וְהוֹרִד מִמֵּךְ עֻזֵּךְ וְנָבֹזּוּ אַרְמְנוֹתָיִךְ Am. 3:11
בְּאַרְמְנוֹתָיִךְ 16 יְהִי־שָׁלוֹם...שַׁלְוָה בְּאַרְמְנוֹתָיִךְ Ps. 122:7
וְאַרְמְנֹתָיו 17 מְתָאֵב אָנֹכִי... וְאַרְמְנֹתָיו שָׂנֵאתִי Am. 6:8
אַרְמְנוֹתֶיהָ 18 עוֹרְרוּ אַרְמְנוֹתֶיהָ Is. 23:13
19 וְעָלְתָה אַרְמְנֹתֶיהָ סִירִים Is. 34:13
20 קוּמוּ... וְנַשְׁחִיתָה אַרְמְנוֹתֶיהָ Jer. 6:5
21-4 וְאָכְלָה אַרְמְנֹתֶיהָ Hosh. 8:14 • Am. 1:7,10,14
25 שִׁיתוּ לִבְּכֶם...פַּסְּגוּ אַרְמְנוֹתֶיהָ Ps. 48:14
26 בִּלַּע כָּל־אַרְמְנוֹתֶיהָ שִׁחֵת מִבְצָרָיו Lam. 2:5
27 הִסְגִּיר... חוֹמֹת אַרְמְנוֹתֶיהָ Lam. 2:7
28 וְכָל־אַרְמְנוֹתֶיהָ שָׂרְפוּ בָאֵשׁ IICh. 36:19
בְּאַרְמְנוֹתֶיהָ 29 אֱלֹהִים בְּאַרְמְנוֹתֶיהָ נוֹדַע... Ps. 48:4
בְּאַרְמְנוֹתֵינוּ 30 עָלָה מָוֶת... בָּא בְּאַרְמְנוֹתֵינוּ Jer. 9:20
31 וְכִי יִדְרֹךְ בְּאַרְמְנֹתֵינוּ Mic. 5:4
בְּאַרְמְנוֹתֵיהֶם 32 חָמָס וָשֹׁד בְּאַרְמְנוֹתֵיהֶם Am. 3:10

אֲרַמִּי ת׳ המתיחס לארם

בְּתוּאֵל הָאֲרַמִּי 4,2; לָבָן הָא׳ 6,5; נַעֲמָן הָא׳ 7

אֲרַמִּי 1 אֲרַמִּי אֹבֵד אָבִי וַיֵּרֶד מִצְרַיְמָה Deut. 26:5
הָאֲרַמִּי 2 רִבְקָה בַּת־בְּתוּאֵל הָאֲרַמִּי Gen. 25:20
3 אֲחוֹת לָבָן הָאֲרַמִּי לוֹ לְאִשָּׁה Gen. 25:20
4 אֶל־לָבָן בֶּן־בְּתוּאֵל הָאֲרַמִּי Gen. 28:5
5 וַיִּגְנֹב יַעֲקֹב אֶת־לֵב לָבָן הָא׳ Gen. 31:20
6 וַיָּבֹא אֱלֹהִים אֶל־לָבָן הָאֲרַמִּי Gen. 31:24
7 חָשַׂךְ אֲדֹנִי אֶת נַעֲמָן הָאֲרַמִּי הַזֶּה IIK. 5:20
הָאֲרַמִּיָּה 8 פִּילַגְשׁוֹ הָאֲרַמִּיָּה יָלָדָה... ICh. 7:14
אֲרַמִּים 9 וַיַּכּוּ אֲרַמִּים אֶת־יוֹרָם IIK. 8:28
10/1 מִן־הַמַּכִּים אֲשֶׁר יַכֻּהוּ אֲרַמִּים IIK. 8:29; 9:15
הָרַמִּים(=הָאֲרַמִּים) 12 וַיַּכּוּ הָרַמִּים אֶת־יוֹרָם IICh. 22:5

אֲרָמִית נ׳ לשון בני ארם

אֲרָמִית 1/2 דַּבֶּר־נָא...אֲרָמִית IIK. 18:26 • Is. 36:11
3 וַיְדַבְּרוּ הַכַּשְׂדִּים לַמֶּלֶךְ אֲרָמִית Dan. 2:4
4 כָּתוּב אֲרָמִית וּמְתֻרְגָּם אֲרָמִית Ez. 4:7

אַרְמֹנִי שפ״ז – בן שאול

אַרְמֹנִי 1 ...אֶת־אַרְמֹנִי וְאֶת־מְפִבֹשֶׁת IISh. 21:8

אֲרָן שפ״ז – מבני שעיר החורי

וַאֲרָן 1 אֵלֶּה בְנֵי־דִישָׁן עוּץ וַאֲרָן Gen. 36:28
2 בְּנֵי דִישׁוֹן עוּץ וַאֲרָן ICh. 1:42

אֹרֶן[1] ז׳ מעצי המחט

אֹרֶן 1 נָטַע אֹרֶן וְגֶשֶׁם יְגַדֵּל Is. 44:14

אֹרֶן[2] שפ״ז – בן ירחמאל מזרע יהודה

וָאֹרֶן 1 וּבוּנָה וָאֹרֶן וָאֹצֶם אֲחִיָּה ICh. 2:25

אַרְנֶבֶת נ׳ חיה טמאה מן המכרסמים

הָאַרְנֶבֶת 1 הָאַרְנֶבֶת כִּי־מַעֲלַת גֵּרָה הִוא Lev. 11:6
2 אֶת־הַגָּמָל וְאֶת־הָאַרְנֶבֶת Deut. 14:7

אַרְנוֹן נחל בגבול ישראל ומואב

בָּמוֹת אַרְנוֹן 6; גְּבוּל א׳ 7; נַחַל א׳ 8-14,17-20; עֵבֶר אַרְנוֹן 1, 15

אַרְנוֹן 1 וַיַּחֲנוּ מֵעֵבֶר אַרְנוֹן Num. 21:13
2/3 אַרְנוֹן גְּבוּל מוֹאָב בכ Num. 21:13 • Jud. 11:18
4 וְאֶת־הַנְּחָלִים אַרְנוֹן Num. 21:14
5 וַיִּקַּח... מִיָּדוֹ עַד־אַרְנֹן Num. 21:26
6 עָר מוֹאָב בַּעֲלֵי בָּמוֹת אַרְנֹן Num. 21:28
7 אֲשֶׁר עַל־גְּבוּל אַרְנֹן Num. 22:36
12-8 אֲשֶׁר עַל־שְׂפַת־נַחַל אַרְנֹן Deut. 2:36 • 4:48 • Josh. 12:2; 13:9,16
13 וְעִבְרוּ אֶת־נַחַל אַרְנֹן Deut. 2:24
14 מִנַּחַל אַרְנֹן עַד־הַר חֶרְמוֹן Deut. 3:8
15 וַיַּחֲנוּ בְּעֵבֶר אַרְנוֹן Jud. 11:18
16 אֲשֶׁר עַל־יְדֵי אַרְנוֹן Jud. 11:26
20-17 נַחַל אַרְנֹן Deut. 3:12,16 • Josh. 12:1 • IIK. 10:33
בְּאַרְנוֹן 21 הַגִּידוּ בְאַרְנוֹן כִּי שֻׁדַּד מוֹאָב Jer. 48:20
לְאַרְנוֹן 22 בְּנוֹת מוֹאָב מַעְבָּרֹת לְאַרְנוֹן Is. 16:2
מֵאַרְנוֹן 23 וַיִּירַשׁ... מֵאַרְנֹן עַד־יַבֹּק Num. 21:24
24/5 מֵאַרְנוֹן וְעַד־הַיַּבֹּק Jud. 11:13,22

אָרְנָן שפ״ז היבוסי, הוא אֲרַוְנָה • גֹּרֶן אָרְנָן 1–4

אָרְנָן 1 עֹמֵד עִם־גֹּרֶן אָרְנָן הַיְבוּסִי ICh. 21:15
2 מִזְבֵּחַ לַיְיָ בְּגֹרֶן אָרְנָן הַיְבֻסִי ICh. 21:18
4-3 בְּגֹרֶן אָרְנָן הַיְבוּסִי ICh. 21:28 • IICh. 3:1
9-5 אָרְנָן ICh. 21:20,21²,22,23
וְאָרְנָן 10 וְאָרְנָן דָּשׁ חִטִּים ICh. 21:20
לְאָרְנָן 11 וַיֹּאמֶר הַמֶּלֶךְ דָּוִיד לְאָרְנָן ICh. 21:24
12 וַיִּתֵּן דָּוִיד לְאָרְנָן בַּמָּקוֹם IICh. 21:25

אַרְנָן שפ״ז – מצאצאי זרבבל

אַרְנָן 1 בְּנֵי רְפָיָה בְּנֵי אַרְנָן ICh. 3:21

אֲרַע נ׳ ארמית: אֶרֶץ; אַרְעָא = הארץ (ע׳ גם אַרְקָא)

אֲרַע 1 מַלְכוּ אָחֳרִי אֲרַע (כת׳ ארעא) מִנָּךְ Dan. 2:39
אַרְעָא 2 ...וּמְלָאת כָּל־אַרְעָא Dan. 2:35
3 דִּי תִשְׁלַט בְּכָל־אַרְעָא Dan. 2:39
4 וְעִם־חֵיוְתָא חֲלָקֵהּ בַּעֲשַׂב אַרְעָא Dan. 4:12
5 וְכָל־דָּיְרֵי אַרְעָא כְּלָה חֲשִׁיבִין Dan. 4:32
6 בְּחֵיל שְׁמַיָּא וְדָיְרֵי אַרְעָא Dan. 4:32
15-7 אַרְעָא Dan. 3:31 • 4:7,8,17,19; 6:26; 7:4,17,23
וְאַרְעָא 16 עַבְדוֹהִי דִי־אֱלָהּ שְׁמַיָּא וְאַרְעָא Ez. 5:11
בְּאַרְעָא 17/8 עִקַּר שָׁרְשׁוֹהִי בְּאַרְעָא שְׁבֻקוּ Dan. 4:12,20
19 מַלְכוּ רְבִיעָאָה תֶּהֱוֵא בְאַרְעָא Dan. 7:23
וּבְאַרְעָא 20 וְעָבֵד אָתִין... בִּשְׁמַיָּא וּבְאַרְעָא Dan. 6:28
מֵאַרְעָא 21 יֵאבַדוּ מֵאַרְעָא וּמִן־תְּחוֹת שְׁמַיָּא Jer. 10:11

אַרְעִית נ׳ ארמית: תחתית

לְאַרְעִית־ 1 וְלָא־מְטוֹ לְאַרְעִית גֻּבָּא Dan. 6:25

אַרְפָּד עיר בסוריה

אַרְפָּד 1 אַיּוֹ מֶלֶךְ־חֲמָת וּמֶלֶךְ אַרְפָּד IIK. 19:13
2 אַיֵּה מֶלֶךְ חֲמָת וּמֶלֶךְ אַרְפָּד Is. 37:13
4-3 אֱלֹהֵי חֲמָת וְאַרְפָּד IIK. 18:34 • Is. 36:19
5 לְדַמֶּשֶׂק בּוֹשָׁה חֲמָת וְאַרְפָּד Jer. 49:23
כְּאַרְפָּד 6 אִם־לֹא כְּאַרְפַּד חֲמָת Is. 10:9

אַרְפַּכְשַׁד שפ״ז – בן שֵׁם בן נח

אַרְפַּכְשַׁד 1 וַיְחִי אַרְפַּכְשַׁד אַחֲרֵי הוֹלִידוֹ... Gen. 11:13
2 שֵׁם אַרְפַּכְשַׁד שָׁלַח ICh. 1:24
אַרְפַּכְשָׁד 3 וַיּוֹלֶד אֶת־אַרְפַּכְשָׁד Gen. 11:10
4 אַחֲרֵי הוֹלִידוֹ אֶת־אַרְפַּכְשָׁד Gen. 11:11
וְאַרְפַּכְשַׁד 5-6 וְאַרְפַּכְשַׁד וְלוּד Gen. 10:22 • ICh. 1:17
7-9 וְאַרְפַּכְשַׁד Gen. 10:24; 11:12 • ICh. 1:18

אֶרֶץ נ׳ א) אדמה, יַבשה, קרקע, עפר האדמה – להבדיל מן השמים או הַיַּמִּים: רוב המקראות
ב) חלקת שׂדה: 238, 1539, 2272 ועוד
ג) מדינה, מקום מושבו של עם או של שבט: 4, 6–27, 33–35, 42 ועוד הרבה, וכן רוב המקראות 1512–2156, 2244–2504

קרובים: ראה אֲדָמָה

– אֶרֶץ אַחֶרֶת 27; אֶ׳ וּמְלוֹאָהּ 29, 42, 50, 51, 54, 55, 59; אֶ׳ וְחוּצוֹת 80; אֶ׳ וְשָׁמַיִם 3, 79; אֶ׳ וְתֵבֵל 74; אֶרֶץ זָבַת חָלָב וּדְבָשׁ 7–10, 12–21, 23, 251; אֶ׳ חֲדָשָׁה 277, 1230; אֶ׳ טוֹבָה 6, 24; אֶ׳ לֹא־זְרוּעָה 244; אֶ׳ לֹא נוֹשָׁבָה 41; אֶ׳ מְלֵחָה 46; אֶ׳ מְשׁוֹבֶבֶת 56; אֶ׳ נוֹרָאָה 259; אֶ׳ נוֹשֶׁבֶת 11; אֶ׳ נָכְרִיָּה 241, 242; אֶ׳ עֲיֵפָה 243, 250; אֶ׳ קְרוֹבָה 90; אֶ׳ רַבָּה 77; אֶ׳ רָזָה 471; אֶ׳ רְחָבָה 248; אֶ׳ רַחֲבַת יָדַיִם 34, 1226, 1228, 1235; אֶ׳ רְחוֹקָה 90, 252–258; אֶרֶץ שְׁמֵנָה 248, 471

– אֶרֶץ אָבוֹת 1542, 1609; אֶ׳ אֱדוֹם 1624–1627, 1810–1816, 1925; אֶ׳ אוֹיֵב 1622, 1686, 1888–1890, 1923, 2138; אֶ׳ אֲחֻזָּתוֹ 1619, 1621, 1633, 1658, 1664–1666, 1818; אֶ׳ הָאֱמֹרִי 1667–1669, 1892 1910; אֶ׳ אֶפְרַיִם 1649, 1913, 2001; אֶ׳ אֲרָרָט 1694, 1695; אֶ׳ אַשּׁוּר 1744, 1946, 1949, 2143; אֶ׳ בָּבֶל 1727, 2139; אֶ׳ בֵּית הַיְשִׁימוֹת 1730; אֶ׳ בְּנֵי־יִשְׂרָאֵל 1906; אֶ׳ בְּנֵי עַמּוֹ 1628; אֶ׳ בְּנֵי עַמּוֹן 1635-1640, 2109; אֶ׳ בִּנְיָמִין 1672, 1714, 1919, 1952, 1954א/5, 2004, 2113, 2153; אֶ׳ הַבְּרִית 1733; אֶ׳ הַבָּשָׁן 1994; אֶ׳ גָּד 1673; אֶ׳ גְּזֵרָה 1620; אֶ׳ הַגָּלִיל 1924; אֶ׳ גִּלְעָד 1630, 1632, 1659-1663, 1673, 1751, 1766/7, 1909, 1920, 1992/3, 2110/1; אֶ׳ גֹּשֶׁן 1617, 1653/4, 1874-1881, 2172; אֶ׳ דָּגָן וְתִירוֹשׁ 1648, 1691, 1700; אֶ׳ הָרִים 1647; אֶ׳ הֲרִיסוֹת 1769; אֶ׳ זְבוּלֻן 1912, 2182, 2243; אֶ׳ זֵית שֶׁמֶן (יִצְהָר) וּדְבָשׁ 1646, 1693; אֶ׳ חַדְרָךְ 1976; אֶ׳ הַחֲוִילָה 1512; אֶ׳ חִטָּה וגו׳ 1645; אֶ׳ (הַ)חַיִּים 1951, 1963, 1965–1971, 1983, 1987, 2123, 2134, 2146; אֶ׳ חָם 1979–1981; אֶ׳ חֶמְדָּה 1705, 1750, 1982; אֶ׳ חֲמָת 1941–1945; אֶ׳ חֵפֶץ 1752; אֶ׳ חֵפֶר 1684; אֶ׳ חֹשֶׁךְ 1754; אֶ׳ הַחִתִּים 1651, 1652; אֶ׳ טוֹב 1911, 2112; אֶ׳ יְהוּדָה 1650, 1676, 1715–1721, 1928–1940, 2152; אֶ׳ יְיָ 1972; אֶ׳ יְמִינִי 1916; אֶ׳ יַעְזֵר 1629; אֶ׳ יַרְדֵּן 2145; אֶ׳ יְרֻשָּׁה 2009/10; אֶרֶץ יִשְׂרָאֵל 1675, 1741/2, 1764, 1770, 1926, 1996/7, 2115/6, 2149; אֶ׳ כָּבוּל 1687; אֶ׳ כּוּשׁ 1513; אֶ׳ הַכִּכָּר 1536; אֶ׳ כְּנַעַן 1515-35, 1765, 1778-1807, 2002, 2016/7, 2019, 2151 2157-9, 2164-8; אֶרֶץ הַכְּנַעֲנִי 1610–1615, 1899, 2141; אֶ׳ הַכַּרְמֶל 1703; אֶ׳ כַּשְׂדִּים 1698, 1707–1711, 1957–1959, 2140, 2155; אֶ׳ כִּתִּים 2119; אֶ׳ לֹא־אִישׁ 1756; אֶ׳ לֶחֶם 1692, 1701; אֶ׳ מַאְפֵּלְיָה 1704; אֶ׳ מְבוֹא הַשֶּׁמֶשׁ 2156; אֶ׳ הַמָּגוֹג 1739; אֶ׳ מְגוּרָיו 1514, 1541, 1544, 1616, 1819, 2142; אֶ׳ מִדְבָּר 1901, 1985; אֶ׳ מִדְיָן 1746, 1883; אֶ׳ מוֹאָב 1670, 1671, 1724, 1893, 1900, 1902–1904, 2011, 2154; אֶרֶץ מוֹלֶדֶת 1543, 1706, 1722, 1729, 1772, 1777, 2150; אֶ׳ הַמּוֹרִיָּה 1538; אֶ׳ מוֹשְׁבוֹתָיו 1623; אֶ׳ מִזְרָח 2144; אֶ׳ הַמִּישׁוֹר 1723, 1894, 1984; אֶ׳ מְכוֹרָתוֹ 1732; אֶ׳ מְכוּרוֹתָיו 1961; אֶ׳ מֶלֶךְ חֶשְׁבּוֹן 1761; אֶ׳ מֶמְשַׁלְתּוֹ 1688, 1726, 1763; אֶ׳ הַמִּצְפָּה 1905; אֶ׳ מִצְרַיִם 1545-1608, 1765, 1773, 1820-1872, 1884-1887, 1896-1898, 2002, 2006, 2007, 2012, 2013, 2018, 2020-2108, 2151, 2175; אֶ׳ מִקְנֶה 1631; אֶ׳ (הַ)מֶּרְחָק 2118, 2120, 2131, 2132, 2147; אֶ׳ מַרְחַקִּים 1699, 2133; אֶ׳ הַנֶּגֶב 1655, 1656, 1809, 1891; אֶ׳ נִדָּה 1759; אֶ׳ נוֹד 1774; אֶ׳ נַחֲלֵי מַיִם 1643, 1644; אֶ׳ נְכוֹחוֹת 1948; אֶ׳ נִמְרוֹד 1745; אֶ׳ נַפְתָּלִי 1689, 1690, 2243; אֶ׳ נְשִׁיָּה 1978; אֶ׳ סִיחוֹן 1685, 1760, 1895; אֶ׳ סִינִים 2121; אֶ׳ הָעִבְרִים 2015; אֶ׳ עוֹג 1642, 1762; אֶ׳ עוּץ 1712, 1986, 1988; אֶ׳ עֵיפָתָה 1755; אֶ׳ הָעֵמֶק 1908; אֶ׳ עָנְיוֹ 1873; אֶ׳ עֲרָבָה 1953; אֶ׳ פְּלִשְׁתִּים 1537, 1618, 1677–1682, 1808, 1918, 1927, 1995, 2114, 2117, 2152; אֶ׳ פְּסִילִים 1725; אֶ׳ פְּרָזוֹת 1740; אֶ׳ הַפְּרִזִּי 1907; אֶ׳ פְּרִי 1753; אֶ׳ פַּתְרוֹס 1731, 2005; אֶ׳ הַצְּבִי 1989, 1990; אֶ׳ צוּף 1917; אֶ׳ צִיָּה 1728, 1743, 1768, 1771, 1954, 1960, 1977, 2008, 2122; אֶ׳ צַלְמָוֶת 1754, 1947; אֶ׳ צִלְצַל כְּנָפַיִם 1696; אֶ׳ צָפוֹן 1747, 1749, 1956, 1975, 2124–2130, 2135; אֶ׳ צָרָה 1950; אֶ׳ קֶדֶם 1540; אֶ׳ רַעְמְסֵס 1882; אֶ׳ רְפָאִים 1634, 1641, 1907; אֶ׳ שִׁבְיָה 1991; אֶ׳ שִׁבְיוֹ 1999, 2000, 2136, 2137; אֶ׳ שׁוֹבָיו 1922; אֶ׳ שׁוּעָל 1674; אֶ׳ שָׁלוֹם 2003; אֶ׳ שָׁלִישָׁה 1914; אֶ׳ שִׁנְעָר 1758, 1775/6, 1974; אֶ׳ שֵׂעִיר 1817, 2169; אֶ׳ שַׁעֲלִים 1915; אֶ׳ שְׁעָרִים 1921, 1998; אֶ׳ תַּחְתִּיּוֹת 1737, 1738, 1962; אֶ׳ תַּחְתִּים 1683; אֶ׳ תַּחְתִּית 1734, 1735, 1964; אֶ׳ תֵּימָא 1697; אֶ׳ תֵּימָן 1748; אֶ׳ הַתֵּימָנִי 2014, 2148; אֶ׳ תַּלְאוּבוֹת 1973; אֶ׳ תִּפְאֶרֶת 1757; אֶרֶץ תַּפּוּחַ 1657

– אֲסִירֵי אֶרֶץ 195; אַפַּיִם אֶ׳ 31, 39; אַפְסֵי אֶ׳ 128–140; בַּהֲמוֹת אֶ׳ 193; בָּמֳתֵי אֶ׳ 158/9, 166/7; גְּבוּל אֶ׳ 2262; גְּבוּלוֹת אֶ׳ 172; דִּשְׁנֵי אֶ׳ 65; זוֹחֲלֵי אֶ׳ 60; זִקְנֵי אֶ׳ 190; חַיְתוֹ אֶ׳ 2, 175; חֲמַס אֶ׳ 62, 63; יוֹסֵד אֶ׳ 156, 157; יוֹעֲצֵי אֶ׳ 191; יוֹשְׁבֵי אֶ׳ 35, 2365; יַרְכְּתֵי אֶ׳ 160–163; יִתְרוֹן אֶ׳ 87; כִּבְרַת אֶ׳ 5, 144; מָגִנֵּי אֶ׳ 68; מוֹסְדֵי אֶ׳ 49, 152, 169, 176, 187; מוֹשֵׁל אֶ׳ 33; מֶחְקְרֵי אֶ׳ 179; מַחְשַׁכֵּי אֶ׳ 72; מְטַר אֶ׳ 2264, 2265, 2379; מַלְכֵי אֶ׳ 64, 78, 86, 165, 174, 178, 182; מַמְלְכוֹת אֶ׳ 1713; מְצוּקֵי אֶ׳ 30; מְקַדְמֵי אֶ׳ 186; מֶרְחֲבֵי אֶ׳ 61; מֶרְחַקֵּי אֶ׳ 145; נֶאֶמְנֵי אֶ׳ 75; נִכְבַּדֵּי אֶ׳ 150, 151; עוֹשֵׂה אֶ׳ 43, 44; עַנְוֵי אֶ׳ 73, 147; עֲנִיֵּי אֶ׳ 168; עֲפַר אֶ׳ 57, 143, 192; עָרֵי אֶ׳ 2276; עַתּוּדֵי אֶ׳ 148; פֶּשַׁע אֶ׳ 81; קַטְנֵּי אֶ׳ 189; קְצֵה אֶ׳ 45, 164, 188; קַצְוֵי אֶ׳ 69, 70, 154; קְצִיר אֶ׳ 2372, 2373; רִגְעֵי אֶ׳ 66; רֹחַב אֶ׳ 2268; רַחֲבֵי אֶ׳ 194; רִשְׁעֵי אֶ׳ 173, 180, 181; שׁוֹכְנֵי אֶ׳ 149; שׁוֹפְטֵי אֶ׳ 37, 170, 185; שַׁעֲרֵי אֶ׳ 2297; תַּחְתִּיּוֹת אֶ׳ 155, 183

– הָאָרֶץ וּמְלוֹאָהּ 597; הָאָרֶץ הַטּוֹבָה 492–500; הַשָּׁמַיִם וְהָאָרֶץ 273–275, 277–288, 453–454, 501, 502, 514, 516, 519, 548, 560, 598, 629, 632, 645, 662, 663, 666, 672, 679, 680, 683, 691, 695, 697, 1223/4, 1452, 1454–1458; אֲדוֹן כָּל הָאָ׳ 520–521, 659, 665, 667, 681; אֲדוֹנֵי הָאָ׳ 427–428; אֶזְרַח הָאָ׳ 448, 450, 470; אֲחֻזַּת הָאָ׳ 467; אֵילֵי הָאָ׳ 562, 647; אֱלֹהֵי (כָּל) הָאָ׳ 382, 555–557, 622, 661; אַנְשֵׁי הָאָ׳ 457; אֲפִיקֵי הָאָ׳ 648; אַפְסֵי 673; אַרְבַּע כַּנְפוֹת הָאָ׳ 577, 642; בֶּהֱמַת הָאָ׳ 511, 580–581, 623–627; בְּנוֹת הָאָ׳ 385, 388; בְּקֶרֶב הָאָרֶץ 430, 435, 441, 507, 568–574; גְּבוּל הָאָ׳ 654; גּוֹיֵי הָאָ׳ 326, 331/2, 508, 630, 633, 636, 668, 692; גָּלוּת הָאָ׳ 544; דִּבַּת הָאָ׳ 474, 477; דַּלּוֹת הָאָ׳ 641; דַּלַּת הָאָ׳ 563, 635; דֶּרֶךְ כָּל הָאָ׳ 329, 539; זְהַב הָאָ׳ 312; זִמְרַת הָאָ׳ 429; זִקְנֵי הָאָ׳ 554, 631; זֶרַע הָאָ׳ 469, 646; חוּג הָאָ׳ 601; חֵיק הָאָ׳ 653; חַיַּת הָאָ׳ 296, 302–310; חֵלֶב הָאָ׳ 431; חַלְלֵי הָאָ׳ 640; טַבּוּר הָאָ׳ 542, 651; טוּב הָאָ׳ 564, 693; יְבוּל הָאָ׳ 541; יוֹצֵר הָאָ׳ 621; יוֹשֵׁב הָאָ׳ 390, 437, 455-456, 475, 540, 543, 546–547, 595-596, 637, 643; יוֹשְׁבֵי הָאָ׳ 394–423; כִּבְרַת הָאָ׳ 393; כְּנַף הָאָ׳ 594; כַּנְפוֹת הָאָ׳ 688–689; לֶחֶם הָאָ׳ 478; מוֹסְדוֹת הָאָ׳ 600; מוֹשְׁבֵי הָאָ׳ 650; מְטַר הָאָ׳ 2264, 2265, 2379; מֵיטַב הָאָ׳ 432, 433; מַכּוֹת הָאָ׳ 513; מְלֹא (כָּל) הָאָ׳ 575; מֶלֶךְ הָאָ׳ 545, 670; מַלְכֵי הָאָ׳ 537–538, 553, 682, 699–700; מַמְלְכוֹת הָאָ׳ 510, 559, 561, 582–591, 675; מָעוֹז הָאָ׳ 2308; מַעְשַׂר הָאָ׳ 468; מַרְגִּיז הָאָ׳ 579; מְשׂוֹשׂ (כָּל) הָאָרֶץ 593, 671; מִשְׁמַנֵּי הָאָ׳ 383–384; מִשְׁפְּחוֹת הָאָ׳ 669; נֵכַר הָאָ׳ 515; נְשִׂיא הָאָ׳ 389; נְשִׂיאֵי הָאָ׳ 652; עֲבוּר הָאָ׳ 535–536; עֲוֹן הָאָ׳ 664; עֵין הָאָ׳ 443, 445, 483, 484; עַם הָאָ׳ 333–381, 592; עַמֵּי הָאָ׳ 509, 522–534, 649; עַמְמֵי הָאָ׳ 694; עַנְוֵי הָאָ׳ 660; עֲפַר הָאָ׳ 322/3, 387, 438-40, 599, 696; עֵץ הָאָ׳ 466; עֶרְוַת הָאָ׳ 425/6; עָרֵי הָאָ׳ 485; עֵשֶׂב הָאָ׳ 444, 447, 658, 677, 686; פַּח הָאָ׳ 657; פַּחוֹת הָאָ׳ 552, 698; פַּטִּישׁ כָּל־הָאָ׳ 638; פְּרִי הָאָ׳ 472/3, 491, 567; קִיטוֹר הָאָ׳ 328 קְצֵה הָאָ׳ 45, 503-6, 512, 606–619; קְצוֹת הָאָ׳ 602-604, 687; רֵאשִׁית הָאָ׳ 656; רֹחַב הָאָ׳ 2268; רְקַע הָאָ׳ 605, 620; רִשְׁעֵי הָאָ׳ 644; שְׁבוּת הָאָ׳ 634; שַׁבַּת הָאָ׳ 460; שְׂדֵה הָאָ׳ 464; שׁוֹפֵט (כָּל) הָאָ׳ 327, 678; שַׁעֲרֵי הָאָ׳ 628; תְּבוּאַת הָאָ׳ 458; תְּהוֹמוֹת הָאָ׳ 676; תְּהִלַּת כָּל־הָאָ׳ 639; תַּחְתִּיּוֹת הָאָ׳ 674; תְּרוּמַת הָאָרֶץ 655;

– הִשְׁלִיךְ אַרְצָה 2173/4, 2183; וַיִּשְׁתַּחוּ אַ׳ 2170, 2208/9; נָפַל אַ׳ 2177-9, 2181, 2216

– אֲרָצוֹת נְשַׁמּוֹת 2431, 2432; אֱלֹהֵי הָאֲרָצוֹת 2437–2438; גּוֹיֵי הָאֲ׳ 2461–2462; יוֹשְׁבֵי הָאֲ׳ 2460; מַלְכֵי הָאֲ׳ 2452; מַמְלְכוֹת הָאֲ׳ 2456-2459; מִשְׁפְּחוֹת הָאֲ׳ 2443; עַמֵּי הָאֲ׳ 2445–2451, 2453

– אַרְצוֹת הָאֹיְבִים 2498/9, 2501; אַ׳ הַגּוֹיִם 2495; אַ׳ הַחַיִּים 2500; אַ׳ יְהוּדָה 2497; אַ׳ יִשְׂרָאֵל 2496

אֶרֶץ 1 וַיִּקְרָא אֱלֹהִים לַיַּבָּשָׁה אֶרֶץ Gen. 1:10
2 וְחַיְתוֹ־אֶרֶץ לְמִינָהּ Gen. 1:24
3 בְּיוֹם עֲשׂוֹת יְיָ אֱלֹהִים אֶרֶץ וְשָׁמָיִם Gen. 2:4
4 וַיֵּלֶךְ אֶל־אֶרֶץ מִפְּנֵי יַעֲקֹב אָחִיו Gen. 36:6
5 בְּעוֹד כִּבְרַת־אֶרֶץ לָבֹא אֶפְרָתָה Gen. 48:7
6 וּלְהַעֲלֹתוֹ...אֶל־אֶרֶץ טוֹבָה וּרְחָבָה Ex. 3:8
7-10 אֶל־אֶרֶץ(...)זָבַת חָלָב וּדְבָשׁ Ex. 3:8
3:17; 13:5; 33:3
11 עַד־בֹּאָם אֶל־אֶרֶץ נוֹשָׁבֶת Ex. 16:35
12-21 אֶרֶץ זָבַת חָלָב וּדְבָשׁ Lev. 20:24
Num. 16:14 • Deut. 6:3; 11:9; 26:9,15; 27:3 • Josh. 5:6 • Jer. 11:5; 32:22
22 אֶרֶץ אֹכֶלֶת יוֹשְׁבֶיהָ הִוא Num. 13:32

אֶרֶץ (המשך)

23 אֶרֶץ אֲשֶׁר־הִוא זָבַת חָלָב וּדְבָשׁ Num.14:8
24 יְיָ אֱלֹהֶיךָ מְבִיאֲךָ אֶל־אֶרֶץ טוֹבָה Deut.8:7
25 אֶ׳ אֲשֶׁר לֹא בְמִסְכֵּנֻת תֹּאכַל...לֶחֶם Deut.8:9
26 אֶרֶץ אֲשֶׁר אֲבָנֶיהָ בַרְזֶל Deut.8:9
27 וַיַּשְׁלִכֵם אֶל־אֶרֶץ אַחֶרֶת Deut.29:27
28 וַתֹּאכַל אֶרֶץ וִיבֻלָהּ Deut.32:22
29 וּמִמֶּגֶד אֶרֶץ וּמְלֹאָהּ Deut.33:16
30 כִּי לַייָ מְצֻקֵי אֶרֶץ ISh.2:8
31 וַתִּקֹּד בַּת־שֶׁבַע אַפַּיִם אֶרֶץ IK.1:31
32 שִׁמְעוּ שָׁמַיִם וְהַאֲזִינִי אֶרֶץ Is.1:2
33 שִׁלְחוּ־כַר מוֹשֵׁל־אֶרֶץ Is.16:1
34 כַּדּוּר אֶל־אֶרֶץ רַחֲבַת יָדָיִם Is.22:18
35 עַל־כֵּן חָרוּ יֹשְׁבֵי אֶרֶץ Is.24:6
36 יַשְׁפִּילָהּ עַד־אֶרֶץ Is.26:5
37 שֹׁפְטֵי אֶרֶץ כַּתֹּהוּ עָשָׂה Is.40:23
38 אָנֹכִי עָשִׂיתִי אֶרֶץ Is.45:12
39 אַפַּיִם אֶרֶץ יִשְׁתַּחֲווּ לָךְ Is.49:23
40 הֲיוּחַל אֶרֶץ בְּיוֹם אֶחָד Is.66:8
41 אֶרֶץ לוֹא נוֹשָׁבָה Jer.6:8
42 וַיָּבוֹאוּ וַיֹּאכְלוּ אֶרֶץ וּמְלוֹאָהּ Jer.8:16
43/4 עֹשֵׂה אֶרֶץ בְּכֹחוֹ Jer.10:12; 51:15
45 מִקְצֵה־אֶרֶץ וְעַד־קְצֵה הָאָרֶץ Jer.12:12
46 אֶרֶץ מְלֵחָה וְלֹא תֵשֵׁב Jer.17:6
47/8 אֶרֶץ אֶרֶץ אָרֶץ שִׁמְעִי דְּבַר־יְיָ Jer.22:29
49 וְיֵחָקְרוּ מוֹסְדֵי־אֶרֶץ לְמָטָּה Jer.31:37(36)
50 וְיִשְׁטְפוּ אֶרֶץ וּמְלוֹאָהּ Jer.47:2
51 וַתֵּשַׁם אֶרֶץ וּמְלֹאָהּ Ezek.19:7
52 אַתְּ אֶרֶץ לֹא מְטֹהָרָה הִיא Ezek.22:24
53 עַל־אֶרֶץ הִשְׁלַכְתִּיךְ Ezek.28:17
54 וַהֲשִׁמֹּתִי אֶרֶץ וּמְלֹאָהּ Ezek.30:12
55 וּנְשַׁמָּה אֶרֶץ מִמְּלֹאָהּ Ezek.32:15
56 תָּבוֹא אֶל־אֶרֶץ מְשׁוֹבֶבֶת מֵחֶרֶב Ezek.38:8
57 הַשֹּׁאֲפִים עַל־עֲפַר־אֶרֶץ Am.2:7
58 וַאֲגֻדָּתוֹ עַל־אֶרֶץ יְסָדָהּ Am.9:6
59 הַקְשִׁיבִי אֶרֶץ וּמְלֹאָהּ Mic.1:2
60 יְלַחֲכוּ עָפָר כַּנָּחָשׁ כְּזֹחֲלֵי אֶרֶץ Mic.7:17
61 הַהוֹלֵךְ לְמֶרְחֲבֵי־אֶרֶץ Hab.1:6
62/3 מִדְּמֵי אָדָם וַחֲמַס־אֶרֶץ Hab.2:8,17
64 יִתְיַצְּבוּ מַלְכֵי־אֶרֶץ Ps.2:2
65 אָכְלוּ וַיִּשְׁתַּחֲווּ כָּל־דִּשְׁנֵי־אֶרֶץ Ps.22:30
66 וְעַל רִגְעֵי־אֶרֶץ...יַחֲשֹׁבוּן Ps.35:20
67 שְׁכָן־אֶרֶץ וּרְעֵה אֱמוּנָה Ps.37:3
68 כִּי לֵאלֹהִים מָגִנֵּי־אֶרֶץ Ps.47:10
69 כֵּן תְּהִלָּתְךָ עַל־קַצְוֵי־אֶרֶץ Ps.48:11
70 מִבְטָח כָּל־קַצְוֵי־אֶרֶץ Ps.65:6
71 אֶרֶץ נָתְנָה יְבוּלָהּ Ps.67:7
72 מָלְאוּ מַחֲשַׁכֵּי־אֶרֶץ נְאוֹת חָמָס Ps.74:20
73 לְהוֹשִׁיעַ כָּל־עַנְוֵי־אֶרֶץ Ps.76:10
74 וַתְּחוֹלֵל אֶרֶץ וְתֵבֵל Ps.90:2
75 עֵינַי בְּנֶאֶמְנֵי־אֶרֶץ Ps.101:6
76 יְיָ מִשָּׁמַיִם אֶל־אֶרֶץ הִבִּיט Ps.102:20
77 מָחַץ רֹאשׁ עַל־אֶרֶץ רַבָּה Ps.110:6
78 מַלְכֵי־אֶרֶץ וְכָל־לְאֻמִּים Ps.148:11
79 הוֹדוֹ עַל־אֶרֶץ וְשָׁמָיִם Ps.148:13
80 עַד־לֹא עָשָׂה אֶרֶץ וְחוּצוֹת Prov.8:26
81 בְּפֶשַׁע אֶרֶץ רַבִּים שָׂרֶיהָ Prov.28:2
82 אֶרֶץ נִתְּנָה בְיַד־רָשָׁע... Job9:24
83 אֶרֶץ אַל־תְּכַסִּי דָמִי Job16:18
84 תֹּלֶה אֶרֶץ עַל־בְּלִימָה Job26:7
85 אֶרֶץ מִמֶּנָּה יֵצֵא־לָחֶם Job28:5
86 לֹא הֶאֱמִינוּ מַלְכֵי־אֶרֶץ Lam.4:12
87 וְיִתְרוֹן אֶרֶץ בַּכֹּל הוּא Eccl.5:8

אֶרֶץ (המשך)

88 אִי־לָךְ אֶרֶץ שֶׁמַּלְכֵּךְ נָעַר Eccl.10:16
89 אַשְׁרֵיךְ אֶרֶץ שֶׁמַּלְכֵּךְ בֶּן־חוֹרִים Eccl.10:17
90 וְשָׁבוּ שׁוֹבֵיהֶם אֶל־אֶרֶץ רְחוֹקָה אוֹ קְרוֹבָה IICh.6:36
126-91 אֶרֶץ Deut. 11:12 • Josh. 24:13 • Jud. 5:4 • IIK. 18:32 • Is.8:22; 11:4; 24:6,19,20; 26:18; 36:17; 45:8; 48:13; 49:8; 57:13; 60:2 • Jer.3:2; 14:18; 46:8; 51:43 • Ezek. 14:13; 20:6; 33:2 • Joel 2:6 • Hab. 3:6 • Ps. 60:4; 68:9; 75:4; 76:9; 104:5; 106:17; 119:90 • Prov. 30:6,21 • Job 9:6; 36:17

אָרֶץ

127 נָטִיתָ יְמִינְךָ תִּבְלָעֵמוֹ אָרֶץ Ex.15:12
128 עַמִּים יְנַגַּח יַחְדָּו אַפְסֵי־אָרֶץ Deut.33:17
140-129 (מֵ)אַפְסֵי(־)אָרֶץ ISh.2:10 • Is.45:22; 52:10 • Jer. 16:19 • Mic. 5:3 • Zech. 9:10 • Ps. 2:8; 22:28; 67:8; 72:8; 98:3 • Prov. 30:4
141 וַתִּפֹּל...עַל־פָּנֶיהָ וַתִּשְׁתַּחוּ אָרֶץ ISh.25:23
142 וַיִּשְׁלַח...לֵאמֹר לְמִי־אָרֶץ IISh.3:12
143 וְאֶשְׁחָקֵם כַּעֲפַר־אָרֶץ IISh.22:43
144 וַיֵּלֶךְ מֵאִתּוֹ כִּבְרַת־אָרֶץ IIK.5:19
145 וְהַאֲזִינוּ כֹּל מֶרְחַקֵּי־אָרֶץ Is.8:9
146 בְּעֶבְרַת יְיָ צְבָאוֹת נֶעְתַּם אָרֶץ Is.9:18
147 וְהוֹכִיחַ בְּמִישׁוֹר לְעַנְוֵי־אָרֶץ Is.11:4
148 עוֹרֵר לְךָ רְפָאִים כָּל־עַתּוּדֵי אָ׳ Is.14:9
149 כָּל־יֹשְׁבֵי תֵבֵל וְשֹׁכְנֵי אָרֶץ Is.18:3
150 כִּנְעָנֶיהָ נִכְבַּדֵּי־אָרֶץ Is.23:8
151 לְהָקֵל כָּל־נִכְבַּדֵּי־אָרֶץ Is.23:9
152 וַיִּרְעֲשׁוּ מוֹסְדֵי אָרֶץ Is.24:18
153 מוֹט הִתְמוֹטְטָה אָרֶץ Is.24:19
154 רִחַקְתָּ כָּל־קַצְוֵי־אָרֶץ Is.26:15
155 הָרִיעוּ תַּחְתִּיּוֹת אָרֶץ Is.44:23
156/7 נ(וֹ)טֶה שָׁמַיִם וְיֹסֵד אָ׳ Is.51:13 • Zech. 12:1
158 יַרְכִּבֵהוּ עַל בָּמֳתֵי אָרֶץ Deut.32:13
159 וְהִרְכַּבְתִּיךָ עַל־בָּמֳתֵי אָרֶץ Is.58:14
160 וְגוֹי גָּדוֹל יֵעוֹר מִיַּרְכְּתֵי־אָרֶץ Jer.6:22
163-161 מִיַּרְכְּתֵי־אָרֶץ Jer.25:32; 31:8(7); 50:41
164 וַיַּעַל נְשִׂאִים מִקְצֵה־אָרֶץ Jer.51:16
165 הֶעֱשַׁרְתְּ מַלְכֵי־אָרֶץ Ezek.27:33
166/7 בָּמֳתֵי־אָרֶץ Am.4:13 • Mic.1:3
168 וְלַשְׁבִּית עֲנִיֵּי־אָרֶץ Am.8:4
169 וְהָאֵתָנִים מֹסְדֵי אָרֶץ Mic.6:2
170 הִוָּסְרוּ שֹׁפְטֵי אָרֶץ Ps.2:10
171 יֵרֵד...כִּרְבִיבִים זַרְזִיף אָרֶץ Ps.72:6
172 אַתָּה הִצַּבְתָּ כָּל־גְּבוּלוֹת אָרֶץ Ps.74:17
173 יִמְצוּ יִשְׁתּוּ כֹּל רִשְׁעֵי־אָרֶץ Ps.75:9
174 נוֹרָא לְמַלְכֵי־אָרֶץ Ps.76:13
175 בְּשַׂר חֲסִידֶיךָ לְחַיְתוֹ־אָרֶץ Ps.79:2
176 יִמּוֹטוּ כָּל־מוֹסְדֵי אָרֶץ Ps.82:5
177 לְךָ שָׁמַיִם אַף־לְךָ אָרֶץ Ps.89:12
178 עֶלְיוֹן לְמַלְכֵי־אָרֶץ Ps.89:28
179 אֲשֶׁר בְּיָדוֹ מֶחְקְרֵי־אָרֶץ Ps.95:4
180/1 כָּל־רִשְׁעֵי־אָרֶץ Ps.101:8; 119:119
182 יוֹדוּךָ יְיָ כָּל־מַלְכֵי־אָרֶץ Ps.138:4
183 רֻקַּמְתִּי בְּתַחְתִּיּוֹת אָרֶץ Ps.139:15
184 מַשְׁפִּיל רְשָׁעִים עֲדֵי־אָרֶץ Ps.147:6
185 שָׂרִים וְכָל־שֹׁפְטֵי אָרֶץ Ps.148:11
186 ...מֵרֹאשׁ מִקַּדְמֵי־אָרֶץ Prov.8:23
187 ...בְּחוּקוֹ מוֹסְדֵי אָרֶץ Prov.8:29
188 וְעֵינֵי כְסִיל בִּקְצֵה־אָרֶץ Prov.17:24
189 אַרְבָּעָה הֵם קְטַנֵּי־אָרֶץ Prov.30:24
190 בְּשִׁבְתּוֹ עִם־זִקְנֵי־אָרֶץ Prov.31:23
191 עִם־מְלָכִים וְיֹעֲצֵי אָרֶץ Job3:14
192 תִּשְׁטֹף־סְפִיחֶיהָ עֲפַר־אָרֶץ Job14:19

אָרֶץ (המשך)

193 מַלְּפֵנוּ מִבַּהֲמוֹת אָרֶץ Job35:11
194 הִתְבֹּנַנְתָּ עַד־רַחֲבֵי־אָרֶץ Job38:18
195 לְדַכֵּא תַּחַת רַגְלָיו כֹּל אֲסִירֵי אָרֶץ Lam.3:34
237-196 אָרֶץ Is. 14:21; 33:9; 49:13; 51:16; 60:21 • Jer.9:18; 22:29 • Hosh.6:3 • Am.9:9 • Ob.3 • Hab. 3:9,12 • Ps. 25:13; 37:9,11,22,29,34; 44:4; 46:3,7; 50:1; 80:10; 114:7; 147:15 • Prov.2:21; 3:19; 8:16; 10:30; 29:4 • Job 5:10; 7:1; 8:9; 12:15; 18:4,17; 20:4; 24:4; 37:6; 38:4,24; 39:24

וְאֶרֶץ

238 וְלֶחֶם אָמַר לוֹ וְאֶרֶץ נָתַן לוֹ IK. 11:18
239 וְאֶרֶץ מִתְקוֹמָמָה לוֹ Job20:27

בְּאֶרֶץ

240 גֵר יִהְיֶה זַרְעֲךָ בְּאֶ׳ לֹא לָהֶם Gen. 15:13
241/2 גֵּר הָיִיתִי בְּאֶרֶץ נָכְרִיָּה Ex.2:22; 18:3
243 כְּצֵל סֶלַע־כָּבֵד בְּאֶרֶץ עֲיֵפָה Is.32:2
244 בַּמִּדְבָּר בְּאֶרֶץ לֹא זְרוּעָה Jer.2:2
245 וְצַלְמָוֶת בְּאֶרֶץ לֹא־עָבַר בָּהּ אִישׁ Jer.2:6
246 כֵּן תַּעַבְדוּ זָרִים בְּאֶרֶץ לֹא לָכֶם Jer.5:19
247 וְהַעֲבַרְתִּי... בְּאֶרֶץ לֹא יָדָעְתָּ Jer. 15:14

וּבְאֶרֶץ

248 וּבְאֶרֶץ הָרְחָבָה וְהַשְּׁמֵנָה Neh.9:35

כְּאֶרֶץ

249 כְּאֶרֶץ יְסָדָהּ לְעוֹלָם Ps. 78:69
250 נַפְשִׁי כְּאֶרֶץ־עֲיֵפָה לְךָ Ps. 143:6

מֵאֶרֶץ

251 מֵאֶרֶץ זָבַת חָלָב וּדְבַשׁ Num. 16:13
252 וְהַנָּכְרִי אֲשֶׁר יָבֹא מֵאֶ׳ רְחוֹקָה Deut.29:21
253 מֵאֶרֶץ רְחוֹקָה בָּאנוּ Josh.9:6
258-254 מֵאֶרֶץ רְחוֹקָה Josh.9:9 • IK.8:41 • IIK.20:14 • Is.39:3 • IICh.6:32
259 מִמִּדְבָּר בָּא מֵאֶרֶץ נוֹרָאָה Is.21:1
260 וְשָׁפַלְתְּ מֵאֶרֶץ תְּדַבֵּרִי Is.29:4
261 וְהָיָה כְּאוֹב מֵאֶרֶץ קוֹלֵךְ Is.29:4
262 אִסְפִּי מֵאֶרֶץ כִּנְעָתֵךְ Jer. 10:17
263 מֵאֶרֶץ אֶחָד יֵצְאוּ שְׁנֵיהֶם Ezek.21:24
264 וְהִכְרַתִּי מֵאֶרֶץ טַרְפֵּךְ Nah. 2:14
265 פִּרְיָמוֹ מֵאֶרֶץ תְּאַבֵּד Ps.21:11
266 לְהַכְרִית מֵאֶרֶץ זִכְרָם Ps.34:17
267 אֱמֶת מֵאֶרֶץ תִּצְמָח Ps.85:12
268 וְיַכְרֵת מֵאֶרֶץ זִכְרָם Ps.109:15
269 וּרְשָׁעִים מֵאֶרֶץ יִכָּרֵתוּ Prov.2:22
270 לֶאֱכֹל עֲנִיִּים מֵאֶרֶץ Prov.30:14
271 אֲרֻכָּה מֵאֶרֶץ מִדָּהּ Job 11:9

מֵאָרֶץ

272 מִנֹּגַהּ מִמָּטָר דֶּשֶׁא מֵאָרֶץ IISh.23:4
273 כִּי־גָבְהוּ שָׁמַיִם מֵאָרֶץ Is.55:9

וָאָרֶץ

274/5 קֹנֵה שָׁמַיִם וָאָרֶץ Gen. 14:19,22
276 וָאָרֶץ רְפָאִים תַּפִּיל Is.26:19
277 שָׁמַיִם חֲדָשִׁים וָאָרֶץ חֲדָשָׁה Is.65:17
278 חֻקּוֹת שָׁמַיִם וָאָרֶץ לֹא־שָׂמְתִּי Jer.33:25
279 וְרִנְּנוּ עַל־בָּבֶל שָׁמַיִם וָאָרֶץ Jer.51:48
280 וְרָעֲשׁוּ שָׁמַיִם וָאָרֶץ Joel4:16
281 יְהַלְלוּהוּ שָׁמַיִם וָאָרֶץ Ps.69:35
285-282 עֹשֵׂה שָׁמַיִם וָאָרֶץ Ps. 115:15; 121:2; 124:8; 134:3
286 עֹשֶׂה שָׁמַיִם וָאָרֶץ Ps. 146:6
287 שָׁמַיִם לָרוּם וָאָרֶץ לָעֹמֶק Prov. 25:3

הָאָרֶץ

288 בְּרֵאשִׁית בָּרָא אֱלֹהִים אֵת הַשָּׁמַיִם וְאֵת הָאָרֶץ Gen.1:1
289 תַּדְשֵׁא הָאָרֶץ דֶּשֶׁא עֵשֶׂב... Gen.1:11
290 אֲשֶׁר זַרְעוֹ־בוֹ עַל־הָאָרֶץ Gen.1:11
291 וַתּוֹצֵא הָאָרֶץ דֶּשֶׁא עֵשֶׂב... Gen.1:12
292/3 לְהָאִיר עַל־הָאָרֶץ Gen.1:15,17
294 וְעוֹף יְעוֹפֵף עַל־הָאָרֶץ Gen.1:20
295 תּוֹצֵא הָאָרֶץ נֶפֶשׁ חַיָּה לְמִינָהּ Gen.1:24
296 וַיַּעַשׂ...אֶת־חַיַּת־הָאָרֶץ לְמִינָהּ Gen.1:25
297 וְיִרְדּוּ בִדְגַת הַיָּם...וּבְכָל־הָאָרֶץ Gen.1:26

הָאָרֶץ (המשך)

298/9 הָרֶמֶשׂ הָרֹמֵשׂ עַל־הָאָרֶץ Gen. 1:26; 8:17
300/1 פְּרוּ וּרְבוּ וּמִלְאוּ אֶת־הָאָ׳ Gen. 1:28; 9:1
302 וּלְכָל־חַיַּת הָאָ׳ וּלְכָל־עוֹף... Gen. 1:30
310-303 (וּל)חַיַּת(...)הָאָרֶץ Gen. 9:2,18^{2}
ISh. 17:46 • Ezek. 29:5; 32:4; 34:28 • Job 5:22
311 וְאֵד יַעֲלֶה מִן־הָאָרֶץ Gen. 2:6
312 וּזֲהַב הָאָרֶץ הַהִוא טוֹב Gen. 2:12
313 וַתִּשָּׁחֵת הָאָרֶץ לִפְנֵי הָאֱלֹהִים Gen. 6:11
314 וַתִּמָּלֵא הָאָרֶץ חָמָס Gen. 6:11
315 וּמֵאֵלֶּה נָפְצָה כָל־הָאָרֶץ Gen. 9:19
316 כִּי בְיָמָיו נִפְלְגָה הָאָרֶץ Gen. 10:25
317 וַיְהִי כָל־הָאָרֶץ שָׂפָה אֶחָת Gen. 11:1
318 פֶּן־נָפוּץ עַל־פְּנֵי כָל־הָאָרֶץ Gen. 11:4
319 לֶךְ־לְךָ...אֶל־הָאָ׳ אֲשֶׁר אַרְאֶךָּ Gen. 12:1
320/1 לְזַרְעֲךָ אֶתֵּן אֶת־הָאָ׳ הַזֹּאת Gen. 12:7; 24:7
322 וְשַׂמְתִּי אֶת־זַרְעֲךָ כַּעֲפַר הָאָ׳ Gen. 13:16
323 אִם־יוּכַל לִמְנוֹת אֶת־עֲפַר הָאָ׳ Gen. 13:16
324 לָתֶת לְךָ אֶת־הָאָרֶץ הַזֹּאת Gen. 15:7
325 לְזַרְעֲךָ נָתַתִּי אֶת־הָאָרֶץ Gen. 15:18
326 וְנִבְרְכוּ בוֹ כֹּל גּוֹיֵי הָאָרֶץ Gen. 18:18
327 הֲשֹׁפֵט כָּל־הָאָ׳ לֹא יַעֲשֶׂה מִשְׁפָּט Gen. 18:25
328 וְהִנֵּה עָלָה קִיטֹר הָאָרֶץ Gen. 19:28
329 לָבוֹא עָלֵינוּ כְּדֶרֶךְ כָּל־הָאָ׳ Gen. 19;31
330 וְעִם־הָאָרֶץ אֲשֶׁר־גַּרְתָּה בָּהּ Gen. 21:23
331/2 וְהִתְבָּרְכוּ... כֹּל גּוֹיֵי הָאָ׳ Gen. 22:18; 26:4
333 וַיִּשְׁתַּחוּ לְעַם־הָאָרֶץ לִבְנֵי־חֵת Gen. 23:7
381-334 (וְ/לְ/וּל/מִ) עַם־הָאָרֶץ Gen. 23:12,13
42:6 • Ex. 5:5 • Lev. 4:27; 20:42 • Num. 14:9 • IIK. 11:14,18,19,20; 15:5; 16:15; 21:24^{2}; 23:30, 35; 24:14; 25:3,19^{2} • Jer. 1:18; 34:19; 37:2; 44:21; 52:6,25^{2} • Ezek. 7:27; 12:19; 22:29; 33:2; 45:16,22; 46:3,9 • Hag. 2:4 • Zech. 7:5 • Job 12:24 • Dan. 9:6 • Ez. 4:4 • IICh. 23:13; 23:20,21; 26:21; 33:25^{2}; 36:1
382 אֱלֹהֵי הַשָּׁמַיִם וֵאלֹהֵי הָאָרֶץ Gen. 24:3
383 מִטַּל הַשָּׁמַיִם וּמִשְׁמַנֵּי הָאָרֶץ Gen. 27:28
384 מִשְׁמַנֵּי הָאָרֶץ יִהְיֶה מוֹשָׁבֶךָ Gen. 27:39
385 אִם־לֹקֵחַ יַעֲקֹב...מִבְּנוֹת הָאָרֶץ Gen. 27:46
386 הָאָרֶץ אֲשֶׁר אַתָּה שֹׁכֵב עָלֶיהָ Gen. 28:13
387 וְהָיָה זַרְעֲךָ כַּעֲפַר הָאָרֶץ Gen. 28:14
388 וַתֵּצֵא... לִרְאוֹת בִּבְנוֹת הָאָרֶץ Gen. 34:1
389 וַיַּרְא אֹתָהּ שְׁכֶם... נְשִׂיא הָאָרֶץ Gen. 34:2
390 לְהַבְאִישֵׁנִי בְּיֹשֵׁב הָאָרֶץ Gen. 34:30
391 הָאָרֶץ אֲשֶׁר נָתַתִּי לְאַבְרָהָם Gen. 35:12
392 וּלְזַרְעֲךָ... אֶתֵּן אֶת־הָאָרֶץ Gen. 35:12
393 וַיְהִי־עוֹד כִּבְרַת־הָאָ׳...אֶפְרָתָה Gen. 35:16
394 בְּנֵי־שֵׂעִיר הַחֹרִי יֹשְׁבֵי הָאָרֶץ Gen. 36:20
423-395 (לְ/וְ)יֹשְׁבֵי הָאָרֶץ Ex. 23:31
Num. 32:17; 33:52,55 • Josh. 2:9,24; 7:9; 9:24; 13:21 • Jud. 1:32,33; 2:2 • Jer. 1:14; 6:12; 10:18; 13:13; 25:29,30 • Hosh. 4:1 • Joel 1:2,14; 2:1 • Zep. 1:18 • Zech. 11:6 • Ps. 33:14 • Neh. 9:24 • ICh. 11:4; 22:18 • IICh. 20:7
424 וְכִלָּה הָרָעָב אֶת־הָאָרֶץ Gen. 41:30
425 לִרְאוֹת אֶת־עֶרְוַת הָאָ׳ בָּאתֶם Gen. 42:9
426 כִּי־עֶרְוַת הָאָ׳ בָּאתֶם לִרְאוֹת Gen. 42:12
427 דִּבֶּר...אֲדֹנֵי הָאָ׳ אִתָּנוּ קָשׁוֹת Gen. 42:30
428 וַיֹּאמֶר אֵלֵינוּ הָאִישׁ אֲדֹנֵי הָאָ׳ Gen. 42:33
429 קְחוּ מִזִּמְרַת הָאָרֶץ בִּכְלֵיכֶם Gen. 43:11
430 זֶה שְׁנָתַיִם הָרָעָב בְּקֶרֶב הָאָ׳ Gen. 45:6
431 וְאִכְלוּ אֶת־חֵלֶב הָאָרֶץ Gen. 45:18
432 בְּמֵיטַב הָאָ׳ הוֹשֵׁב אֶת־אָבִיךָ Gen. 47:6
433 בְּמֵיטַב הָאָ׳ בְּאֶרֶץ רַעְמְסֵס Gen. 47:11

הָאָרֶץ (המשך)

434 וְנָתַתִּי אֶת־הָאָ׳ הַזֹּאת לְזַרְעֲךָ Gen. 48:4
435 וְיִדְגּוּ לָרֹב בְּקֶרֶב הָאָרֶץ Gen. 48:16
436 וְאֶת־הָאָרֶץ כִּי נָעֵמָה Gen. 49:15
437 וַיַּרְא יוֹשֵׁב הָאָרֶץ הַכְּנַעֲנִי Gen. 50:11
438 וְהַךְ אֶת־עֲפַר הָאָרֶץ Ex. 8:12
439/40 עֲפַר הָאָרֶץ Ex. 8:13^{2}
441 לְמַעַן תֵּדַע כִּי אֲנִי יְיָ בְּקֶרֶב הָאָ׳ Ex. 8:18
442 לְמַעַן תֵּדַע כִּי לַייָ הָאָרֶץ Ex. 9:29
443 וְכִסָּה אֶת־עֵין הָאָרֶץ Ex. 10:5
444 וְיֹאכַל אֶת־כָּל־עֵשֶׂב הָאָרֶץ Ex. 10:12
445 וַיְכַס אֶת־עֵין כָּל־הָאָרֶץ Ex. 10:15
446 וַתֶּחְשַׁךְ הָאָרֶץ Ex. 10:15
447 וַיֹּאכַל אֶת־כָּל־עֵשֶׂב הָאָרֶץ Ex. 10:15
448 וְנִכְרְתָה...בַּגֵּר וּבְאֶזְרַח הָאָרֶץ Ex. 12:19
449 וְהָיָה כִּי־תָבֹאוּ אֶל־הָאָרֶץ Ex. 12:25
450 ...וְהָיָה כְּאֶזְרַח הָאָרֶץ Ex. 12:48
451 דַּק כַּכְּפֹר עַל־הָאָרֶץ Ex. 16:14
452 כִּי־לִי כָּל־הָאָרֶץ Ex. 19:5
453/4 אֶת־הַשָּׁמַיִם וְאֶת־הָאָרֶץ Ex. 20:11; 31:17
455/6 פֶּן־תִּכְרֹת בְּרִית לְיוֹשֵׁב הָאָ׳ Ex. 34:12,15
457 הַתּוֹעֵבֹת הָאֵל עָשׂוּ אַנְשֵׁי־הָאָ׳ Lev. 18:27
458 בְּאָסְפְּכֶם אֶת־תְּבוּאַת הָאָרֶץ Lev. 23:39
459 וְשָׁבְתָה הָאָרֶץ שַׁבָּת לַייָ Lev. 25:2
460 וְהָיְתָה שַׁבַּת הָאָ׳ לָכֶם לְאָכְלָה Lev. 25:6
461 וִישַׁבְתֶּם עַל־הָאָרֶץ לָבֶטַח Lev. 25:18
462 וְנָתְנָה הָאָרֶץ פִּרְיָהּ Lev. 25:19
463 ...כִּי־לִי הָאָרֶץ Lev. 25:23
464 עַל־שְׂדֵה הָאָרֶץ יֵחָשֵׁב Lev. 25:31
465 וְנָתְנָה הָאָרֶץ יְבוּלָהּ Lev. 26:4
466 וְעֵץ הָאָרֶץ לֹא יִתֵּן פִּרְיוֹ Lev. 26:20
467 לַאֲשֶׁר־לוֹ אֲחֻזַּת הָאָרֶץ Lev. 27:24
468/9 וְכָל־מַעְשַׂר הָאָ׳ מִזֶּרַע הָאָ׳ Lev. 27:30
470 וְלַגֵּר וּלְאֶזְרַח הָאָרֶץ Num. 9:14
471 וּמָה הָאָ׳ הַשְּׁמֵנָה הִוא אִם־רָזָה Num. 13:20
472 וּלְקַחְתֶּם מִפְּרִי הָאָרֶץ Num. 13:20
473 וַיַּרְאוּם אֶת־פְּרִי הָאָרֶץ Num. 13:26
474 וַיֹּצִיאוּ דִּבַּת הָאָרֶץ... Num. 13:32
475 וְאָמְרוּ אֶל־יוֹשֵׁב הָאָרֶץ הַזֹּאת Num. 14:14
476 אֶל־הָאָרֶץ אֲשֶׁר־נִשְׁבַּע לָהֶם Num. 14:16
477 ...מוֹצִאֵי דִבַּת־הָאָרֶץ רָעָה Num. 14:37
478 בַּאֲכָלְכֶם מִלֶּחֶם הָאָרֶץ Num. 15:19
479/80 וַתִּפְתַּח הָאָרֶץ אֶת־פִּיהָ Num. 16:32; 26:10
481 וַתְּכַס עֲלֵיהֶם הָאָרֶץ Num. 16:33
482 כִּי אָמְרוּ פֶּן־תִּבְלָעֵנוּ הָאָרֶץ Num. 16:34
483 הִנֵּה כִסָּה אֶת־עֵין הָאָרֶץ Num. 22:5
484 וַיְכַס אֶת־עֵין הָאָרֶץ Num. 22:11
485 עָרֵי הָאָרֶץ סָבִיב Num. 32:33
486 זֹאת הָאָרֶץ אֲשֶׁר תִּפֹּל לָכֶם Num. 34:2
487 זֹאת תִּהְיֶה לָכֶם הָאָרֶץ Num. 34:12
490-488 זֹאת הָאָרֶץ Num. 34:13
Deut. 34:4 • Josh. 13:2
491 וַיִּקְחוּ בְיָדָם מִפְּרִי הָאָרֶץ Deut. 1:25
492 אִם־יִרְאֶה...אֵת הָאָרֶץ הַטּוֹבָה Deut. 1:35
500-493 הָאָרֶץ הַטּוֹבָה Deut. 3:25; 4:22
6:18; 8:10; 9:6; 11:17 • Josh. 23:16 • ICh. 28:8
501 בַּשָּׁמַיִם מִמַּעַל וְעַל־הָאָ׳ מִתָּחַת Deut. 4:39
502 כִּימֵי הַשָּׁמַיִם עַל־הָאָרֶץ Deut. 11:21
506-503 מִקְצֵה הָאָ׳ וְעַד־קְצֵה הָאָ׳ Deut. 13:8; 28:64
507 לֹא־יֶחְדַּל אֶבְיוֹן מִקֶּרֶב הָאָ׳ Deut. 15:11
508 וּנְתָנְךָ...עֶלְיוֹן עַל כָּל־גּוֹיֵי הָאָ׳ Deut. 28:1
509 וְרָאוּ כָּל־עַמֵּי הָאָרֶץ Deut. 28:10
510 לְזַעֲוָה לְכֹל מַמְלְכוֹת הָאָרֶץ Deut. 28:25

הָאָרֶץ (המשך)

511 לְכָל־עוֹף הַשָּׁמַ׳ וּלְבֶהֱמַת הָאָ׳ Deut. 28:26
512 יִשָּׂא...גּוֹי מֵרָחֹק מִקְצֵה הָאָרֶץ Deut. 28:49
513 וְרָאוּ אֶת־מַכּוֹת הָאָרֶץ הַהִוא Deut. 29:21
514 אֶת־הַשָּׁמַיִם וְאֶת־הָאָרֶץ Deut. 30:19
515 וְזָנָה אַחֲרֵי אֱלֹהֵי נֵכַר־הָאָרֶץ Deut. 31:16
516 וְאָעִידָה בָּם אֶת־הַשָּׁמַ׳ וְאֶת־הָאָ׳ Deut. 31:28
517 כִּי מִנֶּגֶד תִּרְאֶה אֶת־הָאָרֶץ Deut. 32:52
518 וְשָׁמָּה לֹא תָבוֹא אֶל־הָאָרֶץ Deut. 32:52
519 בַּשָּׁמַיִם מִמַּעַל וְעַל־הָאָ׳ מִתָּחַת Josh. 2:11
520/1 אֲדוֹן כָּל־הָאָרֶץ Josh. 3:11,13
522 לְמַעַן דַּעַת כָּל־עַמֵּי הָאָרֶץ Josh. 4:24
534-523 (וְ/לְ/מֵ) עַמֵּי־הָאָרֶץ IK. 8:43
8:53,60 • Zep. 3:20 • Es. 8:17 • Ez. 10:2,11 • Neh. 10:31,32 • ICh. 5:25 • IICh. 6:33; 32:19
535 וַיֹּאכְלוּ מֵעֲבוּר הָאָרֶץ Josh. 5:11
536 בְּאָכְלָם מֵעֲבוּר הָאָרֶץ Josh. 5:12
537/8 וְאֵלֶּה מַלְכֵי הָאָרֶץ Josh. 12:1,7
539 אָנֹכִי הוֹלֵךְ...בְּדֶרֶךְ כָּל־הָאָרֶץ Josh. 23:14
540 וַיְגָרֶשׁ... וְאֶת־הָאֱמֹרִי יֹשֵׁב הָאָ׳ Josh. 24:18
541 וַיַּשְׁחִיתוּ אֶת־יְבוּל הָאָרֶץ Jud. 6:4
542 עָם יוֹרְדִים מֵעִם טַבּוּר הָאָרֶץ Jud. 9:37
543 וַיִּירַשׁ...יוֹשֵׁב הָאָרֶץ הַהִיא Jud. 11:21
544 ...עַד־יוֹם גְּלוֹת הָאָרֶץ Jud. 18:30
545 הֲלוֹא־זֶה דָוִד מֶלֶךְ הָאָרֶץ ISh. 21:12
546 כִּי הֵנָּה יֹשְׁבוֹת הָאָרֶץ אֲשֶׁר מֵעוֹלָם ISh. 27:8
547 וַיֵּלֶךְ...אֶל־הַיְבֻסִי יוֹשֵׁב הָאָרֶץ IISh. 5:6
548 וַיֻּתַּן בֵּין הַשָּׁמַיִם וּבֵין הָאָרֶץ IISh. 18:9
549 אָנֹכִי הֹלֵךְ בְּדֶרֶךְ כָּל־הָאָרֶץ IK. 2:2
550 וַיָּבֹאוּ...מֵאֵת כָּל־מַלְכֵי הָאָרֶץ IK. 5:14
551 בַּשָּׁמַיִם מִמַּעַל וְעַל־הָאָרֶץ מִתָּחַת IK. 8:23
552 וְכָל־מַלְכֵי הָעֶרֶב וּפַחוֹת הָאָרֶץ IK. 10:15
553 וַיִּגְדַּל...מִכֹּל מַלְכֵי־הָאָרֶץ IK. 10:23
554 וַיִּקְרָא...לְכָל־זִקְנֵי הָאָרֶץ IIK. 20:7
557-555 אֶת־מִשְׁפַּט אֱלֹהֵי הָאָרֶץ IIK. 17:26^{2},27
558 עֲלֵה עַל־הָאָרֶץ הַזֹּאת IIK. 18:25
559 אַתָּה־הוּא...לְכֹל מַמְלְכוֹת הָאָ׳ IIK. 19:15
560 אַתָּה עָשִׂיתָ אֶת־הַשָּׁמַיִם וְאֶת־הָאָ׳ IIK. 19:15
561 וְיֵדְעוּ כָּל־מַמְלְכוֹת הָאָרֶץ IIK. 19:19
562 וְאֵת אֵילֵי הָאָרֶץ הוֹלִיךְ גּוֹלָה IIK. 24:15
563 וּמִדַּלַּת הָאָרֶץ הִשְׁאִיר... IIK. 25:12
564 טוּב הָאָרֶץ תֹּאכֵלוּ Is. 1:19
565/6 בְּקוּמוֹ לַעֲרֹץ הָאָרֶץ Is. 2:19,21
567 וּפְרִי הָאָרֶץ לְגָאוֹן וּלְתִפְאֶרֶת Is. 4:2
568 וְהוּשַׁבְתֶּם לְבַדְּכֶם בְּקֶרֶב הָאָרֶץ Is. 5:8
574-569 בְּקֶרֶב (כָּל) הָאָרֶץ Is. 6:12
7:22; 10:23; 19:24; 24:13 • Ps. 74:12
575 מְלֹא כָל־הָאָרֶץ כְּבוֹדוֹ Is. 6:3
576 כִּי־מָלְאָה הָאָרֶץ דֵּעָה אֶת־יְיָ Is. 11:9
577 יְקַבֵּץ מֵאַרְבַּע כַּנְפוֹת הָאָרֶץ Is. 11:12
578 מוּדַעַת זֹאת בְּכָל־הָאָרֶץ Is. 12:5
579 הֲזֶה הָאִישׁ מַרְגִּיז הָאָרֶץ Is. 14:16
580 יֵעָזְבוּ...לְעֵיט הָרִים וּלְבֶהֱמַת הָאָ׳ Is. 18:6
581 וְכָל־בֶּהֱמַת הָאָרֶץ עָלָיו תֶּחֱרָף Is. 18:6
591-582 (לְ־)כָּל־מַמְלְכוֹת הָאָרֶץ Is. 23:17
37:16,20 • Jer. 15:4; 24:9; 25:26; 29:18; 34:17 • Ez. 1:2 • IICh. 36:23
592 אֻמְלְלוּ מְרוֹם עַם־הָאָרֶץ Is. 24:4
593 גָּלָה מְשׂוֹשׂ הָאָרֶץ Is. 24:11
594 מִכְּנַף הָאָרֶץ זְמִרֹת שָׁמַעְנוּ Is. 24:16
595 פַּחַד...עָלֶיךָ יוֹשֵׁב הָאָרֶץ Is. 24:17
596 לִפְקֹד עֲוֹן יֹשֵׁב הָאָרֶץ עָלָיו Is. 26:21
597 תִּשְׁמַע הָאָרֶץ וּמְלֹאָהּ Is. 34:1

הָאָרֶץ (המשך)

598 עָשִׂיתָ אֶת־הַשָּׁמַיִם וְאֶת־הָאָרֶץ Is.37:16
599 וְכָל בַּשָּׁלִשׁ עֲפַר הָאָרֶץ Is.40:12
600 הֲלוֹא הֲבִינוֹתֶם מוֹסְדוֹת הָאָרֶץ Is.40:21
601 הַיֹּשֵׁב עַל־חוּג הָאָרֶץ Is.40:22
602 יְיָ בּוֹרֵא קְצוֹת הָאָרֶץ Is.40:28
603 קְצוֹת הָאָרֶץ יֶחֱרָדוּ Is.41:5
604 מִקְצוֹת הָאָרֶץ וּמֵאֲצִילֶיהָ Is.41:9
605 רֹקַע הָאָרֶץ וְצֶאֱצָאֶיהָ Is.42:5
606 תְּהִלָּתוֹ מִקְצֵה הָאָרֶץ Is.42:10
619-607 (מִ)קְצֵה הָאָרֶץ Is.5:26
43:6; 48:20; 49:6; 62:11 • Jer. 10:13; 12:12; 25:31,33^{2} • Ps.46:10; 61:3; 135:7
620 רֹקַע הָאָרֶץ מֵאִתִּי Is.44:24
621 יֹצֵר הָאָרֶץ וְעֹשָׂהּ Is.45:18
622 אֱלֹהֵי כָל־הָאָרֶץ יִקָּרֵא Is.54:5
626-623 לְעוֹף הַשָּׁמַיִם וּלְבֶהֱמַת הָאָרֶץ
Jer. 7:33; 16:4; 19:7; 34:20
627 וְאֶת־עוֹף הַשָּׁמַיִם וְאֶת־בֶּהֱמַת הָאָ׳ Jer.15:3
628 וָאֶזְרֵם בְּמִזְרֶה בְּשַׁעֲרֵי הָאָרֶץ Jer.15:7
629 אֶת־הַשָּׁמַיִם וְאֶת־הָאָ׳ אֲנִי מָלֵא Jer.23:24
630 אֶתֵּן לִקְלָלָה לְכֹל גּוֹיֵי הָאָרֶץ Jer.26:6
631 וַיָּקֻמוּ אֲנָשִׁים מִזִּקְנֵי הָאָרֶץ Jer.26:17
632 עָשִׂיתָ אֶת־הַשָּׁמַיִם וְאֶת־הָאָרֶץ Jer.32:17
633 וְהָיְתָה לִּי לְשֵׁם...לְכֹל גּוֹיֵי הָאָ׳ Jer.33:9
634 כִּי־אָשִׁיב אֶת־שְׁבוּת־הָאָרֶץ Jer.33:11
635 וְנָשִׁים וָטָף וּמִדַּלַּת הָאָרֶץ Jer.40:7
636 ...וּלְחֶרְפָּה בְּכֹל גּוֹיֵי הָאָרֶץ Jer.44:8
637 וְהֵילִל כֹּל יוֹשֵׁב הָאָרֶץ Jer.47:2
638 וַיִּשָּׁבֵר פַּטִּישׁ כָּל־הָאָרֶץ Jer.50:23
639 וַתִּתָּפֵשׂ תְּהִלַּת כָּל־הָאָרֶץ Jer.51:41
640 גַּם־לְבָבֶל נָפְלוּ חַלְלֵי כָל־הָאָ׳ Jer.51:49
641 וּמִדַּלּוֹת הָאָרֶץ הִשְׁאִיר Jer.52:16
642 בָּא הַקֵּץ עַל־אַרְבַּע כַּנְפוֹת הָאָ׳ Ezek.7:2
643 בָּאָה הַצְּפִירָה אֵלֶיךָ יוֹשֵׁב הָאָ׳ Ezek.7:7
644 וּלְרִשְׁעֵי הָאָרֶץ לְשָׁלָל Ezek.7:21
645 בֵּין־הָאָרֶץ וּבֵין הַשָּׁמַיִם Ezek.8:3
646 וַיִּקַּח מִזֶּרַע הָאָרֶץ Ezek.17:5
647 וְאֶת־אֵילֵי הָאָרֶץ לָקָח Ezek.17:13
648 וַתִּשָּׁבַרְנָה...בְּכָל־אֲפִיקֵי הָאָרֶץ Ezek.31:12
649 וַיֵּרְדוּ מִצִּלּוֹ כָּל־עַמֵּי הָאָרֶץ Ezek.31:12
650 ...וּבְכֹל מוֹשְׁבֵי הָאָרֶץ Ezek.34:13
651 יֹשְׁבֵי עַל־טַבּוּר הָאָרֶץ Ezek.38:12
652 וְדַם־נְשִׂיאֵי הָאָרֶץ תִּשְׁתּוּ Ezek.39:18
653 וּמֵחֵיק הָאָרֶץ עַד־הָעֲזָרָה Ezek.43:14
654 וְזֶה גְּבוּל הָאָרֶץ Ezek.47:15
655 תְּרוּמִיָּה מִתְּרוּמַת הָאָרֶץ Ezek.48:12
656 וְלֹא יַעֲבִיר רֵאשִׁית הָאָרֶץ Ezek.48:14
657 הֲתִפֹּל צִפּוֹר עַל־פַּח הָאָרֶץ Am.3:5
658 לֶאֱכוֹל אֶת־עֵשֶׂב הָאָרֶץ Am.7:2
659 וְהַחֲרַמְתִּי...לַאֲדוֹן כָּל־הָאָרֶץ Mic.4:13
660 בַּקְּשׁוּ אֶת־יְיָ כָּל־עַנְוֵי הָאָרֶץ Zep.2:3
661 כִּי רָזָה אֵת כָּל־אֱלֹהֵי הָאָרֶץ Zep.2:11
662/3 מַרְעִישׁ אֶת־הַשָּׁמַיִם וְאֶת־הָאָ׳ Hag.2:6,21
664 וּמַשְׁתִּי אֶת־עֲוֹן הָאָרֶץ־הַהִיא Zech.3:9
665 הָעֹמְדִים עַל־אֲדוֹן כָּל־הָאָרֶץ Zech.4:14
666 וַתִּשֶּׂנָה...בֵּין הָאָרֶץ וּבֵין הַשָּׁמָיִם Zech.5:9
667 מֵהִתְיַצֵּב עַל־אֲדוֹן כָּל־הָאָרֶץ Zech.6:5
668 וְנֶאֶסְפוּ עָלֶיהָ כֹּל גּוֹיֵי הָאָרֶץ Zech.12:3
669 לֹא־יַעֲלֶה מֵאֵת מִשְׁפְּחוֹת הָאָ׳ Zech.14:17
670 כִּי מֶלֶךְ כָּל־הָאָרֶץ אֱלֹהִים Ps.47:8
671 יְפֵה נוֹף מְשׂוֹשׂ כָּל־הָאָרֶץ Ps.48:3
672 יִקְרָא אֶל־הַשָּׁמַיִם מֵעָל וְאֶל־הָאָ׳ Ps.50:4

הָאָרֶץ (המשך)

673 אֱלֹהִים מֹשֵׁל...לְאַפְסֵי הָאָרֶץ Ps.59:14
674 יָבֹאוּ בְּתַחְתִּיּוֹת הָאָרֶץ Ps.63:10
675 מַמְלְכוֹת הָאָ׳ שִׁירוּ לֵאלֹהִים Ps.68:33
676 וּמִתְּהוֹמוֹת הָאָ׳ תָּשׁוּב תַּעֲלֵנִי Ps.71:20
677 וְיָצִיצוּ מֵעִיר כְּעֵשֶׂב הָאָרֶץ Ps.72:16
678 הִנָּשֵׂא שֹׁפֵט הָאָרֶץ Ps.94:2
679/80 יִשְׂמְחוּ הַשָּׁמַיִם וְתָגֵל הָאָרֶץ Ps.96:11
ICh.16:31
681 ...מִלִּפְנֵי אֲדוֹן כָּל־הָאָרֶץ Ps.97:5
682 וְכָל־מַלְכֵי הָאָרֶץ אֶת־כְּבוֹדֶךָ Ps.102:16
683 כִּגְבֹהַּ שָׁמַיִם עַל־הָאָרֶץ Ps.103:11
684 לְהוֹצִיא לֶחֶם מִן־הָאָרֶץ Ps.104:14
685 יִתַּמּוּ חַטָּאִים מִן־הָאָרֶץ Ps.104:35
686 וְצֶאֱצָאֶיךָ כְּעֵשֶׂב הָאָרֶץ Job 5:25
687 כִּי־הוּא לִקְצוֹת־הָאָרֶץ יַבִּיט Job 28:24
688 וְאוֹרוֹ עַל־כַּנְפוֹת הָאָרֶץ Job 37:3
689 לֶאֱחֹז בְּכַנְפוֹת הָאָרֶץ... Job 38:13
690 כְּלִילַת יֹפִי מָשׂוֹשׂ לְכָל־הָאָרֶץ Lam.2:15
691 הָאֱלֹהִים בַּשָּׁמַיִם וְאַתָּה עַל־הָאָ׳ Eccl.5:1
692 וְכֹל הַנִּבְדָּל מִטֻּמְאַת גּוֹיֵי־הָאָרֶץ Ez.6:21
693 וַאֲכַלְתֶּם אֶת־טוּב הָאָרֶץ Ez.9:12
694 הַכְּנַעֲנִים...וְאֶת־עַמְמֵי הָאָרֶץ Neh.9:24
695 עֹמֵד בֵּין הָאָרֶץ וּבֵין הַשָּׁמַיִם ICh.21:16
696 הִמְלַכְתַּנִי עַל־עַם רַב כַּעֲפַר הָאָ׳ IICh.1:9
697 אֲשֶׁר עָשָׂה אֶת־הַשָּׁמַיִם וְאֶת־הָאָ׳ IICh.2:11
698 וְכָל־מַלְכֵי עֲרַב וּפַחוֹת הָאָרֶץ IICh.9:14
699 וַיִּגְדַּל...מִכֹּל מַלְכֵי הָאָרֶץ IICh.9:22
700 וְכֹל מַלְכֵי הָאָרֶץ מְבַקְשִׁים IICh.9:23
1221-701 הָאָרֶץ Gen. 1:28,29,30; 2:5; 6:12^{2}
6:13^{2},17; 7:3,4,6,10,12,14,17^{2},18,19,21^{2},23,24; 8:1, 3,7,9,11,13,14,17,19,22; 9:11,13,14,16,17; 10:11; 11:8,9^{2}; 13:6,9,15; 19:23; 24:5^{2}; 31:13; 41:34,36,47,56,57^{2}; 42:6,30,34; 47:13,20; 50:24^{2} • Ex. 1:7,10; 3:8; 6:8; 8:10,20; 9:14,15,16; 10:5; 12:33; 23:29,30; 32:13; 33:1; 34:10 • Lev. 11:2,21,29,41,42,44,46; 18:25^{2},27,28; 19:23,29^{2}; 20:22; 23:10; 25:2; 26:6,32,34^{2} • Num. 11:31; 13:16,18,19,21,25,27,32; 14:3,6,7^{2},8,21, 23,24,30,31,34,36^{2},38; 15:18; 20:12,24; 22:6; 26:53,55; 27:12; 32:4,5,7,8,9^{2},22^{2}; 32:29,33; 33:53^{2},54,55; 34:2,17,18; 35:33^{2},34; 36:2 • Deut. 1:8^{2},21,22,25,36; 2:29; 3:8,12,18,20,28; 4:1,5,21,26^{2},32,36; 6:10,23; 7:1; 8:1; 9:4,23,28^{2}; 10:11,14; 11:6,8,10,25,29,31; 12:16,24; 15:23; 16:20; 17:14; 18:9; 19:8; 22:6; 23:21; 24:4; 26:1,3,9; 27:2,3; 28:56; 30:5; 31:7,21,23; 32:1; 34:1 • Josh. 1:2,6,11,13,15; 2:1,2,3,9,14,24; 5:6; 6:22,27; 7:2,9; 9:24; 10:40; 11:16,23; 13:7; 14:5,7,9; 18:3,6,8,10; 19:49,51; 21:43(41); 22:33 • Jud. 1:2; 2:1,6; 3:11,30; 5:31; 6:37,39,40; 8:28; 18:2^{2},9^{2},14,17 • ISh. 4:5; 6:5; 13:3; 14:15,25,29; 17:46; 23:27; 27:9; 28:9,13; 30:16 • IISh. 4:11; 12:17; 15:23; 18:8; 19:10; 22:8; 24:8 • IK. 1:40; 8:27; 10:24; 15:12; 18:6; 20:27; 22:47 • IIK. 3:20; 5:15; 8:1,6; 11:3; 15:19; 17:5; 23:33,35 • Is. 7:24; 10:14; 13:5,9,13; 14:7,26; 16:4; 24:1,3,4,19; 25:8; 26:21; 28:22; 36:10^{2}; 51:6; 54:9; 55:10 • Jer. 1:18; 3:1,9,18; 4:20,23,27; 4:28; 6:19; 7:34; 8:16; 9:11; 10:10; 12:4,11; 15:10; 16:13^{2}; 22:12,26,27,28; 23:10^{2},15; 24:6; 25:9,11,13; 26:20; 27:5^{2}; 30:3; 32:22; 35:11; 36:29; 37:19; 40:4; 45:4; 46:12; 49:21; 50:21,34,46; 51:7,25,29 • Ezek. 1:19,21; 6:14; 7:23; 8:12,17; 9:9^{2}; 10:16,19; 11:15; 12:6,12; 13:14; 14:17,19; 15:8; 20:15,28,42; 21:37; 22:30; 23:48; 24:7; 26:16; 27:29; 28:18; 30:11^{2},12;

הָאָרֶץ (המשך)

33:3,24^{2},28,29; 34:6,25; 35:14; 36:18,35; 37:25; 38:9,16; 39:12,13,14,16; 45:1^{2},4; 47:13,14,21; 48:29 • Hosh. 1:2; 2:2,20,23; 4:3 • Joel 2:3 • Am. 3:11; 5:8; 7:10; 8:8; 9:6 • Jon. 2:7 • Mic. 7:2,13 • Nah. 1:5 • Hab. 2:14,20; 3:3 • Zep. 1:18; 3:8,19 • Hag. 1:11 • Zech. 1:11; 4:10; 5:3,6; 11:6; 12:12; 13:2^{2},8; 14:9,10 • Mal. 3:24 • Ps. 8:2,10; 10:18; 18:8; 19:5; 24:1; 33:5,8; 45:17; 47:3; 57:6,12; 65:10; 66:1,4; 72:19; 77:19; 82:8; 83:19; 96:1,9,13; 97:1,4,9; 98:4,9; 99:1; 100:1; 102:26; 104:9,13,24; 105:7,16; 106:38; 108:6; 119:64; 136:6; 148:7 • Job 15:19; 22:8; 30:8; 52:15 • Eccl. 8:14,16; 10:7; 11:2,3; 12:7 • Es. 10:1 • Dan. 8:5 • Ez. 9:11 • Neh. 9:6,15,23,24 • ICh. 1:19; 16:14,23,30,33; 19:3; 22:18; 29:15 • IICh. 6:18; 7:13; 13:23; 14:5,6; 16:9; 19:3; 22:12; 32:4; 34:8; 36:3,21

וְהָאָרֶץ

1222 וְהָאָרֶץ הָיְתָה תֹהוּ וָבֹהוּ Gen.1:2
1223 וַיְכֻלּוּ הַשָּׁמַיִם וְהָאָרֶץ... Gen.2:1
1224 אֵלֶּה תוֹלְדוֹת הַשָּׁמַיִם וְהָאָרֶץ Gen.2:4
1225 וְהָאָרֶץ תִּהְיֶה לִפְנֵיכֶם Gen.34:10
1226 וְהָאָרֶץ הִנֵּה רַחֲבַת־יָדַיִם Gen.34:21
1227 וְהָאָרֶץ לֹא תִמָּכֵר לִצְמִתֻת Lev.25:23
1228 וְהָאָרֶץ רַחֲבַת יָדַיִם Jud.18:10
1229 הַשָּׁמַיִם כִּסְאִי וְהָאָ׳ הֲדֹם רַגְלָי Is.66:1
1230 הַשָּׁמַיִם הַחֲדָשִׁים וְהָאָ׳ הַחֲדָשָׁה Is.66:22
1231 וְהָאָרֶץ תִּתֵּן אֶת־יְבוּלָהּ Zech.8:12
1232 וְהָאָרֶץ נָתַן לִבְנֵי־אָדָם Ps.115:16
1233 וְהָאָרֶץ לְעוֹלָם עֹמָדֶת Eccl.1:4
1234 וְהָאָרֶץ אֲשֶׁר־נָתַתָּה לַאֲבֹתֵינוּ Neh.9:36
1235 וְהָאָרֶץ רַחֲבַת יָדַיִם וְשֹׁקֶטֶת ICh.4:40
1259-1236 וְהָאָרֶץ Lev.26:42,43
Deut. 11:11; 28:23 • Josh. 11:23; 13:1,5; 14:15; 18:1 • IIK. 2:19 • Is. 24:5; 51:6 • Ezek. 12:20; 14:16; 33:25,26; 34:27; 36:34; 41:16; 43:2; 45:8 • Hosh. 2:24 • Hag. 1:10 • Zech. 7:14

מֵהָאָרֶץ

1260 הֵסִיר הָאֹבוֹת...מֵהָאָרֶץ ISh.28:3
1261 וַיָּקָם מֵהָאָרֶץ וַיֵּשֶׁב אֶל־הַמִּטָּה ISh.28:23
1262 וַיָּקָם דָּוִד מֵהָאָרֶץ וַיִּרְחַץ IISh.12:20
1263 מֵהָאָרֶץ עַד־מֵעַל הַפֶּתַח Ezek.41:20
1264 עַל־כֵּן נֶאֱצַל...מֵהָאָרֶץ Ezek.42:6

בָּאָרֶץ

1265 וְהָעוֹף יִרֶב בָּאָרֶץ Gen.1:22
1266 וְכֹל שִׂיחַ הַשָּׂדֶה טֶרֶם יִהְיֶה בָאָרֶץ
Gen.2:5
1267 נָע וָנָד תִּהְיֶה בָאָרֶץ Gen.4:12
1268 הַנְּפִלִים הָיוּ בָאָרֶץ Gen.6:4
1269 וַיַּעֲבֹר אַבְרָם בָּאָרֶץ... Gen.12:6
1270 וְהַכְּנַעֲנִי אָז בָּאָרֶץ Gen.12:6
1271 קוּם הִתְהַלֵּךְ בָּאָרֶץ Gen.13:17
1272 וְנָתַתִּי שָׁלוֹם בָּאָרֶץ Lev.26:6
1273 וְהִנָּם טְמוּנִים בָּאָ׳ בְּתוֹךְ הָאָהֳלִי Josh.7:21
1274 וַחֲנִיתוֹ מְעוּכָה־בָאָרֶץ ISh.26:7
1275 ...כְּשֵׁם הַגְּדֹלִים אֲשֶׁר בָּאָרֶץ IISh.7:9
1276 וּמִי כְעַמְּךָ כְּיִשְׂרָאֵל גּוֹי אֶחָד בָּאָ׳ IISh.7:23
1277 עַד־יָשִׂים בָּאָרֶץ מִשְׁפָּט Is.42:4
1278 יָשִׂים אֶת־יְרוּשָׁלַםִ תְּהִלָּה בָּאָ׳ Is.62:7
1279 כִּי־בָרָא יְיָ חֲדָשָׁה בָּאָרֶץ Jer.31:22(21)
1280 עוֹד יִקָּנוּ בָתִּים...בָּאָ׳ הַזֹּאת Jer.32:15
1281 וּנְטַעְתִּים בָּאָרֶץ הַזֹּאת בֶּאֱמֶת Jer.32:41
1282 וְעָשִׂיתִי אֹתָם לְגוֹי אֶחָד בָּאָרֶץ Ezek.37:22
1283 מִשּׁוּט בָּאָרֶץ וּמֵהִתְהַלֵּךְ בָּהּ Job 1:7
1284/5 כִּי אֵין כָּמֹהוּ בָּאָרֶץ Job 1:8; 2:3
1286 הַנִּצָּנִים נִרְאוּ בָאָרֶץ S.ofS.2:12
1287 וּמִי כְּעַמְּךָ יִשְׂרָאֵל גּוֹי אֶחָד בָּאָ׳ ICh.17:21

בָּאָרֶץ (המשך)

1451-1288 בָּאָרֶץ Gen. 4:14; 6:5,6,17; 8:17; 9:7
10:8,32; 12:10[2]; 13:7; 19:31; 26:1,2,3,12,22; 34:21;
35:22; 41:13; 43:1; 45:7; 47:4 • Ex. 8:21; 9:5; 10:13;
14:3; 20:4 • Lev. 25:10 • Num. 13:28; 35:32 • Deut.
4:14,17,22,25; 5:8,31(28); 5:33(30); 6:1; 12:1,10;
15:4; 19:14; 25:19; 28:8; 29:26; 30:16 • Josh. 1:14;
2:18; 14:4; 17:12; 18:4,8,9 • Jud. 1:27; 4:21; 6:5;
18:7,10 • ISh. 23:23 • IISh. 14:20; 15:4 • IK. 4:19;
8:37,47; 9:18,21; 14:24; 17:7; 18:5 • IIK. 4:38;
13:20; 15:20; 25:24 • Is. 40:24; 65:16[2] • Jer. 3:16;
4:5; 5:30; 7:7; 9:2,23; 14:4,8,15; 16:3,6; 17:4,13;
23:5; 24:8; 32:43; 33:15; 40:6,7,9; 41:2,18;
42:10,13; 50:22; 51:27,46[2] • Ezek. 1:15; 14:15,17;
20:40; 32:4; 34:29; 36:28; 39:14,15 • Hosh. 2:25;
4:1 • Am. 8:11; 9:5 • Zech. 1:10,11; 6:7[3]; 11:16 • Ps.
16:3; 17:11; 41:3; 46:9,11; 58:3,12; 67:3,5; 72:16;
73:9,25; 74:8; 112:2; 119:19,87; 140:12; 141:7 •
Prov. 11:31 • Job 1:10; 2:2; 14:8; 18:10; 24:18;
38:33 • Ruth 1:1 • Lam. 2:9 • Eccl. 7:20 • Dan. 8:5 •
ICh. 1:10; 5:23; 7:21; 17:8; 21:12 • IICh. 6:28,37;
8:8; 19:5; 32:31

וּבָאָרֶץ

1452 אֲשֶׁר מִי־אֵל בַּשָּׁמַיִם וּבָאָרֶץ Deut. 3:24
1453 אַכֶּנּוּ נָא בַּחֲנִית וּבָאָרֶץ ISh. 26:8
1454 וְנָתַתִּי מוֹפְתִים בַּשָּׁמַיִם וּבָאָרֶץ Joel 3:3
1455 הַמַּשְׁפִּילִי לִרְאוֹת בַּשָּׁמַיִם וּבָא׳ Ps. 113:6
1456 ...יְיָ עָשָׂה בַּשָּׁמַיִם וּבָאָרֶץ Ps. 135:6
1457 כִּי־כֹל בַּשָּׁמַיִם וּבָאָרֶץ ICh. 29:11
1458 אֵין־כָּמוֹךָ אֱלֹהִים בַּשָּׁמַיִם וּבָא׳ IICh. 6:14

כָּאָרֶץ

1459 וַתָּשִׂימִי כָאָרֶץ גֵּוֵךְ Is. 51:23
1460 כָאָרֶץ תּוֹצִיא צִמְחָהּ Is. 61:11

לָאָרֶץ

1461 וְהָיָה הָאֹכֶל לְפִקָּדוֹן לָאָרֶץ Gen. 41:36
1462-4 עַל־מֶה (בַּמֶּה) עָשָׂה יְיָ כָּכָה לָא׳ הַזֹּאת
Deut. 29:23 • IK. 9:8 • IICh. 7:21
1465/6 בַּמַּיִם מִתַּחַת לָאָרֶץ Ex. 20:4 • Deut. 5:8
1467 שַׁבַּת שַׁבָּתוֹן יִהְיֶה לָאָרֶץ Lev. 25:4
1468 שְׁנַת שַׁבָּתוֹן יִהְיֶה לָאָרֶץ Lev. 25:5
1469 גְּאֻלָּה תִּתְּנוּ לָאָרֶץ Lev. 25:24
1470 וַיִּסְעוּ מֵעָלָיו וַיָּשֻׁבוּ לָאָרֶץ IIK. 3:27
1471 וְנִקָּתָה לָאָרֶץ תֵּשֵׁב Is. 3:26
1472 וְנִבַּט לָאָרֶץ וְהִנֵּה־חֹשֶׁךְ Is. 5:30
1473 הִגִּיעַ לָאָרֶץ עַד־עָפָר Is. 25:12
1474 רְדִי וּשְׁבִי עַל־עָפָר...שְׁבִי־לָא׳ Is. 47:1
1475 וְאוֹרִיד לָאָרֶץ נִצְחָם Is. 63:6
1476 וְיִרְמֹס לָאָרֶץ חַיָּי Ps. 7:6
1477 דָּבְקָה לָאָרֶץ בִּטְנֵנוּ Ps. 44:26
1478 הוֹרִידוּ לָאָרֶץ רֹאשָׁן... Lam. 2:10
1479 נִשְׁפַּךְ לָאָרֶץ כְּבֵדִי Lam. 2:11
1480 הַיֹּרֶדֶת הִיא לְמַטָּה לָאָרֶץ Eccl. 3:21
1510-1481 לָאָרֶץ IISh. 21:14; 24:25 • Is. 14:12
21:9; 26:9; 28:2 • Jer. 14:2 • Ezek. 19:12; 26:11;
38:20; 45:8 • Am. 3:14; 5:7; 8:9 • Ps. 12:7; 74:7;
89:40,45; 104:32; 143:3; 147:8 • Job 2:13; 12:8;
15:29; 16:13; 39:14 • Lam. 2:2,10,21 • IICh. 30:9

וְלָאָרֶץ

1511 וְלָאָרֶץ לֹא יְכֻפַּר לַדָּם... Num. 35:33

אֶרֶץ־

1512 הַסֹּבֵב אֵת כָּל־אֶרֶץ הַחֲוִילָה Gen. 2:11
1513 הוּא הַסּוֹבֵב אֵת כָּל־א׳ כּוּשׁ Gen. 2:13
1514 וְנָתַתִּי לְךָ...אֵת אֶרֶץ מְגֻרֶיךָ Gen. 17:8
1515 אֵת כָּל־אֶרֶץ כְּנַעַן Gen. 17:8
1535-1516 אֶרֶץ כְּנָעַן Gen. 45:25
Ex. 6:4; 16:35 • Lev. 14:34; 18:3; 25:38 • Num.
13:2,17; 32:32; 33:51; 34:2 • Deut. 32:49 • Josh.
5:12; 22:11,32; 24:3 • Ezek. 16:29; 17:4 • Ps.
105:11 • ICh. 16:18

אֶרֶץ־ (המשך)

1536 וְעַל־כָּל־פְּנֵי אֶרֶץ הַכִּכָּר Gen. 19:28
1537 וַיָּשֻׁבוּ אֶל־אֶרֶץ פְּלִשְׁתִּים Gen. 21:32
1538 וְלֶךְ־לְךָ אֶל־אֶרֶץ הַמֹּרִיָּה Gen. 22:2
1539 אֶרֶץ אַרְבַּע מֵאֹת שֶׁקֶל־כֶּסֶף Gen. 23:15
1540 וַיְשַׁלְּחֵם...קֵדְמָה אֶל־א׳ קֶדֶם Gen. 25:6
1541 לְרִשְׁתְּךָ אֶת־אֶרֶץ מְגֻרֶיךָ Gen. 28:4
1542 שׁוּב אֶל־אֶרֶץ אֲבוֹתֶיךָ Gen. 31:3
1543 וְשׁוּב אֶל־אֶרֶץ מוֹלַדְתֶּךָ Gen. 31:13
1544 וְלֹא יָכְלָה א׳ מְגוּרֵיהֶם לָשֵׂאת Gen. 36:7
1545 לֹא־רָאִיתִי...בְּכָל־א׳ מִצְרָיִם Gen. 41:19
1546 שָׂבָע גָּדוֹל בְּכָל־א׳ מִצְרָיִם Gen. 41:29
1547 וִישִׁיתֵהוּ עַל־אֶרֶץ מִצְרָיִם Gen. 41:33
1608-1548 אֶרֶץ מִצְרָיִם Gen. 41:34,41
41:43,44,45,46,54,55; 45:8,18,20,26; 47:6,13; 50:7
• Ex. 5:12; 7:19,21; 8:1,2,3,12,13,20;
9:9[2],22,23,24,25; 10:12[2],13,14,15,21,22; 11:6 •
Lev. 18:3 • ISh. 27:8 • Is. 19:19 • Jer. 42:14;
43:7,11,12; 44:12,26,28; 46:13 • Ezek. 19:4;
20:8, 36; 29:9, 10, 12, 19, 20; 30:25; 32:15 •
Hosh. 11:5 • Ps. 81:6
1609 וְהֵשִׁיב אֶתְכֶם אֶל־א׳ אֲבֹתֵיכֶם Gen. 48:21
1610 אַעֲלֶה אֶתְכֶם...אֶל־אֶרֶץ הַכְּנַעֲנִי Ex. 3:17
1615-1611 אֶרֶץ הַכְּנַעֲנִי Ex. 13:5,11
Deut. 1:7 • Josh. 13:4 • Neh. 9:8
1616 לָתֵת לָהֶם אֶת אֶרֶץ מְגֻרֵיהֶם Ex. 6:4
1617 וְהִפְלֵיתִי...אֶת־אֶרֶץ גֹּשֶׁן Ex. 8:18
1618 וְלֹא־נָחָם...דֶּרֶךְ א׳ פְּלִשְׁתִּים Ex. 13:17
1619 נֶגַע צָרַעַת בְּבֵית א׳ אֲחֻזַּתְכֶם Lev. 14:34
1620 וְנָשָׂא הַשָּׂעִיר...אֶל־א׳ גְּזֵרָה Lev. 16:22
1621 וּבְכֹל אֶרֶץ אֲחֻזַּתְכֶם... Lev. 25:24
1622 וְאָכְלָה אֶתְכֶם אֶרֶץ אֹיְבֵיכֶם Lev. 26:38
1623 כִּי תָבֹאוּ אֶל־א׳ מוֹשְׁבֹתֵיכֶם Num. 15:2
1627-1624 אֶרֶץ־אֱדוֹם Num. 20:23
21:4; 33:37 • Jud. 11:18
1628 וַיִּשְׁלַח...אֶרֶץ בְּנֵי־עַמּוֹ Num. 22:5
1630-1629 אֶת־א׳ יַעְזֵר וְאֶת־א׳ גִּלְעָד Num. 32:1
1631 הָאָרֶץ...אֶרֶץ מִקְנֶה הוּא Num. 32:4
1632 וּנְתַתֶּם לָהֶם אֶת־א׳ הַגִּלְעָד Num. 32:29
1633 יָשׁוּב הָרֹצֵחַ אֶל־א׳ אֲחֻזָּתוֹ Num. 35:28
1634 אֶרֶץ־רְפָאִים תֵּחָשֵׁב אַף־הִוא Deut. 2:20
1640-1635 אֶרֶץ בְּנֵי־עַמּוֹן Deut. 2:37 Josh. 13:25
• Jud. 11:15 • IISh. 10:2 • IICh. 19:2; 20:1
1641 לְכָל־הַבָּשָׁן...יִקָּרֵא א׳ רְפָאִים Deut. 3:13
1642 וְאֶת־אֶרֶץ עוֹג מֶלֶךְ־הַבָּשָׁן Deut. 4:47
1643/4 אֶרֶץ נַחֲלֵי(־)מָיִם Deut. 8:7; 10:7
1645 אֶרֶץ חִטָּה וּשְׂעֹרָה וְגֶפֶן וּתְאֵנָה Deut. 8:8
1646 אֶרֶץ־זֵית שֶׁמֶן וּדְבָשׁ Deut. 8:8
1647 אֶרֶץ הָרִים וּבְקָעֹת Deut. 11:11
1648 אֶל־אֶרֶץ דָּגָן וְתִירוֹשׁ Deut. 33:28
1649 וְאֵת־אֶרֶץ אֶפְרַיִם וּמְנַשֶּׁה Deut. 34:2
1650 וְאֵת כָּל־אֶרֶץ יְהוּדָה Deut. 34:2
1651/2 אֶרֶץ הַחִתִּים Josh. 1:4 • Jud. 1:26
1653 וַיַּכֵּם...וְאֵת כָּל־אֶרֶץ גֹּשֶׁן Josh. 10:41
1654 וַיִּקַּח...וְאֵת כָּל־אֶרֶץ הַגֹּשֶׁן Josh. 11:16
1655/6 כִּי א׳ הַנֶּגֶב נְתַתָּנִי Josh. 15:19 • Jud. 1:15
1657 לִמְנַשֶּׁה הָיְתָה אֶרֶץ תַּפּוּחַ Josh. 17:8
1658 לְאָהֳלֵיכֶם אֶל־אֶרֶץ אֲחֻזַּתְכֶם Josh. 22:4
1663-1659 אֶרֶץ הַגִּלְעָד Josh. 22:9,13,15
IISh. 17:26 • IIK. 10:33
1664 אֶל־אֶרֶץ אֲחֻזָּתָם Josh. 22:9
1665 וְאַךְ אִם־טְמֵאָה א׳ אֲחֻזַּתְכֶם Josh. 22:19
1666 עִבְרוּ לָכֶם אֶל־אֶרֶץ אֲחֻזַּת יְיָ Josh. 22:19

אֶרֶץ־ (המשך)

1669-1667 אֶרֶץ הָאֱמֹרִי Josh. 24:8
Jud. 11:21 • Am. 2:10
1670/1 אֶרֶץ מוֹאָב Jud. 11:15,18
1672 וַחֲטַפְתֶּם...וַהֲלַכְתֶּם א׳ בִּנְיָמִן Jud. 21:21
1673 וְעִבְרִים עָבְרוּ...אֶרֶץ גָּד וְגִלְעָד ISh. 13:7
1674 אֶל־דֶּרֶךְ עָפְרָה אֶל־אֶרֶץ שׁוּעָל ISh. 13:17
1675 ...לֹא יִמָּצֵא בְּכֹל אֶרֶץ יִשְׂרָאֵל ISh. 13:19
1676 וּבָאתָ־לְּךָ אֶרֶץ יְהוּדָה ISh. 22:5
1682-1677 אֶרֶץ פְּלִשְׁתִּים ISh. 27:1; 29:11
IK. 5:1 • Jer. 25:20 • Zep. 2:5 • IICh. 9:26
1683 וַיָּבֹאוּ...וְאֶל־אֶרֶץ תַּחְתִּים חָדְשִׁי IISh. 24:6
1684 לוֹ שֹׂכֹה וְכָל־אֶרֶץ חֵפֶר IK. 4:10
1685 אֶרֶץ סִיחוֹן מֶלֶךְ הָאֱמֹרִי IK. 4:19
1686 וְשָׁבוּם שֹׁבֵיהֶם אֶל־אֶרֶץ הָאוֹיֵב IK. 8:46
1687 וַיִּקְרָא לָהֶם אֶרֶץ כָּבוּל IK. 9:13
1688 ...וּבְכֹל אֶרֶץ מֶמְשַׁלְתּוֹ IK. 9:19
1689/90 כָּל־אֶרֶץ נַפְתָּלִי IK. 15:20 • IIK. 15:29
1691 אֶרֶץ דָּגָן וְתִירוֹשׁ IIK. 18:32
1692 אֶרֶץ לֶחֶם וּכְרָמִים IIK. 18:32
1693 אֶרֶץ זֵית יִצְהָר וּדְבַשׁ IIK. 18:32
1694/5 נִמְלְטוּ א׳ אֲרָרָט IIK. 19:37 • Is. 37:38
1696 הוֹי אֶרֶץ צִלְצַל כְּנָפָיִם Is. 18:1
1697 יֹשְׁבֵי אֶרֶץ תֵּימָא... Is. 21:14
1698 הֵן א׳ כַּשְׂדִּים זֶה הָעָם לֹא הָיָה Is. 23:13
1699 תִּרְאֶינָה אֶרֶץ מַרְחַקִּים Is. 33:17
1700/1 א׳ דָּגָן וְתִירוֹשׁ א׳ לֶחֶם וּכְרָמִים Is. 36:17
1702 לֹא בַסֵּתֶר...בִּמְקוֹם א׳ חֹשֶׁךְ Is. 45:19
1703 וָאָבִיא אֶתְכֶם אֶל־אֶרֶץ הַכַּרְמֶל Jer. 2:7
1704 הֲמִדְבָּר...אִם אֶרֶץ מַאְפֵּלְיָה Jer. 2:31
1705 וְאֶתֶּן־לָךְ אֶרֶץ חֶמְדָּה Jer. 3:19
1706 וְרָאָה אֶת־אֶרֶץ מוֹלַדְתּוֹ Jer. 22:10
1711-1707 אֶרֶץ כַּשְׂדִּים Jer. 24:5
25:12; 50:1,45 • Ezek. 12:13
1712 וְאֵת כָּל־מַלְכֵי אֶרֶץ הָעוּץ Jer. 25:20
1713 וְכָל־מַמְלְכוֹת א׳ מֶמְשֶׁלֶת יָדוֹ Jer. 34:1
1714 וַיֵּצֵא...לָלֶכֶת אֶרֶץ בִּנְיָמִן Jer. 3712
1715 וַיָּשֻׁבוּ...וַיָּבֹאוּ אֶרֶץ־יְהוּדָה Jer. 40:12
1721-1716 אֶרֶץ יְהוּדָה Jer. 44:14,28
Am. 7:12 • Zech. 2:4 • Ruth 1:7 • IICh. 15:8
1722 וְנָשֻׁבָה...וְאֶל־אֶרֶץ מוֹלַדְתֵּנוּ Jer. 46:16
1723 וּמִשְׁפָּט בָּא אֶל־אֶרֶץ הַמִּישֹׁר Jer. 48:21
1724 וְעַל כָּל־עָרֵי אֶרֶץ מוֹאָב Jer. 48:24
1725 כִּי אֶרֶץ פְּסִלִים הִיא Jer. 50:38
1726 וְאֵת כָּל־אֶרֶץ מֶמְשַׁלְתּוֹ Jer. 51:28
1727 לָשׂוּם אֶת־אֶרֶץ בָּבֶל לְשַׁמָּה Jer. 51:29
1728 אֶרֶץ צִיָּה וַעֲרָבָה Jer. 51:43
1729 דְּמוּת...כַּשְׂדִּים א׳ מוֹלַדְתָּם Ezek. 23:15
1730 צְבִי אֶרֶץ בֵּית הַיְשִׁימוֹת Ezek. 25:9
1731 וַהֲשִׁבֹתִי אֹתָם אֶרֶץ פַּתְרוֹס Ezek. 29:14
1732 עַל־אֶרֶץ מְכוּרָתָם Ezek. 29:14
1733 כּוּשׁ וּפוּט...וּבְנֵי אֶרֶץ הַבְּרִית Ezek. 30:5
1734 נִתְּנוּ לַמָּוֶת אֶל־אֶרֶץ תַּחְתִּית. Ezek. 31:14
1735 וְהוּרַדְתָּ...אֶל־אֶרֶץ תַּחְתִּית Ezek. 31:18
1736 וְהִשְׁקֵיתִי אֶרֶץ צָפָתְךָ מִדָּמְךָ Ezek. 32:6
1737 וְהוֹרִדֵהוּ...אֶל־א׳ תַּחְתִּיּוֹת Ezek. 32:18
1738 אֲשֶׁר־יָרְדוּ...אֶל־א׳ תַּחְתִּיּוֹת Ezek. 32:24
1739 שִׂים פָּנֶיךָ אֶל־גּוֹג א׳ הַמָּגוֹג Ezek. 38:2
1740 אֶעֱלֶה עַל־אֶרֶץ פְּרָזוֹת Ezek. 38:11
1741 הֱבִיאַנִי אֶל־אֶרֶץ יִשְׂרָאֵל Ezek. 40:2
1742 וּמִבֵּין אֶרֶץ יִשְׂרָאֵל הַיַּרְדֵּן Ezek. 47:18
1743 וְהִדַּחְתִּיו אֶל־אֶרֶץ צִיָּה וּשְׁמָמָה Joel 2:20
1744 וְרָעוּ אֶת־אֶרֶץ אַשּׁוּר בַּחֶרֶב Mic. 5:5

אֶרֶץ־ (המשך)

1745 וְאֶת־אֶרֶץ נִמְרוֹד בִּפְתָחֶיהָ Mic.5:5
1746 יִרְגְּזוּן יְרִיעוֹת אֶרֶץ מִדְיָן Hab.3:7
1747 הַשְּׁחֹרִים יֹצְאִים אֶל־אֶרֶץ צָפוֹן Zech.6:6
1748 וְהַבְּרֻדִּים יָצְאוּ אֶל־אֶרֶץ הַתֵּימָן Zech.6:6
1749 רְאֵה הַיּוֹצְאִים אֶל־אֶרֶץ צָפוֹן Zech.6:8
1750 וַיָּשִׂימוּ אֶרֶץ־חֶמְדָּה לְשַׁמָּה Zech.7:14
1751 וְאֶל־אֶרֶץ גִּלְעָד וּלְבָנוֹן אֲבִיאֵם Zech.10:10
1752 כִּי־תִהְיוּ אַתֶּם אֶרֶץ חֵפֶץ Mal.3:12
1753 אֶרֶץ פְּרִי לִמְלֵחָה... Ps.107:34
1754 אֶל־אֶרֶץ חֹשֶׁךְ וְצַלְמָוֶת Job 10:21
1755 אֶרֶץ עֵפָתָה כְּמוֹ אֹפֶל Job 10:22
1756 לְהַמְטִיר עַל־אֶרֶץ לֹא־אִישׁ Job 38:26
1757 הִשְׁלִיךְ... אֶרֶץ תִּפְאֶרֶת יִשְׂרָאֵל Lam.2:1
1758 וַיְבִיאֵם אֶרֶץ־שִׁנְעָר בֵּית אֱלֹהָיו Dan.1:2
1759 הָאָרֶץ... אֶרֶץ נִדָּה הִיא Ez.9:11
1760 וַיִּירְשׁוּ אֶת־אֶרֶץ סִיחוֹן Neh.9:22
1761 וְאֶת־אֶרֶץ מֶלֶךְ חֶשְׁבּוֹן Neh.9:22
1762 וְאֶת־אֶרֶץ עוֹג מֶלֶךְ־הַבָּשָׁן Neh.9:22
1763 וּבְכֹל אֶרֶץ מֶמְשַׁלְתּוֹ IICh.8:6
1764 הַחַמָּנִים גִּדַּע בְּכָל־אֶרֶץ יִשְׂרָאֵל IICh.34:7

וְאֶרֶץ־

1765 וַתֵּלַהּ אֶ׳ מִצְרַיִם וְאֶרֶץ כְּנַעַן Gen.47:13
1766 וְאֶ׳ הַגִּלְעָד הָיְתָה לִבְנֵי־מְנַשֶּׁה Josh.17:6
1767 וְעַד־בְּאֵר שֶׁבַע וְאֶרֶץ הַגִּלְעָד Jud.20:1
1768 וְאֶרֶץ צִיָּה לְמוֹצָאֵי מָיִם Is.41:18
1769 וְשֹׁמְמֹתַיִךְ וְאֶרֶץ הֲרִסֻתֵךְ Is.49:19
1770 יְהוּדָה וְאֶרֶץ יִשְׂרָאֵל רֹכְלָיִךְ Ezek.27:17
1771 וְאֶרֶץ צִיָּה לְמֹצָאֵי מָיִם Ps.107:35
1772 וַתַּעַזְבִי אָבִיךְ... וְאֶרֶץ מוֹלַדְתֵּךְ Ruth 2:11
1773 וְאֶ׳ מִצְרַיִם לֹא תִהְיֶה לִפְלֵיטָה Dan.11:42

בְּאֶרֶץ־

1774 וַיֵּשֶׁב בְּאֶרֶץ־נוֹד קִדְמַת־עֵדֶן Gen.4:16
1775 וְאַכַּד וְכַלְנֵה בְּאֶרֶץ שִׁנְעָר Gen.10:10
1776 וַיִּמְצְאוּ בִקְעָה בְּאֶרֶץ שִׁנְעָר Gen.11:2
1777 וַיָּמָת הָרָן... בְּאֶרֶץ מוֹלַדְתּוֹ Gen.11:28
1778 אַבְרָם יָשַׁב בְּאֶרֶץ־כְּנָעַן Gen.13:12
1779-1807 בְּאֶרֶץ כְּנַעַן (כְּנָ־) Gen.16:3
23:2, 19; 33:18; 35:6; 36:5, 6; 37:1; 42:5, 13, 32; 46:6, 12, 31; 47:4; 48:3, 7; 49:20; 50:5 • Num. 26:19; 32:30; 33:40; 34:29; 35:14 • Josh.14:1; 21:2; 22:9, 10 • Jud. 21:12
1808 וַיָּגָר אַבְרָהָם בְּאֶ׳ פְּלִשְׁתִּים Gen.21:34
1809 וְהוּא יוֹשֵׁב בְּאֶרֶץ הַנֶּגֶב Gen.24:62
1810 אַלּוּפֵי אֱלִיפַז בְּאֶרֶץ אֱדוֹם Gen.36:16
1811-1816 בְּאֶרֶץ אֱדוֹם Gen.36:17,21,31
Is.34:6 • ICh.1:43 • IICh.8:17
1817 לְאַלֻּפֵיהֶם בְּאֶרֶץ שֵׂעִיר Gen.36:30
1818 לְמֹשְׁבֹתָם בְּאֶרֶץ אֲחֻזָּתָם Gen.36:43
1819 וַיֵּשֶׁב יַעֲקֹב בְּאֶרֶץ מְגוּרֵי אָבִיו Gen.37:1
1820 וְנִשְׁכַּח כָּל־הַשָּׂבָע בְּאֶ׳ מִצְרָיִם Gen.41:30
1821-1872 בְּאֶרֶץ מִצְרַיִם (־רָיִם) Gen.41:36
41:48,53,56; 46:20; 47:11,14,27,28; 48:5 • Ex. 6:28; 7:3; 9:22; 11:3,5,9; 12:1,12^{2},13,29; 13:15; 16:3 • Num.3:13; 8:17; 14:2 • Deut. 29:1,15; 34:11 • Is. 19:18,20; 27:13 • Jer. 24:8; 32:20; 42:16; 43:13; 44:1,8,12,13,14,15,24,26,27 • Jer. 20:5; 23:19; 30:13 • Hosh. 7:16 • Am.3:9 • Ps.78:12
1873 הִפְרַנִי אֱלֹהִים בְּאֶרֶץ עָנְיִי Gen.41:52
1874-1881 בְּאֶרֶץ־גֹּשֶׁן Gen.45:10
46:34; 47:1,4,6,27; 50:8 • Ex.9:26
1882 בְּמֵיטַב הָאָרֶץ בְּאֶ׳ רַעְמְסֵס Gen.47:11
1883 וַיֵּשֶׁב בְּאֶרֶץ־מִדְיָן Ex.2:15
1884-1887 כִּי־גֵרִים הֱיִיתֶם בְּאֶרֶץ מִצְרָיִם
Ex.22:20; 23:9 • Lev.19:34 • Deut.10:19

בְּאֶרֶץ־ (המשך)

1888 וְאַתֶּם בְּאֶרֶץ אֹיְבֵיכֶם Lev.26:34
1889 וְהֵבֵאתִי אֹתָם בְּאֶרֶץ אֹיְבֵיהֶם Lev.26:41
1890 בִּהְיוֹתָם בְּאֶרֶץ אֹיְבֵיהֶם... Lev.26:44
1891 עֲמָלֵק יוֹשֵׁב בְּאֶרֶץ הַנֶּגֶב Num.13:29
1892 וַיֵּשֶׁב יִשְׂרָאֵל בְּאֶרֶץ הָאֱמֹרִי Num.21:31
1893 בְּעֵבֶר הַיַּרְדֵּן בְּאֶרֶץ מוֹאָב Deut.1:5
1894 בֶּצֶר בַּמִּדְבָּר בְּאֶרֶץ הַמִּישֹׁר Deut.4:43
1895 בְּאֶרֶץ סִיחֹן מֶלֶךְ הָאֱמֹרִי Deut.4:46
1896-1898 וְזָכַרְתָּ כִּי־עֶבֶד הָיִיתָ
בְּאֶרֶץ מִצְרַיִם Deut.5:15; 15:15; 24:22
1899 הֲלֹא־הֵמָּה... בְּאֶרֶץ הַכְּנַעֲנִי Deut.11:30
1900 אֵלֶּה דִבְרֵי... בְּאֶרֶץ מוֹאָב Deut.28:69
1901 יִמְצָאֵהוּ בְּאֶרֶץ מִדְבָּר Deut.32:10
1902 הַר־נְבוֹ אֲשֶׁר בְּאֶרֶץ מוֹאָב Deut.32:49
1903 וַיָּמָת שָׁם מֹשֶׁה... בְּאֶרֶץ מוֹאָב Deut.34:5
1904 וַיִּקְבֹּר אֹתוֹ בַגַּי בְּאֶרֶץ מוֹאָב Deut.34:6
1905 תַּחַת חֶרְמוֹן בְּאֶרֶץ הַמִּצְפָּה Josh.11:3
1906 לֹא־נוֹתַר עֲנָקִים
בְּאֶרֶץ בְּנֵי יִשְׂרָאֵל Josh.11:22
1907 בְּאֶרֶץ הַפְּרִזִּי וְהָרְפָאִים Josh.17:15
1908 בְּכָל־הַכְּנַעֲנִי הַיֹּשֵׁב בְּאֶ׳־הָעֵמֶק Josh.17:16
1909 חַוֹּת יָאִיר... אֲשֶׁר בְּאֶ׳ הַגִּלְעָד Jud.10:4
1910 בְּאֶרֶץ הָאֱמֹרִי אֲשֶׁר בַּגִּלְעָד Jud.10:8
1911 וַיִּבְרַח... וַיֵּשֶׁב בְּאֶרֶץ טוֹב Jud.11:3
1912 וַיִּקָּבֵר בְּאַיָּלוֹן בְּאֶרֶץ זְבוּלֻן Jud.12:12
1913 וַיִּקָּבֵר בְּפִרְעָתוֹן בְּאֶ׳ אֶפְרַיִם Jud.12:15
1914 וַיַּעֲבֹר בְּאֶרֶץ־שָׁלִשָׁה וְלֹא מָצָאוּ ISh.9:4
1915 וַיַּעַבְרוּ בְאֶרֶץ־שַׁעֲלִים וָאַיִן ISh.9:4
1916 וַיַּעֲבֹר בְּאֶרֶץ־יְמִינִי וְלֹא מָצָאוּ ISh.9:4
1917 הֵמָּה בָּאוּ בְּאֶרֶץ צוּף ISh.9:5
1918 וַיְשַׁלְּחוּ בְאֶרֶץ־פְּלִשְׁתִּים סָבִיב ISh.31:9
1919 וַיִּקְבְּרוּ... בְּאֶרֶץ בִּנְיָמִן בְּצֵלָע IISh.21:14
1920 גֶּבֶר בֶּן־אֻרִי בְּאֶרֶץ גִּלְעָד IK.4:19
1921 כִּי יָצַר־לוֹ אֹיְבוֹ בְּאֶרֶץ שְׁעָרָיו IK.8:37
1922 וְהִתְחַנְּנוּ אֵלֶיךָ בְּאֶרֶץ שֹׁבֵיהֶם IK.8:47
1923 וְשָׁבוּ אֵלֶיךָ... בְּאֶרֶץ אֹיְבֵיהֶם IK.8:48
1924 ...עֶשְׂרִים עִיר בְּאֶרֶץ הַגָּלִיל IK.9:11
1925 עַל־שְׂפַת יַם־סוּף בְּאֶרֶץ אֱדוֹם IK.9:26
1926 וְלֹא־יָסְפוּ... לָבוֹא בְּאֶרֶץ יִשְׂרָאֵל IIK.6:23
1927 וַתָּגָר בְּאֶרֶץ־פְּלִשְׁתִּים IIK.8:2
1928 אֲשֶׁר נִרְאוּ בְּאֶרֶץ יְהוּדָה IIK.23:24
1929-1940 בְּאֶרֶץ יְהוּדָה IIK.25:22
Is.26:1 • Jer.31:23(22); 37:1; 39:10; 43:4,5; 44:9 • Neh.5:14 • ICh.6:40 • IICh.9:11; 17:2
1941 וַיַּאַסְרֵהוּ... בְּרִבְלָה בְּאֶרֶץ חֲמָת IIK.23:33
1942 וַיְמִתֵם בְּרִבְלָה בְּאֶרֶץ חֲמָת IIK.25:21
1943-1945 בְּאֶרֶץ חֲמָת Jer.39:5; 52:9,27
1946 וְלַדְּבוֹרָה אֲשֶׁר בְּאֶרֶץ אַשּׁוּר Is.7:18
1947 יֹשְׁבֵי בְּאֶרֶץ צַלְמָוֶת... Is.9:1
1948 בְּאֶרֶץ נְכֹחוֹת יְעַוֵּל Is.26:10
1949 וּבָאוּ הָאֹבְדִים בְּאֶרֶץ אַשּׁוּר Is.27:13
1950 בְּאֶרֶץ צָרָה וְצוּקָה Is.30:6
1951 לֹא־אֶרְאֶה יָהּ... בְּאֶרֶץ הַחַיִּים Is.38:11
1952 אֲשֶׁר בַּעֲנָתוֹת בְּאֶרֶץ בִּנְיָמִן Jer.1:1
1953/4 בְּאֶרֶץ עֲרָבָה וְשׁוּחָה בְּאֶ׳ צִיָּה Jer.2:6
1954א אֶת־שָׂדִי... אֲשֶׁר בְּאֶ׳ בִּנְיָמִן Jer.32:8
1955 בְּאֶ׳ בִּנְיָמִן וּבִסְבִיבֵי יְרוּשָׁלִַם Jer.32:44
1956 כִּי זֶבַח לַאדֹנָי... בְּאֶרֶץ צָפוֹן Jer.46:10
1957 כִּי־מְלָאכָה הִיא לַאדֹנָי...
בְּאֶרֶץ כַּשְׂדִּים Jer.50:25
1958 וְנָפְלוּ חֲלָלִים בְּאֶרֶץ כַּשְׂדִּים Jer.51:4
1959 בְּאֶרֶץ כַּשְׂדִּים עַל־נְהַר כְּבָר Ezek.1:3

בְּאֶרֶץ־ (המשך)

1960 ...בְּאֶרֶץ צִיָּה וְצָמָא Ezek.19:13
1961 בְּאֶרֶץ מְכֻרוֹתַיִךְ אֶשְׁפֹּט אֹתָךְ Ezek.21:35
1962 וְהוֹשַׁבְתִּיךְ בְּאֶרֶץ תַּחְתִּיּוֹת... Ezek.26:20
1963 וְנָתַתִּי צְבִי בְּאֶרֶץ חַיִּים Ezek.26:20
1964 וַיִּנָּחֲמוּ בְּאֶרֶץ תַּחְתִּית Ezek.31:16
1965 אֲשֶׁר־נָתְנוּ חִתִּית בְּאֶרֶץ חַיִּים Ezek.32:23
1966-1971 בְּאֶרֶץ חַיִּים Ezek.32:24
32:25,26,27,32 • Ps.27:13
1972 לֹא יֵשְׁבוּ בְּאֶרֶץ יְיָ Hosh.9:3
1973 בַּמִּדְבָּר בְּאֶרֶץ תַּלְאֻבוֹת Hosh.13:5
1974 לִבְנוֹת־לָה בַיִת בְּאֶרֶץ שִׁנְעָר Zech.5:11
1975 הֵנִיחוּ אֶת־רוּחִי בְּאֶרֶץ צָפוֹן Zech.6:8
1976 מַשָּׂא דְבַר־יְיָ בְּאֶרֶץ חַדְרָךְ Zech.9:1
1977 בְּאֶרֶץ־צִיָּה וְעָיֵף בְּלִי־מָיִם Ps.63:2
1978 ...וְצִדְקָתְךָ בְּאֶרֶץ נְשִׁיָּה Ps.88:13
1979 וְיַעֲקֹב גָּר בְּאֶרֶץ־חָם Ps.105:23
1980/1 בְּאֶרֶץ חָם Ps.105:27; 106:22
1982 וַיִּמְאֲסוּ בְּאֶרֶץ חֶמְדָּה Ps.106:24
1983 אַתָּה מַחְסִי חֶלְקִי בְּאֶ׳ הַחַיִּים Ps.142:6
1984 תַּנְחֵנִי בְּאֶרֶץ מִישׁוֹר Ps.143:10
1985 טוֹב שֶׁבֶת בְּאֶרֶץ־מִדְבָּר... Prov.21:19
1986 אִישׁ הָיָה בְאֶרֶץ־עוּץ Job 1:1
1987 וְלֹא תִמָּצֵא בְּאֶרֶץ הַחַיִּים Job 28:13
1988 בַּת־אֱדוֹם יוֹשֶׁבֶת בְּאֶרֶץ עוּץ Lam.4:21
1989 וְיַעֲמֹד בְּאֶרֶץ־הַצְּבִי... Dan.11:16
1990 וּבָא בְּאֶרֶץ הַצְּבִי... Dan.11:41
1991 וּתְנֵם לְבִזָּה בְּאֶרֶץ שִׁבְיָה Neh.3:36
1992 וְשָׁלוֹשׁ עָרִים בְּאֶרֶץ הַגִּלְעָד ICh.2:22
1993 כִּי מִקְנֵיהֶם רָבוּ בְּאֶרֶץ גִּלְעָד ICh.5:9
1994 וּבְנֵי־גָד... יָשְׁבוּ בְּאֶרֶץ הַבָּשָׁן ICh.5:11
1995 וַיְשַׁלְּחוּ בְאֶרֶץ־פְּלִשְׁתִּים סָבִיב ICh.10:9
1996/7 הַגֵּרִים אֲשֶׁר בְּאֶרֶץ יִשְׂרָאֵל
ICh.22:2(1) • IICh.2:16
1998 כִּי יָצַר־לוֹ אֹיְבָיו בְּאֶרֶץ שְׁעָרָיו IICh.6:28
1999 וְהִתְחַנְּנוּ אֵלֶיךָ בְּאֶרֶץ שִׁבְיָם IICh.6:37
2000 וְשָׁבוּ אֵלֶיךָ... בְּאֶרֶץ שִׁבְיָם IICh.6:38
2001 עֹבְרִים... בְּאֶרֶץ־אֶפְרַיִם וּמְנַשֶּׁה IICh.30:10

וּבְאֶרֶץ־

2002 בְּאֶרֶץ־מִצְרַיִם וּבְאֶרֶץ כְּנָעַן Gen.47:14
2003 וּבְאֶרֶץ שָׁלוֹם אַתָּה בוֹטֵחַ Jer.12:5
2004 וּבְאֶ׳ בִּנְיָמִן וּבִסְבִיבֵי יְרוּשָׁלִַם Jer.33:13
2005 ...וּבְנֹף וּבְאֶרֶץ פַּתְרוֹס Jer.44:1

כְּאֶרֶץ־

2006 כְּגַן־יְיָ כְּאֶרֶץ מִצְרַיִם Gen.13:10
2007 לֹא כְאֶרֶץ מִצְרַיִם הִוא Deut.11:10
2008 וְשַׁתִהָ כְּאֶרֶץ צִיָּה Hosh.2:5

לְאֶרֶץ־

2009 כַּאֲשֶׁר עָשָׂה יִשְׂרָאֵל לְאֶ׳ יְרֻשָּׁתוֹ Deut.2:12
2010 וְשַׁבְתֶּם לְאֶרֶץ יְרֻשַּׁתְכֶם Josh.1:15
2011 וַיָּבֹא מִמִּזְרַח־שֶׁמֶשׁ לְאֶ׳ מוֹאָב Jud.11:18
2012 הַבָּאִים לְאֶ׳־מִצְרַיִם לָגוּר שָׁם Jer.44:28

מֵאֶרֶץ־

2013 אִשָּׁה מֵאֶרֶץ מִצְרָיִם Gen.21:21
2014 חֻשָׁם מֵאֶרֶץ הַתֵּימָנִי Gen.36:34
2015 כִּי־גֻנֹּב גֻּנַּבְתִּי מֵאֶ׳ הָעִבְרִים Gen.40:15
2016 מֵאֶרֶץ כְּנַעַן לִשְׁבָּר־אֹכֶל Gen.42:7
2017 הֱשִׁיבֹנוּ אֵלֶיךָ מֵאֶרֶץ כְּנָעַן Gen.44:8
2018 קְחוּ־לָכֶם מֵאֶרֶץ מִצְרַיִם Gen.45:19
2019 אָבִי וְאַחַי... בָּאוּ מֵאֶ׳ כְּנָעַן Gen.57:1
2020 וַיִּתֹּם הַכֶּסֶף מֵאֶרֶץ מִצְרַיִם Gen.47:15
2021 לְהוֹצִיא אֶת־בְּנֵי־יִשְׂרָאֵל מֵאֶ׳ מִצְרָיִם Ex.6:13
2022-2103 מֵאֶרֶץ מִצְרַיִם (־רָיִם) Ex.6:26
7:4; 12:17,41,42,51; 13:18; 16:1,6,32; 19:1; 20:2; 29:46; 32:1,4,6,8,11,23; 33:1 • Lev. 11:45; 19:36; 22:33; 23:43; 25:38,42,55; 26:13,45 • Num. 1:1; 9:1; 15:41; 26:4; 33:1,38 • Deut. 1:27; 5:6; 9:7; 13:6; $16:3^{2}$

מֵאֶרֶץ (המשך) 20:1; 29:24 • Jud. 2:12; 19:30 • ISh. 12:6 • IK. 6:1; 8:9,21; 9:9; 12:28 • IIK. 17:7,36 • Is. 11:16 • Jer. 2:6; 7:22,25; 11:4,7; 16:14; 23:7; 31:32(33); 32:21 • Ezek. 20:6,9,10; 23:27; 30:13 • Hosh. 2:17; 12:10; 13:4 • Am. 2:10; 3:1; 9:7 • Mic. 6:4; 7:15 • Zech. 10:10 • Ps. 81:11 • Dan. 9:15 • IICh. 6:5; 7:22; 20:10

2104-2108 מֵאֶרֶץ מִצְרַיִם מִבֵּית עֲבָדִים
Deut. 6:12; 8:14; 13:11 • Josh. 24:17 • Jer. 34:13

2109 לֹא־אֶתֵּן מֵאֶ׳ בְּנֵי־עַמּוֹן לְךָ יְרֻשָּׁה Deut. 2:19
2110 לְבַד מֵאֶרֶץ הַגִּלְעָד וְהַבָּשָׁן Josh. 17:5
2111 וַיָּשָׁב פִּינְחָס...מֵאֶרֶץ הַגִּלְעָד Josh. 22:32
2112 לָקַחַת אֶת־יִפְתָּח מֵאֶרֶץ טוֹב Jud. 11:5
2113 אֶשְׁלַח אֵלֶיךָ אִישׁ מֵאֶרֶץ בִּנְיָמִן ISh. 9:16
2114 אֲשֶׁר לָקְחוּ מֵאֶרֶץ פְּלִשְׁתִּים ISh. 30:16
2115 וַיִּשְׁבּוּ מֵאֶרֶץ יִשְׂרָאֵל נַעֲרָה קְטַנָּה IIK. 5:2
2116 הַנַּעֲרָה אֲשֶׁר מֵאֶרֶץ יִשְׂרָאֵל IIK. 5:4
2117 וַתָּשָׁב הָאִשָּׁה מֵאֶרֶץ פְּלִשְׁתִּים IIK. 8:3
2118 בָּאִים מֵאֶרֶץ מֶרְחָק Is. 13:5
2119 מֵאֶרֶץ כִּתִּים נִגְלָה־לָמוֹ Is. 23:1
2120 קֹרֵא...מֵאֶ׳ מֶרְחָק אִישׁ עֲצָתִי Is. 46:11
2121 הִנֵּה־אֵלֶּה...וְאֵלֶּה מֵאֶ׳ סִינִים Is. 49:12
2122 וְכַשֹּׁרֶשׁ מֵאֶרֶץ צִיָּה Is. 53:2
2123 כִּי נִגְזַר מֵאֶרֶץ חַיִּים Is. 53:8
2124 וְיָבֹאוּ יַחְדָּו מֵאֶרֶץ צָפוֹן Jer. 3:18
2125-2130 מֵאֶרֶץ צָפוֹן Jer. 6:22; 10:22
16:15; 31:8(7); 50:9 • Zech. 2:10
2131 נֹצְרִים בָּאִים מֵאֶרֶץ הַמֶּרְחָק Jer. 4:16
2132 וְקָנֶה הַטּוֹב מֵאֶרֶץ מֶרְחָק Jer. 6:20
2133 שַׁוְעַת בַּת־עַמִּי מֵאֶרֶץ מַרְחַקִּים Jer. 8:19
2134 וְנִכְרְתֶנּוּ מֵאֶרֶץ חַיִּים Jer. 11:19
2135 מֵאֶרֶץ צָפוֹנָה וּמִכֹּל הָאֲרָצוֹת Jer. 23:8
2136/7 וְאֶת־זַרְעֲךָ מֵאֶרֶץ שִׁבְיָם Jer. 30:10; 46:27
2138 וְשָׁבוּ מֵאֶרֶץ אוֹיֵב Jer. 31:16(15)
2139 קוֹל נָסִים וּפְלֵטִים מֵאֶרֶץ בָּבֶל Jer. 50:28
2140 וְשֶׁבֶר גָּדוֹל מֵאֶרֶץ כַּשְׂדִּים Jer. 51:54
2141 וּמֹלְדֹתַיִךְ מֵאֶרֶץ הַכְּנַעֲנִי Ezek. 16:3
2142 מֵאֶרֶץ מְגוּרֵיהֶם אוֹצִיא אוֹתָם Ezek. 20:38
2143 יֶחֶרְדוּ...וּכְיוֹנָה מֵאֶרֶץ אַשּׁוּר Hosh. 11:11
2144 הִנְנִי מוֹשִׁיעַ אֶת־עַמִּי מֵאֶ׳ מִזְרָח Zech. 8:7
2145 עַל־כֵּן אֶזְכָּרְךָ מֵאֶרֶץ יַרְדֵּן Ps. 42:7
2146 וְשֵׁרֶשְׁךָ מֵאֶרֶץ חַיִּים Ps. 52:7
2147 וּשְׁמוּעָה טוֹבָה מֵאֶרֶץ מֶרְחָק Prov. 25:25
2148 וַיִּמְלֹךְ... חוּשָׁם מֵאֶרֶץ הַתֵּימָנִי ICh. 1:45
2149 וְהַגֵּרִים הַבָּאִים מֵאֶרֶץ יִשְׂרָאֵל IICh. 30:25
וּמֵאֶרֶץ־ 2150 מִבֵּית אָבִי וּמֵאֶרֶץ מוֹלַדְתִּי Gen. 24:7
2151 וַיִּתֹּם הַכֶּסֶף מֵאֶרֶץ מִצְרַיִם וּמֵאֶרֶץ כְּנָעַן Gen. 47:15
2152 מֵאֶרֶץ פְּלִשְׁתִּים וּמֵאֶרֶץ יְהוּדָה ISh. 30:16
2153 וּמִסְּבִיבוֹת יְרוּשָׁלִַם וּמֵאֶ׳ בִּנְיָמִן Jer. 17:26
2154 מִכַּרְמֶל וּמֵאֶרֶץ מוֹאָב Jer. 48:33
2155 נֻדוּ... וּמֵאֶרֶץ כַּשְׂדִּים צֵאוּ Jer. 50:8
2156 וּמֵאֶרֶץ מְבוֹא הַשָּׁמֶשׁ Zech. 8:7
אַרְצָה 2157/8 לָלֶכֶת אַרְצָה כְּנַעַן Gen. 11:31; 12:5
2159 וַיָּבֹאוּ אַרְצָה כְּנָעַן Gen. 12:5
2160 וַיִּסַּע מִשָּׁם אַבְרָהָם אַרְצָה הַנֶּגֶב Gen. 20:1
2161 וַיִּשְׁתַּחוּ אַרְצָה לַיְיָ Gen. 24:52
2162 וְהִנֵּה סֻלָּם מֻצָּב אַרְצָה Gen. 28:12
2163 וַיֵּלֶךְ אַרְצָה בְנֵי־קֶדֶם Gen. 29:1
2164-2168 אַרְצָה כְּנָעַן Gen. 31:18; 42:29
45:17; 50:13 • Num. 35:10
2169 וַיִּשְׁלַח...אַרְצָה שֵׂעִיר Gen. 32:3

אַרְצָה (המשך)
2170 וַיִּשְׁתַּחוּ אַרְצָה שֶׁבַע פְּעָמִים Gen. 33:3
2171 וְהָיָה אִם־בָּא...וְשִׁחֵת אַרְצָה Gen. 38:9
2172 וַיָּבֹאוּ אַרְצָה גֹּשֶׁן Gen. 46:28
2173 וַיֹּאמֶר הַשְׁלִיכֵהוּ אַרְצָה Ex. 4:3
2174 וַיַּשְׁלִכֵהוּ אַרְצָה וַיְהִי לְנָחָשׁ Ex. 4:3
2175 וַיָּשָׁב אַרְצָה מִצְרָיִם Ex. 4:20
2176 וַיִּקֹּד אַרְצָה וַיִּשְׁתָּחוּ Ex. 34:8
2177 וַיִּפֹּל יְהוֹשֻׁעַ אֶל־פָּנָיו אַרְצָה Josh. 5:14
2178 אִם־יִפֹּל מִשַּׂעֲרַת רֹאשׁוֹ אַרְצָה ISh. 14:45
2179 וְעַתָּה אַל־יִפֹּל דָּמִי אַרְצָה ISh. 26:20
2180 לָמָּה אַכֶּכָּה אַרְצָה IISh. 2:22
2181 כִּי לֹא יִפֹּל מִדְּבַר יְיָ אַרְצָה IIK. 10:10
2182 הָרִאשׁוֹן הֵקַל אַרְצָה זְבֻלוּן Is. 8:23
2183 וְתַשְׁלֵךְ אֱמֶת אַרְצָה Dan. 8:12
2184 נָתַתִּי פָנַי אַרְצָה וְנֶאֱלָמְתִּי Dan. 10:15
2185-2207 אַרְצָה Josh. 7:6
Jud. 3:25 • ISh. 5:3,4; 20:41; 24:9(8); 28:14,20 • IISh. 1:2; 8:2; 14:4,14,22,33; 20:10 • IK. 18:42 • IIK. 13:18 • Job 1:20 • Dan. 8:7,10 • ICh. 22:8(7) • IICh. 7:3; 20:24
אָרְצָה 2208 וַיִּשְׁתַּחוּ אָרְצָה Gen. 18:2
2209 וַיִּשְׁתַּחוּ אַפַּיִם אָרְצָה Gen. 19:1
2210 וַיּוֹרִדוּ אִישׁ אֶת־אַמְתַּחְתּוֹ אָרְ׳ Gen. 44:11
2211 וַתִּהֲלַךְ אֵשׁ אָרְצָה Ex. 9:23
2212 וּמָטָר לֹא־נִתַּךְ אָרְצָה Ex. 9:33
2213/4 וַיַּשְׁחִיתוּ...אֶלֶף אִישׁ אָרְצָה Jud. 20:21,25
2215 וְלֹא־הִפִּיל מִכָּל־דְּבָרָיו אָרְצָה ISh. 3:19
2216 אִם־יִפֹּל מִשַּׂעֲרַת בִּנְךָ אָרְצָה IISh. 14:11
2217 מִי־פָקַד עָלָיו אָרְצָה Job 34:13
2218 אֲשֶׁר יְצַוֵּם עַל־פְּנֵי תֵבֵל אָרְצָה Job 37:12
2219-2242 אָרְצָה (ג) Gen. 37:10
43:26; 44:14; 48:12 • Jud. 13:20 • ISh. 14:32; 42:6; 17:49; 25:41 • IISh. 12:16; 13:31; 18:11,28; 24:20 • IK. 1:23,52 • IIK. 2:15; 4:37 • Ruth 2:10 • Dan. 8:18; 10:9 • Neh. 8:6 • ICh. 21:21 • IICh. 20:18
וְאַרְצָה 2243 ...אַרְצָה זְבֻלוּן וְאַרְצָה נַפְתָּלִי Is. 8:23
אַרְצִי 2244 הִנֵּה אַרְצִי לְפָנֶיךָ Gen. 20:15
2245 אֶל־אַרְצִי וְאֶל־מוֹלַדְתִּי תֵּלֵךְ Gen. 24:4
2246 אֶל־אַרְצִי וְאֶל־מוֹלַדְתִּי אֵלֵךְ Num. 10:30
2247 כִּי־לָקַח יִשְׂרָאֵל אֶת־אַרְצִי Jud. 11:13
2248 שַׁלְּחֵנִי וְאֵלֵךְ אֶל־אַרְצִי IK. 11:21
2249 וַתְּטַמְּאוּ אֶת־אַרְצִי Jer. 2:7
2250 עַל חַלְּלָם אֶת־אַרְצִי Jer. 16:18
2251 נָתְנוּ־אֶת־אַרְצִי לָהֶם לְמוֹרָשָׁה Ezek. 36:5
2252 וַהֲבִאוֹתִיךָ עַל־אַרְצִי Ezek. 38:16
2253 כִּי־גוֹי עָלָה עַל־אַרְצִי Joel 1:6
2254 וְאֶת־אַרְצִי חִלֵּקוּ Joel 4:2
בְּאַרְצִי 2255 כִּי־בָאתָ אֵלַי לְהִלָּחֵם בְּאַרְצִי Jud. 11:12
2256 ...אֲשֶׁר שָׁמַעְתִּי בְּאַרְצִי IK. 10:6
2257 לִשְׁבֹּר אַשּׁוּר בְּאַרְצִי Is. 14:25
2258 ...אֲשֶׁר שָׁמַעְתִּי בְּאַרְצִי IICh. 9:5
וּלְאַרְצִי 2259 וְאֵלְכָה אֶל־מְקוֹמִי וּלְאַרְצִי Gen. 30:25
אַרְצְךָ 2260 וְלֹא־יַחְמֹד אִישׁ אֶת־אַרְצְךָ Ex. 34:24
2261 שָׁלוֹשׁ עָרִים תַּבְדִּיל...בְּתוֹךְ אַ׳ Deut. 19:2
2262 וְשִׁלַּשְׁתָּ אֶת־גְּבוּל אַרְצְךָ Deut. 19:3
2263 וְלֹא יִשָּׁפֵךְ דָּם נָקִי בְּקֶרֶב אַ׳ Deut. 19:10
2264 לָתֵת מְטַר־אַרְצְךָ בְּעִתּוֹ Deut. 28:12
2265 יִתֵּן יְיָ אֶת־מְטַר אַרְצְךָ אָבָק Deut. 28:24
2266 וְהֵצַר לְךָ... בְּכָל־אַרְצְךָ Deut. 28:52
2267 וְנָתַתָּה מָטָר עַל־אַרְצְךָ IK. 8:36
2268 מֻטּוֹת כְּנָפָיו מְלֹא רֹחַב־אַרְצְךָ Is. 8:8
2269 כִּי־אַרְצְךָ שִׁחַתָּ Is. 14:20

2270 וְנָתַתִּי חֹשֶׁךְ עַל־אַרְצְךָ Ezek. 32:8
2271 וְנָתַתָּה מָטָר עַל־אַרְצְךָ IICh. 6:27
אַרְצֶךָ 2272 וְשֵׁשׁ שָׁנִים תִּזְרַע אֶת־אַרְצֶךָ Ex. 23:10
2273 אַתָּה בֹּטֵחַ בָּהֵן בְּכָל־אַרְצֶךָ Deut. 28:52
2274 וְהִנְּךָ מְבַקֵּשׁ לָלֶכֶת אֶל־אַרְצֶךָ IK. 11:22
2275 מָה אַרְצֶךָ וְאֵי־מִזֶּה עַם אָתָּה Jon. 1:8
2276 וְהִכְרַתִּי עָרֵי אַרְצֶךָ Mic. 5:10
2277 רָצִיתָ יְיָ אַרְצֶךָ Ps. 85:2
בְּאַרְצְךָ 2278 לֹא יֵשְׁבוּ בְּאַרְצְךָ Ex. 23:32
2279 בְּאַ׳ אֲשֶׁר־יְיָ אֱלֹהֶיךָ נֹתֵן לָךְ Deut. 15:7
2280 אֲשֶׁר בְּאַרְצְךָ בִּשְׁעָרֶיךָ Deut. 24:14
2281 נַעְבְּרָה־נָּא בְאַרְצְךָ Jud. 11:19
בְּאַרְצֶךָ 2282 לֹא תִהְיֶה מְשַׁכֵּלָה... בְּאַרְצֶךָ Ex. 23:26
2283 וְלִבְהֶמְתְּךָ וְלַחַיָּה אֲשֶׁר בְּאַרְצֶךָ Lev. 25:7
2284 נַעְבְּרָה־נָּא בְּאַרְצֶךָ Num. 20:17
2285/6 אֶעְבְּרָה בְאַר׳ Num. 21:22 • Deut. 2:27
2287 לַעֲנִיֶּךָ וּלְאֶבְיֹנְךָ בְּאַרְצֶךָ Deut. 15:11
2288 אֶעְבְּרָה־נָּא בְאַרְצֶךָ Jud. 11:17
2289 הֲתָבוֹא לְךָ שֶׁבַע־שָׁנִים רָעָב בְּאַ׳ IISh. 24:13
2290 שְׁלֹשֶׁת יָמִים דֶּבֶר בְּאַרְצֶךָ IISh. 24:13
לְאַרְצְךָ 2291 שׁוּב לְאַרְצְךָ וּלְמוֹלַדְתְּךָ Gen. 32:10
לְאַרְצֶךָ 2292 ...הַגְּדוּלָה וְנוֹרָאוֹת לְאַרְצֶךָ IISh. 7:23
מֵאַרְצְךָ 2293 לֶךְ־לְךָ מֵאַרְצְךָ וּמִמּוֹלַדְתְּךָ Gen. 12:1
2294 אֲשֶׁר תָּבִיא מֵאַרְצְךָ Deut. 26:2
אַרְצֵךְ 2295 עִבְרִי אַרְצֵךְ כַּיְאֹר Is. 23:10
2296 לָשׂוּם אַרְצֵךְ לְשַׁמָּה Jer. 4:7
2297 נִפְתְּחוּ שַׁעֲרֵי אַרְצֵךְ Nah. 3:13
וְאַרְצֵךְ 2298 כִּי־חָפֵץ יְיָ בָּךְ וְאַרְצֵךְ תִּבָּעֵל Is. 62:4
בְּאַרְצֵךְ 2299 לֹא־יִשָּׁמַע עוֹד חָמָס בְּאַרְצֵךְ Is. 60:18
וּלְאַרְצֵךְ 2300 וּלְאַרְצֵךְ לֹא־יֵאָמֵר עוֹד שְׁמָמָה Is. 62:4
2301 לָךְ יִקָּרֵא...וּלְאַרְצֵךְ בְּעוּלָה Is. 62:4
אַרְצוֹ 2302 וַיֵּלֶךְ לוֹ אֶל־אַרְצוֹ Ex. 18:27
2303 וַיִּירַשׁ אֶת־אַרְצוֹ Num. 21:24
2304 וַיִּקַּח אֶת־כָּל־אַרְצוֹ מִיָּדוֹ Num. 21:26
2305 וְאֶת־כָּל־עַמּוֹ וְאֶת־אַרְצוֹ Num. 21:34
2306 וַיִּירְשׁוּ אֶת־אַרְצוֹ Num. 21:35
2307 מְשַׂחֶקֶת בְּתֵבֵל אַרְצוֹ Prov. 8:31
2308 וְיָשֵׁב פָּנָיו לְמָעוּזֵּי אַרְצוֹ Dan. 11:19
2309-2333 אַרְצוֹ Deut. 2:24,31^{2}; 3:2; 4:47
11:3; 29:1; 33:13; 34:11 • Josh. 8:1 • IK. 22:36 • IIK. 18:33 • Is. 2:7^{2},8; 13:14; 18:2,7; 36:18; 37:7 • Jer. 2:15; 27:7; 50:18 • Dan. 11:28 • Neh. 9:10
בְּאַרְצוֹ 2334 אֲשֶׁר אָנֹכִי יֹשֵׁב בְּאַרְצוֹ Gen. 24:37
2335 כִּי־גֵר הָיִיתָ בְאַרְצוֹ Deut. 23:8
2336/7 וְהִפַּלְתִּיו בַּחֶרֶב בְּאַ׳ IIK. 19:7 • Is. 37:7
לְאַרְצוֹ 2338 וְשָׁמַע שְׁמוּעָה וְשָׁב לְאַרְצוֹ IIK. 19:7
2339 אִישׁ לְנַחֲלָתוֹ וְאִישׁ לְאַרְצוֹ Jer. 12:15
2340 שָׁב לְאַרְצוֹ מִצְרָיִם Jer. 37:7
2341 וְאִישׁ לְאַרְצוֹ יָנוּסוּ Jer. 50:16
2342 עִזְבוּהָ וְנֵלֵךְ אִישׁ לְאַרְצוֹ Jer. 51:9
2343 כְּטוֹב לְאַרְצוֹ הֵיטִיבוּ מַצֵּבוֹת Hosh. 10:1
2344 וַיְקַנֵּא יְיָ לְאַרְצוֹ Joel 2:18
2345 אִם־לְשֵׁבֶט אִם־לְאַרְצוֹ Job 37:13
2346 וְעָשָׂה וְשָׁב לְאַרְצוֹ Dan. 11:28
2347 וַיָּשָׁב בְּבֹשֶׁת פָּנִים לְאַרְצוֹ IICh. 32:21
מֵאַרְצוֹ 2348 וּבְיָד חֲזָקָה יְגָרְשֵׁם מֵאַרְצוֹ Ex. 6:1
2349 וִישַׁלַּח אֶת־בְּנֵי־יִשְׂרָאֵל מֵאַרְצוֹ Ex. 6:11
2350 וְשִׁלַּח אֶת־בְּנֵי־יִשְׂרָאֵל מֵאַרְצוֹ Ex. 7:2
2351 וְלֹא־שִׁלַּח אֶת־בְּנֵי־יִשְׂ׳ מֵאַרְצוֹ Ex. 11:10
2352 כִּי לֹא־אֶתֵּן לָךְ מֵאַרְצוֹ Deut. 2:9
2353 וְלֹא־הֹסִיף...לָצֵאת מֵאַרְצוֹ IIK. 24:7
2354 אָבְדוּ גוֹיִם מֵאַרְצוֹ Ps. 10:16

ומארצו 2355 עַם־יְיָ אֵלֶּה וּמֵאַרְצוֹ יָצָאוּ Ezek.36:20
ארצה 2356 גָּפְרִית... שְׂרֵפָה כָל־אַרְצָהּ Deut.29:22
2357 וְהָיְתָה אַרְצָהּ לְזֶפֶת Is.34:9
2358 הוּא־יָשִׁית אֶת־אַרְצָהּ לְשַׁמָּה Jer.50:3
2359 וִיבֹקְקוּ אֶת־אַרְצָהּ Jer.51:2
2360 וְכָל־אַרְצָהּ תֵּבוֹשׁ Jer.51:47
2361 וּבְכָל־אַרְצָהּ יֶאֱנֹק חָלָל Jer.51:52
2362 לְמַעַן תֵּשַׁם אַרְצָהּ מִמְּלֹאָהּ Ezek.12:19
לארצה 2363 וַתֵּפֶן וַתֵּלֶךְ לְאַרְצָהּ IK.10:13
2364 וַתַּהֲפֹךְ וַתֵּלֶךְ לְאַרְצָהּ IICh.9:12
ארצנו 2365 זְקֵינֵינוּ וְכָל־יֹשְׁבֵי אַרְצֵנוּ Josh.9:11
2366 ...וְאֵת מַחֲרִיב אַרְצֵנוּ Jud.16:24
וארצנו 2367 וְאַרְצֵנוּ תִּתֵּן יְבוּלָהּ Ps.85:13
בארצנו 2368 אַשּׁוּר כִּי־יָבוֹא בְאַרְצֵנוּ Mic.5:4
2369 וְהִצִּיל מֵאַשּׁוּר כִּי־יָבוֹא בְאַרְצֵנוּ Mic.5:5
2370 לִשְׁכֹּן כָּבוֹד בְּאַרְצֵנוּ Ps.85:10
2371 וְקוֹל הַתּוֹר נִשְׁמַע בְּאַרְצֵנוּ S.ofS.2:12
ארצכם 2372/3 אֶת־קְצִיר אַרְצְכֶם Lev.19:9; 23:22
2374 תַּעֲבִירוּ שׁוֹפָר בְּכָל־אַרְצְכֶם Lev.25:9
2375 וְאֶת־אַרְצְכֶם כַּנְּחֻשָׁה Lev.26:19
2376 וְלֹא־תִתֵּן אַרְצְכֶם אֶת־יְבוּלָהּ Lev.26:20
2377 וְהָיְתָה אַרְצְכֶם שְׁמָמָה Lev.26:33
2378 לְכוּ אֶל־אַרְצְכֶם Num.22:13
2379 וְנָתַתִּי מְטַר־אַרְצְכֶם בְּעִתּוֹ Deut.11:14
2380 וּמֵעַל אֱלֹהֵיכֶם וּמֵעַל אַרְצְכֶם ISh.6:5
2381 אַרְצְכֶם שְׁמָמָה עָרֵיכֶם שְׂרֻפוֹת Is.1:7
2382 וַתְּהִי אַרְצְכֶם לְחָרְבָּה וּלְשַׁמָּה Jer.44:22
בארצכם 2383 וְכִי־יָגוּר אִתְּךָ גֵּר בְּאַרְצְכֶם Lev.19:33
2384 אֲשֶׁר הוֹלִידוּ בְּאַרְצְכֶם Lev.25:45
2385 וְאֶבֶן מַשְׂכִּית לֹא תִתְּנוּ בְּאַרְ׳ Lev.26:1
2386 וִישַׁבְתֶּם לָבֶטַח בְּאַרְצְכֶם Lev.26:5
2387 וְחֶרֶב לֹא־תַעֲבֹר בְּאַרְצְכֶם Lev.26:6
2388 וְכִי־תָבֹאוּ מִלְחָמָה בְּאַרְצְכֶם Num.10:9
2389 וַתַּעַבְדוּ אֱלֹהֵי נֵכָר בְּאַרְצְכֶם Jer.5:19
ובארצכם 2390 וּבְאַרְצְכֶם לֹא תַעֲשׂוּ Lev.22:24
כארצכם 2391/2 אֶל־אֶרֶץ כְּאַרְצְכֶם IIK.18:32 • Is.36:17
ארצם 2393 לָתֶת־לְךָ אֶת־אַרְצָם נַחֲלָה Deut.4:38
2394 אַתָּה בָא לָרֶשֶׁת אֶת־אַרְצָם Deut.9:5
2395 יְיָ אֱלֹהֶיךָ נֹתֵן לְךָ אֶת־אַרְצָם Deut.19:1
2396 וַנִּקַּח אֶת־אַרְצָם Deut.29:7
2397 וָאֶתְּנָה לָכֶם אֶת־אַרְצָם Jud.6:9
2398 וְהִתְפַּלְלוּ אֵלֶיךָ דֶּרֶךְ אַרְצָם IK.8:48
2399 וְרִוְּתָה אַרְצָם מִדָּם Is.34:7
2400 שָׁרַץ אַרְצָם צְפַרְדְּעִים Ps.105:30
2401-2416 אַרְצָם Josh.10:42; 12:1
23:5; 24:8 • IIK.18:35; 19:17 • Is.36:20; 37:18 •
Jer.18:16; 25:38; 51:5 • Ps.135:12; 136:21 • IICh.
6:38; 7:14; 32:13
בארצם 2417 בִּכּוּרֵי כָּל־אֲשֶׁר בְּאַרְצָם Num.18:13
2418 בְּאַרְצָם לֹא תִנְחָל Num.18:20
2419 וְיָרַשְׁתָּ אֹתָם וְיָשַׁבְתָּ בְּאַרְצָם Deut.12:29
2420 ...אֲשֶׁר אַתֶּם יֹשְׁבִים בְּאַרְצָם Josh.24:15
2421 ...אֲשֶׁר אַתֶּם יוֹשְׁבִים בְּאַרְצָם Jud.6:10
2422 לָכֵן בְּאַרְצָם מִשְׁנֶה יִירָשׁוּ Is.61:7
2423 אֲשֶׁר־שָׁפְכוּ דָם־נָקִיא בְּאַרְצָם Joel4:19
2424 נָתַן... אֵשׁ לֶהָבוֹת בְּאַרְצָם Ps.105:32
2425 וַיֹּאכַל כָּל־עֵשֶׂב בְּאַרְצָם Ps.105:35
2426 וַיַּךְ כָּל־בְּכוֹר בְּאַרְצָם Ps.105:36
ולארצם 2427 עָשָׂה לְסִיחוֹן... וּלְאַרְצָם Deut.31:4
מארצם 2428 כִּי לֹא־אֶתֵּן לָכֶם מֵאַרְצָם Deut.2:5
ארצות 2429 וַיִּנָּבְאוּ אֶל־אֲרָצוֹת רַבּוֹת Jer.28:8
2430 יְרוּשָׁלַםִ... וּסְבִיבוֹתֶיהָ אֲרָצוֹת Ezek.5:5

ארצות (המשך) 2431 שְׁמָמָה בְּתוֹךְ אֲרָצוֹת נְשַׁמּוֹת Ezek.29:12
2432 וְנָשַׁמּוּ בְּתוֹךְ אֲרָצוֹת נְשַׁמּוֹת Ezek.30:7
2433 עַל־אֲרָצוֹת אֲשֶׁר לֹא־יְדַעְתָּם Ezek.32:9
הארצות 2434/5 כָּל־הָאֲרָצֹת הָאֵל Gen.26:3,4
2436 וַיְהִי רָעָב בְּכָל־הָאֲרָצוֹת Gen.41:54
2437/8 מִי בְּכָל־אֱלֹהֵי הָאֲרָצוֹת IIK.18:35
Is.36:20
2439 וַאֲנִי אֲקַבֵּץ... מִכֹּל הָאֲרָצוֹת Jer.23:3
2440 וְאָסַפְתִּי אֶתְכֶם מִן־הָאֲרָצוֹת Ezek.11:17
2441/2 צְבִי הִיא לְכָל־הָאֲרָצוֹת Ezek.20:6,15
2443 נִהְיֶה כַגּוֹיִם כְּמִשְׁפְּחוֹת הָאֲרָ׳ Ezek.20:32
2444 ...וְקַלָּסָה לְכָל־הָאֲרָצוֹת Ezek.22:4
2445 בְּאֵימָה עֲלֵיהֶם מֵעַמֵּי הָאֲרָצוֹת Ez.3:3
2446 לֹא־נִבְדְּלוּ... מֵעַמֵּי הָאֲרָצוֹת Ez.9:1
2447-2451 (בְּ־/כְּ־/מֵ־) עַמֵּי הָאֲרָצוֹת
Ez.9:2,11 • Neh.10:29 • IICh.13:9; 32:13
2452 נִתַּנּוּ... בְּיַד מַלְכֵי הָאֲרָצוֹת Ez.9:7
2453 וַתִּתְּנֵם בְּיַד עַמֵּי הָאֲרָצֹת Neh.9:30
2454 וַיֵּצֵא שֵׁם־דָּוִיד בְּכָל־הָאֲרָצוֹת ICh.14:17
2455 לְשֵׁם וּלְתִפְאֶרֶת לְכָל־הָאֲ׳ ICh.22:5(4)
2456 וְעַל כָּל־מַמְלְכוֹת הָאֲרָצוֹת ICh.29:30
2457-2459 מַמְלְכוֹת הָאֲרָ׳ IICh.12:8; 17:10; 20:29
2460 מְהוּמֹת... עַל כָּל־יֹשְׁבֵי הָאֲרָצוֹת IICh.15:5
2461 הֲיָכוֹל יָכְלוּ אֱלֹהֵי גּוֹיֵ הָאֲרָצוֹת IICh.32:13
2462 כֵּאלֹהֵי גּוֹיֵי הָאֲרָצוֹת... IICh.32:17
2463-2480 הָאֲרָצוֹת IIK.19:11
Is.37:11,18 • Jer.16:15; 23:8; 27:6; 32:37; 40:11 •
Ezek.5:6; 20:34,41; 25:7; 34:13; 35:10; 36:24 •
Dan.9:7 • IICh.9:28; 34:33
בארצות 2481 וּבָא בָאֲרָצוֹת וְשָׁטַף וְעָבָר Dan.11:40
2482 וְיִשְׁלַח יָדוֹ בָּאֲרָצוֹת Dan.11:42
2483 בְּהִזָּרוֹתֵיכֶם בָּאֲרָצוֹת Ezek.6:8
2484 וְכִי הֲפִיצוֹתִים בָּאֲרָצוֹת... Ezek.11:16
2485 בָּאֲרָצוֹת אֲשֶׁר־בָּאוּ שָׁם Ezek.11:16
2486/7 וְזֵרִיתִי אוֹתָם בָּאֲרָצוֹת Ezek.12:15; 30:26
2488 וּלְזָרוֹת אוֹתָם בָּאֲרָצוֹת Ezek.20:23
2489 וְזֵרִיתִיךְ בָּאֲרָצוֹת Ezek.22:15
2490 וַהֲפִצֹתִי... וְזֵרִיתִים בָּאֲרָצוֹת Ezek.29:12
2491 וַהֲפִצוֹתִי.. וְזֵרִיתִם בָּאֲרָצוֹת Ezek.30:23
2492 וָאָפִיץ אֹתָם.. וַיִּזָּרוּ בָּאֲרָצוֹת Ezek.36:19
2493 וּלְזָרוֹתָם בָּאֲרָצוֹת Ps.106:27
ומארצות 2494 וּמֵאֲרָצוֹת... מִמִּזְרָח וּמִמַּעֲרָב Ps.107:3
ארצות־ 2495 וַיִּתֵּן לָהֶם אַרְצוֹת גּוֹיִם Ps.105:44
2496 הַנִּשְׁאָרִים בְּכֹל אַרְצוֹת יִשְׂרָאֵל ICh.13:2
2497 לְכָל־אַרְצוֹת יְהוּדָה וּבִנְיָמִן IICh.11:23
בארצות־ 2498 ...מֹרֶךְ בִּלְבָבָם בְּאַרְצֹת אֹיְבֵיהֶם Lev.26:36
2499 יִמַּקּוּ בַּעֲוֹנָם בְּאַרְצֹת אֹיְבֵיהֶם Lev.26:39
2500 אֶתְהַלֵּךְ... בְּאַרְצוֹת הַחַיִּים Ps.116:9
מארצות־ 2501 וְקִבַּצְתִּי... מֵאַרְצוֹת אֹיְבֵיהֶם Ezek.39:27
בארצותם 2502 נִפְרְדוּ אִיֵּי הַגּוֹיִם בְּאַרְצֹתָם Gen.10:5
2503 בְנֵי־חָם... בְּאַרְצֹתָם בְּגוֹיֵהֶם Gen.10:20
2504 בְנֵי־שֵׁם... בְּאַרְצֹתָם לְגוֹיֵהֶם Gen.10:31

אַרְצָא
שפ״ז – פקיד למלך אלה בן בעשא
ארצא 1 בֵּית אַרְצָא אֲשֶׁר עַל־הַבָּיִת IK.16:9

אַרְקָא
נ׳ ארמית: הָאָרֶץ
וארקא 1 אֱלָהַיָּא דִּי־שְׁמַיָּא וְאַרְקָא לָא עֲבַדוּ Jer.10:11

ארר
: אָרַר, אָרוּר, נֵאָר, אֵרַר, הוּאַר; מְאֵרָה

אָרַר
פ׳ א) קַל : 1–54
ב) [נפ׳ נֵאַר] קַל, היה ארור : 55
ג) [פ׳ אֵרַר] קַל : 56–62
ד) [הָפ׳ הוּאַר] קַל : 63
ארור 1 אֹרוּ אָרוֹר יֹשְׁבֶיהָ Jud.5:23
וארותי 2 וְאָרוֹתִי אֶת־בִּרְכוֹתֵיכֶם Mal.2:2
ארותיה 3 אָרוֹתִיהָ כִּי אֵינְכֶם שָׂמִים עַל־לֵב Mal.2:2
ארור 4 אָרוּר אַתָּה מִכָּל־הַבְּהֵמָה Gen.3:14
5 אָרוּר אַתָּה מִן־הָאֲדָמָה Gen.4:11
6 וַיֹּאמֶר אָרוּר כְּנָעַן... Gen.9:25
7 אֹרְרֶיךָ אָרוּר וּמְבָרְכֶיךָ בָּרוּךְ Gen.27:29
8 אָרוּר אַפָּם כִּי עָז Gen.49:7
9 מְבָרְכֶיךָ בָרוּךְ וְאֹרְרֶיךָ אָרוּר Num.24:9
10 אָרוּר הָאִישׁ אֲשֶׁר יַעֲשֶׂה פֶסֶל Deut.27:15
11 אָרוּר מַקְלֶה אָבִיו וְאִמּוֹ Deut.27:16
12 אָרוּר מַסִּיג גְּבוּל רֵעֵהוּ Deut.27:17
13 אָרוּר מַשְׁגֶּה עִוֵּר בַּדָּרֶךְ Deut.27:18
14 אָרוּר מַטֶּה מִשְׁפַּט גֵּר־יָתוֹם Deut.27:19
15 אָרוּר הַגֶּבֶר אֲשֶׁר יִבְטַח בָּאָדָם Jer.17:5
16 אָרוּר הַיּוֹם אֲשֶׁר יֻלַּדְתִּי בּוֹ Jer.20:14
17 אָרוּר הָאִישׁ אֲשֶׁר בִּשַּׂר אֶת־אָבִי Jer.20:15
18 אָרוּר עֹשֶׂה מְלֶאכֶת יְיָ רְמִיָּה Jer.48:10
19-34 אָרוּר Deut.27:20,21,22
27:23,24,25,26; 28:16,17,18,19 • Josh.6:26 • Jud.
21:18 • ISh.14:24,28 • Jer.11:3
וארור 35 וְאָרוּר אַתָּה בַּשָּׂדֶה Deut.28:16
36 וְאָרוּר אַתָּה בְּצֵאתֶךָ Deut.28:19
37 וְאָרוּר מֹנֵעַ חַרְבּוֹ מִדָּם Jer.48:10
38 וְאָרוּר נוֹכֵל וְיֵשׁ בְּעֶדְרוֹ זָכָר Mal.1:14
ארורה 39 אֲרוּרָה הָאֲדָמָה בַּעֲבוּרֶךָ Gen.3:17
הארורה 40 פִּקְדוּ־נָא אֶת־הָאֲרוּרָה הַזֹּאת IIK.9:34
אררי־ 41 יִקְּבֻהוּ אֹרְרֵי־יוֹם Job3:8
אורריך 42 אֹרְרֶיךָ אָרוּר וּמְבָרְכֶיךָ בָּרוּךְ Gen.27:29
ואורריך 43 מְבָרְכֶיךָ בָרוּךְ וְאֹרְרֶיךָ אָרוּר Num.24:9
ארורים 44 וְעַתָּה אֲרוּרִים אַתֶּם Josh.9:23
45 אֲרוּרִים הֵם לִפְנֵי יְיָ ISh.26:19
46 גָּעַרְתָּ זֵדִים אֲרוּרִים Ps.119:21
אאר 47 וַאֲבָרְכָה מְבָרְכֶיךָ וּמְקַלֶּלְךָ אָאֹר Gen.12:3
תאר 48 וְנָשִׂיא בְעַמְּךָ לֹא תָאֹר Ex.22:27
49 וַאֲשֶׁר תָּאֹר יוּאָר Num.22:6
50 לֹא תָאֹר אֶת־הָעָם... Num.22:12
ארה 51 וְעַתָּה לְכָה־נָּא אָרָה־לִּי Num.22:6
52 לְכָה אָרָה־לִּי יַעֲקֹב Num.23:7
ארו 53/4 אוֹרוּ מֵרוֹז... אֹרוּ אָרוֹר יֹשְׁבֶיהָ Jud.5:23
נארים 55 בַּמְּאֵרָה אַתֶּם נֵאָרִים Mal.3:9
אררה 56 מִן־הָאֲדָמָה אֲשֶׁר אֵרְרָהּ יְיָ Gen.5:29
המאררים 57 מֵי הַמָּרִים הַמְאָרְרִים Num.5:18
58 הִנָּקִי מִמֵּי הַמָּרִים הַמְאָרְרִים Num.5:19
59 וּבָאוּ הַמַּיִם הַמְאָרְרִים הָאֵלֶּה Num.5:22
60 מֵי הַמָּרִים הַמְאָרְרִים Num.5:24
61/2 וּבָאוּ בָהּ הַמַּיִם הַמְאָרְרִים Num.5:24,27
יואר 63 וַאֲשֶׁר תָּאֹר יוּאָר Num.22:6

אֲרָרַט
ארץ ארמניה(?)
אררט 1 מַמְלְכוֹת אֲרָרַט מִנִּי וְאַשְׁכְּנָז Jer.51:27
אררט 2 וַתָּנַח הַתֵּבָה... עַל הָרֵי אֲרָרָט Gen.8:4
3/4 נִמְלְטוּ אֶרֶץ אֲרָרָט IIK.19:37 • Is.37:38

אָרַשׂ
: אֵרַשׂ, אֲרֶשֶׁת

אָרַשׂ
פ׳ א) קנה אשה במהר: 1–6
ב) [אֹרְשָׂה] נקנתה במהר: 7–11
ארשתי 1 אֶת־אִשְׁתִּי... אֲשֶׁר אֵרַשְׂתִּי לִי IISh.3:14
וארשתיך 2 וְאֵרַשְׂתִּיךְ לִי לְעוֹלָם Hosh.2:21
3 וְאֵרַשְׂתִּיךְ לִי בְּצֶדֶק וּבְמִשְׁפָּט Hosh.2:21
4 וְאֵרַשְׂתִּיךְ לִי בֶּאֱמוּנָה Hosh.2:22

אֵרַשׂ 5 אֲשֶׁר־אֵרַשׂ אִשָּׁה וְלֹא לְקָחָהּ Deut.20:7
תְּאָרֵשׂ 6 אִשָּׁה תְאָרֵשׂ וְאִישׁ אַחֵר יִשְׁכָּבֶנָּה Deut.28:30
אֹרָשָׂה 7/8 בְּתוּלָה אֲשֶׁר לֹא־אֹרָשָׂה Ex.22:15; Deut.22:28
מְאֹרָשָׂה 9 נַעֲרָ בְתוּלָה מְאֹרָשָׂה לְאִישׁ Deut.22:23
הַמְאֹרָשָׂה 10/11 הַנַּעֲרָ הַמְאֹרָשָׂה Deut.22:25,27

אֲרֶשֶׁת נ׳ בטוי, דרישה(?)

וַאֲרֶשֶׁת־ 1 וַאֲרֶשֶׁת שְׂפָתָיו בַּל־מָנַעְתָּ Ps.21:3

אַרְתַּחְשַׁסְתְּא שפ״ז – שם של שלושה מלכי פרס

אַרְתַּחְ׳ 1 בְּמַלְכוּת אַרְתַּחְשַׁסְתְּא מֶלֶךְ־פָּרָס Ez.7:1
2 אֲשֶׁר נָתַן הַמֶּלֶךְ אַרְתַּחְשַׁסְתְּא Ez.7:11
3 אַרְתַּחְשַׁסְתְּא מֶלֶךְ מַלְכַיָּא Ez.7:12
4/5 אַרְתַּחְשַׁסְתְּא Ez.7:21; 8:1
לְאַרְתַּחְ׳ 6 בִּשְׁנַת־שֶׁבַע לְאַרְתַּחְשַׁסְתְּא Ez.7:7
7 שְׁנַת עֶשְׂרִים לְאַרְתַּחְשַׁסְתְּא הַמֶּלֶךְ Neh.2:1
8/9 לְאַרְתַּחְשַׁסְתְּא Neh.5:14; 13:6

אַרְתַּחְשַׁשְׂתָּא שפ״ז – הוא אַרְתַּחְשַׁסְתְּא

וּבִימֵי אַרְתַּחְשַׁשְׂתָּא כָּתַב בִּשְׁלָם Ez.4:7

אַרְתַּחְשַׁשְׂתְּא שפ״ז ארמית – הוא אַרְתַּחְשַׁסְתְּא

אַרְתַּחְ׳ 1 עַל־אַרְתַּחְשַׁשְׂתְּא מַלְכָּא Ez.4:11
2 דִּי אַרְתַּחְשַׁשְׂתְּא מַלְכָּא Ez.4:23
וְאַרְתַּחְ׳ 3 כּוֹרֶשׁ... וְאַרְתַּחְשַׁשְׂתְּא מֶלֶךְ פָּרָס Ez.6:14
לְאַרְתַּחְ׳ 4 כְּתַבוּ... לְאַרְתַּחְשַׁשְׂתְּא מַלְכָּא Ez.4:8

אֵשׁ נו״ז א) להבה, כוח המתגלה בשרפה: רוב המקראות ב) משל לחרון גדול, להט העברה או הקנאה, כגון: 28, 64, 67, 68, 124, 129, 130, 337, 338, 339, 363, 365, 367, 370, 371 ועוד

קרובים: אוּר / אוֹר / בָּרָק / זֹהַר / יְקוֹד / לַבָּה / לַהַב / לֶהָבָה / לַפִּיד / מְדוּרָה / מוֹקֵד / מַשְׂאֵת / נוּר / שַׁלְהֶבֶת / תַּנּוּר

– אֵשׁ אוֹכְלָה (אֹכְלָה) 26, 27, 50, 55, 102; אֵשׁ אֹכֶלֶת 332, 333; אֵשׁ בּוֹעֶרֶת 334; אֵשׁ גְּדוֹלָה 189,190,376; אֵשׁ זָרָה 14,17,18; אֵשׁ יוֹקֶדֶת 64; אֵשׁ לֹא־נֻפָּח 137; אֵשׁ לוֹהֵט 132; אֵשׁ מְצָרֶפֶת 335; אֵשׁ מִתְלַקַּחַת 147, 154; אֵשׁ וְגָפְרִית 95, 118, 161; דָּם וָאֵשׁ 162; בָּאֵשׁ וּבַמַּיִם 320

– אֵשׁ אֱלֹהִים 360; אֵשׁ דָּת 356; אֵשׁ חֶלְאָה 366; אֵשׁ יְיָ 354, 355, 357; אֵשׁ לֶהָבָה 358, 372, 374; אֵשׁ לֶהָבוֹת 359; אֵשׁ הַמִּזְבֵּחַ 361; אֵשׁ עֶבְרָתוֹ 363–365, 368; אֵשׁ פֶּחָם 362; אֵשׁ פְּלָדוֹת 369; אֵשׁ צָרֶבֶת 373; אֵשׁ קוֹצִים 375; אֵשׁ קִנְאָתוֹ 367, 370, 371; אֵשׁ תָּמִיד 353

– אַבְנֵי־אֵשׁ 89,90; אוּר אֵשׁ 127; אוֹר אֵשׁ 378; בַּדֵּי אֵשׁ 113; גַּחֲלֵי אֵשׁ 16,34,76,82,119,120; חוֹמַת אֵשׁ 114; יְקוֹד אֵשׁ 48; כִּידוֹדֵי אֵשׁ 141; כִּיּוֹר אֵשׁ 116; לַבַּת אֵשׁ 2; לַהַב אֵשׁ 50,52; לַהֲבוֹת אֵשׁ 123; לַהֲבֵי אֵשׁ 65; לַפִּיד אֵשׁ 1, 117; לַפִּידֵי אֵשׁ 145; לְשׁוֹן אֵשׁ 45; מַאֲכֹלֶת אֵשׁ 46, 47; מִכְוַת אֵשׁ 15; מַרְאֵה אֵשׁ 19, 20, 77, 78,80; נֹגַהּ אֵשׁ 358; סוּסֵי אֵשׁ 42; עַמּוּד אֵשׁ 6, 7,21,146,165,204; צְלִי אֵשׁ 4,5; קוֹדְחֵי אֵשׁ 60; רֶכֶב אֵשׁ 41,43; רִשְׁפֵּי אֵשׁ 142; שְׁבִיב אֵשׁ 377; שְׂרוּפוֹת אֵשׁ 44; שְׂרֵפַת אֵשׁ 63; תַּנּוּר אֵשׁ 121

– אֵשׁ אָכְלָה 29-31,36-40,45,49,54,69-74,84/5,99-122, 125,128,137,138,140,150,155/6,160,171,177,189, 191,201,207,209-,348-350,357,370,371; אֵשׁ בָּעֲרָה 34,124,133,354,355; אֵשׁ בָּעֲתָה 62; אֵשׁ הוּקְדָה 206,361; אֵשׁ הָלְכָה 3,131; אֵשׁ יָצְאָה 8,11,12, 25,29,30,31,72,79,86,149; אֵשׁ יָרְדָה 36-40,205,208; אֵשׁ כָּבְתָה 136,379; אֵשׁ לִהֲטָה 131; אֵשׁ נָפְלָה 357, 360; אֵשׁ נִשְּׂקָה 157; אֵשׁ עָלְתָה 191; אֵשׁ קָדְחָה 28,61,67; אֵשׁ שָׁקָעָה 174; אֵשׁ שָׂרְפָה 59

– בִּעֵר אֵשׁ 9,97,98; הִבְעִיר אֵשׁ 32; הִדְלִיק אֵשׁ 202; הוֹצִיא אֵשׁ 91; הִמְטִיר אֵשׁ 118,161; הִצִּית אֵשׁ 66,69-71,73,74,87,107,144; הִקְרִיב אֵשׁ 14; הֵרִיחַ אֵשׁ 33; זָרָה אֵשׁ 175; חָתָה אֵשׁ 51,135; לָקַח אֵשׁ 83; נָפַח אֵשׁ 88; נָתַן אֵשׁ 10,13,22,23, 24, 92-94, 359; קָדַח אֵשׁ 60,68; שָׁלַח אֵשׁ 143; שִׁלַּח אֵשׁ 96, 99, 103-106, 108, 109; שָׂם אֵשׁ 151-153

– אָכַל בָּאֵשׁ 326, 327; בָּא בָאֵשׁ 281,283,311,320; בָּעַר בָּאֵ׳ 210, 285-7, 297; בִּשֵּׁל בָּאֵ׳ 330; הֵבִיא בָּאֵ׳ 319; הִבְעִיר בָּאֵ׳ 329; הָלַךְ בָּאֵ׳ 56; הֶעֱבִיר בָּאֵ׳ 282, 288, 302-307; הֵפִיחַ בָּאֵ׳ 363; הִפִּיל בָּאֵשׁ 323; הִצִּית בָּאֵשׁ 289-295; יָרַד בָּאֵשׁ 212; כִּלָּה בָאֵשׁ 365; נֶאֱכַל בָּאֵשׁ 316,318; נָפַח בָּאֵשׁ 362, 364; נִצַּת בָּאֵשׁ 309, 314, 315, 324, 325; נִשְׁפַּט בָּאֵשׁ 312; נִשְׂרַף בָּאֵשׁ 272–280, 331; נָתַן בָּאֵשׁ 308,310; עָנָה בָאֵשׁ 299,328; קָלָה בָּאֵשׁ 271, 313; קָרָא בָאֵשׁ 317; שִׁלַּח בָּאֵשׁ 296, 298, 301, 321; שָׂרַף בָּאֵשׁ 57, 58, 211, 213-269,322; בָּעַר כָּאֵשׁ 337,374; דָּעַךְ כָּאֵשׁ 375; יָצָא כָאֵשׁ 338, 339; נִתַּךְ כָּאֵשׁ 342; צָלַח כָּאֵשׁ 341; שָׁפַךְ כָּאֵשׁ 343; נָתַן לָאֵשׁ 349; נִתַּן לָאֵשׁ 348; מֻצָּל מֵאֵשׁ 351; תַּם מֵאֵשׁ 352

אֵשׁ 1 וְהִנֵּה תַנּוּר עָשָׁן וְלַפִּיד אֵשׁ Gen.15:17
2 וַיֵּרָא... בְּלַבַּת־אֵשׁ מִתּוֹךְ הַסְּנֶה Ex.3:2
3 וַתִּהֲלַךְ אֵשׁ אָרְצָה Ex.9:23
4 וְאָכְלוּ אֶת־הַבָּשָׂר... צְלִי־אֵשׁ Ex.12:8
5 אַל־תֹּאכְלוּ... כִּי אִם־צְלִי־אֵשׁ Ex.12:9
6 וְלַיְלָה בְּעַמּוּד אֵשׁ לְהָאִיר לָהֶם Ex.13:21
7 וַיַּשְׁקֵף יְיָ... בְּעַמּוּד אֵשׁ וְעָנָן Ex.14:24
8 כִּי־תֵצֵא אֵשׁ וּמָצְאָה קֹצִים Ex.22:5
9 לֹא־תְבַעֲרוּ אֵשׁ... בְּיוֹם הַשַּׁבָּת Ex.35:3
10 וְנָתְנוּ... אֵשׁ עַל־הַמִּזְבֵּחַ Lev.1:7
11/2 וַתֵּצֵא אֵשׁ מִלִּפְנֵי יְיָ Lev.9:24; 10:2
13 וַיִּקְחוּ... אִישׁ מַחְתָּתוֹ וַיִּתְּנוּ בָהֵן אֵשׁ Lev.10:1
14 וַיַּקְרִיבוּ לִפְנֵי יְיָ אֵשׁ זָרָה Lev.10:1
15 כִּי־יִהְיֶה בְעֹרוֹ מִכְוַת־אֵשׁ Lev.13:24
16 מְלֹא־הַמַּחְתָּה גַּחֲלֵי־אֵשׁ Lev.16:12
17/8 אֵשׁ־זָרָה לִפְנֵי יְיָ Num.3:4; 26:61
19 וּבָעֶרֶב יִהְיֶה... כְּמַרְאֵה־אֵשׁ Num.9:15
20 וּמַרְאֵה־אֵשׁ לָיְלָה Num.9:16
21 וּבְעַמּוּד אֵשׁ לָיְלָה Num.14:14
22 וּתְנוּ בָהֵן אֵשׁ Num.16:7
23 וַיִּתְּנוּ עֲלֵיהֶם אֵשׁ Num.16:18
24 וְתֶן־עָלֶיהָ אֵשׁ מֵעַל הַמִּזְבֵּחַ Num.17:11
25 כִּי־אֵשׁ יָצְאָה מֵחֶשְׁבּוֹן Num.21:28
26 כִּי יְיָ אֱלֹהֶיךָ אֵשׁ אֹכְלָה הוּא Deut.4:24
27 כִּי יְיָ אֱלֹהֶיךָ... אֵשׁ אֹכְלָה Deut.9:3
28 כִּי־אֵשׁ קָדְחָה בְאַפִּי Deut.32:22
29 תֵּצֵא אֵשׁ מִן־הָאָטָד וְתֹאכַל Jud.9:15
30 תֵּצֵא אֵשׁ מֵאֲבִימֶלֶךְ וְתֹאכַל Jud.9:20
31 וְתֵצֵא אֵשׁ מִבַּעֲלֵי שְׁכֶם... Jud.9:20
32 וַיַּבְעֶר־אֵשׁ בַּלַּפִּידִים Jud.15:5
33 פְּתִיל־הַנְּעֹרֶת בַּהֲרִיחוֹ אֵשׁ Jud.16:9
34 מִנֹּגַהּ נֶגְדּוֹ בָּעֲרוּ גַּחֲלֵי־אֵשׁ IISh.22:13
35 וְאַחַר הָרַעַשׁ אֵשׁ IK.19:12
36/7 תֵּרֵד אֵשׁ מִן־הַשָּׁמַיִם וְתֹאכַל IIK.1:10,12

אֵשׁ (המשך)
38 וַתֵּרֶד אֵשׁ מִן־הַשָּׁמַיִם וַתֹּאכַל IIK.1:10
39 וַתֵּרֶד אֵשׁ אֱלֹהִים מִן־הַשָּׁמַיִם IIK.1:12
40 הִנֵּה יָרְדָה אֵשׁ מִן־הַשָּׁמַיִם IIK.1:14
41/2 וְהִנֵּה רֶכֶב־אֵשׁ וְסוּסֵי אֵשׁ IIK.2:11
43 וְהִנֵּה הָהָר מָלֵא סוּסִים וְרֶכֶב אֵשׁ IIK.6:17
44 עָרֵיכֶם שְׂרֻפוֹת אֵשׁ Is.1:7
45 לָכֵן כֶּאֱכֹל קַשׁ לְשׁוֹן אֵשׁ Is.5:24
46 וְהָיְתָה לִשְׂרֵפָה מַאֲכֹלֶת אֵשׁ Is.9:4
47 וַיְהִי הָעָם כְּמַאֲכֹלֶת אֵשׁ Is.9:18
48 ...יֵקַד יְקֹד כִּיקוֹד אֵשׁ Is.10:16
49 אַף־אֵשׁ צָרֶיךָ תֹאכְלֵם Is.26:11
50 סוּפָה וּסְעָרָה וְלַהַב אֵשׁ אוֹכֵלָה Is.29:6
51 לַחְתּוֹת אֵשׁ מִיָּקוּד Is.30:14
52 בְּזַעַף אַף וְלַהַב אֵשׁ אוֹכֵלָה Is.30:30
53 מְדֻרָתָהּ אֵשׁ וְעֵצִים הַרְבֵּה Is.30:33
54 רוּחֲכֶם אֵשׁ תֹּאכַלְכֶם Is.33:11
55 מִי יָגוּר לָנוּ אֵשׁ אוֹכֵלָה Is.33:14
56 כִּי־תֵלֵךְ בְּמוֹ־אֵשׁ לֹא תִכָּוֶה Is.43:2
57 חֶצְיוֹ שָׂרַף בְּמוֹ־אֵשׁ Is.44:16
58 חֶצְיוֹ שָׂרַפְתִּי בְמוֹ־אֵשׁ Is.44:19
59 הִנֵּה הָיוּ כְקַשׁ אֵשׁ שְׂרָפָתַם Is.47:14
60 קֹדְחֵי אֵשׁ מְאַזְּרֵי זִיקוֹת Is.50:11
61 כִּקְדֹחַ אֵשׁ הֲמָסִים Is.64:1
62 מַיִם תִּבְעֶה־אֵשׁ Is.64:1
63 בֵּית קָדְשֵׁנוּ... הָיָה לִשְׂרֵפַת אֵשׁ Is.64:10
64 אֵלֶּה עָשָׁן בְּאַפִּי אֵשׁ יֹקֶדֶת Is.65:5
65 וְגַעֲרָתוֹ בְּלַהֲבֵי־אֵשׁ Is.66:15
66 הִצִּית אֵשׁ עָלֶיהָ Jer.11:16
67 כִּי־אֵשׁ קָדְחָה בְאַפִּי Jer.15:14
68 כִּי־אֵשׁ קְדַחְתֶּם בְּאַפִּי Jer.17:4
69 וְהִצַּתִּי אֵשׁ בִּשְׁעָרֶיהָ וְאָכְלָה Jer.17:27
70 וְהִצַּתִּי אֵשׁ בְּיַעְרָהּ וְאָכְלָה... Jer.21:14
71 וְהִצַּתִּי אֵשׁ בְּבָתֵּי אֱלֹהֵי מִצְרַיִם Jer.43:12
72 כִּי־אֵשׁ יָצָא מֵחֶשְׁבּוֹן Jer.48:45
73 וְהִצַּתִּי אֵשׁ בְּחוֹמַת דַּמֶּשֶׂק Jer.49:27
74 וְהִצַּתִּי אֵשׁ בְּעָרָיו וְאָכְלָה... Jer.50:32
75 וּלְאֻמִּים בְּדֵי־אֵשׁ וְיָעֵפוּ Jer.51:58
76 מַרְאֵיהֶם כְּגַחֲלֵי־אֵשׁ בֹּעֲרוֹת Ezek.1:13
77 כְּעֵין חַשְׁמַל כְּמַרְאֵה־אֵשׁ Ezek.1:27
78 רָאִיתִי כְּמַרְאֵה־אֵשׁ Ezek.1:27
79 מִמֶּנּוּ תֵצֵא־אֵשׁ אֶל־כָּל־בֵּית יִשׂ׳ Ezek.5:4
80 וָאֶרְאֶה וְהִנֵּה דְמוּת כְּמַרְאֵה־אֵשׁ Ezek.8:2
81 מִמַּרְאֵה מָתְנָיו וּלְמַטָּה אֵשׁ Ezek.8:2
82 וּמַלֵּא חָפְנֶיךָ גַחֲלֵי־אֵשׁ Ezek.10:2
83 קַח אֵשׁ מִבֵּינוֹת לַגַּלְגַּל Ezek.10:6
84 אַף כִּי־אֵשׁ אֲכָלַתְהוּ Ezek.15:5
85 מַטֵּה עֻזָּהּ אֵשׁ אֲכָלָתְהוּ Ezek.19:12
86 וַתֵּצֵא אֵשׁ מִמַּטֵּה בַדֶּיהָ Ezek.19:14
87 הִנְנִי מַצִּית־בְּךָ אֵשׁ Ezek.21:3
88 לָפַחַת־עָלָיו אֵשׁ לְהַנְתִּיךְ Ezek.22:20
89 בְּתוֹךְ אַבְנֵי־אֵשׁ הִתְהַלָּכְתָּ Ezek.28:14
90 וָאַבֶּדְךָ... מִתּוֹךְ אַבְנֵי־אֵשׁ Ezek.28:16
91 וָאוֹצִא־אֵשׁ מִתּוֹכְךָ Ezek.28:18
92 בְּתִתִּי־אֵשׁ בְּמִצְרַיִם Ezek.30:8
93 וְנָתַתִּי אֵשׁ בְּצֹעַן Ezek.30:14
94 וְנָתַתִּי אֵשׁ בְּמִצְרַיִם Ezek.30:26
95 וְאַבְנֵי אֶלְגָּבִישׁ אֵשׁ וְגָפְרִית Ezek.38:22
96 וְשִׁלַּחְתִּי־אֵשׁ בְּמָגוֹג Ezek.39:6
97 וּבִעֲרוּ בָהֶם אֵשׁ שֶׁבַע שָׁנִים Ezek.39:9
98 כִּי בַנֶּשֶׁק יְבַעֲרוּ־אֵשׁ Ezek.39:10
99 וְשִׁלַּחְתִּי אֵשׁ בְּעָרָיו וְאָכְלָה Hosh.8:14
100 כִּי־אֵשׁ אָכְלָה נְאוֹת מִדְבָּר Joel 1:19

אֵשׁ (המשך)

101 לְפָנָיו אָכְלָה אֵשׁ... Joel 2:3
102 כְּקוֹל לַהַב אֵשׁ אֹכְלָה קָשׁ Joel 2:5
103 וְשִׁלַּחְתִּי אֵשׁ בְּבֵית חֲזָאֵל Am. 1:4
104 וְשִׁלַּחְתִּי אֵשׁ בְּחוֹמַת עַזָּה Am. 1:7
105 וְשִׁלַּחְתִּי אֵשׁ בְּחוֹמַת צֹר Am. 1:10
106 וְשִׁלַּחְתִּי אֵשׁ בְּתֵימָן וְאָכְלָה Am. 1:12
107 וְהִצַּתִּי אֵשׁ בְּחוֹמַת רַבָּה וְאָכְלָה Am. 1:14
108 וְשִׁלַּחְתִּי־אֵשׁ בְּמוֹאָב וְאָכְלָה Am. 2:2
109 וְשִׁלַּחְתִּי אֵשׁ בִּיהוּדָה וְאָכְלָה Am. 2:5
110 וְהָיָה בֵית־יַעֲקֹב אֵשׁ... Ob. 18
111 אָכְלָה אֵשׁ בְּרִיחָיִךְ Nah. 3:13
112 שָׁם תֹּאכְלֵךְ אֵשׁ Nah. 3:15
113 וְיִגְעוּ עַמִּים בְּדֵי־אֵשׁ Hab. 2:13
114 אֶהְיֶה־לָּהּ...חוֹמַת אֵשׁ סָבִיב Zech. 2:9
115 וְתֹאכַל אֵשׁ בַּאֲרָזֶיךָ Zech. 11:1
116 כְּכִיּוֹר אֵשׁ בְּעֵצִים Zech. 12:6
117 וּכְלַפִּיד אֵשׁ בְּעָמִיר Zech. 12:6
118 יַמְטֵר...פַּחִים אֵשׁ וְגָפְרִית Ps. 11:6
119/20 בָּרָד וְגַחֲלֵי־אֵשׁ Ps. 18:13,14
121 תְּשִׁיתֵמוֹ כְּתַנּוּר אֵשׁ לְעֵת פָּנֶיךָ Ps. 21:10
122 יְבַלְּעֵם וְתֹאכְלֵם אֵשׁ Ps. 21:10
123 קוֹל־יְיָ חֹצֵב לַהֲבוֹת אֵשׁ Ps. 29:7
124 בַּהֲגִיגִי תִבְעַר־אֵשׁ Ps. 39:4
125 אֵשׁ־לְפָנָיו תֹּאכֵל Ps. 50:3
126 כְּהִמֵּס דּוֹנַג מִפְּנֵי־אֵשׁ Ps. 68:3
127 וְכָל־הַלַּיְלָה בְּאוֹר אֵשׁ Ps. 78:14
128 בַּחוּרָיו אָכְלָה־אֵשׁ Ps. 78:63
129 תִּבְעַר כְּמוֹ־אֵשׁ קִנְאָתֶךָ Ps. 79:5
130 תִּבְעַר כְּמוֹ־אֵשׁ חֲמָתֶךָ Ps. 89:47
131 אֵשׁ לְפָנָיו תֵּלֵךְ וּתְלַהֵט... Ps. 97:3
132 מְשָׁרְתָיו אֵשׁ לֹהֵט Ps. 104:4
133 וַתִּבְעַר־אֵשׁ בַּעֲדָתָם Ps. 106:18
134 אֵשׁ וּבָרָד שֶׁלֶג וְקִיטוֹר Ps. 148:8
135 הֲיַחְתֶּה אִישׁ אֵשׁ בְּחֵיקוֹ... Prov. 6:27
136 בְּאֶפֶס עֵצִים תִּכְבֶּה־אֵשׁ Prov. 26:20
137 תְּאָכְלֵהוּ אֵשׁ לֹא־נֻפָּח Job 20:26
138 וְיִתְרָם אָכְלָה אֵשׁ Job 22:20
139 וְתַחְתֶּיהָ נֶהְפַּךְ כְּמוֹ־אֵשׁ Job 28:5
140 כִּי אֵשׁ הִיא עַד־אֲבַדּוֹן תֹּאכֵל Job 31:12
141 מִפִּיו...כִּידוֹדֵי אֵשׁ יִתְמַלָּטוּ Job 41:11
142 רְשָׁפֶיהָ רִשְׁפֵּי אֵשׁ שַׁלְהֶבֶתְיָה S.ofS. 8:6
143 שָׁלַח־אֵשׁ בְּעַצְמֹתַי Lam. 1:13
144 וַיַּצֶּת־אֵשׁ בְּצִיּוֹן Lam. 4:11
145 וְעֵינָיו כְּלַפִּידֵי אֵשׁ Dan. 10:6
146 ...וּבְעַמּוּד אֵשׁ לַיְלָה Neh. 9:12

וְאֵשׁ
147 וְאֵשׁ מִתְלַקַּחַת בְּתוֹךְ הַבָּרָד Ex. 9:24
148 וְאֵשׁ תִּהְיֶה לַיְלָה בּוֹ Ex. 40:38
149 וְאֵשׁ יָצְאָה מֵאֵת יְיָ Num. 16:35
150 ...וְאֵשׁ מִפִּיו תֹּאכֵל IISh. 22:9
151 וְאֵשׁ לֹא יָשִׂימוּ IK. 18:23
152 וְאֵשׁ לֹא אָשִׂים IK. 18:23
153 ...וְאֵשׁ לֹא תָשִׂימוּ IK. 18:25
154 עָנָן גָּדוֹל וְאֵשׁ מִתְלַקַּחַת Ezek. 1:4
155 וְאֵשׁ אָכְלָה נְאוֹת הַמִּדְבָּר Joel 1:20
156 וְאֵשׁ־מִפִּיו תֹּאכֵל Ps. 18:9
157 וְאֵשׁ נִשְּׂקָה בְיַעֲקֹב Ps. 78:21
158 וְאֵשׁ לְהָאִיר לַיְלָה Ps. 105:39
159 וְאֵשׁ לֹא־אָמְרָה הוֹן Prov. 30:16
160 וְאֵשׁ אָכְלָה אָהֳלֵי־שֹׁחַד Job 15:34

וָאֵשׁ
161 וַייָ הִמְטִיר...גָּפְרִית וָאֵשׁ Gen. 19:24
162 דָּם וָאֵשׁ וְתִימְרוֹת עָשָׁן Joel 3:3

הָאֵשׁ
163 וַיִּקַּח בְּיָדוֹ אֶת־הָאֵשׁ Gen. 22:6

הָאֵשׁ (המשך)
164 וַיֹּאמֶר הִנֵּה הָאֵשׁ וְהָעֵצִים Gen. 22:7
165 ...וְעַמּוּד הָאֵשׁ לָיְלָה Ex. 13:22
166 וְעָרְכוּ עֵצִים עַל־הָאֵשׁ Lev. 1:7
167-170 הָעֵצִים אֲשֶׁר עַל־הָאֵשׁ Lev. 1:8,12,17; 3:5
171 אֲשֶׁר תֹּאכַל הָאֵשׁ אֶת־הָעֹלָה Lev. 6:3
172 וְנָתַן אֶת־הַקְּטֹרֶת עַל־הָאֵשׁ Lev. 16:13
173 וְלָקַח...וְנָתַן עַל־הָאֵשׁ Num. 6:18
174 וַיִּתְפַּלֵּל...וַתִּשְׁקַע הָאֵשׁ Num. 11:2
175 וְאֶת־הָאֵשׁ זְרֵה־הָלְאָה Num. 17:2
176 ...מִקֹּדֶשׁ הַקֳּדָשִׁים מִן־הָאֵשׁ Num. 18:9
177 בַּאֲכֹל הָאֵשׁ...חֲמִשִּׁים וּמָאתַיִם Num. 26:10
178 וַיְדַבֵּר יְיָ אֲלֵיכֶם מִתּוֹךְ הָאֵשׁ Deut. 4:12
179 בְּיוֹם דִּבֶּר...בְּחֹרֵב מִתּוֹךְ הָאֵשׁ Deut. 4:15
180 קוֹל אֱלֹ׳ מְדַבֵּר מִתּוֹךְ־הָאֵשׁ Deut. 4:33
181-187 מִתּוֹךְ הָאֵ׳ Deut. 4:36; 5:4,19,21,23; 9:10; 10:4
188 כִּי יְרֵאתֶם מִפְּנֵי הָאֵשׁ Deut. 5:5
189 כִּי תֹאכְלֵנוּ הָאֵשׁ הַגְּדֹלָה Deut. 5:22
190 וְאֶת־הָאֵשׁ הַגְּדֹלָה הַזֹּאת Deut. 18:16
191 וַתַּעַל הָאֵשׁ מִן־הַצּוּר וַתֹּאכַל Jud. 6:21
192 וְאַחַר הָאֵשׁ קוֹל דְּמָמָה דַקָּה IK. 19:12
193 וְהָאָבוֹת מְבַעֲרִים אֶת־הָאֵשׁ Jer. 7:18
194 וְכָרְתוּ...וְהִפִּילוּ עַל־הָאֵשׁ Jer. 22:7
195 וְהַשְׁלֵךְ אֶל־הָאֵשׁ...אֶל־הָאָח Jer. 36:23
196 עַל־הָאֵשׁ אֲשֶׁר עַל־הָאָח Jer. 36:23
197 כְּעֵין הַחַשְׁמַל מִתּוֹךְ הָאֵשׁ Ezek. 1:4
198 וּמִן־הָאֵשׁ יוֹצֵא בָרָק Ezek. 1:13
199 וְהִשְׁלַכְתָּ אוֹתָם אֶל־תּוֹךְ הָאֵשׁ Ezek. 5:4
200 אֶל־הָאֵשׁ אֲשֶׁר בֵּינוֹת הַכְּרֻבִים Ezek. 10:7
201 אֶת שְׁנֵי קְצוֹתָיו אָכְלָה הָאֵשׁ Ezek. 15:4
202 הַרְבֵּה הָעֵצִים הַדְלֵק הָאֵשׁ Ezek. 24:10
203 וְנָמַסּוּ...כַּדּוֹנַג מִפְּנֵי הָאֵשׁ Mic. 1:4
204 וְאֶת־עַמּוּד הָאֵשׁ בְּלַיְלָה Neh. 9:19
205 וְכֹל... יִשְׂרָאֵל רֹאִים בְּרֶדֶת הָאֵשׁ IICh. 7:3

וְהָאֵשׁ
206 וְהָאֵשׁ עַל־הַמִּזְבֵּחַ תּוּקַד־בּוֹ Lev. 6:5
207 מֵהָאֵשׁ יָצָאוּ וְהָאֵשׁ תֹּאכְלֵם Ezek. 15:7
208 וְהָאֵשׁ יָרְדָה מֵהַשָּׁמַיִם IICh. 7:1

מֵהָאֵשׁ
209 מֵהָאֵשׁ יָצָאוּ וְהָאֵשׁ תֹּאכְלֵם Ezek. 15:7

בָּאֵשׁ
210 וְהִנֵּה הַסְּנֶה בֹּעֵר בָּאֵשׁ Ex. 3:2
211 וְהַנֹּתָר מִמֶּנּוּ...בָּאֵשׁ תִּשְׂרֹפוּ Ex. 12:10
212 מִפְּנֵי אֲשֶׁר יָרַד עָלָיו יְיָ בָּאֵשׁ Ex. 19:18
213-269 שָׂרַף (וְשָׂרַפְתָּ, יִשְׂרֹף וְכוּ׳) בָּאֵשׁ
Ex. 29:14,34; 32:20 • Lev. 4:12; 8:17,32; 9:11; 13:55,57; 16:27; 20:14 • Num. 31:10,23 • Deut. 7:5,25; 9:21; 12:3,31; 13:17 • Josh. 6:24; 7:25; 11:6,9,11 • Jud. 9:52; 12:1; 14:15; 15:6; 18:27 • ISh. 30:1,3,14 • IK. 9:16; 16:18 • IIK. 17:31; 23:11; 25:9 • Jer. 7:31; 19:5; 21:10; 34:2,22; 36:32; 37:8,10; 38:18,23; 39:8; 43:13; 51:32; 52:13 • Ezek. 5:4; 16:41; 23:47 • Ps. 46:10 • ICh. 14:12 • IICh. 36:19
270 וָאַשְׁלִכֵהוּ בָאֵשׁ וַיֵּצֵא הָעֵגֶל Ex. 32:24
271 אָבִיב קָלוּי בָּאֵשׁ גֶּרֶשׂ כַּרְמֶל Lev. 2:14
272-280 נִשְׂרַף (יִשָּׂרֵף, תִּשָּׂרֵף וְכוּ׳) בָּאֵשׁ
Lev. 6:23; 7:17,19; 13:52; 19:6; 21:9 • Josh. 7:15 • Jer. 38:17 • Mic. 1:7
281 כָּל־דָּבָר אֲשֶׁר־יָבֹא בָאֵשׁ Num. 31:23
282 תַּעֲבִירוּ בָאֵשׁ וְטָהֵר Num. 31:23
283 וְכֹל אֲשֶׁר לֹא־יָבֹא בָּאֵשׁ... Num. 31:23
284 הַהֹלֵךְ לִפְנֵיהֶם...בָּאֵשׁ לַיְלָה Deut. 1:33
285-7 וְהָהָר בֹּעֵר בָּאֵשׁ Deut. 4:11; 5:23(20); 9:15
288 מַעֲבִיר בְּנוֹ־וּבִתּוֹ בָּאֵשׁ Deut. 18:10
289 תַּצִּיתוּ אֶת־הָעִיר בָּאֵשׁ Josh. 8:8

בָּאֵשׁ (המשך)
290-295 הִצִּית (תַּצִּיתוּ, וַיַּצִּיתוּ וְכוּ׳) בָּאֵשׁ
Josh. 8:19 • Jud. 9:49 • IISh. 14:30²,31 • Jer. 32:29
296 וְאֶת־הָעִיר שִׁלְּחוּ בָאֵשׁ Jud. 1:8
297 כְּפִשְׁתִּים אֲשֶׁר בָּעֲרוּ בָאֵשׁ Jud. 15:14
298 גַּם כָּל־הֶעָרִים...שִׁלְּחוּ בָאֵשׁ Jud. 20:48
299 הָאֱלֹהִים אֲשֶׁר־יַעֲנֶה בָאֵשׁ IK. 18:24
300 וְאַחַר הָרַעַשׁ אֵשׁ לֹא בָאֵשׁ יְיָ IK. 19:12
301 מִבְצְרֵיהֶם תְּשַׁלַּח בָּאֵשׁ IIK. 8:12
302 וְגַם אֶת־בְּנוֹ הֶעֱבִיר בָּאֵשׁ IIK. 16:3
303-307 הֶעֱבִיר (לְהַעֲבִיר וְכוּ׳) בָּאֵשׁ IIK. 17:17; 21:6; 23:10 • Ezek. 20:31 • IICh. 32:6
308 וְנָתְנוּ אֶת־אֱלֹהֵיהֶם בָּאֵשׁ IIK. 19:18
309 קוֹצִים כְּסוּחִים בָּאֵשׁ יִצַּתּוּ Is. 33:12
310 וְנָתֹן אֶת־אֱלֹהֵיהֶם בָּאֵשׁ Is. 37:19
311 כִּי־הִנֵּה יְיָ בָּאֵשׁ יָבוֹא Is. 66:15
312 כִּי בָאֵשׁ יְיָ נִשְׁפָּט Is. 66:16
313 אֲשֶׁר־קָלָם מֶלֶךְ־בָּבֶל בָּאֵשׁ Jer. 29:22
314 וּבְנֹתֶיהָ בָּאֵשׁ תִּצַּתְנָה Jer. 49:2
315 וּשְׁעָרֶיהָ הַגְּבֹהִים בָּאֵשׁ יִצַּתּוּ Jer. 51:58
316 וְאַחֲרִיתֵךְ תֵּאָכֵל בָּאֵשׁ Ezek. 23:25
317 וְהִנֵּה קֹרֵא לָרִב בָּאֵשׁ אֲדֹנָי יְיָ Am. 7:4
318 וְהִיא בָּאֵשׁ תֵּאָכֵל Zech. 9:4
319 וְהֵבֵאתִי אֶת־הַשְּׁלִשִׁית בָּאֵשׁ Zech. 13:9
320 בָּאנוּ־בָאֵשׁ וּבַמַּיִם Ps. 66:12
321 שִׁלְחוּ בָאֵשׁ מִקְדָּשֶׁךָ Ps. 74:7
322 שְׂרֻפָה בָאֵשׁ כְּסוּחָה Ps. 80:17
323 יִמּוֹטוּ...גֶּחָלִים בָּאֵשׁ יַפִּלֵם Ps. 140:11
324/5 וּשְׁעָרֶיהָ נִצְּתוּ בָאֵשׁ Neh. 1:3; 2:17
326/7 וּשְׁעָרֶיהָ אֻכְּלוּ בָאֵשׁ Neh. 2:3,13
328 וַיַּעֲנֵהוּ בָאֵשׁ מִן הַשָּׁמַיִם ICh. 21:26
329 וַיַּבְעֵר אֶת־בָּנָיו בָּאֵשׁ IICh. 28:3
330 וַיְבַשְּׁלוּ הַפֶּסַח בָּאֵשׁ IICh. 35:13

וּבָאֵשׁ
331 וּבָאֵשׁ שָׂרוֹף יִשָּׂרְפוּ בַּשָּׁבֶת IISh. 23:7

כְּאֵשׁ
332 וּמַרְאֵה כְּבוֹד יְיָ כְּאֵשׁ אֹכֶלֶת Ex. 24:17
333 וּלְשׁוֹנוֹ כְּאֵשׁ אֹכָלֶת Is. 30:27
334 וְהָיָה בְלִבִּי כְּאֵשׁ בֹּעֶרֶת Jer. 20:9
335 כִּי־הוּא כְּאֵשׁ מְצָרֵף Mal. 3:2
336 כְּאֵשׁ תִּבְעַר־יָעַר... Ps. 83:15

כָּאֵשׁ
337 כִּי־בָעֲרָה כָאֵשׁ רִשְׁעָה Is. 9:17
338/9 פֶּן־תֵּצֵא כָאֵשׁ חֲמָתִי Jer. 4:4; 21:12
340 הֲלוֹא כֹה דְבָרִי כָּאֵשׁ Jer. 23:29
341 פֶּן־יִצְלַח כָּאֵשׁ בֵּית יוֹסֵף Am. 5:6
342 חֲמָתוֹ נִתְּכָה כָאֵשׁ Nah. 1:6
343 שָׁפַךְ כָּאֵשׁ חֲמָתוֹ... Lam. 2:4

לְאֵשׁ
344 וְהָיָה אוֹר־יִשְׂרָאֵל לְאֵשׁ Is. 10:17
345 הִנְנִי נֹתֵן דְּבָרַי בְּפִיךָ לְאֵשׁ Jer. 5:14
346 פֶּחָם לְגֶחָלִים וְעֵצִים לְאֵשׁ Prov. 26:21

לָאֵשׁ
347 וְנֹגַהּ לָאֵשׁ... Ezek. 1:13
348 לָאֵשׁ נִתַּן לְאָכְלָה Ezek. 15:4
349 נְתַתִּיו לָאֵשׁ לְאָכְלָה Ezek. 15:6
350 לָאֵשׁ תִּהְיֶה לְאָכְלָה Ezek. 21:37

מֵאֵשׁ
351 הֲלוֹא זֶה אוּד מֻצָּל מֵאֵשׁ Zech. 3:2
352 נִחַר מַפֻּחַ מֵאֵשׁ תַּם עֹפָרֶת Jer. 6:29

אֵשׁ־
353 אֵשׁ תָּמִיד תּוּקַד עַל־הַמִּזְבֵּחַ Lev. 6:6
354 וַתִּבְעַר־בָּם אֵשׁ יְיָ Num. 11:1
355 כִּי־בָעֲרָה בָם אֵשׁ יְיָ Num. 11:3
356 מִימִינוֹ אֵשׁ דָּת לָמוֹ Deut. 33:3
357 וַתִּפֹּל אֵשׁ־יְיָ וַתֹּאכַל... IK. 18:38
358 וְנֹגַהּ אֵשׁ לֶהָבָה לָיְלָה Is. 4:5
359 נָתַן...אֵשׁ לֶהָבוֹת בְּאַרְצָם Ps. 105:32
360 אֵשׁ אֱלֹהִים נָפְלָה מִן־הַשָּׁמַיִם Job 1:16

וְאֵשׁ־ 361 וְאֵשׁ הַמִּזְבֵּחַ תּוּקַד בּוֹ Lev.6:2
בְּאֵשׁ־ 362 חָרָשׁ נֹפֵחַ בְּאֵשׁ פֶּחָם Is.54:16
363 בְּאֵשׁ עֶבְרָתִי אָפִיחַ עָלַיִךְ Ezek.21:36
364 וְנָפַחְתִּי עֲלֵיכֶם בְּאֵשׁ עֶבְרָתִי Ezek.22:21
365 בְּאֵשׁ עֶבְרָתִי כִּלִּיתִים Ezek.22:31
366 וְלֹא־תֵצֵא... בְּאֵשׁ חֶלְאָתָהּ Ezek.24:12
367 אִם־לֹא בְּאֵשׁ קִנְאָתִי דִבַּרְתִּי Ezek.36:5
368 וּבְקִנְאָתִי בְאֵשׁ־עֶבְרָתִי דִּבַּרְתִּי Ezek.38:19
369 בְּאֵשׁ־פְּלָדוֹת הָרֶכֶב בְּיוֹם הֲכִינוֹ Nah.2:4
370 בְּאֵשׁ קִנְאָתִי תֵּאָכֵל כָּל־הָאָרֶץ Zep.3:8
וּבְאֵשׁ־ 371 וּבְאֵשׁ קִנְאָתוֹ תֵּאָכֵל כָּל־הָאָרֶץ Zep.1:18
כְּאֵשׁ־ 372 בֹּקֶר הוּא בֹעֵר כְּאֵשׁ לֶהָבָה Hosh.7:6
373 וְעַל־שְׂפָתוֹ כְּאֵשׁ צָרָבֶת Prov.16:7
374 וַיִּבְעַר בְּיַעֲקֹב כְּאֵשׁ לֶהָבָה Lam.2:3
375 דֹּעֲכוּ כְּאֵשׁ קוֹצִים Ps.118:12
אִשּׁוֹ 376 הֶרְאֲךָ אֶת־אִשּׁוֹ הַגְּדוֹלָה Deut.4:36
377 וְלֹא־יִגַּהּ שְׁבִיב אִשּׁוֹ Job 18:5
אֶשְׁכֶם 378 לְכוּ בְּאוּר אֶשְׁכֶם Is.50:11
וְאִשָּׁם 379 וְאִשָּׁם לֹא תִכְבֶּה Is.66:24

אִשׁ
תה״פ יֵשׁ : 1–2.

אִשׁ 1 חֵי־נַפְשְׁךָ...אִם־אִשׁ לְהֵמִין וּלְהַשְׂמִיל IISh.14:19
הַאִשׁ 2 עוֹד הַאִשׁ בֵּית רָשָׁע אֹצְרוֹת רֶשַׁע Mic.6:10

אֶשָּׁא
נ׳ ארמית: הָאֵשׁ

אֶשָּׁא 1 וִיהִיבַת לִיקֵדַת אֶשָּׁא Dan.7:11

אֻשָּׁא*
ז׳ ארמית: אָשִׁיָּה, יסוד : 1–3

אֻשַּׁיָּא 1 יְהַב אֻשַּׁיָּא דִּי־בֵית אֱלָהָא Ez.5:16
וְאֻשַּׁיָּא 2 וְשׁוּרַיָּא שַׁכְלִלוּ וְאֻשַּׁיָּא יַחִיטוּ Ez.4:12
וְאֻשּׁוֹהִי 3 בַּיְתָא יִתְבְּנֵא...וְאֻשּׁוֹהִי מְסוֹבְלִין Ez.6:3

אַשְׁבֵּל
שפ״ז – בן בנימין : 1–3

אַשְׁבֵּל 1 אַשְׁבֵּל הַשֵּׁנִי וְאַחְרַח הַשְּׁלִישִׁי ICh.8:1
וְאַשְׁבֵּל 2 וּבְנֵי בִנְיָמִן בֶּלַע וָבֶכֶר וְאַשְׁבֵּל Gen.46:21
לְאַשְׁבֵּל 3 לְאַשְׁבֵּל מִשְׁפַּחַת הָאַשְׁבֵּלִי Num.26:38

אַשְׁבֵּלִי
ת׳ המתיַחס על אַשְׁבֵּל

הָאַשְׁבֵּלִי לְאַשְׁבֵּל מִשְׁפַּחַת הָאַשְׁבֵּלִי Num.26:38

אֶשְׁבָּן
שפ״ז – מבני החורי בשֵׂעיר : 1–2

וְאֶשְׁבָּן 1 וְאֵלֶּה בְּנֵי דִישָׁן חֶמְדָּן וְאֶשְׁבָּן Gen.36:26
2 וּבְנֵי דִישׁוֹן חַמְרָן וְאֶשְׁבָּן ICh.1:41

אַשְׁבֵּעַ
שפ״ז – מבני שֵׁלה בן יהודה
(ואולי: ״בֵּית אַשְׁבֵּעַ״ – שם מקום)

אַשְׁבֵּעַ 1 בֵּית־עֲבֹדַת הַבֻּץ לְבֵית אַשְׁבֵּעַ ICh.4:21

אֶשְׁבַּעַל*
שפ״ז – הוא איש־בשת בן שאול

אֶשְׁבָּעַל 1/2 וְשָׁאוּל הוֹלִיד...וְאֶת־אֶשְׁבָּעַל ICh.8:33; 9:39

אֶשֶׁד
ז׳ מפל מים?

וְאֶשֶׁד־ 1 וְאֶשֶׁד הַנְּחָלִים אֲשֶׁר נָטָה... Num.21:15

אֲשֵׁדָה*
נ׳ מדרוֹן, מוֹרד: 1–6 • אַשְׁדּוֹת הַפִּסְגָּה 3–6

וְהָאֲשֵׁדוֹת 1 וְהַנֶּגֶב וְהַשְּׁפֵלָה וְהָאֲשֵׁדוֹת Josh.10:40
וּבָאֲשֵׁדוֹת 2 וּבָעֲרָבָה וּבָאֲשֵׁדוֹת וּבַמִּדְבָּר Josh.12:8
אַשְׁדּוֹת־ 3/4 תַּחַת אַשְׁדֹּת הַפִּסְגָּה Deut.3:17; 4:49
5 תַּחַת אַשְׁדּוֹת הַפִּסְגָּה Josh.12:3
וְאַשְׁדּוֹת־ 6 וְאַשְׁדּוֹת הַפִּסְגָּה Josh.13:20

אַשְׁדּוֹד
אחת מחמש עריהם הראשיות של הפלשתים: 1-17
אַנְשֵׁי אַשְׁדּוֹד 4; חוֹמַת אַ׳ 7; שְׁאֵרִית אַ׳ 5

אַשְׁדּוֹד 1 אֲשֶׁר־עַל־יַד אַשְׁדּוֹד וְחַצְרֵיהֶן Josh.15:46
2 אַשְׁדּוֹד בְּנוֹתֶיהָ וַחֲצֵרֶיהָ Josh.15:47
3 וַיַּךְ...אֶת־אַשְׁדּוֹד וְאֶת־גְּבוּלֶיהָ ISh.5:6
4 וַיִּרְאוּ אַנְשֵׁי־אַשְׁדּוֹד כִּי־כֵן ISh.5:7
5 עֶקְרוֹן וְאֵת שְׁאֵרִית אַשְׁדּוֹד Jer.25:20
6 אַשְׁדּוֹד בַּצָּהֳרַיִם יְגָרְשׁוּהָ Zep.2:4
7 וַיִּפְרֹץ...וְאֵת חוֹמַת אַשְׁדּוֹד IICh.26:6
אַשְׁדּוֹדָה 8 וַיְבִאֻהוּ מֵאֶבֶן הָעֵזֶר אַשְׁדּוֹדָה ISh.5:1
9 בִּשְׁנַת בֹּא תַרְתָּן אַשְׁדּוֹדָה Is.20:1
בְּאַשְׁדּוֹד 10 לֹא־יִדְרְכוּ... עַל־מִפְתַּן דָּגוֹן בְּאַ׳ ISh.5:5
11 וַיִּלָּחֶם בְּאַשְׁדּוֹד וַיִּלְכְּדָהּ Is.20:1
12 הַשְׁמִיעוּ עַל־אַרְמְנוֹת בְּאַשְׁדּוֹד Am.3:9
13 וְיָשַׁב מַמְזֵר בְּאַשְׁדּוֹד Zech.9:6
14 וַיִּבְנֶה עָרִים בְּאַשְׁדּוֹד וּבַפְּלִשְׁתִּים IICh.26:6
וּבְאַשְׁדּוֹד 15 רַק בְּעַזָּה בְּגַת וּבְאַשְׁדּוֹד נִשְׁאָרוּ Josh.11:22
לְאַשְׁדּוֹד 16 לְאַשְׁדּוֹד אֶחָד לְעַזָּה אֶחָד... ISh.6:17
מֵאַשְׁדּוֹד 17 וְהִכְרַתִּי יוֹשֵׁב מֵאַשְׁדּוֹד Am.1:8

אַשְׁדּוֹדִי
ת׳ המתיַחס לאשדוד, תּושב אשדוד : 1–5

וְהָאַשְׁדּוֹדִי 1 סַרְנֵי פְלִשְׁתִּים הָעַזָּתִי וְהָאַשְׁדּוֹדִי Josh.13:3
אַשְׁדּוֹדִים 2 וַיַּשְׁכִּמוּ אַשְׁדּוֹדִים מִמָּחֳרָת... ISh.5:3
הָאַשְׁדּוֹדִים 3 וַתִּכְבַּד יַד־יְיָ אֶל־הָאַשְׁדּוֹדִים ISh.5:6
וְהָאַשְׁדּוֹדִים 4 וְהָעַרְבִים וְהָעַמֹּנִים וְהָאַשְׁדּוֹדִים Neh.4:1
אַשְׁדֳּדִיּוֹת 5 ...הֹשִׁיבוּ נָשִׁים אַשְׁדֳּדִיּוֹת Neh.13:23

אַשְׁדּוֹדִית
נ׳ לשון בני אשדוד

אַשְׁדּוֹדִית 1 וּבְנֵיהֶם חֲצִי מְדַבֵּר אַשְׁדּוֹדִית Neh.13:24

אִשֶּׁה
ז׳ קרבן הנשרף באש כולו או מקצתו : 1–65
לֶחֶם אִשֶּׁה 32; אִשֵּׁה רֵיחַ נִיחֹחַ 35–47; אִ׳ בְּנֵי יִשְׂרָאֵל 56; אִ׳ הַחֲלָבִים 55; אִ׳ יְיָ 48-54, 57-63
קרובים: ראה קָרְבָּן

אִשֶּׁה 1 רֵיחַ נִיחוֹחַ אִשֶּׁה לַייָ הוּא Ex.29:18
2 אִשֶּׁה הוּא לַייָ Ex.29:25
3/4 לְרֵיחַ נִיחֹחַ אִשֶּׁה לַייָ Ex.29:41 • Num.29:6
5 לְהַקְטִיר אִשֶּׁה לַייָ Ex.30:20
6-31 אִשֶּׁה(...) לַייָ Lev. 2:11,16; 3:3,9,11,14; 7:5,25; 8:21,28; 22:27; 23:8,13,25,27,36[2],37; 24:7 • Num. 15:3,25; 18:17; 28:6,13,19; 29:13
32 לֶחֶם אִשֶּׁה לְרֵיחַ נִיחֹחַ Lev.3:16
וְאִשֶּׁה 33 וְאִשֶּׁה לֹא־תִתְּנוּ מֵהֶם...לַייָ Lev.22:22
הָאִשֶּׁה 34 זֶה הָאִשֶּׁה אֲשֶׁר תַּקְרִיבוּ לַייָ Num.28:3
אִשֵּׁה־ 35-47 אִשֵּׁה רֵיחַ(־)נִיח(וֹ)חַ לַייָ Lev. 1:9,13,17; 2:2,9; 3:5; 23:18 • Num. 15:10,13,14; 28:8,24; 29:36
אִשֵּׁי־ 48/9 וְהִקְטִיר...עַל אִשֵּׁי יְיָ Lev. 4:35; 5:12
50-54 אִשֵּׁי יְיָ • Lev. 7:30; 21:6, 21 • Deut. 18:1 • Josh. 13:14
55 עַל אִשֵּׁי הַחֲלָבִים יָבִיאוּ Lev.10:15
56 וָאֶתְּנָה... אֶת־כָּל־אִשֵּׁי בְּנֵי יִשְׂרָאֵל ISh.2:28
מֵאִשֵּׁי־ 57/8 קֹדֶשׁ קָדָשִׁים מֵאִשֵּׁי יְיָ Lev.2:3,10
59 חָק־עוֹלָם לְדֹרֹתֵיכֶם מֵאִשֵּׁי יְיָ Lev.6:11
60-63 מֵאִשֵּׁי יְיָ Lev.7:35; 10:12,13; 24:9
לְאִשַּׁי 64 אֶת־קָרְבָּנִי לַחְמִי לְאִשַּׁי Num.28:2
מֵאִשָּׁי 65 חֶלְקָם נָתַתִּי אֹתָהּ מֵאִשָּׁי Lev.6:10

אִשָּׁה
נ׳ א) נקבה של ״אִישׁ״ ביחוד נשׂואה: רוב המקראות
ב) [בהשאלה] כנוי לגבר חלש, מוג־לב: 689, 701, 702
ג) נקבה בבעלי־חיים: 551, 552
קרובים: בְּעוּלָה/ גְּבִירָה/ מְאֹרָשָׂה/ נְקֵבָה/ עַלְמָה/ רַעְיָה

– אִשָּׁה אֶל אֲחוֹתָהּ 15–22, 158; אִ׳ רְעוּתָהּ 71, 72, 160; אִישׁ וְאִשָּׁה 149–157, 274; אִישׁ אוֹ אִשָּׁה 14, 25–31; מֵאִישׁ וְעַד אִשָּׁה 46–53
– אִשָּׁה אַחֶרֶת 59, 94; אִ׳ אַלְמָנָה 63–66, 69, 560; אִ׳ בִּבְתוּלֶיהָ 37; אִ׳ גְדוֹלָה 70; אִ׳ גְרוּשָׁה 159; אִ׳ דָוָה 35; אִ׳ הָרָה 12; אִ׳ זוֹנָה 36,42-45,58, 74, 77, 183; אִ׳ זָרָה 343, 344; אִ׳ חֲכָמָה 62, 68;

אִשָּׁה (המשך)
אִ׳ חֲלָלָה 36; אִ׳ טוֹבַת מַרְאֶה 276; אִ׳ טוֹבַת שֵׂכֶל 275; אִ׳ יְהוּדִיָּה 562; אִ׳ יוֹדַעַת אִישׁ 40; אִ׳ יָפָה 82; אִ׳ יְפַת מַרְאֶה 2, 67; אִ׳ יְפַת תֹּאַר 275; אִ׳ יִרְאַת יְיָ 87; אִ׳ יִשְׂרְאֵלִית 38, 178; אִ׳ כּוּשִׁית 39,181; אִ׳ מִדְיָנִית 182; אִ׳ מֵינֶקֶת 8; אִשָּׁה מְנָאֶפֶת 86, 191; אִ׳ מְצֵרָה 75, 76; אִשָּׁה מַשְׂכֶּלֶת 85; אִשָּׁה נְבִיאָה 54; אִ׳ נִדָּה 78; אִ׳ סָרַת טַעַם 82; אִ׳ עֲזוּבָה 281; אִ׳ עֲקָרָה 557; אִשָּׁה פִּילֶגֶשׁ 60; אִשָּׁה קְשַׁת רוּחַ 61
– בֵּית אִשָּׁה 42; בֶּן אִ׳ 178,69,58,38; בַּעַל אִ׳ 177,11; דֶּרֶךְ אִ׳ 86; יַד אִ׳ 55; יְלוּד אִשָּׁה 88—90; לֵב אִ׳ 75, 76; מִדְיְנֵי אִ׳ 84; מַעֲשֵׂה אִ׳ 77; מֵצַח אִ׳ 74; מִשְׁכְּבֵי אִ׳ 34,33; עֶרְוַת אִ׳ 32; רֹאשׁ אִ׳ 179; שִׂמְלַת אִשָּׁה 41
– אִישׁ הָאִשָּׁה 185; בֵּית הָאִשָּׁה 183; בֶּן הָאִשָּׁה 189, 188,178; בְּנֵי הָאִ׳ 184; דִּבְרֵי הָאִ׳ 190; יַד הָאִשָּׁה 175, 180; עֲוֹן הָאִשָּׁה 186
– אֵשֶׁת אָבִיו 383,380,368,362,361; אֵ׳ אַבְרָם 349, 353-351; אֵ׳ אֲדוֹנָיו 358/9,355; אֵ׳ אָחִיו 364,356/7, 369; אֵ׳ אִישׁ 445,366,354; אֵ׳ בְּנוֹ 363; אֵ׳ בַּעֲלַת אוֹב 346/7; אֵ׳ בְּרִיתוֹ 444; אֵ׳ (אִשׁוֹת) זִמָּה 569; אֵשֶׁת זְנוּנִים 386; אֵ׳ חַיִל 390-392; אֵ׳ חֵיקוֹ 371, 448; אֵ׳ חֵן 389; אֵ׳ יְפַת תֹּאַר 345; אֵ׳ כְּסִילוּת 388; אֵ׳ לֵדָה 385; אֵ׳ לַפִּידוֹת 384; אֵ׳ מִדְיָנִים 446, 453—455; אֵ׳ הַמֵּת 381, 393; אֵ׳ נְעוּרִים 387, 443, 449, 451; אֵ׳ עֲמִיתוֹ 365; אֵ׳ רָע 452; אֵ׳ רֵעֵהוּ 360, 367, 370, 372—379; נֵפֶל אֵשֶׁת 348
– אֲחוֹת אִשְׁתּוֹ 496; אִישׁ אִ׳ 494, 495; אִישׁ וְאִ׳ 551, 552; דְּבַר אִשְׁתּוֹ 456, 490; יַד אִ׳ 487; קוֹל אִשְׁתּוֹ 475; שֵׁם אִשְׁתּוֹ 483
– נָשִׁים וָטַף 628—632, 640, 641, 674—677, 750, 751, 756—758, 762, 764, 772/3; אֲנָשִׁים וְנָשִׁים 628, 633, 637, 675, 678—680; נָשִׁים אַלְמָנוֹת 754, 769; נָ׳ זוֹנוֹת 583; נָ׳ יָפוֹת 589; נָ׳ מִצְרִיּוֹת 688; נָ׳ נָכְרִיּוֹת 584, 595—601, 654/5; נָ׳ עִבְרִיּוֹת 688; נָ׳ רַחֲמָנִיּוֹת 591; נָ׳ שַׁאֲנַנּוֹת 587; נָ׳ שַׁכּוּלוֹת 769; נָ׳ שָׂרוֹת 585; אַהֲבַת נָשִׁים 580; אָזְנֵי נָ׳ 755; אֹרַח כַּנָּשִׁים 687; בֵּית הַנָּשִׁים 643, 647—650; בַּת הַנָּ׳ 653; דֶּרֶךְ נָ׳ 573; דַּת הַנָּ׳ 651; הֲמוֹן נָ׳ 602; חַכְמוֹת נָ׳ 588; חֶמְדַּת נָ׳ 594; הַיָּפָה בַּנָּ׳ 684-686; מִשְׁתֵּה נָ׳ 593; צַעֲקַת נָ׳ 782; שֹׁמֵר הַנָּשִׁים 645—646; תַּמְרוּקֵי הַנָּשִׁים 652
– נְשֵׁי אָבִיו 711; נְ׳ אֲדוֹנָיו 715; נְ׳ בָּנָיו 710, 719—722; נְשֵׁי הַמֶּלֶךְ 716; נְ׳ עַמּוֹ 718; נְ׳ רֵעָיו 717; נָשָׁיו וּבָנָיו 730-732, 735, 748, 752, 753, 766-768, 772-774; נֶפֶשׁ נָשָׁיו 729; רָעוֹת נָשָׁיו 737, 759
– הִזְרִיעָה אִשָּׁה 24; הָיְתָה (לְ)אִ׳ לְ־ 94, 285/6, 691-700,695; הָרְגָה אִ׳ 57; הָרְתָה אִ׳ 498,187,176; הִתְהַלְּלָה אִ׳ 87; זָנְתָה אִ׳ 474; יָלְדָה אִ׳ 24, 353, 355, 459, 471, 557, 562; מָשְׁלָה אִשָּׁה 626; נִשְׁכְּבָה אִשָּׁה 775
– אָהַב אִשָּׁה 93, 584,460,286; גֵּרַשׁ אִ׳ 718; חָמַד אִ׳ 360, 370; יָדַע אִ׳ 484, 485; לָקַח אִשָּׁה (לְ־) 3-7, 37-39, 60, 158/9, 180, 283, 369, 380, 386, 570-572, 574; נָתַן אִ׳ 284, 462; נָאַף (נִאֵף) אִ׳ 81, 366, 367, 717; עִנָּה אִ׳ 592; שִׁלַּח אִ׳ 497; בָּא אֶל אִ׳ 498,356/7; בָּגַד בְּאִ׳ 449; דָּבַק בְּאִ׳ 563; נִגַּשׁ אֶל אִ׳ 10; נִשְׁמַר מֵאִ׳ 342; קָרַב אֶל אִ׳ 78; שָׁכַב אֶת־(עִם) אִשָּׁה 35, 383, 368, 463, 478, 728; הָיוּ כְּנָשִׁים 689; הָיוּ לְנָשִׁים 701, 702

אִשָּׁה 1 לְזֹאת יִקָּרֵא אִשָּׁה... Gen.2:23
2 כִּי אִשָּׁה יְפַת־מַרְאֶה אָתְּ Gen.12:11

אִשָּׁה (המשך)

3 וַתִּקַּח־לוֹ אִמּוֹ אִשָּׁה מֵאֶרֶץ מִצְ׳ Gen. 21:21
4/5 לֹא־תִקַּח אִשָּׁה לִבְנִי Gen. 24:3,37
6/7 וְלָקַחְתָּ אִשָּׁה לִבְנִי Gen. 24:4,7
8 הַאֵלֵךְ וְקָרָאתִי לָךְ אִשָּׁה מֵינֶקֶת Ex. 2:7
9 וְשָׁאֲלָה אִשָּׁה מִשְּׁכֶנְתָּהּ Ex. 3:22
10 אַל־תִּגְּשׁוּ אֶל־אִשָּׁה Ex. 19:15
11 אִם־בַּעַל אִשָּׁה הוּא... Ex. 21:3
12 וְנָגְפוּ אִשָּׁה הָרָה Ex. 21:22
13 וְכִי־יִגַּח...אוֹ אֶת־אִשָּׁה Ex. 21:28
14 וְהֵמִית אִישׁ אוֹ אִשָּׁה Ex. 21:29
15/6 חֹבְרֹת אִשָּׁה אֶל־אֲחֹתָהּ Ex. $26:3^2$
22-17 אִשָּׁה אֶל־אֲחֹ(וֹ)תָהּ Ex. 26:5,6,17
Ezek. 1:9,23; 3:13
23 וְכָל־אִשָּׁה חַכְמַת־לֵב... Ex. 35:25
24 אִשָּׁה כִּי תַזְרִיעַ וְיָלְדָה זָכָר Lev. 12:2
25 וְאִישׁ אוֹ אִשָּׁה כִּי־יִהְיֶה בוֹ נָגַע Lev. 13:29
31-26 (וְ)אִישׁ אוֹ־אִשָּׁה Lev. 13:38; 20:27
Num. 5:6; 6:2 • Deut. 17:2; 29:17
32 עֶרְוַת אִשָּׁה וּבִתָּהּ לֹא תְגַלֵּה Lev. 18:17
33 לֹא תִשְׁכַּב מִשְׁכְּבֵי אִשָּׁה Lev. 18:22
34 אֲשֶׁר יִשְׁכַּב אֶת־זָכָר מִשְׁכְּבֵי אִשָּׁה Lev. 20:13
35 אֲשֶׁר־יִשְׁכַּב אֶת־אִשָּׁה דָּוָה Lev. 20:18
36 אִשָּׁה זֹנָה וַחֲלָלָה לֹא יִקָּחוּ Lev. 21:7
37 וְהוּא אִשָּׁה בִבְתוּלֶיהָ יִקָּח Lev. 21:13
38 וַיֵּצֵא בֶּן־אִשָּׁה יִשְׂרְאֵלִית Lev. 24:10
39 כִּי־אִשָּׁה כֻשִׁית לָקָח Num. 12:1
40 וְכָל־אִשָּׁה יֹדַעַת אִישׁ Num. 31:17
41 וְלֹא־יִלְבַּשׁ גֶּבֶר שִׂמְלַת אִשָּׁה Deut. 22:5
42 וַיָּבֹאוּ בֵּית אִשָּׁה זוֹנָה Josh. 2:1
45-43 אִשָּׁה זוֹנָה Jud. 16:1
Ezek. 23:44 • Prov. 6:26
46 וַיַּחֲרִימוּ...מֵאִישׁ וְעַד־אִשָּׁה Josh. 6:21
53-47 (לְ)מֵאִישׁ (וְעַד־)אִשָּׁה Josh. 8:25
ISh. 15:3; 22:19 • IISh. 6:19 • Neh. 8:2 • ICh. 16:3 • IICh. 15:13
54 וּדְבוֹרָה אִשָּׁה נְבִיאָה Jud. 4:4
55 כִּי בְיַד־אִשָּׁה יִמְכֹּר יְיָ... Jud. 4:9
56 וַתַּשְׁלֵךְ אִשָּׁה אַחַת פֶּלַח רֶכֶב Jud. 9:53
57 פֶּן־יֹאמְרוּ לִי אִשָּׁה הֲרָגָתְהוּ Jud. 9:54
58 וְהוּא בֶּן־אִשָּׁה זוֹנָה Jud. 11:1
59 כִּי בֶּן־אִשָּׁה אַחֶרֶת אָתָּה Jud. 11:2
60 וַיִּקַּח־לוֹ אִשָּׁה פִילֶגֶשׁ Jud. 19:1
61 אִשָּׁה קְשַׁת־רוּחַ אָנֹכִי ISh. 1:15
62 וַיִּקַּח מִשָּׁם אִשָּׁה חֲכָמָה IISh. 14:2
63 אֲבָל אִשָּׁה־אַלְמָנָה אָנִי IISh. 14:5
66-64 אִשָּׁה אַלְמָנָה IK. 11:26; 17:9,10
67 הִיא הָיְתָה אִשָּׁה יְפַת מַרְאֶה IISh. 14:27
68 וַתִּקְרָא אִשָּׁה חֲכָמָה מִן־הָעִיר IISh. 20:16
69 בֶּן־אִשָּׁה אַלְמָנָה הוּא IK. 7:14
70 וְשָׁם אִשָּׁה גְדוֹלָה IIK. 4:8
71 שָׁם נִקְבְּצוּ דַיּוֹת אִשָּׁה רְעוּתָהּ Is. 34:15
72 אִשָּׁה רְעוּתָהּ לֹא פָקָדוּ Is. 34:16
73 הֲתִשְׁכַּח אִשָּׁה עוּלָהּ Is. 49:16
74 וּמֵצַח אִשָּׁה זוֹנָה הָיָה לָךְ Jer. 3:3
76-75 ...כְּלֵב אִשָּׁה מְצֵרָה Jer. 48:41; 49:22
77 מַעֲשֵׂה אִשָּׁה זוֹנָה שַׁלָּטֶת Ezek. 16:30
78 וְאֶל־אִשָּׁה נִדָּה לֹא יִקְרָב Ezek. 18:6
79 וּפְרָצִים תֵּצֶאנָה אִשָּׁה נֶגְדָּהּ Am. 4:3
80 תֹּאכַלְנָה אִשָּׁה אֶת־בְּשַׂר רְעוּתָהּ Zech. 11:9
81 נֹאֵף אִשָּׁה חֲסַר־לֵב Prov. 6:32
82 אִשָּׁה יָפָה וְסָרַת טָעַם Prov. 11:22
83 מָצָא אִשָּׁה מָצָא טוֹב Prov. 18:22
84 וְדֶלֶף טֹרֵד מִדְיְנֵי אִשָּׁה Prov. 19:13
85 ...וּמֵיְיָ אִשָּׁה מַשְׂכָּלֶת Prov. 19:14
86 כֵּן דֶּרֶךְ אִשָּׁה מְנָאָפֶת... Prov. 30:20
87 אִשָּׁה יִרְאַת־יְיָ הִיא תִתְהַלָּל Prov. 31:30
88 אָדָם יְלוּד אִשָּׁה Job 14:1
90-89 יְלוּד אִשָּׁה Job 15:14; 25:4
91 לֵכְנָה שֹּׁבְנָה אִשָּׁה לְבֵית אִמָּהּ Ruth 1:8
92 וּמְצֶאןָ מְנוּחָה אִשָּׁה בֵּית אִישָׁהּ Ruth 1:9
93 רְאֵה חַיִּים עִם־אִשָּׁה אֲשֶׁר־אָהַבְתָּ Eccl. 9:9
94 וַתְּהִי אִשָּׁה אַחֶרֶת לִירַחְמְאֵל ICh. 2:26
147-95 אִשָּׁה Gen. 24:38,40,51
25:1; 26:34; 27:46; 28:1,2,6^2; 38:6 • Ex. 21:4 • Lev. 18:19; 19:20; 20:14; 21:14 • Num. 5:29 • Deut. 20:7; 22:5,13,22; 24:1,5; 28:30 • Jud. 14:1,2,3^2; 16:4; 21:11,16,18 • ISh. 21:6 • IISh. 11:2,21 • IK. 11:19; 16:31 • Jer. 3:20; 6:11; 16:2 • Hosh. 3:1 • Zech. 5:7 • Prov. 7:10 • Job 31:9 • Ruth 3:8 • Ez. 2:61 • Neh. 7:63 • ICh. 2:18; 7:15 • IICh. 2:13; 8:11; 11:18; 21:6

וְאִשָּׁה

148 וְיִשְׁאֲלוּ...וְאִשָּׁה מֵאֵת רְעוּתָהּ Ex. 11:2
149 כָּל־אִישׁ וְאִשָּׁה אֲשֶׁר נָדַב לִבָּם Ex. 35:29
150 אִישׁ וְאִשָּׁה אַל־יַעֲשׂוּ־עוֹד מְלָאכָה Ex. 36:6
157-151 (וְ)אִישׁ וְאִשָּׁה Jud. 9:49; 16:27
ISh. 27:9,11 • Jer. 44:7; 51:22 • Es. 4:11
158 וְאִשָּׁה אֶל־אֲחֹתָהּ לֹא תִקָּח Lev. 18:18
159 וְאִשָּׁה גְּרוּשָׁה מֵאִישָׁהּ לֹא יִקָּחוּ Lev. 21:7
160 וְלַמֵּדְנָה...וְאִשָּׁה רְעוּתָהּ קִינָה Jer. 9:19
161 וְאִשָּׁה בְכָל־אֵלֶּה לֹא מָצָאתִי Eccl. 7:28
169-162 וְאִשָּׁה Lev. 15:18,19,25
18:23; 20:16 • Num. 30:4 • IIK. 4:1; 6:26

הָאִשָּׁה

170 וַיֹּאמֶר אֶל־הָאִשָּׁה אַף כִּי־אָמַר Gen. 3:1
171 וַתֹּאמֶר הָאִשָּׁה אֶל־הַנָּחָשׁ Gen. 3:2
172 הָאִשָּׁה אֲשֶׁר נָתַתָּה עִמָּדִי Gen. 3:12
173 וַתֹּאמֶר הָאִשָּׁה הַנָּחָשׁ הִשִּׁיאַנִי Gen. 3:13
174 וְאֵיבָה אָשִׁית בֵּינְךָ וּבֵין הָאִשָּׁה Gen. 3:15
175 לָקַחַת הָעֵרָבוֹן מִיַּד הָאִשָּׁה Gen. 38:20
176 וַתַּהַר הָאִשָּׁה וַתֵּלֶד בֵּן Ex. 2:2
177 כַּאֲשֶׁר יָשִׁית עָלָיו בַּעַל הָאִשָּׁה Ex. 21:22
178 וַיִּקֹּב בֶּן־הָאִשָּׁה הַיִּשְׂרְאֵלִית Lev. 24:11
179 וּפָרַע אֶת־רֹאשׁ הָאִשָּׁה Num. 5:18
180 וְלָקַח הַכֹּהֵן מִיַּד הָאִשָּׁה Num. 5:25
181 עַל־אֹדוֹת הָאִשָּׁה הַכֻּשִׁית Num. 12:1
182 וְשֵׁם הָאִשָּׁה הַמֻּכָּה הַמִּדְיָנִית Num. 25:15
183 בֹּאוּ בֵּית־הָאִשָּׁה הַזּוֹנָה Josh. 6:22
184 וַיִּגְדְּלוּ בְנֵי־הָאִשָּׁה Jud. 11:2
185 וַיַּעַן...אִישׁ הָאִשָּׁה הַנִּרְצָחָה Jud. 20:4
186 וַתִּפְקֹד עָלַי עֲוֹן הָאִשָּׁה הַיּוֹם IISh. 3:8
187 וַתַּהַר הָאִשָּׁה... וַתַּגֵּד לְדָוִד IISh. 11:5
188 וַיָּמָת בֶּן־הָאִשָּׁה הַזֹּאת לָיְלָה IK. 3:19
189 חָלָה בֶּן־הָאִשָּׁה בַּעֲלַת הַבָּיִת IK. 17:17
190 כִּשְׁמֹעַ הַמֶּלֶךְ אֶת־דִּבְרֵי הָאִשָּׁה IIK. 6:30
191 הָאִשָּׁה הַמְּנָאָפֶת Ezek. 16:32
192 וּמוֹצֶא אֲנִי מַר מִמָּוֶת אֶת־הָאִשָּׁה Eccl. 7:26
272-193 הָאִשָּׁה Gen. 3:4,6,16
12:14,15; 20:3; 24:5,8,39,44 • Ex. 2:9; 21:4 • Lev. 20:16 • Num. 5:18,19,21,22,24,26,27,28,30; 25:8 • Deut. 17:5^2; 22:14,22 • Josh. 2:4; 6:22 • Jud. 13:3,6,9,10,11,13,24; 14:10; 19:26,27 • ISh. 1:18,23,26; 2:20; 28:8,9,11,12^2,13,21,23 • IISh. 14:4, 8, 9, 12, 13, 18^2, 19; 17:19, 20^2; 20:17; 21, 22 • IK. 3:17, 18, 22, 26; 17:24 • IIK. 4:17; 6:28; 8:1, 2, 3, 5^2 • Ruth 1:5; 3:14; 4:11

וְהָאִשָּׁה

273 וְהָאִשָּׁה הַהִוא תִּשָּׂא אֶת־עֲוֹנָהּ Num. 5:31
274 וּמֵתוּ גַּם־שְׁנֵיהֶם הָאִישׁ···וְהָאִשָּׁה Deut. 22:22
275 וְהָאִשָּׁה טוֹבַת־שֶׂכֶל וִיפַת תֹּאַר ISh. 25:3
276 וְהָאִשָּׁה טוֹבַת מַרְאֶה מְאֹד IISh. 11:2
277 אֲנִי וְהָאִשָּׁה הַזֹּאת יֹשְׁבֹת... IK. 3:17

בְּאִשָּׁה

278 וַיַּעֲבֹד יִשְׂרָאֵל בְּאִשָּׁה Hosh. 12:13

וּבְאִשָּׁה

279 וַיַּעֲבֹד... וּבְאִשָּׁה שָׁמָר Hosh. 12:13

כְּאִשָּׁה

280 כְּאִשָּׁה...מִתְאַבֶּלֶת עַל־מֵת IISh. 14:2
281 כִּי־כְאִשָּׁה עֲזוּבָה...קְרָאָךְ יְיָ Is. 54:6

לְאִשָּׁה

282 וַיִּבֶן...אֶת־הַצֵּלָע...לְאִשָּׁה Gen. 2:22
283 וָאֶקַּח אֹתָהּ לִי לְאִשָּׁה Gen. 12:19
284 וַתִּתֵּן אֹתָהּ...לוֹ לְאִשָּׁה Gen. 16:3
285 וַתְּהִי־לִי לְאִשָּׁה Gen. 20:12
286 וַתְּהִי־לוֹ לְאִשָּׁה וַיֶּאֱהָבֶהָ Gen. 24:67
334-287 לְאִשָּׁה Gen. 25:20; 28:9
29:28; 30:4,9; 34:4,8,12; 38:14; 41:45 • Ex. 6:20; 6:23,25; 22:15 • Num. 36:8 • Deut. 21:11,13; 22:16,19,29; 24:3,4; 25:5 • Josh. 15:16,17 • Jud. 1:12,13; 14:2; 21:1 • ISh. 18:17,19,27; 25:39,40,42 • IISh. 11:27; 12:9,10 • IK. 2:17; 2:21; 4:11,15 • IIK. 8:18; 14:9 • Ruth 4:10,13 • ICh. 2:35 • IICh. 25:18

וּלְאִשָּׁה

335 הוֹי אֹמֵר···וּלְאִשָּׁה מַה־תְּחִילִין Is. 45:10

לָאִשָּׁה

336 וַיֹּאמֶר יְיָ אֱלֹהִים לָאִשָּׁה Gen. 3:13
337 וְאָמַר הַכֹּהֵן לָאִשָּׁה Num. 5:21
338 וַיֵּרֶד וַיְדַבֵּר לָאִשָּׁה Jud. 14:7
339 וַיִּשְׁלַח דָּוִד וַיִּדְרֹשׁ לָאִשָּׁה IISh. 11:3
340 וַיִּשְׁאַל הַמֶּלֶךְ לָאִשָּׁה וַתְּסַפֶּר־לוֹ IIK. 8:6

וְלָאִשָּׁה

341 וְלָאִשָּׁה עֵגֶל־מַרְבֵּק בַּבַּיִת ISh. 28:24

מֵאִשָּׁה

342 אִם־נִשְׁמְרוּ הַנְּעָרִים אַךְ מֵאִשָּׁה ISh. 21:5
343 לְהַצִּילְךָ מֵאִשָּׁה זָרָה Prov. 2:16
344 לִשְׁמָרְךָ מֵאִשָּׁה זָרָה Prov. 7:5

אֵשֶׁת

345 וְרָאִיתָ בַּשִּׁבְיָה אֵשֶׁת יְפַת־תֹּאַר Deut. 21:11
346 אֵשֶׁת בַּעֲלַת־אוֹב ISh. 28:7
347 אֵשֶׁת בַּעֲלַת־אוֹב בְּעֵין דּוֹר ISh. 28:7
348 נֵפֶל אֵשֶׁת בַּל־חָזוּ שָׁמֶשׁ Ps. 58:9

אֵשֶׁת־

349 שֵׁם אֵשֶׁת־אַבְרָם שָׂרָי Gen. 11:29
350 וְשֵׁם אֵשֶׁת־נָחוֹר מִלְכָּה Gen. 11:29
351 שָׂרַי כַּלָּתוֹ אֵשֶׁת אַבְרָם בְּנוֹ Gen. 11:31
352 עַל־דְּבַר שָׂרַי אֵשֶׁת אַבְרָם Gen. 12:17
353 וְשָׂרַי אֵשֶׁת אַבְרָם לֹא יָלְדָה לוֹ Gen. 16:1
354 וְעַתָּה הָשֵׁב אֵשֶׁת־הָאִישׁ Gen. 20:7
355 וַתֵּלֶד שָׂרָה אֵשֶׁת אֲדֹנִי Gen. 24:36
356 בֹּא אֶל־אֵשֶׁת אָחִיךָ Gen. 38:8
357 וְהָיָה אִם־בָּא אֶל־אֵשֶׁת אָחִיו Gen. 38:9
358 וַתִּשָּׂא אֵשֶׁת־אֲדֹנָיו אֶת־עֵינֶיהָ Gen. 39:7
359 וַיֹּאמֶר אֶל־אֵשֶׁת אֲדֹנָיו Gen. 39:8
360 לֹא־תַחְמֹד אֵשֶׁת רֵעֶךָ Ex. 20:14
361 עֶרְוַת אֵשֶׁת־אָבִיךָ לֹא תְגַלֵּה Lev. 18:8
362 עֶרְוַת בַּת־אֵשֶׁת אָבִיךָ... Lev. 18:11
363 אֵשֶׁת בִּנְךָ הִוא Lev. 18:15
364 עֶרְוַת אֵשֶׁת־אָחִיךָ לֹא תְגַלֵּה Lev. 18:16
365 וְאֶל־אֵ׳ עֲמִיתְךָ לֹא־תִתֵּן שְׁכָבְתְּךָ Lev. 18:20
366 וְאִישׁ אֲשֶׁר יִנְאַף אֶת־אֵשֶׁת אִישׁ Lev. 20:10
367 אֲשֶׁר יִנְאַף אֶת־אֵשֶׁת רֵעֵהוּ Lev. 20:10
368 אֲשֶׁר יִשְׁכַּב אֶת־אֵשֶׁת אָבִיו Lev. 20:11
369 אֲשֶׁר יִקַּח אֶת־אֵשֶׁת אָחִיו Lev. 20:21
370 וְלֹא תַחְמֹד אֵשֶׁת רֵעֶךָ Deut. 5:18
371 יְסִיתְךָ אָחִיךָ...אוֹ אֵשֶׁת חֵיקֶךָ Deut. 13:7
379-372 אֵשֶׁת רֵעֵהוּ Deut. 22:24 • Jer. 5:8
Ezek. 18:6,11,15; 22:11; 33:26 • Prov. 6:29
380 לֹא־יִקַּח אִישׁ אֶת־אֵשֶׁת אָבִיו Deut. 23:1

אֵשֶׁת־ (המשך)
381 לֹא־תִהְיֶה אֵשֶׁת־הַמֵּת הַחוּצָה Deut.25:5
382 וְקָרְבָה אֵשֶׁת הָאֶחָד לְהַצִּיל Deut.25:11
383 אָרוּר שֹׁכֵב עִם־אֵשֶׁת אָבִיו Deut.27:20
384 וּדְבוֹרָה אִשָּׁה נְבִיאָה אֵשֶׁת לַפִּידוֹת Jud.4:4
385 חֲבָלִים יֹאחֱזוּךְ כְּמוֹ אֵשֶׁת לֵדָה Jer.13:21
386 קַח־לְךָ אֵשֶׁת זְנוּנִים Hosh.1:2
387 הֵעִיד בֵּינְךָ וּבֵין אֵשֶׁת נְעוּרֶיךָ Mal.2:14
388 אֵשֶׁת כְּסִילוּת הֹמִיָּה Prov.9:13
389 אֵשֶׁת־חֵן תִּתְמֹךְ כָּבוֹד Prov.11:16
390 אֵשֶׁת־חַיִל עֲטֶרֶת בַּעְלָהּ Prov.12:4
391 אֵשֶׁת־חַיִל מִי יִמְצָא Prov.31:10
392 כִּי אֵשֶׁת חַיִל אָתְּ Ruth3:11
393 וּמֵאֵת רוּת הַמּוֹאֲבִיָּה אֵשֶׁת־הַמֵּת Ruth4:5
441-394 אֵשֶׁת Gen.16:3; 20:18; 24:15
36:10², 12,13,14,17,18²; 38:12; 46:19 • Ex. 18:2 •
Num. 26:59 • Jud. 4:17,21; 5:24; 11:2; 14:16,20 •
ISh. 4:19; 14:50; 25:14,44; 27:3; 30:5 • IISh. 2:2;
3:3,5; 11:3,26; 12:10,15 • IK. 9:16; 14:2,4,5,6,17 •
IIK. 5:2; 22:14 • Ruth4:10 • ICh. 2:29; 4:19; 7:16;
22:11; 34:22

וְאֵשֶׁת־
442 בָּא נֹחַ...וְאֵשֶׁת נֹחַ...אֶל־הַתֵּבָה Gen.7:13
443 וְאֵשֶׁת נְעוּרִים כִּי תִמָּאֵס Is.54:6
444 וְהִיא חֲבֶרְתְּךָ וְאֵשֶׁת בְּרִיתֶךָ Mal.2:14
445 וְאֵשֶׁת אִישׁ נֶפֶשׁ יְקָרָה תָצוּד Prov.6:26
446 וְאֵשֶׁת מִדְיָנִים נִשְׁתָּוָה Prov.27:15
447 וְאֵשֶׁת חֶצְרוֹן אֲבִיָּה ICh.2:24

וּבְאֵשֶׁת־
448 תֵּרַע עֵינוֹ בְאָחִיו וּבְאֵשֶׁת חֵיקוֹ Deut.28:54
449 וּבְאֵשֶׁת נְעוּרֶיךָ אַל־יִבְגֹּד Mal.2:15

לְאֵשֶׁת־
450 וַיֹּאמְרוּ לְאֵשֶׁת־שִׁמְשׁוֹן... Jud.14:15

מֵאֵשֶׁת־
451 וּשְׂמַח מֵאֵשֶׁת נְעוּרֶךָ Prov.5:18
452 לִשְׁמָרְךָ מֵאֵשֶׁת רָע Prov.6:24
453/4 מֵאֵשֶׁת מִדְיָנִים וּבֵית חָבֶר Prov.21:9; 25:24
455 מֵאֵשֶׁת מִדְיָנִים וָכָעַס Prov.21:19

אִשְׁתִּי
456 וַהֲרָגוּנִי עַל־דְּבַר אִשְׁתִּי Gen.20:11
457 כִּי יָרֵא לֵאמֹר אִשְׁתִּי Gen.26:7
458 הָבָה אֶת־אִשְׁתִּי Gen.29:21
459 כִּי שְׁנַיִם יָלְדָה־לִּי אִשְׁתִּי Gen.44:27
460 אָהַבְתִּי אֶת־אֲדֹנִי אֶת־אִשְׁתִּי Ex.21:5
461 אָבֹאָה אֶל־אִשְׁתִּי הֶחָדְרָה Jud.15:1
462 תְּנָה אֶת־אִשְׁתִּי אֶת־מִיכַל IISh.3:14
463 וְלִשְׁתּוֹת וְלִשְׁכַּב עִם־אִשְׁתִּי IISh.11:11
464 וַתָּמָת אִשְׁתִּי בָּעָרֶב Ezek.24:18
465 כִּי־הִיא לֹא אִשְׁתִּי Hosh.2:4
466 תִּטְחַן לְאַחֵר אִשְׁתִּי Job31:10

לְאִשְׁתִּי
467 רוּחִי זָרָה לְאִשְׁתִּי Job19:17

אִשְׁתְּךָ
468 לֹא־הִגַּדְתָּ לִּי כִּי אִשְׁתְּךָ הִוא Gen.12:18
469 הִנֵּה אִשְׁתְּךָ קַח וָלֵךְ Gen.12:19
470 שָׂרַי אִשְׁתְּךָ לֹא־תִקְרָא... Gen.17:15
471 אֲבָל שָׂרָה אִשְׁתְּךָ יֹלֶדֶת לְךָ בֵּן Gen.17:19
472 קוּם קַח אֶת־אִשְׁתְּךָ Gen.19:15
473 אַךְ הִנֵּה אִשְׁתְּךָ הִוא Gen.26:9
474 אִשְׁתְּךָ בָּעִיר תִּזְנֶה Am.7:17

אִשְׁתֶּךָ
475 כִּי שָׁמַעְתָּ לְקוֹל אִשְׁתֶּךָ Gen.3:17
476 אַיֵּה שָׂרָה אִשְׁתֶּךָ Gen.18:9
477 וְהִנֵּה־בֵן לְשָׂרָה אִשְׁתֶּךָ Gen.18:10
478 כִּמְעַט שָׁכַב...אֶת־אִשְׁתֶּךָ Gen.26:10

אֶשְׁתְּךָ
479 אֶשְׁתְּךָ כְּגֶפֶן פֹּרִיָּה Ps.128:3

וְאִשְׁתְּךָ
480 אַתָּה וּבָנֶיךָ וְאִשְׁתְּךָ...אִתָּךְ Gen.6:18
481 אַתָּה וְאִשְׁתְּךָ וּבָנֶיךָ...אִתָּךְ Gen.8:16
482 וְאִשְׁתְּךָ וּשְׁנֵי בָנֶיהָ עִמָּהּ Ex.18:6

אִשְׁתּוֹ
483 וַיִּקְרָא הָאָדָם שֵׁם אִשְׁתּוֹ חַוָּה Gen.3:20
484 וְהָאָדָם יָדַע אֶת־חַוָּה אִשְׁתּוֹ Gen.4:1

אִשְׁתּוֹ (המשך)
485 וַיֵּדַע קַיִן אֶת־אִשְׁתּוֹ Gen.4:17
486 וַיִּקַּח אַבְרָם אֶת־שָׂרַי אִשְׁתּוֹ Gen.12:5
487 וַיַּחֲזִיקוּ... בְּיָדוֹ וּבְיַד־אִשְׁתּוֹ Gen.19:16
488 וַתַּבֵּט אִשְׁתּוֹ מֵאַחֲרָיו Gen.19:26
489 קָבַר אַבְרָהָם אֶת־שָׂרָה אִשְׁתּוֹ Gen.23:19
490 כִּשְׁמֹעַ אֲדֹנָיו אֶת־דִּבְרֵי אִשְׁתּוֹ Gen.39:19
491 אֶת־אַבְרָהָם וְאֵת שָׂרָה אִשְׁתּוֹ Gen.49:31
492 אֶת־יִצְחָק וְאֵת רִבְקָה אִשְׁתּוֹ Gen.49:31
493 וַיֵּלֶךְ מָנוֹחַ אַחֲרֵי אִשְׁתּוֹ Jud.13:11
494 וַחֲטַפְתֶּם לָכֶם אִישׁ אִשְׁתּוֹ Jud.21:21
495 כִּי לֹא לָקַחְנוּ אִישׁ אִשְׁתּוֹ Jud.21:22
496 וַיִּתֶּן־לוֹ אִשָּׁה אֶת־אֲחוֹת אִשְׁתּוֹ IK.11:19
497 הֵן יְשַׁלַּח אִישׁ אֶת־אִשְׁתּוֹ Jer.3:1
498 וַיָּבֹא אֶל־אִשְׁתּוֹ וַתַּהַר ICh.7:23
548-499 אִשְׁתּוֹ Gen.4:25; 12:11,12,20
20:2,14,17; 25:10,21²; 26:8; 36:39; 39:9 • Ex.4:20;
21:3 • Lev. 18:14 • Num. 5:12,14²,15,30 • Deut.
24:5 • Jud. 13:21,22,23; 15:1,6 • ISh. 1:4,19; 2:20;
19:11; 25:3,37; 30:22 • IISh. 12:9,24 • IK.
21:5,7,25 • Job 2:9 • Ruth 1:2 • Es. 5:10; 5:14;
6:13² • ICh. 1:50; 3:3; 8:9,29; 9:35

וְאִשְׁתּוֹ
549 וַיִּהְיוּ... עֲרוּמִּים הָאָדָם וְאִשְׁתּוֹ Gen.2:25
550 וַיִּתְחַבֵּא הָאָדָם וְאִשְׁתּוֹ Gen.3:8
551 שִׁבְעָה שִׁבְעָה אִישׁ וְאִשְׁתּוֹ Gen.7:2
552 שְׁנַיִם אִישׁ וְאִשְׁתּוֹ Gen.7:2
553/4 נֹחַ וּבָנָיו וְאִשְׁתּוֹ וּנְשֵׁי בָנָיו Gen.7:7; 8:18
555 הוּא וְאִשְׁתּוֹ וְכָל־אֲשֶׁר־לוֹ Gen.13:1
556 חֹתֵן מֹשֶׁה וּבָנָיו וְאִשְׁתּוֹ Ex.18:5
557 וְאִשְׁתּוֹ עֲקָרָה וְלֹא יָלָדָה Jud.13:2
558/9 וּמָנוֹחַ וְאִשְׁתּוֹ רֹאִים Jud.13:19,20
560 בָנָיו יְתוֹמִים וְאִשְׁתּוֹ אַלְמָנָה Ps.109:9
561 הוּא וְאִשְׁתּוֹ וּשְׁנֵי בָנָיו Ruth1:1
562 וְאִשְׁתּוֹ הַיְהֻדִיָּה יָלְדָה ICh.4:18

בְּאִשְׁתּוֹ
563 וְדָבַק בְּאִשְׁתּוֹ וְהָיוּ לְבָשָׂר אֶחָד Gen.2:24

וּבְאִשְׁתּוֹ
564 הַנֹּגֵעַ בָּאִישׁ הַזֶּה וּבְאִשְׁתּוֹ Gen.26:11

לְאִשְׁתּוֹ
565 וַיִּשְׁאֲלוּ אַנְשֵׁי הַמָּקוֹם לְאִשְׁתּוֹ Gen.26:7
566 הַחֻקִּים... בֵּין אִישׁ לְאִשְׁתּוֹ Num.30:17
567 וַיֹּאמֶר יָרָבְעָם לְאִשְׁתּוֹ IK.14:2

וּלְאִשְׁתּוֹ
568 וַיַּעַשׂ יְיָ אֱלֹהִים לְאָדָם וּלְאִשְׁתּוֹ Gen.3:21

אִשּׁוֹת־
569 אֶל־אָהֳלָה וְאֶל־אָהֳלִיבָה אִשֹּׁת הַזִּמָּה Ezek.23:44

נָשִׁים
570 וַיִּקַּח־לוֹ... שְׁתֵּי נָשִׁים Gen.4:19
571 וַיִּקְחוּ לָהֶם נָשִׁים...אֲשֶׁר בָּחָרוּ Gen.6:2
572 וַיִּקַּח אַבְרָם וְנָחוֹר לָהֶם נָשִׁים Gen.11:29
573 כִּי־דֶרֶךְ נָשִׁים לִי Gen.31:35
574 וְאִם־תִּקַּח נָשִׁים עַל־בְּנֹתַי Gen.31:50
575 וְאָפוּ עֶשֶׂר נָשִׁים לַחְמְכֶם... Lev.26:26
576 וְלֹא יַרְבֶּה־לּוֹ נָשִׁים Deut.17:17
577 כִּי־תִהְיֶיןָ לְאִישׁ שְׁתֵּי נָשִׁים Deut.21:15
578 כִּי־נָשִׁים רַבּוֹת הָיוּ לוֹ Jud.8:30
579 כַּאֲשֶׁר שִׁכְּלָה נָשִׁים חַרְבֶּךָ ISh.15:33
580 נִפְלְאַתָה אַהֲבָתְךָ לִי מֵאַהֲבַת נָשִׁים IISh.1:26
581/2 אֶת עֶשֶׂר־נָשִׁים פִּלַגְשִׁים IISh.15:16; 20:3
583 אָז תָּבֹאנָה שְׁתַּיִם נָשִׁים זֹנוֹת IK.3:16
584 אָהַב נָשִׁים נָכְרִיּוֹת רַבּוֹת IK.11:1
585 וַיְהִי־לוֹ נָשִׁים שָׂרוֹת שְׁבַע מֵאוֹת IK.11:3
586 וְהֶחֱזִיקוּ שֶׁבַע נָשִׁים בְּאִישׁ אֶחָד Is.4:1
587 נָשִׁים שַׁאֲנַנּוֹת קֹמְנָה Is.32:9
588 חַכְמוֹת נָשִׁים בָּנְתָה בֵיתָהּ Prov.14:1
589 וְלֹא נִמְצָא נָשִׁים יָפוֹת כִּבְנוֹת אִיּוֹב Job42:15
590 אִם־תֹּאכַלְנָה נָשִׁים פִּרְיָם Lam.2:20
591 יְדֵי נָשִׁים רַחֲמָנִיּוֹת בִּשְּׁלוּ יַלְדֵיהֶן Lam.4:10

נָשִׁים (המשך)
592 נָשִׁים בְּצִיּוֹן עִנּוּ Lam.5:11
593 עָשְׂתָה מִשְׁתֵּה נָשִׁים Es.1:9
594 וְעַל־חֶמְדַּת נָשִׁים...לֹא יָבִין Dan.11:37
601-595 נָשִׁים נָכְרִיּוֹת Ez.10:2,10
10:14,17,18,44 • Neh.13:26
602 וַיִּשְׁאַל הֲמוֹן נָשִׁים IICh.11:23
624-603 נָשִׁים Jud.21:18,23
ISh. 1:2 • Is. 27:11 • Jer. 9:19; 29:6² • Ezek. 16:41;
23:2 • Nah. 3:13 • Zech. 5:9 • Ruth 1:4 • Ez.
10:3,44 • Neh. 13:23 • ICh. 4:5; 7:4; 14:3; 11:21 •
IICh. 13:21; 24:3; 28:8

וְנָשִׁים
625 וַיִּקַּח דָּוִד עוֹד פִּלַגְשִׁים וְנָשִׁים IISh.5:13
626 וְנָשִׁים מָשְׁלוּ בוֹ Is.3:12
627 וְנָסַבּוּ...שָׂדוֹת וְנָשִׁים יַחְדָּו Jer.6:12
628 אֲנָשִׁים וְנָשִׁים וָטָף Jer.40:7
629 וְנָשִׁים וְטַף וְסָרִסִים Jer.41:16
630 וְטַף וְנָשִׁים תַּהַרְגוּ לְמַשְׁחִית Ezek.9:6
631/2 לְהַשְׁמִיד...טַף וְנָשִׁים Es.3:13; 8:11
633 אֲנָשִׁים וְנָשִׁים וִילָדִים Ez.10:1

הַנָּשִׁים
634 וְגַם אֶת־הַנָּשִׁים וְאֶת־הָעָם Gen.14:16
635 וַיַּרְא אֶת־הַנָּשִׁים וְאֶת־הַיְלָדִים Gen.33:5
636 וַתֵּצֶאןָ כָל־הַנָּשִׁים אַחֲרֶיהָ Ex.15:20
637 וַיָּבֹאוּ הָאֲנָשִׁים עַל־הַנָּשִׁים Ex.35:22
638 וְכָל־הַנָּשִׁים אֲשֶׁר נָשָׂא לִבָּן Ex.35:26
639 וְנֶפֶשׁ אָדָם מִן־הַנָּשִׁים Num.31:35
640 כָּל־עִיר מְתִם הַנָּשִׁים וְהַטָּף Deut.3:6
641 רַק הַנָּשִׁים וְהַטַּף וְהַבְּהֵמָה Deut.20:14
642 וְכָל־הַנָּשִׁים יִתְּנוּ יְקָר לְבַעְלֵיהֶן Es.1:20
643 אֶל־בֵּית הַנָּשִׁים אֶל־יַד הֵגֶא Es.2:3
644 סְרִיס הַמֶּלֶךְ שֹׁמֵר הַנָּשִׁים Es.2:3
645/6 שֹׁמֵר הַנָּשִׁים Es.2:8,15
650-647 (מ)בֵּית הַנָּשִׁים Es.2:9,11,13,14
651 מִקֵּץ הֱיוֹת לָהּ כְּדָת הַנָּשִׁים... Es.2:12
652 בַּבְּשָׂמִים וּבְתַמְרוּקֵי הַנָּשִׁים Es.2:12
653 וּבַת הַנָּשִׁים יִתֶּן־לוֹ לְהַשְׁחִיתָהּ Dan.11:17
654 וְהִבָּדְלוּ...וּמִן־הַנָּשִׁים הַנָּכְרִיּוֹת Ez.10:11
655 אוֹתוֹ הֶחֱטִיאוּ הַנָּשִׁים הַנָּכְרִיּוֹת Neh.13:26
673-656 הַנָּשִׁים Jud.21:14
ISh. 2:22; 18:6,7; 30:2 • IIK. 23:7 • Jer. 38:22;
43:6; 44:15,20,24 • Ezek. 8:14; 16:34; 23:48 • Ruth
4:14 • Es. 1:17; 2:17 • Neh. 12:43

וְהַנָּשִׁים
674 כָּל־עִיר מְתִם וְהַנָּשִׁים וְהַטָּף Deut.2:34
675 הַקְהֵל...הָאֲנָשִׁים וְהַנָּשִׁים וְהַטַּף Deut.31:12
676/7 וְהַנָּשִׁים וְהַטַּף Josh.8:35 • Jud.21:10
678-80 הָאֲנָשִׁים וְהַנָּשִׁים Jud.9:51; 16:27 • Neh.8:3
681 וְהַנָּשִׁים לָשׁוּת בָּצֵק Jer.7:18
682 וְנָשַׁסּוּ הַבָּתִּים וְהַנָּשִׁים תִּשָּׁכַבְנָה Zech.14:2

בַּנָּשִׁים
683 וְכֹל הַטַּף בַּנָּשִׁים...הַחֲיוּ לָכֶם Num.31:18
684 אִם־לֹא תֵדְעִי לָךְ הַיָּפָה בַּנָּשִׁים S.ofS.1:8
685 מַה־דּוֹדֵךְ מִדּוֹד הַיָּפָה בַּנָּשִׁים S.ofS.5:9
686 אָנָה הָלַךְ דּוֹדֵךְ הַיָּפָה בַּנָּשִׁים S.ofS.6:1

כַּנָּשִׁים
687 חָדַל לִהְיוֹת לְשָׂרָה אֹרַח כַּנָּשִׁים Gen.18:11
688 כִּי לֹא כַנָּשִׁים הַמִּצְרִיּוֹת הָעִבְרִיֹּת Ex.1:19
689 בַּיּוֹם הַהוּא יִהְיֶה מִצְרַיִם כַּנָּשִׁים Is.19:16

לְנָשִׁים
690 אֶת־בְּנֹתָם נִקַּח־לָנוּ לְנָשִׁים Gen.34:21
691 וְהָיוּ לְאֶחָד מִבְּנֵי... לְנָשִׁים Num.36:3
692 לַטּוֹב בְּעֵינֵיהֶם תִּהְיֶינָה לְנָשִׁים Num.36:6
693 לְמִשְׁפַּחַת... תִּהְיֶינָה לְנָשִׁים Num.36:6
694 וַתִּהְיֶינָה...לִבְנֵי דֹדֵיהֶן לְנָשִׁים Num.36:11
695 מִמִּשְׁפְּחֹת...הָיוּ לְנָשִׁים Num.36:12
696 וַיִּקְחוּ אֶת־בְּנוֹתֵיהֶם לָהֶם לְנָשִׁים Jud.3:6
697 מַה־נַּעֲשֶׂה...לַנּוֹתָרִים לְנָשִׁים Jud.21:7

לְנָשִׁים (המשך) 698 לְבִלְתִּי־תֵת...מִבְּנוֹתֵינוּ לְנָשִׁים Jud. 21:7
699 מַה־נַּעֲשֶׂה לַנּוֹתָרִים לְנָשִׁים Jud. 21:16
700 וַתִּהְיֶין גַּם־שְׁתֵּיהֶן לוֹ לְנָשִׁים ISh. 25:43
701 ...וְהָיוּ לְנָשִׁים Jer. 50:37
702 נָשְׁתָה גְבוּרָתָם הָיוּ לְנָשִׁים Jer. 51:30
703 לֹא־יִקְחוּ לָהֶם לְנָשִׁים Ezek. 44:22
לַנָּשִׁים 704 וַתְּהִי־שֵׁם לַנָּשִׁים Ezek. 23:10
705 אַל־תִּתֵּן לַנָּשִׁים חֵילֶךָ Prov. 31:3
מִנָּשִׁים 706 תְּבֹרַךְ מִנָּשִׁים יָעֵל... Jud. 5:24
707 מִנָּשִׁים בָּאֹהֶל תְּבֹרָךְ Jud. 5:24
708 כֵּן־תִּשְׁכַּל מִנָּשִׁים אִמֶּךָ ISh. 15:33
נְשֵׁי־ 709 נְשֵׁי לֶמֶךְ הַאְזֵנָּה אִמְרָתִי Gen. 4:23
710 וּשְׁלֹשֶׁת נְשֵׁי־בָנָיו אִתָּם Gen. 7:13
711 וְאֶת־בְּנֵי זִלְפָּה נְשֵׁי אָבִיו Gen. 37:2
712 מִלְּבַד נְשֵׁי בְנֵי־יַעֲקֹב Gen. 46:26
713 אֶת־נְשֵׁי מִדְיָן וְאֶת־טַפָּם Num. 31:9
714 וּשְׁתֵּי נְשֵׁי־דָוִד נִשְׁבּוּ ISh. 30:5
715 וָאֶתְּנָה...וְאֶת־נְשֵׁי אֲדֹנֶיךָ בְּחֵיקֶךָ IISh. 12:8
716 וְאֶת־אֵם הַמֶּלֶךְ וְאֶת־נְשֵׁי הַמֶּלֶךְ IIK. 24:15
717 וַיְנַאֲפוּ אֶת־נְשֵׁי רֵעֵיהֶם Jer. 29:23
718 נְשֵׁי עַמִּי תְּגָרְשׁוּן... Mic. 2:9
וּנְשֵׁי־ 719/20 אַתָּה...וּנְשֵׁי־בָנֶיךָ אִתָּךְ Gen. 6:18; 8:16
721/2 נֹחַ...וּנְשֵׁי־בָנָיו אִתּוֹ Gen. 7:7; 8:18
מִנְּשֵׁי־ 723 אֲשֶׁר חִיּוּ מִנְּשֵׁי יָבֵשׁ גִּלְעָד Jud. 21:14
724 וְאִשָּׁה אַחַת מִנְּשֵׁי בְנֵי־הַנְּבִיאִים IIK. 4:1
נָשַׁי 725 תְּנָה אֶת־נָשַׁי וְאֶת־יְלָדַי Gen. 30:26
726 כִּי־שָׁלַח אֵלַי לְנָשַׁי וּלְבָנַי IK. 20:7
נָשֶׁיךָ 727 וְלָקַחְתִּי אֶת־נָשֶׁיךָ לְעֵינֶיךָ IISh. 12:11
728 וְשָׁכַב עִם־נָשֶׁיךָ IISh. 12:11
729 וְנֶפֶשׁ נָשֶׁיךָ וְנֶפֶשׁ פִּלַגְשֶׁיךָ IISh. 19:6
730 וְאֶת־כָּל־נָשֶׁיךָ וְאֶת־בָּנֶיךָ Jer. 38:23
וְנָשֶׁיךָ 731 וְנָשֶׁיךָ וּבָנֶיךָ הַטּוֹבִים לִי־הֵם IK. 20:3
732 וְנָשֶׁיךָ וּבָנֶיךָ לִי תִתֵּן IK. 20:5
וּבְנָשֶׁיךָ 733 מַגֵּפָה...וּבְנָשֶׁיךָ וּבְכָל־רְכוּשֶׁךָ IICh. 21:14
נָשָׁיו 734 וַיִּקַּח...עַל־נָשָׁיו לוֹ לְאִשָּׁה Gen. 28:9
735 וַיִּשָּׂא אֶת־בָּנָיו וְאֶת־נָשָׁיו Gen. 31:17
736 וַיִּקַּח אֶת־שְׁתֵּי נָשָׁיו Gen. 32:22
737 ...וְאֵת רָעוֹת נָשָׁיו... Jer. 44:9
747-738 נָשָׁיו Gen. 36:2,6 • ISh. 27:3; 30:18
IISh. 2:2 • IK. 11:43,8 • ICh. 8:8 • IICh. 11:21
וְנָשָׁיו 748 וַיִּשְׁבּוּ...וְגַם־בָּנָיו וְנָשָׁיו IICh. 21:17
לְנָשָׁיו 749 וַיֹּאמֶר לֶמֶךְ לְנָשָׁיו... Gen. 4:23
נָשֵׁינוּ 750 נָשֵׁינוּ וְטַפֵּנוּ יִהְיוּ לָבַז Num. 14:3
751 טַפֵּנוּ נָשֵׁינוּ... יִהְיוּ־שָׁם Num. 32:26
752 אֲנַחְנוּ נָשֵׁינוּ בָּנֵינוּ וּבְנֹתֵינוּ Jer. 35:8
וּנְשֵׁינוּ 753 וּבָנֵינוּ...וּנְשֵׁינוּ בַּשְּׁבִי עַל־זֹאת IICh. 29:9
נְשֵׁיכֶם 754 וְהָיוּ נְשֵׁיכֶם אַלְמָנוֹת Ex. 22:23
755 נִזְמֵי הַזָּהָב אֲשֶׁר בְּאָזְנֵי נְשֵׁיכֶם Ex. 32:2
756 רַק נְשֵׁיכֶם וְטַפְּכֶם וּמִקְנֵכֶם Deut. 3:19
757 טַפְּכֶם נְשֵׁיכֶם וְגֵרְךָ... Deut. 29:10
758 נְשֵׁיכֶם טַפְּכֶם וּמִקְנֵיכֶם Josh. 1:14
759 הַשְׁכַחְתֶּם...וְאֵת רָעֹת נְשֵׁיכֶם Jer. 44:9
760 וְהִלָּחֲמוּ עַל...נְשֵׁיכֶם וּבָתֵּיכֶם Neh. 4:8
וּנְשֵׁיכֶם 761 אַתֶּם וּנְשֵׁיכֶם וַתְּדַבֵּרְנָה בְּפִיכֶם Jer. 44:25
וְלִנְשֵׁיכֶם 762 עֲגָלוֹת לְטַפְּכֶם וְלִנְשֵׁיכֶם Gen. 45:19
נְשֵׁיהֶם 763 ...וְאֶת־נְשֵׁיהֶם שָׁבוּ וַיָּבֹזּוּ Gen. 34:29
764 וַיִּשְׂאוּ...וְאֶת־טַפָּם וְאֶת־נְשֵׁיהֶם Gen. 46:5
765 אֶתֵּן אֶת־נְשֵׁיהֶם לַאֲחֵרִים Jer. 8:10
768-766 נְשֵׁיהֶם וּבְנֵיהֶם וּבְנֹתֵיהֶם
Jer. 14:16 • Neh. 10:29 • IICh. 31:18
769 וְתִהְיֶנָה נְשֵׁיהֶם שַׁכֻּלוֹת וְאַלְמָנוֹת Jer. 18:21
770 מְקַטְּרוֹת נְשֵׁיהֶם לֵאלֹ׳ אֲחֵרִים Jer. 44:15

נְשֵׁיהֶם (המשך) 771 וַיִּתְּנוּ יָדָם לְהוֹצִיא נְשֵׁיהֶם Ez. 10:19
772 גַּם־טַפָּם נְשֵׁיהֶם וּבְנֵיהֶם IICh. 20:13
וּנְשֵׁיהֶם 773 יָצְאוּ...וּנְשֵׁיהֶם וּבְנֵיהֶם וְטַפָּם Num. 16:27
774 וּנְשֵׁיהֶם וּבְנֵיהֶם וּבְנֹתֵיהֶם נִשְׁבּוּ ISh. 30:3
775 יִשַּׁסּוּ בָּתֵּיהֶם וּנְשֵׁיהֶם תִּשָּׁכַבְנָה Is. 13:16
776 בֵּית־דָּוִיד לְבָד וּנְשֵׁיהֶם לְבָד Zech. 12:12
780-777 בֵּית...לְבָד וּנְשֵׁיהֶם לְבָד² Zech. 12:12²,13²
781 מִשְׁפָּחֹת לְבָד וּנְשֵׁיהֶם לְבָד Zech. 12:14
782 וַתְּהִי צַעֲקַת הָעָם וּנְשֵׁיהֶם גְּדוֹלָה Neh. 5:1

אֱשׁוּן ז׳ זמן(?) אפלה(?)

בֶּאֱשׁוּן־ 1 יִדְעַךְ נֵרוֹ בֶּאֱשׁוּן (כת׳ באישון) חֹשֶׁךְ Prov. 20:20

אֲשׁוּר* נ׳ (פיוטית) רגל, צעד • [בַּת־אֲשׁוּרִים עיין אות ב׳]

הָבִין לַאֲשֻׁרוֹ 2; כּוֹנֵן אֲשֻׁרָיו 4; מָעֲדוּ אֲ׳ 6; נָטוּ אֲשֻׁרָיו 7; שֻׁפְּכוּ אֲשֻׁרָיו 5

בַּאֲשֻׁרוֹ 1 בַּאֲשֻׁרוֹ אָחֲזָה רַגְלִי Job 23:11
לַאֲשֻׁרוֹ 2 וְעָרוּם יָבִין לַאֲשֻׁרוֹ Prov. 14:15
אֲשׁוּרַי 3 תָּמֹךְ אֲשֻׁרַי בְּמַעְגְּלוֹתֶיךָ Ps. 17:5
אֲשֻׁרָי 4 וַיָּקֶם עַל־סֶלַע רַגְלַי כּוֹנֵן אֲשֻׁרָי Ps. 40:3
5 וַאֲנִי...כְּאַיִן שֻׁפְּכוּ אֲשֻׁרָי Ps. 73:2
אֲשֻׁרָיו 6 לֹא תִמְעַד אֲשֻׁרָיו Ps. 37:31
אֲשֻׁרֵינוּ 7 וַתֵּט אֲשֻׁרֵינוּ מִנִּי אָרְחֶךָ Ps. 44:19

אֲשׁוּר¹* ז׳ כמו אשור

אֲשֻׁרִי 1 אִם־תִּטֶּה אַשֻּׁרִי מִנִּי הַדָּרֶךְ Job 31:7
אַשֻּׁרֵנוּ 2 אַשֻּׁרֵנוּ עַתָּה סְבָבוּנוּ Ps. 17:11

אַשּׁוּר² שפ״ז א) בן שם: 2, 4, 137, 138

ב) שם העם והארץ: יתר המקראות

אֶרֶץ אַשּׁוּר 98, 105, 122, 126; בְּנֵי אַ׳ 110—114; גְּאוֹן אַ׳ 129; דֶּרֶךְ אַ׳ 109; מַחֲנֵה אַ׳ 97, 108; מֶלֶךְ אַ׳ 5—88; מַלְכֵי אַ׳ 89—96; מִנֵּי אַ׳ 127; קִדְמַת אַשּׁוּר 1

אַשּׁוּר 1 הוּא הַהֹלֵךְ קִדְמַת אַשּׁוּר Gen. 2:14
2 מִן־הָאָ֫רֶץ הַהִוא יָצָא אַשּׁוּר Gen. 10:11
3 עַד־מָה אַשּׁוּר תִּשְׁבֶּךָּ Num. 24:22
4 וְעִנּוּ אַשּׁוּר וְעִנּוּ־עֵבֶר Num. 24:24
6-5 פּוּל מֶלֶךְ־אַשּׁוּר IIK. 15:19 • ICh. 5:26
8-7 עָלָה שַׁלְמַנְאֶסֶר מֶלֶךְ־אַשּׁוּר IIK. 17:3; 18:9
18-9 סַנְחֵרִ(י)ב מֶלֶךְ־אַשּׁוּר IIK. 18:13; 19:20,36
Is. 36:1; 37:21,37 • IICh. 32:1,9,10,22
19 בִּשְׁלֹחַ אֹתוֹ סַרְגּוֹן מֶלֶךְ אַשּׁוּר Is. 20:1
20/1 תִּגְלַת פִּלְאֶסֶר מֶלֶךְ־אַשּׁוּר IIK. 15:29; 16:10
22 אֶל־תִּגְלַת פְּלֶסֶר מֶלֶךְ־אַשּׁוּר IIK. 16:7
23 תִּלְּגַת פִּלְנְאֶסֶר מֶלֶךְ אַשֻּׁר ICh. 5:6
24 רוּחַ תִּלְּגַת פִּלְנֶסֶר מֶלֶךְ אַשּׁוּר ICh. 5:26
25 תִּלְּגַת פִּלְנְאֶסֶר מֶלֶךְ אַשּׁוּר IICh. 28:20
26 מִימֵי אֵסַר חַדֹּן מֶלֶךְ אַשּׁוּר Ez. 4:2
86-27 (בְּ־/לְ־) מֶלֶךְ אַשּׁוּר IIK. 15:20²
16:8,9²,18; 17:4³,5,6,24,26,27; 18:7,11,14²,16,17; 18:19,23,28,30,31,33; 19:4,6,8,10,32; 20:6; 23:29 • Is. 7:17,20; 8:4,7; 10:12; 20:4,6; 36:2,4,13,15,18; 37:4,6,8,10,33; 38:6 • Jer. 50:17,18 • Nah. 3:18 • Ez. 6:22 • IICh. 28:21; 32:7,11,21; 33:11
87/8 הַמֶּלֶךְ אַשּׁוּר Is. 36:8,16
96-89 מַלְכֵי אַשּׁוּר IIK. 19:11,17
Is. 37:11,18 • Neh. 9:32 • IICh. 28:16; 30:6; 32:4
97 וַיֵּצֵא...וַיַּךְ בְּמַחֲנֵה אַשּׁוּר... IIK. 19:35
98 וְלַדְּבוֹרָה אֲשֶׁר בְּאֶרֶץ אַשּׁוּר Is. 7:18
99 הוֹי אַשּׁוּר שֵׁבֶט אַפִּי Is. 10:5
100 לִשְׁבֹּר אַשּׁוּר בְּאַרְצִי... Is. 14:25
101 וּבָא־אַשּׁוּר בְּמִצְרַיִם Is. 19:23
102 וְעָבְדוּ מִצְרַיִם אֶת־אַשּׁוּר Is. 19:23

אַשּׁוּר (המשך) 103 בָּרוּךְ...וּמַעֲשֵׂה יָדַי אַשּׁוּר... Is. 19:25
104 אַשּׁוּר יְסָדָהּ לְצִיִּים Is. 23:13
105 וּבָאוּ הָאֹבְדִים בְּאֶרֶץ אַשּׁוּר Is. 27:13
106 כִּי־מִקּוֹל יְיָ יֵחַת אַשּׁוּר Is. 30:31
107 וְנָפַל אַשּׁוּר בְּחֶרֶב לֹא־אִישׁ Is. 31:8
108 וַיֵּצֵא...וַיַּכֶּה בְּמַחֲנֵה אַשּׁוּר Is. 37:36
109 ...וּמַה־לָּךְ לְדֶרֶךְ אַשּׁוּר Jer. 2:18
114-110 בְּנֵי־אַשּׁוּר Ezek. 16:28; 23:7,9,12,23
115 וַתַּעְגַּב...אֶל־אַשּׁוּר קְרוֹבִים Ezek. 23:5
116 אַשּׁוּר כִּלְמַד רֹכַלְתֵּךְ Ezek. 27:23
117 הִנֵּה אַשּׁוּר אֶרֶז בַּלְּבָנוֹן Ezek. 31:3
118 שָׁם אַשּׁוּר וְכָל־קְהָלָהּ Ezek. 32:22
119 וַיֵּלֶךְ אֶפְרַיִם אֶל־אַשּׁוּר Hosh. 5:13
120 מִצְרַיִם קָרָאוּ אַשּׁוּר הָלָכוּ Hosh. 7:11
121 כִּי־הֵמָּה עָלוּ אַשּׁוּר Hosh. 8:9
122 יֶחֶרְדוּ...וּכְיוֹנָה מֵאֶרֶץ אַשּׁוּר Hosh. 11:11
123 וּבְרִית עִם־אַשּׁוּר יִכְרֹתוּ Hosh. 12:2
124 אַשּׁוּר לֹא יוֹשִׁיעֵנוּ Hosh. 14:4
125 אַשּׁוּר כִּי־יָבוֹא בְאַרְצֵנוּ Mic. 5:4
126 וְרָעוּ אֶת־אֶרֶץ אַשּׁוּר בַּחֶרֶב Mic. 5:5
127 לְמִנִּי אַשּׁוּר וְעָרֵי מָצוֹר Mic. 7:12
128 וְיֵט יָדוֹ...וִיאַבֵּד אֶת־אַשּׁוּר Zep. 2:13
129 וְהוּרַד גְּאוֹן אַשּׁוּר Zech. 10:11
130 גַּם־אַשּׁוּר נִלְוָה עִמָּם Ps. 83:9
131 מִצְרַיִם נָתַנּוּ יָד אַשּׁוּר לִשְׂבֹּעַ לָחֶם Lam. 5:6
אַשּׁוּרָה 132 בָּא תִּגְלַת...וַיַּגְלֵם אַשּׁוּרָה IIK. 15:29
133 וַיֶּגֶל אֶת־יִשְׂרָאֵל אַשּׁוּרָה IIK. 17:6
134 וַיִּגֶל יִשְׂרָאֵל מֵעַל אַדְמָתוֹ אַשּׁוּרָה IIK. 17:23
135 וַיֶּגֶל... אֶת־יִשְׂרָאֵל אַשּׁוּרָה IIK. 18:11
136 תִּהְיֶה מְסִלָּה מִמִּצְרַיִם אַשּׁוּרָה Is. 19:23
וְאַשּׁוּר 137/8 עֵילָם וְאַשּׁוּר Gen. 10:22 • ICh. 1:17
139 וְאַשּׁוּר בְּאֶפֶס עֲשָׁקוֹ Is. 52:4
140 לֹא יָשׁוּב...וְאַשּׁוּר הוּא מַלְכּוֹ Hosh. 11:5
בְּאַשּׁוּר 141 וּבָא... וּמִצְרַיִם בְּאַשּׁוּר Is. 19:23
וּבְאַשּׁוּר 142 וּבְאַשּׁוּר טָמֵא יֹאכֵלוּ Hosh. 9:3
לְאַשּׁוּר 143 גַּם־אוֹתוֹ לְאַשּׁוּר יוּבָל Hosh. 10:6
וּלְאַשּׁוּר 144 שְׁלִישִׁיָּה לְמִצְרַיִם וּלְאַשּׁוּר Is. 19:24
מֵאַשּׁוּר 145 אַל־תִּירָא עַמִּי...מֵאַשּׁוּר Is. 10:24
146/7 אֲשֶׁר יִשָּׁאֵר מֵאַשּׁוּר Is. 11:11,16
148 תֵּבֹשִׁי כַּאֲשֶׁר־בֹּשְׁתְּ מֵאַשּׁוּר Jer. 2:36
149 וְהִצִּיל מֵאַשּׁוּר כִּי־יָבוֹא בְאַרְצֵנוּ Mic. 5:5
וּמֵאַשּׁוּר 150 וַהֲשִׁבוֹתִים...וּמֵאַשּׁוּר אֲקַבְּצֵם Zech. 10:10

אֲשׁוּר³ הוא כנראה המקום שור

אַשּׁוּרָה 1 וַיִּשְׁכְּנוּ מֵחֲוִילָה עַד־שׁוּר אֲשֶׁר עַל־פְּנֵי מִצְרַיִם בֹּאֲכָה אַשּׁוּרָה Gen. 25:18

אֲשׁוּרִי ת׳ אולי הוא אָשֵׁרִי (פשיטתא: גְּשׁוּרִי)

הָאֲשׁוּרִי 1 וַיַּמְלִכֵהוּ אֶל־הַגִּלְעָד וְאֶל־הָאֲשׁוּרִי IISh. 2:9

אַשּׁוּרִים שפ״ז — מזרע אברהם וקטורה

אַשּׁוּרִם 1 וּבְנֵי דְדָן הָיוּ אַשּׁוּרִם וּלְטוּשִׁם Gen. 25:3

אַשְׁחוּר שפ״ז — בן חצרון בן כלב

אַשְׁחוּר 1 וַתֵּלֶד לוֹ אֶת־אַשְׁחוּר אֲבִי תְקוֹעַ ICh. 2:24
וּלְאַשְׁחוּר 2 וּלְאַשְׁחוּר אֲבִי תְקוֹעַ הָיוּ שְׁתֵּי נָשִׁים ICh. 4:5

אָשְׁיָה* נ׳ יסוד(?) קיר(?)

אָשְׁוֹיֹתֶיהָ 1 נָפְלוּ אָשְׁוֹיֹתֶיהָ (כת׳ אשויתיה) Jer. 50:15

אֲשִׁימָא שם אליל של אנשי חמת

אֲשִׁימָא 1 וְאַנְשֵׁי חֲמָת עָשׂוּ אֶת־אֲשִׁימָא IIK. 17:30

אֲשִׁירָה עיין אֲשֵׁרָה

אֲשִׁישָׁה נ׳ דבלה? עוגת פֵּרות?

וַאֲשִׁישָׁה 1 וְאֶשְׁפָּר אֶחָד וַאֲשִׁישָׁה אֶחָת IISh.6:19
2 כִּכַּר־לֶחֶם וְאֶשְׁפָּר וַאֲשִׁישָׁה ICh.16:3
בָּאֲשִׁישׁוֹת 3 סַמְּכוּנִי בָּאֲשִׁישׁוֹת רַפְּדוּנִי בַּתַּפּוּחִים S.ofS.2:5
אֲשִׁישֵׁי־ 4 וְאֹהֲבֵי אֲשִׁישֵׁי עֲנָבִים Hosh.3:1
לַאֲשִׁישֵׁי־ 5 לַאֲשִׁישֵׁי קִיר־חֲרֶשֶׂת תֶּהְגּוּ Is.16:7

אֶשֶׁךְ* ז׳ ביצת הזכר

אָשֶׁךְ 1 אוֹ גִבֵּן...אוֹ מְרוֹחַ אָשֶׁךְ Lev.21:20

אֶשְׁכּוֹל[1] ז׳ שריג הגפן הנושא ענבים: 1—9

אֶשְׁכֹּל הַגֶּפֶן 8; א׳ הַכֹּפֶר 4; א׳ עֲנָבִים 5; אַשְׁכְּלֹת מְרֹרֹת 7

אֶשְׁכּוֹל 1 אֵין־אֶשְׁכּוֹל לֶאֱכוֹל Mic.7:1
הָאֶשְׁכּוֹל 2 עַל אֹדוֹת הָאֶשְׁכּוֹל אֲשֶׁר־כָּרְתוּ Num.13:24
בָּאֶשְׁכּוֹל 3 כַּאֲשֶׁר יִמָּצֵא הַתִּירוֹשׁ בָּאֶשְׁכּוֹל Is.65:8
אֶשְׁכֹּל־ 4 אֶשְׁכֹּל הַכֹּפֶר דּוֹדִי לִי S.ofS.1:14
וְאֶשְׁכּוֹל־ 5 זְמוֹרָה וְאֶשְׁכּוֹל עֲנָבִים אֶחָד Num.13:23
לְאַשְׁכֹּלוֹת 6 קוֹמָתֵךְ...לְתָמָר וְשָׁדַיִךְ לְאַשְׁכֹּלוֹת S.ofS.7:8
אַשְׁכְּלֹת־ 7 אַשְׁכְּלֹת מְרֹרֹת לָמוֹ Deut.32:32
כְּאֶשְׁכְּלוֹת־ 8 וְיִהְיוּ־נָא שָׁדַיִךְ כְּאֶשְׁכְּלוֹת הַגֶּפֶן S.ofS.7:9
אַשְׁכְּלֹתֶיהָ 9 הִבְשִׁילוּ אַשְׁכְּלֹתֶיהָ עֲנָבִים Gen.40:10

אֶשְׁכּוֹל[2] שפ״ז — מבעלי בריתו של אברהם: 1, 2

אֶשְׁכֹּל 1 ...אֲחִי אֶשְׁכֹּל וַאֲחִי עָנֵר Gen.14:13
2 עָנֵר אֶשְׁכֹּל וּמַמְרֵא... Gen.14:24

אֶשְׁכּוֹל[3] — שם נחל בקרבת חברון: 1—4

אֶשְׁכֹּל 1/2 וַיָּבֹאוּ עַד־נַחַל אֶשְׁכֹּל Num.13:23 • Deut.1:24
3 לַמָּקוֹם הַהוּא קָרָא נַחַל אֶשְׁכּוֹל Num.13:24
4 וַיַּעֲלוּ עַד־נַחַל אֶשְׁכּוֹל Num.32:9

אַשְׁכְּנַז שפ״ז — בן יפת בן גמר: 1—3

אַשְׁכְּנַז 1/2 וּבְנֵי גֹּמֶר אַשְׁכְּנַז... Gen.10:3 • ICh.1:6
וְאַשְׁכְּנָז 3 מַמְלְכוֹת אֲרָרַט מִנִּי וְאַשְׁכְּנָז Jer.51:27

אֶשְׁכָּר ז׳ מס, מנחה: 1, 2

אֶשְׁכָּר 1 מַלְכֵי שְׁבָא וּסְבָא אֶשְׁכָּר יַקְרִיבוּ Ps.72:10
אֶשְׁכָּרֵךְ 2 קַרְנוֹת שֵׁן...הֵשִׁיבוּ אֶשְׁכָּרֵךְ Ezek.27:15

אֵשֶׁל ז׳ עץ (מן הסוג ״טַמָּרִיקְס״?): 1—3

אֵשֶׁל 1 וַיִּטַּע אֶשֶׁל בִּבְאֵר שָׁבַע Gen.21:33
הָאֵשֶׁל 2 יוֹשֵׁב...תַּחַת־הָאֶשֶׁל בָּרָמָה ISh.22:6
3 וַיִּקְבְּרוּ תַחַת־הָאֶשֶׁל בְּיָבֵשָׁה ISh.31:13

אשם : אָשַׁם, נֶאְשַׁם, הֶאֱשִׁים; אָשָׁם, אָשֵׁם, אַשְׁמָה; אַשְׁמַנִּים?

אָשַׁם פ׳ א) היה חיב על חטא: 1—31, 33, 34

ב) חָרֵב: 32
ג) [נפ׳ נֶאְשַׁם] נחרב: 35
ד) [הפ׳ הֶאֱשִׁים] ענש על חטא: 36

אָשׁוֹם 1 אָשָׁם הוּא אָשֹׁם אָשַׁם לַיְיָ Lev.5:19
2 וַיֶּאְשְׁמוּ אָשׁוֹם וְנִקְמוּ בָהֶם Ezek.25:12
לְאַשְׁמָה 3 מִכֹּל אֲשֶׁר־יַעֲשֶׂה לְאַשְׁמָה בָהּ Lev.5:26
וְאָשָׁמְתָּ 4 פֶּן־יְקַלֶּלְךָ וְאָשָׁמְתָּ Prov.30:10
אָשַׁמְתְּ 5 בְּדָמֵךְ אֲשֶׁר־שָׁפַכְתְּ אָשַׁמְתְּ Ezek.22:4
אָשַׁם 6 אָשָׁם הוּא אָשֹׁם אָשַׁם לַיְיָ Lev.5:19
7 וְנָתַן לַאֲשֶׁר אָשַׁם לוֹ Num.5:7
וְאָשֵׁם 8 וְעָשָׂה...בִּשְׁגָגָה וְאָשֵׁם Lev.4:22
9 בַּעֲשֹׂתָהּ...אֲשֶׁר לֹא־תֵעָשֶׂינָה וְאָשֵׁם Lev.4:27
10 וְהוּא טָמֵא וְאָשֵׁם Lev.5:2
11/2 וְהוּא(־)יָדַע וְאָשֵׁם Lev.5:3,4
13 וְלֹא־יָדַע וְאָשֵׁם וְנָשָׂא עֲוֹנוֹ Lev.5:17
14 וְהָיָה כִּי־יֶחֱטָא וְאָשֵׁם Lev.5:23
15 אָז חָלַף רוּחַ וַיַּעֲבֹר וְאָשֵׁם Hab.1:11
וְאָשְׁמָה 16 וְאָשְׁמָה הַנֶּפֶשׁ הַהִוא Num.5:6

וְאָשֵׁמוּ 17 וְעָשׂוּ...אֲשֶׁר לֹא־תֵעָשֶׂינָה וְאָשֵׁמוּ Lev.4:13
יֶאְשַׁם 18 וְהָיָה כִּי־יֶאְשַׁם לְאַחַת מֵאֵלֶּה Lev.5:5
19 אַל־יֶאְשַׁם יְהוּדָה Hosh.4:15
וַיֶּאְשַׁם 20 וַיֶּאְשַׁם בַּבַּעַל וַיָּמֹת Hosh.13:1
תֶּאְשַׁם 21 תֶּאְשַׁם שֹׁמְרוֹן כִּי מָרְתָה בֵּאלֹהֶיהָ Hosh.14:1
נֶאְשָׁם 22 וְצָרֵיהֶם אָמְרוּ לֹא נֶאְשָׁם Jer.50:7
תֶּאְשָׁמוּ 23 לֹא אַתֶּם נְתַתֶּם...כָּעֵת תֶּאְשָׁמוּ Jud.21:22
24 כֹּה תַעֲשׂוּן וְלֹא תֶאְשָׁמוּ IICh.19:10
יֶאְשְׁמוּ 25 עַד אֲשֶׁר־יֶאְשְׁמוּ וּבִקְשׁוּ פָנָי Hosh.5:15
26 וְלֹא יֶאְשְׁמוּ כָּל־הַחֹסִים בּוֹ Ps.34:23
27 וְהִזְהַרְתֶּם אֹתָם וְלֹא יֶאְשְׁמוּ לַיְיָ IICh.19:10
יֶאְשָׁמוּ 28 קֹדֶשׁ יִשְׂרָאֵל...כָּל־אֹכְלָיו יֶאְשָׁמוּ Jer.2:3
29 חָלַק לִבָּם עַתָּה יֶאְשָׁמוּ Hosh.10:2
30 קֹנֵיהֶן יַהַרְגֻן וְלֹא יֶאְשָׁמוּ Zech.11:5
31 וְשֹׂנְאֵי צַדִּיק יֶאְשָׁמוּ Ps.34:22
וְיֶאְשְׁמוּ 32 יֶחֶרְבוּ וְיֶאְשְׁמוּ מִזְבְּחוֹתֵיכֶם Ezek.6:6
וַיֶּאְשְׁמוּ 33 ...וַיֶּאְשְׁמוּ יֹשְׁבֵי בָהּ Is.24:6
34 וַיֶּאְשְׁמוּ אָשׁוֹם וְנִקְמוּ בָהֶם Ezek.25:12
נֶאְשָׁמוּ 35 גַּם־עֶדְרֵי הַצֹּאן נֶאְשָׁמוּ Joel 1:18
הַאֲשִׁימֵם 36 הַאֲשִׁימֵם אֱלֹהִים... Ps.5:11

אָשֵׁם ת׳ א) חַיָּב, ראוי לעונש: 1—2

ב) חיב בקרבן אָשָׁם: 3

כְּאָשֵׁם 1 וּמִדַּבֵּר הַמֶּלֶךְ הַדָּבָר הַזֶּה כְּאָשֵׁם IISh.14:13
אֲשֵׁמִים 2 אֲבָל אֲשֵׁמִים אֲנַחְנוּ Gen.42:21
וַאֲשֵׁמִים 3 וַאֲשֵׁמִים אֵיל־צֹאן עַל־אַשְׁמָתָם Ez.10:19

אָשָׁם ז׳ א) חֵטְא, מעל: 1, 2, 10, 11, 12, 46

ב) מתן לכהנים או לאלהים לכפר על חטא ואשמה — בכסף או בקרבן: 3—9, 13—45

קרובים: ראה חֵטְא, קָרְבָּן

אֵיל אָשָׁם 5, 13, 23; דַּם הָא׳ 17—20; כֶּסֶף א׳ 9; כֶּבֶשׂ הָאָשָׁם 21, 22; תּוֹרַת הָאָשָׁם 14 הֵבִיא אָשָׁם 5,1, 39—43; הֵלִיץ א׳ 12; הֵשִׁיב אָשָׁם 6—8, 24—26,44; שָׂם א׳ 10; הִתְהַלֵּךְ בַּאֲשָׁמָיו 46

אָשָׁם 1 וְהֵבֵאתָ עָלֵינוּ אָשָׁם Gen.26:10
2 אָשָׁם הוּא אָשֹׁם אָשַׁם לַיְיָ Lev.5:19
3 וְהִקְטִיר...אִשֶּׁה לַיְיָ אָשָׁם הוּא Lev.7:5
4 וְלָקַח כֶּבֶשׂ אֶחָד אָשָׁם Lev.14:21
5 וְהֵבִיא אֶת־אֲשָׁמוֹ...אֵיל אָשָׁם Lev.19:21
6 כִּי־הָשֵׁב תָּשִׁיבוּ לוֹ אָשָׁם ISh.6:3
7 ...אֲשֶׁר הֲשֵׁבֹתֶם לוֹ אָשָׁם ISh.6:8
8 אֲשֶׁר הֵשִׁיבוּ פְלִשְׁתִּים אָשָׁם לַיְיָ ISh.6:17
9 כֶּסֶף אָשָׁם וְכֶסֶף חַטָּאוֹת...לַכֹּהֲנִים IIK.12:17
10 אִם־תָּשִׂים אָשָׁם נַפְשׁוֹ Is.53:10
11 כִּי אַרְצָם מָלְאָה אָשָׁם Jer.51:5
12 אֱוִלִים יָלִיץ אָשָׁם Prov.14:9
הָאָשָׁם 13 וְהַכֹּהֵן יְכַפֵּר עָלָיו בְּאֵיל הָאָשָׁם Lev.5:16
14 וְזֹאת תּוֹרַת הָאָשָׁם Lev.7:1
15 בִּמְקוֹם...יִשְׁחֲטוּ אֶת־הָאָשָׁם Lev.7:2
16 כִּי כַּחַטָּאת הָאָשָׁם הוּא לַכֹּהֵן Lev.14:13
17-18 וְלָקַח הַכֹּהֵן מִדַּם הָאָשָׁם Lev.14:14,25
19-20 דַּם הָאָשָׁם Lev.14:17,28
21 וְלָקַח הַכֹּהֵן אֶת־כֶּבֶשׂ הָאָשָׁם Lev.14:24
22 וְשָׁחַט אֶת־כֶּבֶשׂ הָאָשָׁם Lev.14:25
23 וְכִפֶּר...בְּאֵיל הָאָשָׁם לִפְנֵי יְיָ Lev.19:22
24 וְאִם־אֵין...גֹּאֵל לְהָשִׁיב הָאָשָׁם Num.5:8
25 הָאָשָׁם הַמּוּשָׁב לַיְיָ לַכֹּהֵן Num.5:8
26 מָה הָאָשָׁם אֲשֶׁר נָשִׁיב לוֹ ISh.6:4
27 אֶת־הָאָשָׁם וְאֶת־הַחַטָּאת Ezek.46:20
וְהָאָשָׁם 28-30 וְהַחַטָּאת וְהָאָשָׁם Ezek.40:39; 42:13; 44:29
כָּאָשָׁם 31 כַּחַטָּאת כָּאָשָׁם תּוֹרָה אַחַת לָהֶם Lev.7:7
וְכָאָשָׁם 32 קֹדֶשׁ קָדָשִׁים...כַּחַטָּאת וְכָאָשָׁם Lev.6:10

לְאָשָׁם 33 בְּעֶרְכְּךָ כֶּסֶף־שְׁקָלִים...לְאָשָׁם Lev.5:15
34/5 בְּעֶרְכְּךָ לְאָשָׁם אֶל־הַכֹּהֵן Lev.5:18,25
36 וְהִקְרִיב אֹתוֹ לְאָשָׁם Lev.14:12
37 וְהֵבִיא כֶּבֶשׂ בֶּן־שְׁנָתוֹ לְאָשָׁם Num.6:12
וְלָאָשָׁם 38 זֹאת הַתּוֹרָה...וְלַחַטָּאת וְלָאָשָׁם Lev.7:37
אֲשָׁמוֹ 39-41 וְהֵבִיא אֶת־אֲשָׁמוֹ לַיְיָ Lev.5:6,15; 19:21
42 וְהֵבִיא אֶת־אֲשָׁמוֹ אֲשֶׁר חָטָא Lev.5:7
43 וְאֶת־אֲשָׁמוֹ יָבִיא לַיְיָ Lev.5:25
44 וְהֵשִׁיב אֶת־אֲשָׁמוֹ בְּרֹאשׁוֹ Num.5:7
אֲשָׁמָם 45 לְכָל־מִנְחָתָם...וּלְכָל־אֲשָׁמָם Num.18:9
בַּאֲשָׁמָיו 46 קָדְקֹד שֵׂעָר מִתְהַלֵּךְ בַּאֲשָׁמָיו Ps.68:22

אַשְׁמָה נ׳ א) אָשָׁם, חֵטְא: 1—6, 8, 10—18

ב) עונש על חטא: 9
ג) אולי רמז לאליל אֲשִׁימָא: 7

קרובים: ראה חֵטְא

אַשְׁמָה גְּדוֹלָה 4,14; א׳ רַבָּה 2; יוֹם אַשְׁמָה 10; עֲוֹן אַשְׁמָה 1
אַשְׁמַת יִשְׂרָאֵל 6; א׳ יְיָ 9; א׳ הָעָם 8; א׳ שֹׁמְרוֹן 7

אַשְׁמָה 1 וְהִשִּׂיאוּ אוֹתָם עֲוֹן אַשְׁמָה Lev.22:16
2 כִּי־רַבָּה אַשְׁמָה לָנוּ IICh.28:13
3 כִּי הוּא אָמוֹן הִרְבָּה אַשְׁמָה IICh.33:23
בְּאַשְׁמָה 4 מִימֵי אֲבֹתֵינוּ אֲנַחְנוּ בְּאַשְׁמָה גְדֹלָה Ez.9:7
לְאַשְׁמָה 5 לָמָּה יִהְיֶה לְאַשְׁמָה לְיִשְׂרָאֵל ICh.21:3
אַשְׁמַת־ 6 לְהוֹסִיף עַל־אַשְׁמַת יִשְׂרָאֵל Ez.10:10
בְּאַשְׁמַת־ 7 הַנִּשְׁבָּעִים בְּאַשְׁמַת שֹׁמְרוֹן Am.8:14
לְאַשְׁמַת־ 8 אִם הַכֹּהֵן...יֶחֱטָא לְאַשְׁמַת הָעָם Lev.4:3
9 כִּי לְאַשְׁמַת יְיָ עָלֵינוּ IICh.28:13
אַשְׁמָתוֹ 10 לַאֲשֶׁר הוּא לוֹ יִתְּנֶנּוּ בְּיוֹם אַשְׁמָתוֹ Lev.5:24
אַשְׁמָתֵנוּ 11 עַל־חַטֹּאתֵנוּ וְעַל־אַשְׁמָתֵנוּ IICh.28:13
וְאַשְׁמָתֵנוּ 12 וְאַשְׁמָתֵנוּ גָדְלָה עַד לַשָּׁמָיִם Ez.9:6
בְּאַשְׁמָתֵינוּ 13 הִנְנוּ לְפָנֶיךָ בְּאַשְׁמָתֵינוּ Ez.9:15
וּבְאַשְׁמָתֵנוּ 14 בְּמַעֲשֵׂינוּ...וּבְאַשְׁמָתֵנוּ הַגְּדֹלָה Ez.9:13
אַשְׁמָתָם 15 וַאֲשֵׁמִים אֵיל־צֹאן עַל־אַשְׁמָתָם Ez.10:19
בְּאַשְׁמָתָם 16 וַיְהִי־קֶצֶף...בְּאַשְׁמָתָם זֹאת IICh.24:18
אַשְׁמוֹת 17 עִמָּכֶם אֲשָׁמוֹת לַיְיָ אֱלֹהֵיכֶם IICh.28:10
וְאַשְׁמוֹתַי 18 וְאַשְׁמוֹתַי מִמְּךָ לֹא־נִכְחָדוּ Ps.69:6

אַשְׁמוּרָה נ׳ פרק זמן לשמירה בלילה

וְאַשְׁמוּרָה 1 כְּיוֹם אֶתְמוֹל...וְאַשְׁמוּרָה בַלָּיְלָה Ps.90:4
אַשְׁמֻרוֹת 2 קִדְּמוּ עֵינַי אַשְׁמֻרוֹת Ps.119:148
3 קוּמִי רֹנִּי בַלַּיְלָה לְרֹאשׁ אַשְׁמֻרוֹת Lam.2:19
בְּאַשְׁמֻרוֹת 4 בְּאַשְׁמֻרוֹת אֶהְגֶּה־בָּךְ Ps.63:7

אַשְׁמַנִּים ז״ר קבר? חשך?

בָּאַשְׁמַנִּים 1 כָּשַׁלְנוּ בַצָּהֳרַיִם כַּנֶּשֶׁף בָּאַשְׁמַנִּים כַּמֵּתִים Is.59:10

אַשְׁמֹרֶת נ׳ כמו אשמורה

רֹאשׁ הָאַשְׁמֹרֶת 1; אַשְׁמֹרֶת הַבֹּקֶר 2, 3

הָאַשְׁמֹרֶת 1 וַיָּבֹא...רֹאשׁ הָאַשְׁמֹרֶת הַתִּיכוֹנָה Jud.7:19
בְּאַשְׁמֹרֶת־ 2 וַיְהִי בְּאַשְׁמֹרֶת הַבֹּקֶר... Ex.14:24
3 וַיָּבֹאוּ...בְּאַשְׁמֹרֶת הַבֹּקֶר ISh.11:11

אֶשְׁנָב ז׳ חלון

הָאֶשְׁנָב 1 בְּעַד הַחַלּוֹן נִשְׁקְפָה...בְּעַד הָאֶשְׁנָב Jud.5:28
אֶשְׁנַבִּי 2 בְּעַד אֶשְׁנַבִּי נִשְׁקָפְתִּי Prov.7:6

אַשְׁנָה א) עיר בנחלת יהודה בשפלה: 1

ב) עיר בנחלת יהודה באזור הדרום: 2

וְאַשְׁנָה 1 בַּשְּׁפֵלָה אֶשְׁתָּאוֹל וְצָרְעָה וְאַשְׁנָה Josh.15:33
2 וְיִפְתָּח וְאַשְׁנָה וּנְצִיב Josh.15:43

אֶשְׁעָן מקום בהרי יהודה

וְאֶשְׁעָן 1 אֲרַב וְדוּמָה וְאֶשְׁעָן Josh.15:52

אַשָּׁף* ז׳ קוסם, מכשף

הָאַשָּׁפִים 1 עַל כָּל־הַחַרְטֻמִּים הָאַשָּׁפִים Dan. 1:20
וְלָאַשָּׁפִים 2 לִקְרֹא לַחַרְטֻמִּים וְלָאַשָּׁפִים Dan. 2:2

אָשַׁף ז׳ ארמית: אַשָּׁף, קוסם

וְאָשַׁף 1 לְכָל־חַרְטֹם וְאָשַׁף וְכַשְׂדָּי Dan. 2:10
אָשְׁפִין 2 חַכִּימִין אָשְׁפִין חַרְטֻמִּין גָּזְרִין Dan. 2:27
3 רַב חַרְטֻמִּין אָשְׁפִין כַּשְׂדָּאִין גָּזְרִין Dan. 5:11
אָשְׁפַיָּא 4 חַרְטֻמַיָּא אָשְׁפַיָּא כַּשְׂדָּאֵי וְגָזְרַיָּא Dan. 4:4
5 הֻעַלּוּ קֳדָמַי חַכִּימַיָּא אָשְׁפַיָּא Dan. 5:15
לְאָשְׁפַיָּא 6 לְהֶעָלָה לְאָשְׁפַיָּא כַּשְׂדָּאֵי וְגָזְרַיָּא Dan. 5:7

אַשְׁפָּה נ׳ א) תִּיק לְחִצִּים: 1—6
ב) ערמת זבל: 7—13
בְּנֵי אַשְׁפָּה 5; שַׁעַר הָאַשְׁפֹּת 7—10

אַשְׁפָּה 1 וְעֵילָם נָשָׂא אַשְׁפָּה Is. 22:6
2 עָלָיו תִּרְנֶה אַשְׁפָּה Job 39:23
אַשְׁפָּתוֹ 3 אַשְׁפָּתוֹ כְּקֶבֶר פָּתוּחַ Jer. 5:16
4 אֲשֶׁר מִלֵּא אֶת־אַשְׁפָּתוֹ מֵהֶם Ps. 127:5
5 הֵבִיא בְּכִלְיוֹתָי בְּנֵי אַשְׁפָּתוֹ Lam. 3:13
בְּאַשְׁפָּתוֹ 6 בְּאַשְׁפָּתוֹ הִסְתִּירָנִי Is. 49:2
הָאַשְׁפּוֹת 7 וָאֵצְאָה...וְאֶל־שַׁעַר הָאַשְׁפֹּת Neh. 2:13
8 וְאֵת שַׁעַר הָאַשְׁפּוֹת הֶחֱזִיק Neh. 3:14
9 וָאַעֲמִידָה...לְשַׁעַר הָאַשְׁפֹּת Neh. 12:31
הַשְׁפוֹת (=הָאַשְׁפֹּת) 10 עַד שַׁעַר הַשְׁפוֹת Neh. 3:13
מֵאַשְׁפֹּת 11/2 מֵאַשְׁפֹּת יָרִים אֶבְיוֹן ISh. 2:8 • Ps. 113:7
אַשְׁפַּתּוֹת 13 הָאֱמֻנִים עֲלֵי תוֹלָע חִבְּקוּ אַשְׁפַּתּוֹת Lam. 4:5

אַשְׁפְּנַז שפ״ז – רב סריסים לנבוכדנאצר

לְאַשְׁפְּנַז וַיֹּאמֶר הַמֶּלֶךְ לְאַשְׁפְּנַז רַב סָרִיסָיו Dan. 1:3

אֶשְׁפָּר ז׳ מדה ליין? צלי בשר (אש־פר)?

וְאֶשְׁפָּר 1 חַלַּת לֶחֶם אַחַת וְאֶשְׁפָּר אֶחָד IISh. 6:19
2 כִּכַּר־לֶחֶם וְאֶשְׁפָּר וַאֲשִׁישָׁה ICh. 16:3

אַשְׁפֹּת עיין אַשְׁפָּה

אַשְׁקְלוֹן אחת מחמש הערים הראשיות של הפלשתים
בָּתֵּי אַשְׁקְלוֹן 7; חוּצוֹת אַשְׁקְלוֹן 3

אַשְׁקְלוֹן 1 וַיִּלְכֹּד...וְאֶת־אַשְׁקְלוֹן וְאֶת־גְּבוּלָהּ Jud. 1:18
2 וַיֵּרֶד אַשְׁקְלוֹן וַיַּךְ...שְׁלֹשִׁים אִישׁ Jud. 14:19
3 אַל־תְּבַשְּׂרוּ בְּחוּצֹת אַשְׁקְלוֹן IISh. 1:20
4 וְאֶת־אַשְׁקְלוֹן וְאֶת־עַזָּה Jer. 25:20
5 נִדְמְתָה אַשְׁקְלוֹן שְׁאֵרִית עִמְקָם Jer. 47:5
6 אֶל־אַשְׁקְלוֹן וְאֶל־חוֹף הַיָּם Jer. 47:7
7 בְּבָתֵּי אַשְׁקְלוֹן בָּעֶרֶב יִרְבָּצוּן Zep. 2:7
8 תֵּרֶא אַשְׁקְלוֹן וְתִירָא... Zech. 9:5
וְאַשְׁקְלוֹן 9 עַזָּה עֲזוּבָה...וְאַשְׁקְלוֹן לִשְׁמָמָה Zep. 2:4
10 וְאַשְׁקְלוֹן לֹא תֵשֵׁב Zech. 9:5
לְאַשְׁקְלוֹן 11 לְעַזָּה אֶחָד לְאַשְׁקְלוֹן אֶחָד ISh. 6:17
מֵאַשְׁקְלוֹן 12 וְהִכְרַתִּי...וְתוֹמֵךְ שֵׁבֶט מֵאַשְׁקְלוֹן Am. 1:8

אֶשְׁקְלוֹנִי ת׳ של אַשְׁקְלוֹן

הָאֶשְׁקְלוֹנִי סַרְנֵי פְלִשְׁתִּים...הָאֶשְׁקְלוֹנִי הַגִּתִּי Josh. 13:3

אשר : אָשַׁר, אִשֵּׁר, אֻשַּׁר; אָשׁוּר, אַשּׁוּר; אֹשֶׁר; אַשְׁרֵי;
אֹשֶׁר, אַשְׁרֵי; אֲשֶׁר?

אָשַׁר פ׳ א) הלך: 1
ב) [פ׳ אִשֵּׁר] הלך: 7
ג) [כנ״ל] הדריך: 5—6, 13,12
ד) [כנ״ל] הלל, קרא ״אשרי״ ל־: 2—4, 8—11
ה) [פ׳ אֻשַּׁר] הודרך: 16
ו) [כנ״ל] היה מבורך, הצליח: 15,14

וְאִשְׁרוּ 1 וְאִשְׁרוּ בְּדֶרֶךְ בִּינָה Prov. 9:6
וְאִשְּׁרוּ 2 וְאִשְּׁרוּ אֶתְכֶם כָּל־הַגּוֹיִם Mal. 3:12
אִשְּׁרוּנִי 3 בְּאָשְׁרִי כִּי אִשְּׁרוּנִי בָּנוֹת Gen. 30:13
מְאַשְּׁרִים 4 וְעַתָּה אֲנַחְנוּ מְאַשְּׁרִים זֵדִים Mal. 3:15
מְאַשְּׁרֵי 5 וַיִּהְיוּ מְאַשְּׁרֵי הָעָם־הַזֶּה מַתְעִים Is. 9:15
מְאַשְּׁרֶיךָ 6 עַמִּי מְאַשְּׁרֶיךָ מַתְעִים Is. 3:12
תְּאַשֵּׁר 7 וְאַל־תְּאַשֵּׁר בְּדֶרֶךְ רָעִים Prov. 4:14
וַתְּאַשְּׁרֵנִי 8 כִּי אֹזֶן שָׁמְעָה וַתְּאַשְּׁרֵנִי Job 29:11
יְאַשְּׁרוּהוּ 9 וְיִתְבָּרְכוּ בוֹ כָּל־גּוֹיִם יְאַשְּׁרוּהוּ Ps. 72:17
וַיְאַשְּׁרוּהָ 10 קָמוּ בָנֶיהָ וַיְאַשְּׁרוּהָ Prov. 31:28
11 רָאוּהָ בָנוֹת וַיְאַשְּׁרוּהָ S. of S. 6:9
וְאַשֵּׁר 12 וְאַשֵּׁר בַּדֶּרֶךְ לִבֶּךָ Prov. 23:19
אַשְּׁרוּ 13 דִּרְשׁוּ מִשְׁפָּט אַשְּׁרוּ חָמוֹץ Is. 1:17
וְאֻשַּׁר 14 יִשְׁמְרֵהוּ...וְאֻשַּׁר(כת׳ יאשר) בָּאָרֶץ Ps. 41:3
מְאֻשָּׁר 15 עֵץ־חַיִּים...הִיא וְתֹמְכֶיהָ מְאֻשָּׁר Prov. 3:18
וּמְאֻשָּׁרָיו 16 ...וּמְאֻשָּׁרָיו מְבֻלָּעִים Is. 9:15

אָשֵׁר[1] שפ״ז – בן יעקב מזלפה, וכן שם השבט המתיחס עליו ושם נחלתו: 1—42
בְּנֵי אָשֵׁר 2, 3, 12-20; בַּת אָ׳ 21; גְּבוּל אָ׳ 27; מַטֵּה אָשֵׁר 4—11

אָשֵׁר 1 וַתִּקְרָא אֶת־שְׁמוֹ אָשֵׁר Gen. 30:13
2 וּבְנֵי אָשֵׁר יִמְנָה וְיִשְׁוָה Gen. 46:17
3 לִבְנֵי אָשֵׁר תּוֹלְדֹתָם לְמִשְׁפְּחֹתָם Num. 1:40
4 פְּקֻדֵיהֶם לְמַטֵּה אָשֵׁר Num. 1:41
5-11 (לְ־, מִ־, וּמִ־) מַטֵּה אָשֵׁר Num. 2:27
10:26; 13:13 • Josh. 21:6,30 • ICh. 6:47,59
12-20 (לִ־)בְנֵי אָשֵׁר Num. 2:27; 7:72
26:44,47; 34:27 • Josh. 19:24,31 • ICh. 7:30,40
21 וְשֵׁם בַּת־אָשֵׁר שָׂרַח Num. 26:46
22 בָּרוּךְ מִבָּנִים אָשֵׁר Deut. 33:24
23 אָשֵׁר לֹא הוֹרִישׁ אֶת־יֹשְׁבֵי עַכּוֹ Jud. 1:31
24 אָשֵׁר יָשַׁב לְחוֹף יַמִּים Jud. 5:17
25 וַיִּצָּעֵק...מִנַּפְתָּלִי וּמִן־אָשֵׁר Jud. 7:23
26 וְעַל גְּבוּל דָּן...אָשֵׁר אֶחָד Ezek. 48:2
27 וְעַל גְּבוּל אָשֵׁר מִפְּאַת...וְעַד... Ezek. 48:3
28 שַׁעַר גָּד אֶחָד שַׁעַר אָשֵׁר אֶחָד Ezek. 48:34
וְאָשֵׁר 29 וּבְנֵי זִלְפָּה...גָּד וְאָשֵׁר Gen. 35:26
30 דָּן וְנַפְתָּלִי גָּד וְאָשֵׁר Ex. 1:4
31 רְאוּבֵן גָּד וְאָשֵׁר... Deut. 27:13
32 נַפְתָּלִי גָּד וְאָשֵׁר ICh. 2:2
בְּאָשֵׁר 33 וּמַלְאָכִים שָׁלַח בְּאָשֵׁר וּבִזְבֻלוּן Jud. 6:35
34 בַּעֲנָא בֶּן־חוּשַׁי בְּאָשֵׁר וּבְעָלוֹת IK. 4:16
וּבְאָשֵׁר 35 וּבְאָשֵׁר יִפְגְּעוּן מִצָּפוֹן... Josh. 17:10
36 וַיְהִי לִמְנַשֶּׁה בְּיִשָּׂשכָר וּבְאָשֵׁר Josh. 17:11
37 וּבְאָשֵׁר פָּגַע מִיָּם Josh. 19:34
לְאָשֵׁר 38 לְאָשֵׁר פַּגְעִיאֵל בֶּן־עָכְרָן Num. 1:13
וּלְאָשֵׁר 39 וּלְאָשֵׁר אָמַר בָּרוּךְ מִבָּנִים אָשֵׁר Deut. 33:24
מֵאָשֵׁר 40 מֵאָשֵׁר שְׁמֵנָה לַחְמוֹ Gen. 49:20
41 אֲנָשִׁים מֵאָשֵׁר וּמִזְּבֻלוּן נִכְנְעוּ IICh. 30:11
וּמֵאָשֵׁר 42 וּמֵאָשֵׁר יוֹצְאֵי צָבָא ICh. 12:36(37)

אָשֵׁר[2] מקום בנחלת מנשה

מֵאָשֵׁר וַיְהִי גְבוּל־מְנַשֶּׁה מֵאָשֵׁר הַמִּכְמְתָת Josh. 17:7

אֹשֶׁר* ז׳ הרגשתו של המצליח

בְּאָשְׁרִי בְּאָשְׁרִי כִּי אִשְּׁרוּנִי בָּנוֹת Gen. 30:13

אֲשֶׁר מלת זיקה במשמעים שונים; להלן העיקריים:
א) שֶׁ־: רוב המקראות 1—3904, 4061—4859
ב) מַה שֶׁ־, הדבר שֶׁ־: 3905—3974, 4860—4882
ג) מִי שֶׁ־: 3975—4011; 4883—4913
ד) כִּי, מִשּׁוּם: 4012—4051
ה) לְמַעַן, כְּדֵי שֶׁ־: 4052—4059
ו) אִם, בְּמִקְרֶה שֶׁ־: 4060
ז) [הַאֲשֶׁר?] האם מה אוֹ מי שֶׁ־: 4914
ח) [בַּאֲשֶׁר] 1. במקום שֶׁ־: 4915, 4918-4922, 4926, 4932, 4933
2. בַּמֶּה שֶׁ־: 4923, 4924, 4927, 4930, 4931
3. משום שֶׁ־: 4916/7, 4925, 4928/9
ט) [כַּאֲשֶׁר] 1. כמו שֶׁ־: 4934-5354, 5430, 5433-5442
2. בשעה שֶׁ־: 5355—5426, 5431—5432
3. כיון שֶׁ־: 5427
4. בכל שֶׁ־: 5429
י) [לַאֲשֶׁר] 1. לְמָה שֶׁ־: 5443—5449
2. לְמִי שֶׁ־: 5450—5478
יא) [מֵאֲשֶׁר] 1. מִמָּה שֶׁ־: 5479—5482, 5490—5491, 5494, 5495
2. מִמִּי שֶׁ־: 5483-5486, 5488/9, 5492/3
3. משום שֶׁ־: 5487

אֲשֶׁר אִם 4013, 4061/2, 4709; **אֲ׳ גַּם** ראה גַּם; **אֲ׳ כָּזֶה** ראה זֶה; **אֲשֶׁר כָּל** ראה כָּל; **אֲשֶׁר כְּמוֹ** ראה כְּמוֹ; **אֲ׳ כֵּן** ראה כֵּן; **אֲשֶׁר לֹא** 22, 4015, 4026, 4030, 4032, 4052, 4053, 4059, 4691, 4700, 4785, 4788, 4796, 4884-5, 4930/1, 5456; **אֲ׳ לָמָה** 4048; **אֲ׳ עוֹד** ראה עוֹד; **אֲ׳ עַל** 5, 5450-5451, 5457; **אֲ׳ עַל כֵּן** 4063; **אֲ׳ עִם** ראה עִם; **אַחַר אֲשֶׁר** 4064, 4065; **אַחֲרֵי אֲ׳** 4066-4073; **אַךְ אֲ׳** 3911; **אֶל אֲ׳** 4074—4078; **אַף אֲ׳** ראה אַף; **אֵת אֲ׳** 4079-4224; **בַּעֲבוּר אֲ׳** 4225; **בְּשֶׁל אֲ׳** 4226; **הִנֵּה אֲ׳** ראה הִנֵּה; **זֶה אֲ׳** 3905; **יַעַן אֲ׳** 4227-4259; **יֵשׁ אֲ׳** 4260-4264; **כִּי אֲ׳** ראה כִּי; **כָּל אֲ׳** 4265-4687; **כְּפִי אֲ׳** 4688; **לְמַעַן אֲ׳** 4689-4699; **מִבְּלִי אֲ׳** 4700; **מִי אֲ׳** ראה מִי; **מִלְּבַד אֲ׳** 4701-4703; **מֵעֵת אֲ׳** 4704; **מִפְּנֵי אֲ׳** 4705-4706; **מְקוֹם אֲ׳** 4707; **עַד אֲ׳** 4708-4751; **עוֹד אֲ׳** ראה עוֹד; **עַל אֲ׳** 4752—4784; **עִם אֲ׳** 3976; **עַל־דְּבַר אֲ׳** 4785-4788; **עַל־כָּל־אוֹדוֹת אֲ׳** 4789; **עַל־פִּי אֲ׳** 4790; **עֵקֶב אֲ׳** 4791-4793; **רַק אֲ׳** 3906; **תַּחַת אֲ׳** 4794—4806; **אַחֲרֵי כַּאֲשֶׁר** 5426

אֲשֶׁר (א) 1 בֵּין הַמַּיִם אֲשֶׁר מִתַּחַת לָרָקִיעַ Gen. 1:7
2 וּבֵין הַמַּיִם אֲשֶׁר מֵעַל לָרָקִיעַ Gen. 1:7
3 עֵץ פְּרִי...אֲשֶׁר זַרְעוֹ־בוֹ Gen. 1:11
4 נֶפֶשׁ הַחַיָּה...אֲשֶׁר שָׁרְצוּ הַמַּיִם Gen. 1:21
5 כָּל־עֵשֶׂב...אֲשֶׁר עַל־פְּנֵי כָל־הָאָ׳ Gen. 1:29
6 וּלְכֹל רוֹמֵשׂ...אֲשֶׁר־בּוֹ נֶפֶשׁ חַיָּה Gen. 1:30
7 וַיְכַל...מְלַאכְתּוֹ אֲשֶׁר עָשָׂה Gen. 2:2
8 שָׁבַת מִכָּל־מְלַאכְתּוֹ אֲשֶׁר־בָּרָא Gen. 2:3
9 וַיָּשֶׂם שָׁם אֶת־הָאָדָם אֲשֶׁר יָצָר Gen. 2:8
10 אֶרֶץ הַחֲוִילָה אֲשֶׁר־שָׁם הַזָּהָב Gen. 2:11
11 וַיִּבֶן...אֶת־הַצֵּלָע אֲשֶׁר־לָקַח Gen. 2:22
12 חַיַּת הַשָּׂדֶה אֲשֶׁר עָשָׂה יְיָ אֱלֹהִים Gen. 3:1
13 וּמִפְּרִי הָעֵץ אֲשֶׁר בְּתוֹךְ־הַגָּן Gen. 3:3
14 הֲמִן־הָעֵץ אֲשֶׁר צִוִּיתִיךָ... Gen. 3:11
15 הָאִשָּׁה אֲשֶׁר נָתַתָּה עִמָּדִי Gen. 3:12
16 אֶת־הָאֲדָמָה אֲשֶׁר לֻקַּח מִשָּׁם Gen. 3:23
17 הָאֲדָמָה אֲשֶׁר פָּצְתָה אֶת־פִּיהָ Gen. 4:11
18 אֶמְחֶה אֶת־הָאָדָם אֲשֶׁר־בָּרָאתִי Gen. 6:7
19 כָּל־בָּשָׂר אֲשֶׁר־בּוֹ רוּחַ חַיִּים Gen. 6:17
20 מִכָּל־מַאֲכָל אֲשֶׁר יֵאָכֵל Gen. 6:21
21 לֶךְ־לְךָ...אֶל־הָאָרֶץ אֲשֶׁר אַרְאֶךָּ Gen. 12:1
22 מַעֲשִׂים אֲשֶׁר לֹא־יֵעָשׂוּ Gen. 20:9
23 קַח־נָא...אֶת־יְחִידְךָ אֲשֶׁר־אָהַבְתָּ Gen. 22:2
24 אַחַד הֶהָרִים אֲשֶׁר אֹמַר אֵלֶיךָ Gen. 22:2
25-3904 אֲשֶׁר (א)
Gen. 1:12, 29; 2:2; 3:17
5:5, 29; 7:2, 4, 8^{2}, 15, 19, 23; 8:1, 6, 17; 9:3, 10, 12^{2}, 15,
16, 17^{2}; 10:14; 11:5, 6; $12:5^{2}$; 13:3, 4, 14, 15, 18; 14:5,
6, 15, 17, 20; 15:7, 14, 17; 16:15; 17:10, 12, 14

אֲשֶׁר (א) (המשך)

17:21; 18:8, 24; 19:5, 8, 11, 19, 21, 27, 29; 20:3, 13^2; 21:2, 3, 9, 23^2, 25, 29; 22:3, 9, 17; 23:9^2, 11, 16, 17^5, 20; 24:2, 3, 5, 7, 14, 15, 24, 27, 32, 37, 40, 42, 44, 47, 48, 54, 66; 25:6, 7, 9, 10, 12, 18; 26:1, 2, 3, 15, 18^2, 32; 27:15, 17, 27, 41; 28:4, 13, 18, 20, 22; 29:9, 27; 30:2, 26^2, 37, 38; 31:13^2, 16^2, 18^2, 19, 43, 51; 32:8, 10(11), 12(13), 32(33); 33:5, 8, 11, 14, 15, 18, 19; 34:1, 14; 35:2, 3, 4^3, 5, 6^2, 12, 13, 14, 15, 26, 27; 36:5, 6, 24, 31; 37:6, 10, 22, 23; 38:14, 18^2, 25, 30; 39:1, 6, 17, 19, 20, 22; 40:3, 5, 7, 13; 41:28, 36, 38, 43, 48^2, 50, 53; 42:9, 38; 43:2, 19, 26, 27, 29; 44:2, 5, 8, 15^2, 34; 45:4, 6, 27^2; 46:5, 6, 15, 18, 20, 22, 25, 27, 31; 47:4, 14, 22; 48:6, 9, 15, 22; 49:29, 30^3; 50:5, 10, 11, 13, 15, 24 • Ex. 1:8, 14, 15; 3:5, 7, 9, 20; 4:9, 17, 18, 21, 28^2, 30; 5:8, 14; 6:4, 5, 8, 26; 7:15, 17^2, 18, 20^2, 21; 8:8, 17, 18; 9:3, 18, 19, 24, 26; 10:2, 15; 11:5, 6, 7, 8; 12:7, 13, 22^2, 25, 29, 30, 39, 40; 13:3, 5, 12; 14:12, 13, 31; 15:26; 16:1, 8, 15, 16, 32^2; 17:5; 18:3, 5, 8, 9^2, 10^2, 11, 14, 17, 18, 20; 19:6, 7, 16; 20:2, 4, 10, 12, 21(18), 24(21); 21:1, 8, 13; 22:15; 23:16, 20, 27; 24:3, 8, 12; 25:2, 3, 16, 21, 22, 26, 29, 40; 26:5, 30; 27:21; 28:3, 4, 8, 26, 38; 29:1, 13, 21, 22, 23, 26, 27, 29, 30, 32, 33, 42, 46; 30:6^3, 33, 36, 37, 38; 31:7; 32:1^2, 2, 3, 4, 7, 8^2, 11, 13^2, 14, 20, 23, 32, 33, 35; 33:1^2, 7, 16, 17; 34:1^2, 10^2, 12, 18; 35:1, 4, 16, 21, 22, 23, 26, 29^2; 36:1, 2, 3, 4, 5, 12; 37:13, 16^2; 38:8, 21, 30; 39:1, 5, 19, 39 • Lev. 1:5, 8^2, 12^2, 17; 2:8, 11; 3:3, 4^2, 5^2, 9, 10^2, 14, 15^2; 4:2, 3, 7^2, 8, 9^2, 13, 14, 18^3, 22, 23, 24, 27, 28^2, 33, 35; 5:2, 3, 5, 6, 7, 10, 11, 13, 17, 18, 23^4; 6:3, 8, 13, 18, 20, 21, 23; 7:2, 4^2, 7, 8, 9, 11, 19, 20^2, 21, 25, 27, 36, 38; 8:5, 10, 16, 25, 26, 30, 31, 36; 9:5, 6, 8, 15, 18; 10:1, 6, 11; 11:2^2, 10, 21, 23, 26, 32, 33, 34^4, 37, 39, 47; 13:45, 46, 52, 54, 57, 58; 14:13, 16, 17, 18, 22, 27, 28, 29, 31, 34, 40, 41; 15:4^2, 5, 6, 9, 10, 12, 17, 18, 20^2, 22, 23, 24, 26^2, 31, 33; 16:2, 6, 9, 10, 11^2, 13, 15, 18, 23, 27, 32; 17:2, 3^2, 5, 7, 8^2, 10, 13^2, 15; 18:3^2, 5, 24, 27, 28, 30; 19:22, 36; 20:2, 6, 9, 10^2, 11, 12, 13, 14, 15, 16, 17, 18, 20, 21, 22, 23, 24, 25; 21:3, 10, 17, 18, 19, 21; 22:2, 3^2, 4^2, 5^3, 6, 18^2; 23:2, 4, 10, 29, 30, 37, 38; 25:2, 7, 27, 30^2, 31, 38, 42, 44^2, 45^2, 55; 26:13, 40^2, 45, 46; 27:9, 11, 22, 26, 28, 29, 34 • Num. 1:5, 17, 44; 3:3, 26, 31, 39; 4:9, 12, 14, 25, 26, 37, 41, 45, 46, 49; 5:3, 7, 8, 9, 10, 17, 29, 30; 6:5, 18, 21^2; 7:89; 8:4; 9:5, 6, 13, 17, 18; 10:29, 32; 11:4, 5, 12, 16, 17, 20, 21, 25; 12:1, 3, 11, 12; 13:2, 16, 19^2, 24, 27, 31, 32^3; 14:7, 8, 11, 14, 15, 16, 22, 23, 24, 27^2, 29, 30, 31^2, 34, 36, 40; 15:2, 12, 14, 18, 22, 23, 30, 39, 41; 16:7, 31, 32, 34; 17:4, 5, 19, 20^2; 18:9, 12, 13, 15, 19, 21, 24, 26, 28; 19:2^3, 13, 15, 18, 20; 20:12, 13, 14, 24; 21:11, 13, 15, 16, 20, 30, 32, 34; 22:5, 20, 26, 30, 35, 36^2, 38, 40; 23:13; 24:4, 12; 25:14, 18; 26:9, 59, 63, 64; 27:12, 17^2, 18; 28:3, 23; 30:2, 5^2, 6, 7, 8, 9^2, 10, 12, 15, 17; 31:12, 18, 21; 31:23, 32, 35, 42, 48, 49, 50, 52; 32:4, 7, 9; 32:11, 23, 38, 39; 33:1, 6, 7, 55; 34:2, 13^2, 17, 29; 35:4, 6^2, 7, 8^2, 13, 17, 18, 23, 25^2, 26, 31, 33^2, 34^2; 36:3, 4, 6, 13 • Deut. 1:1, 4^2, 8, 14, 17, 18, 19, 20, 22^2, 25, 31^3, 33, 35, 36, 39^2, 46; 2:12, 14, 22, 25, 29, 35, 36^3; 3:2, 4, 8, 12, 19, 20^2, 21, 24, 25, 28; 4:1^2, 2^2, 3, 5, 6, 7, 8^2, 9, 10^3, 13, 14, 17^2, 18, 19, 21, 23^2, 26, 27, 28, 31, 32^2, 4:40^2, 42, 44, 45, 46^2, 47, 48; 5:1, 6, 8, 14, 16, 25; 5:26(23), 28(25), 31(28), 33(30)^2; 6:1^2, 2, 6, 10^2, 11^3, 12, 14, 17,

אֲשֶׁר (א) (המשך)

18, 20, 23; 7:1, 6, 8, 11, 12, 13, 15, 16, 19^3; 8:1^2, 2, 3, 9^2, 10, 11, 15, 16, 18, 20; 9:2, 5, 7, 9, 10, 12^2, 16, 18, 19, 21, 23, 25, 26^2, 28^2, 29; 10:2^2, 4, 5, 11, 13, 17, 21^2; 11:2, 3, 4, 6^2, 7, 8^2, 9, 10^3, 11, 12, 13, 17, 21, 22, 24, 25, 27, 28^2, 29, 31, 32; 12:1^3, 2^2, 5, 7, 9, 10, 11^2, 12, 13, 14, 15^2, 17, 18^2, 21^2, 26^2, 28, 29, 31; 13:1, 3^2, 6, 7^2, 8, 13, 14, 19; 14:2, 4, 21, 23, 24, 25, 27, 29^2; 15:2, 4, 5, 7, 8, 14, 19, 20; 16:2, 4, 5, 6, 7, 10, 11^3, 14, 15, 16, 17, 18, 20, 21, 22; 17:1, 2^2, 3, 5, 8, 9, 10^2, 11^3, 12, 14^2, 15; 18:6^2, 9, 14, 19^2, 20, 21, 22; 19:1, 2, 3, 4^2, 8, 9, 10, 14^3, 15, 17^2; 20:5, 6, 7, 14, 15, 16, 18, 20^2; 21:1, 2, 3^2, 4, 8, 23; 22:3, 9, 12, 25, 28; 23:9, 11, 16, 17, 21, 24; 24:3, 4^2, 5, 11, 14; 25:6, 9, 15, 19; 26:1, 2^3, 3^2, 10, 11^2, 13, 14, 15, 19; 27:1, 2^2, 3, 4, 10, 15; 28:1, 8, 11, 13, 14, 15, 20^2, 21, 23^2, 27, 33, 34, 35, 36^2, 37, 43, 45, 48, 49, 50, 51, 52^2, 53^2, 54, 55^2, 56, 57^2, 60, 61, 63, 64, 67^2, 68, 69^2; 29:2, 10, 11, 15, 16, 17, 21^3, 22, 24, 25; 30:1^2, 3, 5, 7, 8, 11, 16^2, 18, 20; 31:4, 5, 7, 11, 12, 13^3, 16^2, 18, 20, 21^2, 23, 29; 32:38, 46^2, 47, 49^3, 50, 52; 33:1, 8; 34:1, 4, 10, 11, 12 • Josh. 1:2, 3, 6, 7, 9, 11, 13, 14, 15^2; 2:3, 10^2, 17, 18, 20; 3:4, 7, 16; 4:3, 4, 7, 10, 20, 23; 5:1^2, 4, 6^3, 15; 6:17, 25, 26; 7:2, 11, 14^3; 8:11, 13, 16, 17, 18^2, 24, 26, 27, 31, 32, 35; 9:1, 10^2, 13, 20, 27; 10:11, 25, 27, 28, 30, 32, 35, 37^2, 39; 11:2, 4, 11, 19; 12:1, 2, 7, 9; 13:3, 4, 8, 9^2, 10, 12, 16^2, 17, 21^2, 25, 30, 32; 14:1^2, 6, 8, 9, 10, 12; 15:7^2, 8^2; 17:5, 7; 18:2, 3, 7, 13, 14, 16^2, 17; 19:8, 11, 50,, 51; 20:2, 6^2; 21:9, 43(41), 45(43); 22:2, 4, 5, 9^2, 10, 16, 17, 19, 28, 29, 30^2, 33; 23:4, 13, 14, 15^2, 16^2; 24:13^3, 14, 15^3, 17^2, 23, 26, 27, 30, 31^2, 32^2, 33 • Jud. 1:16; 2:1, 7^3, 10^2, 12, 17, 20, 21; 3:1, 2, 4, 19, 20; 4:2, 9, 11, 13, 14, 22; 6:2, 10, 11^2, 13, 21, 25^3, 26, 28, 30; 7:1, 2, 11, 19^2; 8:4, 5, 15, 18, 21, 26^2, 31, 35; 9:6, 9, 17, 24^2, 32, 33, 34, 35, 38^2, 44^2, 45, 48^2, 56; 10:4, 8^2, 14, 18; 11:26, 28, 31, 39; 13:8, 10, 11; 14:17, 20; 15:14^2, 19^2; 16:3, 7, 8, 11, 26, 29, 30^2; 17:2; 18:5, 6, 7, 10^2, 16, 22^2, 24, 27^2, 28, 29, 31; 19:12, 14, 22, 26; 20:4, 9, 10, 12, 13, 22, 31, 36; 21:5, 8, 11, 12^2, 13, 14, 19, 23 • ISh. 1:17, 27, 28; 2:20, 23, 24, 29, 34; 3:3, 11, 13, 17^2; 5:12; 6:4, 7, 8, 15^2, 17, 18; 7:14; 8:8, 9, 11, 18; 9:5, 6, 10, 17, 23^2; 10:2, 5, 16, 19, 26; 12:6, 7, 13^2, 14, 16, 17, 21; 13:3, 5, 8, 13, 22; 14:1, 2^2, 4, 11, 14, 17, 19, 20, 21^2, 24, 27, 28, 30, 43, 45; 15:2, 7, 14, 20; 16:19; 17:1, 13, 25. 26, 27, 31, 37, 40, 45; 18:4; 19:3, 22; 20:19, 23. 31, 36, 37, 40; 21:3, 8, 10; 22:2, 6, 11; 23:19, 22, 23; 24:5(4)^2, 6(5), 11(10), 20(19); 25:7, 11^2, 25, 26, 27, 32, 33, 34, 39, 44; 26:3, 5^2, 11, 16^2, 23; 27:2, 7, 8, 11; 28:9, 21; 29:1, 3, 4, 5, 8, 10; 30:2, 4, 9, 10, 16, 17, 21^2, 22^2, 31; 31:7 • IISh. 1:10^2, 11; 2:3, 4, 5, 8, 11, 16, 18, 23, 24, 32; 3:8, 14, 20, 23, 31; 4:8, 9; 6:2^2, 3, 4, 17, 20, 21, 22; 7:7, 9, 11, 12, 14, 15, 23^2, 25; 8:7, 11^2; 9:8; 10:13, 16; 11:16, 27; 12:3, 15, 21, 31; 13:10, 15^2, 16, 19, 23; 14:7^2, 14, 18, 22, 26, 31; 15:2, 4, 6, 7, 14, 18, 21, 22, 30, 32, 35, 36; 16:8, 11, 14, 21, 23; 17:2, 3, 7, 9, 10^2, 11, 12^2, 16; 17:22^2, 25, 29; 18:1, 9, 18, 28^2; 19:8, 11, 17, 20, 25; 20:3, 5, 8, 10, 11^2, 15; 21:5, 7, 8^2, 12^2, 16, 18; 23:8, 15, 16; 24:2, 5 • IK. 1:8, 9, 29, 33, 41, 45, 48, 49; 2:4, 5^3, 11, 24, 27, 31, 32, 43, 44^2; 3:8^2, 12, 19, 21; 3:26, 28; 4:2, 12, 13^2, 19, 20; 5:8, 9, 13^2, 14, 17; 5:19, 21, 23, 30; 6:2, 12^2, 22; 7:3, 7, 8^2, 17, 18, 19, 20; 7:29, 40, 41^2, 42, 45, 48^2, 51; 8:4, 5, 9^2, 15, 16, 20, 21^2, 24, 27, 28, 29^2,

אֲשֶׁר (א) (המשך)

30, 33, 34, 36^2, 38^2, 39, 40^2, 41, 43, 44^3, 46, 47, 48^4, 50^2, 51, 56^2, 58, 59, 63, 64^2; 8:66; 9:1, 3^2, 6, 7^2, 9, 10, 12, 13, 15, 19^2, 20, 21^2, 23, 24, 25^2; 9:26; 10:3, 4, 5, 6, 7, 9, 10, 11, 13, 14, 24, 27, 28; 11:2, 7, 11, 13, 23, 25, 27, 30, 32, 34^2, 36, 42; 12:2, 4, 6, 8^3, 9^2, 10^2, 13, 15, 18, 28, 31, 32^3, 33^2; 13:3^2, 4^2, 5, 9, 10, 11^2, 12^2, 14, 17, 20, 21^2, 22, 23, 25, 26^3, 31, 32^3; 14:8, 14, 15, 16, 18, 19, 20, 21, 22, 24, 26; 15:3, 5, 12, 13, 20, 22, 23, 26, 27, 29, 30^2, 34; 16:7, 9, 12, 13, 15, 19^2, 20, 22^2, 24, 26, 27^2, 32, 34; 17:1, 3, 5, 9, 16, 19, 20; 18:3, 10, 15, 24, 26^2, 31, 38; 19:3, 18^2; 20:10, 19, 34; 21:1, 4, 8, 11^2, 15, 18^2, 19, 22, 25, 26; 22:13, 17, 31, 38, 39^2, 46, 47, 53 • IIK. 1:2, 4, 6^2, 7, 16, 17, 18; 2:3, 5, 13, 14, 15, 22; 3:2, 3, 9, 11, 14, 27; 4:17; 5:3, 4, 16; 6:1, 10, 12^2, 16, 19; 7:2, 13^3, 15, 17^2; 8:1, 4, 5^2, 29; 9:15, 27, 36; 10:5, 17, 21, 24^2, 29^2, 31, 33, 36; 11:5, 10^2; 12:3, 5^2, 16; 12:19; 13:2, 6, 11, 12, 14, 25; 14:6, 9^3, 11, 15, 24, 25^2, 28; 15:9, 12, 15, 18, 24, 28; 16:3, 10, 13, 14, 17, 18, 19; 17:2, 4, 8^2, 9, 11, 12, 13, 14, 15^4, 19, 22, 26, 27, 28, 29^2, 33, 34^2, 36, 37, 38; 18:4, 6, 16, 17, 18, 19, 21, 22, 26, 35, 37; 19:2, 4^2, 6^2, 10, 12^2, 16, 21, 28, 33; 20:9, 11, 13, 15, 18^2, 19; 21:2, 3, 4, 7^3, 8^2, 9, 11, 12, 15, 16, 17, 21^2, 25; 22:4, 5, 13, 15, 16, 18; 22:19, 20; 23:5, 7^2, 8^3, 10, 11^2, 12^3, 13^3, 15^3, 16^3, 17^3, 18; 23:19^3, 20, 22, 24^2, 25, 26^2, 27^2; 24:2, 4, 13; 25:4, 10, 11, 13^2, 14, 15, 16, 19^2, 22, 25, 28 • Is. 1:1, 29^2, 30; 2:1, 20, 22; 5:28; 6:13; 7:16, 17, 18^2, 23, 25; 8:12, 18, 20; 11:10, 11, 16; 13:1, 17; 14:3; 16:13; 17:9; 18:1, 2, 7; 19:15, 16, 17^2, 25; 20:6; 22:15, 25; 23:8; 27:1; 28:1, 4, 12, 14; 29:11, 22; 30:10, 13, 23, 24, 32; 31:4, 7, 9; 33:13; 36:3, 4, 6, 7, 11, 20, 22; 37:2, 4^2, 6^2, 10, 11, 12^2, 17, 21, 22, 29, 34; 38:7^2, 8^2; 39:2, 4, 7^2, 8; 41:8, 9; 43:10; 45:1; 46:10; 47:15; 49:3, 7, 23; 50:1^2, 10; 51:17, 23; 54:9; 55:11^2; 56:4, 5; 58:2, 11; 59:21^2; 60:12; 62:2, 8; 63:7; 64:10; 65:7, 10, 16, 18, 20; 66:1, 13, 19, 22 • Jer. 1:1, 2, 16; 2:13, 28; 3:6, 18; 5:9, 17, 22, 29; 7:1, 7, 9, 10, 11, 12^2, 14^2, 23, 25, 28, 30, 31^2; 8:2, 3, 17; 9:8, 12, 13, 15; 10:1, 25^2; 11:1, 3, 4, 5, 8, 10^2, 11, 12, 17; 12:14; 13:4^2, 6, 7, 10, 25; 14:1, 16; 16:10, 13^2, 14, 15^3; 17:4^2, 5, 7, 19; 18:1, 4, 8^2, 10; 19:2^2, 3, 4, 5, 9, 11, 13, 14, 15; 20:2^2, 6, 14^2, 15, 16, 17; 21:1, 4^2; 22:11, 12, 26^2, 27, 28; 23:3, 6, 7, 8^2, 27, 28, 34, 39, 40; 24:2, 3, 5, 8, 9, 10; 25:1, 2, 5, 13^2, 15, 16, 17, 22, 26, 27, 29; 26:2, 3, 4, 5, 12, 13, 19; 27:5, 8, 9, 11, 13, 20; 28:1, 3, 6, 7, 8, 9^2; 29:1^2, 3, 4, 7, 8^2, 11, 14^2, 16, 17, 18, 19, 20, 22^2, 23, 25, 32; 30:1, 2, 3, 4, 9, 11; 31:32(31)^2, 33(32); 32:1, 2, 3, 7, 8^2, 9, 19, 20, 22, 29, 31, 32, 34, 35^2, 36, 37, 40, 42, 43; 33:5, 8^2, 9^3, 10, 14, 16, 22, 24; 34:1, 5, 8^2, 10, 11, 14, 15, 16, 18^3; 35:1, 4^2, 7, 8, 10, 14, 15, 16, 17; 36:2, 3, 4, 6, 7, 8, 13, 14, 23^2, 27, 28^2, 31, 32; 37:1, 2, 19; 38:1, 6, 14, 16^2, 19, 21, 22, 27, 28; 39:9, 10; 40:1, 4, 5, 7, 10^2, 11, 12, 13, 17; 41:2^2, 3^2, 7, 9^3, 10^2, 11^2, 12, 13^2, 14, 16^3, 17, 18; 42:3^2, 4, 5, 6^2, 8, 9, 10, 11, 14, 16^2, 17^2, 22; 43:1, 5^2, 6, 9, 10, 13; 44:1, 2, 3^2, 4, 8, 9, 10, 12, 14, 16, 17, 21, 22, 24, 25, 27; 45:1, 5; 46:1, 2^2, 13, 28; 47:1; 48:8; 49:12 49:19, 20^2, 28, 36; 50:1, 37, 44, 45^2; 51:24, 59, 60, 64; 52:7, 14, 15, 17^2, 18, 19, 20^2, 25^2, 28, 32 • Ezek. 1:25, 26, 28; 2:3; 3:3, 6, 10, 20, 23; 4:4, 9, 10, 13; 5:6, 7^2, 14, 15, 16^2; 6:9^2, 11, 13; 8:3, 4, 6, 9, 12, 13, 14 17; 9:2, 3^2, 6^2, 11; 10:1, 7, 11, 15, 20, 22;

אֲשֶׁר (א) (המשך)

11:12^2, 15, 16, 17, 23, 24, 25; 12:2, 10, 12, 16, 27; 13:3, 12, 14, 19^2, 20^2; 14:4, 5, 7, 22; 15:2, 6; 16:14, 17, 19, 20, 36, 45, 51, 52^2, 59; 17:3, 16, 19^2, 20; 18:14, 21, 22^2, 24^4, 26, 27, 28, 31; 20:6, 9^2, 11, 13, 14, 15, 21, 22, 28, 29, 32, 34, 41, 42, 43^2; 21:30, 34, 35; 22:4^2, 13^2, 14; 23:9, 19, 20, 30, 37, 40; 24:6, 21; 26:6, 17^2, 18, 19; 27:27^2; 28:25^2; 29:3, 13, 18, 20^2; 31:9; 32:9, 23^2, 24^2, 27, 29, 30; 33:13, 16, 29; 34:2, 12; 35:11, 12; 36:4^2, 5, 7, 18, 20, 21^2, 22^2, 23, 28, 31, 36; 37:19, 20, 21, 23, 25^2; 38:8, 17, 20, 22; 39:4, 7, 17, 19, 21^2, 26, 29; 40:6, 20, 22, 40, 42, 44, 45, 46, 49; 41:6, 9^2, 12, 15, 22; 42:1, 3^2, 7, 8, 11, 12, 13^2, 14, 15; 43:1, 3^2, 4, 7, 8, 19; 44:9, 10^2, 13, 15, 19, 22, 25; 45:13; 46:4, 9, 19, 20^2, 24; 47:5^2, 9, 13, 14, 16^2, 22, 23; 48:8, 9, 11^2, 22, 29 • Hosh. 1:1; 2:1^2, 14^2, 15; 12:9; 13:10; 14:4 • Joel 1:1; 2:25^2, 26; 3:5; 4:1, 2, 5, 7, 19 • Am. 1:1^2; 2:4, 9; 3:1^2, 4:1, 7; 5:1, 26; 9:12, 15 • Ob. 20^2 • Jon. 1:5, 9; 3:2, 8, 10; 4:10, 11^2 • Mic. 1:1^2; 2:3; 5:6, 14; 6:12; 7:20 • Nah. 2:12; 3:8 • Hab. 1:1; 2:5 • Zep. 1:1; 2:3, 8 • Hag. 1:9, 11; 2:3, 5, 18 • Zech. 1:4, 6, 7, 10, 12; 2:2, 4; 3:9; 4:1, 2, 12; 6:6, 10; 7:3, 7, 12, 14; 8:16, 17, 20, 23; 11:5, 10, 13; 14:4, 12^2, 15, 18^2, 19 • Mal. 1:4; 2:11, 12, 14; 3:1^2, 17, 19, 21, 22 • Ps. 1:1, 3, 4; 3:7; 7:1; 8:2, 4; 10:6; 12:5; 16:3, 7; 18:1; 24:4; 26:10; 31:8, 20; 33:12; 35:8; 38:15; 40:5; 41:10; 46:9; 47:5; 55:15, 20; 58:6; 64:4; 66:14, 16, 20; 69:27; 71:19, 20, 23; 78:4, 5, 11, 42, 43, 68; 79:6^2, 12; 80:16; 83:13; 84:4; 86:9; 88:6; 89:22, 52^2; 94:12; 95:4, 5, 9, 11; 104:16, 17; 105:5, 9, 26; 106:34, 38; 107:2; 119:38, 39, 47, 48, 85, 158; 127:5; 132:2; 139:15, 20; 140:3, 5; 144:8, 11, 12; 147:9; 148:4 • Prov. 2:15; 6:7; 22:28; 25:1, 7, 28; 31:1 • Job 3:23; 4:19; 6:4; 9:5; 12:10; 15:28; 22:15, 16; 30:1; 36:24; 38:23; 39:6; 40:15; 42:11 • S.ofS. 1:1 • Ruth 1:7; 2:3, 9, 11, 12, 19, 20, 21^2; 3:1, 2, 4, 15; 4:1, 3, 11^2, 12^2, 14, 15^2 • Lam. 1:7, 10, 12^2; 2:17^2; 4:20 • Eccl. 1:10; 2:3; 3:10, 11; 4:1, 2, 3, 13, 15, 16; 5:17, 18; 6:1, 2; 7:19, 20, 21, 26; 8:9^2, 10, 12^2, 14^2, 15, 16, 17; 9:3, 4, 6, 9^3, 10; 10:15; 11:5; 12:1, 7 • Es. 1:2, 9, 12, 16, 18, 20; 2:4, 6^3, 10, 15; 3:1, 2, 3, 4, 6, 12; 4:3, 5, 6, 7, 8, 11^3, 16; 5:2, 4, 5, 8, 12, 13; 6:2, 4, 6, 7, 8^2, 9^2, 11, 13, 14; 7:5, 8, 9^2, 10; 8:2, 3, 5^2, 6, 8, 9, 11^2; 9:1^3, 3, 13, 15, 16, 18, 20, 22^2, 25; 10:2 • Dan. 1:4, 8^2, 10^2, 11, 18, 20^2; 8:2, 6, 20, 21, 26; 9:1, 2, 6, 7^2, 8, 10, 11, 12^2, 14, 15, 18, 21; 10:1, 7, 11, 12; 11:4, 24, 38, 39; 12:1, 6, 7 • Ez. 1:2, 3^2, 4^2, 5, 7; 2:1, 2, 61, 63, 68; 3:12; 7:6, 11, 27^2; 9:11^2; 10:18 • Neh. 1:2, 3, 6^2, 7, 8, 9, 10; 2:7, 8^4, 12, 13, 17^2, 18^2, 19; 3:25, 35; 4:6, 14, 17; 5:9, 11, 13, 14, 15, 17; 6:8, 11, 14, 16; 7:6, 63; 8:1^2, 3, 4, 12, 14; 9:7, 12, 15, 17, 18, 19, 23, 26, 29, 32, 34, 35^2, 36, 37; 10:30; 11:3; 12:1; 13:1, 7, 14, 17, 22 • ICh. 1:12, 43; 2:7, 9; 3:1; 4:18, 22, 33, 41; 5:6, 25, 36^2; 6:16, 50; 7:14; 9:2; 10:7, 11, 13^2, 11:10; 11, 17, 18; 12:16(15), 21(20), 32(31); 13:6^2; 14:4; 15:3; 16:1, 12, 16, 39, 40, 41; 17:5, 6, 8, 10, 11, 21^2, 23; 18:7, 11; 19:9, 14, 16; 20:3; 21:17, 19, 29; 22:2(1), 13(12); 23:5; 26:26; 27:28, 31; 29:16, 19; 29:25, 27, 30 • IICH.

1:3^2, 5, 6, 11^2, 12^2, 13, 15, 16; 2:4, 5, 6^2, 7, 8, 11^{2}13 14, 16^2; 3:1^2, 4, 15; 4:11, 12; 4:13, 19; 5:1, 5, 6, 10^2; 6:4, 5, 10, 11^2, 15, 17, 7, 18, 19, 20^2, 21, 25, 27^2, 29^2, 30, 31^2, 32, 33, 34^2, 36, 37, 38^4, 39; 7:6, 7^2, 10, 14, 19, 20^2, 21, 22; 8:1, 2, 4, 6^2, 7, 8^2, 9, 10, 11^2, 12; 9:2, 3, 4, 5, 6, 8, 9, 10, 12, 13, 23, 27; 10:2, 4, 6, 8^2, 9^2, 10^2, 15, 18; 11:10, 13, 15; 12:3, 4, 5, 9, 13; 13:4, 8; 14:12; 15:8^2; 16:4, 6, 14^2; 17:2, 10; 18:2, 12, 15, 16, 24, 30; 19:10; 20:10, 11, 34; 21:7, 16; 22:6, 7, 9; 23:4, 9^2, 18, 22; 25:4, 9, 10, 13, 15, 18^2, 21; 26:23; 28:3, 11, 15; 29:16, 19, 32; 30:7, 8, 14; 30:17; 31:19; 32:3, 7, 9, 14^2, 17, 18, 31; 33:2, 3, 4, 7^3; 33:8, 9, 11, 15, 19, 22; 34:4, 9, 10, 11, 21^2, 23, 24; 34:26,28,33; 35:3,18,20,21,24; 36:8,13,14,23

אֲשֶׁר (ב)

3905 וְזֶה אֲשֶׁר תַּעֲשֶׂה אֹתָהּ Gen. 6:15
3906 רַק אֲשֶׁר אָכְלוּ הַנְּעָרִים Gen. 14:24
3907 הַמְכַסֶּה אֲנִי מֵאַבְרָהָם אֲשֶׁר אֲנִי עֹשֶׂה Gen. 18:17
3908 מְעַט אֲשֶׁר־הָיָה לְךָ לְפָנַי Gen. 30:30
3909 יְהִי לְךָ אֲשֶׁר־לָךְ Gen. 33:9
3910 וַיֵּרַע בְּעֵינֵי יְיָ אֲשֶׁר עָשָׂה Gen. 38:10
3911 אַךְ אֲשֶׁר יֵאָכֵל לְכָל־נֶפֶשׁ Ex. 12:16
3912-3974 אֲשֶׁר(ב) Gen. 41:28,55; 42:14

44:5; 47:6; 49:28^2 • Ex. 4:12; 6:1; 10:6; 14:13; 16:5,23; 19:4; 29:38; 34:10 • Lev. 10:3 • Num. 8:24; 24:13,14; 33:55 • Deut. 14:12; 18:17,22; 25:17,18 • ISh. 2:22 • IISh. 14:15; 18:4,21; 24:10 • IK. 3:13; 22:14 • IIK. 10:10; 19:20; 20:3 • Is. 21:6,10; 28:4; 52:15:55:11 • Jer. 45:4 • Ezek. 12:25,28 • Jon. 2:10 • Ps. 35:11; 69:5; 78:3 • Job 5:5; 15:18; 19:27; 27:11; 34:19; 36:28 • Eccl. 2:12; 5:17; 7:28 • Es. 6:7 • Dan. 10:14 • Neh. 2:10; 8:14 • ICh. 21:24

אֲשֶׁר (ג)

3975 לֹא יִירָשְׁךָ...כִּי־אִם אֲשֶׁר יֵצֵא Gen. 15:4
3976 עִם אֲשֶׁר תִּמְצָא אֶת־אֱלֹהֶיךָ Gen. 31:32
3977 וַיְצַו אֶת־אֲשֶׁר עַל־בֵּיתוֹ Gen. 44:1
3978/9 אֲשֶׁר יִמָּצֵא אִתּוֹ Gen. 44:9,10
3980 אֶהְיֶה אֲשֶׁר אֶהְיֶה Ex. 3:14
3981 וּבָא אֲשֶׁר־לוֹ הַבַּיִת Lev. 14:35
3982 אֲשֶׁר־יַכֶּה אֶת־קִרְיַת־סֵפֶר Josh. 15:16
3983 אֲשֶׁר יָרִיב לוֹ יוּמַת עַד־הַבֹּקֶר Jud. 6:31
3984 אֲשֶׁר אֹמַר אֵלֶיךָ זֶה יֵלֵךְ Jud. 7:4
3985 הַרְאִיתֶם אֲשֶׁר בָּחַר־בּוֹ יְיָ ISh. 10:24
3986-4011 אֲשֶׁר (ג) Gen. 6:4; 44:16,17

Ex. 22:8^2 • Lev. 14:32^2 • Deut. 27:26 • Jud. 1:12; 3:2 • ISh. 11:7; 22:23 • IISh. 9:1; 16:18 • IIK. 10:5 • Jer. 15:2; 22:25; 43:11 • Ezek. 7:15; 21:32; 23:28^2; 33:27 • Zech. 14:17 • Lam. 2:22 • Eccl. 4:3

אֲשֶׁר (ד)

4012 אֲשֶׁר יָבֹאוּ בְּנֵי הָאֱלֹהִים Gen. 6:4
4013 אֲשֶׁר אִם־יוּכַל אִישׁ... Gen. 13:16
4014 אֲשֶׁר יֵאָמֵר הַיּוֹם... Gen. 22:14
4015 אֲשֶׁר לֹא־תִקַּח אִשָּׁה לִבְנִי Gen. 24:3
4016 אֲשֶׁר תָּבֹאןָ הַצֹּאן לִשְׁתּוֹת Gen. 30:38
4017 אֲשֶׁר נָתַתִּי שִׁפְחָתִי לְאִישִׁי Gen. 30:18
4018 וְהַמִּצְפָּה אֲשֶׁר אָמַר... Gen. 31:49
4019 אֲשֶׁר טִמֵּא אֵת דִּינָה Gen. 34:13
4020 אֲשֶׁר טִמְּאוּ אֲחוֹתָם Gen. 34:27
4021 אֲשֶׁר רָאִינוּ צָרַת נַפְשׁוֹ Gen. 42:21
4022 אֲשֶׁר הִבְאַשְׁתֶּם אֶת־רֵיחֵנוּ Ex. 5:21
4023 אֲשֶׁר מִי־אֵל בַּשָּׁמַיִם וּבָאָרֶץ Deut. 3:24
4024 אֲשֶׁר יִשְׁאָלוּן בְּנֵיכֶם מָחָר Josh. 4:21
4025 אֲשֶׁר־הוֹבִישׁ יְיָ אֱלֹהֵיכֶם Josh. 4:23
4026 אֲשֶׁר לֹא־מְעַלְתֶּם בַּיְיָ Josh. 22:31

אֲשֶׁר (ד) (המשך)

4027 אֲשֶׁר חָמַל הָעָם עַל־מֵיטַב... ISh. 15:15
4028 אֲשֶׁר שָׁמַעְתִּי בְּקוֹל יְיָ וָאֵלֵךְ ISh. 15:20
4029 אֲשֶׁר נִשְׁבַּעְנוּ שְׁנֵינוּ אֲנַחְנוּ... ISh. 20:42
4030 אֲשֶׁר לֹא־שְׁמַרְתֶּם עַל־אֲדֹנֵיכֶם ISh. 26:16
4031 אֲשֶׁר עֲשִׂיתֶם הַדָּבָר הַזֶּה IISh. 2:6
4032 אֲשֶׁר לֹא־הָיָה כָמוֹךָ... IK. 3:13
4033 אֲשֶׁר־הֵסַתָּה אֹתוֹ אִיזֶבֶל IK. 21:25
4034 אֲשֶׁר הַמִּתְבָּרֵךְ...יִתְבָּרֵךְ בֵּאלֹ׳ Is. 65:16
4035 אֲשֶׁר אֲנִי קָצַפְתִּי מְעָט Zech. 1:15
4036 אֲשֶׁר אַדִּרִים שֻׁדָּדוּ Zech. 11:2
4037 וְאָמַר אֲשֶׁר הֻכֵּיתִי בֵּית מְאַהֲבָי Zech. 13:6
4038 אֲשֶׁר־יָקוֹט כִּסְלוֹ Job 8:14
4039 אֲשֶׁר־בִּשְׂעָרָה יְשׁוּפֵנִי Job 9:17
4040 אֲשֶׁר יֵשׁ לָהֶם שָׂכָר טוֹב בַּעֲמָלָם Eccl. 4:9
4041 אֲשֶׁר מִי יַגִּיד לָאָדָם מַה יִּהְיֶה Eccl. 6:12
4042 אֲשֶׁר אֵין נַעֲשָׂה פִתְגָם Eccl. 8:11
4043 אֲשֶׁר חֹטֵא עֹשֶׂה רָע Eccl. 8:12
4044 אֲשֶׁר אֵינֶנּוּ יָרֵא מִלִּפְנֵי אֱלֹהִים Eccl. 8:13
4045 אֲשֶׁר יֵשׁ צַדִּיקִים Eccl. 8:14
4046 אֲשֶׁר אֵין טוֹב לָאָדָם Eccl. 8:15
4047 אֲשֶׁר הַצַּדִּיקִים וְהַחֲכָמִים וַעֲבָדֵיהֶם Eccl. 9:1
4048 אֲשֶׁר לָמָּה יִרְאֶה אֶת־פְּנֵיכֶם Dan. 1:10
4049 אֲשֶׁר הָעִיר בֵּית אֲבוֹתַי חֲרֵבָה Neh. 2:3
4050 אֲשֶׁר עָשִׂיתִי אֶת הַדָּבָר הַזֶּה ICh. 21:8
4051 אֲשֶׁר עָשְׂתָה לַאֲשֵׁרָה מִפְלֶצֶת IICh. 15:16

אֲשֶׁר (ה)

4052 אֲשֶׁר לֹא יִשְׁמְעוּ אִישׁ שְׂפַת רֵעֵהוּ Gen. 11:7
4053 אֲשֶׁר לֹא־תִגָּלֶה עֶרְוָתְךָ עָלָיו Ex. 20:23
4054 אֲשֶׁר יִיטַב לְךָ וּלְבָנֶיךָ אַחֲרֶיךָ Deut. 4:40
4055 וְשָׁמַרְתָּ לַעֲשׂוֹת אֲשֶׁר יִיטַב לְךָ Deut. 6:3
4056 הַבְּרָכָה אֲשֶׁר תִּשְׁמְעוּ אֶל־מִצְוֹת יְיָ Deut. 11:7
4057 אֲשֶׁר יִשְׁאָלוּן בְּנֵיכֶם מָחָר Josh. 4:21
4058 ...אֲשֶׁר לְתִתִּי־לוֹ בְּשֹׂרָה IISh. 4:10
4059 אֲשֶׁר לֹא־יֹאמְרוּ זֹאת אִיזָבֶל IIK. 9:37

אֲשֶׁר (ו)

4060 אֲשֶׁר נָשִׂיא יֶחֱטָא... Lev. 4:22

אֲשֶׁר אִם

4061 אֲשֶׁר אִם צָדַקְתִּי לֹא אֶעֱנֶה Job 9:15
4062 אֲשֶׁר אִם־עָבַר וְרָמַס Mic. 5:7

אֲשֶׁר עַל כֵּן

4063 אֲשֶׁר עַל כֵּן סָרוּ מֵאַחֲרָיו Job 34:27

אַחַר אֲשֶׁר

4064 אַחַר אֲשֶׁר הֻכְּתָה הָעִיר Ezek. 40:1
4065 אַחַר אֲשֶׁר אֶמְצָא־חֵן בְּעֵינָיו Ruth 2:2

אַחֲרֵי אֲשֶׁר

4066 אַחֲרֵי אֲשֶׁר הֻטַּמָּאָה Deut. 24:4
4067 אַחֲרֵי אֲשֶׁר הָפַךְ יִשְׂרָאֵל עֹרֶף Josh. 7:8
4068 אַחֲרֵי אֲשֶׁר־כָּרְתוּ לָהֶם בְּרִית Josh. 9:16
4069-4073 אַחֲרֵי אֲשֶׁר Josh. 23:1; 24:20

Jud. 11:36; 19:23 • IISh. 19:31

אֶל אֲשֶׁר

4074 נְחֵה...אֶל־אֲשֶׁר דִּבַּרְתִּי לָךְ Ex. 32:34
4075 אֶל אֲשֶׁר־יֵצֵא לוֹ שָׁמָּה הַגּוֹרָל Num. 33:54
4076 אֶל אֲשֶׁר יִהְיֶה־שָׁמָּה הָרוּחַ Ezek. 1:12
4077 וְקָרְבוּ אֶל־אֲשֶׁר לָעָם Ezek. 42:14
4078 אֶל־אֲשֶׁר תֵּלְכִי אֵלֵךְ Ruth 1:16

אֵת אֲשֶׁר

4079 וַיֵּדַע אֵת אֲשֶׁר־עָשָׂה לוֹ בְּנוֹ Gen. 9:24
4080 אֵת אֲשֶׁר־דִּבֶּר עָלָיו Gen. 18:19
4081 אֵת אֲשֶׁר־דִּבַּרְתִּי לָךְ Gen. 28:15
4082 יָדַעְתָּ אֵת אֲשֶׁר עֲבַדְתִּיךָ Gen. 30:29
4083 וְאֵת אֲשֶׁר־הָיָה מִקְנְךָ אִתִּי Gen. 30:29
4084 וַיַּעֲבֵר אֶת־אֲשֶׁר־לוֹ Gen. 32:23
4085 אֵת אֲשֶׁר־יִשָּׂא אֶת־שְׁמוֹ לַשָּׁוְא Ex. 20:7
4086 אֵת אֲשֶׁר־תִּשְׁלַח עִמִּי Ex. 33:12
4087-4224 אֵת אֲשֶׁר (אֶת־ / וְאֵת) Gen. 27:45

34; 28^2; 41:25; 44:1; 49:1 • Ex. 4:15; 10:2; 16:5,23^2; 33:19^2; 34:11, 34 • Lev. 5:8, 16; 9:5; 13:54, 57; 14:31;

אֵת אֲשֶׁר (המשך)

14:31 • Dan. 10:14 • Nech. 2:10; 8:14 • ICh. 21:24
33:19^2; 34:11,34 • Lev. 5:8,16; 9:5; 13:54,57; 14:31
22:15; 26:35 • Num. 16:5^2; 22:6; 23:12; 32:31; 33:4
• Deut. 4:3; 5:11; 7:18; 8:2; 9:7; 18:20; 21:16; 24:9;
• ISh. 2:22; 10:8; 12:24; 13:14; 15:2,16; 16:3^2,4;
24:11(10),19(18)^2; 25:8,35; 28:2,8,9; 30:23; 31:11 •
IISh. 11:20; 19:20,36^2,38; 21:11 • IK. 2:5,9; 5:22;
8:24,25,31; 11:10; 18:13; 20:22; 22:14 • IIK. 5:20;
7:12; 8:5,12; 10:10; 18:14; 19:11; 20:3 • Is. 5:5;
38:3; 41:22; 55:11 • Jer. 6:18; 7:12; 23:25; 27:8;
38:9,16; 45:4; 51:12 • Ezek. 2:8^2; 3:1; 5:9^2; 12:25;
23:22; 36:27 • Mic. 6:1 • Zech. 12:10 • Prov. 3:12;
23:1 • Ruth 2:17,18^2,19; 3:4 • Eccl. 2:12; 4:3; 5:3;
7:13 • Es. 2:1^2; 2:15; 5:11; 9:23^2 • Dan. 8:19; 10:14 •
ICh. 4:10 • IICh. 6:15,16; 18:13

בַּעֲבוּר אֲשֶׁר 4225 בַּעֲבֻר אֲשֶׁר יְבָרֶכְךָ לִפְנֵי מוֹתוֹ Gen. 27:10

בְּשֶׁל אֲשֶׁר 4226 בְּשֶׁל אֲשֶׁר יַעֲמֹל הָאָדָם לְבַקֵּשׁ Eccl. 8:17

יַעַן אֲשֶׁר 4227 יַעַן אֲשֶׁר עָשִׂיתָ... Gen. 22:16

4228/9 יַעַן אֲשֶׁר מִלֵּא אַחֲרֵי יְיָ Deut. 1:36
Josh. 14:14

4230 יַעַן אֲשֶׁר עָבְרוּ...אֶת-בְּרִיתִי Jud. 2:20

4259-4231 יַעַן אֲשֶׁר ISh. 30:22 • IK. 3:11; 8:18
11:11,33; 14:7,15; 16:2; 20:28,36 • IIK. 1:16;
10:30; 21:11,15 • Jer. 19:4; 25:8; 29:23,25,31;
35:18 • Ezek. 12:12; 16:43; 21:9; 26:2; 31:10;
44:12 • Ps. 109:16 • IICh. 1:11; 6:8

יֵשׁ אֲשֶׁר 4260/1 וְיֵשׁ אֲשֶׁר יִהְיֶה הֶעָנָן Num. 9:20,21

4262-4 וְיֵשׁ אֲשֶׁר אֹמְרִים Neh. 5:2,3,4

כֹּל אֲשֶׁר 4265 וַיַּרְא אֱלֹ׳ אֶת-כָּל-אֲשֶׁר עָשָׂה Gen. 1:31

4266 וְכֹל אֲשֶׁר יִקְרָא-לוֹ הָאָדָם Gen. 2:19

4267 וַיִּקְחוּ... מִכֹּל אֲשֶׁר בָּחָרוּ Gen. 6:2

4268 כֹּל אֲשֶׁר-בָּאָרֶץ יִגְוָע Gen. 6:17

4269 כְּכֹל אֲשֶׁר צִוָּה אֹתוֹ אֱלֹהִים Gen. 6:22

4270 כֹּל אֲשֶׁר נִשְׁמַת...חַיִּים בְּאַפָּיו Gen. 7:22

4271 מִכֹּל אֲשֶׁר בֶּחָרָבָה מֵתוּ Gen. 7:22

4272 בְּכֹל אֲשֶׁר תִּרְמֹשׂ הָאֲדָמָה Gen. 9:2

4273 ...אִשְׁתּוֹ וְאֶת-כָּל-אֲשֶׁר-לוֹ Gen. 12:20

4274 וְאִשְׁתּוֹ וְכָל-אֲשֶׁר-לוֹ Gen. 13:1

4275 וְאִם-אֶקַּח מִכָּל-אֲשֶׁר-לָךְ Gen. 14:23

4276 וְכֹל אֲשֶׁר-לְךָ בָּעִיר Gen. 19:12

4277 כְּסוּת עֵינַיִם לְכֹל אֲשֶׁר אִתָּךְ Gen. 20:16

4278 כֹּל אֲשֶׁר תֹּאמַר אֵלֶיךָ Gen. 21:12

4279 בְּכֹל אֲשֶׁר-אַתָּה עֹשֶׂה Gen. 21:22

4687-4280 כֹּל אֲשֶׁר (כָּל-/ בְּכָ-/ וְ-/ כְּ-/ לְ-/ מִכָּ-)
Gen. 7:5,8; 11:6
20:7; 24:36; 25:5; 28:15,22; 30:33,35;
31:1,12,21,43; 34:29; 35:2; 39:3,5^2, 6,8,22; 41:56;
45:10,11,13; 46:1,32; 47:1 • Ex. 6:29; 7:2; 9:19,25;
10:12; 18:1,8,14,24; 19:8; 20:11,17(14); 21:30;
23:13,22; 24:7; 25:9,22; 29:35; 31:6,11; 34:32;
35:10,21,24; 36:1,2; 38:22; 39:32,42; 40:9,16 • Lev.
5:4,22,24.26; 6:11,20; 8:10; 11:9^2,10,12, 32, 33, 35;
13:51; 14:36; 15:10,11; 18:29; 20:25; 22:20;
27:9,28,32 • Num. 1:50,54; 2:34; 4:16,26; 6:4; 8:20;
15:23; 16:26,30,33; 18:13; 19:14,16,22; 22:2,17;
23:26; 30:1; 31:23 • Deut. 1:3,30,41; 2:37; 3:21;
4:34; 5:21(18), 24^2,25, 27(24), 28(25); 8:13; 10:14;
12:8,11; 13:16; 14:9^2,10,26^2; 15:18; 17:10;
18:16,18; 20:14; 21:17; 24:8; 26:14; 29:1,8; 30:2 •
Josh. 1:7,9,16^2,17,18; 2:13,19^2; 4:10;
6:17^2,21,22,23,24,25; 7:15,24; 8:5,35; 9:0,10;
10:32,35,37; 11:15,23; 15:46; 21:44(42); 22:2; 23:3
• Jud. 2:15; 3:1; 6:31; 7:4,5^2,18; 9:25,44; 11:24;
13:13,14^2 • ISh. 2:14,22,32; 3:12; 8:7; 9:6,19; 12:1;
14:7,47; 15:3; 18:5; 19:18; 25:6,21^2,22,30; 30:18,19

כֹּל אֲשֶׁר (המשך)

• IISh. 3:19,21,25,36; 6:12; 7:3,7,9,22; 8:6,14;
9:9,11; 11:22; 14:19,20; 15:15; 16:4,21; 18:32;
19:39; 21:14 • IK. 2:3^2,26; 5:20; 8:43,56; 9:4; 10:2;
11:37,38,41; 14:9,22,29; 15:5,7,23,31;
16:14,25,30,33; 19:1^2; 20:4,9; 21:26; 22:39,54 •
IIK. 8:6,23; 10:5,19,30,34; 11:9; 12:6,13,20;
13:8,12; 14:3,28; 15:3,6,16,21,26,28,31,34,36;
16:11,16; 18:3,7,12; 20:13,15,17; 21:8,11,17;
23:28,32,37; 24:3,5,7,9,19 • Is. 19:17; 39:2,4,6;
63:7 • Jer. 1:7^2,17; 11:4; 26:8; 31:37(36); 32:23;
35:8,10,18; 36:18; 38:9; 42:20,21; 50:21,29; 51:48;
52:2 • Ezek. 9:11; 12:14; 14:22,23; 16:37^3,54,63;
23:7; 24:24; 40:4^2; 43:11; 44:5,14; 47:9^2 • Joel 3:5 •
Zep. 3:7,11 • Ps. 1:3; 96:12; 109:11; 115:3,8;
119:63; 135:6,18; 145:18; 146:6 • Prov. 17:8; 21:1 •
Job 1:10,11,12; 2:4; 37:12; 42:10 • Ruth 2:11;
3:5,6,11,16; 4:9^2 • Eccl. 1:13,16; 2:10,12; 3:14;
4:16; 6:2; 8:3; 9:10 • Es. 2:13; 3:12; 4:1,7,17; 5:11;
6:10,13; 8:9 • Ez. 10:8,14 • Neh. 5:19; 9:6^2 • ICh.
6:34; 10:11; 13:14; 16:32; 17:2,6,8,20; 18:6,13;
28:12 • IICh. 6:33; 7:17; 9:1; 15:13; 23:8; 26:4;
27:2; 29:2; 31:21; 33:8; 34:16

כְּפִי אֲשֶׁר 4688 כְּפִי אֲשֶׁר אֵינְכֶם שֹׁמְרִים Mal. 2:9

לְמַעַן אֲשֶׁר 4689 לְמַעַן אֲשֶׁר יְצַוֶּה אֶת-בָּנָיו Gen. 18:19

4690 לְמַעַן אֲשֶׁר יָבִיאוּ בְּנֵי יִשְׂרָאֵל Lev. 17:5

4691 לְמַעַן אֲשֶׁר לֹא-יִקְרַב אִישׁ זָר Num. 17:5

4692-99 לְמַעַן אֲשֶׁר Deut. 20:18; 27:3 • Josh. 3:4
IISh. 13:5 • Ezek. 20:26; 31:14; 36:30; 46:18

מִבְּלִי אֲשֶׁר 4700 מִבְּלִי אֲשֶׁר לֹא-יִמְצָא הָאָדָם Eccl. 3:11

מִלְּבַד אֲשֶׁר 4701 מִלְּבַד אֲשֶׁר-תַּשִּׂיג יָדוֹ Num. 6:21

4702 מִלְּבַד אֲשֶׁר נָתַן-לָהּ כְּיַד הַמֶּלֶךְ IK. 10:13

4703 מִלְּבַד אֲשֶׁר-הֵבִיאָה אֶל-הַמֶּלֶךְ IICh. 9:12

מְעַט אֲשֶׁר 4704 וּמְעַט אֲשֶׁר-סָר אֲמַצְיָהוּ IICh. 25:27

מִפְּנֵי אֲשֶׁר 4705 מִפְּנֵי אֲשֶׁר יָרַד עָלָיו יְיָ בָּאֵשׁ Ex. 19:18

4706 מִפְּנֵי אֲשֶׁר קִטַּרְתֶּם Jer. 44:23

מְקוֹם אֲשֶׁר 4707 מְקוֹם אֲשֶׁר דְּבַר-הַמֶּלֶךְ...מַגִּיעַ Es. 8:17

עַד אֲשֶׁר 4708 עַד אֲשֶׁר-תָּשׁוּב חֲמַת אָחִיךָ Gen. 27:44

4709 עַד אֲשֶׁר אִם-עָשִׂיתִי Gen. 28:15

4710 עַד אֲשֶׁר יֵאָסְפוּ כָל הָעֲדָרִים Gen. 29:8

4711 עַד אֲשֶׁר-אָבֹא אֶל-אֲדֹנִי... Gen. 33:14

4712 עַד אֲשֶׁר תִּפְרֶה וְנָחַלְתָּ Ex. 23:30

4713 עַד אֲשֶׁר-נָשׁוּב אֲלֵיכֶם Ex. 24:14

4714 וַיִּטְחַן עַד אֲשֶׁר-דָּק Ex. 32:20

4715 עַד אֲשֶׁר-יֵצֵא מֵאַפְּכֶם Num. 11:20

4751-4716 עַד אֲשֶׁר Lev. 22:4 • Num. 20:17; 21:22;
32:17 • Deut. 2:14, 29; 3:20; 9:21 • Josh. 1:15; 3:17;
8:26; 17:14 • Jud. 4:24 • ISh. 22:3; 30:4 •
IISh. 17:13 • IK. 10:7; 17:17 • IIK. 17:20, 23;
21:16 • Is. 6:11 • Ezek. 34:21 • Hosh. 5:15 •
Jon. 4:5 • Mic. 7:9 • Ps. 112:8 • Ruth 1:13; 3:18 •
Eccl. 2:3; 12, 1, 2, 6 • Neh. 2:7; 4:5 • ICh. 19:5 •
IICh. 9:6

עַל אֲשֶׁר 4752 עַל אֲשֶׁר עָשׂוּ אֶת-הָעֵגֶל Ex. 32:35

4753 עַל אֲשֶׁר-מְרִיתֶם אֶת-פִּי Num. 20:24

4754 עַל אֲשֶׁר עָזְבוּ אֶת-בְּרִית יְיָ Deut. 29:24

4781-4755 עַל אֲשֶׁר Deut. 32:51^2
ISh. 24:6(5) • IISh. 3:30; 6:8; 8:10; 12:6; 21:1 • IK.
9:9; 16:7; 18:12 • IIK. 18:12; 22:13 • Is. 29:12 •
Jer. 15:4; 37:11; 22:9 • Ezek. 35:15; 39:23 • Ps.
119:49 • Job 32:3 • Es. 1:15; 8:7 • ICh. 13:10;
18:10 • IICh. 7:22; 34:21

4782 ...וְעַל-אֲשֶׁר לִיהוּדָה ISh. 30:14

4783 וַאֲנִי הוֹלֵךְ עַל אֲשֶׁר-אֲנִי הוֹלֵךְ IISh. 15:20

4784 עַל אֲשֶׁר יִהְיֶה-שָׁם הָרוּחַ לָלֶכֶת
Ezek. 1:20

עַל-דְּבַר אֲשֶׁר 4785 עַל-דְּבַר אֲשֶׁר לֹא-צָעֲקָה Deut. 22:24

4786 עַל-דְּבַר אֲשֶׁר-עִנָּה Deut. 22:24

4787 עַל-דְּבַר אֲשֶׁר עִנָּה... IISh. 13:22

4788 עַל-דְּבַר אֲשֶׁר לֹא קִדְּמוּ אֶתְכֶם Deut. 23:5

עַל-כָּל-אוֹדוֹת אֲשֶׁר 4789 עַל-כָּל-אֹדוֹת אֲשֶׁר נִאֲפָה Jer. 3:8

עַל-פִּי אֲשֶׁר 4790 עַל-פִּי אֲשֶׁר תַּשִּׂיג יַד הַנֹּדֵר Lev. 27:8

עֵקֶב אֲשֶׁר 4791 עֵקֶב אֲשֶׁר שָׁמַעְתָּ בְּקֹלִי Gen. 22:18

4792 עֵקֶב אֲשֶׁר-שָׁמַע... בְּקֹלִי Gen. 26:5

4793 עֵקֶב אֲשֶׁר עָשָׂה אֶת-הַדָּבָר הַזֶּה IISh. 12:6

תַּחַת אֲשֶׁר 4794 תַּחַת אֲשֶׁר קִנֵּא לֵאלֹהָיו Num. 25:13

4795 תַּחַת אֲשֶׁר עִנִּיתָהּ Deut. 21:14

4796 תַּחַת אֲשֶׁר לֹא-עָבַדְתָּ... Deut. 28:47

4806-4797 תַּחַת אֲשֶׁר Deut. 22:29; 28:62
ISh. 26:21 • IIK. 22:17 • Is. 53:12 • Jer. 29:9; 50:7
• Ezek. 36:34 • IICh. 21:12; 34:25

וַאֲשֶׁר (א) 4807/8 אֲשֶׁר... וַאֲשֶׁר דִּבֶּר-לִי
וַאֲשֶׁר נִשְׁבַּע-לִי Gen. 24:7

4809/10 אֲשֶׁר...וַאֲשֶׁר בָּאָרֶץ...
וַאֲשֶׁר בַּמַּיִם מִתַּחַת לָאָרֶץ Ex. 20:4

4811 אֲשֶׁר הוּנַף וַאֲשֶׁר הוּרָם Ex. 29:27

4850-4812 אֲשֶׁר... וַאֲשֶׁר (א) Ex. 30:33
Lev. 16:32 • Num. 12:11 • Deut. 11:2; 18:20; 23:5;
33:29 • Josh. 2:10; 24:31; ISh. 12:6; 21:3; 31:7 •
IISh. 21:5 • IK. 2:24; 14:8,16,19; 15:30; 16:13;
22:46 • IIK. 10:29; 14:15, 28; 17:13; 25:15 •
Is. 52:15 • Jer. 17:19; 23:8; 33:5, 8; 40:11; 44:23;
52:19 • Ezek. 17:16; 41:9; 42:1 • Es. 6:8 • Dan.
1:4 • Neh. 8:15

4851/2 אֲשֶׁר...וַאֲשֶׁר...וַאֲשֶׁר... Deut. 5:8

4853-5 אֲשֶׁר...וַאֲשֶׁר...וַאֲשֶׁר...וַאֲשֶׁר Num. 27:17

4856-9 אֲשֶׁר...וַאֲשֶׁר...וַאֲשֶׁר...וַאֲשֶׁר Jer. 8:2

וַאֲשֶׁר (ב) 4860 וַאֲשֶׁר תֹּאמְרוּ אֵלַי אֶתֵּן Gen. 34:11

4861 וַאֲשֶׁר-הוּא עֹשֶׂה יְיָ מַצְלִיחַ Gen. 39:23

4862 וַאֲשֶׁר עָשָׂה לְחֵיל מִצְרַיִם... Deut. 11:4

4863 וַאֲשֶׁר עָשָׂה לָכֶם בַּמִּדְבָּר Deut. 11:5

4864/5 וַאֲשֶׁר אָצְרוּ אֲבֹתֶיךָ IIK. 20:17 • Is. 39:6

4882-4866 וַאֲשֶׁר (ב) Deut. 11:6; 15:3
IK. 16:5 • IIK. 20:20 • Is. 17:8; 44:7 • Jer. 32:24 •
Mic. 3:3; 4:6; 6:14 • Hag. 2:14 • Job 3:25 • Eccl.
3:15; 10:14 • Neh. 5:18; 6:17; 7:71(72)

וַאֲשֶׁר (ג) 4883 אַךְ-נֹחַ וַאֲשֶׁר אִתּוֹ בַּתֵּבָה Gen. 7:23

4884 וַאֲשֶׁר לֹא-שָׂם לִבּוֹ... Ex. 9:21

4885 וַאֲשֶׁר לֹא צָדָה... Ex. 21:13

4886 אֲשֶׁר...וַאֲשֶׁר תָּאֹר יוּאָר Num. 22:6

4887 וַאֲשֶׁר יָבֹא אֶת-רֵעֵהוּ בַיַּעַר Deut. 19:5

4888 וַאֲשֶׁר אֵין-לוֹ כָּסֶף... Is. 55:1

4913-4889 וַאֲשֶׁר (ג) Lev. 6:20; 10:5; 15:32; 25:33
Josh. 24:17 • Jud. 16:24; 20:42 • IIK. 10:5; 18:5 •
Jer. 9:11; 15:2^3; 23:28; 43:11^2 • Ezek. 7:15; 18:18;
33:27^2 • Mic. 3:5 • Zep. 1:6 • Ps. 41:9 • Neh. 10:31
• IICh. 34:22

הָאֲשֶׁר 4914 הָאֲשֶׁר שָׁבִיתָ בְּחַרְבְּךָ...אַתָּה מַכֶּה IIK. 6:22

בַּאֲשֶׁר 4915 קוֹל הַנַּעַר בַּאֲשֶׁר הוּא-שָׁם Gen. 21:17

4916 ...בַּאֲשֶׁר אַתְּ-אִשְׁתּוֹ Gen. 39:9

4917 ...בַּאֲשֶׁר יְיָ אִתּוֹ Gen. 39:23

4918 בַּאֲשֶׁר כָּרַע שָׁם נָפַל שָׁדוּד Jud. 5:27

4919 וַיֵּלֶךְ...לָגוּר בַּאֲשֶׁר יִמְצָא Jud. 17:8

4920 וְאָנֹכִי הֹלֵךְ לָגוּר בַּאֲשֶׁר אֶמְצָא Jud. 17:9

4921 וַיִּתְהַלְּכוּ בַּאֲשֶׁר יִתְהַלָּכוּ ISh. 23:13

4922 וְגוּרִי בַּאֲשֶׁר תָּגוּרִי IIK. 8:1

4923 בַּאֲשֶׁר יָגַעַתְּ מִנְּעוּרָיִךְ Is. 47:12

4924 וּבָחֲרוּ בַּאֲשֶׁר חָפָצְתִּי Is. 56:4

בַּאֲשֶׁר (המשך)

4925 בַּאֲשֶׁר לְמִי־הָרָעָה הַזֹּאת לָנוּ Jon. 1:8

4926 בַּאֲשֶׁר תָּמוּתִי אָמוּת Ruth 1:17

4927 מַה־יִּתְרוֹן הָעוֹשֶׂה בַּאֲשֶׁר הוּא עָמֵל Eccl. 3:9

4928 בַּאֲשֶׁר הוּא סוֹף כָּל־הָאָדָם Eccl. 7:2

4929 בַּאֲשֶׁר דְּבַר־מֶלֶךְ שִׁלְטוֹן Eccl. 8:4

וּבַאֲשֶׁר 4930 וּבַאֲשֶׁר לֹא־חָפַצְתִּי בְּחַרְתֶּם Is. 65:12

4931 וּבַאֲשֶׁר לֹא־חָפַצְתִּי בָּחָרוּ Is. 66:4

4932 וּבַאֲשֶׁר חֲלָלִים שָׁם הוּא Job 39:30

4933 וּבַאֲשֶׁר תָּלִינִי אָלִין Ruth 1:16

כַּאֲשֶׁר(א) 4934 כַּאֲשֶׁר צִוָּה אֱלֹהִים אֶת־נֹחַ Gen. 7:9

4935/6 כַּאֲשֶׁר צִוָּה אֹתוֹ אֱלֹהִים Gen. 7:16; 21:4

4937 וְלֹא־אֹסִף... כַּאֲשֶׁר עָשִׂיתִי Gen. 8:21

4938 כַּאֲשֶׁר דִּבֶּר אֵלָיו יְיָ Gen. 12:4

4939 כַּאֲשֶׁר דִּבֶּר אִתּוֹ אֱלֹהִים Gen. 17:23

4940 כֵּן תַּעֲשֶׂה כַּאֲשֶׁר דִּבַּרְתָּ Gen. 18:5

4941 וַיְיָ פָּקַד אֶת־שָׂרָה כַּאֲשֶׁר אָמָר Gen. 21:1

4942 וַיַּעַשׂ יְיָ לְשָׂרָה כַּאֲשֶׁר דִּבֵּר Gen. 21:1

4943 וַאֲנִי כַּאֲשֶׁר שָׁכֹלְתִּי שָׁכָלְתִּי Gen. 43:14

4944-5354 כַּאֲשֶׁר(א) Gen. 24:51; 26:29; 27:4,9; 27:14,19; 34:12; 40:22; 41:13,21,54; 43:17; 44:1; 47:11; 50:6,12 • Ex. 1:17; 2:14; 5:13; 7:6, 10,13,20,22; 8:11,15,23; 9:12,35; 10:10; 12:25,28,32,50; 13:11; 16:24,34; 17:10; 21:22; 23:15; 27:8; 33:11; 34:4; 39:1,5,7,21,26,29,31,43; 40:15,19,21,23,25,27,29,32 • Lev. 4:10, 20,21,31,35; 8:4,9,13,17,21,29,31,34; 9:7, 10,21; 10:5,15,18; 16:15,34; 18:28; 24:19,20,23; 27:14 • Num. 1:19; 2:17,33; 3:16,42,51; 5:4; 8:3,22; 11:12; 14:17,28; 15:14,36; 17:5,12,26; 20:9,27; 21:34; 22:8; 23:2,30; 26:4; 27:11,13,22,23; 31:7,31,41,47; 32:25,27; 33:56; 36:10 • Deut. 1:11,19,21,31,44; 2:1,12,14,22,29; 3:2,6; 4:5,33; 5:12,16,32(29); 6:3, 16, 19, 25; 8:5; 9:3; 10:5, 9; 11:25; 12:20, 21, 22; 13:18; 15:6; 16:10; 18:2; 19:8, 19; 20:17; 22:26; 23:24; 24:8; 26:15, 18, 19; 27:3; 28:9, 29, 49, 63; 29:12; 30:9; 31:3,4; 32:50; 34:9 • Josh. 1:3,5,17; 3:7; 4:8^{2},12,14,23; 6:22; 8:2,5,6,31,33; 9:21; 10:1,28,30,39,40; 11:9,12,15,20; 13:6,8,14,33; 14:2,5,7; 14:10,11,12; 21:8; 22:4; 23:5,8,10,15; 24:5 • Jud. 1:7,20; 2:15,22; 6:27,36,37; 7:5,17; 8:8; 9:33; 11:36; 15:10,11; 16:9 • ISh. 2:16,35; 4:9; 6:6^{2}; 15:33; 17:20; 20:13; 24:5(4), 14(13); 26:20,24; 28:17 • IISh. 3:9; 5:25; 7:10,15,25; 10:2; 13:29; 15:26; 16:19,23; 17:12; 19:4; 24:19 • IK. 1:30,37; 2:24,31,38; 3:14; 5:19,26; 8:20,25,53,57; 9:2,4,5; 11:38^{2}; 12:12; 14:10,15; 20:34; 21:11^{2} • IIK. 2:19; 7:7,10,17; 8:18,19; 10:15; 15:9; 17:23,41; 21:3,13,20; 23:27; 24:13 • Is. 9:2; 10:10,11; 11:16; 14:24; 20:3; 23:5; 24:2; 25:11; 29:8; 31:4; 52:14; 55:10; 65:8; 66:20,22 • Jer. 2:36; 5:19; 7:14,15; 12:16; 13:5,11; 17:22; 18:4; 19:11; 23:27; 26:11; 27:13; 31:28(27); 32:42; 39:12; 40:3; 42:2,18; 43:12; 44:13,17,30; 48:13; 50:15,18 • Ezek. 1:16; 10:10; 12:7,11; 15:6; 16:48,50,59; 20:36; 23:18; 24:18,22; 35:11; 37:7; 37:10; 41:25; 43:22; 46:7,12; 48:11 • Hosh. 9:13 • Joel 3:5 • Am. 2:13; 3:12; 5:14,19; 9:9 • Ob. 15,16 • Jon. 1:14 • Mic. 3:3,4 • Zech. 1:6; 7:3; 8:13,14; 10:6; 14:5 • Mal. 3:17 • Ps. 33:22; 48:9; 56:7 • Prov. 24:29 • Job 10:19; 29:4,25; 42:9 • Ruth 1:8 • Lam. 1:22 • Eccl. 5:14; 9:2; 11:5 • Es. 2:20^{2}; 6:10; 9:31 • Dan. 9:12,13 • Ez. 4:3 • Neh. 5:12 • ICh. 14:16; 15:15; 17:9,13,23; 22:11(10); 24:19 • IICh. 2:2; 6:10,16; 7:17,18; 10:12; 23:3

כַּאֲשֶׁר (ב) 5355 וַיְהִי כַּאֲשֶׁר הִקְרִיב לָבוֹא Gen. 12:11

5356 וַיֵּלֶךְ יְיָ כַּאֲשֶׁר כִּלָּה לְדַבֵּר Gen. 18:33

5357 וַיְהִי כַּאֲשֶׁר הִתְעוּ אֹתִי אֱלֹהִים Gen. 20:13

5358 וַיְהִי כַּאֲשֶׁר כִּלּוּ... לִשְׁתּוֹת Gen. 24:22

5359 וַיְהִי כַּאֲשֶׁר שָׁמַע... Gen. 24:52

5360-5389 וַיְהִי כַּאֲשֶׁר Gen. 27:30; 29:10; 30:25; 37:23; 43:2 • Ex. 32:19 • Deut. 2:16 • Josh. 4:1,11; 5:8 • Jud. 3:18; 6:27; 8:33; 11:5 • ISh. 8:1; 24:2(1) • IISh. 16:16 • IIK. 14:5 • Jer. 39:4 • Zech. 7:13 • Neh. 3:33; 4:1,6,9; 6:1,16; 7:1; 13:19 • ICh. 17:1 • IICh. 25:3

5390 וְהָיָה כַּאֲשֶׁר תָּרִיד וּפָרַקְתָּ Gen. 27:40

5391 וַיֹּאמֶר יַעֲקֹב כַּאֲשֶׁר רָאָם Gen. 32:2

5392 וַיִּזְרַח...כַּאֲשֶׁר עָבַר אֶת־פְּנוּאֵל Gen. 32:31

5393-5425 כַּאֲשֶׁר (ב) Gen. 34:22; 40:14 • Num. 27:14 • Jud. 11:7; 16:22 • ISh. 1:24; 2:24; 8:6; 12:8; 15:14; 28:18 • IISh. 20:12,13 • IK. 3:6 • IIK. 5:26 • Is. 26:9; 51:13 • Jer. 38:28 • Ezek. 2:2 • Hosh. 7:12 • Hag. 1:12 • Ps. 51:2 • Job 4:8 • Eccl. 4:17; 5:3; 8:7,16 • Neh. 5:6; 6:3 • IICh. 21:6; 29:8; 30:7; 33:22

5426 אַחֲרֵי כַּאֲשֶׁר יָצְאוּ הָרֹדְפִים Josh. 2:7

כַּאֲשֶׁר (ד) 5427 כַּאֲשֶׁר אֵינָם יֹדְעִים אֶת־מִשְׁפַּט... IIK. 17:26

5428 הַכֹּל כַּאֲשֶׁר לַכֹּל מִקְרֶה אֶחָד Eccl. 9:2

וְכַאֲשֶׁר 5429 וְכַאֲשֶׁר יְעַנּוּ אֹתוֹ כֵּן יִרְבֶּה Ex. 1:12

5430 וְכַאֲשֶׁר נָשָׂאתָה לָעָם הַזֶּה Num. 14:19

5431 וְכַאֲשֶׁר מֵת הַיֶּלֶד קַמְתָּ IISh. 12:21

5432 וְכַאֲשֶׁר יֹאמְרוּ אֵלֶיךָ בְּנֵי עַמְּךָ Ezek. 37:18

5433 וְכַאֲשֶׁר אָבַדְתִּי אָבָדְתִּי Es. 4:16

5434 וְכַאֲשֶׁר תִּרְאֶה עֲשֵׂה עִם־עֲבָדֶיךָ Dan. 1:13

5435 וְכַאֲשֶׁר אָמַר לָתֵת לוֹ נִיר IICh. 21:7

5436 כַּאֲשֶׁר...וְכַאֲשֶׁר עָשִׂינוּ Gen. 26:29

5437 כַּאֲשֶׁר...וְכַאֲשֶׁר יָנִיחַ יָדוֹ Ex. 17:11

5438-5442 כַּאֲשֶׁר...וְכַאֲשֶׁר Josh. 10:39 • Jud. 2:15 • Is. 14:24; 29:8 • Es. 9:31

לַאֲשֶׁר (א) 5443 שְׁמַע... לַאֲשֶׁר אֲנִי מְצַוָּה אֹתָךְ Gen. 27:8

5444 אִישׁ לַאֲשֶׁר בְּאָהֳלוֹ תִּקָּחוּ Ex. 16:16

5445 יִשְׁתַּחֲווּ לַאֲשֶׁר עָשׂוּ אֶצְבְּעֹתָיו Is. 2:8

5446 כִּי לֹא מוּעָף לַאֲשֶׁר מוּצָק לָהּ Is. 8:23

5447 שׁוּבוּ לַאֲשֶׁר הֶעְמִיקוּ סָרָה Is. 31:6

5448 שְׁמַע־נָא... לַאֲשֶׁר אֲנִי דֹּבֵר Jer. 38:20

5449 לַאֲשֶׁר הֵבִיא אֱלוֹהַּ בְּיָדוֹ Job 12:6

לַאֲשֶׁר (ב) 5450 וַיֹּאמֶר לַאֲשֶׁר עַל־בֵּיתוֹ Gen. 43:16

5451 וְיוֹסֵף אָמַר לַאֲשֶׁר עַל־בֵּיתוֹ Gen. 44:4

5452 לַאֲשֶׁר הוּא לוֹ יִתְּנֶנּוּ Lev. 5:24

5453 יָשׁוּב הַשָּׂדֶה לַאֲשֶׁר קָנָהוּ מֵאִתּוֹ Lev. 27:24

5454 לַאֲשֶׁר־לוֹ אֲחֻזַּת הָאָרֶץ... Lev. 27:24

5455 וְנָתַן לַאֲשֶׁר אָשַׁם לוֹ Num. 5:7

5456 לַאֲשֶׁר לֹא־עָלָה אֶל־יְיָ Jud. 21:5

5457 וַיֹּאמֶר לַאֲשֶׁר עַל־הַמֶּלְתָּחָה IIK. 10:22

5458 לֵאמֹר...לַאֲשֶׁר בַּחֹשֶׁךְ הִגָּלוּ Is. 49:9

5459 וּנְתַתִּיהָ לַאֲשֶׁר יָשַׁר בְּעֵינָי Jer. 27:5

5460 כִּי אֶסְלַח לַאֲשֶׁר אַשְׁאִיר Jer. 50:20

5461 לַאֲשֶׁר רָחַצְתְּ כָּחַלְתְּ עֵינַיִךְ Ezek. 23:40

5462 וְאָמַר לַאֲשֶׁר בְּיַרְכְּתֵי הַבַּיִת Am. 6:10

5463 בֵּין עֹבֵד אֱלֹהִים לַאֲשֶׁר לֹא עֲבָדוֹ Mal. 3:18

וְלַאֲשֶׁר 5464 וּלְאָכְלְכֶם וְלַאֲשֶׁר בְּבָתֵּיכֶם Gen. 47:24

5465 וְלַאֲשֶׁר בְּעֵמֶק יִזְרְעֶאל Josh. 17:16

5466/7 וְלַאֲשֶׁר בְּרָמוֹת־נֶגֶב וְלַאֲ׳ בְּיַתִּר ISh. 30:27

5468-5477 וְלַאֲשֶׁר ISh. 30:28^{3},29^{3},30^{3},31

5478 וְלַזֹּבֵחַ וְלַאֲשֶׁר אֵינֶנּוּ זֹבֵחַ Eccl. 9:2

מֵאֲשֶׁר 5479 קְחוּ לָכֶם תֶּבֶן מֵאֲשֶׁר תִּמְצָאוּ Ex. 5:11

5480 מֵאֵיל הַמִּלֻּאִים מֵאֲשֶׁר לְאַהֲרֹן Ex. 29:27

5481 וְעָשָׂה...מֵאֲשֶׁר תַּשִּׂיג יָדוֹ Lev. 14:30

5482 וְכִפֶּר עָלָיו מֵאֲשֶׁר חָטָא Num. 6:11

5483 רַבִּים...מֵאֲשֶׁר הָרְגוּ בְּנֵי יִשְׂרָאֵל Josh. 10:11

5484 ...רַבִּים מֵאֲשֶׁר הֵמִית בְּחַיָּיו Jud. 16:30

5485 וַיֶּרֶב...מֵאֲשֶׁר אָכְלָה הֶחָרֶב IISh. 18:8

5486 רַבִּים אֲשֶׁר אִתָּנוּ מֵאֲשֶׁר אוֹתָם IIK. 6:16

5487 מֵאֲשֶׁר יָקַרְתָּ בְעֵינַי נִכְבַּדְתָּ Is. 43:4

5488 מוֹדִיעִים...מֵאֲשֶׁר יָבֹאוּ עָלָיִךְ Is. 47:13

5489 וּמִדַּלַּת הָאָרֶץ מֵאֲשֶׁר לֹא־הָגְלוּ Jer. 40:7

5490 וְשָׁתִית מֵאֲשֶׁר יִשְׁאֲבוּן הַנְּעָרִים Ruth 2:9

5491 אֵין טוֹב מֵאֲשֶׁר יִשְׂמַח הָאָדָם Eccl. 3:22

5492 לְבַד מֵאֲשֶׁר יוֹשִׁיט־לוֹ הַמֶּלֶךְ Es. 4:11

5493 הֲסִירוֹתִי מֵאֲשֶׁר הָיָה לְפָנֶיךָ ICh. 17:13

וּמֵאֲשֶׁר 5494 וּמֵאֲשֶׁר לְאָבִינוּ...כָּל הַכָּבֹד Gen. 31:1

5495 מֵאֲשֶׁר לְאַהֲרֹן וּמֵאֲשֶׁר לְבָנָיו Ex. 29:27

אֲשַׂרְאֵל שפ״ז – מצאצאי כָּלֵב בן יפונה

וַאֲשַׂרְאֵל 1 וּבְנֵי יְהַלֶּלְאֵל זִיף...וַאֲשַׂרְאֵל ICh. 4:16

אֲשַׂרְאֵלָה שפ״ז – מבני אָסָף

וַאֲשַׂרְאֵלָה 1 וּנְתַנְיָה וַאֲשַׂרְאֵלָה בְּנֵי אָסָף ICh. 25:2

אֲשֵׁרָה נ׳ אֵלָה כנענית (עשויה עץ?), על־פי־רב כבת־זוג לאל ״בעל״: 1—40

אֲשֵׁרָה 1 לֹא־תִטַּע לְךָ אֲשֵׁרָה כָּל־עֵץ Deut. 16:21

2 וַיַּעֲשׂוּ אֲשֵׁירָה... IIK. 17:16

3 וַיַּעַשׂ אֲשֵׁרָה כַּאֲשֶׁר עָשָׂה אַחְאָב IIK. 21:3

4 וְשָׂרַף אֲשֵׁרָה IIK. 23:15

הָאֲשֵׁרָה 5 וְאֶת־הָאֲשֵׁרָה אֲשֶׁר־עָלָיו תִּכְרֹת Jud. 6:25

6 בַּעֲצֵי הָאֲשֵׁרָה אֲשֶׁר תִּכְרֹת Jud. 6:26

7 וְכִי כָרַת הָאֲשֵׁרָה אֲשֶׁר־עָלָיו Jud. 6:30

8 וַיַּעַשׂ אַחְאָב אֶת־הָאֲשֵׁרָה IK. 16:33

9 וְאֶת־נְבִיאֵי הַבַּעַל...וּנְבִיאֵי הָאֲשֵׁרָה IK. 18:19

10 וְגַם הָאֲשֵׁרָה עָמְדָה בְּשֹׁמְרוֹן IIK. 13:6

11 וְכָרַת אֶת־הָאֲשֵׁרָה IIK. 18:4

12 וַיָּשֶׂם אֶת־פֶּסֶל הָאֲשֵׁרָה אֲשֶׁר עָשָׂה IIK. 21:7

13 וַיֹּצֵא אֶת־הָאֲשֵׁרָה מִבֵּית יְיָ IIK. 23:6

וְהָאֲשֵׁרָה 14 וְהָאֲשֵׁרָה אֲשֶׁר־עָלָיו כֹּרָתָה Jud. 6:28

לַאֲשֵׁרָה 15 אֲשֶׁר־עָשְׂתָה מִפְלֶצֶת לַאֲשֵׁרָה IK. 15:13

16 אֲשֶׁר־עָשְׂתָה לַאֲשֵׁרָה מִפְלָצֶת IICh. 15:16

לָאֲשֵׁרָה 17 הַנָּשִׁים אֹרְגוֹת שָׁם בָּתִּים לָאֲשֵׁרָה IIK. 23:7

וְלָאֲשֵׁרָה 18 הָעֲשׂוּיִם לַבַּעַל וְלָאֲשֵׁרָה... IIK. 23:4

אֲשֵׁרוֹת 19 וַיָּקֶם מִזְבְּחוֹת... וַיַּעַשׂ אֲשֵׁרוֹת IICh. 33:3

הָאֲשֵׁרוֹת 20 וַיַּעַבְדוּ אֶת־הַבְּעָלִים וְאֶת־הָאֲשֵׁרוֹת Jud. 3:7

21 כִּי־בִעַרְתָּ הָאֲשֵׁרוֹת מִן־הָאָרֶץ IICh. 19:3

אֲשֵׁרִים 22 לֹא־יָקֻמוּ אֲשֵׁרִים וְחַמָּנִים Is. 27:9

וַאֲשֵׁרִים 23 וַיִּבְנוּ...בָּמוֹת וּמַצֵּבוֹת וַאֲשֵׁרִים IK. 14:23

24 וַיַּצִּבוּ לָהֶם מַצֵּבוֹת וַאֲשֵׁרִים IIK. 17:10

הָאֲשֵׁרִים 25 וַיִּכְרֹת אֶת־הָאֲשֵׁרִים IIK. 23:14

26 וַיְגַדַּע אֶת־הָאֲשֵׁרִים IICh. 14:2

27 הֵסִיר אֶת־הַבָּמוֹת וְאֶת־הָאֲשֵׁרִים IICh. 17:6

28 וַיַּעַבְדוּ אֶת־הָאֲ׳ וְאֶת־הָעֲצַבִּים IICh. 24:18

29 וַיְשַׁבְּרוּ הַמַּצֵּבוֹת וַיְגַדְּעוּ הָאֲשֵׁרִים IICh. 31:1

30 וְהֶעֱמִיד הָאֲשֵׁרִים וְהַפְּסִלִים IICh. 33:19

31 וְאֵת־הָאֲשֵׁרִים וְהַפְּסִלִים כִּתַּת IICh. 34:7

וְהָאֲשֵׁרִים 32 ...וְהָאֲשֵׁרִים וְהַחַמָּנִים Is. 17:8

33 לְטַהֵר...מִן־הַבָּמוֹת וְהָאֲשֵׁרִים... IICh. 34:3

34 וְהָאֲשֵׁרִים וְהַפְּסִלִים...שִׁבַּר וְהֵדַק IICh. 34:4

אֲשֵׁירֶיךָ 35 וְנָתַשְׁתִּי אֲשֵׁירֶיךָ מִקִּרְבֶּךָ Mic. 5:13

אֲשֵׁרָיו 36 וְאֶת־אֲשֵׁרָיו תִּכְרֹתוּן Ex. 34:13

אֲשֵׁרֵיהֶם 37 יַעַן אֲשֶׁר עָשׂוּ אֶת־אֲשֵׁרֵיהֶם... IK. 14:15
וַאֲשֵׁירֵהֶם 38 וַאֲשֵׁירֵהֶם תְּגַדֵּעוּן... Deut. 7:5
39 וַאֲשֵׁרֵיהֶם תִּשְׂרְפוּן בָּאֵשׁ Deut. 12:3
40 וַאֲשֵׁרֵיהֶם עַל־עֵץ רַעֲנָן Jer. 17:2

אַשְׁרֵי
מ״ק מאושר הוא, אושר לו: 1—45
אַשְׁרֵי 1/2 אַשְׁרֵי אֲנָשֶׁיךָ אַשְׁרֵי עֲבָדֶיךָ אֵלֶּה IK. 10:8
3 אַשְׁרֵי כָּל־חוֹכֵי לוֹ Is. 30:18
4 אַשְׁרֵי אֱנוֹשׁ יַעֲשֶׂה־זֹּאת Is. 56:2
5 אַשְׁרֵי הָאִישׁ אֲשֶׁר לֹא הָלַךְ... Ps. 1:1
6 אַשְׁרֵי תִּבְחַר וּתְקָרֵב Ps. 65:5
7 אַשְׁרֵי יוֹשְׁבֵי בֵיתֶךָ Ps. 84:5
8 אַשְׁרֵי הָעָם יוֹדְעֵי תְרוּעָה Ps. 89:16
9 אַשְׁרֵי תְמִימֵי־דָרֶךְ... Ps. 119:1
10 אַשְׁרֵי שֶׁיְשַׁלֶּם־לָךְ אֶת־גְּמוּלֵךְ Ps. 137:8
11 אַשְׁרֵי שֶׁיֹּאחֵז וְנִפֵּץ אֶת־עֹלָלַיִךְ Ps. 137:9
12 אַשְׁרֵי הָעָם שֶׁכָּכָה לּוֹ Ps. 144:15
13 אַשְׁרֵי הָעָם שֶׁיְיָ אֱלֹהָיו Ps. 144:15
14 אַשְׁרֵי שֶׁאֵל יַעֲקֹב בְּעֶזְרוֹ Ps. 146:5
15 אַשְׁרֵי אָדָם מָצָא חָכְמָה Prov. 3:13
16 אַשְׁרֵי אָדָם מְפַחֵד תָּמִיד Prov. 28:14
17 אַשְׁרֵי הַמְחַכֶּה וְיַגִּיעַ... Dan. 12:12
18-36 אַשְׁרֵי Ps. 2:12; 32:1,2; 33:12; 34:9; 40:5
41:2; 84:6,13; 94:12; 106:3; 112:1; 119:2; 127:5;
128:1 • Prov. 8:34; 20:7 • Job 5:17 • IICh. 9:7
וְאַשְׁרֵי 37 וְאַשְׁרֵי דְּרָכַי יִשְׁמֹרוּ Prov. 8:32
38 אַשְׁרֵי אֲנָשֶׁיךָ וְאַשְׁרֵי עֲבָדֶיךָ אֵלֶּה IICh. 9:7
אַשְׁרֶיךָ 39 אַשְׁרֶיךָ יִשְׂרָאֵל מִי כָמוֹךָ IICh. 33:29
40 ...אַשְׁרֶיךָ וְטוֹב לָךְ Ps. 128:2
אַשְׁרֵיךְ 41 אַשְׁרֵיךְ אֶרֶץ שֶׁמַּלְכֵּךְ בֶּן־חוֹרִים Eccl. 10:17
אַשְׁרָיו 42 וּמְחוֹנֵן עֲנָוִים אַשְׁרָיו Prov. 14:21
43 וּבוֹטֵחַ בַּיְיָ אַשְׁרָיו Prov. 16:20
אַשְׁרֵהוּ 44 וְשֹׁמֵר תּוֹרָה אַשְׁרֵהוּ Prov. 29:18
אַשְׁרֵיכֶם 45 אַשְׁרֵיכֶם זֹרְעֵי עַל־כָּל־מָיִם Is. 32:20

אָשֵׁרִי
ת׳ בני שבט אשר
הָאָשֵׁרִי 1 וַיֵּשֶׁב הָאָשֵׁרִי בְּקֶרֶב הַכְּנַעֲנִי Jud. 1:32

אַשְׂרִיאֵל
שפ״ז — נכדו של מָכִיר בן מנשה 1—3
אַשְׂרִיאֵל 1 וְלִבְנֵי אַשְׂרִיאֵל וְלִבְנֵי שֶׁכֶם Josh. 17:2
2 בְּנֵי מְנַשֶּׁה אַשְׂרִיאֵל... ICh. 7:14
וְאַשְׂרִיאֵל 3 וְאַשְׂרִיאֵל מִשְׁפַּחַת הָאַשְׂרִאֵלִי Num. 26:31

אַשְׂרִאֵלִי
ת׳ המתיחס אל אַשְׂרִיאֵל
הָאַשְׂרִאֵלִי 1 וְאַשְׂרִיאֵל מִשְׁפַּחַת הָאַשְׂרִאֵלִי Num. 26:31

אֻשַּׁרְנָא
נ׳ ארמית: חומה
וְאֻשַּׁרְנָא 1-2 וְאֻשַּׁרְנָא דְנָה לְשַׁכְלָלָה Ez. 5:3,9

אשש
[הת׳ הִתְאוֹשְׁשׁוּ] התחזק
וְהִתְאֹשָׁשׁוּ 1 זִכְרוּ־זֹאת וְהִתְאֹשָׁשׁוּ Is. 46:8

אֵשֶׁת
נ׳ עיין אשה

אֶשְׁתָּאוֹל
עיר בנחלת דן: 1—7
אֶשְׁתָּאוֹל 1 בַּשְּׁפֵלָה אֶשְׁתָּאוֹל וְצָרְעָה... Josh. 15:33
2-3 בֵּין צָרְעָה וּבֵין אֶשְׁתָּאוֹל Jud. 13:25; 16:31
וְאֶשְׁתָּאוֹל 4 צָרְעָה וְאֶשְׁתָּאוֹל וְעִיר שָׁמֶשׁ Josh. 19:41
5 וַיָּבֹאוּ אֶל־...צָרְעָה וְאֶשְׁתָּאֹל Jud. 18:8
וּמֵאֶשְׁתָּאֹל 6 וַיִּשְׁלְחוּ...מִצָּרְעָה וּמֵאֶשְׁתָּאֹל Jud. 18:2
7 וַיִּסְעוּ...מִצָּרְעָה וּמֵאֶשְׁתָּאֹל Jud. 18:11

אֶשְׁתָּאֻלִי
ת׳ תושב אשתאול
וְהָאֶשְׁתָּאֻלִי 1 מֵאֵלֶּה יָצְאוּ הַצָּרְעָתִי וְהָאֶשְׁתָּאֻלִי ICh. 2:53

אֶשְׁתַּדּוּר
ז׳ ארמית: מרד? מהומה?: 1, 2
וְאֶשְׁתַּדּוּר 1 וְאֶשְׁתַּדּוּר עָבְדִין בְּגַוַּהּ... Ez. 4:15
2 וּמְרַד וְאֶשְׁתַּדּוּר מִתְעֲבֶד־בַּהּ Ez. 4:19

אֶשְׁתּוֹן
שפ״ז — איש משבט יהודה: 1, 2
אֶשְׁתּוֹן 1 ...הוּא אֲבִי אֶשְׁתּוֹן ICh. 4:11
וְאֶשְׁתּוֹן 2 וְאֶשְׁתּוֹן הוֹלִיד אֶת־בֵּית רָפָא ICh. 4:12

אֶשְׁתְּמֹה
עיר־מקלט בהרי יהודה, היא אשתמוע
וְאֶשְׁתְּמֹה 1 וַעֲנָב וְאֶשְׁתְּמֹה וְעָנִים Josh. 15:50

אֶשְׁתְּמֹעַ1
עיר־מקלט בהרי יהודה, בסביבות חברון
אֶשְׁתְּמֹעַ 1 וְאֶת־אֶשְׁתְּמֹעַ וְאֶת־מִגְרָשֶׁהָ Josh. 21:14
2 וְאֶת־אֶשְׁתְּמֹעַ וְאֶת־מִגְרָשֶׁיהָ ICh. 6:42
בְּאֶשְׁתְּמֹעַ 3 וְלַאֲשֶׁר בְּשִׂפְמוֹת וְלַאֲשֶׁר בְּאֶשְׁתְּמֹעַ ISh. 30:28

אֶשְׁתְּמֹעַ2
שפ״ז — איש משבט יהודה: 1, 2
אֶשְׁתְּמֹעַ 1 ...וְאֶת־יִשְׁבַּח אֲבִי אֶשְׁתְּמֹעַ ICh. 4:17
וְאֶשְׁתְּמֹעַ 2 ...וְאֶשְׁתְּמֹעַ הַמַּעֲכָתִי ICh. 4:19

אָת*
ז׳ ארמית: אות; אָתִין = אותות; אָתַיָּא = האותות
אָתִין 1 וְעָבֵד אָתִין וְתִמְהִין... Dan. 6:28
אָתַיָּא 2 אָתַיָּא וְתִמְהַיָּא דִּי עֲבַד עִמִּי Dan. 3:32
אָתוֹהִי 3 אָתוֹהִי כְּמָה רַבְרְבִין... Dan. 3:33

אַתְּ1
מ״ג כנוי לנוכחת: 1—57 • אַתְּ הִיא 11, 12
אַתְּ 1/2 בַּת־מִי אַתְּ Gen. 24:23,47
3 אֲחֹתֵנוּ אַתְּ הֲיִי לְאַלְפֵי רְבָבָה Gen. 24:60
4 בַּאֲשֶׁר אַתְּ־אִשְׁתּוֹ ICh. 39:9
5 וְלָמָה אַתְּ שֹׁאֶלֶת אֶת־אֲבִישַׁג IK. 2:22
6 לָמָּה זֶּה אַתְּ מִתְנַכֵּרָה IK. 14:6
7 ...כִּי־אַתְּ (כת׳ אתי) אֵשֶׁת יָרָבְעָם IK. 14:2
8 אַתְּ (כת׳ אתי) חֹבֶקֶת בֵּן IK. 4:16
9 מַדּוּעַ אַתְּ (כת׳ אתי) הֹלֶכֶת אֵלָיו IIK. 4:23
10 קוּמִי וּלְכִי אַתְּ (כת׳ אתי) וּבֵיתֵךְ IIK. 8:1
11 הֲלוֹא אַתְּ־הִיא הַמַּחְצֶבֶת רַהַב Is. 51:9
12 הֲלוֹא אַתְּ־הִיא הַמַּחֲרֶבֶת יָם Is. 51:10
13 מִי־אַתְּ וַתִּירְאִי... Is. 51:12
14-36 אַתְּ Jud. 9:10,12; 13:3 • IK. 2:15
Jer. 2:20,27; 15:6; 48:7 • Ezek. 16:45²,48,52²,58;
22:24; 23:35; 27:3 • Nah. 3:11² • Zech. 9:11 •
S.ofS. 6:4 • Ruth 3:10,16
אָתְּ 37 כִּי אִשָּׁה יְפַת־מַרְאֶה אָתְּ Gen. 12:11
38 אִמְרִי־נָא אֲחֹתִי אָתְּ Gen. 12:13
39 וּבָרוּךְ טַעְמֵךְ וּבְרוּכָה אָתְּ ISh. 25:33
40 אֹכֶלֶת אָדָם אָתְּ (כת׳ ואתי) Ezek. 36:13
41 אֱמֹר לַחָכְמָה אֲחֹתִי אָתְּ Prov. 7:4
42 וַיֹּאמֶר מִי־אָתְּ Ruth 3:9
43 כִּי אֵשֶׁת חַיִל אָתְּ Ruth 3:11
וְאַתְּ 44 וְאַתְּ כִּי שָׂטִית תַּחַת אִישֵׁךְ Num. 5:20
45 וְאַתְּ הָיִית בְּעֹכְרָי Jud. 11:35
46 וְאַתְּ (כת׳ ואתי) אָלִית וְגַם אָמַרְתְּ... Jud. 17:2
47 וְאַתְּ קוּמִי לְכִי לְבֵיתֵךְ IK. 14:12
48 וְאַתְּ וּבָנַיִךְ תִּחְיִי בַּנּוֹתָר IIK. 4:7
49 וְאַתְּ זָנִית רֵעִים רַבִּים Jer. 3:1
50 וְאַתְּ (כת׳ ואתי) שָׁדוּד מַה־תַּעֲשִׂי Jer. 4:30
51 וְאַתְּ לִמַּדְתְּ אֹתָם עָלַיִךְ Jer. 13:21
52 וְאַתְּ לֹא יָדָעַתְּ Jer. 50:24
53 וְאַתְּ עֵרֹם וְעֶרְיָה Ezek. 16:7
54 וְאַתְּ נָתַתְּ אֶת־נְדָנַיִךְ Ezek. 16:33
55 וְאַתְּ וּבְנוֹתַיִךְ תְּשֻׁבֶינָה לְקַדְמַתְכֶן Ezek. 16:55
56 וְאַתְּ עָלִית עַל־כֻּלָּנָה Prov. 31:29
57 וְאַתְּ וּבֵית־אָבִיךְ תֹּאבֵדוּ Es. 4:14

אַתְּ2
מ״ג כנוי לנוכח
אַתְּ 1 וְאִם־כָּכָה אַתְּ־עֹשֶׂה לִּי Num. 11:15
2 אַתְּ־כְּרוּב מִמְשַׁח הַסּוֹכֵךְ Ezek. 28:14
וְאַתְּ 3 וְאַתְּ תְּדַבֵּר אֵלֵינוּ Deut. 5:24

אַתָּ
מ״ג = אַתָּה: 1, 2
וְאַתָּ 1 וְאַתָּ הִגַּדְתָּ הַיּוֹם... ISh. 24:19(18)
2 וְאַתָּ יְיָ עַד־מָתָי Ps. 6:4

אֵת, אֶת־
מ״י בנפרד: ״אֵת״ (1-1017) על־פי־רוב במוקף: ״אֶת־״ (1021-9228); שלוש פעמים מצויה ״אֶת״ בלי מקף (1018, 1019, 1020), ופעם אחת ״אֶת־״ (139); בכנויים: אוֹתִי, אוֹתְךָ, אוֹתָךְ וכו׳ (9229-10903)

אֵת או אֶת־ באות:

א) ברוב המקראות – אחרי פועל־יוצא וכן אחרי הפעלים ״מלא״, ״חסר״ – בהוראת יחס־הפָּעוּל (אקוּזטיב) כשהמושׂא מיודע בה׳ הידוע (כגון 10,1), או בכנויים (כגון 7344,7338), או כשהמושׂא נסמך לסומך מיודע (כגון 3,2), או כשהוא שם פרטי (כגון 7,6) – ביחוד בפרוזה

ב) לפעמים גם לפני מושׂא בלתי־מיודע, כגון 13, 1040, 1048, 1049, 1058/9, 1060, 1075, 1080, 1088, 1098, 1101, 1118, 1121 ועוד כ־40 מובאות

ג) אחרי פועל סביל סתמי הבא בזכר־יחיד: 5,4, 7,9,18,20, 22,24, 140, 141,1037—1039, 1041, 1042, 1047, 1050-1052, 1054-1057, 1062,1065-1068, 1071, 1074,1076, 1079,1081, 1085, 1089-1093,1097,1099, 1124/5, 7355,7357, 9419/20, 9442,9444, 9930 ועוד

ד) לפעמים באה ״אֶת״ לפני הנושׂא להדגשה: 1079, 1093, 1096, 1102, 7355—7358

ה) לציון העצם שאליו מתיחסת פעולה במשמע: בְּ־, אֶל־, מִן־ וכדומה: 9,10,136,1043,1045 ועוד

ו) במשמע אֲשֶׁר, שֶׁ־: 1084

אֵת אֲשֶׁר 16-130,607-621; אֵת כָּל 131-347,622-758; אֵת שֶׁ־ 348—351; אֵת...וְ־ 138, 352
אֶת־אֲשֶׁר 1103-1117,7359,7360; אֶת־כָּל 1118-1469, 7361-7476; אֶת־... וְ־ 1470-1503, 7477-7489

אֵת 1 בְּרֵאשִׁית בָּרָא אֱלֹהִים אֵת הַשָּׁמַיִם Gen. 1:1
2 וַיְכַסּוּ אֵת עֶרְוַת אֲבִיהֶם Gen. 9:23
3 וְנָתַתִּי לְךָ...אֵת אֶרֶץ מְגֻרֶיךָ Gen. 17:8
4 וּנְמַלְתֶּם אֵת בְּשַׂר עָרְלַתְכֶם Gen. 17:11
5 בְּהִמֹּלוֹ אֵת בְּשַׂר עָרְלָתוֹ Gen. 17:25
6 וַיָּשֶׁב לוֹ אֵת שָׂרָה אִשְׁתּוֹ Gen. 20:14
7 בְּהִוָּלֶד לוֹ אֵת יִצְחָק בְּנוֹ Gen. 21:5
8 וְיִרַשׁ זַרְעֲךָ אֵת שַׁעַר אֹיְבָיו Gen. 22:17
9 מַצּוֹת יֵאָכֵל אֵת שִׁבְעַת הַיָּמִים Ex. 13:7
10 וּזְרַעְתֶּם אֵת הַשָּׁנָה הַשְּׁמִינִת Lev. 25:22
11 אֵת מַחְתּוֹת הַחַטָּאִים הָאֵלֶּה Num. 17:3
12 בַּאֲכֹל...אֵת חֲמִשִּׁים וּמָאתַיִם אִישׁ Num. 26:10
13 וַיָּשֶׂם יְיָ אֵת חֶרֶב אִישׁ בְּרֵעֵהוּ Jud. 7:22
14 בַּהֲרֹג אִיזֶבֶל אֵת נְבִיאֵי יְיָ IK. 18:13
15 וָאֶשְׁמַע אֵת מִדַּבֵּר אֵלָי Ezek. 2:2
אֵת אֲשֶׁר 16 וַיֵּדַע אֵת אֲשֶׁר־עָשָׂה לוֹ בְּנוֹ Gen. 9:24
17 לְמַעַן הָבִיא יְיָ...אֵת אֲשֶׁר־דִּבֶּר Gen. 18:19
18 הֻגֵּד לַעֲבָדֶיךָ אֵת אֲשֶׁר צִוָּה Josh. 9:24
19 לֹא־תַעֲשׂוּ כֵן אֶחָי אֵת אֲשֶׁר־נָתַן ISh. 30:23
20 וַיֻּגַּד לְדָוִד אֵת אֲשֶׁר־עָשְׂתָה רִצְפָּה IISh. 21:11
21 אֵת אֲשֶׁר יֶחֱטָא אִישׁ לְרֵעֵהוּ IK. 8:31
22 הֲלֹא־הֻגַּד לַאדֹנִי אֵת אֲשֶׁר־עָשִׂיתִי IK. 18:13
23 חַי־יְיָ אֵת אֲשֶׁר עָשָׂה־לָנוּ Jer. 38:16
24 וְטוֹב... אֵת אֲשֶׁר־עֲדֶן לֹא הָיָה Eccl. 4:3
25—130 אֵת אֲשֶׁר Gen. 27:45; 28:15; 30:29
41:25; 49:1 • Ex. 4:15; 10:2; 16:5,23; 20:7; 33:12;
34:11,34 • Lev. 9:5; 13:54,57; 14:31; 22:15; 26:35
• Num. 22:6; 23:12; 32:31; 33:4 • Deut. 4:3; 5:11;
7:18; 9:7; 18:20; 21:16; 24:9; 25:17; 29:14,15 •
Josh. 2:10; 5:1; 9:3; 24:7 • Jud. 11:24; 14:6; 18:27 •
ISh. 10:8; 12:24; 13:14; 15:2,16; 16:3²,4; 24:11(10)

אֵת אֲשֶׁר (המשך) 24:19(18)^{2}; 25:8,35; 28:2,8,9; 31:11 • IISh. 11:20; 19:20,38; 21:11 • IK. 2:5,9; 5:22; 8:24,25; 11:10; 20:22; IIK. 5:20; 7:12; 8:5,12; 10:10; 18:14; 19:11; 20:3 • Is. 5:5; 38:3; 41:22 • Jer. 7:12; 23:25; 38:9; 51:12 • Ezek. 2:8^{2}; 3:1; 5:9; 12:25; 23:22; 36:27 • Mic. 6:1 • Zech. 12:10 • Ruth 2:17,18^{2},19; 3:4 • Eccl. 2:12; 5:3; 7:13 • Es. 9:23 • Dan. 8:19; 10:14 • ICh. 4:10 • IICh. 6:15,16

אֵת כָּל־
131 הַסֹּבֵב אֵת כָּל־אֶרֶץ הַחֲוִילָה Gen. 2:11
132 וַיִּבְחַר־לוֹ לוֹט אֵת כָּל־כִּכַּר... Gen. 13:11
133 וַיָּשֶׁב אֵת כָּל־הָרְכֻשׁ Gen. 14:16
134 אֵת כָּל־אֶרֶץ כְּנַעַן Gen. 17:8
135 אֵת כָּל־עֹרֵב לְמִינוֹ Lev. 11:15
136 וַנֵּלֶךְ אֵת כָּל־הַמִּדְבָּר Deut. 1:19
137 וְשָׁפַט...אֵת כָּל־הַמְּקוֹמוֹת הָאֵלֶּה ISh. 7:16
138 אֵת כָּל־חָכְמַת שְׁלֹמֹה וְהַבַּיִת אֲשֶׁר בָּנָה IK. 10:4
139 אֵת־כָּל־גָּבֹהַּ יִרְאֶה Job 41:26
140 אֵת כָּל־הָרָעָה הַזֹּאת בָּאָה Dan. 9:13
141 אַל־יִמְעַט... אֵת כָּל־הַתְּלָאָה Neh. 9:32
142-347 אֵת כָּל־ Gen. 2:13; 24:66; 26:4
29:13; 31:1^{2},12; 35:4; 39:22; 42:29; 45:27; 50:15 • Ex. 1:14; 4:28,30; 6:29; 7:2; 9:25; 10:12; 18:1,8^{2},14; 19:7: 20:1; 24:3,4; 25:22,39; 31:6; 34:32; 35:10; 36:3,4; 38:22; 39:42 • Lev. 8:36; 10:11; 13:12; 26:14 • Num. 4:27; 5:30; 11:12; 15:22,23; 16:28,31; 18:29; 20:14; 21:25; 22:2; 33:52 • Deut. 1:18; 3:21; 4:6; 5:27(24)^{2},31(28); 11:7,32; 12:11,28; 13:1; 14:22; 18:18; 28:12,60; 29:1,8; 30:7 • Josh. 2:23; 8:1,21,26; 21:44(42); 22:2; 23:3,6,15; 24:27,31 • Jud. 2:7; 3:1^{2}; 9:3,25; 11:21,22 • ISh. 2:22; 3:12; 8:10,21; 10:20; 12:7,20; 19:18; 30:18 • IISh. 3:19,25; 7:21; 8:9; 11:19,22; 13:21,32; 14:19 • IK. 2:3,44; 7:48; 8:14,54,55; 9:9; 10:2; 15:16; 15:12; 18:36; 19:1; 20:13 • IIK. 8:4; 10:11,33; 11:1; 12:19; 18:12; 19:4; 20:15; 21:24; 22:16; 23:4 • Is. 37:17; 39:4 • Jer. 1:17; 7:10,15; 16:10^{2}; 19:15; 25:13,30; 26:2,8,12,15; 30:2; 32:23^{2},42; 34:6; 35:17; 36:2,3,4, 13,16,18,20, 24,28,31,32; 38:9; 41:9; 41:11,16; 43:1,5; 44:2; 51:24,60^{2},61 • Ezek. 7:3,8; 9:8; 11:25; 14:22,23; 18:13,19; 22:2; 27:5; 44:5 • Am. 3:2 • Zep. 2:11 • Hag. 2:17 • Ps. 132:1 • Job 2:11 • Ruth 2:21; 3:16 • Lam. 2:2 • Es. 2:13; 4:7; 6:13 • Neh. 13:18,27 • ICh. 10:11; 17:19 • IICh. 4:19; 6:3; 7:22; 9:1; 14:13; 21:17; 29:16; 33:8,25; 34:24,32

אֵת שֶׁ־
348 בִּקַּשְׁתִּי אֵת שֶׁאָהֲבָה נַפְשִׁי S.ofS. 3:1
349 אֲבַקְשָׁה אֵת שֶׁאָהֲבָה נַפְשִׁי S.ofS. 3:2
350/1 אֵת שֶׁאָהֲבָה נַפְשִׁי S.ofS. 3:3,4

אֵת...וְ...
352 אֵת חָכְמַת שְׁלֹמֹה וְהַבַּיִת אֲשֶׁר בָּנָה IICh. 9:3

אֵת
353-593 אֵת Gen. 22:23; 24:60; 30:35; 32:32
41:4,7,20,24 • Ex. 18:1; 23:25,31; 24:10; 25:9,16; 26:33; 27:9; 29:19,27; 31:6,7; 34:28; 35:5,16,17,24,27; 38:8,27; 39:39,40; 40:3,6,13,21 • Lev. 1:8; 2:14; 4:17,21; 7:3,30^{2}; 8:9,14,18; 9:15; 13:33; 14:11; 19:27; 21:12,21; 25:5,10,25; 27:23 • Num. 1:17; 3:40,49; 4:5^{2},14; 5:18,25; 7:7^{2},10; 11:5,24; 16:35; 17:3,4; 18:5,15; 19:9; 21:6; 22:4,17; 25:8; 31:26; 32:11,28; 35:2,6 • Deut. 1:4,35; 6:5; 7:12; 10:4,16; 11:1; 17:9; 28:58; 31:26,28 • Josh. 3:3; 7:17; 8:32; 10:23; 15:19; 21:9 • Jud. 1:15; 3:9; 4:23,24; 8:16; 9:36,56; 14:8; 16:23 • ISh. 2:17; 4:4; 5:1; 6:18; 10:25; 13:3; 22:21; 23:5; 25:24; 26:19 • IISh. 3:13; 4:5; 5:7; 6:2; 12:9,24; 13:22,32;

אֵת (המשך) 15:16,34; 16:3; 20:3; 21:19; 24:2 • IK. 2:43; 5:14; 7:37,48; 11:14,20,31,35; 18:4 • IIK. 6:12; 7:16; 18:24; 19:16; 21:13,14; 23:18 • Is. 2:20; 3:18; 4:4; 5:24; 7:6,17; 8:2,6; 11:15; 21:4; 22:8; 36:9,22; 37:4; 52:10; 53:6 • Jer. 8:7,23; 20:2; 26:2,10,12; 30:9; 31:7(6); 32:14; 35:14; 38:10; 41:3; 44:4; 52:33 • Ezek. 1:11,23; 3:2,3; 13:21; 14:9; 15:4; 17:4; 21:25; 23:21,36; 33:5; 34:23; 42:18; 43:21 • Am. 5:26; 8:11 • Ob. 17,20 • Mic. 4:14 • Zech. 8:9; 11:14 • Mal. 2:4; 3:10,23 • Ps. 47:5; 83:13; 98:3; 137:7 • Es. 2:18; 3:3; 4:9,12; 8:4; 9:19,21,23,27,29 • Dan. 1:13,15; 11:2 • Neh. 2:9,17; 3:13 • ICh. 6:50; 11:22; 13:6,12; 15:12,15,17; 18:7; 22:18 • IICh. 7:18; 10:13; 25:20; 29:20; 34:4,19; 36:19

וְאֵת
594 בְּרֵאשִׁית בָּרָא אֱלֹהִים אֵת הַשָּׁמַיִם וְאֵת הָאָרֶץ Gen. 1:1
595 וַיַּעַשׂ אֱלֹהִים...וְאֵת הַכּוֹכָבִים Gen. 1:16
596 וַיַּשְׁכֵּן... וְאֵת לַהַט הַחֶרֶב Gen. 3:24
597 וַיִּקַּח תֶּרַח...וְאֵת שָׂרַי כַּלָּתוֹ Gen. 11:31
598 וְאֶת־הַקְּנִזִּי וְאֵת הַקַּדְמֹנִי Gen. 15:19
599 וַיִּקַּח...אִתּוֹ וְאֵת יִצְחָק בְּנוֹ Gen. 22:3
600 וַיִּתֵּן...אֹתִי וְאֵת שַׂר הָאֹפִים Gen. 41:10
601 מֵאֵל אָבִיךָ... וְאֵת שַׁדַּי וִיבָרְכֶךָּ Gen. 49:25
602 אֲנִי מַרְאֶה אוֹתְךָ... וְאֵת תַּבְנִית... Ex. 25:9
603 וּמָשַׁחְתָּ בוֹ...וְאֵת אֲרוֹן הָעֵדֻת Ex. 30:26
604 וְהָיָה גְבוּל...וְאֵת פְּאַת צָפוֹן Ezek. 47:17
605 וּפְאַת...וְאֵת פְּאַת קָדִימָה Ezek. 47:18
606 וְאֵת פְּאַת־תֵּימָנָה נֶגְבָּה Ezek. 47:19

וְאֵת אֲשֶׁר
607 וְאֵת אֲשֶׁר לֹא־יִתֵּן...צַוָּארוֹ בְּעֹל Jer. 27:8
608-621 וְאֵת אֲשֶׁר Gen. 30:29; 34:28
Ex. 16:23 • Lev. 5:16 • Num. 16:5 • Deut. 29:14,15 • ISh. 2:22 • Jer. 45:4 • Ezek. 5:9 • Es. 2:1^{2}; 5:11; 9:23

וְאֵת כָּל־
622 וְאֵת כָּל־נֶפֶשׁ הַחַיָּה Gen. 1:21
623 וְאֵת כָּל־עוֹף כָּנָף לְמִינֵהוּ Gen. 1:21
624 וַיִּקַּח...וְאֵת כָּל־יְלִידֵי בֵיתוֹ Gen. 17:23
625 עָשָׂה אֹתָהּ וְאֵת כָּל־כֵּלֶיהָ Ex. 37:24
626 וְהִכְרַתִּי אֹתוֹ וְאֵת כָּל־הַזֹּנִים Lev. 20:5
627-758 וְאֵת כָּל־ (כֹּל) Gen. 1:25
2:19; 8:1; 17:23; 19:25^{2}; 30:35; 34:29; 39:22; 41:51; 47:12 • Ex. 4:28; 9:19,25; 10:15; 16:23; 24:3; 31:7; 38:30,31; 39:40 • Lev. 3:3,9,14; 4:7,8,18,19; 6:8; 7:3; 8:3; 14:45 • Num. 1:18; 4:9; 16:32^{2}; 31:9,10^{2},11; 33:52^{2} • Deut. 11:6; 14:14; 34:2^{2} • Josh. 2:13,18; 6:23; 9:9,10; 10:35, 40^{2}, 41, 42; 11:16,17 • Jud. 7:8; 9:57; 11:24 • ISh. 22:11 • IISh. 10:7; 13:27 • IK. 2:3; 5:7; 6:29; 7:45; 9:1,19; 15:20; 19:1 • IIK. 8:6; 11:19; 12:19; 14:14; 20:13; 23:24; 24:14,16; 25:9,14 • Is. 39:2^{2} • Jer. 1:7; 13:13; 20:5; 25:20^{3},22^{2},23,24^{2},25^{3},26^{2}; 27:20; 35:3; 39:6; 41:3,13; 43:6; 51:28; 52:13,18 • Ezek. 16:22,37; 17:21; 20:43; 29:4,5; 43:11 • Mic. 3:9 • Ps. 145:20 • Ruth 4:9 • Eccl. 4:4 • Es. 5:11 • ICh. 19:8 • IICh. 7:11; 8:4,6^{3}; 11:10; 16:4; 23:10; 25:24; 29:19; 30:14

וְאֵת
759-1017 וְאֵת Gen. 22:22; 27:16; 40:22
41:52; 44:2; 46:15; 49:31^{2} • Ex. 18:3; 28:25; 29:3,5,13^{2},22^{3},27,31,39,41; 30:27; 31:8,10,11; 35:12,13, 14,15^{2},17,27; 37:16; 38:8,27,30; 39:18,34, 35,36,37,38^{4},40; 40:29 • Lev. 3:4,10,15; 4:9; 7:32,34; 8:2^{5},16,25^{2}; 9:21^{2}; 10:14^{2},16; 11:13,16,19; 14:6,9; 16:25,27 • Num. 3:26,41,46; 4:7,26^{3}; 7:7,8^{2}; 11:5; 17:18; 18:5,15; 26:59; 28:4,8;

וְאֵת (המשך) 30:9; 31:8; 32:28,34,37; 35:5,6,14 • Deut. 1:4,22; 12:6^{2}; 14:15; 26:15; 28:59; 29:16 • Josh. 4:20; 15:19 • Jud. 1:15; 6:28; 7:8; 10:6^{3}; 16:24 • ISh. 6:8,11^{3}; 13:20; 17:18; 17:25,28; 19:13; 22:10,19; 25:11,29,39; 31:12 • IISh. 4:12; 10:10,18; 17:15; 19:6 • IK. 6:31; 7:6; 8:64^{2}; 9:15,19^{3}; 10:27; 19:16; 20:6 • IIK. 8:21; 10:27; 11:18; 14:13,14; 15:37; 16:14,15; 17:15; 19:2,27; 20:6,13^{2}; 22:12^{3}; 24:2^{2},15; 25:11^{2},19 • Is. 2:20; 5:12,24; 8:4; 9:3; 22:9; 37:2^{2},28; 38:6 • Jer. 6:11; 8:1^{2}; 19:2; 24:8; 25:20,22; 30:9; 32:14^{2},29; 33:7; 36:26; 38:4; 39:9^{2}; 43:6; 44:9^{3}; 52:15,25 • Ezek. 6:9; 34:18; 40:6 • Hosh. 3:5 • Am. 5:26 • Ob. 19 • Zech. 1:12 • Es. 2:9; 4:7; 8:3; 9:7^{3},8^{3},9^{4},12,13,14,21 • Neh. 3:3,6,11,14,15^{2}; 5:6 • ICh. 1:14; 7:24,32; 10:12; 16:39; 18:8; 19:11,18; 23:32 • IICh. 1:11; 3:5; 4:19; 7:7; 8:6; 16:4; 21:9; 23:17; 25:23,24; 26:6^{2}; 31:8,17; 32:22; 34:8,20^{2}; 35:3

אֵת
1018 יִבְחַר לָנוּ...אֵת גְּאוֹן יַעֲקֹב Ps. 47:5
1019 בְּהַצּוֹתוֹ אֵת אֲרַם נַהֲרַיִם Ps. 60:2
1020 כִּי אֵת אֲשֶׁר יֶאֱהַב יְיָ יוֹכִיחַ Prov. 3:12

אֵת־
1021 וַיַּרְא אֱלֹ׳ אֶת־הָאוֹר כִּי־טוֹב Gen. 1:4
1022 וַיַּעַשׂ אֱלֹהִים אֶת־הָרָקִיעַ Gen. 1:7
1023 וּמִלְאוּ אֶת־הַמַּיִם בַּיַּמִּים Gen. 1:22
1024 וַיִּבְרָא אֱלֹ׳ אֶת־הָאָדָם בְּצַלְמוֹ Gen. 1:27
1025 וּמִלְאוּ אֶת־הָאָרֶץ וְכִבְשֻׁהָ Gen. 1:28
1026 וַיְבָרֶךְ אֱלֹ׳ אֶת־יוֹם הַשְּׁבִיעִי Gen. 2:3
1027 וְאָדָם אַיִן לַעֲבֹד אֶת הָאֲדָמָה Gen. 2:5
1028 וַיָּשֶׂם שָׁם אֶת־הָאָדָם אֲשֶׁר יָצָר Gen. 2:8
1029 וַיִּבֶן יְיָ אֱלֹ׳ אֶת־הַצֵּלָע...לְאִשָּׁה Gen. 2:22
1030 וַיִּשְׁמְעוּ אֶת־קוֹל יְיָ אֱלֹהִים Gen. 3:8
1031 וְאָכַלְתָּ אֶת־עֵשֶׂב הַשָּׂדֶה Gen. 3:18
1032 וַיְשַׁלְּחֵהוּ... לַעֲבֹד אֶת־הָאֲדָמָה Gen. 3:23
1033 וַיְגָרֶשׁ אֶת־הָאָדָם Gen. 3:24
1034 וְהָאָדָם יָדַע אֶת־חַוָּה אִשְׁתּוֹ Gen. 4:1
1035 וַתַּהַר וַתֵּלֶד אֶת־קַיִן Gen. 4:1
1036 לָקַחַת אֶת־דְּמֵי אָחִיךָ מִיָּדֶךָ Gen. 4:11
1037 וַיִּוָּלֵד לַחֲנוֹךְ אֶת־עִירָד Gen. 4:18
1038 וְלֹא יִקָּרֵא עוֹד אֶת־שִׁמְךָ אַבְרָם Gen. 17:5
1039 בְּיוֹם הִגָּמֵל אֶת־יִצְחָק Gen. 21:8
1040 וַיֹּאמֶר כִּי אֶת־שֶׁבַע כְּבָשֹׂת Gen. 21:30
1041 וַיֻּגַּד לְרִבְקָה אֶת־דִּבְרֵי עֵשָׂו Gen. 27:42
1042 בַּיּוֹם...יוֹם הֻלֶּדֶת אֶת־פַּרְעֹה Gen. 40:20
1043 הֵם יָצְאוּ אֶת־הָעִיר Gen. 44:4
1044 וּלְקַחְתֶּם גַּם־אֶת־זֶה מֵעִם פָּנַי Gen. 44:29
1045 כְּצֵאתִי אֶת־הָעִיר אֶפְרֹשׂ Ex. 9:29
1046 וַיֵּצֵא מֹשֶׁה...אֶת־הָעִיר Ex. 9:33
1047 וַיּוּשַׁב אֶת־מֹשֶׁה וְאֶת־אַהֲרֹן Ex. 10:8
1048 וְכִי־יִגַּח שׁוֹר אֶת־אִישׁ Ex. 21:28
1049 אוֹ אֶת־אִשָּׁה וָמֵת... Ex. 21:28
1050 וְלֹא יֵאָכֵל אֶת־בְּשָׂרוֹ Ex. 21:28
1051 וְנִשָּׂא־בָם אֶת־הַשֻּׁלְחָן Ex. 25:28
1052 וְהוּבָא אֶת־בַּדָּיו בַּטַּבָּעֹת Ex. 27:7
1053 וְהַכֹּהֵן הַמַּקְרִיב אֶת־עֹלַת אִישׁ Lev. 7:8
1054 לֹא־הוּבָא אֶת־דָּמָהּ אֶל־הַקֹּדֶשׁ Lev. 10:18
1055 וְרָאָה...אַחֲרֵי הֻכַּבֵּס אֶת־הַנֶּגַע Lev. 13:55
1056 אַחֲרֵי הִטֹּחַ אֶת־הַבָּיִת Lev. 14:48
1057 אֲשֶׁר הוּבָא אֶת־דָּמָם לְכַפֵּר Lev. 16:27
1058 וְאִישׁ אֲשֶׁר יִקַּח אֶת־אִשָּׁה Lev. 20:14
1059 וְהִשִּׂיג לָכֶם דַּיִשׁ אֶת־בָּצִיר Lev. 26:5
1060 וּבָצִיר יַשִּׂיג אֶת־זָרַע Lev. 26:5
1061 בְּגִשְׁתָּם אֶת־קֹדֶשׁ הַקֳּדָשִׁים Num. 4:19
1062 וְאִישׁ אֶת־קֳדָשָׁיו לוֹ יִהְיוּ Num. 5:10

אֶת־ (המשך)

1063 וְלֹא הֲרֵעֹתִי אֶת־אַחַד מֵהֶם Num. 16:15
1064 אִם־נָשַׁךְ הַנָּחָשׁ אֶת־אִישׁ Num. 21:9
1065 אַךְ־בְּגוֹרָל יֵחָלֵק אֶת־הָאָרֶץ Num. 26:55
1066 וַיִּוָּלֵד לְאַהֲרֹן אֶת־נָדָב Num. 26:60
1067 אֶת־אֶלְעָזָר וְאֶת־אִיתָמָר Num. 26:60
1068 יֻתַּן אֶת־הָאָרֶץ הַזֹּאת לַעֲבָדֶיךָ Num. 32:5
1069 וָאֶתְנַפַּל... אֶת־אַרְבָּעִים הַיּוֹם Deut. 9:25
1070 וִידַעְתֶּם... כִּי לֹא אֶת-בְּנֵיכֶם... Deut. 11:2
1071 אַךְ כַּאֲשֶׁר יֵאָכֵל אֶת-הַצְּבִי... Deut. 12:22
1072 וְלֹא יִמַּס אֶת-לְבַב אֶחָיו כִּלְבָבוֹ Deut. 20:8
1073 וּבָכְתָה אֶת־אָבִיהָ Deut. 21:13
1074 הַמְעַט-לָנוּ אֶת־עֲוֹן פְּעוֹר Josh. 22:17
1075 כָּרַת אֶת־כְּנַף אֲשֶׁר לְשָׁאוּל ISh. 24:6(5)
1076 אַל־יֵרַע בְּעֵינֶיךָ אֶת־הַדָּבָר IISh. 11:25
1077 וַיַּצֶּב-לוֹ בְחַיָּו אֶת-מַצֶּבֶת אֲשֶׁר.. IISh. 18:18
1078 לְשַׁלְּחוֹ אֶת־הַיַּרְדֵּן IISh. 19:32
1079 אֶת-אַרְבַּעַת אֵלֶּה יֻלְּדוּ לְהָרָפָה IISh. 21:22
1080 וְהוּא הִכָּה אֶת־אִישׁ מִצְרִי IISh. 23:21
1081 יֻתַּן אֶת־אֲבִישַׁג הַשֻּׁנַמִּית לַאֲדֹנִיָּהוּ IK. 2:21
1082 וַיִּבֶן אֶת־עֶשְׂרִים אַמָּה IK. 6:16
1083 רַק לְעֵת זִקְנָתוֹ חָלָה אֶת־רַגְלָיו IK. 15:23
1084 אֶת-גְּדֹלֵי הָעִיר מְגַדְּלִים אוֹתָם IIK. 10:6
1085 וְלֹא תִנָּתֵן אֶת־הָעִיר הַזֹּאת IIK. 18:30
1086 אֶת-מִי אֶשְׁלַח Is. 6:8
1087 מִקֹּל זְנוּתָהּ וַתֶּחֱנַף אֶת־הָאָרֶץ Jer. 3:9
1088 וְאָמַרְתָּ אֲלֵיהֶם אֶת-מַה-מַּשָּׂא Jer. 23:33
1089 הוּקַם אֶת־דִּבְרֵי יְהוֹנָדָב Jer. 35:14
1090 יוּמַת נָא אֶת־הָאִישׁ הַזֶּה Jer. 38:4
1091 יְבֻקַּשׁ אֶת-עֲוֹן יִשְׂרָאֵל וְאֵינֶנּוּ Jer. 50:20
1092 אֲשֶׁר נִשְׁבַּרְתִּי אֶת־לִבָּם הַזּוֹנֶה Ezek. 6:9
1093 אֶת־שְׁנֵי הַגּוֹיִם... לִי תִהְיֶינָה Ezek. 35:10
1094 וַיַּעַשׂ אֶת-אֵילִים שִׁשִּׁים אַמָּה Ezek. 40:14
1095 וּמָדְדוּ אֶת־תָּכְנִית Ezek. 43:10
1096 אֶת-הַנָּשִׂיא נָשִׂיא הוּא יֵשֶׁב-בּוֹ Ezek. 44:3
1097 תִּתְנַחֲלוּ אֶת־הָאָרֶץ לִשְׁנֵי עָשָׂר Ezek. 47:13
1098 יְיָ שֹׁמֵר אֶת־גֵּרִים Ps. 146:9
1099 בַּחֵיק יוּטַל אֶת־הַגּוֹרָל Prov. 16:33
1100 אֶת־מִי הִגַּדְתָּ מִלִּין Job 26:4
1101 וְהָאֱלֹהִים יְבַקֵּשׁ אֶת־נִרְדָּף Eccl. 3:15
1102 אֶת-עַמּוּד הֶעָנָן לֹא סָר מֵעֲלֵיהֶם Neh. 9:19

אֶת־אֲשֶׁר

1103 וַיַּעֲבֵר אֶת־אֲשֶׁר־לוֹ Gen. 32:23
1104 וַיְצַו אֶת־אֲשֶׁר עַל־בֵּיתוֹ Gen. 44:1
1105 וְחַנֹּתִי אֶת־אֲשֶׁר אָחֹן Ex. 33:19
1106 וְרִחַמְתִּי אֶת־אֲשֶׁר־אֲרַחֵם Ex. 33:19
1117-1107 אֶת־אֲשֶׁר Lev. 5:8
Num. 16:5 • Deut. 8:2; 29:14 • IISh. 19:36 • IK. 22:14 • Is. 55:11 • Jer. 6:18 • Prov. 23:1 • Es. 2:15 • IICh. 18:13

אֶת־כָּל־

1118 נָתַתִּי לָכֶם אֶת־כָּל־עֵשֶׂב Gen. 1:29
1119 אֶת־כָּל־יֶרֶק עֵשֶׂב לְאָכְלָה Gen. 1:30
1110 וְהִשְׁקָה אֶת־כָּל־פְּנֵי הָאֲדָמָה Gen. 2:6
1121 לְהַכּוֹת אֶת כָּל-חַי Gen. 8:21
1122 כְּיֶרֶק עֵשֶׂב נָתַתִּי לָכֶם אֶת-כֹּל Gen. 9:3
1123 וַיִּקַּח לוֹ אֶת־כָּל־אֵלֶּה Gen. 15:10
1124/5 אֶת-כָּל-אֵלֶּה אַנְשֵׁי-חָיִל Jud. 20:44, 46
1469-1126 אֶת־כָּל־ (כֹּל) Gen. 1:31
7:4, 23; 13:10, 15; 14:7, 11; 18:28; 20:8; 24:36; 25:5; 26:3, 11; 29:22; 31:18, 34, 37; 32:20; 39:23; 41:8, 35, 39, 48, 56; 47:14, 20 • Ex. 4:29; 7:27; 9:14; 10:5, 12, 15; 11:10; 16:3; 23:27^{2}; 29:13, 18; 35:1; 36:1; 38:3; 39:36, 43 • Lev. 4:12; 8:16, 21; 13:13, 52; 14:8, 9; 15:16; 16:21, 22; 18:27; 19:37; 20:22, 23; 26:15 •

אֶת־כָּל־ (המשך)

Num. 3:8, 42; 4:12, 14; 8:9; 11:14, 22; 14:21, 36; 15:39, 40; 16:19; 17:24; 21:23, 26; 22:4; 25:4; 30:15^{2}; 31:11; 33:52 • Deut. 2:34^{2}; 3:4, 14; 5:29(26); 6:2, 19, 24, 25; 7:16; 8:2; 11:8, 22, 23; 12:2; 13:19; 14:28; 15:5; 17:19; 19:8, 9; 20:13; 26:12; 27:1, 3, 8; 28:1, 15, 58; 29:26, 28; 30:8; 31:12, 28; 32:44, 45, 46; 34:1 • Josh. 2:3, 24; 6:21; 7:3; 8:13, 24, 34; 9:24^{2}; 10:39, 40; 11:11, 14, 16, 23; 21:43(41); 24:1, 18 • Jud. 4:13; 10:8; 11:11, 20; 12:4; 13:23; 16:17, 18^{2}; 20:37 • ISh. 2:28; 3:18; 5:8, 11; 7:5; 10:25; 15:3; 19:7; 23:8; 25:21; 28:4; 29:1; 30:20 • IISh. 2:30; 3:12, 21; 6:1; 7:9; 8:4; 9:7; 10:17; 11:18; 12:29; 13:30; 14:20; 18:5 • IK. 1:9; 5:22; 6:12; 7:1, 14, 40, 47; 8:1: 10:3, 13; 11:13, 34, 38; 12:21; 13:11; 14:26; 15:12, 18, 22, 29; 16:11; 18:19; 20:1, 15, 28; 22:17 • IIK. 3:6; 4:13; 6:24; 8:6; 10:9, 17, 18; 12:10; 14:14; 17:16; 18:15; 20:13; 23:2, 8, 19, 20, 21; 24:13^{2}, 14 • Is. 10:12; 23:17; 37:18; 66:18, 20 • Jer. 3:7; 5:19; 7:13, 15, 25, 27; 11:6, 8; 13:11, 13; 14:22; 18:23; 20:5; 25:4, 9, 13^{2}, 15, 17; 27:6; 28:3; 32:42; 33:9; 35:18; 36:11, 16, 17; 41:10, 12; 43:1; 44:4, 11, 17; 47:4; 51:25; 52:10, 17 • Ezek. 3:10; 5:10; 11:18; 12:16; 16:30, 37^{2}, ; 18:11, 14, 21, 31; 26:11; 32:13, 15; 35:12; 40:4 • Joel 4:2, 12 • Am. 7:10 • Zep. 3:19 • Hag. 2:7 • Zech. 8:10, 12, 17; 12:6, 9; 14:2, 12 • Mal. 3:10 • Ps. 3:8; 33:13; 72:19; 145:20 • Prov. 6:31 • Job 42:10 • Ruth 4:9 • S.ofS. 8:7 • Eccl. 1:14; 2:18; 4:1, 4, 15; 8:9, 17; 9:1^{2}; 12:14 • Es. 2:3; 3:6, 13; 4:1, 16; 8:11; 9:29 • Neh. 5:13; 10:30; 13:8 • ICh. 12:16(15); 13:5; 15:3; 17:8, 10, 19; 18:4, 9; 19:17; 23:2; 28:1 • IICh. 9:2, 12; 14:13; 15:9; 16:6; 18:16; 21:4; 22:10; 23:10; 24:23; 29:18; 29:34; 32:4, 5; 34:29, 30, 33^{2}

אֶת־...וְ...

1470 צִוָּה יְיָ אֶת־מֹשֶׁה וְאַהֲרֹן Ex. 12:28
1471 אֶת-לֻחֹת הָאֶבֶן וְהַתּוֹרָה וְהַמִּצְוָה Ex. 24:12
1472 וַיַּרְא אֶת־הָעֵגֶל וּמְחֹלֹת Ex. 32:19
1473 אֶת־הָאֱמֹרִי וְהַכְּנַעֲנִי וְהַחִתִּי... Ex. 34:11
1474 אֶת־מֵיתָרָיו וִיתֵדֹתֶיהָ Ex. 39:40
1475 צִוָּה יְיָ אֶת־מֹשֶׁה וּבְנֵי יִשְׂרָאֵל Num. 26:4
1476 וְשָׁמַע אָבִיהָ אֶת־נִדְרָהּ וֶאֱסָרָהּ Num. 30:5
1477 אֶת־יָדוֹ הַחֲזָקָה וּזְרֹעוֹ הַנְּטוּיָה Deut. 11:2
1503-1478 אֶת־... וְ... ISh. 7:30 • Is. 7:20
IK. 10:4 • Ezek. 36:30; 40:42 • Joel 2:19 • Mic. 6:4 • Zech. 2:2 • Ps. 136:9 • Es. 5:11 • Ez. 9:3; 10:5 • Neh. 13:9 • ICh. 1:32; 23:2 • IICh. 9:3; 11:14; 14:2; 15:18; 22:8; 24:2; 31:12; 33:9; 34:3, 8, 31

אֶת־

7335–1504 אֶת־ Gen. 1:16^{2}, 21, 25; 2:7, 10, 15, 24
3:10, 24^{2}; 4:2, 11, 12, 17^{2}, 18^{3}, 20, 22, 25^{2}, 26; 5:2, 3, 4, 6, 7, 9, 10, 12, 13, 15, 16, 18, 19, 21, 22^{2}, 25, 26, 29, 30, 32^{2}; 6:2, 6, 7, 10^{2}, 12^{2}, 14, 17, 18; 7:4, 9, 17, 23; 8:1, 6, 7, 8, 10, 12, 13, 21^{2}; 9:1^{2}, 5, 6, 11, 13, 15, 22, 23; 10:8, 11, 13, 15, 24^{2}, 26; 11:5, 10, 11, 12, 13, 14, 15, 16, 17, 18, 19, 20, 21, 22, 23, 24, 25, 26^{2}, 27^{3}, 31; 12:5, 7, 14, 17; 13:10^{2}, 16^{2}; 14:4, 5, 7, 12, 14, 16^{2}, 17, 23; 15:7, 14, 18, 19; 16:3, 10, 16; 17:7, 9, 14^{2}, 15, 19^{2}, 23^{2}; 18:19, 28; 19:10^{2}, 13, 14, 15, 19, 21, 25, 29^{4}, 32, 33^{2}, 34, 35; 20:2, 10, 17; 21:1, 3, 4, 9, 13, 15, 16, 17, 18^{2}, 19^{3}, 25, 26, 28, 30; 22:1, 2^{3}, 3^{2}, 4^{2}, 6^{2}, 9^{3}, 10^{3}, 12^{2}, 13^{2}, 16^{3}, 21, 24; 23:5^{2}, 6^{2}, 8, 9, 10, 13, 14, 16, 19; 24:1, 5, 6, 7, 8, 9, 30^{2}, 35, 48^{2}, 52, 57, 59, 60, 64^{2}, 67; 25:2, 3, 11, 19, 20, 22.

אֶת־ (המשך)

28^{2}, 31, 33, 34; 26:3, 4, 10, 18, 24, 34; 27:1, 6, 15^{2}, 17, 27, 30, 34, 36, 41^{2}; 28:4, 5, 6, 9; 28:18, 19; 29:3^{3}, 5, 9, 10^{3}, 11, 13, 18, 21, 23, 24, 27; 29:28, 29, 30, 31, 33, 35; 30:4, 9, 11, 13, 15^{2}, 20, 21, 22^{2}, 23, 24, 25, 26^{2}, 36, 38, 41; 31:1, 2, 5, 6, 7, 9, 15, 17, 19^{2}, 20, 21^{2}, 23, 25^{3}, 26^{2}, 30, 31, 32, 34, 35, 41, 42, 50, 52^{2}; 32:8, 11, 13, 18, 20^{2}, 23, 24^{2}, 32, 33; 33:1, 2, 5^{3}, 11, 19; 34:3, 4, 5, 7, 12, 13, 14, 16, 17, 21, 26, 28, 31; 35:2, 10, 12, 15, 22; 36:2^{2}, 4^{2}, 5, 6, 12, 14, 24^{2}, 35; 37:2, 3, 11, 12, 14, 16, 23^{3}, 26^{2}, 28^{3}, 29, 31^{2}, 32; 38:3, 4, 5, 20, 21; 39:5, 7, 19; 40:4, 7, 9, 11^{2}, 13, 19^{2}, 20; 41:8, 9, 12, 14, 16^{2}, 21, 23, 28, 30, 34, 42, 44, 45, 51; 42:7, 8, 9^{2}, 16, 18, 24, 25, 26, 27^{2}, 30, 34^{2}, 35, 37, 38; 43:2, 4, 7, 14, 15, 16^{2}, 17, 21, 23, 24, 25, 26, 29; 44:1, 6, 11, 16, 19, 22^{2}, 29, 31, 32, 34; 45:2, 13, 17, 18^{3}, 19, 24, 27; 46:5, 6, 18, 20, 25, 30; 47:6, 7^{2}, 9, 10^{2}, 11, 12, 14, 17, 22^{2}, 23; 48:1^{2}, 4, 8, 11, 13, 14^{2}, 15, 16, 20; 49:30, 31^{3}, 33; 50:2^{4}, 5, 6, 7, 11, 13, 14^{2}, 25^{2} • Ex. 1:8, 11, 13, 14, 16, 17^{2}, 18, 21; 2:1, 3, 5^{2}, 6, 7, 8, 9^{2}, 12, 14, 15^{2}, 16, 17, 19, 20, 21, 22, 24^{2}, 25; 3:1^{2}, 3, 7^{2}, 9, 10, 11, 12^{2}, 16, 20^{2}, 21, 22; 4:15^{2}, 17, 19, 20^{2}, 21^{2}, 23, 25, 31^{2}; 5:1, 2^{3}, 4, 6, 20, 21, 23; 6:4^{3}, 5^{2}, 8, 11, 13, 20^{2}, 23^{3}, 25, 26, 27; 7:2, 3, 4^{3}, 5^{2}, 9, 10, 12, 16, 20, 25, 26; 8:1^{2}, 2^{2}, 3, 4, 11, 12^{2}, 13^{2}, 14, 17^{3}, 18, 22, 25, 28^{2}; 9:1, 6, 7^{2}, 10, 12, 13, 15, 16, 19, 20, 21, 22, 23, 29, 35; 10:1, 4, 5^{3}, 7^{2}, 8, 11, 13^{2}, 15, 17, 19, 20^{2}, 22, 23, 24, 26^{2}, 27; 11:3, 10^{2}; 12:8, 13, 17^{3}, 23^{2}, 24, 25, 27, 31, 34, 36^{2}, 39, 50, 51; 13:3, 5, 10, 17, 18, 19^{3}; 14:4, 5, 6, 8, 10, 12^{2}, 13^{2}, 16^{2}, 17, 20, 21^{3}, 24, 25, 26, 27^{2}, 28, 30^{2}, 31^{2}; 15:1, 19, 20, 22; 16:7^{2}, 8, 9, 12, 13, 31, 32, 35^{2}; 17:2, 5, 13, 14; 18:1, 2, 10, 13, 16, 19, 20^{2}, 22, 23, 26^{2}, 27; 19:5, 8, 9, 12, 14, 17, 23; 20:7^{2}, 8, 11^{3}, 12, 18, 24^{2}; 21:5^{2}, 6, 7, 18, 20^{2}, 26^{2}, 35^{4}; 22:4, 5, 24^{2}; 23:9, 10^{2}, 15, 16, 22^{2}, 25, 26, 27, 28^{3}, 30, 31, 33; 24:5, 8, 11, 15; 25:2, 9, 14^{2}, 19, 21^{2}, 26, 27, 28, 37^{2}; 26:6, 9^{2}, 11^{2}, 15, 18, 29, 30, 33, 34, 35; 27:1, 20; 28:1, 3, 5, 6, 9, 11, 12^{2}, 14, 23, 24, 28, 29, 30, 31, 38, 41^{2}; 29:5^{3}, 6, 7, 10^{2}, 11, 13, 15, 16^{2}, 19, 20^{2}, 22, 26, 29, 30, 31, 32, 33, 34, 39, 44; 30:3, 5, 7, 8, 10, 12, 15, 16, 19, 26; 31:7, 13, 14, 16^{2}, 17; 32:3, 9, 11, 13, 17, 19, 20^{2}, 22, 25, 27^{3}, 34, 35^{2}; 33:2, 4, 6, 7, 10, 12, 13, 17, 18, 20, 23^{2}; 34:1, 10, 13, 16, 18, 24^{2}, 27, 30, 34, 35^{2}; 35:11^{5}, 12^{2}, 13, 16, 17^{2}, 18, 19^{2}, 21, 25^{2}, 26; 36:8, 10, 13, 16, 18, 20, 23, 33, 34, 35; 37:1, 5^{2}, 8, 10, 13, 14, 15^{2}, 16^{2}, 17^{2}, 23, 25, 26, 28, 29; 38:1, 3^{2}, 6, 7, 9, 22, 30; 39:1^{2}, 2, 3, 5, 6, 7, 8, 9, 16, 21^{2}, 22, 25, 26, 27, 29, 30, 31, 32, 33^{2}, 35, 36, 37^{2}, 39, 40, 41^{2}, 42; 40:2, 3, 4^{4}, 5^{2}, 7, 8^{2}, 9^{2}, 10^{2}, 11, 12, 13, 15, 18^{5}, 19^{2}, 20^{3}, 21^{2}, 22, 23, 24, 25, 26, 27, 28, 29^{2}, 30, 31, 32, 33^{3}, 34^{2}, 35 • Lev. 1:2, 5^{3}, 6, 8, 9, 11, 13, 14, 15, 16; 2:2, 8, 9, 16; 3:2, 3^{2}, 7, 8^{2}, 9, 13^{2}, 14^{2}; 4:4^{3}, 6^{2}, 8, 15^{2}, 21, 23, 24, 29^{2}, 33^{2}; 5:6, 7, 8, 11, 12, 15, 21, 23^{4}; 6:2, 3^{2}, 4; 7:2^{2}, 3, 14, 16, 29^{2}, 30, 31, 33, 34, 38^{3}; 8:2, 6, 7^{3}, 8^{2}, 9^{2}, 10^{2}, 11, 13, 14, 15^{2}, 16^{2}, 17, 18, 19, 20, 21, 22^{2}, 24^{2}, 25, 27, 29^{2}, 30^{2}, 31, 33, 35; 9:7^{2}, 8, 9, 10, 12^{2}, 14, 15, 16, 17, 18^{2}, 22, 23, 24; 10:4, 6, 11, 12, 17, 19; 11:4^{2}, 9, 13, 21, 22, 28, 40, 43, 44; 13:3, 4, 13, 15, 17, 30, 31, 32, 34, 49, 50, 51, 52^{3}, 55; 14:5, 6, 7, 8, 9^{3}, 12, 13^{2}, 16, 19^{2}, 20, 24, 25, 30, 31, 36^{3}, 37, 38; 14:40, 41, 42, 43^{2}, 45, 47^{2}, 48, 49, 50, 51, 52, 53; 15:3, 30, 31^{2}, 33; 16:4, 6, 7, 9, 11^{2}, 13, 15^{3}, 20^{2}

אֵת־ (המשך)

16:21, 22, 23, 24^3, 26^2, 27, 28, 39, 31, 32^2, 33, 34; 17:5, 6, 7, 10, 13; 18:4, 5, 17, 21, 25, 26, 28, 30; 19:8, 9, 12, 13, 17^2, 18, 19, 20, 21, 23, 25, 29, 30; 20:3^3, 4, 5, 6, 8, 9, 10^2, 11, 12, 13, 16, 17^3, 18^4, 19; 20:20, 21, 24, 25; 21:6, 8, 9, 10^3, 14, 21, 23; 22:2, 9, 14, 15, 16, 25, 32; 23:10^2, 11, 12, 14, 15, 22, 27, 30, 32, 39^2, 43, 44; 24:2, 4, 11, 14^2, 23^2; 25:3, 11^2, 12, 14, 17, 18, 20, 21^2, 27^2, 37, 38, 52; 26:2, 7, 9, 15^2, 16, 19^2, 20, 22^2, 30^3, 31^2, 34^2, 40, 41, 42^3, 43^2; 27:11, 14, 15, 18, 19, 20^2, 22, 23, 34 • Num. 1:2, 19, 49, 50^2, 53, 54; 2:33, 34; 3:6, 7^2, 8, 9, 10, 12, 15, 41, 45, 50, 51^2; 4:2, 7, 8, 9, 11, 13, 14, 15, 18, 20, 22, 25, 30, 32, 34, 46, 49; 5:2, 3, 7^2, 14^2, 15^2, 18^2, 20, 21^2, 23, 24, 25, 26^3, 27, 30^2, 31; 6:11, 12, 14, 16, 17, 18, 19^2, 23, 27; 7:1, 3, 5, 6, 10, 11, 12, 19, 89; 8:2, 3, 4^2, 6, 9, 10^2, 11^2, 12^2, 13, 14, 15, 18, 19^2, 20, 22^2, 26; 9:2, 5^2, 7, 15^2, 19, 23, 36; 10:2, 7, 21; 11:5, 10, 11, 12, 20, 29, 32, 34; 13:2, 16, 17^2, 18, 21, 26, 30, 33; 14:1, 6, 9, 13, 15^2, 16, 22, 23, 27, 30, 31, 33, 34^3, 36, 38, 39, 41; 15:13, 25, 30; 16:9, 30^2, 32; 17:2, 6, 11, 12, 17, 20, 22, 25; 18:1^2, 2, 4, 6^2, 7^2, 8, 17, 21, 23, 24, 26, 28, 29, 30, 32; 19:5, 10^2, 13, 20; 20:4, 8^3, 9, 10, 11^2, 12, 21, 24, 25, 26^3, 28^3, 29; 21:2, 3, 4, 6, 7, 14, 16, 17, 23, 24, 32^2, 35; 22:5, 6, 11, 12, 18, 20, 21, 23^2; 22:25^2, 27^2, 28, 31^2, 32, 35, 41; 23:4, 10, 28; 24:1, 2^2, 10, 13, 20, 21; 25:6, 8, 11^3, 12, 17; 26:2, 10, 29, 58, 59, 63, 64; 27:5, 7, 8, 9, 10, 11^2, 12, 18^2, 22, 23; 28:2^3, 4, 23; 29:7; 30:1, 9, 16, 17; 31:7, 8, 9, 12, 21, 22^4, 27, 31, 41^2, 47^2, 49, 50, 51, 54; 32:1, 5, 7, 8, 9^2, 20, 21^2, 29^2, 33, 34, 37, 38, 39, 40, 41, 42; 33:2, 51, 53^2, 54^3, 55; 34:2, 13, 17, 18, 29; 35:2, 5, 10, 19, 21, 25, 26, 27, 30, 33^2, 34; 36:2^3, 5, 10 • Deut. 1:5, 8^2, 15, 16, 21, 22^2, 26, 28, 31, 34, 36, 38, 41, 43; 2:1, 3, 5, 7, 9^2, 13^2, 14, 18^2, 22, 24^2, 29, 30^2, 31^2, 36; 3:3, 8, 14, 15, 18, 20, 24^2, 25, 27, 28^2; 4:1, 2, 9, 10^2, 13, 19, 21, 22^2, 23, 26^2, 29, 31, 36^2, 37, 38, 40, 42, 43, 47; 5:1, 3, 5, 11, 12, 15, 16, 22(19), 23(20), 24(21), 25(22), 28(25)^2; 6:2, 12, 13, 16, 17, 18, 23, 24; 7:4, 8, 11, 12, 20, 22, 24; 8:1, 3, 5, 6, 10, 11, 14, 17, 18^2, 19; 9:1, 4, 5^2, 6, 7, 8, 10, 11, 13, 14, 21^2, 22, 23^2; 10:2, 5, 8^2, 11, 12^2, 13, 19, 20, 21; 11:2^2, 4, 6, 8, 10, 13, 17^2, 18, 19, 22^2, 27, 29, 31^2; 12:2, 3^3, 5, 10, 19, 20, 29, 30, 31; 13:4, 14, 16, 17; 14:7^2, 9, 16, 23; 15:2, 3, 7^2, 8, 11, 15, 17, 23; 16:1, 3, 5, 6, 12, 18, 20; 17:2, 5^5, 12, 16, 18, 19; 18:16, 21; 19:1^2, 3, 4, 5, 8, 9^2; 20:14, 19; 21:4^2, 6, 7, 12, 13, 16^2, 17, 23, 24; 22:1^2, 4, 7, 14, 15, 16, 18, 21, 24^2, 25; 23:1, 5, 6, 14; 24:4, 5, 11, 13, 15, 18, 22; 25:1^2, 7, 9, 11, 12, 19; 26:7^2, 9, 10, 15^2, 16, 17; 27:1, 2, 4^2, 6, 10, 11, 12^2, 26; 28:7, 8, 9, 12^2, 20^2, 21, 24, 29, 47, 48, 58, 59, 69; 29:7, 8, 13, 16, 17, 18, 19, 21, 24; 30:3, 6^2, 15, 16, 18, 19, 20; 31:1, 2, 3, 9^2, 11, 12^2, 13^2, 14, 16, 19^2, 20, 21, 22^2, 23^2, 24, 25, 27, 28, 29, 30; 32:46, 47, 49, 52; 33:1; 34:1, 6, 8, 9^2 • Josh. 1:2, 6^2, 8, 10, 11^3, 13^2, 15, 16, 18^2; 2:1, 4, 9, 13^2, 14^2, 18, 20, 21; 3:3, 4, 6^2, 8, 9, 10, 14, 17; 4:1, 10^2, 14, 16, 17, 21, 22^2, 23, 24^2; 5:1, 2, 3, 6, 9, 10; 6:2, 3^2, 4, 5, 6, 7, 10, 11, 12, 14, 15^2, 16, 17, 18, 20^2, 22^2, 23, 25^2, 26^2; 7:2^2, 3, 7^2, 9, 11, 13, 15, 16, 17^2, 18, 20, 24; 8:1, 7, 8^2, 10, 17; 8:19, 21^2, 27, 28, 29, 31, 33; 9:24^2; 10:1, 4, 12, 21,

אֵת־ (המשך)

22^2; 10:23^5, 24^3, 32, 33; 11:6^2, 9, 10, 13, 15^3, 19, 20^2, 21, 52^2; 12:1; 13:7, 13, 21; 14:5, 6, 7, 8, 10, 12, 13; 15:13, 14^2, 16^2, 17; 16:10; 17:4, 12, 13, 18; 18:1, 2, 3, 6, 8^2, 10; 19:49, 50^3, 51; 20:2, 4, 5^2, 7, 8; 21:3, 8, 11, 13^2, 17^2, 18, 21^2, 23^2, 24^2, 25, 27^2, 28^2, 29^2, 30^2, 31, 32^2, 34^2, 35^2, 36, 37, 38^2, 39^2; 22:3^2, 5^2, 11, 13, 24, 25^3, 26, 27, 28, 30, 31, 33; 23:4, 5, 11, 13, 16; 24:3^4, 4^2, 5^2, 6, 7, 8, 11, 12, 14^3, 15^5, 16, 17, 18, 19, 20, 21, 22, 23^2, 24, 26, 28, 31 • Jud. 1:2, 4, 5^2, 6, 10, 12^2, 13, 17, 18, 19^2, 20^2, 24, 25^2, 27, 28, 29, 30, 31, 33, 34; 2:4, 6^2, 7, 10^2, 11^2, 12^2, 13, 20^2, 22^2, 23; 3:1; 4^3, 6, 7^3, 8, 10^2, 12, 13^3, 14, 15, 17, 18^2, 21^2, 24, 25, 26, 28^2, 29, 31^2; 4:3, 4, 7, 9, 10, 14, 15, 19, 21^3, 22^2; 6:2, 4, 9, 10, 14, 15, 16, 18, 20, 21^2, 25^2, 26, 27, 30^2, 31, 32, 34, 36, 37^2, 38; 7:2, 5, 7, 8, 14, 15^2, 16, 19, 24^2, 25^2; 8:3^2, 7^2, 9, 11, 12^2, 14, 16, 17, 21^2, 25, 31, 34; 9:5, 6, 9, 11, 13, 15, 16, 17, 18^2, 20, 24^2, 27^2, 28, 29^2, 30, 31, 36, 41, 43, 45^2, 48, 49, 53, 56; 10:1, 2, 3, 6^2, 8, 9, 10^2, 16^2; 11:1, 2, 5, 13, 15, 18, 20, 21, 23, 29^2, 30, 35, 36, 39; 12:4, 5, 7, 8, 9, 11^2, 13, 14; 13:5, 19, 24; 14:15^2, 19; 15:1, 6, 10, 18, 19, 20; 16:9, 13, 14, 19, 21, 24^3, 26, 29, 31; 17:3^2, 4, 5, 12; 18:2^2, 3, 7, 9^2, 14, 17^2, 18, 20, 21, 22, 24, 28, 30, 31; 19:17, 22^3, 23, 29; 20:5, 13, 35, 43; 21:10, 20, 23 • ISh. 1:5, 11, 12, 14, 15, 16, 17, 19, 20, 21, 23^2, 25, 27; 2:11^2, 15, 19, 20, 21, 22, 23, 29, 31, 32, 33^2; 3:1, 7, 13, 15^2, 16; 4:3, 6, 8, 14, 18^2, 19; 5:2, 3, 6, 8, 9, 10^2, 11; 6:3, 5^2, 6^2, 7, 8, 9, 11, 13^2, 14, 15, 21; 7:1^2, 4^2, 6, 11, 12, 16, 17; 8:1, 11, 20; 9:3^2, 6, 8^2, 15, 16^2, 17, 19, 20, 22, 23, 24, 27; 10:1, 2, 14, 17, 18, 19, 21; 11:4, 5, 6, 11^2, 15; 12:3, 6^2, 8^2, 9, 10^2, 11, 14^2, 15, 16, 18, 20, 22, 24; 13:4, 7, 13^2, 15, 20; 14:12, 23^2, 24, 26, 27^2, 28, 29, 39, 45, 48^2; 15:3, 4, 7, 8, 11, 13, 18^2, 20, 23, 24^2, 25, 26, 28, 32, 33, 35^2; 16:5, 6, 13, 19, 23; 17:1, 10, 11, 15, 20, 22, 24, 25, 26, 28, 36, 38, 39, 42, 43, 44, 46, 49^2, 50, 51^2, 52, 53, 54, 55, 57; 18:4, 6, 9, 11, 16, 19, 20, 22, 23, 25, 26, 27^2, 29; 19:1, 5^3, 7, 10, 11, 12, 13, 14, 15^2, 17, 20^2; 20:1, 2^2, 8, 12^2, 13^2, 15, 17, 21^2, 28, 29, 32, 33^2, 36, 38, 39, 40, 41^2; 21:3, 5, 6, 13, 14, 16; 22:8^3, 9, 11, 14, 17^2, 23^2; 23:1, 2, 4, 8, 15, 16, 22; 24:3(2), 4(3), 5(4)^2, 7(6), 8(7), 10(9), 12(11)^3, 16(15), 17(16), 20(19), 22(21); 25:2, 4, 8, 10, 11, 13^3, 14, 23, 25^2, 29, 30, 31, 37, 38, 39, 44; 26:2, 5, 8, 11, 12, 15, 17, 23; 27:6, 9; 28:1, 5, 9, 11^2, 12, 17, 19^2, 21; 29:4; 30:1, 2, 4, 7, 10, 22, 23; 31:2^2, 4, 7, 8^2, 9^2, 10, 12, 13 • IISh. 1:1, 14, 16, 17; 2:4^2, 8, 21, 29, 32; 3:10, 11, 13^2, 14^2, 17, 18, 21, 25^2, 30, 32^2, 35, 37; 4:7^2, 8^2, 9^2, 11^2, 12^2; 5:2^2, 3, 17^2, 19, 20, 21, 24, 25; 6:3^2, 9, 10, 11, 12^2, 15, 16. 17, 18, 20; 7:6, 7^2, 12^2, 13, 20, 21, 24, 27^3, 28, 29; 8:1^2, 2, 3, 6, 7, 10, 13, 14; 9:10, 11; 10:3^3, 4^3, 6, 7, 16, 17, 19; 11:1^2, 6^2, 11, 15, 16, 19, 21; 12:1, 4, 6, 8^2, 9, 10, 11, 12, 14, 15, 16, 24, 25, 26, 27, 28, 30; 13:4, 5, 8^2, 9, 10, 12, 13, 17^2, 20, 22, 27, 28^2, 31, 34; 14:3, 6, 7^3, 11^2, 13, 15^2, 16, 20^2, 21^3, 22, 23, 26^2, 30, 31; 15:5, 6, 7, 8, 10, 12^2, 14, 20, 21, 23, 24^2, 25, 29, 31; 16:6, 8, 9^2, 10, 11; 17:2, 6, 8, 14^2, 15, 19, 21, 22^2, 23, 24; 18:1, 2, 5, 10, 15, 16, 17, 19, 23, 24, 27, 28^2, 29; 19:5, 6^2, 7^2, 11, 12, 13, 15, 16, 19, 22, 29, 30, 31, 32, 33, 37, 39, 40, 41, 42^2, 44^2; 20:4, 5, 6, 12; 20:22; 21:1^2, 3, 8^2, 10, 12,

אֵת־ (המשך)

13^2, 14, 16, 17^2, 18, 21; 22:1; 23:12, 18, 20^2, 21; 24:1^2, 2, 4^2, 5, 9, 10, 17, 20, 21, 24 • IK. 1:3, 12, 14, 15, 27, 29, 33^2, 36, 37, 38, 39^2, 41, 43, 44, 47^3, 51^2; 2:1, 3, 4^2, 9, 16, 17^2, 20^2, 22^2, 23, 26, 27^2, 29, 30, 32^2, 35, 37, 40^3, 44, 46; 3:1^3, 3, 6, 7, 9^2, 10, 11, 14, 20, 21, 25^2, 26, 27, 28; 4:7, 15; 5:1, 7, 14, 15, 17, 21, 23; 6:5, 9^2, 10^2, 12, 13, 14, 15^2, 19, 21, 27^2, 28, 32, 36; 7:2, 13, 14, 15^2, 18^2, 21^3, 23, 24, 27, 39, 40, 41, 42, 51^2; 8:1^2, 3, 4, 6, 10, 11, 14, 16^2, 20, 25, 32, 33, 35, 36, 39^2, 42, 43, 45, 49, 53, 58, 63^2, 64^3, 65, 66^2; 9:1, 3, 5, 7, 9^2, 10^2, 11, 12, 15, 16, 17, 24, 25, 27; 10:1, 8, 9, 12, 24^2, 27; 11:2, 3, 11, 15, 19, 23, 27^2, 28, 31, 38, 39, 40; 12:4, 6, 8, 9, 10, 13^2, 14, 15, 16, 18, 21, 24, 25^2, 29, 31, 32; 13:2, 4^2, 6^2, 8, 11, 12, 21, 25, 26, 27, 28^3, 29, 30, 31, 33; 14:6, 8, 14, 15^4, 16^2, 21, 26^2; 15:4^2, 5, 13^2, 15, 17, 19, 20^2, 21, 22^2, 26, 30^2, 34; 16:2, 3, 13^2, 16^2, 18, 19, 22, 24, 26^2, 31^2, 33^2, 34; 17:18^2, 19, 20, 23; 18:3, 6, 9, 10, 12, 17, 18^2, 20, 23, 26, 30, 32, 33, 35, 37, 38, 40; 19:2, 3, 4, 10, 14, 15, 19, 20, 21; 20:6^2, 12, 15, 21, 26, 27, 29, 31, 39, 41, 42; 21:2, 3, 4^2, 6^2, 7, 9, 12, 13, 15, 19^2, 22^2, 23, 27; 22:5, 6, 8, 11, 17, 19, 20, 24, 26, 27, 31, 32, 34, 37, 38^2, 53, 54^2 • IIK. 1:7, 14; 2:1, 3, 5, 8^3, 13, 14^3, 16; 3:2, 3, 11, 18, 20, 22, 23, 24^2, 27; 4:1^2, 7^2, 31, 35, 37; 5:6, 7, 8, 20, 24, 26; 6:6, 15, 17^2, 18, 20^2, 28, 29^3, 30^2, 32; 7:2, 6^2, 7, 17, 19; 8:1, 5^2, 6, 8, 11, 19, 21, 28, 29; 9:7, 9, 11, 16, 17, 22, 24, 25, 26, 30, 34, 36; 10:7^2, 13, 15^2, 18, 19, 26, 27, 28, 29, 31; 11:1, 4^2, 6, 7, 9, 10, 12^2, 13, 14, 15, 17, 18, 19^2; 12:6, 7, 8, 9, 11, 12, 13, 15, 16^2, 21; 13:2, 4^2, 6, 11, 14, 17, 19^2, 21^2, 22, 25^2; 14:5^2, 7^3, 9^2, 10, 21, 22, 24, 25, 26. 27, 28; 15:5, 9, 14, 16, 18, 20, 24, 25, 28, 29, 30; 16:3, 6^2, 8, 10^2, 11, 12, 13^3, 15^2, 17; 17:6^2, 11, 12, 13, 14, 15, 16, 17, 19, 21^2, 23, 24, 25^2, 26^3, 27, 28, 30^3, 31, 32, 33, 34^2, 36, 39, 41; 18:4^3, 6, 8, 11, 16, 17, 22, 27^3, 33, 34, 35^2; 19:1, 2, 8, 12, 14, 15, 17, 18, 22; 20:2, 5^2, 9, 11, 13, 20^2; 21:3, 4, 6, 7^2, 9, 11, 13, 15, 16^2, 21, 22, 23, 24; 22:3, 4, 6, 8, 9^2, 11^2, 12, 13, 18, 19, 20; 23:2, 3^2, 4^2, 5, 6^2, 7, 8^2, 10^2, 11, 12, 14^2, 15^4, 16^3, 17, 20, 22, 24^2, 27^4, 30, 34^2, 35^4; 24:2, 4, 15, 17^2; 25:6, 9, 13, 18, 19, 22, 23, 24, 25, 27, 28, 29 • Is. 1:4^2; 6:1^2, 5, 8, 12; 7:12, 13, 20; 8:4, 6, 7^2, 13; 9:3, 10, 11, 20^2; 10:15; 11:9, 11, 13^2, 14; 13:17, 19; 14:1; 15:8; 19:4, 13, 14, 21, 22, 23; 20:4; 22:9; 23:17; 24:3; 26:21; 27:1; 28:9; 29:10^2, 14, 22, 23; 30:11, 20, 22, 23, 26, 30; 33:18, 19; 34:14; 36:2, 7, 12^3, 13, 18, 19, 20^2; 37:1, 2, 8, 12, 14, 16, 19, 23; 38:5^2, 7, 8; 39:2^2; 40:13; 41:6, 7^2; 44:20; 45:20; 47:14; 48:14; 49:6, 21, 26^2; 50:4; 51:17^2, 22^2; 52:10; 55:10; 56:4, 6; 59:19^2; 62:6, 7, 8, 9; 63:10, 11; 64:4; 65:11, 18, 20; 66:8, 14, 18, 19^3, 20 • Jer. 1:9; 2:7, 17, 19, 30, 33^2, 36; 3:1, 8, 9, 12, 13, 18, 21^2, 24^3, ; 4:23; 5:14, 24; 6:3, 12, 14, 24, 27; 7:2, 5, 18, 23, 24, 26^2, 29, 31; 8:1, 7, 10, 11; 9:1, 2, 10, 11, 12, 14, 15; 10:1, 18, 22, 23, 25; 11:2, 3, 4, 5, 6, 8, 10, 20, 21; 12:4, 7^3, 10^2, 14^2, 16^2, 17; 13:2, 4, 6, 7, 9, 10, 12; 14:16, 17, 19; 15:3, 6, 7, 11, 14; 16:5^2, 13, 14, 15, 18^2, 21; 17:4, 13, 22^2, 23, 24, 27; 18:2, 20, 21; 19:2, 4^2, 5^2, 7^2, 8, 9, 11^2, 12, 15^2; 20:1^2, 3, 12, 13^2, 15; 21:1, 2, 4, 6, 7, 8; 22:1, 4, 5, 9, 10, 27, 30; 23:1, 2^3, 3, 7, 8, 13, 18, 21, 22, 24, 27^2, 32, 33, 36, 38; 24:1, 5; 24:8, 10^2; 25:4, 8, 11, 12, 15, 17, 18^2, 19, 21, 36

אֶת־ (המשך)

26:6, 7, 19, 21, 22, 23^2; 27:5^2, 6^2, 8^2, 9, 11, 12, 13, 14, 17, 20; 28:2, 4, 6, 10, 11, 12, 14^2, 15; 29:5, 7, 10, 11, 14, 17, 19, 23, 28, 29; 30:3, 21; 31:7(6), 11(10), 14(13), 23(22), 27(26), 32(31), 33(32), 34(33); 32:3, 4, 5, 7, 8, 9^2, 11^2, 12, 13, 14, 16, 17, 21^2, 22, 28, 29, 35^2, 44; 33:5, 7, 11^2, 14, 20, 22, 26; 34:3, 9^2, 10, 11, 14^2, 15, 16^3, 18^3; 35:3, 14, 15, 16; 36:4, 5, 6, 10, 14^2, 21^2, 24, 25, 26^2, 27, 29^2; 37:3, 5, 10, 13, 21; 38:1, 4, 6^2, 7, 10, 11, 13, 14, 16^2, 19; 39:5, 6, 14, 16; 40:2, 4, 7, 9, 11, 14, 15, 16; 41:2, 3, 4, 10, 13, 16, 18; 42:3, 17, 18; 43:6, 10^2, 11, 12^2, 13; 44:5, 9, 12, 14, 15, 21, 25^3, 30^2; 45:1, 5; 46:13; 47:1, 4; 48:38; 49:1, 2, 6, 10^2, 28, 32, 35, 37^3, 39; 50:3, 19, 20, 25^2, 28, 34^2, 40, 43; 51:2, 9, 10^2, 11, 25, 28^2, 29, 36^4, 39, 44, 45, 50, 55, 59, 63; 52:8, 9, 10, 13, 24, 25, 31, 32 • Ezek. 1:24; 2:7; 3:1, 2, 8, 19, 21, 27; 4:1, 3, 4^2, 5, 6^2, 13, 15^2; 5:2, 6, 11, 16; 6:5^2, 14^2; 7:22, 24; 8:9, 12, 14, 17^3; 9:7^2, 8, 9; 10:3, 4^2, 6, 7, 16, 19; 11:1, 17, 22; 12:6, 12, 13, 23; 13:10, 14, 15, 20^2, 21^2, 23; 14:4, 5, 9, 22, 23; 15:6, 7^2, 8; 16:1^2, 15, 18, 20, 21, 22, 25^3, 26, 29, 32, 33, 43^2, 51^2, 53^2, 58, 60, 61^2, 62; 17:3, 9, 12, 14, 16^2; 18:2, 15, 27; 20:1, 4, 8, 11, 12, 21, 22, 23, 28^3, 40, 42, 43; 22:2, 11; 23:18, 19^2, 36, 37, 38, 39; 24:2^2, 8, 13, 16, 21, 25^2; 25:5, 7, 9, 14^2, 16^2, 17; 26:16, 19; 28:6, 25; 29:10, 12^2, 13, 14, 18, 19, 20; 30:9, 10, 11, 12, 14, 15, 18, 21, 22^3, 23, 24^3, 25, 26; 31:4, 14, 15; 32:3, 5, 7, 12, 15, 27, 32; 33:3^2, 4, 6, 22, 24, 26, 28, 29, 31, 32; 34:3, 4, 7, 8, 10, 11, 12, 16, 27; 35:5, 7, 8; 36:5, 7, 12, 20, 23, 26, 31, 33; 37:12, 13, 19^2, 21, 26, 28; 39:7, 10^2, 11^2, 12, 14^2, 21^2, 25, 26, 29; 40:5, 6, 8, 9, 11, 13, 28, 32, 38, 42, 47; 41:1, 4, 13; 42:15; 43:3, 7, 8, 9, 10, 11, 22, 26, 27^2; 44:4, 7^3, 11^2, 15, 16, 19, 20; 45:1, 4, 8, 17, 18, 20; 46:2, 12^2, 14, 15, 18, 20^3, 24; 47:14, 21; 48:20 • Hosh. 1:3, 4, 5, 6, 8; 2:8^2, 9, 11, 1215, 17, 19, 22, 2^2, 24^2, 25; 3:1, 5; 4:10; 5:6, 7, 13^2; 6:3; 7:7; 8:14; 9:12; 10:3, 12; 12:4, 14 • Joel 2:20; 2:23, 25, 26; 3:1, 2; 4:1, 8, 18 • Am. 1:3, 13; 2:4, 7, 9, 10, 12; 3:1; 4:7, 11; 5:1, 6, 11, 18; 6:8; 7:2, 4^2; 8:12; 9:1, 3, 4, 7, 8, 9, 11^2, 12, 14^3 • Ob. 14, 19^2, 21 • Jon. 1:5, 9, 15, 16; 2:1, 8, 11; 3:2, 10; 4:3, 7, 8 • Mic. 3:1, 5, 8; 4:7; 5:5; 6:2; 7:2 • Nah. 2:3 • Hab. 1:4, 6; 2:14; 3:13 • Zep. 1:3, 4^2, 6, 12, 13; 2:3, 8, 13^2; 3:19^2, 20 • Hag. 1:14; 2:3, 5, 6, 7, 11, 21 • Zech. 1:6, 11, 12, 13, 17; 2:1, 2, 4^2, 6, 13, 16; 3:1, 7^3, 8, 9; 4:7, 10; 5:8, 9, 10; 6:8, 12, 13; 7:2, 7, 12; 8:7, 12, 17, 21, 22^2; 10:3, 6; 11:4, 6^2, 7^2, 8, 9, 10^2, 12, 14^2; 12:2, 3, 4, 6, 7; 13:2^2, 7, 9^3; 14:16, 18^2, 19 • Mal. 1:2, 3, 6, 13; 2:2^2, 3, 9, 13; 3:2, 3, 11, 24 • Ps. 2:3, 11; 13:2; 14:2; 16:4, 7; 18:1; 25:22; 26:6; 27:2, 8; 28:9^2; 29:5, 11; 31:8, 24; 34:1, 2, 5, 10; 37:28; 47:5; 51:20; 53:3; 59:1; 60:2; 78:5, 42, 56, 62; 79:1^2, 2, 7; 80:3; 92:7; 94:23; 100:2; 102:15, 16^2, 18, 23; 103:1^2, 2, 12, 22; 104:1, 35; 105:11, 24, 28, 29^2, 42^2, 43; 106:7, 8, 20, 33, 34, 36, 37, 40, 44; 112:1; 113:1; 115:12^2; 116:1, 8^2; 117:1; 119:8, 9, 135; 121:7; 123:1; 125:5; 126:1, 4; 127:5; 130:8; 133:3; 134:1, 2; 135:1, 19^2, 20^2, 136:8; 137:1, 4, 6, 8, 9; 138:2; 142:8; 144:10; 145:15, 16; 146:1, 6; 147:11, 12; 148:1, 5, 7, 13 • Prov. 1:19; 3:7, 9, 12; 5:22; 22:23; 23:6, 11; 24:21; 26:19; 27:22 • Job 1:7, 9, 20^2; 2:2, 4, 6, 7, 10, 12; 3:1^2; 7:21; 28:23; 32:1, 3, 4; 38:1; 40:1, 3, 6; 42:1, 7, 9, 10, 12, 16 • S.ofS. 1:6, 8; 2:7, 14^2; 5:3^2, 7; 5:8; 7:13; 8:4, 7, 11, 12 • Ruth 1:6; 2:9, 15; 3:2, 4, 14; 4:6^2, 10, 11^2, 13, 15, 16, 18, 19^2, 20^2, 21^2, 22^2 • Lam. 1:9, 19; 2:1; 4:11; 5:1 • Eccl. 1:13; 2:3, 10, 14, 17, 20, 24; 3:10, 11^3, 17; 4:2, 3, 5, 8, 10; 5:5, 6, 18, 19; 7:7, 14, 15, 18^2, 21, 26, 29; 8:8^2, 9, 15, 16^2, 17; 9:7, 11, 12, 15^2; 10:19, 20; 11:5^2, 6, 7, 8; 12:1, 9, 13 • Es. 1:4, 11^2, 15, 17, 18; 2:1, 7, 9, 10, 11, 17; 3:1^2, 6, 10; 4:1, 4, 8, 11; 5:2^2, 5, 8^2, 9, 10, 13, 14; 6:1, 4, 9, 10, 11, 14; 7:8, 10; 8:1, 2^2, 3, 5^2, 6; 9:3, 10, 15, 16, 20, 31 • Dan. 1:2, 9, 10^4, 12, 16; 2:3; 5:10, 11; 6:10, 11; 8:3, 4, 7^2, 15, 16, 27; 9:3, 11, 12, 15; 10:1, 5, 7^2, 8, 9^2, 11, 12, 21; 12:7 • Ez. 1:1, 3, 5^2, 7; 3:2, 4; 3:8, 10^2, 12; 6:19; 7:10, 27; 8:25, 36^2; 9:3, 9, 12 • Neh. 1:4, 7^2, 8^2, 9, 11; 2:1, 8, 18; 3:1, 33, 34, 38; 4:5, 7, 8, 9, 14; 5:5, 6, 8^2, 10, 12, 13^2; 6:1, 5, 9, 18; 7:2^2, 5; 8:1^2, 2, 6, 7, 9^2; 9:5, 6^2, 8^3, 9, 12, 15^2, 16, 17, 22, 24^2, 26; 10:32^2, 36, 39, 40^2; 12:10^3, 11^2, 27, 30, 31; 13:2^2, 3, 5, 17, 18, 22, 23 • ICh. 1:10, 11, 13, 18^2, 20, 34, 46; 2:4, 9, 10^2, 11^2, 12^2, 13^2, 17, 18, 19^2, 20^2, 21, 22, 23^2, 24, 29, 35^2, 36^2, 37^2, 38^2, 39^2, 40^2, 41^2, 44^2, 46^2, 49; 4:2^2, 6, 8, 10, 11, 12, 14^2, 17, 18, 41, 43; 5:26, 30^2, 31^2, 32^2, 33^2, 34^2, 35^2, 36; 5:37^2, 38^2, 39^2, 40^2, 41; 6:17, 40, 42, 43, 45, 49, 52^2; 6:55, 56, 57^2, 59, 61, 62^2, 63, 65; 7:14, 18, 21, 23, 24, 32; 8:1, 7, 9, 11, 12, 13, 32, 33^2, 34, 36^3, 37; 9:38, 39^2, 40, 42, 43; 10:2, 4, 8^2, 9^2, 10, 12^2, 14; 11:2^3, 3, 5, 8, 11, 20, 22, 23^2; 12:16(15), 19(18), 32(31), 39(38)^2; 13:3, 5, 7, 9, 12, 13, 14; 14:8, 11, 12, 15^2, 16, 17; 15:2^2, 3, 4, 14, 16, 25, 26, 27, 28, 29; 16:1, 2, 24; 16:33, 43; 17:5, 6, 11^2, 12, 18, 22, 25, 27; 18:1^2, 2, 3, 8; 18:10, 12, 13; 19:3, 4^2, 8, 16, 19; 20:1^4, 2, 4, 5, 7; 21:1, 2^2, 5, 7, 8^2, 12, 16^2, 20, 21; 22:2, 10, 12, 13^2, 19^2; 23:1, 26, 32; 27:1, 23; 28:1, 7, 8, 9, 11; 29:10, 20, 25 • IICh. 1:10, 11, 15; 2:10, 11, 17; 3:1, 3, 6, 7, 8, 14, 17; 4:2, 3, 6, 7, ‌11^2, 12, 13, 15; 5:1, 2, 4, 5, 7, 14, ; 6:3, 5, 10, 11, 16, 23, 24, 26, 30^2, 33, 35, 39; 7:1, 2, 5^2, 7, 8, 10, 11, 12, 14, 16, 22; 8:1, 2, 5, 14; 9:1^2, 7, 8, 11, 23^2, 27; 10:4, 8, 9, 10, 14, 15, 16, 18; 11:1^2, 4, 6, 11, 14, 16^2, 17^2, 18, 19, 20, 21, 22; 12:1, 4, 9, 13, 14; 13:3, 9^2, 11, 13, 15, 19; 14:2^2, 3, 4, 6^2, 11; 15:8, 12, 16; 16:1, 4, 5^2, 6^2, 12; 17:5, 6, 18, 19; 18:4, 5, 7, 10, 18, 19, 23, 25, 30, 31, 33; 20:3, 4, 7, 17, 25^2, 26^2, 37; 21:7, 10, 11^2, 13, 16; 22:1, 5, 6, 7, 9^2, 11; 23:1, 2, 7, 8^2, 9, 11, 12^2, 13, 14; 23:20^2; 24:4, 5, 6, 7, 11^2, 12, 13, 14, 18, 20^2, 22, 24; 25:3, 5, 11^2, 14^2, 15^2, 18^2, 19; 26:1, 2, 5, 21; 27:3; 28:3, 6, 7, 8, 13, 14, 18, 19, 21, 24^3, 25; 29:3, 4, 5^2, 7, 15, 17, 18, 22, 23, 24, 25; 30:8, 13, 14, 16, 18, 20, 21, 22, 27; 31:1, 2, 8, 10^2; 32:3, 5, 12, 13, 14, 18, 30; 33:3, 6, 7^2; 33:8, 11^2, 12, 15, 16^2, 25; 34:5, 7, 8^2, 9, 11, 14^2, 15; 34:16^2, 17, 19, 20, 21^2, 27^2, 28, 31^2, 33; 35:3, 17, 20; 36:1, 3, 4^2, 10, 13^2, 14, 17, 19, 21, 22

וְאֶת־

7336 אֶת-הַמָּאוֹר... וְאֶת-הַמָּאוֹר הַקָּטֹן Gen. 1:16
7337 אֶת־... וְאֶת־הַבְּהֵמָה לְמִינָהּ Gen. 1:25
7338 יַעֲזָב־אִישׁ אֶת־אָבִיו וְאֶת־אִמּוֹ Gen. 2:24
7339 וַיּוֹלֶד... אֶת-חָם וְאֶת-יָפֶת Gen. 5:32
7340 וַיְבָרֶךְ אֱל׳ אֶת־נֹחַ וְאֶת־בָּנָיו Gen. 9:1
7341 וַיְשַׁלְּחוּ אֹתוֹ וְאֶת־אִשְׁתּוֹ Gen. 12:20
7342 וְאֶת־הַצִּפֹּר לֹא בָתָר Gen. 15:10
7343 גָּרֵשׁ הָאָמָה הַזֹּאת וְאֶת-בְּנָהּ Gen. 21:10
7344 וְלָקַחַת אֹתָנוּ...וְאֶת-חֲמֹרֵינוּ Gen. 43:18
7345 קְנֵה-אֹתָנוּ וְאֶת־אַדְמָתֵנוּ Gen. 47:19

וְאֶת־ (המשך)

7346 אֶתְכֶם...וְאֶת־אַדְמַתְכֶם Gen. 47:23
7347 וַיַּרְא...וְאֶת־הָאָרֶץ כִּי נָעֵמָה Gen. 49:15
7348 אֲכַלְכֵּל אֶתְכֶם וְאֶת־טַפְּכֶם Gen. 50:21
7349 וְאֶת־צַעֲקָתָם שָׁמַעְתִּי Ex. 3:7
7350 פָּקֹדְתִּי אֶתְכֶם וְאֶת-הֶעָשׂוּי לָכֶם Ex. 3:16
7351 וָאַךְ אוֹתְךָ וְאֶת־עַמְּךָ בַּדָּבֶר Ex. 9:15
7352 אֹתוֹ וְאֶת־בְּנוֹ לֹא תִשְׁחֲטוּ Lev. 22:28
7353 אֵי-חֲנִית... וְאֶת-צַפַּחַת הַמַּיִם ISh. 26:16
7354 וְאֶת-הַבַּרְזֶל נָפַל אֶל הַמָּיִם IIK. 6:5
7355 וְאֶת־הָאָח לְפָנָיו מְבֹעָרֶת Jer. 36:22
7356 וְאֶת־חֻקּוֹתַי לֹא־הָלְכוּ בָהֶם Ezek. 20:16
7357 וְאֶת-שְׁתֵּי הָאֲרָצוֹת לִי תִהְיֶינָה Ezek. 35:10
7358 וְאֶת-מְלָכֵינוּ... לֹא עָשׂוּ תּוֹרָתֶךָ Neh. 9:34

וְאֶת-אֲשֶׁר

7359 וְאֶת־אֲשֶׁר בַּשָּׂדֶה לָקָחוּ Gen. 34:28
7360 אִם אֶטְעַם... וְאֶת־אֲשֶׁר אֶשְׁתֶּה IISh. 19:36

וְאֶת-כָּל-

7361 וְאֶת-כָּל-הָעֵץ אֲשֶׁר-בּוֹ פְרִי Gen. 1:29
7362 וְאֶת־כָּל־הַבְּהֵמָה אֲשֶׁר אִתּוֹ Gen. 8:1
7363 וְאֶת-כָּל-רְכוּשָׁם אֲשֶׁר רָכָשׁוּ Gen. 12:5
7364 וַיִּקְחוּ...וְאֶת־כָּל־אָכְלָם Gen. 14:11
7476-7365 וְאֶת־כָּל־ Gen. 12:20; 27:37; 31:18

34:29^2; 36:6^3; 41:8 • Ex. 9:25; 20:11; 30:27, 28; 31:8, 9; 35:13, 16; 38:31; 39:33, 37, 39; 40:9^2, 10 • Lev. 4:8, 11, 26, 30, 31, 34, 35; 8:10, 11, 25; 14:9; 16:21; 19:37; 20:22 • Num. 1:50; 4:10, 15, 26; 7:1^2; 13:26; 16:10, 30; 21:34, 35; 31:9^2 • Deut. 2:33; 3:2; 13:16, 17 • Josh. 6:22, 23, 25; 7:15, 24; 10:28, 30, 32, 37^2, 39; 11:12, 16 • Jud. 1:25; 4:13, 15^2; 7:14; 11:21 • ISh. 15:8 • IISh. 6:11; 11:1; 16:6 • IK. 6:22; 8:4 • IIK. 15:16; 24:14; 25:9 • Is. 8:7; 66:2 • Jer. 13:11; 20:4, 5^2; 25:19; 28:4; 35:3; 41:10; 45:4; 51:28; 52:13, 14 • Ezek. 11:18; 38:4, 6; 39:26; 43:11 • Ps. 146:6 • ICh. 13:14; 23:26 • IICh. 4:16; 5:1, 2, 5; 29:18^2

וְאֶת...וְ...

7477 אֶת... וְאֶת־אִשְׁתּוֹ וְאַמְהֹתָיו Gen. 20:17
7478 אֶת... וְאֶת־הַבָּקָר וְהַגְּמַלִּים Gen. 32:8
7479 וְאֶת לֵאָה וִילָדֶיהָ אַחֲרֹנִים Gen. 33:2
7480 וְאֶת־הָאַיָּה וְהַדַּיָּה Deut. 14:13
7489-7481 וְאֶת־... וְ... Deut. 14:16

Josh. 3:10 • IIK. 17:37; 19:12 • IICh. 4:20 13:19; 28:18^2; 34:7

8491-7490 (אֶת־) וְאֶת־ Gen. 6:10

10:11^2, 13^3, 15, 26^3; 11:5, 26, 27, 31; 12:5^2, 17; 13:10; 14:5, 12, 16, 17; 15:19; 18:19; 19:15; 22:6, 21^2, 24^3; 24:30, 59^3; 25:2^5, 3; 26:34; 27:17; 29:10; 30:26; 31:17, 42, 52; 32:8^2, 23^2; 33:2^3, 5; 34:13, 28^2; 35:4; 36:2, 5^2, 6^6, 14^2; 37:14; 40:20; 41:8, 44; 43:14; 45:18; 46:5^2, 6, 20; 47:6, 11, 12; 48:1, 13, 14 • Ex. 1:11; 4:20; 5:6, 20; 6:20, 23^2; 9:21; 10:1, 2; 12:50; 14:28; 17:13; 18:16, 20^2; 20:11^2, 12, 18^2, 24^2; 21:5; 23:25, 28; 26:9, 35; 28:1, 5^4, 41; 29:5^2, 13, 32, 44^3; 30:3^2, 19; 31:7^2, 17; 35:11^3, 12, 13^2, 16^3, 17, 18^2, 19, 25^2; 36:16; 37:16^2, 26^2, 29; 38:3^3, 30; 39:33, 35, 37, 39^3, 40^2, 41; 40:9, 10, 11, 12, 29, 31 • Lev. 1:8; 6:2; 7:33; 8:2, 6, 8, 10, 11^3, 16^2, 20^2, 25^3, 30^2; 9:7, 14, 18, 24; 10:19; 11:13, 22^3; 14:6^3, 9^2, 12, 13, 20, 24, 31, 45, 51; 15:30; 16:20^2, 21, 24, 27^2; 18:5, 17, 26; 20:9, 14, 16; 26:16, 19, 40 • Num. 1:50; 3:7, 8, 45; 4:7^2, 9^3, 14^2, 15, 25^2; 5:21; 6:16, 17; 7:6; 8:12; 11:5^3; 13:18; 14:22; 19:5; 20:8, 25; 21:14; 25:8; 26:59; 31:8^4, 9, 12^2, 22^2; 32:1, 28, 33, 34, 37, 42; 35:5^2 • Deut. 2:24, 31; 3:3, 24; 4:19^2, 26, 40, 43^2, 47; 5:1, 16, 24(21); 7:11^2, 12; 10:13, 21; 11:6^2, 29, 32; 12:31; 13:17; 14:7^2, 16; 15:2; 17:19; 21:13; 22:24; 26:7^2, 16; 27:10

וְאֶת־ (המשך)

28:20; 29:13, 21; 30:6, 15^3, 19; 31:27, 28 • Josh. 2:1; 2:13^3; 3:10^3; 6:2, 22, 23^4; 7:24^{10}; 8:1^3, 13; 11:16^3; 13:13, 21^4; 15:14^2; 20:7^2, 8^2; 21:3, 8, 11, 13^3, 16, 17^2, 18^3, 21^3, 22^4, 24^2, 25^3, 27^3, 28^2, 29^2, 30^2, 31^3, 32^5, 35^2, 36^3, 37^3, 38^3, 39^2; 22:5; 24:4, 5, 18 • Jud. 1:5, 10^2, 18^5, 27^9, 31^6, 33; 3:7; 4:7^2, 10, 15^2; 6:2, 20, 21, 27; 7:14, 15, 24^2, 25; 8:3, 7, 12, 14, 16^2, 21; 9:11, 41; 10:6^3; 11:15, 18, 21, 29; 13:19; 16:14; 18:17^3, 18^2, 20^2, 21^2, 24, 27 • ISh. 1:21; 2:20, 31; 5:6; 6:15; 7:4; 9:22; 12:6, 8, 10, 11^3, 18; 13:20^2; 14:12; 15:24; 16:5; 25:11; 26:11, 12, 23; 28:9; 30:22; 31:2^3, 8 • IISh. 3:25; 4:9, 12; 6:11, 12; 10:6^2; 11:1^2; 12:8; 16:6; 17:8; 18:5^2, 29; 19:42; 21:8^2, 11, 13; 24:1, 20, 24 • IK. 1:12, 44; 2:32, 43; 3:1^2, 25; 4:7; 7:14^2, 40^2, 48, 51^2; 8:4^2, 42, 45, 49, 64^2; 9:1, 3, 10, 15^5, 17; 12:21; 13:25; 14:26; 15:18, 20, 22^2; 18:10, 19, 38^3; 20:21 • IIK. 1:14; 7:6, 7^2; 9:11, 26; 11:10, 12, 18, 19^2; 12:19; 14:28; 15:16^2, 25, 29^6; 16:8, 10, 13, 15^3; 17:15, 17; 18:8, 16, 17^2, 22; 19:12, 15, 17; 20:13^2, 20; 21:13; 22:12; 23:4^2, 5, 10, 15, 24^3, 27, 35; 24:2, 14; 25:9, 18^2, 25^2 • Is. 8:2; 13:19; 20:4; 29:10; 30:22; 36:7; 37:12, 16, 18; 39:2^2 • Jer. 3:9, 24^2; 7:5, 31; 8:1^2; 13:9, 13^3; 15:3^3; 16:5, 21; 19:11; 21:1, 6^2, 7^3, 8; 23:24; 24:1, 8, 10; 25:18^2, 19^3, 21^2; 27:5; 29:17; 31:27(26); 32:11, 17, 35; 33:20, 22; 34:11; 35:3^2; 36:26^2, 27; 37:3; 41:3, 10; 42:3; 43:6^4; 44:9; 50:40^2; 51:28; 52:13, 24^2 • Ezek. 3:8; 5:6; 11:1, 18; 14:22, 23; 16:20, 53, 58; 17:12; 20:40; 21:25; 23:36; 24:25; 25:5; 30:22; 34:4^3, 16^4; 39:11, 21, 26; 43:11, 27; 44:11; 45:17^3; 46:2, 12, 15^2, 20 • Hosh. 2:17; 24^2 • Joel 4:8 • Am. 4:11 • Jon. 1:9 • Mic. 5:5 • Hag. 1:14^2, 2:6^3, 21 • Zech. 7:12; 13:2 • Mal. 1:3 • Ps. 60:2; 106:37; 146:6 • Job 42:16 • Eccl. 3:17 • Es. 1:4; 2:9, 10; 5:10; 6:10, 11 • Dan. 1:10 • Ez. 8:25^2, 36 • Neh. 1:7^2; 5:5; 7:2, 5^2; 9:19, 22^2, 24^2; 12:30^2 • ICh. 1:11^3, 12^3, 13, 20^3; 2:4, 9^2, 18, 23, 29, 46^2; 4:2, 6^3, 8, 12^2, 17^2, 18^2, 41; 5:26; 6:40, 42^5, 43, 45^5, 49, 52^3, 55^3, 56^3, 57^2, 59^3, 61^5, 62^2, 63^3, 65^3; 7:18^2, 24, 32^2; 8:7, 9^3, 11, 12, 33^3, 36^2; 9:39^3; 10:2^2, 8, 9^2; 13:14; 15:4; 18:8; 22:13; 23:26; 28:11 • IICh. 1:15^2; 2:11; 4:11^2, 15, 19; 5:1^3, 2, 5; 6:35, 39; 7:7^2, 11; 8:1, 5, 6; 11:6^2, 7^3, 8^3, 9^3, 10^3, 19^2, 20^3; 12:9; 13:19^3; 14:4; 16:4, 6^2; 17:6; 23:1^2, 9^2, 11, 20^2; 24:18; 28:7^2, 14, 18^4, 21; 29:4, 18^3; 31:1; 32:4, 12; 33:15; 34:5, 8, 20^2; 35:17

9228-8492 וְאֶת־ Gen. 10:12, 14^3, 16^2, 17^3, 18^3, 27^3, 28^3, 29^3; 14:6; 15:20^3, 21^4; 17:21; 19:10, 11; 21:14; 22:22^4; 23:15; 27:37, 40; 34:9, 16, 21, 26^2; 35:12; 36:3; 39:22; 42:4, 20, 33, 34, 36; 43:12, 13, 15; 44:2; 46:28; 47:21, 23 • Ex. 4:17; 5:8, 10; 12:27; 14:6; 17:3^2; 26:1, 29^2; 28:10; 29:3, 4, 8, 12, 14^3, 15, 17, 22^2; 30:27^4, 28^3, 30^2; 31:8^3, 9^3, 10^2, 11; 34:13; 35:14^3, 15^3, 28^2; 36:34^2, 38^2; 38:28, 31; 39:28^3, 29, 34^2; 40:14 • Lev. 1:12^2; 3:4^2, 9, 10^2; 4:8, 9^2, 11^2, 25, 26, 30, 31, 34, 35; 5:10, 16, 25; 7:2, 3^2, 4^2; 8:15, 20, 21^2; 9:9, 10^3, 11^2, 13^2, 17^4, 19, 31; 11:5, 6, 7, 11, 13, 14^2, 16, 17^3, 18^3, 19^2; 13:33; 14:6^3, 41; 16:33^2; 18:4, 22; 19:3; 20:14, 15; 25:5, 18; 26:3, 5^2, 43 • Num. 1:49; 3:10, 26; 4:10, 26^2; 6:17; 7:1^3; 13:26; 15:31; 16:5, 10, 30, 32; 17:2; 18:17, 32; 21:3, 34, 35; 26:10, 60^2; 31:6, 8, 9^2; 32:35^2, 36^2, 38^3; 35:7 • Deut. 2:4; 3:2, 12, 21, 33; 4:10; 5:24(21); 9:21, 25; 11:3^2; 12:22; 13:5, 16, 17; 14:8, 15^3, 17^2; 15:16; 18:16; 22:7; 28:36; 33:9; 34:2, 3^2 • Josh. 2:18; 5:7; 6:10, 25^3; 7:15; 8:23, 29; 9:14; 10:28^3, 30, 32, 33, 37^4, 39^2, 42; 11:6, 9, 10, 11, 12^2;

וְאֶת־ (המשך)

13:21, 22; 15:63; 17:11; 21:12^2, 14^4, 15^4, 16^4, 22^4; 24:17, 32 • Jud. 1:8, 21, 25^2; 3:6; 6:20, 25; 8:17; 9:45; 13:6; 14:15; 15:6; 18:27; 19:18; 20:5 • ISh. 5:10, 11; 6:10, 14; 7:1, 14; 8:13, 14^2, 16^4; 10:16; 12:3; 15:8, 11, 15, 20; 17:18^2, 25, 54; 21:3; 23:12; 25:39, 43; 28:3; 30:14, 18; 31:9, 10 • IISh. 5:8^2; 12:6, 9, 31; 14:16; 15:25; 17:25; 18:12^2, 42; 19:25; 21:10; 22:28 • IK. 1:10; 2:35; 3:20; 6:12, 22, 30; 7:1, 39, 42, 43^2, 44^2, 45^3, 49; 9:7, 16, 18^2; 11:1; 12:29; 14:26; 17:4; 18:38; 19:10, 14, 16; 20:24 • IIK. 1:10^2, 12^2; 6:28; 9:10; 11:2, 20; 14:6; 26:9, 17, 18^2; 17:31, 33, 37, 41; 23:3^2, 11, 12^2, 13, 34; 24:15^3; 25:7^2, 9, 10, 11, 13^3, 14^4, 15^2 • Is. 4:4; 8:12; 9:10, 12, 16^2; 10:2; 18:5; 22:10; 28:9; 29:23; 31:1, 2; 49:25; 57:11, 12, 13; 66:2 • Jer. 9:10; 10:21, 25; 12:14; 16:11; 20:4; 22:12, 26; 23:39; 25:20^3, 23^2; 26:6; 27:7^2; 28:4^2; 29:6; 30:10; 32:40; 33:24; 34:21^2, 22; 36:17, 20; 38:23; 39:7, 8^3, 9; 40:27; 43:13; 46:27; 50:4; 51:32; 52:11^2, 13, 14, 15^2, 17^3, 18^3, 19^7 • Ezek. 5:7; 11:20; 17:9, 13; 18:6, 11; 20:8, 13^2, 16, 18, 19, 20, 21, 24, 39; 22:8, 29; 23:8, 11, 27, 34, 35, 37, 38; 26:16; 31:4; 34:3^2, 8; 36:27; 39:7; 43:7; 44:23, 24^3 • Hosh. 1:7; 2:6; 5:4 • Joel 2:20; 4:2 • Jon. 1:9 • Mic. 3:3 • Zep. 1:5^2, 6 • Zech. 5:4^2; 10:6 • Mal. 1:3; 1:13^2; 15:4 • Ps. 34:19; 69:34; 78:53; 79:7; 102:15; 145:19 • Prov. 2:17; 13:21; 30:11 • Job 1:15, 17; 2:10; 13:25; 35:4; 36:7 • Eccl. 12:13 • Es. 2:9, 20^2; 3:8; 4:8; 9:25 • Dan. 1:2 • Ez. 8:19 • Neh. 9:9, 11, 14, 19^2, 26; 10:31, 37^2, 38 • ICh. 1:12; 1:14^2, 15^3, 16^3, 21^3, 22^3, 23^3; 2:48; 6:41, 43^2, 44^4, 53^4; 6:54^4, 58^4, 60^4, 64^4, 66^4; 8:8, 10^3; 10:10; 19:7^2; 20:3; 28:16 • IICh. 4:20, 13, 14^2, 16^3; 7:20; 8:6, 11; 21:3; 23:17^2; 21; 25:4, 24; 36:4

אוֹתִי

9229 הֵן גֵּרַשְׁתָּ אֹתִי הַיּוֹם Gen. 4:14

9230 וְהָרְגוּ אֹתִי וְאֹתָךְ יְחַיּוּ Gen. 12:12

9231 וְהִנֵּה בֶן־בֵּיתִי יוֹרֵשׁ אֹתִי Gen. 15:3

9232 הִתְעוּ אֹתִי אֱלֹהִים מִבֵּית אָבִי Gen. 20:13

9233 אַל־תְּאַחֲרוּ אֹתִי Gen. 24:56

9234 וְאַתֶּם שְׂנֵאתֶם אֹתִי Gen. 26:27

9235 זְבָדַנִי אֱלֹהִים אֹתִי זֶבֶד טוֹב Gen. 30:20

9236 לָמָּה נַחְבֵּאתָ לִבְרֹחַ וַתִּגְנֹב אֹתִי Gen. 31:27

9237 עֲכַרְתֶּם אֹתִי לְהַבְאִישֵׁנִי... Gen. 34:30

9238 לָאֵל הָעֹנֶה אֹתִי בְּיוֹם צָרָתִי Gen. 35:3

9239 כִּי־שָׂמוּ אֹתִי בַּבּוֹר Gen. 40:15

9312-9240 אֹתִי Gen. 41:10^2, 13; 42:36; 45:4, 5, 8; 48:9, 11, 15, 16; 49:29 • Ex. 12:32; 17:3 • Lev. 10:19 • Num. 14:22 • Deut. 1:14; 4:10; 5:29(26) • Josh. 14:7, 10, 11 • Jud. 8:15; 9:15 • ISh. 5:11; 8:7; 15:1; 23:12; 28:15 • IISh. 2:7; 6:21; 14:16; 22:20 • IK. 13:9, 31 • IIK. 2:10; 4:28; 19:6; 21:15 • Is. 29:13; 43:22; 61:1 • Jer. 2:13; 4:17; 15:6; 22:16; 24:7; 26:15; 29:12, 13; 32:30; 33:22; 38:19; 42:9, 20 • Ezek. 8:3^2, 7, 14, 16; 11:1^2; 13:19; 20:3; 38:16; 40:1; 44:1 • Zech. 6:8; 8:14; 11:11 • Mal. 3:8 • Neh. 5:14 • IICh. 12:5

9343-9313 אוֹתִי Deut. 32:51 • Jud. 10:13; 11:7, 9; 12:2; 16:26; 19:18; 20:5 • Is. 37:6; 65:3 • Jer. 4:22; 5:19; 9:5, 23; 13:5, 25; 16:11; 25:6; 31:34(33); 32:39; 37:18 • Ezek. 6:9; 20:27; 23:35^2; 40:3 • Zep. 3:7 • Ps. 31:6 • Lam. 3:2 • Es. 5:12 • Neh. 6:14

וְאוֹתִי

9344 וְאֹתִי צִוָּה יְיָ בָּעֵת הַהִוא Deut. 4:14

9345 וְאֹתִי הִשְׁלַכְתָּ אַחֲרֵי גַוֶּךָ IK. 14:9

9346 וְאוֹתִי לֹא זָכַרְתְּ Is. 57:11

9347 וְאוֹתִי לֹא תִירָאִי Is. 57:11

וְאוֹתִי (המשך)

9348 וְאוֹתִי יוֹם יוֹם יִדְרֹשׁוּן Is. 58:2

9349 וְאֹתִי לֹא־יָדְעוּ נְאֻם־יְיָ Jer. 9:2

9350 וְאֹתִי עָזָבוּ ··· תּוֹרָתִי לֹא שָׁמָרוּ Jer. 16:11

9351 וְאֹתִי שָׁכַחַתְּ נְאֻם אֲדֹנָי יְיָ Ezek. 22:12

9352 וְאֹתִי שָׁכְחָה נְאֻם־יְיָ Hosh. 2:15

9353 וְאֹתִי אַתֶּם קֹבְעִים Mal. 3:9

9354 וְאֹתִי תָבִיא בְמִשְׁפָּט עִמָּךְ Job 14:3

הַאוֹתִי

9355 הַאוֹתִי לֹא־תִירָאוּ נְאֻם־יְיָ Jer. 5:22

9356 הַאֹתִי הֵם מַכְעִסִים נְאֻם־יְיָ Jer. 7:19

אוֹתְךָ

9357 כִּי־אֹתְךָ רָאִיתִי צַדִּיק לְפָנַי Gen. 7:1

9358 וְאַרְבֶּה אוֹתְךָ בִּמְאֹד מְאֹד Gen. 17:2

9359 וְהִפְרֵתִי אֹתְךָ בִּמְאֹד מְאֹד Gen. 17:6

9360 וָאֶחְשֹׂךְ גַּם־אָנֹכִי אוֹתְךָ Gen. 20:6

9361 וְאֵל שַׁדַּי יְבָרֵךְ אֹתְךָ Gen. 28:3

9362 אֲשֶׁר עָבַדְתִּי אֹתְךָ בָּהֵן Gen. 30:26

9363 וַיְבָרֶךְ יְיָ אֹתְךָ לְרַגְלִי Gen. 30:30

9364 וְתָלָה אוֹתְךָ עַל־עֵץ Gen. 40:19

9375-9365 אוֹתְךָ Gen. 41:39 • Ex. 9:15; 25:22; 32:10 • Deut. 9:14 • Jer. 25:15 • Ezek. 2:3, 4; 29:5; 38:4 • Ps. 25:5

9402-9376 אֹתְךָ Gen. 41:41; 45:11 • Ex. 23:33; 25:9; 27:8 • Num. 14:12; 16:10 • Deut. 28:21, 36; 29:12 • ISh. 8:7 • IISh. 14:32; 18:12; 19:34 • IK. 8:43 • IIK. 1:10, 12; 8:13 • Jer. 22:26; 38:14; 42:6; 43:3 • Ezek. 38:17 • Mic. 6:16 • Zech. 3:4 • Prov. 25:8 • IICh. 6:33

אוֹתְכָה

9403 כִּי עַתָּה גַּם־אֹתְכָה הָרַגְתִּי Num. 22:33

אוֹתָךְ ז׳

9404 לַאֲשֶׁר אֲנִי מְצַוָּה אֹתָךְ Gen. 27:8

9405 עַד הִשְׁמִידוֹ אֹתָךְ Deut. 28:48

9406 עַד הַאֲבִידוֹ אֹתָךְ Deut. 28:51

9407 נַעְצְרָה־נָּא אוֹתָךְ Jud. 13:15

9408 כִּי־אֵינֶנִּי שֹׁמֵעַ אֹתָךְ Jer. 7:16

9409 תִּפְלַצְתְּךָ הִשִּׁיא אֹתָךְ Jer. 49:16

9410 לְכֹל אֲשֶׁר־אֲנִי מַרְאֶה אוֹתָךְ Ezek. 40:4

9411 בְּהִתְהַלֶּכְךָ תַּנְחֶה אֹתָךְ Prov. 6:22

אוֹתָכָה

9412 כְּכֹל אֲשֶׁר־צִוִּיתִי אֹתָכָה Ex. 29:35

וְאוֹתְךָ

9413 וְאֹתְךָ אֶקַּח וּמָלַכְתָּ... IK. 11:37

אוֹתָךְ נ׳

9414 כִּי־יִרְאוּ אֹתָךְ הַמִּצְרִים Gen. 12:12

9415 וְלֹא־חָשַׂךְ...כִּי אִם־אוֹתָךְ Gen. 39:9

9416 אִם־לֹא שָׁכַב אִישׁ אֹתָךְ Num. 5:19

9417 יִתֵּן יְיָ אוֹתָךְ לְאָלָה וְלִשְׁבֻעָה Num. 5:21

9418 נִשְׂרֹף אוֹתָךְ וְאֶת־בֵּית אָבִיךְ Jud. 14:15

9419 בְּיוֹם הוּלֶּדֶת אוֹתָךְ Ezek. 16:4

9420 בְּיוֹם הֻלֶּדֶת אֹתָךְ Ezek. 16:5

9427-9421 אוֹתָךְ Jer. 11:17; 30:14 • Ezek. 16:39, 40, 57; 21:34; 22:15

9433-9428 אֹתָךְ ISh. 25:34 • IISh. 14:18 • Ezek. 16:39; 21:35; 26:19; 27:26

וְאוֹתָךְ

9434 וְהָרְגוּ אֹתִי וְאֹתָךְ יְחַיּוּ Gen. 12:12

אוֹתוֹ

9435 בְּצֶלֶם אֱלֹהִים בָּרָא אֹתוֹ Gen. 1:27

9436 וַיְקַדֵּשׁ אֹתוֹ Gen. 2:3

9437 לְבִלְתִּי הַכּוֹת-אֹתוֹ כָּל-מֹצְאוֹ Gen. 4:15

9438 בִּדְמוּת אֱלֹהִים עָשָׂה אֹתוֹ Gen. 5:1

9439 כִּי־לָקַח אֹתוֹ אֱלֹהִים Gen. 5:24

9440 כְּכֹל אֲשֶׁר צִוָּה אֹתוֹ אֱלֹהִים Gen. 6:22

9441-3 בְּיוֹם הִמָּשַׁח אֹתוֹ Lev. 6:13 • Num. 7:10, 84

9444 כֵּהָה הַנֶּגַע אַחֲרֵי הֻכַּבֵּס אֹתוֹ Lev. 13:56

9445 אַחֲרֵי הִמָּשַׁח אֹתוֹ Num. 7:88

9446 יִשָּׂרֵף בָּאֵשׁ אֹתוֹ Josh. 7:15

9870-9447 אֹתוֹ Gen. 7:16; 12:20; 15:5; 17:20^3; 18:7; 21:4; 22:9; 25:9; 26:14; 28:1, 6^2; 31:23; 32:12, 20; 32:30; 35:9, 29; 37:4^2, 5, 8, 9, 18^2, 22^2, 24, 35, 36

אוֹתוֹ (המשך)

38:5, 10; 39:4, 5, 20; 40:8; 41:15[2], 42, 43[2]; 42:24, 37; 43:21; 45:3, 27; 46:5; 47:21; 50:3, 13[2], 15, 26 • Ex. 1:12, 16; 2:2; 9:10; 12:6, 7, 11[2], 14, 44, 47; 16:21, 24, 33; 22:22, 30; 25:11, 24; 27:2, 7, 8, 21; 28:15, 37; 29:7, 26, 36, 37; 30:1, 3, 4, 6, 16, 18, 25; 31:3; 32:4; 34:4; 35:21, 31; 37:11, 26, 27; 38:2, 7[2]; 40:9, 11, 15[2], 16 • Lev. 1:3, 11, 12, 17[2]; 3:5, 7, 8, 13; 4:5, 12, 14, 21, 24; 5:16, 18, 24, 30; 8:4, 7[3], 12, 31; 13:3, 6, 22, 25, 27, 30, 34, 43, 56; 14:12, 46; 16:10, 15, 32; 17:9; 19:33; 20:3, 4, 5, 6, 14; 22:23, 28; 23:41[2]; 24:3, 11, 14, 23; 25:26, 30; 27:8, 10, 14, 19, 28 • Num. 1:51[2]; 3:6[2], 42; 4:8, 11; 6:13; 7:1[2]; 9:3[2], 11, 12; 10:29; 11:8; 15:33[2], 34, 35, 36[2], 39; 17:26; 18:10, 11, 31; 21:8[2], 34[2], 35; 22:11, 20, 35, 38; 23:12, 26; 24:13; 27:19[2], 22; 31:54; 35:25[2], 27 • Deut. 1:3, 38; 2:33; 3:2[2]; 8:6; 9:21[2]; 10:12, 20; 13:1; 15:18; 19:12[2]; 20:20; 21:18; 21:19, 22; 22:2, 18, 19; 31:21, 26; 34:6 • Josh. 3:3; 4:14; 7:25; 8:23; 9:12; 13:21; 18:20; 19:14; 20:4; 24:14 • Jud. 1:6; 16:24, 31 • ISh. 1:23[2]; 2:28; 5:2[2], 3, 9; 6:3, 8[2], 21; 7:1; 9:13[3]; 12:14, 24; 14:35; 16:13; 17:38, 57; 18:3; 19:15; 20:17, 31; 21:15; 23:7, 23; 24:6(5); 30:11 • IISh. 2:5; 3:11, 26; 6:17; 13:28; 14:6, 29; 15:25; 17:2, 13; 18:17; 20:21; 22:1; 24:10 • IK. 1:33, 34, 38, 44, 45; 5:15; 7:23, 24; 11:28, 29, 34; 12:1, 20[2]; 13:31; 14:13, 18, 22; 15:8; 16:7; 18:21; 20:16, 41; 21:25; 22:14 • IIK. 1:10, 12; 5:3; 6:32; 7:20; 9:2, 27, 28[2]; 10:16, 35; 11:2[3], 12; 12:10, 22; 14:20, 21; 15:7; 16:14, 17; 17:36; 18:36; 21:26; 22:5; 23:29, 30[2]; 24:12; 25:5, 6 • Is. 8:13; 20:1; 29:11; 36:21 • Jer. 20:2; 22:12; 25:12, 15; 26:8, 24; 27:7, 8, 12; 29:26; 32:5; 37:4, 15[2]; 38:13, 27; 39:5, 7, 14; 40:1[2]; 41:2, 9, 12; 44:20; 52:9, 31 • Ezek. 12:13, 23; 13:10, 15[2]; 17:13, 16; 31:16; 33:2; 36:29; 39:15; 43:26; 46:13 • Joel 2:19 • Mic. 6:5 • Hag. 2:3 • Zech. 11:10, 13; 13:9 • Mal. 3:17 • Ps. 56:1; 67:8; 101:5 • Job 42:11 • Es. 9:17, 18, 25 • ICh. 16:1 • IICh. 4:2, 3; 10:1; 13:11, 23; 18:13; 22:11[2]; 23:11; 24:25; 25:28; 26:1, 23; 27:9; 34:10

9871-9904 **אוֹתוֹ** Josh. 6:18; 14:7; 16:6; 24:3, 4; 24:22, 30, 33 • Jud. 2:9; 6:31; 7:5; 8:8, 27[2]; 11:11, 24[2]; 12:6; 14:11; 16:5, 21, 25, 31; 20:42 • Jer. 37:15; 38:6 • Ezek. 43:20 • Hosh. 10:6 • Mal. 1:12, 13; 3:22 • Ps. 18:1; 101:5 • Neh. 13:26

וְאוֹתוֹ

9905 וְאֹתוֹ תָּלָה — Gen. 41:13
9906 וְאֹתוֹ תִשְׁבֹּרוּ — Lev. 11:33
9907 וְאֹתוֹ תַעֲבֹד — Deut. 6:13
9908/9 וְאֹתוֹ תִירָאוּ...וְאֹתוֹ תַעֲבֹדוּ — Deut. 13:5
9910 וְאֹתוֹ לֹא תִכְרֹת — Deut. 20:19
9911 וְאֹתוֹ הָרַגְתָּ בְּחֶרֶב בְּנֵי עַמּוֹן — IISh. 12:9
9912 וְאֹתוֹ יָלְדָה אַחֲרֵי אַבְשָׁלוֹם — IK. 1:6
9913 וְאֹתוֹ צִוִּיתִי לִהְיוֹת נָגִיד — IK. 1:35
9914 וְאֹתוֹ תָּלוּ עַל־הָעֵץ — Es. 8:7

אוֹתָהּ

9915 וְכָפַרְתָּ אֹתָהּ מִבַּיִת וּמִחוּץ — Gen. 6:14
9916 וְזֶה אֲשֶׁר תַּעֲשֶׂה אֹתָהּ — Gen. 6:15
9917 וַיָּבֵא אֹתָהּ אֵלָיו אֶל־הַתֵּבָה — Gen. 8:9
9918 וַיִּרְאוּ אֹתָהּ שָׂרֵי פַרְעֹה — Gen. 12:15
9919 וַיְהַלְלוּ אֹתָהּ אֶל־פַּרְעֹה — Gen. 12:15
9920 וָאֶקַּח אֹתָהּ לִי לְאִשָּׁה — Gen. 12:19
9921 וַתִּתֵּן אֹתָהּ לְאַבְרָם...לְאִשָּׁה — Gen. 16:3
9922 וּבֵרַכְתִּי אֹתָהּ — Gen. 17:16
9923 אֹתָהּ הֹכַחְתָּ... לְיִצְחָק — Gen. 24:14
9924 וָאֶשְׁאַל אֹתָהּ וָאֹמַר — Gen. 24:47
9925 וַיִּקְרָא אֹתָהּ שִׁבְעָה — Gen. 26:33

אוֹתָהּ (המשך)

9926 וַיָּשֶׂם אֹתָהּ מַצֵּבָה — Gen. 28:18
9927 טוֹב תִּתִּי אֹתָהּ לָךְ — Gen. 29:19
9928 מִתִּתִּי אֹתָהּ לְאִישׁ אַחֵר — Gen. 29:19
9929 בְּאַהֲבָתוֹ אֹתָהּ — Gen. 29:20
9930 וְהִתְחַלְּקוּ אֹתָהּ לְשִׁבְעָה חֲלָקִים — Josh. 18:5

9931-10039 **אֹתָהּ** Gen. 29:23; 30:9; 34:2[3], 8, 21; 38:8; 41:42; 47:26; 48:17 • Ex. 6:8[2]; 10:11; 25:39; 26:31, 32; 27:5; 30:35; 36:2, 3, 5, 7, 35; 37:24; 39:43 • Lev. 1:6, 16; 2:6; 4:33; 6:7, 10, 15, 19, 22; 7:9; 10:13, 18; 11:3; 13:25; 14:6; 15:18, 24; 17:10; 18:28; 20:16, 24; 24:5; 27:12 • Num. 4:10; 5:13, 16, 19, 25; 13:30, 32[2]; 14:7; 15:20; 19:3[3], 8; 26:59; 27:11, 13; 30:6[2], 12; 33:53; 34:13 • Deut. 1:24; 11:12, 31; 13:16; 14:6; 30:12, 13 • Josh. 8:24 • ISh. 9:23; 15:9; 18:17; 20:9; 21:10; 30:1 • IISh. 13:14 • IK. 1:3; 22:3 • IIK. 4:25; 11:15; 19:25; 23:6 • Is. 1:7; 9:6; 19:17 • Jer. 32:23 • Ezek. 21:16 • Am. 9:8 • Zech. 5:8 • Eccl. 9:14

10040-10090 **אוֹתָהּ** Num. 30:9 • Josh. 1:15; 8:29; 10:30, 37; 18:4, 8; 19:47[3] • Jud. 1:8, 17; 3:16; 11:35, 38; 14:2, 3, 12; 15:6; 19:25 • ISh. 14:27 • IISh. 13:18 • Is. 27:11; 28:4; 37:26 • Jer. 32:31; 33:2 • Ezek. 2:10; 4:1, 3; 17:7, 9; 20:28, 42; 21:16; 23:8, 17, 34; 26:4; 30:25; 32:16[2], 18, 20; 36:17; 43:17; 47:14, 22 • Hosh. 4:19 • Mal. 1:13 • Ps. 27:4

וְאוֹתָהּ

10091 וְאֹתָהּ נָתַן לָכֶם לָשֵׂאת אֶת־עֲוֹן — Lev. 10:17
10092 וְאוֹתָהּ הֶחֱיֵיתִי — Num. 22:33
10093 וְאוֹתָהּ לֹא־יִרְאֶה — Ezek. 12:13
10094 וְאוֹתָהּ בַּחֶרֶב הָרָגוּ — Ezek. 23:10

אֹתָנוּ

10095 וַיִּתֵּן אֹתָנוּ כִּמְרַגְּלִים אֶת־הָאָ׳ — Gen. 42:30
10096 וְלָקַחַת אֹתָנוּ לַעֲבָדִים — Gen. 43:18
10097 קְנֵה־אֹתָנוּ וְאֶת־אַדְמָתֵנוּ — Gen. 47:19
10098 כִּי־הוֹצֵאתֶם אֹתָנוּ אֶל־הַמִּדְבָּר — Ex. 16:3
10099 אַל־נָא תַּעֲזֹב אֹתָנוּ — Num. 10:31
10100 וְלָמָה יְיָ מֵבִיא אֹתָנוּ
אֶל־הָאָרֶץ הַזֹּאת — Num. 14:3

10101-10123 **אֹתָנוּ** Num. 14:8; 20:5; Deut. 1:19, 22, 25, 27[2]; 6:23; 26:6 • Josh. 7:7; 9:22; 24:17 • ISh. 11:3; 17:9; 30:23 • Jer. 2:6[2]; 42:2; 43:3[3] • Ezek. 8:12 • Ez. 4:2

10124 כִּי כֻלָּם מְיָרְאִים אוֹתָנוּ לֵאמֹר — Neh. 6:9

וְאוֹתָנוּ

10125 וְאוֹתָנוּ הוֹצִיא מִשָּׁם — Deut. 6:23
10126 וּבַיְיָ... וְאוֹתָנוּ אַל־תִּמְרֹדוּ — Josh. 22:19

אֶתְכֶם

10127 הֵן קָנִיתִי אֶתְכֶם הַיּוֹם — Gen. 47:23
10128 וְהֵשִׁיב אֶתְכֶם אֶל־אֶ׳ אֲבֹתֵיכֶם — Gen. 48:21
10129 אֲשֶׁר־יִקְרָא אֶתְכֶם בְּאַחֲרִית... — Gen. 49:1
10130 אָנֹכִי אֲכַלְכֵּל אֶתְכֶם — Gen. 50:21
10131 וֵאלֹהִים פָּקֹד יִפְקֹד אֶתְכֶם — Gen. 50:24
10132 וְהֶעֱלָה אֶתְכֶם מִן־הָאָרֶץ — Gen. 50:24
10133 פָּקֹד יִפְקֹד אֱלֹהִים אֶתְכֶם — Gen. 50:25
10134 וְאֵין־אֶתְכֶם אֵלַי נְאֻם־יְיָ — Hag. 2:17

10135-10415 **אֶתְכֶם** Ex. 3:16, 17, 19, 20; 4:15; 6:6[3], 7[2], 8; 8:24; 9:28; 10:10; 11:1[2]; 13:3, 19; 16:6, 32[2]; 18:10; 19:4[2]; 20:20; 22:23 • Lev. 11:45; 16:30; 18:3, 28; 19:36; 20:22, 24, 26; 22:33; 25:38; 26:9[2], 11, 13[2], 17, 18, 22[2], 24, 28, 30, 38 • Num. 10:9; 14:30; 15:18, 41; 16:9[2]; 22:8; 32:23; 33:55 • Deut. 1:9, 10, 11, 18, 44[2]; 3:18; 4:1, 2[2], 5, 13, 14, 20, 27[2]; 5:32(29), 33(30); 6:1, 20; 7:8[2]; 9:8, 16, 19, 23, 24, 25; 11:13, 22, 27, 28; 12:10, 11; 13:1, 4, 6; 20:4, 18; 23:5; 24:8; 27:1, 4; 28:14, 63[4]; 29:4; 31:5, 29[2] • Josh. 1:13; 8:8; 22:2[2], 5; 23:16; 24:5, 8, 9, 10, 20 • Jud. 2:1[2]; 6:8[2], 9; 7:7; 8:19; 9:17; 10:12[2], 13; 12:2 • ISh. 7:3; 8:18;

אֶתְכֶם (המשך)

10:18[2]; 12:11, 22, 23; 14:12; 17:47 • IISh. 4:11; 13:28 • IK. 12:11[2], 14[2] • IIK. 1:6; 6:19; 17:36, 39; 18:29, 30, 32[2]; 22:15, 18 • Is. 5:5; 28:19; 36:14, 15, 17, 18; 42:9; 50:1; 65:12 • Jer. 2:7; 3:14[2], 15; 7:3, 7, 13, 15; 7:23; 8:17; 11:4; 16:13; 23:16, 33, 39[2]; 27:10[2], 15; 29:7, 10[2], 14[4], 31; 34:17; 35:18; 37:7; 42:4, 10[2], 11[3], 12[2], 16; 44:23 • Ezek. 11:9[2], 10, 11, 17[2]; 14:22; 18:30; 20:34[2], 35, 37, 41[3], 42; 22:19, 20, 21; 33:20; 36:3, 11, 24[3], 25, 29, 33; 37:12[2], 13, 14; 43:27 • Joel 2:19 • Am. 2:2; 3:10[2]; 4:9; 5:27; 6:14 • Zep. 3:20[3] • Hag. 2:17 • Zech. 2:10, 12; 8:13 • Mal. 1:2; 2:3, 9; 3:12 • Ps. 129:8 • Prov. 1:23 • Job 13:9, 10, 11; 27:5, 11 • Neh. 1:8 • IICh. 10:11, 14; 12:5; 15:2; 24:20; 32:11[2], 14, 15[3]; 34:23, 26

אֶתְכֶם ג׳

10416 וְנִשָּׂא אֶתְכֶם בְּצִנּוֹת — Am. 4:2
10417 וָאֹמַר לֹא אֶרְעֶה אֶתְכֶם — Zech. 11:9
10418-10421 הִשְׁבַּעְתִּי אֶתְכֶם בְּנוֹת יְרוּשָׁלִָם — S.ofS. 2:7; 3:5; 5:8; 8:4

אוֹתְכֶם

10422 עַד־הַשְׁמִידוֹ אוֹתְכֶם מֵעַל הָאֲדָ׳ — Josh. 23:15

וְאֶתְכֶם

10423 וְאֶתְכֶם אֱזָרֶה בַגּוֹיִם — Lev. 26:33
10424 וְאֶתְכֶם לָקַח יְיָ וַיּוֹצִא אֶתְכֶם — Deut. 4:20
10425 וְאֶתְכֶם הוֹצִיא מִתּוֹכָהּ — Ezek. 11:7

אוֹתָם

10426 וַיִּתֵּן אֹתָם אֱלֹ׳ בִּרְקִיעַ הַשָּׁמָיִם — Gen. 1:17
10427 וַיְבָרֶךְ אֹתָם אֱלֹהִים לֵאמֹר — Gen. 1:22
10428 זָכָר וּנְקֵבָה בָּרָא אֹתָם — Gen. 1:27
10429 וַיְבָרֶךְ אֹתָם אֱלֹהִים וַיֹּאמֶר — Gen. 1:28
10430 וַיְבָרֶךְ אֹתָם — Gen. 5:2
10431 וַיָּפֶץ יְיָ אֹתָם מִשָּׁם — Gen. 11:8
10432 וְלֹא־נָשָׂא אֹתָם הָאָרֶץ לָשֶׁבֶת — Gen. 13:6
10433 אִם־תּוּכַל לִסְפֹּר אֹתָם — Gen. 15:5
10434 וַיְבַתֵּר אֹתָם בַּתָּוֶךְ — Gen. 15:10
10435 וַיַּשֵּׁב אֹתָם אַבְרָם — Gen. 15:11
10436 וְעִנּוּ אֹתָם אַרְבַּע מֵאוֹת שָׁנָה — Gen. 15:13

10437-10680 **אֹתָם** Gen. 19:5, 17; 25:26; 27:9; 30:14; 32:5; 35:4; 36:7; 40:3, 4, 6, 11, 17; 42:17, 22, 29; 48:10, 12; 49:28 • Ex. 1:7; 3:9; 5:5, 19; 6:5; 7:6; 8:10; 10:11; 18:25; 25:13, 18, 28; 26:37; 27:6; 28:41[3]; 29:1, 2, 3, 4, 9, 24, 25, 33[2], 46; 30:5, 12[2], 29, 30; 32:12, 19; 35:1, 29, 35; 37:4, 7, 15, 28; 38:6, 28; 39:43; 40:12, 14, 15 • Lev. 1:12; 2:12; 4:35; 5:8; 7:5, 34, 35, 36; 8:6, 10, 13, 27, 28; 10:1; 11:9; 14:12, 23, 24, 51; 15:15; 16:7, 21, 28; 18:5; 19:10, 37; 20:22, 27; 23:2, 20, 22, 37; 25:18, 42, 46; 26:36, 41, 45 • Num. 1:3; 3:16; 4:29; 7:1; 8:6, 13, 15[2], 16, 17, 21; 11:16, 24; 13:3, 17; 14:10, 31; 16:21, 30, 32; 17:3, 10; 20:25, 28; 26:10; 30:13, 15, 16; 31:6[2], 30, 47; 32:8 • Deut. 1:15; 4:14[2], 19; 5:1; 7:2, 12, 24; 9:4; 11:18, 19; 12:2[2], 29; 22:24; 29:8, 24; 31:4 • Josh. 5:7; 7:24, 25[2]; 8:4, 22; 23:5 • ISh. 5:6; 8:8; 12:9; 15:18; 17:40; 25:20 • IISh. 8:11; 17:18; 21:12; 23:16 • IK. 5:17; 8:4, 21, 48; 11:24 • IIK. 10:8; 11:4[3]; 13:4, 23; 16:3; 17:7, 15, 28, 33; 19:12; 21:3, 8; 24:20; 25:20[2], 21 • Jer. 5:3; 7:19; 13:21; 25:18; 27:4, 8, 22; 29:21; 32:23, 33; 34:16; 35:4; 41:6; 44:21 • Ezek. 5:4; 11:20; 16:37; 20:4, 13, 23; 28:26; 29:14; 33:7; 36:19, 37; 37:17, 21, 22, 23; 39:27, 28; 43:8; 44:19 • Hosh. 2:9 • Joel 4:7 • Zech. 8:8 • Mal. 3:3, 19 • Es. 8:11 • ICh. 8:8; 11:18; 18:11 • IICh. 2:15; 3:10; 5:5; 6:38; 19:10; 20:16; 28:23; 33:3

10681-10849 **אוֹתָם** Gen. 41:8; 49:28, 29; 50:21; Ex. 14:9; 29:3 • Lev. 10:2; 14:6; 15:10, 29; 17:5; 22:16; 23:43; 24:6; 25:55 • Num. 4:12, 19, 23, 49; 5:4; 6:20; 7:3, 5, 6, ; 13:26; 25:4, 17 • Deut. 3:6, 28

אוֹתָם (המשך)

9:28; 10:15; 12:29; 18:12, 14; 26:16; 27:4, 26; 31:7, 10 • Josh. 1:14; 2:10, 23; 4:3[3]; 5:7; 7:11; 8:6, 12; 9:20, 26; 10:19, 28; 11:12, 14; 14:1; 22:32; 24:8, 11, 12 • Jud. 2:3, 12, 14; 6:9; 7:4; 8:19, 20, 34; 9:24; 11:9; 15:8; 18:27; 19:15, 24[2]; 21:10, 12, 22 • ISh. 9:12 • IISh. 8:2; 12:31 • IIK. 3:10, 13; 6:19, 21; 10:6; 17:6, 26 • Is. 37:12; 41:16 • Jer. 5:7; 7:22, 23; 9:15; 11:4[2], 6, 7; 12:15; 14:12; 16:3[2], 7; 21:4; 23:15; 29:17; 31:8(7); 34:13, 20; 35:2; 49:37; 52:3, 26[2], 27 • Ezek. 3:9, 17; 4:9[2]; 5:3, 4, 16; 7:18; 8:18; 12:15[2]; 16:21, 33; 17:12; 20:11[2], 15, 19, 21[2], 22, 23, 26, 38; 28:24; 30:26; 32:31; 33:32; 34:2, 8, 10, 26; 37:19, 21, 23, 24, 26; 39:27; 43:11[2], 24; 44:12, 14 • Mic. 3:4 • Zech. 10:3 • Ps. 9:13; 106:26, 46 • Es. 9:22 • Ez. 4:4; 8:17 • Neh. 2:20; 6:4

אוֹתָם ג׳
10850 זָהָב טָהוֹר תַּעֲשֶׂה אֹתָם Ex. 25:29
10851 כְּרֻבִים מַעֲשֵׂה חֹשֵׁב תַּעֲשֶׂה אֹתָם Ex. 26:1
10852 עַשְׁתֵּי־עֶשְׂרֵה יְרִיעֹת תַּעֲשֶׂה אֹתָם Ex. 26:7
10853 מִשְׁבְּצוֹת זָהָב תַּעֲשֶׂה אֹתָם Ex. 28:11
10877-10854 אֹתָם Ex. 28:14, 26, 27; 36:8, 14

39:7 • Lev. 20:8; 22:31; 26:3 • Num. 10:2; 15:39 • Deut. 3:14; 27:2 • ISh. 31:12 • Jer. 23:2, 3 • Ezek. 13:20; 18:19; 34:4, 14, 23 • Zech. 2:4 • Neh. 1:9 • IICh. 8:2

וְאוֹתָם
10878 וְהֶעֱמִיד...אֵת הָאִישׁ...וְאֹתָם Lev. 14:11
10879 רָאִיתִי...מַרְאֵיהֶם וְאוֹתָם Ezek. 10:22
10880 ...דְּבָרֶיךָ וְאוֹתָם לֹא יַעֲשׂוּ Ezek. 33:31

אוֹתְהֶם
10881 צַדִּיקִם הֵמָּה יִשְׁפְּטוּ אוֹתְהֶם Ezek. 23:45

אֶתְהֶם
10882 וַיְבָרֶךְ אֶתְהֶם Gen. 31:55
10883 וְהִזְהַרְתָּה אֶתְהֶם אֶת־הַחֻקִּים Ex. 18:20
10884 וַיַּחֲרֵם אֶתְהֶם וְאֶת־עָרֵיהֶם Num. 21:3

אֶתְהֶם ג׳
10885 וְהִצַּלְתִּי אֶתְהֶם מִכָּל־... Ezek. 34:12
10886 אֲשֶׁר־יִקְרְאוּ אֶתְהֶם בְּשֵׁמוֹת ICh. 6:50

אוֹתָן
10887 וְנִכְלַמְתְּ...בְּנַחֲמֵךְ אֹתָן Ezek. 16:54

אוֹתָנָה
10888 אֲשֶׁר נָשָׂא לִבָּן אֹתָנָה בְּחָכְמָה Ex. 35:26
10889 עַד אֲשֶׁר הֲפִיצוֹתֶם אוֹתָנָה Ezek. 34:21

אֶתְהֶן
10890 אוֹצִיאָה־נָּא אֶתְהֶן אֲלֵיכֶם Gen. 19:8
10891 לֹא־תִבְנֶה אֶתְהֶן גָּזִית Ex. 20:22
10892 וְהִשְׁלִיכוּ אֶתְהֶן אֶל־מִחוּץ Lev. 14:40
10893 וַיִּקְרָא אֶתְהֶן חַוֹּת יָאִיר Num. 32:41
10894 אֶתְהֶן וְאֶת־מִגְרְשֵׁיהֶן Num. 35:7
10895 אֲשֶׁר־יִקְרָא אֶתְהֶן בְּשֵׁם Josh. 21:9
10896 הָשִׁיבָה אֶתְהֶן בְּשָׁלוֹם Jud. 11:13
10897 וַהֲשִׁבֹתִי אֶתְהֶן עַל־נְוֵהֶן Jer. 23:3
10898 וָאָסִיר אֶתְהֶן כַּאֲשֶׁר רָאִיתִי Ezek. 16:50
10899 וְנָתַתִּי אֶתְהֶן לָךְ לְבָנוֹת Ezek. 16:61
10900 וְנָתֹן אֶתְהֶן לְזַעֲוָה וְלָבַז Ezek. 23:46
10901 וְרָעָה אֶתְהֶן Ezek. 34:23

אוֹתְהֶן
10902 וּבָרֵא אוֹתְהֶן בְּחַרְבוֹתָם Ezek. 23:47

וְאֶתְהֶן
10903 בָּאֵשׁ יִשְׂרְפוּ אֹתוֹ וְאֶתְהֶן Lev. 20:14

אֵת2

מ״י נסמך: אֶת־, בכנויים: אִתִּי, אִתְּךָ, אִתָּךְ...; והרבה גם: אוֹתִי, אוֹתְךָ... (489-486, 580-567 ועוד)

א) עִם: רוב המקראות [להוציא:

ב) אצל: 39—42

ג) [אֶת־פְּנֵי] אל פני, לפני: 43—74

ד) [מֵאֵת] מן: 298—421, 473—485, 561—566, 588, 589, 755—764, 865—867, 907—917

אֵת
1 אֵת כְּדָרְלָעֹמֶר מֶלֶךְ עֵילָם Gen. 14:9
2 יִצְחָק מְצַחֵק אֵת רִבְקָה אִשְׁתּוֹ Gen. 26:8
3 וְאֵלֶּה שְׁמוֹת ב״י הַבָּאִים...אֵת יַעֲקֹב Ex. 1:1
4 ...צְרוּרָה בִּצְרוֹר הַחַיִּים אֵת יְיָ ISh. 25:29
5 אֲשֶׁר דִּבֶּר בְּפִיו אֵת דָּוִד אָבִי IK. 8:15

אֵת (המשך)
6 זְכֹר אֲנִי וָאַתָּה אֵת רֹכְבִים צְמָדִים IIK. 9:25
7 אַיֵּה הַמַּעֲלֵם מִיָּם אֵת רֹעֵה צֹאנוֹ Is. 63:11
8 כָּלָה אַתָּה עֹשֶׂה אֵת שְׁאֵרִית יִשׂ׳ Ezek. 11:13
9 כִּי־כָלָה...יַעֲשֶׂה אֵת כָּל־יֹשְׁבֵי... Zep. 1:18
10 וָאָרִיבָה אֵת חֹרֵי יְהוּדָה Neh. 13:17
11 אֲשֶׁר דִּבֶּר בְּפִיו אֵת דָּוִיד אָבִי IICh. 6:4

וְאֵת
12 וְאֵת כָּל־נֶפֶשׁ הַחַיָּה Gen. 9:10
13 וְאֵת כֹּל וְנֹכָחַת Gen. 20:16
14 וְאֵת אֲשֶׁר אֵינֶנּוּ פֹּה עִמָּנוּ Deut. 29:14

אֶת־
15 קָנִיתִי אִישׁ אֶת־יְיָ Gen. 4:1
16/7 וַיִּתְהַלֵּךְ חֲנוֹךְ אֶת־הָאֱלֹהִים Gen. 5:22, 24
18 אֶת־הָאֱלֹהִים הִתְהַלֶּךְ־נֹחַ Gen. 6:9
19 וְהִנְנִי מַשְׁחִיתָם אֶת־הָאָרֶץ Gen. 6:13
20 וְגַם־לְלוֹט הַהֹלֵךְ אֶת־אַבְרָם Gen. 13:5
21 עָשׂוּ מִלְחָמָה אֶת־בֶּרַע מֶלֶךְ סְדֹם Gen. 14:2
22 אַרְבָּעָה מְלָכִים אֶת־הַחֲמִשָּׁה Gen. 14:9
23 כָּרַת יְיָ אֶת־אַבְרָם בְּרִית Gen. 15:18
24 וְאֶת־בְּרִיתִי אָקִים אֶת־יִצְחָק Gen. 17:21
25 וַיְהִי אֱלֹהִים אֶת־הַנַּעַר Gen. 21:20
26 אִם־יֵשׁ אֶת־נַפְשְׁכֶם לִקְבֹּר... Gen. 23:8
27 אִם־יֶשְׁכֶם עֹשִׂים חֶסֶד...אֶת־אֲדֹנִי Gen. 24:49
28 הָאֱמֶת אֲשֶׁר עָשִׂיתָ אֶת־עַבְדֶּךָ Gen. 32:10
29 וּבָנָיו הָיוּ אֶת־מִקְנֵהוּ בַּשָּׂדֶה Gen. 34:5
30 הָיָה רֹעֶה אֶת־אֶחָיו בַּצֹּאן Gen. 37:2
31 וְהוּא נַעַר אֶת־בְּנֵי בִלְהָה Gen. 37:2
32/3 וַיְהִי יְיָ אֶת־יוֹסֵף Gen. 39:2, 21
34 וַיְדַבֵּר שַׂר הַמַּשְׁקִים אֶת־פַּרְעֹה Gen. 41:9
35 לֹא־שָׁלַח יַעֲקֹב אֶת־אֶחָיו Gen. 42:4
36 וְהִנֵּה הַקָּטֹן אֶת־אָבִינוּ הַיּוֹם Gen. 42:13
37 בְּרִיתוֹ אֶת־אַבְרָהָם אֶת־יִצְחָק Ex. 2:24
38 כִּי אֶת־אֲשֶׁר יֶשְׁנוֹ פֹּה עִמָּנוּ Deut. 29:14
39 מִן־הַפְּסִילִים אֲשֶׁר אֶת־הַגִּלְגָּל Jud. 3:19
40 אֵלוֹן בְּצַעֲנַנִּים אֲשֶׁר אֶת־קֶדֶשׁ Jud. 4:11
41 בְּעֶצְיוֹן־גֶּבֶר אֲשֶׁר אֶת־אֵלוֹת IK. 9:26
42 בְּמַעֲלֵה־גוּר אֲשֶׁר אֶת־יִבְלְעָם IIK. 9:27

אֶת־פְּנֵי
43 כִּי־גָדְלָה צַעֲקָתָם אֶת־פְּנֵי יְיָ Gen. 19:13
44 אֲשֶׁר־עָמַד שָׁם אֶת־פְּנֵי יְיָ Gen. 19:27
45 וַיִּחַן אֶת־פְּנֵי הָעִיר Gen. 33:18
46 יֵרָאֶה כָּל־זְכוּרְךָ אֶת־פְּנֵי...יְיָ Ex. 34:23
47 בַּעֲלֹתְךָ לֵרָאוֹת אֶת־פְּנֵי יְיָ Ex. 34:24
71-48 אֶת־פְּנֵי Ex. 32:11

Lev. 4:6, 17 • Deut. 16:16[2]; 31:11 • ISh. 1:22; 2:11, 17, 18; 22:4 • IISh. 21:1 • IK. 10:24; 12:6; 13:6 • IIK. 13:4 • Jer. 26:19 • Zech. 7:2; 8:21, 22 • Prov. 17:24 • Es. 1:10 • Dan. 9:13 • IICh. 33:12

72 שֹׂבַע שְׂמָחוֹת אֶת־פָּנֶיךָ Ps. 16:11
73 תְּחַדֵּהוּ בְשִׂמְחָה אֶת־פָּנֶיךָ Ps. 21:7
74 יֵשְׁבוּ יְשָׁרִים אֶת־פָּנֶיךָ Ps. 140:14

אֶת־
260-75 אֶת־ Gen. 42:32; 43:32 • Ex. 2:21

Num. 3:1; 20:13; 25:14 • Deut. 5:3; 5:24(21); 11:2; 15:3; 19:5; 28:69; 29:14, 18; 31:7 • Josh. 6:27; 10:1, 4; 11:18, 20; 15:63; 17:14; 22:21 • Jud. 1:16[2], 17, 19; 1:21; 8:7; 12:4; 17:11 • ISh. 2:13, 19; 13:22; 15:4 • IISh. 7:7, 12; 10:19; 11:9, 17; 15:12; 16:17[2], 21; 17:8[2]; 19:27, 35, 37; 20:15; 21:15[2] • IK. 3:1; 12:6, 8; 15:19; 21:8; 22:31[2] • IIK. 2:16; 6:3; 8:28, 29; 9:15; 10:6, 15; 11:8; 12:16; 13:23; 15:25; 17:15; 18:23[2] • Is. 28:15, 18[2]; 36:8; 40:14; 45:9[2]; 49:4[2]; 53:9; 66:10, 14, 16 • Jer. 7:22; 9:7; 11:10; 12:5[2]; 21:4; 23:28; 26:24; 31:31, 32(31), 33(32); 32:5; 33:5, 21; 34:3, 8, 13; 41:3, 10, 13; 43:6; 50:39; 51:59; 52:14 • Ezek. 20:3, 36; 21:17; 22:11; 24:27; 26:20[2]; 31:16, 18[2]; 32:18, 19, 21, 24, 25, 27, 28, 29, 30[3], 32; 33:30[2]; 38:29;

אֶת־ (המשך)

38:29; 39:14; 43:8 • Hosh. 7:5; 12:4 • Mic. 5:14; 6:1 • Zep. 1:3 • Zech. 7:9; 8:15, 16; 10:9; 11:10 • Mal. 2:4 • Ps. 12:3; 35:1[2]; 78:8; 84:4; 105:9; 127:5; 141:4; 143:2 • Prov. 8:31; 13:20; 16:19[2]; 22:24; 23:1; 25:9; 29:9 • Ruth 2:11, 20, 23; 3:2 • Neh. 5:7; 13:11, 17 • ICh. 16:16; 17:6; 20:5; 21:6 • IICh. 6:18; 10:6, 8; 16:3; 18:30[3]; 22:5, 6; 23:7

וְאֶת־
261 בְּרִיתִי אִתְּכֶם וְאֶת־זַרְעֲכֶם Gen. 9:9
262 אֶת־בֶּרַע...וְאֶת־בִּרְשַׁע Gen. 14:2
263 אֶת־בְּנֵי בִלְהָה וְאֶת־בְּנֵי זִלְפָּה Gen. 37:2
264 בְּרִיתוֹ אֶת־אַבְרָהָם...וְאֶת־יַעֲקֹב Ex. 2:24
265 כָּרַתִּי אִתְּךָ בְּרִית וְאֶת־יִשְׂרָאֵל Ex. 34:27
266 וְקַלְעֵי הֶחָצֵר וְאֶת־מָסַךְ פֶּתַח... Num. 3:26
267 וְאֶת־יֹשְׁבֵי דֹאר וּבְנוֹתֶיהָ Josh. 17:11
268 אִתְּכֶם וְאֶת־אֲבֹתֵיכֶם ISh. 12:7
269 וּבָא הָאֲרִי וְאֶת־הַדּוֹב ISh. 17:34
282-270 (אֶת־) ...וְאֶת־ Josh. 10:4

Jud. 8:7 • ISh. 13:22 • IK. 22:31 • IIK. 15:25 • Is. 53:9 • Jer. 21:4; 31:31; 33:21 • Ezek. 38:29 • Zech. 8:15 • Ruth 2:20 • Neh. 5:7

297-283 וְאֶת־ IISh. 15:11 • IK. 11:25

Is. 41:4; 49:25 • Is. 53:8, 12[2]; 57:15 • Jer. 2:9 • Prov. 3:32; 11:2; 13:10; 22:24 • Job 12:3 • IICh. 24:24

מֵאֵת
298 וּמִקְנַת־כֶּסֶף מֵאֵת בֶּן־נֵכָר Gen. 17:27
299 גָּפְרִית וָאֵשׁ מֵאֵת יְיָ Gen. 19:24
300 וַיָּקָם הַשָּׂדֶה...מֵאֵת בְּנֵי־חֵת Gen. 23:20
301 אֲשֶׁר־קָנָה אַבְרָהָם מֵאֵת בְּנֵי־חֵת Gen. 25:10
302 אַךְ...יָצֹא יָצָא יַעֲקֹב מֵאֵת פְּנֵי יִצְחָק Gen. 27:30
303 וַיֵּרֶד יְהוּדָה מֵאֵת אֶחָיו Gen. 38:1
304 וַיִּשָּׂא מַשְׂאֹת מֵאֵת פָּנָיו Gen. 43:34
305 כִּי חֹק לַכֹּהֲנִים מֵאֵת פַּרְעֹה Gen. 47:22
306 קָנָה אַבְ׳ אֶת־הַשָּׂדֶה מֵאֵת עֶפְרֹן Gen. 49:30
307 מֵאֵת יְיָ הָיְתָה לְחַזֵּק אֶת־לִבָּם Josh. 11:20
311-308 הַדָּבָר אֲשֶׁר־הָיָה אֶל־יִרְמְיָהוּ מֵאֵת יְיָ לֵאמֹר Jer. 7:1; 11:1; 18:1; 30:1
312 מֵאֵת יְיָ הָיְתָה זֹּאת Ps. 118:23
413-313 מֵאֵת Gen. 49:32; 50:13 • Ex. 5:20

10:11; 11:2[2]; 25:2; 27:21; 29:28[2]; 30:16 • Lev. 7:34[2], 36; 10:4; 24:8; 25:15, 44 • Num. 3:9, 49, 50; 7:84; 8:11; 11:31; 16:35; 17:17; 18:26, 28; 31:2, 28, 52, 54; 35:8 • Deut. 2:8; 18:3[2] • Josh. 15:18; 21:16, 34; 22:9; 24:32 • Jud. 1:14 • ISh. 2:23; 7:14; 16:14 • IISh. 15:3; 21:12 • IK. 1:27; 5:14; 6:33; 11:23; 20:34 • IIK. 4:3, 28; 5:15; 6:33; 8:14; 12:6, 8, 9; 16:14; 20:9; 22:4; 25:30 • Is. 21:10; 25:22; 38:7 • Jer. 2:37; 16:5; 21:1; 23:15, 30; 26:1; 27:1; 32:1, 9; 34:1, 8, 12; 35:1; 36:1; 37:17; 40:1; 41:16; 49:14; 52:34 • Ezek. 33:30 • Ob. 1 • Mic. 1:12; 5:6 • Hab. 2:13 • Zech. 7:12; 14:17 • Ps. 24:5; 27:4; 109:20 • Job 2:7, 10 • Es. 7:7 • Ez. 9:8 • Neh. 6:16

מֵאֶת
414 וַיִּקֶן אֶת־הָהָר...מֵאֶת שֶׁמֶר IK. 16:24

וּמֵאֵת
415 וּמֵאֵת עֲדַת בְּנֵי יִשְׂרָאֵל יִקַּח Lev. 16:5
416 וּמֵאֵת שָׂרֵי הַמֵּאוֹת Num. 31:52
417 וּמֵאֵת הַמְעַט תַּמְעִיטוּ Num. 35:8
418 מֵאֵת בְּנֵי־רְאוּבֵן וּמֵאֵת בְּנֵי־גָד Josh. 22:32
419/20 וּמֵאֵת טוֹבִיָּה וּמֵאֵת יְדַעְיָה Zech. 6:10
421 מִיַּד נָעֳמִי וּמֵאֵת רוּת הַמּוֹאֲבִיָּה Ruth 4:5

אִתִּי
422 הָאֲנָשִׁים אֲשֶׁר הָלְכוּ אִתִּי Gen. 14:24
423 וְאֵת אֲשֶׁר־הָיָה מִקְנְךָ אִתִּי Gen. 30:29
424 אֲשֶׁר־אֵינֶנּוּ נָקֹד...גָּנוּב הוּא אִתִּי Gen. 30:33

אתי (המשך)

425 אציגה־נא מן־העם אשר אתי Gen. 33:15
426 אדני לא־ידע אתי מה־בבית Gen. 39:8
427 אחיכם האחד הניחו אתי Gen. 42:33
428 שלחה הנער אתי...ונלכה Gen. 43:8
429 כי אתי יאכלו האנשים Gen. 43:16
430 והנער איננו אתי Gen. 44:34
431 לא תעשון אתי אלהי כסף Ex. 20:20
432 הנה מקום אתי Ex. 33:21
433-472 אתי Num. 23:13 • Josh. 8:5
Jud. 1:3; 7:18; 11:27; 16:15; 17:2 • ISh. 16:5; 17:9; 22:23; 24:19(18); 26:6; 28:1; 29:3, 6 • IISh. 3:12; 15:33; 19:34, 39 • IK. 13:7, 15; 22:4 • IIK. 3:7; 9:32; 10:16; 18:31 • Is. 36:16; 50:8; 63:3 • Jer. 40:4² • Mal. 2:6 • Ps. 34:4; 38:11; 109:2, 21 • Prov. 8:18 • Job 19:4 • S.ofS. 4:8²

מאתי

473 ויצא האחד מאתי ואמר Gen. 44:28
474 כי מאתי נהיה הדבר הזה IK. 12:24
475 הנך הולך מאתי והכך האריה IK. 20:36
476 אי־זה עבר רוח־יי מאתי IK. 22:24
477 רקע הארץ מאתי (כת׳ מי אתי) Is. 44:24
478 כי תורה מאתי תצא Is. 51:4
479 זאת נחלת... וצדקתם מאתי Is. 54:17
480 כי מאתי גלית ותעלי Is. 57:8
481 זה גורלך מנת־מדיך מאתי Jer. 13:25
482 מאתי יבאו שדדים לה Jer. 51:53
483 לא־הסיר תפלתי וחסדו מאתי Ps. 66:20
484 כי־מאתי נהיה הדבר הזה IICh. 11:4
485 אי זה הדרך עבר רוח־יי מאתי IICh. 18:23

אותי

486 אולי יי אותי והורשתים Josh. 14:12
487 ויי אותי כגבור עריץ Jer. 20:11
488 וידבר אתי ויאמר אלי Ezek. 3:24

מאותי

489 הן גור יגור אפס מאותי Is. 54:15

אתך

490 כל־החיה אשר־אתך Gen. 8:17
491 אל־תירא כי־אתך אנכי Gen. 26:24
492 אם־זכרתני אתך כאשר ייטב לך Gen. 40:14
493 וכי־יגור אתך גר Ex. 12:48
494 וקח אתך מזקני ישראל Ex. 17:5
495 ודברתי אתך מעל הכפרת Ex. 25:22
496 כרתי אתך ברית Ex. 34:27
497-519 אתך Lev. 10:15; 19:13, 33 • Num. 11:17
18:7, 11, 19 • Deut. 10:21; 28:8 • Jud. 1:3 • ISh. 9:3 • IISh. 3:13, 21; 19:8 • IK. 13:16, 18 • Is. 43:2, 5 • Jer. 1:8, 19; 15:20; 30:11; 46:28

אתך ז׳

520 והקמתי את־בריתי אתך Gen. 6:18
521 ובאת...אתה...ונשי־בניך אתך Gen. 6:18
522 תביא אל־התבה להחית אתך Gen. 6:19
523 אתה...ובניך ונשי־בניך אתך Gen. 8:16
524 כל־החיה... היצא אתך Gen. 8:17
525 אני הנה בריתי אתך Gen. 17:4
526 יי...ישלח מלאכו אתך Gen. 24:40
527 ויתן־לך...לך ולזרעך אתך Gen. 28:4
528 והקל מעליך ונשאו אתך Ex. 18:22
529 אל־תשת אתה ובניך אתך Lev. 10:9
530-560 אתך Lev. 10:14 • Num. 16:10; 18:1²
18:2², 19 • Jud. 7:2, 4²; 9:32 • ISh. 21:2; 29:10 • IISh. 16:21 • IK. 6:12; 13:16²; 19:9 • Is. 37:9 • Jer. 12:3; 38:25 • Ezek. 38:6, 15; 39:4 • Prov. 2:1; 3:28, 29; 5:17; 7:1; 23:11 • Job 14:5

מאתך

561 דבר אחד אנכי שאל מאתך IISh. 3:13
562 מאתך תהלתי בקהל רב Ps. 22:26

מאתך ז׳

563 שאלה...קטנה אנכי שאלת מאתך IK. 2:20
564 אני אלך מאתך ורוח יי ישאך IK. 18:12
565 אם־תראה אתי לקח מאתך IIK. 2:10
566 שתים שאלתי מאתך Prov. 30:7

אותך

567 אך אתך לא־אעשה כלה Jer. 30:11
568 ובדברי אותך אפתח את־פיך Ezek. 3:27

אותך ז׳

569 עבר רוח־יי...לדבר אותך IK. 22:24
570 אך משפטים אדבר אותך Jer. 12:1
571 לעיני האנשים ההלכים אותך Jer. 19:10
572 ואדבר אתך Ezek. 2:1
573 כי סרבים וסלונים אותך Ezek. 2:6
574 ושם אדבר אותך Ezek. 3:22
575 אתה...ועמים רבים אותך Ezek. 38:9
576 את כל־אשר אני מדבר אתך Ezek. 44:5
577 עבר רוח־יי...לדבר אתך IICh. 18:23

ואותך

578 ואתך לא־אעשה כלה Jer. 46:28

מאותך

579 כי־קנו אקנה מאותך במחיר IISh. 24:24

מאותך ז׳

580 כחיל הנפל מאותך IK. 20:25

אתך נ׳

581 כסות עינים לכל אשר אתך Gen. 20:16
582 וכל אשר יהיה אתך בבית Josh. 2:19
583 היד יואב אתך בכל־זאת IISh. 14:19
584 מי־גר אתך עליך יפול Is. 54:15
585 וכל־לשון תקום־אתך למשפט Is. 54:17
586 והקימתי אני את־בריתי אתך Ezek. 16:62
587 כי־אתך נשוב לעמך Ruth 1:10

מאתך נ׳

588 שאלה אחת אנכי שאל מאתך IK. 2:16
589 וחסדי מאתך לא־ימוש Is. 54:10

אותך נ׳

590 הנני נשפט אותך על־אמרך Jer. 2:35
591 ואבוא בברית אתך Ezek. 16:8
592 ועשיתי אותך כאשר עשית Ezek. 16:59
593 וזכרתי אני את־בריתי אותך Ezek. 16:60
594 לימים אשר אני עשה אותך Ezek. 22:14
595 ועשו אותך בחמה Ezek. 23:25
596 ועשו אותך בשנאה Ezek. 23:29

אתו

597/8 ובניו ואשתו ונשי בניו אתו Gen. 7:7; 8:18
599 וישאר אך־נח ואשר אתו בתבה Gen. 7:23
600 כל־הבהמה אשר אתו בתבה Gen. 8:1
601 אל־נח ואל־בניו אתו Gen. 9:8
602 וילך אתו לוט Gen. 12:4
603 כדרלעמר והמלכים אשר אתו Gen. 14:5
604 ואת־המלכים אשר אתו Gen. 14:17
605 וידבר אתו אלהים לאמר Gen. 17:3
606 והקמתי את־בריתי אתו Gen. 17:19
607 ויכל לדבר אתו Gen. 17:22
608-749 אתו Gen. 17:23, 27; 22:3; 24:32; 32:8
34:6; 35:13, 14, 15; 39:3, 6, 23; 40:7; 43:32; 44:9, 10; 45:1, 15; 46:6, 7²; 50:7, 14 • Ex. 28:1, 41; 29:21²; 31:6, 18; 34:29, 32, 34, 35; 35:23, 24 • Lev. 5:23; 8:2, 30² • Num. 7:89; 22:40; 23:17; 27:21 • Deut. 31:16 • Josh. 8:11; 10:24; 22:30 • Jud. 1:3; 4:13; 7:1, 19; 8:1, 4; 9:33, 35, 48; 14:11; 19:4 • ISh. 6:15; 14:17, 20; 22:6; 30:4, 9, 21 • IISh. 1:11; 3:20, 23, 27, 31; 6:2; 13:27; 15:14, 22, 24, 30; 16:14, 15; 17:2, 10, 12, 16, 22, 29; 18:1; 19:18; 24:2 • IK. 1:41, 44; 8:5; 9:25; 11:17; 12:8, 10; 13:19; 20:1 • IIK. 6:32; 15:19; 23:2; 25:6, 25², 28² • Is. 40:10; 62:11 • Jer. 23:28²; 26:22; 39:5; 40:5, 6; 40:7; 41:1, 2, 3, 7, 11, 13, 16; 42:8; 52:9, 32² • Ezek. 17:13, 16, 20; 30:11; 31:17; 38:22²; 47:23 • Mal. 2:5 • Prov. 16:7 • Job 2:13 • Es. 2:20; 3:1 • ICh. 29:8 • IICh. 10:8, 10², 29

ואתו

750 ואתו אהליאב בן־אחיסמך Ex. 38:23
751 ואתו שלשת־אלפים איש ISh. 26:2
752 ויבא אבנר...ואתו עשרים אנשים IISh. 3:20
753 לו אהיה ואתו אשב IISh. 16:18
754 ואת־חשביה ואתו ישעיה Ez. 8:19

מאתו

755 וישלח את־היונה מאתו Gen. 8:8
756 וילכו מאתו בשלום Gen. 26:31
757 אל־תקח מאתו נשך ותרבית Lev. 25:36
758 ישוב השדה לאשר קנהו מאתו Lev. 27:24
759 ותלך מאתו אל־בית אביה Jud. 19:2
760 אל־העם השאלים מאתו מלך ISh. 8:10
761 ותלך מאתו ותסגר הדלת IIK. 4:5
762 וילך מאתו כברת ארץ IIK. 5:19
763 ולקחתי מאתו מאומה IIK. 5:20
764 ישלח איש את־אשתו והלכה מאתו Jer. 3:1

אותו

765 למועד אשר־דבר אתו אל׳ Gen. 21:2
766 רד אותו...וירד אותו אל־המלך IIK. 1:15
767 יש אותו דבר־יי IIK. 3:12
768 ויקח אותו שבע־מאות איש IIK. 3:26
769 אשר אמרתי להיטיב אותו Jer. 18:10
770 ...יעשה אותו פרעה במלחמה Ezek. 17:17

מאותו

771 האין פה נביא...ונדרשה מאותו IK. 22:7
772 איש־אחד לדרש את־יי מאותו IK. 22:8
773 האין פה נביא... ונדרשה
את־יי מאותו IIK. 3:11
774 ודרשת את־יי מאותו לאמר IIK. 8:8
775 האין פה נביא...ונדרשה מאתו IICh. 18:6
776 איש־אחד לדרוש את־יי מאתו IICh. 18:7

אתה

777 בגדי עשו...אשר אתה בבית Gen. 27:15
778 היא וכל־אשר אתה בבית Josh. 6:17
779 וילך אתה אישה הלוך ובכה IISh. 3:16
780 ויהי אתה בית יי מתחבא IIK. 11:3
781 שישו אתה משוש כל־המתאבלים Is. 66:10
782 מתאמצת היא ללכת אתה Ruth 1:18

אתנו

783 תשב הנער אתנו ימים או עשור Gen. 24:55
784 האנשים האלה שלמים הם אתנו Gen. 34:21
785 יאתו לנו האנשים לשבת אתנו Gen. 34:22
786 אך נאותה להם וישבו אתנו Gen. 34:23
787 ושם אתנו נער עברי Gen. 41:12
788 דבר האיש... אתנו קשות Gen. 42:30
789 אם־ישך משלח את־אחינו אתנו Gen. 43:4
790-809 אתנו Gen. 44:26², 30
Num. 10:29; 14:9 • Deut. 5:3 • ISh. 9:7 • IISh. 13:26; 15:19; 21:17 • IK. 3:18 • IIK. 6:16 • Is. 59:12 • Jer. 8:8; 14:21 • Zech. 1:6 • Ps. 12:5; 67:2; 74:9 • Prov. 1:11

ואתנו

810 ואתנו תשבו Gen. 34:10
811 ואתנו אחזת נחלתנו Num. 32:32

אותנו

812 והתחתנו אתנו Gen. 34:9
813 יעשה יי אותנו ככל־נפלאתיו Jer. 21:2

אתכם

814 הנני מקים את־בריתי אתכם Gen. 9:9
815 כל־נפש החיה אשר אתכם Gen. 9:10
816 בעוף...ובכל־חית הארץ אתכם Gen. 9:10
817 והקמתי את־בריתי אתכם Gen. 9:11
818 כל־נפש חיה אשר אתכם Gen. 9:12
819 וישבנו אתכם והיינו לעם אחד Gen. 34:16
820 ויבחנו דבריכם האמת אתכם Gen. 42:16
821-861 אתכם Gen. 43:3, 5; 44:23
Ex. 13:19 • Lev. 19:34; 26:9 • Num. 1:5; 9:14; 15:14, 16; 32:29, 30 • Deut. 1:30; 12:12; 29:13 • Josh. 23:7, 12; 24:8 • Jud. 2:1 • ISh. 12:2, 7²; 22:3; 23:23 • IISh. 2:6; 15:27 • IIK. 17:38 • Jer. 2:9; 5:18; 21:5; 29:16; 37:10; 42:11 • Ezek. 20:35; 20:36, 44; 47:22 • Am. 5:14 • Hag. 1:13; 2:4, 5

ואתכם

862 ואתכם יהיו איש איש למטה Num. 1:4
863 ואתכם בני אדניכם IIK. 10:2

864 וְאִתְּכֶם הָרֶכֶב וְהַסּוּסִים IIK. 10:2
מֵאִתְּכֶם 865 שְׂנֵאתֶם אֹתִי וַתְּשַׁלְּחוּנִי מֵאִתְּכֶם Gen. 26:27
866 קְחוּ מֵאִתְּכֶם תְּרוּמָה לַיי Ex. 35:5
867 הֵחָלְצוּ מֵאִתְּכֶם אֲנָשִׁים לַצָּבָא Num. 31:3
אֶתְכֶם 868 אֵין הַמֶּלֶךְ יוּכַל אֶתְכֶם דָּבָר Jer. 38:5
869 וָאִירָא מֵחַוֹּת דֵּעִי אֶתְכֶם Job 32:6
אִתָּם 870 וּשְׁלֹשֶׁת נְשֵׁי־בָנָיו אִתָּם Gen. 7:13
871 וַיֵּצְאוּ אִתָּם מֵאוּר כַּשְׂדִּים Gen. 11:31
872 וַיַּעַרְכוּ אִתָּם מִלְחָמָה Gen. 14:8
873 וַיְדַבֵּר אִתָּם לֵאמֹר Gen. 23:8
874 וַיְדַבֵּר חֲמוֹר אִתָּם לֵאמֹר Gen. 34:8
875 וַיִּפְקֹד... אֶת־יוֹסֵף אִתָּם Gen. 40:4
876 וַיְדַבֵּר אִתָּם קָשׁוֹת Gen. 42:7
877 וַיַּרְא יוֹסֵף אִתָּם אֶת־בִּנְיָמִין Gen. 43:16
878 וְגַם הֲקִמֹתִי אֶת־בְּרִיתִי אִתָּם Ex. 6:4
879 וְגַם־עֵרֶב רַב עָלָה אִתָּם Ex. 12:38
880 וַיְכַל מֹשֶׁה מְדַבֵּר אִתָּם Ex. 34:33
881-906 אִתָּם Lev. 16:16; 26:39,44
Num. 22:20; 32:19 • Deut. 28:69 • Josh. 22:15 •
Jud. 20:20 • ISh. 25:15 • IISh. 12:17 • IK. 20:23 •
IIK. 6:4; 17:35; 22:7 • Is. 14:20; 30:8; 60:9; 65:23 •
Jer. 27:18 • Ezek. 30:5; 34:30; 38:5 • Prov. 1:15;
24:1 • Dan. 1:19 • IICh. 22:12
מֵאִתָּם 907 וַיִּקַּח מֵאִתָּם אֶת־שִׁמְעוֹן Gen. 42:24
908 הַתְּרוּמָה אֲשֶׁר תִּקְחוּ מֵאִתָּם Ex. 25:3
909 קַח מֵאִתָּם וְהָיוּ לַעֲבֹד Num. 7:5
910 וְקַח מֵאִתָּם מַטֶּה מַטֶּה לְבֵית אָב Num.17:17
911 נָתַתִּי לָכֶם מֵאִתָּם בְּנַחֲלַתְכֶם Num. 18:26
912 וַיִּקַּח מֹשֶׁה...אֶת־הַזָּהָב מֵאִתָּם Num. 31:51
913 אֹכֶל תִּשְׁבְּרוּ מֵאִתָּם בַּכֶּסֶף Deut. 2:6
914 וְגַם־מַיִם תִּכְרוּ מֵאִתָּם בַּכֶּסֶף Deut. 2:6
915 קִרְיָה אֲשֶׁר לֹא־לָקַחְנוּ מֵאִתָּם Deut. 3:4
916 וְאֶעֶזְבָה אֶת־עַמִּי וְאֵלְכָה מֵאִתָּם Jer. 9:1
917 וַיִּקַּח... אֶת־חַוֹּת יָאִיר מֵאִתָּם ICh. 2:23
אוֹתָם 918 וַיְדַבֵּר מֹשֶׁה וְאֶלְעָזָר...אֹתָם Num. 26:3
919 אֲשֶׁר אַתֶּם נִלְחָמִים אוֹתָם Josh. 10:25
920 וְנִלָּחֲמָה אוֹתָם בַּמִּישׁוֹר IK. 20:25
921 כִּי רַבִּים אֲשֶׁר אִתָּנוּ מֵאֲשֶׁר אוֹתָם IIK. 6:16
922 וַאֲנִי זֹאת בְּרִיתִי אוֹתָם Is. 59:21
923 וְדִבַּרְתִּי מִשְׁפָּטַי אוֹתָם Jer. 1:16
924 גַּם־אֲנִי אֲדַבֵּר מִשְׁפָּטִים אוֹתָם Jer. 4:12
925 אֵלְכָה־לִּי... וַאֲדַבְּרָה אוֹתָם Jer. 5:5
926 וְגַם־הֵיטֵיב אֵין אוֹתָם Jer. 10:5
927 לֹא־תָבוֹא לָשֶׁבֶת אוֹתָם Jer. 16:8
928 וְכָרַתִּי...בְּרִית...לְהֵיטִיבִי אוֹתָם Jer. 32:40
929 וְשַׂשְׂתִּי עֲלֵיהֶם לְהֵטִיב אוֹתָם Jer. 32:41
930 הַטּוֹבָה אֲשֶׁר אָנֹכִי עֹשֶׂה אוֹתָם Jer. 33:9
931 וְדִבַּרְתָּ אוֹתָם Jer. 35:2
932 מִדַּרְכָּם אֶעֱשֶׂה אוֹתָם Ezek. 7:27
933 וּבְרוֹמָם יֵרוֹמּוּ אוֹתָם Ezek. 10:17
934 דַּבֵּר־אוֹתָם וְאָמַרְתָּ אֲלֵיהֶם Ezek. 14:4
935 וְלֹא־עָשִׂיתִי אוֹתָם כָּלָה Ezek. 20:17
936 כָּל־בְּנֵי אַשּׁוּר אוֹתָם Ezek. 23:23
937 בְּרִית עוֹלָם יִהְיֶה אוֹתָם Ezek. 37:26
938 וּכְפִשְׁעֵיהֶם עָשִׂיתִי אֹתָם Ezek. 39:24

אֵת3

ז׳ כלי לעבודת האדמה, כעין מעדר : 1–5

אֵתוֹ 1 אֶת־מַחֲרַשְׁתּוֹ וְאֶת־אֵתוֹ וְאֶת־קַרְדֻּמּוֹ ISh. 13:20
לְאִתִּים 2 וְכִתְּתוּ חַרְבוֹתָם לְאִתִּים Is. 2:4
3 וְכִתְּתוּ חַרְבֹתֵיהֶם לְאִתִּים Mic. 4:3
אִתֵּיכֶם 4 כֹּתּוּ אִתֵּיכֶם לַחֲרָבוֹת Joel 4:10
וְלָאֵתִים 5 לַמַּחֲרֵשׁוֹת וְלָאֵתִים וְלִשְׁלֹשׁ קִלְּשׁוֹן ISh. 13:21

אתא

עַיֵּן אתה

אֶתְבַּעַל

שפ״ז – מלך צור וצידון, אבי איזבל

אֶתְבַּעַל 1 אִיזֶבֶל בַּת־אֶתְבַּעַל מֶלֶךְ צִידֹנִים IK. 16:31

אתה

: אָתָה, הֵתָה (= הֶאֱתָה); אֵיתוֹן;
ש״פ אֱלִיאָתָה, אֱלִיָּתָה; ארמית: אֲתָה, הַיְתִי

אָתָה

פָּ׳ א) בא: 1–3, 7–19
ב) [אוֹתִיּוֹת] בָּאוֹת, עתידות: 4–6
ג) [הִפ׳ הֵתָה = הֶאֱתָה] הביא: 20,21

אָתָה 1 אָתָה בֹקֶר וְגַם־לָיְלָה Is. 21:12
וְאָתָה 2 וְאָתָה מֵרִבְבֹת קֹדֶשׁ Deut. 33:2
אָתָנוּ 3 הִנְנוּ אָתָנוּ לָךְ Jer. 3:22
וְאוֹתִיּוֹת 4 וְאֹתִיּוֹת וַאֲשֶׁר תָּבֹאנָה יַגִּידוּ לָמוֹ Is. 44:7
הָאוֹתִיּוֹת 5 הַגִּידוּ הָאֹתִיּוֹת לְאָחוֹר Is. 41:23
6 הָאֹתִיּוֹת שְׁאָלוּנִי... Is. 45:11
יֶאֱתֶה 7 וְאֵידְכֶם כְּסוּפָה יֶאֱתֶה Prov. 1:27
8 מִצָּפוֹן זָהָב יֶאֱתֶה Job 37:22
וַיֵּתֵא 9 וַיֵּתֵא רָאשֵׁי עָם Deut. 33:21
וַיַּאת 10 הַעִירוֹתִי מִצָּפוֹן וַיַּאת Is. 41:25
וַיֶּאֱתָיֵנִי 11 כִּי פַחַד פָּחַדְתִּי וַיֶּאֱתָיֵנִי Job 3:25
תֵּאתֶה 12 עָדֶיךָ תֵּאתֶה וּבָאָה הַמֶּמְשָׁלָה Mic. 4:8
יֶאֱתָיוּ 13 יֶאֱתָיוּ חַשְׁמַנִּים מִנִּי מִצְרָיִם Ps. 68:32
14 כִּי־שְׁנוֹת מִסְפָּר יֶאֱתָיוּ Job 16:22
15 כְּפֶרֶץ רָחָב יֶאֱתָיוּ Job 30:14
וַיֶּאֱתָיוּן 16 רָאוּ...יֶחֱרָדוּ קָרְבוּ וַיֶּאֱתָיוּן Is. 41:5
אֵתָיוּ 17 אִם־תִּבְעָיוּן בְּעָיוּ שֻׁבוּ אֵתָיוּ Is. 21:12
18 אֵתָיוּ לֶאֱכֹל כָּל־חַיְתוֹ בַּיָּעַר Is. 56:9
19 אֵתָיוּ אֶקְחָה־יַיִן Is. 56:12
הֵתָיוּ 20 לִקְרַאת צָמֵא הֵתָיוּ מָיִם Is. 21:14
21 לְכוּ אִסְפוּ...הֵתָיוּ לְאָכְלָה Jer. 12:9

אֲתָה

פְּ׳ ארמית: א) אָתָה, בא; לְמֵתֵא = לבוא : 1–7
ב) [הַפ׳ הַיְתִי] הֵביא: 8–14
ג) [הָפ׳ הֵיתִי] הובא: 15–16

לְמֵתֵא 1 ...לְמֵתֵא לַחֲנֻכַּת צַלְמָא Dan. 3:2
אֲתָה 2 עַד דִּי־אֲתָה עַתִּיק יוֹמַיָּא Dan. 7:22
3 בֵּהּ־זִמְנָא אֲתָה עֲלֵיהוֹן תַּתְּנַי Ez. 5:3
אֲתָא 4 אֱדַיִן שֵׁשְׁבַּצַּר דֵּךְ אֲתָא Ez. 5:16
אֲתוֹ 5 דִּי יְהוּדָיֵא...אֲתוֹ לִירוּשְׁלֶם Ez. 4:12
אָתֵה 6 כְּבַר אֱנָשׁ אָתֵה הֲוָא Dan. 7:13
וַאֲתוֹ 7 עֲנֵה וְאָמַר...פֻּקוּ וֶאֱתוֹ Dan. 3:26
לְהַיְתָיָה 8 אֲמַר לְהַיְתָיָה לְשַׁדְרַךְ... Dan. 3:13
9 אֲמַר...לְהַיְתָיָה לְמָאנֵי דַּהֲבָא Dan. 5:2
הַיְתִי 10 דִּי הַיְתִי מַלְכָּא אַבִי מִן־יְהוּד Dan. 5:13
הַיְתִיו 11 בֵּאדַיִן הַיְתִיו מָאנֵי דַהֲבָא Dan. 5:3
12 וּלְמָאנַיָּא דִּי־בַיְתֵהּ הַיְתִיו קָדָמָךְ Dan. 5:23
וְהַיְתִיו 13 מַלְכָּא אֲמַר וְהַיְתִיו לְדָנִיֵּאל Dan. 6:17
14 וַאֲמַר מַלְכָּא וְהַיְתִיו גֻּבְרַיָּא אִלֵּךְ Dan. 6:25
וְהֵיתָיִת 15 וְהֵיתָיִת אֶבֶן חֲדָה Dan. 6:18
הֵיתָיוּ 16 גֻּבְרַיָּא אִלֵּךְ הֵיתָיוּ קֳדָם מַלְכָּא Dan. 3:13

אַתָּה

מ״ג כִּנּוּי לְנוֹכֵחַ : 1–744

אַתָּה הוּא 28/9, 573, 743; אַ׳ זֶה 18,734,736,741/2; אַ׳ עַתָּה 16; אִם אַתָּה 14; אֲנִי וְאַתָּה 732, 733; גַּם אַתָּה 12,15,493; מִי אַתָּה 17,491,499; שָׁאַתָּה 744

אַתָּה 1 אָרוּר אַתָּה מִכָּל־הַבְּהֵמָה Gen. 3:14
2 כִּי־עָפָר אַתָּה... Gen. 3:19
3 אַתָּה וּבָנֶיךָ וְאִשְׁתְּךָ Gen. 6:18
4 בֹּא־אַתָּה וְכָל־בֵּיתְךָ Gen. 7:1
5 אַתָּה וְאִשְׁתְּךָ וּבָנֶיךָ Gen. 8:16
6 ...מִן־הַמָּקוֹם אֲשֶׁר־אַתָּה שָׁם Gen. 13:14
7 כָּל־הָאָרֶץ אֲשֶׁר־אַתָּה רֹאֶה Gen. 13:15

אַתָּה (המשך) 8 אַתָּה אֵל רֳאִי Gen. 16:13
9 אַתָּה וְזַרְעֲךָ אַחֲרֶיךָ Gen. 17:9
10 אַתָּה וְכָל־אֲשֶׁר־לָךְ Gen. 20:7
11 בְּכֹל אֲשֶׁר־אַתָּה עֹשֶׂה Gen. 21:22
12 וְגַם־אַתָּה לֹא־הִגַּדְתָּ לִּי Gen. 21:26
13 נְשִׂיא אֱלֹהִים אַתָּה בְּתוֹכֵנוּ Gen. 23:6
14 אַךְ אִם־אַתָּה לוּ שְׁמָעֵנִי Gen. 23:13
15 גַּם־אַתָּה שְׁתֵה וְגַם לִגְמַלֶּיךָ... Gen. 24:44
16 אַתָּה עַתָּה בְּרוּךְ יי Gen. 26:29
17 מִי אַתָּה בְּנִי Gen. 27:18
18 אַתָּה זֶה בְּנִי עֵשָׂו Gen. 27:24
19 הָאָרֶץ אֲשֶׁר אַתָּה שֹׁכֵב עָלֶיהָ Gen. 28:13
20 הֲכִי־אָחִי אַתָּה וַעֲבַדְתַּנִי חִנָּם Gen. 29:15
21 אַתָּה יָדַעְתָּ אֶת־עֲבֹדָתִי Gen. 30:26
22 אַתָּה יָדַעְתָּ אֵת אֲשֶׁר עֲבַדְתִּיךָ Gen. 30:29
23 אַתָּה יָדַעְתָּ וְאַתָּה שָׁמַעְתָּ Deut. 9:2
24 אַתָּה תָּבוֹא...וְאַתָּה תַּנְחִילֶנָּה Deut. 31:7
25 הֲלֹא־אַתָּה (כת׳ את) שַׂכְתָּ בַעֲדוֹ Job 1:10
26 גַּם־אַתָּה (כת׳ את) קִלַּלְתָּ אֲחֵרִים Eccl. 7:22
27 אַתָּה (כת׳ את) עָשִׂיתָ אֶת־הַשָּׁמַיִם Neh. 9:6
28 אַתָּה־הוּא...וְאַתָּה מְחַיֶּה אֶת־כֻּלָּם Neh. 9:6
29 אַתָּה־הוּא אֱלֹהִים...וְאַתָּה מוֹשֵׁל IICh. 20:6
30-472 אַתָּה Gen. 31:43,52; 32:18
41:40; 43:8; 45:10,11; 49:3,8 • Ex. 2:14; 3:5,18;
4:25; 7:2,27; 9:2; 10:4,25; 11:8; 18:14[2],17,18,19[2];
19:23,24; 20:10,19(16); 24:1; 25:40; 32:22;
33:1,12; 34:10,12 • Lev. 10:9,14 • Num. 1:3;
11:17,29; 14:14[3]; 16:11,16[2]; 18:1; 20:8,14; 22:34;
31:26 • Deut. 1:37; 2:18; 3:21,24; 4:33,35;
5:14,27(24); 6:2; 7:1,6,19; 9:1,5; 11:10,29;
12:18,29; 13:7; 14:2,21,26; 15:20; 16:11,14;
18:9,14; 23:21; 24:11; 26:11; 28:3[2],6[2],16[2],19[2],21;
28:36,52,63,64; 30:2,16,18,19; 31:23; 32:50 • Josh.
1:2,6; 5:13,15; 7:10; 9:7; 13:1; 14:6,12; 17:15,17 •
Jud. 4:9,22; 7:10[2]; 8:21,22; 9:14,32,36; 10:15;
11:25; 14:3; 15:18; 18:3 • ISh. 8:5; 15:13,17; 16:1;
17:43,45,56,58; 19:3,11; 20:30,31; 21:2;
22:13,16,18,23; 24:15(14),18(17)[2]; 26:14,15,25;
28:1,2,9[2],19,22; 29:6,9 • IISh. 3:25; 5:2[2];
7:27,28,29; 9:10; 11:10; 12:7,12; 13:4; 15:19[2],27;
17:3,6,8; 18:20,22; 19:15,30,34; 20:6,9,19; 22:29 •
IK. 1:13,17,24; 2:5,44; 3:6,7; 5:17,20; 6:12;
8:19,39,43,53; 11:22; 18:9,11,14,18; 18:36,37;
20:40; 21:6,7 • IIK. 1:6; 6:22; 14:10;
19:10,11,15[2],19; 20:1 • Is. 7:3,16; 14:10; 25:1;
37:10,11,16[2],20; 38:1; 43:26; 45:15; 63:16[2]; 64:4 •
Jer. 1:11,13; 3:22; 5:17; 10:6; 12:1,2,5; 14:22[2];
15:15; 17:14,16,17; 20:6; 22:2,6,15,25; 24:3; 27:13;
28:16; 29:25; 31:18(17); 32:3,17; 36:6,19,29;
37:13; 38:17,21; 39:17; 40:16; 43:2; 46:28;
51:20,62 • Ezek. 2:6; 3:5; 4:9; 8:6; 9:8; 11:13;
12:2,9; 21:12; 24:19; 28:3,12,15; 37:3;
38:7,9,13,15; 39:4; 40:4; 43:10 • Hosh. 4:6,15 • Am.
7:8,16; 8:2 • Ob. 2,11,13 • Jon. 1:14; 4:2,10 • Mic.
6:14,15[2] • Hab. 1:12; 2:8,16 • Zech. 1:12; 2:6; 3:7,8;
4:2,7; 5:2; 6:10 • Mal. 2:14 • Ps. 4:9; 5:13; 10:14[2];
12:8; 16:5; 18:28,29; 22:10,11; 23:4; 25:5,7; 31:4,5;
32:7; 38:16; 39:10; 40:6,10,12; 43:2; 44:3,5; 60:12;
61:6; 62:13; 63:2; 65:4; 68:10; 69:6,20,27; 71:3,5,6;
74:13,14,15[2],16,17[2]; 76:5,8[2]; 77:15; 82:8; 83:19;
85:7; 86:2,5,10[2],17; 89:10, 11,12,13; 90:1,2; 91:9;
97:9; 99:4[2],8; 102:14; 109:27; 110:4; 118:28;
119:4,12; 119:68, 102,137,151; 132:8; 139:2,13;
142:6; 143:10 • Prov. 23:14,19; 25:22 • Job 8:5;
11:13,16; 15:4; 33:33; 34:32,33 • Ruth 4:6 • Lam.
1:21; 3:42

אַתָּה (המשך) 5:19 • Eccl. 9:9,10 • Es. 3:3 • Ez. 9:13,15 • Neh. 2:4; 5:12; 6:6^2,8^2; 9:6,7 • ICh. 11:2^2; 17:4,25; 17:26,27; 28:3; 29:10,17 • IICh. 1:8,9; 6:9,30,41; 20:7; 25:8,19; 35:21

אַתָּה 473 כִּי־יְרֵא אֱלֹהִים אַתָּה Gen. 22:12
474 כִּי עַם־קְשֵׁה־עֹרֶף אַתָּה Ex. 33:3
475 הַאֶפְרָתִי אַתָּה Jud. 12:5
476 כִּי־נַעַר אַתָּה ISh. 17:33
477 וְאִם־יֶשׁ־בִּי עָוֹן הֲמִיתֵנִי אַתָּה ISh. 20:8
478 אֵי־מִזֶּה עִיר אַתָּה IISh. 15:2
479 כִּי־נָכְרִי אַתָּה IISh. 15:19
480 אִישׁ חַיִל אַתָּה וְטוֹב תְּבַשֵּׂר IK. 1:42
481 וָאֹמַר לְךָ עַבְדִּי־אַתָּה Is. 41:9
482 יְצַרְתִּיךָ עֶבֶד־לִי אַתָּה Is. 44:21
483 אֹמְרִים לָעֵץ אָבִי אַתָּה Jer. 2:27
484 וְאָמַרְתִּי לְלֹא־עַמִּי עַמִּי־אַתָּה Hosh. 2:25
485 יְיָ אָמַר אֵלַי בְּנִי־אַתָּה Ps. 2:7
486 עֶזְרָתִי וּמְפַלְטִי אַתָּה Ps. 40:18
487 עֶזְרִי וּמְפַלְטִי אַתָּה Ps. 70:6
488 יְיָ אֱלֹהֵינוּ אַתָּה IICh. 14:10
אָתָּה 489 מִי הִגִּיד לְךָ כִּי עֵירֹם אָתָּה Gen. 3:11
490 וְעַתָּה אָרוּר אָתָּה Gen. 4:11
491 וַיֹּאמֶר לוֹ...מִי־אָתָּה Gen. 27:32
492 אַךְ עַצְמִי וּבְשָׂרִי אָתָּה Gen. 29:14
493 וְנֶאֱסַפְתָּ אֶל־עַמֶּיךָ גַּם־אָתָּה Num. 27:13
494 כִּי עַם־קְשֵׁה־עֹרֶף אָתָּה Deut. 9:6
495 כִּי בֶּן־אִשָּׁה אַחֶרֶת אָתָּה Jud. 11:2
496 רֹאשׁ שִׁבְטֵי יִשְׂרָאֵל אָתָּה ISh. 15:17
497 בְּעֵינֵי הַסְּרָנִים לֹא־טוֹב אָתָּה ISh. 29:6
498 לְמִי־אַתָּה וְאֵי מִזֶּה אָתָּה ISh. 30:13
499 וַיֹּאמֶר לִי מִי־אָתָּה IISh. 1:8
500 אֵי מִזֶּה אָתָּה IISh. 1:13
501 כִּי אִישׁ דָּמִים אָתָּה IISh. 16:8
502 הֲלוֹא עַצְמִי וּבְשָׂרִי אָתָּה IISh. 19:14
536-503 אָתָּה IK. 2:9,26; 17:24; 20:14 • 21:19 • Is. 43:1; 44:17,21; 48:4; 49:3; 51:16; 64:7 • Jer. 3:4 • Jon. 1:8 • Ps. 5:5; 16:2; 31:15; 56:9; 89:18,27; 93:2; 119:114; 139:8; 140:7 • Prov. 22:19; 23:2; 24:24; 26:4 • Job 8:6; 17:14 • Ruth 3:9 • Dan. 9:23 • Neh. 9:8,31

וְאַתָּה 537 וְאַתָּה תְּשׁוּפֶנּוּ עָקֵב Gen. 3:15
538 וְאַתָּה תִּמְשָׁל־בּוֹ Gen. 4:7
539 וְאַתָּה קַח־לְךָ מִכָּל־מַאֲכָל Gen. 6:21
540 וְאַתָּה תָּבוֹא אֶל־אֲבֹתֶיךָ בְּשָׁלוֹם Gen. 15:15
541 וְאַתָּה אֶת־בְּרִיתִי תִשְׁמֹר Gen. 17:9
542 וְאַתָּה אָמַרְתָּ הֵיטֵב אֵיטִיב עִמָּךְ Gen. 32:13
543 וְאַתָּה לֹא מְצָאתָהּ Gen. 38:23
544 וְאַתָּה צֻוֵּיתָה זֹאת עֲשׂוּ Gen. 45:19
545 וְאַתָּה (כת׳ ואת) הִגַּדְתָּ הַיּוֹם ISh. 24:19(18)
546 וְאַתָּה שָׁלוֹם וּבֵיתְךָ שָׁלוֹם ISh. 25:6
547/8 וְאַתָּה אַל־תִּירָא עַבְדִּי יַעֲקֹב Jer. 30:10; 46:27
571-549 וְאַתָּה בֶן־אָדָם Ezek. 2:6,8; 3:25; 4:1 5:1; 7:2; 12:3; 13:17; 21:11,19,24,33; 22:2; 24:25; 27:2; 33:7,10,12,30; 36:1; 37:16; 39:1,17
572 וְאַתָּה (כת׳ ואת) יְיָ עַד מָתָי Ps. 6:4
573 וְאַתָּה הוּא וּשְׁנוֹתֶיךָ לֹא יִתָּמּוּ Ps. 102:28
574 וְאַתָּה אֱלוֹהַּ סְלִיחוֹת Neh. 9:17
730-575 וְאַתָּה Ex. 4:16; 9:30; 14:16; 18:21 27:20; 28:1,3; 30:23; 31:13; 33:12^2 • Num. 1:50; 11:21; 16:17; 18:1,2,7 • Deut. 5:31(28); 9:2; 15:6; 18:14; 21:9; 25:18; 28:12,43,44^2; 30:8; 31:7; 33:29

וְאַתָּה (המשך) • Josh. 3:8 • Jud. 11:23,27 • ISh. 9:27; 13:11; 15:6; 23:17; 24:12(11); 28:12 • IISh. 5:2; 7:20,24; 9:7; 13:13; 18:13; 20:4 • IK. 1:20; 5:23^2; 8:30, 32,34, 36,39; 9:4; 12:4,10; 18:37; 20:25; 22:30 • IIK. 4:1; 19:11 • Is. 14:13,19; 33:1; 37:11; 38:17; 41:8,16; 64:7 • Jer. 1:17; 7:16; 11:14; 12:3; 14:9; 15:19; 18:23; 20:6; 25:30; 28:15; 32:25; 34:3; 38:18,23; 45:5; 49:12 • Ezek. 3:19^2,21^2; 4:3,4,9; 12:4; 19:1; 21:30; 28:2,9; 32:2,28; 33:9^2; 35:4 • Hosh. 12:7 • Am. 7:17 • Mic. 4:8; 5:1 • Ps. 3:4; 22:4,20; 32:5; 41:11; 50:17; 55:14,24; 59:6,9; 71:7; 86:15; 89:39; 39; 92:9: 102:13,27; 109:21,28; 142:4; 145:15 • Job 5:27 • Eccl. 5:1 • Dan. 8:26; 12:4,13 • Neh. 2:2; 6:6; 9:6,17,19; 9:27,28,33 • ICh. 11:2; 17:18,22; 28:9; 29:12 • IICh. 2:15; 6:21,23,25,27,30,33; 7:17; 10:10; 18:29; 20:6; 21:15

וָאַתָּה 731 זְכֹר אֲנִי וָאַתָּה אֵת רֹכְבִים IIK. 9:25
וָאָתָּה 732 נִכְרְתָה בְרִית אֲנִי וָאָתָּה Gen. 31:44
733 וְהַדָּבָר אֲשֶׁר דִּבַּרְנוּ אֲנִי וָאָתָּה ISh. 20:23
הַאַתָּה 734 הַאַתָּה זֶה בְּנִי עֵשָׂו Gen. 27:21
735 הַאַתָּה הָאִישׁ אֲשֶׁר דִּבַּרְתָּ Jud. 13:11
736 הַאַתָּה זֶה עֲשָׂהאֵל IISh. 2:20
737 הַאַתָּה תִּבְנֶה־לִּי בַיִת לְשִׁבְתִּי IISh. 7:5
738 וַיֹּאמֶר הַמֶּלֶךְ אֵלָיו הַאַתָּה צִיבָא IISh. 9:2
739 הַאַתָּה יוֹאָב וַיֹּאמֶר אָנִי IISh. 20:17
740 הַאַתָּה אִישׁ־הָאֱלֹהִים IK. 13:14
741 הַאַתָּה זֶה אֲדֹנִי אֵלִיָּהוּ IK. 18:7
742 הַאַתָּה זֶה עֹכֵר יִשְׂרָאֵל IK. 18:17
743 הַאַתָּה־הוּא אֲשֶׁר־דִּבַּרְתִּי Ezek. 38:17
שָׁאַתָּה 744 וְעָשִׂיתָ לִּי אוֹת שָׁאַתָּה מְדַבֵּר Jud. 6:17

אָתוֹן
נ׳ נקבת החמור, חמורה: 1—34

פִּי הָאָתוֹן 7; אַחַת הָאֲתֹנוֹת 31; בְּנִי אֲתֹנוֹ 14; בֶּן אֲתֹנוֹת 20; דִּבְרֵי הָאֲתֹנוֹת 28

אָמְרָה הָאָתוֹן 8; נָטְתָה הָא׳ 9,4; רָאֲתָה הָא׳ 9; הִכָּה אָתוֹן 13,6,5; חָבַשׁ אָ׳ 15,10; רֹכֵב (עַל) אֲתֹנוֹ 19,16

אָבְדוּ אֲתֹנוֹת 34,24; בִּקֵּשׁ אָ׳ 25, 29; נִמְצְאוּ אָ׳ 30,27; נְשֹׂאוּ אֲתֹנוֹת 18; רֹעוּ אֲתֹנוֹת 33

הָאָתוֹן 3-1 וַתֵּרֶא הָאָתוֹן אֶת־מַלְאַךְ יְיָ Num. 22:23 22:25,27
4 וַתֵּט הָאָתוֹן מִן־הַדֶּרֶךְ Num. 22:23
5 וַיַּךְ בִּלְעָם אֶת־הָאָתוֹן Num. 22:23
6 וַיַּךְ אֶת־הָאָתוֹן בַּמַּקֵּל Num. 22:27
7 וַיִּפְתַּח יְיָ אֶת־פִּי הָאָתוֹן Num. 22:28
8 וַתֹּאמֶר הָאָתוֹן אֶל־בִּלְעָם Num. 22:30
9 וַתִּרְאַנִי הָאָתוֹן וַתֵּט לְפָנַי Num. 22:33
10 וַתַּחֲבֹשׁ הָאָתוֹן IIK. 4:24
לָאָתוֹן 11 וַיֹּאמֶר בִּלְעָם לָאָתוֹן Num. 22:29
אֲתֹנְךָ 12 הֲלוֹא אָנֹכִי אֲתֹנְךָ Num. 22:30
13 עַל־מָה הִכִּיתָ אֶת־אֲתֹנְךָ Num. 22:32
אֲתֹנוֹ 14 אֹסְרִי...וְלַשֹּׂרֵקָה בְּנִי אֲתֹנוֹ Gen. 49:11
15 וַיָּקָם...וַיַּחֲבֹשׁ אֶת־אֲתֹנוֹ Num. 22:21
16 וְהוּא רֹכֵב עַל־אֲתֹנוֹ Num. 22:22
אֲתוֹנוֹת 17 אֲתֹנֹת עֶשְׂרִים וַעְיָרִם עֲשָׂרָה Gen. 32:15
18 וְעֶשֶׂר אֲתֹנֹת נֹשְׂאֹת בָּר... Gen. 45:23
19 רֹכְבֵי אֲתֹנוֹת צְחֹרוֹת Jud. 5:10
20 וְרֹכֵב...וְעַל־עַיִר בֶּן־אֲתֹנוֹת Zech. 9:9
21 וַחֲמֵשׁ מֵאוֹת אֲתוֹנוֹת Job 1:3
22 וְאֶלֶף־צֶמֶד בָּקָר וְאֶלֶף אֲתוֹנוֹת Job 42:12
וַאֲתוֹנוֹת 23 וַיְהִי־לוֹ...וַאֲתֹנֹת וּגְמַלִּים Gen. 12:16
הָאֲתוֹנוֹת 24 וַתֹּאבַדְנָה הָאֲתֹנוֹת לְקִישׁ ISh. 9:3
25 וְקוּם לֵךְ בַּקֵּשׁ אֶת־הָאֲתֹנֹת ISh. 9:3
26 פֶּן־יֶחְדַּל אָבִי מִן־הָאֲתֹנוֹת ISh. 9:5
27 נִמְצְאוּ הָאֲתֹנוֹת ISh. 10:2
28 נָטַשׁ אָבִיךָ אֶת־דִּבְרֵי הָאֲתֹנוֹת ISh. 10:2
29 וַיֹּאמֶר לְבַקֵּשׁ אֶת־הָאֲתֹנוֹת ISh. 10:14
30 הַגֵּד הִגִּיד לָנוּ כִּי נִמְצְאוּ הָאֲתֹנוֹת ISh. 10:16
31 שִׁלְחָה נָא לִי...וְאַחַת הָאֲתֹנוֹת IIK. 4:22
32 וְעַל־הָאֲתֹנוֹת יֶחְדְּיָהוּ ICh. 27:30
וְהָאֲתוֹנוֹת 33 וְהָאֲתֹנוֹת רֹעוֹת עַל־יְדֵיהֶם Job 1:14
וְלָאֲתוֹנוֹת 34 וְלָאֲתֹנוֹת הָאֹבְדוֹת לְךָ ISh. 9:20

אַתּוּן
ז׳ ארמית: כִּבְשָׁן: 1—10

אַתּוּן־ 7-1 אַתּוּן נוּרָא יָקִדְתָּא Dan. 3:6 3:11,15,17,21,23,26
לְאַתּוּן־ 8 לְמִרְמֵא לְאַתּוּן נוּרָא יָקִדְתָּא Dan. 3:20
וְאַתּוּנָא 9 וְאַתּוּנָא אֵזֵה יַתִּירָה Dan. 3:22
לְאַתּוּנָא 10 לְמֵזֵא לְאַתּוּנָא חַד־שִׁבְעָה Dan. 3:19

אִתַּי
שפ״ז א) הַגִּתִּי, רֵעַ דוד: 1—7
ב) אחד מגבורי דוד: 8—9

1 וַיֹּאמֶר הַמֶּלֶךְ אֶל־אִתַּי הַגִּתִּי IISh. 15:19
2 וַיַּעַן אִתַּי אֶת־הַמֶּלֶךְ וַיֹּאמַר IISh. 15:21
7-3 אִתַּי IISh. 15:22^2; 18:2,5,12
9-8 אִתַּי בֶּן־רִיבַי IISh. 23:29 • ICh. 11:31

אַתִּיק
ז׳ עַמּוּד־תּוֹמֵךְ לקיר(?): 1—5

אַתִּיק 1/2 אַתִּיק אֶל־פְּנֵי־אַתִּיק בַּשְּׁלִשִׁים Ezek. 42:3
אַתִּיקִים 3 כִּי־יוֹכְלוּ אַתִּיקִים מֵהֵנָּה Ezek. 42:5
וְהָאַתִּיקִים 4 וְהָאַתִּיקִים סָבִיב לִשְׁלָשְׁתָּם Ezek. 41:16
וְאַתִּיקֶיהָ 5 וְאַתִּיקֶיהָ (כת׳ ואתוקיהא) מִפּוֹ וּמִפּוֹ מֵאָה אַמָּה Ezek. 41:15

אַתֶּם
מ״ג כִּנּוּי לנוכחים: 1—279

אַתֶּם 1 אַחַי מֵאַיִן אַתֶּם Gen. 29:4
4-2 מְרַגְּלִים אַתֶּם Gen. 42:9,14,16
5 אִם־כֵּנִים אַתֶּם Gen. 42:19
6/7 כִּי כֵנִים אַתֶּם Gen. 42:33,34
8 וְאֵדְעָה כִּי לֹא מְרַגְּלִים אַתֶּם Gen. 42:34
9 אַתֶּם יְדַעְתֶּם כִּי שְׁנַיִם יָלְדָה... Gen. 44:27
10 לֹא־אַתֶּם שְׁלַחְתֶּם אֹתִי הֵנָּה Gen. 45:8
11 אַתֶּם לְכוּ קְחוּ לָכֶם תֶּבֶן Ex. 5:11
12 נִרְפִּים אַתֶּם נִרְפִּים Ex. 5:17
13 עַל־כֵּן אַתֶּם אֹמְרִים Ex. 5:17
14 כִּי אֹתָהּ אַתֶּם מְבַקְשִׁים Ex. 10:11
17-15 אַתֶּם רְאִיתֶם Ex. 19:4; 20:22; 29:1
אַתֶּם 209-18 אַתֶּם Ex. 12:13,31; 13:4; 16:8; 32:30; 33:5 Lev. 18:26; 20:24; 25:23 • Num. 14:30,32,41; 15:39; 17:6; 18:3,28,31; 22:19; 31:19; 33:51, 55; 34:2; 35:10,33,34 • Deut. 2:4; 4:5,12, 14,26; 6:1; 7:7; 11:8,11,31; 12:1,2,7,12; 14:1; 20:3; 29:1,9,15; 31:23^2; 32:47 • Josh. 1:11; 2:12; 6:18; 8:4; 9:8,23; 10:25; 18:3; 22:2,18; 24:13,15,22^2 • Jud. 6:10,31; 7:18; 9:15; 11:7,9; 12:4; 14:13; 15:12; 18:8,18; 21:22 • ISh. 7:3; 12:14,20,25; 14:40; 23:21; 26:16 • IISh. 2:5; 19:11,13^2; 21:4 • IK. 9:6; 12:6,9; 18:21,25 • IIK. 1:3; 3:17; 9:11; 10:6^2,9,13 • Is. 41:23,24; 42:17; 43:10; 57:4 • Jer. 2:31; 7:8,14; 13:23; 16:13; 18:6; 21:4; 23:2; 26:15^2; 27:15; 29:8; 32:36,43; 33:10; 34:15,17; 35:6,7; 36:19; 42:11,13,15,16^2,20; 44:2,3,7,8,21,25 • Ezek. 13:20; 18:2; 20:3,29,30^2, 31,32; 34:31 • Hosh. 1:9; 2:1 • Joel 4:4^3 • Am. 9:7 • Zep. 2:12

אַתֶּם (המשך) Hag. 1:4; 2:3 • Zech. 7:6 • Mal. 3:1[2],8,9[2],12 • Ps. 82:6; 115:15 • Job 12:2; 13:4; 19:21; 27:12 • Ruth 4:9,10 • Ez. 8:28; 9:11; 10:10 • Neh. 1:8; 2:17,19[2]; 5:7,8,9,11; 13:17,21 • ICh. 15:12[2],13 • IICh. 7:19; 10:6,9; 12:5; 13:8; 19:6; 20:15; 24:20; 28:10[2],13; 29:8; 30:7; 32:10

וְאַתֶּם 210 וְאַתֶּם פְּרוּ וּרְבוּ שִׁרְצוּ בָאָרֶץ Gen. 9:7
211 וְאַתֶּם שְׂנֵאתֶם אֹתִי וַתְּשַׁלְּחוּנִי Gen. 26:27
212 וְאַתֶּם הֵאָסְרוּ וְיִבָּחֲנוּ דִּבְרֵיכֶם Gen. 42:16
213 וְאַתֶּם לְכוּ הָבִיאוּ שֶׁבֶר Gen. 42:19
214 וְאַתֶּם תִּהְיוּ נְקִיִּם Gen. 44:10
215 וְאַתֶּם עֲלוּ לְשָׁלוֹם Gen. 44:17
216 וְאַתֶּם חֲשַׁבְתֶּם עָלַי רָעָה Gen. 50:20
217 וְאַתֶּם לֹא תֵצְאוּ... עַד בֹּקֶר Ex. 12:22
218 יְיָ יִלָּחֵם לָכֶם וְאַתֶּם תַּחֲרִשׁוּן Ex. 14:14
219 וְאַתֶּם תִּהְיוּ־לִי מַמְלֶכֶת כֹּהֲנִים Ex. 19:6
220 וְאַתֶּם יְדַעְתֶּם אֶת־נֶפֶשׁ הַגֵּר Ex. 23:9
221 וְאַתֶּם תִּהְיוּ־לִי לְעָם Lev. 26:12
278-222 וְאַתֶּם Lev. 26:34 • Num. 14:9 31:19; 32:6 • Deut. 1:40; 4:4,22 • Josh. 1:14; 3:3; 8:7; 9:22; 10:19; 18:6; 22:18; 23:3,9 • Jud. 2:2; 9:18; 10:13; 18:9 • ISh. 8:17; 10:19; 17:8 • Is. 3:14; 27:12; 43:12; 44:8; 48:6; 57:3; 61:6; 65:11,13[3],14 • Jer. 7:23; 16:12; 25:29; 27:9; 29:20; 40:10 • Ezek. 11:11; 20:39; 36:8 • Hag. 1:9 • Zech. 7:6 • Mal. 1:5,12; 2:8; 3:6 • Job 32:6 • Es. 8:8 • Neh. 13:18 • IICh. 13:8,11; 15:7; 24:5

הַאַתֶּם 279 הַאַתֶּם תְּרִיבוּן לַבַּעַל Jud. 6:31

אֵתָם מקום בגבול מצרים : 1–4

אֵתָם 1 וַיֵּלְכוּ...בְּמִדְבַּר אֵתָם Num. 33:8
בְּאֵתָם 2 וַיַּחֲנוּ בְאֵתָם בִּקְצֵה הַמִּדְבָּר Ex. 13:20
3 וַיִּסְעוּ מִסֻּכֹּת וַיַּחֲנוּ בְּאֵתָם Num. 33:6
מֵאֵתָם 4 וַיִּסְעוּ מֵאֵתָם וַיָּשָׁב עַל־פִּי הַחִירֹת Num. 33:7

אֶתְמוֹל תה״פ היום שעבר [עיין גם תְּמוֹל]

אֶתְמוֹל שִׁלְשׁוֹם 1, 4, 5; יוֹם אֶתְמוֹל 3

אֶתְמוֹל 1 לֹא הָיְתָה כָּזֹאת אֶתְמוֹל שִׁלְשֹׁם ISh. 4:7
2 גַּם־אֶתְמוֹל גַּם־שִׁלְשׁוֹם IISh. 5:2
3 כְּיוֹם אֶתְמוֹל כִּי יַעֲבֹר Ps. 90:4
כְּאֶתְמוֹל 4 הָיוּ לַפְּלִשְׁתִּים כְּאֶתְמוֹל שִׁלְשׁוֹם ISh. 14:21
5 וַיְהִי לְפָנָיו כְּאֶתְמוֹל שִׁלְשׁוֹם ISh. 19:7

אֶתְמוּל תה״פ צורת־משנה של אֶתְמוֹל : 1, 2

וְאֶתְמוּל 1 וְאֶתְמוּל עַמִּי לְאוֹיֵב יְקוֹמֵם Mic. 2:8
מֵאֶתְמוּל 2 כִּי־עָרוּךְ מֵאֶתְמוּל תָּפְתֶּה Is. 30:33

אִתְמוֹל תה״פ צורת־משנה של אֶתְמוֹל

מֵאִתְמוֹל 1 כָּל־יוֹדְעוֹ מֵאִתְמוֹל שִׁלְשֹׁם ISh. 10:11

אַתֵּן מ״ג כנוי לנוכחות

וְאַתֵּן 1 וְאַתֵּן צֹאנִי צֹאן מַרְעִיתִי Ezek. 34:31

אַתֵּנָה מ״ג כנוי לנוכחות : 1–4

אַתֵּנָה 1 אֲשֶׁר אַתֵּנָה מְצֹדְדוֹת שָׁם Ezek. 13:20
וְאַתֵּנָה 2 וְאַתֵּנָה יְדַעְתֶּן כִּי בְּכָל־כֹּחִי... Gen. 31:6
3 וְאַתֵּנָה אַבְנֵי אֶלְגָּבִישׁ תִּפֹּלְנָה Ezek. 13:11
4 וְאַתֵּנָה צֹאנִי כֹּה אָמַר אֲדֹנָי יְיָ Ezek. 34:17

אֶתְנָה נ׳ אתנן

אֶתְנָה 1 אֶתְנָה הֵמָּה לִי אֲשֶׁר נָתְנוּ לִי Hosh. 2:14

אֶתְנִי שפ״ז – לוי מבני יוסף

אֶתְנִי 1 בֶּן־אֶתְנִי בֶן־זֶרַח בֶּן־עֲדָיָה ICh. 6:26

אֶתְנַן[1] ז׳ שכר עבֵרה, וביחוד שכר זונה: 1–11

אֶתְנַן זוֹנָה 6, 7, 8 ; אָהַב אֶתְנָן 4; נִתַּן אֶ׳ 5; נָתְנָה אֶתְנָן 1, 3 ; קִלֵּס אֶ׳ 2

אֶתְנַן 1 וְגַם־אֶתְנַן לֹא־תִתְּנִי־עוֹד Ezek. 16:41
אֶתְנָן 2 וְלֹא־הָיִית כְּזוֹנָה לְקַלֵּס אֶתְנָן Ezek. 16:31
3 וּבְתִתֵּךְ אֶתְנָן...וַתְּהִי לְהֶפֶךְ Ezek. 16:34
4 אָהַבְתָּ אֶתְנָן עַל כָּל־גָּרְנוֹת דָּגָן Hosh. 9:1
וְאֶתְנַן 5 וְאֶתְנַן לֹא נִתַּן־לָךְ Ezek. 16:34
אֶתְנַן־ 6 אֶתְנַן זוֹנָה וּמְחִיר כֶּלֶב Deut. 23:19
7 וְעַד־אֶתְנַן זוֹנָה יָשׁוּבוּ Mic. 1:7
מֵאֶתְנַן־ 8 כִּי מֵאֶתְנַן זוֹנָה קִבָּצָה Mic. 1:7
וְאֶתְנַנָּהּ 9 וְהָיָה סַחְרָהּ וְאֶתְנַנָּהּ קֹדֶשׁ לַייָ Is. 23:18
לְאֶתְנַנָּהּ 10 וְשָׁבָה לְאֶתְנַנָּהּ וְזָנְתָה Is. 23:17
אֶתְנַנֶּיהָ 11 וְכָל־אֶתְנַנֶּיהָ יִשָּׂרְפוּ בָאֵשׁ Mic. 1:7

אֶתְנַן[2] שפ״ז – בן אשחור משבט יהודה

וְאֶתְנָן 1 וּבְנֵי חֶלְאָה צֶרֶת וְצֹחַר וְאֶתְנָן ICh. 4:7

אֲתַר ז׳ ארמית: מקום; בָּאתַר = אַחֲרֵי : 1–8

אֲתַר 1 וְכָל־אֲתַר לָא־הִשְׁתְּכַח לְהוֹן Dan. 2:35
2 אֲתַר דִּי־דָבְחִין דִּבְחִין Ez. 6:3
בָּאתַר 3 בָּאתַר דְּנָה חָזֵה הֲוֵית Dan. 7:6
4 בָּאתַר דְּנָה חָזֵה הֲוֵית Dan. 7:6
וּבָתְרָךְ 5 וּבָתְרָךְ תְּקוּם מַלְכוּ אָחֳרִי Dan. 2:39
אַתְרֵהּ 6 וּבֵית אֱלָהָא יִתְבְּנֵא עַל־אַתְרֵהּ Ez. 5:15
7 בֵּית־אֱלָהָא דֵךְ יִבְנוֹן עַל־אַתְרֵהּ Ez. 6:7
לְאַתְרֵהּ 8 לְהֵיכְלָא דִּי־בִירוּשְׁלֶם לְאַתְרֵהּ Ez. 6:5

אֲתָרִים* מקום בדרום ארץ־ישראל

הָאֲתָרִים 1 בָּא יִשְׂרָאֵל דֶּרֶךְ הָאֲתָרִים Num. 21:1

ב׳ זעירא			
הַב	Prov. 30:15	(ב)בֵּית	Jer. 52:11
		וְ(ב)תַרְבִּית	Prov. 28:8

ב׳ רבתי	
בְּרֵאשִׁית	Gen. 1:1

ב׳ חסרה	
[בְּ]תְחִלַּת	IISh. 21:9

ב׳ יתירה	
(ב)יִשְׂרָאֵל	IISh. 10:10
(ב)בֵּית	IIK. 22:5

כתיב ב׳ – קרי כ׳		
בעלות	כַּעֲלוֹת	Josh. 4:18
		Jud. 19:25
בשמעכם	כְּשָׁמְעֲכֶם	Josh. 6:5
בשמעו	כְּשָׁמְעוֹ	ISh. 11:6
בחם	כְּחֹם	ISh. 11:9
בשמעך	כְּשָׁמְעֲךָ	IISh. 5:23

מסורה מסורה מסודה מסורה
מסורה מסורה מסורה מסורה
מסורה מסורה מסורה מסורה
מסורה מסורה מסורה מסורה
מסורה מסורה מסורה מסורה
מסורה מסורה מסורה מסורה
מסורה מסורה
מסורה ב מסורה
מסורה מסורה
מסורה מסורה
מסורה מסורה
מסורה מסורה
מסורה מסורה מסורה מסורה
מסורה מסורה מסורה מסורה
מסורה מסורה מסורה מסורה
מסורה מסורה מסורה מסורה
מסורה מסורה מסורה מסורה
מסורה מסורה מסורה מסורה

ביתי״ן בתורה 344 16

ויבו	וַיַּכּוּ	IIK. 3:21
יבלו	יְכַלּוּ	Job 21:13
באמרם	כְּאָמְרָם	Es. 3:4
וזבוד	וְזַכּוּד	Ez. 8:14
זבי	זַכַּי	Neh. 3:20

כתיב כ׳ – קרי ב׳		
במלכן	בַּמַּלְבֵּן	IISh. 12:31
יכין	יָבִין	Prov. 21:29
ויכן	וַיִּבֶן	IISh. 33:16

כתיב ב׳ – קרי מ׳		
באדם	מֵאָדָם	Josh. 3:16
בעבר	מֵעֵבֶר	Josh. 24:15
אבנה	אֲמָנָה	IIK. 5:12
בימין	מִיָּמִין	IIK. 12:10
במלך	מִמֶּלֶךְ	IIK. 23:23
וישב	וְיָשֵׂם	Dan. 11:18

כתיב מ׳ – קרי ב׳		
מעבר	בְּעֵבֶר	Joh. 22:7

בְּ־ (בַּ־, בָּ־, בֶּ־, בִּ־, בֵּ־) אות-יחס בראש מלים
[בנטיות – כמִלת־יחס: בִּי, בְּךָ, בָּךְ וכו׳]

בְּ־, בראש שמות או פעלים או מִליות – במשמעים שונים. להלן המשמעים העִקריים ומקראות אחדים להדגמה (פֵּרוט כל המקראות – ליד כל ערך):

א) לציון מקום – בתוךְ, על־, בְּקֶרב: (א)
ב) לציון זמן: (ב)
ג) בין רבים: (ג)
ד) עם־, בלוית־: (ד)
ה) בגלל, בשֶׁל: (ה)
ו) באמצעות, בעזרת מכשיר: (ו)
ז) בראש שמות מופשטים בעִקר – לציון אופן, איכות וכדומה: (ז)
ח) לציון חֵלק מִשָּׁלם: (ח)
ט) בראש מקור נסמך: בשעה, כאשר וכו׳: (ט)
י) אחרי פעלים שונים לציון מושא עקיף, כגון: מָעַל בְּ־ (מס׳ 5), פָּשַׁע בְּ־ (16), חָפֵץ בְּ־ (156), גָּעַר בְּ־ (159), דָּבַק בְּ־ (230), ועוד הרבה
יא) בראש מלים – כתארי פועל, כגון: בִּגְלַל, בַּלָּאט, בַּעֲבוּר, בְּעַד – עיֵן כל ערך במקומו

בְּ־	(א) יְהִי מְאֹרֹת בִּרְקִיעַ הַשָּׁמַיִם	Gen. 1:14
	וּמִלְאוּ אֶת הַמַּיִם בַּיַּמִּים	Gen. 1:22
	וַיִּפַּח בְּאַפָּיו נִשְׁמַת חַיִּים	Gen. 2:7
	וַיַּעַל עֹלֹת בַּמִּזְבֵּחַ	Gen. 8:20
	וַיַּעֲבֹר אַבְרָם בָּאָרֶץ	Gen. 12:6
	כִּי־עַל־כֵּן בָּאוּ בְּצֵל קֹרָתִי	Gen. 19:8
	אֱלֹהִים נִצָּב בַּעֲדַת אֵל	Ps. 82:1
	(ב) וְלִמְשֹׁל בַּיּוֹם וּבַלַּיְלָה	Gen. 1:18
	וַיְכַל אֱלֹהִים בַּיּוֹם הַשְּׁבִיעִי	Gen. 2:2
	וַיְהִי בַבֹּקֶר וְהִנֵּה־הִוא לֵאָה	Gen. 29:25
	(ג) וְיָשָׁר בָּאָדָם אָיִן	Mic. 7:2
	אִם־לֹא תֵדְעִי לָךְ הַיָּפָה בַּנָּשִׁים	S.ofS. 1:8
	(ד) וְאַחֲרֵי כֵן יֵצְאוּ בִּרְכֻשׁ גָּדוֹל	Gen. 15:14
	וַתָּבֹא יְרוּשָׁלַיְמָה בְּחַיִל כָּבֵד	IK. 10:2
	(ה) הֲתַשְׁחִית בַּחֲמִשָּׁה אֶת־כָּל־הָעִיר	Gen. 18:28
	וַיַּעֲבֹד יַעֲקֹב בְּרָחֵל שֶׁבַע שָׁנִים	Gen. 29:20
	אַל־נָא נֹאבְדָה בְּנֶפֶשׁ הָאִישׁ הַזֶּה	Jon. 1:14
	(ו) וַיִּשָּׂאֻהוּ בַמּוֹט בִּשְׁנָיִם	Num. 13:23
	וַיַּךְ אֶת הָאָתוֹן בַּמַּקֵּל	Num. 22:27
	הָרְגוּ בְנֵי־יִשְׂרָאֵל בַּחָרֶב	Josh. 13:22
	וְדָוִד מְנַגֵּן בְּיָד	ISh. 19:9

בְּ־ (המשך)	(ז) וַיַּעֲבִדוּ ...אֶת־בְּנֵי יִשְׂרָאֵל בְּפָרֶךְ	Ex. 1:13
	וַאֲכַלְתֶּם אֹתוֹ בְּחִפָּזוֹן	Gen. 12:11
	כָּל־מַכֵּה־נֶפֶשׁ בִּשְׁגָגָה	Num. 35:15
	וַיֵּט בְּכֹחַ	Jud. 16:30
	וְשָׁפַט בְּצֶדֶק דַּלִּים	Is. 11:4
	(ח) לֹא־אֹכַל בְּלַחְמֶךָ	Jud. 13:16
	לְכוּ לַחֲמוּ בְלַחְמִי	Prov. 9:5
	וּשְׁתוּ בְּיַיִן מָסָכְתִּי	Prov. 9:5
	(ט) הַשָּׁמַיִם וְהָאָרֶץ בְּהִבָּרְאָם	Gen. 2:4
	וַיְהִי בִּהְיוֹתָם בַּשָּׂדֶה	Gen. 4:8
	בְּעָבְרְכֶם אֶת־הַיַּרְדֵּן	Deut. 27:4
	וְהָיָה בִּמְשֹׁךְ בְּקֶרֶן הַיּוֹבֵל	Josh. 6:5
	וּבְפָרִשְׂכֶם כַּפֵּיכֶם	Is. 1:15
	נַפְשִׁי יָצְאָה בְדַבְּרוֹ	S.ofS. 5:6

בִּי	1 בִּי נִשְׁבַּעְתִּי נְאֻם־יְיָ	Gen. 22:16
	2 וְעָנְתָה־בִּי צִדְקָתִי בְּיוֹם מָחָר	Gen. 30:33
	3 וַאֲבִיכֶן הֵתֶל בִּי	Gen. 31:7
	4 בָּא אֵלַי הָעֶבֶד...לְצַחֶק בִּי	Gen. 39:17
	5 בְּמַעֲלָם אֲשֶׁר מָעֲלוּ־בִי	Lev. 26:40
	6 וְעַד־אָנָה לֹא־יַאֲמִינוּ בִי	Num. 14:11
	7 לֹא תַעֲבֹר בִּי	Num. 20:18
	8 כִּי הִתְעַלַּלְתְּ בִּי	Num. 22:29
	9 גַּם־בִּי הִתְאַנַּף יְיָ בִּגְלַלְכֶם	Deut. 1:37
	10 וַיִּתְעַבֵּר יְיָ בִּי לְמַעַנְכֶם	Deut. 3:26
	11 עַל אֲשֶׁר מְעַלְתֶּם בִּי	Deut. 32:51
	12 אַל־יִחַר אַפְּךָ בִּי	Jud. 6:39
	13 וְאַתָּה עֹשֶׂה...רָעָה לְהִלָּחֶם בִּי	Jud. 11:27
	14 בִּי־אֲנִי אֲדֹנִי הֶעָוֹן	ISh. 25:24
	15 כִּי־כָל־עוֹד נַפְשִׁי בִּי	IISh. 1:9
	16 וְהֵם פָּשְׁעוּ בִי	Is. 1:2
	17 אוֹדְךָ יְיָ כִּי אָנַפְתָּ בִּי	Is. 12:1
	18 עַל־מִי בָטַחְתָּ כִּי מָרַדְתָּ בִּי	Is. 36:5
	19 שִׁחֶתְךָ יִשְׂרָאֵל כִּי־בִי בְעֶזְרֶךָ	Hosh. 13:9
	20 וּמָה הֶלְאֵתִיךָ עֲנֵה בִי	Mic. 6:3
	21 וַאֲצַפֶּה לִרְאוֹת מַה־יְּדַבֶּר־בִּי	Hab. 2:1
	22 כִּי בִי חָשַׁק וַאֲפַלְּטֵהוּ	Ps. 91:14
	23 כִּי יַד־אֱלוֹהַּ נָגְעָה בִּי	Job 19:21
	24 וְשֹׁרֶשׁ דָּבָר נִמְצָא־בִי	Job 19:28
	25 כִּי־כָל־עוֹד נִשְׁמָתִי בִי	Job 27:3
	146-26 בִּי	Num. 20:12 • Deut. 4:21

Jud. 9:9; 12:3; 15:12; 16:10,13,15 • ISh. 12:3; 18:21; 20:8; 26:19; 28:15; 31:4 • IISh. 6:21; 14:32; 22:20; 23:2; 24:17 • IK. 22:28 • IIK. 3:7; 18:20 • Is. 43:22,27; 45:23; 50:2; 57:13; 65:5; 66:24 • Jer.

בִּי (המשך) 2:5,8,29; 3:20; 5:11; 7:16; 15:10; 22:5; 33:8; 38:19; 39:18; 49:13 • Ezek. 2:2,3^2; 3:24; $14:7^2$; 17:20; 20:8,13,21,27,38; 39:23,26 • Hosh. 6:7; 7:13,14 • Zep. 3:11 • Zech. 1:9,13,14; 2:2,7; 4:1,4,5; 5:5,10; 6:4; 11:8 • Ps. 18:20; 19:14; 22:18; 27:12; 38:3; 41:12,13; 55:6; 63:9; $69:7^2$,13; 101:3; 102:9; 119:23; 119:133; 139:24; 142:8 • Prov. 8:15,16; 9:11 • Job 6:13,28; 7:8; 10:16; 16:8; $19:18^2$,19; 20:2; 23:6; 28:14; 30:20 • S.ofS. 1:6 • Ruth 1:13,16,21 • Lam. 3:3,53 • Dan. 8:18; 10:8, 10,17^2,18 • ICh. 10:4; 21:17; $28:4^2$ • IICh. 18:27

בְּךָ	147/8 וְנִבְרְכוּ בְךָ כֹּל (כָּל־)מִשְׁפְּחֹת הָאֲדָמָה	Gen. 12:3; 28:14
	149 בְּךָ יְבָרֵךְ יִשְׂרָאֵל לֵאמֹר	Gen. 48:20
	150 הִנְנִי מַשְׁלִיחַ בְּךָ וּבַעֲבָדֶיךָ	Ex. 8:17
	151 וְגַם־בְּךָ יַאֲמִינוּ לְעוֹלָם	Ex. 19:9
	152 בְּךָ בָּחַר יְיָ אֱלֹהֶיךָ לִהְיוֹת לוֹ לְעַם	Deut. :6
	153 אֶפֶס כִּי לֹא יִהְיֶה־בְּךָ אֶבְיוֹן	Deut. 15:4
	154 וְלֹא־יִרְאֶה בְךָ עֶרְוַת דָּבָר	Deut. 23:15
	155 לֹא־יִהְיֶה בְךָ חֵטְא	Deut. 23:23
	156 הִנֵּה חָפֵץ בְּךָ הַמֶּלֶךְ	ISh. 18:22
	157 וַאֲנִי אֲדַבֵּר בְּךָ אֶל־אָבִי	ISh. 19:3
	158 אֲשֶׁר־בְּךָ יְרֻחַם יָתוֹם	Hosh. 14:4
	159 יִגְעַר יְיָ בְּךָ הַשָּׂטָן	Zech. 3:2
	160 וְיִגְעַר יְיָ בְּךָ הַבֹּחֵר בִּירוּשָׁלִָם	Zech. 3:2
	223-161 בְּךָ	Deut. 7:14; 15:7,9; 18:10

23:11,22; 24:15; 25:18; 28:20,21,46,54,56,60; 31:26 • ISh. 25:28; 28:22; 29:6 • IISh. 1:16 • IK. 2:42; 10:9 • IIK. 5:27 • Is. 26:3; 26:13; 49:3 • Jer. 15:11; $51:20^2$,21^2,22^3,23^3 • Ezek. $21:3^2$; 29:7; 33:30; 38:16 • Hag. 2:23 • Ps. 5:12; 7:2; 9:11; 18:30; 22:5,6; 25:2; 31:2; 40:17; 44:6; 57:2; 70:5; 71:1,6; 81:10; 143:8 • Prov. 30:6 • Job 5:19; 42:7 • ICh. 28:10 • IICh. 9:8

בְּכָה	224 כִּי בְכָה אָרוּץ גְּדוּד	IISh. 22:30
	225 בְּכָה חָסִיתִי אַל־תְּעַר נַפְשִׁי	Ps. 141:8
בָּךְ ז׳	226 אֲשֶׁר נִשְׁבַּעְתָּ לָהֶם בָּךְ	Ex. 32:13
	227 פֶּן־יֶחֱרֶה אַף־יְיָ אֱלֹהֶיךָ בָּךְ	Deut. 6:15
	228 וְכָל־מַדְוֵי...לֹא יְשִׂימָם בָּךְ	Deut. 7:15
	229 אֲשֶׁר יְשַׁלְּחֶנּוּ יְיָ בָּךְ	Deut. 28:48
	230 כָּל־מַדְוֵה מִצְרַיִם...וְדָבְקוּ בָּךְ	Deut. 28:48
	260-231 בָּךְ	ISh. 24:13(12),14(13)

IISh. 15:26 • IK. 8:50 • Is. 14:3; 33:1; 41:11; 43:2; 64:6 • Jer. 12:6 • Ezek. 28:13; 28:15,17 • Ps. 5:11,12; 9:3; 16:1; 25:20; 31:20; 50:7

בּוֹ (המשך)
55:24; 63:7; 81:9; 84:6,13; 85:7 • Job 15:6 • S.ofS. 1:4 • Dan. 9:7 • Neh. 9:26

וּבְךָ 261 וּבְךָ בָּחַר יְיָ...לְעַם סְגֻלָּה Deut. 14:2
262 וּמָשַׁלְתָּ...וּבְךָ לֹא יִמְשֹׁלוּ Deut. 15:6
263 וְשָׁמַטְתָּה וּבְךָ מִנַּחֲלָתְךָ Jer. 17:4

וּבְכָה 264 וּבְכָה וּבְעַמְּךָ...יַעֲלוּ הַצְפַרְדְּעִים Ex. 7:29

וָבָךְ ז׳ 265 חָטָאנוּ כִּי־דִבַּרְנוּ בַיְיָ וָבָךְ Num. 21:7

בָּךְ נ׳ 266 וְאֶל־אִישֵׁךְ תְּשׁוּקָתֵךְ וְהוּא יִמְשָׁל־בָּךְ Gen. 3:16
267 וַיִּתֵּן אִישׁ בָּךְ אֶת־שְׁכָבְתּוֹ Num. 5:20
268 וְלֹא־יֹסִיף עוֹד לָגַעַת בָּךְ IISh. 14:10
269 יָגוּרוּ בָךְ נִדָּחַי מוֹאָב Is. 16:4
270 אַךְ בָּךְ אֵל וְאֵין עוֹד Is. 45:14
271 לֹא יוֹסִיף יָבֹא־בָךְ עוֹד עָרֵל Is. 52:1
272 נִכְבָּדוֹת מְדֻבָּר בָּךְ עִיר הָאֱלֹהִים Ps. 87:3
273 וְשָׁרִים כְּחֹלְלִים כָּל־מַעְיָנַי בָּךְ Ps. 87:7
274 אֲדַבְּרָה־נָּא שָׁלוֹם בָּךְ Ps. 122:8
275 וּמוּם אֵין בָּךְ S.ofS. 4:7
276 שׁוּבִי שׁוּבִי וְנֶחֱזֶה־בָּךְ S.ofS. 7:1
313-277 בָּךְ Is. 54:9; 62:4 • Jer. 4:30; 48:18 • Ezek. 5:9,10,15,17; 7:3,8; 16:34,41,42; 22:5,6,7^{2},9^{2},10^{2},11,12,16; 23:25; 24:13; 25:4^{2}; 27:8,9^{2},10,27 • Mic. 1:13; 4:9 • Nah. 2:1 • Ruth 2:22

בּוֹ 314 אֲשֶׁר זַרְעוֹ־בוֹ עַל־הָאָרֶץ Gen. 1:11
315 כִּי בוֹ שָׁבַת מִכָּל־מְלַאכְתּוֹ Gen. 2:3
316 וְלֹא תִגְּעוּ בּוֹ פֶּן־תְּמֻתוּן Gen. 3:3
317 וְאֵלֶיךָ תְּשׁוּקָתוֹ וְאַתָּה תִּמְשָׁל־בּוֹ Gen. 4:7
318/9 אֲשֶׁר־בּוֹ רוּחַ חַיִּים Gen. 6:17; 7:15
320 יָדוֹ בַכֹּל וְיַד כֹּל בּוֹ Gen. 16:12
321 וְנִבְרְכוּ־בוֹ כֹּל גּוֹיֵי הָאָרֶץ Gen. 18:18
322 מַלְאֲכֵי אֱלֹ׳ עֹלִים וְיֹרְדִים בּוֹ Gen. 28:12
323 וְהַבּוֹר רֵק אֵין בּוֹ מָיִם Gen. 37:24
324 וְיָדֵנוּ אַל־תְּהִי־בוֹ Gen. 37:27
325 אִישׁ אֲשֶׁר רוּחַ אֱלֹהִים בּוֹ Gen. 41:38
326 הֲלוֹא זֶה אֲשֶׁר יִשְׁתֶּה אֲדֹנִי בּוֹ Gen. 44:5
327 וְהוּא נַחֵשׁ יְנַחֵשׁ בּוֹ Gen. 44:5
328 וְכִי־יָמוּךְ אָחִיךָ...וְהֶחֱזַקְתָּ בּוֹ Lev. 25:35
329 לֹא־תַעֲבֹד בּוֹ עֲבֹדַת עָבֶד Lev. 25:39
330 לֹא־תִרְדֶּה בוֹ בְּפָרֶךְ Lev. 25:43
331 פֶּה אֶל־פֶּה אֲדַבֶּר־בּוֹ Num. 12:8
332 לְאַהֲבָה אֶת־יְיָ...וּלְדָבְקָה־בוֹ Deut. 30:20
333 וְלֹא־מָצָאתִי בוֹ מְאוּמָה ISh. 29:3
334 וַיֹּאמֶר גַּשׁ פְּגַע־בּוֹ IISh. 1:15
335 אֱלֹהֵי צוּרִי אֶחֱסֶה־בּוֹ IISh. 22:3
336 מָגֵן הוּא לְכֹל הַחֹסִים בּוֹ IISh. 22:31
337 מִכַּף־רֶגֶל וְעַד־רֹאשׁ אֵין־בּוֹ מְתֹם Is. 1:6
338 וְיִשְׂרָאֵל בָּחַרְתִּי בוֹ Is. 44:1
339 וּלְקַדֵּשׁ אֶת־יוֹם הַשַּׁבָּת לְבִלְתִּי עֲשׂוֹת־בּוֹ (כת׳ בה) כָּל־מְלָאכָה Jer. 17:24
340 אָרוּר הַיּוֹם אֲשֶׁר יֻלַּדְתִּי בּוֹ Jer. 20:14
341 אִם־כְּלִי אֵין חֵפֶץ בּוֹ Jer. 22:28
342 גַּם־שֵׂיבָה זָרְקָה בּוֹ Hosh. 7:9
343 לְמַעַן יָרוּץ קוֹרֵא בוֹ Hab. 2:2
344 זֶה־הַשַּׁעַר לַיְיָ צַדִּיקִים יָבֹאוּ בוֹ Ps. 118:20
345 זֶה־הַיּוֹם...נָגִילָה וְנִשְׂמְחָה בוֹ Ps. 118:24
346 כִּי־בוֹ חָפָצְתִּי Ps. 119:35
347 שָׁוְא־עָמְלוּ בוֹנָיו בּוֹ Ps. 127:1
348 הַר־צִיּוֹן... שׁוּעָלִים הִלְּכוּ־בוֹ Lam. 5:18
677-349 בּוֹ Gen. 1:12,29,30; 21:18 23:11,17,20; 30:35; 32:2; 33:11; 37:10,11,22; 49:32 • Ex. 4:4,17; 12:43,44,46,48; 16:24,26; 17:5; 19:13; 23:15,21; 28:17; 30:26; 35:2; 39:10; 40:9,38 • Lev. 6:2,5,21; 7:7; 8:7,10; 13:14,18, 29,31,32,37,45,46, 47,52,54,57; 14:32; 15:11,12,23; 20:9; 21:17,18,19,21^{2},23; 22:6,9,11,13,20,21; 24:16,20; 25:46 • Num. 4:16; 5:8,12; 9:12; 12:6; 16:5; 17:20; 19:12,13,22; 22:6,11; 23:21; 27:18; 35:18,19,21 • Deut. 2:24,30; 7:25; 11:22,24; 12:11,18; 13:10; 14:25; 15:21; 16:7; 17:1,7,8,15,19; 18:5; 19:16; 21:4,19; 24:7,11; 28:30; 29:19; 31:17; 32:37 • Josh. 1:3,8^{2}; 2:18,19; 4:3; 8:24; 22:5 • Jud. 1:1,5; 6:32; 9:26,38^{2},52; 16:30; 19:4,7 • ISh. 2:14; 6:15; 10:24; 12:3; 15:18; 18:17^{2},21; 24:7(6); 28:20,23 • IISh. 4:10; 6:6; 13:25,27; 14:25; 17:12 • IK. 1:52; 2:25,29,31,34,46; 8:31; 12:18; 13:31; 14:13; 17:17; 19:5,7 • IIK. 2:17,23; 4:8; 5:1,16,23; 12:15; 13:14; 19:7,10; 24:1,2 • Is. 3:12; 5:2,4,27; 9:3; 10:15,22; 13:17; 15:5; 17:6,13; 24:2; 30:21; 33:1,4,21; 37:7,10; 40:7; 42:1,25; 44:2,23; 45:24; 53:6; 59:19; 62:8; 65:8 • Jer. 3:16; 4:2; 6:10; 7:14; 17:19^{2}; 19:4; 27:7; 30:8; 31:20(19); 46:25; 48:11,27,38; 51:62 • Ezek. 2:9; 7:20; 12:5,12; 17:15; 18:13; 24:3; 33:5,13; 40:22; 44:2^{2},3,14; 46:9 • Hosh. 8:8 • Ob. 7 • Jon. 4:10 • Mic. 2:13 • Nah. 2:7 • Hab. 1:14; 2:4 • Hag. 1:8,9 • Zech. 9:11 • Ps. 2:12; 18:3,31; 22:9; 28:7; 33:21; 34:9,23; 37:40; 41:9,10; 62:9; 63:12; 64:11; 66:6; 72:17; 74:2; 89:23; 91:2; 92:16; 96:12; 103:16; 104:20,26; 105:26 • Prov. 4:15; 7:13; 15:16,17; 17:11; 18:10; 20:1; 23:5,24; 26:25; 28:17; 30:5 • Job 2:3,8; 3:3,7; 8:15,18; 13:9; 20:23; 21:15; 26:14; 35:6; 36:25; 38:26; 39:11,12; 40:29 • Eccl. 1:13; 2:21; 3:10; 4:16; 10:8 • Es. 1:12; 3:11,12; 6:8; 8:9; 9:1,17,18^{3},21 • Dan. 9:9; 11:30 • Neh. 7:5; 8:3; 13:1 • ICh. 5:20; 16:32; 21:22; 28:6; 29:1 • IICh. 2:2; 4:6; 6:22; 10:18; 28:5^{2},23; 34:18; 35:22

וּבוֹ 678 וּבוֹ שֵׂעָר צָהֹב דָּק Lev. 13:30
679 וּבוֹ תִדְבָּק וּבִשְׁמוֹ תִּשָּׁבֵעַ Deut. 10:20
680 וְאֹתוֹ תַעֲבֹדוּ וּבוֹ תִדְבָּקוּן Deut. 13:5
681 וְהִתְבָּרְכוּ בוֹ גּוֹיִם וּבוֹ יִתְהַלָּלוּ Jer. 4:2
682 וּבוֹ־יִהְיֶה הַמִּקְדָּשׁ קֹדֶשׁ קָדָשִׁים Ezek. 45:3
683 מָגִנִּי וּבוֹ חָסִיתִי Ps. 144:2

בָּהּ 684 שִׁרְצוּ בָאָרֶץ וּרְבוּ־בָהּ Gen. 9:7
685 וְעִם־הָאָרֶץ אֲשֶׁר־גַּרְתָּה בָּהּ Gen. 21:23
686 וּסְחָרוּהָ וְהֵאָחֲזוּ בָּהּ Gen. 34:10
687 בַּדֶּרֶךְ אֲשֶׁר תֵּלְכוּ־בָהּ Gen. 42:38
688 וְהוֹדַעְתָּ... אֶת־הַדֶּרֶךְ יֵלְכוּ בָהּ Ex. 18:20
689 וּמָה הָאָרֶץ אֲשֶׁר־הוּא יֹשֵׁב בָּהּ Num. 13:19
690 הֲיֵשׁ־בָּהּ עֵץ אִם־אַיִן Num. 13:20
691/2 הָאָרֶץ אֲשֶׁר עָבַרְנוּ בָהּ Num. 13:32; 14:7
693 נָשָׂאתִי אֶת־יָדִי לְשַׁכֵּן אֶתְכֶם בָּהּ Num. 14:30
694 לֹא בְמִסְכֵּנֻת תֹּאכַל־בָּהּ לֶחֶם Deut. 8:9
695 לֹא־תֶחְסַר כֹּל בָּהּ Deut. 8:9
696 הָאָרֶץ אֲשֶׁר דָּרְכָה רַגְלְךָ בָּהּ Josh. 14:9
697 וַיִּרְשׁוּ אוֹתָהּ וַיֵּשְׁבוּ בָהּ Josh. 19:47
698 הָעִיר אֲשֶׁר בָּחַרְתִּי בָהּ IK. 11:32
699 צֶדֶק יָלִין בָּהּ וְעַתָּה מְרַצְּחִים Is. 1:21
700 כִּי לָךְ יִקָּרֵא חֶפְצִי־בָהּ Is. 62:4
701 וְלֹא־יִשָּׁמַע בָּהּ עוֹד קוֹל בְּכִי Is. 65:19
702 שִׂמְחוּ אֶת־יְרוּשָׁלַםִ וְגִילוּ בָהּ Is. 66:10
703 אֵי־זֶה דֶרֶךְ הַטּוֹב וּלְכוּ־בָהּ Jer. 6:16
704 הַיָּם וּמְלֹאוֹ תֵּבֵל וְיֹשְׁבֵי בָהּ Ps. 98:7
705 וְכָל־חֲפָצֶיךָ לֹא יִשְׁווּ־בָהּ Prov. 3:15
706 עֵץ־חַיִּים הִיא לַמַּחֲזִיקִים בָּהּ Prov. 3:18
707 טוֹב פַּת חֲרֵבָה וְשַׁלְוָה־בָהּ Prov. 17:1
708 כֹּרֶה־שַּׁחַת בָּהּ יִפֹּל Prov. 26:27
709 בָּטַח בָּהּ לֵב בַּעְלָהּ Prov. 31:11

בָּהּ (המשך) 710 מִשּׁוּט בָּאָרֶץ וּמֵהִתְהַלֵּךְ בָּהּ Job 1:7
711 עִיר קְטַנָּה וַאֲנָשִׁים בָּהּ מְעָט Eccl. 9:14
948-712 בָּהּ Gen. 47:27 • Ex. 2:3; 5:9; 6:4 21:8; 30:38; 31:14; 38:30 • Lev. 4:23; 5:3,22,26; 13:21; 15:19,32; 18:3,20,23; 20:22; 22:8; 26:32 • Num. 4:5; 5:13,24,27; 14:31; 15:31; 19:2; 32:39,40; 33:53,55; 35:17,23,25,33^{2},34 • Deut. 1:22,33,36; 2:10,20; 10:14; 11:12,25,31; 13:6,16; 17:14; 20:11; 21:3,11,14^{2}; 22:12,25; 23:14; 24:1; 26:1; 29:21,22 • Josh. 3:4; 6:17,24; 10:28,30^{2},31,32,35,37^{2},39; 11:11; 19:50; 21:43(41); 22:9,33; 24:13,17 • Jud. 9:45; 15:15; 18:6,28; 19:11,25 • ISh. 17:51; 28:7; 30:2; 31:4 • IISh. 12:29,31; 13:11; 20:10 • IK. 8:36,44; 10:5; 11:24; 12:25; 13:10,17,25; 18:6; 20:1 • IIK. 3:24; 7:13^{2}; 9:35; 13:6,11; 15:16; 19:28,33 • Is. 5:14; 6:13; 8:21; 24:6; 27:4; 30:33; 33:24; 34:10,11,17; 37:29,34; 42:5; 51:3; 56:2; 59:8 • Jer. 2:6; 6:7,19; 8:16,19; 9:12; 12:4; 23:12,20; 27:11; 30:24; 31:9(8),24(23); 36:14; 42:3; 46:8; 47:2; 49:18,33; 50:3,15,39,40 • Ezek. 7:22; 12:19; 14:13,22,23; 17:10; 19:14; 21:3; 23:10,42; 24:6; 28:22^{2},23; 29:11^{2},20; 30:6,18; 32:15; 33:12^{2}; 37:25 • Hosh. 4:3; 9:2 • Joel 4:17 • Am. 8:8; 9:5 • Jon. 1:3; 4:11 • Mic. 7:10 • Nah. 1:5 • Hab. 2:8,17 • Zech. 1:16; 6:6; 9:2; 13:8^{2}; 14:11 • Mal. 2:14 • Ps. 24:1; 35:8; 68:11,15; 69:37; 87:5; 105:12; 107:34; 137:7 • Prov. 2:21; 6:29; 8:11; 15:4 • Job 2:2; 6:29; 22:8 • S.ofS. 8:8 • Ruth 1:14; 2:16; 3:15^{2} • Lam. 1:2; 4:6 • Eccl. 7:26; 9:15 • Es. 2:11,14 • Neh. 2:12,17; 6:1,6; 9:12,19; 13:16 • ICh. 10:4; 16:19; 18:8; 20:3 • IICh. 6:27,34; 9:4; 20:8^{2}

וּבָהּ 949 וּבָהּ אֵדַע כִּי־עָשִׂיתָ חֶסֶד Gen. 24:14
950 וּבָהּ יֶחֱסוּ עֲנִיֵּי עַמּוֹ Is. 14:32
951 עֲטֶרֶת־מַלְכָּם...וּבָהּ אֶבֶן יְקָרָה ICh. 20:2

בָּנוּ 952 אִם־מָשׁוֹל תִּמְשֹׁל בָּנוּ Gen. 37:8
953 הֵבִיא...אִישׁ עִבְרִי לְצַחֶק בָּנוּ Gen. 39:14
954 הָעֵד הֵעִד בָּנוּ הָאִישׁ לֵאמֹר Gen. 43:3
955 וְנִלְחַם־בָּנוּ וְעָלָה מִן־הָאָרֶץ Ex. 1:10
956 כִּי־אַתָּה הַעֵדֹתָה בָּנוּ לֵאמֹר Ex. 19:23
957 הֲלֹא גַּם־בָּנוּ דִבֵּר Num. 12:2
958 אִם־חָפֵץ בָּנוּ יְיָ וְהֵבִיא אֹתָנוּ Num. 14:8
959 יְהִי יְיָ בָּנוּ לְעֵד אֱמֶת וְנֶאֱמָן Jer. 42:5
978-960 בָּנוּ Josh. 24:27 Jud. 8:21,22; 15:11 • ISh. 6:9 • IK. 5:20 • IIK. 22:13 • Is. 59:12 • Jer. 14:7; 43:3 • Ps. 85:6; 124:3 • Job 15:10 • Lam. 5:8 • Ez. 9:14 • Neh. 5:8 • ICh. 15:13 • IICh. 20:12; 34:21

בָּכֶם ז׳ 979 וְלֹא־יִהְיֶה בָכֶם נֶגֶף לְמַשְׁחִית Ex. 12:13
980 וְכָל־חֲכַם־לֵב בָּכֶם יָבֹאוּ Ex. 35:10
981/2 הַעִידֹתִי בָכֶם הַיּוֹם אֶת־הַשָּׁמַיִם וְאֶת־הָאָרֶץ Deut. 4:26; 30:19
983/4 חָשַׁק יְיָ בָּכֶם וַיִּבְחַר בָּכֶם Deut. 7:7
985 וְנִקְדַּשְׁתִּי בָכֶם לְעֵינֵי הַגּוֹיִם Ezek. 20:41
986 וְנָתַתִּי רוּחִי בָכֶם וִחְיִיתֶם Ezek. 37:14
987 מִי־בָכֶם מִכָּל־עַמּוֹ...וְיַעַל... Ez. 1:3
1044-988 בָּכֶם Lev. 19:28; 26:17^{2},22,36,39 Deut. 7:4; 8:19; 9:8; 10:15; 11:17; 29:17^{2}; 32:46 • Josh. 2:16; 23:12,16; 24:11,22,27 • Jud. 8:23^{3}; 9:2^{2},19; 15:7; 18:25; 20:12 • ISh. 12:5,15 • IK. 11:2 • IIK. 11:7 • Is. 41:24; 42:23; 43:12; 50:10 • Jer. 3:12,14; 8:17; 42:19; 44:11 • Ezek. 11:9; 36:23 • Joel 2:25 • Am. 4:10,11

Mic. 1:2 • Hag. 2:3 • Zech. 2:12 • Mal. 1:10^{2}; 2:2 • Job 17:10 • Neh. 13:21 • IICh. 29:11; 36:23

בָּכֶם נ׳ 1045 אֲנִי מֵבִיא בָכֶם רוּחַ וִחְיִיתֶם Ezek. 37:5
1046 וְנָתַתִּי בָכֶם רוּחַ וִחְיִיתֶם Ezek. 37:6
בָּהֶם ז׳ 1047 וַיִּפְתַּח יוֹסֵף אֶת־כָּל־אֲשֶׁר בָּהֶם Gen. 41:56
1048 וְיִקָּרֵא בָהֶם שְׁמִי וְשֵׁם אֲבֹתַי Gen. 48:16
1049 אֲשֶׁר־עָבְדוּ בָהֶם בְּפָרֶךְ Ex. 1:14
1050 לֹא־נִשְׁאַר בָּהֶם עַד־אֶחָד Ex. 14:28
1051 יַעֲשֶׂה אֹתָם הָאָדָם וָחַי בָּהֶם Lev. 18:5
1052 שָׁמַיִם וָאָרֶץ וְכֹל אֲשֶׁר בָּהֶם Jer. 51:48
1053 וְרוּחַ אֵין בָּהֶם Ezek. 37:8
1054 וַתָּבוֹא בָהֶם הָרוּחַ וַיִּחְיוּ Ezek. 37:10
1184-1055 בָּהֶם Ex. 12:7,16; 19:22; 23:27; 25:14 29:29,33; 30:12,29; 32:10; 37:27; 38:7 • Lev. 6:11; 11:26,31,32,43; 19:31; 20:27; 22:25; 25:46 • Num. 3:31,48; 4:9,14; 13:2; 33:4 • Deut. 32:28 • Josh. 8:20; 9:19; 11:7; 23:12^{2}; 24:13 • Jud. 8:16; 9:4; 16:8,11,12 • ISh. 6:6; 8:9; 14:36^{2}; 19:8; 23:5; 25:14; 30:4 • IISh. 17:9; 23:7; 24:1 • IK. 11:2; 18:27 • IIK. 5:12; 17:25^{2} • Is. 40:24; 43:9; 48:14; 64:4; 66:19 • Jer. 5:13; 6:30; 18:23; 52:18 • Ezek. 3:25; 5:16; 7:11; 10:17; 15:7^{2}; 20:8,11,13,21,25; 25:12; 30:9; 33:18; 34:27; 35:8; 37:23; 39:9,21; 46:23 • Hosh. 7:7 • Ob. 18 • Zech. 12:8; 14:13,21 • Ps. 10:5; 19:5,12; 78:31,45; 89:3; 90:10; 106:41; 107:5; 115:8; 135:18; 139:16; 149:9 • Prov. 8:8 • Job 22:21 • Eccl. 2:5; 8:11 • Es. 9:1,22 • Dan. 1:4^{2},6; 11:7,35 • Neh. 5:10,11; 9:6,24,28,29^{2},34; 13:21 • ICh. 26:31 • IICh. 4:6; 13:17; 16:6; 20:10,25; 24:19; 33:19

וּבָהֶם ז׳ 1185 וּבָהֶם הוּא חָפֵץ Mal. 2:17
בָּהֶם נ׳ 1186 וְאֶת־חֻקֹּתַי תִּשְׁמְרוּ לָלֶכֶת בָּהֶם Lev. 18:4
1187 הַתּוֹעֵבֹת...וְלֹא תִטַּמְּאוּ בָּהֶם Lev. 18:30
1188 ...קַרְנָיו בָּהֶם עַמִּים יְנַגַּח Deut. 33:17
1189 וַיִּבְנוּ אֶת־הֶעָרִים וַיֵּשְׁבוּ בָּהֶם Jud. 21:23
1190 וְשָׁמַרְתָּ... מִצְוֹתַי לָלֶכֶת בָּהֶם IK. 6:12
1205-1191 בָּהֶם נ׳ IK. 11:2 Jer. 33:24; 44:2 • Ezek. 5:6; 11:17; 20:16 • Zech. 11:8 • S.of S. 4:2; 6:6 • Eccl. 10:9; 12:1 • Neh. 12:44 • ICh. 10:7 • IICh. 11:11; 14:13

בָּהֵמָּה ז׳ 1206 לְבָתִּים לְבַדִּים לָשֵׂאת אֹתוֹ בָּהֵמָּה Ex. 30:4
1207 אֲשֶׁר נָתַן יְיָ חָכְמָה...בָּהֵמָּה Ex. 36:1
1208 כִּי בָהֵמָּה שָׁמֵן חֶלְקוֹ Hab. 1:16
בָּם ז׳ 1209 וַיִּפְצַר־בָּם מְאֹד וַיָּסֻרוּ אֵלָיו Gen. 19:3
1210 וְאִם־יָדַעְתָּ וְיֶשׁ־בָּם אַנְשֵׁי־חַיִל Gen. 47:6
1211 וְעוֹדְךָ מַחֲזִיק בָּם Ex. 9:2
1212 וְאֶת־אֹתֹתַי אֲשֶׁר־שַׂמְתִּי בָם Ex. 10:2
1213 פֶּן־יִפְרָץ־בָּם Ex. 19:24
1214 וְאֶת־כָּל־אֲשֶׁר־בָּם Ex. 20:11
1215 וְנִשָּׂא־בָם אֶת־הַשֻּׁלְחָן Ex. 25:28
1216 וְאַל־תִּתְגָּר בָּם Deut. 2:19
1217 וְדִבַּרְתָּ בָּם בְּשִׁבְתְּךָ בְּבֵיתֶךָ Deut. 6:7
1218 בָּנִים לֹא־אֵמֻן בָּם Deut. 32:20
1219 וְעֵגֶל וּכְפִיר...וְנַעַר קָטֹן נֹהֵג בָּם Is. 11:6
1220 וּבְמִלְחֲמוֹת...נִלְחַם־בָּם (כת׳ בה) Is. 30:32
1221 וְאַדִּירֵי כָּל־חֶפְצִי־בָם Ps. 16:3
1222 יְשַׁלַּח־בָּם חֲרוֹן אַפּוֹ Ps. 78:49
1338-1223 בָּם ז׳ Ex. 29:29 • Lev. 11:43; 15:27 20:11,12,13,16,23,27; 22:25 • Num. 4:12; 11:1,3; 12:9; 20:13 • Deut. 2:5,9; 7:3,20; 11:19; 21:5; 31:28; 32:23,24 • Josh. 5:1 • Jud. 2:15,22^{2}; 3:1,4; 10:14; 11:25,32 • ISh. 3:13; 11:11; 12:9 • IK. 8:46; 15:22 • IIK. 3:21; 17:15,26; 25:14 • Is. 3:4,9; 6:13;

בָּם (המשך) 8:15; 19:4; 63:10,19 • Jer. 6:18,21; 9:8; 10:14; 12:6; 16:19; 21:4; 24:10; 25:14; 29:17; 31:8(7),32(31); 34:9,10; 37:10; 41:8; 50:33; 51:17 • Ezek. 5:13^{2}; 6:12; 16:17; 18:24,31; 20:21,43; 23:17; 25:17^{2}; 27:21; 28:25^{2}; 35:11^{2}; 39:27; 40:42; 44:19 • Hosh. 8:5; 14:10^{2} • Joel 2:17 • Am. 5:11 • Ps. 49:15; 64:9; 68:18; 69:35; 105:27; 106:29; 118:19; 119:93; 146:6 • Prov. 28:4 • Job 4:21; 15:3; 36:31 • Eccl. 3:12; 10:9 • Neh. 9:26,29,30 • ICh. 15:2 • IICh. 4:6; 6:36; 20:12; 24:19; 28:9; 30:10

וּבָם ז׳ 1339 וּבָם אֲנַחְנוּ נְמַקִּים Ezek. 33:10
בָּם נ׳ 1340 הָאֲרָצוֹת אֲשֶׁר נְפוֹצֹתֶם בָּם Ezek. 20:34
1341 הָאֲרָצוֹת אֲשֶׁר נְפֹצֹתֶם בָּם Ezek. 20:41
בָּהֵן 1342 הֶעָרִים אֲשֶׁר־יָשַׁב בָּהֵן לוֹט Gen. 19:29
1343 נָשַׁי...אֲשֶׁר עָבַדְתִּי אֹתְךָ בָּהֵן Gen. 30:26
1344 וַיְפַצֵּל בָּהֵן פְּצָלוֹת לְבָנוֹת Gen. 30:37
1345 וּמְנַקִּיֹּתָיו אֲשֶׁר יֻסַּךְ בָּהֵן Ex. 25:29
1356-1346 בָּהֵן Ex. 37:16 Lev. 10:1; 11:21; 14:40 • Num. 10:3; 16:7 • Deut. 28:52 • Jer. 4:29; 48:9; 51:43^{2}

בָּהֶן 1357 וַיָּבֹאוּ פְלִשְׁתִּים וַיֵּשְׁבוּ בָּהֶן ISh. 31:7
1358 וּלְכָל־בָּהֶן חַיֵּי רוּחִי Is. 38:16
1359 בִגְדֵיהֶם אֲשֶׁר־יְשָׁרְתוּ בָהֶן Ezek. 42:14
בָּהֵנָּה 1360 מִכֹּל אֲשֶׁר־יַעֲשֶׂה הָאָדָם לַחֲטֹא בָהֵנָּה Lev. 5:22
1361 הֶעָרִים אֲשֶׁר־הוּא יוֹשֵׁב בָּהֵנָּה Num. 13:19
1362 מִבְצָרֶיךָ אֲשֶׁר אַתָּה בּוֹטֵחַ בָּהֵנָּה Jer. 5:17

בְּאָה
נ׳ עין בִּיאָה

בְּאֻשִׁים
ז״ר מין גרוע של ענבים

בְּאֻשִׁים 1 וַיְקַו לַעֲשׂוֹת עֲנָבִים וַיַּעַשׂ בְּאֻשִׁים Is. 5:2
2 קִוֵּיתִי לַעֲשׂוֹת עֲנָבִים וַיַּעַשׂ בְּאֻשִׁים Is. 5:4

בְּאִישְׁתָּא
ת״נ ארמית: רעה (ת״ז: בְּאִישׁ)

וּבְאִישְׁתָּא 1 קִרְיְתָא מָרָדְתָּא וּבְאִישְׁתָּא בָּנַיִן Ez. 4:12

באר
: א) בְּאֵר
ב) בְּאֵר, בֹּאר בּוֹר, בֵּיר; ש״פ בְּאֵר, בְּאֵרָא, בְּאֵרָה, בְּאֵרִי, בְּאֵרוֹת, בְּאֵרוֹתַי

בֵּאֵר
פ׳ א) הסביר: 2
ב) כתב בכתב ברור: 1, 3

בַּאֵר 1 וְכָתַבְתָּ עַל־הָאֲבָנִים...בַּאֵר הֵיטֵב Deut. 27:8
בֵּאֵר 2 הוֹאִיל מֹשֶׁה בֵּאֵר אֶת־הַתּוֹרָה Deut. 1:5
וּבָאֵר 3 כְּתוֹב חָזוֹן וּבָאֵר עַל־הַלֻּחוֹת Hab. 2:2

בְּאֵר[1]
נ׳ א) בּוֹר עמוק באדמה לשאיבת מי תהום (מים חיים): 1–32, 34–36
ב) בּוֹר, שׁוּחָה: 33, 37

קרובים: בְּאֵר / בּוֹר / מַעְיָן / עַיִן / פַּחַת / שׁוּחָה / שַׁחַת
בְּאֵר מַיִם 28–32, 36; בְּ׳ צָרָה 11; בְּ׳ שַׁחַת 33; מֵי בְאֵר 5, 8; פִּי הַבְּאֵר 17–21; פְּנֵי הַבְּאֵר 24; אַטְרָה בְּאֵר פִּיהָ 10; בֶּאֱרוֹת חֵמָר 37; חָפַר בְּאֵר 1, 2, 7, 12, 15, 35, 36; כָּרָה בְּ׳ 3; עָלְתָה בְּ׳ 6

בְּאֵר 1 וַיַּחְפְּרוּ בְּאֵר אַחֶרֶת Gen. 26:21
2 וַיַּחְפֹּר בְּאֵר אַחֶרֶת Gen. 26:22
3 וַיִּכְרוּ־שָׁם עַבְדֵי־יִצְחָק בְּאֵר Gen. 26:25
4 וַיַּרְא וְהִנֵּה בְאֵר בַּשָּׂדֶה Gen. 29:2
5 וְלֹא נִשְׁתֶּה מֵי בְאֵר Num. 20:17
6 עֲלִי בְאֵר עֱנוּ־לָהּ Num. 21:17
7 בְּאֵר חֲפָרוּהָ שָׂרִים Num. 21:18
8 לֹא נִשְׁתֶּה מֵי בְאֵר Num. 21:22
9 וְלוֹ בְאֵר בַּחֲצֵרוֹ IISh. 17:18
10 וְאַל־תֶּאְטַר־עָלַי בְּאֵר פִּיהָ Ps. 69:16

וּבְאֵר 11 וּבְאֵר צָרָה נָכְרִיָּה Prov. 23:27
הַבְּאֵר 12 כִּי חָפַרְתִּי אֶת־הַבְּאֵר הַזֹּאת Gen. 21:30
13 וַתָּרָץ עוֹד אֶל־הַבְּאֵר לִשְׁאֹב Gen. 24:20
14 וַיִּקְרָא שֵׁם־הַבְּאֵר עֵשֶׂק Gen. 26:20
15 עַל־אֹדוֹת הַבְּאֵר אֲשֶׁר חָפָרוּ Gen. 26:32
16 מִן־הַבְּאֵר הַהִוא יַשְׁקוּ הָעֲדָרִים Gen. 29:2
17 וְהָאֶבֶן גְּדֹלָה עַל־פִּי הַבְּאֵר Gen. 29:2
18/9 וְגָלֲלוּ... הָאֶבֶן מֵעַל פִּי הַבְּאֵר Gen. 29:3,8
20 וְהֵשִׁיבוּ אֶת־הָאֶבֶן עַל־פִּי הַבְּאֵר Gen. 29:3
21 וַיָּגֶל אֶת־הָאֶבֶן מֵעַל פִּי הַבְּאֵר Gen. 29:10
22 וַיֵּשֶׁב עַל־הַבְּאֵר Ex. 2:15
23 הִוא הַבְּאֵר אֲשֶׁר אָמַר יְיָ לְמֹשֶׁה Num. 21:16
24 וַתִּפְרֹשׂ אֶת־הַמָּסָךְ עַל־פְּנֵי הַבְּאֵר IISh. 17:19
לִבְאֵר 25 קָרָא לִבְאֵר בְּאֵר לַחַי רֹאִי Gen. 16:14
מֵהַבְּאֵר 26 וַיַּעֲלוּ מֵהַבְּאֵר וַיֵּלְכוּ IISh. 17:21
בְּאֵר־ 27 בְּאֵר לַחַי רֹאִי Gen. 16:14
28 וַתֵּרֶא בְּאֵר־מָיִם Gen. 21:19
29 בְּאֵר הַמַּיִם אֲשֶׁר גָּזְלוּ Gen. 21:25
30 וַיַּבְרֵךְ הַגְּמַלִּים...אֶל־בְּאֵר הַמָּיִם Gen. 24:11
31 וַיִּמְצְאוּ־שָׁם בְּאֵר מַיִם חַיִּים Gen. 26:19
32 מַעְיַן גַּנִּים בְּאֵר מַיִם חַיִּים S.of S. 4:15
לִבְאֵר־ 33 תּוֹרִדֵם לִבְאֵר שַׁחַת Ps. 55:24
בְּאֵרֶךָ 34 שְׁתֵה...וְנֹזְלִים מִתּוֹךְ בְּאֵרֶךָ Prov. 5:15
הַבְּאֵרֹת 35 וְכָל־הַבְּאֵרֹת אֲשֶׁר חָפְרוּ Gen. 26:15
בְּאֵרֹת־ 36 וַיַּחְפֹּר אֶת־בְּאֵרֹת הַמַּיִם Gen. 26:18
בֶּאֱרֹת־ 37/8 וְעֵמֶק הַשִּׂדִּים בֶּאֱרֹת בֶּאֱרֹת חֵמָר Gen. 14:10

בְּאֵר[2]
א) מקום חנית בני־ישראל במואב: 1
ב) מקום ישוב בסביבות שכם: 2

בְּאֵרָה 1 וּמִשָּׁם בְּאֵרָה הִוא הַבְּאֵר... Num. 21:16
2 וַיָּנָס יוֹתָם וַיִּבְרַח וַיֵּלֶךְ בְּאֵרָה Jud. 9:21

בֹּאר
ז׳ בּוֹר • קרובים: ראה בְּאֵר1

הַבֹּאר 1 וְהִכָּה אֶת־הָאֲרִי בְּתוֹךְ הַבֹּאר IISh. 23:20
מִבֹּאר־ 2 מִי יַשְׁקֵנִי מַיִם מִבֹּאר בֵּית־לֶחֶם IISh. 23:15
3 וַיִּשְׁאֲבוּ־מַיִם מִבֹּאר בֵּית־לֶחֶם IISh. 23:16
בֹּארוֹת 4/5 לַחְצֹב...בֹּארוֹת בֹּארֹת נִשְׁבָּרִים Jer. 2:13

בְּאֵר־אֵלִים
מקום בארץ מואב

בְּאֵר א׳ 1 וּבְאֵר אֵלִים יִלְלָתָהּ Is. 15:8

בְּאֵר לַחַי רֹאִי
בְּאֵר ומקום בנגב (בין קדש ובין בֶּרֶד)

בְּאֵר לַחַי ר׳ 1 קָרָא לִבְאֵר בְּאֵר לַחַי רֹאִי Gen. 16:14
2 וְיִצְחָק בָּא מִבּוֹא בְּאֵר לַחַי רֹאִי Gen. 24:62
3 וַיֵּשֶׁב יִצְחָק עִם־בְּאֵר לַחַי רֹאִי Gen. 25:11

בְּאֵר־שֶׁבַע
עיר בנגב, בנחלת שמעון

מִדָּן וְעַד בְּאֵר שֶׁבַע 3–6, 12–14; מִבּ״ש וְעַד גֵּיא הִנֹּם 27; מִבְּאֵר שֶׁבַע וְעַד דָּן 28, 30

בְּאֵר־שֶׁ׳ 1 עַל־כֵּן שֵׁם־הָעִיר בְּאֵר שֶׁבַע Gen. 26:33
2 בְּאֵר־שֶׁבַע וְשֶׁבַע וּמוֹלָדָה Josh. 19:2
3 לְמִדָּן וְעַד־בְּאֵר שֶׁבַע Jud. 20:1
6-4 מִדָּן וְעַד־בְּאֵר שֶׁבַע IISh. 17:11; 24:2,15
7 וַיָּבֹא בְּאֵר שֶׁבַע אֲשֶׁר לִיהוּדָה IK. 19:3
בְּאֵר־שָׁ׳ 8 וַתֵּתַע בְּמִדְבַּר בְּאֵר שָׁבַע Gen. 21:14
9 קָרָא לַמָּקוֹם הַהוּא בְּאֵר שָׁבַע Gen. 21:31
10 וַיֵּלְכוּ יַחְדָּו אֶל־בְּאֵר שָׁבַע Gen. 22:19
11 וַיַּעַל מִשָּׁם בְּאֵר שָׁבַע Gen. 26:23
12 כָּל־יִשְׂרָאֵל מִדָּן וְעַד־בְּאֵר שָׁבַע ISh. 3:20
13/4 מִדָּן וְעַד־בְּאֵר שָׁבַע IISh. 3:10 • IK. 5:5
15 וַיֵּצְאוּ אֶל־נֶגֶב יְהוּדָה בְּאֵר שָׁבַע IISh. 24:7
16 הַבָּמוֹת...מִגֶּבַע עַד־בְּאֵר שָׁבַע IIK. 23:8
17 חֵי אֱלֹהֶיךָ דָּן וְחֵי דֶּרֶךְ בְּאֵר־שָׁבַע Am. 8:14
בְּאֵרָה שָׁ׳ 18 וַיִּסַּע... וַיָּבֹא בְּאֵרָה שָׁבַע Gen. 46:1

וּבְאֵר שֶׁ׳ 19 וַחֲצַר שׁוּעָל וּבְאֵר שֶׁבַע Josh. 15:28
20 וּבְאֵר שֶׁבַע לֹא תַעֲבֹרוּ Am. 5:5
בִּבְאֵר שֶׁ׳ 21 וַיֵּשְׁבוּ בִּבְאֵר־שֶׁבַע וּמוֹלָדָה ICh. 4:28
בִּבְאֵר־שָׁ׳ 22 וַיִּכְרְתוּ בְרִית בִּבְאֵר שָׁבַע Gen. 21:32
23 וַיִּטַּע אֶשֶׁל בִּבְאֵר שָׁבַע Gen. 21:33
24 וַיֵּשֶׁב אַבְרָהָם בִּבְאֵר שָׁבַע Gen. 2:19
25 שֹׁפְטִים בִּבְאֵר שָׁבַע ISh. 8:2
וּבִבְאֵר שֶׁ׳ 26 וּבִבְאֵר שֶׁבַע וּבְנֹתֶיהָ Neh. 11:27
מִבְּאֵר שֶׁ׳ 27 וַיַּחֲנוּ מִבְּאֵר־שֶׁבַע עַד־גֵּיא הִנֹּם Neh. 11:30
28 יִשְׂרָאֵל מִבְּאֵר שֶׁבַע וְעַד־דָּן ICh. 21:2
29 מִבְּאֵר שֶׁבַע עַד־הַר אֶפְרָיִם IICh. 19:4
30 בְּכָל־יִשְׂרָאֵל מִבְּאֵר־שֶׁבַע וְעַד־דָּן IICh. 30:5
מִבְּאֵר שָׁ׳ 31 וַיֵּצֵא יַעֲקֹב מִבְּאֵר שָׁבַע Gen. 28:10
32 וַיָּקָם יַעֲקֹב מִבְּאֵר שָׁבַע Gen. 46:5
33/4 צִבְיָה מִבְּאֵר שָׁבַע IIK. 12:2 • IICh. 24:1

בְּאֵרָא שפ״ז – מראשי האבות לבני אָשר
וּבְאֵרָא 1 וְשַׁמָּא וְשִׁלְשָׁה וְיִתְרָן וּבְאֵרָא ICh. 7:37

בְּאֵרָה שפ״ז – נשיא לבני ראובן, הוגלה על־ידי תגלת פלאסר
בְּאֵרָה 1 בְּאֵרָה בְנוֹ...הוּא נָשִׂיא לָראוּבֵנִי ICh. 5:6

בְּאֵרוֹת אחת מארבע ערי הגבעונים, בנחלת בנימין
בְּאֵרוֹת 1 גַּם־בְּאֵרוֹת תֵּחָשֵׁב עַל־בִּנְיָמִן IISh. 4:2
וּבְאֵרוֹת 2 גִּבְעוֹן וְהַכְּפִירָה וּבְאֵרוֹת Josh. 9:17
3 גִּבְעוֹן וְהָרָמָה וּבְאֵרוֹת Josh. 18:25
4 בְּנֵי קִרְיַת עָרִים כְּפִירָה וּבְאֵרוֹת Ez. 2:25
5 אַנְשֵׁי קִרְיַת יְעָרִים כְּפִירָה וּבְאֵרוֹת Neh. 7:29

בְּאֵרוֹת בְּנֵי־יַעֲקָן מתחנות בני ישראל במדבר (עין גם בְּנֵי־יַעֲקָן)
מִבְּאֵרֹת ב״י 1 נָסְעוּ מִבְּאֵרֹת בְּנֵי־יַעֲקָן מוֹסֵרָה Deut. 10:6

בְּאֵרוֹתִי ת׳ מתושבי בְּאֵרוֹת
הַבְּאֵרוֹתִי 1-3 בְּנֵי(־)רִמּוֹן הַבְּאֵרֹתִי IISh. 4:2,5,9
4 צֶלֶק הָעַמּוֹנִי נַחְרַי הַבְּאֵרֹתִי IISh. 23:37
הַבֵּרוֹתִי 5 צֶלֶק הָעַמּוֹנִי נַחְרַי הַבֵּרֹתִי ICh. 11:39
הַבְּאֵרוֹתִים 6 וַיִּבְרְחוּ הַבְּאֵרֹתִים גִּתָּיְמָה IISh. 4:3

בְּאֵרִי שפ״ז – א) חותן עשו: 1
ב) אבי הנביא הושע: 2
בְּאֵרִי 1 אֶת־יְהוּדִית בַּת־בְּאֵרִי הַחִתִּי Gen. 26:34
2 דְּבַר־יְיָ...אֶל־הוֹשֵׁעַ בֶּן־בְּאֵרִי Hosh. 1:1

בְּאֵרֹתִי עין בְּאֵרוֹתִי

באשׁ : בָּאַשׁ, נִבְאַשׁ, הִבְאִישׁ, הִתְבָּאֵשׁ; בְּאֹשׁ, בָּאְשָׁה, בְּאוּשִׁים; אר׳ בְּאֵשׁ

בָּאַשׁ פָּ׳ א) הסריח: 1–5
ב) [נִפ׳ נִבְאַשׁ] (בהשאלה): נמאס: 6–8
ג) [הִפ׳ הִבְאִישׁ] הסריח: 11, 13, 15
ד) [כנ״ל] גרם לסרחון: 14, 16, 17
ה) [כנ״ל] (בהשאלה) המאיס: 9, 10, 12, 13
ו) [הת׳ הִתְבָּאֵשׁ] (בהשאלה): נמאס: 18
נִבְאַשׁ אֶת־ 6; נִבְ׳ בְּ־ 7, 8; הִבְאִישׁ אֶת־ 10; הִבְ׳ בְּ־ 12; הִבְ׳ רֵיחוֹ 14; הִתְבָּאֵשׁ עִם־ 18

וּבָאַשׁ 1 וְהַדָּגָה...תָּמוּת וּבָאַשׁ הַיְאֹר Ex. 7:18
וַיִּבְאַשׁ 2 וְהַדָּגָה...מֵתָה וַיִּבְאַשׁ הַיְאֹר Ex. 7:21
3 וַיָּרֻם תּוֹלָעִים וַיִּבְאַשׁ Ex. 16:20
תִּבְאַשׁ 4 תִּבְאַשׁ דְּגָתָם מֵאֵין מַיִם Is. 50:2
וַתִּבְאַשׁ 5 וַיִּצְבְּרוּ אֹתָם...וַתִּבְאַשׁ הָאָרֶץ Ex. 8:10
נִבְאַשְׁתָּ 6 כִּי־נִבְאַשְׁתָּ אֶת־אָבִיךָ IISh. 16:21
נִבְאַשׁ 7 וְגַם־נִבְאַשׁ יִשְׂרָאֵל בַּפְּלִשְׁתִּים ISh. 13:4
נִבְאֲשׁוּ 8 וַיִּרְאוּ...כִּי נִבְאֲשׁוּ בְּדָוִד IISh. 10:6
הַבְאֵשׁ 9 הַבְאֵשׁ הִבְאִישׁ בְּעַמּוֹ בְיִשְׂרָאֵל ISh. 27:12
לְהַבְאִישֵׁנִי 10 לְהַבְאִישֵׁנִי בְּיֹשֵׁב הָאָרֶץ Gen. 34:30
הִבְאִישׁ 11 וְלֹא הִבְאִישׁ וְרִמָּה לֹא־הָיְתָה־בּוֹ Ex. 16:24
12 הַבְאֵשׁ הִבְאִישׁ בְּעַמּוֹ בְיִשְׂרָאֵל ISh. 27:12
הוֹבְאִישׁ 13 כֹּל הֹבְאִישׁ עַל־עַם לֹא־יוֹעִילוּ Is. 30:5
הִבְאַשְׁתֶּם 14 אֲשֶׁר הִבְאַשְׁתֶּם אֶת־רֵיחֵנוּ Ex. 5:21
הִבְאִישׁוּ 15 הִבְאִישׁוּ נָמַקּוּ חַבּוּרֹתָי Ps. 38:6
יַבְאִישׁ 16 וְרָשָׁע יַבְאִישׁ וְיַחְפִּיר Prov. 13:5
17 זְבוּבֵי מָוֶת יַבְאִישׁ יַבִּיעַ שֶׁמֶן רוֹקֵחַ Eccl. 10:1
הִתְבָּאֲשׁוּ 18 וַיִּרְאוּ...כִּי הִתְבָּאֲשׁוּ עִם־דָּוִיד ICh. 19:6

בְּאֹשׁ ז׳ סרחון, ריח רע : 1–3
בְּאֹשׁ־ 1 וָאַעֲלֶה בְּאֹשׁ מַחֲנֵיכֶם וּבְאַפְּכֶם Am. 4:10
בָּאְשׁוֹ 2 וְעָלָה בָאְשׁוֹ וְתַעַל צַחֲנָתוֹ Joel 2:20
בָּאְשָׁם 3 וּפִגְרֵיהֶם יַעֲלֶה בָאְשָׁם Is. 34:3

בְּאֵשׁ פְּ׳ ארמית: רגז, כעס
בְּאֵשׁ 1 מַלְכָּא...שְׁמַע שַׂגִּיא בְּאֵשׁ עֲלוֹהִי Dan. 6:15

בָּאְשָׁה נ׳ עֵשֶׂב רע
בָּאְשָׁה 1 ...וְתַחַת־שְׂעֹרָה בָאְשָׁה Job 31:40

בְּאֻשִׁים ראה בְּאוּשִׁים

בַּאֲשֶׁר ראה אֲשֶׁר **בָּאתַר** ארמית – ראה אֲתַר

בָּבָה* נ׳ גלגל העין
בְּבָבַת־ 1 כִּי הַנֹּגֵעַ בָּכֶם נֹגֵעַ בְּבָבַת עֵינוֹ Zech. 2:12

בֵּבַי שפ״ז – מן העולים עם זרובבל, מן החותמים על האמנה: 1–6
בֵּבַי 1 וּמִבְּנֵי בֵבַי...עֶשְׂרִים וּשְׁמֹנָה Ez. 8:11
בֵּבָי 2 בְּנֵי בֵבָי שֵׁשׁ מֵאוֹת עֶשְׂרִים וּשְׁלֹשָׁה Ez. 2:11
3 זְכַרְיָה בֶּן־בֵּבָי Ez. 8:11
4 וּמִבְּנֵי בֵּבָי יְהוֹחָנָן חֲנַנְיָה Ez. 10:28
5 בְּנֵי בֵבָי שֵׁשׁ מֵאוֹת Neh. 7:16
6 בְּנִי עַזְגָּד בֵּבָי Neh. 10:16

בָּבֶל שֵׁם העיר והממלכה : 1–286
אַנְשֵׁי בָבֶל 3; אֶרֶץ בָּ׳ 140, 146; בְּנֵי בָ׳ 152-154; בַּת בָּ׳ 139, 143, 148, 155, 157; גִּבּוֹרֵי בָ׳ 147; חוֹמוֹת בָּ׳ 144, 149, 151; חַכִּימֵי בָ׳ 158–165; יוֹשְׁבֵי בָ׳ 141, 142, 145; מְדִינַת בָּ׳ 166–171; מֶלֶךְ בָּ׳ 4-136; מַשָּׂא בָּ׳ 137; נַהֲרוֹת בָּ׳ 156; פְּסִילֵי בָ׳ 150; שָׂרֵי בָ׳ 177; בֵּל בְּבָבֶל 231

בָּבֶל 1 בָּבֶל וְאֶרֶךְ...בְּאֶרֶץ שִׁנְעָר Gen. 10:10
2 עַל־כֵּן קָרָא שְׁמָהּ בָּבֶל Gen. 11:9
3 וְאַנְשֵׁי בָבֶל עָשׂוּ אֶת־סֻכּוֹת בְּנוֹת IIK. 17:30
4 בְּרֹאדַךְ בַּלְאֲדָן...מֶלֶךְ־בָּבֶל IIK. 20:12
5 וְהָיוּ סָרִיסִים בְּהֵיכַל מֶלֶךְ בָּבֶל IIK. 20:18
6-9 נְבֻכַדְנֶאצַּר מֶלֶךְ(־)בָּבֶל IIK. 24:1,10,11; 25:1
10 כִּי־לָקַח מֶלֶךְ בָּבֶל IIK. 24:7
11-136 (בְּ־/לְ־) מֶלֶךְ(־)בָּבֶל IIK. 24:12^2,16,17,20
25:6,8,11,20,21,22,23,24,27 • Is. 14:4; 39:1,7 • Jer. 20:4; 21:2,4,7,10; 22:25; 24:1; 25:1,9,11,12; 27:6,8^2,9,11,12,13,14,17,20; 28:2,3,4,11,14; 29:3,21,22; 32:2,3,4,28,36; 34:1,2,3,7,21; 35:11; 36:29; 37:1,17,19; 38:3,17,18,22,23; 39:1; 39:3^2,5,6^2,11,13; 40:5,7,9,11; 41:2,18; 42:11; 43:10; 44:30; 46:2,13,26; 49:28,30; 50:17,18,43; 51:31,34; 52:3,4,9,10,11,12^2,15,26,27,31,34 • Ezek. 17:12; 19:9; 21:24,26; 24:2; 26:7; 29:18,19; 30:10,24,25^2; 32:11 • Es. 2:6 • Dan. 1:1; 7:1 • Ez. 2:1; 5:12 • Neh. 7:6; 13:6 • IICh. 36:6
137 מַשָּׂא בָּבֶל אֲשֶׁר חָזָה יְשַׁעְיָהוּ Is. 13:1
138 וְהָיְתָה בָבֶל צְבִי מַמְלָכוֹת Is. 13:19

בָּבֶל (המשך)
139 רְדִי...בְּתוּלַת בַּת־בָּבֶל Is. 47:1
140 קוֹל נָסִים וּפְלֵטִים מֵאֶרֶץ בָּבֶל Jer. 50:28
141 וְהִרְגִּיז לְיֹשְׁבֵי בָבֶל Jer. 50:34
142 חֶרֶב...וְאֶל־יֹשְׁבֵי בָבֶל Jer. 50:35
143 עָרוּךְ...לַמִּלְחָמָה עָלַיִךְ בַּת־בָּבֶל Jer. 50:42
144 אֶל־חוֹמֹת בָּבֶל שְׂאוּ־נֵס Jer. 51:12
145 אֵת אֲשֶׁר־דִּבֶּר אֶל־יֹשְׁבֵי בָבֶל Jer. 51:12
146 לָשׂוּם אֶת־אֶרֶץ בָּבֶל לְשַׁמָּה Jer. 51:29
147 חָדְלוּ גִבּוֹרֵי בָבֶל לְהִלָּחֵם Jer. 51:30
148 בַּת־בָּבֶל כְּגֹרֶן עֵת הִדְרִיכָהּ Jer. 51:33
149 גַּם־חוֹמַת בָּבֶל נָפָלָה Jer. 51:44
150 וּפָקַדְתִּי עַל־פְּסִילֵי בָבֶל Jer. 51:47
151 חֹמוֹת בָּבֶל הָרְחָבָה...תִּתְעַרְעָר Jer. 51:58
152 דְּמוּת בְּנֵי־בָבֶל כַּשְׂדִּים Ezek. 23:15
153 וַיָּבֹאוּ אֵלֶיהָ בְנֵי־בָבֶל Ezek. 23:17
154 בְּנֵי בָבֶל וְכָל־כַּשְׂדִּים Ezek. 23:23
155 צִיּוֹן הִמָּלְטִי יוֹשֶׁבֶת בַּת־בָּבֶל Zech. 2:11
156 עַל־נַהֲרוֹת בָּבֶל שָׁם יָשַׁבְנוּ Ps. 137:1
157 בַּת־בָּבֶל הַשְּׁדוּדָה... Ps. 137:8
158 לְהוֹבָדָה לְכֹל חַכִּימֵי בָבֶל Dan. 2:12
159 לְקַטָּלָה לְחַכִּימֵי בָּבֶל Dan. 2:14
160-165 (לְ)חַכִּימֵי בָּבֶל Dan. 2:18,24^2,48; 4:3; 5:7
166 וְהַשְׁלְטֵהּ עַל כָּל־מְדִינַת בָּבֶל Dan. 2:48
167-169 מְדִינַת בָּבֶל Dan. 2:49; 3:12 • Ez. 7:16
170/1 בִּמְדִינַת בָּבֶל Dan. 3:1,30
172 עַל־הֵיכַל מַלְכוּתָא דִּי בָבֶל Dan. 4:26
173 הֲלָא דָא־הִיא בָּבֶל רַבְּתָא Dan. 4:27
174 בִּשְׁנַת חֲדָה לְכוֹרֶשׁ מַלְכָּא דִּי בָבֶל Ez. 5:13
175 וְהֵיבֵל הִמּוֹ לְהֵיכְלָא דִּי בָבֶל Ez. 5:14
176 הַנְפֵּק הִמּוֹ...מִן־הֵיכְלָא דִּי בָבֶל Ez. 5:14
177 וְכֵן בִּמְלִיצֵי שָׂרֵי בָבֶל IICh. 32:31
178-223 בָּבֶל IIK. 25:7 • Is. 21:9; 39:6
Jer. 24:1; 28:3; 29:28; 39:9; 40:4^2; 43:3; 50:1,2,8,9; 50:13,14,23,24,29,45,46; 51:1,6,7,8,9,11,29; 51:35,37,41,42,48,49,53,55,56,59,60^2,61,64 • Ezek. 17:16 • Mic. 4:10 • IICh. 36:18,20
וּבָבֶל 224 וּבָבֶל תָּבוֹא וְשָׁם תָּמוּת Jer. 20:6
225 וּבָבֶל יוֹלִךְ אֶת־צִדְקִיָּהוּ Jer. 32:5
226 כִּי תָפֹשׂ תִּתָּפֵשׂ...וּבָבֶל תָּבוֹא Jer. 34:3
227 אַזְכִּיר רַהַב וּבָבֶל לְיֹדְעָי Ps. 87:4
בְּבָבֶל 228 כִּסֵּא הַמְּלָכִים אֲשֶׁר אִתּוֹ בְּבָבֶל IIK. 25:28
229 חֶפְצוֹ בְּבָבֶל וּזְרֹעוֹ כַּשְׂדִּים Is. 48:14
230 לְכֹל גָּלוּת יְהוּדָה אֲשֶׁר בְּבָבֶל Jer. 29:22
231 וּפָקַדְתִּי עַל־בֵּל בְּבָבֶל Jer. 51:44
232 לְכִסֵּא מְלָכִים אֲשֶׁר אִתּוֹ בְּבָבֶל Jer. 52:32
233 בְּבֵית גִּנְזַיָּא...תַמָּה דִּי בְּבָבֶל Ez. 5:17
234 דִּי גִנְזַיָּא מְהַחֲתִין תַּמָּה בְּבָבֶל Ez. 6:1
235 וַיִּתְּנֵם בְּהֵיכָלוֹ בְּבָבֶל IICh. 36:7
לְבָבֶל 236 וְהִכְרַתִּי לְבָבֶל שֵׁם וּשְׁאָר Is. 14:22
237 לְפִי מְלֹאת לְבָבֶל שִׁבְעִים שָׁנָה Jer. 29:10
238 וְשִׁלַּחְתִּי לְבָבֶל זָרִים וְזֵרוּהָ Jer. 51:2
239 וְשִׁלַּמְתִּי לְבָבֶל...אֵת כָּל־רָעָתָם Jer. 51:24
240 לְבָבֶל נָפְלוּ חַלְלֵי כָל־הָאָרֶץ Jer. 51:49
241 אֲשֶׁר הֶגְלָה...מֶלֶךְ־בָּבֶל לְבָבֶל Ez. 2:1
242 וְעַמָּה הַגְלִי לְבָבֶל Ez. 5:12
243 הַנְפֵּק מִן־הֵיכְלָא...וְהֵיבֵל לְבָבֶל Ez. 6:5
244 וִיהוּדָה הָגְלוּ לְבָבֶל בְּמַעֲלָם ICh. 9:1
245 וּמִכְּלֵי בֵּית יְיָ הֵבִיא...לְבָבֶל IICh. 36:7
מִבָּבֶל 246 וַיָּבֵא מֶלֶךְ־אַשּׁוּר מִבָּבֶל וּמִכּוּתָה IIK. 17:24
247 מֵאֶרֶץ רְחוֹקָה בָּאוּ מִבָּבֶל IIK. 20:14
248 צְאוּ מִבָּבֶל בִּרְחוּ מִכַּשְׂדִּים Is. 48:20
249 לְהָשִׁיב כְּלֵי בֵית־יְיָ...מִבָּבֶל Jer. 28:6

מבבל (המשך) 250 הוא עזרא עלה מבבל Ez. 7:6
251 הוא יסד המעלה מבבל Ez. 7:9
252-257 מבבל Is. 39:3 • Jer. 50:16; 51:54
Zech. 6:10 • Ez. 1:11; 8:1
בבלה 258 ונשא כל־אשר בביתך...בבלה IIK. 20:17
259 ויגל את־יהויכין בבלה IIK. 24:15
260 הוליך גולה מירושלם בבלה IIK. 24:15
261 ויביאם מלך־בבל גולה בבלה IIK. 24:16
262-5 מירושלם בבלה Jer. 27:20; 29:1,4,20
266-285 בבלה IIK. 25:13
Is. 43:14 • Jer. 20:4,5; 27:18,22; 28:4; 29:3,15;
39:7; 40:1,7; 52:11,17 • Ezek. 12:13; 17:12,20 •
IICh. 33:11; 36:6,10
מבבלה 286 כלי בית־יי מושבים מבבלה Jer. 27:16

בבליא
ת׳ ארמית: בבלים, תושבי בבל
בבליא 1 ארכוי בבליא שושנכיא Ez. 4:9

בג
כת׳ – עין בז (מס׳ 21)

בג
ז׳ עין פת־בג

בגד
: בגד; בגד, בגדות, בגוד

בגד
פ׳ הפר אמונים

בגד 1,3,8,9,15,17,18,21,22,43,46,49; בגד ב־ 2-4, 6, 10-14, 16, 19, 25, 39, 44, 45, 47, 48; בגד מן־ 7;
בגד (את־) 5

בגד בוגדים 18; דברי בוגדים 23; דרך ב׳ 37; הות ב׳ 35; נפש ב׳ 36; סלף ב׳ 34; עצרת בוגדים 31; בוגדי און 42; בוגדי בגד 41

בגוד 1 כי ידעתי בגוד תבגוד Is. 48:8
2 כי בגוד בגדו בי בית ישראל Jer. 5:11
לבגד 3 כנלתך לבגד יבגדו־בך Is. 33:1
בבגדו 4 לא־ימשל למכרה בבגדו־בה Ex. 21:8
בגדתי 5 הנה דור בניך בגדתי Ps. 73:15
בגדתה 6 אשר אתה בגדתה בה Mal. 2:14
בגדה 7 אכן בגדה אשה מרעה Jer. 3:20
8 בגדה יהודה ותועבה נעשתה Mal. 2:11
בגדתם 9 ויגידו לשאול...ויאמר בגדתם ISh. 14:33
10 כן בגדתם בי בית ישראל Jer. 3:20
בגדו 11 ובוגד ולא־בגדו בך Is. 33:1
12 כי בגוד בגדו בי בית ישראל Jer. 5:11
13 גם־המה בגדו בך Jer. 12:6
14 עברו ברית שם בגדו בי Hosh. 6:7
15 אחי בגדו כמו־נחל Job 6:15
16 כל־רעיה בגדו בה Lam. 1:2
בגדו 17 אוי לי בוגדים בגדו Is. 24:16
18 ובגד בוגדים בגדו Is. 24:16
19 ביי בגדו כי בנים זרים ילדו Hosh. 5:7
בוגד 20 הבוגד בוגד והשודד שודד Is. 21:2
21 ואף כי־היין בוגד Hab. 2:5
22 ותחת ישרים בוגד Prov. 21:18
23 ויסלף דברי בגד Prov. 22:12
24 מבטח בוגד ביום צרה Prov. 25:19
ובוגד 25 ובוגד ולא־בגדו בך Is. 33:1
הבוגד 26 הבוגד בוגד והשודד שודד Is. 21:2
בוגדה 27 ולא יראה בגודה יהודה אחותה Jer. 3:8
מבוגדה 28 צדקה נפשה...מבגדה יהודה Jer. 3:11
בוגדים 29 אוי לי בגדים בגדו Is. 24:16
30 ובגד בוגדים בגדו Is. 24:16
31 כלם מנאפים עצרת בגדים Jer. 9:1
32 למה תביט בוגדים Hab. 1:13
33 ראיתי בגדים ואתקוטטה Ps. 119:158
34 וסלף בגדים ישדם Prov. 11:3

בוגדים (המשך) 35 והות בגדים ילכדו Prov. 11:6
36 ונפש בגדים חמס Prov. 13:2
37 ודרך בגדים איתן Prov. 13:15
ובוגדים 38 ובוגדים יסחו ממנה Prov. 2:22
39 ובוגדים באדם תוסף Prov. 23:28
הבוגדים 40 יבשו הבוגדים ריקם Ps. 25:3
בוגדי־ 41 שלו כל־בגדי בגד Jer. 12:1
42 אל־תחן כל־בגדי און Ps. 59:6
תבגוד 43 כי ידעתי בגוד תבגוד Is. 48:8
יבגד 44 ובאשת נעוריך אל־יבגד Mal. 2:15
נבגד 45 מדוע נבגד איש באחיו Mal. 2:10
תבגדו 46 ונשמרתם ברוחכם ולא תבגדו Mal. 2:16
יבגדו 47 כנלתך לבגד יבגדו־בך Is. 33:1
ויבגדו 48 ויבגדו בעלי־שכם באבימלך Jud. 9:23
49 ויסגו ויבגדו כאבותם Ps. 78:57

בגד[1]
ז׳ הפרת אמון
בגד 1 שלו כל־בגדי בגד Jer. 12:1
ובגד־ 2 ובגד בוגדים בגדו Is. 24:16

בגד[2]
ז׳ (נ׳ – מס׳ 197) א) מכסה: 1–3, 28–34
ב) לבוש: רוב המקראות

קרובים: אדרת / חליצה / כסות / לבוש / מד / מחלצות / מכנסים / מעיל / סות / שמלה / תלבשת

– בגד אלמנה 35; ב׳ ארגמן 34, 126; ב׳ כלאים 38; ב׳ עדים 39; ב׳ פשתים 27,37,123; ב׳ צמר 27,36; ב׳ תכלת 28–30, 32, 33; כנף בגד 50, 210

– בגדים חבולים 72; ב׳ חמים 136; ב׳ לבנים 137; ב׳ פרומים 188; ב׳ צואים 73,86; ב׳ קרועים 196; חליפות בגדים 55, 56, 61–63; חמוץ ב׳ 68; ערך ב׳ 57; קרוע ב׳ 59, 66/7, 69; ריח ב׳ 143; שומר הבגדים 85, 87

– בגדי אבל 115; ב׳ אלמנות 90, 91; ב׳ בד 112-113; ב׳ בניו 96, 99-101, 109,124; ב׳ חפש 128; ב׳ ישע 119; ב׳ כלא 116, 120; ב׳ ערומים 127; ב׳ קדש 93, 106-108, 111, 114, 125, 129; ב׳ רקמה 122; ב׳ שרד 97,102,103; ב׳ שש 92; ב׳ תפארת 117

– הלבישו בגדים 74,82,108, 119; הניח ב׳ 46, 212; הסיר ב׳ 86,90; העדה ב׳ 5; הפשיטו ב׳ 127, 140,141, 191; חבל ב׳ 35; כבס ב׳ 160–187,193, 207/8; כסה ב׳ 6,7; לבש ב׳ 8,54,58,70,71,73,84, 91, 113-115, 118, 123, 132/3, 189; מלבש ב׳ 60, 76; עטה ב׳ 20,49; פרם ב׳ 195,206; פרש ב׳ 31,34; פשט ב׳ 112, 122, 157, 192, 202, 213; קרע ב׳ 40, 41,134, 135, 138, 144-155, 198-201, 204, 209, 211; שלח ב׳ 75; שנה ב׳ 116, 120; שרף בגד 10

– כסה בבגד 19, 88, 121; בלה כב׳ 22, 23, 25;

בגד 1 או בגד או־עור או שק Lev. 11:32
2 וכל־בגד וכל־עור Lev. 15:17
3 וכל־בגד וכל־כלי־עור Num. 31:20
4 ויסב...וישלך עליו בגד IISh. 20:12
5 מעדה־בגד ביום קרה Prov. 25:20
בגד 6 ועירם יכסה־בגד Ezek. 18:7
7 וערום כסה־בגד Ezek. 18:16
ובגד 8 לחם לאכל ובגד ללבש Gen. 28:20
הבגד 9 על־הבגד אשר יזה עליה Lev. 6:20
10 ושרף את־הבגד או את־השתי Lev. 13:52
11 וקרע אתו מן־הבגד Lev. 13:56
12 ולצרעת הבגד ולבית Lev. 14:55
והבגד 13 והבגד כי־יהיה בו נגע צרעת Lev. 13:47
14 והבגד או־השתי או־הערב Lev. 13:58

בבגד 15 והיה הנגע...בבגד או בעור Lev. 13:49
16-18 בבגד או(־)בשתי Lev. 13:51,53,57
בבגד 19 תקח מיכל...ותכס בבגד ISh. 19:13
כבגד 20 תהי־לו כבגד יעטה Ps. 109:19
21 כבגד אכלו עש Job 13:28
כבגד 22 הן כלם כבגד יבלו Is. 50:9
23 והארץ כבגד תבלה Is. 51:6
24 כי כבגד יאכלם עש Is. 51:8
25 וכלם כבגד יבלו Ps. 102:27
לבגד 26 קוריהם לא־יהיו לבגד Is. 59:6
בגד־ 27 בגד הצמר או הפשתים Lev. 13:59
28 ופרשו בגד־כליל תכלת Num. 4:6
29-30 יפרשו בגד תכלת Num. 4:7,11
31 ופרשו עליהם בגד תולעת שני Num. 4:8
32 ולקחו בגד תכלת וכסו Num. 4:9
33 ולקחו...ונתנו אל־בגד תכלת Num. 4:12
34 ופרשו עליו בגד ארגמן Num. 4:13
35 ולא תחבל בגד אלמנה Deut. 24:17
בבגד־ 36/7 בבגד צמר או בבגד פשתים Lev. 13:47
ובגד־ 38 ובגד כלאים שעטנז לא יעלה Lev. 19:19
וכבגד־ 39 וכבגד עדים כל־צדקתינו Is. 64:5
בגדי 40 קרעתי את־בגדי ומעילי Ez. 9:3
41 ובקרעי בגדי ומעילי Ez. 9:5
בגדו 42 ויעזב בגדו בידה וינס Gen. 39:12
43 כראותה כי־עזב בגדו בידה Gen. 39:13
44/5 ויעזב בגדו אצלי וינס Gen. 39:15,18
46 ותנח בגדו אצלה Gen. 39:16
47 וילקט ממנו פקעת שדה מלא בגדו IIK. 4:39
48 וימהרו ויקחו איש בגדו IIK. 9:13
49 כאשר־יעטה הרעה את־בגדו Jer. 43:12
50 הן ישא־איש...בכנף בגדו Hag. 2:12
51 לקח־בגדו כי־ערב זר Prov. 20:16
52 קח־בגדו כי־ערב זר Prov. 27:13
בבגדו 53 ותתפשהו בבגדו Gen. 39:12
בגדים 54 ולבש בגדים אחרים Lev. 6:4
55/6 ושלשים חל(י)פ(ו)ת בגדים Jud. 14:12,13
57 וערך בגדים ומחיתך Jud. 17:10
58 ויתחפש שאול וילבש בגדים אחרים ISh. 28:8
59 וכל־עבדיו נצבים קרעי בגדים IISh. 13:31
60 ישבים...מלבשים בגדים בגרן IK. 22:10
61 ועשר חליפות בגדים IIK. 5:5
62/3 ושתי חלפות בגדים IIK. 5:22,23
64 העת לקחת...ולקחת בגדים IIK. 5:26
65 כל־הדרך מלאה בגדים וכלים IIK. 7:15
66/7 ויבא...קרועי בגדים IIK. 18:37 • Is. 36:22
68 חמוץ בגדים מבצרה Is. 63:1
69 מגלחי זקן וקרעי בגדים Jer. 41:5
70/1 ולבשו בגדים אחרים Ezek. 42:14; 44:19
72 ועל־בגדים חבלים יטו Am. 2:8
73 ויהושע היה לבש בגדים צואים Zech. 3:3
74 וישימו הצניף...וילבשהו בגדים Zech. 3:5
75 ותשלח בגדים להלביש את־מרדכי Es. 4:4
76 מלבשים בגדים וישבים בגרן IICh. 18:9
ובגדים 77 כלי־כסף וכלי זהב ובגדים Gen. 24:53
78 וחמרים וגמלים ובגדים ISh. 27:9
79 וישאו משם כסף וזהב ובגדים IIK. 7:8
80 ואסף...זהב וכסף ובגדים Zech. 14:14
הבגדים 81 ואלה הבגדים אשר יעשו Ex. 28:4
82 ...הבגדים והלבשת את־אהרן Ex. 29:5
83 קח את־אהרן...ואת הבגדים Lev. 8:2
84 ומלא...ידו ללבש את־הבגדים Lev. 21:10
85 שלם...בן־חרחס שמר הבגדים IIK. 22:14

86 הָסִירוּ הַבְּגָדִים הַצֹּאִים מֵעָלָיו Zech. 3:4
87 שַׁלֻּם...בֶּן־חַסְרָה שׁוֹמֵר הַבְּגָדִים IICh. 34:22
בַּבְּגָדִים 88 וַיְכַסֻּהוּ בַּבְּגָדִים וְלֹא יִחַם לוֹ IK. 1:1
בִּגְדֵי־ 89 וַתִּקַּח רִבְקָה אֶת־בִּגְדֵי עֵשָׂו Gen. 27:15
90 וַתָּסַר בִּגְדֵי אַלְמְנוּתָהּ מֵעָלֶיהָ Gen. 38:14
91 וַתָּקָם...וַתִּלְבַּשׁ בִּגְדֵי אַלְמְנוּתָהּ Gen. 38:19
92 וַיַּלְבֵּשׁ אֹתוֹ בִּגְדֵי־שֵׁשׁ Gen. 41:42
93 וְעָשִׂיתָ בִגְדֵי־קֹדֶשׁ לְאַהֲרֹן Ex. 28:2
94 וְעָשׂוּ אֶת־בִּגְדֵי אַהֲרֹן לְקַדְּשׁוֹ Ex. 28:3
95 וְעָשׂוּ בִגְדֵי־קֹדֶשׁ לְאַהֲרֹן Ex. 28:4
96 וְהִזֵּיתָ...וְעַל־בִּגְדֵי בָנָיו אִתּוֹ Ex. 29:21
97/8 בִּגְדֵי הַשְּׂרָד וְאֶת־בִּגְדֵי הַקֹּדֶשׁ Ex. 31:10
99-101 בִּגְדֵי בָנָיו לְכַהֵן Ex. 31:10; 35:19; 39:41
102/3 בִּגְדֵי הַשְּׂרָד לְשָׁרֵת בַּקֹּדֶשׁ Ex. 35:19; 39:41
104 אֶת־בִּגְדֵי הַקֹּדֶשׁ לְאַהֲרֹן הַכֹּהֵן Ex. 35:19
105 בִּגְדֵי־שְׂרָד לְשָׁרֵת בַּקֹּדֶשׁ Ex. 39:1
106 אֶת־בִּגְדֵי הַקֹּדֶשׁ אֲשֶׁר לְאַהֲרֹן Ex. 39:1
107 אֶת־בִּגְדֵי הַקֹּדֶשׁ לְאַהֲרֹן הַכֹּהֵן Ex. 39:41
108 וְהִלְבַּשְׁתָּ אֶת־אַהֲרֹן אֵת בִּ׳ הַקֹּדֶשׁ Ex. 40:13
109 וַיַּז עַל־אַהֲרֹן...וְעַל־בִּגְדֵי בָנָיו Lev. 8:30
110 וַיְקַדֵּשׁ...וְאֶת־בִּגְדֵי בָנָיו אִתּוֹ Lev. 8:30
111 בִּגְדֵי־קֹדֶשׁ הֵם Lev. 16:4
112 וּפָשַׁט אֶת־בִּגְדֵי הַבָּד Lev. 16:23
113/4 וְלָבַשׁ אֶת־בִּ׳ הַבָּד בִּגְדֵי הַקֹּדֶשׁ Lev. 16:32
115 וְלִבְשִׁי־נָא בִגְדֵי־אֵבֶל IISh. 14:2
116 וְשִׁנָּא אֵת בִּגְדֵי כִלְאוֹ IIK. 25:29
117 לִבְשִׁי בִּגְדֵי תִפְאַרְתֵּךְ Is. 52:1
118 וַיִּלְבַּשׁ בִּגְדֵי נָקָם תִּלְבֹּשֶׁת Is. 59:17
119 כִּי הִלְבִּישַׁנִי בִּגְדֵי־יֶשַׁע Is. 61:10
120 וְשִׁנָּה אֵת בִּגְדֵי כִלְאוֹ Jer. 52:33
121 וַתִּקְחִי אֶת־בִּגְדֵי רִקְמָתֵךְ וַתְּכַסִּ׳ Ezek.16:18
122 וְאֶת־בִּגְדֵי רִקְמָתָם יִפְשֹׁטוּ Ezek. 26:16
123 בִּגְדֵי פִשְׁתִּים יִלְבָּשׁוּ Ezek. 44:17
וּבִגְדֵי־ 124 וְקָדַשׁ...וּבָנָיו וּבִגְדֵי בָנָיו אִתּוֹ Ex. 29:21
125 וּבִגְדֵי הַקֹּדֶשׁ אֲשֶׁר לְאַהֲרֹן... Ex. 29:29
126 לְבַד מִן...וּבִגְדֵי הָאַרְגָּמָן Jud. 8:26
127 וּבִגְדֵי עֲרוּמִּים תַּפְשִׁיט Job 22:6
בְּבִגְדֵי־ 128 בְּבִגְדֵי־חֹפֶשׁ לְרִכְבָּה Ezek. 27:20
וּלְבִגְדֵי־ 129 וּלְכָל־עֲבֹדָתוֹ וּלְבִגְדֵי הַקֹּדֶשׁ Ex. 35:21
בְּגָדַי 130 וְיֵז נִצְחָם עַל־בְּגָדַי Is. 63:3
131 יְחַלְּקוּ בְגָדַי לָהֶם Ps. 22:19
בְּגָדֶיךָ 132/3 וְאַתָּה לְבַשׁ בְּגָדֶיךָ IK. 22:30 • IICh. 18:29
134 לָמָּה קָרַעְתָּ בְּגָדֶיךָ IIK. 5:8
135 וַתִּקְרַע אֶת־בְּגָדֶיךָ וַתֵּבְךְּ לְפָנַי IIK. 22:19
136 אֲשֶׁר־בְּגָדֶיךָ חַמִּים Job 37:17
137 בְּכָל־עֵת יִהְיוּ בְגָדֶיךָ לְבָנִים Eccl. 9:8
138 וַתִּקְרַע אֶת־בְּגָדֶיךָ וַתֵּבְךְּ לְפָנַי IICh. 34:27
וּבְגָדֶיךָ 139 וּבְגָדֶיךָ כְּדֹרֵךְ בְּגַת Is. 63:2
בְּגָדַיִךְ 140 וְהִפְשִׁיטוּ אוֹתָךְ בְּגָדַיִךְ Ezek. 16:39
בְּגָדָיִךְ 141 וְהִפְשִׁיטוּךְ אֶת־בְּגָדָיִךְ Ezek. 23:26
מִבְּגָדַיִךְ 142 וַתִּקְחִי מִבְּגָדַיִךְ...לָךְ בָּמוֹת Ezek. 16:16
בְּגָדָיו 143 וַיָּרַח אֶת־רֵיחַ בְּגָדָיו Gen. 27:27
144-155 וַיִּקְרַע (קָרַע)...(אֶת) בְּגָדָיו Gen. 37:29
• Jud. 11:35 • IISh. 13:31 • IK. 21:27 • IIK. 5:7,8; 6:30; 19:1; 22:11 • Is. 37:1 • Es. 4:1 • IICh. 34:19
156 וְהִזֵּיתָ עַל־אַהֲרֹן וְעַל־בְּגָדָיו Ex. 29:21
157 וּפָשַׁט אֶת־בְּגָדָיו Lev. 6:4
158 וַיַּז עַל־אַהֲרֹן עַל־בְּגָדָיו Lev. 8:30
159 וַיְקַדֵּשׁ אֶת־אַהֲרֹן וְאֶת־בְּגָדָיו Lev. 8:30
160-187 יְכַבֵּס (וְכִבֶּס)...(אֶת־)בְּגָדָיו Lev. 11:25
11:28,40²; 13:6,34; 14:8,9,47²; 15:5,6,7,8,10,11,13,21;

בְּגָדָיו (המשך) 15:22,27; 16:26,28; 47:15 • Num. 19:7,8,10,19,21
188 בְּגָדָיו יִהְיוּ פְרֻמִים Lev. 13:45
189 וְרָחַץ... וְלָבַשׁ אֶת־בְּגָדָיו Lev. 16:24
190 וְהַפְשֵׁט אֶת־אַהֲרֹן אֶת־בְּגָדָיו Num. 20:26
191 וַיַּפְשֵׁט מֹשֶׁה אֶת־אַהֲרֹן אֶת־בְּגָד׳ Num. 20:28
192 וַיִּפְשַׁט גַּם־הוּא בְּגָדָיו ISh. 19:24
193 וְאֶת־בְּגָדָיו לֹא כִבֵּס IISh. 19:25
וּבְגָדָיו 194 וְקָדַשׁ הוּא וּבְגָדָיו Ex. 29:21
195 וּבְגָדָיו לֹא יִפְרֹם Lev. 21:10
196 וּבְגָדָיו קְרֻעִים וַאֲדָמָה עַל־רֹאשׁוֹ IISh. 1:2
197 הֲיַחְתֶּה...וּבְגָדָיו לֹא תִשָּׂרַפְנָה Prov. 6:27
בִּבְגָדָיו 198 וַיַּחֲזֵק דָּוִד בִּבְגָדָו וַיִּקְרָעֵם IISh. 1:11
199 וַיַּחֲזֵק בִּבְגָדָיו וַיִּקְרָעֵם IIK. 2:12
בְּגָדֶיהָ 200/1 וַתִּקְרַע... בְּגָדֶיהָ IIK. 11:14 • IICh. 23:13
בְּגָדֵינוּ 202 אֵין־אֲנַחְנוּ פֹשְׁטִים בְּגָדֵינוּ Neh. 4:17
בִּגְדֵיכֶם 203 וְכִבַּסְתֶּם בִּגְדֵיכֶם בַּיּוֹם הַשְּׁבִ׳ Num. 31:24
204 קִרְעוּ בִגְדֵיכֶם וְחִגְרוּ שַׂקִּים IISh. 3:31
205 וְקִרְעוּ לְבַבְכֶם וְאַל־בִּגְדֵיכֶם Joel 2:13
וּבִגְדֵיכֶם 206 וּבִגְדֵיכֶם לֹא־תִפְרֹמוּ Lev. 10:6
בִּגְדֵיהֶם 207 וְכִבְּסוּ בִגְדֵיהֶם וְהִטֶּהָרוּ Num. 8:7
208 וַיִּתְחַטְּאוּ הַלְוִיִּם וַיְכַבְּסוּ בִּגְדֵיהֶם Num. 8:21
209 וִיהוֹשֻׁעַ...קָרְעוּ בִּגְדֵיהֶם Num. 14:6
210 צִיצִת עַל־כַּנְפֵי בִגְדֵיהֶם Num. 15:38
211 וְלֹא קָרְעוּ אֶת־בִּגְדֵיהֶם Jer. 36:24
212 וְשָׁם יַנִּיחוּ בִגְדֵיהֶם Ezek. 42:14
213 וּבְצֵאתָם...יִפְשְׁטוּ אֶת־בִּגְדֵיהֶם Ezek. 44:19
בְּבִגְדֵיהֶם 214 וְלֹא־יְקַדְּשׁוּ...הָעָם בְּבִגְדֵיהֶם Ezek. 44:19
בִּגְדֹתֶיךָ 215 קְצִיעוֹת כָּל־בִּגְדֹתֶיךָ Ps. 45:9

בְּגָדוֹת
נ״ר בגידה
בֹּגְדוֹת 1 נְבִיאֶיהָ פֹּחֲזִים אַנְשֵׁי בֹּגְדוֹת Zep. 3:4

בָּגוֹד*
ת׳ בוגד, שדרכו לבגוד
בָּגוֹדָה 1 וַתֵּרֶא בָּגוֹדָה אֲחוֹתָהּ יְהוּדָה Jer. 3:7
2 לֹא־שָׁבָה אֵלַי בָּגוֹדָה אֲחוֹתָהּ Jer. 3:10

בִּגְוַי
שפ״ז – מעולי בבל עם זרובבל: 1–5
בִּגְוַי 1 מִסְפַּר בִּגְוַי רְחוּם בַּעֲנָה Ez. 2:2
2 וּמִבְּנֵי בִּגְוַי עוּתַי וְזַכּוּר Ez. 8:14
3 מִסְפֶּרֶת בִּגְוַי נְחוּם בַּעֲנָה Neh. 7:7
4 אֲדֹנִיָּה בִּגְוַי עָדִין Neh. 10:17
בִּגְוָי 5 בְּנֵי בִגְוָי אַלְפַּיִם... Ez. 2:14 • Neh. 7:19

בִּגְלַל
מ״י בשל, בשביל (לטובה 1,2,7,8; לרעה 3-6,9,10)
בִּגְלַל 1 וַיְבָרֶךְ יְיָ...בִּגְלַל יוֹסֵף Gen. 39:5
2 בִּגְלַל הַדָּבָר הַזֶּה יְבָרֶכְךָ יְיָ Deut. 15:10
3 בִּגְלַל חַטֹּאות יָרָבְעָם אֲשֶׁר חָטָא IK. 14:16
4 בִּגְלַל רָעַת בֵּית־יִשְׂרָאֵל Jer. 11:17
5 בִּגְלַל מְנַשֶּׁה בֶן־יְחִזְקִיָּהוּ Jer. 15:4
וּבִגְלַל 6 וּבִגְלַל הַתּוֹעֵבֹת הָאֵלֶּה Deut. 18:12
בִּגְלָלֶךָ 7 וַיְבָרְכֵנִי יְיָ בִּגְלָלֶךָ Gen. 30:27
בִּגְלָלֵךְ 8 וְחָיְתָה נַפְשִׁי בִּגְלָלֵךְ Gen. 12:13
בִּגְלַלְכֶם 9 גַּם־בִּי הִתְאַנַּף יְיָ בִּגְלַלְכֶם Deut. 1:37
10 בִּגְלַלְכֶם צִיּוֹן שָׂדֶה תֵחָרֵשׁ Mic. 3:12

בִּגְתָא
שפ״ז – משבעת הסריסים של המלך אחשורוש
בִּגְתָא 1 בִּגְתָא וַאֲבַגְתָא זֵתַר וְכַרְכַּס Es. 1:10

בִּגְתָן, בִּגְתָנָא
שפ״ז – משומרי הסף למלך אחשורוש
בִּגְתָן 1 קָצַף בִּגְתָן וָתֶרֶשׁ...מִשֹּׁמְרֵי הַסַּף Es. 2:21
בִּגְתָנָא 2 אֲשֶׁר הִגִּיד... עַל־בִּגְתָנָא וָתֶרֶשׁ Es. 6:2

בַּד¹
ז׳ א) זמורת הגפן: 17, 66
ב) מוט או בריח לנשיאת כלים: 15, 19–33, 41–48, 51–63
ג) (בהשאלה) גיד, עצם: 49, 50, 64, 65
ד) אריג פשתן: 1–14, 16, 18, 34–40
אַבְנֵט בַּד 5; אֵפוֹד בַּד 8–11; בִּגְדֵי בַד 13, 14; כְּתֹנֶת בַּד 3; מִכְנְסֵי בַד 2, 4, 7, 12; מִצְנֶפֶת בַּד 6; לָבוּשׁ בַּדִּים 16, 18, 34–40; בַּדֵּי עוֹרוֹ 50; בַּדֵּי עֲצֵי שִׁטִּים 21, 22, 46–48; בַּדֵּי שְׁאֹל 49; מַטֵּה בַדֶּיהָ 66
בַּד 1 וְלָבַשׁ הַכֹּהֵן מִדּוֹ בַד Lev. 6:3
2 וּמִכְנְסֵי־בַד יִלְבַּשׁ עַל־בְּשָׂרוֹ Lev. 6:3
3 כְּתֹנֶת־בַּד קֹדֶשׁ יִלְבָּשׁ Lev. 16:4
4 וּמִכְנְסֵי־בַד יִהְיוּ עַל־בְּשָׂרוֹ Lev. 16:4
5 וּבְאַבְנֵט בַּד יַחְגֹּר Lev. 16:4
6 וּבְמִצְנֶפֶת בַּד יִצְנֹף Lev. 16:4
בָּד 7 וַעֲשֵׂה לָהֶם מִכְנְסֵי־בָד Ex. 28:42
8 נַעַר חָגוּר אֵפוֹד בָּד ISh. 2:18
9 וַיָּמֶת...אִישׁ נֹשֵׂא אֵפוֹד בָּד ISh. 22:18
10 וְדָוִד חָגוּר אֵפוֹד בָּד IISh. 6:14
11 וְעַל־דָּוִיד אֵפוֹד בָּד ICh. 15:27
הַבָּד 12 וְאֶת־מִכְנְסֵי הַבָּד שֵׁשׁ מָשְׁזָר Ex. 39:28
13 וּפָשַׁט אֶת־בִּגְדֵי הַבָּד Lev. 16:23
14 וְלָבַשׁ אֶת־בִּגְדֵי הַבָּד Lev. 16:32
בַּדִּים 15 וְעָשִׂיתָ בַדִּים לַמִּזְבֵּחַ Ex. 27:6
16 וְאִישׁ־אֶחָד בְּתוֹכָם לָבֻשׁ בַּדִּים Ezek. 9:2
17 וַתַּעַשׂ בַּדִּים וַתְּשַׁלַּח פֹּארוֹת Ezek. 17:6
18 וְהִנֵּה אִישׁ־אֶחָד לָבוּשׁ בַּדִּים Dan. 10:5
הַבַּדִּים 19 וְהֵבֵאתָ אֶת־הַבַּדִּים בַּטַּבָּעֹת Ex. 25:14
20 בְּטַבְּעֹת הָאָרֹן יִהְיוּ הַבַּדִּים Ex. 25:15
21-22 וְעָשִׂיתָ אֶת־הַבַּ׳ עֲצֵי שִׁטִּים Ex. 25:28; 30:5
23-33 הַבַּדִּים Ex. 27:7; 37:5,15,28
38:6,7; 40:20 • IK. 8:8² • IICh. 5:9²
34 וַיִּקְרָא אֶל־הָאִישׁ הַלָּבֻשׁ הַבַּדִּים Ezek. 9:3
35-37 הָאִישׁ לְבֻשׁ (־)הַבַּדִּים Ezek. 9:11; 10:2,6
38 אֶל־חָפְנֵי לְבֻשׁ הַבַּדִּים Ezek. 10:7
39-40 (לְ/הָ)אִישׁ לְבוּשׁ הַבַּדִּים Dan. 12:6,7
לְבַדִּים 41 לְבָתִּים לְבַדִּים לָשֵׂאת אֶת־הַשֻּׁלְחָן Ex. 25:27
42 וְהָיָה לְבָתִּים לְבַדִּים לָשֵׂאת...בָּהֵמָּה Ex. 30:4
43 לְבָתִּים לְבַדִּים לָשֵׂאת אֹתוֹ בָּהֶם Ex. 37:27
לַבַּדִּים 44 בָּתִּים לַבַּדִּים לָשֵׂאת אֶת־הַשֻּׁלְחָן Ex. 37:14
45 אַרְבַּע טַבָּעֹת...בָּתִּים לַבַּדִּים Ex. 38:5
בַּדֵּי־ 46 וְעָשִׂיתָ בַדֵּי עֲצֵי שִׁטִּים Gen. 25:13
47/8 בַּדֵּי עֲצֵי שִׁטִּים Ex. 27:6; 37:4
49 בַּדֵּי שְׁאֹל תֵּרַדְנָה Job 17:16
50 יֹאכַל בַּדֵּי עוֹרוֹ Job 18:13
בַּדָּיו 51 וְהוּבָא אֶת־בַּדָּיו בַּטַּבָּעֹת Ex. 27:7
52 אֶת־הָאָרֹן וְאֶת־בַּדָּיו Ex. 35:12
53-63 בַּדָּיו Ex. 35:13,15,16; 39:35,39
Num. 4:6,8,11,14 • IK. 8:7 • IICh. 5:8
64 וְחָלָה חֶרֶב בְּעָרָיו וְכִלְּתָה בַדָּיו Hosh. 11:6
65 יֹאכַל בַּדָּיו בְּכוֹר מָוֶת Job 18:13
בַּדֶּיהָ 66 וַתֵּצֵא אֵשׁ מִמַּטֵּה בַדֶּיהָ Ezek. 19:14

בַּד²
א) חלק, מנה (בַּד בְּבַד = חלק כחלק): 1
ב) [לְבַד, לְבַדּוֹ...] לחוד, ביחידות: 17, 20–35, 69–138, 140–158
ג) [לְבַד מִ־] נוסף לקודם: 3–15, 36; חוץ: 18
ד) [מִלְּבַד] נוסף לקודם: 37–68, 139
בַּד בְּבַד 1(2); לְבַד בְּ־ 16; לְבַד מֵאֲשֶׁר 18; לְבַד מִן־ 3–15, 36; לְבַד עַל־ 19; מִלְּבַד 37–39, 44–68; מִלְּבַד אֲשֶׁר 40–43
בַּד 1 קַח־לְךָ סַמִּים...בַּד בְּבַד יִהְיֶה Ex. 30:34
בְּבַד 2 קַח־לְךָ סַמִּים...בַּד בְּבַד יִהְיֶה Ex. 30:34

לְבַד 3 הַגְּבָרִים לְבַד מִטָּף Ex. 12:37
4 לְבַד מִנִּדְרֵיכֶם וְנִדְבֹתֵיכֶם Num. 29:39
5 לְבַד מֵעָרֵי הַפְּרָזִי הַרְבֵּה מְאֹד Deut. 3:5
6 לְבַד מִמְכָּרָיו עַל־הָאָבוֹת Deut. 18:8
15-7 לְבַד מִ־ (מִ־/ מִן־) Josh. 17:5
Jud. 8:26; 20:15,17 • IK. 5:3,30; 10:15 • IIK. 21:16 • IICh. 9:14
16 לְבַד־בְּךָ נַזְכִּיר שְׁמֶךָ Is. 26:13
17 לְבַד רְאֵה־זֶה מָצָאתִי Eccl. 7:29
18 אַחַת דָּתוֹ לְהָמִית לְבַד מֵאֲשֶׁר יוֹשִׁיט־לוֹ הַמֶּלֶךְ אֶת־שַׁרְבִיט הַזָּהָב וְחָיָה Es. 4:11
19 לְבַד עַל־כָּל־הִתְנַדֵּב Ez. 1:6
לְבָד 20 וְחִבַּרְתָּ אֶת־חֲמֵשׁ הַיְרִיעֹת לְבָד Ex. 26:9
21 וְאֶת־שֵׁשׁ הַיְרִיעֹת לְבָד Ex. 26:9
22 תַּצִּיג אוֹתוֹ לְבָד Jud. 7:5
23 וְסָפְדָה...מִשְׁפָּחוֹת מִשְׁפָּחוֹת לְבָד Zech. 12:12
35-24 לְבָד Ex. 36:16[2] • Zech. 12:12[4],13[4],14[2]
וּלְבַד 36 וּלְבַד מִן־הָעֲנָקוֹת Jud. 8:26
מִלְּבַד 37 רָעָב...מִלְּבַד הָרָעָב הָרִאשׁוֹן Gen. 26:1
38 מִלְּבַד נְשֵׁי בְנֵי־יַעֲקֹב Gen. 46:26
39 וַיַּקְטֵר...מִלְּבַד עֹלַת הַבֹּקֶר Lev. 9:17
40 מִלְּבַד אֲשֶׁר־תַּשִּׂיג יָדוֹ Num. 6:21
43-41 מִלְּבַד אֲשֶׁר IK. 10:13 • IICh. 9:12; 17:19
44 מִלְּבַד הִתְיַחְשָׂם לִזְכָרִים IICh. 31:16
65-45 מִלְּבַד Lev. 23:38 • Num. 5:8
17:14; 28:23,31; 29:6,11,16,19,22,25,28,31,34,38 •
Deut. 28:69 • Josh. 22:29 • Dan. 11:4 • Ez. 2:65 •
Neh. 7:67 • ICh. 3:9
וּמִלְּבַד 66 וּמִלְּבַד מַתְּנוֹתֵיכֶם Lev. 23:38
67 וּמִלְּבַד כָּל־נִדְרֵיכֶם Lev. 23:38
68 וּמִלְּבַד כָּל־נִדְבֹתֵיכֶם Lev. 23:38
לְבַדִּי 69 לֹא־אוּכַל אָנֹכִי לְבַדִּי לָשֵׂאת Num. 11:14
70 לֹא־אוּכַל לְבַדִּי שְׂאֵת אֶתְכֶם Deut. 1:9
71 אֵיכָה אֶשָּׂא לְבַדִּי טָרְחֲכֶם Deut. 1:12
72 אֲנִי נוֹתַרְתִּי נָבִיא לַיי לְבַדִּי IK. 18:22
73/4 וָאִוָּתֵר אֲנִי לְבַדִּי IK. 19:10,14
75 אָנֹכִי יי...נֹטֶה שָׁמַיִם לְבַדִּי Is. 44:24
76 הֵן אֲנִי נִשְׁאַרְתִּי לְבַדִּי Is. 49:21
77 פּוּרָה דָּרַכְתִּי לְבַדִּי Is. 63:3
81-78 וָאִמָּלְטָה רַק־אֲנִי לְבַדִּי Job 1:15,16,17,19
82 וְאֹכַל פִּתִּי לְבַדִּי Job 31:17
83 וְרָאִיתִי אֲנִי דָנִיֵּאל לְבַדִּי Dan. 10:7
84 וַאֲנִי נִשְׁאַרְתִּי לְבַדִּי Dan. 10:8
לְבַדְּךָ 85 כִּי־אַתָּה יָדַעְתָּ לְבַדְּךָ IK. 8:39
86/7 אַתָּה...הָאֱלֹהִים לְבַדְּךָ IIK. 19:15 • Is. 37:16
88 לְךָ לְבַדְּךָ חָטָאתִי Ps. 51:6
89 וְלַצְתָּ לְבַדְּךָ תִשָּׂא Prov. 9:12
90 כִּי־אַתָּה לְבַדְּךָ יָדַעְתָּ IICh. 6:30
לְבַדֶּךָ 91 מַדּוּעַ אַתָּה יוֹשֵׁב לְבַדֶּךָ Ex. 18:14
92 לֹא־תוּכַל עֲשֹׂהוּ לְבַדֶּךָ Ex. 18:18
93 וְלֹא־תִשָּׂא אַתָּה לְבַדֶּךָ Num. 11:17
94 מַדּוּעַ אַתָּה לְבַדֶּךָ ISh. 21:2
95 כִּי אַתָּה יי אֱלֹהִים לְבַדֶּךָ IIK. 19:19
96 כִּי־אַתָּה יי לְבַדֶּךָ Is. 37:20
97 אַזְכִּיר צִדְקָתְךָ לְבַדֶּךָ Ps. 71:16
98 וְיֵדְעוּ כִּי־אַתָּה שִׁמְךָ יי לְבַדֶּךָ Ps. 83:19
99 אַתָּה אֱלֹהִים לְבַדֶּךָ Ps. 86:10
100 יִהְיוּ־לְךָ לְבַדֶּךָ Neh. 5:17
101 אַתָּה־הוּא יי לְבַדֶּךָ Neh. 9:6
לְבַדּוֹ 102 לֹא־טוֹב הֱיוֹת הָאָדָם לְבַדּוֹ Gen. 2:18
103 וַיָּשֶׁת לוֹ עֲדָרִים לְבַדּוֹ Gen. 30:40
104 וַיִּתֵּן...עֵדֶר עֵדֶר לְבַדּוֹ Gen. 32:16

לְבַדּוֹ (המשך) 105 וַיִּוָּתֵר יַעֲקֹב לְבַדּוֹ Gen. 32:24
106 הוּא לְבַדּוֹ יֵעָשֶׂה לָכֶם Ex. 12:16
107 זֹבֵחַ...בִּלְתִּי לַיי לְבַדּוֹ Ex. 22:19
108 וְנִגַּשׁ מֹשֶׁה לְבַדּוֹ אֶל יי Ex. 24:2
109 לֹא עַל־הַלֶּחֶם לְבַדּוֹ יִחְיֶה הָאָדָם Deut. 8:3
110 עֹשֵׂה נִפְלָאוֹת לְבַדּוֹ Ps. 72:18
111 כִּי־נִשְׂגָּב שְׁמוֹ לְבַדּוֹ Ps. 148:13
112 נֹטֶה שָׁמַיִם לְבַדּוֹ Job 9:8
138-113 לְבַדּוֹ Gen. 42:38; 43:32; 44:20
Deut. 22:25 • Jud. 3:20 • ISh. 7:3,4 • IISh. 13:32,33; 17:2; 18:24,25,26; 20:21 • IK. 12:20; 14:13; 18:6[2]; 22:31 • IIK. 17:18 • Is. 2:11,17 • Ps. 136:4 • Es. 1:16; 3:6 • IICh. 18:30

מִלְּבַדּוֹ 139 אֵין עוֹד מִלְּבַדּוֹ Deut. 4:35
לְבַדָּהּ 140 כִּי הִוא כְסוּתָה לְבַדָּהּ Ex. 22:26
141 אֶת־חָצוֹר לְבַדָּהּ שָׂרַף יְהוֹשֻׁעַ Josh. 11:13
142 אִם טַל יִהְיֶה עַל־הַגִּזָּה לְבַדָּהּ Jud. 6:37
143 יְהִי־נָא חֹרֶב אֶל־הַגִּזָּה לְבַדָּהּ Jud. 6:39
144 וַיְהִי־חֹרֶב אֶל־הַגִּזָּה לְבַדָּהּ Jud. 6:40
לְבַדְּכֶם 145 וְלֹא אִתְּכֶם לְבַדְּכֶם אָנֹכִי כֹּרֵת Deut. 29:13
146 וְהוּשַׁבְתֶּם לְבַדְּכֶם בְּקֶרֶב הָאָרֶץ Is. 5:8
לְבַדָּם 147 וַיָּשִׂימוּ לוֹ לְבַדּוֹ וְלָהֶם לְבַדָּם Gen. 43:32
148 וְלַמִּצְרִים הָאֹכְלִים אִתּוֹ לְבַדָּם Gen. 43:32
149 רַק אַדְמַת הַכֹּהֲנִים לְבַדָּם Gen. 47:26
150 וְאִישׁ־טוֹב וּמַעֲכָה לְבַדָּם בַּשָּׂדֶה IISh. 10:8
151 וּשְׁנֵיהֶם לְבַדָּם בַּשָּׂדֶה IK. 11:29
152 כִּי אִם־עֹבְדֵי הַבַּעַל לְבַדָּם IIK. 1:23
153 הֵמָּה לְבַדָּם יִנָּצֵלוּ Ezek. 14:16
154 כִּי הֵם לְבַדָּם יִנָּצֵלוּ Ezek. 14:18
155 לָהֶם לְבַדָּם נִתְּנָה הָאָרֶץ Job 15:19
156 אֲשֶׁר־בָּאוּ לְבַדָּם בַּשָּׂדֶה ICh. 19:9
לְבַדְּהֶן 157 וַיַּצֵּב...שֶׁבַע כִּבְשֹׂת הַצֹּאן לְבַדְּהֶן Gen. 21:28
לְבַדָּנָה 158 שֶׁבַע כְּבָשֹׂת...הִצַּבְתָּ לְבַדָּנָה Gen. 21:29

בַּד[3]

ז׳ שקר, כזב: 1–6
בַּדִּים 1 מֵפֵר אֹתוֹת בַּדִּים וְקֹסְמִים יְהוֹלֵל Is. 44:25
הַבַּדִּים 2 חֶרֶב אֶל־הַבַּדִּים וְנֹאָלוּ Jer. 50:36
בַּדֶּיךָ 3 בַּדֶּיךָ מְתִים יַחֲרִישׁוּ Job 11:3
בַּדָּיו 4 וּגְאוֹנוֹ וְעֶבְרָתוֹ לֹא־כֵן בַּדָּיו Is. 16:6
5 וְלֹא־כֵן בַּדָּיו לֹא־כֵן עָשׂוּ Jer. 48:30
6 לוֹ (כת׳ לא) אַחֲרִישׁ בַּדָּיו Job 41:4

בדא

: בָּדָא

בָּדָא

פ׳ המציא, בדה: 1, 2
בָּדָא 1 בַּחֹדֶשׁ אֲשֶׁר־בָּדָא מִלִּבּוֹ° IK. 12:33
בּוֹדָאם 2 כִּי מִלִּבְּךָ אַתָּה בוֹדָאם Neh. 6:8

בדד

: בּוֹדֵד; בָּדָד; בַּד; לְבַד; ש״פ בְּדַד

בָּדַד

פ׳ [רק בבינוני: בּוֹדֵד – נמצא לבדו, גלמוד]: 1–3
בּוֹדֵד 1 וְאֵין בּוֹדֵד בְּמוֹעֲדָיו Is. 14:31
2 פֶּרֶא בּוֹדֵד לוֹ Hosh. 8:9
3 כְּצִפּוֹר בּוֹדֵד עַל־גָּג Ps. 102:8

בָּדָד

תה״פ א) פרוש מאחרים, גלמוד: 1, 5, 7, 8
ב) לְבַד, ביחידות: 2–4, 6
ג) [לְבָדָד] לבד: 9–11
יָשַׁב בָּדָד 1, 5, 7, 8; שָׁכַן בָּ׳ (לְבָ׳) 3, 6, 9, 10
בָּדָד 1 בָּדָד יֵשֵׁב מִחוּץ לַמַּחֲנֶה Lev. 13:46
2 יי בָּדָד יַנְחֶנּוּ וְאֵין עִמּוֹ אֵל נֵכָר Deut. 32:12
3 וַיִּשְׁכֹּן יִשְׂרָאֵל בֶּטַח בָּדָד Deut. 33:28
4 כִּי עִיר בְּצוּרָה בָּדָד Is. 27:10

בָּדָד (המשך) 5 מִפְּנֵי יָדְךָ בָּדָד יָשַׁבְתִּי Jer. 15:17
6 יוֹשֵׁב לָבֶטַח... בָּדָד יִשְׁכֹּנוּ Jer. 49:31
7 אֵיכָה יָשְׁבָה בָדָד הָעִיר רַבָּתִי עָם Lam. 1:1
8 יֵשֵׁב בָּדָד וְיִדֹּם כִּי נָטַל עָלָיו Lam. 3:28
לְבָדָד 9 הֶן־עָם לְבָדָד יִשְׁכֹּן Num. 23:9
10 רְעֵה עַמְּךָ...שֹׁכְנִי לְבָדָד Mic. 7:14
11 אַתָּה יי לְבָדָד לָבֶטַח תּוֹשִׁיבֵנִי Ps. 4:9

בְּדַד

שפ״ז – אביו של הדד מלך אדום
בְּדַד 1/2 וַיִּמְלֹךְ...הֲדַד בֶּן־בְּדַד Gen. 36:35
ICh. 1:46

בְּדֵי

עיין דַּי

בֵּדְיָה

שפ״ז – מעולי בבל בימי עזרא
בֵּדְיָה 1 בְּנָיָה בֵּדְיָה כְּלוּהִי° Ez. 10:35

בְּדִיל

ז׳ א) מתכת לבנה וקלה (Stannum): 1–5
ב) סיג, פסולת בהתוך מתכת: 6
בְּדִיל 1 בְּכֶסֶף בַּרְזֶל בְּדִיל וְעוֹפֶרֶת Ezek. 27:12
וּבְדִיל 2 נְחֹשֶׁת וּבְדִיל וּבַרְזֶל וְעוֹפֶרֶת Ezek. 22:18
3 כֶּסֶף וּנְחֹשֶׁת...וְעוֹפֶרֶת וּבְדִיל Ezek. 22:20
הַבְּדִיל 4 אֶת־הַבְּדִיל וְאֶת־הָעֹפָרֶת Num. 31:22
5 וְרָאוּ אֶת־הָאֶבֶן הַבְּדִיל Zech. 4:10
בְּדִילָיִךְ 6 וְאֶצְרֹף...סִיגָיִךְ וְאָסִירָה כָּל־בְּדִילָיִךְ Is. 1:25

בדל

: נִבְדַּל, הִבְדִּיל; בָּדָל, מִבְדָּלוֹת

(בדל)

א) [נפ׳ נִבְדַּל] פרש מן־, נפרד: 1–10
ב) [הפ׳ הִבְדִּיל] הפריד, חלק, הבחין: 11–42
נִבְדַּל 7,6; נִבְדַּל אֶל־ 2; נִבְ׳ מִן־ 1–3,5,8,10,11; נִבְדַּל מִתּוֹךְ־ 9
הִבְדִּיל (אֶת) 41,40,38,35–31,22,17; הִבְדִּיל אֶת... מִן־ 11, 17–21,23, 29, 30, 39, 42; הִבְ׳ בֵּין 12–16, 24–28,36,37; הִבְדִּיל לְ־ 18
נִבְדְּלוּ 1 לֹא־נִבְדְּלוּ הָעָם... מֵעַמֵּי הָאֲרָצוֹת Ez. 9:1
2 וּמִן־הַגָּדִי נִבְדְּלוּ אֶל־דָּוִיד ICh. 12:9(8)
הַנִּבְדָּל 3 וְכֹל הַנִּבְדָּל מִטֻּמְאַת גּוֹיֵי־הָאָרֶץ Ez. 6:21
4 וְכָל־הַנִּבְדָּל מֵעַמֵּי הָאֲרָצוֹת Neh. 10:29
יִבָּדֵל 5 וְהוּא יִבָּדֵל מִקְּהַל הַגּוֹלָה Ez. 10:8
וַיִּבָּדֵל 6 וַיִּבָּדֵל אַהֲרֹן לְהַקְדִּישׁוֹ ICh. 23:13
וַיִּבָּדְלוּ 7 וַיִּבָּדְלוּ עֶזְרָא הַכֹּהֵן אֲנָשִׁים... Ez. 10:16
8 וַיִּבָּדְלוּ זֶרַע יִשְׂרָאֵל מִכֹּל בְּנֵי נֵכָר Neh. 9:2
הִבָּדְלוּ 9 הִבָּדְלוּ מִתּוֹךְ הָעֵדָה Num. 16:21
וְהִבָּדְלוּ 10 וְהִבָּדְלוּ מֵעַמֵּי הָאָרֶץ Ez. 10:11
הַבְדֵּל 11 הַבְדֵּל יַבְדִּילַנִי יי מֵעַל עַמּוֹ Is. 56:3
לְהַבְדִּיל 12 לְהַבְדִּיל בֵּין הַיּוֹם וּבֵין הַלָּיְלָה Gen. 1:14
13 לְהַבְדִּיל בֵּין הַטָּמֵא וּבֵין הַטָּהֹר Lev. 11:47
14 לְהַבְדִּיל בֵּין הַקֹּדֶשׁ לְחֹל Ezek. 42:20
וּלְהַבְדִּיל 15 וּלְהַבְדִּיל בֵּין הָאוֹר וּבֵין הַחֹשֶׁךְ Gen. 1:18
16 וּלְהַבְדִּיל בֵּין הַקֹּדֶשׁ וּבֵין הַחֹל Lev. 10:10
הִבְדַּלְתִּי 17 הִבְדַּלְתִּי אֶתְכֶם מִן־הָעַמִּים Lev. 20:24
18 אֲשֶׁר־הִבְדַּלְתִּי לָכֶם לְטַמֵּא Lev. 20:25
וְהִבְדַּלְתָּ 19 וְהִבְדַּלְתָּ אֶת־הַלְוִיִּם מִתּוֹךְ ב״י Num. 8:14
הִבְדַּלְתָּם 20 כִּי־אַתָּה הִבְדַּלְתָּם לְךָ לְנַחֲלָה IK. 8:53
הִבְדִּיל 21 הִבְדִּיל אֱלֹהֵי יִשְׂרָאֵל אֶתְכֶם Num. 16:9
22 הִבְדִּיל יי אֶת־שֵׁבֶט הַלֵּוִי Deut. 10:8
וְהִבְדִּילוֹ 23 וְהִבְדִּילוֹ יי לְרָעָה מִכֹּל... Deut. 29:20
וְהִבְדִּילָה 24 וְהִבְדִּילָה הַפָּרֹכֶת לָכֶם בֵּין הַקֹּדֶשׁ וּבֵין קֹדֶשׁ הַקֳּדָשִׁים Ex. 26:33
וְהִבְדַּלְתֶּם 25 וְהִבְדַּלְתֶּם בֵּין־הַבְּהֵמָה הַטְּהֹרָה לַטְּמֵאָה Lev. 20:25
הִבְדִּילוּ 26 בֵּין־קֹדֶשׁ לְחֹל לֹא הִבְדִּילוּ Ezek. 22:26
מַבְדִּיל 27 וִיהִי מַבְדִּיל בֵּין מַיִם לָמָיִם Gen. 1:6

מַבְדִּילִים 28 מַבְדִּלִים בֵּינֵכֶם לְבֵין אֱלֹהֵיכֶם Is. 59:2
וָאַבְדִּיל 29 וָאַבְדִּל אֶתְכֶם מִן־הָעַמִּים Lev. 20:26
וָאַבְדִּילָה 30 וָאַבְדִּילָה מִשָּׂרֵי הַכֹּהֲנִים Ez. 8:24
תַּבְדִּיל 31/2 שָׁל(ו)שׁ עָרִים תַּבְדִּיל לָךְ Deut. 19:2,7
יַבְדִּיל 33 וְשִׁסַּע אֹתוֹ בִכְנָפָיו לֹא יַבְדִּיל Lev. 1:17
34 וּמָלַק אֶת־רֹאשׁוֹ...וְלֹא יַבְדִּיל Lev. 5:8
35 אָז יַבְדִּיל מֹשֶׁה שָׁלֹשׁ עָרִים Deut. 4:41
וַיַּבְדֵּל 36 וַיַּבְדֵּל אֱל' בֵּין הָאוֹר וּבֵין הַחֹשֶׁךְ Gen. 1:4
37 וַיַּבְדֵּל בֵּין הַמַּיִם...וּבֵין הַמָּיִם... Gen. 1:7
38 וַיַּבְדֵּל דָּוִיד...לַעֲבֹדָה... ICh. 25:1
יַבְדִּילַנִי 39 הַבְדֵּל יַבְדִּילַנִי יְיָ מֵעַל עַמּוֹ Is. 56:3
וַיַּבְדִּילֵם 40 וַיַּבְדִּילֵם אֲמַצְיָהוּ לְהַגְּדוּד IICh. 25:10
יַבְדִּילוּ 41 וְאַנְשֵׁי תָמִיד יַבְדִּילוּ עֹבְרִים בָּאָרֶץ Ezek.39:14
וַיַּבְדִּילוּ 42 וַיַּבְדִּילוּ כָל־עֵרֶב מִיִּשְׂרָאֵל Neh. 13:3

בָּדָל* ז' חלק נבדל
בְּדַל־ 1 יַצִּיל...שְׁתֵּי כְרָעַיִם אוֹ בְדַל־אֹזֶן Am. 3:12

בְּדֹלַח ז' שְׂרָף הנוטף מאחד ממיני הבושם; לדעה אחרת: אבן טובה שקופה הדומה לשרף זה: 2,1
הַבְּדֹלַח 1 שָׁם הַבְּדֹלַח וְאֶבֶן הַשֹּׁהַם Gen. 2:12
2 וְעֵינוֹ כְּעֵין הַבְּדֹלַח Num. 11:7

בְּדָן שפ"ז — א) משופטי ישראל (שמשון הדני?): 1 ב) מבני מכיר משבט מנשה: 2
בְּדָן 1 אֶת־יְרֻבַּעַל וְאֶת־בְּדָן ISh. 12:11
2 וּבְנֵי אוּלָם בְּדָן ICh. 7:17

בדק : בָּדַק; בֶּדֶק

בָּדַק פ' בחן לשם תקון
לִבְדּוֹק 1 לִבְדּוֹק וּלְחַזֵּק הַבָּיִת IICh. 34:10

בֶּדֶק ז' סדק, פרץ בקיר או במבנה: 1—10
בֶּדֶק הַבַּיִת 2-8; הֶחֱזִיק בֶּדֶק 9/10; חִזֵּק בֶּ' 2-7
בָּדֶק 1 לְכֹל אֲשֶׁר־יִמָּצֵא שָׁם בָּדֶק IIK. 12:6
בֶּדֶק־ 2 וְהֵם יְחַזְּקוּ אֶת־בֶּדֶק הַבַּיִת IIK. 12:6
3 לֹא־חִזְּקוּ הַכֹּהֲנִים אֶת־בֶּדֶק הַבָּיִת IIK. 12:7
4 מַדּוּעַ אֵינְכֶם מְחַזְּקִים אֶת־בֶּדֶק הַבָּיִת IIK.12:8
5 וּלְבִלְתִּי חַזֵּק אֶת־בֶּדֶק הַבָּיִת IIK. 12:9
6 לְחַזֵּק אֶת־בֶּדֶק בֵּית־יְיָ IIK. 12:13
7 לְחַזֵּק בֶּדֶק הַבָּיִת IIK. 22:5
לְבֶדֶק־ 8 כִּי־לְבֶדֶק הַבַּיִת תִּתְּנֻהוּ IIK. 12:8
בִּדְקֵךְ 9/10 מַחֲזִיקֵי בִּדְקֵךְ Ezek. 27:9,27

בִּדְקַר שפ"ז — שלישו של יהוא מלך ישראל
בִּדְקַר 1 וַיֹּאמֶר אֶל־בִּדְקַר שָׁלִשֹׁה IIK. 9:25

בַּדַּר פ' ארמית: פזר
וּבַדַּרוּ 1 אַתַּרוּ עָפְיֵהּ וּבַדַּרוּ אִנְבֵּהּ Dan. 4:11

בֹּהוּ ז' ריקנות, שממה
בֹּהוּ 1 וְנָטָה עָלֶיהָ קַו־תֹהוּ וְאַבְנֵי־בֹהוּ Is. 34:11
וָבֹהוּ 2 וְהָאָרֶץ הָיְתָה תֹהוּ וָבֹהוּ Gen. 1:2
3 רָאִיתִי...הָאָרֶץ וְהִנֵּה־תֹהוּ וָבֹהוּ Jer. 4:23

בְּהוֹנוֹת – רבוי מן בֹּהֶן

בַּהַט ז' אחד ממיני השיש
בַּהַט 1 עַל רִצְפַת בַּהַט־וָשֵׁשׁ וְדַר וְסֹחָרֶת Es. 1:6

בְּהִילוּ נ' ארמית: בֶּהָלָה, חפזון
בִּבְהִילוּ 1 אֲזַלוּ בִבְהִילוּ לִירוּשְׁלֶם Ez. 4:23

בָּהִיר ת' מזהיר, זך
בָּהִיר 1 לֹא רָאוּ אוֹר בָּהִיר הוּא בַּשְּׁחָקִים Job 37:21

בהל : נִבְהַל, בֹּהַל, בִּהֵל, הִבְהִיל; בֶּהָלָה; אר' בְּהַל, מִתְבָּהַל, הִתְבְּהָלָה; בְּהִילוּ

(בהל) [נפ' נִבְהַל] א) נתקף פחד: 1—8, 10—14, 16—24
ב) נחפז מאוד: 9, 15
ג) [פ' בִּהֵל] הטיל פחד: 25—27, 30, 32—34
ד) [כנ"ל] החיש, מהר: 28, 29, 31
ה) [פ' בֹּהַל] הוחש, נעשה בחפזון: 35, 36
ו) [הפ' הִבְהִיל] הטיל פחד: 37
ז) [כנ"ל] הֵאִיץ, הֵחִישׁ: 38, 39
קרובים: יָרֵא / פָּחַד

נִבְהַלְתִּי 1 נַעֲוֵיתִי מִשְּׁמֹעַ נִבְהַלְתִּי מֵרְאוֹת Is. 21:3
וְנִבְהָלְתִּי 2 וְאִם־זָכַרְתִּי וְנִבְהָלְתִּי Job 21:6
נִבְהַל 3 וַתֵּרֶא כִּי־נִבְהַל מְאֹד ISh. 28:21
נִבְהֲלָה 4 וְנַפְשִׁי נִבְהֲלָה מְאֹד Ps. 6:4
נִבְהָלְנוּ 5 כִּי־כָלִינוּ בְאַפֶּךָ וּבַחֲמָתְךָ נִבְהָלְנוּ Ps. 90:7
נִבְהֲלוּ 6 וְלֹא־יָכְלוּ... כִּי נִבְהֲלוּ מִפָּנָיו Gen. 45:3
7 אָז נִבְהֲלוּ אַלּוּפֵי אֱדוֹם Ex. 15:15
8 רְפָאֵנִי יְיָ כִּי נִבְהֲלוּ עֲצָמָי Ps. 6:3
9 הֵמָּה רָאוּ כֵּן תָּמָהוּ נִבְהֲלוּ נֶחְפָּזוּ Ps. 48:6
נִבְהָלוּ 10 וְכָל־יִשְׂרָאֵל נִבְהָלוּ IISh. 4:1
11 וְאַנְשֵׁי־הַמִּלְחָמָה נִבְהָלוּ Jer. 51:32
וְנִבְהֲלוּ 12 וְנִבְהֲלוּ הָאִיִּים...מִצֵּאתֵךְ Ezek. 26:18
וְנִבְהָלוּ 13 וְנִבְהָלוּ צִירִים וַחֲבָלִים יֹאחֵזוּן Is. 13:8
נִבְהָל 14 הִסְתַּרְתָּ פָנֶיךָ הָיִיתִי נִבְהָל Ps. 30:8
נִבְהָל 15 נִבְהָל לַהוֹן אִישׁ רַע עָיִן Prov. 28:22
נִבְהָלָה 16 כִּי־כָלָה אַךְ־נִבְהָלָה יַעֲשֶׂה Zep. 1:18
אֶבָּהֵל 17 עַל־כֵּן מִפָּנָיו אֶבָּהֵל Job 23:15
תִּבָּהֵל 18 אַל־תִּבָּהֵל מִפָּנָיו תֵּלֵךְ Eccl. 8:3
וַתִּבָּהֵל 19 תִּגַּע עָדֶיךָ וַתִּבָּהֵל Job 4:5
וַיִּבָּהֵל 20 וַיִּבָּהֵל אִישׁ בִּנְיָמִן Jud. 20:41
יִבָּהֵלוּן 21 תַּסְתִּיר פָּנֶיךָ יִבָּהֵלוּן Ps. 104:29
וְיִבָּהֲלוּ 22 יֵבֹשׁוּ וְיִבָּהֲלוּ מְאֹד כָּל־אֹיְבָי Ps. 6:11
23 יֵבֹשׁוּ וְיִבָּהֲלוּ עֲדֵי־עַד Ps. 83:18
תִּבָּהַלְנָה 24 וִידֵי עַם־הָאָרֶץ תִּבָּהַלְנָה Ezek. 7:27
לְבַהֲלֵנִי 25 וֵאלֹהִים אָמַר לְבַהֲלֵנִי IICh. 35:21
וּלְבַהֲלָם 26 וַיִּקְרְאוּ בְקוֹל...לְיָרְאָם וּלְבַהֲלָם IICh. 32:18
וּמְבַהֲלִים 27 וּמְבַהֲלִים (כ' ומבלהים) אוֹתָם לִבְנוֹת Ez. 4:4
תְּבַהֵל 28 אַל־תְּבַהֵל עַל־פִּיךָ Eccl. 5:1
29 אַל־תְּבַהֵל בְּרוּחֲךָ לִכְעוֹס Eccl. 7:9
תְּבַהֲלֵם 30 תִּרְדְּפֵם...וּבְסוּפָתְךָ תְבַהֲלֵם Ps. 83:16
וַיְבַהֵל 31 וַיְבַהֵל אֶת־תַּמְרוּקֶיהָ Es. 2:9
וִיבַהֶלְךָ 32 וִיבַהֶלְךָ פַּחַד פִּתְאֹם Job 22:10
יְבַהֲלֵמוֹ 33 וּבַחֲרוֹנוֹ יְבַהֲלֵמוֹ Ps. 2:5
יְבַהֲלֻהוּ 34 וּשְׁמֻעוֹת יְבַהֲלֻהוּ מִמִּזְרָח וּמִצָּפוֹן Dan. 11:44
מְבֹהֶלֶת 35 נַחֲלָה מְבֹהֶלֶת (כת' מבחלת) Prov. 20:21
מְבֹהָלִים 36 הָרָצִים...יָצְאוּ מְבֹהָלִים וּדְחוּפִים Es. 8:14
הִבְהִילָנִי 37 וְאֵל הֵרַךְ לִבִּי וְשַׁדַּי הִבְהִילָנִי Job 23:16
וַיַּבְהִלוּ 38 וַיַּבְהִלוּ לְהָבִיא אֶת־הָמָן Es. 6:14
וַיַּבְהִלוּהוּ 39 וַיַּבְהִלוּהוּ מִשָּׁם וְגַם־הוּא נִדְחַף IICh. 26:20

בְּהַל פ' ארמית, כמו בעברית: בהל
א) [פ' בַּהֵל] בִּהֵל, הפחיד: 1—7
ב) [אתפ' אִתְבְּהֵל] נבהל: 8
ג) [אתפ' אִתְבְּהֵל] נבהל: 9—11 [בְּהִתְבְּהָלָה = בבהילות]
יְבַהֲלָךְ 1 חֶלְמָא וּפִשְׁרֵהּ אַל־יְבַהֲלָךְ Dan. 4:16
יְבַהֲלֻנַּנִי 2/3 וְחֶזְוֵי רֵאשִׁי יְבַהֲלֻנַּנִי Dan. 4:2; 7:15
4 שַׂגִּיא רַעְיוֹנַי יְבַהֲלֻנַּנִי Dan. 7:28
יְבַהֲלוּךְ 5 אַל־יְבַהֲלוּךְ רַעְיוֹנָךְ Dan. 5:10
יְבַהֲלֻנֵּהּ 6 אֶשְׁתּוֹמַם...וְרַעְיֹנֹהִי יְבַהֲלֻנֵּהּ Dan. 4:16
7 זִיוֹהִי שְׁנוֹהִי וְרַעְיֹנֹהִי יְבַהֲלוּנֵּהּ Dan. 5:6
מִתְבָּהַל 8 מַלְכָּא בֵלְשַׁאצַּר שַׂגִּיא מִתְבָּהַל Dan. 5:9
בְּהִתְבְּהָלָה 9 בְּהִתְבְּהָלָה הַנְּעֵל לְדָנִיֵּאל Dan. 2:25
10 מַלְכָּא תְּוַהּ וְקָם בְּהִתְבְּהָלָה Dan. 3:24
וּבְהִתְבְּהָלָה 11 וּבְהִתְבְּהָלָה לְגֻבָּא...אֲזַל Dan. 6:20

בֶּהָלָה נ' פחד פתאום: 1—4
בֶּהָלָה 1 וְהִפְקַדְתִּי עֲלֵיכֶם בֶּהָלָה Lev. 26:16
בַּבֶּהָלָה 2 וַיְכַל... יְמֵיהֶם וּשְׁנוֹתָם בַּבֶּהָלָה Ps. 78:33
לַבֶּהָלָה 3 לֹא יִגְעוּ לָרִיק וְלֹא יֵלְדוּ לַבֶּהָלָה Is. 65:23
וּבֶהָלוֹת 4 הִפַּלְתִּי עָלֶיהָ פִּתְאֹם עִיר וּבֶהָלוֹת Jer. 15:8

בְּהֵמָה נ' א) שם קבוצי לכל בעלי־החיים ההולכים על־ארבע, וביחוד למְבֻיָּתִים: רוב המקראות
ב) בעל־חיים בודד לרכיבה: 84, 134
אָדָם וּבְהֵמָה (מֵאָדָם וְעַד בְּ') 2—5, 17, 20—25, 28, 42—54, 56, 69, 70, 74—78, 102, 105, 106, 108, 122—129; בְּהֵמָה טְהוֹרָה 63, 65, 67, 72; בְּ' טְמֵאָה 13, 16, 108, 117; בְּכוֹר בְּהֵמָה 6, 7, 10, 73, 167; זֶרַע בְּ' 20; מֵאֵין בְּ' 22; מַכֵּה (נֶפֶשׁ) בְּ' 14, 15; מִקְנֵה בְּ' 68; מִקְרֵה בְּ' 81; נִבְלַת בְּ' 13; פְּרִי בְּ' 152-154, 156; פַּרְסוֹת בְּ' 27; רֶגֶל בְּ' 26; רוּחַ בְּהֵמָה 83; שְׁגַר בְּ' 9; שְׂכַר בְּ' 79; תַּבְנִית בְּ' 18; תּוֹרַת הַבְּ' 71; בֶּהֱמַת הָאָרֶץ 141, 142, 144, 146—150; בְּ' הַשָּׂדֶה 145; שֹׁד בְּהֵמוֹת 179; שֵׁן־בְּהֵמוֹת 177; בַּהֲמוֹת אֶרֶץ 190; בְּ' יַעַר 189; בְּ' נֶגֶב 185; בְּ' שָׂדַי 186—188

בְּהֵמָה 1 בְּהֵמָה וָרֶמֶשׂ וְחַיְתוֹ־אֶרֶץ Gen. 1:24
2/3 מֵאָדָם עַד־בְּהֵמָה עַד־רֶמֶשׂ Gen. 6:7; 7:23
4/5 מֵאָדָם וְעַד־בְּהֵמָה Ex. 9:25; 12:12
6/7 וְכֹל בְּכוֹר בְּהֵמָה Ex. 11:5; 12:29
8 לְמֵאִישׁ וְעַד־בְּהֵמָה Ex. 11:7
9 וְכָל־פֶּטֶר שֶׁגֶר בְּהֵמָה... Ex. 13:12
10 מִבְּכֹר אָדָם וְעַד־בְּכוֹר בְּהֵמָה Ex. 13:15
11 אִם־בְּהֵמָה אִם־אִישׁ לֹא יִחְיֶה Ex. 19:13
12 חֲמוֹר אוֹ־שׁוֹר... וְכָל־בְּהֵמָה Ex. 22:9
13 אוֹ בְּנִבְלַת בְּהֵמָה טְמֵאָה Lev. 5:2
14 וּמַכֵּה נֶפֶשׁ־בְּהֵמָה יְשַׁלְּמֶנָּה Lev. 24:18
15 וּמַכֵּה בְהֵמָה יְשַׁלְּמֶנָּה Lev. 24:21
16 וְאִם כָּל־בְּהֵמָה טְמֵאָה... Lev. 27:11
17 כָל־בְּכוֹר... מֵאָדָם עַד־בְּהֵמָה Num. 3:13
18 תַּבְנִית כָּל־בְּהֵמָה אֲשֶׁר בָּאָרֶץ Deut. 4:17
19 וְכָל־בְּהֵמָה מַפְרֶסֶת פַּרְסָה Deut. 14:6
20 זֶרַע אָדָם וְזֶרַע בְּהֵמָה Jer. 31:27(26)
21 חָרֵב...מֵאֵין אָדָם וּמֵאֵין בְּהֵמָה Jer. 33:10
22 מֵאֵין אָדָם... וּמֵאֵין בְּהֵמָה Jer. 33:10
23 הֶחָרֵב מֵאֵין־אָדָם וְעַד־בְּהֵמָה Jer. 33:12
24 מֵאָדָם וְעַד־בְּהֵמָה נָדוּ הָלָכוּ Jer. 50:3
25 לְמֵאָדָם וְעַד־בְּהֵמָה Jer. 51:62
26 וְרֶגֶל בְּהֵמָה לֹא תַעֲבָר־בָּהּ Ezek. 29:11
27 וּפַרְסוֹת בְּהֵמָה לֹא תִדְלָחֵם Ezek. 32:13
28 שֶׁהִכָּה...מֵאָדָם עַד־בְּהֵמָה Ps. 135:8
41-29 בְּהֵמָה Ex. 22:18
Lev. 18:23[2]; 20:16; 27:9,10 • Deut. 27:21 • Jud. 20:48 • Jer. 9:9 • Joel 1:18 • Ps. 148:10 • Eccl. 3:18 • IICh. 32:28
וּבְהֵמָה 42 מֵאָדָם וּבְהֵמָה וּמִשְּׂדֵה אֲחֻזָּתוֹ Lev. 27:28
43 שְׁמָמָה הִיא מֵאֵין אָדָם וּבְהֵמָה Jer. 32:43
44 וְהִשְׁבַּתִּי מִמֶּנָּה אָדָם וּבְהֵמָה Jer. 36:29
54-45 אָדָם וּבְהֵמָה Ezek. 14:12,17,19,21 25:13; 29:8; 36:11 • Jon. 4:11 • Zep. 1:3 • Zech. 2:8
55 כָּל־תַּבְנִית רֶמֶשׂ וּבְהֵמָה שֶׁקֶץ Ezek. 8:10
56 אָדָם וּבְהֵמָה תוֹשִׁיעַ יְיָ Ps. 36:7
57 וּבְהֵמָה אֵין עִמִּי... Neh. 2:12
58 וַאֲרוֹת לְכָל־בְּהֵמָה וּבְהֵמָה IICh. 32:28

הַבְּהֵמָה 59 וְאֶת־הַבְּהֵמָה לְמִינָהּ Gen. 1:25
60 לְכָל־הַבְּהֵמָה וּלְעוֹף הַשָּׁמַיִם Gen. 2:20
61 אָרוּר אַתָּה מִכָּל־הַבְּהֵמָה Gen. 3:14
62 וּמִן־הַבְּהֵמָה לְמִינָהּ Gen. 6:20
63 מִכֹּל הַבְּהֵמָה הַטְּהוֹרָה תִּקַּח Gen. 7:2
64 וּמִן־הַבְּהֵמָה אֲשֶׁר לֹא טְהֹרָה Gen. 7:2
65 מִן־הַבְּהֵמָה הַטְּהוֹרָה Gen. 7:8
66 וּמִן־הַבְּהֵמָה אֲשֶׁר אֵינֶנָּה טְהֹרָה Gen. 7:8
67 וַיִּקַּח מִכֹּל הַבְּהֵמָה הַטְּהֹרָה Gen. 8:20
68 תַּם הַכֶּסֶף וּמִקְנֵה הַבְּהֵמָה Gen. 47:18
69-70 עַל־הָאָדָם וְעַל־הַבְּהֵמָה Ex. 9:9,22
71 זֹאת תּוֹרַת הַבְּהֵמָה וְהָעוֹף Lev. 11:46
72 וְהִבְדַּלְתֶּם בֵּין־הַבְּהֵמָה הַטְּהֹרָה... Lev. 20:25
73 בְּכוֹר־הַבְּהֵמָה הַטְּמֵאָה תִּפְדֶּה Num. 18:15
74 מִן־הָאָדָם וּמִן־הַבְּהֵמָה Num. 31:47
75 נִתֶּכֶת...עַל־הָאָדָם וְעַל־הַבְּהֵמָה Jer. 7:20
76/7 וְאֶת־הָאָדָם וְאֶת־הַבְּהֵמָה Jer. 21:6; 27:5
78 וְעַל־הָאָדָם וְעַל־הַבְּהֵמָה Hag. 1:11
79 וּשְׂכַר הַבְּהֵמָה אֵינֶנָּה Zech. 8:10
80 הַסּוּס הַפֶּרֶד...וְכָל־הַבְּהֵמָה Zech. 14:15
81 מִקְרֶה בְנֵי־הָאָדָם וּמִקְרֶה הַבְּהֵמָה Eccl. 3:19
82 וּמוֹתַר הָאָדָם מִן־הַבְּהֵמָה אָיִן Eccl. 3:19
83 וְרוּחַ הַבְּהֵמָה הַיֹּרֶדֶת הִיא לְמַטָּה Eccl. 3:21
84 כִּי אִם־הַבְּהֵמָה אֲשֶׁר אֲנִי רֹכֵב בָּהּ Neh. 2:12
85-101 הַבְּהֵמָה Gen. 7:14; 8:1
Lev. 1:2; 7:25; 11:2,26,39; 20:15,16; 27:11 • Num. 31:30 • Deut. 2:35; 3:7; 14:4 • Josh. 8:27 • IK. 5:13 • Ezek. 44:31

וְהַבְּהֵמָה 102 כָּל־הָאָדָם וְהַבְּהֵמָה אֲשֶׁר...בַשָּׂדֶה Ex. 9:19
103 רַק הַנָּשִׁים וְהַטַּף וְהַבְּהֵמָה Deut. 20:14
104 וְכֹל שְׁלַל הֶעָרִים...וְהַבְּהֵמָה Josh. 11:14
105 הָאָדָם וְהַבְּהֵמָה...אַל־יִטְעֲמוּ Jon. 3:7
106 וְיִתְכַּסּוּ שַׂקִּים הָאָדָם וְהַבְּהֵמָה Jon. 3:8
מֵהַבְּהֵמָה 107 וְלוֹא נַכְרִית מֵהַבְּהֵמָה IK. 18:5
בִּבְהֵמָה 108 בְּטֻמְאַת אָדָם אוֹ בִּבְהֵמָה טְמֵאָה Lev. 7:21
109 וְאִישׁ אֲשֶׁר יִתֵּן שְׁכָבְתּוֹ בִּבְהֵמָה Lev. 20:15
110 וְאִם־הָמֵר יָמִיר בְּהֵמָה בִּבְהֵמָה Lev. 27:10
111 בְּכוֹר אֲשֶׁר יְבֻכַּר לַיי בִּבְהֵמָה Lev. 27:26
וּבִבְהֵמָה 112 בְּכֶסֶף וּבְזָהָב וּבִרְכוּשׁ וּבִבְהֵמָה Ez. 1:4
בַּבְּהֵמָה 113 בָּעוֹף בַּבְּהֵמָה וּבְכָל־חַיַּת הָאָרֶץ Gen. 9:10
114/5 מַעֲלַת גֵּרָה בַּבְּהֵמָה Lev. 11:3 • Deut. 14:6
116 וְלֹא־תְשַׁקְּצוּ...בַּבְּהֵמָה וּבָעוֹף Lev. 20:25
117 וְאִם בַּבְּהֵמָה הַטְּמֵאָה Lev. 27:27
118 לַיִשׁ גִּבּוֹר בַּבְּהֵמָה וְלֹא־יָשׁוּב Prov. 30:30
וּבַבְּהֵמָה 119 וְיִרְדּוּ...וּבְעוֹף הַשָּׁמַיִם וּבַבְּהֵמָה Gen. 1:26
120 בָּעוֹף וּבַבְּהֵמָה וּבַחַיָּה Gen. 7:21
121 בָּעוֹף וּבַבְּהֵמָה וּבְכָל־הָרֶמֶשׂ Gen. 8:17
122/3 וַתְּהִי הַכִּנָּם בָּאָדָם וּבַבְּהֵמָה Ex. 8:13,14
124-129 בָּאָדָם וּבַבְּהֵמָה Ex. 9:10; 13:2
Num. 8:17; 18:15; 31:11,26
130 בְּזָהָב בִּרְכוּשׁ וּבַבְּהֵמָה Ez. 1:6
כַּבְּהֵמָה 131 כַּבְּהֵמָה בַּבִּקְעָה תֵרֵד Is. 63:14
132 מַדּוּעַ נֶחְשַׁבְנוּ כַבְּהֵמָה Job 18:3
לַבְּהֵמָה 133 מַצְמִיחַ חָצִיר לַבְּהֵמָה Ps. 104:14
134 וְאֵין־מָקוֹם לַבְּהֵמָה לַעֲבֹר תַּחְתָּי Neh. 2:14
לִבְהֵמָה 135 נוֹתֵן לִבְהֵמָה לַחְמָהּ Ps. 147:9
וְלַבְּהֵמָה 136 דָּם לֹא תֹאכְלוּ...לָעוֹף וְלַבְּהֵמָה Lev. 7:26
137 וְלִבְהֶמְתְּכֶם אֲשֶׁר בְּרַגְלֵיהֶם IIK. 3:9
138 הָיוּ עֲצַבֵּיהֶם לַחַיָּה וְלַבְּהֵמָה Is. 46:1
בֶּהֱמַת־ 139 בֶּהֱמַת הַלְוִיִּם תַּחַת כָּל־בְּכוֹר Num. 3:41
140 בֶּהֱמַת הַלְוִיִּם תַּחַת בְּהֶמְתָּם Num. 3:45
141 וְכָל־בֶּהֱמַת הָאָרֶץ עָלָיו תֶּחֱרָף Is. 18:6

142 בֶּהֱמַת הָאָרֶץ לֶאֱכֹל וּלְהַשְׁחִית Jer. 15:3
בְּבֶהֱמַת־ 143 תַּחַת כָּל־בְּכוֹר בְּבֶהֱמַת ב״י Num. 3:41
וּלְבֶהֱמַת־ 144 לְכָל־עוֹף הַשָּׁמ׳ וּלְבֶהֱמַת הָאָ׳ Deut. 28:26
145 לְעוֹף הַשָּׁמַיִם וּלְבֶהֱמַת הַשָּׂדֶה ISh. 17:44
146 לְעֵיט הָרִים וּלְבֶהֱמַת הָאָרֶץ Is. 18:6
147-150 לְעוֹף הַשָּׁמ׳ וּלְבֶהֱמַת הָאָרֶץ Jer. 7:33
16:4; 19:7; 34:20
בְּהֶמְתְּךָ 151 בְּהֶמְתְּךָ לֹא־תַרְבִּיעַ כִּלְאַיִם Lev. 19:19
152 וּבִפְרִי בְהֶמְתְּךָ וּבִפְרִי אַדְמָתֶךָ Deut. 28:11
153 פְּרִי בְהֶמְתְּךָ וּפְרִי־אַדְמָתְךָ Deut. 28:51
154 וּבִפְרִי בְהֶמְתְּךָ וּבִפְרִי אַדְמָתְךָ Deut. 30:9
בְּהֶמְתֶּךָ 155 וְשׁוֹרְךָ וַחֲמֹרְךָ וְכָל־בְּהֶמְתֶּךָ Deut. 5:14
156 וּפְרִי אַדְמָתְךָ וּפְרִי בְהֶמְתֶּךָ Deut. 28:4
וּבְהֶמְתֶּךָ 157 עַבְדְּךָ וַאֲמָתְךָ וּבְהֶמְתֶּךָ Ex. 20:10
וּבִבְהֶמְתֶּךָ 158 לֹא־יִהְיֶה בְךָ עָקָר...וּבִבְהֶמְתֶּךָ Deut. 7:14
לִבְהֶמְתֶּךָ 159 וְנָתַתִּי עֵשֶׂב בְּשָׂדְךָ לִבְהֶמְתֶּךָ Deut. 11:15
וְלִבְהֶמְתְּךָ 160 וְלִבְהֶמְתְּךָ וְלַחַיָּה אֲשֶׁר בְּאַרְצֶךָ Lev. 25:7
בְּהֶמְתּוֹ 161 וְאֶת־מִקְנֵהוּ וְאֶת־כָּל־בְּהֶמְתּוֹ Gen. 36:6
162 יוֹדֵעַ צַדִּיק נֶפֶשׁ בְּהֶמְתּוֹ Prov. 12:10
בְּהֶמְתָּהּ 163 הַחֲרֵם אֹתָהּ...וְאֶת־בְּהֶמְתָּהּ Deut. 13:16
164 וְהַאֲבַדְתִּי אֶת־כָּל־בְּהֶמְתָּהּ Ezek. 32:13
וּבְהֶמְתָּהּ 165 רַק־שְׁלָלָהּ וּבְהֶמְתָּהּ תָּבֹזּוּ לָכֶם Josh. 8:2
בְּהֶמְתֵּנוּ 166 מִקְנֵנוּ וְכָל־בְּהֶמְתֵּנוּ Num. 32:26
וּבְהֶמְתֵּנוּ 167 בְּכֹרוֹת בָּנֵינוּ וּבְהֶמְתֵּנוּ Neh. 10:37
וּבִבְהֶמְתֵּנוּ 168 וְעַל גְּוִיֹּתֵינוּ מֹשְׁלִים וּבִבְהֶמְתֵּנוּ Neh. 9:37
לִבְהֶמְתֵּנוּ 169 וּמִגְרְשֵׁיהֶן לִבְהֶמְתֵּנוּ Josh. 21:2
בְּהֶמְתְּכֶם 170 וְהִכְרִיתָה אֶת־בְּהֶמְתְּכֶם Lev. 26:22
וּבְהֶמְתְּכֶם 171 אַתֶּם וּמִקְנֵיכֶם וּבְהֶמְתְּכֶם IIK. 3:17
בְּהֶמְתָּם 172 מִקְנֵהֶם וְקִנְיָנָם וְכָל־בְּהֶמְתָּם Gen. 34:23
173 בֶּהֱמַת הַלְוִיִּם תַּחַת בְּהֶמְתָּם Num. 3:45
174 וְאֵת כָּל־בְּהֶמְתָּם...בָּזָזוּ Num. 31:9
וּבְהֶמְתָּם 175 וּבְהֶמְתָּם לֹא יַמְעִיט Ps. 107:38
לִבְהֶמְתָּם 176 וּמִגְרְשֵׁיהֶם יִהְיוּ לִבְהֶמְתָּם Num. 35:3
בְּהֵמוֹת 177 וְשֶׁן־בְּהֵמוֹת אֲשַׁלַּח־בָּם Deut. 32:24
178 סָפְתָה בְהֵמוֹת וָעוֹף Jer. 12:4
179 וְשֹׁד בְּהֵמוֹת יְחִיתַן Hab. 2:17
180 בְּהֵמוֹת בְּהַרְרֵי־אָלֶף Ps. 50:10
181 וַאֲנִי־בַעַר...בְּהֵמוֹת הָיִיתִי עִמָּךְ Ps. 73:22
182 וְאוּלָם שְׁאַל־נָא בְהֵמוֹת וְתֹרֶךָּ Job 12:7
כַּבְּהֵמוֹת 183/4 נִמְשַׁל כַּבְּהֵמוֹת נִדְמוּ Ps. 49:13,21
בַּהֲמוֹת־ 185 מַשָּׂא בַּהֲמוֹת נֶגֶב Is. 30:6
186 גַּם־בַּהֲמוֹת שָׂדֶה תַּעֲרוֹג אֵלֶיךָ Joel 1:20
187 אַל־תִּירְאוּ בַּהֲמוֹת שָׂדַי Joel 2:22
188 צֹנֶה וַאֲלָפִים...וְגַם בַּהֲמוֹת שָׂדָי Ps. 8:8
בְּבַהֲמוֹת־ 189 וְהָיָה...כְּאַרְיֵה בְּבַהֲמוֹת יַעַר Mic. 5:7
מִבַּהֲמוֹת־ 190 מַלְּפֵנוּ מִבַּהֲמוֹת אָרֶץ Job 35:11

בְּהֵמוֹת ז׳ שם בעל־חיים אגדי; לדעת רבים: סוס־היאור (היפופוטמוס)
בְּהֵמוֹת 1 הִנֵּה־נָא בְהֵמוֹת אֲשֶׁר־עָשִׂיתִי עִמָּךְ Job 40:15

בֹּהֶן ז׳ אגודל: 1-16 • בֹּהֶן יָד 1,2,5-16 ; בֹּהֶן רֶגֶל 3-16
בֹּהֶן־ 1-2 וְעַל־בֹּהֶן יָדָם הַיְמָנִית Ex. 29:20 • Lev. 8:24
3-4 וְעַל בֹּהֶן רַגְלָם הַיְמָנִית Ex. 29:20 • Lev. 8:24
5-14 וְעַל־בֹּהֶן יָדוֹ הַיְמָנִית וְעַל־בֹּהֶן רַגְלוֹ הַיְמָנִית Lev. 8:23; 14:14,17,25,28
בְּהוֹנוֹת־ 15 וַיְקַצְּצוּ אֶת־בְּהוֹנוֹת יָדָיו וְרַגְלָיו Jud. 1:6
16 שִׁבְעִים מְלָכִים בְּהוֹנוֹת יְדֵיהֶם וְרַגְלֵיהֶם מְקֻצָּצִים הָיוּ מְלַקְּטִים Jud. 1:7

בֹּהַן עין אֶבֶן־בֹּהַן

בֹּהַק ז׳ נגע לבן בעור
בֹּהַק 1 בֹּהַק הוּא פָּרַח בָּעוֹר Lev. 13:39

בַּהֶרֶת נ׳ כתם לבן או אדמדם בעור: 1—12
בַּהֶרֶת 1 שְׂאֵת אוֹ־סַפַּחַת אוֹ בַהֶרֶת Lev. 13:2
2 וְאִם־בַּהֶרֶת לְבָנָה הִוא Lev. 13:4
3/4 בַהֶרֶת לְבָנָה אֲדַמְדֶּמֶת Lev. 13:19,24
הַבַּהֶרֶת 5/6 וְאִם־תַּחְתֶּיהָ תַּעֲמֹד הַבַּהֶרֶת Lev. 13:23,28
בַּבַּהֶרֶת 7 וְהִנֵּה נֶהְפַּךְ שֵׂעָר לָבָן בַּבַּהֶרֶת Lev. 13:25
8 וְהִנֵּה אֵין־בַּבַּהֶרֶת שֵׂעָר לָבָן Lev. 13:26
וְלַבֶּהָרֶת 9 וְלַשְׂאֵת וְלַסַּפַּחַת וְלַבֶּהָרֶת Lev. 14:56
בֶּהָרוֹת 10/11 בְעוֹר־בְּשָׂרָם בֶּהָרֹת בֶּהָרֹת לְבָנֹת Lev. 13:38
12 בֶּהָרֹת כֵּהוֹת לְבָנֹת Lev. 13:39

בוא : בָּא, הֵבִיא, הוּבָא; בִּיאָה, מָבוֹא, מוּבָא, תְּבוּאָה

(בוא) בָּא פָּ״א) [בָּא, בָּא אֶל־, לְ־, בְּ־, מִ־, עַל־, עַד־] נכנס, הגיע, קרב: רוב המקראות 1—1992
ב) [בָּא] התקיֵם, התגשם: 2, 37, 49, 369, 510, 630, 880, 887—890, (1099)
ג) [בָּא אֶל־] בָּעַל: 76, 322, 362, 511, 1038, 1045, 1047, 1051, 1258, 1928, 1930
ד) [בָּא עַל־] בָּעַל: 82; התנַפל: 243, 1027
ה) [הִפ׳ הֵבִיא לְ, אֶל, עַל וכו׳] הכניס, קרב, גרם שיָבוא: רוב המקראות 1993—2541
ו) [הָפ׳ הוּבָא] הוכנס, הועלה: רוב המקראות 2542 — 2565
– לְבִלְתִּי בוֹא 17, 18, 21; (לְ)עֵת בּוֹא 19,20,36,37; לִפְנֵי בוֹא 23, 32, 34, 35; מְדֵי בוֹא 25, 38; עַד בּוֹא 11, 12, 14, 15, 16, 24; (עַד) לְבוֹא 161—170; מִלְּבוֹא 175—178
– בָּא אוֹרוֹ 374; בָּא אֶל אֲבוֹתָיו 1042; בָּא אָלָה 512, 513; בָּא בְאָלָה 948; בָּא בָאֲנָשִׁים 767; בָּא בַבְּרִית 634, 1032; בָּא גָד 360; בָּא בַגּוֹיִם 21; בָּא בְדָמִים 180,181; בָּא זָדוֹן 394; בָּא חָמָס 87; בָּא בַטִּיט 1958; בָּא הַיּוֹם 34, 35, 769; בָּא יוֹמוֹ 379,380,391,392,1101,1108; בָּא בַיָּמִים 292,314,753, 765,766,768; בָּא מוֹעֵד 393; בָּא בְמָצוֹר 1576,1577; בָּא בְמִרְמָה 358; בָּא בְמִשְׁפָּט 1103, 1111, 1634; בָּא עֶזְרוֹ 1109; בָּא (בָּאָה) הָעֵת 88,387,388,585; בָּא לַצָּבָא 763; בָּא קָלוֹן 394; בָּא פְקֻדָּה 389; בָּא הַקֵּץ 384-385; בָּא קִצּוֹ 381,395; בָּא קֶרֶץ 376; בָּא בְרִיב 1681; בָּא רֵיקָם 1086; בָּא בְרִנָּה 5(1110); בָּא בִשְׁבוּעָה 948; בָּא בִשְׂכָרוֹ 368; בָּא שָׁלוֹם 202,1105; בָּא בְשָׁלוֹם 188,370/1,1093; בָּא הַשֶּׁמֶשׁ 14,15,19,20,23,66,67,71,77,79,81,86,359,375,509,519, 563,570,586,1106,1526,1575; בָּא עַד תְּכוּנָתוֹ 1012
– יוֹצֵא וָבָא 764, 836—838, 875, 876; בָּרוּךְ הַבָּא 843; הַבָּאִים בַּשֵּׁמוֹת 958; יָמִים בָּאִים 912—932, 957; בָּאֵי מוֹעֵד 995; בָּאֵי הַשַּׁבָּת 991—994
בּוֹאֲךָ...בּוֹאֲכָה 194—201, 210—215
– הֵבִיא בְאָלָה 2347; הֵבִיא בְמִשְׁפָּט 2317, 2334, 2403; הֵבִיא צַוָּארוֹ בְּ־ 2188; הֵבִיא הַשֶּׁמֶשׁ 2064; הֵבִיא תַאֲוָתוֹ 2332

בּוֹא (בפרד) 1 וְאִם־בֹּא יָבֹא הַכֹּהֵן וְרָאָה Lev. 14:48
2 כֹּל אֲשֶׁר־יְדַבֵּר בּוֹא יָבוֹא ISh. 9:6
3 בֹּא־יָבוֹא מֶלֶךְ־בָּבֶל Jer. 36:29
4 כִּי־בֹא יָבֹא לֹא יְאַחֵר Hab. 2:3
5 בֹּא־יָבֹא בְרִנָּה נֹשֵׂא אֲלֻמֹּתָיו Ps. 126:6
6 וּבָא בוֹא וְשָׁטַף וְעָבָר Dan. 11:10
7 וּלְקֵץ הָעִתִּים שָׁנִים יָבוֹא בוֹא Dan. 11:13
הֲבוֹא 8 הֲבוֹא נָבוֹא אֲנִי וְאִמְּךָ וְאַחֶיךָ Gen. 37:10
וָבוֹא 9 הִתְחַפֵּשׂ וָבֹא בַמִּלְחָמָה IK. 22:30
10 הִתְחַפֵּשׂ וָבוֹא בַמִּלְחָמָה IICh. 18:29
בּוֹא (נטוי) 11 עַד־בּוֹא אֲדֹנָיו אֶל־בֵּיתוֹ Gen. 39:16
12 עַד־בּוֹא יוֹסֵף בַּצָּהֳרָיִם Gen. 43:25

בוא (המשך)
13 מַדּוּעַ מִהַרְתֶּן בֹּא הַיּוֹם Ex. 2:18
14/5 עַד־בֹּא הַשָּׁמֶשׁ Ex. 17:12; 22:25
16 עַד־בּוֹא תְּבוּאָתָהּ תֹּאכְלוּ יָשָׁן Lev. 25:22
17 לְבִלְתִּי־בֹא אֶל־הָאָרֶץ Num. 32:9
18 וּלְבִלְתִּי־בֹא אֶל־הָאָרֶץ Deut. 4:21
20-19 לְעֵת בּוֹא הַשֶּׁמֶשׁ Josh. 10:27 • IICh. 18:34
21 לְבִלְתִּי־בוֹא בַּגּוֹיִם הָאֵלֶּה Josh. 23:7
22 יוֹם אֶחָד לִפְנֵי־בוֹא שָׁאוּל ISh. 9:15
23 כִּי אִם־לִפְנֵי בוֹא־הַשֶּׁמֶשׁ אֶטְעַם IISh. 3:35
24 עַד בּוֹא דָבָר מֵעִמָּכֶם IISh. 15:28
25 וַיְהִי מִדֵּי־בֹא הַמֶּלֶךְ בֵּית יְיָ IK. 14:28
26-8 עַד־בּוֹא IIK. 16:11 • Ezek. 33:22 • Job 14:14
29 בִּשְׁנַת בֹּא תַרְתָּן אַשְׁדּוֹדָה Is. 20:1
30/1 עַד(־)בֹּא Jer. 27:7 • Ezek. 21:32
32 בָּעֶרֶב לִפְנֵי בּוֹא הַפָּלִיט Ezek. 33:22
33 בְּיוֹם בּוֹא גוֹג עַל־אַדְמַת יִשְׂרָ׳ Ezek. 38:18
34/5 לִפְנֵי בּוֹא יוֹם יְיָ Joel 3:4 • Mal. 3:23
36 לֹא עֶת־בֹּא עֶת־בֵּית יְיָ לְהִבָּנוֹת Hag. 1:2
37 עַד־עֵת בֹּא־דְבָרוֹ Ps. 105:19
38 וַיְהִי מִדֵּי בוֹא הַמֶּלֶךְ בֵּית יְיָ IICh. 12:11
39 וַיְהִי אַחֲרֵי בוֹא אֲמַצְיָהוּ IICh. 25:14
בֹּאוּ 40 לְבִלְתִּי־בֹאוּ הַכֵּלִים...בָּבֶלָה Jer. 27:18
וּבֹא 41 וּבֹא בְּשַׁעֲרֵי יְרוּשָׁלִָם Jer. 17:27
וָבֹא 42 לֹא אֵדַע צֵאת וָבֹא IK. 3:7
בְּבוֹא 43 בְּבוֹא אֲחִיכֶם הַקָּטֹן הֵנָּה Gen. 42:15
44 וַיִּשְׁמַע הַכְּנַעֲנִי...בְּבֹא בְּ״י Num. 33:40
45 בְּבוֹא כָל־יִשְׂרָאֵל לֵרָאוֹת... Deut. 31:11
46 וַיְהִי בְּבֹא דָוִד וַאֲנָשָׁיו צִקְלַג ISh. 30:1
47 בְּבֹא שְׁמֻעַת שָׁאוּל וִיהוֹנָתָן IISh. 4:4
48 מַה־נֵּחַנְתְּ בְּבֹא־לָךְ חֲבָלִים Jer. 22:23
49 בְּבֹא דְּבַר הַנָּבִיא יִוָּדַע הַנָּבִיא Jer. 28:9
50 אֶלְעַג בְּבֹא פַחְדְּכֶם Prov. 1:26
51 בְּבֹא כְשׁוֹאָה פַּחְדְּכֶם Prov. 1:27
52 בְּבֹא עֲלֵיכֶם צָרָה וְצוּקָה Prov. 1:27
53 בְּבוֹא־רָשָׁע בָּא גַם־בּוּז Prov. 18:3
58-54 בְּבוֹא IIK. 5:18; 12:10 • Ps. 51:2; 52:2; 54:2
בְּבֹאָה 59 בְּבֹאָה רַגְלַיִךְ הָעִירָה וּמֵת הַיָּלֶד IK. 14:12
וּבְבֹא 60 וּבְבֹא מֹשֶׁה לִפְנֵי יְיָ Ex. 34:34
61 וּבְבֹא מֹשֶׁה אֶל־אֹהֶל מוֹעֵד Num. 7:89
62 וּבְבוֹא הַנָּשִׂיא דֶּרֶךְ...יָבוֹא Ezek. 46:8
63 וּבְבוֹא עַם־הָאָרֶץ לִפְנֵי יְיָ Ezek. 46:9
כְּבוֹא 64 וַיְהִי כְּבוֹא אַבְרָם מִצְרָיְמָה Gen. 12:14
65 וְהָיָה כְּבֹא מֹשֶׁה הָאֹהֱלָה Ex. 33:9
66 תִּזְבַּח...בָּעֶרֶב כְּבוֹא הַשֶּׁמֶשׁ Deut. 16:6
67 הָשֵׁב תָּשִׁיב...כְּבוֹא הַשֶּׁמֶשׁ Deut. 24:13
68 וַיְהִי כְּבוֹא אֲרוֹן בְּרִית־יְיָ... ISh. 4:5
69 וַיְהִי כְּבוֹא אֲרוֹן הָאֱלֹהִים עֶקְרוֹן ISh. 5:10
70 וַיְהִי כְּבוֹא דָוִד מַחֲנָיְמָה IISh. 17:27
71 וַיַּעֲבֹר הָרִנָּה בַּמַּחֲנֶה כְּבֹא הַשֶּׁמֶשׁ IK. 22:36
72 וְעַתָּה כְּבוֹא הַסֵּפֶר הַזֶּה אֵלֶיךָ IIK. 5:6
73 רְאוּ כְּבֹא הַמַּלְאָךְ סִגְרוּ הַדֶּלֶת IIK. 6:32
74 וְעַתָּה כְּבֹא הַסֵּפֶר הַזֶּה אֲלֵיכֶם IIK. 10:2
75 וַיְהִי כְּבֹא הַסֵּפֶר אֲלֵיהֶם IIK. 10:7
76 וַיָּבוֹא אֵלֶיהָ כְּבוֹא אֶל־אִשָּׁה זוֹנָה Ezek. 23:44
וּכְבוֹא 77 וּכְבֹא הַשֶּׁמֶשׁ יָבֹא אֶל...הַמַּחֲנֶה Deut. 23:12
78 וּכְבוֹא נֹשְׂאֵי הָאָרוֹן עַד־הַיַּרְדֵּן Josh. 3:15
79 וּכְבוֹא הַשֶּׁמֶשׁ צִוָּה יְהוֹשֻׁעַ Josh. 8:29
לָבוֹא 80 כַּאֲשֶׁר הִקְרִיב לָבוֹא מִצְרָיְמָה Gen. 12:11
81 וַיְהִי הַשֶּׁמֶשׁ לָבוֹא... Gen. 15:12
82 וְאִישׁ אֵין בָּאָרֶץ לָבוֹא עָלֵינוּ Gen. 19:31
83 לָבוֹא אֶל־יִצְחָק אָבִיו Gen. 31:18
84 כִּבְרַת־הָאָרֶץ לָבוֹא אֶפְרָתָה Gen. 35:16

לָבוֹא (המשך)
85 וַתְּחִלֶּינָה שֶׁבַע שְׁנֵי הָרָעָב לָבוֹא Gen. 41:54
86 וְלֹא־אָץ לָבוֹא כְּיוֹם תָּמִים Josh. 10:13
87 לָבוֹא חֲמַס שִׁבְעִים בְּנֵי יְרֻבַּעַל Jud. 9:24
88 וְקָרוֹב לָבוֹא עִתָּהּ Is. 13:22
152-89 לָבוֹא Ex. 40:35 • Deut. 4:34
Josh. 1:11; 10:19; 18:3 • Jud. 5:28; 15:1; 19:15 •
ISh. 7:13; 20:9; 23:7,10 • IISh. 14:29²; 15:2; 17:17;
19:4 • IK. 11:17 • IIK. 6:23; 7:5,6 • Is. 2:21; 30:29;
56:1; 59:14 • Jer. 36:5; 40:4²; 41:17; 42:17,22;
44:12; 46:13; 48:16 • Ezek. 16:33; 21:24,25; 22:3;
36:8 • Jon. 1:3; 3:4 • Ps. 71:3 • Job 2:11 • Es. 1:12;
2:12,13,15; 4:2,8,11 • Dan. 11:17 • Neh. 4:2;
9:15,23 • ICh. 9:25; 12:32(31); 24:19 • IICh. 7:2;
13:13; 20:10,11; 22:7; 30:1,5
160-153 לָבֹא Gen. 48:7 • Ex. 12:23 Deut. 9:1;
11:31; 20:19; 30:18 • Jud. 18:9 • Jer. 42:15
לְבֹא 161 מִמִּדְבַּר־צִן עַד...לְבֹא חֲמָת Num. 13:12
167-162 לְבוֹא חֲמָת Num. 34:8 • Josh. 13:5
Jud. 3:3 • Ezek. 47:20; 48:1 • ICh. 13:5
168 הַדֶּרֶךְ חֶתְלֹן לְבוֹא צְדָדָה Ezek. 47:15
169 וְלַמִּזְרָח יָשַׁב עַד־לְבוֹא מִדְבָּרָה ICh. 5:9
170 וַיֵּלֶךְ שְׁמוֹ עַד־לְבוֹא מִצְרַיִם IICh. 26:8
וְלָבוֹא 171 לֹא־אוּכַל עוֹד לָצֵאת וְלָבוֹא Deut. 31:2
172 לַמִּלְחָמָה וְלָצֵאת וְלָבוֹא Josh. 14:11
173 לֹא אוּכַל לָשׁוּב אִתָּךְ וְלָבוֹא אִתָּךְ IK. 13:16
174 וְלָבוֹא בְשַׁעַר הַדָּגִים IICh. 33:14
מִלְּבוֹא 175/6 מִלְּבוֹא חֲמָת עַד־נַחַל מִ׳ IK. 8:65 • IICh. 7:8
177 מִלְּבוֹא חֲמָת עַד־יָם הָעֲרָבָה IIK. 14:25
178 מִלְּבוֹא חֲמָת עַד־נַחַל הָעֲרָבָה Am. 6:14
מְבוֹא 179 וְיִצְחָק בָּא מִבּוֹא בְּאֵר לַחַי רֹאִי Gen. 24:62
180 אֲשֶׁר מְנָעֲךָ יְיָ מִבּוֹא בְדָמִים ISh. 25:26
181 אֲשֶׁר כְּלִתִנִי...מִבּוֹא בְדָמִים ISh. 25:33
182 מִבֹּא בֵית־יְיָ אֶל־לִשְׁכַּת... IIK. 23:11
183 כִּי־שֻׁדַּד מִבַּיִת מִבּוֹא Is. 23:1
184 סֻגַּר כָּל־בַּיִת מִבּוֹא Is. 24:10
בּוֹאִי 185 עַד־בֹּאִי אֵלֶיךָ מִצְרַיְמָה Gen. 48:5
186 אַל־נָא תָמֻשׁ מִזֶּה עַד־בֹּאִי אֵלֶיךָ Jud. 6:18
187 שִׁבְעַת יָמִים תּוֹחֵל עַד־בּוֹאִי אֵלֶיךָ ISh. 10:8
188 עַד בֹּאִי בְשָׁלוֹם IK. 22:27
189/90 עַד־בֹּאִי וְלָקַחְתִּי IIK. 18:32 • Is. 36:17
בְּבוֹאִי 191 בְּבֹאִי מִפַּדָּן מֵתָה עָלַי רָחֵל Gen. 48:7
192 בְּבֹאִי לְשַׁחֵת אֶת־הָעִיר Ezek. 43:3
כְּבוֹאִי 193 וְעַתָּה כְּבֹאִי אֶל־עַבְדְּךָ אָבִי Gen. 44:30
בֹּאֲךָ 194 כִּי לֹא אוּכַל...עַד־בֹּאֲךָ שָׁמָּה Gen. 19:22
195 וַיַּשְׁחִיתוּ...עַד־בּוֹאֲךָ עַזָּה Jud. 6:4
196 וַיַּכֵּם מֵעֲרוֹעֵר וְעַד־בֹּאֲךָ מִנִּית Jud. 11:33
197 וַיַּךְ...מֵחֲוִילָה בּוֹאֲךָ שׁוּר ISh. 15:7
198 וַיִּרְדְּפוּ אֶת־הַפְּלִשְׁתִּים עַד־בּוֹאֲךָ ISh. 17:52
199 יֹשְׁבוֹת הָאָרֶץ...בּוֹאֲךָ שׁוּרָה ISh. 27:8
200 מִיּוֹם בֹּאֲךָ אֵלַי עַד־הַיּוֹם הַזֶּה ISh. 29:6
201 וַיַּךְ...מִגֶּבַע עַד־בֹּאֲךָ גָזֶר ISh. 5:25
בּוֹאֶךָ 202 וַיֹּאמֶר שָׁלֹם בּוֹאֶךָ ISh. 16:4
203 תְּמוֹל בּוֹאֶךָ וְהַיּוֹם אֲנִיעֲךָ IISh. 15:20
204 וַתֹּאמֶר הֲשָׁלוֹם בֹּאֶךָ IK. 2:13
205 שְׁאוֹל...רָגְזָה לְךָ לִקְרַאת בּוֹאֶךָ Is. 14:9
וּבֹאֲךָ 206 ...צֵאתְךָ וּבֹאֲךָ אִתִּי בַּמַּחֲנֶה ISh. 29:6
207 וְשִׁבְתְּךָ וְצֵאתְךָ וּבֹאֲךָ יָדָעְתִּי IIK. 19:27
208 וְשִׁבְתְּךָ וְצֵאתְךָ וּבוֹאֲךָ יָדָעְתִּי Is. 37:28
וּבוֹאֶךָ 209 יְיָ יִשְׁמָר־צֵאתְךָ וּבוֹאֶךָ Ps. 121:8
בֹּאֲכָה 210 מִצִּידֹן בֹּאֲכָה גְרָרָה עַד־עַזָּה Gen. 10:19
211 בֹּאֲכָה סְדֹמָה וַעֲמֹרָה Gen. 10:19
212 בֹּאֲכָה סְפָרָה הַר הַקֶּדֶם Gen. 10:30

בֹּאֲכָה (המשך)
213 כָּל־כִּכַּר הַיַּרְדֵּן...בֹּאֲכָה צֹעַר Gen. 13:10
214 עַד־שׁוּר...בֹּאֲכָה אַשּׁוּרָה Gen. 25:18
215 וַיָּרָץ...עַד־בֹּאֲכָה יִזְרְעֶאלָה IK. 18:46
בְּבוֹאֲךָ 216 בְּבוֹאֲךָ לִרְאוֹת אֶת־פָּנָי IISh. 3:13
בְּבֹאֶךָ 217 בָּרוּךְ אַתָּה בְּבֹאֶךָ Deut. 28:6
218 אָרוּר אַתָּה בְּבֹאֶךָ Deut. 28:19
כְּבֹאֲךָ 219 וִיהִי כְבֹאֲךָ שָׁם הָעִיר וּפָגַעְתָּ... ISh. 10:5
220 כְּבֹאֲךָ בָבֶל וְרָאִיתָ וְקָרָאתָ Jer. 51:61
בֹּאוֹ 221 וְהִבִּיטוּ...עַד־בֹּאוֹ הָאֹהֱלָה Ex. 33:8
222 וְהֵשִׁיב...עַד־בֹּאוֹ לְדַבֵּר אִתּוֹ Ex. 34:35
223 כִּי לֹא־יֹאכַל הָעָם עַד־בֹּאוֹ ISh. 9:13
224 כִּי לֹא־נָסֹב עַד־בֹּאוֹ פֹה ISh. 16:11
225 וַיִּתְנַבֵּא עַד־בֹּאוֹ בְּנָיוֹת בָּרָמָה ISh. 19:23
226 וַיִּקַּח...אַחֲרֵי בֹּאוֹ מֵחֶבְרוֹן IISh. 5:13
227 וּבְיוֹם בֹּאוֹ אֶל־הַקֹּדֶשׁ...יַקְרִיב Ezek. 44:27
228 וּמִי מְכַלְכֵּל אֶת־יוֹם בּוֹאוֹ Mal. 3:2
בְּבוֹאוֹ 229/30 בְּבֹאוֹ מִפַּדַּן אֲרָם Gen. 33:18; 35:9
231-3 בְּבֹאוֹ אֶל־הַקֹּדֶשׁ Ex. 28:29,35 • Lev. 16:23
234 אַהֲרֹן בְּבֹאוֹ לִפְנֵי יְיָ Ex. 28:30
235 בְּבֹאוֹ לְכַפֵּר בַּקֹּדֶשׁ Lev. 16:17
236 וַיְהִי בְּבוֹאוֹ וַיִּתְקַע בַּשּׁוֹפָר Jud. 3:27
237 וַיְהִי בְּבֹאוֹ אֶל דָּוִד וַיִּפֹּל אַרְצָה IISh. 1:2
238 בְּבֹאוֹ אֵלֵינוּ יָסוּר שָׁמָּה IIK. 4:10
239 וַיַּרְא אֶת־שִׁפְעַת יֵהוּא בְּבֹאוֹ IIK. 9:17
240 עֹמְדִים מִימִין לַבַּיִת בְּבֹאוֹ הָאִישׁ Ezek. 10:3
241 בְּבֹאוֹ בִּשְׁעָרַיִךְ כִּמְבוֹאֵי עִיר Ezek. 26:10
242 בְּבֹאוֹ לְהֵנָּה מֵהֶחָצֵר הַחִצֹנָה Ezek. 42:9
243 בְּבֹאוֹ...עַל־שָׁאוּל לַמִּלְחָמָה ICh. 12:19
244 וִהְיוּ אֶת־הַמֶּלֶךְ בְּבֹאוֹ וּבְצֵאתוֹ IICh. 23:7
וּבְבֹאוֹ 245 וִהְיוּ אֶת־הַמֶּלֶךְ בְּצֵאתוֹ וּבְבֹאוֹ IIK. 11:8
246 וַיָּבֹא אֵצֶל עָמְדִי וּבְבֹאוֹ נִבְעַתִּי Dan. 8:17
247 וּבְבֹאוֹ יָצָא עִם־יְהוֹרָם אֶל־יֵהוּא IICh. 22:7
בְּבוֹאָה 248/9 וַיְהִי בְּבוֹאָהּ וַתְּסִיתֵ׳ Josh. 15:18 • Jud. 1:14
250 בְּבֹאָהּ וִידַעְתֶּם כִּי אֲנִי אֲדֹנָי Ezek. 24:24
וּבְבוֹאָה 251 וּבְבֹאָהּ הִנֵּה בָאָה וְיָדְעוּ Ezek. 33:33
252 וּבְבֹאָהּ לִפְנֵי הַמֶּלֶךְ אָמַר Es. 9:25
כְּבוֹאָה 253 וַיְהִי כְּבֹאָהּ וְהִיא מִתְנַכֵּרָה IK. 14:5
בּוֹאֵנוּ 254 עַד־נֵדַע...עַד־בֹּאֵנוּ שָׁמָּה Ex. 10:26
בּוֹאֲכֶם 255-7 עַד־בֹּאֲכֶם עַד־הַמָּקוֹ׳ Deut. 1:31; 9:7; 11:5
בְּבוֹאֲכֶם 258 בְּבֹאֲכֶם אֶל־אֹהֶל מוֹעֵד Lev. 10:9
259 בְּבֹאֲכֶם אֶל־הָאָרֶץ Num. 15:18
260 תִּתַּךְ חֲמָתִי...בְּבֹאֲכֶם מִצְרָיִם Jer. 42:18
כְּבוֹאֲכֶם 261 כְּבֹאֲכֶם עַד־קְצֵה מֵי הַיַּרְדֵּן Josh. 3:8
262 כְּבֹאֲכֶם תָּבֹאוּ אֶל־עַם בֹּטֵחַ Jud. 18:10
263 כְּבֹאֲכֶם הָעִיר כֵּן תִּמְצְאוּן אֹתוֹ ISh. 9:13
בּוֹאָם 264 וְהֶחֱרִשׁ יַעֲקֹב עַד־בֹּאָם Gen. 34:5
265 עַד־בֹּאָם אֶל־אֶרֶץ נוֹשָׁבֶת Ex. 16:35
266 עַד־בֹּאָם אֶל־קְצֵה אֶרֶץ כְּנָעַן Ex. 16:35
267 וְהֵקִימוּ אֶת־הַמִּשְׁכָּן עַד־בֹּאָם Num. 10:21
בְּבוֹאָם 268-70 בְּבֹאָם אֶל־אֹהֶל מוֹ׳ Ex. 28:43; 30:20; 40:32
271 וַיְהִי בְּבוֹאָם וַיַּרְא אֶת־אֱלִיאָב ISh. 16:6
272 וַיְהִי בְּבוֹאָם בְּשׁוּב דָּוִד מֵהַכּוֹת ISh. 18:6
273 בְּבֹאָם הַכֹּהֲנִים וְלֹא־יֵצְאוּ Ezek. 42:14
274 וְהָיָה בְּבוֹאָם אֶל־שַׁעֲרֵי הֶחָצֵר Ezek. 44:17
275 בְּבֹאָם אֶל־הֶחָצֵר הַפְּנִימִית Ezek. 44:21
276 בְּבוֹאָם יָבוֹא וּבְצֵאתָם יֵצֵאוּ Ezek. 46:10
277 בְּבוֹאָם לְבֵית יְיָ אֲשֶׁר בִּירוּשָׁלִָם Ez. 2:68
278 בְּבֹאָם מֵאֶרֶץ מִצְרָיִם IICh. 20:10
כְּבוֹאָם 279 וַיְהִי כְּבֹאָם שֹׁמְרוֹן IIK. 6:20
280 וַיְהִי כְּבוֹאָם אֶל־תּוֹךְ הָעִיר Jer. 41:7
לְבוֹאָם 281 לַעֲשׂוֹת לְבוֹאָם לְגֶבַע בִּנְיָמִן Jud. 20:10
282 וּבַשָּׁנָה הַשֵּׁנִית לְבוֹאָם Ez. 3:8

בּוֹאָנָה 283 וְתֹר וְסִיס...שָׁמְרוּ אֶת־עֵת בֹּאָנָה Jer. 8:7
284 וַתֵּלַכְנָה...עַד־בֹּאָנָה בֵּית לָחֶם Ruth 1:19
בְּבֹאָן 285 וַיֵּחַמְנָה בְּבֹאָן לִשְׁתּוֹת Gen. 30:38
286 דֶּרֶךְ הַקָּדִים בְּבוֹאָן Ezek. 42:12
כְּבוֹאָנָה 287 וַיְהִי כְּבוֹאָנָה בֵּית לֶחֶם Ruth 1:19
בָּאתִי 288 וּמֵאָז בָּאתִי אֶל־פַּרְעֹה Ex. 5:23
289 הִנֵּה־בָאתִי אֵלֶיךָ עַתָּה Num. 22:38
290 הִגַּדְתִּי...כִּי־בָאתִי אֶל־הָאָרֶץ Deut. 26:3
291 אֲנִי שַׂר־צְבָא־יְיָ עַתָּה בָאתִי Josh. 5:14
292 אֲנִי זָקַנְתִּי בָּאתִי בַּיָּמִים Josh. 23:2
293 הִנֵּה־בָאתִי בִּמְגִלַּת־סֵפֶר Ps. 40:8
294 בָּאתִי בְמַעֲמַקֵּי־מַיִם Ps. 69:3
295 בָּאתִי לְגַנִּי אֲחֹתִי כַלָּה S.ofS. 5:1
310-296 בָּאתִי Jud. 20:4 • ISh. 16:2,5 • IISh. 14:15
14:23; 19:21 • IK. 10:7 • Is. 50:2 • Jer. 14:18 •
Dan. 9:23; 10:12,20 • Neh. 6:10; 13:6 • IICh. 9:6
וּבָאתִי 311 וּבָאתִי וַעֲשִׂיתִיהוּ לִי וְלִבְנִי IK. 17:12
312 וּבָאתִי לְהַגִּיד לְאַחְאָב IK. 18:12
313 וּבָאתִי לַהֲבִינְךָ אֵת אֲשֶׁר־יִקְרָה Dan. 10:14
בָּאתָ 314 אַתָּה זָקַנְתָּה בָּאתָ בַיָּמִים Josh. 13:1
315 מַה־לִּי וָלָךְ כִּי־בָאתָ אֵלַי Jud. 11:12
316 וְאַתָּה לֹא־בָאתָ לְמוֹעֵד הַיָּמִים ISh. 13:11
317 הַאַתָּה...אֲשֶׁר־בָּאתָ מִיהוּדָה IK. 13:14
318 בָּאתָ אֵלַי לְהַזְכִּיר אֶת־עֲוֹנִי IK. 17:18
319/20 בַּדֶּרֶךְ אֲשֶׁר־בָּאתָ בָּהּ IIK. 19:28 • Is. 37:29
321 כִּי בָאתָ בְכַף־רֵעֶךָ Prov. 6:3
בָּאתָה 322 מַדּוּעַ בָּאתָה אֶל־פִּילֶגֶשׁ אָבִי IISh. 3:7
וּבָאתָ 323 וּבָאתָ וְיָרַשְׁתָּ אֶת־הָאָרֶץ Deut. 6:18
334-324 וּבָאתָ Deut. 12:5,26
ISh. 10:3; 22:5 • IISh. 5:23 • IK. 19:15 • IIK. 9:2[2] •
Ezek. 38:15 • Zech. 6:10 • ICh. 14:14
וּבָאתָ 335 וּבָאתָ אֶל־הַתֵּבָה אַתָּה וּבָנֶיךָ... Gen. 6:18
336 וּבָאתָ אַתָּה וְזִקְנֵי יִשְׂרָאֵל Ex. 3:18
341-337 וּבָאתָ Deut. 17:9; 26:3
ISh. 20:19 • Jer. 36:6 • Zech. 6:10
הֲבָאתָ 342 הֲבָאתָ עַד־נִבְכֵי־יָם Job 38:16
343 הֲבָאתָ אֶל־אֹצְרוֹת שָׁלֶג Job 38:22
בָּאת 344 אֵי־מִזֶּה בָאת וְאָנָה תֵלֵכִי Gen. 16:8
345 אֲשֶׁר־בָּאת לַחֲסוֹת תַּחַת־כְּנָפָיו Ruth 2:12
וּבָאת 346 וּבָאת אֶל־הַמֶּלֶךְ וְדִבַּרְתְּ אֵלָיו IISh. 14:3
347 וְלָקַחַתְּ בְּיָדֵךְ...וּבָאת אֵלָיו IK. 14:3
348 וּבָאת וְסָגַרְתְּ הַדֶּלֶת בַּעֲדֵךְ IIK. 4:4
349 וּבָאת עַד־בָּבֶל שָׁם תִּנָּצֵלִי Mic. 4:10
350 וּבָאת וְגִלִּית מַרְגְּלֹתָיו וְשָׁכָבְתְּ° Ruth 3:4
בָּא (עבר) 351 קֵץ כָּל־בָּשָׂר בָּא לְפָנַי Gen. 6:13
352 בְּעֶצֶם הַיּוֹם הַזֶּה בָּא נֹחַ Gen. 7:13
353 בָּא כְדָרְלָעֹמֶר וְהַמְּלָכִים Gen. 14:5
354 הָאֶחָד בָּא־לָגוּר וַיִּשְׁפֹּט שָׁפוֹט Gen. 19:9
355 הַשֶּׁמֶשׁ יָצָא...וְלוֹט בָּא צֹעֲרָה Gen. 19:23
356 בָּא מִבּוֹא בְּאֵר לַחַי רֹאִי Gen. 24:62
357 וְעֵשָׂו אָחִיו בָּא מִצֵּידוֹ Gen. 27:30
358 בָּא אָחִיךָ בְּמִרְמָה Gen. 27:35
359 וַיָּלֶן שָׁם כִּי־בָא הַשֶּׁמֶשׁ Gen. 28:11
360 וַתֹּאמֶר לֵאָה בָּא גָד (כת׳ בגד) Gen. 30:11
361 כַּאֲשֶׁר־בָּא יוֹסֵף אֶל־אֶחָיו Gen. 37:23
362 וְהָיָה אִם־בָּא אֶל־אֵשֶׁת אָחִיו Gen. 38:9
363 בָּא אֵלַי לִשְׁכַּב עִמִּי Gen. 39:14
364 בָּא אֵלַי הָעֶבֶד הָעִבְרִי Gen. 39:17
365 כַּסְפְּכֶם בָּא אֵלָי Gen. 43:23
366 כִּי בָא סוּס פַּרְעֹה...בַּיָּם Ex. 15:19
367 לְבַעֲבוּר נַסּוֹת אֶתְכֶם בָּא הָאֱ׳ Ex. 20:20(17)
368 אִם־שָׂכִיר הוּא בָּא בִּשְׂכָרוֹ Ex. 22:14

בָּא (המשך) 369 לֹא־נָפַל דָּבָר...הַכֹּל בָּא Josh. 21:43
370 עַד הַיּוֹם אֲשֶׁר בָּא בְשָׁלוֹם IISh. 19:25
371 אַחֲרֵי אֲשֶׁר בָּא...בְּשָׁלוֹם אֶל בֵּיתוֹ IISh.19:31
372 וְעַד־הַשְּׁלֹשָׁה לֹא־בָא IISh. 23:19
373 לֹא בָא כַבֹּשֶׂם הַהוּא עוֹד לָרֹב IK. 10:10
374 קוּמִי אוֹרִי כִּי בָא אוֹרֵךְ Is. 60:1
375 בָּא (כת׳ באה) שִׁמְשָׁהּ בְּעֹד יוֹמָם Jer. 15:9
376/7 קֶרֶץ מִצָּפוֹן בָּא בָא Jer. 46:20
378 וּמִשְׁפָּט בָּא אֶל־אֶרֶץ הַמִּישֹׁר Jer. 48:21
379 כִּי־בָא יוֹמָם עֵת פְּקֻדָּתָם Jer. 50:27
380 כִּי בָא יוֹמְךָ עֵת פְּקַדְתִּיךָ Jer. 50:31
381 בָּא קִצֵּךְ אַמַּת בִּצְעֵךְ Jer. 51:13
382 כִּי בָא עָלֶיהָ עַל־בָּבֶל שׁוֹדֵד Jer. 51:56
383 וְלֹא־בָא בְּפִי בְּשַׂר פִּגּוּל Ezek. 4:14
384 בָּא הַקֵּץ עַל־אַרְבַּע° כַּנְפוֹת הָאָ׳ Ezek. 7:2
385/6 קֵץ בָּא בָּא הַקֵּץ הֵקִיץ אֵלָיִךְ Ezek. 7:6
387 בָּא הָעֵת קָרוֹב הַיּוֹם Ezek. 7:7
388 בָּא הָעֵת הִגִּיעַ הַיּוֹם Ezek. 7:12
389 קְפָדָה־בָא וּבִקְשׁוּ שָׁלוֹם וָאָיִן Ezek. 7:25
390 בָא (כת׳ בה) בְּרֹב גִּלּוּלָיו Ezek. 14:4
391 אֲשֶׁר־בָּא יוֹמוֹ בְּעֵת עֲוֹן קֵץ Ezek. 21:30
392 אֲשֶׁר־בָּא יוֹמָם בְּעֵת עֲוֹן קֵץ Ezek. 21:34
393 כִּי־עֵת לְחֶנְנָהּ כִּי־בָא מוֹעֵד Ps. 102:14
394 בָּא־זָדוֹן וַיָּבֹא קָלוֹן Prov. 11:2
395 מָלְאוּ יָמֵינוּ כִּי־בָא קִצֵּנוּ Lam. 4:18
396 וְלֹא־בָא עֲלֵיהֶם קֶצֶף יְיָ IICh. 32:26
506-397 בָּא Num. 14:24; 21:1; 22:36
Deut. 33:2 • Josh. 23:15 • Jud. 3:20; 6:19; 9:37;
13:6,10; 16:2; 19:22,23; 21:8 • ISh. 4:6; 4:7,13;
12:8; 13:8; 15:12; 20:27,29,41; 21:1; 23:7,27; 26:3;
26:4,15 • IISh. 3:23,24,25; 15:32; 16:16; 17:24,25;
19:12,16,26; 20:3,8; 23:23; 24:21 • IK. 1:22;
10:12,14; 12:1; 13:1,10,12,21 • IIK. 4:1,42; 5:25;
8:1,7; 9:11,18,20,31; 10:21; 13:20; 15:19,29;
23:17,18; 25:1,8,25 • Is. 10:28; 37:34 • Jer. 9:20;
25:31; 37:16; 39:1; 41:1; 46:21; 52:4,12 • Ezek.
17:3,12; 33:21; 43:4; 44:2; 46:9 • Am. 8:2 • Hag.
2:16[2] • Ps. 51:2; 52:2 • Job 1:14 • Eccl. 6:4 • Es. 6:4;
8:1; 9:11 • Dan. 1:1; 10:3 • Ez. 7:9 • Neh. 2:10 • ICh.
2:21; 11:21,25 • IICh. 9:13; 12:5; 16:7; 20:24;
25:7,10; 27:2; 32:1,2
וּבָא 507 וּבָא אֶל־הַכֹּהֵן Lev. 13:16
508 וּבָא אֲשֶׁר־לוֹ הַבַּיִת Lev. 14:35
509 וּבָא הַשֶּׁמֶשׁ וְטָהֵר Lev. 22:7
510 וּבָא הָאוֹת וְהַמּוֹפֵת Deut. 13:3
511 וּבָא אֵלֶיהָ וּשְׂנֵאָהּ Deut. 22:13
512/3 וּבָא אָלָה לִפְנֵי מִזְבַּחֲךָ IK. 8:31 • IICh. 6:22
514 וּבָא עָלַיִךְ רָעָה Is. 47:11
515 וּבָא לְצִיּוֹן גּוֹאֵל Is. 59:20
516 וּבָא (כת׳ ובאה) וְהִכָּה אֶת...מִצְ׳ Jer. 43:11
517 וּבָא בַשָּׁנָה הַשְּׁמוּעָה Jer. 51:46
518 וּבָא־(כת׳ יבא) רֵעֵהוּ וַחֲקָרוֹ Prov. 18:17
519 וְזָרַח הַשֶּׁמֶשׁ וּבָא הַשָּׁמֶשׁ Eccl. 1:5
558-520 וּבָא Lev. 14:44; 15:14; 16:23
25:25 • Num. 4:5 • Deut. 14:29; 18:6 • Josh. 20:6 •
ISh. 2:13,15; 17:34 • IISh. 12:16; 13:5; 16:5 • IK.
1:35; 8:41,42 • IIK. 18:21 • Is. 16:12; 19:23; 36:6 •
Ezek. 14:4,7; 41:3; 46:2 • Am. 5:19 • Zech. 14:5 •
Prov. 6:11; 24:34 • Eccl. 9:14 • Dan.
11:9,10,21,29,40; 11:41,45 • IICh. 6:32; 24:11
הֲבָא 559 הֲבָא עוֹד הֲלֹם אִישׁ ISh. 10:22

שֶׁבָּא 560 כָּל־עֻמַּת שֶׁבָּא כֵּן יֵלֵךְ Eccl. 5:15
561 כִּי־הַרְבֵּה יִהְיוּ כָּל־שֶׁבָּא הָבֶל Eccl. 11:8
כְּשֶׁבָּא 562 עָרוֹם יָשׁוּב לָלֶכֶת כְּשֶׁבָּא Eccl. 5:14
בָּאָה (עבר) 563 וַיְהִי הַשֶּׁמֶשׁ בָּאָה וַעֲלָטָה הָיָה Gen. 15:17
564 וְרָחֵל בָּאָה עִם־הַצֹּאן Gen. 29:9
565 בָּאָה אֵלֵינוּ הַצָּרָה הַזֹּאת Gen. 42:21
566 צַעֲקַת בְּנֵי־יִשְׂרָאֵל בָּאָה אֵלָי Ex. 3:9
567 כִּי בָאָה נַחֲלָתֵנוּ אֵלֵינוּ Num. 32:19
568 וְהָעֲגָלָה בָּאָה אֶל־שְׂדֵה יְהוֹשֻׁעַ ISh. 6:14
569 כִּי בָּאָה צַעֲקָתוֹ אֵלָי ISh. 9:16
570 וְהַשֶּׁמֶשׁ בָּאָה וְהֵמָּה בָּאוּ עַד גִּבְעַת IISh. 2:24
571 וְהַשְּׁמֻעָה בָאָה אֶל־דָּוִד לֵאמֹר IISh. 13:30
572 מִכָּל־הָרָעָה אֲשֶׁר־בָּאָה עָלֶיךָ IISh. 19:8
573 וְהַשְּׁמֻעָה בָּאָה עַד־יוֹאָב IK. 2:28
574 וּשְׁנַת גְּאוּלַי בָּאָה Is. 63:4
575 בָּאָה קָרְחָה אֶל־עַזָּה Jer. 47:5
576 בָּאָה הַצְּפִירָה אֵלֶיךָ יוֹשֵׁב הָאָ׳ Ezek. 7:7
577 כִּי־בָאָה עַד־יְהוּדָה Mic. 1:9
578 יוֹם מְצַפֶּיךָ פְּקֻדָּתְךָ בָאָה Mic. 7:4
579 בַּרְזֶל בָּאָה נַפְשׁוֹ Ps. 105:18
580 וְהִנֵּה רוּחַ גְּדוֹלָה בָּאָה Job 1:19
581 אַל־יִוָּדַע כִּי־בָאָה הָאִשָּׁה הַגֹּרֶן Ruth 3:14
582 אָמַר לְהָבִיא...וְלֹא־בָאָה Es. 1:17
583 כָּל־הָרָעָה הַזֹּאת בָּאָה עָלֵינוּ Dan. 9:13
584 אֲשֶׁר־בָּאָה אֲלֵיהֶם אֲרוֹן יְיָ IICh. 8:11
וּבָאָה 585 עוֹד מְעַט וּבָאָה עֵת־הַקָּצִיר לָהּ Jer. 51:33
586 וּבָאָה הַשֶּׁמֶשׁ עַל־הַנְּבִיאִים Mic. 3:6
587 וּבָאָה אֶל־בֵּית הַגַּנָּב Zech. 5:4
הַבָּאָה 588 הַכְּצַעֲקָתָהּ הַבָּאָה אֵלַי עָשׂוּ Gen. 18:21
589 כָּל־הַנֶּפֶשׁ...הַבָּאָה מִצְרַיְמָה Gen. 46:27
590 אֵת כָּל־הָרָעָה הַזֹּאת הַבָּאָה עָלָיו Job 2:11
בָּאַתְנוּ 591 כָּל־זֹאת בָּאַתְנוּ וְלֹא שְׁכַחֲנוּךָ Ps. 44:18
בָּאנוּ 592 בָּאנוּ אֶל־אָחִיךָ אֶל־עֵשָׂו Gen. 32:6
593 וַיְהִי כִּי־בָאנוּ אֶל־הַמָּלוֹן Gen. 43:21
594 לָגוּר בָּאָרֶץ בָּאנוּ Gen. 47:4
595 בָּאנוּ אֶל־הָאָרֶץ אֲשֶׁר שְׁלַחְתָּנוּ Num. 13:27
596 מֵאֶרֶץ רְחוֹקָה בָּאנוּ Josh. 9:6
597 עַל־יוֹם טוֹב בָּאנוּ (כת׳ בנו) ISh. 25:8
598 בָּאנוּ אֶל־מַחֲנֵה אֲרָם וְהִנֵּה... IIK. 7:10
599 בָּאנוּ־בָאֵשׁ וּבַמַּיִם Ps. 66:12
600 וּבְשִׁמְךָ בָאנוּ עַל־הֶהָמוֹן הַזֶּה IICh. 14:10
וּבָאנוּ 601 וּבָאנוּ אֵלָיו בְּאַחַד° הַמְּקוֹמֹת IISh. 17:12
בָּאתֶם 602 מַדּוּעַ בָּאתֶם אֵלָי Gen. 26:27
603 וַיֹּאמֶר אֲלֵהֶם מֵאַיִן בָּאתֶם Gen. 42:7
604 לִרְאוֹת אֶת־עֶרְוַת הָאָרֶץ בָּאתֶם Gen. 42:9
605 עֶרְוַת הָאָרֶץ בָּאתֶם לִרְאוֹת Gen. 42:12
606 בָּאתֶם עַד־הַר הָאֱמֹרִי Deut. 1:20
607 לֹא־בָאתֶם עַד־עָתָּה אֶל־הַמְּנוּחָה Deut. 12:9
608 וּמַדּוּעַ בָּאתֶם אֵלַי עַתָּה Jud. 11:7
609 בַּגּוֹיִם אֲשֶׁר־בָּאתֶם שָׁם Ezek. 36:22
610 אִם־לְשָׁלוֹם בָּאתֶם אֵלַי ICh. 12:17(18)
וּבָאתֶם 611 וּנְשָׂאתֶם אֶת־אֲבִיכֶם וּבָאתֶם Gen. 45:19
612-4 וּבָאתֶם וִירִשְׁתֶּם אֶת־הָאָ׳ Deut. 4:1; 8:1; 11:8
615 וּבָאתֶם בָּהֶם וְהֵם בָּכֶם Josh. 23:12
616 הִתְקַדְּשׁוּ וּבָאתֶם אִתִּי בַּזָּבַח ISh. 16:5
617 עֲלוּ כַרְמֶלָה וּבָאתֶם אֶל־נָבָל ISh. 25:5
618 וּבָאתֶם וַעֲמַדְתֶּם לְפָנַי Jer. 7:10
619 וּבָאתֶם לָגוּר שָׁם Jer. 42:15
בָּאוּ 620 שְׁנַיִם שְׁנַיִם בָּאוּ אֶל־נֹחַ אֶל־הַתֵּבָה Gen. 7:9
621 וְהַבָּאִים זָכָר וּנְקֵבָה...בָּאוּ Gen. 7:16
622 אַיֵּה הָאֲנָשִׁים אֲשֶׁר־בָּאוּ אֵלֶיךָ Gen. 19:5
623 כִּי־עַל־כֵּן בָּאוּ בְּצֵל קֹרָתִי Gen. 19:8

בָּאוּ (המשך)
624 וּבְנֵי יַעֲקֹב בָּאוּ מִן־הַשָּׂדֶה Gen. 34:7
625 בְּנֵי יַעֲקֹב בָּאוּ עַל־הַחֲלָלִים Gen. 34:27
626 וְלֹא נוֹדַע כִּי־בָאוּ אֶל־קִרְבֶּנָה Gen. 41:21
627 וְכָל־הָאָרֶץ בָּאוּ מִצְרַיְמָה Gen. 41:57
628/9 בָּאוּ בָנִים עַד־מַשְׁבֵּר IIK. 19:3 • Is. 37:3
630 הָרִאשֹׁנוֹת הִנֵּה־בָאוּ Is. 42:9
631 שְׁכוֹל וְאַלְמֹן כְּתֻמָּם בָּאוּ עָלַיִךְ Is. 47:9
632/3 כֻּלָּם נִקְבְּצוּ בָאוּ־לָךְ Is. 49:18; 60:4
634 וְכָל־הָעָם אֲשֶׁר־בָּאוּ בַבְּרִית Jer. 34:10
635 בָּאוּ יְמֵי הַפְּקֻדָּה Hosh. 9:7
636 בָּאוּ יְמֵי הַשִּׁלֻּם Hosh. 9:7
637 כִּי בָאוּ מַיִם עַד־נָפֶשׁ Ps. 69:2
638 אֱלֹהִים בָּאוּ גוֹיִם בְּנַחֲלָתֶךָ Ps. 79:1
639 בָּאוּ עָדֶיהָ וַיֶּחְפָּרוּ Job 6:20
640 בָּאוּ עַל־דָּוִיד חֶבְרוֹנָה ICh. 12:24(23)
641-720 בָּאוּ Gen. 42:10; 45:16; 46:31; 47:1,5 • Ex. 1:1; 5:1; 19:1 • Num. 8:22; 22:20 • Deut. 32:17 • Josh. 2:2,3[2],4; 9:9; 23:14 • Jud. 3:24; 5:19,23; 11:18; 18:17,18 • ISh. 9:5; 14:25; 29:10 • IISh. 2:24; 3:23; 4:6; 5:18; 13:35,36; 15:18; 16:15 • IK. 1:47 • IIK. 5:22; 16:6; 20:14 • Is. 7:17; 39:3 • Jer. 4:29; 12:12; 14:3; 32:24; 40:13; 46:22; 49:9; 51:51 • Ezek. 11:16; 12:16; 20:1; 23:40,44; 36:20,21; 47:9 • Hosh. 9:10 • Ob. 5[2],11 • Zech. 6:10 • Ruth 1:22 • Lam. 1:10 • Ez. 2:2 • Neh. 4:6; 13:21 • ICh. 12:39(38); 14:9; 19:3,9 • IICh. 10:1; 11:16; 12:3,11; 20:1,4; 24:17,24; 28:17; 29:17

וּבָאוּ
721 וְעָלוּ וּבָאוּ בְּבֵיתֶךָ... Ex. 7:28
722 וּבָאוּ הַמַּיִם הַמְאָרְרִים...בְּמֵעַיִךְ Num. 5:22
723/4 וּבָאוּ בָהּ הַמַּיִם הַמְאָרְרִים Num. 5:24,27
725 וּבָאוּ עָלֶיךָ כָּל־הַבְּרָכוֹת Deut. 28:2
726/7 וּבָאוּ עָלֶיךָ כָּל־הַקְּלָלוֹת Deut. 28:15,45
728 וּבָאוּ (כת׳ יבאו) כְדֵי־אַרְבֶּה לָרֹב Jud. 6:5
729 וּבָאוּ בִּמְעָרוֹת צֻרִים Is. 2:19
730 וּבָאוּ וְנָחוּ כֻלָּם בְּנַחֲלֵי הַבַּתּוֹת Is. 7:19
731 וּבָאוּ הָאֹבְדִים בְּאֶרֶץ אַשּׁוּר Is. 27:13
732/3 וּבָאוּ צִיּוֹן בְּרִנָּה Is. 35:10; 51:11
734-751 וּבָאוּ Is. 66:18 • Jer. 1:15; 17:25,26; 22:4; 31:12(11); 32:29; 38:25 • Ezek. 7:22; 11:18; 23:24; 47:8 • Am. 6:1 • Hag. 2:7 • Zech. 8:22; 14:21 • Dan. 11:30 • IICh. 6:32

וָבָאוּ
752 רָאִיתִי רְשָׁעִים קְבֻרִים וָבָאוּ Eccl. 8:10

בָּא (בינוני)
753 וְאַבְרָהָם זָקֵן בָּא בַּיָּמִים Gen. 24:1
754 וַיַּרְא וְהִנֵּה עֵשָׂו בָּא Gen. 33:1
755 הִנֵּה בַּעַל הַחֲלֹמוֹת הַלָּזֶה בָּא Gen. 37:19
756 וַאֲנִי אָנָה אֲנִי־בָא Gen. 37:30
757 הִנֵּה בִּנְךָ יוֹסֵף בָּא אֵלֶיךָ Gen. 48:2
758 הִנֵּה אָנֹכִי בָא אֶל־בְּנֵי יִשְׂרָאֵל Ex. 3:13
759 אֲנִי חֹתֶנְךָ יִתְרוֹ בָּא אֵלֶיךָ Ex. 18:6
760 כִּי־יִהְיֶה לָהֶם דָּבָר בָּא אֵלַי Ex. 18:16
761 הִנֵּה אָנֹכִי בָּא אֵלֶיךָ בְּעַב הֶעָנָן Ex. 19:9
762 הָאָרֶץ אֲשֶׁר אַתָּה בָּא עָלֶיהָ Ex. 34:12
763 כָּל־בָּא לַצָּבָא לַעֲשׂוֹת מְלָאכָה Num. 4:3
764 אֵין יוֹצֵא וְאֵין בָּא Josh. 6:1
765/6 וִיהוֹשֻׁעַ זָקֵן בָּא בַּיָּמִים Josh. 13:1; 23:1
767 וְהָאִישׁ...זָקֵן בָּא בַאֲנָשִׁים ISh. 17:12
768 וְהַמֶּלֶךְ דָּוִד זָקֵן בָּא בַּיָּמִים IK. 1:1
769 הִנֵּה יוֹם־יְיָ בָּא אַכְזָרִי... Is. 13:9
770 הִנֵּה יִשְׁעֵךְ בָּא Is. 62:11
771 מִי־זֶה בָּא מֵאֱדוֹם Is. 63:1
772 קוֹל דּוֹדִי הִנֵּה־זֶה בָּא S.ofS. 2:8
773 דּוֹר הֹלֵךְ וְדוֹר בָּא Eccl. 1:4

בָּא (המשך)
774 כִּי בָּא הַחֲלוֹם בְּרֹב עִנְיָן Eccl. 5:2
775-834 בָּא Num. 22:36; 25:6 • Deut. 7:1; 9:5; 11:10,29; 12:29; 18:9; 23:21; 28:21,63; 30:16; 31:16 • Jud. 7:17; 15:14; 19:16 • ISh. 9:12; 11:5; 12:12; 13:10; 17:43,45[2]; 22:9 • IISh. 1:2; 3:22; 6:16; 11:10; 18:31 • IK. 1:42 • Is. 14:31; 21:1,9; 30:27 • Jer. 6:22; 32:7; 37:4; 50:41 • Ezek. 38:13; 43:2 • Joel 2:1 • Zech. 2:14; 14:1 • Mal. 3:1,19 • Ps. 41:7; 96:13[2]; 98:9 • Prov. 18:3 • Job 1:16,17,18 • Ruth 2:4 • Dan. 8:5; 10:13,20 • ICh. 15:29; 16:33 • IICh. 20:2

וּבָא
835 הִנֵּה יְיָ רֹכֵב...וּבָא מִצְרַיִם Is. 19:1

וָבָא
836 כִּי־הוּא יוֹצֵא וָבָא לִפְנֵיהֶם ISh. 18:16
837 לְבִלְתִּי תֵּת יֹצֵא וָבָא לְאָסָא IK. 15:17
838 לְבִלְתִּי תֵּת יוֹצֵא וָבָא לְאָסָא IICh. 16:1

הַבָּא
939 וַיִּקַּח מִן־הַבָּא בְיָדוֹ מִנְחָה Gen. 32:14
840 כָּל־הַבָּא לִצְבֹא צָבָא Num. 4:23
841 וַיַּעֲשֶׂהָ לָאִישׁ הַבָּא אֵלָיו IISh. 12:4
842 וְלִהַט אֹתָם הַיּוֹם הַבָּא Mal. 3:19
843 בָּרוּךְ הַבָּא בְּשֵׁם יְיָ Ps. 118:26
844 וְאֵת כָּל־הַבָּא עַל־לֵב שְׁלֹמֹה IICh. 7:11
845 כָּל־הַבָּא לְמַלֵּא יָדוֹ בְּפַר IICh. 13:9
846-868 הַבָּא Num. 4:30,35,39,43,47; 19:14 • ISh. 4:16; 30:23 • IISh. 2:23; 12:4; 20:12 • Jer. 47:4 • Ezek. 46:9 • Prov. 6:29 • Dan. 9:26; 11:16 • Ez. 8:15; 9:13 • Neh. 9:33 • IICh. 20:12; 22:1; 28:9; 31:16

וְהַבָּא
869 וְהַבָּא אֶל־הַבַּיִת...יִטְמָא Lev. 14:46
870 וְהַבָּא אֶל־הַשְּׂדֵרוֹת יוּמָת IIK. 11:8
871 וְהַבָּא אַחֲרֶיהָ הָמֵת בֶּחָרֶב IIK. 11:15
872 וְהַבָּא דֶּרֶךְ־שַׁעַר נֶגֶב Ezek. 46:9
873 וְהַבָּא אֶל־הַבַּיִת יוּמָת IICh. 23:7
874 וְהַבָּא אַחֲרֶיהָ יוּמַת בֶּחָרֶב IICh. 23:14

וְלַבָּא
875 וְלַיּוֹצֵא וְלַבָּא אֵין־שָׁלוֹם Zech. 8:10
876 אֵין שָׁלוֹם לַיּוֹצֵא וְלַבָּא IICh. 15:5

בָּאָה (בינוני)
877 וְהִנֵּה רָחֵל בִּתּוֹ בָּאָה עִם־הַצֹּאן Gen. 29:6
878 וְהִנֵּה אֹרְחַת יִשְׁמְעֵאלִים בָּאָה Gen. 37:25
879 הִנְנִי אַחֲרֵיכֶם בָּאָה ISh. 25:19
880 מַעֲשֵׂיהֶם וּמַחְשְׁבֹתֵיהֶם בָּאָה Is. 66:18
881 קוֹל שְׁמוּעָה הִנֵּה בָאָה Jer. 10:22
882 וְהִנֵּה רוּחַ סְעָרָה בָּאָה מִן־הַצָּפוֹן Ezek. 1:4
883 רָעָה אַחַת רָעָה הִנֵּה בָאָה Ezek. 7:5
884 קֵץ בָּא...הִנֵּה בָּאָה Ezek. 7:6
885 הִנֵּה הַיּוֹם הִנֵּה בָאָה Ezek. 7:10
886 וְאָמַרְתָּ אֶל־שְׁמוּעָה כִּי־בָאָה Ezek. 21:12
887/8 הִנֵּה בָאָה וְנִהְיָתָה Ezek. 21:12; 39:8
889 אֲנִי יְיָ דִּבַּרְתִּי בָּאָה וְעָשִׂיתִי Ezek. 24:14
890 וְעֵץ חַיִּים תַּאֲוָה בָאָה Prov. 13:12
891-901 בָּאָה IK. 14:5,6,17 • Ezek. 30:9; 33:3,6,33 • Jon. 1:3 • Zech. 14:18 • Es. 2:13,14

וּבָאָה
902 וּבָאָה חֶרֶב בְּמִצְרַיִם Ezek. 30:4
903 וּבָאָה הַמֶּמְשָׁלָה הָרִאשֹׁנָה Mic. 4:8

הַבָּאָה
904 כָּל־הַנֶּפֶשׁ הַבָּאָה...מִצְרַיְמָה Gen. 46:26
905 יִתֵּן יְיָ אֶת־הָאִשָּׁה הַבָּאָה אֶל־בֵּיתֶךָ Ruth 4:11
906 הַבָּאָה וְהַיֹּצֵאת חֹדֶשׁ בְּחֹדֶשׁ ICh. 27:1

בָּאִים
907 זְקֵנִים בָּאִים בַּיָּמִים Gen. 18:11
908 וַיַּרְא וְהִנֵּה גְמַלִּים בָּאִים Gen. 24:63
909 כִּי־אַתֶּם בָּאִים אֶל־הָאָרֶץ Num. 34:2
910/11 אֲשֶׁר אַתֶּם בָּאִים שָׁמָּה לְרִשְׁתָּהּ Deut. 4:5; Ez. 9:11
912-932 הִנֵּה יָמִים בָּאִים ISh. 2:31 • IIK. 20:17 • Is. 39:6 • Jer. 7:32; 9:24; 16:14; 19:6; 23:5,7; 30:3;

בָּאִים (המשך)
31:27(26),31(30); 31:38(37) (קרי ולא כת׳!) 33:14; 48:12; 49:2; 51:47,52 • Am. 4:2; 8:11; 9:13
933 נֹצְרִים בָּאִים מֵאֶרֶץ הַמֶּרְחָק Jer. 4:16
934-947 בָּאִים Josh. 2:18 • Jud. 9:31 • ISh. 9:14 • IISh. 19:42 • IIK. 3:20 • Is. 13:5 • Jer. 33:5; 44:8 • Ezek. 9:2; 20:3; 23:40 • Zech. 2:4 • Neh. 6:10[2]

וּבָאִים
948 וּבָאִים בְּאָלָה וּבִשְׁבוּעָה Neh. 10:30
949 אֲשֶׁר יִהְיוּ מִטַּהֲרִים וּבָאִים Neh. 13:22

הַבָּאִים
950 וַיָּבֹאוּ ב״י לִשְׁבֹּר בְּתוֹךְ הַבָּאִים Gen. 42:5
951/2 שְׁמוֹת ב״י הַבָּאִים Gen. 46:8 • Ex. 1:1
953 חֵיל פַּרְעֹה הַבָּאִים אַחֲרֵיהֶם בַּיָּם Ex. 14:28
954 הַבָּאִים מִצְּבָא הַמִּלְחָמָה Num. 31:14
955 אַנְשֵׁי הַצָּבָא הַבָּאִים לַמִּלְחָמָה Num. 31:21
956 הַבָּאִים יַשְׁרֵשׁ יַעֲקֹב Is. 27:6
957 בְּשֶׁכְּבָר הַיָּמִים הַבָּאִים הַכֹּל נִשְׁכָּח Eccl. 2:16
958 אֵלֶּה הַבָּאִים בְּשֵׁמוֹת ICh. 4:38
959-985 הַבָּאִים Josh. 2:3 • ISh. 2:14; 5:5; 11:9 • Jer. 7:2; 13:20; 17:20; 22:2; 26:2; 27:3; 28:4; 36:6,9; 44:14,28 • Ezek. 20:29 • Zech. 12:9; 14:16 • Ez. 3:8; 8:35 • Neh. 7:7 • ICh. 2:55; 12:1 • IICh. 20:22; 28:12; 30:25[2]

וְהַבָּאִים
986 וְהַבָּאִים זָכָר וּנְקֵבָה...בָּאוּ Gen. 7:16
987 וְהַבָּאִים אֵלֵינוּ מִן־הַגּוֹיִם Neh. 5:17

לַבָּאִים
988 לַבָּאִים לַחְקֹר מִמְסָךְ Prov. 23:30

בָּאֵי־
989 וַיַּעַן...לְכֹל בָּאֵי שַׁעַר־עִירוֹ Gen. 23:10
990 בְּכֹל בָּאֵי שַׁעַר־עִירוֹ Gen. 23:18
991/2 הַשְּׁלִשִׁית...בָּאֵי הַשַּׁבָּת IIK. 11:5 • IICh. 23:4
993/4 בָּאֵי הַשַּׁבָּת עִם יֹצְאֵי ה׳ IIK. 11:9 • IICh. 23:8
995 ...אֲבֵלוֹת מִבְּלִי בָּאֵי מוֹעֵד Lam. 1:4

בָּאֶיהָ
996 כָּל־בָּאֶיהָ לֹא יְשׁוּבוּן Prov. 2:19

בָּאוֹת
997 הִנֵּה שֶׁבַע שָׁנִים בָּאוֹת Gen. 41:29
998 נָשִׁים בָּאוֹת מְאִירוֹת אוֹתָהּ Is. 27:11
999 לֹא בָאוֹת וְלֹא יִהְיֶה Ezek. 16:16
1000 וַאֲשֶׁר לְטוֹבִיָּה בָּאוֹת אֲלֵיהֶם Neh. 6:17

וּבָאוֹת
1001 וּבָאוֹת בַּקִּיר אֲשֶׁר־לַבַּיִת Ezek. 41:6

הַבָּאוֹת
1002 הַשָּׁנִים הַטֹּבֹת הַבָּאֹת הָאֵלֶּה Gen. 41:35
1003 אוֹ הַבָּאוֹת הַשְׁמִיעֻנוּ Is. 41:22

אָבוֹא
1004 עַד אֲשֶׁר־אָבֹא אֶל־אֲדֹנִי Gen. 33:14
1005 הָבָה־נָּא אָבוֹא אֵלַיִךְ Gen. 38:16
1006 אָבוֹא אֵלֶיךָ וּבֵרַכְתִּיךָ Ex. 20:24(21)
1007 אִם־תִּתֶּן־לִי...לֹא אָבֹא עִמָּךְ IK. 13:8
1008 וַאֲנִי בְּרֹב חַסְדְּךָ אָבוֹא בֵיתֶךָ Ps. 5:8
1009 מָתַי אָבוֹא וְאֵרָאֶה פְּנֵי אֱלֹהִים Ps. 42:3
1010 פִּתְחוּ־לִי שַׁעֲרֵי־צֶדֶק אָבֹא־בָם Ps. 118:19
1011 אִם־אָבֹא בְּאֹהֶל בֵּיתִי Ps. 132:3
1012 מִי־יִתֵּן...אָבוֹא עַד־תְּכוּנָתוֹ Job 23:3
1013-1026 אָבוֹא ISh. 29:8 • IISh. 11:11 • IK. 1:14 • Ezek. 38:11 • Hosh. 11:9 • Mal. 3:24 • Ps. 26:4; 66:13; 71:16; 73:17 • Es. 4:16 • Neh. 2:7,8; 6:11

וְאָבוֹא
1027 וְאָבוֹא עָלָיו וְהוּא יָגֵעַ IISh. 17:2
1028 אֲנִי עָלִיתִי...וְאָבוֹא מְרוֹם קִצּוֹ Is. 37:24

וָאָבוֹא
1029 וָאָבֹא הַיּוֹם אֶל־הָעָיִן Gen. 24:42
1030 וָאָבוֹא אֶל־הַגּוֹלָה תֵּל אָבִיב Ezek. 3:15
1031 וָאָבוֹא וָאֶרְאֶה וְהִנֵּה כָל־תַּבְנִית Ezek. 8:10
1032 וָאֶשָּׁבַע לָךְ וָאָבוֹא בִבְרִית אֹתָךְ Ezek. 16:8
1033 וָאָבוֹא אֶל־פַּחֲווֹת עֵבֶר הַנָּהָר Neh. 2:9
1034 וָאָבוֹא אֶל־יְרוּשָׁלָם Neh. 2:11
1035 וָאָשׁוּב וָאָבוֹא בְּשַׁעַר הַגַּיְא Neh. 2:15
1036 וָאָבוֹא לִירוּשָׁלָם וָאָבִינָה בָרָעָה Neh. 13:7

אָבוֹאָה
1037 אָבֹאָה אֶל־אִשְׁתִּי הֶחָדְרָה Jud. 15:1

וְאָבוֹאָה 1038 הָבָה אֶת־אִשְׁתִּי...וְאָבוֹאָה אֵלֶיהָ Gen. 29:21
1039 ...וְאָבוֹאָה מְלוֹן קִצֹּה IIK. 19:23
1040 וְאָבוֹאָה אֶל־מִזְבַּח אֱלֹהִים Ps. 43:4
1041 וְאֵצְאָה לִפְנֵי הָעָם־הַזֶּה וְאָבוֹאָה IICh. 1:10
תָּבוֹא 1042 וְאַתָּה תָּבוֹא אֶל־אֲבֹתֶיךָ בְּשָׁלוֹם Gen. 15:15
1043 כִּי תָבוֹא אֶל־מִשְׁפַּחְתִּי Gen. 24:41
1044 וָאֹכַל מִכֹּל בְּטֶרֶם תָּבוֹא Gen. 27:33
1045 וַתֵּצֵא...וַתֹּאמֶר אֵלַי תָּבוֹא Gen. 30:16
1046 כִּי־תָבוֹא עַל־שְׂכָרִי לְפָנֶיךָ Gen. 30:33
1047 מַה־תִּתֶּן־לִי כִּי תָבוֹא אֵלָי Gen. 38:16
1048 אֶת־כָּל־הָעָם אֲשֶׁר תָּבֹא בָּהֶם Ex. 23:27
1049 גַּם־אַתָּה לֹא־תָבֹא שָׁם Deut. 1:37
1050 כִּי־תָבֹא אֶל־הָאָרֶץ Deut. 17:14
1051 תָּבוֹא אֵלֶיהָ וּבְעַלְתָּהּ Deut. 21:13
1052 כִּי תָבֹא בְּכֶרֶם רֵעֶךָ וְאָכַלְתָּ Deut. 23:25
1053/4 מֵאַיִן תָּבוֹא Jud. 17:9 • Job 1:7
1055 אָנָה תֵלֵךְ וּמֵאַיִן תָּבוֹא Jud. 19:17
1056/7 אֵי מִזֶּה תָּבוֹא IISh. 1:3 • Job 2:2
1058 מַה־מְּלַאכְתְּךָ וּמֵאַיִן תָּבוֹא Jon. 1:8
1059 מָתַי תָּבוֹא אֵלָי Ps. 101:2
1060 תָּבוֹא בְכֶלַח אֱלֵי קָבֶר Job 5:26
1061 עַד־פֹּה תָבוֹא וְלֹא תֹסִיף Job 38:11
1078-1062 תָּבוֹא Deut. 26:1; 31:7; 32:52
ISh. 10:5 • IISh. 5:6 • Jer. 16:5,8,; 20:6; 34:3 •
Ezek. 38:8,9 • Ob. 13 • Ps. 143:2 • Prov. 22:24;
27:10 • ICh. 11:5 • IICh. 18:24
1084-1079 תָּבֹא Deut. 23:26; 24:10; 27:3
IK. 22:25 • Prov. 4:14; 23:10
תָּבוֹאִי 1085 אִתִּי מִלְּבָנוֹן תָּבוֹאִי S.ofS. 4:8
1086 אַל־תָּבוֹאִי רֵיקָם אֶל־חֲמוֹתֵךְ Ruth 3:17
וַתָּבוֹא 1087 וַתַּקְרִיבִי יָמַיִךְ וַתָּבוֹא Ezek. 22:4
וַתָּבֹאת 1088 מְהַרְתְּ וַתָּבֹאת (כת׳ ותבאתי) ISh. 25:34
וַתָּבֹאִי 1088a וַתָּבֹאִי בַּעֲדִי עֲדָיִים Ezek. 16:7
יָבוֹא 1089 אִם־יָבוֹא עֵשָׂו אֶל־הַמַּחֲנֶה Gen. 32:8
1090 פֶּן־יָבוֹא וְהִכַּנִי אֵם עַל־בָּנִים Gen. 32:11
1091 עַד כִּי־יָבֹא שִׁילֹה Gen. 49:10
1092 כִּי־יָבֹא אֵלַי הָעָם Ex. 18:15
1093 הָעָם הַזֶּה עַל־מְקֹמוֹ יָבֹא בְשָׁלוֹם Ex. 18:23
1094 אִם־בְּגַפּוֹ יָבֹא בְּגַפּוֹ יֵצֵא Ex. 21:3
1095 עַד הָאֱלֹהִים יָבֹא דְּבַר־שְׁנֵיהֶם Ex. 22:8
1096 אֲשֶׁר יָבֹא אֶל־אֹהֶל מוֹעֵד Ex. 29:30
1097 אֲשֶׁר יָבוֹא עָלָיו מַיִם יִטְמָא Lev. 11:34
1098 בְּזֹאת יָבֹא אַהֲרֹן אֶל־הַקֹּדֶשׁ Lev. 16:3
1099 כֹּל אֲשֶׁר־יְדַבֵּר בּוֹא יָבוֹא ISh. 9:6
1100 הֲזֶה יָבוֹא אֶל־בֵּיתִי ISh. 21:16
1101 אוֹ־יוֹמוֹ יָבוֹא וָמֵת ISh. 26:10
1102 וְרִיב אַלְמָנָה לֹא־יָבוֹא אֲלֵיהֶם Is. 1:23
1103 יְיָ בְּמִשְׁפָּט יָבוֹא עִם־זִקְנֵי עַמּוֹ Is. 3:14
1104 וְהִנֵּה מְהֵרָה קַל יָבוֹא Is. 5:26
1105 יָבוֹא שָׁלוֹם יָנוּחוּ עַל־מִשְׁכְּבוֹתָם Is. 57:2
1106 לֹא־יָבוֹא עוֹד שִׁמְשֵׁךְ Is. 60:20
1107 כִּי־בֹא יָבֹא לֹא יְאַחֵר Hab. 2:3
1108 כִּי־רָאָה כִּי־יָבֹא יוֹמוֹ Ps. 37:13
1109 מֵאַיִן יָבֹא עֶזְרִי Ps. 121:1
1110 בֹּא־יָבֹא בְרִנָּה נֹשֵׂא אֲלֻמֹּתָיו Ps. 126:6
1111 יָבוֹא עִמְּךָ בַּמִּשְׁפָּט Job 22:4
1112 וַיֹּאמֶר הַמֶּלֶךְ יָבוֹא Es. 6:5
1193-1113 יָבוֹא Lev. 14:8; 16:26,28 • Num. 8:24
Josh 6:19 • Jud. 13:8 • ISh. 2:36 • IISh. 5:6,8; 6:9;
15:4,37; 18:27 • Is. 7:24; 13:6; 30:13; 32:10; 35:4^2;
37:33,34; 40:10; 41:3; 45:24; 60:13; 66:7,15,23 •
Jer. 4:12; 17:6,15; 21:13; 36:29; 46:18; 49:4,36;

יָבוֹא (המשך) 51:48 • Ezek. 20:38; 24:26; 44:3,9,25; 46:8,10;
47:9^2 • Hosh. 7:1; 9:4; 10:12; 13:15 • Joel 1:15 •
Am. 5:9 • Mic. 1:15; 5:4,5; 7:12 • Hab. 1:9; 3:3,16 •
Zep. 2:2^2 • Zech. 9:9 • Mal. 3:1 • Ps. 71:18 • Prov.
6:15 • Job 5:21; 13:16; 41:5 • Es. 4:11; 5:4,8 • Dan.
11:13,24 • Ez. 10:8 • Neh. 6:11; 13:1,19 • IICh.
19:10; 23:6,19; 25:7
1243-1194 יָבֹא Lev. 14:36^2,48; 16:2; 21:11,23
Num. 6:6; 19:7: 20:24; 27:17; 31:23^2 • Deut. 1:38;
18:6,22; 19:5; 23:2,3^2,4^2,9,11,12; 25:5; 29:21 • Jud.
4:20; 13:12,17; 14:18 • ISh. 2:34 • IK. 14:13 • IIK.
5:8; 6:32; 19:32,33^2 • Is. 52:1; 59:19 • Jer. 6:26;
37:19 • Ezek. 44:2 • Ps. 50:3; 55:6 • Prov. 7:20,22 •
Job 3:6,25; 41:8 • S.ofS. 4:16 • Lam. 4:12
וְיָבוֹא 1244 נִקְחָה אֵלֵינוּ...וְיָבֹא בְקִרְבֵּנוּ ISh. 4:3
1245 פִּתְחוּ שְׁעָרִים וְיָבֹא גוֹי־צַדִּיק Is. 26:2
1246 וְיָבֹא סְגָנִים כְּמוֹ־חֹמֶר Is. 41:25
1247 וְיָבֹא שֹׁדֵד אֶל־כָּל־עִיר Jer. 48:8
1248 וְיָבוֹא כַגֶּשֶׁם לָנוּ Hosh. 6:3
1249 וְיָבוֹא מֶלֶךְ הַכָּבוֹד Ps. 24:7
1250 וְיָבֹא מֶלֶךְ הַכָּבוֹד Ps. 24:9
1251 וְיָבֹא עָלֵימוֹ אֵידָם Job 21:17
1252 וְיָבֹא אֶל־הַחַיִל Dan. 11:7
1253 וְיָבֹא בְּמָעוֹז מֶלֶךְ הַצָּפוֹן Dan. 11:7
1254 וְיָבֹא מֶלֶךְ...וְיִשְׁפֹּךְ סוֹלְלָה Dan. 11:15
וַיָּבוֹא 1255 וַיָּבֹא נֹחַ וּבָנָיו...אֶל־הַתֵּבָה Gen. 7:7
1256 וַיָּבֹא וַיֵּשֶׁב בְּאֵלֹנֵי מַמְרֵא Gen. 13:18
1257 וַיָּבֹא הַפָּלִיט וַיַּגֵּד לְאַבְרָם Gen. 14:13
1258 וַיָּבֹא אֶל־הָגָר וַתַּהַר Gen. 16:4
1259 וַיָּבֹא אֱלֹ׳ אֶל־אֲבִימֶלֶךְ בַּחֲלוֹם Gen. 20:3
1260 וַיָּבֹא אַבְרָהָם לִסְפֹּד לְשָׂרָה Gen. 23:2
1261/2 וַיָּבֹא מֹשֶׁה וְאַהֲרֹן אֶל־פַּרְעֹה Ex. 7:10; 10:3
1263 וַיָּבֹא גַם־הַנִּצָּב אַחַר הַלַּהַב Jud. 3:22
1264 וַיָּבֹא (כת׳ ויבאו) יָרָבְעָם וְכָל־... IK. 12:3
1265 וַיָּבוֹא (כת׳ ויבו) יָרָבְעָם וְכָל־... IK. 12:12
1266 וַיָּבֹא (כת׳ ויבאו) רְחַבְעָם יְרוּשָׁלַםִ IK. 12:21
1267 וַיָּבֹא (כת׳ ויבאו) יְרוּשָׁלַםִ וַיִּפְרֹץ IIK. 14:13
1268 בָּא־זָדוֹן וַיָּבֹא קָלוֹן Prov. 11:2
1269 צַדִּיק מִצָּרָה נֶחֱלָץ וַיָּבֹא רָשָׁע תַּחְתָּיו
Prov. 11:8
1270 וַיָּבוֹא גַם־הַשָּׂטָן בְּתוֹכָם Job 1:6
1271 לֹא שָׁלַוְתִּי...וַיָּבֹא רֹגֶז Job 3:26
1272 כִּי טוֹב קִוִּיתִי וַיָּבֹא רָע Job 30:26
1273 וַאֲיַחֲלָה לְאוֹר וַיָּבֹא אֹפֶל Job 30:26
1291-1274 וַיָּבוֹא ISh. 4:13 • IK. 3:15; 7:14; 13:11
22:15,30,37 • IIK. 9:30 • Is. 38:1 • Ezek. 14:1;
23:44; 36:20; 40:6 • Job 2:1 • Es. 4:2,9; 5:10; 6:6
1517-1292 וַיָּבֹא Gen. 24:30,32; 25:29
27:18; 29:23,30; 30:4,16; 31:24,33^2; 33:18; 34:20;
35:6,27; 37:14; 38:2,18; 39:11; 40:6; 41:14;
43:26,30; 44:14; 46:1; 47:1 • Ex. 3:1; 7:23; 8:20;
14:20; 17:8; 18:5,12; 19:7; 24:3,18 • Lev. 9:23 •
Num. 13:22; 17:8,23; 20:6; 21:7,23; 22:9,20; 23:17;
25:8 • Deut. 32:44 • Josh. 10:9; 11:7,21 • Jud. 4:22;
6:11; 7:13^2,19; 8:4,15; 9:5,26,52; 11:16,18,34;
13:9,11; 16:1; 17:8; 18:20; 19:10,15,29; 21:2 • ISh.
2:27; 3:10; 4:3,12,14; 10:13; 14:26; 15:5,13;
16:4,21; 17:20,22; 18:13; 19:18,22; 20:1,37,38;
21:2,11; 22:5; 24:3^2; 26:5,7; 27:9; 30:3,21,26 •
IISh. 3:20,24,35; 5:20; 7:18; 9:6; 10:14,17; 11:7,22;
12:1,4,20^2,24; 13:6,24; 14:31,33^2; 15:13,37;
16:14,22; 17:6; 18:9; 19:6,9,16; 20:3; 24:13,18 •

וַיָּבוֹא (המשך) IK. 1:23,53; 2:13,30; 13:29; 16:10,18; 17:10;
19:3,4,9; 20:30,43; 21:4 • IIK. 1:13; 4:11,32,33,39;
5:4,9,15,24; 8:7,9,14; 9:5,6,19,34; 10:8,12,17,23;
15:14; 16:12; 17:28; 18:37; 19:1; 20:1,14; 22:9;
23:34; 24:11 • Is. 36:22; 37:1; 39:3 • Jer. 19:14;
26:21; 32:8; 36:14; 38:11; 40:6 • Ezek. 10:2,6 • Ps.
105:23,31,34 • Ruth 3:7,15; 4:13 • Es. 5:5; 7:1 •
Dan. 8:6,17 • Ez. 7:8 • Neh. 1:2 • ICh. 7:23; 17:16;
18:5; 19:15,17; 20:1; 21:4,11,21 • IICh. 1:13;
10:3,12; 11:1; 12:4; 14:8; 18:14; 20:25; 21:12;
26:16,17; 28:20; 32:1,21; 35:22
שֶׁיָּבוֹא 1518 מֶה הָאָדָם שֶׁיָּבוֹא אַחֲרֵי הַמֶּלֶךְ Eccl. 2:12
יְבֹאֶנּוּ 1519 וְלֹא־יֵדַע כִּי־חֶסֶר יְבֹאֶנּוּ Prov. 28:22
1520 בַּשָּׁלוֹם שׁוֹדֵד יְבוֹאֶנּוּ Job 15:21
יְבוֹאֵנוּ 1521 שׁוֹט שׁוֹטֵף כִּי־יַעֲבֹר־לֹא יְבוֹאֵנוּ Is. 28:15
תָּבוֹא 1522 בְּטֶרֶם תָּבוֹא שְׁנַת הָרָעָב Gen. 41:50
1523 בְּסֹדָם אַל־תָּבֹא נַפְשִׁי Gen. 49:6
1524 בְּטֶרֶם תָּבוֹא אֲלֵהֶן הַמְיַלֶּדֶת Ex. 1:19
1525 וְאֶל־הַמִּקְדָּשׁ לֹא תָבֹא Lev. 12:4
1526 וְלֹא־תָבוֹא עָלָיו הַשֶּׁמֶשׁ Deut. 24:15
1527 תָּבֹא נָא תָמָר אֲחוֹתִי IISh. 13:5
1528 וּלְשׁוֹאָה מִמֶּרְחָק תָּבוֹא Is. 10:3
1529 בְּטֶרֶם תָּבוֹא הִשְׁמַעְתִּיךָ Is. 48:5
1530 רָעָה תָּבֹא אֲלֵיהֶם Jer. 2:3
1531 וְשַׁוְעָתִי לְפָנָיו תָּבוֹא בְאָזְנָיו Ps. 18:7
1532 תָּבוֹא לְפָנֶיךָ אֶנְקַת אָסִיר Ps. 79:11
1533 תָּבוֹא לְפָנֶיךָ תְּפִלָּתִי Ps. 88:3
1534 וְשַׁוְעָתִי אֵלֶיךָ תָבוֹא Ps. 102:2
1535 תָּבוֹא תְחִנָּתִי לְפָנֶיךָ Ps. 119:170
1536 כִּי־תָבוֹא חָכְמָה בְלִבֶּךָ Prov. 2:10
1537 וּמִשֹּׁאַת רְשָׁעִים כִּי תָבֹא Prov. 3:25
1538 וַעֲלֵיהֶם תָּבוֹא בִרְכַּת־טוֹב Prov. 24:25
1539 קִלְלַת חִנָּם לוֹ׳ תָבֹא Prov. 26:2
1540 כִּי־לִפְנֵי לַחְמִי אַנְחָתִי תָבֹא Job 3:24
1541 וְהַחָכְמָה מֵאַיִן תָּבוֹא Job 28:20
1542 בִּרְכַּת אֹבֵד עָלַי תָּבֹא Job 29:13
1543 תָּבֹא כָל־רָעָתָם לְפָנֶיךָ Lam. 1:22
1565-1544 תָּבוֹא IISh. 13:6
IK. 10:22; 13:22 • Is. 7:25 • Jer. 5:12; 6:20; 23:17;
51:60 • Ezek. 7:26; 24:16 • Mic. 3:11 • Ps. 37:15;
49:20 • Job 3:7; 4:5; 6:8; 27:9; 37:9 • Es. 1:19; 2:14
• Dan. 11:6 • IICh. 20:9
תָּבוֹאתָה 1566 תָּבוֹאתָה לְרֹאשׁ יוֹסֵף Deut. 33:16
הֲתָבוֹא 1567 הֲתָבוֹא לְךָ שֶׁבַע־שָׁנִים רָעָב IISh. 24:13
וְתָבוֹא 1568 וְתָבֹא עָלַיִךְ פִּתְאֹם שׁוֹאָה Is. 47:11
וְתָבוֹאָה 1569 וְתָבוֹאָה עֲצַת קְדוֹשׁ יִשְׂרָאֵל Is. 5:19
וַתָּבוֹא 1570 וַתָּבֹא אֵלָיו הַיּוֹנָה לְעֵת עֶרֶב Gen. 8:11
1571 וַתָּבֹא הַבְּכִירָה וַתִּשְׁכַּב Gen. 19:33
1572 וַתָּבוֹא אֵלָיו בַּלָּאט Jud. 4:21
1573 וַתָּבֹא אֲלֵיהֶם קִלְלַת יוֹתָם Jud. 9:57
1574 וַתָּבֹא הָאִשָּׁה וַתֹּאמֶר לְאִישָׁהּ Jud. 13:6
1575 וַתָּבֹא לָהֶם הַשֶּׁמֶשׁ אֵצֶל הַגִּבְעָה Jud. 19:14
1576/7 וַתָּבֹא הָעִיר בַּמָּצוֹר IIK. 24:10; 25:2
1578 וַתָּבֹא בִי רוּחַ כַּאֲשֶׁר דִּבֶּר אֵלַי Ezek. 2:2
1579 וַתָּבֹא־בִי רוּחַ וַתַּעֲמִדֵנִי Ezek. 3:24
1580 וַתָּבוֹא בָהֶם הָרוּחַ וַיִּחְיוּ Ezek. 37:10
1581 וַתָּבוֹא אֵלֶיךָ תְּפִלָּתִי Jon. 2:8
1582 וַתָּבֹא כַמַּיִם בְּקִרְבּוֹ Ps. 109:18
1583 וַתָּבוֹא תְפִלָּתָם לִמְעוֹן קָדְשׁוֹ IICh. 30:27
1598-1584 וַתָּבוֹא ISh. 28:21
IISh. 11:4; 20:22 • IIK. 11:16 • Ezek. 33:4,6 • Job
37:8 • Ruth 2:3,7,18; 3:16 • IICh. 9:1^2; 23:12,15

וַתָּבוֹא (המשך) 1618-1599 וַתָּבֹא Jud. 19:26 • ISh. 25:36
IISh. 8:5 • IK. 1:15,28; 2:19; 10:1,2²; 14:4,17; 21:5
• IIK. 4:7,25,27,36,37; 11:13 • Jer. 52:5 • Ruth 3:7
תְּבוֹאֵנִי 1619 אַל־תְּבוֹאֵנִי רֶגֶל גַּאֲוָה Ps. 36:12
תְּבוֹאָתְךָ 1620 בָּהֶם תְּבוֹאָתְךָ טוֹבָה Job 22:21
תְּבוֹאֶךָּ 1621 חֶרֶב מֶלֶךְ־בָּבֶל תְּבוֹאֶךָּ Ezek. 32:11
תְּבוֹאֶנּוּ 1622 מְגוֹרַת רָשָׁע הִיא תְבוֹאֶנּוּ Prov. 10:24
1623 וְדֹרֵשׁ רָעָה תְבוֹאֶנּוּ Prov. 11:27
1624 כָּל־יַד עָמֵל תְּבֹאֶנּוּ Job 20:22
תְּבוֹאֵהוּ 1625 תְּבוֹאֵהוּ שׁוֹאָה לֹא־יֵדָע Ps. 35:8
וַתְּבוֹאֵהוּ 1626 וַיֶּאֱהַב קְלָלָה וַתְּבוֹאֵהוּ Ps. 109:17
נָבוֹא 1627 הַמָּקוֹם אֲשֶׁר נָבוֹא שָׁמָּה Gen. 20:13
1628 הֲבוֹא נָבוֹא אֲנִי וְאִמְּךָ וְאַחֶיךָ Gen. 37:10
1629 וְאֵת הֶעָרִים אֲשֶׁר נָבֹא אֲלֵיהֶן Deut. 1:22
1630 אִם־אָמַרְנוּ נָבוֹא הָעִיר IIK. 7:4
1631 וְאֶל־הָעִיר נָבֹא IIK. 7:12
1632 רַדְנוּ לוֹא־נָבוֹא עוֹד אֵלֶיךָ Jer. 2:31
1633 לֹא כִּי אֶרֶץ מִצְרַיִם נָבוֹא Jer. 42:14
1634 נָבוֹא יַחְדָּו בַּמִּשְׁפָּט Job 9:32
1635 עַד אֲשֶׁר־נָבוֹא אֶל־תּוֹכָם Neh. 4:5
וְנָבוֹא 1636 הֵאָסְפוּ וְנָבוֹא אֶל־עָרֵי הַמִּבְצָר Jer. 8:14
1637 וַנֹּאמֶר בֹּאוּ וְנָבוֹא יְרוּשָׁלַםִ Jer. 35:11
וַנָּבוֹא 1638 וַנָּבֹא עַד קָדֵשׁ בַּרְנֵעַ Deut. 1:19
1639 וַנָּבוֹא אֶל־שְׁמוּאֵל ISh. 10:14
1640 וַנָּבוֹא יְרוּשָׁלָםִ וַנֵּשֶׁב שָׁם Ez. 8:32
נָבוֹאָה 1641 נָבוֹאָה לְמִשְׁכְּנוֹתָיו Ps. 132:7
וְנָבוֹאָה 1642 וְעַתָּה לְכוּ וְנָבֹאָה וְנַגִּידָה IIK. 7:9
1643 הֵאָסְפוּ וְנָבוֹאָה אֶל־עָרֵי הַמִּבְצָר Jer. 4:5
תָּבֹאוּ 1644 וְהָיָה כִּי־תָבֹאוּ אֶל־הָאָרֶץ Ex. 12:25
1645 כִּי תָבֹאוּ אֶל־אֶרֶץ כְּנַעַן Lev. 14:34
1646 וְכִי־תָבֹאוּ אֶל־הָאָרֶץ Lev. 19:23
1647/8 כִּי(־)תָבֹאוּ אֶל־הָאָרֶץ Lev. 23:10; 25:2
1649 וְכִי־תָבֹאוּ מִלְחָמָה בְּאַרְצְכֶם Num. 10:9
1650 אִם־אַתֶּם תָּבֹאוּ אֶל־הָאָרֶץ Num. 14:30
1651 כִּי תָבֹאוּ אֶל־אֶ׳ מוֹשְׁבֹתֵיכֶם Num. 15:2
1652 וְאַחַר תָּבֹאוּ אֶל־הַמַּחֲנֶה Num. 31:24
1653 מִי אַתֶּם וּמֵאַיִן תָּבֹאוּ Josh. 9:8
1654 כְּבֹאֲכֶם תָּבֹאוּ אֶל־עַם בֹּטֵחַ Jud. 18:10
1655 לֹא־תָבֹאוּ בָהֶם IK. 11:2
1656 כִּי תָבֹאוּ לֵרָאוֹת פָּנָי Is. 1:12
1657 דִּבֶּר יְיָ...אַל־תָּבֹאוּ מִצְרָיִם Jer. 42:19
1658 לֹא־תָבֹאוּ מִצְרַיִם לָגוּר שָׁם Jer. 43:2
1659 וְאַל־תָּבֹאוּ הַגִּלְגָּל Hosh. 4:15
1660 וְהַגִּלְגָּל לֹא תָבֹאוּ Am. 5:5
וַתָּבֹאוּ 1661 וַתָּבֹאוּ אֶל־הַמָּקוֹם הַזֶּה Deut. 29:6
1662 וַתָּבֹאוּ הַיָּמָּה וַיִּרְדְּפוּ מִצְרַיִם Josh. 24:6
1663 וַתַּעַבְרוּ...וַתָּבֹאוּ אֶל־יְרִיחוֹ Josh. 24:11
1664 וַתָּבֹאוּ וַתְּטַמְּאוּ אֶת־אַרְצִי Jer. 2:7
יָבוֹאוּ 1665 יָבֹאוּ בְּנֵי הָאֱלֹהִים אֶל־בְּנוֹת... Gen. 6:4
1666 שְׁנַיִם מִכֹּל יָבֹאוּ אֵלֶיךָ Gen. 6:20
1667 יָבֹאוּ וְיַעֲשׂוּ אֵת כָּל־אֲשֶׁר צִוָּה יְיָ Ex. 35:10
1668 יָבֹאוּ בְנֵי־קְהָת לָשֵׂאת Num. 4:15
1669 אַהֲרֹן וּבָנָיו יָבֹאוּ Num. 4:19
1670 וְלֹא־יָבֹאוּ לִרְאוֹת כְּבַלַּע... Num. 4:20
1671 וְאַחֲרֵי־כֵן יָבֹאוּ הַלְוִיִּם Num. 8:15
1672 עַל־פִּיו יֵצְאוּ וְעַל־פִּיו יָבֹאוּ Num. 27:21
1673 הַאַחֵיכֶם יָבֹאוּ לַמִּלְחָמָה וְאַתֶּם... Num. 32:6
1674 כִּי־יָבֹאוּ עָלֶיךָ כָּל־הַדְּבָרִים Deut. 30:1
1675 פֶּן־יָבוֹאוּ הָעֲרֵלִים הָאֵלֶּה ISh. 31:4
1676 הִנֵּה־אֵלֶּה מֵרָחוֹק יָבֹאוּ Is. 49:12
1677 בָּנַיִךְ מֵרָחוֹק יָבֹאוּ Is. 60:4
1678 בִּבְכִי יָבֹאוּ וּבְתַחֲנוּנִים אוֹבִילֵם Jer. 31:9(8)

יָבוֹאוּ (המשך) 1679 יָבוֹאוּ וְיִשְׁתַּחֲווּ לְפָנֶיךָ אֲדֹנָי Ps. 86:9
1680 הַשַּׁעַר...צַדִּיקִים יָבֹאוּ בוֹ Ps. 118:20
1681 שִׂפְתֵי כְסִיל יָבֹאוּ בְרִיב Prov. 18:6
1682 לָמָּה יָבוֹאוּ מַלְכֵי אַשּׁוּר IICh. 32:4
1716-1683 יבאו Deut. 1:39 • Jud. 21:22
IISh. 15:6 • IK. 11:2 • IIK. 13:20; 20:14 • Is. 39:3;
47:13; 60:5,6 • Jer. 6:3; 16:19; 17:19; 40:10; 50:4;
51:53 • Ezek. 13:9; 44:16 • Hosh. 13:13 • Joel 2:9 •
Hab. 1:8 • Zech. 6:15; 8:20 • Ps. 22:32; 63:10; 65:3;
69:28 • Job 19:12 • Lam. 1:10; 5:4 • Eccl. 12:1 •
ICh. 10:4; 12:23(22) • IICh. 23:6
וְיָבֹאוּ 1717 וְיָבֹאוּ בְ״י בְּתוֹךְ הַיָּם בַּיַּבָּשָׁה Ex. 14:16
1718 הִנְנִי מְחַזֵּק אֶת־לֵב מִצְרַיִם
וְיָבֹאוּ אַחֲרֵיהֶם Ex. 14:17
1719 וְיָבֹאוּ וְיִירְשׁוּ אֶת־הָאָרֶץ Deut. 10:11
1720 וְיִכְתְּבוּ אוֹתָהּ...וְיָבֹאוּ אֵלָי Josh. 18:4
1721 הָנִיפוּ יָד וְיָבֹאוּ פִּתְחֵי נְדִיבִים Is. 13:2
1722 וְיָבֹאוּ יַחְדָּו מֵאֶרֶץ צָפוֹן Jer. 3:18
1723 וְיָבוֹאוּ אֵלֶיךָ כִּמְבוֹא־עָם Ezek. 33:31
וַיָּבֹאוּ 1724 וַיָּבֹאוּ אֶל־נֹחַ אֶל־הַתֵּבָה Gen. 7:15
1725 וַיָּבֹאוּ עַד־חָרָן וַיֵּשְׁבוּ שָׁם Gen. 11:31
1726 וַיָּבֹאוּ אַרְצָה כְּנָעַן Gen. 12:5
1727 וַיָּבֹאוּ אֶל־עֵין מִשְׁפָּט Gen. 14:7
1728 וַיָּבֹאוּ שְׁנֵי הַמַּלְאָכִים סְדֹמָה Gen. 19:1
1729 וַיָּסֻרוּ אֵלָיו וַיָּבֹאוּ אֶל־בֵּיתוֹ Gen. 19:3
1909-1730 ויבאו Gen. 22:9; 26:32; 34:25
42:5,6,29; 45:25; 46:6,28; 47:15,18; 50:10 • Ex.
2:17; 5:15; 14:22,23; 15:23,27; 16:1,22; 18:7; 19:2;
35:21; 35:22; 36:4 • Num. 13:23,26; 20:1,22;
22:7,14,16,39; 32:2; 33:9 • Deut. 1:24 • Josh.
2:1,22,23; 3:1; 6:11,23; 8:11,19; 9:17; 10:20; 11:5;
18:9; 22:10,15 • Jud. 6:5; 9:27,46; 14:5;
18:2,7,8,13,15,27; 20:26,34 • ISh. 1:19; 7:1; 8:4;
10:9,10; 11:4,9,11; 14:20; 19:16; 22:11; 25:9,12,40;
26:1; 28:4,8; 30:9; 31:7,8,12 • IISh. 2:4,29; 4:5,7;
5:1,3; 6:6; 10:2,14,16; 17:18,20; 20:14,15; 23:13;
24:6²,7 • IK. 1:32; 5:14; 8:3; 9:28; 11:18²; 13:25;
20:32; 21:13 • IIK. 2:4,15; 3:24; 6:4,14; 7:5,8³,10;
10:21²,24; 11:9,18,19; 18:17²; 19:5; 25:23,26 • Is.
37:5 • Jer. 8:16; 32:23; 36:20; 38:27; 39:3; 40:8,12;
41:5; 43:7² • Ezek. 9:2; 23:17,39 • Hag. 1:14 • Zech.
2:4 • Job 1:6; 2:1,11; 42:11 • Ruth 1:2 • Dan. 2:2 •
Neh. 9:24 • ICh. 4:41; 7:22; 10:7,8; 11:3; 12:17(16);
13:9; 19:2,7²,15 • IICh. 5:4; 8:18; 15:12; 18:29;
20:2,28; 23:2,17,20; 24:23; 29:15,16,18; 30:11;
31:8; 34:9
יְבֹאוּן 1910 אִם־יְבֹאוּן אֶל־מְנוּחָתִי Ps. 95:11
יְבוֹאוּנִי 1911 יְבֹאוּנִי רַחֲמֶיךָ וְאֶחְיֶה Ps. 119:77
וִיבֹאֻנִי 1912 וִיבֹאֻנִי חֲסָדֶךָ יְיָ Ps. 119:41
תָּבֹאןָ 1913 אֲשֶׁר תָּבֹאןָ הַצֹּאן לִשְׁתּוֹת Gen. 30:38
תָּבֹאנָה 1914 כִּי תָבֹאנָה (כת׳ תבואינה) הָאֹתוֹת ISh. 10:7
1915 אָז תָּבֹאנָה שְׁתַּיִם נָשִׁים IK. 3:16
1916 וַאֲשֶׁר תָּבֹאנָה יַגִּידוּ לָמוֹ Is. 44:7
1917 תָּבוֹאנָה אֳנִיּוֹת תַּרְשִׁישׁ IICh. 9:21
וְתָבוֹאנָה 1918 וְתָבֹאנָה לָּךְ שְׁתֵּי־אֵלֶּה רֶגַע Is. 47:9
1919 וְאֶל־הַחֲכָמוֹת שִׁלְחוּ וְתָבוֹאנָה Jer. 9:16
וַתָּבֹאנָה 1920 וַתָּבֹאנָה אֶל־קִרְבֶּנָה Gen. 41:21
1921 וַתָּבֹאנָה וַתִּדְלֶנָה וַתְּמַלֶּאנָה Ex. 2:16
1922 וַתָּבֹאנָה אֶל־רְעוּאֵל אֲבִיהֶן Ex. 2:18
1923 פִּתְאֹם עָשִׂיתִי וַתָּבֹאנָה Is. 48:3
1924 וַתָּבוֹאנָה (כת׳ ותבואינה) נַעֲרוֹת אֶסְתֵּר Es. 4:4

תְּבֹאֶינָה 1925 תְּבֹאֶינָה בְּהֵיכַל מֶלֶךְ Ps. 45:16
וּתְבוֹאֶינָה 1926 וְקִרְאוּ לַמְקוֹנְנוֹת וּתְבוֹאֶינָה Jer. 9:16
בֹּא (צווי) 1927 בֹּא־אַתָּה וְכָל־בֵּיתְךָ אֶל־הַתֵּבָה Gen. 7:1
1928 בֹּא־נָא אֶל־שִׁפְחָתִי Gen. 16:2
1929 וַיֹּאמֶר בּוֹא בְּרוּךְ יְיָ Gen. 24:31
1930 הִנֵּה אֲמָתִי בִלְהָה בֹּא אֵלֶיהָ Gen. 30:3
1931 בֹּא אֶל־פַּרְעֹה וְאָמַרְתָּ אֵלָיו Ex. 7:26
1932 לֶךְ־בֹּא וְאֶשְׁלְחָה סֵפֶר IIK. 5:5
1933 בּוֹא בַצּוּר וְהִטָּמֵן בֶּעָפָר Is. 2:10
1934 לֶךְ־בֹּא אֶל־הַסֹּכֵן הַזֶּה Is. 22:15
1935 לֵךְ עַמִּי בֹּא בַחֲדָרֶיךָ Is. 26:20
1950-1936 בֹּא Gen. 38:8 • Ex. 6:11
9:1; 10:1 • IISh. 14:32; 16:21 • IK. 1:42 • Is. 30:8 •
Jer. 40:4 • Ezek. 3:4,11,24; 8:9; 10:2 • IICh. 25:8
וּבֹא 1951 וּבֹא־עִם־הַמֶּלֶךְ אֶל־הַמִּשְׁתֶּה Es. 5:14
בֹּאָה 1952 בֹּאָה־אִתִּי הַבַּיְתָה וּסְעָדָה IK. 13:7
וָבוֹאָה 1953 קָחֶנּוּ וָבֹאָה כִּי־שָׁלוֹם לְךָ ISh. 20:21
בּוֹאִי 1954 בּוֹאִי שִׁכְבִי עִמִּי אֲחוֹתִי IISh. 13:11
1955 וַיֹּאמֶר בֹּאִי אֵשֶׁת יָרָבְעָם IK. 14:6
1956 אַל־תִּירְאִי בֹּאִי עֲשִׂי כִדְבָרֵךְ IK. 17:13
1957 מֵאַרְבַּע רוּחוֹת בֹּאִי הָרוּחַ Ezek. 37:9
1958 בֹּאִי בַטִּיט וְרִמְסִי בַחֹמֶר Nah. 3:14
וּבֹאִי 1959 וּבֹאִי שִׁכְבִי עִמּוֹ Gen. 19:34
1960 לְכִי וּבֹאִי אֶל־הַמֶּלֶךְ דָּוִד IK. 1:13
1961 שְׁבִי דוּמָם וּבֹאִי בַחֹשֶׁךְ Is. 47:5
1962 עוּרִי צָפוֹן וּבוֹאִי תֵימָן S.ofS. 4:16
בֹּאוּ 1963 וּלְכוּ־בֹאוּ אַרְצָה כְּנָעַן Gen. 45:17
1964 יֹאמְרוּ הַמֹּשְׁלִים בֹּאוּ חֶשְׁבּוֹן Num. 21:27
1965 בֹּאוּ וּרְשׁוּ אֶת־הָאָרֶץ Deut. 1:8
1966 בֹּאוּ בֵּית־הָאִשָּׁה הַזּוֹנָה Josh. 6:22
1967 וַיֹּאמֶר הָאָטָד...בֹּאוּ חֲסוּ בְצִלִּי Jud. 9:15
1968 וַיֹּאמֶר בֹּאוּ קָחֻהוּ IK. 20:33
1969 בֹּאוּ הַכּוּם אִישׁ אַל־יֵצֵא IIK. 10:25
1970 וַנֹּאמֶר בֹּאוּ וְנָבוֹא יְרוּשָׁלַםִ Jer. 35:11
1971 בֹּאוּ אֶל־גְּדַלְיָהוּ בֶן־אֲחִיקָם Jer. 41:6
1972 בֹּאוּ וְנִלְווּ אֶל־יְיָ Jer. 50:5
1973 בֹּאוּ־לָהּ מִקֵּץ פִּתְחוּ מַאֲבֻסֶיהָ Jer. 50:26
1974 בֹּאוּ וּנְסַפְּרָה בְצִיּוֹן Jer. 51:10
1975 בֹּאוּ־נָא וְשִׁמְעוּ מָה הַדָּבָר Ezek. 33:30
1976 בֹּאוּ לִינוּ בַשַּׂקִּים מְשָׁרְתֵי אֱלֹהָי Joel 1:13
1977 בֹּאוּ רְדוּ כִּי־מָלְאָה גַּת Joel 4:13
1978 בֹּאוּ בֵית־אֵל וּפִשְׁעוּ Am. 4:4
1979 בֹּאוּ נִשְׁתַּחֲוֶה וְנִכְרָעָה Ps. 95:6
1980 בֹּאוּ לְפָנָיו בִּרְנָנָה Ps. 100:2
1981 בֹּאוּ שְׁעָרָיו בְּתוֹדָה Ps. 100:4
וּבֹאוּ 1982 וּקְחוּ אֶת־אֲבִיכֶם...וּבֹאוּ אֵלָי Gen. 45:18
1983 פְּנוּ וּסְעוּ לָכֶם וּבֹאוּ הַר הָאֱמֹרִי Deut. 1:7
1984 וּבֹאוּ אֵלַי כָּעֵת מָחָר יִזְרְעֶאלָה IIK. 10:6
1985 הִתְקַבְּצוּ וּבֹאוּ עָלֶיהָ Jer. 49:14
1986 שְׂאוּ־מִנְחָה וּבֹאוּ לְחַצְרוֹתָיו Ps. 96:8
1987 וְאֻלָּם כֻּלָּם תָּשֻׁבוּ וּבֹאוּ נָא Job 17:10
1988 שְׂאוּ מִנְחָה וּבֹאוּ לְפָנָיו ICh. 16:29
1989 תְּנוּ־יָד לַיְיָ וּבֹאוּ לְמִקְדָּשׁוֹ IICh. 30:8
וָבֹאוּ 1990 הִקָּבְצוּ וָבֹאוּ הִתְנַגְּשׁוּ יַחְדָּו Is. 45:20
1991 הִקָּבְצוּ וָבֹאוּ הֵאָסְפוּ מִסָּבִיב Ezek. 39:17
1992 עוּשׁוּ וָבֹאוּ כָל־הַגּוֹיִם מִסָּבִיב Joel 4:11
וְהָבֵא 1993 זְרַעְתֶּם הַרְבֵּה וְהָבֵא מְעָט Hag. 1:6
הָבִיא 1994 לְמַעַן הָבִיא יְיָ עַל־אַבְרָהָם Gen. 18:19
1995 לְמַעַן הָבִיא אֹתָנוּ לָתֶת לָנוּ... Deut. 6:23
1996 לְבַעֲבוּר הָבִיא יְיָ אֶל־אַבְשָׁלוֹם IISh. 17:14
1997 לֹא תוֹסִיפוּ הָבִיא מִנְחַת־שָׁוְא Is. 1:13
1998 לְבִלְתִּי הָבִיא מַשָּׂא...בְּיוֹם הַשַּׁבָּת Jer. 17:24

1999 לְבִלְתִּי הָבִיא אוֹתָם אֶל־הָאָרֶץ Ezek. 20:15
לְהָבִיא 2000 וַיֵּלֶךְ...לָצוּד צַיִד לְהָבִיא Gen. 27:5
2001 לְהָבִיא לְכָל־הַמְּלָאכָה Ex. 35:29
2002 מַרְבִּים הָעָם לְהָבִיא Ex. 36:5
2003 מִבִּלְתִּי יְכֹלֶת יְיָ לְהָבִיא... Num. 14:16
2004 לְהָבִיא אֹתָנוּ אֶל־הַמָּקוֹם...הַזֶּה Num. 20:5
2005 לְהָבִיא עָלֶיהָ אֶת־כָּל־הַקְּלָלָה Deut. 29:26
2006 לְהָבִיא עָלָיו צַעֲקַת־דָּל Job 34:28
2031-2007 לְהָבִיא ISh. 9:7; 27:11
IIK. 12:5 • Is. 60:9,11 • Jer. 41:5 • Ezek. 38:17 • Es. 1:11,17; 3:9; 6:1,14 • Dan. 1:3; 9:12 • Ez. 3:7; 8:17,30 • Neh. 8:1; 10:35,37; 11:1 • ICh. 13:5; 22:19(18) • IICh. 24:6,9
לָבִיא(=לְהָבִיא) 2032 לָבִיא אֹתוֹ בָּבֶלָה Jer. 39:7
2033 לָבִיא בֵית־יְיָ אָכוֹל וְשָׂבוֹעַ IICh. 31:10
וּלְהָבִיא 2034 וּלְהָבִיא צֶדֶק עֹלָמִים Dan. 9:24
2035 וּלְהָבִיא אֶת־בִּכּוּרֵי אַדְמָתֵנוּ Neh. 10:36
מֵהָבִיא 2036 וַיִּכָּלֵא הָעָם מֵהָבִיא Ex. 36:6
בַּהֲבִיאִי 2037 בַּהֲבִיאִי אֶתְכֶם אֶל־אַדְמַת יִשְׂ׳ Ezek. 20:42
2038 בַּהֲבִיאִי שִׁבְרְךָ בַּגּוֹיִם Ezek. 32:9
הֲבִיאֲךָ 2039 כִּי אִם־לִפְנֵי הֲבִיאֲךָ אֵת מִיכַל IISh. 3:13
לַהֲבִיאֲךָ 2040 לַהֲבִיאֲךָ לָתֶת־לְךָ אֶת־אַרְצָם Deut. 4:38
וְלַהֲבִיאֲךָ 2041 וְלַהֲבִיאֲךָ אֶל־הַמָּקוֹם... Ex. 23:20
הֲבִיאֲכֶם 2042 עַד הֲבִיאֲכֶם אֶת־קָרְבַּן אֱלֹ׳ Lev. 23:14
2043 מִיּוֹם הֲבִיאֲכֶם אֶת־עֹמֶר... Lev. 23:15
בַּהֲבִיאֲכֶם 2044 בַּהֲבִיאֲכֶם בְּנֵי־נֵכָר...בְּמִקְדָּשִׁי Ezek. 44:7
לַהֲבִיאָם 2045 מִבְּלִי יְכֹלֶת יְיָ לַהֲבִיאָם... Deut. 9:28
2046 אֲשֶׁר־אָמַר הַמֶּלֶךְ לַהֲבִיאָם Dan. 1:18
2047 בִּקְשׁוּ...לַהֲבִיאָם לִירוּשָׁלָםִ Neh. 12:27
הֵבֵאתִי 2048 טְרֵפָה לֹא־הֵבֵאתִי אֵלֶיךָ Gen. 31:39
2049 הֵבֵאתִי אֶת־רֵאשִׁית פְּרִי הָאֲדָ׳ Deut. 26:10
2050 הֵבֵאתִי לָהֶם עַל־אֵם בָּחוּר שֹׁדֵד Jer. 15:8
2051 כַּאֲשֶׁר הֵבֵאתִי אֶל־הָעָם הַזֶּה Jer. 32:42
2052 הָרָעָה אֲשֶׁר הֵבֵאתִי עַל־יְרוּשָׁ׳ Jer. 44:2
2053 אֵיד עֵשָׂו הֵבֵאתִי עָלָיו Jer. 49:8
2054 הָרָעָה אֲשֶׁר הֵבֵאתִי עַל־יְרוּשָׁ׳ Ezek. 14:22
2055 אֵת כָּל־אֲשֶׁר הֵבֵאתִי עָלֶיהָ Ezek. 14:22
וְהֵבֵאתִי 2056 וְהֵבֵאתִי עָלַי קְלָלָה וְלֹא בְרָכָה Gen. 27:12
2057 וְהֵבֵאתִי אֶתְכֶם אֶל־הָאָרֶץ Ex. 6:8
2058 וְהֵבֵאתִי עֲלֵיכֶם חֶרֶב נֹקֶמֶת Lev. 26:25
2059 וְהֵבֵאתִי מֹרֶךְ בִּלְבָבָם Lev. 26:36
2060 וְהֵבֵאתִי אֹתָם בְּאֶרֶץ אֹיְבֵיהֶם Lev. 26:41
2061 וְהֵבֵיאתִי אֹתָם וְיָדְעוּ אֶת הָאָ׳ Num. 14:31
2062 וְהֵבֵאתִי אֶתְכֶם צִיּוֹן Jer. 3:14
2063 וְהֵבֵאתִי(כ׳ והביאתי) עַל־הָאָ׳ Jer. 25:13
2064 וְהֵבֵאתִי הַשֶּׁמֶשׁ בַּצָּהֳרָיִם Am. 8:9
2076-2065 וְהֵבֵאתִי Jer. 36:31
49:36,37 • Ezek. 7:24; 12:13; 20:35,37; 36:24; 37:12,21 • Zech. 8:8; 13:9
וַהֲבִאוֹתִיךָ 2077 וַהֲבִאוֹתִיךָ עַל־אַרְצִי Ezek. 38:16
2078 וַהֲבֵאוֹתִיךָ עַל־הָרֵי יִשְׂרָ׳ Ezek. 39:2
הֲבִיאֹתִיו 2079 אִם־לֹא הֲבִיאֹתִיו אֵלֶיךָ... Gen. 43:9
2080 הֲבִאֹתִיו וְהִצְלִיחַ דַּרְכּוֹ Is. 48:15
וַהֲבִיאֹתִיו 2081 וַהֲבִיאֹתִיו אֶל הָאָרֶץ Num. 14:24
2082 עַד־יִגָּמֵל הַנַּעַר וַהֲבִאֹתִיו ISh. 1:22
שֶׁהֲבֵיאתִיו 2083 עַד־שֶׁהֲבֵיאתִיו אֶל־בֵּית אִמִּי S.ofS. 3:4
וַהֲבִיאוֹתִיהוּ 2084 וַהֲבִיאוֹתִיהוּ בָבֶלָה Ezek. 17:20
הֲבֵיאתִיהָ 2085 וִיצַרְתִּיהָ עַתָּה הֲבֵיאתִיהָ IIK. 19:25
הֲבֵאתִיהָ 2086 וִיצַרְתִּיהָ עַתָּה הֲבֵאתִיהָ Is. 37:26
וַהֲבִיאוֹתִים 2087 וַהֲבִיאוֹתִים אֶל־הַר קָדְשִׁי Is. 56:7
2088 וַהֲבִאֹתִים עַל־הָאָרֶץ הַזֹּאת Jer. 25:9
2089 וַהֲבִיאוֹתִים אֶל־אַדְמָתָם Ezek. 34:13

2090 וַהֲבִיאֹתִים(כ׳ והבואתים)אֶל־הַמָּקוֹם Neh. 1:9
וַהֲבֵאתִים 2091 וַהֲבֵאתִים עָלַיִךְ מִסָּבִיב Ezek. 23:22
הֵבֵאתָ 2092 כִּי־הֵבֵאתָ עָלַי...חֲטָאָה גְדֹלָה Gen. 20:9
2093 הָעֶבֶד...אֲשֶׁר־הֵבֵאתָ לָּנוּ Gen. 39:17
2094 כִּי־הֵבֵאתָ עָלָיו חֲטָאָה גְדֹלָה Ex. 32:21
2095 בִּבְרִית יְיָ הֵבֵאתָ אֶת־עַבְדְּךָ עִמָּךְ ISh. 20:8
2096 לֹא־הֵבֵיאתָ לִּי שֵׂה עֹלֹתֶיךָ Is. 43:23
2097 הֵבֵאתָ יוֹם־קָרָאתָ וְיִהְיוּ כָמֹנִי Lam. 1:21
וְהֵבֵאתָ 2098 וְהֵבֵאתָ עָלֵינוּ אָשָׁם Gen. 26:10
2099 וְהֵבֵאתָ לְאָבִיךָ וְאָכָל Gen. 27:10
2100 וְהֵבֵאתָ...אֶת־הַדְּבָרִים אֶל־הָאֱ׳ Ex. 18:19
2101 וְהֵבֵאתָ אֶת־הַבַּדִּים בַּטַּבָּעֹת Ex. 25:14
2102 וְהֵבֵאתָ אֶת־הַקְּרָסִים בַּלֻּלָאֹת Ex. 26:11
2103 וְהֵבֵאתָ שָׁמָּה מִבֵּית לַפָּרֹכֶת Ex. 26:33
2104 וְהֵבֵאתָ אֶת־הַשֻּׁלְחָן Ex. 40:4
2105 וְהֵבֵאתָ אֶת־הַמְּנֹרָה Ex. 40:4
2106 וְהֵבֵאתָ אֶת־הַמִּנְחָה...לַייָ Lev. 2:8
2107 וְהֵבֵאתָ וְהָיָה לְבֶן־אֲדֹנֶיךָ IISh. 9:10
2108 וַהֲבֵיאתָ אֹתוֹ חֶדֶר בְּחָדֶר IIK. 9:2
הֲבִיאֹתַנִי 2109 מִי אָנֹכִי...כִּי הֲבִיאֹתַנִי עַד־הֲלֹם IISh. 7:18
2110 מִי־אֲנִי...כִּי הֲבִיאֹתַנִי עַד־הֲלֹם ICh. 17:16
וַהֲבֵאתוֹ 2111 הַמְדַבֵּר אֵלֶיךָ וַהֲבֵאתוֹ אֵלַי IISh. 14:10
וַהֲבֵאתָהּ 2112 וַהֲבֵאתָהּ אֶל־תּוֹךְ בֵּיתֶךָ Deut. 21:12
הֲבִיאֹתָנוּ 2113 אַף לֹא אֶל־אֶרֶץ...הֲבִיאֹתָנוּ Num. 16:14
הֲבֵאתָנוּ 2114 הֲבֵאתָנוּ בַמְּצוּדָה Ps. 66:11
וַהֲבִיאוֹתָם 2115 וַהֲבִאוֹתָם בֵּית יְיָ Jer. 35:2
הֵבִיא 2116 וְהֶבֶל הֵבִיא גַם־הוּא Gen. 4:4
2117 רְאוּ הֵבִיא לָנוּ אִישׁ עִבְרִי Gen. 39:14
2118 וְכָל־זַרְעוֹ הֵבִיא אִתּוֹ מִצְרָיְמָה Gen. 46:7
2119 וּשְׁלֹשִׁים בָּנוֹת הֵבִיא לְבָנָיו Jud. 12:9
2120 אֲשֶׁר־הֵבִיא שִׁפְחָתְךָ לַאדֹנִי ISh. 25:27
2121 עַל־כֵּן הֵבִיא יְיָ עֲלֵיהֶם...הָרָעָה IK. 9:9
2122 לַאֲשֶׁר הֵבִיא אֱלוֹהַּ בְּיָדוֹ Job 12:6
2123 אֲשֶׁר־הֵבִיא יְיָ עָלָיו Job 42:11
2124 הֵבִיא בְּכִלְיוֹתָי בְּנֵי אַשְׁפָּתוֹ Lam. 3:13
2131-2125 הֵבִיא IK. 10:11 • IIK. 5:20
Jer. 23:8 • Dan. 1:2 • IICh. 7:22; 36:7,18
וְהֵבִיא 2132 וְהֵבִיא אֶת־הַפָּר אֶל־פֶּתַח... Lev. 4:4
2133 וְהֵבִיא אֹתוֹ אֶל־אֹהֶל מוֹעֵד Lev. 4:5
2134 וְהֵבִיא הַכֹּהֵן הַמָּשִׁיחַ מִדַּם הַפָּר Lev. 4:16
2135/6 וְהֵבִיא אֶת־קָרְבָּנוֹ Lev. 4:23; 5:11
2150-2137 וְהֵבִיא Lev. 4:28; 5:6,7,8,15,18
14:23; 16:12,15; 19:21 • Num. 5:15[2]; 6:12; 14:8
הֱבִיאַנִי 2151 אַל־תֹּאמַר בְּצִדְקָתִי הֱבִיאַנִי יְיָ Deut. 9:4
2152 בְּמַרְאוֹת אֱלֹהִים הֱבִיאַנִי אֶל אֶ־ Ezek. 40:2
2153 הֱבִיאַנִי הַמֶּלֶךְ חֲדָרָיו S.ofS. 1:4
2154 הֱבִיאַנִי אֶל־בֵּית הַיָּיִן S.ofS. 2:4
הֱבִיאֲךָ 2155 מִי־הֱבִיאֲךָ הֲלֹם Jud. 18:3
וֶהֱבִיאֲךָ 2156 וֶהֱבִיאֲךָ אֶל־הָאֱמֹרִי וְהַחִתִּי Jud. 23:23
2157 וֶהֱבִיאֲךָ יְיָ אֱלֹהֶיךָ אֶל־הָאָרֶץ Deut. 30:5
הֱבִיאוֹ 2158 וְאֶל־פֶּתַח אֹהֶל מוֹעֵד לֹא הֱבִיאוֹ Lev. 17:4
2159 מֵאַחַר עָלוֹת הֱבִיאוֹ לִרְעוֹת Ps. 78:71
וֶהֱבִיאָהּ 2160 וֶהֱבִיאָהּ אֶל־בְּנֵי אַהֲרֹן הַכֹּהֲנִים Lev. 2:2
2161 וֶהֱבִיאָהּ אֶל־הַכֹּהֵן Lev. 5:12
הֵבִיאָה 2162 וַיִּקַּח...אֵת אֲשֶׁר־הֵבִיאָה לוֹ ISh. 25:35
2163 לֹא־הֵבִיאָה אֶסְתֵּר...כִּי־אִם־אוֹתִי Es. 5:12
2164 מִלְּבַד אֲשֶׁר־הֵבִיאָה אֶל־הַמֶּלֶךְ IICh. 9:12
וְהֵבִיאָה 2165 וְהֵבִיאָה אוֹתָם אֶל־הַכֹּהֵן Lev. 15:29
הֲבִיאֹנֻם 2166 עַד...אִם־הֲבִיאֹנֻם אֶל־מְקוֹמָם Num. 32:17
הֲבֵאתֶם 2167 וְלָמָה הֲבֵאתֶם אֶת־קְהַל יְיָ Num. 20:4
2168 כִּי־הֲבֵאתֶם אֶת־זֶה ISh. 21:16
2169 וּמַחֲמַדַּי...הֲבֵאתֶם לְהֵיכְלֵיכֶם Joel 4:5

וַהֲבֵאתֶם 2170 וַהֲבֵאתֶם אֶת־עֹמֶר...קְצִירְכֶם Lev. 23:10
2171 וַהֲבֵאתֶם שָׁמָּה עֹלֹתֵיכֶם Deut. 12:6
2172 וַהֲבֵאתֶם אֵלַי הֵנָּה Josh. 18:6
2173 וַהֲבֵאתֶם בְּשַׁעֲרֵי יְרוּשָׁלָםִ Jer. 17:21
2174 וַהֲבֵאתֶם עֵץ וּבְנוּ הַבָּיִת Hag. 1:8
2175 וַהֲבֵאתֶם הַבַּיִת וְנָפַחְתִּי בוֹ Hag. 1:9
2176 וַהֲבֵאתֶם גָּזוּל וְאֶת־הַפִּסֵּחַ Mal. 1:13
2177 וַהֲבֵאתֶם אֶת־הַמִּנְחָה Mal. 1:13
וַהֲבִיאוֹתֶם 2178 רְאוּ־נָא...אִישׁ...וַהֲבִיאוֹתֶם אֵלָי ISh. 16:17
הֵבִיאוּ 2179 הַשֶּׁבֶר אֲשֶׁר הֵבִיאוּ מִמִּצְרָיִם Gen. 43:2
2180 וְכָל־אֲשֶׁר לָהֶם הֵבִיאוּ Gen. 46:32
2181 הֵבִיאוּ אֶת־תְּרוּמַת יְיָ Ex. 35:21
2182 כֹּל נְדִיב לֵב הֵבִיאוּ חָח וָנֶזֶם Ex. 35:22
2183 וְעֹרֹת אֵילִם מְאָדָּמִים...הֵבִיאוּ Ex. 35:23
2184 הֵבִיאוּ אֵת תְּרוּמַת יְיָ Ex. 35:24
2185 לְכָל־מְלֶאכֶת הָעֲבֹדָה הֵבִיאוּ Ex. 35:24
2186 וְהַנְּשִׂאִם הֵבִיאוּ אֵת אַבְנֵי הַשֹּׁהַם Ex. 35:27
2187 הֵבִיאוּ בְנֵי־יִשְׂרָאֵל נְדָבָה לַייָ Ex. 35:29
2188 לֹא־הֵבִיאוּ צַוָּרָם בַּעֲבֹדַת אֲדֹנֵיהֶם Neh. 3:5
2204-2189 הֵבִיאוּ Ex. 36:3[2] • Num. 15:25
Jud. 7:25 • ISh. 10:27 • IISh. 3:22 • IIK. 10:8 • Neh. 13:12 • ICh. 22:4(3) • IICh. 9:10[2]; 15:11; 24:14; 29:32; 31:5,6
וְהֵבִיאוּ 2205 וְהֵבִיאוּ אֹתוֹ לִפְנֵי אֹהֶל מוֹעֵד Lev. 4:14
2206 וְהֵבִיאוּ אֶל־תַּחַת הָאֲבָנִים Lev. 14:42
2207 וְהֵבִיאוּ בָנַיִךְ בְּחֹצֶן Is. 49:22
2208 וְהֵבִיאוּ אֶת־כָּל־אֲחֵיכֶם Is. 66:20
הֱבִיאוּךְ 2209 בְּמַיִם רַבִּים הֱבִאוּךְ Ezek. 27:26
הֱבִיאֻהוּ 2210 לֹא הֱבִיאֻהוּ לְקִבְרֵי מַלְכֵי יִשְׂ׳ IICh. 28:27
הֱבִיאוּם 2211 וַיֹּאמֶר שָׁאוּל מֵעֲמָלֵקִי הֱבִיאוּם ISh. 15:15
2212 כִּי בְנַפְשׁוֹתָם הֱבִיאוּם ICh. 11:19
וֶהֱבִיאוּם 2213 וֶהֱבִאֻם לַייָ אֶל־פֶּתַח אֹהֶל מוֹעֵד Lev. 17:5
2214 וֶהֱבִיאוּם אֶל־מְקוֹמָם Is. 14:2
2215 וּלְקָחוּם וֶהֱבִיאוּם בָּבֶלָה Jer. 20:5
מֵבִיא 2216 וַאֲנִי הִנְנִי מֵבִיא אֶת־הַמַּבּוּל Gen. 6:17
2217 הִנְנִי מֵבִיא מָחָר אַרְבֶּה בִּגְבֻלֶךָ Ex. 10:4
2218/9 אֲנִי מֵבִיא אֶתְכֶם שָׁמָּה Lev. 18:3; 20:22
2220 וְלָמָה יְיָ מֵבִיא אֹתָנוּ אֶל־הָאָרֶץ Num. 14:3
2221 אֲשֶׁר אֲנִי מֵבִיא אֶתְכֶם שָׁמָּה Num. 15:18
2222 הִנְנִי מֵבִיא רָעָה אֶל־בֵּית יָרָבְעָם IK. 14:10
2223 הִנְנִי מֵבִי° אֵלֶיךָ רָעָה IK. 21:21
2224 אֲשֶׁר אֲנִי מֵבִיא עַל־יְדֵיכֶם IIK. 10:24
2225 הִנְנִי מֵבִיא רָעָה עַל־יְרוּשָׁלַםִ IIK. 21:12
2226 הִנְנִי מֵבִיא רָעָה אֶל־הַמָּקוֹם IIK. 22:16
2227 הִנְנִי מֵבִי° אֶל־הָעִיר הַזֹּאת Jer. 19:15
2228 הִנְנִי מֵבִי° אֶת־דְּבָרַי אֶל־הָעִיר Jer. 39:16
2249-2229 מֵבִיא IIK. 22:20
Jer. 4:6; 5:15; 6:19; 11:11; 19:3; 31:8(7); 32:42; 35:17; 42:17; 45:5; 49:5; 51:64 • Ezek. 6:3; 26:7; 28:7; 29:8; 37:5 • Zech. 3:8 • IICh. 34:24,28
הַמֵּבִיא 2250 הַמֵּבִיא (כת׳ המבוא) מֵהַקָּדִים Ezek. 42:9
וְהַמֵּבִיא 2251 הַמּוֹצִיא° וְהַמֵּבִי° אֶת־יִשְׂרָאֵל IISh. 5:2
2252 הַמּוֹצִיא וְהַמֵּבִיא אֶת־יִשְׂרָאֵל ICh. 11:2
כְּמֵבִיא 2253 יִוָּדַע כְּמֵבִיא לְמָעְלָה בִּסְבָךְ Ps. 74:5
מְבִיאֲךָ 2254 אֱלֹהֶיךָ מְבִיאֲךָ אֶל־אֶרֶץ טוֹבָה Deut. 8:7
מְבִיאִים 2255 וְהֵמָּה מְבִיאִים אִישׁ מִנְחָתוֹ IK. 10:25
2256 וְהָעֹרְבִים מְבִיאִים לוֹ לֶחֶם IK. 17:6
2257 וּמִן־הַנֶּגֶב מְבִאִים עוֹלָה Jer. 17:26
2258 קוֹל...מְבִאִים תּוֹדָה בֵּית יְיָ Jer. 33:11
2259 מְבִיאִים דָּאג וְכָל־מֶכֶר Neh. 13:16
2260 מְבִיאִים לֶחֶם בַּחֲמוֹרִים ICh. 12:41(40)
2261 לְבַד מֵאַנְשֵׁי הַתָּרִים...מְבִיאִים IICh. 9:14

מְבִיאִים (המשך) 2262 מַלְכֵי עֲרַב...מְבִיאִים זָהָב וָכֶסֶף IICh. 9:14
2263 וְהֵם מְבִיאִים אִישׁ מִנְחָתוֹ IICh. 9:24
2264 פְלִשְׁתִּים מְבִיאִים לִיהוֹשָׁפָט IICh. 17:11
2265 גַּם הָעַרְבִיאִים מְבִיאִים לוֹ צֹאן IICh. 17:11
2266 וְרַבִּים מְבִיאִים מִנְחָה לַיְיָ IICh. 32:23
וּמְבִיאִים 2267 וּמְבִיאִים הָעֲרֵמוֹת...וְכָל־מַשָּׂא Neh. 13:15
2268 וּמְבִיאִים יְרוּשָׁלַם בְּיוֹם הַשַּׁבָּת Neh. 13:15
הַמְבִיאִים 2269 הַמְבִיאִים אֶת־הַמַּקָּחוֹת Neh. 10:32
וּמְבִאֵי־ 2270 וּמְבִאֵי תוֹדָה בֵּית יְיָ Jer. 17:26
וּמְבִיאֶהָ 2271 וְתִנָּתֵן הִיא וּמְבִיאֶיהָ וְהַיֹּלְדָהּ Dan. 11:6
אָבִיא 2272 עוֹד נֶגַע אֶחָד אָבִיא עַל־פַּרְעֹה Ex. 11:1
2273 לֹא־אָבִיא (כת׳ אבי) הָרָעָה IK. 21:29
2274 בִּימֵי בְנוֹ אָבִיא הָרָעָה IK. 21:29
2275 מִמִּזְרָח אָבִיא זַרְעֶךָ Is. 43:5
2276 תַּחַת הַנְּחֹשֶׁת אָבִיא זָהָב Is. 60:17
2277 וְתַחַת הַבַּרְזֶל אָבִיא כֶסֶף Is. 60:17
2278 וּמְגוּרֹתָם אָבִיא לָהֶם Is. 66:4
2279 אָבִיא רָעָה אֶל־אַנְשֵׁי עֲנָתוֹת Jer. 11:23
2280 עֹד הַיֹּרֵשׁ אָבִיא (כת׳ אבי) לָךְ Mic. 1:15
2281-2289 אָבִיא Jer. 23:12
48:44; 49:32 • Ezek. 5:17; 11:8; 14:17; 33:2 • Zep. 3:20 • ICh. 13:12
וָאָבִא 2290 וָאָבִא אֶתְכֶם אֵלָי Ex. 19:4
2291 וָאָבִיא אֶתְכֶם אֶל־הָאָרֶץ Jud. 2:1
2292 וָאָבִיא אֶת־אֲגַג מֶלֶךְ עֲמָלֵק ISh. 15:20
2293 וָאָבִיא אֶתְכֶם אֶל־אֶרֶץ הַכַּרְמֶל Jer. 2:7
2294 וָאָבִיא עֲלֵיהֶם אֶת־כָּל־דִּבְרֵי... Jer. 11:8
2295 וָאָבִא אֹתָם בֵּית יְיָ Jer. 35:4
2296 וָאָבִיא אֶתְכֶם אֶל־אֶרֶץ הָאֱמֹרִי Josh. 24:8
אֲבִיאֲךָ 2297 אֶנְהָגְךָ אֲבִיאֲךָ אֶל־בֵּית אִמִּי S.ofS. 8:2
אֲבִיאֶנּוּ 2298/9 אִם־לֹא אֲבִיאֶנּוּ אֵלֶיךָ Gen. 42:37; 44:32
2300 כִּי־אֲבִיאֶנּוּ אֶל־הָאֲדָמָה Deut. 31:20
2301 בְּטֶרֶם אֲבִיאֶנּוּ אֶל־הָאָרֶץ Deut. 31:21
אֲבִיאֶנָּה 2302 אַף־דִּבַּרְתִּי אַף־אֲבִיאֶנָּה Is. 46:11
אֲבִיאֵם 2303 וְאֶל־אֶרֶץ גִּלְעָד וּלְבָנוֹן אֲבִיאֵם Zech. 10:10
וָאֲבִיאֵם 2304 וָאֲבִיאֵם אֶל־אֲדֹנִי הֵנָּה IISh. 1:10
2305 וָאוֹצִיאֵם...וָאֲבִאֵם אֶל־הַמִּדְבָּר Ezek. 20:10
2306 וָאֲבִיאֵם אֶל־הָאָרֶץ Ezek. 20:28
תָּבִיא 2307 שְׁנַיִם מִכֹּל תָּבִיא אֶל־הַתֵּבָה Gen. 6:19
2308/9 תָּבִיא בֵּית יְיָ אֱלֹהֶיךָ Ex. 23:19; 34:26
2310 וְלֹא־תָבִיא תוֹעֵבָה אֶל־בֵּיתֶךָ Deut. 7:26
2311 לֹא־תָבִיא אֶתְנַן זוֹנָה Deut. 23:19
2312 מֵרֵאשִׁית...אֲשֶׁר תָּבִיא מֵאַרְצְךָ Deut. 26:2
2313 אַתָּה תָּבִיא אֶת־בְּ־״י אֶל־הָאָ׳ Deut. 31:23
2314 תָּבִיא לְשַׂר־הָאָלֶף ISh. 17:18
2315 וַעֲנִיִּים מְרוּדִים תָּבִיא בָיִת Is. 58:7
2316 תָּבִיא עֲלֵיהֶם גְּדוּד פִּתְאֹם Jer. 18:22
2317 וְאֹתִי תָבִיא בְמִשְׁפָּט עִמָּךְ Job 14:3
תְּבִיאֵנִי 2318 וְעַד־אָבִיךָ לָמָּה־זֶּה תְבִיאֵנִי ISh. 20:8
תְּבִאֵהוּ 2319 וּבַמַּיִם לֹא תְבִאֵהוּ Jer. 13:1
תְּבִיאֶנּוּ 2320 שְׁמַע יְיָ... וְאֶל־עַמּוֹ תְּבִיאֶנּוּ Deut. 33:7
תְּבִיאֶנָּה 2321 עַל־מַחֲבַת...מֻרְבֶּכֶת תְּבִיאֶנָּה Lev. 6:14
וַתְּבִיאֵם 2322 וַתְּבִיאֵם אֶל־הָאָרֶץ...לָרֶשֶׁת Neh. 9:23
תְּבִאֵמוֹ 2323 תְּבִאֵמוֹ וְתִטָּעֵמוֹ בְּהַר נַחֲלָתְךָ Ex. 15:17
יָבִיא 2324 וְאִם־כֶּבֶשׂ יָבִיא קָרְבָּנוֹ Lev. 4:32
2325 וְאֶת־אֲשָׁמוֹ יָבִיא לַיְיָ Lev. 5:25
2326 יָבִיא אֶת־קָרְבָּנוֹ לַיְיָ Lev. 7:29
2327 יָבִא שְׁתֵּי תֹרִים...אֶל־הַכֹּהֵן Num. 6:10
2328 יָבִיא אֹתוֹ אֶל־פֶּתַח אֹהֶל מוֹעֵד Num. 6:13
2329 כֵּן יָבִיא יְיָ עֲלֵיכֶם... Josh. 23:15
2330 יָבִיא יְיָ עָלֶיךָ וְעַל־עַמְּךָ Is. 7:17
2331 אֲשֶׁר יָבִיא אֶת־צַוָּארוֹ בְּעֹל... Jer. 27:11

יָבִיא (המשך) 2332 וַיֹּאכְלוּ...וְתַאֲוָתָם יָבִא לָהֶם Ps. 78:29
2333 אִישׁ יָבִא בְּפִרְיוֹ אֶלֶף כָּסֶף S.ofS. 8:11
2334 הָאֱ׳ יָבִא בְמִשְׁפָּט עַל כָּל־נֶעְלָם Eccl. 12:14
2335 בַּשְּׁבִי יָבִא מִצְרָיִם Dan. 11:8
2336 וַיְהִי בְּעֵת יָבִיא אֶת־הָאָרוֹן... IICh. 24:11
וַיָּבִיא 2337 וַיָּבִיא עֶזְרָא הַכֹּהֵן אֶת־הַתּוֹרָה Neh. 8:2
וַיָּבֵא 2338 וַיָּבֵא אֶל־הָאָדָם לִרְאוֹת Gen. 2:19
2339 וַיָּבֵא קַיִן מִפְּרִי הָאֲדָמָה Gen. 4:3
2340 וַיָּבֵא אֹתָהּ אֵלָיו אֶל־הַתֵּבָה Gen. 8:9
2341 וַיֵּלֶךְ וַיִּקַּח וַיָּבֵא לְאִמּוֹ Gen. 27:14
2342 וַיָּבֵא לוֹ יַיִן וַיֵּשְׁתְּ Gen. 27:25
2343 וַיַּעַשׂ...מַטְעַמִּים וַיָּבֵא לְאָבִיו Gen. 27:31
2344 מִי־אֵפוֹא...הַצָּד־צַיִד וַיָּבֵא לִי Gen. 27:33
2345 וַיָּבֵא אֹתָם אֶל־לֵאָה אִמּוֹ Gen. 30:14
2346 וַיָּבֵא יוֹסֵף אֶת־דִּבָּתָם רָעָה Gen. 37:2
2347 וַיָּבֵא אֹתוֹ בָּבֶלָה Ezek. 17:13
2348 וַיָּבִיא אוֹתִי שָׁמָּה Ezek. 40:3
2349-2388 וַיָּבֵא Gen. 29:23; 43:17,24; 47:7,14
Ex. 4:6; 37:5; 38:7; 40:21 • Josh. 24:7 • ISh. 18:27; 19:7 • IISh. 14:23 • IK. 2:40; 7:51; 15:15; 20:39 • IIK. 4:42; 5:6; 11:4; 17:24; 20:20; 23:8 • Is. 31:2 • Jer. 40:3 • Ezek. 8:7,14,16; 17:12; 40:1 • Ps. 105:40 • Es. 5:10 • Neh. 13:18 • ICh. 4:10 • IICh. 5:1; 15:18; 25:14; 29:4; 33:11; 34:16
וַיְבִיאֵנִי 2389 וַיְבִיאֵנִי אֶל־הֶחָצֵר הַחִיצוֹנָה Ezek. 40:17
2390 וַיְבִיאֵנִי אֶל־חָצֵר הַפְּנִימִי Ezek. 40:28
2391 וַיְבִיאֵנִי אֶל־הֶחָצֵר הַפְּנִימִי Ezek. 40:32
2392 וַיְבִאֵנִי אֶל־שַׁעַר הַצָּפוֹן Ezek. 40:35
2393 וַיְבִאֵנִי אֶל־אֻלָם הַבַּיִת Ezek. 40:48
2394 וַיְבִיאֵנִי אֶל־הַהֵיכָל Ezek. 41:1
2395 וַיְבִאֵנִי אֶל־הַלִּשְׁכָּה Ezek. 42:1
2396 וַיְבִיאֵנִי דֶּרֶךְ־שַׁעַר הַצָּפוֹן Ezek. 44:4
2397 וַיְבִיאֵנִי בַמָּבוֹא...אֶל... Ezek. 46:19
יְבִיאֲךָ 2398 וְהָיָה כִּי־יְבִיאֲךָ יְיָ Ex. 13:5
2399 וְהָיָה כִּי־יְבִאֲךָ יְיָ Ex. 13:11
2400-2402 כִּי יְבִיאֲךָ יְיָ אֱלֹהֶיךָ אֶל־הָאָרֶץ
Deut. 6:10; 7:1; 11:29
2403 עַל־כָּל־אֵלֶּה יְבִיאֲךָ הָאֱ׳ בַּמִּשְׁפָּט Eccl. 11:9
יְבִיאֶנּוּ 2404 אֶת־הַחֵלֶב עַל־הֶחָזֶה יְבִיאֶנּוּ Lev. 7:30
2405 וְאֶל־פֶּתַח אֹהֶל מוֹעֵד לֹא יְבִיאֶנּוּ Lev. 17:9
2406 זֶבַח...תּוֹעֵבָה כִּי־בְזִמָּה יְבִיאֶנּוּ Prov. 21:27
2407 מִי יְבִיאֶנּוּ לִרְאוֹת בְּמֶה שֶׁיִּהְיֶה Eccl. 3:22
יְבִאֵהוּ 2408 אִם־טָרֹף יִטָּרֵף יְבִאֵהוּ עֵד Ex. 22:12
וַיְבִיאֵהוּ 2409 וַיְבִיאֵהוּ אֶל־בֵּיתוֹ Gen. 29:13
2410 וַיְבִיאֵהוּ לְבֵיתוֹ וַיָּבָל׳ לַחֲמוֹרִים Jud. 19:21
2411 וַיִּשְׁלַח וַיְבִיאֵהוּ ISh. 16:12
2412 וַיִּקַּח...וַיְבִאֵהוּ יְרוּשָׁלָם ISh. 17:54
2413 וַיִּקַּח...וַיְבִאֵהוּ לִפְנֵי שָׁאוּל ISh. 17:57
2414 וַיִּשָּׂאֵהוּ וַיְבִיאֵהוּ אֶל־אִמּוֹ IIK. 4:20
2415 וַיַּאַסְרֻהוּ...וַיְבִאֵהוּ בָּבֶל IIK. 25:7
2416 וַיִּתְפֹּשׂ...וַיְבִאֵהוּ אֶל־הַשָּׂרִים Jer. 37:14
2417 וַיְבִאֵהוּ מֶלֶךְ־בָּבֶל בָּבֶלָה Jer. 52:11
2418 וַיְבִיאֵהוּ אֶל־אֶרֶץ כְּנַעַן Ezek. 17:4
2419 תָּפַשׂ...וַיְבִיאֵהוּ יְרוּשָׁלַם IICh. 25:23
2420 לָקַח נְכוֹ וַיְבִיאֵהוּ מִצְרָיְמָה IICh. 36:4
2421 שָׁלַח...וַיְבִאֵהוּ בָבֶלָה IICh. 36:10
יְבִיאֶהָ 2422 כֹּל נְדִיב לִבּוֹ יְבִיאֶהָ Ex. 35:5
וַיְבִאֶהָ 2423 וַיִּבֶן...וַיְבִאֶהָ אֶל־הָאָדָם Gen. 2:22
2424 וַיְבִאֶהָ יִצְחָק הָאֹהֱלָה שָׂרָה Gen. 24:67
2425 וַיְבִיאֶהָ אֶל־עִיר דָּוִד IK. 3:1
2426 וַיִּשְׁקֹד...וַיְבִיאֶהָ עָלֵינוּ Dan. 9:14

יְבִיאֶנָּה 2427 נְקֵבָה תְמִימָה יְבִיאֶנָּה Lev. 4:32
וַיְבִאֵנוּ 2428 וַיְבִאֵנוּ אֶל־הַמָּקוֹם הַזֶּה Deut. 26:9
יְבִיאֵם 2429 וַאֲשֶׁר יוֹצִיאֵם וַאֲשֶׁר יְבִיאֵם Num. 27:17
וַיְבִיאֵם 2430 וַיִּקַּח...וַיְבִיאֵם לִשְׁכָּתָה ISh. 9:22
2431 וַיִּקַּח דָּוִד...וַיְבִאֵם יְרוּשָׁלָם IISh. 8:7
2432 וַיְבִיאֵם מֶלֶךְ־בָּבֶל גּוֹלָה IIK. 24:16
2433 אַחֲרֵי הַגְּלוֹת...וַיְבִאֵם בָּבֶל Jer. 24:1
2434 אֲשֶׁר לָקַח...וַיְבִיאֵם בָּבֶל Jer. 28:3
2435 וַיְבִיאֵם אֶל־גְּבוּל קָדְשׁוֹ Ps. 78:54
2436 וַיְבִיאֵם אֶרֶץ־שִׁנְעָר בֵּית אֱלֹהָיו Dan. 1:2
2437 וַיְבִיאֵם...לִפְנֵי נְבֻכַדְנֶצַּר Dan. 1:18
2438 וַיְבִיאֵם לַחְלַח וְחָבוֹר ICh. 5:26
2439 וַיִּקַּח דָּוִיד...וַיְבִיאֵם יְרוּשָׁלָם ICh. 18:7
תָּבִיא ג׳ 2440 תָּבִיא כֶּבֶשׂ בֶּן־שְׁנָתוֹ לְעֹלָה Lev. 12:6
2441 מִמֶּרְחָק תָּבִיא לַחְמָהּ Prov. 31:14
וַתָּבֵא ג׳ 2442 וַתָּבֵא לְאַמְנוֹן אָחִיהָ IISh. 13:10
2443 וַתָּבֵא אֹתִי יְרוּשָׁלְַמָה Ezek. 8:3
2444 וַתָּבֵא אֹתִי אֶל־שַׁעַר בֵּית־יְיָ Ezek. 11:1
וַתְּבִאֵנִי 2445 וַתְּבִאֵנִי כַשְׂדִּימָה אֶל־הַגּוֹלָה Ezek. 11:24
2446 וַתְּבִאֵנִי אֶל־הֶחָצֵר הַפְּנִימִי Ezek. 43:5
וַתְּבִיאֵהוּ 2447 וַתְּבִאֵהוּ לְבַת־פַּרְעֹה Ex. 2:10
2448 וַתְּבִיאֵהוּ בֵּית אָבִיהָ Jud. 19:3
2449 וַתְּבִאֵהוּ בֵית־יְיָ שִׁלוֹ ISh. 1:24
נָבִיא 2450 וְהִנֵּה נֵלֵךְ וּמַה־נָּבִיא לָאִישׁ ISh. 9:7
2451 בְּנַפְשֵׁנוּ נָבִיא לַחְמֵנוּ Lam. 5:9
2452 נָבִיא לַכֹּהֲנִים אֶל־לִשְׁכוֹת... Neh. 10:38
וְנָבִא 2453 וְנָבִא לְבַב חָכְמָה Ps. 90:12
וּנְבִיאֵם 2454 וּנְבִיאֵם לְךָ רַפְסֹדוֹת IICh. 2:15
תָּבִיאוּ 2455 וְאֶת־אֲחִיכֶם הַקָּטֹן תָּבִיאוּ אֵלַי Gen. 42:20
2456 מִמּוֹשְׁבֹתֵיכֶם תָּבִיאוּ לֶחֶם Lev. 23:17
2457 לֹא תָבִיאוּ אֶת־הַקָּהָל הַזֶּה Num. 20:12
2458 תָבִיאוּ אֵת כָּל־אֲשֶׁר אָנֹכִי מְצַוֶּה Deut. 12:11
2459 לָמָּה תָבִיאוּ אֹתוֹ אֵלָי ISh. 21:15
2460 לֹא־תָבִיאוּ אֶת־הַשִּׁבְיָה הֵנָּה IICh. 28:13
יָבִיאוּ 2461 וְהֵכִינוּ אֵת אֲשֶׁר־יָבִיאוּ Ex. 16:5
2462 כָּל־הַדָּבָר הַגָּדֹל יָבִיאוּ אֵלֶיךָ Ex. 18:22
2463 עַל אִשֵּׁי הַחֲלָבִים יָבִיאוּ Lev. 10:15
2464 יָבִיאוּ בְּנֵי יִשְׂרָאֵל אֶת־זִבְחֵיהֶם Lev. 17:5
2465 אֲשֶׁר־יָבִיאוּ לַיְיָ לְךָ יִהְיֶה Num. 18:13
2466 יָבִאוּ אֶל־הַמָּקוֹם אֲשֶׁר יִהְיֶה־שָּׁם IK. 5:8
2467 יָבִיאוּ בְנֵי יִשְׂרָאֵל אֶת־הַמִּנְחָה Is. 66:20
2468 יָבִיאוּ לְבוּשׁ מַלְכוּת Es. 6:8
2469 כִּי אֶל־הַלְּשָׁכוֹת יָבִיאוּ Neh. 10:40
יְבִיאוּן 2470 הַדָּבָר הַקָּשֶׁה יְבִיאוּן אֶל־מֹשֶׁה Ex. 18:26
וַיָּבִיאוּ 2471 וַיָּבִיאוּ אֶת־לוֹט אֲלֵיהֶם Gen. 19:10
2472 וַיָּבִיאוּ אֶת־יוֹסֵף מִצְרָיְמָה Gen. 37:28
2473 וַיְשַׁלְּחוּ...וַיָּבִיאוּ אֶל־אֲבִיהֶם Gen. 37:32
2474 וַיָּבִיאוּ לוֹ אֶת־הַמִּנְחָה Gen. 43:26
2475 וַיָּבִיאוּ אֶת־מִקְנֵיהֶם אֶל־יוֹסֵף Gen. 47:17
2476 וַיִּתְפָּרְקוּ...וַיָּבִיאוּ אֶל־אַהֲרֹן Ex. 32:3
2477-2493 וַיָּבִיאוּ Ex. 35:25; 39:33
Lev. 24:11 • Num. 7:3 • ISh. 5:2 • Ez. 8:18 • Neh. 8:16 • ICh. 16:1 • IICh. 5:7; 8:18; 24:10; 28:5,8; 29:21,31; 30:15; 31:12
2494-2506 וַיָּבִאוּ Num. 31:12,54
Jud. 21:12 • ISh. 1:25; 7:1 • IISh. 4:8; 6:17; 23:16 • IK. 1:3; 3:24; 8:6; 9:28
ICh. 11:18
יְבִיאוּנִי 2507 יְבִיאוּנִי אֶל־הַר־קָדְשְׁךָ Ps. 43:3
יְבִאֻהוּ 2508 יְבִאֻהוּ בַּמְּצֹדוֹת Ezek. 19:9
וַיְבִיאֻהוּ 2509 וַיְבִיאֻהוּ יְרוּשָׁלַם וַיָּמָת שָׁם Jud. 1:7
2510 וַיְבִאֻהוּ מֵאֶבֶן הָעֶזֶר אַשְׁדּוֹדָה ISh. 5:1

וַיְבִיאוּהוּ (המשך) 2511 וַיַּרְכִּבֻהוּ...וַיְבִאֻהוּ יְרוּשָׁלִַם IIK. 23:30
2512 וַיְבִאֻהוּ אֶל־הַמֶּלֶךְ יְהוֹיָקִים Jer. 26:23
2513 וַיְבִאֻהוּ בַחַחִים אֶל־אֶ׳ מִצְרָיִם Ezek. 19:4
2514 וַיְבִאֻהוּ אֶל־מֶלֶךְ בָּבֶל Ezek. 19:9
2515 וַיְבִאֻהוּ אֶל־יֵהוּא וַיְמִתֻהוּ IICh. 22:9
יְבִיאוּם 2516 בְּמִסְפָּר יְבִיאוּם וּבְמִסְ׳ יוֹצִיאוּם ICh. 9:28
וַיְבִיאוּם 2517 וַיִּקָּחוּם...וַיְבִאוּם אֶל־יְהוֹשֻׁעַ Josh. 7:23
2518 וַיִּשְׂאוּ...וַיְבִיאוּם יָבֵישָׁה ICh. 10:12
2519 וַיְבִיאוּם לְרֹאשׁ הַסָּלַע IICh. 25:12
2520 וַיְבִיאוּם יְרֵחוֹ...אֵצֶל אֲחֵיהֶם IICh. 28:15
תְּבִיאֶנָּה 2521 יָדָיו תְּבִיאֶינָה אֵת אִשֵּׁי יְיָ Lev. 7:30
הָבֵא 2522 הָבֵא אֶת־הָאֲנָשִׁים הַבָּיְתָה Gen. 43:16
2523 הָבֵא־נָא יָדְךָ בְּחֵיקֶךָ Ex. 4:6
2524 וַיֹּאמֶר לוֹ לֵךְ הָבֵיא הָעִיר ISh. 20:40
הָבִיא 2525 הָבִיא עֲלֵיהֶם יוֹם רָעָה Jer. 17:18
הָבִיאָה 2526 הָבִיאָה לִּי צַיִד...וְאֹכֵלָה Gen. 27:7
2527 הָאֹמְרֹת לַאֲדֹנֵיהֶם הָבִיאָה וְנִשְׁתֶּה Am. 4:1
2528 הָבִיאָה לַמּוּסָר לִבֶּךָ Prov. 23:12
וְהָבִיאָה 2529 וְהָבִיאָה לִּי וְאֹכֵלָה Gen. 27:4
הָבִיאִי 2530 הָבִיאִי הַבִּרְיָה הַחֶדֶר IISh. 13:10
2531 הָבִיאִי בָנַי מֵרָחוֹק Is. 43:6
2532 הָבִיאִי (כת׳ הביאו) עֵצָה Is. 16:3
הָבִיאוּ 2533 לְכוּ הָבִיאוּ שֶׁבֶר רַעֲבוֹן... Gen. 42:19
2534 הָבִיאוּ אֶת־צַוְּארֵיכֶם בְּעֹל Jer. 27:12
2535 הָבִיאוּ אֶת־כָּל־הַמַּעֲשֵׂר Mal. 3:10
וְהָבִיאוּ 2536 וְהָבִיאוּ אֶת־אֲחִיכֶם הַקָּטֹן אֵלַי Gen. 42:34
2537 פָּרְקוּ נִזְמֵי הַזָּהָב...וְהָבִיאוּ אֵלָי Ex. 32:2
2538 וְהָבִיאוּ לַבֹּקֶר זִבְחֵיכֶם Am. 4:4
2539 צְאוּ הָהָר וְהָבִיאוּ עֲלֵי־זַיִת Neh. 8:15
2540 לְכוּ סִפְרוּ...וְהָבִיאוּ אֵלַי ICh. 21:2
2541 וְהָבִיאוּ זְבָחִים וְתוֹדוֹת לְבֵית יְיָ IICh. 29:31
הוּבָאתָ 2542 לְמַעַן הַרְאוֹתְכָה הֻבָאתָה הֵנָּה Ezek. 40:4
הוּבָא 2543 הֵן לֹא־הוּבָא אֶת־דָּמָהּ Lev. 10:18
2544 אֲשֶׁר הוּבָא אֶת־דָּמָם Lev. 16:27
וְהוּבָא 2545 וְהוּבָא אֶת־בַּדָּיו בַּטַּבָּעֹת Ex. 27:7
2546 וְהוּבָא אֶל־אַהֲרֹן הַכֹּהֵן Lev. 13:2
2547/8 וְהוּבָא אֶל־הַכֹּהֵן Lev. 13:9; 14:2
הוּבָאת 2549 קַח־...בִּרְכָתִי אֲשֶׁר הֻבָאת לָךְ Gen. 33:11
הוּבָאוּ 2550 וַיִּירְאוּ...כִּי הוּבְאוּ בֵּית יוֹסֵף Gen. 43:18
הַמּוּבָא 2551 אֶת־כָּל־הַכֶּסֶף הַמּוּבָא בֵית־יְיָ IIK. 12:10
2552 מִן־הַכֶּסֶף הַמּוּבָא בֵית־יְיָ IIK. 12:14
2553 וְיַתֵּם אֶת־הַכֶּסֶף הַמּוּבָא בֵית יְיָ IIK. 22:4
2554 הַכֶּסֶף הַמּוּבָא בֵית־אֱלֹהִים IICh. 34:9
2555 אֶת־הַכֶּסֶף הַמּוּבָא בֵית יְיָ IICh. 34:14
מוּבָאִים 2556 עַל־דְּבַר...אֲנַחְנוּ מוּבָאִים Gen. 43:18
2557 מוּבָאִים סָבָאִים° מִמִּדְבָּר Ezek. 23:42
2558 מוּבָאִים לְשַׁחֵת הָאָרֶץ Ezek. 30:11
מוּבָאוֹת 2559 אַחֲרֶיהָ רֵעוֹתֶיהָ מוּבָאוֹת לָךְ Ps. 45:15
יוּבָא 2560 יוּבָא מִדָּמָהּ אֶל־אֹהֶל מוֹעֵד Lev. 6:23
2561 בַּמַּיִם יוּבָא וְטָמֵא עַד־הָעֶרֶב Lev. 11:32
2562 אֲשֶׁר־יוּבָא בֵית־יְיָ IIK. 12:5
2563 כֶּסֶף אָשָׁם...לֹא יוּבָא בֵּית יְיָ IIK. 12:17
2564 כֶּסֶף מְרֻקָּע מִתַּרְשִׁישׁ יוּבָא Jer. 10:9
יוּבָאוּ 2565 בָּבֶלָה יוּבָאוּ וְשָׁמָּה יִהְיוּ Jer. 27:22

בּוֹדֵד
ת׳ עַיֵּן בָּדָד

בוז
: בָּז, בּוּז, בּוּזָה; ש״פ בּוּז, בּוּזִי

(בוז) בָּז
פ׳ זלזל בכבוד אדם או בדבר: 1—14

בָּז 9; בָּז לְ־ 1—4, 6—8, 10—14; בָּז (אֶת־) 5

בּוּז 1 אִם־יִתֵּן אִישׁ...בּוֹז יָבוּזוּ לוֹ S.ofS. 8:7
בַּז 2 כִּי מִי בַז לְיוֹם קְטַנּוֹת Zech. 4:10
בָּזָה 3/4 בָּזָה לְךָ לָעֲגָה לְךָ Is. 37:22 • IIK. 19:21
בָּזוּ 5 חָכְמָה וּמוּסָר אֱוִילִים בָּזוּ Prov. 1:7
בָּז 6 בָּז־לְרֵעֵהוּ חֲסַר־לֵב Prov. 11:12
7 בָּז לְדָבָר יֵחָבֶל לוֹ Prov. 13:13
8 בָּז־לְרֵעֵהוּ חוֹטֵא Prov. 14:21
תָּבוּז 9 וְאַל־תָּבוּז כִּי־זָקְנָה אִמֶּךָ Prov. 23:22
יָבוּז 10 כִּי־יָבוּז לְשֵׂכֶל מִלֶּיךָ Prov. 23:9
וְתָבוּז 11 תִּלְעַג לְאָב וְתָבֻז לִיקְּהַת־אֵם Prov. 30:17
יָבוּזוּ 12 לֹא־יָבוּזוּ לַגַּנָּב כִּי יִגְנוֹב Prov. 6:30
13 אֶשָּׁקְךָ גַּם לֹא־יָבֻזוּ לִי S.ofS. 8:1
14 אִם־יִתֵּן אִישׁ...בּוֹז יָבוּזוּ לוֹ S.ofS. 8:7

בּוּז[1]
לעג, זלזול: 1—11

קרובים: בּוּזָה / בּוּשָׁה / בִּזָּיוֹן / בֹּשֶׁת / גִּדּוּף / חֶרְפָּה / כְּלִמָּה / לַעַג / נְאָצָה / קָלוֹן / קֶלֶס

בּוּז מִשְׁפָּחוֹת 11; בָּא בוּז 3; לַפִּיד בּוּז 4; שָׂבַע ב׳ 2; שָׁפַךְ ב׳ 1,5; הָיָה לָבוּז 9,10

בּוּז 1 שֹׁפֵךְ בּוּז עַל־נְדִיבִים Ps. 107:40
2 כִּי־רַב שָׂבַעְנוּ בוּז Ps. 123:3
3 בְּבוֹא־רָשָׁע בָּא גַם־בּוּז Prov. 18:3
4 לַפִּיד בּוּז לְעַשְׁתּוּת שַׁאֲנָן Job 12:5
5 שׁוֹפֵךְ בּוּז עַל־נְדִיבִים Job 12:21
וָבוּז 6 הַדֹּבְרוֹת...עָתָק בְּגַאֲוָה וָבוּז Ps. 31:19
7 גַּל מֵעָלַי חֶרְפָּה וָבוּז Ps. 119:22
הַבּוּז 8 הַלַּעַג הַשַּׁאֲנַנִּים הַבּוּז לִגְאֵיוֹנִים Ps. 123:4
לָבוּז 9 תִּקַּח־לָהּ פֶּן נִהְיֶה לָבוּז Gen. 38:23
10 וְנַעֲוֵה־לֵב יִהְיֶה לָבוּז Prov. 12:8
וּבוּז־ 11 וּבוּז־מִשְׁפָּחוֹת יְחִתֵּנִי Job 31:34

בּוּז[2]
שפ״ז א) מבני נחור: 1

ב) שם שבט או מדינה: 2

ג) מזרע גד: 3

בּוּז 1 אֶת־עוּץ בְּכֹרוֹ וְאֶת־בּוּז אָחִיו Gen. 22:21
2 אֶת־דְּדָן וְאֶת־תֵּימָא וְאֶת־בּוּז Jer. 25:23
3 בֶּן־יַחְדּוֹ בֶּן־בּוּז ICh. 5:14

בּוּזָה
נ׳ בּוּז • קרובים: ראה בּוּז

בּוּזָה 1 שְׁמַע אֱלֹהֵינוּ כִּי־הָיִינוּ בוּזָה Neh. 3:36

בּוּזִי
שפ״ז ות׳ א) אבי יחזקאל הנביא: 1

ב) ממשפחת בוז: 2/3

בּוּזִי 1 יְחֶזְקֵאל בֶּן־בּוּזִי הַכֹּהֵן Ezek. 1:3
הַבּוּזִי 2/3 אֱלִיהוּא בֶן־בַּרַכְאֵל הַבּוּזִי Job 32:2,6

בַּוַּי
שפ״ז – שַׂר חֲצִי פֶּלֶךְ קְעִילָה בימי נחמיה

בַּוַּי 1 בַּוַּי בֶּן־חֵנָדָד שַׂר חֲצִי פֶּלֶךְ קְעִילָה Neh. 3:17

בוך
: נָבוֹךְ; מְבוּכָה

(בוך) נָבוֹךְ
נפ׳ – היה אובד עצה או דרך: 1—3

נְבוּכָה 1 וְהָעִיר שׁוּשַׁן נָבוֹכָה Es. 3:15
נָבֹכוּ 2 נָבֹכוּ עֶדְרֵי בָקָר Joel 1:18
נְבֻכִים 3 נְבֻכִים הֵם בָּאָרֶץ Ex. 14:3

בּוּל[1]
ז׳ גוש, חתיכה

לְבוּל־ 1 לְבוּל עֵץ אֶסְגּוֹד Is. 44:19

בּוּל[2]
ז׳ יְבוּל

בּוּל־ 1 כִּי־בוּל הָרִים יִשְׂאוּ־לוֹ Job 40:20

בּוּל[3]
ז׳ שם קדמון לחודש מרחשון

בּוּל 1 בְּיֶרַח בּוּל הוּא הַחֹדֶשׁ הַשְּׁמִינִי IK. 6:38

בון
עַיֵּן בין

בּוּנָה
שפ״ז – בן ירחמאל מיהודה

בּוּנָה 1 הַבְּכוֹר רָם וּבוּנָה וָאֹרֶן ICh. 2:25

בּוּנִּי
שפ״ז – מן הלויים בימי נחמיה (עיין גם בָּנִי)

בּוּנִּי 1 וּמִן־הַלְוִיִּם שְׁמַעְיָה...בֶּן־בּוּנִּי Neh. 11:15

בוס
: בָּס, בּוֹסֵס, הִתְבּוֹסֵס, הוּבַס; מְבוּסָה, תְּבוּסָה

בוס
א) [פ׳ בָּס] רמס: 1—5, 7; בּז, מאס: 6

ב) [פ׳ בּוֹסֵס] רמס, דרס: 8, 9

ג) (הת׳ הִתְבּוֹסֵס) התגולל, התפלש: 10, 11

ד) (הָפ׳ הוּבַס) נרמס: 12

הִתְבּוֹסֵס בְּדָמוֹ 10, 11; פֶּגֶר מוּבָס 12

בּוֹסִים 1 וְהָיוּ כְגִבֹּרִים בּוֹסִים בְּטִיט חוּצוֹת Zech. 10:5
וְאָבוּס 2 וְאָבוּס עַמִּים בְּאַפִּי Is. 63:6
אֲבוּסֶנּוּ 3 לִשְׁבֹּר אַשּׁוּר...וְעַל־הָרַי אֲבוּסֶנּוּ Is. 14:25
יָבוּס 4/5 וְהוּא יָבוּס צָרֵינוּ Ps. 60:14; 108:14
תָּבוּס 6 נֶפֶשׁ שְׂבֵעָה תָּבוּס נֹפֶת Prov. 27:7
נָבוּס 7 בְּשִׁמְךָ נָבוּס קָמֵינוּ Ps. 44:6
בּוֹסְסוּ 8 צָרֵינוּ בּוֹסְסוּ מִקְדָּשֶׁךָ Is. 63:18
9 שִׁחֲתוּ כַרְמִי בֹּסְסוּ אֶת־חֶלְקָתִי Jer. 12:10
מִתְבּוֹסֶסֶת 10 וָאֶרְאֵךְ מִתְבּוֹסֶסֶת בְּדָמָיִךְ Ezek. 16:6
11 מִתְבּוֹסֶסֶת בְּדָמֵךְ הָיִית Ezek. 16:22
מוּבָס 12 יוֹרְדֵי אֶל־אַבְנֵי־בוֹר כְּפֶגֶר מוּבָס Is. 14:19

בּוּץ
ז׳ בד פשתן משובח: 1—8

חַבְלֵי בוּץ 1; מַלְבֻּשׁ בּוּץ 4; מְעִיל בּוּץ 3; עֲבֹדַת הַבּוּץ 7; תַּכְרִיךְ בּוּץ 2

בּוּץ 1 אָחוּז בְּחַבְלֵי־בוּץ וְאַרְגָּמָן Es. 1:6
2 וְתַכְרִיךְ בּוּץ וְאַרְגָּמָן Es. 8:15
3 וְדָוִיד מְכֻרְבָּל בִּמְעִיל בּוּץ ICh. 15:27
4 וְהַלְוִיִּם...מְלֻבָּשִׁים בּוּץ IICh. 5:12
וּבוּץ 5 אַרְגָּמָן וְרִקְמָה וּבוּץ Ezek. 27:16
6 וְאַרְגָּמָן וְכַרְמִיל וּבוּץ IICh. 3:14
הַבּוּץ 7 וּמִשְׁפְּחוֹת בֵּית־עֲבֹדַת הַבֻּץ ICh. 4:21
וּבַבּוּץ 8 בָּאַרְגָּמָן בַּתְּכֵלֶת וּבַבּוּץ IICh. 2:13

בּוֹצֵץ
שֵׁן־סֶלַע מול מכמש

בּוֹצֵץ 1 שֵׁן־הַסֶּלַע...וְשֵׁם הָאֶחָד בּוֹצֵץ ISh. 14:4

בּוּקָה
נ׳ חורבן, שממה

בּוּקָה 1 בּוּקָה וּמְבוּקָה וּמְבֻלָּקָה Nah. 2:11

בּוֹקֵר
ז׳ רועה בקר

בּוֹקֵר 1 כִּי־בוֹקֵר אָנֹכִי וּבוֹלֵס שִׁקְמִים Am. 7:14

בור
פ׳ בָּרַר [צורת־משנה של ברר]

וְלָבוּר 1 נָתַתִּי אֶל־לִבִּי וְלָבוּר אֶת־כָּל־זֶה Eccl. 9:1

בּוֹר
ז׳ א) חפירה באדמה או חצובה בסלע לאסוף בה את מי הגשמים: רוב המקראות

ב) בית־כלא: 6, 33, 35—42, 46, 47, 51—53

ג) קבר: 4, 5, 7—20, 24

קרובים: בְּאֵר / בַּאַר / גֵּב / גֶּבֶא / מְחִלָּה / מִנְהָרָה / פַּחַת / שׁוּחָה / שַׁחַת

בּוֹר שָׁאוֹן 52; ב׳ תַּחְתִּיּוֹת 51, 53; אַבְנֵי בוֹר 5; בֵּית הַבּ׳ 31, 33; בַּעַל הַבּ׳ 32; יוֹרְדֵי ב׳ 7—20; יַרְכְּתֵי ב׳ 4, 22; מֵי ב׳ 58, 59; מַקֶּבֶת ב׳ 21; בּוֹרוֹת חֲצוּבִים 60, 62

חָפַר בּוֹר 23; כָּרָה בּוֹר 2, 23; פָּתַח בּוֹר 1

בּוֹר 1 וְכִי־יִפְתַּח אִישׁ בּוֹר Ex. 21:33
2 אוֹ כִּי־יִכְרֶה אִישׁ בֹּר Ex. 21:33
3 וַיָּבֹא עַד־בּוֹר הַגָּדוֹל אֲשֶׁר בַּשֶּׂכוּ ISh. 19:22

בּוֹר (המשך) 4 אֶל־שְׁאוֹל תּוּרָד אֶל־יַרְכְּתֵי־בוֹר Is. 14:15
5 יוֹרְדֵי אֶל־אַבְנֵי־בוֹר כְּפֶגֶר Is. 14:19
6 וְאֻסְּפוּ אֲסֵפָה אַסִּיר עַל־בּוֹר Is. 24:22
7 לֹא־יְשַׂבְּרוּ יוֹרְדֵי־בוֹר אֶל־אֲמִתֶּךָ Is. 38:18
20-8 (כְּ-/מִ-)יוֹרְדֵי־בוֹר Ezek. 26:20²
31:14,16; 32:18,24,25,29,30 • Ps. 28:1; 88:5; 143:7
• Prov. 1:12
21 הַבִּיטוּ...וְאֶל־מַקֶּבֶת בּוֹר נֻקַּרְתֶּם Is. 51:1
22 נִתְּנוּ קִבְרֹתֶיהָ בְּיַרְכְּתֵי־בוֹר Ezek. 32:23
23 בּוֹר כָּרָה וַיַּחְפְּרֵהוּ
וַיִּפֹּל בְּשַׁחַת יִפְעָל Ps. 7:16
24 חִיִּיתַנִי מִיָּרְדִי־ (כת׳ מיורדי) בוֹר Ps. 30:4
25 עַד־בּוֹר יָנוּס אַל־יִתְמְכוּ בוֹ Prov. 28:17
וּבוֹר 26 אַךְ מַעְיָן וּבוֹר מִקְוֵה־מַיִם Lev. 11:36
הַבּוֹר 27 הַשְׁלִיכוּ אֹתוֹ אֶל־הַבּוֹר הַזֶּה Gen. 37:22
28 וַיַּעֲלוּ אֶת־יוֹסֵף מִן־הַבּוֹר Gen. 37:28
29 וַיָּשָׁב רְאוּבֵן אֶל־הַבּוֹר Gen. 37:29
30 וַיִּשְׁלַח...וַיְרִיצֻהוּ מִן־הַבּוֹר Gen. 41:14
31 בְּכוֹר הַשְּׁבִי אֲשֶׁר בְּבֵית הַבּוֹר Ex. 12:29
32 בַּעַל הַבּוֹר יְשַׁלֵּם Ex. 21:34
33 כִּי בָא יִרְמְיָהוּ אֶל־בֵּית הַבּוֹר Jer. 37:16
34 וְנָרֹץ הַגַּלְגַּל אֶל־הַבּוֹר Eccl. 12:6
42-35 הַבּוֹר Jer. 38:6,7,9,10,11,13; 41:7
• ICh. 11:22
וְהַבּוֹר 43 וְהַבּוֹר רֵק אֵין בּוֹ מָיִם Gen. 37:24
44 וְהַבּוֹר אֲשֶׁר הִשְׁלִיךְ שָׁם יִשְׁמָעֵאל Jer. 41:9
בַּבּוֹר 45 וְהִנֵּה אֵין־יוֹסֵף בַּבּוֹר Gen. 37:29
46 כִּי־שָׂמוּ אֹתִי בַּבּוֹר Gen. 40:15
47 צָמְתוּ בַבּוֹר חַיָּי Lam. 3:53
וּבַבּוֹר 48 וּבַבּוֹר אֵין־מַיִם כִּי אִם־טִיט Jer. 38:6
מִבּוֹר 49 שִׁלַּחְתִּי אֲסִירַיִךְ מִבּוֹר אֵין מַיִם בּוֹ Zech. 9:11
בּוֹר־ 50 וַיִּשְׁחָטוּם אֶל־בּוֹר בֵּית־עֵקֶד IIK. 10:14
בְּבוֹר־ 51 שַׁתַּנִי בְּבוֹר תַּחְתִּיּוֹת Ps. 88:7
מִבּוֹר־ 52 וַיַּעֲלֵנִי מִבּוֹר שָׁאוֹן מִטִּיט הַיָּוֵן Ps. 40:3
53 קָרָאתִי שִׁמְךָ יְיָ מִבּוֹר תַּחְתִּיּוֹת Lam. 3:55
54 מִי יַשְׁקֵנִי מַיִם מִבּוֹר בֵּית־לֶחֶם ICh. 11:17
55 וַיִּשְׁאֲבוּ־מַיִם מִבּוֹר בֵּית־לֶחֶם ICh. 11:18
הַבֹּרָה 56 וַיַּשְׁלִכוּ אֹתוֹ הַבֹּרָה Gen. 37:24
מִבּוֹרֶךָ 57 שְׁתֵה־מַיִם מִבּוֹרֶךָ Prov. 5:15
בוֹרוֹ 58 וּשְׁתוּ אִישׁ מֵי־בֹרוֹ IIK. 18:31
59 וּשְׁתוּ אִישׁ מֵי־בוֹרוֹ Is. 36:16
בּוֹרוֹת 60 וַיִּירְשׁוּ...בֹּרוֹת חֲצוּבִים Neh. 9:25
61 וַיַּחְצֹב בֹּרוֹת רַבִּים IICh. 26:10
וּבוֹרוֹת 62 וּבֹרֹת חֲצוּבִים אֲשֶׁר לֹא־חָצַבְתָּ Deut. 6:11
הַבּוֹרוֹת 63 וְנַשְׁלִכֵהוּ בְּאַחַד הַבֹּרוֹת Gen. 37:20
וּבַבּוֹרוֹת 64 וַיִּתְחַבְּאוּ...וּבַצְּרִחִים וּבַבֹּרוֹת ISh. 13:6

בּוֹר הַסִּרָה מקום צפונית לחברון

בּוֹר הַסִּ׳ 1 וַיִּשְׁלַח...וַיָּשִׁבוּ אֹתוֹ מִבּוֹר הַסִּרָה IISh. 3:26

בּוֹר־עָשָׁן עיר בנחלת שמעון שנתנה לכהנים

בּוֹר עָשָׁן 1 וְלַאֲשֶׁר בְּבוֹר־עָשָׁן וְלַאֲשֶׁר בַּעֲתָךְ ISh. 30:30

בוש : בּוֹשׁ, בּוֹשֵׁשׁ, הִתְבּוֹשֵׁשׁ, הֵבִישׁ; בּוּשָׁה, בָּשְׁנָה, בֹּשֶׁת, מְבוּשִׁים

בוש פָּ׳ א) היה לכלמה ולחרפה: רוב המקראות 1-95
ב) יבש, חָרֵב: 49, 50
ג) [הִפ׳ הֵבִישׁ] המיט חרפה: 96-103;
[כנ״ל] סִכֵּל: 104—106
ד) [פִּ׳ בּוֹשֵׁשׁ] אֵחֵר, התמהמה: 107, 108
ה) [הת׳ הִתְבּוֹשֵׁשׁ] התבַּיֵּשׁ: 109

בּוֹשׁ־ רוב המקראות 1-95; בּוֹשׁ מִן־ 9,12,30,44,
46, 48, 54, 88, 89, 95; עַד בּוֹשׁ 1-3; בּוֹשׁ
וְחָפֵר 13, 25, 26, 68-70; בּוֹשׁ וְנִכְלַם 6, 8, 19, (20),
45,51,67,95; הֵבִישׁ (אֶת) 96—97,104—106; הֵבִישׁ
מִן־ 105; בֵּן מֵבִישׁ 98, 100, 101

בּוֹשׁ (מקור) 1 וַיָּחִילוּ עַד־בּוֹשׁ Jud. 3:25
2 וַיִּפְצְרוּ־בוֹ עַד־בֹּשׁ IIK. 2:17
3 וַיַּעֲמֵד אֶת־פָּנָיו וַיָּשֶׂם עַד־בֹּשׁ IIK. 8:11
4/5 גַּם־בּוֹשׁ לֹא־יֵבוֹשׁוּ Jer. 6:15; 8:12
בֹּשְׁתִּי 6 בֹּשְׁתִּי וְגַם־נִכְלַמְתִּי Jer. 31:19(18)
7 כִּי בֹשְׁתִּי לִשְׁאוֹל מִן־הַמֶּלֶךְ Ez. 8:22
8 אֱלֹהַי בֹּשְׁתִּי וְנִכְלַמְתִּי Ez. 9:6
בֹּשְׁתְּ 9 תֵּבֹשִׁי כַּאֲשֶׁר־בֹּשְׁתְּ מֵאַשּׁוּר Jer. 2:36
וָבֹשְׁתְּ 10 לְמַעַן תִּזְכְּרִי וָבֹשְׁתְּ Ezek. 16:63
בּוֹשׁ (עבר) 11 הִפְנָה־עֹרֶף מוֹאָב בּוֹשׁ Jer. 48:39
וּבוֹשׁ 12 וּבֹשׁ מוֹאָב מִכְּמוֹשׁ Jer. 48:13
בּוֹשָׁה 13 אֻמְלְלָה...בּוֹשָׁה וְחָפֵרָה Jer. 15:9
14 בּוֹשָׁה חֲמָת וְאַרְפָּד Jer. 49:23
15 בּוֹשָׁה אִמְּכֶם מְאֹד Jer. 50:12
וּבוֹשָׁה 16 וְחָפְרָה הַלְּבָנָה וּבוֹשָׁה הַחַמָּה Is. 24:23
בֹּשְׁנוּ 17 בֹּשְׁנוּ מְאֹד כִּי־עָזַבְנוּ אָרֶץ Jer. 9:18
18 בֹּשְׁנוּ כִּי־שָׁמַעְנוּ חֶרְפָּה Jer. 51:51
בּוֹשׁוּ 19 בּוֹשׁוּ וְגַם־נִכְלְמוּ כֻּלָּם Is. 45:16
20 בֹּשׁוּ וְהָכְלְמוּ וְחָפוּ רֹאשָׁם Jer. 14:3
21 בֹּשׁוּ אִכָּרִים חָפוּ רֹאשָׁם Jer. 14:4
22 בֹּשׁוּ מְאֹד...כְּלִמַּת עוֹלָם Jer. 20:11
23 בֹּשׁוּ בֵּית יִשְׂרָאֵל מִבֵּית אֵל Jer. 48:13
24 בְּךָ בָטְחוּ וְלֹא־בוֹשׁוּ Ps. 22:6
25 כִּי־בֹשׁוּ כִּי־חָפְרוּ Ps. 71:24
26 בֹּשׁוּ כִּי־בָטָח...וַיֶּחְפָּרוּ Job 6:20
וּבוֹשׁוּ 27 וּבֹשׁוּ עֹבְדֵי פִשְׁתִּים שְׂרִיקוֹת Is. 19:9
28 וּבֹשׁוּ מִתְּבוּאֹתֵיכֶם מֵחֲרוֹן אַף־יְיָ Jer. 12:13
29 וּבֹשׁוּ הַחֹזִים וְחָפְרוּ הַקֹּסְמִים Mic. 3:7
וָבוֹשׁוּ 30 וְחַתּוּ וָבֹשׁוּ מִכּוּשׁ מַבָּטָם Is. 20:5
31 וְיֹשְׁבֵיהֶן קִצְרֵי־יָד חַתּוּ וָבֹשׁוּ Is. 37:27
בּוֹשִׁים 32 בְּחִתִּיתָם מִגְּבוּרָתָם בּוֹשִׁים Ezek. 32:30
אֵבוֹשׁ 33 וָאֵדַע כִּי־לֹא אֵבוֹשׁ Is. 50:7
34 אַל־אֵבוֹשׁ כִּי־חָסִיתִי בָךְ Ps. 25:20
35 אָז לֹא־אֵבוֹשׁ בְּהַבִּיטִי Ps. 119:6
36 וַאֲדַבְּרָה בְעֵדֹתֶיךָ...וְלֹא אֵבוֹשׁ Ps. 119:46
37 לְמַעַן לֹא אֵבוֹשׁ Ps. 119:80
אֵבוֹשָׁה 38 יֵבֹשׁוּ רֹדְפַי וְאַל־אֵבֹשָׁה אָנִי Jer. 17:18
39 בְּךָ בָטַחְתִּי אַל־אֵבוֹשָׁה Ps. 25:2
40/1 בְּךָ־יְיָ חָסִיתִי אַל־אֵבוֹשָׁה Ps. 31:2; 71:1
42 אַל־אֵבוֹשָׁה כִּי קְרָאתִיךָ Ps. 31:18
תֵּבוֹשִׁי 43 אַל־תִּירְאִי כִּי־לֹא תֵבוֹשִׁי Is. 54:4
44 גַּם מִמִּצְרַיִם תֵּבוֹשִׁי Jer. 2:36
45 כִּי אָז תֵּבֹשִׁי וְנִכְלַמְתְּ Jer. 22:22
46 לֹא תֵבוֹשִׁי מִכֹּל עֲלִילֹתַיִךְ Zep. 3:11
יֵבוֹשׁ 47 לֹא־עַתָּה יֵבוֹשׁ יַעֲקֹב Is. 29:22
וְיֵבוֹשׁ 48 וְיֵבוֹשׁ יִשְׂרָאֵל מֵעֲצָתוֹ Hosh. 10:6
49 וְיֵבוֹשׁ מְקוֹרוֹ וְיֶחֱרַב מַעְיָנוֹ Hosh. 13:15
תֵּבוֹשׁ 50 וְכָל אַרְצָהּ תֵּבוֹשׁ Jer. 51:47
תֵבֹשׁוּ 51 לֹא־תֵבֹשׁוּ וְלֹא־תִכָּלְמוּ Is. 45:17
52 הִנֵּה עֲבָדַי יִשְׂמָחוּ וְאַתֶּם תֵּבֹשׁוּ Is. 65:13
53 תַּכְלִימוּנִי לֹא־תֵבֹשׁוּ תַּהְכְּרוּ־לִי Job 19:3
יֵבֹשׁוּ 54 כִּי יֵבֹשׁוּ מֵאֵילִים אֲשֶׁר חֲמַדְתֶּם Is. 1:29
55 יֵבֹשׁוּ וְיִכָּלְמוּ כֹּל הַנֶּחֱרִים בָּךְ Is. 41:11
56 נָסֹגוּ אָחוֹר יֵבֹשׁוּ בֹשֶׁת Is. 42:17
57 בַּל־יִרְאוּ וּבַל־יֵדְעוּ לְמַעַן יֵבֹשׁוּ Is. 44:9
58 הֵן כָּל־חֲבֵרָיו יֵבֹשׁוּ Is. 44:11
59 יִפְחֲדוּ יֵבֹשׁוּ יָחַד Is. 44:11

יֵבֹשׁוּ (המשך) 60 כִּי־אֲנִי יְיָ אֲשֶׁר לֹא־יֵבֹשׁוּ קֹוָי Is. 49:23
61 וְנִרְאֶה בְשִׂמְחַתְכֶם וְהֵם יֵבֹשׁוּ Is. 66:5
62 גַּם בּוֹשׁ לֹא־יֵבוֹשׁוּ Jer. 6:15
63 יְיָ כָּל־עֹזְבֶיךָ יֵבֹשׁוּ Jer. 17:13
64 יֵבֹשׁוּ רֹדְפַי וְאַל־אֵבֹשָׁה אָנִי Jer. 17:18
65/6 וְלֹא־יֵבֹשׁוּ עַמִּי לְעוֹלָם Joel 2:26,27
67 יֵבֹשׁוּ וְיִכָּלְמוּ מְבַקְשֵׁי נַפְשִׁי Ps. 35:4
68-70 יֵבֹשׁוּ וְיַחְפְּרוּ Ps. 35:26; 40:15; 70:3
71 יֵבֹשׁוּ...כֹּל שֹׂנְאֵי צִיּוֹן Ps. 129:5
72-85 יֵבֹשׁוּ Jer. 8:12 • Zech. 13:4
Ps. 6:11²; 25:3²; 31:18; 37:19; 69:7; 71:13; 83:18;
97:7; 119:78; 127:5
וְיֵבֹשׁוּ 86 יֶחֱזוּ וְיֵבֹשׁוּ קִנְאַת־עָם Is. 26:11
87 וְיֵבֹשׁוּ כֹּל הַנֶּחֱרִים בּוֹ Is. 45:24
88 וְיֵבֹשׁוּ מִזִּבְחוֹתָם Hosh. 4:19
89 וְיֵבֹשׁוּ מִכֹּל גְּבוּרָתָם Mic. 7:16
90 וְיִרְאוּ שֹׂנְאַי וְיֵבֹשׁוּ Ps. 86:17
וַיֵּבֹשׁוּ 91 וְיֹשְׁבֵיהֶן קִצְרֵי־יָד חַתּוּ וַיֵּבֹשׁוּ IIK. 19:26
92 קָמוּ וַיֵּבֹשׁוּ וְעַבְדְּךָ יִשְׂמָח Ps. 109:28
בּוֹשִׁי 93 בּוֹשִׁי צִידוֹן כִּי־אָמַר יָם Is. 23:4
94 וְגַם־אַתְּ בּוֹשִׁי וּשְׂאִי כְלִמָּתֵךְ Ezek. 16:52
בּוֹשׁוּ 95 בּוֹשׁוּ וְהִכָּלְמוּ מִדַּרְכֵיכֶם Ezek. 36:32
הֱבִישׁוֹתָ 96 וּמְשַׂנְאֵינוּ הֱבִישׁוֹתָ Ps. 44:8
97 הֱבִשֹׁתָה כִּי־אֱלֹהִים מְאָסָם Ps. 53:6
מֵבִישׁ 98 נִרְדָּם בַּקָּצִיר בֵּן מֵבִישׁ Prov. 10:5
99 וְעֶבְרָתוֹ תִּהְיֶה מֵבִישׁ Prov. 14:35
100 עֶבֶד־מַשְׂכִּיל יִמְשֹׁל בְּבֵן־מֵבִישׁ Prov. 17:2
101 בֵּן מֵבִישׁ וּמַחְפִּיר Prov. 19:26
102 וְנַעַר מְשֻׁלָּח מֵבִישׁ אִמּוֹ Prov. 29:15
מְבִישָׁה 103 וּכְרָקָב בְּעַצְמוֹתָיו מְבִישָׁה Prov. 12:4
תְּבִישֵׁנִי 104 יְיָ אַל־תְּבִישֵׁנִי Ps. 119:31
105 וְאַל־תְּבִישֵׁנִי מִשִּׂבְרִי Ps. 119:116
תָּבִישׁוּ 106 עֲצַת־עָנִי תָבִישׁוּ Ps. 14:6
בּוֹשֵׁשׁ 107 וַיַּרְא הָעָם כִּי־בֹשֵׁשׁ מֹשֶׁה Ex. 32:1
108 מַדּוּעַ בֹּשֵׁשׁ רִכְבּוֹ לָבוֹא Jud. 5:28
יִתְבּוֹשָׁשׁוּ 109 וַיִּהְיוּ...עֲרוּמִּים...וְלֹא יִתְבֹּשָׁשׁוּ Gen. 2:25

בּוּשָׁה נ׳ כלמה, קלון: 1—4 • קרובים: ראה בּוּז

כִּסּוּ בוּשָׁה 2, 3; הֶעֱטָה בּוּשָׁה 4

בּוּשָׁה 1 וְאֶל כָּל־פָּנִים בּוּשָׁה סֶלָה Ezek. 7:18
2 מֵחֲמַס אָחִיךָ יַעֲקֹב תְּכַסְּךָ בוּשָׁה Ob. 10
3 וְתֵרֶא אֹיַבְתִּי וּתְכַסֶּהָ בוּשָׁה Mic. 7:10
4 הֶעֱטִיתָ עָלָיו בּוּשָׁה Ps. 89:46

בות פ׳ ארמית: לון, שָׁכַן

וּבָת 1 אֲזַל מַלְכָּא...וּבָת טְוָת Dan. 6:19

בַּז ז׳ שָׁלָל [עַיֵּן עוד מַהֵר שָׁלָל חָשׁ בַּז]

בָּזַז בַּז 1, 3, 4, 24; הָיָה בַּז 2; הָיָה לָבַז (לְבַז)
6—10, 14, 16—18, 20, 22; נָתַן לָבַז (לְבַז) 11—13,
15, 21, 23

בַּז 1 פַּסְחִים בָּזְזוּ בַז Is. 33:23
2 וְלֹא־יִהְיוּ עוֹד בַּז לַגּוֹיִם Ezek. 34:28
3 לִשְׁלֹל שָׁלָל וְלָבֹז בַּז Ezek. 38:12
4 הֲלָבֹז בַּז הִקְהַלְתָּ קְהָלֶךָ Ezek. 38:13
הַבָּז 5 וַיְהִי הַמַּלְקוֹחַ יֶתֶר הַבָּז Num. 31:32
לָבַז 6 נָשֵׁינוּ וְטַפֵּנוּ יִהְיוּ לָבַז Num. 14:3
7 וְטַפְּכֶם אֲשֶׁר אֲמַרְתֶּם לָבַז יִהְיֶ Num. 14:31
8 וְטַפְּכֶם אֲשֶׁר אֲמַרְתֶּם לָבַז יִהְיֶה Deut. 1:39
9 הָיוּ לָבַז וְאֵין מַצִּיל Is. 42:22
10 מַדּוּעַ הָיָה לָבַז Jer. 2:14
11 חֵילְךָ וְאוֹצְרוֹתֶיךָ לָבַז אֶתֵּן Jer. 15:13

לָבֹז (המשך) 12 כָּל־אוֹצְרוֹתֶיךָ לָבַז אֶתֵּן Jer. 17:3
13 וְכָל־בֹּזְזַיִךְ אֶתֵּן לָבַז Jer. 30:16
14 וְהָיוּ גְמַלֵּיהֶם לָבַז Jer. 49:32
15 וּנְתַתִּיו בְּיַד־הַזָּרִים לָבַז Ezek. 7:21
16 יַעַן הֱיוֹת־צֹאנִי לָבַז Ezek. 34:8
17 וְלֹא תִהְיֶינָה עוֹד לָבַז Ezek. 34:22
18 אֲשֶׁר הָיוּ לָבַז וּלְלַעַג Ezek. 36:4
19 לְמַעַן מִגְרָשָׁהּ לָבַז Ezek. 36:5
לְבַז 20 וְהָיוּ לְבַז וְלִמְשִׁסָּה לְכָל־אֹיְבֵיהֶם IIK. 21:14
21 וּנְתַתִּיךָ לְבַז (כת׳ לבג) לַגּוֹיִם Ezek. 25:7
22 וְהָיְתָה לְבַז לַגּוֹיִם Ezek. 26:5
וְלָבַז 23 וְנָתֹן אֶתְהֶן לְזַעֲוָה וְלָבַז Ezek. 23:46
בִּזָּהּ 24 וְשָׁלַל שְׁלָלָהּ וּבָזַז בִּזָּהּ Ezek. 29:19

בָּזָא
פ׳ פֶּרֶץ, חָתַךְ
בָּזְאוּ 1-2 אֲשֶׁר־בָּזְאוּ נְהָרִים אַרְצוֹ Is. 18:2,7

בזה
: בָּזָה, בָּזוּי, נִבְזֶה, הִבְזָה; בִּזָּיוֹן, נִמְבְזֶה; בִּזְיוֹתְיָה

בָּזָה
פ׳ א) זלזל, הלעיג: 1—32
ב) [נפ׳ בינוני נִבְזֶה] נלעג: 33—42
ג) [הפ׳ הִבְזָה] עשׂה לבזוי, הלעיג: 43

בָּזָה אֶת־ 1-28; בָּ׳ לְ־ 29, 30; בָּ׳ עַל־ 31; בָּזָה בְּעֵינָיו 27; הִבְזָה אֶת־ 43
בָּזָה אָלָה 11,7,6,3; בָּ׳ אִמּוֹ 13; בָּ׳ אֲסִירִים 9; בָּזָה בְּכוֹרָה 26; בָּ׳ דָּבָר 1, 5, 21; בָּ׳ דֶּרֶךְ 14; בָּזָה צֶלֶם 25; בָּזָה עֱנוּת 8; בָּזָה קֳדָשִׁים 4; בָּזָה שְׁמוֹ 12, 22; בָּזָה תְּפִלָּה 10; בּוֹזֶה נֶפֶשׁ 19; בְּזוּי עָם 18; נִבְזֶה וְשָׁפָל 42; נִמְבְזֶה וְנִמְאָס 41; עֶצֶב נִבְזֶה 35

בָּזִיתָ 1 מַדּוּעַ בָּזִיתָ אֶת־דְּבַר יְיָ IISh. 12:9
בְּזִתָנִי 2 לֹא־תָסוּר חֶרֶב... עֵקֶב כִּי בְזִתָנִי IISh. 12:10
בָּזִית 3 אֲשֶׁר־בָּזִית אָלָה לְהָפֵר בְּרִית Ezek. 16:59
4 קָדָשַׁי בָּזִית וְאֶת שַׁבְּתֹתַי חִלָּלְתְּ Ezek. 22:8
בָּזָה 5 כִּי דְבַר־יְיָ בָּזָה Num. 15:31
6 אֲשֶׁר בָּזָה אֶת־אָלָתוֹ Ezek. 17:16
7 אִם־לֹא אָלָתִי אֲשֶׁר בָּזָה Ezek. 17:19
8 לֹא־בָזָה וְלֹא שִׁקַּץ עֱנוּת עָנִי Ps. 22:25
9 וְאֶת־אֲסִירָיו לֹא בָזָה Ps. 69:34
10 וְלֹא־בָזָה אֶת־תְּפִלָּתָם Ps. 102:18
וּבָזָה 11 וּבָזָה אָלָה לְהָפֵר בְּרִית Ezek. 17:18
בָּזִינוּ 12 וַאֲמַרְתֶּם בַּמֶּה בָזִינוּ אֶת־שְׁמֶךָ Mal. 1:6
בּוֹזֶה 13 וּכְסִיל אָדָם בּוֹזֶה אִמּוֹ Prov. 15:20
בּוֹזֵה־ 14 בּוֹזֵה דְרָכָיו יָמוּת° Prov. 19:16
בּוֹזֵהוּ 15 וּנְלוֹז דְּרָכָיו בּוֹזֵהוּ Prov. 14:2
בְּזוּי 16 קָטֹן נְתַתִּיךָ בַּגּוֹיִם בְּזוּי בָּאָדָם Jer. 49:15
17 הִנֵּה קָטֹן נְתַתִּיךָ בְּזוּי אַתָּה מְאֹד Ob. 2
וּבְזוּי 18 חֶרְפַּת אָדָם וּבְזוּי עָם Ps. 22:7
לִבְזֹה־ 19 לִבְזֹה־נֶפֶשׁ לִמְתָעֵב גּוֹי Is. 49:7
בְּזוּיָה 20 וְחָכְמַת הַמִּסְכֵּן בְּזוּיָה Eccl. 9:16
וּבוֹזִים 21 וַיִּהְיוּ מַלְעִבִים... וּבוֹזִים דְּבָרָיו IICh. 36:16
בּוֹזֵי 22 אָמַר... לָכֶם הַכֹּהֲנִים בּוֹזֵי שְׁמִי Mal. 1:6
וּבֹזַי 23 כִּי־מְכַבְּדַי אֲכַבֵּד וּבֹזַי יֵקָלּוּ ISh. 2:30
תִבְזֶה 24 לֵב־נִשְׁבָּר... אֱלֹהִים לֹא תִבְזֶה Ps. 51:19
25 בָּעִיר צַלְמָם תִּבְזֶה Ps. 73:20
וַיִּבֶז 26 וַיִּבֶז עֵשָׂו אֶת־הַבְּכֹרָה Gen. 25:34
27 וַיִּבֶז בְּעֵינָיו לִשְׁלֹחַ יָד בְּמָרְדֳּכַי Es. 3:6
וַיִּבְזֵהוּ 28 וַיַּרְא... אֶת־דָּוִד וַיִּבְזֵהוּ ISh. 17:42
וַתִּבֶז 30/29 וַתִּבֶז לוֹ בְּלִבָּהּ IISh. 6:16 • ICh. 15:29
וַיִּבְזוּ 31 וַיַּלְעִגוּ לָנוּ וַיִּבְזוּ עָלֵינוּ Neh. 2:19
וַיִּבְזֻהוּ 32 וַיִּבְזֻהוּ וְלֹא־הֵבִיאוּ לוֹ מִנְחָה ISh. 10:27
נִבְזֶה 33 נִבְזֶה וַחֲדַל אִישִׁים Is. 53:3
נִבְזֶה (המשך) 34 נִבְזֶה וְלֹא חֲשַׁבְנֻהוּ Is. 53:3
35 הַעֶצֶב נִבְזֶה נָפוּץ הָאִישׁ הַזֶּה Jer. 22:28
36 בֶּאֱמָרְכֶם שֻׁלְחַן יְיָ נִבְזֶה הוּא Mal. 1:7
37 בֶּאֱמָרְכֶם... וְנִיבוֹ נִבְזֶה אָכְלוֹ Mal. 1:12
38 נִבְזֶה בְּעֵינָיו נִמְאָס Ps. 15:4
39 וְעָמַד עַל־כַּנּוֹ נִבְזֶה Dan. 11:21
וְנִבְזֶה 40 צָעִיר אָנֹכִי וְנִבְזֶה Ps. 119:141
נִמְבְזָה 41 וְכָל־הַמְּלָאכָה נְמִבְזָה וְנָמֵס ISh. 15:9
נִבְזִים 42 נָתַתִּי אֶתְכֶם נִבְזִים וּשְׁפָלִים Mal. 2:9
לְהַבְזוֹת 43 לְהַבְזוֹת בַּעְלֵיהֶן בְּעֵינֵיהֶן Es. 1:17

בִּזָּה
נ׳ בַּז, שלל
בִּזָּה 1 בִּזָּה וְשָׁלָל וּרְכוּשׁ לָהֶם יִבְזוֹר Dan. 11:24
2 כִּי־בִזָּה רַבָּה הָיְתָה בָהֶם IICh. 14:13
3 וַיָּבֹזּוּ בִּזָּה רַבָּה IICh. 25:13
הַבִּזָּה 4 אֶת־הַשִּׁבְיָה וְאֶת־הַבִּזָּה IICh. 28:14
וּבְבִזָּה 5 וְנִכְשְׁלוּ... בִּשְׁבִי וּבְבִזָּה Dan. 11:33
וּבַבִּזָּה 6-8 וּבַבִּזָּה לֹא שָׁלְחוּ אֶת־יָדָם Es. 9:10,15,16
9 בַּחֶרֶב בַּשְּׁבִי וּבַבִּזָּה וּבְבֹשֶׁת פָּנִים Ez. 9:7
לְבִזָּה 10 וּתְנֵם לְבִזָּה בְּאֶרֶץ שִׁבְיָה Neh. 3:36

בָּזוּי
ת׳ עיין בָּזָה

בזז
: בָּזַז, הִבּוֹז, בִּזֵּז; בַּז, בִּזָּה

בָּזַז
פ׳ א) לקח שלל, גזל: 1—39
ב) [נפ׳ הִבּוֹז] נלקח שלל: 40, 41
ג) [פ׳ בִּזֵּז] כנ״ל: 42

בָּזַז בַּז 4-7, 10, 14; בָּ׳ בִּזָּה 35; בָּ׳ בְּהֵמָה 8, 28; בָּ׳ זָהָב 39; בָּ׳ חַיִל 16; בָּ׳ יְגִיעַ 36; בָּ׳ יְתוֹמִים 29; בָּ׳ כֶּסֶף 38; בָּ׳ מַחֲנֶה 33; בָּ׳ עִיר 31, 34; בָּ׳ שָׁלָל 1, 2, 9, 15, 21, 26, 28, 29; עַם בָּזוּז 20; בֻּזְּזוּ אוֹצָרוֹת 42

לָבֹז 1/2 ...וּשְׁלָלָם לָבוֹז Es. 3:13; 8:11
3 וַיָּבֹא... לָבֹז אֶת־שְׁלָלָם IICh. 20:25
וְלָבֹז 4/5 לִשְׁלֹל שָׁלָל וְלָבֹז בַּז Is. 10:6 • Ezek. 38:12
הֲלָבֹז 6 הֲלָבֹז בַּז הִקְהַלְתְּ קְהָלֶךָ Ezek. 38:13
וּבָזַז 7 וְשָׁלַל שְׁלָלָהּ וּבָזַז בִּזָּהּ Ezek. 29:19
בָּזַזְנוּ 8 רַק הַבְּהֵמָה בָּזַזְנוּ לָנוּ Deut. 2:35
בַּזּוֹנוּ 9 וּשְׁלַל הֶעָרִים בַּזּוֹנוּ לָנוּ Deut. 3:7
בָּזְזוּ 10 יֶתֶר הַבָּז אֲשֶׁר בָּזְזוּ עַם הַצָּבָא Num. 31:32
11 אַנְשֵׁי הַצָּבָא בָּזְזוּ אִישׁ לוֹ Num. 31:53
12/3 בָּזְזוּ לָהֶם (בְּנֵי) יִשְׂרָאֵל Josh. 8:27; 11:14
14 פִּסְחִים בָּזְזוּ בַז Is. 33:23
15 וְגַם־שָׁלָל רָב בָּזְזוּ מֵהֶם IICh. 28:8
בָּזָזוּ 16 וְאֶת־כָּל־חֵילָם בָּזָזוּ Num. 31:9
וּבָזְזוּ 17 וְשָׁלְלוּ חֵילֵךְ וּבָזְזוּ רְכֻלָּתֵךְ Ezek. 26:12
18 וְשָׁלְלוּ... וּבָזְזוּ אֶת־בֹּזְזֵיהֶם Ezek. 39:10
וּבְזָזוּם 19 וּבְזָזוּם וּלְקָחוּם וֶהֱבִיאוּם בָּבֶלָה Jer. 20:5
בָּזוּז 20 וְהוּא עַם־בָּזוּז וְשָׁסוּי Is. 42:22
בּוֹזְזִים 21 וַיִּהְיוּ... בֹּזְזִים אֶת־הַשָּׁלָל IICh. 20:25
לְבוֹזְזִים 22 מִי־נָתַן... וְיִשְׂרָאֵל לְבֹזְזִים Is. 42:24
בֹּזְזַיִךְ 23 וְכָל־בֹּזְזַיִךְ אֶתֵּן לָבַז Jer. 30:16
לְבוֹזְזֵינוּ 24 זֶה חֵלֶק שׁוֹסֵינוּ וְגוֹרָל לְבֹזְזֵינוּ Is. 17:14
בּוֹזְזֵיהֶם 25 וְשָׁלְלוּ... וּבָזְזוּ אֶת־בֹּזְזֵיהֶם Ezek. 39:10
תָּבֹז 26 כָּל־שְׁלָלָהּ תָּבֹז לָךְ Deut. 20:14
וְנָבֹזָּה 27 וְנָבֹזָּה בָהֶם עַד־אוֹר הַבֹּקֶר ISh. 14:36
תָּבֹזּוּ 28 רַק־שְׁלָלָהּ וּבְהֶמְתָּהּ תָּבֹזּוּ לָכֶם Josh. 8:2
יָבֹזּוּ 29 אַלְמָנוֹת שְׁלָלָם וְאֶת־יְתוֹמִים יָבֹזּוּ Is. 10:2
30 יַחְדָּו יָבֹזּוּ אֶת־בְּנֵי־קֶדֶם Is. 11:14
וַיָּבֹזּוּ 31 בָּאוּ עַל־הַחֲלָלִים וַיָּבֹזּוּ הָעִיר Gen. 34:27
32 וְאֶת־נְשֵׁיהֶם שָׁבוּ וַיָּבֹזּוּ Gen. 34:29
33 וַיָּבֹזּוּ אֵת מַחֲנֵה אֲרָם IIK. 7:16
וַיָּבֹזּוּ (המשך) 34 וַיָּבֹזּוּ אֶת־כָּל־הֶעָרִים IICh. 14:13
35 וַיָּבֹזּוּ בִּזָּה רַבָּה IICh. 25:13
וְיָבֹזּוּ 36 וְיָבֹזּוּ זָרִים יְגִיעוֹ Ps. 109:11
יְבָזּוּם 37 שְׁאֵרִית עַמִּי יְבָזּוּם Zep. 2:9
בֹּזּוּ 38/9 בֹּזּוּ כֶסֶף בֹּזּוּ זָהָב Nah. 2:10
וְהִבּוֹז 40 הִבּוֹק תִּבּוֹק הָאָרֶץ וְהִבּוֹז תִּבּוֹז Is. 24:3
תִּבּוֹז 41 הִבּוֹק תִּבּוֹק הָאָרֶץ וְהִבּוֹז תִּבּוֹז Is. 24:3
וּבֻזָּזוּ 42 חֶרֶב אֶל־אוֹצְרֹתֶיהָ וּבֻזָּזוּ Jer. 50:37

בִּזָּיוֹן
ז׳ בּוּז, חרפה • קרובים: ראה בּוּז
בִּזָּיוֹן 1 וּכְדַי בִּזָּיוֹן וָקָצֶף Es. 1:18

בִּזְיוֹתְיָה
מקום באזור באר־שבע
בִּזְיוֹתְיָה 1 וַחֲצַר שׁוּעָל וּבְאֵר שֶׁבַע וּבִזְיוֹתְיָה Josh. 15:28

בָּזָק
ז׳ ברק
הַבָּזָק 1 רָצוֹא וָשׁוֹב כְּמַרְאֵה הַבָּזָק Ezek. 1:14

בֶּזֶק
1 שם עיר בנחלת מנשה, בין שכם לבית־שאן
בְּבֶזֶק 1 וַיַּכּוּם בְּבֶזֶק Jud. 1:4
2 וַיִּמְצְאוּ אֶת־אֲדֹנִי בֶזֶק בְּבֶזֶק Jud. 1:5
בְּבָזֶק 3 וַיִּפְקְדֵם בְּבָזֶק ISh. 11:8

בזר
: בָּזַר, בִּזֵּר

בָּזַר
פ׳ א) פִּזֵּר: 1
ב) [פ׳ בִּזֵּר] פִּזֵּר: 2
יִבְזוֹר 1 וּרְכוּשׁ לָהֶם יִבְזוֹר Dan. 11:24
בִּזַּר 2 בִּזַּר עַמִּים קְרָבוֹת יֶחְפָּצוּ Ps. 68:31

בִּזְּתָא
שפ״ז – מסריסי המלך אחשורוש
בִּזְּתָא 1 אָמַר לִמְהוּמָן בִּזְּתָא חַרְבוֹנָא Es. 1:10

בַּחוֹן
ז׳ מגדל צופים
בָּחוֹן 1 בָּחוֹן נְתַתִּיךָ בְעַמִּי מִבְצָר Jer. 6:27

בַּחוּן
ז׳ מגדל צופים
בַּחוּנָיו 1 הֵקִימוּ בַחוּנָיו (כת׳ בחיניו) Is. 23:13

בָּחוּר[1]
ז׳ גֶּבֶר צָעִיר, עֶלֶם [עיין גם בָּחַר]
קרובים: גֶּבֶר / נַעַר / עוּל / עֶלֶם / פִּרְחָח
בָּחוּר וּבְתוּלָה 1, 2, 4, 5, 7, 8, 12, 13, 29, 30; בָּחוּר וְזָקֵן 5, 16, 18; מִבְחַר בַּחוּרִים 32; סוֹד בַּ׳ 10; תִּפְאֶרֶת בַּ׳ 14; בַּחוּרֵי אָוֶן 26; בַּחוּרֵי חֶמֶד 23-25; בַּחוּרֵי יִשְׂרָאֵל 27

בָּחוּר 1 גַּם־בָּחוּר גַּם־בְּתוּלָה Deut. 32:25
2 כִּי־יִבְעַל בָּחוּר בְּתוּלָה Is. 62:5
3 הֵבֵאתִי לָהֶם עַל־אֵם בָּחוּר שֹׁדֵד Jer. 15:8
4 וְנִפַּצְתִּי בְךָ בָּחוּר וּבְתוּלָה Jer. 51:22
5 זָקֵן בָּחוּר וּבְתוּלָה וְטַף וְנָשִׁים Ezek. 9:6
6 שְׂמַח בָּחוּר בְּיַלְדוּתֶךָ Eccl. 11:9
7 וְלֹא חָמַל עַל־בָּחוּר וּבְתוּלָה IICh. 36:17
בַּחוּרִים 8 וְלֹא גִדַּלְתִּי בַחוּרִים רוֹמַמְתִּי בְתוּלוֹת Is. 23:4
9 הָפֵחַ בַּחוּרִים כֻּלָּם Is. 42:22
10 וְעַל סוֹד בַּחוּרִים יַחְדָּו Jer. 6:11
11 עוֹלָל מִחוּץ בַּחוּרִים מֵרְחֹבוֹת Jer. 9:20
12 בַּחוּרִים וְתִירוֹשׁ יְנוֹבֵב בְּתֻלוֹת Zech. 9:17
13 בַּחוּרִים וְגַם־בְּתוּלוֹת Ps. 148:12
14 תִּפְאֶרֶת בַּחוּרִים כֹּחָם Prov. 20:29
15 בַּחוּרִים טְחוֹן נָשָׂאוּ Lam. 5:13
16 זְקֵנִים מִשַּׁעַר... בַּחוּרִים מִנְּגִינָתָם Lam. 5:14
וּבַחוּרִים 17 וּבַחוּרִים כָּשׁוֹל יִכָּשֵׁלוּ Is. 40:30
18 וּבַחֻרִים וּזְקֵנִים יַחְדָּו Jer. 31:13(12)
הַבַּחוּרִים 19 כִּי כֵּן יַעֲשׂוּ הַבַּחוּרִים Jud. 14:10
20 הַבַּחוּרִים יָמֻתוּ בַחֶרֶב Jer. 11:22
21 לְבִלְתִּי־לֶכֶת אַחֲרֵי הַבַּחוּרִים Ruth 3:10

וְהַבַּחוּרִים 22 תִּתְעַלַּפְנָה...וְהַבַּחוּרִים בַּצָּמָא Am. 8:13
בַּחוּרֵי־ 23/4 בַּחוּרֵי חֶמֶד כֻּלָּם Ezek. 23:6,12
25 בַּחוּרֵי חֶמֶד פַּחוֹת וּסְגָנִים כֻּלָּם Ezek. 23:23
26 בַּחוּרֵי אָוֶן וּפִי־בֶסֶת Ezek. 30:17
וּבַחוּרֵי־ 27 וּבַחוּרֵי יִשְׂרָאֵל הִכְרִיעַ Ps. 78:31
בַּחוּרָי 28 קָרָא עָלַי מוֹעֵד לִשְׁבֹּר בַּחוּרָי Lam. 1:15
וּבַחוּרַי 29 בְּתוּלֹתַי וּבַחוּרַי הָלְכוּ בַשֶּׁבִי Lam. 1:18
30 בְּתוּלֹתַי וּבַחוּרַי נָפְלוּ בֶחָרֶב Lam. 2:21
בַּחוּרָיו 31 עַל־בַּחוּרָיו לֹא־יִשְׂמַח אֲדֹנָי Is. 9:16
32 וּמִבְחַר בַּחוּרָיו יָרְדוּ לַטָּבַח Jer. 48:15
33 בַּחוּרָיו אָכְלָה־אֵשׁ Ps. 78:63
וּבַחוּרָיו 34 וּבַחוּרָיו לָמַס יִהְיוּ Is. 31:8
בַּחוּרֶיהָ 35/6 לָכֵן יִפְּלוּ בַחוּרֶיהָ Jer. 49:26; 50:30
37 וְאַל־תַּחְמְלוּ אֶל־בַּחֻרֶיהָ Jer. 51:3
בַּחוּרֵיכֶם 38 וְאֶת־בַּחוּרֵיכֶם הַטּוֹבִים...יִקָּח ISh. 8:16
39 בַּחוּרֵיכֶם חֶזְיֹנוֹת יִרְאוּ Joel 3:1
40 הָרַגְתִּי בַחֶרֶב בַּחוּרֵיכֶם Am. 4:10
וּמִבַּחוּרֵיכֶם 41 וָאָקִים...וּמִבַּחוּרֵיכֶם לִנְזִרִים Am. 2:11
בַּחוּרֵיהֶם 42 בַּחוּרֵיהֶם מֻכֵּי־חֶרֶב בַּמִּלְחָמָה Jer. 18:21
43 וַיַּהֲרֹג בַּחוּרֵיהֶם בַּחֶרֶב IICh. 36:17
וּבַחוּרֵיהֶם 44 וּבַחֻרֵיהֶם בַּחֶרֶב תַּהֲרֹג IIK. 8:12

בָּחוּר² ת׳ עין בָּחַר

בְּחוּרוֹת נ״ר ימי הנוער: 1–2
קרובים: בְּחוּרִים / יַלְדוּת / נֹעַר / נְעוּרִים
בְּחוּרוֹתֶיךָ 1 וִיטִיבְךָ לִבְּךָ בִּימֵי בְחוּרוֹתֶךָ Eccl. 11:9
2 וּזְכֹר אֶת־בּוֹרְאֶיךָ בִּימֵי בְּחוּרֹתֶיךָ Eccl. 12:1

בְּחוּרִים ז״ר ימי הנוער
מִבְּחֻרָיו 1 יְהוֹשֻׁעַ...מְשָׁרֵת מֹשֶׁה מִבְּחֻרָיו Num. 11:28

בַּחוּרִים מקום במזרח הר הזיתים בירושלים
בַּחוּרִים 1 וַיֵּלֶךְ אִתָּהּ אִישָׁהּ...עַד־בַּחֻרִים IISh. 3:16
2 וּבָא הַמֶּלֶךְ דָּוִד עַד־בַּחוּרִים IISh. 16:5
בְּבַחוּרִים 3 וַיָּבֹאוּ אֶל־בֵּית־אִישׁ בְּבַחֻרִים IISh. 17:18
מִבַּחוּרִים 4 שִׁמְעִי בֶן־גֵּרָא...אֲשֶׁר מִבַּחוּרִים IISh. 19:17
5 שִׁמְעִי בֶן־גֵּרָא...מִבַּחֻרִים IK. 2:8

בָּחִיר ת׳ מי שנבחר (על־ידי ה׳)
בְּחִיר־ 1 בְּגִבְעַת שָׁאוּל בְּחִיר יְיָ IISh. 21:6
בְּחִירִי 2 הֵן עַבְדִּי...בְּחִירִי רָצְתָה נַפְשִׁי Is. 42:1
3 לְהַשְׁקוֹת עַמִּי בְחִירִי Is. 43:20
4 לְמַעַן עַבְדִּי יַעֲקֹב וְיִשְׂרָאֵל בְּחִירִי Is. 45:4
לִבְחִירִי 5 כָּרַתִּי בְרִית לִבְחִירִי Ps. 89:3
בְּחִירוֹ 6 לוּלֵי מֹשֶׁה בְחִירוֹ עָמַד בַּפֶּרֶץ Ps. 106:23
בְּחִירַי 7 וִירֵשׁוּהָ בְחִירַי וַעֲבָדַי יִשְׁכְּנוּ־שָׁמָּה Is. 65:9
בְּחִירָי 8 וּמַעֲשֵׂה יְדֵיהֶם יְבַלּוּ בְחִירָי Is. 65:22
לִבְחִירַי 9 וְהִנַּחְתֶּם שִׁמְכֶם לִשְׁבוּעָה לִבְחִירַי Is. 65:15
בְּחִירֶיךָ 10 לִרְאוֹת בְּטוֹבַת בְּחִירֶיךָ Ps. 106:5
בְּחִירָיו 11/2 בְּנֵי יַעֲקֹב בְּחִירָיו Ps. 105:6 • ICh. 16:13
13 וַיּוֹצִא...בְּרִנָּה אֶת־בְּחִירָיו Ps. 105:43

בחל : בָּחַל

בָּחַל פ׳ א) קָץ, מאס
ב) [פ׳ בָּחַל] רק בכתיב: עין בהל
בָּחֲלָה 1 וְגַם־נַפְשָׁם בָּחֲלָה בִי Zech. 11:8

בחן : בָּחַן, נִבְחַן; בֹּחַן, בַּחַן, בַּחוּן, בָּחוֹן

בָּחַן פ׳ א) בדק, נסה: 1–25
ב) [נפ׳ נִבְחַן] נחקר, נִסָּה: 26–28
בָּחַן אֱלֹהִים 9; בָּ׳ בְּנֵי־אָדָם 22; בָּ׳ דְּבָרִים 28; בָּ׳ דֶּרֶךְ 5; בָּ׳ זָהָב 1, 3; בָּ׳ כְּלָיוֹת 11, 12; בָּ׳ לֵב 4, 6, 11, 14–16; בָּ׳ מִלִּין 20, 21; בָּ׳ צַדִּיק 13, 19

כִּבְחֹן 1 וּבְחַנְתִּים כִּבְחֹן אֶת־הַזָּהָב Zech. 13:9
וּבְחַנְתִּים 2 לָכֵן...הִנְנִי צוֹרְפָם וּבְחַנְתִּים Jer. 9:6
3 וּבְחַנְתִּים כִּבְחֹן אֶת־הַזָּהָב Zech. 13:9
בָּחַנְתָּ 4 בָּחַנְתָּ לִבִּי פָּקַדְתָּ לַּיְלָה Ps. 17:3
וּבָחַנְתָּ 5 וְתֵדַע וּבָחַנְתָּ אֶת־דַּרְכָּם Jer. 6:27
6 תִּרְאֵנִי וּבָחַנְתָּ לִבִּי אִתָּךְ Jer. 12:3
בְּחַנְתָּנוּ 7 כִּי־בְחַנְתָּנוּ אֱלֹהִים צְרַפְתָּנוּ Ps. 66:10
בְּחָנַנִי 8 בְּחָנַנִי כַּזָּהָב אֵצֵא Job 23:10
בָּחֲנוּ 9 גַּם בָּחֲנוּ אֱלֹהִים וַיִּמָּלֵטוּ Mal. 3:15
בְּחָנוּנִי 10 אֲשֶׁר נִסּוּנִי אֲבוֹתֵיכֶם בְּחָנוּנִי Ps. 95:9
בֹּחֵן 11 שֹׁפֵט צֶדֶק בֹּחֵן כְּלָיוֹת וָלֵב Jer. 11:20
12 אֲנִי יְיָ חֹקֵר לֵב בֹּחֵן כְּלָיוֹת Jer. 17:10
13 בֹּחֵן צַדִּיק רֹאֶה כְלָיוֹת וָלֵב Jer. 20:12
14 כִּי אַתָּה בֹּחֵן לֵבָב ICh. 29:17
וּבֹחֵן 15 וּבֹחֵן לִבּוֹת וּכְלָיוֹת אֱלֹהִים Ps. 7:10
16 מַצְרֵף לַכֶּסֶף...וּבֹחֵן לִבּוֹת יְיָ Prov. 17:3
אֶבְחָנְךָ 17 אֶבְחָנְךָ עַל־מֵי מְרִיבָה Ps. 81:8
תִּבְחָנֶנּוּ 18 וַתִּפְקְדֶנּוּ לִבְקָרִים לִרְגָעִים תִּבְחָנֶנּוּ Job 7:18
יִבְחָן 19 יְיָ צַדִּיק יִבְחָן Ps. 11:5
תִּבְחָן 20 הֲלֹא־אֹזֶן מִלִּין תִּבְחָן Job 12:11
21 כִּי־אֹזֶן מִלִּין תִּבְחָן Job 34:3
יִבְחֲנוּ 22 עַפְעַפָּיו יִבְחֲנוּ בְּנֵי אָדָם Ps. 11:4
בְּחָנֵנִי 23 בְּחָנֵנִי יְיָ וְנַסֵּנִי צָרְפָה° כִלְיוֹתַי Ps. 26:2
24 בְּחָנֵנִי וְדַע שַׂרְעַפָּי Ps. 139:23
וּבְחָנוּנִי 25 וּבְחָנוּנִי נָא בָּזֹאת Mal. 3:10
יִבָּחֵן 26 אָבִי יִבָּחֵן אִיּוֹב עַד־נֶצַח Job 34:36
תִּבָּחֵנוּ 27 בְּזֹאת תִּבָּחֵנוּ...בְּבוֹא אֲחִיכֶם Gen. 42:15
וְיִבָּחֲנוּ 28 וְיִבָּחֲנוּ דִּבְרֵיכֶם הַאֱמֶת אִתְּכֶם Gen. 42:16

בֹּחַן ז׳ בחינה? מבצר? • אֶבֶן בֹּחַן 2
בֹּחַן 1 כִּי בֹחַן וּמָה אִם־גַּם־שֵׁבֶט מֹאֶסֶת לֹא יִהְיֶה Ezek. 21:18
2 הִנְנִי יִסַּד בְּצִיּוֹן אָבֶן אֶבֶן בֹּחַן Is. 28:16

בַּחַן ז׳ בַּחוּן, מגדל מבוצר
וָבַחַן 1 עֹפֶל וָבַחַן הָיָה בְעַד מְעָרוֹת Is. 32:14

בחר : בָּחַר, בָּחוּר, נִבְחַר; בָּחוּר², בְּחוּרוֹת, בְּחוּרִים, בָּחִיר, מִבְחָר; ש״פ יִבְחָר, בַּחוּרִים, בַּחֲרוּמִי

בָּחַר פ׳ א) ברר את הרצוי או את הטוב: רוב המקראות
ב) [בינוני פעול בָּחוּר] מובחר, מעולה: 76–95
ג) בָּחַן: 28
ד) [נפ׳ נִבְחַר] היה רצוי יותר: 166–172
ה) [פ׳ בָּחַר] רק בכתיב (קהלת ט 4) – עין חבר
בָּחַר (אֶת) 1, 7–9, 15, 16, 20–24, 26–28, 31–32, 35, 46, 47, 49, 52, 57, 63, 65–67, 70, 72, 98, 102–105, 107, 109, 110, 112, 120–135, 137–144, 148–152, 157–161, 164, 165
בָּחַר בְּ־ 2–6, 10–14, 17–19, 25, 29, 30, 34, 36–45, 48, 50, 51, 53–56, 58–62, 64, 68, 69, 71, 73, 75, 96, 97, 99–101, 108, 111, 114–119, 136, 145–147, 153, 155, 156; בָּחַר לְ־ 74; בָּחַר מִ־ 95, 113, 151, 154, 162, 163; בָּחַר עַל־ 33, 106
בָּחוּר וָטוֹב 80; בָּחוּר בְּיִשְׂרָאֵל 85; בָּחוּר כָּאֲרָזִים 84; בָּחוּר מְעַט 83; אִישׁ בָּחוּר 77–79; רֶכֶב בָּחוּר 76; חָרוּץ נִבְחָר 167; כֶּסֶף נִבְחָר 168, 169

וּבָחֹר 1 וּבָחֹר אֹתוֹ מִכָּל־שִׁבְטֵי יִשְׂרָאֵל ISh. 2:28
2/3 מָאוֹס בָּרָע וּבָחוֹר בַּטּוֹב Is. 7:15,16
בָּחֳרִי 4 בְּיוֹם בָּחֳרִי בְיִשְׂרָאֵל Ezek. 20:5
בָּחַרְתִּי 5 לֹא־בָחַרְתִּי בְעִיר... IK. 8:16
6 הָעִיר אֲשֶׁר בָּחַרְתִּי בָהּ IK. 11:12

בָּחַרְתִּי (המשך) 7 דָּוִד עַבְדִּי אֲשֶׁר בָּחַרְתִּי אֹתוֹ IK. 11:34
8/9 הָעִיר...אֲשֶׁר בָּחַרְתִּי IK. 11:36 • IIK. 23:27
10/1 וּבִירוּשָׁלִַם אֲשֶׁר בָּחַרְתִּי IIK. 21:7 • IICh. 33:7
12 וְיִשְׂרָאֵל בָּחַרְתִּי בוֹ Is. 44:1
13 וִישֻׁרוּן בָּחַרְתִּי בוֹ Is. 44:2
14 כִּי בְךָ בָחַרְתִּי Hag. 2:23
15 בָּחַרְתִּי הִסְתּוֹפֵף בְּבֵית אֱלֹהַי Ps. 84:11
16 אֶל־הַמָּקוֹם אֲשֶׁר בָּחַרְתִּי Neh. 1:9
17 כִּי בָחַרְתִּי בוֹ לִי לְבֵן ICh. 28:6
18 לֹא בָחַרְתִּי בְעִיר IICh. 6:5
19 וְלֹא־בָחַרְתִּי בְאִישׁ לִהְיוֹת נָגִיד IICh. 6:5
20 בָּחַרְתִּי וְהִקְדַּשְׁתִּי אֶת־הַבַּיִת הַזֶּה IICh. 7:16
בָּחָרְתִּי 21 וּלְמַעַן יְרוּשָׁלִַם אֲשֶׁר בָּחָרְתִּי IK. 11:13
22 וְעַבְדִּי אֲשֶׁר בָּחָרְתִּי Is. 43:10
23 דֶּרֶךְ־אֱמוּנָה בָחָרְתִּי Ps. 119:30
24 כִּי פִקּוּדֶיךָ בָחָרְתִּי Ps. 119:173
וּבָחַרְתִּי 25 וּבָחַרְתִּי בַּמָּקוֹם הַזֶּה לִי לְבֵית זָבַח IICh. 7:12
בְּחַרְתִּיךָ 26 יַעֲקֹב אֲשֶׁר בְּחַרְתִּיךָ Is. 41:8
27 בְּחַרְתִּיךָ וְלֹא מְאַסְתִּיךָ Is. 41:9
28 צְרַפְתִּיךָ...בְּחַרְתִּיךָ בְּכוּר עֹנִי Is. 48:10
בָּחַרְתָּ 29/30 הָעִיר אֲשֶׁר בָּחַרְתָּ בָּהּ IK. 8:44 • IICh. 6:34
31/2 הָעִיר אֲשֶׁר בָּחַרְתָּ IK. 8:48 • IICh. 6:38
33 כִּי־עַל־זֶה בָּחַרְתָּ מֵעֹנִי Job 36:21
34 אַתָּה הוּא...אֲשֶׁר בָּחַרְתָּ בְּאַבְרָם Neh. 9:7
בָּחָרְתָּ 35 וְעַבְדְּךָ בְּתוֹךְ עַמְּךָ אֲשֶׁר בָּחָרְתָּ IK. 3:8
וּבָחַרְתָּ 36 וּבָחַרְתָּ בַּחַיִּים לְמַעַן תִּחְיֶה Deut. 30:19
בָּחַר 37 בְּךָ בָּחַר יְיָ...לִהְיוֹת לוֹ לְעָם Deut. 7:6
38 וּבְךָ בָּחַר יְיָ לִהְיוֹת לוֹ לְעָם Deut. 14:2
39 כִּי בוֹ בָּחַר יְיָ אֱלֹהֶיךָ מִכָּל־שְׁבָטֶיךָ Deut. 18:5
40 כִּי בָם בָּחַר יְיָ אֱלֹהֶיךָ לְשָׁרְתוֹ Deut. 21:5
41 הַרְּאִיתֶם אֲשֶׁר בָּחַר־בּוֹ יְיָ ISh. 10:24
42/3 גַּם־בָּזֶה לֹא־בָחַר יְיָ ISh. 16:8,9
44 לֹא־בָחַר יְיָ בָּאֵלֶּה ISh. 16:10
45 אֲשֶׁר בָּחַר־בִּי מֵאָבִיךָ IISh. 6:21
46 לֹא כִּי אֲשֶׁר בָּחַר יְיָ IISh. 16:18
47 הָעִיר אֲשֶׁר־בָּחַר יְיָ IK. 14:21
48 הַמִּשְׁפָּחוֹת אֲשֶׁר בָּחַר יְיָ בָּהֶם Jer. 33:24
49 הָעָם בָּחַר לְנַחֲלָה לוֹ Ps. 33:12
50 אַהֲרֹן אֲשֶׁר בָּחַר־בּוֹ Ps. 105:26
51 כִּי־בָחַר יְיָ בְּצִיּוֹן Ps. 132:13
52 כִּי־יַעֲקֹב בָּחַר לוֹ יָהּ Ps. 135:4
53 בָם בָּחַר יְיָ לָשֵׂאת אֶת־אֲרוֹן יְיָ ICh. 15:2
54 כִּי בִיהוּדָה בָּחַר לְנָגִיד ICh. 28:4
55 רְאֵה עַתָּה כִּי־יְיָ בָּחַר בְּךָ ICh. 28:10
56 שְׁלֹמֹה בְנִי אֶחָד בָּחַר־בּוֹ אֱלֹהִים ICh. 29:1
57 הָעִיר אֲשֶׁר־בָּחַר יְיָ IICh. 12:13
58 כִּי־בָכֶם בָּחַר יְיָ לַעֲמֹד לְפָנָיו IICh. 29:11
בָּחָר 59 וּבְשֵׁבֶט אֶפְרַיִם לֹא בָחָר Ps. 78:67
וּבָחַר 60 וּבָחַר עוֹד בְּיִשְׂרָאֵל Is. 14:1
61/2 וּבָחַר עוֹד בִּירוּשָׁלִָם Zech. 1:17; 2:16
בְּחַרְתֶּם 63 כִּי־אַתֶּם בְּחַרְתֶּם לָכֶם אֶת־יְיָ Josh. 24:22
64 הָאֱלֹהִים אֲשֶׁר בְּחַרְתֶּם בָּם Jud. 10:14
65 מַלְכְּכֶם אֲשֶׁר בְּחַרְתֶּם לָכֶם ISh. 8:18
66 הַמֶּלֶךְ אֲשֶׁר בְּחַרְתֶּם אֲשֶׁר שְׁאֶלְתֶּם ISh. 12:13
67 וְתַחְפְּרוּ מֵהַגַּנּוֹת אֲשֶׁר בְּחַרְתֶּם Is. 1:29
68 וּבַאֲשֶׁר לֹא־חָפַצְתִּי בְּחַרְתֶּם Is. 65:12
בָּחֲרוּ 69 גַּם־הֵמָּה בָּחֲרוּ בְּדַרְכֵיהֶם Is. 66:3
בָּחָרוּ 70 וַיִּקְחוּ...מִכֹּל אֲשֶׁר בָּחָרוּ Gen. 6:2
71 וּבַאֲשֶׁר לֹא־חָפַצְתִּי בָּחָרוּ Is. 66:4
72 וְיִרְאַת יְיָ לֹא בָחָרוּ Prov. 1:29
וּבָחֲרוּ 73 וּבָחֲרוּ בַּאֲשֶׁר חָפָצְתִּי Is. 56:4
בֹּחֵר 74 כִּי־בֹחֵר אַתָּה לְבֶן־יִשַׁי ISh. 20:30

הַבּוֹחֵר 75 וַיִּגְעַר יְיָ בְּךָ הַבֹּחֵר בִּירוּשָׁלִָם Zech. 3:2
בָּחוּר 76 וַיִּקַּח שֵׁשׁ־מֵאוֹת רֶכֶב בָּחוּר Ex. 14:7
77/8 שְׁבַע מֵאוֹת אִישׁ בָּחוּר Jud. 20:15,16
79 עֲשֶׂרֶת אֲלָפִים אִישׁ בָּחוּר Jud. 20:34
80 וְלוֹ־הָיָה בֵן...בָּחוּר וָטוֹב ISh. 9:2
81/2 וּמִי בָחוּר אֵלֶיהָ אֶפְקֹד Jer. 49:19; 50:44
83 הֲרִימוֹתִי בָחוּר מֵעָם Ps. 89:20
84 מַרְאֵהוּ כַּלְּבָנוֹן בָּחוּר כָּאֲרָזִים S.ofS. 5:15
85 וַיִּבְחַר מִכָּל־בָּחוּר בְּיִשְׂרָאֵל ICh. 19:10
86-93 בָּחוּר ISh. 24:2 • ISh. 6:1
IK. 12:21 • IICh. 11:1; 13:3²,17; 25:5
בְּחוּרֵי 94 שְׁלֹשֶׁת־אֲלָפִים אִישׁ בְּחוּרֵי יִשְׂרָאֵל ISh. 26:2
95 וַיִּבְחַר מִכֹּל בְּחוּרֵי יִשְׂרָאֵל IISh. 10:9
אֶבְחַר 96 וְהָיָה הָאִישׁ אֲשֶׁר אֶבְחַר־בּוֹ Num. 17:20
97 גַּם־אֲנִי אֶבְחַר בְּתַעֲלֻלֵיהֶם Is. 66:4
98 אֶבְחַר דַּרְכָּם וְאֵשֵׁב רֹאשׁ Job 29:25
וָאֶבְחַר 99/100 וָאֶבְחַר בְּדָוִד לִהְיוֹת IK. 8:16 • IICh. 6:6
101 וָאֶבְחַר בִּירוּשָׁלִַם לִהְיוֹת שְׁמִי שָׁם IICh. 6:6
אֶבְחֲרָה 102 אֶבְחֲרָה־נָּא שְׁנֵים־עָשָׂר אֶלֶף אִישׁ IISh.17:1
103 אֶבְחֲרָה דְבָרַי עִמּוֹ Job 9:14
אֶבְחָרֵהוּ 104 הֲכָזֶה יִהְיֶה צוֹם אֶבְחָרֵהוּ Is. 58:5
105 הֲלוֹא זֶה צוֹם אֶבְחָרֵהוּ Is. 58:6
תִּבְחַר 106 וְכֹל אֲשֶׁר־תִּבְחַר עָלַי אֶעֱשֶׂה־לָּךְ IISh.19:39
107 אַשְׁרֵי תִּבְחַר וּתְקָרֵב... Ps. 65:5
108 וְאַל־תִּבְחַר בְּכָל־דְּרָכָיו Prov. 3:31
109 כִּי־אַתָּה תִבְחַר וְלֹא־אָנִי Job 34:33
וְתִבְחַר 110 וְתִבְחַר לְשׁוֹן עֲרוּמִים Job 15:5
יִבְחַר 111 וְאֵת אֲשֶׁר יִבְחַר־בּוֹ יַקְרִיב Num. 16:5
112 הָאִישׁ אֲשֶׁר־יִבְחַר יְיָ Num. 16:7
113 אֲשֶׁר־יִבְחַר...מִכָּל־שִׁבְטֵיכֶם Deut. 12:5
114-119 אֲשֶׁר־יִבְחַר יְיָ...בּוֹ Deut. 12:11,18
14:25; 16:7; 17:8,15
120-131 אֲשֶׁר־יִבְחַר יְיָ Deut. 12:14,21,26
14:24; 15:20; 16:2,6,11,15; 17:10; 18:6; 26:2
132 אֲשֶׁר־יִבְחַר לְשַׁכֵּן שְׁמוֹ שָׁם Deut. 14:23
133 אֲשֶׁר־יִבְחַר בְּאַחַד שְׁעָרֶיךָ Deut. 23:17
134 יִבְחַר אֱלֹהִים חֲדָשִׁים Jud. 5:8
135 כְּכֹל אֲשֶׁר־יִבְחַר אֲדֹנִי IISh. 15:15
136 תּוֹעֵבָה יִבְחַר בָּכֶם Is. 41:24
137 יִבְחַר־לָנוּ אֶת־נַחֲלָתֵנוּ Ps. 47:5
יִבְחָר 138/9 בַּמָּקוֹם אֲשֶׁר יִבְחָר Deut. 16:16; 31:11
140 אֶל־הַמָּקוֹם אֲשֶׁר יִבְחָר Josh. 9:27
141 עֵץ לֹא־יִרְקַב יִבְחָר Is. 40:20
142 יוֹרֶנּוּ בְּדֶרֶךְ יִבְחָר Ps. 25:12
וַיִּבְחַר 143 וַיִּבְחַר...אֵת כָּל־כִּכַּר הַיַּרְדֵּן Gen. 13:11
144 וַיִּבְחַר מֹשֶׁה אַנְשֵׁי־חַיִל Ex. 18:25
145 וַיִּבְחַר בְּזַרְעוֹ אַחֲרָיו Deut. 4:37
146 חָשַׁק יְיָ בָּכֶם וַיִּבְחַר בָּכֶם Deut. 7:7
147 וַיִּבְחַר בְּזַרְעָם אַחֲרֵיהֶם Deut. 10:15
148 וַיִּבְחַר יְהוֹשֻׁעַ שְׁלֹשִׁים אֶלֶף אִישׁ Josh. 8:3
149 וַיִּבְחַר־לוֹ שָׁאוּל שְׁלֹשֶׁת אֲלָפִים ISh. 13:2
150 וַיִּבְחַר לוֹ חֲמִשָּׁה חַלֻּקֵי אֲבָנִים ISh. 17:40
151 וַיִּבְחַר מִכֹּל בְּחוּרֵי יִשְׂרָאֵל IISh. 10:9
152 וַיִּבְחַר אֶת־שֵׁבֶט יְהוּדָה Ps. 78:68
153 וַיִּבְחַר בְּדָוִד עַבְדּוֹ Ps. 78:70
154 וַיִּבְחַר מִכָּל בָּחוּר בְּיִשְׂרָאֵל ICh. 19:10
155 וַיִּבְחַר יְיָ אֱלֹהֵי יִשְׂרָאֵל בִּי ICh. 28:4
156 וַיִּבְחַר בִּשְׁלֹמֹה בְנִי ICh. 28:5
וַיִּבְחָרֶךָּ 157 לְמַעַן...קְדֹשׁ יִשְׂרָאֵל וַיִּבְחָרֶךָּ Is. 49:7
וַתִּבְחַר 158 וַתִּבְחַר מַחֲנָק נַפְשִׁי Job 7:15
נִבְחֲרָה 159 מִשְׁפָּט נִבְחֲרָה־לָּנוּ Job 34:4
וְיִבְחֲרוּ 160 וְיִבְחֲרוּ לָהֶם הַפָּר הָאֶחָד IK. 18:23

בְּחַר 161 בְּחַר־לָנוּ אֲנָשִׁים וְצֵא הִלָּחֵם Ex. 17:9
162 בְּחַר־לְךָ אַחַת מֵהֶם IISh. 24:12
163 בְּחַר־לְךָ אַחַת מֵהֵנָּה ICh. 21:10
בַּחֲרוּ 164 בַּחֲרוּ לָכֶם הַיּוֹם... Josh. 24:15
165 בַּחֲרוּ לָכֶם הַפָּר הָאֶחָד IK. 18:25
וְנִבְחַר 166 וְנִבְחַר מָוֶת מֵחַיִּים Jer. 8:3
נִבְחָר 167 וְדַעַת מֵחָרוּץ נִבְחָר Prov. 8:10
168 וּתְבוּאָתִי מִכֶּסֶף נִבְחָר Prov. 8:19
169 כֶּסֶף נִבְחָר לְשׁוֹן צַדִּיק Prov. 10:20
170 וּקְנוֹת בִּינָה נִבְחָר מִכָּסֶף Prov. 16:16
171 עֲשֹׂה צְדָקָה...נִבְחָר לַיְיָ מִזָּבַח Prov. 21:3
172 נִבְחָר שֵׁם מֵעֹשֶׁר רָב Prov. 22:1

בְּחֻרִים
עַיֵּן בַּחוּרִים

בַּחֻרִים
עַיֵּן בַּחוּרִים

בַּחֲרוּמִי
ת׳ הַמִּתְיַחֵס לִמְקוֹם בַּחוּרִים
בַּחֲרוּמִי 1 עַזְמָוֶת הַבַּחֲרוּמִי ICh. 11:33

בטא, בטה
: בָּטָה; בִּטֵּא; מִבְטָא
בּוֹטֶה 1 יֵשׁ בּוֹטֶה כְּמַדְקְרוֹת חָרֶב Prov. 12:18
לְבַטֵּא 2 כִּי תִשָּׁבַע לְבַטֵּא בִשְׂפָתַיִם Lev. 5:4
יְבַטֵּא 3 לְכֹל אֲשֶׁר יְבַטֵּא הָאָדָם Lev. 5:4
וַיְבַטֵּא 4 כִּי־הִמְרוּ...וַיְבַטֵּא בִּשְׂפָתָיו Ps. 106:33

בָּטֻוחַ
ת׳ עַיֵּן בָּטַח

בטח
: בָּטַח, בָּטוּחַ, הִבְטִיחַ; בֶּטַח, בִּטְחָה, בִּטָּחוֹן, בַּטֻּחוֹת, מִבְטָח; ש״פ בֶּטַח

בָּטַח
פ׳ א) נִשְׁעַן, סָמַךְ עַל־: רוֹב הַמִּקְרָאוֹת 1–115
ב) הָיָה שָׁלֵו וְשַׁאֲנָן: 22, 23, 24, 30, 37, 42, 46, 52, 55–57, 73, 76, 79, 93, 94
ג) [הִפ׳ הִבְטִיחַ] שִׁדֵּל שֶׁיִּסְמְכוּ עָלָיו: 116–120
בָּטַח בְּ־ 2–7, 9–13, 15, 20, 21, 27–29, 31, 34, 36, 38–41, 43–51, 53, 54, 58, 60, 62, 63, 65, 69, 70, 72, 73, 77–82, 84, 87–92, 95, 97–99, 102, 103, 105–108, 111–114; בָּטַח אֶל־ 14, 32, 33, 35, 61, 83, 96, 109, 115; בָּטַח עַל־ 1, 8, 16–19, 25, 26, 59, 64, 66–68, 71, 85, 86, 100, 101, 104, 110
הִבְטִיחַ אֶת־... עַל־ 116, 117, 120; הִבְטִיחַ אֶת־... אֶל־ 118, 119

בָּטוּחַ 1 בָּטוֹחַ עַל־תֹּהוּ וְדַבֶּר־שָׁוְא Is. 59:4
מִבְּטֹחַ 2 טוֹב לַחֲסוֹת בַּיְיָ מִבְּטֹחַ בָּאָדָם Ps. 118:8
3 טוֹב לַחֲסוֹת בַּיְיָ מִבְּטֹחַ בִּנְדִיבִים Ps. 118:9
בִּטְחֵךְ 4 יַעַן בִּטְחֵךְ בְּמַעֲשַׂיִךְ וּבְאוֹצְרוֹתַיִךְ Jer. 48:7
בָּטַחְתִּי 5 וַאֲנִי בְּחַסְדְּךָ בָטַחְתִּי Ps. 13:6
6 בְּךָ בָטַחְתִּי אַל־אֵבוֹשָׁה Ps. 25:2
7 וּבַיְיָ בָּטַחְתִּי לֹא אֶמְעָד Ps. 26:1
8 וַאֲנִי עָלֶיךָ בָטַחְתִּי יְיָ Ps. 31:15
9 אִישׁ שְׁלוֹמִי אֲשֶׁר־בָּטַחְתִּי בוֹ Ps. 41:10
10 בָּטַחְתִּי בְחֶסֶד־אֱלֹהִים Ps. 52:10
11/2 בֵּאלֹהִים בָּטַחְתִּי לֹא אִירָא Ps. 56:5,12
13 כִּי־בָטַחְתִּי בִּדְבָרֶךָ Ps. 119:42
בָּטָחְתִּי 14 וַאֲנִי אֶל־יְיָ בָּטָחְתִּי Ps. 31:7
15 הַשְׁמִיעֵנִי...כִּי־בְךָ בָטָחְתִּי Ps. 143:8
בָּטַחְתָּ 16/7 עַל־מִי בָטַחְתָּ IIK. 18:20 • Is. 36:5
18/9 בָטַחְתָּ (לְּךָ) עַל־מִשְׁעֶנֶת IIK. 18:21 • Is. 36:6
20 כִּי־בָטַחְתָּ בִּי נְאֻם־יְיָ Jer. 39:18
21 כִּי־בָטַחְתָּ בְדַרְכְּךָ בְּרֹב גִּבּוֹרֶיךָ Hosh.10:13
בָּטָחְתָּ 22/3 מָה הַבִּטָּחוֹן הַזֶּה אֲשֶׁר בָּטָחְתָּ IIK. 18:19
Is. 36:4

וּבָטַחְתָּ 24 וּבָטַחְתָּ כִּי־יֵשׁ תִּקְוָה Job 11:18
בָּטַח 25 וְהוּא־בָטַח עַל־צִדְקָתוֹ Ezek. 33:13
26 כִּי בָטַח יֹצֵר יִצְרוֹ עָלָיו Hab. 2:18
27 בּוֹ בָטַח לִבִּי וְנֶעֱזָרְתִּי Ps. 28:7
28 בָּטַח בָּהּ לֵב בַּעְלָהּ Prov. 31:1
בָּטָח 29 בַּיְיָ אֱלֹהֵי־יִשְׂרָאֵל בָּטָח IIK. 18:5
30 בֹּשׁוּ כִּי־בָטָח Job 6:20
בָּטָחָה 31 בַּיְיָ לֹא בָטָחָה Zep. 3:2
בָּטָחְנוּ 32/3 אֶל־יְיָ אֱלֹהֵינוּ בָּטָחְנוּ IIK. 18:22 • Is. 36:7
34 כִּי בְשֵׁם קָדְשׁוֹ בָטָחְנוּ Ps. 33:21
בָּטְחוּ 35 כִּי בָטְחוּ אֶל־הָאָרֶב Jud. 20:36
36 בְּךָ בָּטְחוּ אֲבֹתֵינוּ Ps. 22:5
37 בָּטְחוּ וַתְּפַלְּטֵמוֹ Ps. 22:5
38 בְּךָ בָטְחוּ וְלֹא־בוֹשׁוּ Ps. 22:6
39 וְלֹא בָטְחוּ בִּישׁוּעָתוֹ Ps. 78:22
40 וְנַעְתּוֹר לָהֶם כִּי־בָטְחוּ בוֹ ICh. 5:20
בּוֹטֵחַ 41 חֹמֹתֶיךָ...אֲשֶׁר אַתָּה בֹּטֵחַ בָּהֵן Deut. 28:52
42 כְּבֹאֲכֶם תָּבֹאוּ אֶל־עַם בֹּטֵחַ Jud. 18:10
43 אֱלֹהֶיךָ אֲשֶׁר אַתָּה בֹּטֵחַ בּוֹ IIK. 19:10
44 אֱלֹהֶיךָ אֲשֶׁר אַתָּה בּוֹטֵחַ בּוֹ Is. 37:10
45 עָרֵי מִבְצָרֶיךָ...אַתָּה בּוֹטֵחַ בָּהֵנָּה Jer. 5:17
46 וּבְאֶרֶץ שָׁלוֹם אַתָּה בוֹטֵחַ... Jer. 12:5
47 כִּי־הַמֶּלֶךְ בֹּטֵחַ בַּיְיָ Ps. 21:8
48 בְּזֹאת אֲנִי בוֹטֵחַ Ps. 27:3
49 אַשְׁרֵי אָדָם בֹּטֵחַ בָּךְ Ps. 84:13
50/1 כֹּל אֲשֶׁר־בֹּטֵחַ בָּהֶם Ps. 115:8; 135:18
52 וְשֹׂנֵא תֹקְעִים בּוֹטֵחַ Prov. 11:15
53 בּוֹטֵחַ בְּעָשְׁרוֹ הוּא יִפֹּל Prov. 11:28
54 בּוֹטֵחַ בְּלִבּוֹ הוּא כְסִיל Prov. 28:26
וּבוֹטֵחַ 55 כְּמִשְׁפַּט צִדֹנִים שֹׁקֵט וּבֹטֵחַ Jud. 18:7
56 וַיָּבֹאוּ...עַל־עַם שֹׁקֵט וּבֹטֵחַ Jud. 18:27
57 וּכְסִיל מִתְעַבֵּר וּבוֹטֵחַ Prov. 14:16
58 וּבוֹטֵחַ בַּיְיָ אַשְׁרָיו Prov. 16:20
59 וּבֹטֵחַ עַל־יְיָ יְדֻשָּׁן Prov. 28:25
60 וּבוֹטֵחַ בַּיְיָ יְשֻׂגָּב Prov. 29:25
הַבּוֹטֵחַ 61 הוֹשַׁע עַבְדְּךָ...הַבּוֹטֵחַ אֵלֶיךָ Ps. 86:2
וְהַבּוֹטֵחַ 62 וְהַבּוֹטֵחַ בַּיְיָ חֶסֶד יְסוֹבְבֶנּוּ Ps. 32:10
הַבּוֹטְחָה 63 הַבֹּטְחָה בְּאֹצְרֹתֶיהָ מִי יָבוֹא אֵלָי Jer. 49:4
בּוֹטְחִים 64 אַתֶּם בֹּטְחִים לָכֶם עַל...הַשָּׁקֶר Jer. 7:8
65 לַבַּיִת...אֲשֶׁר אַתֶּם בֹּטְחִים בּוֹ Jer. 7:14
66 עַל־מָה אַתֶּם בֹּטְחִים IICh. 32:10
הַבּוֹטְחִים 67/8 לְכָל־הַבֹּטְחִים עָלָיו IIK. 18:21 • Is. 36:6
69 יֵבֹשׁוּ בֹשֶׁת הַבֹּטְחִים בַּפָּסֶל Is. 42:17
70 וְעַל־פַּרְעֹה וְעַל הַבֹּטְחִים בּוֹ Jer. 46:25
71 הַבֹּטְחִים עַל־חֵילָם Ps. 49:7
72 הַבֹּטְחִים בַּיְיָ...לֹא־יִמּוֹט Ps. 125:1
וְהַבּוֹטְחִים 73 הַשַּׁאֲנַנִּים...וְהַבֹּטְחִים בְּהַר שֹׁמְרוֹן Am. 6:1
בּוֹטְחוֹת 74 בָּנוֹת בֹּטְחוֹת הַאְזֵנָּה אִמְרָתִי Is. 32:9
75 יָמִים עַל־שָׁנָה תִּרְגַּזְנָה בֹּטְחוֹת Is. 32:10
76 חִרְדוּ שַׁאֲנַנּוֹת רְגָזָה בֹּטְחוֹת Is. 32:11
בָּטוּחַ 77 שָׁלוֹם שָׁלוֹם כִּי בְךָ בָּטוּחַ Is. 26:3
78 נָכוֹן לִבּוֹ בָּטֻחַ בַּיְיָ Ps. 112:7
אֶבְטַח 79 אֵל יְשׁוּעָתִי אֶבְטַח וְלֹא אֶפְחָד Is. 12:2
80 וַאֲנִי אֶבְטַח־בָּךְ Ps. 55:24
81 אֹמַר לַיְיָ...אֱלֹהַי אֶבְטַח־בּוֹ Ps. 91:2
אֶבְטָח 82 כִּי לֹא בְקַשְׁתִּי אֶבְטָח Ps. 44:7
83 יוֹם אִירָא אֲנִי אֵלֶיךָ אֶבְטָח Ps. 56:4
הֲתִבְטַח 84 הֲתִבְטַח־בּוֹ כִּי־רַב כֹּחוֹ Job 39:11
וַתִּבְטַח 85/6 וַתִּבְטַח לְךָ עַל־מִצְרַיִם IIK. 18:24 • Is. 36:9
וַתִּבְטְחִי 87 וַתִּבְטְחִי בְרָעָתֵךְ... Is. 47:10
88 אֲשֶׁר שָׁכַחַתְּ אוֹתִי וַתִּבְטְחִי בַּשָּׁקֶר Jer. 13:25
89 וַתִּבְטְחִי בְיָפְיֵךְ וַתִּזְנִי עַל־שְׁמֵךְ Ezek. 16:15

יִבְטַח 90 יִבְטַח בְּשֵׁם יְיָ וְיִשָּׁעֵן בֵּאלֹהָיו Is. 50:10
91 אָרוּר הַגֶּבֶר אֲשֶׁר יִבְטַח בָּאָדָם Jer. 17:5
92 בָּרוּךְ הַגֶּבֶר אֲשֶׁר יִבְטַח בַּייָ Jer. 17:7
93 יִבְטַח כִּי־יָגִיחַ יַרְדֵּן אֶל־פִּיהוּ Job 40:23
יִבְטָח 94 וְצַדִּיקִים כִּכְפִיר יִבְטָח Prov. 28:1
וַיִּבְטַח 95 וַיִּבְטַח בְּרֹב עָשְׁרוֹ יָעֹז בְּהַוָּתוֹ Ps. 52:9
תִּבְטְחוּ 96 אַל־תִּבְטְחוּ לָכֶם אֶל־דִּבְרֵי הַשֶּׁקֶר Jer. 7:4
97 אַל־תִּבְטְחוּ בְּאַלּוּף Mic. 7:5
98 אַל־תִּבְטְחוּ בְעֹשֶׁק וּבְגָזֵל Ps. 62:11
99 אַל־תִּבְטְחוּ בִנְדִיבִים Ps. 146:3
תִּבְטָחוּ 100 וְעַל־כָּל־אָח אַל־תִּבְטָחוּ Jer. 9:3
101 וְאַלְמְנוֹתֶיךָ עָלַי תִּבְטָחוּ Jer. 49:11
וַתִּבְטְחוּ 102 וַתִּבְטְחוּ בְּעֹשֶׁק וְנָלוֹז Is. 30:12
וַיִּבְטְחוּ 103 וַיִּבְטְחוּ־בוֹ בַּעֲלֵי שְׁכֶם Jud. 9:26
104 וַיִּבְטְחוּ עַל־רֶכֶב כִּי רָב Is. 31:1
וְיִבְטְחוּ 105 וְיִבְטְחוּ בְךָ יוֹדְעֵי שְׁמֶךָ Ps. 9:11
106 וְיִירְאוּ וְיִבְטְחוּ בַּייָ Ps. 40:4
בְּטַח 107 בְּטַח בַּייָ וַעֲשֵׂה־טוֹב Ps. 37:3
108 יִשְׂרָאֵל בְּטַח בַּייָ Ps. 115:9
109 בְּטַח אֶל־יְיָ בְּכָל־לִבֶּךָ Prov. 3:5
וּבְטַח 110 וּבְטַח עָלָיו וְהוּא יַעֲשֶׂה Ps. 37:5
בִּטְחוּ 111 בִּטְחוּ בַיְיָ עֲדֵי־עַד Is. 26:4
112 בִּטְחוּ בוֹ בְכָל־עֵת Ps. 62:9
113 בֵּית אַהֲרֹן בִּטְחוּ בַיְיָ Ps. 115:10
114 יִרְאֵי יְיָ בִּטְחוּ בַיְיָ Ps. 115:11
וּבִטְחוּ 115 זִבְחוּ זִבְחֵי־צֶדֶק וּבִטְחוּ אֶל־יְיָ Ps. 4:6
הִבְטַחְתָּ 116 הִבְטַחְתָּ אֶת־הָעָם הַזֶּה עַל־שָׁקֶר Jer. 28:15
מַבְטִיחִי 117 מַבְטִיחִי עַל־שְׁדֵי אִמִּי Ps. 22:10
יַבְטַח 118/9 וְאַל־יַבְטַח אֶתְכֶם חִזְקִיָּהוּ אֶל־יְיָ
IIK. 18:30 • Is. 36:15
וַיַּבְטַח 120 וַיַּבְטַח אֶתְכֶם עַל־שָׁקֶר Jer. 29:31

בֶּטַח[1]

ז׳ א) שלוָה, חוסר פחד: 10
ב) [תה״פ] במצב של בטחון: 1–9
ג) [לָבֶטַח] כנ״ל: 11–42

בָּא בֶּטַח 1; הֶחֱרִיד בֶּ׳ 6; הָיָה בֶּ׳ 4; הָלַךְ בֶּ׳ 9; יָשַׁב בֶּ׳ 2, 5; עָבַר בֶּ׳ 7; שָׁכַן בֶּ׳ 3, 8; הַשְׁקֵט וָבֶטַח 10;
הוֹשִׁיב לָבֶטַח 33, 37; הָיָה לָבֶ׳ 35; הָלַךְ לָבֶ׳ 40; הִנְחָה לָבֶ׳ 39; הִשְׁכִּיב לָבֶ׳ 36; יָשַׁב לָבֶ׳ 11–29; נָתַן לָבֶ׳ 42; רָבַץ לָבֶ׳ 31; שָׁכַב לָבֶ׳ 41; שָׁכַן לָבֶטַח 30, 32, 34, 38

בֶּטַח 1 וַיָּבֹאוּ עַל־הָעִיר בֶּטַח Gen. 34:25
2 וְהֵנִיחַ לָכֶם...וִישַׁבְתֶּם־בֶּטַח Deut. 12:10
3 וַיִּשְׁכֹּן יִשְׂרָאֵל בֶּטַח Deut. 33:28
4 וְהַמַּחֲנֶה הָיָה בֶטַח Jud. 8:11
5 וַיַּצֵּל אֶתְכֶם...וַתֵּשְׁבוּ בֶּטַח ISh. 12:11
6 לְהַחֲרִיד אֶת־כּוּשׁ בֶּטַח Ezek. 30:9
7 מֵעֹבְרִים בֶּטַח שׁוּבֵי מִלְחָמָה Mic. 2:8
8 וְשֹׁמֵעַ לִי יִשְׁכָּן־בֶּטַח Prov. 1:33
9 הוֹלֵךְ בַּתֹּם יֵלֶךְ בֶּטַח Prov. 10:9
וָבֶטַח 10 הַשְׁקֵט וָבֶטַח עַד־עוֹלָם Is. 32:17
לָבֶטַח 11 וִישַׁבְתֶּם עַל־הָאָרֶץ לָבֶטַח Lev. 25:18
12 וִישַׁבְתֶּם לָבֶטַח עָלֶיהָ Lev. 25:19
13–29 וִישַׁבְתֶּם (יָשַׁב, יוֹשֵׁב, יֵשֵׁב וכו׳) לָבֶטַח
Lev. 26:5 • Jud. 18:7 • IK. 5:5 • Is. 47:8 • Jer. 49:31 • Ezek. 28:26²; 34:25,28; 38:8,11,14; 39:6,26 • Zep. 2:15 • Zech. 14:11 • Prov. 3:29
30 יְדִיד יְיָ יִשְׁכֹּן לָבֶטַח עָלָיו Deut. 33:12
31 וְאֶבְיוֹנִים לָבֶטַח יִרְבָּצוּ Is. 14:30

לָבֶטַח (המשך) 32 וְיִשְׂרָאֵל יִשְׁכֹּן לָבֶטַח Jer. 23:6
33 וַהֲשִׁבֹתִים...וְהֹשַׁבְתִּים לָבֶטַח Jer. 32:37
34 וִירוּשָׁלַם תִּשְׁכּוֹן לָבֶטַח Jer. 33:16
35 וְהָיוּ עַל־אַדְמָתָם לָבֶטַח Ezek. 34:27
36 וְהִשְׁכַּבְתִּים לָבֶטַח Hosh. 2:20
37 אַתָּה יְיָ לְבָדָד לָבֶטַח תּוֹשִׁיבֵנִי Ps. 4:9
38 אַף־בְּשָׂרִי יִשְׁכֹּן לָבֶטַח Ps. 16:9
39 וַיַּנְחֵם לָבֶטַח וְלֹא פָחָדוּ Ps. 78:53
40 אָז תֵּלֵךְ לָבֶטַח דַּרְכֶּךָ Prov. 3:23
41 וְחָפַרְתָּ לָבֶטַח תִּשְׁכָּב Job 11:18
42 יִתֶּן־לוֹ לָבֶטַח וְיִשָּׁעֵן Job 24:23

בֶּטַח[2]

נוסח אחר של שם העיר טֶבַח או טִבְחַת
וּמִבֶּטַח 1 וּמִבֶּטַח וּמִבֵּרֹתַי עָרֵי הֲדַדְעָזֶר IISh. 8:8

בִּטְחָה

נ׳ בטחון, חוסר פחד
וּבְבִטְחָה 1 בְּהַשְׁקֵט וּבְבִטְחָה תִּהְיֶה גְּבוּרַתְכֶם Is. 30:15

בִּטָּחוֹן

ז׳ בטחה
בִּטָּחוֹן 1 אֶל כָּל־הַחַיִּים יֵשׁ בִּטָּחוֹן Eccl. 9:4
הַבִּטָּחוֹן 2-3 מָה הַבִּטָּחוֹן הַזֶּה אֲשֶׁר בָּטָחְתָּ IIK. 18:19
Is. 36:4

בַּטֻּחוֹת

נ״ר בטחון(?)
וּבַטֻּחוֹת 1 יִשְׁלָיוּ אֹהָלִים לְשֹׁדְדִים וּבַטֻּחוֹת לְמַרְגִּיזֵי אֵל Job 12:6

בטל

: בָּטֵל; ארמית: בְּטֵל, בַּטֵּל

בָּטֵל

פ׳ פסק, שבת
וּבָטְלוּ 1 וּבָטְלוּ הַטֹּחֲנוֹת כִּי מִעֵטוּ Eccl. 12:3

בְּטֵל

פ׳ ארמית: א) בְּטֵל, פסק: 1–2
ב) [פ׳ בַּטֵּל] בִּטֵּל, הפיר: 3–6

בְּטֵלַת 1 בֵּאדַיִן בְּטֵלַת עֲבִידַת בֵּית־אֱלָהָא Ez. 4:24
בָּטְלָא 2 וַהֲוָת בָּטְלָא עַד שְׁנַת תַּרְתֵּין Ez. 4:24
בַּטִּלוּ 3 וְלָא־בַטִּלוּ הִמּוֹ Ez. 5:5
וּבַטִּלוּ 4 וּבַטִּלוּ הִמּוֹ בְּאֶדְרָע וְחָיִל Ez. 4:23
לְבַטָּלָא 5 שִׂימוּ טְעֵם לְבַטָּלָא גֻּבְרַיָּא אִלֵּךְ Ez. 4:21
6 אָסְפַּרְנָא...דִּי־לָא לְבַטָּלָא Ez. 6:8

בֶּטֶן[1]

נ׳ א) כָּרֵס: 1, 5–8, 13, 27, 38, 42–44, 51, 53–55, 57–65, 69, 71, 72
ב) רֶחֶם האשה: 2–4, 9, 11, 12, 14–26, 28, 29, 31–33, 35–37, 39–41, 45–50, 52, 56, 66–68, 70
ג) (בהשאלה) פְּנִים, תָּוֶךְ: 30, 34
ד) בליטה או כותרת בבנין: 10

בֶּטֶן מְלֵאָה 13; בֶּ׳ צָבָה 54; בֶּ׳ אִמּוֹ 28,29,31-33, 35,36; בֶּ׳ רְשָׁעִים 27; בֶּ׳ שְׁאוֹל 30; דַּלְתֵי בֶטֶן 40; חַדְרֵי בֶ׳ 5–8; פְּרִי בֶ׳ 2, 4, 12, 37, 45-50, 52; בֶּן בִּטְנָהּ 66; בַּר בִּ׳ 39; בְּנֵי בִטְנוֹ 41; מַחֲמַדֵּי בִ׳ 70; רוּחַ בִּ׳ 42; שְׂרִירֵי בִטְנוֹ 60; הֶאֱכִיל בִּטְנוֹ 51; הִצְבָּה בִ׳ 1; מִלֵּא בִ׳ 59, 71; צָבְתָה בִ׳ 54, 65; רָגְזָה בִ׳ 38; שָׂבְעָה בִ׳ 57

בֶּטֶן 1 לַצְבּוֹת בֶּטֶן וְלַנְפִּל יָרֵךְ Num. 5:22
2 וּפְרִי־בֶטֶן לֹא יְרַחֵמוּ Is. 13:18
3 הָעֲמֻסִים מִנִּי־בֶטֶן Is. 46:3
בָּטֶן 4 אֲשֶׁר־מָנַע מִמֵּךְ פְּרִי־בָטֶן Gen. 30:2
5/6 וְהֵם יָרְדוּ חַדְרֵי־בָטֶן Prov. 18:8; 26:22
7 נֵר יְיָ...חֹפֵשׂ כָּל־חַדְרֵי־בָטֶן Prov. 20:27
8 חַבֻּרוֹת...וּמַכּוֹת חַדְרֵי־בָטֶן Prov. 20:30
הַבֶּטֶן 9 מִן הַבֶּטֶן עַד־יוֹם מוֹתוֹ Jud. 13:7
10 וְכֹתָרֹת...גַּם־מִמַּעַל מִלְּעֻמַּת הַבֶּטֶן IK. 7:20
הַבָּטֶן 11 כִּי־נְזִיר אֱלֹהִים...מִן־הַבָּטֶן Jud. 13:5
12 נַחֲלַת יְיָ בָּנִים שָׂכָר פְּרִי הַבָּטֶן Ps. 127:3

בְּבֶטֶן 13 כַּעֲצָמִים בְּבֶטֶן הַמְּלֵאָה Eccl. 11:5
בַּבֶּטֶן 14 בְּטֶרֶם אֶצָּרְךָ בַבֶּטֶן יְדַעְתִּיךָ Jer. 1:5
15 בַּבֶּטֶן עָקַב אֶת־אָחִיו Hosh. 12:4
16 הֲלֹא־בַבֶּטֶן עֹשֵׂנִי עָשָׂהוּ Job 31:15
מִבֶּטֶן 17 וְיֹצֶרְךָ מִבֶּטֶן יַעְזְרֶךָּ Is. 44:2
18 וּפֹשֵׁעַ מִבֶּטֶן קֹרָא לָךְ Is. 48:8
19 יְיָ מִבֶּטֶן קְרָאָנִי Is. 49:1
20 יֹצְרִי מִבֶּטֶן לְעֶבֶד לוֹ Is. 49:5
21 תָּעוּ מִבֶּטֶן דֹּבְרֵי כָזָב Ps. 58:4
22 לָמָּה לֹּא...מִבֶּטֶן יָצָאתִי וְאֶגְוָע Job 3:11
23 מִבֶּטֶן לַקֶּבֶר אוּבָל Job 10:19
מִבָּטֶן 24 יְיָ גֹּאֲלֶךָ וְיֹצֶרְךָ מִבָּטֶן Is. 44:24
25 כִּי־אַתָּה גֹחִי מִבָּטֶן Ps. 22:10
וּמִבֶּטֶן 26 מִלֵּדָה וּמִבֶּטֶן וּמֵהֵרָיוֹן Hosh. 9:11
וּבֶטֶן־ 27 וּבֶטֶן רְשָׁעִים תֶּחְסָר Prov. 13:25
בְּבֶטֶן־ 28 תְּסֻכֵּנִי בְּבֶטֶן אִמִּי Ps. 139:13
מִבֶּטֶן־ 29 נְזִיר אֱלֹהִים אֲנִי מִבֶּטֶן אִמִּי Jud. 16:17
30 מִבֶּטֶן שְׁאוֹל שִׁוַּעְתִּי Jon. 2:3
31 מִבֶּטֶן אִמִּי אֵלִי אָתָּה Ps. 22:11
32 עָלֶיךָ נִסְמַכְתִּי מִבֶּטֶן אִמִּי Ps. 71:6
33 עָרֹם יָצָתִי מִבֶּטֶן אִמִּי Job 1:21
34 מִבֶּטֶן מִי יָצָא הַקָּרַח Job 38:29
35 כַּאֲשֶׁר יָצָא מִבֶּטֶן אִמּוֹ Eccl. 5:14
וּמִבֶּטֶן־ 36 וּמִבֶּטֶן אִמִּי אַנְחֶנָּה Job 31:18
בִּטְנִי 37 הַאֶתֵּן...פְּרִי בִטְנִי חַטַּאת נַפְשִׁי Mic. 6:7
38 שָׁמַעְתִּי וַתִּרְגַּז בִּטְנִי Hab. 3:16
39 מַה־בְּרִי וּמֶה־בַּר־בִּטְנִי Prov. 31:2
40 כִּי לֹא סָגַר דַּלְתֵי בִטְנִי Job 3:10
41 וְחַנֹּתִי לִבְנֵי בִטְנִי Job 19:17
42 הֱצִיקַתְנִי רוּחַ בִּטְנִי Job 32:18
43 הִנֵּה־בִטְנִי כְּיַיִן לֹא־יִפָּתֵחַ Job 32:19
וּבִטְנִי 44 עָשְׁשָׁה בְכַעַס עֵינִי נַפְשִׁי וּבִטְנִי Ps. 31:10
בִּטְנְךָ 45 וּבֵרַךְ פְּרִי־בִטְנְךָ וּפְרִי־אַדְמָתֶךָ Deut. 7:13
46 בָּרוּךְ פְּרִי־בִטְנְךָ וּפְרִי אַדְמָתְךָ Deut. 28:4
47/8 בִּפְרִי בִטְנְךָ וּבִפְרִי בְהֶמְ׳ Deut.28:11;30:9
49 אָרוּר פְּרִי־בִטְנְךָ וּפְרִי אַדְמָתֶךָ Deut. 28:18
50 וְאָכַלְתָּ פְרִי־בִטְנְךָ בְּשַׂר בָּנֶיךָ Deut. 28:53
51 בִּטְנְךָ תַאֲכֵל וּמֵעֶיךָ תְמַלֵּא Ezek. 3:3
52 מִפְּרִי בִטְנְךָ אָשִׁית לְכִסֵּא־לָךְ Ps. 132:11
בְּבִטְנֶךָ 53 כִּי־נָעִים כִּי־תִשְׁמְרֵם בְּבִטְנֶךָ Prov. 22:18
בִּטְנֵךְ 54 יְרֵכֵךְ נֹפֶלֶת וְאֶת־בִּטְנֵךְ צָבָה Num. 5:21
55 בִּטְנֵךְ עֲרֵמַת חִטִּים סוּגָה בַּשּׁוֹשַׁנִּים S.ofS. 7:3
בְּבִטְנֵךְ 56 שְׁנֵי גוֹיִם בְּבִטְנֵךְ Gen. 25:23
בִּטְנוֹ 57 מִפְּרִי פִי־אִישׁ תִּשְׂבַּע בִּטְנוֹ Prov. 18:20
58 וִימַלֵּא קָדִים בִּטְנוֹ Job 15:2
59 יְהִי לְמַלֵּא בִטְנוֹ Job 20:23
60 וְאוֹנוֹ בִּשְׁרִירֵי בִטְנוֹ Job 40:16
בְּבִטְנוֹ 61 וַיִּקָּחֶהָ אֶת־הַחֶרֶב...וַיִּתְקָעֶהָ בְּבִטְנוֹ Jud. 3:21
62 כִּי לֹא־יָדַע שָׁלֵו בְּבִטְנוֹ Job 20:20
מִבִּטְנוֹ 63 כִּי לֹא שָׁלַף הַחֶרֶב מִבִּטְנוֹ Jud. 3:22
64 מִבִּטְנוֹ יֹרִשֶׁנּוּ אֵל Job 20:15
בִּטְנָהּ 65 וְצָבְתָה בִטְנָהּ וְנָפְלָה יְרֵכָהּ Num. 5:27
66 הֲתִשְׁכַּח...מֵרַחֵם בֶּן־בִּטְנָהּ Is. 49:15
בְּבִטְנָהּ 67 וְהִנֵּה תוֹמִם בְּבִטְנָהּ Gen. 25:24
68 וְהִנֵּה תְאוֹמִים בְּבִטְנָהּ Gen. 38:27
בִּטְנֵנוּ 69 דָּבְקָה לָאָרֶץ בִּטְנֵנוּ Ps. 44:26
בִּטְנָם 70 וְהֵמַתִּי מַחֲמַדֵּי בִטְנָם Hosh. 9:16
71 וּצְפוּנְךָ תְּמַלֵּא בִטְנָם Ps. 17:14
וּבִטְנָם 72 הָרֹה עָמָל...וּבִטְנָם תָּכִין מִרְמָה Job 15:35

בֶּטֶן[2]

עיר בנחלת אשר
וָבֶטֶן 1 חֶלְקַת וַחֲלִי וָבֶטֶן וְאַכְשָׁף Josh. 19:25

בָּטְנִים
עיר בנחלת גד

וּבְטֹנִים 1 עַד־רָמַת הַמִּצְפֶּה וּבְטֹנִים Josh. 13:26

בָּטְנִים
ז״ר פֵּרוֹת העץ Pistacia

בָּטְנִים 1 מְעַט צֳרִי...בָּטְנִים וּשְׁקֵדִים Gen. 43:11

בִּי
מ״ק בבקשה • קרובים: אַחֲלֵי / אָנָּא / נָא

בִּי 1 וַיֹּאמְרוּ בִּי אֲדֹנִי יָרֹד יָרַדְנוּ Gen. 43:20
2 בִּי אֲדֹנִי יְדַבֶּר־נָא עַבְדְּךָ Gen. 44:18
3-7 בִּי אֲדֹנִי Num. 12:11
Jud. 6:13 • ISh. 1:26 • IK. 3:17,26
8 בִּי אֲדֹנָי לֹא אִישׁ דְּבָרִים אָנֹכִי Ex. 4:10
9-12 בִּי אֲדֹנָי* Ex. 4:13 • Josh. 7:8 • Jud. 6:15; 13:8

בִּיאָה
נ׳ מבוא, כניסה(?)

בַּבִּיאָה 1 וְהִנֵּה...סֵמֶל הַקִּנְאָה הַזֶּה בַּבִּאָה Ezek. 8:5

בין
: בָּן, נָבוֹן, בּוֹנֵן, הִתְבּוֹנֵן, הֵבִין; בַּיִן, בִּינָה, בֵּינַיִם, תְּבוּנָה; ש״פ בּוּנָה, יָבִין

(בין) בָּן
פָּ״א) הבחין, השיג בשכלו: 1–65
ב) [נִפ׳ נָבוֹן] היה חכם: 66–87
ג) [פִּ׳ בּוֹנֵן] הסתכל, שם לב ל־: 88
ד) [הת׳ הִתְבּוֹנֵן] שם לב, הסתכל: 89-110
ה) [הִפ׳ הֵבִין] הבחין, השיג בשכלו: 111–119, 121–147, 155, 160–162, 169, 170
ו) [כנ״ל] הורה, למד: 120, 148-154, 156-159, 163-168, 171

בִּין (אֶת) 1,2, 16-27, 29-34, 39,40, 53-56, 61-65; בִּין בְּ־ 3, 4, 12, 14, 15, 59, 60; בִּין לְ־ 5,7,8,11,28,35,45,49; בִּין אֶל־ 52; בִּין עַל־ 37/8, 41; הֵבִין (אֶת) 114/5, 117/8, 120-122, 124/5, 128/9, 142, 149, 150, 154, 156/7, 163-170; הֵבִין בְּ־ 123, 126, 141, 145, 161/2; הֵבִין לְ־ 151, 158, 159, 171; הֵבִין אֶל־ 143; הִתְבּוֹנֵן (אֶת) 91/2, 95/6, 105-108; הִתְבּ׳ בְּ־ 100, 103/4; הִתְבּ׳ אֶל־ 99, 106; הִתְבּ׳ עַד־ 89, 98; הִתְבּוֹנֵן עַל־ 90, 94; נָבוֹן דָּבָר 81; נ׳ לַחַשׁ 82; לֵב נָבוֹן 75,77; חָכָם וְנָבוֹן 68,77,85; בִּינַת נְבוֹנִים 87; אָדָם מֵבִין 130; בֵּן מ׳ 131; דַּל מ׳ 132; מְבִינֵי מַדָּע 153

בִּין 1 בִּין תָּבִין אֶת־אֲשֶׁר לְפָנֶיךָ Prov. 23:1
וּבִין 2 וּבִין* אֶת־הַדָּבָר Dan. 10:1
וּבִינָה 3 וּבִינָה* לוֹ בַּמַּרְאֶה Dan. 10:1
בִּינֹתִי 4 אֲנִי דָּנִיֵּאל בִּינֹתִי בַּסְּפָרִים Dan. 9:2
בַּנְתָּה 5 בַּנְתָּה לְרֵעִי מֵרָחוֹק Ps. 139:2
בָּנִים 6 אָבְדָה עֵצָה מִבָּנִים Jer. 49:7
אָבִין 7 וְיַחֲלֹף וְלֹא־אָבִין לוֹ Job 9:11
8 וְאָחוֹר וְלֹא־אָבִין לוֹ Job 23:8
9 לָכֵן הִגַּדְתִּי וְלֹא אָבִין Job 42:3
10 וַאֲנִי שָׁמַעְתִּי וְלֹא אָבִין Dan. 12:8
אָבִינָה 11 אָבִינָה לְאַחֲרִיתָם Ps. 73:17
12 וָאֵרֶא בַפְּתָאיִם אָבִינָה בַבָּנִים Prov. 7:7
וְאָבִינָה 13 וְאָבִינָה מַה־יֹּאמַר לִי Job 23:5
וָאָבִינָה 14 וָאָבִינָה בָעָם וּבַכֹּהֲנִים Ez. 8:15
15 וָאָבִינָה בָרָעָה אֲשֶׁר עָשָׂה Neh. 13:7
תָּבִין 16 אָז תָּבִין יִרְאַת יְיָ Prov. 2:5
17 אָז תָּבִין צֶדֶק וּמִשְׁפָּט Prov. 2:9
18 בִּין תָּבִין אֶת־אֲשֶׁר לְפָנֶיךָ Prov. 23:1
19 תָּבִין וְלֹא־עִמָּנוּ הוּא Job 15:9
20 וְכִי תָבִין נְתִיבוֹת בֵּיתוֹ Job 38:20
יָבִין 21 וּבְאָזְנָיו יִשְׁמַע וּלְבָבוֹ יָבִין Is. 6:10
22 וּלְבַב נִמְהָרִים יָבִין לָדָעַת Is. 32:4
23 וְעָם לֹא־יָבִין יִלָּבֵט Hosh. 4:14
24 שְׁגִיאוֹת מִי־יָבִין Ps. 19:13
25 אָדָם בִּיקָר וְלֹא יָבִין Ps. 49:21
26 וּכְסִיל לֹא־יָבִין אֶת־זֹאת Ps. 92:7
27 וְלֹא־יָבִין אֱלֹהֵי יַעֲקֹב Ps. 94:7
28 וְעָרוּם יָבִין לַאֲשֻׁרוֹ Prov. 14:15

* לדעת אחרים הוא צווי

יָבִין (המשך) 29 וְהוֹכִיחַ לְנָבוֹן יָבִין דָּעַת Prov. 19:25
30 וְאָדָם מַה־יָּבִין דַּרְכּוֹ Prov. 20:24
30א וְיָשָׁר הוּא יָבִין (כת׳ יכין) דַּרְכּוֹ Prov. 21:29
31 הֲלֹא־תֹכֵן לִבּוֹת הוּא־יָבִין Prov. 24:12
32 רָשָׁע לֹא־יָבִין דָּעַת Prov. 29:7
33 כִּי־יָבִין וְאֵין מַעֲנֶה Prov. 29:19
34 אִם־חִכִּי לֹא־יָבִין הַוּוֹת Job 6:30
35 וְיִצְעֲרוּ וְלֹא־יָבִין לָמוֹ Job 14:21
36 אַף אִם־יָבִין מִפְרְשֵׂי־עָב Job 36:29
37 וְעַל־אֱלֹהֵי אֲבֹתָיו לֹא יָבִין Dan. 11:37
38 וְעַל־כָּל־אֱלוֹהַּ לֹא יָבִין Dan. 11:37
וְיָבֵן 39 מִי־הָאִישׁ הֶחָכָם וְיָבֵן אֶת־זֹאת Jer. 9:11
40 מִי חָכָם וְיָבֵן אֵלֶּה Hosh. 14:10
41 וְיָבֵן עַל־עֹזְבֵי בְּרִית קֹדֶשׁ Dan. 11:30
וַיָּבֶן 42 וַיָּבֶן עֵלִי כִּי יְיָ קֹרֵא לַנָּעַר ISh. 3:8
43 וַיָּבֶן דָּוִד כִּי מֵת הַיָּלֶד IISh. 12:19
44 וַיָּבֶן וַיִּפְרֹץ מִכָּל־בָּנָיו IICh. 11:23
וַתָּבֶן 45 שָׁמְעָה אָזְנִי וַתָּבֶן לָהּ Job 13:1
תָּבִינוּ 46 שִׁמְעוּ שָׁמוֹעַ וְאַל־תָּבִינוּ Is. 6:9
47 תָּבִינוּ וְאַחַר נְדַבֵּר Job 18:2
וְתָבִינוּ 48 וְתָבִינוּ כִּי־אֲנִי הוּא Is. 43:10
יָבִינוּ 49 לוּ חָכְמוּ...יָבִינוּ לְאַחֲרִיתָם Deut. 32:29
50/1 לֹא יָדְעוּ וְלֹא יָבִינוּ Is. 44:18 • Ps. 82:5
52 כִּי לֹא יָבִינוּ אֶל־פְּעֻלֹּת יְיָ Ps. 28:5
53 בְּטֶרֶם יָבִינוּ סִּירֹתֵיכֶם אָטָד Ps. 58:10
54 אַנְשֵׁי־רָע לֹא־יָבִינוּ מִשְׁפָּט Prov. 28:5
55 וּמְבַקְשֵׁי יְיָ יָבִינוּ כֹל Prov. 28:5
56 וּזְקֵנִים יָבִינוּ מִשְׁפָּט Job 32:9
57 וְלֹא יָבִינוּ כָּל־רְשָׁעִים Dan. 12:10
58 וְהַמַּשְׂכִּלִים יָבִינוּ Dan. 12:10
וַיָּבִינוּ 59 וְשׂוֹם שֶׂכֶל וַיָּבִינוּ בַּמִּקְרָא Neh. 8:8
וּבִין 60 וּבִין בַּדָּבָר וְהָבֵן בַּמַּרְאֶה Dan. 9:23
בִּינָה 61 אֲמָרַי הַאֲזִינָה יְיָ בִּינָה הֲגִיגִי Ps. 5:2
62 וְאִם־בִּינָה שִׁמְעָה־זֹּאת Job 34:16
בִּינוּ 63 בִּינוּ שְׁנוֹת דֹּר־וָדֹר Deut. 32:7
64 בִּינוּ־נָא זֹאת שֹׁכְחֵי אֱלוֹהַּ Ps. 50:22
65 בִּינוּ בֹּעֲרִים בָּעָם Ps. 94:8
נְבֻנוֹתִי 66 וּבְחָכְמָתִי כִּי נְבֻנוֹתִי Is. 10:13
נָבוֹן 67 יֵרֶא פַרְעֹה אִישׁ נָבוֹן וְחָכָם Gen. 41:33
68 אֵין־נָבוֹן וְחָכָם כָּמוֹךָ Gen. 41:39
69 מִי חָכָם וְיָבֵן אֵלֶּה נָבוֹן וְיֵדָעֵם Hosh. 14:10
70 בְּשִׂפְתֵי נָבוֹן תִּמָּצֵא חָכְמָה Prov. 10:13
71 בְּלֵב נָבוֹן תָּנוּחַ חָכְמָה Prov. 14:33
72 לֵב נָבוֹן יְבַקֶּשׁ־דָּעַת Prov. 15:14
73 לַחֲכַם־לֵב יִקָּרֵא נָבוֹן Prov. 16:21
74 אֹטֵם שְׂפָתָיו נָבוֹן Prov. 17:28
75 לֵב נָבוֹן יִקְנֶה־דָּעַת Prov. 18:15
וְנָבוֹן 76 עַם־חָכָם וְנָבוֹן הַגּוֹי...הַזֶּה Deut. 4:6
77 נָתַתִּי לְךָ לֵב חָכָם וְנָבוֹן IK. 3:12
78 וְנָבוֹן תַּחְבֻּלוֹת יִקְנֶה Prov. 1:5
לְנָבוֹן 79 וְדַעַת לְנָבוֹן נָקָל Prov. 14:6
80 וְהוֹכִיחַ לְנָבוֹן יָבִין דָּעַת Prov. 19:25
וּנְבוֹן־ 81 וּנְבוֹן דָּבָר וְאִישׁ תֹּאַר ISh. 16:18
82 וַחֲכַם חֲרָשִׁים וּנְבוֹן לָחַשׁ Is. 3:3
נְבֹנִים 83 וְנֶגֶד פְּנֵיהֶם נְבֹנִים Is. 5:21
84 סְכָלִים הֵמָּה וְלֹא נְבוֹנִים Jer. 4:22
85 הָבוּ לָכֶם אֲנָשִׁים חֲכָמִים וּנְבֹנִים Deut. 1:13
לַנְּבֹנִים 86 וְגַם לֹא לַנְּבֹנִים עֹשֶׁר Eccl. 9:11
נְבֹנָיו 87 וּבִינַת נְבֹנָיו תִּסְתַּתָּר Is. 29:14
יְבוֹנְנֵהוּ 88 יְסֹבְבֶנְהוּ יְבוֹנְנֵהוּ יִצְּרֶנְהוּ Deut. 32:10
הִתְבֹּנַנְתָּ 89 הִתְבֹּנַנְתָּ עַד־רַחֲבֵי־אָרֶץ Job 38:18
וְהִתְבּוֹנַנְתָּ 90 וְהִתְבּוֹנַנְתָּ עַל־מְקוֹמוֹ וְאֵינֶנּוּ Ps. 37:10

הִתְבּוֹנָן 91 יִשְׂרָאֵל לֹא יָדַע עַמִּי לֹא הִתְבּוֹנָן Is. 1:3
הִתְבּוֹנָנוּ 92 וַאֲשֶׁר לֹא־שָׁמְעוּ הִתְבּוֹנָנוּ Is. 52:15
אֶתְבּוֹנֵן 93 אֶתְבּוֹנֵן וְאֶפְחַד מִמֶּנּוּ Job 23:15
94 וּמָה אֶתְבּוֹנֵן עַל־בְּתוּלָה Job 31:1
אֶתְבּוֹנָן 95 עֵדֹתֶיךָ אֶתְבּוֹנָן Ps. 119:95
96 מִזְּקֵנִים אֶתְבּוֹנָן Ps. 119:100
97 מִפִּקּוּדֶיךָ אֶתְבּוֹנָן Ps. 119:104
98 וְעָדֵיכֶם אֶתְבּוֹנָן וְהִנֵּה... Job 32:2
וָאֶתְבּוֹנֵן 99 וָאֶתְבּוֹנֵן אֵלָיו בַּבֹּקֶר וְהִנֵּה... IK. 3:21
וַתִּתְבֹּנֶן 100 עָמַדְתִּי וַתִּתְבֹּנֶן בִּי Job 30:20
יִתְבּוֹנָן 101 וַיַּרְא־אָוֶן וְלֹא יִתְבּוֹנָן Job 11:11
102 וְרַעַם גְּבוּרֹתָו מִי יִתְבּוֹנָן Job 26:14
תִּתְבּוֹנְנוּ 103/4 בְּאַחֲרִית הַיָּמִים תִּתְבּוֹנְנוּ בָהּ Jer.23:20; 30:24
תִּתְבֹּנָנוּ 105 וְקַדְמֹנִיּוֹת אַל־תִּתְבֹּנָנוּ Is. 43:18
יִתְבֹּנָנוּ 106 אֵלֶיךָ יַשְׁגִּיחוּ אֵלֶיךָ יִתְבֹּנָנוּ Is. 14:16
וְיִתְבּוֹנְנוּ 107 וְיִתְבּוֹנְנוּ חַסְדֵי יְיָ Ps. 107:43
וְהִתְבּוֹנֵן 108 עֲמֹד וְהִתְבּוֹנֵן נִפְלְאוֹת אֵל Job 37:14
הִתְבּוֹנְנוּ 109 הִתְבּוֹנְנוּ וְקִרְאוּ לַמְקוֹנְנוֹת Jer. 9:16
וְהִתְבּוֹנְנוּ 110 וְקֵדָר שִׁלְחוּ וְהִתְבּוֹנְנוּ מְאֹד Jer. 2:10
הָבִין 111 וְשָׁאַלְתָּ לְּךָ הָבִין לִשְׁמֹעַ מִשְׁפָּט IK. 3:11
112 וְהָיָה רַק־זְוָעָה הָבִין שְׁמוּעָה Is. 28:19
113 וְהֵמָּה רֹעִים לֹא יָדְעוּ הָבִין Is. 56:11
114 כְּסוּס כְּפֶרֶד אֵין הָבִין Ps. 32:9
115 חָכְמַת עָרוּם הָבִין דַּרְכּוֹ Prov. 14:8
לְהָבִין 116 לְהָבִין בֵּין־טוֹב לְרָע IK. 3:9
117 לְהָבִין אִמְרֵי בִינָה Prov. 1:2
118 לְהָבִין מָשָׁל וּמְלִיצָה Prov. 1:6
119 אֲשֶׁר נָתַתָּ אֶת־לִבְּךָ לְהָבִין Dan. 10:12
לַהֲבִינְךָ 120 וּבָאתִי לַהֲבִינְךָ אֵת אֲשֶׁר־יִקְרָה Dan. 10:14
הֵבִין 121 וְיֵצֶר אָמַר לְיֹצְרוֹ לֹא הֵבִין Is. 29:16
122 אֱלֹהִים הֵבִין דַּרְכָּהּ Job 28:23
123 וְדָנִיֵּאל הֵבִין בְּכָל־חָזוֹן Dan. 1:17
הֲבִינוֹתֶם 124 הֲלוֹא הֲבִינוֹתֶם מוֹסְדוֹת הָאָרֶץ Is. 40:21
הֵבִינוּ 125 לֹא יָדְעוּ...וְלֹא הֵבִינוּ עֲצָתוֹ Mic. 4:12
126 כִּי הֵבִינוּ בַּדְּבָרִים Neh. 8:12
מֵבִין 127 וְאַנְשֵׁי־חֶסֶד נֶאֱסָפִים בְּאֵין מֵבִין Is. 57:1
128 פֵּתַח־דְּבָרֶיךָ יָאִיר מֵבִין פְּתָיִים Ps. 119:130
129 אֶת־פְּנֵי מֵבִין חָכְמָה Prov. 17:24
130 וּבְאָדָם מֵבִין יֹדֵעַ כֵּן יַאֲרִיךְ Prov. 28:2
131 נוֹצֵר תּוֹרָה בֵּן מֵבִין Prov. 28:7
132 וְדַל מֵבִין יַחְקְרֶנּוּ Prov. 28:11
133 וַאֲנִי הָיִיתִי מֵבִין וְהִנֵּה... Dan. 8:5
134 וָאֶשְׁתּוֹמֵם עַל־הַמַּרְאֶה וְאֵין מֵבִין Dan. 8:27
135 לִפְנֵי הַקָּהָל...וְכֹל מֵבִין לִשְׁמֹעַ Neh. 8:2
136 כֹּל יוֹדֵעַ מֵבִין Neh. 10:29
137 יָסֹר בַּמַּשָּׂא כִּי מֵבִין הוּא ICh. 15:22
138 לְעֻמַּת...מֵבִין עִם־תַּלְמִיד ICh. 25:8
139 אִישׁ־מֵבִין וְסוֹפֵר הוּא ICh. 27:32
140 וְכָל־יֵצֶר מַחֲשָׁבוֹת מֵבִין ICh. 28:9
141 כָּל־מֵבִין בִּכְלֵי־שִׁיר IICh. 34:12
וּמֵבִין 142 מֶלֶךְ עַז־פָּנִים וּמֵבִין חִידוֹת Dan. 8:23
הַמֵּבִין 143 הַמֵּבִין אֶל־כָּל־מַעֲשֵׂיהֶם Ps. 33:15
144 כָּל־הַמֵּבִין מָאתַיִם שְׁמוֹנִים ICh. 25:7
145 הַמֵּבִין בִּרְאֹת הָאֱלֹהִים IICh. 26:5
בְּמֵבִין 146 תֵּחַת גְּעָרָה בְמֵבִין Prov. 17:10
147 כֻּלָּם נְכֹחִים לַמֵּבִין Prov. 8:9
מְבִינִים 148 וּלְיוֹיָרִיב וּלְאֶלְנָתָן מְבִינִים Ez. 8:16
149 וְהַלְוִיִּם מְבִינִים אֶת־הָעָם Neh. 3:7
הַמְּבִינִים 150 וְהַלְוִיִּם הַמְּבִינִים אֶת־הָעָם Neh. 8:9
151 לַלְוִיִּם הַמְּבִינִים לְכָל־יִשְׂרָאֵל IICh. 35:3
וְהַמְּבִינִים 152 הָאֲנָשִׁים וְהַנָּשִׁים וְהַמְּבִינִים Neh. 8:3
וּמְבִינֵי 153 וְיֹדְעֵי דַעַת וּמְבִינֵי מַדָּע Dan. 1:4

יָבִין 154 וְאֶת־מִי יָבִין שְׁמוּעָה Is. 28:9
וַיָּבֶן 155 וַיָּבֶן וַיְדַבֵּר עִמִּי Dan. 9:22
וַיְבִינֵהוּ 156 אֶת־מִי נוֹעָץ וַיְבִינֵהוּ Is. 40:14
תְּבִינֵם 157 וְנִשְׁמַת שַׁדַּי תְּבִינֵם Job 32:8
יָבִינוּ 158 וּמַשְׂכִּילֵי עָם יָבִינוּ לָרַבִּים Dan. 11:33
הָבֵן 159 הָבֵן לְהַלָּז אֶת־הַמַּרְאֶה Dan. 8:16
160 וַיֹּאמֶר אֵלַי הָבֵן בֶּן־אָדָם Dan. 8:17
161 אִישׁ־חֲמֻדוֹת הָבֵן בַּדְּבָרִים Dan. 10:11
וְהָבֵן 162 וּבִין בַּדָּבָר וְהָבֵן בַּמַּרְאֶה Dan. 9:23
הֲבִינֵנִי 163 דֶּרֶךְ־פִּקּוּדֶיךָ הֲבִינֵנִי Ps. 119:27
164 הֲבִינֵנִי וְאֶצְּרָה תוֹרָתֶךָ Ps. 119:34
165 הֲבִינֵנִי וְאֶלְמְדָה מִצְוֹתֶיךָ Ps. 119:73
166 עַבְדְּךָ־אָנִי הֲבִינֵנִי Ps. 119:125
167 הֲבִינֵנִי וְאֶחְיֶה Ps. 119:144
168 כִּדְבָרְךָ הֲבִינֵנִי Ps. 119:169
הָבִינוּ 169 הָבִינוּ פְתָאִים עָרְמָה Prov. 8:5
170 וּכְסִילִים הָבִינוּ לֵב Prov. 8:5
171 וּמַה־שָּׁגִיתִי הָבִינוּ לִי Job 6:24

בֵּין מ״י א) באמצע, בתוך, בקרב: רוב המקראות 1—73, 169—276, 287—305, 368—403
ב) [בֵּין... לְ..., בֵּין... וּבֵין...] על־פי־רוב במשמע הבדלה או הבחנה או תווך בין שנַים: 74—168, 277—286, 306—384; או לציון שִׁויוֹן, כזה כן זה: 95
בֵּין...לְ־ 74—97, 277—280; בֵּין...וְלַ־ 98; בֵּין... וּבֵין 99—168, 281—286, רוב המקראות 306—384; בֵּין לְבֵין 288; אֶל בֵּין 28, 29; עַל־בֵּין 27; בְּבֵין 287; לְבֵין 288; מִבֵּין 289—305; בֵּינוֹת הַ־ 392; בֵּינוֹת לְ־ 393; מִבֵּינוֹת לְ־ 394—397; בֵּין הַמְּצָרִים 34; בֵּין הָעַרְבַּיִם 4-14

בֵּין 1 אֲשֶׁר עָבַר בֵּין הַגְּזָרִים הָאֵלֶּה Gen. 15:17
2 וְיוֹכִיחוּ בֵּין שְׁנֵינוּ Gen. 31:37
3 רֹבֵץ בֵּין הַמִּשְׁפְּתָיִם Gen. 49:14
4 וְשָׁחֲטוּ אֹתוֹ...בֵּין הָעַרְבָּיִם Ex. 12:6
5-14 בֵּין הָעַרְבָּיִם Ex. 16:12; 29:39,41; 30:8
Lev. 23:5 • Num. 9:3,5,11; 28:4,8
15 וּלְזִכָּרוֹן בֵּין עֵינֶיךָ Ex. 13:9
16 וּלְטוֹטָפֹת בֵּין עֵינֶיךָ Ex. 13:16
17 שְׁבֻעַת יְיָ תִּהְיֶה בֵּין שְׁנֵיהֶם Ex. 22:10
18 הַבָּשָׂר עוֹדֶנּוּ בֵּין שִׁנֵּיהֶם Num. 11:33
19 וְהָיוּ לְטֹטָפֹת בֵּין עֵינֶיךָ Deut. 6:8
20 וְהָיוּ לְטוֹטָפֹת בֵּין עֵינֵיכֶם Deut. 11:18
21 כִּי־יִהְיֶה רִיב בֵּין אֲנָשִׁים Deut. 25:1
22 מִקּוֹל מְחַצְצִים בֵּין מַשְׁאַבִּים Jud. 5:11
23 לָמָּה יָשַׁבְתָּ בֵּין הַמִּשְׁפְּתַיִם Jud. 5:16
24 וַיַּפְרִדוּ בֵּין שְׁנֵיהֶם IIK. 2:11
25 וְשָׁפַט בֵּין הַגּוֹיִם Is. 2:4
26 לְבִיָּא בֵּין אֲרָיוֹת רָבָצָה Ezek. 19:2
27 וַתִּגְבַּהּ קוֹמָתוֹ עַל־בֵּין עֲבֹתִים Ezek. 19:11
28 וַיִּתֵּן צַמַּרְתּוֹ אֶל־בֵּין עֲבוֹתִים Ezek. 31:10
29 ...צַמַּרְתָּם אֶל־בֵּין עֲבֹתִים Ezek. 31:14
30 וַעֲצַת שָׁלוֹם תִּהְיֶה בֵּין שְׁנֵיהֶם Zech. 6:13
31 כְּשׁוֹשַׁנָּה בֵּין הַחוֹחִים S.ofS. 2:2
32 כֵּן רַעְיָתִי בֵּין הַבָּנוֹת S.ofS. 2:2
33 כְּתַפּוּחַ...כֵּן דּוֹדִי בֵּין הַבָּנִים S.ofS. 2:3
34 הִשִּׂיגוּהָ בֵּין הַמְּצָרִים Lam. 1:3
35 מְפֻזָּר וּמְפֹרָד בֵּין הָעַמִּים Es. 3:8
36-73 בֵּין Deut. 1:16; 14:1 • Jud. 5:27[2]
15:4; 16:25 • ISh. 17:6 • IISh. 18:24 • IK. 7:28,29; 18:42 • IIK. 9:24; 25:4 • Is. 22:11 • Jer. 34:18,19; 39:4; 52:7 • Ezek. 1:13 • Hosh. 13:15 • Mic. 4:3 • Ob. 4 • Zech. 1:10,11; 3:7; 13:6 • Ps. 68:14; 104:10

בֵּין (המשך) • Prov. 6:19; 26:13 • Job 24:11; 30:7; 40:30 • S.ofS. 1:13 • Ruth 2:15 • Dan. 8:5,16,21

בֵּין...לְ... 74 וִיהִי מַבְדִּיל בֵּין מַיִם לָמָיִם Gen. 1:6
75 בֵּין־הַבְּהֵמָה הַטְּהֹרָה לַטְּמֵאָה Lev. 20:25
76 לֹא יְבַקֵּר בֵּין־טוֹב לָרַע Lev. 27:33
77 תֵּחָלֵק...בֵּין רַב לִמְעָט Num. 26:56
78/9 בֵּין אִישׁ לְאִשְׁתּוֹ בֵּין־אָב לְבִתּוֹ Num. 30:17
80 כִּי יִפָּלֵא מִמְּךָ...בֵּין־דָּם לְדָם Deut. 17:8
81 בֵּין־דִּין לְדִין Deut. 17:8
82 הַאֵדַע בֵּין־טוֹב לְרָע IISh. 19:36
83 לְהָבִין בֵּין־טוֹב לְרָע IK. 3:9
84 מִשְׁפַּט אֱמֶת יַעֲשֶׂה בֵּין אִישׁ לְאִישׁ Ezek. 18:8
85 בֵּין־קֹדֶשׁ לְחֹל לֹא הִבְדִּילוּ Ezek. 22:26
86 הִנְנִי שֹׁפֵט בֵּין־שֶׂה לָשֶׂה Ezek. 34:17
87 וְשָׁפַטְתִּי בֵּין־שֶׂה לָשֶׂה Ezek. 34:22
88 וְתִמֹרָה בֵּין־כְּרוּב לִכְרוּב Ezek. 41:18
89 לְהַבְדִּיל בֵּין הַקֹּדֶשׁ לְחֹל Ezek. 42:20
90 וְאֶת־עַמִּי יוֹרוּ בֵּין קֹדֶשׁ לְחֹל Ezek. 44:23
91 לֹא־יָדַע בֵּין־יְמִינוֹ לִשְׂמֹאלוֹ Jon. 4:11
92 וְשַׁבְתֶּם וּרְאִיתֶם בֵּין צַדִּיק לְרָשָׁע Mal. 3:18
93 בֵּין עֹבֵד אֱלֹהִים לַאֲשֶׁר לֹא עֲבָדוֹ Mal. 3:18
94 בֵּין יַמִּים לְהַר־צְבִי־קֹדֶשׁ Dan. 11:45
95 אֵין־עִמְּךָ לַעְזוֹר בֵּין רַב לְאֵין כֹּחַ IICh. 14:10
96 וְכָל־רִיב...בֵּין־דָּם לְדָם IICh. 19:10
97 בֵּין־תּוֹרָה לְמִצְוָה לְחֻקִּים IICh. 19:10
בֵּין...וְלַ... 98 בֵּין הָאוּלָם וְלַמִּזְבֵּחַ יִבְכּוּ Joel 2:17
בֵּין...(וּבֵין) 99 וַיַּבְדֵּל אֱל׳ בֵּין הָאוֹר וּבֵין הַחֹשֶׁךְ Gen. 1:4
100 וַיַּבְדֵּל בֵּין הַמַּיִם...וּבֵין הַמַּיִם... Gen. 1:7
101 לְהַבְדִּיל בֵּין הַיּוֹם וּבֵין הַלָּיְלָה Gen. 1:14
102 וּלֲהַבְדִּיל בֵּין הָאוֹר וּבֵין הַחֹשֶׁךְ Gen. 1:18
103 בֵּין אֱלֹהִים וּבֵין כָּל־נֶפֶשׁ חַיָּה Gen. 9:16
104 בֵּין בֵּית־אֵל וּבֵין הָעָי Gen. 13:3
105 רִיב בֵּין רֹעֵי...וּבֵין רֹעֵי... Gen. 13:7
106 וְרֶוַח תָּשִׂימוּ בֵּין עֵדֶר וּבֵין עֵדֶר Gen. 32:12
107 אֲשֶׁר יַפְלֶה יְיָ בֵּין מִצְרַיִם וּבֵין יִשְׂ׳ Ex. 11:7
108 וְשָׁפַטְתִּי בֵּין אִישׁ וּבֵין רֵעֵהוּ Ex. 18:16
109 בֵּין הַקֹּדֶשׁ וּבֵין קֹדֶשׁ הַקֳּדָשִׁים Ex. 26:33
110 וּלֲהַבְדִּיל בֵּין הַקֹּדֶשׁ וּבֵין הַחֹל Lev. 10:10
111 וְהֶעֱרִיכוֹ הַכֹּהֵן בֵּין טוֹב וּבֵין רָע Lev. 27:14
112 בֵּין־אִישׁ וּבֵין־אָחִיו וּבֵין גֵּרוֹ Deut. 1:16
113 אָנֹכִי עֹמֵד בֵּין־יְיָ וּבֵינֵיכֶם Deut. 5:5
114 וַיֻּתַּן בֵּין הַשָּׁמַיִם וּבֵין הָאָרֶץ IISh. 18:9
115 וַיְהִי שָׁלֹם בֵּין חִירָם וּבֵין שְׁלֹמֹה IK. 5:26
116 מִשְׁפָּט בֵּין אִישׁ וּבֵין רֵעֵהוּ Jer. 7:5
117-168 בֵּין...(וּבֵין...) Gen. 10:12; 16:14; 20:1
Ex. 8:16; 9:4; 14:2,20; 16:1; 30:18; 40:7,30 • Lev. 27:12 • Num. 17:13; 21:13; 31:27; 35:24 • Deut. 1:1 • Josh. 8:9,12; 18:11 • Jud. 4:5,17; 9:23; 11:27; 13:25; 16:31 • ISh. 7:12,14; 17:1 • IISh. 3:1,6; 21:7 • IK. 7:26; 14:30; 15:6,7,16,19,32; 22:1,34 • IIK. 11:17 • Ezek. 8:3,16; 47:16; 48:22 • Zech. 5:9; 11:14 • ICh. 21:16 • IICh. 4:17; 13:2; 18:33

וּבֵין 169 וּבֵין כְּתֵפָיו שָׁכֵן Deut. 33:12
170 וּבֵין הַמַּעְבְּרוֹת אֲשֶׁר בִּקֵּשׁ...לַעֲבֹר ISh. 14:4
171 וּבֵין עֲבֹתִים הָיְתָה צַמַּרְתּוֹ ISh. 31:3
172 וּבֵין הַתָּאִים חָמֵשׁ אַמּוֹת Ezek. 40:7
173 וּבֵין הַלְּשָׁכוֹת רֹחַב עֶשְׂרִים... Ezek. 41:10
174 וּבֵין יְשָׁרִים רָצוֹן Prov. 14:9
175 וּבֵין עֲצוּמִים יַפְרִיד Prov. 18:18
176 וּבֵין עֲשֶׂרֶת יָמִים בְּכָל־יַיִן Neh. 5:18
177-276 וּבֵין Gen. 1:4,7,14,18

וּבֵין (המשך) 3:15[3]; 9:12,13,15,16,17; 10:12; 13:3,7; 16:14; 17:7,10; 20:1; 30:36 • Ex. 8:19; 9:4; 11:7; 14:2,20; 16:1; 18:16; 26:33; 30:18; 31:17; 40:7,30 • Lev. 10:10[3]; 11:47[3]; 20:25; 26:46; 27:12,14 • Num. 17:13; 21:13; 31:27; 35:24 • Deut. 1:1,16[2] • Josh. 8:9,11,12; 18:11; 22:27; 24:7 • Jud. 4:5,17; 9:23; 11:27; 13:25; 16:31 • ISh. 7:12,14; 17:1; 20:3 • IISh. 3:1,6; 18:9; 21:7 • IK. 5:26; 7:46; 14:30; 15:6,7,16; 15:19,32; 22:1,34 • IIK. 11:17[4] • Is. 5:3 • Jer. 7:5 • Ezek. 4:3; 8:3,16; 47:16; 48:22 • Zech. 5:9; 11:14 • Mal. 2:14 • ICh. 21:16 • IICh. 4:17· 13:2; 18:33; 23:16[2]

וּבֵין...לְ... 277 וּבֵין נֶגַע לָנֶגַע Deut. 17:8
278 וּבֵין־הַטָּמֵא לְטָהוֹר לֹא הוֹדִיעוּ Ezek. 22:26
279 וּבֵין־טָמֵא לְטָהוֹר יוֹדִעֻם Ezek. 44:23
280 וּבֵין עֲלִיַּת הַפִּנָּה לְשַׁעַר הַצֹּאן Neh. 3:32
וּבֵין...וּבֵין 281/2 וּבֵין רֹעַי וּבֵין רֹעֶיךָ Gen. 13:8
283/4 יְיָ יִהְיֶה...וּבֵין זַרְעִי וּבֵין זַרְעֲךָ ISh. 20:42
285/6 בְּרִית...וּבֵין אָבִי וּבֵין אָבִיךָ IICh. 16:3
בְּבֵין 287 וְצָמְחוּ בְּבֵין חָצִיר Is. 44:4
לְבֵין 288 מַבְדִּלִים בֵּינֵכֶם לְבֵין אֱלֹהֵיכֶם Is. 59:2
מִבֵּין 289 לֹא־יָסוּר...וּמְחֹקֵק מִבֵּין רַגְלָיו Gen. 49:10
290 וְדִבַּרְתִּי...מִבֵּין שְׁנֵי הַכְּרֻבִים Ex. 25:22
291 מִדַּבֵּר אֵלָיו...מִבֵּין שְׁנֵי הַכְּרֻבִים Num. 7:89
292 וְיָרֵם אֶת־הַמַּחְתֹּת מִבֵּין הַשְּׂרֵפָה Num. 17:2
293 וּבְשִׁלְיָתָהּ הַיּוֹצֵת מִבֵּין רַגְלֶיהָ Deut. 28:57
294 וְלֶהָבָה מִבֵּין סִיחוֹן Jer. 48:45
295 אֲנִי לֹקֵחַ אֶת־ב״י מִבֵּין־הַגּוֹיִם Ezek. 37:21
296 וְתָסֵר...וְנַאֲפוּפֶיהָ מִבֵּין שָׁדֶיהָ Hosh. 2:5
297 יֹצְאוֹת מִבֵּין שְׁנֵי הֶהָרִים Zech. 6:1
298 וַהֲסִרֹתִי...וְשִׁקֻּצָיו מִבֵּין שִׁנָּיו Zech. 9:7
299 מִבֵּין עֳפָאיִם יִתְּנוּ־קוֹל Ps. 104:12
מִבֵּין...וּמִבֵּין 300/1 מִבֵּין הַמִּזְבֵּחַ וּמִבֵּין בֵּית יְיָ IIK. 16:14
302/3 מִבֵּין חַוְרָן וּמִבֵּין דַּמֶּשֶׂק Ezek. 47:18
וּמִבֵּין 304/5 וּמִבֵּין הַגִּלְעָד וּמִבֵּין אֶ״יִ Ezek. 47:18
בֵּינִי...(וּבֵין) 306/7 בֵּינִי וּבֵינֵיכֶם וּבֵין... Gen. 9:12,15
308 לְאוֹת בְּרִית בֵּינִי וּבֵין הָאָרֶץ Gen. 9:13
309 הֲקִמֹתִי בֵּינִי וּבֵין כָּל־בָּשָׂר Gen. 9:17
310 אַל־נָא תְהִי מְרִיבָה בֵּינִי וּבֵינֶךָ Gen. 13:8
311 יִשְׁפֹּט יְיָ בֵּינִי וּבֵינֶיךָ Gen. 16:5
312 וְאֶתְּנָה בְרִיתִי בֵּינִי וּבֵינֶךָ Gen. 17:2
313 וַהֲקִמֹתִי אֶת־בְּרִיתִי בֵּינִי וּבֵינֶךָ Gen. 17:7
314 זֹאת בְּרִיתִי...בֵּינִי וּבֵינֵיכֶם Gen. 17:10
315 וְהָיָה לְאוֹת בְּרִית בֵּינִי וּבֵינֵיכֶם Gen. 17:11
316 אֶרֶץ...בֵּינִי וּבֵינְךָ מַה־הִוא Gen. 23:15
317 וְהָיָה לְעֵד בֵּינִי וּבֵינֶךָ Gen. 31:44
318 הַגַּל...עֵד בֵּינִי וּבֵינְךָ הַיּוֹם Gen. 31:48
319 יִצֶף יְיָ בֵּינִי וּבֵינֶךָ Gen. 31:49
320 רְאֵה אֱלֹהִים עֵד בֵּינִי וּבֵינֶךָ Gen. 31:50
321 הַמַּצֵּבָה אֲשֶׁר יָרִיתִי בֵּינִי וּבֵינֶךָ Gen. 31:51
322 כִּי אוֹת הִוא בֵּינִי וּבֵינֵיכֶם Ex. 31:13
323 בֵּינִי וּבֵין בְּנֵי יִשְׂרָאֵל אוֹת הִוא Ex. 31:17
324 הַפִּילוּ בֵּינִי וּבֵין יוֹנָתָן בְּנִי ISh. 14:42
325 כִּי כְפֶשַׂע בֵּינִי וּבֵין הַמָּוֶת ISh. 20:3
326 הִנֵּה יְיָ בֵּינִי וּבֵינְךָ עַד־עוֹלָם ISh. 20:23
327 יְיָ יִהְיֶה בֵּינִי וּבֵינֶךָ ISh. 20:42
328 יִשְׁפֹּט יְיָ בֵּינִי וּבֵינֶךָ ISh. 24:13(12)
329 וְשָׁפַט בֵּינִי וּבֵינֶךָ ISh. 24:16(15)
330/1 בְּרִית בֵּינִי וּבֵינֶךָ IK. 15:19 • IICh. 16:3
332 שִׁפְטוּ־נָא בֵּינִי וּבֵין כַּרְמִי Is. 5:3
333 לִהְיוֹת לְאוֹת בֵּינִי וּבֵינֵיהֶם Ezek. 20:12
334 וְהָיוּ לְאוֹת בֵּינִי וּבֵינֵיכֶם Ezek. 20:20

335 וְהַקִּיר בֵּינִי וּבֵינֵיהֶם Ezek. 43:8
336 כִּי הַמָּוֶת יַפְרִיד בֵּינִי וּבֵינֶךָ Ruth 1:17
בֵּינְךָ 337 וְאֵיבָה אָשִׁית בֵּינְךָ וּבֵין הָאִשָּׁה Gen. 3:15
338 קִיר בַּרְזֶל בֵּינְךָ וּבֵין הָעִיר Ezek. 4:3
339 בֵּינְךָ וּבֵין אֵשֶׁת נְעוּרֶיךָ Mal. 2:14
וּבֵינְךָ 340-342 וּבֵינְךָ Gen. 23:15; 31:48 • ISh. 20:23
וּבֵינֶךָ 343 אַל־נָא תְהִי מְרִיבָה בֵּינִי וּבֵינֶךָ Gen. 13:8
344-355 וּבֵינֶךָ Gen. 17:2,7
26:28; 31:44,49,50,51 • ISh. 20:42; 24:13(12);
24:16(15) • IK. 15:19 • IICh. 16:3
וּבֵינֶיךָ 356 יִשְׁפֹּט יְיָ בֵּינִי וּבֵינֶיךָ Gen. 16:5
וּבֵינֶךָ 357 כִּי הַמָּוֶת יַפְרִיד בֵּינִי וּבֵינֶךָ Ruth 1:17
בֵּינוֹ 358 דֶּרֶךְ שְׁלֹשֶׁת יָמִים בֵּינוֹ וּבֵין יַעֲקֹב Gen. 30:36
359 הַחֻקִּים...בֵּינוֹ וּבֵין בְּנֵי יִשְׂרָאֵל Lev. 26:46
360 וַיִּכְרֹת יְהוֹיָדָע בְּרִית בֵּינוֹ וּבֵין
כָּל־הָעָם וּבֵין הַמֶּלֶךְ IICh. 23:16
בֵּינָיו 361 וְהַגַּי בֵּינָו וּבֵין הָעָי Josh. 8:11
וּבֵינָיו 362 אַךְ רָחוֹק יִהְיֶה בֵּינֵיכֶם וּבֵינָו Josh. 3:4
בֵּינֵינוּ 363 תְּהִי נָא אָלָה...בֵּינֵינוּ וּבֵינֶךָ Gen. 26:28
בֵּינֵינוּ 364 אֱלֹהֵי אַבְרָהָם...יִשְׁפְּטוּ בֵינֵינוּ Gen. 31:53
365 וּגְבוּל נָתַן יְיָ בֵּינֵנוּ וּבֵינֵיכֶם Josh. 22:25
366/7 כִּי־עֵד הוּא בֵּינֵינוּ וּבֵינֵיכֶם Josh. 22:27,28
368 לֹא יֵשׁ־בֵּינֵינוּ מוֹכִיחַ Job 9:33
369 נֵדְעָה בֵינֵינוּ מַה־טּוֹב Job 34:4
370 בֵּינֵינוּ יִסְפּוֹק וְיֶרֶב אֲמָרָיו Job 34:37
בֵּינֵיכֶם 371 אַךְ רָחוֹק יִהְיֶה בֵּינֵיכֶם וּבֵינָו Josh. 3:4
372 מַאֲפֵל בֵּינֵיכֶם וּבֵין הַמִּצְרִים Josh. 24:7
373 מַבְדִּלִים בֵּינֵכֶם לְבֵין אֱלֹהֵיכֶם Is. 59:2
374 הַחֶרֶב אֲשֶׁר אָנֹכִי שֹׁלֵחַ בֵּינֵיכֶם Jer. 25:27
וּבֵינֵיכֶם 375/6 בֵּינִי וּבֵינֵיכֶם וּבֵין כָּל־נֶפֶשׁ Gen. 9:12,15
377-384 וּבֵינֵיכֶם Gen. 17:10,11 • Ex. 31:13
Deut. 5:5 • Josh. 22:25,27,28 • Ezek. 20:20
בֵּינֵיהֶם 385 וְהַגַּיְא בֵּינֵיהֶם ISh. 17:3
386 רַב הַמָּקוֹם בֵּינֵיהֶם ISh. 26:13
387 וְאֵין מַצִּיל בֵּינֵיהֶם IISh. 14:6
388 וְרוּחַ לֹא־יָבֹא בֵינֵיהֶם Job 41:8
389 הָיְתָה יְרוּשָׁלַ͏ִם לְנִדָּה בֵּינֵיהֶם Lam. 1:17
וּבֵינֵיהֶם 390/1 וּבֵינֵיהֶם Ezek. 20:12; 43:8
בֵּינוֹת־ 392 אֶל־הָאֵשׁ אֲשֶׁר בֵּינוֹת הַכְּרֻבִים Ezek. 10:7
בֵּינוֹת לְ־ 393 בֹּא אֶל־בֵּינוֹת לַגַּלְגַּל Ezek. 10:2
מִבֵּינוֹת לְ־ 394 גַחֲלֵי־אֵשׁ מִבֵּינוֹת לַכְּרֻבִים Ezek. 10:2
395 קַח אֵשׁ מִבֵּינוֹת לַגַּלְגַּל Ezek. 10:6
396/7 ...מִבֵּינוֹת לַכְּרוּבִים Ezek. 10:6,7
בֵּינוֹתֵינוּ 398 כִּי־עֵד הוּא בֵּינֹתֵינוּ Josh. 22:34
399 יְיָ יִהְיֶה שֹׁמֵעַ בֵּינוֹתֵינוּ Jud. 11:10
400 תְּהִי נָא אָלָה בֵּינוֹתֵינוּ Gen. 26:28
בֵּינוֹתָם 401 כִּי הַמֵּלִיץ בֵּינֹתָם Gen. 42:23
402 עַל־שְׁבֻעַת יְיָ אֲשֶׁר בֵּינֹתָם IISh. 21:7
403 הַחֶרֶב אֲשֶׁר אָנֹכִי שֹׁלֵחַ בֵּינוֹתָם Jer. 25:16

בֵּין

מ״י ארמית, כמו בעברית

בֵּין 1 וּתְלָת עִלְעִין בְּפֻמַּהּ בֵּין שִׁנַּהּ Dan. 7:5
בֵּינֵיהֵן 2 קֶרֶן... סִלְקָת בֵּינֵיהֵן (כת׳ בֵּינֵיהוֹן) Dan. 7:8

בִּינָה¹

נ׳ הבנה, שכל • קרובים: ראה חָכְמָה

חָכְמָה וּבִינָה 23, 24, 36; שֵׂכֶל וּבִ׳ 25, 26; אֵין בִּינָה 2; אִמְרֵי בִ׳ 4; דֶּרֶךְ בִּ׳ 9; חָכְמַת בִּ׳ 18; יוֹדֵעַ בִּ׳ 26,22,21; מְקוֹם בִּ׳ 13,12; עַם בִּינוֹת 37; בִּינַת אָדָם 30; בִּ׳ נְבוֹנִים 31

בִּקֵּשׁ בִּינָה 19; הִשְׂכִּילוֹ בִ׳ 20; יָדַע בִ׳ 1, 5, 16; נָתַן בִ׳ 17; קָנָה בִ׳ 6, 7, 11; חָדַל מִבִּינָה 34

נִשְׁעַן אֶל בִּינָתוֹ 33; רוּחַ מִבִּינָתוֹ 32

בִּינָה 1 וְיָדְעוּ תֹעֵי־רוּחַ בִּינָה Is. 29:24
2 עַם...נִלְעַג לָשׁוֹן אֵין בִּינָה Is. 33:19
3 תִּתְבּוֹנְנוּ בָהּ בִּינָה Jer. 23:20
4 לָדַעַת חָכְמָה...לְהָבִין אִמְרֵי בִינָה Prov. 1:2
5 שִׁמְעוּ בָנִים...וְהַקְשִׁיבוּ לָדַעַת בִּינָה Prov. 4:1
6 קְנֵה חָכְמָה קְנֵה בִינָה Prov. 4:5
7 וּבְכָל־קִנְיָנְךָ קְנֵה בִינָה Prov. 4:7
8 אֲנִי בִינָה לִי גְבוּרָה Prov. 8:14
9 וְאִשְׁרוּ בְּדֶרֶךְ בִּינָה Prov. 9:6
10 וְדַעַת קְדֹשִׁים בִּינָה Prov. 9:10
11 וּקְנוֹת בִּינָה נִבְחָר מִכָּסֶף Prov. 16:16
12/3 וְאֵי זֶה מְקוֹם בִּינָה Job 28:12,20
14 וְסוּר מֵרָע בִּינָה Job 28:28
15 (?) וְאִם־בִּינָה שִׁמְעָה־זֹּאת Job 34:16
16 הַגֵּד אִם־יָדַעְתָּ בִינָה Job 38:4
17 אוֹ מִי־נָתַן לַשֶּׂכְוִי בִינָה Job 38:36
18 וְכֹל דְּבַר חָכְמַת בִּינָה... Dan. 1:20
19 וַיְהִי בִּרְאֹתִי...וָאֲבַקְשָׁה בִינָה Dan. 8:15
20 עַתָּה יָצָאתִי לְהַשְׂכִּילְךָ בִינָה Dan. 9:22
21 יוֹדְעֵי בִינָה לָעִתִּים ICh. 12:33(32)
22 אִישׁ־חָכָם יוֹדֵעַ בִּינָה IICh. 2:12
וּבִינָה 23 וְנָחָה עָלָיו...רוּחַ חָכְמָה וּבִינָה Is. 11:2
24 אֱמֶת קְנֵה...חָכְמָה וּמוּסָר וּבִינָה Prov. 23:23
25 אַךְ יִתֶּן־לְךָ יְיָ שֵׂכֶל וּבִינָה ICh. 22:12(11)
26 בֵּן חָכָם יוֹדֵעַ שֵׂכֶל וּבִינָה IICh. 2:11
בַּבִּינָה 27 וְלֹא־חָלַק לָהּ בַּבִּינָה Job 39:17
לַבִּינָה 28 כִּי אִם לַבִּינָה תִקְרָא Prov. 2:3
29 וּמֹדָע לַבִּינָה תִקְרָא Prov. 7:4
בִּינַת־ 30 וְלֹא־בִינַת אָדָם לִי Prov. 30:2
וּבִינַת־ 31 וּבִינַת נְבֹנָיו תִּסְתַּתָּר Is. 29:14
מִבִּינָתִי 32 וְרוּחַ מִבִּינָתִי יַעֲנֵנִי Job 20:3
בִּינָתְךָ 33 וְאֶל־בִּינָתְךָ אַל־תִּשָּׁעֵן Prov. 3:5
מִבִּינָתְךָ 34 אַל־תִּיגַע לְהַעֲשִׁיר מִבִּינָתְךָ חֲדָל Prov. 23:4
הֲמִבִּינָתְךָ 35 הֲמִבִּינָתְךָ יַאֲבֶר־נֵץ Job 39:26
וּבִינַתְכֶם 36 כִּי הוּא חָכְמַתְכֶם וּבִינַתְכֶם Deut. 4:6
בִּינוֹת 37 כִּי לֹא עַם־בִּינוֹת הוּא Is. 27:11

בִּינָה²

נ׳ ארמית: כמו עברית – בינה, חכמה

בִּינָה 1 חָכְמְתָא לְחַכִּימִין וּמַנְדְּעָא לְיָדְעֵי בִינָה
Dan. 2:21

בֵּינַיִם

מ״י – רק בצרוף: ״אִישׁ הַבֵּנַיִם״ – לוחם בדו־קרב בלוחם מצבא האויב: 1–2

הַבֵּנַיִם 1 וַיֵּצֵא אִישׁ הַבֵּנַיִם...גָּלְיָת שְׁמוֹ ISh. 17:4
2 וְהִנֵּה אִישׁ הַבֵּנַיִם עוֹלֶה ISh. 17:23

בֵּיצָה

נ׳ פרי בטן של עופות (1-5,3) ונחשים (6,4)

בֵּיצִים 1 כִּי יִקָּרֵא...אֶפְרֹחִים אוֹ בֵיצִים Deut. 22:6
2 וְכֶאֱסֹף בֵּיצִים עֲזֻבוֹת...אָסָפְתִּי Is. 10:14
הַבֵּיצִים 3 עַל־הָאֶפְרֹחִים אוֹ עַל־הַבֵּיצִים Deut. 22:6
בֵּיצֵי־ 4 בֵּיצֵי צִפְעוֹנִי בִּקֵּעוּ Is. 59:5
בֵּיצֶיהָ 5 כִּי תַעֲזֹב לָאָרֶץ בֵּיצֶיהָ Job 39:14
מִבֵּיצֵיהֶם 6 הָאֹכֵל מִבֵּיצֵיהֶם יָמוּת Is. 59:5

בַּיִר

נ׳ בְּאֵר

בַּיִר 1 כְּהָקִיר בַּיִר (כת׳ בור) מֵימֶיהָ Jer. 6:7

בִּירָה

נ׳ א) עיר מבצר: 1–12
ב) היכל המקדש: 13–16

שׁוּשַׁן הַבִּירָה 1-12; שַׁעֲרֵי הַבִּירָה 13; שַׂר הַבִּ׳ 14

הַבִּירָה 1 כִּסֵּא מַלְכוּתוֹ אֲשֶׁר בְּשׁוּשַׁן הַבִּירָה Es. 1:2
2 לְכָל־הָעָם הַנִּמְצְאִים בְּשׁוּשַׁן הַבִּירָה Es. 1:5
3 וְיִקְבְּצוּ...אֶל־שׁוּשַׁן הַבִּירָה Es. 2:3
4-12 (בְּ־/וּבְ־)שׁוּשַׁן הַבִּירָה Es. 2:5,8
3:15; 8:14; 9:6,11,12 • Dan. 8:2 • Neh. 1:1

הַבִּירָה (המשך) 13 לְקָרוֹת אֶת־שַׁעֲרֵי הַבִּירָה Neh. 2:8
14 וְאֶת־חֲנַנְיָה שַׂר הַבִּירָה Neh. 7:2
15 כִּי לֹא לְאָדָם הַבִּירָה כִּי לַייָ ICh. 29:1
16 וְלִבְנוֹת הַבִּירָה אֲשֶׁר־הֲכִינוֹתִי ICh. 29:19

בִּירָנִית*

נ׳ בירה, מבצר: 1, 2

בִּירָנִיּוֹת 1 וַיִּבֶן...בִּירָנִיּוֹת וְעָרֵי מִסְכְּנוֹת IICh. 17:12
2 וּבֶחֳרָשִׁים בָּנָה בִּירָנִיּוֹת וּמִגְדָּלִים IICh. 27:4

בִּירְתָא

נ׳ ארמית: הבירה

בִּירְתָא 1 בְּבִירְתָא דִּי בְּמָדַי מְדִינְתָּא Ez. 6:2

בַּיִת

ז׳ א) בנין עשוי עץ או אבן וכדומה למגורים או לשמושים אחרים: רוב המקראות

ב) בני המשפחה: רֹב המקראות שבהם ״בית״ נסמך לשם פרטי, כגון: 851, 857, 887–891, 898–900, 2/951, 958, 52-1050 ועוד; וכן בכנוים כגון: 1610, 1633, 1643, 1651, 1668, 1685–1693, 1715, 1833–1838 ועוד

ג) מקום־קבול: 1065, 1920–1923, 1960–1962

ד) מקום למשהו: עין צרופי ״בית״

ה) שבט, עם: עין הצרופים ״בית יִשְׂרָאֵל״, ״בית יוֹסֵף״ וכו׳

ו) שושלת: עין הצרופים ״בית דָּוִד״, ״בית יָרָבְעָם״ וכו׳

ז) [בֵּית אָב] משפחה: עין בצרופים

ח) [בַּיְתָה] פנימה: 406–409, 411, 412

ט) [מִבַּיִת] מבפנים: 394–397, 399, 402–404

י) [מִבֵּית לְ־, מִבֵּית הַ־, מִבֵּית לְ־] בצד הפנימי של: 398, 1541–1544, 1569, 1593, 1597

קרובים: אֹהֶל / זְבוּל / מְגוּרִים / מוֹשָׁב / מְלוּנָה / מָעוֹן / מְעוֹנָה / מִשְׁכָּן / נָוֶה / סֻכָּה

– בַּיִת אֶחָד 317, 319, 321; בַּ׳ חָדָשׁ 4, 5; בַּ׳ מָלֵא 296,401; בַּ׳ נֶאֱמָן 13,8,7; הַבַּיִת הַגָּדוֹל 147,138; הַבַּ׳ הַפְּנִימִי 88, 122, 124; הַבַּ׳ הָרִאשׁוֹן 144; מִבַּיִת וּמִחוּץ 394–396, 399

– אוּלָם הַבַּיִת 246,118; אוֹצְרוֹת הַבַּ׳ (בֵּית יְיָ) 1226,647; אַנְשֵׁי הַבַּ׳ 69; אֲשֶׁר עַל הַבַּ׳ 103-107,252-254; בֶּדֶק הַבַּ׳ 112, 113, 249–251; בְּנֵי הַבַּ׳ 20; בַּעַל הַבַּ׳ 73, 75, 76; בַּעֲלַת הַבַּ׳ 247; גַּג הַבַּ׳ 903; דְּבִיר הַבַּ׳ 101,100; דַּלְתֵי (דַּלְתוֹת) הַבַּ׳ 77, 98, 99, 152, 1608, 1718; הֵיכַל הַבַּ׳ 80; הַר הַבַּ׳ 116, 117; חֲנֻכַּת הַבַּ׳ 140; חַצְרוֹת בַּ׳ 1100; יְלִיד בַּ׳ 15, 53, 54; יַרְכְּתֵי הַבַּ׳ 87, 137; כְּבוֹד הַבַּ׳ 139; כְּלֵי בַ׳ 1203,1186,1126; כֶּתֶף בַּ׳ 83, 92–97, 110, 111; מְבוֹא בַ׳ 128; מִדּוֹת בַּ׳ 124; מוֹלֶדֶת בַּ׳ 2; מוּסַב בַּ׳ 120; מוֹשַׁב בַּ׳ 902; מְזוּזַת הַבַּ׳ 131; מִמְכַּר בַּ׳ 3; מִפְקַד הַבַּ׳ 126; מִפְתַּן הַבַּ׳ 134, 255, 256; מִקְדַּשׁ הַבַּ׳ 136; מִשְׁמַר הַבַּ׳ 496, 499,497; מִשְׁמֶרֶת הַבַּ׳ 109,257,258,1191; מְשָׁרְתֵי הַבַּ׳ 130, 132; מִשְׁתֵּה בַ׳ 1106; נְגִיד הַבַּ׳ 264; נְוַת בַּ׳ 16; סַף הַבַּ׳ 102; עֲפַר הַבַּ׳ 242; עֲקֶרֶת הַבַּ׳ 141; פִּנּוֹת הַבַּ׳ 142; פְּנֵי הַבַּ׳ 114, 121, 127, 135, 150, 244; פֶּתַח הַבַּ׳ 67, 78, 108, 133, 151, 239, 240, 262, 665, 1062, 1181, 1735, 1902, 1906; צוּרַת הַבַּ׳ 125; צַלְעוֹת הַבַּ׳ 123; קִיר (קִירוֹת) הַבַּ׳ 74, 81, 82, 84, 90, 119, 149, 241, 245, 259, 263; קַרְקַע הַבַּ׳ 85, 86, 91; רֹחַב הַבַּ׳ 146, 148, 243; שׁוֹמְרֵי הַבַּ׳ 143; שַׁעֲרֵי הַבַּ׳ 115, 129; (בְּ)תוֹךְ הַבַּ׳ 79,88,89,963; תּוֹרַת הַבַּ׳ 260, 261; תְּכוּנַת הַבַּיִת 125

– בֵּית אָב (אָבִיו...) 436, 438, 440, 442–490, 1210–1220, 1252, 1260–1262, 1353, 1354, 1369, 1423, 1426, 1429, 1445, 1502, 1504, 1505, 1521–1524, 1594, 1595

בְּ׳ אָבוֹת (אֲבוֹתָיו...) 506—517, 1248, 1371, 1373—
1422, 1513—1515; בְּ׳ אֲבִימֶלֶךְ 1367; בְּ׳ אֲבִינָדָב
854, 1556, 1557, 1592; בְּ׳ אָבֵל 1114, 1327; בְּ׳
אֲבָנִים 1107; בְּ׳ אַבְרָהָם 434; בְּ׳ אַבְשָׁלוֹם 949;
בְּ׳ אֲדוֹנָיו 499, 946, 998, 1039, 1086, 1253, 1526;
בְּ׳ הָאֹהֶל 1503; בְּ׳ אַהֲרֹן 1097-1099; בְּ׳ הָאוֹצָר
1094, 1128, 1499; בְּ׳ אָח (אָחִיו...) 437, 643,
1245, 1325, 1326; בְּ׳ אַחְאָב 984—997, 1361, 1364,
1442, 1443; בְּ׳ אֲחַזְיָהוּ 1511; בְּ׳ אֲחִיָּה 969;
בְּ׳ אֲחִימֶלֶךְ 1096; בְּ׳ (הָ)אִישׁ 640, 665, 953,
1106, 1112, 1427, 1540; בְּ׳ אִישׁ בֹּשֶׁת 893;
בְּ׳ (הָ)אֱלֹהִים 439, 441, 654, 655, 663, 1015, 1016,
1084, 1095, 1100, 1113, 1126, 1127, 1129—1178, 1190,
1206, 1208, 1316, 1319—1321, 1332—1342, 1344, 1425,
1490, 1493—1498, 1500, 1506, 1507, 1583, 1584, 1586;
בְּ׳ אֶלְיָשִׁיב 1181—1183; בְּ׳ אִמּוֹ 1110, 1111,
1368, 1489; בְּ׳ אַמְנוֹן 947, 948; בְּ׳ הָאֵסוּר 1055;
בְּ׳ הָאֲסוּרִים 1263, 1552; בְּ׳ הָאֲסֻפִּים 1199;
בְּ׳ אֶפְרַיִם 1352; בְּ׳ אֲרָזִים 897, 1196, 1268, 1343;
בְּ׳ אֶרֶץ 1259; בְּ׳ אַרְצָא 976; בְּ׳ אַשְׁבֵּעַ 1501;
בְּ׳ הַבּוֹר 1057, 1258; בְּ׳ (הַ)בָּמוֹת 967, 1309-1310;
בְּ׳ בִּנְיָמִין 892; בְּ׳ הַבַּעַל 979, 1001—1008;
בְּ׳ בַּעַל בְּרִית 1551; בְּ׳ בַּעְשָׁא 977, 978, 1365, 1366;
בְּ׳ בְּתוּאֵל 1598; בְּ׳ גֵּאִים 1105; בְּ׳ הַגִּבּוֹרִים
1180; בְּ׳ (הַ)גָּדוֹל 1014, 1064; בְּ׳ הַגַּנָּב 1087;
בְּ׳ דָּגוֹן 852, 853; בְּ׳ דָּוִד 856, 857, 888, 890, 966,
1010, 1031—1037, 1241, 1249, 1269, 1346, 1348,
1435—1440, 1568; בְּ׳ הַדָּמִים 957; בְּ׳ הָמָן
1123—1125, 1330; בְּ׳ זְבוּל 960, 1202; בְּ׳ זֶבַח 1509;
בְּ׳ (אִשָּׁה) זוֹנָה 645, 646, 1228; בְּ׳ חֶבֶר 652, 1243,
1244; בְּ׳ חֲזָאֵל 1317; בְּ׳ חֲלוּץ הַנָּעַל 644;
בְּ׳ הַחָפְשִׁית 1207, 1308; בְּ׳ הַחֹרֶף 1053, 1080;
בְּ׳ טוֹבִיָּה 1186; בְּ׳ יֹאשִׁיָּהוּ 1089; בְּ׳ יְהוּדָה
860—886, 1229—1231, 1355, 1478, 1480—1485, 1517;
בְּ׳ יְהוֹנָתָן 1056, 1059, 1060; בְּ׳ יוֹאָב 1555;
בְּ׳ יוֹסֵף 500, 501, 505, 648-651, 955, 965, 1082, 1090,
1222, 1238, 1599—1601; בְּ׳ הַיּוֹצֵר 1047, 1048;
בְּ׳ יְיָ 520, 521, 642, 647, 666—850, 1266, 1270,
1272—1307, 1434, 1444, 1448—1460, 1570—1577;
בְּ׳ הַיַּיִן 1109; בְּ׳ יַעֲקֹב 1017—1030, 1312, 1318,
1370, 1372, 1518, 1579; בְּ׳ הַיַּעַר 1038; בְּ׳ יַעַר
הַלְּבָנוֹן 959, 961, 962, 1203, 1347; בְּ׳ יְרֻבַּעַל 653;
בְּ׳ יָרָבְעָם 968, 970—975, 1271, 1356—1359;
בְּ׳ יֵשׁוּעַ 1491, 1492; בְּ׳ יִשְׂחָק 1083; בְּ׳ יִשְׂרָאֵל
518, 522—638, 1235, 1240, 1315, 1446, 1461—1477,
1545—1550; בְּ׳ יִשָּׂשכָר 1441; בְּ׳ (הַ)כֶּלֶא 980,
1009, 1058, 1205, 1447, 1578, 1580; בְּ׳ הַכְּלוּא
1054, 1581; בְּ׳ כֵּלִים 1013, 1043; בְּ׳ הַכַּפֹּרֶת 1250;
בְּ׳ (הַ)לֵּוִי 1092, 1101, 1424, 1527; בְּ׳ מְאַהֲבֶיהָ
1093; בְּ׳ הַמְבַשְּׁלִים 1079; בְּ׳ מְגוּרָיו 1322;
בְּ׳ מִדּוֹת 1049; בְּ׳ הַמַּהְפֶּכֶת 1204; בְּ׳ מוֹעֵד
1247; בְּ׳ מוֹשָׁב 639; בְּ׳ מִיכָה 656—662, 1265, 1553;
בְּ׳ מִיכָיְהוּ 1264; בְּ׳ מָכִיר 901, 1559; בְּ׳ מִלְחַמְתּוֹ
1209; בְּ׳ הַמֶּלֶךְ 903—945, 1226, 1233, 1234, 1236, 1251,
1313, 1314, 1331, 1349, 1433, 1434, 1510, 1516א, 1519,
1560—1565; בְּ׳ הַמְּלָכוֹת 1117, 1329; בְּ׳ מַמְלָכָה
1237; בְּ׳ מְנוּחָה 1200; בְּ׳ מְצוּדוֹת 1487;
בְּ׳ הַמִּצְרִי 491; בְּ׳ מִקְדָּשׁ 1350; בְּ׳ מַרְזֵחַ 1046;
בְּ׳ הַמֶּרְחָק 950; בְּ׳ (הַ)מְּרִי 1066-1076, 1362, 1479;
בְּ׳ מְרֵעִים 1040; בְּ׳ מִשְׁמָר 1257; בְּ׳ מִשְׁמֶרֶת 956;
בְּ׳ מִשְׁתֶּה 1115, 1122, 1232; בְּ׳ נָדִיב 1108;
בְּ׳ נְכֹת 1012, 1042; בְּ׳ נָכְרִי 1324; בְּ׳ נִסְרֹךְ
1011, 1041; בְּ׳ הַנִּשְׁבָּע 1088; בְּ׳ הַנָּשִׁים 1118-1121;
1590; בְּ׳ נְתִיבוֹת 1102; בְּ׳ הַנְּתִינִים 1184; בְּ׳ נָתָן
1091; בְּ׳ סָאתַיִם 1360; בְּ׳ הַסֹּהַר 492—495, 498,
1254—1256; בְּ׳ הַסּוּרִים 1589; בְּ׳ עַבְדּוֹ 435,
898—900, 1197, 1198, 1224; בְּ׳ עֲבָדִים 1221, 1351,
1528—1539, 1596; בְּ׳ עֲבוֹדַת הַבּוּץ 1189;
בְּ׳ עוֹבֵד אֱדֹם 894—896, 1192—1195, 1558;
בְּ׳ עוֹלָם 1116; בְּ׳ עֲזַרְיָה 1591; בְּ׳ עַכְבִּישׁ 1246;
בְּ׳ עֵלִי 851, 958, 1430; בְּ׳ הָעָם 1061; בְּ׳ עֲצַבִּים
857; בְּ׳ עֵקֶד (הָרֹעִים) 999, 1000; בְּ׳ עֵשָׂו 1239;
1486; בְּ׳ עַשְׁתָּרוֹת 859; בְּ׳ הַפְּקֻדּוֹת 1063;
בְּ׳ פַּרְעֹה 433, 502—504, 963, 964, 1062, 1428;
בְּ׳ פֶּרֶץ 1363; בְּ׳ צָדוֹק 1512; בְּ׳ צַדִּיק 1104;
בְּ׳ צַדִּיקִים 1242; בְּ׳ צִיבָא 902; בְּ׳ צְלָעוֹת
1078; בְּ׳ קְבָרוֹת 1179; בְּ׳ הַקֹּדֶשׁ 1508; בְּ׳ קֹדֶשׁ
הַקֳּדָשִׁים 1201, 1345; בְּ׳ קָדְשֵׁנוּ 1045; בְּ׳ הַקַּיִץ
1081; בְּ׳ הָרוֹאֶה 855; בְּ׳ הָרוֹכְלִים 1184;
בְּ׳ רֵכָב 1187; בְּ׳ הָרֵכָבִים 1050—1052, 1520;
בְּ׳ רִמּוֹן 981—983; בְּ׳ רֵעֵהוּ 519, 641, 1588;
בְּ׳ רָפָא 1188; בְּ׳ רָשָׁע 1085, 1323, 1488, 1587;
בְּ׳ רְשָׁעִים 1103; בְּ׳ שָׁאוּל 887, 889, 891, 951,
952, 954, 1191, 1223, 1267, 1431, 1432, 1516, 1554;
בְּ׳ הַשְּׂדֵרוֹת 1593; בְּ׳ שְׁכֶם 1525; בְּ׳ שִׂמְחָה 1328;
בְּ׳ שְׁמַעְיָה 1185; בְּ׳ הַשֵּׁן 1225; בְּ׳ שַׂר 496, 497;
בְּ׳ תּוֹגַרְמָה 1077, 1582; בְּ׳ תַּעֲנוּגִים 1585;
בְּ׳ תִּפְאֶרֶת 1045, 1227; בְּ׳ תְּפִלָּה 1044, 1311

– אִישׁ וּבֵיתוֹ 1833—1835; גֶּבֶר וּבֵיתוֹ 1837; אֹהֶל
בֵּיתוֹ 1626; אַנְשֵׁי בֵ׳ 1727, 1745, 1893; בֶּן בֵּ׳ 1605;
בְּעַד בֵּ׳ 1736—1738; בְּקֶרֶב בֵּ׳ 1624, 1625; גַּן בֵּ׳
1743; גָּרֵי בֵ׳ 1629; גֶּרֶת בֵּ׳ 1894; דֶּרֶךְ בֵּ׳ 1903;
דֶּשֶׁן בֵּ׳ 1677; הוֹן בֵּ׳ 1747, 1753; הֲלִיכוֹת בֵּ׳
1909; זְקַן בֵּ׳ 1730; זִקְנֵי בֵ׳ 1734, 1742; חַלּוֹן בֵּ׳
1627; חֲצִי בֵ׳ 1670; טוּב בֵּ׳ 1678; יְבוּל בֵּ׳ 1751;
יוֹשְׁבֵי בֵ׳ 1672, 1679; יְלִיד(י) בֵּ׳ 1647, 1725,
1726, 1739; יַרְכְּתֵי בֵ׳ 1680; כְּבוֹד בֵּ׳ 1746; לֶחֶם
בֵּ׳ 1615, 1682; כְּלֵי בֵ׳ 1661; מְזוּזוֹת בֵּ׳ 1662,
1663; מְלֹא בֵ׳ 1740, 1741; מְעוֹן בֵּ׳ 1676; מַרְבִּית
בֵּ׳ 1651; מֶשֶׁק בֵּ׳ 1604; נֶגֶד בֵּ׳ 1918; נֶפֶשׁ בֵּ׳
1668; נַפְשׁוֹת בֵּ׳ 1733; נְתִיבוֹת בֵּ׳ 1752; עוֹכֵר
בֵּ׳ 1748, 1749; קִנְאַת בֵּ׳ 1659; רַב בֵּ׳ 1754; שְׁאוֹל
בֵּ׳ 1628, 1904; (בְּ)תוֹךְ בֵּ׳ 1619, 1666, 1667, 1673

– בָּתִּים טוֹבִים 1942; בָּתִּים מְלֵאִים 1941; בָּתִּים
רַבִּים 1925; פִּתְחֵי הַבָּתִּים 1953; קוֹרוֹת הַבָּ׳
2004; קִירוֹת הַבָּ׳ 1955; רַעֲבוֹן הַבָּ׳ 2008, 2009;
– בָּתֵּי אַכְזִיב 1984; בָּ׳ אֱלֹהִים 1981, 1992;
בָּ׳ אַשְׁקְלוֹן 1993; בָּ׳ הַבָּמוֹת 1969, 1972; בָּ׳ בְּנֵי
יִשְׂרָאֵל 1966; בָּ׳ גָזִית 1983; בָּ׳ חֶמְדָּה 1991;
בָּ׳ חֹמֶר 1985; בָּ׳ הַחֲצֵרִים 1988; בָּ׳ יְרוּשָׁלַיִם
1973—1976; בָּ׳ יִשְׂרָאֵל 1977; בָּ׳ כְלָאִים 1994;
בָּ׳ מְלָכִים 1980, 1990; בָּ׳ מִצְרַיִם 1965, 1987;
בָּ׳ מָשׂוֹשׂ 1978; בָּ׳ הַנֶּפֶשׁ 1989; בָּ׳ עֲבָדִים 1970,
1986, 1995; בָּ׳ הָעִיר 1979; בָּ׳ עָרִים 1967, 1968;
בָּ׳ הַקֳּדָשִׁים 1971; בָּ׳ הַשֵּׁן
1982

בַּיִת
1 כִּי־אֵין בַּיִת אֲשֶׁר אֵין־שָׁם מֵת Ex. 12:30
2 מוֹלֶדֶת בַּיִת אוֹ מוֹלֶדֶת חוּץ Lev. 18:9
3 וְיָצָא מִמְכַּר־בַּיִת...בַּיֹּבֵל Lev. 25:33
4 אֲשֶׁר בָּנָה בַיִת־חָדָשׁ וְלֹא חֲנָכוֹ Deut. 20:5
5 כִּי תִבְנֶה בַּיִת חָדָשׁ Deut. 22:8
6 בַּיִת תִּבְנֶה וְלֹא־תֵשֵׁב בּוֹ Deut. 28:30
7 וּבָנִיתִי לוֹ בַּיִת נֶאֱמָן ISh. 2:35
8 עָשֹׂה־יַעֲשֶׂה יְיָ לַאדֹנִי בַּיִת נֶאֱמָן ISh. 25:28

בַּיִת (המשך)
9 וַיִּבְנוּ־בַיִת לְדָוִד IISh. 5:11
10 הַאַתָּה תִּבְנֶה־לִּי בַיִת IISh. 7:5
11 כִּי־בַיִת יַעֲשֶׂה־לְּךָ יְיָ IISh. 7:11
12 וַיִּתֶּן־לוֹ בַיִת וְלֶחֶם אָמַר לוֹ IK. 11:18
13 וּבָנִיתִי לְךָ בַיִת־נֶאֱמָן IK. 11:38
14 הוֹי מַגִּיעֵי בַיִת בְּבַיִת Is. 5:8
15 הַעֶבֶד יִשְׂרָ׳ אִם־יְלִיד בַּיִת הוּא Jer. 2:14
16 וּנְוַת־בַּיִת תְּחַלֵּק שָׁלָל Ps. 68:13
17 גַּם־צִפּוֹר מָצְאָה בַיִת Ps. 84:4
18 אִם־יְיָ לֹא־יִבְנֶה בַיִת Ps. 127:1
19 בַּיִת וָהוֹן נַחֲלַת אָבוֹת Prov. 19:14
20 וּבְנֵי־בַיִת הָיָה לִי Eccl. 2:7
21-52 בַּיִת IISh. 7:13,27
IK. 2:24,36; 3:2; 5:17,19; 8:16,17,18 • Is. 24:10; 66:1 • Zech. 5:11 • Job 20:19 • Ez. 1:2; 4:3 • ICh. 14:1; 22:6(5),7(6),8(7),10; 28:3,10; 29:16 • IICh. 1:18; 2:2,3,5²,11; 6:5,7,8; 36:23

בָּיִת
53/4 יְלִיד בָּיִת וּמִקְנַת כֶּסֶף Gen. 17:12,27
55 וְיַעֲקֹב נָסַע...וַיִּבֶן לוֹ בָּיִת Gen. 33:17
56 כְּתִפְאֶרֶת אָדָם לָשֶׁבֶת בָּיִת Is. 44:13
57 וַעֲנִיִּים מְרוּדִים תָּבִיא בָיִת Is. 58:7
58 בְּחָכְמָה יִבָּנֶה בָּיִת Prov. 24:3
59 הוּא יִבְנֶה־לִּי בָּיִת ICh. 17:12
60 לִבְנוֹת לוֹ בָּיִת ICh. 17:25

וּבַיִת
61 וּבַיִת יַעֲשֶׂה לְבַת־פַּרְעֹה IK. 7:8
62 וּבַיִת לֹא־תִבְנוּ Jer. 35:7
63 וּבַיִת יִבְנֶה־לְּךָ יְיָ ICh. 17:10
64 בַּיִת לְשֵׁם יְיָ וּבַיִת לְמַלְכוּתוֹ IICh. 1:18
65 יִבְנֶה־בַּיִת לַייָ וּבַיִת לְמַלְכוּתוֹ IICh. 2:11

הַבַּיִת
66 וְאַנְשֵׁי הָעִיר...נָסַבּוּ עַל־הַבַּיִת Gen. 19:4
67 וְאֶת־הָאֲנָשִׁים אֲשֶׁר־פֶּתַח הַבַּיִת Gen. 19:11
68 וְאָנֹכִי פִּנִּיתִי הַבַּיִת Gen. 24:31
69 וְאֵין אִישׁ מֵאַנְשֵׁי הַבַּיִת שָׁם Gen. 39:11
70 וְהוֹצֵאתַנִי מִן־הַבַּיִת הַזֶּה Gen. 40:14
71 וְאִם־יִמְעַט הַבַּיִת מִהְיוֹת מִשֶּׂה Ex. 12:4
72 לֹא־תוֹצִיא מִן־הַבַּיִת...חוּצָה Ex. 12:46
73 וְנִקְרַב בַּעַל־הַבַּיִת אֶל־הָאֱלֹהִים Ex. 22:7
74 וְהִנֵּה הַנֶּגַע בְּקִירֹת הַבַּיִת Lev. 14:37
75 וַיֹּאמְרוּ אֶל־הָאִישׁ בַּעַל הַבַּיִת Jud. 19:22
76 וַיֵּצֵא אֲלֵיהֶם הָאִישׁ בַּעַל הַבַּיִת Jud. 19:23
77 וַיִּפְתַּח דַּלְתוֹת הַבַּיִת Jud. 19:27
78 פִּילַגְשׁוֹ נֹפֶלֶת פֶּתַח הַבַּיִת Jud. 19:27
79 וְהֵנָּה בָּאוּ עַד־תּוֹךְ הַבַּיִת IISh. 4:6
80 וְהָאוּלָם עַל־פְּנֵי הֵיכַל הַבַּיִת IK. 6:3
81 וַיִּבֶן עַל־קִיר הַבַּיִת יָצִיעַ סָבִיב IK. 6:5
82 אֶת־קִירוֹת הַבַּיִת סָבִיב IK. 6:5
83 אֶל־כֶּתֶף הַבַּיִת הַיְמָנִית IK. 6:8
84 וַיִּבֶן אֶת־קִירוֹת הַבַּיִת IK. 6:15
85 מִקַּרְקַע הַבַּיִת עַד־קִירוֹת הַסִּפֻּן IK. 6:15
86 וַיְצַף אֶת־קַרְקַע הַבַּיִת IK. 6:15
87 וַיִּבֶן...מִיַּרְכְּתֵי־הַבַּיִת IK. 6:16
88 הַכְּרוּבִים בְּתוֹךְ הַבַּיִת הַפְּנִימִי IK. 6:27
89 וְכַנְפֵיהֶם אֶל־תּוֹךְ הַבַּיִת IK. 6:27
90 וְאֵת כָּל־קִירוֹת הַבַּיִת מֵסַב קָלַע IK. 6:29
91 וְאֶת־קַרְקַע הַבַּיִת צִפָּה זָהָב IK. 6:30
92 חָמֵשׁ עַל־כֶּתֶף הַבַּיִת מִיָּמִין IK. 7:39
93 וְחָמֵשׁ עַל־כֶּתֶף הַבַּיִת מִשְּׂמֹאלוֹ IK. 7:39
94-97 מִכֶּתֶף הַבַּיִת הַיְמָנִית IK. 7:39
IIK. 11:11 • Ezek. 47:1 • IICh. 23:10
98 וְהַפֹּתוֹת לְדַלְתוֹת הַבַּיִת הַפְּנִימִי IK. 7:50
99 לְדַלְתֵי הַבַּיִת לַהֵיכָל זָהָב IK. 7:50
100/1 וַיָּבִאוּ...אֶל־דְּבִיר הַבַּיִת IK. 8:6 • IICh. 5:7

הַבַּיִת (המשך)

102 הִיא בָּאָה בְּסַף־הַבַּיִת וְהַנַּעַר מֵת — IK. 14:17
103 אֲשֶׁר עַל־הַבַּיִת בְּתִרְצָה — IK. 16:9
107-104 אֲשֶׁר־עַל־הַבָּיִת — IIK. 18:37; 19:2
Is. 36:22; 37:2
108 וַיַּעֲמֹד פֶּתַח־הַבַּיִת לֶאֱלִישָׁע — IIK. 5:9
109 וּשְׁמַרְתֶּם אֶת־מִשְׁמֶרֶת הַבַּיִת — IIK. 11:6
110/1 כֶּתֶף הַבַּיִת הַשְּׂמָאלִית — IIK. 11:11 • IICh. 23:10
112 וְהֵם יְחַזְּקוּ אֶת־בֶּדֶק הַבַּיִת — IIK. 12:6
113 כִּי־לְבֶדֶק הַבַּיִת תִּתְּנֻהוּ — IIK. 12:8
114 וַיִּקְרַב מֵאֵת פְּנֵי הַבַּיִת — IIK. 16:14
115 וּבָאוּ בְשַׁעֲרֵי הַבַּיִת הַזֶּה — Jer. 22:4
116/7 וְהַר הַבַּיִת לְבָמוֹת יָעַר — Jer. 26:18 • Mic. 3:12
118 וַיְבִאֵנִי אֶל־אֻלָם הַבַּיִת — Ezek. 40:48
119 וַיָּמָד קִיר־הַבַּיִת — Ezek. 41:5
120 כִּי מוּסַב־הַבַּיִת לְמַעְלָה — Ezek. 41:7
121 וְרֹחַב פְּנֵי הַבַּיִת וְהַגִּזְרָה — Ezek. 41:14
122 וְעַד־הַבַּיִת הַפְּנִימִי וְלַחוּץ — Ezek. 41:17
123 וְצַלְעוֹת הַבַּיִת וְהָעֻבִּים — Ezek. 41:26
124 וְכִלָּה אֶת־מִדּוֹת הַבַּיִת הַפְּנִימִי — Ezek. 42:15
125 צוּרַת הַבַּיִת וּתְכוּנָתוֹ — Ezek. 43:11
126 בְּמִפְקַד הַבַּיִת מִחוּץ לַמִּקְדָּשׁ — Ezek. 43:21
127 וַיְבִיאֵנִי...אֶל־פְּנֵי הַבַּיִת — Ezek. 44:4
128 וְשַׂמְתָּ לִבְּךָ לִמְבוֹא הַבַּיִת — Ezek. 44:5
129 פְּקֻדּוֹת אֶל־שַׁעֲרֵי הַבַּיִת — Ezek. 44:11
130 וְהָיָה לַלְוִיִּם מְשָׁרְתֵי הַבַּיִת — Ezek. 45:5
131 וְנָתַן אֶל־מְזוּזַת הַבַּיִת — Ezek. 45:19
132 אֲשֶׁר יְבַשְּׁלוּ־שָׁם מְשָׁרְתֵי הַבַּיִת — Ezek. 46:24
133 וַיְשִׁבֵנִי אֶל־פֶּתַח הַבַּיִת — Ezek. 47:1
134 מַיִם יֹצְאִים מִתַּחַת מִפְתַּן הַבַּיִת — Ezek. 47:1
135 כִּי־פְנֵי הַבַּיִת קָדִים — Ezek. 47:1
136 וּמִקְדַּשׁ הַבַּיִת בְּתוֹכֹה — Ezek. 48:21
137 וְאָמַר לַאֲשֶׁר בְּיַרְכְּתֵי הַבַּיִת — Am. 6:10
138 וְהִכָּה הַבַּיִת הַגָּדוֹל רְסִיסִים — Am. 6:11
139 גָּדוֹל יִהְיֶה כְּבוֹד הַבַּיִת הַזֶּה — Hag. 2:9
140 מִזְמוֹר שִׁיר־חֲנֻכַּת הַבַּיִת לְדָוִד — Ps. 30:1
141 מוֹשִׁיבִי עֲקֶרֶת הַבַּיִת...שְׂמֵחָה — Ps. 113:9
142 וַיִּגַּע בְּאַרְבַּע פִּנּוֹת הַבַּיִת — Job 1:19
143 בַּיּוֹם שֶׁיָּזֻעוּ שֹׁמְרֵי הַבַּיִת — Eccl. 12:3
144 אֲשֶׁר רָאוּ אֶת־הַבַּיִת הָרִאשׁוֹן — Ez. 3:12
145 רָאוּ...זֶה הַבַּיִת בְּעֵינֵיהֶם — Ez. 3:12
146 וְהָאוּלָם...עַל־פְּנֵי רֹחַב־הַבַּיִת — IICh. 3:4
147 וְאֵת הַבַּיִת הַגָּדוֹל חִפָּה עֵץ — IICh. 3:5
148 אָרְכּוֹ עַל־פְּנֵי רֹחַב־הַבַּיִת — IICh. 3:8
149 כְּנַף הָאֶחָד...מַגַּעַת לְקִיר הַבַּיִת — IICh. 3:11
150 וַיַּעַשׂ לִפְנֵי הַבַּיִת עַמּוּדִים שְׁנַיִם — IICh. 3:15
151 וּפֶתַח הַבַּיִת דַּלְתוֹתָיו הַפְּנִימִיּוֹת — IICh. 4:22
152 וְדַלְתֵי הַבַּיִת לְהֵיכָל זָהָב — IICh. 4:22
238-153 הַבַּיִת — Lev. 14:35,36,38,41,43,45
14:46,48,49,51,52,53; 25:30 • Deut. 26:13 • Jud. 16:26,29,30; 19:22; 20:5 • ISh. 18:10 • IISh. 4:7; 20:3 • IK. 5:19; 6:1,9²; 6:10²,12,14,18,19,21,22,38; 8:19,20,27,29,38; 8:42,43; 9:3,7 • IIK. 10:5; 12:13; 15:5; 23:27 • Is. 15:2 • Jer. 7:11; 22:5; 26:6,9,12 • Ezek. 9:7; 10:4; 41:13,19; 43:10 • Am. 5:19; 6:10 • Hag. 1:9; 2:3,7 • Zech. 4:8 • Ps. 59:1 • Ruth 2:7 • ICh. 17:4 • IICh. 2:8; 3:6,7; 6:9,10; 6:18,20,29,32,33; 7:16,20; 20:9; 23:7; 35:20

הַבָּיִת

239 וַיְדַבְּרוּ אֵלָיו פֶּתַח הַבָּיִת — Gen. 43:19
240 וְיָצָא הַכֹּהֵן...אֶל־פֶּתַח הַבָּיִת — Lev. 14:38
241 וְהִנֵּה פָּשָׂה הַנֶּגַע בְּקִירֹת הַבָּיִת — Lev. 14:39
242 וְאֵת כָּל־עֲפַר הַבָּיִת — Lev. 14:45

הַבַּיִת (המשך)

243 עֶשְׂרִים אַמָּה...עַל־פְּנֵי רֹחַב הַבַּיִת — IK. 6:3
244 עֶשֶׂר בָּאַמָּה...עַל־פְּנֵי הַבָּיִת — IK. 6:3
245 לְבִלְתִּי אֲחֹז בְּקִירוֹת־הַבָּיִת — IK. 6:6
246 וְלַחֲצַר בֵּית־יְיָ...וּלְאֻלָם הַבָּיִת — IK. 7:12
247 חָלָה בֶּן־הָאִשָּׁה בַּעֲלַת הַבָּיִת — IK. 17:17
248 לֹא־חִזְּקוּ הַכֹּהֲנִים אֶת־בֶּדֶק הַבָּיִת — IIK. 12:7
251-249 בֶּדֶק הַבָּיִת — IIK. 12:8,9; 22:5
252/3 אֶלְיָקִים...אֲשֶׁר עַל־הַבָּיִת — IIK. 18:18
Is. 36:3
254 שֶׁבְנָא אֲשֶׁר עַל־הַבָּיִת — Is. 22:15
255 וַיָּרָם...עַל מִפְתַּן הַבָּיִת — Ezek. 10:4
256 וַיֵּצֵא...מֵעַל מִפְתַּן הַבָּיִת — Ezek. 10:18
257/8 שֹׁמְרֵי מִשְׁמֶרֶת הַבָּיִת — Ezek. 40:45; 44:14
259 וְלֹא־יִהְיוּ אֲחוּזִים בְּקִיר הַבָּיִת — Ezek. 41:6
260/1 זֹאת תּוֹרַת הַבָּיִת — Ezek. 43:12²
262 הַמֶּלֶךְ יוֹשֵׁב...נֹכַח פֶּתַח הַבָּיִת — Es. 5:1
263 וּכְנַף הַכְּרוּב...מַגִּיעַ לְקִיר הַבָּיִת — IICh. 3:12
264 וְאֶת־עַזְרִיקָם נְגִיד הַבָּיִת — IICh. 28:7
294-265 הַבָּיִת — Lev. 14:36,42,48
IISh. 5:8; 15:16; 16:21; 19:6 • IK. 4:6; 5:31,32; 6:17,22; 8:19; 9:25; 18:3 • IIK. 22:6 • Jer. 39:14 • Ezek. 9:3,6; 40:47; 43:4,5; 44:11; 45:20 • Hag. 1:8 • Eccl. 10:18 • IICh. 6:9; 7:1,3; 34:10

וְהַבַּיִת

295 וְהַבַּיִת אֲשֶׁר יִלְכְּדֶנּוּ יְיָ יִקְרַב... — Josh. 7:14
296 וְהַבַּיִת מָלֵא הָאֲנָשִׁים וְהַנָּשִׁים — Jud. 16:27
297 וְהַבַּיִת אֲשֶׁר בָּנָה הַמֶּלֶךְ — IK. 6:2
298 וְהַבַּיִת בְּהִבָּנֹתוֹ אֶבֶן־שְׁלֵמָה — IK. 6:7
299 וְהַבַּיִת אֲשֶׁר־בָּנִתִי לִשְׁמֶךָ — IK. 8:44
311-300 וְהַבַּיִת — IK. 8:48; 9:8; 10:4
Is. 6:4 • Am. 6:11 • Hag. 1:4 • ICh. 22:5(4) • IICh. 2:4; 5:13; 6:34; 7:21; 9:3

וְהַבָּיִת

312 לְטַהֵר הָאָרֶץ וְהַבָּיִת — IICh. 34:8

מֵהַבַּיִת

313 מֵאֵצֶל אֻלָם הַשַּׁעַר מֵהַבַּיִת — Ezek. 40:7
314 וַיָּמָד אֶת־אֻלָם הַשַּׁעַר מֵהַבַּיִת — Ezek. 40:8

מֵהַבָּיִת

315 וְאֻלָם הַשַּׁעַר מֵהַבָּיִת — Ezek. 40:9
316 וָאֶשְׁמַע מִדַּבֵּר אֵלַי מֵהַבָּיִת — Ezek. 43:6

בְּבַיִת

317 בְּבַיִת אֶחָד יֵאָכֵל — Ex. 12:46
318 כִּי לֹא יָשַׁבְתִּי בְּבַיִת — IISh. 7:6
319 אֲנִי וְהָאִשָּׁה...יֹשְׁבֹת בְּבַיִת אֶחָד — IK. 3:17
320 הוֹי מַגִּיעֵי בַיִת בְּבַיִת... — Is. 5:8
321 יִוָּתְרוּ עֲשָׂרָה אֲנָשִׁים בְּבַיִת אֶחָד — Am. 6:9
322 כִּי לֹא יָשַׁבְתִּי בְּבַיִת... — ICh. 17:5

בַּבַּיִת

323 אֲשֶׁר יֶשׁ־לוֹ בַּבַּיִת וּבַשָּׂדֶה — Gen. 39:5
324 אֵינֶנּוּ גָדוֹל בַּבַּיִת הַזֶּה מִמֶּנִּי — Gen. 39:9
325 וְהִתְחַנְּנוּ אֵלֶיךָ בַּבַּיִת הַזֶּה — IK. 8:33
328-326 בַּבַּיִת אֲשֶׁר(־)נִקְרָא(־)שְׁמִי עָלָיו
Jer. 7:30; 32:34; 34:15
329 מִחוּץ שִׁכְּלָה־חֶרֶב בַּבַּיִת כַּמָּוֶת — Lam. 1:20
355-330 בַּבַּיִת — Lev. 14:43
14:44,47²,48 • Josh. 2:19; 6:17 • ISh. 28:24 • IK. 3:18; 6:7; 8:31 • IIK. 4:2,35; 16:18; 21:7²; 22:9 • Jer. 7:10 • Ezek. 40:43 • ICh. 5:36 • IICh. 6:22,24; 20:9; 33:7; 35:3

בַּבָּיִת

356 וַתִּקַּח...אֲשֶׁר אִתָּהּ בַּבָּיִת — Gen. 27:15
357 וַיָּבֹזּוּ וְאֵת כָּל־אֲשֶׁר בַּבָּיִת — Gen. 34:29
358 לֹא־יָדַע אִתִּי מַה־בַּבָּיִת — Gen. 39:8
359 כְּנֶגַע נִרְאָה לִי בַּבָּיִת — Lev. 14:35
360 לִכְבּוֹשׁ אֶת־הַמַּלְכָּה עִמִּי בַּבָּיִת — Es. 7:8
368-361 בַּבָּיִת — Gen. 39:11 • Lev. 14:36
14:44 • ISh. 6:10 • IK. 3:17,18 • IIK. 4:2; 5:24

לַבַּיִת

369 כִּי מִגְרָעוֹת נָתַן לַבַּיִת סָבִיב חוּצָה — IK. 6:6
370 לַבַּיִת אֲשֶׁר נִקְרָא־שְׁמִי עָלָיו — Jer. 7:14

לַבַּיִת (המשך)

371 וְהַכְּרֻבִים עֹמְדִים מִימִין לַבַּיִת — Ezek. 10:3
372 חוֹמָה מִחוּץ לַבַּיִת סָבִיב סָבִיב — Ezek. 40:5
373/4 סָבִיב סָבִיב לַבַּיִת סָבִיב — Ezek. 41:5,10
375 סָבִיב סָבִיב לַבַּיִת — Ezek. 41:7
376 עַל־כֵּן רֹחַב־לַבַּיִת לְמָעְלָה — Ezek. 41:7
382-377 לַבַּיִת — Ezek. 41:6,8
Neh. 2:8; 11:12 • ICh. 22:19(18) • IICh. 8:11

לַבָּיִת

383 שֶׂה לְבֵית־אָבֹת שֶׂה לַבָּיִת — Ex. 12:3
384 וַיַּעַשׂ לַבָּיִת חַלּוֹנֵי שְׁקֻפִים אֲטֻמִים — IK. 6:4
385 בֵּית צְלָעוֹת אֲשֶׁר לַבָּיִת — Ezek. 41:9
386 וְהֵם עֹמְדִים...וּפְנֵיהֶם לַבָּיִת — IICh. 3:13

וְלַבַּיִת

387/8 לָאָרֶץ...וְלַבַּיִת הַזֶּה — IK. 9:8 • IICh. 7:21
389 וְלַבַּיִת אֲשֶׁר־אָבוֹא אֵלָיו — Neh. 2:8
390 וְלַבַּיִת אֲשֶׁר־בָּנִיתִי לִשְׁמֶךָ — IICh. 6:38

וְלַבָּיִת

391 וּלְצָרַעַת הַבֶּגֶד וְלַבָּיִת — Lev. 14:55
392 וַיַּעַמְדוּ...לַמִּזְבֵּחַ וְלַבָּיִת — IIK. 11:11
393 וַיַּעֲמֵד...לַמִּזְבֵּחַ וְלַבָּיִת — IICh. 23:10

מִבַּיִת

394 וְכָפַרְתָּ אֹתָהּ מִבַּיִת וּמִחוּץ — Gen. 6:14
395 מִבַּיִת וּמִחוּץ תְּצַפֶּנּוּ — Ex. 25:11
396 וַיְצַפֵּהוּ...מִבַּיִת וּמִחוּץ — Ex. 37:2
397 וְאֶת־הַבַּיִת יַקְצִעַ מִבַּיִת סָבִיב — Lev. 14:41
398 וַיִּבֶן לוֹ מִבַּיִת לִדְבִיר — IK. 6:16
399 מְגֹרָרוֹת בַּמְּגֵרָה מִבַּיִת וּמִחוּץ — IK. 7:9
400 כִּי־שֻׁדַּד מִבַּיִת מִבּוֹא — Is. 23:1
401 מִבַּיִת מָלֵא זִבְחֵי־רִיב — Prov. 17:1

מִבָּיִת

402 צִפָּה עֵץ מִבָּיִת — IK 6:15
403 וְהִנֵּה הַשַּׂק עַל־בְּשָׂרוֹ מִבָּיִת — IIK. 6:30
404 ...בַּחוּץ וְהַדֶּבֶר וְהָרָעָב מִבָּיִת — Ezek. 7:15

בַּיְתָה

405 אֱלֹהִים מוֹשִׁיב יְחִידִים בַּיְתָה — Ps. 68:7

בָּיְתָה

406/7 אֶל־עֵבֶר הָאֵפֹד בָּיְתָה — Ex. 28:26; 39:19
408/9 וְכָל־אֲחֹרֵיהֶם בָּיְתָה — IK. 7:25 • IICh. 4:4
410 אֲסִירָיו לֹא־פָתַח בָּיְתָה — Is. 14:17

וָבָיְתָה

411 וַיִּבֶן...מִן־הַמִּלּוֹא וָבָיְתָה — IISh. 5:9
412 בְּשַׁעֲרֵי הֶחָצֵר...וָבָיְתָה — Ezek. 44:17

הַבַּיְתָה

413 וַיָּבֹא הָאִישׁ הַבַּיְתָה — Gen. 24:32
414 וַיָּבֹא הַבַּיְתָה לַעֲשׂוֹת מְלַאכְתּוֹ — Gen. 39:11
415 וַיָּבֹא יוֹסֵף הַבַּיְתָה — Gen. 43:26
416 וְלֹא יֵאָסֵף הַבַּיְתָה — Ex. 9:19
422-417 הַבַּיְתָה — Jud. 19:15
IISh. 13:7; 17:20 • IK. 13:7; 17:23 • IIK. 9:6

הַבָּיְתָה

423 וַיָּבִיאוּ אֶת־לוֹט...הַבָּיְתָה — Gen. 19:10
424 הָבֵא אֶת־הָאֲנָשִׁים הַבָּיְתָה — Gen. 43:16
431-425 הַבָּיְתָה — Gen. 43:26 • Josh. 2:18
Jud. 19:18 • ISh. 6:7 • IISh. 14:31 • IK. 13:15 • IIK. 4:32

מִבַּיְתָה

432 וַיִּבֶן אֶת־קִירוֹת הַבַּיִת מִבַּיְתָה — IK. 6:15

בֵּית־

433 וַתֻּקַּח הָאִשָּׁה בֵּית פַּרְעֹה — Gen. 12:15
434 כָּל־זָכָר בְּאַנְשֵׁי בֵּית אַבְרָהָם — Gen. 17:23
435 סוּרוּ נָא אֶל־בֵּית עַבְדְּכֶם — Gen. 19:2
436 הֲיֵשׁ בֵּית־אָבִיךְ מָקוֹם — Gen. 24:23
437 נָחַנִי יְיָ בֵּית אֲחֵי אֲדֹנִי — Gen. 24:27
438 אִם־לֹא אֶל־בֵּית־אָבִי תֵּלֵךְ — Gen. 24:38
439 אֵין זֶה כִּי אִם־בֵּית אֱלֹהִים — Gen. 28:17
440 וְשַׁבְתִּי בְשָׁלוֹם אֶל־בֵּית אָבִי — Gen. 28:21
441 וְהָאֶבֶן...יִהְיֶה בֵּית אֱלֹהִים — Gen. 28:22
442 וְהוּא נִכְבָּד מִכֹּל בֵּית אָבִיו — Gen. 34:19
443 שְׁבִי אַלְמָנָה בֵית־אָבִיךְ — Gen. 38:11
490-444 בֵּית־אָב (אָבִי, אָבִיךְ, אָבִיו...)
Gen. 38:11; 41:51; 46:31; 47:12 • Lev. 22:13 • Num. 3:24,30,35; 25:14,15; 30:17 • Deut. 22:21² • Josh. 2:12,18; 6:25 • Jud. 6:27; 9:1,5,18; 14:15,19; 16:31; 19:2,3 • ISh. 2:27,31; 9:20; 17:25; 18:2; 22:1,11,15,16,22 • IISh. 3:29; 14:9; 19:29

בַּיִת־ (המשך)

IK. 2:31 • Is. 3:6; 7:17; 22:24 • ICh. 24:6; 28:4² •
IICh. 21:13; 35:5

491 וַיְבָרֶךְ יְיָ אֶת־בֵּית הַמִּצְרִי Gen. 39:5
492 וַיִּתְּנֵהוּ אֶל־בֵּית הַסֹּהַר Gen. 39:20
493 וַיִּתֵּן חִנּוֹ בְּעֵינֵי שַׂר בֵּית־הַסֹּהַר Gen. 39:21
494/5 שַׂר בֵּית־הַסֹּהַר Gen. 39:22,23
496/7 בְּמִשְׁמַר בֵּית שַׂר הַטַּבָּחִים Gen.40:3; 41:10
498 אֶל־בֵּית הַסֹּהַר Gen. 40:3
499 בְּמִשְׁמַר בֵּית אֲדֹנָיו Gen. 40:7
500 וַיִּירְאוּ...כִּי הוּבְאוּ בֵּית יוֹסֵף Gen. 43:18
501 הָאִישׁ אֲשֶׁר עַל־בֵּית יוֹסֵף Gen. 43:19
502 וַיִּשְׁמַע בֵּית פַּרְעֹה Gen. 45:2
503 וְהַקֹּל נִשְׁמַע בֵּית פַּרְעֹה Gen. 45:16
504 וַיְדַבֵּר יוֹסֵף אֶל־בֵּית פַּרְעֹה Gen. 50:4
505 וְכֹל בֵּית יוֹסֵף וְאֶחָיו Gen. 50:8
506 אֵלֶּה רָאשֵׁי בֵית־אֲבֹתָם Ex. 6:14
517-507 בֵּית אָבוֹת (אֲבוֹתָיו... אֲבוֹתָם)
Num. 2:34; 7:2; 17:18 • Josh. 22:14 • Ez. 2:59 •
Neh. 7:61 • ICh. 5:24; 7:7,9,40 • IICh. 35:5
518 וַיִּקְרְאוּ בֵית־יִשְׂרָאֵל אֶת־שְׁמוֹ מָן Ex. 16:31
519 לֹא־תַחְמֹד בֵּית רֵעֶךָ Ex. 20:14
520/1 תָּבִיא בֵּית יְיָ אֱלֹהֶיךָ Ex. 23:19; 34:26
522 לְעֵינֵי כָל־בֵּית־יִשְׂרָאֵל Ex. 40:38
638-523 בֵּית יִשְׂרָאֵל Lev. 10:6 • Num. 20:29
Josh. 21:45(43) • ISh. 7:2, 3 • IISh. 1:12; 6:5, 15;
12:8; 16:3 • IK. 12:21; 20:31 • Is. 5:7; 14:2; 46:3 •
Jer. 2:4, 26; 3:18, 20; 5:11, 15; 9:25; 10:1; 11:10, 17;
13:11; 18:6²; 23:8; 31:27(26), 31(30), 33(32); 33:14,
17; 48:13 • Ezek. 3:1, 4, 5, 7; 4:4, 5; 5:4; 6:11; 8:6, 10,
11, 12; 9:9; 11:5, 15; 12:9, 10, 24, 27; 13:5, 9; 14:5, 6,
11; 17:2; 18:6, 15, 25, 29², 30, 31; 20:13, 27, 30, 31, 39,
40, 44; 22:18; 28:25; 33:10, 11, 20; 34:30; 35:15;
36:10, 17, 21, 22, 32; 37:11, 16; 39:12, 22, 23, 25, 29;
43:7, 10; 44:6², 22; 45:6, 17² • Hosh. 1:4, 6; 5:1; 12:1
• Am. 5:1, 25; 6:1, 14; 7:10; 9:9 • Mic. 1:5; 3:1, 9 • Ps.
115:12; 135:19 • Ruth 4:11
639 בֵּית־מוֹשַׁב עִיר חוֹמָה Lev. 25:29
640 וְאִם־בֵּית אִישָׁהּ נָדָרָה Num. 30:11
641 וְלֹא תִתְאַוֶּה בֵּית רֵעֶךָ Deut. 5:18
642 לֹא־תָבִיא...בֵּית יְיָ אֱלֹהֶיךָ Deut. 23:19
643 אֲשֶׁר לֹא־יִבְנֶה אֶת־בֵּית אָחִיו Deut. 25:9
644 וְנִקְרָא...בֵּית חֲלוּץ הַנָּעַל Deut. 25:10
645 וַיָּבֹאוּ בֵּית־אִשָּׁה זוֹנָה Josh. 2:1
646 בֹּאוּ בֵּית־הָאִשָּׁה הַזּוֹנָה Josh. 6:22
647 נָתְנוּ אוֹצַר בֵּית־יְיָ Josh. 6:24
648 וַיֹּאמֶר יְהוֹשֻׁעַ אֶל־בֵּית יוֹסֵף Josh. 17:17
651-649 בֵּית יוֹסֵף Jud. 1:22,23,35
652 בֵּין...וּבֵין בֵּית חֶבֶר הַקֵּינִי Jud. 4:17
653 וְלֹא־עָשׂוּ חֶסֶד עִם־בֵּית יְרֻבַּעַל Jud. 8:35
654 וַיָּבֹאוּ בֵּית אֱלֹהֵיהֶם Jud. 9:27
655 וְהָאִישׁ מִיכָה לוֹ בֵּית אֱלֹהִים Jud. 17:5
656 וַיָּבֹא...עַד־בֵּית מִיכָה Jud. 17:8
662-657 בֵּית מִיכָה Jud. 18:2,3,13,15,18,22
663 כָּל־יְמֵי הֱיוֹת בֵּית־הָאֱלֹהִים Jud. 18:31
664 וְאֶת־בֵּית יְיָ אֲנִי הֹלֵךְ Jud. 19:18
665 וַתִּפֹּל פֶּתַח בֵּית־הָאִישׁ Jud. 19:26
666 וַתְּבִאֵהוּ בֵית־יְיָ שִׁלוֹ ISh. 1:24
850-667 בֵּית יְיָ ISh. 3:15 • IISh. 12:20
IK. 3:1; 6:37; 7:12, 40, 45, 48, 51²; 8:10, 11, 63, 64;
9:1, 10, 15; 10:5; 14:26, 28; 15:15, 18 • IIK. 11:3, 4, 7,
13, 15, 18; 12:5², 10², 11, 12²; 12:13, 14², 15, 17, 19;
14:14; 15:35; 16:8, 14, 18; 18:15; 19:1, 14; 20:5, 8;

בַּיִת־ (המשך)

21:5; 22:3, 4, 5, 9; 23:2, 11, 12, 24; 24:13; 25:9, 13 •
Is. 2:2; 37:1, 14; 38:20, 22; 66:20 • Jer. 7:2; 17:26;
19:14; 26:2², 10; 27:16, 21; 28:3, 6; 29:26; 33:11;
35:2, 4; 36:5, 6, 8, 10²; 41:5; 51:51; 52:13 • Ezek.
8:14, 16; 10:19; 11:1; 44:4, 5 • Hosh. 8:1; 9:4 • Joel
1:14 • Mic. 4:1 • Hag. 1:2 • Zech. 8:9; 11:13 • Ps.
116:19; 122:1, 9 • Ez. 1:3, 5, 7; 3:8, 11; 7:27; 8:29 •
ICh. 6:16, 17; 22:1(21; 31), 22:11(10); 23:4, 24, 32;
25:6; 26:22; 28:12, 13², 20; 29:8 • IICh. 3:1; 5:13;
7:2², 7, 11; 8:1, 16²; 9:4; 12:9, 11; 16:2; 20:28; 23:5,
6, 12, 14, 18²; 23:19; 24:4, 7, 8, 12³, 18, 21; 27:3;
28:21, 24; 29:3, 5, 15, 16², 17, 18, 20, 25, 35; 30:15;
31:10; 33:5, 15; 34:8, 14, 30²; 35:2; 36:7, 10, 14, 18
851 אִם־יִתְכַּפֵּר עֲוֹן בֵּית־עֵלִי ISh. 3:14
852 וַיָּבִיאוּ אֹתוֹ בֵּית דָּגוֹן ISh. 5:2
853 וְכָל הַבָּאִים בֵּית־דָּגוֹן ISh. 5:5
854 וַיָּבִאוּ אֹתוֹ אֶל־בֵּית אֲבִינָדָב ISh. 7:1
855 אֵי־זֶה בֵּית הָרֹאֶה ISh. 9:18
856 וַיִּשְׁלַח...אֶל־בֵּית דָּוִד לְשָׁמְרוֹ ISh. 19:11
857 וַיִּכְרֹת יְהוֹנָתָן עִם־בֵּית דָּוִד ISh. 20:16
858 לְבַשֵּׂר בֵּית עֲצַבֵּיהֶם ISh. 31:9
859 וַיָּשִׂמוּ אֶת־כֵּלָיו בֵּית עַשְׁתָּרוֹת ISh. 31:10
860 וַיִּמְשְׁחוּ...לְמֶלֶךְ עַל־בֵּית יְהוּדָה IISh. 2:4
886-861 בֵּית יְהוּדָה IISh. 2:7,10,11
IK. 12:21,23 • IIK. 19:30 • Is. 37:31 • Jer. 3:18;
12:14; 13:11; 31:27(26), 31(30); 33:14; 36:3 •
Ezek. 4:6; 25:3, 8 • Hosh. 1:7 • Zep. 2:7 • Zech. 8:13,
15; 10:3, 6; 12:4 • Neh. 4:10 • IICh. 11:1
890-887 בֵּין בֵּית שָׁאוּל וּבֵין בֵּית דָּוִד IISh. 3:1,6
891 אֶעֱשֶׂה חֶסֶד עִם־בֵּית שָׁאוּל אָבִיךָ IISh. 3:8
892 טוֹב...וּבְעֵינֵי כָּל־בֵּית בִּנְיָמִן IISh. 3:19
893 וַיָּבֹאוּ...אֶל־בֵּית אִישׁ בֹּשֶׁת IISh. 4:5
894 וַיַּטֵּהוּ דָוִד בֵּית עֹבֵד־אֱדֹם IISh. 6:10
895 וַיֵּשֶׁב אֲרוֹן יְיָ בֵּית עֹבֵד אֱדֹם IISh. 6:11
896 בֵּרַךְ יְיָ אֶת־בֵּית עֹבֵד אֱדֹם IISh. 6:12
897 לָמָּה לֹא־בְנִיתֶם לִי בֵּית אֲרָזִים IISh. 7:7
898 וַתְּדַבֵּר גַּם אֶל־בֵּית־עַבְדְּךָ IISh. 7:19
899 וְעַתָּה הוֹאֵל וּבָרֵךְ אֶת־בֵּית עַבְדְּךָ IISh. 7:29
900 יְבֹרַךְ בֵּית־עַבְדְּךָ לְעוֹלָם IISh. 7:29
901 הִנֵּה־הוּא בֵּית מָכִיר IISh. 9:4
902 וְכֹל מוֹשַׁב בֵּית־צִיבָא עֲבָדִים IISh. 9:12
903 וַיִּתְהַלֵּךְ עַל־גַּג בֵּית־הַמֶּלֶךְ IISh. 11:2
945-904 בֵּית־(הַ)מֶּלֶךְ IISh. 11:9; 19:19
IK. 9:1, 10; 14:26, 27; 15:18; 16:18² • IIK. 7:9, 11;
11:5, 16, 19, 20; 14:14; 15:25; 16:8; 18:15; 24:13;
25:9 • Jer. 22:1, 6; 32:2; 36:12; 38:11; 39:8; 52:13 •
Es. 2:8, 13; 4:13; 5:1²; 6:4 • IICh. 7:11; 12:9, 10;
23:15, 20; 25:24; 26:21; 28:21
946 וָאֶתְּנָה לְךָ אֶת־בֵּית אֲדֹנֶיךָ IISh. 12:8
947 לְכִי נָא בֵּית אַמְנוֹן אָחִיךְ IISh. 13:7
948 וַתֵּלֶךְ תָּמָר בֵּית אַמְנוֹן אָחִיהָ IISh. 13:8
949 וַתֵּשֶׁב...בֵּית אַבְשָׁלוֹם אָחִיהָ IISh. 13:20
950 וַיַּעַמְדוּ בֵּית הַמֶּרְחָק IISh. 15:17
951 אִישׁ...מִמִּשְׁפַּחַת בֵּית־שָׁאוּל IISh. 16:5
952 הֵשִׁיב...כֹּל דְּמֵי בֵית־שָׁאוּל IISh. 16:8
953 וַיָּבֹאוּ אֶל־בֵּית־אִישׁ בְּבַחֻרִים IISh. 17:18
954 וְצִיבָא נַעַר בֵּית שָׁאוּל IISh. 19:18
955 בָּאתִי...רִאשׁוֹן לְכָל־בֵּית יוֹסֵף IISh. 19:21
956 וַיִּתְּנֵם בֵּית־מִשְׁמֶרֶת IISh. 20:3
957 אֶל־שָׁאוּל וְאֶל־בֵּית הַדָּמִים IISh. 21:1

בַּיִת־ (המשך)

958 אֲשֶׁר דִּבֶּר עַל־בֵּית עֵלִי IK. 2:27
959 וַיִּבֶן אֶת־בֵּית יַעַר הַלְּבָנוֹן IK. 7:2
960 בָּנֹה בָנִיתִי בֵּית זְבֻל לָךְ IK. 8:13
961/2 בֵּית(־)יַעַר הַלְּבָנוֹן IK. 10:17,21
963 וַתְּגַמְּלֵהוּ... בְּתוֹךְ בֵּית פַּרְעֹה IK. 11:20
964 וַיְהִי גְנֻבַת בֵּית פַּרְעֹה IK. 11:20
965 וַיַּפְקֵד אֹתוֹ לְכָל־סֵבֶל בֵּית יוֹסֵף IK. 11:28
966 לֹא הָיָה אַחֲרֵי בֵית־דָּוִד IK. 12:20
967 וַיַּעַשׂ אֶת־בֵּית בָּמוֹת IK. 12:31
968 וַיְהִי...לְחַטַּאת בֵּית יָרָבְעָם IK. 13:34
969 וַתֵּלֶךְ שִׁלֹה וַתָּבֹא בֵּית אֲחִיָּה IK. 14:4
970 הִנְנִי מֵבִיא רָעָה אֶל־בֵּית יָרָבְעָם IK. 14:10
975-971 בֵּית יָרָבְעָם IK. 14:10,14
15:29 • IIK. 13:6 • Am. 7:9
976 שֹׁתֶה שִׁכּוֹר בֵּית אַרְצָא IK. 16:9
977 הִכָּה אֶת־כָּל־בֵּית בַּעְשָׁא IK. 16:11
978 וַיַּשְׁמֵד זִמְרִי אֵת כָּל־בֵּית בַּעְשָׁא IK. 16:12
979 בֵּית הַבַּעַל אֲשֶׁר בָּנָה בְּשֹׁמְרוֹן IK. 16:32
980 שִׂימוּ אֶת־זֶה בֵּית הַכֶּלֶא IK. 22:27
981 בְּבוֹא אֲדֹנִי בֵית־רִמּוֹן IIK. 5:18
982 וְהִשְׁתַּחֲוֵיתִי בֵּית רִמֹּן IIK. 5:18
983 בְּהִשְׁתַּחֲוָיָתִי בֵּית רִמֹּן IIK. 5:18
984 כַּאֲשֶׁר עָשׂוּ בֵּית אַחְאָב IIK. 8:18
985 וַיֵּלֶךְ בְּדֶרֶךְ בֵּית אַחְאָב IIK. 8:27
997-986 בֵּית אַחְאָב IIK. 8:27; 9:7,8,9; 10:10
21:13 • Mic. 6:16 • IICh. 21:6,13; 22:3,7; 22:8
998 וְהִלָּחֲמוּ עַל־בֵּית אֲדֹנֵיכֶם IIK. 10:3
999 הוּא בֵּית־עֵקֶד הָרֹעִים בַּדָּרֶךְ IIK. 10:12
1000 וַיִּשְׁחָטוּם אֶל־בּוֹר בֵּית־עֵקֶד IIK. 10:14
1001 וַיָּבֹאוּ בֵּית הַבַּעַל IIK. 10:21
1008-1002 בֵּית הַבַּעַל IIK. 10:21
10:23, 25, 26, 27; 11:18 • IICh. 23:17
1009 וַיַּאַסְרֵהוּ בֵּית כֶּלֶא IIK. 17:4
1010 כִּי־קָרַע יִשְׂרָאֵל מֵעַל בֵּית דָּוִד IIK. 17:21
1011 מִשְׁתַּחֲוֶה בֵּית נִסְרֹךְ אֱלֹהָיו IIK. 19:37
1012 וַיַּרְאֵם אֶת־כָּל־בֵּית נְכֹתֹה... IIK. 20:13
1013 וְאֵת בֵּית כֵּלָיו IIK. 20:13
1014 וְאֶת־כָּל־בָּתֵּי... בֵּית גָּדוֹל שָׂרַף IIK. 25:9
1015/6 אֶל־בֵּית אֱלֹהֵי יַעֲקֹב Is. 2:3 • Mic. 4:2
1017 בֵּית יַעֲקֹב לְכוּ וְנֵלְכָה בְּאוֹר יְיָ Is. 2:5
1030-1018 בֵּית יַעֲקֹב Is. 2:6; 10:20
14:1; 29:22; 46:3; 48:1 • Jer. 2:4 • Ezek. 20:5 • Am.
9:8 • Ob. 17, 18 • Mic. 2:7; 3:9
1031 שִׁמְעוּ־נָא בֵּית דָּוִד Is. 7:13
1037-1032 בֵּית־דָּוִד Is. 22:22 • Jer. 21:12
Zech. 12:7, 10, 12 • IICh. 21:7
1038 וַתַּבֵּט...אֶל־נֶשֶׁק בֵּית הַיָּעַר Is. 22:8
1039 וְשָׁמָּה...קְלוֹן בֵּית אֲדֹנֶיךָ Is. 22:18
1040 וְקָם עַל־בֵּית מְרֵעִים Is. 31:2
1041 מִשְׁתַּחֲוֶה בֵּית נִסְרֹךְ אֱלֹהָיו Is. 37:38
1042 וַיַּרְאֵם אֶת־בֵּית נְכֹתֹה Is. 39:2
1043 וְאֵת כָּל־בֵּית כֵּלָיו Is. 39:2
1044 בֵּית־תְּפִלָּה יִקָּרֵא לְכָל הָעַמִּים Is. 56:7
1045 בֵּית קָדְשֵׁנוּ וְתִפְאַרְתֵּנוּ Is. 64:10
1046 אַל־תָּבוֹא בֵּית מַרְזֵחַ Jer. 16:5
1047 וְיָרַדְתָּ בֵּית הַיּוֹצֵר Jer. 18:2
1048 וָאֵרֵד בֵּית הַיּוֹצֵר Jer. 18:3
1049 אֶבְנֶה־לִּי בֵּית מִדּוֹת Jer. 22:14
1050 הָלוֹךְ אֶל־בֵּית הָרֵכָבִים Jer. 35:2
1051/2 בֵּית הָרֵכָבִים Jer. 35:3, 5
1053 וְהַמֶּלֶךְ יוֹשֵׁב בֵּית הַחֹרֶף Jer. 36:22
1054 וְלֹא־נָתְנוּ אֹתוֹ בֵּית הַכְּלוּא* Jer. 37:4

בַּיִת־ (המשך)

1055 וְנָתְנוּ אוֹתוֹ בֵּית הָאֵסוּר Jer. 37:15
1056 בֵּית יְהוֹנָתָן הַסֹּפֵר Jer. 37:15
1057 כִּי בָא יִרְמְיָהוּ אֶל־בֵּית הַבּוֹר Jer. 37:16
1058 נְתַתֶּם אוֹתִי אֶל־בֵּית הַכֶּלֶא Jer. 37:18
1059 תְּשִׁבֵנִי בֵּית יְהוֹנָתָן הַסֹּפֵר Jer. 37:20
1060 לְבִלְתִּי הֲשִׁיבֵנִי בֵּית יְהוֹנָתָן Jer. 38:26
1061 וְאֶת־בֵּית הָעָם שָׂרְפוּ הַכַּשְׂדִּים Jer. 39:8
1062 אֲשֶׁר בְּפֶתַח בֵּית פַּרְעֹה Jer. 43:9
1063 וַיִּתְּנֵהוּ בֵית (כת׳ בבית) הַפְּקֻדֹּת Jer. 52:11
1064 וְאֶת־כָּל־בֵּית הַגָּדוֹל שָׂרַף Jer. 52:13
1065 כְּמַרְאֵה־אֵשׁ בֵּית־לָהּ סָבִיב Ezek. 1:27
1066-1071 כִּי בֵּית מְרִי הֵמָּה Ezek. 2:5,6 3:9,26,27; 12:3
1072-1076 בֵּית (הַ)מְּרִי Ezek. 12:2²,9,25; 24:3
1077 בֵּית תּוֹגַרְמָה יַרְכְּתֵי צָפוֹן Ezek. 38:6
1078 וַאֲשֶׁר מֻנָּח בֵּית צְלָעוֹת Ezek. 41:9
1079 אֵלֶּה בֵּית הַמְבַשְּׁלִים Ezek. 46:24
1080/1 בֵּית־הַחֹרֶף עַל־בֵּית הַקָּיִץ Am. 3:15
1082 פֶּן־יִצְלַח כָּאֵשׁ בֵּית יוֹסֵף Am. 5:6
1083 וְלֹא תַטִּיף עַל־בֵּית יִשְׂחָק Am. 7:16
1084 לְכוּ...וְאֶל־בֵּית אֱלֹהֵי יַעֲקֹב Mic. 4:2
1085 עוֹד הַאִשׁ בֵּית רָשָׁע אֹצְרוֹת רֶשַׁע Mic. 6:10
1086 הַמְמַלְאִים בֵּית אֲדֹנֵיהֶם חָמָס Zep. 1:9
1087 וּבָאָה אֶל־בֵּית הַגַּנָּב Zech. 5:4
1088 וְאֶל־בֵּית הַנִּשְׁבָּע בִּשְׁמִי לַשָּׁקֶר Zech. 5:4
1089 וּבָאתָ בֵּית יֹאשִׁיָּה Zech. 6:10
1090 וְאֶת־בֵּית יוֹסֵף אוֹשִׁיעַ Zech. 10:6
1091 מִשְׁפַּחַת בֵּית־נָתָן לְבָד Zech. 12:12
1092 מִשְׁפַּחַת בֵּית־לֵוִי לְבָד Zech. 12:13
1093 אֲשֶׁר הֻכֵּיתִי בֵּית מְאַהֲבָי Zech. 13:6
1094 הָבִיאוּ...אֶל־בֵּית הָאוֹצָר Mal. 3:10
1095 אֶדַּדֵּם עַד־בֵּית אֱלֹהִים Ps. 42:5
1096 בָּא דָוִד אֶל־בֵּית אֲחִימֶלֶךְ Ps. 52:2
1097 בֵּית אַהֲרֹן בִּטְחוּ בַיָי Ps. 115:10
1098 יְבָרֵךְ אֶת־בֵּית אַהֲרֹן Ps. 115:12
1099 יֹאמְרוּ־נָא בֵית־אַהֲרֹן Ps. 118:3
1100 בְּחַצְרוֹת בֵּית אֱלֹהֵינוּ Ps. 135:2
1101 בֵּית הַלֵּוִי בָּרְכוּ אֶת־יְיָ Ps. 135:20
1102 בֵּית נְתִיבוֹת נִצָּבָה Prov. 8:2
1103 בֵּית רְשָׁעִים יִשָּׁמֵד Prov. 14:11
1104 בֵּית צַדִּיק חֹסֶן רָב Prov. 15:6
1105 בֵּית גֵּאִים יִסַּח יְיָ Prov. 15:25
1106 וְעָשׂוּ מִשְׁתֶּה בֵּית אִישׁ יוֹמוֹ Job 1:4
1107 בֵּית אֲבָנִים יֶחֱזֶה Job 8:17
1108 אַיֵּה בֵית־נָדִיב Job 21:28
1109 הֱבִיאַנִי אֶל־בֵּית הַיָּיִן S.ofS. 2:4
1110 עַד־שֶׁהֲבֵיאתִיו אֶל־בֵּית אִמִּי S.ofS. 3:4
1111 אֶנְהָגְךָ אֲבִיאֲךָ אֶל־בֵּית אִמִּי S.ofS. 8:2
1112 וּמְצֶאןָ מְנוּחָה אִשָּׁה בֵּית אִישָׁהּ Ruth 1:9
1113 כַּאֲשֶׁר תֵּלֵךְ אֶל־בֵּית הָאֱלֹהִים Eccl. 4:17
1114/5 טוֹב לָלֶכֶת אֶל־בֵּית־אֵבֶל
מִלֶּכֶת אֶל־בֵּית מִשְׁתֶּה Eccl. 7:2
1116 הֹלֵךְ הָאָדָם אֶל־בֵּית עוֹלָמוֹ Eccl. 12:5
1117 בֵּית הַמַּלְכוּת אֲשֶׁר לַמֶּ׳ אֲחַשְׁוֵרוֹשׁ Es. 1:9
1118 וְיִקְבְּצוּ...אֶל־בֵּית הַנָּשִׁים Es. 2:3
1119-1121 בֵּית הַנָּשִׁים Es. 2:9,11,14
1122 שָׁב...אֶל־בֵּית מִשְׁתֵּה הַיַּיִן Es. 7:8
1123 נָתַן הַמֶּלֶךְ...אֶת־בֵּית הָמָן Es. 8:1
1124/5 בֵּית הָמָן Es. 8:2,7
1126 וּמִקְצָת כְּלֵי בֵית־הָאֱלֹהִים Dan. 1:2
1127 וַיְבִיאֵם אֶרֶץ־שִׁנְעָר בֵּית אֱלֹהָיו Dan. 1:2
1128 הֵבִיא בֵּית אוֹצַר אֱלֹהָיו Dan. 1:2
1129 לְבוֹאָם אֶל־בֵּית הָאֱלֹהִים Ez. 3:8
1130-1171 בֵּית־הָאֱלֹהִים Ez. 6:22; 8:36; 10:1,6 10:9 • Neh. 6:10; 8:16; 11:11,22; 13:7,9,11 • ICh. 6:33; 9:11,13,26,27; 22:2(1); 23:28; 25:6; 26:20; 28:12,21; 29:7 • IICh. 3:3; 4:9; 5:1,14; 7:5; 15:18; 23:9; 24:7,13,27; 28:24²; 31:13,21; 34:9; 35:8; 36:18,19
1172 תְּרוּמַת בֵּית־אֱלֹהֵינוּ Ez. 8:25
1173-1178 בֵּית אֱלֹהֵינוּ Ez. 9:9 Neh. 10:33,34,38,40; 13:4
1179 הָעִיר בֵּית־קִבְרוֹת אֲבֹתַי חֲרֵבָה Neh. 2:3
1180 וְעַד בֵּית הַגִּבֹּרִים Neh. 3:16
1181 עַד־פֶּתַח בֵּית אֶלְיָשִׁיב Neh. 3:20
1182/3 בֵּית אֶלְיָשִׁיב Neh. 3:21²
1184 עַד־בֵּית הַנְּתִינִים וְהָרֹכְלִים Neh. 3:31
1185 וַאֲנִי בָאתִי בֵּית שְׁמַעְיָה Neh. 6:10
1186 אֶת־כָּל־כְּלֵי בֵית־טוֹבִיָּה Neh. 13:8
1187 הַבָּאִים מֵחַמַּת אֲבִי בֵית רֵכָב ICh. 2:55
1188 וְאֶשְׁתּוֹן הוֹלִיד אֶת־בֵּית רָפָא ICh. 4:12
1189 וּמִשְׁפְּחוֹת בֵּית־עֲבֹדַת הַבֻּץ ICh. 4:21
1190 וַיָּשִׂימוּ אֶת־כֵּלָיו בֵּית אֱלֹהֵיהֶם ICh. 10:10
1191 שֹׁמְרִים מִשְׁמֶרֶת בֵּית שָׁאוּל ICh. 12:30(29)
1192 וַיַּטֵּהוּ אֶל־בֵּית עֹבֵד־אֱדֹם ICh. 13:13
1193-1195 בֵּית עֹבֵד־אֱדֹם ICh. 13:14²; 15:25
1196 לֹא־בְנִיתֶם לִי בֵּית אֲרָזִים ICh. 17:6
1197 וַתְּדַבֵּר עַל־בֵּית־עַבְדְּךָ ICh. 17:17
1198 הוֹאַלְתָּ לְבָרֵךְ אֶת־בֵּית עַבְדְּךָ ICh. 17:27
1199 וּלְבָנָיו בֵּית הָאֲסֻפִּים ICh. 26:15
1200 בֵּית מְנוּחָה לַאֲרוֹן בְּרִית־יְיָ ICh. 28:2
1201 וַיַּעַשׂ אֶת־בֵּית־קֹדֶשׁ הַקֳּדָשִׁים IICh. 3:8
1202 וַאֲנִי בָּנִיתִי בֵית־זְבֻל לָךְ IICh. 6:2
1203 וְכֹל כְּלֵי בֵּית־יַעַר הַלְּבָנוֹן IICh. 9:20
1204 וַיִּתְּנֵהוּ בֵּית הַמַּהְפֶּכֶת IICh. 16:10
1205 שִׂימוּ זֶה בֵּית הַכֶּלֶא IICh. 18:26
1206 לְחַזֵּק אֶת־בֵּית אֱלֹהֵיכֶם IICh. 24:5
1207 וַיֵּשֶׁב בֵּית הַחָפְשִׁית מְצֹרָע IICh. 26:21
1208 וַיָּשָׁב...וַיָּבֹא בֵּית אֱלֹהָיו IICh. 32:21
1209 כִּי אֶל־בֵּית מִלְחַמְתִּי IICh. 35:21

וּבֵית־

1210 אַחַי וּבֵית־אָבִי...בָּאוּ אֵלָי Gen. 46:31
1211 וְכֹל בֵּית יוֹסֵף...וּבֵית אָבִיו Gen. 50:8
1212-1220 וּבֵית אָבִי (אָבִיךָ, אָבִיךְ...) Gen. 50:22 • Num.18:1 • ISh.2:30 • IK.18:18 • Jer.12:6 • Ps.45:11 • Es.4:14 • Neh.1:6 • ICh.12:29(28)
1221 וַיָּבֹא...בֵּיתָה פַרְעֹה וּבֵית עֲבָדָיו Ex. 8:20
1222 וּבֵית יוֹסֵף יַעַמְדוּ עַל־גְּבוּלָם Josh. 18:5
1223 וּבֵית שָׁאוּל הֹלְכִים וְדַלִּים IISh. 3:1
1224 וּבֵית עַבְדְּךָ דָוִד יִהְיֶה נָכוֹן IISh. 7:26
1225 וּבֵית הַשֵּׁן אֲשֶׁר בָּנָה IK. 22:39
1226 בְּאֹצְרוֹת בֵּית־יְיָ וּבֵית הַמֶּלֶךְ IIK. 12:19
1227 וּבֵית תִּפְאַרְתִּי אֲפָאֵר Is. 60:7
1228 וּבֵית זוֹנָה יִתְגּוֹדָדוּ Jer. 5:7
1229 בָּגְדוּ בִּי...וּבֵית יְהוּדָה Jer. 5:11
1230/1 וּבֵית יְהוּדָה Jer. 11:10,17
1232 וּבֵית־מִשְׁתֶּה לֹא־תָבוֹא Jer. 16:8
1233 בְּבֵית־יְיָ וּבֵית מֶלֶךְ יְהוּדָה Jer. 27:18
1234 בֵּית יְיָ וּבֵית מֶלֶךְ־יְהוּדָה Jer. 27:21
1235 וּבֵית יִשְׂרָאֵל לֹא יֹאבוּ לִשְׁמֹעַ Ezek. 3:7
1236 וּבֵית הַמֶּלֶךְ הַאֲזִינוּ Hosh. 5:1
1237 וּבֵית מַמְלָכָה הוּא Am. 7:13
1238 וְהָיָה...וּבֵית יוֹסֵף לֶהָבָה Ob. 18
1239 וּבֵית עֵשָׂו לְקַשׁ Ob. 18
1240 בֵּית יְהוּדָה וּבֵית יִשְׂרָאֵל Zech. 8:13

וּבֵית־ (המשך)

1241 וּבֵית דָּוִיד כֵּאלֹהִים Zech. 12:8
1242 וּבֵית צַדִּיקִים יַעֲמֹד Prov. 12:7
1243/4 מֵאֵשֶׁת מִדְיָנִים וּבֵית חָבֶר Prov. 21:9; 25:24
1245 וּבֵית אָחִיךָ אַל־תָּבוֹא בְּיוֹם אֵידֶךָ Prov. 27:10
1246 וּבֵית עַכָּבִישׁ מִבְטַחוֹ Job 8:14
1247 וּבֵית מוֹעֵד לְכָל־חָי Job 30:23
1248 וּבֵית אֲבוֹתֵיהֶם פָּרְצוּ לָרוֹב ICh. 4:38
1249 וּבֵית־דָּוִיד עַבְדְּךָ נָכוֹן לְפָנֶיךָ ICh. 17:24
1250 וַחֲדָרָיו הַפְּנִימִים וּבֵית הַכַּפֹּרֶת ICh. 28:11
1251 מֵאֹצְרוֹת בֵּית יְיָ וּבֵית הַמֶּלֶךְ IICh. 16:2

בְּבֵית־

1252 חֵלֶק וְנַחֲלָה בְּבֵית אָבִינוּ Gen. 31:14
1253 וַיְהִי בְּבֵית אֲדֹנָיו הַמִּצְרִי Gen. 39:2
1254 וַיְהִי־שָׁם בְּבֵית הַסֹּהַר Gen. 39:20
1255/6 בְּבֵית הַסֹּהַר Gen. 39:22; 40:5
1257 יֵאָסֵר בְּבֵית מִשְׁמַרְכֶם Gen. 42:19
1258 בְּכוֹר הַשְּׁבִי אֲשֶׁר בְּבֵית הַבּוֹר Ex. 12:29
1259 בְּבֵית אֶרֶץ אֲחֻזַּתְכֶם Lev. 14:34
1260 בְּבֵית אָבִיהָ בִּנְעֻרֶיהָ Num. 30:4
1261 וְאָנֹכִי הַצָּעִיר בְּבֵית אָבִי Jud. 6:15
1262 לֹא־תִנְחַל בְּבֵית־אָבִינוּ Jud. 11:2
1263 וַיְהִי טוֹחֵן בְּבֵית הָאֲסוּרִים Jud. 16:21
1264 וַיְהִי בְּבֵית מִיכָיְהוּ Jud. 17:4
1265 וַיְהִי בְּבֵית מִיכָה Jud. 17:12
1266 וְכֵן יַעֲשֶׂה...מִדֵּי עֲלֹתָהּ בְּבֵית יְיָ ISh. 1:7
1267 וְאַבְנֵר הָיָה מִתְחַזֵּק בְּבֵית שָׁאוּל IISh. 3:6
1268 אָנֹכִי יוֹשֵׁב בְּבֵית אֲרָזִים IISh. 7:2
1269 וַיִּפְשְׁעוּ יִשְׂרָאֵל בְּבֵית דָּוִד IK. 12:19
1270 לַעֲשׂוֹת זְבָחִים בְּבֵית־יְיָ IK. 12:27
1271 דָּבָר טוֹב...בְּבֵית יָרָבְעָם IK. 14:13
1272 וַיַּשְׁבַּע אֹתָם בְּבֵית יְיָ IIK. 11:4
1273-1307 בְּבֵית יְיָ IIK. 11:10; 21:4; 22:8 23:2,7; 25:13 • Jer. 20:1,2; 26:7,9; 27:18; 28:1,5; 38:14; 52:17 • Hag. 1:14 • Zech. 14:20,21 • Ps. 23:6; 27:4; 92:14; 134:1; 135:2 • Lam. 2:7 • ICh. 26:12 • IICh. 7:11; 20:5; 24:14; 26:19; 31:11; 33:4; 34:10²,15,17
1308 וַיֵּשֶׁב בְּבֵית הַחָפְשִׁית IIK. 15:5
1309 וַיַּנִּיחוּ בְּבֵית הַבָּמוֹת IIK. 17:29
1310 וַיִּהְיוּ עֹשִׂים לָהֶם בְּבֵית הַבָּמוֹת IIK. 17:32
1311 וְשִׂמַּחְתִּים בְּבֵית תְּפִלָּתִי Is. 56:7
1312 הַגִּידוּ זֹאת בְּבֵית יַעֲקֹב Jer. 5:20
1313 וַיִּשְׁמַע...וְהוּא בְּבֵית הַמֶּלֶךְ Jer. 38:7
1314 נִשְׁאֲרוּ בְּבֵית מֶלֶךְ־יְהוּדָה Jer. 38:22
1315 בְּבֵית יִשְׂרָאֵל רָאִיתִי שַׁעֲרוּרִיָּה Hosh. 6:10
1316 מַשְׂטֵמָה בְּבֵית אֱלֹהָיו Hosh. 9:8
1317 וְשִׁלַּחְתִּי אֵשׁ בְּבֵית חֲזָאֵל Am. 1:4
1318 שִׁמְעוּ וְהָעִידוּ בְּבֵית יַעֲקֹב Am. 3:13
1319 וַאֲנִי כְּזַיִת רַעֲנָן בְּבֵית אֱלֹהִים Ps. 52:10
1320 בְּבֵית אֱלֹהִים נְהַלֵּךְ בְּרָגֶשׁ Ps. 55:15
1321 בָּחַרְתִּי הִסְתּוֹפֵף בְּבֵית אֱלֹהַי Ps. 84:11
1322 זְמִרוֹת...בְּבֵית מְגוּרָי Ps. 119:54
1323 מְאֵרַת יְיָ בְּבֵית רָשָׁע Prov. 3:33
1324 וַעֲצָבֶיךָ בְּבֵית נָכְרִי Prov. 5:10
1325/6 בְּבֵית אֲחִיהֶם הַבְּכוֹר Job 1:13,18
1327 לֵב חֲכָמִים בְּבֵית אֵבֶל Eccl. 7:4
1328 וְלֵב כְּסִילִים בְּבֵית שִׂמְחָה Eccl. 7:4
1329 וְהַמֶּלֶךְ יוֹשֵׁב...בְּבֵית הַמַּלְכוּת Es. 5:1
1330 גַּם הִנֵּה־הָעֵץ...עֹמֵד בְּבֵית הָמָן Es. 7:9
1331 כִּי־גָדוֹל מָרְדֳּכַי בְּבֵית הַמֶּלֶךְ Es. 9:4
1332 וַיִּתְּנֵם בְּבֵית אֱלֹהָיו Ez. 1:7
1333 עֹשֵׂה הַמְּלָאכָה בְּבֵית הָאֱלֹהִים Ez. 3:9
1334/5 בְּבֵית אֱלֹהֵינוּ Ez. 8:33 • Neh. 10:37

בְּבֵית־ (המשך)
1341-1336 בְּבֵית הָאֱלֹהִים Neh. 12:40
IICh. 4:11; 22:12; 23:3; 25:24; 33:7
1342 בְּבֵית אֱלֹהַי וּבְמִשְׁמְרָיו Neh. 13:14
1343 אָנֹכִי יוֹשֵׁב בְּבֵית הָאֲרָזִים ICh. 17:1
1344 וְעוֹד בִּרְצוֹתִי בְּבֵית אֱלֹהַי ICh. 29:3
1345 וַיַּעַשׂ בְּבֵית־קֹדֶשׁ הַקֳּדָשִׁים IICh. 3:10
1346 לֹא־תֵשֵׁב אִשָּׁה לִי בְּבֵית דָּוִיד IICh. 8:11
1347 וַיִּתְּנֵם הַמֶּלֶךְ בְּבֵית יַעַר הַלְּבָנוֹן IICh. 9:16
1348 וַיִּפְשְׁעוּ יִשְׂרָאֵל בְּבֵית דָּוִיד IICh. 10:19
1349 וְהַשְּׁלִשִׁית בְּבֵית הַמֶּלֶךְ IICh. 23:5
1350 וַיַּהֲרֹג...בַּחֶרֶב בְּבֵית מִקְדָּשָׁם IICh. 36:17
וּבְבֵית־ 1351 וְעָלוּ וּבָאוּ...וּבְבֵית עֲבָדֶיךָ Ex. 7:28
1352 וּבְבִנְיָמִין וּבְבֵית אֶפְרָיִם Jud. 10:9
1353/4 בִּי וּבְבֵית אָבִי IISh. 24:17 • ICh. 21:17
1355 וּבְבֵית יְהוּדָה בֵּית אָבִי ICh. 28:4
כְּבֵית־ 1356 וְנָתַתִּי אֶת־בֵּיתְךָ כְּבֵית יָרָבְעָם IK. 16:3
1357-9 כְּבֵית יָרָבְעָם IK. 16:7; 21:22 • IIK. 9:9
1360 כְּבֵית סָאתַיִם זֶרַע סָבִיב IK. 18:32
1361 וַיַּעַשׂ הָרַע...כְּבֵית אַחְאָב IIK. 8:27
1362 אַל־תְּהִי־מֶרִי כְּבֵית הַמֶּרִי Ezek. 2:8
1363 וִיהִי בֵיתְךָ כְּבֵית פֶּרֶץ Ruth 4:12
1364 וַיַּעַשׂ הָרַע...כְּבֵית אַחְאָב IICh. 22:4
וּכְבֵית־ 1365/6 וּכְבֵית בַּעְשָׁא IK. 21:22 • IIK. 9:9
לְבֵית־ 1367 כָּל־רֶחֶם לְבֵית אֲבִימֶלֶךְ Gen. 20:18
1368 וַתָּרָץ...וַתַּגֵּד לְבֵית אִמָּהּ Gen. 24:28
1369 נִכְסֹף נִכְסַפְתָּה לְבֵית אָבִיךָ Gen. 31:30
1370 כָּל־הַנֶּפֶשׁ לְבֵית־יַעֲקֹב Gen. 46:27
1371 שֶׂה לְבֵית־אָבֹת Ex. 12:3
1372 כֹּה תֹאמַר לְבֵית יַעֲקֹב Ex. 19:3
1373 לְמִשְׁפְּחֹתָם לְבֵית־אֲבֹתָם Num. 1:2
1422-1374 לְבֵית אָבוֹת (אֲבוֹתָיו...) Num. 1:4
1:18,20,22,24,26,28,30,32,34,36,38,40,42; 1:44,45;
2:2,32; 3:15,20; 4:2,22,29,40,42; 17:17,21; 26:2;
34:14² • Ez. 10:16 • Neh. 10:35 • ICh. 5:13,15,24;
7:2,4; 9:9,13; 12:31(30); 23:24; 24:4²,30; 26:13 •
IICh. 17:14; 25:5; 31:17; 35:4,12
1423 וְקַח...מַטֶּה מַטֶּה לְבֵית אָב Num. 17:17
1424 פָּרַח מַטֵּה־אַהֲרֹן לְבֵית לֵוִי Num. 17:23
1425 וְחֹטְבֵי עֵצִים...לְבֵית אֱלֹהָי Josh. 9:23
1426 נָשִׂיא אֶחָד לְבֵית אָב Josh. 22:14
1427 כֹּהֵן לְבֵית אִישׁ אֶחָד Jud. 18:19
1428 בִּהְיוֹתָם בְּמִצְרַיִם לְבֵית פַּרְעֹה ISh. 2:27
1429 וָאֶתְּנָה לְבֵית אָבִיךָ אֶת־כָּל־אִשֵּׁי... ISh. 2:28
1430 וְלָכֵן נִשְׁבַּעְתִּי לְבֵית עֵלִי ISh. 3:14
1431 אֲשֶׁר נוֹתַר לְבֵית שָׁאוּל IISh. 9:1
1432 הַאֶפֶס עוֹד אִישׁ לְבֵית שָׁאוּל IISh. 9:3
1433 הַחֲמוֹרִים לְבֵית־הַמֶּלֶךְ לִרְכֹּב IISh. 16:2
1434 לְבֵית־יְיָ וּלְבֵית הַמֶּלֶךְ IK. 10:12
1435 תָּשׁוּב הַמַּמְלָכָה לְבֵית־דָּוִד IK. 12:26
1440-1436 לְבֵית דָּוִד IK. 13:2 • Is. 7:2
Zech. 13:1 • Ps. 122:5 • Neh. 12:37
1441 בַּעְשָׁא בֶן־אֲחִיָּה לְבֵית יִשָּׂשכָר IK. 15:27
1442 כָּל־הַנִּשְׁאָרִים לְבֵית־אַחְאָב IIK. 10:11
1443 ...עָשִׂיתָ לְבֵית אַחְאָב IIK. 10:30
1444 אֲשֶׁר־עָשָׂה שְׁלֹמֹה לְבֵית יְיָ IIK. 25:16
1445 וְהָיָה לְכִסֵּא כָבוֹד לְבֵית אָבִיו Is. 22:23
1446 וְרַב־טוּב לְבֵית יִשְׂרָאֵל Is. 63:7
1447 אֹתוֹ עָשׂוּ לְבֵית הַכֶּלֶא Jer. 37:15
1448 עַמּוּדֵי הַנְּחֹשֶׁת אֲשֶׁר לְבֵית־יְיָ Jer. 52:17
1460-1449 לְבֵית יְיָ Jer. 52:20 • Zech. 7:3
Ez. 2:68 • Neh. 10:36 • ICh. 9:23; 22:14(13); 24:19;
26:27 • IICh. 4:16; 5:1; 24:14; 31:16

לְבֵית־ (המשך)
1461/2 צֹפֶה נְתַתִּיךָ לְבֵית יִשְׂרָאֵל Ezek. 3:16; 33:7
1477-1463 לְבֵית יִשְׂרָאֵל Ezek. 4:3; 12:6
24:21; 28:24; 29:6,16,21; 36:22,37; 40:4; 44:12;
45:8 • Am. 5:3,4 • Ps. 98:3
1478 הֲנָקֵל לְבֵית יְהוּדָה מֵעֲשׂוֹת... Jer. 8:17
1479 אֱמָר־נָא לְבֵית הַמֶּרִי Ezek. 17:12
1480 בִּנְקֹם נָקָם לְבֵית יְהוּדָה Ezek. 25:12
1485-1481 לְבֵית יְהוּדָה Hosh. 5:12,14
Zech. 8:19 • IICh. 19:11; 22:10
1486 וְלֹא־יִהְיֶה שָׂרִיד לְבֵית עֵשָׂו Ob. 18
1487 הֱיֵה לִי...לְבֵית מְצוּדוֹת Ps. 31:3
1488 מַשְׂכִּיל צַדִּיק לְבֵית רָשָׁע Prov. 21:12
1489 לֵכְנָה שֹּׁבְנָה אִשָּׁה לְבֵית אִמָּהּ Ruth 1:8
1490 עִם־הַנְּדָבָה לְבֵית הָאֱלֹהִים Ez. 1:4
1491/2 יְדַעְיָה לְבֵית יֵשׁוּעַ Ez. 2:36 • Neh. 7:39
1493 הִתְנַדְּבוּ לְבֵית הָאֱלֹהִים Ez. 2:68
1494 מְשָׁרְתִים לְבֵית אֱלֹהֵינוּ Ez. 8:17
1495-8 לְבֵית אֱלֹהֵינוּ Ez. 8:30 • Neh. 10:35,37,39
1499 אֶת־הַלְּשָׁכוֹת לְבֵית הָאוֹצָר Neh. 10:39
1500 הַמְּלָאכָה...לְבֵית הָאֱלֹהִים Neh. 11:16
1501 בֵּית־עֲבֹדַת הַבֻּץ לְבֵית אַשְׁבֵּעַ ICh. 4:21
1502 וְאֶחָיו לְבֵית־אָבִיו הַקָּרְחִים ICh. 9:19
1503 לְבֵית־הָאֹהֶל לְמִשְׁמָרוֹת ICh. 9:23
1504 וַיִּהְיוּ לְבֵית אָב לִפְקֻדָּה אֶחָת ICh. 23:11
1505 הַמֶּמְשָׁלִים לְבֵית אֲבִיהֶם ICh. 26:6
1506/7 לְבֵית־אֱלֹהַי ICh. 29:2,3
1508 הֲכִינוֹתִי לְבֵית הַקֹּדֶשׁ ICh. 29:3
1509 וּבָחַרְתִּי בַּמָּקוֹם ... לִי לְבֵית זָבַח IICh. 7:12
1510 הָרְכוּשׁ הַנִּמְצָא לְבֵית־הַמֶּלֶךְ IICh. 21:17
1511 וְאֵין לְבֵית אֲחַזְיָהוּ לַעְצֹר כֹּחַ IICh. 22:9
1512 הַכֹּהֵן הָרֹאשׁ לְבֵית צָדוֹק IICh. 31:10
וּלְבֵית־ 1515-1513 וּלְבֵית אֲבֹתָם Num. 4:34,38,46
1516 וּלְבֵית שָׁאוּל עֶבֶד וּשְׁמוֹ צִיבָא IISh. 9:2
1516א לְבֵית יְיָ וּלְבֵית הַמֶּלֶךְ IK. 10:12
1517 לְיוֹשֵׁב יְרוּשָׁלַםִ וּלְבֵית יְהוּדָה Is. 22:21
1518 וְהַגֵּד...וּלְבֵית יַעֲקֹב חַטֹּאתָם Is. 58:1
1519 וּלְבֵית מֶלֶךְ יְהוּדָה Jer. 21:11
1520 וּלְבֵית הָרֵכָבִים אָמַר יִרְמְיָהוּ Jer. 35:18
מִבֵּית־ 1521 הִתְעוּ אֹתִי אֱלֹהִים מִבֵּית אָבִי Gen. 20:13
1524-1522 מִבֵּית אָבִי Gen. 24:7
Jud. 11:7 • ISh. 24:22(21)
1525 וַיִּקְחוּ אֶת־דִּינָה מִבֵּית שְׁכֶם Gen. 34:26
1526 וְאֵיךְ נִגְנֹב מִבֵּית אֲדֹנֶיךָ Gen. 44:8
1527 וַיֵּלֶךְ אִישׁ מִבֵּית לֵוִי Ex. 2:1
1528/9 מִמִּצְרַיִם מִבֵּית עֲבָדִים Ex. 13:3,14
1539-1530 מִבֵּית עֲבָדִים Ex. 20:2
Deut. 5:6; 6:12; 7:8; 8:14; 13:6,11 • Josh. 24:17
Jud. 6:8 • Jer. 34:13
1540 וְגֻנַּב מִבֵּית הָאִישׁ Ex. 22:6
1541 וְהֵבֵאתָ שָׁמָּה מִבֵּית לַפָּרֹכֶת Ex. 26:33
1544-1542 מִבֵּית לַפָּרֹכֶת Lev. 16:2,12,15
1550-1545 אִישׁ אִישׁ מִבֵּית יִשְׂרָאֵל Lev. 17:3
17:8,10; 22:18 • Ezek. 14:4,7
1551 וַיִּתְּנוּ לוֹ...מִבֵּית בַּעַל בְּרִית Jud. 9:4
1552 וַיִּקְרְאוּ לְשִׁמְשׁוֹן מִבֵּית הָאֲסוּרִים Jud.16:25
1553 הֵמָּה הִרְחִיקוּ מִבֵּית מִיכָה Jud. 18:22
1554 לְהַעֲבִיר הַמַּמְלָכָה מִבֵּית שָׁאוּל IISh. 3:10
1555 וְאַל־יִכָּרֵת מִבֵּית יוֹאָב זָב וּמְצֹרָע IISh.3:29
1556/7 וַיִּשָּׂאֻהוּ מִבֵּית אֲבִינָדָב IISh. 6:3,4
1558 וַיַּעַל...מִבֵּית עֹבֵד אֱדֹם IISh. 6:12
1559 וַיִּקָּחֵהוּ מִבֵּית מָכִיר IISh. 9:5
1560 וַיֵּצֵא אוּרִיָּה מִבֵּית הַמֶּלֶךְ IISh. 11:8

מִבֵּית־ (המשך)
1565-1561 מִבֵּית הַמֶּלֶךְ IISh. 15:35
Jer. 26:10; 38:8 • Es. 2:9 • Neh. 3:25
1566 חֲצַר הָאַחֶרֶת מִבֵּית לָאוּלָם IK. 7:8
1567 מִבֵּית לַכֹּתֶרֶת וָמַעְלָה IK. 7:31
1568 וָאֶקְרַע אֶת־הַמַּמְלָכָה מִבֵּית דָּוִד IK. 14:8
1569 הוֹצִיאוּ אֹתָהּ אֶל־מִבֵּית לַשְּׂדֵרֹת IIK. 11:15
1570 וַיֹּרִידוּ אֶת־הַמֶּלֶךְ מִבֵּית יְיָ IIK. 11:19
1577-1571 מִבֵּית יְיָ IIK. 23:6 • Joel 1:9
4:18 • Ps. 118:26 • IICh. 23:20; 26:21; 33:15
1578 אֶת־...יְהוֹיָכִין...מִבֵּית כֶּלֶא IIK. 25:27
1579 הַמַּסְתִּיר פָּנָיו מִבֵּית יַעֲקֹב Is. 8:17
1580 מִבֵּית כֶּלֶא יֹשְׁבֵי חֹשֶׁךְ Is. 42:7
1581 וַיֹּצֵא אֹתוֹ מִבֵּית הַכְּלוּא Jer. 52:31
1582 מִבֵּית תּוֹגַרְמָה סוּסִים Ezek. 27:14
1583 נִמְנַע מִבֵּית אֱלֹהֵיכֶם מִנְחָה וָנָסֶךְ Joel 1:13
1584 מִבֵּית אֱלֹהֵינוּ שִׂמְחָה וָגִיל Joel 1:16
1585 נְשֵׁי עַמִּי תְּגָרְשׁוּן מִבֵּית תַּעֲנֻגֶיהָ Mic. 2:9
1586 מִבֵּית אֱלֹהֶיךָ אַכְרִית פֶּסֶל Neh. 1:14
1587 מָחַצְתָּ רֹּאשׁ מִבֵּית רָשָׁע Hab. 3:13
1588 הֹקַר רַגְלְךָ מִבֵּית רֵעֶךָ Prov. 25:17
1589 כִּי־מִבֵּית הָסוּרִים יָצָא לִמְלֹךְ Eccl. 4:14
1590 מִבֵּית הַנָּשִׁים עַד־בֵּית הַמֶּלֶךְ Es. 2:13
1591 מִבֵּית עֲזַרְיָה עַד־הַמִּקְצוֹעַ Neh. 3:24
1592 וַיַּרְכִּיבוּ...מִבֵּית אֲבִינָדָב ICh. 13:7
1593 הוֹצִיאוּהָ אֶל־מִבֵּית הַשְּׂדֵרוֹת IICh. 23:14
וּמִבֵּית־ 1594 וּמִמּוֹלַדְתְּךָ וּמִבֵּית אָבִיךָ Gen. 12:1
1595 מִמִּשְׁפַּחְתִּי וּמִבֵּית אָבִי Gen. 24:40
1596 וּמִבֵּית עֲבָדִים פְּדִיתִיךָ Mic. 6:4
וּלְמִבֵּית־ 1597 וּלְמִבֵּית לַפָּרֹכֶת וַעֲבַדְתֶּם Num. 18:7
בֵּיתָה 1598 לֵךְ פַּדֶּנָה אֲרָם בֵּיתָה בְתוּאֵל Gen. 28:2
1600-1599 וַיָּבֵא הָאִישׁ אֶת־הָאֲנָשִׁים
בֵּיתָה יוֹסֵף Gen. 43:17,24
1601 וַיָּבֹא יְהוּדָה...בֵּיתָה יוֹסֵף Gen. 44:14
1602 וַיָּבֵא...בֵּיתָה פַרְעֹה Gen. 47:14
1603 וַיָּבֹא עָרֹב כָּבֵד בֵּיתָה פַרְעֹה Ex. 8:20
בֵּיתִי 1604 וּבֶן־מֶשֶׁק בֵּיתִי הוּא... Gen. 15:2
1605 וְהִנֵּה בֶן־בֵּיתִי יוֹרֵשׁ אֹתִי Gen. 15:3
1606 אַתָּה תִּהְיֶה עַל־בֵּיתִי Gen. 41:40
1607 בְּכָל־בֵּיתִי נֶאֱמָן הוּא Num. 12:7
1608 אֲשֶׁר יֵצֵא מִדַּלְתֵי בֵיתִי Jud. 11:31
1609 אַחֲרֵי אֲשֶׁר־בָּא...אֶל־בֵּיתִי Jud. 19:23
1610 וְלֹא־תַכְרִית ... חַסְדְּךָ מֵעִם בֵּיתִי ISh.20:15
1611 הֲזֶה יָבוֹא אֶל־בֵּיתִי ISh. 21:16
1612 מִי אָנֹכִי אֲדֹנָי יְיָ וּמִי בֵיתִי IISh. 7:18
1613 וַאֲנִי אָבוֹא אֶל־בֵּיתִי לֶאֱכֹל IISh. 11:11
1614 כִּי־לֹא־כֵן בֵּיתִי עִם־אֵל IISh. 23:5
1615 חֶפְצִי לָתֵת לֶחֶם בֵּיתִי IK. 5:23
1616 כִּי הוּא קָרוֹב אֵצֶל בֵּיתִי IK. 21:2
1617 כִּי בֵיתִי בֵּית־תְּפִלָּה יִקָּרֵא Is. 56:7
1618 עָזַבְתִּי אֶת־בֵּיתִי Jer. 12:7
1619 וְהִנֵּה־כֹה עָשׂוּ בְּתוֹךְ בֵּיתִי Ezek. 23:39
1620 בַּהֲבִיאֲכֶם...לְחַלְּלוֹ אֶת־בֵּיתִי Ezek. 44:7
1621 יַעַן בֵּיתִי אֲשֶׁר־הוּא חָרֵב Hag. 1:9
1622 לִירוּשָׁלַםִ...בֵּיתִי יִבָּנֶה בָּהּ Zech. 1:16
1623 וְגַם־אַתָּה תָּדִין אֶת־בֵּיתִי Zech. 3:7
1624 אֶתְהַלֵּךְ בְּתָם־לְבָבִי בְּקֶרֶב בֵּיתִי Ps. 101:2
1625 לֹא־יֵשֵׁב בְּקֶרֶב בֵּיתִי Ps. 101:7
1626 אִם־אָבֹא בְּאֹהֶל בֵּיתִי Ps. 132:3
1627 כִּי בְּחַלּוֹן בֵּיתִי...נִשְׁקָפְתִּי Prov. 7:6
1628 אִם־אֲקַוֶּה שְׁאוֹל בֵּיתִי Job 17:13
1629 גָּרֵי בֵיתִי וְאַמְהֹתַי לְזָר תַּחְשְׁבֻנִי Job 19:15
1630 כִּי־אֲנִי יְיָ אֱלֹהִים וּמִי בֵיתִי ICh. 17:16

1631 הוּא־יִבְנֶה בֵיתִי ICh. 28:6

וּבֵיתִי
1632 וְנִשְׁמַדְתִּי אֲנִי וּבֵיתִי Gen. 34:30
1633 וְאָנֹכִי וּבֵיתִי נַעֲבֹד אֶת־יְיָ Josh. 24:15

בְּבֵיתִי
1634/5 כָּל־אֲשֶׁר בְּבֵיתִי רָאוּ IIK. 20:15 • Is. 39:4
1636 וְנָתַתִּי...בְּבֵיתִי וּבְחוֹמֹתַי יָד וָשֵׁם Is. 56:5
1637 מֶה לִידִידִי בְּבֵיתִי Jer. 11:15
1638 גַּם־בְּבֵיתִי מָצָאתִי רָעָתָם Jer. 23:11
1639 אֲנִי יוֹשֵׁב בְּבֵיתִי Ezek. 8:1
1640 הָבִיאוּ...וִיהִי טֶרֶף בְּבֵיתִי Mal. 3:10
1641 וְהַעֲמַדְתִּיהוּ בְּבֵיתִי וּבְמַלְכוּתִי ICh. 17:14

וּבְבֵיתִי
1642 וּבְבֵיתִי אֵין לֶחֶם וְאֵין שִׂמְלָה Is. 3:7

לְבֵיתִי
1643 מָתַי אֶעֱשֶׂה גַם־אָנֹכִי לְבֵיתִי Gen. 30:30
1644 וְחָנִיתִי לְבֵיתִי מִצָּבָה Zech. 9:8

מִבֵּיתִי
1645 שְׂנֵאתִים...מִבֵּיתִי אֲגָרְשֵׁם Hosh. 9:15

בֵּיתְךָ
1646 בֹּא־אַתָּה וְכָל־בֵּיתְךָ Gen. 7:1
1647 יְלִיד בֵּיתְךָ וּמִקְנַת כַּסְפֶּךָ Gen. 17:13
1648 בֵּיתְךָ נִשְׂרֹף עָלֶיךָ בָּאֵשׁ Jud. 12:1
1649 הָאִישׁ אֲשֶׁר־בָּא אֶל־בֵּיתְךָ Jud. 19:22
1650 בֵּיתְךָ וּבֵית אָבִיךָ יִתְהַלְּכוּ לְפָנַי ISh. 2:30
1651 וְכָל־מַרְבִּית בֵּיתְךָ יָמוּתוּ אֲנָשִׁים ISh. 2:33
1652 וְנֶאְמַן בֵּיתְךָ וּמַמְלַכְתְּךָ עַד־עוֹלָם IISh.7:16
1653/4 רְאֵה בֵיתְךָ דָּוִ(י)ד IK. 12:16 • IICh. 10:16
1655/6 בֵּיתְךָ כְּבֵית יָרָבְעָם IK. 16:3; 21:22
1657 וְחִפְּשׂוּ אֶת־בֵּיתְךָ IK. 20:6
1658 אָבוֹא בֵיתְךָ בְעוֹלוֹת Ps. 66:13
1659 כִּי־קִנְאַת בֵּיתְךָ אֲכָלָתְנִי Ps. 69:10
1660 וִיהִי בֵיתְךָ כְּבֵית פֶּרֶץ Ruth 4:12

בֵּיתֶךָ
1661 מַה־מָּצָאתָ מִכֹּל כְּלֵי־בֵיתֶךָ Gen. 31:37
1662/63 עַל־מְזֻ(ו)זֹת בֵּיתֶךָ Deut. 6:9; 11:20
1664 וְלֹא־תָבִיא תוֹעֵבָה אֶל־בֵּיתֶךָ Deut. 7:26
1665 כִּי אֲהֵבְךָ וְאֶת־בֵּיתֶךָ Deut. 15:16
1666 וַהֲבֵאתָהּ אֶל־תּוֹךְ בֵּיתֶךָ Deut. 21:12
1667 וַאֲסַפְתּוֹ אֶל־תּוֹךְ בֵּיתֶךָ Deut. 22:2
1668 וְאָסַפְתָּה נַפְשְׁךָ וְנֶפֶשׁ בֵּיתֶךָ Jud. 18:25
1669 מַדּוּעַ לֹא־יָרַדְתָּ אֶל־בֵּיתֶךָ IISh. 11:10
1670 אִם־תִּתֶּן־לִי אֶת־חֲצִי בֵיתֶךָ IK. 13:8
1671 הֲשִׁבֵהוּ אִתְּךָ אֶל־בֵּיתֶךָ IK. 13:18
1672 וְאַתָּה פַשְׁחוּר וְכֹל יֹשְׁבֵי בֵיתֶךָ Jer. 20:6
1673 בֹּא הִסָּגֵר בְּתוֹךְ בֵּיתֶךָ Ezek. 3:24
1674 לְהָנִיחַ בְּרָכָה אֶל־בֵּיתֶךָ Ezek. 44:30
1675 וַאֲנִי בְּרֹב חַסְדְּךָ אָבוֹא בֵיתֶךָ Ps. 5:8
1676 יְיָ אָהַבְתִּי מְעוֹן בֵּיתֶךָ Ps. 26:8
1677 יִרְוְיֻן מִדֶּשֶׁן בֵּיתֶךָ Ps. 36:9
1678 נִשְׂבְּעָה בְּטוּב בֵּיתֶךָ Ps. 65:5
1679 אַשְׁרֵי יוֹשְׁבֵי בֵיתֶךָ Ps. 84:5
1680 כְּגֶפֶן פֹּרִיָּה בְּיַרְכְּתֵי בֵיתֶךָ Ps. 128:3
1681 אַחַר וּבָנִיתָ בֵיתֶךָ Prov. 24:27
1682 חֲלֵב עִזִּים לְלַחְמְךָ לְלֶחֶם בֵּיתֶךָ Prov.27:27
1683 הָאִשָּׁה הַבָּאָה אֶל־בֵּיתֶךָ Ruth 4:11

וּבֵיתְךָ
1684 פֶּן־תִּוָּרֵשׁ אַתָּה וּבֵיתְךָ Gen. 45:11
1685 וְאַתָּה שָׁלוֹם וּבֵיתְךָ שָׁלוֹם ISh. 25:6

וּבֵיתֶךָ
1686 וְשָׂמַחְתָּ אַתָּה וּבֵיתֶךָ Deut. 14:26
1687 תֹּאכְלֶנּוּ...אַתָּה וּבֵיתֶךָ Deut. 15:20
1688 וְחָיִתָה אַתָּה וּבֵיתֶךָ Jer. 38:17

בְּבֵיתְךָ
1689 כָּל־טָהוֹר בְּבֵיתְךָ יֹאכַל אֹתוֹ Num. 18:11
1690 כָּל־טָהוֹר בְּבֵיתְךָ יֹאכְלֶנּוּ Num. 18:13
1691 לֹא־יִהְיֶה...בְּבֵיתְךָ אֵיפָה וְאֵיפָה Deut. 25:14
1692 וְלֹא־יִהְיֶה זָקֵן בְּבֵיתְךָ ISh. 2:32
1693 וְהָיָה כָּל־הַנּוֹתָר בְּבֵיתְךָ ISh. 2:36

בְּבֵיתֶךָ
1694 זֶה לִּי עֶשְׂרִים שָׁנָה בְּבֵיתֶךָ Gen. 31:41
1695 וְעָלוּ וּבָאוּ בְּבֵיתֶךָ Ex. 7:28
1696/7 בְּשִׁבְתְּךָ בְּבֵיתֶךָ וּבְלֶכְתְּךָ Deut. 6:7; 11:19

בְּבֵיתֶךָ (המשך)
1698 וְיָשְׁבָה בְּבֵיתֶךָ וּבָכְתָה Deut. 21:13
1699 וְלֹא־תָשִׂים דָּמִים בְּבֵיתֶךָ Deut. 22:8
1700 וְגָדַעְתִּי...מִהְיוֹת זָקֵן בְּבֵיתֶךָ ISh. 2:31
1701 וַחֲתַן הַמֶּלֶךְ...וְנִכְבָּד בְּבֵיתֶךָ ISh. 22:14
1702 הִכָּבֵד וְשֵׁב בְּבֵיתֶךָ IIK. 14:10
1703/4 מָה רָאוּ בְּבֵיתֶךָ IIK. 20:15 • Is. 39:4
1705/6 כָּל־אֲשֶׁר בְּבֵיתֶךָ IIK. 20:17 • Is. 39:6
1707 עַתָּה שְׁבָה בְּבֵיתֶךָ IICh. 25:19

לְבֵיתְךָ
1708 רֵד לְבֵיתְךָ וּרְחַץ רַגְלֶיךָ IISh. 11:8
1709 לְבֵיתְךָ נַאֲוָה־קֹדֶשׁ Ps. 93:5

לְבֵיתֶךָ
1710 וַיֹּאמֶר־לוֹ שְׁלֹמֹה לֵךְ לְבֵיתֶךָ IK. 1:53
1711/2 אָמַר יְיָ צַו לְבֵיתֶךָ IIK. 20:1 • Is. 38:1
1713 יָעַצְתָּ בֹּשֶׁת לְבֵיתֶךָ Hab. 2:10

וּלְבֵיתֶךָ
1714 נָתַן־לְךָ יְיָ אֱלֹהֶיךָ וּלְבֵיתֶךָ Deut. 26:11

מִבֵּיתְךָ
1715 לֹא־תָסוּר חֶרֶב מִבֵּיתְךָ IISh. 12:10
1716 לֹא־אֶקַּח מִבֵּיתְךָ פָר Ps. 50:9

מִבֵּיתֶךָ
1717 הִנְנִי מֵקִים עָלֶיךָ רָעָה מִבֵּיתֶךָ IISh.12:11

בֵּיתֵךְ
1718 כֹּל אֲשֶׁר־יֵצֵא מִדַּלְתֵי בֵיתֵךְ Josh. 2:19

וּבֵיתֵךְ
1719 קוּמִי וּלְכִי אַתְּ° וּבֵיתֵךְ IIK. 8:1

לְבֵיתֵךְ
1720 הַבָּאִים אֵלַיִךְ אֲשֶׁר־בָּאוּ לְבֵיתֵךְ Josh. 2:3
1721 עֲלִי לְשָׁלוֹם לְבֵיתֵךְ ISh. 25:35
1722 וַיֹּאמֶר הַמֶּלֶךְ לְכִי לְבֵיתֵךְ IISh. 14:8
1723 קוּמִי לְכִי לְבֵיתֵךְ IK. 14:12

בֵּיתוֹ
1724 וַיְנַגַּע יְיָ אֶת־פַּרְעֹה...וְאֶת־בֵּיתוֹ Gen. 12:17
1725 וַיָּרֶק אֶת־חֲנִיכָיו יְלִידֵי בֵיתוֹ Gen. 14:14
1726 וְאֵת כָּל־יְלִידֵי בֵיתוֹ Gen. 17:23
1727 וְכָל־אַנְשֵׁי בֵיתוֹ...נִמֹּלוּ אִתּוֹ Gen. 17:27
1728 אֶת־בָּנָיו וְאֶת־בֵּיתוֹ אַחֲרָיו Gen. 18:19
1729 וַיָּסֻרוּ אֵלָיו וַיָּבֹאוּ אֶל־בֵּיתוֹ Gen. 19:3
1730 וַיֹּאמֶר...אֶל־עַבְדּוֹ זְקַן בֵּיתוֹ Gen. 24:2
1731 וַיְנַשֶּׁק־לוֹ וַיְבִיאֵהוּ אֶל בֵּיתוֹ Gen. 29:13
1732 וַיֹּאמֶר יַעֲקֹב אֶל־בֵּיתוֹ Gen. 35:2
1733 וְאֶת־כָּל־נַפְשׁוֹת בֵּיתוֹ Gen. 36:6
1734 כָּל־עַבְדֵי פַרְעֹה זִקְנֵי בֵיתוֹ Gen. 50:7
1735 לֹא תֵצְאוּ אִישׁ מִפֶּתַח־בֵּיתוֹ Ex. 12:22
1736-38 וְכִפֶּר בַּעֲדוֹ וּבְעַד בֵּיתוֹ Lev. 16:6,11,17
1739 וִילִיד בֵּיתוֹ הֵם יֹאכְלוּ בְלַחְמוֹ Lev. 22:11
1740/1 מְלֹא בֵיתוֹ כֶּסֶף וְזָהָב Num. 22:18; 24:13
1742 וַיָּקֻמוּ זִקְנֵי בֵיתוֹ עָלָיו IISh. 12:16
1743 וַיִּקָּבֵר בְּגַן־בֵּיתוֹ בְּגַן־עֻזָּא IIK. 21:18
1744 הוֹי בֹּנֶה בֵיתוֹ בְּלֹא־צֶדֶק Jer. 22:13
1745 אֹיְבֵי אִישׁ אַנְשֵׁי בֵיתוֹ Mic. 7:6
1746 כִּי־יִרְבֶּה כְּבוֹד בֵּיתוֹ Ps. 49:17
1747 אֶת־כָּל־הוֹן בֵּיתוֹ יִתֵּן Prov. 6:31
1748 עוֹכֵר בֵּיתוֹ יִנְחַל רוּחַ Prov. 11:29
1749 עֹכֵר בֵּיתוֹ בּוֹצֵעַ בָּצַע Prov. 15:27
1750 יִשָּׁעֵן עַל־בֵּיתוֹ וְלֹא יַעֲמֹד Job 8:15
1751 יִגֶל יְבוּל בֵּיתוֹ Job 20:28
1752 וְכִי תָבִין נְתִיבוֹת בֵּיתוֹ Job 38:20
1753 אִם־יִתֵּן אִישׁ אֶת־כָּל־הוֹן בֵּיתוֹ S.ofS.8:7
1754 יִסַּד הַמֶּלֶךְ עַל כָּל־רַב בֵּיתוֹ Es. 1:8
1832-1755 בֵּיתוֹ Gen. 39:4,16; 43:16
44:1,4; 45:8 • Ex. 7:23; 12:4 • Lev. 27:15 • Deut. 6:22; 24:10 • Josh. 7:18; 20:6 • Jud. 9:16,19; 11:34; 18:26; 19:29 • ISh. 1:21; 2:11; 3:12,13; 7:17; 15:34; 24:23(22); 25:17 • IISh. 6:11,20,21; 7:25; 9:9; 11:9,10,13,27; 12:15,20; 14:24^2; 15:16; 17:23; 19:12^2,31,42; 20:3; 21:4 • IK. 3:1; 4:7; 7:1^2; 9:15; 16:3,7; 20:43; 21:4,29 • Jer. 22:13; 23:34 • Zech. 5:4 • Prov. 7:20 • Job 1:10; 8:15; 27:18; 39:6 • Es. 5:10; 6:12 • Neh. 3:10,23,28,29; 7:3 • ICh. 10:6; 16:43; 17:23 • IICh. 8:1; 19:1; 33:20

וּבֵיתוֹ
1833 אֵת יַעֲקֹב אִישׁ וּבֵיתוֹ בָּאוּ Ex. 1:1
1834 וַיֵּשֶׁב...הוּא וַאֲנָשָׁיו אִישׁ וּבֵיתוֹ ISh. 27:3
1835 וַאֲנָשָׁיו...הֶעֱלָה דָוִד אִישׁ וּבֵיתוֹ IISh. 2:3
1836 וּבֵיתוֹ אֲשֶׁר־יֵשֵׁב שָׁם IK. 7:8
1837 וְעָשְׁקוּ גֶּבֶר וּבֵיתוֹ Mic. 2:2
1838 טוֹבָה...וְעִם־הָאֱלֹהִים וּבֵיתוֹ IICh. 24:16

בְּבֵיתוֹ
1839 וַיְהִי מֵאָז הִפְקִיד אֹתוֹ בְּבֵיתוֹ Gen. 39:5
1840 וַיֵּלֶךְ...וַיֵּשֶׁב בְּבֵיתוֹ Jud. 8:29
1841 וְהוּא בְּבֵיתוֹ יוֹשֵׁב וַחֲנִיתוֹ בְּיָדוֹ ISh. 19:9
1842 וַיִּקְבְּרֻהוּ בְּבֵיתוֹ בָּרָמָה ISh. 25:1
1843 וְהִנֵּה־לוֹ מִשְׁתֶּה בְּבֵיתוֹ ISh. 25:36
1844 בְּבֵיתוֹ וּבְכָל־מֶמְשַׁלְתּוֹ Is. 39:2
1845 וַיִּשְׁאָלֵהוּ הַמֶּלֶךְ בְּבֵיתוֹ בַּסֵּתֶר Jer. 37:17
1846 הוֹן־וָעֹשֶׁר בְּבֵיתוֹ Ps. 112:3
1847 כִּי אֵין הָאִישׁ בְּבֵיתוֹ Prov. 7:19
1848 כִּי מַה־חֶפְצוֹ בְּבֵיתוֹ אַחֲרָיו Job 21:21
1849 וַיֹּאכְלוּ עִמּוֹ לֶחֶם בְּבֵיתוֹ Job 42:11
1850 לִהְיוֹת כָּל־אִישׁ שֹׂרֵר בְּבֵיתוֹ Es. 1:22
1863-1851 בְּבֵיתוֹ IISh. 4:11; 7:1
IK. 2:34; 5:28; 13:19 • IIK. 6:32; 20:13; 21:23 • Is. 14:18 • ICh. 7:23; 13:14; 17:1 • IICh. 33:24

וּבְבֵיתוֹ
1864 בְּבֵית־יְיָ וּבְבֵיתוֹ הִצְלִיחַ IICh. 7:11

לְבֵיתוֹ
1868-1865 יֵלֵךְ וְיָשֹׁב לְבֵיתוֹ Deut. 20:5,6,7,8
1869 נָקִי יִהְיֶה לְבֵיתוֹ שָׁנָה אֶחָת Deut. 24:5
1870 וַיְבִיאֵהוּ לְבֵיתוֹ Jud. 19:21
1871 וְלֹא נָסוּר אִישׁ לְבֵיתוֹ Jud. 20:8
1885-1872 לְבֵיתוֹ ISh. 10:25,26; 23:18
IISh. 6:19 • IK. 5:25; 12:24; 22:17 • Hab. 2:9 • Hag. 1:9 • Ps. 105:21 • Job 7:10; ICh. 16:43 • IICh. 11:4; 18:16

וּלְבֵיתוֹ
1886 וַיְהִי לְגִדְעוֹן וּלְבֵיתוֹ לְמוֹקֵשׁ Jud. 8:27
1887 וּלְבֵיתוֹ וּלְכִסְאוֹ יִהְיֶה שָׁלוֹם IK. 2:33

מִבֵּיתוֹ
1888/9 וְנָתַן בְּיָדָהּ...וְשִׁלְּחָהּ מִבֵּיתוֹ Deut. 24:1,3
1890 וְיָצְאָה מִבֵּיתוֹ וְהָלְכָה... Deut. 24:2
1891 לֹא־תָמוּשׁ רָעָה מִבֵּיתוֹ Prov. 17:13
1892 יְנַעֵר הָאֱלֹהִים...מִבֵּיתוֹ וּמִיגִיעוֹ Neh. 5:13

בֵּיתָהּ
1893 וַתִּקְרָא לְאַנְשֵׁי בֵיתָהּ Gen. 39:14
1894 מִשְּׁכֶנְתָּהּ וּמִגָּרַת בֵּיתָהּ Ex. 3:22
1895 כִּי בֵיתָהּ בְּקִיר הַחוֹמָה Josh. 2:15
1896 וַתָּשָׁב אֶל־בֵּיתָהּ IISh. 11:4
1897 עָלְתָה מֵעִיר דָּוִד אֶל־בֵּיתָהּ IK. 9:24
1898 וַתֵּצֵא לִצְעֹק...אֶל־בֵּיתָהּ וְאֶל־שָׂדָהּ IIK.8:3
1899 צֹעֶקֶת אֶל־הַמֶּלֶךְ עַל־בֵּיתָהּ IIK. 8:5
1900 חֲסִידָה בְּרוֹשִׁים בֵּיתָהּ Ps. 104:17
1901 כִּי שָׁחָה אֶל־מָוֶת בֵּיתָהּ Prov. 2:18
1902 וְאַל־תִּקְרַב אֶל־פֶּתַח בֵּיתָהּ Prov. 5:8
1903 וְדֶרֶךְ בֵּיתָהּ יִצְעָד Prov. 7:8
1904 דַּרְכֵי שְׁאוֹל בֵּיתָהּ Prov. 7:27
1905 חָכְמוֹת בָּנְתָה בֵיתָהּ Prov. 9:1
1906 וְיָשְׁבָה לְפֶתַח בֵּיתָהּ Prov. 9:14
1907 חַכְמוֹת נָשִׁים בָּנְתָה בֵיתָהּ Prov. 14:1
1908 כִּי כָל־בֵּיתָהּ לָבֻשׁ שָׁנִים Prov. 31:21
1909 צוֹפִיָּה הֲלִיכוֹת בֵּיתָהּ Prov. 31:27

וּבֵיתָהּ
1910 וַתֹּאכַל הִיא וָהוּא° וּבֵיתָהּ יָמִים IK. 17:15
1911 וַתֵּלֶךְ הִיא וּבֵיתָהּ IIK. 8:2

בְּבֵיתָהּ
1912 בְּבֵיתָהּ לֹא־יִשְׁכְּנוּ רַגְלֶיהָ Prov. 7:11

לְבֵיתָהּ
1913 וַתִּתֵּן טֶרֶף לְבֵיתָהּ Prov. 31:15
1914 לֹא־תִירָא לְבֵיתָהּ מִשָּׁלֶג Prov. 31:21

וּבֵיתְכֶם
1915 וַאֲכַלְתֶּם...אַתֶּם וּבֵיתְכֶם Num. 18:31

בֵּיתָם
1916 וַיָּבֹאוּ אֶל־בֵּיתָם הָרָמָתָה ISh. 1:19
1917 וַיָּשִׂימוּ בַסֶּלַע בֵּיתָם Prov. 30:26
1918 אַחֲרָיו הֶחֱזִיק...נֶגֶד בֵּיתָם Neh. 3:23

בָּתִּים 1919 וַיַּעַשׂ לָהֶם בָּתִּים Ex. 1:21
1920 טַבְּעֹתֵיהֶם...בָּתִּים לַבְּרִיחִם Ex. 26:29
1921 טַבְּעֹתָם...בָּתִּים לַבְּרִיחִם Ex. 36:34
1922/3 בָּתִּים לַבַּדִּים Ex. 37:14; 38:5
1924 הַנָּשִׁים אֹרְגוֹת שָׁם בָּתִּים לָאֲשֵׁרָה IIK. 23:7
1925 אִם־לֹא בָּתִּים רַבִּים לְשַׁמָּה יִהְיוּ Is. 5:9
1926 וּבָנוּ בָתִּים וְיָשָׁבוּ Is. 65:21
1927-1940 בָּתִּים Jer. 29:5,28; 32:15; 35:9 Ezek. 11:3; 28:26 • Am. 3:15 • Zep. 1:13 • Job 15:28; 24:16 • Eccl. 2:4 • Neh. 7:4; 9:25 • ICh. 15:1
וּבָתִּים 1941 וּבָתִּים מְלֵאִים כָּל־טוּב Deut. 6:11
1942 וּבָתִּים טֹבִים תִּבְנֶה וְיָשָׁבְתָּ Deut. 8:12
1943 וּבָתִּים מֵאֵין אָדָם Is. 6:11
1944 וְחָמְדוּ שָׂדוֹת וְגָזָלוּ וּבָתִּים וְנָשָׂאוּ Mic. 2:2
הַבָּתִּים 1945 וַיָּמֻתוּ...מִן־הַבָּתִּים...וּמִן־הַשָּׂדֹת Ex. 8:9
1946 הֵנִיס...וְאֶת־מִקְנֵהוּ אֶל־הַבָּתִּים Ex. 9:20
1947 הַבָּתִּים אֲשֶׁר־יֹאכְלוּ אֹתוֹ בָּהֶם Ex. 12:7
1948 לְאֹת עַל הַבָּתִּים אֲשֶׁר אַתֶּם שָׁם Ex. 12:13
1949 בָּנָה שְׁלֹמֹה אֶת־שְׁנֵי הַבָּתִּים IK. 9:10
1950 וַתִּתְצוּ הַבָּתִּים לְבַצֵּר הַחוֹמָה Is. 22:10
1951 הַבָּתִּים אֲשֶׁר קִטְּרוּ עַל־גַּגֹּתֵיהֶם Jer. 19:13
1952 הַבָּתִּים אֲשֶׁר קִטְּרוּ עַל־גַּגּוֹתֵיהֶם Jer. 32:29
1953 אֵצֶל הַקִּירוֹת וּבְפִתְחֵי הַבָּתִּים Ezek. 33:30
1954 וְנִלְכְּדָה הָעִיר וְנָשַׁסּוּ הַבָּתִּים Zech. 14:2
1955 לָטוּחַ קִירוֹת הַבָּתִּים ICh. 29:4
1956 וּלְקָרוֹת אֶת־הַבָּתִּים IICh. 34:11
בַּבָּתִּים 1957 כִּי יֵשׁ בַּבָּתִּים הָאֵלֶּה אֵפוֹד Jud. 18:14
1958 וְהָאֲנָשִׁים אֲשֶׁר בַּבָּתִּים...נִזְעֲקוּ Jud. 18:22
1959 בַּחוֹמָה יְרֻצוּן בַּבָּתִּים יַעֲלוּ Joel 2:9
לְבָתִּים 1960-1962 לְבָתִּים לְבַדִּים Ex. 25:27; 30:4; 37:27
1963 וְהָיָה לָהֶם מָקוֹם לְבָתִּים Ezek. 45:4
לַבָּתִּים 1964 וְהַמִּשְׁפָּחָה...תִּקְרַב לַבָּתִּים Josh. 7:14
בָּתֵּי־ 1965 וּמָלְאוּ בָּתֵּי מִצְרַיִם אֶת־הֶעָרֹב Ex. 8:17
1966 אֲשֶׁר פָּסַח עַל־בָּתֵּי בְנֵי־יִשְׂרָאֵל Ex. 12:27
1967 וְעָרֵי הַלְוִיִּם בָּתֵּי עָרֵי אֲחֻזָּתָם Lev. 25:32
1968 בָתֵּי עָרֵי הַלְוִיִּם הִוא אֲחֻזָּתָם Lev. 25:33
1969 וְעַל כָּל־בָּתֵּי הַבָּמוֹת IK. 13:32
1970 וְחִפְּשׂוּ אֶת־בֵּיתְךָ וְאֵת בָּתֵּי עֲבָדֶיךָ IK. 20:6
1971 וַיִּתֹּץ אֶת־בָּתֵּי הַקְּדֵשִׁים IIK. 23:7
1972 ...אֶת־כָּל־בָּתֵּי הַבָּמוֹת...הֵסִיר IIK. 23:19
1973 וְאֵת כָּל־בָּתֵּי יְרוּשָׁלַםִ...שָׂרַף IIK. 25:9
1974-6 בָּתֵּי יְרוּשָׁלִָם Is. 22:10 • Jer. 19:13; 52:13
1977 וּלְצוּר מִכְשׁוֹל לִשְׁנֵי בָתֵּי יִשְׂרָאֵל Is. 8:14
1978 כִּי עַל־כָּל־בָּתֵּי מָשׂוֹשׂ Is. 32:13
1979 אָמַר יְיָ...עַל־בָּתֵּי הָעִיר הַזֹּאת Jer. 33:4
1980 וְעַל־בָּתֵּי מַלְכֵי יְהוּדָה Jer. 33:4
1981 וְאֶת־בָּתֵּי אֱלֹהֵי מִצְרַיִם יִשְׂרֹף Jer. 43:13
1982 וְאָבְדוּ בָּתֵּי הַשֵּׁן Am. 3:15
1983 בָּתֵּי גָזִית בְּנִיתֶם וְלֹא־תֵשְׁבוּ בָם Am. 5:11
1984 בָּתֵּי אַכְזִיב לְאַכְזָב לְמַלְכֵי יִשׂ׳ Mic. 1:14
1985 אַף שֹׁכְנֵי בָתֵּי־חֹמֶר Job 4:19
וּבָתֵּי־ 1986/7 וּבָתֵּי כָל־עֲבָדֶיךָ וּבָתֵּי כָל־מִצְרַ׳ Ex. 10:6
1988 וּבָתֵּי הַחֲצֵרִים...לָהֶם חֹמָה Lev. 25:31
1989 וּבָתֵּי הַנֶּפֶשׁ וְהַלְּחָשִׁים Is. 3:20
1990 וּבָתֵּי מַלְכֵי יְהוּדָה כִּמְקוֹם הַתֹּפֶת Jer. 19:13
1991 וּבָתֵּי חֶמְדָּתֵךְ יִתֹּצוּ Ezek. 26:12
בְּבָתֵּי־ 1992 וְהִצַּתִּי אֵשׁ בְּבָתֵּי אֱלֹהֵי מִצְרַיִם Jer. 43:12
1993 בְּבָתֵּי אַשְׁקְלוֹן בָּעֶרֶב יִרְבָּצוּן Zep. 2:7
וּבְבָתֵּי־ 1994 וּבְבָתֵּי כְלָאִים הָחְבָּאוּ Is. 42:22
בָּתֶּיךָ 1995 וּמָלְאוּ בָתֶּיךָ וּבָתֵּי כָל־עֲבָדֶיךָ Ex. 10:6
וּבְבָתֶּיךָ 1996 הִנְנִי מַשְׁלִיחַ בְּךָ...וּבְבָתֶּיךָ Ex. 8:17

וּמִבָּתֶּיךָ 1997 לְהַכְרִית הַצְפַרְדְּעִים...וּמִבָּתֶּיךָ Ex. 8:5
1998 וְסָרוּ הַצְפַרְדְּעִים מִמְּךָ וּמִבָּתֶּיךָ Ex. 8:7
בָּתַּיִךְ 1999 וְשָׂרְפוּ בָתַּיִךְ בָּאֵשׁ Ezek. 16:41
בָּתָּיו 2000 וְאֶת־בָּתָּיו וְגִנְזַכָּיו וַעֲלִיֹּתָיו ICh. 28:11
בָּתֵּינוּ 2001 וְאֶת־בָּתֵּינוּ הִצִּיל Ex. 12:27
2002 לֹא נָשׁוּב אֶל־בָּתֵּינוּ Num. 32:18
2003 נְמַלֵּא בָתֵּינוּ שָׁלָל Prov. 1:13
2004 קֹרוֹת בָּתֵּינוּ אֲרָזִים S.ofS. 1:17
2005 נַחֲלָתֵנוּ...לְזָרִים בָּתֵּינוּ לְנָכְרִים Lam. 5:2
וּבָתֵּינוּ 2006 שְׂדֹתֵינוּ... וּבָתֵּינוּ אֲנַחְנוּ עֹרְבִים Neh. 5:3
מִבָּתֵּינוּ 2007 חָם הִצְטַיַּדְנוּ אֹתוֹ מִבָּתֵּינוּ Josh. 9:12
בָּתֵּיכֶם 2008 הָבִיאוּ שֶׁבֶר רַעֲבוֹן בָּתֵּיכֶם Gen. 42:19
2009 וְאֶת־רַעֲבוֹן בָּתֵּיכֶם קְחוּ Gen. 42:33
2010 אֶת־אֲבִיכֶם וְאֶת־בָּתֵּיכֶם Gen. 45:18
2011 לָבֹא אֶל־בָּתֵּיכֶם לִנְגֹּף Ex. 12:23
וּבָתֵּיכֶם 2012 וּשְׂמַחְתֶּם...אַתֶּם וּבָתֵּיכֶם Deut. 12:7
2013 וְהִלָּחֲמוּ עַל...נְשֵׁיכֶם וּבָתֵּיכֶם Neh. 4:8
בְּבָתֵּיכֶם 2014 וּלְאָכְלְכֶם וְלַאֲשֶׁר בְּבָתֵּיכֶם Gen. 47:24
2015 שְׂאֹר לֹא יִמָּצֵא בְּבָתֵּיכֶם Ex. 12:19
2016 גְּזֵלַת הֶעָנִי בְּבָתֵּיכֶם Is. 3:14
2017 הַעֵת...לָשֶׁבֶת בְּבָתֵּיכֶם סְפוּנִים Hag. 1:4
מִבָּתֵּיכֶם 2018 תַּשְׁבִּיתוּ שְּׂאֹר מִבָּתֵּיכֶם Ex. 12:15
2019 וְלֹא־תוֹצִיאוּ מַשָּׂא מִבָּתֵּיכֶם Jer. 17:22
בָּתֵּיהֶם 2020 וַתִּבְלַע אֹתָם וְאֶת־בָּתֵּיהֶם Num. 16:32
2021 וְאֶת־בָּתֵּיהֶם וְאֶת־אָהֳלֵיהֶם Deut. 11:6
2022 יִשַּׁסּוּ בָּתֵּיהֶם וּנְשֵׁיהֶם תִּשָּׁכַבְנָה Is. 13:16
2023 וּמָלְאוּ בָתֵּיהֶם אֹחִים Is. 13:21
2024 בָּתֵּיהֶם מְלֵאִים מִרְמָה Jer. 5:27
2025 וְנָסַבּוּ בָתֵּיהֶם לַאֲחֵרִים Jer. 6:12
2026 וְיָרְשׁוּ אֶת־בָּתֵּיהֶם Ezek. 7:24
2027 וְהוֹשַׁבְתִּים עַל־בָּתֵּיהֶם Hosh. 11:11
2028 הַמְמַלְאִים בָּתֵּיהֶם כָּסֶף Job 3:15
2029 בָּתֵּיהֶם שָׁלוֹם מִפָּחַד Job 21:9
2030 וְהוּא מִלֵּא בָתֵּיהֶם טוֹב Job 22:18
וּבָתֵּיהֶם 2031 חֵילָם לִמְשִׁסָּה וּבָתֵּיהֶם לִשְׁמָמָה Zep. 1:13
2032 שְׂדֹתֵיהֶם כַּרְמֵיהֶם...וּבָתֵּיהֶם Neh. 5:11
וּבְבָתֵּיהֶם 2033 וְיָשַׁבְתָּ בְעָרֵיהֶם וּבְבָתֵּיהֶם Deut. 19:1
מִבָּתֵּיהֶם 2034 תִּשָּׁמַע זְעָקָה מִבָּתֵּיהֶם Jer. 18:22
בָּתֵּימוֹ 2035 קִרְבָּם בָּתֵּימוֹ לְעוֹלָם Ps. 49:12
וּבָתֵּיהֶן 2036 וּבָתֵּיהֶן בָּאֵשׁ יִשְׂרֹפוּ Ezek. 23:47

בַּיְתָא

ז׳ ארמית: כְּמוֹ בעברית: הַבַּיִת : 1—44

בֵּית אֱלָהָא 4,7-22,24-26,31,34-36; בֵּית גִּנְזַיָּא 27,29; בֵּית מַלְכָּא 23; בֵּית מִשְׁתְּיָא 33; בֵּית סִפְרַיָּא 30

בַּיְתָא 1 מִן־שָׁם...בַּיְתָא דְנָה לִבְנֵא Ez. 5:3
2 מִן־שָׂם...בַּיְתָא דְנָה לְמִבְנְיָה Ez. 5:9
3 וּבָנַיִן בַּיְתָא דִּי־הֲוָא בְנֵה... Ez. 5:11
4 בֵּית־אֱלָהָא...בַּיְתָא יִתְבְּנֵא Ez. 6:3
5 וְשֵׁיצִיא בַּיְתָה דְנָה Ez. 6:15
וּבַיְתָה 6 וּבַיְתָה דְנָה סַתְרֵהּ Ez. 5:12
בֵּית־ 7 מִן־הֵיכְלָא דִּי־בֵית אֱלָהָא Dan. 5:3
8-22 בֵּית־אֱלָהָא Ez. 4:24 5:2,13,14,16,17; 6:3,5,7²,8,12,16,17; 7:24
23 וְנַפְּקָתָא מִן־בֵּית מַלְכָּא תִּתְיְהִב Ez. 6:4
24 עַל־מַדְבְּחָה דִּי בֵּית אֱלָהֲכֹם Ez. 7:17
25 וּמָאנַיָּא...לְפָלְחָן בֵּית אֱלָהָךְ Ez. 7:19
26 וּשְׁאָר חַשְׁחוּת בֵּית אֱלָהָךְ Ez. 7:20
27 תִּנְתֵּן מִן־בֵּית גִּנְזֵי מַלְכָּא Ez. 7:20
וּבֵית־ 28 וּבֵית אֱלָהָא יִתְבְּנֵא עַל־אַתְרֵהּ Ez. 5:15
בְּבֵית־ 29 יִתְבַּקַּר בְּבֵית גִּנְזַיָּא דִּי־מַלְכָּא Ez. 5:17
30 וּבַקַּרוּ בְּבֵית סִפְרַיָּא דִּי גִנְזַיָּא Ez. 6:1
31 וִיהָךְ לְהֵיכְלָא...וְתֻחַת בְּבֵית אֱלָהָא Ez. 6:5

לְבֵית־ 32 דִּי־אֲנָה בֱנַיְתַהּ לְבֵית מַלְכוּ Dan. 4:27
33 מַלְכְּתָא...לְבֵית מִשְׁתְּיָא עַלַּת Dan. 5:10
34 דִּי־אֲזַלְנָא...לְבֵית אֱלָהָא רַבָּא Ez. 5:8
35 מִתְנַדְּבִין לְבֵית אֱלָהֲהֹם Ez. 7:16
36 יִתְעֲבֵד...לְבֵית אֱלָהּ שְׁמַיָּא Ez. 7:23
בְּבֵיתִי 37 שְׁלֵה הֲוֵית בְּבֵיתִי וְרַעְנַן בְּהֵיכְלִי Dan. 4:1
בַּיְתֵהּ 38 וּלְמָאנַיָּא דִּי־בַיְתֵהּ הַיְתִיו Dan. 5:23
39 יִתְנְסַח אָע מִן־בַּיְתֵהּ Ez. 6:11
וּבַיְתֵהּ 40 וּבַיְתֵהּ נְוָלִי יִשְׁתַּוֵּה Dan. 3:29
41 וּבַיְתֵהּ נְוָלוּ יִתְעֲבֵד עַל־דְּנָה Ez. 6:11
לְבַיְתֵהּ 42 אֱדַיִן דָּנִיֵּאל לְבַיְתֵהּ אֲזַל Dan. 2:17
43 וְדָנִיֵּאל...עַל לְבַיְתֵהּ Dan. 6:11
וּבָתֵּיכוֹן 44 וּבָתֵּיכוֹן נְוָלִי יִתְּשָׂמוּן Dan. 2:5

בֵּית אָוֶן

א) עיר בנחלת בנימין: 1—4, 6
ב) כנוי גנאי לבית־אל: 5, 7

בֵּית אָוֶן 1 עִם־בֵּית אָוֶן מִקֶּדֶם לְבֵית־אֵל Josh. 7:2
2 וְהָיוּ תֹּצְאֹתָיו מִדְבְּרָה בֵּית אָוֶן Josh. 18:12
3 בְּמִכְמָשׂ קִדְמַת בֵּית אָוֶן ISh. 13:5
4 וְהַמִּלְחָמָה עָבְרָה אֶת־בֵּית אָוֶן ISh. 14:23
5 וְאַל־תַּעֲלוּ בֵּית אָוֶן Hosh. 4:15
6 הָרִיעוּ בֵּית אָוֶן אַחֲרֶיךָ בִּנְיָמִין Hosh. 5:8
7 לְעֶגְלוֹת בֵּית אָוֶן יָגוּרוּ שְׁכַן שֹׁמְרוֹן Hosh. 10:5

בֵּית־אֵל

א) עיר בגבול בנימין ואפרים: 1-49, 51-69
ב) עיר בנחלת שמעון: 50
ג) אולי כנוי לאל כנעני: 70

אֵל בֵּית־אֵל 5; אַנְשֵׁי בֵ״א 13, 14; הַר בֵ״א 10; כֹּהֵן בֵּית־אֵל 12; מִזְבְּחוֹת בֵ״א 11

בֵּית אֵל 1 בֵּית־אֵל מִיָּם וְהָעַי מִקֶּדֶם Gen. 12:8
2 וַיֵּלֶךְ לְמַסָּעָיו מִנֶּגֶב וְעַד־בֵּית־אֵל Gen. 13:3
3 בֵּין בֵּית־אֵל וּבֵין הָעָי Gen. 13:3
4 וַיִּקְרָא...הַמָּקוֹם הַהוּא בֵּית־אֵל Gen. 28:19
5 אָנֹכִי הָאֵל בֵּית־אֵל... Gen. 31:13
6 קוּם עֲלֵה בֵית־אֵל וְשֶׁב־שָׁם Gen. 35:1
7 וְנָקוּמָה וְנַעֲלֶה בֵּית־אֵל Gen. 35:3
8 וַיָּבֹא...לוּזָה...הִוא בֵּית־אֵל Gen. 35:6
9 עֹלֶה מִירִיחוֹ בָּהָר בֵּית־אֵל Josh. 16:1
10 אַלְפַּיִם בְּמִכְמָשׂ וּבְהַר בֵּית־אֵל ISh. 13:2
11 וּפָקַדְתִּי עַל־מִזְבְּחוֹת בֵּית־אֵל Am. 3:14
12 וַיִּשְׁלַח אֲמַצְיָה כֹּהֵן בֵּית־אֵל Am. 7:10
13/4 אַנְשֵׁי בֵית־אֵל וְהָעָי Ez. 2:28 • Neh. 7:32
15 אֶת־בֵּית־אֵל וְאֶת־בְּנוֹתֶיהָ IICh. 13:19
16-43 בֵּית־אֵל Gen. 35:15 Josh. 8:9,12; 12:9,16; 18:13 • Jud. 1:22; 4:5; 20:18,26,31; 21:2 • ISh. 7:16 • IK. 13:1,10 • IIK. 2:2²,3,23; 10:29; 23:4,17 • Hosh. 10:15; 12:5 • Am. 4:4; 5:5 • Zech. 7:2 • ICh. 7:28
וּבֵית אֵל 44 וְלֹא־נִשְׁאַר אִישׁ בָּעַי וּבֵית אֵל Josh. 8:17
45 וּבֵית הָעֲרָבָה וּצְמָרַיִם וּבֵית־אֵל Josh. 18:22
46 וּבֵית אֵל יִהְיֶה לְאָוֶן Am. 5:5
47 וּבֵית־אֵל לֹא־תוֹסִיף עוֹד לְהִנָּבֵא Am. 7:13
48 מִכְמָשׂ וְעַיָּה וּבֵית־אֵל וּבְנֹתֶיהָ Neh. 11:31
בְּבֵית אֵל 49 וַיָּתִירוּ בֵית־יוֹסֵף בְּבֵית־אֵל Jud. 1:23
50 לַאֲשֶׁר בְּבֵית־אֵל ISh. 30:27
51 וַיָּשֶׂם אֶת־הָאֶחָד בְּבֵית־אֵל IK. 12:29
52 כֵּן עָשָׂה בְּבֵית־אֵל לְזַבֵּחַ לָעֲגָלִים IK. 12:32
53 וְהֶעֱמִיד בְּבֵית אֵל אֶת־כֹּהֲנֵי הַבָּמוֹת IK. 12:32
54 עַל־הַמִּזְבֵּחַ אֲשֶׁר עָשָׂה בְּבֵית אֵל IK. 12:33
55-61 בְּבֵית־אֵל IK. 13:4,11²,32 IIK. 17:28; 23:15,19
לְבֵית־אֵל 62 וַיַּעְתֵּק...מִקֶּדֶם לְבֵית־אֵל Gen. 12:8
63 וַתִּקָּבֵר מִתַּחַת לְבֵית־אֵל Gen. 35:8

בֵּית־אֵל (המשך) 64 עִם־בֵּית אָוֶן מִקֶּדֶם לְבֵית־אֵל Josh. 7:2
65 אֲשֶׁר מִצְּפוֹנָה לְבֵית־אֵל Jud. 21:19
66 וְאָכְלָה וְאֵין־מְכַבֶּה לְבֵית־אֵל Am. 5:6
מִבֵּית אֵל 67 וַיִּסְעוּ מִבֵּית אֵל...וַתֵּלֶד רָחֵל Gen. 35:16
68 וְיָצָא מִבֵּית־אֵל לוּזָה Josh. 16:2
69 הָעֹלָה מִבֵּית־אֵל שְׁכֶמָה Jud. 21:19
70 כַּאֲשֶׁר בֹּשׁוּ...מִבֵּית אֵל מִבְטֶחָם Jer. 48:13

בֵּית הָאֱלִי ת׳ תושב בית־אל
בֵּית הָאֱ׳ 1 בָּנָה חִיאֵל בֵּית הָאֱלִי אֶת־יְרִיחֹה IK. 16:34

בֵּית הָאֵצֶל ישוב בנחלת יהודה
בֵּית הָאֵ׳ 1 מִסְפַּד בֵּית הָאֵצֶל יִקַּח מִכֶּם עֶמְדָּתוֹ Mic. 1:11

בֵּית אַרְבֵאל עיר בגליל התחתון (?)
בֵּית אַ׳ 1 כְּשֹׁד שַׁלְמַן בֵּית אַרְבֵאל Hosh. 10:14

בֵּית בַּעַל מְעוֹן עיר בנחלת ראובן
בֵּית בַּ׳ 1 וּבָמוֹת בַּעַל וּבֵית בַּעַל מְעוֹן Josh. 13:17

בֵּית בִּרְאִי ישוב בנחלת שמעון
בֵּית בִּ׳ 1 וּבְבֵית בִּרְאִי וּבְשַׁעֲרָיִם ICh. 4:31

בֵּית בָּרָה ישוב בקרבת הירדן
בֵּית בָּ׳ 2-1 עַד בֵּית בָּרָה וְאֶת הַיַּרְדֵּן Jud. 7:24[2]

בֵּית גָּדֵר עיר בנחלת יהודה
בֵּית גָּ׳ 1 חָרֵף אֲבִי בֵית־גָּדֵר ICh. 2:51

בֵּית הַגִּלְגָּל מקום מושב ללויים בימי נחמיה
בֵּית הַגִּ׳ 1 וּמִבֵּית הַגִּלְגָּל וּמִשְּׂדוֹת גֶּבַע Neh. 12:29

בֵּית גָּמוּל עיר בארץ מואב
בֵּית גָּ׳ 1 וְעַל־קִרְיָתַיִם וְעַל־בֵּית גָּמוּל Jer. 48:23

בֵּית הַגָּן מקום בשומרון (?)
בֵּית הַגָּן 1 וַיָּנָס דֶּרֶךְ בֵּית הַגָּן IIK. 9:27

בֵּית דִּבְלָתָיִם עיר במואב
בֵּית דִּ׳ 1 וְעַל־נְבוֹ וְעַל־בֵּית דִּבְלָתָיִם Jer. 48:22

בֵּית דָּגוֹן א) ישוב בנחלת יהודה: 1
ב) ישוב בנחלת אָשֵׁר: 2
בֵּית דָּ׳ 1 וּגְדֵרוֹת בֵּית־דָּגוֹן Josh. 15:41
2 וְשָׁב מִזְרַח הַשֶּׁמֶשׁ בֵּית דָּגֹן Josh. 19:27

בֵּית הָרָם עיר בערבות מואב
בֵּית הָרָם 1 וּבָעֵמֶק בֵּית הָרָם וּבֵית נִמְרָה Josh. 13:27

בֵּית הָרָן היא בֵּית הָרָם
בֵּית הָ׳ 1 וְאֶת־בֵּית נִמְרָה וְאֶת־בֵּית הָרָן Num. 32:36

בֵּית חָגְלָה עיר בנחלת בנימין: 1—3
בֵּית חָ׳ 1 וְעָלָה הַגְּבוּל בֵּית חָגְלָה Josh. 15:6
2 וְעָבַר הַגְּ׳ אֶל־כֶּתֶף בֵּית־חָגְלָה Josh. 18:19
3 יְרִיחוֹ וּבֵית־חָגְלָה וְעֵמֶק קְצִיץ Josh. 18:21

בֵּית חוֹרוֹן שם שני ישובים סמוכים (בית חורון עליון ובית חורון תחתון) בגבול אפרים ובנימין: 1—14
גְּבוּל בֵּית־חוֹרוֹן 3; דֶּרֶךְ בֵּ״ח 7; מוֹרַד בֵּ״ח 2; מַעֲלֵה בֵּית חוֹרֹן 1
בֵּית חוֹ׳ 1 דֶּרֶךְ מַעֲלֵה בֵית־חוֹרֹן Josh. 10:10
2 הֵם בְּמוֹרַד בֵּית־חוֹרֹן Josh. 10:11
3 עַד־גְּבוּל בֵּית־חֹרוֹן תַּחְתּוֹן Josh. 16:3
4 עַד־בֵּית חֹרוֹן עֶלְיוֹן Josh. 16:5

בֵּית־חוֹרוֹן (המשך) 5 אֲשֶׁר עַל־פְּנֵי בֵית־חֹרוֹן Josh. 18:14
6 וְאֶת־בֵּית חֹרוֹן וְאֶת־מִגְרָשֶׁהָ Josh. 21:22
7 יִפְנֶה דֶּרֶךְ בֵּית חֹרוֹן ISh. 13:18
8 וְאֶת־בֵּית חֹרֹן תַּחְתּוֹן IK. 9:17
9 וְאֶת־בֵּית חוֹרוֹן וְאֶת־מִגְרָשֶׁיהָ ICh. 6:53
10 וַתִּבֶן אֶת־בֵּית־חוֹרוֹן הַתַּחְתּוֹן ICh. 7:24
11 וַיִּבֶן אֶת־בֵּית חוֹרוֹן הָעֶלְיוֹן IICh. 8:5
12 וְאֶת־בֵּית חוֹרוֹן הַתַּחְתּוֹן IICh. 8:5
13 מִשֹּׁמְרוֹן וְעַד־בֵּית חוֹרוֹן IICh. 25:13
לְבֵית חוֹ׳ 14 מִנֶּגֶב לְבֵית־חֹרוֹן תַּחְתּוֹן Josh. 18:13

בֵּית חָנָן עיר בנחלת דן, אולי היא אֵילוֹן או אֵילֹן
בֵּית חָ׳ 1 וּבֵית שֶׁמֶשׁ וְאֵילוֹן בֵּית חָנָן IK. 4:9

בֵּית הַיְשִׁימוֹת עיר בערבות מואב: 1—4
בֵּית הַיְ׳ 1 דֶּרֶךְ בֵּית הַיְשִׁמוֹת Josh. 12:3
2 צְבִי אֶרֶץ בֵּית הַיְשִׁימוֹת Ezek. 25:9
וּבֵית הַיְ׳ 3 וְאַשְׁדּוֹת הַפִּסְגָּה וּבֵית הַיְשִׁימוֹת Josh. 13:20
מִבֵּית הַיְ׳ 4 עַל־הַיַּרְדֵּן מִבֵּית הַיְשִׁמֹת Num. 33:49

בֵּית כַּר* מקום בנחלת יהודה
לְבֵית כָּר 1 וַיַּכּוּם עַד־מִתַּחַת לְבֵית כָּר ISh. 7:11

בֵּית הַכֶּרֶם עיר בקרבת ירושלים: 1, 2
בֵּית הַכֶּ׳ 1 וְעַל־בֵּית הַכֶּרֶם שְׂאוּ מַשְׂאֵת Jer. 6:1
בֵּית הַכָּ׳ 2 מַלְכִּיָּה...שַׂר פֶּלֶךְ בֵּית־הַכָּרֶם Neh. 3:14

בֵּית לְבָאוֹת עיר בנחלת שמעון, אולי היא בֵּית־בִּרְאִי
בֵּית לְ׳ 1 וּבֵית לְבָאוֹת וְשָׁרוּחֶן Josh. 19:6

בֵּית לֶחֶם א) עיר בנחלת יהודה, מדרום לירושלים: 1—26, 28—41
ב) עיר בנחלת זבולון, בגליל התחתון: 27
אֲבִי בֵּית־לֶחֶם 18—19; אַנְשֵׁי בֵּית־לֶחֶם 7; בּוֹר בֵּית־לֶחֶם 2, 3, 8, 9; בְּנֵי בֵּית־לֶחֶם 17
בֵּית־לֶחֶם 1 וַתֵּלֶךְ...אֶל־בֵּית לֶחֶם יְהוּדָה Jud. 19:2
3-2 מִבֹּאר בֵּית־לֶחֶם IISh. 23:15, 16
4 וְאַתָּה בֵּית־לֶחֶם אֶפְרָתָה Mic. 5:1
5 וַיְהִי כְּבוֹאָנָה בֵּית לֶחֶם Ruth 1:19
6 וְהֵמָּה בָּאוּ בֵּית לֶחֶם Ruth 1:22
7 אַנְשֵׁי בֵית־לֶחֶם וּנְטֹפָה Neh. 7:26
9-8 מַיִם מִבּוֹר בֵּית־לֶחֶם ICh. 11:17, 18
14-10 בֵּית(־)לֶחֶם Jud. 19:18
ISh. 20:6 • ICh. 2:54 • IICh. 11:6
בֵּית־לָ׳ 14 בְּדֶרֶךְ אֶפְרָתָה הִוא בֵּית לָחֶם Gen. 35:19
15 וַיַּעַשׂ שְׁמוּאֵל...וַיָּבֹא בֵּית לָחֶם ISh. 16:4
16 וַתֵּלַכְנָה שְׁתֵּיהֶם עַד־בּוֹאָנָה בֵּית לָ׳ Ruth 1:19
17 בְּנֵי בֵית־לֶחֶם עֶשְׂרִים וּשְׁלֹשָׁה Ez. 2:21
19-18 אֲבִי בֵית־לָחֶם ICh. 2:51; 4:4
26-20 בֵּית לָחֶם Gen. 48:7
ISh. 17:15; 20:28 • IISh. 2:32; 23:14, 26 • Jer. 41:17
וּבֵית לֶ׳ 27 וְשִׁמְרוֹן וְיִדְאֲלָה וּבֵית לָחֶם Josh. 19:15
בְּבֵית לֶ׳ 28 וַיָּמָת אִבְצָן וַיִּקָּבֵר בְּבֵית לָחֶם Jud. 12:10
29 וּקְרָא־שֵׁם בְּבֵית לָחֶם Ruth 4:11
30 וּנְצִיב פְּלִשְׁתִּים אָז בְּבֵית לָחֶם ICh. 11:16
מִבֵּית לֶ׳ 38-31 מִבֵּית לֶחֶם יְהוּדָה Jud. 17:7
17:8, 9; 19:1, 18 • ISh. 17:12 • Ruth 1:1, 2
39 וְהִנֵּה־בֹעַז בָּא מִבֵּית לָחֶם Ruth 2:4
מִבֵּית לֶ׳ 40 וַיִּשְׁפֹּט...אִבְצָן מִבֵּית לָחֶם Jud. 12:8
41 אֶלְחָנָן בֶּן־דּוֹדוֹ מִבֵּית לָחֶם ICh. 11:26

בֵּית הַלַּחְמִי ת׳ שהוא מבית־לחם: 1—4
בֵּית הַלַּ׳ 2-1 יִשַׁי בֵּית(־)הַלַּחְמִי ISh. 16:1; 17:58
3 רָאִיתִי בֵּן לְיִשַׁי בֵּית הַלַּחְמִי ISh. 16:18
4 וַיַּךְ אֶלְחָנָן...בֵּית הַלַּחְמִי IISh. 21:19

בֵּית לְעַפְרָה ישוב ביהודה
בְּבֵית לְעַ׳ 1 בְּבֵית לְעַפְרָה עָפָר הִתְפַּלָּשִׁי° Mic. 1:10

בֵּית מִלּוֹא מבצר ליד שכם: 1—2
בֵּית מִ׳ 1 כָּל־בַּעֲלֵי שְׁכֶם וְכָל־בֵּית מִלּוֹא Jud. 9:6
2 אֶת־בַּעֲלֵי שְׁכֶם וְאֶת־בֵּית מִלּוֹא Jud. 9:20

בֵּית מְעוֹן היא בֵּית בַּעַל מְעוֹן
בֵּית מְ׳ 1 וְעַל קִרְיָתַיִם...וְעַל־בֵּית מְעוֹן Jer. 48:23

בֵּית מַעֲכָה עיין אָבֵל בֵּית מַעֲכָה

בֵּית הַמֶּרְחָק מקום (?) ליד נחל קדרון
בֵּית הַמֶּ׳ 1 וַיֵּצֵא...וַיַּעַמְדוּ בֵּית הַמֶּרְחָק IISh. 15:17

בֵּית־הַמַּרְכָּבוֹת מקום בנחלת שמעון: 1, 2
וּבֵית הַמַּ׳ 1 וְצִקְלַג וּבֵית־הַמַּרְכָּבוֹת וַחֲצַר סוּסָה Josh. 19:5
וּבְבֵית מַ׳ 2 וּבְבֵית מַרְכָּבוֹת וּבַחֲצַר סוּסִים ICh. 4:31

בֵּית נִמְרָה עיר בנחלת גד בעמק הירדן: 1—2
בֵּית נִמְ׳ 1 וְאֶת־בֵּית נִמְרָה וְאֶת־בֵּית הָרָן Num. 32:36
וּבֵית נִמְ׳ 2 וּבָעֵמֶק בֵּית הָרָם וּבֵית נִמְרָה Josh. 13:27

בֵּית עֶדֶן מדינה ארמית על גדות הנהר פרת
מִבֵּית עֶ׳ 1 וְהִכְרַתִּי...וְתוֹמֵךְ שֵׁבֶט מִבֵּית עֶדֶן Am. 1:5

בֵּית־עַזְמָוֶת ישוב בנחלת בנימין
בֵּית עַזְ׳ 1 אַנְשֵׁי בֵית־עַזְמָוֶת אַרְבָּעִים וּשְׁנָיִם Neh. 7:28

בֵּית הָעֵמֶק ישוב בנחלת אשר
בֵּית הָעֵ׳ 1 וּבְנֵי יִפְתַּח־אֵל...בֵּית הָעֵמֶק Josh. 19:27

בֵּית־עֲנוֹת ישוב בנחלת יהודה
וּבֵית עֲ׳ 1 וּמַעֲרָת וּבֵית־עֲנוֹת וְאֶלְתְּקֹן Josh. 15:59

בֵּית עֲנָת עיר בנחלת נפתלי
בֵּית עֲ׳ 1 וְאֶת־יֹשְׁבֵי בֵית־עֲנָת Jud. 1:33
וּבֵית עֲ׳ 2 וּבֵית־עֲנָת וּבֵית שָׁמֶשׁ Josh. 19:38
3 וְיֹשְׁבֵי בֵית־שֶׁמֶשׁ וּבֵית עֲנָת Jud. 1:33

בֵּית־עֵקֶד (הָרֹעִים) מקום בדרך מיזרעאל לשומרון: 1, 2
בֵּית־עֵ׳ 1 וַיִּשְׁחָטוּם אֶל־בּוֹר בֵּית־עֵקֶד IIK. 10:14
2 הוּא בֵּית־עֵקֶד הָרֹעִים בַּדָּרֶךְ IIK. 10:12

בֵּית הָעֲרָבָה ישוב בערבות יריחו: 1—3
בֵּית הָעֲ׳ 1 בַּמִּדְבָּר בֵּית הָעֲרָבָה מִדִּין וּסְכָכָה Josh. 15:61
וּבֵית הָעֲ׳ 2 וּבֵית הָעֲרָבָה וּצְמָרַיִם וּבֵית־אֵל Josh. 18:22
לְבֵית הָעֲ׳ 3 וְעָבַר מִצְּפוֹן לְבֵית הָעֲרָבָה Josh. 15:6

בֵּית פֶּלֶט* ישוב בנגב בסביבות באר־שבע: 1—2
וּבֵית פֶּ׳ 1 וַחֲצַר גַּדָּה וְחֶשְׁמוֹן וּבֵית פָּלֶט Josh. 15:27
וּבְבֵית פֶּ׳ 2 וּבְמֹלָדָה וּבְבֵית פָּלֶט Neh. 11:26

בֵּית פְּעוֹר ישוב בנחלת ראובן: 1—4
בֵּית פְּ׳ 3-1 מוּל בֵּית פְּעוֹר Deut. 3:29; 4:46; 34:6
וּבֵית פְּ׳ 4 וּבֵית פְּעוֹר וְאַשְׁדּוֹת הַפִּסְגָּה Josh. 13:20

בֵּית פַּצֵּץ ישוב בנחלת יששכר
וּבֵית פַּ׳ 1 וְעֵין חַדָּה וּבֵית פַּצֵּץ Josh. 19:21

בֵּית־צוּר עיר בנחלת יהודה: 1–4
בית צור 1 חַלְחוּל בֵּית־צוּר וּגְדוֹר Josh. 15:58
2 שַׂר חֲצִי פֶּלֶךְ בֵּית־צוּר Neh. 3:16
3 וּמָעוֹן אֲבִי בֵית־צוּר ICh. 2:45
4 וְאֶת־בֵּית־צוּר וְאֶת־שׂוֹכוֹ IICh. 11:7

בֵּית רְחוֹב עיר בנחלת אשר, עיין גם רְחוֹב
לְבֵית רְ׳ 1 בָּעֵמֶק אֲשֶׁר לְבֵית־רְחוֹב Jud. 18:28

בֵּית רָפָא שפ״ז – מבני יהודה
בֵּית רָפָא 1 וְאֶשְׁתּוֹן הוֹלִיד אֶת־בֵּית רָפָא ICh. 4:12

בֵּית שְׁאָן עיר בנחלת מנשה, בצפון־מזרח יזרעאל: 1–6
בֵּית שְׁאָן 1 וַיְהִי לִמְנַשֶּׁה...בֵּית־שְׁאָן וּבְנוֹתֶיהָ Josh. 17:11
2 אֶת־בֵּית־שְׁאָן וְאֶת־בְּנוֹתֶיהָ Jud. 1:27
3 תַּעְנַךְ וּמְגִדּוֹ וְכָל־בֵּית שְׁאָן IK. 4:12
4 בֵּית־שְׁאָן וּבְנֹתֶיהָ ICh. 7:29
בְּבֵית שׁ׳ 5 לַאֲשֶׁר בְּבֵית־שְׁאָן וּבְנוֹתֶיהָ Josh. 17:16
מִבֵּית שׁ׳ 6 מִבֵּית שְׁאָן עַד אָבֵל מְחוֹלָה IK. 4:12

בֵּית הַשִּׁטָּה עיר בצפון מזרח לבית־שאן
בֵּית הַ׳ 1 וַיָּנָס...עַד־בֵּית הַשִּׁטָּה צְרֵרָתָה Jud. 7:22

בֵּית שֶׁמֶשׁ א) עיר בנחלת יהודה: 1,4–9,12,13,15,17–21
ב) עיר כהנים ביהודה: 2, 11
ג) עיר בנחלת נפתלי: 3, 16
ד) עיר בנחלת יששכר: 14
ה) עיר במצרים, היא און: 10
אַנְשֵׁי בֵּית שֶׁמֶשׁ 7; גְּבוּל ב״ש 13; דֶּרֶךְ ב״ש 6
בֵּית שֶׁמֶשׁ 1 וְיָרַד בֵּית־שֶׁמֶשׁ וְעָבַר תִּמְנָה Josh. 15:10
2 אֶת־בֵּית שֶׁמֶשׁ וְאֶת־מִגְרָשֶׁהָ Josh. 21:16
3 נַפְתָּלִי לֹא־הוֹרִישׁ אֶת־יֹשְׁבֵי ב״ש Jud. 1:33
4 וְיֹשְׁבֵי בֵית־שֶׁמֶשׁ...הָיוּ לָהֶם לָמַס Jud. 1:33
5 אִם־דֶּרֶךְ גְּבוּלוֹ יַעֲלֶה בֵּית שֶׁמֶשׁ ISh. 6:9
6 וַיִּשַּׁרְנָה...עַל־דֶּרֶךְ בֵּית שֶׁמֶשׁ... ISh. 6:12
7 וְאַנְשֵׁי בֵית־שֶׁמֶשׁ הֶעֱלוּ עֹלוֹת ISh. 6:15
8 וַיַּךְ בְּאַנְשֵׁי בֵית־שֶׁמֶשׁ ISh. 6:19
9 וַיֹּאמְרוּ אַנְשֵׁי בֵית־שֶׁמֶשׁ ISh. 6:20
10 וְשִׁבַּר אֶת־מַצְּבוֹת בֵּית שֶׁמֶשׁ Jer. 43:13
11 וְאֶת־בֵּית שֶׁמֶשׁ וְאֶת־מִגְרָשֶׁיהָ ICh. 6:44
12 וַיִּלְכְּדוּ אֶת־בֵּית־שֶׁמֶשׁ IICh. 28:18
בֵּית שָׁ׳ 13 עַד־גְּבוּל בֵּית שָׁמֶשׁ ISh. 6:12
14 בְּתָבוֹר וְשַׁחֲצִימָה° וּבֵית שָׁמֶשׁ Josh. 19:22
וּבֵית שׁ׳ 15 וּבֵית שֶׁמֶשׁ קֹצְרִים קְצִיר־חִטִּים ISh. 6:13
16 וּבֵית עֲנָת וּבֵית שָׁמֶשׁ Josh. 19:38
17 בְּמָקַץ וּבְשַׁעַלְבִים וּבֵית שָׁמֶשׁ IK. 4:9
בְּבֵית שׁ׳ 18/9 בְּבֵית שֶׁמֶשׁ אֲשֶׁר לִיהוּדָה IIK. 14:11 IICh. 25:21
בְּבֵית שָׁ׳ 20/1 וְאֵת אֲמַצְיָהוּ...תָּפַשׂ...בְּבֵית שָׁמֶשׁ IIK. 14:13 • IICh. 25:23

בֵּית הַשִּׁמְשִׁי ת׳ המתיחס לבית־שמש
בֵּית הַשִּׁ׳ 1 יְהוֹשֻׁעַ בֵּית(־)הַשִּׁמְשִׁי ISh. 6:14, 18

בֵּית שַׁן היא בֵּית שְׁאָן
בֵּית שַׁן 1 גְּנָבוּ אֹתָם מֵרְחֹב בֵּית־שַׁן IISh. 21:12
בֵּית שָׁן 2 תָּקְעוּ בְּחוֹמַת בֵּית שָׁן ISh. 31:10
3 וַיִּקְחוּ...מֵחוֹמַת בֵּית שָׁן ISh. 31:12

בֵּית תַּפּוּחַ עיר בנחלת יהודה
וּבֵית תַ׳ 1 וְיָנוּם° וּבֵית־תַּפּוּחַ וַאֲפֵקָה Josh. 15:53

בִּיתָן ז׳ אחד מן הבתים הקטנים של מלכי פרס: 1–3
הַבִּיתָן 1 וְהַמֶּלֶךְ קָם...אֶל־גִּנַּת הַבִּיתָן Es. 7:7
2 וְהַמֶּלֶךְ שָׁב מִגִּנַּת הַבִּיתָן Es. 7:8
בִּיתַן־ 3 בַּחֲצַר גִּנַּת בִּיתַן הַמֶּלֶךְ Es. 1:5

בָּכָא ז׳ אחד מסוגי האילנות: 1–5
עֵמֶק הַבָּכָא 1; מוּל הַבְּכָאִים 4,2; רָאשֵׁי הַבְּ׳ 5,3
הַבָּכָא 1 עֹבְרֵי בְּעֵמֶק הַבָּכָא מַעְיָן יְשִׁיתוּהוּ Ps. 84:7
בְּכָאִים 2 וּבָאתָ לָהֶם מִמּוּל בְּכָאִים IISh. 5:23
הַבְּכָאִים 3 קוֹל צְעָדָה בְּרָאשֵׁי הַבְּכָאִים IISh. 5:24
4 וּבָאתָ לָהֶם מִמּוּל הַבְּכָאִים ICh. 14:14
5 קוֹל הַצְּעָדָה בְּרָאשֵׁי הַבְּכָאִים ICh. 14:15

בכה : בָּכָה, בִּכָּה; בֶּכֶה, בָּכוּת, בְּכִי, בְּכִית; ש״פ בֹּכִים

בָּכָה פָּ׳ א) שפך דמעות: רוב המקראות
ב) [פִּ׳ בִּכָּה] ספד, התאבל: 113, 114
קרובים: ראה אָבַל
בָּכָה רוב המקראות; בָּכָה (אֶת־) 14, 18, 40, 83, 88-90,92; בָּכָה לְ־ 15,2, 38, 77; בָּ׳ עַל־ 12, 39, 54, 56, 73-75, 84; בָּ׳ אֶל־ 23, 55, 112; בָּ׳ לִפְנֵי 81,82; בִּכָּה עַל־ 113; בִּכָּה (אֶת־) 114
בָּכוֹ 1 בָּכוֹ לֹא־תִבְכֶּה Is. 30:19
2 בְּכוּ בָכוֹ לַהֹלֵךְ Jer. 22:10
3 בְּגַת אַל־תַּגִּידוּ בָּכוֹ אַל־תִּבְכּוּ Mic. 1:10
4 בָּכוֹ תִבְכֶּה בַּלַּיְלָה Lam. 1:2
וּבָכוֹ 5 הָלוֹךְ וּבָכוֹ יֵלֵכוּ Jer. 50:4
וּבָכֹה 6 וַתִּתְפַּלֵּל עַל־יְיָ וּבָכֹה תִבְכֶּה ISh. 1:10
7 וַיֵּלֶךְ...הָלוֹךְ וּבָכֹה אַחֲרֶיהָ IISh. 3:16
8 וְעָלוּ עָלֹה וּבָכֹה IISh. 15:30
9 הָלוֹךְ יֵלֵךְ וּבָכֹה Ps. 126:6
לִבְכּוֹת 10 נִכְמְרוּ רַחֲמָיו...וַיְבַקֵּשׁ לִבְכּוֹת Gen. 43:30
11 עַד אֲשֶׁר אֵין־בָּהֶם כֹּחַ לִבְכּוֹת ISh. 30:4
12 וַיֹּסִפוּ כָל־הָעָם לִבְכּוֹת עָלָיו IISh. 3:34
13 עֵת לִבְכּוֹת וְעֵת לִשְׂחוֹק Eccl. 3:4
וְלִבְכּוֹתָהּ 14 לִסְפֹּד לְשָׂרָה וְלִבְכֹּתָהּ Gen. 23:2
בָּכִיתִי 15 אִם־לֹא בָכִיתִי לִקְשֵׁה־יוֹם Job 30:25
בָּכָה 14 וּבִנְיָמִן בָּכָה עַל־צַוָּארָיו Gen. 45:14
17 בָּכָה וַיִּתְחַנֶּן־לוֹ Hosh. 12:5
וּבָכְתָה 18 וּבָכְתָה אֶת־אָבִיהָ וְאֶת־אִמָּהּ Deut. 21:13
בָּכִינוּ 19 שָׁם יָשַׁבְנוּ גַּם־בָּכִינוּ Ps. 137:1
בְּכִיתֶם 20 כִּי בְּכִיתֶם בְּאָזְנֵי יְיָ לֵאמֹר Num. 11:18
בָּכוּ 21 בָּכוּ בְּכִי גָּדוֹל מְאֹד IISh. 13:36
22 כִּי־בָכוּ הָעָם הַרְבֵּה־בֶכֶה Ez. 10:1
וּבָכוּ 23 וּבָכוּ אֵלַיִךְ בְּמַר־נֶפֶשׁ מִסְפֵּד מָר Ezek. 27:31
בֹּכֶה 24 וַתִּרְאֵהוּ...וְהִנֵּה־נַעַר בֹּכֶה Ex. 2:6
25 הָעָם בֹּכֶה לְמִשְׁפְּחֹתָיו Num. 11:10
26 הִנֵּה הַמֶּלֶךְ בֹּכֶה וַיִּתְאַבֵּל IISh. 19:2
27 מַדּוּעַ אֲדֹנִי בֹכֶה IIK. 8:12
28 וּכְהִתְפַּלֵּל...בֹּכֶה וּמִתְנַפֵּל Ez. 10:1
וּבוֹכֶה 29 עֹלֶה וּבוֹכֶה וְרֹאשׁ לוֹ חָפוּי IISh. 15:30
30 וַיֵּצֵא...הֹלֵךְ הָלֹךְ וּבֹכֶה Jer. 41:6
בּוֹכִיָּה 31 עַל־אֵלֶּה אֲנִי בוֹכִיָּה Lam. 1:16
בּוֹכִים 32 וְהֵמָּה בֹכִים פֶּתַח אֹהֶל מוֹעֵד Num. 25:6
33 וְכָל־הָאָרֶץ בּוֹכִים קוֹל גָּדוֹל IISh. 15:23
34 וְעֻגָבִי לְקוֹל בֹּכִים Job 30:31
35 וְרַבִּים...בֹּכִים בְּקוֹל גָּדוֹל Ez. 3:12
36 כִּי בוֹכִים כָּל־הָעָם Neh. 8:9
אֶבְכֶּה 37 עַל־כֵּן אֶבְכֶּה בִּבְכִי יַעְזֵר Is. 16:9
38 מִבְּכִי יַעְזֵר אֶבְכֶּה־לָּךְ Jer. 48:32
וְאֶבְכֶּה 39 וְאֶבְכֶּה עַל־בְּתוּלַי Jud. 11:37
40 וְאֶבְכֶּה יוֹמָם וָלַיְלָה אֵת חַלְלֵי Jer. 8:23
וָאֶבְכֶּה 41 בְּעוֹד הַיֶּלֶד חַי צַמְתִּי וָאֶבְכֶּה IISh. 12:22
42 וָאֶבְכֶּה בַצּוֹם נַפְשִׁי Ps. 69:11
43 יָשַׁבְתִּי וָאֶבְכֶּה וָאֶתְאַבְּלָה יָמִים Neh. 1:4
הַאֶבְכֶּה 44 הַאֶבְכֶּה בַּחֹדֶשׁ הַחֲמִשִׁי הִנָּזֵר Zech. 7:3
תִּבְכֶּה 45 בָּכוֹ לֹא־תִבְכֶּה Is. 30:19
46 וְלֹא תִסְפֹּד וְלֹא תִבְכֶּה Ezek. 24:16
וַתִּבְכֶּה ז׳ 47 וַתִּקְרַע אֶת־בְּגָדֶיךָ וַתִּבְכֶּה IIK. 22:19
וַתֵּבְךְּ ז׳ 48 בַּעֲבוּר הַיֶּלֶד חַי צַמְתָּ וַתֵּבְךְּ IISh. 12:21
49 וַתִּקְרַע אֶת־בְּגָדֶיךָ וַתֵּבְךְּ לְפָנַי IICh. 34:27
תִבְכִּי 50 חַנָּה לָמֶה תִבְכִּי ISh. 1:8
וַיֵּבְךְּ 51 וַיִּשָּׂא עֵשָׂו קֹלוֹ וַיֵּבְךְּ Gen. 27:38
52 וַיֵּבְךְּ אֹתוֹ אָבִיו Gen. 37:35
53 וַיְנַשֵּׁק לְכָל־אֶחָיו וַיֵּבְךְּ עֲלֵהֶם Gen. 45:15
54 וַיֵּבְךְּ עָלָיו וַיִּשַּׁק־לוֹ Gen. 50:1
55 וַיֵּבְךְּ אֶל־קֶבֶר אַבְנֵר IISh. 3:32
56 וַיֵּבְךְּ עַל־פָּנָיו וַיֹּאמַר IIK. 13:14
57 וַיֵּבְךְּ חִזְקִיָּהוּ בְּכִי גָדוֹל IIK. 20:3
58-67 וַיֵּבְךְּ Gen. 29:11
42:24; 43:30; 45:14; 46:29; 50:17 • ISh. 24:17(16)
• IISh. 19:1 • IIK. 8:11 • Is. 38:3
תִּבְכֶּה ג׳ 68 וַתִּתְפַּלֵּל עַל־יְיָ וּבָכֹה תִבְכֶּה ISh. 1:10
69 בְּמִסְתָּרִים תִּבְכֶּה־נַפְשִׁי מִפְּנֵי גֵוָה Jer. 13:17
70 בָּכוֹ תִבְכֶּה בַּלַּיְלָה Lam. 1:2
וַתִּבְכֶּה ג׳ 71 וַתִּבְכֶּה וְלֹא תֹאכַל ISh. 1:7
וַתֵּבְךְּ ג׳ 72 וַתִּשָּׂא אֶת־קֹלָהּ וַתֵּבְךְּ Gen. 21:16
73 וַתֵּבְךְּ עַל־בְּתוּלֶיהָ עַל־הֶהָרִים Jud. 11:38
74 וַתֵּבְךְּ אֵשֶׁת שִׁמְשׁוֹן עָלָיו Jud. 14:16
75 וַתֵּבְךְּ עָלָיו שִׁבְעַת הַיָּמִים Jud. 14:17
76 וַתֵּבְךְּ וַתִּתְחַנֶּן־לוֹ Es. 8:3
תִּבְכּוּ 77 אַל־תִּבְכּוּ לְמֵת וְאַל־תָּנֻדוּ לוֹ Jer. 22:10
78 לֹא תִסְפְּדוּ וְלֹא תִבְכּוּ Ezek. 24:23
79 בְּגַת אַל־תַּגִּידוּ בָּכוֹ אַל־תִּבְכּוּ Mic. 1:10
80 אַל־תִּתְאַבְּלוּ וְאַל־תִּבְכּוּ Neh. 8:9
וַתִּבְכּוּ 81 וַתִּבְכּוּ לְפָנָיו לֵאמֹר Num. 11:20
82 וַתָּשֻׁבוּ וַתִּבְכּוּ לִפְנֵי יְיָ Deut. 1:45
יִבְכּוּ 83 וַאֲחֵיכֶם...יִבְכּוּ אֶת־הַשְּׂרֵפָה Lev. 10:6
84 ...כִּי־יִבְכּוּ עָלַי לֵאמֹר Num. 11:13
85 מַה־לָּעָם כִּי יִבְכּוּ ISh. 11:5
86 בֵּין הָאוּלָם וְלַמִּזְבֵּחַ יִבְכּוּ הַכֹּהֲנִים Joel 2:17
וַיִּבְכּוּ 87 וַיְחַבְּקֵהוּ...וַיִּשָּׁקֵהוּ וַיִּבְכּוּ Gen. 33:4
88 וַיִּבְכּוּ אֹתוֹ מִצְרַיִם שִׁבְעִים יוֹם Gen. 50:3
89 וַיִּבְכּוּ אֶת־אַהֲרֹן שְׁלֹשִׁים יוֹם Num. 20:29
90 וַיִּבְכּוּ ב״י אֶת־מֹשֶׁה שְׁלֹשִׁים יוֹם Deut. 34:8
91 וַיִּשְׂאוּ הָעָם אֶת־קוֹלָם וַיִּבְכּוּ Jud. 2:4
92 וַיִּבְכּוּ אִישׁ אֶת־רֵעֵהוּ ISh. 20:41
93-103 וַיִּבְכּוּ Num. 11:4; 14:1
Jud. 20:23, 26; 21:2 • ISh. 11:4; 30:4 • IISh. 1:12;
3:32; 13:36 • Job 2:12
יִבְכָּיוּן 104 מַלְאֲכֵי שָׁלוֹם מַר יִבְכָּיוּן Is. 33:7
105 וְיַחַד תְּלָמֶיהָ יִבְכָּיוּן Job 31:38
תִּבְכֶּינָה 106/7 וְאַלְמְנֹתָיו לֹא תִבְכֶּינָה Ps. 68:64 • Job 27:15
וַתִּבְכֶּינָה 108 וַתִּשֶּׂאנָה קוֹלָן וַתִּבְכֶּינָה Ruth 1:9
109 וַתִּשֶּׂנָה קוֹלָן וַתִּבְכֶּינָה עוֹד Ruth 1:14
בְּכוּ 110 בְּכוּ בָכוֹ לַהֹלֵךְ Jer. 22:10
וּבְכוּ 111 הָקִיצוּ שִׁכּוֹרִים וּבְכוּ Joel 1:5
בְּכֶינָה 112 בְּנוֹת יִשְׂרָאֵל אֶל־שָׁאוּל בְּכֶינָה IISh. 1:24
מְבַכָּה 113 רָחֵל מְבַכָּה עַל־בָּנֶיהָ Jer. 31:15(14)
מְבַכּוֹת 114 הַנָּשִׁים...מְבַכּוֹת אֶת־הַתַּמּוּז Ezek. 8:14

בֶּכֶה ז׳ בכי
בֶּכֶה 1 כִּי־בָכוּ הָעָם הַרְבֵּה־בֶכֶה Ez. 10:1

בְּכוֹר ז׳ הבן הראשון של בני־אדם או של בעלי־חיים: 1–122
בְּכוֹר זָכָר 19,12; בְּ׳ פֶּטֶר רֶחֶם 7,5; בְּ׳ אָדָם 68, 73,93; בְּ׳ בְּהֵמָה 63-66,74,114; בְּ׳ בָּנָיו 69-71,114; בְּ׳ יִשְׂרָאֵל 61,72 78-80; בְּ׳ כֶּשֶׂב 76; בְּ׳ מָוֶת 85; בְּ׳ עֵז 77; בְּ׳ צֹאן 81; בְּ׳ שׁוֹר 75,82,90; בְּ׳ הַשֶּׁבִי 67; בְּ׳ הַשִּׁפְחָה 62; בְּנוֹ בְּכוֹרוֹ 36, 38, 96, 99, 101

בְּכוֹרוֹת הַבָּקָר 115–117, 121; בְּ׳הַצֹּאן 115–118,
121; בְּכוֹרֵי דַלִּים 119; בְּ׳ מִצְרַיִם 120

בְּכוֹר 1 וּמֵת כָּל־בְּכוֹר בְּאֶרֶץ מִצְרַיִם Ex. 11:5
2 וְהִכֵּיתִי כָל־בְּכוֹר בְּאֶרֶץ מִצְרַיִם Ex. 12:12
3/4 כָּל־בְּכוֹר בְּאֶרֶץ מִצְרַיִם Ex. 12:29; 13:15
5 קַדֶּשׁ־לִי כָל־בְּכוֹר פֶּטֶר כָּל־רֶחֶם Ex. 13:2
6 בְּכוֹר אֲשֶׁר יְבֻכַּר לַיְיָ בִּבְהֵמָה Lev. 27:26
7 תַּחַת כָּל־בְּכוֹר פֶּטֶר רֶחֶם Num. 3:12
8 כִּי לִי כָּל־בְּכוֹר Num. 3:13
9-10 בְּיוֹם הַכֹּתִי כָל בְּכוֹר Num. 3:13; 8:17
11 הִקְדַּשְׁתִּי לִי כָל־בְּכוֹר בְּיִשְׂרָאֵל Num. 3:13
12 פְּקֹד כָּל־בְּכֹר זָכָר לִבְנֵי יִשְׂרָאֵל Num. 3:40
13 תַּחַת כָּל־בְּכֹר בִּבְנֵי יִשְׂרָאֵל Num. 3:41
14 תַּחַת כָּל־בְּכוֹר בְּבֶהֱמַת ב״י Num. 3:41
15 וַיִּפְקֹד...כָּל־בְּכוֹר בִּבְנֵי יִשְׂרָאֵל Num. 3:42
16-18 כָּל־בְּכוֹר בִּבְנֵי־יִשְׂ׳ Num. 3:45; 8:17, 18
19 וַיְהִי כָל בְּכוֹר זָכָר Num. 3:43
20 בְּכוֹר כֹּל מִבְּנֵי יִשְׂרָאֵל לָקַחְתִּי Num. 8:16
21 אֵת אֲשֶׁר הִכָּה...בָּהֶם כָּל־בְּכוֹר Num. 33:4
22/3 וַיַּךְ כָּל־בְּכוֹר Ps. 78:51; 105:36
24 אַף־אָנִי בְּכוֹר אֶתְּנֵהוּ Ps. 89:28
25 שִׁמְרִי הָרֹאשׁ כִּי לֹא־הָיָה בְכוֹר ICh. 26:10
הַבְּכוֹר 26 וַיִּקְרָא יוֹסֵף אֶת־שֵׁם הַבְּכוֹר Gen. 41:51
27 הַבְּכֹר כִּבְכֹרָתוֹ וְהַצָּעִיר כִּצְעִרָתוֹ Gen. 43:33
28 כִּי מְנַשֶּׁה הַבְּכוֹר Gen. 48:14
29 לֹא־כֵן אָבִי כִּי־זֶה הַבְּכֹר Gen. 48:18
30 בְּנֵי־אַהֲרֹן הַבְּכֹר נָדָב Num. 3:2
31 כָּל־הַבְּכוֹר אֲשֶׁר יִוָּלֵד Deut. 15:19
32 וְהָיָה הַבֵּן הַבְּכֹר לַשְּׂנִיאָה Deut. 21:15
33 עַל־פְּנֵי בֶן־הַשְּׂנוּאָה הַבְּכֹר Deut. 21:16
34 אֶת־הַבְּכֹר בֶּן־הַשְּׂנוּאָה יַכִּיר Deut. 21:16
35 וְהָיָה הַבְּכוֹר אֲשֶׁר תֵּלֵד Deut. 25:6
36 וַיְהִי שֶׁם־בְּנוֹ הַבְּכוֹר יוֹאֵל ISh. 8:2
37 אֱלִיאָב הַבְּכוֹר וּמִשְׁנֵהוּ אֲבִינָדָב ISh. 17:13
38 וַיִּקַּח אֶת־בְּנוֹ הַבְּכוֹר IIK. 3:27
39 וְהָמֵר עָלָיו כְּהָמֵר עַל־הַבְּכוֹר Zech. 12:10
40/1 אֹכְלִים...בְּבֵית אֲחִיהֶם הַבְּכוֹר Job 1:13, 18
42 בְנֵי־יְרַחְמְאֵל...הַבְּכוֹר רָם ICh. 2:25
43-53 הַבְּכוֹר ICh. 3:1, 15
5:1; 6:13; 8:30; 9:5, 31, 36; 26:2, 4 • IICh. 21:3
בְּכוֹר־ 54/5 בְּכֹר יִשְׁמָעֵאל נְבָיֹת Gen. 25:13 • ICh. 1:29
56 בְּכוֹר יַעֲקֹב רְאוּבֵן Gen. 35:23
57 בְּנֵי אֱלִיפַז בְּכוֹר עֵשָׂו Gen. 36:15
58/9 עֵר בְּכוֹר יְהוּדָה Gen. 38:7 • ICh. 2:3
60 בְּכֹר יַעֲקֹב רְאוּבֵן Gen. 46:8
61 בְּנֵי רְאוּבֵן בְּכֹר יִשְׂרָאֵל Ex. 6:14
62 עַד בְּכוֹר הַשִּׁפְחָה Ex. 11:5
63/4 וְכֹל בְּכוֹר בְּהֵמָה Ex. 11:5; 12:29
65/6 בְּכוֹר (הַ)בְּהֵמָה Ex. 13:15 • Num. 18:15
67 מִבְּכֹר פַּרְעֹה...עַד בְּכוֹר הַשְּׁבִי Ex. 12:29
68 וְכֹל בְּכוֹר אָדָם בְּבָנֶיךָ תִּפְדֶּה Ex. 13:13
69 וְכָל־בְּכוֹר בָּנַי אֶפְדֶּה Ex. 13:15
70 בְּכוֹר בָּנֶיךָ תִּתֶּן־לִי Ex. 22:28
71 כֹּל בְּכוֹר בָּנֶיךָ תִּפְדֶּה Ex. 34:20
72 וַיִּהְיוּ בְנֵי רְאוּבֵן בְּכֹר יִשְׂרָאֵל Num. 1:20
73 פָּדֹה תִפְדֶּה אֵת בְּכוֹר הָאָדָם Num. 18:15
74 בְּכוֹר־הַבְּהֵמָה הַטְּמֵאָה תִּפְדֶּה Num. 18:15
75/6 אַךְ בְּכוֹר־שׁוֹר אוֹ־בְכוֹר כֶּשֶׂב Num. 18:17
77 אוֹ־בְכוֹר עֵז לֹא תִפְדֶּה Num. 18:17
78-80 רְאוּבֵן בְּכוֹר(־)יִשְׂרָאֵל Num. 26:5
ICh. 5:1, 3

בְּכוֹר־ (המשך) 81 וְלֹא תָגֹז בְּכוֹר צֹאנֶךָ Deut. 15:19
82 בְּכוֹר שׁוֹרוֹ הָדָר לוֹ Deut. 33:17
83 כִּי הוּא בְּכוֹר יוֹסֵף Josh. 17:1
84 לְמָכִיר בְּכוֹר מְנַשֶּׁה Josh. 17:1
85 יֹאכַל בַּדָּיו בְּכוֹר מָוֶת Job 18:13
86 בְּכוֹר חֶצְרוֹן הַבְּכוֹר רָם ICh. 2:25
87 וַיִּהְיוּ בְנֵי־רָם בְּכוֹר יְרַחְמְאֵל ICh. 2:27
88/9 ...חוּר בְּכוֹר אֶפְרָתָה ICh. 2:50; 4:4
בִּבְכוֹר־ 90 לֹא תַעֲבֹד בִּבְכֹר שׁוֹרֶךָ Deut. 15:19
מִבְּכוֹר־ 91/2 מִבְּכוֹר פַּרְעֹה... עַל־כִּסְאוֹ Ex. 11:5; 12:29
93 מִבְּכֹר אָדָם וְעַד־בְּכוֹר בְּהֵמָה Ex. 13:15
94 הָעֹדְפִים...מִבְּכוֹר בְּנֵי יִשְׂרָאֵל Num. 3:46
בְּכוֹרִי 95 רְאוּבֵן בְּכֹרִי אַתָּה Gen. 49:3
96 כֹּה אָמַר יְיָ בְּנִי בְכֹרִי יִשְׂרָאֵל Ex. 4:22
97 וְאֶפְרַיִם בְּכֹרִי הוּא Jer. 31:9(8)
98 הַאֶתֵּן בְּכוֹרִי פִּשְׁעִי Mic. 6:7
בְּכוֹרְךָ 99 אֲנִי בִּנְךָ בְכֹרְךָ עֵשָׂו Gen. 27:32
בְּכוֹרֶךָ 100 אָנֹכִי עֵשָׂו בְּכֹרֶךָ Gen. 27:19
101 אָנֹכִי הֹרֵג אֶת־בִּנְךָ בְּכֹרֶךָ Ex. 4:23
בְּכוֹרוֹ 102 וּכְנַעַן יָלַד אֶת־צִידֹן בְּכֹרוֹ Gen. 10:15
103 אֶת־עוּץ בְּכֹרוֹ וְאֶת־בּוּז Gen. 22:21
104 וַיִּקַּח יְהוּדָה אִשָּׁה לְעֵר בְּכוֹרוֹ Gen. 38:6
105 וַיֹּאמֶר לְיֶתֶר בְּכוֹרוֹ קוּם... Jud. 8:20
106 וַיְהִי בְכוֹרוֹ אַמְנוֹן לַאֲחִינֹעַם IISh. 3:2
בְּכוֹרוֹ 107 בַּאֲבִירָם בְּכֹרוֹ יִסְּדָהּ IK. 16:34
108-112 בְּכֹרוֹ ICh. 1:13; 2:13, 42; 8:1, 39
בִּבְכוֹרוֹ 113 בִּבְכֹרוֹ יְיַסְּדֶנָּה וּבִצְעִירוֹ יַצִּיב דְּלָתֶיהָ Josh. 6:26
בְּכוֹרוֹת־ 114 וְאֶת־בְּכֹרוֹת בָּנֵינוּ וּבְהֶמְתֵּנוּ Neh. 10:37
וּבְכוֹרוֹת־ 115 וּבְכֹרֹת בְּקַרְכֶם וְצֹאנְכֶם Deut. 12:6
116/7 וּבְכֹרֹת בְּקָרְךָ וְצֹאנֶךָ Deut. 12:17; 14:23
מִבְּכוֹרוֹת־ 118 מִבְּכֹרוֹת צֹאנוֹ וּמֵחֶלְבֵהֶן Gen. 4:4
בְּכוֹרֵי־ 119 וְרָעוּ בְּכוֹרֵי דַלִּים Is. 14:30
120 שֶׁהִכָּה בְּכוֹרֵי מִצְרָיִם Ps. 135:8
121 וְאֶת־בְּכוֹרֵי בְקָרֵינוּ וְצֹאנֵינוּ Neh. 10:37
בִּבְכוֹרֵיהֶם 122 לְמַכֵּה מִצְרַיִם בִּבְכוֹרֵיהֶם Ps. 136:10

בְּכוֹרָה
נ׳ עיין בְּכֹרָה

בִּכּוּרָה, בַּכּוּרָה
נ׳ תאנה שהקדימה להבשיל: 1-4

בִּכּוּרָה 1 בִּכּוּרָה אִוְּתָה נַפְשִׁי Mic. 7:1
כְּבִכּוּרָה 2 כְּבִכּוּרָה בִתְאֵנָה בְּרֵאשִׁיתָהּ Hosh. 9:10
כְּבִכּוּרָה 3 כְּבִכּוּרָה בְּטֶרֶם קַיִץ Is. 28:4
הַבִּכּוּרוֹת 4 טֹבוֹת מְאֹד כִּתְאֵנֵי הַבַּכֻּרוֹת Jer. 24:2

בִּכּוּרִים
ז״ר ראשית הפרי או היבול: 1-17

יוֹם הַבִּכּוּרִים 6; לֶחֶם בְּ׳ 3, 5; מִנְחַת בְּ׳ 1, 17;
בִּכּוּרֵי הָאֲדָמָה 9, 10, 15; בְּ׳ כֹּל 13, 14;
בְּ׳ כָּל־פְּרִי 16; בְּ׳ מַעֲשֶׂיו 8; בְּ׳ עֲנָבִים 12;
בְּ׳ קְצִיר חִטִּים 11

בִּכּוּרִים 1 וְאִם־תַּקְרִיב מִנְחַת בִּכּוּרִים לַיְיָ Lev. 2:14
2 לֶחֶם תְּנוּפָה...בִּכּוּרִים לַיְיָ Lev. 23:17
3 וַיָּבֵא לְאִישׁ הָאֱלֹהִים לֶחֶם בִּכּוּרִים IIK.4:42
4 כָּל־מִבְצָרַיִךְ תְּאֵנִים עִם־בִּכּוּרִים Nah. 3:12
הַבִּכּוּרִים 5 וְהֵנִיף...עַל לֶחֶם הַבִּכֻּרִים Lev. 23:20
6 וּבְיוֹם הַבִּכּוּרִים בְּהַקְרִיבְכֶם מִנְחָה חֲדָשָׁה Num. 28:26
וְלַבִּכּוּרִים 7 וּלְקֻרְבַּן הָעֵצִים...וְלַבִּכּוּרִים Neh. 13:31
בִּכּוּרֵי־ 8 וְחַג הַקָּצִיר בִּכּוּרֵי מַעֲשֶׂיךָ Ex. 23:16
9-10 רֵאשִׁית בִּכּוּרֵי אַדְמָתְךָ Ex. 23:19; 34:26
11 וְחַג שָׁבֻעֹת...בִּכּוּרֵי קְצִיר חִטִּים Ex. 34:22
12 וְהַיָּמִים יְמֵי בִּכּוּרֵי עֲנָבִים Num. 13:20
13 בִּכּוּרֵי כָּל־אֲשֶׁר בְּאַרְצָם... Num. 18:13
14 וְרֵאשִׁית כָּל־בִּכּוּרֵי כֹל Ezek. 44:30
15 וּלְהָבִיא אֶת־בִּכּוּרֵי אַדְמָתֵנוּ Neh. 10:36
וּבִכּוּרֵי 16 וּבִכּוּרֵי כָּל־פְּרִי כָל־עֵץ Neh. 10:36
בִּכּוּרֶיךָ 17 תַּקְרִיב אֵת מִנְחַת בִּכּוּרֶיךָ Lev. 2:14

בְּכוֹרַת
שפ״ז איש בנימין, מאבות אבותיו של שאול המלך

בְּכוֹרַת 1 קִישׁ בֶּן־אֲבִיאֵל בֶּן־צְרוֹר בֶּן־בְּכוֹרַת ISh. 9:1

בָּכוּת
נ׳ בכי – בשם המקום אַלּוֹן בָּכוּת,
עיין אַלּוֹן בָּכוּת

בְּכִי
ז׳ שפיכת דמעות • קרובים: ראה אֵבֶל

בְּכִי וַאֲנָקָה 7; בְּ׳ וּמִסְפֵּד 15, 24, 25; בְּ׳ וְנֶהִי 6;
בְּכִי גָּדוֹל 1–4; בְּכִי אֵבֶל 11; בְּ׳ יַעְזֵר 18;
בְּ׳ הָעָם 14; בְּ׳ תַּחֲנוּנִים 13; בְּ׳ תַּמְרוּרִים 12;
יְמֵי בְכִי 11; קוֹל בְּכִי 5, 29

נָשָׂא בְכִי 6; עָלָה בְכִי 8; יוֹרֵד בַּבֶּכִי 22;
מֵרַר בַּבֶּכִי 23

בְּכִי 1 וַיִּשְׂאוּ קוֹלָם וַיִּבְכּוּ בְּכִי גָדוֹל Jud. 21:2
2 בָּכוּ בְּכִי גָּדוֹל מְאֹד IISh. 13:36
3/4 וַיֵּבְךְּ חִזְקִיָּהוּ בְּכִי גָדוֹל IIK. 20:3 • Is. 38:3
5 קוֹל בְּכִי וְקוֹל זְעָקָה Is. 65:19
6 עַל־הֶהָרִים אֶשָּׂא בְכִי וָנֶהִי Jer. 9:9
7 כַּסּוֹת דִּמְעָה...בְּכִי וַאֲנָקָה Mal. 2:13
בֶּכִי 8 בִּבְכִי יַעֲלֶה־בֶּכִי Jer. 48:5
9 בָּעֶרֶב יָלִין בֶּכִי וְלַבֹּקֶר רִנָּה Ps. 30:6
10 פָּנַי חֲמַרְמְרוּ מִנִּי־בֶכִי Job 16:16
בְּכִי־ 11 וַיִּתְּמוּ יְמֵי בְכִי אֵבֶל מֹשֶׁה Deut. 34:8
12 קוֹל...נְהִי בְּכִי תַמְרוּרִים Jer. 31:15(14)
13 בְּכִי תַחֲנוּנֵי בְּנֵי יִשְׂרָאֵל Jer. 3:21
14 לְקוֹל בְּכִי הָעָם Ez. 3:13
וּבְכִי 15 אֵבֶל גָּדוֹל...וְצוֹם וּבְכִי וּמִסְפֵּד Es. 4:3
בִּבְכִי 16 וַיִּתֵּן אֶת־קֹלוֹ בִּבְכִי Gen. 45:2
17 בִּבְכִי יַעֲלֶה־בּוֹ Is. 15:5
18 עַל־כֵּן אֶבְכֶּה בִּבְכִי יַעְזֵר Is. 16:9
19 בִּבְכִי יָבֹאוּ וּבְתַחֲנוּנִים אוֹבִילֵם Jer. 31:9(8)
20 בִּבְכִי יַעֲלֶה־בֶּכִי Jer. 48:5
21 וְשִׁקֻּוַי בִּבְכִי מָסָכְתִּי Ps. 102:10
בַּבֶּכִי 22 כֻּלֹּה יְיֵלִיל יֹרֵד בַּבֶּכִי Is. 15:3
23 שְׁעוּ מִנִּי אֲמָרֵר בַּבֶּכִי Is. 22:4
וּבִבְכִי 24 וּבְצוֹם וּבִבְכִי וּבְמִסְפֵּד Joel 2:12
לִבְכִי 25 וַיִּקְרָא...לִבְכִי וּלְמִסְפֵּד Is. 22:12
לַבֶּכִי 26 עָלָה הַבַּיִת וְדִיבֹן הַבָּמוֹת לָבֶכִי Is. 15:2
מִבְּכִי 27 מִבְּכִי יַעְזֵר אֶבְכֶּה־לָּךְ Jer. 48:32
מִבֶּכִי 28 מִנְעִי קוֹלֵךְ מִבֶּכִי Jer. 31:16(15)
בִּכְיִי 29 כִּי־שָׁמַע יְיָ קוֹל בִּכְיִי Ps. 6:9

בֹּכִים
מקום סמוך לגלגל בבנימין: 1-2

בֹּכִים 1 וַיִּקְרְאוּ שֵׁם־הַמָּקוֹם הַהוּא בֹּכִים Jud. 2:5
הַבֹּכִים 2 וַיַּעַל...מִן־הַגִּלְגָּל אֶל־הַבֹּכִים Jud. 2:1

בְּכִירָה
נ׳ בת ראשונה להורים (עיין בְּכוֹר): 1-6

הַבְּכִירָה 1-2 וַתֹּאמֶר הַבְּכִירָה אֶל־הַצְּעִירָה Gen. 19:31, 34
3 וַתָּבֹא הַבְּכִירָה וַתִּשְׁכַּב Gen. 19:33
4 וַתֵּלֶד הַבְּכִירָה בֵּן Gen. 19:37
5 לָתֵת הַצְּעִירָה לִפְנֵי הַבְּכִירָה Gen. 29:26
6 שֵׁם הַבְּכִירָה מֵרַב וְשֵׁם הַקְּטַנָּה מִיכַל ISh.14:49

בְּכִית*
נ׳ בכי

בְּכִיתוֹ 1 וַיַּעַבְרוּ יְמֵי בְכִיתוֹ Gen. 50:4

בכר : בִּכֵּר, בֻּכַּר, הִבְכִּיר; בְּכוֹר, בְּכֹרָה, בְּכוּרָה, בִּכּוּרָה, בִּכּוּרִים, בְּכִירָה; בֶּכֶר, בִּכְרָה;
ש״פ בְּכוֹרַת, בֶּכֶר, בֹּכְרוּ, בִּכְרִי, בַּכְרִי

בִּכֵּר פ׳ א) העדיף, נתן משפט הבכורה: 1
ב) נתן בכורים: 2
ג) [פ׳ בֻּכַּר] נולד או נועד כבכור: 3
ד) [הפ׳ הִבְכִּירָה] ילדה בכור: 4
לְבַכֵּר 1 לֹא יוּכַל לְבַכֵּר אֶת־בֶּן־הָאֲהוּבָה עַל־פְּנֵי בֶן־הַשְּׂנוּאָה Deut. 21:16
יְבַכֵּר 2 וְלֹא־יִתֹּם פִּרְיוֹ לָחֳדָשָׁיו יְבַכֵּר Ezek. 47:12
יְבֻכַּר 3 אַךְ־בְּכוֹר אֲשֶׁר יְבֻכַּר לַייָ Lev. 27:26
כְּמַבְכִּירָה 4 קוֹל כְּחוֹלָה...צָרָה כְּמַבְכִּירָה Jer. 4:31

בֵּכֶר¹* ז׳ גמל צעיר
בִּכְרֵי־ 1 שִׁפְעַת גְּמַלִּים...בִּכְרֵי מִדְיָן וְעֵיפָה Is. 60:6

בֶּכֶר² שפ״ז א) בן בנימין: 1–4
ב) בן אפרים: 5
בֶּכֶר 1 וּבְנֵי בֶכֶר זְמִירָה וְיוֹעָשׁ ICh. 7:8
וָבֶכֶר 2 וּבְנֵי בִנְיָמִן בֶּלַע וָבֶכֶר Gen. 46:21
3 בִּנְיָמִן בֶּלַע וָבֶכֶר ICh. 7:6
בָכֶר 4 כָּל־אֵלֶּה בְּנֵי בָכֶר ICh. 7:8
לְבֶכֶר 5 לְבֶכֶר מִשְׁפַּחַת הַבַּכְרִי Num. 26:35

בְּכֹרָה נ׳ מעמד הבכור
בְּכֹרָה 1 וְלָמָּה־זֶּה לִי בְּכֹרָה Gen. 25:32
הַבְּכֹרָה 2 וַיִּבֶז עֵשָׂו אֶת־הַבְּכֹרָה Gen. 25:34
3 רֵאשִׁית אֹנוֹ לוֹ מִשְׁפַּט הַבְּכֹרָה Deut. 21:17
וְהַבְּכֹרָה 4 וְהַבְּכֹרָה לְיוֹסֵף ICh. 5:2
לַבְּכֹרָה 5 וְלֹא לְהִתְיַחֵשׂ לַבְּכֹרָה ICh. 5:1
בְּכֹרָתִי 6 אֶת־בְּכֹרָתִי לָקָח Gen. 27:36
בְּכֹרָתְךָ 7 מִכְרָה כַיּוֹם אֶת־בְּכֹרָתְךָ לִי Gen. 25:31
בְּכֹרָתוֹ 8 וַיִּמְכֹּר אֶת־בְּכֹרָתוֹ לְיַעֲקֹב Gen. 25:33
9 נִתְּנָה בְּכֹרָתוֹ לִבְנֵי יוֹסֵף ICh. 5:1
כִּבְכֹרָתוֹ 10 הַבְּכֹר כִּבְכֹרָתוֹ וְהַצָּעִיר כִּצְעִרָתוֹ Gen. 43:33

בִּכְרָה נ׳ גמלה צעירה
בִּכְרָה 1 בִּכְרָה קַלָּה מְשָׂרֶכֶת דְּרָכֶיהָ Jer. 2:23

בֹּכְרוּ שפ״ז – מצאצאי שאול
בֹּכְרוּ 1-2 עַזְרִיקָם בֹּכְרוּ וְיִשְׁמָעֵאל ICh. 8:38; 9:44

בִּכְרִי שפ״ז – אביו של שבע שמרד בדוד
בִּכְרִי 1-8 שֶׁבַע בֶּן־בִּכְרִי IISh. 20:1, 2, 6, 7, 10, 13, 21, 22

בַּכְרִי ת׳ המתיחס על משפחת בֶּכֶר
בַּכְרִי 1 לְבֶכֶר מִשְׁפַּחַת הַבַּכְרִי Num. 26:35

בַּל־ מלת שלילה (ביחוד בלשון השירה)
א) [לפני עתיד] לא, אל לבלתי: 1–43, 61–67
ב) [לפני עבר] לא: 44–56, 68, 69
ג) [במשפט שמני] אין: 57–60
בַּל־(א) 1 בַּל־יָקֻמוּ וְיָרְשׁוּ אָרֶץ Is. 14:21
2 יְיָ רָמָה יָדְךָ בַּל יֶחֱזָיוּן Is. 26:11
3/4 מֵתִים בַּל־יִחְיוּ רְפָאִים בַּל־יָקֻמוּ Is. 26:14
5 פְּרִי בַל (כת׳ בלי)־יַעֲשׂוּן Hosh. 9:16
6 רָשָׁע כְּגֹבַהּ אַפּוֹ בַּל־יִדְרֹשׁ Ps. 10:4
7 אָמַר בְּלִבּוֹ בַּל־אֶמּוֹט Ps. 10:6
8 בַּל־אֶמּוֹט לְעוֹלָם Ps. 30:7
9-10 אַף־תִּכּוֹן תֵּבֵל בַּל־תִּמּוֹט Ps. 93:1; 96:10
11 בַּל־תִּמּוֹט עוֹלָם וָעֶד Ps. 104:5
12/3 בַּל־יַעֲבֹרוּן בַּל־יְשׁוּבוּן Ps. 104:9
14 אִישׁ לָשׁוֹן בַּל־יִכּוֹן בָּאָרֶץ Ps. 140:12
15 צַדִּיק לְעוֹלָם בַּל־יִמּוֹט Prov. 10:30

בַּל־(א) (המשך) 16 וְשֹׁרֶשׁ צַדִּיקִים בַּל־יִמּוֹט Prov. 12:3
17-43 בַּל־ Is. 26:18; 33:20³, 21, 23 35:9; 43:17; 44:9² • Ps. 10:15, 18; 16:4, 8; 17:3²; 21:8, 12; 46:6; 49:13; 78:44; 119:121; 140:11 • Prov. 19:23; 22:29 • Job 41:15 • ICh. 16:30
בַּל־(ב) 44 יֻחַן רָשָׁע בַּל־לָמַד צֶדֶק Is. 26:10
45 בַּל־פָּרְשׂוּ נֵס Is. 33:23
46/7 אַף בַּל־נִטָּעוּ אַף בַּל־זֹרָעוּ Is. 40:24
48 אַף בַּל־שֹׁרֵשׁ בָּאָרֶץ גִּזְעָם Is. 40:24
49 וְאֵין צוּר בַּל־יָדָעְתִּי Is. 44:8
50 הִסְתִּיר פָּנָיו בַּל־רָאָה לָנֶצַח Ps. 10:11
51 בַּל־נָמוֹטּוּ פְעָמָי Ps. 17:5
52 וַאֲרֶשֶׁת שְׂפָתָיו בַּל־מָנַעְתָּ Ps. 21:3
53 נֵפֶל אֵשֶׁת בַּל־חָזוּ שָׁמֶשׁ Ps. 58:9
54 וּמִשְׁפָּטִים בַּל־יְדָעוּם Ps. 147:20
55/6 הִכּוּנִי בַל־חָלִיתִי...בַּל־יָדָעְתִּי Prov. 23:35
בַּל־(ג) 57 אֲדֹנָי אַתָּה טוֹבָתִי בַּל־עָלֶיךָ Ps. 16:2
58 עֶדְיוֹ לִבְלוֹם בַּל קְרֹב אֵלֶיךָ Ps. 32:9
59 יֹאמַר לָךְ וְלִבּוֹ בַּל־עִמָּךְ Prov. 23:7
60 הַכֵּר־פָּנִים בְּמִשְׁפָּט בַּל־טוֹב Prov. 24:23
וּבַל־(א) 61 וּבַל־יִפְּלוּ יֹשְׁבֵי תֵבֵל Is. 26:18
62 וּבַל־יִרְאֶה גֵּאוּת יְיָ Is. 26:10
63 וּבַל־יֹאמַר שָׁכֵן חָלִיתִי Is. 33:24
64 וְעֵדֵיהֶם הֵמָּה בַּל־יִרְאוּ וּבַל־יֵדְעוּ Is. 44:9
65 וּבַל־יֹאמְרוּ לִלְבָבָם Hosh. 7:2
66 וּבַל־אֶשָּׂא אֶת־שְׁמוֹתָם עַל־שְׂפָתָי Ps. 16:4
67 וּבַל־אֶלְחַם בְּמַנְעַמֵּיהֶם Ps. 141:4
וּבַל־(ב) 68 פְּתַיּוּת וּבַל־יָדְעָה מָּה Prov. 9:13
69 וּבַל־יָדַעְתָּ שִׂפְתֵי־דָעַת Prov. 14:7

בֵּל ז׳ ראש אלילי בבל, הוא מְרֹדָךְ: 1–3
בֵּל 1 כָּרַע בֵּל קֹרֵס נְבוֹ Is. 46:1
2 הֹבִישׁ בֵּל חַת מְרֹדָךְ Jer. 50:2
3 וּפָקַדְתִּי עַל־בֵּל בְּבָבֶל Jer. 5144

בָּל ז׳ ארמית: לב
בָּל 1 וְעַל דָּנִיֵּאל שָׂם בָּל לְשֵׁיזָבוּתֵהּ Dan. 6:15

בְּלָא פ׳ ארמית: כמו בעברית – בָּלָה
[פ׳ בַּלֵּא] השחית: 1
יְבַלֵּא 1 וּלְקַדִּישֵׁי עֶלְיוֹנִין יְבַלֵּא Dan. 7:25

בַּלְאֲדָן שפ״ז – אביו של מְרֹדַךְ בַּלְאֲדָן מלך בָּבֶל: 1–4
בַּלְאֲדָן 1-2 בְּרֹאדַךְ בַּלְאֲדָן בֶּן־בַּלְאֲדָן IIK. 20:12
3-4 מְרֹאדַךְ בַּלְאֲדָן בֶּן־בַּלְאֲדָן Is. 39:1

בַּלָּאט תה״פ חֶרֶשׁ, בסתר [עיין גם לָט]
בַּלָּאט 1 וַתָּבוֹא אֵלָיו בַּלָּאט Jud. 4:21

בֵּלְאשַׁצַּר שפ״ז – אחרון מלכי בבל
[עיין גם בֵּלְטְשַׁאצַּר, בֵּלְשַׁאצַּר]
בֵּלְאשַׁצַּר 1 לְמַלְכוּת בֵּלְאשַׁצַּר הַמֶּלֶךְ Dan. 8:1
לְבֵלְאשׁ׳ 2 בִּשְׁנַת חֲדָה לְבֵלְאשַׁצַּר מֶלֶךְ בָּבֶל Dan. 7:1

בלג : הִבְלִיג; מַבְלִיגִית; בִּלְגָּה, בִּלְגַּי
(בָּלַג) [הפ׳ הִבְלִיג] א) חזק: 1 ב) התגבר: 2–4
הַמַּבְלִיג 1 הַמַּבְלִיג שֹׁד עַל־עָז Am. 5:9
וְאַבְלִיגָה 2 הָשַׁע מִמֶּנִּי וְאַבְלִיגָה Ps. 39:14
3 אֶעֶזְבָה פָנַי וְאַבְלִיגָה Job 9:27
4 וְשִׁית מִמֶּנִּי וְאַבְלִיגָה Job 10:20

בִּלְגָּה שפ״ז – א) משפחת כהנים בימי דוד: 3
ב) מעולי בבל בימי נחמיה: 1, 2
בִּלְגָּה 1 מִיָּמִין מַעַדְיָה בִּלְגָּה Neh. 12:5
לְבִלְגָּה 2 לְבִלְגָּה שַׁמּוּעַ לִשְׁמַעְיָה יְהוֹנָתָן Neh. 12:18
3 לְבִלְגָּה חֲמִשָּׁה עָשָׂר ICh. 24:14

בִּלְגַּי שפ״ז – הוא בִלְגָּה (ב)
בִּלְגַּי 1 מַעַזְיָה בִלְגַּי שְׁמַעְיָה Neh. 10:9

בִּלְדַּד שפ״ז – אחד משלושת רעי איוב: 1–5
בִּלְדַּד 1-3 וַיַּעַן בִּלְדַּד הַשּׁ(ו)חִי וַיֹּאמַר Job 8:1; 18:1; 25:1
וּבִלְדַּד 4-5 אֱלִיפַז הַתֵּימָנִי וּבִלְדַּד הַשּׁוּחִי Job 2:11; 42:9

בלה : בָּלָה, בִּלָּה; בַּל, בָּלֶה, בְּלוֹ, בְּלוֹיִים; בְּלִי, בִּלְתִּי, תַּבְלִית; ש״פ בִּלְהָה (?), בִּלְהָן (?), בָּלָה (?)

בָּלָה פ׳ א) נשחת, נבל: 1–11
ב) [פ׳ בִּלָּה] השחית, השמיד: 12–15
בָּלְתָה הָאָרֶץ 9; בָּ׳ נַעֲלוֹ; בָּ׳ שִׂמְלָתוֹ; בָּלוּ עֲצָמָיו 6; בָּלוּ שַׂלְמוֹתָיו 4, 7, 5; בִּלָּה בְשָׂרוֹ 14; בִּלָּה מַעֲשָׂיו 15
בְּלֹתִי 1 אַחֲרֵי בְלֹתִי הָיְתָה־לִּי עֶדְנָה Gen. 18:12
בָּלְתָה 2 שִׂמְלָתְךָ לֹא בָלְתָה מֵעָלֶיךָ Deut. 8:4
3 וְנַעַלְךָ לֹא־בָלְתָה מֵעַל רַגְלֶךָ Deut. 29:4
בָּלוּ 4 לֹא־בָלוּ שַׂלְמֹתֵיכֶם מֵעֲלֵיכֶם Deut. 29:4
5 וְאֵלֶּה שַׂלְמוֹתֵינוּ וּנְעָלֵינוּ בָּלוּ Josh. 9:13
6 כִּי־הֶחֱרַשְׁתִּי בָּלוּ עֲצָמָי Ps. 32:3
7 שַׂלְמֹתֵיהֶם לֹא בָלוּ Neh. 9:21
יִבְלֶה 8 וְהוּא כְּרָקָב יִבְלֶה כְּבֶגֶד אֲכָלוֹ עָשׁ Job 13:28
תִּבְלֶה 9 וְהָאָרֶץ כַּבֶּגֶד תִּבְלֶה Is. 51:6
יִבְלוּ 10 הֵן כֻּלָּם כַּבֶּגֶד יִבְלוּ עָשׁ יֹאכְלֵם Is. 50:9
11 וְכֻלָּם כַּבֶּגֶד יִבְלוּ Ps. 102:27
לְבַלּוֹת 12 וְצוּרָם לְבַלּוֹת שְׁאוֹל מִזְּבֻל לוֹ Ps. 49:15
לְבַלֹּתוֹ 13 וְלֹא־יוֹסִיפוּ בְנֵי־עַוְלָה לְבַלֹּתוֹ ICh. 17:9
בִּלָּה 14 בִּלָּה בְשָׂרִי וְעוֹרִי שִׁבַּר עַצְמוֹתָי Lam. 3:4
יְבַלּוּ 15 וּמַעֲשֵׂה יְדֵיהֶם יְבַלּוּ בְחִירָי Is. 65:22

בָּלֶה ת׳ נשחת, נובל: 1–5
נֹאדוֹת בָּלִים 3; נְעָלוֹת בָּלוֹת 4; שְׂלָמוֹת בָּלוֹת 5; שַׂקִּים בָּלִים 2
לַבָּלָה 1 וָאֹמַר לַבָּלָה נִאוּפִים Ezek. 23:43
בָּלִים 2 וַיִּקְחוּ שַׂקִּים בָּלִים לַחֲמוֹרֵיהֶם Josh. 9:4
3 וְנֹאדוֹת יַיִן בָּלִים Josh. 9:4
בָּלוֹת 4 וּנְעָלוֹת בָּלוֹת וּמְטֻלָּאוֹת בְּרַגְלֵיהֶם Josh. 9:5
5 וּשְׂלָמוֹת בָּלוֹת עֲלֵיהֶם Josh. 9:5

בלה : פ׳ – בכתיב בלבד: מבלהים; בַּלָּהָה
1 ומבלהים (קרי: וּמְבַהֲלִים) אוֹתָם לִבְנוֹת Ez. 4:4

בָּלָה עיר בנחלת שמעון
וּבָלָה 1 וַחֲצַר שׁוּעָל וּבָלָה וָעָצֶם Josh. 19:3

בַּלָּהָה נ׳ בהלה • מֶלֶךְ בַּלָּהוֹת 7; בַּלָּהוֹת צַלְמָוֶת 10
בַּלָּהָה 1 לְעֵת עֶרֶב וְהִנֵּה בַלָּהָה Is. 17:14
בַּלָּהוֹת 2 בַּלָּהוֹת אֶתְּנֵךְ וְאֵינֵךְ Ezek. 26:21
3 בַּלָּהוֹת הָיִית וְאֵינֵךְ עַד־עוֹלָם Ezek. 27:36
4 בַּלָּהוֹת הָיִיתָ וְאֵינְךָ עַד־עוֹלָם Ezek. 28:19
5 סָפוּ תַמּוּ מִן־בַּלָּהוֹת Ps. 73:19
6 סָבִיב בִּעֲתֻהוּ בַלָּהוֹת Job 18:11
7 וְתַצְעִדֵהוּ לְמֶלֶךְ בַּלָּהוֹת Job 18:14
8 תַּשִּׂיגֵהוּ כַמַּיִם בַּלָּהוֹת Job 27:20
9 הָהְפַּךְ עָלַי בַּלָּהוֹת Job 30:15
בַּלְהוֹת־ 10 כִּי־יַכִּיר בַּלְהוֹת צַלְמָוֶת Job 24:17

בִּלְהָה¹ שפ״ז – שפחת רחל ופילגש יעקב: 1–10
בְּנֵי בִלְהָה 2–4
בִּלְהָה 1 וַיִּתֵּן לָבָן לְרָחֵל בִּתּוֹ אֶת־בִּלְהָה Gen. 29:29
2 וְהוּא נַעַר אֶת־בְּנֵי בִלְהָה Gen. 37:2
3 אֵלֶּה בְּנֵי בִלְהָה Gen. 46:25
4 בְּנֵי נַפְתָּלִי יַחְצִיאֵל...בְּנֵי בִלְהָה ICh. 7:13
5-10 בִּלְהָה Gen. 30:3, 4, 5, 7; 35:22, 25

בִּלְהָה² שם עיר, אולי היא בָּלָה או בַּעֲלָה

וּבְבִלְהָה 1 וּבְבִלְהָה וּבְעֶצֶם וּבְתוֹלָד ICh. 4:29

בִּלְהָן שפ״ז א) מבני שעיר החורי: 1, 2
ב) בן ידיעאל בן בנימין: 3, 4

בִּלְהָן 1 אֵלֶּה בְּנֵי־אֵצֶר בִּלְהָן וְזַעֲוָן וַעֲקָן Gen. 36:27
2 בְּנֵי אֵצֶר בִּלְהָן וְזַעֲוָן יַעֲקָן ICh. 1:42
3 וּבְנֵי יְדִיעֲאֵל בִּלְהָן ICh. 7:10
4 וּבְנֵי בִלְהָן יְעוּשׁ וּבִנְיָמִן ICh. 7:10

בְּלוֹ ז׳ ארמית: מס המזונות: 1–3

בְּלוֹ 1-2 מִנְדָּה(־)בְלוֹ וַהֲלָךְ Ez. 4:13; 7:24
3 וּמִדָּה בְלוֹ וַהֲלָךְ Ez. 4:20

בְּלוֹי* ז׳ חתיכת בגד שבלה: 1–3

בְּלוֹיֵ־ 1 בְּלוֹיֵ הַסְּחָבוֹת וּבְלוֹיֵ מְלָחִים Jer. 38:11
וּבְלוֹיֵ־ 2 בְּלוֹיֵ הַסְּחָבוֹת וּבְלוֹיֵ מְלָחִים Jer. 38:11
בְּלוֹאֵי־ 3 בְּלוֹאֵי הַסְּחָבוֹת וְהַמְּלָחִים Jer. 38:12

בָּלוּל ת׳ עין בָּלַל

בָּלַט תה״פ – עין לָט

בֵּלְטְשַׁאצַּר שפ״ז – שמו הבבלי של דניאל: 1–10

בֵּלְטְשַׁ׳ 1 וַיָּשֶׂם לְדָנִיֵּאל בֵּלְטְשַׁאצַּר Dan. 1:7
2 אֲשֶׁר־נִקְרָא שְׁמוֹ בֵּלְטְשַׁאצַּר Dan. 10:1
3-4 דִּי שְׁמֵהּ בֵּלְטְשַׁאצַּר Dan. 2:26; 4:16
5 דִּי שְׁמֵהּ בֵּלְטְשַׁאצַּר כְּשֻׁם אֱלָהִי Dan. 4:5
6-10 בֵּלְטְשַׁאצַּר Dan. 4:6, 15, 16²; 5:12

בְּלִי ז׳ א) כליון: 6, 13
ב) [לפני שם] בלא, באין: 3, 4, 9, 11, 12, 14–21, 23
ג) [לפני בינוני פעול] בלתי, לא: 2, 8, 10
ד) [לפני עבר או עתיד] לא: 1, 5, 7, 22
ה) [בִּבְלִי] בלא: 24–29
ו) [לִבְלִי] לאין: 30–32
ז) [מִבְּלִי] מפני שאין: 33, 35, 42, 52–55
בלא: 34, 36–41, 43–51, 56

עַל בְּלִי 1; עַד בְּלִי דַי 9; מִבְּלִי אֲשֶׁר 52; מִבְּלִי אֵין 53–55

בְּלִי 1 וַיִּגְנֹב...עַל־בְּלִי הִגִּיד לוֹ Gen. 31:20
2 מָגֵן שָׁאוּל בְּלִי מָשִׁיחַ בַּשָּׁמֶן IISh. 1:12
3 מֻרְדָּף בְּלִי חָשָׂךְ Is. 14:6
4 מָלְאוּ קִיא צֹאָה בְּלִי מָקוֹם Is. 28:8
5 כָּלָה בָצִיר אֹסֶף בְּלִי יָבוֹא Is. 32:10
6 וְאַתָּה חָשַׁקְתָּ נַפְשִׁי מִשַּׁחַת בְּלִי Is. 38:17
7 צֶמַח בְּלִי יַעֲשֶׂה־קֶּמַח Hosh. 8:7
8 אֶפְרַיִם הָיָה עֻגָה בְּלִי הֲפוּכָה Hosh. 7:8
9 בְּרָכָה עַד־בְּלִי־דָי Mal. 3:10
10 אֵין־אֹמֶר...בְּלִי נִשְׁמָע קוֹלָם Ps. 19:4
11 בְּלִי־עָוֹן יְרֻצוּן וְיִכּוֹנָנוּ Ps. 59:5
12 בְּאֶרֶץ־צִיָּה וְעָיֵף בְּלִי־מָיִם Ps. 63:2
13 וְרֹב שָׁלוֹם עַד־בְּלִי יָרֵחַ Ps. 72:7
14 יִשְׂגֶּא־אָחוּ בְלִי־מָיִם Job 8:11
15 עָרוֹם הִלְּכוּ בְּלִי לְבוּשׁ Job 24:10
16 בְּנֵי־נָבָל גַּם־בְּנֵי בְלִי־שֵׁם Job 30:8
17 אִם־כֹּחָהּ אָכַלְתִּי בְלִי־כָסֶף Job 31:39
18 זַךְ אֲנִי בְּלִי פָשַׁע Job 33:9
19 אָנוּשׁ חִצִּי בְלִי־פָשַׁע Job 34:6
20 מַחְשִׁיךְ עֵצָה בְמִלִּין בְּלִי־דָעַת Job 38:2
21 לְרִיק יְגִיעָהּ בְּלִי־פָחַד Job 39:16
22 מַשִּׂיגֵהוּ חֶרֶב בְּלִי תָקוּם Job 41:18
23 מִי זֶה מַעְלִים עֵצָה בְּלִי דָעַת Job 42:3
24 אֲשֶׁר יִרְצַח...בִּבְלִי־דַעַת Deut. 4:42
25 אֲשֶׁר יַכֶּה...בִּבְלִי־דַעַת Deut. 19:4

בִּבְלִי (המשך) 26 מַכֵּה־נֶפֶשׁ בִּשְׁגָגָה בִּבְלִי־דָעַת Josh. 20:3
27 כִּי בִבְלִי־דַעַת הִכָּה אֶת־רֵעֵהוּ Josh. 20:5
28 בִּבְלִי־דַעַת מִלִּין יַכְבִּר Job 35:16
29 וְיִגְוְעוּ בִּבְלִי־דָעַת Job 36:12
לִבְלִי 30 וּפָעֲרָה פִיהָ לִבְלִי־חֹק Is. 5:14
31 יִתְעוּ לִבְלִי־אֹכֶל Job 38:41
32 הֶעָשׂוּ לִבְלִי־חָת Job 41:25
מִבְּלִי 33 מִבְּלִי יְכֹלֶת יְיָ לַהֲבִיאָם Deut. 9:28
34 מִבְּלִי הִשְׁאִיר־לוֹ כֹּל Deut. 28:55
35 לָכֵן גָּלָה עַמִּי מִבְּלִי־דָעַת Is. 5:13
36 עָרָיו נִצְּתָה מִבְּלִי יֹשֵׁב Jer. 2:15
37 כִּי נִצְּתוּ מִבְּלִי־אִישׁ עֹבֵר Jer. 9:9
38 אֶתֵּן שְׁמָמָה מִבְּלִי יוֹשֵׁב Jer. 9:10
39 נִצְּתָה כַמִּדְבָּר מִבְּלִי עֹבֵר Jer. 9:11
40 וְהָיְתָה שְׁמָמָה מִבְּלִי עוֹבֵר Ezek. 14:15
41 וַתְּפוּצֶינָה מִבְּלִי רֹעֶה Ezek. 34:5
42 נִדְמוּ עַמִּי מִבְּלִי הַדָּעַת Hosh. 4:6
43 הֶחֱרַבְתִּי חוּצוֹתָם מִבְּלִי עוֹבֵר Zep. 3:6
44 נִצְדּוּ עָרֵיהֶם מִבְּלִי־אִישׁ Zep. 3:6
45 לַיִשׁ אֹבֵד מִבְּלִי־טָרֶף Job 4:11
46 מִבְּלִי מֵשִׂים לָנֶצַח יֹאבֵדוּ Job 4:20
47 הֲיֵאָכֵל תָּפֵל מִבְּלִי־מֶלַח Job 6:6
48 תִּשְׁכּוֹן בְּאָהֳלוֹ מִבְּלִי־לוֹ Job 18:15
49 עָרוֹם יָלִינוּ מִבְּלִי לְבוּשׁ Job 24:7
50 אִם־אֶרְאֶה אוֹבֵד מִבְּלִי לְבוּשׁ Job 31:19
51 דַּרְכֵי...אֲבֵלוֹת מִבְּלִי בָּאֵי מוֹעֵד Lam. 1:4
52 מִבְּלִי אֲשֶׁר לֹא־יִמְצָא הָאָדָם Eccl. 3:11
הֲמִבְּלִי 53 הֲמִבְּלִי אֵין־קְבָרִים בְּמִצְרַיִם Ex. 14:11
54/5 הֲמִבְּלִי אֵין־אֱלֹהִים בְּיִשְׂרָאֵל IIK. 1:3, 16
וּמִבְּלִי 56 וּמִבְּלִי מַחְסֶה חִבְּקוּ־צוּר Job 24:8

בְּלִיל ז׳ מספוא בלול: 1–3

בְּלִיל־ 1 וְהָאֲלָפִים...בְּלִיל חָמִיץ יֹאכֵלוּ Is. 30:24
בְּלִילוֹ 2 אִם יִגְעֶה־שּׁוֹר עַל־בְּלִילוֹ Job 6:5
3 בַּשָּׂדֶה בְּלִילוֹ יִקְצוֹרוּ° Job 24:6

בְּלִימָה נ׳ אפס, לא־דבר (כנראה: בְּלִי־מָה, כך בכמה כתבי־יד)

בְּלִימָה 1 תֹּלֶה אֶרֶץ עַל־בְּלִימָה Job 26:7

בְּלִיַּעַל ז׳ א) רֶשַׁע, זדון: 1–11, 13, 14, 18, 19, 21, 25–27
ב) רֶשַׁע, נבל: 12, 15–17, 20, 22–24

אָדָם בְּלִיַּעַל 15; אִישׁ בְּ׳ 10, 16, 25, 27; אַנְשֵׁי בְלִיַּעַל 26; בֶּן בְּ׳ 9; בְּנֵי בְ׳ 1, 3–8, 19; בַּת בְּ׳ 18; דְּבַר בְּ׳ 14, 21; יוֹעֵץ בְּ׳ 20; נַחֲלֵי בְ׳ 11, 13; עֵד בְּלִיַּעַל 17

בְלִיַּעַל 1 אֲנָשִׁים בְּנֵי־בְלִיַּעַל Deut. 13:14
2 דָבָר עִם־לְבָבְךָ בְלִיַּעַל Deut. 15:9
3 אַנְשֵׁי הָעִיר אַנְשֵׁי בְנֵי־בְלִיַּעַל Jud. 19:22
4-8 (וּ)בְנֵי בְלִיַּעַל Jud. 20:13 • ISh. 10:27
IK. 21:10, 13 • IICh. 13:7
9 וְהוּא בֶּן־בְּלִיַּעַל מִדַּבֵּר אֵלָיו ISh. 25:17
10 וְשָׁם נִקְרָא אִישׁ בְּלִיַּעַל IISh. 20:1
11 נַחֲלֵי בְלִיַּעַל יְבַעֲתֻנִי IISh. 22:5
12 לֹא יוֹסִיף עוֹד לַעֲבָר־בָּךְ בְּלִיַּעַל Nah. 2:1
13 וְנַחֲלֵי בְלִיַּעַל יְבַעֲתוּנִי Ps. 18:5
14 דְּבַר־בְּלִיַּעַל יָצוּק בּוֹ Ps. 41:9
15 אָדָם בְּלִיַּעַל אִישׁ אָוֶן Prov. 6:12
16 אִישׁ בְּלִיַּעַל כֹּרֶה רָעָה Prov. 16:27
17 עֵד בְּלִיַּעַל יָלִיץ מִשְׁפָּט Prov. 19:28
בְּלִיָּעַל 18 אַל־תִּתֵּן...אֲמָתְךָ לִפְנֵי בַּת־בְּלִיָּעַל ISh. 1:15
19 וּבְנֵי עֵלִי בְּנֵי בְלִיָּעַל ISh. 2:12

בְּלִיַּעַל (המשך) 20 חֹשֵׁב עַל־יְיָ רָעָה יֹעֵץ בְּלִיַּעַל Nah. 1:11
21 לֹא־אָשִׁית לְנֶגֶד עֵינַי דְּבַר־בְּלִיָּעַל Ps. 101:3
22 הַאֹמֵר לְמֶלֶךְ בְּלִיָּעַל Job 34:18
וּבְלִיַּעַל 23 וַיַּעַן כָּל־אִישׁ־רָע וּבְלִיַּעַל ISh. 30:22
24 וּבְלִיַּעַל כְּקוֹץ מֻנָד כֻּלָּהַם IISh. 23:6
הַבְּלִיַּעַל 25 אַל־אִישׁ הַבְּלִיַּעַל הַזֶּה ISh. 25:25
26 וַיְעִדֻהוּ אַנְשֵׁי הַבְּלִיַּעַל IK. 21:13
הַבְּלִיָּעַל 27 אִישׁ הַדָּמִים וְאִישׁ הַבְּלִיָּעַל IISh. 16:7

בלל : בָּלַל, בָּלוּל, הִתְבּוֹלֵל; בְּלִיל, שַׁבְּלוּל(?), תֶּבֶל, תְּבַלּוּל

בָּלַל פ׳ א) הרטיב או ערב בנוזל: 1, 3–40
ב) בלבל: 2, 41
ג) [הת׳ הִתְבּוֹלֵל] התערב: 42
[נָבָל בישעיה סד״ 5 – עין נבל]

בָּלַל (בָּלוּל) בַּשֶּׁמֶן 1, 3–39; בָּלַל שָׂפָה 2, 41

בַּלֹּתִי 1 בַּלֹּתִי בְּשֶׁמֶן רַעֲנָן Ps. 92:11
בָּלַל 2 כִּי־שָׁם בָּלַל יְיָ שְׂפַת כָּל־הָאָרֶץ Gen. 11:9
בָּלוּל 3 וְעִשָּׂרֹן סֹלֶת בָּלוּל בְּשֶׁמֶן כָּתִית Gen. 29:40
4 וְעִשָּׂרוֹן סֹלֶת אֶחָד בָּלוּל בַּשֶּׁמֶן Lev. 14:21
5 בָּלוּל בִּרְבִעִית הַהִין שָׁמֶן Num. 15:4
6 בָּלוּל בַּשֶּׁמֶן חֲצִי הַהִין Num. 15:9
בְּלוּלָה 7-27 סֹלֶת(...)בְּלוּלָה בַשֶּׁמֶן(בַּשֶּׁ־) Lev. 2:5; 23:13
Num. 7:13, 19, 25, 31, 37, 43, 49, 55, 61, 67, 73, 79; 8:8;
15:6; 28:20, 28; 29:3, 9, 14
28 וְכָל־מִנְחָה בְלוּלָה־בַשֶּׁמֶן וַחֲרֵבָה Lev. 7:10
29-33 (וּ)מִנְחָה בְּלוּלָה בַשָּׁמֶן Lev. 9:4
14:10 • Num. 28:9, 12, 13
34 סֹלֶת...בְּלוּלָה בְּשֶׁמֶן כָּתִית Num. 28:5
בְּלוּלֹת 35 וְחַלֹּת מַצֹּת בְּלוּלֹת בַּשֶּׁמֶן Ex. 29:2
36-39 חַלּוֹת (...) בְּלוּלֹת בַּשֶּׁמֶן Lev. 2:4
7:12² • Num. 6:15
וַיָּבָל 40 וַיָּבָל (כת׳ ויבול) לַחֲמוֹרִים Jud. 19:21
וְנָבְלָה 41 הָבָה נֵרְדָה וְנָבְלָה שָׁם שְׂפָתָם Gen. 11:7
יִתְבּוֹלָל 42 אֶפְרַיִם בָּעַמִּים הוּא יִתְבּוֹלָל Hosh. 7:8

בלם : בָּלַם; בְּלִימָה (?)

בָּלַם פ׳ עָצַר

לִבְלוֹם 1 בְּמֶתֶג־וָרֶסֶן עֶדְיוֹ לִבְלוֹם Ps. 32:9

בָּלַס פ׳ חָרַץ פֵּרוֹת כדי להבשילם

וּבוֹלֵס 1 כִּי־בוֹקֵר אָנֹכִי וּבוֹלֵס שִׁקְמִים Am. 7:14

בלע : בָּלַע, בִּלַּע, בֻּלַּע, הִתְבַּלַּע; בֶּלַע;
ש״פ בֶּלַע, בִּלְעָם, בַּלְעִי

בָּלַע פ׳ א) הוריד אל קרבו: 1–20
ב) [נפ׳ נִבְלַע](בהשאלה)נשחת, התבלבל: 21, 22
ג) [פ׳ בִּלַּע] השחית, סכל, הזיק: 23–45
ד) [פ׳ בֻּלַּע] נכשל, נִזַּק: 46–48
ה) [הת׳ הִתְבַּלַּע] אבד, נשחת: 49

בָּלַע חַיִל 3; בְּ׳ רֻקּוֹ 2; בִּלְעוּ חַיִּים 6, 17; בָּלְעָה הָאֲדָמָה 5; בְּ׳ הָאָרֶץ 10–12, 14–16; בְּ׳ מִי־אֵלָה 13; בִּלַּע הַמָּוֶת 27; בְּ׳ נַחֲלָתוֹ 38; בְּ׳ עֲצָתוֹ 37; בְּ׳ הַקֹּדֶשׁ 24; הִתְבַּלְּעָה חָכְמָתוֹ 49

לִבְלֹעַ 1 וַיְמַן יְיָ דָּג גָּדוֹל לִבְלֹעַ אֶת־יוֹנָה Jon. 2:1
בִּלְעִי 2 לֹא־תַרְפֵּנִי עַד־בִּלְעִי רֻקִּי Job 7:19
בָּלַע 3 חַיִל בָּלַע וַיְקִאֶנּוּ Job 20:15
בְּלָעַנִי 4 אֲכָלַנִי הֲמָמַנִי...בְּלָעַנִי כַּתַּנִּין Jer. 51:34
וּבָלְעָה 5 וּפָצְתָה הָאֲדָמָה אֶת־פִּיהָ
וּבָלְעָה אֹתָם Num. 16:30

בְּלָעוּנוּ 6 אֲזַי חַיִּים בְּלָעוּנוּ — Ps. 124:3
יִבְלָע 7 מֵשִׁיב יָגָע וְלֹא יִבְלָע — Job 20:18
וַיִּבְלַע 8 וַיִּבְלַע מַטֵּה־אַהֲרֹן אֶת־מַטֹּתָם — Ex. 7:12
יִבְלָעֶנָּה 9 בְּעוֹדָהּ בְּכַפּוֹ יִבְלָעֶנָּה — Is. 28:4
וַתִּבְלַע 10 וַתִּפְתַּח הָאָרֶץ אֶת־פִּיהָ וַתִּבְלַע אֹתָם וְאֶת־בָּתֵּיהֶם — Num. 16:32
11 וַתִּבְלַע אֹתָם וְאֶת־קֹרַח — Num. 26:10
12 תִּפְתַּח־אֶרֶץ וַתִּבְלַע דָּתָן — Ps. 106:17
תִּבְלָעֵנִי 13 וְאַל־תִּבְלָעֵנִי מְצוּלָה — Ps. 69:16
תִּבְלָעֵנוּ 14 פֶּן־תִּבְלָעֵנוּ הָאָרֶץ — Num. 16:34
וַתִּבְלָעֵם 15 וַתִּבְלָעֵם וְאֶת־בָּתֵּיהֶם — Deut. 11:6
תִּבְלָעֵמוֹ 16 נָטִיתָ יְמִינְךָ תִּבְלָעֵמוֹ אָרֶץ — Ex. 15:12
נִבְלָעֵם 17 נִבְלָעֵם כִּשְׁאוֹל חַיִּים — Prov. 1:12
יִבְלָעֻהוּ 18 אוּלַי יַעֲשֶׂה זָרִים יִבְלָעֻהוּ — Hosh. 8:7
וַתִּבְלַעְנָה 19 וַתִּבְלַעְנָה הַשִּׁבֳּלִים הַדַּקּוֹת — Gen. 41:7
20 וַתִּבְלַעְןָ הַשִּׁבֳּלִים הַדַּקֹּת — Gen. 41:24
נִבְלַע 21 נִבְלַע יִשְׂרָאֵל — Hosh. 8:8
נִבְלְעוּ 22 נִבְלְעוּ מִן־הַיַּיִן תָּעוּ מִן־הַשֵּׁכָר — Is. 28:7
בְּבַלַּע 23 בְּבַלַּע רָשָׁע צַדִּיק מִמֶּנּוּ — Hab. 1:13
כְּבַלַּע 24 לִרְאוֹת כְּבַלַּע אֶת־הַקֹּדֶשׁ — Num. 4:20
לְבַלְּעוֹ 25 וַתְּסִיתֵנִי בוֹ לְבַלְּעוֹ חִנָּם — Job 2:3
מִבַּלֵּעַ 26 לֹא־הֵשִׁיב יָדוֹ מִבַּלֵּעַ — Lam. 2:8
בִּלַּע 27 בִּלַּע הַמָּוֶת לָנֶצַח — Is. 25:8
28 בִּלַּע אֲדֹנָי לֹא חָמַל — Lam. 2:2
29 הָיָה אֲדֹנָי כְּאוֹיֵב בִּלַּע יִשְׂרָאֵל — Lam. 2:5
30 בִּלַּע כָּל־אַרְמְנוֹתֶיהָ — Lam. 2:5
וּבִלַּע 31 וּבִלַּע בָּהָר הַזֶּה פְּנֵי־הַלּוֹט — Is. 25:7
בִּלָּעְנוּ 32 כָּל־אֹיְבַיִךְ...אָמְרוּ בִּלָּעְנוּ — Lam. 2:16
בִּלַּעֲנוּהוּ 33 אַל־יֹאמְרוּ בִּלַּעֲנוּהוּ — Ps. 35:25
בִּלֵּעוּ 34 וְדֶרֶךְ אֹרְחֹתֶיךָ בִּלֵּעוּ — Is. 3:12
מְבַלְּעָיִךְ 35 וְרָחֲקוּ מְבַלְּעָיִךְ — Is. 49:19
אֲבַלֵּעַ 36 אִם־אֲבַלַּע וְאִם־אַשְׁחִית — IISh. 20:20
אֲבַלֵּעַ 37 וַעֲצָתוֹ אֲבַלֵּעַ — Is. 19:3
תְבַלַּע 38 לָמָּה תְבַלַּע נַחֲלַת יְיָ — IISh. 20:19
וַתְּבַלְּעֵנִי 39 יַחַד סָבִיב וַתְּבַלְּעֵנִי — Job 10:8
יְבַלַּע 40 וּפִי רְשָׁעִים יְבַלַּע־אָוֶן — Prov. 19:28
יְבַלְּעֶנּוּ 41 אוֹצָר...וּכְסִיל אָדָם יְבַלְּעֶנּוּ — Prov. 21:20
42 אִם־יְבַלְּעֶנּוּ מִמְּקֹמוֹ — Job 8:18
יְבַלְּעֵם 43 יְיָ בְּאַפּוֹ יְבַלְּעֵם וְתֹאכְלֵם אֵשׁ — Ps. 21:10
תְּבַלְּעֶנּוּ 44 וְשִׂפְתוֹת כְּסִיל תְּבַלְּעֶנּוּ — Eccl. 10:12
בַּלַּע 45 בַּלַּע אֲדֹנָי פַּלַּג לְשׁוֹנָם — Ps. 55:10
מְבֻלָּעִים 46 וַיִּהְיוּ...מַתְעִים וּמְאֻשָּׁרָיו מְבֻלָּעִים — Is. 9:15
יְבֻלַּע 47 פֶּן יְבֻלַּע לַמֶּלֶךְ — IISh. 17:16
יְבֻלָּע 48 אִם־אָמַר אִישׁ כִּי יְבֻלָּע — Job 37:20
תִּתְבַּלָּע 49 וְכָל־חָכְמָתָם תִּתְבַּלָּע — Ps. 107:27

בֶּלַע[1] ז׳ א) דבר שנבלע: 2
ב) מרמה: 1

בָּלַע 1 אָהַבְתָּ כָל־דִּבְרֵי־בָלַע — Ps. 52:6
בִּלְעוֹ 2 וְהֹצֵאתִי אֶת־בִּלְעוֹ מִפִּיו — Jer. 51:44

בֶּלַע[2] שפ״ז א) המלך הראשון של אדום: 1, 2, 8, 9
ב) בנו בכורו של בנימין: 3—7, 11, 12
ג) אבי משפחה בשבט ראובן: 10

בֶּלַע 1 וַיִּמְלֹךְ בֶּאֱדוֹם בֶּלַע בֶּן־בְּעוֹר — Gen. 36:32
2 בֶּלַע בֶּן־בְּעוֹר וְשֵׁם עִירוֹ דִּנְהָבָה — ICh. 1:43
3 וּבְנֵי בִנְיָמִן בֶּלַע וָבֶכֶר וְאַשְׁבֵּל — Gen. 46:21
4 וַיִּהְיוּ בְנֵי־בֶלַע אַרְדְּ וְנַעֲמָן — Num. 26:40
5 בִּנְיָמִן בֶּלַע וָבֶכֶר וִידִיעֲאֵל — ICh. 7:6
6 וּבְנֵי בֶלַע אֶצְבּוֹן וְעֻזִּי — ICh. 7:7
7 וּבִנְיָמִן הוֹלִיד אֶת־בֶּלַע בְּכֹרוֹ — ICh. 8:1
בָּלַע 8/9 וַיָּמָת בָּלַע וַיִּמְלֹךְ תַּחְתָּיו יוֹבָב — Gen. 36:33 • ICh. 1:44
וּבֶלַע 10 וּבֶלַע בֶּן־עָזָז בֶּן־שֶׁמַע — ICh. 5:8
לְבֶלַע 11 לְבֶלַע מִשְׁפַּחַת הַבַּלְעִי — Num. 26:38
לְבֶלַע 12 וַיִּהְיוּ בָנִים לְבֶלַע — ICh. 8:3

בֶּלַע[3] עיר במואב

1/2 וּמֶלֶךְ בֶּלַע הִיא־צֹעַר — Gen. 14:2, 8

בִּלְעֲדֵי מ״י – א) חוץ מן־: 2—6, 10—17
ב) בלי: 1, 7—9

בִּלְעָדַי 1 בִּלְעֲדֵי אֶחֱזֶה אַתָּה הֹרֵנִי — Job 34:32
מִבַּלְעֲדֵי 2 וַיִּתֵּן...שְׁכָבְתּוֹ מִבַּלְעֲדֵי אִישֵׁךְ — Num. 5:20
3 ...מִבַּלְעֲדֵי מִזְבַּח יְיָ אֱלֹהֵינוּ — Josh. 22:19
4 כִּי מִי־אֵל מִבַּלְעֲדֵי יְיָ — IISh. 22:32
5 וּמִי צוּר מִבַּלְעֲדֵי אֱלֹהֵינוּ — IISh. 22:32
6 כִּי מִי אֱלוֹהַּ מִבַּלְעֲדֵי יְיָ — Ps. 18:32
הֲמִבַּלְעֲדֵי 7/8 הֲמִבַּלְעֲדֵי יְיָ עָלִיתִי — IIK. 18:25 • Is. 36:10
9 הֲמִבַּלְעֲדֵי אֲנָשֵׁינוּ עָשִׂינוּ...כַּוָּנִים — Jer. 44:19
בִּלְעָדַי 10 בִּלְעָדַי רַק אֲשֶׁר אָכְלוּ הַנְּעָרִים — Gen. 14:24
בִּלְעָדָי 11 וַיַּעַן יוֹסֵף...לֵאמֹר בִּלְעָדָי — Gen. 41:16
12 לְמַעַן יֵדְעוּ...כִּי־אֶפֶס בִּלְעָדָי — Is. 45:6
מִבַּלְעָדַי 13 וְאֵין מִבַּלְעָדַי מוֹשִׁיעַ — Is. 43:11
14 הֲיֵשׁ אֱלוֹהַּ מִבַּלְעָדַי — Is. 44:8
15 וְאֵין־עוֹד אֱלֹהִים מִבַּלְעָדַי — Is. 45:21
וּמִבַּלְעָדַי 16 וּמִבַּלְעָדַי אֵין אֱלֹהִים — Is. 44:6
וּבִלְעָדֶיךָ 17 וּבִלְעָדֶיךָ לֹא־יָרִים אִישׁ... — Gen. 41:44

בַּלְעִי ת׳ המתייחס אל בֶּלַע

הַבַּלְעִי 1 לְבֶלַע מִשְׁפַּחַת הַבַּלְעִי — Num. 26:38

בִּלְעָם[1] שפ״ז – הקוסם מארם־נהרים: 1—60

אַף בִּלְעָם 7; דִּבֵּר ב׳ 13; נְאֻם ב׳ 11, 12; עֵינֵי ב׳ 8; פִּי ב׳ 9; רֶגֶל ב׳ 5

בִּלְעָם 1 וַיִּשְׁלַח...אֶל־בִּלְעָם בֶּן־בְּעוֹר — Num. 22:5
2/3 וַיָּבֹאוּ אֶל־בִּלְעָם — Num. 22:7, 16
4 וַיַּךְ בִּלְעָם אֶת־הָאָתוֹן — Num. 22:23
5 וַתִּלְחַץ אֶת־רֶגֶל בִּלְעָם אֶל־הַקִּיר — Num. 22:25
6 וַתֵּרֶא הָאָתוֹן...וַתִּרְבַּץ תַּחַת בִּלְעָם — Num. 22:27
7 וַיִּחַר אַף בִּלְעָם וַיַּךְ — Num. 22:27
8 וַיְגַל יְיָ אֶת־עֵינֵי בִלְעָם — Num. 22:31
9 וַיָּשֶׂם יְיָ דָּבָר בְּפִי בִלְעָם — Num. 23:5
10 וַיַּרְא בִּלְעָם כִּי טוֹב בְּעֵינֵי יְיָ — Num. 24:1
11/2 נְאֻם בִּלְעָם בְּנוֹ בְעֹר — Num. 24:3, 15
13 הָיוּ לִבְנֵי יִשְׂרָאֵל בִּדְבַר בִּלְעָם — Num. 31:16
14-55 בִּלְעָם — Num. 22:8, 9, 10, 22:12, 13, 14, 18, 20, 21, 29, 30, 34, 35², 36; 22:37, 38, 39, 41; 23:1, 2, 3, 4, 11, 16, 25, 26, 27, 28; 23:29, 30; 24:2, 10², 12, 25; 31:8 • Deut. 23:5, 6 • Josh. 13:22 • Mic. 6:5 • Neh. 13:2
וּבִלְעָם 56 וַיַּעַל בָּלָק וּבִלְעָם פָּר וָאַיִל — Num. 23:2
לְבִלְעָם 57 וַתֹּאמֶר לְבִלְעָם מֶה־עָשִׂיתִי לְךָ — Num. 22:28
58 וַיִּזְבַּח בָּלָק...וַיְשַׁלַּח לְבִלְעָם — Num. 22:40
59 וַיִּשְׁלַח וַיִּקְרָא לְבִלְעָם בֶּן־בְּעוֹר — Josh. 24:9
60 וְלֹא אָבִיתִי לִשְׁמֹעַ לְבִלְעָם — Josh. 24:10

בִּלְעָם[2] עיר בנחלת מנשה, היא יִבְלְעָם

בִּלְעָם 1 וְאֶת־בִּלְעָם וְאֶת־מִגְרָשֶׁיהָ — ICh. 6:55

בלק : בָּלַק, מְבֻלָּקָה; ש״פ בָּלָק?

בָּלַק פ׳ א) בקע, השחית: 1
ב) [פֻּ׳ בֻּלַּק] חרב: 2

וּבוֹלְקָהּ 1 הִנֵּה יְיָ בּוֹקֵק הָאָרֶץ וּבוֹלְקָהּ — Is. 24:1
וּמְבֻלָּקָה 2 בּוּקָה וּמְבוּקָה וּמְבֻלָּקָה — Nah. 2:11

בָּלָק שפ״ז – בן־צִפּוֹר מלך מואב בימי משה: 1—43

דִּבְרֵי בָלָק 2; עַבְדֵי ב׳ 5; שָׂרֵי ב׳ 4, 8

בָּלָק 1 וַיַּרְא בָּלָק בֶּן־צִפּוֹר — Num. 22:2
2 וַיְדַבְּרוּ אֵלָיו דִּבְרֵי בָלָק — Num. 22:7
3 בָּלָק בֶּן־צִפֹּר מֶלֶךְ מוֹאָב — Num. 22:10
4 וַיָּקֻמוּ...וַיֹּאמְרוּ אֶל־שָׂרֵי בָלָק — Num. 22:13
5 וַיַּעַן בִּלְעָם...אֶל־עַבְדֵי בָלָק — Num. 22:18
6/7 אִם־יִתֶּן־לִי בָלָק — Num. 22:18; 24:13
8 וַיֵּלֶךְ בִּלְעָם עִם־שָׂרֵי בָלָק — Num. 22:35
9 וַיִּחַר־אַף בָּלָק אֶל־בִּלְעָם — Num. 24:10
10-40 בָּלָק — Num. 22:7, 14, 15, 16; 22:36, 37, 38, 39, 40, 41; 23:1, 2², 5, 7, 11, 13, 15, 16, 17, 18, 25, 26, 27; 23:28, 29, 30; 24:10, 12, 25 • Josh. 24:9 • Mic. 6:5
וּבָלָק 41 וּבָלָק בֶּן־צִפּוֹר מֶלֶךְ לְמוֹאָב — Num. 22:4
לְבָלָק 42 וַיֹּאמֶר בִּלְעָם לְבָלָק — Num. 23:3
מִבָּלָק 43 הֲטוֹב טוֹב אַתָּה מִבָּלָק בֶּן־צִפּוֹר — Jud. 11:25

בֵּלְשַׁאצַּר שפ״ז – אחרון מלכי בבל, כך הכתיב בטקסטים הארמיים [עיין בֵּלְאשַׁצַּר, בֵּלְטְשַׁאצַּר]: 1—6

בֵּלְשַׁאצַּר 1 בֵּלְשַׁאצַּר מַלְכָּא עֲבַד לְחֶם רַב — Dan. 5:1
2 בֵּלְשַׁאצַּר אֲמַר בִּטְעֵם חַמְרָא — Dan. 5:2
3-6 בֵּלְשַׁאצַּר — Dan. 5:9, 22, 29, 30

בִּלְשָׁן שפ״ז – מעולי בבל עם זרובבל: 1—2

בִּלְשָׁן 1 מָרְדֳּכַי בִּלְשָׁן מִסְפָּר בִּגְוַי — Ez. 2:2
2 מָרְדֳּכַי בִּלְשָׁן מִסְפֶּרֶת בִּגְוָי — Neh. 7:7

בִּלְתִּי מלת שלילה [בכנויים: בִּלְתִּי, בִּלְתְּךָ...]

א) לא: 7—12, 16—18
ב) [אחרי שלילה קודמת] זולת, אלא רק: 1—6, 13, 14, 22
ג) [בִּלְתִּי אִם] אלא, רק, אלא אם כן: 4, 15, 19, 20
ד) [לְבִלְתִּי] לבלי, כדי שלא: 23—107
ה) [מִבִּלְתִּי] בשל אי־יכולת: 108—109
ו) [עַד בִּלְתִּי] עד שאין, שלא: 21

בִּלְתִּי 1 אָנֹכִי לֹא שָׁמַעְתִּי בִּלְתִּי הַיּוֹם — Gen. 21:26
2/3 לֹא־תִרְאוּ פָנַי בִּלְתִּי אֲחִיכֶם אִתְּכֶם — Gen. 43:3, 5
4 לֹא נִשְׁאַר...בִּלְתִּי אִם־גְּוִיָּתֵנוּ — Gen. 47:18
5 זֹבֵחַ...בִּלְתִּי לַיְיָ לְבַדּוֹ — Ex. 22:19
6 אֵין כֹּל בִּלְתִּי אֶל־הַמָּן עֵינֵינוּ — Num. 11:6
7-11 עַד־בִּלְתִּי הִשְׁאִיר־לוֹ שָׂרִיד — Num. 21:35 • Deut. 3:3 • Josh. 8:22; 10:33 • IIK. 10:11
12 עַד־בִּלְתִּי הִשְׁאִיר לָהֶם שָׂרִיד — Josh. 11:8
13 בִּלְתִּי כָּלֵב בֶּן־יְפֻנֶּה — Num. 32:12
14 בִּלְתִּי הַחִוִּי יֹשְׁבֵי גִבְעוֹן — Josh. 11:19
15 אֵין זֹאת בִּלְתִּי אִם־חֶרֶב גִּדְעוֹן — Jud. 7:14
16 בִּלְתִּי טָהוֹר הוּא כִּי־לֹא טָהוֹר — ISh. 20:26
17 בִּלְתִּי כָרַע תַּחַת אַסִּיר — Is. 10:4
18 מַכֶּה...בְּעֶבְרָה מַכַּת בִּלְתִּי סָרָה — Is. 14:6
19 הֲיֵלְכוּ שְׁנַיִם...בִּלְתִּי אִם־נוֹעָדוּ — Am. 3:3
20 הֲיִתֵּן כְּפִיר קוֹלוֹ...בִּלְתִּי אִם־לָכָד — Am. 3:4
21 עַד־בִּלְתִּי שָׁמַיִם לֹא יָקִיצוּ — Job 14:12
22 בִּלְתִּי חֶרְפָּתוֹ יָשִׁיב לוֹ — Dan. 11:18
לְבִלְתִּי 23 אֲשֶׁר צִוִּיתִיךָ לְבִלְתִּי אֲכָל־מִמֶּנּוּ — Gen. 3:11
24 לְבִלְתִּי הַכּוֹת־אֹתוֹ כָּל־מֹצְאוֹ — Gen. 4:15
25 לְבִלְתִּי הָפְכִּי אֶת־הָעִיר — Gen. 19:21
26 עוֹדְךָ מִסְתּוֹלֵל בְּעַמִּי לְבִלְתִּי שַׁלְּחָם — Ex. 9:17
27 תִּהְיֶה יִרְאָתוֹ...לְבִלְתִּי תֶחֱטָאוּ — Ex. 20:(16), 17
28 יַעְלִימוּ...לְבִלְתִּי הָמִית אֹתוֹ — Lev. 20:4
29 וַיִּשָּׁבַע לְבִלְתִּי עָבְרִי אֶת־הַיַּרְדֵּן — Deut. 4:21
30 לְבִלְתִּי יִדַּח מִמֶּנּוּ נִדָּח — IISh. 14:14

לְבִלְתִּי (המשך)
31 לְבִלְתִּי לְהַעֲבִיר אִישׁ אֶת־בְּנוֹ IIK. 23:10
32 מִי־יָצַר אֵל...לְבִלְתִּי הוֹעִיל Is. 44:10
33 לְבִלְתִּי־שָׁבוּ אִישׁ מֵרָעָתוֹ Jer. 23:14
34 לְבִלְתִּי־בֹאוּ הַכֵּלִים...בָּבֶלָה Jer. 27:18
99-35 לְבִלְתִּי Gen. 38:9 • Ex. 8:18, 25
Lev. 18:30; 26:15 • Num. 9:7; 32:9 • Deut. 8:11; 12:23; 17:20 • Josh. 5:6; 11:20; 22:25; 23:6,7 • Jud. 2:23; 8:1; 21:7 • IISh. 14:7, 13 • IK. 6:6; 11:10; 15:17 • IIK. 12:9; 17:15 • Is. 48:9; 65:8 • Jer. 7:8; 16:12; 17:23, 24²; 18:10; 19:15; 26:24; 32:40; 34:9, 10; 35:8, 14; 36:25; 38:26; 42:13; 44:5, 7; 51:62 • Ezek. 3:21; 13:22; 17:14; 20:9, 14, 15, 22; 22:30; 24:8; 29:15; 33:15; 46:20 • Job 42:8 • Ruth 1:13; 2:9; 3:10 • Dan. 9:11 • ICh. 4:10 • IICh. 16:1

וּלְבִלְתִּי 100 וּלְבִלְתִּי בֹא אֶל־הָאָרֶץ Deut. 4:21
101 וּלְבִלְתִּי סוּר מִן־הַמִּצְוָה Deut. 17:20
102 וּלְבִלְתִּי חַזֵּק אֶת־בֶּדֶק הַבָּיִת IIK. 12:9
103 וּלְבִלְתִּי קַחַת מוּסָר Jer. 17:23
104 וּלְבִלְתִּי שְׂאֵת מַשָּׂא Jer. 17:27
105 וּלְבִלְתִּי הֱיוֹת יוֹמָם־וָלַיְלָה בְּעִתָּם Jer.33:20
106 וּלְבִלְתִּי בְּנוֹת בָּתִּים Jer. 35:9
107 הֹלְכִים אַחַר רוּחָם וּלְבִלְתִּי רָאוּ Ezek. 13:3
מִבִּלְתִּי 108 מִבִּלְתִּי יְכֹלֶת יְיָ לְהָבִיא Num. 14:16
109 וַתִּזְנִי...מִבִּלְתִּי שָׂבְעָתֵךְ Ezek. 16:28
בִּלְתִּי 110 וּמוֹשִׁיעַ אַיִן בִּלְתִּי Hosh. 13:4
בִּלְתֶּךָ 111 אֵין־קָדוֹשׁ כַּיְיָ כִּי־אֵין בִּלְתֶּךָ ISh. 2:2

בָּמָה

נ׳ א) מקום מורם לפולחן: רוב המקראות
ב) גב, גוף: 83—93, 103

הַבָּמָה הַגְּדוֹלָה 7; בָּמוֹת טְלֻאוֹת 28; בָּמוֹת אָוֶן 77; בְּ׳ אַרְנוֹן 72; בְּ׳ הַבַּעַל 75, 76; בְּ׳ יְהוּדָה 79; בְּ׳ יַעַר 81, 82; בְּ׳ יִשְׂחָק 78; בְּ׳ עוֹלָם 80; בְּ׳ הַשְּׁעָרִים 73; בְּ׳ הַתֹּפֶת 74; בֵּית(הַ)בָּמוֹת 21, 37; בָּתֵּי הַבָּמוֹת 36, 40; כֹּהֲנֵי בָמוֹת 22—24, 35-32; בָּמֳתֵי אָרֶץ 83, 87-85; בְּ׳ יָם 88; בְּ׳ עָב 84

בָּמָה 1 אָז יִבְנֶה שְׁלֹמֹה בָּמָה לִכְמוֹשׁ IK. 11:7
2 מַעֲלֶה בָמָה וּמַקְטִיר לֵאלֹהָיו Jer. 48:35
3 וַיִּקָּרֵא שְׁמָהּ בָּמָה עַד הַיּוֹם הַזֶּה Ezek. 20:29
הַבָּמָה 4 יֹצֵא לִקְרָאתָם לַעֲלוֹת הַבָּמָה ISh. 9:14
5 עֲלֵה לְפָנַי הַבָּמָה ISh. 9:19
6 וַיְכַל מֵהִתְנַבּוֹת וַיָּבֹא הַבָּמָה ISh. 10:13
7 כִּי־הִיא הַבָּמָה הַגְּדוֹלָה IK. 3:4
8 הַבָּמָה אֲשֶׁר עָשָׂה יָרָבְעָם בֶּן־נְבָט IIK. 23:15
9 אֶת־הַמִּזְבֵּחַ הַהוּא וְאֶת־הַבָּמָה נָתָץ IIK. 23:15
10 וַיִּשְׂרֹף אֶת־הַבָּמָה IIK. 23:15
11 כִּי־נִלְאָה מוֹאָב עַל־הַבָּמָה Is. 16:12
12 וָאֹמַר אֲלֵהֶם מָה הַבָּמָה... Ezek. 20:29
הַבָּמָתָה 13 בְּטֶרֶם יַעֲלֶה הַבָּמָתָה ISh. 9:13
מֵהַבָּמָה 14 וַיֵּרְדוּ מֵהַבָּמָה הָעִיר ISh. 9:25
15 חֶבֶל נְבִאִים יֹרְדִים מֵהַבָּמָה ISh. 10:5
בַּבָּמָה 16 כִּי זֶבַח הַיּוֹם לָעָם בַּבָּמָה ISh. 9:12
17 בַּבָּמָה אֲשֶׁר בְּגִבְעוֹן ICh. 16:39
18 וּמִזְבַּח הָעוֹלָה...בַּבָּמָה בְּגִבְעוֹן ICh. 21:29
לַבָּמָה 19/20 לַבָּמָה אֲשֶׁר בְּגִבְעוֹן IICh. 1:3, 13
בָּמוֹת 21 וַיַּעַשׂ אֶת־בֵּית בָּמוֹת IK. 12:31
22 וַיַּעַשׂ מִקְצוֹת הָעָם כֹּהֲנֵי בָמוֹת IK. 13:33
23/4 כֹּהֲנֵי בָמוֹת IK. 13:33 IIK. 17:32
25 וַיִּבְנוּ...בָּמוֹת וּמַצֵּבוֹת וַאֲשֵׁרִים IK. 14:23
26 וַיִּבְנוּ לָהֶם בָּמוֹת בְּכָל־עָרֵיהֶם IIK. 17:6
27 וַיְקַטְּרוּ־שָׁם בְּכָל־בָּמוֹת IIK. 17:11
28 וַתַּעֲשִׂי־לָךְ בָּמוֹת טְלֻאוֹת Ezek. 16:16

בָּמוֹת (המשך)
29 עָשָׂה־בָמוֹת בְּהָרֵי יְהוּדָה IICh. 21:11
30 וּבְכָל־עִיר...עָשָׂה בָמוֹת לְקַטֵּר IICh. 28:25
31 וְהַמְּקֹמוֹת אֲשֶׁר בָּנָה בָהֶם בָּמוֹת IICh. 33:19
הַבָּמוֹת 32 אֶת־כֹּהֲנֵי הַבָּמוֹת אֲשֶׁר עָשָׂה IK. 12:32
35-33 כֹּהֲנֵי הַבָּמוֹת IK. 13:2 • IIK. 23:9, 20
36 וְעַל כָּל־בָּתֵּי הַבָּמוֹת IK. 13:32
37 וַיַּנִּיחוּ בְּבֵית הַבָּמוֹת IIK. 17:29
38 וַיִּהְיוּ עֹשִׂים לָהֶם בְּבֵית הַבָּמוֹת IIK. 17:32
39 הוּא הֵסִיר אֶת־הַבָּמוֹת IIK. 18:4
40 וְגַם אֶת־כָּל־בָּתֵּי הַבָּמוֹת... IIK. 23:19
41 עָלָה הַבַּיִת וְדִיבֹן הַבָּמוֹת לְבֶכִי Is. 15:2
42 וַיָּסַר...אֶת־הַבָּמוֹת וְאֶת־הַחַמָּנִים IICh. 14:4
48 לְטַהֵר...מִן־הַבָּמוֹת וְהָאֲשֵׁרִים IICh. 34:3
55-44 הַבָּמוֹת IK. 22:44 • IIK.12:4; 14:4 15:4, 35; 21:3; 23:8, 13 • IICh. 17:6; 20:33; 31:1; 33:3
וְהַבָּמוֹת 56 וְהַבָּמוֹת לֹא־סָרוּ IK. 15:14
57 הֶעָרִים תֶּחֱרַבְנָה וְהַבָּמוֹת תִּישָׁמְנָה Ezek. 6:6
58 וַיָּסַר אֶת־מִזְבְּחוֹת הַנֵּכָר וְהַבָּמוֹת IICh. 14:2
59 וְהַבָּמוֹת לֹא־סָרוּ מִיִּשְׂרָאֵל IICh. 15:17
בַּבָּמוֹת 60 רַק הָעָם מְזַבְּחִים בַּבָּמוֹת IK. 3:2
61 רַק בַּבָּמוֹת הוּא מְזַבֵּחַ IK. 3:3
66-62 מְזַבְּחִים וּמְקַטְּרִים בַּבָּמוֹת IK. 22:44
IIK. 12:4; 14:4; 15:4, 35
70-67 בַּבָּמוֹת IIK. 16:4; 23:5 • IICh. 28:4; 33:17
לַבָּמוֹת 71 כֹּהֲנִים לַבָּמוֹת וְלַשְּׂעִירִים IICh. 11:15
בָּמוֹת־ 72 אָכְלָה...בַּעֲלֵי בָּמוֹת אַרְנֹן Num. 21:28
73 וְנָתַץ אֶת־בָּמוֹת הַשְּׁעָרִים IIK. 23:8
74 וּבָנוּ בָּמוֹת הַתֹּפֶת Jer. 7:31
75 וּבָנוּ אֶת־בָּמוֹת הַבַּעַל Jer. 19:5
76 וַיִּבְנוּ אֶת־בָּמוֹת הַבַּעַל Jer. 32:35
77 וְנִשְׁמְדוּ בָּמוֹת אָוֶן Hosh. 10:8
78 וְנָשַׁמּוּ בָּמוֹת יִשְׂחָק Am. 7:9
79 וּמִי בָּמוֹת יְהוּדָה הֲלוֹא יְרוּשָׁלִָם Mic. 1:5
וּבָמוֹת־ 80 וּבָמוֹת עוֹלָם לְמוֹרָשָׁה Ezek. 36:2
לְבָמוֹת־ 81/2 וְהַר הַבַּיִת לְבָמוֹת יָעַר Jer.26:18 • Mic.3:12
בָּמֳתֵי־ 83 עַל־בָּמֳתֵי (כת׳ במותי) אָרֶץ Deut. 32:13
84 אֶעֱלֶה עַל־בָּמֳתֵי עָב Is. 14:14
85 עַל־בָּמֳתֵי (כת׳ במותי) אָרֶץ Is. 58:14
86 וְדֹרֵךְ עַל־בָּמֳתֵי אָרֶץ Am. 4:13
87 וְדָרַךְ עַל־בָּמֳתֵי (כת׳ במותי) אָרֶץ Mic. 1:3
88 וְדוֹרֵךְ עַל־בָּמֳתֵי יָם Job 9:8
בָּמוֹתַי 89/90 וְעַל־בָּמֹתַי יַעֲמִ(י)דֵנִי IISh. 22:34 • Ps. 18:34
91 וְעַל־בָּמוֹתַי יַדְרִכֵנִי Hab. 3:19
בָּמוֹתֶיךָ 92 הַצְּבִי יִשְׂרָאֵל עַל־בָּמוֹתֶיךָ חָלָל IISh. 1:19
93 יְהוֹנָתָן עַל־בָּמוֹתֶיךָ חָלָל IISh. 1:25
94 בָּמֹתֶיךָ בְּחַטָּאת בְּכָל־גְּבוּלֶיךָ Jer. 17:3
בָּמוֹתָיו 95/6 הֵסִיר...אֶת־בָּמֹתָיו IIK. 18:22 • Is. 36:7
97 הֲלֹא־הוּא...הֵסִיר אֶת־בָּמֹתָיו IICh. 32:12
בָּמוֹתֵיכֶם 98 וְהִשְׁמַדְתִּי אֶת־בָּמֹתֵיכֶם Lev. 26:30
99 וְאִבַּדְתִּי בָּמוֹתֵיכֶם Ezek. 6:3
בָּמוֹתָם 100 וְאֵת כָּל־בָּמוֹתָם תַּשְׁמִידוּ Num. 33:52
101 וּבְפִגְרֵי מַלְכֵיהֶם בָּמוֹתָם Ezek. 43:7
בְּבָמוֹתָם 102 וַיַּכְעִיסוּהוּ בְּבָמוֹתָם Ps. 78:58
בָּמוֹתֵימוֹ 103 וְאַתָּה עַל־בָּמוֹתֵימוֹ תִדְרֹךְ Deut. 33:29

בִּמְהָל

שפ״ז – ראש בית־אב לבני אשר
וּבִמְהָל 1 וּבְנֵי יַפְלֵט פָּסַךְ וּבִמְהָל וְעַשְׁוָת ICh. 7:33

בְּמוֹ־

צורה מליצית של ״בְּ־״: 1—9
בְּמוֹ 1 כְּהִדּוֹשׁ מַתְבֵּן בְּמוֹ (כ׳ במי) מַדְמֵנָה Is. 25:10
2 כִּי־תֵלֵךְ בְּמוֹ־אֵשׁ לֹא תִכָּוֶה Is. 43:2
3 חֶצְיוֹ שָׂרַף בְּמוֹ־אֵשׁ Is. 44:16
4 חֶצְיוֹ שָׂרַפְתִּי בְמוֹ־אֵשׁ Is. 44:19

בְּמוֹ (המשך)
5 לִירוֹת בְּמוֹ־אֹפֶל לְיִשְׁרֵי־לֵב Ps. 11:2
6 וְאָנִיעָה עֲלֵיכֶם בְּמוֹ רֹאשִׁי Job 16:4
7 אֲאַמִּצְכֶם בְּמוֹ־פִי Job 16:5
8 בְּמוֹ־פִי אֶתְחַנֶּן־לוֹ Job 19:16
9 וַתָּבוֹא חַיָּה בְמוֹ־אָרֶב Job 37:8

בָּמוֹת

תחנה במסעי ישראל במדבר
1 וּמִנַּחֲלִיאֵל בָּמוֹת Num. 21:19
וּמִבָּמוֹת 2 וּמִבָּמוֹת הַגַּיְא...בִּשְׂדֵה מוֹאָב Num. 21:20

בָּמוֹת בַּעַל

מקום בארץ מואב
בָּמוֹת בַ׳ 1 וַיִּקָּח...וַיַּעֲלֵהוּ בָּמוֹת בָּעַל Num. 22:41
וּבָמוֹת בַ׳ 2 דִּיבוֹן וּבָמוֹת בַּעַל Josh. 13:17

בֵּן[1]

ז׳ א) איש או בעל־חיים ביחס אל הוריו: רוב המקראות
ב) כנוי חבה לצעיר בשנים: 1806-1771, 1846, 1860, 1865
ג) [כנסמך למספר] הוא בגיל...: 1471—1574, 1580, 1620—1669, 1671, 1672, 1676, 3097—3129
ד) [כנסמך לשמות שונים] לציון תכונה, השתיכות לעם, לשבט, למקום וכדומה: ראה הצרופים
קרובים: בַּר / וָלָד / יֶלֶד / נִין / נֶכֶד / צֶאֱצָא

– בֵּן בְּכוֹר 103, 1771, 1825, 1829, 2116/7; בֵּן גָּדוֹל 1894, 2127, 2130; בֵּן זָכָר 25; בֵּן חָכָם 20, 34, 35, 38, 43; בֵּן יַקִּיר 109; בֵּן כְּסִיל 39, 40, 101; בֵּן לֹא חָכָם 28; בֵּן מֵבִין 42; בֵּן מֵבִישׁ 37, 41, 110; בֵּן מַחְפִּיר 41; בֵּן מַשְׂכִּיל 36; בֵּן נְכֵה רַגְלָיִם 15, 16; בֵּן סוֹרֵר וּמוֹרֶה 12, 2149; בֵּן פֹּרָת 10, 11; בֵּן פָּרִיץ 26; בֵּן קָטָן 17, 1884, 1904, 2128, 2131; נֶפֶשׁ הַבֵּן 105; עֲוֹן הַבֵּן 107

– בֶּן־אַבְרָהָם 129, 130; בֶּן אֲדוֹנָיו 201, 204, 1609, 1610, 1614/5; בֶּן־אָדָם 228—326, 1584, 1591, 1592, 1594, 1595, 1608, 1619, 1670; בֶּן אֲהוּבָה 175; בֶּן־אֲחוֹתוֹ 131; בֶּן־אָחִיו 120, 121; בֶּן־אִישׁ 168, 182, 185, 200, 207, 212, 337; בֶּן אָמָה 127/8, 135, 332, 1618; בֶּן־אִמּוֹ 133, 174, 1607; בֶּן־אֱנוֹשׁ 333; בֶּן אִשָּׁה 167, 170, 179, 180, 213—215, 338; בֶּן־אֲתוֹנוֹת 330; בֶּן־בִּטְנִי 223, 4188; בֶּן־בֵּיתוֹ 122; בֶּן־בְּלִיַּעַל 199; בֶּן־בְּנוֹ 178, 225, 1582, 1585, 1831, 1836, 1851, 1886, 1900; בֶּן־בָּקָר 125, 136—165, 172, 173, 1581; בֶּן־גֹּרֶן 1590; בֶּן־דּוֹדוֹ 171, 226, 227; בֶּן־זוֹנָה 179; בֶּן זְקֻנִים 132; בֶּן־חוֹרִים 335; בֶּן־חַיִל 184, 206, 1612, 1616; בֶּן חֲכָמִים 221; בֶּן־יוֹנָה 1583; בֶּן יְמִינִי 183, 205, 210/1; בֶּן־יִשַׁי 191, 193, 195—198, 1586, 1604—1606, 1613; בֶּן־יִשְׂרְאֵלִית 169; בֶּן־מָוֶת 194, 202; בֶּן־מֶלֶךְ 203, 208, 209, 217, 218, 222, 1617; בֶּן־מְרַצֵּחַ 216; בֶּן־מֶשֶׁק 1579; בֶּן נָבִיא 329; בֶּן נַעֲוַת הַמַּרְדּוּת 192; בֶּן־נֵכָר 123, 124, 134, 166, 224, 327, 328; בֶּן־עַבְדּוֹ 189; בֶּן־עַוְלָה 1593; בֶּן־קֶשֶׁת 334; בֶּן־רְאֵמִים 331; בֶּן־שַׁחַר 220; בֶּן־שֶׁמֶן 219; בֶּן שְׂנוּאָה 176, 177

– בִּן הַכּוֹת 1700; בִּן־יְקָה 1701; בִּן־לַיְלָה 1703, 1704; בִּן־נוּן 1673—1699, 1702

– אֵשֶׁת בְּנוֹ 1835, 1887; בֶּן בְּ׳ כ׳ למעלה בֶּן־; בַּת בְּ׳ 1834, 2133; דּוּדָאֵי בְּ׳ 1715, 1716, 1866, 1867; יַד בְּ׳ 1845; יְמֵי בְּ׳ 1898; כְּתֹנֶת בְּ׳ 1717, 1826; נֶפֶשׁ בְּ׳ 1869; עָרְלַת בְּ׳ 2132; צֵיד בְּ׳ 1713, 1895; שֵׁבֶט בְּ׳ 1782; שֵׁם־בְּ׳ 1888, 1891, 1897, 1903; רֵיחַ בְּ׳ 1714; שַׂעֲרַת בְּ׳ 1868

– אָבוֹת וּבָנִים ראה אָב; בָּנִים וּבָנוֹת ראו: בַּת

אֵם עַל בָּנִים 2172, 2201,2303; בָּנִים זָרִים 2200;
בָּ׳ כֶּחָשִׁים 2190; בָּ׳ מַשְׁחִיתִים 2187; בָּ׳ סוֹרְרִים
2189; בָּ׳ סְכָלִים 2195; בָּ׳ קְשֵׁי פָנִים 2314:
בָּ׳ שׁוֹבָבִים 2193,2194; אֵם הַבָּנִים 2309; בְּנֵי בָ׳
ראה להלן בְּנֵי; לֵב בָּ׳ 2205; מִשְׁבַּר בָּ׳ 2203; רַבַּת
בָּ׳ 2183; שְׁנֵי בָ׳ 2197, 2307; תִּפְאֶרֶת בָּ׳ 2216
– בְּנֵי אָבִיו 3010, 3022, 4097; בְּ׳ אֶבְיוֹן 4186;
בְּ׳ אֲדוֹנָיו 3384, 3385, 4342; בְּ׳ אָדָם 2335—2366,
3925, 4163—4173, 4343, 4345—4347; בְּ׳ אַהֲרֹן 3061,
3063-3096,4075,4290,4317; בְּ׳ אֶחָיו 3935; בְּ׳ אִישׁ
3008, 3009, 3412—3414, 3433; בְּ׳ אִיתָמָר 4096;
בְּ׳ אֵל חַי 3407; בְּ׳ הָאֱלֹהִים 2321-2325; בְּ׳ אֵלִים
3415, 4093; בְּנֵי אִמּוֹ 2458, 3355, 3431, 4185;
בְּ׳ אֶפְרַיִם 3209—3221; בְּ׳ אֶרֶץ הַבְּרִית 3921;
בְּ׳ אִשָּׁה 3356; בְּ׳ אַשְׁפָּה 3432; בְּ׳ אָשֵׁר 3280—
3287; בְּ׳ בַיִת 3929; בְּ׳ בְלִיַּעַל 3320-3326, 3912;
בְּ׳ בְלִי שֵׁם 3428; בְּ׳ בָנִים 2207, 2214, 2215, 3062,
3357, 3396, 3421, 3422, 3430, 3865, 3866, 3911, 3918,
3922, 3934, 4187, 4293; בְּ׳ בִנְיָמִין 3233—3265;
בְּ׳ בְעוֹלָה 4344; בְּ׳ בָקָר 3311—3315, 3399, 3913;
בְּ׳ בָשָׁן 3327; בְּ׳ הַגְּבִירָה 3917; בְּ׳ גָד 3300—
3310, 3867—3877; בְּ׳ הַגְּדוּד 3936; בְּ׳ הַגּוֹלָה
3437-3442; בְּ׳ גֵרְשׁוֹן 3141-3146; בְּ׳ דוֹדִים 4154;
בְּ׳ דָן 3266-3279; בְּ׳ זְבוּלוּן 4390; בְּ׳ זְנוּנִים 3408;
בְּ׳ חַיִל 3317, 3358—3362, 3383, 3447, 3448, 3914,
4157, 4158, 4336; בְּ׳ חֲלוֹף 3425; בְּ׳ חֵת 2334,
2449—2456, 4101; בְּ׳ יְהוּדָה 3172—3208,3878—3883;
בְּ׳ יוֹנָה 3130—3138; בְּ׳ הַיְּוָנִים 4162; בְּ׳ יוֹסֵף
3011—3021; בְּ׳ יְמִינִי 3363, 3364; בְּ׳ יַעֲקֹב 2886—
2999; בְּ׳ הַיִּצְהָר 3411; בְּ׳ יְרוּשָׁלָיִם 3924; בְּנֵי
יִשְׂרָאֵל 2460-2885, 3884-3910, 4074, 4076-4087, 4102-
4152,4318-4333,4392; בְּ׳ הַכֹּהֲנִים 4393; בְּ׳ כּוּשִׁיִּים
4098; בְּ׳ לָבִיא 3927; בְּ׳ לֵוִי 3042—3060, 4292;
בְּ׳ הַמְּדִינָה 3436,3443; בְּ׳ מָוֶת 3365; בְּ׳ הַמַּכִּים
3387; בְּ׳ הַמֶּלֶךְ 3336-3354, 3916, 4337; בְּ׳ מְנַשֶּׁה
3222-3232; בְּ׳ מְעַנָּיו 3395; בְּ׳ מֶרִי 4153; בְּ׳ מְרָרִי
3157—3177; בְּ׳ הַמְשֹׁרְרִים 3444; בְּ׳ הַנְּבִיאִים
3378—3382, 3915, 4159, 4338—4341; בְּ׳ נָבָל 3427;
בְּ׳ נֹחַ 2326—2330; בְּ׳ נֵכָר 3368—3377, 3919, 3920;
בְּ׳ הַנְּעוּרִים 3419; בְּ׳־נֶשֶׁר 3423; בְּ׳ עֲבָדִים
3418, 3931—3933; בְּ׳ עַוְלָה 3366, 3367, 3445;
בְּ׳ עוֹנְנָה 3394; בְּ׳ עִזִּים 3937; בְּ׳ עַלְוָה 3409;
בְּ׳ עֶלְיוֹן 3926; בְּ׳ הָעָם 3390, 3397, 3398, 3449,
3450,4189,4190; בְּ׳ עַמּוֹ 2457,3139,3140,3289, 3400-
3406, 4155, 4156; בְּ׳ עַמּוֹן 2367-2448, 4088-4092,
4094, 4095, 4391; בְּ׳־עֹנִי 3424; בְּ׳ עֲנָק 3288,
3318,3328,3329; בְּ׳עֲנָקִים 3316,3319; בְּ׳ עֵשָׂו 3000-
3007; בְּ׳ פִילַגְשִׁים 4289; בְּ׳ פָרִיצִים 3930; בְּנֵי
צֹאן 3399, 4099, 4100; בְּ׳ צִיּוֹן 3420, 3434, 3923;
בְּ׳ קֶדֶם 2459,3330—3335, 4160/1; בְּ׳ קֵדָר 3391;
בְּ׳ קְהָת 3147—3156, 4291; בְּ׳ קֹרַח 4174—4184;
בְּ׳ רְאוּבֵן 3024—3041; בְּ׳ רְבִיעִים 3386, 3389;
בְּ׳ הָרַמָּכִים 3435; בְּ׳ רֶשֶׁף 3928; בְּ׳ הַשְּׁבָטִים
4335; בְּ׳ שׁוֹמֵמָה 3393; בְּ׳ שַׁחַץ 3426, 3429;
בְּ׳ שִׁכּוּלִים 3392; בְּ׳שִׁלֵּשִׁים 3023; בְּ׳ שֵׁם 2331—
2333; בְּ׳ שִׁמְעוֹן 3290—3299; בְּ׳ הַתּוֹשָׁבִים 4334;
בְּ׳ תְמוּתָה 3416, 3417; בְּ׳ תַעֲנוּגָיו 3410;
בְּנֵי תַעֲרוּבוֹת 3388, 3446
– אֹזֶן בָּנָיו 4529; בִּגְדֵי בָ׳ 4530, 4532, 4534-4536,
4540—4542; בְּכוֹר בָּ׳ 4419, 4438, 4440; בְּכוֹרוֹת
בָּ׳ 4776; בְּנוֹת בָּ׳ 4526; בְּנֵי בָ׳ 3922, 4436, 4443,
4466; בְּשַׂר בָּ׳ 4445, 4545, 4787 4832; גְּוִיּוֹת בָּ׳
4550; גּוּפוֹת בָּ׳ 4559; דַּם (דְּמֵי) בָּ׳ 4508, 4551,
4835; דּוֹר בָּ׳ 4457; חֵיק בָּ׳ 4833; חֹק בָּ׳ 4441,
4442; יַד בָּ׳ 4521,4528; יְמֵי בָ׳ 4790; יֶתֶר בָּ׳ 4544;
כַּעַס בָּ׳ 4548; כַּפֵּי בָ׳ 4533,4538; מִשְׁחַת בָּ׳ 4537;
נֶפֶשׁ בָּ׳ 4449, 4527; נְשֵׁי בָ׳ 4434, 4435, 4517—
4519; עֵינֵי בָ׳ 4556; שְׁלוֹם בָּ׳ 4513

1 וַתֵּלֶד בֵּן וַתִּקְרָא אֶת־שְׁמוֹ שֵׁת Gen. 4:25
2 וּלְשֵׁת גַּם־הוּא יֻלַּד בֵּן Gen. 4:26
3 וַיְחִי־לֶמֶךְ...וַיּוֹלֶד בֵּן Gen. 5:28
4 הִנָּךְ הָרָה וְיֹלַדְתְּ בֵּן Gen. 16:11
5 וַתֵּלֶד הָגָר לְאַבְרָם בֵּן Gen. 16:15
6 וְגַם נָתַתִּי מִמֶּנָּה לְךָ בֵּן Gen. 17:16
7 אֲבָל שָׂרָה אִשְׁתְּךָ יֹלֶדֶת לְךָ בֵּן Gen. 17:19
8 וְהִנֵּה־בֵן לְשָׂרָה אִשְׁתֶּךָ Gen. 18:10
9 לַמּוֹעֵד אָשׁוּב אֵלֶיךָ···וּלְשָׂרָה בֵן Gen. 18:14
10/1 בֵּן פֹּרָת יוֹסֵף בֵּן פֹּרָת עֲלֵי־עָיִן Gen. 49:22
12 כִּי־יִהְיֶה לְאִישׁ בֵּן סוֹרֵר וּמוֹרֶה Deut. 21:18
13 הִנֵּה רָאִיתִי בֵּן לְיִשַׁי ISh. 16:18
14 וַיִּמָּלֵט בֵּן־אֶחָד לַאֲחִימֶלֶךְ ISh. 22:20
15 וְלִיהוֹנָתָן... בֵּן נְכֵה רַגְלָיִם IISh. 4:4
16 עוֹד בֵּן לִיהוֹנָתָן נְכֵה רַגְלָיִם IISh. 9:3
17 וְלִמְפִיבֹשֶׁת בֵּן־קָטָן IISh. 9:12
18 אֵין־לִי בֵן בַּעֲבוּר הַזְכִּיר שְׁמִי IISh. 18:18
19 וַתִּתֶּן־לוֹ בֵן יֹשֵׁב עַל־כִּסְאוֹ IK. 3:6
20 אֲשֶׁר נָתַן לְדָוִד בֵּן חָכָם IK. 5:21
21 הִנֵּה־בֵן נוֹלָד לְבֵית־דָּוִד IK. 13:2
22 לַמּוֹעֵד הַזֶּה...אַתְּ חֹבֶקֶת בֵּן IIK. 4:16
23 הִנֵּה הָעַלְמָה הָרָה וְיֹלֶדֶת בֵּן Is. 7:14
24 כִּי־יֶלֶד יֻלַּד־לָנוּ בֵּן נִתַּן־לָנוּ Is. 9:5
25 אֲשֶׁר בִּשַּׂר...יֻלַּד־לְךָ בֵּן זָכָר Jer. 20:15
26 וְהוֹלִיד בֵּן־פָּרִיץ שֹׁפֵךְ דָּם Ezek. 18:10
27 בֵּן לֹא־יִשָּׂא בַּעֲוֹן הָאָב Ezek. 18:20
28 הוּא־בֵן לֹא חָכָם Hosh. 13:13
29 כִּי־בֵן מְנַבֵּל אָב Mic. 7:6
30 בֵּן יְכַבֵּד אָב וְעֶבֶד אֲדֹנָיו Mal. 1:6
31 וְעַל־בֵּן אִמַּצְתָּה לָּךְ Ps. 80:16
32 וּכְאָב אֶת־בֵּן יִרְצֶה Prov. 3:12
33 כִּי־בֵן הָיִיתִי לְאָבִי Prov. 4:3
34/5 בֵּן חָכָם יְשַׂמַּח(־)אָב Prov. 10:1; 15:20
36 אֹגֵר בַּקַּיִץ בֵּן מַשְׂכִּיל Prov. 10:5
37 נִרְדָּם בַּקָּצִיר בֵּן מֵבִישׁ Prov. 10:5
38 בֵּן חָכָם מוּסַר אָב Prov. 13:1
39 כַּעַס לְאָבִיו בֵּן כְּסִיל Prov. 17:25
40 הַוֹּת לְאָבִיו בֵּן כְּסִיל Prov. 19:13
41 בֵּן מֵבִישׁ וּמַחְפִּיר Prov. 19:26
42 נוֹצֵר תּוֹרָה בֵּן מֵבִין Prov. 28:7
43 בֵּן חָכָם יוֹדֵעַ שֵׂכֶל וּבִינָה IICh. 2:11
44 וְלֹא־נִשְׁאַר־לוֹ בֵּן IICh. 21:17
45-98 בֵּן Gen. 19:37, 38; 21:2, 7; 24:36
29:32, 33, 34, 35; 30:5, 6, 7, 10, 12, 17, 19, 23, 24;
35:17; 38:3, 4, 5 • Ex. 1:16; 2:2, 22; 21:31 • Num.
27:4 • Jud. 8:31; 11:34; 13:3, 5, 7, 24 • ISh. 1:24;
4:20; 9:2 • IISh. 11:27; 12:24 • IIK. 1:17; 4:14, 17,
28 • Is. 8:3 • Jer. 33:21 • Ezek. 18:14 • Hosh. 1:3, 8
• Ruth 4:13, 17 • Eccl. 4:8; 5:13 • ICh. 7:16, 23;
22:9(8)

וּבֵן 99 אִישׁ כִּי־יָמוּת וּבֵן אֵין לוֹ Num. 27:8
100 וּמֵת אַחַד מֵהֶם וּבֵן אֵין־לוֹ Deut. 25:5
101 וּבֵן כְּסִיל תּוּגַת אִמּוֹ Prov. 10:1

הַבֵּן 102 כָּל־הַבֵּן הַיִּלּוֹד הַיְאֹרָה תַּשְׁלִיכֻהוּ Ex. 1:22
103 וְהָיָה הַבֵּן הַבְּכֹר לַשְּׂנִיאָה Deut. 21:15
104 גַּם הַבֵּן הַיִּלּוֹד לְךָ מוֹת־יָמוּת IISh. 12:14

הַבֵּן (המשך) 105 כְּנֶפֶשׁ הָאָב וּכְנֶפֶשׁ הַבֵּן לִי־הֵנָּה Ezek. 18:4
106 מַדֻּעַ לֹא־נָשָׂא הַבֵּן בַּעֲוֹן הָאָב Ezek. 18:19
107 וְאָב לֹא יִשָּׂא בַּעֲוֹן הַבֵּן Ezek. 18:20

וְהַבֵּן 108 וְהַבֵּן מִשְׁפָּט וּצְדָקָה עָשָׂה Ezek. 18:19

הֲבֵן 109 הֲבֵן יַקִּיר לִי אֶפְרַיִם Jer. 31:20(19)

בְּבֵן 110 עֶבֶד־מַשְׂכִּיל יִמְשֹׁל בְּבֵן מֵבִישׁ Prov. 17:2

לְבֵן 111 וַיִּגְדַּל הַיֶּלֶד...וַיְהִי־לָהּ לְבֵן Ex. 2:10
112 וּבִמְלֹאת יְמֵי טָהֳרָהּ לְבֵן אוֹ לְבַת Lev. 12:6
113/5 יִהְיֶה־לִּי לְבֵן IISh. 7:14 • ICh. 17:13; 22:10(9)
116 כִּי־בָחַרְתִּי בוֹ לִי לְבֵן ICh. 28:6

וּלְבֵן 117 לְאָב וּלְאֵם וּלְבֵן וּלְבַת...יִטַּמָּאוּ Ezek. 44:25

לַבֵּן 118 לַמְנַצֵּחַ עַל־מוּת לַבֵּן Ps. 9:1

בֶּן־ 119 וַיִּקַּח...וְאֶת־לוֹט בֶּן־הָרָן Gen. 11:31
120 וַיִּקַּח...וְאֶת־לוֹט בֶּן־אָחִיו Gen. 12:5
121 אֶת־לוֹט...בֶּן־אֲחִי אַבְרָם Gen. 14:12
122 וְהִנֵּה בֶן־בֵּיתִי יוֹרֵשׁ אֹתִי Gen. 15:3
123 וּמִקְנַת־כֶּסֶף מִכֹּל בֶּן־נֵכָר Gen. 17:12
124 וּמִקְנַת־כֶּסֶף מֵאֵת בֶּן־נֵכָר Gen. 17:27
125 וַיִּקַּח בֶּן־בָּקָר רַךְ וָטוֹב Gen. 18:7
126 וַתֵּרֶא שָׂרָה אֶת־בֶּן־הָגָר Gen. 21:9
127 כִּי לֹא יִירַשׁ בֶּן־הָאָמָה הַזֹּאת Gen. 21:10
128 אֶת־בֶּן־הָאָמָה לְגוֹי אֲשִׂימֶנּוּ Gen. 21:13
129 תֹּלְדֹת יִשְׁמָעֵאל בֶּן־אַבְרָהָם Gen. 25:12
130 תּוֹלְדֹת יִצְחָק בֶּן־אַבְרָהָם Gen. 25:19
131 אֶת־שֵׁמַע יַעֲקֹב בֶּן־אֲחֹתוֹ Gen. 29:13
132 כִּי־בֶן־זְקֻנִים הוּא לוֹ Gen. 37:3
133 וַיַּרְא אֶת־בִּנְיָמִין...בֶּן־אִמּוֹ Gen. 43:29
134 כָּל־בֶּן־נֵכָר לֹא־יֹאכַל בּוֹ Ex. 12:43
135 וְיִנָּפֵשׁ בֶּן־אֲמָתְךָ וְהַגֵּר Ex. 23:12
136 לְקַח פַּר אֶחָד בֶּן־בָּקָר Ex. 29:1
137 וְשָׁחַט אֶת־בֶּן־הַבָּקָר לִפְנֵי יְיָ Lev. 1:5
138 פַּר בֶּן־בָּקָר תָּמִים Lev. 4:3
139-164 פַּר(...)בֶּן־בָּקָר Lev. 4:14; 16:3
23:18 • Num. 7:15, 21, 27, 33, 39, 45, 51, 57, 63; 69,
75, 81; 8:8[2]; 15:24; 29:2, 8 • Ezek. 43:19, 23:25;
45:18; 46:6 • IICh. 13:9

165 עֵגֶל בֶּן־בָּקָר לְחַטָּאת Lev. 9:2
166 וּמִיַּד בֶּן־נֵכָר לֹא תַקְרִיבוּ Lev. 22:25
167 וַיֵּצֵא בֶּן־אִשָּׁה יִשְׂרְאֵלִית Lev. 24:10
168 וְהוּא בֶּן־אִישׁ מִצְרִי Lev. 24:10
169 בֶּן הַיִּשְׂרְאֵלִית וְאִישׁ הַיִּשְׂרְאֵלִי Lev. 24:10
170 וַיִּקֹּב בֶּן־הָאִשָּׁה הַיִּשְׂרְאֵלִית Lev. 24:11
171 אוֹ בֶן־דֹּדוֹ יִגְאָלֶנּוּ Lev. 25:49
172 וְכִי־תַעֲשֶׂה בֶן־בָּקָר עֹלָה Num. 15:8
173 וְהִקְרִיב עַל־בֶּן־הַבָּקָר Num. 15:9
174 כִּי יְסִיתְךָ אָחִיךָ בֶן־אִמֶּךָ Deut. 13:7
175 לֹא יוּכַל לְבַכֵּר אֶת־בֶּן־הָאֲהוּבָה Deut. 21:16
176 עַל־פְּנֵי בֶן־הַשְּׂנוּאָה הַבְּכֹר Deut. 21:16
177 אֶת־הַבְּכֹר בֶּן־הַשְּׂנוּאָה יַכִּיר Deut. 21:17
178 גַּם־אַתָּה גַּם־בִּנְךָ גַּם בֶּן־בְּנֶךָ Jud. 8:22
179 וְהוּא בֶּן־אִשָּׁה זוֹנָה Jud. 11:1
180 כִּי בֶּן־אִשָּׁה אַחֶרֶת אָתָּה Jud. 11:2
181/2 בֶּן־אֲפִיחַ בֶּן־אִישׁ יְמִינִי ISh. 9:1
183 הֲלוֹא בֶן־יְמִינִי אָנֹכִי ISh. 9:21
184 כָּל־אִישׁ גִּבּוֹר וְכָל־בֶּן־חַיִל ISh. 14:52
185 וְדָוִד בֶּן־אִישׁ אֶפְרָתִי ISh. 17:12
186 בֶּן־מִי־זֶה הַנַּעַר ISh. 17:55
187 שְׁאַל אַתָּה בֶּן־מִי־זֶה הָעָלֶם ISh. 17:56
188 בֶּן־מִי אַתָּה הַנָּעַר ISh. 17:58
189 בֶּן־עַבְדְּךָ יִשַׁי בֵּית הַלַּחְמִי ISh. 17:58
190 וִיהוֹנָתָן בֶּן־שָׁאוּל חָפֵץ בְּדָוִד ISh. 19:1
191 מַדּוּעַ לֹא־בָא בֶן־יִשַׁי... ISh. 20:27

בֶּן־ (המשך)

192 בֶּן־נַעֲוַת הַמַּרְדּוּת ISh. 20:30
193 כִּי כָל־הַיָּמִים אֲשֶׁר בֶּן־יִשַׁי חַי ISh. 20:31
194 כִּי בֶן־מָוֶת הוּא ISh. 20:31
195 גַּם־לְכֻלְּכֶם יִתֵּן בֶּן־יִשַׁי שָׂדוֹת ISh. 22:7
196 בִּכְרָת־בְּנִי עִם־בֶּן־יִשַׁי ISh. 22:8
197 רָאִיתִי אֶת־בֶּן־יִשַׁי בָּא נֹבֶה ISh. 22:9
198 מִי דָוִד וּמִי בֶן־יִשָׁי ISh. 25:10
199 וְהוּא בֶּן־בְּלִיַּעַל מִדַּבֵּר אֵלָיו ISh. 25:17
200 בֶּן־אִישׁ גֵּר עֲמָלֵקִי אָנֹכִי ISh. 1:13
201 וּמְפִיבֹשֶׁת בֶּן־אֲדֹנֶיךָ יֹאכַל IISh. 9:10
202 בֶּן־מָוֶת הָאִישׁ הָעֹשֶׂה זֹאת IISh. 12:5
203 מַדּוּעַ אַתָּה כָּכָה דַּל בֶּן־הַמֶּלֶךְ IISh. 13:4
204 וְאַיֵּה בֶּן־אֲדֹנֶיךָ IISh. 16:3
205 וְאַף כִּי־עַתָּה בֶּן־הַיְמִינִי IISh. 16:11
206 וְהוּא גַם־בֶּן־חַיִל IISh. 17:10
207 וַעֲמָשָׂא בֶן־אִישׁ וּשְׁמוֹ יִתְרָא IISh. 17:25
208 לֹא־אֶשְׁלַח יָדִי אֶל־בֶּן־הַמֶּלֶךְ IISh. 18:12
209 כִּי עַל־כֵּן בֶּן־הַמֶּלֶךְ מֵת IISh. 18:20
210/1 שִׁמְעִי...בֶּן הַיְמִינִי IISh. 19:17 • IK. 2:8
212 בֶּן־אִישׁ־חַיִל רַב־פְּעָלִים IISh. 23:20
213 וַיָּמָת בֶּן־הָאִשָּׁה הַזֹּאת IK. 3:19
214 בֶּן־אִשָּׁה אַלְמָנָה הוּא IK. 7:14
215 חָלָה בֶּן־הָאִשָּׁה בַּעֲלַת הַבָּיִת IK. 17:17
216 כִּי־שָׁלַח בֶּן־הַמְרַצֵּחַ הַזֶּה IIK. 6:32
217 וַיַּרְא אֹתָם אֶת־בֶּן־הַמֶּלֶךְ IIK. 11:4
218 וַיּוֹצִא אֶת־בֶּן־הַמֶּלֶךְ IIK. 11:12
219 כֶּרֶם...בְּקֶרֶן בֶּן־שָׁמֶן Is. 5:1
220 נָפַלְתָּ מִשָּׁמַיִם הֵילֵל בֶּן־שָׁחַר Is. 14:12
221/2 בֶּן־חֲכָמִים אֲנִי בֶּן־מַלְכֵי־קֶדֶם Is. 19:11
223 הֲתִשְׁכַּח...מֵרַחֵם בֶּן־בִּטְנָהּ Is. 49:15
224 וְאַל־יֹאמַר בֶּן־הַנֵּכָר Is. 56:3
225 וְאֶת־בְּנוֹ וְאֶת בֶּן־בְּנוֹ Jer. 27:7
226/7 חֲנַמְאֵל בֶּן־דֹּדִי Jer. 32:8, 9
228-230 וְלֹא־יָגוּר בָּהּ בֶּן־אָדָם Jer. 49:18, 33; 50:40
231 וְלֹא־יַעֲבֹר בָּהֵן בֶּן־אָדָם Jer. 51:43
232-324 בֶּן־אָדָם Ezek. 2:1, 3, 6. 8; 3:1, 3, 4, 10
17, 25; 4:1, 16; 5:1; 6:2; 7:2; 8:5, 6, 8, 12, 15, 17; 11:2, 4, 15; 12:2, 3, 9, 18, 22, 27; 13:2, 17; 14:3, 13; 15:2; 16:2; 17:2; 20:3, 4, 27; 21:2, 7, 11, 14, 17, 19, 24, 33; 22:2, 18, 24; 23:2, 36; 24:2, 16, 25; 25:2; 26:2; 27:2; 28:2, 12, 21; 29:2, 18; 30:2, 21; 31:2; 32:2, 18; 33:2, 7, 10, 12, 24, 30; 34:2; 35:2; 36:1, 17; 37:3, 9, 11, 16; 38:2, 14; 39:1, 17; 40:4; 43:7, 10, 18; 44:5; 47:6
325 עַל־בֶּן־אָדָם אִמַּצְתָּ לָּךְ Ps. 80:18
326 הָבֵן בֶּן־אָדָם Dan. 8:17
327/8 כָּל־בֶּן־נֵכָר...לְכָל־בֶּן־נֵכָר... Ezek. 44:9
329 לֹא נָבִיא אָנֹכִי וְלֹא בֶן־נָבִיא אָנֹכִי Am. 7:14
330 וְרֹכֵב...וְעַל־עַיִר בֶּן־אֲתֹנוֹת Zech. 9:9
331 וַיַּרְקִידֵם...כְּמוֹ בֶן־רְאֵמִים Ps. 29:6
332 אֲנִי־עַבְדְּךָ בֶּן־אֲמָתֶךָ Ps. 116:16
333 מָה אָדָם...בֶּן־אֱנוֹשׁ וַתְּחַשְּׁבֵהוּ Ps. 144:3
334 לֹא־יַבְרִיחֶנּוּ בֶן־קָשֶׁת Job 41:20
335 אַשְׁרֵיךְ אֶרֶץ שֶׁמַּלְכֵּךְ בֶּן־חוֹרִים Eccl. 10:17
336/7 בְּנָיָה בֶן־יְהוֹיָדָע בֶּן־אִישׁ־חַיִל ICh. 11:22
338 בֶּן־אִשָּׁה מִן־בְּנוֹת דָּן IICh. 2:13

339-1470 בֵּן־ (א) Gen. 23:8; 24:15, 24, 47
25:9; 28:5, 9; 29:5, 12; 34:2, 18; 36:10^{2}, 12, 17, 32; 36:33, 35, 38, 39; 46:10; 50:23 • Ex. 6:15, 25; 31:2, 6; 35:30, 34; 38:21, 22, 23 • Num. 1:5, 6, 7, 8, 9, 10^{2}, 11, 12, 13, 14, 15; 2:3, 5, 7, 10, 12, 14, 18, 20, 22, 25, 27, 29; 3:24, 30, 32, 35; 4:16, 28, 33; 7:8, 12, 17, 18, 23, 24, 29, 30, 35, 36, 41, 42, 47, 48, 53, 54, 59, 60, 65, 66, 71, 72, 77, 78, 83; 10:14, 15, 16, 18, 19, 20, 23, 24, 25, 26, 27,

בֶּן־ (המשך)

29; 13:4, 5, 6, 7, 9, 10, 11, 12, 13, 14, 15; 14:6, 30, 38; 16:1^{4}; 17:2; 22:4, 5, 10, 16; 25:7, 11, 14; 26:1, 33, 65; 27:1^{5}; 31:6, 8; 32:12, 39, 40, 41; 34:19, 20, 21, 22, 23, 24, 25, 26, 27, 28; 36:1^{2}, 12 • Deut. 1:36; 3:14; 11:6; 23:5 • Josh. 7:1^{2}, 18^{2}, 24; 13:22, 31; 14:6, 13, 14; 15:13, 17; 17:2, 3^{4}; 21:12; 22:13, 20, 31, 32; 24:9^{2}, 33 • Jud. 1:13; 3:9, 11, 15, 31; 4:6, 12; 5:1, 6, 12; 6:29; 7:14; 8:13, 29, 32; 9:1, 5, 18, 26, 28^{2}, 30, 31, 35, 57; 10:1; 11:25; 12:13, 15; 18:30^{2}; 20:28^{2} • ISh. 1:1^{4}; 9:1^{4}; 10:21; 14:1, 3^{3}, 50, 51; 22:9, 11, 12, 20; 23:6, 16; 25:44; 26:5, 6, 14; 27:2; 30:7 • IISh. 2:8^{2}, 10, 12, 13, 15; 3:3, 4^{2}, 14, 15, 23, 25, 28, 37; 4:1, 2, 8; 8:3, 12, 16^{2}, 17^{2}, 18; 9:4, 5, 6; 10:2; 11:21; 13:1^{2}, 3, 32, 37; 14:1; 15:27; 16:5, 9; 17:27^{2}; 18:2, 19, 22, 27; 19:17, 19, 22, 25; 20:1, 2, 6, 7, 10, 13, 21, 22, 23, 24; 21:7, 8, 17, 19, 21; 23:1, 9^{2}, 11, 18, 20, 22, 24, 26, 29^{2}, 33, 34^{3}, 36, 37 • IK. 1:5, 7, 8, 11, 26, 32, 36, 38, 42, 44; 2:5^{3}, 8, 13, 22, 25, 29, 32^{2}, 34, 35, 39, 46; 4:2, 3, 4, 5^{2}, 6, 8, 9, 10, 11, 12, 13^{2}, 14, 16, 17, 18, 19; 11:23, 26; 12:2, 15, 21, 23; 14:1, 21; 15:1, 18^{3}, 20, 25, 27, 33; 16:1, 3, 7, 8, 21, 22, 26, 29^{2}, 30, 31; 19:16^{2}, 19; 20:3, 5, 9, 10, 17, 20, 26, 32, 33^{2}; 21:22^{2}; 22:8, 9, 11, 24, 26, 41, 50, 52, 53 • IIK. 1:17; 3:1, 3, 11; 6:24, 31; 8:9, 16^{2}, 25^{2}, 28, 29^{2}; 9:2^{2}, 9^{2}, 14^{2}, 20, 29; 10:15, 23, 29; 11:2; 12:22^{2}; 13:1^{2}, 2, 3^{2}, 10, 11, 24, 25^{2}; 14:1^{2}, 8^{2}, 13^{2}, 17^{2}, 23^{2}, 24, 25, 27; 15:1, 5, 8, 9, 10, 13, 14^{2}, 17, 18, 23, 24, 25, 27, 28, 30^{3}, 32^{2}, 37; 16:1^{2}, 5; 17:1, 21; 18:1^{2}, 9, 18^{2}, 26, 37^{2}; 19:2, 20; 20:1, 12; 22:3^{2}, 12^{2}, 14^{2}; 23:15, 30, 34; 25:22^{2}, 23^{4}, 25^{2} • Is. 1:1; 2:1; 7:1, 6, 9; 8:2; 13:1; 20:2; 22:20; 36:3^{2}, 22^{2}; 37:2, 21; 38:1; 39:1 • Jer. 1:1, 2, 3^{2}; 15:4; 20:1; 21:1^{2}; 22:11, 18, 24; 24:1; 25:1, 3; 26:1, 20, 22, 24; 27:1, 20; 28:1, 4; 29:3^{2}, 21^{2}, 25; 32:7, 12, 16; 35:1, 3^{2}, 4^{2}, 6, 8, 14, 16, 19; 36:1, 4, 8, 10, 11^{2}, 12^{4}, 14^{4}, 26^{3}, 32; 37:1^{2}, 3^{2}, 13^{2}; 38:1^{4}, 6; 39:14; 40:5^{2}, 6, 7, 8^{3}, 9, 11, 13, 14^{2}, 15, 16^{2}; 41:1^{3}, 2^{3}, 6^{2}, 7, 9, 10^{2}, 11^{2}, 12, 13, 14, 15, 16^{2}, 18^{2}; 42:1^{2}, 2, 8; 43:2^{2}, 3, 4, 5, 6^{2}; 45:1^{2}; 46:2; 49:27; 51:59^{2} • Ezek. 1:3; 8:11; 11:1^{2}, 13 • Hosh. 1:1 • Joel 1:1 • Am. 1:1, 4 • Jon. 1:1 • Mic. 6:5 • Zep. 1:1^{5} • Hag. 1:1^{2}, 12^{2}, 14^{2}; 2:2^{2}, 4, 23 • Zech. 1:1^{2}, 7^{2}; 6:10, 11, 14 • Ps. 7:1; 72:20 • Prov. 1:1 • Job 32:2, 6 • Eccl. 1:1 • Es. 2:5^{3}; 3:1, 10; 8:5; 9:10, 24 • Dan. 9:1 • Ez. 3:2^{2}, 8^{2}; 7:1^{3}, 2^{3}, 3^{3}, 4^{3}, 5^{4}; 8:4. 5, 6, 7, 8, 9, 10, 11, 12, 18^{2}, 33^{4}; 10:2, 6, 15^{2}, 18 • Neh. 1:1; 3:2, 4^{5}, 6^{2}, 8^{2}, 9, 10^{2}, 11^{2}, 12, 14, 15, 16, 17, 18, 19, 20, 21^{2}, 23^{2}, 24, 25^{2}, 29^{2}, 30^{3}, 31; 6:10^{2}, 18^{2}; 10:2, 10, 39; 11:4^{5}, 5^{7}, 7^{7}, 9^{2}, 10, 11^{5}, 12^{6}, 13^{4}, 14, 15^{4}, 17^{6}, 22^{4}, 24^{2}; 12:1, 23, 24, 26^{2}, 35^{6}; 13:11^{2}, 28 • ICh. 1:43, 44, 46, 49; 2:18, 50; 3:2^{2}; 4:2, 8, 15, 21, 34, 35^{2}, 37^{5}; 5:1, 8^{3}, 14^{7}, 15^{2}; 6:18^{2}, 19^{4}, 20^{4}, 21^{4}, 22^{4}, 23^{4}, 24^{2}, 25^{3}, 26^{3}, 27^{3}, 28^{3}, 29^{3}, 30^{3}, 31^{3}, 32^{4}, 41; 7:17^{2}, 29; 9:4^{5}, 7^{3}, 8^{6}, 11^{5}, 12^{8}, 14^{3}, 15^{3}, 16^{5}, 19^{3}, 20, 21; 10:14; 11:6, 11, 12, 24, 26, 28, 30, 31, 34, 35^{2}, 37, 38, 39, 41, 42, 43, 45; 12:1, 19(18); 15:17^{3}; 16:38; 18:12, 15^{2}, 16^{2}, 17; 19:2; 20:5, 7; 24:6^{2}; 26:1, 24^{2}, 28^{3}; 27:2, 5, 16^{2}, 17, 18, 19^{2}, 20^{2}, 21^{2}, 22, 24, 25^{2}, 26, 29, 32, 34; 29:22, 26 • IICh. 1:1, 5^{2}; 9:29; 10:2, 15; 11:3, 17, 18^{2}, 22; 13:6^{2}, 7; 15:1; 16:2, 4; 17:16; 18:7, 8, 10, 23, 25; 19:2, 11; 20:14^{4}, 34, 37; 22:1, 5, 6^{2}, 7, 9, 11; 23:1^{5}, 3, 11; 24:20, 26^{2}; 25:17^{2}, 23^{2}, 25; 26:22; 28:6, 7, 12^{4}; 29:12^{6}; 30:26; 31:14; 32:20, 32; 34:8^{2}, 20^{2}, 22^{2}; 35:3; 36:1

בֶּן־ (ג)
1471 וַיְהִי נֹחַ בֶּן־חֲמֵשׁ מֵאוֹת שָׁנָה Gen. 5:32
1472 וְנֹחַ בֶּן־שֵׁשׁ מֵאוֹת שָׁנָה... Gen. 7:6
1473 שֵׁם בֶּן־מְאַת שָׁנָה... Gen. 11:10

בֶּן־ (המשך)
1474 וְאַבְרָהָם בֶּן־תִּשְׁעִים וָתֵשַׁע שָׁנָה... Gen. 17:24
1475 וְיִשְׁמָעֵאל...בֶּן־שְׁלֹשׁ עֶשְׂרֵה שָׁנָה Gen. 17:25
1476 וַיָּמָל...בֶּן־שְׁמֹנַת יָמִים Gen. 21:4
1477 וְאַבְרָהָם בֶּן־מְאַת שָׁנָה... Gen. 21:5
1478 וַיָּמָת יוֹסֵף בֶּן־מֵאָה וָעֶשֶׂר שָׁנִים Gen. 50:26
1479/80 וּמֹשֶׁה בֶּן־שְׁמֹנִים שָׁנָה
וְאַהֲרֹן בֶּן־שָׁלֹשׁ וּשְׁמֹנִים שָׁנָה Ex. 7:7
1481 שֶׂה תָמִים זָכָר בֶּן־שָׁנָה Ex. 12:5
1482 כֶּבֶשׂ בֶּן־שְׁנָתוֹ לְעֹלָה Lev. 12:6
1483-1498 כֶּבֶשׂ(...)בֶּן־שְׁנָתוֹ Lev. 23:12
Num. 6:12, 14; 7:15, 21, 27, 33, 39, 45, 51, 57; 7:63, 69, 7:75, 81 • Ezek. 46:13

1499-1574 בֶּן־ (ג) Gen. 12:4; 16:16; 17:1; 25:20, 26
26:34; 37:2; 41:46 • Lev. 27:3, 5, 6 • Num. 4:3; 4:23, 30, 35, 39, 43, 47; 33:39 • Deut. 31:2; 34:7 • Josh. 14:7, 10; 24:29 • Jud. 2:8 • ISh. 4:15; 13:1 • IISh. 2:10; 4:4; 5:4; 19:33, 36 • IK. 14:21; 22:42 • IIK. 8:17, 26; 12:1; 14:2, 21; 15:2, 33; 16:2; 18:2; 21:1, 19; 22:1; 23:31, 36; 24:8, 18 • Is. 65:20^{2} • Jer. 52:1 • ICh. 2:21 • IICh. 12:12; 20:31; 21:5, 20; 22:2; 24:1, 15; 25:1; 26:1, 3; 27:1, 8; 28:1; 29:1; 33:1, 21; 34:1; 36:2, 5, 9, 11

בְּנִי (=בֶּן־) 1575 אֹסְרִי...וְלַשֹּׂרֵקָה בְּנִי אֲתֹנוֹ Gen. 49:11
בְּנוֹ (=בֶּן־) 1576 הַאֲזִינָה עָדַי בְּנוֹ צִפֹּר Num. 23:18
1577/8 נְאֻם בִּלְעָם בְּנוֹ בְעֹר Num. 24:3, 15

וּבֶן־
1579 וּבֶן־מֶשֶׁק בֵּיתִי...אֱלִיעֶזֶר Gen. 15:2
1580 וּבֶן־שְׁמֹנַת יָמִים יִמּוֹל Gen. 17:12
1581 וּבֶן־הַבָּקָר אֲשֶׁר עָשָׂה Gen. 18:8
1582 וּלְמַעַן תְּסַפֵּר בְּאָזְנֵי בִנְךָ וּבֶן־בִּנְךָ Ex. 10:2
1583 וּבֶן־יוֹנָה אוֹ־תֹר לְחַטָּאת Lev. 12:6
1584 לֹא אִישׁ...וּבֶן־אָדָם וְיִתְנֶחָם Num. 23:19
1585 אַתָּה וּבִנְךָ וּבֶן־בִּנְךָ Deut. 6:2
1586 אַתָּה וּבֶן־יִשָׁי ISh. 22:13
1587-1589 וּבֶן־רְמַלְיָהוּ Is. 7:4, 5; 8:6
1590 מְדֻשָׁתִי וּבֶן־גָּרְנִי Is. 21:10
1591 וּבֶן־אָדָם יַחֲזִיק בָּהּ Is. 56:2
1592 וּבֶן־אָדָם כִּי תִפְקְדֶנּוּ Ps. 8:5
1593 וּבֶן־עַוְלָה לֹא יְעַנֶּנּוּ Ps. 89:23
1594 וּבֶן־אָדָם לְרֵעֵהוּ Job 16:21
1595 וּבֶן־אָדָם תּוֹלֵעָה Job 25:6
1596-1603 וּבֶן־ ICh. 2:45; 3:10, 19, 21, 23
4:17; 8:34; 9:40

בְּבֶן־
1604/5 ...נַחֲלָה־לָנוּ בְּבֶן־יִשַׁי IISh. 20:1 • IICh. 10:16
1606 וְלֹא־נַחֲלָה בְּבֶן־יִשַׁי IK. 12:16
1607 בְּבֶן־אִמְּךָ תִּתֶּן־דֹּפִי Ps. 50:20
1608 בְּבֶן־אָדָם שֶׁאֵין לוֹ תְשׁוּעָה Ps. 146:3

לְבֶן־
1609 אֲשֶׁר־הֹכִיחַ יְיָ לְבֶן־אֲדֹנִי Gen. 24:44
1610 וּתְהִי אִשָּׁה לְבֶן־אֲדֹנֶיךָ Gen. 24:51
1611 מַה־זֶּה הָיָה לְבֶן־קִישׁ ISh. 10:11
1612 אַךְ הֱיֵה־לִי לְבֶן־חַיִל ISh. 18:17
1613 כִּי־בֹחֵר אַתָּה לְבֶן־יִשַׁי ISh. 20:30
1614 כֹּל...נָתַתִּי לְבֶן־אֲדֹנֶיךָ IISh. 9:9
1615 וְהָיָה לְבֶן־אֲדֹנֶיךָ לֶחֶם IISh. 9:10
1616 אִם יִהְיֶה לְבֶן־חַיִל IK. 1:52
1617 וְצִדְקָתְךָ לְבֶן־מֶלֶךְ Ps. 72:1
1618 וְהוֹשִׁיעָה לְבֶן־אֲמָתֶךָ Ps. 86:15

וּלְבֶן־
1619 וּלְבֶן־אָדָם צִדְקָתֶךָ Job 35:8

הַלְבֶן־
1620 הַלְּבֶן מֵאָה־שָׁנָה יִוָּלֵד Gen. 17:17

מִבֶּן־
1621 מִבֶּן עֶשְׂרִים שָׁנָה וָמָעְלָה Ex. 30:14
1622 מִבֶּן עֶשְׂרִים שָׁנָה וָמַעְלָה Ex. 38:26
1623-1661 מִבֶּן־...וָמַעְלָה Lev. 27:7
Num. 1:3, 18, 20, 22, 24, 26, 28, 30, 32, 34, 36

מִבֶּן־ (המשך) 1:38, 40, 42, 45; 3:15, 22, 28, 34, 39, 40, 43; 4:3, 23; 4:30, 35, 39, 43, 47; 8:24; 14:29; 26:2, 4, 62; 32:11 • Ez. 3:8 • ICh. 23:3, 24

1662-4 מִבֶּן...וּלְמָעְלָה ICh. 23:27 • IICh. 31:16, 17

1665 מִבֶּן עֶשְׂרִים שָׁנָה וְעַד... Lev. 27:3

1666 וְאִם מִבֶּן־חָמֵשׁ שָׁנִים וְעַד... Lev. 27:5

1667 וְאִם מִבֶּן־חֹדֶשׁ וְעַד... Lev. 27:6

1668 וּפְדוּיָו מִבֶּן־חֹדֶשׁ תִּפְדֶּה Num. 18:16

וּמִבֶּן־ 1669 וּמִבֶּן חֲמִשִּׁים שָׁנָה יָשׁוּב Num. 8:25

1670 וּמִבֶּן־אָדָם חָצִיר יִנָּתֵן Is. 51:12

לְמִבֶּן־ 1671 לְמִבֶּן עֶשְׂרִים שָׁנָה וּלְמָטָּה ICh. 27:23

1672 לְמִבֶּן עֶשְׂרִים שָׁנָה וָמָעְלָה ICh. 25:5

בִּן־ 1673 וּמְשָׁרְתוֹ יְהוֹשֻׁעַ בִּן־נוּן Ex. 33:11

1674-1699 (וי־ / לי) יְהוֹשֻׁעַ (הוֹשֵׁעַ) בִּן־נוּן

Num. 11:28; 13:8, 16; 14:6, 30, 38; 26:65; 27:18; 32:12, 28; 34:17 • Deut. 1:38; 31:23; 32:44 • Josh. 1:1; 2:1, 23; 6:6; 14:1; 17:4; 19:49, 51; 21:1; 24:29 • Jud. 2:8 • IK. 16:34

1700 וְהָיָה אִם־בִּן הַכּוֹת הָרָשָׁע Deut. 25:2

1701 דִּבְרֵי אָגוּר בִּן־יָקֶה Prov. 30:1

1702 לֹא עָשׂוּ כֵן מִימֵי יֵשׁוּעַ בִּן־נוּן Neh. 8:17

וּבִן־ 1703 וּבִן־לַיְלָה אָבָד Jon. 4:10

שֶׁבִּן־ 1704 שֶׁבִּן־לַיְלָה הָיָה... Jon. 4:10

בְּנִי (א) 1705 לֹא יִירַשׁ...עִם־בְּנִי עִם־יִצְחָק Gen. 21:10

1706 וַיֹּאמֶר אָבִי וַיֹּאמֶר הִנֶּנִּי בְנִי Gen. 22:7

1707 אֱלֹ׳ יִרְאֶה־לּוֹ הַשֶּׂה לְעֹלָה בְּנִי Gen. 22:8

1708 פֶּן־תָּשִׁיב אֶת־בְּנִי שָׁמָּה Gen. 24:6

1709/10 וְעַתָּה בְנִי שְׁמַע בְּקֹלִי Gen. 27:8, 43

1711 עָלַי קִלְלָתְךָ בְּנִי Gen. 27:13

1712 גְּשָׁה־נָּא וַאֲמֻשְׁךָ בְּנִי Gen. 27:21

1713 הַגִּשָׁה לִּי וְאֹכְלָה מִצֵּיד בְּנִי Gen. 27:25

1714 רְאֵה רֵיחַ בְּנִי כְּרֵיחַ שָׂדֶה Gen. 27:27

1715 וְלָקַחַת גַּם אֶת־דּוּדָאֵי בְּנִי Gen. 30:15

1716 כִּי שָׂכֹר שְׂכַרְתִּיךָ בְּדוּדָאֵי בְּנִי Gen. 30:16

1717 וַיַּכִּירָהּ וַיֹּאמֶר כְּתֹנֶת בְּנִי Gen. 37:33

1718 לֹא־יֵרֵד בְּנִי עִמָּכֶם Gen. 42:38

1719 וַיֹּאמַר אֱלֹהִים יָחְנְךָ בְּנִי Gen. 43:29

1720 יָדַעְתִּי בְנִי יָדַעְתִּי... Gen. 48:19

1721 מִטֶּרֶף בְּנִי עָלִיתָ Gen. 49:9

1722 הִנֵּה בְנִי אֲשֶׁר־יָצָא מִמֵּעַי... IISh. 16:11

1723-5 בְּנִי אַבְשָׁלוֹם בְּנִי בְנִי אַבְשָׁלוֹם IISh. 19:1

1726/7 אַבְשָׁלוֹם בְּנִי בְנִי IISh. 19:1

1728-30 בְּנִי אַבְשָׁלוֹם אַבְשָׁ׳ בְּנִי בְנִי IISh. 19:5

1731 וַיֹּאמֶר...לִשְׁלֹמֹה בְנִי (כת׳ בנו) ICh. 22:7(6)

1732-1770 בְּנִי (א) Gen. 24:8

27:1, 18, 20, 21, 24, 26, 37; 34:8; 37:35; 38:11, 26; 45:28 • Jud. 8:23; 17:2 • ISh. 14:39, 40, 42; 22:8^{2} • IISh. 13:25; 14:11, 16 • IK. 1:33; 3:20, 21^{2}, 22, 23; 17:18 • IIK. 6:28, 29 • ICh. 22:5(4), 7, 11(10); 28:5, 9; 29:1, 19

בְּנִי (ב) 1771 אָמַר יְיָ בְּנִי בְכֹרִי יִשְׂרָאֵל Ex. 4:22

1772 שַׁלַּח אֶת־בְּנִי וְיַעַבְדֵנִי Ex. 4:23

1773 בְּנִי שִׂים־נָא כָבוֹד לַייָ Josh. 7:19

1774 לֹא־קָרָאתִי בְנִי שׁוּב שְׁכָב ISh. 3:6

1775 וַיֹּאמֶר שְׁמוּאֵל בְּנִי וַיֹּאמֶר הִנֵּנִי ISh. 3:16

1776 וַיֹּאמֶר מֶה־הָיָה הַדָּבָר בְּנִי ISh. 4:16

1777/8 הֲקֹ(וֹ)לְךָ זֶה בְּנִי דָוִד ISh. 24:17(16); 26:17

1779 ...שׁוּב בְּנִי־דָוִד ISh. 26:21

1780 בָּרוּךְ אַתָּה בְּנִי דָוִד ISh. 26:25

1781 לָמָּה זֶּה אַתָּה רָץ בְּנִי IISh. 18:22

1782 שֵׁבֶט בְּנִי מֹאֶסֶת כָּל־עֵץ Ezek. 21:15

1783 בְּנִי־אַתָּה אֲנִי הַיּוֹם יְלִדְתִּיךָ Ps. 2:7

בְּנִי (ב) (המשך) 1784 שְׁמַע בְּנִי מוּסַר אָבִיךָ Prov. 1:8

1785 בְּנִי אִם־יְפַתּוּךָ חַטָּאִים... Prov. 1:10

1786 בְּנִי אַל־תֵּלֵךְ בְּדֶרֶךְ אִתָּם Prov. 1:15

1787 בְּנִי אִם־תִּקַּח אֲמָרָי Prov. 2:1

1788 בְּנִי תּוֹרָתִי אַל־תִּשְׁכָּח Prov. 3:1

1789-1806 בְּנִי (ב) Prov. 3:11, 21; 4:10, 20; 5:1, 20; 6:1, 3, 20; 7:1; 19:27; 23:15, 19, 26; 24:13, 21; 27:11 • Eccl. 12:12

וּבְנִי 1807 וְהָיִיתִי אֲנִי וּבְנִי שְׁלֹמֹה חַטָּאִים IK. 1:21

1808/9 לֹא כִּי בְּנֵךְ הַמֵּת וּבְנִי הֶחָי IK. 3:22, 23

לִבְנִי 1810 לֹא־תִקַּח אִשָּׁה לִבְנִי... Gen. 24:3, 37

1811-4 וְלָקַחְתָּ אִשָּׁה לִבְנִי Gen. 24:4, 7, 38, 40

1815 הִקְדַּשְׁתִּי לַייָ...מִיָּדִי לִבְנִי Jud. 17:3

1816 מָה אֶעֱשֶׂה לִבְנִי ISh. 10:2

1817 תְּנָה־אֶת־בִּתְּךָ לִבְנִי לְאִשָּׁה IIK. 14:9

1818 וּמִמִּצְרַיִם קָרָאתִי לִבְנִי Hosh. 11:1

1819 תְּנָה־אֶת־בִּתְּךָ לִבְנִי לְאִשָּׁה IICh. 25:18

וְלִבְנִי 1820 וּבָאתִי וַעֲשִׂיתִיהוּ לִי וְלִבְנִי IK. 17:12

בִּנְךָ 1821 קַח־נָא אֶת־בִּנְךָ אֶת־יְחִידְךָ Gen. 22:2

1822/3 אֶת־בִּנְךָ אֶת־יְחִידְךָ Gen. 22:12, 16

1824 הֶהָשֵׁב אָשִׁיב אֶת־בִּנְךָ Gen. 24:5

1825 וַיֹּאמֶר אֲנִי בִּנְךָ בְכֹרְךָ עֵשָׂו Gen. 27:32

1826 הַכְּתֹנֶת בִּנְךָ הִוא אִם־לֹא Gen. 37:32

1827 כֹּה אָמַר בִּנְךָ יוֹסֵף Gen. 45:9

1828 הִנֵּה בִּנְךָ יוֹסֵף בָּא אֵלֶיךָ Gen. 48:2

1829 הִנֵּה אָנֹכִי הֹרֵג אֶת־בִּנְךָ בְּכֹרֶךָ Ex. 4:23

1830/1 וּלְמַעַן תְּסַפֵּר בְּאָזְנֵי בִנְךָ וּבֶן־בִּנְךָ Ex. 10:2

1832/3 כִּי־יִשְׁאָלְךָ בִנְךָ מָחָר Ex. 13:14 • Deut. 6:20

1834 עֶרְוַת בַּת־בִּנְךָ...לֹא תְגַלֶּה Lev. 18:10

1835 אֵשֶׁת בִּנְךָ הִוא Lev. 18:15

1836 אַתָּה וּבִנְךָ וּבֶן־בִּנְךָ Deut. 6:2

1837 כִּי־יָסִיר אֶת־בִּנְךָ מֵאַחֲרַי Deut. 7:4

1838 כִּי יְסִיתְךָ...אוֹ־בִנְךָ אוֹ־בִתְּךָ Deut. 13:7

1839 הוֹצֵא אֶת־בִּנְךָ וְיָמֹת Jud. 6:30

1840 גַּם אַתָּה גַּם בִּנְךָ Jud. 8:22

1841 שָׁלְחָה אֵלַי אֶת־דָּוִד בִּנְךָ ISh. 16:19

1842 וַאֲחִימַעַץ בִּנְךָ וִיהוֹנָתָן...אִתְּכֶם IISh. 15:27

1843 בִּנְךָ אֲשֶׁר אֶתֵּן תַּחְתֶּיךָ... IK. 5:19

1844 כִּי אִם־בִּנְךָ הַיֹּצֵא מֵחֲלָצֶיךָ IK. 8:19

1845 מִיַּד בִּנְךָ אֶקְרָעֶנָּה IK. 11:12

1846 בִּנְךָ בֶן־הֲדַד שְׁלָחַנִי אֵלֶיךָ IIK. 8:9

1847 יַסֵּר בִּנְךָ כִּי־יֵשׁ תִּקְוָה Prov. 19:18

1848 יַסֵּר בִּנְךָ וִינִיחֶךָ Prov. 29:17

1849 שְׁלֹמֹה בִנְךָ הוּא־יִבְנֶה בֵיתִי ICh. 28:6

1850 כִּי בִנְךָ הַיּוֹצֵא מֵחֲלָצֶיךָ... IICh. 6:9

בִּנֶךָ 1851 גַּם־בִּנְךָ גַּם בֶּן־בִּנֶךָ Jud. 8:22

1852 וַיִּתֵּן...בְּיַד אַבְשָׁלוֹם בְּנֶךָ IISh. 16:8

1853 צֵא־נָא...אַתָּה וּשְׁאָר יָשׁוּב בְּנֶךָ Is. 7:3

וּבִנְךָ 1854/5 אַתָּה וּבִנְךָ וּבִתֶּךָ Ex. 20:10 • Deut. 5:14

1856 אַתָּה וּבִנְךָ וּבֶן־בִּנְךָ Deut. 6:2

1857-9 אַתָּה וּבִנְךָ וּבִתֶּךָ Deut. 12:18; 16:11, 14

1860 עַבְדְּךָ וּבִנְךָ אָנִי IIK. 16:7

לְבִנְךָ 1861 וְהִגַּדְתָּ לְבִנְךָ בַּיּוֹם הַהוּא... Ex. 13:8

1862 וְאָמַרְתָּ לְבִנְךָ עֲבָדִים הָיִינוּ Deut. 6:21

לִבְנֶךָ 1863 וּבִתּוֹ לֹא תִקַּח לִבְנֶךָ Deut. 7:3

1864 שֵׁבֶט אֶחָד אֶתֵּן לִבְנֶךָ IK. 11:13

וּלְבִנְךָ 1865 תְּנָה־נָּא...לַעֲבָדֶיךָ וּלְבִנְךָ לְדָוִד ISh. 25:8

בְּנֵךְ 1866 תְּנִי־נָא לִי מִדּוּדָאֵי בְּנֵךְ Gen. 30:14

1867 תַּחַת דּוּדָאֵי בְנֵךְ Gen. 30:15

1868 אִם־יִפֹּל מִשַּׂעֲרַת בְּנֵךְ אַרְצָה IISh. 14:11

1869 וּמַלְּטִי...וְאֶת־נֶפֶשׁ בְּנֵךְ שְׁלֹמֹה IK. 1:12

1870-1872 כִּי־שְׁלֹמֹה בְנֵךְ יִמְלֹךְ IK. 1:13, 17, 30

בְּנֵךְ (המשך) 1873/4 לֹא כִּי בְּנֵךְ הַמֵּת וּבְנִי הֶחָי IK. 3:22, 23

1875 תְּנִי־לִי אֶת־בְּנֵךְ IK. 17:19

1876 וַיֹּאמֶר אֵלִיָּהוּ רְאִי חַי בְּנֵךְ IK. 17:23

1877 וַיֹּאמֶר שְׂאִי בְנֵךְ IIK. 4:36

1878/9 תְּנִי אֶת־בְּנֵךְ וְנֹאכְלֶנּוּ IIK. 6:28, 29

וּבְנֵךְ 1880 לֹא כִּי בְּנִי הֶחָי וּבְנֵךְ הַמֵּת IK. 3:22

1881 זֶה־בְּנִי הֶחָי וּבְנֵךְ הַמֵּת IK. 3:23

וְלִבְנֵךְ 1882 וְלָךְ וְלִבְנֵךְ תַּעֲשִׂי בָּאַחֲרֹנָה IK. 17:13

בְּנוֹ 1883 וַיִּקְרָא...כְּשֵׁם בְּנוֹ חֲנוֹךְ Gen. 4:17

1884 אֲשֶׁר־עָשָׂה לוֹ בְּנוֹ הַקָּטָן Gen. 9:24

1885 וַיִּקַּח תֶּרַח אֶת־אַבְרָם בְּנוֹ Gen. 11:31

1886 וְאֶת־לוֹט בֶּן־הָרָן בֶּן־בְּנוֹ Gen. 11:31

1887 וְאֵת שָׂרַי...אֵשֶׁת אַבְרָם בְּנוֹ Gen. 11:31

1888 וַיִּקְרָא אַבְרָם שֶׁם־בְּנוֹ... Gen. 16:15

1889 וַיִּקַּח אַבְרָהָם אֶת־יִשְׁמָעֵאל בְּנוֹ Gen. 17:23

1890 נִמּוֹל אַבְרָהָם וְיִשְׁמָעֵאל בְּנוֹ Gen. 17:26

1891 וַיִּקְרָא אַבְרָהָם אֶת־שֶׁם־בְּנוֹ Gen. 21:3

1892 וַיָּמָל אַבְרָהָם אֶת־יִצְחָק בְּנוֹ Gen. 21:4

1893 בְּהִוָּלֶד לוֹ אֵת יִצְחָק בְּנוֹ Gen. 21:5

1894 וַיִּקְרָא אֶת־עֵשָׂו בְּנוֹ הַגָּדֹל Gen. 27:1

1895 יָקֻם אָבִי וְיֹאכַל מִצֵּיד בְּנוֹ Gen. 27:31

1896 אֹתוֹ וְאֶת־בְּנוֹ לֹא תִשְׁחֲטוּ Lev. 22:28

1897 וַיְהִי שֶׁם־בְּנוֹ הַבְּכוֹר יוֹאֵל ISh. 8:2

1898 בִּימֵי בְנוֹ אָבִיא הָרָעָה IK. 21:29

1899/1900 וְאֶת־בְּנוֹ וְאֶת בֶּן־בְּנוֹ Jer. 27:7

1901 כַּאֲשֶׁר יַחְמֹל אִישׁ עַל־בְּנוֹ Mal. 3:17

1902 חוֹשֵׂךְ שִׁבְטוֹ שׂוֹנֵא בְנוֹ Prov. 13:24

1903 מַה־שְּׁמוֹ וּמַה־שֶּׁם־בְּנוֹ... Prov. 30:4

1904 וַיַּמְלִיכוּ אֶת־אֲחַזְיָהוּ בְנוֹ הַקָּטֹן IICh. 22:1

1905-2115 בְּנוֹ Gen. 17:25; 21:11

22:3, 6, 9, 10, 13; 25:6, 11; 27:20; 34:20, 24, 26; 37:34 • Num. 20:25, 26, 28 • Deut. 1:31; 8:5; 10:6; 18:10 • Josh. 18:10; 24:33 • Jud. 6:11 • ISh. 7:1; 9:3; 13:16, 22; 16:20; 17:17; 19:1; 20:27 • IISh. 1:4, 5; 1:12, 17; 8:10; 10:1; 13:37; 16:19; 19:3; 21:12, 13, 14 • IK. 2:1; 11:20, 35, 43; 13:11; 14:20, 31; 15:4, 8, 24; 16:6, 13, 28; 22:40, 51 • IIK. 3:27; 8:24; 10:35; 12:22; 13:9, 24; 14:16, 29; 15:7, 22, 38; 16:3, 20; 19:37; 20:21; 21:6, 7, 18, 24, 26; 23:10; 24:6 • Is. 37:38 • Ps. 3:1 • Neh. 6:18; 12:45 • ICh. 3:10^{3}, 11^{3}, 12^{3}, 13^{3}, 14^{2}, 16^{2}, 17; 4:25^{3}, 26^{3}; 5:4^{3}, 5^{3}, 6; 6:5^{3}, 6^{4}, 7^{3}, 8^{3}, 9^{4}, 11^{2}, 12^{3}, 14^{3}, 15^{3}, 35^{3}, 36^{3}, 37^{3}, 38^{2}; 7:20^{4}, 21^{2}, 25^{4}, 26^{3}, 27^{2}; 8:37^{3}; 9:43^{3}; 18:10; 19:1; 22:6(5), 17(16); 23:1; 24:26, 27; 26:6, 14, 25^{3}; 27:6, 7; 28:11, 20; 29:28 • IICh. 9:31; 12:16; 13:23; 17:1; 21:1; 24:22, 27; 26:21, 23; 27:9; 28:27; 32:33; 33:7, 20, 25; 35:4; 36:8

וּבְנוֹ 2116/7 וּבְנוֹ הַבְּכוֹר עַבְדּוֹן ICh. 8:30; 9:36

בִּבְנוֹ 2118 כִּי אִישׁ בִּבְנוֹ וּבְאָחִיו Ex. 32:29

לִבְנוֹ 2119 לָקַחַת אֶת־בַּת־אֲחִי אֲדֹנִי לִבְנוֹ Gen. 24:48

2120 וַיִּקְרָא לִבְנוֹ לְיוֹסֵף Gen. 47:29

2121 וְאִם־לִבְנוֹ יִיעָדֶנָּה... Ex. 21:9

2122 בִּתְּךָ לֹא־תִתֵּן לִבְנוֹ Deut. 7:3

וְלִבְנוֹ 2123 וְלִבְנוֹ וּלְבִתּוֹ וּלְאָחִיו Lev. 21:2

2124 וְלִבְנוֹ אֶתֵּן שֵׁבֶט־אֶחָד IK. 11:36

בְּנָהּ 2125 גָּרֵשׁ הָאָמָה הַזֹּאת וְאֶת־בְּנָהּ Gen. 21:10

2126 וְרִבְקָה אָמְרָה אֶל־יַעֲקֹב בְּנָהּ Gen. 27:6

2127 אֶת־בִּגְדֵי עֵשָׂו בְּנָהּ הַגָּדֹל Gen. 27:15

2128 וַתַּלְבֵּשׁ אֶת־יַעֲקֹב בְּנָהּ הַקָּטָן Gen. 27:15

2129 וַתִּתֵּן...בְּיַד יַעֲקֹב בְּנָהּ Gen. 27:17

2130 אֶת־דִּבְרֵי עֵשָׂו בְּנָהּ הַגָּדֹל Gen. 27:42

2131 וַתִּקְרָא לְיַעֲקֹב בְּנָהּ הַקָּטָן Gen. 27:42

בְּנָהּ (המשך)

2132 וַתִּכְרֹת אֶת־עָרְלַת בְּנָהּ Ex. 4:25

2133 אֶת־בַּת־בְּנָהּ...לֹא תִקַּח Lev. 18:17

2147-2134 בְּנָהּ ISh. 1:23 • IK. 3:20, 26^{2}; 14:5; 17:20 IIK. 4:6, 37; 6:29; 8:1, 5^{2}; 11:1 • IICh. 22:10

וּבִבְנָהּ 2148 תֵּרַע עֵינָהּ...וּבִבְנָהּ וּבְבִתָּהּ Deut. 28:56

בְּנֵנוּ 2149 בְּנֵנוּ זֶה סוֹרֵר וּמֹרֶה Deut. 21:20

בָּנִים 2150 בְּעֶצֶב תֵּלְדִי בָנִים Gen. 3:16

2167-2151 וַיּוֹלֶד בָּנִים וּבָנוֹת Gen. 5:4, 7; 5:10, 13, 16, 19, 22, 26, 30; 11:11, 13, 15, 17, 19, 21, 23, 25

2168 וַיּוֹלֶד נֹחַ שְׁלֹשָׁה בָנִים Gen. 6:10

2169 הֵינִיקָה בָנִים שָׂרָה Gen. 21:7

2170 הָבָה־לִּי בָנִים Gen. 30:1

2171 כִּי־יָלַדְתִּי לוֹ שִׁשָּׁה בָנִים Gen. 30:20

2172 פֶּן־יָבוֹא וְהִכַּנִי אֵם עַל־בָּנִים Gen. 32:11

2176-2173 פֹּקֵד עֲוֹן אָבֹת עַל־בָּנִים Ex. 20:5 34:7 • Num. 14:18 • Deut. 5:9

2177 בָּנִים אַתֶּם לַיי אֱלֹהֵיכֶם Deut. 14:1

2178-80 לֹא־יוּמְתוּ (יָמוּתוּ) אָבוֹת עַל־בָּנִים Deut. 24:16 • IIK. 14:6 • IICh. 25:4

2181 בָּנִים לֹא־אֵמֻן בָּם Deut. 32:20

2182 הֲלוֹא אָנֹכִי טוֹב לָךְ מֵעֲשָׂרָה בָּנִים ISh. 1:8

2183 וְרַבַּת בָּנִים אֻמְלָלָה ISh. 2:5

2184/5 בָּאוּ בָנִים עַד־מַשְׁבֵּר IIK. 19:3 • Is. 37:3

2186 בָּנִים גִּדַּלְתִּי וְרוֹמַמְתִּי Is. 1:2

2187 זֶרַע מְרֵעִים בָּנִים מַשְׁחִיתִים Is. 1:4

2188 עַל־בָּנִים לֹא־תָחוּס עֵינָם Is. 13:18

2189 הוֹי בָּנִים סוֹרְרִים Is. 30:1

2190/1 בָּנִים כֶּחָשִׁים בָּנִים לֹא־אָבוּ שְׁמוֹעַ Is. 30:9

2192 בָּנִים לֹא יְשַׁקֵּרוּ Is. 63:8

2193/4 שׁוּבוּ בָנִים שׁוֹבָבִים Jer. 3:14, 22

2195 בָּנִים סְכָלִים הֵמָּה Jer. 4:22

2196 וְשָׁבוּ בָנִים לִגְבוּלָם Jer. 31:17(16)

2197 וְשִׁנֵּי בָנִים תִּקְהֶינָה Jer. 31:29(28)

2198 לֹא־הִפְנוּ אָבוֹת אֶל־בָּנִים Jer. 47:3

2199 אָבוֹת יֹאכְלוּ בָנִים בְּתוֹכֵךְ Ezek. 5:10

2200 כִּי־בָנִים זָרִים יָלָדוּ Hosh. 5:7

2201 אֵם עַל־בָּנִים רֻטָּשָׁה Hosh. 10:14

2202 וְיֶחֶרְדוּ בָנִים מִיָּם Hosh. 11:10

2203 עֵת לֹא־יַעֲמֹד בְּמִשְׁבַּר בָּנִים Hosh. 13:13

2204 וְהֵשִׁיב לֵב־אָבוֹת עַל־בָּנִים Mal. 3:24

2205 וְלֵב בָּנִים עַל־אֲבוֹתָם Mal. 3:24

2206 כְּרַחֵם אָב עַל־בָּנִים Ps. 103:13

2207 וְצִדְקָתוֹ לִבְנֵי בָנִים Ps. 103:17

2208 הִנֵּה נַחֲלַת יְיָ בָּנִים Ps. 127:3

2209 וּרְאֵה־בָנִים לְבָנֶיךָ Ps. 128:6

2210 שִׁמְעוּ בָנִים מוּסַר אָב Prov. 4:1

2211-3 וְעַתָּה בָנִים שִׁמְעוּ־לִי Prov. 5:7; 7:24; 8:32

2214 טוֹב יַנְחִיל בְּנֵי־בָנִים Prov. 13:22

2215 עֲטֶרֶת זְקֵנִים בְּנֵי בָנִים Prov. 17:6

2216 וְתִפְאֶרֶת בָּנִים אֲבוֹתָם Prov. 17:6

2292-2217 בָּנִים Gen. 10:1, 25; 22:20 29:34; 41:50 • Ex. 21:4; 34:7 • Num. 26:33 • Deut. 4:25; 21:15; 23:9; 28:41 • Josh. 17:3 • Jud. 8:30; 10:4; 11:2; 12:9, 14^{2} • ISh. 2:21; 17:12; 30:19 • IISh. 3:2; 5:13; 9:10; 14:6, 27 • IIK. 10:1 • Is. 51:18^{2} • Jer. 16:2; 29:6^{2} • Ezek. 14:16; 14:18, 22; 23:4; 47:22 • Ps. 17:14; 34:12; 78:6 • Job 1:2; 42:13 • Ruth 1:11, 12; 4:15 • Ez. 10:44 • ICh. 1:19; 2:30, 32, 34, 52; 4:27^{2}; 8:3, 38, 40; 9:44; 14:3; 23:11, 17, 22; 24:28; 25:5^{2}; 26:2, 4, 6, 9, 10, 11; 28:5 • IICh. 11:19, 21; 13:21; 24:3; 28:8

וּבָנִים 2293 וּבָנִים לֹא־הָיוּ לָהֶם Num. 3:4

2294 וּבָנִים לֹא־הָיוּ לוֹ Num. 27:3

2295-7 וּבָנִים לֹא־יוּמְתוּ (יָמוּתוּ) עַל־אָבוֹת Deut. 24:16 • IIK. 14:6 • IICh. 25:4

2298 וְכָשְׁלוּ בָם אָבוֹת וּבָנִים יַחְדָּו Jer. 6:21

2299 וּבָנִים יֹאכְלוּ אֲבוֹתָם Ezek. 5:10

2300 כִּי־הִרְבּוּ נָשִׁים וּבָנִים ICh. 7:4

2301 וּבָנִים לֹא־הָיוּ לָהֶם ICh. 24:2

הַבָּנִים 2302 וַיִּתְרֹצְצוּ הַבָּנִים בְּקִרְבָּהּ Gen. 25:22

2303 לֹא־תִקַּח הָאֵם עַל־הַבָּנִים Deut. 22:6

2304 וְאֶת־הַבָּנִים תִּקַּח־לָךְ Deut. 22:7

2305 הַבָּנִים מְלַקְּטִים עֵצִים Jer. 7:18

2306 עַל־הַבָּנִים וְעַל־הַבָּנוֹת Jer. 16:3

2307 וְשִׁנֵּי הַבָּנִים תִּקְהֶינָה Ezek. 18:2

2308 וַיַּמְרוּ־בִי הַבָּנִים Ezek. 20:21

2309 אֵם־הַבָּנִים שְׂמֵחָה Ps. 113:9

2310 כֵּן דּוֹדִי בֵּין הַבָּנִים S.ofS. 2:3

2311 וַיָּבֹאוּ הַבָּנִים וַיִּירְשׁוּ אֶת־הָאָרֶץ Neh. 9:24

וְהַבָּנִים 2312 הַבָּנוֹת בְּנֹתַי וְהַבָּנִים בָּנַי Gen. 31:43

2313 וְהָאָבוֹת וְהַבָּנִים יַחְדָּו Jer. 13:14

2314 וְהַבָּנִים קְשֵׁי פָנִים Ezek. 2:4

הֲבָנִים 2315 הֲבָנִים אֵין לְיִשְׂרָאֵל Jer. 49:1

בַּבָּנִים 2316 אֵיךְ אֲשִׁיתֵךְ בַּבָּנִים Jer. 3:19

2317 אָבִינָה בַבָּנִים נַעַר חֲסַר־לֵב Prov. 7:7

לְבָנִים 2318 אָב לְבָנִים יוֹדִיעַ אֶל־אֲמִתֶּךָ Is. 38:19

מִבָּנִים 2319 בָּרוּךְ מִבָּנִים אָשֵׁר Deut. 33:24

2320 יָד וָשֵׁם טוֹב מִבָּנִים וּמִבָּנוֹת Is. 56:5

בְּנֵי־ 2321 וַיִּרְאוּ בְנֵי־הָאֱלֹהִים אֶת־בְּנוֹת הָאָדָם Gen. 6:2

2322 אֲשֶׁר יָבֹאוּ בְּנֵי הָאֱלֹהִים Gen. 6:4

2325-2323 בְּנֵי (הָ)אֱלֹהִים Job 1:6; 2:1; 38:7

2326 וְשֵׁם־וְחָם וָיֶפֶת בְּנֵי־נֹחַ Gen. 7:13

2327 וַיִּהְיוּ בְנֵי־נֹחַ הַיֹּצְאִים... Gen. 9:18

2330-2328 בְּנֵי־נֹחַ Gen. 9:19; 10:1, 32

2333-2331 בְּנֵי(־)שֵׁם Gen. 10:22, 31 • ICh. 1:17

2334 וַיְדַבֵּר אֶל־בְּנֵי־חֵת לֵאמֹר Gen. 23:3

2335 אֲשֶׁר בָּנוּ בְּנֵי הָאָדָם Gen. 11:5

2336 בְּהַפְרִידוֹ בְּנֵי אָדָם Deut. 32:8

2366-2337 בְּנֵי (הָ)אָדָם ISh. 26:19 IISh. 7:14 • IK. 8:39 • Jer. 32:19 • Ezek. 31:14 • Joel 1:12 • Ps. 11:4; 14:2; 31:20; 33:13; 49:3; 53:3; 57:5; 58:2; 62:10; 66:5; 89:48; 90:3 • Prov. 8:4, 31; 15:11 • Eccl. 2:8; 3:18, 19, 21; 8:11; 9:3, 12 • Dan. 10:16 • IICh. 6:30

2367 הוּא אֲבִי בְנֵי־עַמּוֹן Gen. 19:38

2448-2368 בְּנֵי עַמּוֹן Num. 21:24^{2} Deut. 2:19^{2}, 37; 3:11, 16 • Josh. 12:2; 13:10, 25 • Jud. 3:13; 10:6, 7, 9, 11, 17; 11:4, 5, 12, 13, 14, 15, 27, 28, 29, 30, 32, 33; 12:3 • ISh. 12:12 • IISh. 10:1, 2, 3, 6^{2}, 8, 10, 11, 14, 19; 11:1; 12:9, 26, 31; 17:27 • IK. 11:7, 33 • IIK. 23:13; 24:2 • Jer. 9:25; 25:21; 27:3; 40:14; 41:10, 15; 49:2, 6 • Ezek. 21:25, 33; 25:2, 5, 10^{2} • Am. 1:13 • Zep. 2:8 • Dan. 11:41 • ICh. 19:1, 2, 3, 6, 9, 11, 12, 19; 20:1, 3 • IICh. 20:10, 22, 23; 27:5^{3}

2456-2449 בְּנֵי־חֵת Gen. 23:5, 10^{2}, 16 23:18, 20; 25:10; 49:32

2457 לְעֵינֵי בְנֵי־עַמִּי נְתַתִּיהָ לָּךְ Gen. 23:11

2458 וְיִשְׁתַּחֲווּ לְךָ בְּנֵי אִמֶּךָ Gen. 27:29

2459 וַיֵּלֶךְ אַרְצָה בְנֵי־קֶדֶם Gen. 29:1

2460 לֹא־יֹאכְלוּ בְנֵי־יִשְׂרָאֵל... Gen. 32:32

2461 וַיִּשְׂאוּ בְנֵי־יִשְׂרָאֵל אֶת־יַעֲקֹב Gen. 46:5

בְּנֵי־ (המשך) 2462 וְאֵלֶּה שְׁמוֹת בְּנֵי־יִשְׂרָאֵל Gen. 46:8

2885-2463 בְּנֵי יִשְׂרָאֵל Gen. 42:5; 45:21 50:25 • Ex. 1:1, 9, 12, 13; 2:23, 25; 3:9, 10, 11, 13, 15; 4:29, 31; 5:14, 15, 19; 6:5, 9, 11, 12, 13^{2}, 26, 27; 7:2, 4, 5; 9:6, 26, 35; 10:20, 23; 11:7, 10; 12:27, 28, 31; 12:37, 40, 42, 50, 51; 13:18, 19; 14:2, 8, 10^{2}, 15, 16, 22; 16:1, 2, 3, 6, 9, 10, 12, 15, 17; 17:1, 7; 19:1, 6; 20:22; 24:5, 11, 17; 25:2, 22; 27:20, 21; 28:1, 9, 11, 21, 29, 30, 38; 29:28^{2}, 45; 30:12, 16, 31; 31:13, 16, 17; 32:20; 33:5, 6; 34:30, 32, 34, 35; 35:1, 4, 20, 29, 30; 36:3; 39:6, 14, 32, 42; 40:36 • Lev. 1:2; 4:2; 7:23, 29, 34^{2}; 7:36, 38; 9:3; 10:11, 14; 11:2; 12:2; 15:2, 31; 16:5, 16, 19, 21, 34; 17:2, 5; 18:2; 19:2; 20:2; 21:24; 22:2, 3, 15, 18, 32; 23:2, 10, 24, 34, 43, 44; 24:2, 8, 10, 15, 23; 25:2, 33, 46, 55; 26:46; 27:2, 34 • Num. 1:2, 45, 49, 52, 53, 54; 2:2, 32, 33, 34; 3:8, 9, 12, 38, 41, 46, 50; 5:2, 4^{2}, 6, 9, 12; 6:2, 23, 27; 8:6, 9, 10, 11, 14, 16, 19^{4}, 20^{2}; 9:2, 4, 5, 7, 10, 17^{2}, 18, 19, 22; 10:12, 28; 11:4; 13:3, 24, 26, 32; 14:2, 5, 10, 27, 39; 15:2, 25, 26; 16:18, 32, 38; 17:6, 17, 20, 21, 24, 27; 18:5, 6, 8, 11, 19, 20, 22, 23, 24^{2}, 26, 28, 32; 19:2, 9; 20:1, 12, 13, 19, 22; 21:10; 22:1, 3; 25:6, 8, 11^{2}, 13; 26:2, 51, 62^{2}, 63, 64; 27:8, 20, 21; 28:2; 30:1; 31:2, 9, 12, 30, 42, 47; 32:7, 9, 17, 18; 33:3, 5, 38, 40, 51; 34:2, 13, 29; 35:2, 8, 10, 34; 36:3, 5, 7, 8^{2}, 9, 13 • Deut. 1:3; 3:18; 4:44, 45; 28:69; 31:19, 22, 23; 32:8, 51^{2}; 33:1; 34:8, 9 • Josh. 3:1, 9; 4:5, 8^{2}, 12, 21; 5:1^{2}, 2, 3, 6, 10; 6:1; 7:1, 12, 23; 8:31, 32; 9:17, 18, 26; 10:4, 11, 12, 14; 11:19, 22; 12:1; 13:6, 13, 22; 14:1, 5; 17:13; 18:1, 3; 19:49, 51; 20:2, 9; 21:3, 8, 41(39); 22:9, 11^{2}, 12^{2}, 13, 31, 32, 33^{2}; 24:32 • Jud. 1:1; 2:4, 6, 11; 3:2, 7, 8, 9, 12, 14, 15^{2}, 27; 4:1, 3^{2}, 5, 23, 24; 6:1, 2, 6, 7, 8; 8:28, 33, 34; 10:6, 8^{2}, 10, 11, 15, 17; 11:27, 33; 13:1; 19:30; 20:1, 3^{2}, 7, 13, 14, 18, 19, 23, 24, 26, 27, 30, 35; 21:5, 6, 18, 24 • ISh. 2:28; 7:4, 6, 7^{2}, 8; 10:18; 11:8; 15:6; 17:53 • IISh. 7:6, 7 • IK. 6:1, 13; 8:9, 63; 9:21; 11:2; 12:24; 14:24; 18:20; 19:10, 14; 20:15, 27, 29; 21:26 • IIK. 13:5; 16:3; 17:7, 8, 9, 22, 24; 18:4; 21:2, 9 • Is. 17:3, 9; 27:12; 31:6; 66:20 • Jer. 3:21; 16:14, 15; 23:7; 32:30^{2}, 32; 50:4, 33 • Ezek. 2:3; 4:13; 6:5; 35:5; 37:21; 43:7; 44:9, 15; 48:11 • Hosh. 2:1; 3:1, 4, 5; 4:1 • Am. 2:11; 3:1, 12; 4:5; 9:7 • Mic. 5:2 • Ez. 6:21 • Neh. 1:6^{2}; 8:14, 17; 9:1; 10:40; 13:2 • ICh. 2:1; 6:49 • IICh. 5:10; 6:11; 7:3; 8:2, 8, 9; 10:18; 13:12, 16, 18; 28:3, 8; 30:6, 21; 31:1, 5; 33:2, 9; 35:17

2886 וַיַּעֲנוּ בְנֵי־יַעֲקֹב אֶת־שְׁכֶם Gen. 34:13

2887 וַיִּקְחוּ שְׁנֵי־בְנֵי־יַעֲקֹב...אִישׁ חַרְבּוֹ Gen. 34:25

2888 הִקָּבְצוּ וְשִׁמְעוּ בְּנֵי יַעֲקֹב Gen. 49:2

2999-2889 בְּנֵי יַעֲקֹב Gen. 34:27; 35:5 35:22, 26; 46:26 • IK. 18:31 • IIK. 17:34 • Mal. 3:6 • Ps. 77:16; 105:6 • ICh. 16:13

3007-3000 בְּנֵי עֵשָׂו Gen. 36:5, 10, 15, 19 Deut. 2:4, 8, 29 • ICh. 1:35

3008 כֻּלָּנוּ בְּנֵי אִישׁ־אֶחָד נָחְנוּ Gen. 42:11

3009 בְּנֵי אִישׁ־אֶחָד בְּאֶרֶץ כְּנָעַן Gen. 42:13

3010 שְׁנֵים־עָשָׂר...אַחִים בְּנֵי אָבִינוּ Gen. 42:32

3021-3011 בְּנֵי יוֹסֵף Gen. 48:8 Num. 26:28, 37; 36:1, 5 • Josh. 14:4; 16:4 17:14, 16; 18:11 • ICh. 7:29

3022 יִשְׁתַּחֲווּ לְךָ בְּנֵי אָבִיךָ Gen. 49:8

3023 וַיַּרְא יוֹסֵף לְאֶפְרַיִם בְּנֵי שִׁלֵּשִׁים Gen. 50:23

בְּנֵי־ (המשך)

3041-3024 בְּנֵי רְאוּבֵן Ex. 6:14
Num. 1:20; 16:1; 26:5 • Josh. 4:12; 13:15, 23^{2}; 22:9, 10, 11, 21, 25, 30, 33, 34 • ICh. 5:3, 18
3060-3042 בְּנֵי לֵוִי Ex. 6:16; 32:26, 28
Num. 3:15, 17; 4:2; 16:7, 8, 10 • Deut. 21:5; 31:9 • Mal. 3:3 • Neh. 12:23 • ICh. 5:27; 6:1; 9:18; 12:27(26); 23:24, 27
3061 נָדָב וַאֲבִיהוּא...בְּנֵי אַהֲרֹן Ex. 28:1
3062 עַל־בָּנִים וְעַל־בְּנֵי־בָנִים Ex. 34:7
3063 וְהִקְרִיבוּ בְּנֵי אַהֲרֹן הַכֹּהֲנִים Lev. 1:5
3096-3064 בְּנֵי אַהֲרֹן Lev. 1:7, 8, 11; 2:2; 3:2, 5
8, 13; 6:7; 7:10; 8:13, 24; 9:9, 12, 18; 10:1, 16; 16:1; 21:1 • Num. 3:2, 3 • Josh. 21:19 • ICh. 6:35; 15:4; 23:28, 32; 24:1, 31 • IICh. 13:9, 10; 26:18; 35:14^{2}
3129-3097 ...בְּנֵי שָׁנָה Lev. 9:3; 23:18, 19
Num. 7:17, 23, 29, 35, 41, 47, 53, 59, 65, 71; 7:77, 83, 87, 88; 28:3, 9, 11, 19, 27; 29:2, 8, 13, 17; 29:20, 23, 26, 29, 32, 36 • Mic. 6:6
3130 מִן־הַתֹּרִים אוֹ מִן־בְּנֵי הַיּוֹנָה Lev. 1:14
3138-3131 בְּנֵי (הַ)יוֹנָה Lev. 5:7, 11
12:8; 14:22, 30; 15:14, 29 • Num. 6:10
3139 וְלֹא־תִטֹּר אֶת־בְּנֵי עַמֶּךָ Lev. 19:18
3140 וְנִכְרְתוּ לְעֵינֵי בְּנֵי עַמָּם Lev. 20:17
3146-3141 בְּנֵי(־)גֵרְשׁוֹן Num. 3:18, 25
4:22, 38, 41; 10:17
3156-3147 בְּנֵי קְהָת Num. 3:29; 4:2, 4, 15^{2}
• Josh. 21:20, 26 • ICh. 6:7, 51; 9:32; 23:12
3171-3157 בְּנֵי מְרָרִי Num. 4:29, 33, 42, 45
Josh. 21:34 • ICh. 6:4, 14; 9:14; 15:17; 23:21; 24:26, 27; 26:10 • IICh. 29:12; 34:12
3172 וַיִּסַּע דֶּגֶל מַחֲנֵה בְנֵי־יְהוּדָה Num. 10:14
3173 בְּנֵי יְהוּדָה עֵר וְאוֹנָן Num. 26:19
3174 וַיִּהְיוּ בְנֵי־יְהוּדָה לְמִשְׁפְּחֹתָם Num. 26:20
3208-3175 בְּנֵי יְהוּדָה Josh. 14:6
15:1, 12, 13, 20, 21, 63^{2}; 18:11, 14; 19:1, 9^{2}; 21:9 • Jud. 1:8, 9, 16 • IISh. 1:18 • Jer. 7:30 • Hosh. 2:2 • Joel 4:8, 19 • Ez. 3:9 • ICh. 2:3, 4, 10; 4:1, 27; 6:50; 9:3; 12:25(24) • IICh. 13:18; 25:12; 28:10
3221-3209 בְּנֵי אֶפְרָיִם Num. 10:22
26:35, 37; 34:24 • Josh. 16:5, 8 • Ps. 78:9 • ICh. 9:3; 12:31(30); 27:10, 14 • IICh. 25:7; 28:12
3232-3222 בְּנֵי מְנַשֶּׁה Num. 10:23 26:29; 34:23;
36:12 • Josh. 13:29; 16:9; 17:2, 12; 22:31
ICh. 7:14, 29
3265-3233 בְּנֵי בִנְיָמִן Num. 10:24
26:38, 41 • Josh. 18:11, 20, 21, 28 • Jud. 1:21^{2}; 20:3, 13, 14, 15, 18, 21, 23, 24, 28, 30, 31, 32, 36, 48; 21:13, 20, 23 • IISh. 2:25; 23:29 • Neh. 11:7
ICh. 6:50; 9:7; 11:31; 12:30(29)
3279-3266 בְּנֵי(־)דָן Num. 10:25
26:42; 34:22 • Josh. 19:40, 47^{2}, 48 • Jud. 1:34; 18:2, 22, 23, 25, 26, 30
3287-3280 בְּנֵי(־)אָשֵׁר Num. 10:26
26:44, 47; 34:27 • Josh. 19:24, 31 • ICh. 7:30, 40
3288 רָאִינוּ אֶת־הַנְּפִילִים בְּנֵי עֲנָק Num. 13:33
3289 וַיִּשְׁלַח...אֶרֶץ בְּנֵי־עַמּוֹ Num. 22:5
3299-3290 בְּנֵי(־)שִׁמְעוֹן Num. 26:12; 34:20
Josh. 19:1, 8, 9^{2}; 21:9 • ICh. 4:24; 6:50; 12:26(25)
3310-3300 בְּנֵי(־)גָד Num. 26:15, 18
32:25, 29, 31, 34 • Josh. 13:28; 22:13, 15, 31, 32
3315-3311 פָּרִים בְּנֵי־בָקָר Num. 28:11
28:19, 27; 29:13, 17

בְּנֵי־ (המשך)

3316 וְגַם־בְּנֵי עֲנָקִים רָאִינוּ שָׁם Deut. 1:28
3317 לִפְנֵי אֲחֵיכֶם...כָּל־בְּנֵי־חָיִל Deut. 3:18
3318 מִי יִתְיַצֵּב לִפְנֵי בְּנֵי עֲנָק Deut. 9:2
3319 עַם־גָּדוֹל וָרָם בְּנֵי עֲנָקִים Deut. 9:2
3320 יָצְאוּ אֲנָשִׁים בְּנֵי־בְלִיַּעַל Deut. 13:14
3326-3321 בְּנֵי־בְלִיַּעַל Jud. 19:22; 20:13
ISh. 2:12 • IK. 21:10, 13 • IICh. 13:7
3327 וְאֵילִים בְּנֵי־בָשָׁן וְעַתּוּדִים Deut. 32:14
3328 וַיֹּרֶשׁ...אֶת־שְׁלוֹשָׁה בְּנֵי הָעֲנָק Josh. 15:14
3329 וַיּוֹרֶשׁ...אֶת־שְׁלֹשָׁה בְּנֵי הָעֲנָק Jud. 1:20
3330 וּמִדְיָן וַעֲמָלֵק וְכָל־בְּנֵי־קֶדֶם Jud. 7:12
3335-3331 בְּנֵי־קֶדֶם Jud. 8:10
IK. 5:10 • Is. 11:14 • Jer. 49:28 • Job 1:3
3336 כְּתֹאַר בְּנֵי הַמֶּלֶךְ Jud. 8:18
3354-3337 בְּנֵי(־)הַמֶּלֶךְ IISh. 13:23, 27, 29, 30
13:32, 33, 35, 36 • IK. 1:19, 25 • IIK. 10:7, 8, 13; 11:2 • Zep. 1:8 • ICh. 27:32; 29:24 • IICh. 22:11
3355 וַיֹּאמַר אַחַי בְּנֵי־אִמִּי הֵם Jud. 8:19
3356 וַיִּגְדְּלוּ בְנֵי־הָאִשָּׁה... Jud. 11:2
3357 וַיְהִי־לוֹ...וּשְׁלֹשִׁים בְּנֵי בָנִים Jud. 12:14
3358 אֲנָשִׁים בְּנֵי־חַיִל Jud. 18:2
3362-3359 בְּנֵי־חָיִל ICh. 26:7, 9, 30, 32
3363/4 בְּנֵי יְמִינִי Jud. 19:16 • ISh. 22:7
3365 חַי־יְיָ כִּי בְנֵי־מָוֶת אַתֶּם ISh. 26:16
3366 כִּנְפוֹל לִפְנֵי בְנֵי־עַוְלָה נָפָלְתָּ IISh. 3:34
3367 וְלֹא־יֹסִיפוּ בְנֵי־עַוְלָה לְעַנּוֹתוֹ IISh. 7:10
3368 בְּנֵי נֵכָר יִתְכַּחֲשׁוּ־לִי IISh. 22:45
3377-3369 בְּנֵי(־)נֵכָר IISh. 22:46
Is. 60:10; 62:8 • Ezek. 44:7 • Ps. 18:45, 46
144:7, 11 • Neh. 9:2
3378 וַיֵּצְאוּ בְנֵי־הַנְּבִיאִים...אֶל־אֱלִישָׁע IIK. 2:3
3382-3379 בְּנֵי־הַנְּבִיאִים IIK. 2:5, 15; 4:1; 6:1
3383 חֲמִשִּׁים אֲנָשִׁים בְּנֵי־חַיִל IIK. 2:16
3384 וְאִתְּכֶם בְּנֵי אֲדֹנֵיכֶם IIK. 10:2
3385 קְחוּ אֶת־רָאשֵׁי אַנְשֵׁי בְנֵי־אֲדֹנֵי־ IIK. 10:6
3386 בְּנֵי רְבִעִים יֵשְׁבוּ לְךָ... IIK. 10:30
3387 וְאֶת־בְּנֵי הַמַּכִּים לֹא הֵמִית IIK. 14:6
3388 וְלָקַח...וְאֵת בְּנֵי הַתַּעֲרֻבוֹת IIK. 14:14
3389 בְּנֵי רְבִיעִים יֵשְׁבוּ לְךָ IIK. 15:12
3390 וַיַּשְׁלֵךְ...עַל־קֶבֶר בְּנֵי הָעָם IIK. 23:6
3391 גִּבּוֹרֵי בְנֵי־קֵדָר יִמְעָטוּ Is. 21:17
3392 עוֹד יֹאמְרוּ...בְּנֵי שִׁכֻּלָיִךְ Is. 49:20
3393 כִּי־רַבִּים בְּנֵי־שׁוֹמֵמָה Is. 54:1
3394 קִרְבוּ־הֵנָּה בְּנֵי עֹנְנָה Is. 57:3
3395 וְהָלְכוּ אֵלַיִךְ שְׁחוֹחַ בְּנֵי מְעַנַּיִךְ Is. 60:14
3396 וְאֶת־בְּנֵי בְנֵיכֶם אָרִיב Jer. 2:9
3397 וְעָמַדְתָּ בְּשַׁעַר בְּנֵי הָעָם Jer. 17:19
3398 וַיַּשְׁלֵךְ...אֶל־קִבְרֵי בְּנֵי הָעָם Jer. 26:23
3399 וְעַל־בְּנֵי־צֹאן וּבָקָר Jer. 31:12(11)
3400 בֹּא אֶל־הַגּוֹלָה אֶל־בְּנֵי עַמֶּךָ Ezek. 3:11
3406-3401 בְּנֵי(־)עַמְּךָ Ezek. 33:2, 12, 17, 30
37:18 • Dan. 12:1
3407 יֵאָמֵר לָהֶם בְּנֵי אֵל־חָי Hosh. 2:1
3408 כִּי־בְנֵי זְנוּנִים הֵמָּה Hosh. 2:6
3409 ...מִלְחָמָה עַל־בְּנֵי עַלְוָה Hosh. 10:9
3410 קָרְחִי וָגֹזִּי עַל־בְּנֵי תַּעֲנוּגָיִךְ Mic. 1:16
3411 אֵלֶּה שְׁנֵי בְנֵי־הַיִּצְהָר Zech. 4:14
3412 בְּנֵי־אִישׁ עַד־מֶה כְבוֹדִי לִכְלִמָּה Ps. 4:3
3413/4 בְּנֵי(־)אִישׁ Ps. 49:3; 62:10
3415 הָבוּ לַייָ בְּנֵי אֵלִים Ps. 29:1
3416 הוֹתֵר בְּנֵי תְמוּתָה Ps. 79:11
3417 לְפַתֵּחַ בְּנֵי תְמוּתָה Ps. 102:21

בְּנֵי־ (המשך)

3418 בְּנֵי־עֲבָדֶיךָ יִשְׁכּוֹנוּ Ps. 102:29
3419 כְּחִצִּים...כֵּן בְּנֵי הַנְּעוּרִים Ps. 127:4
3420 בְּנֵי־צִיּוֹן יָגִילוּ בְמַלְכָּם Ps. 149:2
3421 טוֹב יַנְחִיל בְּנֵי־בָנִים Prov. 13:22
3422 עֲטֶרֶת זְקֵנִים בְּנֵי בָנִים Prov. 17:6
3423 וְיֹאכְלוּהָ בְנֵי־נָשֶׁר Prov. 30:17
3424 וִישַׁנֶּה דִּין כָּל־בְּנֵי־עֹנִי Prov. 31:5
3425 ...אֶל־דִּין כָּל־בְּנֵי חֲלוֹף Prov. 31:8
3426 לֹא־הִדְרִיכוּהוּ בְנֵי־שָׁחַץ Job 28:8
3427/8 בְּנֵי־נָבָל גַּם־בְּנֵי בְלִי־שֵׁם Job 30:8
3429 הוּא מֶלֶךְ עַל־כָּל־בְּנֵי־שָׁחַץ Job 41:26
3430 וַיַּרְא אֶת־בָּנָיו וְאֶת־בְּנֵי בָנָיו Job 42:16
3431 בְּנֵי אִמִּי נִחֲרוּ־בִי S.ofS. 1:6
3432 הֵבִיא בְּכִלְיוֹתָי בְּנֵי אַשְׁפָּתוֹ Lam. 3:13
3433 וַיַּגֶּה בְּנֵי־אִישׁ Lam. 3:33
3434 בְּנֵי צִיּוֹן הַיְקָרִים הַמְסֻלָּאִים בַּפָּז Lam. 4:2
3435 רֹכְבֵי הָרֶכֶשׁ...בְּנֵי הָרַמָּכִים Es. 8:10
3436 וְאֵלֶּה בְּנֵי הַמְּדִינָה הָעֹלִים Ez. 2:1
3437 כִּי־בְנֵי הַגּוֹלָה בּוֹנִים הֵיכָל Ez. 4:1
3442-3438 בְּנֵי(־)הַגּוֹלָה Ez. 6:19, 20; 8:35; 10:7, 16
3443 אֵלֶּה בְּנֵי הַמְּדִינָה הָעֹלִים Neh. 7:6
3444 וַיֵּאָסְפוּ בְּנֵי הַמְשֹׁרְרִים Neh. 12:28
3445 וְלֹא־יוֹסִיפוּ בְנֵי־עַוְלָה לְבַלֹּתוֹ ICh. 17:9
3446 ...וְאֵת בְּנֵי הַתַּעֲרֻבוֹת IICh. 25:24
3447 כֹּהֲנִים לַייָ שְׁמוֹנִים בְּנֵי־חָיִל IICh. 26:17
3448 וַיַּהֲרֹג...הַכֹּל בְּנֵי־חָיִל IICh. 28:6
3449 ...לַאֲחֵיכֶם בְּנֵי הָעָם IICh. 35:5
3450 וַיָּרִיצוּ לְכָל־בְּנֵי הָעָם IICh. 35:13
3864-3451 בְּנֵי־ Gen. 10:2, 20, 21, 29
25:4, 13, 16; 31:1; 33:19; 35:23, 24; 36:11, 12, 13^{2}, 14, 15; 36:16, 17^{2}, 18, 20, 21, 22, 23, 24, 25, 26, 27, 28; 37:2^{2}; 46:15, 18, 19, 22, 25; 50:23^{2} • Lev. 10:4 • Num. 1:42; 4:27, 28, 34; 10:15, 16, 19, 20, 27; 16:12; 24:17; 26:21, 23, 26, 30, 36, 40, 48; 32:39; 34:14^{2}, 25, 26, 28; 36:1 • Deut. 11:6 • Josh. 13:31; 19:39; 24:32 • Jud. 9:2, 5, 24 • ISh. 1:3; 4:4, 11; 14:49; 17:13; 31:2 • IISh. 2:18; 3:39; 4:2, 5, 9; 6:3; 16:10; 19:23; 21:8^{2}; 23:32 • IK. 4:3; 5:11; 11:20 • IIK. 25:7 • Jer. 2:16; 35:4, 5, 16; 39:6; 40:8; 52:10 • Ezek. 16:26, 28; 23:7, 9, 12, 15, 17, 23^{2}; 27:11, 15; 40:46; 44:15 • Es. 9:10, 12, 13, 14 • Ez. 2:3, 4, 5, 6, 7, 8, 9, 10, 11, 12, 13, 14, 2:15, 16, 17, 18, 19, 20, 21, 24, 25, 26, 29, 30, 31, 32, 2:33, 34, 35, 36, 37, 38, 39, 40, 41, 42^{3}, 43^{3}, 44^{3}, 45^{3}, 2:46^{3}, 47^{3}, 48^{3}, 49^{3}, 50^{3}, 51^{3}, 52^{3}, 53^{3}, 54^{2}, 55^{4}, 56^{3}, 57^{4}, 60^{3}, 61^{3}; 3:9, 10 • Neh. 3:3; 7:8, 9, 10, 11; 7:12, 13, 14, 15, 16, 17, 18, 19, 20, 21, 22, 23, 24, 25, 34, 35, 36, 37, 38, 39, 40, 41, 42, 43, 44, 45^{6}, 46^{3}, 47^{3}, 48^{3}, 49^{3}, 50^{3}, 51^{3}, 52^{3}, 53^{3}, 54^{3}, 55^{3}, 56^{2}, 57^{4}, 58^{3}, 59^{4}, 62^{3}, 63^{3}; 11:6 • ICh. 1:5, 8, 23, 28, 31, 33, 34, 36, 37, 40, 41, 42^{2}; 2:5, 23, 25, 27, 28, 33, 50, 54; 3:1, 9^{2}, 21^{4}; 4:4, 6, 18, 21, 42^{2}; 5:4, 14; 6:2, 11; 7:8, 11, 12^{2}, 13^{2}, 17, 19, 33, 36; 8:6, 16, 18, 21, 8:25, 27, 38, 40; 9:4, 6, 30, 32, 44; 10:2; 11:34, 44, 46; 12:3^{2}, 8(7), 17(16); 15:15; 23:8, 9, 10, 13, 15, 16, 23:17, 18, 19, 20, 21^{2}, 22, 23; 24:3^{2}, 4^{2}, 24, 26^{2}, 29, 30; 25:2, 3, 4; 26:1, 7, 21, 22; 27:3 • IICh. 13:8; 20:1, 14, 19^{2}; 21:2^{2}; 23:3; 24:25; 25:11, 14; 29:12, 13^{2}; 34:12; 35:15

וּבְנֵי־

3865 אַתָּה וּבָנֶיךָ וּבְנֵי בָנֶיךָ Gen. 45:10
3866 בָּנָיו וּבְנֵי בָנָיו אִתּוֹ... Gen. 46:7
3877-3867 וּבְנֵי־גָד Gen. 46:16
Josh. 4:12; 22:9, 10, 11, 21, 25, 30, 33, 34 • ICh. 5:11

וּבְנֵי (המשך)

3883-3878 וּבְנֵי(־)יְהוּדָה Gen. 46:12
Jer. 32:30, 32; 50:4, 33 • Joel 4:6
3884 וּבְנֵי יִשְׂרָאֵל פָּרוּ וַיִּשְׁרְצוּ Ex. 1:7
3885 וּבְנֵי יִשְׂרָאֵל יֹצְאִים בְּיָד רָמָה Ex. 14:8
3886/7 וּבְנֵי יִשְׂרָ' הָלְכוּ בַיַּבָּשָׁה Ex. 14:29; 15:19
3888 אָז יָשִׁיר־מֹשֶׁה וּבְנֵי יִשְׂרָאֵל Ex. 15:1
3910-3889 וּבְנֵי יִשְׂרָאֵל Ex. 12:35; 16:35
Lev. 24:23 • Num. 26:4 • Deut. 4:46; 10:6 • Josh. 10:20; 12:6, 7 • Jud. 3:5; 20:32 • ISh. 14:18 • IISh. 21:2 • IK. 12:17; 20:27 • Hosh. 2:2 • Ez. 3:1 • Neh. 7:72(73); 10:40 • ICh. 27:1 • IICh. 10:17; 31:6

3911 כִּי־תוֹלִיד בָּנִים וּבְנֵי בָנִים Deut. 4:25
3912 וּבְנֵי בְלִיַּעַל אָמְרוּ... וַיִּבְזֻהוּ ISh. 10:27
3913 וַיִּקְחוּ צֹאן וּבָקָר וּבְנֵי בָקָר ISh. 14:32
3914 וּבְנֵי־חַיִל אֲשֶׁר אִתּוֹ IISh. 17:10
3915 וּבְנֵי הַנְּבִיאִים יֹשְׁבִים לְפָנָיו IIK. 4:38
3916 וּבְנֵי הַמֶּלֶךְ שִׁבְעִים אִישׁ IIK. 10:6
3917 לִשְׁלוֹם בְּנֵי־הַמֶּלֶךְ וּבְנֵי הַגְּבִירָה IIK. 10:13
3918 גַּם־בְּנֵיהֶם וּבְנֵי בְנֵיהֶם IIK. 17:41
3919 וּבְנֵי הַנֵּכָר הַנִּלְוִים עַל־יְיָ Is. 56:6
3920 וּבְנֵי נֵכָר אִכָּרֵיכֶם וְכֹרְמֵיכֶם Is. 61:5
3921 כּוּשׁ...וּבְנֵי אֶרֶץ הַבְּרִית Ezek. 30:5
3922 הֵמָּה וּבְנֵיהֶם וּבְנֵי בְנֵיהֶם Ezek. 37:25
3923 וּבְנֵי צִיּוֹן גִּילוּ וְשִׂמְחוּ בַּיְיָ Joel 2:23
3924 וּבְנֵי יְרוּשָׁלַםִ מְכַרְתֶּם לִבְנֵי הַיְּוָנִים Joel 4:6
3925 וּבְנֵי אָדָם בְּצֵל כְּנָפֶיךָ יֶחֱסָיוּן Ps. 36:8
3926 אֱלֹהִים אַתֶּם וּבְנֵי עֶלְיוֹן כֻּלְּכֶם Ps. 82:6
3927 וּבְנֵי לָבִיא יִתְפָּרָדוּ Job 4:11
3928 וּבְנֵי־רֶשֶׁף יַגְבִּיהוּ עוּף Job 5:7
3929 וּבְנֵי־בַיִת הָיָה לִי Eccl. 2:7
3930 וּבְנֵי פָּרִיצֵי עַמְּךָ יִנַּשְּׂאוּ Dan. 11:14
3931-3 וּבְנֵי עַבְדֵי שְׁלֹמֹה Ez. 2:58 • Neh. 7:60; 11:3
3934 וּמַרְבִּים בָּנִים וּבְנֵי בָנִים ICh. 8:40
3935 וּבְנֵי אֲחֵי אֲחַזְיָהוּ מְשָׁרְתִים לַאֲחַ' IICh. 22:8
3936 וּבְנֵי הַגְּדוּד אֲשֶׁר הֵשִׁיב IICh. 25:13
3937 צֹאן כְּבָשִׂים וּבְנֵי־עִזִּים IICh. 35:7
4073-3938 וּבְנֵי־ Gen. 10:3, 4, 6, 7^2, 23
25:3, 4; 34:7; 35:25, 26; 46:9, 10, 11, 13, 14, 17^2; 46:21, 23, 24, 27 • Ex. 6:15, 18, 19, 21, 22, 24 • Num. 3:19, 20; 10:8, 17; 26:8, 9, 11; 32:2, 25, 29, 31, 37 • Deut. 2:12 • Josh. 22:30 • Jud. 1:16; 6:3, 33; 12:2 • ISh. 2:12 • IISh. 8:18; 10:14 • IIK. 19:12 • Is. 11:14; 37:12 • Jer. 40:8 • Zep. 2:9 • Ez. 10:31 • Neh. 11:31 • ICh. 1:6[illegible]:7, 9^2, 32^2, 33, 38, 39, 40, 41; 2:6, 7, 8, 9, 16, 28, 30, 31^3, 32, 33, 42^2, 43, 47; 3:15, 16, 17, 19, 22^2, 24; 4:7, 13^2, 15^2, 16, 19, 20^2, 26; 5:1, 23, 28, 29^2; 6:3, 10, 13, 29; 7:2, 3^2, 7, 8, 10^2, 17, 20, 31, 33, 34, 38, 39; 8:12, 35, 39; 16:42; 18:17; 19:6, 7, 15; 23:10, 17; 24:23, 30 • IICh. 20:1

בִּבְנֵי־
4074 פֶּטֶר כָּל־רֶחֶם בִּבְנֵי יִשְׂרָאֵל Ex. 13:2
4075 כָּל־זָכָר בִּבְנֵי אַהֲרֹן יֹאכְלֶנָּה Lev. 6:11
4076 כִּי לִי כָל־בְּכוֹר בִּבְנֵי יִשְׂרָאֵל Num. 8:17
4087-4077 בִּבְנֵי יִשְׂרָאֵל Num. 3:41, 42, 45
8:18, 19; 15:29 • Deut. 31:19 • Josh. 7:1; 18:2
Jud. 20:25 • Ezek. 47:22

4088-90 לְהִלָּחֵם בִּבְנֵי עַמּוֹן Jud. 10:18; 11:9; 12:1
4091/2 וְנִלְחֲמָה בִּבְנֵי עַמּוֹן Jud. 11:6, 8
4093 יִדְמֶה לַייָ בִּבְנֵי אֵלִים Ps. 89:7

וּבִבְנֵי־
4094 וַיִּלָּחֶם...בְּמוֹאָב וּבִבְנֵי־עַמּוֹן ISh. 14:47
4095 אֲשֶׁר־בְּמוֹאָב וּבִבְנֵי־עַמּוֹן Jer. 40:11
4096 מִבְּנֵי אֶלְעָזָר וּבִבְנֵי אִיתָמָר ICh. 24:5
4097 וּבִבְנֵי אָבִי בִּי רָצָה לְהַמְלִיךְ ICh. 28:4

כִּבְנֵי־
4098 הֲלוֹא כִבְנֵי כֻשִׁיִּים אַתֶּם לִי Am. 9:7
4100-4099 גְּבָעוֹת כִּבְנֵי־צֹאן Ps. 114:4, 6

לִבְנֵי־
4101 וַיִּשְׁתַּחוּ...לִבְנֵי־חֵת Gen. 23:7
4102 לִפְנֵי מְלָךְ־מֶלֶךְ לִבְנֵי יִשְׂרָאֵל Gen. 36:31
4103 כֹּה תֹאמַר לִבְנֵי יִשְׂרָאֵל Ex. 3:14
4104 לָכֵן אֱמֹר לִבְנֵי־יִשְׂרָאֵל Ex. 6:6
4152-4105 לִבְנֵי יִשְׂרָאֵל Ex. 9:4; 14:3; 19:3; 28:12
29:43; 30:16; 39:7 • Lev. 17:12, 14 • Num. 3:40; 13:2; 17:3, 5; 19:10; 20:24; 27:11, 12; 30:2; 31:16, 54; 32:28; 35:15; 36:1, 2, 4, 7 • Deut. 32:49, 52 • Josh. 1:2; 4:7; 5:12; 10:21; 14:1; 18:10; 21:1 • Jud. 3:9 • IISh. 21:2 • IK. 8:1; 12:33 • IIK. 8:12 • Joel 4:16 • Ob. 20 • Ps. 103:7; 148:14 • Neh. 2:10 • ICh. 1:43 • IICh. 5:2; 34:33
4153 לְמִשְׁמֶרֶת לְאוֹת לִבְנֵי־מֶרִי Num. 17:25
4154 וַתִּהְיֶינָה...לִבְנֵי דֹדֵיהֶן לְנָשִׁים Num. 36:11
4155 הַחִידָה חַדְתָּה לִבְנֵי עַמִּי Jud. 14:16
4156 וַתַּגֵּד הַחִידָה לִבְנֵי עַמָּהּ Jud. 14:17
4157/8 וִהְיוּ לִבְנֵי־חָיִל IISh. 2:7; 13:28
4159 וּבַשֵּׁל נָזִיד לִבְנֵי הַנְּבִיאִים IIK. 4:38
4160 הִנְנִי נֹתְנָךְ לִבְנֵי־קֶדֶם לְמוֹרָשָׁה Ezek. 25:4
4161 לִבְנֵי־קֶדֶם עַל־בְּנֵי עַמּוֹן Ezek. 25:10
4162 מְכַרְתֶּם לִבְנֵי הַיְּוָנִים Joel 4:6
4163 וְלֹא יְיַחֵל לִבְנֵי אָדָם Mic. 5:6
4164 כֻּרֻם זֻלֻּת לִבְנֵי אָדָם Ps. 12:9
4173-4165 לִבְנֵי אָדָם Ps. 107:8, 15, 21, 31
115:16; 145:12 • Eccl. 1:13; 2:3; 3:10
4174 לַמְנַצֵּחַ מַשְׂכִּיל לִבְנֵי־קֹרַח Ps. 42:1
4178-4175 לַמְנַצֵּחַ לִבְנֵי־קֹרַח Ps. 44:1
46:1; 47:1; 49:1
4184-4179 לִבְנֵי־קֹרַח Ps. 45:1
48:1; 84:1; 85:1; 87:1; 88:1
4185 מוּזָר הָיִיתִי...וְנָכְרִי לִבְנֵי אִמִּי Ps. 69:9
4186 יוֹשִׁיעַ לִבְנֵי אֶבְיוֹן Ps. 72:4
4187 וְצִדְקָתוֹ לִבְנֵי בָנִים Ps. 103:17
4188 וְחַנֹּתִי לִבְנֵי בִטְנִי Job 19:17
4189 וַיָּרֶם יֹאשִׁיָּהוּ לִבְנֵי הָעָם צֹאן IICh. 35:7
4190 לְמִפְלַגּוֹת...לִבְנֵי הָעָם IICh. 35:12
4288-4191 לִבְנֵי־ Num. 1:10, 22, 24, 26, 28
1:30, 32^2, 34, 36, 38, 40; 2:3, 5, 7, 10, 12, 14, 18, 20, 22, 25, 27, 29; 7:7, 8, 24, 30, 36, 42, 48, 54, 60, 66, 72, 78; 26:45; 32:1, 6, 33; 34:23 • Deut. 2:9, 19, 22 • Josh. 13:24, 31; 16:1, 9; 17:2^2, 6, 8; 19:10, 17, 32^2; 21:4, 7, 10, 40(38); 24:32 • Jer. 49:1 • Ezek. 25:3 • Ob. 12 • Ps. 83:9; 137:7; 147:9 • Ez. 2:6, 40 • Neh. 7:11, 43; 12:47; 13:16 • ICh. 5:1; 6:39, 48, 55, 56, 62; 15:5, 6, 7, 8, 9, 10; 23:6; 24:4, 20^2, 21, 22, 24, 25; 25:1, 2; 26:19; 27:20; 29:21

וְלִבְנֵי־
4289 וְלִבְנֵי הַפִּילַגְשִׁים אֲשֶׁר לְאַבְ' Gen. 25:6
4290 וְלִבְנֵי אַהֲרֹן תַּעֲשֶׂה כֻתֳּנֹת Ex. 28:40
4291 וְלִבְנֵי קְהָת לֹא נָתָן Num. 7:9
4292 וְלִבְנֵי לֵוִי הִנֵּה נָתַתִּי Num. 18:21
4293 וְהוֹדַעְתָּם לְבָנֶיךָ וְלִבְנֵי בָנֶיךָ Deut. 4:9
4316-4294 וְלִבְנֵי־ Num. 32:1, 6, 33 Josh. 17:2^2;
21:5, 6, 13, 27 • IK. 2:7 • Ezek. 34:16 • ICh. 6:42, 46, 47; 7:1; 24:1, 4, 20; 26:19 • IICh. 31:19

מִבְּנֵי־
4317 הַמַּקְרִיב... מִבְּנֵי אַהֲרֹן Lev. 7:33
4318 וְאִישׁ אִישׁ מִבְּנֵי יִשְׂרָאֵל Lev. 17:13

מִבְּנֵי־ (המשך)

4333-4319 מִבְּנֵי יִשְׂרָאֵל Lev. 20:2
Num. 3:12; 8:16; 16:2; 25:6 • Deut. 23:18; 24:7 • Josh. 2:2; 4:4 • Jud. 19:12 • ISh. 9:2 • IISh. 21:2 • IK. 9:20 • Dan. 1:3 • Ez. 7:7
4334 וְגַם מִבְּנֵי הַתּוֹשָׁבִים...תִּקְנוּ Lev. 25:45
4335 לְאֶחָד מִבְּנֵי שִׁבְטֵי בְנֵי־יִשְׂרָאֵל Num. 36:3
4336 אֶלֶף אִישׁ מִבְּנֵי הֶחָיִל Jud. 21:10
4337 כְּאַחַד מִבְּנֵי הַמֶּלֶךְ IISh. 9:11
4338 וְאִישׁ אֶחָד מִבְּנֵי הַנְּבִיאִים IK. 20:35
4341-4339 מִבְּנֵי הַנְּבִיאִים IIK. 2:7; 5:22; 9:1
4342 הַטּוֹב וְהַיָּשָׁר מִבְּנֵי אֲדֹנֵיכֶם IIK. 10:3
4343 מִשְׁחַת...וְתָאֳרוֹ מִבְּנֵי אָדָם Is. 52:14
4344 רַבִּים בְּנֵי־שׁוֹמֵמָה מִבְּנֵי בְעוּלָה Is. 54:1
4345 כִּי־פַסּוּ אֱמוּנִים מִבְּנֵי אָדָם Ps. 12:2
4346/7 מִבְּנֵי אָדָם Ps. 21:11; 45:3
4389-4348 מִבְּנֵי־ Josh. 21:10, 20
Jud. 4:6, 11; 11:31, 36; 18:16 • IISh. 4:2 • IK. 12:31; 15:25 • Ezek. 40:46; 48:11 • Dan. 1:6 • Ez. 8:2^3, 3^2, 4, 5, 9, 18, 19; 10:2, 18^2, 25, 33, 34, 43 • Neh. 10:10; 11:4^3, 22, 24, 25 • ICh. 6:18; 8:40; 12:15(14); 24:5; 26:8

וּמִבְּנֵי־
4390 מִבְּנֵי נַפְתָּלִי וּמִבְּנֵי זְבֻלוּן Jud. 4:6
4391 מֵאֲרָם וּמִמּוֹאָב וּמִבְּנֵי עַמּוֹן IISh. 8:12
4392 וּמִבְּנֵי יִשְׂרָאֵל לֹא־נָתַן שְׁלֹמֹה עָבֶד IK. 9:22
4393 וּמִבְּנֵי הַכֹּהֲנִים בַּחֲצֹצְרוֹת Neh. 12:35
4415-4394 וּמִבְּנֵי Ez. 2:61; 8:6, 7, 8, 10, 11
8:12, 13, 14, 15; 10:20, 21, 22, 26, 27, 28, 29, 30 • Neh. 11:4; 13:28 • ICh. 12:33(32); 18:11

בָּנַי
4416 הַבָּנוֹת בְּנֹתַי וְהַבָּנִים בָּנַי Gen. 31:43
4417 אֶת־שְׁנֵי בָנַי תָּמִית Gen. 42:37
4418 בָּנַי הֵם אֲשֶׁר־נָתַן־לִי אֱלֹהִים Gen. 48:9
4419 וְכָל־בְּכוֹר בָּנַי אֶפְדֶּה Ex. 13:15
4420 לְהָמִית אֹתִי וְאֶת־בָּנַי...בַּצָּמָא Ex. 17:3
4421 הָבִיאִי בָנַי מֵרָחוֹק Is. 43:6
4422 עַל־בָּנַי וְעַל־פֹּעַל יָדַי תְּצַוֻּנִי Is. 45:11
4423 בָּנַי יְצָאֻנִי וְאֵינָם Jer. 10:20
4424 כִּי אָמַר אִיּוֹב אוּלַי חָטְאוּ בָנַי Job 1:5
4425 הָיוּ בָנַי שׁוֹמֵמִים כִּי גָבַר אוֹיֵב Lam. 1:16
4426 וּמִכָּל־בָּנַי...וַיִּבְחַר בִּשְׁלֹמֹה בְנִי ICh. 28:5
4427 בָּנַי עַתָּה אַל־תִּשָּׁלוּ IICh. 29:11

בָּנָי
4428 אָהַבְתִּי...אֶת־אִשְׁתִּי וְאֶת־בָּנָי Ex. 21:5
4429 אַל בָּנַי כִּי לוֹא־טוֹבָה הַשְּׁמֻעָה ISh. 2:24
4430 וַתִּשְׁחֲטִי אֶת־בָּנַי Ezek. 16:21

וּבָנַי
4431 וּבָנַי הִנָּם אִתְּכֶם ISh. 12:2

לְבָנַי
4432 וְלֹא נְטַשְׁתַּנִי לְנַשֵּׁק לְבָנַי Gen. 31:28

וּלְבָנַי
4433 כִּי־שָׁלַח אֵלַי לְנָשַׁי וּלְבָנַי... IK. 20:7

בָּנֶיךָ
4434 וְאִשְׁתְּךָ וּנְשֵׁי־בָנֶיךָ אִתָּךְ Gen. 6:18
4435 וּבָנֶיךָ וּנְשֵׁי־בָנֶיךָ אִתָּךְ Gen. 8:16
4436 אַתָּה וּבָנֶיךָ וּבְנֵי בָנֶיךָ Gen. 45:10
4437 שְׁנֵי־בָנֶיךָ הַנּוֹלָדִים לְךָ Gen. 48:5
4438 בְּכוֹר בָּנֶיךָ תִּתֶּן־לִי Ex. 22:28
4439 וְהִזְנוּ אֶת־בָּנֶיךָ אַחֲרֵי אֱלֹהֵיהֶן Ex. 34:16
4440 כֹּל בְּכוֹר בָּנֶיךָ תִּפְדֶּה Ex. 34:20
4441/2 חָקְךָ וְחָק־בָּנֶיךָ Lev. 10:13, 14
4443 וְהוֹדַעְתָּם לְבָנֶיךָ וְלִבְנֵי בָנֶיךָ Deut. 4:9
4444 בָּנֶיךָ וּבְנֹתֶיךָ נְתֻנִים לְעַם אַחֵר Deut. 28:32
4445 וְאָכַלְתָּ...בְשַׂר בָּנֶיךָ וּבְנֹתֶיךָ Deut. 28:53
4446 וַתְּכַבֵּד אֶת־בָּנֶיךָ מִמֶּנִּי ISh. 2:29
4447 הָאוֹת אֲשֶׁר יָבֹא אֶל־שְׁנֵי בָנֶיךָ ISh. 2:34
4448 וְגַם־שְׁנֵי בָנֶיךָ מֵתוּ ISh. 4:17
4449 וְאֵת נֶפֶשׁ בָּנֶיךָ וּבְנֹתֶיךָ IISh. 19:6

בָּנֶיךָ (המשך)

4450/1 אִם־יִשְׁמְרוּ בָנֶיךָ אֶת־דַּרְכָּם IK.2:4; 8:25
4452 יֹאכְלוּ בָּנֶיךָ וּבְנוֹתֶיךָ Jer.5:17
4453 וְאֶת־כָּל־נָשֶׁיךָ וְאֶת־בָּנֶיךָ Jer.38:23
4454 כִּי־לֻקְּחוּ בָנֶיךָ בַּשֶּׁבִי Jer.48:46
4455 אֶשְׁכַּח בָּנֶיךָ גַּם־אָנִי Hosh.4:6
4456 תַּחַת אֲבֹתֶיךָ יִהְיוּ בָנֶיךָ Ps.45:17
4457 הִנֵּה דוֹר בָּנֶיךָ בָגַדְתִּי Ps.73:15
4458 בָּנֶיךָ כִּשְׁתִלֵי זֵיתִים Ps.128:3
4559 אִם־יִשְׁמְרוּ בָנֶיךָ בְּרִיתִי Ps.132:12
4460 בָּנֶיךָ וּבְנוֹתֶיךָ אֹכְלִים וְשֹׁתִים יַיִן Job 1:18
4461 אִם־בָּנֶיךָ חָטְאוּ־לוֹ Job 8:4
4462 אִם־יִשְׁמְרוּ בָנֶיךָ אֶת־דַּרְכָּם IICh.6:16

וּבָנֶיךָ
4463 אַתָּה וּבָנֶיךָ וְאִשְׁתְּךָ Gen.6:18
4464 אַתָּה וְאִשְׁתְּךָ וּבָנֶיךָ Gen.8:16
4465 חָתָן וּבָנֶיךָ וּבְנֹתֶיךָ Gen.19:12
4466 אַתָּה וּבָנֶיךָ וּבְנֵי בָנֶיךָ Gen.45:10
4467 אַל־תֵּשְׁתְּ אַתָּה וּבָנֶיךָ אִתָּךְ Lev.10:9
4468 אַתָּה וּבָנֶיךָ וּבְנֹתֶיךָ אִתָּךְ Lev.10:14
4469 אַתָּה וּבָנֶיךָ וּבֵית־אָבִיךָ Num.18:1
4470 וְאַתָּה וּבָנֶיךָ אִתָּךְ תִּשְׂאוּ Num.18:1
4471/2 וְאַתָּה וּבָנֶיךָ אִתָּךְ Num.18:2,7
4473 וְשַׁבְתָּ עַד־יְיָ...אַתָּה וּבָנֶיךָ Deut.30:2
4474 וּבָנֶיךָ לֹא הָלְכוּ בִּדְרָכֶיךָ ISh.8:5
4475 וּמָחָר אַתָּה וּבָנֶיךָ עִמִּי ISh.28:19
4476 וְעָבַדְתָּ...אַתָּה וּבָנֶיךָ וַעֲבָדֶיךָ IISh.9:10
4477 וּבָנֶיךָ הַטּוֹבִים לִי־הֵם IK.20:3
4478 וְנָשֶׁיךָ וּבָנֶיךָ לִי תִתֵּן IK.20:5
4479 וּבָנֶיךָ וּבְנֹתֶיךָ בַּחֶרֶב יִפֹּלוּ Am.7:17

בְּבָנֶיךָ
4480 וְכֹל בְּכוֹר אָדָם בְּבָנֶיךָ תִּפְדֶּה Ex.13:13

וּבְבָנֶיךָ
4481 וּבְבָנֶיךָ וּבְנָשֶׁיךָ וּבְכָל־רְכוּשֶׁךָ IICh.21:14

לְבָנֶיךָ
4482 וְלָקַחְתָּ מִבְּנֹתָיו לְבָנֶיךָ Ex.34:16
4483 וְהוֹדַעְתָּם לְבָנֶיךָ וְלִבְנֵי בָנֶיךָ Deut.4:9
4484 וְשִׁנַּנְתָּם לְבָנֶיךָ Deut.6:7
4485 וּרְאֵה־בָנִים לְבָנֶיךָ Ps.128:6

וּלְבָנֶיךָ
4486 לְחָק־לְךָ וּלְבָנֶיךָ עַד־עוֹלָם Ex.12:24
4487 וְהָיָה לְךָ וּלְבָנֶיךָ אִתָּךְ Lev.6:15
4488 לְךָ...וּלְבָנֶיךָ לְחָק־עוֹלָם Num.18:8
4489 קֹדֶשׁ קָדָשִׁים לְךָ הוּא וּלְבָנֶיךָ Num.18:9
4490/1 וּלְבָנֶיךָ וְלִבְנֹתֶיךָ אִתָּךְ Num.18:11,19
4492-4 יִיטַב לְךָ וּלְבָנֶיךָ Deut.4:40; 12:25,28
4495 לְךָ...וּלְבָנֶיךָ עַד־עוֹלָם Josh.14:9

מִבָּנֶיךָ
4496 וַהֲקִימוֹתִי...אֲשֶׁר יִהְיֶה מִבָּנֶיךָ ICh.17:11

וּמִבָּנֶיךָ
4497/8 וּמִבָּנֶיךָ אֲשֶׁר...מִמְּךָ IIK.20:18 • Is.39:7

בָּנַיִךְ
4499 וְסָגַרְתְּ הַדֶּלֶת בַּעֲדֵךְ וּבְעַד־בָּנַיִךְ IIK.4:4
4500 וְהֵבִיאוּ בָנַיִךְ בְּחֹצֶן Is.49:22
4501 וְאֶת־בָּנַיִךְ אָנֹכִי אוֹשִׁיעַ Is.49:25
4502 בָּנַיִךְ עֻלְּפוּ שָׁכְבוּ Is.51:20
4503 וְכָל־בָּנַיִךְ לִמּוּדֵי יְיָ Is.54:13
4504 בָּנַיִךְ מֵרָחוֹק יָבֹאוּ Is.60:4
4505 לְהָבִיא בָנַיִךְ מֵרָחוֹק Is.60:9
4506 בָּנַיִךְ עֲזָבוּנִי וַיִּשָּׁבְעוּ בְּלֹא אֱלֹהִים Jer.5:7
4507 וַתִּקְחִי אֶת־בָּנַיִךְ וְאֶת־בְּנוֹתַיִךְ Ezek.16:20
4508 וְכִדְמֵי בָנַיִךְ אֲשֶׁר נָתַתְּ לָהֶם Ezek.16:36
4509 בָּנַיִךְ וּבְנוֹתַיִךְ יִקָּחוּ Ezek.23:25
4510/1 וְעוֹרַרְתִּי בָנַיִךְ צִיּוֹן עַל־בָּנַיִךְ יָוָן Zech.9:13
4512 בֵּרַךְ בָּנַיִךְ בְּקִרְבֵּךְ Ps.147:13

בָּנָיִךְ
4513 וְרַב שְׁלוֹם בָּנָיִךְ Is.54:13
4514 מִהֲרוּ בָּנָיִךְ Is.49:17
4515 כִּי־יִבְעַל...יִבְעָלוּךְ בָּנָיִךְ Is.62:5

וּבָנָיִךְ
4516 וְאַתְּ וּבָנַיִךְ (כת׳ בניכי) תִּחְיִי בַּנּוֹתָר IIK.4:7

בָּנָיו
4517/8 וּנְשֵׁי־בָנָיו אִתּוֹ Gen.7:7; 8:18
4519 וּשְׁלֹשֶׁת נְשֵׁי־בָנָיו אִתָּם Gen.7:13

בָּנָיו (המשך)

4520 וַיְבָרֶךְ אֱלֹ׳ אֶת־נֹחַ וְאֶת־בָּנָיו Gen.9:1
4521 וַיָּסַר...וַיִּתֵּן בְּיַד־בָּנָיו Gen.30:35
4522 אָהַב אֶת־יוֹסֵף מִכָּל־בָּנָיו Gen.37:3
4523 וַיָּקֻמוּ כָל־בָּנָיו וְכָל־בְּנֹתָיו לְנַחֲמוֹ Gen.37:35
4524/5 בָּנָיו וּבְנֵי בָנָיו אִתּוֹ Gen.46:7
4526 בְּנֹתָיו וּבְנוֹת בָּנָיו וְכָל־זַרְעוֹ Gen.46:7
4527 כָּל־נֶפֶשׁ בָּנָיו וּבְנוֹתָיו Gen.46:15
4528 וּמִלֵּאתָ יַד־אַהֲרֹן וְיַד־בָּנָיו Ex.29:9
4529 וְעַל־תְּנוּךְ אֹזֶן בָּנָיו הַיְמָנִית Ex.29:20
4530/1 וְעַל־בָּנָיו וְעַל־בִּגְדֵי בָנָיו Ex.29:21
4532 וְקָדַשׁ...וּבִגְדֵי בָנָיו אִתּוֹ Ex.29:21
4533 וְשַׂמְתָּ...וְעַל כַּפֵּי בָנָיו Ex.29:24
4534-36 וְאֶת־בִּגְדֵי בָנָיו לְכַהֵן Ex.31:10
35:19; 39:41
4537 זֹאת מִשְׁחַת אַהֲרֹן וּמִשְׁחַת בָּנָיו Lev.7:35
4538 וַיִּתֵּן...וְעַל כַּפֵּי בָנָיו Lev.8:27
4539/40 וַיַּז...וְעַל־בָּנָיו וְעַל־בִּגְדֵי בָנָיו Lev.8:30
4541/2 וְאֶת־בָּנָיו וְאֶת־בִּגְדֵי בָנָיו Lev.8:30
4543 וְאֶת־בָּנָיו וְאֶת־כָּל־עַמּוֹ Deut.2:33
4544 וּבְיֶתֶר בָּנָיו אֲשֶׁר יוֹתִיר Deut.28:54
4545 מִבְּשַׂר בָּנָיו אֲשֶׁר יֹאכֵל Deut.28:55
4546 שִׁחֵת לוֹ לֹא בָּנָיו מוּמָם Deut.32:5
4547 וְאֶת־בָּנָו לֹא יָדָע Deut.33:9
4548 מִכַּעַס בָּנָיו וּבְנֹתָיו Deut.32:19
4549 מָרָה נֶפֶשׁ...עַל־בָּנָיו וְעַל־בְּנֹתָיו ISh.30:6
4550 וַיִּקְחוּ אֶת־גְּוִיַּת שָׁאוּל וְאֵת גְּוִיֹּת בָּנָיו ISh.31:12
4551 אֶת־דְּמֵי נָבוֹת וְאֶת־דְּמֵי בָנָיו... IIK.9:26
4552 וְאַדְרַמֶּלֶךְ וְשַׂרְאֶצֶר בָּנָיו (לא כת׳ בניו) הִכֻּהוּ בַחֶרֶב IIK.19:37
4553 יִהְיוּ־בָנָיו יְתוֹמִים Ps.109:9
4554 וְנוֹעַ יָנוּעוּ בָנָיו Ps.109:10
4555 אַשְׁרֵי בָנָיו אַחֲרָיו Prov.20:7
4556 וְעֵינֵי בָנָיו תִּכְלֶנָה Job 17:5
4557/8 וַיַּרְא אֶת־בָּנָיו וְאֶת־בְּנֵי בָנָיו Job 42:16
4559 וְאֵת גּוּפֹת בָּנָיו ICh.10:12
4667-4560 בָּנָיו Gen.9:8; 18:19; 25:9; 31:17
35:29; 36:6; 48:1; 49:1, 33; 50:12, 13 • Ex. 4:20;
28:1; 28:41, 43; 29:4, 8, 44; 30:30; 40:12, 14 • Lev.
6:2, 18; 8:2, 6, 31; 10:6, 12; 17:2; 21:24; 22:2, 18 •
Num. 3:10; 6:23; 8:13, 22; 21:29, 35 • Deut. 21:16 •
Josh. 7:24; 17:6 • Jud. 9:18 • ISh. 2:22; 3:13; 8:3;
16:5; 17:13; 30:22; 31:2, 6, 8 • IISh. 12:3; 19:18 •
IK. 13:12, 13, 27, 31 • Is. 37:38 • Jer. 30:20; 35:3, 14;
46:17, 18 • Hosh. 9:13 • Ps. 89:31 • Job 1:4; 5:4;
14:21; 20:10; 27:14 • Ruth 1:1, 2 • Es. 5:11; 9:25 •
Ez. 3:9 • ICh. 8:10; 10:2, 6, 8; 21:20; 23:14; 25:10,
11, 12, 13, 14, 15, 16, 17, 18, 19, 20, 21, 22, 23, 24, 25,
26, 27, 28, 29, 30, 31 • IICh. 11:23; 21:17²; 28:3; 33:6

וּבָנָיו
4668 וַיָּבֹא נֹחַ וּבָנָיו...אֶל־הַתֵּבָה Gen.7:7
4669 וַיֵּצֵא נֹחַ וּבָנָיו...אִתּוֹ Gen.8:18
4670 וּבָנָיו הָיוּ אֶת־מִקְנֵהוּ Gen.34:5
4671 הַבָּאִים מִצְרַיְמָה יַעֲקֹב וּבָנָיו Gen.46:8
4672 וַיָּבֹא יִתְרוֹ חֹתֵן מֹשֶׁה וּבָנָיו Ex.18:5
4673 יַעֲרֹךְ אֹתוֹ אַהֲרֹן וּבָנָיו Ex.27:21
4674 וּבָנָו יִתְגָּרוּ וְאָסְפוּ הֲמוֹן חֲיָלִים Dan.11:10
4675-4714 וּבָנָיו שמות Ex.29:9, 10, 15, 19, 21, 32
30:19; 40:31 • Lev. 6:9, 13; 8:14, 18, 22, 31, 36;
25:41, 54 • Num. 3:38; 4:5, 15, 19, 27 • Deut. 17:20;
18:5 • Josh. 24:4 • Jud. 18:30 • ISh. 31:7 • Job 1:13 •

Ez. 3:9; 8:18 • ICh. 6:34; 7:16; 9:5; 10:7; 23:13;
25:9; 26:29 • IICh. 11:14; 23:11; 24:27

בְּבָנָיו
4715 כִּי רָאִיתִי בְּבָנָיו לִי מֶלֶךְ ISh.16:1

לְבָנָיו
4716 וַיְנַשֵּׁק לְבָנָיו וְלִבְנוֹתָיו Gen.31:55
4717 וַיֹּאמֶר...לְבָנָיו לָמָּה תִּתְרָאוּ Gen.42:1
4718 מֵאֲשֶׁר לְאַהֲרֹן וּמֵאֲשֶׁר לְבָנָיו Ex.29:27
4719 יִהְיוּ לְבָנָיו אַחֲרָיו Ex.29:29
4720 וּשְׁלֹשִׁים בָּנוֹת הֵבִיא לְבָנָיו Jud.12:9
4721 הָכִינוּ לְבָנָיו מַטְבֵּחַ Is.14:21
4722 נַחֲלָתוֹ הִיא לְבָנָיו תִּהְיֶה Ezek.46:16
4723 אֱלוֹהַ יִצְפֹּן־לְבָנָיו אוֹנוֹ Job 21:19

וּלְבָנָיו
4724 לָתֵת לוֹ נִיר וּלְבָנָיו כָּל־הַיָּמִים IIK.8:19
4738-4725 לְאַהֲרֹן (...) וּלְבָנָיו Ex.28:4
29:28, 35; 39:27 • Lev. 2:3, 10; 7:31, 34; 9:1; 24:9 •
Num. 3:9, 48, 51; 8:19
4745-4739 וּלְבָנָיו • Deut. 1:36 Prov. 14:26
ICh. 26:15; 28:1 • IICh. 13:5; 21:7; 36:20

מִבָּנָיו
4746 יִלְבָּשָׁם הַכֹּהֵן תַּחְתָּיו מִבָּנָיו Ex.29:30
4747 וְהַכֹּהֵן הַמָּשִׁיחַ תַּחְתָּיו מִבָּנָיו Lev.6:15
4748 אוֹ אֶל־אַחַד מִבָּנָיו הַכֹּהֲנִים Lev.13:2
4749 וַיְמַלֵּא אֶת־יַד אַחַד מִבָּנָיו Jud.17:5
4750 וַיְהִי הַנַּעַר לוֹ כְּאַחַד מִבָּנָיו Jud.17:11
4751 יֻתַּן לָנוּ שִׁבְעָה אֲנָשִׁים מִבָּנָיו IISh.21:6
4752 כִּי־יִתֵּן...לְאִישׁ מִבָּנָיו נַחֲלָתוֹ Ezek.46:16

בָּנֶיהָ
4753 וְאֵת שְׁנֵי בָנֶיהָ Ex.18:3
4754 וְאִשְׁתְּךָ וּשְׁנֵי בָנֶיהָ עִמָּהּ Ex.18:6
4755 וּלְכָל־בָּנֶיהָ וּבְנוֹתֶיהָ מָנוֹת ISh.1:4
4756 וַתִּסְגֹּר הַדֶּלֶת בַּעֲדָהּ וּבְעַד בָּנֶיהָ IIK.4:5
4757 גַּם־יָלְדָה צִיּוֹן אֶת־בָּנֶיהָ Is.66:8
4758 רָחֵל מְבַכָּה עַל־בָּנֶיהָ Jer.31:15(14)
4759 מֵאֲנָה לְהִנָּחֵם עַל־בָּנֶיהָ Jer.31:15(14)
4760 בָּנֶיהָ וּבְנוֹתֶיהָ לָקָחוּ Ezek.23:10
4761 וְאֶת־בָּנֶיהָ לֹא אֲרַחֵם Hosh.2:6
4762 קָמוּ בָנֶיהָ וַיְאַשְּׁרוּהָ Prov.31:28
4763 וְעַיִשׁ עַל־בָּנֶיהָ תַנְחֵם Job 38:32
4764 הִקְשִׁיחַ בָּנֶיהָ לְּלֹא־לָהּ Job 39:16
4765 וַתִּשָּׁאֵר הִיא וּשְׁנֵי בָנֶיהָ Ruth 1:3
4766 וְאֵלֶּה בָנֶיהָ יֵשֶׁר וְשׁוֹבָב וְאַרְדּוֹן ICh.2:18
4567 בָּנֶיהָ פָּרְצוּ אֶת־בֵּית הָאֱלֹהִים IICh.24:7

וּבָנֶיהָ
4768 גֹּעֶלֶת אִישָׁהּ וּבָנֶיהָ Ezek.16:45

וּבְבָנֶיהָ
4769 וּבְשִׁלְיָתָהּ...וּבְבָנֶיהָ אֲשֶׁר תֵּלֵד Deut.28:57

בָּנֵינוּ
4770 וְהִשְׁבִּיתוּ בְנֵיכֶם אֶת־בָּנֵינוּ Josh.22:25
4771 אֲנַחְנוּ נָשֵׁינוּ בָּנֵינוּ וּבְנֹתֵינוּ Jer.35:8
4772 אֲשֶׁר בָּנֵינוּ כִּנְטִעִים מְגֻדָּלִים Ps.144:12
4773 בָּנֵינוּ וּבְנֹתֵינוּ אֲנַחְנוּ רַבִּים Neh.5:2
4774 אַחֵינוּ בְּשָׂרֵנוּ כִּבְנֵיהֶם בָּנֵינוּ Neh.5:5
4775 כֹבְשִׁים אֶת־בָּנֵינוּ...לַעֲבָדִים Neh.5:5
4776 וְאֶת־בְּכֹרוֹת בָּנֵינוּ וּבְהֶמְתֵּנוּ Neh.10:37

וּבָנֵינוּ
4777 וּבָנֵינוּ וּבְנוֹתֵינוּ וְנָשֵׁינוּ בַּשֶּׁבִי IICh.29:9

בִּבְנֵינוּ
4778 בִּבְנֵינוּ וּבִבְנוֹתֵנוּ...נֵלֵךְ Ex.10:9

לְבָנֵינוּ
4779 מָחָר יֹאמְרוּ בְנֵיכֶם לְבָנֵינוּ Josh.22:24
4780 וְלֹא־יֹאמְרוּ בְנֵיכֶם...לְבָנֵינוּ Josh.22:27
4781 וְאֶת־בְּנֹתֵיהֶם לֹא נִקַּח לְבָנֵינוּ Neh.10:31

וּלְבָנֵינוּ
4782 כָּל־הָעֹשֶׁר...לָנוּ הוּא וּלְבָנֵינוּ Gen.31:16
4783 וְהַנִּגְלֹת לָנוּ וּלְבָנֵינוּ עַד־עוֹלָם Deut.29:28

בְּנֵיכֶם
4784 עַל־בְּנֵיכֶם וְעַל־בְּנֹתֵיכֶם Ex.3:22
4785 וְהָיָה כִּי־יֹאמְרוּ אֲלֵיכֶם בְּנֵיכֶם Ex.12:26
4786 בְּאָזְנֵי נְשֵׁיכֶם בְּנֵיכֶם וּבְנֹתֵיכֶם Ex.32:2
4787 וַאֲכַלְתֶּם בְּשַׂר בְּנֵיכֶם Lev.26:29
4788 אֶת־בְּנֵיכֶם אֲשֶׁר לֹא־יָדְעוּ Deut.11:2
4789 וְלִמַּדְתֶּם אֹתָם אֶת־בְּנֵיכֶם Deut.11:19
4790 לְמַעַן יִרְבּוּ יְמֵיכֶם וִימֵי בְנֵיכֶם Deut.11:21

בְּנֵיכֶם (המשך)

4791 בְּנֵיכֶם אֲשֶׁר יָקוּמוּ מֵאַחֲרֵיכֶם Deut. 29:21
4792 אֲשֶׁר תְּצַוֻּם אֶת־בְּנֵיכֶם Deut. 32:46
4793/4 יִשְׁאָלוּן בְּנֵיכֶם מָחָר Josh. 4:6, 21
4795 וְהוֹדַעְתֶּם אֶת־בְּנֵיכֶם לֵאמֹר Josh. 4:22
4796 מָחָר יֹאמְרוּ בְנֵיכֶם לְבָנֵינוּ Josh. 22:24
4797 וְהִשְׁבִּיתוּ בְנֵיכֶם אֶת־בָּנֵינוּ Josh. 22:25
4798 וְלֹא־יֹאמְרוּ בְנֵיכֶם מָחָר Josh. 22:27
4799 אֶת־בְּנֵיכֶם יִקָּח ISh. 8:11
4800 שְׁנֵי בְנֵיכֶם אִתְּכֶם IISh. 15:27
4801 וְאֶת־בְּנֵי בְנֵיכֶם אָרִיב Jer. 2:9
4802 לַשָּׁוְא הִכֵּיתִי אֶת־בְּנֵיכֶם Jer. 2:30
4803 בְּהַעֲבִיר בְּנֵיכֶם בָּאֵשׁ Ezek. 20:31
4804 וְנִבְּאוּ בְּנֵיכֶם וּבְנוֹתֵיכֶם Joel 3:1
4805 וּמָכַרְתִּי אֶת־בְּנֵיכֶם וְאֶת־בְּנוֹתֵיכֶם Joel 4:8
4806 יֹסֵף יְיָ...עֲלֵיכֶם וְעַל־בְּנֵיכֶם Ps. 115:14
4807 וְהִלָּחֲמוּ עַל...בְּנֵיכֶם וּבְנֹתֵיכֶם Neh. 4:8
וּבְנֵיכֶם 4808 נְשֵׁיכֶם אַלְמָנוֹת וּבְנֵיכֶם יְתֹמִים Ex. 22:23
4809 וּבְנֵיכֶם יִהְיוּ רֹעִים בַּמִּדְבָּר Num. 14:33
4810 וּבְנֵיכֶם אֲשֶׁר לֹא־יָדְעוּ Deut. 1:39
4811 אַתֶּם וּבְנֵיכֶם וּבְנֹתֵיכֶם Deut. 12:12
4812 אִם־שׁוֹב תְּשֻׁבוּן אַתֶּם וּבְנֵיכֶם IK. 9:6
4813 אַתֶּם וּבְנֵיכֶם עַד־עוֹלָם Jer. 35:6
4814 וּבְנֵיכֶם...בַּחֶרֶב יִפֹּלוּ Ezek. 24:21
4815 לִבְנֵיכֶם סַפֵּרוּ וּבְנֵיכֶם לִבְנֵיהֶם Joel 1:3
4816 אֲחֵיכֶם וּבְנֵיכֶם לְרַחֲמִים... IICh. 30:9
לִבְנֵיכֶם 4817 וְהִתְנַחַלְתֶּם...לִבְנֵיכֶם אַחֲרֵיכֶם Lev. 25:46
4818 וּקְחוּ לִבְנֵיכֶם נָשִׁים Jer. 29:6
4819 עָלֶיהָ לִבְנֵיכֶם סַפֵּרוּ Joel 1:3
4820 וּבְנוֹתֵיהֶם אַל־תִּשְׂאוּ לִבְנֵיכֶם Ez. 9:12
4821 וְהוֹרַשְׁתֶּם לִבְנֵיכֶם עַד־עוֹלָם Ez. 9:12
4822 וְאִם־תִּשְׂאוּ מִבְּנֹתֵיהֶם לִבְנֵיכֶם Neh. 13:25
4823 וְהִנְחַלְתֶּם לִבְנֵיכֶם אַחֲרֵיכֶם ICh. 28:8
מִבְּנֵיכֶם 4824 וָאָקִים מִבְּנֵיכֶם לִנְבִיאִים Am. 2:11
בְּנֵיהֶם 4825 וְאֶת־בְּנֵיהֶם יְלַמֵּדוּן Deut. 4:10
4826 אֶת־בְּנֵיהֶם... יִשְׂרְפוּ בָאֵשׁ Deut. 12:31
4827 וְאֶת־בְּנֵיהֶם הֵקִים תַּחְתָּם Josh. 5:7
4828 הִנֵּה־שָׁם עִמָּם שְׁנֵי בְנֵיהֶם IISh. 15:36
4829 בְּנֵיהֶם אֲשֶׁר נֹתְרוּ אַחֲרֵיהֶם IK. 9:21
4830/1 גַּם־בְּנֵיהֶם וּבְנֵי בְנֵיהֶם IIK. 17:41
4832 וְהַאֲכַלְתִּים אֶת־בְּשַׂר בְּנֵיהֶם Jer. 19:9
4833 עֲוֹן אָבוֹת אֶל־חֵיק בְּנֵיהֶם Jer. 32:18
4834 וּבְנֵי בְנֵיהֶם עַד־עוֹלָם Ezek. 37:25
4835 דַּם־בְּנֵיהֶם וּבְנוֹתֵיהֶם Ps. 106:38
4836-4860 בְּנֵיהֶם ISh. 6:7, 10 • IIK. 17:17, 31 • Jer. 3:24; 7:31; 11:22; 17:2; 18:21; 19:5; 32:35 • Ezek. 20:18; 23:39, 47; 24:25 • Hosh. 9:12 • Zech. 10:9 • Ps. 90:16; 106:37; 132:12 • Job 39:4 • Ez. 3:9 • Neh. 10:29 • IICh. 8:8; 25:4
וּבְנֵיהֶם 4861 גְּמַלִּים מֵינִיקוֹת וּבְנֵיהֶם Gen. 32:16(15)
4862 וּנְשֵׁיהֶם וּבְנֵיהֶם וְטַפָּם Num. 16:27
4863 וּבְנֵיהֶם אֲשֶׁר לֹא־יָדְעוּ... Deut. 31:13
4864 וּבְנֵיהֶם וּבְנֹתֵיהֶם נִשְׁבּוּ ISh. 30:3
4865 נְשֵׁיהֶם וּבְנֵיהֶם וּבְנֹתֵיהֶם Jer. 14:16
4866 הֵמָּה וּבְנֵיהֶם וּבְנֵי בְנֵיהֶם Ezek. 37:25
4867 סַפֵּרוּ...וּבְנֵיהֶם לְדוֹר אַחֵר Joel 1:3
4868-4876 וּבְנֵיהֶם Zech. 10:7 • Ez. 8:19 • Neh. 9:23; 13:24 • ICh. 6:18; 9:23; 26:8 • IICh. 20:13; 31:18
כִּבְנֵיהֶם 4877 כִּבְנֵיהֶם בָּנֵינוּ Neh. 5:5
לִבְנֵיהֶם 4878 וְאֶת־בְּנוֹתֵיהֶם נָתְנוּ לִבְנֵיהֶם Jud. 3:6
4879 סַפֵּרוּ וּבְנֵיכֶם לִבְנֵיהֶם... Joel 1:3
4880 אֲשֶׁר צִוָּה...לְהוֹדִיעָם לִבְנֵיהֶם Ps. 78:5

לִבְנֵיהֶם (המשך)

4881 יָקֻמוּ וִיסַפְּרוּ לִבְנֵיהֶם Ps. 78:6
4882 בְּנוֹתֵיכֶם אַל־תִּתְּנוּ לִבְנֵיהֶם Ez. 9:12
4883 אִם־תִּתְּנוּ בְנֹתֵיכֶם לִבְנֵיהֶם Neh. 13:25
וְלִבְנֵיהֶם 4884 לְמַעַן יִיטַב לָהֶם וְלִבְנֵיהֶם Deut. 5:29(26)
4885 לְטוֹב לָהֶם וְלִבְנֵיהֶם אַחֲרֵיהֶם Jer. 32:39
4886 נָשְׂאוּ מִבְּנֹתֵיהֶם לָהֶם וְלִבְנֵיהֶם Ez. 9:2
4887 לְאָסָף לְהֵימָן...וְלִבְנֵיהֶם IICh. 5:12
מִבְּנֵיהֶם 4888 לֹא נְכַחֵד מִבְּנֵיהֶם לְדוֹר אַחֲרוֹן Ps. 78:4
בְּנֵיהֶן 4889 וְגַם אֶת־בְּנֵיהֶן אֲשֶׁר יָלְדוּ־לִי Ezek. 23:37
וּבְנֵיהֶן 4890 אֲשֶׁר גָּעֲלוּ אַנְשֵׁיהֶן וּבְנֵיהֶן Ezek. 16:45
לִבְנֵיהֶן 4891 אוֹ לִבְנֵיהֶן אֲשֶׁר יָלָדוּ Gen. 31:43

בֵּן² שפ״ז – אחד מן השוערים בימי דוד

בֵּן 1 זְכַרְיָהוּ בֵּן וְיַעֲזִיאֵל ICh. 15:18

בֶּן־אֲבִינָדָב שפ״ז – מנציבי שלמה

בֶּן־אֲבִינָ׳ 1 בֶּן־אֲבִינָדָב כָּל־נָפַת דֹּאר IK. 4:11

בֶּן־אוֹנִי שפ״ז – השם שקראה רחל לבנימין בנה

בֶּן־אוֹנִי 1 וַתִּקְרָא שְׁמוֹ בֶּן־אוֹנִי
וְאָבִיו קָרָא־לוֹ בִנְיָמִין Gen. 35:18

בֶּן־גֶּבֶר שפ״ז – מנציבי שלמה

בֶּן־גֶּבֶר 1 בֶּן־גֶּבֶר בְּרָמֹת גִּלְעָד IK. 4:13

בֶּן־דֶּקֶר שפ״ז – מנציבי שלמה

בֶּן־דֶּקֶר 1 בֶּן־דֶּקֶר בְּמָקַץ וּבְשַׁעַלְבִים IK. 4:9

בֶּן־הֲדַד שפ״ז – שם לאחדים ממלכי ארם בימי בעשא אחאב ויהואחז מלכי ישראל: 1–25

בֶּן־הֲדַד 1 וַיִּשְׁלָחֵם...אֶל־בֶּן־הֲדַד בֶּן־טַבְרִמֹּן IK. 15:18
2 וַיִּשְׁמַע בֶּן־הֲדַד אֶל־הַמֶּלֶךְ אָסָא IK. 15:20
3-19 בֶּן־הֲדַד IK. 20:3, 5, 9, 10, 17, 20, 26, 32, 33² • IIK. 6:24; 8:9; 13:3, 24, 25 • IICh. 16:2, 4
בֶּן־הֲדָד 20-21 אַרְמְנוֹת בֶּן־הֲדָד Jer. 49:27 • Am. 1:4
וּבֶן־הֲדַד 22 וּבֶן־הֲדַד מֶלֶךְ־אֲרָם קָבַץ IK. 20:1
23-25 וּבֶן־הֲדַד IK. 20:16, 30 • IIK. 8:7

בֶּן־הֵלֶם שפ״ז – איש משבט אשר

בֶּן־הֵלֶם 1 וּבֶן־הֵלֶם אָחִיו ICh. 7:35

בֶּן־הִנֹּם שפ״ז – בעל הגיא שנקרא על שמו – עין גֵּי בֶן־הִנֹּם

בֶּן־זוֹחֵת שפ״ז – מבני כלב משבט יהודה

וּבֶן־זוֹחֵת 1 וּבְנֵי יִשְׁעִי זוֹחֵת וּבֶן־זוֹחֵת ICh. 4:20

בֶּן־חוּר שפ״ז – מנציבי שלמה

בֶּן־חוּר 1 בֶּן־חוּר בְּהַר אֶפְרָיִם IK. 4:8

בֶּן־חַיִל שפ״ז – משרי יהושפט מלך יהודה

לְבֶן־חַיִל 1 שָׁלַח לְשָׂרָיו לְבֶן־חַיִל וּלְעֹבַדְיָה IICh. 17:7

בֶּן־חָנָן שפ״ז – מתושבי דרום יהודה

בֶּן־חָנָן 1 אַמְנוֹן וְרִנָּה בֶּן־חָנָן וְתִילוֹן ICh. 4:20

בֶּן־חֶסֶד שפ״ז – מנציבי שלמה

בֶּן־חֶסֶד 1 בֶּן־חֶסֶד בָּאֲרֻבּוֹת IK. 4:10

בֶּן־טָבְאַל שפ״ז – איש אשר פקח בן רמליהו ורצין מלך ארם רצו להמליכו על יהודה

בֶּן־טָבְאַל 1 וְנַמְלִיךְ...אֵת בֶּן־טָבְאַל Is. 7:6

בֶּן־יוֹסִפְיָה שפ״ז – מעולי בבל בימי עזרא

בֶּן יוֹסִפְיָה 1 וּמִבְּנֵי שְׁלוֹמִית בֶּן־יוֹסִפְיָה וְעִמּוֹ... Ez. 8:10

בֶּן־יַחֲזִיאֵל שפ״ז – מעולי בבל בימי עזרא

בֶּן־יַחֲזִיאֵל 1 מִבְּנֵי שְׁכַנְיָה בֶּן־יַחֲזִיאֵל וְעִמּוֹ... Ez. 8:5

בֶּן־יְמִינִי ת׳ המתיחס על שבט בנימין: 1–9

בֶּן־יְמִינִי 1 הֲלֹא בֶן־יְמִינִי אָנֹכִי ISh. 9:21
2 עַל־דִּבְרֵי־כוּשׁ בֶּן־יְמִינִי Ps. 7:1
בֶּן־הַיְמִ׳ 3 אֵהוּד בֶּן־גֵּרָא בֶּן־הַיְמִינִי Jud. 3:15
4-6 בֶּן־הַיְמִינִי IISh. 16:11; 19:17 • IK. 2:8
לַבֶּן יְמִ׳ 7 אֲבִיעֶזֶר הָעַנְּתוֹתִי לַבֶּן יְמִינִי (כת׳ לבנימני) ICh. 27:12
בְּנֵי יְמִינִי 8 וְאַנְשֵׁי הַמָּקוֹם בְּנֵי יְמִינִי Jud. 19:16
9 שִׁמְעוּ־נָא בְּנֵי יְמִינִי ISh. 22:7

בֶּן־עֶזְרָה שפ״ז – איש מתושבי דרום יהודה

וּבֶן־עֶזְרָה 1 וּבֶן־עֶזְרָה יֶתֶר וּמֶרֶד ICh. 4:17

בֶּן־עַמִּי שפ״ז – בן לוט, אבי בני עמון

בֶּן־עַמִּי 1 יָלְדָה בֵּן וַתִּקְרָא שְׁמוֹ בֶּן־עַמִּי Gen. 19:38

בְּנָא פ׳ ארמית – עין בְּנָה

בנה : בָּנָה, בָּנוּי, נִבְנָה; בֵּן, בִּנְיָה, בִּנְיָן, בַּת, מִבְנֶה, תַּבְנִית; ש״פ בְּנוֹ, בִּנּוּי, בָּנִי, בְּנִי, בֻּנִּי, בְּנָיָה, בְּנָיָהוּ, בִּנּוּי, יַבְנְאֵל, יַבְנֶה, יִבְנְיָה; אר׳ בְּנָה; בִּנְיָנָא

בָּנָה פ׳

א) עשה בנין (בית, חומה, גדר, דיק, מזבח וכו׳) מעץ או מאבן וכדומה: רוב המקראות
ב) הקים, כונן, יסד: 67, 77–80, 97, 137, 138, 178, 206, 221
ג) יצר, עבד: 241
ד) [נפ׳ נִבְנָה] נעשה, הוקם: 344–359, 362–373
ה) [כנ״ל] זכה לבן: 360, 361

בָּנֹה 1 בָּנֹה בָנִיתִי בֵּית זְבֻל לָךְ IK. 8:13
בְּנוֹת 2 וּלְבִלְתִּי בְּנוֹת בָּתִּים לְשִׁבְתֵּנוּ Jer. 35:9
3 לֹא בְקָרוֹב בְּנוֹת בָּתִּים Ezek. 11:3
4 עַד־בְּנוֹת שְׁלֹמֹה אֶת־בֵּית יְיָ ICh. 6:17
וּבִבְנוֹת 5 בִּשְׁפֹּךְ סֹלְלָה וּבִבְנוֹת דָּיֵק Ezek. 17:17
בִּבְנוֹתַיִךְ 6 בִּבְנוֹתַיִךְ גַּבֵּךְ בְּרֹאשׁ כָּל־דֶּרֶךְ Ezek. 16:31
בִּבְנֹתְכֶם 7 בִּבְנֹתְכֶם לָכֶם מִזְבֵּחַ לִמְרָדְכֶם Josh. 22:16
8 בִּבְנֹתְכֶם לָכֶם מִזְבֵּחַ מִבַּלְעֲדֵי... Josh. 22:19
לִבְנוֹת 9 וַיַּחְדְּלוּ לִבְנֹת הָעִיר Gen. 11:8
10 לִבְנוֹת לָנוּ מִזְבֵּחַ Josh. 22:23
11 לִבְנוֹת אֶת־הַמִּזְבֵּחַ לֹא לְעוֹלָה Josh. 22:26
12 עַד כַּלֹּתוֹ לִבְנוֹת אֶת־בֵּיתוֹ IK. 3:1
13 כִּי לֹא יָכֹל לִבְנוֹת בַּיִת IK. 5:17
14-16 לִבְנוֹת וְלִנְטוֹעַ Jer. 1:10; 18:9; 31:28(27)
17 לִשְׁפֹּךְ סֹלְלָה לִבְנוֹת דָּיֵק Ezek. 21:27
18 יוֹם לִבְנוֹת גְּדֵרָיִךְ Mic. 7:11
19 עֵת לִפְרוֹץ וְעֵת לִבְנוֹת Eccl. 3:3
20 לֹא נוּכַל לִבְנוֹת בַּחוֹמָה Neh. 4:4
21-57 לִבְנוֹת Josh. 22:29 • ISh. 14:35 • IISh. 24:21 • IK. 5:19, 32; 8:16, 17, 18; 9:1, 15, 19 • Zech. 5:11 • Ez. 1:2, 5; 4:3, 4 • ICh. 14:1; 17:25; 22:2(1), 5(4), 6(5), 7(6); 28:2², 10; 29:16 • IICh. 1:18; 2:2, 5; 3:1, 2, 3; 6:5, 7, 8; 8:6; 36:23
וְלִבְנוֹת 58 לְהָשִׁיב וְלִבְנוֹת יְרוּשָׁלַםִ Dan. 9:25
59 וְלִבְנוֹת הַבִּירָה אֲשֶׁר־הֲכִינוֹתִי ICh. 29:19
מִבְּנוֹת 60/1 וַיֶּחְדַּל מִבְּנוֹת...הָרָמָה IK. 15:21 • IICh. 15:5
בָּנִיתִי 62 בָּנֹה בָנִיתִי בֵּית זְבֻל לָךְ IK. 8:13
63 אַף כִּי־הַבַּיִת הַזֶּה אֲשֶׁר בָּנִיתִי IK. 8:27
64 עַל־הַבַּיִת הַזֶּה אֲשֶׁר בָּנִיתִי IK. 8:43
65 וְהַבַּיִת אֲשֶׁר־בָּנִתִי לִשְׁמֶךָ IK. 8:44
66 וְהַבַּיִת אֲשֶׁר־בָּנִיתִי (כת׳ בנית) לִשְׁמֶךָ IK. 8:48
67 בַּיִת־נֶאֱמָן כַּאֲשֶׁר בָּנִיתִי לְדָוִד IK. 11:38
68 הִנֵּה אֲשֶׁר־בָּנִיתִי אֲנִי הֹרֵס Jer. 45:4
69 בָּנִיתִי הַנֶּהֱרָסוֹת נָטַעְתִּי הַנְּשַׁמָּה Ezek. 36:36
70 בָּנִיתִי לִי בָּתִּים נָטַעְתִּי לִי כְּרָמִים Eccl. 2:4

בָּנִיתִי (המשך) 71 כִּי בָנִיתִי אֶת־הַחוֹמָה Neh. 6:1
72 וַאֲנִי בָּנִיתִי בֵית־זְבֻל לָךְ IICh. 6:2
73 אַף כִּי־הַבַּיִת הַזֶּה אֲשֶׁר בָּנִיתִי IICh. 6:18
74 עַל־הַבַּיִת הַזֶּה אֲשֶׁר בָּנִיתִי IICh. 6:33
75/6 (וְל־)הַבַּיִת אֲשֶׁר־בָּנִיתִי לִשְׁמֶךָ IICh. 6:34,38
וּבָנִיתִי 77 וּבָנִיתִי לוֹ בַּיִת נֶאֱמָן ISh. 2:35
78 וּבָנִיתִי לְךָ בַיִת־נֶאֱמָן IK. 11:38
79 וּבָנִיתִי אֶתְכֶם וְלֹא אֶהֱרֹס Jer. 42:10
80 וּבָנִיתִי לְדֹר־וָדוֹר כִּסְאֲךָ Ps. 89:5
וּבְנִיתִיהָ 81 וּבְנִיתִיהָ כִּימֵי עוֹלָם Am. 9:11
בָּנִיתָ 82 עָרִים...אֲשֶׁר לֹא־בָנִיתָ Deut. 6:10
83 אֶת־הַבַּיִת הַזֶּה אֲשֶׁר בָּנִתָה IK. 9:3
וּבָנִיתָ 84 וּבָנִיתָ מָצוֹר עַל־הָעִיר Deut. 20:20
85 וּבָנִיתָ שָּׁם מִזְבֵּחַ לַיְיָ Deut. 27:5
86 וּבָנִיתָ מִזְבֵּחַ לַיְיָ אֱלֹהֶיךָ Jud. 6:26
87 וּבָנִיתָ עָלֶיהָ דָּיֵק Ezek. 4:2
88 אַחַר וּבָנִיתָ בֵיתֶךָ Prov. 24:27
89 וּבָנִיתָ בֵּית יְיָ אֱלֹהֶיךָ ICh. 22:11(10)
בָּנִית 90 אֶל־כָּל־רֹאשׁ דֶּרֶךְ בָּנִית רָמָתֵךְ Ezek. 16:25
בָּנָה 91 מִי־הָאִישׁ אֲשֶׁר בָּנָה בַיִת־חָדָשׁ Deut. 20:5
92 וְהַבַּיִת אֲשֶׁר בָּנָה הַמֶּלֶךְ שְׁלֹמֹה IK. 6:2
93 שְׁלֹמֹה בָּנָה אֶת־הַמִּלּוֹא IK. 11:27
94 אֶת־אַבְנֵי הָרָמָה... אֲשֶׁר בָּנָה IK. 15:22
95 וְהֶעָרִים אֲשֶׁר בָּנָה IK. 15:23
96 וַיִּקְרָא אֶת־שֵׁם הָעִיר אֲשֶׁר בָּנָה IK. 16:24
97 כִּי־בָנָה יְיָ צִיּוֹן Ps. 102:17
98 בָּנָה כָעָשׁ בֵּיתוֹ Job 27:18
99 בָּנָה עָלַי וַיַּקַּף רֹאשׁ וּתְלָאָה Lam. 3:5
130-100 בָּנָה IK. 7:1; 9:10, 24², 25
10:4; 16:32, 34; 22:39² • IIK. 14:22; 15:35; 23:13 •
Neh. 3:2 • ICh. 5:36; 8:12 • IICh. 8:1, 2, 4, 11; 8:12;
9:3; 16:6; 26:2; 27:3², 4; 33:14, 15, 19; 35:3
וּבָנָה 131 יָקוּם וּבָנָה אֶת־הָעִיר הַזֹּאת Josh. 6:26
132 וּבָנָה מִזְבְּחֹת בְּבֵית יְיָ IIK. 21:4
133 וְרָאָה...וּבָנָה אֶצְלוֹ צִיּוּן Ezek. 39:15
134 וּבָנָה אֶת־הֵיכַל יְיָ Zech. 6:12
135 וּבָנָה עָלֶיהָ מְצוֹדִים גְּדֹלִים Eccl. 9:14
136 וּבָנָה מִזְבְּחוֹת בְּבֵית יְיָ IICh. 33:4
בָּנְתָה 137 חָכְמוֹת בָּנְתָה בֵיתָהּ Prov. 9:1
138 חַכְמוֹת נָשִׁים בָּנְתָה בֵיתָהּ Prov. 14:1
וּבָנִינוּ 139 וַיֹּאמְרוּ נָקוּם וּבָנִינוּ Neh. 2:18
140 וַאֲנַחְנוּ עֲבָדָיו נָקוּם וּבָנִינוּ Neh. 2:20
בְּנִיתֶם 141 וְעָרִים אֲשֶׁר לֹא־בְנִיתֶם Josh. 24:13
142 לָמָּה לֹא־בְנִיתֶם לִי בֵּית אֲרָזִים IISh. 7:7
143 בָּתֵּי גָזִית בְּנִיתֶם וְלֹא־תֵשְׁבוּ בָם Am. 5:11
144 לָמָּה לֹא־בְנִיתֶם לִי בֵּית אֲרָזִים ICh. 17:6
בָּנוּ 145 אֲשֶׁר בָּנוּ בְּנֵי הָאָדָם Gen. 11:5
146 וּבְנֵי רְאוּבֵן בָּנוּ אֶת־חֶשְׁבּוֹן Num. 32:37
147 אֶת־שְׁמוֹת הֶעָרִים אֲשֶׁר בָּנוּ Num. 32:38
148 הִנֵּה בָנוּ...אֶת־הַמִּזְבֵּחַ Josh. 22:11
149 מוּסַךְ° הַשַּׁבָּת אֲשֶׁר־בָּנוּ בַבַּיִת IIK. 16:18
150 לְמִן־הַיּוֹם אֲשֶׁר בָּנוּ אוֹתָהּ Jer. 32:31
151 בְּרוֹשִׁים מִשְּׂנִיר בָּנוּ לָךְ Ezek. 27:5
152 בָּנוּ שְׁתֵּיהֶם אֶת־בֵּית יִשְׂרָאֵל Ruth 4:11
153 וְעַל־יָדוֹ בָנוּ אַנְשֵׁי יְרֵחוֹ Neh. 3:2
154 וְאֵת שַׁעַר הַדָּגִים בָּנוּ Neh. 3:3
155 חֲצֵרִים בָּנוּ לָהֶם הַמְשֹׁרְרִים Neh. 12:29
וּבָנוּ 156 וּבָנוּ מִמְּךָ חָרְבוֹת עוֹלָם Is. 58:12
157 וּבָנוּ בְנֵי־נֵכָר חֹמֹתַיִךְ Is. 60:10
158 וּבָנוּ חָרְבוֹת עוֹלָם Is. 61:4
159 וּבָנוּ בָתִּים וְיָשָׁבוּ Is. 65:21
160 וּבָנוּ בָּמוֹת הַתֹּפֶת...לִשְׂרֹף Jer. 7:31

וּבָנוּ (המשך) 161 וּבָנוּ אֶת־בָּמוֹת הַבַּעַל לִשְׂרֹף Jer. 19:5
162 וּבָנוּ בָתִּים וְנָטְעוּ כְרָמִים Ezek. 28:26
163 וּבָנוּ עָרִים נְשַׁמּוֹת וְיָשָׁבוּ Am. 9:14
164 וּבָנוּ בָתִּים וְלֹא יֵשֵׁבוּ Zep. 1:13
165 וּרְחוֹקִים יָבֹאוּ וּבָנוּ בְּהֵיכַל יְיָ Zech. 6:15
בָּנוּהוּ 166 הֵמָּה בָנוּהוּ וַיַּעֲמִידוּ דַּלְתֹתָיו Neh. 3:13
בּוֹנֶה 167 וַיְהִי בֹּנֶה עִיר Gen. 4:17
168 הַבַּיִת הַזֶּה אֲשֶׁר־אַתָּה בֹנֶה IK. 6:12
169 הוֹי בֹּנֶה בֵיתוֹ בְּלֹא־צֶדֶק Jer. 22:13
170 וְהוּא בֹּנֶה חַיִץ Ezek. 13:10
171 בֹּנֶה צִיּוֹן בְּדָמִים Mic. 3:10
172 הוֹי בֹּנֶה עִיר בְּדָמִים Hab. 2:12
173 עַל־כֵּן אַתָּה בוֹנֶה הַחוֹמָה Neh. 6:6
174 הִנֵּה אֲנִי בוֹנֶה־בַיִת לְשֵׁם יְיָ אֱלֹהָי IICh. 2:3
175 וְהַבַּיִת אֲשֶׁר־אֲנִי בוֹנֶה גָּדוֹל IICh. 2:4
176 כִּי הַבַּיִת אֲשֶׁר־אֲנִי בוֹנֶה IICh. 2:8
הַבּוֹנֶה 177 הַבּוֹנֶה בַשָּׁמַיִם מַעֲלוֹתָו Am. 9:6
בּוֹנֵה־ 178 בּוֹנֵה יְרוּשָׁלַםִ יְיָ Ps. 147:2
בּוֹנִים 179 בּוֹנִים הֵיכָל לַיְיָ אֱלֹהֵי יִשְׂרָאֵל Ez. 4:1
180 כִּי־אֲנַחְנוּ בּוֹנִים אֶת־הַחוֹמָה Neh. 3:33
181 גַּם אֲשֶׁר־הֵם בּוֹנִים... Neh. 3:35
וּבוֹנִים 182 אִישׁ חַרְבּוֹ...עַל־מָתְנָיו וּבוֹנִים Neh. 4:12
הַבּוֹנִים 183 אֶבֶן מָאֲסוּ הַבּוֹנִים Ps. 118:22
184 הַבֹּנִים חֳרָבוֹת לָמוֹ Job 3:14
185 וְיִסְּדוּ הַבֹּנִים אֶת־הֵיכַל יְיָ Ez. 3:10
186 כִּי הִכְעִיסוּ לְנֶגֶד הַבּוֹנִים Neh. 3:37
187 הַבּוֹנִים בַּחוֹמָה וְהַנֹּשְׂאִים בַּסֶּבֶל Neh. 4:11
וְהַבּוֹנִים 188 וְהַבּוֹנִים אִישׁ חַרְבּוֹ...עַל־מָתְנָיו Neh. 4:12
וְלַבּוֹנִים 189 וְלַבֹּנִים הָעֹשִׂים בֵּית יְיָ IIK. 12:12
190 לֶחָרָשִׁים וְלַבֹּנִים וְלַגֹּדְרִים IIK. 22:6
191 וַיִּתְּנוּ לֶחָרָשִׁים וְלַבֹּנִים IICh. 34:11
בּוֹנֵי־ 192 וַיִּפְסְלוּ בֹּנֵי שְׁלֹמֹה וּבֹנֵי חִירוֹם IK. 5:32
וּבוֹנֵי־ 193 וּבֹנֵי חִירוֹם וְהַגִּבְלִים IK. 5:32
בּוֹנַיִךְ 194 בֹּנַיִךְ כָּלְלוּ יָפְיֵךְ Ezek. 27:4
בּוֹנָיו 195 שָׁוְא־עָמְלוּ בוֹנָיו בּוֹ Ps. 127:1
בָּנוּי 196 כְּמִגְדַּל דָּוִיד...בָּנוּי לְתַלְפִּיּוֹת S.ofS. 4:4
הַבָּנוּי 197 הֹעֲלָה עַל־הַמִּזְבֵּחַ הַבָּנוּי Jud. 6:28
הַבְּנוּיָה 198 יְרוּשָׁלַםִ הַבְּנוּיָה Ps. 122:3
בְּנוּיִם 199 וְהָעִיר...וְאֵין בָּתִּים בְּנוּיִם Neh. 7:4
אֶבְנֶה 200 בֵּית אֶבְנֶה־לָּךְ IISh. 7:27
201 הָאֹמֵר אֶבְנֶה־לִּי בֵּית מִדּוֹת Jer. 22:14
202 וּמִי אֲנִי אֲשֶׁר אֶבְנֶה לוֹ בַיִת IICh. 2:5
וְאֶבְנֶה 203 וְאֶבְנֶה־בּוֹ מִזְבֵּחַ לַיְיָ ICh. 21:22
וָאֶבְנֶה 204/5 וָאֶבְנֶה הַבַּיִת לְשֵׁם יְיָ אֱלֹהֵי יִשְׂרָאֵל
IK. 8:20 • IICh. 6:10
אֶבְנֵךְ 206 עוֹד אֶבְנֵךְ וְנִבְנֵית בְּתוּלַת יִשׂ' Jer. 31:4(3)
וְאֶבְנֶנָּה 207 אֶל־עִיר קִבְרוֹת אֲבֹתַי וְאֶבְנֶנָּה Neh. 2:5
תִבְנֶה 208 לֹא־תִבְנֶה אֶתְהֶן גָּזִית Ex. 20:22
209 וּבָתִּים טֹבִים תִּבְנֶה וְיָשָׁבְתָּ Deut. 8:12
210 כִּי תִבְנֶה בַּיִת חָדָשׁ Deut. 22:8
211 אֲבָנִים שְׁלֵמוֹת תִּבְנֶה אֶת־מִזְבַּח Deut. 27:6
212 בַּיִת תִּבְנֶה וְלֹא־תֵשֵׁב בּוֹ Deut. 28:30
213 הַאַתָּה תִּבְנֶה־לִּי בַיִת IISh. 7:5
214 רַק אַתָּה לֹא תִבְנֶה הַבָּיִת IK. 8:19
215 ...תִּבְנֶה חוֹמוֹת יְרוּשָׁלָםִ Ps. 51:20
216 לֹא אַתָּה תִּבְנֶה־לִּי הַבַּיִת ICh. 17:4
217/8 לֹא־תִבְנֶה בַיִת לִשְׁמִי ICh. 22:8(7); 28:3
219 רַק אַתָּה לֹא תִבְנֶה הַבָּיִת IICh. 6:9
וַתִּבְנִי 220 וַתִּבְנִי־לָךְ גָּב Ezek. 16:24
יִבְנֶה 221 אֲשֶׁר לֹא־יִבְנֶה אֶת־בֵּית אָחִיו Deut. 28:9
222 אָז יִבְנֶה יְהוֹשֻׁעַ מִזְבֵּחַ Josh. 8:30
223 הוּא יִבְנֶה־בַּיִת לִשְׁמִי IISh. 7:13

יִבְנֶה (המשך) 224/5 הוּא־יִבְנֶה הַבַּיִת לִשְׁמִי IK. 5:19; 8:19
226 אָז יִבְנֶה שְׁלֹמֹה בָּמָה IK. 11:7
227 הוּא־יִבְנֶה עִירִי Is. 45:13
228 וְהוּא יִבְנֶה אֶת־הֵיכַל יְיָ Zech. 6:13
229 אִם־יְיָ לֹא־יִבְנֶה בַיִת Ps. 127:1
230 וּבַיִת יִבְנֶה־לְּךָ יְיָ ICh. 17:10
231 הוּא יִבְנֶה־לִּי בָּיִת ICh. 17:12
232 הוּא־יִבְנֶה בַיִת לִשְׁמִי ICh. 22:10(9)
233 הוּא־יִבְנֶה בֵיתִי וַחֲצֵרוֹתָי ICh. 28:6
234 אֲשֶׁר יִבְנֶה־בַּיִת לַיְיָ IICh. 2:11
235 הוּא־יִבְנֶה הַבַּיִת לִשְׁמִי IICh. 6:9
וְיִבְנֶה 236 יוֹשִׁיעַ צִיּוֹן וְיִבְנֶה עָרֵי יְהוּדָה Ps. 69:36
וַיִּבְנֶה 237 וַיִּבְנֶה אֶת־הָעִיר וַיֵּשֶׁב בָּהּ Josh. 19:50
238 וַיִּבְנֶה אֶת־הָאֲבָנִים מִזְבֵּחַ IK. 18:32
239 וַיִּבְנֶה עָרִים בְּאַשְׁדּוֹד IICh. 26:6
וְיִבֶן 240 וְיִבֶן אֶת־בֵּית יְיָ אֱלֹהֵי יִשְׂרָאֵל Ez. 1:3
וַיִּבֶן 241 וַיִּבֶן יְיָ אֱלֹהִים אֶת־הַצֵּלָע Gen. 2:22
242 וַיִּבֶן נֹחַ מִזְבֵּחַ לַיְיָ Gen. 8:20
243 וַיִּבֶן אֶת־נִינְוֵה וְאֶת־רְחֹבֹת Gen. 10:11
246-244 וַיִּבֶן(־)שָׁם מִזְבֵּחַ לַיְיָ Gen. 12:7, 8; 13:18
247 וַיִּבֶן שָׁם אַבְרָהָם אֶת־הַמִּזְבֵּחַ Gen. 22:9
248 וַיִּבֶן עָרֵי מִסְכְּנוֹת לְפַרְעֹה Ex. 1:11
249 וַיִּבֶן אֶת־הָהָר IK. 16:24
250 וַיִּבֶן עֻזִּיָּהוּ מִגְדָּלִים בִּירוּשָׁלַםִ IICh. 26:9
251 וַיִּבֶן (כת' ויכן) אֶת־מִזְבַּח יְיָ IICh. 33:16
299—252 וַיִּבֶן Gen. 26:25; 33:17; 35:7
Ex. 17:15; 24:4; 32:5 • Num. 23:14 • Jud. 1:26; 6:24
• ISh. 7:17; 14:35 • IISh. 5:9; 24:25 • IK. 6:1, 5, 9,
10, 14, 15, 16², 36; 7:2; 9:17; 12:25²; 15:17, 22 • IIK.
16:11; 21:3, 5 • Is. 5:2 • Hosh. 8:14 • Ps. 78:69 •
ICh. 11:8; 21:26 • IICh. 8:4, 5; 11:5, 6; 14:5; 16:1, 6;
17:12; 26:10; 32:5; 33:3, 5
יִבְנֶנּוּ 300 הוּא יִבְנֶנּוּ וַיַּעֲמִיד דַּלְתֹתָיו Neh. 3:14
301 הוּא יִבְנֶנּוּ וִיטַלְלֶנּוּ Neh. 3:15
יִבְנֵהוּ 302 בַּיִת גָּזַל וְלֹא יִבְנֵהוּ Job 20:19
וַיִּבְנֵהוּ 303 וַיִּבְנֵהוּ שֶׁבַע שָׁנִים IK. 6:38
יִבְנֵם 304 יֶהֶרְסֵם וְלֹא יִבְנֵם Ps. 28:5
וַתִּבֶן 305 וַתִּבֶן צֹר מָצוֹר לָהּ Zech. 9:3
306 וַתִּבֶן אֶת־בֵּית־חוֹרוֹן הַתַּחְתּוֹן ICh. 7:24
נִבְנֶה 307 הָבָה נִבְנֶה־לָּנוּ עִיר Gen. 11:4
308 גִּדְרֹת צֹאן נִבְנֶה לְמִקְנֵנוּ פֹּה Num. 32:16
309 לְבֵנִים נָפָלוּ וְגָזִית נִבְנֶה Is. 9:9
310 נִבְנֶה עָלֶיהָ טִירַת כָּסֶף S.ofS. 8:9
311 וַיֹּאמְרוּ לָהֶם נִבְנֶה עִמָּכֶם Ez. 4:2
312 אֲנַחְנוּ יַחַד נִבְנֶה לַיְיָ אֱלֹהֵי יִשְׂרָאֵל Ez. 4:3
313 נִבְנֶה אֶת־הֶעָרִים הָאֵלֶּה IICh. 14:6
וְנִבְנֶה 314 רֻשַּׁשְׁנוּ וְנָשׁוּב וְנִבְנֶה חֳרָבוֹת Mal. 1:4
315 לְכוּ וְנִבְנֶה אֶת־חוֹמַת יְרוּשָׁלַםִ Neh. 2:17
וַנִּבְנֶה 316 וַנִּבְנֶה אֶת־הַחוֹמָה Neh. 3:38
תִּבְנוּ 317 אֵי־זֶה בַיִת אֲשֶׁר תִּבְנוּ־לִי Is. 66:1
318 וּבַיִת לֹא־תִבְנוּ Jer. 35:7
יִבְנוּ 319 לֹא יִבְנוּ וְאַחֵר יֵשֵׁב Is. 65:22
320 הֵמָּה יִבְנוּ וַאֲנִי אֶהֱרוֹס Mal. 1:4
וַיִּבְנוּ 321 וַיִּבְנוּ בְנֵי־גָד אֶת־דִּיבֹן Num. 32:34
322 וַיִּבְנוּ בְנֵי־רְאוּבֵן וּבְנֵי־גָד Josh. 22:10
323 וַיִּבְנוּ אֶת־הָעִיר וַיֵּשְׁבוּ בָהּ Jud. 18:28
324 וַיִּבְנוּ־שָׁם מִזְבֵּחַ Jud. 21:4
325 וַיִּבְנוּ וַיַּצְלִיחוּ IICh. 14:6
326 וַיִּבְנוּ לְךָ בָּהּ מִקְדָּשׁ לִשְׁמֶךָ IICh. 20:8
335-327 וַיִּבְנוּ Jud. 21:23
IISh. 5:11 • IK. 14:23 • IIK. 17:9; 25:1 • Jer. 32:35;
52:4 • Ez. 3:2 • Neh. 3:1

בְּנֵה 336/7 בְּנֵה־לִי בָזֶה שִׁבְעָה מִזְבְּחֹת Num. 23:1,29
338 בְּנֵה־לְךָ בַיִת בִּירוּשָׁלִַם IK. 2:36
בְּנוּ 339 בְּנוּ־לָכֶם עָרִים לְטַפְּכֶם Num. 32:24
340/1 בְּנוּ בָתִּים וְשֵׁבוּ Jer. 29:5,28
וּבְנוּ 342 וּבְנוּ הַבָּיִת וְאֶרְצֶה־בּוֹ Hag. 1:8
343 וּבְנוּ אֶת־מִקְדַּשׁ יְיָ ICh. 22:19(18)
לְהִבָּנוֹת 344 לֹא עֶת־בֹּא עֶת־בֵּית יְיָ לְהִבָּנוֹת Hag. 1:2
345 בְּיוֹם יֻסַּד...הַהֵיכָל לְהִבָּנוֹת Zech. 8:9
בְּהִבָּנֹתוֹ 346 וְהַבַּיִת בְּהִבָּנֹתוֹ אֶבֶן־שְׁלֵמָה IK. 6:7
347 לֹא־נִשְׁמַע בַּבַּיִת בְּהִבָּנֹתוֹ IK. 6:7
וְנִבְנֵית 348 עוֹד אֶבְנֵךְ וְנִבְנֵית בְּתוּלַת יִשְׂ׳ Jer. 31:4(3)
נִבְנָה 349 כִּי לֹא־נִבְנָה בַיִת לְשֵׁם יְיָ IK. 3:2
350 אֶבֶן־שְׁלֵמָה מַסָּע נִבְנָה IK. 6:7
נִבְנְתָה 351 וְחֶבְרוֹן...נִבְנְתָה לִפְנֵי צֹעַן Num. 13:22
352 וַיְהִי כַּאֲשֶׁר נִבְנְתָה הַחוֹמָה Neh. 7:1
וְנִבְנְתָה 353 וְנִבְנְתָה עִיר עַל־תִּלָּהּ Jer. 30:18
354 וְנִבְנְתָה הָעִיר לַיְיָ Jer. 31:38(37)
355 תָּשׁוּב וְנִבְנְתָה רְחוֹב וְחָרוּץ Dan. 9:25
נִבְנוּ 356 גַּם־נִבְנוּ עֹשֵׂי רִשְׁעָה Mal. 3:15
וְנִבְנוּ 357 וְנִבְנוּ בְּתוֹךְ עַמִּי Jer. 12:16
358 וְנִבְנוּ הֶחֳרָבוֹת Ezek. 36:33
הַנִּבְנֶה 359 לַבַּיִת הַנִּבְנֶה לְשֵׁם־יְיָ ICh. 22:19(18)
אִבָּנֶה 360 אוּלַי אִבָּנֶה מִמֶּנָּה Gen. 16:2
וְאִבָּנֶה 361 וְאִבָּנֶה גַם־אָנֹכִי מִמֶּנָּה Gen. 30:3
תִּבָּנֶה 362 אִם־תָּשׁוּב עַד־שַׁדַּי תִּבָּנֶה Job 22:23
יִבָּנֶה 363 אַרְמוֹן זָרִים... לֹא יִבָּנֶה Is. 25:2
364 בֵּיתִי יִבָּנֶה בָּהּ Zech. 1:16
365 עוֹלָם חֶסֶד יִבָּנֶה Ps. 89:3
366 בְּחָכְמָה יִבָּנֶה בָּיִת Prov. 24:3
367 הֵן יַהֲרוֹס וְלֹא יִבָּנֶה Job 12:14
תִּבָּנֶה 368 תִּבָּנֶה וְתִכּוֹנֵן עִיר סִיחוֹן Num. 21:27
369 וְהָיְתָה תֵּל עוֹלָם לֹא תִבָּנֶה עוֹד Deut. 13:17
370 וְלֵאמֹר לִירוּשָׁלַםִ תִּבָּנֶה Is. 44:28
371 לֹא תִבָּנֶה עוֹד Ezek. 26:14
תִּבָּנֶינָה 372 וּלְעָרֵי יְהוּדָה תִּבָּנֶינָה Is. 44:26
373 וְנוֹשְׁבוּ הֶעָרִים וְהֶחֳרָבוֹת תִּבָּנֶינָה
Ezek. 36:10

בְּנָה

פ׳ ארמית: א) בְּנָה [לְמִבְנֵא, לְמִבְנְיָה = לבנות]: 1—15
ב) [אִתְפְּ׳ אִתְבְּנֵא] נבנה: 16—22

לְמִבְנֵא 1 וְשָׁרִיו לְמִבְנֵא בֵּית אֱלָהָא Ez. 5:2
2-3 לְמִבְנֵא בֵּית־אֱלָהָא דֵךְ Ez. 5:17; 6:8
לְמִבְנְיָה 4 מַן־שָׂם...בַּיְתָא דְנָא לְמִבְנְיָה Ez. 5:9
לִבְנֵא 5 מַן־שָׂם...בַּיְתָא דְנָה לִבְנֵא Ez. 5:3
6 שָׂם טְעֵם בֵּית־אֱלָהָא דְנָה לִבְנֵא Ez. 5:13
בְנַיְתַהּ 7 דִּי־אֲנָה בְנַיְתַהּ לְבֵית מַלְכוּ Dan. 4:27
בְּנָהִי 8 וּמֶלֶךְ לְיִשְׂרָאֵל רַב בְּנָהִי וְשַׁכְלְלֵהּ Ez. 5:11
וּבְנוֹ 9 וּבְנוֹ וְשַׁכְלִלוּ מִן־טַעַם אֱלָהּ יִשְׂרָאֵל Ez. 6:14
בָּנַיִן 10 קִרְיְתָא מָרָדְתָּא...בָּנַיִן Ez. 4:12
11 גֻּבְרַיָּא דִּי־דְנָה בִנְיָנָא בָּנַיִן Ez. 5:4
12 וְשָׂבֵי יְהוּדָיֵא בָּנַיִן וּמַצְלְחִין Ez. 6:14
וּבָנַיִן 13 וּבָנַיִן בַּיְתָא דִּי־הֲוָא בְנֵה... Ez. 5:11
בְּנֵה 14 דִּי־הֲוָא בְנֵה מִקַּדְמַת דְּנָה Ez. 5:11
יִבְנוֹן 15 בֵּית־אֱלָהָא דֵךְ יִבְנוֹן עַל־אַתְרֵהּ Ez. 6:7
מִתְבְּנֵא 16 וְהוּא מִתְבְּנֵא אֶבֶן גְּלָל Ez. 5:8
17 וְעַד־כְּעַן מִתְבְּנֵא וְלָא שְׁלִם Ez. 5:16
יִתְבְּנֵא 18 וּבֵית אֱלָהָא יִתְבְּנֵא עַל־אַתְרֵהּ Ez. 5:15
19 בֵּית אֱלָהָא בִירוּשְׁלֶם בַּיְתָא יִתְבְּנֵא Ez. 6:3
תִּתְבְּנֵא 20/1 הֵן קִרְיְתָא דָךְ תִּתְבְּנֵא Ez. 4:13,16
22 וְקִרְיְתָא דָךְ לָא תִתְבְּנֵא Ez. 4:21

בָּנוּי

ת׳ עיין בָּנָה

בִּנּוּי

שפ״ז א) אבי משפחה שבניה עלו עם זרובבל (הוא בָּנִי 3): 3
ב) לויים בימי עזרא נחמיה: 1, 2, 4, 5
ג) שני אנשים בימי עזרא שנשאו נשים נכריות: 6, 7

בִּנּוּי 1 יוֹזָבָד...וְנוֹעַדְיָה בֶּן־בִּנּוּי הַלְוִיִּם Ez. 8:33
2 אַחֲרָיו הֶחֱזִיק בִּנּוּי בֶּן־חֵנָדָד Neh. 3:24
3 בְּנֵי בִנּוּי שֵׁשׁ מֵאוֹת... Neh. 7:15
4 וְהַלְוִיִּם...בִּנּוּי מִבְּנֵי חֵנָדָד Neh. 10:10
5 וְהַלְוִיִּם יֵשׁוּעַ בִּנּוּי קַדְמִיאֵל Neh. 12:8
וּבִנּוּי 6 מַתַּנְיָה בְּצַלְאֵל וּבִנּוּי וּמְנַשֶּׁה Ez. 10:30
7 וּבָנִי וּבִנּוּי שִׁמְעִי Ez. 10:38

בָּנִי

שפ״ז — א) מגבורי דוד: 1
ב) מן הלויים המשוררים, מבני מררי: 11
ג) אנשים שונים בימי עזרא ונחמיה: 5—9, 12—15
ד) אבי משפחה שעלתה עם זרובבל: 2, 3, 4, 10

בָּנִי 1 יִגְאָל בֶּן־נָתָן מִצֹּבָה בָּנִי הַגָּדִי IISh. 23:36
2 בְּנֵי בָנִי שֵׁשׁ מֵאוֹת Ez. 2:10
3 וּמִבְּנֵי בָּנִי מְשֻׁלָּם מַלּוּךְ Ez. 10:29
4 מִבְּנֵי בָנִי מַעֲדַי עַמְרָם וְאוּאֵל Ez. 10:34
5 הֶחֱזִיקוּ הַלְוִיִּם רְחוּם בֶּן־בָּנִי Neh. 3:17
6-9 בָּנִי Neh. 9:4,5; 10:14; 11:22
10 עֵילָם זַתּוּא בָּנִי Neh. 10:15
11 בֶּן־אַמְצִי בֶן־בָּנִי בֶן־שָׁמֶר ICh. 6:31
12 בֶּן־בָּנִי מִן־בְּנֵי(כ׳ בנימן)־פֶרֶץ ICh. 9:4
וּבָנִי 13 וּבָנִי וּבִנּוּי שִׁמְעִי Ez. 10:38
14 וְיֵשׁוּעַ וּבָנִי וְשֵׁרֵבְיָה Neh. 8:7
15 יֵשׁוּעַ וּבָנִי קַדְמִיאֵל Neh. 9:4

בֻּנִּי

שפ״ז — לוי בימי עזרא שחתם על האמנה: 1, 2

בֻּנִּי 1 שְׁבַנְיָה בֻּנִּי שֵׁרֵבְיָה Neh. 9:4
2 בֻּנִּי עַזְגָּד בֵּבָי Neh. 10:16

בְּנִי

שפ״ז — אחד מבני לוי

בְּנִי 1 וּבְנֵי יְרִיָּהוּ אֲמַרְיָהוּ הַשֵּׁנִי ICh. 24:23

בְּנֵי־בְרַק

מקום בנחלת דן

וּבְנֵי־ב׳ 1 וִיהֻד וּבְנֵי־בְרַק וְגַת־רִמּוֹן Josh. 19:45

בְּנֵי יַעֲקָן

מתחנות בני־ישראל במדבר: 1—2
[עיין בְּאֵרֹת בְּנֵי־יַעֲקָן]

בִּבְנֵי י׳ 1 וַיִּסְעוּ מִמֹּסֵרוֹת וַיַּחֲנוּ בִּבְנֵי יַעֲקָן Num. 33:31
מִבְּנֵי י׳ 2 וַיִּסְעוּ מִבְּנֵי יַעֲקָן וַיַּחֲנוּ... Num. 33:32

בְּנֵי

ארמית: סמיכות רבים מן בַּר[3]

בִּנְיָה

נ׳ בנין

וְהַבִּנְיָה 1 וְהַגִּזְרָה וְהַבִּנְיָה וְקִירוֹתֶיהָ Ezek. 41:13

בְּנָיָה

שפ״ז—א) בן־יהוידע, מגבורי דוד: 5, 9
ב) הפרעתוני, מגבורי דוד: 6, 7
ג) לוי מבני אסף: 8
ד) אבי השר פלטיהו בימי יחזקאל: 1
ה) שמות ארבעה אנשים שנשאו נשים נכריות בימי עזרא: 2—4, 10, 11

בְּנָיָה 1 וּפְלַטְיָהוּ בֶן־בְּנָיָה מֵת Ezek. 11:13
2 בְּנָיָה מַעֲשֵׂיָה מַתַּנְיָה Ez. 10:30
3 בְּנָיָה בֵדְיָה כְּלוּהִי[ק] Ez. 10:35
4 יַדַּי־יוֹאֵל בְּנָיָה Ez. 10:43
5 בְּנָיָה בֶּן־יְהוֹיָדָע בֶּן־אִישׁ־חַיִל ICh. 11:22
6-7 בְּנָיָה הַפִּרְעָתוֹ(נִ)י ICh. 11:31; 27:14
8 וְיַחֲזִיאֵל בֶּן־זְכַרְיָהוּ בֶּן־בְּנָיָה IICh. 20:14
וּבְנָיָה 9 וּבְנָיָה בֶּן־יְהוֹיָדָע עַל־הַכְּרֵתִי IISh. 20:23
10 וְאֶלְעָזָר וּמַלְכִּיָּה וּבְנָיָה Ez. 10:25
11 וַעֲדִיאֵל וִישִׂימִאֵל וּבְנָיָה ICh. 4:36

בְּנָיָהוּ

שפ״ז א) בן־יהודע מגבורי דוד, אחרי־כן שר־צבא בימי שלמה, הוא בְּנָיָה (א): 1, 3—11, 13—24, 28—29
ב) הפרעתוני, הוא בְּנָיָה (ב): 2
ג) כהן בימי דוד: 25, 26
ד) פקיד בימי חזקיהו: 27
ה) אבי השר פלטיהו בימי יחזקאל: 12

בְּנָיָהוּ 1 אֵלֶּה עָשָׂה בְּנָיָהוּ בֶּן־יְהוֹיָדָע IISh. 23:22
2 בְּנָיָהוּ פִּרְעָתֹנִי IISh. 23:30
3 וַיַּעַן בְּנָיָהוּ בֶן־יְהוֹיָדָע אֶת־הַמֶּלֶךְ IK. 1:36
4 וַיִּשְׁלַח...בְּיַד בְּנָיָהוּ בֶּן־יְהוֹיָדָע IK. 2:25
5-9 בְּנָיָהוּ בֶּן־יְהוֹיָדָע IK. 2:29,34/5,46 • ICh. 11:24
10 וַיָּבֹא בְנָיָהוּ אֶל־אֹהֶל יְיָ IK. 2:30
11 וַיָּשֶׁב בְּנָיָהוּ אֶת־הַמֶּלֶךְ דָּבָר IK. 2:30
12 וְאֶת־פְּלַטְיָהוּ בֶן־בְּנָיָהוּ שָׂרֵי הָעָם Ezek. 11:1
13 בְּנָיָהוּ בֶּן־יְהוֹיָדָע הַכֹּהֵן רֹאשׁ ICh. 27:6
14 הוּא בְנָיָהוּ גִּבּוֹר הַשְּׁלֹשִׁים ICh. 27:5
וּבְנָיָהוּ 15 וּבְנָיָהוּ בֶּן־יְהוֹיָדָע וְהַכְּרֵתִי IISh. 8:18
16-21 וּבְנָיָהוּ בֶּן־יְהוֹיָדָע IISh. 23:20
IK. 1:8, 38, 44; 4:4 • ICh. 18:17
22 וְאֶת־נָתָן הַנָּבִיא וּבְנָיָהוּ IK. 1:10
23 אֱלִיאָב וּבְנָיָהוּ וּמַעֲשֵׂיָהוּ ICh. 15:18
24 וֶאֱלִיאָב וּמַעֲשֵׂיָהוּ וּבְנָיָהוּ ICh. 15:20
25 וּבְנָיָהוּ וֶאֱלִיעֶזֶר הַכֹּהֲנִים ICh. 15:24
26 וּבְנָיָהוּ וְיַחֲזִיאֵל הַכֹּהֲנִים ICh. 16:6
27 וּמַחַת וּבְנָיָהוּ פְּקִידִים IICh. 31:13
וְלִבְנָיָהוּ 28/9 וְלִבְנָיָהוּ בֶן־יְהוֹיָדָע IK. 1:26,32

בֵּנִים

עיין בֵּינַיִם

בִּנְיָמִן

שפ״ז א) בנו הצעיר של יעקב שנולד לו מרחל: 1—14, 110, 111, 113—117, 136—138, 157
ב) שם השבט המתיחס על בנימין וכן ארץ נחלתו: רוב המקראות
ג) בן בלהן משבט בנימין: 107
ד) ממחזיקי חומת ירושלים בימי נחמיה: 108, 135

אָזְנֵי בִנְיָמִן 84; אָחִיו ב׳ 7, 10, 11; אִישׁ ב׳ 68, 73; אַמְתַּחַת ב׳ 9; אֶרֶץ ב׳ 72, 74, 87, 90, 92, 94—97; בֵּית ב׳ 85, 119; בְּנֵי ב׳ 12, 14, 17—56, 91, 111; גְּבוּל ב׳ 76, 100, 102; גֶּבַע ב׳ 62, 81, 89; גִּבְעַת ב׳ 79, 80, 82; מַטֵּה ב׳ 15, 16, 57—60, 109; מַשְׂאַת ב׳ 8; צַוְּארֵי ב׳ 11; צָרֵי ב׳ 123; שֵׁבֶט ב׳ 77, 78, 88; שִׁבְטֵי בִנְיָמִן 63, 75; שַׁעַר ב׳ 93, 98, 99, 103, 105

בִּנְיָמִן 1 וְאָבִיו קָרָא־לוֹ בִנְיָמִין Gen. 35:18
2 וְאֶת־בִּנְיָמִין...לֹא שָׁלַח Gen. 42:4
3 וְאֶת־בִּנְיָמִן תִּקָּחוּ Gen. 42:36
4 וְשִׁלַּח לָכֶם...וְאֶת־בִּנְיָמִין Gen. 43:14
5 וּמִשְׁנֶה־כֶּסֶף...וְאֶת־בִּנְיָמִן Gen. 43:15
6 וַיַּרְא יוֹסֵף אִתָּם אֶת־בִּנְיָמִין Gen. 43:16
7 וַיַּרְא אֶת־בִּנְיָמִין אָחִיו Gen. 43:29
8 וַתֵּרֶב מַשְׂאַת בִּנְיָמִן Gen. 43:34
9 וַיִּמָּצֵא...בְּאַמְתַּחַת בִּנְיָמִן Gen. 44:12
10 עֵינֵיכֶם...וְעֵינֵי אָחִי בִנְיָמִין Gen. 45:12
11 וַיִּפֹּל עַל־צַוְּארֵי בִנְיָמִן־אָחִיו Gen. 45:14
12 וּבְנֵי בִנְיָמִן בֶּלַע וָבֶכֶר... Gen. 46:21
13 בִּנְיָמִין זְאֵב יִטְרָף Gen. 49:27
14 לִבְנֵי בִנְיָמִן תּוֹלְדֹתָם Num. 1:36
15 פְּקֻדֵיהֶם לְמַטֵּה בִנְיָמִן Num. 1:37
16/7 וּמַטֵּה בִּנְיָמִן וְנָשִׂיא לִבְנֵי בִנְיָמִן Num. 2:22
18-56 (וּב׳-/לִב׳-/מִב׳-/וּמִ׳-) בְּנֵי בִנְיָמִן Num. 7:60
10:24; 26:38, 41 • Josh. 18:11, 20, 21, 28 • Jud. 1:21[2]; 20:3, 13, 14, 15, 18, 21, 23, 24

בִּנְיָמִין (המשך)
20:28, 30, 31, 32, 36, 48; 21:13, 20, 23 • IISh. 2:25; 4:2; 23:29 • Neh. 11:4, 7; 11:31 • ICh. 6:50; 8:40; 9:3, 7; 11:31; 12:17(16), 30(29)

57 לְמַטֵּה בִנְיָמִן פַּלְטִי Num. 13:9
58 לְמַטֵּה בִנְיָמִן אֱלִידָד Num. 34:21
59 וּמִמַּטֵּה בִנְיָמִן בַּגּוֹרָל Josh. 21:4
60 וּמִמַּטֵּה בִנְיָמִין אֶת־גִּבְעוֹן Josh. 21:17
61 אַחֲרֶיךָ בִנְיָמִין בַּעֲמָמֶיךָ Jud. 5:14
62 לַעֲשׂוֹת לְבוֹאָם לְגֶבַע בִּנְיָמִן Jud. 20:10
63 וַיִּשְׁלְחוּ...בְּכָל־שִׁבְטֵי בִנְיָמִן Jud. 20:12
64 וַיֵּצֵא...לַמִּלְחָמָה עִם־בִּנְיָמִן Jud. 20:20
65 וַיֵּצֵא בִנְיָמִן לִקְרָאתָם Jud. 20:25
66 וַיִּגֹּף יְיָ אֶת־בִּנְיָמִן Jud. 20:35
67 וַיִּפֶן בִּנְיָמִן אַחֲרָיו Jud. 20:40
68 וַיִּבָּהֵל אִישׁ בִּנְיָמִן Jud. 20:41
69 כִּתְּרוּ אֶת־בִּנְיָמִן הִרְדִיפֻהוּ Jud. 20:43
70 וַיִּנָּחֲמוּ בְּנֵי יִשְׂרָאֵל אֶל־בִּנְיָמִן Jud. 21:6
71 וַיָּשָׁב בִּנְיָמִן בָּעֵת הַהִיא Jud. 21:14
72 וַחֲטַפְתֶּם...וַהֲלַכְתֶּם אֶרֶץ בִּנְיָמִן Jud. 21:21
73 וַיָּרָץ אִישׁ־בִּנְיָמִן מֵהַמַּעֲרָכָה ISh. 4:12
74 אִישׁ מֵאֶרֶץ בִּנְיָמִן ISh. 9:16
75 מִכָּל־מִשְׁפְּחוֹת שִׁבְטֵי בִנְיָמִן ISh. 9:21
76 בִּגְבוּל בִּנְיָמִן בְּצֶלְצַח ISh. 10:2
77 וַיִּלָּכֵד שֵׁבֶט בִּנְיָמִן ISh. 10:20
78 וַיַּקְרֵב אֶת־שֵׁבֶט בִּנְיָמִן ISh. 10:21
79 עִם־יוֹנָתָן בְּגִבְעַת בִּנְיָמִין ISh. 13:2
80 וַיַּעַל מִן־הַגִּלְגָּל גִּבְעַת בִּנְיָמִן ISh. 13:15
81 וְשָׁאוּל...יֹשְׁבִים בְּגֶבַע בִּנְיָמִן ISh. 13:16
82 וַיִּרְאוּ...בְּגִבְעַת בִּנְיָמִן ISh. 14:16
83 וַיַּמְלִכֵהוּ...וְעַל־אֶפְרַיִם וְעַל־בִּנְיָמִן IISh. 2:9
84 וַיְדַבֵּר גַּם־אַבְנֵר בְּאָזְנֵי בִנְיָמִין IISh. 3:19
85 וּבְעֵינֵי כָּל־בֵּית בִּנְיָמִן IISh. 3:19
86 גַּם־בְּאֵרוֹת תֵּחָשֵׁב עַל־בִּנְיָמִן IISh. 4:2
87 וַיִּקְבְּרוּ...בְּאֶרֶץ בִּנְיָמִן בְּצֵלָע IISh. 21:14
88 וַיַּקְהֵל...וְאֶת־שֵׁבֶט בִּנְיָמִן IK. 12:21
89 וַיִּבֶן בָּם...אֶת־גֶּבַע בִּנְיָמִן IK. 15:22
90 אֲשֶׁר בַּעֲנָתוֹת בְּאֶרֶץ בִּנְיָמִן Jer. 1:1
91 הָעִזוּ בְּנֵי בִנְיָמִן מִקֶּרֶב יְרוּשָׁלַםִ Jer. 6:1
92 מֵעָרֵי יְהוּדָה...וּמֵאֶרֶץ בִּנְיָמִן Jer. 17:26
93 אֲשֶׁר בְּשַׁעַר בִּנְיָמִן הָעֶלְיוֹן Jer. 20:2
94 בַּעֲנָתוֹת אֲשֶׁר בְּאֶרֶץ בִּנְיָמִין Jer. 32:8
95 בְּאֶרֶץ בִּנְיָמִן וּבִסְבִיבֵי יְרוּשָׁלַםִ Jer. 32:44
96 וּבְאֶרֶץ בִּנְיָמִן וּבִסְבִיבֵי יְרוּשָׁלַםִ Jer. 33:13
97 וַיֵּצֵא...לָלֶכֶת אֶרֶץ בִּנְיָמִן Jer. 37:12
98 וַיְהִי־הוּא בְּשַׁעַר בִּנְיָמִן Jer. 37:13
99 וְהַמֶּלֶךְ יוֹשֵׁב בְּשַׁעַר בִּנְיָמִן Jer. 38:7
100 ...וּבֵין גְּבוּל בִּנְיָמִן Ezek. 48:22
101 מִפְּאַת קָדִימָה...בִּנְיָמִן אֶחָד Ezek. 48:3
102 וְעַל גְּבוּל בִּנְיָמִן Ezek. 48:24
103 שַׁעַר בִּנְיָמִן אֶחָד Ezek. 48:32
104 הָרִיעוּ בֵּית אָוֶן אַחֲרֶיךָ בִּנְיָמִין Hosh. 5:8
105 וְיָשְׁבָה...לְמִשַּׁעַר בִּנְיָמִן Zech. 14:10
106 שָׁם בִּנְיָמִן צָעִיר רֹדֵם Ps. 68:28
107 בִּנְיָמִן מַלּוּךְ שְׁמַרְיָה Ez. 10:32
108 אַחֲרָיו הֶחֱזִיק בִּנְיָמִן וְחַשּׁוּב Neh. 3:23
109 וּמִמַּטֵּה בִנְיָמִן אֶת־גֶּבַע ICh. 6:45
110 בִּנְיָמִן בֶּלַע וָבֶכֶר וִידִיעֲאֵל ICh. 7:6
111 בֶּן־בִּנְיָמִן (כך כת׳, קרי: בְּנֵי מִן־) ICh. 9:4
112 וּמִן־בִּנְיָמִן גִּבּוֹר חַיִל אֶלְיָדָע IICh. 17:17

וּבִנְיָמִן
113 בְּנֵי רָחֵל יוֹסֵף וּבִנְיָמִן Gen. 35:24
114 וּבִנְיָמִן בָּכָה עַל־צַוָּארָיו Gen. 45:14
115 בְּנֵי רָחֵל אֵשֶׁת יַעֲקֹב יוֹסֵף וּבִנְיָמִן Gen. 46:19

וּבִנְיָמִין (המשך)
116 יִשָּׂשכָר זְבוּלֻן וּבִנְיָמִן Ex. 1:3
117 וְיִשָּׂשכָר וְיוֹסֵף וּבִנְיָמִן Deut. 27:12
118 וּבִנְיָמִן הֵחֵל לְהַכּוֹת חֲלָלִים Jud. 20:39
119 וְאֶל־כָּל־בֵּית יְהוּדָה וּבִנְיָמִין IK. 12:23
120 וְיָרְשׁוּ...וּבִנְיָמִן אֶת־הַגִּלְעָד Ob. 19
121 לִפְנֵי אֶפְרַיִם וּבִנְיָמִן וּמְנַשֶּׁה Ps. 80:3
122 רָאשֵׁי הָאָבוֹת לִיהוּדָה וּבִנְיָמִן Ez. 1:5
123 וַיִּשְׁמְעוּ צָרֵי יְהוּדָה וּבִנְיָמִן Ez. 4:1
124-134 יְהוּדָה וּבִנְיָמִן Ez. 10:9
IICh. 11:1, 3; 11:12, 23; 15:2, 8, 9; 25:5; 31:1; 34:9
135 יְהוּדָה וּבִנְיָמִן וּשְׁמַעְיָה Neh. 12:34
136 דָּן יוֹסֵף וּבִנְיָמִן ICh. 2:2
137 וּבְנֵי בִלְהָן יְעוּשׁ וּבִנְיָמִן ICh. 7:10
138 וּבִנְיָמִן הוֹלִיד אֶת־בֶּלַע בְּכֹרוֹ ICh. 8:1
139 וְלֵוִי וּבִנְיָמִן לֹא פָקַד בְּתוֹכָם ICh. 21:6
140 כָּל־הַנִּמְצָא בִירוּשָׁלַםִ וּבִנְיָמִן IICh. 34:32

בְּבִנְיָמִין
141 וַיַּשְׁחִיתוּ בְּנֵי יִשְׂרָאֵל בְּבִנְיָמִן Jud. 20:35
142 שִׁמְעִי בֶן־אֵלָא בְּבִנְיָמִן IK. 4:18

וּבְבִנְיָמִין
143 לְהִלָּחֵם גַּם־בִּיהוּדָה וּבְבִנְיָמִין Jud. 10:9
144 אֲשֶׁר בִּיהוּדָה וּבְבִנְיָמִן IICh. 11:10

לְבִנְיָמִין
145 לְבִנְיָמִן אֲבִידָן בֶּן־גִּדְעֹנִי Num. 1:11
146 לְבִנְיָמִן אָמַר יְדִיד יְיָ Deut. 33:12
147 אֵצֶל הַגִּבְעָה אֲשֶׁר לְבִנְיָמִן Jud. 19:14
148 הַגִּבְעָתָה אֲשֶׁר לְבִנְיָמִן בָּאתִי Jud. 20:4
149 וַיִּתְּנוּ...מָקוֹם לְבִנְיָמִן Jud. 20:36
150 לֹא־יִתֵּן בִּתּוֹ לְבִנְיָמִן לְאִשָּׁה Jud. 21:1
151 וְהָעָם נִחָם לְבִנְיָמִן Jud. 21:15
152 יְרֻשַּׁת פְּלֵיטָה לְבִנְיָמִן Jud. 21:17
153 אָרוּר נֹתֵן אִשָּׁה לְבִנְיָמִן Jud. 21:18
154 שְׁנֵים עָשָׂר לְבִנְיָמִן וּלְאִישׁ־בֹּשֶׁת IISh. 2:15
155 מַחְלְקוֹת יְהוּדָה לְבִנְיָמִין Neh. 11:36
156 לְבִנְיָמִן יַעֲשִׂיאֵל בֶּן־אַבְנֵר ICh. 27:21

וּלְבִנְיָמִין
157 וּלְבִנְיָמִן נָתַן שְׁלֹשׁ מֵאוֹת... Gen. 45:22

מִבִּנְיָמִין
158 הִתְפָּקְדוּ לְבַד מִבִּנְיָמִן Jud. 20:17
159 וַיִּפְּלוּ מִבִּנְיָמִן שְׁמֹנָה־עָשָׂר אֶלֶף Jud. 20:44
160 וַיְהִי כָל־הַנֹּפְלִים מִבִּנְיָמִן Jud. 20:46
161 כִּי־נִשְׁמְדָה מִבִּנְיָמִן אִשָּׁה Jud. 21:16
162 וַיְהִי־אִישׁ מִבִּנְיָמִין (כת׳ מבן ימין) ISh. 9:1
163 וְעַבְדֵי דָוִד הִכּוּ מִבִּנְיָמִן IISh. 2:31
164 וְאֶלֶף אִישׁ עִמּוֹ מִבִּנְיָמִן IISh. 19:18
165 מֵאֲחֵי שָׁאוּל מִבִּנְיָמִן ICh. 12:2

וּמִבִּנְיָמִין
166 וּמִבִּנְיָמִן נֹשְׂאֵי מָגֵן וְדֹרְכֵי קֶשֶׁת IICh. 14:7

בִּנְיָמִינִי
ת׳ עין יָמִין

לַבִּנְיָמִינִי
1 אֲבִיעֶזֶר הָעַנְּתֹתִי לבנימיני (כך כת׳, קרי: לַבֶּן יְמִינִי) ICh. 27:12

בִּנְיָן
ארמית, רבוי מן בַּר³

בִּנְיָן
ז׳ דבר בנוי (בית, חומה וכד׳): 1–7
אֹרֶךְ הַבִּנְיָן 4; נֶגֶד הַבִּ׳ 5; פְּנֵי הַבִּנְיָן 6;
קִיר הַבִּנְיָן 3; רֹחַב הַבִּנְיָן 2

בִּנְיָן
1 מֵהַתַּחְתֹּנוֹת וּמֵהַתִּיכֹנוֹת בִּנְיָן Ezek. 42:5

הַבִּנְיָן
2 וַיָּמָד אֶת־רֹחַב הַבִּנְיָן Ezek. 40:5
3 וְקִיר הַבִּנְיָן חָמֵשׁ־אַמּוֹת רֹחַב Ezek. 41:12
4 וּמָדַד אֹרֶךְ־הַבִּנְיָן Ezek. 41:15
5 וַאֲשֶׁר־נֶגֶד הַבִּנְיָן אֶל־הַצָּפוֹן Ezek. 42:1
6 אֶל־פְּנֵי הַגִּזְרָה וְאֶל־פְּנֵי הַבִּנְיָן Ezek. 42:10

וְהַבִּנְיָן
7 וְהַבִּנְיָן אֲשֶׁר עַל־פְּנֵי הַגִּזְרָה Ezek. 41:12

בִּנְיָנָא
ז׳ ארמית: בנין

בִּנְיָנָא
1 גֻּבְרַיָּא דִּי־דְנָה בִנְיָנָא בָּנַיִן Ez. 5:4

בְּנִינוּ
שפ״ז – איש לוי שחתם על האמנה בימי נחמיה

בְּנִינוּ
1 הוֹדִיָּה בָנִי בְּנִינוּ Neh. 10:14

בְּנַס
פ׳ ארמית: כעס

בְּנַס
1 מַלְכָּא בְּנַס וּקְצַף שַׂגִּיא Dan. 2:12

בִּנְעָא
שפ״ז – מזרע יונתן בן שאול

בִּנְעָא
1/2 וּמוֹצָא הוֹלִיד אֶת־בִּנְעָא ICh. 8:37; 9:43

בְּסוֹדְיָה
שפ״ז – ממחזיקי חומת ירושלים בימי נחמיה

בְּסוֹדְיָה
1 יוֹיָדָע...וּמְשֻׁלָּם בֶּן־בְּסוֹדְיָה Neh. 3:6

בֵּסַי
שפ״ז – מעולי הגולה בימי זרובבל: 1, 2

בֵסַי
1 בְּנֵי־בֵסַי בְּנֵי־מְעוּנִים Neh. 7:52

בֵסָי
2 בְּנֵי־עֻזָּא בְנֵי־פָסֵחַ בְּנֵי בֵסָי Ez. 2:49

בֹּסֶר
ז׳ פרי בטרם הבשיל: 1–5

בֹּסֶר
1 אָבוֹת אָכְלוּ בֹסֶר וְשִׁנֵּי בָנִים... Jer. 31:28(29)
2 אָבוֹת יֹאכְלוּ בֹסֶר וְשִׁנֵּי הַבָּנִים... Ezek. 18:2

וּבֹסֶר
3 וּבֹסֶר גֹּמֵל יִהְיֶה נִצָּה Is. 18:5

הַבֹּסֶר
4 הָאֹכֵל הַבֹּסֶר תִּקְהֶינָה שִׁנָּיו Jer. 31:29(30)

בִּסְרוֹ
5 יַחְמֹס כַּגֶּפֶן בִּסְרוֹ Job 15:33

בְּעָא
א) פ׳ ארמית: בִּקשׁ [לְמִבְעֵא = לבַקשׁ]: 1–11
ב) [פַ׳ בַּעֵי] כנ״ל: 12

לְמִבְעֵא
1 וְרַחֲמִין לְמִבְעֵא מִן־קֳדָם אֱלָהּ Dan. 2:18

בְּעָא
2 וְדָנִיֵּאל בְּעָא מִן מַלְכָּא Dan. 2:49

וּבְעָא
3 וְדָנִיֵּאל עַל וּבְעָא מִן־מַלְכָּא Dan. 2:16

וּבְעוֹ
4 וּבְעוֹ דָּנִיֵּאל וְחַבְרוֹהִי לְהִתְקְטָלָה Dan. 2:13

בְּעֵינָא
5 וּכְעַן הוֹדַעְתַּנִי דִּי־בְעֵינָא מִנָּךְ Dan. 2:23

בָּעֵה
6 בָּעֵה וּמִתְחַנַּן קֳדָם אֱלָהֵהּ Dan. 6:12

בָּעֵא
7 וְזִמְנִין תְּלָתָה בְּיוֹמָא בָּעֵא בָּעוּתֵהּ Dan. 6:14

בָּעַיִן
8 הֲווֹ בָעַיִן עִלָּה לְהַשְׁכָּחָה לְדָנִיֵּאל Dan. 6:5

אֶבְעֵא
9 וְיַצִּיבָא אֶבְעֵא־מִנֵּהּ עַל־כָּל־דְּנָה Dan. 7:16

יִבְעֵא
10 כָּל־דִּי־יִבְעֵא בָעוּ מִן־כָּל־אֱלָהּ Dan. 6:8
11 כָּל־אֱנָשׁ דִּי־יִבְעֵא מִן־כָּל־אֱלָהּ Dan. 6:13

יְבַעוֹן
12 וְלִי הַדָּבְרַי וְרַבְרְבָנַי יְבַעוֹן Dan. 4:33

בַּעֲבוּר
מ״י א) [סמוך לשם או בכנויים] בגלל, בשביל, בשל: 1–24, 39, 44–49
ב) [סמוך לפועל] למען, כדי שֶׁ־: 25–38, 40
ג) [לְבַעֲבוּר] לְמַעַן, כדי שֶׁ־: 41–43

בַּעֲבוּר (א)
1 לֹא אֹסִף לְקַלֵּל בַּעֲבוּר הָאָדָם Gen. 8:21
2 לֹא אֶעֱשֶׂה בַּעֲבוּר הָאַרְבָּעִים Gen. 18:29
3 לֹא אַשְׁחִית בַּעֲבוּר הָעֶשְׂרִים Gen. 18:31
4 לֹא אַשְׁחִית בַּעֲבוּר הָעֲשָׂרָה Gen. 18:32
5 וְאוּלָם בַּעֲבוּר זֹאת הֶעֱמַדְתִּיךָ Ex. 9:16
6 בַּעֲבוּר זֶה עָשָׂה יְיָ לִי Ex. 13:8
7 כִּי לֹא־יִטֹּשׁ...בַּעֲבוּר שְׁמוֹ הַגָּדוֹל ISh. 12:22
8 בַּעֲבוּר דְּבָרְךָ וּכְלִבְּךָ עָשִׂיתָ IISh. 7:21
9 בַּעֲבוּר הָאֲדָמָה חַתָּה Jer. 14:4
10/11 וְאֶבְיוֹן בַּעֲבוּר נַעֲלָיִם Am. 2:6; 8:6
12 בַּעֲבוּר דָּוִד עַבְדֶּךָ אַל־תָּשֵׁב Ps. 132:10
13-24 בַּעֲבוּר (א) Gen. 26:24
IISh. 5:12; 6:12; 9:1, 7; 12:21, 25; 13:2 • Mic. 2:10
ICh. 14:2; 17:19 • IICh. 28:19

בַּעֲבוּר (ב)
25 בַּעֲבוּר תִּהְיֶה־לִּי לְעֵדָה Gen. 21:30
26 בַּעֲבוּר תְּבָרֶכְךָ נַפְשִׁי Gen. 27:4
27 בַּעֲבֻר אֲשֶׁר יְבָרֶכְךָ Gen. 27:10
28 בַּעֲבוּר תְּבָרֲכַנִּי נַפְשֶׁךָ Gen. 27:19
29 בַּעֲבֻר תְּבָרֲכַנִּי נַפְשֶׁךָ Gen. 27:31
30 בַּעֲבוּר תֵּשְׁבוּ בְּאֶרֶץ גֹּשֶׁן Gen. 46:34
31 בַּעֲבוּר תֵּדַע כִּי אֵין כָּמֹנִי Ex. 9:14
32 בַּעֲבוּר הַרְאֹתְךָ אֶת־כֹּחִי Ex. 9:16
33 בַּעֲבוּר יִשְׁמַע הָעָם בְּדַבְּרִי עִמָּךְ Ex. 19:9

בַּעֲבוּר (המשך) 34 וְכִעֲסַתָּה...בַּעֲבוּר הַרְּעִמָהּ ISh.1:6
35 בַּעֲבוּר חֲקֹר אֶת־הָעִיר...שְׁלָחוֹ IISh.10:3
36 אֵין־לִי בֵן בַּעֲבוּר הַזְכִּיר שְׁמִי IISh.18:18
37 בַּעֲבוּר יִשְׁמְרוּ חֻקָּיו Ps.105:45
38 הֲלֹא בַּעֲבוּר לַחְקֹר...בָּאוּ עֲבָדָיו ICh.19:3
וּבַעֲבוּר(א) 39 וּבַעֲבוּר חוּשִׁי בִי Job 2:2
וּבַעֲבוּר(ב) 40 וּבַעֲבוּר תִּהְיֶה יִרְאָתוֹ עַל־פְּנֵיכֶם Ex.20:20
לְבַעֲבוּר(ג) 41 לְבַעֲבוּר נַסּוֹת אֶתְכֶם בָּא הָאֱלֹ' Ex.20:20
42 לְבַעֲבוּר סַבֵּב אֶת־פְּנֵי הַדָּבָר IISh.14:20
43 לְבַעֲבוּר הָבִיא יְיָ...אֶת־הָרָעָה IISh.17:14
בַּעֲבוּרִי 44 מְבַקֵּשׁ...לְשַׁחֵת לָעִיר בַּעֲבוּרִי ISh.23:10
בַּעֲבוּרֶךָ 45 אֲרוּרָה הָאֲדָמָה בַּעֲבוּרֶךָ Gen.3:17
בַּעֲבוּרֵךְ 46 לְמַעַן יִיטַב־לִי בַעֲבוּרֵךְ Gen.12:13
בַּעֲבוּרָהּ 47 וּלְאַבְרָם הֵיטִיב בַּעֲבוּרָהּ Gen.12:16
בַּעֲבוּרָם 48 וְנָשָׂאתִי לְכָל־הַמָּקוֹם בַּעֲבוּרָם Gen.18:26
49 וַיֵּרַע לְמֹשֶׁה בַּעֲבוּרָם Ps.106:32

בְּעַד

מ״י א) דרך ה־: 1—13, 43, 44, 64—66
ב) נגד, למניעת מעבר: 14—17, 45, 46, 49—51, 67, 68, 79—85, 92, 98, 102
ג) למען, בעבור: 18—38, 52—63, 69—78, 86—91, 93—97, 99—101, 103—105
ד) בשל, בגלל, תמורת: 39—42, 50, 51
ה) [מִבַּעַד לְ־] דרך ה־: 64—66

בְּעַד(א) 1 וַיַּשְׁקֵף אֲבִימֶלֶךְ...בְּעַד הַחַלּוֹן Gen.26:8
2 וַתּוֹרִדֵם בַּחֶבֶל בְּעַד הַחַלּוֹן Josh.2:15
3 בְּעַד הַחַלּוֹן נִשְׁקְפָה וַתְּיַבֵּב Jud.5:28
4 אֵם סִיסְרָא בְּעַד הָאֶשְׁנָב Jud.5:28
5 בְּעַד הַחַלּוֹנִים יָבֹאוּ כַּגַּנָּב Joel 2:9
6 בְּעַד אֶשְׁנַבִּי נִשְׁקָפְתִּי Prov.7:6
7-13 בְּעַד (א) ISh.4:18; 19:12 • IISh.6:16; 20:21
IIK.1:2; 9:30 • ICh.15:29
בְּעַד(ב) 14 כִּי־עָצֹר עָצַר יְיָ בְּעַד כָּל־רֶחֶם Gen.20:18
15 וַיִּסְגֹּר הַחֵלֶב בְּעַד הַלַּהַב Jud.3:22
16 כִּי־סָגַר יְיָ בְּעַד רַחְמָהּ ISh.1:6
17 וַיִּסְגֹּר הַדֶּלֶת בְּעַד שְׁנֵיהֶם IIK.4:33
בְּעַד(ג) 18 אוּלַי אֲכַפְּרָה בְּעַד חַטַּאתְכֶם Ex.32:30
19 וַיִּתְפַּלֵּל מֹשֶׁה בְּעַד הָעָם Num.21:7
20 וָאֶתְפַּלֵּל גַּם־בְּעַד אַהֲרֹן Deut.9:20
21 חֲזַק וְנִתְחַזַּק בְּעַד עַמֵּנוּ IISh.10:12
22 וַיְבַקֵּשׁ דָּוִד...בְּעַד הַנָּעַר IISh.12:16
23 וְעֹמֵד בַּפֶּרֶץ לְפָנַי בְּעַד הָאָרֶץ Ezek.22:30
24 לְכַפֵּר בְּעַד בֵּית־יִשְׂרָאֵל Ezek.45:17
25 יָגֵן יְיָ בְּעַד יוֹשֵׁב יְרוּשָׁלִַם Zech.12:8
26 בְּהִתְפַּלְלוֹ בְּעַד רֵעֵהוּ Job 42:10
27 חֲזַק וְנִתְחַזְּקָה בְּעַד־עַמֵּנוּ ICh.19:13
28 יְיָ הַטּוֹב יְכַפֵּר בְּעַד IICh.30:18
29-38 בְּעַד (ג) ISh.7:9; 12:19 • IIK.19:4
Is.8:19; 32:14; 37:4 • Jer.7:16; 11:14; 14:11; 42:2
בְּעַד(ד) 39 בְּעֵת קָרְאָם אֵלַי בְּעַד רָעָתָם Jer.11:14
40 בְּעַד־אִשָּׁה זוֹנָה עַד־כִּכַּר לָחֶם Prov.6:26
41/2 עוֹר בְּעַד־עוֹר...יִתֵּן בְּעַד נַפְשׁוֹ Job 2:4
הַבְעַד(א) 43 הַבְעַד עֲרָפֶל יִשְׁפּוֹט Job 22:13
וּבְעַד(א) 44 וּבְעַד הַשֶּׁלַח יִפֹּלוּ לֹא יִבְצָעוּ Joel 2:8
וּבְעַד(ב) 45 וְסָגַרְתְּ הַדֶּלֶת בַּעֲדֵךְ וּבְעַד־בָּנַיִךְ IIK.4:4
46 וַתִּסְגֹּר הַדֶּלֶת בַּעֲדָהּ וּבְעַד בָּנֶיהָ IIK.4:5
47 הֲלֹא־אַתָּ שַׂכְתָּ בַעֲדוֹ וּבְעַד־בֵּיתוֹ Job 1:10
48 וּבְעַד כָּל־אֲשֶׁר־לוֹ מִסָּבִיב Job 1:10
49 וּבְעַד כּוֹכָבִים יַחְתֹּם Job 9:7
וּבְעַד(ד) 50/1 וּבְעַד נָכְרִיָּה חַבְלֵהוּ Prov.20:16; 27:13
וּבְעַד(ג) 52 וְכַפֵּר בַּעַדְךָ וּבְעַד הָעָם Lev.9:7
53-5 וְכִפֶּר בַּעֲדוֹ וּבְעַד בֵּיתוֹ Lev.16:6,11,17

וּבְעַד(ג) (המשך) 56 וּבְעַד כָּל־קְהַל יִשְׂרָאֵל Lev.16:17
57 וְכִפֶּר בַּעֲדוֹ וּבְעַד הָעָם Lev.16:24
58/9 וּבְעַד עָרֵי אֱלֹהֵינוּ IISh.10:12 • ICh.19:13
60 דִּרְשׁוּ אֶת־יְיָ בַּעֲדִי וּבְעַד־הָעָם IIK.22:13
61 וּבְעַד כָּל־יְהוּדָה IIK.22:13
62 בַּעֲדוֹ וּבְעַד כָּל־עַם הָאָרֶץ Ezek.45:22
63 בַּעֲדִי וּבְעַד הַנִּשְׁאָר בְּיִשְׂרָאֵל IICh.34:21
מִבַּעַד(ה) 64 עֵינַיִךְ יוֹנִים מִבַּעַד לְצַמָּתֵךְ S.ofS.4:1
65/6 רַקָּתֵךְ מִבַּעַד לְצַמָּתֵךְ S.ofS.4:3; 6:7
בַּעֲדִי(ב) 67 הָאָרֶץ בְּרִחֶיהָ בַעֲדִי לְעוֹלָם Jon.2:7
68 גָּדַר בַּעֲדִי וְלֹא אֵצֵא Lam.3:7
בַּעֲדִי(ג) 69 הַעְתִּירוּ בַּעֲדִי Ex.8:24
70 חַל־נָא...וְהִתְפַּלֵּל בַּעֲדִי IK.13:6
71 לְכוּ דִרְשׁוּ אֶת־יְיָ בַּעֲדִי IIK.22:13
72 וְאַתָּה יְיָ מָגֵן בַּעֲדִי Ps.3:4
73 יְיָ יִגְמֹר בַּעֲדִי Ps.138:8
74 וּמִכֹּחֲכֶם שִׁחֲדוּ בַעֲדִי Job 6:22
75 לְכוּ דִרְשׁוּ אֶת־יְיָ בַּעֲדִי IICh.34:21
בַּעֲדֵנִי(ג) 76 וְלַיְלָה אוֹר בַּעֲדֵנִי Ps.139:11
בַּעַדְךָ(ג) 77 וְיִתְפַּלֵּל בַּעַדְךָ וֶחְיֵה Gen.20:7
78 וְכַפֵּר בַּעַדְךָ וּבְעַד הָעָם Lev.9:7
בַּעֲדֶךָ(ב) 79 וּסְגֹר דְּלָתְךָ° בַּעֲדֶךָ Is.26:20
בַּעֲדֵךְ(ב) 80 וְסָגַרְתְּ הַדֶּלֶת בַּעֲדֵךְ וּבְעַד־בָּנַיִךְ IIK.4:4
בַּעֲדוֹ(ב) 81 וַיִּסְגֹּר יְיָ בַּעֲדוֹ Gen.7:16
82 וַיִּסְגֹּר דַּלְתוֹת הָעֲלִיָּה בַּעֲדוֹ Jud.3:23
83 וַתִּסְגֹּר בַּעֲדוֹ וַתֵּצֵא IIK.4:21
84 הֲלֹא־אַתְּ שַׂכְתָּ בַעֲדוֹ Job 1:10
85 וַיָּסֶךְ אֱלוֹהַּ בַּעֲדוֹ Job 6:23
בַּעֲדוֹ(ג) 86-88 וְכִפֶּר בַּעֲדוֹ וּבְעַד בֵּיתוֹ Lev.16:6,11,17
89 וְכִפֶּר בַּעֲדוֹ וּבְעַד הָעָם Lev.16:24
90 בַּעֲדוֹ וּבְעַד כָּל־עַם־הָאָרֶץ Ezek.45:22
91 וְיִתְפַּלֵּל בַּעֲדוֹ תָמִיד Ps.72:15
בַּעֲדָהּ(ב) 92 וַתִּסְגֹּר הַדֶּלֶת בַּעֲדָהּ IIK.4:5
בַּעֲדָהּ(ג) 93 וְהִתְפַּלְלוּ בַעֲדָהּ אֶל־יְיָ Jer.29:7
בַּעֲדֵנוּ(ג) 94 דְּרָשׁ־נָא בַעֲדֵנוּ אֶת־יְיָ Jer.21:2
95 הִתְפַּלֶּל־נָא בַּעֲדֵנוּ אֶל־יְיָ Jer.37:3
96/7 וְהִתְפַּלֵּל בַּעֲדֵנוּ אֶל־יְיָ Jer.42:2,20
בַּעֲדֵינוּ(ב) 98 לֹא־תַגִּישׁ וְתַקְדִּים בַּעֲדֵינוּ הָרָעָה Am.9:10
בַּעַדְכֶם(ג) 99 וְאֶתְפַּלֵּל בַּעַדְכֶם אֶל־יְיָ ISh.7:5
100 מֵחֲדֹל לְהִתְפַּלֵּל בַּעַדְכֶם ISh.12:23
101 וְהַעֲלִיתֶם עוֹלָה בַּעַדְכֶם Job 42:8
בַּעֲדָם(ב) 102 וּמִגְדַּל־עֹז...וַיִּסְגְּרוּ בַּעֲדָם Jud.9:51
בַּעֲדָם(ג) 103 וַעֲשֵׂה אֶת־קָרְבַּן...וְכַפֵּר בַּעֲדָם Lev.9:7
104/5 וְאַל־תִּשָּׂא בַעֲדָם רִנָּה וּתְפִלָּה Jer.7:16; 11:14

בעה : בָּעֲהִי, בָּעָה², בָּעָה³, נִבְעָה³; אר׳ בְּעָא; בָּעוּ

בָּעָה¹ פ׳ לחך, בעבע

תִּבְעֶה 1 כִּקְדֹחַ אֵשׁ הֲמָסִים מַיִם תִּבְעֶה־אֵשׁ Is.64:1

בָּעָה² פ׳ בקש, שאל: 1, 2

תִּבְעָיוּן 1 אִם־תִּבְעָיוּן בְּעָיוּ שֻׁבוּ אֵתָיוּ Is.21:12
בְּעָיוּ 2 אִם־תִּבְעָיוּן בְּעָיוּ שֻׁבוּ אֵתָיוּ Is.21:12

(בעה³) נִבְעָה נפ׳ נגלה: 1, 2

נִבְעוּ 1 אֵיךְ נֶחְפְּשׂוּ עֵשָׂו נִבְעוּ מַצְפֻּנָיו Ob.6
נִבְעֶה 2 כְּפֶרֶץ נֹפֵל נִבְעֶה בְּחוֹמָה נִשְׂגָּבָה Is.30:13

בָּעוּ נ׳ ארמית: בקשה: 1, 2

בָּעוּ 1 כָּל־דִּי יִבְעֵא בָעוּ מִן־כָּל־אֱלָהּ Dan.6:8
בָּעוּתֵהּ 2 וְזִמְנִין תְּלָתָה בְּיוֹמָא בָּעֵא בָּעוּתֵהּ Dan.6:14

בְּעוֹר שפ״ז א) ראשון למלכי אדום: 1

ב) אביו של בלעם הקוסם: 2—10

בְּעוֹר 1 וַיִּמְלֹךְ בֶּאֱדוֹם בֶּלַע בֶּן־בְּעוֹר Gen.36:32

בְּעוֹר (המשך) 2 וַיִּשְׁלַח...אֶל־בִּלְעָם בֶּן־בְּעוֹר Num.22:5
3/4 נְאֻם בִּלְעָם בְּנוֹ בְעֹר Num.24:3,15
5 וְאֵת בִּלְעָם בֶּן־בְּעוֹר הָרְגוּ Num.31:8
6-9 בִּלְעָם בֶּן־בְּעוֹר Deut.23:5 • Josh.13:22; 24:9 • Mic.6:5
10 בֶּלַע בֶּן־בְּעוֹר וְשֵׁם עִירוֹ דִּנְהָבָה ICh.1:43

בִּעוּת* ז׳ דבר מבהיל, סיוט: 1, 2

בִּעוּתֵי־ 1 בִּעוּתֵי אֱלוֹהַּ יַעַרְכוּנִי Job 6:4
בִּעוּתֶיךָ 2 עָלַי עָבְרוּ...בִּעוּתֶיךָ צִמְּתוּתֻנִי Ps.88:17

בֹּעַז שפ״ז א) בעלה השני של רות: 1—17, 20—24

ב) כנוי לעמוד השמאלי באולם בית־המקדש: 18, 19

בֹּעַז 1 אִישׁ גִּבּוֹר חַיִל...וּשְׁמוֹ בֹּעַז Ruth 2:1
2 וְהִנֵּה בֹעַז בָּא מִבֵּית לֶחֶם Ruth 2:4
3 וַתִּדְבַּק בְּנַעֲרוֹת בֹּעַז לְלַקֵּט Ruth 2:23
4 וְעַתָּה הֲלֹא־בֹעַז מֹדַעְתָּנוּ Ruth 3:2
5-17 בֹּעַז Ruth 2:5,8,11,14,15,19; 3:7; 4:1,5,9,13,21 • ICh.2:11
18 וַיִּקְרָא אֶת־שְׁמוֹ בֹּעַז IK.7:21
19 וַיִּקְרָא...וְשֵׁם הַשְּׂמָאלִי בֹּעַז IICh.3:17
וּבֹעַז 20 וּבֹעַז עָלָה הַשַּׁעַר וַיֵּשֶׁב שָׁם Ruth 4:1
21/2 וּבֹעַז הוֹלִיד אֶת־עוֹבֵד Ruth 4:21 • ICh.2:12
לְבֹעַז 23 וַיִּקֶר מִקְרֶהָ חֶלְקַת הַשָּׂדֶה לְבֹעַז Ruth 2:3
24 וַיֹּאמֶר הַגֹּאֵל לְבֹעַז קְנֵה־לָךְ Ruth 4:8

בָּעַט פ׳ הדף ברגליו: 1, 2

וַיִּבְעָט 1 וַיִּשְׁמַן יְשֻׁרוּן וַיִּבְעָט Deut.32:15
תִבְעֲטוּ 2 לָמָּה תִבְעֲטוּ בְּזִבְחִי וּבְמִנְחָתִי ISh.2:29

בְּעִי עיין עי

בְּעִיר* ז׳ בהמה: 1—6

בְּעִירוֹ 1 וְשִׁלַּח אֶת־בְּעִירוֹ (כת׳ בעירה) וּבִעֵר Ex.22:4
וּבְעִירֵנוּ 2 לָמוּת שָׁם אֲנַחְנוּ וּבְעִירֵנוּ Num.20:4
בְּעִירְכֶם 3 טַעֲנוּ אֶת־בְּעִירְכֶם וּלְכוּ Gen.45:17
בְּעִירָם 4 וְהִשְׁקִיתָ אֶת־הָעֵדָה וְאֶת־בְּעִירָם Num.20:8
5 וַיַּסְגֵּר לַבָּרָד בְּעִירָם Ps.78:48
וּבְעִירָם 6 וַתֵּשְׁתְּ הָעֵדָה וּבְעִירָם Num.20:11

בעל : בָּעַל, בְּעוּלָה, נִבְעֲלָה; בַּעַל¹, בַּעַל², בַּעֲלָה; אר׳ בְּעֵל; ש״פ בַּעַל, בְּעָלוֹת, בְּעַלְיָה, בַּעֲלָת; אִישׁ־בַּעַל, יְרֻבַּעַל, מְרִי־בַעַל

בָּעַל פ׳ א) נשא אשה, בא עליה: 3—6, 13, 14

ב) [בהשאלה] היה אדון ל־: 1, 2, 7, 12
ג) [בְּעוּלָה] נשואה לאיש: 8, 9, 10, 11
ד) [נפ׳ נִבְעֲלָה] היתה לאיש: 16 [ובהשאלה]: 15

בָּעַלְתִּי 1 אָנֹכִי בָּעַלְתִּי בָכֶם Jer.3:14
2 הֵמָּה הֵפֵרוּ...וְאָנֹכִי בָּעַלְתִּי בָם Jer.31:32(31)
וּבְעַלְתָּהּ 3 וְאַחַר כֵּן תָּבוֹא אֵלֶיהָ וּבְעַלְתָּהּ Deut.21:13
וּבָעַל 4 וּבָעַל בַּת־אֵל נֵכָר Mal.2:11
וּבְעָלָהּ 5 כִּי־יִקַּח אִישׁ אִשָּׁה וּבְעָלָהּ Deut.24:1
בָּעֲלוּ 6 אֲשֶׁר־בָּעֲלוּ לְמוֹאָב ICh.4:22
בְּעָלוּנוּ 7 יְיָ אֱלֹהֵינוּ בְּעָלוּנוּ אֲדֹנִים זוּלָתֶךָ Is.26:13
בְּעוּלָה 8 רַבִּים בְּנֵי־שׁוֹמֵמָה מִבְּנֵי בְעוּלָה Is.54:1
9 כִּי לָךְ יִקָּרֵא...וּלְאַרְצֵךְ בְּעוּלָה Is.62:4
בְּעֻלַת־ 10 וְהוּא בְּעֻלַת בָּעַל Gen.20:3
11 שֹׁכֵב עִם־אִשָּׁה בְעֻלַת־בַּעַל Deut.22:22
בֹּעֲלַיִךְ 12 כִּי בֹעֲלַיִךְ עֹשַׂיִךְ יְיָ צְבָאוֹת שְׁמוֹ Is.54:5
יִבְעַל 13 כִּי־יִבְעַל בָּחוּר בְּתוּלָה Is.62:5
14 כִּי־יִבְעַל...יִבְעָלוּךְ בָּנָיִךְ Is.62:5
תִּבָּעֵל 15 כִּי־חָפֵץ יְיָ בָּךְ וְאַרְצֵךְ תִּבָּעֵל Is.62:4
16 תַּחַת שְׂנוּאָה כִּי תִבָּעֵל Prov.30:23

בַּעַל[1] ז׳ א) איש שנשא אשה: 2, 3, 5, 6, 17, 30–36, 83, 84
ב) אדון, מי שיש לו קנין: 7–8, 10, 11, 12, 24, 38–61, 63–71, 74–80
ג) [כנסמך לשמות] מי שיש לו תכונות מסוימות או ענין מסוים 4, 9, 13–16, 18–23, 25–29, 37, 62, 72, 73

– בעל אף 19; ב׳ אשה 5, 6; ב׳ בעמיו 1; ב׳ בית 8, 11, 12; ב׳ בור 7; ב׳ דברים 9; ב׳ חלומות 4; ב׳ חמה 25/6; ב׳ כנף 18; ב׳ כנפים 27; ב׳ לשון 29; ב׳ מזמות 21; ב׳ משה ידו 10; ב׳ משחית 28; ב׳ משפט 15; ב׳ נעורים 17; ב׳ נפש 20; ב׳ פיפיות 14; ב׳ פקידות 16; ב׳ קרנים 22, 23; (ב׳ רשע)74; ב׳ שור 24; ב׳ שער 13; בעולת בעל 2, 3; לב בעלה 34; עטרת ב׳ 33;

– בעלי אספות 61; ב׳ במות 39; ב׳ ברית 37; ב׳ הגבעה 56; ב׳ גוים 60; ב׳ חצים 38; ב׳ יבש גלעד 59; ב׳ יריחו 40; ב׳ מגדל 53, 54; ב׳ עיר 55; ב׳ פרשים 63; ב׳ קעילה 57, 58; ב׳ שבועה 62; בעלי שכם 41–52, 64

– אבוס בעליו 70; נפש ב׳ 71, 80; עיני ב׳ 73; שכל בעליו 72

בַּעַל 1 לֹא יִטַּמָּא בַּעַל בְּעַמָּיו Lev.21:4
2 שֹׁכֵב עִם־אִשָּׁה בְעֻלַת־בַּעַל Deut.22:22
בָּעַל 3 וְהִוא בְּעֻלַת בָּעַל Gen.20:3
בַּעַל־ 4 הִנֵּה בַּעַל הַחֲלֹמוֹת הַלָּזֶה בָּא Gen.37:19
5 אִם־בַּעַל אִשָּׁה הוּא Ex.21:3
6 כַּאֲשֶׁר יָשִׁית עָלָיו בַּעַל הָאִשָּׁה Ex.21:22
7 בַּעַל הַבּוֹר יְשַׁלֵּם Ex.21:34
8 וְנִקְרַב בַּעַל־הַבַּיִת אֶל־הָאֱלֹהִים Ex.22:7
9 מִי־בַעַל דְּבָרִים יִגַּשׁ אֲלֵהֶם Ex.24:14
10 שָׁמוֹט כָּל־בַּעַל מַשֵּׁה יָדוֹ Deut.15:2
11 וַיֹּאמְרוּ אֶל־הָאִישׁ בַּעַל הַבַּיִת Jud.19:22
12 וַיֵּצֵא אֲלֵיהֶם הָאִישׁ בַּעַל הַבַּיִת Jud.19:23
13 אִישׁ בַּעַל שֵׂעָר IIK.1:8
14 לְמוֹרַג חָרוּץ חָדָשׁ בַּעַל פִּיפִיּוֹת Is.41:15
15 מִי־בַעַל מִשְׁפָּטִי יִגַּשׁ אֵלָי Is.50:8
16 וְשָׁם בַּעַל פְּקִדֻת וּשְׁמוֹ יִרְאִיָּיה Jer.37:13
17 חֲגֻרַת־שַׂק עַל־בַּעַל נְעוּרֶיהָ Joel 1:8
18 בְּעֵינֵי כָּל־בַּעַל כָּנָף Prov.1:17
19 אַל־תִּתְרַע אֶת־בַּעַל אָף Prov.22:24
20 אִם־בַּעַל נֶפֶשׁ אָתָּה Prov.23:2
21 לוֹ בַעַל־מְזִמּוֹת יִקְרָאוּ Prov.24:8
22 וַיָּבֹא עַד־הָאַיִל בַּעַל הַקְּרָנַיִם Dan.8:6
23 הָאַיִל אֲשֶׁר־רָאִיתָ בַּעַל הַקְּרָנָיִם Dan.8:20
וּבַעַל־ 24 וּבַעַל הַשּׁוֹר נָקִי Ex.21:28
25 נֹקֵם יְיָ וּבַעַל חֵמָה Nah.1:2
26 וּבַעַל חֵמָה רַב־פָּשַׁע Prov.29:22
27 וּבַעַל כְּנָפַיִם° יַגֵּיד דָּבָר Eccl.10:20
לְבַעַל־ 28 אָח הוּא לְבַעַל מַשְׁחִית Prov.18:9
29 וְאֵין יִתְרוֹן לְבַעַל הַלָּשׁוֹן Eccl.10:11
בַּעְלִי 30 וְלֹא־תִקְרְאִי־לִי עוֹד בַּעְלִי Hosh.2:18
בַּעְלָהּ 31 בַּעְלָהּ הָרִאשׁוֹן אֲשֶׁר־שִׁלְּחָהּ Deut.24:4
32 וַתִּסְפֹּד עַל־בַּעְלָהּ IISh.11:26
33 אֵשֶׁת־חַיִל עֲטֶרֶת בַּעְלָהּ Prov.12:4
34 בָּטַח בָּהּ לֵב בַּעְלָהּ Prov.31:11
35 נוֹדָע בַּשְּׁעָרִים בַּעְלָהּ Prov.31:23
36 קָמוּ בָנֶיהָ וַיְאַשְּׁרוּהָ בַּעְלָהּ וַיְהַלְלָהּ Prov.31:28
בַּעֲלֵי־ 37 וְהֵם בַּעֲלֵי בְרִית־אַבְרָם Gen.14:13
38 וַיִּשְׂטְמֻהוּ בַּעֲלֵי חִצִּים Gen.49:23
39 אָכְלָה...בַּעֲלֵי בָּמוֹת אַרְנֹן Num.21:28

בַּעֲלֵי־ (המשך) 40 וַיִּלָּחֲמוּ בָכֶם בַּעֲלֵי־יְרִיחוֹ Josh.24:11
41 דַּבְּרוּ־נָא בְּאָזְנֵי כָל־בַּעֲלֵי שְׁכֶם Jud.9:2
42-52 בַּעֲלֵי שְׁכֶם Jud.9:3,6,7,18 9:20,23²,24,25,26,39
53/4 כָּל־בַּעֲלֵי מִגְדַּל־שְׁכֶם Jud.9:46,47
55 כָּל־הָאֲנָשִׁים...וְכֹל בַּעֲלֵי הָעִיר Jud.9:51
56 וַיָּקֻמוּ עָלַי בַּעֲלֵי הַגִּבְעָה Jud.20:5
57 הֲיַסְגִּרֻנִי בַעֲלֵי קְעִילָה ISh.23:11
58 הֲיַסְגִּרוּ בַּעֲלֵי קְעִילָה אֹתִי ISh.23:12
59 וַיִּקַּח...מֵאֵת בַּעֲלֵי יָבֵישׁ גִּלְעָד IISh.21:12
60 בַּעֲלֵי גוֹיִם הָלְמוּ שְׂרוּקֶּיהָ Is.16:8
61 וּכְמַשְׂמְרוֹת נְטוּעִים בַּעֲלֵי אֲסֻפּוֹת Eccl.12:11
62 רַבִּים בִּיהוּדָה בַּעֲלֵי שְׁבוּעָה Neh.6:18
וּבַעֲלֵי־ 63 וּבַעֲלֵי הַפָּרָשִׁים הִדְבִּקֻהוּ IISh.1:6
מִבַּעֲלֵי־ 64 וְתֵצֵא אֵשׁ מִבַּעֲלֵי שְׁכֶם Jud.9:20
בְּעָלָיו 65 וְגַם־בְּעָלָיו יוּמָת Ex.21:29
66 וְלֹא יִשְׁמְרֶנּוּ בְּעָלָיו Ex.21:36
67 וְלָקַח בְּעָלָיו וְלֹא יְשַׁלֵּם Ex.22:10
68 בְּעָלָיו אֵין־עִמּוֹ שַׁלֵּם יְשַׁלֵּם Ex.22:13
69 אִם־בְּעָלָיו עִמּוֹ לֹא יְשַׁלֵּם Ex.22:14
70 וַחֲמוֹר אֵבוּס בְּעָלָיו Is.1:3
71 אֶת־נֶפֶשׁ בְּעָלָיו יִקָּח Prov.1:19
72 מְקוֹר חַיִּים שֵׂכֶל בְּעָלָיו Prov.16:22
73 אֶבֶן־חֵן הַשֹּׁחַד בְּעֵינֵי בְעָלָיו Prov.17:8
74 וְלֹא־יְמַלֵּט רֶשַׁע אֶת־בְּעָלָיו Eccl.8:8
בִּבְעָלָיו 75 וְהוּעַד בִּבְעָלָיו וְלֹא יִשְׁמְרֶנּוּ Ex.21:29
לִבְעָלָיו 76 כֶּסֶף יָשִׁיב לִבְעָלָיו Ex.21:34
77 וְאִם־גָּנֹב יִגָּנֵב...יְשַׁלֵּם לִבְעָלָיו Ex.22:11
78 עֹשֶׁר שָׁמוּר לִבְעָלָיו לְרָעָתוֹ Eccl.5:12
מִבְּעָלָיו 79 אַל־תִּמְנַע־טוֹב מִבְּעָלָיו Prov.3:27
בְּעָלֶיהָ 80 וְנֶפֶשׁ בְּעָלֶיהָ הִפָּחְתִּי Job 31:39
81 הַחָכְמָה תְּחַיֶּה בְעָלֶיהָ Eccl.7:12
לִבְעָלֶיהָ 82 וּמַה־כִּשְׁרוֹן לִבְעָלֶיהָ Eccl.5:10
בַּעְלֵיהֶן 83 לְהַבְזוֹת בַּעְלֵיהֶן בְּעֵינֵיהֶן Es.1:17
לְבַעְלֵיהֶן 84 וְכָל־הַנָּשִׁים יִתְּנוּ יְקָר לְבַעְלֵיהֶן Es.1:20

בַּעַל[2] ז׳ כנויו של האל הראשי הכנעני: 1–76

בית הבעל 7, 18–23, 35, 36; במות הב׳ 30, 31; כהן הב׳ 28, 29; מזבח הב׳ 1–3; מצבת הב׳ 15, 37; נביאי הב׳ 8, 10, 11, 14, 17; עובדי הב׳ 24–26, 33, 34; שאר הב׳ 32; שם הב׳ 12

כרע לבעל 46; נשבע לב׳ 42; קטר לב׳ 51, 52, 54–56

ימי הבעלים 69; מזבחות הב׳ 71; שמות הב׳ 70; עבד (את) הבעל (הבעלים) 5,6, 59-61, 63, 64; דרש לבעלים 73; זבח לב׳ 72

הַבַּעַל 1 וְהָרַסְתָּ אֶת־מִזְבַּח הַבַּעַל Jud.6:25
2/3 מִזְבַּח הַבַּעַל Jud.6:28,30
4 יָרֶב בּוֹ הַבַּעַל כִּי נָתַץ... Jud.6:32
5/6 וַיַּעֲבֹד אֶת־הַבַּעַל IK.16:31; 22:54
7 בֵּית הַבַּעַל אֲשֶׁר בָּנָה בְּשֹׁמְרוֹן IK.16:32
8 קְבֹץ אֵלַי...וְאֶת־נְבִיאֵי הַבַּעַל IK.18:19
9 וְאִם־הַבַּעַל לְכוּ אַחֲרָיו IK.18:21
10 וּנְבִיאֵי הַבַּעַל אַרְבַּע־מֵאוֹת וַחֲמִשִּׁים IK.18:22
11 וַיֹּאמֶר אֵלִיָּהוּ לִנְבִיאֵי הַבַּעַל IK.18:25
12 וַיִּקְרְאוּ בְשֵׁם־הַבַּעַל...לֵאמֹר IK.18:26
13 הַבַּעַל עֲנֵנוּ IK.18:26
14 תִּפְשׂוּ אֶת־נְבִיאֵי הַבַּעַל IK.18:40
15 וַיָּסַר אֶת־מַצְּבַת הַבַּעַל IIK.3:2
16 אַחְאָב עָבַד אֶת־הַבַּעַל מְעָט IIK.10:18
17 כָל־נְבִיאֵי הַבַּעַל...קִרְאוּ אֵלַי IIK.10:19

הַבַּעַל (המשך) 18 וַיָּבֹאוּ בֵּית הַבַּעַל IIK.10:21
19-23 בֵּית(־)הַבַּעַל IIK.10:21²,26,27; 11:18 IICh.23:17
24 וַיָּבֹאוּ כָּל־עֹבְדֵי הַבַּעַל IIK.10:21
25/6 (לְ)עֹבְדֵי הַבַּעַל IIK.10:23²
27 וַיַּשְׁמֵד יֵהוּא אֶת־הַבַּעַל מִיִּשְׂרָאֵל IIK.10:28
28/9 מַתָּן כֹּהֵן הַבַּעַל IIK.11:18 • IICh.23:17
30 וּבָנוּ אֶת־בָּמוֹת הַבַּעַל Jer.19:5
31 וַיִּבְנוּ אֶת־בָּמוֹת הַבַּעַל Jer.32:35
32 וְהִכְרַתִּי...אֶת־שְׁאָר הַבַּעַל Zep.1:4
הַבָּעַל 33 לְמַעַן הַאֲבִיד אֶת־עֹבְדֵי הַבָּעַל IIK.10:19
34 הוֹצֵא לְבוּשׁ לְכֹל עֹבְדֵי הַבָּעַל IIK.10:22
35 וַיָּבֹא יֵהוּא וִיהוֹנָדָב...בֵּית הַבָּעַל IIK.10:23
36 וַיֵּלְכוּ עַד־עִיר בֵּית־הַבָּעַל IIK.10:25
37 וַיִּתְּצוּ אֵת מַצְּבַת הַבָּעַל IIK.10:27
38 וַיַּעַבְדוּ אֶת־הַבָּעַל IIK.17:16
בַּבַּעַל 39 וְהַנְּבִאִים נִבְּאוּ בַבַּעַל Jer.2:8
40 הִנַּבְּאוּ בַבַּעַל וַיַּתְעוּ אֶת־עַמִּי Jer.23:13
41 וַיֶּאְשַׁם בַּבַּעַל וַיָּמֹת Hosh.13:1
בַּבָּעַל 42 כַּאֲשֶׁר לִמְּדוּ...לְהִשָּׁבֵעַ בַּבָּעַל Jer.12:16
43 שָׁכְחוּ אֲבוֹתָם אֶת־שְׁמִי בַּבָּעַל Jer.23:27
לַבַּעַל 44 וַיַּעַבְדוּ לַבַּעַל וְלָעַשְׁתָּרוֹת Jud.2:13
45 הַאַתֶּם תְּרִיבוּן לַבַּעַל Jud.6:31
46 אֲשֶׁר לֹא־כָרְעוּ לַבַּעַל IK.19:18
47 כִּי זֶבַח גָּדוֹל לִי לַבַּעַל IIK.10:19
48 קַדְּשׁוּ עֲצָרָה לַבַּעַל IIK.10:20
49 וַיָּקֶם מִזְבְּחֹת לַבַּעַל IIK.21:3
50 הָעֲשׂוּיִם לַבַּעַל וְלָאֲשֵׁרָה IIK.23:4
51 וְאֶת־הַמְקַטְּרִים לַבַּעַל IIK.23:5
52 אֲשֶׁר קִטְּרוּ עַל־גַּגּוֹתֵיהֶם לַבַּעַל Jer.32:29
לַבָּעַל 53 וַיָּקֶם מִזְבֵּחַ לַבָּעַל IK.16:32
54 וְהִשָּׁבֵעַ לַשֶּׁקֶר וְקַטֵּר לַבָּעַל Jer.7:9
55/6 לְקַטֵּר לַבָּעַל Jer.11:13,17
57 לִשְׂרֹף...עֹלוֹת לַבָּעַל Jer.19:5
58 וְכֶסֶף...וְזָהָב עָשׂוּ לַבָּעַל Hosh.2:10
הַבְּעָלִים 59-61 וַיַּעַבְדוּ אֶת־הַבְּעָלִים Jud.2:11; 3:7; 10:6
62 וַיִּזְנוּ אַחֲרֵי הַבְּעָלִים Jud.8:33
63/4 נַעֲבֹד אֶת־הַבְּעָלִים Jud.10:10 • ISh.12:10
65 וַיָּסִירוּ בְנֵי יִשְׂרָאֵל אֶת־הַבְּעָלִים ISh.7:4
66 וַתֵּלֶךְ אַחֲרֵי הַבְּעָלִים IK.18:19
67 אַחֲרֵי הַבְּעָלִים לֹא הָלַכְתִּי Jer.2:23
68 וְאַחֲרֵי הַבְּעָלִים...לִמְּדוּם אֲבוֹתָם Jer.9:13
69 וּפָקַדְתִּי עָלֶיהָ אֶת־יְמֵי הַבְּעָלִים Hosh.2:15
70 וַהֲסִרֹתִי אֶת־שְׁמוֹת הַבְּעָלִים מִפִּיהָ Hosh.2:19
71 וַיְנַתְּצוּ...אֵת מִזְבְּחוֹת הַבְּעָלִים IICh.34:4
לַבְּעָלִים 72 לַבְּעָלִים יְזַבֵּחוּ וְלַפְּסִלִים יְקַטֵּרוּן Hosh.11:2
73 וְלֹא דָרַשׁ לַבְּעָלִים IICh.17:3
74 כָּל־קָדְשֵׁי בֵית־יְיָ עָשׂוּ לַבְּעָלִים IICh.24:7
75 וְגַם מַסֵּכוֹת עָשָׂה לַבְּעָלִים IICh.28:2
76 וַיָּקֶם מִזְבְּחוֹת לַבְּעָלִים IICh.33:3

בַּעַל[3] ישוב בקצה נחלת שמעון

בָּעַל 1 וְכָל־חַצְרֵיהֶם...עַד־בָּעַל ICh.4:33

בַּעַל[4] שפ״ז א) נשיא לשבט ראובן שהוגלה על־ידי תגלת פלאסר: 1
ב) איש מבנימין, מתושבי גבעון: 2

בַּעַל 1 מִיכָה בְנוֹ רְאָיָה בְנוֹ בַּעַל בְּנוֹ ICh.5:5
וּבַעַל 2/3 וְצוּר וְקִישׁ וּבַעַל(...)וְנָדָב ICh.8:30; 9:36

בְּעֵל ז׳ ארמית: בעל [בעל טעם = בעל עצה, יועץ]

בְּעֵל־ 1-3 רְחוּם בְּעֵל טְעֵם Ez.4:8,9,17

בַּעַל בְּרִית
כנוי לאליל של בעלי שכם [עין גם אֵל בְּרִית]

בַּעַל ב׳ 1 וַיָּשִׂימוּ לָהֶם בַּעַל בְּרִית לֵאלֹהִים Jud.8:33
2 וַיִּתְּנוּ־לוֹ...מִבֵּית בַּעַל בְּרִית Jud.9:4

בַּעַל גָּד
עיר לרגלי החרמון

בַּעַל גָּד 1 וְעַד־בַּעַל גָּד בְּבִקְעַת הַלְּבָנוֹן Josh.11:17
מִבַּעַל גָּד 2 מִבַּעַל גָּד בְּבִקְעַת הַלְּבָנוֹן Josh.12:7
3 מִבַּעַל גָּד תַּחַת הַר־חֶרְמוֹן Josh.13:5

בַּעַל הָמוֹן
מקום באחוזת שלמה המלך

בַּעַל ה׳ 1 כֶּרֶם הָיָה לִשְׁלֹמֹה בְּבַעַל הָמוֹן S.ofS.8:11

בַּעַל זְבוּב
אֵל כנעני בערי הפלשתים

בְּבַעַל ז׳ 1 לְכוּ דִרְשׁוּ בְּבַעַל זְבוּב אֱלֹהֵי עֶקְרוֹן IIK.1:2
2-4 בְּבַעַל(־)זְבוּב אֱלֹהֵי עֶקְרוֹן IIK.1:3,6,16

בַּעַל חָנָן
שפ״ז א) המלך השביעי של אדום: 1—4
ב) אחד מפקידי דוד: 5

בַּעַל חָנָן 1 וַיִּמְלֹךְ תַּחְתָּיו בַּעַל חָנָן... Gen.36:38
2 וַיָּמָת בַּעַל חָנָן בֶּן־עַכְבּוֹר Gen.36:39
3-4 בַּעַל חָנָן ICh.1:49,50
5 וְעַל־הַזֵּיתִים...בַּעַל חָנָן הַגְּדֵרִי ICh.27:28

בַּעַל חָצוֹר
מקום על גבול אפרים

בְּבַעַל ח׳ 1 בְּבַעַל חָצוֹר אֲשֶׁר עִם־אֶפְרָיִם IISh.13:23

בַּעַל חֶרְמוֹן
עיר בצפון ארץ־ישראל

בַּעַל ח׳ 1 מֵהַר בַּעַל חֶרְמוֹן עַד לְבוֹא חֲמָת Jud.3:3
2 מִבָּשָׁן עַד־בַּעַל חֶרְמוֹן וּשְׂנִיר ICh.5:23

בַּעַל מְעוֹן
ישוב בארץ מואב [ע׳ בֵּית בַּעַל מְעוֹן, בְּעֹן]

בַּעַל מ׳ 1 וְאֶת־נְבוֹ וְאֶת־בַּעַל מְעוֹן Num.32:38
2 בַּעַל מְעוֹן וְקִרְיָתָ֫יְמָה° Ezek.25:9
וּבַעַל מ׳ 3 וְעַד־נְבוֹ וּבַעַל מְעוֹן ICh.5:8

בַּעַל פְּעוֹר
א) אחד מאלי מואב: 1, 4—6
ב) מקום בקרבת מקדשו של אל זה: 2, 3

בַּעַל־פ׳ 1 אֲשֶׁר הָלַךְ אַחֲרֵי בַעַל־פְּעוֹר Deut.4:3
2 הֵמָּה בָּאוּ בַעַל־פְּעוֹר Hosh.9:10
בְּבַעַל פ׳ 3 אֵת אֲשֶׁר עָשָׂה יְיָ בְּבַעַל פְּעוֹר Deut.4:3
לְבַעַל פ׳ 4 וַיִּצָּמֶד יִשְׂרָאֵל לְבַעַל פְּעוֹר Num.25:3
5 הַנִּצְמָדִים לְבַעַל פְּעוֹר Num.25:5
6 וַיִּצָּמְדוּ לְבַעַל פְּעוֹר Ps.106:28

בַּעַל פְּרָצִים
מקום או הר סמוך לעמק רפאים: 1—4

בַּעַל פ׳ 1/2 קָרָא (קָרְאוּ) שֵׁם־הַמָּקוֹם הַהוּא בַּעַל פְּרָצִים IISh.5:10 • ICh.14:11
בְּבַעַל פ׳ 3/4 בְּבַעַל־פְּרָצִים IISh.5:20 • ICh.14:11

בַּעַל צְפוֹן
מקום בגבול מצרים, קרוב לים־סוף: 1—3

בַּעַל צ׳ 1/2 לִפְנֵי בַּעַל צְפֹן Ex.14:2,9
3 אֲשֶׁר עַל־פְּנֵי בַּעַל צְפוֹן Num.33:7

בַּעַל שָׁלִשָׁה
ישוב בקרבת הר אפרים

מִבַּעַל שׁ׳ 1 וְאִישׁ בָּא מִבַּעַל שָׁלִשָׁה IIK.4:42

בַּעַל תָּמָר
ישוב מצפון לגבעה

בְּבַעַל ת׳ 1 קָמוּ...וַיַּעַרְכוּ בְּבַעַל תָּמָר Jud.20:33

בַּעֲלָה*¹ נ׳
אשה שיש לה קנין או כשרון מסוים

בַּעֲלַת־אוֹב 1, 2; בַּעֲלַת בַּיִת 3; בּ׳ כְּשָׁפִים 4

בַּעֲלַת־ 1 בַּקְּשׁוּ־לִי אֵשֶׁת בַּעֲלַת־אוֹב ISh.28:7
2 הִנֵּה אֵשֶׁת בַּעֲלַת־אוֹב בְּעֵין דּוֹר ISh.28:7
3 חָלָה בֶּן־הָאִשָּׁה בַּעֲלַת הַבָּיִת IK.17:17
4 טוֹבַת חֵן בַּעֲלַת כְּשָׁפִים Nah.3:4

בַּעֲלָה²
א) ישוב בנחלת יהודה, הוא בַּעֲלֵי יְהוּדָה, הוא קִרְיַת יְעָרִים: 1, 4, 5
ב) ישוב בנגב יהודה הוא בִּלְהָה², הוא בָּלָה, ואולי הוא בְּעָלוֹת: 2, 3

בַּעֲלָה 1 וְתָאַר הַגְּבוּל בַּעֲלָה Josh.15:9
2 בַּעֲלָה וְעִיִּים וָעָצֶם Josh.15:29
מִבַּעֲלָה 3 וְנָסַב הַגְּבוּל מִבַּעֲלָה יָמָּה Josh.15:10
הַבַּעֲלָה 4 וְתָאַר הַגְּבוּל...וְעָבַר הַר־הַבַּעֲלָה Josh.15:11
בַּעֲלָתָה 5 וַיַּעַל דָּוִיד וְכָל־יִשְׂרָאֵל בַּעֲלָתָה... ICh.13:6

בְּעָלוֹת
א) עיר בנגב יהודה, היא בַּעֲלָה 2
ב) מקום בצפון ארץ ישראל: 2

וּבְעָלוֹת 1 זִיף וָטֶלֶם וּבְעָלוֹת Josh.15:24
2 בַּעֲנָא בֶּן־חוּשַׁי בְּאָשֵׁר וּבְעָלוֹת IK.4:16

בַּעֲלֵי יְהוּדָה
ישוב בנחלת יהודה, הוא קִרְיַת יְעָרִים

מִבַּעֲלֵי י׳ 1 וַיֵּלֶךְ דָּוִד וְכָל־הָעָם...מִבַּעֲלֵי יְהוּדָה IISh.6:2

בְּעֶלְיָדָע
שפ״ז – בן דוד, הוא אֶלְיָדָע(א)

וּבְעֶלְיָדָע 1 וֶאֱלִישָׁמָע וּבְעֶלְיָדָע וֶאֱלִיפָלֶט ICh.14:7

בְּעַלְיָה
שפ״ז – מגבורי דוד

וּבְעַלְיָה 1 אֶלְעוּזַי וִירִימוֹת וּבְעַלְיָה... ICh.12:5(6)

בַּעֲלִיס
שפ״ז – מלך עמון בימי גדליה בן אחיקם

בַּעֲלִיס 1 בַּעֲלִיס מֶלֶךְ בְּנֵי־עַמּוֹן שָׁלַח... Jer.40:14

בַּעֲלָת
א) עיר בנחלת דן: 1—2
ב) ישוב ממערב לגזר: 3

בַּעֲלָת 1 וְאֶת־בַּעֲלָת וְאֶת־תַּדְמֹר בַּמִּדְבָּר IK.9:18
2 וְאֶת־בַּעֲלָת וְאֵת כָּל־עָרֵי הַמִּסְכְּנוֹת IICh.8:6
וּבַעֲלָת 3 וְאֶלְתְּקֵה וְגִבְּתוֹן וּבַעֲלָת Josh.19:44

בַּעֲלַת בְּאֵר
ישוב בנחלת שמעון

בַּעֲלַת בּ׳ 1 עַד־בַּעֲלַת בְּאֵר רָאמַת נֶגֶב Josh.19:8

בְּעֹן
ישוב הוא בַּעַל מְעוֹן (בֵּית מְעוֹן, בֵּית בַּעַל מְעוֹן)

וּבְעֹן 1 וְאֶלְעָלֵה וּשְׂבָם וּנְבוֹ וּבְעֹן Num.32:3

בַּעֲנָא
שפ״ז א) בן אחילוד, מנציבי שלמה: 1
ב) בן חושי, מנציבי שלמה: 2
ג) אביו של אחד ממחזיקי חומת ירושלים בימי נחמיה: 3

בַּעֲנָא 1 בַּעֲנָא בֶּן־אֲחִילוּד תַּעְנַךְ וּמְגִדּוֹ IK.4:12
2 בַּעֲנָא בֶּן־חוּשַׁי בְּאָשֵׁר וּבְעָלוֹת IK.4:16
3 וְעַל־יָדָיו הֶחֱזִיק צָדוֹק בֶּן־בַּעֲנָא Neh.3:4

בַּעֲנָה
שפ״ז א) שר גדוד לאשבעל בן שאול: 1, 2, 8, 9
ב) אבי אחד מגבורי דוד: 3, 7
ג) מעולי הגולה עם זרובבל: 4, 5
ד) מראשי העם החתומים על האמנה בימי נחמיה: 6

בַּעֲנָה 1 שָׂרֵי גְדוּדִים...שֵׁם הָאֶחָד בַּעֲנָה IISh.4:2
2 אֶת־רֵכָב וְאֶת־בַּעֲנָה אָחִיו IISh.4:9
3 חֵלֶב בֶּן־בַּעֲנָה הַנְּטֹפָתִי IISh.23:29
4 מִסְפָּר בִּגְוַי רְחוּם בַּעֲנָה Ez.2:2
5 מִסְפֶּרֶת בִּגְוַי נְחוּם בַּעֲנָה Neh.7:7
6 מַלּוּךְ חָרִם בַּעֲנָה Neh.10:38
7 חֵלֶד בֶּן־בַּעֲנָה הַנְּטוֹפָתִי ICh.11:30
וּבַעֲנָה 8 בְּנֵי־רִמּוֹן הַבְּאֵרֹתִי רֵכָב וּבַעֲנָה IISh.4:5
9 וְרֵכָב וּבַעֲנָה אָחִיו נִמְלָטוּ IISh.4:6

בער :
א) בָּעַר, בֹּעֵר, הִבְעִיר; בְּעֵרָה; ש״פ בְּעוֹר, בַּעֲרָא, תַּבְעֵרָה
ב) בָּעַר, נִבְעַר; בְּעִיר, בַּעַר, בּוֹעֵר

בָּעַר¹
פ׳ א) דלק: 1—38
ב) [פ׳ בִּעֵר] הדליק, הצית: 39, 40, 44—47, 53, 68, 70—73, 77, 78
ג) [כנ״ל] סלק, השמיד: 41—43, 48—52, 54—66, 69, 74—76; שלח בעירו לרעות: 67
ד) [פ׳ בֹּעַר] דלק: 79
ה) [הפ׳ הִבְעִיר] הדליק, הצית: 80, 82—87
ו) [כנ״ל] סלק, השמיד: 81

קרובים: דלק / הצית(יצת) / לָהַט / צָרַב / שָׂרַף

בָּעַר 2, 4—7, 11, 12, 17, 19—21, 27—30, 31, 33—33; בָּעַר בְּ׳ 1, 3, 8, 13—16, 20, 28, 29, 34—38; בִּעֵר אֶת־ 48, 50, 53, 68—69; בִּעֵר אֶת...מִן־ 49, 54—65; בּ׳ אַחֲרֵי 52; הִבְעִיר 80—87; הִבְ׳ אַחֲרֵי 81; בָּעַר אַפּוֹ 17, 26; בּ׳ לַפִּיד 27; בּ׳ סְנֶה 25; בָּעֲרָה אֵשׁ 30—34, 36—38; בּ׳ חֲמָתוֹ 3, 33; בּ׳ רִשְׁעָה 2; בָּעֲרוּ גֶחָלִים 9—11; אֵשׁ בּוֹעֶרֶת 23; זֶפֶת בּוֹעֵרָה 21; תַּנּוּר בֹּעֵרָה 22; גֶּחָלִים בּוֹעֲרוֹת 24; בִּעֵר אֵשׁ 53, 72, 73, 77, 78; בּ׳ הָרָע 55—63, 76; הָיָה לְבָעֵר 41—44; רוּחַ בָּעֵר 39

בָּעֲרָה 1 כִּי־בָעֲרָה בָם אֵשׁ יְיָ Num.11:3
2 כִּי־בָעֲרָה כָאֵשׁ רִשְׁעָה Is.9:17
3 וַיִּקְצֹף...וַחֲמָתוֹ בָּעֲרָה בוֹ Es.1:12
וּבָעֲרָה 4 וּבָעֲרָה וְאָכְלָה שִׁיתוֹ וּשְׁמִירוֹ Is.10:17
5/6 וּבָעֲרָה וְאֵין מְכַבֶּה Jer.4:4; 21:12
7 וּבָעֲרָה וְלֹא תִכְבֶּה Jer.7:20
בָּעֲרוּ 8 כַּפִּשְׁתִּים אֲשֶׁר בָּעֲרוּ בָאֵשׁ Jud.15:14
9/10 גֶּחָלִים בָּעֲרוּ מִמֶּנּוּ IISh.22:9 • Ps.18:9
11 מִנֹּגַהּ נֶגְדּוֹ בָּעֲרוּ גַּחֲלֵי־אֵשׁ IISh.22:13
וּבָעֲרוּ 12 וּבָעֲרוּ שְׁנֵיהֶם יַחְדָּו וְאֵין מְכַבֶּה Is.1:31
בּוֹעֵר 13 וְהִנֵּה הַסְּנֶה בֹּעֵר בָּאֵשׁ Ex.3:2
14-16 וְהָהָר בֹּעֵר בָּאֵשׁ Deut.4:11; 5:23(20); 9:15
17 בֹּעֵר אַפּוֹ וְכֹבֶד מַשָּׂאָה Is.30:27
18 בֹּקֶר הוּא בֹעֵר כְּאֵשׁ לֶהָבָה Hosh.7:6
19 כִּי־הִנֵּה הַיּוֹם בָּא בֹּעֵר כַּתַּנּוּר Mal.3:19
בּוֹעֵרָה 20 כְּנַחַל גָּפְרִית בֹּעֵרָה בָּהּ Is.30:33
בּוֹעֵרָה 21 וְהָיְתָה אַרְצָהּ לְזֶפֶת בֹּעֵרָה Is.34:9
22 כְּמוֹ תַנּוּר בֹּעֵרָה מֵאֹפֶה Hosh.7:4
בּוֹעֶרֶת 23 וְהָיָה בְלִבִּי כְּאֵשׁ בֹּעֶרֶת Jer.20:9
בּוֹעֲרוֹת 24 כְּגַחֲלֵי־אֵשׁ בֹּעֲרוֹת Ezek.1:13
יִבְעַר 25 מַדּוּעַ לֹא־יִבְעַר הַסְּנֶה Ex.3:3
26 כִּי־יִבְעַר כִּמְעַט אַפּוֹ Ps.2:12
יִבְעָר 27 וִישׁוּעָתָהּ כְּלַפִּיד יִבְעָר Is.62:1
וַיִּבְעַר 28 וַיִּבְעַר בְּיַעֲקֹב כְּאֵשׁ לֶהָבָה Lam.2:3
תִּבְעַר 29 וְלֶהָבָה לֹא־תִבְעַר־בָּךְ Is.43:2
30 בַּהֲגִיגִי תִבְעַר־אֵשׁ Ps.39:4
31 תִּבְעַר כְּמוֹ־אֵשׁ קִנְאָתֶךָ Ps.79:5
32 כְּאֵשׁ תִּבְעַר־יָעַר Ps.83:15
33 תִּבְעַר כְּמוֹ־אֵשׁ חֲמָתֶךָ Ps.89:47
וַתִּבְעַר 34 וַתִּבְעַר־בָּם אֵשׁ יְיָ Num.11:1
35 וַתְּלַהֲטֵהוּ...וַתִּבְעַר־בּוֹ Is.42:25
36 אֵשׁ...וַתִּבְעַר בְּעָרֵי יְהוּדָה Jer.44:6
37 וַתִּבְעַר־אֵשׁ בַּעֲדָתָם Ps.106:18
38 וַתִּבְעַר בַּצֹּאן וּבַנְּעָרִים Job 1:16
בָּעֵר 39 בְּרוּחַ מִשְׁפָּט וּבְרוּחַ בָּעֵר Is.4:4
40 וּלְבָנוֹן אֵין דֵּי בָּעֵר Is.40:16
לְבָעֵר 41 כִּי אִם־יִהְיֶה לְבָעֵר קָיִן Num.24:22
42 הָסֵר מְשׂוּכָּתוֹ וְהָיָה לְבָעֵר Is.5:5
43 וְשָׁבָה וְהָיְתָה לְבָעֵר Is.6:13
44 וְהָיָה לְאָדָם לְבָעֵר Is.44:15
45 לְבָעֵר בָּעֶרֶב בָּעֶרֶב IICh.13:11
לְבַעֵר 46 לְבַעֵר עַל־מִזְבַּח יְיָ Neh.10:35

לְבַעֲרָם 47 וְאֶת־הַמְּנֹרוֹת וְנֵרֹתֵיהֶם לְבַעֲרָם IICh.4:20
בִּעַרְתִּי 48 בִּעַרְתִּי הַקֹּדֶשׁ מִן־הַבַּיִת Deut.26:13
49 וְלֹא־בִעַרְתִּי מִמֶּנּוּ בְּטָמֵא Deut.26:14
וּבִעַרְתִּי 50 וּבִעַרְתִּי אֶתְכֶם מִן־הָאָרֶץ IISh.4:11
51 וּבִעַרְתִּי אַחֲרֵי בֵית־יָרָבְעָם IK.14:10
52 וּבִעַרְתִּי אַחֲרֶיךָ IK.21:21
בִּעַרְתִּיהָ 53 כִּי אֲנִי יְיָ בִּעַרְתִּיהָ לֹא תִּכְבֶּה Ezek.21:4
בִּעַרְתָּ 54 כִּי־בִעַרְתָּ הָאֲשֵׁרוֹת מִן־הָאָרֶץ IICh.19:3
וּבִעַרְתָּ 55–61 וּבִעַרְתָּ הָרָע מִקִּרְבֶּךָ Deut.13:6
17:7; 19:19; 21:21; 22:21,24; 24:7
62/3 וּבִעַרְתָּ הָרָע מִיִּשְׂרָאֵל Deut.17:12; 22:22
64 וּבִעַרְתָּ דַם־הַנָּקִי מִיִּשְׂרָאֵל Deut.19:13
בִּעֵר 65 וְיֶתֶר הַקָּדֵשׁ...בִּעֵר מִן־הָאָרֶץ IK.22:47
66 וְאֶת כָּל־הַשִּׁקֻּצִים...בִּעֵר יֹאשִׁיָּהוּ IIK.23:24
וּבִעֵר 67 וְשִׁלַּח...בְּעִירֹה וּבִעֵר בִּשְׂדֵה אַחֵר Ex.22:4
68 וּבִעֵר עָלֶיהָ הַכֹּהֵן עֵצִים Lev.6:5
בִּעַרְתֶּם 69 וְאַתֶּם בִּעַרְתֶּם הַכֶּרֶם Is.3:14
70 בְּאוּר אֶשְׁכֶם וּבְזִיקוֹת בִּעַרְתֶּם Is.50:11
וּבִעֲרוּ 71 וּבִעֲרוּ וְהִשִּׂיקוּ בְּנֶשֶׁק וּמָגֵן Ezek.39:9
72 וּבִעֲרוּ בָהֶם אֵשׁ שֶׁבַע שָׁנִים Ezek.39:9
מְבַעֲרִים 73 וְהָאָבוֹת מְבַעֲרִים אֶת־הָאֵשׁ Jer.7:18
תְּבַעֵר 74 וְאַתָּה תְּבַעֵר הַדָּם הַנָּקִי מִקִּרְבֶּךָ Deut.21:9
יְבַעֵר 75 כַּאֲשֶׁר יְבַעֵר הַגָּלָל עַד־תֻּמּוֹ IK.14:10
וּנְבַעֲרָה 76 וּנְבַעֲרָה רָעָה מִיִּשְׂרָאֵל Jud.20:13
תְּבַעֲרוּ 77 לֹא־תְבַעֲרוּ אֵשׁ בְּכֹל מֹשְׁבֹתֵיכֶם Ex.35:3
יְבַעֲרוּ 78 כִּי בַנֶּשֶׁק יְבַעֲרוּ־אֵשׁ Ezek.39:10
מְבֹעָרֶת 79 וְאֶת־הָאָח לְפָנָיו מְבֹעָרֶת Jer.36:22
וְהִבְעַרְתִּי 80 וְהִבְעַרְתִּי בֶעָשָׁן רִכְבָּהּ Nah.2:14
מַבְעִיר 81 הִנְנִי מַבְעִיר אַחֲרֵי בַעְשָׁא IK.16:3
הַמַּבְעִיר 82 שַׁלֵּם יְשַׁלֵּם הַמַּבְעִר אֶת־הַבְּעֵרָה Ex.22:5
תַּבְעִיר 83 שְׁלִשִׁית בָּאוּר תַּבְעִיר בְּתוֹךְ הָעִיר Ezek.5:2
יַבְעֶר־ 84 כִּי יַבְעֶר־אִישׁ שָׂדֶה אוֹ־כֶרֶם Ex.22:4
וַיַּבְעֵר 85 וַיַּבְעֵר מִגָּדִישׁ וְעַד־קָמָה Jud.15:5
86 וַיַּבְעֵר אֶת־בָּנָיו בָּאֵשׁ IICh.28:3
וַיַּבְעֶר־ 87 וַיַּבְעֶר־אֵשׁ בַּלַּפִּידִים Jud.15:5

בָּעַר²
פ׳ א) היה סכל: 1–3
ב) [נפ׳ נִבְעַר] כנ״ל: 4–7
בֹּעֲרִים 2,1; נִבְעַר מִדַּעַת 5,4; עֵצָה נִבְעָרָה 7
בֹּעֲרִים 1 אֲנָשִׁים בֹּעֲרִים חָרָשֵׁי מַשְׁחִית Ezek.21:36
2 בִּינוּ בֹּעֲרִים בָּעָם Ps.94:8
יִבְעֲרוּ 3 וּבְאַחַת יִבְעֲרוּ וְיִכְסָלוּ Jer.10:8
נִבְעַר 4–5 נִבְעַר כָּל־אָדָם מִדַּעַת Jer.10:14; 51:17
נִבְעֲרוּ 6 כִּי נִבְעֲרוּ הָרֹעִים Jer.10:21
נִבְעָרָה 7 חַכְמֵי יֹעֲצֵי פַרְעֹה עֵצָה נִבְעָרָה Is.19:11

בַּעַר
ת׳ כסיל, חסר דעת • קרובים: ראה אֱוִיל
בַעַר 1 וַאֲנִי־בַעַר וְלֹא אֵדָע Ps.73:22
2 אִישׁ־בַּעַר לֹא יֵדָע Ps.92:7
3 כִּי בַעַר אָנֹכִי מֵאִישׁ Prov.30:2
בָּעַר 4 וְשׂוֹנֵא תוֹכַחַת בָּעַר Prov.12:1
וָבַעַר 5 יַחַד כְּסִיל וָבַעַר יֹאבֵדוּ Ps.49:11

בְּעֹר
עַיֵּן בְּעוֹר

בַּעֲרָא
שפ״נ – אשתו של שַׁחֲרַיִם מבנימין
בַּעֲרָא 1 חוּשִׁים וְאֶת־בַּעֲרָא נָשָׁיו ICh.8:8

בְּעֵרָה
נ׳ שְׂרֵפָה
הַבְּעֵרָה 1 שַׁלֵּם יְשַׁלֵּם הַמַּבְעִר אֶת־הַבְּעֵרָה Ex.22:5

בַּעְשָׁא
שפ״ז – השלישי במלכי ישראל: 1–28
בֵּית בַּעְשָׁא 7, 8, 10–11; דִּבְרֵי ב׳ 5; חַטֹּאת ב׳ 9
בַּעְשָׁא 1–2 וּמִלְחָמָה הָיְתָה בֵּין אָסָא וּבֵין בַּעְשָׁא IK.15:16,32
בַּעְשָׁא (המשך) 3 וַיַּעַל בַּעְשָׁא מֶלֶךְ־יִשְׂ׳ עַל־יְהוּדָה IK.15:17
4 הָרָמָה...אֲשֶׁר בָּנָה בַּעְשָׁא IK.15:22
5 וְיֶתֶר דִּבְרֵי בַעְשָׁא IK.16:5
6 מָלַךְ אֵלָה בֶן־בַּעְשָׁא עַל־יִשְׂרָאֵל IK.16:8
7 הִכָּה אֶת־כָּל־בֵּית בַּעְשָׁא IK.16:11
8 וַיַּשְׁמֵד זִמְרִי אֵת כָּל־בֵּית בַּעְשָׁא IK.16:12
9 אֶל כָּל־חַטֹּאות בַּעְשָׁא IK.16:13
10/1 וּכְבֵית בַּעְשָׁא בֶן־אֲחִיָּה IK.21:22 • IIK.9:9
12–27 בַּעְשָׁא IK.15:19,21,27²,28,33
16:1,3,6,7,12 • Jer.41:9 • IICh.16:1,3,5,6
לְבַעְשָׁא 28 הַמֵּת לְבַעְשָׁא בָּעִיר יֹאכְלוּ הַכְּלָבִים IK.16:4

בַּעֲשֵׂיָה
שפ״ז – מאבותיו של אָסָף הלוי
בַּעֲשֵׂיָה 1 בֶּן־מִיכָאֵל בֶּן־בַּעֲשֵׂיָה ICh.6:25

בְּעֶשְׁתְּרָה
עיר לויים בנחלת מנשה ממזרח לירדן
בְּעֶשְׁתְּ׳ 1 וְאֶת־בְּעֶשְׁתְּרָה וְאֶת־מִגְרָשֶׁהָ Josh.21:27

בעת : נִבְעַת, בִּעֵת; בִּעוּת, בְּעָתָה
(בעת) א) [נפ׳ נִבְעַת] נבהל: 1–3
ב) [פ׳ בִּעֵת] הבהיל: 4–16
קרובים: חרד / ירא / נבהל (בהל) / פחד
נִבְעַתִּי 1 וּבְבֹאוֹ נִבְעַתִּי וָאֶפְּלָה עַל־פָּנָי Dan.8:17
נִבְעַת 2 וְהָמָן נִבְעַת מִלִּפְנֵי הַמֶּלֶךְ Es.7:6
3 כִּי נִבְעַת מִפְּנֵי חֶרֶב מַלְאַךְ יְיָ ICh.21:30
בִּעֲתָתְנִי 4 תָּעָה לְבָבִי פַּלָּצוּת בִּעֲתָתְנִי Is.21:4
וּבִעֲתַתּוּ 5 וּבִעֲתַתּוּ רוּחַ־רָעָה ISh.16:14
בִּעֲתֻהוּ 6 סָבִיב בִּעֲתֻהוּ בַלָּהוֹת Job18:11
מְבַעִתֶּךָ 7 רוּחַ־אֱלֹהִים רָעָה מְבַעִתֶּךָ ISh.16:15
תְּבַעֲתַנִּי 8 וְחִתַּתַּנִי בַחֲלֹמוֹת וּמֵחֶזְיֹנוֹת תְּבַעֲתַנִּי Job7:14
תְּבַעֵת 9 הֲלֹא שְׂאֵתוֹ תְּבַעֵת אֶתְכֶם Job13:11
תְּבַעֲתַנִּי 10 וְאֵמָתוֹ אַל־תְּבַעֲתַנִּי Job9:34
11 וְאֵמָתְךָ אַל־תְּבַעֲתַנִּי Job13:21
תְבַעֲתֶךָּ 12 הִנֵּה אֵמָתִי לֹא תְבַעֲתֶךָּ Job33:7
יְבַעֲתֻנִי 13/4 (וּ)נַחֲלֵי בְלִיַּעַל יְבַעֲתֻנִי IISh.22:5 • Ps.18:5
יְבַעֲתֻהוּ 15 יְבַעֲתֻהוּ כִּמְרִירֵי יוֹם Job3:5
16 יְבַעֲתֻהוּ צַר וּמְצוּקָה Job15:24

בְּעָתָה
נ׳ בֶּהָלָה • קרובים: אֵימָה / בֶּהָלָה / בַּלָּהָה / חֲרָדָה / יִרְאָה / מוֹרָא / פַּחַד
בְּעָתָה 1 לְעֵת מַרְפֵּה וְהִנֵּה בְעָתָה Jer.8:15
2 וּלְעֵת מַרְפֵּא וְהִנֵּה בְעָתָה Jer.14:19

בֹּץ
ז׳ טיט לח
בַּבֹּץ 1 הָטְבְּעוּ בַבֹּץ רַגְלֶךָ Jer.38:22

בִּצָּה
נ׳ מקום בֹּץ, מקום טיט ומים עומדים: 1–3
בִּצָּה 1 הֲיִגְאֶה־גֹּמֶא בְּלֹא בִצָּה Job8:11
וּבִצָּה 2 בְּסֵתֶר קָנֶה וּבִצָּה Job40:21
בִּצֹּאתָו 3 בִּצֹּאתָו וּגְבָאָיו וְלֹא יֵרָפְאוּ Ezek.47:11

בָּצוּר
ת׳ עַיֵּן בצר

בֵּצָי*
שפ״ז – אבי משפחה של עולים עם זרובבל: 1–3
בֵּצָי 1/2 בְּנֵי בֵצַי שְׁלֹשׁ מֵאוֹת Ez.2:17 • Neh.7:23
3 הוֹדִיָּה חָשֻׁם בֵּצָי Neh.10:19

בָּצִיר¹
ז׳ לקט ענבים
כָּלָה בָצִיר 2, 3; עוֹלְלוֹת ב׳ 4; בְּצִיר אֲבִיעֶזֶר 6
בָּצִיר 1 וְהִשִּׂיג לָכֶם דַּיִשׁ אֶת־בָּצִיר Lev.26:5
2 כְּעוֹלֵלֹת אִם־כָּלָה בָצִיר Is.24:13
3 כִּי כָּלָה בָצִיר אֹסֶף בְּלִי יָבוֹא Is.32:10
4 כְּאֹסְפֵי־קַיִץ כְּעוֹלְלֹת בָּצִיר Mic.7:1
וּבָצִיר 5 וּבָצִיר יַשִּׂיג אֶת־זָרַע Lev.26:5
מִבְצִיר 6 הֲלֹא טוֹב עֹלְלוֹת אֶפְרַיִם
מִבְצִיר אֲבִיעֶזֶר Jud.8:2
בְּצִירֵךְ 7 וְעַל־בְּצִירֵךְ שֹׁדֵד נָפָל Jer.48:32

בָּצִיר²
ת׳ עַיֵּן בָּצַר (א)

בָּצָל*
ז׳ ירק־מאכל
הַבְּצָלִים 1 וְאֶת־הַבְּצָלִים וְאֶת־הַשּׁוּמִים Num.11:5

בְּצַלְאֵל
שפ״ז א) בן אורי, בונה אוהל מועד וכליו: 1–5, 7–9
ב) מבני פחת מואב שהושיבו נשים נכריות בימי עזרא: 6
בְּצַלְאֵל 1–2 בְּצַלְאֵל בֶּן־אוּרִי בֶן־חוּר Ex.31:2; 35:30
3 וְעָשָׂה בְצַלְאֵל וְאָהֳלִיאָב... Ex.36:1
4 וַיִּקְרָא מֹשֶׁה אֶל־בְּצַלְאֵל Ex.36:2
5 וַיַּעַשׂ בְּצַלְאֵל אֶת־הָאָרֹן Ex.37:1
6 מַתַּנְיָה בְּצַלְאֵל וּבִנּוּי וּמְנַשֶּׁה Ez.10:30
7 וְאוּרִי הוֹלִיד אֶת־בְּצַלְאֵל ICh.2:20
8 אֲשֶׁר עָשָׂה בְּצַלְאֵל בֶּן־אוּרִי בֶן־חוּר IICh.1:5
וּבְצַלְאֵל 9 וּבְצַלְאֵל בֶּן־אוּרִי...לְמַטֵּה יְהוּדָה Ex.38:22

בַּצְלוּת
שפ״ז – אבי משפחה של עולים עם זרובבל
בַּצְלוּת 1 בְּנֵי־בַצְלוּת בְּנֵי־מְחִידָא Ez.2:52

בַּצְלִית
שפ״ז – הוא בַּצְלוּת
בַּצְלִית 1 בְּנֵי־בַצְלִית בְּנֵי־מְחִידָא Neh.7:54

בצע : בָּצַע, בִּצַּע; בֶּצַע
בָּצַע
פ׳ א) שָׁבַר: 9, 10; גזל: 1–8
ב) [פ׳ בִּצַּע] שבר, רצץ: 14–15
ג) [כנ״ל] קפח, עשק: 12
ד) [כנ״ל] הוציא לפועל: 11, 16,13
קרובים: בתר / גדע / גזר / חתך / כרת / פרס / שבר
בֹּצֵעַ בֶּצַע 1–6; בִּצַּע אֶמְרָתוֹ 11; בִּצַּע מַעֲשֵׂהוּ 13
בְּצֹעַ 1 לְאַבֵּד נְפָשׁוֹת לְמַעַן בְּצֹעַ בָּצַע Ezek.22:27
בּוֹצֵעַ 2/3 כֻּלּוֹ(ה) בּוֹצֵעַ בָּצַע Jer.6:13; 8:10
4 הוֹי בֹּצֵעַ בֶּצַע רָע לְבֵיתוֹ Hab.2:9
5 כֵּן אָרְחוֹת כָּל־בֹּצֵעַ בָּצַע Prov.1:19
6 עֹכֵר בֵּיתוֹ בּוֹצֵעַ בָּצַע Prov.15:27
וּבֹצֵעַ 7 וּבֹצֵעַ בֵּרֵךְ נִאֵץ יְיָ Ps.10:3
יִבְצָע 8 כִּי מַה־תִּקְוַת חָנֵף כִּי יִבְצָע Job27:8
יִבְצָעוּ 9 וּבְעַד הַשֶּׁלַח יִפֹּלוּ לֹא יִבְצָעוּ Joel2:8
וּבְצַעַם 10 הַךְ הַכַּפְתּוֹר...וּבְצַעַם בְּרֹאשׁ כֻּלָּם Am.9:1
בִּצַּע 11 בִּצַּע אֶמְרָתוֹ אֲשֶׁר צִוָּה מִימֵי־קֶדֶם Lam.2:17
וַתְּבַצְּעִי 12 וַתְּבַצְּעִי רֵעַיִךְ בַּעֹשֶׁק Ezek.22:12
יְבַצַּע 13 כִּי־יְבַצַּע אֲדֹנָי אֶת־כָּל־מַעֲשֵׂהוּ Is.10:12
יְבַצְּעֵנִי 14 קִפַּדְתִּי כָאֹרֵג חַיַּי מִדַּלָּה יְבַצְּעֵנִי Is.38:12
וִיבַצְּעֵנִי 15 יַתֵּר יָדוֹ וִיבַצְּעֵנִי Job6:9
תְּבַצַּעְנָה 16 יְדֵי זְרֻבָּבֶל יִסְּדוּ...וְיָדָיו תְּבַצַּעְנָה Zech.4:9

בֶּצַע¹
ז׳ א) רוח, תועלת: 1, 3, 4, 6
ב) רוח שלא ביושר: 2, 5, 7–23
בֶּצַע כֶּסֶף 15; ב׳ מַעֲשַׁקּוֹת 16; אַמַּת בִּצְעֵךְ 18; עֲוֹן בִּצְעוֹ 20; בֹּצֵעַ בֶּצַע 2, 8, 10, 12, 13; אִם בֶּצַע 6; מַה בֶּצַע 1, 3, 4; שׂוֹנֵא ב׳ 7, 5
בֶּצַע 1 מַה־בֶּצַע כִּי נַהֲרֹג אֶת־אָחִינוּ Gen.37:26
2 הוֹי בֹּצֵעַ בֶּצַע רָע לְבֵיתוֹ Hab.2:9
3 וּמַה־בֶּצַע כִּי שָׁמַרְנוּ מִשְׁמַרְתּוֹ Mal.3:14
4 מַה־בֶּצַע בְּדָמִי... Ps.30:10
5 שֹׂנֵא בֶצַע יַאֲרִיךְ יָמִים Prov.28:16
6 וְאִם־בֶּצַע כִּי־תַתֵּם דְּרָכֶיךָ Job22:3

בֶּצַע 7 אַנְשֵׁי אֱמֶת שֹׂנְאֵי בָצַע Ex.18:21
8 כֻּלּוֹ בּוֹצֵעַ בָּצַע Jer.6:13
9 כֻּלֹּה בֹּצֵעַ בָּצַע Jer.8:10
10 לְאַבֵּד נְפָשׁוֹת לְמַעַן בְּצֹעַ בָּצַע Ezek.22:27
11 הַט־לִבִּי...וְאַל אֶל־בָּצַע Ps.119:36
12 כֵּן אָרְחוֹת כָּל־בֹּצֵעַ בָּצַע Prov.1:19
13 עֹכֵר בֵּיתוֹ בּוֹצֵעַ בָּצַע Prov.15:27
הַבָּצַע 14 וַיִּטּוּ אַחֲרֵי הַבָּצַע ISh.8:3
בֶּצַע־ 15 בֶּצַע כֶּסֶף לֹא לָקָחוּ Jud.5:19
בְּבֶצַע־ 16 מֹאֵס בְּבֶצַע מַעֲשַׁקּוֹת Is.33:15
בִּצְעֶךָ 17 כִּי אֵין עֵינֶיךָ...כִּי אִם־עַל־בִּצְעֶךָ Jer.22:17
בִּצְעֵךְ 18 בָּא קִצֵּךְ אַמַּת בִּצְעֵךְ Jer.51:13
בִּצְעֵךְ 19 אֶל־בִּצְעֵךְ אֲשֶׁר עָשִׂית Ezek.22:13
בִּצְעוֹ 20 בַּעֲוֹן בִּצְעוֹ קָצַפְתִּי וְאַכֵּהוּ Is.57:17
לְבִצְעוֹ 21 אִישׁ לְבִצְעוֹ מִקָּצֵהוּ Is.56:11
בִּצְעָם 22 אַחֲרֵי בִצְעָם לִבָּם הֹלֵךְ Ezek.33:31
23 וְהַחֲרַמְתִּי לַיְיָ בִּצְעָם Mic.4:13

בצק
: בָּצֵק פ״ע; בָּצֵק ז׳; בָּצְקַת

בָּצֵק
פ׳ תָּפַח, התנפח: 1–2

בָּצֵקָה 1 וְרַגְלְךָ לֹא בָצֵקָה Deut.8:4
בָּצֵקוּ 2 וְרַגְלֵיהֶם לֹא בָצֵקוּ Neh.9:21

בָּצֵק
ז׳ קמח בלול במים לאפיה: 1–5

בָּצֵק 1 וְהַנָּשִׁים לָשׁוֹת בָּצֵק Jer.7:18
2 מֵלּוּשׁ בָּצֵק עַד־חֻמְצָתוֹ Hosh.7:4
הַבָּצֵק 3 וַיֹּאפוּ אֶת־הַבָּצֵק...עֻגֹת מַצּוֹת Ex.12:39
4 וַתִּקַּח אֶת־הַבָּצֵק וַתָּלָשׁ* IISh.13:8
בְּצֵקוֹ 5 וַיִּשָּׂא הָעָם אֶת־בְּצֵקוֹ Ex.12:34

בִּצְקָלֹן
ז׳ שבולת [המקובל: בְּ־צִקְלֹנוֹ = בילקוטו]

בְּצִקְלֹנוֹ 1 לֶחֶם בִּכּוּרִים...וְכַרְמֶל בְּצִקְלֹנוֹ IIK.4:42

בָּצְקַת
עיר בשפלת יהודה: 1–2

וּבָצְקַת 1 לָכִישׁ וּבָצְקַת וְעֶגְלוֹן Josh.15:39
מִבָּצְקַת 2 יְדִידָה בַת־עֲדָיָה מִבָּצְקַת IIK.22:1

בצר
: בָּצַר, בּוֹצֵר, בָּצוּר, בִּצֵּר, נִבְצַר, מִבְצָר; בָּצִיר, בֶּצֶר,
בִּצְרָה, בַּצָּרָה, בִּצָּרוֹן, בַּצֹּרֶת, מִבְצָר; ש״פ בָּצְרָה

בָּצַר
פ׳ א) 1) לקט ענבים: 1–3, 30, 31, 33, 34
2) המעיט, החליש: 32
ב) [בָּצוּר, בָּצִיר] גדור ומחוזק: 4–29
ג) [נפ׳ נִבְצַר] נמנע: 35, 36
ד) [פ׳ בִּצֵּר] חִזֵּק: 37, 38

בָּצַר כֶּרֶם 31,34; בָּ׳ נְזִירִים 33; בָּ׳ עֲנָבִים 30; בָּ׳ רוּחַ 32; חוֹמָה בְּצוּרָה 5,8,29; עִיר בְּ׳ 7, 10–20, 22–28; קִרְיָה בְּצוּרָה 6; נִבְצַר מִן־ 35, 36

כְּבוֹצֵר 1 הָשֵׁב יָדְךָ כְּבוֹצֵר עַל־סַלְסִלּוֹת Jer.6:9
בּוֹצְרִים 2/3 אִם־בֹּצְרִים בָּאוּ לָךְ Jer.49:9 • Ob.5
הַבָּצִיר 4 כִּי יָרַד יַעַר הַבָּצִיר (כת׳ הבצור) Zech.11:2
בְּצוּרָה 5 וְעַל כָּל־חוֹמָה בְצוּרָה Is.2:15
6 קִרְיָה בְצוּרָה לְמַפֵּלָה Is.25:2
7 כִּי עִיר בְּצוּרָה בָּדָד Is.27:10
8 וּנְתַתִּיךָ...לְחוֹמַת נְחֹשֶׁת בְּצוּרָה Jer.15:20
9 וְאֶת־יְהוּדָה בִירוּשָׁלַםִ בְּצוּרָה Ezek.21:25
בְּצוּרוֹת 10 וְהֶעָרִים בְּצֻרוֹת גְּדֹלֹת מְאֹד Num.13:28
11 עָרִים בְּצֻרֹת חוֹמָה גְבֹהָה... Deut.3:5
12 וְעָרִים גְּדֹלוֹת בְּצֻרוֹת Josh.14:12
13-16 עָרִים בְּצֻרוֹת IISh.20:6
IIK.19:25 • Is.37:26 • Hosh.8:14
17 וְהֶעָרִים...בְּצוּרוֹת יָשָׁבוּ Ezek.36:35
18 וַיִּלְכְּדוּ עָרִים בְּצֻרֹת Neh.9:25

וּבְצוּרֹת 19 עָרִים גְּדֹלֹת וּבְצוּרֹת בַּשָּׁמָיִם Deut.1:28
20 עָרִים גְּדֹלֹת וּבְצֻרֹת בַּשָּׁמָיִם Deut.9:1
21 גְּדֹלוֹת וּבְצֻרוֹת לֹא יְדַעְתָּם Jer.33:3
הַבְּצוּרוֹת 22/3 עָרֵי יְהוּדָה הַבְּצֻרוֹת IIK.18:13 • Is.36:1
24 עַל הֶעָרִים הַבְּצֻרוֹת Zep.1:16
25/6 בְּכָל־עָרֵי יְהוּדָה הַבְּצֻרוֹת IICh.17:2; 19:5
27 וַיִּחַן עַל־הֶעָרִים הַבְּצֻרוֹת IICh.32:1
28 בְּכָל־הֶעָרִים הַבְּצֻרוֹת בִּיהוּדָה IICh.33:14
וְהַבְּצוּרוֹת 29 חֹמֹתֶיךָ הַגְּבֹהֹת וְהַבְּצֻרוֹת Deut.28:52
תִבְצֹר 30 וְאֶת־עִנְּבֵי נְזִירֶךָ לֹא תִבְצֹר Lev.25:5
31 כִּי תִבְצֹר כַּרְמְךָ לֹא תְעוֹלֵל Deut.24:21
יִבְצֹר 32 יִבְצֹר רוּחַ נְגִידִים Ps.76:13
תִבְצְרוּ 33 וְלֹא תִבְצְרוּ אֶת־נְזִרֶיהָ Lev.25:11
וַיִּבְצְרוּ 34 וַיִּבְצְרוּ אֶת־כַּרְמֵיהֶם Jud.9:27
יִבָּצֵר 35 לֹא־יִבָּצֵר מֵהֶם כֹּל אֲשֶׁר יָזְמוּ Gen.11:6
36 וְלֹא־יִבָּצֵר מִמְּךָ מְזִמָּה Job42:2
לְבַצֵּר 37 וַתִּתְצוּ הַבָּתִּים לְבַצֵּר הַחוֹמָה Is.22:10
תְּבַצֵּר 38 וְכִי תְבַצֵּר מְרוֹם עֻזָּהּ Jer.51:53

בֶּצֶר¹*
ז׳ עפרות זהב

בָּצֶר 1 וְשִׁית־עַל־עָפָר בָּצֶר Job22:24

בֶּצֶר²
עיר מקלט בנחלת ראובן: 1–3

בֶּצֶר 1 אֶת־בֶּצֶר בַּמִּדְבָּר...לָרְאוּבֵנִי Deut.4:43
2 אֶת־בֶּצֶר בַּמִּדְבָּר בַּמִּישֹׁר... Josh.20:8
3 אֶת־בֶּצֶר בַּמִּדְבָּר וְאֶת־מִגְרָשֶׁהָ ICh.6:63

בֶּצֶר³
שפ״ז – איש משבט אשר

בֶּצֶר 1 בֶּצֶר וָהוֹד וְשַׁמָּא וְשִׁלְשָׁה ICh.7:37

בְּצַר
ז׳ בֶּצֶר(?) מבצר(?): 1–2

בְּצָר 1 הֲיַעֲרֹךְ שׁוּעֲךָ לֹא בְצָר Job36:19
בְּצָרֶיךָ 2 וְהָיָה שַׁדַּי בְּצָרֶיךָ Job22:25

בַּצָּרָה
נ׳ בצורת: 1–2

בַּצָּרָה 1 ...תַּעְלִים לְעִתּוֹת בַּצָּרָה Ps.10:1
הַבַּצָּרוֹת 2 דְבַר־יְיָ...עַל־דִּבְרֵי הַבַּצָּרוֹת Jer.14:1

בָּצְרָה¹
נ׳ מכלא לצאן

בָּצְרָה 1 יַחַד אֲשִׂימֶנּוּ כְּצֹאן בָּצְרָה Mic.2:12

בָּצְרָה²
א) עיר במואב 1
ב) עיר ראשית בארץ אדום: 2–9

בָּצְרָה 1 וְעַל־קְרִיּוֹת וְעַל־בָּצְרָה Jer.48:24
2 כִּי־לְשַׁמָּה...תִּהְיֶה בָצְרָה Jer.49:13
3 וְיִפְרֹשׂ כְּנָפָיו עַל־בָּצְרָה Jer.49:22
4 וְאָכְלָה אַרְמְנוֹת בָּצְרָה Am.1:12
5 אֲשִׂימֶנּוּ כְּצֹאן בָּצְרָה Mic.2:12
בְּבָצְרָה 6 כִּי זֶבַח לַיְיָ בְּבָצְרָה Is.34:6
מִבָּצְרָה 7 וַיִּמְלֹךְ תַּחְתָּיו יוֹבָב...מִבָּצְרָה Gen.36:33
8 מִי־זֶה בָּא מֵאֱדוֹם...מִבָּצְרָה Is.23:1
9 וַיִּמְלֹךְ תַּחְתָּיו יוֹבָב...מִבָּצְרָה ICh.1:44

בִּצָּרוֹן
ז׳ מבצר, עוז

לְבִצָּרוֹן 1 שׁוּבוּ לְבִצָּרוֹן אֲסִירֵי הַתִּקְוָה Zech.9:12

בַּצֹּרֶת
נ׳ עצירת גשמים

בַּצֹּרֶת 1 וּבִשְׁנַת בַּצֹּרֶת לֹא יִדְאָג Jer.17:8

בַּקְבֻּק¹
ז׳ כד חרס בעל צואר צר: 1–3

בַּקְבֻּק 1 הָלוֹךְ וְקָנִיתָ בַקְבֻּק יוֹצֵר חָרֶשׂ Jer.19:1
וּבַקְבֻּק 2 עֶשָׂרָה לֶחֶם וְנִקֻּדִים וּבַקְבֻּק דְּבַשׁ IK.14:3
הַבַּקְבֻּק 3 וְשָׁבַרְתָּ הַבַּקְבֻּק לְעֵינֵי הָאֲנָשִׁים Jer.19:10

בַּקְבּוּק²
שפ״ז – אבי משפחת נתינים ששבו עם זרובבל

בַּקְבּוּק 1/2 בְּנֵי־בַקְבּוּק בְּנֵי־חֲקוּפָא Ez.2:51 • Neh.7:53

בַּקְבֻּקְיָה
שפ״ז א) מן הלויים שעלו עם זרובבל: 2
ב) משורר ממשפחת אסף בימי נחמיה: 1
ג) שוער בימי עזרא ונחמיה: 3

וּבַקְבֻּקְיָה 1 וּבַקְבֻּקְיָה מִשְׁנֶה מֵאֶחָיו Neh.11:17
2 וּבַקְבֻּקְיָה וְעֻנֵּי* אֲחֵיהֶם Neh.12:9
3 מַתַּנְיָה וּבַקְבֻּקְיָה...שֹׁמְרִים Neh.12:25

בַּקְבַּקַּר
שפ״ז לוי בימי נחמיה

וּבַקְבַּקַּר 1 וּבַקְבַּקַּר חֶרֶשׁ וְגָלָל ICh.9:15

בֻּקִּי
שפ״ז א) נשיא למטה דן בימי משה: 1
ב) מצאצאיו של אהרן הכהן: 2–5

בֻּקִּי 1 וּלְמַטֵּה...דָן נָשִׂיא בֻּקִּי בֶּן־יָגְלִי Num.34:22
2 בֶּן־זְרַחְיָה בֶּן־עֻזִּי בֶן־בֻּקִּי Ez.7:4
3 וַאֲבִישׁוּעַ הוֹלִיד אֶת־בֻּקִּי ICh.5:31
4 בֻּקִּי בְנוֹ עֻזִּי בְנוֹ זְרַחְיָה בְנוֹ ICh.6:36
וּבֻקִּי 5 וּבֻקִּי הוֹלִיד אֶת־עֻזִּי ICh.5:31

בֻּקִּיָּהוּ
שפ״ז בנו בכורו של המשורר הימן: 1, 2

בֻּקִּיָּהוּ 1 בְּנֵי הֵימָן בֻּקִּיָּהוּ מַתַּנְיָהוּ ICh.25:4
2 הַשִּׁשִּׁי בֻּקִּיָּהוּ בָּנָיו וְאֶחָיו ICh.25:13

בְּקִיעַ*
ז׳ פֶּרֶץ, סֶדֶק: 1, 2

בְּקִיעִים 1 וְהִכָּה...וְהַבַּיִת הַקָּטֹן בְּקִעִים Am.6:11
בְּקִיעֵי־ 2 בְּקִיעֵי עִיר־דָּוִד רְאִיתֶם כִּי־רָבּוּ Is.22:9

בקע
: בָּקַע, נִבְקַע, בִּקַּע, בֻּקַּע, הִבְקִיעַ, הָבְקַע, הִתְבַּקַּע; בְּקִיעַ, בֶּקַע, בִּקְעָה

בָּקַע
פ׳ א) פלח, חתך, חצה: 1, 3–12, 16
ב) פרץ לתוך: 2, 13–15
ג) [נפ׳ נִבְקַע] נפרץ, נקרע: 17–31
ד) [פִּ׳ בִּקַּע] פִּלַּח, גזר: 32–43
ה) [פֻּ׳ בֻּקַּע] נפרץ, נסדק: 44–46
ו) [הת׳ הִתְבַּקַּע] נפרץ, נסדק: 47–48
ז) [הִפ׳ הִבְקִיעַ] פָּרַץ לתוך: 49–51
ח) [הָפ׳ הָבְקַע] נפרץ: 51

קרובים: בִּתֵּק / בָּתַר / גָּזַר / חָתַךְ / פָּרַץ / קָרַע / רִטֵּשׁ / שִׁסַּע

בָּקַע (אֶת) 1–9, 11, 12, 14, 16; בָּקַע בְּ־ 10, 13, 14; הִבְקִיעַ אֶל־ 49; הִבְ׳ (אֶת־) 50

בָּקַע הָרוֹת 1; בָּ׳ יָם 4, 6; בָּ׳ מַיִם 8; בָּ׳ כָּתֵף 5; בָּ׳ מַעְיָן וָנָחַל 3; בָּ׳ עֵצִים 9; בָּ׳ צוּר 12; בִּקַּע אֶרֶץ 36; בִּ׳ בֵּיצִים 35; בִּ׳ (אֲנָשִׁים) 41, 43; בִּקַּע הָרוֹת 33,37; בִּ׳ יְאוֹרִים 34; בִּ׳ עֵצִים 42; בֻּקַּע צוּרִים 38; בִּ׳ רוּחַ סְעָרוֹת 32, 40

בִּקְעָם 1 עַל־בִּקְעָם הָרוֹת הַגִּלְעָד Am.1:13
לְבִקְעָם 2 וַיִּחַן עַל־הֶעָרִים...לְבִקְעָם אֵלָיו IICh.32:1
בָּקַעְתָּ 3 אַתָּה בָקַעְתָּ מַעְיָן וָנָחַל Ps.74:15
4 וְהַיָּם בָּקַעְתָּ לִפְנֵיהֶם Neh.9:11
וּבָקַעְתָּ 5 וּבָקַעְתָּ לָהֶם כָּל־כָּתֵף Ezek.29:7
בָּקַע 6 בָּקַע יָם וַיַּעֲבִירֵם Ps.78:13
וּבָקְעָה 7 וּבָקְעָה וְדָגְרָה בְצִלָּהּ Is.34:15
בּוֹקֵעַ 8 בּוֹקֵעַ מַיִם מִפְּנֵיהֶם Is.63:12
9 בּוֹקֵעַ עֵצִים יִסָּכֶן בָּם Eccl.10:9
וּבֹקֵעַ 10 כְּמוֹ פֹלֵחַ וּבֹקֵעַ בָּאָרֶץ Ps.141:7
וַיִּבְקַע 11 וַיִּבְקַע אֱלֹהִים אֶת־הַמַּכְתֵּשׁ Jud.15:19
12 וַיִּבְקַע־צוּר וַיָּזֻבוּ מָיִם Is.48:21
וַיִּבְקְעוּ 13 וַיִּבְקְעוּ...הַגִּבֹּרִים בְּמַחֲנֵה פְלִשְׁתִּי* IISh.23:16
14 וַיִּבְקְעוּ הַשְּׁלֹשָׁה בְּמַחֲנֵה פְלִשְׁתִּים ICh.11:18

וַיְבַקְעוּהָ 15 וַיַּעֲלוּ בִיהוּדָה וַיְבַקְעוּהָ IICh.21:17
וּבְקָעֵהוּ 16 וּנְטֵה אֶת־יָדְךָ עַל־הַיָּם וּבְקָעֵהוּ Ex.14:16
לְהִבָּקֵעַ 17 תָּחוּל °סִין וְנֹא תִּהְיֶה לְהִבָּקֵעַ Ezek.30:16
נִבְקַע 18 וְלֹא־נִבְקַע עָנָן תַּחְתָּם Job 26:8
וְנִבְקַע 19 וְנִבְקַע הַר הַזֵּיתִים מֵחֶצְיוֹ Zech.14:4
נִבְקְעוּ 20 נִבְקְעוּ כָּל־מַעְיְנוֹת תְּהוֹם רַבָּה Gen.7:11
21 כִּי־נִבְקְעוּ בַמִּדְבָּר מַיִם Is.35:6
נִבְקָעוּ 22 בְּדַעְתּוֹ תְּהוֹמוֹת נִבְקָעוּ Prov.3:20
23 וַיַּשְׁלִיכוּם...וְכֻלָּם נִבְקָעוּ IICh.25:12
יִבָּקַע 24 אָז יִבָּקַע כַּשַּׁחַר אוֹרֶךָ Is.58:8
יִבָּקֵעַ 25 כְּאֹבוֹת חֲדָשִׁים יִבָּקֵעַ Job 32:19
תִּבָּקַע 26 וְהַזּוּרֶה תִּבָּקַע אֶפְעֶה Is.59:5
וַתִּבָּקַע 27 וַתִּבָּקַע הָאֲדָמָה אֲשֶׁר תַּחְתֵּיהֶם Num.16:31
28 וַתִּבָּקַע הָאָרֶץ בְּקוֹלָם IK.1:40
29-30 וַתִּבָּקַע הָעִיר IIK.25:4 • Jer.52:7
וַיִּבָּקְעוּ 31 וַיִּבָּקְעוּ הַמָּיִם Ex.14:21
וּבִקַּעְתִּי 32 וּבִקַּעְתִּי רוּחַ־סְעָרוֹת בַּחֲמָתִי Ezek.13:13
בִּקֵּעַ 33 אֵת כָּל־הֶהָרוֹתֶיהָ בִּקֵּעַ IIK.15:16
34 בַּצּוּרוֹת יְאֹרִים בִּקֵּעַ Job 28:10
בִּקֵּעוּ 35 בֵּיצֵי צִפְעוֹנִי בִּקֵּעוּ Is.59:5
תְּבַקַּע 36 נְהָרוֹת תְּבַקַּע־אָרֶץ Hab.3:9
תְּבַקֵּעַ 37 וְהָרֹתֵיהֶם תְּבַקֵּעַ IIK.8:12
יְבַקַּע 38 יְבַקַּע צֻרִים בַּמִּדְבָּר Ps.78:15
וַיְבַקַּע 39 וַיְבַקַּע עֲצֵי עֹלָה Gen.22:3
תְּבַקֵּעַ 40 וְרוּחַ סְעָרוֹת תְּבַקֵּעַ Ezek.13:11
תְּבַקְּעֵם 41 חַיַּת הַשָּׂדֶה תְּבַקְּעֵם Hosh.13:8
וַיְבַקְּעוּ 42 וַיְבַקְּעוּ אֶת־עֲצֵי הָעֲגָלָה ISh.6:14
וַתְּבַקַּעְנָה 43 וַתְּבַקַּעְנָה...אַרְבָּעִים וּשְׁנֵי יְלָדִים IIK.2:24
מְבֻקָּעָה 44 בְּבֹאוֹ...כִּמְבוֹאֵי עִיר מְבֻקָּעָה Ezek.26:10
וּמְבֻקָּעִים 45 וְנֹאדוֹת יַיִן בָּלִים וּמְבֻקָּעִים Josh.9:4
יְבֻקָּעוּ 46 וְהָרִיּוֹתָיו יְבֻקָּעוּ Hosh.14:1
הִתְבַּקָּעוּ 47 נֹאדוֹת...חֲדָשִׁים וְהִנֵּה הִתְבַּקָּעוּ Josh.9:13
יִתְבַּקָּעוּ 48 וְנָמַסּוּ...וְהָעֲמָקִים יִתְבַּקָּעוּ Mic.1:4
לְהַבְקִיעַ 49 לְהַבְקִיעַ אֶל־מֶלֶךְ אֱדוֹם IIK.3:26
וְנַבְקִעֶנָּה 50 וּנְקִיצֶנָּה וְנַבְקִעֶנָּה אֵלֵינוּ Is.7:6
הָבְקְעָה 51 בְּתִשְׁעָה לַחֹדֶשׁ הָבְקְעָה הָעִיר Jer.39:2

בֶּקַע
ז׳ משקל ומטבע, מחצית השקל: 1–2
קרובים: אֲגוֹרָה / גֵּרָה / פִּים / קְשִׂיטָה / שֶׁקֶל
בֶּקַע 1 נֶזֶם זָהָב בֶּקַע מִשְׁקָלוֹ Gen.24:22
2 בֶּקַע לַגֻּלְגֹּלֶת מַחֲצִית הַשָּׁקֶל Ex.38:26

בִּקְעָה[1]
נ׳ עמק, מישור נמוך: 1–20
בִּקְעַת אוֹנוֹ 15; ב׳ הַלְּבָנוֹן 12, 13; ב׳ יְרֵחוֹ 10; ב׳ מְגִדּוֹ(ן) 14, 16; ב׳ מִצְפֶּה 11
בִּקְעָה 1 וַיִּמְצְאוּ בִקְעָה בְּאֶרֶץ שִׁנְעָר Gen.11:2
הַבִּקְעָה 2 קוּם צֵא אֶל־הַבִּקְעָה Ezek.3:22
3-5 הַבִּקְעָה Ezek.3:23; 37:1,2
בַּבִּקְעָה 6 עֲיָנֹת וּתְהֹמֹת יֹצְאִים בַּבִּקְעָה וּבָהָר Deut.8:7
7 כַּבְּהֵמָה בַּבִּקְעָה תֵרֵד Is.63:14
8 כַּמַּרְאֶה אֲשֶׁר רָאִיתִי בַּבִּקְעָה Ezek.8:4
לְבִקְעָה 9 הֶעָקֹב לְמִישׁוֹר וְהָרְכָסִים לְבִקְעָה Is.40:4
בִּקְעַת־ 10 וְאֶת־הַכִּכָּר בִּקְעַת יְרֵחוֹ Deut.34:3
11 וְעַד־בִּקְעַת מִצְפֶּה מִזְרָחָה Josh.11:8
בְּבִקְעַת־ 12 וְעַד־בַּעַל־גָּד בְּבִקְעַת הַלְּבָנוֹן Josh.11:17
13 מִבַּעַל גָּד בְּבִקְעַת הַלְּבָנוֹן Josh.12:7
14 כְּמִסְפַּד הֲדַד...בְּבִקְעַת מְגִדּוֹן Zech.12:11
15 וְנִוָּעֲדָה...בְּבִקְעַת אוֹנוֹ Neh.6:2
16 וַיָּבֹא לְהִלָּחֵם בְּבִקְעַת מְגִדּוֹ IICh.35:22
בְּקָעוֹת 17 אֶפְתַּח...וּבְתוֹךְ בְּקָעוֹת מַעְיָנוֹת Is.41:18
19 יַעֲלוּ הָרִים יֵרְדוּ בְקָעֹת Ps.104:8
וּבְקָעֹת 20 אֶרֶץ הָרִים וּבְקָעֹת Deut.11:11

בִּקְעָה[2]
נ׳ ארמית: בקעה
בְּבִקְעַת־ 1 עֲבַד צְלֵם...אֲקִימֵהּ בְּבִקְעַת דּוּרָא Dan.3:1

בִּקְעַת אָוֶן
כנוי גנאי לבקעת הלבנון
מִבִּקְעַת אָוֶן 1 וְהִכְרַתִּי יוֹשֵׁב מִבִּקְעַת אָוֶן Am.1:5

בקק
: בָּקַק, נָבַק, בּוֹקֵק; בּוּקָה, מְבוּקָה; ש״פ בַּקְבֻּק, בַּקְבֻּקְיָהוּ

בָּקַק
פ׳ א) הֵרִיק, הרס: 1–5
ב) [נפ׳ נָבַק] הורק, נהרס: 6–8
ג) [פֹ׳ בּוֹקֵק] הֵרִיק, השמיד: 9
וּבַקֹּתִי 1 וּבַקֹּתִי אֶת־עֲצַת יְהוּדָה Jer.19:7
בְּקָקוּם 2 כִּי בְקָקוּם בֹּקְקִים וּזְמֹרֵיהֶם שִׁחֵתוּ Nah.2:3
בּוֹקֵק 3 הִנֵּה יְיָ בּוֹקֵק הָאָרֶץ וּבוֹלְקָהּ Is.24:1
4 גֶּפֶן בּוֹקֵק יִשְׂרָאֵל Hosh.10:1
בּוֹקְקִים 5 כִּי בְקָקוּם בֹּקְקִים וּזְמֹרֵיהֶם שִׁחֵתוּ Nah.2:3
הִבּוֹק 6 הִבּוֹק תִּבּוֹק הָאָרֶץ Is.24:3
וְנָבְקָה 7 וְנָבְקָה רוּחַ־מִצְרַיִם בְּקִרְבּוֹ Is.19:3
תִּבּוֹק 8 הִבּוֹק תִּבּוֹק הָאָרֶץ Is.24:3
וִיבוֹקְקוּ 9 וִיבוֹקְקוּ אֶת־אַרְצָהּ Jer.51:2

בקר
: א) בִּקֵּר, אר׳ בַּקַּר, יִתְבַּקַּר; בַּקָּרָה, בִּקֹּרֶת; ב) בּוֹקֵר, בָּקָר; ג) בֹּקֶר

בִּקֵּר
פ׳ א) בדק, חקר: 1, 2, 4–7
ב) סר אל־: 3
בִּקֵּר (אֶת־) 1,2,4,5; בִּקֵּר בְּ־ 3; בִּקֵּר לְ־ 6; בִּקֵּר בֵּין...לְ־ 7
לְבַקֵּר 1 וּמִזְבַּח הַנְּחֹשֶׁת יִהְיֶה־לִּי לְבַקֵּר IIK.16:15
2 וְאַחַר נְדָרִים לְבַקֵּר Prov.20:25
וּלְבַקֵּר 3 לַחֲזוֹת בְּנֹעַם־יְיָ וּלְבַקֵּר בְּהֵיכָלוֹ Ps.27:4
וּבִקַּרְתִּים 4 וְדָרַשְׁתִּי אֶת־צֹאנִי וּבִקַּרְתִּים Ezek.34:11
אֲבַקֵּר 5 כְּבַקָּרַת...כֵּן אֲבַקֵּר אֶת־צֹאנִי Ezek.34:12
יְבַקֵּר 6 לֹא־יְבַקֵּר הַכֹּהֵן לַשֵּׂעָר הַצָּהֹב Lev.13:36
7 לֹא יְבַקֵּר בֵּין־טוֹב לָרַע Lev.27:33

בַּקַּר
א) פ׳ ארמית: בִּקֵּר: 1–4
ב) [אִתְפ׳ אִתְבַּקַּר] נבדק: 5
וּבַקַּרוּ 1 וּבַקַּרוּ וְהַשְׁכַּחוּ דִּי קִרְיְתָא דָךְ Ez.4:19
2 וּבַקַּרוּ בְּבֵית סִפְרַיָּא Ez.6:1
לְבַקָּרָה 3 לְבַקָּרָה עַל־יְהוּד וְלִירוּשְׁלֶם Ez.7:14
יְבַקַּר 4 דִּי יְבַקַּר בִּסְפַר דָּכְרָנַיָּא Ez.4:15
יִתְבַּקַּר 5 יִתְבַּקַּר בְּבֵית גִּנְזַיָּא דִּי־מַלְכָּא Ez.5:17

בָּקָר
ז׳ שם קבוצי לבהמה גסה – שור, פר, פרה: 1–183
בָּקָר וָצֹאן 2, 33, 78–97, 100, 106, 116, 126, 143, 144, 146–148, 150, 152, 153, 164–168, 170–180; בְּכוֹר בָּקָר 173, 183; בֶּן־בָּקָר 1, 4–32, 47, 49–53, 105, 113; זֶבַח בָּ׳ 133; חֶמְאַת בָּ׳ 55; כְּלֵי הַבָּ׳ 120, 123; מַלְמַד הַבָּ׳ 114; מַעְשַׂר בָּ׳ 78; מִקְנֵה בָ׳ 2, 73, 107; עֶגְלַת בָּ׳ 54, 58, 65; עֶדְרֵי בָ׳ 68; צֶמֶד בָּ׳ 56, 71, 72, 122; צִפִּיעֵי בָ׳ 125; קוֹל הַבָּ׳ 116; רֵבֶץ בָּקָר 67; שְׁפוֹת בָּ׳ 59; בָּקָר זֶבַח 160; דְּמוּת בְּקָרִים 181
בָּקָר 1 וַיִּקַּח בֶּן־בָּקָר רַךְ וָטוֹב Gen.18:7
2 מִקְנֵה־צֹאן וּמִקְנֵה בָקָר Gen.26:14
3 חֲמִשָּׁה בָקָר יְשַׁלֵּם תַּחַת הַשּׁוֹר Ex.21:37
4 פַּר אֶחָד בֶּן־בָּקָר Ex.29:1
5 פַּר בֶּן־בָּקָר תָּמִים Lev.4:3
6–31 (וּ־, בְּ־)פַּר(...)בֶּן־בָּקָר Lev.4:14; 16:3
23:18 • Num.7:15, 21, 27, 33, 39, 45, 51, 57, 63; 7:69, 75, 81; 8:8²; 15:24; 29:2, 8 • Ezek.43:19, 23, 25; 45:18; 46:6 • IICh.13:9
32 עֵגֶל בֶּן־בָּקָר לְחַטָּאת Lev.9:2
33 וְכָל־מַעְשַׂר בָּקָר וָצֹאן Lev.27:32

בָּקָר (המשך)
34 שֵׁשׁ־עֶגְלֹת צָב וּשְׁנֵי־עָשָׂר בָּקָר Num.7:3
35-46 וּלְזֶבַח הַשְּׁלָמִים בָּקָר שְׁנַיִם Num.7:17
7:23, 29, 35, 41, 47, 53, 59, 65, 71, 77, 83
47 וְכִי־תַעֲשֶׂה בֶן־בָּקָר עֹלָה Num.15:8
48 וַיִּזְבַּח בָּלָק בָּקָר וָצֹאן Num.22:40
49-53 פָּרִים בְּנֵי־בָקָר Num.28:11, 19, 27; 29:13, 17
54 עֶגְלַת בָּקָר אֲשֶׁר לֹא־עֻבַּד בָּהּ Deut.21:3
55 חֶמְאַת בָּקָר וַחֲלֵב צֹאן Deut.32:14
56 וַיִּקַּח צֶמֶד בָּקָר וַיְנַתְּחֵהוּ ISh.11:7
57 וַיִּקְחוּ צֹאן וּבָקָר וּבְנֵי בָקָר ISh.14:32
58 עֶגְלַת בָּקָר תִּקַּח בְּיָדֶךָ ISh.16:2
59 וְצֹאן וּשְׁפוֹת בָּקָר הִגִּישׁוּ לְדָוִד IISh.17:29
60 עֲשָׂרָה בָקָר בְּרִאִים IK.5:3
61 וְעֶשְׂרִים בָּקָר רְעִי IK.5:3
62 עֹמֵד עַל־שְׁנֵי עָשָׂר בָּקָר IK.7:25
63 אֲרָיוֹת בָּקָר וּכְרוּבִים IK.7:29
64 בָּקָר עֶשְׂרִים וּשְׁנַיִם אֶלֶף IK.8:63
65 יְחַיֶּה־אִישׁ עֶגְלַת בָּקָר וּשְׁתֵּי־צֹאן Is.7:21
66 הָרֹג בָּקָר וְשָׁחֹט צֹאן Is.22:13
67 וְעֵמֶק עָכוֹר לְרֵבֶץ בָּקָר Is.65:10
68 נָבֹכוּ עֶדְרֵי בָקָר Joel 1:18
69 וְאֵין בָּקָר בָּרְפָתִים Hab.3:17
70 אֶעֱשֶׂה בָקָר עִם־עַתּוּדִים Ps.66:15
71 וַחֲמֵשׁ מֵאוֹת צֶמֶד־בָּקָר Job 1:3
72 וְאֶלֶף־צֶמֶד בָּקָר Job 42:12
73 גַּם מִקְנֶה בָקָר וָצֹאן הַרְבֵּה Eccl.2:7
74 עוֹמֵד עַל־שְׁנַיִם עָשָׂר בָּקָר IICh.4:4
75 בָּקָר שְׁבַע מֵאוֹת IICh.15:11
76 בָּקָר שִׁבְעִים אֵילִים מֵאָה IICh.29:32
77 בָּקָר שֵׁשׁ מֵאוֹת IICh.29:33
78 מַעְשַׂר בָּקָר וָצֹאן IICh.31:6
וּבָקָר 79 וַיְהִי־לוֹ צֹאן־וּבָקָר וַחֲמֹרִים Gen.12:16
80 הָיָה צֹאן־וּבָקָר וְאֹהָלִים Gen.13:5
81-97 (וְ־,בְּ־)צֹאן וּבָקָר Gen.20:14; 21:27
24:35 • Ex.12:38 • Num.11:22 • Deut.16:2 • ISh.14:32; 15:21; 27:9 • IISh.12:2 • IK.1:9; 8:5 • IIK.5:26 • Jer.31:12(11) • IICh.5:6; 18:2; 32:29
98 וּבָקָר שְׁנַיִם וְשִׁבְעִים אָלֶף Num.31:33
99 וּבָקָר שִׁשָּׁה וּשְׁלֹשִׁים אָלֶף Num.31:44
100 וּבָקָר וְצֹאן לָרֹב ICh.12:41(40)
101 וּבָקָר שְׁלֹשֶׁת אֲלָפִים IICh.35:7
102 וּבָקָר שְׁלֹשׁ מֵאוֹת IICh.35:8
103 וּבָקָר חֲמֵשׁ מֵאוֹת IICh.35:9
הַבָּקָר 104 וְאֶל־הַבָּקָר רָץ אַבְרָהָם Gen.18:7
105 וּבֶן־הַבָּקָר אֲשֶׁר עָשָׂה Gen.18:8
106 וְאֶת־הַצֹּאן וְאֶת־הַבָּקָר Gen.32:7
107 וּבְמִקְנֵה הַצֹּאן וּבְמִקְנֵה הַבָּקָר Gen.47:17
108 וְשָׁחַט אֶת־בֶּן־הַבָּקָר לִפְנֵי יְיָ Lev.1:5
109 שְׁתֵּי הָעֲגָלוֹת וְאֵת אַרְבַּעַת הַבָּ׳ Num.7:7
110 אַרְבַּע הָעֲגָלֹת וְאֵת שְׁמֹנַת הַבָּ׳ Num.7:8
111 כָּל־הַבָּקָר לָעֹלָה Num.7:78
112 מִן־הַבָּקָר אוֹ מִן־הַצֹּאן Num.15:3
113 וְהִקְרִיב עַל־בֶּן־הַבָּקָר Num.15:9
114 וַיַּךְ...בְּמַלְמַד הַבָּקָר Jud.3:31
115 וְהִנֵּה שָׁאוּל בָּא אַחֲרֵי הַבָּקָר ISh.11:5
116 וּמֶה קוֹל־הַצֹּאן...וְקוֹל הַבָּקָר ISh.15:14
117/8 כִּי שָׁמְטוּ הַבָּקָר IISh.6:6 • ICh.13:9
119 רְאֵה הַבָּקָר לָעֹלָה וְהַמֹּרִגִּים IISh.24:22
120 וּכְלֵי הַבָּקָר לָעֵצִים IISh.24:22
121 וְאֶת־הַבָּקָר שְׁנַיִם־עָשָׂר תַּחַת הַיָּם IK.7:44

הַבָּקָר (המשך)
122 וַיִּקַּח אֶת־צֶמֶד הַבָּקָר וַיִּזְבָּחֵהוּ IK.19:21
123 וּבִכְלִי הַבָּקָר בִּשְּׁלָם הַבָּשָׂר IK.19:21
124 הוֹרִד מֵעַל הַבָּקָר הַנְּחֹשֶׁת IIK.16:17
125 נָתַתִּי לְךָ אֶת־צְפִיעֵי הַבָּקָר Ezek.4:15
126 הַבָּקָר וְהַצֹּאן אַל־יִטְעֲמוּ מְאוּמָה Jon.3:7
127 הַבָּקָר הָיוּ חֹרְשׁוֹת Job 1:14
128 רְאֵה נָתַתִּי הַבָּקָר לָעֹלוֹת ICh.21:23
129 וְעַל־הַבָּקָר הָרֹעִים בַּשָּׁרוֹן ICh.27:29
130 וְעַל־הַבָּקָר בָּעֲמָקִים שָׁפָט ICh.27:29
131 שְׁנַיִם טוּרִים הַבָּקָר IICh.4:3
132 וְאֶת־הַבָּקָר שְׁנֵים־עָשָׂר תַּחְתָּיו IICh.4:15
133 וַיִּזְבַּח...אֶת־זֶבַח הַבָּקָר IICh.7:5
134-142 הַבָּקָר Lev.1:2,3; 3:1
Num.7:6; 31:28,30 • IISh.24:24 • IK.19:20
IICh.29:22

וְהַבָּקָר 143 וְהַצֹּאן וְהַבָּקָר עָלוֹת עָלָי Gen.33:13
144 גַּם־הַצֹּאן וְהַבָּקָר אַל־יִרְעוּ Ex.34:3
145 וְהַבָּקָר שִׁשָּׁה וּשְׁלֹשִׁים אָלֶף Num.31:38
146/7 (וְ)עַל־מֵיטַב הַצֹּאן וְהַבָּקָר ISh.15:9,15
148 וַיִּקַּח דָּוִד אֶת־כָּל־הַצֹּאן וְהַבָּקָר ISh.30:20
149 וְהַבָּקָר שְׁנֵים־עָשָׂר נְחֹשֶׁת Jer.52:20
בַּבָּקָר 150 בַּגְּמַלִּים בַּבָּקָר וּבַצֹּאן Ex.9:3
151 בַּבָּקָר בַּכְּשָׂבִים וּבָעִזִּים Lev.22:19
152 בַּבָּקָר אוֹ בַצֹּאן Lev.22:21
153 וְנָתַתָּה...בַּבָּקָר וּבַצֹּאן וּבַיַּיִן Deut.14:26
וּבַבָּקָר 154 וּבַפְּרָדִים וּבַבָּקָר ICh.12:41(40)
כַּבָּקָר 155/6 וְאַרְיֵה כַּבָּקָר יֹאכַל־תֶּבֶן Is.11:7; 65:25
157 חָצִיר כַּבָּקָר יֹאכֵל Job 40:15
לַבָּקָר 158 וַיָּסִירוּ הָעֹלָה...וְכֵן לַבָּקָר IICh.35:12
וְלַבָּקָר 159 וּמִתַּחַת לָאֲרָיוֹת וְלַבָּקָר IK.7:29
בְּקַר־ 160 וְכֹל בְּקַר זֶבַח הַשְּׁלָמִים Num.7:88
בְּקָרְךָ 161/2 וּבְכֹרֹת בְּקָרְךָ וְצֹאנֶךָ Deut.12:17; 14:23
בְּקָרֶךָ 163 וְזָבַחְתָּ...אֶת־צֹאנְךָ וְאֶת־בְּקָרֶךָ Ex.20:24(21)
וּבְקָרְךָ 164 וְצֹאנְךָ וּבְקָרְךָ וְכָל־אֲשֶׁר־לָךְ Gen.45:10
165 וּבְקָרְךָ וְצֹאנְךָ יִרְבְּיֻן Deut.8:13
166 יֹאכַל צֹאנְךָ וּבְקָרֶךָ Jer.5:17
בִּבְקָרְךָ 167 אֲשֶׁר יִוָּלֵד בִּבְקָרְךָ וּבְצֹאנְךָ Deut.15:19
מִבְּקָרְךָ 168 וְזָבַחְתָּ מִבְּקָרְךָ וּמִצֹּאנְךָ Deut.12:21
לִבְקָרוֹ 169 כֹּה יֵעָשֶׂה לִבְקָרוֹ ISh.11:7
וּמִבְּקָרוֹ 170 וַיַּחְמֹל לָקַחַת מִצֹּאנוֹ וּמִבְּקָרוֹ IISh.12:4
וּבִבְקָרֵנוּ 171 בְּצֹאנֵנוּ וּבִבְקָרֵנוּ נֵלֵךְ Ex.10:9
בְּקַרְכֶם 172 גַּם־צֹאנְכֶם גַּם־בְּקַרְכֶם קְחוּ Ex.12:32
173 וּבְכֹרֹת בְּקַרְכֶם וְצֹאנְכֶם Deut.12:6
וּבְקַרְכֶם 174 רַק צֹאנְכֶם וּבְקַרְכֶם יֻצָּג Ex.10:24
בְּקָרָם 175 אֶת־צֹאנָם וְאֶת־בְּקָרָם...לָקָחוּ Gen.34:28
176 אָכְלָה...אֶת־צֹאנָם וְאֶת־בְּקָרָם Jer.3:24
וּבְקָרָם 177/8 וְצֹאנָם וּבְקָרָם Gen.46:32; 47:1
179 רַק טַפָּם וְצֹאנָם וּבְקָרָם עָזְבוּ Gen.50:8
וּבִבְקָרָם 180 בְּצֹאנָם וּבִבְקָרָם יֵלְכוּ Hosh.5:6
בְּקָרִים 181 וּדְמוּת בְּקָרִים תַּחַת לוֹ IICh.4:3
בַּבְּקָרִים 182 הֲיִרְצוּן...אִם־יַחֲרוֹשׁ בַּבְּקָרִים Am.6:12
בְּקָרֵינוּ 183 וְאֶת־בְּכוֹרֵי בְקָרֵינוּ וְצֹאנֵינוּ Neh.10:37

בֹּקֶר ז׳ א) ראשית היום: רוב המקראות
ב) בשעת הבוקר: 24, 31, 33, 34, 41
ג) [בַּבֹּקֶר בַּבֹּקֶר] בכל בוקר: 114—139
ד) [לַבֹּקֶר] עד התחלת יום המחר: 192—208
ה) [לִבְקָרִים, לַבְּקָרִים] בכל בוקר: 210—214
עֶרֶב וָבֹקֶר 1-6, 20-23, 25, 36, 40, 42, 58, 75, 76, 112, 113, 140, 142, 146, 185, 189, 198, 203, 205—207, 209
בֹּקֶר לֹא־עָבוֹת 27; אוֹר (הַ)בֹּקֶר 26, 43, 64, 67—71, 73; אַשְׁמֹרֶת הַבֹּ׳ 45, 66; בְּטֶרֶם בֹּ׳ 28; כּוֹכְבֵי בֹּ׳ 38; מִנְחַת בֹּ׳ 62; לִפְנוֹת בֹּ׳ 19,35,65; מוֹצָאֵי בֹּ׳ 36; עֹלַת הַבֹּ׳ 72,75,203; עֲנַן בֹּ׳ 30,32
בַּבֹּקֶר בַּבֹּקֶר 114—139; בַּבֹּקֶר הַשְׁכֵּם 148; הַשְׁכִּים בַּבֹּקֶר 80—110; לַבֹּקֶר לַבֹּקֶר 204; לַבְּקָרִים 210—214; חֲדָשִׁים לַבְּקָרִים 214

בֹּקֶר 1-6 וַיְהִי־עֶרֶב וַיְהִי־בֹקֶר Gen.1:5
1:8,13,19,23,31
7 וְלֹא־תוֹתִירוּ מִמֶּנּוּ עַד־בֹּקֶר Ex.12:10
8 וְהַנֹּתָר מִמֶּנּוּ עַד־בֹּקֶר...תִּשְׂרֹפוּ Ex.12:10
9-18 עַד בֹּקֶר Ex.12:22
16:19,20; 23:18 • Lev.7:15; 19:13; 22:30
Num.9:12,15 • Is.38:13
19 וַיָּשָׁב הַיָּם לִפְנוֹת בֹּקֶר לְאֵיתָנוֹ Ex.14:27
20 נִצָּב עָלֶיךָ מִן־בֹּקֶר עַד־עָרֶב Ex.18:14
21-23 מֵעֶרֶב עַד־בֹּקֶר Ex.27:21
Lev.24:3 • Num.9:21
24 בֹּקֶר וְיֹדַע יְיָ אֶת־אֲשֶׁר־לוֹ Num.16:5
25 וּבָעֶרֶב תֹּאמַר מִי־יִתֵּן בֹּקֶר Deut.28:67
26 וּכְאוֹר בֹּקֶר יִזְרַח שָׁמֶשׁ IISh.23:4
27 בֹּקֶר לֹא עָבוֹת IISh.23:4
28 בְּטֶרֶם בֹּקֶר אֵינֶנּוּ Is.17:14
29 אָמַר שֹׁמֵר אָתָא בֹקֶר וְגַם־לָיְלָה Is.21:12
30 וְחַסְדְּכֶם כַּעֲנַן־בֹּקֶר Hosh.6:4
31 בֹּקֶר הוּא בֹעֵר כְּאֵשׁ לֶהָבָה Hosh.7:6
32 לָכֵן יִהְיוּ כַּעֲנַן־בֹּקֶר Hosh.13:3
33 יְיָ בֹּקֶר תִּשְׁמַע קוֹלִי Ps.5:4
34 בֹּקֶר אֶעֱרָךְ־לְךָ וַאֲצַפֶּה Ps.5:4
35 יַעְזְרֶהָ אֱלֹהִים לִפְנוֹת בֹּקֶר Ps.46:6
36 מוֹצָאֵי בֹקֶר וָעֶרֶב תַּרְנִין Ps.65:9
37 כִּי יַחְדָּו בֹּקֶר לָמוֹ צַלְמָוֶת Job 24:17
38 בְּרָן־יַחַד כּוֹכְבֵי בֹקֶר Job 38:7
39 הֲמִיָּמֶיךָ צִוִּיתָ בֹּקֶר Job 38:12
40 עַד עֶרֶב בֹּקֶר אַלְפַּיִם וּשְׁלֹשׁ מֵאוֹת Dan.8:14
וּבֹקֶר 41 וּבֹקֶר וּרְאִיתֶם אֶת־כְּבוֹד יְיָ Ex.16:7
וָבֹקֶר 42 עֶרֶב וָבֹקֶר וְצָהֳרַיִם אָשִׂיחָה Ps.55:18
הַבֹּקֶר 43 הַבֹּקֶר אוֹר וְהָאֲנָשִׁים שֻׁלְּחוּ Gen.44:3
44 הַבֹּקֶר הָיָה וְרוּחַ הַקָּדִים נָשָׂא... Ex.10:13
45 וַיְהִי בְּאַשְׁמֹרֶת הַבֹּקֶר Ex.14:24
46 הַנִּיחוּ לָכֶם לְמִשְׁמֶרֶת עַד־הַבֹּקֶר Ex.16:23
47-57 עַד הַבֹּקֶר Ex.16:24; 29:34
Lev.6:2 • Jud.6:31; 19:25 • ISh.3:15; 25:22 • IIK.
10:8 • Prov.7:18 • Ruth 3:13,14
58 וַיַּעֲמֹד...מִן־הַבֹּקֶר עַד־הָעָרֶב Ex.18:13
59 וַיְהִי בַיּוֹם הַשְּׁלִישִׁי בִּהְיֹת הַבֹּקֶר Ex.19:16
60 כְּמִנְחַת הַבֹּקֶר וּכְנִסְכָּהּ Ex.29:41
61 וַיַּקְרֵב...מִלְּבַד עֹלַת הַבֹּקֶר Lev.9:17
62 כְּמִנְחַת הַבֹּקֶר וּכְנִסְכּוֹ Num.28:8
63 מִלְּבַד עֹלַת הַבֹּקֶר... Num.28:23
64 עַד־אוֹר הַבֹּקֶר וַהֲרַגְנֻהוּ Jud.16:2
65 וַתָּבֹא הָאִשָּׁה לִפְנוֹת הַבֹּקֶר Jud.19:26
66 וַיָּבֹאוּ...בְּאַשְׁמֹרֶת הַבֹּקֶר ISh.11:11
67 וְנָבֹזָּה בָהֶם עַד־אוֹר הַבֹּקֶר ISh.14:36
68-71 עַד־אוֹר הַבֹּקֶר ISh.25:34,36
IISh.17:22 • IIK.7:9
72 הַקְטֵר אֶת־עֹלַת־הַבֹּקֶר IIK.16:15
73 בְּאוֹר הַבֹּקֶר יַעֲשׂוּהָ Mic.2:1
74 מֵאָז הַבֹּקֶר וְעַד־עַתָּה Ruth 2:7
75 לְעֹלוֹת הַבֹּקֶר וְהָעֶרֶב IICh.31:3
וְהַבֹּקֶר 76 וּמַרְאֵה הָעֶרֶב וְהַבֹּקֶר Dan.8:26
מֵהַבֹּקֶר 77 כִּי אָז מֵהַבֹּקֶר נַעֲלָה הָעָם IISh.2:27
78 מֵהַבֹּקֶר וְעַד־עֵת מוֹעֵד IISh.24:15
79 מֵהַבֹּקֶר וְעַד־הַצָּהֳרָיִם IK.18:26
בַּבֹּקֶר 80-82 וַיַּשְׁכֵּם אַבְרָהָם בַּבֹּקֶר Gen.19:27
21:14; 22:3
83-110 וַיַּשְׁכֵּם (וַיַּשְׁכִּימוּ...) בַּבֹּקֶר Gen.20:8
26:31; 28:18; 32:1 • Ex.8:16; 9:13; 24:4; 34:4 •
Num.14:40 • Josh.3:1; 6:12; 7:16; 8:10 • Jud.6:28;
19:5,8 • ISh.1:19; 5:4; 15:12; 17:20; 29:10², 11 •
IIK.3:22; 19:35 • Is.37:36 • Job 1:5 • IICh.20:20

111 וַיָּלִינוּ וַיָּקוּמוּ בַבֹּקֶר Gen.24:54
112 בַּבֹּקֶר יֹאכַל עַד וְלָעֶרֶב... Gen.49:27
113 בָּעֶרֶב בָּשָׂר...וְלֶחֶם בַּבֹּקֶר לִשְׂבֹּעַ Ex.16:8
114/5 וַיִּלְקְטוּ אֹתוֹ בַּבֹּקֶר בַּבֹּקֶר Ex.16:21
116-139 בַּבֹּקֶר בַּבֹּקֶר Ex.30:7; 36:3 • Lev.6:5
IISh.13:4 • Is.28:19; 50:4 • Ezek.46:13; 46:14,15
• Zep.3:5 • ICh.23:30 • IICh.13:11
140 מַחֲצִיתָהּ בַּבֹּקֶר וּמַחֲצִיתָהּ בָּעָרֶב Lev.6:13
141 וְנַעֲלָה הֶעָנָן בַּבֹּקֶר Num.9:21
142 בַּבֹּקֶר תֹּאמַר מִי יִתֵּן עֶרֶב Deut.28:67
143 וְהָיָה בַבֹּקֶר כִּזְרֹחַ הַשֶּׁמֶשׁ Jud.9:33
144 מַשְׁכִּימֵי בַבֹּקֶר שֵׁכָר יִרְדֹּפוּ Is.5:11
145 בַּבֹּקֶר כֶּחָצִיר יַחֲלֹף Ps.90:5
146 בַּבֹּקֶר יָצִיץ וְחָלָף לָעֶרֶב... Ps.90:6
147 שַׂבְּעֵנוּ בַבֹּקֶר חַסְדֶּךָ Ps.90:14
148 מְבָרֵךְ רֵעֵהוּ...בַּבֹּקֶר הַשְׁכֵּים Prov.27:14
149-184 בַּבֹּקֶר Gen.29:25; 40:6; 41:8
Ex.7:15; 29:39; 34:2 • Num.22:13,21,41; 28:4 •
Deut.16:7 • Josh.7:14 • Jud.19:27; 20:19 • ISh.
9:19; 19:2,11; 20:35; 35:37 • IISh.11:14; 24:11 •
IK.3:21²; 17:6 • IIK.3:20; 10:9 • Jer.20:16 • Ezek.
12:8; 24:18²; 33:22 • Ps.92:3; 143:8 • Ruth 3:13 •
Eccl.10:16; 11:6

וּבַבֹּקֶר 185 בֵּין הָעַרְבַּיִם תֹּאכְלוּ בָשָׂר
וּבַבֹּקֶר תִּשְׂבְּעוּ לָחֶם Ex.16:12
186 וּבַבֹּקֶר הָיְתָה שִׁכְבַת הַטָּל Ex.16:13
187 וּבַבֹּקֶר זַרְעֵךְ תַּפְרִיחִי Is.17:11
188 וּבַבֹּקֶר תְּפִלָּתִי תְקַדְּמֶךָּ Ps.88:14
189 בָּעֶרֶב... וּבַבֹּקֶר הִיא שָׁבָה Es.2:14
190 וּבַבֹּקֶר אֱמֹר לַמֶּלֶךְ וְיִתְלוּ... Es.5:14
כַּבֹּקֶר 191 תָּעֻפָה כַּבֹּקֶר תִּהְיֶה Job 11:17
לַבֹּקֶר 192 וֶהְיֵה נָכוֹן לַבֹּקֶר Ex.34:2
193 וְלֹא־יָלִין לַבֹּקֶר זֶבַח...הַפָּסַח Ex.34:25
194 וְלֹא־יָלִין מִן־הַבָּשָׂר...לַבֹּקֶר Deut.16:4
195 דִּינוּ לַבֹּקֶר מִשְׁפָּט Jer.21:12
196 וְהָבִיאוּ לַבֹּקֶר זִבְחֵיכֶם Am.4:4
197 וְהֹפֵךְ לַבֹּקֶר צַלְמָוֶת Am.5:8
198 זְאֵבֵי עֶרֶב לֹא גָרְמוּ לַבֹּקֶר Zep.3:3
199 וַיִּרְדּוּ בָם יְשָׁרִים לַבֹּקֶר Ps.49:15
200 וַאֲרַנֵּן לַבֹּקֶר חַסְדֶּךָ Ps.59:17
201/2 מִשֹּׁמְרִים לַבֹּקֶר שֹׁמְרִים לַבֹּקֶר Ps.130:6
203 עֹלוֹת לַבֹּקֶר וְלָעָרֶב Ez.3:3
204 וְהֵם עַל־הַמַּפְתֵּחַ וְלַבֹּקֶר לַבֹּקֶר ICh.9:27
205 לְהַעֲלוֹת...תָּמִיד לַבֹּקֶר וְלָעָרֶב ICh.16:40
206 וְעֹלוֹת לַבֹּקֶר וְלָעֶרֶב IICh.2:3
וְלַבֹּקֶר 207 בָּעֶרֶב יָלִין בֶּכִי וְלַבֹּקֶר רִנָּה Ps.30:6
208 וְהֵם עַל־הַמַּפְתֵּחַ וְלַבֹּקֶר לַבֹּקֶר ICh.9:27
מִבֹּקֶר 209 מִבֹּקֶר לָעֶרֶב יֻכַּתּוּ Job 4:20
לִבְקָרִים 210 וַתִּפְקְדֶנּוּ לִבְקָרִים לִרְגָעִים תִּבְחָנֶנּוּ Job 7:18
לַבְּקָרִים 211 הֱיֵה זְרֹעָם לַבְּקָרִים Is.33:2
212 נָגוּעַ כָּל־הַיּוֹם וְתוֹכַחְתִּי לַבְּקָרִים Ps.73:14
213 לַבְּקָרִים אַצְמִית כָּל־רִשְׁעֵי־אָרֶץ Ps.101:8
214 חֲדָשִׁים לַבְּקָרִים רַבָּה אֱמוּנָתֶךָ Lam.3:23

בַּקָּרָה* נ׳ בדיקה, פקודה

כְּבַקָּרַת־ 1 כְּבַקָּרַת רֹעֶה עֶדְרוֹ Ezek. 34:12

בִּקֹּרֶת נ׳ בדיקה, חקירה

בִּקֹּרֶת 1 בִּקֹּרֶת תִּהְיֶה לֹא יוּמְתוּ... Lev. 19:20

בקש : בִּקֵּשׁ, בֻּקַּשׁ; בַּקָּשָׁה

בִּקֵּשׁ פ׳ א) חִפֵּשׂ, השתדל למצא או להשׂיג:
רוֹב המקראוֹת 1—222
ב) שאל, דרש, תבע: 17־20,24,27־29,34,41,42,44,
46,48,51,55,56, 64, 76, 78,79,85,86,92,93,95,98,
103—140, 143, 150—154, 159—160, 165, 179, 184,
191—193, 195, 199, 204, 205, 218—220
ג) חפץ, רצה: 38, 40,43,59,72,75, 77,81, 82, 169—
172, 175—178, 207, 208
ד) [פ׳ בֻּקַּשׁ] חֻפַּשׂ: 223; נחקר: 224, 225

בִּקֵּשׁ (אֶת) רוֹב המקראוֹת; בִּקֵּשׁ מִן־ 19, 24,
28, 29, 42, 46, 64, 74, 143, 183,184, 191
בִּקֵּשׁ אַהֲבָה 11,87; בִּ׳ אֱמוּנָה 84; בִּ׳ בִּינָה 44,146;
בִּקֵּשׁ גְּדוֹלוֹת 152; בִּקֵּשׁ (אֶת) דָּמוֹ 133—136;
בִּקֵּשׁ דַּעַת 167,182; בִּקֵּשׁ חָזוֹן 64; בִּקֵּשׁ חָכְמָה 1;
בִּ׳ חֶשְׁבּוֹן 1; בִּ׳ חִשְּׁבֹנוֹת 58; בִּ׳ טוֹבָה 20;
בִּקֵּשׁ כָּזָב 187; בִּקֵּשׁ לֶחֶם 90; בִּקֵּשׁ מָוֶת 123;
בִּקֵּשׁ מָנוֹחַ 142; בִּ׳ מָעוֹז 157; בִּ׳ מִרְעֶה 21;
בִּ׳ (אֶת) נַפְשׁוֹ 4, 26, 41, 55, 56, 76, 79, 92, 98, 103,
104, 107—114, 116—119, 125, 159, 160, 192, 193,
195, 204, 205; בִּ׳ עַל נַפְשׁוֹ 17; בִּ׳ נִרְדָּף 164;
בִּ׳ עֲנָוָה 217; בִּ׳ (אֶת) פָּנָיו 100, 102, 115, 141,
218—220; בִּקֵּשׁ צֶדֶק 216; בִּקֵּשׁ רָע 168;
בִּ׳ רָעָתוֹ 72, 78, 105, 120, 121, 127; בִּ׳ רָצוֹן 162;
בִּ׳ שֶׁבֶר 91; בִּ׳ שָׁלוֹם 63; בִּ׳ תֹּאֲנָה 74;
בִּ׳ תּוֹרָה 191; בִּ׳ תְּפִלָּה 18; בִּ׳ תַּחֲנוּנִים 18

וּבַקֵּשׁ 1 לָדַעַת וְלָתוּר וּבַקֵּשׁ חָכְמָה וְחֶשְׁבּוֹן Eccl. 7:25
לְבַקֵּשׁ 2 הָאֲתֹנוֹת אֲשֶׁר הָלַכְתָּ לְבַקֵּשׁ ISh. 10:2
3 וַיֹּאמֶר לְבַקֵּשׁ אֶת־הָאֲתֹנוֹת ISh. 10:14
4 כִּי־יָצָא שָׁאוּל לְבַקֵּשׁ אֶת־נַפְשׁוֹ ISh. 23:15
5 וַיֵּלֶךְ שָׁאוּל וַאֲנָשָׁיו לְבַקֵּשׁ ISh. 23:25
6 וַיֵּלֶךְ לְבַקֵּשׁ אֶת־דָּוִד וַאֲנָשָׁיו ISh. 24:3(2)
7 לְבַקֵּשׁ אֶת־דָּוִד בְּמִדְבַּר־זִיף ISh. 26:2
8 לְבַקֵּשׁ אֶת־פַּרְעֹשׁ אֶחָד ISh. 26:20
9 וַיַּעֲלוּ...לְבַקֵּשׁ אֶת־דָּוִד IISh. 5:17
10 וַיֵּלֶךְ...לְבַקֵּשׁ אֶת־עֲבָדָיו IK. 2:40
11 מַה־תֵּיטִבִי דַּרְכֵּךְ לְבַקֵּשׁ אַהֲבָה Jer. 2:33
12 בְּצֹאנָם...יֵלְכוּ לְבַקֵּשׁ אֶת־יְיָ Hosh. 5:6
13 יְשׁוֹטְטוּ לְבַקֵּשׁ אֶת־דְּבַר־יְיָ Am. 8:12
14 לְבַקֵּשׁ אֶת־יְיָ צְבָאוֹת בִּירוּשָׁלָםִ Zech. 8:22
15 עֵת לְבַקֵּשׁ וְעֵת לְאַבֵּד Eccl. 3:6
16 יַעֲמֹל הָאָדָם לְבַקֵּשׁ וְלֹא יִמְצָא Eccl. 8:17
17 וְהָמָן עָמַד לְבַקֵּשׁ עַל־נַפְשׁוֹ Es. 7:7
18 לְבַקֵּשׁ תְּפִלָּה וְתַחֲנוּנִים Dan. 9:3
19 לְבַקֵּשׁ מִמֶּנּוּ דֶּרֶךְ יְשָׁרָה Ez. 8:21
20 לְבַקֵּשׁ טוֹבָה לִבְנֵי יִשְׂרָאֵל Neh. 2:10
21 וַיֵּלְכוּ...לְבַקֵּשׁ מִרְעֶה לְצֹאנָם ICh. 4:39
22 וַיַּעֲלוּ...לְבַקֵּשׁ אֶת־דָּוִיד ICh. 14:8
23 לְבַקֵּשׁ אֶת־יְיָ אֱלֹהֵי יִשְׂרָאֵל IICh. 11:16
24 וַיִּקָּבְצוּ יְהוּדָה לְבַקֵּשׁ מֵיְיָ IICh. 20:4
25 בָּאוּ לְבַקֵּשׁ אֶת־יְיָ IICh. 20:4
וּלְבַקֵּשׁ 26 לִרְדָּפְךָ וּלְבַקֵּשׁ אֶת־נַפְשֶׁךָ ISh. 25:29
27 לְחַלּוֹת...וּלְבַקֵּשׁ אֶת־יְיָ צְבָאוֹת Zech. 8:21
28 וּלְבַקֵּשׁ מֵאֵל אָכְלָם Ps. 104:21
29 וּלְבַקֵּשׁ מִלְּפָנָיו עַל־עַמָּהּ Es. 4:8

לְבַקְשֵׁנִי 30 וְנוֹאַשׁ מִמֶּנִּי שָׁאוּל לְבַקְשֵׁנִי עוֹד ISh. 27:1
לְבַקֶּשְׁךָ 31 אֲשֶׁר לֹא־שָׁלַח אֲדֹנִי שָׁם לְבַקֶּשְׁךָ IK. 18:10
לְבַקְשׁוֹ 32 וְלֹא־יָסַף עוֹד לְבַקְשׁוֹ ISh. 27:4
בִּקַּשְׁתִּי 33 בִּקַּשְׁתִּי אֵת שֶׁאָהֲבָה נַפְשִׁי S.ofS. 3:1
34 לֶחֶם הַפֶּחָה לֹא בִקַּשְׁתִּי Neh. 5:18
בִּקַּשְׁתִּיו 35/6 בִּקַּשְׁתִּיו וְלֹא מְצָאתִיו S.ofS. 3:1,2
בִּקַּשְׁתִּיהוּ 37 בִּקַּשְׁתִּיהוּ וְלֹא מְצָאתִיהוּ S.ofS. 5:6
בִּקֵּשׁ 38 כִּי בִקֵּשׁ לְהַדִּיחֲךָ מֵעַל יְיָ Deut. 13:11
39 בִּקֵּשׁ יְיָ לוֹ אִישׁ כִּלְבָבוֹ ISh. 13:14
40 אֲשֶׁר בִּקֵּשׁ יוֹנָתָן לַעֲבֹר ISh. 14:4
41 אֲשֶׁר בִּקֵּשׁ אֶת־נַפְשֶׁךָ IISh. 4:8
42 מִי־בִקֵּשׁ זֹאת מִיֶּדְכֶם רְמֹס חֲצֵרָי Is. 1:12
43 בִּקֵּשׁ קֹהֶלֶת לִמְצֹא דִּבְרֵי־חֵפֶץ Eccl. 12:10
44 חָכְמַת בִּינָה אֲשֶׁר־בִּקֵּשׁ מֵהֶם Dan. 1:20
בִּקֶּשׁ־ 45 בִּקֶּשׁ־לֵץ חָכְמָה וָאָיִן Prov. 14:6
וּבִקֵּשׁ 46 וּבִקֵּשׁ יְיָ מִיַּד אֹיְבֵי דָוִד ISh. 20:16
בִּקְשָׁה 47 עוֹד־בִּקְשָׁה נַפְשִׁי וְלֹא מָצָאתִי Eccl. 7:28
48 לֹא בִקְשָׁה דָּבָר Es. 2:15
וּבִקְשָׁתַם 49 וּבִקְשָׁתַם וְלֹא תִמְצָא Hosh. 2:9
בִּקַּשְׁתֶּם 50 וְאֶת־הָאֹבֶדֶת לֹא בִקַּשְׁתֶּם Ezek. 34:4
וּבִקַּשְׁתֶּם 51 ...וּבִקַּשְׁתֶּם גַּם־כְּהֻנָּה Num. 16:10
52 וּבִקַּשְׁתֶּם מִשָּׁם אֶת־יְיָ אֱלֹהֶיךָ Deut. 4:29
53 וּבִקַּשְׁתֶּם אֹתִי וּמְצָאתֶם Jer. 29:13
בִּקְשׁוּ 54 וַאֲשֶׁר לֹא־בִקְשׁוּ אֶת־יְיָ Zep. 1:6
55 וְעָרִיצִים בִּקְשׁוּ נַפְשִׁי Ps. 54:5
56 וַעֲדַת עָרִיצִים בִּקְשׁוּ נַפְשִׁי Ps. 86:14
57 כִּי־בִקְשׁוּ אֹכֶל לָמוֹ Lam. 1:19
58 וְהֵמָּה בִקְשׁוּ חִשְּׁבֹנוֹת רַבִּים Eccl. 7:29
59 אֲשֶׁר בִּקְשׁוּ לִשְׁלֹחַ יָד בַּמֶּלֶךְ Es. 6:2
60/61 אֵלֶּה בִּקְשׁוּ כְתָבָם Ez. 2:62 • Neh. 7:64
62 בִּקְשׁוּ אֶת־הַלְוִיִּם מִכָּל־מְקוֹמֹתָם Neh. 12:27
וּבִקְשׁוּ 63 וּבִקְשׁוּ שָׁלוֹם וָאָיִן Ezek. 7:25
64 וּבִקְשׁוּ חָזוֹן מִנָּבִיא Ezek. 7:26
65 וּבִקְשׁוּ אֶת־יְיָ אֱלֹהֵיהֶם Hosh. 3:5
66 עַד אֲשֶׁר־יֶאְשְׁמוּ וּבִקְשׁוּ פָנָי Hosh. 5:15
בִּקְשֻׁנִי 67 נִמְצֵאתִי לְלֹא בִקְשֻׁנִי Is. 65:1
בִּקְשֻׁהוּ 68 וְלֹא בִקְשֻׁהוּ בְּכָל־זֹאת Hosh. 7:10
69 וּבְכָל־רְצוֹנָם בִּקְשֻׁהוּ IICh. 15:15
מְבַקֵּשׁ 70 אֶת־אַחַי אָנֹכִי מְבַקֵּשׁ Gen. 37:16
71 כָּל־מְבַקֵּשׁ יְיָ יֵצֵא אֶל־אֹהֶל... Ex. 33:7
72 לֹא־אוֹיֵב לוֹ וְלֹא מְבַקֵּשׁ רָעָתוֹ Num. 35:23
73 אֶת־הָאִישׁ אֲשֶׁר אַתָּה מְבַקֵּשׁ Jud. 4:22
74 תֹאֲנָה הוּא־מְבַקֵּשׁ מִפְּלִשְׁתִּים Jud. 14:4
75 מְבַקֵּשׁ שָׁאוּל אָבִי לַהֲמִיתֶךָ ISh. 19:2
76 מְבַקֵּשׁ אֶת־נַפְשִׁי ISh. 20:1
77 מְבַקֵּשׁ שָׁאוּל לָבוֹא אֶל־קְעִילָה ISh. 23:10
78 הִנֵּה דָוִד מְבַקֵּשׁ רָעָתֶךָ ISh. 24:10(9)
79 הִנֵּה בְנִי...מְבַקֵּשׁ אֶת־נַפְשִׁי IISh. 16:11
80 הָאִישׁ אֲשֶׁר־אַתָּה מְבַקֵּשׁ IISh. 17:3
81 אַתָּה מְבַקֵּשׁ לְהָמִית עִיר וְאֵם בְּיִשְׂ׳ IISh. 20:19
82 וְהִנְּךָ מְבַקֵּשׁ לָלֶכֶת אֶל־אַרְצֶךָ IK. 11:22
83 דְּעוּ־נָא וּרְאוּ כִּי רָעָה זֶה מְבַקֵּשׁ IK. 20:7
84 אִם־יֵשׁ עֹשֶׂה מִשְׁפָּט מְבַקֵּשׁ אֱמוּנָה Jer. 5:1
85 וְאֵין דּוֹרֵשׁ וְאֵין מְבַקֵּשׁ Ezek. 34:6
86 וּמָה הָאֶחָד מְבַקֵּשׁ זֶרַע אֱלֹהִים Mal. 2:15
87 מְכַסֶּה־פֶּשַׁע מְבַקֵּשׁ אַהֲבָה Prov. 17:9
88 עַל־מַה־זֶּה אַתָּה מְבַקֵּשׁ Neh. 2:4
מְבַקֶּשׁ־ 89 מְבַקֶּשׁ־לוֹ נַחֲלָה לָשֶׁבֶת Jud. 18:1
90 וְזַרְעוֹ מְבַקֶּשׁ־לָחֶם Ps. 37:25
91 מַגְבִּיהַּ פִּתְחוֹ מְבַקֶּשׁ־שָׁבֶר Prov. 17:19
וּמְבַקֵּשׁ 92 בְּיַד...אֹיְבוֹ וּמְבַקֵּשׁ נַפְשׁוֹ Jer. 44:30
93 צוֹפֶה...וּמְבַקֵּשׁ לַהֲמִיתוֹ Ps. 37:32

מְבַקְשִׁים 94 כִּי אֹתָהּ אַתֶּם מְבַקְשִׁים Ex. 10:11
95 הֱיִיתֶם מְבַקְשִׁים אֶת־דָּוִד לְמֶלֶךְ IISh. 3:17
96 ...מְבַקְשִׁים אֶת־פְּנֵי שְׁלֹמֹה IK. 10:24
97 הָעֲנִיִּים...מְבַקְשִׁים מַיִם וָאַיִן Is. 41:17
98 אֲשֶׁר מְבַקְשִׁים אֶת־נַפְשֶׁךָ Jer. 38:16
99 הָאָדוֹן אֲשֶׁר־אַתֶּם מְבַקְשִׁים Mal. 3:1
100 רַבִּים מְבַקְשִׁים פְּנֵי־מוֹשֵׁל Prov. 29:26
101 כָּל־עַמָּהּ...מְבַקְשִׁים לֶחֶם Lam. 1:11
102 ...מְבַקְשִׁים אֶת־פְּנֵי שְׁלֹמֹה IICh. 9:23
הַמְבַקְשִׁים 103 הַמְבַקְשִׁים אֶת־נַפְשֶׁךָ Ex. 4:19
104 הַמְבַקְשִׁים אֶת־נַפְשְׁךָ Jer. 11:21
וְהַמְבַקְשִׁים 105 וְהַמְבַקְשִׁים אֶל־אֲדֹנִי רָעָה ISh. 25:26
מְבַקְשֵׁי־ 106 שִׁמְעוּ אֵלַי רֹדְפֵי צֶדֶק מְבַקְשֵׁי יְיָ Is. 51:1
107-110 וּבְיַד מְבַקְשֵׁי נַפְשָׁם Jer. 19:7; 21:7; 34:20,21
111 וּנְתַתִּיךָ בְּיַד מְבַקְשֵׁי נַפְשֶׁךָ Jer. 22:25
112 בְּיַד אֹיְבָיו וּבְיַד מְבַקְשֵׁי נַפְשׁוֹ Jer. 44:30
113 וּנְתַתִּים בְּיַד מְבַקְשֵׁי נַפְשָׁם Jer. 46:26
114 וְלִפְנֵי מְבַקְשֵׁי נַפְשָׁם Jer. 49:37
115 זֶה דּוֹר דֹּרְשָׁו מְבַקְשֵׁי פָנֶיךָ Ps. 24:6
116 יֵבֹשׁוּ וְיִכָּלְמוּ מְבַקְשֵׁי נַפְשִׁי Ps. 35:4
117 מְבַקְשֵׁי נַפְשִׁי וְדֹרְשֵׁי רָעָתִי Ps. 38:13
118 מְבַקְשֵׁי נַפְשִׁי לִסְפּוֹתָהּ Ps. 40:15
119 יֵבֹשׁוּ וְיַחְפְּרוּ מְבַקְשֵׁי נַפְשִׁי Ps. 70:3
120 יַעֲטוּ חֶרְפָּה...מְבַקְשֵׁי רָעָתִי Ps. 71:13
121 כִּי־חָפְרוּ מְבַקְשֵׁי רָעָתִי Ps. 71:24
122 יִשְׂמַח לֵב מְבַקְשֵׁי יְיָ Ps. 105:3
123 הֶבֶל נִדָּף מְבַקְשֵׁי־מָוֶת Prov. 21:6
124 יִשְׂמַח לֵב מְבַקְשֵׁי יְיָ ICh. 16:10
וּמְבַקְשֵׁי 125 אֹיְבֵיהֶם וּמְבַקְשֵׁי נַפְשָׁם Jer. 19:9
126 וּמְבַקְשֵׁי יְיָ יָבִינוּ כֹל Prov. 28:5
בִּמְבַקְשֵׁי 127 לִשְׁלֹחַ יָד בִּמְבַקְשֵׁי רָעָתָם Es. 9:2
מְבַקְשֶׁיךָ 128/9 וְיִשְׂמְחוּ בְּךָ כָּל־מְבַקְשֶׁיךָ Ps. 40:17; 70:5
130 אַל־יִכָּלְמוּ בִי מְבַקְשֶׁיךָ Ps. 69:7
מְבַקְשָׁיו 131 עַל־כָּל־מְבַקְשָׁיו לְטוֹבָה Ez. 8:22
מְבַקְשֶׁיהָ 132 כָּל־מְבַקְשֶׁיהָ לֹא יִיעָפוּ Jer. 2:24
אֲבַקֵּשׁ 133 הֲלוֹא אֲבַקֵּשׁ אֶת־דָּמוֹ מִיֶּדְכֶם IISh. 4:11
134-136 וְדָמוֹ מִיָּדְךָ אֲבַקֵּשׁ Ezek. 3:18, 20; 33:8
137 אֶת־הָאֹבֶדֶת אֲבַקֵּשׁ Ezek. 34:16
138 מֵאַיִן אֲבַקֵּשׁ מְנַחֲמִים לָךְ Nah. 3:7
139 אֲבַקֵּשׁ לְהַשְׁמִיד אֶת־כָּל־הַגּוֹיִם Zech. 12:9
140 אַחַת שָׁאַלְתִּי...אוֹתָהּ אֲבַקֵּשׁ Ps. 27:4
141 אֶת־פָּנֶיךָ יְיָ אֲבַקֵּשׁ Ps. 27:8
אֲבַקֶּשׁ־ 142 הֲלֹא אֲבַקֶּשׁ־לָךְ מָנוֹחַ Ruth 3:1
וָאֲבַקֵּשׁ 143 וָאֲבַקֵּשׁ מֵהֶם אִישׁ גֹּדֵר־גָּדֵר Ezek. 22:30
אֲבַקְשָׁה 144 לְמַעַן...אֲבַקְשָׁה טוֹב לָךְ Ps. 122:9
145 אֲבַקְשָׁה אֵת שֶׁאָהֲבָה נַפְשִׁי S.ofS. 3:2
וָאֲבַקְשָׁה 146 וַיְהִי בִּרְאֹתִי...וָאֲבַקְשָׁה בִינָה Dan. 8:15
אֲבַקְשֶׁנּוּ 147 אוֹסִיף אֲבַקְשֶׁנּוּ עוֹד Prov. 23:35
וָאֲבַקְשֵׁהוּ 148 וָאֲבַקְשֵׁהוּ וְלֹא נִמְצָא Ps. 37:36
תְּבַקֵּשׁ 149 וַיִּשְׁאָלֵהוּ...מַה־תְּבַקֵּשׁ Gen. 37:15
150 אַל־תְּבַקֵּשׁ Jer. 45:5
151 כִּי־תְבַקֵּשׁ לַעֲוֹנִי וּלְחַטָּאתִי תִדְרוֹשׁ Job 10:6
תְּבַקֶּשׁ־ 152 וְאַתָּה תְּבַקֶּשׁ־לְךָ גְדֹלוֹת Jer. 45:5
תְּבַקְשֶׁנּוּ 153 אָנֹכִי אֶעֶרְבֶנּוּ מִיָּדִי תְּבַקְשֶׁנּוּ Gen. 43:9
תְּבַקְשֶׁנָּה 154 אָנֹכִי אֲחַטֶּנָּה מִיָּדִי תְּבַקְשֶׁנָּה Gen. 31:39
155 אִם־תְּבַקְשֶׁנָּה כַכָּסֶף... Prov. 2:4
תְּבַקְשֵׁם 156 תְּבַקְשֵׁם וְלֹא תִמְצָאֵם Is. 41:12
תְּבַקְשִׁי 157 גַּם־אַתְּ תְּבַקְשִׁי מָעוֹז מֵאוֹיֵב Nah. 3:11
יְבַקֵּשׁ 158 יְיָ הוּא יְבַקֵּשׁ Josh. 22:23
159 כִּי אֲשֶׁר־יְבַקֵּשׁ אֶת־נַפְשִׁי ISh. 22:23
160 יְבַקֵּשׁ אֶת־נַפְשֶׁךָ ISh. 22:23
161 הַנַּעַר לֹא־יְבַקֵּשׁ Zech. 11:16

יְבַקֵּשׁ (המשך) 162 שֹׁחֵר טוֹב יְבַקֵּשׁ רָצוֹן Prov.11:27
163 לְתַאֲוָה יְבַקֵּשׁ נִפְרָד Prov.18:1
164 וְהָאֱלֹהִים יְבַקֵּשׁ אֶת־נִרְדָּף Eccl.3:15
165 לָמָּה יְבַקֵּשׁ זֹאת אֲדֹנִי ICh.21:3
יְבַקֶּשׁ־ 166 חָרָשׁ חָכָם יְבַקֶּשׁ־לוֹ Is.40:20
167 לֵב נָבוֹן יְבַקֶּשׁ־דָּעַת Prov.15:14
168 אַךְ מְרִי יְבַקֶּשׁ־רָע Prov.17:11
וַיְבַקֵּשׁ 169 נִכְמְרוּ רַחֲמָיו...וַיְבַקֵּשׁ לִבְכּוֹת Gen.43:30
170 וַיְבַקֵּשׁ לַהֲרֹג אֶת־מֹשֶׁה Ex.2:15
171 וַיִּפְגְּשֵׁהוּ יְיָ וַיְבַקֵּשׁ הֲמִיתוֹ Ex.4:24
172 וַיְבַקֵּשׁ שָׁאוּל לְהַכּוֹת בַּחֲנִית ISh.19:10
173 וַיְבַקֵּשׁ דָּוִד אֶת־הָאֱלֹהִים IISh.12:16
174 וַיְבַקֵּשׁ דָּוִד אֶת־פְּנֵי יְיָ IISh.21:1
175 וַיְבַקֵּשׁ שָׁאוּל לְהַכֹּתָם IISh.21:2
176 וַיְבַקֵּשׁ שְׁלֹמֹה לְהָמִית אֶת־יָרָבְעָם IK.11:40
177 וַיְבַקֵּשׁ הַמֶּלֶךְ הֲמִיתוֹ Jer.26:21
178 וַיְבַקֵּשׁ הָמָן לְהַשְׁמִיד...הַיְּהוּדִים Es.3:6
179 וַיְבַקֵּשׁ מִשַּׂר הַסָּרִיסִים Dan.1:8
180 וַיְבַקֵּשׁ אֶת־אֲחַזְיָהוּ וַיִּלְכְּדֻהוּ IICh.22:9
וַיְבַקְשֵׁהוּ 181 וַיְבַקְשֵׁהוּ שָׁאוּל כָּל־הַיָּמִים ISh.23:14
תְּבַקֶּשׁ־ 182 וְאֹזֶן חֲכָמִים תְּבַקֶּשׁ־דָּעַת Prov.18:15
נְבַקֵּשׁ 183 נָשִׁיב וּמֵהֶם לֹא נְבַקֵּשׁ Neh.5:12
וַנְּבַקְשָׁה 184 וַנְּבַקְשָׁה מֵאֱלֹהֵינוּ עַל־זֹאת Ez.8:23
וּנְבַקְשֶׁנּוּ 185 אָנָה פָּנָה דוֹדֵךְ וּנְבַקְשֶׁנּוּ עִמָּךְ S.ofS.6:1
תְּבַקְשׁוּ 186 אַל־תְּבַקְשׁוּ לְטָמְאָה בָהֶם Lev.19:31
187 תֶּאֱהָבוּן רִיק תְּבַקְשׁוּ כָזָב Ps.4:3
תְּבַקֵּשׁוּן 188 אֶל־הָאִישׁ אֲשֶׁר תְּבַקֵּשׁוּן IIK.6:19
יְבַקְשׁוּ 189 יְבַקְשׁוּ אִישׁ יֹדֵעַ מְנַגֵּן בַּכִּנּוֹר ISh.16:16
190 יְבַקְשׁוּ לַאדֹנִי הַמֶּלֶךְ נַעֲרָה בְתוּלָה IK.1:2
191 וְתוֹרָה יְבַקְשׁוּ מִפִּיהוּ Mal.2:7
192 וְהֵמָּה לְשׁוֹאָה יְבַקְשׁוּ נַפְשִׁי Ps.63:10
193 וִישָׁרִים יְבַקְשׁוּ נַפְשׁוֹ Prov.29:10
194 יְבַקְשׁוּ לַמֶּלֶךְ נְעָרוֹת בְּתוּלוֹת Es.2:2
יְבַקֵּשׁוּ 195 מָאֲסוּ־בָךְ...נַפְשֵׁךְ יְבַקֵּשׁוּ Jer.4:30
196 וְאֶת־יְיָ אֱלֹהֵיהֶם יְבַקֵּשׁוּ Jer.50:4
וִיבַקְשׁוּ 197 יֵלְכוּ־נָא וִיבַקְשׁוּ אֶת־אֲדֹנֶיךָ IIK.2:16
198 וִיבַקְשׁוּ שִׁמְךָ יְיָ Ps.83:17
199 וְיִתְפַּלְלוּ וִיבַקְשׁוּ פָנַי IICh.7:14
וַיְבַקְשׁוּ 200 וַיְבַקְשׁוּ הָרֹדְפִים...וְלֹא מָצָאוּ Josh.2:22
201 מִי עָשָׂה הַדָּבָר...וַיִּדְרְשׁוּ וַיְבַקְשׁוּ Jud.6:29
202 וַיְבַקְשׁוּ וְלֹא מָצָאוּ IISh.17:20
203 וַיְבַקְשׁוּ נַעֲרָה יָפָה בְּכֹל גְּבוּל יִשׂ׳ IK.1:3
204/5 וַיְבַקְשׁוּ אֶת־נַפְשִׁי לְקַחְתָּהּ IK.19:10,14
206 וַיְבַקְשׁוּ שְׁלֹשָׁה־יָמִים וְלֹא מְצָאֻהוּ IIK.2:17
207 וַיְבַקְשׁוּ לָלֶכֶת לְהִתְהַלֵּךְ בָּאָרֶץ Zech.6:7
208 וַיְבַקְשׁוּ לִשְׁלֹחַ יָד בַּמֶּלֶךְ Es.2:21
וַיְבַקְשֻׁהוּ 209 וַיְבַקְשֻׁהוּ וְלֹא נִמְצָא ISh.10:21
210 וַיְבַקְשֻׁהוּ וַיִּמָּצֵא לָהֶם IICh.15:4
בַּקֵּשׁ 211 וְקוּם לֵךְ בַּקֵּשׁ אֶת־הָאֲתֹנֹת ISh.9:3
212 בַּקֵּשׁ שָׁלוֹם וְרָדְפֵהוּ Ps.34:15
213 תָּעִיתִי כְּשֶׂה אֹבֵד בַּקֵּשׁ עַבְדֶּךָ Ps.119:176
בַּקְּשׁוּ 214 בַּקְּשׁוּ־לִי אֵשֶׁת בַּעֲלַת־אוֹב ISh.28:7
215 בַּקְּשׁוּ אֶת־יְיָ כָּל־עַנְוֵי הָאָרֶץ Zep.2:3
216/7 בַּקְּשׁוּ־צֶדֶק בַּקְּשׁוּ עֲנָוָה Zep.2:3
218 לְךָ אָמַר לִבִּי בַּקְּשׁוּ פָנָי Ps.27:8
219 בַּקְּשׁוּ פָנָיו תָּמִיד Ps.105:4
220 בַּקְּשׁוּ פָנָיו תָּמִיד ICh.16:11
וּבַקְּשׁוּ 221 וּדְעוּ וּבַקְּשׁוּ בִרְחוֹבוֹתֶיהָ Jer.5:1
בַּקְּשׁוּנִי 222 לֹא אָמַרְתִּי...תֹּהוּ בַקְּשׁוּנִי Is.45:19
וּתְבֻקְשִׁי 223 וּתְבֻקְשִׁי וְלֹא־תִמָּצְאִי עוֹד Ezek.26:21
יְבֻקַּשׁ 224 יְבֻקַּשׁ אֶת־עֲוֹן יִשְׂרָאֵל וְאֵינֶנּוּ Jer.50:20
וַיְבֻקַּשׁ 225 וַיְבֻקַּשׁ הַדָּבָר וַיִּמָּצֵא Es.2:23

בַּקָּשָׁה נ׳ שאלה: 1—8

בַּקָּשָׁתִי 1 וְלַעֲשׂוֹת אֶת־בַּקָּשָׁתִי Es.5:8
וּבַקָּשָׁתִי 2 שְׁאֵלָתִי וּבַקָּשָׁתִי Es.5:7
בְּבַקָּשָׁתִי 3 נַפְשִׁי בִּשְׁאֵלָתִי וְעַמִּי בְּבַקָּשָׁתִי Es.7:3
בַּקָּשָׁתֵךְ 4-6 וּמַה־בַּקָּשָׁתֵךְ Es.5:3,6; 7:2
7 וּמַה־בַּקָּשָׁתֵךְ עוֹד וְתֵעָשׂ Es.9:12
בַּקָּשָׁתוֹ 8 וַיִּתֶּן־לוֹ...כֹּל בַּקָּשָׁתוֹ Ez.7:6

בַּר¹ ז׳ בֵּן • בַּר־בִּטְנִי 2,4; בַּר־נְדָרַי 3

בַר 1 (?) נַשְּׁקוּ־בַר פֶּן־יֶאֱנַף Ps.2:12
בַּר־ 2-3 וּמַה־בַּר־בִּטְנִי וּמֶה בַּר־נְדָרָי Prov.31:2
בְּרִי 4 מַה־בְּרִי וּמַה־בַּר־בִּטְנִי Prov.31:2

בַּר², בָּר ז׳ תבואה: 1—14

אֵבוּס בָּר 13; מַפַּל בַּר 2; מַשְׂאַת בַּר 1; פִּסַּת בַּר 3

בַר 1 וּמַשְׂאַת־בַּר תִּקְחוּ מִמֶּנּוּ Am.5:11
2 וּמַפַּל בַּר נַשְׁבִּיר Am.8:6
3 יְהִי פִסַּת־בַּר בָּאָרֶץ Ps.72:16
בָר 4 וְיִצְבְּרוּ־בָר תַּחַת יַד־פַּרְעֹה Gen.41:35
5 וַיִּצְבֹּר יוֹסֵף בָּר כְּחוֹל הַיָּם Gen.41:49
6 וַיֵּרְדוּ...לִשְׁבֹּר בָּר מִמִּצְרָיִם Gen.42:3
7 נֹשְׂאֹת בָּר וָלֶחֶם וּמָזוֹן Gen.45:23
בָּר 8 וַיְמַלְאוּ אֶת־כְּלֵיהֶם בָּר Gen.42:25
9 וּמָלְאוּ הַגֳּרָנוֹת בָּר Joel 2:24
10 מָתַי יַעֲבֹר...וְנִפְתְּחָה־בָּר Am.8:5
11 וַעֲמָקִים יַעַטְפוּ־בָר Ps.65:14
12 מֹנֵעַ בָּר יִקְּבֻהוּ לְאוֹם Prov.11:26
13 בְּאֵין אֲלָפִים אֵבוּס בָּר Prov.14:4
הַבָּר 14 מַה־לַתֶּבֶן אֶת־הַבָּר Jer.23:28

בַּר³ ז׳ ארמית: בֵּן [בְּנֵי = בְּנֵי]: 1—19

בַּר אֱלָהִין 7; בְּנֵי אֲנָשָׁא 13; בְּנֵי גָלוּתָא 9—11, 15; בְּנֵי יִשְׂרָאֵל 14; בְּנֵי תוֹרִין 16

בַּר־ 1 וּזְכַרְיָה בַר־עִדּוֹא נְבִיַּאיָּא Ez.5:1
2 זְרֻבָּבֶל בַּר־שְׁאַלְתִּיאֵל Ez.5:2
3 וְיֵשׁוּעַ בַּר־יוֹצָדָק Ez.5:2
4 וּזְכַרְיָה בַּר־עִדּוֹא Ez.6:14
כְּבַר־ 5 ...כְּבַר שְׁנִין שִׁתִּין וְתַרְתֵּין Dan.6:1
6 וַאֲרוּ...כְּבַר אֱנָשׁ אָתֵה הֲוָא Dan.7:13
לְבַר־ 7 וְרֵוֵהּ...דָּמֵה לְבַר־אֱלָהִין Dan.3:25
בְּרֵהּ 8 וְאַנְתְּ בְּרֵהּ בֵּלְשַׁאצַּר Dan.5:22
בְּנֵי־ 9-11 דִּי...מִן־בְּנֵי גָלוּתָא Dan.2:25; 5:13; 6:14
12 וּבְכָל־דִּי דָאְרִין בְּנֵי־אֲנָשָׁא Dan.2:38
13 וּמִן־בְּנֵי אֲנָשָׁא טְרִיד Dan.5:21
14 וַעֲבַדוּ בְנֵי־יִשְׂרָאֵל Ez.6:16
15 וּשְׁאָר בְּנֵי־גָלוּתָא Ez.6:16
וּבְנֵי־ 16 וּבְנֵי תוֹרִין וְדִכְרִין וְאִמְּרִין Ez.6:9
וּבְנוֹהִי 17 וּמְצַלַּיִן לְחַיֵּי מַלְכָּא וּבְנוֹהִי Ez.6:10
18 עַל־מַלְכוּת מַלְכָּא וּבְנוֹהִי Ez.7:23
בְּנֵיהוֹן 19 רְמוֹ אִנּוּן בְּנֵיהוֹן וּנְשֵׁיהוֹן Dan.6:25

בַּר*⁴ ז׳ שָׂדֶה, חוּץ

בַּבָּר 1 יַחְלְמוּ בְנֵיהֶם יִרְבּוּ בַבָּר Job 39:4

בַּר⁵ ת׳ טָהוֹר, נָקִי: 1—6

בַּר לֵבָב 2; בָּרָה כַּחַמָּה 5; בָּרֵי לֵבָב 6; מִצְוָה בָּרָה 3

וּבַר 1 זַךְ לִקְחִי וּבַר הָיִיתִי בְעֵינֶיךָ Job 11:4
וּבַר־ 2 נְקִי כַפַּיִם וּבַר־לֵבָב Ps.24:4
בָּרָה 3 מִצְוַת יְיָ בָּרָה מְאִירַת עֵינָיִם Ps.19:9
4 בָּרָה הִיא לְיוֹלַדְתָּהּ S.ofS.6:9
5 יָפָה כַלְּבָנָה בָּרָה כַּחַמָּה S.ofS.6:10
לְבָרֵי־ 6 אַךְ טוֹב...אֱלֹהִים לְבָרֵי לֵבָב Ps.73:1

בֹּר¹ ז׳ טֹהַר, נִקָּיוֹן: 1—7

בְּבֹר 1 וַהֲזִכּוֹתִי בְּבֹר כַּפָּי Job 9:30
2 וְנִמְלַט בְּבֹר כַּפֶּיךָ Job 22:30
כַּבֹּר 3 וְאֶצְרֹף כַּבֹּר סִיגָיִךְ Is.1:25
כְּבֹר־ 4-5 כְּבֹר יָדַי יָשִׁיב לִי IISh.22:21 • Ps.18:21
6 וַיָּשֶׁב־יְיָ לִי כְצִדְקִי כְּבֹר יָדַי Ps.18:25
כְּבֹרִי 7 וַיָּשֶׁב יְיָ לִי כְּצִדְקָתִי כְּבֹרִי IISh.22:25

בֹּר² ז׳ עֵין בּוֹר

ברא: א) בָּרָא, נִבְרָא; בְּרִיאָה; ש״פ בְּרָאָיָה ב) הִבְרִיא; בָּרִיא; ג) בֵּרֵא

בָּרָא¹ פ׳ א) יצר, עשה: רוב המקראות ב) [נפ׳ נִבְרָא] נוצר: 39—48

בָּרָא אָדָם 1-3, 8, 14, 37; בָּ׳ זָכָר וּנְקֵבָה 21; בָּ׳ חֲדָשָׁה 16; בָּ׳ חָרָשׁ 4; בָּ׳ מַשְׁחִית 5
בּוֹרֵא חֹשֶׁךְ 30; בּ׳ יְרוּשָׁלִַם 29; בּ׳ יִשְׂרָאֵל 24; בּוֹרֵא נִיב שְׂפָתָיִם 26; בּ׳ רוּחַ 32; בּ׳ רָע 31;
בּוֹרֵא הַשָּׁמַיִם 23, 25, 27

בְּרֹא 1 בְּיוֹם בְּרֹא אֱלֹהִים אָדָם Gen.5:1
בָּרָאתִי 2 אֶמְחֶה אֶת־הָאָדָם אֲשֶׁר־בָּרָאתִי Gen.6:7
3 וְאָדָם עָלֶיהָ בָרָאתִי Is.45:12
4 הִנֵּה אָנֹכִי בָּרָאתִי חָרָשׁ Is.54:16
5 וְאָנֹכִי בָּרָאתִי מַשְׁחִית לְחַבֵּל Is.54:16
בְּרָאתִיו 6 בְּרָאתִיו יְצַרְתִּיו אַף־עֲשִׂיתִיו Is.43:7
7 אֲנִי יְיָ בְּרָאתִיו Is.45:8
בָּרָאתָ 8 שָׁוְא בָּרָאתָ כָל־בְּנֵי־אָדָם Ps.89:48
בְּרָאתָם 9 צָפוֹן וְיָמִין אַתָּה בְרָאתָם Ps.89:13
בָּרָא 10 בְּרֵאשִׁית בָּרָא אֱלֹהִים Gen.1:1
11 בְּצֶלֶם אֱלֹהִים בָּרָא אֹתוֹ Gen.1:27
12 זָכָר וּנְקֵבָה בָּרָא אֹתָם Gen.1:27
13 אֲשֶׁר־בָּרָא אֱלֹהִים לַעֲשׂוֹת Gen.2:3
14 בָּרָא אֱלֹהִים אָדָם עַל־הָאָרֶץ Deut.4:32
15 וּרְאוּ מִי־בָרָא אֵלֶּה Is.40:26
16 כִּי־בָרָא יְיָ חֲדָשָׁה בָּאָרֶץ Jer.31:22(21)
וּבָרָא 17 וּבָרָא יְיָ עַל כָּל־מְכוֹן הַר־צִיּוֹן Is.4:5
בְּרָאָהּ 18 וּקְדוֹשׁ יִשְׂרָאֵל בְּרָאָהּ Is.41:20
19 לֹא־תֹהוּ בְרָאָהּ לָשֶׁבֶת יְצָרָהּ Is.45:18
בְּרָאָנוּ 20 הֲלוֹא אֵל אֶחָד בְּרָאָנוּ Mal.2:10
בְּרָאָם 21 זָכָר וּנְקֵבָה בְּרָאָם Gen.5:2
בּוֹרֵא 22 יְיָ בּוֹרֵא קְצוֹת הָאָרֶץ Is.40:28
23 יְיָ בּוֹרֵא הַשָּׁמַיִם וְנוֹטֵיהֶם Is.42:5
24 אֲנִי יְיָ...בּוֹרֵא יִשְׂרָאֵל מַלְכְּכֶם Is.43:15
25 בּוֹרֵא הַשָּׁמַיִם הוּא הָאֱלֹהִים Is.45:18
26 בּוֹרֵא נִיב שְׂפָתָיִם Is.57:19
27 כִּי־הִנְנִי בוֹרֵא שָׁמַיִם חֲדָשִׁים Is.65:17
28 כִּי־אִם־שִׂישׂוּ...אֲשֶׁר אֲנִי בוֹרֵא Is.65:18
29 הִנְנִי בוֹרֵא אֶת־יְרוּשָׁלִַם גִּילָה Is.65:18
וּבוֹרֵא 30 יוֹצֵר אוֹר וּבוֹרֵא חֹשֶׁךְ Is.45:7
31 עֹשֶׂה שָׁלוֹם וּבוֹרֵא רָע Is.45:7
32 כִּי הִנֵּה יוֹצֵר הָרִים וּבֹרֵא רוּחַ Am.4:13
בֹּרַאֲךָ 33 יְיָ בֹּרַאֲךָ יַעֲקֹב וְיֹצֶרְךָ יִשְׂרָאֵל Is.43:1
בּוֹרְאֶיךָ 34 וּזְכֹר אֶת־בּוֹרְאֶיךָ... Eccl.12:1
יִבְרָא 35 וְאִם־בְּרִיאָה יִבְרָא יְיָ Num.16:30
וַיִּבְרָא 36 וַיִּבְרָא אֱל׳ אֶת־הַתַּנִּינִם הַגְּדֹלִים Gen.1:21
37 וַיִּבְרָא אֱלֹהִים אֶת־הָאָדָם Gen.1:27
בְּרָא 38 לֵב טָהוֹר בְּרָא־לִי אֱלֹהִים Ps.51:12
הִבָּרַאֲךָ 39 בְּיוֹם הִבָּרַאֲךָ כּוֹנָנוּ Ezek.28:13
הִבָּרְאָךְ 40 תָּמִים אַתָּה...מִיּוֹם הִבָּרְאָךְ Ezek.28:15
הִבָּרְאָם 41 וַיִּקְרָא אֶת־שְׁמָם אָדָם בְּיוֹם הִבָּרְאָם Gen.5:2
בְּהִבָּרְאָם 42 תּוֹלְדוֹת הַשָּׁמַיִם וְהָאָ׳ בְּהִבָּרְאָם Gen.2:4
נִבְרֵאת 43 בִּמְקוֹם אֲשֶׁר־נִבְרֵאת Ezek.21:35

נִבְרָאוּ 44 נִפְלָאֹת אֲשֶׁר לֹא־נִבְרְאוּ Ex.34:10
45 עַתָּה נִבְרְאוּ וְלֹא מֵאָז Is.48:7
וְנִבְרָאוּ 46 כִּי הוּא צִוָּה וְנִבְרָאוּ Ps.148:5
נִבְרָא 47 וְעַם נִבְרָא יְהַלֶּל־יָהּ Ps.102:19
יִבָּרֵאוּן 48 תְּשַׁלַּח רוּחֲךָ יִבָּרֵאוּן Ps.104:30

(ברא)2 הִבְרִיא הפ׳ האכיל, פטם
לְהַבְרִיאֲכֶם|לְהַבְרִיאֲכֶם מֵרֵאשִׁית כָּל־מִנְחַת יִשְׂ׳ ISh.2:29

בָּרָא3 פ׳ כרת, חטב
וּבָרֵא 1 וּבָרֵא אוֹתְהֶן בְּחַרְבוֹתָם Ezek.23:47
וּבֵרֵאתָ 2 עֲלֵה לְךָ הַיַּעְרָה וּבֵרֵאתָ לְךָ שָׁם Josh.17:15
וּבֵרֵאתוֹ 3 כִּי־יַעַר הוּא וּבֵרֵאתוֹ Josh.17:18
בָּרֵא 4 שִׂים... שְׁנַיִם דְּרָכִים...וְיָד בָּרֵא Ezek.21:24
5 בְּרֹאשׁ דֶּרֶךְ־עִיר בָּרֵא Ezek.21:24

בָּרָא ז׳ ארמית: בר, שדה: 1—8 • חֵיוַת בָּרָא 1,2,5—8
בָּרָא 1 חֵיוַת בָּרָא וְעוֹף־שְׁמַיָּא Dan.2:38
2 תְּחֹתוֹהִי תַּטְלֵל חֵיוַת בָּרָא Dan.4:9
3-4 בְּדִתְאָא דִּי בָרָא Dan.4:12,20
5 תְּחֹתוֹהִי תְּדוּר חֵיוַת בָּרָא Dan.4:18
6-8 חֵיוַת בָּרָא Dan.4:20,22,29

בְּרֹאדַךְ בַּלְאֲדָן שפ״ז — מלך בבל
בְּרֹאדַךְ בַּ׳ 1 שָׁלַח בְּרֹאדַךְ בַּלְאֲדָן...מֶלֶךְ־בָּבֶל IIK.20:12

בִּרְאִי עין בֵּית בִּרְאִי

בְּרָאיָה שפ״ז — ראש בית אב לבנימין בימי דוד
וּבְרָאיָה 1 וַעֲדָיָה וּבְרָאיָה...בְּנֵי שִׁמְעִי ICh.8:21

בַּרְבּוּר* ז׳ עוף־בית, אוז(?)
וּבַרְבֻּרִים 1 לְבַד מֵאַיָּל...וּבַרְבֻּרִים אֲבוּסִים IK.5:3

ברד : בָּרַד; בָּרָד; בָּרֹד; ש״פ בֶּרֶד

בָּרַד פ׳ ירד בָּרָד
בָּרַד 1 וּבָרַד בְּרֶדֶת הַיָּעַר Is.32:19

בֶּרֶד*1 מקום בדרום יהודה
בָּרֶד 1 הִנֵּה בֵין־קָדֵשׁ וּבֵין בָּרֶד Gen.16:14

בֶּרֶד2 שפ״ז — בן שותלח בן אפרים
וּבֶרֶד 1 וּבְנֵי אֶפְרַיִם...וּבֶרֶד בְּנוֹ... ICh.7:20

בָּרָד ז׳ רסיסי מים קפואים היורדים משמים: 1—29
בָּרָד כָּבֵד 1; אֵשׁ וּבָרָד 4, 15; אֶבֶן בָּרָד 8,23; אוֹצְרוֹת בָּרָד 12; זֶרֶם בָּרָד 6

בָּרָד 1 הִנְנִי מַמְטִיר...בָּרָד כָּבֵד מְאֹד Ex.9:18
2 וִיהִי בָרָד בְּכָל־אֶרֶץ מִצְרָיִם Ex.9:22
3 וַיַּמְטֵר יְיָ בָּרָד עַל־אֶרֶץ מִצְרָיִם Ex.9:23
4 וַיְהִי בָרָד וְאֵשׁ מִתְלַקַּחַת Ex.9:24
5 בְּאֶרֶץ גֹּשֶׁן...לֹא הָיָה בָּרָד Ex.9:26
6 כְּזֶרֶם בָּרָד שַׂעַר קָטֶב Is.28:2
7 וְיָעָה בָרָד מַחְסֵה כָזָב Is.28:17
8 נֶפֶץ וָזֶרֶם וְאֶבֶן בָּרָד Is.30:30
9-10 בָּרָד וְגַחֲלֵי־אֵשׁ Ps.18:13,14
11 נָתַן גִּשְׁמֵיהֶם בָּרָד Ps.105:32
12 וְאוֹצְרוֹת בָּרָד תִּרְאֶה Job38:22
וּבָרָד 13 וַיְיָ נָתַן קֹלֹת וּבָרָד Ex.9:23
14 וְרַב מִהְיֹת קֹלֹת אֱלֹהִים וּבָרָד Ex.9:28
15 אֵשׁ וּבָרָד שֶׁלֶג וְקִיטוֹר Ps.148:8
הַבָּרָד 16 וְיָרַד עֲלֵהֶם הַבָּרָד וָמֵתוּ Ex.9:19
17 וְאֵשׁ מִתְלַקַּחַת בְּתוֹךְ הַבָּרָד Ex.9:24
18 וַיַּךְ הַבָּרָד בְּכָל־אֶרֶץ מִצְרַיִם Ex.9:25
19 וְאֵת כָּל־עֵשֶׂב הַשָּׂדֶה הִכָּה הַבָּרָד Ex.9:25

הַבָּרָד (המשך) 20 הַנִּשְׁאֶרֶת לָכֶם מִן־הַבָּרָד Ex.10:5
21 אֵת כָּל־אֲשֶׁר הִשְׁאִיר הַבָּרָד Ex.10:12
22 כָּל־פְּרִי הָעֵץ אֲשֶׁר הוֹתִיר הַבָּרָד Ex.10:15
23 אֲשֶׁר־מֵתוּ בְּאַבְנֵי הַבָּרָד Josh.10:11
וְהַבָּרָד 24 וְהַבָּרָד לֹא יִהְיֶה־עוֹד Ex.9:29
25 וַיַּחְדְּלוּ הַקֹּלוֹת וְהַבָּרָד Ex.9:33
26 כִּי־חָדַל הַמָּטָר וְהַבָּרָד וְהַקֹּלֹת Ex.9:34
בַּבָּרָד 27 יַהֲרֹג בַּבָּרָד גַּפְנָם Ps.78:47
וּבַבָּרָד 28 הִכֵּיתִי אֶתְכֶם... וּבַיֵּרָקוֹן וּבַבָּרָד Hag.2:17
לַבָּרָד 29 וַיַּסְגֵּר לַבָּרָד בְּעִירָם Ps.78:48

בָּרֹד ת׳ מנומר בצבעו: 1—4
בְּרֻדִּים 1 סוּסִים בְּרֻדִּים אֲמֻצִּים Zech.6:3
וּבְרֻדִּים 2/3 עֲקֻדִּים נְקֻדִּים וּבְרֻדִּים Gen.31:10,12
וְהַבְּרֻדִּים 4 וְהַבְּרֻדִּים יָצְאוּ אֶל־אֶרֶץ הַתֵּימָן Zech.6:6

ברה : בָּרָה, הִבְרָה; בָּרוּת, בִּרְיָה; בְּרִית (?)

בָּרָה1 פ׳ אָכַל: 1—5
בָּרָה 1 וְלֹא־בָרָה אִתָּם לָחֶם IISh.12:17
וְאֶבְרֶה 2 ...שְׁתֵּי לְבִבוֹת וְאֶבְרֶה מִיָּדָהּ IISh.13:6
3 הָבִיאִי הַבִּרְיָה...וְאֶבְרֶה מִיָּדֵךְ IISh.13:10
לְהַבְרוֹת 4 ...לְהַבְרוֹת אֶת־דָּוִד לֶחֶם IISh.3:35
וְתַבְרֵנִי 5 תָּבֹא נָא...וְתַבְרֵנִי לֶחֶם IISh.13:5

בָּרָה2 פ׳ צורת־משנה מן ברר, בחר
בְּרוּ 1 בְּרוּ־לָכֶם אִישׁ וְיֵרֵד אֵלָי ISh.17:8

בָּרָה ת״נ עין בַּר5

בָּרוּךְ1 ת׳ [בינוני פעול מן בָּרַךְ, בֵּרֵךְ; עין ברך]
א) מבורך מהולל: 1, 3, 6,18—41, 44, 48, 49, 51, 55—57, 61—63
ב) ששורה עליו ברכת ה׳: 2, 4, 5, 7—17, 42, 43, 45—47, 50, 52—54, 58—60, 34—71

בָּרוּךְ אֵל עֶלְיוֹן 57; בָּרוּךְ אַבְרָם 2; בָּ׳ יְיָ 1, 3, 6,18-41,44,49,56; בָּ׳ אַתָּה 13, 17, 42, 51, 55, 58, 59; בָּ׳ הַבָּא 50; בָּ׳ טַעְמוֹ 60; בָּרוּךְ כְּבוֹד יְיָ 48; בָּ׳ צוּרִי 61, 62; בָּ׳ שֵׁם כְּבוֹדוֹ 63

מְקוֹר בָּרוּךְ 52; בָּרוּךְ יְיָ 64,65; בְּרוּכִים אַתֶּם 68—70; בְּרוּכֵי יְיָ 71; בְּרוּכָה אַתְּ 60, 66

בָּרוּךְ 1 בָּרוּךְ יְיָ אֱלֹהֵי שֵׁם Gen.9:26
2 בָּרוּךְ אַבְרָם לְאֵל עֶלְיוֹן... Gen.14:19
3 בָּרוּךְ יְיָ אֱלֹהֵי אֲדֹנִי אַבְרָהָם Gen.24:27
4 אֹרְרֶיךָ אָרוּר וּמְבָרְכֶיךָ בָּרוּךְ Gen.27:29
5 גַּם־בָּרוּךְ יִהְיֶה Gen.27:33
6 בָּרוּךְ יְיָ אֲשֶׁר הִצִּיל אֶתְכֶם Ex.18:10
7 לֹא תָאֹר.. כִּי בָרוּךְ הוּא Num.22:12
8 מְבָרְכֶיךָ בָרוּךְ וְאֹרְרֶיךָ אָרוּר Num.24:9
9 בָּרוּךְ תִּהְיֶה מִכָּל־הָעַמִּים Deut.7:14
10 בָּרוּךְ אַתָּה בָּעִיר Deut.28:3
11 בָּרוּךְ פְּרִי־בִטְנְךָ Deut.28:4
12 בָּרוּךְ טַנְאֲךָ וּמִשְׁאַרְתֶּךָ Deut.28:5
13 בָּרוּךְ אַתָּה בְּבֹאֶךָ Deut.28:6
14 בָּרוּךְ מַרְחִיב גָּד Deut.33:20
15 בָּרוּךְ מִבָּנִים אָשֵׁר Deut.33:24
16 בָּרוּךְ בְּנִי לַייָ Jud.17:2
17 בָּרוּךְ אַתָּה לַייָ ISh.15:13
18-41 בָּרוּךְ יְיָ (אֱלֹהִים) ISh.25:32,39
IISh.18:28 • IK.1:48; 5:21; 8:15,56 • Zech.11:5 • Ps.28:6; 31:22; 41:14; 66:20; 68:36; 72:18; 89:53; 106:48; 124:6; 135:21; 144:1 • Ruth4:14 • Ez.7:27 • ICh.16:36 • IICh.2:11; 6:4

בָּרוּךְ (המשך) 42 בָּרוּךְ אַתָּה בְּנִי דָוִד ISh.26:25
43 וְהַמֶּלֶךְ שְׁלֹמֹה בָּרוּךְ IK.2:45
44 יְיָ אֱלֹהֶיךָ בָּרוּךְ IK.10:9
45 בָּרוּךְ עַמִּי מִצְרַיִם Is.19:25
46 בָּרוּךְ הַגֶּבֶר אֲשֶׁר יִבְטַח בַּייָ Jer.17:7
47 יוֹם...אַל־יְהִי בָרוּךְ Jer.20:14
48 בָּרוּךְ כְּבוֹד־יְיָ מִמְּקוֹמוֹ Ezek.3:12
49 בָּרוּךְ אֲדֹנָי יוֹם יוֹם Ps.68:20
50 בָּרוּךְ הַבָּא בְּשֵׁם יְיָ Ps.118:26
51 בָּרוּךְ אַתָּה יְיָ לַמְּדֵנִי חֻקֶּיךָ Ps.119:12
52 יְהִי־מְקוֹרְךָ בָרוּךְ Prov.5:18
53 יְהִי מַכִּירֵךְ בָּרוּךְ Ruth2:19
54 בָּרוּךְ הוּא לַייָ Ruth2:20
55 בָּרוּךְ אַתָּה יְיָ אֱלֹהֵי יִשְׂרָאֵל ICh.29:10
56 יְהִי יְיָ אֱלֹהֶיךָ בָּרוּךְ IICh.9:8
וּבָרוּךְ 57 וּבָרוּךְ אֵל עֶלְיוֹן Gen.14:20
58 וּבָרוּךְ אַתָּה בַּשָּׂדֶה Deut.28:3
59 וּבָרוּךְ אַתָּה בְּצֵאתֶךָ Deut.28:6
60 וּבָרוּךְ טַעְמֵךְ וּבְרוּכָה אָתְּ ISh.25:33
61/2 חַי־יְיָ וּבָרוּךְ צוּרִי IISh.22:47 • Ps.18:47
63 וּבָרוּךְ שֵׁם כְּבוֹדוֹ לְעוֹלָם Ps.72:19
בְּרוּךְ־ 64 וַיֹּאמֶר בּוֹא בְּרוּךְ יְיָ Gen.24:31
65 אַתָּה עַתָּה בְּרוּךְ יְיָ Gen.26:29
בְּרוּכָה 66 בְּרוּכָה אַתְּ לַייָ בִּתִּי Ruth3:10
וּבְרוּכָה 67 וּבָרוּךְ טַעְמֵךְ וּבְרוּכָה אָתְּ ISh.25:33
בְּרוּכִים 68 בְּרוּכִים אַתֶּם לַייָ ISh.23:21
69 בְּרֻכִים אַתֶּם לַייָ IISh.2:5
70 בְּרוּכִים אַתֶּם לַייָ Ps.115:15
בְּרוּכֵי־ 71 כִּי זֶרַע בְּרוּכֵי יְיָ הֵמָּה Is.65:23

בָּרוּךְ2 שפ״ז א) בן נריה, סופר לירמיהו הנביא: 1—23
ב) ממחזיקי חומת ירושלים בימי נחמיה: 24
ג) מבני־יהודה שישבו בירושלים בימי נחמיה: 25, 26

בָּרוּךְ 1 וָאֶתֵּן...אֶל־בָּרוּךְ בֶּן־נֵרִיָּה Jer.32:12
2 וָאֲצַוֶּה אֶת־בָּרוּךְ לְעֵינֵיהֶם Jer.32:13
3 אַחֲרֵי תִתִּי...אֶל־בָּרוּךְ בֶּן־נֵרִיָּה Jer.32:16
4 וַיִּקְרָא... אֶת־בָּרוּךְ בֶּן־נֵרִיָּה Jer.36:4
5 וַיִּכְתֹּב בָּרוּךְ מִפִּי יִרְמְיָהוּ Jer.36:4
6-11 בָּרוּךְ בֶּן־נֵרִיָּה(וּ) Jer.36:8,14,32 43:3,6; 45:1
12-23 בָּרוּךְ Jer.36:5,10,13,14,15,16,17,18;36: 19,26,27; 45:2
24 אַחֲרָיו...הֶחֱזִיק בָּרוּךְ בֶּן־זַכַּי° Neh.3:20
25 דָּנִיֵּאל גִּנְּתוֹן בָּרוּךְ Neh.10:7
26 וּמַעֲשֵׂיָה בֶן־בָּרוּךְ בֶּן־כָּל־חֹזֶה Neh.11:5

בְּרוֹמִים ז״ר עין בְּרֹמִים

בָּרוּר ת׳ עין בָּרַר1

בְּרוֹשׁ ז׳ עץ מחטני (הדעה הרווחת — cupressus)
בְּרוֹשׁ רַעֲנָן 5; עֵץ בְּרוֹשִׁים 17; עֲצֵי בְ׳ 6-9,11; צַלְעוֹת בְּ׳ 10; מִבְחַר (מִבְחוֹר) בְּרוֹשִׁים 19, 20

בְּרוֹשׁ 1/2 בְּרוֹשׁ תִּדְהָר וּתְאַשּׁוּר יַחְדָּו Is.41:19; 60:13
3 תַּחַת הַנַּעֲצוּץ יַעֲלֶה בְרוֹשׁ Is.55:13
4 הֵילֵל בְּרוֹשׁ כִּי־נָפַל אֶרֶז Zech.11:2
כִּבְרוֹשׁ 5 אֲנִי כִּבְרוֹשׁ רַעֲנָן מִמֶּנִּי פֶּרְיְךָ נִמְצָא Hosh.14:9
בְּרוֹשִׁים 6 בְּכֹל עֲצֵי בְרוֹשִׁים וּבְכִנֹּרוֹת IISh.6:5
7/8 בַּעֲצֵי אֲרָזִים וּבַעֲצֵי בְרוֹשִׁים IK.5:22; 9:11
9 עֲצֵי אֲרָזִים וַעֲצֵי בְרוֹשִׁים IK.5:24
10 וַיְצַף אֶת־קַרְקַע...בְּצַלְעוֹת בְּרוֹשִׁים IK.6:15
11 וּשְׁתֵּי דַלְתוֹת עֲצֵי בְרוֹשִׁים IK.6:34
12 גַּם־בְּרוֹשִׁים שָׂמְחוּ לְךָ Is.14:8

בְּרוֹשִׁים (המשך)
13 בְּרוֹשִׁים מִשְּׂנִיר בָּנוּ לָךְ Ezek. 27:5
14 בְּרוֹשִׁים לֹא דָמוּ אֶל־סְעַפֹּתָיו Ezek. 31:8
15 חֲסִידָה בְּרוֹשִׁים בֵּיתָהּ Ps. 104:17
16 עֲצֵי אֲרָזִים בְּרוֹשִׁים וְאַלְגּוּמִּים IICh. 2:7
17 וְאֵת הַבַּיִת הַגָּדוֹל חִפָּה עֵץ בְּרוֹשִׁים IICh. 3:5
וְהַבְּרוֹשִׁים 18 וְהַבְּרוֹשִׁים הָרְעָלוּ Nah. 2:4
בְּרוֹשָׁיו 19 קוֹמַת אֲרָזָיו מִבְחוֹר בְּרֹשָׁיו IIK. 19:23
20 קוֹמַת אֲרָזָיו מִבְחַר בְּרוֹשָׁיו Is. 37:24

בְּרוֹת* ז׳ נוסח אחר לעץ בְּרוֹשׁ (?)

בְּרוֹתִים 1 קֹרוֹת בָּתֵּינוּ אֲרָזִים רַהִיטֵנוּ בְּרוֹתִים S.ofS. 1:17

בָּרוֹת, בָּרוּת נ׳ אֹכֶל: 1, 2

לִבְרוֹת 1 בִּשְּׁלוּ יַלְדֵיהֶן הָיוּ לְבָרוֹת לָמוֹ Lam. 4:10
בְּבָרוּתִי 2 וַיִּתְּנוּ בְּבָרוּתִי רֹאשׁ Ps. 69:22

בֵּרוֹתָה עיר בארם צובא

בֵּרוֹתָה 1 חֲמָת בֵּרוֹתָה סִבְרַיִם Ezek. 47:16

בֵּרוֹתַי עין בֵּרֹתַי

בִּרְזָיִת ישוב בנחלת שבט בנימין

בִּרְזָיִת 1 הוּא אֲבִי בִרְזָיִת (כת׳ ברזות) ICh. 7:31

בַּרְזֶל ז׳ א) המתכת הנפוצה (iron): כל המקראות

ב) (בהשאלה) סמל לקושי או לקשיחות: 3, 7, 20, 22, 32, 33, 34, 50, 56, 64, 73

קרובים: בְּדִיל / זָהָב / כֶּסֶף / נְחֹשֶׁת / סִיגִים / עוֹפֶרֶת

בַּרְזֶל וּנְחֹשֶׁת 7, 44—49, 54, 55, 69, 71, 72, 75, 76; בּ׳ עָשׁוֹת 31; בְּרִיחֵי בַרְזֶל 19, 35; גִּיד בּ׳ 20; חֲרוּצוֹת בּ׳ 65; חֲרִיצֵי בּ׳ 58, 67; חָרַשׁ בּ׳ 18, 44; כַּבְלֵי בּ׳ 36; כּוּר הַבּ׳ 56, 60, 64; כְּלִי בּ׳ 1, 16, 46, 69; מַגְזְרוֹת בּ׳ 59; מוֹטוֹת בּ׳ 26; מַחֲבַת בּ׳ 28; מְטִיל בּ׳ 41; נֶשֶׁק בּ׳ 39; עֵט בּ׳ 25, 38; עַמּוּד בּ׳ 22; עֹל בּ׳ 6, 27; עֶרֶשׂ בּ׳ 2; קִיר בּ׳ 29; קַרְנֵי בּ׳ 17, 43; רֶכֶב בּ׳ 9—13; שֵׁבֶט בַּרְזֶל 33

בַּרְזֶל 1 וְאִם־בִּכְלִי בַרְזֶל הִכָּהוּ Num. 35:16
2 הִנֵּה עַרְשׂוֹ עֶרֶשׂ בַּרְזֶל Deut. 3:11
3 אֶרֶץ אֲשֶׁר אֲבָנֶיהָ בַרְזֶל Deut. 8:9
4 לֹא־תָנִיף עֲלֵיהֶם בַּרְזֶל Deut. 27:5
5 וְהָאָרֶץ אֲשֶׁר־תַּחְתֶּיךָ בַּרְזֶל Deut. 28:23
6 וְנָתַן עֹל בַּרְזֶל עַל־צַוָּארֶךָ Deut. 28:48
7 בַּרְזֶל וּנְחֹשֶׁת מִנְעָלֶךָ Deut. 33:25
8 אֲשֶׁר לֹא־הֵנִיף עֲלֵיהֶן בַּרְזֶל Josh. 8:31
9 וְרֶכֶב בַּרְזֶל בְּכָל־הַכְּנַעֲנִי Josh. 17:16
13-10 רֶכֶב בַּרְזֶל Josh. 17:18 • Jud. 1:19; 4:3, 13
14 שֵׁשׁ־מֵאוֹת שְׁקָלִים בַּרְזֶל ISh. 17:7
15 יִמָּלֵא בַרְזֶל וְעֵץ חֲנִית IISh. 23:7
16 וּמַקָּבוֹת וְהַגַּרְזֶן כָּל־כְּלִי בַרְזֶל IK. 6:7
17 וַיַּעַשׂ לוֹ צִדְקִיָּה...קַרְנֵי בַרְזֶל IK. 22:11
18 חָרַשׁ בַּרְזֶל מַעֲצָד וּפָעַל בַּפֶּחָם Is. 44:12
19 וּבְרִיחֵי בַרְזֶל אֲגַדֵּעַ Is. 45:2
20 וְגִיד בַּרְזֶל עָרְפֶּךָ וּמִצְחֲךָ נְחוּשָׁה Is. 48:4
21 וְתַחַת הָאֲבָנִים בַּרְזֶל Is. 60:17
22 וּלְעַמּוּד בַּרְזֶל וּלְחֹמוֹת נְחֹשֶׁת Jer. 1:18
23/4 הֲיָרֹעַ בַּרְזֶל בַּרְזֶל מִצָּפוֹן Jer. 15:12
25 כְּתוּבָה בְּעֵט בַּרְזֶל בְּצִפֹּרֶן שָׁמִיר Jer. 17:1
26 וְעָשִׂיתָ תַחְתֵּיהֶן מֹטוֹת בַּרְזֶל Jer. 28:13
27 עֹל בַּרְזֶל נָתַתִּי עַל־צַוַּאר... Jer. 28:14
28 וְאַתָּה קַח־לְךָ מַחֲבַת בַּרְזֶל Ezek. 4:3
29 וְנָתַתָּה אוֹתָהּ קִיר בַּרְזֶל Ezek. 4:3
30 בְּכֶסֶף בַּרְזֶל בְּדִיל וְעוֹפֶרֶת Ezek. 27:12

בַּרְזֶל (המשך)
31 בַּרְזֶל עָשׁוֹת...בְּמַעֲרָבֵךְ הָיָה Ezek. 27:19
32 כִּי קַרְנֵךְ אָשִׂים בַּרְזֶל Mic. 4:13
33 תְּרֹעֵם בְּשֵׁבֶט בַּרְזֶל Ps. 2:9
34 עִנּוּ בַכֶּבֶל...בַּרְזֶל בָּאָה נַפְשׁוֹ Ps. 105:18
35 וּבְרִיחֵי בַרְזֶל גִּדֵּעַ Ps. 107:16
36 וְנִכְבְּדֵיהֶם בְּכַבְלֵי בַרְזֶל Ps. 149:8
37 בַּרְזֶל בְּבַרְזֶל יָחַד Prov. 27:17
38 בְּעֵט־בַּרְזֶל וְעֹפָרֶת...יֵחָצְבוּן Job 19:24
39 יִבְרַח מִנֵּשֶׁק בַּרְזֶל Job 20:24
40 בַּרְזֶל מֵעָפָר יֻקָּח Job 28:2
41 גְּרָמָיו כִּמְטִיל בַּרְזֶל Job 40:18
42 יַחְשֹׁב לְתֶבֶן בַּרְזֶל Job 41:19
43 וַיַּעַשׂ לוֹ צִדְקִיָּהוּ...קַרְנֵי בַרְזֶל IICh. 18:10
44 וְגַם לְחָרָשֵׁי בַרְזֶל וּנְחֹשֶׁת IICh. 24:12
וּבַרְזֶל 45 לֹטֵשׁ כָּל־חֹרֵשׁ נְחֹשֶׁת וּבַרְזֶל Gen. 4:22
46 וּכְלֵי נְחֹשֶׁת וּבַרְזֶל Josh. 6:19
47 הֹלְכֵי רָכִיל נְחֹשֶׁת וּבַרְזֶל Jer. 6:28
48 נְחֹשֶׁת וּבְדִיל וּבַרְזֶל וְעוֹפֶרֶת Ezek. 22:18
49 כֶּסֶף וּנְחֹשֶׁת וּבַרְזֶל וְעוֹפֶרֶת Ezek. 22:20
50 אֲסִירֵי עֳנִי וּבַרְזֶל Ps. 107:10
51 וּבַרְזֶל לָרֹב לַמִּסְמְרִים ICh. 22:3(2)
52 וּבַרְזֶל מֵאָה־אֶלֶף כִּכָּרִים ICh. 29:7
בְּבַרְזֶל 53 בַּרְזֶל בְּבַרְזֶל יָחַד Prov. 27:17
וּבְבַרְזֶל 54 בְּכֶסֶף וּבְזָהָב וּבִנְחֹשֶׁת וּבְבַרְזֶל Josh. 22:8
הַבַּרְזֶל 55 אֶת־הַנְּחֹשֶׁת אֶת־הַבַּרְזֶל Num. 31:22
56 וַיּוֹצִא אֶתְכֶם מִכּוּר הַבַּרְזֶל Deut. 4:20
57 וְנָשַׁל הַבַּרְזֶל מִן־הָעֵץ Deut. 19:5
58/9 וּבַחֲרִצֵי הַבַּרְזֶל וּבְמַגְזְרֹת הַבַּ׳ IISh. 12:31
60 מִמִּצְרַיִם מִתּוֹךְ כּוּר הַבַּרְזֶל IK. 8:51
61 וְאֶת־הַבַּרְזֶל נָפַל אֶל־הַמָּיִם IIK. 6:5
62 וַיַּשְׁלֶךְ שָׁמָּה וַיָּצֶף הַבַּרְזֶל IIK. 6:6
63 וְתַחַת הַבַּרְזֶל אָבִיא כֶסֶף Is. 60:17
64 מֵאֶרֶץ־מִצְרַיִם מִכּוּר הַבַּרְזֶל Jer. 11:4
65 עַל־דּוּשָׁם בַּחֲרֻצוֹת הַבַּרְזֶל Am. 1:3
66 אִם־קֵהָה הַבַּרְזֶל Eccl. 10:10
67 וּבַחֲרִיצֵי הַבַּרְזֶל וּבַמְּגֵרוֹת ICh. 20:3
68 הַזָּהָב לַזָּהָב...הַבַּרְזֶל לַבַּרְזֶל ICh. 29:2
וְהַבַּרְזֶל 69 וּכְלֵי הַנְּחֹשֶׁת וְהַבַּרְזֶל נָתְנוּ Josh. 6:24
בַּבַּרְזֶל 70 וְנִקַּף סִבְכֵי הַיַּעַר בַּבַּרְזֶל Is. 10:34
71 לַעֲשׂוֹת בַּזָּהָב...בַּנְּחֹשֶׁת בַּבַּרְזֶל IICh. 2:13
וּבַבַּרְזֶל 72 וּבַנְּחֹשֶׁת וּבַבַּרְזֶל וּבָאַרְגְּוָן IICh. 2:6
כַּבַּרְזֶל 73 וְנָתַתִּי אֶת־שְׁמֵיכֶם כַּבַּרְזֶל Lev. 26:19
לַבַּרְזֶל 74 הַזָּהָב לַזָּהָב...הַבַּרְזֶל לַבַּרְזֶל ICh. 29:2
וְלַבַּרְזֶל 75 וְלַנְּחֹשֶׁת וְלַבַּרְזֶל אֵין מִשְׁקָל ICh. 22:14(13)
76 וְלַנְּחֹשֶׁת וְלַבַּרְזֶל אֵין מִסְפָּר ICh. 22:16(15)

בַּרְזִלַּי שפ״ז א) אבי חתנו של שאול המלך: 2

ב) הגלעדי מרוגלים: 1, 3—11

בַּרְזִלַּי 1 וַיֹּאמֶר בַּרְזִלַּי אֶל־הַמֶּלֶךְ IISh. 19:35
2 לְעַדְרִיאֵל בֶּן־בַּרְזִלַּי הַמְּחֹלָתִי IISh. 21:8
3 וְלִבְנֵי בַרְזִלַּי הַגִּלְעָדִי תַּעֲשֶׂה־חֶסֶד IK. 2:7
4 בְּנֵי בַרְזִלַּי אֲשֶׁר לָקַח Ez. 2:61
5/6 מִבְּנוֹת בַּרְזִלַּי הַגִּלְעָדִי Ez. 2:61 • Neh. 7:63
בַּרְזִלָּי 7 וַיֹּאמֶר הַמֶּלֶךְ אֶל־בַּרְזִלָּי IISh. 19:34
וּבַרְזִלַּי 8 וּבַרְזִלַּי הַגִּלְעָדִי מֵרֹגְלִים IISh. 17:27
9 וּבַרְזִלַּי הַגִּלְעָדִי יָרַד מֵרֹגְלִים IISh. 19:32
10 וּבַרְזִלַּי זָקֵן מְאֹד IISh. 19:33
לְבַרְזִלַּי 11 וַיִּשַּׁק הַמֶּלֶךְ לְבַרְזִלַּי וַיְבָרְכֵהוּ IISh. 19:40

ברח : בָּרַח, הִבְרִיחַ; בָּרִיחַ, בְּרִיחַ, מִבְרָח

בָּרַח פ׳ א) נס, נמלט: 1—3, 5—59

ב) נעל, שמש כבריח: 4

ג) [הפ׳ הִבְרִיחַ] הניס: 60, 62—64

ד) [כנ״ל] שמש כבריח: 61

בָּרַח מֵאֵת 19; בּ׳ מִן 18, 30, 52, 59; בּ׳ מִפְּנֵי 7—11, 20, 21, 27, 29, 34, 47; בָּרַח מִלִּפְנֵי 26; בָּרַח מִיַּד־ 1; בָּרַח אֶל־ 2, 6, 54—57

בָּרוֹחַ 1 מִיָּדוֹ בָּרוֹחַ יִבְרָח Job 27:22
בִּבְרֹחַ 2 וַיְהִי בִּבְרֹחַ אֶבְיָתָר...אֶל־דָּוִד ISh. 23:6
לִבְרֹחַ 3 לָמָּה נַחְבֵּאתָ לִבְרֹחַ Gen. 31:27
4 לִבְרֹחַ בְּתוֹךְ הַקְּרָשִׁים Ex. 36:33
5 וַיָּקָם יוֹנָה לִבְרֹחַ תַּרְשִׁישָׁה Jon. 1:3
6 עַל־כֵּן קִדַּמְתִּי לִבְרֹחַ תַּרְשִׁישָׁה Jon. 4:2
בְּבָרְחִי 7 בְּבָרְחִי מִפְּנֵי אַבְשָׁלוֹם אָחִיךָ IK. 2:7
בְּבָרְחֲךָ 8 בְּבָרְחֲךָ מִפְּנֵי עֵשָׂו אָחִיךָ Gen. 35:1
בְּבָרְחוֹ 9 בְּבָרְחוֹ מִפְּנֵי אָחִיו Gen. 35:7
10 בְּבָרְחוֹ מִפְּנֵי אַבְשָׁלוֹם בְּנוֹ Ps. 3:1
11 בְּבָרְחוֹ מִפְּנֵי־שָׁאוּל בַּמְּעָרָה Ps. 57:1
בָּרַח 12 וַיֻּגַּד לְלָבָן...כִּי בָרַח יַעֲקֹב Gen. 31:22
13 וַיֻּגַּד...כִּי בָרַח הָעָם Ex. 14:5
14 וְדָוִד בָּרַח וַיִּמָּלֵט ISh. 19:18
15 וַיֻּגַּד לְשָׁאוּל כִּי־בָרַח דָּוִד גַּת ISh. 27:4
16/7 וְאַבְשָׁלוֹם בָּרַח וַיֵּלֶךְ... IISh. 13:37, 38
18 בָּרַח מִן־הָאָרֶץ מֵעַל אַבְשָׁלוֹם IISh. 19:10
19 אֲשֶׁר בָּרַח מֵאֵת הֲדַדְעֶזֶר IK. 11:23
20 אֲשֶׁר בָּרַח מִפְּנֵי הַמֶּלֶךְ שְׁלֹמֹה IK. 12:2
21 אֲשֶׁר בָּרַח מִפְּנֵי שְׁלֹמֹה הַמֶּלֶךְ IICh. 10:2
בָּרְחוּ 22 וְיָמַי...בָּרְחוּ לֹא־רָאוּ טוֹבָה Job 9:25
בָּרָחוּ 23 כָּל־נִמְצָאַיִךְ...מֵרָחוֹק בָּרָחוּ Is. 22:3
בּוֹרֵחַ 24 עַל־בְּלִי הִגִּיד לוֹ כִּי בֹרֵחַ הוּא Gen. 31:20
25 וְכִי יָדְעוּ כִּי־בֹרֵחַ הוּא ISh. 22:17
26 כִּי־מִלִּפְנֵי יְיָ הוּא בֹרֵחַ Jon. 1:10
בּוֹרַחַת 27 מִפְּנֵי שָׂרַי גְּבִרְתִּי אָנֹכִי בֹּרַחַת Gen. 16:8
28 מִקּוֹל פָּרָשׁ...בֹּרַחַת כָּל־הָעִיר Jer. 4:29
אֶבְרָח 29 וְאָנָה מִפָּנֶיךָ אֶבְרָח Ps. 139:7
יִבְרַח 30 יִבְרַח מִנֵּשֶׁק בַּרְזֶל Job 20:24
יִבְרָח 31 מִיָּדוֹ בָּרוֹחַ יִבְרָח Job 27:22
32 הַאִישׁ כָּמוֹנִי יִבְרָח Neh. 6:11
וַיִּבְרַח 33 וַיִּבְרַח הוּא וְכָל־אֲשֶׁר־לוֹ Gen. 31:21
34 וַיִּבְרַח מֹשֶׁה מִפְּנֵי פַרְעֹה Ex. 2:15
35 וַיָּנָס יוֹתָם וַיִּבְרַח וַיֵּלֶךְ בְּאֵרָה Jud. 9:21
36 וַיִּבְרַח כַּצֵּל וְלֹא יַעֲמוֹד Job 14:2
46-37 וַיִּבְרַח Jud. 11:3
ISh. 19:12; 20:1; 21:11; 22:10 • IISh. 13:34 • IK. 11:17, 40 • Jer. 26:21 • Hosh. 12:13
וַתִּבְרַח 47 וַתְּעַנֶּהָ שָׂרַי וַתִּבְרַח מִפָּנֶיהָ Gen. 16:6
וְנִבְרָחָה 48 וַיֹּאמֶר...קוּמוּ וְנִבְרָחָה IISh. 15:14
יִבְרְחוּ 49 וְכָל־אַנְשֵׁי הַמִּלְחָמָה יִבְרְחוּ Jer. 52:7
וַיִּבְרְחוּ 50 וַיִּבְרְחוּ הַבְּאֵרֹתִים גִּתָּיְמָה IISh. 4:3
51 וַיִּבְרְחוּ שְׁנֵי־עֲבָדִים לְשִׁמְעִי IK. 2:39
52 וַיִּבְרְחוּ וַיֵּצְאוּ לַיְלָה מִן־הָעִיר Jer. 39:4
53 וַיִּבְרְחוּ בְּהֵחָבֵא Dan. 10:7
54 וַיִּבְרְחוּ אִישׁ־לְשָׂדֵהוּ Neh. 13:10
בְּרַח 55 בְּרַח־לְךָ אֶל־לָבָן אָחִי Gen. 27:43
56 וְעַתָּה בְּרַח־לְךָ אֶל־מְקוֹמֶךָ Num. 24:11
57 חֹזֶה לֵךְ בְּרַח־לְךָ אֶל־אֶ׳ יְהוּדָה Am. 7:12
58 בְּרַח דּוֹדִי וּדְמֵה־לְךָ לִצְבִי S.ofS. 8:14
בִּרְחוּ 59 צְאוּ מִבָּבֶל בִּרְחוּ מִכַּשְׂדִּים Is. 48:20
הִבְרִיחוּ 60 הֵמָּה הִבְרִיחוּ אֶת־יוֹשְׁבֵי גַת ICh. 8:13
מַבְרִיחַ 61 מַבְרִחַ מִן־הַקָּצֶה אֶל־הַקָּצֶה Ex. 26:28
וָאַבְרִיחֵהוּ 62 וָאַבְרִיחֵהוּ מֵעָלָי Neh. 13:28
יַבְרִיחַ 63 מְשַׁדֶּד־אָב יַבְרִיחַ אֵם Prov. 19:26
יַבְרִיחֶנּוּ 64 לֹא־יַבְרִיחֶנּוּ בֶן־קָשֶׁת Job 41:20
וַיַּבְרִיחוּ 65 וַיַּבְרִיחוּ אֶת־כָּל־הָעֲמָקִים ICh. 12:16(15)

בַּרְחוּמִי ת׳ מן העיר בַּחוּרִים (?)

הַבַּרְחֻמִי 1 עַזְמָוֶת הַבַּרְחֻמִי IISh.23:31

בְּרִי עיין רִי

בֵּרִי שפ״ז – איש משבט אָשֵׁר

וּבֵרִי 1 וְשׁוּעָל וּבֵרִי וְיִמְרָה ICh.7:36

בָּרִיא ת׳ שָׁמֵן: 1–14

אִישׁ בָּרִיא 1; בָּרִיא אוּלָם 2; בְּרִיאֵי בָשָׂר 8, 10; בְּשַׂר בְּרִיאָה 5; מַאֲכָל בְּרִיאָה 3; שֶׂה בְּרִיָּה 6

בָּרִיא 1 וְעֶגְלוֹן אִישׁ בָּרִיא מְאֹד Jud.3:17
וּבָרִיא 2 אֵין חַרְצֻבּוֹת לְמוֹתָם וּבָרִיא אוּלָם Ps.73:4
בְּרִאָה 3 בָּהֵמָּה שָׁמֵן חֶלְקוֹ וּמַאֲכָלוֹ בְּרִאָה Hab.1:16
הַבְּרִיאָה 4 הַבְּרִיאָה תִּזְבָּחוּ Ezek.34:3
5 וּבְשַׂר הַבְּרִיאָה יֹאכַל Zech.11:16
בִּרְיָה 6 בֵּין־שֶׂה בִרְיָה וּבֵין שֶׂה רָזָה Ezek.34:20
בְּרִאִים 7 עֲשָׂרָה בָקָר בְּרִאִים IK.5:3
וּבְרִיאֵי־ 8 מַרְאֵיהֶם טוֹב וּבְרִיאֵי בָּשָׂר Dan.1:15
בְּרִיאוֹת 9 שֶׁבַע שִׁבֳּלִים...בְּרִיאוֹת וְטֹבוֹת Gen.41:5
בְּרִיאוֹת־ 10 בְּרִיאוֹת בָּשָׂר וִיפֹת תֹּאַר Gen.41:18
וּבְרִיאוֹת־ 11 יְפוֹת מַרְאֶה וּבְרִיאֹת בָּשָׂר Gen.41:2
הַבְּרִיאוֹת 12 שֶׁבַע הַשִּׁבֳּלִים הַבְּרִיאוֹת Gen.41:7
13 שֶׁבַע הַפָּרוֹת...הַבְּרִיאֹת Gen.41:20
וְהַבְּרִיאוֹת 14 יְפֹת הַמַּרְאֶה וְהַבְּרִיאֹת Gen.41:4

בְּרִיאָה נ׳ יצירה

בְּרִיאָה 1 וְאִם־בְּרִיאָה יִבְרָא יְיָ Num.16:30

בִּרְיָה נ׳ אוֹכֶל: 1–3 [עַיֵּן גם בָּרִיא 6]

הַבִּרְיָה 1 וְעָשְׂתָה לְעֵינַי אֶת־הַבִּרְיָה IISh.13:5
2 לְכִי נָא...וַעֲשִׂי־לוֹ הַבִּרְיָה IISh.13:7
3 הָבִיאִי הַבִּרְיָה הַחֶדֶר IISh.13:10

בָּרִיחַ[1] ז׳ פליט (?)

בָּרִיחִים 1 וְהוֹרַדְתִּי בָרִיחִים כֻּלָּם Is.43:14
בְּרִיחֶיהָ 2 בְּרִיחֶהָ עַד־צֹעַר Is.15:5

בָּרִיחַ[2] ז׳ [רק בצרוף: נָחָשׁ בָּרִיחַ–נחש אגדי, מפלצת]: 2,1

בָּרִיחַ 1 יִפְקֹד יְיָ...עַל לִוְיָתָן נָחָשׁ בָּרִחַ Is.27:1
2 חֹלְלָה יָדוֹ נָחָשׁ בָּרִחַ Job26:13

בָּרִיחַ[3] שפ״ז – מצאצאיו של דוד אחרי גלות בבל

וּבָרִיחַ 1 וּבְנֵי שְׁמַעְיָה חַטּוּשׁ וְיִגְאָל וּבָרִיחַ ICh.3:22

בְּרִיחַ ז׳ מוט מחבר (דלת, שער וכדומה): 1–40

בְּרִיחַ וּדְלָתַיִם 1, 2, 4, 5, 7, 8, 18; בְּרִיחַ אַרְמוֹן 12; בְּ׳ בַּרְזֶל 25, 26; בְּ׳ דַּמֶּשֶׂק 3; בְּ׳ נְחֹשֶׁת 6; בְּ׳ שְׁעָרִים 24; הַבְּרִיחַ הַתִּיכוֹן 9, 11

בְּרִיחַ 1 לֹא־דְלָתַיִם וְלֹא־בְרִיחַ לוֹ Jer.49:31
2 וָאָשִׂים בְּרִיחַ וּדְלָתָיִם Job38:10
3 וְשָׁבַרְתִּי בְּרִיחַ דַּמֶּשֶׂק Am.1:5
וּבְרִיחַ 4 חוֹמָה גְבֹהָה דְּלָתַיִם וּבְרִיחַ Deut.3:5
5 כִּי נִסְגַּר לָבוֹא בְּעִיר דְּלָתַיִם וּבְרִיחַ ISh.23:7
6 חוֹמָה וּבְרִיחַ נְחֹשֶׁת IK.4:13
7 וּבְרִיחַ וּדְלָתַיִם אֵין לָהֶם Ezek.38:11
8 עָרֵי מָצוֹר חוֹמוֹת דְּלָתַיִם וּבְרִיחַ IICh.8:5
הַבְּרִיחַ 9 וַיַּעַשׂ אֶת־הַבְּרִיחַ הַתִּיכֹן Ex.36:33
10 וַיִּסָּעֵם עִם הַבְּרִיחַ Jud.16:3
וְהַבְּרִיחַ 11 וְהַבְּרִיחַ הַתִּיכֹן בְּתוֹךְ הַקְּרָשִׁים Ex.26:28
כִּבְרִיחַ־ 12 וּמִדְיָנִים כִּבְרִיחַ אַרְמוֹן Prov.18:19

בְּרִיחִם 13 וְעָשִׂיתָ בְרִיחִם עֲצֵי שִׁטִּים Ex.26:26
14-17 וַחֲמִשָּׁה בְרִיחִם Ex.26:27[2]; 36:32[2]
וּבְרִיחִים 18 חוֹמָה וּמִגְדָּלִים דְּלָתַיִם וּבְרִיחִים IICh.14:6
הַבְּרִיחִים 19 וְצִפִּיתָ אֶת־הַבְּרִיחִם זָהָב Ex.26:29
20 וַיְצַף אֶת־הַבְּרִיחִם זָהָב Ex.36:34
לַבְּרִיחִים 21/2 בָּתִּים לַבְּרִיחִם Ex.26:29; 36:34
בְּרִיחֵי־ 23 וַיַּעַשׂ בְּרִיחֵי עֲצֵי שִׁטִּים Ex.36:31
24 כִּי־חִזַּק בְּרִיחֵי שְׁעָרָיִךְ Ps.147:13
וּבְרִיחֵי־ 25 וּבְרִיחֵי בַרְזֶל אֲגַדֵּעַ Is.45:2
26 וּבְרִיחֵי בַרְזֶל גִּדֵּעַ Ps.107:16
בְּרִיחָיִךְ 27 אָכְלָה אֵשׁ בְּרִיחָיִךְ Nah.3:13
בְּרִיחָיו 28 אֶת־בְּרִיחָו אֶת־עַמֻּדָיו Ex.35:11
29 בְּרִיחָו וְעַמֻּדָיו וַאֲדָנָיו Ex.39:33
30 וַיִּתֵּן אֶת־בְּרִיחָיו Ex.40:18
וּבְרִיחָיו 31/2 וּבְרִיחָיו וְעַמֻּ(ו)דָיו וַאֲדָנָיו Num.3:36; 4:31
33-37 דַּלְתֹתָיו (ו)מַנְעֻ(ו)לָיו וּבְרִיחָיו Neh.3:3
3:6, 13, 14, 15
בְּרִיחֶיהָ 38 נִשְׁבְּרוּ בְרִיחֶיהָ Jer.51:30
39 הָאָרֶץ בְּרִחֶיהָ בַעֲדִי לְעוֹלָם Jon.2:7
40 אִבַּד וְשִׁבַּר בְּרִיחֶיהָ Lam.2:9

בֵּרִים שם מקום (?)

הַבֵּרִים 1 אָבֵלָה וּבֵית מַעֲכָה וְכָל־הַבֵּרִים IISh.20:14

בְּרִיעָה שפ״ז א) בן אָשֵׁר: 11,7,6,4,2,1
ב) בן אפרים: 3
ג) בן בנימין: 8,5
ד) לוי מבני גרשון בימי דוד: 10,9

בְּרִיעָה 1 וּבְנֵי בְרִיעָה חֶבֶר וּמַלְכִּיאֵל Gen.46:17
2 לִבְנֵי בְרִיעָה לְחֶבֶר... Num.26:45
3 וַיִּקְרָא אֶת־שְׁמוֹ בְּרִיעָה ICh.7:23
4 ...נֵי בְרִיעָה חֶבֶר וּמַלְכִּיאֵל ICh.7:31
5 מִיכָאֵל וְיִשְׁפָּה וְיוֹחָא בְּנֵי בְרִיעָה ICh.8:16
וּבְרִיעָה 6 וּבְנֵי אָשֵׁר...וְיִשְׁוִי וּבְרִיעָה Gen.46:17
7 בְּנֵי אָשֵׁר...וְיִשְׁוִי וּבְרִיעָה ICh.7:30
8 וּבְרִעָה וָשֶׁמַע הֵמָּה רָאשֵׁי הָאָבוֹת ICh.8:13
9 וּבְנֵי שִׁמְעִי...וִיעוּשׁ וּבְרִיעָה ICh.23:10
10 וִיעוּשׁ וּבְרִיעָה לֹא הִרְבּוּ בָנִים ICh.23:11
לִבְרִיעָה 11 לִבְרִיעָה מִשְׁפַּחַת הַבְּרִיעִי Num.26:44

בְּרִיעִי ת׳ המתיַחס על בְּרִיעָה (א)

הַבְּרִיעִי 1 לִבְרִיעָה מִשְׁפַּחַת הַבְּרִיעִי Num.26:44

בְּרִית נ׳ חוזה אמונים וידידות בין בני־אדם, וביחוד: הקשר שבין עם ישראל לאלהים מימי האבות ועד דור אחרון – רוב המקראות

קרובים: אֲמָנָה / חוֹזֶה / חָזוּת

– בְּרִית חֲדָשָׁה 49; בְּ׳ כְּתוּבָה 87; בְּ׳ נֶאֱמָנָה 248 בְּרִית אַבְרָם 117; בְּ׳ אָבוֹת 171, 179; בְּ׳ אַחִים 177; בְּ׳ אֱלֹהִים 129, 180, 182, 193; בְּ׳ הַלֵּוִי 178; בְּ׳ הַכְּהֻנָּה 190; בְּ׳ יְיָ 131, 132, 135–170, 172–174; בְּ׳ מֶלַח 133, 186; בְּ׳ עַבְדּוֹ 181; בְּ׳ עוֹלָם 116, 118–128, 188, 194–196; בְּ׳ עָם 197, 198; בְּ׳ קֹדֶשׁ 183-185; בְּ׳ רִאשֹׁנִים 130; בְּ׳ שָׁלוֹם 175/6, 187;

– אוֹת בְּרִית 1, 3, 61, 62; אָלוֹת הַבְּ׳ 87; אַנְשֵׁי בְ׳ 257; אֲרוֹן (הַ)בְּ׳ 88–94, 136–170; אֶרֶץ הַבְּ׳ 102; אֵשֶׁת בְּ׳ 258; דִּבְרֵי הַבְּ׳ 64, 76-84; דַּם הַבְּ׳ 63, 262; לוּחוֹת הַבְּ׳ 73–75; מַלְאַךְ הַבְּ׳ 103; מָסֹרֶת הַבְּ׳ 102; מַרְשִׁיעֵי בְ׳ 58; נְגִיד בְּ׳ 57; נְקַם בְּ׳ 43; סֵפֶר הַבְּ׳ 62, 96, 97, 99; שׁוֹמֵר הַבְּ׳ 66–71, 246

– הִגְבִּיר בְּרִית 56; הִגִּיד בְּ׳ 265; הוֹדִיעַ בְּ׳ 281; הָיְתָה בְּ׳ 241, 242; הֵפֵר בְּ׳ 47, 50-52, 213, 217–227, 252, 255, 256, 272; הֵקִים בְּ׳ 199–206, 214, 266; זָכַר בְּ׳ 116, 207, 215, 228, 230, 239, 264, 276–278, 280; חִלֵּל בְּ׳ 245, 274; כִּפֶּר בְּ׳ 283; כָּרַת בְּרִית 2, 4-42, 46, 48, 49, 54, 55, 59, 65, 85, 86, 95, 98, 100, 104–107, 114, 175, 176, 243, 251; מָאַס בְּ׳ 269; נִאֵר בְּ׳ 181; נָצַר בְּ׳ 260, 273; נָשָׂא בְ׳ 244; נָתַן בְּ׳ 208, 231; עָבַר בְּ׳ 53, 172, 173, 232, 233, 238, 240, 267, 270; עָזַב בְּ׳ 174, 253, 254; צִוָּה בְּ׳ 279; שָׁמַר בְּ׳ 66-72, 180, 210, 211, 216, 234, 246, 271

– בָּא בִבְרִית 108, 111, 112; הֵבִיא בִבְ׳ 192; הֶחֱזִיק בִּבְ׳ 249, 250; נֶאֱמַן בִּבְ׳ 282; עָבַר בִּבְ׳ 191; עָמַד בִּבְ׳ 110; שָׁלַח בִּבְ׳ 109; שִׁקֵּר בִּבְ׳ 261; הִבִּיט לַבְּרִית 115

בְּרִית 1 וְהָיְתָה לְאוֹת בְּרִית Gen.9:13
2 כָּרַת יְיָ אֶת־אַבְרָם בְּרִית לֵאמֹר Gen.15:18
3 וְהָיָה לְאוֹת בְּרִית בֵּינִי וּבֵינֵיכֶם Gen.17:11
4 וַיִּכְרְתוּ שְׁנֵיהֶם בְּרִית Gen.21:27
5 וַיִּכְרְתוּ בְרִית בִּבְאֵר שָׁבַע Gen.21:32
6 וְנִכְרְתָה בְרִית עִמָּךְ Gen.26:28
7 נִכְרְתָה בְרִית אֲנִי וָאָתָּה Gen.31:44
8 לֹא־תִכְרֹת לָהֶם...בְּרִית Ex.23:32
9 הִנֵּה אָנֹכִי כֹּרֵת בְּרִית Ex.34:10
10-42 כָּרַת (כּוֹרֵת, יִכְרֹת וכו׳) בְּרִית Ex.34:12
34:15, 27 • Deut. 5:2; 7:2 • Josh. 9:6, 7, 11; 7 15, 16; 24:25 • Jud. 2:2 • ISh. 11:1; 18:3; 23:18 • IISh. 3:13, 21; 5:3 • IK. 5:26; 20:34 • IIK. 11:4 • Is. 28:15 • Jer. 34:8, 13 • Ezek. 17:13 • Hosh. 2:20; 10:4 • Ps. 83:6 • Job 40:28 • Ez. 10:3 • ICh. 11:3 • IICh. 23:3, 16

43 חֶרֶב נֹקֶמֶת נְקַם־בְּרִית Lev.26:25
44/5 בְּרִית בֵּינִי וּבֵינֶךָ IK.15:19 • IICh.16:3
46 וַיִּכְרֹת יְיָ אִתָּם בְּרִית IIK.17:35
47 הֵפֵר בְּרִית מָאַס עָרִים Is.33:8
48 וְכָרַתִּי...בְּרִית חֲדָשָׁה Jer.31:31(30)
49 וַתִּכְרְתוּ בְרִית לְפָנַי Jer.34:15
50 אֲשֶׁר־בָּזִית אָלָה לְהָפֵר בְּרִית Ezek.16:59
51 וְהֵפֵר בְּרִית וְנִמְלָט Ezek.17:15
52 וּבָזָה אָלָה לְהָפֵר בְּרִית Ezek.17:18
53 וְהֵמָּה כְּאָדָם עָבְרוּ בְרִית Hosh.6:7
54 כָּרַתִּי בְרִית לִבְחִירִי Ps.89:4
55 בְּרִית כָּרַתִּי לְעֵינָי Job31:1
56 וְהִגְבִּיר בְּרִית לָרַבִּים Dan.9:27
57 ...וְגַם נְגִיד בְּרִית Dan.11:22
58 וּמַרְשִׁיעֵי בְרִית יַחֲנִיף בַּחֲלַקּוֹת Dan.11:32
59 לִכְרוֹת בְּרִית לַייָ אֱלֹהֵי יִשְׂרָאֵל IICh.29:10
הַבְּרִית 60/1 זֹאת אוֹת־הַבְּרִית Gen.9:12, 17
62 וַיִּקַּח סֵפֶר הַבְּרִית וַיִּקְרָא Ex.24:7
63 הִנֵּה דַם־הַבְּרִית אֲשֶׁר כָּרַת Ex.24:8
64 דִּבְרֵי הַבְּרִית עֲשֶׂרֶת הַדְּבָרִים Ex.34:28
65 כָּרַת יְיָ אֶת־הַבְּרִית הַזֹּאת Deut.5:3
66-71 שֹׁמֵר הַבְּרִית וְהַחֶסֶד Deut.7:9
IK.8:23 • Dan.9:4 • Neh.1:5, 32 • IICh.6:14
72 וְשָׁמַר...אֶת־הַבְּרִית וְאֶת־הַחֶסֶד Deut.7:12
73 לוּחֹת הָאֲבָנִים לוּחֹת הַבְּרִית Deut.9:9
74 לֻחֹת הָאֲבָנִים לֻחוֹת הַבְּרִית Deut.9:11
75 וּשְׁנֵי לֻחֹת הַבְּרִית עַל שְׁתֵּי יָדָי Deut.9:15
76 אֵלֶּה דִבְרֵי הַבְּרִית אֲשֶׁר־צִוָּה יְיָ Deut.28:69
77-84 דִּבְרֵי הַבְּרִית Deut.29:8
IIK.23:3 • Jer.11:2, 3, 6, 8; 34:18 • IICh.34:31

הַבְּרִית (המשך)

85 מִלְּבַד הַבְּרִית אֲשֶׁר־כָּרַת אִתָּם Deut.28:69
86 אָנֹכִי כֹּרֵת אֶת־הַבְּרִית הַזֹּאת Deut.29:13
87 כְּכֹל אָלוֹת הַבְּרִית הַכְּתוּבָה Deut.29:20
88 שְׂאוּ אֶת־אֲרוֹן הַבְּרִית Josh.3:6
89-93 אֲרוֹן(־)הַבְּרִית Josh.3:6,8,11; 4:9; 6:6
94 נֹשְׂאֵי הָאָרוֹן הַבְּרִית לִפְנֵי הָעָם Josh.3:14
95 וַיִּכְרֹת יְהוֹיָדָע אֶת־הַבְּרִית IK.11:17
96/7 דִּבְרֵי סֵפֶר הַבְּרִית IIK.23:2 • IICh.34:30
98 וַיִּכְרֹת אֶת־הַבְּרִית לִפְנֵי יְיָ IIK.23:3
99 כַּכָּתוּב עַל סֵפֶר הַבְּרִית הַזֶּה IIK.23:21
100 זֹאת הַבְּרִית אֲשֶׁר אֶכְרֹת Jer.31:33(32)
101 וְהֵבֵאתִי אֶתְכֶם בְּמָסֹרֶת הַבְּר׳ Ezek.20:35
102 כּוּשׁ...וּבְנֵי אֶרֶץ הַבְּרִית Ezek.30:5
103 וּמַלְאַךְ הַבְּרִית...הִנֵּה־בָא Mal.3:1
104 וְכָרוֹת עִמּוֹ הַבְּרִית Neh.9:8
105 לְמַעַן הַבְּרִית אֲשֶׁר כָּרַת IICh.21:7
106 וַיִּכְרֹת אֶת־הַבְּרִית לִפְנֵי יְיָ IICh.34:31

וְהַבְּרִית
107 וְהַבְּרִית אֲשֶׁר־כָּרַתִּי אִתְּכֶם IIK.17:38

בִּבְרִית
108 וָאָבוֹא בִבְרִית אֹתָךְ Ezek.16:8

בַּבְּרִית
109 וַאֲנִי בַּבְּרִית אֲשַׁלְּחֶךָּ IK.20:34
110 וַיַּעֲמֹד כָּל־הָעָם בַּבְּרִית IIK.23:3
111 וְכָל־הָעָם אֲשֶׁר־בָּאוּ בַבְּרִית Jer.34:10
112 וַיָּבֹאוּ בַבְּרִית לִדְרוֹשׁ אֶת־יְיָ IICh.15:12
113 וַיִּקַּח...עִמּוֹ בַבְּרִית IICh.23:1

כַּבְּרִית
114 לֹא כַבְּרִית אֲשֶׁר כָּרַתִּי Jer.31:32(31)

לַבְּרִית
115 הַבֵּט לַבְּרִית Ps.74:20

בְּרִית־
116 וּרְאִיתִיהָ לִזְכֹּר בְּרִית עוֹלָם Gen.9:16
117 וְהֵם בַּעֲלֵי בְרִית־אַבְרָם Gen.14:13
118 וְשָׁמְרוּ...לְדֹרֹתָם בְּרִית עוֹלָם Ex.31:16
119-128 בְּרִית עוֹלָם Lev.24:8
IISh.23:5 • Is.24:5; 55:3 • Jer.32:40; 50:5 • Ezek.16:60; 37:26 • Ps.105:10 • ICh.16:17
129 וְלֹא תַשְׁבִּית מֶלַח בְּרִית אֱלֹהֶיךָ Lev.2:13
130 וְזָכַרְתִּי לָהֶם בְּרִית רִאשֹׁנִים Lev.26:45
131/2 וַאֲרוֹן בְּרִית־יְיָ Num.10:33; 14:44
133 בְּרִית מֶלַח עוֹלָם הִוא Num.18:19
134 וְהָיְתָה לּוֹ...בְּרִית כְּהֻנַּת עוֹלָם Num.25:13
135 פֶּן־תִּשְׁכְּחוּ אֶת־בְּרִית יְיָ Deut.4:23
136 לָשֵׂאת אֶת־אֲרוֹן בְּרִית יְיָ Deut.10:8
137-170 (וַ)אֲרוֹן בְּרִית יְיָ (אֱלֹהִים) Deut.31:9
31:25, 26 • Josh. 3:3, 17; 4:7, 18; 6:8; 8:33 • Jud. 20:27 • ISh. 4:3, 4[2], 5 • IISh. 15:24 • IK. 3:15; 6:19; 8:1, 6, 21 • Jer. 3:16 • ICh. 15:25, 26, 28, 29; 16:6, 37; 17:1; 22:19(18) 28:2, 18 • IICh. 5:2, 7; 6:11
171 וְלֹא יִשְׁכַּח אֶת־בְּרִית אֲבֹתֶיךָ Deut.4:31
172 כִּי עָבַר אֶת־בְּרִית יְיָ Josh.7:15
173 בְּעָבְרְכֶם אֶת־בְּרִית יְיָ Josh.23:16
174 עָזְבוּ אֶת־בְּרִית יְיָ אֱלֹהֵיהֶם Jer.22:9
175/6 וְכָרַתִּי לָהֶם בְּרִית שָׁלוֹם Ezek.34:25; 37:26
177 וְלֹא זָכְרוּ בְּרִית אַחִים Am.1:9
178 שִׁחַתֶּם בְּרִית הַלֵּוִי Mal.2:8
179 לְחַלֵּל בְּרִית אֲבֹתֵינוּ Mal.2:10
180 לֹא שָׁמְרוּ בְּרִית אֱלֹהִים Ps.78:10
181 נֵאַרְתָּה בְּרִית עַבְדֶּךָ Ps.89:40
182 וְאֶת־בְּרִית אֱלֹהֶיהָ שָׁכֵחָה Prov.2:17
183 וּלְבָבוֹ עַל־בְּרִית קֹדֶשׁ Dan.11:28
184 וְזָעַם עַל־בְּרִית־קוֹדֶשׁ Dan.11:30
185 וְיָבֵן עַל־עֹזְבֵי בְּרִית קֹדֶשׁ Dan.11:30
186 לוֹ וּלְבָנָיו בְּרִית מֶלַח IICh.13:5

וּבְרִית־
187 וּבְרִית שְׁלוֹמִי לֹא תָמוּט Is.54:10
188 וּבְרִית עוֹלָם אֶכְרוֹת לָהֶם Is.61:8
189 וּבְרִית עִם־אַשּׁוּר יִכְרֹתוּ Hosh.12:2
190 וּבְרִית הַכְּהֻנָּה וְהַלְוִיִּם Neh.13:29

בִּבְרִית־
191 לְעָבְרְךָ בִּבְרִית יְיָ אֱלֹהֶיךָ Deut.29:11
192 בִּבְרִית יְיָ הֵבֵאתָ אֶת־עַבְדְּךָ עִמָּךְ ISh.20:8

כִּבְרִית־
193 וַיַּעֲשׂוּ...כִּבְרִית אֱלֹהִים IICh.34:32

לִבְרִית־
194 לְדֹרֹתָם לִבְרִית עוֹלָם Gen.17:7
195 וְהָיְתָה בְרִיתִי...לִבְרִית עוֹלָם Gen.17:13
196 לִבְרִית עוֹלָם לְזַרְעוֹ אַחֲרָיו Gen.17:19
197/8 וְאֶתֶּנְךָ לִבְרִית עָם Is.42:6; 49:8

בְּרִיתִי
199 וַהֲקִמֹתִי אֶת־בְּרִיתִי אִתָּךְ Gen.6:18
200 הִנְנִי מֵקִים אֶת־בְּרִיתִי אִתְּכֶם Gen.9:9
201-206 (וַ)הֲקִמֹתִי...אֶת בְּרִיתִי Gen.9:11
17:7, 19 • Ex.6:4 • Lev.26:9 • Ezek.16:62
207 וְזָכַרְתִּי אֶת־בְּרִיתִי Gen.9:15
208 וְאֶתְּנָה בְרִיתִי בֵּינִי וּבֵינֶךָ Gen.17:2
209 אֲנִי הִנֵּה בְרִיתִי אִתָּךְ Gen.17:4
210 וְאַתָּה אֶת־בְּרִיתִי תִשְׁמֹר Gen.17:9
211 זֹאת בְּרִיתִי אֲשֶׁר תִּשְׁמְרוּ Gen.17:10
212 וְהָיְתָה בְרִיתִי בִּבְשַׂרְכֶם Gen.17:13
213 אֶת־בְּרִיתִי הֵפַר Gen.17:14
214 וְאֶת־בְּרִיתִי אָקִים אֶת־יִצְחָק Gen.17:21
215 שָׁמַעְתִּי...וָאֶזְכֹּר אֶת־בְּרִיתִי Ex.6:5
216 וּשְׁמַרְתֶּם אֶת־בְּרִיתִי Ex.19:5
217-227 לְהָפֵר (הֵפֵר, הֵפֵרוּ וכו׳) אֶת־בְּרִיתִי
Lev. 26:15, 44 • Deut. 31:16, 20 • Jud. 2:1 • Jer. 11:10; 31:32(31); 33:20, 21 • Ezek.44:7
Zech. 11:10
228 וְזָכַרְתִּי אֶת־בְּרִיתִי יַעֲקוֹב Lev.24:42
229 וְאַף אֶת־בְּרִיתִי יִצְחָק Lev.24:42
230 וְאַף אֶת־בְּרִיתִי אַבְרָהָם אֶזְכֹּר Lev.24:42
231 הִנְנִי נֹתֵן לוֹ אֶת־בְּרִיתִי שָׁלוֹם Num.25:12
232 וְגַם עָבְרוּ אֶת־בְּרִיתִי Josh.7:11
233 עָבְרוּ הַגּוֹי הַזֶּה אֶת־בְּרִיתִי Jud.2:20
234 וְלֹא שָׁמַרְתָּ בְּרִיתִי וְחֻקֹּתַי IK.11:11
235 וַאֲנִי זֹאת בְּרִיתִי אוֹתָם Is.59:21
236 וְאֶת־בְּרִיתִי הַלָּיְלָה... Jer.33:20
237 אִם־לֹא בְרִיתִי יוֹמָם וָלָיְלָה Jer.33:25
238 הָעֹבְרִים אֶת־בְּרִתִי Jer.34:18
239 וְזָכַרְתִּי אֲנִי אֶת־בְּרִיתִי Ezek.16:60
240 יַעַן עָבְרוּ בְרִיתִי Hosh.8:1
241 לִהְיוֹת בְּרִיתִי אֶת־לֵוִי Mal.2:4
242 בְּרִיתִי הָיְתָה אִתּוֹ הַחַיִּים וְהַשָּׁלוֹם Mal.2:5
243 כֹּרְתֵי בְרִיתִי עֲלֵי־זָבַח Ps.50:5
244 וַתִּשָּׂא בְרִיתִי עֲלֵי־פִיךָ Ps.50:16
245 לֹא־אֲחַלֵּל בְּרִיתִי Ps.89:35
246 אִם־יִשְׁמְרוּ בָנֶיךָ בְּרִיתִי Ps.132:12

וּבְרִיתִי
247 וּבְרִיתִי אֲשֶׁר הֵפִיר Ezek.17:19
248 וּבְרִיתִי נֶאֱמֶנֶת לוֹ Ps.89:29

בִּבְרִיתִי
249/50 וּמַחֲזִיקִים בִּבְרִיתִי Is.56:4,6

בְּרִיתְךָ
251 כָּרְתָה בְרִיתְךָ אִתִּי IISh.3:12
252 לֵךְ הָפֵרָה אֶת־בְּרִיתְךָ IK.15:19
253/4 כִּי־עָזְבוּ בְרִיתְךָ בְּנֵי יִשְׂרָאֵל IK.19:10,14
255 אַל־תָּפֵר בְּרִיתְךָ אִתָּנוּ Jer.14:21
256 לֵךְ הָפֵר בְּרִיתְךָ אֶת־בַּעְשָׁא IICh.16:3

בְּרִיתֶךָ
257 שִׁלְּחוּךָ כֹּל אַנְשֵׁי בְרִיתֶךָ Ob.7
258 וְהִיא חֲבֶרְתְּךָ וְאֵשֶׁת בְּרִיתֶךָ Mal.2:14
259 כִּי עִם־אַבְנֵי הַשָּׂדֶה בְרִיתֶךָ Job5:23

וּבְרִיתְךָ
260 וּבְרִיתְךָ יִנְצֹרוּ Deut.33:9

בִּבְרִיתֶךָ
261 וְלֹא־שִׁקַּרְנוּ בִּבְרִיתֶךָ Ps.44:18

בְּרִיתֵךְ
262 גַּם־אַתְּ בְּדַם־בְּרִיתֵךְ Zech.9:11

מִבְּרִיתֵךְ
263 וְנָתַתִּי אֶתְהֶן לָךְ לְבָנוֹת וְלֹא מִבְּרִיתֵךְ Ezek.16:61

בְּרִיתוֹ
264 וַיִּזְכֹּר אֱלֹהִים אֶת־בְּרִיתוֹ Ex.2:24
265 וַיַּגֵּד לָכֶם אֶת־בְּרִיתוֹ Deut.4:13
266 לְמַעַן הָקִים אֶת־בְּרִיתוֹ Deut.8:18
267 אֶת־הָרַע...לַעֲבֹר בְּרִיתוֹ Deut.17:2
268 וַיִּפֶן אֲלֵיהֶם לְמַעַן בְּרִיתוֹ IIK.13:23
269 וַיִּמְאֲסוּ אֶת־חֻקָּיו וְאֶת־בְּרִיתוֹ IIK.17:15
270 וַיַּעַבְרוּ אֶת־בְּרִיתוֹ IIK.18:12
271 לִשְׁמֹר אֶת־בְּרִיתוֹ לְעָמְדָה Ezek.17:14
272 וַאֲשֶׁר הֵפֵר אֶת־בְּרִיתוֹ אִתּוֹ Ezek.17:16
273 לְנֹצְרֵי בְרִיתוֹ וְעֵדֹתָיו Ps.25:10
274 שָׁלַח יָדָיו בִּשְׁלֹמָיו חִלֵּל בְּרִיתוֹ Ps.55:21
275 לְשֹׁמְרֵי בְרִיתוֹ וּלְזֹכְרֵי פִקֻּדָיו Ps.103:18
276 זָכַר לְעוֹלָם בְּרִיתוֹ Ps.105:8
277 וַיִּזְכֹּר לָהֶם בְּרִיתוֹ Ps.106:45
278 יִזְכֹּר לְעוֹלָם בְּרִיתוֹ Ps.111:5
279 צִוָּה־לְעוֹלָם בְּרִיתוֹ Ps.111:9
280 זִכְרוּ לְעוֹלָם בְּרִיתוֹ ICh.16:15

וּבְרִיתוֹ
281 סוֹד יְיָ... וּבְרִיתוֹ לְהוֹדִיעָם Ps.25:14

בִּבְרִיתוֹ
282 ...וְלֹא נֶאֶמְנוּ בִּבְרִיתוֹ Ps.78:37

בְּרִיתְכֶם
283 וְכֻפַּר בְּרִיתְכֶם אֶת־מָוֶת Is.28:18

בֹּרִית
נ׳ חומר לנקוי ולכביסה: 2,1

בֹּרִית
1 כִּי אִם־תְּכַבְּסִי בַּנֶּתֶר
וְתַרְבִּי־לָךְ בֹּרִית Jer.2:22

וּכְבֹרִית־
2 כְּאֵשׁ מְצָרֵף וּכְבֹרִית מְכַבְּסִים Mal.3:2

ברך
: א) בָּרַךְ, הִבְרִיךְ; בֵּרֵךְ
ב) בָּרֵךְ, בָּרוּךְ, נִבְרַךְ, בֵּרַךְ, בֹּרַךְ, הִתְבָּרֵךְ; בְּרָכָה; ש״פ בָּרַכְאֵל, בְּרָכָה, בֶּרֶכְיָה, בֶּרֶכְיָהוּ, יְבֶרֶכְיָהוּ

בָּרַךְ[1]
פ׳ א) כרע על ברכיו: 1, 2
ב) [הפ׳ הִבְרִיךְ] העמיד על הברכים: 3

וַיִּבְרַךְ
1 וַיִּבְרַךְ עַל־בִּרְכָּיו IICh.6:13

נִבְרְכָה
2 נִבְרְכָה לִפְנֵי־יְיָ עֹשֵׂנוּ Ps.95:6

וַיַּבְרֵךְ
3 וַיַּבְרֵךְ הַגְּמַלִּים...אֶל־בְּאֵר Gen.24:11

בָּרַךְ[2]
פ׳ א) אחל טובה: 1 [עין גם בָּרוּךְ]
ב) [נפ׳ נִבְרַךְ] אחל זה לזה: 2-4
ג) [פ׳ בֵּרַךְ] אחל טובה: 5–36, 38–48, 50–53, 55–236
ד) [בלשון סגי נהור] קלל: 37, 49, 54, 78, 81, (?)137, 138, 208
ה) [פ׳ בֹּרַךְ] אֻשַּׁר בברכה: 237-249
ו) [הת׳ הִתְבָּרֵךְ] בֵּרֵךְ את עצמו: 250–256

בָּרוּךְ
1 וַיְבָרֶךְ בָּרוּךְ אֶתְכֶם Josh.24:10

וְנִבְרְכוּ
2 וְנִבְרְכוּ בְךָ כֹּל מִשְׁפְּחֹת הָאֲדָמָה Gen.12:3
3 וְנִבְרְכוּ־בוֹ כֹּל גּוֹיֵי הָאָרֶץ Gen.18:18
4 וְנִבְרְכוּ בְךָ כָּל־מִשְׁפְּחֹת הָאֲד׳ Gen.28:14

בָּרֵךְ
5 כִּי־בָרֵךְ אֲבָרֶכְךָ Gen.22:17
6/7 וְהִנֵּה בֵּרַכְתָּ בָרֵךְ Num.23:11; 24:10
8 הִנֵּה בָרֵךְ לָקָחְתִּי Num.23:20
9 גַּם־בָּרֵךְ לֹא תְבָרְכֶנּוּ Num.23:25
10 כִּי־בָרֵךְ יְבָרֶכְךָ יְיָ בָּאָרֶץ Deut.15:4
11 צֵידָהּ בָּרֵךְ אֲבָרֵךְ Ps.132:15
12 אִם־בָּרֵךְ תְּבָרְכֵנִי... ICh.4:10

לְבָרֵךְ
13 כִּלָּה יִצְחָק לְבָרֵךְ אֶת־יַעֲקֹב Gen.27:30
14 טוֹב בְּעֵינֵי יְיָ לְבָרֵךְ אֶת־יִשְׂר׳ Num.24:1
15 אֵלֶּה יַעַמְדוּ לְבָרֵךְ אֶת־הָעָם Deut.27:12
16 לְבָרֵךְ אֶת־הָעָם יִשְׂרָאֵל Josh.8:33
17 הִנֵּה שָׁלַח...לְבָרֵךְ אֶת־אֲדֹנֵינוּ ISh.25:14
18 וַיָּשָׁב דָּוִד לְבָרֵךְ אֶת־בֵּיתוֹ IISh.6:20
19 לְבָרֵךְ אֶת־אֲדֹנֵינוּ הַמֶּלֶךְ IK.1:47
20 וַיִּסֹּב דָּוִיד לְבָרֵךְ אֶת־בֵּיתוֹ ICh.16:43
31 הוֹאַלְתָּ לְבָרֵךְ אֶת־בֵּית עַבְדְּךָ ICh.17:27

וּלְבָרֵךְ
22 לְשָׁרְתוֹ וּלְבָרֵךְ בִּשְׁמוֹ Deut.10:8

וּלְבָרֵךְ (המשך)	23 לְשָׁרְתוֹ וּלְבָרֵךְ בְּשֵׁם יְיָ	Deut. 21:5
	24 וּלְבָרֵךְ אֵת כָּל־מַעֲשֵׂה יָדֶךָ	Deut. 28:12
	25 לְשָׁרְתוֹ וּלְבָרֵךְ בִּשְׁמוֹ עַד-עוֹלָם	ICh. 23:13
לְבָרְכוֹ	26 וַיֵּצֵא שָׁאוּל לִקְרָאתוֹ לְבָרְכוֹ	ISh. 13:10
וּלְבָרְכוֹ	27/8 לִשְׁאָל־לוֹ לְשָׁלוֹם וּלְבָרְכוֹ	IISh. 8:10
		ICh. 18:10
בְּבָרֲכוֹ	29 בְּבָרֲכוֹ אֹתוֹ וַיְצַו עָלָיו לֵאמֹר	Gen. 28:6
בֵּרַכְתִּי	30 הִנֵּה בֵּרַכְתִּי אֹתוֹ	Gen. 17:20
וּבֵרַכְתִּי	31 וּבֵרַכְתִּי אֹתָהּ	Gen. 17:16
וּבֵרַכְתִּיךָ	32 וּבֵרַכְתִּיךָ וְהִרְבֵּיתִי אֶת־זַרְעֲךָ	Gen. 26:24
	33 אָבוֹא אֵלֶיךָ וּבֵרַכְתִּיךָ	Ex. 20:24(21)
וּבֵרַכְתִּיהָ	34 וּבֵרַכְתִּיהָ וְהָיְתָה לְגוֹיִם	Gen. 17:16
בֵּרַכְתָּ	35/6 וְהִנֵּה בֵּרַכְתָּ בָרֵךְ	Num. 23:11; 24:10
	37 בֵּרַכְתָּ אֱלֹהִים וָמֶלֶךְ	IK. 21:10
	38 מַעֲשֵׂה יָדָיו בֵּרַכְתָּ	Job 1:10
	39 כִּי־אַתָּה יְיָ בֵּרַכְתָּ	ICh. 17:27
וּבֵרַכְתָּ	40 וּבֵרַכְתָּ אֶת־יְיָ אֱלֹהֶיךָ	Deut. 8:10
בֵּרַכְתָּנִי	41 לֹא אֲשַׁלֵּחֲךָ כִּי אִם־בֵּרַכְתָּנִי	Gen. 32:26
בֵּרַךְ	42 וַייָ בֵּרַךְ אֶת־אַבְרָהָם בַּכֹּל	Gen. 24:1
	43 וַייָ בֵּרַךְ אֶת־אֲדֹנִי מְאֹד	Gen. 24:35
	44 וַיַּרְא עֵשָׂו כִּי־בֵרַךְ יִצְחָק	Gen. 28:6
	45 אִישׁ אֲשֶׁר כְּבִרְכָתוֹ בֵּרַךְ אֹתָם	Gen. 49:28
	46 עַל־כֵּן בֵּרַךְ יְיָ אֶת־יוֹם הַשַּׁבָּת	Ex. 20:11
	47 וְזֹאת הַבְּרָכָה אֲשֶׁר בֵּרַךְ מֹשֶׁה	Deut. 33:1
	48 בֵּרַךְ יְיָ אֶת־בֵּית עֹבֵד אֱדֹם	IISh. 6:12
	49 בֵּרַךְ נָבוֹת אֱלֹהִים וָמֶלֶךְ	IK. 21:13
	50 כִּי הֵם זֶרַע בֵּרַךְ יְיָ	Is. 61:9
	51 בֵּרַךְ בָּנַיִךְ בְּקִרְבֵּךְ	Ps. 147:13
	52 וַייָ בֵּרַךְ אֶת־אַחֲרִית אִיּוֹב	Job 42:12
	53 כִּי יְיָ בֵּרַךְ אֶת־עַמּוֹ	ICh. 31:10
בֵּרֵךְ	54 וּבֹצֵעַ בֵּרֵךְ נִאֵץ יְיָ	Ps. 10:3
וּבֵרַךְ	55 וּבֵרַךְ אֶת־לַחְמְךָ	Ex. 23:25
	56 וּבֵרַךְ פְּרִי־בִטְנְךָ	Deut. 7:13
	57 וּבֵרַךְ עֵלִי אֶת־אֶלְקָנָה	ISh. 2:20
וּבֵרֵךְ	58 וּבֵרֵךְ וְלֹא אֲשִׁיבֶנָּה	Num. 23:20
בֵּרְכַנִי	59 עַד אֲשֶׁר־עַד־כֹּה בֵּרְכַנִי יְיָ	Josh. 17:14
בֵּרַכְךָ	60/1 כִּי יְיָ אֱלֹהֶיךָ בֵּרַכְךָ	Deut. 2:7; 15:6
	62/3 אֲשֶׁר בֵּרַכְךָ יְיָ אֱלֹהֶיךָ	Deut. 12:7; 15:14
	64 עַל־כֵּן בֵּרַכְךָ אֱלֹהִים לְעוֹלָם	Ps. 45:3
וּבֵרַכְךָ	65 וַאֲהֵבְךָ וּבֵרַכְךָ וְהִרְבֶּךָ	Deut. 7:13
	66 וּבֵרַכְךָ יְיָ...בְּכֹל אֲשֶׁר תַּעֲשֶׂה	Deut. 15:18
	67 וּבֵרַכְךָ בָּאָרֶץ	Deut. 28:8
	68 וּבֵרַכְךָ יְיָ אֱלֹהֶיךָ בָּאָרֶץ	Deut. 30:16
וּבֵרֲכֶךָּ	69 וְשָׁכַב בְּשַׂלְמָתוֹ וּבֵרֲכֶךָּ	Deut. 24:13
בֵּרֲכוֹ	70 כְּרֵיחַ שָׂדֶה אֲשֶׁר בֵּרֲכוֹ יְיָ	Gen. 27:27
	71 עַל־הַבְּרָכָה אֲשֶׁר בֵּרֲכוֹ אָבִיו	Gen. 27:41
בֵּרְכוֹ	72 אֲשֶׁר בֵּרְכוֹ יְיָ צְבָאוֹת לֵאמֹר	Is. 19:25
	73 כִּי בֵרְכוֹ אֱלֹהִים	ICh. 26:5
בֵּרַכְנוּ	74 בֵּרַכְנוּ אֶתְכֶם בְּשֵׁם יְיָ	Ps. 129:8
בֵּרַכְנוּכֶם	75 בֵּרַכְנוּכֶם מִבֵּית יְיָ	Ps. 118:26
וּבֵרַכְתֶּם	76 וּבֵרַכְתֶּם גַּם־אֹתִי	Ex. 12:32
בֵּרְכוּ	77 כִּי שָׁם בֵּרְכוּ אֶת־יְיָ	IICh. 20:26
וּבֵרְכוּ	78 וּבֵרְכוּ אֱלֹהִים בִּלְבָבָם	Job 1:5
בֵּרְכוּנִי	79 אִם־לֹא בֵרְכוּנִי חֲלָצָו	Job 31:20
מְבָרֵךְ	80 מַזְכִּיר לְבֹנָה מְבָרֵךְ אָוֶן	Is. 66:3
	81 מְבָרֵךְ רֵעֵהוּ בְּקוֹל גָּדוֹל	Prov. 27:14
מְבָרֲכֶיךָ	82 וַאֲבָרְכָה מְבָרֲכֶיךָ וּמְקַלֶּלְךָ אָאֹר	Gen. 12:3
	83 מְבָרֲכֶיךָ בָרוּךְ וְאֹרְרֶיךָ אָרוּר	Num. 24:9
וּמְבָרֲכֶיךָ	84 אֹרְרֶיךָ אָרוּר וּמְבָרֲכֶיךָ בָּרוּךְ	Gen. 27:29
אֲבָרֵךְ	85 מִן־הַיּוֹם הַזֶּה אֲבָרֵךְ	Hag. 2:19
	86 אֲבָרֵךְ אֶת־יְיָ אֲשֶׁר יְעָצָנִי	Ps. 16:7
	87 בְּמַקְהֵלִים אֲבָרֵךְ יְיָ	Ps. 26:12
	88 צֵידָהּ בָּרֵךְ אֲבָרֵךְ	Ps. 132:15
אֲבָרְכָה	89 אֲבָרְכָה אֶת־יְיָ בְּכָל־עֵת	Ps. 34:2
וָאֲבָרֵךְ	90 וָאֲבָרֵךְ אֶת־יְיָ אֱלֹהֵי אֲדֹנִי	Gen. 24:48
וַאֲבָרְכָה	91 וַאֲבָרְכָה מְבָרֲכֶיךָ וּמְקַלֶּלְךָ אָאֹר	Gen. 12:3
	92 וַאֲבָרְכָה שִׁמְךָ לְעוֹלָם וָעֶד	Ps. 145:1
אֲבָרֶכְךָ	93 כִּי־בָרֵךְ אֲבָרֶכְךָ	Gen. 22:17
	94 כֵּן אֲבָרֶכְךָ בְחַיָּי	Ps. 63:5
אֲבָרְכֶךָּ	95 בְּכָל־יוֹם אֲבָרְכֶךָּ	Ps. 145:2
וַאֲבָרֶכְךָ	96 וַאֲבָרֶכְךָ וַאֲגַדְּלָה שְׁמֶךָ	Gen. 12:2
וַאֲבָרֶכְכָה	97 וַאֲבָרֶכְכָה לִפְנֵי יְיָ לִפְנֵי מוֹתִי	Gen. 27:7
וַאֲבָרְכֶךָּ	98 וְאֶהְיֶה עִמְּךָ וַאֲבָרְכֶךָּ	Gen. 26:3
וָאֲבָרֲכֵהוּ	99 וָאֹכַל מִכֹּל...וָאֲבָרֲכֵהוּ	Gen. 27:33
וַאֲבָרְכֵהוּ	100 וַאֲבָרְכֵהוּ וְאַרְבֵּהוּ	Is. 51:2
אֲבָרֲכֵם	101 וְשָׂמוּ אֶת־שְׁמִי...וַאֲנִי אֲבָרֲכֵם	Num. 6:27
וַאֲבָרֲכֵם	102 קָחֶם־נָא אֵלַי וַאֲבָרֲכֵם	Gen. 48:9
תְּבָרֵךְ	103 אֵת אֲשֶׁר־תְּבָרֵךְ מְבֹרָךְ	Num. 22:6
	104 כִּי־אַתָּה תְּבָרֵךְ צַדִּיק	Ps. 5:13
	105 בִּרְבִיבִים תְּמֹגְגֶנָּה צִמְחָהּ תְּבָרֵךְ	Ps. 65:11
	106 יְקַלְלוּ־הֵמָּה וְאַתָּה תְבָרֵךְ	Ps. 109:28
תְּבָרְכֵנִי	107 אִם־בָּרֵךְ תְּבָרְכֵנִי	ICh. 4:10
תְּבָרֲכֶנּוּ	108 גַּם־בָּרֵךְ לֹא תְבָרֲכֶנּוּ	Num. 23:25
תְּבָרְכֶנּוּ	109 כִּי־תִמְצָא אִישׁ לֹא תְבָרְכֶנּוּ	IIK. 4:29
יְבָרֵךְ	110 וְאֵל שַׁדַּי יְבָרֵךְ אֹתְךָ	Gen. 28:3
	111 הַמַּלְאָךְ...יְבָרֵךְ אֶת-הַנְּעָרִים	Gen. 48:16
	112 בְּךָ יְבָרֵךְ יִשְׂרָאֵל לֵאמֹר	Gen. 48:20
	113 כִּי־הוּא יְבָרֵךְ הַזֶּבַח	ISh. 9:13
	114 יְיָ יְבָרֵךְ אֶת־עַמּוֹ בַשָּׁלוֹם	Ps. 29:11
	115 כִּי־נַפְשׁוֹ בְּחַיָּיו יְבָרֵךְ	Ps. 49:19
	116 יְיָ זְכָרָנוּ יְבָרֵךְ	Ps. 115:12
	117 יְבָרֵךְ אֶת־בֵּית יִשְׂרָאֵל	Ps. 115:12
	118 יְבָרֵךְ אֶת־בֵּית אַהֲרֹן	Ps. 115:12
	119 יְבָרֵךְ יִרְאֵי יְיָ	Ps. 115:13
	120 וּנְוֵה צַדִּיקִים יְבָרֵךְ	Prov. 3:33
	121 אָבִיו יְקַלֵּל וְאֶת-אִמּוֹ לֹא יְבָרֵךְ	Prov. 30:11
יְבָרֶכְךָ	122 בַּעֲבֻר אֲשֶׁר יְבָרֶכְךָ לִפְנֵי מוֹתוֹ	Gen. 27:10
	123 יְבָרֶכְךָ יְיָ וְיִשְׁמְרֶךָ	Num. 6:24
	124/5 כִּי יְבָרֶכְךָ יְיָ אֱלֹהֶיךָ	Deut. 14:24; 16:15
	128-126 לְמַעַן יְבָרֶכְךָ יְיָ אֱלֹהֶיךָ	Deut. 14:29
		23:21; 24:19
	129 כִּי־בָרֵךְ יְבָרֶכְךָ יְיָ בָּאָרֶץ	Deut. 15:4
	130 יְבָרֶכְךָ יְיָ אֱלֹהֶיךָ בְּכָל-מַעֲשֶׂךָ	Deut. 15:10
	131 כַּאֲשֶׁר יְבָרֶכְךָ יְיָ אֱלֹהֶיךָ	Deut. 16:10
	132 וְכִי־יְבָרֶכְךָ אִישׁ לֹא תַעֲנֶנּוּ	IIK. 4:29
	133 יְבָרֶכְךָ יְיָ נְוֵה־צֶדֶק	Jer. 31:23(22)
	134/5 יְבָרֶכְךָ יְיָ מִצִּיּוֹן	Ps. 128:5; 134:3
	136 וַיֹּאמְרוּ לוֹ יְבָרֶכְךָ יְיָ	Ruth 2:4
יְבָרְכֶךָּ	137 אִם־לֹא עַל־פָּנֶיךָ יְבָרְכֶךָּ	Job 1:11
	138 אִם־לֹא אֶל־פָּנֶיךָ יְבָרְכֶךָּ	Job 2:5
יְבָרֲכֶנְהוּ	139 כָּל־הַיּוֹם יְבָרֲכֶנְהוּ	Ps. 72:15
יְבָרְכֵנוּ	140 יְבָרְכֵנוּ אֱלֹהִים אֱלֹהֵינוּ	Ps. 67:7
	141 יְבָרְכֵנוּ אֱלֹהִים וְיִירְאוּ אוֹתוֹ	Ps. 67:8
וִיבָרֵךְ	142 וִיבָרֵךְ אֶתְכֶם כַּאֲשֶׁר דִּבֶּר לָכֶם	Deut. 1:11
	143 וִיבָרֵךְ כָּל־בָּשָׂר שֵׁם קָדְשׁוֹ	Ps. 145:21
וַיְבָרֶךְ	144/5 וַיְבָרֶךְ אֹתָם אֱלֹהִים	Gen. 1:22, 28
	146 וַיְבָרֶךְ אֱלֹהִים אֶת-יוֹם הַשְּׁבִיעִי	Gen. 2:3
	147 וַיְבָרֶךְ אֹתָם וַיִּקְרָא אֶת־שְׁמָם	Gen. 5:2
	148 וַיְבָרֶךְ אֱלֹהִים אֶת־נֹחַ	Gen. 9:1
	149 וַיְבָרֶךְ אֱלֹהִים אֶת-יִצְחָק בְּנוֹ	Gen. 25:11
	150 וַיִּקְרָא...אֶל-יַעֲקֹב וַיְבָרֶךְ אֹתוֹ	Gen. 28:1
	151 וַיְבָרֶךְ יְיָ אֹתְךָ לְרַגְלִי	Gen. 30:30
	152 וַיְנַשֵּׁק...וַיְבָרֶךְ אֶתְהֶם	Gen. 31:55
	153 וַיְבָרֶךְ אֹתוֹ שָׁם	Gen. 32:29
וַיְבָרֶךְ (המשך)	154 וַיֵּרָא אֱלֹהִים...וַיְבָרֶךְ אֹתוֹ	Gen. 35:9
	155 וַיְבָרֶךְ יְיָ אֶת־בֵּית הַמִּצְרִי	Gen. 39:5
	156/7 וַיְבָרֶךְ יַעֲקֹב אֶת-פַּרְעֹה	Gen. 47:7, 10
	172-158 וַיְבָרֶךְ	Gen. 48:3, 15; 49:28
		Ex. 39:43 • Josh. 24:10 • IISh. 6:11, 18; 14:22 • IK. 8:14, 55 • Neh. 8:6 • ICh. 13:14; 16:2 29:10 • IICh. 6:3
וַיְבָרֲכֵנִי	173 וַיְבָרֲכֵנִי יְיָ בִּגְלָלֶךָ	Gen. 30:27
וִיבָרְכֶךָּ	174 וְאֵת שַׁדַּי וִיבָרְכֶךָּ	Gen. 49:25
וַיְבָרֲכֵהוּ	175 וַיְבָרֲכֵהוּ וַיֹּאמַר	Gen. 14:19
	176 וַיִּזְרַע...וַיְבָרֲכֵהוּ יְיָ	Gen. 26:12
	177 וְלֹא הִכִּירוֹ...וַיְבָרֲכֵהוּ	Gen. 27:23
	178 וַיָּרַח אֶת-רֵיחַ בְּגָדָיו וַיְבָרֲכֵהוּ	Gen. 27:27
וַיְבָרְכֵהוּ	179 וַיְבָרְכֵהוּ יְהוֹשֻׁעַ וַיִּתֵּן...	Josh. 14:13
	180 וַיִּגְדַּל הַנַּעַר וַיְבָרְכֵהוּ יְיָ	Jud. 13:25
	181 וַיִּפְרָץ־בּוֹ...וַיְבָרְכֵהוּ	IISh. 13:25
	182 וַיִּשַּׁק הַמֶּלֶךְ לְבַרְזִלַּי וַיְבָרְכֵהוּ	IISh. 19:40
	183 וַיְבָרְכֵהוּ וַיֹּאמֶר אֵלָיו	IIK. 10:15
וִיבָרְכֵנוּ	184 אֱלֹהִים יְחָנֵּנוּ וִיבָרְכֵנוּ	Ps. 67:2
וַיְבָרֲכֵם	185 וַיְבָרֲכֵם בַּיּוֹם הַהוּא לֵאמֹר	Gen. 48:20
	186 וַיִּשָּׂא אַהֲרֹן אֶת־יָדָו...וַיְבָרֲכֵם	Lev. 9:22
וַיְבָרְכֵם	187 וַיְבָרְכֵם יְהוֹשֻׁעַ וַיְשַׁלְּחֵם...	Josh. 22:6
	188 שִׁלְּחָם...אֶל-אָהֳלֵיהֶם וַיְבָרְכֵם	Josh. 22:7
	189 וַיְבָרְכֵם וַיִּרְבּוּ מְאֹד	Ps. 107:38
תְּבָרֲכַנִּי	190/1 בַּעֲבוּר תְּבָרֲכַנִּי נַפְשֶׁךָ	Gen. 27:19, 31
תְּבָרֶכְךָ	192 בַּעֲבוּר תְּבָרֶכְךָ נַפְשִׁי	Gen. 27:4
	193 לְמַעַן תְּבָרֶכְךָ נַפְשִׁי	Gen. 27:25
נְבָרֵךְ	194 נְבָרֵךְ יָהּ מֵעַתָּה וְעַד־עוֹלָם	Ps. 115:18
תְּבָרֲכוּ	195 כֹּה תְבָרֲכוּ אֶת־בְּנֵי יִשְׂרָאֵל	Num. 6:23
יְבָרֵכוּ	196 בְּפִיו יְבָרֵכוּ וּבְקִרְבָּם יְקַלְלוּ	Ps. 62:5
יְבָרְכוּכָה	197 וַחֲסִידֶיךָ יְבָרְכוּכָה	Ps. 145:10
וִיבָרְכוּ	198 וִיבָרְכוּ שֵׁם כְּבֹדֶךָ	Neh. 9:5
וַיְבָרֲכוּ	199 וַיְבָרֲכוּ אֶת־רִבְקָה	Gen. 24:60
	200 וַיֵּצְאוּ וַיְבָרֲכוּ אֶת־הָעָם	Lev. 9:23
וַיְבָרְכוּ	201 וַיְבָרְכוּ אֱלֹהִים בְּנֵי יִשְׂרָאֵל	Josh. 22:33
	202 וַיְבָרְכוּ אֶת־הַמֶּלֶךְ וַיֵּלְכוּ	IK. 8:66
	203 וַיְבָרְכוּ הָעָם לְכֹל...הַמִּתְנַדְּבִים	Neh. 11:2
	204 וַיְבָרְכוּ כָל־הַקָּהָל לַייָ	ICh. 29:20
	205 וַיָּקֻמוּ...וַיְבָרְכוּ אֶת־הָעָם	IICh. 30:27
	206 וַיְבָרְכוּ אֶת־יְיָ וְאֵת עַמּוֹ יִשְׂרָאֵל	IICh. 31:8
בָּרֵךְ	207 בָּרֵךְ יְיָ חֵילוֹ	Deut. 33:11
	208 בָּרֵךְ אֱלֹהִים וָמֻת	Job 2:9
וּבָרֵךְ	209 וּבָרֵךְ אֶת־עַמְּךָ אֶת־יִשְׂרָאֵל	Deut. 26:15
	210 וּבָרֵךְ אֶת־בֵּית עַבְדְּךָ	IISh. 7:29
	211 וּבָרֵךְ אֶת־נַחֲלָתֶךָ	Ps. 28:9
בָּרֲכֵנִי	212/3 בָּרֲכֵנִי גַם־אָנִי אָבִי	Gen. 27:34, 38
בָּרְכִי	218-214 בָּרְכִי נַפְשִׁי אֶת־יְיָ	Ps. 103:1, 2, 22
		104:1, 35
בָּרְכוּ	219 בְּהִתְנַדֵּב עָם בָּרְכוּ יְיָ	Jud. 5:2
	220 הַמִּתְנַדְּבִים בָּעָם בָּרְכוּ יְיָ	Jud. 5:9
	221 בָּרְכוּ עַמִּים אֱלֹהֵינוּ	Ps. 66:8
	222 בְּמַקְהֵלוֹת בָּרְכוּ אֱלֹהִים	Ps. 68:27
	223 שִׁירוּ לַייָ בָּרְכוּ שְׁמוֹ	Ps. 96:2
	224 הוֹדוּ־לוֹ בָּרְכוּ שְׁמוֹ	Ps. 100:4
	225 בָּרְכוּ יְיָ מַלְאָכָיו	Ps. 103:20
	226 בָּרְכוּ יְיָ כָּל־צְבָאָיו	Ps. 103:21
	227 בָּרְכוּ יְיָ כָּל־מַעֲשָׂיו	Ps. 103:22
	228 בָּרְכוּ אֶת־יְיָ כָּל־עַבְדֵי יְיָ	Ps. 134:1
	229 בֵּית יִשְׂרָאֵל בָּרְכוּ אֶת־יְיָ	Ps. 135:19
	230 בֵּית אַהֲרֹן בָּרְכוּ אֶת־יְיָ	Ps. 135:19
	231 בֵּית הַלֵּוִי בָּרְכוּ אֶת־יְיָ	Ps. 135:20
	232 יִרְאֵי יְיָ בָּרְכוּ אֶת־יְיָ	Ps. 135:20

233 קוּמוּ בָּרְכוּ אֶת־יְיָ אֱלֹהֵיכֶם Neh.9:5
234 בָּרְכוּ־נָא אֶת־יְיָ אֱלֹהֵיכֶם ICh.29:20
וּבָרְכוּ 235 וּבָרְכוּ אֶת־נַחֲלַת יְיָ IISh.21:3
236 שְׂאוּ־יְדֵכֶם...וּבָרְכוּ אֶת־יְיָ Ps.134:2
מְבֹרָךְ 237 אֵת אֲשֶׁר־תְּבָרֵךְ מְבֹרָךְ Num.22:6
238/9 יְהִי שֵׁם יְיָ מְבֹרָךְ Ps.113:2 • Job 1:21
וּמְבֹרָךְ 240 כִּי־אַתָּה יְיָ...וּמְבֹרָךְ לְעוֹלָם ICh.17:27
מְבֹרֶכֶת 241 מְבֹרֶכֶת יְיָ אַרְצוֹ Deut.33:13
מְבֹרָכָיו 242 כִּי מְבֹרָכָיו יִירְשׁוּ אָרֶץ Ps.37:22
יְבֹרַךְ 243 וּמִבִּרְכָתְךָ יְבֹרַךְ בֵּית־עַבְדְּךָ IISh.7:29
244 הִנֵּה כִּי־כֵן יְבֹרַךְ גָּבֶר יְרֵא יְיָ Ps.128:4
יְבֹרָךְ 245 דּוֹר יְשָׁרִים יְבֹרָךְ Ps.112:2
246 טוֹב־עַיִן הוּא יְבֹרָךְ Prov.22:9
תְּבֹרַךְ 247 תְּבֹרַךְ מִנָּשִׁים יָעֵל Jud.5:24
תְּבֹרָךְ 248 מִנָּשִׁים בָּאֹהֶל תְּבֹרָךְ Jud.5:24
249 וְאַחֲרִיתָהּ לֹא תְבֹרָךְ Prov.20:21
וְהִתְבָּרֵךְ 250 וְהִתְבָּרֵךְ בִּלְבָבוֹ לֵאמֹר Deut.29:18
וְהִתְבָּרֲכוּ 251/2 וְהִתְבָּרֲכוּ בְזַרְעֲךָ כֹּל גּוֹיֵי הָאָרֶץ
Gen.22:18; 26:4
וְהִתְבָּרְכוּ 253 וְהִתְבָּרְכוּ בוֹ גּוֹיִם... Jer.4:2
הַמִּתְבָּרֵךְ 254 הַמִּתְבָּרֵךְ בָּאָרֶץ יִתְבָּרֵךְ בֵּאלֹהֵי אָמֵן
Is.65:16
יִתְבָּרֵךְ 255 ...יִתְבָּרֵךְ בֵּאלֹהֵי אָמֵן Is.65:16
וְיִתְבָּרְכוּ 256 יִנּוֹן שְׁמוֹ וְיִתְבָּרְכוּ בוֹ Ps.72:17

בְּרַךְ

פ׳ ארמית: א) כרע ברך: 1
ב) [בְּרִיךְ] ברוך: 2
ג) [פַּ׳ בָּרֵךְ] בֵּרך: 3, 4
ד) [פְּ׳ מְבָרַךְ] מבֹרך: 5

בָּרֵךְ 1 הוּא בָּרֵךְ עַל־בִּרְכוֹהִי וּמְצַלֵּא Dan.6:11
בְּרִיךְ 2 בְּרִיךְ אֱלָהֲהוֹן דִּי שַׁדְרַךְ... Dan.3:28
בָּרִךְ 3 אֱדַיִן דָּנִיֵּאל בָּרִךְ לֶאֱלָהּ שְׁמַיָּא Dan.2:19
בָּרְכֵת 4 וּלְעִלָּאָה בָּרְכֵת וּלְחַי עָלְמָא שַׁבְּחֵת Dan.4:31
מְבָרַךְ 5 לֶהֱוֵא שְׁמֵהּ דִּי־אֱלָהָא מְבָרַךְ Dan.2:20

בֶּרֶךְ[1]

נ׳ פרק הרגל בין השוק לירך: 1–25

בִּרְכַּיִם כּוֹרְעוֹת 9; בִּ׳ כּוֹשְׁלוֹת 8; מַיִם (מֵי) בִּרְכַּיִם 6; פִּיק בִּרְכַּיִם 5

כָּרְעָה בֶרֶךְ 1; כָּרְעוּ בִרְכַּיִם 11; כָּשְׁלוּ בִ׳ 14; קִדְּמוּהוּ בִ׳ 7; בָּרַךְ עַל בִּרְכָּיו 22; יָלַד עַל בִ׳ 12; יָלְדָה עַל בִ׳ 13; יָשַׁב עַל־בִ׳ 24; יִשְׁנוּ עַל־בִ׳ 23; כָּרַע עַל בִ׳ 16, 18, 19, 21, 25; שָׁעֳשַׁע עַל־בִּרְכַּיִם 2

בֶּרֶךְ 1 כִּי־לִי תִּכְרַע כָּל־בֶּרֶךְ Is.45:23
בִּרְכַּיִם 2 וְעַל־בִּרְכַּיִם תְּשָׁעֳשָׁעוּ Is.66:12
3/4 וְכָל־בִּרְכַּיִם תֵּלַכְנָה מָּיִם Ezek.7:17; 21:12
5 וּפִק בִּרְכַּיִם וְחַלְחָלָה בְּכָל־מָתְנַיִם Nah.2:11
בִּרְכָּיִם 6 וַיַּעֲבִרֵנִי בַמַּיִם מַיִם בִּרְכָּיִם Ezek.47:4
7 מַדּוּעַ קִדְּמוּנִי בִרְכָּיִם Job 3:12
וּבִרְכַּיִם 8 וּבִרְכַּיִם כֹּשְׁלוֹת אַמֵּצוּ Is.35:3
9 וּבִרְכַּיִם כֹּרְעוֹת תְּאַמֵּץ Job 4:4
הַבִּרְכַּיִם 10 עַל־הַבִּרְכַּיִם וְעַל־הַשֹּׁקַיִם Deut.28:35
11 הַבִּרְכַּיִם אֲשֶׁר לֹא־כָרְעוּ לַבַּעַל IK.19:18
בִּרְכֵּי־ 12 יֻלְּדוּ עַל־בִּרְכֵּי יוֹסֵף Gen.50:23
בִּרְכַּי 13 וְתֵלֵד עַל־בִּרְכַּי Gen.30:3
14 בִּרְכַּי כָּשְׁלוּ מִצּוֹם Ps.109:24
15 וַתְּנִיעֵנִי עַל־בִּרְכַּי וְכַפּוֹת יָדָי Dan.10:10
16 וָאֶכְרְעָה עַל־בִּרְכַּי Ez.9:5
בִּרְכָּיו 17 וַיּוֹצֵא יוֹסֵף אֹתָם מֵעִם בִּרְכָּיו Gen.48:12
18 וְכֹל אֲשֶׁר־יִכְרַע עַל־בִּרְכָּיו Jud.7:5
19 קָם...מִכְּרֹעַ עַל־בִּרְכָּיו IK.8:54
בִּרְכָּיו (המשך) 20 וַיָּשֶׂם פָּנָיו בֵּין בִּרְכָּו IK.18:42
21 וַיִּכְרַע עַל־בִּרְכָּיו לְנֶגֶד אֵלִיָּהוּ IIK.1:13
22 וַיִּבְרַךְ עַל־בִּרְכָּיו נֶגֶד כָּל־קְהַל... IICh.6:13
בִּרְכֶּיהָ 23 וַתְּיַשְּׁנֵהוּ עַל־בִּרְכֶּיהָ Jud.16:19
24 וַיֵּשֶׁב עַל־בִּרְכֶּיהָ...וַיָּמֹת IIK.4:20
בִּרְכֵיהֶם 25 כָּרְעוּ עַל־בִּרְכֵיהֶם לִשְׁתּוֹת מָיִם Jud.7:6

בֶּרֶךְ[2]

נ׳ ארמית, כמו בעברית

בִּרְכוֹהִי 1 הוּא בָּרֵךְ עַל־בִּרְכוֹהִי וּמְצַלֵּא Dan.6:11

בַּרַכְאֵל

שפ״ז – אביו של אליהוא רֵע איוב

בַּרַכְאֵל 1/2 אֱלִיהוּא בֶן־בַּרַכְאֵל הַבּוּזִי Job 32:2,6

בְּרָכָה[1]

נ׳ א) אחולי טובה, הפך מן ״קללה״: רוב המקראות
ב) מתנה: 6–9, 52, 33

בְּרָכָה וּקְלָלָה 2, 5, 28, 29, 31, 36, 39; גִּשְׁמֵי בְ׳ 15; נֶפֶשׁ בְּרָכָה 21; בִּרְכַּת אַבְרָהָם 40; בִּ׳ אוֹבֵד 46; בִּ׳ טוֹב 45; בִּ׳ יְיָ 41–44, 48, 49; בִּ׳ יְשָׁרִים 47; בִּרְכוֹת אָבִיו 66; בִּ׳ הוֹרָיו 67; בִּ׳ טוֹב 68; בִּ׳ שָׁדַיִם וָרָחַם 65; בִּ׳ תְּהוֹם 64; רַב בְּרָכוֹת 61

אָצַל בְּרָכָה 3; בָּאָה בְ׳ 45, 46; הָיָה בְ׳ 1, 11, 18; הֵנִיחַ בְ׳ 16; הֵרִיק בְ׳ 19; הֶעֱשִׁירָה בְ׳ 44; הִשְׁאִיר בְ׳ 17; נָשָׂא בְ׳ 20; נָתַן בְ׳ 4–6, 14, 26, 29; עָשָׂה בְ׳ 10, 12; צִוָּה בְ׳ 27, 33, 52; עָטָה בְרָכוֹת 59; שָׁתָהוּ בְּרָכוֹת 58

בְּרָכָה 1 וַאֲבָרֶכְךָ...וֶהְיֵה בְּרָכָה Gen.12:2
2 וְהֵבֵאתִי עָלַי קְלָלָה וְלֹא בְרָכָה Gen.27:12
3 הֲלֹא־אָצַלְתָּ לִּי בְּרָכָה Gen.27:36
4 וְלָתֵת עֲלֵיכֶם הַיּוֹם בְּרָכָה Ex.32:29
5 אָנֹכִי נֹתֵן לִפְנֵיכֶם...בְּרָכָה וּקְלָלָה Deut.11:26
6 וַתֹּאמֶר תְּנָה־לִּי בְרָכָה Josh.15:19
7 הָבָה־לִּי בְרָכָה...גֻּלֹּת מָיִם Jud.1:15
8 הִנֵּה לָכֶם בְּרָכָה מִשְּׁלַל אֹיְבֵי יְיָ ISh.30:26
9 קַח־נָא בְרָכָה מֵאֵת עַבְדֶּךָ IIK.5:15
10 עֲשׂוּ־אִתִּי בְרָכָה וּצְאוּ אֵלַי IIK.18:31
11 יִהְיֶה יִשְׂרָאֵל...בְּרָכָה בְּקֶרֶב הָאָרֶץ Is.19:24
12 עֲשׂוּ־אִתִּי בְרָכָה וּצְאוּ אֵלַי Is.36:16
13 אַל־תַּשְׁחִיתֵהוּ כִּי בְרָכָה בּוֹ Is.65:8
14 וְנָתַתִּי אוֹתָם...בְּרָכָה Ezek.34:26
15 גִּשְׁמֵי בְרָכָה יִהְיוּ Ezek.34:26
16 לְהָנִיחַ בְּרָכָה אֶל־בֵּיתֶךָ Ezek.44:30
17 וְהִשְׁאִיר אַחֲרָיו בְּרָכָה Joel 2:14
18 כֵּן אוֹשִׁיעַ אֶתְכֶם וִהְיִיתֶם בְּרָכָה Zech.8:13
19 וַהֲרִיקֹתִי לָכֶם בְּרָכָה עַד־בְּלִי־דָי Mal.3:10
20 יִשָּׂא בְרָכָה מֵאֵת יְיָ Ps.24:5
21 נֶפֶשׁ־בְּרָכָה תְדֻשָּׁן Prov.11:25
22 וּמְרוֹמַם עַל־כָּל־בְּרָכָה וּתְהִלָּה Neh.9:5
וּבְרָכָה 23 וּבְרָכָה לְרֹאשׁ מַשְׁבִּיר Prov.11:26
הַבְּרָכָה 24 הַבְּרָכָה אֲשֶׁר בֵּרֲכוֹ אָבִיו Gen.27:41
25 אֶת־הַבְּרָכָה אֲשֶׁר תִּשְׁמְעוּ Deut.11:27
26 וְנָתַתָּה...הַבְּרָכָה עַל־הַר גְּרִזִים Deut.11:29
27 יְצַו יְיָ אִתְּךָ אֶת־הַבְּרָכָה Deut.28:8
28 כִּי־יָבֹאוּ...הַבְּרָכָה וְהַקְּלָלָה Deut.30:1
29 נָתַתִּי לְפָנֶיךָ הַבְּרָכָה וְהַקְּלָלָה Deut.30:19
30 וְזֹאת הַבְּרָכָה אֲשֶׁר בֵּרַךְ מֹשֶׁה Deut.33:1
31 קָרָא...הַבְּרָכָה וְהַקְּלָלָה Josh.8:34
32 הַבְּרָכָה הַזֹּאת...וְנִתְּנָה לַנְּעָרִים ISh.25:27
33 כִּי שָׁם צִוָּה יְיָ אֶת־הַבְּרָכָה Ps.133:3
הַבְרָכָה 34 הַבְרָכָה אַחַת הִוא־לְךָ אָבִי Gen.27:38
בִּבְרָכָה 35 וְלֹא־חָפֵץ בִּבְרָכָה וַתִּרְחַק מִמֶּנּוּ Ps.109:17
לִבְרָכָה 36 וַיַּהֲפֹךְ...אֶת־הַקְּלָלָה לִבְרָכָה Deut.23:6
37 חוֹנֵן וּמַלְוֶה וְזַרְעוֹ לִבְרָכָה Ps.37:26
38 זֵכֶר צַדִּיק לִבְרָכָה Prov.10:7
39 וַיַּהֲפֹךְ אֱלֹהֵינוּ הַקְּלָלָה לִבְרָכָה Neh.13:2
בִּרְכַּת־ 40 וְיִתֶּן־לְךָ אֶת־בִּרְכַּת אַבְרָהָם Gen.28:4
41 בִּרְכַּת יְיָ בְּכָל־אֲשֶׁר יֶשׁ־לוֹ Gen.39:5
42 שְׂבַע רָצוֹן וּמָלֵא בִּרְכַּת יְיָ Deut.33:23
43 בִּרְכַּת־יְיָ אֲלֵיכֶם Ps.129:8
44 בִּרְכַּת יְיָ הִיא תַעֲשִׁיר Prov.10:22
45 וַעֲלֵיהֶם תָּבוֹא בִרְכַּת־טוֹב Prov.24:25
46 בִּרְכַּת אֹבֵד עָלַי תָּבֹא Job 29:13
בְּבִרְכַּת־ 47 בְּבִרְכַּת יְשָׁרִים תָּרוּם קָרֶת Prov.11:11
כְּבִרְכַּת־ 48/9 כְּבִרְכַּת יְיָ אֱלֹהֶיךָ Deut.12:15; 16:17
בִּרְכָתִי 50 וְהִנֵּה עַתָּה לָקַח בִּרְכָתִי Gen.27:36
51 קַח־נָא אֶת־בִּרְכָתִי Gen.33:11
52 וְצִוִּיתִי אֶת־בִּרְכָתִי לָכֶם Lev.25:21
וּבִרְכָתִי 53 אֶצֹּק...וּבִרְכָתִי עַל־צֶאֱצָאֶיךָ Is.44:3
בִּרְכָתֶךָ 54 בָּא אָחִיךָ...וַיִּקַּח בִּרְכָתֶךָ Gen.27:35
55 לַיְיָ הַיְשׁוּעָה עַל־עַמְּךָ בִרְכָתֶךָ Ps.3:9
וּמִבִּרְכָתְךָ 56 וּמִבִּרְכָתְךָ יְבֹרַךְ בֵּית־עַבְדְּךָ IISh.7:29
כְּבִרְכָתוֹ 57 אִישׁ אֲשֶׁר כְּבִרְכָתוֹ בֵּרַךְ אֹתָם Gen.49:28
בְּרָכוֹת 58 כִּי־תְשִׁיתֵהוּ בְרָכוֹת לָעַד Ps.21:7
59 גַּם־בְּרָכוֹת יַעְטֶה מוֹרֶה Ps.84:7
60 בְּרָכוֹת לְרֹאשׁ צַדִּיק Prov.10:6
61 אִישׁ אֱמוּנוֹת רַב־בְּרָכוֹת Prov.28:20
הַבְּרָכוֹת 62 וּבָאוּ עָלֶיךָ כָּל־הַבְּרָכוֹת Deut.28:2
בִּרְכֹת־ 63 בִּרְכֹת שָׁמַיִם מֵעָל Gen.49:25
64 בִּרְכֹת תְּהוֹם רֹבֶצֶת תָּחַת Gen.49:25
65 בִּרְכֹת שָׁדַיִם וָרָחַם Gen.49:25
66/7 בִּרְכֹת אָבִיךָ גָּבְרוּ עַל־בִּרְכֹת הוֹרַי
Gen.49:26
68 כִּי־תְקַדְּמֶנּוּ בִּרְכוֹת טוֹב Ps.21:4
בִּרְכוֹתֵיכֶם 69 וְאָרוֹתִי אֶת־בִּרְכוֹתֵיכֶם Mal.2:2

בְּרָכָה[2]

שפ״ז – איש מבנימין שהסתפח אל דוד בצקלג

וּבְרָכָה 1 בְּנֵי עַזְמָוֶת וּבְרָכָה ICh.12:3

בְּרָכָה[3]

עֵין עֵמֶק בְּרָכָה

בְּרֵכָה

נ׳ מקוה מים עשוי בידי אדם: 1–17

הַבְּרֵכָה הָעֶלְיוֹנָה 6, 9; הַבְּ׳ הָעֲשׂוּיָה 10; הַבְּ׳ הַתַּחְתּוֹנָה 7; בְּרֵכַת גִּבְעוֹן 11; בְּ׳ מַיִם 15, 17; בְּ׳ הַמֶּלֶךְ 13; בְּ׳ הַשֶּׁלַח 14; בְּ׳ שֹׁמְרוֹן 12

הַבְּרֵכָה 1 וַיֵּשְׁבוּ אֵלֶּה עַל־הַבְּרֵכָה מִזֶּה IISh.2:13
2 וְאֵלֶּה עַל־הַבְּרֵכָה מִזֶּה IISh.2:13
3 וַיִּתְלוּ עַל־הַבְּרֵכָה בְּחֶבְרוֹן IISh.4:12
4 בִּתְעָלַת הַבְּרֵכָה הָעֶלְיוֹנָה IIK.18:17
5 אֶת־הַבְּרֵכָה וְאֶת־הַתְּעָלָה IIK.20:20
6 קְצֵה תְּעָלַת הַבְּרֵכָה הָעֶלְיוֹנָה Is.7:3
7 אֶת־מֵי הַבְּרֵכָה הַתַּחְתּוֹנָה Is.22:9
8 וּמִקְוָה...לְמֵי הַבְּרֵכָה הַיְשָׁנָה Is.22:11
9 בִּתְעָלַת הַבְּרֵכָה הָעֶלְיוֹנָה Is.36:2
10 ...וְעַד הַבְּרֵכָה הָעֲשׂוּיָה Neh.3:16
בְּרֵכַת־ 11 וַיִּפְגְּשׁוּם עַל־בְּרֵכַת גִּבְעוֹן IISh.2:13
12 וַיִּשְׁטֹף...עַל בְּרֵכַת שֹׁמְרוֹן IK.22:38
13 וָאֶעֱבֹר...וְאֶל־בְּרֵכַת הַמֶּלֶךְ Neh.2:14
14 וְאֵת חוֹמַת בְּרֵכַת הַשֶּׁלַח Neh.3:15
כִּבְרֵכַת־ 15 וְנִינְוֵה כִבְרֵכַת־מַיִם מִימֵי הִיא Nah.2:9
בְּרֵכוֹת 16 עֵינַיִךְ בְּרֵכוֹת בְּחֶשְׁבּוֹן S.ofS.7:5
בְּרֵכוֹת־ 17 עָשִׂיתִי לִי בְּרֵכוֹת מָיִם Eccl.2:6

בֶּרֶכְיָה שפ״ז א) שוער לארון בימי דוד: 7
ב) לוי בתקופת שיבת ציון: 6
ג) מבני בית דוד אחרי גלות בבל: 5
ד) אבי זכריה הנביא: 1
ה) אבי אחד ממחזיקי חומת ירושלים בימי נחמיה: 2–4

בֶּרֶכְיָה 1 דְּבַר־יְיָ אֶל־זְכַרְיָה בֶּן־בֶּרֶכְיָה Zech.1:1
3-2 הֶחֱזִיק מְשֻׁלָּם בֶּן־בֶּרֶכְיָה Neh.3:4,30
4 לָקַח אֶת־בַּת־מְשֻׁלָּם בֶּן בֶּרֶכְיָה Neh.6:19
וּבֶרֶכְיָה 5 וַחֲשֻׁבָה וָאֹהֶל וּבֶרֶכְיָה ICh.3:20
6 וּבֶרֶכְיָה בֶּן־אָסָא בֶּן־אֶלְקָנָה ICh.9:16
7 וּבֶרֶכְיָה וְאֶלְקָנָה שֹׁעֲרִים לָאָרוֹן ICh.15:23

בֶּרֶכְיָהוּ שפ״ז א) אביו של אסף: 2, 3
ב) מראשי בני אפרים בימי פקח: 4
ג) אבי זכריה הנביא, הוא בֶּרֶכְיָה: 1

בֶּרֶכְיָהוּ 1 דְּבַר־יְיָ אֶל־זְכַרְיָה בֶּן־בֶּרֶכְיָהוּ Zech.1:7
3-2 אָסָף בֶּן־בֶּרֶכְיָהוּ ICh.6:24; 15:17
4 וַיָּקֻמוּ...בֶּרֶכְיָהוּ בֶן־מְשִׁלֵּמוֹת IICh.28:12

בְּרַם מ״ח ארמית: אבל, אך: 1–5

בְּרַם 1 בְּרַם אִיתַי אֱלָהּ בִּשְׁמַיָּא... Dan.2:28
2/3 בְּרַם עִקַּר שָׁרְשׁוֹהִי בְּאַרְעָא Dan.4:12,20
4 בְּרַם כְּתָבָא אֶקְרֵא לְמַלְכָּא Dan.5:17
5 בְּרַם בִּשְׁנַת חֲדָה לְכוֹרֶשׁ Ez.5:13

בְּרֹמִים ז״ר בגדי־פאר (?)

בְּרֹמִים 1 בִּגְלוֹמֵי תְּכֵלֶת...וּבְגִנְזֵי בְּרֹמִים Ezek.27:24

בַּרְנֵעַ עיין קָדֵשׁ בַּרְנֵעַ

בֶּרַע שפ״ז – מלך סדום

בֶּרַע 1 עָשׂוּ מִלְחָמָה אֶת־בֶּרַע מֶלֶךְ סְדֹם Gen.14:2

ברק : בָּרָק; בָּרָק, בַּרְקָן(?), בָּרֶקֶת, בָּרְקַת; ש״פ בָּרָק², בְּרָק

בָּרַק פ׳ שלח בָּרָק

בְּרוֹק 1 בְּרוֹק בָּרָק וּתְפִיצֵם תהלים קמד6

בָּרָק¹ ז׳ א) אור מבהיק קודם הרעם: 1, 5, 7, 8, 13–21
ב) זֹהַר: 2–4, 6, 9–12

מַרְאֵה בָרָק 6; בְּרַק חֶרֶב 10; בּ׳ חֲנִית 11, 12; קוֹלוֹת וּבְרָקִים 18

בְּרַק בָּרָק 5; יָצָא בּ׳ 2; הֵאִירוּ בְרָקִים 15, 21; עָשָׂה בּ׳ 13, 14, 16; רַב בּ׳ 19; שִׁלַּח בּ׳ 17

בָּרָק 1 וַיִּשְׁלַח חִצִּים וַיְפִיצֵם בָּרָק וַיָּהֹם IISh.22:15
2 וּמִן־הָאֵשׁ יוֹצֵא בָרָק Ezek.1:13
3 לְמַעַן הֱיֵה־לָהּ בָּרָק מֹרְטָּה Ezek.21:15
4 לְהָכִיל לְמַעַן בָּרָק Ezek.21:33
5 בְּרוֹק בָּרָק וּתְפִיצֵם Ps.144:6
6 וּפָנָיו כְּמַרְאֵה בָרָק Dan.10:6
וּבָרָק 7 וּבָרָק מִמְּרֹרָתוֹ יַהֲלֹךְ עָלָיו אֵמִים Job20:25
כַּבָּרָק 8 וְיָצָא כַבָּרָק חִצּוֹ Zech.9:14
לְבָרָק 9 אָח עֲשׂוּיָה לְבָרָק מְעֻטָּה לְטָבַח Ezek.21:20
בְּרַק־ 10 אִם־שַׁנּוֹתִי בְּרַק חַרְבִּי Deut.32:41
11 לְנֹגַהּ בְּרַק חֲנִיתֶךָ Hab.3:11
וּבְרַק־ 12 וְלַהַב חֶרֶב וּבְרַק חֲנִית Nah.3:3
בְּרָקִים 13/4 בְּרָקִים לַמָּטָר עָשָׂה Jer.10:13; 51:16
15 הֵאִירוּ בְרָקִים תֵּבֵל Ps.77:19
16 בְּרָקִים לַמָּטָר עָשָׂה Ps.135:7
17 הַתְשַׁלַּח בְּרָקִים וְיֵלֵכוּ Job38:35
וּבְרָקִים 18 וַיְהִי קֹלֹת וּבְרָקִים וְעָנָן כָּבֵד Ex.19:16
19 וּבְרָקִים רָב וַיְהֻמֵּם Ps.18:15
כַּבְּרָקִים 20 מַרְאֵיהֶן כַּלַּפִּידִים כַּבְּרָקִים יְרוֹצֵצוּ Nah.2:5
בְרָקָיו 21 הֵאִירוּ בְרָקָיו תֵּבֵל Ps.97:4

בָּרָק² שפ״ז – בן אבינועם, שר צבא ישראל ליד דבורה: 1–13

בָּרָק 1 וַיֹּאמֶר... בָּרָק אִם־תֵּלְכִי עִמִּי... Jud.4:8
2 וַתֵּלֶךְ עִם־בָּרָק קֶדְשָׁה Jud.4:9
3 וַיַּזְעֵק בָּרָק אֶת־זְבוּלֻן...קֶדְשָׁה Jud.4:10
4 כִּי עָלָה בָּרָק בֶּן־אֲבִינֹעַם... Jud.4:12
5 וַתֹּאמֶר דְּבֹרָה אֶל־בָּרָק קוּם... Jud.4:14
6 וַיֵּרֶד בָּרָק מֵהַר תָּבוֹר... Jud.4:14
7 וַיָּהָם יְיָ אֶת־סִיסְרָא...לִפְנֵי בָרָק Jud.4:15
8 וְהִנֵּה בָרָק רֹדֵף אֶת־סִיסְרָא Jud.4:22
9 קוּם בָּרָק וּשֲׁבֵה שֶׁבְיְךָ בֶּן־אֲבִינֹעַם Jud.5:12
10 וְיִשָּׂשכָר כֵּן בָּרָק... Jud.5:15
וּבָרָק 11 וּבָרָק רָדַף אַחֲרֵי הָרֶכֶב Jud.4:16
12 וַתָּשַׁר דְּבוֹרָה וּבָרָק בֶּן־אֲבִינֹעַם Jud.5:1
לְבָרָק 13 וַתִּקְרָא לְבָרָק בֶּן אֲבִינֹעַם Jud.4:6

בְּרַק עיין בְּנֵי בְרַק

בַּרְקוֹס שפ״ז – אבי משפחה מעולי בבל עם זרובבל

בַּרְקוֹס 1/2 בְּנֵי־בַרְקוֹס בְּנֵי־סִיסְרָא Ez.2:53 • Neh.7:55

בַּרְקָן° ז׳ צמח קוצני: 1, 2 קרובים: ראה קוֹץ

הַבַּרְקָנִים 1 אֶת־קוֹצֵי הַמִּדְבָּר וְאֶת־הַבַּרְקָנִים Jud.8:7
2 וְאֶת־קוֹצֵי הַמִּדְבָּר וְאֶת־הַבַּרְקָנִים Jud.8:16

בָּרֶקֶת, בָּרְקַת נ׳ אבן טובה: 1–3 • קרובים: ראה אֹדֶם

וּבָרֶקֶת 1/2 אֹדֶם פִּטְדָה וּבָרֶקֶת Ex.28:17; 39:10
וּבָרְקַת 3 סַפִּיר נֹפֶךְ וּבָרְקַת וְזָהָב Ezek.28:13

ברר : בָּרַר, בָּרוּר, נָבַר, בֵּרֵר, הִתְבָּרֵר, הִתָּבָר, הֵבַר; בַּר, בָּר, בֹּר, בֹּרִית

בָּרַר פ׳ א) בחר, הבדיל: 1–9
ב) [נפ׳ נָבַר] נבחר, הטהר: 10–12
ג) [פ׳ בֵּרֵר] טהר: 13
ד) [הת׳ הִתְבָּרֵר, הִתָּבָר] יצא טהור ונקי: 16
ה) [כנ״ל] התנהג בטהרה: 14, 15
ו) [הפ׳ הֵבַר] נקה, טהר: 17, 18

חֵץ בָּרוּר 3; שָׂפָה בְרוּרָה 5; (אֲנָשִׁים) בְּרוּרִים 6–8; צֹאן בְּרֻרוֹת 9

מִלֵּל בָּרוּר 4; לְבָרֵר וְלַלְבֵּן 13; יִתְבָּרְרוּ וְיִתְלַבְּנוּ 16

לְבָרָם 1 עַל־דִּבְרַת בְּנֵי הָאָדָם לְבָרָם הָאֱלֹהִים Eccl.3:18
וּבָרוֹתִי 2 וּבָרוֹתִי מִכֶּם הַמֹּרְדִים Ezek.20:38
בָּרוּר 3 וַיְשִׂימֵנִי לְחֵץ בָּרוּר Is.49:2
4 וְדַעַת שְׂפָתַי בָּרוּר מִלֵּלוּ Job33:3
בְּרוּרָה 5 אֶהְפֹּךְ אֶל־עַמִּים שָׂפָה בְרוּרָה Zep.3:9
בְּרוּרִים 6 רָאשֵׁי בֵּית־הָאָבוֹת בְּרוּרִים ICh.7:40
הַבְּרוּרִים 7 כֻּלָּם הַבְּרוּרִים לְשֹׁעֲרִים בַּסִּפִּים ICh.9:22
8 וּשְׁאָר הַבְּרוּרִים אֲשֶׁר נִקְּבוּ בְּשֵׁמוֹת ICh.16:41
בְּרֻרוֹת 9 צֹאן שֵׁשׁ־בְּרֻרוֹת Neh.5:18
נָבָר 10 עִם־נָבָר תִּתָּבָר IISh.22:27
11 עִם־נָבָר תִּתְבָּרָר Ps.18:27
הִבָּרוּ 12 הִבָּרוּ נֹשְׂאֵי כְּלֵי יְיָ Is.52:11
וּלְבָרֵר 13 לִצְרוֹף בָּהֶם וּלְבָרֵר וְלַלְבֵּן Dan.11:35
תִּתָּבָר 14 עִם־נָבָר תִּתָּבָר IISh.22:27
תִּתְבָּרָר 15 עִם־נָבָר תִּתְבָּרָר Ps.18:27
יִתְבָּרְרוּ 16 יִתְבָּרְרוּ וְיִתְלַבְּנוּ וְיִצָּרְפוּ רַבִּים Dan.12:10
לְהָבַר 17 לוֹא לִזְרוֹת וְלוֹא לְהָבַר Jer.4:11
הָבֵרוּ 18 הָבֵרוּ הַחִצִּים מִלְאוּ הַשְּׁלָטִים Jer.51:11

בִּרְשַׁע שפ״ז – מלך עמורה

בִּרְשַׁע 1 וְאֶת־בִּרְשַׁע מֶלֶךְ עֲמֹרָה Gen.14:2

בֵּרֹתִי ת׳ שהוא מן בְּאֵרוֹת

בֵּרֹתִי 1 צֶלֶק הָעַמּוֹנִי נַחְרַי הַבֵּרֹתִי ICh.11:39

בֵּרֹתַי עיר בממלכת ארם

בֵּרֹתַי 1 וּמִבֶּטַח וּמִבֵּרֹתַי עָרֵי הֲדַדְעָזֶר IISh.8:8

(בְּשׂוֹר) נַחַל הַבְּשׂוֹר נחל באזור עזה

הַבְּשׂוֹר 1 וַיָּבֹאוּ עַד־נַחַל הַבְּשׂוֹר ISh.30:9
2 אֲשֶׁר פִּגְּרוּ מֵעֲבֹר אֶת־נַחַל הַבְּשׂוֹר ISh.30:10
3 וַיֹּשִׁיבֻם בְּנַחַל הַבְּשׂוֹר ISh.30:21

בְּשׂוֹרָה נ׳ א) הודעה משמחת: 2–6
ב) שכר המבשר: 1

בְּשׂוֹרָה טוֹבָה 5; אִישׁ בְּשֹׂרָה 2; יוֹם בְּשׂרָה 6

בְּשֹׂרָה 1 אֲשֶׁר לְתִתִּי־לוֹ בְּשֹׂרָה IISh.4:10
2 לֹא אִישׁ בְּשֹׂרָה אַתָּה הַיּוֹם הַזֶּה IISh.18:20
3 וּלְכָה אֵין־בְּשׂוֹרָה מֹצֵאת IISh.18:22
4 אִם־לְבַדּוֹ בְּשׂוֹרָה בְּפִיו IISh.18:25
5 וְאֶל־בְּשׂוֹרָה טוֹבָה יָבוֹא IISh.18:27
6 הַיּוֹם הַזֶּה יוֹם־בְּשֹׂרָה הוּא IIK.7:9

בשל : בָּשַׁל, בָּשֵׁל, בִּשֵּׁל, בֻּשַּׁל, הִבְשִׁיל; מְבַשְּׁלֹת

בָּשַׁל פ׳ א) גמל הפרי: 1
ב) נעשה (בָּשָׂר) בחום ראוי לאכילה: 2–4
ג) [פ׳ בִּשֵּׁל] התקין (בשר) בחום: 5–25
ד) [פ׳ בֻּשַּׁל] הותקן בחום: 26–29
ה) [הפ׳ הִבְשִׁיל] הביא לגמילת הפרי: 30

בָּשַׁל קָצִיר 1; בָּשְׁלוּ עֲצָמִים 2; בִּשֵּׁל (בָּשָׂר) 5–16, 18–22, 24, 25; בּ׳ לְבִיבוֹת 17; בּ׳ נָזִיד 23; זְרוֹעַ בְּשֵׁלָה 4; בָּשָׂר מְבֻשָּׁל 28
הִבְשִׁילוּ אַשְׁכְּלֹתֶיהָ 30

בָּשַׁל 1 שִׁלְחוּ מַגָּל כִּי בָשַׁל קָצִיר Joel4:13
בָּשְׁלוּ 2 גַּם־בָּשְׁלוּ עֲצָמֶיהָ בְּתוֹכָהּ Ezek.24:5
וּבָשֵׁל 3 אַל־תֹּאכְלוּ מִמֶּנּוּ נָא וּבָשֵׁל מְבֻשָּׁל Ex.12:9
בְּשֵׁלָה 4 וְלָקַח הַכֹּהֵן אֶת־הַזְּרֹעַ בְּשֵׁלָה Num.6:19
כְּבַשֵּׁל 5 וּבָא נַעַר הַכֹּהֵן כְּבַשֵּׁל הַבָּשָׂר ISh.2:13
וּבִשַּׁלְתָּ 6 וּבִשַּׁלְתָּ אֶת־בְּשָׂרוֹ בְּמָקֹם קָדֹשׁ Ex.29:31
7 וּבִשַּׁלְתָּ וְאָכַלְתָּ בַּמָּקוֹם... Deut.16:7
בִּשְּׁלָם 8 וּבִכְלִי הַבָּקָר בִּשְּׁלָם הַבָּשָׂר IK.19:21
בִּשְּׁלוּ 9 יְדֵי נָשִׁים...בִּשְּׁלוּ יַלְדֵיהֶן Lam.4:10
10 וְהַקֳּדָשִׁים בִּשְּׁלוּ בַּסִּירוֹת IICh.35:13
וּבִשְּׁלוּ 11 וּבִשְּׁלוּ בַּפָּרוּר וְעָשׂוּ אֹתוֹ עֻגוֹת Num.11:8
12 וְלָקְחוּ מֵהֶם וּבִשְּׁלוּ בָהֶם Zech.14:21
הַמְבַשְּׁלִים 13 אֵלֶּה בֵּית הַמְבַשְּׁלִים Ezek.46:24
תְבַשֵּׁל 14-16 לֹא־תְבַשֵּׁל גְּדִי בַּחֲלֵב אִמּוֹ Ex.23:19
34:26 • Deut.14:21
וַתְּבַשֵּׁל 17 וַתְּבַשֵּׁל אֶת־הַלְּבִבוֹת IISh.13:8
וַנְּבַשֵּׁל 18 וַנְּבַשֵּׁל אֶת־בְּנִי וַנֹּאכְלֵהוּ IIK.6:29
תְּבַשְּׁלוּ 19 וְאֵת אֲשֶׁר־תְּבַשְּׁלוּ בַּשֵּׁלוּ Ex.16:23
יְבַשְּׁלוּ 20 אֲשֶׁר יְבַשְּׁלוּ־שָׁם הַכֹּהֲנִים Ezek.46:20
21 אֲשֶׁר יְבַשְּׁלוּ־שָׁם מְשָׁרְתֵי הַבַּיִת Ezek.46:24
וַיְבַשְּׁלוּ 22 וַיְבַשְּׁלוּ הַפֶּסַח בָּאֵשׁ IICh.35:13
וּבַשֵּׁל 23 וּבַשֵּׁל נָזִיד לִבְנֵי הַנְּבִיאִים IIK.4:38
בַּשְּׁלוּ 24 בַּשְּׁלוּ אֶת־הַבָּשָׂר Lev.8:31
בַּשֵּׁלוּ 25 וְאֵת אֲשֶׁר־תְּבַשְּׁלוּ בַּשֵּׁלוּ Ex.16:23
בֻּשָּׁלָה 26 וְאִם־בִּכְלִי נְחֹשֶׁת בֻּשָּׁלָה Lev.6:21
מְבֻשָּׁל 27 אַל־תֹּאכְלוּ מִמֶּנּוּ...מְבֻשָּׁל בַּמָּיִם Ex.12:9
28 וְלֹא־יִקַּח מִמְּךָ בָּשָׂר מְבֻשָּׁל ISh.2:15
תְּבֻשַּׁל 29 וּכְלִי־חֶרֶשׂ אֲשֶׁר תְּבֻשַּׁל־בּוֹ Lev.6:21
הִבְשִׁילוּ 30 הִבְשִׁילוּ אַשְׁכְּלֹתֶיהָ עֲנָבִים Gen.40:10

בִּשְׁלָם שפ״ז – פרסי בימי עזרא

בִּשְׁלָם 1 וּבִימֵי אַרְתַּחְשַׁשְׂתָּא כָּתַב בִּשְׁלָם Ez.4:7

בשם : בֹּשֶׂם, בֶּשֶׂם; ש״פ בָּשְׂמַת, יִבְשָׂם

בֹּשֶׂם, בֶּשֶׂם ז׳ סמים ריחניים המופקים מצמחים שונים וכן הצמחים עצמם: 1—30

עֲרוּגַת הַבֹּשֶׂם 5, 6; קְנֵה בֹשֶׂם 1; קִנְּמָן בֶּשֶׂם 9; הָרֵי בְשָׂמִים 16; רָאשֵׁי ב׳ 15; יִזְּלוּ בְשָׂמָיו 30

בֹּשֶׂם 1 וּקְנֵה־בֹשֶׂם חֲמִשִּׁים וּמָאתָיִם Ex.30:23
2 תַּחַת בֹּשֶׂם מַק יִהְיֶה Is.3:24
3 בְּרֹאשׁ כָּל־בֹּשֶׂם...נָתְנוּ עִזְבוֹנָיִךְ Ezek.27:22
הַבֹּשֶׂם 4 וְאֶת־הַבֹּשֶׂם וְאֶת־הַשָּׁמֶן Ex.35:28
5 לְחָיָו כַּעֲרוּגַת הַבֹּשֶׂם S.ofS.5:13
6 דּוֹדִי יָרַד לְגַנּוֹ לַעֲרֻגוֹת הַבֹּשֶׂם S.ofS.6:2
כַּבֹּשֶׂם 7 לֹא בָא כַבֹּשֶׂם הַהוּא IK.10:10
8 וְלֹא הָיָה כַּבֹּשֶׂם הַהוּא IICh.9:9
בֶּשֶׂם 9 מָר־דְּרוֹר...וְקִנְּמָן־בֶּשֶׂם Ex.30:23
בְּשָׂמִי 10 אָרִיתִי מוֹרִי עִם־בְּשָׂמִי S.ofS.5:1
בְּשָׂמִים 11 בְּשָׂמִים לְשֶׁמֶן הַמִּשְׁחָה Ex.25:6
12 קַח־לְךָ בְּשָׂמִים רֹאשׁ Ex.30:23
13 בְּשָׂמִים וְזָהָב רַב־מְאֹד IK.10:2
14 וְרֵיחַ שְׁמָנַיִךְ מִכָּל־בְּשָׂמִים S.ofS.4:10
15 עִם כָּל־רָאשֵׁי בְשָׂמִים S.ofS.4:14
16 בְּרַח...עַל הָרֵי בְשָׂמִים S.ofS.8:14
17 בְּשָׂמִים וְזָהָב לָרֹב IICh.9:1
18 בְּשָׂמִים וּזְנִים מְרֻקָּחִים IICh.16:14
וּבְשָׂמִים 19 וּבְשָׂמִים לְשֶׁמֶן הַמִּשְׁחָה Ex.35:8
20 וּבְשָׂמִים הַרְבֵּה מְאֹד IK.10:10
21 וּשְׂלָמוֹת וָנֶשֶׁק וּבְשָׂמִים IK.10:25
22 וּבְשָׂמִים לָרֹב מְאֹד IICh.9:9
23 וּשְׂלָמוֹת נֵשֶׁק וּבְשָׂמִים IICh.9:24
הַבְּשָׂמִים 24 וְאֶת־הַבְּשָׂמִים וְאֵת שֶׁמֶן הַטּוֹב IIK.20:13
25 וְאֶת־הַבְּשָׂמִים וְאֵת הַשֶּׁמֶן הַטּוֹב Is.39:2
וְהַבְּשָׂמִים 26 וְהַלְּבוֹנָה וְהַבְּשָׂמִים ICh.9:29
בַּבְּשָׂמִים 27 בַּבְּשָׂמִים וּבְתַמְרוּקֵי הַנָּשִׁים Es.2:12
לַבְּשָׂמִים 28 רֹקְחֵי הַמִּרְקַחַת לַבְּשָׂמִים ICh.9:30
וְלַבְּשָׂמִים 29 וְלָאֶבֶן יְקָרָה וְלַבְּשָׂמִים וּלְמָגִנִּים IICh.32:27
בְשָׂמָיו 30 הָפִיחִי גַנִּי יִזְּלוּ בְשָׂמָיו S.ofS.4:16

בָּשְׂמַת שפ״נ א) אשת עשו: 1—5, 7
ב) מבנות שלמה, אשת אחימעץ: 6

בָּשְׂמַת 1 וְאֶת־בָּשְׂמַת בַּת אֵילֹן הַחִתִּי Gen.26:34
2 וְאֶת־בָּשְׂמַת בַּת־יִשְׁמָעֵאל Gen.36:3
3-5 בָּשְׂמַת אֵשֶׁת עֵשָׂו Gen.36:10,13,17
6 לָקַח אֶת־בָּשְׂמַת בַּת־שְׁלֹמֹה לְאִשָּׁה IK.4:15
וּבָשְׂמַת 7 וּבָשְׂמַת יָלְדָה אֶת־רְעוּאֵל Gen.36:4

בָּשָׁן חבל־ארץ בצפון עבר הירדן: 1—59

אַבִּירֵי בָשָׁן 7; אַלּוֹנֵי ב׳ 6, 28; בְּנֵי ב׳ 1; דֶּרֶךְ הַבָּשָׁן 10, 26; הַר ב׳ 8, 9; מְרִיאֵי ב׳ 3; עוֹג מֶלֶךְ הַבּ׳ 11—25; פָּרוֹת הַבּ׳ 29

בָּשָׁן 1 עִם־חֵלֶב...בְּנֵי־בָשָׁן וְעַתּוּדִים Deut.32:14
2 וְנֹעֵר בָּשָׁן וְכַרְמֶל Is.33:9
3 מְרִיאֵי בָשָׁן כֻּלָּם Ezek.39:18
4 יִרְעוּ בָשָׁן וְגִלְעָד כִּימֵי עוֹלָם Mic.7:14
5 אֻמְלַל בָּשָׁן וְכַרְמֶל Nah.1:4
6 הֵילִילוּ אַלּוֹנֵי בָשָׁן Zech.11:2
7 אַבִּירֵי בָשָׁן כִּתְּרוּנִי Ps.22:13
8 הַר־אֱלֹהִים הַר־בָּשָׁן Ps.68:16
9 הַר־גַּבְנֻנִּים הַר־בָּשָׁן Ps.68:16
הַבָּשָׁן 10 וַיִּפְנוּ וַיַּעֲלוּ דֶּרֶךְ הַבָּשָׁן Num.21:33
11-25 (וְ/לְ/וּלְ)עוֹג מֶלֶךְ הַבָּשָׁן Num.21:33
32:33 • Deut.1:4; 3:1,3,11; 4:47; 29:6 • Josh.9:10; 12:4; 13:30 • IK.4:19 • Ps.135:11; 136:20 • Neh. 9:22

הַבָּשָׁן (המשך) 26 וַנֵּפֶן וַנַּעַל דֶּרֶךְ הַבָּשָׁן Deut.3:1
27 גּוּר אַרְיֵה יְזַנֵּק מִן־הַבָּשָׁן Deut.33:22
28 וְעַל כָּל־אַלּוֹנֵי הַבָּשָׁן Is.2:13
29 פָּרוֹת הַבָּשָׁן אֲשֶׁר בְּהַר שֹׁמְרוֹן Am.4:1
30-37 הַבָּשָׁן Deut.3:10,13², 14
Josh.12:5; 13:11,30 • ICh.5:11
וְהַבָּשָׁן 38 וַיְהִי־לוֹ הַגִּלְעָד וְהַבָּשָׁן Josh.17:1
39 לְבַד מֵאֶרֶץ הַגִּלְעָד וְהַבָּשָׁן Josh.17:5
40 מֵעֲרֹעֵר...וְהַגִּלְעָד וְהַבָּשָׁן IIK.10:33
41 ...וְרָעָה הַכַּרְמֶל וְהַבָּשָׁן Jer.50:19
בַּבָּשָׁן 42 ...מַמְלֶכֶת עוֹג בַּבָּשָׁן Deut.3:4,10
43 וְאֶת־גּוֹלָן בַּבָּשָׁן לַמְנַשִּׁי Deut.4:43
44-55 בַּבָּשָׁן Josh.13:12,30,31; 20:8
21:6,27; 22:7 • IK.4:13 • ICh.5:12,16; 6:47,56
וּבַבָּשָׁן 56 וּבַבָּשָׁן תְּנִי קוֹלֵךְ Jer.22:20
מִבָּשָׁן 57 אַלּוֹנִים מִבָּשָׁן עָשׂוּ מִשּׁוֹטָיִךְ Ezek.27:6
58 אָמַר אֲדֹנָי מִבָּשָׁן אָשִׁיב Ps.68:23
59 מִבָּשָׁן עַד־בַּעַל חֶרְמוֹן ICh.5:23

בָּשְׁנָה נ׳ בּוּשָׁה • קרובים: ראה בוז

בָּשְׁנָה 1 בָּשְׁנָה אֶפְרַיִם יִקָּח וְיֵבוֹשׁ יִשְׂרָאֵל Hosh.10:6

בָּשַׁס פ׳ בּוֹסֵס, רמס

בּוֹשַׁסְכֶם 1 יַעַן בּוֹשַׁסְכֶם עַל־דָּל Am.5:11

בשר : בִּשֵּׂר, הִתְבַּשֵּׂר; בְּשׂוֹרָה; בָּשָׂר(?); ש״פ הַבְּשׂוֹר

בִּשֵּׂר פ׳ א) הודיע ידיעה חשובה, על־פי־רוב — טובה: רוב המקראות
ב) הכריז ברבים: 4, 21, 22, 23
ג) [הת׳ הִתְבַּשֵּׂר] קִבֵּל ידיעה חשובה: 24

בִּשֵּׂר אֶת־ 1-3,17; מְבַשֵּׂר טוֹב 10,19; רַגְלֵי מְבַשֵּׂר 9, 11; מְבַשֶּׂרֶת יְרוּשָׁלִַם 15; מְבַשֶּׂרֶת צִיּוֹן 14

לְבַשֵּׂר 1 וַיְשַׁלְּחוּ...לְבַשֵּׂר בֵּית עֲצַבֵּיהֶם ISh.31:9
2 יַעַן מָשַׁח יְיָ אֹתִי לְבַשֵּׂר עֲנָוִים Is.61:1
3 וַיְשַׁלְּחוּ...לְבַשֵּׂר אֶת־עֲצַבֵּיהֶם ICh.10:9
בִּשַּׂרְתִּי 4 בִּשַּׂרְתִּי צֶדֶק בְּקָהָל רָב Ps.40:10
וּבִשַּׂרְתָּ 5 וּבִשַּׂרְתָּ בְּיוֹם אַחֵר IISh.18:20
בִּשַּׂר 6 אֲשֶׁר בִּשַּׂר אֶת־אָבִי לֵאמֹר Jer.20:15
מְבַשֵּׂר 7 וַיֹּאמֶר הַמֶּלֶךְ גַּם־זֶה מְבַשֵּׂר IISh.18:26
8 וְלִירוּשָׁלִַם מְבַשֵּׂר אֶתֵּן Is.41:27
9 מַה־נָּאווּ...רַגְלֵי מְבַשֵּׂר Is.52:7
10 מְבַשֵּׂר טוֹב מַשְׁמִיעַ יְשׁוּעָה Is.52:7
11 הִנֵּה עַל־הֶהָרִים רַגְלֵי מְבַשֵּׂר Nah.2:1
הַמְבַשֵּׂר 12 וַיַּעַן הַמְבַשֵּׂר וַיֹּאמֶר ISh.4:17
כִמְבַשֵּׂר 13 וְהוּא־הָיָה כִמְבַשֵּׂר בְּעֵינָיו IISh.4:10
מְבַשֶּׂרֶת 14 עַל הַר־גָּבֹהַּ עֲלִי־...מְבַשֶּׂרֶת צִיּוֹן Is.40:9
15 הָרִימִי...קוֹלֵךְ מְבַשֶּׂרֶת יְרוּשָׁלִָם Is.40:9
הַמְבַשְּׂרוֹת 16 הַמְבַשְּׂרוֹת צָבָא רָב Ps.68:12
וַאֲבַשְּׂרָה 17 אָרוּצָה נָּא וַאֲבַשְּׂרָה אֶת־הַמֶּלֶךְ IISh.18:19
תְּבַשֵּׂר 18 וְהַיּוֹם הַזֶּה לֹא תְבַשֵּׂר IISh.18:20
19 כִּי אִישׁ חַיִל אַתָּה וְטוֹב תְּבַשֵּׂר IK.1:42
תְּבַשְּׂרוּ 20 אַל־תְּבַשְּׂרוּ בְּחוּצֹת אַשְׁקְלוֹן IISh.1:20
יְבַשֵּׂרוּ 21 וּתְהִלֹּת יְיָ יְבַשֵּׂרוּ Is.60:6
בַּשְּׂרוּ 22 בַּשְּׂרוּ מִיּוֹם־לְיוֹם יְשׁוּעָתוֹ Ps.96:2
23 בַּשְּׂרוּ מִיּוֹם־אֶל־יוֹם יְשׁוּעָתוֹ ICh.16:23
יִתְבַּשֵּׂר 24 יִתְבַּשֵּׂר אֲדֹנִי הַמֶּלֶךְ IISh.18:31

בָּשָׂר ז׳ א) הרקמה הרכה המכסה את עצמות השלד בגוף האדם ובעלי־החיים: רוב המקראות
ב) כנוי לגוף כולו: 41—44, 53,57,66,67,91,98, 128, 136, 139, 142, 163—165, 171—193, 196, 199—218, 243—245,250—258, 260, 262, 265, 269, 270
ג) כנוי לכל חי, באדם ובבהמה: 3—39, 62, 91, 97, 111, 122, 158

– בָּשָׂר חַי 47, 48, 105—107; בָּשָׂר מְבֻשָּׁל 52
– בְּרִיאוֹת בָּשָׂר 41, 43; בְּרִיאֵי ב׳ 67; גִּדְלֵי ב׳ 57; דַּקּוֹת ב׳ 42, 98; זוֹלְלֵי ב׳ 64; זְרוֹעַ ב׳ 68; יְגִיעַת ב׳ 66; כָּל־ב׳ 3—39; לֵב ב׳ 56, 58; מִחְיַת ב׳ 47; סִיר הַבּ׳ 101; עוֹר הַבּ׳ 50, 104, 206-210, 257, 258; עֵינֵי ב׳ 65; עֶרֶל ב׳ 60, 61; קֵץ כָּל־בָּשָׂר 4; שְׁאֵר בָּשָׂר 211, 212
– בְּשַׂר אַבִּירִים 156; ב׳ אָחִיו 165; ב׳ אָדָם 139; ב׳ אֵיזֶבֶל 143; ב׳ אִישׁ 158; ב׳ אַיִל 138; ב׳ בְּנוֹתָיו 148; ב׳ בָּנָיו 140, 141, 147, 170; ב׳ בְּרִיאָה 162; ב׳ גִּבּוֹרִים 152; ב׳ זָב 163; ב׳ זֶבַח 159, 167—169; ב׳ זְרוֹעוֹ 144; ב׳ חֲזִיר 145, 146; ב׳ חֲמוֹרִים 151; ב׳ חֲסִידָיו 157; ב׳ יֶלֶד 142; ב׳ נַעַר 164; ב׳ עֶרְוָה 136; ב׳ עָרְלָה 130—135; ב׳ פִּגּוּל 150; ב׳ פַּר 137; ב׳ קֹדֶשׁ 154, 161; בְּשַׂר קָרְבָּן 153; ב׳ רֵעֵהוּ 149; ב׳ רְעוּתָהּ 155
– אָחִיו בְּשָׂרוֹ 250, 251; חֲצִי ב׳ 213; מַפְּלֵי ב׳ 222; מִשְׁמַן ב׳ 215; שַׂעֲרַת ב׳ 175; עַצְמוֹ וּבְשָׂרוֹ 183, 184, 200, 201, 253; חַיֵּי בְשָׂרִים 270

בָּשָׂר 1 וַיִּסְגֹּר בָּשָׂר תַּחְתֶּנָּה Gen.2:21
2 בְּשַׁגַּם הוּא בָשָׂר... Gen.6:3
3 כִּי־הִשְׁחִית כָּל־בָּשָׂר אֶת־דַּרְכּוֹ Gen.6:12
4 קֵץ כָּל־בָּשָׂר בָּא לְפָנַי Gen.6:13
5 כָּל־בָּשָׂר אֲשֶׁר־בּוֹ רוּחַ חַיִּים Gen.6:17
6-39 (כ/ל/מ) כָּל בָּשָׂר Gen.6:19; 7:16,21
8:17; 9:11, 15², 16, 17 • Lev.17:14³ • Num.16:22; 18:15; 27:16 • Deut.5:26(23) • Is.40:5; 49:26; 66:16,23,24 • Jer.12:12; 25:31; 32:27; 45:5 • Ezek. 21:4,9,10; Joel 3:1 • Zech.2:17 • Ps.65:3; 136:25; 145:21 • Job 34:15
40 בָּשָׂר בְּנַפְשׁוֹ דָמוֹ לֹא תֹאכֵלוּ Gen.9:4
41 יְפוֹת מַרְאֶה וּבְרִיאֹת בָּשָׂר Gen.41:2
42 רָעוֹת מַרְאֶה וְדַקּוֹת בָּשָׂר Gen.41:3
43 בְּרִיאוֹת בָּשָׂר וִיפֹת תֹּאַר Gen.41:18
44 דַּלּוֹת...וְרַקּוֹת בָּשָׂר Gen.41:19
45 בְּתֵת יְיָ לָכֶם בָּעֶרֶב בָּשָׂר לֶאֱכֹל Ex.16:8
46 בֵּין הָעַרְבַּיִם תֹּאכְלוּ בָשָׂר Ex.16:12
47 וּמִחְיַת בָּשָׂר חַי בַּשְׂאֵת Lev.13:10
48 וּבְיוֹם הֵרָאוֹת בּוֹ בָּשָׂר חַי Lev.13:14
49 אוֹ בָשָׂר כִּי־יִהְיֶה בְעֹרוֹ Lev.13:24
50 כְּמַרְאֵה צָרַעַת עוֹר בָּשָׂר Lev.13:43
51 וְחַרְבִּי תֹּאכַל בָּשָׂר Deut.32:42
52 וְלֹא־יִקַּח מִמְּךָ בָּשָׂר מְבֻשָּׁל ISh.2:15
53 מִנֶּפֶשׁ וְעַד־בָּשָׂר יְכַלֶּה Is.10:18
54 וְסוּסֵיהֶם בָּשָׂר וְלֹא־רוּחַ Is.31:3
55 וְשָׂם בָּשָׂר זְרֹעוֹ Jer.17:5
56 וְנָתַתִּי לָהֶם לֵב בָּשָׂר Ezek.11:19
57 בְּנֵי־מִצְרַיִם שְׁכֵנַיִךְ גִּדְלֵי בָשָׂר Ezek.16:26
58 וְנָתַתִּי לָכֶם לֵב בָּשָׂר Ezek.36:26
59 וְהַעֲלֵתִי עֲלֵיכֶם בָּשָׂר Ezek.37:6
60 עַרְלֵי־לֵב וְעַרְלֵי בָשָׂר Ezek.44:7
61 עֶרֶל לֵב וְעֶרֶל בָּשָׂר Ezek.44:9
62 בֵּאלֹהִים בָּטַחְתִּי לֹא אִירָא
מַה־יַּעֲשֶׂה בָשָׂר לִי Ps.56:5
63 וַיִּזְכֹּר כִּי־בָשָׂר הֵמָּה Ps.78:39
64 אַל־תְּהִי...בְּזֹלֲלֵי בָשָׂר לָמוֹ Prov.23:20
65 הַעֵינֵי בָשָׂר לָךְ Job 10:4
66 וְלַהַג הַרְבֵּה יְגִעַת בָּשָׂר Eccl.12:12
67 מַרְאֵיהֶם טוֹב וּבְרִיאֵי בָּשָׂר Dan.1:15
68 עִמּוֹ זְרוֹעַ בָּשָׂר וְעִמָּנוּ יְיָ IICh.32:8

בָּשָׂר (המשך) 69-88 בָּשָׂר Lev.7:19,20
Num.11:4, 13², 18³, 21 • Deut.12:15, 20³ • ISh.2:15
• Is.22:13; 44:16, 19 • Jer.7:21 • Ezek.39:17 •
Hosh.8:13
וּבָשָׂר 89 עֶצֶם מֵעֲצָמַי וּבָשָׂר מִבְּשָׂרִי Gen.2:23
90 וּבָשָׂר בַּשָּׂדֶה טְרֵפָה לֹא תֹאכֵלוּ Ex.22:30
91 וּבָשָׂר כִּי־יִהְיֶה בוֹ־בְעֹרוֹ שְׁחִין Lev.13:18
92 וְהָעֹרְבִים מְבִיאִים לוֹ לֶחֶם וּבָשָׂר IK.17:6
93 וְלֶחֶם וּבָשָׂר בָּעָרֶב IK.17:6
94 וּבָשָׂר עָלָה וַיִּקְרַם עֲלֵיהֶם עוֹר Ezek.37:8
95 עוֹר וּבָשָׂר תַּלְבִּישֵׁנִי Job 10:11
96 וּבָשָׂר וָיַיִן לֹא־בָא אֶל־פִּי Dan.10:3
הַבָּשָׂר 97 מִכָּל־הַבָּשָׂר אֲשֶׁר־בּוֹ רוּחַ חַיִּים Gen.7:15
98 רָעוֹת הַמַּרְאֶה וְדַקֹּת הַבָּשָׂר Gen.41:4
99 וְאָכְלוּ אֶת־הַבָּשָׂר בַּלַּיְלָה הַזֶּה Ex.12:8
100 לֹא־תוֹצִיא...מִן־הַבָּשָׂר חוּצָה Ex.12:46
101 בְּשִׁבְתֵּנוּ עַל־סִיר הַבָּשָׂר Ex.16:3
102 בַּשְּׁלוּ אֶת־הַבָּשָׂר Lev.8:31
103 וְאֶת־הַבָּשָׂר וְאֶת־הָעוֹר Lev.9:11
104 הַנֶּגַע בְּעוֹר־הַבָּשָׂר Lev.13:3
105 וְרָאָה הַכֹּהֵן אֶת־הַבָּשָׂר הַחַי Lev.13:15
106/7 הַבָּשָׂר הַחַי Lev.13:15,16
108 כִּי נֶפֶשׁ הַבָּשָׂר בַּדָּם הִוא Lev.17:11
109 הַבָּשָׂר עוֹדֶנּוּ בֵּין שִׁנֵּיהֶם Num.11:33
110 וְלֹא־תֹאכַל הַנֶּפֶשׁ עִם־הַבָּשָׂר Deut.12:23
111 כָּל־הַבָּשָׂר חָצִיר Is.40:6
112 הִיא הַסִּיר וַאֲנַחְנוּ הַבָּשָׂר Ezek.11:3
113 הֵמָּה הַבָּשָׂר וְהִיא הַסִּיר Ezek.11:7
114 הַדְלֵק הָאֵשׁ הָתֵם הַבָּשָׂר Ezek.24:10
115-121 הַבָּשָׂר Deut.12:27; 16:4
Jud.6:19,20,21 • ISh.2:13 • IK.19:21
וְהַבָּשָׂר 122 וְהַבָּשָׂר אֲשֶׁר־יִגַּע בְּכָל־טָמֵא Lev.7:19
123 וְהַבָּשָׂר כָּל־טָהוֹר יֹאכַל בָּשָׂר Lev.7:19
124 וְדַם־זְבָחֶיךָ...וְהַבָּשָׂר תֹּאכֵל Deut.12:27
בַּבָּשָׂר 125 וְהַנּוֹתָר בַּבָּשָׂר וּבַלָּחֶם... Lev.8:32
126 וַתִּגַּע בַּבָּשָׂר וּבַמַּצּוֹת Jud.6:21
וּכְבָשָׂר 127 וּפָרְשׂוּ...וּכְבָשָׂר בְּתוֹךְ קַלָּחַת Mic.3:3
לְבָשָׂר 128 ...וְהָיוּ לְבָשָׂר אֶחָד Gen.2:24
129 וְאַתֶּם תִּהְיוּ בְתוֹכָהּ לְבָשָׂר Ezek.11:11
בְּשַׂר־ 130 וּנְמַלְתֶּם אֵת בְּשַׂר עָרְלַתְכֶם Gen.17:11
131 לֹא־יִמּוֹל אֶת־בְּשַׂר עָרְלָתוֹ Gen.17:14
132 וַיָּמָל אֶת־בְּשַׂר עָרְלָתָם Gen.17:23
133-5 בְּשַׂר עָרְלָתוֹ Gen.17:24,25 • Lev.12:3
136 ...לְכַסּוֹת בְּשַׂר עֶרְוָה Ex.28:42
137 וְאֶת־בְּשַׂר הַפָּר וְאֶת־עֹרוֹ Ex.29:14
138 וְאָכַל...אֶת־בְּשַׂר הָאַיִל Ex.29:32
139 עַל־בְּשַׂר אָדָם לֹא יִיסָךְ Ex.30:32
140 וַאֲכַלְתֶּם בְּשַׂר בְּנֵיכֶם... Lev.26:29
141 וְאָכַלְתָּ...בְּשַׂר בָּנֶיךָ וּבְנֹתֶיךָ Deut.28:53
142 וַיָּחָם בְּשַׂר הַיָּלֶד IK.4:34
143 יֹאכְלוּ הַכְּלָבִים אֶת־בְּשַׂר אִיזָבֶל IIK.9:36
144 אִישׁ בְּשַׂר־זְרֹעוֹ יֹאכֵלוּ Is.9:19
145 הָאֹכְלִים בְּשַׂר הַחֲזִיר... Is.65:4
146 אֹכְלֵי בְּשַׂר הַחֲזִיר וְהַשֶּׁקֶץ Is.66:17
147 וְהַאֲכַלְתִּים אֶת־בְּשַׂר בְּנֵיהֶם Jer.19:9
148 וְאֵת בְּשַׂר בְּנֹתֵיהֶם Jer.19:9
149 וְאִישׁ בְּשַׂר־רֵעֵהוּ יֹאכֵלוּ Jer.19:9
150 וְלֹא־בָא בְּפִי בְּשַׂר פִּגּוּל Ezek.4:14
151 אֲשֶׁר בְּשַׂר־חֲמוֹרִים בְּשָׂרָם Ezek.23:20
152 בְּשַׂר גִּבּוֹרִים תֹּאכֵלוּ... Ezek.39:18
153 וְאֶל־הַשֻּׁלְחָנוֹת בְּשַׂר הַקָּרְבָּן Ezek.40:43
154 הֵן יִשָּׂא־אִישׁ בְּשַׂר־קֹדֶשׁ Hag.2:12

בְּשַׂר־ (המשך) 155 תֹּאכַלְנָה אִשָּׁה אֶת־בְּשַׂר רְעוּתָהּ Zech.11:9
156 הַאוֹכַל בְּשַׂר אַבִּירִים Ps.50:13
157 בְּשַׂר חֲסִידֶיךָ לְחַיְתוֹ־אָרֶץ Ps.79:2
158 נֶפֶשׁ כָּל־חָי וְרוּחַ כָּל־בְּשַׂר־אִישׁ Job 12:10
וּבְשַׂר־ 159 וּבְשַׂר זֶבַח תּוֹדַת שְׁלָמָיו Lev.7:15
160 וּבְשַׂר בְּנֹתֵיכֶם תֹּאכֵלוּ Lev.26:29
161 וּבְשַׂר־קֹדֶשׁ יַעַבְרוּ מֵעָלָיִךְ Jer.11:15
162 וּבְשַׂר הַבְּרִיאָה יֹאכַל Zech.11:16
בִּבְשַׂר־ 163 וְהַנֹּגֵעַ בִּבְשַׂר הַזָּב... Lev.15:7
כִּבְשַׂר־ 164 וַיָּשָׁב בְּשָׂרוֹ כִּבְשַׂר נַעַר קָטֹן IIK.5:14
165 כִּבְשַׂר אַחֵינוּ בְּשָׂרֵנוּ Neh.5:5
מִבְּשַׂר־ 166 וְאִם־יִוָּתֵר מִבְּשַׂר הַמִּלֻּאִים Ex.29:34
167 וְהַנּוֹתָר מִבְּשַׂר הַזָּבַח Lev.7:17
168 מִבְּשַׂר־זֶבַח שְׁלָמָיו Lev.7:18
169 וְאָכַל מִבְּשַׂר־זֶבַח הַשְּׁלָמִים Lev.7:21
170 מִבְּשַׂר בָּנָיו אֲשֶׁר יֹאכֵל Deut.28:55
בְּשָׂרִי 171 שָׂמַח לִבִּי...אַף־בְּשָׂרִי יִשְׁכֹּן לָבֶטַח Ps.16:9
172 בִּקְרֹב...לֶאֱכֹל אֶת־בְּשָׂרִי Ps.27:2
173 צָמְאָה לְךָ נַפְשִׁי כָּמַהּ לְךָ בְשָׂרִי Ps.63:2
174 סָמַר מִפַּחְדְּךָ בְשָׂרִי Ps.119:120
175 תְּסַמֵּר שַׂעֲרַת בְּשָׂרִי Job4:15
176 ...אִם־בְּשָׂרִי נָחוּשׁ Job6:12
177 לָבַשׁ בְּשָׂרִי רִמָּה Job7:5
178 עַל־מָה אֶשָּׂא בְשָׂרִי בְשִׁנָּי Job13:14
179 וְאָחַז בְּשָׂרִי פַּלָּצוּת Job21:6
180 בִּלָּה בְשָׂרִי וְעוֹרִי.. Lam.3:4
181 לִמְשׁוֹךְ בַּיַּיִן אֶת־בְּשָׂרִי Eccl.2:3
וּבְשָׂרִי 182 אַךְ עַצְמִי וּבְשָׂרִי אָתָּה Gen.29:14
183 אַחַי אַתֶּם עַצְמִי וּבְשָׂרִי אַתֶּם IISh.19:13
184 הֲלוֹא עַצְמִי וּבְשָׂרִי אָתָּה IISh.19:14
185 לִבִּי וּבְשָׂרִי יְרַנְּנוּ אֶל־אֵל חָי Ps.84:3
186 וּבְשָׂרִי כָּחַשׁ מִשָּׁמֶן Ps.109:24
בִּבְשָׂרִי 187/8 (וְ)אֵין־מְתֹם בִּבְשָׂרִי Ps.38:4,8
וּבִבְשָׂרִי 189 בְּעוֹרִי וּבִבְשָׂרִי דָּבְקָה עַצְמִי Job19:20
לִבְשָׂרִי 190 דָּבְקָה עַצְמִי לִבְשָׂרִי Ps.102:6
מִבְּשָׂרִי 191 עֶצֶם מֵעֲצָמַי וּבָשָׂר מִבְּשָׂרִי Gen.2:23
וּמִבְּשָׂרִי 192 וּמִבְּשָׂרִי לֹא תִשְׂבָּעוּ Job19:22
193 וּמִבְּשָׂרִי אֶחֱזֶה אֱלוֹהַּ Job19:26
בְּשָׂרְךָ 194 וְאָכַל הָעוֹף אֶת־בְּשָׂרְךָ מֵעָלֶיךָ Gen.40:19
195 וְאֶתְּנָה אֶת־בְּשָׂרְךָ לְעוֹף הַשָּׁמַיִם ISh.17:44
196 וְיָשֹׁב בְּשָׂרְךָ לְךָ וּטְהָר IIK.5:10
197 וְנָתַתִּי אֶת־בְּשָׂרְךָ עַל־הֶהָרִים Ezek.32:5
198 ...בִּכְלוֹת בְּשָׂרְךָ וּשְׁאֵרֶךָ Prov.5:11
בְּשָׂרֶךָ 199 אַל־תִּתֵּן...לַחֲטִיא אֶת־בְּשָׂרֶךָ Eccl.5:5
וּבְשָׂרְךָ 200/1 עַצְמְךָ וּבְשָׂרְךָ אֲנָחְנוּ IISh.5:1 • ICh.11:1
מִבְּשָׂרֶךָ 202 וְהַעֲבֵר רָעָה מִבְּשָׂרֶךָ Eccl.11:10
וּמִבְּשָׂרְךָ 203 וּמִבְּשָׂרְךָ לֹא תִתְעַלָּם Is.58:7
בְּשָׂרוֹ 204 וְלֹא יֵאָכֵל אֶת־בְּשָׂרוֹ Ex.21:28
205 וּבִשַּׁלְתָּ אֶת־בְּשָׂרוֹ בְּמָקֹם קָדֹשׁ Ex.29:31
206 אָדָם כִּי־יִהְיֶה בְעוֹר־בְּשָׂרוֹ שְׂאֵת Lev.13:2
207-209 בְּעוֹר בְּשָׂרוֹ Lev.13:2,4,11
210 וּמַרְאֵה הַנֶּגַע עָמֹק מֵעוֹר בְּשָׂרוֹ Lev.13:3
211 אֶל־כָּל־שְׁאֵר בְּשָׂרוֹ לֹא תִקְרְבוּ Lev.18:6
212 אוֹ־מִשְּׁאֵר בְּשָׂרוֹ מִמִּשְׁפַּחְתּוֹ Lev.25:49
213 וַיֵּאָכֵל חֲצִי בְשָׂרוֹ Num.12:12
214 וַיָּשָׁב בְּשָׂרוֹ כִּבְשַׂר נַעַר קָטֹן IIK.5:14
215 וּמִשְׁמַן בְּשָׂרוֹ יֵרָזֶה Is.17:4
216 הַמַּגֵּפָה...הָמֵק בְּשָׂרוֹ Zech.14:12
217 ...וּלְכָל־בְּשָׂרוֹ מַרְפֵּא Prov.4:22
218 וְגַע אֶל־עַצְמוֹ וְאֶל־בְּשָׂרוֹ Job2:5
219 אַךְ בְּשָׂרוֹ עָלָיו יִכְאָב Job14:22
220 יִכֶל בְּשָׂרוֹ מֵרֹאִי Job33:21

בְּשָׂרוֹ (המשך) 221 רֻטֲפַשׁ בְּשָׂרוֹ מִנֹּעַר Job33:25
222 מַפְּלֵי בְשָׂרוֹ דָבֵקוּ Job41:15
223 חֹבֵק אֶת־יָדָיו וְאֹכֵל אֶת־בְּשָׂרוֹ Eccl.4:5
224-242 בְּשָׂרוֹ Lev.4:11; 6:3
8:17; 13:13; 14:9; 15:3², 13, 16; 16:4², 24, 26, 28;
22:6 • Num.19:7,8 • IK.21:27 • IIK.6:30
וּבְשָׂרוֹ 243 וּבְשָׂרוֹ לֹא יִרְחַץ Lev.17:16
כִּבְשָׂרוֹ 244 וַיּוֹצִאָהּ...וְהִנֵּה־שָׁבָה כִּבְשָׂרוֹ Ex.4:7
מִבְּשָׂרוֹ 245 אִישׁ אִישׁ כִּי יִהְיֶה זָב מִבְּשָׂרוֹ Lev.15:2
246 מִי־יִתֵּן מִבְּשָׂרוֹ לֹא נִשְׂבָּע Job31:31
בְּשָׂרָהּ 247 אֶת־עֹרָהּ וְאֶת־בְּשָׂרָהּ Num.19:5
בִּבְשָׂרָהּ 248 כֹּל אֲשֶׁר־יִגַּע בִּבְשָׂרָהּ Lev.6:20
249 דָּם יִהְיֶה זֹבָהּ בִּבְשָׂרָהּ Lev.15:19
בְּשָׂרֵנוּ 250 כִּי־אָחִינוּ בְשָׂרֵנוּ הוּא Gen.37:27
251 כִּבְשַׂר אַחֵינוּ בְּשָׂרֵנוּ Neh.5:5
בְּשַׂרְכֶם 252 וְדַשְׁתִּי אֶת בְּשַׂרְכֶם Jud.8:7
וּבְשַׂרְכֶם 253 כִּי־עַצְמְכֶם וּבְשַׂרְכֶם אָנִי Jud.9:2
בִּבְשַׂרְכֶם 254 וְהָיְתָה בְרִיתִי בִּבְשַׂרְכֶם Gen.17:13
255 וְשֶׂרֶט לָנֶפֶשׁ לֹא תִתְּנוּ בִּבְשַׂרְכֶם Lev.19:28
מִבְּשַׂרְכֶם 256 וַהֲסִרֹתִי אֶת־לֵב הָאֶבֶן מִבְּשַׂרְכֶם Ezek.36:26
בְּשָׂרָם 257 כִּי־יִהְיֶה בְעוֹר־בְּשָׂרָם בֶּהָרֹת Lev.13:38
258 וְהִנֵּה בְעוֹר־בְּשָׂרָם בֶּהָרֹת Lev.13:39
259 וְאֶת־בְּשָׂרָם וְאֶת־פִּרְשָׁם Lev.16:27
260 וְהֶעֱבִירוּ תַעַר עַל־כָּל־בְּשָׂרָם Num.8:7
261 וְהַאֲכַלְתִּי אֶת־מוֹנַיִךְ אֶת־בְּשָׂרָם Is.49:26
262 וְכָל־בְּשָׂרָם וְגַבֵּהֶם וִידֵיהֶם Ezek.10:12
263 אֲשֶׁר בְּשַׂר־חֲמוֹרִים בְּשָׂרָם Ezek.23:20
וּבְשָׂרָם 264 וּבְשָׂרָם יִהְיֶה־לָּךְ כַּחֲזֵה הַתְּנוּפָה Num.18:18
וּבִבְשָׂרָם 265 וּבִבְשָׂרָם לֹא יִשְׂרְטוּ שָׂרָטֶת Lev.21:5
מִבְּשָׂרָם 266-8 מִבְּשָׂרָם לֹא תֹאכֵל Lev.11:8,11 • Deut.14:8
269 וַהֲסִרֹתִי לֵב הָאֶבֶן מִבְּשָׂרָם Ezek.11:19
בְּשָׂרִים 270 חַיֵּי בְשָׂרִים לֵב מַרְפֵּא Prov.14:30

בְּשַׂר ז' ארמית: בְּשַׂר; בִּשְׂרָא = הַבָּשָׂר

בְּשַׂר 1 קוּמִי אֲכֻלִי בְּשַׂר שַׂגִּיא Dan.7:5
בִּשְׂרָא 2 דִּי מְדָרְהוֹן עִם־בִּשְׂרָא לָא אִיתוֹהִי Dan.2:11
3 וּמִנֵּהּ יִתְּזִין כָּל־בִּשְׂרָא Dan.4:9

בֹּשֶׁת נ' בּוּשָׁה, חֶרְפָּה • קרובים: ראה בוז

עֶרְיָה בֹשֶׁת 2; בֹּשֶׁת גַּנָּב 21; ב' עֲלוּמָיו 14;
ב' עֶרְוַת... 22; ב' פָּנִים 15-20; אָכְלָה הַבֹּשֶׁת 8;
הִלְבִּישׁ ב' 6; יָעַץ ב' 3; לָבַשׁ בֹּשֶׁת 5, 7

בֹּשֶׁת 1 נָסֹגוּ אָחוֹר יֵבֹשׁוּ בֹשֶׁת Is.42:17
2 עִבְרִי לָכֶם...עֶרְיָה־בֹשֶׁת Mic.1:11
3 יָעַצְתָּ בֹּשֶׁת לְבֵיתֶךָ Hab.2:10
4 וְלֹא־יוֹדֵעַ עַוָּל בֹּשֶׁת Zep.3:5
5 יִלְבְּשׁוּ־בֹשֶׁת וּכְלִמָּה Ps.35:26
6 אוֹיְבָיו אַלְבִּישׁ בֹּשֶׁת Ps.132:18
7 שֹׂנְאֶיךָ יִלְבְּשׁוּ־בֹשֶׁת Job8:22
וְהַבֹּשֶׁת 8 וְהַבֹּשֶׁת אָכְלָה אֶת־יְגִיעַ אֲבוֹתֵינוּ Jer.3:24
בְּבֹשֶׁת 9 וַיִּכְלוּ בְּבֹשֶׁת יָמָי Jer.20:18
לְבֹשֶׁת 10 וְהָיָה לָכֶם מָעוֹז פַּרְעֹה לְבֹשֶׁת Is.30:3
11 כִּי לְבֹשֶׁת וְגַם־לְחֶרְפָּה Is.30:5
לַבֹּשֶׁת 12 מִזְבְּחוֹת לַבֹּשֶׁת...לְקַטֵּר לַבָּעַל Jer.11:13
13 בָּאוּ בַעַל פְּעוֹר וַיִּנָּזְרוּ לַבֹּשֶׁת Hosh.9:10
בֹּשֶׁת־ 14 כִּי בֹשֶׁת עֲלוּמַיִךְ תִּשְׁכָּחִי Is.54:4
15 לְמַעַן בֹּשֶׁת פְּנֵיהֶם Jer.7:19
16 לְךָ יְיָ הַצְּדָקָה וְלָנוּ בֹּשֶׁת הַפָּנִים Dan.9:7
17 יְיָ לָנוּ בֹּשֶׁת הַפָּנִים... Dan.9:8
וּבֹשֶׁת־ 18 כְּלִמָּתִי נֶגְדִּי וּבֹשֶׁת פָּנַי כִּסָּתְנִי Ps.44:16
בְּבֹשֶׁת־ 19 וַיָּשָׁב בְּבֹשֶׁת פָּנִים לְאַרְצוֹ IICh.32:21
וּבְבֹשֶׁת־ 20 בַּחֶרֶב בַּשְּׁבִי וּבַבִּזָּה וּבְבֹשֶׁת פָּנִים Ez.9:7
כְּבֹשֶׁת־ 21 כְּבֹשֶׁת גַּנָּב כִּי יִמָּצֵא... Jer.2:26

וּלְבֹשֶׁת־ 22 לְבָשְׁתֵּךְ וּלְבֹשֶׁת עֶרְוַת אִמֶּךָ ISh.20:30

וּבָשְׁתִּי 23 יָדַעְתָּ חֶרְפָּתִי וּבָשְׁתִּי וּכְלִמָּתִי Ps.69:20

לְבָשְׁתְּךָ 24 לְבָשְׁתְּךָ וּלְבֹשֶׁת עֶרְוַת אִמֶּךָ ISh.20:30

בְּבָשְׁתֵּנוּ 25 נִשְׁכְּבָה בְּבָשְׁתֵּנוּ וּתְכַסֵּנוּ כְּלִמָּתֵנוּ Jer.3:25

בָּשְׁתְּכֶם 26 תַּחַת בָּשְׁתְּכֶם מִשְׁנֶה וּכְלִמָּה... Is.61:7

בָּשְׁתָּם 27 בְּכָל־הָאָרֶץ בָּשְׁתָּם Zep.3:19

28 יָשֹׁמּוּ עַל־עֵקֶב בָּשְׁתָּם Ps.40:16

29 יָשׁוּבוּ עַל־עֵקֶב בָּשְׁתָּם Ps.70:4

30 וְיַעֲטוּ כַמְעִיל בָּשְׁתָּם Ps.109:29

בַּת נ׳ א) אשה ביחס אל הוריה: רוב המקראות

ב) אשה בכלל: 10, 292, 293

ג) [כנסמך למספר] היא בגיל...: 27, 28, 40, 215

ד) [כנסמך לשמות] בעלת תכונות, השייכת לְ־ וכדומה – עיין בצרופים

ה) [בִּתִּי, בְּנֹתַי] פנית חבה אל אשה צעירה: 229, 230, 234–239, 418–420

ו) [עִיר וּבְנוֹתֶיהָ] כפרים השָׁכים לתחום עיר גדולה: 467–513, 518–521

ז) [״בת״ כנסמך אל עיר או ארץ] כלל התושבים: 45–95, 99–103, 106, 109–113, 211, 221–224 ועוד

– בֵּן וּבַת 3, 6, 17, 20, 243, 244, 247–251, 273, 274, 279, 283, 285; בַּת אַחַת 11; בַּת בְּתוּלָה 228; בַּת קְטַנָּה 240; בַּת שׁוֹבֵבָה 13, 14

– בַּת אָב 22, 29, 36, 38, 97; בַּת אֱדוֹם 112, 113; בַּת אָח 26, 395; בַּת אִישׁ 208; בַּת אֵל נֵכָר 104; בַּת אֵם 23,30,37,39,96; בַּת אִשָּׁה 33; בַּת בָּבֶל 56,94, 95,102,106; בַּת בְּלִיַּעַל 42; בַּת הַבֵּן 31,34; בַּת הַבַּת 32,35; בַּת גְּדוּד 98; בַּת גַּלִּים 50; בַּת דּוֹד 114; בַּת דִּיבוֹן 93; בַּת־הָרָן 21; בַּת יְהוּדָה 109, 110, 217; בַּת יַעֲקֹב 216; בַּת יִפְתָּח 219; בַּת יְרוּשָׁלַיִם 47,48,101,103,111,223; בַּת כֹּהֵן 209,210; בַּת כָּלֵב 214; בַּת כַּשְׂדִּים 57, 58; בַּת מֶלֶךְ 43, 44, 105, 212; בַּת מִצְרַיִם 90–92; בַּת נָדִיב 107; בַּת נָשִׂיא 41; בַּת הַנָּשִׁים 213; בַּת עַמִּי 53,76-89; בַּת פּוּצַי 99; בַּת פַּרְעֹה 218, 220; בַּת צִידוֹן 55; בַּת צִיּוֹן 45, 46, 49, 51, 52, 59-75, 100, 221, 222, 224; בַּת צֹר 211; בַּת רַבִּים 108; בַּת שְׁנָתָהּ 27, 28, 40; בַּת תַּרְשִׁישׁ 54; בַּת תִּשְׁעִים 215; בְּתוּלֵי בִתּוֹ 226

– בָּנִים וּבָנוֹת 290, 308–325, 327–340, 342, 345, 392, 415,423,427-438, 443, 459-462, 465, 466, 514,515,527, 529-532, 538, 545-558, 560-573; בָּנוֹת בּוֹטְחוֹת 289; מִשְׁפַּט הַבָּנוֹת 341; רַבּוֹת בָּנוֹת 292

בְּנוֹת הָאָדָם 346, 347; בְּ׳ אִיּוֹב 396; בְּ׳ אֵם 376; בְּ׳ אַנְשֵׁי... 391; בְּ׳ אֲרָם 374; בְּ׳ הָאָרֶץ 394, 401; בְּ׳ בָּנָיו 392; בְּ׳ בַּרְזִלַּי 412, 413; בְּ׳ הַגּוֹיִם 377, 393; בְּ׳ דָּן 390; בְּ׳ חֵת 349, 400; בְּ׳ יְהוּדָה 379, 380; בְּ׳ יְרוּשָׁלַיִם 381–385, 387, 411; בְּ׳ יִשְׂרָאֵל 359,363,407; בְּ׳ כְּנַעַן 350, 402,403,405; בְּ׳ הַכְּנַעֲנִי 398, 399; בְּ׳ לָבָן 404; בְּ׳ לוֹט 348; בְּ׳ מוֹאָב 351, 368; בְּ׳ הַמֶּלֶךְ 364, 369, 370; בְּ׳ מְלָכִים 378; בְּ׳ מְנַשֶּׁה 357; בְּ׳ עִיר 388; בְּ׳ עַמּוֹ 372; בְּ׳ הָעֲרֵלִים 362; בְּ׳ פּוּטִיאֵל 406; בְּ׳ פְּלִשְׁתִּים 361, 373, 375, 408, 409; בְּ׳ צִיּוֹן 365–367, 386; בְּ׳ צְלָפְחָד 352–356, 397; בְּ׳ רַבָּה 371; בְּ׳ שִׁילוֹ 360, 410; בְּ׳ הַשִּׁיר 389

בְּשַׂר בְּנוֹתָיו 539,561; לֹקְחֵי בְ׳ 445; שְׁמוֹת בְּ׳ 447/8

בַּת 1 וְאַחַר יָלְדָה בַּת Gen.30:21

2 וְאִם־בַּת הִוא וָחָיָה Ex.1:16

3 אוֹ־בֵן יִגָּח אוֹ־בַת יִגָּח Ex.21:31

4 וְאִם־אֵין לוֹ בַּת Num.27:9

5 וְכָל־בַּת יֹרֶשֶׁת נַחֲלָה Num.36:8

בַּת (המשך) 6 אֵין־לוֹ מִמֶּנּוּ בֵּן אוֹ־בַת Jud.11:34

7 אִם־בֵּן אִם־בַּת יַצִּילוּ Ezek.14:20

8 וַתַּהַר עוֹד וַתֵּלֶד בַּת Hosh.1:6

9 בַּת קָמָה בְאִמָּהּ Mic.7:6

10 שִׁמְעִי־בַת וּרְאִי Ps.45:11

וּבַת 11 וּבַת אַחַת וּשְׁמָהּ תָּמָר IISh.14:27

הַבַּת 12 וְכָל־הַבַּת תְּחַיּוּן Ex.1:22

13 עַד־מָתַי תִּתְחַמָּקִין הַבַּת הַשּׁוֹבֵבָה Jer.31:21

14 זָב עִמְקֵךְ הַבַּת הַשּׁוֹבֵבָה Jer.49:4

15 מָה אֲדַמֶּה לָּךְ הַבַּת יְרוּשָׁלַםִ Lam.2:13

כְּבַת 16 וַתְּהִי־לוֹ כְּבַת IISh.12:3

לְבַת 17 יְמֵי טָהֳרָהּ לְבֵן אוֹ לְבַת Lev.12:6

18 לְקָחָהּ מָרְדֳּכַי לוֹ לְבַת Es.2:7

19 אֲשֶׁר לָקַח־לוֹ לְבַת Es.2:15

וּלְבַת 20 ...וּלְבֵן וּלְבַת...יִטַּמָּאוּ Ezek.44:25

בַּת־ 21 מִלְכָּה בַּת־הָרָן אֲבִי־מִלְכָּה Gen.11:29

22 וְגַם־אָמְנָה אֲחֹתִי בַת־אָבִי הִוא Gen.20:12

23 אַךְ לֹא בַת־אִמִּי Gen.20:12

24/5 בַּת־מִי אַתְּ Gen.24:23,47

26 לָקַחַת אֶת־בַּת־אֲחִי אֲדֹנִי Gen.24:48

27/8 וְכַבְשָׂה אַחַת בַּת־שְׁנָתָהּ Lev.14:10 • Num.6:14

29/30 אֲחוֹתְךָ בַת־אָבִיךָ אוֹ בַת־אִמֶּךָ Lev.18:9

31/2 עֶרְוַת בַּת־בִּנְךָ אוֹ בַת־בִּתְּךָ Lev.18:10

33 עֶרְוַת בַּת־אֵשֶׁת אָבִיךָ Lev.18:11

34/5 אֶת־בַּת־בְּנָהּ וְאֶת־בַּת־בִּתָּהּ Lev.18:17

36-9 בַּת־אָבִיו אוֹ־בַת־אִמּוֹ Lev.20:17 • Deut.27:22

40 וְהִקְרִיבָה עֵז בַּת־שְׁנָתָהּ Num.15:27

41 כָּזְבִּי בַת־נְשִׂיא מִדְיָן Num.25:18

42 אַל־תִּתֵּן...אֲמָתְךָ לִפְנֵי בַּת־בְּלִיָּעַל ISh.1:16

43 וְקִבְרוּהָ כִּי בַת־מֶלֶךְ הִיא IIK.9:34

44 יְהוֹשֶׁבַע בַּת־הַמֶּלֶךְ־יוֹרָם IIK.11:2

45/6 בָּזָה...בְּתוּלַת בַּת־צִיּוֹן IIK.19:21 • Is.37:22

47/8 רֹאשׁ הֵנִיעָה בַּת יְרוּשָׁלָםִ IIK.19:21 • Is.37:22

49 וְנוֹתְרָה בַת־צִיּוֹן כְּסֻכָּה בְכָרֶם Is.1:8

50 צַהֲלִי קוֹלֵךְ בַּת־גַּלִּים Is.10:30

51 יְנֹפֵף יָדוֹ הַר בַּת (כת׳ בית)־צִיּוֹן Is.10:32

52 מִסֶּלַע מִדְבָּרָה אֶל־הַר בַּת־צִיּוֹן Is.16:1

53 לְנַחֲמֵנִי עַל־שֹׁד בַּת־עַמִּי Is.22:4

54 בַּת־תַּרְשִׁישׁ אֵין מֵזַח עוֹד Is.23:10

55 הַמְעֻשָּׁקָה בְּתוּלַת בַּת־צִידוֹן Is.23:12

56 וּשְׁבִי עַל־עָפָר בְּתוּלַת בַּת־בָּבֶל Is.47:1

57 אֵין־כִּסֵּא בַּת־כַּשְׂדִּים Is.47:1

58 וּבֹאִי בַחֹשֶׁךְ בַּת־כַּשְׂדִּים Is.47:5

59 הִתְפַּתְּחִי...שְׁבִיָּה בַּת־צִיּוֹן Is.52:2

60-75 בַּת־צִיּוֹן Jer.4:31; 6:2,23

Mic.4:8,10,13 • Zech.2:14; 9:9 • Ps.9:15

Lam.2:1,4,8,10,13,18; 4:22

76 רוּחַ צַח...דֶּרֶךְ בַּת־עַמִּי Jer.4:11

78-89 בַּת־עַמִּי Jer.6:26; 8:11,19,21

8:22,23; 9:6; 14:17 • Lam.2:11; 3:48; 4:3,6,10

90 וּקְחִי צֳרִי בְּתוּלַת בַּת־מִצְרָיִם Jer.46:11

91/2 בַּת־מִצְרָיִם Jer.46:19,24

93 וּשְׁבִי בַצָּמָא יֹשֶׁבֶת בַּת־דִּיבוֹן Jer.48:18

94 עָרוּךְ...לַמִּלְחָמָה עָלַיִךְ בַּת־בָּבֶל Jer.50:42

95 בַּת־בָּבֶל כְּגֹרֶן עֵת הִדְרִיכָהּ Jer.51:33

96 בַּת־אִמֵּךְ אַתְּ Ezek.16:45

97 בַּת־אָבִיו עִנָּה־בָךְ Ezek.22:11

98 עַתָּה תִּתְגֹּדְדִי בַת־גְּדוּד Mic.4:14

99 עֲתָרַי בַּת־פּוּצַי יוֹבִלוּן מִנְחָתִי Zep.3:10

100 רָנִּי בַּת־צִיּוֹן הָרִיעוּ יִשְׂרָאֵל Zep.3:14

101 שִׂמְחִי וְעָלְזִי...בַּת יְרוּשָׁלָםִ Zep.3:14

102 הִמָּלְטִי יוֹשֶׁבֶת בַּת־בָּבֶל Zech.2:11

בַּת־ (המשך) 103 הָרִיעִי בַּת־יְרוּשָׁלַםִ Zech.9:9

104 וּבָעַל בַּת־אֵל נֵכָר Mal.2:11

105 כָּל־כְּבוּדָּה בַת־מֶלֶךְ פְּנִימָה Ps.45:14

106 בַּת־בָּבֶל הַשְּׁדוּדָה Ps.137:8

107 מַה־יָּפוּ פְעָמַיִךְ...בַּת־נָדִיב S.ofS.7:2

108 ...עַל־שַׁעַר בַּת־רַבִּים S.ofS.7:5

109 גַּת דָּרַךְ אֲדֹנָי לִבְתוּלַת בַּת־יְהוּדָה Lam.1:15

110 הָרַס...מִבְצְרֵי בַת־יְהוּדָה Lam.2:2

111 שָׁרְקוּ...עַל־בַּת יְרוּשָׁלָםִ Lam.2:15

112 שִׂישִׂי וְשִׂמְחִי בַּת־אֱדוֹם Lam.4:21

113 פָּקַד עֲוֹנֵךְ בַּת־אֱדוֹם Lam.4:22

114 הִיא אֶסְתֵּר בַּת־דֹּדוֹ Es.2:7

115-207 בַּת־ Gen.24:24,47; 25:20; 26:34[2]

28:9; 29:10; 34:1, 3, 7; 36:2[3], 3, 8 14[2], 25, 39[2]; 38:2; 41:45,50; 46:20 • Ex.2:1, 5, 7, 8, 9; 6:23 • Lev.24:11 • Num.25:15; 26:46, 59 • ISh.14:50; 18:19, 20, 28 • IISh.3:3, 7, 13; 6:16, 20, 23; 11:3[2]; 17:25; 21:8[2], 10, 11 • IK.3:1; 4:11,15; 9:24; 11:1; 15:2,10; 16:31; 22:42 • IIK.8:18, 26; 15:33; 18:2; 21:19; 22:1; 23:31,36; 24:8,18 • Jer.52:1 • Hosh.1:3 • Es.2:15; 9:29 • Neh.6:18 • ICh.1:50[2]; 2:21; 3:2, 5; 4:18; 15:29 • IICh.8:11; 11:18[2], 20, 21; 13:2; 20:31; 21:6; 22:2,11[2]; 27:1; 29:1

וּבַת־ 208 וּבַת אִישׁ כֹּהֵן כִּי תֵחֵל לִזְנוֹת Lev.21:9

209 וּבַת־כֹּהֵן כִּי תִהְיֶה לְאִישׁ זָר Lev.22:12

210 וּבַת־כֹּהֵן כִּי תִהְיֶה אַלְמָנָה Lev.22:13

211 וּבַת־צֹר בְּמִנְחָה Ps.45:13

212 וּבַת מֶלֶךְ־הַנֶּגֶב תָּבוֹא אֶל־מֶלֶךְ Dan.11:6

213 וּבַת הַנָּשִׁים יִתֶּן־לוֹ Dan.11:17

214 וּבַת־כָּלֵב עַכְסָה ICh.2:49

הֲבַת־ 215 וְאִם־שָׂרָה הֲבַת־תִּשְׁעִים...תֵּלֵד Gen.17:17

בְּבַת־ 216 כִּי חָפֵץ בְּבַת־יַעֲקֹב Gen.34:19

217 וַיֶּרֶב בְּבַת־יְהוּדָה תַּאֲנִיָּה וַאֲנִיָּה Lam.2:5

לְבַת־ 218 וַתְּבִאֵהוּ לְבַת־פַּרְעֹה Ex.2:10

219 לְתַנּוֹת לְבַת־יִפְתָּח הַגִּלְעָדִי Jud.11:40

220 וּבַיִת יַעֲשֶׂה לְבַת־פַּרְעֹה IK.7:8

221 אִמְרוּ לְבַת־צִיּוֹן הִנֵּה יִשְׁעֵךְ בָּא Is.62:11

222 רֵאשִׁית חַטָּאת הִיא לְבַת־צִיּוֹן Mic.1:13

223 מַמְלֶכֶת לְבַת־יְרוּשָׁלָםִ Mic.4:8

מִבַּת־ 224 וַיֵּצֵא מִבַּת־(כ׳ מן בת) צִיּוֹן...הֲדָרָהּ Lam.1:6

בִּתִּי 225 אֶת־בִּתִּי נָתַתִּי לָאִישׁ הַזֶּה Deut.22:16

226 וְאֵלֶּה בְּתוּלֵי בִתִּי Deut.22:17

227 אֲהָהּ בִּתִּי הַכְרֵעַ הִכְרַעְתִּנִי Jud.11:35

228 הִנֵּה בִתִּי הַבְּתוּלָה Jud.19:24

229 בְּרוּכָה אַתְּ לַיָי בִּתִּי Ruth 3:10

230 וְעַתָּה בִּתִּי אַל־תִּירְאִי Ruth 3:11

231-3 בִּתִּי(א) Josh.15:16 • Jud.1:12 • ISh.18:17

234-239 בִּתִּי (ב) Ruth 2:2,8,22; 3:1,16,18

בִּתְּךָ 240 בְּרָחֵל בִּתְּךָ הַקְּטַנָּה Gen.29:18

241 עֶרְוַת בַּת־בִּנְךָ אוֹ בַת־בִּתְּךָ Lev.18:10

242 אַל־תְּחַלֵּל אֶת־בִּתְּךָ לְהַזְנוֹתָהּ Lev.19:29

243 בִּתְּךָ לֹא־תִתֵּן לִבְנוֹ Deut.7:3

244 כִּי יְסִיתְךָ...אוֹ־בִנְךָ אוֹ־בִתְּךָ Deut.13:7

245/6 תְּנָה אֶת־בִּתְּךָ לִבְנִי לְאִשָּׁה IIK.14:9

IICh.25:18

וּבִתֶּךָ 247-251 אַתָּה וּבִנְךָ(־)וּבִתֶּךָ Ex.20:10

Deut.5:14; 12:18; 16:11,14

לְבִתְּךָ 252 לֹא־מָצָאתִי לְבִתְּךָ בְּתוּלִים Deut.22:17

בִּתּוֹ 253 רָחֵל בִּתּוֹ בָּאָה עִם־הַצֹּאן Gen.29:6

254 וַיִּקַּח אֶת־לֵאָה בִתּוֹ Gen.29:23

255-272 בִּתּוֹ Gen.29:24,28,29

34:5; 46:15,18,25 • Ex.2:21; 21:7 • Josh.15:17

Jud. 1:13; 11:34; 21:1 • ISh. 17:25; 18:27; 25:44 • IIK. 23:10 • ICh. 2:35

וּבִתּוֹ 273 וּבִתּוֹ לֹא־תִקַּח לִבְנֶךָ Deut. 7:3
274 מַעֲבִיר בְּנוֹ־וּבִתּוֹ בָּאֵשׁ Deut. 18:10
275 וּבִתּוֹ שֶׁאֱרָה וַתִּבֶן אֶת־בֵּית... ICh. 7:24
לְבִתּוֹ 276 וְהַעֲבַרְתֶּם אֶת־נַחֲלָתוֹ לְבִתּוֹ Num. 27:8
277 אֵלֶּה הַחֻקִּים...בֵּין־אָב לְבִתּוֹ Num. 30:17
278 וַיִּתְּנָהּ שִׁלֻּחִים לְבִתּוֹ IK. 9:16
וּלְבִתּוֹ 279 וְלִבְנוֹ וּלְבִתּוֹ וּלְאָחִיו Lev. 21:2
בִּתָּהּ 280 וְאֶת בַּת־בִּתָּהּ לֹא תִקַּח Lev. 18:17
281 יִמְשֹׁל לֵאמֹר כְּאִמָּה בִּתָּהּ Ezek. 16:44
וּבִתָּהּ 282 עֶרְוַת אִשָּׁה וּבִתָּהּ לֹא תְגַלֵּה Lev. 18:17
וּבְבִתָּהּ 283 תֵּרַע עֵינָהּ...וּבִבְנָהּ וּבְבִתָּהּ Deut. 28:56
בִּתֵּנוּ 284 וְלָקַחְנוּ אֶת־בִּתֵּנוּ וְהָלָכְנוּ Gen. 34:17
בְּבִתְּכֶם 285 שְׁכֶם בְּנִי חָשְׁקָה נַפְשׁוֹ בְּבִתְּכֶם Gen. 34:8
בָּנוֹת 286 הִנֵּה־נָא לִי שְׁתֵּי בָנוֹת Gen. 19:8
287 בְּאָשְׁרִי כִּי אִשְּׁרוּנִי בָּנוֹת Gen. 30:13
288 בָּנוֹת צָעֲדָה עֲלֵי־שׁוּר Gen. 49:22
289 בָּנוֹת בֹּטְחוֹת הַאְזֵנָּה אִמְרָתִי Is. 32:9
290 אִם־בָּנִים וְאִם־בָּנוֹת יַצִּילוּ Ezek. 14:16
291 לַעֲלוּקָה שְׁתֵּי בָנוֹת הַב הַב Prov. 30:15
292 רַבּוֹת בָּנוֹת עָשׂוּ חָיִל Prov. 31:29
293 רָאוּהָ בָנוֹת וַיְאַשְּׁרוּהָ S.ofS. 6:9
307-294 בָּנוֹת Gen. 29:16 • Ex. 2:16
21:4 • Num. 26:33 • Josh. 17:3 • Jud. 12:9^{2} • ISh. 2:21 • Job 1:2; 42:13 • ICh. 2:34; 7:15; 23:22 • IICh. 11:21; 13:21
וּבָנוֹת 325-308 וַיּוֹלֶד בָּנִים וּבָנוֹת Gen. 5:4, 7, 10
5:13, 16, 19, 22, 26, 30; 11:11, 13, 15, 17, 19, 21
11 23, 25 • IICh. 24:3
326 וּבָנוֹת יֻלְּדוּ לָהֶם Gen. 6:1
339-327 בָּנִים(...)וּבָנוֹת Deut. 28:41 • ISh. 30:19
IISh. 5:13 • Jer. 16:2; 29:6^{2} • Ezek. 14:18, 22; 23:4 • ICh. 4:27; 14:3; 25:5 • IICh. 28:8
הַבָּנוֹת 340 הַבָּנוֹת בְּנֹתַי וְהַבָּנִים בָּנַי Gen. 31:43
341 כְּמִשְׁפַּט הַבָּנוֹת יַעֲשֶׂה־לָּהּ Ex. 21:9
342 אָמַר יְיָ עַל־הַבָּנִים וְעַל־הַבָּנוֹת Jer. 16:3
343 כְּשׁוֹשַׁנָּה...כֵּן רַעְיָתִי בֵּין הַבָּנוֹת S.ofS. 2:2
לְבָנוֹת 344 וְנָתַתִּי אֶתְהֶן לָךְ לְבָנוֹת Ezek. 16:61
וּמִבָּנוֹת 345 יָד וָשֵׁם טוֹב מִבָּנִים וּמִבָּנוֹת Is. 56:5
בְּנוֹת־ 346 וַיִּרְאוּ בְנֵי־הָאֱל׳ אֶת־בְּנוֹת הָאָדָם Gen. 6:2
347 אֲשֶׁר יָבֹאוּ...אֶל־בְּנוֹת הָאָדָם Gen. 6:4
348 וַתַּהֲרֶיןָ שְׁתֵּי בְנוֹת־לוֹט Gen. 19:36
349 קַצְתִּי בְחַיַּי מִפְּנֵי בְּנוֹת חֵת Gen. 27:46
350 כִּי רָעוֹת בְּנוֹת כְּנָעַן Gen. 28:8
351 לִזְנוֹת אֶל־בְּנוֹת מוֹאָב Num. 25:1
352 וְשֵׁם בְּנוֹת צְלָפְחָד Num. 26:33
353 וַתִּקְרַבְנָה בְּנוֹת צְלָפְחָד Num. 27:1
354 כֵּן בְּנוֹת צְלָפְחָד דֹּבְרֹת Num. 27:7
355/6 בְּנוֹת צְלָפְחָד Num. 36:10, 11
357 כִּי בְּנוֹת מְנַשֶּׁה נָחֲלוּ נַחֲלָה Josh. 17:6
359 תֵּלַכְנָה בְּנוֹת יִשְׂרָאֵל לְתַנּוֹת... Jud. 11:40
360 אִם־יֵצְאוּ בְנוֹת־שִׁילוֹ לָחוּל Jud. 21:21
361 פֶּן־תִּשְׂמַחְנָה בְּנוֹת פְּלִשְׁתִּים IISh. 1:20
362 פֶּן־תַּעֲלֹזְנָה בְּנוֹת הָעֲרֵלִים IISh. 1:20
363 בְּנוֹת יִשְׂרָאֵל אֶל־שָׁאוּל בְּכֶינָה IISh. 1:24
364 כִּי כֵן תִּלְבַּשְׁןָ בְנוֹת־הַמֶּלֶךְ IISh. 13:18
365 יַעַן כִּי גָבְהוּ בְּנוֹת צִיּוֹן Is. 3:16
366/7 בְּנוֹת(־)צִיּוֹן Is. 3:17; 4:4
368 בְּנוֹת מוֹאָב מַעְבָּרֹת לְאַרְנוֹן Is. 16:2
369 וַיִּשְׁבְּ...אֶת־בְּנוֹת הַמֶּלֶךְ Jer. 41:10
370 וְאֶת־הַנָּשִׁים...וְאֶת־בְּנוֹת הַמֶּלֶךְ Jer. 43:6

בְּנוֹת־ (המשך) 371 צְעַקְנָה בְּנוֹת רַבָּה Jer. 49:3
372 שִׂים פָּנֶיךָ אֶל־בְּנוֹת עַמְּךָ Ezek. 13:17
373 בְּנֶפֶשׁ שֹׂנְאוֹתַיִךְ בְּנוֹת פְּלִשְׁתִּים Ezek. 16:27
374 כְּמוֹ עֵת חֶרְפַּת בְּנוֹת־אֲרָם Ezek. 16:57
375 וְכָל סְבִיבוֹתֶיהָ בְּנוֹת פְּלִשְׁתִּים Ezek. 16:57
376 בְּנוֹת אֵם־אַחַת הָיוּ Ezek. 23:2
377 בְּנוֹת הַגּוֹיִם תְּקוֹנֵנָּה אוֹתָהּ Ezek. 32:16
378 בְּנוֹת מְלָכִים בִּיקְּרוֹתֶיךָ Ps. 45:10
379 תָּגֵלְנָה בְּנוֹת יְהוּדָה Ps. 48:12
380 וַתָּגֵלְנָה בְּנוֹת יְהוּדָה Ps. 97:8
381 שְׁחוֹרָה אֲנִי וְנָאוָה בְּנוֹת יְרוּשָׁלָם S.ofS. 1:5
385-382 הִשְׁבַּעְתִּי אֶתְכֶם בְּנוֹת יְרוּשָׁלַם S.ofS. 2:7; 3:5; 5:8; 8:4
386 צְאֶינָה וּרְאֶינָה בְּנוֹת צִיּוֹן... S.ofS. 3:11
387 זֶה דוֹדִי...בְּנוֹת יְרוּשָׁלָם S.ofS. 5:16
388 עוֹלְלָה לְנַפְשִׁי מִכֹּל בְּנוֹת עִירִי Lam. 3:51
389 וְיִשַּׁחוּ כָּל־בְּנוֹת הַשִּׁיר Eccl. 12:4
390 בֶּן־אִשָּׁה מִן־בְּנוֹת דָּן IICh. 2:13
וּבְנוֹת־ 391 וּבְנוֹת אַנְשֵׁי הָעִיר יֹצְאֹת Gen. 24:13
392 בְּנֹתָיו וּבְנוֹת בָּנָיו Gen. 46:7
393 אוֹתָהּ וּבְנוֹת גּוֹיִם אַדִּרִם Ezek. 32:18
בִּבְנוֹת־ 394 לִרְאוֹת בִּבְנוֹת הָאָרֶץ Gen. 34:1
395 הַאֵין בִּבְנוֹת אַחֶיךָ...אִשָּׁה Jud. 14:3
כִּבְנוֹת־ 396 וְלֹא נִמְצָא...כִּבְנוֹת אִיּוֹב Job 42:15
לִבְנוֹת־ 397 אֲשֶׁר־צִוָּה יְיָ לִבְנוֹת צְלָפְחָד Num. 36:6
מִבְּנוֹת־ 398/9 לֹא־תִקַּח...מִבְּנוֹת הַכְּנַעֲנִי Gen. 24:3, 37
400 אִם־לֹקֵחַ יַעֲקֹב אִשָּׁה מִבְּנוֹת־חֵת Gen. 27:46
401 כָּאֵלֶּה מִבְּנוֹת הָאָרֶץ Gen. 27:46
402/3 לֹא־תִקַּח אִשָּׁה מִבְּנוֹת כְּנָעַן Gen. 28:1, 6
404 וְקַח־לְךָ מִשָּׁם אִשָּׁה מִבְּנוֹת לָבָן Gen. 28:2
405 עֵשָׂו לָקַח אֶת־נָשָׁיו מִבְּנוֹת כְּנָעַן Gen. 36:2
406 וְאֶלְעָזָר...לָקַח־לוֹ מִבְּנוֹת פּוּטִיאֵל Ex. 6:5
407 לֹא־תִהְיֶה קְדֵשָׁה מִבְּנוֹת יִשְׂרָאֵל Deut. 23:18
408 וַיַּרְא אִשָּׁה...מִבְּנוֹת פְּלִשְׁתִּים Jud. 14:1
409 אִשָּׁה רָאִיתִי...מִבְּנוֹת פְּלִשְׁתִּים Jud. 14:2
410 וַחֲטַפְתֶּם לָכֶם...מִבְּנוֹת שִׁילוֹ Jud. 21:21
411 רָצוּף אַהֲבָה מִבְּנוֹת יְרוּשָׁלָם S.ofS. 3:10
412/3 לָקַח מִבְּנוֹת בַּרְזִלַּי Ez. 2:61 • Neh. 7:63
בְּנֹתַי 414 וַתְּנַהֵג אֶת־בְּנֹתַי כִּשְׁבֻיוֹת חָרֶב Gen. 31:26
415 הַבָּנוֹת בְּנֹתַי וְהַבָּנִים בָּנַי Gen. 31:43
416 אִם־תְּעַנֶּה אֶת־בְּנֹתַי Gen. 31:50
417 וְאִם־תִּקַּח נָשִׁים עַל־בְּנֹתַי Gen. 31:50
418 שֹׁבְנָה בְנֹתַי לָמָּה תֵלַכְנָה עִמִּי Ruth 1:11
419 שֹׁבְנָה בְנֹתַי לֵכְןָ Ruth 1:12
420 אַל בְּנֹתַי כִּי־מַר־לִי מְאֹד Ruth 1:13
וּבְנוֹתַי 421 וּבְנוֹתַי מִקְצֵה הָאָרֶץ Is. 43:6
וְלִבְנֹתַי 422 וְלִבְנֹתַי מָה־אֶעֱשֶׂה...הַיּוֹם Gen. 31:43
וְלִבְנֹתָי 423 לְנַשֵּׁק לְבָנַי וְלִבְנֹתָי Gen. 31:28
בְּנֹתֶיךָ 424 אֶת־אִשְׁתְּךָ וְאֶת־שְׁתֵּי בְנֹתֶיךָ Gen. 19:15
425 פֶּן־תִּגְזֹל אֶת־בְּנוֹתֶיךָ מֵעִמִּי Gen. 31:31
426 עֲבַדְתִּיךָ...בִּשְׁתֵּי בְנֹתֶיךָ Gen. 31:41
וּבְנֹתֶיךָ 427 מִי־לְךָ פֹה חָתָן וּבָנֶיךָ וּבְנֹתֶיךָ Gen. 19:12
428 אַתָּה וּבָנֶיךָ וּבְנֹתֶיךָ אִתָּךְ Lev. 10:14
429 בָּנֶיךָ וּבְנֹתֶיךָ נְתֻנִים לְעַם אַחֵר Deut. 28:32
433-430 (וּ)בָנֶיךָ...וּבְנֹתֶיךָ Deut. 28:53
IISh. 19:6 • Jer. 48:46 • Am. 7:17
434 יֹאכְלוּ בָּנֶיךָ וּבְנוֹתֶיךָ Jer. 5:17
435 בָּנֶיךָ וּבְנוֹתֶיךָ אֹכְלִים וְשֹׁתִים Job 1:18
וְלִבְנֹתֶיךָ 436/7 וּלְבָנֶיךָ וְלִבְנֹתֶיךָ אִתָּךְ Num. 18:11, 19
בְּנוֹתַיִךְ 438 וַתִּקְחִי אֶת־בָּנַיִךְ וְאֶת־בְּנוֹתַיִךְ Ezek. 16:20
439 בְּנוֹתַיִךְ בַּשָּׂדֶה בַּחֶרֶב יַהֲרֹג Ezek. 26:8
וּבְנֹתַיִךְ 440 וּבְנֹתַיִךְ עַל־כָּתֵף תִּנָּשֶׂאנָה Is. 49:22

וּבְנֹתַיִךְ (המשך) 441 וּבְנֹתַיִךְ עַל־צַד תֵּאָמַנָה Is. 60:4
442 וְאַתְּ וּבְנוֹתַיִךְ תְּשֻׁבֶינָה לְקַדְמַתְ׳ Ezek. 16:55
443 הֵמָּה בָּנַיִךְ וּבְנֹתַיִךְ יִקָּחוּ Ezek. 23:25
וּבְנוֹתָיִךְ 444 כַּאֲשֶׁר עָשִׂית אַתְּ וּבְנוֹתָיִךְ Ezek. 16:48
בְּנֹתָיו 445 וַיְדַבֵּר אֶל־חֲתָנָיו לֹקְחֵי בְנֹתָיו Gen. 19:14
446 וַיַּחֲזִיקוּ...וּבְיַד שְׁתֵּי בְנֹתָיו Gen. 19:16
447/8 וְאֵלֶּה שְׁמוֹת בְּנֹתָיו Num. 27:1 • Josh. 17:3
458-449 בְּנֹתָיו Gen. 19:30^{2}; 36:6; 37:35 46:7 •
Ex. 2:20; 34:16 • Josh. 7:24 • ISh. 14:49; 30:6
וּבְנוֹתָיו 459 כָּל־נֶפֶשׁ בָּנָיו וּבְנוֹתָיו Gen. 46:15
460 בָּנָיו פְּלֵיטִם וּבְנֹתָיו בַּשְּׁבִית Num. 21:29
461 מִכַּעַס בָּנָיו וּבְנֹתָיו Deut. 32:19
462 וּבָנָיו וּבְנֹתָיו אֹכְלִים Job 1:13
463 שַׁלּוּם...הוּא וּבְנוֹתָיו Neh. 3:12
לִבְנֹתָיו 464 לָתֵת אֶת־נַחֲלַת...לִבְנֹתָיו Num. 36:2
וְלִבְנוֹתָיו 465 וַיְנַשֵּׁק לְבָנָיו וְלִבְנוֹתָיו Gen. 31:55
מִבְּנֹתָיו 466 וְלָקַחְתָּ מִבְּנֹתָיו לְבָנֶיךָ Ex. 34:16
בְּנֹתֶיהָ 467 בְּחֶשְׁבּוֹן וּבְכָל־בְּנֹתֶיהָ Num. 21:25
468 וַיִּשְׁלַח...וַיִּלְכְּדוּ בְּנֹתֶיהָ Num. 21:32
469 וַיִּלְכֹּד אֶת־קְנָת וְאֶת־בְּנֹתֶיהָ Num. 32:42
470 אַשְׁדּוֹד בְּנוֹתֶיהָ וַחֲצֵרֶיהָ Josh. 15:47
471 עַזָּה בְּנוֹתֶיהָ וַחֲצֵרֶיהָ Josh. 15:47
477-472 וְאֶת־בְּנֹתֶיהָ Jud. 1:27^{3} • IICh. 13:19^{2}
480-478 וְאֶת־בְּנֹתֶיהָ Jud. 1:27^{2}
ICh. 2:23 • IICh. 28:18
וּבְנֹתֶיהָ 481 עֶקְרוֹן וּבְנֹתֶיהָ וַחֲצֵרֶיהָ Josh. 15:45
482/3 בֵּית־שְׁאָן וּבְנוֹתֶיהָ וְיִבְלְעָם וּבְנוֹ׳ Josh. 17:11
497-484 וּבְנוֹתֶיהָ Josh. 17:11^{3}, 16 • Ezek. 16:46
16:48, 53^{2}, 55^{2} • ICh. 7:29^{2} • IICh. 28:18^{2}
513-498 וּבְנֹתֶיהָ Josh. 17:11 • Jer. 49:2
Neh. 11:25^{2}, 27, 30, 31 • ICh. 7:28^{4}, 29^{2}; 8:12; 18:1 • IICh. 13:19
514 וּלְכָל־בָּנֶיהָ וּבְנוֹתֶיהָ מָנוֹת ISh. 1:4
515 בָּנֶיהָ וּבְנוֹתֶיהָ לָקָחוּ Ezek. 23:10
516 וּבְנוֹתֶיהָ...בַּחֶרֶב תֵּהָרַגְנָה Ezek. 26:6
517 וּבְנוֹתֶיהָ בַּשְּׁבִי תֵלַכְנָה Ezek. 30:18
וּבִבְנוֹתֶיהָ 518 בְּשֶׁבֶת יִשְׂ׳ בְּחֶשְׁבּוֹן וּבִבְנוֹתֶיהָ Jud. 11:26
519 וּבְעַרְעוֹר וּבִבְנוֹתֶיהָ Jud. 11:26
520 וּבְצִקְלַג וּבִמְכֹנָה וּבִבְנֹתֶיהָ Neh. 11:28
521 וַיֵּשְׁבוּ...בַּבָּשָׁן וּבִבְנֹתֶיהָ ICh. 5:16
וְלִבְנוֹתֶיהָ 522 וְשַׁלְוַת...לָהּ וְלִבְנוֹתֶיהָ Ezek. 16:49
בְּנֹתֵינוּ 523 בְּנֹתֵינוּ תִּקְחוּ לָכֶם Gen. 34:9
524 וְנָתַנּוּ אֶת־בְּנֹתֵינוּ לָכֶם Gen. 34:16
525 וְאֶת־בְּנֹתֵינוּ נִתֵּן לָהֶם Gen. 34:21
526 בְּנוֹתֵינוּ כְזָוִיֹּת מְחֻטָּבוֹת Ps. 144:12
527 אֶת־בָּנֵינוּ וְאֶת־בְּנֹתֵינוּ לַעֲבָדִים Neh. 5:5
528 לֹא־נִתֵּן בְּנֹתֵינוּ לְעַמֵּי הָאָרֶץ Neh. 10:31
וּבְנֹתֵינוּ 529 אֲנַחְנוּ נָשֵׁינוּ בָּנֵינוּ וּבְנֹתֵינוּ Jer. 35:8
530 בָּנֵינוּ וּבְנֹתֵינוּ אֲנַחְנוּ רַבִּים Neh. 5:2
531 וּבָנֵינוּ וּבְנוֹתֵינוּ וְנָשֵׁינוּ בַּשְּׁבִי IICh. 29:9
וּבִבְנוֹתֵנוּ 532 בְּבָנֵינוּ וּבִבְנוֹתֵנוּ...נֵלֵךְ Ex. 10:9
מִבְּנוֹתֵינוּ 533 לְבִלְתִּי תֵּת־לָהֶם מִבְּנוֹתֵינוּ Jud. 21:7
534 לָתֵת לָהֶם מִבְּנוֹתֵינוּ Jud. 21:18
535 וְיֵשׁ מִבְּנֹתֵינוּ נִכְבָּשׁוֹת Neh. 5:5
בְּנֹתֵיכֶם 536 בְּנֹתֵיכֶם תִּתְּנוּ־לָנוּ Gen. 34:9
537 וְאֶת־בְּנֹתֵיכֶם נִקַּח־לָנוּ Gen. 34:16
538 עַל־בְּנֵיכֶם וְעַל־בְּנֹתֵיכֶם Ex. 3:22
539 בְּשַׂר בְּנֵיכֶם וּבְשַׂר בְּנֹתֵיכֶם Lev. 26:29
540 וְאֶת־בְּנוֹתֵיכֶם יִקָּח ISh. 8:13
541 וְלַמֵּדְנָה בְנֹתֵיכֶם נֶהִי Jer. 9:19
542 וְאֶת־בְּנוֹתֵיכֶם תְּנוּ לַאֲנָשִׁים Jer. 29:6
543 עַל־כֵּן תִּזְנֶינָה בְּנוֹתֵיכֶם Hosh. 4:13

בְּנוֹתֵיכֶם (המשך) 544 לֹא־אֶפְקוֹד עַל־בְּנוֹתֵיכֶם Hosh. 4:14
545 וּמָכַרְתִּי אֶת־בְּנֵיכֶם וְאֶת־בְּנוֹתֵיכֶם Joel 4:8
546 בְּנוֹתֵיכֶם אַל־תִּתְּנוּ לִבְנֵיהֶם Ez. 9:12
547 אִם־תִּתְּנוּ בְנֹתֵיכֶם לִבְנֵיהֶם Neh. 13:25
וּבְנוֹתֵיכֶם 548 נְשֵׁיכֶם בְּנֵיכֶם וּבְנוֹתֵיכֶם Ex. 32:2
549 אַתֶּם וּבְנֵיכֶם וּבְנֹתֵיכֶם Deut. 12:12
550/1 בְּנֵיכֶם וּבְנוֹתֵיכֶם Ezek. 24:21 • Joel 3:1
552 וְהִלָּחֲמוּ עַל... בְּנֵיכֶם וּבְנֹתֵיכֶם Neh. 4:8
בְּנוֹתֵיהֶם 553-558 אֶת־בְּנֵיהֶם וְאֶת־בְּנוֹתֵיהֶם Deut. 12:31
IIK. 17:17 • Jer. 3:24; 7:31; 32:35 • Ps. 106:37
559 וַיִּקְחוּ אֶת־בְּנוֹתֵיהֶם לָהֶם לְנָשִׁים Jud. 3:6
560 וְאֶת־בְּנוֹתֵיהֶם נָתְנוּ לִבְנֵיהֶם Jud. 3:6
561 בְּשַׂר בְּנֵיהֶם וְאֵת בְּשַׂר בְּנֹתֵיהֶם Jer. 19:9
562 וְאֶת־בְּנֹתֵיהֶם לֹא נִקַּח לְבָנֵינוּ Neh. 10:31
וּבְנוֹתֵיהֶם 563 וּבְנֵיהֶם וּבְנוֹתֵיהֶם נִשְׁבּוּ ISh. 30:3
564-568 (וּ)בְּנֵיהֶם וּבְנוֹתֵיהֶם Jer. 11:22
Ezek. 23:47; 24:25 • Ps. 106:38 • IICh. 31:18
569/70 (וּ־)בְּנֵיהֶם וּבְנֹתֵיהֶם Jer. 14:16 • Neh. 10:29
571 בְּנוֹתֵיהֶם אַל־תִּשְׂאוּ לִבְנֵיכֶם Ez. 9:12
מִבְּנוֹתֵיהֶם 572 נָשְׂאוּ מִבְּנֹתֵיהֶם לָהֶם וְלִבְנֵיהֶם Ez. 9:2
573 וְאִם־תִּשְׂאוּ מִבְּנֹתֵיהֶם לִבְנֵיכֶם Neh. 13:25
בְּנוֹתָם 574 אֶת־בְּנוֹתָם נִקַּח־לָנוּ לְנָשִׁים Gen. 34:21

בַּת[2] נ׳ מִדַּת לַח, שָׁוָה לְאֵיפָה: 1–13 • קרובים: ראה אֵיפָה

בַּת־צֶדֶק 4; מַעְשַׂר הַבַּת 6

בַּת 1 אַלְפַּיִם בַּת יָכִיל IK. 7:26
2 אַרְבָּעִים בַּת יָכִיל IK. 7:38
3 עֲשֶׂרֶת צִמְדֵּי־כֶרֶם יַעֲשׂוּ בַּת אֶחָת Is. 5:10
וּבַת־ 4 וְאֵיפַת־צֶדֶק וּבַת־צֶדֶק Ezek. 45:10
הַבַּת 5 וְחֹק הַשֶּׁמֶן הַבַּת הַשֶּׁמֶן Ezek. 45:14
6 מַעְשַׂר הַבַּת מִן־הַכֹּר Ezek. 45:14
הַבָּת 7 לָשֵׂאת מַעְשַׂר הַחֹמֶר הַבָּת Ezek. 45:11
וְהַבַּת 8 הָאֵיפָה וְהַבַּת תֹּכֶן אֶחָד יִהְיֶה Ezek. 45:11
בַּתִּים 9 וְיַיִן בַּתִּים עֶשְׂרִים אָלֶף IICh. 2:9
10 וְשֶׁמֶן בַּתִּים עֶשְׂרִים אָלֶף IICh. 2:9
11 בַּתִּים שְׁלֹשֶׁת אֲלָפִים יָכִיל IICh. 4:5
הַבַּתִּים 12-13 עֲשֶׂרֶת הַבַּתִּים חֹמֶר Ezek. 45:14[2]

בַּת*[3] ז׳ ארמית: בַּת[2]

בַּתִּין 1 וְעַד־חֲמַר בַּתִּין מְאָה Ez. 7:22
2 וְעַד־בַּתִּין מְשַׁח מְאָה Ez. 7:22

בַּת־אֲשֻׁרִים אחד ממיני העצים [עיין תְּאַשּׁוּר]

בַּת־אֲשֻׁרִים 1 קַרְשֵׁךְ עָשׂוּ־שֵׁן בַּת־אֲשֻׁרִים Ezek. 27:6

בַּת יַעֲנָה נ׳ עוף־מדבר טמא: 1–8 [עיין גם יָעֵן]

בַּת הַ׳ 1-2 וְאֵת בַּת הַיַּעֲנָה Lev. 11:16 • Deut. 14:15
בְּנוֹת יַ׳ 3 וְשָׁכְנוּ שָׁם בְּנוֹת יַעֲנָה Is. 13:21
4 וְיָשְׁבוּ בָהּ בְּנוֹת יַעֲנָה Jer. 50:39
וּבְנוֹת יַ׳ 5 תַּנִּים וּבְנוֹת יַעֲנָה Is. 43:20
כִּבְנוֹת יַ׳ 6 אֶעֱשֶׂה... וְאֵבֶל כִּבְנוֹת יַעֲנָה Mic. 1:8
לִבְנוֹת יַ׳ 7 וְהָיְתָה... חָצִיר לִבְנוֹת יַעֲנָה Is. 34:13
8 אָח הָיִיתִי לְתַנִּים וְרֵעַ לִבְנוֹת יַעֲנָה Job 30:29

בַּת־עַיִן נ׳ בָּבַת העין: 1–2

בַּת־עָיִן 1 שָׁמְרֵנִי כְּאִישׁוֹן בַּת־עָיִן Ps. 17:8
בַּת־עֵינֵךְ 2 אַל־תִּדֹּם בַּת־עֵינֵךְ Lam. 2:18

בַּת־שֶׁבַע שפ״נ – אם שלמה המלך: 1–11

בַּת־שֶׁבַע 1 הֲלוֹא־זֹאת בַּת־שֶׁבַע בַּת־אֱלִיעָם IISh. 11:3
2 וַיְנַחֵם דָּוִד אֵת בַּת־שֶׁבַע אִשְׁתּוֹ IISh. 12:24
3-4 אֶל־בַּת שֶׁבַע אֵם־שְׁלֹמֹה IK. 1:11; 2:13
5-9 בַּת(־)שֶׁבַע IK. 1:15,16,31; 2:18,19
בַּת־שָׁבַע 10 כַּאֲשֶׁר־בָּא אֶל־בַּת שָׁבַע Ps. 51:2
לְבַת־שֶׁ׳ 11 קִרְאוּ־לִי לְבַת־שָׁבַע IK. 1:28

בַּת־שׁוּעַ שפ״נ א) אשת יהודה: 1, 3

ב) בת עמיאל, היא בת־שבע: 2

בַּת־שׁוּעַ 1 וַתָּמָת בַּת־שׁוּעַ אֵשֶׁת יְהוּדָה Gen. 38:12
לְבַת־שׁוּעַ 2 אַרְבָּעָה לְבַת־שׁוּעַ בַּת־עַמִּיאֵל ICh. 3:5
מִבַּת־שׁוּעַ 3 שְׁלוֹשָׁה נוֹלַד מִבַּת־שׁוּעַ ICh. 2:3

בָּתָה נ׳ שממה: 1–2

בָתָה 1 וַאֲשִׁיתֵהוּ בָתָה לֹא יִזָּמֵר וְלֹא יֵעָדֵר Is. 5:6
הַבַּתּוֹת 2 בְּנַחֲלֵי הַבַּתּוֹת וּבִנְקִיקֵי הַסְּלָעִים Is. 7:19

בְּתוּאֵל[1] שפ״ז – בן נחור, אבי לבן ורבקה: 1–9

בְּתוּאֵל 1 וְאֶת־יִדְלָף וְאֵת בְּתוּאֵל Gen. 22:22
2 בַּת־בְּתוּאֵל אָנֹכִי בֶּן־מִלְכָּה Gen. 24:24
3 בַּת־בְּתוּאֵל בֶּן־נָחוֹר Gen. 24:47
4 אֶת־רִבְקָה בַּת־בְּתוּאֵל הָאֲרַמִּי Gen. 25:20
5 קוּם לֵךְ... בֵּיתָה בְתוּאֵל Gen. 28:2
6 אֶל־לָבָן בֶּן־בְּתוּאֵל הָאֲרַמִּי Gen. 28:5
וּבְתוּאֵל 7 וּבְתוּאֵל יָלַד אֶת־רִבְקָה Gen. 22:23
8 וַיַּעַן לָבָן וּבְתוּאֵל וַיֹּאמְרוּ Gen. 24:50
לִבְתוּאֵל 9 יֻלְּדָה לִבְתוּאֵל בֶּן־מִלְכָּה Gen. 24:15

בְּתוּאֵל[2] עיר בנחלת שמעון

וּבִבְתוּאֵל 1 וּבִבְתוּאֵל וּבְחָרְמָה וּבְצִקְלָג ICh. 4:30

בְּתוּל עיר בנחלת שמעון, היא בְּתוּאֵל[2]

וּבְתוּל 1 וְאֶלְתּוֹלַד וּבְתוּל וְחָרְמָה Josh. 19:4

בְּתוּלָה נ׳ א) נערה שלא ידעה איש: רוב המקראות

ב) אשה צעירה: 20
ג) [בְּתוּלַת בַּת־...] כנוי מליצי לכלל התושבים בארץ או במקום: 22–33

בָּחוּר וּבְתוּלָה 4,6, 15–17, 34, 38, 47–49; נַעֲרָה בְּתוּלָה 10–14; בְּתוּלַת בַּת בָּבֶל 25; בְּ׳ בַּת יְהוּדָה 33; בְּ׳ בַּת מִצְרַיִם 30; בְּ׳ בַּת צִידוֹן 24; בְּ׳ בַּת צִיּוֹן 22, 23, 32; בְּ׳ בַּת עַמִּי 26; בְּ׳ יִשְׂרָאֵל 21, 27–29, 31

בְּתוּלוֹת יָפוֹת 44; בְּ׳ יְרוּשָׁלִַם 46; בְּ׳ נוּגוֹת 50; מֹהַר הַבְּתוּלֹת 42

בְּתוּלָה 1 בְּתוּלָה וְאִישׁ לֹא יְדָעָהּ Gen. 24:16
2 בְּתוּלָה אֲשֶׁר לֹא־אֹרָשָׂה Ex. 22:15
3 בְּתוּלָה מֵעַמָּיו יִקַּח אִשָּׁה Lev. 21:14
4 גַּם־בָּחוּר גַּם־בְּתוּלָה Deut. 32:25
5 כִּי בְתוּלָה הִיא IISh. 13:2
6 כִּי־יִבְעַל בָּחוּר בְּתוּלָה Is. 62:5
7 הֲתִשְׁכַּח בְּתוּלָה עֶדְיָהּ Jer. 2:32
8 אָז תִּשְׂמַח בְּתוּלָה בְּמָחוֹל Jer. 31:13(12)
9 וּמָה אֶתְבּוֹנֵן עַל־בְּתוּלָה Job 31:1
10-14 נַעֲרָה בְתוּלָה Deut. 22:23,28
Jud. 21:12 • IK. 1:2 • Es. 2:3
וּבְתוּלָה 15 וְנִפַּצְתִּי בְךָ בָּחוּר וּבְתוּלָה Jer. 51:22
16 זָקֵן בָּחוּר וּבְתוּלָה וְטַף וְנָשִׁים Ezek. 9:6
17 וְלֹא חָמַל עַל־בָּחוּר וּבְתוּלָה IICh. 36:17
הַבְּתוּלָה 18 וְלַאֲחֹתוֹ הַבְּתוּלָה הַקְּרוֹבָה אֵלָיו Lev. 21:3
19 הִנֵּה בִתִּי הַבְּתוּלָה וּפִילַגְשֵׁהוּ Jud. 19:24
כִּבְתוּלָה 20 כִּבְתוּלָה חֲגֻרַת־שַׂק עַל־בַּעַל נְעוּרֶיהָ Joel 1:8
בְּתוּלַת־ 21 הוֹצִיא שֵׁם רָע עַל בְּתוּלַת יִשׂ׳ Deut. 22:19
22/3 בְּתוּלַת בַּת־צִיּוֹן IIK. 19:21 • Is. 37:22
24 הַמְעֻשָּׁקָה בְּתוּלַת בַּת־צִידוֹן Is. 23:12
25 רְדִי... בְּתוּלַת בַּת־בָּבֶל Is. 47:1
26 נִשְׁבְּרָה בְּתוּלַת בַּת־עַמִּי Jer. 14:17
בְּתוּלַת־ (המשך) 27 שַׁעֲרֻרִת עָשְׂתָה... בְּתוּלַת יִשְׂרָאֵל Jer. 18:13
28 עוֹד אֶבְנֵךְ וְנִבְנֵית בְּתוּלַת יִשׂ׳ Jer. 31:4(3)
29 שׁוּבִי בְּתוּלַת יִשְׂרָאֵל Jer. 31:21(20)
30 עֲלִי גִלְעָד... בְּתוּלַת בַּת־מִצְרָיִם Jer. 46:11
31 נָפְלָה... בְּתוּלַת יִשְׂרָאֵל Am. 5:2
32 מָה אַשְׁוֶה־לָּךְ... בְּתוּלַת בַּת־צִיּוֹן Lam. 2:13
לִבְתוּלַת־ 33 גַּת דָּרַךְ אֲדֹנָי לִבְתוּלַת בַּת־יְהוּדָה Lam. 1:15
בְּתוּלוֹת 34 וְלֹא גִדַּלְתִּי בַחוּרִים רוֹמַמְתִּי בְתוּלוֹת Is. 23:4
35 כִּי אִם־בְּתוּלֹת מִזֶּרַע בֵּית יִשׂ׳ Ezek. 44:22
36 וְתִירוֹשׁ יְנוֹבֵב בְּתֻלוֹת Zech. 9:17
37 בְּתוּלוֹת אַחֲרֶיהָ רֵעוֹתֶיהָ Ps. 45:15
38 בַּחוּרִים וְגַם־בְּתוּלוֹת Ps. 148:12
39 נָשִׁים... בְּתֻלֹת בְּעָרֵי יְהוּדָה Lam. 5:11
40 נְעָרוֹת בְּתוּלוֹת טוֹבוֹת מַרְאֶה Es. 2:2
41 וּבְהִקָּבֵץ בְּתוּלוֹת שֵׁנִית Es. 2:19
הַבְּתוּלוֹת 42 כֶּסֶף יִשְׁקֹל כְּמֹהַר הַבְּתוּלֹת Ex. 22:16
43 תִּלְבַּשְׁןָ בְּנוֹת־הַמֶּלֶךְ הַבְּתוּלֹת IISh. 13:18
44 תִּתְעַלַּפְנָה הַבְּתוּלֹת הַיָּפוֹת Am. 8:13
45 וַתִּשָּׂא־חֵן... מִכָּל־הַבְּתוּלוֹת Es. 2:17
בְּתוּלוֹת־ 46 הוֹרִידוּ... רֹאשָׁן בְּתוּלֹת יְרוּשָׁלִָם Lam. 2:10
בְּתוּלֹתַי 47 בְּתוּלֹתַי וּבַחוּרַי הָלְכוּ בַשֶּׁבִי Lam. 1:18
48 בְּתוּלֹתַי וּבַחוּרַי נָפְלוּ בֶחָרֶב Lam. 2:21
וּבְתוּלֹתָיו 49 בַּחוּרָיו... וּבְתוּלֹתָיו לֹא הוּלָּלוּ Ps. 78:63
בְּתוּלֹתֶיהָ 50 בְּתוּלֹתֶיהָ נּוּגוֹת וְהִיא מַר־לָהּ Lam. 1:4

בְּתוּלִים ז״ר א) סימני הבתולה: 1–5

ב) מעמד הבתולה: 6–10

בְּתוּלֵי נַעֲרָה 4; בְּ׳ בִּתּוֹ 5; דַּדֵּי בְּתוּלֶיהָ 8, 10

בְּתוּלִים 1 וְלֹא־מָצָאתִי לָהּ בְּתוּלִים Deut. 22:14
2 לֹא־מָצָאתִי לְבִתְּךָ בְּתוּלִים Deut. 22:17
3 לֹא־נִמְצְאוּ בְתוּלִים לַנַּעֲרָ Deut. 22:20
בְּתוּלֵי־ 4 וְהוֹצִיאוּ אֶת־בְּתוּלֵי הַנַּעֲרָ Deut. 22:15
5 וְאֵלֶּה בְּתוּלֵי בִתִּי Deut. 22:17
בְּתוּלַי 6 וְאֶבְכֶּה עַל־בְּתוּלַי Jud. 11:37
בְּתוּלֶיהָ 7 וַתֵּבְךְּ עַל־בְּתוּלֶיהָ עַל־הֶהָרִים Jud. 11:38
8 וְהֵמָּה עִשּׂוּ דַּדֵּי בְתוּלֶיהָ Ezek. 23:8
בִּבְתוּלֶיהָ 9 וְהוּא אִשָּׁה בִבְתוּלֶיהָ יִקָּח Lev. 21:13
בְּתוּלֵיהֶן 10 וְשָׁם עִשּׂוּ דַּדֵּי בְּתוּלֵיהֶן Ezek. 23:3

בִּתְיָה שפ״נ – בת פרעה

בִּתְיָה 1 וְאֵלֶּה בְּנֵי בִּתְיָה בַת־פַּרְעֹה ICh. 4:18

בתק פ׳ דקר

וּבִתְּקוּךְ 1 וּבִתְּקוּךְ בְּחַרְבוֹתָם Ezek. 16:40

בתר : בָּתַר, בֶּתֶר, בְּתָרִי, בֶּתֶר[2], בִּתְרוֹן

בָּתַר פ׳ א) כָּרַת, גָּזַר: 1

ב) [פ׳ בִּתֵּר] כנ״ל: 2

בָתָר 1 וְאֶת־הַצִּפֹּר לֹא בָתָר Gen. 15:10
וַיְבַתֵּר 2 וַיְבַתֵּר אֹתָם בַּתָּוֶךְ Gen. 15:10

בֶּתֶר[1] ז׳ נתח, גזר: 1–3

בִּתְרוֹ 1 וַיִּתֵּן אִישׁ־בִּתְרוֹ לִקְרַאת רֵעֵהוּ Gen. 15:10
בִּתְרֵי־ 2 הָעֹבְרִים בֵּין בִּתְרֵי הָעֵגֶל Jer. 34:19
בְּתָרָיו 3 וַיַּעַבְרוּ בֵּין בְּתָרָיו Jer. 34:18

בֶּתֶר*[2] ז׳ הָרֵי בֶתֶר = רוכסי הרים

בָתֶר 1 דְּמֵה־לְךָ דוֹדִי לִצְבִי אוֹ לְעֹפֶר הָאַיָּלִים עַל־הָרֵי בָתֶר S.ofS. 2:17

בִּתְרוֹן ז׳ ערוץ בין הרים (?)

הַבִּתְרוֹן 1 וַיַּעַבְרוּ אֶת־הַיַּרְדֵּן וַיֵּלְכוּ כָּל־הַבִּתְרוֹן IISh. 2:29

ג׳ זעירא: ו׳יש	Job 7:5
ג׳ רבתי: וְהִתְגַּלָּח	Lev. 13:33

ג

מסורה

גימל״ין בתורה 2109

כתיב ג׳ – קרי ז׳	
לבג לְבַז	Ezek. 25:7

גֵּא ת׳ גבה־לב

גֵּא 1 שָׁמַעְנוּ גְאוֹן־מוֹאָב גֵּא מְאֹד Is. 16:6

גאה : גָּאָה; גֵּא, גֵּאֶה, גֵּאָה, גַּאֲוָה, גָּאוֹן, גַּאֲוָה, גֵּאוּת; ש״פ גְּאוּאֵל

גָּאָה פָּ׳ א) גָּדַל, היה רם: 1–4, 6
ב) עָלָה, התרומם: 5
ג) צָמַח: 7

גָּאֹה 1-2 כִּי־גָאֹה גָּאָה Ex. 15:1,21
גָּאָה 3 אָשִׁירָה לַיְיָ כִּי־גָאֹה גָּאָה Ex. 15:1
4 שִׁירוּ לַיְיָ כִּי־גָאֹה גָּאָה Ex. 15:21
גָּאוּ 5 כִּי־גָאוּ הַמַּיִם מֵי שָׂחוּ Ezek. 47:5
וְיִגְאֶה 6 וְיִגְאֶה כַּשַּׁחַל תְּצוּדֵנִי Job 10:16
הֲיִגְאֶה 7 הֲיִגְאֶה־גֹּמֶא בְּלֹא בִצָּה Job 8:11

גֵּאֶה ת׳ גבה־לב: 1–9

גֵּאֶה וָרָם 1; גֵּ׳ מְאֹד 2; בֵּית גֵּאִים 7; גְּאֵי יוֹנִים 9

גֵּאֶה 1 יוֹם לַיְיָ...עַל כָּל־גֵּאֶה וָרָם Is. 2:12
2 שָׁמַעְנוּ גְאוֹן־מוֹאָב גֵּאֶה מְאֹד Jer. 48:29
3 וּרְאֵה כָל־גֵּאֶה וְהַשְׁפִּילֵהוּ Job 40:11
4 רְאֵה כָל־גֵּאֶה הַכְנִיעֵהוּ Job 40:12
גֵּאִים 5 הָשֵׁב גְּמוּל עַל־גֵּאִים Ps. 94:2
6 טָמְנוּ־גֵאִים פַּח לִי Ps. 140:6
7 בֵּית גֵּאִים יִסַּח יְיָ Prov. 15:25
8 טוֹב...מֵחַלֵּק שָׁלָל אֶת־גֵּאִים Prov. 16:19
לִגְאֵיוֹנִים 9 הַבּוּז לִגְאֵי יוֹנִים (כת׳ לגאיונים) Ps. 123:4

גֵּאָה נ׳ גַּאֲוָה • קרובים: ראה גַּאֲוָה

גֵּאָה 1 גֵּאָה וְגָאוֹן וְדֶרֶךְ רָע Prov. 8:13

גְּאוּאֵל שפ״ז מן המרגלים ששלח משה

גְּאוּאֵל 1 לְמַטֵּה גָד גְּאוּאֵל בֶּן־מָכִי Num. 13:15

גַּאֲוָה נ׳ א) התרוממות, גאון: 11, 12, 16, 18, 19
ב) גובה־לב: 1–10, 13–15, 17

קרובים: גֵּאָה / גָּאוֹן / גֵּאוּת / גֹּבַהּ / גַּבְהוּת / רוֹמְמוּת

גַּאֲוָה וָבוּז 7; גַּ׳ וְגֹדֶל לֵבָב 6; חֹטֶר גַּאֲוָה 4; חֶרֶב גַּאֲוָה 12; עוֹשֵׂה גַ׳ 1; עַלִּיזֵי גַ׳ 11, 13; רֶגֶל גַ׳ 2; גַּאֲוַת אָדָם 8; גַּ׳ עָרִיצִים 9; גַּ׳ רָשָׁע 10

גַּאֲוָה 1 וּמְשַׁלֵּם עַל־יֶתֶר עֹשֵׂה גַאֲוָה Ps. 31:24
2 אַל־תְּבוֹאֵנִי רֶגֶל גַּאֲוָה Ps. 36:12
3 לָכֵן עֲנָקַתְמוֹ גַאֲוָה Ps. 73:6
4 בְּפִי־אֱוִיל חֹטֶר גַּאֲוָה Prov. 14:3
5 גַּאֲוָה אֲפִיקֵי מָגִנִּים Job 41:7
בְּגַאֲוָה 6 בְּגַאֲוָה וּבְגֹדֶל לֵבָב לֵאמֹר Is. 9:8
7 הַדֹּבְרוֹת...עָתָק בְּגַאֲוָה וָבוּז Ps. 31:19
גַּאֲוַת־ 8 גַּאֲוַת אָדָם תַּשְׁפִּילֶנּוּ Prov. 29:23
וְגַאֲוַת־ 9 וְגַאֲוַת עָרִיצִים אַשְׁפִּיל Is. 13:11
בְּגַאֲוַת־ 10 בְּגַאֲוַת רָשָׁע יִדְלַק עָנִי Ps. 10:2
גַּאֲוָתִי 11 קָרָאתִי גִבּוֹרַי לְאַפִּי עַלִּיזֵי גַּאֲוָתִי Is. 13:3
גַּאֲוָתֶךָ 12 וַאֲשֶׁר־חֶרֶב גַּאֲוָתֶךָ Deut. 33:29
גַּאֲוָתֵךְ 13 אָסִיר מִקִּרְבֵּךְ עַלִּיזֵי גַּאֲוָתֵךְ Zep. 3:11
גַּאֲוָתוֹ 14 גַּאֲוָתוֹ וּגְאוֹנוֹ וְעֶבְרָתוֹ Is. 16:6
15 וְהִשְׁפִּיל גַּאֲוָתוֹ עִם אָרְבּוֹת יָדָיו Is. 25:11
16 עַל־יִשְׂרָאֵל גַּאֲוָתוֹ Ps. 68:35
וְגַאֲוָתוֹ 17 גָּבְהוֹ וּגְאוֹנוֹ וְגַאֲוָתוֹ וְרֻם לִבּוֹ Jer. 48:29
בְּגַאֲוָתוֹ 18 יִרְעֲשׁוּ־הָרִים בְּגַאֲוָתוֹ Ps. 46:4
וּבְגַאֲוָתוֹ 19 רֹכֵב שָׁמַיִם...וּבְגַאֲוָתוֹ שְׁחָקִים Deut. 33:26

גְּאוּלִים* ז״ר גאולה, פדות

גְּאוּלַי 1 יוֹם נָקָם בְּלִבִּי וּשְׁנַת גְּאוּלַי בָּאָה Is. 63:4

גָּאוֹן ז׳ א) גאוה, גובה־לב: 1–4, 7–23, 26, 27, 29, 40, 45–49
ב) רוממות, שׂגב: 5, 6, 5/24, 30, 32, 33, 35, 36, 39, 41-44
ג) גאות, עליָה: 34
ד) סבך צמחים ליד נהר: 28, 31, 37, 38

קרובים: ראה גַּאֲוָה

גָּאוֹן וָגֹבַהּ 3; גַּאֲוָה (גֵּאָה) וְגָאוֹן 4, 6/45; גָּ׳ וְתִפְאֶרֶת 5; גְּאוֹן אַשּׁוּר 27; גְּ׳ גַּלִּים 34; גְּ׳ זֵדִים 8; גְּ׳ יְיָ 30; גְּ׳ יְהוּדָה 12; גְּ׳ יַעֲקֹב 23–25, 32, 35; גְּ׳ הַיַּרְדֵּן 28, 31, 37, 38; גְּ׳ יְרוּשָׁלַיִם 13; גְּ׳ יִשְׂרָאֵל 21, 22, 35; גְּ׳ כַּשְׂדִּים 9; גְּ׳ מוֹאָב 10, 14; גְּ׳ מִצְרַיִם 19; גְּ׳ עוֹלָם 36; גְּ׳ עֻזּוֹ 7, 17, 18, 20; גְּ׳ עַזִּים 15; גְּ׳ פְּלִשְׁתִּים 26; גְּ׳ צְבִי 11; גְּ׳ שְׁמוֹ 33; הֲדַר גְּאוֹנוֹ 41–43; קוֹל גְּ׳ 44; יוֹם גְּאוֹנָיו 49

גָּאוֹן 1 גָּאוֹן שִׂבְעַת־לֶחֶם...הָיָה לָהּ Ezek. 16:49
2 לִפְנֵי־שֶׁבֶר גָּאוֹן Prov. 16:18
3 עֲדֵה־נָא גָאוֹן וָגֹבַהּ Job 40:10
וְגָאוֹן 4 גֵּאָה וְגָאוֹן וְדֶרֶךְ רָע Prov. 8:13
לְגָאוֹן 5 וּפְרִי הָאָרֶץ לְגָאוֹן וּלְתִפְאֶרֶת Is. 4:2
6 וּצְבִי עֶדְיוֹ לְגָאוֹן שָׂמָהוּ Ezek. 7:20
גְּאוֹן־ 7 וְשָׁבַרְתִּי אֶת־גְּאוֹן עֻזְּכֶם Lev. 26:19
8 וְהִשְׁבַּתִּי גְּאוֹן זֵדִים Is. 13:11
9 תִּפְאֶרֶת גְּאוֹן כַּשְׂדִּים Is. 13:19
10 שָׁמַעְנוּ גְאוֹן־מוֹאָב גֵּא מְאֹד Is. 16:6
11 לְחַלֵּל גְּאוֹן כָּל־צְבִי Is. 23:9
12 כָּכָה אַשְׁחִית אֶת־גְּאוֹן יְהוּדָה Jer. 13:9
13 וְאֶת־גְּאוֹן יְרוּשָׁלִַם הָרָב Jer. 13:9
14 שָׁמַעְנוּ גְאוֹן־מוֹאָב גֵּאֶה מְאֹד Jer. 48:29
15 וְהִשְׁבַּתִּי גְּאוֹן עַזִּים Ezek. 7:24
16 אֶת־מִקְדָּשִׁי גְּאוֹן עֻזְּכֶם Ezek. 24:21
17 וְיָרַד גְּאוֹן עֻזָּהּ Ezek. 30:6
18 וְנִשְׁבַּת־בָּהּ גְּאוֹן עֻזָּהּ Ezek. 30:18
19 וְשָׁדְדוּ אֶת־גְּאוֹן מִצְרַיִם Ezek. 32:12
20 וְנִשְׁבַּת גְּאוֹן עֻזָּהּ Ezek. 33:28
21/2 וְעָנָה גְאוֹן־יִשְׂרָאֵל בְּפָנָיו Hosh. 5:5; 7:10
23 מְתָאֵב אָנֹכִי אֶת־גְּאוֹן יַעֲקֹב Am. 6:8
24/5 גְּאוֹן יַעֲקֹב Nah. 2:3 • Ps. 47:5
26 וְהִכְרַתִּי גְּאוֹן פְּלִשְׁתִּים Zech. 9:6
27 וְהוּרַד גְּאוֹן אַשּׁוּר Zech. 10:11
גְּאוֹן־ (המשך) 28 כִּי שֻׁדַּד גְּאוֹן הַיַּרְדֵּן Zech. 11:3
29 שָׁם יִצְעֲקוּ...מִפְּנֵי גְּאוֹן רָעִים Job 35:12
בִּגְאוֹן־ 30 בִּגְאוֹן יְיָ צָהֲלוּ מִיָּם Is. 24:14
31 וְאֵיךְ תַּעֲשֶׂה בִּגְאוֹן הַיַּרְדֵּן Jer. 12:5
32 נִשְׁבַּע יְיָ בִּגְאוֹן יַעֲקֹב Am. 8:7
33 וְרָעָה...בִּגְאוֹן שֵׁם יְיָ אֱלֹהָיו Mic. 5:3
34 וּפֹא־יָשִׁית בִּגְאוֹן גַּלֶּיךָ Job 38:11
כִּגְאוֹן־ 35 שָׁב יְיָ אֶת־גְּאוֹן יַעֲקֹב כִּגְאוֹן יִשְׂרָאֵל Nah. 2:3
לִגְאוֹן־ 36 וְשַׂמְתִּיךְ לִגְאוֹן עוֹלָם Is. 60:15
מִגְּאוֹן־ 37/8 כְּאַרְיֵה יַעֲלֶה מִגְּאוֹן הַיַּרְדֵּן Jer. 49:19; 50:44
גְּאוֹנְךָ 39 וּבְרֹב גְּאוֹנְךָ תַּהֲרֹס קָמֶיךָ Ex. 15:7
גְּאוֹנֶךָ 40 הוּרַד שְׁאוֹל גְּאוֹנֶךָ Is. 14:11
גְּאֹנוֹ 41 מִפְּנֵי פַּחַד יְיָ וּמֵהֲדַר גְּאֹנוֹ Is. 2:10
42/3 מִפְּנֵי פַּחַד יְיָ וּמֵהֲדַר גְּאוֹנוֹ Is. 2:19,21
44 יַרְעֵם בְּקוֹל גְּאוֹנוֹ Job 37:4
וּגְאוֹנוֹ 45 גַּאֲוָתוֹ וּגְאוֹנוֹ וְעֶבְרָתוֹ Is. 16:6
46 גָּבְהוֹ וּגְאוֹנוֹ וְגַאֲוָתוֹ וְרֻם לִבּוֹ Jer. 48:29
גְּאוֹנָם 47 זֹאת לָהֶם תַּחַת גְּאוֹנָם Zep. 2:10
בִּגְאוֹנָם 48 וְיִלָּכְדוּ בִגְאוֹנָם Ps. 59:13
גְּאוֹנָיִךְ 49 לִשְׁמוּעָה בְּפִיךְ בְּיוֹם גְּאוֹנָיִךְ Ezek. 16:56

גֵּאוּת נ׳ א) גאוה, גובה־לב: 3, 6, 7
ב) התרוממות, עליָה: 4, 8
ג) רוממות, שׂגב: 1, 2, 5

קרובים: ראה גַּאֲוָה

גֵּאוּת הַיָּם 8; גֵּ׳ עָשָׁן 4; גֵּ׳ שִׁכּוֹרִים 6, 7; לָבֵשׁ גֵּאוּת 2; עָשָׂה גֵ׳ 1; דִּבֵּר בְּגֵאוּת 3

גֵּאוּת 1 זַמְּרוּ יְיָ כִּי גֵאוּת עָשָׂה Is. 12:5
2 יְיָ מָלָךְ גֵּאוּת לָבֵשׁ Ps. 93:1
בְגֵאוּת 3 פִּימוֹ דִּבְּרוּ בְגֵאוּת Ps. 17:10
גֵּאוּת־ 4 וַיִּתְאַבְּכוּ גֵּאוּת עָשָׁן Is. 9:17
5 וּבַל־יִרְאֶה גֵּאוּת יְיָ Is. 26:10
6/7 עֲטֶרֶת גֵּאוּת שִׁכֹּ(ו)רֵי אֶפְרַיִם Is. 28:1,3
בְּגֵאוּת־ 8 אַתָּה מוֹשֵׁל בְּגֵאוּת הַיָּם Ps. 89:10

גְּאֵיוֹנִים עיֵן גֵּאֶה (מס׳ 9)   **גֵּאָיוֹת** עיֵן גַּיְא

גאל : א) גָּאַל, גָּאוּל, נִגְאַל; גְּאֻלָּה, גְּאוּלִים, גּוֹאֵל; ש״פ יִגְאָל
ב) גָּאַל, נִגְאַל, נִגְאַל, גֵּאַל, גֹּאַל, הִגְאִיל, הִתְגָּאֵל; גֹּאַל (גָּאֳלֵי־)

גָּאַל[1] פָּ׳ א) פדה: 1–7, 11, 19, 29, 31–36, 38, 39, 4–45, 48, 49 [עיֵן גם גּוֹאֵל, גּוֹאֵל הַדָּם]
ב) [בהשאלה] הציל, שחרר: 8–10, 12–18, 20–28, 30, 37, 40, 46, 47(?), 50, 51
ג) [נפ׳ נִגְאַל] נפדה: 52–59

גָּאַל (אֶת־) רוב המקראות 1–51; גְּאוּלֵי יְיָ 27, 28

גָּאֹל 1 וְאִם־גָּאֹל יִגְאָלֶנָּה Lev. 23:13
2 וְאִם־גָּאֹל יִגְאַל אֶת הַשָּׂדֶה Lev. 27:19
3 וְאִם־גָּאֹל יִגְאַל אִישׁ מִמַּעַשְׂרוֹ Lev. 27:31
לִגְאוֹל 4 כִּי אֵין זוּלָתְךָ לִגְאוֹל Ruth 4:4
5 כִּי לֹא־אוּכַל לִגְאָל Ruth 4:6

לִגְאָל־ 6 לֹא אוּכַל לִגְאָל־לִי Ruth 4:6
לְגָאֳלֵךְ 7 וְאִם־לֹא יַחְפֹּץ לְגָאֳלֵךְ Ruth 3:13
וְגָאַלְתִּי 8 וְגָאַלְתִּי אֶתְכֶם בִּזְרוֹעַ נְטוּיָה Ex. 6:6
גְּאַלְתִּיךָ 9 אַל־תִּירָא כִּי גְאַלְתִּיךָ Is. 43:1
10 שׁוּבָה אֵלַי כִּי גְאַלְתִּיךָ Is. 44:22
וּגְאַלְתִּיךְ 11 וְאִם־לֹא...וּגְאַלְתִּיךְ אָנֹכִי Ruth 3:13
גָּאַלְתָּ 12 גָּאַלְתָּ שֵׁבֶט נַחֲלָתֶךָ Ps. 74:2
13 גָּאַלְתָּ בִּזְרוֹעַ עַמֶּךָ Ps. 77:16
14 רַבְתָּ אֲדֹנָי רִיבֵי נַפְשִׁי גָּאַלְתָּ חַיָּי Lam. 3:58
גָּאָלְתָּ 15 נָחִיתָ בְחַסְדְּךָ עַם־זוּ גָּאָלְתָּ Ex. 15:13
גָּאַל 16 כִּי־גָאַל יְיָ יַעֲקֹב Is. 44:23
17 גָּאַל יְיָ עַבְדּוֹ יַעֲקֹב Is. 48:20
18 כִּי־נִחַם יְיָ עַמּוֹ גָּאַל יְרוּשָׁלָםִ Is. 52:9
וְגָאַל 19 וְגָאַל אֵת מִמְכַּר אָחִיו Lev. 25:25
וּגְאָלוֹ 20 וּגְאָלוֹ מִיַּד חָזָק מִמֶּנּוּ Jer. 31:11(10)
גְּאָלָם 21 בְּאַהֲבָתוֹ וּבְחֶמְלָתוֹ הוּא גְאָלָם Is. 63:9
22 גְּאוּלֵי יְיָ אֲשֶׁר גְּאָלָם מִיַּד־צָר Ps. 107:2
הַגֹּאֵל 23 הַמַּלְאָךְ הַגֹּאֵל אֹתִי מִכָּל־רָע Gen. 48:16
24 הַגּוֹאֵל מִשַּׁחַת חַיָּיְכִי Ps. 103:4
גְּאוּלִים 25 וְהָלְכוּ גְּאוּלִים Is. 35:9
26 דֶּרֶךְ לַעֲבֹר גְּאוּלִים Is. 51:10
גְּאוּלֵי־ 27 עַם־הַקֹּדֶשׁ גְּאוּלֵי יְיָ Is. 62:12
28 יֹאמְרוּ גְּאוּלֵי יְיָ Ps. 107:2
אֶגְאָל 29 וַיֹּאמֶר אָנֹכִי אֶגְאָל Ruth 4:4
אֶגְאָלֵם 30 מִיַּד שְׁאוֹל אֶפְדֵּם מִמָּוֶת אֶגְאָלֵם Hosh. 13:14
תִּגְאַל 31 אִם־תִּגְאַל גְּאָל Ruth 4:4
יִגְאַל 32 וַאֲשֶׁר יִגְאַל מִן־הַלְוִיִּם Lev. 25:33
33 וְאִם־הַמַּקְדִּישׁ יִגְאַל אֶת־בֵּיתוֹ Lev. 27:15
34 וְאִם־גָּאֹל יִגְאַל אֶת־הַשָּׂדֶה Lev. 27:19
35 וְאִם־לֹא יִגְאַל אֶת־הַשָּׂדֶה Lev. 27:20
36 וְאִם־גָּאֹל יִגְאַל אִישׁ מִמַּעַשְׂרוֹ Lev. 27:31
37 מִתּוֹךְ וּמֵחָמָס יִגְאַל נַפְשָׁם Ps. 72:14
38 וְאִם־לֹא יִגְאַל הַגִּידָה לִּי Ruth 4:4
יִגְאָל 39 אִם־יִגְאָלֵךְ טוֹב יִגְאָל Ruth 3:13
יִגְאָלֵךְ 40 שָׁם יִגְאָלֵךְ יְיָ מִכַּף אֹיְבָיִךְ Mic. 4:10
41 אִם־יִגְאָלֵךְ טוֹב יִגְאָל Ruth 3:13
יִגְאָלֶנּוּ 42 אֶחָד מֵאֶחָיו יִגְאָלֶנּוּ Lev. 25:48
43 אוֹ־דֹדוֹ אוֹ בֶן־דֹּדוֹ יִגְאָלֶנּוּ Lev. 25:49
44 מִשְּׁאֵר בְּשָׂרוֹ מִמִּשְׁפַּחְתּוֹ יִגְאָלֶנּוּ Lev. 25:49
יִגְאָלֶנָּה 45 וְאִם גָּאֹל יִגְאָלֶנָּה Lev. 27:13
וַיִּגְאָלֵם 46 וַיִּגְאָלֵם מִיַּד אוֹיֵב Ps. 106:10
יִגְאָלוּהוּ 47 (?)יִגְאָלֻהוּ חֹשֶׁךְ וְצַלְמָוֶת Job 3:5
גְּאַל 48 גְּאַל־לְךָ אַתָּה אֶת־גְּאֻלָּתִי Ruth 4:6
גְּאָל 49 אִם־תִּגְאַל גְּאָל Ruth 4:4
וּגְאָלֵנִי 50 רִיבָה רִיבִי וּגְאָלֵנִי Ps. 119:154
גְּאָלָהּ 51 קָרְבָה אֶל־נַפְשִׁי גְאָלָהּ Ps. 69:19
וְנִגְאָל 52 אוֹ־הִשִּׂיגָה יָדוֹ וְנִגְאָל Lev. 25:49
יִגָּאֵל 53 וְאִם לֹא־יִגָּאֵל...וְקָם...לַקֹּנֶה Lev. 25:30
54 וְאִם־לֹא יִגָּאֵל בְּאֵלֶּה Lev. 25:54
55 וְאִם־מָכַר...לֹא־יִגָּאֵל עוֹד Lev. 27:20
56 וְאִם־לֹא יִגָּאֵל וְנִמְכַּר Lev. 27:27
57 לֹא יִמָּכֵר וְלֹא יִגָּאֵל Lev. 27:28
58 יִהְיֶה־קֹּדֶשׁ לֹא יִגָּאֵל Lev. 27:33
תִּגָּאֵלוּ 59 חִנָּם נִמְכַּרְתֶּם וְלֹא בְכֶסֶף תִּגָּאֵלוּ Is. 52:3

גָּאַל[2]

פָּ׳ א) געל, טִנֵּף: 1
ב) [נפ׳ נִגְאַל, נְגֹאַל] נטמא: 2–4
ג) [פִּ׳ גֵּאַל] טִנֵּף, טִמֵּא: 5
ד) [פֻּ׳ גֹּאַל] נִטמא: 6–9
ה) [הפ׳ הִגְאִיל] לכלך: 10
ו) [התְ׳ הִתְגָּאַל] התגעל, הִטַּמא: 11, 12

יְגָאֲלוּהוּ 1 (?)יִגְאָלֻהוּ חֹשֶׁךְ וְצַלְמָוֶת Job 3:5
נְגֹאֲלוּ 2 כַּפֵּיכֶם נְגֹאֲלוּ בַדָּם Is. 59:3
3 נָעוּ עִוְרִים בַּחוּצוֹת נְגֹאֲלוּ בַּדָּם Lam. 4:14
וְנִגְאָלָה 4 מֹרְאָה וְנִגְאָלָה הָעִיר הַיּוֹנָה Zep. 3:1
גֵּאַלְנוּךָ 5 וַאֲמַרְתֶּם בַּמֶּה גֵאַלְנוּךָ Mal. 1:7
מְגֹאָל 6 מַגִּישִׁים עַל־מִזְבְּחִי לֶחֶם מְגֹאָל Mal. 1:7
7 שֻׁלְחַן אֲדֹנָי מְגֹאָל הוּא Mal. 1:12
וַיְגֹאֲלוּ 8/9 וַיְגֹאֲלוּ מִן־הַכְּהֻנָּה Ez. 2:62 • Neh. 7:64
אֶגְאָלְתִּי 10 וְכָל־מַלְבּוּשַׁי אֶגְאָלְתִּי Is. 63:3
יִתְגָּאַל 11 אֲשֶׁר לֹא־יִתְגָּאַל בְּפַת־בַּג הַמֶּלֶךְ Dan. 1:8
יִתְגָּאָל 12 וַיְבַקֵּשׁ...אֲשֶׁר לֹא יִתְגָּאָל Dan. 1:8

גֹּאַל*

ז׳ טומאה

גָּאֳלֵי־ 1 עַל־גָּאֳלֵי הַכְּהֻנָּה וּבְרִית הַכְּהֻנָּה Neh. 13:29

גְּאֻלָּה

נ׳ פדיון, פדות: 1–14

גְּאֻלָּה וּתְמוּרָה 6; אַנְשֵׁי גְאֻלָּה 9; מִשְׁפַּט הַגְּ׳ 4;
גְּאֻלַּת עוֹלָם 7

גְּאֻלָּה 1 גְּאֻלָּה תִּתְּנוּ לָאָרֶץ Lev. 25:24
2/3 גְּאֻלָּה תִּהְיֶה־לּוֹ Lev. 25:31,48
הַגְּאֻלָּה 4 כִּי לְךָ מִשְׁפַּט הַגְּאֻלָּה לִקְנוֹת Jer. 32:7
5 לְךָ מִשְׁפַּט הַיְרֻשָּׁה וּלְךָ הַגְּאֻלָּה Jer. 32:8
6 עַל־הַגְּאוּלָּה וְעַל־הַתְּמוּרָה Ruth 4:7
גְּאֻלַּת־ 7 גְּאֻלַּת עוֹלָם תִּהְיֶה לַלְוִיִּם Lev. 25:32
גְּאֻלָּתִי 8 גְּאַל־לְךָ אַתָּה אֶת־גְּאֻלָּתִי Ruth 4:6
גְּאֻלָּתֶךָ 9 אַחֶיךָ אַחֶיךָ אַנְשֵׁי גְאֻלָּתֶךָ Ezek. 11:15
גְּאֻלָּתוֹ 10 וְהִשִּׂיגָה יָדוֹ וּמָצָא כְּדֵי גְאֻלָּתוֹ Lev. 25:26
11 וְהָיְתָה גְּאֻלָּתוֹ עַד־תֹּם שְׁנַת... Lev. 25:29
12 יָמִים תִּהְיֶה גְאֻלָּתוֹ Lev. 25:29
13 לְפִיהֶן יָשִׁיב גְּאֻלָּתוֹ Lev. 25:51
14 כְּפִי שָׁנָיו יָשִׁיב אֶת־גְּאֻלָּתוֹ Lev. 25:52

גֹּב

ז׳ ארמית בּוֹר: 1–10 • גֹּב (גֻּבָּא דִי) אַרְיָוָתָא 1–3,8,9

לְגֹב־ 1 יִתְרְמֵא לְגֹב אַרְיָוָתָא Dan. 6:8
2 יִתְרְמֵא לְגוֹב אַרְיָוָתָא Dan. 6:13
וּלְגֹב־ 3 וְהַיְתִיו...וּלְגֹב אַרְיָוָתָא רְמוֹ Dan. 6:25
גֻּבָּא 4 וְשֻׂמַת עַל־פֻּם גֻּבָּא Dan. 6:18
5 וּלְדָנִיֵּאל אֲמַר לְהַנְסָקָה מִן־גֻּבָּא Dan. 6:24
6 וְהֻסַּק דָּנִיֵּאל מִן־גֻּבָּא Dan. 6:24
7 וְלָא־מְטוֹ לְאַרְעִית גֻּבָּא Dan. 6:25
לְגֻבָּא 8 וּרְמוֹ לְגֻבָּא דִּי אַרְיָוָתָא Dan. 6:17
9 לְגֻבָּא דִי־אַרְיָוָתָא אֲזַל Dan. 6:20
10 וּכְמִקְרְבֵהּ לְגֻבָּא לְדָנִיֵּאל...זְעִק Dan. 6:21

גַּב[1]

ז׳ א) אחורי הגוף: 3, 6, 7, 8, 10
ב) חלק עליון בכלי: 2, 9, 11, 12
ג) רמה: 1, 4, 5

גָּב 1 וַתִּבְנִי־לָךְ גָּב וַתַּעֲשִׂי־לָךְ רָמָה Ezek. 16:24
גַּב־ 2 וְזֶה גַּב הַמִּזְבֵּחַ Ezek. 43:13
גַּבִּי 3 עַל־גַּבִּי חָרְשׁוּ חֹרְשִׁים Ps. 129:3
גַּבֵּךְ 4 בִּבְנוֹתַיִךְ גַּבֵּךְ בְּרֹאשׁ כָּל־דֶּרֶךְ Ezek. 16:31
5 וְהָרְסוּ גַבֵּךְ וְנִתְּצוּ רָמֹתַיִךְ Ezek. 16:39
גַּבֵּי־ 6 יָרוּץ...בַּעֲבִי גַּבֵּי מָגִנָּיו Job 15:26
לְגַבֵּי־ 7 לְגַבֵּי־חֹמֶר גַּבֵּיכֶם Job 13:12
גַּבֵּיכֶם 8 לְגַבֵּי־חֹמֶר גַּבֵּיכֶם Job 13:12
וְגַבֵּיהֶם 9 וּמַעֲשֵׂה הָאוֹפַנִּים...יְדוֹתָם וְגַבֵּיהֶם IK. 7:33
10 וְכָל־בְּשָׂרָם וְגַבֵּהֶם וִידֵיהֶם Ezek. 10:12
וְגַבֵּיהֶן 11 וְגַבֵּיהֶן וְגֹבַהּ לָהֶם Ezek. 1:18
וְגַבֹּתָם 12 וְגַבֹּתָם מְלֵאֹת עֵינַיִם סָבִיב Ezek. 1:18

גַּב[2]

ז׳ ארמית: כמו בעברית: גַּב (א)

גַּבַּהּ 1 גַּפִּין אַרְבַּע...עַל־גַּבַּהּ (כת׳ גביה) Dan. 7:6

גֵּב*[1]

ז׳ א) צנור או מרזב למים בבנין (?): 1
ב) שֶׁקַע באדמה שהמים נקוים אליו: 2–4

גֵּבִים 1 וַיִּסְפֹּן אֶת־הַבַּיִת גֵּבִים IK. 6:9
2-3 עָשֹׂה הַנַּחַל הַזֶּה גֵּבִים גֵּבִים IIK. 3:16
4 בָּאוּ עַל־גֵּבִים לֹא־מָצְאוּ מַיִם Jer. 14:3

גֵּב[2]*

ז׳ אחד מסוגי הארבה [עיין גם גּוֹב[1]]

גֵּבִים 1 כְּמַשַּׁק גֵּבִים שֹׁקֵק בּוֹ Is. 33:4

גֶּבֶא

ז׳ גב, שקע באדמה: 1, 2

גֶּבֶא 1 וְלַחְשֹׂף מַיִם מִגֶּבֶא Is. 30:14
וּגְבָאָיו 2 בִּצֹּאתָו וּגְבָאָיו וְלֹא יֵרָפְאוּ Ezek. 47:11

(גַּבָּה)* גַּבּוֹת

נ״ר – העור והשערות מעל לעיניים

גַּבֹּות־ 1 וְאֶת־זְקָנוֹ וְאֵת גַּבֹּת עֵינָיו Lev. 14:9

גבה

: גָּבַהּ, הִגְבִּיהַּ; גָּבֹהַּ, גֹּבַהּ, גָּבְהָה, גַּבְהוּת;
ש״פ יְגַבְהָת

גָּבַהּ

פָּ׳ א) עלה, התרומם, הגיע למעלה: 1, 3, 9, 10,
12–14, 16, 20, 22
ב) התגאה: 2, 4–8, 11, 15, 17, 18, 19, 21, 23, 24
ג) [הפ׳ הִגְבִּיהַּ] העלה, רומם: 25–34

כְּגְבֹהַּ שָׁמַיִם 1; גָּבַהּ מִן־ 10, 13, 14, 16; גָּבַהּ
לִבּוֹ 4–8, 15, 18, 19; גָּבַהּ בְּקוֹמָה 3; גָּבְהָה
קוֹמָתוֹ 10,20; גָּבְהוּ דְרָכָיו 13; גָּבְהוּ שָׁמַיִם 12
הִגְבִּיהַּ עוֹף 34; הִגְ׳ פִּתְחוֹ 28; הִגְ׳ לָשֶׁבֶת 29

כִּגְבֹהַּ 1 כִּי כִגְבֹהַּ שָׁמַיִם עַל־הָאָרֶץ Ps. 103:11
לְגָבְהָה 2 וְלֹא־תוֹסִפִי לְגָבְהָה עוֹד Zep. 3:11
גָּבַהְתָּ 3 יַעַן אֲשֶׁר גָּבַהְתָּ בְּקוֹמָה Ezek. 31:10
גָּבַהּ 4 יַעַן גָּבַהּ לִבְּךָ וַתֹּאמֶר אֵל אָנִי Ezek. 28:2
5 גָּבַהּ לִבְּךָ בְּיָפְיֶךָ Ezek. 28:17
6 לֹא־גָבַהּ לִבִּי וְלֹא־רָמוּ עֵינַי Ps. 131:1
7 גָּבַהּ לִבּוֹ עַד־לְהַשְׁחִית IICh. 26:16
8 כִּי גָבַהּ לִבּוֹ IICh. 32:25
וְגָבַהּ 9 יָרוּם וְנִשָּׂא וְגָבַהּ מְאֹד Is. 52:13
גָּבְהָא(ה) 10 גָּבְהָא קֹמָתוֹ מִכֹּל עֲצֵי הַשָּׂדֶה Ezek. 31:5
גָּבְהוּ 11 יַעַן כִּי גָבְהוּ בְּנוֹת צִיּוֹן Is. 3:16
12 כִּי־גָבְהוּ שָׁמַיִם מֵאָרֶץ Is. 55:9
13 כֵּן גָּבְהוּ דְרָכַי מִדַּרְכֵיכֶם Is. 55:9
14 וְשׁוּר שְׁחָקִים גָּבְהוּ מִמֶּךָּ Job 35:5
יִגְבַּהּ 15 לִפְנֵי־שֶׁבֶר יִגְבַּהּ לֶב־אִישׁ Prov. 18:12
וַיִּגְבַּהּ 16 וַיִּגְבַּהּ מִכָּל־הָעָם מִשִּׁכְמוֹ וָמָעְלָה ISh. 10:23
17 וַיִּגְבַּהּ יְיָ צְבָאוֹת בַּמִּשְׁפָּט Is. 5:16
18 וַיִּגְבַּהּ לְבָבְךָ בְּחֵילֶךָ Ezek. 28:5
19 וַיִּגְבַּהּ לִבּוֹ בְּדַרְכֵי יְיָ IICh. 17:6
וַתִּגְבַּהּ 20 וַתִּגְבַּהּ קוֹמָתוֹ עַל־בֵּין עֲבֹתִים Ezek. 19:11
תִּגְבָּהוּ 21 שִׁמְעוּ וְהַאֲזִינוּ אַל־תִּגְבָּהוּ Jer. 13:15
יִגְבְּהוּ 22 לְמַעַן אֲשֶׁר לֹא־יִגְבְּהוּ בְקוֹמָתָם Ezek. 31:14
וַיִּגְבָּהוּ 23 וַיֹּשִׁיבֵם לָנֶצַח וַיִּגְבָּהוּ Job 36:7
וַתִּגְבְּהֶינָה 24 וַתִּגְבְּהֶינָה וַתַּעֲשֶׂינָה תוֹעֵבָה Ezek. 16:50
הַגְבֵּהַ 25 הַעְמֵק שְׁאָלָה אוֹ הַגְבֵּהַ לְמָעְלָה Is. 7:11
26 הַשָּׁפָלָה הַגְבֵּהַ וְהַגָּבֹהַ הַשְׁפִּיל Ezek. 21:31
הִגְבַּהְתִּי 27 הִגְבַּהְתִּי עֵץ שָׁפָל Ezek. 17:24
מַגְבִּיהַּ 28 מַגְבִּיהַּ פִּתְחוֹ מְבַקֶּשׁ־שָׁבֶר Prov. 17:19
הַמַּגְבִּיהִי 29 מִי כַּיְיָ אֱלֹהֵינוּ הַמַּגְבִּיהִי לָשָׁבֶת Ps. 113:5
תַּגְבִּיהַּ 30 כִּי־תַגְבִּיהַּ כַּנֶּשֶׁר קִנֶּךָ Jer. 49:16
31 אִם־תַּגְבִּיהַּ כַּנֶּשֶׁר Ob. 4
יַגְבִּיהַּ 32 אִם־עַל־פִּיךָ יַגְבִּיהַּ נָשֶׁר Job 39:27
וַיַּגְבִּיהֶהָ 33 בָּנָה חוֹמָה חִיצוֹנָה לְעִיר־דָּוִיד...
וַיַּגְבִּיהֶהָ מְאֹד Ch. 33:14
יַגְבִּיהוּ 34 וּבְנֵי־רֶשֶׁף יַגְבִּיהוּ עוּף Job 5:7

גָּבֹהַּ

ת׳ א) רם קומה: רוב המקראות
ב) גאה: 31

הַר גָּבֹהַּ 3–7, 9, 33, 35; מִגְדָּל גָּ׳ 2; עֵץ גָּ׳ 8; גִּבְעָה גְּבֹהָה 24, 25; גִּבְעָה גְבֹהָה 26, 27, 28, 39; חוֹמָה גְ׳ 23, 38; פִּנּוֹת גְּבֹהוֹת 40; קְרָנַיִם גְּ׳ 37; שְׁעָרִים גְּבֹהִים 34

גְּבַהּ לֵב 20; גְּ׳ עֵינַיִם 19; גְּבַהּ קוֹמָה 21; גְּבַהּ קוֹמָה 18; גְּבַהּ רוּחַ 22; עֵינֵי גְבֹהִים 31

גָּבֹהַּ 1 מִשִּׁכְמוֹ וָמַעְלָה גָּבֹהַּ מִכָּל־הָעָם ISh.9:2
2 וְעַל כָּל־מִגְדָּל גָּבֹהַּ Is.2:15
3 וְהָיָה עַל־כָּל־הַר גָּבֹהַּ Is.30:25
4 עַל הַר־גָּבֹהַּ עֲלִי־לָךְ Is.40:9
5 עַל הַר־גָּבֹהַּ וְנִשָּׂא Is.57:7
6 הֹלְכָה הִיא עַל־כָּל־הַר גָּבֹהַּ Jer.3:6
7 עַל־הַר־גָּבֹהַּ וְתָלוּל Ezek.17:22
8 אֲנִי יְיָ הִשְׁפַּלְתִּי עֵץ גָּבֹהַּ Ezek.17:24
9 וַיְנִיחֵנִי אֶל־הַר גָּבֹהַּ מְאֹד Ezek.40:2
10 הַמִּזְבֵּחַ עֵץ שָׁלוֹשׁ אַמּוֹת גָּבֹהַּ Ezek.41:22
11 אֶת־כָּל־גָּבֹהַּ יִרְאֶה Job41:26
12 כִּי גָבֹהַּ מֵעַל גָּבֹהַּ שֹׁמֵר Eccl.5:7
13/4 גָּבֹהַּ חֲמִשִּׁים אַמָּה Es.5:14; 7:9
וְגָבֹהַּ 15 וְגָבֹהַּ מִמֶּרְחָק יְיֵדָע Ps.138:6
וְהַגָּבֹהַּ 16 הַשְּׁפָלָה הַגְבֵּהַ וְהַגָּבֹהַּ הַשְׁפִּיל Ezek.21:31
מִגָּבֹהַּ 17 גַּם מִגָּבֹהַּ יִירָאוּ... Eccl.12:5
גְּבֹהַּ־ 18 אַל־תַּבֵּט...וְאֶל־גְּבֹהַּ קוֹמָתוֹ ISh.16:7
גְּבַהּ־ 19 גְּבַהּ־עֵינַיִם וּרְחַב לֵבָב Ps.101:5
20 תּוֹעֲבַת יְיָ כָּל־גְּבַהּ־לֵב Prov.16:5
וּגְבַהּ־ 21 וְחֹרֶשׁ מֵצַל וּגְבַהּ קוֹמָה Ezek.31:3
מִגְּבַהּ־ 22 טוֹב אֶרֶךְ־רוּחַ מִגְּבַהּ רוּחַ Eccl.7:8
גְּבֹהָה 23 חוֹמָה גְבֹהָה דְּלָתַיִם וּבְרִיחַ Deut.3:5
24/5 אַל־תַּרְבּוּ תְדַבְּרוּ גְּבֹהָה גְבֹהָה ISh.2:3
26/7 עַל כָּל־גִּבְעָה גְבֹהָה IK.14:23 • IIK.17:10
28 כִּי עַל־כָּל־גִּבְעָה גְּבֹהָה Jer.2:20
29 וְהָאַחַת גְּבֹהָה מִן־הַשֵּׁנִית Dan.8:3
וְהַגְּבֹהָה 30 וְהַגְּבֹהָה עֹלָה בָּאַחֲרֹנָה Dan.8:3
גְּבֹהִים 31 וְעֵינֵי גְבֹהִים תִּשְׁפַּלְנָה Is.5:15
וּגְבֹהִים 32 וּגְבֹהִים עֲלֵיהֶם Eccl.5:7
הַגְּבֹהִים 33 וַיְכֻסּוּ כָּל־הֶהָרִים הַגְּבֹהִים Gen.7:19
34 וּשְׁעָרֶיהָ הַגְּבֹהִים בָּאֵשׁ יִצַּתּוּ Jer.51:58
35 הָרִים הַגְּבֹהִים לַיְּעֵלִים Ps.104:18
וְהַגְּבֹהִים 36 וְהַגְּבֹהִים יִשְׁפָּלוּ Is.10:33
גְּבֹהוֹת 37 וְהַקְּרָנַיִם גְּבֹהוֹת Dan.8:3
הַגְּבֹהוֹת 38 חֹמֹתֶיךָ הַגְּבֹהֹת וְהַבְּצֻרוֹת Deut.28:52
39 עַל גְּבָעוֹת הַגְּבֹהוֹת Jer.17:2
40 וְעַל הַפִּנּוֹת הַגְּבֹהוֹת Zep.1:16

גֹּבַהּ

ז׳ א) רום קומה: 1–3, 5, 7, 9, 11, 13, 14–17
ב) גאון, גאוה: 4, 6, 8, 10, 12

גָּאוֹן וָגֹבַהּ 4, 12; גֹּבַהּ אַף 10; גֹּבַהּ אֲרָזִים 9; גֹּ׳ לֵב 8; גֹּ׳ רוּחַ 6; גֹּ׳ שָׁמַיִם 7; גָּבְהֵי שָׁמַיִם 17

גֹּבַהּ 1 וְרָאִיתִי לַבַּיִת גֹּבַהּ סָבִיב סָבִיב Ezek.41:8
וְגֹבַהּ 2 וְגַבֵּיהֶן וְגֹבַהּ לָהֶם וְיִרְאָה לָהֶם Ezek.1:18
3 וְגֹבַהּ אַמָּה אֶחָת Ezek.40:42
וָגֹבַהּ 4 עֲדֵה־נָא גָאוֹן וָגֹבַהּ Job40:10
וְהַגֹּבַהּ 5 וְהַגֹּבַהּ מֵאָה וְעֶשְׂרִים IICh.3:4
גֹּבַהּ־ 6 וְלִפְנֵי כִשָּׁלוֹן גֹּבַהּ רוּחַ Prov.16:18
7 הֲלֹא־אֱלוֹהַּ גֹּבַהּ שָׁמָיִם Job22:12
בְּגֹבַהּ־ 8 וַיִּכָּנַע יְחִזְקִיָּהוּ בְּגֹבַהּ לִבּוֹ IICh.32:26
כְּגֹבַהּ־ 9 אֲשֶׁר כְּגֹבַהּ אֲרָזִים גָּבְהוֹ Am.2:9
10 רָשָׁע כְּגֹבַהּ אַפּוֹ בַּל־יִדְרֹשׁ Ps.10:4
גָּבְהוֹ 11 גָּבְהוֹ שֵׁשׁ אַמּוֹת וָזָרֶת ISh.17:4
12 גָּבְהוֹ וּגְאוֹנוֹ וְגַאֲוָתוֹ וְרָם לִבּוֹ Jer.48:29
13 אֲשֶׁר כְּגֹבַהּ אֲרָזִים גָּבְהוֹ Am.2:9
בְּגָבְהוֹ 14 וַיַּרְא בְגָבְהוֹ בְּרֹב דָּלִיֹּתָיו Ezek.19:11
15 וְרָם לְבָבוֹ בְּגָבְהוֹ Ezek.31:10
בְּגָבְהָם 16 וְלֹא־יַעַמְדוּ אֲלֵיהֶם בְּגָבְהָם Ezek.31:14
גָּבְהֵי־ 17 גָּבְהֵי שָׁמַיִם מַה־תִּפְעָל Job11:8

גַּבְהוּת

נ׳ גאוה: 1, 2 • קרובים: ראה גַּאֲוָה

גַּבְהוּת אָדָם 1, 2

גַּבְהוּת 1 עֵינֵי גַּבְהוּת אָדָם שָׁפֵל Is.2:11
2 וְשַׁח גַּבְהוּת הָאָדָם Is.2:17

גְּבוּל

ז׳ א) קַו המציין קצה שטח: רוב המקראות
[עיין גם גְּבוּלָה]
ב) תחום, שטח: 96–106, 112, 113, 177, 182–189, 193–197, 223, 224, 230, 232, 235, 237

גְּבוּל אֱדוֹם 73; גְּ׳ אַלְמָנָה 114; גְּ׳ הָאֱמֹרִי 165, 178; גְּ׳ אַרְנוֹן 80; גְּ׳ גּוֹרָל 94; גְּ׳ הָאָרֶץ 86; גְּ׳ בִּנְיָמִין 173; גְּ׳ חֲמָת 166; גְּ׳ יָם 82, 163, 179; גְּ׳ יִשְׂרָאֵל 96–106, 172, 177; גְּ׳ כֹּהֲנִים 109; גְּ׳ הַכְּנַעֲנִי 67; גְּ׳ מוֹאָב 74, 75, 167, 171, 174; גְּ׳ מְנַשֶּׁה 164; גְּ׳ מִצְרַיִם 68–72; גְּ׳ נֶגֶב 81, 89, 90, 95; גְּ׳ נַחֲלָתוֹ 91–93, 169, 170; גְּ׳ עוֹלָם 115, 116; גְּ׳ עִיר 85, 176; גְּ׳ (בְּנֵי) עַמּוֹן 76–79; גְּ׳ צָפוֹן 83, 84; גְּ׳ קָדִימָה 110, 179; גְּ׳ קֵדְמָה 11, 175; גְּ׳ רֵעֵהוּ 87, 88; גְּ׳ רִשְׁעָה 112; גְּ׳ קָדְשׁוֹ 113

דֶּרֶךְ גְּבוּל 200; עֵץ גְּ׳ 228; עָרֵי גְּ׳ 229; קְצֵה גְּ׳ 19, 68; תּוֹצְאוֹת הַגְּבוּל 25–28, 220

הָיָה הַגְּבוּל 4, 16, 39–41, 67, 82–84, 89–93, 213, 214, 219, 221, 222; הָלַךְ הַגְּ׳ 54; הִסִּיג גְּ׳ 6, 87, 88, 115, 116; הִצִּיב גְּ׳ 114; הִרְחִיב גְּ׳ 187, 189, 224; יָצָא הַגְּ׳ 29–32, 94; יָרַד הַגְּ׳ 33–38; נָסַב הַגְּ׳ 20–24; נָתַן גְּ׳ 15; עָבַר הַגְּ׳ 55, 56; עָלָה הַגְּ׳ 42–47, 218; פָּגַע הַגְּ׳ 57; שָׁב הַגְּ׳ 58–60; שָׁלַשׁ גְּ׳ 86; שָׂם גְּ׳ 7, 196; תָּאַר הַגְּ׳ 49–52

בָּא בִגְבוּל 171, 172; יָצָא מִגְּ׳ 178; עָבַר (בִּ)גְּ׳ 191, 192, 204, 205; שָׁב לִגְבוּל 32

גְּבוּל 1 אֲשֶׁר־שַׂמְתִּי חוֹל גְּבוּל לַיָּם Jer.5:22
2 וְאַמָּה־אַחַת גְּבוּל מִפֹּה Ezek.40:12
3 גֵּה גְבוּל אֲשֶׁר תִּתְנַחֲלוּ Ezek.47:13
4 וְהָיָה גְבוּל מִן־הַיָּם Ezek.47:17
5 וְהָיָה גְבוּל מִתָּמָר... Ezek.48:28
6 הָיוּ שָׂרֵי יְהוּדָה כְּמַסִּיגֵי גְּבוּל Hosh.5:10
7 גְּבוּל־שַׂמְתָּ בַּל־יַעֲבֹרוּן Ps.104:9
וּגְבוּל 8 וְהָיָה לָכֶם הַיָּם הַגָּדוֹל וּגְבוּל Num.34:6
9 נָתַתִּי...תּוֹךְ הַנַּחַל וּגְבֻל Deut.3:16
10 וְהָעֲרָבָה וְהַיַּרְדֵּן וּגְבֻל Deut.3:17
11 וַיְהִי גְּבוּל...הַיַּרְדֵּן וּגְבוּל Josh.13:23
12 וּבָעֵמֶק...הַיַּרְדֵּן וּגְבֻל Josh.13:27
13 וּגְבוּל קֵדְמָה יָם הַמֶּלַח Josh.15:5
14 וּגְבוּל לִפְאַת צָפוֹנָה Josh.15:5
15 הַיָּמָּה הַגָּדוֹל וּגְבוּל Josh.15:12
16 וְהַיָּם הַגָּדוֹל וּגְבוּל Josh.15:47
17 וּגְבוּל נָתַן־יְיָ בֵּינֵנוּ וּבֵינֵיכֶם Josh.22:25
18 וּגְבוּל לִפְנֵי הַתָּאוֹת אַמָּה אֶחָת Ezek.40:12
הַגְּבוּל 19 אֲשֶׁר בִּקְצֵה הַגְּבוּל Num.22:36
20 וְנָסַב לָכֶם הַגְּבוּל מִנֶּגֶב Num.34:4
21–24 וְנָסַב(...)הַגְּבוּל Num.34:5
Josh.15:10; 16:6; 19:14
25 וְהָיוּ תּוֹצְאֹת הַגְּבֻל Num.34:8
26–28 וְהָיוּ תֹּ(וֹ)צְאוֹת הַגְּבוּל Josh.15:4, 11; 18:19
29 וְיָצָא הַגְּבֻל Num.34:9
30–32 וְיָצָא הַגְּבוּל Josh.15:11; 16:6; 18:15
33 וְיָרַד הַגְּבֻל מִשְּׁפָם הָרִבְלָה Num.34:11

הַגְּבוּל (המשך) 34 וְיָרַד הַגְּבֻל וּמָחָה Num.34:11
35–38 וְיָרַד הַגְּבוּל Num.34:12
Josh.17:9; 18:13, 16
39 וַיְהִי לָהֶם הַגְּבוּל מֵעֲרוֹעֵר Josh.13:16
40/1 וַיְהִי לָהֶם הַגְּבוּל Josh.13:25; 18:12
42 וְעָלָה הַגְּבוּל בֵּית חָגְלָה Josh.15:6
43–47 וְעָלָה הַגְּבוּל Josh.15:6, 7, 8[2]; 18:12
48 וְעָבַר הַגְּבוּל אֶל־מֵי עֵין־שֶׁמֶשׁ Josh.15:7
49 וְתָאַר הַגְּבוּל מֵרֹאשׁ הָהָר Josh.15:9
50–52 וְתָאַר הַגְּבוּל Josh.15:9, 11; 18:14
53 מִתַּפּוּחַ יֵלֵךְ הַגְּבוּל יָמָּה Josh.16:8
54 וְהָלַךְ הַגְּבוּל אֶל־הַיָּמִין Josh.17:7
55 וְעָבַר מִשָּׁם הַגְּבוּל לוּזָה Josh.18:13
56 וְעָבַר הַגְּבוּל אֶל־כֶּתֶף בֵּית־חָגְלָה Josh.18:19
57 וּפָגַע הַגְּבוּל בְּתָבוֹר Josh.19:22
58 וְשָׁב הַגְּבוּל הָרָמָה Josh.19:29
59/60 וְשָׁב הַגְּבוּל Josh.19:29, 34
61 ...עִם־הַגְּבוּל מוּל יָפוֹ Josh.19:46
62 יִפְנֶה דֶּרֶךְ הַגְּבוּל הַנִּשְׁקָף ISh.13:18
63 וַיִּצָּעֲקוּ...וַיַּעַמְדוּ עַל־הַגְּבוּל IIK.3:21
64 וְאֶל־הַגְּבוּל סָבִיב Ezek.43:20
65 עַד־הַגְּבוּל שִׁלְּחוּךָ Ob.7
וְהַגְּבוּל 66 וְהַגְּבוּל סָבִיב אוֹתָהּ חֲצִי הָאַמָּה Ezek.43:17
גְּבוּל־ 67 וַיְהִי גְּבוּל הַכְּנַעֲנִי מִצִּידֹן Gen.10:19
68 מִקְצֵה גְבוּל־מִצְרַיִם Gen.47:21
69 וַיָּנַח בְּכֹל גְּבוּל מִצְרָיִם Ex.10:14
70–72 גְּבוּל מִצְרָיִם Ex.10:19 • IK.5:1 • IICh.9:26
73 עַל־גְּבוּל אֶרֶץ־אֱדוֹם Num.20:23
74/5 אַרְנוֹן גְּבוּל מוֹאָב Num.21:13 • Jud.11:18
76–79 גְּבוּל בְּנֵי(־)עַמּוֹן Num.21:24
Deut.3:16 • Josh.12:2; 13:10
80 אֲשֶׁר עַל־גְּבוּל אַרְנֹן Num.22:36
81 וְהָיָה לָכֶם גְּבוּל נֶגֶב מִקְצֵה... Num.34:3
82 זֶה־יִהְיֶה לָכֶם גְּבוּל יָם Num.34:6
83/4 (וְ)זֶה־יִהְיֶה...גְּבוּל צָפוֹן Num.34:7, 9
85 גְּבוּל עִיר מִקְלָטוֹ Num.35:26
86 וְשִׁלַּשְׁתָּ אֶת־גְּבוּל אַרְצְךָ Deut.19:3
87 לֹא תַסִּיג גְּבוּל רֵעֲךָ Deut.19:14
88 אָרוּר מַסִּיג גְּבוּל רֵעֵהוּ Deut.27:17
89 וַיְהִי לָהֶם גְּבוּל נֶגֶב... Josh.15:2
90 זֶה־יִהְיֶה לָכֶם גְּבוּל נֶגֶב Josh.15:4
91–93 וַיְהִי גְּבוּל נַחֲלָתָם Josh.16:5; 19:10, 41
94 וַיֵּצֵא גְּבוּל גּוֹרָלָם בֵּין... Josh.18:11
95 זֶה גְּבוּל נֶגֶב Josh.18:19
96 וַיְשַׁלְּחֶהָ בְּכָל גְּבוּל יִשְׂרָאֵל Jud.19:29
97–105 גְּבוּל יִשְׂרָאֵל ISh.11:3, 7; 27:1 • IK.1:3
IIK.10:32; 14:25 • Ezek.11:10, 11 • ICh.21:12
106 מֵהִתְיַצֵּב בְּכָל־גְּבֻל יִשְׂרָאֵל IISh.21:5
107 מִגְּבוּל יָם אֶל־גְּבוּל קָדִימָה Ezek.45:7
108 וְזֶה גְּבוּל הָאָרֶץ לִפְאַת צָפוֹנָה Ezek.47:15
109 וְהַלְוִיִּם לְעֻמַּת גְּבוּל הַכֹּהֲנִים Ezek.48:13
110 עַד־גְּבוּל קָדִימָה Ezek.48:21
111 וְיָמָּה...עַל־גְּבוּל יָמָּה Ezek.48:21
112 וְקָרְאוּ לָהֶם גְּבוּל רִשְׁעָה Mal.1:4
113 וַיְבִיאֵם אֶל־גְּבוּל קָדְשׁוֹ Ps.78:54
114 וְיַצֵּב גְּבוּל אַלְמָנָה Prov.15:25
115/6 אַל־תַּסֵּג גְּבוּל עוֹלָם Prov.22:28; 23:10
117–159 גְּבוּל־ Deut.2:18; 3:14 • Josh.12:5[2]
13:3, 4, 23, 26; 15:1, 12, 21; 16:2, 3[2], 5; 17:7, 8; 19:12, 47 • Jud.11:22 • ISh.6:12 • Is.15:8 • Ezek.29:10; 47:16[3], 17; 48:1, 2, 3, 4, 5, 6, 8, 12, 22[2], 24, 15, 26, 27, 28

וּגְבוּל־ 160 וּגְבוּל יָם וְהָיָה לָכֶם הַיָּם הַגָּדוֹל Num. 34:6
161 וּגְבוּל עוֹג מֶלֶךְ הַבָּשָׁן Josh. 12:4
162 וּגְבוּל הַגְּשׁוּרִי וְהַמַּעֲכָתִי Josh. 13:11
163 וּגְבוּל יָם הַיָּמָּה הַגָּדוֹל Josh. 15:12
164 וּגְבוּל מְנַשֶּׁה מִצָּפוֹן לַנַּחַל Josh. 17:9
165 וּגְבוּל הָאֱמֹרִי מִמַּעֲלֵה עַקְרַבִּים Jud. 1:36
166 וְצָפוֹן צָפוֹנָה וּגְבוּל חֲמָת Ezek. 47:17
בִּגְבוּל־ 167 בְּעִיֵּי הָעֲבָרִים בִּגְבוּל מוֹאָב Num. 33:44
168 אַתֶּם עֹבְרִים בִּגְבוּל אֲחֵיכֶם Deut. 2:4
169/70 וַיִּקְבְּרוּ אוֹתוֹ בִּגְבוּל נַחֲלָתוֹ Josh. 24:30; Jud. 2:9
171 וְלֹא־בָאוּ בִּגְבוּל מוֹאָב Jud. 11:18
172 וְלֹא־יָסְפוּ...לָבוֹא בִּגְבוּל יִשְׂרָאֵל ISh. 7:13
173 עִם־קְבֻרַת רָחֵל בִּגְבוּל בִּנְיָמִן ISh. 10:2
לִגְבוּל־ 174 וְנִשְׁעַן לִגְבוּל מוֹאָב Num. 21:15
175 וְהִתְאַוִּיתֶם לָכֶם לִגְבוּל קֵדְמָה Num. 34:10
176 מִחוּץ לִגְבוּל עִיר מִקְלָטוֹ Num. 35:27
177 יִגְדַּל יְיָ מֵעַל לִגְבוּל יִשְׂרָאֵל Mal. 1:5
מִגְּבוּל־ 178 הַיֹּצֵא מִגְּבֻל הָאֱמֹרִי Num. 21:13
179 מִגְּבוּל יָם אֶל־גְּבוּל קָדִימָה Ezek. 45:7
180 מִגְּבוּל עַל־הַיָּם הַקַּדְמוֹנִי Ezek. 47:18
181 מִגְּבוּל עַד־נֹכַח לְבוֹא חֲמָת Ezek. 47:20
גְּבוּלִי 182 וְהִרְבִּיתָ אֶת־גְּבוּלִי ICh. 4:10
גְּבוּלְךָ 183 נֹגֵף אֶת־כָּל־גְּבוּלְךָ בַּצְפַרְדְּעִים Ex. 7:27
184 וְשַׁתִּי אֶת־גְּבֻלְךָ מִיַּם־סוּף Ex. 23:31
185 יַרְחִיב יְיָ אֱלֹהֶיךָ אֶת־גְּבֻלְךָ Deut. 12:20
186 וְלֹא־יֵרָאֶה...שְׂאֹר בְּכָל־גְּבֻלְךָ Deut. 16:4
187 יַרְחִיב יְיָ אֱלֹהֶיךָ אֶת־גְּבֻלְךָ Deut. 19:8
גְּבוּלֶךָ 188 וְלֹא־יֵרָאֶה...שְׂאֹר בְּכָל־גְּבֻלֶךָ Ex. 13:7
189 וְהִרְחַבְתִּי אֶת־גְּבֻלֶךָ Ex. 34:24
190 בְקָדֵשׁ עִיר קְצֵה גְבוּלֶךָ Num. 20:16
191/2 עַד אֲשֶׁר־נַעֲבֹר גְּבֻלֶךָ Num. 20:17; 21:22
193 זֵיתִים יִהְיוּ לְךָ בְּכָל־גְּבוּלֶךָ Deut. 28:40
בִּגְבוּלֶךָ 194 הִנְנִי מֵבִיא מָחָר אַרְבֶּה בִּגְבֻלֶךָ Ex. 10:4
גְּבוּלֵךְ 195 וְכָל־גְּבוּלֵךְ לְאַבְנֵי־חֵפֶץ Is. 54:12
196 הַשָּׂם־גְּבוּלֵךְ שָׁלוֹם Ps. 147:14
גְּבוּלוֹ 197 אֲשֶׁר בְּכָל־גְּבֻלוֹ סָבִיב Gen. 23:17
198 וַיְהִי הַיָּם גְּבוּלוֹ Josh. 17:10
199 יְהוּדָה יַעֲמֹד עַל־גְּבוּלוֹ מִנֶּגֶב Josh. 18:5
200 אִם־דֶּרֶךְ גְּבוּלוֹ יַעֲלֶה... ISh. 6:9
201 כָּל־גְּבֻלוֹ סָבִיב סָבִיב Ezek. 43:12
202 כִּי תִקָּחֶנּוּ אֶל־גְּבוּלוֹ Job 38:20
בִּגְבוּלוֹ 203 וַיְמָאֵן...נְתֹן אֶת־יִשׂ׳ עֲבֹר בִּגְבֻלוֹ Num. 20:21
204 וְלֹא־נָתַן...אֶת־יִשׂ׳ עֲבֹר בִּגְבֻלוֹ Num. 21:23
205 וְלֹא־הֶאֱמִין...אֶת־י׳ עֲבֹר בִּגְבֻלוֹ Jud. 11:20
גְּבוּלָהּ 206 וַיִּלְכֹּד...אֶת־עַזָּה וְאֶת־גְּבוּלָהּ Jud. 1:18
207 וְאֶת־אַשְׁקְלוֹן וְאֶת־גְּבוּלָהּ Jud. 1:18
208 וְאֶת־עֶקְרוֹן וְאֶת־גְּבוּלָהּ Jud. 1:18
209 וּמַצֵּבָה אֵצֶל־גְּבוּלָהּ לַייָ Is. 19:19
210 קֹדֶשׁ־הוּא בְכָל־גְּבוּלָהּ סָבִיב Ezek. 45:1
וּגְבוּלָהּ 211 וּגְבוּלָהּ אֶל־שְׂפָתָהּ סָבִיב Ezek. 43:13
בִּגְבוּלֵנוּ 212 כִּי־יָבוֹא...וְכִי יִדְרֹךְ בִּגְבוּלֵנוּ Mic. 5:5
גְּבוּלְכֶם 213 וְעַד הַיָּם הָאַחֲרוֹן יִהְיֶה גְּבֻלְכֶם Deut. 11:24
214 וְעַד־הַיָּם הַגָּדוֹל...יִהְיֶה גְּבוּלְכֶם Josh. 1:4
מִגְּבוּלְכֶם 215 אִם־רַב גְּבוּלָם מִגְּבֻלְכֶם Am. 6:2
גְּבוּלָם 216 וַיְהִי גְבוּלָם מִמַּחֲנַיִם Josh. 13:30
217 וּבֵית יוֹסֵף יַעַמְדוּ עַל־גְּבוּלָם Josh. 18:5
218 וְעָלָה גְבוּלָם לַיָּמָּה Josh. 19:11
219 וַיְהִי גְּבוּלָם יִזְרְעֶאלָה Josh. 19:18
220 וְהָיוּ תֹּצְאוֹת גְּבוּלָם הַיַּרְדֵּן Josh. 19:22
221 וַיְהִי גְּבוּלָם חֶלְקַת וַחֲלִי Josh. 19:25
222 וַיְהִי גְבוּלָם מֵחֵלֶף Josh. 19:33

גְּבוּלָם (המשך) 223 לְמַעַן הַרְחִיקָם מֵעַל גְּבוּלָם Joel 4:6
224 לְמַעַן הַרְחִיב אֶת־גְּבוּלָם Am. 1:13
225 אִם־רַב גְּבוּלָם מִגְּבֻלְכֶם Am. 6:2
226 חֵרְפוּ אֶת־עַמִּי וַיַּגְדִּילוּ עַל־גְּבוּלָם Zep. 2:8
227 כִּנִּים בְּכָל־גְּבוּלָם Ps. 105:31
228 וַיְשַׁבֵּר עֵץ גְּבוּלָם Ps. 105:33
229 וַיְהִי עָרֵי גְבוּלָם מִמַּטֵּה אֶפְרָיִם ICh. 6:51
230 הִתְיַצְּבוּ עָלָיו מִכָּל־גְּבוּלָם IICh. 11:13
בִּגְבוּלָם 231 מוֹשְׁבוֹתָם לְטִירוֹתָם בִּגְבוּלָם ICh. 6:39
לִגְבוּלָם 232 וְשָׁבוּ בָנִים לִגְבוּלָם Jer. 31:17(16)
גְּבוּלָן 233 מֵעֶקְרוֹן וְעַד־גַּת וְאֶת־גְּבוּלָן ISh. 7:14
גְּבוּלַיִךְ 234 וּבְכָל־חַטֹּאותֶיךָ וּבְכָל־גְּבוּלֶיךָ Jer. 15:13
235 בְּחַטָּאת בְּכָל־גְּבוּלֶיךָ Jer. 17:3
גְּבוּלָיִךְ 236 בְּלֵב יַמִּים גְּבוּלָיִךְ Ezek. 27:4
בִּגְבוּלָיִךְ 237 לֹא־יִשָּׁמַע...שֹׁד וָשֶׁבֶר בִּגְבוּלָיִךְ Is. 60:18
גְּבוּלֶיהָ 238 אֶת־אַשְׁדּוֹד וְאֶת־גְּבוּלֶיהָ ISh. 5:6
239 וְאֶת־גְּבוּלֶיהָ מִתִּרְצָה IIK. 15:16
240 הוּא־הִכָּה...עַד־עַזָּה וְאֶת־גְּבוּלֶיהָ IIK. 18:8

גְּבוּלָה

נ׳ גבול: 1—10 • גְּבוּלוֹת אֶרֶץ 5; ג׳ עַמִּים 4,3
הֵסִיר גְּבוּלוֹת 4; הִצִּיב ג׳ 3, 5; הִשִּׂיג ג׳ 2

גִּבְלָתוֹ 1 וְשָׂעֹרָה נִסְמָן וְכֻסֶּמֶת גְּבֻלָתוֹ Is. 28:25
גְּבוּלוֹת 2 גְּבֻלוֹת יַשִּׂיגוּ עֵדֶר גָּזְלוּ וַיִּרְעוּ Job 24:2
גְּבוּלוֹת־ 3 יַצֵּב גְּבֻלֹת עַמִּים Deut. 32:8
4 וְאָסִיר גְּבוּלֹת עַמִּים Is. 10:13
5 אַתָּה הִצַּבְתָּ כָּל־גְּבוּלוֹת אָרֶץ Ps. 74:17
בִּגְבוּלֹת־ 6 בִּגְבֻלֹת עָרֵי הָאָרֶץ סָבִיב Num. 32:33
לִגְבוּלֹתֶיהָ 7 אֶרֶץ כְּנַעַן לִגְבֻלֹתֶיהָ Num. 34:2
8 הָאָרֶץ לִגְבֻלֹתֶיהָ סָבִיב Num. 34:12
9 נַחֲלַת בְּנֵי בִנְיָמִן לִגְבוּלֹתֶיהָ Josh. 18:20
10 לִנְחֹל־אֶת־הָאָרֶץ לִגְבוּלֹתֶיהָ Josh. 19:49

גִּבּוֹר

תו״ז רב־כֹּחַ, אביר, אמיץ: 1—159
קרובים: ראה אַבִּיר

– גִּבּוֹר וְנוֹרָא 32,27; עִזּוּז וְגִבּוֹר 26; ג׳ אֶפְרַיִם 61;
ג׳ חַיִל 46-58, 62, 114-119, 125-137, 142, 144, 147;
ג׳ מִלְחָמָה 145,59; ג׳ מַשְׂכִּיל 36; ג׳ עָרִיץ 35;
ג׳ צַיִד 45,44; ג׳ תָּמִים 4; אִישׁ גִּבּוֹר 2; אֵל ג׳ 7,6;
חִצֵּי ג׳ 19; חֶרֶב ג׳ 14; מֶלֶךְ גִּבּוֹר 22; שְׁבִי ג׳ 8
– אֵלֵי גִּבּוֹרִים 77; בֵּית ג׳ 97; בְּשַׂר ג׳ 80; חֵלֶב
ג׳ 69; חַרְבוֹת ג׳ 76; חִתִּית ג׳ 79; לֵב ג׳ 122,121;
מָגֵן ג׳ 68, 155; מִסְפַּר הַג׳ 99; עִיר ג׳ 81;
קֶשֶׁת ג׳ 65; רָאשֵׁי ג׳ 98; שִׁלְטֵי ג׳ 95; שְׁמוֹת ג׳ 87
– גִּבּוֹרֵי אֱדוֹם 122; ג׳ בָבֶל 123; ג׳ חֲיָלִים 138-141,
146; גִּבּוֹרֵי יִשְׂרָאֵל 148; ג׳ כֹחַ 124; ג׳ מוֹאָב 121;
גִּבּוֹרֵי הַשּׁוֹעֲרִים 143

גִּבּוֹר 1 הוּא הֵחֵל לִהְיוֹת גִּבֹּר בָּאָרֶץ Gen. 10:8
2 כָּל־אִישׁ גִּבּוֹר וְכָל־בֶּן־חַיִל ISh. 14:52
3 כִּי־יֹדֵעַ...כִּי־גִבּוֹר אָבִיךָ IISh. 17:10
4 עִם־גְּבַר תָּמִים תִּתַּמָּם IISh. 22:26
5 גִּבּוֹר וְאִישׁ מִלְחָמָה Is. 3:2
6 פֶּלֶא יוֹעֵץ אֵל גִּבּוֹר Is. 9:5
7 שְׁאָר יָשׁוּב...אֶל־אֵל גִּבּוֹר Is. 10:21
8 גַּם־שְׁבִי גִבּוֹר יֻקָּח Is. 49:25
9 כִּי־גִבּוֹר בְּגִבּוֹר כָּשָׁלוּ Jer. 46:12
10 גִּבּוֹר וְכָל־אִישׁ מִלְחָמָה Ezek. 39:20
11 הַחַלָּשׁ יֹאמַר גִּבּוֹר אָנִי Joel 4:10
12 מַר צֹרֵחַ שָׁם גִּבּוֹר Zep. 1:14
13 יְיָ אֱלֹהַיִךְ בְּקִרְבֵּךְ גִּבּוֹר יוֹשִׁיעַ Zep. 3:17
14 וְשַׂמְתִּיךְ כְּחֶרֶב גִּבּוֹר Zech. 9:13
15 גִּבּוֹר לֹא־יִנָּצֵל בְּרָב־כֹּחַ Ps. 33:16
16 חֲגוֹר־חַרְבְּךָ עַל־יָרֵךְ גִּבּוֹר Ps. 45:4

גִּבּוֹר (המשך) 17 שִׁוִּיתִי עֵזֶר עַל־גִּבּוֹר Ps. 89:20
18 גִּבּוֹר בָּאָרֶץ יִהְיֶה זַרְעוֹ Ps. 112:2
19 חִצֵּי גִבּוֹר שְׁנוּנִים Ps. 120:4
20 כְּחִצִּים בְּיַד־גִּבּוֹר Ps. 127:4
21 לַיִשׁ גִּבּוֹר בַּבְּהֵמָה Prov. 30:30
22 וְעָמַד מֶלֶךְ גִּבּוֹר Dan. 11:3
23 הוּא הֵחֵל לִהְיוֹת גִּבּוֹר בָּאָרֶץ ICh. 1:10
24 גִּבּוֹר בַּשְּׁלֹשִׁים וְעַל־הַשְּׁלֹשִׁים ICh. 12:4
וְגִבּוֹר 25 וְגִבּוֹר לֹא־יְמַלֵּט נַפְשׁוֹ Am. 2:14
26 יְיָ עִזּוּז וְגִבּוֹר Ps. 24:8
הַגִּבּוֹר 27 הָאֵל הַגָּדֹל הַגִּבֹּר וְהַנּוֹרָא Deut. 10:17
28 וְאַל־יִתְהַלֵּל הַגִּבּוֹר בִּגְבוּרָתוֹ Jer. 9:22
29 הָאֵל הַגָּדוֹל הַגִּבּוֹר Jer. 32:18
30 וְאַל־יִמָּלֵט הַגִּבּוֹר Jer. 46:6
31 מַה־תִּתְהַלֵּל בְּרָעָה הַגִּבּוֹר Ps. 52:3
32 הָאֵל הַגָּדוֹל הַגִּבּוֹר וְהַנּוֹרָא Neh. 9:32
בְּגִבּוֹר 33 כִּי־גִבּוֹר בְּגִבּוֹר כָּשָׁלוּ Jer. 46:12
כְּגִבּוֹר 34 כְּגִבּוֹר לֹא־יוּכַל לְהוֹשִׁיעַ Jer. 14:9
35 וַייָ אוֹתִי כְּגִבּוֹר עָרִיץ Jer. 20:11
36 חִצָּיו כְּגִבּוֹר מַשְׂכִּיל Jer. 50:9
37 וְהָיוּ כְגִבּוֹר אֶפְרַיִם Zech. 10:7
38 יָשִׂישׂ כְּגִבּוֹר לָרוּץ אֹרַח Ps. 19:6
39 כְּגִבּוֹר מִתְרוֹנֵן מִיָּיִן Ps. 78:65
40 יָרֻץ עָלַי כְּגִבּוֹר Job 16:14
כַּגִּבּוֹר 41 יְיָ כַּגִּבּוֹר יֵצֵא כְּאִישׁ מִלְחָמוֹת Is. 42:13
מִגִּבּוֹר 42 הֲיֻקַּח מִגִּבּוֹר מַלְקוֹחַ Is. 49:24
43 טוֹב אֶרֶךְ אַפַּיִם מִגִּבּוֹר Prov. 16:32
גִּבּוֹר־ 44 הוּא־הָיָה גִבֹּר־צַיִד לִפְנֵי יְיָ Gen. 10:9
45 כְּנִמְרֹד גִּבּוֹר צַיִד לִפְנֵי יְיָ Gen. 10:9
46 יְיָ עִמְּךָ גִּבּוֹר הֶחָיִל Jud. 6:12
47 וְיִפְתָּח...הָיָה גִּבּוֹר חַיִל Jud. 11:1
48-58 גִּבּוֹר חָיִל ISh. 9:1
IK. 11:28 • IIK. 5:1 • Ruth 2:1 • ICh. 12:29(28)
28:1 • IICh. 13:3; 17:16,17; 25:6; 32:21
59 יְיָ גִּבּוֹר מִלְחָמָה Ps. 24:8
60 גִּבּוֹר הַשְּׁלֹשִׁים וְעַל־הַשְּׁלֹשִׁים ICh. 27:6
61 וַיַּהֲרֹג זִכְרִי גִּבּוֹר אֶפְרַיִם IICh. 28:7
וְגִבּוֹר־ 62 וְגִבּוֹר חַיִל וְאִישׁ מִלְחָמָה ISh. 16:18
גִּבּוֹרָם 63 וַיִּרְאוּ הַפְּלִשְׁתִּים כִּי־מֵת גִּבּוֹרָם ISh. 17:51
גִּבּוֹרִים 64 וְכָל־אֲנָשֶׁיהָ גִּבֹּרִים Josh. 10:2
65 קֶשֶׁת גִּבֹּרִים חַתִּים ISh. 2:4
66/7 אֵיךְ נָפְלוּ גִבּוֹרִים IISh. 1:19,27
68 כִּי שָׁם נִגְעַל מָגֵן גִּבּוֹרִים IISh. 1:21
69 מִדַּם חֲלָלִים מֵחֵלֶב גִּבּוֹרִים IISh. 1:22
70 אֵיךְ נָפְלוּ גִבֹּרִים IISh. 1:25
71 כִּי גִבֹּרִים הֵמָּה וּמָרֵי נֶפֶשׁ הֵמָּה IISh. 17:8
72 הַכֹּל גִּבּוֹרִים עֹשֵׂי מִלְחָמָה IIK. 24:16
73 הוֹי גִּבּוֹרִים לִשְׁתּוֹת יָיִן Is. 5:22
74 כֻּלָּם גִּבּוֹרִים Jer. 5:16
75 אֵיךְ תֹּאמְרוּ גִּבּוֹרִים אֲנָחְנוּ Jer. 48:14
76 בְּחַרְבוֹת גִּבּוֹרִים אַפִּיל הֲמוֹנֶךָ Ezek. 32:12
77 יְדַבְּרוּ־לוֹ אֵלֵי גִבּוֹרִים Ezek. 32:21
78 וְלֹא יִשְׁכְּבוּ אֶת־גִּבּוֹרִים Ezek. 32:27
79 חִתִּית גִּבּוֹרִים בְּאֶרֶץ חַיִּים Ezek. 32:27
80 בְּשַׂר גִּבּוֹרִים תֹּאכֵלוּ Ezek. 39:18
81 עִיר גִּבֹּרִים עָלָה חָכָם Prov. 21:22
82 שִׁשִּׁים גִּבֹּרִים סָבִיב לָהּ S. of S. 3:7
הַגִּבּוֹרִים 83 הֵמָּה הַגִּבֹּרִים אֲשֶׁר מֵעוֹלָם Gen. 6:4
84 וְאֵת כָּל־הַצָּבָא הַגִּבֹּרִים IISh. 10:7
85 וְכָל־הַגִּבֹּרִים מִימִינוֹ וּמִשְּׂמֹאלוֹ IISh. 16:6
86 וְהַכְּרֵתִי וְהַפְּלֵתִי וְכָל־הַגִּבֹּרִים IISh. 20:7
87 אֵלֶּה שְׁמוֹת הַגִּבֹּרִים אֲשֶׁר לְדָוִד IISh. 23:8

הַגִּבּוֹרִים (המשך)

88 בִּשְׁלֹשָׁה הַגִּבֹּרִים (כת׳ גברים) עִם־דָּוִד IISh.23:9
89 וַיִּבְקְעוּ שְׁלֹשֶׁת הַגִּבֹּרִים IISh.23:16
90 אֵלֶּה עָשׂוּ שְׁלֹשֶׁת הַגִּבֹּרִים IISh.23:17
91 וְלוֹ־שֵׁם בִּשְׁלֹשָׁה הַגִּבֹּרִים IISh.23:22
92 וְאֶת־הַגִּבּוֹרִים...לֹא קָרָא IK.1:10
93 וְיֵצְאוּ הַגִּבּוֹרִים Jer.46:9
94 הָעִירוּ הַגִּבּוֹרִים...אַנְשֵׁי הַמִּלְחָמָה Joel 4:9
95 תָּלוּי עָלָיו כֹּל שִׁלְטֵי הַגִּבֹּרִים S.ofS.4:4
96 וּלְכָל־שָׂרֵי הַמֶּלֶךְ הַגִּבֹּרִים Ez.7:28
97 וְעַד בֵּית הַגִּבֹּרִים Neh.3:16
98 וְאֵלֶּה רָאשֵׁי הַגִּבֹּרִים ICh.11:10
99 וְאֵלֶּה מִסְפַּר הַגִּבֹּרִים ICh.11:11
100 הוּא בִּשְׁלוֹשָׁה הַגִּבֹּרִים ICh.11:12
101 אֵלֶּה עָשׂוּ שְׁלֹשֶׁת הַגִּבּוֹרִים ICh.11:19
102 וְלוֹ־שֵׁם בִּשְׁלוֹשָׁה הַגִּבֹּרִים ICh.11:24
103 וְאֵת כָּל־צְבָא הַגִּבּוֹרִים ICh.19:8

וְהַגִּבּוֹרִים 104 וְהַגִּבּוֹרִים אֲשֶׁר לְדָוִד IK.1:8
105 וְהַגִּבּוֹרִים וּלְכָל־גִּבּוֹר חָיִל ICh.28:1
106 וְכָל־הַשָּׂרִים וְהַגִּבֹּרִים ICh.29:24

בַּגִּבּוֹרִים 107 יְיָ יְרַד־לִי בַּגִּבּוֹרִים Jud.5:13
108 לְעֶזְרַת יְיָ בַּגִּבּוֹרִים Jud.5:23
109 וְאַמִּיץ לִבּוֹ בַּגִּבּוֹרִים Am.2:16
110 וְהֵמָּה בַּגִּבּוֹרִים עֹזְרֵי הַמִּלְחָמָה ICh.12:1

כַּגִּבּוֹרִים 111 כְּגִבּוֹרִים יְרֻצוּן כְּאַנְשֵׁי מִלְחָמָה Joel 2:7
112 כְגִבֹּרִים בּוֹסִים בְּטִיט חוּצוֹת Zech.10:5

לַגִּבּוֹרִים 113 וְלֹא לַגִּבּוֹרִים הַמִּלְחָמָה Eccl.9:11

גִּבּוֹרֵי־ 114 כֹּל גִּבּוֹרֵי הַחַיִל Josh.1:14
115 יְרִיחוֹ וְאֶת־מַלְכָּהּ גִּבּוֹרֵי הֶחָיִל Josh.6:2
116-119 גִּבּוֹרֵי הֶחָיִל Josh.8:3;10:7•IIK.15:20;24:14
120 גִּבּוֹרֵי בְנֵי־קֵדָר יִמְעָטוּ Is.21:17
121 וְהָיָה לֵב גִּבּוֹרֵי מוֹאָב... Jer.48:41
122 וְהָיָה לֵב גִּבּוֹרֵי אֱדוֹם... Jer.49:22
123 חָדְלוּ גִבּוֹרֵי בָבֶל לְהִלָּחֵם Jer.51:30
124 בָּרְכוּ יְיָ מַלְאָכָיו גִּבֹּרֵי כֹחַ Ps.103:20
125 וַאֲחֵיהֶם גִּבֹּרֵי חָיִל Neh.11:14
126-137 גִּבּוֹרֵי חָיִל ICh.5:24;7:2,9;9:13;12:22(21), 26(25), 31(30); 26:6, 31 • IICh. 14:7; 17:13,14
138 וַאֲחֵיהֶם...גִּבּוֹרֵי חֲיָלִים ICh.7:5
139-141 גִּבּוֹרֵי חֲיָלִים ICh.7:7,11,40
142 אֲנָשִׁים גִּבּוֹרֵי־חַיִל דֹּרְכֵי קֶשֶׁת ICh.8:40
143 אַרְבַּעַת גִּבּוֹרֵי הַשְּׁעָרִים ICh.9:26
144 גִּבֹּרֵי הַחַיִל אַנְשֵׁי צָבָא ICh.12:9(8)
145 וַיֶּאְסֹר...בְּחַיִל גִּבּוֹרֵי מִלְחָמָה IICh.13:3

וְגִבּוֹרֵי־ 146 וְגִבּוֹרֵי הַחֲיָלִים עֲשָׂה־אֵל ICh.11:26

לְגִבּוֹרֵי־ 147 רָאשֵׁי הָאָבוֹת לְגִבּוֹרֵי חָיִל IICh.26:12

מִגִּבּוֹרֵי־ 148 שִׁשִּׁים גִּבֹּרִים...מִגִּבֹּרֵי יִשְׂרָאֵל S.ofS.3:7

גִּבּוֹרַי 149 גַּם קָרָאתִי גִּבּוֹרַי לְאַפִּי Is.13:3

גִּבּוֹרֶיךָ 150 כִּי־בָטַחְתָּ...בְּרֹב גִּבּוֹרֶיךָ Hosh. 10:3
151 שָׁמָּה הַנְחַת יְיָ גִּבּוֹרֶיךָ Joel 4:11
152 וְחַתּוּ גִבּוֹרֶיךָ תֵּימָן Ob.9

גִּבּוֹרָיו 153 וְכָל־גִּבּוֹרָיו וְכָל־הַשָּׂרִים Jer.26:21

וְגִבֹּרָיו 154 וַיִּוָּעַץ עִם־שָׂרָיו וְגִבֹּרָיו IICh.32:3

גִּבֹּרֵיהוּ 155 מָגֵן גִּבֹּרֵיהוּ מְאָדָּם Nah.2:4

גִּבּוֹרֶיהָ 156 חֶרֶב אֶל־גִּבּוֹרֶיהָ וָחָתּוּ Jer.50:36
157 וְנִלְכְּדוּ גִּבּוֹרֶיהָ Jer.51:56

וְגִבּוֹרֶיהָ 158 פַּחוֹתֶיהָ וּסְגָנֶיהָ וְגִבּוֹרֶיהָ Jer.51:57

וְגִבּוֹרֵיהֶם 159 וְגִבּוֹרֵיהֶם יֻכַּתּוּ Jer.46:5

גְּבוּרָה

נ׳ תכונות הגבור, כֹּח, אומץ: 1-61 • קרובים: ראה כֹּחַ

גְּדֻלָּה וּגְבוּרָה 12; חָכְמָה וּג׳ 9; כֹּחַ וּג׳ 10, 11; מִשְׁפָּט וּגְבוּרָה 8; עֵצָה וּג׳ 5–7; עֱנוֹת ג׳ 1; רֵאשִׁית גְּבוּרָה 45; גְּבוּרַת הַסּוּס 18; דְּבַר גְּבוּרוֹת 51; רַעַם גְ׳ 60; גְּבוּרוֹת יְיָ 52, 54; גְּבוּרוֹת יֶשַׁע 53; נָשְׁתָה גְבוּרָתוֹ 46

גְּבוּרָה 1 אֵין קוֹל עֲנוֹת גְּבוּרָה Ex.32:18
2 לְךָ זְרוֹעַ עִם־גְּבוּרָה Ps.89:14
3 אֲנִי בִינָה לִי גְבוּרָה Prov.8:14
4 הֲתִתֵּן לַסּוּס גְּבוּרָה Job 39:19

וּגְבוּרָה 5/6 עֵצָה וּגְבוּרָה לַמִּלְחָמָה IIK.18:20 • Is.36:5
7 רוּחַ עֵצָה וּגְבוּרָה Is.11:2
8 מָלֵאתִי כֹחַ...וּמִשְׁפָּט וּגְבוּרָה Mic.3:8
9 עִמּוֹ חָכְמָה וּגְבוּרָה Job 12:13
10/1 וּבְיָדְךָ כֹּחַ וּגְבוּרָה ICh.29:12 • IICh.20:6

וְהַגְּבוּרָה 12 לְךָ יְיָ הַגְּדֻלָּה וְהַגְּבוּרָה ICh.29:11

בִּגְבוּרָה 13 וְגָדוֹל שִׁמְךָ בִּגְבוּרָה Jer.10:6
14 מֵכִין הָרִים בְּכֹחוֹ נֶאְזָר בִּגְבוּרָה Ps.65:7
15 בִּגְבוּרָה וְלֹא בַשְּׁתִי Eccl.10:17

וְלִגְבוּרָה 16 וְלִגְבוּרָה מְשִׁיבֵי מִלְחָמָה שָׁעְרָה Is.28:6

מִגְּבוּרָה 17 טוֹבָה חָכְמָה מִגְּבוּרָה Eccl.9:16

בִּגְבוּרַת־ 18 לֹא בִגְבוּרַת הַסּוּס יֶחְפָּץ Ps.147:10

גְּבוּרָתִי 19 וּדְעוּ קְרוֹבִים גְּבֻרָתִי Is.33:13
20 אוֹדִיעֵם אֶת־יָדִי וְאֶת־גְּבוּרָתִי Jer.16:21

גְּבוּרָתֶךָ 21 נָשִׁירָה וּנְזַמְּרָה גְּבוּרָתֶךָ Ps.21:14
22 עַד־אַגִּיד...לְכָל־יָבוֹא גְּבוּרָתֶךָ Ps.71:18
23 עוֹרְרָה אֶת־גְּבוּרָתֶךָ Ps.80:3

וּגְבוּרָתְךָ 24 כְּבוֹד...וּגְבוּרָתְךָ יְדַבֵּרוּ Ps.145:11

וּבִגְבוּרָתְךָ 25 בְּשִׁמְךָ הוֹשִׁיעֵנִי וּבִגְבוּרָתְךָ תְדִינֵנִי Ps.54:3

וּגְבוּרָתֵךְ 26 בַּחֶרֶב יִפֹּלוּ וּגְבוּרָתֵךְ בַּמִּלְחָמָה Is.3:25

גְּבוּרָתוֹ 27 כִּי כָאִישׁ גְּבוּרָתוֹ Jud.8:21
28 וְכָל־גְּבוּרָתוֹ וְכָל־אֲשֶׁר עָשָׂה IK.15:23
29 וְכָל־אֲשֶׁר עָשָׂה וְכָל־גְּבוּרָתוֹ IIK.10:34
30 וְיֶתֶר דִּבְרֵי חִזְקִיָּהוּ וְכָל־גְּבוּרָתוֹ IIK.20:20
31 לְהוֹדִיעַ אֶת־גְּבוּרָתוֹ Ps.106:8

וּגְבוּרָתוֹ 32 וַאֲשֶׁר עָשָׂה וּגְבוּרָתוֹ IK.16:5
33/4 וּגְבוּרָתוֹ אֲשֶׁר(־)עָשָׂה IK.16:27; 22:46
35-37 וְכָל־אֲשֶׁר עָשָׂה וּגְבוּרָתוֹ IIK.13:8, 12; 14:28
38 וְיֶתֶר...אֲשֶׁר עָשָׂה וּגְבוּרָתוֹ IIK.14:15
39 וְכָל־מַעֲשֵׂה תָקְפּוֹ וּגְבוּרָתוֹ Es.10:2
40 עִם כָּל־מַלְכוּתוֹ וּגְבוּרָתוֹ ICh.29:30

בִּגְבוּרָתוֹ 41 כְּצֵאת הַשֶּׁמֶשׁ בִּגְבֻרָתוֹ Jud.5:31
42 וְאַל־יִתְהַלֵּל הַגִּבּוֹר בִּגְבוּרָתוֹ Jer.9:22
43 מֹשֵׁל בִּגְבוּרָתוֹ עוֹלָם Ps.66:7

גְּבוּרַתְכֶם 44 בְּהַשְׁקֵט וּבְבִטְחָה תִּהְיֶה גְּבוּרַתְכֶם Is.30:15

גְּבוּרָתָם 45 הִנְנִי שֹׁבֵר...רֵאשִׁית גְּבוּרָתָם Jer.49:35
46 נָשְׁתָה גְבוּרָתָם הָיוּ לְנָשִׁים Jer.51:30
47 וְיֵבֹשׁוּ מִכֹּל גְּבוּרָתָם Mic.7:16

וּגְבוּרָתָם 48 וּגְבוּרָתָם לֹא־כֵן Jer.23:10

בִּגְבוּרָתָם 49 נִתְּנוּ בִגְבוּרָתָם אֶת־חַלְלֵי־חָרֶב Ezek.32:29

מִגְּבוּרָתָם 50 בְּחִתִּיתָם מִגְּבוּרָתָם בּוֹשִׁים Ezek.32:30

גְּבוּרוֹת 51 וּדְבַר־גְּבוּרוֹת וְחִין עֶרְכּוֹ Job 41:4
52 מִי יְמַלֵּל גְּבוּרוֹת יְיָ Ps.106:2

בִּגְבוּרוֹת 53 יַעֲנֵהוּ...בִּגְבוּרוֹת יֵשַׁע יְמִינוֹ Ps.20:7
54 אָבוֹא בִּגְבֻרוֹת אֲדֹנָי יְיָ Ps.71:16
55 וְאִם בִּגְבוּרֹת שְׁמוֹנִים שָׁנָה Ps.90:10

וּגְבוּרֹתֶיךָ 56 אַיֵּה קִנְאָתְךָ וּגְבוּרֹתֶיךָ Is.63:15
57 דּוֹר לְדוֹר...וּגְבוּרֹתֶיךָ יַגִּידוּ Ps.145:4

וְכִגְבוּרֹתֶךָ 58 אֲשֶׁר־יַעֲשֶׂה כְמַעֲשֶׂיךָ וְכִגְבוּרֹתֶךָ Deut.3:24

גְּבוּרֹתָיו 59 לְהוֹדִיעַ לִבְנֵי הָאָדָם גְּבוּרֹתָיו Ps.145:12
60 וְרַעַם גְּבוּרֹתָו מִי יִתְבּוֹנָן Job 26:14

בִּגְבוּרֹתָיו 61 הַלְלוּהוּ בִגְבוּרֹתָיו Ps.150:2

גְּבוּרְתָא

נ׳ ארמית: הגבורה: 1, 2

וּגְבוּרְתָא 1 דִּי חָכְמְתָא וּגְבוּרְתָא דִּי־לֵהּ הִיא Dan.2:20
2 דִּי חָכְמְתָא וּגְבוּרְתָא יְהַבְתְּ לִי Dan.2:23

גִּבֵּחַ

ת׳ שנשרו השערות מעל למצחו

גִּבֵּחַ 1 וְאִם מִפְּאַת...יִמָּרֵט רֹאשׁוֹ גִּבֵּחַ הוּא Lev.13:41

גַּבַּחַת

נ׳ א) המקום מעל למצח שנשרו שערותיו: 1–3
ב) מקום חלק בצד העליון של בגד: 4

בְגַבַּחַת 1 בְקָרַחַת אוֹ בְגַבַּחַת Lev.13:42

בְגַבַּחְתּוֹ 2/3 בְּקָרַחְתּוֹ אוֹ בְגַבַּחְתּוֹ Lev.13:42,43
4 פַּחֶתֶת הִוא בְּקָרַחְתּוֹ אוֹ בְגַבַּחְתּוֹ Lev.13:55

גֹּבַי

ז׳ ארבה [עין גּוֹב]

גַּבַּי

שפ״ז – מבני בנימין בימי נחמיה

גַּבַּי 1 וְאַחֲרָיו גַּבַּי סַלָּי... Neh.11:8

גֵּבִים

מקום בנחלת בנימין

הַגֵּבִים 1 יֹשְׁבֵי הַגֵּבִים הֵעִיזוּ Is.10:31

גְּבִינָה

נ׳ מאכל חלב קרוש

וְכַגְּבִנָּה 1 כֶּחָלָב תַּתִּיכֵנִי וְכַגְּבִנָּה תַּקְפִּיאֵנִי Job 10:10

גָּבִיעַ

ז׳ א) קובעת, כוס (אולי בצורת כוס פרח): 1-5, 12
ב) קשוט בתבנית כוס של פרח: 6–11, 13, 14

גְּבִיעַ הַכֶּסֶף 4,5

הַגָּבִיעַ 1 וַיִּמָּצֵא הַגָּבִיעַ בְּאַמְתַּחַת בִּנְיָמִן Gen.44:12
2/3 אֲשֶׁר(־)נִמְצָא הַגָּבִיעַ בְּיָדוֹ Gen.44:16,17

גְּבִיעַ־ 4 וְאֶת־גְּבִיעִי גְּבִיעַ הַכֶּסֶף Gen.44:2

גְּבִיעִי 5 וְאֶת־גְּבִיעִי גְּבִיעַ הַכֶּסֶף Gen.44:2

גְּבִיעִים 6/7 שְׁלֹשָׁה גְבִעִים מְשֻׁקָּדִים Ex.25:33; 37:19
8/9 וּשְׁלֹשָׁה גְבִעִים מְשֻׁקָּדִים Ex.25:33; 37:19
10/1 וּבַמְּנֹרָה אַרְבָּעָה גְבִעִים Ex.25:34; 37:20
12 גְּבִעִים מְלֵאִים יַיִן וְכֹסוֹת Jer.35:5

גְּבִיעֶיהָ 13/4 גְּבִיעֶיהָ כַּפְתֹּרֶיהָ וּפְרָחֶיהָ Ex.25:31; 37:17

גְּבִיר

ז׳ אָדוֹן: 1, 2 • קרובים: ראה אָדוֹן

גְּבִיר 1 הֱוֵה גְבִיר לְאַחֶיךָ Gen.27:29
2 הֵן גְּבִיר שַׂמְתִּיו לָךְ Gen.27:37

גְּבִירָה

נ׳ א) אם המלך או אשתו: 1–6
ב) מושלת, שלטת: 7, 8
ג) אשה ביחס לשפחתה: 9–15

גְּבֶרֶת מַמְלָכוֹת 8; יַד גְּבִרְתָּהּ 13

הַגְּבִירָה 1 אֲחוֹת תַּחְפְּנֵיס הַגְּבִירָה IK.11:19
2 בְּנֵי־הַמֶּלֶךְ וּבְנֵי הַגְּבִירָה IIK.10:13

וְהַגְּבִירָה 3 יְכָנְיָה הַמֶּלֶךְ וְהַגְּבִירָה Jer.29:2

מִגְּבִירָה 4 אֶת־מַעֲכָה אִמּוֹ וַיְסִרֶהָ מִגְּבִירָה IK.15:13
5 הַמֶּלֶךְ הֱסִירָהּ מִגְּבִירָה IICh.15:16

וְלַגְּבִירָה 6 אֱמֹר לַמֶּלֶךְ וְלַגְּבִירָה הַשְׁפִּילוּ Jer.13:18

גְּבֶרֶת 7 לְעוֹלָם אֶהְיֶה גְבָרֶת Is.47:7

גְּבֶרֶת־ 8 גְּבֶרֶת מַמְלָכוֹת Is.47:5

גְּבִרְתִּי 9 מִפְּנֵי שָׂרַי גְּבִרְתִּי אָנֹכִי בֹּרַחַת Gen.16:8

גְּבִרְתֵּךְ 10 שׁוּבִי אֶל־גְּבִרְתֵּךְ Gen.16:9

גְּבִרְתָּהּ 11 וַתֵּקַל גְּבִרְתָּהּ בְּעֵינֶיהָ Gen.16:4
12 וַתֹּאמֶר אֶל־גְּבִרְתָּהּ IIK.5:3
13 כְּעֵינֵי שִׁפְחָה אֶל־יַד גְּבִרְתָּהּ Ps.123:2
14 וְשִׁפְחָה כִּי־תִירַשׁ גְּבִרְתָּהּ Prov.30:23

כַּגְּבִרְתָּהּ 15 כַּשִּׁפְחָה כַּגְּבִרְתָּהּ Is.24:2

גָּבִישׁ

ז׳ סוג של קריסטל [עין אֶלְגָּבִישׁ]

וְגָבִישׁ 1 רָאמוֹת וְגָבִישׁ לֹא יִזָּכֵר Job 28:18

גבל : גָּבַל, הִגְבִּיל; גְּבוּל, גְּבוּלָה; גַּבְלֻת, מִגְבָּלָה; ש״פ גְּבָל, גֶּבַל, גִּבְלִי

גָּבַל פ׳ א) קבע גבול: 1
ב) [גָּבַל אוֹתוֹ] שמש גבול לו: 2
ג) [גָּבַל בְּ־] היה לו גבול משותף עם־: 3
ד) [הִפ׳ הִגְבִּיל] קבע גבול לו: 5,4

גָּבְלוּ 1 גְּבוּל רֵעֲךָ אֲשֶׁר גָּבְלוּ רִאשֹׁנִים Deut. 19:14
יִגְבָּל 2 וְהַיַּרְדֵּן יִגְבֹּל־אֹתוֹ לִפְאַת־קֵדְמָה Josh. 18:20
תִּגְבָּל־ 3 וְגַם־חֲמָת תִּגְבָּל־בָּהּ Zech. 9:2
וְהִגְבַּלְתָּ 4 וְהִגְבַּלְתָּ אֶת־הָעָם סָבִיב Ex. 19:12
הַגְבֵּל 5 הַגְבֵּל אֶת־הָהָר וְקִדַּשְׁתּוֹ Ex. 19:23

גְּבָל חבל־ארץ ועם בארץ אדום
גְּבָל 1 גְּבָל וְעַמּוֹן וַעֲמָלֵק Ps. 83:8

גְּבַל עיר־נמל בפיניקיה הצפונית
גְּבַל 1 זִקְנֵי גְבַל וַחֲכָמֶיהָ הָיוּ בָךְ Ezek. 27:9

גִּבְלִי ת׳ תושב גְּבַל: 1, 2
הַגִּבְלִי 1 וְהָאָרֶץ הַגִּבְלִי וְכָל־הַלְּבָנוֹן Josh. 13:5
וְהַגִּבְלִים 2 וַיִּפְסְלוּ...וּבֹנֵי חִירוֹם וְהַגִּבְלִים IK. 5:32

גַּבְלֻת נ׳ מלאכת שזירה: 2,1
גַּבְלֻת 1 שַׁרְשֹׁת גַּבְלֻת מַעֲשֵׂה עֲבֹת Ex. 28:22
2 שַׁרְשְׁרֹת גַּבְלֻת מַעֲשֵׂה עֲבֹת Ex. 39:15

גִּבֵּן ת׳ בעל חטוטרת(?)
גִּבֵּן 1 אוֹ־גִבֵּן אוֹ־דַק אוֹ תְּבַלֻּל בְּעֵינוֹ Lev. 21:20

גְּבִנָּה נ׳ כך בקצת ספרים – עיין גְּבִינָה

גַּבְנֹן* ז׳ חלק בולט, ראש מקומר: 1, 2
גַּבְנֻנִּים 1 הַר־גַּבְנֻנִּים הַר־בָּשָׁן Ps. 68:16
2 לָמָּה תְּרַצְּדוּן הָרִים גַּבְנֻנִּים Ps. 68:17

גבע : גָּבִיעַ, גִּבְעָה, מִגְבָּעַת, גִּבְעֹל(?); ש״פ גֶּבַע, גִּבְעָא, גִּבְעָה, גִּבְעוֹן

גֶּבַע א) עיר כהנים בנחלת בנימין: 1–16, 19
ב) עיר בגבול הצפוני של נחלת יהודה: 17, 18 (?)
גֶּבַע בִּנְיָמִן 3, 14, 15; יוֹשְׁבֵי ג׳ 6; מַעֲרֵה ג׳ 8

גֶּבַע 1/2 אֶת־גֶּבַע וְאֶת־מִגְרָשֶׁ(י)הָ Josh. 21:17 / ICh. 6:45
3 וַיִּבֶן בָּם...אֶת־גֶּבַע בִּנְיָמִן IK. 15:22
4 גֶּבַע מָלוֹן לָנוּ Is. 10:29
5 וּמִבֵּית הַגִּלְגָּל וּמִשְּׂדוֹת גֶּבַע Neh. 12:29
6 אֵלֶּה הֵם רָאשֵׁי אָבוֹת לְיוֹשְׁבֵי גֶבַע ICh. 8:6
7 וַיִּבֶן בָּהֶם אֶת־גֶּבַע IICh. 16:6
גָּבַע 8 מֵגִיחַ מִמְּקֹמוֹ מִמַּעֲרֵה־גָבַע Jud. 20:33
9 וְהָאֶחָד מִנֶּגֶב מוּל גָּבַע ISh. 14:5
וָגָבַע 10 וּכְפַר הָעַמֹּנָה וְהָעָפְנִי וָגָבַע Josh. 18:24
11 בְּנֵי הָרָמָה וָגָבַע Ez. 2:26
12 אַנְשֵׁי הָרָמָה וָגָבַע Neh. 7:30
בְּגֶבַע 13 אֶת נְצִיב פְּלִשְׁתִּים אֲשֶׁר בְּגֶבַע ISh. 13:3
14 וְהָעָם...יֹשְׁבִים בְּגֶבַע בִּנְיָמִן ISh. 13:16
לְגֶבַע 15 לַעֲשׂוֹת לְבוֹאָם לְגֶבַע בִּנְיָמִן Jud. 20:10
מִגֶּבַע 16 וַיַּךְ...מִגֶּבַע עַד־בֹּאֲךָ גָזֶר IISh. 5:25
17 מִגֶּבַע עַד־בְּאֵר שָׁבַע IIK. 23:8
18 מִגֶּבַע לְרִמּוֹן נֶגֶב יְרוּשָׁלִָם Zech. 14:10
מִגָּבַע 19 וּבְנֵי בִנְיָמִן מִגָּבַע Neh. 11:31

גִּבְעָא ישוב בנחלת יהודה
גִּבְעָא 1 אֲבִי מַכְבֵּנָה וַאֲבִי גִבְעָא ICh. 2:49

גִּבְעָה1 נ׳ מקום מורם, הר לא גבוה • קרובים: ראה הַר
הַר וְגִבְעָה 6,8,9,11,12,16,17,20,24,25,26,27,29-33, 35-41,43-46,48-54; גִּבְעָה גְבֹהָה 2-4, 22; ג׳ נִשָּׂאָה 5; ג׳ רָמָה 9–11; מְרוֹם ג׳ 7; רֹאשׁ גִּבְעָה 1,13,14; גִּבְעַת יְרוּשָׁלִָם 16; ג׳ הַלְּבוֹנָה 17; ג׳ פִּינְחָס 18; גִּבְעוֹת עוֹלָם 56–58: הִתְמוֹגְגוּ גְבָעוֹת 39, 46; הִתְקַלְקָלוּ ג׳ 37; מָטוּ ג׳ 43; שָׁחוּ ג׳ 58

גִּבְעָה 1 וַיַּעַמְדוּ עַל רֹאשׁ־גִּבְעָה אֶחָת IISh. 2:25
2-4 עַל כָּל־גִּבְעָה גְבֹהָה IK. 14:23 / IIK. 17:10 • Jer. 2:20
5 וְעַל כָּל־גִּבְעָה נִשָּׂאָה Is. 30:25
6 מֵעַל כָּל־הַר וּמֵעַל כָּל־גִּבְעָה Jer. 16:16
7 תֹּפְשִׂי מְרוֹם גִּבְעָה Jer. 49:16
8 מֵהַר אֶל־גִּבְעָה הָלָכוּ Jer. 50:6
9 אֶל־כָּל גִּבְעָה רָמָה Ezek. 6:13
10-11 כָּל־גִּבְעָה רָמָה Ezek. 20:28; 34:6
וְגִבְעָה 12 וְכָל־הַר וְגִבְעָה יִשְׁפָּלוּ Is. 40:4
הַגִּבְעָה 13 מָחָר אָנֹכִי נִצָּב עַל־רֹאשׁ הַגִּבְעָה Ex. 17:9
14 וּמֹשֶׁה...עָלוּ רֹאשׁ הַגִּבְעָה Ex. 17:10
15 וְכַנֵּס עַל־הַגִּבְעָה Is. 30:17
גִּבְעַת־ 16 הַר בַּת־צִיּוֹן גִּבְעַת יְרוּשָׁלִָם Is. 10:32
17 אֶל־הַר הַמּוֹר וְאֶל־גִּבְעַת הַלְּבוֹנָה S.ofS. 4:6
בְּגִבְעַת־ 18 וַיִּקְבְּרוּ אֹתוֹ בְּגִבְעַת פִּינְחָס בְּנוֹ Josh. 24:33
גִּבְעָתִי 19 וּסְבִיבוֹת גִּבְעָתִי בְּרָכָה Ezek. 34:26
גִּבְעָתָהּ 20 עַל־הַר־צִיּוֹן וְעַל־גִּבְעָתָהּ Is. 31:4
גְּבָעוֹת 21 נִאֻפַיִךְ...עַל־גְּבָעוֹת בַּשָּׂדֶה Jer. 13:27
22 עַל גְּבָעוֹת הַגְּבֹהוֹת Jer. 17:2
23 וְגִיל גְּבָעוֹת תַּחְגֹּרְנָה Ps. 65:13
24/5 גְּבָעוֹת כִּבְנֵי־צֹאן Ps. 114:4,6
26 הֶהָרִים וְכָל־גְּבָעוֹת Ps. 148:9
27 לִפְנֵי גְבָעוֹת חוֹלָלְתִּי Prov. 8:25
28 וְלִפְנֵי גְבָעוֹת חוֹלָלְתָּ Job 15:7
וּגְבָעוֹת 29 וְשָׁקַל...הָרִים וּגְבָעוֹת בְּמֹאזְנָיִם Is. 40:12
30 וּגְבָעוֹת כַּמֹּץ תָּשִׂים Is. 41:15
31 אַחֲרִיב הָרִים וּגְבָעוֹת Is. 42:15
32 יִשְׂאוּ הָרִים...וּגְבָעוֹת בִּצְדָקָה Ps. 72:3
הַגְּבָעוֹת 33 עַל־הֶהָרִים...וְעַל־הַגְּבָעוֹת Deut. 12:2
34 וַיְקַטֵּר בַּבָּמוֹת וְעַל־הַגְּבָעוֹת IIK. 16:4
35 וְעַל כָּל־הַגְּבָעוֹת הַנִּשָּׂאוֹת Is. 2:14
36 וְעַל־הַגְּבָעוֹת חֵרְפוּנִי Is. 65:7
37 וְכָל־הַגְּבָעוֹת הִתְקַלְקָלוּ Jer. 4:24
38 וְעַל־הַגְּבָעוֹת יְקַטֵּרוּ Hosh. 4:13
39 וְכָל־הַגְּבָעוֹת תִּתְמוֹגַגְנָה Am. 9:13
40 וְתִשְׁמַעְנָה הַגְּבָעוֹת קוֹלֶךָ Mic. 6:1
41 דּוֹדִי...מְקַפֵּץ עַל־הַגְּבָעוֹת S.ofS. 2:8
42 וַיְקַטֵּר בַּבָּמוֹת וְעַל־הַגְּבָעוֹת IICh. 28:4
וְהַגְּבָעוֹת 43 הֶהָרִים יָמוּשׁוּ וְהַגְּבָעוֹת תְּמוּטֶינָה Is. 54:10
44 הֶהָרִים וְהַגְּבָעוֹת יִפְצְחוּ...רִנָּה Is. 55:12
45 וְהַגְּבָעוֹת תֵּלַכְנָה חָלָב Joel 4:18
46 וְהַגְּבָעוֹת הִתְמֹגָגוּ Nah. 1:5
מֵהַגְּבָעוֹת 47 וְשֶׁבֶר גָּדוֹל מֵהַגְּבָעוֹת Zep. 1:10
וְלַגְּבָעוֹת 48-50 לֶהָרִים וְלַגְּבָעוֹת Ezek. 6:3; 36:4,6
51 וְלַגְּבָעוֹת נִפְלוּ עָלֵינוּ Hosh. 10:8
מִגְּבָעוֹת 52 נָכוֹן יִהְיֶה...וְנִשָּׂא מִגְּבָעוֹת Is. 2:2
53 אָכֵן לַשֶּׁקֶר מִגְּבָעוֹת הָמוֹן הָרִים Jer. 3:23
54 וְנִשָּׂא הוּא מִגְּבָעוֹת Mic. 4:1
וּמִגְּבָעוֹת 55 וּמִגְּבָעוֹת אֲשׁוּרֶנּוּ Num. 23:9
גִּבְעוֹת־ 56 עַד־תַּאֲוַת גִּבְעֹת עוֹלָם Gen. 49:26
57 וּמִמֶּגֶד גִּבְעוֹת עוֹלָם Deut. 33:15
58 שַׁחוּ גִּבְעוֹת עוֹלָם Hab. 3:6
גְּבָעוֹתֶיךָ 59 גְּבָעוֹתֶיךָ וְגֵאָיוֹתֶיךָ וְכָל־אֲפִיקֶיךָ Ezek. 35:8

גִּבְעָה2 א) עיר בנחלת יהודה: 1–3
ב) [הַגִּבְעָה] עיר בנחלת בנימין, היא גֶּבַע בִּנְיָמִן: 4–38
בַּעֲלֵי הַגִּבְעָה 6; יוֹשְׁבֵי הַג׳ 7; יְמֵי הַג׳ 10, 11; נֹכַח הַג׳ 8; קְצֵה הַגִּבְעָה 9;

גִּבְעָה 1 הַקַּיִן גִּבְעָה וְתִמְנָה Josh. 15:57
2 וְעָבַרְנוּ עַד־גִּבְעָה Jud. 19:12
3 מִיכָיָהוּ בַת־אוּרִיאֵל מִן־גִּבְעָה IICh. 13:2
גִּבְעַת 4 גִּבְעַת קִרְיַת עָרִים אַרְבַּע עֶשְׂרֵה Josh. 18:28
הַגִּבְעָה 5 אֵצֶל הַגִּבְעָה אֲשֶׁר לְבִנְיָמִן Jud. 19:14
6 וַיָּקֻמוּ עָלַי בַּעֲלֵי הַגִּבְעָה Jud. 20:5
7 לְבַד מִיֹּשְׁבֵי הַגִּבְעָה Jud. 20:15
8 הִדְרִיכֻהוּ עַד נֹכַח הַגִּבְעָה Jud. 20:43
9 וְשָׁאוּל יוֹשֵׁב בִּקְצֵה הַגִּבְעָה ISh. 14:2
10 הֶעְמִיקוּ שִׁחֵתוּ כִּימֵי הַגִּבְעָה Hosh. 9:9
11 מִימֵי הַגִּבְעָה חָטָאתָ יִשְׂרָאֵל Hosh. 10:9
12-19 הַגִּבְעָה Jud. 20:19, 20, 21, 25, 29, 30, 36, 37
בַּגִּבְעָה 20 וְלַנּוּ בַגִּבְעָה אוֹ בָרָמָה Jud. 19:13
21 וַיָּסֻרוּ שָׁם לָבוֹא לָלוּן בַּגִּבְעָה Jud. 19:15
22 וְהוּא־גָר בַּגִּבְעָה Jud. 19:16
23 בְּנֵי־בְלִיַּעַל אֲשֶׁר בַּגִּבְעָה Jud. 20:13
24 וַיָּבִאוּ אֹתוֹ אֶל־בֵּית אֲבִינָדָב בַּגִּבְעָה ISh. 7:1
25 וְשָׁאוּל יוֹשֵׁב בַּגִּבְעָה ISh. 22:6
26/7 מִבֵּית אֲבִינָדָב אֲשֶׁר בַּגִּבְעָה IISh. 6:3,4
28 תִּקְעוּ שׁוֹפָר בַּגִּבְעָה Hosh. 5:8
29 לֹא־תַשִּׂיגֵם בַּגִּבְעָה מִלְחָמָה Hosh. 10:9
לַגִּבְעָה 20 זֶה הַדָּבָר אֲשֶׁר נַעֲשֶׂה לַגִּבְעָה Jud. 20:9
31 וַיָּבֹאוּ מִנֶּגֶד לַגִּבְעָה Jud. 20:34
גִּבְעָתָה 32 אַחַת עֹלָה בֵית־אֵל וְאַחַת גִּבְעָתָה Jud. 20:31
33 וְגַם־שָׁאוּל הָלַךְ לְבֵיתוֹ גִּבְעָתָה ISh. 10:26
הַגִּבְעָתָה 34 הַגִּבְעָתָה אֲשֶׁר לְבִנְיָמִן בָּאתִי Jud. 20:4
35 וַיֵּאָסְפוּ בְנֵי־בִנְיָמִן...הַגִּבְעָתָה Jud. 20:14
36-38 הַגִּבְעָתָה ISh. 10:10; 23:19; 26:1

גִּבְעוֹן מערי החוי, עיר כהנים בנחלת בנימין: 1–37
אֲבִי גִבְעוֹן 10, 11 (34,33); אַנְשֵׁי ג׳ 8; בְּנֵי ג׳ 9; בְּרֵכַת גִּבְעוֹן 6; יוֹשְׁבֵי ג׳ 1, 3, 5; מִדְבַּר גִּבְעוֹן 7

גִּבְעוֹן 1 וְיֹשְׁבֵי גִבְעוֹן שָׁמְעוּ... Josh. 9:3
2 וְעָרֵיהֶם גִּבְעוֹן וְהַכְּפִירָה Josh. 9:17
3 וְכִי הִשְׁלִימוּ יֹשְׁבֵי גִבְעוֹן Josh. 10:1
4 כִּי עִיר גְּדוֹלָה גִּבְעוֹן Josh. 10:2
5 בִּלְתִּי הַחִוִּי יֹשְׁבֵי גִבְעוֹן Josh. 11:19
6 וַיִּפְגְּשׁוּם עַל־בְּרֵכַת גִּבְעוֹן IISh. 2:13
7 וְהֵמָּה בָּאוּ...דֶּרֶךְ מִדְבַּר גִּבְעוֹן IISh. 2:24
8 אַנְשֵׁי גִבְעוֹן וְהַמִּצְפָּה Neh. 3:7
9 בְּנֵי גִבְעוֹן תִּשְׁעִים וַחֲמִשָּׁה Neh. 7:25
10/1 וּבְגִבְעוֹן יָשְׁבוּ אֲבִי־(‑)גִבְעוֹן ICh. 8:29; 9:35
12-17 גִּבְעוֹן Josh. 10:4,5,6,41; 18:25; 21:17
גִּבְעוֹנָה 18 וַיֵּצֵא...מִמַּחֲנַיִם גִּבְעוֹנָה IISh. 2:12
19 וַיֵּלֶךְ הַמֶּלֶךְ גִּבְעֹנָה לִזְבֹּחַ שָׁם IK. 3:4
בְּגִבְעוֹן 20 וַיַּכֵּם מַכָּה־גְדוֹלָה בְּגִבְעוֹן Josh. 10:10
21 שֶׁמֶשׁ בְּגִבְעוֹן דּוֹם Josh. 10:12
22 חֶלְקַת הַצֻּרִים אֲשֶׁר בְּגִבְעוֹן IISh. 2:16
23 עַל אֲשֶׁר הֵמִית...בְּגִבְעוֹן בַּמִּלְחָמָה IISh. 3:30
24 עִם־הָאֶבֶן הַגְּדוֹלָה אֲשֶׁר בְּגִבְעוֹן IISh. 20:8
25 בְּגִבְעוֹן נִרְאָה יְיָ אֶל־שְׁלֹמֹה IK. 3:5
26 כַּאֲשֶׁר נִרְאָה אֵלָיו בְּגִבְעוֹן IK. 9:2
27 כְּעֵמֶק בְּגִבְעוֹן יִרְגָּז Is. 28:21
28-32 בְּגִבְעוֹן Jer. 41:12 • ICh. 16:39; 21:29 / IICh. 1:3, 13
וּבְגִבְעוֹן 33/4 וּבְגִבְעוֹן יָשְׁבוּ אֲבִי־(‑)גִבְעוֹן ICh. 8:29; 9:35

מִגִּבְעוֹן 35 חֲנַנְיָה...הַנָּבִיא אֲשֶׁר מִגִּבְעוֹן Jer. 28:1
36 וְנָשִׁים וְטַף...אֲשֶׁר הֵשִׁיב מִגִּבְעוֹן Jer. 41:16
37 וַיַּכּוּ...מִגִּבְעוֹן וְעַד גָּזְרָה ICh. 14:16

גִּבְעֹנִי ת׳ המתיחס על גבעון: 1–8

הַגִּבְעֹנִי 1 הֶחֱזִיק מְלַטְיָה הַגִּבְעֹנִי Neh. 3:7
2 וְיִשְׁמַעְיָה הַגִּבְעוֹנִי גִּבּוֹר ICh. 12:4
הַגִּבְעֹנִים 3 עַל אֲשֶׁר־הֵמִית אֶת־הַגִּבְעֹנִים IISh. 21:1
4 וַיֹּאמֶר דָּוִד אֶל־הַגִּבְעֹנִים IISh. 21:3
5 וַיֹּאמְרוּ לוֹ הַגִּבְעֹנִים IISh. 21:4
6 וַיִּתְּנֵם בְּיַד הַגִּבְעֹנִים וַיֹּקִיעֻם IISh. 21:9
וְהַגִּבְעֹנִים 7 וְהַגִּבְעֹנִים לֹא מִבְּנֵי יִשְׂרָאֵל הֵמָּה IISh. 21:2
לַגִּבְעֹנִים 8 וַיִּקְרָא הַמֶּלֶךְ לַגִּבְעֹנִים IISh. 21:2

גִּבְעֹל ז׳ קנה או הלקט המכיל את זרע הפשתה

גִּבְעֹל 1 הַשְּׂעֹרָה אָבִיב וְהַפִּשְׁתָּה גִּבְעֹל Ex. 9:31

גִּבְעַת הָאֱלֹהִים היא כנראה העיר גִּבְעָה

גִּבְעַת הָאֱ׳ 1 אַחַר כֵּן תָּבוֹא גִּבְעַת הָאֱלֹהִים ISh. 10:5

גִּבְעַת אַמָּה מקום בקרבת גבעון

גִּבְעַת אַ׳ 1 וְהֵמָּה בָּאוּ עַד־גִּבְעַת אַמָּה IISh. 2:24

גִּבְעַת (בְּנֵי) בִנְיָמִן היא גִּבְעָה: 1–5

גִּבְעַת בִּ׳ 1 וַיַּעַל מִן־הַגִּלְגָּל גִּבְעַת בִּנְיָמִן ISh. 13:15
בְּגִבְעַת בִּ׳ 2 וְאֶלֶף הָיוּ עִם־יוֹנָתָן בְּגִבְעַת בִּנְיָמִין ISh. 13:2
3 וַיִּרְאוּ הַצֹּפִים לְשָׁאוּל בְּגִבְעַת בִּנְיָמִן ISh. 14:16
מִגִּ׳ בְּנֵי בִ׳ 4 אִתַּי...מִגִּבְעַת בְּנֵי בִנְיָמִן IISh. 23:29
5 אִיתַי... מִגִּבְעַת בְּנֵי בִנְיָמִן ICh. 11:31

גִּבְעַת גָּרֵב עיין גָּרֵב²

גִּבְעַת הַחֲכִילָה מקום על פני מדבר זיף: 1–3

בְּגִבְעַת הַחֲ׳ 1 בְּגִבְעַת הַחֲכִילָה...מִימִין הַיְשִׁימוֹן ISh. 23:19
2–3 בְּגִבְעַת הַחֲכִילָה ISh. 26:1,3

גִּבְעַת הַמּוֹרֶה גבעה בעמק יזרעאל

מִגִּבְעַת הַמּ׳ 1 מִגִּבְעַת הַמּוֹרֶה בָּעֵמֶק Jud. 7:1

גִּבְעַת הָעֲרָלוֹת גבעה בקרבת גִּלְגָּל

גִּבְעַת הָעֲ׳ 1 וַיָּמָל...אֶל־גִּבְעַת הָעֲרָלוֹת Josh. 5:3

גִּבְעַת שָׁאוּל היא גִּבְעָה או גֶּבַע בִּנְיָמִן: 1–4

גִּבְעַת שָׁ׳ 1 וַיָּבֹאוּ הַמַּלְאָכִים גִּבְעַת שָׁאוּל ISh. 11:4
2 וְשָׁאוּל עָלָה אֶל־בֵּיתוֹ גִּבְעַת שָׁאוּל ISh. 15:34
3 גִּבְעַת שָׁאוּל נָסָה Is. 10:29
בְּגִבְעַת־שָׁ׳ 4 וְהוֹקַעֲנוּם לַיי בְּגִבְעַת שָׁאוּל IISh. 21:6

גִּבְעָתִי ת׳ המתיחס על גִּבְעָה, איש גבעה

הַגִּבְעָתִי 1 בְּנֵי הַשְּׁמָעָה הַגִּבְעָתִי ICh. 12:3

גבר : גָּבַר, גִּבֵּר, הִגְבִּיר, הִתְגַּבֵּר; גִּבּוֹר, גְּבוּרָה, גְּבִיר, גְּבִירָה, גֶּבֶר, גְּבֶרֶת; אר׳ גְּבוּרְתָּא, גְּבַר, גִּבָּר; ש״פ גֶּבֶר, גִּבָּר, גַּבְרִיאֵל

גָּבַר פ׳ א) היה חזק או רב: 1–17

ב) [פ׳ גִּבֵּר] חזק: 18–20
ג) [הת׳ הִתְגַּבֵּר] התגרה, התחזק: 23–25
ד) [הפ׳ הִגְבִּיר] חזק: 21, 22

גָּבַר עַל־ 10,9,2,1; 17-15,11,8-5,3; גָּבַר בְּ־ 4; גָּבַר מִן־ 14,12; גִּבַּר (אֶת) 19,18; הִגְבִּיר (אֶת) 21; הִגְבִּיר לְ־ 22; הִתְגַּבֵּר אֶל־ 24; הִתְגַּ׳ עַל־ 23
גָּבַר אוֹיֵב 3; גָּ׳ אִישׁ 15; גָּבַר חַסְדּוֹ 2,1; גָּ׳ יִשְׂרָאֵל 5; גָּ׳ עֲמָלֵק 6; גָּבְרוּ חַיִל 13; גָּבְרוּ הַמַּיִם 17,16,8,7; גִּבֵּר חֲיָלִים 20; הִגְבִּיר בְּרִית 21

גָּבַר 1 גָּבַר חַסְדּוֹ עַל־יְרֵאָיו Ps. 103:11
2 כִּי גָבַר עָלֵינוּ חַסְדּוֹ Ps. 117:2
3 כִּי גָבַר אוֹיֵב Lam. 1:16
4 כִּי יְהוּדָה גָּבַר בְּאֶחָיו ICh. 5:2
וְגָבַר 5 כַּאֲשֶׁר יָרִים מֹשֶׁה יָדוֹ וְגָבַר יִשְׂרָאֵל Ex. 17:11
6 וְכַאֲשֶׁר יָנִיחַ יָדוֹ וְגָבַר עֲמָלֵק Ex. 17:11
גָּבְרוּ 7 וְהַמַּיִם גָּבְרוּ מְאֹד...עַל־הָאָרֶץ Gen. 7:19
8 חֲמֵשׁ עֶשְׂרֵה אַמָּה...גָּבְרוּ הַמָּיִם Gen. 7:20
9 בִּרְכֹת אָבִיךָ גָּבְרוּ עַל־בִּרְכֹת הוֹרַי Gen. 49:26
10 כִּי־גָבְרוּ עָלֵינוּ הָאֲנָשִׁים IISh. 11:23
11 וְלֹא לֶאֱמוּנָה גָּבְרוּ בָאָרֶץ Jer. 9:2
12 דִּבְרֵי עֲוֹנֹת גָּבְרוּ מֶנִּי Ps. 65:4
13 עָתְקוּ גַּם־גָּבְרוּ חָיִל Job 21:7
גָּבֵרוּ 14 מִנְּשָׁרִים קַלּוּ מֵאֲרָיוֹת גָּבֵרוּ IISh. 1:23
יִגְבַּר 15 כִּי־לֹא בְכֹחַ יִגְבַּר־אִישׁ ISh. 2:9
וַיִּגְבְּרוּ 16 וַיִּגְבְּרוּ הַמַּיִם וַיִּרְבּוּ מְאֹד Gen. 7:18
17 וַיִּגְבְּרוּ הַמַּיִם עַל־הָאָרֶץ Gen. 7:24
וְגִבַּרְתִּי 18 וְגִבַּרְתִּי אֶת־בֵּית יְהוּדָה Zech. 10:6
וְגִבַּרְתִּים 19 וְגִבַּרְתִּים בַּיי וּבִשְׁמוֹ יִתְהַלָּכוּ Zech. 10:12
יְגַבֵּר 20 לֹא פָנִים קִלְקַל וַחֲיָלִים יְגַבֵּר Eccl. 10:10
וְהִגְבִּיר 21 וְהִגְבִּיר בְּרִית לָרַבִּים Dan. 9:27
נַגְבִּיר 22 אֲשֶׁר אָמְרוּ לִלְשֹׁנֵנוּ נַגְבִּיר Ps. 12:5
יִתְגַּבָּר 23 עַל־אֹיְבָיו יִתְגַּבָּר Is. 42:13
24 נָטָה אֶל־אֵל יָדוֹ וְאֶל־שַׁדַּי יִתְגַּבָּר Job 15:25
יִתְגַּבָּרוּ 25 וּפִשְׁעֵיהֶם כִּי יִתְגַּבָּרוּ Job 36:9

גֶּבֶר¹ ז׳ איש, בן־אדם: 1–66 • קרובים: ראה איש

גֶּבֶר וְאִשָּׁה 1, 2; גֶּבֶר חָכָם 12, 35; גֶּ׳ יָהִיר 8; גֶּ׳ עֲמִיתוֹ 9; גֶּ׳ רָשׁ 13; גֶּבֶר תָּמִים 33
אֲנִי הַגֶּבֶר 47; אַשְׁרֵי הַגֶּ׳ 41, 42, 44, 45; בָּרוּךְ הַגֶּבֶר 40; נְאוּם הַגֶּ׳ 36–38, 46
דֶּרֶךְ גֶּבֶר 15; חֲמַת גֶּ׳ 22; טַלְטֵלָה גָּבֶר 19; יְמֵי גֶ׳ 27; כְּלֵי גֶ׳ 1; מִצְעֲדֵי גֶ׳ 23,10; מַרְאֵה גֶ׳ 32; מִשְׁפַּט גֶּ׳ 31; רֹאשׁ גֶּבֶר 3
גְּבָרִים וְנָשִׁים 60,59; רָאשֵׁי הַגְּבָרִים 62,61

גֶּבֶר 1 לֹא־יִהְיֶה כְלִי־גֶבֶר עַל־אִשָּׁה Deut. 22:5
2 וְלֹא־יִלְבַּשׁ גֶּבֶר שִׂמְלַת אִשָּׁה Deut. 22:5
3 רַחַם רַחֲמָתַיִם לְרֹאשׁ גֶּבֶר Jud. 5:30
4 גֶּבֶר לֹא־יִצְלַח בְּיָמָיו Jer. 22:30
5 רָאִיתִי כָל־גֶּבֶר יָדָיו עַל־חֲלָצָיו Jer. 30:6
6 גֶּבֶר בִּמְסִלָּתוֹ יֵלֵכוּן Joel 2:8
7 וְעָשְׁקוּ גֶּבֶר וּבֵיתוֹ וְאִישׁ וְנַחֲלָתוֹ Mic. 2:2
8 גֶּבֶר יָהִיר וְלֹא יִנְוֶה Hab. 2:5
9 עַל־רֹעִי וְעַל־גֶּבֶר עֲמִיתִי Zech. 13:7
10 מֵיְיָ מִצְעֲדֵי־גֶבֶר כּוֹנָנוּ Ps. 37:23
11 מִי גֶבֶר יִחְיֶה וְלֹא יִרְאֶה־מָּוֶת Ps. 89:49
12 גֶּבֶר־חָכָם בַּעוֹז Prov. 24:5
13 גֶּבֶר רָשׁ וְעֹשֵׁק דַּלִּים Prov. 28:3
14 גֶּבֶר מַחֲלִיק עַל־רֵעֵהוּ Prov. 29:5
15 וְדֶרֶךְ גֶּבֶר בְּעַלְמָה Prov. 30:19
16 אִם־יָמוּת גֶּבֶר הֲיִחְיֶה Job 14:14
17 מִי־גֶבֶר כְּאִיּוֹב יִשְׁתֶּה־לַּעַג Job 34:7
18 מַה־יִּתְאוֹנֵן אָדָם חָי גֶּבֶר עַל־חֲטָאָו Lam. 3:39
גָּבֶר 19 הִנֵּה יְיָ מְטַלְטֶלְךָ טַלְטֵלָה גָּבֶר Is. 22:17
20 נְקֵבָה תְּסוֹבֵב גָּבֶר Jer. 31:22(21)
21 הִנֵּה כִי־כֵן יְבֹרַךְ גָּבֶר Ps. 128:4
22 כִּי־קִנְאָה חֲמַת־גָּבֶר Prov. 6:34
23 מֵיְיָ מִצְעֲדֵי־גָבֶר Prov. 20:24
24 וְעַל־פַּת־לֶחֶם יִפְשַׁע־גָּבֶר Prov. 28:21

גָּבֶר (המשך) 25 וְהַלַּיְלָה אָמַר הֹרָה גָבֶר Job 3:3
26 אִם מֵעֹשֵׂהוּ יִטְהַר־גָּבֶר Job 4:17
27 אִם־שְׁנוֹתֶיךָ כִּימֵי גָבֶר Job 10:5
28 הַלְאֵל יִסְכָּן־גָּבֶר Job 22:2
29 יִפְעַל־אֵל פַּעֲמַיִם...עִם־גָּבֶר Job 33:29
30 לֹא יִסְכָּן־גָּבֶר בִּרְצֹתוֹ עִם־אֱלֹהִים Job 34:9
31 לְהַטּוֹת מִשְׁפַּט־גָּבֶר Lam. 3:35
32 עֹמֵד לְנֶגְדִּי כְּמַרְאֵה־גָבֶר Dan. 8:15
גְּבַר 33 עִם־גְּבַר תָּמִים תִּתַּמָּם Ps. 18:26
וְגֶבֶר 34 וְגֶבֶר יָמוּת וַיֶּחֱלָשׁ Job 14:10
35 וְגֶבֶר חָכָם שֹׁמֵעַ לִי Job 34:34
הַגֶּבֶר 36/7 וּנְאֻם הַגֶּבֶר שְׁתֻם הָעָיִן Num. 24:3,15
38 וּנְאֻם הַגֶּבֶר הֻקַם עָל IISh. 23:1
39 אָרוּר הַגֶּבֶר אֲשֶׁר יִבְטַח בָּאָדָם Jer. 17:5
40 בָּרוּךְ הַגֶּבֶר אֲשֶׁר יִבְטַח בַּיי Jer. 17:7
41 אַשְׁרֵי הַגֶּבֶר יֶחֱסֶה־בּוֹ Ps. 34:9
42 אַשְׁרֵי הַגֶּבֶר אֲשֶׁר־שָׂם יְיָ מִבְטַחוֹ Ps. 40:5
43 הִנֵּה הַגֶּבֶר לֹא יָשִׂים אֱלֹ׳ מָעוּזּוֹ Ps. 52:9
44 אַשְׁרֵי הַגֶּבֶר אֲשֶׁר־תְּיַסְּרֶנּוּ יָּהּ Ps. 94:12
45 אַשְׁרֵי הַגֶּבֶר אֲשֶׁר מִלֵּא Ps. 127:5
46 נְאֻם הַגֶּבֶר לְאִיתִיאֵל Prov. 30:1
47 אֲנִי הַגֶּבֶר רָאָה עֳנִי Lam. 3:1
כְּגֶבֶר 48 הָיִיתִי כְּגֶבֶר אֵין־אֱיָל Ps. 88:5
כַּגֶּבֶר 49-50 אֱזָר־נָא כְגֶבֶר חֲלָצֶיךָ Job 38:3; 40:7
וּכְגֶבֶר 51 כְּאִישׁ שִׁכּוֹר וּכְגֶבֶר עֲבָרוֹ יָיִן Jer. 23:9
לְגֶבֶר 52 לְגֶבֶר אֲשֶׁר־דַּרְכּוֹ נִסְתָּרָה Job 3:23
53 וְיוֹכַח לְגֶבֶר עִם־אֱלוֹהַּ Job 16:21
לַגֶּבֶר 54 טוֹב לַגֶּבֶר כִּי־יִשָּׂא עֹל בִּנְעוּרָיו Lam. 3:27
מִגֶּבֶר 55 וְגֵוָה מִגֶּבֶר יְכַסֶּה Job 33:17
גְּבָרִים 56 גְּבָרִים אַנְשֵׁי הַמִּלְחָמָה Jer. 41:16
הַגְּבָרִים 57 לְכוּ־נָא הַגְּבָרִים וְעִבְדוּ אֶת־יְיָ Ex. 10:11
58 הַגְּבָרִים לְבַד מִטָּף Ex. 12:37
59 אֶת־הַגְּבָרִים וְאֶת־הַנָּשִׁים Jer. 43:6
60 עַל־הַגְּבָרִים וְעַל־הַנָּשִׁים Jer. 44:20
61 וַיִּמָּצְאוּ...רַבִּים לְרָאשֵׁי הַגְּבָרִים ICh. 24:4
62 הַשֹּׁעֲרִים לְרָאשֵׁי הַגְּבָרִים ICh. 26:12
לַגְּבָרִים 63 וְהַבַּיִת...יִקְרַב לַגְּבָרִים Josh. 7:14
64 וַיַּקְרֵב אֶת־מִשְׁפַּחַת...לַגְּבָרִים Josh. 7:17
65 וַיַּקְרֵב אֶת־בֵּיתוֹ לַגְּבָרִים Josh. 7:18
לִגְבָרִים 66 וַיְהִי מִסְפָּרָם לְגֻלְגְּלֹתָם לִגְבָרִים ICh. 23:3

גֶּבֶר² שפ״ז – מנציבי המלך שלמה

גֶּבֶר 1 גֶּבֶר בֶּן־אֻרִי בְּאֶרֶץ גִּלְעָד IK. 4:19

בֶּן־גֶּבֶר עיין בֶּן־גֶּבֶר

גְּבַר ז׳ ארמית: גְּבַר; גֻּבְרִין = גברים

גֻּבְרִין יְהוּדָאִין 4; גֻּבְרִין כַּשְׂדָּאִין 3

גְּבַר 1 גְּבַר מִן־בְּנֵי גָלוּתָא Dan. 2:25
2 אִיתַי גְּבַר בְּמַלְכוּתָךְ Dan. 5:11
גֻּבְרִין 3 בֵּהּ זִמְנָא קְרִבוּ גֻּבְרִין כַּשְׂדָּאִין Dan. 3:8
4 אִיתַי גֻּבְרִין יְהוּדָאִין... Dan. 3:12
5/6 גֻּבְרִין Dan. 3:24,25
וּלְגֻבְרִין 7 וּלְגֻבְרִין גִּבָּרֵי־חַיִל...אֲמַר Dan. 3:20
גֻּבְרַיָּא 8 גֻּבְרַיָּא אִלֵּךְ לָא־שָׂמוּ...טְעֵם Dan. 3:12
9 גֻּבְרַיָּא אִלֵּךְ הֵיתָיוּ קֳדָם מַלְכָּא Dan. 3:13
10-18 גֻּבְרַיָּא Dan. 3:21,22; 6:6,12,16,25; Ez. 4:21; 5:4,10
וְגֻבְרַיָּא 19 וְגֻבְרַיָּא אִלֵּךְ תְּלָתֵּהוֹן...נְפַלוּ Dan. 3:23
לְגֻבְרַיָּא 20 חָזַיִן לְגֻבְרַיָּא אִלֵּךְ Dan. 3:27
21 תֶּהֱוֵא מִתְיַהֲבָא לְגֻבְרַיָּא אִלֵּךְ Ez. 6:8

גִּבָּר1 אולי שם מקום
גִּבָּר 1 בְּנֵי גִבָּר תִּשְׁעִים וַחֲמִשָּׁה Ez. 2:20

גִּבָּר2* ת׳ ארמית: גִּבּוֹר
גִּבָּרֵי־ 1 וּלְגֻבְרִין גִּבָּרֵי־חַיִל דִּי בְחַיְלֵהּ Dan. 3:20

גַּבְרִיאֵל שפ־ז – שם מלאך: 1, 2
גַּבְרִיאֵל 1 גַּבְרִיאֵל הָבֵן לְהַלָּז אֶת־הַמַּרְאֶה Dan. 8:16
2 וְהָאִישׁ גַּבְרִיאֵל אֲשֶׁר רָאִיתִי בֶחָזוֹן Dan. 9:21

גְּבֶרֶת נ׳ עיין גְּבִירָה

גִּבְּתוֹן עיר פלשתית בנחלת דן: 1–6
גִּבְּתוֹן 1 אֶת־גִּבְּתוֹן וְאֶת־מִגְרָשֶׁהָ Josh. 21:23
2 וְכָל־יִשְׂרָאֵל צָרִים עַל־גִּבְּתוֹן IK. 15:27
3 וְהָעָם חֹנִים עַל־גִּבְּתוֹן IK. 16:15
וְגִבְּתוֹן 4 וְאֶלְתְּקֵה וְגִבְּתוֹן וּבַעֲלָת Josh. 19:44
בְּגִבְּתוֹן 5 וַיַּכֵּהוּ בַעְשָׁא בְּגִבְּתוֹן IK. 15:27
מִגִּבְּתוֹן 6 וַיַּעֲלֶה עָמְרִי...מִגִּבְּתוֹן IK. 16:17

גָּג ז׳ המכסה העליון על בנין, על מזבח וכדומה: 1-30
פִּנַּת גָּג 2, 3; גַּג הַמִּגְדָּל 13; גַּג הַשַּׁעַר 15; גַּג הַתָּא 16; חֲצִיר גַּגּוֹת 22–24
גָּג 1 כְּצִפּוֹר בּוֹדֵד עַל־גָּג Ps. 102:8
2/3 טוֹב (לָ)שֶׁבֶת עַל־פִּנַּת־גָּג Prov. 21:9; 25:24
הַגָּג 4 בְּפִשְׁתֵּי הָעֵץ הָעֲרֻכוֹת לָהּ עַל־הַגָּג Josh. 2:6
5 וְהִיא עָלְתָה עֲלֵיהֶם עַל־הַגָּג Josh. 2:8
6 וְעַל־הַגָּג כִּשְׁלֹשֶׁת אֲלָפִים אִישׁ Jud. 16:27
7 וַיְדַבֵּר עִם־שָׁאוּל עַל־הַגָּג ISh. 9:25
8 וַיַּרְא אִשָּׁה רֹחֶצֶת מֵעַל־הַגָּג IISh. 11:2
9 וַיַּטּוּ...הָאֹהֶל עַל־הַגָּג IISh. 16:22
10 וְאֶת־הַמִּזְבְּחוֹת אֲשֶׁר עַל־הַגָּג IIK. 23:12
הַגָּגָה 11 וְהִיא הֶעֱלָתַם הַגָּגָה Josh. 2:6
12 וַיִּקְרָא...אֶל־שָׁאוּל הַגָּגָה (כת׳ הגג) ISh. 9:26
גַּג־ 13 וַיַּעֲלוּ עַל־גַּג הַמִּגְדָּל Jud. 9:51
14 וַיִּתְהַלֵּךְ עַל־גַּג בֵּית־הַמֶּלֶךְ IISh. 11:2
15 וַיֵּלֶךְ הַצֹּפֶה אֶל־גַּג הַשַּׁעַר IISh. 18:24
מִגַּג־ 16 וַיָּמָד...מִגַּג הַתָּא לְגַגּוֹ Ezek. 40:13
לְגַגֶּךָ 17 וְעָשִׂיתָ מַעֲקֶה לְגַגֶּךָ Deut. 22:8
גַּגּוֹ 18/9 אֶת־גַּגּוֹ וְאֶת־קִירֹתָיו Ex. 30:3; 37:26
20 וַיַּעֲשׂוּ לָהֶם סֻכּוֹת אִישׁ עַל־גַּגּוֹ Neh. 8:16
לְגַגּוֹ 21 וַיָּמָד ..מִגַּג הַתָּא לְגַגּוֹ Ezek. 40:13
גַּגּוֹת 22/3 עֵשֶׂב שָׂדֶה...חֲצִיר גַּגּוֹת IIK. 19:26 • Is. 37:27
24 יִהְיוּ כַּחֲצִיר גַּגּוֹת Ps. 129:6
הַגַּגּוֹת 25 הַמִּשְׁתַּחֲוִים עַל־הַגַּגּוֹת Zep. 1:5
לַגַּגּוֹת 26 כִּי־עָלִית כֻּלָּךְ לַגַּגּוֹת Is. 22:1
גַּגּוֹת־ 27 עַל כָּל־גַּגּוֹת מוֹאָב...מִסְפֵּד Jer. 48:38
גַּגּוֹתֶיהָ 28 עַל גַּגּוֹתֶיהָ וּבִרְחֹבֹתֶיהָ כֻּלֹּה יְיֵלִיל Is. 15:3
גַּגֹּתֵיהֶם 29 אֲשֶׁר קִטְּרוּ עַל־גַּגֹּתֵיהֶם Jer. 19:13
30 אֲשֶׁר קִטְּרוּ עַל־גַּגּוֹתֵיהֶם Jer. 32:29

גַּד1 ז׳ הצמח כוסבר: 1, 2
גַּד 1 וְהוּא כְּזֶרַע גַּד לָבָן Ex. 16:31
2 וְהַמָּן כִּזְרַע־גַּד הוּא Num. 11:7

גַּד2 ז׳ מַזָּל: 1, 2
גָּד 1 וַתֹּאמֶר לֵאָה בָּא גָד (כת׳ בגד) Gen. 30:11
לַגַּד 2 הָעֹרְכִים לַגַּד שֻׁלְחָן Is. 65:11

גָּד שפ־ז א) בן יעקב מזלפה: 1–5
ב) השבט המתיחס על גד וכן ארץ נחלתו: 6–47, 54–65, 67–69
ג) נביא חוזה לדוד: 48–54, 67
אֶרֶץ גָּד 47; בְּנֵי גָד 3, 6, 8–37; דִּבְרֵי גָד 52, 53; מַטֵּה גָד 7, 38, 41–46

גָּד 1 וַתִּקְרָא אֶת־שְׁמוֹ גָּד Gen. 30:11
2 וּבְנֵי זִלְפָּה...גָּד וְאָשֵׁר Gen. 35:26
3 וּבְנֵי גָד צִפְיוֹן וְחַגִּי Gen. 46:16
4 גָּד גְּדוּד יְגוּדֶנּוּ Gen. 49:19
5 דָּן וְנַפְתָּלִי גָּד וְאָשֵׁר Ex. 1:4
6 לִבְנֵי גָד תּוֹלְדֹתָם... Num. 1:24
7 פְּקֻדֵיהֶם לְמַטֵּה גָד Num. 1:25
8 וּמַטֵּה גָּד וְנָשִׂיא לִבְנֵי גָד Num. 2:14
9-37 (ל־/וּ־/מ־)בְּנֵי גָד Num. 7:42; 10:20
26:15, 18; 32:1, 2, 6, 25, 29, 31, 33, 34 • Josh. 4:12; 22:9, 10, 11, 21, 25, 30, 33, 34; 13:24, 28; 22:13; 15, 31, 32 • ICh. 5:11; 12:15(14)
38 לְמַטֵּה גָד גְּאוּאֵל בֶּן־מָכִי Num. 13:15
39 רְאוּבֵן גָּד וְאָשֵׁר Deut. 27:13
40 בָּרוּךְ מַרְחִיב גָּד Deut. 33:20
41 וַיִּתֵּן מֹשֶׁה לְמַטֵּה גָד Josh. 13:24
42-46 (מ־/וּמ־)מַטֵּה גָד Josh. 20:8
21:7, 36 • ICh. 6:48, 65
47 אֶרֶץ גָּד וְגִלְעָד ISh. 13:7
48 וַיֹּאמֶר גָּד הַנָּבִיא אֶל־דָּוִד ISh. 22:5
49 וּדְבַר־יְיָ הָיָה אֶל־גָּד הַנָּבִיא IISh. 24:11
50 וַיֹּאמֶר דָּוִד אֶל־גָּד IISh. 24:14
50 וַיַּעַל דָּוִד כִּדְבַר־גָּד IISh. 24:19
51 וַיְדַבֵּר יְיָ אֶל־גָּד חֹזֵה דָוִיד ICh. 21:9
52 וַיַּעַל דָּוִיד בִּדְבַר־גָּד ICh. 21:19
53 וְעַל־דִּבְרֵי גָּד הַחֹזֶה ICh. 29:29
54-58 גָּד (א) Jer. 49:1
Ezek. 48:27, 28, 34 • ICh. 2:2
59-64 גָּד (ב) IISh. 24:13, 14, 18 • ICh. 21:11, 13, 18
וְגָד 65 וְגָד וּרְאוּבֵן...לָקְחוּ נַחֲלָתָם Josh. 18:7
66 בְּמִצְוַת דָּוִיד וְגָד חֹזֵה־הַמֶּלֶךְ IICh. 29:25
הַגָּד 67 אֲשֶׁר בְּתוֹךְ־הַנַּחַל הַגָּד IISh. 24:5
לְגָד 68 לְגָד אֶלְיָסָף בֶּן־דְּעוּאֵל Num. 1:14
וּלְגָד 69 וּלְגָד אָמַר בָּרוּךְ מַרְחִיב גָּד Deut. 33:20

גְּדָבַר* ז׳ ארמית: גִּזְבָּר
גְּדָבְרַיָּא 1/2 אֲדַרְגָּזְרַיָּא גְדָבְרַיָּא דְּתָבְרַיָּא Dan. 3:2, 3

גֻּדְגֹּדָה אחת מתחנות בני ישראל במדבר: 1, 2
נקראת גם חֹר הַגִּדְגָּד, עין באות ח׳
הַגֻּדְגֹּדָה 1 מִשָּׁם נָסְעוּ הַגֻּדְגֹּדָה Deut. 10:7
2 וּמִן־הַגֻּדְגֹּדָה יָטְבָתָה Deut. 10:7

גדד יָגוֹדּוּ; הִתְגּוֹדֵד; גַּד? גְּדוּד, גְּדוּדָה; אר׳ גְּדַד

גָּדַד פ׳ א) התקהל לתקוף: 1
ב) [הת׳ הִתְגּוֹדֵד] שָׂרַט את עורו: 2–8
יָגוֹדּוּ 1 יָגוֹדּוּ עַל־נֶפֶשׁ צַדִּיק Ps. 94:21
וּמִתְגֹּדְדִים 2 וּקְרֻעֵי בְגָדִים וּמִתְגֹּדְדִים Jer. 41:5
תִּתְגֹּדְדִי 3 עַתָּה תִּתְגֹּדְדִי בַת־גְּדוּד Mic. 4:14
תִּתְגּוֹדָדִי 4 בָּאָה קָרְחָה...עַד־מָתַי תִּתְגּוֹדָדִי Jer. 47:5
יִתְגֹּדַד 5 וְלֹא יִתְגֹּדַד וְלֹא יִקָּרֵחַ לָהֶם Jer. 16:6
תִתְגֹּדְדוּ 6 לֹא תִתְגֹּדְדוּ וְלֹא־תָשִׂימוּ קָרְחָה Deut. 14:1
יִתְגּוֹדָדוּ 7 וּבֵית זוֹנָה יִתְגּוֹדָדוּ Jer. 5:7
וַיִּתְגֹּדְדוּ 8 וַיִּתְגֹּדְדוּ כְּמִשְׁפָּטָם בַּחֲרָבוֹת IK. 18:28

גְּדַד פ׳ ארמית: כרת, קצץ: 1, 2
גֹּדּוּ 1 גֹּדּוּ אִילָנָא וְקַצִּצוּ עַנְפוֹהִי Dan. 4:11
2 גֹּדּוּ אִילָנָא וְחַבְּלוּהִי Dan. 4:20

גָּדָה נ׳ שפת הנהר: 1–4
גְּדוֹתָיו 1 וְהַיַּרְדֵּן מָלֵא עַל־כָּל־גְּדוֹתָיו Josh. 3:15
2 וַיֵּלְכוּ...עַל־כָּל־גְּדוֹתָיו Josh. 4:18
3 וְהָלַךְ עַל־כָּל־גְּדוֹתָיו Is. 8:7
4 וְהוּא מְמַלֵּא עַל־כָּל־גְּדֹתָיו (כת׳ גדיתיו) ICh. 12:16

גַּדָּה עין חֲצַר גַּדָּה

גְּדוּד ז׳ א) יחידת צבא: 1–33; ב) חריץ באדמה: 34
גְּדוּד יִשְׂרָאֵל 21; בְּנֵי גְדוּד 10; בַּת גְ׳ 7; רָאשֵׁי גְ׳ 9; שַׂר גְ׳ 4, 22; מֶלֶךְ בִּגְדוּד 19
גְּדוּדֵי אֲרָם 25, 27; גְ׳ כַּשְׂדִּים 26; גְ׳ מוֹאָב 28, 31; גְּדוּדֵי צָבָא 30
גְּדוּד 1 גָּד גְּדוּד יְגוּדֶנּוּ Gen. 49:19
2/3 בְכָה(ך) אָרֻץ גְּדוּד IISh. 22:30 • Ps. 18:30
4 וַיְהִי שַׂר־גְּדוּד IK. 11:24
5 תָּבִיא עֲלֵיהֶם גְּדוּד פִּתְאֹם Jer. 18:22
6 וְגַנָּב יָבוֹא פָּשַׁט גְּדוּד בַּחוּץ Hosh. 7:1
7 עַתָּה תִּתְגֹּדְדִי בַת־גְּדוּד Mic. 4:14
הַגְּדוּד 8 אֶרְדֹּף אַחֲרֵי הַגְּדוּד־הַזֶּה ISh. 30:8
9 וַיִּתְּנֵם בְּרָאשֵׁי הַגְּדוּד ICh. 12:19(18)
10 וּבְנֵי הַגְּדוּד אֲשֶׁר הֵשִׁיב IICh. 25:13
11-16 הַגְּדוּד ISh. 30:15², 23; 13:21
ICh. 12:22(21) • IICh. 22:1
לְהַגְּדוּד 17 וַיַּבְדִּילֵם אֲמַצְיָהוּ לְהַגְּדוּד IICh. 25:10
מֵהַגְּדוּד 18 וְיוֹאָב בָּא מֵהַגְּדוּד IISh. 3:22
בַּגְּדוּד 19 וְאֶשְׁכּוֹן כְּמֶלֶךְ בַּגְּדוּד Job 29:25
לַגְּדוּד 20 יוֹצְאֵי צָבָא לַגְּדוּד IICh. 26:11
לִגְדוּד־ 21 אֲשֶׁר נָתַתִּי לִגְדוּד יִשְׂרָאֵל IICh. 25:9
גְדוּדִים 22 וּשְׁנֵי אֲנָשִׁים שָׂרֵי־גְדוּדִים הָיוּ IISh. 4:2
23 וַאֲרָם יָצְאוּ גְדוּדִים IIK. 5:2
24 וּכְחַכֵּי־אִישׁ גְּדוּדִים Hosh. 6:9
גְּדוּדֵי־ 25 וְלֹא־יָסְפוּ עוֹד גְּדוּדֵי אֲרָם לָבוֹא IIK. 6:23
26 וַיְשַׁלַּח יְיָ בּוֹ אֶת־גְּדוּדֵי כַשְׂדִּים IIK. 24:2
27/8 וְאֶת־גְּדוּדֵי אֲרָם וְאֵת גְּדוּדֵי מוֹאָב IIK. 24:2
29 וְאֵת גְּדוּדֵי בְנֵי־עַמּוֹן IIK. 24:2
30 וַעֲלֵיהֶם...גְּדוּדֵי צְבָא מִלְחָמָה ICh. 7:4
וּגְדוּדֵי־ 31 וּגְדוּדֵי מוֹאָב יָבֹאוּ בָאָרֶץ IIK. 13:20
גְּדוּדָיו 32 יַחַד יָבֹאוּ גְדוּדָיו Job 19:12
לִגְדוּדָיו 33 הֲיֵשׁ מִסְפָּר לִגְדוּדָיו Job 25:3
גְּדוּדֶיהָ 34 תְּלָמֶיהָ רַוֵּה נַחֵת גְּדוּדֶיהָ Ps. 65:11

גְּדוּדָה נ׳ חתך בעור לסימן אבל
גְּדֻדֹת 1 עַל כָּל־יָדַיִם גְּדֻדֹת Jer. 48:37

גָּדוֹל ת׳ א) רב במדה או בכמות, חזק, עז: רוב המקראות
ב) נכבד, חשוב: 22, 23, 25, 49, 73, 80, 95, 110, 133, 134, 141, 142, 168, 181, 184, 272, 273, 276, 370, 466, 476, 479, 481–484
ג) תואר כבוד לאל, למלך וכו׳: 30, 104, 143, 145, 146, 149–157, 160, 165, 173, 176, 182, 193, 207, 208, 219–235, 252–255, 259, 278, 280, 281, 284, 285, 287, 459, 460, 464
ה) מבוגר, להבדיל מן "קטן": 15, 43, 44, 78, 88–94, 189, 190, 239, 242, 245, 294–301, 309–311, 408, 421, 432, 433, 458, 473, 477, 524
קָטֹן וְגָדוֹל 15, 43, 44, 78, 88–94, 183, 242, 291, 293–301, 309–311; שַׂר וְגָדוֹל 181; אֵבֶל גְ׳ 167; אָדָם גְ׳ 216; אֲדֹנֵינוּ גְ׳ 162; אוֹר גְ׳ 97; אָח גְ׳ 239, 245; אִישׁ גְ׳ 22, 49, 73, 80; אֵל גְ׳ 30, 143, 152, 207, 259, 278, 281, 287; אֱלֹהִים גְ׳ 176, 285; אַף גְ׳ 114; בּוֹר גְ׳ 240; בַּיִת (בֵּית) גְ׳ 95, 175, 177, 261, 274, 289; בְּכִי גְ׳ 42, 71, 86, 87; בֵּן גְ׳ 188–190; גּוֹי גְ׳ 2, 4–14, 202; גַּל גְ׳ 34, 35, 72; גִּלָּיוֹן גְ׳ 96; גֶּשֶׁם גְ׳ 77; דֶּבֶר גְ׳ 108; דָּבָר גְ׳ 47, 48, 81, 180, 192, 203, 237, 250; דָּג גְ׳ 136; הָמוֹן גְ׳ 244, 248, 249; הַר גְ׳ 277; זֶבַח גְ׳ 41, 84, 132; חַיִל גְ׳ 83, 124–128, 271; חָלָל גְ׳ 263; חֶסֶד גְ׳ 74, 147, 151, 159, 174, 246; חָרוֹן גְ׳ 256; חֳרִי אַף גְ׳ 209; טֶבַח גְ׳ 100; טוֹב גְ׳ 286; יוֹם גְ׳ 17, 110, 133, 134, 272, 273, 276;

גָּדוֹל (המשך)

יְיָ גָּ׳ 146, 154–156, 160, 173, 284; הַיָּם הַגָּ׳ 158, 194, 195, 212, 213, 215, 217, 218, 266–270; הַכֹּהֵן הַגָּ׳ 193, 196–198, 219–235; כָּבוֹד גָּ׳ 138, 144, 161; כֹּחַ גָּ׳ 24, 36, 38–40, 85, 204, 206, 257, 258, 282; כִּסֵּא גָּ׳ 76, 179; מָאוֹר גָּ׳ 185; מִגְדָּל גָּ׳ 283; (הַ)מִּדְבָּר (הַ)גָּ׳ 200, 201, 205; מוֹרָא גָּ׳ 32, 112, 210; מִזְבֵּחַ גָּ׳ 37, 251; מַחֲנֶה גָּ׳ 172; מֶלֶךְ גָּ׳ 143, 145, 153, 165, 252–255; מִסְפֵּד גָּ׳ 21; מַעֲשֶׂה גָּ׳ 208,236; מַרְאֶה גָּ׳ 191; מִשְׁתֶּה גָּ׳ 16,166; הַנָּהָר הַגָּ׳ 187,199,211,279; (הַ)נֶּשֶׁר (הַ)גָּ׳ 123,262; סַעַר גָּ׳ 109, 135, 275; עָוֹן גָּ׳ 122; עַם גָּ׳ 26–28, 31, 288; עָנָן גָּ׳ 119; עֹשֶׁר גָּ׳ 46, 170; פַּחַת גָּ׳ 243; פְּנֵי גָּ׳ 25; צָבָא גָּ׳ 169; קָהָל גָּ׳ 75, 111, 115, 130, 178; קוֹל גָּ׳ 19, 29, 45, 50–69; קֶצֶף גָּ׳ 33, 79, 107, 113,139,140; רְכוּשׁ גָּ׳ 3,171; רָעָב גָּ׳ 82; רַעַשׁ גָּ׳ 105, 120, 121, 131; שָׂבָע גָּ׳ 20; שֶׁבֶר גָּ׳ 102, 103, 106,116–118,137,164; שׁוֹפָר גָּ׳ 99; שָׁלָל גָּ׳ 129,241; שֵׁם גָּ׳ 70, 104, 141, 142, 148, 157, 182, 214, 238, 247, 260, 265, 290; שַׂר גָּ׳ 280; תַּנִּים גָּדוֹל 264

– גְּדוֹל־זְרוֹעוֹ 308; גְּדָל־חֵמָה 305; גְּ׳־חֶסֶד 307; גְּדָל־כֹּחַ 306; גְּדוֹל כְּנָפַיִם 303, 304; גְּ׳ עֵצָה 302

– קְטַנָּה וּגְדוֹלָה 323

– אֶבֶן גְּדוֹלָה 316, 325, 341, 347, 348, 418, 424; אָבֵל הַגְּ׳ 419; אָחוֹת גְּ׳ 432; אֵיפָה גְּ׳ 326; אֵלָה גְּ׳ 423; אֵשׁ גְּ׳ 411–413; אִשָּׁה גְּ׳ 357; אַשְׁמָה גְּ׳ 384,441; בָּמָה גְּ׳ 425; בַּת גְּ׳ 421; גֵּיא גְּ׳ 375; הֲמוּלָה גְּ׳ 361; זְעָקָה גְּ׳ 377; זְרוֹעַ גְּ׳ 365; חֲטָאָה גְּ׳ 313, 320–322, 342, 359; חֵמָה גְּ׳ 360, 374, 381, 404; חָצֵר גְּ׳ 426, 427; חֶרֶב גְּ׳ 444; חֲרָדָה גְּ׳ 314, 380; חֲשֵׁכָה גְּ׳ 312; יָד גְּ׳ 410; יִרְאָה גְּ׳ 368,369; יְשׁוּעָה גְּ׳ 420; כֵּרָה גְּ׳ 358; לִשְׁכָּה גְּ׳ 398; מַגֵּפָה גְּ׳ 344, 352, 402; מְהוּמָה גְּ׳ 324, 345, 346; מַכָּה גְּ׳ 331–340; מְלָאכָה גְּ׳ 389, 400; מַרְאָה גְּ׳ 440; סִיר גְּ׳ 428; עֲבוֹדָה גְּ׳ 366; עֲזָרָה גְּ׳ 434,443; עֲטָרָה גְּ׳ 378; עִיר גְּ׳ 329,370,406,407,430,435-437; פְּלֵטָה גְּ׳ 317; צְעָקָה גְּ׳ 315,318,319,387; צָרָה גְּ׳ 397; קְהִלָּה גְּ׳ 388; קִנְאָה גְּ׳ 372,373; קֶרֶן גְּ׳ 438, 439; רוּחַ גְּ׳ 356, 367, 376; רָעָה גְּ׳ 362–364, 379, 385,386,409,417,422,429,431,442; שְׁבוּעָה גְּ׳ 415; שִׁבְיָה גְּ׳ 403; שִׂמְחָה גְּ׳ 355,371,390-396; שִׂנְאָה גְּ׳ 350,351; שְׂרֵפָה גְּ׳ 401; תְּרוּעָה גְּ׳ 327,328,343,382, 383, 416; תְּשׁוּעָה גְּ׳ 349, 353, 354, 399, 414

– קְטַנִּים וּגְדוֹלִים 458, 477; אוֹרִים גְּדוֹלִים 463; אוֹתוֹת גְּ׳ 451, 472; בֶּן הַגְּ׳ 478; בָּנִים גְּ׳ 473; בָּתִּים גְּ׳ 456; גּוֹיִם גְּ׳ 449, 450, 452, 453, 461; זְבָחִים גְּ׳ 469; חֲטָאִים גְּ׳ 468; חִקְקֵי לֵב גְּ׳ 454; חִקְרֵי לֵב גְּ׳ 455; כֵּלִים גְּ׳ 480; מְאוֹרוֹת גְּ׳ 470; מוֹפְתִים גְּ׳ 451, 472; מוֹרָאִים גְּ׳ 448; מְלָכִים גְּ׳ 459, 460, 464; מַעֲשִׂים גְּ׳ 462; מְצוֹדִים גְּ׳ 467; מְקוֹם גְּ׳ 466; נְגָעִים גְּ׳ 445; רַחֲמִים גְּ׳ 457; שֵׁם הַגְּדוֹלִים 475, 479; שְׁפָטִים גְּ׳ 446, 447; תַּנִּינִים גְּ׳ 471; גְּדוֹלֵי עִיר 481

– גְּדוֹלוֹת וּבְצוּרוֹת 486,487,497,500

– אֲבָנִים גְּדוֹלוֹת 489, 491–496,519; אוֹתוֹת גְּ׳ 523; אֲחָיוֹת גְּ׳ 525; חַיּוֹת גְּ׳ 509; מַכּוֹת גְּ׳ 490; מִלְחָמוֹת גְּ׳ 518; מַמְלָכוֹת גְּ׳ 499; מַסּוֹת גְּ׳ 520,522; נְאָצוֹת גְּ׳ 515,516; נִפְלָאוֹת גְּ׳ 511; נְקָמוֹת גְּ׳ 506; עָרִים גְּ׳ 485–488, 497, 498; תּוֹדוֹת גְּ׳ 517; תּוֹעֵבוֹת גְּ׳ 502–505

גָּדוֹל

1 גָּדוֹל עֲוֹנִי מִנְּשֹׂא Gen. 4:13
2 וְאֶעֶשְׂךָ לְגוֹי גָּדוֹל Gen. 12:2
3 וְאַחֲרֵי־כֵן יֵצְאוּ בִּרְכֻשׁ גָּדוֹל Gen. 15:14

גָּדוֹל (המשך)

4 וּנְתַתִּיו לְגוֹי־גָּדוֹל Gen. 17:20
5-14 (לְ/וְ)גוֹי גָּדוֹל Gen. 18:18; 21:18; 46:3 • Ex. 32:10 • Num. 14:12 • Deut. 4:7, 8; 26:5 • Jer. 6:22; 50:41
15 הִכּוּ בַּסַּנְוֵרִים מִקָּטֹן וְעַד־גָּדוֹל Gen. 19:11
16 וַיַּעַשׂ אַבְרָהָם מִשְׁתֶּה גָדוֹל Gen. 21:8
17 הֵן עוֹד הַיּוֹם גָּדוֹל Gen. 29:7
18 אֵינֶנּוּ גָדוֹל בַּבַּיִת הַזֶּה מִמֶּנִּי Gen. 39:9
19 וָאֶקְרָא בְּקוֹל גָּדוֹל Gen. 39:14
20 שָׂבָע גָּדוֹל בְּכָל־אֶרֶץ מִצְרָיִם Gen. 41:29
21 מִסְפֵּד גָּדוֹל וְכָבֵד מְאֹד Gen. 50:10
22 גַּם הָאִישׁ מֹשֶׁה גָּדוֹל מְאֹד Ex. 11:3
23 כִּי־גָדוֹל יְיָ מִכָּל־הָאֱלֹהִים Ex. 18:11
24 בְּכֹחַ גָּדוֹל וּבְיָד חֲזָקָה Ex. 32:11
25 וְלֹא תֶהְדַּר פְּנֵי גָדוֹל Lev. 19:15
26 עַם גָּדוֹל וָרָם מִמֶּנּוּ Deut. 1:28
27/8 עַם גָּדוֹל וְרַב וָרָם כָּעֲנָקִים Deut. 2:10, 21
29 קוֹל גָּדוֹל וְלֹא יָסָף Deut. 5:19(22)
30 אֵל גָּדוֹל וְנוֹרָא Deut. 7:21
31 עַם־גָּדוֹל וָרָם בְּנֵי עֲנָקִים Deut. 9:2
32 בְּיָד חֲזָקָה...וּבְמֹרָא גָּדֹל Deut. 26:8
33 בְּאַף וּבְחֵמָה וּבְקֶצֶף גָּדוֹל Deut. 29:27
34/5 גַּל־אֲבָנִים גָּדוֹל Josh. 7:26; 8:29
36 עַם־רַב אַתָּה וְכֹחַ גָּדוֹל לָךְ Josh. 17:17
37 וַיִּבְנוּ...מִזְבֵּחַ גָּדוֹל לְמַרְאֶה Josh. 22:10
38 וּרְאִי בַּמֶּה כֹּחוֹ גָדוֹל Jud. 16:5
39-40 בַּמֶּה כֹּחֲךָ גָדוֹל Jud. 16:6, 15
41 לִזְבֹּחַ זֶבַח־גָּדוֹל לְדָגוֹן Jud. 16:23
42 וַיִּבְכּוּ בְּכִי גָדוֹל Jud. 21:2
43/4 מִקָּטֹן וְעַד־גָּדוֹל ISh. 5:9; 30:2
45 וַיַּרְעֵם יְיָ בְּקוֹל־גָּדוֹל ISh. 7:10
46 יַעְשְׁרֶנּוּ הַמֶּלֶךְ עֹשֶׁר גָּדוֹל ISh. 17:25
47 דָּבָר גָּדוֹל אוֹ דָּבָר קָטֹן ISh. 20:2
48 דָּבָר קָטֹן אוֹ גָדוֹל ISh. 22:15
49 וְהָאִישׁ גָּדוֹל מְאֹד וְלוֹ צֹאן ISh. 25:2
50-69 (בְּ/וְ) קוֹל גָּדוֹל ISh. 28:12 • IISh. 15:23; 19:5 • IK. 8:55; 18:27, 28 • IIK. 18:28 • Is. 29:6; 36:13 • Jer. 51:55 • Ezek. 8:18; 9:1; 11:13 • Prov. 27:14 • Ez. 3:12; 10:12 • Neh. 9:4 • IICh. 15:14; 20:19; 32:18
70 וְעָשִׂתִי לְךָ שֵׁם גָּדוֹל כְּשֵׁם הַגְּדֹלִים IISh. 7:9
71 וְכָל־עֲבָדָיו בָּכוּ בְּכִי גָּדוֹל מְאֹד IISh. 13:36
72 גַּל־אֲבָנִים גָּדוֹל מְאֹד IISh. 18:17
73 כִּי־אִישׁ גָּדוֹל הוּא מְאֹד IISh. 19:33
74 אַתָּה עָשִׂיתָ...חֶסֶד גָּדוֹל IK. 3:6
75 וְכָל־יִשְׂרָאֵל עִמּוֹ קָהָל גָּדוֹל IK. 8:65
76 וַיַּעַשׂ הַמֶּלֶךְ כִּסֵּא־שֵׁן גָּדוֹל IK. 10:18
77 וַיְהִי גֶּשֶׁם גָּדוֹל IK. 18:45
78 לֹא תִלָּחֲמוּ אֶת־קָטֹן וְאֶת־גָּדוֹל IK. 22:31
79 וַיְהִי קֶצֶף־גָּדוֹל עַל־יִשְׂרָאֵל IIK. 3:27
80 וְנַעֲמָן...הָיָה אִישׁ גָּדוֹל לִפְנֵי אֲדֹנָיו IIK. 5:1
81 דָּבָר גָּדוֹל הַנָּבִיא דִּבֶּר אֵלֶיךָ IIK. 5:13
82 וַיְהִי רָעָב גָּדוֹל בְּשֹׁמְרוֹן IIK. 6:25
83 קוֹל רֶכֶב...קוֹל חַיִל גָּדוֹל IIK. 7:6
84 כִּי זֶבַח גָּדוֹל לִי לַבַּעַל IIK. 10:19
85 בְּכֹחַ גָּדוֹל וּבִזְרוֹעַ נְטוּיָה IIK. 17:36
86/7 וַיֵּבְךְּ חִזְקִיָּהוּ בְּכִי גָדוֹל IIK. 20:3 • Is. 38:3
88 וְכָל־הָעָם לְמִקָּטֹן וְעַד־גָּדוֹל IIK. 23:2
89-94 (לְ)מִקָּטֹן וְעַד־גָּדוֹל IIK. 25:26 • Jer. 8:10; 42:1, 8; 44:12 • IICh. 15:13
95 וְאֶת־כָּל־בֵּית גָּדוֹל שָׂרַף בָּאֵשׁ IIK. 25:9
96 קַח־לְךָ גִּלָּיוֹן גָּדוֹל Is. 8:1
97 הַהֹלְכִים בַּחֹשֶׁךְ רָאוּ אוֹר גָּדוֹל Is. 9:1

גָּדוֹל (המשך)

98 כִּי־גָדוֹל בְּקִרְבֵּךְ קְדוֹשׁ יִשְׂרָאֵל Is. 12:6
99 יִתָּקַע בְּשׁוֹפָר גָּדוֹל Is. 27:13
100 וְטֶבַח גָּדוֹל בְּאֶרֶץ אֱדוֹם Is. 34:6
101 וְהָיָה כָזֶה...גָּדוֹל יֶתֶר מְאֹד Is. 56:12
102/3 רָעָה...וְשֶׁבֶר גָּדוֹל Jer. 4:6; 6:1
104 גָּדוֹל אַתָּה וְגָדוֹל שִׁמְךָ בִּגְבוּרָה Jer. 10:6
105 וְרַעַשׁ גָּדוֹל מֵאֶרֶץ צָפוֹן Jer. 10:22
106 כִּי שֶׁבֶר גָּדוֹל נִשְׁבְּרָה Jer. 14:17
107 וּבְאַף וּבְחֵמָה וּבְקֶצֶף גָּדוֹל Jer. 21:5
108 בְּדֶבֶר גָּדוֹל יָמֻתוּ Jer. 21:6
109 וְסַעַר גָּדוֹל יֵעוֹר Jer. 25:32
110 הוֹי כִּי גָדוֹל הַיּוֹם הַהוּא Jer. 30:7
111 קָהָל גָּדוֹל יָשׁוּבוּ הֵנָּה Jer. 31:8(7)
112 וּבְאֶזְרוֹעַ נְטוּיָה וּבְמוֹרָא גָּדוֹל Jer. 32:21
113 בְּאַפִּי וּבַחֲמָתִי וּבְקֶצֶף גָּדוֹל Jer. 32:37
114 כִּי־גָדוֹל הָאַף וְהַחֵמָה Jer. 36:7
115 וְכָל־הַנָּשִׁים הָעֹמְדוֹת קָהָל גָּדוֹל Jer. 44:15
116 שֹׁד וָשֶׁבֶר גָּדוֹל Jer. 48:3
117 קוֹל מִלְחָמָה בָּאָרֶץ וְשֶׁבֶר גָּדוֹל Jer. 50:22
118 וְשֶׁבֶר גָּדוֹל מֵאֶרֶץ כַּשְׂדִּים Jer. 51:54
119 עָנָן גָּדוֹל וְאֵשׁ מִתְלַקַּחַת Ezek. 1:4
120/1 קוֹל רַעַשׁ גָּדוֹל Ezek. 3:12, 13
122 עֲוֹן...גָּדוֹל בִּמְאֹד מְאֹד Ezek. 9:9
123 וַיְהִי נֶשֶׁר־אֶחָד גָּדוֹל Ezek. 17:7
124 וְלֹא בְחַיִל גָּדוֹל וּבְקָהָל רָב Ezek. 17:17
125-128 (בְּ)חַיִל גָּדוֹל Ezek. 37:10 • Dan. 11:13, 25[2]
129 לִשְׁלֹל שָׁלָל גָּדוֹל Ezek. 38:13
130 קָהָל גָּדוֹל וְחַיִל רָב Ezek. 38:15
131 בַּיּוֹם הַהוּא יִהְיֶה רַעַשׁ גָּדוֹל Ezek. 38:19
132 אֲשֶׁר אֲנִי זֹבֵחַ לָכֶם זֶבַח גָּדוֹל Ezek. 39:17
133 כִּי גָדוֹל יוֹם יִזְרְעֶאל Hosh. 2:2
134 כִּי־גָדוֹל יוֹם־יְיָ וְנוֹרָא מְאֹד Joel 2:11
135 וַיְהִי סַעַר־גָּדוֹל בַּיָּם Jon. 1:4
136 וַיְמַן יְיָ דָּג גָּדוֹל Jon. 2:1
137 וְשֶׁבֶר גָּדוֹל מֵהַגְּבָעוֹת Zep. 1:10
138 גָּדוֹל יִהְיֶה כְּבוֹד הַבַּיִת הַזֶּה Hag. 2:9
139 וְקֶצֶף גָּדוֹל אֲנִי קֹצֵף... Zech. 1:15
140 וַיְהִי קֶצֶף גָּדוֹל מֵאֵת יְיָ צְבָאוֹת Zech. 7:12
141/2 גָּדוֹל שְׁמִי בַּגּוֹיִם Mal. 1:11[2]
143 כִּי מֶלֶךְ גָּדוֹל אָנִי Mal. 1:14
144 גָּדוֹל כְּבוֹדוֹ בִּישׁוּעָתֶךָ Ps. 21:6
145 מֶלֶךְ גָּדוֹל עַל־כָּל־הָאָרֶץ Ps. 47:3
146 גָּדוֹל יְיָ וּמְהֻלָּל מְאֹד Ps. 48:2
147 כִּי־גָדֹל עַד־שָׁמַיִם חַסְדֶּךָ Ps. 57:11
148 בְּיִשְׂרָאֵל גָּדוֹל שְׁמוֹ Ps. 76:2
149 מִי־אֵל גָּדוֹל כֵּאלֹהִים Ps. 77:14
150 כִּי־גָדוֹל אַתָּה וְעֹשֵׂה נִפְלָאוֹת Ps. 86:10
151 כִּי־חַסְדְּךָ גָּדוֹל עָלָי Ps. 86:13
152 כִּי אֵל גָּדוֹל יְיָ Ps. 95:3
153 וּמֶלֶךְ גָּדוֹל עַל־כָּל־אֱלֹהִים Ps. 95:3
154/5 גָּדוֹל יְיָ וּמְהֻלָּל מְאֹד Ps. 96:4; 145:3
156 יְיָ בְּצִיּוֹן גָּדוֹל... Ps. 99:2
157 יוֹדוּ שִׁמְךָ גָּדוֹל וְנוֹרָא Ps. 99:3
158 זֶה הַיָּם גָּדוֹל וּרְחַב יָדָיִם Ps. 104:25
159 כִּי־גָדֹל מֵעַל־שָׁמַיִם חַסְדֶּךָ Ps. 108:5
160 יָדַעְתִּי כִּי־גָדוֹל יְיָ Ps. 135:5
161 כִּי־גָדוֹל כְּבוֹד יְיָ Ps. 138:5
162 גָּדוֹל אֲדוֹנֵינוּ וְרַב־כֹּחַ Ps. 147:5
163 גָּדוֹל מִכָּל־בְּנֵי־קֶדֶם Job 1:3
164 כִּי־גָדוֹל כַּיָּם שִׁבְרֵךְ Lam. 2:13
165 וּבָא־אֵלֶיהָ מֶלֶךְ גָּדוֹל Eccl. 9:14
166 וַיַּעַשׂ הַמֶּלֶךְ מִשְׁתֶּה גָדוֹל Es. 2:18

גָּדוֹל (המשך)

167 אֲבָל גָּדוֹל לַיְּהוּדִים Es.4:3
168 כִּי־גָדוֹל מָרְדֳּכַי בְּבֵית הַמֶּלֶךְ Es.9:4
169 וֶאֱמֶת הַדָּבָר וְצָבָא גָדוֹל Dan.10:1
170 יַעֲשִׁיר עֹשֶׁר־גָּדוֹל מִכֹּל Dan.11:2
171 וְיָשֹׁב אַרְצוֹ בִּרְכוּשׁ גָּדוֹל Dan.11:28
172 לְמַחֲנֶה גָדוֹל כְּמַחֲנֵה אֱלֹהִים ICh.12:23(22)
173 כִּי גָדוֹל יְיָ וּמְהֻלָּל מְאֹד ICh.16:25
174 עָשִׂיתָ עִם־דָּוִיד אָבִי חֶסֶד גָּדוֹל IICh.1:8
175 וְהַבַּיִת אֲשֶׁר־אֲנִי בוֹנֶה גָּדוֹל IICh.2:4
176 כִּי־גָדוֹל אֱלֹהֵינוּ מִכָּל־הָאֱלֹהִים IICh.2:4
177 הַבַּיִת אֲשֶׁר־אֲנִי בוֹנֶה גָּדוֹל IICh.2:8
178 וְכָל־יִשְׂרָאֵל עִמּוֹ קָהָל גָּדוֹל IICh.7:8
179 כִּסֵּא־שֵׁן גָּדוֹל IICh.9:17

וְגָדוֹל
180 וְלֹא־הִגִּידָה לּוֹ דָּבָר קָטֹן וְגָדוֹל ISh.25:36
181 כִּי־שַׂר וְגָדוֹל נָפַל הַיּוֹם IISh.3:38
182 גָּדוֹל אַתָּה וְגָדוֹל שִׁמְךָ בִּגְבוּרָה Jer.10:6
183 קָטֹן וְגָדוֹל שָׁם הוּא Job 3:19
184 מִשְׁנֶה לַמֶּלֶךְ...וְגָדוֹל לַיְּהוּדִים Es.10:3

הַגָּדוֹל
185 אֶת־הַמָּאוֹר הַגָּדֹל לְמֶמְשֶׁלֶת הַיּוֹם Gen.1:16
186 אֲחִי יֶפֶת הַגָּדוֹל Gen.10:21
187 עַד־הַנָּהָר הַגָּדֹל נְהַר־פְּרָת Gen.15:18
188 וַיִּקְרָא אֶת־עֵשָׂו בְּנוֹ הַגָּדֹל Gen.27:1
189/90 עֵשָׂו בְּנָהּ הַגָּדֹל Gen.27:15,42
191 אֶת־הַמַּרְאֶה הַגָּדֹל הַזֶּה Ex.3:3
192 כָּל־הַדָּבָר הַגָּדֹל יָבִיאוּ אֵלֶיךָ Ex.18:22
193 וְהַכֹּהֵן הַגָּדוֹל מֵאֶחָיו Lev.21:10
194 וְהָיָה לָכֶם הַיָּם הַגָּדוֹל וּגְבוּל Num.34:6
195 מִן־הַיָּם הַגָּדֹל תְּתָאוּ לָכֶם Num.34:7
196/7 עַד־מוֹת הַכֹּהֵן הַגָּדֹל Num.35:25,28
198 וְאַחֲרֵי־מוֹת הַכֹּהֵן הַגָּדֹל יָשׁוּב Num.35:28
199 עַד־הַנָּהָר הַגָּדֹל נְהַר־פְּרָת Deut.1:7
200 כָּל־הַמִּדְבָּר הַגָּדוֹל וְהַנּוֹרָא Deut.1:19
201 אֶת־הַמִּדְבָּר הַגָּדֹל הַזֶּה Deut.2:7
202 הַגּוֹי הַגָּדוֹל הַזֶּה Deut.4:6
203 הֲנִהְיָה כַּדָּבָר הַגָּדוֹל הַזֶּה Deut.4:32
204 וַיּוֹצִאֲךָ בְּפָנָיו בְּכֹחוֹ הַגָּדֹל Deut.4:37
205 הַמּוֹלִיכְךָ בַּמִּדְבָּר הַגָּדֹל וְהַנּוֹרָא Deut.8:15
206 בְּכֹחֲךָ הַגָּדֹל וּבִזְרֹעֲךָ הַנְּטוּיָה Deut.9:29
207 הָאֵל הַגָּדֹל הַגִּבֹּר וְהַנּוֹרָא Deut.10:17
208 אֵת כָּל־מַעֲשֵׂה יְיָ הַגָּדֹל Deut.11:7
209 מֶה חֳרִי הָאַף הַגָּדוֹל הַזֶּה Deut.29:23
210 וּלְכֹל הַמּוֹרָא הַגָּדוֹל Deut.34:12
211 וְעַד־הַנָּהָר הַגָּדוֹל נְהַר־פְּרָת Josh.1:4
212/3 (וְ)הַיָּם הַגָּדוֹל מְבוֹא הַשָּׁמֶשׁ Josh.1:4; 23:4
214 וּמַה־תַּעֲשֶׂה לְשִׁמְךָ הַגָּדוֹל Josh.7:9
215 וּבְכֹל חוֹף הַיָּם הַגָּדוֹל Josh.9:1
216 הָאָדָם הַגָּדוֹל בָּעֲנָקִים הוּא Josh.14:15
217 וּגְבוּל יָם הַיָּמָּה הַגָּדוֹל וּגְבוּל Josh.15:12
218 וְהַיָּם הַגָּדוֹל (כת׳ הגבול) וּגְבוּל Josh.15:47
219-235 (וְ)הַכֹּהֵן הַגָּדוֹל Josh.20:6 • IIK.12:11 • 22:4,8; 23:4 • Hag.1:1,12,14; 2:2,4 • Zech.3:1,8; 6:11 • Neh.3:1,20; 13:28 • IICh.34:9
236 אֵת כָּל־מַעֲשֵׂה יְיָ הַגָּדוֹל Jud.2:7
237 וּרְאוּ אֶת־הַדָּבָר הַגָּדוֹל הַזֶּה ISh.12:16
238 בַּעֲבוּר שְׁמוֹ הַגָּדוֹל ISh.12:22
239 וַיִּשְׁמַע אֱלִיאָב אָחִיו הַגָּדוֹל ISh.17:28
240 וַיָּבֹא עַד־בּוֹר הַגָּדוֹל ISh.19:22
241 אֹכְלִים...בְּכֹל הַשָּׁלָל הַגָּדוֹל ISh.30:16
242 מִן־הַקָּטֹן וְעַד־הַגָּדוֹל ISh.30:19
243 וַיַּשְׁלִכוּ...אֶל־הַפַּחַת הַגָּדוֹל IISh.18:17
244 רָאִיתִי הֶהָמוֹן הַגָּדוֹל IISh.18:29
245 כִּי הוּא אָחִי הַגָּדוֹל מִמֶּנִּי IK.2:22

הַגָּדוֹל (המשך)

246 אֶת־הַחֶסֶד הַגָּדוֹל הַזֶּה IK.3:6
247 כִּי יִשְׁמְעוּן אֶת־שִׁמְךָ הַגָּדוֹל IK.8:42
248/9 כָּל־הֶהָמוֹן הַגָּדוֹל הַזֶּה IK.20:13,28
250 כִּי יַעֲשֶׂה הַדָּבָר הַגָּדוֹל הַזֶּה IIK.8:13
251 עַל הַמִּזְבֵּחַ הַגָּדוֹל הַקְטֵר IIK.16:15
252 כֹּה־אָמַר הַמֶּלֶךְ הַגָּדוֹל IIK.18:19
253-255 הַמֶּלֶךְ הַגָּדוֹל IIK.18:28 • Is.36:4,13
256 לֹא־שָׁב יְיָ מֵחֲרוֹן אַפּוֹ הַגָּדוֹל IIK.23:26
257 בְּכֹחִי הַגָּדוֹל וּבִזְרוֹעִי הַנְּטוּיָה Jer.27:5
258 בְּכֹחֲךָ הַגָּדוֹל וּבִזְרֹעֲךָ הַנְּטוּיָה Jer.32:17
259 הָאֵל הַגָּדוֹל הַגִּבּוֹר Jer.32:18
260 הִנְנִי נִשְׁבַּעְתִּי בִּשְׁמִי הַגָּדוֹל Jer.44:26
261 וְאֶת־כָּל־בֵּית הַגָּדוֹל שָׂרַף בָּאֵשׁ Jer.52:13
262 הַנֶּשֶׁר הַגָּדוֹל גְּדוֹל הַכְּנָפַיִם Ezek.17:3
263 חֶרֶב חָלָל הַגָּדוֹל Ezek.21:19
264 הַתַּנִּים הַגָּדוֹל הָרֹבֵץ בְּתוֹךְ יְאֹרָיו Ezek.29:3
265 וְקִדַּשְׁתִּי אֶת־שְׁמִי הַגָּדוֹל Ezek.36:23
266 כִּדְגַת הַיָּם הַגָּדוֹל רַבָּה מְאֹד Ezek.47:10
267-270 הַיָּם הַגָּדוֹל Ezek.47:15,19,20; 48:28
271 חֵילִי הַגָּדוֹל אֲשֶׁר שִׁלַּחְתִּי בָּכֶם Joel 2:25
272/3 יוֹם יְיָ הַגָּדוֹל וְהַנּוֹרָא Joel 3:4 • Mal.3:23
274 וְהִכָּה הַבַּיִת הַגָּדוֹל רְסִיסִים Am.6:11
275 כִּי בְשֶׁלִּי הַסַּעַר הַגָּדוֹל הַזֶּה Jon.1:12
276 קָרוֹב יוֹם־יְיָ הַגָּדוֹל Zep.1:14
277 מִי־אַתָּה הַר־הַגָּדוֹל Zech.4:7
278 אָנָּא אֲדֹנָי הָאֵל הַגָּדוֹל וְהַנּוֹרָא Dan.9:4
279 הַנָּהָר הַגָּדוֹל הוּא חִדָּקֶל Dan.10:4
280 יַעֲמֹד מִיכָאֵל הַשַּׂר הַגָּדוֹל Dan.12:1
281 אָנָּא יְיָ...הָאֵל הַגָּדוֹל וְהַנּוֹרָא Neh.1:5
282 אֲשֶׁר פָּדִיתָ בְּכֹחֲךָ הַגָּדוֹל Neh.1:10
283 מִנֶּגֶד הַמִּגְדָּל הַגָּדוֹל הַיּוֹצֵא Neh.3:27
284 אֶת־אֲדֹנָי הַגָּדוֹל וְהַנּוֹרָא זְכֹרוּ Neh.4:8
285 אֶת־יְיָ הָאֱלֹהִים הַגָּדוֹל Neh.8:6
286 וַיִּתְעַדְּנוּ בְּטוּבְךָ הַגָּדוֹל Neh.9:25
287 הָאֵל הַגָּדוֹל הַגִּבּוֹר וְהַנּוֹרָא Neh.9:32
288 אֶת־עַמְּךָ הַזֶּה הַגָּדוֹל IICh.1:10
289 הַבַּיִת הַגָּדוֹל חִפָּה עֵץ בְּרוֹשִׁים IICh.3:5
290 וּבָא...לְמַעַן שִׁמְךָ הַגָּדוֹל IICh.6:32
291 אֶת־הַקָּטֹן אֶת־הַגָּדוֹל IICh.18:30

וְהַגָּדוֹל
292 וְהַגָּדוֹל דֹּבֵר הַוַּת נַפְשׁוֹ הוּא Mic.7:3
293 אֶחָד לְמֵאָה הַקָּטָן וְהַגָּדוֹל לְאָלֶף ICh.12:15(14)

בַּגָּדוֹל
294 בַּגָּדוֹל הֵחֵל וּבַקָּטֹן כִּלָּה Gen.44:12

כַּגָּדוֹל
295 כַּקָּטֹן כַּגָּדֹל תִּשְׁמָעוּן Deut.1:17
296 לְעֻמַּת כַּקָּטֹן כַּגָּדוֹל ICh.25:8
297 וַיַּפִּילוּ גוֹרָלוֹת כַּקָּטֹן כַּגָּדוֹל ICh.26:13
298 בְּמַחְלְקוֹת כַּגָּדוֹל כַּקָּטָן IICh.31:15

מִגָּדוֹל
299 וְכָל־הָעָם מִגָּדוֹל וְעַד־קָטָן IICh.34:30

לְמִגָּדוֹל
300/1 לְמִגָּדוֹל וְעַד־קָטָן Es.1:5,20

גְּדֹל־
302 גְּדֹל הָעֵצָה וְרַב הָעֲלִילִיָּה Jer.32:19
303 גְּדוֹל הַכְּנָפַיִם אֶרֶךְ הָאֵבֶר Ezek.17:3
304 גָּדוֹל כְּנָפַיִם וְרַב נוֹצָה Ezek.17:7

גְּדָל־
305 גְּדָל־ (כת׳ גרל) חֵמָה נֹשֵׂא עֹנֶשׁ Prov.19:19

וּגְדָל־
306 אֶרֶךְ אַפַּיִם וּגְדָל־ (כת׳ וגדול) כֹּחַ Nah.1:3
307 אֶרֶךְ אַפַּיִם וּגְדָל־ (כת׳ וגדול) חָסֶד Ps.145:8

בִּגְדֹל־
308 (?) בִּגְדֹל זְרוֹעֲךָ יִדְּמוּ כָּאָבֶן Ex.15:16

גְּדוֹלָם
309/10 (לְ)מִקְּטַנָּם וְעַד־גְּדוֹלָם Jer.6:13; 31:33

מִגְּדוֹלָם
311 מִגְּדוֹלָם וְעַד־קְטַנָּם Jon.3:5

גְּדוֹלָה
312 וְהִנֵּה אֵימָה חֲשֵׁכָה גְדֹלָה Gen.15:12
313 הֵבֵאתָ עָלַי...חֲטָאָה גְדֹלָה Gen.20:9
314 חֲרָדָה גְּדֹלָה עַד־מְאֹד Gen.27:33

גְּדוֹלָה (המשך)

315 וַיִּצְעַק צְעָקָה גְּדֹלָה וּמָרָה Gen.27:34
316 וְהָאֶבֶן גְּדֹלָה עַל־פִּי הַבְּאֵר Gen.29:2
317 וּלְהַחֲיוֹת לָכֶם לִפְלֵיטָה גְּדֹלָה Gen.45:7
318/9 צְעָקָה גְדֹלָה Ex.11:6; 12:30
320-322 חֲטָאָה גְדֹלָה Ex.32:21,30,31
323 לַעֲשׂוֹת קְטַנָּה אוֹ גְדוֹלָה Num.22:18
324 וְהָמָם מְהוּמָה גְדֹלָה Deut.7:23
325 אֶבֶן וָאָבֶן גְּדוֹלָה וּקְטַנָּה Deut.25:13
326 אֵיפָה וְאֵיפָה גְּדוֹלָה וּקְטַנָּה Deut.25:14
327 יָרִיעוּ כָל־הָעָם תְּרוּעָה גְדוֹלָה Josh.6:5
328 וַיָּרִיעוּ הָעָם תְּרוּעָה גְדוֹלָה Josh.6:20
329 כִּי עִיר גְּדוֹלָה גִּבְעוֹן Josh.10:2
330 וְכִי הִיא גְדוֹלָה מִן־הָעַי Josh.10:2
331 וַיַּכֵּם מַכָּה־גְדוֹלָה בְּגִבְעוֹן Josh.10:10
332-340 (הַ)מַכָּה גְדוֹלָה Josh.10:20 • Jud.11:33; 15:8 • ISh.4:10; 6:19; 19:8; 23:5 • IK.20:21 • IICh.28:5
341 וַיִּקַּח אֶבֶן גְּדוֹלָה Josh.24:26
342 חַטַּאת הַנְּעָרִים גְּדוֹלָה מְאֹד ISh.2:17
343 וַיָּרִעוּ כָל־יִשְׂרָאֵל תְּרוּעָה גְדוֹלָה ISh.4:5
344 וְגַם מַגֵּפָה גְדוֹלָה הָיְתָה בָעָם ISh.4:17
345/6 מְהוּמָה גְּדוֹלָה מְאֹד ISh.5:9; 14:20
347 וְשָׁם אֶבֶן גְּדוֹלָה ISh.6:14
348 גֹּלּוּ אֵלַי הַיּוֹם אֶבֶן גְּדוֹלָה ISh.14:33
349 תְּשׁוּעָה גְדוֹלָה לְכָל־יִשְׂרָאֵל ISh.19:5
350 וַיִּשְׂנָאֶהָ אַמְנוֹן שִׂנְאָה גְּדוֹלָה מְ... IISh.13:15
351 כִּי גְדוֹלָה הַשִּׂנְאָה אֲשֶׁר שְׂנֵאָהּ IISh.13:15
352 וַתְּהִי־שָׁם הַמַּגֵּפָה גְדוֹלָה IISh.18:7
353/4 וַיַּעַשׂ יְיָ תְּשׁוּעָה גְדוֹלָה IISh.23:10,12
355 וּשְׂמֵחִים שִׂמְחָה גְדוֹלָה IK.1:40
356 וְרוּחַ גְּדוֹלָה וְחָזָק IK.19:11
357 וְשָׁם אִשָּׁה גְדוֹלָה IIK.4:8
358 וַיִּכְרֶה לָהֶם כֵּרָה גְדוֹלָה IIK.6:23
359 וְהֶחֱטִיאָם חֲטָאָה גְדוֹלָה IIK.17:21
360 כִּי־גְדוֹלָה חֲמַת יְיָ IIK.22:13
361 לְקוֹל הֲמוּלָּה גְדֹלָה Jer.11:16
362 עֹשִׂים רָעָה גְדוֹלָה עַל־נַפְשׁוֹתֵינוּ Jer.26:19
363/4 רָעָה גְדוֹלָה Jer.44:7 • Jon.4:1
365 וְלֹא־בִזְרֹעַ גְּדוֹלָה וּבְעַם רָב Ezek.17:9
366 הֶעֱבִיד...עֲבֹדָה גְדוֹלָה Ezek.29:18
367 וַיְיָ הֵטִיל רוּחַ־גְּדוֹלָה אֶל־הַיָּם Jon.1:4
368/9 וַיִּירְאוּ הָאֲנָשִׁים יִרְאָה גְדוֹלָה Jon.1:10,16
370 וְנִינְוֵה הָיְתָה עִיר־גְּדוֹלָה לֵאלֹהִים Jon.3:3
371 וַיִּשְׂמַח יוֹנָה...שִׂמְחָה גְדוֹלָה Jon.4:6
372/3 קִנֵּאתִי...קִנְאָה גְדוֹלָה Zech.1:14; 8:2
374 וְחֵמָה גְדוֹלָה קִנֵּאתִי לָהּ Zech.8:2
375 וְנִבְקַע...גֵּיא גְּדוֹלָה מְאֹד Zech.14:4
376 וְהִנֵּה רוּחַ גְּדוֹלָה בָּאָה Job 1:19
377 וַיִּזְעַק זְעָקָה גְדוֹלָה וּמָרָה Es.4:1
378 וַעֲטֶרֶת זָהָב גְּדוֹלָה Es.8:15
379 לְהָבִיא עָלֵינוּ רָעָה גְדֹלָה Dan.9:12
380 חֲרָדָה גְדֹלָה נָפְלָה עֲלֵיהֶם Dan.10:7
381 וְיָצָא בְּחֵמָא גְדֹלָה Dan.11:44
382 וְכָל־הָעָם הֵרִיעוּ תְרוּעָה גְדוֹלָה Ez.3:11
383 כִּי הָעָם מְרִיעִים תְּרוּעָה גְדוֹלָה Ez.3:13
384 אֲנַחְנוּ בְּאַשְׁמָה גְדֹלָה Ez.9:7
385 בְּרָעָה גְדֹלָה וּבְחֶרְפָּה Neh.1:3
386 וַיֵּרַע לָהֶם רָעָה גְדֹלָה Neh.2:10
387 וַתְּהִי צַעֲקַת הָעָם וּנְשֵׁיהֶם גְּדוֹלָה Neh.5:1
388 וָאֶתֵּן עֲלֵיהֶם קְהִלָּה גְדוֹלָה Neh.5:7
389 מְלָאכָה גְדוֹלָה אֲנִי עֹשֶׂה Neh.6:3
390 וְלַעֲשׂוֹת שִׂמְחָה גְדוֹלָה Neh.8:12

גְּדוֹלָה (המשך) 396-391 (בְּ)שִׂמְחָה גְדוֹלָה Neh. 8:17; 12:43
ICh. 29:9, 22 • IICh. 30:21, 26
397 וּבְצָרָה גְדֹלָה אֲנָחְנוּ Neh. 9:37
398 וַיַּעַשׂ לוֹ לִשְׁכָּה גְדוֹלָה Neh. 13:5
399 וַיּוֹשַׁע יְיָ תְּשׁוּעָה גְדוֹלָה ICh. 11:14
400 בְּנִי אֶחָד...וְהַמְּלָאכָה גְדוֹלָה ICh. 29:1
401 שְׂרֵפָה גְדוֹלָה עַד־לִמְאֹד IICh. 16:14
402 הִנֵּה יְיָ נֹגֵף מַגֵּפָה גְדוֹלָה IICh. 21:14
403 וַיִּשְׁבּוּ מִמֶּנּוּ שִׁבְיָה גְדוֹלָה IICh. 28:5
404 כִּי־גְדוֹלָה חֲמַת־יְיָ IICh. 34:21
וּגְדוֹלָה 405 רָאִיתִי חָכְמָה...וּגְדוֹלָה הִיא אֵלָי Eccl. 9:13
406 וְהָעִיר רַחֲבַת יָדַיִם וּגְדֹלָה Neh. 7:4
הַגְּדוֹלָה 407 הִוא הָעִיר הַגְּדֹלָה Gen. 10:12
408 שְׁתֵּי בָנוֹת שֵׁם הַגְּדֹלָה לֵאָה Gen. 29:16
409 הָרָעָה הַגְּדֹלָה הַזֹּאת Gen. 39:9
410 וַיַּרְא יִשְׂרָאֵל אֶת־הַיָּד הַגְּדֹלָה Ex. 14:31
411 הֶרְאֲךָ אֶת־אִשׁוֹ הַגְּדוֹלָה Deut. 4:36
412/3 הָאֵשׁ הַגְּדֹלָה הַזֹּאת Deut. 5:22; 18:16
414 אֶת־הַתְּשׁוּעָה הַגְּדֹלָה הַזֹּאת Jud. 15:18
415 כִּי הַשְּׁבוּעָה הַגְּדוֹלָה הָיְתָה Jud. 21:5
416 מֶה קוֹל הַתְּרוּעָה הַגְּדוֹלָה הַזֹּאת ISh. 4:6
417 הָרָעָה הַגְּדוֹלָה הַזֹּאת ISh. 6:9
418 וַיָּשִׂמוּ אֶל־הָאֶבֶן הַגְּדוֹלָה ISh. 6:15
419 וְעַד אָבֵל הַגְּדוֹלָה ISh. 6:18
420 הַיְשׁוּעָה הַגְּדוֹלָה הַזֹּאת ISh. 14:45
421 הִנֵּה בִתִּי הַגְּדוֹלָה מֵרַב ISh. 18:17
422 אַל־אוֹדֹת הָרָעָה הַגְּדוֹלָה הַזֹּאת IISh. 13:16
423 תַּחַת שׂוֹבֶךְ הָאֵלָה הַגְּדוֹלָה IISh. 18:9
424 עִם־הָאֶבֶן הַגְּדוֹלָה IISh. 20:8
425 כִּי־הִיא הַבָּמָה הַגְּדוֹלָה IK. 3:4
426 וּמִחוּץ עַד־הֶחָצֵר הַגְּדוֹלָה IK. 7:9
427 וְחָצֵר הַגְּדוֹלָה סָבִיב IK. 7:12
428 שְׂפַת הַסִּיר הַגְּדוֹלָה IIK. 4:38
429 אֵת כָּל־הָרָעָה הַגְּדוֹלָה Jer. 16:10
430 לָעִיר הַגְּדוֹלָה הַזֹּאת Jer. 22:8
431 אֵת כָּל־הָרָעָה הַגְּדוֹלָה הַזֹּאת Jer. 32:42
432 וַאֲחוֹתֵךְ הַגְּדוֹלָה שֹׁמְרוֹן Ezek. 16:46
433 אָהֳלָה הַגְּדוֹלָה וְאָהֳלִיבָה אֲחוֹתָהּ Ezek. 23:4
434 עַד־הָעֲזָרָה הַגְּדוֹלָה Ezek. 43:14
437-435 נִינְוֵה הָעִיר הַגְּדוֹלָה Jon. 1:2; 3:2; 4:11
438 נִשְׁבְּרָה הַקֶּרֶן הַגְּדֹלָה Dan. 8:8
439 וְהַקֶּרֶן הַגְּדוֹלָה אֲשֶׁר בֵּין־עֵינָיו Dan. 8:21
440 אֶת־הַמַּרְאָה הַגְּדֹלָה הַזֹּאת Dan. 10:8
441 וּבְאַשְׁמָתֵנוּ הַגְּדֹלָה Ez. 9:13
442 אֵת כָּל־הָרָעָה הַגְּדוֹלָה הַזֹּאת Neh. 13:27
443 חֲצַר הַכֹּהֲנִים וְהָעֲזָרָה הַגְּדוֹלָה IICh. 4:9
וְהַגְּדוֹלָה 444 בְּחַרְבּוֹ הַקָּשָׁה וְהַגְּדוֹלָה וְהַחֲזָקָה Is. 27:1
גְּדוֹלִים 445 וַיְנַגַּע יְיָ אֶת־פַּרְעֹה נְגָעִים גְּדֹלִים Gen. 12:17
446 בִּזְרוֹעַ נְטוּיָה וּבִשְׁפָטִים גְּדֹלִים Ex. 6:6
447 וְהוֹצֵאתִי...בִּשְׁפָטִים גְּדֹלִים Ex. 7:4
448 וּבִזְרוֹעַ נְטוּיָה וּבְמוֹרָאִים גְּדֹלִים Deut. 4:34
449/50 גּוֹיִם גְּדֹלִים וַעֲצֻמִים מִמְּךָ Deut. 4:38; 9:1
451 אוֹתֹת וּמֹפְתִים גְּדֹלִים וְרָעִים Deut. 6:22
452 גּוֹיִם גְּדֹלִים וַעֲצֻמִים מִכֶּם Deut. 11:23
453 וַיּוֹרֶשׁ...גּוֹיִם גְּדֹלִים וַעֲצוּמִים Josh. 23:9
454 בִּפְלַגּוֹת רְאוּבֵן גְּדֹלִים חִקְקֵי־לֵב Jud. 5:15
455 לִפְלַגּוֹת רְאוּבֵן גְּדוֹלִים חִקְרֵי־לֵב Jud. 5:16
456 בָּתִּים רַבִּים...גְּדֹלִים וְטוֹבִים Is. 5:9
457 וּבְרַחֲמִים גְּדֹלִים אֲקַבְּצֵךְ Is. 54:7
458 וּמֵתוּ גְדֹלִים וּקְטַנִּים Jer. 16:6
459 גּוֹיִם רַבִּים וּמְלָכִים גְּדוֹלִים Jer. 25:14
460 גּוֹיִם רַבִּים וּמְלָכִים גְּדֹלִים Jer. 27:7

גְּדוֹלִים (המשך) 461 קְהַל־גּוֹיִם גְּדֹלִים Jer. 50:9
462 גְּדֹלִים מַעֲשֵׂי יְיָ Ps. 111:2
463 לְעֹשֵׂה אוֹרִים גְּדֹלִים Ps. 136:7
464 לְמַכֵּה מְלָכִים גְּדֹלִים Ps. 136:17
465 וְלִפְנֵי גְדֹלִים יַנְחֶנּוּ Prov. 18:16
466 וּבִמְקוֹם גְּדֹלִים אַל־תַּעֲמֹד Prov. 25:6
467 וּבָנָה עָלֶיהָ מְצוֹדִים גְּדֹלִים Eccl. 9:14
468 מַרְפֵּא יַנִּיחַ חֲטָאִים גְּדוֹלִים Eccl. 10:4
469 וַיִּזְבְּחוּ...זְבָחִים גְּדוֹלִים Neh. 12:43
הַגְּדוֹלִים 470 אֶת־שְׁנֵי הַמְּאֹרֹת הַגְּדֹלִים Gen. 1:16
471 אֶת־הַתַּנִּינִם הַגְּדֹלִים Gen. 1:21
472 הָאֹתֹת וְהַמֹּפְתִים הַגְּדֹלִים הָהֵם Deut. 29:2
473 שְׁלֹשֶׁת בְּנֵי־יִשַׁי הַגְּדֹלִים ISh. 17:13
474 וּשְׁלֹשָׁה הַגְּדֹלִים הָלְכוּ אַחֲרֵי שָׁאוּל ISh. 17:14
475 כְּשֵׁם הַגְּדֹלִים אֲשֶׁר בָּאָרֶץ IISh. 7:9
476 אֵלְכָה־לִּי אֶל־הַגְּדֹלִים Jer. 5:5
477 יְבָרֵךְ...הַקְּטַנִּים עִם־הַגְּדֹלִים Ps. 115:13
478 זַבְדִּיאֵל בֶּן־הַגְּדוֹלִים Neh. 11:14
479 כְּשֵׁם הַגְּדוֹלִים אֲשֶׁר בָּאָרֶץ ICh. 17:8
480 כְּלֵי בֵּית הָאֱלֹהִים הַגְּדֹלִים וְהַקְּטַנִּים
IICh. 36:18
גְּדוֹלֵי־ 481 אֶת־גְּדֹלֵי הָעִיר מְגַדְּלִים אוֹתָם IIK. 10:6
גְּדוֹלָיו 482 וְכָל־גְּדֹלָיו וּמְיֻדָּעָיו וְכֹהֲנָיו IIK. 10:11
וּגְדוֹלָיו 483 מִטַּעַם הַמֶּלֶךְ וּגְדֹלָיו Jon. 3:7
גְּדוֹלֶיהָ 484 וְכָל־גְּדוֹלֶיהָ רֻתְּקוּ בַזִּקִּים Nah. 3:10
גְּדוֹלוֹת 485 וְהֶעָרִים בְּצֻרוֹת גְּדֹלֹת מְאֹד Num. 13:28
486/7 עָרִים גְּדֹלֹת וּבְצוּרֹת Deut. 1:28; 9:1
488 עָרִים גְּדֹלֹת וְטֹבֹת Deut. 6:10
489 וַהֲקֵמֹתָ לְךָ אֲבָנִים גְּדֹלוֹת Deut. 27:2
490 מַכּוֹת גְּדֹלֹת וְנֶאֱמָנוֹת Deut. 28:59
491 וַייָ הִשְׁלִיךְ עֲלֵיהֶם אֲבָנִים גְּדֹלוֹת Josh. 10:11
496-492 אֲבָנִים גְּדֹלוֹת Josh. 10:18, 27
IK. 5:31; 7:10 • Jer. 43:9
497 וְעָרִים גְּדֹלוֹת בְּצֻרוֹת Josh. 14:12
498 שִׁשִּׁים עָרִים גְּדֹלוֹת IK. 4:13
499 וְעַל־מַמְלָכוֹת גְּדֹלוֹת Jer. 28:8
500 וְאַגִּידָה לְּךָ גְּדֹלוֹת וּבְצֻרוֹת Jer. 33:3
501 וְאַתָּה תְּבַקֶּשׁ־לְךָ גְדֹלוֹת Jer. 45:5
504-502 תּוֹעֵבוֹת גְּדֹלוֹת Ezek. 8:6², 13
505 תּוֹעֵבוֹת גְּדֹלוֹת מֵאֵלֶּה Ezek. 8:15
506 וְעָשִׂיתִי בָם נְקָמוֹת גְּדֹלוֹת Ezek. 25:17
507 יַכְרֵת יְיָ...לָשׁוֹן מְדַבֶּרֶת גְּדֹלוֹת Ps. 12:4
508 אֲשֶׁר־עָשִׂיתָ גְדֹלוֹת Ps. 71:19
509 חַיּוֹת קְטַנּוֹת עִם־גְּדֹלוֹת Ps. 104:25
510 עֹשֶׂה גְדֹלוֹת בְּמִצְרָיִם Ps. 106:21
511 לְעֹשֵׂה נִפְלָאוֹת גְּדֹלוֹת לְבַדּוֹ Ps. 136:4
512 עֹשֶׂה גְדֹלוֹת וְאֵין חֵקֶר Job 5:9
513 עֹשֶׂה גְדֹלוֹת עַד־אֵין חֵקֶר Job 9:10
514 עֹשֶׂה גְדֹלוֹת וְלֹא נֵדָע Job 37:5
515/6 וַיַּעֲשׂוּ נֶאָצוֹת גְּד(וֹ)לֹת Neh. 9:18, 26
517 וָאַעֲמִידָה שְׁתֵּי תוֹדֹת גְּדוֹלֹת Neh. 12:31
518 וּמִלְחָמוֹת גְּדֹלוֹת עָשִׂיתָ ICh. 22:8(7)
519 בַּחִצִּים וּבָאֲבָנִים גְּדֹלוֹת IICh. 26:15
הַגְּדוֹלוֹת 520 הַמַּסֹּת הַגְּדֹלֹת Deut. 7:19
521 אֶת־הַגְּדֹלֹת וְאֶת־הַנּוֹרָאֹת Deut. 10:21
522 הַמַּסּוֹת הַגְּדֹלֹת Deut. 29:2
523 אֶת־הָאֹתוֹת הַגְּדֹלוֹת הָאֵלֶּה Josh. 24:17
524 כָּל־הַגְּדֹלוֹת אֲשֶׁר עָשָׂה אֱלִישָׁע IIK. 8:4
525 אֶת־אֲחוֹתַיִךְ הַגְּדֹלוֹת מִמֵּךְ Ezek. 16:61
בִּגְדוֹלוֹת 526 וְלֹא־הִלַּכְתִּי בִּגְדֹלוֹת Ps. 131:1

גְּדוּלָּה עיין גְּדֻלָּה

גִּדּוּף*
ז׳ דברי חרוף ונאצה: 1–3 • קרובים: ראה חֶרְפָּה
לְגִדּוּפִים 1 לַחֵרֶם יַעֲקֹב וְיִשְׂרָאֵל לְגִדּוּפִים Is. 43:28
וְגִדּוּפֵי־ 2 חֶרְפַּת מוֹאָב וְגִדּוּפֵי בְּנֵי עַמּוֹן Zep. 2:8
וּמִגִּדֻּפֹתָם 3 וּמִגִּדֻּפֹתָם אַל־תֵּחָתּוּ Is. 51:7

גְּדוּפָה
נ׳ גִּדּוּף
וּגְדוּפָה 1 חֶרְפָּה וּגְדוּפָה מוּסָר וּמְשַׁמָּה Ezek. 5:15

גְּדוֹר[1]
א) עיר בנחלת יהודה: 1, 2, 4
ב) מקום מוֹצאם של שנים מגבורי דוד: 5
ג) מקום בגבול נחלת שמעון: 3
גְּדוֹר 1 וּפְנוּאֵל אֲבִי גְדֹר ICh. 4:4
2 יָלְדָה אֶת־יֶרֶד אֲבִי גְדוֹר ICh. 4:18
3 וַיֵּלְכוּ לִמְבוֹא גְדֹר... ICh. 4:39
וּגְדוֹר 4 חַלְחוּל בֵּית־צוּר וּגְדוֹר Josh. 15:58
הַגְּדוֹר 5 בְּנֵי יְרֹחָם מִן־הַגְּדוֹר ICh. 12:7(8)

גְּדוֹר[2]
שפ״ז – איש מבנימין, אחי סבו של שאול: 1, 2
וּגְדוֹר 1 וּגְדוֹר וְאַחְיוֹ וָזָכֶר ICh. 8:31
2 וּגְדוֹר וְאַחְיוֹ וּזְכַרְיָה ICh. 9:37

גְּדִי
ז׳ ולד העֵז: 1–16 • גְּדִי עִזִּים 7–13,15,16
גְּדִי 3-1 לֹא־תְבַשֵּׁל גְּדִי בַּחֲלֵב אִמּוֹ Ex. 23:19
34:26 • Deut. 14:21
4 וְנָמֵר עִם־גְּדִי יִרְבָּץ Is. 11:6
הַגְּדִי 5 הִנֵּה שָׁלַחְתִּי הַגְּדִי הַזֶּה Gen. 38:23
6 וַיְשַׁסְּעֵהוּ כְּשַׁסַּע הַגְּדִי Jud. 14:6
גְּדִי־ 7 אֶשְׁלַח גְּדִי־עִזִּים מִן הַצֹּאן Gen. 38:17
8 וַיִּשְׁלַח יְהוּדָה אֶת־גְּדִי הָעִזִּים Gen. 38:20
9 וְגִדְעוֹן בָּא וַיַּעַשׂ גְּדִי־עִזִּים Jud. 6:19
10 וְנַעֲשֶׂה לְפָנֶיךָ גְּדִי עִזִּים Jud. 13:15
11 אֶת־גְּדִי הָעִזִּים וְאֶת־הַמִּנְחָה Jud. 13:19
וּגְדִי־ 12 וְנֹאד־יַיִן וּגְדִי עִזִּים אֶחָד ISh. 16:20
בִּגְדִי־ 13 וַיִּפְקֹד...אֶת־אִשְׁתּוֹ בִּגְדִי עִזִּים Jud. 15:1
גְּדָיִים 14 אֶחָד נֹשֵׂא שְׁלֹשָׁה גְדָיִים ISh. 10:3
גְּדָיֵי־ 15 שְׁנֵי גְּדָיֵי עִזִּים טֹבִים Gen. 27:9
16 וְאֵת עֹרֹת גְּדָיֵי הָעִזִּים Gen. 27:16

גָּדִי[1]
שפ״ז – אביו של מנחם מלך ישראל: 1,2
גָּדִי 1 וַיַּעַל מְנַחֵם בֶּן־גָּדִי מִתִּרְצָה IIK. 15:14
2 מָלַךְ מְנַחֵם בֶּן־גָּדִי עַל־יִשְׂרָאֵל IIK. 15:17

גָּדִי[2]
ת׳ המתיחס על שבט גָּד: 1–16
וְגָדִי 1 בְּנֵי־רְאוּבֵן וְגָדִי ICh. 5:18
הַגָּדִי 2 וּמַטֵּה בְנֵי־הַגָּדִי לְבֵית אֲבֹתָם Num. 34:14
3 יִגְאָל בֶּן־נָתָן...בָּנִי הַגָּדִי IISh. 23:36
4 הַגָּדִי וְהָראוּבֵנִי וְהַמְנַשִּׁי IIK. 10:33
5 וּמִן־הַגָּדִי נִבְדְּלוּ אֶל־דָּוִיד ICh. 12:9(8)
וְהַגָּדִי 6 עִמּוֹ הָראוּבֵנִי וְהַגָּדִי Josh. 13:8
7/8 הָראוּבֵנִי וְהַגָּדִי ICh. 12:38(37); 26:32
לַגָּדִי 9 וְאֶת־רָאמֹת בַּגִּלְעָד לַגָּדִי Deut. 4:43
וְלַגָּדִי 16-10 (וְ)לָראוּבֵנִי וְלַגָּדִי Deut. 3:12, 16; 29:7
Josh. 1:12; 12:6; 22:1 • ICh. 5:26

גַּדִּי
שפ״ז – מן המרגלים ששלח משה
גַּדִּי 1 גַּדִּי בֶּן־סוּסִי Num. 13:11

גַּדִּיאֵל
שפ״ז – מן המרגלים ששלח משה
גַּדִּיאֵל 1 לְמַטֵּה זְבוּלֻן גַּדִּיאֵל בֶּן־סוֹדִי Num. 13:10

גְּדִיָּה*
נ׳ ולד נקבה של העֵז
גְּדִיֹּתַיִךְ 1 וּרְעִי אֶת־גְּדִיֹּתַיִךְ S.ofS. 1:8

גְּדִיל* ז׳ א) מקלעת של חוטים: 1

ב) מקלעת של שרשרות מתכת: 2

גְּדִלִים 1 גְּדִלִים תַּעֲשֶׂה־לָּךְ עַל־אַרְבַּע כַּנְפוֹת כְּסוּתְךָ Deut.22:12

2 גְּדִלִים מַעֲשֵׂה שַׁרְשְׁרוֹת IK.7:17

גָּדִישׁ ז׳ א) ערמת אלומות: 1, 2, 4; ב) גל הקבר(?): 3

גָּדִישׁ 1 וְנֶאֱכַל גָּדִישׁ אוֹ הַקָּמָה Ex.22:5

2 כַּעֲלוֹת גָּדִישׁ בְּעִתּוֹ Job 5:26

3 וְעַל גָּדִישׁ יִשְׁקוֹד Job 21:32

מִגָּדִישׁ 4 וַיַּבְעֵר מִגָּדִישׁ וְעַד־קָמָה Jud.15:5

גדל: גָּדַל, גִּדֵּל, גַּדֵּל, הִתְגַּדֵּל, הִגְדִּיל; גָּדוֹל, גָּדֵל, גְּדִיל, גֹּדֶל, גְּדֻלָּה, מִגְדָּל; ש״פ גִּדֵּל, גִּדַּלְיָה, גְּדַלְיָהוּ, גִּדַּלְתִּי, יִגְדַּלְיָהוּ

גָּדַל פ׳ א) רבה, נעשה גדול (במדה, בכמות, בשנים וכו׳) 1־52

ב) [פ׳ גִּדֵּל] עשה שיגדל, חזק: 54

[כנ״ל] הצמיח: 53

[כנ״ל] טִפֵּחַ, טִפֵּל: 56—59, 65—67, 71, 76

[כנ״ל] רומם, הלל: 55, 60—64, 68—70, 72—75, 77

ג) [פ׳ גַּדֵּל] רִבָּה, טִפֵּחַ: 78

ד) [הִפ׳ הִגְדִּיל] הרבה, עשה לגדול: 79, 80, 82, 83, 90—94, 104, 106, 107

ה) [כנ״ל] נעשה גדול: 81, 97, 98

[כנ״ל] דבר גדולות: 88, 89, 95, 96, 99, 100, 103, 105, 108—112

ו) [הִת׳ הִתְגַּדֵּל] התגאה: 113—116

גָּדַל כְּאֵבוֹ 10; גָּ׳ כֹּחוֹ 22; גָּ׳ מִסְפֵּד 24; גָּ׳ שְׁמוֹ 30—31; גָּדְלָה אַשְׁמָתוֹ 14; גָּ׳ נַפְשׁוֹ 13, 45; גָּ׳ צַעֲקָתוֹ 12; גָּדְלָה תִּפְאַרְתּוֹ 46

גִּדֵּל בַּחוּרִים 58; גִּ׳ בָּנִים 57, 65, 76; גִּ׳ כִּסְאוֹ 72, 73; גִּ׳ לַיְיָ 77; גִּ׳ פֶּרַע 53; גִּ׳ שְׁמוֹ 68

הִגְדִּיל אִמְרָתוֹ 84; הִגְ׳ חַסְדּוֹ 106; הִגְ׳ יְשׁוּעוֹת 101, 102; הִגְ׳ לַעֲשׂוֹת 90—93; הִגְ׳ מְדוּרָה 104; הִגְ׳ מַעֲשָׂיו 82; הִגְ׳ עָקֵב 94; הִגְ׳ פִּיו 105, 110; הִגְ׳ שִׂמְחָה 83; הִגְ׳ תּוֹרָה 107; הִגְ׳ תּוּשִׁיָּה 87; הִתְגַּדֵּל עַל־ 114—116

וְגָדוֹל 1 וַיֵּלֶךְ דָּוִד הָלוֹךְ וְגָדוֹל IISh.5:10

2 כִּי־הָאִישׁ מָרְדֳּכַי הוֹלֵךְ וְגָדוֹל Es.9:4

3 וַיֵּלֶךְ דָּוִיד הָלוֹךְ וְגָדוֹל ICh.11:9

בִּגְדֹל 4 (?) בִּגְדֹל זְרוֹעֲךָ יִדְּמוּ כָּאָבֶן Ex.15:16

וְגָדַלְתִּי 5 וְגָדַלְתִּי וְהוֹסַפְתִּי מִכֹּל שֶׁהָיָה לְפָנַי Eccl.2:9

גָּדַלְתָּ 6 עַל־כֵּן גָּדַלְתָּ יְיָ אֱלֹהִים IISh.7:22

7 יְיָ אֱלֹהַי גָּדַלְתָּ מְּאֹד Ps.104:1

גָּדֵל 8 הָלוֹךְ וְגָדֵל עַד כִּי־גָדַל מְאֹד Gen.26:13

9 כִּי רָאֲתָה כִּי־גָדַל שֵׁלָה Gen.38:14

10 כִּי־גָדַל הַכְּאֵב מְאֹד Job 2:13

גְּדֵלַנִי 11 כִּי מִנְּעוּרַי גְּדֵלַנִי כְאָב Job 31:18

גָּדְלָה 12 כִּי־גָדְלָה צַעֲקָתָם אֶת־פְּנֵי יְיָ Gen.19:13

13 כַּאֲשֶׁר גָּדְלָה נַפְשְׁךָ...בְּעֵינָי ISh.26:24

14 וְאַשְׁמָתֵנוּ גָדְלָה עַד לַשָּׁמָיִם Ez.9:6

וְגָדֵל 15 וַיֵּלֶךְ הָלוֹךְ וְגָדֵל Gen.26:13

16 וְהַנַּעַר שְׁמוּאֵל הֹלֵךְ וְגָדֵל וָטוֹב ISh.2:26

17 וַיְהִי...הֹלֵךְ וְגָדֵל עַד־לְמָעְלָה IICh.17:12

אֶגְדַּל 18 רַק הַכִּסֵּא אֶגְדַּל מִמֶּךָּ Gen.41:40

וַתִּגְדְּלִי 19 וַתִּרְבִּי וַתִּגְדְּלִי Ezek.16:7

יִגְדַּל 20 שְׁבִי...עַד־יִגְדַּל שֵׁלָה בְנִי Gen.38:11

21 וְאוּלָם אָחִיו הַקָּטֹן יִגְדַּל מִמֶּנּוּ Gen.48:19

22 יִגְדַּל־נָא כֹּחַ אֲדֹנָי Num.14:17

23 כִּי־עַתָּה יִגְדַּל עַד־אַפְסֵי־אָרֶץ Mic.5:3

24 יִגְדַּל הַמִּסְפֵּד בִּירוּשָׁלִַם Zech.12:11

25 יִגְדַּל יְיָ מֵעַל לִגְבוּל יִשְׂרָאֵל Mal.1:5

26/7 (וְ)יֹאמְרוּ תָמִיד יִגְדַּל יְיָ Ps.35:27; 40:17

28 וְיֹאמְרוּ תָמִיד יִגְדַּל אֱלֹהִים Ps.70:5

יִגְדָּל 29 יִהְיֶה־לְּעָם וְגַם־הוּא יִגְדָּל Gen.48:19

וְיִגְדַּל 30 וְיִגְדַּל שִׁמְךָ עַד־עוֹלָם IISh.7:26

31 וְיֵאָמֵן וְיִגְדַּל שִׁמְךָ עַד־עוֹלָם ICh.17:24

וַיִּגְדַּל 32 וַיִּגְדַּל הַיֶּלֶד וַיִּגָּמַל Gen.21:8

33 וַיִּגְדַּל הָאִישׁ וַיֵּלֶךְ הָלוֹךְ וְגָדֵל Gen.26:13

34 וַיִּגְדַּל הַיֶּלֶד וַתְּבִאֵהוּ לְבַת־פַּרְעֹה Ex.2:10

35 וַיִּגְדַּל מֹשֶׁה וַיֵּצֵא אֶל־אֶחָיו Ex.2:11

36 וַיִּגְדַּל הַנַּעַר וַיְבָרְכֵהוּ יְיָ Jud.13:24

37 וַיִּגְדַּל הַנַּעַר שְׁמוּאֵל עִם־יְיָ ISh.2:21

38 וַיִּגְדַּל שְׁמוּאֵל וַיְיָ הָיָה עִמּוֹ ISh.3:19

39/40 וַיִּגְדַּל הַמֶּלֶךְ שְׁלֹמֹה מִכֹּל מַלְכֵי הָאָרֶץ IK.10:23 • IICh.9:22

41 וַיִּגְדַּל הַיָּלֶד...וַיֵּצֵא...אֶל־הַקֹּצְרִים IIK.4:18

42 וַיִּגְדַּל עֲוֹן בַּת־עַמִּי מֵחַטַּאת סְדֹם Lam.4:6

וַיִּגְדָּל 43 וַיְהִי אֱלֹהִים אֶת־הַנַּעַר וַיִּגְדָּל Gen.21:20

44 וַיְיָ בֵּרַךְ אֶת־אֲדֹנִי מְאֹד וַיִּגְדָּל Gen.24:35

תִּגְדַּל 45 כֵּן תִּגְדַּל נַפְשִׁי בְּעֵינֵי יְיָ ISh.26:24

46 לֹא־תִגְדַּל תִּפְאֶרֶת בֵּית־דָּוִיד Zech.12:7

וַתִּגְדַּל 47 וַתִּגְדַּל עִמּוֹ וְעִם־בָּנָיו IISh.12:3

48 קֶרֶן...וַתִּגְדַּל־יֶתֶר אֶל־הַנֶּגֶב Dan.8:9

49 וַתִּגְדַּל עַד־צְבָא הַשָּׁמָיִם Dan.8:10

יִגְדָּלוּ 50 הֲלָהֵן תְּשַׂבֵּרְנָה עַד אֲשֶׁר יִגְדָּלוּ Ruth 1:13

וַיִּגְדְּלוּ 51 וַיִּגְדְּלוּ הַנְּעָרִים Gen.25:27

52 וַיִּגְדְּלוּ בְנֵי־הָאִשָּׁה Jud.11:2

גַּדֵּל 53 גַּדֵּל פֶּרַע שְׂעַר רֹאשׁוֹ Num.6:5

לְגַדֵּל 54 וּבְיָדְךָ לְגַדֵּל וּלְחַזֵּק לַכֹּל ICh.29:12

גַּדֶּלְךָ 55 אָחֵל גַּדֶּלְךָ בְּעֵינֵי כָּל־יִשְׂרָאֵל Josh.3:7

וּלְגַדְּלָם 56 וּלְגַדְּלָם שָׁנִים שָׁלוֹשׁ Dan.1:5

גִּדַּלְתִּי 57 בָּנִים גִּדַּלְתִּי וְרוֹמַמְתִּי Is.1:2

58 וְלֹא גִדַּלְתִּי בַּחוּרִים Is.23:4

גִּדַּלְתּוֹ 59 אֲשֶׁר לֹא־עָמַלְתָּ בּוֹ וְלֹא גִדַּלְתּוֹ Jon.4:10

גִּדַּל 60 גִּדַּל יְיָ אֶת־יְהוֹשֻׁעַ בְּעֵינֵי כָּל־יִשׂ׳ Josh.4:14

61 גִּדַּל הַמֶּלֶךְ אֲחַשְׁוֵרוֹשׁ אֶת־הָמָן Es.3:1

גִּדֵּל 62 וְאֵלֶּה מִי גִדֵּל Is.49:21

גִּדְּלוֹ 63 וְאֵת כָּל־אֲשֶׁר גִּדְּלוֹ הַמֶּלֶךְ Es.5:11

64 גְּדֻלַּת מָרְדֳּכַי אֲשֶׁר גִּדְּלוֹ הַמֶּלֶךְ Es.10:2

גִּדֵּלָה 65 אֵין־מְנַהֵל לָהּ...מִכָּל־בָּנִים גִּדֵּלָה Is.51:18

גִּדְּלוּהוּ 66 מַיִם גִּדְּלוּהוּ תְּהוֹם רֹמְמָתְהוּ Ezek.31:4

מְגַדְּלִים 67 אֶת־גְּדֹלֵי הָעִיר מְגַדְּלִים אוֹתָם IIK.10:6

וַאֲגַדְּלָה 68 וַאֲבָרֶכְךָ וַאֲגַדְּלָה שְׁמֶךָ Gen.12:2

וַאֲגַדְּלֶנּוּ 69 אֲהַלְלָה...וַאֲגַדְּלֶנּוּ בְתוֹדָה Ps.69:31

תְּגַדְּלֶנּוּ 70 מָה־אֱנוֹשׁ כִּי תְגַדְּלֶנּוּ Job 7:17

יְגַדֵּל 71 נָטַע אֹרֶן וְגֶשֶׁם יְגַדֵּל Is.44:14

וִיגַדֵּל 72 וִיגַדֵּל אֶת־כִּסְאוֹ מִכִּסֵּא אֲדֹנִי IK.1:37

73 וִיגַדֵּל אֶת־כִּסְאוֹ מִכִּסְאֶךָ IK.1:47

וַיְגַדֵּל 74 וַיְגַדֵּל יְיָ אֶת־שְׁלֹמֹה לְמַעְלָה ICh.29:25

וַיְגַדְּלֵהוּ 75 וַיְיָ אֱלֹהָיו עִמּוֹ וַיְגַדְּלֵהוּ לְמָעְלָה IICh.1:1

יְגַדְּלוּ 76 כִּי אִם־יְגַדְּלוּ אֶת־בְּנֵיהֶם Hosh.9:12

גַּדְּלוּ 77 גַּדְּלוּ לַיְיָ אִתִּי וּנְרוֹמְמָה שְׁמוֹ יַחְדָּו Ps.34:4

מְגֻדָּלִים 78 בָּנֵינוּ...מְגֻדָּלִים בִּנְעוּרֵיהֶם Ps.144:12

לְהַגְדִּיל 79 לְהַגְדִּיל לְמַעְלָה לְשֵׁם... ICh.22:5(4)

וּלְהַגְדִּיל 80 לְהַקְטִין אֵיפָה וּלְהַגְדִּיל שֶׁקֶל Am.8:5

הִגְדַּלְתִּי 81 הִגְדַּלְתִּי וְהוֹסַפְתִּי חָכְמָה Eccl.1:16

82 הִגְדַּלְתִּי מַעֲשָׂי Eccl.2:4

הִגְדַּלְתָּ 83 לוֹ הִגְדַּלְתָּ הַשִּׂמְחָה Is.9:2

84 הִגְדַּלְתָּ עַל־כָּל־שִׁמְךָ אִמְרָתֶךָ Ps.138:2

הִגְדִּיל 85 רְאוּ אֵת אֲשֶׁר־הִגְדִּל עִמָּכֶם ISh.12:24

86 וַיִּבְכּוּ...עַד־דָּוִד הִגְדִּיל ISh.20:41

87 הִפְלִא עֵצָה הִגְדִּיל תּוּשִׁיָּה Is.28:29

88/9 כִּי עַל־יְיָ הִגְדִּיל Jer.48:26,42

90 כִּי הִגְדִּיל לַעֲשׂוֹת Joel 2:20

הִגְדִּיל (המשך) 91-93 הִגְדִּיל יְיָ לַעֲשׂוֹת Joel 2:21 • Ps.126:2,3

94 הִגְדִּיל עָלַי עָקֵב Ps.41:10

95 לֹא־מְשַׂנְאִי עָלַי הִגְדִּיל Ps.55:13

96 רְאֵה יְיָ...כִּי הִגְדִּיל אוֹיֵב Lam.1:9

97 וּצְפִיר הָעִזִּים הִגְדִּיל עַד־מְאֹד Dan.8:8

98 וְעַד שַׂר־הַצָּבָא הִגְדִּיל Dan.8:11

וְהִגְדִּיל 99 וְעָשָׂה כִרְצֹנוֹ וְהִגְדִּיל Dan.8:4

הִגְדִּילוּ 100 בְּמוֹט רַגְלִי עָלַי הִגְדִּילוּ Ps.38:17

מִגְדּוֹל 101 מִגְדּוֹל (כת׳ מגדיל) יְשׁוּעוֹת מַלְכּוֹ IISh.22:51

מַגְדִּיל 102 מַגְדִּל יְשׁוּעוֹת מַלְכּוֹ Ps.18:51

הַמַּגְדִּילִים 103 יִלְבְּשׁוּ־בֹשֶׁת...הַמַּגְדִּילִים עָלָי Ps.35:26

אַגְדִּיל 104 גַּם־אֲנִי אַגְדִּיל הַמְּדוּרָה Ezek.24:9

תַּגְדֵּל 105 וְאַל־תַּגְדֵּל פִּיךָ בְּיוֹם צָרָה Ob.12

וַתַּגְדֵּל 106 וַתַּגְדֵּל חַסְדְּךָ אֲשֶׁר עָשִׂיתָ Gen.19:19

יַגְדִּיל 107 יַגְדִּיל תּוֹרָה וְיַאְדִּיר Is.42:21

108 וְהִצְלִיחַ...וּבִלְבָבוֹ יַגְדִּיל Dan.8:25

תַּגְדִּילוּ 109 אִם־אָמְנָם עָלַי תַּגְדִּילוּ Job 19:5

וַתַּגְדִּילוּ 110 וַתַּגְדִּילוּ עָלַי בְּפִיכֶם Ezek.35:13

וַיַּגְדִּילוּ 111 וַיַּגְדִּילוּ עַל־גְּבוּלָם Zep.2:8

112 חֵרְפוּ וַיַּגְדִּלוּ עַל־עַם יְיָ Zep.2:10

וְהִתְגַּדִּלְתִּי 113 וְהִתְגַּדִּלְתִּי וְהִתְקַדִּשְׁתִּי Ezek.38:23

יִתְגַּדֵּל 114 אִם־יִתְגַּדֵּל הַמַּשּׂוֹר עַל־מְנִיפוֹ Is.10:15

יִתְגַּדָּל 115 כִּי עַל־כֹּל יִתְגַּדָּל Dan.11:37

וְיִתְגַּדֵּל 116 וְיִתְרוֹמֵם וְיִתְגַּדֵּל עַל־כָּל־אֵל Dan.11:36

גָּדֵל* ת׳ גדול

גִּדְלֵי־ 1 אֶל־בְּנֵי־מִצְרַיִם...גִּדְלֵי בָשָׂר Ezek.16:26

גֹּדֶל ז׳ א) תכונת הגדול: 2—9, 13

ב) גאון: 1, 10—12

גֹּדֶל זְרוֹעוֹ 6; גֹּ׳ חַסְדּוֹ 5; גֹּדֶל לֵבָב 2, 4

גֹדֶל 1 הָבוּ גֹדֶל לֵאלֹהֵינוּ Deut.32:3

גֹּדֶל־ 2 עַל־פְּרִי־גֹדֶל לְבַב מֶלֶךְ אַשּׁוּר Is.10:12

וּבְגֹדֶל 3 אֶל־מִי דָמִיתָ...בְּכָבוֹד וּבְגֹדֶל Ezek.31:18

4 בְּגַאֲוָה וּבְגֹדֶל לֵבָב לֵאמֹר Is.9:8

כְּגֹדֶל־ 5 סְלַח־נָא...כְּגֹדֶל חַסְדֶּךָ Num.14:19

6 כְּגֹדֶל זְרוֹעֲךָ הוֹתֵר בְּנֵי תְמוּתָה Ps.79:11

גָּדְלְךָ 7 אֶת־גָּדְלְךָ וְאֶת־יָדְךָ הַחֲזָקָה Deut.3:24

בְּגָדְלֶךָ 8 אֲשֶׁר פָּדִיתָ בְּגָדְלֶךָ Deut.9:26

9 אֶל־מִי דָּמִיתָ בְגָדְלֶךָ Ezek.31:2

גָּדְלוֹ 10 אֶת־כְּבֹדוֹ וְאֶת־גָּדְלוֹ Deut.5:21

11 אֶת־גָּדְלוֹ אֶת־יָדוֹ הַחֲזָקָה Deut.11:2

גֻּדְלוֹ 12 הַלְלוּהוּ...כְּרֹב גֻּדְלוֹ Ps.150:2

בְּגָדְלוֹ 13 וַיְּיִף בְּגָדְלוֹ בְּאֹרֶךְ דָּלִיּוֹתָיו Ezek.31:7

גִּדֵּל שפ״ז – אבי משפחה בימי זרובבל: 1—4

גִּדֵּל 1-2 בְּנֵי־גִדֵּל בְּנֵי־גַחַר Ez.2:47 • Neh.7:49

3-4 בְּנֵי־דַרְקוֹן בְּנֵי גִדֵּל Ez.2:56 • Neh.7:58

גֹּדֶל־ עֵין גָּדוֹל (מס׳ 305—307)

גְּדֻלָּה נ׳ א) כבוד: 1—10

ב) [גְּדֻלּוֹת] מעשים גדולים: 11, 12

גְּדֻלָּה 1 מַה־נַּעֲשָׂה יְקָר וּגְדוּלָּה לְמָרְדֳּכַי Es.6:3

הַגְּדֻלָּה 2/3 עָשִׂיתָ אֵת כָּל־הַגְּדוּלָּה IISh.7:21 • ICh.17:19

4 וְלַעֲשׂוֹת לָכֶם הַגְּדוּלָּה IISh.7:23

5 לְךָ יְיָ הַגְּדֻלָּה וְהַגְּבוּרָה ICh.29:11

גְּדֻלַּת־ 6 וּפָרָשַׁת גְּדֻלַּת מָרְדֳּכַי Es.10:2

גְּדֻלָּתִי 7 תֶּרֶב גְּדֻלָּתִי וְתִסֹּב תְּנַחֲמֵנִי Ps.71:21

וּגְדֻלָּתְךָ 8 וּגְדֻלָּתְךָ (כת׳ וגדולתיך) אֲסַפְּרֶנָּה Ps.145:6

גְּדֻלָּתוֹ 9 וְאֶת־יְקָר תִּפְאֶרֶת גְּדוּלָּתוֹ Es.1:4

וְלִגְדֻלָּתוֹ 10 וְלִגְדֻלָּתוֹ אֵין חֵקֶר Ps.145:3

גְּדֻלּוֹת 11 לָשׂוּם לְךָ שֵׁם גְּדֻלּוֹת וְנוֹרָאוֹת ICh.17:21

הַגְּדֻלּוֹת 12 לְהֹדִיעַ אֶת־כָּל־הַגְּדֻלּוֹת ICh.17:19

גְּדַלְיָה שפ״ז א) זקנו של צפניה הנביא: 5
ב) נציב יהודה, הוא גְּדַלְיָהוּ: 1–4
ג) כהן בימי עזרא: 6

גְּדַלְיָה 1 וְשֻׁבָה אֶל־גְּדַלְיָה בֶן־אֲחִיקָם Jer.40:5
2 וַיָּבֹא יִרְמְיָהוּ אֶל־גְּדַלְיָה בֶן־אֲחִיקָם Jer.40:6
3 וַיָּבֹאוּ אֶל־גְּדַלְיָה הַמִּצְפָּתָה Jer.40:8
4 הִכָּה אֶת־גְּדַלְיָה בֶּן־אֲחִיקָם Jer.41:16
5 אֶל־צְפַנְיָה בֶן־כּוּשִׁי בֶן־גְּדַלְיָה Zep.1:1
וּגְדַלְיָה 6 מַעֲשֵׂיָה וֶאֱלִיעֶזֶר וְיָרִיב וּגְדַלְיָה Ez.10:18

גְּדַלְיָהוּ שפ״ז א) ראש משמר משוררים בימי דוד: 24, 25
ב) משרי צדקיהו מלך יהודה: 26
ג) נציב יהודה אחרי החורבן: 1–23

גְּדַלְיָהוּ 1 וַיַּפְקֵד...אֶת־גְּדַלְיָהוּ בֶּן־אֲחִיקָם IIK.25:22
2–13 גְּדַלְיָהוּ בֶן־אֲחִיקָם Jer.39:14; 40:7 9,11,14,16; 41:1,2,6,10,18; 43:6
14–23 גְּדַלְיָהוּ IIK.25:23², 24, 25 Jer.40:12, 13, 15; 41:3, 4, 9
24 בְּנֵי יְדוּתוּן גְּדַלְיָהוּ וּצְרִי ICh.25:3
25 וַיֵּצֵא הַגּוֹרָל...גְּדַלְיָהוּ הַשֵּׁנִי ICh.25:9
וּגְדַלְיָהוּ 26 וַיִּשְׁמַע..וּגְדַלְיָהוּ בֶּן פַּשְׁחוּר Jer.38:1

גִּדַּלְתִּי שפ״ז – מבני הימן, אבי משוררים בימי דוד: 1, 2
גִּדַּלְתִּי 1 גִּדַּלְתִּי וְרֹמַמְתִּי עֶזֶר ICh.25:4
לְגִדַּלְתִּי 2 לִשְׁנַיִם וְעֶשְׂרִים לְגִדַּלְתִּי ICh.25:29

גדע : גָּדַע, גָּדוּעַ, גִּדֵּעַ, גֻּדַּע; גְּדוּעָה; ש״פ גִּדְעוֹן, גִּדְעֹנִי, גִּדְעֹם

גָּדַע פ׳ א) קטע, שבר: 1–5
ב) [נפ׳ נִגְדַּע] נשבר: 6–12
ג) [פ׳ גִּדֵּעַ] שבר: 13–21
ד) [פֻ׳ גֻּדַּע] שבר: 22
גָּדַע זְרוֹעַ 1; גָּ׳ מַקֵּל 4, 5; גָּ׳ קֶרֶן 2; נִגְדַּע שֵׁבֶט 7; נִגְדְּעָה קֶרֶן 9, 12; נִגְדְּעוּ חַמָּנִים 11; גִּדַּע אֲשֵׁרִים 18, 19, 21; גִּ׳ בְּרִיחִים 14, 16; גִּ׳ חַמָּנִים 15,13; גִּ׳ פְּסִילִים 20; גִּ׳ קַרְנַיִם 17; גֻּדְּעוּ שִׁקְמִים 22

וְגָדַעְתִּי 1 וְגָדַעְתִּי אֶת־זְרֹעֲךָ ISh.2:31
גָּדַע 2 גָּדַע בָּחֳרִי־אַף כֹּל קֶרֶן יִשְׂרָאֵל Lam.2:3
גְּדוּעִים 3 וְרָמֵי הַקּוֹמָה גְּדֻעִים Is.10:33
וָאֶגְדַּע 4 וָאֶקַּח אֶת־מַקְלִי...וָאֶגְדַּע אֹתוֹ Zech.11:10
5 וָאֶגְדַּע אֶת־מַקְלִי הַשֵּׁנִי Zech.11:14
נִגְדַּעְתָּ 6 נָפַלְתָּ מִשָּׁמַיִם...נִגְדַּעְתָּ לָאָרֶץ Is.14:12
נִגְדַּע 7 נִגְדַּע הַיּוֹם שֵׁבֶט אֶחָד מִיִּשְׂרָאֵל Jud.21:6
8 אֵיךְ נִגְדַּע וַיִּשָּׁבֵר פַּטִּישׁ כָּל־הָאָרֶץ Jer.50:23
נִגְדְּעָה 9 נִגְדְּעָה קֶרֶן מוֹאָב Jer.48:25
וְנִגְדְּעָה 10 וְנִגְדְּעָה וְנָפְלָה וְנִכְרַת הַמַּשָּׂא Is.22:25
וְנִגְדְּעוּ 11 וְנִגְדְּעוּ חַמָּנֵיכֶם וְנִמְחוּ מַעֲשֵׂיכֶם Ezek.6:6
12 וְנִגְדְּעוּ קַרְנוֹת הַמִּזְבֵּחַ Am.3:14
גִּדַּע 13 וְכָל־הַחַמָּנִים גִּדַּע בְּכָל אֶ״י IICh.34:7
גִּדֵּעַ 14 וּבְרִיחֵי בַרְזֶל גִּדֵּעַ Ps.107:16
15 וְהַחַמָּנִים...מֵעֲלֵיהֶם גִּדֵּעַ IICh.34:4
אֲגַדֵּעַ 16 וּבְרִיחֵי בַרְזֶל אֲגַדֵּעַ Is.45:2
17 וְכָל־קַרְנֵי רְשָׁעִים אֲגַדֵּעַ Ps.75:11
וַיְגַדַּע 18 וַיְגַדַּע אֶת־הָאֲשֵׁרִים IICh.14:2
תְּגַדֵּעוּן 19 וַאֲשֵׁירֵהֶם תְּגַדֵּעוּן Deut.7:5
20 וּפְסִילֵי אֱלֹהֵיהֶם תְּגַדֵּעוּן Deut.12:3
וַיְגַדְּעוּ 21 וַיְשַׁבְּרוּ הַמַּצֵּבוֹת וַיְגַדְּעוּ הָאֲשֵׁרִים IICh.31:1
גֻּדָּעוּ 22 שִׁקְמִים גֻּדָּעוּ וַאֲרָזִים נַחֲלִיף Is.9:9

גִּדְעוֹן שפ״ז – השופט החמישי, הוא יְרֻבַּעַל: 1–34
חֶרֶב גִּדְעוֹן 8; יְמֵי גִּדְעוֹן 9

גִּדְעוֹן 1 וַיֹּאמֶר אֵלָיו גִּדְעוֹן בִּי אֲדֹנִי Jud.6:13
2 וַיַּרְא גִּדְעוֹן כִּי־מַלְאַךְ יְיָ הוּא Jud.6:22
גִּדְעוֹן (המשך) 3 וַיֹּאמֶר גִּדְעוֹן אֲהָהּ אֲדֹנָי יְיָ Jud.6:22
4 וַיִּבֶן שָׁם גִּדְעוֹן מִזְבֵּחַ לַייָ Jud.6:24
5 וַיִּקַּח גִּדְעוֹן עֲשָׂרָה אֲנָשִׁים Jud.6:27
6 גִּדְעוֹן בֶּן־יוֹאָשׁ עָשָׂה הַדָּבָר הַזֶּה Jud.6:29
7 וַיַּשְׁכֵּם יְרֻבַּעַל הוּא גִדְעוֹן Jud.7:1
8 חֶרֶב גִּדְעוֹן בֶּן־יוֹאָשׁ Jud.7:14
9 וַתִּשְׁקֹט הָאָרֶץ...בִּימֵי גִדְעוֹן Jud.8:28
10–28 גִּדְעוֹן Jud.6:34, 36, 39; 7:15, 19, 24, 25; 8:4, 7, 11, 13, 21, 22, 23, 24, 27, 32, 33, 35
וְגִדְעוֹן 29 וְגִדְעוֹן בְּנוֹ חֹבֵט חִטִּים בַּגַּת Jud.6:11
30 וְגִדְעוֹן בָּא וַיַּעַשׂ גְּדִי־עִזִּים Jud.6:19
לְגִדְעוֹן 31 וַיְהִי לְגִדְעוֹן וּלְבֵיתוֹ לְמוֹקֵשׁ Jud.8:27
וּלְגִדְעוֹן 32 וּתְקַעְתֶּם...וַאֲמַרְתֶּם לַייָ וּלְגִדְעוֹן Jud.7:18
33 וַיִּקְרְאוּ חֶרֶב לַייָ וּלְגִדְעוֹן Jud.7:20
34 וּלְגִדְעוֹן הָיוּ שִׁבְעִים בָּנִים Jud.8:30

גִּדְעֹנִי שפ״ז – אביו של נשיא למטה דן: 1–5
גִּדְעֹנִי 1–4 אֲבִידָן בֶּן־גִּדְעֹנִי Num.1:11; 2:22; 7:60,65
5 אֲבִידָן בֶּן־גִּדְעֹנִי Num.10:24

גִּדְעֹם מקום בנחלת שבט בנימין
גִּדְעֹם 1 וַיַּדְבִּיקוּ אַחֲרָיו עַד־גִּדְעֹם Jud.20:45

גדף : גִּדֵּף; מְגַדֵּף; גִּדּוּף, גְּדוּפָה

גִּדֵּף פ׳ חרף: 1–7
וְגִדַּפְתָּ 1–2 אֶת־מִי חֵרַפְתָּ וְגִדַּפְתָּ IIK.19:22 • Is.37:23
גִּדְּפוּ 3–4 גִּדְּפוּ נַעֲרֵי מֶלֶךְ־אַשּׁוּר אוֹתִי IIK.19:6 • Is.36:6
5 עוֹד זֹאת גִּדְּפוּ אוֹתִי אֲבוֹתֵיכֶם Ezek.20:27
מְגַדֵּף 6 אֶת־יְיָ הוּא מְגַדֵּף Num.15:30
וּמְגַדֵּף 7 מִקּוֹל מְחָרֵף וּמְגַדֵּף Ps.44:17

גדר : גָּדַר, גָּדֵר, גְּדֵרָה*, גְּדֶרֶת; ש״פ גְּדוֹר¹, גְּדוֹר², גֶּדֶר, גְּדֵרָה, גְּדֵרוֹת, גְּדֵרִי, גְּדֵרָתִי, גְּדֵרֹתַיִם

גָּדַר פ׳ בנה גדר: 1–10
גָּדַר אָרְחוֹ 3; גָּ׳ בַּעֲדוֹ 4; גָּ׳ גָּדֵר 1, 7, 10; גָּ׳ דְּרָכָיו 5; גָּ׳ פְּרָצִים 2, 6
וְגָדַרְתִּי 1 וְגָדַרְתִּי אֶת־גְּדֵרָהּ Hosh.2:8
2 וְגָדַרְתִּי אֶת־פִּרְצֵיהֶן Am.9:11
גָּדַר 3 אָרְחִי גָדַר וְלֹא אֶעֱבוֹר Job 19:8
4 גָּדַר בַּעֲדִי וְלֹא אֵצֵא Lam.3:7
5 גָּדַר דְּרָכַי בְּגָזִית נְתִיבֹתַי עִוָּה Lam.3:9
גֹּדֵר 6 וְקֹרָא לְךָ גֹּדֵר פֶּרֶץ Is.58:12
7 אִישׁ גֹּדֵר־גָּדֵר וְעֹמֵד בַּפֶּרֶץ Ezek.22:30
וְלַגֹּדְרִים 8 וְלַגֹּדְרִים וּלְחֹצְבֵי הָאֶבֶן IIK.12:13
9 לֶחָרָשִׁים וְלַבֹּנִים וְלַגֹּדְרִים IIK.22:6
וַתִּגְדְּרוּ 10 וַתִּגְדְּרוּ גָדֵר עַל־בֵּית יִשְׂרָאֵל Ezek.13:5

גָּדֵר נ׳ כותל, סיג: 1–14
גָּדֵר דְּחוּיָה 4; גְּדֵר אֲבָנִים 10; בָּנָה גָדֵר 13; גָּדַר גָּדֵר 2, 3, 12; נָתַן לוֹ גָ׳ 6; פָּרַץ גָּ׳ 5, 11, 14
גָּדֵר 1 גָּדֵר מִזֶּה וְגָדֵר מִזֶּה Num.22:24
2 וַתִּגְדְּרוּ גָדֵר עַל־בֵּית יִשְׂרָאֵל Ezek.13:5
3 אִישׁ גֹּדֵר־גָּדֵר וְעֹמֵד בַּפֶּרֶץ Ezek.22:30
4 כְּקִיר נָטוּי גָּדֵר הַדְּחוּיָה Ps.62:4
5 וּפֹרֵץ גָּדֵר יִשְּׁכֶנּוּ נָחָשׁ Eccl.10:8
6 וְלָתֶת־לָנוּ גָדֵר בִּיהוּדָה Ez.9:9
וְגָדֵר 7 גָּדֵר מִזֶּה וְגָדֵר מִזֶּה Num.22:24
8 וְגָדֵר אֲשֶׁר־לַחוּץ Ezek.42:7
גֶּדֶר־ 9 בְּרֹחַב גֶּדֶר הֶחָצֵר Ezek.42:10
וְגֶדֶר־ 10 וְגֶדֶר אֲבָנָיו נֶהֱרָסָה Prov.24:31
גְּדֵרוֹ 11 פָּרֹץ גְּדֵרוֹ וְהָיָה לְמִרְמָס Is.5:5
גְּדֵרָה 12 וְגָדַרְתִּי אֶת־גְּדֵרָהּ Hosh.2:8
גְּדֵרָיִךְ 13 יוֹם לִבְנוֹת גְּדֵרָיִךְ Mic.7:11
גְּדֵרֶיהָ 14 לָמָּה פָּרַצְתָּ גְדֵרֶיהָ Ps.80:13

גֶּדֶר עיר מלוכה כנענית
גֶּדֶר 1 מֶלֶךְ גֶּדֶר אֶחָד Josh.12:13

גְּדֵרָה*¹ נ׳ גדר, מכלאה: 1–8
גִּדְרוֹת צֹאן 1, 4–7; בָּנָה גְּדֵרוֹת 4; פָּרַץ גְּ׳ 8
וּגְדֵרֹת 1 עָרִים לְטַפְּכֶם וּגְדֵרֹת לְצֹנַאֲכֶם Num.32:24
בַּגְּדֵרוֹת 2 וְהִתְשׁוֹטַטְנָה בַּגְּדֵרוֹת Jer.49:3
3 הַחוֹנִים בַּגְּדֵרוֹת בְּיוֹם קָרָה Nah.3:17
גִּדְרֹת־ 4 גִּדְרֹת צֹאן נִבְנֶה לְמִקְנֵנוּ Num.32:16
5 וַיָּבֹא אֶל־גִּדְרוֹת הַצֹּאן ISh.24:3
וְגִדְרֹת־ 6 עָרֵי מִבְצָר וְגִדְרֹת צֹאן Num.32:36
7 נְוֹת כְּרֹת רֹעִים וְגִדְרוֹת צֹאן Zep.2:6
גְּדֵרֹתָיו 8 פָּרַצְתָּ כָל־גְּדֵרֹתָיו Ps.89:41

גְּדֵרָה² א) ישוב בנחלת שבט יהודה: 1
ב) ישוב בצפון שפלת יהודה: 2
וּגְדֵרָה 1 וְיֹשְׁבֵי נְטָעִים וּגְדֵרָה ICh.4:23
וְהַגְּדֵרָה 2 וְשַׁעֲרַיִם...וְהַגְּדֵרָה וּגְדֵרֹתָיִם Josh.15:36

גְּדֵרוֹת ישוב בצפון שפלת יהודה: 1–2
וּגְדֵרוֹת 1 וּגְדֵרוֹת בֵּית־דָּגוֹן וְנַעֲמָה Josh.15:41
הַגְּדֵרוֹת 2 וְאֶת־הַגְּדֵרוֹת וְאֶת־שׂוֹכוֹ IICh.28:18

גְּדֵרִי ת׳ המתיחס על גדרה (?)
הַגְּדֵרִי 1 וְעַל־הַזֵּיתִים...בַּעַל חָנָן הַגְּדֵרִי ICh.27:28

גְּדֶרֶת נ׳ גָּדֵר(?)
הַגְּדֶרֶת 1 דֶּרֶךְ בִּפְנֵי הַגְּדֶרֶת הֲגִינָה Ezek.42:12

גְּדֵרָתִי ת׳ המתיחס על גדרה
הַגְּדֵרָתִי 1 וְיִרְמְיָה...וְיוֹזָבָד הַגְּדֵרָתִי ICh.12:5(4)

גְּדֵרֹתַיִם ישוב, אולי הוא גדרה²
וּגְדֵרֹתָיִם 1 וְשַׁעֲרַיִם...וְהַגְּדֵרָה וּגְדֵרֹתָיִם Josh.15:36

גֵּה כתיב אחר במקום "זֶה" (?)
גֵּה 1 גֵּה גְבוּל אֲשֶׁר תִּתְנַחֲלוּ Ezek.47:13

גהה : גָּהָה; גֵּהָה

גָּהָה פ׳ רפא
יִגְהֶה 1 וְלֹא־יִגְהֶה מִכֶּם מָזוֹר Hosh.5:13

גֵּהָה נ׳ רפואה? פָּנִים?
גֵּהָה 1 לֵב שָׂמֵחַ יֵיטִב גֵּהָה Prov.17:22

גָּהַר פ׳ התכופף לארץ, השתטח: 1–3
וַיִּגְהַר 1 וַיִּגְהַר אַרְצָה וַיָּשֶׂם פָּנָיו בֵּין בִּרְכָּו IK.18:42
2 וַיִּשְׁכַּב עַל־הַיֶּלֶד...וַיִּגְהַר עָלָיו IIK.4:34
3 וַיַּעַל וַיִּגְהַר עָלָיו IIK.4:35

גֵּו¹ ז׳ גַּב, גוף: 1–6
לְגֵו־ 1 וְשֵׁבֶט לְגֵו חֲסַר־לֵב Prov.10:13
2 וּמַהֲלֻמוֹת לְגֵו כְּסִילִים Prov.19:29
3 וְשֵׁבֶט לְגֵו כְּסִילִים Prov.26:3
גֵּוִי 4 גֵּוִי נָתַתִּי לְמַכִּים Is.50:6
גֵּוְךָ 5 הִשְׁלַכְתָּ אַחֲרֵי גֵוְךָ כָּל־חֲטָאָי Is.38:17
גֵּוֵךְ 6 וַתָּשִׂימִי כָאָרֶץ גֵּוֵךְ Is.51:23

גֵּו² ז׳ קהל(?) ארץ(?)
גֵּו 1 מִן־גֵּו יְגֹרָשׁוּ Job 30:5

גֵּו*1 ז׳ גב: 1–3

גֵּוֶךָ 1 וְאֹתִי הִשְׁלַכְתָּ אַחֲרֵי גֵוֶךָ IK.14:9

גֵּוֶךָ 2 וַתַּשְׁלִיכִי אוֹתִי אַחֲרֵי גֵוֵךְ Ezek.23:35

גֵּוָּם 3 וַיַּשְׁלִכוּ אֶת־תּוֹרָתְךָ אַחֲרֵי גַוָּם Neh.9:26

גֵּו*2 ז׳ ארמית: גַּו, תוך

גּוֹא־ 1 נָפְקִין...מִן־גּוֹא נוּרָא Dan.3:26

בְּגוֹא־ 2 שָׁרַיִן מַהְלְכִין בְּגוֹא־נוּרָא Dan.3:25

3 וַאֲלוּ אִילָן בְּגוֹא אַרְעָא Dan.4:7

4 אֶתְכְּרִיַּת רוּחִי...בְּגוֹא נִדְנֶה Dan.7:15

לְגוֹא־ 5–9 לְגוֹא־אַתּוּן נוּרָא יָקִדְתָּא Dan.3:6, 11, 15, 21, 23

10 גֻּבְרִין תְּלָתָה רְמֵינָא לְגוֹא־נוּרָא Dan.3:24

בְּגַוַּהּ 11 פִּתְגָמָא...וְכִדְנָה כְּתִיב בְּגַוַּהּ Ez.5:7

בְּגַוַּהּ 12 וְאֶשְׁתַּדּוּר עָבְדִין בְּגַוַּהּ Ez.4:15

13 וְכֵן־כְּתִיב בְּגַוַּהּ דִּכְרוֹנָה Ez.6:2

גּוֹאֵל ז׳ א) קרוב משפחה (ביחוד בצירוף "גֹּאֵל הַדָּם"): 1–2, 4–23, 25, 35, 43, 44

ב) פודה, מציל: 3, 24, 26–34, 36–42

עיין גם גָּאַל

גֹּאֵל הַדָּם 13–23, 25; גֹּאֵל יִשְׂרָאֵל 24

גּוֹאֵל 1 וְאִישׁ כִּי לֹא־יִהְיֶה לּוֹ גֹּאֵל Lev.25:26

2 וְאִם־אֵין לָאִישׁ גֹּאֵל לְהָשִׁיב Num.5:8

3 וּבָא לְצִיּוֹן גּוֹאֵל Is.59:20

4 וּפָרַשְׂתָּ כְנָפֶךָ...כִּי גֹאֵל אָתָּה Ruth 3:9

5 וְעַתָּה כִּי אָמְנָם כִּי אִם גֹּאֵל אָנֹכִי Ruth 3:12

6 וְגַם יֵשׁ גֹּאֵל קָרוֹב מִמֶּנִּי Ruth 3:12

7 אֲשֶׁר לֹא הִשְׁבִּית לָךְ גֹּאֵל הַיּוֹם Ruth 4:14

הַגּוֹאֵל 8 וְהִנֵּה הַגֹּאֵל עֹבֵר Ruth 4:1

9 וַיֹּאמֶר הַגֹּאֵל לֹא אוּכַל לִגְאָל־לִי Ruth 4:6

10 וַיֹּאמֶר הַגֹּאֵל לְבֹעַז קְנֵה־לָךְ Ruth 4:8

לַגּוֹאֵל 11 וַיֹּאמֶר לַגֹּאֵל חֶלְקַת הַשָּׂדֶה Ruth 4:3

מִגּוֹאֵל 12 וְהָיוּ...הֶעָרִים לְמִקְלָט מִגֹּאֵל Num.35:12

גּוֹאֵל־ 13 גֹּאֵל הַדָּם הוּא יָמִית אֶת־הָרֹצֵחַ Num.35:19

14–23 גֹּאֵל הַדָּם Num.35:21, 24, 25, 27[2]

Deut.19:6, 12 • Josh.20:5, 9 • IISh.14:11

24 יְיָ גֹּאֵל יִשְׂרָאֵל קְדוֹשׁוֹ Is.49:7

מִגּוֹאֵל־ 25 וְהָיוּ לָכֶם לְמִקְלָט מִגֹּאֵל הַדָּם Josh.20:3

גּוֹאֲלִי 26 וַאֲנִי יָדַעְתִּי גֹּאֲלִי חָי Job 19:25

וְגוֹאֲלִי 27 יְיָ צוּרִי וְגֹאֲלִי Ps.19:15

גּוֹאַלְךָ 28 כֹּה אָמַר־יְיָ גֹּאַלְךָ קְדוֹשׁ יִשְׂרָאֵל Is.48:17

גּוֹאַלֶךָ 29 כֹּה אָמַר־יְיָ גֹּאַלֶךָ וְיֹצֶרְךָ מִבָּטֶן Is.44:24

גּוֹאֲלֵךְ 30 ...רִחַמְתִּיךְ אָמַר גֹּאֲלֵךְ יְיָ Is.54:8

וְגוֹאֲלֵךְ 31/2 וְגֹאֲלֵךְ קְדוֹשׁ יִשְׂרָאֵל Is.41:14; 54:5

33/4 מוֹשִׁיעֵךְ וְגֹאֲלֵךְ אֲבִיר יַעֲקֹב Is.49:26; 60:16

גּוֹאֲלוֹ 35 וּבָא גֹאֲלוֹ הַקָּרֹב אֵלָיו Lev.25:25

וְגוֹאֲלוֹ 36 מֶלֶךְ יִשְׂרָאֵל וְגֹאֲלוֹ יְיָ צְבָאוֹת Is.44:6

גּוֹאֲלֵנוּ 37 גֹּאֲלֵנוּ יְיָ צְבָאוֹת שְׁמוֹ Is.47:4

38 גֹּאֲלֵנוּ מֵעוֹלָם שְׁמֶךָ Is.63:16

גּוֹאַלְכֶם 39 כֹּה־אָמַר יְיָ גֹּאַלְכֶם Is.43:14

גּוֹאֲלָם 40 גֹּאֲלָם חָזָק יְיָ צְבָאוֹת שְׁמוֹ Jer.50:34

41 אֱלֹהִים צוּרָם וְאֵל־עֶלְיוֹן גֹּאֲלָם Ps.78:35

42 כִּי־גֹאֲלָם חָזָק Prov.23:11

וְגוֹאֲלָיו 43 לֹא־הִשְׁאִיר לוֹ מַשְׁתִּין בְּקִיר וְגֹאֲלָיו IK.16:11

מִגּוֹאֲלֵנוּ 44 קָרוֹב לָנוּ הָאִישׁ מִגֹּאֲלֵנוּ הוּא Ruth 2:20

גּוֹב1 ז׳ אַרְבֶּה: 1–3 • קרובים: ראה אַרְבֶּה

כְּגוֹב־ 1 מִנְּזָרַיִךְ כָּאַרְבֶּה וְטַפְסְרַיִךְ כְּגוֹב גֹּבָי Nah.3:17

גּוֹבַי 2 יוֹצֵר גֹּבַי בִּתְחִלַּת עֲלוֹת הַלָּקֶשׁ Am.7:1

גּוֹבַי 3 מִנְּזָרַיִךְ כָּאַרְבֶּה וְטַפְסְרַיִךְ כְּגוֹב גֹּבָי Nah.3:17

גּוֹב2 מקום ישוב [בדה"א כ 4: גֶּזֶר]

בְּגוֹב 1–2 וַתְּהִי־עוֹד הַמִּלְחָמָה בְּגוֹב IISh.21:18, 19

גּוֹג שפ־ז א) נשיא ראש מֶשֶׁךְ ותובל: 1–9, 11, 12

ב) איש למטה ראובן: 10

גּוֹג 1 שִׂים פָּנֶיךָ אֶל־גּוֹג מֶלֶךְ הַמָּגוֹג Ezek.38:2

2–3 הִנְנִי אֵלֶיךָ גּוֹג נְשִׂיא רֹאשׁ... Ezek.38:3; 39:1

4 בְּהִקָּדְשִׁי בְךָ לְעֵינֵיהֶם גּוֹג Ezek.38:16

5 בַּיּוֹם בּוֹא גוֹג עַל־אַדְמַת יִשְׂרָאֵל Ezek.38:18

6 הִנָּבֵא עַל־גּוֹג וְאָמַרְתָּ Ezek.39:1

7 וְקָבְרוּ שָׁם אֶת־גּוֹג Ezek.39:1

8 וְקָרְאוּ גֵּיא הֲמוֹן גּוֹג Ezek.39:11

9 הַמְקַבְּרִים אֶל־גֵּיא הֲמוֹן גּוֹג Ezek.39:15

10 בְּנֵי יוֹאֵל שְׁמַעְיָה בְנוֹ גּוֹג בְּנוֹ IСh.5:4

לְגוֹג 11 הִנָּבֵא בֶן־אָדָם וְאָמַרְתָּ לְגוֹג Ezek.38:14

12 אֶתֵּן לְגוֹג מְקוֹם־שָׁם קֶבֶר Ezek.39:11

(גוד) גָּד פ׳ התנפל, תקף: 1–3

יָגֻד 1 וְהוּא יָגֻד עָקֵב Gen.49:19

יְגוּדֶנּוּ 2 גָּד גְּדוּד יְגוּדֶנּוּ Gen.49:19

3 לַעֲלוֹת לְעַם יְגוּדֶנּוּ Hab.3:16

גּוֹדֵר ז׳ עיין גָּדַר

גֵּוָה1 נ׳ גֵּו, גוף

מִגֵּוָה 1 שָׁלַף וַיֵּצֵא מִגֵּוָה Job 20:25

גֵּוָה2 נ׳ גאוה: 1–3

גֵּוָה 1 בְּמִסְתָּרִים תִּבְכֶּה־נַפְשִׁי מִפְּנֵי גֵוָה Jer.13:17

2 כִּי־הִשְׁפִּילוּ וַתֹּאמֶר גֵּוָה Job 22:29

וְגֵוָה 3 וְגֵוָה מִגֶּבֶר יְכַסֶּה Job 33:17

גֵּוָה3 נ׳ ארמית: גאוה

בְּגֵוָה 1 וְדִי מַהְלְכִין בְּגֵוָה יָכִל לְהַשְׁפָּלָה Dan.4:34

(גוז) גָּז פ׳ א) עבר: 1 ב) העביר: 2

גָּז 1 כִּי־גָז חִישׁ וַנָּעֻפָה Ps.90:10

וַיָּגָז 2 וַיָּגָז שַׂלְוִים מִן־הַיָּם Num.11:31

גּוֹזָל ז׳ וְלַד עוֹף: 1–2

וְגוֹזָל 1 וְאַיִל מְשֻׁלָּשׁ וְתֹר וְגוֹזָל Gen.15:9

גּוֹזָלָיו 2 כְּנֶשֶׁר...עַל־גּוֹזָלָיו יְרַחֵף Deut.32:11

גּוֹזָן עיר על שפת הנהר חָבוֹר בצפון־מערב מְסוֹפּוֹטַמְיָה: 1–5

גּוֹזָן 1–2 נְהַר גּוֹזָן וְעָרֵי מָדָי IIK.17:6; 18:11

3–4 אֶת־גּוֹזָן וְאֶת־חָרָן IIK.19:12 • Is.37:12

5 וְחָבוֹר וְהָרָא וּנְהַר גּוֹזָן IСh.5:26

גוח עיין גיח

גּוֹי ז׳ א) עם, אומה: רוב המקראות: 1–556

ב) להקת בעלי־חיים: 42, 47

קרובים: ראה אֻמָּה

– גּוֹי אֹבַד עֵצוֹת 10; גּ׳ אֶחָד 12, 56, 111; גּ׳ אֵיתָן 32; גּוֹי גָּדוֹל 2, 3, 61–62, 67, 99–107; גּ׳ חוֹטֵא 18; גּ׳ חָנֵף 93; גּ׳ לֹא חָסִיד 117; גּ׳ כְּרֵתִים 122; גּ׳ מוֹרָט 22; גּ׳ מְמֻשָּׁךְ 22; גּ׳ מַר 73; גּ׳ נָבָל 92; גּ׳ נִמְהָר 73; גּ׳ עַז פָּנִים 9; גּ׳ עָצוּם 110, 112; גּ׳ צַדִּיק 25; גּוֹי קָדוֹשׁ 59; גּ׳ קַו קָו 23; גּ׳ רָחוֹק 43; גּ׳ שָׁלֵו 40

– אַשְׁרֵי הַגּוֹי 76; חַיְתוֹ גוֹי 47; חֻקּוֹת גּ׳ 66; מַלְאֲכֵי גוֹי 21; מְתָעַב גּוֹי 2; שִׂמְחַת גּוֹי 124

– גּוֹיִם אַדִּירִים 191; גּ׳ גְּדוֹלִים 134, 137–138, 155, 179; גּוֹיִם מוֹרְדִים 181; גּ׳ עֲצוּמִים 134, 136–138, 155, 260, 523; גּ׳ עָרִיצִים 167; גּ׳ רַבִּים 135, 136, 139–151, 438; גּוֹיִם שַׁאֲנַנִּים 312

– אוֹר גּוֹיִם 168, 169; אַחֲרִית גּ׳ 180; אִיֵּי גּ׳ 261, 310; אֵיל גּ׳ 188; אֱלֹהֵי הַגּ׳ 269, 279–283; אַרְצוֹת גּ׳ 202; בְּנוֹת גּ׳ 191, 303; בַּעֲלֵי גּ׳ 165; דֶּרֶךְ הַגּ׳ 286; הַבְלֵי גּ׳ 290; הֲמוֹן גּ׳ 127–128; חֵיל גּ׳ 171, 172, 174; חַכְמֵי הַגּ׳ 288; חֵלֶב גּ׳ 173; חֻקּוֹת הַגּ׳ 276; חֶרְפַּת הַגּ׳ 319; יוֹסֵר גּ׳ 200; כְּבוֹד גּ׳ 175; כְּלִמַּת גּ׳ 192, 304, 308; כְּפִיר גּ׳ 189; כָּל הַגּ׳ 321–379; לְעֵינֵי גּ׳ 183, 194, 264, 285, 293–301; לְשׁוֹנוֹת הַגּ׳ 315; מְלֹא הַגּ׳ 263; מֶלֶךְ גּ׳ 125–126, 154, 287; מַלְכֵי גּ׳ 162, 164; מַמְלְכוֹת הַגּ׳ 160, 311, 320; מַשְׁחִית גּ׳ 178; מִשְׁפְּחוֹת הַגּ׳ 197; מִשְׁפְּטֵי הַגּ׳ 277, 292, 302; נַחֲלַת גּ׳ 204; סֹחַר גּ׳ 166; עֲצַבֵּי הַגּ׳ 318; עֲצַת גּ׳ 198; עָרֵי הַגּ׳ 268; עָרִיצֵי גּ׳ 184, 185, 187, 190; עַת גּ׳ 186; פְּלִיטֵי גּ׳ 284; צִבְאוֹת גּ׳ 176; קְהַל גּ׳ 130, 179; קִרְיַת גּ׳ 167; קַרְנוֹת הַגּ׳ 313; רֹאשׁ הַגּ׳ 157, 196, 291; רֵאשִׁית הַגּ׳ 133; רֹעֵי גּ׳ 182; רִשְׁעַת גּ׳ 265, 266; שְׁאֵרִית הַגּ׳ 305–307; תּוֹעֲבוֹת גּ׳ 267, 270–275

גּוֹיֵי הָאָרֶץ 539–547; גּ׳ הָאֲרָצוֹת 548, 549

גּוֹי 1 גּוֹי וּקְהַל גּוֹיִם יִהְיֶה מִמֶּךָּ Gen.35:11

2 מִי־גוֹי גָּדוֹל אֲשֶׁר־לוֹ אֱלֹהִים Deut.4:7

3 וּמִי גּוֹי גָּדוֹל אֲשֶׁר־לוֹ חֻקִּים... Deut.4:8

4/5 לָקַחַת לוֹ גוֹי מִקֶּרֶב גּוֹי Deut.4:34

6 אֶל־גּוֹי אֲשֶׁר לֹא־יָדַעְתָּ Deut.28:36

7 יִשָּׂא יְיָ עָלֶיךָ גּוֹי מֵרָחֹק Deut.28:49

8 גּוֹי אֲשֶׁר לֹא־תִשְׁמַע לְשֹׁנוֹ Deut.28:49

9 גּוֹי עַז פָּנִים Deut.28:50

10 כִּי־גוֹי אֹבַד עֵצוֹת הֵמָּה Deut.32:28

11 עַד־יִקֹּם גּוֹי אֹיְבָיו Josh.10:13

12 וּמִי כְעַמְּךָ...גּוֹי אֶחָד בָּאָרֶץ IISh.7:23

13 אִם־יֵשׁ־גּוֹי וּמַמְלָכָה IK.18:10

14/5 וַיִּהְיוּ עֹשִׂים גּוֹי גּוֹי אֱלֹהָיו IIK.17:29

16/7 עָשׂוּ הַשֹּׁמְרֹנִים גּוֹי גּוֹי בְּעָרֵיהֶם IIK.17:29

18 הוֹי גּוֹי חֹטֵא עַם כֶּבֶד עָוֹן Is.1:4

19–20 לֹא־יִשָּׂא גוֹי אֶל־גּוֹי חֶרֶב Is.2:4

21 וּמַה־יַּעֲנֶה מַלְאֲכֵי־גוֹי Is.14:32

22 אֶל־גּוֹי מְמֻשָּׁךְ וּמוֹרָט Is.18:2

23/4 גּוֹי קַו־קָו וּמְבוּסָה Is.18:2, 7

25 וְיָבֹא גוֹי־צַדִּיק שֹׁמֵר אֱמֻנִים Is.26:2

26 לִבְזֹה־נֶפֶשׁ לִמְתָעֵב גּוֹי Is.49:7

27 הֵן גּוֹי לֹא־תֵדַע תִּקְרָא Is.55:5

28 אֶל־גּוֹי לֹא־קֹרָא בִשְׁמִי Is.65:1

29 אִם־יִוָּלֵד גּוֹי פַּעַם אֶחָת Is.66:8

30 הַהֵימִיר גּוֹי אֱלֹהִים Jer.2:11

31 הִנְנִי מֵבִיא עֲלֵיכֶם גּוֹי מִמֶּרְחָק Jer.5:15

32/3 גּוֹי אֵיתָן הוּא גּוֹי מֵעוֹלָם הוּא Jer.5:15

34 גּוֹי לֹא־תֵדַע לְשֹׁנוֹ Jer.5:15

35/6 אֲדַבֵּר עַל־גּוֹי וְעַל־מַמְלָכָה Jer.18:7, 9

37 הִנֵּה רָעָה יֹצֵאת מִגּוֹי אֶל־גּוֹי Jer.25:32

38 יִשְׁבְּתוּ מִהְיוֹת גּוֹי לְפָנַי Jer.31:36(35)

39 מִהְיוֹת עוֹד גּוֹי לִפְנֵיהֶם Jer.33:24

40 עֲלוּ אֶל־גּוֹי שְׁלֵיו יוֹשֵׁב לָבֶטַח Jer.49:31

41 כִּי עָלָה עָלֶיהָ גּוֹי מִצָּפוֹן Jer.50:3

42 כִּי־גוֹי עָלָה עַל־אַרְצִי Joel 1:6

43 וּמְכָרוּם...אֶל־גּוֹי רָחוֹק Joel 4:8

44 כִּי הִנְנִי מֵקִים עֲלֵיכֶם...גּוֹי Am.6:14

45/6 לֹא־יִשְׂאוּ גּוֹי אֶל־גּוֹי חֶרֶב Mic.4:3

47 כָּל־חַיְתוֹ־גוֹי Zep.2:14

48/9 וַיִּתְהַלְּכוּ מִגּוֹי אֶל־גּוֹי Ps.105:13 • IСh.16:20

50 לֹא עָשָׂה כֵן לְכָל־גּוֹי Ps.147:20

51 צְדָקָה תְרוֹמֵם־גּוֹי Prov.14:34

52 וְעַל־גּוֹי וְעַל־אָדָם יָחַד Job 34:29

53 צִפִּינוּ אֶל־גּוֹי לֹא יוֹשִׁעַ Lam.4:17

54 וְעָצַם בִּמְעַט־גּוֹי Dan.11:23

55 אֲשֶׁר לֹא־נִהְיְתָה מִהְיוֹת גּוֹי Dan.12:1

56 וּמִי כְּעַמְּךָ...גּוֹי אֶחָד בָּאָרֶץ IСh.17:21

57 וְכֻתְּתוּ גוֹי־בְּגוֹי וְעִיר בְּעִיר IICh.15:6
58 כָּל־אֱלוֹהַּ כָּל־גּוֹי וּמַמְלָכָה IICh.32:15
וְגוֹי 59 מַמְלֶכֶת כֹּהֲנִים וְגוֹי קָדוֹשׁ Ex.19:6
60 וְגוֹי לֹא־יְדָעוּךָ אֵלֶיךָ יָרוּצוּ Is.55:5
61 וְגוֹי גָּדוֹל יֵעוֹר מִיַּרְכְּתֵי אָרֶץ Jer.6:22
62 וְגוֹי גָּדוֹל וּמְלָכִים רַבִּים Jer.50:41
הַגּוֹי 63 וְגַם אֶת־הַגּוֹי אֲשֶׁר יַעֲבֹדוּ Gen.15:14
64 וּרְאֵה כִּי עַמְּךָ הַגּוֹי הַזֶּה Ex.33:13
65 כַּאֲשֶׁר קָאָה אֶת־הַגּוֹי Lev.18:28
66 וְלֹא תֵלְכוּ בְּחֻקֹּת הַגּוֹי Lev.20:23
67 עַם־חָכָם וְנָבוֹן הַגּוֹי הַגָּדוֹל הַזֶּה Deut.4:6
68 עַד אֲשֶׁר־תַּמּוּ כָּל־הַגּוֹי לַעֲבוֹר Josh.3:17
69 כַּאֲשֶׁר־תַּמּוּ כָל־הַגּוֹי לַעֲבוֹר Josh.4:1
70 עַד־תֹּם כָּל־הַגּוֹי אַנְשֵׁי הַמִּלְחָמָה Josh.5:6
71 כַּאֲשֶׁר־תַּמּוּ כָל־הַגּוֹי לְהִמּוֹל Josh.5:8
72 יַעַן אֲשֶׁר עָבְרוּ הַגּוֹי הַזֶּה Jud.2:20
73 הַגּוֹי הַמַּר וְהַנִּמְהָר Hab.1:6
74 הִתְקוֹשְׁשׁוּ וָקוֹשּׁוּ הַגּוֹי לֹא נִכְסָף Zep.2:1
75 וְאֹתִי אַתֶּם קֹבְעִים הַגּוֹי כֻּלּוֹ Mal.3:9
76 אַשְׁרֵי הַגּוֹי אֲשֶׁר־יְיָ אֱלֹהָיו Ps.33:12
77-89 הַגּוֹי IK.18:10 • IIK.6:18
Is.9:2; 60:12 • Jer.7:28; 12:17; 18:8; 25:12; 27:8², 13; 49:36 • Hag.2:14
וְהַגּוֹי 90 וְהַגּוֹי אֲשֶׁר יָבִיא אֶת־צַוָּארוֹ Jer.27:11
הֲגוֹי 91 הֲגוֹי גַּם־צַדִּיק תַּהֲרֹג Gen.20:4
בְּגוֹי 92 בְּגוֹי נָבָל אַכְעִיסֵם Deut.32:21
93 בְּגוֹי חָנֵף אֲשַׁלְּחֶנּוּ Is.10:6
94-96 וְאִם בְּגוֹי אֲשֶׁר־כָּזֶה לֹא תִתְנַקֵּם נַפְשִׁי Jer.5:9,29; 9:8
97 וְכֻתְּתוּ גוֹי־בְּגוֹי וְעִיר בְּעִיר IICh.15:6
כְּגוֹי 98 כְּגוֹי אֲשֶׁר־צְדָקָה עָשָׂה Is.58:2
לְגוֹי 99 וְאֶעֶשְׂךָ לְגוֹי גָּדוֹל Gen.12:2
100-107 לְגוֹי גָּדוֹל Gen.17:20; 18:18; 21:18; 46:3
Ex.32:10 • Num.14:12 • Deut.9:14; 26:5
108 וְגַם אֶת־בֶּן־הָאָמָה לְגוֹי אֲשִׂימֶנּוּ Gen.21:13
109 מֵאָז הָיְתָה לְגוֹי Ex.9:24
110 וְהַצָּעִיר לְגוֹי עָצוּם Is.60:22
111 וְעָשִׂיתִי אֹתָם לְגוֹי אֶחָד בָּאָרֶץ Ezek.37:22
112 וְהַנַּהֲלָאָה לְגוֹי עָצוּם Mic.4:7
לַגּוֹי 113 יָסַפְתָּ לַגּוֹי יְיָ Is.26:15
114 יָסַפְתָּ לַגּוֹי נִכְבָּדְתָּ Is.26:15
מִגּוֹי 115 הִנֵּה רָעָה יֹצֵאת מִגּוֹי אֶל־גּוֹי Jer.25:32
116 לְכוּ וְנַכְרִיתֶנָּה מִגּוֹי Jer.48:2
117 שָׁפְטֵנִי...מִגּוֹי לֹא־חָסִיד Ps.43:1
118 לְכוּ וְנַכְחִידֵם מִגּוֹי Ps.83:5
119-120 וַיִּתְהַלְּכוּ מִגּוֹי אֶל גּוֹי Ps.105:13
ICh.16:20
121 אַרְבַּע מַלְכֻיוֹת מִגּוֹי יַעֲמֹדְנָה Dan.8:22
גּוֹי־ 122 יֹשְׁבֵי חֶבֶל הַיָּם גּוֹי כְּרֵתִים Zep.2:5
גּוֹיִי 123 שְׁאֵרִית עַמִּי...וְיֶתֶר גּוֹיִי יִנְחָלוּם Zep.2:9
גּוֹיֶךָ 124 לִשְׂמֹחַ בְּשִׂמְחַת גּוֹיֶךָ Ps.106:5
גּוֹיִם 125/6 וְתִדְעָל מֶלֶךְ גּוֹיִם Gen.14:1,9
127 וְהָיִיתָ לְאַב הֲמוֹן גּוֹיִם Gen.17:4
128 כִּי אַב־הֲמוֹן גּוֹיִם נְתַתִּיךָ Gen.17:5
129 שְׁנֵי גוֹיִם (כת' גיים) בְּבִטְנֵךְ Gen.25:23
130 גּוֹי וּקְהַל גּוֹיִם יִהְיֶה מִמֶּךָּ Gen.35:11
131 כִּי־אוֹרִישׁ גּוֹיִם מִפָּנֶיךָ Ex.34:24
132 יֹאכַל גּוֹיִם צָרָיו Num.24:8
133 רֵאשִׁית גּוֹיִם עֲמָלֵק Num.24:20
134 גּוֹיִם גְּדֹלִים וַעֲצֻמִים מִמְּךָ Deut.4:38
135 וְנָשַׁל גּוֹיִם־רַבִּים מִפָּנֶיךָ Deut.7:1
136 גּוֹיִם רַבִּים וַעֲצוּמִים מִמֶּךָּ Deut.7:1

גּוֹיִם (המשך)
137 גּוֹיִם גְּדֹלִים וַעֲצֻמִים מִמֶּךָּ Deut.9:1
138 גּוֹיִם גְּדֹלִים וַעֲצֻמִים מִכֶּם Deut.11:23
139 וְהַעֲבַטְתָּ גּוֹיִם רַבִּים Deut.15:6
140-151 גּוֹיִם רַבִּים Deut.28:12
Is.52:15 • Jer.22:8; 25:14; 27:7 • Ezek.26:3; 31:6 • Mic.4:2, 11 • Hab.2:8 • Zech.2:15 • Ps.135:10
152 בְּהַנְחֵל עֶלְיוֹן גּוֹיִם Deut.32:8
153 הַרְנִינוּ גוֹיִם עַמּוֹ Deut.32:43
154 מֶלֶךְ־גּוֹיִם לְגִלְגָּל אֶחָד Josh.12:23
155 וַיּוֹרֶשׁ...גּוֹיִם גְּדֹלִים וַעֲצוּמִים Josh.23:9
156 אֲשֶׁר פָּדִיתָ...גּוֹיִם וֵאלֹהָיו IISh.7:23
157 תִּשְׁמְרֵנִי לְרֹאשׁ גּוֹיִם IISh.22:44
158 וּלְהַכְרִית גּוֹיִם לֹא מְעָט Is.10:7
159 אֵלָיו גּוֹיִם יִדְרֹשׁוּ Is.11:10
160 שְׁאוֹן מַמְלְכוֹת גּוֹיִם נֶאֱסָפִים Is.13:4
161 רֹדֶה בְאַף גּוֹיִם Is.14:6
162 הֵקִים מִכִּסְאוֹתָם כֹּל מַלְכֵי גוֹיִם Is.14:9
163 נִגְדַּעְתָּ לָאָרֶץ חוֹלֵשׁ עַל־גּוֹיִם Is.14:12
164 כָּל־מַלְכֵי גוֹיִם כֻּלָּם שָׁכְבוּ Is.14:18
165 בַּעֲלֵי גוֹיִם הָלְמוּ שְׂרוּקֶּיהָ Is.16:8
166 וַתְּהִי סְחַר גּוֹיִם Is.23:3
167 קִרְיַת גּוֹיִם עָרִיצִים יִירָאוּךָ Is.25:3
168 וְאֶתֶּנְךָ לִבְרִית עָם לְאוֹר גּוֹיִם Is.42:6
169 וּנְתַתִּיךָ לְאוֹר גּוֹיִם Is.49:6
170 וְהָלְכוּ גוֹיִם לְאוֹרֵךְ Is.60:3
171 חֵיל גּוֹיִם יָבֹאוּ לָךְ Is.60:5
172 לְהָבִיא אֵלַיִךְ חֵיל גּוֹיִם Is.60:11
173 וְיָנַקְתְּ חֲלֵב גּוֹיִם Is.60:16
174 חֵיל גּוֹיִם תֹּאכֵלוּ Is.61:6
175 וּכְנַחַל שׁוֹטֵף כְּבוֹד גּוֹיִם Is.66:12
176 נַחֲלַת צְבִי צִבְאוֹת גּוֹיִם Jer.3:19
177 וְהִתְבָּרְכוּ בוֹ גּוֹיִם Jer.4:2
178 וּמַשְׁחִית גּוֹיִם נָסַע Jer.4:7
179 קְהַל־גּוֹיִם גְּדֹלִים Jer.50:9
180 הִנֵּה אַחֲרִית גּוֹיִם מִדְבָּר Jer.50:12
181 אֶל־בְּנֵי יִשְׂ' אֶל־גּוֹיִם הַמּוֹרְדִים Ezek.2:3
182 וְהֵבֵאתִי רָעֵי גוֹיִם וְיָרְשׁוּ Ezek.7:24
183 וְנִחַלְתְּ בָּךְ לְעֵינֵי גוֹיִם Ezek.22:16
184/5 זָרִים עָרִיצֵי גּוֹיִם Ezek.28:7; 31:12
186 יוֹם עָנָן עֵת גּוֹיִם יִהְיֶה Ezek.30:3
187 עָרִיצֵי גוֹיִם מוּבָאִים Ezek.30:11
188 וְאֶתְּנֵהוּ בְּיַד אֵיל גּוֹיִם Ezek.31:11
189 כְּפִיר גּוֹיִם נִדְמֵיתָ Ezek.32:2
190 עָרִיצֵי גוֹיִם כֻּלָּם Ezek.32:12
191 אוֹתָהּ וּבְנוֹת גּוֹיִם אַדִּרִם Ezek.32:18
192 יַעַן כְּלִמַּת גּוֹיִם נְשָׂאתֶם Ezek.36:6
193 וְלֹא יִהְיוּ־עוֹד לִשְׁנֵי גוֹיִם Ezek.37:22
194 וְנוֹדַעְתִּי לְעֵינֵי גּוֹיִם Ezek.38:23
195 לָמָּה רָגְשׁוּ גוֹיִם Ps.2:1
196 תְּשִׂימֵנִי לְרֹאשׁ גּוֹיִם Ps.18:44
197 וְיִשְׁתַּחֲווּ... כָּל־מִשְׁפְּחוֹת גּוֹיִם Ps.22:28
198 יְיָ הֵפִיר עֲצַת־גּוֹיִם Ps.33:10
199 אֱלֹהִים בָּאוּ גוֹיִם בְּנַחֲלָתֶךָ Ps.79:1
200 הֲיֹסֵר גּוֹיִם הֲלֹא יוֹכִיחַ Ps.94:10
201 וְיִירְאוּ גוֹיִם אֶת־שֵׁם יְיָ Ps.102:16
202 וַיִּתֵּן לָהֶם אַרְצוֹת גּוֹיִם Ps.105:44
203 וַיִּתְּנֵם בְּיַד־גּוֹיִם Ps.106:41
204 לָתֵת לָהֶם נַחֲלַת גּוֹיִם Ps.111:6
205 רָם עַל־כָּל־גּוֹיִם יְיָ Ps.113:4
206 הַלְלוּ אֶת־יְיָ כָּל־גּוֹיִם Ps.117:1
207 כָּל־גּוֹיִם סְבָבוּנִי Ps.118:10

גּוֹיִם (המשך)
208-259 גּוֹיִם Is.30:28; 33:3; 34:1; 40:15; 41:2; 45:1
49:22; 54:3; 62:2; 64:1 • Jer.10:10; 16:19; 31:10(9); 46:12; 51:7², 20, 27, 28, 44 • Ezek.19:4, 8; 23:30; 31:16, 17 • Joel 2:17 • Mic.7:16 • Nah.3:4, 5 • Hab.3:6, 12 • Zep.3:6, 8 • Ps.2:8; 9:6, 16, 18, 20, 21; 10:16; 44:3; 46:7; 47:9; 59:9; 67:3; 72:11, 17; 78:55; 80:9; 86:9 • Lam.1:10 • ICh.17:21
וְגוֹיִם 260 וּבָאוּ עַמִּים רַבִּים וְגוֹיִם עֲצוּמִים Zech.8:22
הַגּוֹיִם 261 מֵאֵלֶּה נִפְרְדוּ אִיֵּי הַגּוֹיִם Gen.10:5
262 וּמֵאֵלֶּה נִפְרְדוּ הַגּוֹיִם בָּאָרֶץ Gen.10:32
263 וְזַרְעוֹ יִהְיֶה מְלֹא־הַגּוֹיִם Gen.48:19
264 הוֹצֵאתִי־אֹתָם...לְעֵינֵי הַגּוֹיִם Lev.26:45
265/6 (וּ)בְרִשְׁעַת הַגּוֹיִם הָאֵלֶּה Deut.9:4,5
267 לַעֲשׂוֹת כְּתוֹעֲבֹת הַגּוֹיִם הָהֵם Deut.18:9
268 אֲשֶׁר לֹא־מֵעָרֵי הַגּוֹיִם Deut.20:15
269 לַעֲבֹד אֶת־אֱלֹהֵי הַגּוֹיִם הָהֵם Deut.29:17
270 עָשׂוּ כְּכֹל הַתּוֹעֲבֹת הַגּוֹיִם IK.14:24
271-275 כְּתוֹעֲבוֹת הַגּוֹיִם IIK.16:3; 21:2
IICh.28:3; 33:2; 36:14
276 וַיֵּלְכוּ בְּחֻקּוֹת הַגּוֹיִם IIK.17:8
277 כְּמִשְׁפַּט הַגּוֹיִם אֲשֶׁר־הִגְלוּ אֹתָם IIK.17:33
278 וַיִּהְיוּ הַגּוֹיִם הָאֵלֶּה יְרֵאִים אֶת־יְיָ IIK.17:41
279 הַהַצֵּל הִצִּילוּ אֱלֹהֵי הַגּוֹיִם IIK.18:33
280-283 אֱלֹהֵי הַגּוֹיִם IIK.19:12
Is.36:18; 37:12 • IICh.32:14
284 הִתְנַגְּשׁוּ יַחְדָּו פְּלִיטֵי הַגּוֹיִם Is.45:20
285 חָשַׂף יְיָ...לְעֵינֵי כָּל־הַגּוֹיִם Is.52:10
286 אֶל־דֶּרֶךְ הַגּוֹיִם אַל־תִּלְמָדוּ Jer.10:2
287 מִי לֹא יִרָאֲךָ מֶלֶךְ הַגּוֹיִם Jer.10:7
288 בְכָל־חַכְמֵי הַגּוֹיִם...מֵאֵין כָּמוֹךָ Jer.10:7
289 שְׁפֹךְ חֲמָתְךָ עַל־הַגּוֹיִם Jer.10:25
290 הֲיֵשׁ בְּהַבְלֵי הַגּוֹיִם מַגְשִׁמִים Jer.14:22
291 וְצַהֲלוּ בְּרֹאשׁ הַגּוֹיִם Jer.31:7(6)
292 וּכְמִשְׁפְּטֵי הַגּוֹיִם...לֹא עֲשִׂיתֶם Ezek.5:7
293-301 לְעֵינֵי הַגּוֹיִם Ezek.5:8; 20:9, 14
20:22, 41; 28:25; 39:27 • Ps.98:2 • IICh.32:23
302 וּכְמִשְׁפְּטֵי הַגּוֹיִם...עֲשִׂיתֶם Ezek.11:12
303 בְּנוֹת הַגּוֹיִם תְּקוֹנֵנָּה אוֹתָהּ Ezek.32:16
304 וְלֹא־יִשְׂאוּ עוֹד כְּלִמַּת הַגּוֹיִם Ezek.34:29
305 מוֹרָשָׁה לִשְׁאֵרִית הַגּוֹיִם Ezek.36:3
306 לִשְׁאֵרִית הַגּוֹיִם אֲשֶׁר מִסָּבִיב Ezek.36:4
307 עַל־שְׁאֵרִית הַגּוֹיִם Ezek.36:5
308 וְלֹא־אַשְׁמִיעַ...כְּלִמַּת הַגּוֹיִם Ezek.36:15
309 נְקֻבֵי רֵאשִׁית הַגּוֹיִם Am.6:1
310 וְיִשְׁתַּחֲווּ־לוֹ...כֹּל אִיֵּי הַגּוֹיִם Zep.2:11
311 וְהִשְׁמַדְתִּי חֹזֶק מַמְלְכוֹת הַגּוֹיִם Hag.2:22
312 וְקֶצֶף...עַל־הַגּוֹיִם הַשַּׁאֲנַנִּים Zech.1:15
313 לְיַדּוֹת אֶת־קַרְנוֹת הַגּוֹיִם Zech.2:4
314 אֶל־הַגּוֹיִם הַשֹּׁלְלִים אֶתְכֶם Zech.2:12
315 עֲשָׂרָה אֲנָשִׁים מִכֹּל לְשֹׁנוֹת הַגּוֹיִם Zech.8:23
316 שְׁפֹךְ חֲמָתְךָ אֶל־הַגּוֹיִם Ps.79:6
317 לָמָּה יֹאמְרוּ הַגּוֹיִם אַיֵּה אֱלֹהֵיהֶם Ps.79:10
318 עֲצַבֵּי הַגּוֹיִם כֶּסֶף וְזָהָב Ps.135:15
319 מֵחֶרְפַּת הַגּוֹיִם אוֹיְבֵינוּ Neh.5:9
320 מוֹשֵׁל בְּכֹל מַמְלְכוֹת הַגּוֹיִם IICh.20:6
321-379 (בְּכָ־/וּבְכָ־/כְּכָ־/לְ־/מִ־)כָּל־הַגּוֹיִם
Ex.34:10 • Deut.11:23; 17:14; 26:19; 29:23; 30:1 • Josh.23:3,4 • ISh.8:5,20 • IISh.8:11 • IK.5:11 • Is.2:2; 14:26; 25:7; 29:7,8; 40:17; 43:9; 61:11; 66:18, 20 • Jer.3:17; 9:25; 25:9,13,15,17; 27:7; 28:11,14; 29:14, 18; 30:11; 36:2; 43:5; 46:28 • Ezek.25:8; 39:21 • Joel 4:2, 11, 12

הַגּוֹיִם (המשך) Am. 9:9, 12 • Ob. 15, 16 • Hab. 2:5 • Hag. 2:7² • Zech. 7:14; 14:2, 14 • Mal. 3:12 • Ps. 59:6; 82:8 • Neh. 6:16 • ICh. 14:17; 18:11 • IICh. 32:23

380-436 הַגּוֹיִם Lev. 18:24; 25:44

Num. 14:15 • Deut. 7:17, 22; 12:2, 29, 30; 18:14; 19:1; 29:15; 31:3 • Josh. 23:4, 12, 13 • Jud. 2:21, 23; 3:1 • IK. 11:2 • IIK. 17:15, 26; 19:17; 21:9 • Is. 2:4; 66:19 • Jer. 1:10; 6:18; 10:2; 25:11; 46:1 • Ezek. 5:5, 6, 7; 29:15; 35:10; 36:7, 20, 23, 24, 36; 37:21, 28; 38:16; 39:7, 23, 28 • Joel 4:12 • Mic. 5:14 • Zech. 12:9; 14:16, 18, 19 • Ps. 106:47; 115:2 • Neh. 5:17 • ICh. 16:35 • IICh. 33:9

וְהַגּוֹיִם 437 וְהַגּוֹיִם חָרֹב יֶחֱרָבוּ Is. 60:12

בְּגוֹיִם 438 וּמָשַׁלְתָּ בְּגוֹיִם רַבִּים Deut. 15:6

בַּגּוֹיִם 439 וְאֶתְכֶם אֱזָרֶה בַגּוֹיִם Lev. 26:33

440 וַאֲבַדְתֶּם בַּגּוֹיִם Lev. 26:38

441 וְנִשְׁאַרְתֶּם מְתֵי מִסְפָּר בַּגּוֹיִם Deut. 4:27

442 לְבִלְתִּי־בוֹא בַּגּוֹיִם הָאֵלֶּה Josh. 23:7

443 עַל־כֵּן אוֹדְךָ יְיָ בַּגּוֹיִם IISh. 22:50

444 וְנוֹדַע בַּגּוֹיִם זַרְעָם Is. 61:9

445 וְהִגִּידוּ אֶת־כְּבוֹדִי בַּגּוֹיִם Is. 66:19

446 וַהֲפִצוֹתִים בַּגּוֹיִם Jer. 9:15

447 שַׁאֲלוּ־נָא בַּגּוֹיִם Jer. 18:13

448 כִּי רִיב לַייָ בַּגּוֹיִם Jer. 25:31

449 וְצִיר בַּגּוֹיִם שָׁלוּחַ Jer. 49:14

450 כִּי־הִנֵּה קָטֹן נְתַתִּיךָ בַּגּוֹיִם Jer. 49:15

451 יִוָּדַע בַּגּוֹיִם (כת׳ בגיים) לְעֵינֵינוּ Ps. 79:10

452 יָדִין בַּגּוֹיִם מָלֵא גְוִיּוֹת Ps. 110:6

453 אָז יֹאמְרוּ בַגּוֹיִם הִגְדִּיל יְיָ Ps. 126:2

454 לַעֲשׂוֹת נְקָמָה בַּגּוֹיִם Ps. 149:7

455 רַבָּתִי בַגּוֹיִם שָׂרָתִי בַּמְּדִינוֹת Lam. 1:1

456 מַלְכָּהּ וְשָׂרֶיהָ בַגּוֹיִם אֵין תּוֹרָה Lam. 2:9

457 וְיֹאמְרוּ בַגּוֹיִם יְיָ מָלָךְ ICh. 16:31

458-513 בַּגּוֹיִם Jer. 50:2, 23, 46; 51:27, 41

Ezek. 4:13; 5:14; 6:8, 9; 11:16; 12:15, 16; 16:14; 20:23; 22:15; 25:10; 29:12, 15; 30:23, 26; 32:9; 36:19, 21, 22, 23, 30; 39:21 • Hosh. 8:8, 10; 9:17 • Joel 2:19; 4:2, 9 • Ob. 1, 2 • Mic. 5:7 • Hab. 1:5 • Zech. 8:13; 14:3 • Mal. 1:11², 14 • Ps. 18:50; 22:29; 44:15; 46:11; 66:7; 96:3, 10; 106:27, 35 • Lam. 1:3; 4:15, 20 • Neh. 6:6 • ICh. 16:24

וּבַגּוֹיִם 514 וּבַגּוֹיִם לֹא יִתְחַשָּׁב Num. 23:9

515 וּבַגּוֹיִם הָהֵם לֹא תַרְגִּיעַ Deut. 28:65

516 וּבַגּוֹיִם זֵרִיתָנוּ Ps. 44:12

517 וּבַגּוֹיִם...לֹא־הָיָה מֶלֶךְ כָּמֹהוּ Neh. 13:26

כַּגּוֹיִם 518 כַּגּוֹיִם אֲשֶׁר יְיָ מַאֲבִיד מִפְּנֵיכֶם Deut. 8:20

519 כַּגּוֹיִם אֲשֶׁר־הֶגְלָה יְיָ IIK. 17:11

520 אַתֶּם אֹמְרִים נִהְיֶה כַגּוֹיִם Ezek. 20:32

לְגוֹיִם 521 וְהִפְרֵתִי...וּנְתַתִּיךָ לְגוֹיִם Gen. 17:6

522 וּבֵרַכְתִּיהָ וְהָיְתָה לְגוֹיִם Gen. 17:16

523 וְהוֹכִיחַ לְגוֹיִם עֲצֻמִים Mic. 4:3

לַגּוֹיִם 524 וְנָשָׂא־נֵס לַגּוֹיִם מֵרָחוֹק Is. 5:26

525 וְנָשָׂא נֵס לַגּוֹיִם Is. 11:12

526 מִשְׁפָּט לַגּוֹיִם יוֹצִיא Is. 42:1

527 נָבִיא לַגּוֹיִם נְתַתִּיךָ Jer. 1:5

528 הַזְכִּירוּ לַגּוֹיִם Jer. 4:16

529 לַגּוֹיִם אֲשֶׁר סְבִיבוֹתָיִךְ Ezek. 5:15

530 עַל־כֵּן נְתַתִּיךְ חֶרְפָּה לַגּוֹיִם Ezek. 22:4

531 וּנְתַתִּיךָ לְבַז לַגּוֹיִם Ezek. 25:7

532 וְהָיְתָה לְבַז לַגּוֹיִם Ezek. 26:5

533 וְלֹא־יִהְיוּ עוֹד בַּז לַגּוֹיִם Ezek. 34:28

534 וְדִבֶּר שָׁלוֹם לַגּוֹיִם Zech. 9:10

לַגּוֹיִם (המשך) 535 מַשְׂגִּיא לַגּוֹיִם וַיְאַבְּדֵם Job 12:23

536 שֹׁטֵחַ לַגּוֹיִם וַיַּנְחֵם Job 12:23

537 אַחֵינוּ הַיְּהוּדִים הַנִּמְכָּרִים לַגּוֹיִם Neh. 5:8

מִגּוֹיִם 538 וְאֶל־עַם מְאֻסָּף מִגּוֹיִם Ezek. 38:12

גּוֹיֵי־ 539 וְנִבְרְכוּ־בוֹ כֹּל גּוֹיֵי הָאָרֶץ Gen. 18:18

540/1 וְהִתְבָּרְכוּ בְזַרְעֲךָ כֹּל גּוֹיֵי הָאָרֶץ Gen. 22:18; 26:4

542 עֶלְיוֹן עַל כָּל־גּוֹיֵי הָאָרֶץ Deut. 28:1

543-547 גּוֹיֵי הָאָרֶץ Jer. 26:6; 33:9; 44:8 • Zech. 12:3 • Ez. 6:21

548 הֲיָכוֹל יָכְלוּ אֱלֹהֵי גּוֹיֵ הָאֲרָצוֹת IICh. 32:13

549 כֵּאלֹהֵי גּוֹיֵ הָאֲרָצוֹת IICh. 32:17

גּוֹיַיִךְ 550 וּמְשַׁכֶּלֶת גּוֹיַיִךְ הָיִית Ezek. 36:13

וְגוֹיַיִךְ 551 וְגוֹיַיִךְ (כת׳ וגויך) לֹא תְשַׁכְּלִי־עוֹד Ezek. 36:14

552 וְגוֹיַיִךְ (כת׳ וגויך) לֹא תַכְשִׁלִי־עוֹד Ezek. 36:15

בְּגוֹיֵהֶם 553 לְמִשְׁפְּחֹתָם בְּגוֹיֵהֶם Gen. 10:5

554 בְּאַרְצֹתָם בְּגוֹיֵהֶם Gen. 10:20

555 לְתוֹלְדֹתָם בְּגוֹיֵהֶם Gen. 10:32

לְגוֹיֵהֶם 556 בְּאַרְצֹתָם לְגוֹיֵהֶם Gen. 10:31

גְּוִיָּה

נ׳ א) גופת מת, פגר: 1–5, 8–10
ב) גוף אדם או בהמה: 6, 7, 11–13

גְּוִיַּת אַרְיֵה 3, 4; גְּ׳ שָׁאוּל 2, 10; גְּוִיּוֹת בָּנָיו 10

לַגְּוִיָּה 1 וְכֹבֶד פָּגֶר וְאֵין קֵצֶה לַגְּוִיָּה Nah. 3:3

גְּוִיַּת־ 2 וַיִּקְחוּ אֶת־גְּוִיַּת שָׁאוּל ISh. 31:12

בִּגְוִיַּת־ 3 עֲדַת דְּבוֹרִים בִּגְוִיַּת הָאַרְיֵה Jud. 14:8

מִגְּוִיַּת־ 4 מִגְּוִיַּת הָאַרְיֵה רָדָה הַדְּבָשׁ Jud. 14:9

גְּוִיָּתוֹ 5 וְאֶת־גְּוִיָּתוֹ תָּקְעוּ בְּחוֹמַת בֵּית שָׁן ISh. 31:10

וּגְוִיָּתוֹ 6 וּגְוִיָּתוֹ כְתַרְשִׁישׁ...וּזְרֹעֹתָיו וּמַרְגְּלֹתָיו Dan. 10:6

גְּוִיָּתֵנוּ 7 לֹא נִשְׁאַר...בִּלְתִּי אִם־גְּוִיָּתֵנוּ Gen. 47:18

בִּגְוִיָּתָם 8 וְכָשְׁלוּ בִּגְוִיָּתָם Nah. 3:3

גְּוִיּוֹת 9 יָדִין בַּגּוֹיִם מָלֵא גְוִיּוֹת Ps. 110:6

גְּוִיֹּת־ 10 אֶת־גְּוִיַּת שָׁאוּל וְאֵת גְּוִיֹּת בָּנָיו ISh. 31:12

גְּוִיֹּתֵינוּ 11 וְעַל גְּוִיֹּתֵינוּ מֹשְׁלִים Neh. 9:37

גְּוִיֹּתֵיהֶם 12 מְכַסּוֹת לְהֵנָּה אֶת גְּוִיֹּתֵיהֶם Ezek. 1:23

גְּוִיֹּתֵיהֶנָה 13 וּשְׁתַּיִם מְכַסּוֹת אֵת גְּוִיֹּתֵיהֶנָה Ezek. 1:11

גול

עיין גיל

גּוֹלָה

נ׳ א) יציאה מאונס מן המולדת לארץ נכריה: 1–7, 32, 34–41
ב) הארץ שאליה יצאו הגולים: 33, 42
ג) היוצאים בגולה: 8–31

בְּנֵי הַגּוֹלָה 23–28; זִקְנֵי הַגּ׳ 9; כְּלֵי ג׳ 3–5, 7; מוֹצָאֵי גוֹלָה 6; מַעַל הַגּוֹלָה 29, 30; קְהַל הַגּוֹלָה 31; שְׁבֵי הַגּוֹלָה 21–22

הָלַךְ בַּגּוֹלָה 36–39, 41; הָלַךְ לַגּוֹלָה 42; יָצָא בַּגּוֹלָה 34, 35, 40

גּוֹלָה 1 הוֹלִיךְ גּוֹלָה מִירוּשָׁלַםִ בָּבֶלָה IIK. 24:15

2 וַיְבִיאֵם מֶלֶךְ־בָּבֶל גּוֹלָה בָּבֶלָה IIK. 24:16

3 כְּלֵי גוֹלָה עֲשִׂי־לָךְ Jer. 46:19

4 עֲשֵׂה לְךָ כְּלֵי גוֹלָה Ezek. 12:3

5 וְהוֹצֵאתָ כֵלֶיךָ כִּכְלֵי גוֹלָה יוֹמָם Ezek. 12:4

6 וְאַתָּה תֵּצֵא...כְּמוֹצָאֵי גּוֹלָה Ezek. 12:4

7 כֵּלַי הוֹצֵאתִי כִּכְלֵי גוֹלָה יוֹמָם Ezek. 12:7

הַגּוֹלָה 8 לְהָשִׁיב...וְכָל־הַגּוֹלָה מִבָּבֶל Jer. 28:6

9 אֲשֶׁר שָׁלַח...אֶל־יֶתֶר זִקְנֵי הַגּוֹלָה Jer. 29:1

10 לְכָל־הַגּוֹלָה אֲשֶׁר־הִגְלֵיתִי Jer. 29:4

11 כָּל־הַגּוֹלָה אֲשֶׁר־שִׁלַּחְתִּי Jer. 29:20

12 שְׁלַח עַל־כָּל־הַגּוֹלָה לֵאמֹר Jer. 29:31

13 וַאֲנִי בְתוֹךְ־הַגּוֹלָה Ezek. 1:1

14 בֹּא אֶל־הַגּוֹלָה אֶל־בְּנֵי עַמֶּךָ Ezek. 3:11

15 וָאָבוֹא אֶל־הַגּוֹלָה תֵּל אָבִיב Ezek. 3:15

הַגּוֹלָה (המשך) 16 וַתְּבִיאֵנִי כַשְׂדִּימָה אֶל־הַגּוֹלָה Ezek. 11:24

17 וָאֲדַבֵּר אֶל־הַגּוֹלָה Ezek. 11:25

18 לָקוֹחַ מֵאֵת הַגּוֹלָה מֵחֶלְדַּי Zech. 6:10

19 עִם־הַגֹּלָה אֲשֶׁר הָגְלְתָה Es. 2:6

20 עִם הֵעָלוֹת הַגּוֹלָה מִבָּבֶל Ez. 1:11

21/2 הָעֹלִים מִשְּׁבִי הַגּוֹלָה Ez. 2:1 • Neh. 7:6

23 כִּי־בְנֵי הַגּוֹלָה בּוֹנִים הֵיכָל Ez. 4:1

24-28 בְּנֵי הַגּוֹלָה Ez. 6:19, 20; 8:35; 10:7, 16

29-30 עַל(־)מַעַל הַגּוֹלָה Ez. 9:4; 10:6

31 וְהוּא יִבָּדֵל מִקְּהַל הַגּוֹלָה Ez. 10:8

32 וַיֵּשְׁבוּ תַחְתֵּיהֶם עַד־הַגֹּלָה ICh. 5:22

מֵהַגּוֹלָה 33 וַיֹּאכְלוּ בְנֵי־יִשְׂ׳ הַשָּׁבִים מֵהַגּוֹלָה Ez. 6:21

בַּגּוֹלָה 34 אֲשֶׁר לֹא־יָצְאוּ אִתְּכֶם בַּגּוֹלָה Jer. 29:16

35 וְיָצָא כְמוֹשׁ בַּגּוֹלָה Jer. 48:7

36 כִּי מַלְכָּם בַּגּוֹלָה יֵלֵךְ Jer. 49:3

37 בַּגּוֹלָה בַשְּׁבִי יֵלֵכוּ Ezek. 12:11

38 בֵּית יְהוּדָה כִּי הָלְכוּ בַּגּוֹלָה Ezek. 25:3

39 וְהָלַךְ מַלְכָּם בַּגּוֹלָה Am. 1:15

40 וְיָצָא חֲצִי הָעִיר בַּגּוֹלָה Zech. 14:2

וּבַגּוֹלָה 41 שַׁאֲנַן...וּבַגּוֹלָה לֹא הָלָךְ Jer. 48:11

לַגֹּלָה 42 גַּם־הִיא לַגֹּלָה הָלְכָה בַשֶּׁבִי Nah. 3:10

גּוֹלָן

עיר מקלט בבשן בנחלת חצי שבט מנשה המזרחי: 1–4

גּוֹלָן 1 וְאֶת־גּוֹלָן בַּבָּשָׁן לַמְנַשִּׁי Deut. 4:43

2/3 (וְ)אֶת־גּוֹלָן (כת׳ גלון) בַּבָּשָׁן Josh. 20:8; 21:27

4 אֶת־גּוֹלָן בַּבָּשָׁן וְאֶת־מִגְרָשֶׁהָ ICh. 6:56

גּוּמָץ

ז׳ חור, חפירה

גּוּמָץ 1 חֹפֵר גּוּמָץ בּוֹ יִפּוֹל Eccl. 10:8

גּוּנִי

שפ״ז גם ת׳ א) איש משבט גד: 1
ב) בנו השני של נפתלי: 3,2
ג) המתיחס על בית גוני: 5,4

גּוּנִי 1 אֲחִי בֶּן־עַבְדִּיאֵל בֶּן־גּוּנִי ICh. 5:15

וְגוּנִי 2 וּבְנֵי נַפְתָּלִי יַחְצְאֵל וְגוּנִי Gen. 46:24

3 בְּנֵי נַפְתָּלִי יַחֲצִיאֵל וְגוּנִי ICh. 7:13

הַגּוּנִי 4 לְגוּנִי מִשְׁפַּחַת הַגּוּנִי Num. 26:48

לְגוּנִי 5 לְגוּנִי מִשְׁפַּחַת הַגּוּנִי Num. 26:48

גָּוַע

פ׳ הוציא נשמתו, מת: 1–24

בִּגְוַע 1 וְלוּ גָוַעְנוּ בִּגְוַע אַחֵינוּ Num. 20:3

לִגְוֹעַ 2 הַאִם תַּמְנוּ לִגְוֹעַ Num. 17:28

גָּוַע 3 וַיִּרְאוּ כָּל־הָעֵדָה כִּי גָוַע אַהֲרֹן Num. 20:29

4 אִישׁ אֶחָד לֹא גָוַע בַּעֲוֹנוֹ Josh. 22:20

גָּוַעְנוּ 5 הֵן גָּוַעְנוּ אָבַדְנוּ Num. 17:27

6 וְלוּ גָוַעְנוּ בִּגְוַע אַחֵינוּ Num. 20:3

גָּוָעוּ 7 כֹּהֲנַי וּזְקֵנַי בָּעִיר גָּוָעוּ Lam. 1:19

וְגֹוֵעַ 8 עָנִי אֲנִי וְגֹוֵעַ מִנֹּעַר Ps. 88:16

אֶגְוַע 9 אֶגְוַע וְעַיִן לֹא־תִרְאֵנִי Job 10:18

אֶגְוָע 10 אִם אַצְדִּיק אֶתְכֶם עַד־אֶגְוָע Job 27:5

11 וָאֹמַר עִם־קִנִּי אֶגְוָע Job 29:18

וְאֶגְוָע 12 לָמָּה...מִבֶּטֶן יָצָאתִי וְאֶגְוָע Job 3:11

13 כִּי־עַתָּה אַחֲרִישׁ וְאֶגְוָע Job 13:19

יִגְוַע 14 יִגְוַע כָּל־בָּשָׂר יָחַד Job 34:15

יִגְוָע 15 כֹּל אֲשֶׁר־בָּאָרֶץ יִגְוָע Gen. 6:17

וַיִּגְוַע 16 וַיִּגְוַע כָּל־בָּשָׂר הָרֹמֵשׂ Gen. 7:21

17 וַיִּגְוַע וַיָּמָת אַבְרָהָם Gen. 25:8

18 וַיִּגְוַע וַיָּמָת וַיֵּאָסֶף אֶל־עַמָּיו Gen. 25:17

19 וַיִּגְוַע יִצְחָק וַיָּמָת Gen. 35:29

20 וַיִּגְוַע וַיֵּאָסֶף אֶל־עַמָּיו Gen. 49:33

21 וַיִּגְוַע אָדָם וְאַיּוֹ Job 14:10

יִגְוָעוּ 22 כִּי־שְׁנַיִם בָּהּ יִכָּרְתוּ יִגְוָעוּ Zech. 13:8

וְיִגְוְעוּ 23 וְיִגְוְעוּ כִּבְלִי־דָעַת Job 36:12

יִגְוָעוּן 24 תֹּסֵף רוּחָם יִגְוָעוּן Ps. 104:29

גוף : הֵגִיף; גּוּף, גּוּפָה

(גוף) הֵגִיף הִפ׳ סגר

יָגִיפוּ 1 יָגִיפוּ הַדְּלָתוֹת וֶאֱחֹזוּ Neh. 7:3

גּוּפָה* נ׳ גוף (של מֵת)

גּוּפַת־ 1 וַיִּשְׂאוּ אֶת־גּוּפַת שָׁאוּל ICh. 10:12
גּוּפוֹת־ 2 אֶת־גּוּפַת שָׁאוּל וְאֵת גּוּפֹת בָּנָיו ICh. 10:12

גור : א) גָּר, הִתְגּוֹרֵר; גֵּר, גֵּרוּת, מְגוּרָה, מַמְּגוּרָה? מְגוּרִים; ש״פ גּוּר, יָגוּר
ב) גָּר, הִתְגּוֹרֵר; ג) גָּר; מָגוֹר, מְגוֹרָה

(גור)1 גָּר פָּ׳ א) שָׁכַן (על־פי־רוב באופן זמני): 1—80
ב) [הִת׳ הִתְגּוֹרֵר] שכן: 81

גָּר, גָּר בְּ־ רוב המקראות; גָּר עִם־ 19,53,54,56; גָּר אִתּוֹ 23,43,46,60,62—64; גָּר בְּתוֹךְ־ 33—42,55,61; גָּר לְ־ 66, 67; הִתְגּוֹרֵר עִם־ 81; גָּרֵי בֵיתוֹ 57

לָגוּר 1 וַיֵּרֶד אַבְרָם מִצְרַיְמָה לָגוּר שָׁם Gen. 12:10
2 הָאֶחָד בָּא־לָגוּר וַיִּשְׁפֹּט שָׁפוֹט Gen. 19:9
3 לָגוּר בָּאָרֶץ בָּאנוּ Gen. 47:4
4 וַיֵּלֶךְ...לָגוּר בַּאֲשֶׁר יִמְצָא Jud. 17:8
5 וְאָנֹכִי הֹלֵךְ לָגוּר בַּאֲשֶׁר אֶמְצָא Jud. 17:9
6 יֹבִלוּהָ רַגְלֶיהָ מֵרָחוֹק לָגוּר Is. 23:7
7 מִצְרַיִם יָרַד־עַמִּי...לָגוּר שָׁם Is. 52:4
8 וּבָאתֶם לָגוּר שָׁם Jer. 42:15
9 לָבוֹא מִצְרַיִם לָגוּר שָׁם Jer. 42:17
14-10 לָגוּר שָׁם Jer. 42:22; 43:2; 44:8, 12, 28
15 לָגוּר בְּאֶרֶץ יְהוּדָה Jer. 43:5
16 הַבָּאִים לָגוּר־שָׁם בְּאֶרֶץ מִצְרָיִם Jer. 44:14
17 וַיֵּלֶךְ...לָגוּר בִּשְׂדֵי מוֹאָב Ruth 1:1
18 אָמְרוּ בַּגּוֹיִם לֹא יוֹסִפוּ לָגוּר Lam. 4:15
גַּרְתִּי 19 עִם־לָבָן גַּרְתִּי וָאֵחַר עַד־עָתָּה Gen. 32:4
20 אוֹיָה לִי כִּי־גַרְתִּי מֶשֶׁךְ Ps. 120:5
גַּרְתָּה 21 וְעִם־הָאָרֶץ אֲשֶׁר־גַּרְתָּה בָּהּ Gen. 21:23
גָּר (עבר) 22 אֲשֶׁר־גָּר־שָׁם אַבְרָהָם וְיִצְחָק Gen. 35:27
23 וְהָיָה בַשֵּׁבֶט אֲשֶׁר־גָּר הַגֵּר אִתּוֹ Ezek. 47:23
24 וְיַעֲקֹב גָּר בְּאֶרֶץ־חָם Ps. 105:23
וְגָר 25 וְגָר זְאֵב עִם־כֶּבֶשׂ Is. 11:6
גָּרוּ 26 אֶרֶץ מְגֻרֵיהֶם אֲשֶׁר־גָּרוּ בָהּ Ex. 6:4
גָּר (בינוני) 27 מִכָּל־יִשְׂרָאֵל אֲשֶׁר־הוּא גָּר שָׁם Deut. 18:6
28 וְהוּא לֵוִי וְהוּא גָר־שָׁם Jud. 17:7
29 וַיְהִי אִישׁ לֵוִי גָּר בְּיַרְכְּתֵי... Jud. 19:1
30 וְהוּא־גָר בַּגִּבְעָה Jud. 19:16
31 פָּרַץ נַחַל מֵעִם־גָּר Job 28:4
32 מִכָּל־הַמְּקֹמוֹת אֲשֶׁר הוּא גָר־שָׁם Ez. 1:4
הַגָּר 33 וְלַגֵּר הַגָּר בְּתוֹכְכֶם Ex. 12:49
36-34 וְהַגֵּר הַגָּר בְּתוֹכְכֶם Lev. 16:29; 17:12; 18:26
42-37 הַגֵּר (וְלַגֵּר) הַגָּר בְּתוֹכָם Lev. 17:10, 13
Num. 15:26, 29; 19:10 • Josh. 20:9
43 כְּאֶזְרָח... הַגֵּר הַגָּר אִתְּכֶם Lev. 19:34
44 וּמִן־הַגֵּר הַגָּר בְּיִשְׂרָאֵל Lev. 20:2
45 חֻקָּה אַחַת לָכֶם וְלַגֵּר הַגָּר Num. 15:15
46 וְלַגֵּר הַגָּר אִתְּכֶם Num. 15:16
וּמִגָּרַת־ 47 וְשָׁאֲלָה...מִשְּׁכֶנְתָּהּ וּמִגָּרַת בֵּיתָהּ Ex. 3:22
גָּרִים 48 וַיִּהְיוּ־שָׁם גָּרִים עַד הַיּוֹם הַזֶּה IISh. 4:3
49 וְחָרְבוֹת מֵחִים גָּרִים יֹאכֵלוּ Is. 5:17
50 אֲשֶׁר אַתֶּם גָּרִים שָׁם Jer. 35:7
וְגָרִים 51/2 כִּמְעַט וְגָרִים בָּהּ Ps. 105:12 • ICh. 16:19
הַגָּרִים 53 וְלִשְׂכִירְךָ וּלְתוֹשָׁבְךָ הַגָּרִים עִמָּךְ Lev. 25:6
54 הַתּוֹשָׁבִים הַגָּרִים עִמָּכֶם Lev. 25:45
55 וּלְהַגֵּרִים הַגָּרִים בְּתוֹכְכֶם Ezek. 47:22
וְהַגָּרִים 56 וְהַגָּרִים עִמָּהֶם מֵאֶפְרַיִם IICh. 15:9

גָּרֵי־ 57 גָּרֵי בֵיתִי וְאַמְהֹתַי לְזָר תַּחְשְׁבֻנִי Job 19:15
אָגוּרָה 58 אָגוּרָה בְאָהָלְךָ עוֹלָמִים Ps. 61:5
תָּגוּרִי 59 וְגוּרִי בַּאֲשֶׁר תָּגוּרִי IIK. 8:1
יָגוּר 60 וְכִי־יָגוּר אִתְּךָ גֵּר Ex. 12:48
61 וּמִן־הַגֵּר אֲשֶׁר־יָגוּר בְּתוֹכָם Lev. 17:8
62 וְכִי־יָגוּר אִתְּךָ גֵּר בְּאַרְצְכֶם Lev. 19:33
63/4 וְכִי־יָגוּר אִתְּכֶם גֵּר Num. 9:14; 15:14
65 וְדָן לָמָּה יָגוּר אֳנִיּוֹת Jud. 5:17
66 מִי יָגוּר לָנוּ אֵשׁ אוֹכֵלָה Is. 33:14
67 מִי־יָגוּר לָנוּ מוֹקְדֵי עוֹלָם Is. 33:14
70-68 וְלֹא־יָגוּר בָּהּ בֶּן־אָדָם Jer. 49:18, 33; 50:40
71 וּמֵהַגֵּר אֲשֶׁר־יָגוּר בְּיִשְׂרָאֵל Ezek. 14:7
72 יְיָ מִי־יָגוּר בְּאָהֳלֶךָ Ps. 15:1
יְגֻרְךָ 73 לֹא יְגֻרְךָ רָע Ps. 5:5
וַיָּגָר 74 וַיֵּשֶׁב בֵּין־קָדֵשׁ...וַיָּגָר בִּגְרָר Gen. 20:1
75 וַיָּגָר אַבְרָהָם...יָמִים רַבִּים Gen. 21:34
76 וַיָּגָר שָׁם בִּמְתֵי מְעָט Deut. 26:5
וַתָּגָר 77 וַתָּגָר בְּאֶרֶץ־פְּלִשְׁתִּים שֶׁבַע שָׁנִים IIK. 8:2
יָגוּרוּ 78 יָגוּרוּ בָךְ נִדָּחַי מוֹאָב Is. 16:4
גּוּר 79 גּוּר בָּאָרֶץ הַזֹּאת Gen. 26:3
וְגוּרִי 80 וְגוּרִי בַּאֲשֶׁר תָּגוּרִי IIK. 8:1
מִתְגּוֹרֵר 81 אֲשֶׁר־אֲנִי מִתְגּוֹרֵר עִמָּהּ IK. 17:20

(גור)2 גָּר פָּ׳ א) התגרה, זמם להתקיף [עין גם גרה]
ב) [הִת׳ הִתְגּוֹרֵר] התחולל: 7,8

גּוֹר 1 הֵן גּוֹר יָגוּר אֶפֶס מֵאוֹתִי Is. 54:15
גָּר 2 מִי־גָר אִתָּךְ עָלַיִךְ יִפּוֹל Is. 54:15
יָגוּר 3 הֵן גּוֹר יָגוּר אֶפֶס מֵאוֹתִי Is. 54:15
יָגוּרוּ 4 יָגוּרוּ יִצְפּוֹנוּ...עֲקֵבַי יִשְׁמֹרוּ Ps. 56:7
5 אָרְבוּ לְנַפְשִׁי יָגוּרוּ עָלַי עַזִּים Ps. 59:4
6 כָּל־יוֹם יָגוּרוּ מִלְחָמוֹת Ps. 140:3
מִתְגּוֹרֵר 7 סַעֲרַת יְיָ...סַעַר מִתְגּוֹרֵר Jer. 30:23
יִתְגּוֹרָרוּ 8 עַל־דָּגָן וְתִירוֹשׁ יִתְגּוֹרָרוּ יָסוּרוּ בִי Hosh. 7:14

(גור)3 גָּר פָּ׳ יָגֹר, יָרֵא: 1—10

גָּר לְ־ 6; גָּר מִן־ 2, 7, 8, 10; גָּר מִפְּנֵי־ 3—5, 9

אָגוּר 1 לוּלֵי כַּעַס אוֹיֵב אָגוּר Deut. 32:27
תָגוּר 2 לֹא תָגוּר מִמֶּנּוּ Deut. 18:22
וַיָּגָר 3 וַיָּגָר מוֹאָב מִפְּנֵי הָעָם Num. 22:3
4 וַיַּרְא שָׁאוּל...וַיָּגָר מִפָּנָיו ISh. 18:15
תָגוּרוּ 5 לֹא תָגוּרוּ מִפְּנֵי־אִישׁ Deut. 1:17
יָגוּרוּ 6 לְעֶגְלוֹת בֵּית אָוֶן יָגוּרוּ שְׁכַן שֹׁמְרוֹן Hosh. 10:5
7 מִמֶּנּוּ יָגוּרוּ כָּל־יֹשְׁבֵי תֵבֵל Ps. 33:8
8 מִשֵּׂתוֹ יָגוּרוּ אֵלִים Job 41:17
גּוּרוּ 9 גּוּרוּ לָכֶם מִפְּנֵי־חֶרֶב Job 19:29
וְגוּרוּ 10 כַּבְּדוּהוּ וְגוּרוּ מִמֶּנּוּ Ps. 22:24

גּוּר1, גּוֹר ז׳ בעל־חיים צעיר א) אריה צעיר: 1—6, 8, 9
ב) תַּן צעיר: 7

גּוּר 1 גּוּר אַרְיֵה יְהוּדָה Gen. 49:9
2 דָּן גּוּר אַרְיֵה...יְזַנֵּק מִן־הַבָּשָׁן Deut. 33:22
3 אֲשֶׁר הָלַךְ...שָׁם גּוּר אַרְיֵה Nah. 2:12
גּוּרֶיהָ 4 בְּתוֹךְ כְּפִרִים רִבְּתָה גוּרֶיהָ Ezek. 19:2
מִגֻּרֶיהָ 5 וַתַּעַל אֶחָד מִגֻּרֶיהָ כְּפִיר הָיָה Ezek. 19:3
6 וַתִּקַּח אֶחָד מִגֻּרֶיהָ כְּפִיר שָׂמָתְהוּ Ezek. 19:5
גּוּרֵיהֶן 7 גַּם־תַּנִּים חָלְצוּ שַׁד הֵינִיקוּ גּוּרֵיהֶן Lam. 4:3
כְּגוֹרֵי־ 8 נָעֲרוּ כְּגוֹרֵי אֲרָיוֹת Jer. 51:38
גֹּרוֹתָיו 9 אַרְיֵה טֹרֵף בְּדֵי גֹרוֹתָיו Nah. 2:13

גּוּר2 מקום משלט בנחלת מנשה

גּוּר 1 בְמַעֲלֵה־גוּר אֲשֶׁר אֶת־יִבְלְעָם IIK. 9:27

גּוּר־בַּעַל* ישוב בדרום נחלת יהודה

בְּגוּר־בַּ׳ 1 הָעַרְבִים הַיֹּשְׁבִים בְּגוּר־בָּעַל IICh. 26:7

גּוֹרָל ז׳ א) עצם (אבן או כל דבר אחר) שמטילים אותו ועל־פי נפילתו מחליטים: רוב המקראות
ב) יחידת־נחלה שנתנה על־פי הגורל: 58, 60
ג) מנת־חלקו של אדם: 57,61,63

הָיָה הַגּוֹרָל 19, 21, 31, 37, 67; הוּטַל ג׳ 33; הִפִּיל ג׳ 7, 12, 35, 36, 59, 69—76; הִשְׁלִיךְ ג׳ 5, 6; הִשְׁבִּית ג׳ 34; יָצָא הַגּ׳ 18, 20, 22—26, 28—30, 64, 65; יָדָה ג׳ 9—11; יָרָה ג׳ 4; נָפַל הַגּ׳ 8, 32, 38; עָלָה הַגּ׳ 15, 16, 27, 53; עָמַד לְגוֹרָלוֹ 61

גּוֹרַל נַחֲלָתוֹ 55,56; ג׳ צַדִּיקִים 54; גְּבוּל גּוֹרָלוֹ 65; עָרֵי גּוֹרָלוֹ 66

גּוֹרָל 1 גּוֹרָל אֶחָד לַייָ וְגוֹרָל אֶחָד Lev. 16:8
2 גּוֹרָל אֶחָד וְחֶבֶל אֶחָד Josh. 17:14
3 לֹא־יִהְיֶה לְךָ גּוֹרָל אֶחָד Josh. 17:17
4 וְיָרִיתִי לָכֶם גּוֹרָל פֹּה Josh. 18:6
5 וּפֹה אַשְׁלִיךְ לָכֶם גּוֹרָל Josh. 18:8
6 וַיַּשְׁלֵךְ לָהֶם יְהוֹשֻׁעַ גּוֹרָל Josh. 18:10
7 וְהוּא־הִפִּיל לָהֶן גּוֹרָל Is. 34:17
8 לֹא־נָפַל עָלֶיהָ גּוֹרָל Ezek. 24:9
9 וְאֶל־עַמִּי יַדּוּ גוֹרָל Joel 4:13
10 וְעַל־יְרוּשָׁלַםִ יַדּוּ גוֹרָל Ob. 11
11 וְעַל־נִכְבַּדֶּיהָ יַדּוּ גוֹרָל Nah. 3:10
12 וְעַל־לְבוּשִׁי יַפִּילוּ גוֹרָל Ps. 22:19
וְגוֹרָל 13 וְגוֹרָל אֶחָד לַעֲזָאזֵל Lev. 16:8
14 זֶה חֵלֶק שׁוֹסֵינוּ וְגוֹרָל לְבֹזְזֵינוּ Is. 17:14
הַגּוֹרָל 15 אֲשֶׁר עָלָה עָלָיו הַגּוֹרָל לַייָ Lev. 16:6
16 אֲשֶׁר עָלָה עָלָיו הַגּוֹרָל לַעֲזָאזֵל Lev. 16:10
17 עַל־פִּי הַגּוֹרָל תֵּחָלֵק נַחֲלָתוֹ Num. 26:56
18 אֶל אֲשֶׁר־יֵצֵא לוֹ שָׁמָּה הַגּוֹרָל Num. 33:54
19 וַיְהִי הַגּוֹרָל לְמַטֵּה בְּנֵי יְהוּדָה Josh. 15:1
20 וַיֵּצֵא הַגּוֹרָל לִבְנֵי יוֹסֵף Josh. 16:1
21 וַיְהִי הַגּוֹרָל לְמַטֵּה מְנַשֶּׁה Josh. 17:1
26-22 וַיֵּצֵא הַגּוֹרָל Josh. 19:1, 24
21:4 • ICh. 24:7; 25:9
27 וַיַּעַל הַגּוֹרָל הַשְּׁלִישִׁי לִבְנֵי זְבוּלֻן Josh. 19:10
30-28 יָצָא הַגּוֹרָל Josh. 19:17, 32, 40
31 כִּי לָהֶם הָיָה הַגּוֹרָל רִאשֹׁנָה Josh. 21:10
32 וַיִּפֹּל הַגּוֹרָל עַל־יוֹנָה Jon. 1:7
33 בַּחֵיק יוּטַל אֶת־הַגּוֹרָל Prov. 16:33
34 מִדְיָנִים יַשְׁבִּית הַגּוֹרָל Prov. 18:18
35/6 (וְ)הִפִּיל פּוּר הוּא הַגּוֹרָל Es. 3:7; 9:24
37 כִּי לָהֶם הָיָה הַגּוֹרָל ICh. 6:39
38 וַיִּפֹּל הַגּוֹרָל מִזְרָחָה לְשֶׁלֶמְיָהוּ ICh. 26:14
בְּגוֹרָל 39 אַךְ־בְּגוֹרָל יֵחָלֵק אֶת־הָאָרֶץ Num. 26:55
40 וְהִתְנַחַלְתֶּם אֶת־הָאָרֶץ בְּגוֹרָל Num. 33:54
41 אֲשֶׁר תִּתְנַחֲלוּ אֹתָהּ בְּגוֹרָל Num. 34:13
42 לָתֵת...בְּנַחֲלָה בְּגוֹרָל לִבְנֵי יִשׂ׳ Num. 36:2
43 אֲשֶׁר נִחֲלוּ...בְּגוֹרָל בְּשִׁלֹה Josh. 19:51
44 אֲשֶׁר נַעֲשֶׂה לַגִּבְעָה עָלֶיהָ בְּגוֹרָל Jud. 20:9
45 לֹא־יִהְיֶה לְךָ מַשְׁלִיךְ חֶבֶל בְּגוֹרָל Mic. 2:5
בַּגּוֹרָל 46 וַיְהִי לִבְנֵי אַהֲרֹן...בַּגּוֹרָל עָרִים Josh. 21:4
47 וְלִבְנֵי קְהָת...בַּגּוֹרָל עָרִים Josh. 21:5
48 וְלִבְנֵי גֵרְשׁוֹן...בַּבָּשָׁן בַּגּוֹרָל Josh. 21:6
49 כַּאֲשֶׁר צִוָּה יְיָ בְּיַד־מֹשֶׁה בַּגּוֹרָל Josh. 21:8
50 וְלִבְנֵי קְהָת...בַּגּוֹרָל עָרִים עָשֶׂר ICh. 6:46
51 לִבְנֵי מְרָרִי...בַּגּוֹרָל עָרִים... ICh. 6:48
52 וַיִּתְּנוּ בַגּוֹרָל מִמַּטֵּה בְנֵי־יְהוּדָה ICh. 6:50
גּוֹרַל־ 53 וַיַּעַל גּוֹרַל מַטֵּה בְנֵי־בִנְיָמִן Josh. 18:11
54 לֹא יָנוּחַ...עַל גּוֹרַל הַצַּדִּיקִים Ps. 125:3

בְּגוֹרַל־ 55 בְּגוֹרַל נַחֲלָתָם כַּאֲשֶׁר צִוָּה יְיָ Josh. 14:2
וּמִגּוֹרַל 56 וּמִגֹּרַל נַחֲלָתֵנוּ יִגָּרֵעַ Num. 36:3
גּוֹרָלִי 57 יְיָ מְנָת־חֶלְקִי...אַתָּה תּוֹמִיךְ גּוֹרָלִי Ps. 16:5
בְגוֹרָלִי 58 עֲלֵה אִתִּי בְגוֹרָלִי וְנִלָּחֲמָה... Jud. 1:3
גּוֹרָלְךָ 59 גּוֹרָלְךָ תַּפִּיל בְּתוֹכֵנוּ Prov. 1:14
בְּגוֹרָלֶךָ 60 וְהָלַכְתִּי גַם־אֲנִי אִתְּךָ בְּגוֹרָלֶךָ Jud. 1:3
לְגוֹרָלְךָ 61 וְתַעֲמֹד לְגֹרָלְךָ לְקֵץ הַיָּמִין Dan. 12:13
גּוֹרָלֵךְ 62 בְּחַלְּקֵי־נַחַל...הֵם הֵם גּוֹרָלֵךְ Is. 57:6
63 זֶה גוֹרָלֵךְ מְנָת־מִדַּיִךְ מֵאִתִּי Jer. 13:25
גּוֹרָלוֹ 64 וַיֵּצֵא גוֹרָלוֹ צָפוֹנָה IChr. 26:14
גּוֹרָלָם 65 וַיֵּצֵא גְּבוּל גּוֹרָלָם Josh. 18:11
66 וַיְהִי עָרֵי גוֹרָלָם מִמַּטֵּה אֶפְרָיִם Josh. 21:20
67 וַיְהִי גוֹרָלָם עָרִים שְׁתֵּים עֶשְׂרֵה Josh. 21:40(38)
גּוֹרָלוֹת 68 וְנָתַן...עַל־שְׁנֵי הַשְּׂעִירִם גֹּרָלוֹת Lev. 16:8
69 לְכוּ וְנַפִּילָה גוֹרָלוֹת וְנֵדְעָה Jon. 1:7
70 וַיַּפִּלוּ גּוֹרָלוֹת Jon. 1:7
71 וּשְׁאָר הָעָם הִפִּילוּ גוֹרָלוֹת Neh. 11:1
72 וַיַּפִּילוּ...גוֹרָלוֹת לְעֻמַּת אֲחֵיהֶם IChr. 24:31
73 וַיַּפִּילוּ גּוֹרָלוֹת מִשְׁמֶרֶת IChr. 25:8
74 וַיַּפִּילוּ גוֹרָלוֹת כַּקָּטֹן כַּגָּדוֹל IChr. 26:13
75 וּזְכַרְיָהוּ בְנוֹ...הִפִּילוּ גוֹרָלוֹת IChr. 26:14
וְהַגּוֹרָלוֹת 76 וְהַגּוֹרָלוֹת הִפַּלְנוּ עַל־קֻרְבַּן... Neh. 10:35
בְּגוֹרָלוֹת 77 וַיְחַלְּקוּם בְּגוֹרָלוֹת אֵלֶּה עִם־אֵלֶּה IChr. 24:5

גּוּשׁ
ז' חתיכה

גּוּשׁ 1 לָבַשׁ בְּשָׂרִי רִמָּה וְגוּשׁ (כת' וגיש) עָפָר Job 7:5

גֵּז
ז' א צמר שנגזז: 3,2
ב) עשב לפני גזיזתו: 4,1

גֵּז 1 יֵרֵד כְּמָטָר עַל־גֵּז Ps. 72:6
גֵּז־ 2 וְרֵאשִׁית גֵּז צֹאנְךָ תִּתֶּן־לוֹ Deut. 18:4
וּמִגֵּז 3 וּמִגֵּז כְּבָשַׂי יִתְחַמָּם Job 31:20
גִּזֵּי 4 וְהִנֵּה־לֶקֶשׁ אַחַר גִּזֵּי הַמֶּלֶךְ Am. 7:1

גִּזְבָּר
ז' ממונה על האוצר

הַגִּזְבָּר 1 עַל־יַד מִתְרְדָת הַגִּזְבָּר Ez. 1:8

גְּזַבַר*
ז' ארמית: גִּזְבָּר [עיין גם גְּדָבַר]

גִּזַּבְרַיָּא 1 לְכֹל גִּזַּבְרַיָּא דִּי בַּעֲבַר נַהֲרָה Ez. 7:21

גזה
: גָּזָה; גָּזִית(?)

גָּזָה
פ' חתך? פרץ?

גּוֹזִי 1 מִמְּעֵי אִמִּי אַתָּה גוֹזִי Ps. 71:6

גִּזָּה
נ' צמר שנגזז: 1–7 • גִּזַּת הַצֶּמֶר 7

הַגִּזָּה 1 אִם טַל יִהְיֶה עַל־הַגִּזָּה לְבַדָּהּ Jud. 6:37
2 וַיַּשְׁכֵּם מִמָּחֳרָת וַיָּזַר אֶת־הַגִּזָּה Jud. 6:38
3 וַיִּמֶץ טַל מִן־הַגִּזָּה Jud. 6:38
4 יְהִי־נָא חֹרֶב אֶל־הַגִּזָּה לְבַדָּהּ Jud. 6:39
5 וַיְהִי־חֹרֶב אֶל־הַגִּזָּה לְבַדָּהּ Jud. 6:40
בַּגִּזָּה 6 אֲנַסֶּה־נָּא רַק־הַפַּעַם בַּגִּזָּה Jud. 6:39
גִּזַּת 7 אָנֹכִי מַצִּיג אֶת־גִּזַּת הַצֶּמֶר Jud. 6:37

גִּזוֹנִי
ת' המתיחס, כנראה, על מקום בשם גִּזֹה

הַגִּזוֹנִי 1 בְּנֵי הָשֵׁם הַגִּזוֹנִי IChr. 11:34

גזז
: גָּזַז, גֹּז, גֵּז, גִּזָּה, גָּזִית(?); ש"פ גָּזֵז

גָּזַז
פ' א) כרת שער (ביחוד שער הצאן): 1–14
ב) [נפ' נָגֹז] נכרת, נשמד: 15

בִּגְזֹז 1 וַיְהִי בִּגְזֹז אֶת־צֹאנוֹ בַּכַּרְמֶל ISh. 25:2
לִגְזֹז 2 וְלָבָן הָלַךְ לִגְזֹז אֶת־צֹאנוֹ Gen. 31:19
לָגֹז 3 חָמִיךְ עֹלֶה תִמְנָתָה לָגֹז צֹאנוֹ Gen. 38:13
גֹּזֵז 4 כִּי־גֹזֵז נָבָל אֶת־צֹאנוֹ ISh. 25:4
גֹּזְזִים 5 שָׁמַעְתִּי כִּי גֹזְזִים לָךְ ISh. 25:7
6 וַיִּהְיוּ גֹזְזִים לְאַבְשָׁלוֹם IISh. 13:23
7 הִנֵּה־נָא גֹזְזִים לְעַבְדֶּךָ IISh. 13:24
גּוֹזְזֵי־ 8 וַיַּעַל עַל־גֹּזְזֵי צֹאנוֹ Gen. 38:12
לְגוֹזְזָי 9 טִבְחָתִי אֲשֶׁר טָבַחְתִּי לְגֹזְזָי ISh. 25:11
גּוֹזְזֶיהָ 10 וּכְרָחֵל לִפְנֵי גֹזְזֶיהָ נֶאֱלָמָה Is. 53:7
תָּגֹז 11 וְלֹא תָגֹז בְּכוֹר צֹאנֶךָ Deut. 15:19
וַיָּגָז 12 וַיָּגָז אֶת־רֹאשׁוֹ Job 1:20
גֹּזִּי 13 גֹּזִּי נִזְרֵךְ וְהַשְׁלִיכִי Jer. 7:29
וָגֹזִּי 14 קָרְחִי וָגֹזִּי עַל־בְּנֵי תַּעֲנוּגָיִךְ Mic. 1:16
נָגוֹזּוּ 15 וְכֵן נָגוֹזּוּ (נ"א נָגֹזּוּ) וְעָבָר Nah. 1:12

גָּזֵז
שפ"ז א) בן כָּלֵב מפילגשו עֵיפָה: 1
ב) נכדו של כָּלֵב: 2

גָּזֵז 1 וְעֵיפָה...יָלְדָה אֶת־חָרָן...וְאֶת־גָּזֵז IChr. 2:46
2 וְחָרָן הֹלִיד אֶת־גָּזֵז IChr. 2:46

גָּזִית
נ' סתות אבנים, וכן האבנים המסתתות: 1–11
אַבְנֵי גָזִית 2, 7, 9; בָּתֵּי גָזִית 8; טוּרֵי גָזִית 3

גָּזִית 1 לֹא־תִבְנֶה אֶתְהֶן גָּזִית Ex. 20:22
2 לְיַסֵּד הַבַּיִת אַבְנֵי גָזִית IK. 5:31
3 וַיִּבֶן...שְׁלֹשָׁה טוּרֵי גָזִית IK. 6:36
4-5 אֲבָנִים יְקָרֹת כְּמִדּוֹת גָּזִית IK. 7:9,11
6 וְחָצֵר שְׁלֹשָׁה טוּרִים גָּזִית IK. 7:12
7 שֻׁלְחָנוֹת לָעוֹלָה אַבְנֵי גָזִית Ezek. 40:42
8 בָּתֵּי גָזִית בְּנִיתֶם Am. 5:11
9 לַחְצוֹב אַבְנֵי גָזִית IChr. 22:2(1)
וְגָזִית 10 לְבֵנִים נָפָלוּ וְגָזִית נִבְנֶה Is. 9:9
בְּגָזִית 11 גָּדַר דְּרָכַי בְּגָזִית Lam. 3:9

גזל
: גָּזַל, גּוֹזֵל, גָּזֵל, גֵּזֶל, גְּזֵלָה

גָּזַל
פ' א) לקח בכוח: 7–10, 12, 15, 18, 21, 25, 26, 28, 29
ב) קפח, עשק: 1-6, 11, 13, 14, 16, 17, 19, 20, 22-24, 27
ג) [נפ' נִגְזַל] נלקח: 30

קרובים: גנב / חמס / עשק

וְלִגְזֹל 1 לִגְזֹל מִשְׁפַּט עֲנִיֵּי עַמִּי Is. 10:2
גָּזַלְתִּי 2 אֲשֶׁר לֹא־גָזַלְתִּי אָז אָשִׁיב Ps. 69:5
גָּזַל 3 עָשַׁק עֹשֶׁק גָּזַל גֵּזֶל אָח Ezek. 18:18
4 בַּיִת גָּזַל וְלֹא יִבְנֵהוּ Job 20:19
גָּזָל 5 וְהֵשִׁיב אֶת־הַגְּזֵלָה אֲשֶׁר גָּזָל Lev. 5:23
6 גְּזֵלוֹת גָּזַל חֲבֹל לֹא יָשִׁיב Ezek. 18:12
7 חֲבֹל לֹא חָבָל וּגְזֵלָה לֹא גָזָל Ezek. 18:16
גָּזְלוּ 8 בְּאֵר הַמָּיִם...גָּזְלוּ עַבְדֵי אֲבִימֶלֶךְ Gen. 21:25
9 עֵדֶר גָּזְלוּ וַיִּרְעוּ Job 24:2
גָּזָלוּ 10 מִן־הַמְּחֹלְלוֹת אֲשֶׁר גָּזָלוּ Jud. 21:23
וְגָזְלוּ 11 עָשְׁקוּ עֹשֶׁק וְגָזְלוּ גָּזֵל Ezek. 22:29
וְגָזָלוּ 12 וְחָמְדוּ שָׂדוֹת וְגָזָלוּ Mic. 2:2
גּוֹזֵל 13 גּוֹזֵל אָבִיו וְאִמּוֹ Prov. 28:24
מִגּוֹזְלוֹ 14 מַצִּיל...וְעָנִי וְאֶבְיוֹן מִגֹּזְלוֹ Ps. 35:10
גָּזוּל 15 חֲמֹרְךָ גָּזוּל מִלְּפָנֶיךָ Deut. 28:31
16 וְהַצִּילוּ גָזוּל מִיַּד עוֹשֵׁק Jer. 21:12
17 וְהַצִּילוּ גָזוּל מִיַּד עָשׁוֹק Jer. 22:3
18 וַהֲבֵאתֶם גָּזוּל וְאֶת־הַפִּסֵּחַ Mal. 1:13
וְגָזוּל 19 וְהָיִיתָ אַךְ עָשׁוּק וְגָזוּל Deut. 28:29
גּוֹזְלֵי 20 גֹּזְלֵי עוֹרָם מֵעֲלֵיהֶם Mic. 3:2
תִּגְזֹל 21 פֶּן־תִּגְזֹל אֶת־בְּנוֹתֶיךָ מֵעִמִּי Gen. 31:31
22 לֹא־תַעֲשֹׁק...וְלֹא תִגְזֹל Lev. 19:13
תִּגְזָל־ 23 אַל־תִּגְזָל־דָּל כִּי דַל־הוּא Prov. 22:22
יִגְזֹל 24 חוֹב יָשִׁיב גְּזֵלָה לֹא יִגְזֹל Ezek. 18:7
וַיִּגְזֹל 25 וַיִּגְזֹל אֶת־הַחֲנִית מִיַּד הַמִּצְרִי IISh. 23:21
26 וַיִּגְזֹל אֶת־הַחֲנִית מִיַּד הַמִּצְרִי IChr. 11:23
יִגְזְלוּ 27 יִגְזְלוּ מִשֹּׁד יָתוֹם Job 24:9
28 צִיָּה גַם־חֹם יִגְזְלוּ מֵימֵי־שֶׁלֶג Job 24:19
וַיִּגְזְלוּ 29 וַיִּגְזְלוּ אֵת כָּל־אֲשֶׁר־יַעֲבֹר Jud. 9:25
וְנִגְזְלָה 30 וְנִגְזְלָה שְׁנָתָם אִם־לֹא יַכְשִׁילוּ Prov. 4:16

גֵּזֶל
ז' א) דבר שנגזל: 1–3
ב) פעולת הגזל: 4, 5
גֵּזֶל אָח 5; גֵּזֶל מִשְׁפָּט 6

גָּזֵל 1 אֹהֵב מִשְׁפָּט שֹׂנֵא גָזֵל בְּעוֹלָה Is. 61:8
2 עָשְׁקוּ עֹשֶׁק וְגָזְלוּ גָּזֵל Ezek. 22:29
בְגָזֵל 3 אוֹ־בִתְשׂוּמֶת יָד אוֹ בְגָזֵל Lev. 5:21
וּבְגָזֵל 4 וּבְגָזֵל אַל־תֶּהְבָּלוּ Ps. 62:11
גֵּזֶל־ 5 עָשַׁק עֹשֶׁק גָּזַל גֵּזֶל אָח Ezek. 18:18
וְגֵזֶל־ 6 עֹשֶׁק רָשׁ וְגֵזֶל מִשְׁפָּט וָצֶדֶק Eccl. 5:7

גְּזֵלָה
נ' דבר שנגזל: 1–6 גְּזֵלַת עָנִי 5

גְּזֵלָה 1 חוֹב יָשִׁיב גְּזֵלָה לֹא יִגְזֹל Ezek. 18:7
2 חֲבֹל יָשִׁיב רָשָׁע גְּזֵלָה יְשַׁלֵּם Ezek. 33:15
וּגְזֵלָה 3 חֲבֹל לֹא חָבָל וּגְזֵלָה לֹא גָזָל Ezek. 18:16
הַגְּזֵלָה 4 וְהֵשִׁיב אֶת־הַגְּזֵלָה אֲשֶׁר גָּזָל Lev. 5:23
גְּזֵלַת־ 5 גְּזֵלַת הֶעָנִי בְּבָתֵּיכֶם Is. 3:14
גְּזֵלוֹת 6 גְּזֵלוֹת גָּזַל חֲבֹל לֹא יָשִׁיב Ezek. 18:12

גָּזָם
ז' ארבה באחד מגלגוליו האחרונים: 1–3
קרובים: ראה אַרְבֶּה

הַגָּזָם 1 יֶתֶר הַגָּזָם אָכַל הָאַרְבֶּה Joel 1:4
2 וְזֵיתֵיכֶם יֹאכַל הַגָּזָם Am. 4:9
וְהַגָּזָם 3 וְהֶחָסִיל וְהַגָּזָם Joel 2:25

גַּזָּם
שפ"ז – מן הנתינים שעלו עם זרובבל: 1, 2

גַזָּם 1 בְּנֵי נְקוֹדָא בְּנֵי גַזָּם Ez. 2:48
2 בְּנֵי־גַזָּם בְּנֵי־עֻזָּא Neh. 7:51

גֶּזַע
ז' גוף העץ הנושא את העפים: 1–3

מִגֵּזַע־ 1 וְיָצָא חֹטֶר מִגֵּזַע יִשָׁי Is. 11:1
גִּזְעוֹ 2 וּבֶעָפָר יָמוּת גִּזְעוֹ Job 14:8
גִּזְעָם 3 אַף בַּל־שֹׁרֵשׁ בָּאָרֶץ גִּזְעָם Is. 40:24

גזר
: גָּזַר, נִגְזַר; גֶּזֶר, גִּזְרָה, גְּזֵרָה, גִּזְרָה, מַגְזֵרָה;
ארמית: גְּזַר; גְּזֵרָה; ש"פ גֶּזֶר, גִּזְרִי

גָּזַר
פ' א) חתך, כרת: 2–7
ב) טרף, השמיד: 1
ג) [נפ' נִגְזַר] נכרת: 8, 9, 11–13
ד) [כנ"ל] נחתך הדין, הוחלט: 10

קרובים: בָּתַק / בָּתַר / חָתַךְ / חָטַב / כָּרַת / קָרַע
גֹּזֵר אֹמֶר 3; גֹּזֵר לִגְזָרִים 2

גָּזַר 1 גָּזַר מִמִּכְלָה צֹאן Hab. 3:17
לְגוֹזֵר 2 לְגֹזֵר יַם־סוּף לִגְזָרִים Ps. 136:13
וְתִגְזַר־ 3 וְתִגְזַר־אֹמֶר וְיָקָם לָךְ Job 22:28
וַיִּגְזֹר 4 וַיִּגְזֹר עַל־יָמִין וְרָעֵב Is. 9:19
וַיִּגְזְרוּ 5 וַיָּבֹאוּ הַיַּרְדֵּנָה וַיִּגְזְרוּ הָעֵצִים IIK. 6:4
גִּזְרוּ 6 גִּזְרוּ אֶת־הַיֶּלֶד הַחַי IK. 3:25
גְּזֹרוּ 7 גַּם־לִי גַם־לָךְ לֹא יִהְיֶה גְּזֹרוּ IK. 3:26
נִגְזָרְתִּי 8 צָפוּ מַיִם...אָמַרְתִּי נִגְזָרְתִּי Lam. 3:54
נִגְזַר 9 כִּי נִגְזַר מֵאֶרֶץ חַיִּים Is. 53:8
10 אֶת־וַשְׁתִּי וְאֵת אֲשֶׁר־נִגְזַר עָלֶיהָ Es. 2:1
11 כִּי נִגְזַר מִבֵּית יְיָ IIChr. 26:21
נִגְזַרְנוּ 12 וְאָבְדָה תִקְוָתֵנוּ נִגְזַרְנוּ לָנוּ Ezek. 37:11
נִגְזָרוּ 13 וְהֵמָּה מִיָּדְךָ נִגְזָרוּ Ps. 88:6

גְּזַר פְּ׳ ארמית א) חרץ משפט: 1–4
ב) [הת׳ הִתְגְּזַר] נגזר: 5, 6

גָּזְרִין 1 חַכִּימִין אָשְׁפִין חַרְטֻמִּין גָּזְרִין Dan.2:27
2 רַב חַרְטֻמִּין אָשְׁפִין כַּשְׂדָּאִין גָּזְרִין Dan.5:11
וְגָזְרַיָּא 3 חַרְטֻמַּיָּא אָשְׁפַיָּא כַּשְׂדָּאֵי וְגָזְרַיָּא Dan.4:4
4 לְהַעָלָה לְאָשְׁפַיָּא כַּשְׂדָּאֵי וְגָזְרַיָּא Dan.5:7
הִתְגְּזֶרֶת 5 עַד דִּי הִתְגְּזֶרֶת אֶבֶן דִּי־לָא בִידַיִן Dan.2:34
אִתְגְּזֶרֶת 6 מִטּוּרָא אִתְגְּזֶרֶת אֶבֶן דִּי־לָא בִידַיִן Dan.2:45

גָּזַר*1 ז׳ חתך, בֶּתֶר: 1, 2
הַגְּזָרִים 1 אֲשֶׁר עָבַר בֵּין הַגְּזָרִים Gen.15:17
לִגְזָרִים 2 לְגֹזֵר יַם־סוּף לִגְזָרִים Ps.136:3

גֶּזֶר2 עיר בצפון השפלה: 1–15
גֶּזֶר 1 אָז עָלָה הֹרָם מֶלֶךְ גֶּזֶר Josh.10:33
2 מֶלֶךְ גֶּזֶר אֶחָד Josh.12:12
3 וְאֶת־גֶּזֶר וְאֶת־מִגְרָשֶׁהָ Josh.21:21
4-6 גֶּזֶר IK.9:16 • ICh.6:52; 7:28
גָּזֶר 7 עַד־גְּבוּל בֵּית חוֹרֹן...וְעַד־גָּזֶר Josh.16:3
8-10 גָּזֶר IISh.5:25 • IK.9:15,17
גָּזְרָה 11 וַיַּכּוּ...מִגִּבְעוֹן וְעַד־גָּזְרָה ICh.14:16
בְּגֶזֶר 12 וַתַּעֲמֹד מִלְחָמָה בְּגֶזֶר ICh.20:4
בְּגָזֶר 13/4 הַכְּנַעֲנִי הַיּוֹשֵׁב בְּגָזֶר Josh.16:10 • Jud.1:29
15 וַיֵּשֶׁב הַכְּנַעֲנִי בְּקִרְבּוֹ בְּגָזֶר Jud.1:29

גְּזֵרָה1 נ׳ שממה (?)
גְּזֵרָה 1 וְנָשָׂא הַשָּׂעִיר...אֶל־אֶרֶץ גְּזֵרָה Lev.16:22

גְּזֵרָה2 נ׳ ארמית: משפט שנגזר: 1, 2
וּגְזֵרַת־ 1 וּגְזֵרַת עִלָּאָה הִיא דִּי מְטָת Dan.4:21
בִּגְזֵרַת־ 2 בִּגְזֵרַת עִירִין פִּתְגָמָא Dan.4:14

גִּזְרָה נ׳ א) חצר, יציע? גזוזטרה?: 1–7
ב) חתוך הגוף: 8
הַגִּזְרָה 1-4 אֶל־פְּנֵי הַגִּזְרָה Ezek.41:12,15; 42:10,13
5 אֶל־הַלִּשְׁכָּה אֲשֶׁר נֶגֶד הַגִּזְרָה Ezek.42:1
וְהַגִּזְרָה 6 וְהַגִּזְרָה וְהַבִּנְיָה וְקִירוֹתֶיהָ Ezek.41:13
7 וְרֹחַב פְּנֵי הַבַּיִת וְהַגִּזְרָה לַקָּדִים Ezek.41:14
גִּזְרָתָם 8 אָדְמוּ עֶצֶם מִפְּנִינִים סַפִּיר גִּזְרָתָם Lam.4:7

גִּזְרִי ת׳ שבט שנודד בקצה הדרומי של כנען
וְהַגִּזְרִי 1 וַיִּפְשְׁטוּ אֶל־הַגְּשׁוּרִי וְהַגִּזְרִי (כת׳ גרזי) ISh.27:8

גחה : גָּחָה; גָּחוֹן (?)
גָּחָה פ׳ הוציא, חִלֵּץ [עיין גם גוח]
גֹחִי 1 כִּי־אַתָּה גֹחִי מִבָּטֶן Ps.22:10

גָּחוֹן ז׳ בטן של בעל־חיים רומש: 1, 2
גָּחוֹן 1 כֹּל הוֹלֵךְ עַל־גָּחוֹן Lev.11:42
גְּחֹנְךָ 2 עַל־גְּחֹנְךָ תֵלֵךְ וְעָפָר תֹּאכַל Gen.3:14

גִּחוֹן עיין גִּיחוֹן

גֵּחֲזִי עיין גֵּיחֲזִי

גַּחֶלֶת נ׳ פחם בוער באש: 1–18 • קרובים: אוּד/פֶּחָם/רִצְפָּה
גַּחֲלֵי אֵשׁ 10–12, 14–16; גַּחֲלֵי רְתָמִים 13;
כִּבָּה גַחֶלֶת 2; בָּעֲרוּ גֶחָלִים 3,4,11; חָתָה גֶ׳ 6;
לִהֵט גֶּחָלִים 7
גַּחֶלֶת 1 אֵין־גַּחֶלֶת לַחְמָם Is.47:14
גַּחַלְתִּי 2 וְכִבּוּ אֶת־גַּחַלְתִּי אֲשֶׁר נִשְׁאָרָה IISh.14:7
גֶּחָלִים 3/4 גֶּחָלִים בָּעֲרוּ מִמֶּנּוּ IISh.22:9 • Ps.18:9
5 יִמּוֹטוּ עֲלֵיהֶם גֶּחָלִים Ps.140:11
6 כִּי גֶחָלִים אַתָּה חֹתֶה עַל־רֹאשׁוֹ Prov.25:22
7 נַפְשׁוֹ גֶּחָלִים תְּלַהֵט Job41:13
הַגֶּחָלִים 8 אִם־יְהַלֵּךְ אִישׁ עַל־הַגֶּחָלִים Prov.6:28
לְגֶחָלִים 9 פֶּחָם לְגֶחָלִים וְעֵצִים לְאֵשׁ Prov.26:21
גַּחֲלֵי־ 10 וְלָקַח מְלֹא־הַמַּחְתָּה גַּחֲלֵי־אֵשׁ Lev.16:12
11 מִנֹּגַהּ נֶגְדּוֹ בָּעֲרוּ גַּחֲלֵי־אֵשׁ IISh.22:13
12 וּמַלֵּא חָפְנֶיךָ גַחֲלֵי־אֵשׁ Ezek.10:2
13 חִצֵּי גִבּוֹר...עִם גַּחֲלֵי רְתָמִים Ps.120:4
וְגַחֲלֵי־ 14/15 בָּרָד וְגַחֲלֵי־אֵשׁ Ps.18:13,14
כְּגַחֲלֵי־ 16 מַרְאֵיהֶם כְּגַחֲלֵי־אֵשׁ בֹּעֲרוֹת Ezek.1:13
גֶּחָלָיו 17 וְאַף אָפִיתִי עַל־גֶּחָלָיו לֶחֶם Is.44:19
גֶּחָלֶיהָ 18 וְהַעֲמִידֶהָ עַל־גֶּחָלֶיהָ רֵקָה Ezek.24:11

גַּחַם שפ״ז – בן נחור אחי אברהם
גַּחַם 1 וַתֵּלֶד...אֶת־טֶבַח וְאֶת־גַּחַם Gen.22:24

גַּחַר שפ״ז – אבי משפחה ששבה מן הגולה עם זרובבל: 1, 2
גַחַר 1 בְּנֵי־גִדֵּל בְּנֵי־גַחַר Ez.2:47
גָחַר 2 בְּנֵי־גִדֵּל בְּנֵי־גָחַר Neh.7:49

גַּי, גַּיְא זו״נ בקעה בין הרים: 1–30
גַּיְא גְּדוֹלָה 12 בָּמוֹת הַגַּיְא 2; מִזְרַח הַגַּ׳ 3; גֵּיא הַהֲרֵגָה 16, 17; גֵּ׳ הָרִים 18, 20; גֵּ׳ חִזָּיוֹן 13, 21;
גֵּ׳ הָעֹבְרִים 19; גֵּ׳ צַלְמָוֶת 22; גֵּיא שְׁמָנִים 14, 15
גַּיְא 1 וַיִּרְדְּפוּ...עַד־בּוֹאֲךָ גַיְא ISh.17:52
הַגַּיְא 2 וּמִבָּמוֹת הַגַּיְא אֲשֶׁר בִּשְׂדֵה מוֹאָב Num.21:20
הַגָּיְא 3 וַיֵּלְכוּ...עַד לְמִזְרַח הַגָּיְא ICh.4:39
וְהַגַּי 4 וְהַגַּי בֵּינָו וּבֵין הָעָי Josh.8:11
וְהַגַּיְא 5 וְהַגַּיְא בֵּינֵיהֶם ISh.17:3
בַּגַּיְא 6 בַּגַּיְא מוּל בֵּית פְּעוֹר Deut.4:46
7 רְאִי דַרְכֵּךְ בַּגַּיְא דְּעִי מֶה עָשִׂית Jer.2:23
בַגַּי 8 וַיִּקְבֹּר אֹתוֹ בַגַּי בְּאֶרֶץ מוֹאָב Deut.34:6
בַּגָּיְא 9 וַנֵּשֶׁב בַּגָּיְא מוּל בֵּית פְּעוֹר Deut.3:29
לַגַּי 10 וְהִגַּרְתִּי לַגַּי אֲבָנֶיהָ Mic.1:6
גֶּיא 11 כָּל־גֶּיא יִנָּשֵׂא Is.40:4
גֵּיא 12 וְנִבְקַע הַר...גֵּיא גְּדוֹלָה מְאֹד Zech.14:4
גֵּיא־ 13 מַשָּׂא גֵּיא חִזָּיוֹן Is.22:1
14/5 עַל־רֹאשׁ גֵּיא־שְׁמָנִים Is.28:1,4
16/7 כִּי אִם־גֵּיא הַהֲרֵגָה Jer.7:32; 19:6
18 וְנַסְתֶּם גֵּיא־הָרַי Zech.14:5
גֵּי־ 19 גֵּי הָעֹבְרִים קִדְמַת הַיָּם Ezek.39:11
20 כִּי־יַגִּיעַ גֵּי־הָרִים אֶל־אָצַל Zech.14:5
בְּגֵי־ 21 כִּי יוֹם מְהוּמָה...בְּגֵי חִזָּיוֹן Is.22:5
בְּגֵיא־ 22 גַּם כִּי־אֵלֵךְ בְּגֵיא צַלְמָוֶת Ps.23:4
גֵּאָיוֹת 23 וּבְכָל־גֵּאָיוֹת נָפְלוּ דָלִיּוֹתָיו Ezek.31:12
הַגֵּאָיוֹת 24 כְּיוֹנֵי הַגֵּאָיוֹת כֻּלָּם הֹמוֹת Ezek.7:16
25 וּמִלֵּאתִי הַגֵּאָיוֹת רָמוּתֶךָ Ezek.32:5
26 בְּאַחַד הֶהָרִים אוֹ בְּאַחַת הַגֵּאָיוֹת (כת׳ הגיאות) IIK.2:16
וְלַגֵּאָיוֹת 27 לָאֲפִיקִים וְלַגֵּאָיוֹת (כת׳ ולגאות) Ezek.6:3
28/9 לֶהָרִים...לָאֲפִיקִים וְלַגֵּאָיוֹת Ezek.36:4,6
וְגֵיאוֹתֶיךָ 30 גִּבְעוֹתֶיךָ וְגֵיאוֹתֶיךָ Ezek.35:8

גֵּי(א) בֶן־הִנֹּם גיא בדרומה של ירושלים: 1–10
גֵּיא ב״ה 1 וְעָלָה הַגְּבוּל גֵּי בֶן־הִנֹּם Josh.15:8
2 וְיָרַד הַגְּבוּל...עַל פְּנֵי גֵּי בֶן־הִנֹּם Josh.18:16
3 וְיָצָאתָ אֶל־גֵּיא בֶן־הִנֹּם Jer.19:2
וְגֵיא ב״ה 4-5 הַתֹּפֶת וְגֵיא בֶן־הִנֹּם Jer.7:32; 19:6
בְּגֵיא ב״ה 6 הַתֹּפֶת אֲשֶׁר בְּגֵי בֶן (כת׳ בני) הִנֹּם IIK.23:10
7 הַתֹּפֶת אֲשֶׁר בְּגֵיא בֶן־הִנֹּם Jer.7:31
8/9 בְּגֵיא בֶן־הִנֹּם Jer.32:35 • IICh.28:3
10 בְּגֵי בֶן־הִנֹּם IICh.33:6

גֵּי הַחֲרָשִׁים ישוב של בני בנימין בצפון מערב יהודה
גֵּי הַחֲ׳ 1 לֹד וְאוֹנוֹ גֵּי הַחֲרָשִׁים Neh.11:35

גֵּי(א)־הִנֹּם הוא גֵּיא בֶן־הִנֹּם: 1–3
גֵּיא הִנֹּם 1 רֹאשׁ הָהָר אֲשֶׁר עַל־פְּנֵי גֵי־הִנֹּם Josh.15:8
2 וְיָרַד גֵּי הִנֹּם Josh.18:16
3 וַיַּחֲנוּ מִבְּאֵר־שֶׁבַע עַד גֵּיא־הִנֹּם Neh.11:30

גֵּיא הֲמוֹן גּוֹג גיא בנבואת יחזקאל: 1, 2
גֵּיא הֲ׳ גּוֹג 1 אֶתֵּן לְגוֹג...קֶבֶר...גֵּיא הֲמוֹן גּוֹג Ezek.39:11
2 עַד קָבְרוּ אֹתוֹ...אֶל גֵּיא הֲמוֹן גּוֹג Ezek.39:15

גֵּיא חֲרָשִׁים מקום בצפון הערבה
גֵּיא חֲרָ׳ 1 אֶת־יוֹאָב אֲבִי גֵּיא חֲרָשִׁים ICh.4:14

גֵּי יִפְתַּח־אֵל גיא בגבול זבולון ואשר: 1, 2
גֵּי יִפְ׳־אֵל 1 וְהָיוּ תֹּצְאֹתָיו גֵּי יִפְתַּח־אֵל Josh.19:14
וּבְגֵי יִפְ׳־אֵל 2 וּבְגֵי יִפְתַּח־אֵל צָפוֹנָה Josh.19:27

גֵּיא מֶלַח מקום בארץ אדום: 1–4
גֵּיא הַמֶּ׳ 1 וַיִּנְהַג אֶת־עַמּוֹ וַיֵּלֶךְ גֵּיא הַמֶּלַח IICh.25:11
בְּגֵיא־מֶ׳ 2 מֵהַכּוֹתוֹ אֶת־אֲרָם בְּגֵיא־מֶלַח IISh.8:13
3 הִכָּה אֶת־אֱדוֹם בְּגֵי מֶלַח (כת׳ המלח) IIK.14:7
4 וַיַּךְ אֶת־אֱדוֹם בְּגֵיא־מֶלַח Ps.60:2

גֵּי הַצְּבֹעִים גיא בסביבות מכמש בדרום ירושלים
גֵּי הַצְּבֹ׳ 1 הַנִּשְׁקָף עַל־גֵּי הַצְּבֹעִים הַמִּדְבָּרָה ISh.13:18

גֵּיא צְפָתָה גיא בנחלת יהודה
בְּגֵיא צְפָ׳ 1 וַיַּעַרְכוּ...בְּגֵיא צְפָתָה לְמָרֵשָׁה IICh.14:9

גִּיד ז׳ מיתר הקושר את השריר לעצם: 1–7
גִּיד בַּרְזֶל 2; גִּיד הַנָּשֶׁה 1, 3; גִּידֵי פַחֲדָיו 7
גִּיד־ 1 לֹא־יֹאכְלוּ...אֶת־גִּיד הַנָּשֶׁה Gen.32:32
וְגִיד־ 2 קָשֶׁה אָתָּה וְגִיד בַּרְזֶל עָרְפֶּךָ Is.48:4
בְּגִיד־ 3 בְּכַף־יֶרֶךְ יַעֲקֹב בְּגִיד הַנָּשֶׁה Gen.32:32
גִּידִים 4 וְנָתַתִּי עֲלֵיכֶם גִּידִים Ezek.37:6
5 וְהִנֵּה־עֲלֵיהֶם גִּדִים וּבָשָׂר עָלָה Ezek.37:8
וְגִידִים 6 וּבַעֲצָמוֹת וְגִידִים תְּשֹׂכְכֵנִי Job10:11
גִּידֵי־ 7 גִּידֵי פַחֲדָו יְשֹׂרָגוּ Job40:17

גיח : גֹּחַ, הֵגִיחַ; אר׳ גיח; ש״פ גִּיחַ, גִּיחוֹן

(גיח)1 גֹּחַ פְּ׳ א) פרץ: 1–4
ב) [הִפ׳ הֵגִיחַ] התפרץ, זנק: 5
בְּגִיחוֹ 1 בְּגִיחוֹ מֵרֶחֶם יֵצֵא Job38:8
וַתָּגַח 2 וַתָּגַח בְּנַהֲרוֹתֶיךָ וַתִּדְלַח־מַיִם Job32:2
יָגִיחַ 3 יִבְטַח כִּי־יָגִיחַ יַרְדֵּן אֶל־פִּיהוּ Job40:23
וָגֹחִי 4 חוּלִי וָגֹחִי בַּת־צִיּוֹן Mic.4:10
מְגִיחַ 5 וְאֹרֵב יִשְׂרָאֵל מֵגִיחַ מִמְּקֹמוֹ Jud.20:33

(גיח)2 אֲגִיחַ אפ׳ ארמית, כמו בעברית: הֵגִיחַ, התפרץ
מְגִיחָן 1 רוּחֵי שְׁמַיָּא מְגִיחָן לְיַמָּא רַבָּא Dan.7:2

גִּיחַ מקום בדרך מדבר גבעון
גִּיחַ 1 גִּבְעַת אַמָּה אֲשֶׁר עַל־פְּנֵי־גִיחַ IISh.2:24

גִּיחוֹן א) חלק מן הנהר שיצא מעדן: 1
ב) מעין בדרום־מזרח ירושלים: 2–6
גִּיחוֹן 1 וְשֵׁם־הַנָּהָר הַשֵּׁנִי גִּיחוֹן Gen.2:13
2 וְהוֹרַדְתֶּם אֹתוֹ אֶל־גִּחוֹן IK.1:33
3 וַיֹּלִכוּ אֹתוֹ עַל־גִּחוֹן IK.1:38
4 אֶת־מוֹצָא מֵימֵי גִיחוֹן הָעֶלְיוֹן IICh.32:30
בְּגִיחוֹן 5 וַיִּמְשְׁחוּ אֹתוֹ...לְמֶלֶךְ בְּגִחוֹן IK.1:48
לְגִיחוֹן 6 בָּנָה...מַעְרָבָה לְגִיחוֹן בַּנַּחַל IICh.33:14

גֵּיחֲזִי שפ״ז – משרת אלישע הנביא: 1–12
גֵּיחֲזִי 1/2 וַיֹּאמֶר אֶל־גֵּיחֲזִי נַעֲרוֹ IIK.4:12,25
3 וַיֹּאמֶר גֵּיחֲזִי אֲבָל בֵּן אֵין־לָהּ IIK.4:14
4 וַיִּגַּשׁ גֵּיחֲזִי לְהָדְפָהּ IIK.4:27
5 וַיֹּאמֶר גֵּיחֲזִי נַעַר אֱלִישָׁע IIK.5:20
6-7 גֵּיחֲזִי IIK.4:36; 5:21
8-10 גֵּחֲזִי IIK.5:25; 8:4,5
וְגֵיחֲזִי 11 וְגֵחֲזִי עָבַר לִפְנֵיהֶם IIK.4:31
לְגֵיחֲזִי 12 וַיֹּאמֶר לְגֵיחֲזִי חֲגֹר מָתְנֶיךָ IIK.4:29

גיל : גָּל; גִּיל, גִּילָה
ש״פ אֲבִיגַיִל, אֲבִיגַל; גִּילֹה, גִּילֹנִי(?)

(גיל) גָּל פ׳ שמח: 1–45
קרובים: ראה שָׂמַח
גָּל בְּ־ 2-6, 10, 11, 17, 18, 25–29, 32–34, 41, 43–44;
גָּל עַל־ 7, 30; גָּל כְּבוֹדוֹ 16; גָּל לִבּוֹ 10,11,14;
גָּלָה נַפְשׁוֹ 17,18; גָּל וְשָׂמַח 5, 9, 12, 13, 16, 22,
23, 24–27, 38, 41, 43, 45; גָּל בִּרְעָדָה 44
גִּיל 1 גִּיל יָגִיל (כת׳ גול יגול) אֲבִי צַדִּיק Prov.23:24
וְגַלְתִּי 2 וְגַלְתִּי בִירוּשָׁלַםִ וְשַׂשְׂתִּי בְעַמִּי Is.65:19
אָגִילָה 3 אָגִילָה בֵּאלֹהֵי יִשְׁעִי Hab.3:18
4 אָגִילָה בִּישׁוּעָתֶךָ Ps.9:15
5 אָגִילָה וְאֶשְׂמְחָה בְּחַסְדֶּךָ Ps.31:8
תָּגִיל 6 וְאַתָּה תָּגִיל בַּיְיָ Is.41:16
יָגִיל 7 יָגִיל עָלַיִךְ בְּרִנָּה Zep.3:17
8 גִּיל יָגִיל (כת׳ גול יגול) אֲבִי צַדִּיק Prov.23:24
וְיָגִיל 9 עַל־כֵּן יִשְׂמַח וְיָגִיל Hab.1:15
יָגֵל 10 יִרְאוּ וְשָׂמֵחוּ יָגֵל לִבָּם בַּיְיָ Zech.10:7
11 יָגֵל לִבִּי בִּישׁוּעָתֶךָ Ps.13:6
12-13 יָגֵל יַעֲקֹב יִשְׂמַח יִשְׂרָאֵל Ps.14:7; 53:7
14 וּבִכָּשְׁלוֹ אַל־יָגֵל לִבֶּךָ Prov.24:17
יָגֶל 15 וּבִישׁוּעָתְךָ מַה־יָּגֶל (כת׳ יגיל) מְאֹד Ps.21:2
וַיָּגֶל 16 שָׂמַח לִבִּי וַיָּגֶל כְּבוֹדִי Ps.16:9
תָּגִיל 17 וְנַפְשִׁי תָּגִיל בַּיְיָ תָּשִׂישׂ בִּישׁוּעָתוֹ Ps.35:9
תָּגֵל 18 תָּגֵל נַפְשִׁי בֵּאלֹהַי Is.61:10
19 יְיָ מָלָךְ תָּגֵל הָאָרֶץ Ps.97:1
וְתָגֵל 20 יְשֻׂשׂוּם מִדְבָּר וְצִיָּה וְתָגֵל עֲרָבָה Is.35:1
21 וְתָגֵל אַף גִּילַת וְרַנֵּן Is.35:2
22-23 יִשְׂמְחוּ הַשָּׁמַיִם וְתָגֵל הָאָרֶץ Ps.96:11
ICh.16:31
24 יִשְׂמַח אָבִיךָ...וְתָגֵל יוֹלַדְתֶּךָ Prov.23:25
נָגִילָה 25 נָגִילָה וְנִשְׂמְחָה בִּישׁוּעָתוֹ Is.25:9
26 נָגִילָה וְנִשְׂמְחָה בוֹ Ps.118:24
27 נָגִילָה וְנִשְׂמְחָה בָּךְ S.ofS.1:4
יָגִילוּ 28 כַּאֲשֶׁר יָגִילוּ בְּחַלְּקָם שָׁלָל Is.9:2
29 בִּקְדוֹשׁ יִשְׂרָאֵל יָגִילוּ Is.29:19
30 וּכְמָרָיו עָלָיו יָגִילוּ Hosh.10:5
31 צָרַי יָגִילוּ כִּי אֶמּוֹט Ps.13:5
32 בְּנֵי־צִיּוֹן יָגִילוּ בְמַלְכָּם Ps.149:2
33 יָגִילוּ בְּתַהְפֻּכוֹת רָע Prov.2:14
יְגִילוּן 34 בְּשִׁמְךָ יְגִילוּן כָּל־הַיּוֹם Ps.89:17
תָּגֵלְנָה 35 תָּגֵלְנָה בְּנוֹת יְהוּדָה Ps.48:12
36 תָּגֵלְנָה עֲצָמוֹת דִּכִּיתָ Ps.51:10
וַתָּגֵלְנָה 37 וַתָּגֵלְנָה בְּנוֹת יְהוּדָה Ps.97:8
גִּילִי 38 אַל־תִּירְאִי אֲדָמָה גִּילִי וּשְׂמָחִי Joel 2:21
39 גִּילִי מְאֹד בַּת־צִיּוֹן Zech.9:9
וְגִילִי 40 רָנּוּ שָׁמַיִם וְגִילִי אָרֶץ Is.49:13
גִּילוּ 41 גִּילוּ וְשִׂמְחוּ בַּיְיָ אֱלֹהֵיכֶם Joel 2:23
וְגִילוּ 42 כִּי־אִם־שִׂישׂוּ וְגִילוּ עֲדֵי־עַד Is.65:18
43 שִׂמְחוּ אֶת־יְרוּשָׁלַםִ וְגִילוּ בָהּ Is.66:10
44 עִבְדוּ אֶת־יְיָ בְּיִרְאָה וְגִילוּ בִּרְעָדָה Ps.2:11
45 שִׂמְחוּ בַיְיָ וְגִילוּ צַדִּיקִים Ps.32:11

גִּיל¹ ז׳ שִׂמְחָה: 1–8
קרובים: גִּילָה / חֶדְוָה / עֲלִיצוּת / רִנָּה / שִׂמְחָה / שָׂשׂוֹן
שִׂמְחָה וָגִיל 4–7; שִׂמְחַת גִּילִי 8
גִּיל 1 אַל־תִּשְׂמַח יִשְׂרָאֵל אֶל־גִּיל כָּעַמִּים Hosh.9:1
2 הַשְּׂמֵחִים אֱלֵי־גִיל Job 3:22
וְגִיל 3 וְגִיל גְּבָעוֹת תַּחְגֹּרְנָה Ps.65:13
וָגִיל 4 וְנֶאֱסַף שִׂמְחָה וָגִיל Is.16:10
5 וְנֶאֶסְפָה שִׂמְחָה וָגִיל Jer.48:33
6 נִכְרַת מִבֵּית אֱלֹהֵינוּ שִׂמְחָה וָגִיל Joel 1:16
7 תּוּבַלְנָה בִּשְׂמָחֹת וָגִיל Ps.45:16
גִּילִי 8 וְאָבוֹאָה...אֶל־אֵל שִׂמְחַת גִּילִי Ps.43:4

גִּיל² ז׳ שנות אדם
כְּגִילְכֶם 1 מִן־הַיְלָדִים אֲשֶׁר כְּגִילְכֶם Dan.1:10

גִּילָה נ׳ גִּיל, שִׂמְחָה: 1, 2 • קרובים: ראה גִּיל¹
גִּילָה 1 הִנְנִי בוֹרֵא אֶת־יְרוּשָׁלַםִ גִּילָה Is.65:18
גִּילַת 2 וְתָגֵל אַף גִּילַת וְרַנֵּן Is.35:2

גִּלֹה עיר בהרי יהודה: 1, 2
וְגִלֹה 1 וְגֹשֶׁן וְחֹלֹן וְגִלֹה Josh.15:51
מִגִּלֹה 2 וַיִּשְׁלַח...מֵעִירוֹ מִגִּלֹה IISh.15:12

גִּילֹנִי ת׳ שהוא מגילה: 1, 2
הַגִּילוֹנִי 1 וַיִּשְׁלַח...אֶת־אֲחִיתֹפֶל הַגִּילֹנִי IISh.15:12
הַגִּלֹנִי 2 אֱלִיעָם בֶּן־אֲחִיתֹפֶל הַגִּלֹנִי IISh.23:43

גִּינַת שפ״ז – אבי תִּבְנִי
1-2 תִּבְנִי בֶן־גִּינַת IK.16:21,22

גִּיר ז׳ סיד
גִּר 1 כְּאַבְנֵי־גִר מְנֻפָּצוֹת Is.27:9

גִּירָא ארמית: גִּיר; גִּירָא = הַגִּיר
גִּירָא 1 וְכָתְבָן...עַל־גִּירָא דִּי־כְתַל הֵיכְלָא Dan.5:5

גֵּישָׁן שפ״ז – איש מזרע יהודה
וְגֵישָׁן 1 וּבְנֵי יָהְדַּי רֶגֶם וְיוֹתָם וְגֵישָׁן ICh.2:47

גַּל ז׳ א) ערמה: 3–15, 17–20
ב) מעין: 1, 2
ג) מים מתגלגלים: 16, 21–34
גַּל אֲבָנִים 11–13; גַּל נָעוּל 2; גְּאוֹן גַּלִּים 22;
הֲמוֹן גַּ׳ 28; שְׁאוֹן גַּ׳ 33; שׂוֹא גַלִּים 29; גַּלִּים
נְצִים 14, 15; גַּלֵּי יָם 21
הֶחֱשׁוּ גַלִּים 34; הִכָּה גַּ׳ 16; הָמוּ גַּ׳ 25–27, 32;
הֶעֱלָה גַלִּים 31; עָבְרוּ גַּ׳ 23, 24; רוֹמֵם גַּ׳ 30
גַּל 1 עַל־גַּל שָׁרָשָׁיו יְסֻבָּכוּ Job 8:17
2 גַּן נָעוּל אֲחֹתִי כַלָּה גַּל נָעוּל S.ofS.4:12
גָּל 3 וַיִּקְחוּ אֲבָנִים וַיַּעֲשׂוּ־גָל Gen.31:46
הַגַּל 4 הַגַּל הַזֶּה עֵד בֵּינִי וּבֵינְךָ Gen.31:48
5 הִנֵּה הַגַּל הַזֶּה וְהִנֵּה הַמַּצֵּבָה Gen.31:51
6 עֵד הַגַּל הַזֶּה וְעֵדָה הַמַּצֵּבָה Gen.31:52
7 לֹא־אֶעֱבֹר אֵלֶיךָ אֶת־הַגַּל הַזֶּה Gen.31:52
8 לֹא־תַעֲבֹר אֵלַי אֶת־הַגַּל הַזֶּה Gen.31:52
הַגָּל 9 וַיֹּאכְלוּ שָׁם עַל־הַגָּל Gen.31:46
לְגָל 10 כִּי שַׂמְתָּ מֵעִיר לַגָּל Is.25:2
גַּל־ 11/2 וַיָּקִימוּ עָלָיו גַּל־אֲבָנִים גָּדוֹל Josh.7:26; 8:29
13 וַיַּצִּבוּ עָלָיו גַּל־אֲבָנִים גָּדוֹל מְאֹד IISh.18:17
גַּלִּים 14/5 גַּלִּים נִצִּים IIK.19:25 • Is.37:26
16 וְהִכָּה בַיָּם גַּלִּים Zech.10:11
כְּגַלִּים 17 כְּגַלִּים עַל תַּלְמֵי שָׂדָי Hosh.12:12
לְגַלִּים 18 וְנָתַתִּי אֶת־יְרוּשָׁלַםִ לְגַלִּים Jer.9:10
19 וְהָיְתָה בָבֶל לְגַלִּים מְעוֹן־תַּנִּים Jer.51:37
20 אֲשֶׁר הִתְעַתְּדוּ לְגַלִּים Job 15:28
כְּגַלֵּי־ 21 וְצִדְקָתְךָ כְּגַלֵּי הַיָּם Is.48:18
גַּלֶּיךָ 22 וּפֹא־יָשִׁית בִּגְאוֹן גַּלֶּיךָ Job 38:11
וְגַלֶּיךָ 23/4 מִשְׁבָּרֶיךָ וְגַלֶּיךָ עָלַי עָבָרוּ Jon.2:4 • Ps.42:8
גַּלָּיו 25/6 רֹגַע הַיָּם וַיֶּהֱמוּ גַּלָּיו Is.51:15
Jer.31:35(34)
27 וְהָמוּ גַלָּיו וְלֹא יַעַבְרֻנְהוּ Jer.5:22
28 בַּהֲמוֹן גַּלָּיו נִכְסָתָה Jer.51:42
29 בְּשׂוֹא גַלָּיו אַתָּה תְשַׁבְּחֵם Ps.89:10
30 וַיַּעֲמֵד רוּחַ סְעָרָה וַתְּרוֹמֵם גַּלָּיו Ps.107:25
לְגַלָּיו 31 כְּהַעֲלוֹת הַיָּם לְגַלָּיו Ezek.26:3
גַּלֵּיהֶם 32 וְהָמוּ גַלֵּיהֶם כְּמַיִם רַבִּים Jer.51:55
33 מַשְׁבִּיחַ שְׁאוֹן יַמִּים שְׁאוֹן גַּלֵּיהֶם Ps.65:8
34 יָקֵם סְעָרָה לִדְמָמָה וַיֶּחֱשׁוּ גַּלֵּיהֶם Ps.107:29

גֻּל עיין גֻּלָּה

גְּלָא פ׳ ארמית – עיין גְּלָה

גַּלָּב ז׳ סַפָּר • תַּעַר הַגַּלָּבִים 1
הַגַּלָּבִים 1 חֶרֶב חַדָּה תַּעַר הַגַּלָּבִים Ezek.5:1

גִּלְבֹּעַ רכס הרים בדרום-מערב לבית-שאן: 1–8
גִּלְבֹּעַ 1 וַיִּפְּלוּ חֲלָלִים בְּהַר גִּלְבֹּעַ ICh.10:1
2 וַיִּמְצְאוּ...נֹפְלִים בְּהַר גִּלְבֹּעַ ICh.10:8
הַגִּלְבֹּעַ 3 וַיִּפְּלוּ חֲלָלִים בְּהַר הַגִּלְבֹּעַ ISh.31:1
4 וַיִּמְצְאוּ...נֹפְלִים בְּהַר הַגִּלְבֹּעַ ISh.31:8
5 נִקְרֹא נִקְרֵיתִי בְּהַר הַגִּלְבֹּעַ IISh.1:6
בַּגִּלְבֹּעַ 6 וַיִּקְבֹּץ שָׁאוּל...וַיַּחֲנוּ בַּגִּלְבֹּעַ ISh.28:4
7 הָרֵי בַגִּלְבֹּעַ אַל־טַל וְאַל־מָטָר IISh.1:21
8 בְּיוֹם הַכּוֹת...אֶת־שָׁאוּל בַּגִּלְבֹּעַ IISh.21:12

גלגל : גִּלְגֵּל, הִתְגַּלְגֵּל; גַּלְגַּל, גִּלְגֹּלֶת; אר׳ גַּלְגַּל; ש״פ גִּלְגָּל

גַּלְגַּל¹ ז׳ א) אוֹפָן, וביחוד אופן מרכבה: 1–5, 8–12
ב) צמח יבש המתגלגל ברוח: 6, 7
גַּלְגַּל עֲגָלָה 10; בֵּינוֹת לַגַּלְגַּל 8,9; הֲמוֹן גַּלְגִּלָּיו 11
וְגַלְגַּל 1 וּבָאוּ עָלַיִךְ הֹצֶן רֶכֶב וְגַלְגַּל Ezek.23:24
2 מִקּוֹל פָּרַשׁ וְגַלְגַּל וָרֶכֶב Ezek.26:10
הַגַּלְגַּל 3 לָהֶם קוֹרָא הַגַּלְגַּל בְּאָזְנָי Ezek.10:13
4 וְנָרֹץ הַגַּלְגַּל אֶל־הַבּוֹר Eccl.12:6
בַּגַּלְגַּל 5 קוֹל רַעַמְךָ בַּגַּלְגַּל Ps.77:19
כַּגַּלְגַּל 6 אֱלֹהַי שִׁיתֵמוֹ כַגַּלְגַּל Ps.83:14
וּכְגַלְגַּל 7 וּכְגַלְגַּל לִפְנֵי סוּפָה Is.17:13
לַגַּלְגַּל 8 בֹּא אֶל־בֵּינוֹת לַגַּלְגַּל Ezek.10:2
9 קַח אֵשׁ מִבֵּינוֹת לַגַּלְגַּל Ezek.10:6
גַּלְגַּל־ 10 וְהָמַם גַּלְגַּל עֶגְלָתוֹ Is.28:28
גַּלְגִּלָּיו 11 מֵרַעַשׁ לְרִכְבּוֹ הֲמוֹן גַּלְגִּלָּיו Jer.47:3
וְגַלְגִּלָּיו 12 פַּרְסוֹת סוּסָיו...וְגַלְגִּלָּיו כַּסּוּפָה Is.5:28

גַּלְגַּל²* ז׳ ארמית, כמו בעברית
גַּלְגִּלּוֹהִי 1 גַּלְגִּלּוֹהִי נוּר דָּלִק Dan.7:9

גִּלְגֵּל פ׳ א) הטיל, הפיל: 1
ב) [התפ׳ הִתְגַּלְגֵּל] הטלטל: 2
וְגִלְגַּלְתִּיךָ 1 וְגִלְגַּלְתִּיךָ מִן־הַסְּלָעִים Jer.51:25
הִתְגַּלְגָּלוּ 2 תַּחַת שֹׁאָה הִתְגַּלְגָּלוּ Job 30:14

גִּלְגָּל [על-פי-רוב בידוע: הַגִּלְגָּל]
א) מקום בקצה מזרח יריחו: 1, 3–18, 21–28, 30–39
ב) מקום ליד מעלה אדומים: 19
ג) מקום ליד בית אל: 20, 29
ד) מקום בקרבת שכם: 2
ה) עיר מלוכה כנענית: 40
גִּלְגָּל 1 וַיִּקְרָא שֵׁם הַמָּקוֹם הַהוּא גִּלְגָּל Josh.5:9
הַגִּלְגָּל 2 מוּל הַגִּלְגָּל אֵצֶל אֵלוֹנֵי מֹרֶה Deut.11:30
3 וַיֵּלְכוּ אֶל־יְהוֹשֻׁעַ...הַגִּלְגָּל Josh.9:6
4 וַיַּעַל יְהוֹשֻׁעַ מִן־הַגִּלְגָּל Josh.10:7

הַגִּלְגָּל (המשך) 5-18 הַגִּלְגָּל Josh. 10:9 • Jud. 2:1; 3:19
ISh. 10:8; 11:14, 15; 13:4, 8, 12, 15; 15:12 • Hosh. 4:15 Am. 4:4 • Mic. 6:5
19 וְצָפוֹנָה פֹּנֶה אֶל־הַגִּלְגָּל Josh. 15:7
20 וַיֵּלֶךְ אֵלִיָּהוּ וֶאֱלִישָׁע מִן־הַגִּלְגָּל IIK. 2:1
21 כִּי הַגִּלְגָּל גָּלֹה יִגְלֶה Am. 5:5
וְהַגִּלְגָּל 22 וְסָבַב בֵּית־אֵל וְהַגִּלְגָּל וְהַמִּצְפָּה ISh. 7:16
23 וְהַגִּלְגָּל לֹא תָבֹאוּ Am. 5:5
הַגִּלְגָּלָה 24-26 אֶל־הַמַּחֲנֶה הַגִּלְגָּלָה Josh. 10:6, 15, 43
27 וִיהוּדָה בָּא הַגִּלְגָּלָה IISh. 19:16
28 וַיַּעֲבֹר הַמֶּלֶךְ הַגִּלְגָּלָה IISh. 19:41
29 וֶאֱלִישָׁע שָׁב הַגִּלְגָּלָה IIK. 4:38
בַּגִּלְגָּל 30 וַיַּחֲנוּ בַּגִּלְגָּל בִּקְצֵה מִזְרַח יְרִיחוֹ Josh. 4:19
31-39 בַּגִּלְגָּל Josh. 4:20; 5:10; 14:6
ISh. 11:15; 13:7; 15:21, 33 • Hosh. 9:15; 12:12
לְגִלְגָּל 40 מֶלֶךְ־גּוֹיִם לְגִלְגָּל אֶחָד Josh. 12:23

גֻּלְגֹּלֶת
נ׳ א) עצמות הראש: 1, 5, 6
ב) [בהשאלה] איש, נפש: 2—4, 7—12
קרובים: קָדְקֹד / ראש

הַגֻּלְגֹּלֶת 1 כִּי אִם־הַגֻּלְגֹּלֶת וְהָרַגְלַיִם IIK. 9:35
לַגֻּלְגֹּלֶת 2 עֹמֶר לַגֻּלְגֹּלֶת מִסְפַּר נַפְשֹׁתֵיכֶם Ex. 16:16
3 בֶּקַע לַגֻּלְגֹּלֶת Ex. 38:26
4 חֲמֵשֶׁת שְׁקָלִים לַגֻּלְגֹּלֶת Num. 3:47
גֻּלְגָּלְתּוֹ 5 וַתָּרִץ אֶת־גֻּלְגָּלְתּוֹ Jud. 9:53
6 וְאֶת־גֻּלְגָּלְתּוֹ תָקְעוּ בֵּית דָּגוֹן ICh. 10:10
לְגֻלְגְּלֹתָם 7 כָּל־זָכָר לְגֻלְגְּלֹתָם Num. 1:2
8 מִבֶּן עֶשְׂרִים שָׁנָה...לְגֻלְגְּלֹתָם Num. 1:18
9-10 בְּמִסְפַּר שֵׁמוֹת לְגֻלְגְּלֹתָם Num. 1:20, 22
11 וַיְהִי מִסְפָּרָם לְגֻלְגְּלֹתָם לִגְבָרִים ICh. 23:3
12 בְּמִסְפַּר שֵׁמוֹת לְגֻלְגְּלֹתָם ICh. 23:24

גֶּלֶד*
ז׳ עור הגוף
גִּלְדִּי 1 שַׂק תָּפַרְתִּי עֲלֵי גִלְדִּי Job 16:15

גלה
: א) גָּלָה, גָּלוּי, נִגְלָה, גִּלָּה, גֻּלָּה, הִתְגַּלָּה, גִּלָּיוֹן; ש״פ יְגַלֵּי; אר׳ גְּלָא, גְּלָה
ב) גָּלָה, הִגְלָה, הָגְלָה, גּוֹלָה, גֹּלָה, גָּלוּת; אר׳ הַגְלִי, גָּלוּתָא

גָּלָה¹
פ׳ א) חשף, לא הסתיר: 1—22
ב) [נפ׳ נִגְלָה] נחשף: 23—53
ג) [פ׳ גִּלָּה] חשף: 54—109
ד) [פ׳ גֻּלָּה] נחשף: 110, 111
ה) [הת׳ הִתְגַּלָּה] חשף עצמו: 112, 113

גָּלָה אֹזֶן 1-5, 8, 9, 11, 18-22; גָּלָה סוֹד 6, 10; גְּלוּי עֵינַיִם 16, 17; סֵפֶר הַגָּלוּי 15; נִגְלָה דָבָר 32, 44; נִגְ׳ כְּבוֹד 34; נִגְ׳ יְסוֹד 35, 83; נִגְלְתָה עֶרְוָתוֹ 36, 45, 48, 49; נִגְלְתָה רָעָתוֹ 46, 47; גִּלָּה כְנַף־ 70, 100; גִּלָּה (מְקוֹר) דָּמִים 76, 77; גִּ׳ מַרְגְּלוֹת 65, 105; גִּ׳ מִסְתָּרִים 60; גִּ׳ נַבְלוּת 82; גִּ׳ עֵינָיו 101, 107; גִּ׳ סוֹד 80, 98; גִּ׳ עֲמֻקוֹת 81; גִּ׳ עֶרְוַת 54—57, 62, 66-69, 71, 75, 78, 84, 87-97, 104; גִּלָּה רִיבוֹ 58, 59; גִּלְּתָה שׁוֹק 109; תּוֹכַחַת מְגֻלָּה 111; הִתְגַּלָּה לִבּוֹ 112

וְגָלִיתִי 1/2 וְגָלִיתִי אֶת־אָזְנֶךָ ISh. 20:12, 13
גָּלִיתָה 3 גָּלִיתָה אֶת־אֹזֶן עַבְדְּךָ לֵאמֹר IISh. 7:27
גָּלִיתָ 4 גָּלִיתָ אֶת־אֹזֶן עַבְדְּךָ לִבְנוֹת ICh. 17:25
גָּלָה 5 וַיְיָ גָּלָה אֶת־אֹזֶן שְׁמוּאֵל ISh. 9:15
6 כִּי אִם־גָּלָה סוֹדוֹ אֶל־עֲבָדָיו Am. 3:7
7 גָּלָה חָצִיר וְנִרְאָה־דֶשֶׁא Prov. 27:25
גָּלוּ 8 וְכִי יָדְעוּ...וְלֹא גָלוּ אֶת־אָזְנִי° ISh. 22:17
גֹּולֶה 9 וְאֵין־גֹּלֶה אֶת־אָזְנִי ISh. 22:8
10 גּוֹלֶה־סּוֹד הוֹלֵךְ רָכִיל Prov. 20:19
וְגֹלֶה 11 וְאֵין־חֹלֶה...עָלַי וְגֹלֶה אֶת־אָזְנִי ISh. 22:8
גָּלוּי 12/3 פַּתְשֶׁגֶן...גָּלוּי לְכָל־הָעַמִּים Es. 3:14; 8:13
הַגָּלוּי 14 אֶת־הֶחָתוּם...וְאֶת־הַגָּלוּי Jer. 32:11
15 וְאֵת הֶחָתוּם וְאֵת סֵפֶר הַגָּלוּי Jer. 32:14
וּגְלוּי 16/7 נֹפֵל וּגְלוּי עֵינָיִם Num. 24:4, 16
אֶגְלֶה 18 וַאֲנִי אָמַרְתִּי אֶגְלֶה אָזְנְךָ Ruth 4:4
יִגְלֶה 19 ...וְלֹא יִגְלֶה אֶת־אָזְנִי ISh. 20:2
20 אָז יִגְלֶה אֹזֶן אֲנָשִׁים Job 33:16
וְיִגֶל 21 וְיִגֶל בַּלַּחַץ אָזְנָם Job 36:15
וַיִּגֶל 22 וַיִּגֶל אָזְנָם לַמּוּסָר Job 36:10
הֲנִגְלֹה 23 הֲנִגְלֹה נִגְלֵיתִי אֶל־בֵּית אָבִיךָ ISh. 2:27
כְּהִגָּלוֹת 24 כְּהִגָּלוֹת נִגְלוֹת אַחַד הָרֵקִים IISh. 6:20
בְּהִגָּלוֹת 25 בְּהִגָּלוֹת פִּשְׁעֵיכֶם לְהֵרָאוֹת Ezek. 21:29
נִגְלוֹת 26 כְּהִגָּלוֹת נִגְלוֹת אַחַד הָרֵקִים IISh. 6:20
לְהִגָּלוֹת 27 קְרוֹבָה יְשׁוּעָתִי וְצִדְקָתִי לְהִגָּלוֹת Is. 56:1
נִגְלֵיתִי 28 הֲנִגְלֹה נִגְלֵיתִי אֶל־בֵּית אָבִיךָ ISh. 2:27
נִגְלָה 29 כִּי־נִגְלָה יְיָ אֶל־שְׁמוּאֵל ISh. 3:21
30 אֲשֶׁר נִגְלָה הַיּוֹם לְעֵינֵי... IISh. 6:20
31 מֵאֶרֶץ כִּתִּים נִגְלָה־לָמוֹ Is. 23:1
32 דָּבָר נִגְלָה לְדָנִיֵּאל Dan. 10:1
וְנִגְלָה 33 וְנִגְלָה בְאָזְנָי יְיָ צְבָאוֹת Is. 22:14
34 וְנִגְלָה כְּבוֹד יְיָ וְרָאוּ כָל־בָּשָׂר Is. 40:5
35 וְהָרַסְתִּי אֶת־הַקִּיר...וְנִגְלָה יְסֹדוֹ Ezek. 13:14
36 וְנִגְלָה עֶרְוַת זְנוּנַיִךְ Ezek. 23:29
37 וְנִגְלָה עֲוֹן אֶפְרַיִם Hosh. 7:1
נִגְלָתָה 38 וּזְרוֹעַ יְיָ עַל־מִי נִגְלָתָה Is. 53:1
וְנִגְלִינוּ 39 אֲנַחְנוּ עֹבְרִים...וְנִגְלִינוּ אֲלֵיהֶם ISh. 14:8
נִגְלוּ 40 כִּי שָׁם נִגְלוּ אֵלָיו הָאֱלֹהִים Gen. 35:7
41 בְּרֹב עֲוֹנֵךְ נִגְלוּ שׁוּלַיִךְ Jer. 13:22
הֲנִגְלוּ 42 הֲנִגְלוּ לְךָ שַׁעֲרֵי־מָוֶת Job 38:17
וְהַנִּגְלֹת 43 הַנִּסְתָּרֹת לַיְיָ...וְהַנִּגְלֹת לָנוּ וּלְבָנֵינוּ Deut. 29:28
יִגָּלֶה 44 וְטֶרֶם יִגָּלֶה אֵלָיו דְבַר־יְיָ ISh. 3:7
תִגָּלֶה 45 אֲשֶׁר לֹא־תִגָּלֶה עֶרְוָתְךָ עָלָיו Ex. 20:23
46 בְּטֶרֶם תִּגָּלֶה רָעָתֵךְ Ezek. 16:57
47 תִּגָּלֶה רָעָתוֹ בְקָהָל Prov. 26:26
וַתִּגָּלֶה 48 וַתִּגָּלֶה עֶרְוָתֵךְ בְּתַזְנוּתַיִךְ Ezek. 16:38
תִּגָּל 49 תִּגָּל עֶרְוָתֵךְ גַּם תֵּרָאֶה חֶרְפָּתֵךְ Is. 47:3
יִגָּלוּ 50 יִגָּלוּ מֹסְדוֹת תֵּבֵל IISh. 22:16
וַיִּגָּלוּ 51 וַיִּגָּלוּ שְׁנֵיהֶם אֶל־מַצַּב פְּלִשְׁתִּים ISh. 14:11
52 וַיִּגָּלוּ מוֹסְדוֹת תֵּבֵל Ps. 18:16
הִגָּלוּ 53 לֵאמֹר...לַאֲשֶׁר בַּחֹשֶׁךְ הִגָּלוּ Is. 49:9
לְגַלּוֹת 54 לֹא תִקְרְבוּ לְגַלּוֹת עֶרְוָה Lev. 18:6
55-57 לְגַלּוֹת עֶרְוָתָהּ Lev. 18:17, 18, 19
גִּלִּיתִי 58-59 כִּי אֵלֶיךָ גִּלִּיתִי אֶת־רִיבִי Jer. 11:20; 20:12
גִּלֵּיתִי 60 חָשַׂפְתִּי...גִּלֵּיתִי אֶת־מִסְתָּרָיו Jer. 49:10
וְגִלֵּיתִי 61 וְגִלֵּיתִי לָהֶם עֲתֶרֶת שָׁלוֹם Jer. 33:6
62 וְגִלֵּיתִי עֶרְוָתֵךְ אֲלֵהֶם Ezek. 16:37
63 וְגִלֵּיתִי שׁוּלַיִךְ עַל־פָּנָיִךְ Nah. 3:5
גִּלִּית 64 כִּי מֵאִתִּי גִּלִּית וַתַּעֲלִי Is. 57:8
וְגִלִּית 65 וְגִלִּית מַרְגְּלֹתָיו וְשָׁכָבְתְּ Ruth 3:4
גִּלָּה 66 עֶרְוַת אָבִיו גִּלָּה Lev. 20:11
67-69 עֶרְוַת...גִּלָּה Lev. 20:17, 20, 21
70 כִּי גִלָּה כְּנַף אָבִיו Deut. 27:20
71 עֶרְוַת־אָב גִּלָּה־בָךְ Ezek. 22:10
72 לְעֵינֵי הַגּוֹיִם גִּלָּה צִדְקָתוֹ Ps. 98:2
73 מִי־גִלָּה פְּנֵי לְבוּשׁוֹ Job 41:5
74 פָּקַד עֲוֹנֵךְ...גִּלָּה עַל־חַטֹּאתָיִךְ Lam. 4:22
וְגִלָּה 75 וְגִלָּה אֶת־עֶרְוָתָהּ Lev. 20:18
גִּלְּתָה 76 וְהִוא גִּלְּתָה אֶת־מְקוֹר דָּמֶיהָ Lev. 20:18
וְגִלְּתָה 77 וְגִלְּתָה הָאָרֶץ אֶת־דָּמֶיהָ Is. 26:21
גִּלּוּ 78 הֵמָּה גִּלּוּ עֶרְוָתָהּ Ezek. 23:10
79 וְלֹא־גִלּוּ עַל־עֲוֹנֵךְ Lam. 2:14
מְגַלֶּה 80 הוֹלֵךְ רָכִיל מְגַלֶּה־סּוֹד Prov. 11:13
81 מְגַלֶּה עֲמֻקוֹת מִנִּי־חֹשֶׁךְ Job 12:22
אֲגַלֶּה 82 אֲגַלֶּה אֶת־נַבְלֻתָהּ לְעֵינֵי מְאַהֲבֶיהָ Hosh. 2:12
83 וִיסֹדֶיהָ אֲגַלֶּה Mic. 1:6
תְגַלֵּה 84 עֶרְוַת אָבִיךָ וְעֶרְוַת אִמְּךָ לֹא תְגַלֵּה Lev. 18:7
(תְגַלֵּה) 85-87 לֹא תְגַלֵּה עֶרְוָתָהּ Lev. 18:7, 11, 15
88 עֶרְוַת אֵשֶׁת־אָבִיךָ לֹא תְגַלֵּה Lev. 18:8
89-90 לֹא תְגַלֶּה עֶרְוָתָן Lev. 18:9, 10
91-97 עֶרְוַת...לֹא תְגַלֵּה Lev. 18:12, 13, 14, 15, 16, 17; 20:19
תְּגָל 98 וְסוֹד אַחֵר אַל־תְּגָל Prov. 25:9
תְּגַלִּי 99 סַתְּרִי נִדָּחִים נֹדֵד אַל־תְּגַלִּי Is. 16:3
יְגַלֶּה 100 וְלֹא יְגַלֶּה כְּנַף אָבִיו Deut. 23:1
וַיְגַל 101 וַיְגַל יְיָ אֶת־עֵינֵי בִלְעָם Num. 22:31
102 וַיְגַל אֵת מָסַךְ יְהוּדָה Is. 22:8
וַתְּגַל 103 וַתְּגַל תַּזְנוּתֶיהָ Ezek. 23:18
104 וַתְּגַל אֶת־עֶרְוָתָהּ Ezek. 23:18
105 וַתְּגַל מַרְגְּלֹתָיו וַתִּשְׁכָּב Ruth 3:7
יְגַלּוּ 106 יְגַלּוּ שָׁמַיִם עֲוֹנוֹ Job 20:27
גַּל 107 גַּל־עֵינַי וְאַבִּיטָה נִפְלָאוֹת Ps. 119:18
גַּלִּי 108 גַּלִּי צַמָּתֵךְ חֶשְׂפִּי־שֹׁבֶל Is. 47:2
109 גַּלִּי־שׁוֹק עִבְרִי נְהָרוֹת Is. 47:2
גֻּלְּתָה 110 וְהֻצַּב גֻּלְּתָה הֹעֲלָתָה Nah. 2:8
מְגֻלָּה 111 טוֹבָה תּוֹכַחַת מְגֻלָּה מֵאַהֲבָה מְסֻתָּרֶת Prov. 27:5
בְּהִתְגַּלּוֹת 112 לֹא־יַחְפֹּץ...כִּי אִם־בְּהִתְגַּלּוֹת לִבּוֹ Prov. 18:2
וַיִּתְגַּל 113 וַיִּתְגַּל בְּתוֹךְ אָהֳלֹה Gen. 9:21

גָּלָה²
פ׳ א) יצא מאונס מארצו לארץ נכריה: 1—28
ב) [נפ׳ נִגְלָה] גָּלָה: 29
ג) [הפ׳ הִגְלָה] גֵּרֵשׁ, העביר בכוח לארץ אחרת: 30—67
ד) [הפ׳ הָגְלָה] גֹּרַשׁ מארצו: 68—74

גָּלָה מִן־ 2, 6-8, 11, 14; גָּ׳ מֵעַל־ 2, 3, 24-26; גָּ׳ לְ־ 15, 16; גָּלָה כָּבוֹד 7, 8, 11; גָּלָה מָשׂוֹשׂ 10; גָּלָה עִם 9; גּוֹלָה וְסוּרָה 18

גָּלֹה 1 כִּי הַגִּלְגָּל גָּלֹה יִגְלֶה Am. 5:5
2/3 וְיִשְׂ׳ גָּלֹה יִגְלֶה מֵעַל אַדְמָתוֹ Am. 7:11, 17
גְּלוֹת 4 עַד־יוֹם גְּלוֹת הָאָרֶץ Jud. 18:30
5 עַד־גְּלוֹת יְרוּשָׁלַם בַּחֹדֶשׁ הַחֲמִישִׁי Jer. 1:3
וְגָלִיתָ 6 וְגָלִיתָ מִמְּקוֹמְךָ אֶל־מָקוֹם אַחֵר Ezek. 12:3
גָּלָה 7/8 גָּלָה כָבוֹד מִיִּשְׂרָאֵל ISh. 4:21, 22
9 לָכֵן גָּלָה עַמִּי מִבְּלִי־דָעַת Is. 5:13
10 גָּלָה מְשׂוֹשׂ הָאָרֶץ Is. 24:11
11 עַל־כְּבוֹדוֹ כִּי־גָלָה מִמֶּנּוּ Hosh. 10:5
גָּלְתָה 12 גָּלְתָה יְהוּדָה מֵעֹנִי Lam. 1:3
גָּלוּ 13 כִּי בַעֲוֹנָם גָּלוּ בֵית־יִשְׂרָאֵל Ezek. 39:23
14 עַל־בְּנֵי תַּעֲנוּגָיִךְ...כִּי־גָלוּ מִמֵּךְ Mic. 1:16
וְגָלוּ 15 וְגָלוּ עַם־אֲרָם קִירָה Am. 1:5
גוֹלֶה 16 וְגַם־גֹּלֶה אַתָּה לִמְקוֹמֶךָ IISh. 15:19
17 וְהִגְלָה...עֲשֶׂרֶת אֲלָפִים גּוֹלֶה IIK. 24:14
גוֹלָה 18 שְׁכוּלָה וְגַלְמוּדָה גֹּלָה וְסוּרָה Is. 49:21
גֹּלִים 19 לָכֵן עַתָּה יִגְלוּ בְּרֹאשׁ גֹּלִים Am. 6:7
יִגְלֶה 20 כִּי הַגִּלְגָּל גָּלֹה יִגְלֶה Am. 5:5
21/2 וְיִשְׂרָ׳ גָּלֹה יִגְלֶה מֵעַל אַדְמָתוֹ Am. 7:11, 17
יִגֶל 23 יִגֶל יְבוּל בֵּיתוֹ Job 20:28
וַיִּגֶל 24 וַיִּגֶל יִשְׂרָאֵל מֵעַל אַדְמָתוֹ אַשּׁוּרָה IIK. 17:23
25/6 וַיִּגֶל יְהוּדָה מֵעַל אַדְ׳ IIK. 25:21 • Jer. 52:27
יִגְלוּ 27 לָכֵן עַתָּה יִגְלוּ בְּרֹאשׁ גֹּלִים Am. 6:7
וּגְלֵה 28 וּגְלֵה יוֹמָם לְעֵינֵיהֶם Ezek. 12:3
נִגְלָה 29 דּוֹרִי נִסַּע וְנִגְלָה מִנִּי Is. 38:12
הַגְלוֹת 30 אַחֲרֵי הַגְלוֹת נְבוּכַדְרֶאצַּר Jer. 24:1

בְּהַגְלוֹת 31 בְּהַגְלוֹת יְיָ אֶת־יְהוּדָה ICh.5:41
וּלְהַגְלוֹת 32 וּלְהַגְלוֹת אֹתָנוּ בָּבֶל Jer.43:3
בְּהַגְלוֹתִי 33 בְּהַגְלוֹתִי אֹתָם אֶל־הַגּוֹיִם Ezek.39:28
לְהַגְלוֹתֵךְ 34 לֹא יוֹסִיף לְהַגְלוֹתֵךְ Lam.4:22
בַּגְלוֹתוֹ 35 בַּגְלוֹתוֹ אֶת־יְכָנְיָה בֶן־יְהוֹיָקִים Jer.27:20
הַגְלוֹתָם 36 עַל־הַגְלוֹתָם גָּלוּת שְׁלֵמָה Am.1:6
הִגְלֵיתִי 37 אֲשֶׁר־הִגְלֵיתִי מִירוּשָׁלַםִ בָּבֶלָה Jer.29:4
38 הָעִיר אֲשֶׁר הִגְלֵיתִי אֶתְכֶם שָׁמָּה Jer.29:7
39 אֲשֶׁר־הִגְלֵיתִי אֶתְכֶם מִשָּׁם Jer.29:14
וְהִגְלֵיתִי 40 וְהִגְלֵיתִי אֶתְכֶם מֵהָלְאָה לְדַמָּשֶׂק Am.5:27
הִגְלִיתָ 41 הַגּוֹיִם אֲשֶׁר הִגְלִיתָ IIK.17:26
הִגְלָה 42 אֲשֶׁר־הִגְלָה יְיָ מִפְּנֵיהֶם IIK.17:11
43-46 הֶגְלָה נְבוּזַרְאֲדָן רַב־טַבָּחִים IIK.25:11 Jer.39:9; 52:15,30
47-51 אֲשֶׁר הֶגְלָה נְבוּכַדְנֶאצַּר Jer.29:1; 52:28 Es.2:6 • Ez.2:1 • Neh.7:6
52 אֲשֶׁר הֶגְלָה תִּלְּגַת פִּלְנְאֶסֶר ICh.5:6
וְהִגְלָה 53 וְהִגְלָה אֶת־כָּל־יְרוּשָׁלַםִ IIK.24:14
הֶגְלָם 54 וְנַעֲמָן וַאֲחִיָּה וְגֵרָא הוּא הֶגְלָם ICh.8:7
וְהִגְלָם 55 וְהִגְלָם בָּבֶלָה וְהִכָּם בֶּחָרֶב Jer.20:4
הִגְלִיתֶם 56 מֵהַכֹּהֲנִים אֲשֶׁר הִגְלִיתֶם מִשָּׁם IIK.17:27
הִגְלוּ 57 מֵהַכֹּהֲנִים אֲשֶׁר הִגְלוּ מִשֹּׁמְרוֹן IIK.17:28
58 הַגּוֹיִם אֲשֶׁר־הִגְלוּ אֹתָם מִשָּׁם IIK.17:33
59 בִּמְקוֹם אֲשֶׁר־הִגְלוּ אֹתוֹ Jer.22:12
וַיֶּגֶל 60 וַיֶּגֶל אֶת־יִשְׂרָאֵל אַשּׁוּרָה IIK.17:6
61 וַיֶּגֶל מֶלֶךְ־אַשּׁוּר אֶת־יִשְׂרָאֵל IIK.18:11
62 וַיֶּגֶל אֶת־יְהוֹיָכִין בָּבֶלָה IIK.24:15
63 וַיֶּגֶל הַשְּׁאֵרִית מִן־הַחֶרֶב IICh.36:20
וַיַּגְלֶהָ 64 וַיִּתְפְּשֶׂהָ וַיַּגְלֶהָ קִירָה IIK.16:9
וַיַּגְלֵם 65 וַיִּקַּח...וַיַּגְלֵם אַשּׁוּרָה IIK.15:29
66 וַיַּגְלֵם לָראוּבֵנִי וְלַגָּדִי ICh.5:26
וַיַּגְלוּם 67 וַיַּגְלוּם אֶל־מָנַחַת ICh.8:6
הָגְלָה 68 אֲשֶׁר הָגְלָה מִירוּשָׁלַיִם Es.2:6
הָגְלְתָה 69 עִם־הַגֹּלָה אֲשֶׁר הָגְלְתָה עִם יְכָנְיָה Es.2:6
הָגְלַת 70/71 הָגְלַת יְהוּדָה כֻּלָּהּ הָגְלַת שְׁלוֹמִים Jer.13:19
הָגְלוּ 72 מֵאֲשֶׁר לֹא־הָגְלוּ בָּבֶלָה Jer.40:7
73 וִיהוּדָה הָגְלוּ לְבָבֶל בְּמַעֲלָם ICh.9:1
הַמֻּגְלִים 74 יְרוּשָׁלַםִ וִיהוּדָה הַמֻּגְלִים בָּבֶלָה Jer.40:1

גְּלָה, גְּלָא פ׳ ארמית א) גלה: 1–7
ב) [הפ׳ הַגְלִי] הַגְלָה: 8–9

גָּלֵא 1 הוּא גָּלֵא עַמִּיקָתָא וּמְסַתְּרָתָא Dan.2:22
2 אִיתַי אֱלָהּ בִּשְׁמַיָּא גָּלֵא רָזִין Dan.2:28
וְגָלֵא 3 וְגָלֵא רָזַיָּא הוֹדְעָךְ Dan.2:29
וְגָלֵה 4 וּמָרֵא מַלְכִין וְגָלֵה רָזִין Dan.2:47
לְמִגְלֵא 5 דִּי יְכֵלְתָּ לְמִגְלֵא רָזָא דְנָה Dan.2:47
גְּלִי 6 אֱדַיִן לְדָנִיֵּאל...רָזָא גְלִי Dan.2:19
גְּלִי 7 וַאֲנָה...רָזָא דְנָה גֱּלִי לִי Dan.2:30
הַגְלִי 8 וּשְׁאָר אֻמַּיָּא דִּי הַגְלִי אָסְנַפַּר Ez.4:10
9 וְעַמָּה הַגְלִי לְבָבֶל Ez.5:12

גֹּלָה נ׳ עין גּוֹלָה

גֻּלָּה[1] נ׳ בליטה עגולה: 1–8 • גֻּלֹּת הַכֹּתָרֹת 4–8

וְגֻלָּה 1 מְנוֹרַת זָהָב כֻּלָּהּ וְגֻלָּה עַל־רֹאשָׁהּ Zech.4:2
הַגֻּלָּה 2 אֶחָד מִימִין הַגֻּלָּה וְאֶחָד עַל שְׂמֹאלָהּ Zech.4:3
גֻּלַּת־ 3 וְתָרֻץ גֻּלַּת הַזָּהָב Eccl.12:6
גֻּלֹּת־ 4-6 גֻּלֹּת הַכֹּתָרֹת IK.7:41,42 • IICh.4:12
וְגֻלֹּת־ 7 וְגֻלֹּת הַכֹּתָרֹת IK.7:41
וְהַגֻּלּוֹת 8 וְהַגֻּלּוֹת וְהַכֹּתָרוֹת עַל־רֹאשׁ הָעַמּוּדִים IICh.4:12

גֻּלָּה[2] נ׳ מעין: 1–6

גֻּלֹּת מַיִם 3, 4; גֻּלֹּת עִלִּית 5; גֻּ׳ עִלִּיּוֹת 1; גֻּ׳ תַּחְתִּית 6; גֻּ׳ תַּחְתִּיּוֹת 2

גֻּלֹּת 1 וַיִּתֶּן־לָהּ אֵת גֻּלֹּת עִלִּיּוֹת Josh.15:19
2 וְאֵת גֻּלֹּת תַּחְתִּיּוֹת Josh.15:19
גֻּלֹּת־ 3/4 וְנָתַתָּה לִי גֻּלֹּת מָיִם Josh.15:19 • Jud.1:15
5 וַיִּתֶּן־לָהּ כָּלֵב אֵת גֻּלֹּת עִלִּית Jud.1:15
6 וְאֵת גֻּלֹּת תַּחְתִּית Jud.1:15

גָּלוּי ת׳ עין גָּלָה[1]

גִּלּוּלִים ז״ר שם גנאי לפסילי אלילים: 1–48

גִּלּוּלֵי אֲבוֹתָם 14; גִּ׳ בֵּית יִשְׂרָאֵל 9, 11–12; גִּ׳ מִצְרַיִם 13, 15; גִּ׳ תּוֹעֲבוֹתָיו 10; חַטָּאֵי גִלּוּלֵיכֶן 31; פִּגְרֵי גִלּוּלֵיכֶם 23

גִּלּוּלִים 1 וְעָשְׂתָה גִלּוּלִים עָלֶיהָ לְטָמְאָה Ezek.22:3
2 וְהַאֲבַדְתִּי גִלּוּלִים Ezek.30:13
הַגִּלֻּלִים 3 וַיָּסַר אֶת־כָּל־הַגִּלֻּלִים IK.15:12
4 וַיַּתְעֵב מְאֹד לָלֶכֶת אַחֲרֵי הַגִּלֻּלִים IK.21:26
5 וַיַּעַבְדוּ הַגִּלֻּלִים IIK.17:12
6 וַיַּעֲבֹד אֶת־הַגִּלֻּלִים IIK.21:21
7 וְאֶת־הַגִּלֻּלִים וְאֵת כָּל־הַשִּׁקֻּצִים IIK.23:24
8 וְאֶל־הַגִּלּוּלִים נָשָׂא עֵינָיו Ezek.18:12
גִּלּוּלֵי־ 9 וְכָל־גִּלּוּלֵי בֵּית יִשְׂרָאֵל Ezek.8:10
10 וְעַל כָּל־גִּלּוּלֵי תוֹעֲבוֹתַיִךְ Ezek.16:36
11/2 וְעֵינָיו לֹא נָשָׂא אֶל־גִּלּוּלֵי בֵּית יִשְׂרָאֵל Ezek.18:6,15
13 וְאֶת־גִּלּוּלֵי מִצְרַיִם לֹא עָזָבוּ Ezek.20:8
14 וְאַחֲרֵי גִּלּוּלֵי אֲבוֹתָם הָיוּ עֵינֵיהֶם Ezek.20:24
וּבְגִלּוּלֵי־ 15 וּבְגִלּוּלֵי מִצְרַיִם אַל־תִּטַּמָּאוּ Ezek.20:7
וּבְגִלּוּלַיִךְ 16 וּבְגִלּוּלַיִךְ אֲשֶׁר־עָשִׂית טָמֵאת Ezek.22:4
גִּלּוּלָיו 17 אֲשֶׁר יַעֲלֶה אֶת־גִּלּוּלָיו אֶל־לִבּוֹ Ezek.14:4
18 אֲנִי יְיָ נַעֲנֵיתִי לוֹ בָא בְּרֹב גִּלּוּלָיו Ezek.14:4
19 וְיַעַל גִּלּוּלָיו אֶל־לִבּוֹ Ezek.14:7
20 אִישׁ גִּלּוּלָיו לְכוּ עֲבֹדוּ Ezek.20:39
בְּגִלּוּלָיו 21 וַיַּחֲטִא גַם־אֶת־יְהוּדָה בְּגִלּוּלָיו IIK.21:11
גִּלּוּלֶיהָ 22 הֹבִישׁוּ עֲצַבֶּיהָ חַתּוּ גִלּוּלֶיהָ Jer.50:2
גִּלּוּלֵיכֶם 23 וְנָתַתִּי...עַל־פִּגְרֵי גִּלּוּלֵיכֶם Lev.26:30
24 וְהִפַּלְתִּי חַלְלֵיכֶם לִפְנֵי גִּלּוּלֵיכֶם Ezek.6:4
25 וְנִשְׁבְּרוּ וְנִשְׁבְּתוּ גִּלּוּלֵיכֶם Ezek.6:6
26-29 גִּלּוּלֵיכֶם Ezek.14:6; 20:31; 33:25; 36:25
וּבְגִלּוּלֵיכֶם 30 לֹא תְחַלְּלוּ־עוֹד...וּבְגִלּוּלֵיכֶם Ezek.20:39
גִּלּוּלֵיכֶן 31 וַחֲטָאֵי גִלּוּלֵיכֶן תִּשֶּׂאינָה Ezek.23:49
גִּלֻּלֵיהֶם 32 אֶת־שִׁקּוּצֵיהֶם וְאֵת גִּלֻּלֵיהֶם Deut.29:16
33 וְנָתַתִּי אֶת־פִּגְרֵי בְּ״י לִפְנֵי גִּלּוּלֵיהֶם Ezek.6:5
34 עֵינֵיהֶם הַזֹּנוֹת אַחֲרֵי גִּלּוּלֵיהֶם Ezek.6:9
35-41 גִּלּוּלֵיהֶ(ם) Ezek.6:13²; 14:3; 20:16; 23:7; 44:10,12
בְּגִלּוּלֵיהֶם 42 אֲשֶׁר נָזֹרוּ מֵעָלַי בְּגִלּוּלֵיהֶם כֻּלָּם Ezek.14:5
43 עַל אֲשֶׁר־נִטְמֵאת בְּגִלּוּלֵיהֶם Ezek.23:30
44 וְלֹא יִטַּמְּאוּ עוֹד בְּגִלּוּלֵיהֶם Ezek.37:23
וּבְגִלּוּלֵיהֶם 45 וּבְגִלּוּלֵיהֶם אַל־תִּטַּמָּאוּ Ezek.20:18
46 וּבְגִלּוּלֵיהֶם טִמְּאוּהָ Ezek.36:18
לְגִלּוּלֵיהֶם 47 וּבְשַׁחֲטָם...בְּנֵיהֶם לְגִלּוּלֵיהֶם Ezek.23:39
גִּלּוּלֵיהֶן 48 וְאֶת־גִּלּוּלֵיהֶן נִאֵפוּ Ezek.23:37

גְּלוֹמִים ז״ר מעטפה, בגד להתעטף בו

בִּגְלוֹמֵי־ 1 בִּגְלוֹמֵי תְּכֵלֶת וְרִקְמָה Ezek.27:24

גָּלוּת נ׳ א) עקירת בני־אדם ממקומם והעברתם לארץ נכריה: 1,2,10–12, 14, 15
ב) כלל הגולים: 3–9, 13

גָּלוּת הַחֵל 8; גָּ׳ יְהוּדָה 4–7; גָּ׳ יְהוֹיָכִין 10–12; גָּ׳ יְרוּשָׁלַםִ 7, 9; גָּלוּת כּוּשׁ 3; גָּ׳ שְׁלֵמָה 1, 2

גָּלוּת 1 עַל־הַגְלוֹתָם גָּלוּת שְׁלֵמָה Am.1:6
2 עַל־הַסְגִּירָם גָּלוּת שְׁלֵמָה לֶאֱדוֹם Am.1:9
גָּלוּת־ 3 אֶת־שְׁבִי מִצְרַיִם וְאֶת־גָּלוּת כּוּשׁ Is.20:4
4 כֵּן־אַכִּיר אֶת־גָּלוּת יְהוּדָה Jer.24:5
5 גָּלוּת יְהוּדָה הַבָּאִים בָּבֶלָה Jer.28:4
6 לְכֹל גָּלוּת יְהוּדָה אֲשֶׁר בְּבָבֶל Jer.29:22
7 בְּתוֹךְ כָּל־גָּלוּת יְרוּשָׁלַםִ וִיהוּדָה Jer.40:1
וְגָלֻת־ 8 וְגָלֻת הַחֵל־הַזֶּה לִבְנֵי יִשְׂרָאֵל Ob.20
9 וְגָלֻת יְרוּשָׁלַםִ אֲשֶׁר בִּסְפָרַד Ob.20
לְגָלוּת־ 10 בִּשְׁלֹשִׁים וָשֶׁבַע שָׁנָה לְגָלוּת יְהוֹיָכִין IIK.25:27
11 בִּשְׁלֹשִׁים...שָׁנָה לְגָלוּת יְהוֹיָכִן Jer.52:31
12 הַשָּׁנָה...לְגָלוּת הַמֶּלֶךְ יוֹיָכִין Ezek.1:2
וְגָלוּתִי 13 הוּא־יִבְנֶה עִירִי וְגָלוּתִי יְשַׁלֵּחַ Is.45:13
לְגָלוּתֵנוּ 14 בִּשְׁתֵּי עֶשְׂרֵה שָׁנָה...לְגָלוּתֵנוּ Ezek.33:21
15 בְּעֶשְׂרִים וְחָמֵשׁ שָׁנָה לְגָלוּתֵנוּ Ezek.40:1

גָּלוּתָא נ׳ ארמית: גלות: 1–4 • בְּנֵי גָלוּתָא 1–4

גָּלוּתָא 1-3 מִן־בְּנֵי גָלוּתָא דִּי יְהוּד Dan.2:25; 5:13; 6:14
4 בְּנֵי־יִשְׂרָאֵל...וּשְׁאָר בְּנֵי־גָלוּתָא Ez.6:16

גלח : גִּלַּח, גֻּלַּח, הִתְגַּלַּח

גִּלַּח פ׳ א) גזר בתער את שערות הגוף: 1–18
ב) [פ׳ גֻּלַּח] נגזר שער הגוף: 19–21
ג) [הת׳ הִתְגַּלַּח] גלח את עצמו: 22, 23

וּבְגַלְּחוֹ 1 וּבְגַלְּחוֹ אֶת־רֹאשׁוֹ IISh.14:26
וְגִלַּח 2 וְגִלַּח אֶת־כָּל־שְׂעָרוֹ Lev.14:8
3 וְגִלַּח רֹאשׁוֹ בְּיוֹם טָהֳרָתוֹ Num.6:9
4 וְגִלַּח הַנָּזִיר...אֶת־רֹאשׁ נִזְרוֹ Num.6:18
וְגִלְּחוֹ 5 כִּי־כָבֵד עָלָיו וְגִלְּחוֹ IISh.14:26
וְגִלְּחָה 6 וְגִלְּחָה אֶת־רֹאשָׁהּ Deut.21:12
יְגַלַּח 7 יְגַלַּח אֶת־כָּל־שְׂעָרוֹ אֶת־רֹאשׁוֹ Lev.14:9
8 יְגַלַּח אֲדֹנָי בְּתַעַר הַשְּׂכִירָה Is.7:20
יְגַלֵּחַ 9 וְאֶת־הַנֶּתֶק לֹא יְגַלֵּחַ Lev.13:33
10 וְאֶת־זְקָנוֹ...וְאֶת־כָּל־שְׂעָרוֹ יְגַלֵּחַ Lev.14:9
11 מִקֵּץ יָמִים לַיָּמִים אֲשֶׁר יְגַלֵּחַ IISh.14:26
וַיְגַלַּח 12 וַיְגַלַּח וַיְחַלֵּף שִׂמְלֹתָיו Gen.41:14
13 וַיְגַלַּח אֶת־חֲצִי זְקָנָם IISh.10:4
יְגַלְּחֶנּוּ 14 בַּיּוֹם הַשְּׁבִיעִי יְגַלְּחֶנּוּ Num.6:9
וַיְגַלְּחֵם 15 וַיְגַלְּחֵם וַיִּכְרֹת אֶת־מַדְוֵיהֶם ICh.19:4
וַתְּגַלַּח 16 וַתְּגַלַּח אֶת־שֶׁבַע מַחְלְפוֹת רֹאשׁוֹ Jud.16:19
יְגַלְּחוּ 17 וּפְאַת זְקָנָם לֹא יְגַלֵּחוּ Lev.21:5
18 וְרֹאשָׁם לֹא יְגַלֵּחוּ Ezek.44:20
גֻּלַּחְתִּי 19 אִם־גֻּלַּחְתִּי וְסָר מִמֶּנִּי כֹחִי Jud.16:17
גֻּלָּח 20 וַיָּחֶל...לְצַמֵּחַ כַּאֲשֶׁר גֻּלָּח Jud.16:22
מְגֻלְּחֵי־ 21 מְגֻלְּחֵי זָקָן וּקְרֻעֵי בְגָדִים Jer.41:5
הִתְגַּלְּחוֹ 22 אַחַר הִתְגַּלְּחוֹ אֶת־נִזְרוֹ Num.6:19
וְהִתְגַּלָּח 23 וְהִתְגַּלָּח וְאֶת־הַנֶּתֶק לֹא יְגַלֵּחַ Lev.13:33

גִּלָּיוֹן ז׳ א) לוח לכתיבה: 1
ב) לוח חלק, ראי (?): 2

גִּלָּיוֹן 1 קַח־לְךָ גִּלָּיוֹן גָּדוֹל וּכְתֹב עָלָיו Is.8:1
הַגִּלְיֹנִים 2 הַגִּלְיֹנִים וְהַסְּדִינִים וְהַצְּנִיפוֹת Is.3:23

גָּלִיל[1] ז׳ א) סובב על ציר: 1–2
ב) קנה עגול: 3–4

גְּלִילֵי זָהָב 3; גְּלִילֵי כֶסֶף 4

גְּלִילִים 1 הַדֶּלֶת הָאַחַת גְּלִילִים וּשְׁנֵי קְלָעִים IK.6:34
2 הַדֶּלֶת הַשֵּׁנִית גְּלִילִים IK.6:34
גְּלִילֵי־ 3 יָדָיו גְּלִילֵי זָהָב מְמֻלָּאִים בַּתַּרְשִׁישׁ S.ofS.5:14
4 עַל־גְּלִילֵי כֶסֶף וְעַמּוּדֵי שֵׁשׁ Es.1:6

גָּלִיל² מחוז הצפון בארץ ישראל
הַגָּלִיל 1 אָז יִתֵּן...עֶשְׂרִים עִיר בְּאֶרֶץ הַגָּלִיל IK.9:11
בַּגָּלִיל 2 אֶת־קֶדֶשׁ בַּגָּלִיל בְּהַר נַפְתָּלִי Josh.20:7
3/4 אֶת־קֶדֶשׁ בַּגָּלִיל Josh.21:32 • ICh.6:61
הַגָּלִילָה 5 וְאֶת־קֶדֶשׁ...וְאֶת־הַגָּלִילָה IIK.15:29
גְּלִיל־ 6 עֵבֶר הַיַּרְדֵּן גְּלִיל הַגּוֹיִם Is.8:23

גְּלִילָה נ׳ מחוז, פלך: 1—5
הַגְּלִילָה 1 יוֹצְאִים אֶל־הַגְּלִילָה הַקַּדְמוֹנָה Ezek.47:8
גְּלִילוֹת־ 2 כָּל־גְּלִילוֹת הַפְּלִשְׁתִּים Josh.13:2
3/4 אֶל־גְּלִילוֹת הַיַּרְדֵּן Josh.22:10,11
5 צֹר וְצִידוֹן וְכֹל גְּלִילוֹת פְּלָשֶׁת Joel4:4

גְּלִילוֹת אולי היא גִּלְגָּל (ב)
גְּלִילוֹת 1 וְתָאַר...וְיָצָא אֶל־גְּלִילוֹת Josh.18:17

גַּלִּים עיר בנחלת בנימין
גַּלִּים 1 צַהֲלִי קוֹלֵךְ בַּת־גַּלִּים Is.10:30
מִגַּלִּים 2 לְפַלְטִי בֶן־לַיִשׁ אֲשֶׁר מִגַּלִּים ISh.25:44

גָּלְיָת שפ״ז – מגבורי הפלשתים: 1—6
גָּלְיָת 1 אִישׁ־הַבֵּנַיִם...גָּלְיָת שְׁמוֹ מִגַּת ISh.17:4
2 גָּלְיָת הַפְּלִשְׁתִּי שְׁמוֹ מִגַּת ISh.17:23
3-4 חֶרֶב גָּלְיָת הַפְּלִשְׁתִּי ISh.21:10; 22:10
5 וַיַּךְ אֶלְחָנָן...אֵת־גָּלְיָת הַגִּתִּי IISh.21:19
6 אֶת־לַחְמִי אֲחִי גָּלְיָת הַגִּתִּי ICh.20:5

גלל : גָּלַל, נָגֹל, גּוֹלֵל, הִתְגּוֹלֵל; גַּל, גֻּלָּה, גָּלָל, גִּלּוּלִים; גָּלִיל, גְּלִילָה, מְגִלָּה; בִּגְלַל; אר׳ גְּלָל; ש״פ גְּלִילוֹת, גַּלִּים, גָּלָל, גִּלֲלַי; גַּלְעֵד, גִּלְעָד, גִּלְעָדִי

גָּלַל פ׳ א) גלגל, טלטל: 1—11
ב) (נפ׳ נָגֹל) גֻּלְגַּל, נכרך: 12
ג) [כנ״ל] זרם והתגלגל: 13
ד) [פ׳ גּוֹלֵל] גִּלְגֵּל: 14
ה) [הת׳ הִתְגּוֹלֵל] השתער: 15
ו) [כנ״ל] התגלגל, התפלש: 16
גָּלַל אֶל־ 6,10,11; גָּ׳ מֵעַל־ 1—3, 5, 9; גָּ׳ עַל־ 7;
הִתְגּוֹלֵל עַל־ 15; הִתְגּוֹלֵל בְּ־ 16
גָּלַל אֶבֶן־ 2—5, 10, 11; גָּלַל חֶרְפָּה מֵעַל־ 1, 9

גַּלּוֹתִי 1 גַּלּוֹתִי אֶת־חֶרְפַּת מִצְרַיִם מֵעֲלֵיכֶם Josh.5:9
וְגָלְלוּ 2-3 וְגָלְלוּ אֶת־הָאֶבֶן מֵעַל פִּי הַבְּאֵר Gen.29:3,8
וְגֹלֵל 4 וְגֹלֵל אֶבֶן אֵלָיו תָּשׁוּב Prov.26:27
וַיָּגֶל 5 וַיָּגֶל אֶת־הָאֶבֶן מֵעַל פִּי הַבְּאֵר Gen.29:10
גֹּל 6 גֹּל אֶל־יְיָ יְפַלְּטֵהוּ Ps.22:9
7 גּוֹל עַל־יְיָ דַּרְכֶּךָ וּבְטַח עָלָיו Ps.37:5
8 גֹּל אֶל־יְיָ מַעֲשֶׂיךָ Prov.16:3
גַּל 9 גַּל מֵעָלַי חֶרְפָּה וָבוּז Ps.119:22
גֹּלּוּ 10 גֹּלּוּ אֲבָנִים גְּדֹלוֹת אֶל־פִּי הַמְּעָרָה Josh.10:18
11 גֹּלּוּ־אֵלַי הַיּוֹם אֶבֶן גְּדוֹלָה ISh.14:33
וְנָגֹלּוּ 12 וְנָגֹלּוּ כַסֵּפֶר הַשָּׁמָיִם Is.34:4
וְיִגַּל 13 וְיִגַּל כַּמַּיִם מִשְׁפָּט Am.5:24
מְגוֹלָלָה 14 וְשִׂמְלָה מְגוֹלָלָה בְדָמִים Is.9:4
לְהִתְגֹּלֵל 15 לְהִתְגֹּלֵל עָלֵינוּ וּלְהִתְנַפֵּל עָלֵינוּ Gen.43:18
מִתְגֹּלֵל 16 וַעֲמָשָׂא מִתְגֹּלֵל בַּדָּם IISh.20:12

גָּלָל¹ רק בצירוף "בגלל" – עין בִּגְלַל

גָּלָל² ז׳ צואה: 1—5
הַגָּלָל 1 כַּאֲשֶׁר יְבַעֵר הַגָּלָל עַד־תֻּמּוֹ IK.14:10
כְּגֶלְלוֹ 2 כְּגֶלְלוֹ לָנֶצַח יֹאבֵד Job20:7
כַּגְּלָלִים 3 וְשֻׁפַּךְ דָּמָם...וּלְחֻמָם כַּגְּלָלִים Zep.1:17
גֶּלְלֵי־ 4 צְפִיעֵי הַבָּקָר תַּחַת גֶּלְלֵי הָאָדָם Ezek.4:15
בְּגֶלְלֵי־ 5 בְּגֶלְלֵי צֵאת הָאָדָם תְּעֻגֶנָה Ezek.4:12

גָּלָל³ שפ״ז א) לוי שהתישב בירושלים בימי נחמיה: 1,2
ב) בן ידותון משבי הגולה: 3
גָּלָל 1 וְעַבְדָּא...בֶּן־גָּלָל בֶּן־יְדוּתוּן Neh.11:17
2 וְעֹבַדְיָה...בֶּן־גָּלָל בֶּן־יְדוּתוּן ICh.9:16
וְגָלָל 3 וּבַקְבַּקַּר חֶרֶשׁ וְגָלָל ICh.9:15

גְּלָל ז׳ ארמית: גלגול: 1, 2 • אֶבֶן־גְּלָל 1, 2
גְּלָל 1 וְהוּא מִתְבְּנֵא אֶבֶן גְּלָל Ez.5:8
2 נִדְבָּכִין דִּי אֶבֶן גְּלָל תְּלָתָא Ez.6:4

גִּלֲלַי שפ״ז – כהן בימי נחמיה
גִּלֲלַי 1 וְאֶחָיו...מִלְלַי גִּלֲלַי מָעַי Neh.12:36

גלם : גָּלַם; גֹּלֶם; גְּלוֹמִים

גָּלַם פ׳ כרך, קפל
וַיִּגְלֹם 1 וַיִּקַּח אֵלִיָּהוּ אֶת־אַדַּרְתּוֹ וַיִּגְלֹם IIK.2:8

גֹּלֶם* ז׳ גוף העובר
גָּלְמִי 1 גָּלְמִי רָאוּ עֵינֶיךָ Ps.139:16

גַּלְמוּד ת׳ בודד, שומם: 1—4
גַּלְמוּד 1 הִנֵּה הַלַּיְלָה הַהוּא יְהִי גַלְמוּד Job3:7
2 כִּי־עֲדַת חָנֵף גַּלְמוּד Job15:34
3 בְּחֶסֶר וּבְכָפָן גַּלְמוּד Job30:3
וְגַלְמוּדָה 4 וַאֲנִי שְׁכוּלָה וְגַלְמוּדָה Is.49:21

(גלע) הִתְגַּלַּע הת׳ התגלה, פרץ: 1—3
הִתְגַּלַּע 1 וְלִפְנֵי הִתְגַּלַּע הָרִיב נְטוֹשׁ Prov.17:14
יִתְגַּלָּע 2 בְּכָל־תּוּשִׁיָּה יִתְגַּלָּע Prov.18:1
3 וְכָל־אֱוִיל יִתְגַּלָּע Prov.20:3

גַּלְעֵד כן קרא יעקב לגל שהקים לעד ברית עם לבן: 1,2
גַּלְעֵד 1 וְיַעֲקֹב קָרָא לוֹ גַּלְעֵד Gen.31:47
2 עַל־כֵּן קָרָא־שְׁמוֹ גַּלְעֵד Gen.31:48

גִּלְעָד¹ שפ״ז א) בן מכיר בן מנשה 1—6, 9—14
ב) אבי יפתח השופט: 7, 8
אֲבִי גִלְעָד 9,10,12; אֵשֶׁת גִּ׳ 8; בֶּן (בְּנֵי) גִּ׳ 2-5,11,13
גִּלְעָד 1 וּמָכִיר הוֹלִיד אֶת־גִּלְעָד Num.26:29
2 אֵלֶּה בְּנֵי גִלְעָד Num.26:30
3 צְלָפְחָד בֶּן־חֵפֶר בֶּן־גִּלְעָד Num.27:1
4 לְמִשְׁפַּחַת בְּנֵי־גִלְעָד בֶּן־מָכִיר Num.36:1
5 וְלִצְלָפְחָד בֶּן־חֵפֶר בֶּן־גִּלְעָד Josh.17:3
6 גִּלְעָד בְּעֵבֶר הַיַּרְדֵּן שָׁכֵן Jud.5:17
7 וַיּוֹלֶד גִּלְעָד אֶת־יִפְתָּח Jud.11:1
8 וַתֵּלֶד אֵשֶׁת־גִּלְעָד לוֹ בָּנִים Jud.11:2
9 אֶל־בַּת מָכִיר אֲבִי גִלְעָד ICh.2:21
10 כָּל־אֵלֶּה בְּנֵי מָכִיר אֲבִי־גִלְעָד ICh.2:23
11 אֲבִיחַיִל בֶּן־חוּרִי...בֶּן־גִּלְעָד ICh.5:14
12 יָלְדָה אֶת־מָכִיר אֲבִי גִלְעָד ICh.7:14
13 אֵלֶּה בְּנֵי גִלְעָד בֶּן־מָכִיר ICh.7:17
לְגִלְעָד 14 לְגִלְעָד מִשְׁפַּחַת הַגִּלְעָדִי Num.26:29

גִּלְעָד² א) חבל הארץ בעבר הירדן: כל המקראות [להוציא:]
ב) עיר בעבר הירדן: 20, 21
אֲבִי הַגִּלְעָד 51; אַנְשֵׁי גִ׳ 10—12; אֶרֶץ גִ׳ 1,16,
22,26,39,53—63; הַר הַגִ׳ 25, 33—37; הָרוֹת הַגִ׳ 69;
זִקְנֵי גִ׳ 4—9; חֲצִי הַגִ׳ 47, 48, 50; יוֹשְׁבֵי גִ׳ 3,2;
עָרֵי (הַ)גִ׳ 15,38,49; תּוֹשָׁבֵי גִ׳ 17
גִּלְעָד 1 אֶת־אֶרֶץ יַעְזֵר וְאֶת־אֶרֶץ גִּלְעָד Num.32:1
2-3 לְרֹאשׁ לְכֹל יֹשְׁבֵי גִלְעָד Jud.10:18; 11:8
4 וַיֵּלְכוּ זִקְנֵי גִלְעָד Jud.11:5
5-9 (לְ)זִקְנֵי גִלְעָד Jud.11:7,8,9,10,11
10-12 אַנְשֵׁי גִלְעָד Jud.12:4²,5

גִּלְעָד (המשך) 13 גִּלְעָד בְּתוֹךְ אֶפְרַיִם בְּתוֹךְ מְנַשֶּׁה Jud.12:4
14 וַיִּלְכֹּד גִּלְעָד אֶת־מַעְבְּרוֹת הַיַּרְדֵּן Jud.12:5
15 וַיָּמָת...וַיִּקָּבֵר בְּעָרֵי גִלְעָד Jud.12:7
16 גֶּבֶר בֶּן־אֻרִי בְּאֶרֶץ גִּלְעָד IK.4:19
17 אֵלִיָּהוּ הַתִּשְׁבִּי מִתֹּשָׁבֵי גִלְעָד IK.17:1
18 גִּלְעָד אַתָּה לִי רֹאשׁ הַלְּבָנוֹן Jer.22:6
19 עֲלִי גִלְעָד וּקְחִי צֳרִי Jer.46:11
20 גִּלְעָד קִרְיַת פֹּעֲלֵי אָוֶן Hosh.6:8
21 אִם־גִּלְעָד אָוֶן אַךְ־שָׁוְא הָיוּ Hosh.12:12
22 וְאֶל־אֶרֶץ גִּלְעָד וּלְבָנוֹן אֲבִיאֵם Zech.10:10
23/4 לִי גִלְעָד וְלִי מְנַשֶּׁה Ps.60:9; 108:9
25 כְּעֵדֶר הָעִזִּים שֶׁגָּלְשׁוּ מֵהַר גִּלְעָד S.ofS.4:1
26 כִּי מִקְנֵיהֶם רָבוּ בְּאֶרֶץ גִּלְעָד ICh.5:9
גִּלְעָדָה 27 וַיֵּלְכוּ...גִּלְעָדָה וַיִּלְכְּדֻהָ Num.32:39
28 לַחֲצִי הַמְנַשֶּׁה גִּלְעָדָה ICh.27:21
וְגִלְעָד 29 עָבְרוּ אֶת־הַיַּרְדֵּן אֶרֶץ גָּד וְגִלְעָד ISh.13:7
30 יִרְעוּ בָשָׁן וְגִלְעָד כִּימֵי עוֹלָם Mic.7:14
בְּגִלְעָד 31 הַצֳרִי אֵין בְּגִלְעָד Jer.8:22
מִגִּלְעָד 32 אֹרְחַת יִשְׁמְעֵאלִים בָּאָה מִגִּלְעָד Gen.37:25
הַגִּלְעָד 33 וַיָּשֶׂם אֶת־פָּנָיו הַר הַגִּלְעָד Gen.31:21
34-37 (בְּ־/מֵ־) הַר הַגִּלְעָד Gen.31:23,25
Deut.3:12 • Jud.7:3
38 טַפֵּנוּ...יִהְיוּ־שָׁם בְּעָרֵי הַגִּלְעָד ב Num.32:26
39 וּנְתַתֶּם לָהֶם אֶת־אֶרֶץ הַגִּלְעָד ב Num.32:29
40 וַיִּתֵּן מֹשֶׁה אֶת־הַגִּלְעָד לְמָכִיר ב Num.32:40
41 מֵעֲרֹעֵר...וְעַד הַגִּלְעָד Deut.2:36
42 וְכָל־הַגִּלְעָד וְכָל־הַבָּשָׁן Deut.3:10
43 וְיֶתֶר הַגִּלְעָד וְכָל־הַבָּשָׁן Deut.3:13
44 וּלְמָכִיר נָתַתִּי אֶת־הַגִּלְעָד Deut.3:15
45 מִן־הַגִּלְעָד וְעַד־נַחַל אַרְנֹן Deut.3:16
46 וַיַּרְאֵהוּ...אֶת־הַגִּלְעָד עַד־דָּן Deut.34:1
47 מֹשֵׁל מֵעֲרוֹעֵר...וַחֲצִי הַגִּלְעָד Josh.12:2
48 וַחֲצִי הַגִּלְעָד גְּבוּל סִיחוֹן Josh.12:5
49 יַעְזֵר וְכָל־עָרֵי הַגִּלְעָד Josh.13:25
50 וַחֲצִי הַגִּלְעָד וְעַשְׁתָּרוֹת וְאֶדְרֶעִי Josh.13:31
51 לְמָכִיר בְּכוֹר מְנַשֶּׁה אֲבִי הַגִּלְעָד Josh.17:1
52 וַיְהִי־לוֹ הַגִּלְעָד וְהַבָּשָׁן Josh.17:1
53 לְבַד מֵאֶרֶץ הַגִּלְעָד וְהַבָּשָׁן Josh.17:5
54-63 (וְ־/מֵ־/בְּ־) אֶרֶץ הַגִּלְעָד Josh.17:6; 22:9,13
22:15, 32 • Jud.10:4; 20:1 • IISh.17:26 • IIK.10:33 ICh.2:22
64 וַיַּעֲבֹר אֶת־הַגִּלְעָד וְאֶת־מְנַשֶּׁה Jud.11:29
65 וַיַּמְלִכֵהוּ אֶל־הַגִּלְעָד IISh.2:9
66 וְאֶת־קֶדֶשׁ וְאֶת־חָצוֹר וְאֶת־הַגִּלְעָד IIK.15:29
67 וּמִבֵּין הַגִּלְעָד וּמִבֵּין אֶ׳ יִשְׂרָאֵל Ezek.47:18
68 דּוּשָׁם בַּחֲרֻצוֹת הַבַּרְזֶל אֶת־הַגִּלְעָד Am.1:3
69 עַל־בִּקְעָם הָרוֹת הַגִּלְעָד Am.1:13
70 וְיָרְשׁוּ...וּבִנְיָמִן אֶת־הַגִּלְעָד Ob.19
71 כְּעֵדֶר הָעִזִּים שֶׁגָּלְשׁוּ מִן־הַגִּלְעָד S.ofS.6:5
הַגִּלְעָדָה 72 וַיָּבֹאוּ הַגִּלְעָדָה IISh.24:6
וְהַגִּלְעָד 73 וְהַגִּלְעָד וּגְבוּל הַגְּשׁוּרִי Josh.13:11
74 מֵעֲרֹעֵר...וְהַגִּלְעָד וְהַבָּשָׁן IIK.10:33
75 וּבְהַר אֶפְ׳ וְהַגִּלְעָד תִּשְׂבַּע נַפְשׁוֹ Jer.50:19
בַּגִּלְעָד 76 וְאֶת־רָאמֹת בַּגִּלְעָד לַגָּדִי Deut.4:43
77 וְאֶת־רָאמוֹת בַּגִּלְעָד מִמַּטֵּה גָד Josh.20:8
78 אֶת־רָמֹת בַּגִּלְעָד וְאֶת־מִגְרָשֶׁהָ Josh.21:36
79 בְּאֶרֶץ הָאֱמֹרִי אֲשֶׁר בַּגִּלְעָד Jud.10:8
80 וַיִּצָּעֲקוּ בְּנֵי עַמּוֹן וַיַּחֲנוּ בַּגִּלְעָד Jud.10:17
81 לוֹ חַוֹּת יָאִיר...אֲשֶׁר בַּגִּלְעָד IK.4:13
82 וַיֵּשְׁבוּ בַּגִּלְעָד בַּבָּשָׁן ICh.5:16
83 אֶת־רָאמוֹת בַּגִּלְעָד ICh.6:65
לַגִּלְעָד 84 עַל־כָּל־פְּנֵי מִזְרָח לַגִּלְעָד ICh.5:10

גִּלְעָדִי ת' המתיחס על גלעד: 1—11

הַגִּלְעָדִי 1 לְגִלְעָד מִשְׁפַּחַת הַגִּלְעָדִי Num.26:29
2 וַיָּקָם אַחֲרָיו יָאִיר הַגִּלְעָדִי Jud.10:3
3 וְיִפְתָּח הַגִּלְעָדִי הָיָה גִּבּוֹר חַיִל Jud.11:1
4 לְתַנּוֹת לְבַת־יִפְתָּח הַגִּלְעָדִי Jud.11:40
5 וַיָּמָת יִפְתָּח הַגִּלְעָדִי Jud.12:7
6 וּבַרְזִלַּי הַגִּלְעָדִי מֵרֹגְלִים IISh.17:27
7-10 (וּ)בַרְזִלַּי הַגִּלְעָדִי IISh.19:32 • IK.2:7 • Ez.2:61 • Neh.7:63

גִּלְעָדִים 11 וְעִמּוֹ חֲמִשִּׁים אִישׁ מִבְּנֵי גִלְעָדִים IIK.15:25

גָּלַשׁ פ' ירד למטה: 1, 2

שֶׁגָּלְשׁוּ 1 כְּעֵדֶר הָעִזִּים שֶׁגָּלְשׁוּ מֵהַר גִּלְעָד S.ofS.4:1
2 כְּעֵדֶר הָעִזִּים שֶׁגָּלְשׁוּ מִן־הַגִּלְעָד S.ofS.6:5

גַּם מ"ח א) אף, נוסף על־, עוד: רוב המקראות
ב) [בין פועל להכפלת שרשו, או בין שני פעלים או שמות] לתוספת הדגשה או לציון הדרגה: 59,62,67,80,152,158,167,169-171,187,190-192, 195,211-214,221,528,529,535-542,544-548 ועוד
ג) אפילו (ביחוד במשפט שלילה): 45,70,104/5, 161-163,168,181,184/5,188/9, 196, 198,199,200, 203-4, 215, 218, 220, 239, 241, 269,270,522,523
ד) רק, דוקא: 82, 208
ה) כאחד, יחד: 56,103,106, 159, 201, 206, 216
ו) [לפני כנוי הגוף] אף, כזה כן זה: 3—31, 36—44,46-48,51,54,55,58,61,69,72,75, 81, 83-101, 108-149,153,155, 174-179, 209, 522, 523, 530
ז) [גַּם כִּי] אפילו אם, אף־על־פי־ש־: 165, 182, 183, 186, 207,219; ואף זאת: 217
ח) [גַּם אִם] כנ"ל: 232, 551
ט) [וְאַף־גַּם־זֹאת] ועוד דבר זה: 76
י) [גַּם...גַּם...;גַּם...וְגַם] כזה כן זה, הֵן...הֵן...: 243—333, 532, 534, 535
יא) [הֲגַם] האומנם עוד: 761—768
יב) [שֶׁגַּם] כי עוד זה: 769—771
יג) [בְּשַׁגַּם] מפני שגם: 772

גַּם 1 וַתֹּאכַל וַתִּתֵּן גַּם־לְאִישָׁהּ עִמָּהּ Gen.3:6
2 וְלָקַח גַּם מֵעֵץ הַחַיִּים Gen.3:22
3 וְהֶבֶל הֵבִיא גַם־הוּא Gen.4:4
4 וּלְשֵׁת גַּם־הוּא יֻלַּד־בֵּן Gen.4:26
5-30 גַּם הוּא Gen.10:21; 27:31; 32:18 • 38:11; 48:19 • Ex.1:10 • Jud.3:31; 6:35; 9:19 • ISh.19:22,23,24[2]; 31:5 • IISh.17:5 • IK.4:15 • Jer.27:7; 48:26 • Zech.9:7 • Prov.11:25; 21:13 • Job 13:16; 31:28 • Eccl.2:1 • ICh.10:5; 21:11 • IICh.22:3
31 וְצִלָּה גַם־הִוא יָלְדָה Gen.4:22
32 גַּם־מֵעוֹף הַשָּׁמַיִם... Gen.7:3
33 גַּם־זַרְעֲךָ יִמָּנֶה Gen.13:16
34 נָשָׂאתִי פָנֶיךָ גַּם לַדָּבָר הַזֶּה Gen.19:21
35 נַשְׁקֶנּוּ יַיִן גַּם־הַלַּיְלָה Gen.19:34
36 וְהַצְּעִירָה גַם־הִוא יָלְדָה בֵּן Gen.19:38
37-44 גַּם הִיא (הוא) Gen.22:20,24 • Jud.8:31 • Is.30:33 • Jer.3:8 • Am.7:6 • Nah.3:10 • Lam.1:8
45 הֲגוֹי גַּם־צַדִּיק תַּהֲרֹג Gen.20:4
46 וְהִיא גַם הִוא אָמְרָה אָחִי הוּא Gen.20:5
47 גַּם אָנֹכִי יָדַעְתִּי כִּי בְתָם־לְבָבְךָ Gen.20:6
48 וָאֶחְשֹׂךְ גַּם־אָנֹכִי אוֹתְךָ Gen.20:6
49 גַּם לִגְמַלֶּיךָ אֶשְׁאָב Gen.24:19
50 גַּם־מָקוֹם לָלוּן Gen.24:25
51 גַּם־אַתָּה שְׁתֵה Gen.24:44

גַּם (המשך)
52 וַיָּרִיבוּ גַּם־עָלֶיהָ Gen.26:21
53 וָאֲבָרְכֵהוּ גַּם־בָּרוּךְ יִהְיֶה Gen.27:33
54/5 בָּרְכֵנִי גַם־אָנִי אָבִי Gen.27:34,38
56 לָמָה אֶשְׁכַּל גַּם־שְׁנֵיכֶם Gen.27:45
57 וַיֶּאֱהַב גַּם־אֶת־רָחֵל מִלֵּאָה Gen.29:30
58 וְאִבָּנֶה גַם־אָנֹכִי מִמֶּנָּה Gen.30:3
59 נִפְתַּלְתִּי עִם־אֲחֹתִי גַּם־יָכֹלְתִּי Gen.30:8
60 וְלָקַחַת גַּם אֶת־דּוּדָאֵי בְּנִי Gen.30:15
61 מָתַי אֶעֱשֶׂה גַם־אָנֹכִי לְבֵיתִי Gen.30:30
62 וַיֹּאכַל גַּם־אָכוֹל אֶת־כַּסְפֵּנוּ Gen.31:15
63 גַּם הִנֵּה עַבְדְּךָ יַעֲקֹב אַחֲרֵינוּ Gen.32:15
64 כִּי־גַם־זֶה לָךְ בֵּן Gen.35:17
65 גַּם־עַתָּה כְדִבְרֵיכֶם כֶּן־הוּא Gen.44:10
66 וּלְקַחְתֶּם גַּם־אֶת־זֶה Gen.44:29
67 וְאָנֹכִי אַעַלְךָ גַם־עָלֹה Gen.46:4
68 גַּם מֵאָז דַּבֶּרְךָ אֶל־עַבְדֶּךָ Ex.4:10
69 וַיַּעֲשׂוּ גַם־הֵם חַרְטֻמֵּי מִצְרַיִם Ex.7:11
70 וְלֹא־שָׁת לִבּוֹ גַּם־לָזֹאת Ex.7:23
71 וַיַּכְבֵּד...גַּם בַּפַּעַם הַזֹּאת Ex.8:28
72 גַּם־אַתָּה תִּתֵּן בְּיָדֵנוּ זְבָחִים Ex.10:25
73 גַּם הָאִישׁ מֹשֶׁה גָּדוֹל מְאֹד Ex.11:3
74 וּבֵרַכְתֶּם גַּם־אֹתִי Ex.12:32
75 וְהִכֵּיתִי אֶתְכֶם גַּם־אָנִי Lev.26:24
76 וְאַף־גַּם־זֹאת בִּהְיוֹתָם... Lev.26:44
77 נָשֹׂא אֶת־רֹאשׁ בְּנֵי גֵרְשׁוֹן גַּם־הֵם Num.4:22
78 הֲלֹא גַּם־בָּנוּ דִבֵּר Num.12:2
79 וּבִקַּשְׁתֶּם גַּם־כְּהֻנָּה Num.16:10
80 כִּי־תִשְׂתָּרֵר עָלֵינוּ גַּם־הִשְׂתָּרֵר Num.16:16
81 כֵּן תָּרִימוּ גַם־אַתֶּם תְּרוּמַת יְיָ Num.18:28
82 כִּי עַתָּה גַּם־אֹתְכָה הָרַגְתִּי Num.22:33
83-87 גַּם־אַתֶּם Num.22:19 • Josh.2:12 • Jud.7:18 • ISh.12:14 • Zep.2:12
88 וְנֶאֱסַפְתָּ אֶל־עַמֶּיךָ גַּם־אָתָּה Num.27:13
89-99 גַּם־אַתָּה Deut.1:37 • Jud.8:22 • ISh.28:22 • IISh.15:19 • IK.21:19 • Is.14:10 • Ob.11,13 • Hab.2:16 • Prov.26:4 • Eccl.7:22 (כת' את)
100 וְיָרְשׁוּ גַם־הֵם אֶת הָאָרֶץ Deut.3:20
101 וְאֶעֱשֶׂה־כֵּן גַּם־אָנִי Deut.12:30
102 כִּי גַם אֶת־בְּנֵיהֶם...יִשְׂרְפוּ Deut.12:31
103 וּמֵתוּ גַּם־שְׁנֵיהֶם Deut.22:22
104/5 גַּם דּוֹר עֲשִׂירִי לֹא־יָבֹא Deut.23:3,4
106 תּוֹעֲבַת יְיָ אֱלֹהֶיךָ גַּם־שְׁנֵיהֶם Deut.23:19
107 גַּם כָּל־חֳלִי וְכָל־מַכָּה Deut.28:61
108 וְיָרְשׁוּ גַם־הֵמָּה אֶת־הָאָרֶץ Josh.1:15
109-118 גַּם הֵמָּה Josh.9:4 • ISh.14:15,22; 19:20,21 • IK.14:23 • Is.66:3 • Jer.12:6; 25:14; 46:21
119 גַּם־אֲנַחְנוּ נַעֲבֹד אֶת־יְיָ Josh.24:18
120 וְהָלַכְתִּי גַם־אֲנִי אִתְּךָ Jud.1:3
121-142 גַּם אֲנִי Jud.2:21 • IISh.18:2,22 • IK.13:18 • IIK.2:3,5 • Is.66:4 • Jer.4:12 • Ezek.5:8; 20:23; 24:9 • Hosh.4:6 • Zech.8:21 • Ps.71:22 • Prov.1:26; 23:15 • Job 7:11; 13:2; 33:6 • Eccl.2:14; 2:15 • Es.4:16
143-149 גַּם הֵם Jud.1:22 • Ezek.10:16; 31:17 • Ps.38:11 • ICh.19:15; 24:31 • IICh.31:6
150 אֶרֶץ רָעָשָׁה גַּם־שָׁמַיִם נָטָפוּ Jud.5:4
151 גַּם־עָבִים נָטְפוּ מָיִם Jud.5:4
152 וְכִעֲסַתָּה צָרָתָהּ גַּם־כַּעַס ISh.1:6
153 וְהָיִינוּ גַם־אֲנַחְנוּ כְּכָל־הַגּוֹיִם ISh.8:20
154 גַּם־עַתָּה הִתְיַצְּבוּ וּרְאוּ ISh.12:16

גַּם (המשך)
155 גַּם אָנֹכִי חָלִילָה לִּי מֵחֲטֹא... ISh.12:23
156 כִּי גַם־חַרְבִּי...לֹא־לָקַחְתִּי בְיָדִי ISh.21:9
157 גַּם־לְכֻלְּכֶם יִתֵּן בֶּן־יִשַׁי שָׂדוֹת ISh.22:7
158 וְאָבִי רְאֵה גַּם רְאֵה ISh.24:12(11)
159 וַתִּהְיֶיןָ גַּם־שְׁתֵּיהֶן לוֹ לְנָשִׁים ISh.25:44
160 גַּם עָשֹׂה תַעֲשֶׂה וְגַם יָכֹל תּוּכָל ISh.26:25
161 וְלֹא־נוֹתַר בּוֹ...גַּם־אֶחָד IISh.17:12
162 עַד אֲשֶׁר־לֹא־נִמְצָא שָׁם גַּם־צְרוֹ' IISh.17:13
163 גַּם אֶת־הַכֹּל יִקָּח אַחֲרֵי אֲשֶׁר־בָּא IISh.19:31
164 וּמֶה גַּם־עָתָּה IK.14:14
165 גַּם כִּי־תַרְבּוּ תְפִלָּה אֵינֶנִּי שֹׁמֵעַ Is.1:15
166 גַּם־בְּרוֹשִׁים שָׂמְחוּ לְךָ Is.14:8
167 כִּי־חָלָה גַּם־יָלְדָה צִיּוֹן Is.66:8
168 גַּם־חֲסִידָה בַשָּׁמַיִם יָדְעָה מוֹעֲדֶיהָ Jer.8:7
169 גַּם־בּוֹשׁ לֹא־יֵבֹשׁוּ Jer.8:12
170 נְטַעְתָּם גַּם־שֹׁרָשׁוּ Jer.12:2
171 יֵלְכוּ גַּם־עָשׂוּ פֶרִי Jer.12:2
172 גַּם־אַיֶּלֶת בַּשָּׂדֶה יָלְדָה וְעָזוֹב Jer.14:5
173 אִם יָמֻשׁוּ...גַּם זֶרַע יִשׂ' יִשְׁבְּתוּ Jer.31:36
174 אִם יִמַּדּוּ...גַּם־אֲנִי אֶמְאַס Jer.31:36
175-179 גַּם אַתְּ Jer.48:7 • Ezek.16:52 • Nah.3:11[2] • Zech.9:11
180 אִם־גַּם־שֵׁבֶט מֹאֶסֶת לֹא יִהְיֶה Ezek.21:18
181 גַּם־שֵׂיבָה זָרְקָה בּוֹ וְהוּא לֹא יָדָע Hosh.7:9
182 גַּם כִּי־יִתְנוּ בַגּוֹיִם עַתָּה אֲקַבְּצֵם Hosh.8:10
183 גַּם כִּי יֵלֵדוּן וְהֵמַתִּי... Hosh.9:16
184/5 אֵין עֹשֵׂה־טוֹב אֵין גַּם־אֶחָד Ps.14:3; 53:3
186 גַּם כִּי־אֵלֵךְ בְּגֵיא צַלְמָוֶת Ps.23:4
187 נַעַר הָיִיתִי גַּם־זָקַנְתִּי Ps.37:25
188 גַּם אִישׁ־שְׁלוֹמִי...הִגְדִּיל־עָקֵב Ps.41:10
189 גַּם־צִפּוֹר מָצְאָה בַיִת Ps.84:4
190 בְּחָנוּנִי גַּם־רָאוּ פָעֳלִי Ps.95:9
191 רְעֵבִים גַּם־צְמֵאִים Ps.107:5
192 סַבּוּנִי גַם־סְבָבוּנִי Ps.118:11
193 גַּם יָשְׁבוּ שָׂרִים בִּי נִדְבָּרוּ Ps.119:23
194 מַה־טּוֹב...שֶׁבֶת אַחִים גַּם־יָחַד Ps.133:1
195 שָׁם יָשַׁבְנוּ גַּם־בָּכִינוּ Ps.137:1
196 גַּם־שָׁם יָדְךָ תַנְחֵנִי Ps.139:10
197 גַּם־חֹשֶׁךְ לֹא־יַחְשִׁיךְ מִמֶּךָ Ps.139:12
198 גַּם־בִּשְׂחֹק יִכְאַב־לֵב Prov.14:13
199 גַּם־לְרֵעֵהוּ יִשָּׂנֵא רָשׁ Prov.14:20
200 גַּם־אוֹיְבָיו יַשְׁלִם אִתּוֹ Prov.16:7
201 תּוֹעֲבַת יְיָ גַּם־שְׁנֵיהֶם Prov.17:15
202 גַּם עֲנוֹשׁ לַצַּדִּיק לֹא־טוֹב Prov.17:26
203 גַּם אֱוִיל מַחֲרִישׁ חָכָם יֵחָשֵׁב Prov.17:28
204 גַּם־אֶל־פִּיהוּ לֹא יְשִׁיבֶנָּה Prov.19:24
205 גַּם בְּמַעֲלָלָיו יִתְנַכֶּר־נָעַר Prov.20:11
206 יְיָ עָשָׂה גַם שְׁנֵיהֶם Prov.20:12
207 גַּם כִּי־יַזְקִין לֹא־יָסוּר מִמֶּנָּה Prov.22:6
208 גַּם אֶת־הַטּוֹב נְקַבֵּל... Job 2:10
209 גַּם אָנֹכִי כָּכֶם אֲדַבֵּרָה Job 16:4
210 גַּם אוֹר רְשָׁעִים יִדְעָךְ Job 18:5
211 עָתְקוּ גַּם־גָּבְרוּ חָיִל Job 21:7
212 צִיָּה גַם־חֹם יִגְזְלוּ Job 24:19
213 בְּנֵי־נָבָל גַּם־בְּנֵי בְלִי־שֵׁם Job 30:8
214 כָּל־מְגָדִים חֲדָשִׁים גַּם־יְשָׁנִים S.ofS.7:14
215 אֶשָּׁקְךָ גַּם לֹא־יָבֻזוּ לִי S.ofS.8:1
216 וַיָּמֻתוּ גַם שְׁנֵיהֶם Ruth 1:5
217 גַּם כִּי־אָמַר אֵלַי Ruth 2:21
218 גַּם־נְבִיאֶיהָ לֹא־מָצְאוּ חָזוֹן מֵיְיָ Lam.2:9
219 גַּם כִּי אֶזְעַק וַאֲשַׁוֵּעַ... Lam.3:8
220 גַּם־תַּנִּים חָלְצוּ שַׁד Lam.4:3

גַּם (המשך) 221 כִּי נָצוּ גַּם־נָעוּ Lam.4:15
231-222 גַּם־זֶה הָבֶל Eccl.2:19,21,23,26
4:4,8,16; 5:9,10; 6:9
232 גַּם אִם־יִשְׁכְּבוּ שְׁנַיִם וְחַם לָהֶם Eccl.4:11
233 כִּי גַם בְּמַלְכוּתוֹ נוֹלַד רָשׁ Eccl.4:14
234 גַּם אֶת־זֶה לְעֻמַּת־זֶה עָשָׂה הָאֱלֹ׳ Eccl.7:14
235 כִּי גַּם־יוֹדֵעַ אָנִי אֲשֶׁר יִהְיֶה־טּוֹב Eccl.8:12
236 כִּי גַם בַּיּוֹם וּבַלַּיְלָה...אֵינֶנּוּ רֹאֶה Eccl.8:16
237 כִּי גַּם לֹא־יֵדַע הָאָדָם אֶת־עִתּוֹ Eccl.9:12
238 גַּם בְּמַדָּעֲךָ מֶלֶךְ אַל־תְּקַלֵּל Eccl.10:20
239 גַּם הִנֵּה־הָעֵץ אֲשֶׁר־עָשָׂה הָמָן Es.7:9
240 גַּם אֲשֶׁר־הֵם בּוֹנִים...וּפָרַץ Neh.3:35
241 גַּם עַד־הָעֵת הַהִיא...לֹא־הֶעֱמַדְתִּי Neh.6:1
242 גַּם־זֹאת זָכְרָה־לִּי אֱלֹהַי Neh.13:22

גַּם...גַּם...גַּם 243-5 וַיְצַו גַּם אֶת־הַשֵּׁנִי גַּם אֶת־הַשְּׁלִישִׁי
גַּם אֶת־כָּל־הַהֹלְכִים Gen.32:19
246-8 גַּם־אֲנַחְנוּ גַם־אַתָּה גַּם־טַפֵּנוּ Gen.43:8
249-51 גַּם בַּחֲלֹמוֹת גַּם בָּאוּרִים
גַּם בַּנְּבִיאִם ISh.28:6
252-4 גַּם לֹא־שָׁמַעְתָּ גַּם לֹא יָדַעְתָּ
גַּם מֵאָז לֹא־פִתְּחָה אָזְנֶךָ Is.48:8
255-7 גַּם אַהֲבָתָם גַּם־שִׂנְאָתָם
גַּם־קִנְאָתָם כְּבָר אָבָדָה Eccl.9:6
258-60 גַּם תְּמוֹל גַּם־שִׁלְשׁוֹם
גַּם בִּהְיוֹת שָׁאוּל מֶלֶךְ ICh.11:2

גַּם...גַּם 261/2 גַּם־תֶּבֶן גַּם־מִסְפּוֹא רַב עִמָּנוּ Gen.24:25
263-6 גַּם־אֲנַחְנוּ גַּם־אֲב(וֹ)תֵינוּ Gen.46:34 • 47:3
267/8 גַּם־אֲנַחְנוּ גַּם־אַדְמָתֵנוּ Gen.47:19
269/70 וְלֹא־עָנָנִי עוֹד גַּם בְּיַד הַנְּבִיאִים
גַּם בַּחֲלֹמוֹת ISh.28:15
271/2 גַּם־לִי גַם־לָךְ לֹא יִהְיֶה IK.3:26
333-273 גַּם...גַּם Gen.44:16; 50:9

Ex.4:10; 5:14; 12:31,32; 18:18 • Num.18:3; 23:25 • Deut.32:25 • Jud.8:22 • ISh.12:25; 17:36; 20:27; 25:16; 28:19 • IISh.3:17,19; 5:2; 16:23; IK.3:13,26 • Jer.6:15; 14:18; 23:11 • Zep.1:18; 2:14 • Ps.49:3 • Job 15:10 • Eccl. 9:1

512-334 גַּם Gen.19:35; 29:27,30^2,33; 33:7

38:10; 48:11; 50:18,23 • Ex.4:9; 7:11; 10:24; 33:17; 34:3 • Num. 11:4; 24:12 • Deut. 1:37; 3:3; 9:19,20; 10:10 • Josh. 10:30 • Jud. 3:22; 8:9; 9:49^2; 10:9; 19:19; 20:48 • ISh. 2:15, 26; 8:8; 9:8, 9; 22:17; 25:13; 28:20; 31:6 • IISh. 4:2; 7:19; 8:11; 11:12; 11:17,21; 12:13,14,27; 14:7; 15:24; 17:5,10; 18:26 • IK. 3:18; 7:20 • IIK. 9:27; 17:19,41; 21:11; 23:15, 27 • Is. 7:13; 13:3; 14:10; 23:12; 26:12; 28:29; 43:13; 44:12; 47:3; 49:15,25; 57:6,7 • Jer. 2:16,33, 34, 36, 37; 5:28; 6:11; 7:11; 12:6; 13:23; 23:11; 33:21, 26; 46:16, 21; 48:2, 34; 51:44, 49^2 • Ezek. 18:11; 21:32; 24:5 • Hosh. 4:5; 5:5; 6:11; 9:12; 10:6; 12:12 • Joel 1:12,18,20 • Nah. 3:10 • Zech. 8:6; 9:12 • Mal. 1:10; 3:15^2 • Ps. 19:12; 19:14; 25:3; 52:7; 71:24; 83:9; 84:7; 85:13; 119:24; 129:2; 132:12 • Prov. 18:3, 9; 19:2; 20:10; 24:23; 25:1; 28:9 • Job 1:6; 2:1; 12:3; 16:19; 19:18; 23:2; 30:2 • Ruth 1:5, 12; 2:15 • Lam. 4:21 • Eccl. 2:7, 8, 23, 24; 3:11; 4:8^2, 14, 16; 5:16, 18; 6:5; 7:21, 22; 9:13; 12:5 • Es. 1:9; 7:2; 9:13, 15 • Neh. 4:16; 5:13, 14, 15; 6:17, 19; 13:23, 26 • ICh. 18:11 • IICh. 17:11; 20:4, 13; 22:5; 29:7; 30:12; 36:14

וְגַם 513 וְגַם אַחֲרֵי־כֵן אֲשֶׁר יָבֹאוּ בְּנֵי הָאֱלֹ׳ Gen.6:4
514 וְגַם־לְלוֹט הַהֹלֵךְ אֶת־אַבְרָם Gen.13:5
515 וַיַּכּוּ...וְגַם אֶת־הָאֱמֹרִי Gen.14:7
516 וְגַם אֶת־לוֹט אָחִיו...הֵשִׁיב Gen.14:16
517 וְגַם אֶת־הַנָּשִׁים וְאֶת־הָעָם Gen.14:16
518 וְגַם אֶת־הַגּוֹי...דָּן אָנֹכִי Gen.15:14
519 וְגַם נָתַתִּי מִמֶּנָּה לְךָ בֵּן Gen.17:16
520 וְגַם־אָמְנָה אֲחֹתִי בַת־אָבִי הִוא Gen.20:12
521 וְגַם אֶת־בֶּן־הָאָמָה לְגוֹי אֲשִׂימֶנּוּ Gen.21:13
522 וְגַם־אַתָּה לֹא־הִגַּדְתָּ לִּי Gen.21:26
523 וְגַם אָנֹכִי לֹא שָׁמַעְתִּי Gen.21:26
525-524 וְגַם־גְּמַלֶּיךָ אַשְׁקֶה Gen.24:14,46
526 וְגַם לִגְמַלֶּיךָ אֶשְׁאָב Gen.24:44
527 וְגַם הַגְּמַלִּים הִשְׁקָתָה Gen.24:46
528 דָּנַנִּי אֱלֹהִים וְגַם שָׁמַע בְּקֹלִי Gen.30:6
529 קָמָה אֲלֻמָּתִי וְגַם־נִצָּבָה Gen.37:7
530 וְגַם־הוּא עֲדֵי אֹבֵד Num.24:24
531 וְגַם כִּי שִׁלְּחָם יְהוֹשֻׁעַ Josh.22:7
532 גַּם עִם־יְיָ וְגַם עִם־אֲנָשִׁים ISh.2:26
533 וְגַם נֵצַח יִשְׂרָאֵל לֹא יְשַׁקֵּר ISh.15:29
534 גַּם־חַרְבִּי וְגַם־כֵּלַי לֹא־לָקַחְתִּי ISh.21:9
535 גַּם עָשֹׂה תַעֲשֶׂה וְגַם יָכֹל תּוּכָל ISh.26:25
536 אַל־תָּלֶן...וְגַם עָבוֹר תַּעֲבוֹר IISh.17:16
537 הֲרָצַחְתָּ וְגַם־יָרָשְׁתָּ IK.21:19
539/8 תְּפַתֶּה וְגַם־תּוּכָל IK.22:22 • IICh.18:21
540 אָתָא בֹקֶר וְגַם־לָיְלָה Is.21:12
541 כִּי לְבֹשֶׁת וְגַם־לְחֶרְפָּה Is.30:5
542 בּוֹשׁוּ וְגַם־נִכְלְמוּ כֻּלָּם Is.45:16
543 וְגַם־בְּכָל־זֹאת לֹא־שָׁבָה אֵלַי Jer.3:10
544 בֹּשְׁתִּי וְגַם־נִכְלַמְתִּי Jer.31:19(18)
545 נִמְצֵאת וְגַם־נִתְפַּשְׂתְּ Jer.50:24
546 הוּחַדָּה וְגַם־מְרוּטָה Ezek.21:14
547 נִכְסְפָה וְגַם־כָּלְתָה נַפְשִׁי Ps.84:3
548 הֱכִינָהּ וְגַם־חֲקָרָהּ Job28:27
549 וְגַם־זֶה הָבֶל Eccl.7:6
550 וְגַם־מִזֶּה אַל־תַּנַּח אֶת־יָדֶךָ Eccl.7:18
551 וְגַם אִם־יֹאמַר הֶחָכָם לָדַעַת Eccl.8:17
760-552 וְגַם Gen.32:7; 38:22,24

40:15; 42:22, 28; 44:9; 48:19 • Ex. 2:19; 3:9; 4:14; 5:2; 6:4, 5; 8:17; 10:26; 12:38, 39; 18:23; 19:2, 22; 21:29,35; 33:12; 34:3 • Lev.25:45 • Num.13:27,28; 18:2; 24:25 • Deut. 1:28; 2:6, 15; 7:20; 26:13 • Josh. 2:24; 7:11^5 • Jud. 2:3, 10^2, 17; 19:19^2; 11:17; 17:2 • ISh. 1:28; 4:17^2; 10:26; 13:4; 14:21; 18:5; 23:17; 28:23 • IISh. 1:4^2, 11; 2:2, 6, 7; 11:24; 13:36; 15:19; 19:41, 44; 20:26; 21:20 • IK. 1:6, 46, 47, 48; 2:5; 3:13; 7:31; 8:41; 10:11; 14:24; 15:13; 16:7, 16; 18:35; 21:23 • IIK. 8:1; 13:6; 16:3; 21:16; 22:19; 23:15, 19, 24; 24:4 • Is. 5:2; 7:20; 28:12; 31:2; 40:24; 66:21 • Jer. 5:18; 10:5; 13:26; 26:20; 27:6; 28:14; 36:6, 25; 40:11; 50:24; 52:10 • Ezek. 5:11^2; 8:18; 9:10; 16:28, 29, 41, 43, 52; 20:12, 15, 25; 21:22; 23:35, 37; 24:3,5; 39:16 • Hosh. 3:3; 4:3 • Joel 2:3, 12; 3:2; 4:4, 6, 7 • Mic. 6:13 • Zech. 3:7^2; 9:2; 11:8; 12:2; 13:2; 14:14 • Mal. 2:2, 9 • Ps. 8:8; 71:18; 78:21; 148:12 • Prov. 16:4 • Job 40:14 • Ruth 1:12; 2:8, 16; 3:12; 4:10 • Eccl. 1:11; 3:13; 5:15; 6:3, 7; 9:3, 11^3; 10:3; 11:2 • Es. 5:12 • Dan. 11:8, 22 • Ez. 1:1; 5:8, 10, 16; 6:7, 14; 12:43 • ICh. 10:13; 12:39(38), 41; 20:6; 23:26; 29:9, 24 • IICh. 1:11; 6:32; 9:10; 12:12; 14:14; 15:16; 16:12; 19:8; 21:4, 13, 17; 24:7, 12; 26:20; 28:2, 5, 8; 29:35; 30:1; 34:27; 36:13, 22

הֲגַם 761 הֲגַם הֲלֹם רָאִיתִי אַחֲרֵי רֹאִי Gen.16:13
4-762 הֲגַם שָׁאוּל בַּנְּבִ(י)אִ(י)ם ISh.10:11,12; 19:24
765 הֲגַם עַל־הָאַלְמָנָה...הֲרֵעוֹתָ IK.17:20
766 הֲגַם־לֶחֶם יוּכַל תֵּת Ps.78:20
767 הֲגַם אֶל־מַרְאָיו יֻטָל Job41:1
768 הֲגַם לִכְבּוֹשׁ אֶת־הַמַּלְכָּה Es.7:8
שֶׁגַּם 769 יָדַעְתִּי שֶׁגַּם־זֶה הוּא רַעְיוֹן רוּחַ Eccl.1:17
770 וְדִבַּרְתִּי בְלִבִּי שֶׁגַּם־זֶה הָבֶל Eccl.2:15
771 אָמַרְתִּי שֶׁגַּם־זֶה הָבֶל Eccl.8:14
בְּשַׁגַּם 772 לֹא יָדוֹן רוּחִי בָאָדָם לְעֹלָם
בְּשַׁגַּם הוּא בָשָׂר Gen.6:3

גמא : גֹּמֶא: הִגְמִיא; גֹּמֶא

גָּמָא
פ׳ א) בלע (בהשאלה): 1
ב) [הפ׳ הִגְמִיא] השקה: 2

יְגַמֶּא־ 1 בְּרַעַשׁ וְרֹגֶז יְגַמֶּא־אֶרֶץ Job39:24
הַגְמִיאִינִי 2 הַגְמִיאִינִי נָא מְעַט־מַיִם מִכַּדֵּךְ Gen.24:17

גֹּמֶא
ז׳ צמח הפפירוס: 1-4 • כְּלִי גֹמֶא 2; תֵּבַת גֹּמֶא 1

גֹּמֶא 1 וַתִּקַּח־לוֹ תֵּבַת גֹּמֶא Ex.2:3
2 וּבִכְלֵי־גֹמֶא עַל־פְּנֵי־מַיִם Is.18:2
3 הֲיִגְאֶה־גֹּמֶא בְּלֹא בִצָּה Job8:11
וָגֹמֶא 4 חָצִיר לְקָנֶה וָגֹמֶא Is.35:7

גֹּמֶד
ז׳ מדת אורך, אַמָּה (?)

גֹּמֶד 1 וַיַּעַשׂ לוֹ אֵהוּד חֶרֶב...גֹּמֶד אָרְכָּהּ Jud.3:16

גַּמָּד*
ז׳ ננס(?) שם עם?

וְגַמָּדִים 1 וְגַמָּדִים בְּמִגְדְּלוֹתַיִךְ הָיוּ Ezek.27:11

גְּמוּל
ז׳ שִׁלּוּם, תוצאות מעשה: 1—19
גְּמוּל אֱלֹהִים 9; גְּמוּל יָדָיו 8, 10, 11
הֵשִׁיב גְּמוּל 5,6,10,12,16-18; שִׁלֵּם ג׳ 2-4,7,14,15;
שָׁב גְּמוּלוֹ בְּרֹאשׁוֹ 13; שָׁכַח ג׳ 19

גְּמוּל 1 חֵמָה לְצָרָיו גְּמוּל לְאֹיְבָיו Is.59:18
2 לָאִיִּים גְּמוּל יְשַׁלֵּם Is.59:18
3 קוֹל יְיָ מְשַׁלֵּם גְּמוּל לְאֹיְבָיו Is.66:6
4 גְּמוּל הוּא מְשַׁלֵּם לָהּ Jer.51:6
5 הָשֵׁב גְּמוּל עַל־גֵּאִים Ps.94:2
6 תָּשִׁיב לָהֶם גְּמוּל יְיָ Lam.3:64
הַגְּמוּל 7 הַגְּמוּל אַתֶּם מְשַׁלְּמִים עָלָי Joel4:4
גְּמוּל־ 8 כִּי־גְמוּל יָדָיו יֵעָשֶׂה לּוֹ Is.3:11
9 אֱלֹהֵיכֶם נָקָם יָבוֹא גְּמוּל אֱלֹהִים Is.35:4
וּגְמוּל־ 10 וּגְמוּל יְדֵי־אָדָם יָשִׁיב לוֹ Prov.12:14
כִּגְמוּל־ 11 וְאִם־כִּגְמוּל יָדָיו עֲשִׂיתֶם לוֹ Jud.9:6
12 וְלֹא־כִגְמֻל עָלָיו הֵשִׁיב יְחִזְקִיָּהוּ IICh.32:25
גְּמוּלְךָ 13 גְּמֻלְךָ יָשׁוּב בְּרֹאשֶׁךָ Ob.15
גְּמוּלֵךְ 14 אַשְׁרֵי שֶׁיְשַׁלֶּם־לָךְ אֶת־גְּמוּלֵךְ Ps.137:8
וּגְמוּלוֹ 15 וּגְמֻלוֹ יְשַׁלֶּם־לוֹ Prov.19:17
גְּמוּלְכֶם 16 קַל מְהֵרָה אָשִׁיב גְּמֻלְכֶם בְּרֹאשְׁכֶם Joel4:4
17 וַהֲשִׁבֹתִי גְמֻלְכֶם בְּרֹאשְׁכֶם Joel4:7
גְּמוּלָם 18 הָשֵׁב גְּמוּלָם לָהֶם Ps.28:4
גְּמוּלָיו 19 וְאַל־תִּשְׁכְּחִי כָּל־גְּמוּלָיו Ps.103:2

גָּמוּל
שפ״ז – ראש מחלקת כהנים

לְגָמוּל 1 לְגָמוּל שְׁנַיִם וְעֶשְׂרִים ICh.24:17

גְּמוּלָה
נ׳ גמול, שלום: 1—3 • אֵל גְּמֻלוֹת 3

הַגְּמוּלָה 1 וְלָמָּה יִגְמְלֵנִי הַמֶּלֶךְ הַגְּמוּלָה הַזֹּאת IISh.19:37
גְּמֻלוֹת 2 כְּעַל גְּמֻלוֹת כְּעַל יְשַׁלֵּם Is.59:18
3 כִּי אֵל גְּמֻלוֹת יְיָ שַׁלֵּם יְשַׁלֵּם Jer.51:56

גִּמְזוֹ
עיר בנחלת יהודה

גִּמְזוֹ 1 וְאֶת־גִּמְזוֹ וְאֶת־בְּנֹתֶיהָ IICh.28:18

גמל : גָּמַל, גָּמוּל, נִגְמַל; גְּמוּל, גְּמוּלָה, תַּגְמוּל; גָּמָל(?) ש״פ גָּמוּל, גְּמַלִּי, גַּמְלִיאֵל

גָּמַל פ׳ א) הפסיק יניקת תינוק: 1, 2, 14, 20—22, 25, 31, 32, ב) שלם את המגיע [גם בהשאלה] 3—13, 15—17, 19, ג) הבשיל: 18, 27, 23, 24, 26, 28—30, 33, 34 ד) [נפ׳ נִגְמַל] פסק מלינוק: 35—37

גָּמַל (אֶת־) 1—5, 10—15, 17, 19, 27—32; גָּמַל לְ־ 6, 16, 33; גָּמַל עַל־ 7—9, 23, 24, 26, 34

גָּמַל טוֹבָה 5, 13; גָּמַל נַפְשׁוֹ 19; גָּמַל רָעָה 3, 4, 10, 16, 17

גְּמָלֵךְ 1 שְׁבִי עַד־גָּמְלֵךְ אֹתוֹ ISh.1:23
גָּמְלָה 2 וַתֵּינֶק אֶת־בְּנָהּ עַד־גָּמְלָהּ אֹתוֹ ISh.1:23
גָּמַלְתִּי 3 אִם־גָּמַלְתִּי שׁוֹלְמִי רָע Ps.7:5
גְּמַלְתִּיךָ 4 וַאֲנִי גְּמַלְתִּיךָ הָרָעָה ISh.24:18(17)
גְּמַלְתַּנִי 5 כִּי אַתָּה גְּמַלְתַּנִי הַטּוֹבָה ISh.24:18(17)
שֶׁגָּמַלְתְּ 6 גְּמוּלֵךְ שֶׁגָּמַלְתְּ לָנוּ Ps.137:8
גָּמַל 7 אָשִׁירָה לַיְיָ כִּי גָמַל עָלָי Ps.13:6
8 וְלֹא כַעֲוֹנֹתֵינוּ גָּמַל עָלֵינוּ Ps.103:10
9 כִּי־יְיָ גָּמַל עָלָיְכִי Ps.116:7
גְּמָלְךָ 10 אִם־לֹא גְמָלְךָ רָעָה Prov.3:30
גְּמָלָנוּ 11 כְּעַל כֹּל אֲשֶׁר־גְּמָלָנוּ יְיָ Is.63:7
גְּמָלָם 12 אֲשֶׁר־גְּמָלָם כְּרַחֲמָיו Is.63:7
גְּמָלַתְהוּ 13 גְּמָלַתְהוּ טוֹב וְלֹא־רָע Prov.31:12
גְּמָלַתּוּ 14 וַתַּעֲלֵהוּ עִמָּהּ כַּאֲשֶׁר גְּמָלַתּוּ ISh.1:24
גָּמַלְנוּ 15 כָּל־הָרָעָה אֲשֶׁר גָּמַלְנוּ אֹתוֹ Gen.50:15
גָּמְלוּ 16 אוֹי לְנַפְשָׁם כִּי־גָמְלוּ לָהֶם רָעָה Is.3:9
גְּמָלוּךָ 17 שָׂא נָא...כִּי־רָעָה גְמָלוּךָ Gen.50:17
גֹּמֵל 18 וּבֹסֶר גֹּמֵל יִהְיֶה נִצָּה Is.18:5
19 גֹּמֵל נַפְשׁוֹ אִישׁ חָסֶד Prov.11:17
גָּמוּל 20 גָּמוּל יָדוֹ הָדָה Is.11:8
כְּגָמֻל 21 וְדוֹמַמְתִּי נַפְשִׁי כְּגָמֻל עֲלֵי אִמּוֹ Ps.131:2
כַּגָּמֻל 22 כַּגָּמֻל עָלַי נַפְשִׁי Ps.131:2
גֹּמְלִים 23 וְאִם־גֹּמְלִים אַתֶּם עָלַי Joel 4:4
24 וְהִנֵּה־הֵם גֹּמְלִים עָלֵינוּ IICh.20:11
גְּמוּלֵי־ 25 גְּמוּלֵי מֵחָלָב עַתִּיקֵי מִשָּׁדָיִם Is.28:9
תִּגְמֹל 26 כִּי תִגְמֹל עָלָי Ps.142:8
וַיִּגְמֹל 27 וַיָּצֵץ צִיץ וַיִּגְמֹל שְׁקֵדִים Num.17:23
יִגְמְלֵנִי 28 וְלָמָּה יִגְמְלֵנִי הַמֶּלֶךְ הַגְּמוּלָה הַזֹּאת IISh.19:7
יִגְמְלֵנִי 29 יִגְמְלֵנִי יְיָ כְּצִדְקָתִי IISh.22:21
30 יִגְמְלֵנִי יְיָ כְּצִדְקִי Ps.18:21
וַתִּגְמֹל 31 וַתִּגְמֹל אֶת־לֹא רֻחָמָה Hosh.1:8
וַתִּגְמְלֵהוּ 32 וַתִּגְמְלֵהוּ תַּחְפְּנֵס IK.11:20
תִּגְמְלוּ 33 הַ לַיְיָ תִּגְמְלוּ־זֹאת Deut.32:6
גְּמֹל 34 גְּמֹל עַל־עַבְדְּךָ Ps.119:17
הִגָּמֵל 35 בְּיוֹם הִגָּמֵל אֶת־יִצְחָק Gen.21:8
יִגָּמֵל 36 עַד־יִגָּמֵל הַנַּעַר וַהֲבִאֹתִיו ISh.1:22
וַיִּגָּמַל 37 וַיִּגְדַּל הַיֶּלֶד וַיִּגָּמַל Gen.21:8

גָּמָל ז׳ [נ׳—11] בהמת רכיבה ועבודה בעלת דבשת: 1—54
כַּר הַגָּמָל 4; רֶכֶב גָּמָל 2; גְּמַלִּים מֵינִיקוֹת 11; דַּבֶּשֶׁת גְּמַלִּים 13; נְוֵה גְ׳ 15; צַוְּארֵי גְ׳ 46, 47; שִׁפְעַת גְ׳ 14; גְּמַלֵּי אֲדֹנָיו 9 (40)

גָּמָל 1 מַשָּׂא אַרְבָּעִים גָּמָל IIK.8:9
2 וְרָאָה...רֶכֶב חֲמוֹר רֶכֶב גָּמָל Is.21:7
הַגָּמָל 3 וַתִּפֹּל מֵעַל הַגָּמָל Gen.24:64
4 וַתְּשִׂמֵם בְּכַר הַגָּמָל Gen.31:34
5 הַגָּמָל כִּי־מַעֲלֵה גֵרָה הוּא Lev.11:4
6 אֶת־הַגָּמָל וְאֶת־הָאַרְנֶבֶת Deut.14:7
7 הַסּוּס הַפֶּרֶד הַגָּמָל וְהַחֲמוֹר Zech.14:15
מִגָּמָל 8 מִגָּמָל וְעַד־חֲמוֹר ISh.15:3
גְּמַלִּים 9 עֲשָׂרָה גְמַלִּים מִגְּמַלֵּי אֲדֹנָיו Gen.24:10

גְּמַלִּים (המשך) 10 וְהִנֵּה גְמַלִּים בָּאִים Gen.24:63
11 גְּמַלִּים מֵינִיקוֹת וּבְנֵיהֶם שְׁלֹשִׁים Gen.32:16
12 גְּמַלִּים נֹשְׂאִים בְּשָׂמִים וְזָהָב IK.10:2
13 וְעַל־דַּבֶּשֶׁת גְּמַלִּים אוֹצְרֹתָם Is.30:6
14 שִׁפְעַת גְּמַלִּים תְּכַסֵּךְ Is.60:6
15 וְנָתַתִּי אֶת־רַבָּה לִנְוֵה גְמַלִּים Ezek.25:5
16 וּשְׁלֹשֶׁת אַלְפֵי גְמַלִּים Job 1:3
17 וְשֵׁשֶׁת אֲלָפִים גְּמַלִּים Job 42:12
18 גְּמַלִּים אַרְבַּע מֵאוֹת Neh.7:68
וּגְמַלִּים 19 וּשְׁפָחֹת וַאֲתֹנֹת וּגְמַלִּים Gen.12:16
20 וַעֲבָדִם וּשְׁפָחֹת וּגְמַלִּים Gen.24:35
21 וַעֲבָדִים וּגְמַלִּים וַחֲמֹרִים Gen.30:43
22 וַחֲמֹרִים וּגְמַלִּים וּבְגָדִים ISh.27:9
23 וּגְמַלִּים נֹשְׂאִים בְּשָׂמִים וְזָהָב IICh.9:1
24 וַיִּשְׁבּוּ צֹאן לָרֹב וּגְמַלִּים IICh.14:14
הַגְּמַלִּים 25 וַיַּבְרֵךְ הַגְּמַלִּים מִחוּץ לָעִיר Gen.24:11
26 כַּאֲשֶׁר כִּלּוּ הַגְּמַלִּים לִשְׁתּוֹת Gen.24:22
27 וְהִנֵּה עֹמֵד עַל־הַגְּמַלִּים Gen.24:30
28 וַיָּבֹא...וַיְפַתַּח הַגְּמַלִּים Gen.24:32
29 וְגַם הַגְּמַלִּים הִשְׁקָתָה Gen.24:46
30 וַתִּרְכַּבְנָה עַל־הַגְּמַלִּים Gen.24:61
31 וַיִּשָּׂא אֶת־בָּנָיו...עַל־הַגְּמַלִּים Gen.31:17
32 אֲשֶׁר־רָכְבוּ עַל־הַגְּמַלִּים ISh.30:17
33 וַיִּפְשְׁטוּ עַל־הַגְּמַלִּים וַיִּקָּחוּם Job 1:71
34 וְעַל־הַגְּמַלִּים אוֹבִיל הַיִּשְׁמְעֵלִי ICh.27:30
וְהַגְּמַלִּים 35 וַיַּחַץ...וְאֶת־הַבָּקָר וְהַגְּמַלִּים Gen.32:7
בַּגְּמַלִּים 36 בַּסּוּסִים בַּחֲמֹרִים בַּגְּמַלִּים... Gen.9:3
וּבַגְּמַלִּים 37 בַּחֲמוֹרִים וּבַגְּמַלִּים וּבַפְּרָדִים ICh.12:41(40)
לַגְּמַלִּים 38 פִּנִּיתִי הַבַּיִת וּמָקוֹם לַגְּמַלִּים Gen.24:31
39 וַיִּתֵּן תֶּבֶן וּמִסְפּוֹא לַגְּמַלִּים Gen.24:32
מִגְּמַלֵּי־ 40 עֲשָׂרָה גְמַלִּים מִגְּמַלֵּי אֲדֹנָיו Gen.24:10
גְּמַלֶּיךָ 41/2 וְגַם־גְּמַלֶּיךָ אַשְׁקֶה Gen.24:14,46
לִגְמַלֶּיךָ 43 וַתֹּאמֶר גַּם לִגְמַלֶּיךָ אֶשְׁאָב Gen.24:19
44 וְגַם לִגְמַלֶּיךָ אֶשְׁאָב Gen.24:44
גְּמַלָּיו 45 וַתִּשְׁאַב לְכָל־גְּמַלָּיו Gen.24:20
גְּמַלֵּיהֶם 46 הַשַּׂהֲרֹנִים אֲשֶׁר בְּצַוְּארֵי גְמַלֵּיהֶם Jud.8:21
47 הָעֲנָקוֹת אֲשֶׁר בְּצַוְּארֵי גְמַלֵּיהֶם Jud.8:26
48 וְהָיוּ גְמַלֵּיהֶם לָבַז Jer.49:32
49 גְּמַלֵּיהֶם אַרְבַּע מֵאוֹת Ez.2:67
50 וַיִּשְׁבּוּ מִקְנֵיהֶם גְּמַלֵּיהֶם ICh.5:21
וּגְמַלֵּיהֶם 51 וּגְמַלֵּיהֶם נֹשְׂאִים נְכֹאת וּצְרִי Gen.37:25
52 וּגְמַלֵּיהֶם יִשְׂאוּ לָהֶם Jer.49:29
וְלִגְמַלֵּיהֶם 53/4 וְלִגְמַלֵּיהֶם אֵין מִסְפָּר Jud.6:5; 7:12

גְּמַלִּי שפ״ז – אבי אחד המרגלים
גְּמַלִּי 1 לְמַטֵּה דָן עַמִּיאֵל בֶּן־גְּמַלִּי Num.13:12

גַּמְלִיאֵל שפ״ז – נשיא לבני מנשה: 1—5
גַּמְלִיאֵל 1—5 גַּמְלִיאֵל בֶּן־פְּדָהצוּר Num.1:10; 2:20; 7:54,59; 10:23

גמר : גָּמַר; אר׳ גְּמַר; ש״פ גֹּמֶר, גְּמַרְיָה, גְּמַרְיָהוּ

גָּמַר פ׳ א) תם, כלה: 1, 4 ב) גמל: 3, 5
גָּמַר אֹמֶר 2; גָּ׳ חָסִיד 1; גָּ׳ רַע 4; גָּמַר עַל־ 3; גָּמַר בְּעַד־ 5

גָּמַר 1 כִּי־גָמַר חָסִיד כִּי־פַסּוּ אֱמוּנִים Ps.12:2
2 גָּמַר אֹמֶר לְדֹר וָדֹר Ps.77:9
גֹּמֵר 3 אֶקְרָא...לָאֵל גֹּמֵר עָלָי Ps.57:3
יִגְמָר־ 4 יִגְמָר־נָא רַע רְשָׁעִים Ps.7:10
יִגְמֹר 5 יְיָ יִגְמֹר בַּעֲדִי Ps.138:8

גְּמַר פ׳ ארמית: גְּמַר
גְּמִיר 1 לְעֶזְרָא כָהֲנָא...גְּמִיר וּכְעֶנֶת Ez.7:12

גֹּמֶר א) שפ״ז – בנו בכורו של יפת: 1—5 ב) שפ״נ – בת דבלים, אשת הושע הנביא: 6
גֹּמֶר 1—2 בְּנֵי יֶפֶת גֹּמֶר וּמָגוֹג Gen.10:2 • ICh.1:5
3 וּבְנֵי גֹּמֶר אַשְׁכְּנַז וְרִיפַת Gen.10:3
4 גֹּמֶר וְכָל־אֲגַפֶּיהָ Ezek.38:6
5 וּבְנֵי גֹּמֶר אַשְׁכְּנַז וְדִיפַת ICh.1:6
6 וַיֵּלֶךְ וַיִּקַּח אֶת־גֹּמֶר בַּת דִּבְלָיִם Hosh.1:3

גְּמַרְיָה שפ״ז – שליחו של צדקיהו אל נבוכדנאצר
וּגְמַרְיָה 1 בְּיַד אֶלְעָשָׂה...וּגְמַרְיָה בֶּן חִלְקִיָּה Jer.29:3

גְּמַרְיָהוּ שפ״ז – פקיד גבוה בימי יהויקים
גְּמַרְיָהוּ 1 בְּלִשְׁכַּת גְּמַרְיָהוּ בֶן־שָׁפָן הַסֹּפֵר Jer.36:10
2 וַיִּשְׁמַע מִכָיְהוּ בֶן־גְּמַרְיָהוּ Jer.36:11
וּגְמַרְיָהוּ 3 וּגְמַרְיָהוּ בֶן־שָׁפָן וְצִדְקִיָּהוּ Jer.36:12
4 וּדְלָיָהוּ וּגְמַרְיָהוּ הִפְגִּעוּ בַמֶּלֶךְ Jer.36:25

גַּן ז׳ [נ׳—17?] מקום מטעים (אילנות שיחים, ירקות וכדומה): 1—41
קרובים: גִּנָּה / גַּנָּה / כֶּרֶם / פַּרְדֵּס

גַּן־אֱלֹהִים 16, 21—23; גַּן־בֵּיתוֹ 18; גַּן־יְיָ 24, 26; גַּן־יָרָק 25, 32; גַּן־הַמֶּלֶךְ 13—15, 33; גַּן נָעוּל 2; גַּן־עֵדֶן 17, 29—31, 34; גַּן־עֻזָּא 19, 20; גַּן רָוֶה 27, 28; עֵץ־הַגָּן 5—7, 9; מַעְיַן גַּנִּים 39

גַּן 1 וַיִּטַּע יְיָ אֱלֹהִים גַּן בְּעֵדֶן Gen.2:8
2 גַּן נָעוּל אֲחֹתִי כַלָּה S.ofS.4:12
הַגָּן 3 וְעֵץ הַחַיִּים בְּתוֹךְ הַגָּן Gen.2:9
4 וְנָהָר...לְהַשְׁקוֹת אֶת־הַגָּן Gen.2:10
5 מִכֹּל עֵץ־הַגָּן אָכֹל תֹּאכֵל Gen.2:16
6 לֹא תֹאכְלוּ מִכֹּל עֵץ הַגָּן Gen.3:1
7 מִפְּרִי עֵץ־הַגָּן נֹאכֵל Gen.3:2
8 וּמִפְּרִי הָעֵץ אֲשֶׁר בְּתוֹךְ־הַגָּן Gen.3:3
9 וַיִּתְחַבֵּא...בְּתוֹךְ עֵץ הַגָּן Gen.3:8
בַּגָּן 10 מִתְהַלֵּךְ בַּגָּן לְרוּחַ הַיּוֹם Gen.3:8
11 אֶת־קֹלְךָ שָׁמַעְתִּי בַּגָּן Gen.3:10
כַּגַּן 12 וַיַּחְמֹס כַּגַּן שֻׂכּוֹ שִׁחֵת מֹעֲדוֹ Lam.2:6
גַּן־ 13/4 אֲשֶׁר עַל־גַּן הַמֶּלֶךְ IIK.25:4 • Jer.52:7
15 וַיֵּצְאוּ...דֶּרֶךְ גַּן הַמֶּלֶךְ Jer.39:4
16 בְּעֵדֶן גַּן־אֱלֹהִים הָיִיתָ Ezek.28:13
בְּגַן־ 17 וַיַּנִּחֵהוּ בְגַן־עֵדֶן לְעָבְדָהּ Gen.2:15
18/9 וַיִּקָּבֵר בְּגַן־בֵּיתוֹ בְּגַן־עֻזָּא IK.21:18
20 וַיִּקָּבֵר אֹתוֹ בִּקְבֻרָתוֹ בְּגַן־עֻזָּא IIK.21:26
21 אֲרָזִים לֹא־עֲמָמֻהוּ בְּגַן אֱלֹהִים Ezek.31:8
22 כָּל־עֵץ בְּגַן־אֱלֹהִים Ezek.31:8
23 כָּל־עֲצֵי־עֵדֶן אֲשֶׁר בְּגַן הָאֱלֹהִים Ezek.31:9
כְּגַן־ 24 כְּגַן־יְיָ כְּאֶרֶץ מִצְרַיִם Gen.13:10
25 וְהִשְׁקִיתָ בְרַגְלְךָ כְּגַן הַיָּרָק Deut.11:10
26 מִדְבָּרָהּ כְּעֵדֶן וְעַרְבָתָהּ כְּגַן־יְיָ Is.51:3
27 וְהָיִיתָ כְּגַן רָוֶה וּכְמוֹצָא מַיִם Is.58:11
28 וְהָיְתָה נַפְשָׁם כְּגַן רָוֶה Jer.31:11
29 הַנְּשַׁמָּה הָיְתָה כְּגַן־עֵדֶן Ezek.36:35
30 כְּגַן־עֵדֶן הָאָרֶץ לְפָנָיו Joel 2:3
לְגַן־ 31 וַיַּשְׁכֵּן מִקֶּדֶם לְגַן־עֵדֶן Gen.3:24
32 תְּנָה־לִּי אֶת־כַּרְמְךָ וִיהִי־לִי לְגַן־יָרָק IK.21:2
33 חוֹמַת בְּרֵכַת הַשֶּׁלַח לְגַן־הַמֶּלֶךְ Neh.3:15
מִגַּן־ 34 וַיְשַׁלְּחֵהוּ יְיָ אֱלֹהִים מִגַּן־עֵדֶן Gen.3:23
גַּנִּי 35 הָפִיחִי גַנִּי יִזְּלוּ בְשָׂמָיו S.ofS.4:16
לְגַנִּי 36 בָּאתִי לְגַנִּי אֲחֹתִי כַלָּה S.ofS.5:1
לְגַנּוֹ 37 יָבֹא דוֹדִי לְגַנּוֹ וְיֹאכַל פְּרִי מְגָדָיו S.ofS.4:16
38 דּוֹדִי יָרַד לְגַנּוֹ לַעֲרוּגוֹת הַבֹּשֶׂם S.ofS.6:2
גַּנִּים 39 מַעְיַן גַּנִּים בְּאֵר מַיִם חַיִּים S.ofS.4:15
בַּגַּנִּים 40 לִרְעוֹת בַּגַּנִּים וְלִלְקֹט שׁוֹשַׁנִּים S.ofS.6:2
41 הַיּוֹשֶׁבֶת בַּגַּנִּים S.ofS.8:13

גנב : גָּנַב, גְּנֻבְתִי, נִגְנַב, גֻּנַּב, גִּנֵּב, הִתְגַּנֵּב;
גַּנָּב, גְּנֵבָה; ש״פ גְּנֻבַת

גָּנַב פ׳ א) לקח רכוש אחר בלא רשותו ובהסתר: 1-8,5-31
ב) [בהשאלה] סחב, הרחיק: 6, 7
ג) [נפ׳ נִגְנַב] נלקח בהסתר: 32
ד) [פִּ׳ גִּנֵּב] גנב פעמים רבות: 33, 34
ה) [פֻּ׳ גֻּנַּב] נגנב: 35—38
ו) [הת׳ הִתְגַּנֵּב] הלך בסתר כגנב: 39, 40
גָּנַב לֵב 21,25; גְּנֻבְתִי יוֹם 16; גְּנֻבְתִי לַיְלָה 16;
גִּנֵּב לֵב 33; גֻּנַּב דְּבָרִים 34; גֻּנַּב דָּבָר אֵלָיו 38

גֻּנַּב 1 וְאִם־גָּנֹב יִגָּנֵב מֵעִמּוֹ Ex. 22:11
וְגָנֹב 2 אָלֹה וְכַחֵשׁ וְרָצֹחַ וְגָנֹב וְנָאֹף Hosh. 4:2
הֲגָנֹב 3 הֲגָנֹב רָצֹחַ וְנָאֹף וְהִשָּׁבֵעַ לַשֶּׁקֶר Jer. 7:9
וְגָנַבְתִּי 4 וּפֶן־אִוָּרֵשׁ וְגָנַבְתִּי Prov. 30:9
גָּנַבְתָּ 5 לָמָּה גָנַבְתָּ אֶת־אֱלֹהָי Gen. 31:30
גְּנָבַתּוּ 6 וּכְמֹץ גְּנָבַתּוּ סוּפָה Job 21:18
7 לַיְלָה גְּנָבַתּוּ סוּפָה Job 27:20
גְּנָבָתַם 8 וְלֹא־יָדַע יַעֲקֹב כִּי רָחֵל גְּנָבָתַם Gen. 31:32
גָּנְבוּ 9 וְגַם גָּנְבוּ...וְגַם שָׂמוּ בִכְלֵיהֶם Josh. 7:11
10 אֲשֶׁר גָּנְבוּ אֹתָם מֵרְחֹב בֵּית־שַׁן IISh. 21:12
גְּנָבוּךָ 11 מַדּוּעַ גְּנָבוּךָ אַחֵינוּ IISh. 19:42
גּוֹנֵב 12 כִּי־יִמָּצֵא אִישׁ גֹּנֵב נֶפֶשׁ מֵאֶחָיו Deut. 24:7
וְגֹנֵב 13 וְגֹנֵב אִישׁ וּמְכָרוֹ... מוֹת יוּמָת Ex. 21:16
הַגֹּנֵב 14 כָּל־הַגֹּנֵב מִזֶּה כָּמוֹהָ נִקָּה Zech. 5:3
גָּנוּב 15 גָּנוּב הוּא אִתִּי Gen. 30:33
גְּנֻבְתִי 16 גְּנֻבְתִי יוֹם וּגְנֻבְתִי לָיְלָה Gen. 31:39
וּגְנֻבְתִי 17 גְּנֻבְתִי יוֹם וּגְנֻבְתִי לָיְלָה Gen. 31:39
גְּנוּבִים 18 מַיִם־גְּנוּבִים יִמְתָּקוּ Prov. 9:17
תִּגְנֹב 19 לֹא תִגְנֹב Ex. 20:15(13)
20 וְלֹא תִגְנֹב Deut. 5:19(17)
וַתִּגְנֹב 21 מֶה עָשִׂיתָ וַתִּגְנֹב אֶת־לְבָבִי Gen. 31:26
22 לָמָּה נַחְבֵּאתָ לִבְרֹחַ וַתִּגְנֹב אֹתִי Gen. 31:27
יִגְנֹב 23 כִּי יִגְנֹב־אִישׁ שׁוֹר אוֹ־שֶׂה Ex. 21:37
24 לֹא־יָבוּזוּ לַגַּנָּב כִּי יִגְנוֹב Prov. 6:30
וַיִּגְנֹב 25 וַיִּגְנֹב יַעֲקֹב אֶת־לֵב לָבָן Gen. 31:20
וַתִּגְנֹב 26 וַתִּגְנֹב רָחֵל אֶת־הַתְּרָפִים Gen. 31:19
27/8 וַתִּגְנֹב אֹתוֹ מִתּוֹךְ... IIK. 11:2 • IICh. 22:11
נִגְנַב 29 וְאֵיךְ נִגְנֹב מִבֵּית אֲדֹנֶיךָ Gen. 44:8
תִּגְנֹבוּ 30 לֹא תִּגְנֹבוּ וְלֹא־תְכַחֲשׁוּ Lev. 19:11
יִגְנְבוּ 31 אִם־גַּנָּבִים...הֲלוֹא יִגְנְבוּ דַּיָּם Ob. 5
יִגָּנֵב 32 וְאִם־גָּנֹב יִגָּנֵב מֵעִמּוֹ Ex. 22:11
וַיְגַנֵּב 33 וַיְגַנֵּב...אֶת־לֵב אַנְשֵׁי יִשְׂרָאֵל IISh. 15:6
מְגַנְּבֵי 34 מְגַנְּבֵי דְבָרַי אִישׁ מֵאֵת רֵעֵהוּ Jer. 23:30
גֻּנֹּב 35 כִּי־גֻנֹּב גֻּנַּבְתִּי מֵאֶרֶץ הָעִבְרִים Gen. 40:15
גֻּנַּבְתִּי 36 כִּי־גֻנֹּב גֻּנַּבְתִּי מֵאֶרֶץ הָעִבְרִים Gen. 40:15
וְגֻנַּב 37 וְגֻנַּב מִבֵּית הָאִישׁ Ex. 22:6
יְגֻנָּב 38 וְאֵלַי דָּבָר יְגֻנָּב... שֵׁמֶץ מֶנְהוּ Job 4:12
יִתְגַּנֵּב 39 כַּאֲשֶׁר יִתְגַּנֵּב הָעָם הַנִּכְלָמִים IISh. 19:4
וַיִּתְגַּנֵּב 40 וַיִּתְגַּנֵּב הָעָם בַּיּוֹם הַהוּא IISh. 19:4

גַּנָּב ז׳ מי שגונב: 1—17
בֵּית גַּנָּב 9; כְּבֹשֶׁת גַּנָּב 1; חַבְרֵי גַנָּבִים 14

גַּנָּב 1 כְּבֹשֶׁת גַּנָּב כִּי יִמָּצֵא Jer. 2:26
2 אִם־רָאִיתָ גַנָּב וַתִּרֶץ עִמּוֹ Ps. 50:18
3 חוֹלֵק עִם־גַּנָּב שׂוֹנֵא נַפְשׁוֹ Prov. 29:24
וְגַנָּב 4 וְגַנָּב יָבוֹא פָּשַׁט גְּדוּד בַּחוּץ Hosh. 7:1
הַגַּנָּב 5 אִם־בַּמַּחְתֶּרֶת יִמָּצֵא הַגַּנָּב Ex. 22:1
6 אִם־יִמָּצֵא הַגַּנָּב יְשַׁלֵּם שְׁנָיִם Ex. 22:6
7 אִם־לֹא יִמָּצֵא הַגַּנָּב Ex. 22:7
8 וּמֵת הַגַּנָּב הַהוּא Deut. 24:7
9 וּבָאָה אֶל־בֵּית הַגַּנָּב Zech. 5:4
כַּגַּנָּב 10 בְּעַד הַחַלּוֹנִים יָבֹאוּ כַּגַּנָּב Joel 2:9
11 וּבַלַּיְלָה יְהִי כַגַּנָּב Job 24:14
12 יָרִיעוּ עָלֵימוֹ כַּגַּנָּב Job 30:5
לַגַּנָּב 13 לֹא־יָבוּזוּ לַגַּנָּב כִּי יִגְנוֹב Prov. 6:30
גַּנָּבִים 14 שָׂרַיִךְ סוֹרְרִים וְחַבְרֵי גַּנָּבִים Is. 1:23
15 אִם־גַּנָּבִים בַּלַּיְלָה הִשְׁחִיתוּ דַיָּם Jer. 49:9
16 אִם־גַּנָּבִים בָּאוּ־לְךָ Ob. 5
בְּגַנָּבִים 17 אִם־בְּגַנָּבִים נִמְצָא Jer. 48:27

גְּנֵבָה נ׳ א) דבר שנגנב 1; ב) מעשה הגנב: 2
הַגְּנֵבָה 1 אִם־הִמָּצֵא תִמָּצֵא בְיָדוֹ הַגְּנֵבָה Ex. 22:3
בִּגְנֵבָתוֹ 2 אִם־אֵין לוֹ וְנִמְכַּר בִּגְנֵבָתוֹ Ex. 22:2

גְּנֻבַת שפ״ז — בנו של הֲדַד האדומי: 1, 2
גְּנֻבַת 1 וַתֵּלֶד לוֹ... אֵת גְּנֻבַת בְּנוֹ IK. 11:20
2 וַיְהִי גְנֻבַת בֵּית פַּרְעֹה IK. 11:20

גַּנָּה נ׳ גַּן, פרדס: 1—12 • קרובים: ראה גַּן
וּכְגַנָּה 1 וּכְגַנָּה אֲשֶׁר־מַיִם אֵין לָהּ Is. 1:30
2 וּכְגַנָּה זֵרוּעֶיהָ תַצְמִיחַ Is. 61:11
גַּנָּתוֹ 3 וְעַל־גַּנָּתוֹ יֹנַקְתּוֹ תֵצֵא Job 8:16
גַּנּוֹת 4 וְנִטְעוּ גַנּוֹת וְאִכְלוּ אֶת־פִּרְיָן Jer. 29:5
5 וְנִטְעוּ גַנּוֹת וְאִכְלוּ אֶת־פְּרִיהֶן Jer. 29:28
6 וְעָשׂוּ גַנּוֹת וְאָכְלוּ אֶת־פְּרִיהֶם Am. 9:14
7 עָשִׂיתִי לִי גַּנּוֹת וּפַרְדֵּסִים Eccl. 2:5
מֵהַגַּנּוֹת 8 וְתַחְפְּרוּ מֵהַגַּנּוֹת אֲשֶׁר בְּחַרְתֶּם Is. 1:29
הַגַּנּוֹת 9 וְהַמִּטַּהֲרִים אֶל־הַגַּנּוֹת Is. 66:17
בַּגַּנּוֹת 10 זֹבְחִים בַּגַּנּוֹת וּמְקַטְּרִים עַל־הַלְּבֵנִים Is. 65:3
כְּגַנֹּת 11 כִּנְחָלִים נִטָּיוּ כְּגַנֹּת עֲלֵי נָהָר Num. 24:6
גַּנּוֹתֵיכֶם 12 הַרְבּוֹת גַּנּוֹתֵיכֶם וְכַרְמֵיכֶם Am. 4:9

גִּנָּה* נ׳ גַּן, פרדס: 1—4 • גִּנַּת אֱגוֹז 1; גִּ׳ בִּיתָן 2—4
גִּנַּת־ 1 אֶל־גִּנַּת אֱגוֹז יָרַדְתִּי S. of S. 6:11
2 בַּחֲצַר גִּנַּת בִּיתַן הַמֶּלֶךְ Es. 1:5
3 וְהַמֶּלֶךְ קָם...אֶל־גִּנַּת הַבִּיתָן Es. 7:7
מִגִּנַּת־ 4 וְהַמֶּלֶךְ שָׁב מִגִּנַּת הַבִּיתָן Es. 7:8

גִּנְזַיָּא ז״ר ארמית: הגנזים: 1—3
גִּנְזַיָּא 1 יִתְבַּקַּר בְּבֵית גִּנְזַיָּא דִּי־מַלְכָּא Ez. 5:17
2 וּבַקַּרוּ בְּבֵית סִפְרַיָּא דִּי גִנְזַיָּא Ez. 6:1
גִּנְזֵי־ 3 תִּנְתֵּן מִן־בֵּית גִּנְזֵי מַלְכָּא Ez. 7:20

גְּנָזִים* ז״ר אוצרות: 1—3
גִּנְזֵי הַמֶּלֶךְ 1, 2; גִּ׳ בְּרֹמִים 3
גִּנְזֵי־ 1 לְהָבִיא אֶל־גִּנְזֵי הַמֶּלֶךְ Es. 3:9
2 לִשְׁקוֹל עַל־גִּנְזֵי הַמֶּלֶךְ Es. 4:7
וּבְגִנְזֵי־ 3 בִּגְלוֹמֵי תְּכֵלֶת...וּבְגִנְזֵי בְּרֹמִים Ezek. 27:24

גַּנְזַךְ* ז׳ בית האוצר
וְגַנְזַכָּיו 1 וְגַנְזַכָּיו וַעֲלִיֹּתָיו וַחֲדָרָיו ICh. 28:11

גנן : גָּנַן, הֵגֵן; מָגֵן; גַּן, גַּנָּה, גִּנָּה

גָּנַן פ׳ א) היה למחסה ולמגן: 1—5
ב) [הפ׳ הֵגֵן] גונן, היה למגן: 6—8
גָּנַן אֶל־ 2; גָּנַן עַל־ 3-5; הֵגֵן עַל־ 6-7; הֵגֵן בְּעַד 8
גָּנוֹן 1 יָגֵן...גָּנוֹן וְהִצִּיל פָּסֹחַ וְהִמְלִיט Is. 31:5
וְגַנּוֹתִי 2 וְגַנּוֹתִי אֶל־הָעִיר הַזֹּאת לְהוֹשִׁיעָהּ IIK. 19:34
3 וְגַנּוֹתִי עַל־הָעִיר הַזֹּאת לְמַעֲנִי IIK. 20:6
4/5 וְגַנּוֹתִי עַל־הָעִיר הַזֹּאת Is. 37:35; 38:6
יָגֵן 6 כֵּן יָגֵן יְיָ צְבָאוֹת עַל־יְרוּשָׁלָ͏ִם Is. 31:5
7 יְיָ צְבָאוֹת יָגֵן עֲלֵיהֶם Zech. 9:15
8 יָגֵן יְיָ בְּעַד יוֹשֵׁב יְרוּשָׁלַ͏ִם Zech. 12:8

גִּנְּתוֹי שפ״ז — אבי בית אב של כהנים שעלה עם זרובבל
גִּנְּתוֹי 1 עִדּוֹא גִּנְּתוֹי אֲבִיָּה Neh. 12:4

גִּנְּתוֹן שפ״ז — הוא גִּנְּתוֹי: 1, 2
גִּנְּתוֹן 1 דָּנִיֵּאל גִּנְּתוֹן בָּרוּךְ Neh. 10:7
לְגִנְּתוֹן 2 לְעִדּוֹא זְכַרְיָה לְגִנְּתוֹן מְשֻׁלָּם Neh. 12:16

גָּעָה פ׳ השמיע קול (הבקר): 1, 2
וְגָעוֹ 1 וַיִּשַּׁרְנָה הַפָּרוֹת...הָלְכוּ הָלֹךְ וְגָעוֹ ISh. 6:12
יִגְעֶה 2 אִם יִגְעֶה־שּׁוֹר עַל־בְּלִילוֹ Job 6:5

גֹּעָה* מקום בקרבת ירושלים
גֹּעָתָה 1 וְיָצָא...וְנָסַב גֹּעָתָה Jer. 31:39(38)

געל : גָּעַל, נִגְעַל, הִגְעִיל; גֹּעַל; ש״פ גַּעַל

גָּעַל פ׳ א) מָאַס, תִּעֵב: 1—8
ב) [נפ׳ נִגְעַל] נטמא: 9
ג) [הפ׳ הִגְעִיל] השחית: 10
גָּעַל אֶת־ 1, 2, 4-8; גָּ׳ בְּ־ 3; גָּעֲלָה נַפְשׁוֹ 2-8,7,4
גְּעַלְתִּים 1 לֹא־מְאַסְתִּים וְלֹא־גְעַלְתִּים Lev. 26:44
גָּעֲלָה 2 וְאֶת־חֻקֹּתַי גָּעֲלָה נַפְשָׁם Lev. 26:43
3 אִם־בְּצִיּוֹן גָּעֲלָה נַפְשֶׁךָ Jer. 14:19
וְגָעֲלָה 4 וְגָעֲלָה נַפְשִׁי אֶתְכֶם Lev. 26:30
גֹּעֲלוּ 5 אֲשֶׁר גָּעֲלוּ אַנְשֵׁיהֶן וּבְנֵיהֶן Ezek. 16:45
גּוֹעֶלֶת 6 גֹּעֶלֶת אִישָׁהּ וּבָנֶיהָ Ezek. 16:45
תִּגְעַל 7 וְלֹא־תִגְעַל נַפְשִׁי אֶתְכֶם Lev. 26:11
8 וְאִם אֶת־מִשְׁפָּטַי תִּגְעַל נַפְשְׁכֶם Lev. 26:15
נִגְעַל 9 כִּי שָׁם נִגְעַל מָגֵן גִּבּוֹרִים IISh. 1:21
יַגְעִיל 10 שׁוֹרוֹ עִבַּר וְלֹא יַגְעִל Job 21:10

גֹּעַל ז׳ תִּעוּב, בחילה גֹּעַל נֶפֶשׁ 1
בְּגֹעַל־ 1 וַתֻּשְׁלְכִי...בְּגֹעַל נַפְשֵׁךְ Ezek. 16:5

גַּעַל שפ״ז — ראש משפחה שעזרה לבעלי שְׁכֶם
במלחמתם באבימלך: 1—9
גַּעַל 1 וַיָּבֹא גַּעַל בֶּן־עֶבֶד וְאֶחָיו Jud. 9:26
2-4 גַּעַל בֶּן־עֶבֶד Jud. 9:28,30,35
5-9 גָּעַל Jud. 9:31,36,37,39,41

גער : גָּעַר; גְּעָרָה, מִגְעֶרֶת

גָּעַר פ׳ הוכיח, נזף: 1—14
גָּעַר (אֶת־) 4, 5, 8, 14; גָּ׳ בְּ־ 1—3, 6, 7, 9—13
וּמִגְּעָר־ 1 מִקְּצֹף עָלַיִךְ וּמִגְּעָר־בָּךְ Is. 54:9
וְגָעַרְתִּי 2 וְגָעַרְתִּי לָכֶם בָּאֹכֵל וְלֹא־יַשְׁחִת Mal. 3:11
גָעַרְתָּ 3 לָמָּה לֹא גָעַרְתָּ בְּיִרְמְיָהוּ Jer. 29:27
4 גָּעַרְתָּ גוֹיִם אִבַּדְתָּ רָשָׁע Ps. 9:6
5 גָּעַרְתָּ זֵדִים אֲרוּרִים Ps. 119:21
וְגָעַר 6 וְגָעַר בּוֹ וְנָס מִמֶּרְחָק Is. 17:13
גּוֹעֵר 7 גּוֹעֵר בַּיָּם וַיַּבְּשֵׁהוּ Nah. 1:4
8 הִנְנִי גֹעֵר לָכֶם אֶת־הַזֶּרַע Mal. 2:3
יִגְעַר 9 יִגְעַר יְיָ בְּךָ הַשָּׂטָן Zech. 3:2
וְיִגְעַר 10 וְיִגְעַר יְיָ בְּךָ הַבֹּחֵר בִּירוּשָׁלָ͏ִם Zech. 3:2
וַיִּגְעַר 11 וַיִּגְעַר־בּוֹ אָבִיו וַיֹּאמֶר לוֹ Gen. 37:10
12 וַיִּגְעַר בְּיַם־סוּף וַיֶּחֱרָב Ps. 106:9
תִגְעֲרוּ 13 וְלֹא תִגְעֲרוּ־בָהּ Ruth 2:16
גְּעַר 14 גְּעַר חַיַּת קָנֶה עֲדַת אַבִּירִים Ps. 68:31

גְּעָרָה נ׳ א) תּוֹכֵחָה, נזיפה: 1—3, 6, 7
ב) תרועת קרב: 4, 5, 8—15
גַּעֲרַת אֱלֹהִים 6, 8; גְּ׳ חָכָם 7; גְּ׳ פָּנָיו 9
גְּעָרָה 1 וְלֵץ לֹא־שָׁמַע גְּעָרָה Prov. 13:1
2 וְרָשׁ לֹא־שָׁמַע גְּעָרָה Prov. 13:8
3 תֵּחַת גְּעָרָה בְמֵבִין Prov. 17:10

גַּעֲרַת־ 4 אֶלֶף אֶחָד מִפְּנֵי גַּעֲרַת אֶחָד Is.30:17
5 מִפְּנֵי גַּעֲרַת חֲמִשָּׁה תָּנֻסוּ Is.30:17
6 הַמְלֵאִים חֲמַת־יְיָ גַּעֲרַת אֱלֹהָיִךְ Is.51:20
7 טוֹב לִשְׁמוֹעַ גַּעֲרַת חָכָם Eccl.7:5
בְּגַעֲרַת־ 8 בְּגַעֲרַת יְיָ מִנִּשְׁמַת רוּחַ אַפּוֹ IISh.22:16
מִגַּעֲרַת־ 9 מִגַּעֲרַת פָּנֶיךָ יֹאבֵדוּ Ps.80:17
בְּגַעֲרָתִי 10 הֵן בְּגַעֲרָתִי אַחֲרִיב יָם Is.50:2
גַּעֲרָתְךָ 11 מִן־גַּעֲרָתְךָ יְנוּסוּן Ps.104:7
מִגַּעֲרָתְךָ 12 מִגַּעֲרָתְךָ יְיָ מִנִּשְׁמַת רוּחַ אַפֶּךָ Ps.18:16
13 מִגַּעֲרָתְךָ...נִרְדָּם וְרֶכֶב וָסוּס Ps.76:7
וְגַעֲרָתוֹ 14 וְגַעֲרָתוֹ בְּלַהֲבֵי־אֵשׁ Is.66:15
מִגַּעֲרָתוֹ 15 עַמּוּדֵי שָׁמַיִם...וְיִתְמְהוּ מִגַּעֲרָתוֹ Job26:11

געש : גָּעַשׁ, גֹּעַשׁ, הִתְגָּעֵשׁ, הִתְגֹּעֵשׁ; ש״פ גַּעַשׁ

גָּעַשׁ פ׳ א) רעש, רעד: 1
ב) פ׳ [גֹּעַשׁ] הורעש: 2
ג) [הת׳ הִתְגָּעֵשׁ, הִתְגֹּעֵשׁ] רעש הרבה: 3—9

וַתִּגְעַשׁ 1 וַתִּגְעַשׁ וַתִּרְעַשׁ הָאָרֶץ Ps.18:8
יְגֹעֲשׁוּ 2 יְגֹעֲשׁוּ עָם וְיַעֲבֹרוּ Job34:20
וַיִּתְגָּעַשׁ 3 וַיִּתְגָּעַשׁ (כת׳ ותגעש) וַתִּרְעַשׁ הָאָרֶץ IISh.22:8
יִתְגָּעֲשׁוּ 4 כַּנְּהָרוֹת יִתְגָּעֲשׁוּ מֵימָיו Jer.46:7
וַיִּתְגָּעֲשׁוּ 5 מוֹסְדוֹת הַשָּׁמַיִם יִרְגָּזוּ וַיִּתְגָּעֲשׁוּ IISh.22:8
6 וַיִּתְגָּעֲשׁוּ...וְהָמוּ גַלָּיו Jer.5:22
7 וַיִּתְגָּעֲשׁוּ כִּי־חָרָה לוֹ Ps.18:8
וְהִתְגֹּעֲשׁוּ 8 וְשָׁתוּ וְהִתְגֹּעֲשׁוּ וְהִתְהֹלָלוּ Jer.25:16
יִתְגֹּעֲשׁוּ 9 וְכַנְּהָרוֹת יִתְגֹּעֲשׁוּ מָיִם Jer.46:8

גַּעַשׁ* שם הר בנחלת אפרים: 1—4
גָּעַשׁ 1/2 מִצְּפוֹן לְהַר־גָּעַשׁ Josh.24:30 • Jud.2:9
3 הִדַּי מִנַּחֲלֵי־גָעַשׁ IISh.23:30
4 חוּרַי מִנַּחֲלֵי גָעַשׁ ICh.11:32

גַּעְתָּם שפ״ז – מבני אליפז בן עשו: 1—3
גַּעְתָּם 1 אַלּוּף־קֹרַח אַלּוּף גַּעְתָּם Gen.36:16
וְגַעְתָּם 2 תֵּימָן אוֹמָר צְפוֹ וְגַעְתָּם Gen.36:11
3 תֵּימָן וְאוֹמָר צְפִי וְגַעְתָּם ICh.1:36

גַּף ז׳ גוף, גב: 1—4 • בְּגַפּוֹ 1—3; עַל־גַּפֵּי 4
בְּגַפּוֹ 1-2 אִם־בְּגַפּוֹ יָבֹא בְּגַפּוֹ יֵצֵא Ex.21:3
3 וְהוּא יֵצֵא בְגַפּוֹ Ex.21:4
גַּפֵּי־ 4 תִּקְרָא עַל־גַּפֵּי מְרֹמֵי קָרֶת Prov.9:3

גַּף* נ׳ ארמית: כנף: 1—3
גַּפִּין 1 וְלַהּ גַּפִּין אַרְבַּע דִּי־עוֹף Dan.7:6
וְגַפִּין 2 וְגַפִּין דִּי־נְשַׁר לַהּ Dan.7:4
גַּפַּהּ 3 עַד דִּי־מְּרִיטוּ גַפַּהּ (כת׳ גפיה) Dan.7:4

גֶּפֶן נ׳ [ז׳—4] שיח ענבים: 1—55
אֶשְׁכְּלוֹת הַגֶּפֶן 23; עֵץ הַגּ׳ 15, 16; גֶּפֶן אַדֶּרֶת 34; ג׳ בּוֹקֵק 4; ג׳ הַיַּיִן 41,43; ג׳ סְדוֹם 42, 51; ג׳ סוֹרַחַת 32; ג׳ פּוֹרִיָּה 3,27; ג׳ שִׂבְמָה 14, 39, 40; גֶּפֶן שָׂדֶה 38; סוּרֵי הַגֶּפֶן 13

גֶּפֶן 1 בַּחֲלוֹמִי וְהִנֵּה־גֶפֶן לְפָנָי Gen.40:9
2 אֶלֶף גֶּפֶן בְּאֶלֶף כָּסֶף Is.7:23
3 עַל־שְׂדֵי־חֶמֶד עַל־גֶּפֶן פֹּרִיָּה Is.32:12
4 גֶּפֶן בּוֹקֵק יִשְׂרָאֵל Hosh.10:1
5 אֶל־תַּחַת גֶּפֶן וְאֶל־תַּחַת תְּאֵנָה Zech.3:10
6 גֶּפֶן מִמִּצְרַיִם תַּסִּיעַ Ps.80:9
7 שׁוּב־נָא...וּפְקֹד גֶּפֶן זֹאת Ps.80:15
גָּפֶן 8 אָבַל תִּירוֹשׁ אֻמְלְלָה־גָפֶן Is.24:7
וָגֶפֶן 9 וּתְאֵנָה וָגֶפֶן וְרִמּוֹן Num.20:5
10 וְגֶפֶן וּתְאֵנָה וְרִמּוֹן Deut.8:8
וָגֶפֶן 11 תְּאֵנָה וָגֶפֶן נָתְנוּ חֵילָם Joel2:22
הַגֶּפֶן 12 וַתֹּאמֶר לָהֶם הַגֶּפֶן Jud.9:13
13 נֶהְפַּכְתְּ לִי סוּרֵי הַגֶּפֶן נָכְרִיָּה Jer.2:21
14 אֶבְכֶּה־לָּךְ הַגֶּפֶן שִׂבְמָה Jer.48:32
15 מַה־יִּהְיֶה עֵץ־הַגֶּפֶן מִכָּל־עֵץ Ezek.15:2
16 כַּאֲשֶׁר עֵץ־הַגֶּפֶן בְּעֵץ הַיַּעַר Ezek.15:6
17 הַגֶּפֶן הַזֹּאת כָּפְנָה שָׁרָשֶׁיהָ Ezek.17:7
18 הַגֶּפֶן הוֹבִישָׁה וְהַתְּאֵנָה אֻמְלָלָה Joel1:12
19 וְעַד־הַגֶּפֶן וְהַתְּאֵנָה וְהָרִמּוֹן Hag.2:19
20 הַגֶּפֶן תִּתֵּן פִּרְיָהּ Zech.8:12
21 וְלֹא־תְשַׁכֵּל לָכֶם הַגֶּפֶן Mal.3:11
22 הַפָּרְחָה הַגֶּפֶן הֵנֵצוּ הָרִמֹּנִים S.ofS.6:11
23 שָׁדַיִךְ כְּאֶשְׁכְּלוֹת הַגֶּפֶן S.ofS.7:9
24 אִם־פָּרְחָה הַגֶּפֶן פִּתַּח הַסְּמָדַר S.ofS.7:13
בַּגֶּפֶן 25 אֵין עֲנָבִים בַּגֶּפֶן Jer.8:13
וּבַגֶּפֶן 26 וּבַגֶּפֶן שְׁלֹשָׁה שָׂרִיגִם Gen.40:10
כְּגֶפֶן 27 אֶשְׁתְּךָ כְּגֶפֶן פֹּרִיָּה Ps.128:3
כַּגֶּפֶן 28 עוֹלֵל יְעוֹלְלוּ כַגֶּפֶן Jer.6:9
29 אִמְּךָ כַגֶּפֶן בְּדָמְךָ Ezek.19:10
30 יַחְמֹס כַּגֶּפֶן בִּסְרוֹ Job15:33
כַּגָּפֶן 31 יְחַיּוּ דָגָן וְיִפְרְחוּ כַגָּפֶן Hosh.14:8
לְגֶפֶן 32 וַיְהִי לְגֶפֶן סֹרַחַת שִׁפְלַת קוֹמָה Ezek.17:6
33 וַתְּהִי לְגֶפֶן וַתַּעַשׂ בַּדִּים Ezek.17:6
34 לִהְיוֹת לְגֶפֶן אַדָּרֶת Ezek.17:8
לַגֶּפֶן 35 אֹסְרִי לַגֶּפֶן עִירֹה Gen.49:11
לַגָּפֶן 36 וַיֹּאמְרוּ הָעֵצִים לַגָּפֶן Jud.9:12
מִגֶּפֶן 37 כִּנְבֹל עָלֶה מִגֶּפֶן Is.34:4
גֶּפֶן־ 38 וַיִּמְצָא גֶּפֶן שָׂדֶה IIK.4:39
39 גֶּפֶן שִׂבְמָה...הָלְמוּ שְׂרוּקֶּיהָ Is.16:8
40 גֶּפֶן שִׂבְמָה אֲרַיָּוֶךְ דִּמְעָתִי Is.16:9
מִגֶּפֶן־ 41 מִכֹּל אֲשֶׁר יֵעָשֶׂה מִגֶּפֶן הַיַּיִן Num.6:4
42 כִּי־מִגֶּפֶן סְדֹם גַּפְנָם Deut.32:32
43 מִכֹּל אֲשֶׁר־יֵצֵא מִגֶּפֶן הַיַּיִן Jud.13:14
גַּפְנִי 44 שָׂם גַּפְנִי לְשַׁמָּה וּתְאֵנָתִי לִקְצָפָה Joel1:7
גַּפְנְךָ 45 יֹאכַל גַּפְנְךָ וּתְאֵנָתֶךָ Jer.5:17
גַּפְנוֹ 46 אִישׁ תַּחַת גַּפְנוֹ וְתַחַת תְּאֵנָתוֹ IK.5:5
47 וְאִכְלוּ אִישׁ־גַּפְנוֹ וְאִישׁ תְּאֵנָתוֹ IIK.18:31
48 וְאִכְלוּ אִישׁ־גַּפְנוֹ וְאִישׁ תְּאֵנָתוֹ Is.36:16
49 אִישׁ תַּחַת גַּפְנוֹ וְתַחַת תְּאֵנָתוֹ Mic.4:4
גַּפְנָהּ 50 וַהֲשִׁמֹּתִי גַּפְנָהּ וּתְאֵנָתָהּ Hosh.2:14
גַּפְנָם 51 כִּי־מִגֶּפֶן סְדֹם גַּפְנָם Deut.32:32
52 יַהֲרֹג בַּבָּרָד גַּפְנָם Ps.78:47
53 וַיַּךְ גַּפְנָם וּתְאֵנָתָם Ps.105:33
וְהַגְּפָנִים 54 וְהַגְּפָנִים סְמָדַר נָתְנוּ רֵיחַ S.ofS.2:13
בַּגְּפָנִים 55 אֵין יְבוּל בַּגְּפָנִים Hab.3:17

גֹּפֶר ז׳ שם עץ שממנו בנה נח את התבה
גֹפֶר 1 עֲשֵׂה לְךָ תֵּבַת עֲצֵי־גֹפֶר Gen.6:14

גָּפְרִית נ׳ יסוד כימי מתלקח (Sulphlur): 1—7
גָּפְרִית וָאֵשׁ 1; אֵשׁ וְגָפְרִית 5, 6; נַחַל גָּפְרִית 3

גָּפְרִית 1 וַיי הִמְטִיר...גָּפְרִית וָאֵשׁ Gen.19:24
2 גָּפְרִית וָמֶלַח שְׂרֵפָה כָל־אַרְצָהּ Deut.29:22
3 כְּנַחַל גָּפְרִית בֹּעֲרָה Is.30:33
4 יְזֹרֶה עַל־נָוֵהוּ גָפְרִית Job18:15
וְגָפְרִית 5 אֵשׁ וְגָפְרִית אַמְטִיר עָלָיו Ezek.38:22
6 יַמְטֵר...פַּחִים אֵשׁ וְגָפְרִית Ps.11:6
לְגָפְרִית 7 נְחָלֶיהָ לְזֶפֶת וַעֲפָרָהּ לְגָפְרִית Is.34:9

גֵּר ז׳ א) תושב לא קבוע, להבדיל מן ״אֶזְרָח״: רוב המקראות
ב) כנוי לבני ישראל היושבים על אדמת ה׳: 20, 86, 88
גֵּר וְאֶזְרָח 50, 51, 53, 54, 56, 67; גֵּר וְיָתוֹם 14,15, 17, 25, 44—46,59—62,74; גֵּר (וְ)תוֹשָׁב 2,7,8,20,57, 73, 86; אוֹהֵב גֵּר 12; אִישׁ גֵּר 16; מַטֵּי גֵר 19; מִשְׁפַּחַת גֵּר 9; מִשְׁפַּט גֵּר 14, 15; נֶפֶשׁ הַגֵּר 27

גֵּר 1 גֵּר יִהְיֶה זַרְעֲךָ בְּאֶרֶץ לֹא לָהֶם Gen.15:13
2 גֵּר־וְתוֹשָׁב אָנֹכִי עִמָּכֶם Gen.23:4
3/4 גֵּר הָיִיתִי בְּאֶרֶץ נָכְרִיָּה Ex.2:22; 18:3
5/6 וְכִי־יָגוּר אִתְּךָ גֵּר Ex.12:48 • Lev.19:33
7 וְהֶחֱזַקְתָּ בּוֹ גֵּר וְתוֹשָׁב וָחַי עִמָּךְ Lev.25:35
8 וְכִי תַשִּׂיג יַד גֵּר וְתוֹשָׁב עִמָּךְ Lev.25:47
9 אוֹ לְעֵקֶר מִשְׁפַּחַת גֵּר Lev.25:47
10/11 וְכִי־יָגוּר אִתְּכֶם גֵּר Num.9:14; 15:14
12 וְאֹהֵב גֵּר לָתֶת לוֹ לֶחֶם וְשִׂמְלָה Deut.10:18
13 כִּי־גֵר הָיִיתָ בְאַרְצוֹ Deut.23:8
14 לֹא תַטֶּה מִשְׁפַּט גֵּר יָתוֹם Deut.24:17
15 מַטֶּה מִשְׁפַּט גֵּר־יָתוֹם וְאַלְמָנָה Deut.27:19
16 בֶּן־אִישׁ גֵּר עֲמָלֵקִי אָנֹכִי IISh.1:13
17 גֵּר יָתוֹם וְאַלְמָנָה לֹא תַעֲשֹׁקוּ Jer.7:6
18 גֵּר וְעָנִי אַל־תַּעֲשֹׁקוּ Zech.7:10
19 וּבְעֹשְׁקֵי שְׂכַר־שָׂכִיר...וּמַטֵּי־גֵר Mal.3:5
20 גֵר אָנֹכִי עִמָּךְ תּוֹשָׁב כְּכָל־אֲבוֹתָי Ps.39:13
21 גֵּר אָנֹכִי בָאָרֶץ Ps.119:19
22 בַּחוּץ לֹא־יָלִין גֵּר Job31:32
וְגֵר 23 וְגֵר לֹא־תוֹנֶה וְלֹא תִלְחָצֶנּוּ Ex.22:20
24 וְגֵר לֹא תִלְחָץ Ex.23:9
25 וְגֵר יָתוֹם וְאַלְמָנָה אַל־תֹּנוּ Jer.22:3
26 אַלְמָנָה וְגֵר יַהֲרֹגוּ Ps.94:6
הַגֵּר 27 וְאַתֶּם יְדַעְתֶּם אֶת־נֶפֶשׁ הַגֵּר Ex.23:9
28 וּמִן־הַגֵּר אֲשֶׁר־יָגוּר בְּתוֹכָם Lev.17:8
29/30 וּמִן־הַגֵּר הַגָּר בְּתוֹכָם Lev.17:10, 13
31 כְּאֶזְרָח...הַגֵּר הַגָּר אִתְּכֶם Lev.19:34
32 וּמִן־הַגֵּר הַגָּר בְּיִשְׂרָאֵל Lev.20:2
33 אִישׁ אִישׁ...וּמִן־הַגֵּר בְּיִשְׂרָאֵל Lev.22:18
34 מִן־הָאֶזְרָח וּמִן־הַגֵּר Num.15:30
35 וַאֲהַבְתֶּם אֶת־הַגֵּר Deut.10:19
36 הַגֵּר אֲשֶׁר בְּקִרְבְּךָ יַעֲלֶה Deut.28:43
37 וְנִלְוָה הַגֵּר עֲלֵיהֶם Is.14:1
38 וְאֶת־הַגֵּר עָשְׁקוּ בְּלֹא מִשְׁפָּט Ezek.22:29
39 בַּשֵּׁבֶט אֲשֶׁר־גָּר הַגֵּר אִתּוֹ Ezek.47:23
וְהַגֵּר 40 וְיִנָּפֵשׁ בֶּן־אֲמָתְךָ וְהַגֵּר Ex.23:12
41-43 וְהַגֵּר הַגָּר בְּתוֹכְכֶם Lev.16:29; 17:12; 18:26
44-46 וְהַגֵּר וְהַיָּתוֹם Deut.14:29; 16:11, 14
47 וְהַלֵּוִי וְהַגֵּר אֲשֶׁר בְּקִרְבֶּךָ Deut.26:11
48 וְהַגֵּר הַהֹלֵךְ בְּקִרְבָּם Josh.8:35
וּמֵהַגֵּר 49 וּמֵהַגֵּר אֲשֶׁר־יָגוּר בְּיִשְׂרָאֵל Ezek.14:7
בַּגֵּר 50 בַּגֵּר וּבְאֶזְרַח הָאָרֶץ Ex.12:19
וּבַגֵּר 51 וְכָל־נֶפֶשׁ...בָּאֶזְרָח וּבַגֵּר Lev.17:15
כְּגֵר 52 לָמָּה תִהְיֶה כְּגֵר בָּאָרֶץ Jer.14:8
כַּגֵּר 53 כַּגֵּר כָּאֶזְרָח בְּנָקְבוֹ־שֵׁם יוּמָת Lev.24:16
54 כַּגֵּר כָּאֶזְרָח יִהְיֶה Lev.24:22
55 כָּכֶם כַּגֵּר יִהְיֶה לִפְנֵי יְיָ Num.15:15
56 וְכָל־יִשְׂרָאֵל...כַּגֵּר כָּאֶזְרָח Josh.8:33
לְגֵר 57 וְנִמְכַּר לְגֵר תּוֹשָׁב Lev.25:47
לַגֵּר 58 לַגֵּר אֲשֶׁר־בִּשְׁעָרֶיךָ תִּתְּנֶנָּה Deut.14:21
59-61 לַגֵּר לַיָּתוֹם וְלָאַלְמָנָה Deut.24:19,20,21
62 לַלֵּוִי לַגֵּר לַיָּתוֹם וְלָאַלְמָנָה Deut.26:12
63 לַגֵּר עָשׂוּ בָעֹשֶׁק בְּתוֹכֵךְ Ezek.22:7

וְלַגֵּר 64 וְלַגֵּר הַגָּר בְּתוֹכְכֶם Ex. 12:49
65/6 לֶעָנִי וְלַגֵּר תַּעֲזֹב אֹתָם Lev. 19:10; 23:22
67 לָכֶם וְלַגֵּר וּלְאֶזְרַח הָאָרֶץ Num. 9:14
68 חֻקָּה אַחַת לָכֶם וְלַגֵּר הַגָּר Num. 15:15
69 וְלַגֵּר הַגָּר אִתְּכֶם Num. 15:16
72-70 וְלַגֵּר הַגָּר בְּתוֹכָם Num. 15:26,29; 19:10
73 וְלַגֵּר וְלַתּוֹשָׁב בְּתוֹכָם Num. 35:15
74 לַלֵּוִי לַגֵּר לַיָּתוֹם וְלָאַלְמָנָה Deut. 26:13
75 וְלַגֵּר הַגָּר בְּתוֹכָם Josh. 20:9
וְגֵרְךָ 78-76 וְגֵרְךָ אֲשֶׁר בִּשְׁעָרֶיךָ Ex. 20:10; Deut. 5:14; 31:12
79 וְגֵרְךָ אֲשֶׁר בְּקֶרֶב מַחֲנֶיךָ Deut. 29:10
מִגֵּרְךָ 80 מִגֵּרְךָ אֲשֶׁר בְּאַרְצְךָ בִּשְׁעָרֶיךָ Deut. 24:14
גֵּרוֹ 81 וּבֵין־אָחִיו וּבֵין גֵּרוֹ Deut. 1:16
גֵּרִים 85-82 גֵרִים הֱיִיתֶם בְּאֶרֶץ מִצְרָיִם Ex. 22:20; 23:9 • Lev. 19:34 • Deut. 10:19
86 כִּי־גֵרִים וְתוֹשָׁבִים אַתֶּם עִמָּדִי Lev. 25:23
87 יְיָ שֹׁמֵר אֶת־גֵּרִים Ps. 146:9
88 כִּי־גֵרִים אֲנַחְנוּ לְפָנֶיךָ ICh. 29:15
הַגֵּרִים 89 לִכְנוֹס...הַגֵּרִים אֲשֶׁר בְּאֶרֶץ יִשׂ' ICh. 22:2(1)
הַגֵּיּרִים 90 וַיִּסְפֹּר שְׁלֹמֹה כָּל־הָאֲנָשִׁים הַגֵּיּרִים אֲשֶׁר בְּאֶרֶץ יִשְׂרָאֵל IICh. 2:16
וְהַגֵּרִים 91 וְהַגֵּרִים הַבָּאִים מֵאֶרֶץ יִשְׂרָאֵל IICh. 30:25
וּלְהַגֵּרִים 92 וּלְהַגֵּרִים הַגָּרִים בְּתוֹכְכֶם Ezek. 47:22

גֵּר עין גּיר

גֵּרָא שפ״ז א) בן בנימין: 1
ב) נכד בנימין: 7–9
ג) אביו של אהוד השופט: 2
ד) אביו של שמעי בן הימיני: 3–6

גֵּרָא 1 וּבְנֵי בִנְיָמִן...גֵּרָא וְנַעֲמָן Gen. 46:21
2 אֶת־אֵהוּד בֶּן־גֵּרָא בֶּן־הַיְמִינִי Jud. 3:15
3 וּשְׁמוֹ שִׁמְעִי בֶּן־גֵּרָא IISh. 16:5
4 וַיְמַהֵר שִׁמְעִי בֶן־גֵּרָא בֶּן־הַיְמִינִי IISh. 19:17
5/6 (וְ)שִׁמְעִי בֶּן־גֵּרָא IISh. 19:19 • IK. 2:8
וְגֵרָא 7 אַדָּר וְגֵרָא וַאֲבִיהוּד ICh. 8:3
8 וְגֵרָא וּשְׁפוּפָן וְחוּרָם ICh. 8:5
9 וְנַעֲמָן וַאֲחִיָּה וְגֵרָא ICh. 8:7

גָּרָב ז' אחד מן הנגעים בעור: 1–3

גָּרָב 2-1 אוֹ גָרָב אוֹ יַלֶּפֶת Lev. 21:30; 22:22
וּבַגָּרָב 3 וּבַטְּחוֹרִים· וּבַגָּרָב וּבֶחָרֶס Deut. 28:27

גָּרֵב1 שפ״ז – מגבורי דוד

גָּרֵב 2-1 גָּרֵב הַיִּתְרִי IISh. 23:38 • ICh. 11:40

גָּרֵב2 גבעה ליד חומת ירושלים

גָּרֵב 1 וְיָצָא...עַל גִּבְעַת גָּרֵב Jer. 31:38(39)

גַּרְגַּר* ז' פרי קטן ועגול

גַּרְגְּרִים 1 שְׁנַיִם שְׁלֹשָׁה גַרְגְּרִים בְּרֹאשׁ אָמִיר Is. 17:6

גַּרְגֶּרֶת* נ' גרון, צוואר: 1–4

גַּרְגְּרוֹתֶיךָ 1 קָשְׁרֵם עַל־גַּרְגְּרוֹתֶךָ Prov. 3:3
2 עָנְדֵם עַל־גַּרְגְּרֹתֶךָ Prov. 6:21
לְגַרְגְּרֹתֶיךָ 3 כִּי לִוְיַת חֵן...וַעֲנָקִים לְגַרְגְּרֹתֶךָ Prov. 1:9
4 וְיִהְיוּ חַיִּים לְנַפְשֶׁךָ וְחֵן לְגַרְגְּרֹתֶיךָ Prov. 3:22

גִּרְגָּשִׁי משבעת העממים שישבו בארץ כנען: 1–7

הַגִּרְגָּשִׁי 1 וְאֶת־הָאֱמֹרִי וְאֵת הַגִּרְגָּשִׁי Gen. 10:16
2 וְאֶת־הַגִּרְגָּשִׁי וְאֶת־הַיְבוּסִי Gen. 15:21
3 וְאֶת־הַפְּרִזִּי וְאֶת־הַגִּרְגָּשִׁי Josh. 3:10
4 וְאֶת־הָאֱמֹרִי וְאֶת־הַגִּרְגָּשִׁי ICh. 1:14
וְהַגִּרְגָּשִׁי 5 הַחִתִּי וְהַגִּרְגָּשִׁי וְהָאֱמֹרִי Deut. 7:1
6 וְהַכְּנַעֲנִי וְהַחִתִּי וְהַגִּרְגָּשִׁי Josh. 24:11
7 וְהַפְּרִזִּי וְהַיְבוּסִי וְהַגִּרְגָּשִׁי Neh. 9:8

(גרד) הִתְגָּרֵד הת' התחכך

לְהִתְגָּרֵד 1 וַיִּקַּח־לוֹ חֶרֶשׂ לְהִתְגָּרֵד בּוֹ Job 2:8

גרה : גֵּרָה, הִתְגָּרָה; תִּגְרָה

גָּרָה פ' א) חרחר, סכסך: 1–3
ב) [הת' הִתְגָּרָה] פתח בריב: 4–14
גֵּרָה מָדוֹן 1–3; הִתְגָּרָה בְּ־ 4–8, 11, 12, 14; הִתְגָּרָה לְ־ 9

יְגָרֶה 1 אִישׁ חֵמָה יְגָרֶה מָדוֹן Prov. 15:18
2 רְחַב־נֶפֶשׁ יְגָרֶה מָדוֹן Prov. 28:25
3 אִישׁ־אַף יְגָרֶה מָדוֹן Prov. 29:22
הִתְגָּרִית 4 כִּי בַיְיָ הִתְגָּרִית Jer. 50:24
תִתְגָּרֶה 5 וְלָמָּה תִתְגָּרֶה בְּרָעָה IIK. 14:10
6 לָמָּה תִתְגָּרֶה בְּרָעָה IICh. 25:19
תִּתְגָּר 7 וְאַל־תִּתְגָּר בָּם מִלְחָמָה Deut. 2:9
8 אַל־תְּצֻרֵם וְאַל־תִּתְגָּר בָּם Deut. 2:19
יִתְגָּרֶה 9 יִתְגָּרֶה לַמִּלְחָמָה בְּחַיִל־גָּדוֹל Dan. 11:25
וְיִתְגָּרֶה 10 וְיָשֹׁב וְיִתְגָּרֶה (כ׳ ויתגרו) עַד־מָעֻזֹּה Dan. 11:10
תִּתְגָּרוּ 11 אַל־תִּתְגָּרוּ בָם Deut. 2:5
יִתְגָּרוּ 12 וְשֹׁמְרֵי תוֹרָה יִתְגָּרוּ בָם Prov. 28:4
13 וּבָנָו יִתְגָּרוּ וְאָסְפוּ הֲמוֹן חֲיָלִים Dan. 11:10
וְהִתְגָּר 14 וְהִתְגָּר בּוֹ מִלְחָמָה Deut. 2:24

גֵּרָה1 נ' מזון שהבהמה מעלה וגוררת מן הקבה הראשונה אל הפה: 1–10
מַעֲלֶה גֵרָה 1–4, 6, 8–9

גֵּרָה 1 כֹּל...מַעֲלַת גֵּרָה בַּבְּהֵמָה Lev. 11:3
2 כִּי־מַעֲלֵה גֵרָה הוּא Lev. 11:4,5
3/4 מַעֲלַת גֵּרָה Lev. 11:6 • Deut. 14:6
5 וְהוּא גֵּרָה לֹא יִגָּר Lev. 11:7
6 כִּי־מַעֲלֵה גֵרָה הֵמָּה Deut. 14:7
7 מַפְרִיס פַּרְסָה הוּא וְלֹא גֵרָה Deut. 14:8
הַגֵּרָה 8/9 אֶת־זֶה לֹא תֹאכְלוּ מִמַּעֲלֵי הַגֵּרָה Lev. 11:4 • Deut. 14:7
וְגֵרָה 10 וְגֵרָה אֵינֶנָּה מַעֲלָה Lev. 11:26

גֵּרָה2 נ' החלק העשרים של השקל: 1–5
קרובים: אֲגוֹרָה / בֶּקַע / פִּים / קְשִׂיטָה / שֶׁקֶל

גֵּרָה 1/2 עֶשְׂרִים גֵּרָה הַשָּׁקֶל Ex. 30:13 • Num. 3:47
3 עֶשְׂרִים גֵּרָה יִהְיֶה הַשָּׁקֶל Lev. 27:25
4 בְּשֶׁקֶל הַקֹּדֶשׁ עֶשְׂרִים גֵּרָה הוּא Num. 18:16
5 וְהַשֶּׁקֶל עֶשְׂרִים גֵּרָה Ezek. 45:12

גָּרוֹן ז' א) הצנור הפנימי שבצואר: 2, 3, 5–8
ב) צואר: 1, 4
נְטוּי גָּרוֹן 1; נִחַר גְּרוֹנוֹ 3; קָרָא בְגָרוֹן 2

גָּרוֹן 1 וַתֵּלַכְנָה נְטוּיוֹת· גָּרוֹן Is. 3:16
בְגָרוֹן 2 קְרָא בְגָרוֹן אַל־תַּחְשֹׂךְ Is. 58:1
גְּרוֹנִי 3 יָגַעְתִּי בְקָרְאִי נִחַר גְּרוֹנִי Ps. 69:4
גְּרוֹנֵךְ 4 וָאֶתְּנָה...וְרָבִיד עַל־גְּרוֹנֵךְ Ezek. 16:11
וּגְרוֹנֵךְ 5 מִנְעִי רַגְלֵךְ מִיָּחֵף וּגְרוֹנֵךְ (כ׳ וגורנך) מִצִּמְאָה Jer. 2:25
גְּרוֹנָם 6 קֶבֶר־פָּתוּחַ גְּרוֹנָם Ps. 5:10
בִּגְרוֹנָם 7 לֹא־יֶהְגּוּ בִּגְרוֹנָם Ps. 115:7
8 רוֹמְמוֹת אֵל בִּגְרוֹנָם וְחֶרֶב פִּיפִיּוֹת בְּיָדָם Ps. 149:6

גְּרוּעָה נ' המקום בלחי שהזקן גולח ממנו: 1, 2

גְּרוּעָה 1 בְּכָל־רָאשָׁיו קָרְחָה כָּל־זָקָן גְּרוּעָה Is. 15:2
2 כָּל־רֹאשׁ קָרְחָה וְכָל־זָקָן גְּרֻעָה Jer. 48:37

גְּרוּשָׁה נ' אשה שבעלה גֵרש אותה – עין גרש

גְּרֻשׁוֹת* נ״ר גֵּרוּשׁ, נִשּׁוּל

גְּרֻשֹׁתֵיכֶם 1 הָרִימוּ גְרֻשֹׁתֵיכֶם מֵעַל עַמִּי Ezek. 45:9

גֵּרוּת נ' מקום מגורים

בְּגֵרוּת־ 1 וַיֵּלְכוּ וַיֵּשְׁבוּ בְּגֵרוּת כִּמְהָם· Jer. 41:17

גרז : נִגְרַז; גַּרְזֶן; ש״פ גְּרִזִּים(?)

(גרז) נִגְרַז נפ' נגזר, גֹּרש

נִגְרַזְתִּי 1 נִגְרַזְתִּי מִנֶּגֶד עֵינֶיךָ Ps. 31:23

גְּרִזִּים הר הברכה בקרבת שכם: 1–4

גְּרִזִּים 1 וְנָתַתָּה אֶת־הַבְּרָכָה עַל־הַר גְּרִזִּים Deut. 11:29
2 לְבָרֵךְ אֶת־הָעָם עַל־הַר גְּרִזִּים Deut. 27:12
3 חֶצְיוֹ אֶל־מוּל הַר־גְּרִזִים Josh. 8:33
4 וַיֵּלֶךְ וַיַּעֲמֹד בְּרֹאשׁ הַר־גְּרִזִּים Jud. 9:7

גַּרְזֶן ז' כלי־ברזל לחטיבת עצים: 1–4

גַּרְזֶן 1 ...עֵצָהּ לִנְדֹּחַ עָלָיו גַּרְזֶן Deut. 20:19
הַגַּרְזֶן 2 הֲיִתְפָּאֵר הַגַּרְזֶן עַל הַחֹצֵב בּוֹ Is. 10:15
וְהַגַּרְזֶן 3 וּמַקָּבוֹת וְהַגַּרְזֶן כָּל־כְּלִי בַרְזֶל IK. 6:7
בַגַּרְזֶן 4 וְנִדְּחָה יָדוֹ בַגַּרְזֶן Deut. 19:5

גרם : גָּרַם, גֶּרֶם; גְּרֵם; אר' גְּרַם; ש״פ גַּרְמִי

גָּרַם פ' א) אכל עצמות: 1, 2
ב) [פ' גֵּרֵם] כנ״ל: 3

גָּרְמוּ 1 זְאֵבֵי עֶרֶב לֹא גָרְמוּ לַבֹּקֶר Zep. 3:3
תְּגָרֵמִי 2 וְאֶת־חֲרָשֶׂיהָ תְּגָרֵמִי Ezek. 23:34
יְגָרֵם 3 יֹאכַל...וְעַצְמֹתֵיהֶם יְגָרֵם Num. 24:8

גֶּרֶם ז' עצם: 1–5 • גֶּרֶם הַמַּעֲלוֹת 4; חֲמוֹר גָּרֶם 1

גָּרֶם 1 יִשָּׂשכָר חֲמֹר גָּרֶם Gen. 49:14
2 וְרוּחַ נְכֵאָה תְּיַבֶּשׁ־גָּרֶם Prov. 17:22
3 וְלָשׁוֹן רַכָּה תִּשְׁבָּר־גָּרֶם Prov. 25:15
גֶּרֶם־ 4 וַיָּשִׂימוּ תַחְתָּיו אֶל־גֶּרֶם הַמַּעֲלוֹת IIK. 9:13
גְּרָמָיו 5 גְּרָמָיו כִּמְטִיל בַּרְזֶל Job 40:18

גְּרַם ז' ארמית: עצם

גַּרְמֵיהוֹן 1 וְכָל־גַּרְמֵיהוֹן הַדִּקוּ Dan. 6:25

גַּרְמִי ת' שם משפחה

הַגַּרְמִי 1 אֲבִי קְעִילָה הַגַּרְמִי ICh. 4:19

גֹּרֶן נ' מקום לדישת תבואה: 1–32
גֹּרֶן וָיֶקֶב 3, 7, 28, 29; גֹּרֶן אֲרַוְנָה 16, 19; גֹּ' אָרְנָן 18, 21–23; גֹּ' שְׂעוֹרִים 17; בֶּן־גֹּרֶן 26; תְּבוּאַת גֹּרֶן 2; תְּרוּמַת גֹּ' 1; גָּרְנוֹת דָּגָן 32

גֹּרֶן 1 כִּתְרוּמַת גֹּרֶן כֵּן תָּרִימוּ אֹתָהּ Num. 15:20
2 כִּתְבוּאַת גֹּרֶן וְכִתְבוּאַת יָקֶב Num. 18:30
3 גֹּרֶן וָיֶקֶב לֹא יִרְעֵם Hosh. 9:2
הַגֹּרֶן 4 כַּדָּגָן מִן הַגֹּרֶן Num. 18:27
5 לִקְנוֹת מֵעִמְּךָ אֶת־הַגֹּרֶן IISh. 24:21
6 וַיִּקֶן דָּוִד אֶת־הַגֹּרֶן IISh. 24:24
7 הֲמִן־הַגֹּרֶן אוֹ מִן־הַיָּקֶב IIK. 6:27
8 וְרָחַצְתְּ וָסַכְתְּ...וְיָרַדְתְּ· הַגֹּרֶן Ruth 3:3
9 וַתֵּרֶד הַגֹּרֶן Ruth 3:6
10 אַל־יִוָּדַע כִּי־בָאָה הָאִשָּׁה הַגֹּרֶן Ruth 3:14
11 וַיֵּצֵא מִן־הַגֹּרֶן וַיִּשְׁתַּחוּ ICh. 21:21
12 תְּנָה־לִּי מְקוֹם הַגֹּרֶן ICh. 21:22
בַּגֹּרֶן 13 מַצִּיג אֶת־גִּזַּת הַצֶּמֶר בַּגֹּרֶן Jud. 6:37
כְּגֹרֶן 14 בַּת־בָּבֶל כְּגֹרֶן עֵת הִדְרִיכָהּ Jer. 51:33
מִגֹּרֶן 15 כְּמֹץ יְסֹעֵר מִגֹּרֶן Hosh. 13:3
גֹּרֶן־ 16 עִם־גֹּרֶן הָאֲרַוְנָה· הַיְבֻסִי IISh. 24:16
17 הִנֵּה־הוּא זֹרֶה אֶת־גֹּרֶן הַשְּׂעֹרִים Ruth 3:2
18 עִם־גֹּרֶן אָרְנָן הַיְבוּסִי ICh. 21:15

בְּגֹרֶן־ 19 מִזְבֵּחַ בְּגֹרֶן אֲרַוְנָה הַיְבֻסִי IISh.24:18
20 יֹשְׁבִים...בְּגֹרֶן פֶּתַח שַׁעַר שֹׁמְרוֹן IK.22:10
21 מִזְבֵּחַ לַיי בְּגֹרֶן אָרְנָן הַיְבֻסִי ICh.21:18
22/3 בְּגֹרֶן אָרְנָן הַיְבוּסִי ICh.21:28 • IICh.3:1
24 וְיֹשְׁבִים בְּגֹרֶן פֶּתַח שַׁעַר IICh.18:9
גֹּרְנָה 25 כִּי קִבְּצָם כֶּעָמִיר גֹּרְנָה Mic.4:12
גָּרְנִי 26 מְדֻשָׁתִי וּבֶן־גָּרְנִי Is.21:10
וְגָרְנְךָ 27 כִּי־יָשִׁיב זַרְעֶךָ וְגָרְנְךָ יֶאֱסֹף Job39:12
מִגָּרְנְךָ 28 בְּאָסְפְּךָ מִגָּרְנְךָ וּמִיִּקְבֶךָ Deut.16:13
וּמִגָּרְנְךָ 29 הַעֲנֵיק... וּמִגָּרְנְךָ וּמִיִּקְבֶךָ Deut.15:14
הַגֳּרָנוֹת 30 וְהֵמָּה שֹׁסִים אֶת־הַגֳּרָנוֹת ISh.23:1
31 וּמָלְאוּ הַגֳּרָנוֹת בָּר Joel2:24
גָּרְנוֹת־ 32 אָהַבְתָּ אֶתְנָן עַל כָּל־גָּרְנוֹת דָּגָן Hosh.9:1

גֹּרֶן הָאָטָד
מקום בעבר הירדן מזרחה שהספידו בו בני יעקב את אביהם: 1, 2
גֹּרֶן הָאָ׳ 1 וַיָּבֹאוּ עַד־גֹּרֶן הָאָטָד Gen.50:10
בְּגֹרֶן הָאָ׳ 2 וַיַּרְא...אֶת־הָאֵבֶל בְּגֹרֶן הָאָטָד Gen.50:11

גֹּרֶן כִּידֹן
מקום בקרבת ירושלים
גֹּרֶן כִּידֹן 1 וַיָּבֹאוּ עַד־גֹּרֶן כִּידֹן ICh.13:9

גֹּרֶן נָכוֹן
אולי הוא גֹּרֶן כִּידֹן (לעיל)
גֹּרֶן נָכוֹן 1 וַיָּבֹאוּ עַד־גֹּרֶן נָכוֹן IISh.6:6

גרס
: גֶּרֶס, הִגְרִיס; גֶּרֶשׂ(?)

גָּרַס
פָּ׳ א) כלה: 1
ב) [הִפ׳ הִגְרִיס] שבר לרסיסים: 2
גָּרְסָה 1 גָּרְסָה נַפְשִׁי לְתַאֲבָה Ps.119:20
וַיַּגְרֵס 2 וַיַּגְרֵס בֶּחָצָץ שִׁנָּי Lam.3:16

גרע
: גָּרַע, נִגְרַע, גֵּרַע; גְּרוּעָה, מִגְרַעַת

גָּרַע
פָּ׳ א) החסיר, הפחית: 1, 3–7, 9–12
ב) הסיר: 2, 8
ג) [נִפ׳ נִגְרַע] הוחסר, הוסר: 13–19
ד) [פִּ׳ גֵּרַע] הסיר: 20
גָּרַע (אֶת־) 2,3,5,6,9; גָּרַע מִן־ 1,4,8,10–12; גָּרַע אֶל־ 7; גָּרַע דָּבָר 5; גּ׳ חֻקּוֹ 3; גּ׳ שְׁאֵרָהּ כְּסוּתָהּ וְעֹנָתָהּ 9; נִגְרַע דָּבָר 15; נִגְרַע שֵׁם 16; נִגְרְעָה נַחֲלָה 14, 17; גֵּרַע מַיִם 20
לִגְרֹעַ 1 וּמִמֶּנּוּ אֵין לִגְרֹעַ Eccl.3:14
אֶגְרַע 2 וְגַם־אֲנִי אֶגְרַע וְלֹא־תָחוֹס עֵינִי Ezek.5:11
וָאֶגְרַע 3 נָטִיתִי יָדִי עָלַיִךְ וָאֶגְרַע חֻקֵּךְ Ezek.16:27
תִגְרַע 4 לֹא־תֹסֵף עָלָיו וְלֹא תִגְרַע מִמֶּנּוּ Deut.13:1
5 וְדִבַּרְתָּ...אַל־תִּגְרַע דָּבָר Jer.26:2
וְתִגְרַע 6 וְתִגְרַע שִׂיחָה לִפְנֵי־אֵל Job15:4
7 וְתִגְרַע אֵלֶיךָ חָכְמָה Job15:8
יִגְרַע 8 לֹא־יִגְרַע מִצַּדִּיק עֵינָיו Job36:7
יִגְרָע 9 שְׁאֵרָהּ כְּסוּתָהּ וְעֹנָתָהּ לֹא יִגְרָע Ex.21:10
תִגְרְעוּ 10 וְאֶת־מַתְכֹּנֶת...לֹא תִגְרְעוּ מִמֶּנּוּ Ex.5:8
11 לֹא־תִגְרְעוּ מִלִּבְנֵיכֶם Ex.5:19
12 לֹא תֹסִפוּ...וְלֹא תִגְרְעוּ מִמֶּנּוּ Deut.4:2
וְנִגְרַע 13 וְחִשַּׁב־לוֹ...וְנִגְרַע מֵעֶרְכֶּךָ Lev.27:18
וְנִגְרְעָה 14 וְנִגְרְעָה נַחֲלָתָן מִנַּחֲלַת אֲבֹתֵינוּ Num.36:3
נִגְרָע 15 כִּי אֵין נִגְרָע מֵעֲבֹדַתְכֶם דָּבָר Ex.5:11
יִגָּרַע 16 לָמָּה יִגָּרַע שֵׁם־אָבִינוּ
מִתּוֹךְ מִשְׁפַּחְתּוֹ Num.27:4
17 וּמִנַּחֲלַת...יִגָּרַע נַחֲלָתָן Num.36:4
יִגָּרֵעַ 18 וּמִגֹּרַל נַחֲלָתֵנוּ יִגָּרֵעַ Num.36:3
נִגָּרַע 19 לָמָּה נִגָּרַע לְבִלְתִּי הַקְרִיב Num.9:7
יְגָרַע 20 כִּי יְגָרַע נִטְפֵי־מָיִם Job36:27

גרף
: גָּרַף; מֶגְרָפָה

גָּרַף
פָּ׳ סחף
גְּרָפָם 1 נַחַל קִישׁוֹן גְּרָפָם Jud.5:21

גרר
: גָּרַר, גֵּרָה, הִתְגּוֹרֵר; גֵּרָה, מְגֵרָה; גָּרוֹן, גַּרְגֶּרֶת?
ש״פ גָּרַר

גָּרַר
פָּ׳ א) סחב: 2, 3
ב) העלה גרה: 1
ג) [פֹּ׳ גּוֹרֵר] נִסֵּר: 4
ד) [הִתְ׳ הִתְגּוֹרֵר] התחולל: 5
יִגָּר 1 וְהוּא גֵּרָה לֹא־יִגָּר Lev.11:7
יְגֹרֵהוּ 2 יְגֹרֵהוּ בְחֶרְמוֹ וְיַאַסְפֵהוּ Hab.1:15
יְגוֹרֵם 3 שֹׁד־רְשָׁעִים יְגוֹרֵם Prov.21:7
מְגֹרָרוֹת 4 אֲבָנִים...מְגֹרָרוֹת בַּמְּגֵרָה IK.7:9
מִתְגּוֹרֵר 5 סַעַר מִתְגּוֹרֵר עַל רֹאשׁ רְשָׁעִים יָחוּל Jer.30:23

גְּרָר
עיר ומחוז בקצה הדרומי של ארץ־ישראל: 1–10
גְּרָר 1 וַיִּשְׁלַח אֲבִימֶלֶךְ מֶלֶךְ גְּרָר Gen.20:2
2 וַיִּחַן בְּנַחַל־גְּרָר וַיֵּשֶׁב שָׁם Gen.26:17
3 וַיָּרִיבוּ רֹעֵי גְרָר עִם־רֹעֵי־יִצְחָק Gen.26:20
4 אֵת כָּל־הֶעָרִים סְבִיבוֹת גְּרָר IICh.14:13
גְּרָרָה 5 מִצִּידֹן בֹּאֲכָה גְרָרָה עַד־עַזָּה Gen.10:19
6 וַיֵּלֶךְ יִצְחָק אֶל־אֲבִימֶלֶךְ...גְּרָרָה Gen.26:1
בִּגְרָר 7 וַיֵּשֶׁב בֵּין־קָדֵשׁ...וַיָּגָר בִּגְרָר Gen.20:1
8 וַיֵּשֶׁב יִצְחָק בִּגְרָר Gen.26:6
לִגְרָר 9 וַיִּרְדְּפֵם...אָסָא עַד־לִגְרָר IICh.14:12
מִגְּרָר 10 וַאֲבִימֶלֶךְ הָלַךְ אֵלָיו מִגְּרָר Gen.26:26

גרש
: גָּרַשׁ, גְּרוּשָׁה, נִגְרַשׁ, גֵּרֵשׁ, גֹּרַשׁ; גְּרוּשׁוֹת; מִגְרָשׁ, מִגְרָשׁוֹת; גֶּרֶשׂ(?)

גָּרַשׁ
פָּ׳ א) סלק: 1, 2–7
ב) [נִפ׳ נִגְרַשׁ] הורחק: 8–10
ג) [פִּ׳ גֵּרֵשׁ] הוציא בכוח: 11–45
ד) [פֻּ׳ גֹּרַשׁ] הוצא בכוח: 46–47
גּוֹרֵשׁ 1 הִנְנִי גֹרֵשׁ מִפָּנֶיךָ אֶת־הָאֱמֹרִי Ex.34:11
גְּרוּשָׁה 2 וְאִשָּׁה גְּרוּשָׁה מֵאִישָׁהּ לֹא יִקָּחוּ Lev.21:7
וּגְרוּשָׁה 3 אַלְמָנָה וּגְרוּשָׁה וַחֲלָלָה זֹנָה Lev.21:14
4 כִּי תִהְיֶה אַלְמָנָה וּגְרוּשָׁה Lev.22:13
5 וְנֵדֶר אַלְמָנָה וּגְרוּשָׁה Num.30:10
6 וְאַלְמָנָה וּגְרוּשָׁה לֹא־יִקְחוּ Ezek.44:22
וַיִּגְרְשׁוּ 7 וַיִּגְרְשׁוּ מֵימָיו רֶפֶשׁ וָטִיט Is.57:20
נִגְרַשְׁתִּי 8 נִגְרַשְׁתִּי מִנֶּגֶד עֵינֶיךָ Jon.2:5
נִגְרָשׁ 9 וְהָרְשָׁעִים כַּיָּם נִגְרָשׁ Is.57:20
וְנִגְרְשָׁה 10 וְנִגְרְשָׁה וְנִשְׁקְעָה כִּיאוֹר מִצְרָיִם Am.8:8
גָּרֵשׁ 11 כַּלָּה גָּרֵשׁ יְגָרֵשׁ אֶתְכֶם מִזֶּה Ex.11:1
לְגָרֵשׁ 12 לְגָרֵשׁ מִפְּנֵי עַמְּךָ...גּוֹיִם ICh.17:21
לְגָרְשֵׁנוּ 13 לָבוֹא לְגָרְשֵׁנוּ מִיְּרֻשָּׁתְךָ IICh.20:11
וְגֵרַשְׁתִּי 14 וְגֵרַשְׁתִּי אֶת־הַכְּנַעֲנִי הָאֱמֹרִי Ex.33:2
וְגֵרַשְׁתִּיו 15 אוּכַל לְהִלָּחֶם בּוֹ וְגֵרַשְׁתִּיו Num.22:11
גֵּרַשְׁתִּיהוּ 16 עָשׂוֹ יַעֲשֶׂה לוֹ כְּרִשְׁעוֹ גֵּרַשְׁתִּהוּ Ezek.31:11
גֵּרַשְׁתָּ 17 הֵן גֵּרַשְׁתָּ אֹתִי הַיּוֹם Gen.4:14
וְגֵרַשְׁתָּמוֹ 18 וְגֵרַשְׁתָּמוֹ מִפָּנֶיךָ Ex.23:31
וְגֵרְשָׁה 19 וְגֵרְשָׁה אֶת־הַחִוִּי...מִלְּפָנֶיךָ Ex.23:28
גֵּרְשׁוּנִי 20 כִּי־גֵרְשׁוּנִי הַיּוֹם מֵהִסְתַּפֵּחַ ISh.26:19
אֲגָרֵשׁ 21 אֲגָרֵשׁ אוֹתָם מִפְּנֵיכֶם Jud.2:3
וָאֲגָרֵשׁ 22 וָאֲגָרֵשׁ אוֹתָם מִפְּנֵיכֶם Jud.6:9
אֲגָרְשֶׁנּוּ 23 לֹא אֲגָרְשֶׁנּוּ מִפָּנֶיךָ בְּשָׁנָה אֶחָת Ex.23:29
24 מְעַט מְעַט אֲגָרְשֶׁנּוּ מִפָּנֶיךָ Ex.23:30
וַאֲגָרְשֶׁנּוּ 25 וַאֲגָרְשֶׁנּוּ מִן־הָאָרֶץ Num.22:6
אֲגָרְשֵׁם 26 שְׂנֵאתִים...מִבֵּיתִי אֲגָרְשֵׁם Hosh.9:15
תְּגָרֵשׁ 27 תְּגָרֵשׁ גּוֹיִם וַתִּטָּעֶהָ Ps.80:9
יְגָרֵשׁ 28 כָּלָה גָּרֵשׁ יְגָרֵשׁ אֶתְכֶם מִזֶּה Ex.11:1
וַיְגָרֶשׁ 29 וַיְגָרֶשׁ אֶת־הָאָדָם Gen.3:24
30 וַיְגָרֶשׁ אֹתָם מֵאֵת פְּנֵי פַרְעֹה Ex.10:11
31 וַיְגָרֶשׁ מִפָּנֶיךָ אוֹיֵב Deut.33:27

וַיְגָרֶשׁ (המשך) 32 וַיְגָרֶשׁ יְיָ אֶת־כָּל־הָעַמִּים Josh.24:18
33 וַיְגָרֶשׁ זְבֻל גַּעַל...מִשֶּׁבֶת בִּשְׁכֶם Jud.9:41
34 וַיְגָרֶשׁ שְׁלֹמֹה אֶת־אֶבְיָתָר מִהְיוֹת כֹּהֵן IK.2:27
35 וַיְגָרֶשׁ מִפְּנֵיהֶם גּוֹיִם Ps.78:55
וַיְגָרְשֵׁהוּ 36 וַיְגָרְשֵׁהוּ וַיֵּלַךְ Ps.34:1
יְגָרְשֵׁם 37 וּבְיָד חֲזָקָה יְגָרְשֵׁם מֵאַרְצוֹ Ex.6:1
וַתְּגָרֶשׁ 38 וַתְּגָרֶשׁ אוֹתָם מִפְּנֵיכֶם Josh.24:12
תְּגָרְשׁוּן 39 נְשֵׁי עַמִּי תְּגָרְשׁוּן מִבֵּית תַּעֲנֻגֶיהָ Mic.2:9
וַתְּגָרְשׁוּנִי 40 וַתְּגָרְשׁוּנִי מִבֵּית אָבִי Jud.11:7
וַיְגָרְשׁוּ 41 וַיְגָרְשׁוּ אֶת־יִפְתָּח Jud.11:2
יְגָרְשׁוּהָ 42 אַשְׁדּוֹד בַּצָּהֳרַיִם יְגָרְשׁוּהָ Zep.2:4
וַיְגָרְשׁוּם 43 וַיָּבֹאוּ הָרֹעִים וַיְגָרְשׁוּם Ex.2:17
גָּרֵשׁ 44 גָּרֵשׁ הָאָמָה הַזֹּאת וְאֶת־בְּנָהּ Gen.21:10
45 גָּרֵשׁ לֵץ וְיֵצֵא מָדוֹן Prov.22:10
גֹּרְשׁוּ 46 כִּי־גֹרְשׁוּ מִמִּצְרַיִם Ex.12:39
יְגֹרָשׁוּ 47 מִן־גֵּו יְגֹרָשׁוּ Job30:5

גֶּרֶשׂ
ז׳ צמח, פרי
גֶּרֶשׂ־ 1 וּמִמֶּגֶד גֶּרֶשׂ יְרָחִים Deut.33:14

גֶּרֶשׂ
ז׳ חטים ושעורים כתושות: 1–2
גֶּרֶשׂ־ 1 קָלוּי בָּאֵשׁ גֶּרֶשׂ כַּרְמֶל Lev.2:14
מִגִּרְשָׂהּ 2 וְהִקְטִיר...מִגִּרְשָׂהּ וּמִשַּׁמְנָהּ Lev.2:16

גְּרֻשׁוֹת
עיין גרושות

גֵּרְשׁוֹם
שפ״ז א) בנו בכורו של לוי, הוא גרשון: 5–10, 14
ב) בנו בכורו של משה: 1, 2, 11, 12, 13
ג) בן מנשה: 3
ד) מעולי בבל שעלו עם עזרא: 4
גֵּרְשֹׁם 1 וַיִּקְרָא אֶת־שְׁמוֹ גֵּרְשֹׁם Ex.2:22
2 אֲשֶׁר שֵׁם הָאֶחָד גֵּרְשֹׁם Ex.18:3
3 וִיהוֹנָתָן בֶּן־גֵּרְשֹׁם בֶּן־מְנַשֶּׁה Jud.18:30
4 מִבְּנֵי פִינְחָס גֵּרְשֹׁם Ez.8:2
5 בְּנֵי לֵוִי גֵּרְשֹׁם קְהָת וּמְרָרִי ICh.6:1
6 וְאֵלֶּה שְׁמוֹת בְּנֵי־גֵרְשׁוֹם ICh.6:2
7 בֶּן־יַחַת בֶּן־גֵּרְשֹׁם בֶּן־לֵוִי ICh.6:28
8 וְלִבְנֵי גֵרְשׁוֹם לְמִשְׁפְּחוֹתָם ICh.6:47
9 לִבְנֵי גֵּרְשׁוֹם מִמִּשְׁפַּחַת...מְנַשֶּׁה ICh.6:56
10 לִבְנֵי גֵרְשׁוֹם יוֹאֵל הַשָּׂר... ICh.15:7
11 בְּנֵי מֹשֶׁה גֵּרְשֹׁם וֶאֱלִיעֶזֶר ICh.23:15
12 בְּנֵי גֵרְשׁוֹם שְׁבוּאֵל הָרֹאשׁ ICh.23:16
13 וּשְׁבֻאֵל בֶּן־גֵּרְשׁוֹם בֶּן־מֹשֶׁה ICh.26:24
לְגֵרְשֹׁם 14 לְגֵרְשֹׁם לִבְנִי בְנוֹ ICh.6:5

גֵּרְשׁוֹן
שפ״ז – בנו בכורו של לוי, הוא גרשום (א): 1–16
גֵּרְשׁוֹן 1 וּבְנֵי לֵוִי גֵּרְשׁוֹן קְהָת וּמְרָרִי Gen.46:11
2-3 גֵּרְשׁוֹן וּקְהָת וּמְרָרִי Ex.6:16 • Num.3:17
4-12 (לִ)בְנֵי גֵרְשׁוֹן Num.3:18,25
4:22,38,41; 7:7; 10:17 • Josh.21:6,27
13 בְּנֵי לֵוִי גֵּרְשׁוֹן קְהָת וּמְרָרִי ICh.5:27
לְגֵרְשׁוֹן 14 לְגֵרְשׁוֹן מִשְׁפַּחַת הַלִּבְנִי Num.3:21
15 לְגֵרְשׁוֹן מִשְׁפַּחַת הַגֵּרְשֻׁנִּי Num.26:57
16 לִבְנֵי לֵוִי לְגֵרְשׁוֹן קְהָת וּמְרָרִי ICh.23:6

גֵּרְשֻׁנִּי
ת׳ המתיחס על גרשון: 1–13
הַגֵּרְשֻׁנִּי 1-3 מִשְׁפְּחֹת הַגֵּרְשֻׁנִּי Num.3:21,23; 4:24
4 כָּל־עֲבֹדַת בְּנֵי הַגֵּרְשֻׁנִּי Num.4:27
5-7 בְּנֵי הַגֵּרְשֻׁנִּי Num.4:28 • ICh.26:21[2]
8 לְגֵרְשׁוֹן מִשְׁפַּחַת הַגֵּרְשֻׁנִּי Num.26:57
9 כָּל־עָרֵי הַגֵּרְשֻׁנִּי לְמִשְׁפְּחֹתָם Josh.21:33
10 עַל־יַד יְחִיאֵל הַגֵּרְשֻׁנִּי ICh.29:8
11 וּמִן־הַגֵּרְשֻׁנִּי יוֹאָח בֶּן־זִמָּה ICh.29:12
לַגֵּרְשֻׁנִּי 12 וּנְשִׂיא בֵית־אָב לַגֵּרְשֻׁנִּי Num.3:24
13 לַגֵּרְשֻׁנִּי לַעְדָּן וְשִׁמְעִי ICh.23:7

גַּשׁ, גֶּשׁ־, גְּשָׁה – עין ערך נגש

גְּשׁוּר א) ממלכה ואזור בגולן הדרומי: 2–4, 6–9
ב) עם או שבט שישב בגשור: 1, 5

גְּשׁוּר 1 וַיֵּשֶׁב גְּשׁוּר וּמַעֲכָת בְּקֶרֶב יִשְׂרָאֵל Josh. 13:13
2 בַּת־תַּלְמַי מֶלֶךְ גְּשׁוּר IISh. 3:3
3 וַיֵּלֶךְ אֶל־תַּלְמַי...מֶלֶךְ גְּשׁוּר IISh. 13:37
4 וְאַבְשָׁלוֹם בָּרַח וַיֵּלֶךְ גְּשׁוּר IISh. 13:38
5 וַיִּקַּח גְּשׁוּר־וַאֲרָם...מֵאִתָּם ICh. 2:23
6 בַּת־תַּלְמַי מֶלֶךְ גְּשׁוּר ICh. 3:2
גְּשׁוּרָה 7 וַיָּקָם יוֹאָב וַיֵּלֶךְ גְּשׁוּרָה IISh. 14:23
בִּגְשׁוּר 8 בְּשִׁבְתִּי בִגְשׁוּר בַּאֲרָם IISh. 15:8
מִגְּשׁוּר 9 לָמָּה בָּאתִי מִגְּשׁוּר IISh. 14:32

גְּשׁוּרִי ת׳ א) מתושבי גשור: 1–5
ב) שבט בדרום ארץ ישראל: 6

הַגְּשׁוּרִי 1-2 עַד־גְּבוּל הַגְּשׁוּרִי וְהַמַּעֲכָתִי Deut. 13:14 • Josh. 12:5
3 גְּלִילוֹת הַפְּלִשְׁתִּים וְכָל־הַגְּשׁוּרִי Josh. 13:2
4 וְהַגִּלְעָד וּגְבוּל הַגְּשׁוּרִי וְהַמַּעֲכָתִי Josh. 13:11
5 אֶת־הַגְּשׁוּרִי וְאֶת־הַמַּעֲכָתִי Josh. 13:13
6 וַיִּפְשְׁטוּ אֶל־הַגְּשׁוּרִי וְהַגִּזְרִי° ISh. 27:8

גשם : גֶּשֶׁם, הַגְּשָׁמִים; גֻּשַּׁם; אר׳ גְּשֵׁם; ש״פ גֶּשֶׁם, גַּשְׁמוּ

גֻּשַּׁם פ׳ א) ירד עליו גשם: 1
ב) [הפ׳ הִגְשִׁים] הוריד גשם: 2

גֻּשְּׁמָה 1 אֶרֶץ לֹא מְטֹהָרָה הִיא לֹא גֻשְּׁמָה Ezek. 22:24
מַגְשִׁמִים 2 הֲיֵשׁ בְּהַבְלֵי הַגּוֹיִם מַגְשִׁמִים Jer. 14:22

גֶּשֶׁם1 ז׳ מטר: 1–35
קרובים: יוֹרֶה / מַבּוּל / מָטָר / מַלְקוֹשׁ / רְבִיבִים / שְׂעִירִים
גֶּשֶׁם גָּדוֹל 4; גֶּ׳ מָטָר 29, 30; גֶּ׳ נְדָבוֹת 28; גֶּ׳ שׁוֹטֵף 7, 13, 14; הֲמוֹן הַגֶּשֶׁם 23; יוֹם גֶּ׳ 19; מְטַר גֶּשֶׁם 9; גִּשְׁמֵי בְרָכָה 33
גֶּשֶׁם גִּדֵּל 12; הָיָה גֶשֶׁם 1, 2, 7, 13, 16, 25; הוֹרִיד גֶּשֶׁם 20; חוֹלֵל גֶּ׳ 11; חָלַף הַגֶּ׳ 22; יָרַד גֶּשֶׁם 18; נִכְלָא הַגֶּשֶׁם 17; עָצַר הַגֶּשֶׁם 24

גֶּשֶׁם 1-2 לֹא־הָיָה גֶשֶׁם בָּאָרֶץ IK. 17:7 • Jer. 14:4
3 גֶּשֶׁם עַל־פְּנֵי הָאֲדָמָה IK. 17:14
4 וַיְהִי גֶּשֶׁם גָּדוֹל IK. 18:45
5 לֹא־תִרְאוּ רוּחַ וְלֹא־תִרְאוּ גֶשֶׁם IIK. 3:17
6 הַנֹּתֵן גֶּשֶׁם יוֹרֶה° וּמַלְקוֹשׁ בְּעִתּוֹ Jer. 5:24
7 הָיָה גֶּשֶׁם שׁוֹטֵף Ezek. 13:11
8 וַיּוֹרֶד לָכֶם גֶּשֶׁם מוֹרֶה וּמַלְקוֹשׁ Joel 2:23
9 וּמְטַר־גֶּשֶׁם יִתֵּן לָהֶם Zech. 10:1
10 גֶּשֶׁם עַל־הָאָרֶץ יָרִיקוּ Eccl. 11:3
גָּשֶׁם 11 רוּחַ צָפוֹן תְּחוֹלֵל גָּשֶׁם Prov. 25:23
וְגֶשֶׁם 12 נָטַע אֹרֶן וְגֶשֶׁם יְגַדֵּל Is. 44:14
13 וְגֶשֶׁם שֹׁטֵף בְּאַפִּי יִהְיֶה Ezek. 13:13
14 וְגֶשֶׁם שׁוֹטֵף וְאַבְנֵי אֶלְגָּבִישׁ Ezek. 38:22
15 נְשִׂיאִים וְרוּחַ וְגֶשֶׁם אָיִן Prov. 25:14
הַגֶּשֶׁם 16 וַיְהִי הַגֶּשֶׁם עַל־הָאָרֶץ Gen. 7:12
17 וַיִּכָּלֵא הַגֶּשֶׁם מִן־הַשָּׁמָיִם Gen. 8:2
18 כַּאֲשֶׁר יֵרֵד הַגֶּשֶׁם וְהַשֶּׁלֶג Is. 55:10
19 אֲשֶׁר יִהְיֶה בֶעָנָן בְּיוֹם הַגֶּשֶׁם Ezek. 1:28
20 וְהוֹרַדְתִּי הַגֶּשֶׁם בְּעִתּוֹ Ezek. 34:26
21 וְגַם אָנֹכִי מָנַעְתִּי מִכֶּם אֶת־הַגֶּשֶׁם Am. 4:7
22 הַגֶּשֶׁם חָלַף הָלַךְ לוֹ S.ofS. 2:11
הַגָּשֶׁם 23 כִּי־קוֹל הֲמוֹן הַגָּשֶׁם IK. 18:41
24 וְלֹא יַעַצָרְכָה הַגָּשֶׁם IK. 18:44
הַגָּשֶׁם (המשך) 25 וְלֹא עֲלֵיהֶם יִהְיֶה הַגָּשֶׁם Zech. 14:17
26 וְשָׁבוּ הֶעָבִים אַחַר הַגָּשֶׁם Eccl. 12:2
כַּגֶּשֶׁם 27 וְיָבוֹא כַגֶּשֶׁם לָנוּ Hosh. 6:3
גֶּשֶׁם־ 28 גֶּשֶׁם נְדָבוֹת תָּנִיף אֱלֹהִים Ps. 68:10
וְגֶשֶׁם־ 29/30 וְגֶשֶׁם מָטָר וְגֶשֶׁם מִטְרוֹת עֻזּוֹ Job 37:6
גְּשָׁמִים 31 גְּשָׁמִים וְאֵין כֹּחַ לַעֲמוֹד בַּחוּץ Ez. 10:13
וּמֵהַגְּשָׁמִים 32 מַרְעִידִים עַל־הַדָּבָר וּמֵהַגְּשָׁמִים Ez. 10:9
גִּשְׁמֵי־ 33 גִּשְׁמֵי בְרָכָה יִהְיוּ Ezek. 34:26
גִּשְׁמֵיכֶם 34 וְנָתַתִּי גִשְׁמֵיכֶם בְּעִתָּם Lev. 26:4
גִּשְׁמֵיהֶם 35 נָתַן גִּשְׁמֵיהֶם בָּרָד Ps. 105:32

גֶּשֶׁם2 שפ״ז – ערבי, ממתנגדי נחמיה, הוא גַּשְׁמוּ: 1–3

וְגֶשֶׁם 1 וַיִּשְׁמַע סַנְבַלַּט...וְגֶשֶׁם הָעַרְבִי Neh. 2:19
2 וַיִּשְׁלַח סַנְבַלַּט וְגֶשֶׁם אֵלַי Neh. 6:2
וּלְגֶשֶׁם 3 וּלְגֶשֶׁם הָעַרְבִי וּלְיֶתֶר אֹיְבֵינוּ Neh. 6:1

גְּשֵׁם ז׳ ארמית: גוף: 1–5

גִּשְׁמֵהּ 1-2 וּמִטַּל שְׁמַיָּא גִּשְׁמֵהּ יִצְטַבַּע Dan. 4:30; 5:21
גִּשְׁמַהּ 3 קְטִילַת חֵיוְתָא וְהוּבַד גִּשְׁמַהּ Dan. 7:11
גֶּשְׁמְהוֹן 4 וִיהַבוּ גֶשְׁמְהוֹן (כת׳ גשמיהון) Dan. 3:28
בְּגֶשְׁמְהוֹן 5 לָא־שְׁלֵט נוּרָא בְּגֶשְׁמְהוֹן (כת׳ בגשמיהון) Dan. 3:27

גַּשְׁמוּ שפ״ז – הוא גֶּשֶׁם2

וְגַשְׁמוּ 1 בַּגּוֹיִם נִשְׁמָע וְגַשְׁמוּ אֹמֵר Neh. 6:6

גֹּשֶׁן א) אזור מגורי בני־ישראל במצרים: 1–10, 12, 13
ב) חבל־ארץ ועיר בקצה הדרומי של הר יהודה: 11, 14, 15

גֹּשֶׁן 1 וְיָשַׁבְתָּ בְאֶרֶץ־גֹּשֶׁן Gen. 45:10
2 וַיָּבֹאוּ אַרְצָה גֹּשֶׁן Gen. 46:28
3 בַּעֲבוּר תֵּשְׁבוּ בְּאֶרֶץ גֹּשֶׁן Gen. 46:34
4-8 בְּאֶרֶץ גֹּשֶׁן Gen. 47:1,4,6,27; 50:8
9 וְהִפְלֵיתִי...אֶת־אֶרֶץ גֹּשֶׁן Ex. 8:18
10 רַק בְּאֶרֶץ גֹּשֶׁן...לֹא הָיָה בָּרָד Ex. 9:26
11 וְאֵת כָּל־אֶרֶץ גֹּשֶׁן וְעַד־גִּבְעוֹן Josh. 10:41
גֹּשְׁנָה 12 לְהוֹרֹת לְפָנָיו גֹּשְׁנָה Gen. 46:28
13 וַיַּעַל לִקְרַאת־יִשׂ׳ אָבִיו גֹּשְׁנָה Gen. 46:29
וְגֹשֶׁן 14 וְגֹשֶׁן וְחֹלֹן וְגִלֹה Josh. 15:51
הַגֹּשֶׁן 15 כָּל־אֶרֶץ הַגֹּשֶׁן Josh. 11:16

גִּשְׁפָּא שפ״ז – אחד מראשי הנתינים בימי נחמיה

וְגִשְׁפָּא 1 וְצִיחָא וְגִשְׁפָּא עַל־הַנְּתִינִים Neh. 11:21

גָּשַׁשׁ פ׳ מִשֵּׁשׁ: 1, 2

נְגַשְׁשָׁה 1 נְגַשְׁשָׁה כַעִוְרִים קִיר Is. 59:10
נְגַשֵּׁשָׁה 2 וּכְאֵין עֵינַיִם נְגַשֵּׁשָׁה Is. 59:10

גַּת1 נ׳ שֶׁקַע באדמה לדריכת ענבים: 1–5

גַּת 1 כִּי־מָלְאָה גַּת הֵשִׁיקוּ הַיְקָבִים Joel 4:13
2 גַּת דָּרַךְ אֲדֹנָי לִבְתוּלַת בַּת־יְהוּדָה Lam. 1:15
בְּגַת 3 וּבְגָדֶיךָ כְּדֹרֵךְ בְּגַת Is. 63:2
בַּגַּת 4 וְגִדְעוֹן בְּנוֹ חֹבֵט חִטִּים בַּגַּת Jud. 6:11
גִּתּוֹת 5 דֹּרְכִים־גִּתּוֹת בַּשַּׁבָּת Neh. 13:15

גַּת2, גָת אחת מחמש הערים הראשיות בארץ פלשתים: 1-33
אַנְשֵׁי גַת 13; חוֹמַת גַּת 17; יוֹשְׁבֵי גַת 14; מֶלֶךְ גַּת 4–7

גַּת 1 גַּת יִסֹּב אֲרוֹן אֱלֹהֵי יִשְׂרָאֵל ISh. 5:8
2 וַתָּשֹׁבְנָה...מֵעֶקְרוֹן וְעַד־גַּת ISh. 7:14
גַּת (המשך) 3 וְעַד־גַּת וְעַד־עֶקְרוֹן ISh. 17:52
4 וַיָּבֹא אֶל־אָכִישׁ מֶלֶךְ גַּת ISh. 21:11
5-7 אָכִישׁ...מֶלֶךְ גַּת ISh. 21:13; 27:2 • IK. 2:39
8 וַיֻּגַּד לְשָׁאוּל כִּי־בָרַח דָּוִד גַּת ISh. 27:4
9 וְאִישׁ וְאִשָּׁה...לְהָבִיא גַת ISh. 27:11
10 כִּי־הָלַךְ שִׁמְעִי מִירוּשָׁלַםִ גַּת IK. 2:41
11 וַיִּלָּחֶם עַל־גַּת וַיִּלְכְּדָהּ IIK. 12:18
12 עִבְרוּ...וּרְדוּ גַת־פְּלִשְׁתִּים Am. 6:2
13 וַהֲרָגוּם אַנְשֵׁי־גַת ICh. 7:21
14 הֵמָּה הִבְרִיחוּ אֶת־יוֹשְׁבֵי גַת ICh. 8:13
15 וַיִּקַּח אֶת־גַּת וּבְנֹתֶיהָ ICh. 18:1
16 וְאֶת־גַּת וְאֶת־מָרֵשָׁה IICh. 11:8
17 וַיִּפְרֹץ אֶת־חוֹמַת גַּת IICh. 26:6
גִּתָּה 18 וַיֵּלֶךְ גִּתָּה אֶל־אָכִישׁ IK. 2:40
בְּגַת 19 רַק בְּעַזָּה בְּגַת וּבְאַשְׁדּוֹד Josh. 11:22
20 וַיֵּשֶׁב דָּוִד עִם־אָכִישׁ בְּגַת ISh. 27:3
21 אַל־תַּגִּידוּ בְגַת IISh. 1:20
22 וַתְּהִי־עוֹד מִלְחָמָה בְּגַת IISh. 21:20
23 אֵלֶּה יֻלְּדוּ לְהָרָפָה בְּגַת IISh. 21:22
24 הִנֵּה עֲבָדֶיךָ בְּגַת IK. 2:39
25 בְּגַת אַל־תַּגִּידוּ Mic. 1:10
26 בֶּאֱחֹז אֹתוֹ פְלִשְׁתִּים בְּגַת Ps. 56:1
27 וַתְּהִי־עוֹד מִלְחָמָה בְּגַת ICh. 20:6
28 אֵל נוּלְּדוּ לְהָרָפָא בְּגַת ICh. 20:8
לְגַת 29 לְגַת אֶחָד לְעֶקְרוֹן אֶחָד ISh. 6:17
מִגַּת 30 אִישׁ־הַבֵּנַיִם...גָּלְיָת שְׁמוֹ מִגַּת ISh. 17:4
31 גָּלְיָת הַפְּלִשְׁתִּי שְׁמוֹ מִגַּת ISh. 17:23
32 אֲשֶׁר־בָּאוּ בְרַגְלוֹ מִגַּת IISh. 15:18
33 וַיָּבֵא אֶת־עֲבָדָיו מִגַּת IK. 2:40

גַּת־(הַ)חֵפֶר מקום בגבול זבולון: 1, 2

גִּתָּה חֵ׳ 1 וּמִשָּׁם עָבַר...גִּתָּה חֵפֶר Josh. 19:13
מִגַּת הַחֵ׳ 2 יוֹנָה...הַנָּבִיא אֲשֶׁר מִגַּת הַחֵפֶר IIK. 14:25

גַּת־רִמּוֹן א) עיר לויים בנחלת דן: 1, 2, 4
ב) עיר לויים בנחלת מנשה: 3

גַּת־רִ׳ 1-2 (וְ)אֶת־גַּת־רִמּוֹן וְאֶת־מִגְרָשֶׁ(י)הָ Josh. 21:24 • ICh. 6:54
3 וְאֶת־גַּת רִמּוֹן וְאֶת־מִגְרָשֶׁהָ Josh. 21:25
וְגַת־רִ׳ 4 וִיהֻד וּבְנֵי־בְרַק וְגַת־רִמּוֹן Josh. 19:45

גִּתִּי ת׳ המתייחס על גת: 1–10

הַגִּתִּי 1 הָאַשְׁקְלוֹנִי הַגִּתִּי וְהָעֶקְרוֹנִי Josh. 13:3
2/3 בֵּית עֹבֵד(־)אֱדֹם הַגִּתִּי IISh. 6:10,11
4 וַיֹּאמֶר הַמֶּלֶךְ אֶל־אִתַּי הַגִּתִּי IISh. 15:19
5/6 אִתַּי הַגִּתִּי IISh. 15:22; 18:2
7 וַיַּךְ...אֵת גָּלְיָת הַגִּתִּי IISh. 21:19
8 אֶל־בֵּית עֹבֵד־אֱדֹם הַגִּתִּי ICh. 13:13
9 וַיַּךְ...אֶת־לַחְמִי אֲחִי גָּלְיָת הַגִּתִּי ICh. 20:5
הַגִּתִּים 10 וְכָל־הַגִּתִּים שֵׁשׁ־מֵאוֹת אִישׁ IISh. 15:18

גִּתַּיִם* עיר בנחלת בנימין: 1, 2

גִּתָּיִם 1 חָצוֹר רָמָה גִּתָּיִם Neh. 11:33
גִּתָּיְמָה 2 וַיִּבְרְחוּ הַבְּאֵרֹתִים גִּתָּיְמָה IISh. 4:3

גִּתִּית נ׳ כלי־זמר קדמון: 1–3

הַגִּתִּית 1-3 לַמְנַצֵּחַ עַל־הַגִּתִּית Ps. 8:1; 81:1; 84:1

גֶּתֶר שפ״ז – מבני ארם: 1, 2

וְגֶתֶר 1 וּבְנֵי אֲרָם עוּץ וְחוּל וְגֶתֶר וָמַשׁ Gen. 10:23
2 בְּנֵי שֵׁם עֵילָם...וְגֶתֶר וָמֶשֶׁךְ ICh. 1:17

ד׳ זעירא	
אָדָם	Prov. 28:17
ד׳ רבתי	
אֶחָד	Deut. 6:4
ד׳ חסרה	
תמר תַּדְמֹר	IK. 9:18
הזמנתון הִזְדְּמִנְתּוּן	Dan. 2:9

מסורה מסורה מסורה
מסורה מסורה מסורה
מסורה מסורה מסורה
מסורה מסו ד מסורה מסורה
מסורה מסורה מסורה
מסורה מסורה
מסורה מסורה
מסורה מסורה
מסורה מסורה
מסורה מסורה
מסורה מסורה
מסורה מסורה
מסורה מסורה
מסורה מסורה מסורה
מסורה מסורה מסורה
מסורה מסורה מסורה
מסורה מסורה מסורה
מסורה מסורה מסורה
דלתיין בתורה 7032

כתיב ר׳ – קרי ד׳		
עמיחור	עַמִּיהוּד	IISh. 13:37
וארמים	וַאֲדֹמִים	IIK. 16:6
השרמות	הַשְּׁדֵמוֹת	Jer. 31:40
גרל־	גְּדָל־	Prov. 19:19
כתיב ד׳ – קרי ר׳		
אעבוד	אֶעֱבוֹר	Jer. 2:20
ווכוד	וְזָכוּר	Ez. 8:14

דָּא
מ״ג ארמית: זאת [עין גם דְּנָה]: 1–6

דָּא 1 הֲלָא דָא־הִיא בָּבֶל רַבְּתָא Dan. 4:27
2 וְאַרְכֻבָּתֵהּ דָּא לְדָא נָקְשָׁן Dan. 5:6
3/4 וְאַרְבַּע חֵיוָן...שָׁנְיָן דָּא מִן־דָּא Dan. 7:3
5 וַאֲלוּ עַיְנִין...בְּקַרְנָא־דָא Dan. 7:8
לְדָא 6 וְאַרְכֻבָּתֵהּ דָּא לְדָא נָקְשָׁן Dan. 5:6

דאב : דָּאַב; דְּאָבָה, דְּאָבוֹן

דָּאַב
פ׳ כָּאַב: 1–3

לְדַאֲבָה 1 וְלֹא־יוֹסִיפוּ לְדַאֲבָה עוֹד Jer. 31:12(11)
דָּאֲבָה 2 וְכָל־נֶפֶשׁ דָּאֲבָה מִלֵּאתִי Jer. 31:25(24)
3 עֵינִי דָאֲבָה מִנִּי עֹנִי Ps. 88:10

דְּאָבָה
נ׳ כליון

דְּאָבָה 1 וּלְפָנָיו תָּדוּץ דְּאָבָה Job 41:14

דְּאָבוֹן*
ז׳ כליון, כאב

וְדַאֲבוֹן־ 1 וְכִלְיוֹן עֵינַיִם וְדַאֲבוֹן נָפֶשׁ Deut. 28:65

דאג : דָּאַג; דְּאָגָה; ש״פ דוֹאֵג, דּוֹיֵג(?)

דָּאַג
פ׳ חָשַׁשׁ, יָרֵא: 1–7

דָּאַג 7; דָּאַג אֶת־ 1, 4; דָּאַג לְ־ 2, 3; דָּאַג מִן־ 5, 6

דָּאַגְתְּ 1 וְאֶת־מִי דָּאַגְתְּ וַתִּירְאִי Is. 57:11
וְדָאַג 2 פֶּן־יֶחְדַּל אָבִי מִן־הָאֲתֹנוֹת וְדָאַג לָנוּ ISh. 9:5
3 וְדָאַג לָכֶם לֵאמֹר מָה אֶעֱשֶׂה לִבְנִי ISh. 10:2
דּוֹאֵג 4 אֲנִי דֹאֵג אֶת־הַיְּהוּדִים Jer. 38:19
דֹּאֲגִים 5 וְהָרָעָב אֲשֶׁר־אַתֶּם דֹּאֲגִים מִמֶּנּוּ Jer. 42:16
אֶדְאַג 6 כִּי־עֲוֺנִי אַגִּיד אֶדְאַג מֵחַטָּאתִי Ps. 38:19
יִדְאָג 7 וּבִשְׁנַת בַּצֹּרֶת לֹא יִדְאָג Jer. 17:8

דָּאג
עין דָּג (2) **דֹּאֵג** עין דוֹאֵג

דְּאָגָה
נ׳ חשש, יראה: 1–6

דְּאָגָה 1 בַּיָּם דְּאָגָה הַשְׁקֵט לֹא יוּכָל Jer. 49:23
2 דְּאָגָה בְלֶב־אִישׁ יַשְׁחֶנָּה Prov. 12:25
בִּדְאָגָה 3 לַחְמָם בִּדְאָגָה יֹאכֵלוּ Ezek. 12:19
וּבִדְאָגָה 4 וְאָכְלוּ־לֶחֶם בְּמִשְׁקָל וּבִדְאָגָה Ezek. 4:16
5 וּמֵימֶיךָ בְּרָגְזָה וּבִדְאָגָה תִּשְׁתֶּה Ezek. 12:18
מִדְּאָגָה 6 וְאִם־לֹא מִדְּאָגָה מִדָּבָר עָשִׂינוּ Josh. 22:24

דאה : דָּאָה; דָּאָה נ׳

דָּאָה
פ׳ רָחַף: 1–4

יִדְאֶה 1 גּוֹי מֵרָחֹק...כַּאֲשֶׁר יִדְאֶה הַנָּשֶׁר Deut. 28:49
2 הִנֵּה כַנֶּשֶׁר יִדְאֶה וּפָרַשׂ כְּנָפָיו Jer. 48:40
וְיִדְאֶה 3 הִנֵּה כַנֶּשֶׁר יַעֲלֶה וְיִדְאֶה Jer. 49:22
וַיֵּדֶא 4 וַיֵּדֶא עַל־כַּנְפֵי־רוּחַ Ps. 18:11

דָּאָה
נ׳ עוף טורף טמא [עין אַיָּה, דַּיָּה]

הַדָּאָה 1 וְאֶת־הַדָּאָה וְאֶת־הָאַיָּה Lev. 11:14

דֹּאר, דּוֹר
עיר כנענית בנחלת מנשה: 1–7

יוֹשְׁבֵי דוֹר 4, 6; מֶלֶךְ ד׳ 2; נָפַת ד׳ 3, 7

דּוֹר 1 וּבַשְּׁפֵלָה וּבְנָפוֹת דּוֹר מִיָּם Josh. 11:2
2/3 מֶלֶךְ דּוֹר לְנָפַת דּוֹר אֶחָד Hosh. 12:23
4 וְאֶת־יוֹשְׁבֵי° דוֹר וְאֶת־בְּנוֹתֶיהָ Jud. 1:27
5 מְגִדּוֹ וּבְנוֹתֶיהָ דּוֹר וּבְנוֹתֶיהָ ICh. 7:29
דֹּאר 6 וְאֶת־יֹשְׁבֵי דֹאר וּבְנוֹתֶיהָ Josh. 17:11
7 בֶּן־אֲבִינָדָב כָּל־נָפַת דֹּאר IK. 4:11

דֹּב¹
זו״נ חיה טורפת 1–12; (נקבה – פס׳ 11)

דֹּב אוֹרֵב 2; דֹּב שׁוֹקֵק 4; דֹּב שַׁכּוּל 1, 9, 10

דֹּב 1 פָּגוֹשׁ דֹּב שַׁכּוּל בְּאִישׁ Prov. 17:12
2 דֹּב אֹרֵב הוּא לִי Lam. 3:10
וָדֹב 3 וּפָרָה וָדֹב תִּרְעֶינָה Is. 11:7
וְדֹב 4 אֲרִי־נֹהֵם וְדֹב שׁוֹקֵק Prov. 28:15
הַדֹּב 5 וּבָא הָאֲרִי וְאֶת־הַדּוֹב ISh. 17:34
6 גַּם אֶת־הָאֲרִי גַּם־הַדֹּב הִכָּה עַבְדֶּךָ ISh. 17:36
7 הִצִּלַנִי מִיַּד הָאֲרִי וּמִיַּד הַדֹּב ISh. 17:37
8 יָנוּס אִישׁ מִפְּנֵי הָאֲרִי וּפְגָעוֹ הַדֹּב Am. 5:19
כְּדֹב 9 וּמָרֵי נֶפֶשׁ...כְּדֹב שַׁכּוּל בַּשָּׂדֶה IISh. x7:8
10 אֶפְגְּשֵׁם כְּדֹב שַׁכּוּל Hosh. 13zi
דֻּבִּים 11 וַתֵּצֶאנָה שְׁתַּיִם דֻּבִּים מִן הַיַּעַר IIK. 2:24
כַּדֻּבִּים 12 נֶהֱמֶה כַדֻּבִּים כֻּלָּנוּ Is. 59:11

דֹּב²
ז׳ ארמית, כמו בעברית

לְדֹב 1 חֵיוָה אָחֳרִי תִנְיָנָה דָּמְיָה לְדֹב Dan. 7:5

דֹּבֶא
ז׳ שֶׁפַע? כּוֹחַ?

דָּבְאֶךָ 1 בַּרְזֶל וּנְחֹשֶׁת...וּכְיָמֶיךָ דָּבְאֶךָ Deut. 33:25

דבב : דָּבַב; דִּבָּה

דָּבַב
פ׳ דבר, רחש

דּוֹבֵב 1 כְּיֵין הַטּוֹב...דּוֹבֵב שִׂפְתֵי יְשֵׁנִים S.ofS. 7:10

דִּבָּה
נ׳ דברי גנאי: 1–9

דִּבָּה רָעָה 9; דִּבַּת־עָם 7; דִּבַּת רַבִּים 5,6; הוֹצִיא דִבָּה 1–4

דִּבָּה 1 לְהוֹצִיא דִבָּה עַל־הָאָרֶץ Num. 14:36
2 וּמוֹצִא דִבָּה הוּא כְסִיל Prov. 10:18
דִּבַּת־ 3 וַיֹּצִיאוּ דִּבַּת הָאָרֶץ...אֶל־בְּנֵי יִשׂ׳ Num. 13:32
4 מוֹצִאֵי דִבַּת־הָאָרֶץ רָעָה Num. 14:37
5/6 שָׁמַעְתִּי דִּבַּת רַבִּים ירב Jer. 20:10 • Ps. 31:14
וְדִבַּת־ 7 וַתֵּעֲלוּ עַל־שְׂפַת לָשׁוֹן וְדִבַּת־עָם Ezek. 36:3
וְדִבָּתְךָ 8 וְדִבָּתְךָ לֹא תָשׁוּב Prov. 25:10
דִּבָּתָם 9 וַיָּבֵא יוֹסֵף אֶת־דִּבָּתָם רָעָה Gen. 37:2

דְּבוֹרָה¹
נ׳ שרץ העוף המְיַצֵּר דבש: 1–4

וְלַדְּבוֹרָה 1 יִשְׁרֹק יְיָ לַזְּבוּב...וְלַדְּבוֹרָה Is. 7:18
דְּבוֹרִים 2 וְהִנֵּה עֲדַת דְּבוֹרִים בִּגְוִיַּת הָאַרְיֵה Jud. 14:8
הַדְּבֹרִים 3 כַּאֲשֶׁר תַּעֲשֶׂינָה הַדְּבֹרִים Deut. 1:44
כִדְבוֹרִים 4 סַבּוּנִי כִדְבֹרִים Ps. 118:12

דְּבוֹרָה²
שפ״נ א) מינקת רבקה: 1
ב) הנביאה: 2–10

דְּבוֹרָה 1 וַתָּמָת דְּבֹרָה מֵינֶקֶת רִבְקָה Gen. 35:8
2 וְהִיא יוֹשֶׁבֶת תַּחַת־תֹּמֶר דְּבוֹרָה Jud. 4:5
3 וַתָּקָם דְּבוֹרָה וַתֵּלֶךְ עִם־בָּרָק Jud. 4:9
4 וַתַּעַל עִמּוֹ דְּבוֹרָה Jud. 4:10
5 וַתֹּאמֶר דְּבֹרָה אֶל־בָּרָק Jud. 4:14
6 וַתָּשַׁר דְּבוֹרָה וּבָרָק Jud. 5:1
7 עַד שַׁקַּמְתִּי דְּבוֹרָה Jud. 5:7
8 עוּרִי עוּרִי דְּבוֹרָה Jud. 5:12
9 וְשָׂרַי בְּיִשָּׂשכָר עִם־דְּבֹרָה Jud. 5:15
וּדְבוֹרָה 10 וּדְבוֹרָה אִשָּׁה נְבִיאָה אֵשֶׁת לַפִּידוֹת Jud. 4:4

דבח : ארמית: דְּבַח; דְּבַח, מַדְבְּחָא

דְּבַח
פ׳ ארמית: זָבַח

דָּבְחִין 1 אֲתַר דִּי־דָבְחִין דִּבְחִין Ez. 6:3

דְּבַח*
ז׳ ארמית: זֶבַח

דִּבְחִין 1 אֲתַר דִּי־דָבְחִין דִּבְחִין Ez. 6:3

דִּבְיוֹנִים
ז״ר צואת יונים

דִּבְיוֹנִים 1 וְרֹבַע הַקַּב דִּבְיוֹנִים (כת׳ חריונים) בַּחֲמִשָּׁה כָסֶף IIK. 6:25

דְּבִיר¹
ז׳ קדש הקדשים, המדור הפנימי של המקדש: 1–16

דְּבִיר הַבַּיִת 14, 16; ד׳ קֹדֶשׁ 15 פֶּתַח הַדְּבִיר 4

וּדְבִיר 1 וּדְבִיר בְּתוֹךְ־הַבַּיִת מִפְּנִימָה IK. 6:19
הַדְּבִיר 2 וְלִפְנֵי הַדְּבִיר עֶשְׂרִים אַמָּה אֹרֶךְ IK. 6:20
3 וַיְעַבֵּר בְּרַתּוּקוֹת זָהָב לִפְנֵי הַדְּבִיר IK. 6:21
4 וְאֵת פֶּתַח הַדְּבִיר עָשָׂה דַלְתוֹת... IK. 6:31
5 וְחָמֵשׁ מִשְּׂמֹאול לִפְנֵי הַדְּבִיר IK. 7:49
6 וַיֵּרָאוּ...מִן־הַקֹּדֶשׁ עַל־פְּנֵי הַדְּבִיר IK. 8:8
7 וְאֶת־הַמְּנֹרוֹת...לִפְנֵי הַדְּבִיר IICh. 4:20
8 וַיֵּרָאוּ...מִן־הָאָרוֹן עַל־פְּנֵי הַדְּבִיר IICh. 5:9
בַּדְּבִיר 9 וַיַּעַשׂ בַּדְּבִיר שְׁנֵי כְרוּבִים IK. 6:23
10 וַיַּעַשׂ שַׁרְשְׁרוֹת בַּדְּבִיר IICh. 3:16
לִדְבִיר 11 מִבַּיִת לִדְבִיר לְקֹדֶשׁ הַקֳּדָשִׁים IK. 6:16
לַדְּבִיר 12 וְכָל־הַמִּזְבֵּחַ אֲשֶׁר־לַדְּבִיר IK. 6:22
וְלַדְּבִיר 13 וַיִּבֶן...סָבִיב לַהֵיכָל וְלַדְּבִיר IK. 6:5
דְּבִיר־ 14 אֶל־דְּבִיר הַבַּיִת אֶל־קֹדֶשׁ הַקֳּדָשִׁים IK. 8:6
15 בְּנָשְׂאִי יָדַי אֶל־דְּבִיר קָדְשֶׁךָ Ps. 28:2
16 אֶל־דְּבִיר הַבַּיִת אֶל־קֹדֶשׁ הַקֳּדָשִׁים IICh. 5:7

דְּבִיר² א) עיר כֹּהנים ביהודה: 1–11, 13–14
ב) ישוב בגבול הצפוני של יהודה: 12
יוֹשְׁבֵי דְבִיר 3, 8; מֶלֶךְ דְּבִיר 2

דְּבִיר 1 וַיַּכְרֵת...מִן־חֶבְרוֹן מִן־דְּבִר Josh. 11:21
2 מֶלֶךְ דְּבִר אֶחָד Josh. 12:13
3 וַיַּעַל מִשָּׁם אֶל־יֹשְׁבֵי דְּבִר Josh. 15:15
4 וְשֵׁם־דְּבִר לְפָנִים קִרְיַת־סֵפֶר Josh. 15:15
5 וְקִרְיַת־סַנָּה הִיא דְבִר Josh. 15:49
6 וְאֶת־דְּבִר וְאֶת־מִגְרָשֶׁהָ Josh. 21:15
8 וַיֵּלֶךְ מִשָּׁם אֶל־יוֹשְׁבֵי דְּבִיר Jud. 1:11
9 וְשֵׁם־דְּבִיר לְפָנִים קִרְיַת־סֵפֶר Jud. 1:11
10 אֶת־דְּבִיר וְאֶת־מִגְרָשֶׁיהָ ICh. 6:43
דְּבִרָה 11 וַיָּשָׁב יְהוֹשֻׁעַ...דְּבִרָה Josh. 10:38
12 וְעָלָה הַגְּבוּל דְּבִרָה Josh. 15:7
לִדְבִר 13 וּמִמַּחֲנַיִם עַד־גְּבוּל לִדְבִר Josh. 13:26
לִדְבִרָה 14 כֵּן־עָשָׂה לִדְבִרָה וּלְמַלְכָּהּ Josh. 10:39

דְּבִיר³ שפ״ז – מלך עגלון בימי יהושע
דְּבִיר 1 וַיִּשְׁלַח...וְאֶל־דְּבִיר מֶלֶךְ־עֶגְלוֹן Josh. 10:3

דְּבֵלָה נ׳ עגול תאנים מיובשות: 1–5
פֶּלַח דְּבֵלָה 1; דְּבֶלֶת תְּאֵנִים 2, 3
דְּבֵלָה 1 וַיִּתְּנוּ־לוֹ פֶלַח דְּבֵלָה וּשְׁנֵי צִמֻּקִים ISh. 30:12
דְּבֶלֶת־ 2 קְחוּ דְּבֶלֶת תְּאֵנִים IIK. 20:7
3 יִשְׂאוּ דְּבֶלֶת תְּאֵנִים Is. 38:21
דְּבֵלִים 4 וּמֵאָה צִמֻּקִים וּמָאתַיִם דְּבֵלִים ISh. 25:18
5 קֶמַח דְּבֵלִים וְצִמּוּקִים ICh. 12:41(40)

דִּבְלָה עיר בצפון ארץ־ישראל, היא רִבְלָה
דִּבְלָתָה 1 שְׁמָמָה וּמְשַׁמָּה מִמִּדְבַּר דִּבְלָתָה Ezek. 6:14

דִּבְלַיִם שפ״ז – אביה של אשת הושע הנביא
דִּבְלָיִם 1 וַיֵּלֶךְ וַיִּקַּח אֶת־גֹּמֶר בַּת־דִּבְלָיִם Hosh. 1:3

דִּבְלָתַיִם עין בֵּית דִּבְלָתַיִם

דבק: דָּבַק, דִּבֵּק, הִדְבִּיק, מְדַבֵּק; דָּבֵק, דֶּבֶק; אר׳ דְּבַק

דָּבַק פ׳ א) נצמד, התחבר: 1–37, 39–42
ב) הגיע אל־, השיג: 38
ג) [פ׳ דָּבַק] חִבֵּר בחוזקה: 43, 44
ד) [הִפ׳ הִדְבִּיק] הצמיד: 45, 46, 49, 50
ה) [כנ״ל] השיג: 47, 48, 51–56
ו) [הָפ׳ הֻדְבַּק] נצמד: 57

– דָּבַק(־) 19, 21; דָּ׳ בְּ־ 1–6, 8, 9, 14, 15, 17, 18, 20, 23, 24, 27, 30–32, 34, 35, 37, 39–42; דָּ׳ אֶל־ 7, 28, 36; דָּ׳ לְ־ 10, 12, 13, 16, 22, 33; דָּ׳ אַחֲרֵי־ 11, 29; דָּ׳ אֶת־ 38; דָּ׳ עִם־ 25, 26; הִדְבִּיק אֶת־ 47, 48, 51, 52; הִדְ׳ אֶת־ אֶל־ 45, 49; הִדְ׳ אֶת־ בְּ־ 46, 50; הִדְ׳ אַחֲרֵי־ 53, 54, 56

– דָּבַק אֵזוֹר 28; דָּ׳ מְאוּם 6, 27; דָּבְקָה לְשׁוֹנוֹ 7, 16, 33; דָּ׳ נַפְשׁוֹ בְּ־ 11, 13, 35; דָּבְקָה צָרַעַת בְּ־ 32

וּלְדָבְקָה 1 לָלֶכֶת בְּכָל־דְּרָכָיו וּלְדָבְקָה־בוֹ Deut. 11:22
2 לְאַהֲבָה אֶת־יְיָ...וּלְדָבְקָה־בוֹ Deut. 30:20
3 וְלִשְׁמֹר מִצְוֹתָיו וּלְדָבְקָה־בוֹ Josh. 22:5
דָּבַקְתִּי 4 דָּבַקְתִּי בְעֵדְוֹתֶיךָ Ps. 119:31
דָּבַק 5 בָּהֶם דָּבַק שְׁלֹמֹה לְאַהֲבָה IK. 11:2
דָּבַק 6 וּבְכַפַּי דָּבַק מְאוּם Job 31:7
7 דָּבַק לְשׁוֹן יוֹנֵק אֶל־חִכּוֹ בַּצָּמָא Lam. 4:4
דָּבֵק 8 רַק בְּחַטֹּאות יָרָבְעָם...דָּבֵק IIK. 3:3
וְדָבַק 9 יַעֲזָב־אִישׁ...וְדָבַק בְּאִשְׁתּוֹ Gen. 2:24
דָּבְקָה 10 דָּבְקָה לָאָרֶץ בִּטְנֵנוּ Ps. 44:26
11 דָּבְקָה נַפְשִׁי אַחֲרֶיךָ Ps. 63:9
12 דָּבְקָה עַצְמִי לִבְשָׂרִי Ps. 102:6
13 דָּבְקָה לֶעָפָר נַפְשִׁי Ps. 119:25
14 בְּעוֹרִי וּבִבְשָׂרִי דָּבְקָה עַצְמִי Job 19:20
15 וְרוּת דָּבְקָה בָּהּ Ruth 1:14
דָּבֵקָה 16 וּלְשׁוֹנָם לְחִכָּם דָּבֵקָה Job 29:10
וּדְבַקְתֶּם 17 וּדְבַקְתֶּם בְּיֶתֶר הַגּוֹיִם Josh. 23:12
דָּבְקוּ 18 וְאִישׁ יְהוּדָה דָּבְקוּ בְמַלְכָּם IISh. 20:2
דָּבֵקוּ 19 מַפְּלֵי בְשָׂרוֹ דָבֵקוּ Job 41:15
וְדָבְקוּ 20 כָּל־מַדְוֵה מִצְרַיִם...וְדָבְקוּ בָּךְ Deut. 28:60
דָּבֵק 21 וְיֵשׁ אֹהֵב דָּבֵק מֵאָח Prov. 18:24
דְּבֵקָה 22 וְהַכָּנָף...דְּבֵקָה לִכְנַף הַכְּרוּב IICh. 3:12
דְּבֵקִים 23 וְאַתֶּם הַדְּבֵקִים בַּייָ אֱלֹהֵיכֶם Deut. 4:4
תִּדְבָּק 24 אֹתוֹ תַעֲבֹד וּבוֹ תִדְבָּק Deut. 10:20
תִּדְבָּקִין 25 וְכֹה תִדְבָּקִין עִם־נַעֲרֹתָי Ruth 2:8
26 עִם־הַנְּעָרִים אֲשֶׁר־לִי תִּדְבָּקִין Ruth 2:21
יִדְבַּק 27 וְלֹא־יִדְבַּק בְּיָדְךָ מְאוּמָה מִן־הַחֵרֶם Deut. 13:18
28 יִדְבַּק הָאֵזוֹר אֶל־מָתְנֵי־אִישׁ Jer. 13:11
29 וְהָרָעָב...שָׁם יִדְבַּק אַחֲרֵיכֶם Jer. 42:16
30 עֲשֹׂה־סֵטִים שָׂנֵאתִי לֹא יִדְבַּק בִּי Ps. 101:3
וַיִּדְבַּק 31 וַיִּדְבַּק בַּייָ לֹא־סָר מֵאַחֲרָיו IIK. 18:6
תִּדְבַּק 32 וְצָרַעַת נַעֲמָן תִּדְבַּק־בְּךָ IIK. 5:27
33 תִּדְבַּק־לְשׁוֹנִי לְחִכִּי Ps. 137:6
תִּדְבָּק 34 בְּקַשְׂקְשֹׂתֶיךָ תִּדְבָּק Ezek. 29:4
וַתִּדְבַּק 35 וַתִּדְבַּק נַפְשׁוֹ בְּדִינָה Gen. 34:3
36 וַתִּדְבַּק יָדוֹ אֶל־הַחֶרֶב IISh. 23:10
37 וַתִּדְבַּק בְּנַעֲרוֹת בֹּעַז לְלַקֵּט Ruth 2:23
תִּדְבָּקַנִי 38 פֶּן־תִּדְבָּקַנִי הָרָעָה וָמַתִּי Gen. 19:19
תִּדְבָּקוּ 39 כִּי אִם־בַּייָ אֱלֹהֵיכֶם תִּדְבָּקוּ Josh. 23:8
תִּדְבָּקוּן 40 וְאֹתוֹ תַעֲבֹדוּ וּבוֹ תִדְבָּקוּן Deut. 13:5
יִדְבְּקוּ 41 אִישׁ בְּנַחֲלַת...אֲבֹתָיו יִדְבְּקוּ בְּ״י Num. 36:7
42 אִישׁ בְּנַחֲלָתוֹ יִדְבְּקוּ מַטּוֹת בְּ״י Num. 36:9
יְדֻבָּקוּ 43 בְּצֶקֶת עָפָר...וּרְגָבִים יְדֻבָּקוּ Job 38:38
44 אִישׁ־בְּאָחִיהוּ יְדֻבָּקוּ Job 41:9
הִדְבַּקְתִּי 45 הִדְבַּקְתִּי אֵלַי אֶת־כָּל־בֵּית יִשְׂ׳ Jer. 13:11
וְהִדְבַּקְתִּי 46 וְהִדְבַּקְתִּי דְגַת־יְאֹרֶיךָ בְּקַשְׂקְשֹׂתֶיךָ Ezek. 29:4
הִדְבִּיקַתְהוּ 47 וְהַמִּלְחָמָה הִדְבִּיקָתְהוּ Jud. 20:42
הִדְבִּקֻהוּ 48 וּבַעֲלֵי הַפָּרָשִׁים הִדְבִּקֻהוּ IISh. 1:6
אַדְבִּיק 49 וּלְשׁוֹנְךָ אַדְבִּיק אֶל־חִכֶּךָ Ezek. 3:26
יַדְבֵּק 50 יַדְבֵּק יְיָ בְּךָ אֶת־הַדָּבֶר Deut. 28:21
וַיַּדְבֵּק 51 וַיַּדְבֵּק אֹתוֹ בְּהַר הַגִּלְעָד Gen. 31:23
וַיַּדְבִּיקוּ 52 וַיַּדְבִּיקוּ אֶת־בְּנֵי־דָן Jud. 18:22
53 וַיַּדְבִּיקוּ אַחֲרָיו עַד־גִּדְעֹם Jud. 20:45
וַיַּדְבְּקוּ 54 וַיַּדְבְּקוּ גַם־הֵמָּה אַחֲרֵיהֶם ISh. 14:22
55 וַיַּדְבְּקוּ פְלִשְׁתִּים אֶת־שָׁאוּל ISh. 31:2
56 וַיַּדְבְּקוּ פְלִשְׁתִּים אַחֲרֵי שָׁאוּל ICh. 10:2
מֻדְבָּק 57 וּלְשׁוֹנִי מֻדְבָּק מַלְקוֹחָי Ps. 22:16

דְּבַק* פ׳ ארמית: כמו בעברית
דָּבְקִין 1 וְלָא־לֶהֱוֹן דָּבְקִין דְּנָה עִם־דְּנָה Dan. 2:43

דֶּבֶק ז׳ א) חבור: 1
ב) [הַדְּבָקִים] מקום החבור של חלקים: 2–3
לַדֶּבֶק 1 אֹמֵר לַדֶּבֶק טוֹב הוּא Is. 41:7
הַדְּבָקִים 2 וַיַּכֶּה...בֵּין הַדְּבָקִים וּבֵין הַשִּׁרְיָן IK. 22:34
3 וַיַּךְ...בֵּין הַדְּבָקִים וּבֵין הַשִּׁרְיָן IICh. 18:33

דָּבֵק ת׳ עין דָּבַק

דבר: א) דִּבֶּר, דִּבּוּר, נִדְבָּר, דֹּבֵר, דַּבֵּר, הַדַּבֵּר; דָּבָר, דִּבְרָה, דַּבֶּרֶת(?) מִדְבָּר¹
ב) דִּבֵּר, הִדְבִּיר; דֶּבֶר ג) דֹּבֶר, מִדְבָּר²

דִּבֵּר¹ פ׳ א) [מקור ובינוני] השמיע דברים, אמר: 1–41
ב) [נפ׳ נִדְבַּר] דברו זה עם זה: 42–45
ג) [פ׳ דִּבֵּר] השמיע דברים: 46–1132
ד) [פ׳ דֻּבַּר] נאמר: 1133, 1134
ה) [הת׳ הִדַּבֵּר] אמר, השמעו דברים: 1135–1137

– דּוֹבֵר 3, 33, 39; דּוֹבֵר אֶל־ 2, 9, 11, 14, 15, 21; ד׳ עַל־ 8, 34, 40; ד׳ בְּ־ 22–32; ד׳ לְ־ 20; ד׳ עִם 36; נִדְבַּר עַל־ 42; נִדְ׳ אֶל־ 43; נִדְבַּר בְּ־ 44, 45

– דּוֹבֵר אֱמֶת 18; ד׳ דָּבָר 14, 15; ד׳ הַוָּה 12; ד׳ יְשָׁרִים 19; ד׳ כָּזָב 35, 37; ד׳ מֵישָׁרִים 16; ד׳ נְבָלָה 5; ד׳ עָתָק 40; ד׳ צֶדֶק 6; ד׳ רָע 34; ד׳ שָׁלוֹם 20, 36; ד׳ שֶׁקֶר 10, 13, 38; ד׳ תָּמִים 17

– דִּבֵּר 47, 49, 51, 54–62, 64–73, 111–127 (ועוד כ־300 מקראות!); דִּבְּרוֹ 142, 552–554; דִּבֵּר אֶל־ 46, 50, 52, 53, 60–62, 75–79, 97–110, 130, 133 (ועוד כ־380 מקראות!); דִּבֵּר אֶת־ (אִתּוֹ, אוֹתוֹ) 74, 80, 82–86, 91, 96, 132, 140, 143, 154, 181, 184, 188, 192, 232, 234, 284, 286 (ועוד כ־50 מקראות!); דִּבֵּר עִם־ 48, 63, 94, 131, 139, 149–152, 164, 233, 540, 547, 593, 597, 598, 600, 627, 695, 704, 738, 757, 891, 908, 1109; דִּבֵּר לְ־ 128, 129, 142, 161, 165, 256–259, 397–422, 571, 990, 1129; דִּבֵּר עַל־ 90, 93, 182, 183, 185–187, 235, 236, 250, 251, 285, 300, 310, 315, 335, 337, 423–445, 579, 587, 637, 640, 641, 728, 729, 770, 783, 786, 909, 910, 1020, 1130; דִּבֵּר בְּ־ 87, 137, 249, 279, 311, 514, 559, 636, 665, 666, 688, 707, 884, 893, 894, 1024, 1027, 1028; דִּבֵּר בְּאָזְנֵי־ 4, 7, 546, 563, 684, 708, 886, 895, 969, 972, 1021, 1108, 1119, 1123; דִּבֵּר לִפְנֵי־ 859, 977, 1016, 1048; דִּבֵּר בְּיַד־ 246, 306, 312, 317, 321–333, 901; דִּבֵּר בְּלִבּוֹ 237; ד׳ עַל לֵב 90, 235, 250, 622, 783, 786, 909, 910, 1114, 1130; ד׳ בְּשֵׁם 81, 89, 643, 745–747, 1026; דֻּבַּר בְּ־ 1133, 1134

– דִּבֵּר אָוֶן 64, 582; ד׳ אֱמֶת 754, 998, 1131; ד׳ אֲרָמִית 1029, 1111, 1112; ד׳ אַשְׁדּוֹדִית 616; ד׳ בְּלֵב וָלֵב 1002; ד׳ גְּבֹהָה 981; ד׳ גְּדֹלוֹת 625; ד׳ דָּבָר 59, 136, 150, 154, 162, 192, 242, 244, 248, 284, 297, 518, 519, 528, 529, 548, 552, 553, 560, 632–634, 771, 971, 1026, 1128; ד׳ דְּבָרִים 160, 281, 580, 698, 702, 745, 754, 780, 787, 871, 883, 887, 889, 892, 896, 973, 1015, 1021; ד׳ הַוּוֹת 584; ד׳ חָכְמוֹת 761; ד׳ חֲלָקוֹת 1129; ד׳ טוֹב 282, 283, 310, 337; ד׳ טוֹבָה 93, 726, 729; ד׳ טוֹבוֹת 902, 903, 989; ד׳ יְהוּדִית 95, 704, 705; ד׳ כָּזָב 991, 1011; ד׳ כְּזָבִים 579, 723, 724; ד׳ מֵישָׁרִים 67; ד׳ מִרְמָה 134, 535; ד׳ מִשְׁפָּט 68, 970, 1025; ד׳ מִשְׁפָּטִים 234, 638, 639, 904, 905; ד׳ נְבָלָה 751; ד׳ נְגִידִים 647; ד׳ נְכוֹנָה 564–565; ד׳ נִפְלָאוֹת 770; ד׳ סָרָה 56, 247, 315, 335; ד׳ עַוְלָה 983, 1046; ד׳ עָמָל 1045; ד׳ עֹשֶׁק 56; ד׳ עָתָק 993; ד׳ צֶדֶק 135, 986; ד׳ צָחוֹת 92; ד׳ קָשׁוֹת 785; ד׳ רַכּוֹת 768; ד׳ רְמִיָּה 984; ד׳ רִתַת 72; ד׳ שָׁוְא 65, 155, 759, 992, 1001; ד׳ שִׁיר 1117; ד׳ שָׁלוֹם 550, 680, 753, 763, 1003; ד׳ שֶׁקֶר 57, 249, 577, 581, 585, 605, 1026; ד׳ שָׂפָה 630; ד׳ תְּהִלָּה 774; ד׳ תַּהְפֻּכוֹת 609, 766; ד׳ תּוֹעָה 130; ד׳ תַּחֲנוּנִים 775

בְּדַבְּרֶךָ 1 תִּצְדַּק בְּדָבְרֶךָ תִּזְכֶּה בְשָׁפְטֶךָ Ps. 51:6
דּוֹבֵר 2 אֵת כָּל־אֲשֶׁר אֲנִי דֹּבֵר אֵלֶיךָ Ex. 6:29
3 כַּאֲשֶׁר אֲדֹנִי דֹּבֵר Num. 32:27

דּוֹבֵר (המשך)	4	אֲשֶׁר אָנֹכִי דֹּבֵר בְּאָזְנֵיכֶם הַיּוֹם	Deut.5:1
	5	וְכָל־פֶּה דֹּבֵר נְבָלָה	Is.9:16
	6	אֲנִי יְיָ דֹּבֵר צֶדֶק מַגִּיד מֵישָׁרִים	Is.45:19
	7	אֲשֶׁר אָנֹכִי דֹּבֵר בְּאָזְנֶיךָ	Jer.28:7
	8	אֲשֶׁר אָנֹכִי דֹּבֵר עֲלֵיהֶם	Jer.32:42
	9	שְׁמַע־נָא...לַאֲשֶׁר אֲנִי דֹּבֵר אֵלֶיךָ	Jer.38:20
	10	כִּי־שֶׁקֶר אַתָּה דֹּבֵר	Jer.40:16
	11	אֶת־הַקְּרִיאָה אֲשֶׁר אָנֹכִי דֹּבֵר אֵלֶיךָ	Jon.3:2
	12	וְהַגָּדוֹל דֹּבֵר הַוַּת נַפְשׁוֹ הוּא	Mic.7:3
	13	עֹשֵׂה רְמִיָּה דֹּבֵר שְׁקָרִים	Ps.101:7
	14	וְאֵין־דֹּבֵר אֵלָיו דָּבָר	Job2:13
	15	בַּדְּבָרִים אֲשֶׁר אָנֹכִי דֹּבֵר אֵלֶיךָ	Dan.10:11
וְדוֹבֵר	16	הֹלֵךְ צְדָקוֹת וְדֹבֵר מֵישָׁרִים	Is.33:15
	17	וְדֹבֵר תָּמִים יְתָעֵבוּ	Am.5:10
	18	וּפֹעֵל צֶדֶק וְדֹבֵר אֱמֶת בִּלְבָבוֹ	Ps.15:2
	19	וְדֹבֵר יְשָׁרִים יֶאֱהָב	Prov.16:13
	20	וְדֹבֵר שָׁלוֹם לְכָל־זַרְעוֹ	Es.10:3
הַדּוֹבֵר	21	וַתִּקְרָא שֵׁם־יְיָ הַדֹּבֵר אֵלֶיהָ	Gen.16:13
	22-32	הַמַּלְאָךְ הַדֹּבֵר בִּי	Zech.1:9,13,14; 2:2,7; 4:1,4,5; 5:5,10; 6:4
דּוֹבְרִים	33	כֵּן מַטֵּה בְנֵי־יוֹסֵף דֹּבְרִים	Num.36:5
וְהַדּוֹבְרִים	34	וְהַדֹּבְרִים רָע עַל־נַפְשִׁי	Ps.109:20
דּוֹבְרֵי־	35	תְּאַבֵּד דֹּבְרֵי כָזָב	Ps.5:7
	36	דֹּבְרֵי שָׁלוֹם עִם־רֵעֵיהֶם	Ps.28:3
	37	תָּעוּ מִבֶּטֶן דֹּבְרֵי כָזָב	Ps.58:4
	38	כִּי יִסָּכֵר פִּי דוֹבְרֵי־שָׁקֶר	Ps.63:12
דּוֹבְרוֹת	39	כֵּן בְּנוֹת צְלָפְחָד דֹּבְרֹת	Num.27:7
הַדּוֹבְרוֹת	40	הַדֹּבְרוֹת עַל־צַדִּיק עָתָק	Ps.31:19
דָּבוּר	41	דָּבָר דָּבֻר עַל־אָפְנָיו	Prov.25:11
נִדְבַּרְנוּ	42	וַאֲמַרְתֶּם מַה־נִּדְבַּרְנוּ עָלֶיךָ	Mal.3:13
נִדְבְּרוּ	43	אָז נִדְבְּרוּ יִרְאֵי יְיָ אִישׁ אֶל־רֵעֵהוּ	Mal.3:16
נִדְבָּרוּ	44	גַּם יָשְׁבוּ שָׂרִים בִּי נִדְבָּרוּ	Ps.119:23
הַנִּדְבָּרִים	45	בְּנֵי עַמְּךָ הַנִּדְבָּרִים בְּךָ	Ezek.33:30
דַּבֵּר	46	לֹא נוּכַל דַּבֵּר אֵלֶיךָ רַע אוֹ־טוֹב	Gen.24:50
	47	יָדַעְתִּי כִּי־דַבֵּר יְדַבֵּר הוּא	Ex.4:14
	48	מַה־יֹּסֵף יְיָ דַּבֵּר עִמִּי	Num.22:19
	49	הֲיָכֹל אוּכַל דַּבֵּר מְאוּמָה	Num.22:38
	50	אַל־תּוֹסֶף דַּבֵּר אֵלַי עוֹד	Deut.3:26
	51	דַּבֵּר יְדַבְּרוּ בָרִאשֹׁנָה לֵאמֹר	IISh.20:18
	52	וַיּוֹסֶף יְיָ דַּבֵּר אֶל־אָחָז לֵאמֹר	Is.7:10
	53	וַיֹּסֶף יְיָ דַּבֵּר אֵלַי עוֹד לֵאמֹר	Is.8:5
	54	הִנֵּה לֹא־יָדַעְתִּי דַּבֵּר	Jer.1:6
	55	וְאוּלָם מִי־יִתֵּן אֱלוֹהַּ דַּבֵּר	Job11:5
דַּבֶּר־	56	פָּשֹׁעַ...דַּבֶּר־עֹשֶׁק וְסָרָה	Is.59:13
	57	לִמְּדוּ לְשׁוֹנָם דַּבֶּר־שֶׁקֶר	Jer.9:4
וְדַבֵּר	58	וַיְהִי הֵמָּה הֹלְכִים הָלוֹךְ וְדַבֵּר	IIK.2:11
	59	מִמְּצוֹא חֶפְצְךָ וְדַבֵּר דָּבָר	Is.58:13
	60	וָאֲדַבֵּר אֲלֵיכֶם הַשְׁכֵּם וְדַבֵּר	Jer.7:13
	61	וָאֲדַבֵּר אֲלֵיכֶם אַשְׁכֵּים וְדַבֵּר	Jer.25:3
	62	דִּבַּרְתִּי אֲלֵיכֶם הַשְׁכֵּם וְדַבֵּר	Jer.35:14
	63	יָרַדְתָּ וְדַבֵּר עִמָּהֶם מִשָּׁמַיִם	Neh.9:13
וְדַבֶּר־	64	שְׁלַח אֶצְבַּע וְדַבֶּר־אָוֶן	Is.58:9
	65	בָּטוֹחַ עַל־תֹּהוּ וְדַבֶּר־שָׁוְא	Is.59:4
בְּדַבֵּר	66	וְרִבְקָה שֹׁמַעַת בְּדַבֵּר יִצְחָק	Gen.27:5
	67	בְּדַבֵּר שְׂפָתֶיךָ מֵישָׁרִים	Prov.23:16
וּבְדַבֵּר	68	וּבְדַבֵּר אֶבְיוֹן מִשְׁפָּט	Is.32:7
כְּדַבֵּר	69	וַיְהִי כְּדַבֵּר אַהֲרֹן...וַיִּפְנוּ	Ex.16:10
	70	וַיְהִי כְּדַבֵּר מַלְאַךְ יְיָ...וַיִּבְכּוּ	Jud.2:4
	71	וַיְהִי כְּדַבֵּר אִישׁ הָאֱלֹהִים	IIK.7:18
	72	כְּדַבֵּר אֶפְרַיִם רְתֵת	Hosh.13:1
	73	כְּדַבֵּר אַחַת הַנְּבָלוֹת תְּדַבֵּרִי	Job2:10
לְדַבֵּר	74	וַיְכַל לְדַבֵּר אִתּוֹ	Gen.17:22

לְדַבֵּר (המשך)	75/6	הוֹאַלְתִּי לְדַבֵּר אֶל־אֲדֹנָי	Gen.18:27,31
	77	וַיֹּסֶף עוֹד לְדַבֵּר אֵלָיו וַיֹּאמַר	Gen.18:29
	78	כַּאֲשֶׁר כִּלָּה לְדַבֵּר אֶל־אַבְרָהָם	Gen.18:33
	79	טֶרֶם אֲכַלֶּה לְדַבֵּר אֶל־לִבִּי	Gen.24:45
	80	וַיֵּצֵא...אֶל־יַעֲקֹב לְדַבֵּר אִתּוֹ	Gen.34:6
	81	וּמֵאָז בָּאתִי...לְדַבֵּר בִּשְׁמֶךָ	Ex.5:23
	82	וַיִּתֵּן אֶל־מֹשֶׁה כְּכַלֹּתוֹ לְדַבֵּר אִתּוֹ	Ex.31:18
	83-86	לְדַבֵּר אִתּוֹ	Ex.34:34,35 • Num.7:89 • IISh.3:27
	87	וּמַדּוּעַ לֹא יְרֵאתֶם לְדַבֵּר בְּעַבְדִּי	Num.12:8
	88	וְלִמַּדְתֶּם...אֶת־בְּנֵיכֶם לְדַבֵּר בָּם	Deut.11:19
	89	אֲשֶׁר יָזִיד לְדַבֵּר דָּבָר בִּשְׁמִי	Deut.18:20
	90	לְדַבֵּר עַל־לִבָּהּ לַהֲשִׁיבָהּ	Jud.19:3
	91	עָבַר רוּחַ־יְיָ מֵאִתִּי לְדַבֵּר אוֹתָךְ	IK.22:24
	92	וּלְשׁוֹן עִלְּגִים תְּמַהֵר לְדַבֵּר צָחוֹת	Is.32:4
	93	לְדַבֵּר עֲלֵיהֶם טוֹבָה	Jer.18:20
	94	וְהֵיךְ יוּכַל...לְדַבֵּר עִם־אֲדֹנִי זֶה	Dan.10:17
	95	וְאֵינָם מַכִּירִים לְדַבֵּר יְהוּדִית	Neh.13:24
	96	עָבַר רוּחַ־יְיָ מֵאִתִּי לְדַבֵּר אֹתָךְ	IICh.18:23
	97-110	לְדַבֵּר אֶל־(אֵלֶיךָ־...)	Ex.29:42 • Deut.20:8, 9 • Josh.4:10 • ISh.18:1; 24:17(16) • IISh.7:20; 11:19; 14:15 • Jer.26:2; 38:4; 43:1 • Ruth1:18 • Ez.8:17
	111-127	לְדַבֵּר	Gen.24:15 • Num.16:31; 23:12 • Deut.18:20; 32:45 • Jud.9:37; 12:6; 15:17 • IISh.3:19; 13:36 • IIK.18:27 • Is.36:12 • Jer.26:8², 15 • Eccl.1:8; 3:7
לְדַבֶּר־	128	וַתָּבֹא...לְדַבֶּר־לוֹ עַל־אֲדֹנִיָּהוּ	IK.2:19
	129	הֲיֵשׁ לְדַבֶּר־לָךְ אֶל הַמֶּלֶךְ	IIK.4:13
וּלְדַבֵּר	130	וּלְדַבֵּר אֶל־יְיָ תּוֹעָה	Is.32:6
מִדַּבֵּר	131	הִשָּׁמֶר לְךָ מִדַּבֵּר עִם־יַעֲקֹב	Gen.31:29
	132	וַיְכַל מֹשֶׁה מִדַּבֵּר אִתָּם	Ex.34:33
	133	וְהוּא בֶּן־בְּלִיַּעַל מִדַּבֵּר אֵלָיו	ISh.25:17
	134	נְצֹר...וּשְׂפָתֶיךָ מִדַּבֵּר מִרְמָה	Ps.34:14
	135	אָהַבְתָּ...שֶׁקֶר מִדַּבֵּר צֶדֶק	Ps.52:5
וּמִדַּבֵּר	136	וּמִדַּבֵּר הַמֶּלֶךְ הַדָּבָר הַזֶּה	IISh.14:13
דַּבְּרִי	137	כִּי־מִדֵּי דַבְּרִי בּוֹ...	Jer.31:20(19)
	138	וְאַחַר דַּבְּרִי תַלְעִיג	Job21:3
בְּדַבְּרִי	139	בַּעֲבוּר יִשְׁמַע הָעָם בְּדַבְּרִי עִמָּךְ	Ex.19:9
וּבְדַבְּרִי	140	וּבְדַבְּרִי אוֹתְךָ אֶפְתַּח אֶת־פִּיךָ	Ezek.3:27
דַּבֶּרְךָ	141	גַּם מֵאָז דַּבֶּרְךָ אֶל־עַבְדֶּךָ	Ex.4:10
דַּבְּרוֹ	142	וְלֹא יָכְלוּ דַּבְּרוֹ לְשָׁלֹם	Gen.37:4
בְּדַבְּרוֹ	143	כִּי קָרַן עוֹר פָּנָיו בְּדַבְּרוֹ אִתּוֹ	Ex.34:29
	144	בְּדַבְּרוֹ הַדָּבָר הַזֶּה	Jud.8:3
	145	וַיִּשְׁמַע...בְּדַבְּרוֹ אֶל־הָאֲנָשִׁים	ISh.17:28
	146	כְּקוֹל אֵל־שַׁדַּי בְּדַבְּרוֹ	Ezek.10:5
	147	נַפְשִׁי יָצְאָה בְדַבְּרוֹ	S.ofS.5:6
	148	וַיְהִי בְּדַבְּרוֹ אֵלָיו וַיֹּאמֶר לוֹ	IICh.25:16
וּבְדַבְּרוֹ	149	וּבְדַבְּרוֹ עִמִּי נִרְדַּמְתִּי	Dan.8:18
	150	וּבְדַבְּרוֹ עִמִּי אֶת־הַדָּבָר הַזֶּה	Dan.10:11
	151	וּבְדַבְּרוֹ עִמִּי כַּדְּבָרִים הָאֵלֶּה	Dan.10:15
וּכְדַבְּרוֹ	152	וּכְדַבְּרוֹ עִמִּי הִתְחַזָּקְתִּי	Dan.10:19
כְּדַבְּרָהּ	153	וַיְהִי כְּדַבְּרָהּ אֶל־יוֹסֵף יוֹם יוֹם	Gen.39:10
דַּבֶּרְכֶם	154	יַעַן דַּבֶּרְכֶם אֶת־הַדָּבָר הַזֶּה	Jer.5:14
	155	יַעַן דַּבֶּרְכֶם שָׁוְא וַחֲזִיתֶם כָּזָב	Ezek.13:8
בְּדַבֶּרְכֶם	156	וַיִּשְׁמַע יְיָ...בְּדַבֶּרְכֶם אֵלָי	Deut.5:25
כְּדַבֶּרְכֶם	157	עִבְדוּ אֶת־יְיָ כְּדַבֶּרְכֶם	Ex.12:31
בְּדַבְּרָם	158	וַיֵּבְךְּ יוֹסֵף בְּדַבְּרָם אֵלָיו	Gen.50:17
	159	וּמֹשֶׁה...וְאַהֲרֹן...בְּדַבְּרָם אֶל־פַּרְעֹה	Ex.7:7
דִּבַּרְתִּי	160	לֹא אֹכַל עַד אִם־דִּבַּרְתִּי דְּבָרָי	Gen.24:33
	161	עָשִׂיתִי אֵת אֲשֶׁר־דִּבַּרְתִּי לָךְ	Gen.28:15
	162	הוּא הַדָּבָר אֲשֶׁר דִּבַּרְתִּי	Gen.41:28

דִּבַּרְתִּי (המשך)	163	הוּא אֲשֶׁר דִּבַּרְתִּי אֲלֵכֶם	Gen.42:14
	164	כִּי מִן־הַשָּׁמַיִם דִּבַּרְתִּי עִמָּכֶם	Ex.20:19
	165	נְחֵה...אֶל אֲשֶׁר־דִּבַּרְתִּי לָךְ	Ex.32:34
	166-180	אֲנִי יְיָ דִּבַּרְתִּי	Num.14:35 • Ezek.5:13,15,17; 17:21,24; 21:22,37; 22:14; 24:14; 26:14; 30:12; 34:24; 36:36; 37:14
	181	הַדָּבָר דִּבַּרְתִּי אֶת־אַחַד שִׁבְטֵי יִשְׂ׳	IISh.7:7
	182	כַּאֲשֶׁר דִּבַּרְתִּי עַל־דָּוִד אָבִיךָ	IK.9:5
	183	אֲשֶׁר דִּבַּרְתִּי עַל־הַמָּקוֹם הַזֶּה	IIK.22:19
	184	לֹא־דִבַּרְתִּי אֶת־אֲבוֹתֵיכֶם	Jer.7:22
	185	מֵרָעָתוֹ אֲשֶׁר דִּבַּרְתִּי עָלָיו	Jer.18:8
	186	כָּל־הָרָעָה אֲשֶׁר דִּבַּרְתִּי עָלֶיהָ	Jer.19:15
	187	כָּל־דְּבָרַי אֲשֶׁר דִּבַּרְתִּי עָלֶיהָ	Jer.25:13
	188	יִשְׁמְעוּ הַשָּׂרִים כִּי־דִבַּרְתִּי אִתָּךְ	Jer.38:5
	189	חַם־לִבִּי...דִּבַּרְתִּי בִּלְשׁוֹנִי	Ps.39:4
	190	אַחַת דִּבַּרְתִּי וְלֹא אֶעֱנֶה	Job40:5
	191	דִּבַּרְתִּי אֲנִי עִם־לִבִּי לֵאמֹר	Eccl.1:16
	192	הַדָּבָר דִּבַּרְתִּי אֶת־אַחַד שֹׁפְטֵי יִשְׂ׳	ICh.17:7
	193-209	דִּבַּרְתִּי אֶל־	Num.23:26; 24:12 • Josh.1:3; 20:2 • ISh.3:12 • IK.6:12 • Jer.14:14; 22:21; 23:21; 27:16; 30:2; 33:14; 35:14, 17; 36:2², 31
	210-231	דִּבַּרְתִּי	ISh.1:16 • Is.45:19; 46:11; 48:15, 16; 65:12; 66:4 • Jer.4:28; 19:5; 27:12; 34:5 • Ezek.6:10; 13:7; 23:34; 26:5; 28:10; 36:5,6; 38:17,19; 39:5,8
וְדִבַּרְתִּי	232	וְדִבַּרְתִּי אִתְּךָ מֵעַל הַכַּפֹּרֶת	Ex.25:22
	233	וְיָרַדְתִּי וְדִבַּרְתִּי עִמְּךָ שָׁם	Num.11:17
	234	וְדִבַּרְתִּי מִשְׁפָּטַי אוֹתָם	Jer.1:16
	235	וְדִבַּרְתִּי עַל־לִבָּהּ	Hosh.2:16
	236	וְדִבַּרְתִּי עַל־הַנְּבִיאִים	Hosh.12:11
	237	וְדִבַּרְתִּי בְלִבִּי שֶׁגַּם־זֶה הָבֶל	Eccl.2:15
דִּבַּרְתָּ	238	כֵּן תַּעֲשֶׂה כַּאֲשֶׁר דִּבַּרְתָּ	Gen.18:5
	239	אֶת־הָעִיר אֲשֶׁר דִּבַּרְתָּ	Gen.19:21
	240	עָשִׂיתִי כַּאֲשֶׁר דִּבַּרְתָּ אֵלָי	Gen.27:19
	241	וַיֹּאמֶר מֹשֶׁה כֵּן דִּבַּרְתָּ	Ex.10:29
	242	הַדָּבָר הַזֶּה אֲשֶׁר דִּבַּרְתָּ אֶעֱשֶׂה	Ex.33:17
	243	כַּאֲשֶׁר דִּבַּרְתָּ לֵאמֹר	Num.14:17
	244	טוֹב הַדָּבָר אֲשֶׁר־דִּבַּרְתָּ לַעֲשׂוֹת	Deut.1:14
	245	וַעֲשֵׂה כַּאֲשֶׁר דִּבַּרְתָּ	IISh.7:25
	246	כַּאֲשֶׁר דִּבַּרְתָּ בְּיַד מֹשֶׁה עַבְדֶּךָ	IK.8:53
	247	כִּי־סָרָה דִבַּרְתָּ אֶל־יְיָ	Jer.28:16
	248	הַדָּבָר אֲשֶׁר־דִּבַּרְתָּ אֵלֵינוּ בְּשֵׁם יְיָ	Jer.44:16
	249	שֶׁקֶר דִּבַּרְתָּ בְּשֵׁם יְיָ	Zech.13:3
	250	וְכִי דִבַּרְתָּ עַל־לֵב שִׁפְחָתֶךָ	Ruth2:13
	251	הַדָּבָר אֲשֶׁר דִּבַּרְתָּ עַל־עַבְדְּךָ	ICh.17:23
	252-255	דִּבַּרְתָּ אֶל־ (אֵלַי, אֵלָיו...)	ISh.9:21 • 28:21 • Jer.38:25; 51:62
	256-259	דִּבַּרְתָּ לְ־(לוֹ...)	IK.8:24,25 • IICh.6:15,16
	260-276	דִּבַּרְתָּ	Deut.23:24 • Jud.6:36,37 • 13:11 • IISh.2:27; 7:29 • IK.8:26 • IIK.20:19 • Is.39:8 • Jer.32:24 • Ezek.3:18,33:8 • Ps.89:20 • Es.6:10² • ICh.17:23 • IICh.6:17
וְדִבַּרְתָּ	277/8	וְדִבַּרְתָּ אֵלָיו...	Ex.4:15; 9:1
	279	וְשִׁנַּנְתָּם לְבָנֶיךָ וְדִבַּרְתָּ בָּם	Deut.6:7
	280	הָלוֹךְ וְדִבַּרְתָּ אֶל־דָּוִד	IISh.24:12
	281	וְדִבַּרְתָּ אֲלֵיהֶם דְּבָרִים טוֹבִים	IK.12:7
	282/3	וְדִבַּרְתָּ טוֹב	IK.22:13 • IICh.18:12
	284	וְדִבַּרְתָּ שָׁם אֶת־הַדָּבָר הַזֶּה	Jer.22:1
	285	וְדִבַּרְתָּ עַל־כָּל־עָרֵי יְהוּדָה	Jer.26:2
	286	וְדִבַּרְתָּ אוֹתָם וַהֲבֵאוֹתָם בֵּית יְיָ	Jer.35:2

וְדִבַּרְתָּ (המשך)
295-287 וְדִבַּרְתָּ אֶל־ (אֵלָיו) IK.21:19[2]
Jer.1:17; 7:27 • Ezek.2:7; 3:4, 11 • IChr.21:10
IICh.10:7
דִּבַּרְתְּ 296 הִנֵּה דִבַּרְתְּ וַתַּעֲשִׂי הָרָעוֹת וַתּוּכָל Jer.3:5
וְדִבַּרְתְּ 297 וְדִבַּרְתְּ אֵלָיו כַּדָּבָר הַזֶּה IISh.14:3
דִּבֶּר 298 כַּאֲשֶׁר דִּבֶּר אֵלָיו יְיָ Gen.12:4
299 כַּאֲשֶׁר דִּבֶּר אִתּוֹ אֱלֹהִים Gen.17:23
300 אֵת אֲשֶׁר־דִּבֶּר עָלָיו Gen.18:19
301 לַמּוֹעֵד אֲשֶׁר־דִּבֶּר אֹתוֹ אֱל' Gen.21:2
302/3 בַּמָּקוֹם אֲשֶׁר־דִּבֶּר אִתּוֹ ב Gen.35:13, 14
304 הַמָּקוֹם אֲשֶׁר דִּבֶּר אִתּוֹ שָׁם אֱל' Gen.35:15
305 דִּבֶּר הָאִישׁ...אִתָּנוּ קָשׁוֹת Gen.42:30
306 כַּאֲשֶׁר דִּבֶּר יְיָ בְּיַד־מֹשֶׁה Ex.9:35
307 כֹּל אֲשֶׁר־דִּבֶּר יְיָ נַעֲשֶׂה וְנִשְׁמָע Ex.24:7
308 אֵת כָּל־אֲשֶׁר דִּבֶּר יְיָ אִתּוֹ Ex.34:32
309 בְּיוֹם דִּבֶּר יְיָ אֶת־מֹשֶׁה Num.3:1
310 כִּי־יְיָ דִּבֶּר־טוֹב עַל־יִשְׂרָאֵל Num.10:29
311 הֲרַק אַךְ־בְּמֹשֶׁה דִּבֶּר יְיָ Num.12:2
312 כַּאֲשֶׁר דִּבֶּר יְיָ בְּיַד מֹשֶׁה Num.27:23
313 פָּנִים בְּפָנִים דִּבֶּר יְיָ עִמָּכֶם Deut.5:4
314 הַדְּבָרִים אֲשֶׁר דִּבֶּר יְיָ עִמָּכֶם Deut.9:10
315 כִּי דִבֶּר־סָרָה עַל־יְיָ אֱלֹהֵיכֶם Deut.13:6
316 אִמְרֵי יְיָ אֲשֶׁר דִּבֶּר עִמָּנוּ Josh.24:27
317 וַיַּעַשׂ יְיָ לוֹ כַּאֲשֶׁר דִּבֶּר בְּיָדִי ISh.28:17
318 וְלֹא דִבֶּר אַבְשָׁלוֹם עִם־אַמְנוֹן
לְמֵרָע וְעַד טוֹב IISh.13:22
319 רוּחַ יְיָ דִּבֶּר־בִּי IISh.23:2
320 כִּי בְנַפְשׁוֹ דִּבֶּר אֲדֹנִיָּהוּ IK.2:23
321 אֲשֶׁר דִּבֶּר יְיָ בְּיַד אֲחִיָּה הַשִּׁילֹנִי IK.12:15
333-322 דִּבֶּר בְּיַד־ IK.14:18; 15:29
16:34; 17:16 • IIK.9:36; 10:10; 14:25; 17:23; 24:2
• Is.20:2 • Jer.37:2 • IICh.10:15
334 אִם...לֹא־דִבֶּר יְיָ בִּי IK.22:28
335 כִּי־סָרָה דִבֶּר עַל־יְיָ Jer.29:32
336 (?)תְּחִלַּת דִּבֶּר־יְיָ בְּהוֹשֵׁעַ Hosh.1:2
337 אֲשֶׁר דִּבֶּר־טוֹב עַל־הַמֶּלֶךְ Es.7:9
338 בִּדְבַר־גָּד אֲשֶׁר דִּבֶּר בְּשֵׁם יְיָ ICh.21:19
339 אִם...לֹא־דִבֶּר יְיָ בִּי IICh.18:27
396-340 דִּבֶּר אֶל (אֵלָיו...) Gen.24:30; 45:27
Ex.1:17; 4:30; 6:28 • Lev.10:11 • Num.5:4; 15:22;
32:31 • Deut.1:1, 3, 6; 2:1; 4:15, 45; 10:4; 13:3 •
Josh.4:8, 12; 11:23; 14:6; 21:45(43); 23:15 • Jud.
6:27 • ISh.3:17[2]; 14:19; 15:16 • IISh.7:17 • IK.
5:19; 13:11, 18, 22; 16:12; 21:4; 22:13 • IIK.1:3, 9;
4:17; 5:13; 8:1; 10:17; 15:12 • Is.16:13 • Jer.9:11;
26:16; 27:13; 36:4, 7; 38:25; 46:13; 50:1; 51:12 •
Ezek.2:2 • Job 42:9 • ICh.17:15 • IICh.18:12
422-397 דִּבֶּר לְ־ (לוֹ...) Gen.24:7; 49:28
Num.17:5 • Deut.1:11, 21; 6:3; 9:3, 28; 10:9; 11:25;
12:20; 15:6; 18:2; 26:18; 27:3; 29:12 • Josh.13:14,
33; 22:4; 23:5, 10 • IISh.23:3 • IK.5:26; 13:26;
21:23 • Ps.18:1
445-423 דִּבֶּר עַל־ Josh.23:14 • ISh.25:30
IK.2:4, 27; 14:2; 22:23 • IIK.10:10; 19:21 • Is.
37:22 • Jer.10:1; 11:17; 16:10; 26:13, 19; 42:19 •
Am.3:1, 8 • Jon.3:10 • Dan.9:12 • Neh.6:12 •
ICh.22:11(10) • IICh.18:22; 23:3
510-446 דִּבֵּר Gen.23:16; 24:51
Ex.7:13, 22; 8:11, 15; 9:12; 16:23; 19:8; 24:3; 32:14
• Lev.10:3, 5 • Num.17:12; 23:2, 17 • Deut.
5:22(19); 6:19; 19:8; 31:3 • Josh.14:10, 12[2]

דִּבֵּר (המשך)
Jud.1:20; 2:15 • ISh.16:4; 17:31; 18:24; 20:26 •
IISh.12:19; 17:6 • IK.2:30, 31, 38; 8:15, 20, 56;
12:12; 13:3 • IIK.1:17; 7:17[2]; 14:27; 20:9; 24:13 •
Is.16:14; 24:3 • Jer.23:17, 35, 37; 25:2; 30:4; 40:2;
45:1 • Ps.50:1; 60:8; 62:12; 108:8; 144:8, 11 • Job
42:7 • Ruth 4:1 • IICh.6:4, 10; 10:12
דִּבֵּר 511 וַיַּעַשׂ יְיָ לְשָׂרָה כַּאֲשֶׁר דִּבֵּר Gen.21:1
512 וַיַּעַשׂ כִּדְבַר יוֹסֵף אֲשֶׁר דִּבֵּר Gen.44:2
513 אֲשֶׁר יִתֵּן יְיָ לָכֶם כַּאֲשֶׁר דִּבֵּר Ex.12:25
514 הֲלֹא גַּם בָּנוּ דִבֵּר Num.12:2
515 וְלִהְיֹתְךָ עַם־קָדֹשׁ...כַּאֲשֶׁר דִּבֵּר Deut.26:19
516 הֶחֱיָה יְיָ אוֹתִי כַּאֲשֶׁר דִּבֵּר Josh.14:10
517 וַאֲשֶׁר עָשָׂה־לִי בַּיִת כַּאֲשֶׁר דִּבֵּר IK.2:24
518/9 וַיָּקֶם יְיָ אֶת־דְּבָרוֹ אֲשֶׁר דִּבֵּר IK.8:20
IICh.6:10
520 אֲשֶׁר נָתַן...כְּכֹל אֲשֶׁר דִּבֵּר IK.8:56
527-521 כִּי יְיָ דִּבֵּר IK.14:11 • Is.1:2
22:25; 25:8 • Jer.13:15 • Joel 4:8 • Ob.18
528 כִּדְבַר יְיָ אֲשֶׁר דִּבֵּר IK.22:38
529 כִּדְבַר אֱלִישָׁע אֲשֶׁר דִּבֵּר IIK.2:22
532-530 כִּי פִּי יְיָ דִּבֵּר Is.1:20; 40:5; 58:14
533 כִּי יְיָ אֱלֹהֵי־יִשְׂרָאֵל דִּבֵּר Is.21:17
534 יַעֲשֶׂה יְיָ אֶת־הַדָּבָר...אֲשֶׁר דִּבֵּר Is.38:7
535 חֵץ שָׁחוּט לְשׁוֹנָם מִרְמָה דִבֵּר Jer.9:7
536 וַיָּבֵא וַיַּעַשׂ יְיָ כַּאֲשֶׁר דִּבֵּר Jer.40:3
537 אֹמְרִים...וַייָ לֹא דִבֵּר Ezek.22:28
538 כִּי־פִי יְיָ צְבָאוֹת דִּבֵּר Mic.4:4
וְדִבֶּר 539 וְדִבֶּר־הוּא לְךָ אֶל־הָעָם Ex.4:16
540 וְדִבֶּר עִם־מֹשֶׁה Ex.33:9
541 וְדִבֶּר יְיָ אֶל־מֹשֶׁה פָּנִים אֶל־פָּנִים Ex.33:11
542 וְיָצָא וְדִבֶּר אֶל־בְּנֵי יִשְׂרָאֵל Ex.34:34
543 וְדִבֶּר וְלֹא יְקִימֶנָּה Num.23:19
544 וְדִבֶּר אֲלֵיהֶם אֵת...אֲשֶׁר אֲצַוֶּנּוּ Deut.18:18
545 וְנִגַּשׁ הַכֹּהֵן וְדִבֶּר אֶל־הָעָם Deut.20:2
546 וְדִבֶּר בְּאָזְנֵי זִקְנֵי הָעִיר־הַהִיא Josh.20:4
547 וְדִבֶּר־פִּיו עִם־פִּיו Jer.32:4
548 וְהַנָּבִיא כִי־יְפֻתֶּה וְדִבֶּר דָּבָר Ezek.14:9
549 וְדִבֶּר־חַד אֶת־אַחַד Ezek.33:30
550 וְדִבֶּר שָׁלוֹם לַגּוֹיִם Zech.9:10
551 אֲשֶׁר־פָּצוּ שְׂפָתָי וְדִבֶּר פִּי Ps.66:14
דִּבְּרוֹ 552/3 הַדָּבָר אֲשֶׁר לֹא־דִבְּרוֹ יְיָ Deut.18:21, 22
554 בְּזָדוֹן דִּבְּרוֹ הַנָּבִיא Deut.18:22
דִּבְּרָה 555 אֲשֶׁר דִּבְּרָה אֵלָיו לֵאמֹר Gen.39:19
556 כָּזֹאת וְכָזֹאת דִּבְּרָה הַנַּעֲרָה IIK.5:4
557 דִּבְּרָה לְשׁוֹנִי בְחִכִּי Job 33:2
דִּבַּרְנוּ 558 דִּבַּרְנוּ אֵלֶיךָ בְמִצְרַיִם לֵאמֹר Ex.14:12
559 כִּי־דִבַּרְנוּ בַייָ וָבָךְ Num.21:7
560 וְהַדָּבָר אֲשֶׁר דִּבַּרְנוּ אֲנִי וָאָתָּה ISh.20:23
561 דִּבַּרְנוּ אֵלָיו וְלֹא־שָׁמַע בְּקוֹלֵנוּ IISh.12:18
דִּבַּרְתֶּם 562 קְחוּ כַּאֲשֶׁר דִּבַּרְתֶּם וָלֵכוּ Ex.12:32
563 אִם־לֹא כַּאֲשֶׁר דִּבַּרְתֶּם בְּאָזְנָי Num.14:28
564/5 כִּי לֹא דִבַּרְתֶּם אֵלַי נְכוֹנָה Job 42:7, 8
וְדִבַּרְתֶּם 566 וְדִבַּרְתֶּם אֶל־הַסֶּלַע לְעֵינֵיהֶם Num.20:8
567 שׁוּבוּ אֶל־הַמֶּלֶךְ...וְדִבַּרְתֶּם אֵלָיו IIK.1:6
568 וְדִבַּרְתֶּם אֶל־אִישׁ יְהוּדָה Jer.11:2
דִּבְּרוּ 569 וְאַחֲרֵי כֵן דִּבְּרוּ אֶחָיו אִתּוֹ Gen.45:15
570 שָׁמַעְתִּי...אֲשֶׁר דִּבְּרוּ אֵלֶיךָ Deut.5:25
571 כַּאֲשֶׁר דִּבְּרוּ לָהֶם הַנְּשִׂיאִים Josh.9:21
572 הַדְּבָרִים אֲשֶׁר דִּבְּרוּ בְנֵי־רְאוּבֵן Josh.22:30
573/4 דִּבְּרוּ אֵלַי לֵאמֹר IK.12:9 • IICh.10:9
575/76 דִּבְּרוּ אֵלֶיךָ לֵאמֹר IK.12:10 • IICh.10:10
577 שִׂפְתוֹתֵיכֶם דִּבְּרוּ־שֶׁקֶר Is.59:3

דִּבְּרוּ (המשך)
578 מָה־הָעָם הַזֶּה דִּבְּרוּ לֵאמֹר Jer.33:24
579 וְהֵמָּה דִּבְּרוּ עָלַי כְּזָבִים Hosh.7:13
580 דִּבְּרוּ דְבָרִים אָלוֹת שָׁוְא Hosh.10:4
581 וְיֹשְׁבֶיהָ דִּבְּרוּ־שָׁקֶר Mic.6:12
582 כִּי הַתְּרָפִים דִּבְּרוּ־אָוֶן Zech.10:2
583 פִּימוֹ דִּבְּרוּ בְגֵאוּת Ps.17:10
584 וְדֹרְשֵׁי רָעָתִי דִּבְּרוּ הַוּוֹת Ps.38:13
585 דִּבְּרוּ אִתִּי לְשׁוֹן שָׁקֶר Ps.109:2
586 אֲשֶׁר דִּבְּרוּ בְּשִׁמְךָ אֶל־מְלָכֵינוּ Dan.9:6
587 דִּבְּרוּ עֲבָדָיו עַל־יְיָ הָאֱלֹהִים IICh.32:16
דִּבֵּרוּ 588 הֵיטִיבוּ כָּל־אֲשֶׁר דִּבֵּרוּ Deut.5:25
589 הֵיטִיבוּ אֲשֶׁר דִּבֵּרוּ Deut.18:17
וְדִבְּרוּ 590 וְדִבְּרוּ הַשֹּׁטְרִים אֶל־הָעָם Deut.20:5
591 וְקָרְאוּ־לוֹ...וְדִבְּרוּ אֵלָיו Deut.25:8
מְדַבֵּר 592 מְדַבֵּר אֶל־עֵשָׂו אָחִיךָ לֵאמֹר Gen.27:6
593 עוֹדֶנּוּ מְדַבֵּר עִמָּם וְרָחֵל בָּאָה Gen.29:9
594/5 קוֹל...מְדַבֵּר מִתּוֹךְ־הָאֵשׁ Deut.4:33; 5:23
596 מָה אֲדֹנִי מְדַבֵּר אֶל־עַבְדּוֹ Josh.5:14
597 וְעָשִׂיתָ לִּי אוֹת שָׁאַתָּה מְדַבֵּר עִמִּי Jud.6:17
598 וְהוּא מְדַבֵּר עִמָּם וְהִנֵּה... ISh.17:23
599 עוֹדֶנּוּ מְדַבֵּר וְהִנֵּה יוֹנָתָן...בָּא IK.1:42
600 עוֹדֶנּוּ מְדַבֵּר עִמָּם וְהִנֵּה הַמַּלְאָךְ IIK.6:33
601 וְהַמֶּלֶךְ מְדַבֵּר אֶל־גֵּחֲזִי...לֵאמֹר IIK.8:4
602 אֲנִי מְדַבֵּר בִּצְדָקָה רַב לְהוֹשִׁיעַ Is.63:1
603 וַיִּשְׁמְעוּ...אֶת־יִרְמְיָהוּ מְדַבֵּר Jer.26:7
604 אֲשֶׁר יִרְמְיָהוּ מְדַבֵּר...לֵאמֹר Jer.38:1
605 שֶׁקֶר אַתָּה מְדַבֵּר Jer.43:2
606 וָאֶשְׁמַע קוֹל מְדַבֵּר Ezek.1:28
607 שְׁמַע אֵת אֲשֶׁר־אֲנִי מְדַבֵּר אֵלֶיךָ Ezek.2:8
608 אֵת כָּל־אֲשֶׁר אֲנִי מְדַבֵּר אִתָּךְ Jer.44:5
609 לְהַצִּילְךָ...מֵאִישׁ מְדַבֵּר תַּהְפֻּכוֹת Prov.2:12
610/1 עוֹד זֶה מְדַבֵּר וְזֶה בָּא Job 1:16, 17
612 עַד זֶה מְדַבֵּר וְזֶה בָּא Job 1:18
613 וָאֶשְׁמְעָה אֶחָד־קָדוֹשׁ מְדַבֵּר Dan.8:13
614 וְעוֹד אֲנִי מְדַבֵּר וּמִתְפַּלֵּל Dan.9:20
615 וְעוֹד אֲנִי מְדַבֵּר בַּתְּפִלָּה Dan.9:21
616 וּבְנֵיהֶם חֲצִי מְדַבֵּר אַשְׁדּוֹדִית Neh.13:24
וּמְדַבֵּר 617 לִהְיוֹת...וּמְדַבֵּר כִּלְשׁוֹן עַמּוֹ Es.1:22
הַמְדַבֵּר 618 כִּי־פִי הַמְדַבֵּר אֲלֵיכֶם Gen.45:12
619 הַמְדַבֵּר אֵלַיִךְ וַהֲבֵאתוֹ אֵלַי IISh.14:10
620 כִּי־אֲנִי־הוּא הַמְדַבֵּר הִנֵּנִי Is.52:6
621 וַיֹּאמֶר...לַפַּלְמוֹנִי הַמְדַבֵּר Dan.8:13
מְדַבֶּרֶת 622 וְחַנָּה הִיא מְדַבֶּרֶת עַל־לִבָּהּ ISh.1:13
623 הִנֵּה עוֹדָךְ מְדַבֶּרֶת שָׁם IK.1:14
624 וְהִנֵּה עוֹדֶנָּה מְדַבֶּרֶת IK.1:22
625 לָשׁוֹן מְדַבֶּרֶת גְּדֹלוֹת Ps.12:4
מְדַבְּרִים 626 עוֹד הֵם מְדַבְּרִים וַאֲנִי אֶשְׁמָע Is.65:24
627 עוֹדָם מְדַבְּרִים עִמּוֹ וְסָרִיסֵי... Es.6:14
הַמְדַבְּרִים 628 הֵם הַמְדַבְּרִים אֶל־פַּרְעֹה Ex.6:27
629 וְדִבְרֵי הַחֹזִים הַמְדַבְּרִים אֵלָיו IICh.33:18
מְדַבְּרוֹת 630 עָרִים...מְדַבְּרוֹת שְׂפַת כְּנַעַן Is.19:18
אֲדַבֵּר 631 וְעָשִׂיתָ כֹּל אֲשֶׁר אֲדַבֵּר Ex.23:22
632/3 הַדָּבָר אֲשֶׁר־אֲדַבֵּר אֵלֶיךָ Num.22:20, 35
634 הַדָּבָר...אֹתוֹ אֲדַבֵּר Num.22:38
635 אֲשֶׁר־יְדַבֵּר יְיָ אֹתוֹ אֲדַבֵּר Num.24:13
636 וַאֲנִי אֲדַבֵּר בְּךָ אֶל־אָבִי ISh.19:3
637 אָנֹכִי אֲדַבֵּר עָלַיִךְ אֶל־הַמֶּלֶךְ IK.2:18
638 גַּם־אֲנִי אֲדַבֵּר מִשְׁפָּטִים אוֹתָם Jer.4:12
639 אַךְ מִשְׁפָּטִים אֲדַבֵּר אוֹתָךְ Jer.12:1
640/1 (ו)רֶגַע אֲדַבֵּר עַל־גּוֹי וְעַל... Jer.18:7, 9
642 כִּי־מִדֵּי אֲדַבֵּר אֶזְעָק Jer.20:8
643 וְלֹא־אֲדַבֵּר עוֹד בִּשְׁמוֹ Jer.20:9

אֲדַבֵּר (המשך)
644 קוּם צֵא...וְשָׁם אֲדַבֵּר אוֹתָךְ Ezek. 3:22
645 נִפְעַמְתִּי וְלֹא אֲדַבֵּר Ps. 77:5
646 הֶאֱמַנְתִּי כִּי אֲדַבֵּר Ps. 116:10
647 שִׁמְעוּ כִּי־נְגִידִים אֲדַבֵּר Prov. 8:6
648-651 אֲדַבֵּר אֶל־ (אֵלָיו...) IK. 21:6
Jer. 19:2 • Ezek. 3:10 • Job 13:3
652-664 אֲדַבֵּר IK. 22:14
Is. 38:15 • Ezek. 12:25[2], 28 • Ps. 120:7 • Job 13:22;
21:3; 33:31; 37:20; 42:4 • IICh. 18:13
אֲדַבֶּר־ 665 בַּחֲלוֹם אֲדַבֶּר־בּוֹ Num. 12:6
666 פֶּה אֶל־פֶּה אֲדַבֶּר־בּוֹ Num. 12:8
וַאֲדַבֵּר 667 עֲמֹד עַל־רַגְלֶיךָ וַאֲדַבֵּר אֹתָךְ Ezek. 2:1
וָאֲדַבֵּר 668 וָאֲדַבֵּר אֲלֵיכֶם וְלֹא שְׁמַעְתֶּם Deut. 1:43
669 וָאֲדַבֵּר אֲלֵיכֶם הַשְׁכֵּם וְדַבֵּר Jer. 7:13
670 וָאֲדַבֵּר אֲלֵיכֶם אַשְׁכֵּים וְדַבֵּר Jer. 25:3
671 וָאֲדַבֵּר אֶל־הַגּוֹלָה Ezek. 11:25
672 וָאֲדַבֵּר אֶל־הָעָם בַּבֹּקֶר Ezek. 24:18
אֲדַבְּרָה 673 עַל־מִי אֲדַבְּרָה וְאָעִידָה Jer. 6:10
674 אֲדַבְּרָה בְּצַר רוּחִי Job 7:11
675 אֲדַבְּרָה וְלֹא אִירָאֶנּוּ Job 9:35
676 אֲדַבְּרָה בְּמַר נַפְשִׁי Job 10:1
677 אִם־אֲדַבְּרָה לֹא יֵחָשֵׂךְ כְּאֵבִי Job 16:6
678 אֲדַבְּרָה וְיִרְוַח־לִי Job 32:20
אֲדַבְּרָה־ 679 אֲדַבְּרָה־נָּא אֶל־הַמֶּלֶךְ IISh. 14:15
680 אֲדַבְּרָה־נָּא שָׁלוֹם בָּךְ Ps. 122:8
אֲדַבֵּרָה 681 גַּם אָנֹכִי כָּכֶם אֲדַבֵּרָה Job 16:4
וַאֲדַבְּרָה 682 וַאֲדַבְּרָה אַךְ־הַפַּעַם Gen. 18:32
683 וַאֲדַבְּרָה אֵלֶיךָ אֵת כָּל־הַמִּצְוָה Deut. 5:28
684 וַאֲדַבְּרָה בְאָזְנֵיהֶם אֵת הַדְּבָרִים Deut. 31:28
685 וַאֲדַבְּרָה אַךְ הַפָּעַם Jud. 6:39
686 קְרַב עַד־הֵנָּה וַאֲדַבְּרָה אֵלֶיךָ IISh. 20:16
687 אֵלְכָה־לִּי אֶל־הַגְּדֹלִים
וַאֲדַבְּרָה אוֹתָם Jer. 5:5
688 וַאֲדַבְּרָה בְעֵדֹתֶיךָ נֶגֶד מְלָכִים Ps. 119:46
689 הַחֲרִישׁוּ מִמֶּנִּי וַאֲדַבְּרָה־אָנִי Job 13:13
וַאֲדַבֵּרָה 690 אַל־נָא יִחַר לַאדֹנָי וַאֲדַבֵּרָה Gen. 18:30
691 הַאֲזִינוּ הַשָּׁמַיִם וַאֲדַבֵּרָה Deut. 32:1
692 אַגִּידָה וַאֲדַבֵּרָה עָצְמוּ מִסַּפֵּר Ps. 40:6
693 שִׁמְעָה עַמִּי וַאֲדַבֵּרָה Ps. 50:7
וַאֲדַבְּרָה 694 וָאֶפְתְּחָה־פִי וַאֲדַבְּרָה וָאֹמְרָה Dan. 10:16
תְּדַבֵּר 695 פֶּן־תְּדַבֵּר עִם־יַעֲקֹב מִטּוֹב עַד־רָע
Gen. 31:24
696 וְהוֹרֵיתִיךָ אֲשֶׁר תְּדַבֵּר Ex. 4:12
697 אַתָּה תְדַבֵּר אֵת כָּל־אֲשֶׁר אֲצַוֶּךָּ Ex. 7:2
698 הַדְּבָרִים אֲשֶׁר תְּדַבֵּר אֶל־ב״י Ex. 19:6
699 אֲשֶׁר אֲדַבֵּר אֵלֶיךָ אֹתוֹ תְדַבֵּר Num. 22:35
700/1 שׁוּב אֶל בָּלָק וְכֹה תְדַבֵּר Num. 23:5, 16
702 לָמָּה תְּדַבֵּר עוֹד דְּבָרֶיךָ IISh. 19:30
703 אֲשֶׁר תְּדַבֵּר בַּחֲדַר מִשְׁכָּבֶךָ IIK. 6:12
704 וְאַל־תְּדַבֵּר עִמָּנוּ יְהוּדִית IIK. 18:26
705 וְאַל־תְּדַבֵּר אֵלֵינוּ יְהוּדִית Is. 36:11
706 וְאֵת כָּל־אֲשֶׁר אֲצַוְּךָ תְּדַבֵּר Jer. 1:7
707 תֵּשֵׁב בְּאָחִיךָ תְדַבֵּר Ps. 50:20
708 בְּאָזְנֵי כְסִיל אַל־תְּדַבֵּר Prov. 23:9
709-719 תְּדַבֵּר אֶל־ (אֵלָיו) Ex. 28:3; 30:31
Lev. 9:3; 24:15 • Num. 18:26; 27:8 • Deut. 5:27(24)
• IK. 12:10; 14:5; 22:16 • IICh. 18:15
וּתְדַבֵּר 720 לָמָּה תֹאמַר יַעֲקֹב וּתְדַבֵּר יִשְׂרָאֵל Is. 40:27
721 וּתְדַבֵּר וְלֹא תֵאָלֵם עוֹד Ezek. 24:27
וַתְּדַבֵּר 722 וַתְּדַבֵּר אֲלֵהֶם אַרְבֶּה...זַרְעֲכֶם Ex. 32:13
723/4 וַתְּדַבֵּר אֵלַי כְּזָבִים Jud. 16:10, 13
725 וַתְּדַבֵּר...אֶל־בֵּית עַבְדְּךָ לְמֵרָחוֹק IISh. 7:19

וַתְּדַבֵּר (המשך)
726 וַתְּדַבֵּר אֶל־עַבְדְּךָ אֶת־הַטּוֹבָה הַזֹּאת IISh. 7:28
727 וַתְּדַבֵּר בְּפִיךָ וּבְיָדְךָ מִלֵּאתָ IK. 8:24
728 וַתְּדַבֵּר עַל־בֵּית־עַבְדְּךָ לְמֵרָחוֹק ICh. 17:17
729 וַתְּדַבֵּר עַל־עַבְדְּךָ הַטּוֹבָה הַזֹּאת ICh. 17:26
730 וַתְּדַבֵּר בְּפִיךָ וּבְיָדְךָ מִלֵּאתָ IICh. 6:15
תְּדַבֵּרִי 731 וְשָׁפַלְתְּ מֵאֶרֶץ תְּדַבֵּרִי Is. 29:4
732 כְּדַבֵּר אַחַת הַנְּבָלוֹת תְּדַבֵּרִי Job 2:10
יְדַבֵּר 733 לָמָּה יְדַבֵּר אֲדֹנִי כַּדְּבָרִים הָאֵלֶּה Gen. 44:7
734 יָדַעְתִּי כִּי־דַבֵּר יְדַבֵּר הוּא Ex. 4:14
735 וְאַהֲרֹן אָחִיךָ יְדַבֵּר אֶל־פַּרְעֹה Ex. 7:2
736 כִּי יְדַבֵּר אֲלֵכֶם פַּרְעֹה לֵאמֹר Ex. 7:9
737 מֹשֶׁה יְדַבֵּר וְהָאֱלֹהִים יַעֲנֶנּוּ בְקוֹל Ex. 19:19
738 וְאַל־יְדַבֵּר עִמָּנוּ אֱלֹהִים Ex. 20:16
739 כַּאֲשֶׁר יְדַבֵּר אִישׁ אֶל־רֵעֵהוּ Ex. 33:11
740 כַּאֲשֶׁר יְדַבֵּר יְיָ אֵלָי Num. 22:8
741 כֹּל אֲשֶׁר יְדַבֵּר יְיָ אֹתוֹ אֶעֱשֶׂה Num. 23:26
742 אֲשֶׁר יְדַבֵּר יְיָ אֹתוֹ אֲדַבֵּר Num. 24:13
743 כִּי־יְדַבֵּר אֱלֹהִים אֶת־הָאָדָם וָחָי Deut. 5:21
744 כָּל־אֲשֶׁר יְדַבֵּר יְיָ אֱלֹהֵינוּ Deut. 5:27(24)
745 אֶל־דְּבָרַי אֲשֶׁר יְדַבֵּר בִּשְׁמִי Deut. 18:19
746 יְדַבֵּר בְּשֵׁם אֱלֹהִים אֲחֵרִים Deut. 18:20
747 אֲשֶׁר יְדַבֵּר הַנָּבִיא בְּשֵׁם יְיָ Deut. 18:22
748 אָז יְדַבֵּר יְהוֹשֻׁעַ לַיְיָ Josh. 10:12
749 כֹּל אֲשֶׁר־יְדַבֵּר בּוֹא יָבוֹא ISh. 9:6
750 בְּלַעֲגֵי שָׂפָה...יְדַבֵּר אֶל־הָעָם Is. 28:11
751 כִּי נָבָל נְבָלָה יְדַבֵּר Is. 32:6
752 וְלֹא תִשְׁמַע מַה־יְדַבֵּר Jer. 5:15
753 בְּפִיו שָׁלוֹם אֶת־רֵעֵהוּ יְדַבֵּר Jer. 9:7
754 וַאֲשֶׁר דְּבָרִי אִתּוֹ יְדַבֵּר דְּבָרִי אֱמֶת
Jer. 23:28
755 וּפִיהוּ אֶת־פִּיךָ יְדַבֵּר Jer. 34:3
756 כַּאֲשֶׁר יְדַבֵּר אֵלֶיךָ כֵּן עֲשֵׂה עִמּוֹ Jer. 39:12
757 בֵּית־אֵל יִמְצָאֶנּוּ וְשָׁם יְדַבֵּר עִמָּנוּ Hosh. 12:5
758 אָז יְדַבֵּר אֵלֵימוֹ בְאַפּוֹ Ps. 2:5
759 שָׁוְא יְדַבֵּר לִבּוֹ Ps. 41:7
760 יֵצֵא לַחוּץ יְדַבֵּר Ps. 41:7
761 פִּי יְדַבֵּר חָכְמוֹת Ps. 49:4
762 אֶשְׁמְעָה מַה־יְּדַבֵּר הָאֵל יְיָ Ps. 85:9
763 כִּי יְדַבֵּר שָׁלוֹם אֶל־עַמּוֹ Ps. 85:9
764 בְּעַמּוּד עָנָן יְדַבֵּר אֲלֵיהֶם Ps. 99:7
765 וְאִישׁ שׁוֹמֵעַ לָנֶצַח יְדַבֵּר Prov. 21:28
766 וְלִבְּךָ יְדַבֵּר תַּהְפֻּכוֹת Prov. 23:33
767 אִיּוֹב לֹא־בְדַעַת יְדַבֵּר Job 34:35
768 אִם־יְדַבֵּר אֵלֶיךָ רַכּוֹת Job 40:27
769 וְאָמְרָה יְדַבֵּר אֲדֹנִי Dan. 10:19
770 וְעַל אֵל אֵלִים יְדַבֵּר נִפְלָאוֹת Dan. 11:36
יְדַבֶּר־ 771 יְדַבֶּר־נָא עַבְדְּךָ דָבָר... Gen. 44:18
772 יְדַבֶּר־נָא אֲדֹנִי הַמֶּלֶךְ IISh. 14:18
773 וַאֲצַפֶּה לִרְאוֹת מַה־יְּדַבֶּר־בִּי Hab. 2:1
774 תְּהִלַּת יְיָ יְדַבֶּר־פִּי Ps. 145:21
775 תַּחֲנוּנִים יְדַבֶּר־רָשׁ Prov. 18:23
776 כִּי־בְאַחַת יְדַבֶּר־אֵל Job 33:14
וַיְדַבֵּר 777 וַיְדַבֵּר אֱלֹהִים אֶל־נֹחַ לֵאמֹר Gen. 8:15
778 וַיְדַבֵּר אִתּוֹ אֱלֹהִים לֵאמֹר Gen. 17:3
779 וַיְדַבֵּר אֶל־חֲתָנָיו...וַיֹּאמֶר Gen. 19:14
780 וַיְדַבֵּר אֶת־כָּל־הַדְּבָרִים הָאֵלֶּה Gen. 20:8
781 וַיְדַבֵּר אֶל־בְּנֵי־חֵת לֵאמֹר Gen. 23:3
782 וַיְדַבֵּר אִתָּם לֵאמֹר Gen. 28:8
783 וַיְדַבֵּר עַל־לֵב הַנַּעֲרָ Gen. 34:3
784 וַיְדַבֵּר חֲמוֹר אִתָּם לֵאמֹר Gen. 34:8
785 וַיְדַבֵּר אִתָּם קָשׁוֹת Gen. 42:7
786 וַיְנַחֵם אוֹתָם וַיְדַבֵּר עַל־לִבָּם Gen. 50:21

וַיְדַבֵּר (המשך)
787 וַיְדַבֵּר אַהֲרֹן אֵת כָּל הַדְּבָרִים Ex. 4:30
788-858 וַיְדַבֵּר יְיָ אֶל־מֹשֶׁה לֵּאמֹר
Ex. 6:10, 29; 13:1; 14:1; 16:11; 25:1; 30:11, 17, 22;
31:1; 40:1 • Lev. 4:1; 5:14, 20; 6:1, 12, 17; 7:22, 28;
8:1; 12:1; 14:1; 17:1; 18:1; 19:1; 20:1; 21:16; 22:1,
17, 26; 23:1, 9, 23, 26, 33; 24:1, 13; 25:1; 27:1 • Num.
1:48; 3:5, 11, 44; 4:21; 5:1, 5, 11; 6:1, 22; 8:1, 5, 23;
9:9; 10:1; 13:1; 15:1, 17; 16:23; 17:1, 9, 16; 18:25;
20:7; 25:10, 16; 26:52; 28:1; 31:1; 34:1, 16; 35:9
859 וַיְדַבֵּר מֹשֶׁה לִפְנֵי יְיָ לֵאמֹר Ex. 6:12
860-870 וַיְדַבֵּר יְיָ אֶל־מֹשֶׁה וְאֶל־אַהֲרֹן
Ex. 6:13 • Lev. 11:1; 13:1; 14:33; 15:1 • Num. 2:1
4:1, 17; 14:26; 16:20; 19:1
871 וַיְדַבֵּר אֱלֹהִים אֵת כָּל־הַדְּבָרִים Ex. 20:1
872-880 וַיְדַבֵּר יְיָ אֶל־מֹשֶׁה Ex. 32:7; 33:1
Lev. 16:1 • Num. 1:1; 3:14; 9:1; 33:50; 35:1
Deut. 32:48
881/2 וַיְדַבֵּר יְיָ אֶל־אַהֲרֹן Lev. 10:8 • Num. 18:8
883 וַיְדַבֵּר מֹשֶׁה אֶת־הַדְּבָרִים Num. 14:39
884 וַיְדַבֵּר הָעָם בֵּאלֹהִים וּבְמֹשֶׁה Num. 21:5
885 וַיְדַבֵּר מֹשֶׁה וְאֶלְעָזָר הַכֹּהֵן אֹתָם Num. 26:3
886 וַיְדַבֵּר מֹשֶׁה בְּאָזְנֵי כָּל־קְהַל יִשׂ׳ Deut. 31:30
887 וַיְדַבֵּר אֶת־כָּל־דִּבְרֵי הַשִּׁירָה
בְּאָזְנֵי הָעָם Deut. 32:44
888 וַיְדַבֵּר יְיָ אֶל־יְהוֹשֻׁעַ לֵאמֹר Josh. 20:1
889 וַיְדַבֵּר יִפְתָּח אֶת־כָּל־דְּבָרָיו
לִפְנֵי יְיָ Jud. 11:11
890 וַיֵּרֶד וַיְדַבֵּר לָאִשָּׁה Jud. 14:7
891 וַיְדַבֵּר עִם־שָׁאוּל עַל־הַגָּג ISh. 9:25
892 וַיְדַבֵּר כַּדְּבָרִים הָאֵלֶּה ISh. 17:23
893 וַיְדַבֵּר יְהוֹנָתָן בְּדָוִד טוֹב
אֶל־שָׁאוּל אָבִיו ISh. 19:4
894 וַיְדַבֵּר בַּאֲבִיגַיִל לְקַחְתָּהּ...לְאִשָּׁה ISh. 25:39
895 וַיְדַבֵּר גַּם־אַבְנֵר בְּאָזְנֵי בִנְיָמִין IISh. 3:19
896 וַיְדַבֵּר דָּוִד לַיְיָ אֶת־דִּבְרֵי הַשִּׁירָה IISh. 22:1
897 וַיְדַבֵּר שְׁלֹשֶׁת אֲלָפִים מָשָׁל IK. 5:12
898 וַיְדַבֵּר עַל־הָעֵצִים IK. 5:13
899 וַיְדַבֵּר עַל־הַבְּהֵמָה וְעַל־הָעוֹף IK. 5:13
900 וַיְדַבֵּר וַיֹּאמֶר שִׁמְעוּ דְּבַר הַמֶּלֶךְ IIK. 18:28
901 וַיְדַבֵּר יְיָ בְּיַד־עֲבָדָיו...לֵאמֹר IIK. 21:10
902/3 וַיְדַבֵּר אִתּוֹ טֹבוֹת IIK. 25:28 • Jer. 52:32
904/5 וַיְדַבֵּר אִתּוֹ מִשְׁפָּטִים Jer. 39:5; 52:9
906 וַיְדַבֵּר אֹתִי וַיֹּאמֶר אֵלַי Ezek. 3:24
907 וַיְדַבֵּר אִתָּם הַמֶּלֶךְ Dan. 1:19
908 וַיָּבֶן וַיְדַבֵּר עִמִּי Dan. 9:22
909 וַיְדַבֵּר יְחִזְקִיָּהוּ עַל־לֵב...הַלְוִיִּם IICh. 30:22
910 וַיְדַבֵּר עַל־לְבָבָם לֵאמֹר IICh. 32:6
911-968 וַיְדַבֵּר אֶל־ (אֵלָיו...) Gen. 23:13; 41:9
17; 42:24; 44:6; 50:4 • Ex. 6:2, 9; 34:31 • Lev. 1:1;
10:12, 19; 21:24; 23:44; 24:23 • Num. 7:89; 9:4;
11:24, 25; 16:5, 26; 17:21; 17:21; 27:15; 30:2; 31:3
• Deut. 2:17; 4:12; 27:9; 31:1 • Josh. 9:22 • Jud.
8:8; 9:1 • ISh. 10:25; 19:1 • IK. 12:14; 13:7, 12, 27;
21:2, 6 • IIK. 1:7[2], 9, 10, 11, 12, 13, 15, 16 • Jer. 34:6;
38:8 • Ezek. 40:4, 45; 41:22 • Zech. 6:8 • ICh. 21:9
• IICh. 10:14; 33:10
וַיְדַבְּרֵם 969 וַיִּשְׁמַע...וַיְדַבְּרֵם בְּאָזְנֵי יְיָ ISh. 8:21
תְּדַבֵּר 970 וּלְשׁוֹנוֹ תְּדַבֵּר מִשְׁפָּט Ps. 37:30
תְּדַבֶּר־ 971 תְּדַבֶּר־נָא שִׁפְחָתְךָ...דָּבָר IISh. 14:12
וּתְדַבֶּר־ 972 וּתְדַבֶּר־נָא אֲמָתְךָ בְּאָזְנֶיךָ ISh. 25:24
וַתְּדַבֵּר 973 וַתְּדַבֵּר אֵלָיו כַּדְּבָרִים הָאֵלֶּה Gen. 39:17
974 וַתְּדַבֵּר מִרְיָם וְאַהֲרֹן בְּמֹשֶׁה Num. 12:1

וַתְּדַבֵּר (המשך)

975 וַתְּדַבֵּר אֵלָיו אֵת כָּל־אֲשֶׁר הָיָה עִם־לְבָבָהּ IK. 10:2
976 וַתְּדַבֵּר אֵלָיו מַה־זֶּה רוּחֲךָ סָרָה IK. 21:5
977 וַתּוֹסֶף אֶסְתֵּר וַתְּדַבֵּר לִפְנֵי הַמֶּלֶךְ Es. 8:3
978 וַתְּדַבֵּר עִמּוֹ אֵת כָּל־אֲשֶׁר הָיָה עִם־לְבָבָהּ IICh. 9:1

נְדַבֵּר

979 מַה־נְּדַבֵּר וּמַה־נִּצְטַדָּק Gen. 44:16
980 תָּבִינוּ וְאַחַר נְדַבֵּר Job 18:2

תְּדַבְּרוּ

981 אַל־תַּרְבּוּ תְדַבְּרוּ גְּבֹהָה גְבֹהָה ISh. 2:3
982 אַל...תְּדַבְּרוּ בְצַוָּאר עָתָק Ps. 75:6
983 הַלְאֵל תְּדַבְּרוּ עַוְלָה Job 13:7
984 וְלוֹ תְּדַבְּרוּ רְמִיָּה Job 13:7

תְּדַבְּרוּן

985 כַּדָּבָר הַזֶּה תְּדַבְּרוּן אֶל־עֵשָׂו Gen. 32:19

תְּדַבֵּרוּן

986 הַאֻמְנָם אֵלֶם צֶדֶק תְּדַבֵּרוּן Ps. 58:2

וַתְּדַבֵּרְנָה

987 וַתְּדַבֵּרְנָה בְּפִיכֶם...לֵאמֹר Jer. 44:25

יְדַבְּרוּ

988 דַּבֵּר יְדַבְּרוּ בָרִאשֹׁנָה לֵאמֹר IISh. 20:18
989 כִּי־יְדַבְּרוּ אֵלֶיךָ טוֹבוֹת Jer. 12:6
990 יְדַבְּרוּ־לוֹ אֵלֵי גִבּוֹרִים Ezek. 32:21
991 לֹא־יַעֲשׂוּ עַוְלָה וְלֹא־יְדַבְּרוּ כָזָב Zep. 3:13
992 שָׁוְא יְדַבְּרוּ אִישׁ אֶת־רֵעֵהוּ Ps. 12:3
993 יַבִּיעוּ יְדַבְּרוּ עָתָק Ps. 94:4
994 כִּי־יְדַבְּרוּ אֶת־אוֹיְבִים בַּשָּׁעַר Ps. 127:5

יְדַבֵּרוּ

995 וְשָׁמַעְתָּ מַה־יְדַבֵּרוּ Jud. 7:11
996 יִגְּשׁוּ אָז יְדַבֵּרוּ Is. 41:1
997 וָאֶשְׁמַע לוֹא־כֵן יְדַבֵּרוּ Jer. 8:6
998 וֶאֱמֶת לֹא יְדַבֵּרוּ Jer. 9:4
999 כְּתֹמֶר מִקְשָׁה הֵמָּה וְלֹא יְדַבֵּרוּ Jer. 10:5
1000 חֲזוֹן לִבָּם יְדַבֵּרוּ Jer. 23:16
1001 וַחֲלֹמוֹת הַשָּׁוְא יְדַבֵּרוּ Zech. 10:2
1002 בְּלֵב וָלֵב יְדַבֵּרוּ Ps. 12:3
1003 כִּי לֹא שָׁלוֹם יְדַבֵּרוּ Ps. 35:20
1004 מִמָּרוֹם יְדַבֵּרוּ Ps. 73:8
1005/6 פֶּה־לָהֶם וְלֹא יְדַבֵּרוּ Ps. 115:5; 135:16
1007 וּגְבוּרָתְךָ יְדַבֵּרוּ Ps. 145:11
1008 אָמַרְתִּי יָמִים יְדַבֵּרוּ Job 32:7
1009 וְהוֹחַלְתִּי כִּי־לֹא יְדַבֵּרוּ Job 32:16
1010 לְכָל־הַדְּבָרִים אֲשֶׁר יְדַבֵּרוּ Eccl. 7:21
1011 וְעַל־שֻׁלְחָן אֶחָד כָּזָב יְדַבֵּרוּ Dan. 11:27

וִידַבְּרוּ

1012 יָמִיקוּ וִידַבְּרוּ בְרָע Ps. 73:8

וַיְדַבְּרוּ

1013 וַיְדַבְּרוּ אֶל־אַנְשֵׁי עִירָם לֵאמֹר Gen. 34:20
1014 וַיְדַבְּרוּ אֵלָיו פֶּתַח הַבָּיִת Gen. 43:19
1015 וַיְדַבְּרוּ אֵלָיו אֵת כָּל־דִּבְרֵי... Gen. 45:27
1016 וַיְדַבְּרוּ לִפְנֵי מֹשֶׁה Num. 36:1
1017 וַיְדַבְּרוּ בְּנֵי יוֹסֵף אֶת־יְהוֹשֻׁעַ Josh. 17:14
1018 וַיְדַבְּרוּ אִתָּם לֵאמֹר Josh. 22:15
1019 וַיְדַבְּרוּ אֶת־רָאשֵׁי אַלְפֵי יִשׂ׳ Josh. 22:21
1020 וַיְדַבְּרוּ אֲחֵי־אִמּוֹ עָלָיו Jud. 9:3
1021 וַיְדַבְּרוּ הַדְּבָרִים בְּאָזְנֵי הָעָם ISh. 11:4
1022 וַיְדַבְּרוּ עַבְדֵי שָׁאוּל ISh. 18:24
1023 וַיְדַבְּרְ אֵלָיו לֵאמֹר IK. 12:7
1024 וַיָּבֹאוּ וַיְדַבְּרוּ בָעִיר IK. 13:25
1025 וַיְדַבְּרוּ אִתּוֹ מִשְׁפָּט IIK. 25:6
1026 וַיְדַבְּרוּ דָבָר בִּשְׁמִי שֶׁקֶר Jer. 29:23
1027 וַיְדַבְּרוּ בֵּאלֹהִים אָמְרוּ... Ps. 78:19
1028 אָקוּמָה וַיְדַבְּרוּ־בִי Job 19:18
1029 וַיְדַבְּרוּ הַכַּשְׂדִּים לַמֶּלֶךְ אֲרָמִית Dan. 2:4
1030 וַיְדַבְּרוּ אִתּוֹ הַיְלָדִים IICh. 10:10
1031-1043 וַיְדַבְּרוּ אֶל (אֵלָיו...) Num. 22:7
Josh. 21:2 • Jud. 21:13 • ISh. 25:9,40 • IK. 12:3, 10 • IIK. 5:13; 22:14
IICh. 10:3, 7; 32:19; 34:22

וַיְדַבֵּרוּ

1044 וַיַּעֲנוּ...בְּמִרְמָה וַיְדַבֵּרוּ Gen. 34:13

תְּדַבֵּרְנָה

1045 וְעָמָל שִׂפְתֵיהֶם תְּדַבֵּרְנָה Prov. 24:2
1046 אִם־תְּדַבֵּרְנָה שְׂפָתַי עַוְלָה Job 27:4

וַתְּדַבֵּרְנָה

1047 וַתְּדַבֵּרְנָה הַנִּצָּבוֹת עָלֶיהָ ISh. 4:20
1048 וַתְּדַבֵּרְנָה לִפְנֵי הַמֶּלֶךְ IK. 3:22

דַּבֵּר

1049 וַיֹּאמֶר דַּבֵּר Gen. 24:33
1050 בֹּא דַבֵּר אֶל־פַּרְעֹה מֶלֶךְ מִצְ׳ Ex. 6:11
1051 דַּבֵּר אֶל־פַּרְעֹה מֶלֶךְ מִצְרַיִם Ex. 6:29
1052/3 דַּבֵּר אֶל־בְּנֵי יִשְׂרָאֵל Ex. 14:2; 25:2
1054 דַּבֵּר אֶל־בְּנֵי־יִשְׂרָאֵל וְיִסָּעוּ Ex. 14:15
1055 אִם־אַיִן אַתָּה דַבֵּר IISh. 17:6
1056 ...וַתֹּאמֶר דַּבֵּר IK. 2:14
1057 וַתֹּאמֶר אֵלָיו דַּבֵּר IK. 2:16
1058 וְאָמַרְתָּ דַּבֵּר יְיָ כִּי שֹׁמֵעַ עַבְדֶּךָ ISh. 3:9
1059 דַּבֵּר כִּי שֹׁמֵעַ עַבְדֶּךָ ISh. 3:10
1060 וַיֹּאמֶר לוֹ דַבֵּר ISh. 15:16
1061 דַּבֵּר כֹּה נְאֻם־יְיָ Jer. 9:21
1062 דַּבֵּר אֶת־זִקְנֵי יִשְׂרָאֵל Ezek. 20:3
1063 דַּבֵּר וְאָמַרְתָּ כֹּה־אָמַר אֲדֹנָי יְיָ Ezek. 29:3
1064 דַּבֵּר כִּי־חָפַצְתִּי צַדְּקֶךָּ Job 33:32
1065 וּמַה־יָּדַעְתָּ דַבֵּר Job 34:33
1066-1107 דַּבֵּר אֶל־ (אֵלָיו...) Ex. 16:12
31:13 • Lev. 1:2; 4:2; 6:18; 7:23, 29; 12:2; 16:2; 17:2; 18:2; 19:2; 21:17; 22:2, 18; 23:2, 10, 24, 34; 25:2; 27:2 • Num. 5:6, 12, ; 6:2, 23; 8:2; 9:10; 15:2, 18, 38; 16:24; 17:17; 19:2; 33:51; 35:10 • Josh. 20:2 • Ezek. 3:1; 12:23; 20:27; 33:2; 37:19 • Zech. 2:8

דַּבֶּר־

1108 דַּבֶּר־נָא בְּאָזְנֵי הָעָם Ex. 11:2
1109 דַּבֶּר־אַתָּה עִמָּנוּ וְנִשְׁמָעָה Ex. 20:16(19)
1110 וְעַתָּה דַּבֶּר־נָא אֶל־הַמֶּלֶךְ IISh. 13:13
1111 דַּבֶּר־נָא אֶל־עֲבָדֶיךָ אֲרָמִית IIK. 18:26
1112 דַּבֶּר־נָא אֶל־עֲבָדֶיךָ אֲרָמִית Is. 36:11
1113 דַּבֶּר־אוֹתָם וְאָמַרְתָּ אֲלֵיהֶם Ezek. 14:4

וְדַבֵּר

1114 קוּם צֵא וְדַבֵּר עַל־לֵב עֲבָדֶיךָ IISh. 19:8
1115 קוּם עֲלֵה...וְדַבֵּר אֲלֵהֶם... IIK. 1:3
1116 וְדַבֵּר אֲלֵיהֶם כֹּה־אָמַר אֲדֹנָי Ezek. 37:21

דַּבְּרִי

1117 עוּרִי עוּרִי דַּבְּרִי־שִׁיר Jud. 5:12

דַּבֵּרִי

1118 וַיֹּאמֶר דַּבֵּרִי IISh. 14:12

דַּבְּרוּ

1119 דַּבְּרוּ־נָא בְּאָזְנֵי פַרְעֹה Gen. 50:4
1120 דַּבְּרוּ אֶל־כָּל־עֲדַת יִשְׂרָאֵל Ex. 12:3
1121 דַּבְּרוּ אֶל־בְּנֵי יִשְׂרָאֵל לֵאמֹר Lev. 11:2
1122 דַּבְּרוּ אֶל־בְּנֵי יִשְׂרָאֵל Lev. 15:2
1123 דַּבְּרוּ־נָא בְּאָזְנֵי כָל־בַּעֲלֵי שְׁכֶם Jud. 9:2
1124 דַּבְּרוּ אֵיכָה נִהְיְתָה הָרָעָה Jud. 20:3
1125 דַּבְּרוּ אֶל־דָּוִד בַּלָּט לֵאמֹר ISh. 18:22
1126 דַּבְּרוּ אֶל־זִקְנֵי יְהוּדָה לֵאמֹר IISh. 19:12
1127 דַּבְּרוּ אַל־יִתְהַלֵּל חֹגֵר כִּמְפַתֵּחַ IK. 20:11
1128 דַּבְּרוּ דָבָר וְלֹא יָקוּם Is. 8:10
1129 דַּבְּרוּ־לָנוּ חֲלָקוֹת Is. 30:10
1130 דַּבְּרוּ עַל־לֵב יְרוּשָׁלַםִ Is. 40:2
1131 דַּבְּרוּ אֱמֶת אִישׁ אֶת־רֵעֵהוּ Zech. 8:16

וְדַבֵּרוּ

1132 שִׂימוּ־לָכֶם עָלֶיהָ עֻצוּ וְדַבֵּרוּ Jud. 19:30

מְדֻבָּר

1133 נִכְבָּדוֹת מְדֻבָּר בָּךְ Ps. 87:3

שֶׁיְּדֻבַּר

1134 מַה־נַּעֲשֶׂה...בַּיּוֹם שֶׁיְּדֻבַּר־בָּהּ S.ofS. 8:8

מִדַּבֵּר

1135 וַיִּשְׁמַע אֶת־הַקּוֹל מִדַּבֵּר אֵלָיו Num. 7:89
1136 וָאֶשְׁמַע אֵת מִדַּבֵּר אֵלָי Ezek. 2:2
1137 וָאֶשְׁמַע מִדַּבֵּר אֵלַי מֵהַבָּיִת Ezek. 43:6

דִּבֵּר[2]

פִּ׳ א) כִּלה, השמיד: 1
ב) [הִפ׳ הִדְבִּיר] הכניע: 2, 3

וַתְּדַבֵּר
1 וַתְּדַבֵּר אֶת־כָּל־זֶרַע הַמַּמְלָכָה IICh. 22:10

יַדְבֵּר
2 יַדְבֵּר עַמִּים תַּחְתֵּינוּ Ps. 47:4

וַיַּדְבֵּר
3 וַיַּדְבֵּר עַמִּים תַּחְתָּי Ps. 18:48

דָּבָר

ז׳ א) דבור, מוצא פה: רוב המקראות וכן אלה שבראשם הציון (א)

ב) חפץ, מעשה, עניָן: המקראות בציון (ב) ורבים אחרים – עיֵן בצרופים

– דָּבָר אֶחָד 93,94,107,114; דָּ׳ בְּעִתּוֹ 174; דָּ׳ גָּדוֹל 30, 102, 105, 106, 287,304, 315, 432; דָּ׳ דִּבּוּר 147; הַדָּ׳ הַזֶּה 178–258, 404–410, 412–431, 438–443; דָּ׳ טוֹב 92, 117, 136, 173, 301, 328, 819, 823, 863; דָּ׳ טָמֵא 75; דָּ׳ מַר 139; דָּ׳ נָחוּץ 677; דָּ׳ נֶעְלָם 115; דָּ׳ קָטָן 102, 105, 106, 288, 290; דָּ׳ קָשֶׁה 289; דָּ׳ רִאשׁוֹן 435; דָּ׳ רֵיק 89; דָּ׳ רָע 80, 84, 118, 140, 158, 291, 296, 302, 340, 402,433, 434, 436

– אַחֲרִית דָּבָר 156; אֵין דָּבָר 76, 103; אִישׁ דָּ׳ 868; לֹא דָבָר 135; מַכְלִים דָּ׳ 95; נְבוֹן דָּ׳ 100; סוֹף דָּ׳ 159; עוֹשֵׂה דָּ׳ 869, 871, 878; עֶרְוַת דָּ׳ 85, 87; פְּנֵי הַדָּ׳ 308; פֵּשֶׁר דָּ׳ 157; קוֹל דָּ׳ 872; רֹאשׁ דָּ׳ 829; רֵאשִׁית דָּ׳ 156; שֵׁמֶץ דָּ׳ 151; שֹׁרֶשׁ דָּ׳ 150

– אֱמֶת הַדָּבָר 298, 337, 342; הוּא הַדָּ׳ 297; זֶה הַדָּ׳ 265–284; טוֹב הַדָּ׳ 285, 292, 311,312,314,339; כָּבֵד הַדָּ׳ 286; כָּשֵׁר הַדָּ׳ 336; נָכוֹן הַדָּ׳ 262,294/5

– דְּבַר אֲדֹנִי 679; דְּ׳ אִישׁ 681, 686, 798, 800, 807; דְּ׳ אֱלֹהִים 672,675,685,715,717, 731, 741; דְּ׳ אֱמֶת 696, 701; דְּ׳ אֲמָתוֹ 678; דְּ אֶסְתֵּר 712; דְּ׳ בְּלִיַּעַל 695,699; דְּ׳ גְּבוּרוֹת 736; דְּ׳ חָזוֹן 732; דְּ׳ חָכְמָה 714; דְּ׳ יְיָ 448, 449, 472–660,722,725–730, 740, 742–752, 767–792, 808; דְּ׳ יוֹם בְּיוֹמוֹ 461–471, 760, 803–805; דְּ׳ יִשְׂרָאֵל 724; דְּ׳ כָּבוֹד 698; דְּ׳ כָּזָב 735; דְּ׳ מָה 721; דְּ׳ הַמִּזְבֵּחַ 663; דְּ׳ הַמַּחְלְקוֹת 718; דְּ׳ מִי 694; דְּ׳ הַמְּלוּכָה 676; דְּ׳ הַמֶּלֶךְ 677, 682, 688, 704, 705, 709–711, 713, 716, 720, 737, 738,755-757,802; דְּ׳ הַמַּלְכָּה 706,707; דְּ׳ מַלְכוּת 708; דְּ׳ מְמוּכָן 801; דְּ׳ הַמַּס 683; דְּ׳ מֹשֶׁה 764–766; דְּ׳ הַמִּשְׁפָּט 665,759; דְּ׳ נְבָלָה 673; דְּ׳ הַנָּבִיא 692; דְּ׳ סֵתֶר 671; דְּ׳ עַבְדּוֹ 680, 690, 793; דְּ׳ עֶצֶב 734; דְּ׳ פִּיו 691; דְּ׳ פֶּשַׁע 661; דְּ׳ קֹדֶשׁ 700; דְּ׳ הָרוֹצֵחַ 666; דְּ׳ שְׁמוּאֵל 674; דְּ׳ הַשְּׁמִטָּה 664; דְּ׳ שְׁנֵיהֶם 662; דְּ׳ שָׁנָה בְשָׁנָה 684, 719; דְּ׳ שְׂפָתַיִם 687, 689, 697, 733, 754; דְּ׳ שֶׁקֶר 702, 703, 806; דְּ׳ תּוֹעֵבָה 693; עַל דְּבַר 447, 450–460, 698; עַל דְּבַר אֲשֶׁר 667–670

– דְּבָרִים אֲחָדִים 913; דְּ׳ הַרְבֵּה 914; הַדְּבָרִים הָאֵלֶּה 915–924, 926–995, 1054, 1057–1068; דְּ׳ טוֹבִים 892, 899, 910–912, 1015, 1372; דְּ׳ חֲתוּמִים 1046; דְּ׳ יְגֵעִים 1043; דְּ׳ מְעַטִּים 1385; דְּ׳ נִחוּמִים 900; דְּ׳ נְכוֹחִים 903, 1372; דְּ׳ נְעִימִים 1384; דְּ׳ סְתוּמִים 1046; דְּ׳ עַתִּיקִים 1048; דְּ׳ רַבִּים 895; דְּ׳ רָעִים 894

– אֵין דְּבָרִים 901; אִישׁ דְּ׳ 887; בַּעַל דְּ׳ 888; מְגַנְּבֵי דְ׳ 1340; עֲלִילוֹת דְּ׳ 890,891; עֲשֶׂרֶת הַדְּ׳ 1002, 1008, 1011; פֵּתַח דְּ׳ 1382; קוֹל דְּ׳ 889, 1408–1410, 1426, 1427; רֹב דְּ׳ 902, 905, 906

– דִּבְרֵי אָבִיו 1071; דִּ׳ אֲבִיָּם 1175; דִּ׳ אָגוּר 1259; דִּ׳ הָאִגֶּרֶת 1271; דִּ׳ אָדָם 1129; דִּ׳ אֲדֹנִי 1073; דִּ׳ אוֹתוֹת 1250; דִּ׳ אִיּוֹב 1261; דִּ׳ הָאָלָה 1123; דִּ׳ אֱלֹהִים 1233, 1318, 1320; דִּ׳ אֱמֶת 1267; דִּ׳ אֲמָתוֹ 1130, 1134; דִּ׳ אָסָא 1176; דִּ׳ הָאִשָּׁה 1072, 1216; דִּ׳ הָאֲתוֹנוֹת 1127; דִּ׳ בּוֹגֵד 1257; דִּ׳ בֶּלַע 1248; דִּ׳ הַבַּצָּרוֹת 1230; דִּ׳ הַבְּרִית 1094,1114–1122; דִּ׳ גָּד 1283; דִּ׳ דָּוִד 1136,1314, 1319,1324; דִּ׳ זֶבַח 1229; דִּ׳ חַגַּי 1242; דִּ׳ חוֹזִים 1288, 1316; דִּ׳ חֲכָמִים 1252, 1258, 1263, 1268;

ד׳ חֵפֶץ 1266; ד׳ יֵהוּא 1322; ד׳ יְיָ 1074, 1078–1093,1323; ד׳ הַיָּמִים 1141–1158,1160–1174,1269, 1270,1275,1279,1280; ד׳ יָרָבְעָם 1140; ד׳ יִרְמְיָהוּ 1225, 1235, 1240; ד׳ כּוּשׁ 1243; ד׳ לְמוּאֵל 1260; ד׳ הַמִּלְחָמָה 1132, 1133; ד׳ הַמֶּלֶךְ 1223, 1278; ד׳ הַמְּלָכִים 1287; ד׳ מִצְוֹת 1276; ד׳ מִרְמוֹת 1246; ד׳ הַנְּבִיאִים 1097, 1215, 1232, 1236, 1237, 1286; ד׳ נְחֶמְיָה 1277; ד׳ נִפְלָאוֹת 1313; ד׳ נִרְגָּן 1255, 1256; ד׳ נָתָן 1282, 1285; ד׳ הַסֵּפֶר 1218–1222, 1238, 1239, 1289, 1290; דִּבְרֵי סֵפֶר הַתּוֹרָה 1217; ד׳ עַבְדּוֹ 1131,1234; ד׳ עוֹלָה 1229; ד׳ עֲוֹנוֹת 1249; ד׳ הָעָם 1075, 1076, 1096, 1126; ד׳ עָמוֹס 1241; ד׳ הַפּוּרִים 1274; ד׳ פִּיו 1247, 1254, 1264,1265; ד׳ הַפְּלִשְׁתִּי 1128; ד׳ צַדִּיקִים 1077, 1098; ד׳ הַצּוֹמוֹת 1273; ד׳ קָדְשׁוֹ 1231; ד׳ קֹהֶלֶת 1262; ד׳ רוּחַ 1326; ד׳ רְחַבְעָם 1159, 1315; ד׳ רִיבוֹת 1099; ד׳ רָע 1226; ד׳ רְשָׁעִים 1253; ד׳ שְׁאָגָה 1245; ד׳ שִׁיר 1251; ד׳ הַשִּׁירָה 1124, 1125, 1135, 1244; ד׳ שָׁלוֹם 1095, 1272; ד׳ שְׁלֹמֹה 1137–1139, 1284; ד׳ שְׁמוּאֵל 1281, 1327; ד׳ שְׁמַעְיָה 1321; ד׳ שִׂנְאָה 1312; ד׳ שֶׁקֶר 1224,1227,1228,1317; ד׳ הַתּוֹרָה 1100-1113

דָּבָר (א)

1 לֶךְ־נָא רְאֵה...וַהֲשִׁבֵנִי דָּבָר Gen. 37:14
2 יְדַבֶּר־נָא עַבְדְּךָ דָבָר Gen. 44:18
3 וַיָּשִׁיבוּ אֹתָם דָּבָר Num. 13:26
4 וַהֲשִׁבֹתִי אֶתְכֶם דָּבָר Num. 22:8
5 וַיָּשֶׂם יְיָ דָּבָר בְּפִי בִלְעָם Num. 23:5
6 וַיָּשֶׂם דָּבָר בְּפִיו Num. 23:16
7 וְיָשִׁבוּ אֹתָנוּ דָּבָר Deut. 1:22
8 וַיָּשִׁבוּ אֹתָנוּ דָבָר וַיֹּאמְרוּ Deut. 1:25
9 אֲשֶׁר יָזִיד לְדַבֵּר דָּבָר בִּשְׁמִי Deut. 18:20
10 וְלֹא־יֵצֵא מִפִּיכֶם דָּבָר Josh. 6:10
11 וָאָשֵׁב אֹתוֹ דָּבָר Josh. 14:7
12 וַיָּשִׁבוּ אוֹתָם דָּבָר Josh. 22:32
13 הָבוּ לָכֶם דָּבָר וְעֵצָה הֲלֹם Jud. 20:7
14 וְנוֹדִיעָה אֶתְכֶם דָּבָר ISh. 14:12
15 וַיְשִׁבֻהוּ הָעָם דָּבָר ISh. 17:30
16 הַמֶּלֶךְ צִוַּנִי דָבָר וַיֹּאמֶר אֵלַי ISh. 21:3
17 לְהָשִׁיב אֶת־אַבְנֵר דָּבָר IISh. 3:11
18 תְּדַבֶּר־נָא שִׁפְחָתְךָ...דָּבָר IISh. 14:12
19 עַד־בּוֹא דָבָר מֵעִמָּכֶם IISh. 15:28
20 וּשְׁלַחְתֶּם...כָּל־דָּבָר אֲשֶׁר תִּשְׁמָעוּ IISh.15:36
21 מָה־אָשִׁיב שֹׁלְחִי דָּבָר IISh. 24:13
22 וַיֹּאמֶר דָּבָר לִי אֵלֶיךָ IK. 2:14
23 וַיָּשֶׁב בְּנָיָהוּ אֶת־הַמֶּלֶךְ דָּבָר IK. 2:30
24 לְהָשִׁיב אֶת־הָעָם־הַזֶּה דָּבָר IK. 12:6
25 וְנָשִׁיב דָּבָר אֶת־הָעָם הַזֶּה IK. 12:9
26 וַיָּשִׁבוּ הָעָם אֶת־הַמֶּלֶךְ דָּבָר IK. 12:16
27 כִּי־דָבָר אֵלַי בִּדְבַר יְיָ IK. 13:17
28 וְלֹא־עָנוּ הָעָם אֹתוֹ דָּבָר IK. 18:21
29 וַיֵּלְכוּ הַמַּלְאָכִים וַיְשִׁבֻהוּ דָּבָר IK. 20:9
30 דָּבָר גָּדוֹל הַנָּבִיא דִּבֶּר אֵלֶיךָ IIK. 5:13
31 דָּבָר לִי אֵלֶיךָ הַשָּׂר IIK. 9:5
32/3 וְלֹא־עָנוּ אֹתוֹ דָּבָר IIK. 18:36 • Is. 36:21
34 וַיָּשֶׁב אֶת־הַמֶּלֶךְ דָּבָר IIK. 22:9
35 וַיָּשִׁבוּ אֶת־הַמֶּלֶךְ דָּבָר IIK. 22:20
36 דַּבְּרוּ דָבָר וְלֹא יָקוּם Is. 8:10
37 וְאָזְנֶיךָ תִּשְׁמַעְנָה דָבָר מֵאַחֲרֶיךָ Is. 30:21
38 וְאֶשְׁאָלֵם וְיָשִׁיבוּ דָבָר Is. 41:28
39 יָצָא מִפִּי צְדָקָה דָּבָר וְלֹא יָשׁוּב Is. 45:23
40 מִמְּצוֹא חֶפְצְךָ וְדַבֵּר דָּבָר Is. 58:13

דָּבָר (א) (המשך)

41 וַיְדַבְּרוּ דָבָר בִּשְׁמִי שֶׁקֶר Jer. 29:23
42 כִּי־דָבָר אֲנִי־דִבַּרְתִּי Jer. 34:5
43 הֲיֵשׁ דָּבָר מֵאֵת יְיָ Jer. 37:17
44 הָעֹנִים אֹתוֹ דָּבָר לֵאמֹר Jer. 44:20
45/6 וְשָׁמַעְתָּ מִפִּי דָּבָר Ezek. 3:17; 33:7
47 וְהִנֵּה הָאִישׁ...מֵשִׁיב דָּבָר לֵאמֹר Ezek. 9:11
48/9 אֲשֶׁר אֲדַבֵּר דָּבָר וְיֵעָשֶׂה Ezek. 12:25,28
50 אֲדַבֵּר דָּבָר וַעֲשִׂיתִיו Ezek. 12:25
51 וְיִחֲלוּ לְקַיֵּם דָּבָר Ezek. 13:6
52 וְהַנָּבִיא כִי־יְפֻתֶּה וְדִבֶּר דָּבָר Ezek. 14:9
53 דָּבָר צִוָּה לְאֶלֶף דּוֹר Ps. 105:8
54 וְאֶעֱנֶה חֹרְפִי דָבָר Ps. 119:42
55 מֵשִׁיב דָּבָר בְּטֶרֶם יִשְׁמָע Prov. 18:13
56 וְאָשִׁיבָה חֹרְפִי דָבָר Prov. 27:11
57 וְאֵין־דֹּבֵר אֵלָיו דָּבָר Job 2:13
58 וּבַעַל כְּנָפַיִם יַגֵּיד דָּבָר Eccl. 10:20
59 וָאָשִׁיב אוֹתָם דָּבָר... Neh. 2:20
60 לְיַד הַמֶּלֶךְ לְכָל־דְּבַר לָעָם Neh. 11:24
61 דָּבָר צִוָּה לְאֶלֶף דּוֹר ICh. 16:15
62 מָה־אָשִׁיב אֶת־שֹׁלְחִי דָּבָר ICh. 21:12
63 לְהָשִׁיב לָעָם־הַזֶּה דָּבָר IICh. 10:6
64 וְנָשִׁיב דָּבָר אֶת־הָעָם הַזֶּה IICh. 10:9
65 וַיַּעֲמִידוּ דָבָר לְהַעֲבִיר קוֹל IICh. 30:5
66 וַיָּשֶׁב עוֹד אֶת־הַמֶּלֶךְ דָּבָר IICh. 34:16
67 וַיָּשִׁיבוּ אֶת־הַמֶּלֶךְ דָּבָר IICh. 34:28

דָּבָר (ב)

68 הֲיִפָּלֵא מֵיְיָ דָּבָר Gen. 18:14
69 לָאֲנָשִׁים הָאֵל אַל־תַּעֲשׂוּ דָבָר Gen. 19:8
70 כִּי לֹא אוּכַל לַעֲשׂוֹת דָּבָר... Gen. 19:22
71 כִּי אֵין נִגְרָע מֵעֲבֹדַתְכֶם דָּבָר Ex. 5:11
72 וְלֹא יָמוּת מִכָּל־לִבְנֵי יִשְׂרָאֵל דָּבָר Ex. 9:4
73 כִּי־יִהְיֶה לָהֶם דָּבָר בָּא אֵלַי Ex. 18:16
74 וְנֶעְלַם דָּבָר מֵעֵינֵי הַקָּהָל Lev. 4:13
75 אֲשֶׁר תִּגַּע בְּכָל־דָּבָר טָמֵא Lev. 5:2
76 רַק אֵין־דָּבָר בְּרַגְלַי אֶעֱבֹרָה Num. 20:19
77 כָּל־דָּבָר אֲשֶׁר־יָבֹא בָאֵשׁ Num. 31:23
78 לֹא חָסַרְתָּ דָּבָר Deut. 2:7
79 פֶּן־יִהְיֶה דָבָר עִם־לְבָבְךָ בְלִיַּעַל Deut. 15:9
80 אֲשֶׁר יִהְיֶה בוֹ מוּם כֹּל דָּבָר רָע Deut. 17:1
81 כִּי יִפָּלֵא מִמְּךָ דָבָר לַמִּשְׁפָּט Deut. 17:8
82 עַל־פִּי שְׁלֹשָׁה־עֵדִים יָקוּם דָּבָר Deut. 19:15
83 וְלַנַּעֲרָ לֹא־תַעֲשֶׂה דָבָר Deut. 22:26
84 וְנִשְׁמַרְתָּ מִכֹּל דָּבָר רָע Deut. 23:10
85 וְלֹא־יִרְאֶה בְךָ עֶרְוַת דָּבָר Deut. 23:15
86 כָּל־דָּבָר אֲשֶׁר יִשָּׁךְ Deut. 23:20
87 כִּי־מָצָא בָהּ עֶרְוַת דָּבָר Deut. 24:1
88 וְלֹא־יַעֲבֹר עָלָיו לְכָל־דָּבָר Deut. 24:5
89 כִּי לֹא־דָבָר רֵק הוּא מִכֶּם Deut. 32:47
90 לֹא־הָיָה דָבָר מִכֹּל אֲשֶׁר־צִוָּה Josh. 8:35
91 לֹא־הֵסִיר דָּבָר מִכֹּל אֲשֶׁר־צִוָּה Josh. 11:15
92 לֹא־נָפַל דָּבָר מִכֹּל הַדָּבָר הַטּוֹב Josh. 21:43
93 לֹא־נָפַל דָּבָר אֶחָד מִכֹּל... Josh. 23:14
94 לֹא־נָפַל מִמֶּנּוּ דָּבָר אֶחָד Josh. 23:14
95 וְאֵין־מַכְלִים דָּבָר Jud. 18:7
96 אֵין־שָׁם מַחְסוֹר כָּל־דָּבָר Jud. 18:10
97 אֵין מַחְסוֹר כָּל־דָּבָר Jud. 19:19
98 הִנֵּה אָנֹכִי עֹשֶׂה דָבָר בְּיִשְׂרָאֵל ISh. 3:11
99 ...אִם־תְּכַחֵד מִמֶּנִּי דָּבָר ISh. 3:17
100 וּנְבוֹן דָּבָר וְאִישׁ תֹּאַר ISh. 16:18
101 הֲלוֹא דָּבָר הוּא ISh. 17:29
102 דָּבָר גָּדוֹל אוֹ דָּבָר קָטֹן ISh. 20:2
103 כִּי־שָׁלוֹם לְךָ וְאֵין דָּבָר ISh. 20:21
104 אַל־יָשֵׂם הַמֶּלֶךְ בְּעַבְדּוֹ דָבָר ISh. 22:15

דָּבָר (ב) (המשך)

105 דָּבָר קָטֹן אוֹ גָדוֹל ISh. 22:15
106 וְלֹא־הִגִּידָה לּוֹ דָּבָר קָטֹן וְגָדוֹל ISh. 25:36
107 אַךְ דָּבָר אֶחָד אָנֹכִי שֹׁאֵל... IISh. 3:13
108 אֶל־יָשֵׂם...אֶל־לִבּוֹ דָּבָר לֵאמֹר IISh.13:33
109 אַל־נָא תְכַחֲדִי מִמֶּנִּי דָּבָר IISh. 14:18
110 וְלֹא יָדְעוּ כָּל־דָּבָר IISh. 15:11
111 וְלֹא נוֹדַע דָּבָר IISh. 17:19
112 וְכָל־דָּבָר לֹא־יִכָּחֵד מִן־הַמֶּלֶךְ IISh.18:13
113 וְכִלְכְּלוּ...לֹא יְעַדְּרוּ דָּבָר IK. 5:7
114 לֹא־נָפַל דָּבָר אֶחָד מִכֹּל... IK. 8:56
115 לֹא־הָיָה דָבָר נֶעְלָם מִן־הַמֶּלֶךְ IK. 10:3
116 לִדְרֹשׁ דָּבָר מֵעִמְּךָ אֶל־בְּנָהּ IK. 14:5
117 יַעַן נִמְצָא־בוֹ דָּבָר טוֹב IK. 14:13
118 וְלֹא הָיָה דָּבָר רָע בַּסִּיר IIK. 4:41
120-119 לֹא־הָיָה דָבָר אֲשֶׁר לֹא־הֶרְאָם IIK. 20:13 • Is. 39:2
122-121 לֹא־הָיָה דָבָר אֲשֶׁר לֹא־הִרְאִיתִם IIK. 20:15 • Is. 39:4
123 וְנִשָּׂא...לֹא־יִוָּתֵר דָּבָר IIK. 20:16
124 דָּבָר שָׁלַח אֲדֹנָי בְּיַעֲקֹב Is. 9:7
125 וְנִשָּׂא...לֹא־יִוָּתֵר דָּבָר Is. 39:6
126 לָדַעַת לָעוּת אֶת־יָעֵף דָּבָר Is. 50:4
127 וְדִבַּרְתָּ...אַל־תִּגְרַע דָּבָר Jer. 26:2
128 לֹא יִפָּלֵא מִמְּךָ כָּל־דָּבָר Jer. 32:17
129 הֲמִמֶּנִּי יִפָּלֵא כָּל־דָּבָר Jer. 32:27
130 אֵין הַמֶּלֶךְ יוּכַל אֶתְכֶם דָּבָר Jer. 38:5
131 שֹׁאֵל אֲנִי אֹתְךָ דָּבָר Jer. 38:14
132 אַל־תְּכַחֵד מִמֶּנִּי דָּבָר Jer. 38:14
133 לֹא־אֶמְנַע מִכֶּם דָּבָר Jer. 42:4
134 כִּי לֹא יַעֲשֶׂה אֲדֹנָי יְיָ דָּבָר Am. 3:7
135 הַשְּׂמֵחִים לְלֹא דָבָר Am. 6:13
136 רָחַשׁ לִבִּי דָּבָר טוֹב Ps. 45:2
137 בֵּאלֹהִים אֲהַלֵּל דָּבָר Ps. 56:11
138 בַּיְיָ אֲהַלֵּל דָּבָר Ps. 56:11
139 דָּרְכוּ חִצָּם דָּבָר מָר Ps. 64:4
140 יְחַזְּקוּ־לָמוֹ דָּבָר רָע Ps. 64:6
141 זְכָר־דָּבָר לְעַבְדֶּךָ Ps. 119:49
142 וְנֶאֱמַן־רוּחַ מְכַסֶּה דָבָר Prov. 11:13
143 פֶּתִי יַאֲמִין לְכָל־דָּבָר Prov. 14:15
144 מַשְׂכִּיל עַל־דָּבָר יִמְצָא טוֹב Prov. 16:20
145 כְּבֹד אֱלֹהִים הַסְתֵּר דָּבָר Prov. 25:2
146 וּכְבֹד מְלָכִים חֲקֹר דָּבָר Prov. 25:2
147 דָּבָר דָּבֻר עַל־אָפְנָיו Prov. 25:11
148 הֲנִסָּה דָבָר אֵלֶיךָ תִּלְאֶה Job 4:2
149 וְאֵלַי דָּבָר יְגֻנָּב Job 4:12
150 וְשֹׁרֶשׁ דָּבָר נִמְצָא־בִי Job 19:28
151 וּמַה־שֵּׁמֶץ דָּבָר נִשְׁמַע־בּוֹ Job 26:14
152 עַד אֲשֶׁר תֵּדְעִין אֵיךְ יִפֹּל דָּבָר Ruth 3:18
153 לְקַיֵּם כָּל־דָּבָר Ruth 4:7
154 יֵשׁ דָּבָר שֶׁיֹּאמַר רְאֵה־זֶה חָדָשׁ הוּא Eccl. 1:10
155 לְהוֹצִיא דָבָר לִפְנֵי הָאֱלֹהִים Eccl. 5:1
156 טוֹב אַחֲרִית דָּבָר מֵרֵאשִׁיתוֹ Eccl. 7:8
157 וּמִי יוֹדֵעַ פֵּשֶׁר דָּבָר Eccl. 8:1
158 שׁוֹמֵר מִצְוָה לֹא יֵדַע דָּבָר רָע Eccl. 8:5
159 סוֹף דָּבָר הַכֹּל נִשְׁמָע Eccl. 12:13
160 לֹא בִקְשָׁה דָּבָר Es. 2:15
161 לֹא־נַעֲשָׂה עִמּוֹ דָּבָר Es. 6:3
162 אַל־תַּפֵּל דָּבָר מִכֹּל אֲשֶׁר דִּבַּרְתָּ Es. 6:10
163 בִּתְחִלַּת תַּחֲנוּנֶיךָ יָצָא דָבָר Dan. 9:23
164 וְתֵדַע וְתַשְׂכֵּל מִן־מֹצָא דָבָר Dan. 9:25
165 בִּשְׁנַת...דָּבָר נִגְלָה לְדָנִיֵּאל Dan. 10:1

דָּבָר(ב) (המשך)

166 וַיַּחֲרִישׁוּ וְלֹא מָצְאוּ דָּבָר Neh. 5:8
167 ...לְכָל־דָּבָר וְלָאֹצָרוֹת IICh. 8:15
168 וְלֹא־נֶעְלַם דָּבָר מִשְּׁלֹמֹה IICh. 9:2
169 וְלֹא־יָבוֹא טָמֵא לְכָל־דָּבָר IICh. 23:19

וְדָבָר
170/1 וְדָבָר אֵין־לָהֶם עִם־אָדָם Jud. 18:7, 28
172 ...וְעֵצָה מֵחָכָם וְדָבָר מִנָּבִיא Jer. 18:18
173 וְדָבָר טוֹב יְשַׂמְּחֶנָּה Prov. 12:25
174 וְדָבָר בְּעִתּוֹ מַה־טּוֹב Prov. 15:23
175 וְדָבָר לָאט עִמָּךְ Job 15:11

הַדָּבָר
176 מָה רָאִיתָ כִּי עָשִׂיתָ אֶת־הַדָּבָר Gen. 20:10
177 וַיֵּרַע הַדָּבָר...בְּעֵינֵי אַבְרָהָם Gen. 21:11
178 מִי עָשָׂה אֶת־הַדָּבָר הַזֶּה Gen. 21:26
179-258 הַדָּבָר הַזֶּה Gen. 22:16; 24:9
30:31; 34:14 • Ex. 1:18; 9:5, 6; 12:24; 18:14, 23; 33:17 • Num. 32:20 • Deut. 15:10, 15; 22:26; 24:18, 22 • Josh. 9:24; 14:10 • Jud. 6:29[2]; 8:1, 3; 11:37 • ISh. 18:8; 20:2; 24:7(6); 26:16; 28:18 • IISh. 2:6; 11:11, 25; 12:6, 12, 21; 14:13, 15, 20, 21; 19:43 • IK. 1:27; 2:23; 3:10, 11; 11:10; 12:24, 30; 13:33; 20:12, 24; 6:11; 7:2; 17:12 • Is. 24:3; 38:7 • Jer. 5:14; 7:2, 23; 13:12; 14:17; 22:1, 4; 23:38; 26:1; 27:1; 28:7; 31:23(22); 36:1; 40:3, 16 • Am. 3:1; 4:1; 5:1 • Dan. 10:11 • Ez. 9:3 • Neh. 2:19; 5:13 • ICh. 21:7, 8 • IICh. 11:4
259 מֵיְיָ יָצָא הַדָּבָר Gen. 24:50
260 וְאָבִיו שָׁמַר אֶת־הַדָּבָר Gen. 37:11
261 הוּא הַדָּבָר אֲשֶׁר דִּבַּרְתִּי Gen. 41:28
262 כִּי־נָכוֹן הַדָּבָר מֵעִם הָאֱלֹ׳ Gen. 41:32
263 וַיִּיטַב הַדָּבָר בְּעֵינֵי פַרְעֹה Gen. 41:37
264 אָכֵן נוֹדַע הַדָּבָר Ex. 2:14
265 הֲלֹא־זֶה הַדָּבָר אֲשֶׁר דִּבַּרְנוּ... Ex. 14:12
266-284 (וְ)זֶה הַדָּבָר Ex. 16:16, 32
29:1; 35:4 • Lev. 8:5; 9:6; 17:2 • Num. 30:2; 36:6 • Josh. 5:4 • Jud. 20:9; 21:11 • IK. 11:27 • IIK. 11:5; 19:21 • Is. 16:13; 37:22 • Jer. 38:21 • IICh. 23:4
285 לֹא־טוֹב הַדָּבָר אֲשֶׁר אַתָּה עֹשֶׂה Ex. 18:17
286 כִּי־כָבֵד מִמְּךָ הַדָּבָר Ex. 18:18
287 כָּל־הַדָּבָר הַגָּדֹל יָבִיאוּ אֵלֶיךָ Ex. 18:22
288 וְכָל־הַדָּבָר הַקָּטֹן יִשְׁפְּטוּ־הֵם Ex. 18:22
289 הַדָּבָר הַקָּשֶׁה יְבִיאוּן אֶל־מֹשֶׁה Ex. 18:26
290 וְכָל־הַדָּבָר הַקָּטֹן יִשְׁפּוּטוּ הֵם Ex. 18:26
291 וַיִּשְׁמַע הָעָם אֶת־הַדָּבָר הָרָע הַזֶּה Ex. 33:4
292 טוֹב־הַדָּבָר אֲשֶׁר־דִּבַּרְתָּ לַעֲשׂוֹת Deut. 1:14
293 וַיִּיטַב בְּעֵינַי הַדָּבָר Deut. 1:23
294/5 וְהִנֵּה אֱמֶת נָכוֹן הַדָּבָר Deut. 13:15; 17:4
296 אֲשֶׁר עָשׂוּ אֶת־הַדָּבָר הָרָע הַזֶּה Deut. 17:5
297 הוּא הַדָּבָר אֲשֶׁר לֹא־דִבְּרוֹ יְיָ Deut. 18:22
298 וְאִם־אֱמֶת הָיָה הַדָּבָר Deut. 22:20
299 לֹא־נָפַל דָּבָר מִכֹּל הַדָּבָר Josh. 21:43
300 וַיִּיטַב הַדָּבָר בְּעֵינֵי בְּנֵי יִשׂ׳ Josh. 22:33
301 בָּא עֲלֵיכֶם כָּל־הַדָּבָר הַטּוֹב Josh. 23:15
302 כֵּן יָבִיא...אֶת כָּל־הַדָּבָר הָרָע Josh. 23:15
303 וַיֵּרַע הַדָּבָר בְּעֵינֵי שְׁמוּאֵל ISh. 8:6
304 וּרְאוּ אֶת־הַדָּבָר הַגָּדוֹל הַזֶּה ISh. 12:16
305 וַיִּשַׁר הַדָּבָר בְּעֵינָיו ISh. 18:20
306 וַיִּשַׁר הַדָּבָר בְּעֵינֵי דָוִד ISh. 18:26
307 וַיֵּרַע הַדָּבָר אֲשֶׁר־עָשָׂה דָוִד IISh. 11:27
308 לְבַעֲבוּר סַבֵּב אֶת־פְּנֵי הַדָּבָר IISh. 14:20
309 וַיִּישַׁר הַדָּבָר בְּעֵינֵי אַבְשָׁלֹם IISh. 17:4
310 לֹא־כֵן הַדָּבָר IISh. 20:21
311 טוֹב הַדָּבָר כַּאֲשֶׁר דִּבֶּר IK. 2:38

הַדָּבָר (המשך)

312 וַתֹּאמֶר אֵלַי טוֹב הַדָּבָר שָׁמָעְתִּי IK. 2:42
313 וַיִּיטַב הַדָּבָר בְּעֵינֵי אֲדֹנָי IK. 3:10
314 וַיֹּאמְרוּ טוֹב הַדָּבָר IK. 18:24
315 כִּי יַעֲשֶׂה הַדָּבָר הַגָּדוֹל הַזֶּה IIK. 8:13
316 הַדָּבָר אֲשֶׁר חָזָה יְשַׁעְיָהוּ Is. 2:1
317-327 הַדָּבָר אֲשֶׁר הָיָה אֶל־יִרְמְיָהוּ Jer. 7:1; 11:1,
44:1; 18:1; 21:1; 30:1; 34:1, 8; 35:1; 40:1; 44:1
328 וַהֲקִמֹתִי אֶת־הַדָּבָר הַטּוֹב Jer. 33:14
329 כִּי לֹא־נִשְׁמַע הַדָּבָר Jer. 38:27
330/1 וַיִּיטַב הַדָּבָר בְּעֵינֵי הַמֶּלֶךְ Es. 1:21; 2:4
332 וַיִּוָּדַע הַדָּבָר לְמָרְדֳּכַי Es. 2:22
333 וַיְבֻקַּשׁ הַדָּבָר וַיִּמָּצֵא Es. 2:23
334 וַיִּיטַב הַדָּבָר לִפְנֵי הָמָן Es. 5:14
335 הַדָּבָר יָצָא מִפִּי הַמֶּלֶךְ Es. 7:8
336 וְכָשֵׁר הַדָּבָר לִפְנֵי הַמֶּלֶךְ Es. 8:5
337 וֶאֱמֶת הַדָּבָר וְצָבָא גָדוֹל Dan. 10:1
338 וַיֵּשְׁבוּ...לִדְרוֹשׁ הַדָּבָר Ez. 10:16
339 לֹא־טוֹב הַדָּבָר אֲשֶׁר־אַתֶּם עֹשִׂים Neh. 5:9
340 מָה־הַדָּבָר הָרָע הַזֶּה Neh. 13:17
341 כִּי־יָשַׁר הַדָּבָר בְּעֵינֵי כָל־הָעָם ICh. 13:4
342 אֱמֶת הַדָּבָר אֲשֶׁר שָׁמַעְתִּי IICh. 9:5
343 כִּי בְּפִתְאֹם הָיָה הַדָּבָר IICh. 29:36
344 וַיִּשַׁר הַדָּבָר בְּעֵינֵי הַמֶּלֶךְ IICh. 30:4
345 וְכִפְרֹץ הַדָּבָר הִרְבּוּ בְנֵי־יִשׂ׳ IICh. 31:5
346-393 הַדָּבָר Gen. 34:19 • Ex. 2:15
Num. 22:20, 35, 38 • Deut. 4:2; 9:5; 13:1; 17:10, 11; 18:21, 22; 30:14 • Josh. 1:13; 4:10; 14:6 • ISh. 3:17[2]; 4:16; 20:39; 21:3 • IISh. 1:4; 7:25; 15:35 • IK. 10:6; 13:32; 21:4 • IIK. 20:9 • Jer. 25:1; 10:1; 42:3, 4, 5; 44:16, 17; 45:1; 46:13; 50:1; 51:59 • Ezek. 33:30 • Jon. 3:6 • Hag. 2:5 • Ruth 3:18 • Dan. 10:1 • Ez. 10:4, 9 • Neh. 1:8 • ICh. 17:23

וְהַדָּבָר
394 וְהַדָּבָר אֲשֶׁר יִקְשֶׁה מִכֶּם... Deut. 1:17
395 וְהַדָּבָר אֲשֶׁר דִּבַּרְנוּ אֲנִי וָאָתָּה ISh. 20:23
396 וְהַדָּבָר הַזֶּה לֹא אוּכַל לַעֲשׂוֹת IK. 20:9

הֲדָבָר
397 הֲדָבָר דִּבַּרְתִּי אֶת־אַחַד שִׁבְטֵי יִשׂ׳ IISh. 7:7
398 הֲדָבָר דִּבַּרְתִּי אֶת־אַחַד שֹׁפְטֵי יִשׂ׳ ICh. 17:6

בְּדָבָר
399 מַחֲטִיאֵי אָדָם בְּדָבָר Is. 29:21
400 וְשֹׁנֶה בְדָבָר מַפְרִיד אַלּוּף Prov. 17:9
401 הוֹכֵחַ בְּדָבָר לֹא יִסְכּוֹן Job 15:3
402 אַל־תַּעֲמֹד בְּדָבָר רָע Eccl. 8:3

בַּדָּבָר
403 כִּי בַדָּבָר אֲשֶׁר זָדוּ עֲלֵיהֶם Ex. 18:11
404 אַל־תּוֹסֶף דַּבֵּר אֵלַי...בַּדָּבָר הַזֶּה Deut. 3:26
405-410 בַּדָּבָר הַזֶּה ISh. 28:10 • IISh. 12:14
24:3 • IK. 13:34 • IIK. 5:18 • Is. 30:12
411 וּבִין בַּדָּבָר וְהָבֵן בַּמַּרְאֶה Dan. 9:23
412 כִּי־הִרְבִּינוּ לִפְשֹׁעַ בַּדָּבָר הַזֶּה Ez. 10:13

וּבַדָּבָר
413 וּבַדָּבָר הַזֶּה אֵינְכֶם מַאֲמִינִם Deut. 1:32
414 וּבַדָּבָר הַזֶּה תַּאֲרִיכוּ יָמִים Deut. 32:47

כַּדָּבָר
415 חָלִלָה לְּךָ מֵעֲשֹׂת כַּדָּבָר הַזֶּה Gen. 18:25
416 כַּדָּבָר הַזֶּה תְּדַבְּרוּן אֶל־עֵשָׂו Gen. 32:19
417-431 כַּדָּבָר הַזֶּה Gen. 44:7 • ISh. 9:21;
17:27, 30 • IISh. 4:3; 15:6; 17:6 • IIK. 7:19 • Is. 8:20 • Ez. 10:5 • Neh. 5:12, 13; 6:4[2], 5
432 הֲנִהְיָה כַּדָּבָר הַגָּדוֹל הַזֶּה Deut. 4:32
433/4 לַעֲשׂוֹת(...)כַּדָּבָר הָרַע הַזֶּה Deut. 13:12; 19:20
435 דָּבָר כַּדָּבָר הָרִאשׁוֹן ISh. 17:30

לְדָבָר
436 אַל־תַּט־לִבִּי לְדָבָר רָע Ps. 141:4
437 בָּז לְדָבָר יֵחָבֶל לוֹ Prov. 13:13

לַדָּבָר
438 נָשָׂאתִי פָנֶיךָ גַּם לַדָּבָר הַזֶּה Gen. 19:21
439 וּמִי יִשְׁמַע לָכֶם לַדָּבָר הַזֶּה ISh. 30:24

לַדָּבָר (המשך)

440-443 לַדָּבָר הַזֶּה IISh. 13:20
IIK. 5:18 • Dan. 1:14 • Ez. 10:14
444 עַל־מִגְדַּל־עֵץ אֲשֶׁר־עָשׂוּ לַדָּבָר Neh. 8:4
445 וְאַתֶּם תְּמַהֲרוּ לַדָּבָר... IICh. 24:5

מִדָּבָר
446 וְאִם־לֹא מִדְּאָגָה מִדָּבָר... Josh. 22:24

דְּבַר־
447 עַל־דְּבַר שָׂרַי אֵשֶׁת אַבְרָם Gen. 12:17
448 הָיָה דְבַר־יְיָ אֶל־אַבְרָם Gen. 15:1
449 וְהִנֵּה דְבַר־יְיָ אֵלָיו לֵאמֹר Gen. 15:4
450 וַהֲרָגוּנִי עַל־דְּבַר אִשְׁתִּי Gen. 20:11
451-460 (וְ)עַל־דְּבַר Gen. 20:18; 43:18
Ex. 8:8 • Num. 17:14; 25:18[3]; 31:16 • IISh. 18:5 • ICh. 10:13
461 כַּלּוּ מַעֲשֵׂיכֶם דְּבַר־יוֹם בְּיוֹמוֹ Ex. 5:13
462-471 דְּבַר־יוֹם בְּיוֹמוֹ Ex. 5:19; 16:4
Lev. 23:37 • IK. 8:59 • IIK. 25:30 • Jer. 52:34 • Dan. 1:5 • Ez. 3:4 • Neh. 11:23; 12:47
472 הַיָּרֵא אֶת־דְּבַר יְיָ...הֵנִיס Ex. 9:20
473-660 דְּבַר יְיָ Ex. 9:21 • Num. 15:31
Deut. 5:5 • ISh. 3:7; 15:10, 13, 23, 26 • IISh. 7:4; 12:9 • IK. 2:27; 6:11; 12:24; 13:20; 16:1, 7; 17:2, 8; 18:31; 19:9; 21:17, 28; 22:5, 19 • IIK. 3:12; 7:1; 9:36; 15:12; 20:16, 19 • Is. 1:10; 28:13, 14; 38:4; 39:5, 8; 66:5 • Jer. 1:2, 4, 11, 13; 2:1, 4, 31; 6:10; 7:2; 9:19; 13:3, 8; 14:1; 16:1; 17:15, 20; 18:5; 19:3; 20:8; 21:11; 22:2, 29; 24:4; 25:3; 27:18; 28:12; 29:20, 30[2]; 31:10(9); 32:6, 8, 26; 33:1, 19, 23; 34:4, 12; 35:12; 36:27; 37:6; 39:15; 42:7, 15; 43:8; 44:24, 26; 46:1; 47:1; 49:34 • Ezek. 1:3; 3:16; 6:1, 3; 7:1; 11:14; 12:1, 8, 17, 21, 26; 13:1, 2; 14:2, 12; 15:1; 16:1, 35; 17:1, 11; 18:1; 20:2; 21:1, 6, 13, 23; 22:1, 17, 23; 21:3; 23:1; 24:1, 15, 20; 25:1, 3; 26:1; 27:1; 28:1, 11, 20; 29:1, 17; 30:1, 20; 31:1; 32:1, 17; 33:1, 23; 34:1, 7, 9; 35:1; 36:1, 4, 16; 37:4, 15; 38:1 • Hosh. 1:1; 4:1 • Joel 1:1 • Am. 7:16; 8:12 • Jon. 1:1; 3:1 • Mic. 1:1 • Zep. 1:1; 2:5 • Hag. 1:1, 3; 2:1, 10, 20 • Zech. 1:1, 7; 4:6, 8; 6:9; 7:1, 4, 8; 8:1, 18; 9:1; 11:11; 12:1 • Mal. 1:1 • Ps. 33:4 • Dan. 9:2 • Ez. 1:1 • ICh. 22:8(7) • IICh. 11:2; 12:7; 18:4, 18; 19:11; 34:21; 36:21, 22
661 עַל־כָּל־דְּבַר־פֶּשַׁע... Ex. 22:8
662 עַד הָאֱלֹהִים יָבֹא דְּבַר שְׁנֵיהֶם Ex. 22:8
663 כְּהֻנַּתְכֶם לְכָל־דְּבַר הַמִּזְבֵּחַ Num. 18:7
664 וְזֶה דְּבַר הַשְּׁמִטָּה Deut. 15:2
665 וְהִגִּידוּ לְךָ אֵת דְּבַר הַמִּשְׁפָּט Deut. 17:9
666 וְזֶה דְּבַר הָרֹצֵחַ... Deut. 19:4
667 עַל־דְּבַר אֲשֶׁר לֹא־צָעֲקָה Deut. 22:24
668-670 עַל־דְּבַר אֲשֶׁר Deut. 22:24; 23:5
IISh. 13:22
671 וַיֹּאמֶר דְּבַר־סֵתֶר לִי אֵלֶיךָ Jud. 3:19
672 דְּבַר־אֱלֹהִים לִי אֵלֶיךָ Jud. 3:20
673 לֹא תַעֲשׂוּ דְּבַר הַנְּבָלָה הַזֹּאת Jud. 19:24
674 וַיְהִי דְבַר־שְׁמוּאֵל לְכָל־יִשְׂרָאֵל ISh. 4:1
675 וְאַשְׁמִיעֲךָ אֶת־דְּבַר אֱלֹהִים ISh. 9:27
676 וְאֶת־דְּבַר הַמְּלוּכָה לֹא־הִגִּיד לוֹ ISh. 10:16
677 כִּי־הָיָה דְבַר־הַמֶּלֶךְ נָחוּץ ISh. 21:9
678 אוּלַי יַעֲשֶׂה הַמֶּ׳ אֶת־דְּבַר אֲמָתוֹ IISh. 14:15
679 יְהִי־נָא דְּבַר־אֲדֹנִי הַמֶּ׳ לִמְנֻחָה IISh. 14:17
680 אֲשֶׁר־עָשָׂה הַמֶּ׳ אֶת־דְּבַר עַבְדְּךָ IISh. 14:22
681 וַיִּקֶשׁ דְּבַר־אִישׁ יְהוּדָה... IISh. 19:44
682 וַיֶּחֱזַק דְּבַר־הַמֶּלֶךְ אֶל־יוֹאָב IISh. 24:4
683 וְזֶה דְבַר־הַמַּס... IK. 9:15
684 וְהֵמָּה מְבִיאִים...דְּבַר־שָׁנָה בְּשָׁנָה IK. 10:25
685 וַיְהִי דְּבַר הָאֱלֹהִים אֶל־שְׁמַעְיָה IK. 12:22

דְּבַר־ (המשך)

686 ...אֶת־דְּבַר אִישׁ־הָאֱלֹהִים IK.13:4
687 אָמַרְתָּ אַךְ־דְּבַר שְׂפָתַיִם... IIK.18:20
688 שִׁמְעוּ דְּבַר־הַמֶּלֶךְ הַגָּדוֹל IIK.18:28
689 אָמַרְתִּי אַךְ־דְּבַר־שְׂפָתַיִם... Is.36:5
690 מֵקִים דְּבַר עַבְדּוֹ Is.44:26
691 וְתִקַּח אָזְנְכֶם דְּבַר־פִּיו Jer.9:19
692 בְּבֹא דְּבַר הַנָּבִיא יִוָּדַע הַנָּבִיא Jer.28:9
693 אַל־נָא תַעֲשׂוּ אֵת דְּבַר־הַתֹּעֵבָה Jer.44:4
694 דְּבַר־מִי יָקוּם מִמֶּנִּי וּמֵהֶם Jer.44:28
695 דְּבַר־בְּלִיַּעַל יָצוּק בּוֹ Ps.41:9
696 צְלַח רְכַב עַל־דְּבַר־אֱמֶת Ps.45:5
697 חַטַּאת־פִּימוֹ דְּבַר־שְׂפָתֵימוֹ Ps.59:13
698 עַל־דְּבַר כְּבוֹד־שְׁמֶךָ Ps.79:9
699 לֹא־אָשִׁית לְנֶגֶד עֵינַי דְּבַר־בְּלִיָּעַל Ps.101:3
700 כִּי־זָכַר אֶת־דְּבַר קָדְשׁוֹ Ps.105:42
701 וְאַל־תַּצֵּל מִפִּי דְבַר־אֱמֶת Ps.119:43
702 דְּבַר־שֶׁקֶר יִשְׂנָא צַדִּיק Prov.13:5
703 מֹשֵׁל מַקְשִׁיב עַל־דְּבַר־שָׁקֶר Prov.29:12
704 בַּאֲשֶׁר דְּבַר־מֶלֶךְ שִׁלְטוֹן Eccl.8:4
705 כִּי־כֵן דְּבַר הַמֶּלֶךְ לִפְנֵי... Es.1:13
706 יֵצֵא דְבַר־הַמַּלְכָּה עַל...הַנָּשִׁים Es.1:17
707 אֲשֶׁר שָׁמְעוּ אֶת־דְּבַר הַמַּלְכָּה Es.1:18
708 יֵצֵא דְבַר־מַלְכוּת מִלְּפָנָיו Es.1:19
709 וַיְהִי בְּהִשָּׁמַע דְּבַר־הַמֶּלֶךְ וְדָתוֹ Es.2:8
710/1 מְקוֹם אֲשֶׁר דְּבַר־הַמֶּ׳...מַגִּיעַ Es.4:3; 8:17
712 לַעֲשׂוֹת אֶת־דְּבַר אֶסְתֵּר Es.5:5
713 אֲשֶׁר הִגִּיעַ דְּבַר־הַמֶּלֶךְ וְדָתוֹ לְהֵעָשׂוֹת Es.9:1
714 וְכֹל דְּבַר חָכְמַת בִּינָה Dan.1:20
715 וַיְהִי דְּבַר־אֱלֹהִים אֶל־נָתָן לֵאמֹר ICh.17:3
716 כִּי־נִתְעַב דְּבַר־הַמֶּלֶךְ אֶת־יוֹאָב ICh.21:6
717 לְכָל־דְּבַר הָאֱלֹ׳ וּדְבַר הַמֶּלֶךְ ICh.26:32
718 לְכֹל דְּבַר הַמַּחְלְקוֹת... ICh.27:1
719 מְבִיאִים...דְּבַר־שָׁנָה בְּשָׁנָה IICh.9:24
720 הַנָּגִיד...לְכֹל דְּבַר־הַמֶּלֶךְ IICh.19:11

וּדְבַר־

721 וּדְבַר מַה־יַּרְאֵנִי וְהִגַּדְתִּי לָךְ Num.23:3
722 וּדְבַר־יְיָ הָיָה יָקָר בַּיָּמִים הָהֵם ISh.3:1
723 וּדְבַר־אַבְנֵר הָיָה עִם־זִקְנֵי יִשְׂרָאֵל IISh.3:17
724 וּדְבַר כָּל־יִשְׂרָאֵל בָּא אֶל־הַמֶּלֶךְ IISh.19:12
725 וּדְבַר־יְיָ הָיָה אֶל־גָּד IISh.24:11
726-728 וּדְבַר יְיָ IK.17:24; 18:1; 20:4
729/30 כִּי מִצִּיּוֹן תֵּצֵא תוֹרָה וּדְבַר־יְיָ מִירוּשָׁלָםִ Is.2:3 • Mic.4:2
731 וּדְבַר־אֱלֹהֵינוּ יָקוּם לְעוֹלָם Is.40:8
732 קָרְבוּ הַיָּמִים וּדְבַר כָּל־חָזוֹן Ezek.12:23
733 וּדְבַר־שְׂפָתַיִם אַךְ־לְמַחְסוֹר Prov.14:23
734 וּדְבַר־עֶצֶב יַעֲלֶה־אָף Prov.15:1
735 שָׁוְא וּדְבַר־כָּזָב הַרְחֵק מִמֶּנִּי Prov.30:8
736 וּדְבַר־גְּבוּרוֹת וְחִין עֶרְכּוֹ Job41:4
737 וּדְבַר־הַמֶּלֶךְ חָזַק עַל־יוֹאָב ICh.21:4
738 לְכָל־דְּבַר הָאֱלֹ׳ וּדְבַר הַמֶּלֶךְ ICh.26:32

בִּדְבַר־

739 הֵנָּה הָיוּ לִבְ״י בִּדְבַר בִּלְעָם Num.31:16
740 כִּי־נִגְלָה...בְּשִׁלוֹ בִּדְבַר יְיָ ISh.3:21
741 כַּאֲשֶׁר יִשְׁאַל אִישׁ בִּדְבַר הָאֱלֹהִים IISh.16:23
742 בָּא מִיהוּדָה בִּדְבַר יְיָ IK.13:1
743-752 בִּדְבַר יְיָ IK.13:2,5,9,17,18,32 20:35 • Jer.8:9 • Ps.33:6 • IICh.30:12
753 וְלֹא־סָר...רַק בִּדְבַר אוּרִיָּה הַחִתִּי IK.15:5
754 לִפְעֻלּוֹת אָדָם בִּדְבַר שְׂפָתֶיךָ Ps.17:4
755 וַתְּמָאֵן...לָבוֹא בִּדְבַר הַמֶּלֶךְ Es.1:12
756/7 בִּדְבַר הַמֶּלֶךְ Es.3:15; 8:14
758 וַיַּעַל דָּוִיד בִּדְבַר־גָּד ICh.21:19
759 וְעִמָּכֶם בִּדְבַר מִשְׁפָּט IICh.19:6

וּבִדְבַר־

760 וּבִדְבַר־יוֹם בְּיוֹם לְהַעֲלוֹת... IICh.8:13

כִּדְבַר־

761 וַיַּעַשׂ כִּדְבַר יוֹסֵף אֲשֶׁר דִּבֵּר Gen.44:2
762/3 וַיַּעַשׂ יְיָ כִּדְבַר מֹשֶׁה Ex.8:9,27
764-766 כִּדְבַר מֹשֶׁה Ex.12:35; 32:28 • Lev.10:7
767 כִּדְבַר יְיָ תַּעֲשׂוּ Josh.8:8
768-792 כִּדְבַר יְיָ Josh.8:27 IK.12:24; 13:26; 14:18; 15:29; 16:12,34; 17:5,16; 22:38 • IIK.1:17; 4:44; 7:16; 9:26; 10:17; 14:25; 23:16; 24:2 • Jer.13:2; 32:8 • Jon.3:3 • ICh.11:3, 10; 15:15 IICh.35:6
793 כִּדְבַר עַבְדְּךָ כֵּן הָיָה IISh.13:35
794 וַיַּעַל דָּוִד כִּדְבַר־גָּד IISh.24:19
795 וַתֵּלֶךְ וַתַּעֲשֶׂה כִּדְבַר אֵלִיָּהוּ IK.17:15
796 יְהִי־נָא דְבָרְךָ כִּדְבַר אַחַד מֵהֶם IK.22:13
797 כִּדְבַר אֱלִישָׁע אֲשֶׁר דִּבֵּר IIK.2:22
798 וַיִּטְבֹּל...כִּדְבַר אִישׁ הָאֱלֹהִים IIK.5:14
799 וַיַּכֵּם בַּסַּנְוֵרִים כִּדְבַר אֱלִישָׁע IIK.6:18
800 וַתַּעַשׂ כִּדְבַר אִישׁ הָאֱלֹהִים IIK.8:2
801 וַיַּעַשׂ הַמֶּלֶךְ כִּדְבַר מְמוּכָן Es.1:21
802 וּמָחָר אֶעֱשֶׂה כִּדְבַר הַמֶּלֶךְ Es.5:8

לִדְבַר־

803 לְשָׁרֵת...לִדְבַר־יוֹם בְּיוֹמוֹ ICh.16:37
804/5 לִדְבַר־יוֹם בְּיוֹמוֹ IICh.8:14; 31:16

מִדְּבַר־

806 מִדְּבַר־שֶׁקֶר תִּרְחָק Ex.23:7
807 וַיִּקֶשׁ דְּבַר...יְהוּדָה מִדְּבַר אִישׁ IISh.19:44
808 כִּי לֹא יִפֹּל מִדְּבַר יְיָ אַרְצָה IIK.10:10

דְּבָרִי

809 הֲיִקְרְךָ דְבָרִי אִם־לֹא Num.11:23
810 וְלֹא־הָיָה דְּבָרִי רִאשׁוֹן... IISh.19:44
811 וַהֲקִמֹתִי אֶת־דְּבָרִי אִתָּךְ IK.6:12
812 אִם־יִהְיֶה...כִּי אִם־לְפִי דְבָרִי IK.17:1
813 כֵּן יִהְיֶה דְבָרִי אֲשֶׁר יֵצֵא מִפִּי Is.55:11
814 וּנְכֵה־רוּחַ וְחָרֵד עַל־דְּבָרִי Is.66:2
815 כִּי־שֹׁקֵד אֲנִי עַל־דְּבָרִי לַעֲשֹׂתוֹ Jer.1:12
816/17 וַאֲשֶׁר דְּבָרִי אִתּוֹ יְדַבֵּר דְּבָרִי אֱמֶת Jer.23:28
818 הֲלוֹא כֹה דְבָרִי כָּאֵשׁ Jer.23:29
819 וַהֲקִמֹתִי...אֶת־דְּבָרִי הַטּוֹב Jer.29:10
820 הֲלוֹא־זֶה דְבָרִי Jon.4:2
821 אַחֲרֵי דְבָרִי לֹא יִשְׁנוּ Job29:22

דְּבָרְךָ

822 יָבֹא דְבָרְךָ (כת׳ דבריך) וְכִבַּדְנוּךָ Jud.13:17
823 טוֹב דְּבָרְךָ לְכָה נֵלֵכָה ISh.9:10
824 בַּעֲבוּר דְּבָרְךָ וּכְלִבְּךָ עָשִׂיתָ... IISh.7:21
825 יֵאָמֶן נָא דְּבָרְךָ (כת׳ דבריך) אֲשֶׁר דִּבַּרְתָּ IK.8:26
826 יְהִי־נָא דְבָרְךָ (כת׳ דבריך) כִּדְבַר אַחַד מֵהֶם IK.22:13
827 וַיְהִי דְבָרְךָ(כ׳ דבריך) לִי לְשָׂשׂוֹן Jer.15:16
828 לְעוֹלָם יְיָ דְּבָרְךָ נִצָּב בַּשָּׁמָיִם Ps.119:89
829 רֹאשׁ־דְּבָרְךָ אֱמֶת Ps.119:160
830 יֵאָמֵן דְּבָרְךָ עִם דָּוִיד אָבִי IICh.1:9
831 יֵאָמֵן דְּבָרְךָ אֲשֶׁר דִּבַּרְתָּ IICh.6:17
832 וִיהִי־נָא דְבָרְךָ כְּאַחַד מֵהֶם IICh.18:12

דְּבָרֶךָ

833 לֹא אֶשְׁכַּח דְּבָרֶךָ Ps.119:16
834 אֶחְיֶה וְאֶשְׁמְרָה דְבָרֶךָ Ps.119:17
835 לְמַעַן אֶשְׁמֹר דְּבָרֶךָ Ps.119:101
836 נֵר־לְרַגְלִי דְבָרֶךָ Ps.119:105

בִּדְבָרֶךָ

837 כִּי־בָטַחְתִּי בִּדְבָרֶךָ Ps.119:42

וּבִדְבָרְךָ

838 וּבִדְבָרְךָ (כת׳ וכדבריך) עָשִׂיתִי IK.18:36

כִּדְבָרְךָ

839 וַיֹּאמֶר לְמָחָר וַיֹּאמֶר כִּדְבָרֶךָ Ex.8:6
840 אִם־לֹא כִדְבָרְךָ כֵּן נַעֲשֶׂה Jud.11:10

כִּדְבָרְךָ (המשך)

841 וַיֹּאמֶר כִּדְבָרְךָ אֲדֹנִי הַמֶּלֶךְ IK.20:4
842 ...כִּדְבָרְךָ הֲבִינֵנִי Ps.119:169
843 כֵּן כִּדְבָרְךָ (כת׳ כדבריך) עָלֵינוּ לַעֲשׂוֹת Ez.10:12

כִּדְבָרֶךָ

844 הֵן לוּ יְהִי כִדְבָרֶךָ Gen.30:34
845 וַיֹּאמַר אָנֹכִי אֶעֱשֶׂה כִדְבָרֶךָ Gen.47:30
846 וַיֹּאמֶר יְיָ סָלַחְתִּי כִּדְבָרֶךָ Num.14:20
847 בַּמֶּה יְזַכֶּה...לִשְׁמֹר כִּדְבָרֶךָ Ps.119:9
848 חַיֵּנִי כִּדְבָרֶךָ Ps.119:25
849 קַיְּמֵנִי כִּדְבָרֶךָ Ps.119:28
850 טוֹב עָשִׂיתָ...יְיָ כִּדְבָרֶךָ Ps.119:65
851 יְיָ חַיֵּנִי כִדְבָרֶךָ Ps.119:107

לִדְבָרְךָ

852-4 לִדְבָרְךָ יִחָלְתִּי Ps.119:74,81,114
855 לִדְבָרְךָ (כת׳ לדבריך) יִחָלְתִּי Ps.119:147

וּמִדְּבָרְךָ

856 וּמִדְּבָרְךָ פָּחַד לִבִּי Ps.119:161

כִּדְבָרֵךְ

857 אַל־תִּירְאִי בֹּאִי עֲשִׂי כִדְבָרֵךְ IK.17:13

דְּבָרוֹ

858 לֹא יַחֵל דְּבָרוֹ Num.30:3
859 אַךְ יָקֵם יְיָ אֶת־דְּבָרוֹ ISh.1:23
860 הֲנַעֲשֶׂה אֶת־דְּבָרוֹ אִם־אַיִן IISh.17:6
861 לְמַעַן יָקִים יְיָ אֶת־דְּבָרוֹ IK.2:4
862 וַיָּקֶם יְיָ אֶת־דְּבָרוֹ IK.8:20
863 לֹא־נָפַל דָּבָר...מִכֹּל דְּבָרוֹ הַטּוֹב IK.8:56
864 לְמַעַן הָקִים אֶת־דְּבָרוֹ אֲשֶׁר דִּבֶּר IK.12:15
865 שִׁמְעוּ דְּבַר־יְיָ הַחֲרֵדִים אֶל־דְּבָרוֹ Is.66:5
866 וְיֵרֶא וְיִשְׁמַע אֶת־דְּבָרוֹ Jer.23:18
867 מִי־הִקְשִׁיב דְּבָרוֹ (כת׳ דברי) Jer.23:18
868 כִּי הַמַּשָּׂא יִהְיֶה לְאִישׁ דְּבָרוֹ Jer.23:36
869 כִּי עָצוּם עֹשֵׂה דְבָרוֹ Joel2:11
870 בֵּאלֹהִים אֲהַלֵּל דְּבָרוֹ Ps.56:5
871 מַלְאָכָיו גִּבֹּרֵי כֹחַ עֹשֵׂי דְבָרוֹ Ps.103:20
872 לִשְׁמֹעַ בְּקוֹל דְּבָרוֹ Ps.103:20
873 עַד־עֵת בֹּא־דְבָרוֹ Ps.105:19
874 וְלֹא־מָרוּ אֶת־דְּבָרוֹ(כת׳ דבריו) Ps.105:28
875 יִשְׁלַח דְּבָרוֹ וְיִרְפָּאֵם Ps.107:20
876 עַד־מְהֵרָה יָרוּץ דְּבָרוֹ Ps.147:15
877 יִשְׁלַח דְּבָרוֹ וְיַמְסֵם Ps.147:18
878 רוּחַ סְעָרָה עֹשָׂה דְבָרוֹ Ps.148:8
879 וַיָּקֶם אֶת־דְּבָרוֹ (כת׳ דבריו) Dan.9:12
880 וַיָּקֶם יְיָ אֶת־דְּבָרוֹ אֲשֶׁר דִּבֵּר IICh.6:10
881 לְמַעַן הָקִים יְיָ אֶת־דְּבָרוֹ IICh.10:15

בִּדְבָרוֹ

882 הֲמִבְּלִי אֵין־אֱלֹ׳...לִדְרֹשׁ בִּדְבָרוֹ IIK.1:16

לִדְבָרוֹ

883 לֹא־הֶאֱמִינוּ לִדְבָרוֹ Ps.106:24

וְלִדְבָרוֹ

884 קִוִּיתִי יְיָ...וְלִדְבָרוֹ הוֹחָלְתִּי Ps.130:5

דְּבָרֵנוּ

885 אִם לֹא תַגִּידוּ אֶת־דְּבָרֵנוּ זֶה Josh.2:14
886 וְאִם־תַּגִּידִי אֶת־דְּבָרֵנוּ זֶה Josh.2:20

דְּבָרִים

887 לֹא אִישׁ דְּבָרִים אָנֹכִי Ex.4:10
888 מִי־בַעַל דְּבָרִים יִגַּשׁ אֲלֵהֶם Ex.24:14
889 קוֹל דְּבָרִים אַתֶּם שֹׁמְעִים... Deut.4:12
890 וְשָׂם לָהּ עֲלִילֹת דְּבָרִים Deut.22:14
891 וְהִנֵּה־הוּא שָׂם עֲלִילֹת דְּבָרִים Deut.22:17
892 וְדִבַּרְתָּ אֲלֵיהֶם דְּבָרִים טוֹבִים IK.12:7
893 וַיְחַפְּאוּ ב״י דְּבָרִים אֲשֶׁר לֹא־כֵן IIK.17:9
894 וַיַּעֲשׂוּ דְּבָרִים רָעִים IIK.17:11
895 נוֹסַף עֲלֵיהֶם דְּבָרִים רַבִּים כָּהֵמָּה Jer.36:32
896 יַעֲלוּ דְבָרִים עַל־לְבָבֶךָ Ezek.38:10
897 דַּבְּרוּ דְבָרִים אָלוֹת שָׁוְא Hosh.10:4
898 קְחוּ עִמָּכֶם דְּבָרִים וְשׁוּבוּ אֶל־יְיָ Hosh.14:3
899/900 דְּבָרִים טוֹבִים דְּבָרִים נִחֻמִים Zech.1:13
901 אֵין־אֹמֶר וְאֵין־דְּבָרִים Ps.19:4
902 בְּרֹב דְּבָרִים לֹא יֶחְדַּל־פָּשַׁע Prov.10:19
903 מֵשִׁיב דְּבָרִים נְכֹחִים Prov.24:26
904 שֹׁלֵחַ דְּבָרִים בְּיַד־כְּסִיל Prov.26:6

דְּבָרִים (המשך)

905 הֲרֹב דְּבָרִים לֹא יֵעָנֶה Job 11:2
906 וְקוֹל כְּסִיל בְּרֹב דְּבָרִים Eccl. 5:2
907 כִּי יֵשׁ-דְּבָרִים הַרְבֵּה מַרְבִּים הָבֶל Eccl. 6:11
908 וְהַסָּכָל יַרְבֶּה דְבָרִים Eccl. 10:14
909 וְאָשִׂימָה בְּפִיהֶם דְּבָרִים Ez. 8:17
910 וְדִבַּרְתָּ אֲלֵהֶם דְּבָרִים טוֹבִים IICh. 10:7
911 וְגַם בִּיהוּדָה הָיָה דְּבָרִים טוֹבִים IICh. 12:12
912 אֲבָל דְּבָרִים טוֹבִים נִמְצְאוּ עִמָּךְ IICh. 19:3

וּדְבָרִים

913 שָׂפָה אֶחָת וּדְבָרִים אֲחָדִים Gen. 11:1
914 בְּרֹב חֲלֹמוֹת וַהֲבָלִים וּדְבָרִים הַרְבֵּה
Eccl. 5:6

הַדְּבָרִים

915 אַחַר הַדְּבָרִים הָאֵלֶּה Gen. 15:1
916 וַיְדַבֵּר אֶת-כָּל-הַדְּבָרִים הָאֵלֶּה Gen. 20:8
917-921 וַיְהִי אַחַר הַדְּבָרִים הָאֵלֶּה
Gen. 22:1; 39:7; 40:1 • IK. 17:17; 21:1
922-924 וַיְהִי אַחֲרֵי הַדְּבָרִים הָאֵלֶּה
Gen. 22:20; 48:1 • Josh. 24:29
925 אֵת כָּל-הַדְּבָרִים אֲשֶׁר עָשָׂה Gen. 24:66
926 וַיְסַפֵּר...אֵת כָּל-הַדְּבָרִים הָאֵלֶּה Gen. 29:13
927 וַנַּגֶּד-לוֹ עַל-פִּי הַדְּבָרִים הָאֵלֶּה Gen. 43:7
928-995 הַדְּבָרִים הָאֵלֶּה Gen. 44:6
Ex. 19:7; 20:1; 24:8; 34:27² • Num. 14:39; 16:31 • Deut. 4:30; 5:22(19); 6:6; 12:28; 30:1; 31:1, 28; 32:45 • Jud. 2:4; 9:3 • ISh. 11:6; 18:23, 26; 19:7; 21:13; 24:17(16); 25:9, 12, 37 • IISh. 7:17; 13:21; 14:19 • IK. 18:36; 21:27 • IIK. 1:7; 18:27; 23:16, 17 • Is. 36:12 • Jer. 3:12; 7:27; 11:6; 16:10; 20:1; 22:5; 25:30; 26:7, 10, 15; 27:12; 34:6; 36:16, 17, 18, 24; 38:27; 43:1; 45:1; 51:60, 61 • Zech. 8:9 • Job 42:7 • Es. 2:1; 3:1; 9:20 • Ez. 7:1 • Neh. 1:4; 5:6 • ICh. 17:15 • IICh. 15:8
996 וְשַׂמְתָּ אֶת-הַדְּבָרִים בְּפִיו Ex. 4:15
997 אֵת כָּל-הַדְּבָרִים אֲשֶׁר-דִּבֶּר יְיָ Ex. 4:30
998 וְהֵבֵאתָ...אֶת-הַדְּבָרִים אֶל-הָאֱל' Ex. 18:19
999 אֵלֶּה הַדְּבָרִים אֲשֶׁר תְּדַבֵּר Ex. 19:6
1000 כָּל-הַדְּבָרִים אֲשֶׁר-דִּבֶּר יְיָ נַעֲשֶׂה Ex. 24:3
1001 וְכָתַבְתִּי עַל-הַלֻּחֹת אֶת-הַדְּבָרִים Ex. 34:1
1002 דִּבְרֵי הַבְּרִית עֲשֶׂרֶת הַדְּבָרִים Ex. 34:28
1003 אֵלֶּה הַדְּבָרִים אֲשֶׁר-צִוָּה יְיָ Ex. 35:1
1004 אֵת כָּל-הַדְּבָרִים אֲשֶׁר-צִוָּה יְיָ Lev. 8:36
1005 אֵלֶּה הַדְּבָרִים אֲשֶׁר דִּבֶּר מֹשֶׁה Deut. 1:1
1006 אֵת כָּל-הַדְּבָרִים אֲשֶׁר תַּעֲשׂוּן Deut. 1:18
1007 פֶּן-תִּשְׁכַּח אֶת-הַדְּבָרִים Deut. 4:9
1008 וַיַּגֵּד לָכֶם...עֲשֶׂרֶת הַדְּבָרִים Deut. 4:13
1009 וַעֲלֵיהֶם כְּכָל-הַדְּבָרִים Deut. 9:10
1010 וְאֶכְתֹּב עַל-הַלֻּחֹת אֶת-הַדְּבָרִים Deut. 10:2
1011 וַיִּכְתֹּב...אֵת עֲשֶׂרֶת הַדְּבָרִים Deut. 10:4
1012 וְלֹא תָסוּר מִכָּל-הַדְּבָרִים Deut. 28:14
1013 שִׂימוּ לְבַבְכֶם לְכָל-הַדְּבָרִים... Deut. 32:46
1014 וַיִּשְׁמַע...אֶת-הַדְּבָ' אֲשֶׁר דִּבְּרוּ Josh. 22:30
1015 ...מִכֹּל הַדְּבָרִים הַטּוֹבִים Josh. 23:14
1016 וַיִּכְתֹּב יְהוֹשֻׁעַ אֶת-הַדְּבָרִים Josh. 24:26
1017 וַיַּגֶּד-לוֹ שְׁמוּאֵל אֶת-כָּל-הַדְּבָ' ISh. 3:18
1018 וַיְדַבְּרוּ הַדְּבָרִים בְּאָזְנֵי הָעָם ISh. 11:4
1019 וַיִּשָּׁמְעוּ הַדְּבָרִים אֲשֶׁר דִּבֶּר דָּוִד ISh. 17:31
1020 וַיָּשֶׂם יוֹאָב אֶת-הַדְּבָרִים בְּפִיהָ IISh. 14:3
1021 הַדְּבָרִים אֲשֶׁר דִּבֶּר אֶל-הַמֶּלֶךְ IK. 13:11
1022 הַדְּבָ' אֲשֶׁר תְּדַבֵּר בַּחֲדַר מִשְׁכָּבֶךָ IIK. 6:12
1023 אַל-תִּירָא מִפְּנֵי הַדְּבָ' אֲשֶׁר שָׁמַעְתָּ IIK. 19:6
1024-1026 הַדְּבָרִים אֲשֶׁר שָׁמָעְתָּ IIK. 22:18
IICh. 34:26 • Is. 37:6
1027 אֵלֶּה הַדְּבָרִים עֲשִׂיתִם... Is. 42:16

הַדְּבָרִים (המשך)

1028 הַדְּבָרִים אֲשֶׁר-אֲדַבֵּר אֵלֶיךָ Jer. 19:2
1029 וְדִבַּרְתָּ...אֵת כָּל-הַדְּבָרִים... Jer. 26:2
1030 כָּל-הַדְּבָרִים אֲשֶׁר שְׁמַעְתֶּם Jer. 26:12
1031 כְּתָב-לְךָ אֵת כָּל-הַדְּבָרִים Jer. 30:2
1032 וְאֵלֶּה הַדְּבָרִים אֲשֶׁר דִּבֶּר יְיָ Jer. 30:4
1033-1036 כָּל-הַדְּבָרִים Jer. 36:2, 13, 20, 28
1037 כְּשָׁמְעָם אֶת-כָּל-הַדְּבָרִים Jer. 36:16
1038 הַדְּבָרִים אֲשֶׁר כָּתַב בָּרוּךְ Jer. 36:27
1039 הַדְּבָרִים אֲשֶׁר יִרְמְיָהוּ מְדַבֵּר Jer. 38:1
1040 הֲלוֹא אֶת-הַדְּבָרִים אֲשֶׁר קָרָא יְיָ Zech. 7:7
1041 הַדְּבָרִים אֲשֶׁר שָׁלַח יְיָ Zech. 7:12
1042 אֵלֶּה הַדְּבָרִים אֲשֶׁר תַּעֲשׂוּ Zech. 8:16
1043 כָּל-הַדְּבָרִים יְגֵעִים Eccl. 1:8
1044 גַּם לְכָל-הַדְּבָרִים אֲשֶׁר יְדַבֵּרוּ Eccl. 7:21
1045 סְתֹם הַדְּבָרִים וַחֲתֹם הַסֵּפֶר Dan. 12:4
1046 כִּי-סְתֻמִים וַחֲתֻמִים הַדְּבָרִים Dan. 12:9
1047 אַחֲרֵי הַדְּבָרִים וְהָאֱמֶת הָאֵלֶּה IICh. 32:1

וְהַדְּבָרִים

1048 וְהַדְּבָרִים עַתִּיקִים ICh. 4:22

בִּדְבָרִים

1049 בִּדְבָרִים לֹא יִוָּסֶר עָבֶד Prov. 29:19
1050 וֶאֱלִיהוּ חִכָּה אֶת-אִיּוֹב בִּדְבָרִים Job 32:4

בַּדְּבָרִים

1051 וַיְשַׁסַּע דָּוִד אֶת-אֲנָשָׁיו בַּדְּבָרִים ISh. 24:7
1052/3 לְחָרֵף אֱלֹהִים חַי וְהוֹכִיחַ בַּדְּבָרִים...
IIK. 19:4 • Is. 37:4
1054 אִישׁ אַל-יֵדַע בַּדְּבָרִים-הָאֵלֶּה Jer. 38:24
1055 הָבֵן בַּדְּבָרִים אֲשֶׁר אָנֹכִי דֹּבֵר Dan. 10:11
1056 הֵבִינוּ בַּדְּבָרִים אֲשֶׁר הוֹדִיעוּ Neh. 8:12

כַּדְּבָרִים

1057 וַתַּגֵּד...כַּדְּבָרִים הָאֵלֶּה Gen. 24:28
1058 וַתְּדַבֵּר אֵלָיו כַּדְּבָרִים הָאֵלֶּה Gen. 39:17
1059 כַּדְּבָרִים הָאֵלֶּה עָשָׂה לִי Gen. 39:19
1060-1068 כַּדְּבָרִים הָאֵלֶּה Gen. 44:7
ISh. 2:23; 17:23; 18:24 • Jer. 38:4 • Dan. 10:15 • Neh. 6:6, 7, 8

לַדְּבָרִים

1069 וְלֹא-הֶאֱמַנְתִּי לַדְּבָרִים IK. 10:7

דִּבְרֵי-

1070 וּכְשָׁמְעוֹ אֶת-דִּבְרֵי רִבְקָה Gen. 24:30
1071 כִּשְׁמֹעַ עֵשָׂו אֶת-דִּבְרֵי אָבִיו Gen. 27:34
1072 כִּשְׁמֹעַ אֲדֹנָיו אֶת-דִּבְרֵי אִשְׁתּוֹ Gen. 39:19
1073 וַנַּגֶּד-לוֹ אֵת דִּבְרֵי אֲדֹנִי Gen. 44:24
1074 וַיַּגֵּד מֹשֶׁה...אֵת כָּל-דִּבְרֵי יְיָ Ex. 4:28
1075 וַיָּשֶׁב מֹשֶׁה אֶת-דִּבְרֵי הָעָם אֶל-יְיָ Ex. 19:8
1076 וַיַּגֵּד מֹשֶׁה אֶת-דִּבְרֵי הָעָם Ex. 19:9
1077 וִיסַלֵּף דִּבְרֵי צַדִּיקִים Ex. 23:8
1078 וַיְסַפֵּר לָעָם אֵת כָּל-דִּבְרֵי יְיָ Ex. 24:3
1079-1093 דִּבְרֵי יְיָ Ex. 24:4
Num. 11:24 • Josh. 3:9 • ISh. 8:10; 15:1 • Jer. 36:4, 6, 8, 10, 11; 37:2; 43:1 • Ezek. 11:25 • Am. 8:11 • IICh. 11:4
1094 וַיִּכְתֹּב...אֵת דִּבְרֵי הַבְּרִית Ex. 34:28
1095 וָאֶשְׁלַח...דִּבְרֵי שָׁלוֹם לֵאמֹר Deut. 2:26
1096 שָׁמַעְתִּי אֶת-קוֹל דִּבְרֵי הָעָם Deut. 5:25
1097 לֹא תִשְׁמַע אֶל-דִּבְרֵי הַנָּבִיא הַהוּא Deut. 13:4
1098 וִיסַלֵּף דִּבְרֵי צַדִּיקִם Deut. 16:19
1099 דִּבְרֵי רִיבֹת בִּשְׁעָרֶיךָ Deut. 17:8
1100-1106 אֶת-כָּל-דִּבְרֵי הַתּוֹרָה הַזֹּאת
Deut. 17:19; 27:3, 8; 28:58; 29:28; 31:12; 32:46
1107-1113 דִּבְרֵי הַתּוֹרָה Deut. 27:26; 31:24
Josh. 8:34 • IIK. 23:24 • Neh. 8:9, 13 • IICh. 34:19
1114 אֵלֶּה דִבְרֵי הַבְּרִית Deut. 28:69
1115-1122 דִּבְרֵי הַבְּרִית Deut. 29:8
IIK. 23:3 • Jer. 11:2, 3, 6, 8; 34:18 • IICh. 34:31
1123 בְּשָׁמְעוֹ אֶת-דִּבְרֵי הָאָלָה Deut. 29:18
1124 וַיְדַבֵּר...אֶת-דִּבְרֵי הַשִּׁירָה הַזֹּאת
Deut. 31:30

דִּבְרֵי- (המשך)

1125 כָּל-דִּבְרֵי הַשִּׁירָה-הַזֹּאת Deut. 32:44
1126 וַיִּשְׁמַע...אֵת כָּל-דִּבְרֵי הָעָם ISh. 8:21
1127 נָטַשׁ אָבִיךָ אֶת-דִּבְרֵי הָאֲתֹנוֹת ISh. 10:2
1128 וַיִּשְׁמַע...אֶת-דִּבְרֵי הַפְּלִשְׁתִּי ISh. 17:11
1129 לָמָּה תִשְׁמַע אֶת-דִּבְרֵי אָדָם ISh. 24:9
1130 וּשְׁמַע אֵת דִּבְרֵי אֲמָתֶךָ ISh. 25:24
1131 יִשְׁמַע-נָא...אֵת דִּבְרֵי עַבְדּוֹ ISh. 26:19
1132/3 כָּל-דִּבְרֵי הַמִּלְחָמָה IISh. 11:18, 19
1134 שְׁמַע דִּבְרֵי אֲמָתֶךָ IISh. 20:17
1135 וַיְדַבֵּר...אֶת-דִּבְרֵי הַשִּׁירָה הַזֹּאת IISh. 22:1
1136 וְאֵלֶּה דִּבְרֵי דָוִד הָאַחֲרֹנִים IISh. 23:1
1137 כִּשְׁמֹעַ חִירָם אֶת-דִּבְרֵי שְׁלֹמֹה IK. 5:21
1138 וְיֶתֶר דִּבְרֵי שְׁלֹמֹה... IK. 11:41
1139 ...עַל-סֵפֶר דִּבְרֵי שְׁלֹמֹה IK. 11:41
1140 וְיֶתֶר דִּבְרֵי יָרָבְעָם... IK. 14:19
1141-1158 ...עַל-סֵפֶר דִּבְרֵי הַיָּמִים לְמַלְכֵי יִשְׂרָאֵל
IK. 14:19; 15:31
16:5, 14, 20, 27; 22:39 • IIK. 1:18; 10:34; 13:8, 12; 14:15, 28; 15:11, 15, 21, 26, 31
1159 וְיֶתֶר דִּבְרֵי רְחַבְעָם... IK. 14:29
1160-1174 עַל-סֵפֶר דִּבְרֵי הַיָּמִים לְמַלְכֵי יְהוּדָה
IK. 14:29; 15:7, 23; 22:46 • IIK. 8:23
12:20; 14:18; 15:6, 36; 16:19; 20:20; 21:17, 25; 23:28; 24:5
1175 וְיֶתֶר דִּבְרֵי אֲבִיָּם... IK. 15:7
1176 וְיֶתֶר כָּל-דִּבְרֵי-אָסָא. IK. 15:23
1177-1214 וְיֶתֶר דִּבְרֵי... IK. 16:5, 14, 20, 27
22:39, 46 • IIK. 1:18; 8:23; 10:34; 12:20; 13:8, 12; 14:15, 18, 28; 15:6, 11, 15, 21, 26, 31, 36; 16:19; 20:20; 21:17, 25; 23:28; 24:5 • IICh. 13:22; 16:11; 20:34; 25:26; 26:22; 27:7; 32:32; 33:18; 35:26; 36:8
1215 דִּבְרֵי הַנְּבִיאִים פֶּה-אֶחָד... IK. 22:13
1216 כִּשְׁמֹעַ הַמֶּלֶךְ אֶת-דִּבְרֵי הָאִשָּׁה IIK. 6:30
1217 כִּשְׁמֹעַ הַמֶּלֶךְ אֶת-דִּבְרֵי סֵפֶר הַתּוֹרָה
IIK. 22:11
1218 דִּרְשׁוּ...עַל-דִּבְרֵי הַסֵּפֶר הַנִּמְצָא IIK. 22:13
1219 לֹא-שָׁמְעוּ...עַל-דִּבְרֵי הַסֵּפֶר הַזֶּה IIK. 22:13
1220 הִנְנִי מֵבִיא...כָּל-דִּבְרֵי הַסֵּפֶר IIK. 22:16
1221 וַיִּקְרָא...אֶת-כָּל-דִּבְרֵי סֵפֶר הַבְּרִית
IIK. 23:2
1222 וְשָׁמְעוּ...הַחֵרְשִׁים דִּבְרֵי-סֵפֶר Is. 29:18
1223 שִׁמְעוּ אֶת-דִּבְרֵי הַמֶּלֶךְ הַגָּדוֹל Is. 36:13
1224 הֹרוֹ וְהֹגוֹ מִלֵּב דִּבְרֵי-שָׁקֶר Is. 59:13
1225 דִּבְרֵי יִרְמְיָהוּ בֶּן-חִלְקִיָּהוּ Jer. 1:1
1226 גַּם עָבְרוּ דִבְרֵי-רָע Jer. 5:28
1227 אַל-תִּבְטְחוּ...אֶל-דִּבְרֵי הַשֶּׁקֶר Jer. 7:4
1228 אַתֶּם בֹּטְחִים...עַל-דִּבְרֵי הַשָּׁקֶר Jer. 7:8
1229 לֹא-דִבַּרְתִּי...עַל-דִּבְרֵי עוֹלָה וָזָבַח
Jer. 7:22
1230 דְּבַר-יְיָ...עַל-דִּבְרֵי הַבַּצָּרוֹת Jer. 14:1
1231 מִפְּנֵי יְיָ וּמִפְּנֵי דִּבְרֵי קָדְשׁוֹ Jer. 23:9
1232 אַל-תִּשְׁמְעוּ עַל-דִּבְרֵי הַנְּבִאִים Jer. 23:16
1233 וַהֲפַכְתֶּם אֶת-דִּבְרֵי אֱלֹהִים חַיִּים Jer. 23:36
1234 לִשְׁמֹעַ עַל-דִּבְרֵי עֲבָדַי הַנְּבִאִים Jer. 26:5
1235 וַיִּנָּבֵא...כְּכֹל דִּבְרֵי יִרְמְיָהוּ Jer. 26:20
1236 וְאַל-תִּשְׁמְעוּ אֶל-דִּבְרֵי הַנְּבִאִים Jer. 27:14
1237 אַל-תִּשְׁמְעוּ אֶל-דִּבְרֵי נְבִיאֵיכֶם Jer. 27:16
1238 וְאֵלֶּה דִּבְרֵי הַסֵּפֶר אֲשֶׁר שָׁלַח Jer. 29:1
1239 וַיִּכְתֹּב...אֵת כָּל-דִּבְרֵי הַסֵּפֶר Jer. 36:32
1240 עַד-הֵנָּה דִּבְרֵי יִרְמְיָהוּ Jer. 51:64
1241 דִּבְרֵי עָמוֹס...אֲשֶׁר חָזָה... Am. 1:1
1242 וְעַל-דִּבְרֵי חַגַּי הַנָּבִיא Hag. 1:12
1243 עַל-דִּבְרֵי-כוּשׁ בֶּן-יְמִינִי Ps. 7:1

דִּבְרֵי־ (המשך)

1244 דַּבֵּר לַייָ אֶת־דִּבְרֵי הַשִּׁירָה Ps. 18:1
1245 רָחוֹק מִישׁוּעָתִי דִּבְרֵי שַׁאֲגָתִי Ps. 22:2
1246 וְעַל...דִּבְרֵי מִרְמוֹת יַחֲשֹׁבוּן Ps. 35:20
1247 דִּבְרֵי־פִיו אָוֶן וּמִרְמָה Ps. 36:4
1248 אָהַבְתָּ כָל־דִּבְרֵי־בָלַע Ps. 52:6
1249 דִּבְרֵי עֲוֹנֹת גָּבְרוּ מֶנִּי Ps. 65:4
1250 שָׂמוּ־בָם דִּבְרֵי אֹתוֹתָיו Ps. 105:27
1251 שָׁם שְׁאֵלוּנוּ שׁוֹבֵינוּ דִּבְרֵי־שִׁיר Ps. 137:3
1252 לְהָבִין...דִּבְרֵי חֲכָמִים וְחִידֹתָם Prov. 1:6
1253 דִּבְרֵי רְשָׁעִים אֱרָב־דָּם Prov. 12:6
1254 מַיִם עֲמֻקִּים דִּבְרֵי פִי־אִישׁ Prov. 18:4
1255/6 דִּבְרֵי נִרְגָּן כְּמִתְלַהֲמִים Prov. 18:8; 26:22
1257 וַיְסַלֵּף דִּבְרֵי בֹגֵד Prov. 22:12
1258 הַט אָזְנְךָ וּשְׁמַע דִּבְרֵי חֲכָמִים Prov. 22:17
1259 דִּבְרֵי אָגוּר בִּן־יָקֶה Prov. 30:1
1260 דִּבְרֵי לְמוּאֵל מֶלֶךְ... Prov. 31:1
1261 תַּמּוּ דִּבְרֵי אִיּוֹב Job 31:40
1262 דִּבְרֵי קֹהֶלֶת בֶּן־דָּוִד Eccl. 1:1
1263 דִּבְרֵי חֲכָמִים בְּנַחַת נִשְׁמָעִים Eccl. 9:17
1264 דִּבְרֵי פִי־חָכָם חֵן Eccl. 10:12
1265 תְּחִלַּת דִּבְרֵי־פִיהוּ סִכְלוּת Eccl. 10:13
1266 בִּקֵּשׁ קֹהֶלֶת לִמְצֹא דִּבְרֵי־חֵפֶץ Eccl. 12:10
1267 וְכָתוּב יֹשֶׁר דִּבְרֵי אֱמֶת Eccl. 12:10
1268 דִּבְרֵי חֲכָמִים כַּדָּרְבֹנוֹת Eccl. 12:11
1269 וַיִּכָּתֵב בְּסֵפֶר דִּבְרֵי הַיָּמִים Es. 2:23
1270 אֶת־סֵפֶר הַזִּכְרֹנוֹת דִּבְרֵי הַיָּמִים Es. 6:1
1271 עַל־כָּל־דִּבְרֵי הָאִגֶּרֶת הַזֹּאת Es. 9:26
1272 וַיִּשְׁלַח...דִּבְרֵי שָׁלוֹם וֶאֱמֶת Es. 9:30
1273 דִּבְרֵי הַצֹּומוֹת וְזַעֲקָתָם Es. 9:31
1274 קִיַּם דִּבְרֵי הַפֻּרִים הָאֵלֶּה Es. 9:32
1275 סֵפֶר דִּבְרֵי הַיָּמִים לְמַלְכֵי מָדַי Es. 10:2
1276 סֹפֵר דִּבְרֵי מִצְוֹת־יְיָ וְחֻקָּיו Ez. 7:11
1277 דִּבְרֵי נְחֶמְיָה בֶּן־חֲכַלְיָה Neh. 1:1
1278 דִּבְרֵי הַמֶּלֶךְ אֲשֶׁר אָמַר־לִי Neh. 2:18
1279 כְּתוּבִים עַל־סֵפֶר דִּבְרֵי הַיָּמִים Neh. 12:23
1280 דִּבְרֵי־הַיָּמִים לַמֶּלֶךְ דָּוִיד ICh. 27:24
1281 כְּתוּבִים עַל־דִּבְרֵי שְׁמוּאֵל ICh. 29:29
1282 וְעַל־דִּבְרֵי נָתָן הַנָּבִיא ICh. 29:29
1283 וְעַל־דִּבְרֵי גָּד הַחֹזֶה ICh. 29:29
1284 וּשְׁאָר דִּבְרֵי שְׁלֹמֹה הָרִאשֹׁנִים IICh. 9:29
1285 עַל־דִּבְרֵי נָתָן הַנָּבִיא IICh. 9:29
1286 דִּבְרֵי הַנְּבִאִים פֶּה־אֶחָד... IICh. 18:12
1287 הִנָּם עַל־דִּבְרֵי מַלְכֵי יִשְׂרָאֵל IICh. 33:18
1288 הִנָּם כְּתוּבִים עַל דִּבְרֵי חוֹזָי IICh. 33:19
1289 עַל־דִּבְרֵי הַסֵּפֶר אֲשֶׁר נִמְצָא IICh. 34:21
1290 אֶת־כָּל־דִּבְרֵי סֵפֶר הַבְּרִית IICh. 34:30
1291-1311 דִּבְרֵי Gen. 27:42
31:1; 45:27 • Num. 22:7 • Jud. 9:30; 11:28 • ISh.
11:5 • IISh. 3:8 • IK. 15:31 • IIK. 18:37; 19:4, 16 •
Is. 36:22; 37:4, 17 • Jer. 35:14 • Es. 3:4; 4:9, 12 •
IICh. 32:8; 35:22

וְדִבְרֵי־
1312 וְדִבְרֵי שִׂנְאָה סְבָבוּנִי Ps. 109:3
1313 וְדִבְרֵי נִפְלְאֹתֶיךָ אָשִׂיחָה Ps. 145:5
1314 וְדִבְרֵי דָּוִיד הַמֶּלֶךְ הָרִאשֹׁנִים
וְהָאַחֲרֹנִים ICh. 29:29
1315 וְדִבְרֵי רְחַבְעָם הָרִאשֹׁנִים
וְהָאַחֲרוֹנִים IICh. 12:15
1316 וְדִבְרֵי הַחֹזִים...בְּשֵׁם יְיָ IICh. 33:18

בְּדִבְרֵי־
1317 וְאַל־יִשְׁעוּ בְּדִבְרֵי־שָׁקֶר Ex. 5:9
1318 כֹּל חָרֵד בְּדִבְרֵי אֱלֹהֵי־יִשְׂרָאֵל Ez. 9:4
1319 בְּדִבְרֵי דָוִיד הָאַחֲרוֹנִים ICh. 23:27
1320 חֹזֵה הַמֶּלֶךְ בְּדִבְרֵי הָאֱלֹהִים ICh. 25:5

בְּדִבְרֵי־ (המשך)
1321 בְּדִבְרֵי שְׁמַעְיָה הַנָּבִיא וְעִדּוֹ IICh. 12:15
1322 הִנָּם כְּתוּבִים בְּדִבְרֵי יֵהוּא IICh. 20:34
1323 וַיָּבֹאוּ כְמִצְוַת־הַמֶּלֶךְ בְּדִבְרֵי יְיָ IICh. 29:15
1324 בְּדִבְרֵי דָוִיד וְאָסָף הַחֹזֶה IICh. 29:30

כְּדִבְרֵי־
1325 כְּדִבְרֵי הַסֵּפֶר הֶחָתוּם Is. 29:11

לְדִבְרֵי־
1326 הֲקֵץ לְדִבְרֵי־רוּחַ Job 16:3

מִדִּבְרֵי־
1327 וַיִּרָא מְאֹד מִדִּבְרֵי שְׁמוּאֵל ISh. 28:20

דְּבָרַי
1328 וְשַׂמְתֶּם אֶת־דְּבָרַי...עַל־לְבַבְכֶם Deut. 11:18
1329 וְנָתַתִּי דְבָרַי בְּפִיו Deut. 18:18
1330 אֲשֶׁר לֹא־יִשְׁמַע אֶל־דְּבָרַי Deut. 18:19
1331 וְאֶת־דְּבָרַי לֹא הֵקִים ISh. 15:11
1332 וְיִהְיוּ דְבָרַי אֵלֶּה...קְרֹבִים אֶל־יְיָ IK. 8:59
1333 וָאָשִׂם דְּבָרַי בְּפִיךָ Is. 51:16
1334 הִנֵּה נָתַתִּי דְבָרַי בְּפִיךָ Jer. 1:9
1335 הִנְנִי נֹתֵן דְּבָרַי בְּפִיךָ לְאֵשׁ Jer. 5:14
1336 כִּי עַל־דְּבָרַי לֹא הִקְשִׁיבוּ Jer. 6:19
1337 אֲשֶׁר מֵאֲנוּ לִשְׁמוֹעַ אֶת־דְּבָרַי Jer. 11:10
1338 הַמֵּאֲנִים לִשְׁמוֹעַ אֶת־דְּבָרַי Jer. 13:10
1339 וְיַשְׁמִעוּ דְבָרַי אֶת־עַמִּי Jer. 23:22
1340 מְגַנְּבֵי דְבָרַי אִישׁ מֵאֵת רֵעֵהוּ Jer. 23:30
1341 כָּל־דְּבָרַי אֲשֶׁר־דִּבַּרְתִּי עָלֶיהָ Jer. 25:13
1342 אֲשֶׁר־לֹא־שָׁמְעוּ אֶל־דְּבָרַי Jer. 29:19
1343 תִקְחוּ מוּסָר לִשְׁמֹעַ אֶל־דְּבָרַי Jer. 35:13
1344 הִנְנִי מֵבִי אֶת־דְּבָרַי Jer. 39:16
1345 קוֹם יָקוּמוּ דְבָרַי עֲלֵיכֶם Jer. 44:29
1346 וְדִבַּרְתָּ אֶת־דְּבָרַי אֲלֵיהֶם Ezek. 2:7
1347 אֶת־כָּל־דְּבָרַי...קַח בִּלְבָבְךָ Ezek. 3:10
1348 דְּבָרַי יֵיטִיבוּ עִם הַיָּשָׁר הֹלֵךְ Mic. 2:7
1349 דְּבָרַי וְחֻקַּי...הִשִּׂיגוּ אֲבֹתֵיכֶם Zech. 1:6
1350 וַתַּשְׁלֵךְ דְּבָרַי אַחֲרֶיךָ Ps. 50:17
1351 כָּל־הַיּוֹם דְּבָרַי יְעַצֵּבוּ Ps. 56:6
1352 אוֹדִיעָה דְבָרַי אֶתְכֶם Prov. 1:23
1353 יִתְמָךְ־דְּבָרַי לִבֶּךָ Prov. 4:4
1354 עַל־כֵּן דְּבָרַי לָעוּ Job 6:3
1355 אֶבְחֲרָה דְבָרַי עִמּוֹ Job 9:14
1356 וְכָל־דְּבָרַי הַאֲזִינָה Job 33:1

דְּבָרָי
1357 לֹא אֹכַל עַד אִם־דִּבַּרְתִּי דְּבָרָי Gen. 24:33
1358 וַיֹּאמֶר שִׁמְעוּ־נָא דְבָרָי Num. 12:6
1359 וְאַשְׁמִעֵם אֶת־דְּבָרָי Deut. 4:10
1360 וְשָׁמָּה אַשְׁמִיעֲךָ אֶת־דְּבָרָי Jer. 18:2
1361 לְבִלְתִּי שְׁמוֹעַ אֶת־דְּבָרָי Jer. 19:15
1362 אֲשֶׁר לֹא־שְׁמַעְתֶּם אֶת־דְּבָרָי Jer. 25:8
1363 לֹא־תִמָּשֵׁךְ עוֹד כָּל־דְּבָרָי Ezek. 12:28

וּדְבָרַי
1364 וּדְבָרַי אֲשֶׁר שַׂמְתִּי בְּפִיךָ Is. 59:21
1365 וּדְבָרַי הָיוּ מוֹצִיאִים לוֹ Neh. 6:19

בִּדְבָרַי
1366 וְדִבַּרְתָּ בִדְבָרַי אֲלֵיהֶם Ezek. 3:4

לִדְבָרַי
1367 בְּנִי לִדְבָרַי הַקְשִׁיבָה Prov. 4:20

דְּבָרֶיךָ
1368 ...וְלֹא־יִשְׁמַע אֶת־דְּבָרֶיךָ Josh. 1:18
1369 עַתָּה יָבֹא דְבָרֶיךָ... Jud. 13:12
1370 עָבַרְתִּי אֶת־פִּי יְיָ וְאֶת־דְּבָרֶיךָ ISh. 15:24
1371 וָאֶשְׁמַע אֶת־דְּבָרֶיךָ אֲשֶׁר דִּבַּרְתָּ ISh. 28:21
1372 רְאֵה דְבָרֶיךָ טוֹבִים וּנְכֹחִים IISh. 15:3
1373 לָמָּה תְּדַבֵּר עוֹד דְּבָרֶיךָ IISh. 19:30
1374/5 עַל־דְּבָרֶיךָ וְעַל־חָכְמָתֶךָ IK. 10:6 • IICh. 9:5
1376 נִמְצְאוּ דְבָרֶיךָ וָאֹכְלֵם Jer. 15:16
1377 יָקֵם יְיָ אֶת־דְּבָרֶיךָ אֲשֶׁר נִבֵּאתָ Jer. 28:6
1378 כִּי־מִדֵּי דְבָרֶיךָ בּוֹ תִּתְנוֹדָד Jer. 48:27
1379/80 וְשָׁמְעוּ אֶת־דְּבָרֶיךָ Ezek. 33:31, 32
1381 אָמַרְתִּי לִשְׁמֹר דְּבָרֶיךָ Ps. 119:57
1382 פֵּתַח־דְּבָרֶיךָ יָאִיר Ps. 119:130
1383 כִּי־שָׁכְחוּ דְבָרֶיךָ צָרָי Ps. 119:139
1384 וְשִׁחַתָּ דְּבָרֶיךָ הַנְּעִימִים Prov. 23:8

דְּבָרֶיךָ (המשך)
1385 עַל־כֵּן יִהְיוּ דְבָרֶיךָ מְעַטִּים Eccl. 5:1
1386 אַל־תִּירָא...נִשְׁמְעוּ דְבָרֶיךָ Dan. 10:12
1387 וַתָּקֶם אֶת־דְּבָרֶיךָ Neh. 9:8
1388 וְכָל־הָעָם לְכָל־דְּבָרֶיךָ ICh. 28:21

וּדְבָרֶיךָ
1389 וּדְבָרֶיךָ יִהְיוּ אֱמֶת IISh. 7:28

בִּדְבָרֶיךָ
1390 וַאֲנִי־בָאתִי בִּדְבָרֶיךָ Dan. 10:12

כִּדְבָרֶיךָ
1391 הִנֵּה עָשִׂיתִי כִּדְבָרֶיךָ IK. 3:12

דְּבָרָיִךְ
1392 וּמִלֵּאתִי אֶת־דְּבָרָיִךְ IK. 1:14

דְּבָרָיו
1393 עַל־חֲלֹמֹתָיו וְעַל־דְּבָרָיו Gen. 37:8
1394 וְדִבֶּר בְּאָזְנֵי...הָעִיר...אֶת־דְּבָרָיו Josh. 20:4
1395 וַיְדַבֵּר יִפְתָּח אֶת־כָּל־דְּבָרָיו Jud. 11:11
1396 וְלֹא־הִפִּיל מִכָּל־דְּבָרָיו אָרְצָה ISh. 3:19
1397 וַיִּהְיוּ דְבָרָיו עִם יוֹאָב IK. 1:7
1398 כָּלָה הַבַּיִת לְכָל־דְּבָרָיו IK. 6:38
1399 וְאֶת־דְּבָרָיו לֹא הֵסִיר Is. 31:2
1400 וְאַל־נַקְשִׁיבָה אֶל־כָּל־דְּבָרָיו Jer. 18:18
1401 וַיִּשְׁמַע הַמֶּלֶךְ...אֶת־דְּבָרָיו Jer. 26:21
1402 לֹא־תוּכַל... לְהָכִיל... כָּל־דְּבָרָיו Am. 7:10
1403 רַכּוּ דְבָרָיו מִשֶּׁמֶן Ps. 55:22
1404 יְכַלְכֵּל דְּבָרָיו בְּמִשְׁפָּט Ps. 112:5
1405 מַגִּיד דְּבָרָו לְיַעֲקֹב Ps. 147:19
1406 אַל־תּוֹסְףְּ עַל־דְּבָרָיו Prov. 30:6
1407 כִּי כָל־דְּבָרָיו לֹא יַעֲנֶה Job 33:13
1408 וְקוֹל דְּבָרָיו כְּקוֹל הָמוֹן Dan. 10:6
1409 וָאֶשְׁמַע אֶת־קוֹל דְּבָרָיו Dan. 10:9
1410 וּכְשָׁמְעִי אֶת־קוֹל דְּבָרָיו Dan. 10:9
1411 וְיֶתֶר דְּבָרָיו וְכָל־דְּרָכָיו IICh. 28:26
1412 וַתִּכָּנַע...בְּשָׁמְעֲךָ אֶת־דְּבָרָיו IICh. 34:27
1413 וַיִּהְיוּ מַלְעִבִים...וּבוֹזִים דְּבָרָיו IICh. 36:16

וּדְבָרָיו
1414 וּדְבָרָיו שָׁמַעְתָּ מִתּוֹךְ הָאֵשׁ Deut. 4:36
1415 וּדְבָרָיו לֹא בְהַשְׂכֵּיל Job 34:35
1416 וּדְבָרָיו אֵינָם נִשְׁמָעִים Eccl. 9:16
1417 דִּבְרֵי אֲבִיָּה וּדְרָכָיו וּדְבָרָיו IICh. 13:22
1418 וּדְבָרָיו הָרִאשֹׁנִים וְהָאַחֲרֹנִים IICh. 35:27

בִּדְבָרָיו
1419 וַיַּאֲמִינוּ בִדְבָרָיו יָשִׁירוּ תְּהִלָּתוֹ Ps. 106:12
1420 חָזִיתָ אִישׁ אָץ בִּדְבָרָיו Prov. 29:20

דְּבָרֶיהָ
1421 וַיַּגֶּד־לָהּ שְׁלֹמֹה אֶת־כָּל־דְּבָרֶיהָ IK. 10:3
1422 וַיַּגֶּד לָהּ־שְׁלֹמֹה אֶת־כָּל־דְּבָרֶיהָ IICh. 9:2

בִּדְבָרֶיהָ
1423 וַיְהִי כִּי־הֵצִיקָה לּוֹ בִדְבָרֶיהָ Jud. 16:16

דִּבְרֵיכֶם
1424 וְיִבָּחֲנוּ דִּבְרֵיכֶם הַאֱמֶת אִתְּכֶם Gen. 42:16
1425 וְיֵאָמְנוּ דִבְרֵיכֶם וְלֹא תָמוּתוּ Gen. 42:20
1426/7 וַיִּשְׁמַע יְיָ...קוֹל דִּבְרֵיכֶם Deut. 1:34; 5:25
1428 וַייָ הִתְאַנַּף־בִּי עַל־דִּבְרֵיכֶם Deut. 4:21
1429 אָנֹכִי שֹׁמֵעַ אֶת־דִּבְרֵיכֶם רָעִים ISh. 2:23
1430 וְהַעְתַּרְתֶּם עָלַי דִּבְרֵיכֶם Ezek. 35:13
1431 חָזְקוּ עָלַי דִּבְרֵיכֶם אָמַר יְיָ Mal. 3:13

בְּדִבְרֵיכֶם
1432 הוֹגַעְתֶּם יְיָ בְּדִבְרֵיכֶם Mal. 2:17

כְּדִבְרֵיכֶם
1433 גַּם־עַתָּה כְדִבְרֵיכֶם כֶּן־הוּא Gen. 44:10
1434 וַתֹּאמֶר כְּדִבְרֵיכֶם כֶּן־הוּא Josh. 2:21
1435 הִנְנִי מִתְפַּלֵּל אֶל־יְיָ...כְּדִבְרֵיכֶם Jer. 42:4

לְדִבְרֵיכֶם
1436 הֵן הוֹחַלְתִּי לְדִבְרֵיכֶם Job 32:11

דִּבְרֵיהֶם
1437 כַּאֲשֶׁר שָׁמַע... אֶת־דִּבְרֵיהֶם Gen. 24:52
1438 וַיִּיטְבוּ דִבְרֵיהֶם בְּעֵינֵי חֲמוֹר Gen. 34:18
1439 אֲשֶׁר לֹא־תִשְׁמַע דִּבְרֵיהֶם Ezek. 3:6

לְדִבְרֵיהֶם
1440 וְלֹא־הֶאֱמַנְתִּי לְדִבְרֵיהֶם IICh. 9:6

מִדִּבְרֵיהֶם
1441 מִדִּבְרֵיהֶם אַל־תִּירָא Ezek. 2:6

וּמִדִּבְרֵיהֶם
1442 וּמִדִּבְרֵיהֶם אַל־תִּירָא Ezek. 2:6

דִּבֵּר

ז׳ דִּבּוּר: 1, 2

וְהַדִּבֵּר
1 וְהַנְּבִיאִים יִהְיוּ לְרוּחַ וְהַדִּבֵּר אֵין בָּהֶם Jer. 5:13

דִּבֶּר־
2 (?)תְּחִלַּת דִּבֶּר־יְיָ בְּהוֹשֵׁעַ Hosh. 1:2

דֶּבֶר ז׳ מגפה: 1—49

דֶּבֶר וָדָם 7, 13, 26; ד׳ וְרָעָב 15, 16, 21, 22, 24, 33—43, 48; ד׳ גָּדוֹל 25; ד׳ הַוּוֹת 46; ד׳ כָּבֵד 1

דֶּבֶר 1 דֶּבֶר כָּבֵד מְאֹד Ex. 9:3
2 וְשִׁלַּחְתִּי דֶבֶר בְּתוֹכְכֶם Lev. 26:25
3 שְׁלֹשֶׁת יָמִים דֶּבֶר בְּאַרְצְךָ IISh. 24:13
4 וַיִּתֵּן יְיָ דֶּבֶר בְּיִשְׂרָאֵל IISh. 24:15
5 דֶּבֶר כִּי־יִהְיֶה שִׁדָּפוֹן יֵרָקוֹן IK. 8:37
6 אוֹ דֶּבֶר אֲשַׁלַּח אֶל־הָאָרֶץ Ezek. 14:19
7 וְשִׁלַּחְתִּי־בָהּ דֶּבֶר וָדָם Ezek. 28:23
8 שִׁלַּחְתִּי בָכֶם דֶּבֶר בְּדֶרֶךְ מִצְרַיִם Am. 4:10
9 וַיִּתֵּן יְיָ דֶּבֶר בְּיִשְׂרָאֵל ICh. 21:14
10 דֶּבֶר כִּי־יִהְיֶה שִׁדָּפוֹן וְיֵרָקוֹן IICh. 6:28
11 וְאִם־אֲשַׁלַּח דֶּבֶר בְּעַמִּי IICh. 7:13
דָּבֶר 12 לְפָנָיו יֵלֶךְ דָּבֶר וְיֵצֵא רֶשֶׁף לְרַגְלָיו Hab. 3:5
וְדֶבֶר 13 וְדֶבֶר וָדָם יַעֲבָר־בָּךְ Ezek. 5:17
14 חֶרֶב יְיָ וְדֶבֶר בָּאָרֶץ ICh. 21:12
15 חֶרֶב שְׁפוֹט וְדֶבֶר וְרָעָב IICh. 20:9
וָדֶבֶר 16 רָעָב וָדֶבֶר יֹאכְלֶנּוּ Ezek. 7:15
17 חֶרֶב וְרָעָב וְחַיָּה רָעָה וָדֶבֶר Ezek. 14:21
הַדֶּבֶר 18 מִן־הַדֶּבֶר מִן־הַחֶרֶב וּמִן־הָרָעָב Jer. 21:7
19 אֶל־הַחֶרֶב אֶל־הַדֶּבֶר וְאֶל־הָרָעָב Jer. 34:17
הַדָּבֶר 20 יַדְבֵּק יְיָ בְּךָ אֶת־הַדָּבֶר Deut. 28:21
21/2 אֶת־הַחֶרֶב אֶת־הָרָעָב וְאֶת־הַדָּבֶר Jer. 24:10; 29:17
וְהַדֶּבֶר 23 הַחֶרֶב בַּחוּץ וְהַדֶּבֶר...מִבָּיִת Ezek. 7:15
וְהַדָּבֶר 24 מִפְּנֵי הַחֶרֶב וְהָרָעָב וְהַדָּבֶר Jer. 32:24
בְּדֶבֶר 25 בְּדֶבֶר גָּדוֹל יָמֻתוּ Jer. 21:6
26 וְנִשְׁפַּטְתִּי אִתּוֹ בְּדֶבֶר וּבְדָם Ezek. 38:22
בַּדֶּבֶר 27 פֶּן־יִפְגָּעֵנוּ בַּדֶּבֶר אוֹ בֶחָרֶב Ex. 5:3
28 אַכֶּנּוּ בַדֶּבֶר וְאוֹרִשֶׁנּוּ Num. 14:12
29 שְׁלִשִׁתֵיךְ בַּדֶּבֶר יָמוּתוּ Ezek. 5:12
30 הָרָחוֹק בַּדֶּבֶר יָמוּת Ezek. 6:12
31 וַאֲשֶׁר בַּמְּצָדוֹת...בַּדֶּבֶר יָמוּתוּ Ezek. 33:27
בַּדָּבֶר 32 וָאַךְ אוֹתְךָ וְאֶת־עַמְּךָ בַּדָּבֶר Ex. 9:15
וּבַדֶּבֶר 33—35 בַּחֶרֶב וּבָרָעָב וּבַדֶּבֶר Jer. 14:12; 27:8; 42:22
36 אֲשֶׁר בַּחֶרֶב בָּרָעָב וּבַדֶּבֶר יִפֹּלוּ Ezek. 6:11
וּבַדָּבֶר 37/8 בַּחֶרֶב וּבָרָעָב וּבַדָּבֶר Jer. 21:9; 32:36
39—43 בַּחֶרֶב בָּרָעָב וּבַדָּבֶר Jer. 27:13; 29:18; 38:2; 42:17; 44:13
לַדֶּבֶר 44 וְחַיָּתָם לַדֶּבֶר הִסְגִּיר Ps. 78:50
וּלְדָבֶר 45 לְמִלְחָמָה וּלְרָעָה וּלְדָבֶר Jer. 28:8
מִדֶּבֶר 46 ...מִפַּח יָקוּשׁ מִדֶּבֶר הַוּוֹת Ps. 91:3
47 מִדֶּבֶר בָּאֹפֶל יַהֲלֹךְ Ps. 91:6
וּמִדָּבֶר 48 וְהוֹתַרְתִּי...מֵחֶרֶב מֵרָעָב וּמִדָּבֶר Ezek. 12:16
דְּבָרֶיךָ 49 אֱהִי דְבָרֶיךָ מָוֶת אֱהִי קָטָבְךָ Hosh. 13:14

דֹּבֶר ז׳ מקום מרעה: 1, 2

הַדָּבְרוֹ 1 כְּעֵדֶר בְּתוֹךְ הַדָּבְרוֹ תְּהִימֶנָה מֵאָדָם Mic. 2:12
כְּדָבְרָם 2 וְרָעוּ כְבָשִׂים כְּדָבְרָם Is. 5:17

דִּבְרָה[1] נ׳ א) דבור, טענה: 4, 5

ב) [עַל־דִּבְרַת] בגלל, בשביל: 1—4

דִּבְרַת־ 1 אָמַרְתִּי...עַל־דִּבְרַת בְּנֵי־הָאָדָם... Eccl. 3:18
2 עַל־דִּבְרַת שֶׁלֹּא יִמְצָא הָאָדָם... Eccl. 7:14
3 וְעַל דִּבְרַת שְׁבוּעַת אֱלֹהִים Eccl. 8:2
דִּבְרָתִי 4 עַל־דִּבְרָתִי מַלְכִּי־צֶדֶק Ps. 110:4
5 וְאֶל־אֱלֹהִים אָשִׂים דִּבְרָתִי Job 5:8

דִּבְרָה[2] נ׳ ארמית, כמו בעברית: 1, 2

דִּבְרַת־ 1 עַל־דִּבְרַת דִּי פִשְׁרָא...יְהוֹדְעוּן Dan. 2:30
2 עַד־דִּבְרַת דִּי־יִנְדְּעוּן חַיַּיָּא Dan. 4:14

דֹּבְרָה נ׳ רפסודה

דֹּבְרוֹת 1 וַאֲנִי אֲשִׂימֵם דֹּבְרוֹת בַּיָּם IK. 5:23

דְּבֹרָה עין דְּבוֹרָה

דַּבְּרָה* (?) נ׳ דִּבְרָה

מִדַּבְּרֹתֶיךָ 1 וְהֵם תֻּכּוּ לְרַגְלֶךָ יִשָּׂא מִדַּבְּרֹתֶיךָ Deut. 33:3

דִּבְרִי שפ״ז — אבי שלומית, אם המקלל

דִּבְרִי 1 שְׁלֹמִית בַּת־דִּבְרִי לְמַטֵּה דָן Lev. 24:11

דָּבְרַת מערי הלויים בנחלת יששכר: 1—3

דָּבְרַת 1 אֶת־דָּבְרַת וְאֶת־מִגְרָשֶׁהָ Josh. 21:28
2 אֶת־דָּבְרַת וְאֶת־מִגְרָשֶׁיהָ ICh. 6:57
הַדָּבְרַת 3 וְיָצָא אֶל־הַדָּבְרַת וְעָלָה יָפִיעַ Josh. 19:12

דְּבַשׁ ז׳ החומר המתוק המופק על־ידי הדבורים: 1—53

קרובים: מַמְתַּקִּים / נֹפֶת / עָסִיס / צוּף

דְּבַשׁ וְחָלָב 14; ד׳ וְחֶמְאָה 20,22,23; בַּקְבּוּק דְּבַשׁ 7; הֵלֶךְ ד׳ 15; יַעֲרַת ד׳ 48; מְעַט ד׳ 5, 6; נַהֲרֵי נַחֲלֵי ד׳ 13; צוּף־ד׳ 9; צַפִּיחִית בִּדְבָשׁ 49; (אֶרֶץ) זָבַת חָלָב וּדְבַשׁ 16—19, 24, 27, 28, 31—43

דְּבַשׁ 1 מְעַט צֳרִי וּמְעַט דְּבַשׁ... Gen. 43:11
2 כָל־שְׂאֹר וְכָל־דְּבַשׁ לֹא תַקְטִירוּ Lev. 2:11
3 וַיֵּנִקֵהוּ דְבַשׁ מִסֶּלַע Deut. 32:13
4 וַיְהִי דְבַשׁ עַל־פְּנֵי הַשָּׂדֶה ISh. 14:25
5 כִּי טָעַמְתִּי מְעַט דְּבַשׁ הַזֶּה ISh. 14:29
6 טָעֹם טָעַמְתִּי...מְעַט דְּבַשׁ ISh. 14:43
7 עֲשָׂרָה לֶחֶם וְנִקֻּדִים וּבַקְבֻּק דְּבַשׁ IK. 14:3
8 וּמִצּוּר דְּבַשׁ אַשְׂבִּיעֶךָ Ps. 81:17
9 צוּף־דְּבַשׁ אִמְרֵי־נֹעַם Prov. 16:24
10 אֱכָל־בְּנִי דְבַשׁ כִּי־טוֹב Prov. 24:13
11 דְּבַשׁ מָצָאתָ אֱכֹל דַּיֶּךָּ Prov. 25:16
12 אָכֹל דְּבַשׁ הַרְבּוֹת לֹא־טוֹב Prov. 25:27
13 נַהֲרֵי נַחֲלֵי דְּבַשׁ וְחֶמְאָה Job 20:17
14 דְּבַשׁ וְחָלָב תַּחַת לְשׁוֹנֵךְ S.of S. 4:11
דְּבָשׁ 15 וְהִנֵּה הֵלֶךְ דְּבָשׁ ISh. 14:26
וּדְבַשׁ 16 וְגַם זָבַת חָלָב וּדְבַשׁ הִוא Num. 13:27
17 הֶעֱלִיתָנוּ מֵאֶרֶץ זָבַת חָלָב וּדְבַשׁ Num. 16:13
18 אַף לֹא אֶל־אֶרֶץ זָבַת חָלָב וּדְבַשׁ הֲבִיאֹתָנוּ Num. 16:14
19 אֶל הָאֲדָמָה...זָבַת חָלָב וּדְבַשׁ Deut. 31:20
20 וּדְבַשׁ וְחֶמְאָה...הִגִּישׁוּ לְדָוִד IISh. 17:29
21 אֶרֶץ זֵית יִצְהָר וּדְבַשׁ IIK. 18:32
22/3 חֶמְאָה וּדְבַשׁ יֹאכֵל Is. 7:15,22
24 אֶרֶץ זָבַת חָלָב וּדְבַשׁ Jer. 11:5
25 סֹלֶת וּדְבַשׁ וָשֶׁמֶן אָכָלְתְּ Ezek. 16:13
26 סֹלֶת וָשֶׁמֶן וּדְבַשׁ הֶאֱכַלְתִּיךְ Ezek. 16:19
27/8 זָבַת חָלָב וּדְבַשׁ Ezek. 20:6, 15
29 וּפַנַּג וּדְבַשׁ וָשֶׁמֶן וָצֹרִי Ezek. 27:17
30 רֵאשִׁית דָּגָן תִּירוֹשׁ וְיִצְהָר וּדְבַשׁ IICh. 31:5
וּדְבָשׁ 31—43 אֶרֶץ(...) זָבַת חָלָב וּדְבָשׁ Ex. 3:8, 17; 13:5; 33:3 • Lev. 20:24 • Num. 14:8 • Deut. 6:3; 11:9; 26:9, 15; 27:3 • Josh. 5:6 • Jer. 32:22
44 אֶרֶץ־זֵית שֶׁמֶן וּדְבָשׁ Deut. 8:8
45 וְהִנֵּה עֲדַת דְּבוֹרִים בִּגְוִיַּת הָאַרְיֵה וּדְבָשׁ Jud. 14:8
46 חִטִּים וּשְׂעֹרִים וְשֶׁמֶן וּדְבָשׁ Jer. 41:8
הַדְּבַשׁ 47 כִּי מִגְּוִיַּת הָאַרְיֵה רָדָה הַדְּבַשׁ Jud. 14:9
48 וַיִּטְבֹּל אוֹתָהּ בְּיַעְרַת הַדְּבָשׁ ISh. 14:27
בִּדְבָשׁ 49 וְטַעְמוֹ כְּצַפִּיחִת בִּדְבָשׁ Ex. 16:31
כִּדְבַשׁ 50 וַתְּהִי בְּפִי כִּדְבַשׁ לְמָתוֹק Ezek. 3:3
מִדְּבַשׁ 51 מַה־מָּתוֹק מִדְּבַשׁ... Jud. 14:18
52 וּמְתוּקִים מִדְּבַשׁ וְנֹפֶת צוּפִים Ps. 19:11
53 מַה־נִּמְלְצוּ...מִדְּבַשׁ לְפִי Ps. 119:103
דִּבְשִׁי 54 אָכַלְתִּי יַעְרִי עִם־דִּבְשִׁי S.of S. 5:1

דַּבֶּשֶׁת[1] נ׳ חטוטרת הגמל

דַּבֶּשֶׁת־ 1 וְעַל־דַּבֶּשֶׁת גְּמַלִּים אוֹצְרֹתָם Is. 30:6

דַּבֶּשֶׁת*[2] עיר בנחלת זבולון

בְּדַבָּשֶׁת 1 וְעָלָה גְבוּלָם...וּפָגַע בְּדַבָּשֶׁת Josh. 19:11

דָּג ז׳ בעל־חיים החי במים: 1—15

דָּג גָּדוֹל 1; מְעֵי הַדָּג 3; צִלְצַל דָּגִים 5; דְּגֵי הַיָּם 8—15

דָּג 1 וַיְמַן יְיָ דָּג גָּדוֹל לִבְלֹעַ אֶת־יוֹנָה Jon. 2:1
(דָּאג) 2 מְבִיאִים דָּאג וְכָל־מֶכֶר Neh. 13:16
הַדָּג 3 וַיְהִי יוֹנָה בִּמְעֵי הַדָּג שְׁלֹשָׁה יָמִים Jon. 2:1
לַדָּג 4 וַיֹּאמֶר יְיָ לַדָּג וַיָּקֵא אֶת־יוֹנָה Jon. 2:11
דָּגִים 5 הַתְמַלֵּא... וּבְצִלְצַל דָּגִים רֹאשׁוֹ Job 40:31
הַדָּגִים 6 וַיְדַבֵּר...וְעַל־הָרֶמֶשׂ וְעַל־הַדָּגִים IK. 5:13
כַּדָּגִים 7 כַּדָּגִים שֶׁנֶּאֱחָזִים בִּמְצוֹדָה Eccl. 9:12
דְּגֵי־ 8 וּבְכָל־דְּגֵי הַיָּם בְּיֶדְכֶם נִתָּנוּ Gen. 9:2
9 אִם אֶת־כָּל־דְּגֵי הַיָּם יֵאָסֵף לָהֶם Num. 11:22
10 וְרָעֲשׁוּ מִפָּנַי דְּגֵי הַיָּם Ezek. 38:20
11 וְגַם־דְּגֵי הַיָּם יֵאָסֵפוּ Hosh. 4:3
12 וִיסַפְּרוּ לְךָ דְּגֵי הַיָּם Job 12:8
וּדְגֵי־ 13 אָסֵף עוֹף־הַשָּׁמַיִם וּדְגֵי הַיָּם Zep. 1:3
14 צִפּוֹר שָׁמַיִם וּדְגֵי הַיָּם Ps. 8:9
כִּדְגֵי־ 15 וַתַּעֲשֶׂה אָדָם כִּדְגֵי הַיָּם Hab. 1:14

דָּגָה נ׳ א) כלל הדגים: 1—3, 5—15

ב) דג יחיד: 4

מְעֵי הַדָּגָה 4; דְּגַת יְאוֹר 7—9; דְּגַת הַיָּם 10—12

דָּגָה 1 תַּבְנִית כָּל־דָּגָה אֲשֶׁר־בַּמַּיִם Deut. 4:18
הַדָּגָה 2 זָכַרְנוּ אֶת־הַדָּגָה... Num. 11:5
3 וְהָיָה הַדָּגָה רַבָּה מְאֹד Ezek. 47:9
4 וַיִּתְפַּלֵּל יוֹנָה...מִמְּעֵי הַדָּגָה Jon. 2:2
וְהַדָּגָה 5 וְהַדָּגָה אֲשֶׁר־בַּיְאֹר תָּמוּת Ex. 7:18
6 וְהַדָּגָה אֲשֶׁר־בַּיְאֹר מֵתָה Ex. 7:21
דְּגַת־ 7 וְהִדְבַּקְתִּי דְגַת־יְאֹרֶיךָ בְּקַשְׂקְשֹׂתֶיךָ Ezek. 29:4
8 דְּגַת יְאֹרֶיךָ בְּקַשְׂקְשֹׂתֶיךָ תִּדְבָּק Ezek. 29:4
9 וּנְטַשְׁתִּיךָ...וְאֵת כָּל־דְּגַת יְאֹרֶיךָ Ezek. 29:5
בִּדְגַת־ 10 וְיִרְדּוּ בִדְגַת הַיָּם וּבְעוֹף הַשָּׁמַיִם Gen. 1:26
11 וּרְדוּ בִּדְגַת הַיָּם וּבְעוֹף הַשָּׁמַיִם Gen. 1:28
כִּדְגַת־ 12 כִּדְגַת הַיָּם הַגָּדוֹל רַבָּה מְאֹד Ezek. 47:10
דְּגָתָם 13 תִּבְאַשׁ דְּגָתָם מֵאֵין מַיִם Is. 50:2
14 לְמִינָהּ תִּהְיֶה דְגָתָם Ezek. 47:10
15 וַיָּמֶת אֶת־דְּגָתָם Ps. 105:29

דגה : דָּגָה פ׳; דָּג, דָּגָה; דָּגוֹן? [עיין גם דוג, דיג]

דָּגָה פ׳ פרה ורבה כדגים

וְיִדְגּוּ 1 וְיִדְגּוּ לָרֹב בְּקֶרֶב הָאָרֶץ Gen. 48:16

דָּגוֹן ז׳ שם אל כנעני ופלשתי: 1—11

בֵּית דָּגוֹן 1, 8, 11; כֹּהֲנֵי דָגוֹן 7; מִפְתַּן דָּגוֹן 9; רֹאשׁ דָּגוֹן 5

דָּגוֹן 1 ...וַיָּבִיאוּ אֹתוֹ בֵּית דָּגוֹן ISh. 5:2
2 וַיַּצִּיגוּ אֹתוֹ אֵצֶל דָּגוֹן ISh. 5:2
3 וְהִנֵּה דָגוֹן נֹפֵל לְפָנָיו אַרְצָה ISh. 5:3,4
4 וַיִּקְחוּ אֶת־דָּגוֹן וַיָּשִׁבוּ אֹתוֹ... ISh. 5:3
5 וְרֹאשׁ דָּגוֹן וּשְׁתֵּי כַּפּוֹת יָדָיו כְּרֻתוֹת ISh. 5:4
6 רַק דָּגוֹן נִשְׁאַר עָלָיו ISh. 5:4
7 עַל־כֵּן לֹא־יִדְרְכוּ כֹהֲנֵי דָגוֹן ISh. 5:5
8 וְכָל־הַבָּאִים בֵּית־דָּגוֹן ISh. 5:5
9 עַל־מִפְתַּן דָּגוֹן בְּאַשְׁדּוֹד ISh. 5:5

10 קָשְׁתָה יָדוֹ עָלֵינוּ וְעַל־דָּגוֹן אֱלֹהֵינוּ ISh.5:7
11 וְאֶת־גֻּלְגָּלְתּוֹ תָקְעוּ בֵּית דָּגוֹן ICh.10:10
לְדָגוֹן 12 זֶבַח־גָּדוֹל לְדָגוֹן אֱלֹהֵיהֶם Jud.16:23

דגל
: דָּגַל, דָּגוּל, נִדְגָּל; דֶּגֶל

דָּגַל
פ׳ א) הרים דגל: 2
ב) [דָּגוּל] נבחר, מעולה: 1
ג) [נפ׳ בינוני נִדְגָּל] נבחר: 3, 4

דָּגוּל 1 דּוֹדִי צַח וְאָדוֹם דָּגוּל מֵרְבָבָה S.ofS.5:10
נִדְגֹּל 2 וּבְשֵׁם־אֱלֹהֵינוּ נִדְגֹּל Ps.20:6
כַּנִּדְגָּלוֹת 3/4 ...אֲיֻמָּה כַּנִּדְגָּלוֹת S.ofS.6:4,10

דֶּגֶל
ז׳ נס ליחידת צבא: 1—14
דֶּגֶל מַחֲנֶה... 1—8; אִישׁ עַל דִּגְלוֹ 9, 10

דֶּגֶל־ 1 דֶּגֶל מַחֲנֵה יְהוּדָה לְצִבְאֹתָם Num.2:3
2 דֶּגֶל מַחֲנֵה רְאוּבֵן תֵּימָנָה Num.2:10
3 דֶּגֶל מַחֲנֵה אֶפְרַיִם לְצִבְאֹתָם יָמָּה Num.2:18
4 דֶּגֶל מַחֲנֵה דָן צָפֹנָה לְצִבְאֹתָם Num.2:25
5 וַיִּסַּע דֶּגֶל מַחֲנֵה בְנֵי־יְהוּדָה Num.10:14
6 וְנָסַע דֶּגֶל מַחֲנֵה רְאוּבֵן לְצִבְאֹתָם Num.10:18
7 וְנָסַע דֶּגֶל מַחֲנֵה בְנֵי־אֶפְרָיִם Num.10:22
8 וְנָסַע דֶּגֶל מַחֲנֵה בְנֵי־דָן מְאַסֵּף Num.10:25
דִּגְלוֹ 9 וְאִישׁ עַל־דִּגְלוֹ לְצִבְאֹתָם Num.1:52
10 אִישׁ עַל־דִּגְלוֹ בְאֹתֹת Num.2:2
וְדִגְלוֹ 11 וְדִגְלוֹ עָלַי אַהֲבָה S.ofS.2:4
לְדִגְלֵיהֶם 12 אִישׁ עַל־יָדוֹ לְדִגְלֵיהֶם Num.2:17
13 לָאַחֲרֹנָה יִסְעוּ לְדִגְלֵיהֶם Num.2:31
14 כֵּן־חָנוּ לְדִגְלֵיהֶם וְכֵן נָסָעוּ Num.2:34

דָּגָן
ז׳ תבואת השדה הגדלה בשִׁבֳּלִים: 1—39
דָּגָן וְתִירוֹשׁ 1—6, 9, 11, 15—18, 25—28, 32—36, 38;
גָּרְנוֹת דָּגָן 7; רֵאשִׁית דָּגָן 15; דְּגַן שָׁמַיִם 30;
תְּבוּאַת דָּגָן 16

דָּגָן 1 וְיִתֶּן־לְךָ...וְרֹב דָּגָן וְתִירֹשׁ Gen.27:28
2 דָּגָן תִּירוֹשׁ וְיִצְהָר Deut.28:51
3 וַיִּשְׁכֹּן...אֶל־אֶרֶץ דָּגָן וְתִירוֹשׁ Deut.33:28
4 אֶרֶץ דָּגָן וְתִירוֹשׁ IIK.18:32 • Is.36:17
5 עַל־דָּגָן וְעַל־תִּירֹשׁ Jer.31:12(11)
6 עַל־דָּגָן וְתִירוֹשׁ יִתְגּוֹרָרוּ Hosh.7:14
7 אָהַבְתָּ אֶתְנָן עַל כָּל־גָּרְנוֹת דָּגָן Hosh.9:1
8 יְחַיּוּ דָגָן וְיִפְרְחוּ כַגָּפֶן Hosh.14:8
9 כִּי שֻׁדַּד דָּגָן הוֹבִישׁ תִּירוֹשׁ Joel 1:10
10 נֶהֶרְסוּ מַמְּגֻרוֹת כִּי הֹבִישׁ דָּגָן Joel 1:17
11 דָּגָן בַּחוּרִים וְתִירוֹשׁ יְנוֹבֵב בְּתֻלוֹת Zech.9:17
12 לְאִמֹּתָם יֹאמְרוּ אַיֵּה דָּגָן וָיָיִן Lam.2:12
13 וְנִקְחָה דָגָן וְנֹאכְלָה וְנִחְיֶה Neh.5:2
14 ...וְנִקְחָה דָגָן בָּרָעָב Neh.5:3
15 רֵאשִׁית דָּגָן תִּירוֹשׁ וְיִצְהָר IICh.31:5
16 לִתְבוּאַת דָּגָן וְתִירוֹשׁ וְיִצְהָר IICh.32:28
וְדָגָן 17 וְדָגָן וְתִירֹשׁ סְמַכְתִּיו Gen.27:37
18 וְכָל־חֵלֶב תִּירוֹשׁ וְדָגָן Num.18:12
19 נֹשִׁים בָּהֶם כֶּסֶף וְדָגָן Neh.5:10
הַדָּגָן 20 וְקָרָאתִי אֶל־הַדָּגָן וְהִרְבֵּיתִי אֹתוֹ Ezek.36:29
21 נָתַתִּי לָהּ הַדָּגָן וְהַתִּירוֹשׁ וְהַיִּצְהָר Hosh.2:10
22 וְהָאָרֶץ תַּעֲנֶה אֶת־הַדָּגָן Hosh.2:24
23 הִנְנִי שֹׁלֵחַ לָכֶם אֶת־הַדָּגָן Joel 2:19
24 וָאֶקְרָא חֹרֶב...וְעַל־הַדָּגָן Hag.1:11
25—27 הַדָּגָן הַתִּירוֹשׁ וְהַיִּצְהָר Neh.10:40; 13:5,12
וְהַדָּגָן 28 הַשִׁיבוּ...וְהַדָּגָן הַתִּירוֹשׁ וְהַיִּצְהָר Neh.5:11
כַּדָּגָן 29 וְנֶחְשַׁב לָכֶם תְּרוּמַתְכֶם כַּדָּגָן מִן־הַגֹּרֶן Num.18:27

וּדְגַן־ 30 וּדְגַן־שָׁמַיִם נָתַן לָמוֹ Ps.78:24
דְּגָנִי 31 וְלָקַחְתִּי דְגָנִי בְּעִתּוֹ Hosh.2:11
דְּגָנְךָ 32—36 דְּגָנְךָ וְתִירֹשְׁךָ וְיִצְהָרֶךָ Deut.7:13
11:14; 12:17; 14:23; 18:4
דְּגָנֵךְ 37 אִם־אֶתֵּן אֶת־דְּגָנֵךְ...מַאֲכָל לְאֹיְבַיִךְ Is.62:8
דְּגָנָם 38 מֵעֵת דְּגָנָם וְתִירוֹשָׁם רָבּוּ Ps.4:8
39 תָּכִין דְּגָנָם כִּי־כֵן תְּכִינֶהָ Ps.65:10

דָּגַר
פ׳ ישב על ביצים לחממם: 1, 2

דָּגַר 1 קֹרֵא דָגַר וְלֹא יָלָד Jer.17:11
וְדָגְרָה 2 ...וּבָקְעָה וְדָגְרָה בְצִלָּהּ Is.34:15

דַּד*
ז׳ פטמת השד: 1—4

דַּדֵּי־ 1 וְשָׁם עִשּׂוּ דַּדֵּי בְּתוּלֵיהֶן Ezek.23:3
2 וְהֵמָּה עִשּׂוּ דַּדֵּי בְתוּלֶיהָ Ezek.23:8
דַּדַּיִךְ 3 בַּעְשׂוֹת מִמִּצְרַיִם דַּדַּיִךְ Ezek.23:21
דַּדֶּיהָ 4 דַּדֶּיהָ יְרַוֻּךָ בְכָל־עֵת Prov.5:19

דֹּד
עין דוד

(דדה) הִדַּדָּה
התפ׳ התהלך, נדד: 1, 2

אֶדַּדֶּה 1 אֶדַּדֶּה כָל־שְׁנוֹתַי עַל־מַר נַפְשִׁי Is.38:15
אֶדַּדֵּם 2 אֶדַּדֵּם עַד־בֵּית אֱלֹהִים בְּקוֹל־רִנָּה Ps.42:5

דֹּדָה
נ׳ עין דוֹדָה

דֹּדוֹ
עין דוֹדוֹ

דֹּדָוָהוּ
עין דּוֹדָוָהוּ

דְּדָן
שפ״ז א) מזרע כוש בן חם: 8, 9
ב) בן יקשן בן אברהם: 1, 2, 10
ג) שבט מצאצאי דְּדָן (א): 3—7, 11

דְּדָן 1 וְיָקְשָׁן יָלַד אֶת־שְׁבָא וְאֶת־דְּדָן Gen.25:3
2 וּבְנֵי דְדָן הָיוּ אַשּׁוּרִם Gen.25:3
3 אֶת־דְּדָן וְאֶת־תֵּימָא... Jer.25:23
4 נָסוּ הָפְנוּ...יֹשְׁבֵי דְּדָן Jer.49:8
5 בְּנֵי דְדָן רֹכְלַיִךְ Ezek.27:15
6 דְּדָן רֹכַלְתֵּךְ בְּבִגְדֵי־חֹפֶשׁ Ezek.27:20
7 שְׁבָא וּדְדָן וְסֹחֲרֵי תַרְשִׁישׁ Ezek.38:13
וּדְדָן 8/9 וּבְנֵי רַעְמָה שְׁבָא וּדְדָן Gen.10:7 • ICh.1:9
10 וּבְנֵי יָקְשָׁן שְׁבָא וּדְדָן ICh.1:32
וּדְדָנֶה 11 וּדְדָנֶה בַּחֶרֶב יִפֹּלוּ Ezek.25:13

דְּדָנִי*
ת׳ המתייחס על דְּדָן

דְּדָנִים 1 בַּיַּעַר בַּעְרַב תָּלִינוּ אֹרְחוֹת דְּדָנִים Is.21:13

דֹּדָנִים
מבני יון [עין גם רוֹדָנִים]

וְדֹדָנִים 1 וּבְנֵי יָוָן...כִּתִּים וְדֹדָנִים Gen.10:4

דְּהַב
ז׳ ארמית: זהב: 1—23; דַּהֲבָא = הַזָּהָב

דְּהַב 1 רֵאשֵׁהּ דִּי־דְהַב טָב Dan.2:32
2 נְבוּכַדְנֶצַּר ...עֲבַד צְלֵם דִּי־דְהַב Dan.3:1
וּדְהַב 3 וּלְהֵיבָלָה כְּסַף וּדְהַב... Ez.7:15
4 וְכֹל כְּסַף וּדְהַב דִּי תְהַשְׁכַּח... Ez.7:16
דַּהֲבָא 5 אַנְתְּה הוּא רֵאשָׁה דִּי דַהֲבָא Dan.2:38
6 תִּפְּלוּן וְתִסְגְּדוּן לְצֶלֶם דַּהֲבָא Dan.3:5
7—11 (ו)לְצֶלֶם דַּהֲבָא Dan.3:7,10,12,14,18
12/3 לְהַיְתָיָה לְמָאנֵי דַהֲבָא וְכַסְפָּא Dan.5:2,4
14 בֵּאדַיִן הַיְתִיו מָאנֵי דַהֲבָא Dan.5:3
15—17 וְהַמְנִיכָא דִי־דַהֲבָא... Dan.5:7,16,29
18/9 מָאנַיָּא...דִּי דַהֲבָא וְכַסְפָּא Ez.5:14; 6:5
וְדַהֲבָא 20—22 נְחָשָׁא כַּסְפָּא וְדַהֲבָא Dan.2:35,45; 5:23
וְדַהֲבָה 23 בִּשְׁאָר כַּסְפָּא וְדַהֲבָה Ez.7:18

דֶּהָיֵא
ארמית: שם שבט ממוצא פרסי

1 שׁוּשַׁנְכָיֵא דֶּהָיֵא (כת׳ דהוא) עֵלְמָיֵא Ez.4:9

(דהם) נִדְהָם
נפ׳ הֻכָּה בתמהון

נִדְהָם 1 לָמָּה תִהְיֶה כְּאִישׁ נִדְהָם Jer.14:9

דהר
: דָּהַר; דַּהֲרָה

דָּהַר
פ׳ רָץ (הסוס)

דּוֹהֵר 1 וְסוּס דֹּהֵר וּמֶרְכָּבָה מְרַקֵּדָה Nah.3:2

דַּהֲרָה*
נ׳ ריצת הסוס: 1, 2

דַּהֲרוֹת־ 1 מִדַּהֲרוֹת דַּהֲרוֹת אַבִּירָיו Jud.5:22
מִדַּהֲרוֹת־ 2 מִדַּהֲרוֹת דַּהֲרוֹת אַבִּירָיו Jud.5:22

דּוֹאֵג
שפ״ז—אדומי, ממונה על עדרי שאול המלך: 1—6

דּוֹאֵג 1 דֹּאֵג הָאֲדֹמִי אַבִּיר הָרֹעִים אֲשֶׁר לְשָׁאוּל ISh.21:8
2 וַיַּעַן דֹּאֵג הָאֲדֹמִי...וַיֹּאמַר ISh.22:9
3 וַיִּסֹּב דּוֹאֵג (כת׳ דויג) הָאֲדֹמִי ISh.22:18
4 כִּי־שָׁם דּוֹאֵג (כת׳ דויג) הָאֲדֹמִי ISh.22:22
5 בְּבוֹא דּוֹאֵג הָאֲדֹמִי וַיַּגֵּד לְשָׁאוּל Ps.52:2
לְדוֹאֵג 6 וַיֹּאמֶר הַמֶּלֶךְ לְדוֹאֵג (כת׳ דויג) ISh.22:18

(דוב) הֵדִיב
הפ׳ הדאיב, הכאיב [עין גם דָּאַב]

וּמְדִיבֹת 1 מְכַלּוֹת עֵינַיִם וּמְדִיבֹת נָפֶשׁ Lev.26:16

דּוֹב
עין דֹּב

דַּוָּג
ז׳ דַיָּג [עין גם דַּיָּג]

דַּוָּגִים 1 וְהָיָה עָמְדוּ עָלָיו דַּוָּגִים Ezek.47:10

דּוּגָה
נ׳ דַּיִג

דּוּגָה 1 וְנִשָּׂא אֶתְכֶם בְּצִנּוֹת
וְאַחֲרִיתְכֶן בְּסִירוֹת דּוּגָה Am.4:2

דּוֹד
ז׳ א) אחי האב: 3—12, 39, 44—50, 61
ב) אהוב, ידיד: 1—2, 13—38, 40—43, 51
ג) [דּוֹדִים] אֲהָבִים: 52—60

דּוֹד אַהֲרֹן 3; ד׳ דָּוִד 8; ד׳ מָרְדֳּכַי 7; ד׳ שָׁאוּל 4—6; בֶּן־דּוֹד 10, 11, 46, 61; בַּת־דּוֹד 50;
עֶרְוַת ד׳ 44; קוֹל הַדּוֹד 17, 23; שִׁירַת דּוֹדִי 9;
מִשְׁכַּב דּוֹדִים 53; עֵת דּוֹדִים 52

מִדּוֹד 1/2 מַה־דּוֹדֵךְ מִדּוֹד הַיָּפָה בַּנָּשִׁים S.ofS.5:9[2]
דּוֹד־ 3 בְּנֵי עֻזִּיאֵל דֹּד אַהֲרֹן Lev.10:4
4/5 וַיֹּאמֶר דּוֹד שָׁאוּל ISh.10:14,15
6 אֲבִינֵר בֶּן־נֵר דּוֹד שָׁאוּל ISh.14:50
7 בַּת־אֲבִיחַיִל דֹּד מָרְדֳּכַי Es.2:15
8 וִיהוֹנָתָן דּוֹד־דָּוִיד יוֹעֵץ ICh.27:32
דּוֹדִי 9 אָשִׁירָה נָּא לִידִידִי שִׁירַת דּוֹדִי Is.5:1
10/1 חֲנַמְאֵל בֶּן־דֹּדִי Jer.32:8,9
12 וָאֶתֵּן...לְעֵינֵי חֲנַמְאֵל דֹּדִי Jer.32:12
13 צְרוֹר הַמֹּר דּוֹדִי לִי S.ofS.1:13
14 אֶשְׁכֹּל הַכֹּפֶר דּוֹדִי לִי S.ofS.1:14
15 הִנְּךָ יָפֶה דוֹדִי אַף נָעִים S.ofS.1:16
16 כְּתַפּוּחַ...כֵּן דּוֹדִי בֵּין הַבָּנִים S.ofS.2:3
17 קוֹל דּוֹדִי הִנֵּה־זֶה בָּא S.ofS.2:8
18 דּוֹמֶה דוֹדִי לִצְבִי אוֹ לְעֹפֶר S.ofS.2:9
19 עָנָה דוֹדִי וְאָמַר לִי S.ofS.2:10
20 דּוֹדִי לִי וַאֲנִי לוֹ הָרֹעֶה בַּשּׁוֹשַׁנִּים S.ofS.2:16
21 סֹב דְּמֵה־לְךָ דוֹדִי לִצְבִי S.ofS.2:17
22 יָבֹא דוֹדִי לְגַנּוֹ וְיֹאכַל S.ofS.4:16
23 קוֹל דּוֹדִי דוֹפֵק פִּתְחִי־לִי אֲחֹתִי S.ofS.5:2
24 דּוֹדִי שָׁלַח יָדוֹ מִן־הַחוֹר S.ofS.5:4
25 אִם־תִּמְצְאוּ אֶת־דּוֹדִי מַה־תַּגִּידוּ לוֹ S.ofS.5:8
26 דּוֹדִי צַח וְאָדוֹם דָּגוּל מֵרְבָבָה S.ofS.5:10
27 זֶה דוֹדִי וְזֶה רֵעִי בְּנוֹת יְרוּשָׁלָם S.ofS.5:16

דּוֹדִי (המשך) 28 דּוֹדִי יָרַד לְגַנּוֹ לַעֲרוּגוֹת הַבֹּשֶׂם S.ofS.6:2
29 לְכָה דוֹדִי נֵצֵא הַשָּׂדֶה S.ofS.7:12
30 חֲדָשִׁים...דּוֹדִי צָפַנְתִּי לָךְ S.ofS.7:14
31 בְּרַח דּוֹדִי וּדְמֵה־לְךָ לִצְבִי S.ofS.8:14
וְדוֹדִי 32 וְדוֹדִי חָמַק עָבָר S.ofS.5:6
33 אֲנִי לְדוֹדִי וְדוֹדִי לִי S.ofS.6:3
לְדוֹדִי 34 קַמְתִּי אֲנִי לִפְתֹּחַ לְדוֹדִי S.ofS.5:5
35 פָּתַחְתִּי אֲנִי לְדוֹדִי S.ofS.5:6
36 אֲנִי לְדוֹדִי וְדוֹדִי לִי S.ofS.6:3
37 כְּיֵין הַטּוֹב הוֹלֵךְ לְדוֹדִי לְמֵישָׁרִים S.ofS.7:10
38 אֲנִי לְדוֹדִי וְעָלַי תְּשׁוּקָתוֹ S.ofS.7:11
דֹּדְךָ 39 הִנֵּה...בֶּן־שַׁלֻּם דֹּדְךָ בָּא אֵלֶיךָ Jer.32:7
דּוֹדֵךְ 40/1 מַה־דּוֹדֵךְ מִדּוֹד הַיָּפָה בַּנָּשִׁים S.ofS.$5:9^{2}$
42 אָנָה הָלַךְ דּוֹדֵךְ הַיָּפָה בַּנָּשִׁים S.ofS.6:1
43 אָנָה פָּנָה דוֹדֵךְ וּנְבַקְשֶׁנּוּ עִמָּךְ S.ofS.6:1
דֹּדוֹ 44 עֶרְוַת דֹּדוֹ גִּלָּה Lev.20:20
45/6 אוֹ־דֹדוֹ אוֹ בֶן־דֹּדוֹ יִגְאָלֶנּוּ Lev.25:49
47 וַיֹּאמֶר שָׁאוּל אֶל־דּוֹדוֹ ISh.10:16
48 וַיַּמְלֵךְ...אֶת־מַתַּנְיָה דֹדוֹ תַּחְתָּיו IIK.24:17
49 וּנְשָׂאוֹ דּוֹדוֹ וּמְסָרְפוֹ Am.6:10
50 הִיא אֶסְתֵּר בַּת־דֹּדוֹ Es.2:7
דּוֹדָהּ 51 מִי זֹאת...מִתְרַפֶּקֶת עַל־דּוֹדָהּ S.ofS.8:5
דֹּדִים 52 וְהִנֵּה עִתֵּךְ עֵת דֹּדִים Ezek.16:8
53 וַיָּבֹאוּ אֵלֶיהָ...לְמִשְׁכַּב דֹּדִים Ezek.23:17
54 לְכָה נִרְוֶה דֹדִים עַד־הַבֹּקֶר Prov.7:18
55 אִכְלוּ רֵעִים שְׁתוּ וְשִׁכְרוּ דּוֹדִים S.ofS.5:1
דֹּדַי 56 שָׁם אֶתֵּן אֶת־דֹּדַי לָךְ S.ofS.7:13
דֹּדֶיךָ 57 כִּי־טוֹבִים דֹּדֶיךָ מִיָּיִן S.ofS.1:2
58 נַזְכִּירָה דֹדֶיךָ מִיַּיִן S.ofS.1:4
דֹּדַיִךְ 59 מַה־יָּפוּ דֹדַיִךְ אֲחֹתִי כַלָּה S.ofS.4:10
60 מַה־טֹּבוּ דֹדַיִךְ מִיַּיִן S.ofS.4:10
דּוֹדֵיהֶן 61 וַתִּהְיֶינָה...לִבְנֵי דֹדֵיהֶן לְנָשִׁים Num.36:11

דּוּד

ז׳ א) כלי־בשול: 3—7 ב) כלי־קבול: 1,2,8

הַדּוּד 1 הַדּוּד אֶחָד תְּאֵנִים טֹבוֹת מְאֹד Jer.24:2
וְהַדּוּד 2 וְהַדּוּד אֶחָד תְּאֵנִים רָעוֹת מְאֹד Jer.24:2
בַּדּוּד 3 וְהִכָּה בַכִּיּוֹר אוֹ בַדּוּד ISh.2:14
כְּדוּד 4 יֵצֵא עָשָׁן כְּדוּד נָפוּחַ וְאַגְמֹן Job41:12
מִדּוּד 5 כַּפָּיו מִדּוּד תַּעֲבֹרְנָה Ps.81:7
בַּדּוּדִים 6 וַיָּשִׂימוּ אֶת־רָאשֵׁיהֶם בַּדּוּדִים IIK.10:7
וּבַדְּוָדִים 7 וְהַקֳּדָשִׁים בִּשְּׁלוּ בַּסִּירוֹת וּבַדְּוָדִים IICh.35:13
דּוּדָאֵי־ 8 שְׁנֵי דוּדָאֵי תְּאֵנִים מוּעָדִים Jer.24:1

דָּוִד, דָּוִיד

שפ״ז – בן ישי מלך ישראל: 1—1023

[בדה״י תמיד דָּוִיד]

דָּוִד אִישׁ הָאֱלֹהִים 584—625,585; דָּוִד הַמֶּלֶךְ (הַמֶּלֶךְ דָּוִד) 58—83,593—600,608—613
אֲבִי דָוִד 144; אֹהֶל דָּ׳ 131; אוֹיְבֵי דָ׳ 15, 17, 32; אָזְנֵי דָ׳ 12, 57; אֲחִי דָ׳ 93,94,101, 605; אַחֵי דָ׳ 615; אֱלֹהֵי דָ׳ 128, 134, 631, 640; אַנְשֵׁי דָ׳ 24, 25, 98, 100; אַף דָּ׳ 89; אַפֵּי דָ׳ 33; אֵשֶׁת דָּ׳ 35, 53; בֵּית דָּ׳ 14, 16, 51,52, 116—126,572—580; בֶּן דָּ׳ 91,92,143,145,617,619,627,628,637,641; בְּנֵי דָ׳ 88, 582,588,589,601, 629, 632, 638; דִּבְרֵי דָ׳ 103, 607, 618,636; דּוֹד דָּ׳ 616; דֶּרֶךְ דָּ׳ 129,626; דַּרְכֵי דָ׳ 630,639; זֶרַע דָּ׳ 114,141,817; חַסְדֵי דָ׳ 135,623; חֻקּוֹת דָּ׳ 111; יַד דָּ׳ 3,8,54, 56, 102, 606; יְמֵי דָ׳ 99, 107, 587, 590; יוֹעֵץ דָּ׳ 95; כְּלֵי דָ׳ 634—635; כְּלֵי שִׁיר דָּ׳ 585; כִּסֵּא דָ׳ 55,108-110,130,136-140; כְּתָב דָּ׳ 642; לֵב דָּ׳ 26, 105; לְבַב דָּ׳ 113,127, 622; מִגְדַּל דָּ׳ 581; מוֹעֵד דָּ׳ 20; מַלְכוּת דָּ׳ 614; מִצְוַת דָּ׳ 584, 586, 625, 633, 643; מְקוֹם דָּ׳ 18,19, 620; מִשְׁפַּט דָּ׳ 624; נְאוּם דָּ׳ 104; נַעֲרֵי דָ׳ 27, 31; נֶפֶשׁ דָּ׳ 10, 86; נְשֵׁי דָ׳ 37; סֻכַּת דָּ׳ 571; עַבְדֵי דָ׳ 29, 34, 39—50, 602—603; עֵינֵי דָ׳ 13; עִיר דָּ׳ 85,592; קִבְרֵי דָ׳ 583; קָדְשֵׁי דָ׳ 112,621; קוֹל דָּ׳ 36; רֹאשׁ דָּ׳ 90, 604; רֵעֶה דָּ׳ 96, 97; שְׁלַל דָּ׳ 38; שֵׁם דָּ׳ 28, 591; תְּפִלּוֹת דָּוִד 142
אַל תַּשְׁחֵת לְדָוִד 934—936; כֹּהֵן לְדָוִד 875; לַמְנַצֵּחַ לְדָ׳ 913, 914, 918, 919, 940; מִזְמוֹר לְדָ׳ 884—911, 923—929; מִכְתָּם לְדָ׳ 915, 933—937; מַשְׂכִּיל לְדָ׳ 922,930—932; עַל נְגִינוֹת לְדָ׳ 938; עַל שׁוֹשַׁנִּים לְדָ׳ 939; שִׁגָּיוֹן לְדָ׳ 912; שִׁיר הַמַּעֲלוֹת לְדָ׳ 944—948; תְּהִלָּה לְדָוִד 952; תְּפִלָּה לְדָוִד 916, 917

דָּוִד 1 וַתִּצְלַח רוּחַ־יְיָ אֶל־דָּוִד ISh.16:13
2 שִׁלְחָה אֵלַי אֶת־דָּוִד בִּנְךָ ISh.16:19
3 וַיִּשְׁלַח בְּיַד דָּוִד בְּנוֹ אֶל־שָׁאוּל ISh.16:20
4 וַיָּבֹא דָוִד אֶל־שָׁאוּל ISh.16:21
5 וַיֹּאמֶר דָּוִד יְיָ...הוּא יַצִּילֵנִי ISh.17:37
6 וַיַּלְבֵּשׁ שָׁאוּל אֶת־דָּוִד מַדָּיו ISh.17:38
7 וַיֶּחֱזַק דָּוִד מִן־הַפְּלִשְׁתִּי בַּקֶּלַע ISh.17:50
8 וְחֶרֶב אֵין בְּיַד־דָּוִד ISh.17:50
9 וַיֹּאמֶר דָּוִד בֶּן־עַבְדְּךָ יִשַׁי ISh.17:58
10 וְנֶפֶשׁ...נִקְשְׁרָה בְּנֶפֶשׁ דָּוִד ISh.18:1
11 וְכָל־יִשְׂרָאֵל...אֹהֵב אֶת־דָּוִד ISh.18:16
12 וַיְדַבְּרוּ עַבְדֵי שָׁאוּל בְּאָזְנֵי דָוִד ISh.18:23
13 וַיִּשַׁר הַדָּבָר בְּעֵינֵי דָוִד ISh.18:26
14 וַיִּשְׁלַח...אֶל־בֵּית דָּוִד לְשָׁמְרוֹ ISh.19:11
15 בְּהַכְרִת יְיָ אֶת־אֹיְבֵי דָוִד ISh.20:15
16 וַיִּכְרֹת יְהוֹנָתָן עִם־בֵּית דָּוִד ISh.20:16
17 וּבִקֵּשׁ יְיָ מִיַּד אֹיְבֵי דָוִד ISh.20:16
18/9 וַיִּפָּקֵד מְקוֹם דָּוִד ISh.20:25,27
20 וַיֵּצֵא יְהוֹנָתָן הַשָּׂדֶה לְמוֹעֵד דָּוִד ISh.20:35
21 וַיִּבְכּוּ...עַד־דָּוִד הִגְדִּיל ISh.20:41
22 וַיֹּאמֶר דָּוִד אֵין כָּמוֹהָ ISh.21:10
23 הֲלוֹא־זֶה דָוִד מֶלֶךְ־הָאָרֶץ ISh.21:12
24/5 וַיֹּאמְרוּ אַנְשֵׁי דָוִד אֵלָיו ISh.23:3; 24:5(4)
26 וַיַּךְ לֵב־דָּוִד אֹתוֹ ISh.24:6(5)
27 וַיָּבֹאוּ נַעֲרֵי דָוִד ISh.25:9
28 וַיְדַבְּרוּ אֶל־נָבָל...בְּשֵׁם דָּוִד ISh.25:9
29 וַיַּעַן נָבָל אֶת־עַבְדֵי דָוִד וַיֹּאמֶר ISh.25:10
30 מִי דָוִד וּמִי בֶן־יִשָׁי ISh.25:10
31 וַיַּהַפְכוּ נַעֲרֵי־דָוִד לְדַרְכָּם ISh.25:12
32 כֹּה־יַעֲשֶׂה אֱלֹהִים לְאֹיְבֵי דָוִד ISh.25:22
33 וַתִּפֹּל לְאַפֵּי דָוִד עַל־פָּנֶיהָ ISh.25:23
34 וַיָּבֹאוּ עַבְדֵי דָוִד אֶל־אֲבִיגַיִל ISh.25:40
35 ...אֶת־מִיכַל בִּתּוֹ אֵשֶׁת דָּוִד ISh.25:44
36 וַיַּכֵּר שָׁאוּל אֶת־קוֹל דָּוִד ISh.26:17
37 וּשְׁתֵּי נְשֵׁי־דָוִד נִשְׁבּוּ ISh.30:5
38 וַיֹּאמְרוּ זֶה שְׁלַל דָּוִד ISh.30:20
39 וְיוֹאָב...וְעַבְדֵי דָוִד יָצְאוּ IISh.2:13
40 וּשְׁנֵים עָשָׂר מֵעַבְדֵי דָוִד IISh.2:15
41-50 (וְ / מֵ) עַבְדֵי דָוִד IISh.2:17,30,31
3:22; 10:2,4; 11:17; 12:18; 18:7,9
51/2 בֵּין בֵּית שָׁאוּל וּבֵין בֵּית דָּוִד IISh.3:1,6
53 יִתְרְעָם לְעֶגְלָה אֵשֶׁת דָּוִד IISh.3:5
54 וְלֹא הִמְצִיתִךָ בְּיַד דָּוִד IISh.3:8
55 וּלְהָקִים אֶת־כִּסֵּא דָוִד IISh. 3:10
56 בְּיַד דָּוִד עַבְדִּי הוֹשִׁיעַ... IISh.3:18
57 וַיֵּלֶךְ...לְדַבֵּר בְּאָזְנֵי דָוִד IISh.3:19
58-83 (וְ־/ לַמֶּ־) הַמֶּלֶךְ דָּוִד IISh.3:31
5:3; 6:12, 16; 7:18; 8:8, 10, 11; 9:5; 13:21; 16:5, 6; 17:17, 21; 19:12, 17 • IK. 1:1, 13, 28, 31, 32, 37, 38; 1:43,47 • IIK.11:10

דָּוִד (המשך) 84 בֶּן־שְׁלֹשִׁים שָׁנָה דָּוִד בְּמָלְכוֹ IISh.5:4
85 מְצֻדַת צִיּוֹן הִיא עִיר דָּוִד IISh.5:7
86 וְאֶת־הַפִּסְחִים...שְׂנֻאֵי נֶפֶשׁ דָּוִד IISh.5:8
87 לֵךְ וְאָמַרְתָּ אֶל־עַבְדִּי (אֶל)־דָּוִד IISh.7:5
88 וּבְנֵי דָוִד כֹּהֲנִים הָיוּ IISh.8:18
89 וַיִּחַר־אַף דָּוִד בָּאִישׁ מְאֹד IISh.12:5
90 וַתְּהִי עַל־רֹאשׁ דָּוִד IISh.12:30
91 וּלְאַבְשָׁלוֹם בֶּן־דָּוִד אָחוֹת יָפָה IISh.13:1
92 וַיֶּאֱהָבֶהָ אַמְנוֹן בֶּן־דָּוִד IISh.13:1
93/4 בֶּן־שִׁמְעָה אֲחִי(־)דָוִד IISh.13:3,32
95 אֶת־אֲחִיתֹפֶל...יוֹעֵץ דָּוִד IISh.15:12
96 וַיָּבֹא חוּשַׁי רֵעֶה דָוִד הָעִיר IISh.15:37
97 חוּשַׁי הָאַרְכִּי רֵעֶה דָוִד IISh.16:16
98 וְכָל־אַנְשֵׁי דָוִד עִמּוֹ IISh.19:42
99 וַיְהִי רָעָב בִּימֵי דָוִד שָׁלֹשׁ שָׁנִים IISh.21:1
100 אָז נִשְׁבְּעוּ אַנְשֵׁי־דָוִד לוֹ IISh.21:17
101 בֶּן־שִׁמְעָה אֲחִי דָוִד IISh.21:21
102 וַיִּפְּלוּ בְיַד־דָּוִד ISh.21:22
103 וְאֵלֶּה דִּבְרֵי דָוִד הָאַחֲרֹנִים IISh.23:1
104 נְאֻם דָּוִד בֶּן־יִשַׁי IISh.23:1
105 וַיַּךְ לֵב־דָּוִד אֹתוֹ IISh.24:10
106 וַאדֹנֵינוּ דָוִד לֹא יָדָע IK.1:11
107 וַיִּקְרְבוּ יְמֵי־דָוִד לָמוּת IK.2:1
108 וּשְׁלֹמֹה יָשַׁב עַל־כִּסֵּא דָּוִד אָבִיו IK.2:12
109 וַיּוֹשִׁיבֵנִי עַל־כִּסֵּא דָּוִד אָבִי IK.2:24
110 וְכִסֵּא דָוִד יִהְיֶה נָכוֹן IK.2:45
111 לָלֶכֶת בְּחֻקּוֹת דָּוִד אָבִיו IK.3:3
112 ...אֶת־קָדְשֵׁי דָּוִד אָבִיו IK.7:51
113 וַיְהִי עִם־לְבַב דָּוִד אָבִי IK.8:17
114 וַאעַנֶּה אֶת־זֶרַע דָּוִד IK.11:39
115 עַתָּה רְאֵה בֵיתְךָ דָּוִד IK.12:16
116 וַיִּפְשְׁעוּ יִשְׂרָאֵל בְּבֵית דָּוִד IK.12:19
117-126 (בְּבֵ/לְבֵ/וּבֵ) בֵּית דָּוִד IK.12:20,26
13:2; 14:8 • IIK.17:21 • Is.7:2,13; 22:22
Jer.21:12 • Ps.122:5
127 ...לְבָבוֹ שָׁלֵם...כִּלְבַב דָּוִד אָבִיו IK.15:3
128 כֹּה־אָמַר יְיָ אֱלֹהֵי דָּוִד אָבִיךָ IIK.20:5
129 וַיֵּלֶךְ בְּכָל־דֶּרֶךְ דָּוִד אָבִיו IIK.22:2
130 עַל־כִּסֵּא דָוִד וְעַל־מַמְלַכְתּוֹ Is.9:6
131 וְיָשַׁב עָלָיו בֶּאֱמֶת בְּאֹהֶל דָּוִד Is.16:5
132 אֲרִיאֵל אֲרִיאֵל קִרְיַת חָנָה דָוִד Is.29:1
133 לְמַעֲנִי וּלְמַעַן דָּוִד עַבְדִּי Is.37:35
134 כֹּה־אָמַר יְיָ אֱלֹהֵי דָּוִד אָבִיךָ Is.38:5
135 חַסְדֵי דָוִד הַנֶּאֱמָנִים Is.55:3
136-139 עַל־כִּסֵּא דָוִד Jer.17:25; 22:2,30; 36:30
140 ...הַיּוֹשֵׁב אֶל־כִּסֵּא דָוִד Jer.29:16
141 אַרְבֶּה אֶת־זֶרַע דָּוִד עַבְדִּי Jer.33:22
142 כָּלּוּ תְּפִלּוֹת דָּוִד בֶּן־יִשָׁי Ps.72:20
143 מִשְׁלֵי שְׁלֹמֹה בֶן־דָּוִד Prov.1:1
144 הוּא אֲבִי־יִשַׁי אֲבִי דָוִד Ruth4:17
145 דִּבְרֵי קֹהֶלֶת בֶּן־דָּוִד Eccl.1:1
146-570 דָּוִד ISh.16:22,23
17:20, 22, 23, 26, 29, 31, 32, 33, 34, 37, 39^{3}, 41, 42, 43^{2}, 44, 45, 48^{2}, 49, 51, 54, 55, 57; 18:5, 6, 9, 11, 12, 14, 17, 18, 20, 21, 22, 23, 24, 25, 27^{2}, 28, 29^{2}, 30; 19:1, 5, 7, 8, 12, 14, 15, 19, 20; 20:1, 3, 4, 5, 6, 10, 11, 12, 17, 24, 28, 33, 34; 21:2^{2}, 3, 5, 6, 9, 11, 13; 22:1, 3, 4, 5^{2}, 6, 17, 20, 22; 23:2^{2}, 4, 5^{2}, 6, 7, 8, 9, 10, 12, 13^{2}, 14, 15, 16, 18, 19, 25, 26^{2}, 28; 24:1, 2, 3, 5, 8, 9^{2}, 10^{2}, 17^{2}, 18, 23; 25:1, 4, 5^{2}, 13^{3}, 14, 20, 23, 32, 35, 39^{2}, 40, 42, 43; 26:1, 2, 4, 5^{2}, 6, 7, 8, 9, 10, 12, 13, 14, 15, 17^{2}, 21, 22, 25^{2}; 27:1, 2, 3^{2}, 4, 5, 7, 8, 9, 10, 11^{2}; 28:1, 2^{2}; 29:3, 5, 6^{2}, 8, 9, 11; 30:1, 3, 4, 6,

דָּוִד (המשך)
7², 8, 9, 10, 11, 13, 15, 17, 18², 19, 20, 21⁴, 22, 23, 26, 31 • IISh. 1:1, 2, 3, 4, 5, 11, 13, 14, 15, 16, 17; 2:1², 2, 3, 4, 5, 10, 11; 3:12, 14, 17, 18, 20², 21², 22, 26, 28, 31, 35²; 4:8, 9, 12; 5:1, 3, 6, 7, 8, 9², 10, 11, 12, 13, 17³, 19, 20², 21, 23, 25; 6:1, 2, 9, 10², 12, 17², 18, 20², 21; 7:17, 20, 26; 8:1², 3, 4², 5, 6², 7, 9, 13, 14, 15²; 9:1, 2, 6²; 10:2², 3, 7, 17, 18; 11:1, 2, 3, 4, 6², 7, 8, 10, 11, 12, 13, 14, 23, 25, 27²; 12:1, 7, 13², 16², 19³, 20, 24, 27, 29, 31; 13:7, 30, 39; 15:13, 14, 22, 31, 32, 33; 16:6, 10, 11, 13; 17:1, 21, 22, 27; 18:1, 2; 19:23; 20:2, 3, 6; 21:1, 3, 7, 12, 15², 16; 22:1; 23:9, 13, 15, 16; 23:23; 24:1, 10, 11², 12, 13, 14, 17, 18, 19, 22, 24, 25 • IK. 2:10, 11, 26, 32; 3:6, 7, 5:17, 19; 6:12; 8:15, 18, 20, 24, 25, 26; 9:4, 5; 11:12, 13, 15, 21, 24, 32, 34, 38; 14:8; 15:4, 5 • IIK. 8:19; 18:3; 19:34; 21:7 • Jer. 30:9; 33:21 • Ezek. 34:24; 37:24 • Ps. 52:2; 54:2; 89:21; 132:10; 144:10 • Ruth 4:22

דָּוִיד
571 אָקִים אֶת־סֻכַּת דָּוִיד הַנֹּפֶלֶת Am. 9:11
572 תִּפְאֶרֶת בֵּית־דָּוִיד Zech. 12:7
573-579 (וּבְ/בְּבֵ/לְבֵ/) בֵּית דָּוִיד Zech. 12:8; 13:10. 12 • Neh. 12:37 • ICh. 17:24 • IICh. 10:19; 21:7
580 לְבֵית דָּוִיד וּלְיֹשְׁבֵי יְרוּשָׁלָם Zech. 13:1
581 כְּמִגְדַּל דָּוִיד צַוָּארֵךְ S.ofS. 4:4
582 ...מִבְּנֵי דָוִיד חַטּוּשׁ Ez. 8:2
582א וְעַד־הַמַּעֲלוֹת הַיּוֹרְדוֹת מֵעִיר... Neh. 3:15
583 עַד־נֶגֶד קִבְרֵי דָוִיד Neh. 3:16
584 בְּמִצְוַת דָּוִיד אִישׁ־הָאֱלֹהִים Neh. 12:24
585 בִּכְלֵי־שִׁיר דָּוִיד אִישׁ הָאֱלֹהִים Neh. 12:36
586 כְּמִצְוַת דָּוִיד שְׁלֹמֹה בְנוֹ Neh. 12:45
587 כִּי־בִימֵי דָוִיד וְאָסָף מִקֶּדֶם Neh. 12:46
588 וְאֵלֶּה הָיוּ בְּנֵי דָוִיד ICh. 3:1
589 כֹּל בְּנֵי דָוִיד ICh. 3:9
590 מִסְפָּרָם בִּימֵי דָוִיד ICh. 7:2
591 וַיֵּצֵא שֵׁם־דָּוִיד בְּכָל־הָאֲרָצוֹת ICh. 14:17
592 וַיַּעַשׂ־לוֹ בָתִּים בְּעִיר דָּוִיד ICh. 15:1
593-600 הַמֶּלֶךְ דָּוִיד ICh. 15:29; 17:16; 18:10, 11 27:24, 31; 29:24 • IICh. 23:9
601 וּבְנֵי־דָוִיד הָרִאשֹׁנִים לְיַד הַמֶּלֶךְ ICh. 18:17
602 וַיָּבֹאוּ עַבְדֵי דָוִיד...אֶל־חָנוּן ICh. 19:2
603 וַיִּקַּח חָנוּן אֶת־עַבְדֵי דָוִיד ICh. 19:4
604 וַתְּהִי עַל־רֹאשׁ דָּוִיד ICh. 20:2
605 יְהוֹנָתָן בֶּן־שִׁמְעָא אֲחִי דָוִיד ICh. 20:7
606 וַיִּפְּלוּ בְיַד־דָּוִיד ICh. 20:8
607 כִּי בְדִבְרֵי דָוִיד הָאַחֲרוֹנִים ICh. 23:27
608-613 דָּוִיד הַמֶּלֶךְ ICh. 26:26, 32; 28:2 29:1, 9 • IICh. 7:6
614 לְמַלְכוּת דָּוִיד נִדְרָשׁוּ ICh. 26:31
615 לִיהוּדָה אֱלִיהוּ מֵאֲחֵי דָוִיד ICh. 27:18
616 וִיהוֹנָתָן דּוֹד־דָּוִיד יוֹעֵץ ICh. 27:32
617 וַיַּמְלִיכוּ...לִשְׁלֹמֹה בֶן־דָּוִיד ICh. 29:22
618 וְדִבְרֵי דָּוִיד הַמֶּלֶךְ ICh. 29:29
619 וַיִּתְחַזֵּק שְׁלֹמֹה בֶן־דָּוִיד IICh. 1:1
620 אֲשֶׁר הֵכִין בִּמְקוֹם דָּוִיד IICh. 3:1
621 אֶת־קָדְשֵׁי דָּוִיד אָבִיו IICh. 5:1
622 וַיְהִי עִם־לְבַב דָּוִיד אָבִי IICh. 6:7
623 זָכְרָה לְחַסְדֵי דָּוִיד עַבְדֶּךָ IICh. 6:42
624 וַיַּעֲמֵד כְּמִשְׁפַּט־דָּוִיד אָבִיו IICh. 8:14
625 כִּי כֵן מִצְוַת דָּוִיד אִישׁ־הָאֱלֹהִים IICh. 8:14
626 כִּי הָלְכוּ בְּדֶרֶךְ דָּוִיד וּשְׁלֹמֹה IICh. 11:17
627 מָחֲלַת בַּת־יְרִימוֹת בֶּן־דָּוִיד IICh. 11:18
628 ...עֶבֶד שְׁלֹמֹה בֶן־דָּוִיד IICh. 13:6

דָּוִיד (המשך)
629 לְהִתְחַזֵּק...בְּיַד בְּנֵי דָוִיד IICh. 13:8
630 בְּדַרְכֵי דָּוִיד אָבִיו הָרִאשֹׁנִים IICh. 17:3
631 כֹּה אָמַר יְיָ אֱלֹהֵי דָּוִיד אָבִיךָ IICh. 21:12
632 כַּאֲשֶׁר דִּבֶּר יְיָ עַל־בְּנֵי דָוִיד IICh. 23:3
633 בְּמִצְוַת דָּוִיד וְגָד IICh. 29:25
634 וַיַּעַמְדוּ הַלְוִיִּם בִּכְלֵי דָוִיד IICh. 29:26
635 כְּלֵי דָּוִיד מֶלֶךְ יִשְׂרָאֵל IICh. 29:27
636 בְּדִבְרֵי דָוִיד וְאָסָף הַחֹזֶה IICh. 29:30
637 שְׁלֹמֹה בֶן־דָּוִיד מֶלֶךְ יִשְׂרָאֵל IICh. 30:26
638 בְּמַעֲלֵה קִבְרֵי בְנֵי־דָוִיד IICh. 32:33
639 וַיֵּלֶךְ בְּדַרְכֵי דָּוִיד אָבִיו IICh. 34:2
640 הֵחֵל לִדְרוֹשׁ לֵאלֹהֵי דָּוִיד אָבִיו IICh. 34:3
641 אֲשֶׁר בָּנָה שְׁלֹמֹה בֶן־דָּוִיד IICh. 35:3
642 בִּכְתָב דָּוִיד מֶלֶךְ יִשְׂרָאֵל IICh. 35:4
643 כְּמִצְוַת דָּוִיד וְאָסָף IICh. 35:15
644-798 דָּוִיד IK. 3:14; 11:4 Ezek. 34:23 • Hosh. 3:5 • Ez. 3:10; 8:20 • ICh. 2:15; 4:31; 6:16; 9:22; 11:1, 3², 4, 5, 6, 7, 9, 13, 15, 17; 11:18², 25; 12:1, 9(8), 18(17), 19(18), 20(19)², 22(21), 23(22), 24(23), 32(31), 39(38)², 40(39); 13:1, 2, 5, 6, 12, 13; 14:1, 2, 3², 8³, 10, 11², 12, 14, 16; 15:2, 3, 15:4, 11, 16, 25, 27; 16:1, 2, 7, 43; 17:1², 2, 4, 15, 18; 18:1, 3, 4², 5, 6, 7, 8, 9, 13, 14; 19:2²2, 3, 6, 8, 17, 18, 19; 20:3²; 21:1, 2, 5, 8, 9, 10, 11, 13, 16², 17, 18, 19, 21², 22, 23, 24, 25, 26, 28, 30; 22:1, 2, 3, 5², 7, 17; 23:6, 25; 24:3, 31; 25:1; 27:23; 28:1, 11, 20; 29:10²; 29:20, 23 • IICh. 1:4², 8, 9; 2:2, 6, 13, 16; 6:4, 8, 10; 6:15, 16; 7:6, 17; 8:11; 10:16; 23:18²; 29:2; 33:7

וְדָוִד
799 וְדָוִד בֶּן־אִישׁ אֶפְרָתִי הַזֶּה ISh. 17:12
800 וְדָוִד הוּא הַקָּטָן ISh. 17:14
801 וְדָוִד הֹלֵךְ וָשָׁב מֵעַל שָׁאוּל ISh. 17:15
802 וַיִּכְרֹת יְהוֹנָתָן וְדָוִד בְּרִית ISh. 18:3
803 הִכָּה...וְדָוִד בְּרִבְבֹתָיו ISh. 18:7
804 וְדָוִד מְנַגֵּן בְּיָדוֹ כְּיוֹם בְּיוֹם ISh. 18:10
805 וְדָוִד מְנַגֵּן בְּיָד ISh. 19:9
806 וְדָוִד נָס וַיִּמָּלֵט ISh. 19:10
807 וַיִּשְׁאַל...אֵיפֹה שְׁמוּאֵל וְדָוִד ISh. 19:22
808 אַךְ יְהוֹנָתָן וְדָוִד יָדְעוּ... ISh. 20:39
809/10 הִכָּה...וְדָוִד בְּרִבְבֹתָו ISh. 21:12; 29:5
811 וְדָוִד וַאֲנָשָׁיו בְּמִדְבַּר מָעוֹן ISh. 23:24
812-815 וְדָוִד וַאֲנָשָׁיו ISh. 23:26; 24:4, 23; 29:2
816 וְדָוִד אָמַר אַךְ לַשֶּׁקֶר שָׁמַרְתִּי ISh. 25:21
817 זֶרַע יַעֲקוֹב וְדָוִד...אֶמְאַס Jer. 33:26
818 וְדָוִד עַבְדִּי נָשִׂיא לָהֶם לְעוֹלָם Ezek. 37:25
819-836 וְדָוִד ISh. 19:18 20:41; 23:15; 26:3 • IISh. 1:1; 3:1, 26; 6:5, 14², 15; 11:1; 15:30, 31; 16:1; 17:24; 18:24; 23:14

וְדָוִיד
837 וְדָוִיד אָז בַּמְּצוּדָה ICh. 11:16
838 וְדָוִיד וְכָל־יִשְׂרָאֵל מְשַׂחֲקִים ICh. 13:8
839 וְדָוִיד מְכֻרְבָּל בִּמְעִיל בּוּץ ICh. 15:27
840 וְדָוִיד יֹשֵׁב בִּירוּשָׁלָם ICh. 20:1
841 וְדָוִיד זָקֵן וְשָׂבַע יָמִים ICh. 23:1
842 וְדָוִיד...מָלַךְ עַל־כָּל־יִשְׂרָאֵל IICh. 29:26

בְּדָוִד
843 וַיִּחַר־אַף אֱלִיאָב בְּדָוִד ISh. 17:28
844 וַיֹּאמֶר אַכֶּה בְדָוִד וּבַקִּיר ISh. 18:11
845 וִיהוֹנָתָן...חָפֵץ בְּדָוִד מְאֹד ISh. 19:1
846 וַיְדַבֵּר יְהוֹנָתָן בְּדָוִד טוֹב אֶל־שָׁאוּל ISh. 19:4
847 אַל־יֶחֱטָא הַמֶּלֶךְ בְּעַבְדּוֹ בְדָוִד ISh. 19:4
848 לְהַכּוֹת בַּחֲנִית בְּדָוִד וּבַקִּיר ISh. 19:10
849 וַיַּאֲמֵן אָכִישׁ בְּדָוִד ISh. 27:12
850 וַיִּרְאוּ...כִּי נִבְאֲשׁוּ בְּדָוִד IISh. 10:6
851 ...וְגַם בְּדָוִד אֲנִי מִמְּךָ IISh. 19:44

בְּדָוִד (המשך)
852 אֵין־לָנוּ חֵלֶק בְּדָוִד IISh. 20:1
853 נָשָׂא יָדוֹ בַּמֶּלֶךְ בְּדָוִד IISh. 20:21
854 וָאֶבְחַר בְּדָוִד לִהְיוֹת עַל־עַמִּי IK. 8:16
855 מַה־לָּנוּ חֵלֶק בְּדָוִד IK. 12:16
856 וַיִּבְחַר בְּדָוִד עַבְדּוֹ Ps. 78:70

בְּדָוִיד
857 וָאֶבְחַר בְּדָוִיד לִהְיוֹת עַל־עַמִּי IICh. 6:6
858 מַה־לָּנוּ חֵלֶק בְּדָוִיד... IICh. 10:16

כְּדָוִד
859 בְּכָל־עֲבָדֶיךָ כְּדָוִד נֶאֱמָן ISh. 22:14
860 וְלֹא מִלֵּא אַחֲרֵי יְיָ כְּדָוִד אָבִיו IK. 11:6
861 לַעֲשׂוֹת הַיָּשָׁר...כְּדָוִד אָבִיו IK. 11:33
862 וַיַּעַשׂ אָסָא הַיָּשָׁר...כְּדָוִד אָבִיו IK. 15:11
863 רַק לֹא כְּדָוִד אָבִיו IIK. 14:3
864 וְלֹא־עָשָׂה הַיָּשָׁר...כְּדָוִד אָבִיו IIK. 16:2

כְּדָוִיד
865 כְּדָוִיד חָשְׁבוּ לָהֶם כְּלֵי־שִׁיר Am. 6:5
866 וְהָיָה הַנִּכְשָׁל בָּהֶם...כְּדָוִיד Zech. 12:8
867 וְלֹא־עָשָׂה הַיָּשָׁר...כְּדָוִיד אָבִיו IICh. 28:1

לְדָוִד
868 וַיֹּאמֶר יִשַׁי לְדָוִד בְּנוֹ ISh. 17:17
869 וַיִּתְפַּשֵּׂט...וַיִּתְּנֵהוּ לְדָוִד ISh. 18:4
870 נָתְנוּ לְדָוִד רְבָבוֹת... ISh. 18:8
871 תְּנָה־נָא...וּלְבִנְךָ לְדָוִד ISh. 25:8
872 וַיִּקְרַע...וַיִּתְּנָהּ לְרֵעֲךָ לְדָוִד ISh. 28:17
873 וַתֵּצֶר לְדָוִד מְאֹד ISh. 30:6
874 וּמִי אֲשֶׁר־לְדָוִד אַחֲרֵי יוֹאָב IISh. 20:11
875 וְגַם עִירָא...הָיָה כֹהֵן לְדָוִד IISh. 20:26
876 וְעֹשֶׂה־חֶסֶד לִמְשִׁיחוֹ לְדָוִד IISh. 22:51
877 אֲשֶׁר עָשָׂה יְיָ לְדָוִד עַבְדּוֹ IK. 8:66
878 בַּיִת־נֶאֱמָן כַּאֲשֶׁר בָּנִיתִי לְדָוִד IK. 11:38
879 הַיֹּשְׁבִים לְדָוִד עַל־כִּסְאוֹ Jer. 13:13
880 מְלָכִים יֹשְׁבִים לְדָוִד עַל־כִּסְאוֹ Jer. 22:4
881 וַהֲקִמֹתִי לְדָוִד צֶמַח צַדִּיק Jer. 23:5
882 אַצְמִיחַ לְדָוִד צֶמַח צְדָקָה Jer. 33:15
883 לֹא־יִכָּרֵת לְדָוִד אִישׁ Jer. 33:17
884-911 מִזְמוֹר לְדָוִד Ps. 3:1; 4:1; 5:1; 6:1; 8:1 9:1; 12:1; 13:1; 15:1; 19:1; 20:1; 21:1; 22:1; 23:1; 29:1; 31:1; 38:1; 39:1; 41:1; 51:1; 62:1; 63:1; 64:1; 65:1; 108:1; 140:1; 141:1; 143:1
912 שִׁגָּיוֹן לְדָוִד אֲשֶׁר־שָׁר לַיְיָ Ps. 7:1
913/4 לַמְנַצֵּחַ לְדָוִד Ps. 11:1; 14:1
915 מִכְתָּם לְדָוִד Ps. 16:1
916/7 תְּפִלָּה לְדָוִד Ps. 17:1; 86:1
918/9 לַמְנַצֵּחַ לְעֶבֶד(־)יְיָ לְדָוִד Ps. 18:1; 36:1
920 וְעֹשֶׂה חֶסֶד לִמְשִׁיחוֹ לְדָוִד Ps. 18:51
921 מִזְמוֹר שִׁיר־חֲנֻכַּת הַבַּיִת לְדָוִד Ps. 30:1
922 לְדָוִד מַשְׂכִּיל Ps. 32:1
923-929 לְדָוִד מִזְמוֹר Ps. 24:1; 40:1; 68:1 101:1; 109:1; 110:1; 139:1
930 לַמְנַצֵּחַ מַשְׂכִּיל לְדָוִד Ps. 52:1
931 לַמְנַצֵּחַ עַל־מָחֲלַת מַשְׂכִּיל לְדָוִד Ps. 53:1
932 לַמְנַצֵּחַ בִּנְגִינֹת מַשְׂכִּיל לְדָוִד Ps. 54:1; 55:1
933 לַמְנַצֵּחַ...מִכְתָּם לְדָוִד Ps. 56:1
934-936 לַמְנַצֵּחַ אַל־תַּשְׁחֵת לְדָוִד מִכְתָּם Ps. 57:1; 58:1; 59:1
937 לַמְנַצֵּחַ...מִכְתָּם לְדָוִד לְלַמֵּד Ps. 60:1
938 לַמְנַצֵּחַ עַל־נְגִינַת לְדָוִד Ps. 61:1
939 לַמְנַצֵּחַ עַל־שׁוֹשַׁנִּים לְדָוִד Ps. 69:1
940 לַמְנַצֵּחַ לְדָוִד לְהַזְכִּיר Ps. 70:1
941 נִשְׁבַּעְתִּי לְדָוִד עַבְדִּי Ps. 89:4
942 אִם־לְדָוִד אֲכַזֵּב Ps. 89:36
943 נִשְׁבַּעְתָּ לְדָוִד בֶּאֱמוּנָתֶךָ Ps. 89:50
944-947 שִׁיר הַמַּעֲלוֹת לְדָוִד Ps. 122:1 124:1; 131:1; 133:1
948 שִׁיר הַמַּעֲלוֹת זְכוֹר יְיָ לְדָוִד Ps. 132:1

לְדָוִד (המשך) 949 נִשְׁבַּע יְיָ לְדָוִד Ps. 132:11
950 שָׁם אַצְמִיחַ קֶרֶן לְדָוִד Ps. 132:17
951 מַשְׂכִּיל לְדָוִד Ps. 142:1
952 תְּהִלָּה לְדָוִד Ps. 145:1
998-953 לְדָוִד ISh. 18:19, 25, 26
9:2, 7, 11; 20:42; 22:21; 23:1, 25 • IISh. 2:4; 3:2, 5, 9; 5:6, 11, 13; 6:8; 8:2, 6, 14; 10:5, 17; 11:5, 10, 18, 22; 12:15; 16:23; 17:16; 29; 21:11; 23:8 • IK. 1:8; 2:44; 5:15, 21 • Ps. 25:1; 26:1; 28:1; 34:1; 35:1; 37:1; 103:1; 138:1; 144:1

לְדָוִיד 999 לְמַעַן הֱיוֹת־נִיר לְדָוִיד עַבְדִּי IK. 11:36
1000 וַיַּסֵּב אֶת־הַמְּלוּכָה לְדָוִיד ICh. 10:14
1001 וַיֹּאמְרוּ יֹשְׁבֵי יְבוּס לְדָוִיד ICh. 11:5
1002/3 הַגִּבֹּרִים אֲשֶׁר לְדָוִיד ICh. 11:10, 11
1004 וַיָּבֹאוּ...עַד־לַמְצָד לְדָוִיד ICh. 12:17(16)
1005 וַיִּחַר לְדָוִיד כִּי־פָרַץ יְיָ ICh. 13:11
1006 כֹּה תֹאמַר לְעַבְדִּי לְדָוִיד ICh. 17:7
1007 אֲשֶׁר עָשָׂה יְיָ לְדָוִיד וְלִשְׁלֹמֹה IICh. 7:10
1008 כַּאֲשֶׁר כָּרַתִּי לְדָוִיד אָבִיךָ IICh. 7:18
1009 כִּי יְיָ...נָתַן מַמְלָכָה לְדָוִיד IICh. 13:5
1010 לְמַעַן הַבְּרִית אֲשֶׁר כָּרַת לְדָוִיד IICh. 21:7
1022-1011 לְדָוִיד ICh. 18:2, 6[2], 13
19:5, 17; 21:18, 21; 22:4(3) • IICh. 2:11; 3:1; 6:17
וּלְדָוִד 1023 וּלְדָוִד וּלְזַרְעוֹ...יִהְיֶה שָׁלוֹם IK. 2:33

דּוּדָאִים ז״ר צמח, כנראה ממשפחת הסולנים: 1–6
[עין גם דוד 8]

דּוּדָאִים 1 וַיִּמְצָא דוּדָאִים בַּשָּׂדֶה Gen. 30:14
הַדּוּדָאִים 2 הַדּוּדָאִים נָתְנוּ־רֵיחַ S. of S. 7:14
דּוּדָאֵי־ 3 ...וְלָקַחַת גַּם אֶת־דּוּדָאֵי בְּנִי Gen. 30:15
4 לָכֵן יִשְׁכַּב...תַּחַת דּוּדָאֵי בְנֵךְ Gen. 30:15
בְּדוּדָאֵי־ 5 כִּי שָׂכֹר שְׂכַרְתִּיךָ בְּדוּדָאֵי בְּנִי Gen. 30:16
מִדּוּדָאֵי־ 6 תְּנִי־נָא לִי מִדּוּדָאֵי בְּנֵךְ Gen. 30:14

דּוֹדָה נ׳ אשת אחי האב: 1,3; אחות האב: 2

דֹּדָתְךָ 1 אֶל־אִשְׁתּוֹ לֹא תִקְרָב דֹּדָתְךָ הִוא Lev. 18:14
דֹּדָתוֹ 2 וַיִּקַּח עַמְרָם אֶת־יוֹכֶבֶד דֹּדָתוֹ Ex. 6:20
3 וְאִישׁ אֲשֶׁר יִשְׁכַּב אֶת־דֹּדָתוֹ Lev. 20:20

דּוֹדוֹ שפ״ז א) זקנו של השופט תולע: 1
ב) אביו של אחד מגבורי דויד: 2–6

דּוֹדוֹ 1 תּוֹלָע בֶּן־פּוּאָה בֶּן־דּוֹדוֹ Jud. 10:1
2 אֶלְעָזָר בֶּן־דֹּדוֹ (כת׳ דדי) בֶּן־אֲחֹחִי IISh. 23:9
3 אֶלְעָזָר בֶּן־דּוֹדוֹ הָאֲחוֹחִי ICh. 11:12
4 ...דּוֹדַי הָאֲחוֹחִי וּמַחְלַקְתּוֹ ICh. 27:4
5 אֶלְחָנָן בֶּן־דֹּדוֹ (כת׳ דדי) בֵּית לָחֶם IISh. 23:24
6 אֶלְחָנָן בֶּן־דּוֹדוֹ מִבֵּית לָחֶם ICh. 11:26

דּוֹדָוָהוּ שפ״ז – אביו של אליעזר הנביא

דּוֹדָוָהוּ 1 וַיִּתְנַבֵּא אֱלִיעֶזֶר בֶּן־דֹּדָוָהוּ מִמָּרֵשָׁה IICh. 20:37

דּוֹדַי שפ״ז – משרי דוד

דּוֹדַי 1 דּוֹדַי הָאֲחוֹחִי וּמַחְלַקְתּוֹ ICh. 27:4

דוה : דָּוָה, דָּוֶה; דַּוָּי, דְּוַי, מַדְוֶה

דָּוָה פ׳ חלה, כאב (ביחוד אשה בימי הוסת): 1–6

דְּוֺתָהּ 1 כִּימֵי נִדַּת דְּוֺתָהּ תִּטְמָא Lev. 12:2
דָּוֶה 2 עַל־זֶה הָיָה דָוֶה לִבֵּנוּ Lam. 5:17
דָּוָה 3 וְאִישׁ אֲשֶׁר־יִשְׁכַּב אֶת־אִשָּׁה דָּוָה Lev. 20:18
4 תִּזְרֵם כְּמוֹ דָוָה צֵא תֹּאמַר לוֹ Is. 30:22
5 נְתָנַנִי שֹׁמֵמָה כָּל־הַיּוֹם דָּוָה Lam. 1:13
וְהַדָּוָה 6 וְהַדָּוָה בְּנִדָּתָהּ וְהַזָּב אֶת־זוֹבוֹ Lev. 15:33

(דוח) הֵדִיחַ הפ׳ שָׁטַף, רחץ: 1–4

הֱדִיחָנִי 1 מִלָּא כְרֵשׂוֹ מֵעֲדָנָי הֱדִיחָנִי (כת׳ הדיחנו) Jer. 51:34
יָדִיחַ 2 וְאֶת־דְּמֵי יְרוּשָׁלִַם יָדִיחַ מִקִּרְבָּהּ Is. 4:4
יָדִיחוּ 3 שָׁם יָדִיחוּ אֶת־הָעֹלָה Ezek. 40:38
4 אֶת־מַעֲשֵׂה הָעוֹלָה יָדִיחוּ בָם IICh. 4:6

דְּוַי* ז׳ מחלה, חולי: 1, 2 • קרובים: ראה כְּאֵב

דְּוָי 1 יְיָ יִסְעָדֶנּוּ עַל־עֶרֶשׂ דְּוָי Ps. 41:4
כִּדְוֵי־ 2 מֵאֲנָה לִנְגּוֹעַ נַפְשִׁי הֵמָּה כִּדְוֵי לַחְמִי Job 6:7

דַּוָּי ת׳ דוה, כואב: 1–3

דַּוָּי 1 כָּל־רֹאשׁ לָחֳלִי וְכָל־לֵבָב דַּוָּי Is. 1:5
2 מַבְלִיגִיתִי עֲלֵי לִבִּי דַוָּי Jer. 8:18
3 כִּי־רַבּוֹת אַנְחֹתַי וְלִבִּי דַוָּי Lam. 1:22

דּוֹיֵג עין דּוֹאֵג

דָּוִיד עין דָּוִד

דוך : דָּךְ; מְדוֹכָה

(דוך) דָּךְ פ׳ כָּתַשׁ

דָכוּ 1 וְטָחֲנוּ בָרֵחַיִם אוֹ דָכוּ בַּמְּדֹכָה Num. 11:8

דּוּכִיפַת נ׳ עוף טמא [כנראה Upupa epops]: 1, 2

הַדּוּכִיפַת 1 וְאֶת־הַדּוּכִיפַת וְאֶת־הָעֲטַלֵּף Lev. 11:19
וְהַדּוּכִיפַת 2 וְהַדּוּכִיפַת וְהָעֲטַלֵּף Deut. 14:18

דּוּמָה[1] נ׳ כנוי לשאול, קבר: 1, 2 • יוֹרְדֵי דוּמָה 2

דּוּמָה 1 כִּמְעַט שָׁכְנָה דוּמָה נַפְשִׁי Ps. 94:17
2 לֹא הַמֵּתִים...וְלֹא כָּל־יֹרְדֵי דוּמָה Ps. 115:17

דּוּמָה[2] שפ״ז – מבני ישמעאל: 1, 2

וְדוּמָה 1 וּמִשְׁמָע וְדוּמָה וּמַשָּׂא Gen. 25:14
2 מִשְׁמָע וְדוּמָה מַשָּׂא... ICh. 1:30

דּוּמָה[3] שם עיר או כנוי לאדום

דּוּמָה 1 מַשָּׂא דּוּמָה אֵלַי קֹרֵא מִשֵּׂעִיר... Is. 21:11

דּוּמִיָּה נ׳ שתיקה, דממה: 1–4

דּוּמִיָּה 1 וְלַיְלָה וְלֹא־דוּמִיָּה לִי Ps. 22:3
2 נֶאֱלַמְתִּי דוּמִיָּה הֶחֱשֵׁיתִי מִטּוֹב Ps. 39:3
3 אַךְ אֶל־אֱלֹהִים דּוּמִיָּה נַפְשִׁי Ps. 62:2
4 לְךָ דֻמִיָּה תְהִלָּה אֱלֹהִים בְּצִיּוֹן Ps. 65:2

דּוּמָם תה״פ בשקט, בדממה: 1–3

דּוּמָם 1 שְׁבִי דוּמָם וּבֹאִי בַחֹשֶׁךְ Is. 47:5
2 הוֹי אֹמֵר...עוּרִי לְאֶבֶן דּוּמָם Hab. 2:19
וְדוּמָם 3 טוֹב וְיָחִיל וְדוּמָם לִתְשׁוּעַת יְיָ Lam. 3:26

דּוּמֶשֶׂק היא דַּמֶּשֶׂק

דּוּמֶשֶׂק 1 וַיֵּלֶךְ...לִקְרַאת תִּגְלַת...דּוּמֶשֶׂק IIK. 16:10

(דון) דָּן פ׳ אולי קרוב אל דין, שפט: 1, 2

יָדוֹן 1 לֹא־יָדוֹן רוּחִי בָאָדָם לְעֹלָם Gen. 6:3
שַׁדּוּן 2 גּוּרוּ...לְמַעַן תֵּדְעוּן שַׁדּוּן (כ׳ שדין) Job 19:29

דּוֹנַג ז׳ שעוה: 1–4

דּוֹנַג 1 כְּהִמֵּס דּוֹנַג מִפְּנֵי־אֵשׁ Ps. 68:3
כַּדּוֹנַג 2 וְנָמַסּוּ...כַּדּוֹנַג מִפְּנֵי הָאֵשׁ Mic. 1:4
3 הָרִים כַּדּוֹנַג נָמַסּוּ... Ps. 97:5
כַּדּוֹנָג 4 הָיָה לִבִּי כַּדּוֹנָג נָמֵס בְּתוֹךְ מֵעָי Ps. 22:15

(דוץ) דָּץ פ׳ דלג, קפץ

תָּדוּץ 1 וּלְפָנָיו תָּדוּץ דְּאָבָה Job 41:14

דור : דוּר; דּוּר, דּוֹר, מְדוּרָה; אר׳ דור; דָּר, מְדוֹר, מְדָר, תְּדִירָא

(דור[1]) דָּר פ׳ א) שָׁכַן: 1 ב) ערך למדורה: 2

מִדּוּר 1 בָּחַרְתִּי הִסְתּוֹפֵף בְּבֵית אֱלֹהַי
מִדּוּר בְּאָהֳלֵי־רֶשַׁע Ps. 84:11
דּוּר (צווי) 2 וְגַם דּוּר הָעֲצָמִים תַּחְתֶּיהָ Ezek. 24:5

(דור[2]) דָּר פ׳ ארמית, כמו בעברית: דָּר, שָׁכַן: 1–7

דָּיְרִין 1 וּבְכָל־דִּי דָיְרִין (כת׳ דארין) בְּנֵי־אֲנָשָׁא Dan. 2:38
2/3 דִּי־דָיְרִין (כת׳ דארין) בְּכָל־אַרְעָא Dan. 3:31; 6:26
דָּיְרֵי־ 4 וְכָל־דָּיְרֵי (כת׳ דארי) אַרְעָא כְּלָה חֲשִׁיבִין Dan. 4:32
וְדָיְרֵי־ 5 בְּחֵיל שְׁמַיָּא וְדָיְרֵי (כת׳ ודארי) אַרְעָא Dan. 4:32
תְּדוּר 6 תְּחֹתוֹהִי תְּדוּר חֵיוַת בָּרָא Dan. 4:18
יְדוּרָן 7 וּבְעַנְפוֹהִי יְדוּרָן (כת׳ ידרון) צִפֲּרֵי שְׁמַיָּא Dan. 4:9

דּוּר* ז׳ עגול, כדור (?): 1, 2

כַּדּוּר 1 צָנוֹף יִצְנָפְךָ צְנֵפָה כַּדּוּר אֶל־אֶרֶץ
רַחֲבַת־יָדָיִם Is. 22:18
2 וְחָנִיתִי כַדּוּר עָלָיִךְ Is. 29:3

דּוֹר ז׳ א) כלל האנשים בתקופה אחת: רוב המקראות
ב) חוליה בתולדות משפחה – אב, בן וכו׳: 3–6, 26–30, 32, 78, 93, 108, 120, 126–167
ג) [לְדוֹר דּוֹר, לְדוֹר דּוֹרִים וכו׳] לעוֹלָם: עין בצרופים

– דּוֹר וָדוֹר 8, 10–17, 21, 25, 31; דּוֹר לְדוֹר 24; בְּדוֹר וָדוֹר 53; לְדוֹר דּוֹר 1; לְדוֹר וָדוֹר 36, 42–44, 46, 48–52, 55–59, 61, 62; מִדּוֹר דּוֹר 2; מִדּוֹר לְדוֹר 102, 104
– דּוֹר דּוֹרִים 109; בְּדוֹר דּוֹרִים 112; לְדוֹר דּוֹרִים 114
– דּוֹר אַחֵר 9, 75, 78; דּוֹר אַחֲרוֹן 18, 68, 91, 93, 96; ד׳ בָּא 30; ד׳ הוֹלֵךְ 30; ד׳ טָהוֹר 27; ד׳ סוֹרֵר וּמוֹרֶה 20; ד׳ עִקֵּשׁ 7; ד׳ עֲשִׂירִי 4,5; ד׳ פְּתַלְתֹּל 7; ד׳ צַדִּיק 72; ד׳ רִאשׁוֹן 99; ד׳ רְבִיעִי 32; ד׳ רַע 66; ד׳ שְׁלִישִׁי 6
– אֶלֶף דּוֹר 3,22,23; מְשׂוֹשׂ ד׳ 38; שׁוֹמְמוֹת ד׳ 39; שְׁנֵי דוֹר 41
– דּוֹר אָבוֹת 108; ד׳ בָּנִים 110; ד׳ דֹּרְשָׁיו 107; ד׳ יְשָׁרִים 111; ד׳ עֶבְרָה 106; ד׳ תַּהְפֻּכוֹת 105
– קֹרֵא הַדֹּרוֹת 121; דֹּרוֹת בְּנֵי יִשְׂרָאֵל 122; ד׳ עוֹלָם 124; ד׳ עוֹלָמִים 123; לְדוֹרֹתֵיכֶם 130–156; לְדֹרֹתָם 157–167

דּוֹר 1 זֶה־שְּׁמִי לְעֹלָם וְזֶה זִכְרִי לְדֹר דֹּר Ex. 3:15
2 מִלְחָמָה לַייָ בַּעֲמָלֵק מִדֹּר דֹּר Ex. 17:16
3 שֹׁמֵר הַבְּרִית וְהַחֶסֶד...לְאֶלֶף דּוֹר Deut. 7:9
4/5 גַּם דּוֹר עֲשִׂירִי לֹא־יָבֹא...בִּקְהַל יְיָ Deut. 23:3, 4
6 דּוֹר שְׁלִישִׁי יָבֹא לָהֶם בִּקְהַל יְיָ Deut. 23:9
7 דּוֹר עִקֵּשׁ וּפְתַלְתֹּל Deut. 32:5
8 זְכֹר יְמוֹת עוֹלָם בִּינוּ שְׁנוֹת דֹּר־וָדֹר Deut. 32:7
9 וַיָּקָם דּוֹר אַחֵר אַחֲרֵיהֶם Jud. 2:10
10 וְלֹא תִשְׁכֹּן עַד־דּוֹר וָדוֹר Is. 13:20
11 מוֹסְדֵי דוֹר־וָדוֹר תְּקוֹמֵם Is. 58:12
12 לִגְאוֹן עוֹלָם מְשׂוֹשׂ דּוֹר וָדוֹר Is. 60:15
13 שֹׁמְמוֹת דּוֹר וָדוֹר Is. 61:4
14 וְלֹא תִשְׁכּוֹן עַד־דּוֹר וָדֹר Jer. 50:39
15 לֹא יוֹסֵף עַד־שְׁנֵי דּוֹר וָדוֹר Joel 2:2
16 אַזְכִּירָה שִׁמְךָ בְּכָל־דֹּר וָדֹר Ps. 45:18
17 שְׁנוֹתָיו כְּמוֹ־דֹר וָדֹר Ps. 61:7
18 לְמַעַן יֵדְעוּ דּוֹר אַחֲרוֹן Ps. 78:6
19 דּוֹר לֹא־הֵכִין לִבּוֹ Ps. 78:8
20 דּוֹר סוֹרֵר וּמֹרֶה Ps. 78:8
21 וְעַד־דֹּר וָדֹר אֱמוּנָתוֹ Ps. 100:5

דּוֹר (המשך) 22/3 דָּבָר צִוָּה לְאֶלֶף דּוֹר Ps. 105:8
ICh. 16:15
24 דּוֹר לְדוֹר יְשַׁבַּח מַעֲשֶׂיךָ Ps. 145:4
25 וּמֶמְשַׁלְתְּךָ בְּכָל־דּוֹר וָדֹר Ps. 145:13
26 דּוֹר אָבִיו יְקַלֵּל... Prov. 30:11
27 דּוֹר טָהוֹר בְּעֵינָיו Prov. 30:12
28 דּוֹר מָה־רָמוּ עֵינָיו Prov. 30:13
29 דּוֹר חֲרָבוֹת שִׁנָּיו Prov. 30:14
30 דּוֹר הֹלֵךְ וְדוֹר בָּא Eccl. 1:4
31 נִזְכָּרִים וְנַעֲשִׂים בְּכָל־דּוֹר וָדוֹר Es. 9:28
וְדוֹר 32 וְדוֹר רְבִיעִי יָשׁוּבוּ הֵנָּה Gen. 15:16
33 דּוֹר הֹלֵךְ וְדוֹר בָּא Eccl. 1:4
וָדוֹר 34 בִּינוּ שְׁנוֹת דֹּר־וָדֹר Deut. 32:7
35 וְלֹא תִשְׁכֹּן עַד־דּוֹר וָדוֹר Is. 13:20
36 לְדוֹר וָדוֹר יִשְׁכְּנוּ־בָהּ Is. 34:17
37 מוֹסְדֵי דוֹר־וָדוֹר תְּקוֹמֵם Is. 58:12
38 לִגְאוֹן עוֹלָם מְשׂוֹשׂ דּוֹר וָדוֹר Is. 60:15
39 וְחִדְּשׁוּ...שֹׁמְמוֹת דּוֹר וָדוֹר Is. 61:4
40 וְלֹא תִשְׁכּוֹן עַד־דּוֹר וָדֹר Jer. 50:39
41 לֹא יוֹסֵף עַד־שְׁנֵי דּוֹר וָדוֹר Joel 2:2
42 וִירוּשָׁלִַם לְדוֹר וָדוֹר Joel 4:20
43 בַּל־אֶמּוֹט לְדֹר וָדֹר... Ps. 10:6
44 מַחְשְׁבוֹת לִבּוֹ לְדֹר וָדֹר Ps. 33:11
45 אַזְכִּירָה שִׁמְךָ בְּכָל־דֹּר וָדֹר Ps. 45:18
46 ...מִשְׁכְּנֹתָם לְדוֹר וָדֹר Ps. 49:12
47 שְׁנוֹתָיו כְּמוֹ־דֹר וָדֹר Ps. 61:7
48 גָּמַר אֹמֶר לְדֹר וָדֹר Ps. 77:9
49 לְדוֹר וָדֹר נְסַפֵּר תְּהִלָּתֶךָ Ps. 79:13
50 תִּמְשֹׁךְ אַפְּךָ לְדֹר וָדֹר Ps. 85:6
51 לְדֹר וָדֹר אוֹדִיעַ אֱמוּנָתְךָ Ps. 89:2
52 וּבָנִיתִי לְדֹר־וָדוֹר כִּסְאֲךָ Ps. 89:5
53 מָעוֹן אַתָּה הָיִיתָ לָּנוּ בְּדֹר וָדֹר Ps. 90:1
54 וְעַד־דֹּר וָדֹר אֱמוּנָתוֹ Ps. 100:5
59-55 לְדֹר וָדֹר Ps. 102:13; 106:31
119:90; 135:13; 146:10
60 וּמֶמְשַׁלְתְּךָ בְּכָל־דּוֹר וָדֹר Ps. 145:13
61 וְאִם־נֵזֶר לְדוֹר וָדוֹר (כת׳ דור) Prov. 27:24
62 לְעוֹלָם תֵּשֵׁב כִּסְאֲךָ לְדוֹר וָדוֹר Lam. 5:19
63 נִזְכָּרִים וְנַעֲשִׂים בְּכָל־דּוֹר וָדוֹר Es. 9:28
הַדּוֹר 64 וַיָּמָת יוֹסֵף...וְכֹל הַדּוֹר הַהוּא Ex. 1:6
65 עַד־תֹּם כָּל־הַדּוֹר הָעֹשֶׂה הָרָע Num. 32:13
66 אִם־יִרְאֶה...הַדּוֹר הָרָע הַזֶּה Deut. 1:35
67 עַד־תֹּם כָּל־הַדּוֹר Deut. 2:14
68 וְאָמַר הַדּוֹר הָאַחֲרוֹן... Deut. 29:21
69 כָּל־הַדּוֹר הַהוּא נֶאֶסְפוּ אֶל־אֲבוֹתָיו
Jud. 2:10
70 הַדּוֹר אַתֶּם רְאוּ דְבַר־יְיָ Jer. 2:31
71 תִּצְּרֶנּוּ מִן־הַדּוֹר זוּ לְעוֹלָם Ps. 12:8
בְּדוֹר 72 כִּי־אֱלֹהִים בְּדוֹר צַדִּיק Ps. 14:5
73 מָעוֹן אַתָּה הָיִיתָ לָּנוּ בְּדֹר וָדֹר Ps. 90:1
74 אַרְבָּעִים שָׁנָה אָקוּט בְּדוֹר Ps. 95:10
75 בְּדוֹר אַחֵר יִמַּח שְׁמָם Ps. 109:13
בַּדּוֹר 76 כִּי־אֹתְךָ רָאִיתִי צַדִּיק לְפָנַי
בַּדּוֹר הַזֶּה Gen. 7:1
לְדוֹר 77 לְדוֹר וָדוֹר יִשְׁכְּנוּ־בָהּ Is. 34:17
78 עָלֶיהָ לִבְנֵיכֶם סַפֵּרוּ וּבְנֵיכֶם לִבְנֵיהֶם
וּבְנֵיהֶם לְדוֹר אַחֵר Joel 1:3
79 וִירוּשָׁלִַם לְדוֹר וָדוֹר Joel 4:20
80 בַּל־אֶמּוֹט לְדֹר וָדֹר Ps. 10:6
90–81 לְדֹר וָדֹר Ps. 33:11; 49:12; 77:9
85:6; 89:2; 102:13; 106:31; 119:90; 135:13; 146:10
91 לְמַעַן תְּסַפְּרוּ לְדוֹר אַחֲרוֹן Ps. 48:14

לְדוֹר (המשך) 92 עַד־אַגִּיד זְרוֹעֲךָ לְדוֹר Ps. 71:18
93 לֹא נְכַחֵד מִבְּנֵיהֶם לְדוֹר אַחֲרוֹן Ps. 78:4
94 לְדוֹר וָדֹר נְסַפֵּר תְּהִלָּתֶךָ Ps. 79:13
95 וּבָנִיתִי לְדֹר־וָדוֹר כִּסְאֲךָ Ps. 89:5
96 תִּכָּתֶב זֹאת לְדוֹר אַחֲרוֹן Ps. 102:19
97 דּוֹר לְדוֹר יְשַׁבַּח מַעֲשֶׂיךָ Ps. 145:4
98 וְאִם־נֵזֶר לְדוֹר וָדוֹר (כת׳ דור) Prov. 27:24
99 כִּי־שְׁאַל־נָא לְדֹר רִישׁוֹן Job 8:8
100 לְעוֹלָם תֵּשֵׁב כִּסְאֲךָ לְדוֹר וָדוֹר Lam. 5:19
לַדּוֹר 101 יְסֻפַּר לַאדֹנָי לַדּוֹר Ps. 22:31
לָדוֹר 102 מִדּוֹר לָדוֹר תֶּחֱרָב Is. 34:10
מִדּוֹר 103 מִלְחָמָה לַייָ בַּעֲמָלֵק מִדֹּר דֹּר Ex. 17:16
104 מִדּוֹר לָדוֹר תֶּחֱרָב Is. 34:10
דּוֹר־ 105 כִּי דוֹר תַּהְפֻּכֹת הֵמָּה Deut. 32:20
106 וַיִּטֹּשׁ אֶת־דּוֹר עֶבְרָתוֹ Jer. 7:29
107 זֶה דּוֹר דֹּרְשָׁו° Ps. 24:6
108 תָּבוֹא עַד־דּוֹר אֲבוֹתָיו Ps. 49:20
109 וְלִפְנֵי יָרֵחַ דּוֹר דּוֹרִים Ps. 72:5
110 הִנֵּה דוֹר בָּנֶיךָ בָגָדְתִּי Ps. 73:15
111 דּוֹר יְשָׁרִים יְבֹרָךְ Ps. 112:2
בְּדוֹר־ 112 בְּדוֹר דּוֹרִים שְׁנוֹתֶיךָ Ps. 102:25
לְדוֹר־ 113 זֶה־שְּׁמִי לְעֹלָם וְזֶה זִכְרִי לְדֹר דֹּר Ex. 3:15
114 וִישׁוּעָתִי לְדוֹר דּוֹרִים Is. 51:8
דּוֹרִי 115 דּוֹרִי נִסַּע וְנִגְלָה מִנִּי Is. 38:12
דּוֹרוֹ 116 וְאֶת־דּוֹרוֹ מִי יְשׂוֹחֵחַ Is. 53:8
דּוֹרִים 117 וִישׁוּעָתִי לְדוֹר דּוֹרִים Is. 51:8
118 וְלִפְנֵי יָרֵחַ דּוֹר דּוֹרִים Ps. 72:5
119 בְּדוֹר דּוֹרִים שְׁנוֹתֶיךָ Ps. 102:25
דּוֹרוֹת 120 וַיַּרְא° אֶת־בָּנָיו וְאֶת־בְּנֵי בָנָיו
אַרְבָּעָה דֹּרוֹת Job 42:16
הַדּוֹרוֹת 121 קֹרֵא הַדֹּרוֹת מֵרֹאשׁ Is. 41:4
דּוֹרוֹת־ 122 לְמַעַן דַּעַת דֹּרוֹת בְּנֵי־יִשְׂרָאֵל Jud. 3:2
123 כִּימֵי קֶדֶם דּוֹרוֹת עוֹלָמִים Is. 51:9
לְדוֹרוֹת־ 124 זֹאת אוֹת הַבְּרִית...לְדֹרֹת עוֹלָם Gen. 9:12
בְּדוֹרוֹתָיו 125 אִישׁ צַדִּיק תָּמִים הָיָה בְּדֹרֹתָיו Gen. 6:9
לְדוֹרוֹתָיו 126 וְקָם הַבַּיִת...לַקֹּנֶה אֹתוֹ לְדֹרֹתָיו
Lev. 25:30
דּוֹרוֹתֵינוּ 127 בֵּינֵינוּ וּבֵינֵיכֶם וּבֵין דּוֹרוֹתֵינוּ אַחֲרֵינוּ
Josh. 22:27
128 כִּי־יֹאמְרוּ אֵלֵינוּ וְאֶל־דֹּרֹתֵינוּ מָחָר
Josh. 22:28
דּוֹרוֹתֵיכֶם 129 לְמַעַן יֵדְעוּ דֹרֹתֵיכֶם Lev. 23:43
לְדוֹרוֹתֵיכֶם 130 יִמּוֹל לָכֶם כָּל־זָכָר לְדֹרֹתֵיכֶם Gen. 17:12
131/2 לְדֹרֹתֵיכֶם חֻקַּת עוֹלָם Ex. 12:14, 17
133/4 לְמִשְׁמֶרֶת לְדֹרֹתֵיכֶם Ex. 16:32, 33
135 עֹלַת תָּמִיד לְדֹרֹתֵיכֶם Ex. 29:42
156-136 לְדֹרֹתֵיכֶם Ex. 30:8, 10, 31; 31:13
Lev. 3:17; 6:11; 10:9; 22:3; 23:14, 21, 31, 41; 24:3 •
Num. 9:10; 10:8; 15:14, 15, 21, 23; 18:23; 35:29
לְדוֹרוֹתָם 157 וּבֵין זַרְעֲךָ אַחֲרֶיךָ לְדֹרֹתָם Gen. 17:7
158 אַתָּה וְזַרְעֲךָ אַחֲרֶיךָ לְדֹרֹתָם Gen. 17:9
159 שִׁמֻּרִים לְכָל־בְּנֵי יִשְׂרָאֵל לְדֹרֹתָם Ex. 12:42
160 חֻקַּת עוֹלָם לְדֹרֹתָם Ex. 27:21
167-161 לְדֹרֹתָם Ex. 30:21; 31:16; 40:15
Lev. 7:36; 17:7; 21:17 • Num. 15:38

דּוֹר²
עין דאר

דּוּרָא
מקום או עיר בארץ אשור

1 אֲקִימֵהּ בְּבִקְעַת דּוּרָא בִּמְדִינַת בָּבֶל דניאל ג 1

דוש (דוּשׁ)
: דָּשׁ, הִדּוּשׁ, הוּדַשׁ; דַּיִשׁ, מְדוּשָׁה; דִּישׁוֹן, דִּישָׁן?; [אר׳ דוש
א) רָמַס: 1, 2, 5, 6, 9–13
ב) דרך וחבט שבלים להוציא זרעוניהן: 3, 4, 7, 8
ג) [נפ׳ נָדוֹשׁ] נרמש, נדרך: 14, 15
ד) [הָפ׳ הוּדַשׁ] נדוש, נחבט: 16

אָדוֹשׁ (דוש) 1 לֹא לָנֶצַח אָדוֹשׁ יְדוּשֶׁנּוּ Is. 28:28
לָדֻשׁ 2 אִבְּדָם...וַיְשִׂמֵם כֶּעָפָר לָדֻשׁ IIK. 13:7
3 עֶגְלָה מְלֻמָּדָה אֹהַבְתִּי לָדוּשׁ Hosh. 10:11
בְּדִישׁוֹ 4 לֹא־תַחְסֹם שׁוֹר בְּדִישׁוֹ Deut. 25:4
דּוּשָׁם 5 עַל־דּוּשָׁם בַּחֲרֻצוֹת הַבַּרְזֶל Am. 1:3
וְדַשְׁתִּי 6 וְדַשְׁתִּי אֶת־בְּשַׂרְכֶם Jud. 8:7
דָּשׁ 7 וְאָרְנָן דָּשׁ חִטִּים ICh. 21:20
דָשָׁה 8 כִּי תָפוּשׁוּ° כְּעֶגְלָה דָשָׁה Jer. 50:11
תָּדוּשׁ 9 תָּדוּשׁ הָרִים וְתָדֹק Is. 41:15
10 בְּאַף תָּדוּשׁ גּוֹיִם Hab. 3:12
יְדוּשֶׁנּוּ 11 כִּי לֹא לָנֶצַח אָדוֹשׁ יְדוּשֶׁנּוּ Is. 28:28
תְּדוּשֶׁהָ 12 וְחַיַּת הָאָרֶץ תְּדוּשֶׁהָ Job 39:15
וָדוֹשִׁי 13 קוּמִי וָדוֹשִׁי בַת־צִיּוֹן Mic. 4:13
כְּהִדּוּשׁ 14 כְּהִדּוּשׁ מַתְבֵּן בְּמוֹ° מַדְמֵנָה Is. 25:10
וְנָדוֹשׁ 15 וְנָדוֹשׁ מוֹאָב תַּחְתָּיו Is. 25:10
יוּדַשׁ 16 כִּי לֹא בֶחָרוּץ יוּדַשׁ קֶצַח Is. 28:27

דוּשׁ
פְּ׳ ארמית, כמו בעברית – דָּשׁ

וּתְדוּשִׁנַּהּ 1 וְתֵאכֻל...וּתְדוּשִׁנַּהּ וְתַדְּקִנַּהּ Dan. 7:23

דחה
: דָּחָה, דָּחוּי, נִדְחָה, דֹּחָה; דְּחִי, מִדְחֶה

דָּחָה
פְּ׳ א) דחף, הדף: 1-4
ב) [פעול: דָּחוּי] נוטה לנפול: 5
ג) [נפ׳ נִדְחָה] נדחף: 6
ד) [פֻּ׳ דֹּחָה] נדחף: 7
ה) [התפ׳ הִדַּחָה] נדחף: 8

קרובים: בָּעַט / דָּחַף / הָדַף

דָּחֹה 1 דָּחֹה דְחִיתַנִי לִנְפֹּל Ps. 118:13
לִדְחוֹת 2 אֲשֶׁר חָשְׁבוּ לִדְחוֹת פְּעָמָי Ps. 140:5
דְּחִיתַנִי 3 דָּחֹה דְחִיתַנִי לִנְפֹּל Ps. 118:13
דּוֹחֶה 4 וּמַלְאַךְ יְיָ דּוֹחֶה Ps. 35:5
הַדְּחוּיָה 5 כְּקִיר נָטוּי גָּדֵר הַדְּחוּיָה Ps. 62:4
יִדָּחֶה 6 בְּרָעָתוֹ יִדָּחֶה רָשָׁע Prov. 14:32
דֹּחוּ 7 דֹּחוּ וְלֹא־יָכְלוּ קוּם Ps. 36:13
יִדַּחוּ 8 בָּאֲפֵלָה יִדַּחוּ וְנָפְלוּ בָהּ Jer. 23:12

דַּחֲוָן
נ״ר ארמית פילגשים? כלי זמר? שולחנות?

וְדַחֲוָן 1 וְדַחֲוָן לָא־הַנְעֵל קָדָמוֹהִי Dan. 6:19

דָּחוּף
ת׳ – עין דָּחַף

דָּחַח
פְּ׳ – עין דָּחָה

דְּחִי*
ז׳ כִּשָּׁלוֹן, נפילה: 1, 2

מִדֶּחִי 1 כִּי הִצַּלְתָּ...הֲלֹא רַגְלַי מִדֶּחִי Ps. 56:14
2 כִּי חִלַּצְתָּ...אֶת־רַגְלִי מִדֶּחִי Ps. 116:8

דְּחֵל
פְּ׳ ארמית: א) חרד, נסוג מפחד: 1, 2
ב) [דְּחִיל] נורא: 3–5
ג) [פַּ׳ דַּחֵל] הפחיד: 6

וְדָחֲלִין 1 הֲווֹ זָיְעִין° וְדָחֲלִין מִן־קֳדָמוֹהִי Dan. 5:19
2 לֶהֱוֺן זָיְעִין° וְדָחֲלִין... Dan. 6:27
דְּחִיל 3 וְזִיוֵהּ יַתִּיר ..וְרֵוֵהּ דְּחִיל Dan. 2:31
דְּחִילָה 4 וַאֲרוּ חֵיוָה רְבִיעָאָה דְּחִילָה Dan. 7:7
5 דִּי־הֲוָת...דְּחִילָה יַתִּירָה Dan. 7:19
וִידַחֲלִנַּנִי 6 חֵלֶם חֲזֵית וִידַחֲלִנַּנִי Dan. 4:2

דֹּחַן
ז׳ צמח שזרעוניו משמשים ללחם גס (Panicum)

וְדֹחַן 1 וּפוֹל וַעֲדָשִׁים וְדֹחַן וְכֻסְּמִים Ezek. 4:9

דחף : דָּחוּף, נִדְחַף; מַדְחֵפוֹת

דָּחַף פ׳ א) [בינוני פעול: דָּחוּף] מבוהל, ממהר: 1, 2
ב) [נפ׳ נִדְחַף] הובהל, מִהֵר: 3, 4

דְּחוּפִים 1 הָרָצִים יָצְאוּ דְחוּפִים בִּדְבַר הַמֶּלֶךְ Es.3:15
וּדְחוּפִים 2 מְבֹהָלִים וּדְחוּפִים בִּדְבַר הַמֶּלֶךְ Es.8:14
נִדְחַף 3 וְהָמָן נִדְחַף אֶל־בֵּיתוֹ Es.6:12
4 וַיַּבְהִלוּהוּ...וְגַם־הוּא נִדְחַף לָצֵאת IICh.26:20

דחק : דָּחַק

דָּחַק פ׳ דחה, לחץ: 1, 2

וְדֹחֲקֵיהֶם 1 מִפְּנֵי לֹחֲצֵיהֶם וְדֹחֲקֵיהֶם Jud.2:18
יִדְחָקוּן 2 וְאִישׁ אָחִיו לֹא יִדְחָקוּן Joel 2:8

דַּי ז׳ כַּמּוּת מספקת, שִׁעוּר: 1, 2
א) [דֵּי (לפני שם או שם פעולה!)] במדה מספקת ל־: 4—10
ב) [בְּדֵי־] תְּמוּרַת־, בשל: 11, 12, 13, 14—16
ג) [כְּדֵי־] כמדה מספקת ל־: 17—19; כפי היכולת: 20
ד) [מִדֵּי־] בכל פעם ש־: 22, 24—27, 29—31, 33
בכל מחזור: 23, 28, 32, 34, 35;
מן הדרוש ל־: 21
ה) [לְמַדַּי] עד שיספיק: 3
ו) [דַּיּוֹ] במדה הדרושה לו: 36—39

עַד בְּלִי דַי 1; כְּדֵי בִזָּיוֹן וָקָצֶף 2; בְּדֵי רִיק 11, 15; מִדֵּי חֹדֶשׁ בְּחָדְשׁוֹ 28; מִדֵּי שַׁבָּת בְּשַׁבַּתּוֹ 35; מִדֵּי שָׁנָה בְּשָׁנָה 23, 32, 34

דָּי 1 וַהֲרִיקֹתִי לָכֶם בְּרָכָה עַד־בְּלִי־דָי Mal.3:10
וּכְדַי 2 וּכְדַי בִּזָּיוֹן וָקָצֶף Es.1:18
לְמַדַּי 3 הַכֹּהֲנִים לֹא־הִתְקַדְּשׁוּ לְמַדַּי IICh.30:3
דֵּי־ 4 וְאִם־לֹא תַגִּיעַ יָדוֹ דֵּי שֶׂה Lev.5:7
5 וְאִם־לֹא תִמְצָא יָדָהּ דֵּי שֶׂה Lev.12:8
6 וְאִם לֹא־מָצְאָה יָדוֹ דֵּי הָשִׁיב לוֹ Lev.25:28
7 וְהַעֲבֵט תַּעֲבִיטֶנּוּ דֵּי מַחְסֹרוֹ Deut.15:8
8 וּלְבָנוֹן אֵין דֵּי בָּעֵר Is.40:16
9 וְחַיָּתוֹ אֵין דֵּי עוֹלָה Is.40:16
וְדֵי־ 10 וְדֵי חֲלֵב עִזִּים לְלַחְמְךָ Prov.27:27
בְּדֵי־ 11 וְיִגְעוּ עַמִּים בְּדֵי־רִיק Jer.51:58
12 וּלְאֻמִּים בְּדֵי־אֵשׁ וְיָעֵפוּ Jer.51:58
13 אַרְיֵה טֹרֵף בְּדֵי גֹרוֹתָיו Nah.2:13
14 וְיִיגְעוּ עַמִּים בְּדֵי־אֵשׁ Hab.2:13
15 וּלְאֻמִּים בְּדֵי־רִיק יִעָפוּ Hab.2:13
16 בְּדֵי שֹׁפָר יֹאמַר הֶאָח Job 39:25
כְּדֵי־ 17 וּמָצָא כְּדֵי גְאֻלָּתוֹ Lev.25:26
18 וְהִכָּהוּ...כְּדֵי רִשְׁעָתוֹ בְּמִסְפָּר Deut.25:2
19 וּבָאוּ כְדֵי־אַרְבֶּה לָרֹב Jud.6:5
20 קָנִינוּ אֶת־אַחֵינוּ הַיְּהוּדִים
הַנִּמְכָּרִים לַגּוֹיִם כְּדֵי בָנוּ Neh.5:8
מִדֵּי־ 21 מַרְבִּים הָעָם לְהָבִיא מִדֵּי הָעֲבֹדָה Ex.36:5
22 וְכֵן יַעֲשֶׂה...מִדֵּי עֲלֹתָהּ בְּבֵית יְיָ ISh.1:7
23 וְהָלַךְ מִדֵּי שָׁנָה בְּשָׁנָה וְסָבַב ISh.7:16
24 וַיְהִי מִדֵּי צֵאתָם שָׂכַל דָּוִד ISh.18:30
25 וַיְהִי מִדֵּי־בֹא הַמֶּלֶךְ בֵּית יְיָ... IK.14:28
26 וַיְהִי מִדֵּי עָבְרוֹ יָסֻר שָׁמָּה IIK.4:8
27 מִדֵּי עָבְרוֹ יִקַּח אֶתְכֶם Is.28:19
28 וְהָיָה מִדֵּי־חֹדֶשׁ בְּחָדְשׁוֹ Is.66:23
29 כִּי־מִדֵּי אֲדַבֵּר אֶזְעָק Jer.20:8
30 כִּי־מִדֵּי דַבְּרִי בּוֹ זָכֹר אֶזְכְּרֶנּוּ עוֹד Jer.31:20(19)
31 כִּי־מִדֵּי דְבָרֶיךָ בּוֹ תִּתְנוֹדָד Jer.48:27
32 וְעָלוּ מִדֵּי שָׁנָה בְשָׁנָה... Zech.14:16
33 וַיְהִי מִדֵּי־בוֹא הַמֶּלֶךְ בֵּית יְיָ IICh.12:11
34 לְחַזֵּק...מִדֵּי שָׁנָה בְּשָׁנָה IICh.24:5
וּמִדֵּי־ 35 וּמִדֵּי שַׁבָּת בְּשַׁבַּתּוֹ יָבוֹא... Is.66:23
דַּיֶּךָּ 36 דְּבַשׁ מָצָאתָ אֱכֹל דַּיֶּךָּ Prov.25:16
דַּיָּם 37 וְהַמְּלָאכָה הָיְתָה דַיָּם...וְהוֹתֵר Ex.36:7
38 אִם־גַּנָּבִים בַּלַּיְלָה הִשְׁחִיתוּ דַיָּם Jer.49:9
39 אִם־גַּנָּבִים...הֲלוֹא יִגְנְבוּ דַּיָּם Ob.5

דִּי מ־ח ארמית: א) אֲשֶׁר, שֶׁ־: 1—173
ב) שֶׁל־: 174—248
ג) כִּי: 249—292
ד) [כָּל קֳבֵל דִּי] כלעומת ש־: 293-307
ה) [לָקֳבֵל דִּי] לעומת אשר־: 308
ו) [עַד דִּי] עד אשר: 309—320
ז) [כְּדִי] כאשר: 331—335
ז) [עַל דִּבְרַת דִּי] על דבר אשר:
ראה דִּבְרָה[2]

דִּי (א) 1 אֱלָהַיָּא דִּי־שְׁמַיָּא וְאַרְקָא לָא עֲבַדוּ Jer.10:11
2 דִּי מִלַּת מַלְכָּא יוּכַל לְהַחֲוָיָה Dan.2:10
3 וּמִלְּתָא דִי־מַלְכָּה שָׁאֵל יַקִּירָה Dan.2:11
4 וְאָחֳרָן לָא אִיתַי דִּי יְחַוִּנַּהּ... Dan.2:11
5 אֱלָהִין דִּי מְדָרְהוֹן עִם־בִּשְׂרָא Dan.2:11
6 דִּי נְפַק לְקַטָּלָה לְחַכִּימֵי בָּבֶל Dan.2:14
7 דִּי חָכְמְתָא וּגְבוּרְתָא דִּי־לֵהּ הִיא Dan.2:20
8 אֱלָהּ...דִּי חָכְמְתָא וּגְבוּרְתָא יְהַבְתְּ Dan.2:23
9 וּכְעַן הוֹדַעְתַּנִי דִּי־בְעֵינָא מִנָּךְ Dan.2:23
10 דִּי מַנִּי מַלְכָּא לְהוֹבָדָה... Dan.2:24
11 דִּי פִשְׁרָא לְמַלְכָּא יְהוֹדַע Dan.2:25
12-173 דִּי (א) Dan.2:25, 26[2], 27, 28, 29[2], 30[2], 34, 35, 37, 38, 39, 40, 44, 45[3]; 3:2, 3[2], 5[2], 6, 7, 10[2], 11, 12[2], 14, 15[3], 17, 18[2], 19, 20, 22, 28[3], 29[2], 31, 32; 4:3, 5, 6[2], 14, 16, 17[2], 19, 21, 22, 27, 29, 31, 32, 34; 5:2, 3[2], 5, 7, 11, 12, 13, 14, 15, 19, 21, 23[2], 25; 6:2, 3[2], 9[2], 13[3], 14, 16, 17, 18, 21, 25, 26[2], 28; 7:7, 11, 14[2], 17, 19, 20[2], 23, 27 • Ez.4:10, 11, 12, 17, 18, 19, 23, 24; 5:1, 2, 4, 6, 10, 11, 14[2], 16, 17[2]; 6:1, 2, 3, 5[4], 6, 8[3], 9[2], 11, 12[3], 15, 18; 7:14, 15[2], 16[2], 17, 18, 19, 20, 21[2], 22, 23[2], 25[3], 26

דִּי (ב) 174 לְאַרְיוֹךְ רַב־טַבָּחַיָּא דִּי מַלְכָּא Dan.2:14
175 לְאַרְיוֹךְ שַׁלִּיטָא דִי־מַלְכָּא Dan.2:15
176 בְּחֶזְוָא דִי־לֵילְיָא Dan.2:19
177 לֶהֱוֵא שְׁמֵהּ דִּי אֱלָהָא מְבָרַךְ... Dan.2:20
178 חָכְמְתָא וּגְבוּרְתָא דִּי לֵהּ־הִיא Dan.2:20
179-181 מִן־בְּנֵי גָלוּתָא דִּי יְהוּד Dan.2:25; 5:13; 6:14
182 רֵאשֵׁהּ דִּי־דְהַב טָב Dan.2:32
183 חֲדוֹהִי וּדְרָעוֹהִי דִּי כְסַף Dan.2:32
184 מְעוֹהִי וְיַרְכָתֵהּ דִּי נְחָשׁ Dan.2:32
185 שָׁקוֹהִי דִּי פַרְזֶל Dan.2:33
186 אַנְתְּה הוּא רֵאשָׁה דִּי דַהֲבָא Dan.2:38
187 וּמַלְכוּ תְלִיתָאָה° אָחֳרִי דִּי נְחָשָׁא Dan.2:39
188 וַאֲכַלוּ קַרְצֵיהוֹן דִּי יְהוּדָיֵא Dan.3:8
189 נְהַר דִּי־נוּר נָגֵד וְנָפֵק Dan.7:10
190-248 דִּי (ב) Dan.2:33[2], 34, 41[2], 44, 49; 3:1, 22, 25, 26, 28, 29; 4:12[2], 20[2], 23, 26; 5:2, 3, 5[3], 7, 16, 23, 24, 29; 6:14, 17, 20, 27; 7:4, 6, 7, 9, 19[2], 28 • Ez.4:10, 15, 23; 5:2, 11, 13, 14[5], 15, 16, 17; 6:4[2]; 7:12, 17, 21, 26[2]

דִּי (ג) 249 יָדַע אֲנָה דִּי עִדָּנָא אַנְתּוּן זָבְנִין Dan.2:8
250 דִּי־אַזְדָּא מִנִּי מִלְּתָא Dan.2:8
251 וְאִנְדַּע דִּי פִשְׁרֵהּ תְּהַחֲוֻנַּנִי Dan.2:9
252 וּבְעָא...דִּי זְמָן יִנְתֵּן־לֵהּ Dan.2:16
253 דִּי לָא יְהֹבְדוּן דָּנִיֵּאל וְחַבְרוֹהִי Dan.2:18
254 דִּי־מִלַּת מַלְכָּא הוֹדַעְתֶּנָא Dan.2:23
255-292 דִּי (ג) Dan.2:25, 45, 47[2]; 3:18, 27, 29

דִּי (ג) (המשך) 4:6, 14, 15, 22, 23, 29; 5:7, 16, 21, 29; 6:6, 11, 14; 6:16[2], 24, 27[3] • Ez.4:12, 13, 15[2], 16; 5:8, 10; 6:10, 11; 7:13, 21, 24

כָּל־קֳבֵל דִּי 293 כָּל־קֳבֵל דִּי חֲזַיְתוּן Dan.2:8
294 כָּל־קֳבֵל דִּי כָל־מֶלֶךְ רַב Dan.2:10
295-307 כָּל־קֳבֵל דִּי... Dan.2:40, 41, 45; 3:29; 4:15; 5:12, 22; 6:4, 5, 11, 23 • Ez.4:14; 7:14
לָקֳבֵל דִּי 308 לָקֳבֵל דִּי שְׁלַח דָּרְיָוֶשׁ Ez.6:13
עַד דִּי 309 עַד דִּי עִדָּנָא יִשְׁתַּנֵּא Dan.2:9
310 עַד דִּי הִתְגְּזֶרֶת אֶבֶן Dan.2:34
311-320 עַד דִּי Dan.4:20, 22, 29, 30; 5:21; 6:25 7:4, 9, 11, 22
וְדִי 321 וְדִי חֲזַיְתָה רַגְלַיָּא Dan.2:41
322 וְדִי (כת׳ די) חֲזַיְתָ פַּרְזְלָא Dan.2:43
323 וְדִי רוּחַ־אֱלָהִין קַדִּישִׁין בֵּהּ Dan.4:5
324 וְדִי מַהְלְכִין בְּגֵוָה יָכִל לְהַשְׁפָּלָה Dan.4:34
325 וְדִי־הֲוָה צָבֵא הֲוָה מָרִים Dan.5:19
326 וְדִי־הֲוָה צָבֵא הֲוָא מַשְׁפִּל Dan.5:19
327-330 וְדִי Dan.4:20, 23; 5:19 • Ez.7:25
כְּדִי 331 הָא־כְדִי פַרְזְלָא לָא מִתְעָרַב Dan.2:43
332 כְּדִי־שָׁמְעִין כָּל־עַמְמַיָּא Dan.3:7
333 כְּדִי יְדַע דִּי רְשִׁים כְּתָבָא Dan.6:11
334 אֱדַיִן...כְּדִי מַלְכָּא שְׁמַע... Dan.6:15
וּכְדִי 335 וּכְדִי רִם לִבְבֵהּ...הָנְחַת... Dan.5:20

דִּי זָהָב מקום במדבר (בערבות מואב?)

וְדִי זָהָב 1 בַּמִּדְבָּר...וַחֲצֵרֹת וְדִי זָהָב Deut.1:1

דִּיבוֹן א) עיר במואב שנהפכה לנחלת בני גד וראובן: 1-10
ב) עיר בנגב יהודה: 11

דִּיבוֹן 1 נִירָם אָבַד חֶשְׁבּוֹן עַד־דִּיבוֹן Num.21:30
2 וַיִּבְנוּ בְנֵי־גָד אֶת־דִּיבֹן... Num.32:34
3 וְכָל־הַמִּישֹׁר מֵידְבָא עַד־דִּיבוֹן Josh.13:9
4 דִּיבוֹן וּבָמוֹת בַּעַל Josh.13:17
5 רְדִי...יֹשֶׁבֶת בַּת־דִּיבוֹן Josh.48:18
6 וְעַל־דִּיבוֹן וְעַל־נְבוֹ... Jer.48:22
וְדִיבוֹן 7 עֲטָרוֹת וְדִיבֹן וְיַעְזֵר... Num.32:3
8 עָלָה הַבַּיִת וְדִיבֹן הַבָּמוֹת לְבֶכִי Is.15:2
בְּדִיבוֹן 9 וַיִּסְעוּ מֵעִיִּים וַיַּחֲנוּ בְּדִיבֹן גָּד Num.33:45
מִדִּיבוֹן 10 וַיִּסְעוּ מִדִּיבֹן גָּד וַיַּחֲנוּ... Num.33:46
וּבְדִיבוֹן 11 וּבְדִיבֹן וּבְנֹתֶיהָ וּבִיקַּבְצְאֵל Neh.11:27

דיג : דָּג פ׳; דָּג, דָּגָה, דַּיָּג, דַּוָּג, דּוּגָה

(דיג) דָּג פ׳ צד דגים

וְדִיגוּם 1 הִנְנִי שֹׁלֵחַ לְדַיָּגִים רַבִּים...וְדִיגוּם Jer.16:16

דַּיָּג ז׳ שולה דגים: 1, 2

הַדַּיָּגִים 1 וְאָנוּ הַדַּיָּגִים וְאָבְלוּ כָּל־מַשְׁלִיכֵי
בַיְאוֹר חַכָּה Is.19:8
2 הִנְנִי שֹׁלֵחַ לְדַיָּגִים (כת׳ לדוגים) רַבִּים Jer.16:16

דַּיָּה נ׳ עוף דורס טמא: 1, 2

וְהַדַּיָּה 1 וְאֶת־הָאַיָּה וְהַדַּיָּה לְמִינָהּ Deut.14:13
דַּיּוֹת 2 אַךְ־שָׁם נִקְבְּצוּ דַיּוֹת Is.34:15

דְּיוֹ נ׳ (?) חומר קדום לכתיבה

בַּדְּיוֹ 1 וַאֲנִי כֹּתֵב עַל־הַסֵּפֶר בַּדְּיוֹ Jer.36:18

דִּימוֹן מקום, אולי הוא דִּיבוֹן: 1, 2

דִּימוֹן 1 כִּי מֵי דִימוֹן מָלְאוּ דָם Is.15:9
2 כִּי־אָשִׁית עַל־דִּימוֹן נוֹסָפוֹת Is.15:9

דִּימוֹנָה עיר בדרום ארץ־ישראל

וְדִימוֹנָה 1 וְקִינָה וְדִימוֹנָה וְעַדְעָדָה Josh.15:22

דין : דָּן, נָדוֹן; דִּין, דַּיָּן, מָדוֹן, מְדָנִים, מִדְיָנִים, מְדִינָה; ש״פ דָּן, דִּינָה, דָּנִיֵּאל, יָדוֹן, מִדְיָן? אר׳ דָּן, דִּין, דַּיָּן

(דין¹) דָּן פ׳ א) שפט, תבע למשפט, עשה שפטים: 1, 2, 23,22,20-4
ב) היה שופט ומושל: 9, 11
ג) הַדִּין: 3, 21
ד) [נפ׳ נָדוֹן] התוכח: 24

לָדִין 1 נִצָּב לָרִיב יי וְעֹמֵד לָדִין עַמִּים Is.3:13
2 יִקְרָא...וְאֶל־הָאָרֶץ לָדִין עַמּוֹ Ps.50:4
3 וְלֹא־יוּכַל לָדִין עִם שֶׁהַתַּקִּיף• מִמֶּנּוּ Eccl.6:10
דָּן 4 דָּן דִּין־עָנִי וְאֶבְיוֹן Jer.22:16
דָּנַנִּי 5 דָּנַנִּי אֱלֹהִים וְגַם שָׁמַע בְּקֹלִי Gen.30:6
דָּנוּ 6 דִּין לֹא־דָנוּ Jer.5:28
דָּן 7 וְגַם אֶת־הַגּוֹי...דָּן אָנֹכִי Gen.15:14
8 אֵין־דָּן דִּינֵךְ לְמָזוֹר Jer.30:13
תָּדִין 9 וְגַם־אַתָּה תָּדִין אֶת־בֵּיתִי Zech.3:7
תְדִינֵנִי 10 וּבִגְבוּרָתְךָ תְדִינֵנִי Ps.54:3
יָדִין 11 דָּן יָדִין עַמּוֹ כְּאַחַד שִׁבְטֵי יִשׂ׳ Gen.49:16
12 כִּי־יָדִין יי עַמּוֹ Deut.32:26
13 יי יָדִין אַפְסֵי־אָרֶץ ISh.2:10
14 יי יָדִין עַמִּים שָׁפְטֵנִי יי Ps.7:9
15 יָדִין לְאֻמִּים בְּמֵישָׁרִים Ps.9:9
16 יָדִין עַמְּךָ בְצֶדֶק Ps.72:2
17 יָדִין עַמִּים בְּמֵישָׁרִים Ps.96:10
18 יָדִין בַּגּוֹיִם מָלֵא גְוִיּוֹת Ps.110:6
19 כִּי־יָדִין יי עַמּוֹ Ps.135:14
20 כִּי־בָם יָדִין עַמִּים Job36:31
דִּין 21 דִּין לְפָנָיו וּתְחוֹלֵל לוֹ Job35:14
וְדִין 22 שְׁפָט־צֶדֶק וְדִין עָנִי וְאֶבְיוֹן Prov.31:9
דִּינוּ 23 דִּינוּ לַבֹּקֶר מִשְׁפָּט Jer.21:12
נָדוֹן 24 וַיְהִי כָל־הָעָם נָדוֹן...לֵאמֹר IISh.19:10

(דין²) דָּן פ׳ ארמית: שפט
דָּיְנִין 1 וְדַיָּנִין דִּי לֶהֱוֺן דָּיְנִין (כת׳ דאנין) Ez.7:25

דִּין¹ ז׳ א) משפט: 1–4, 6–19
ב) ריב: 5

דִּין וּמִשְׁפָּט 6; דָּת וָדִין 7; דִּין אֶבְיוֹן 12; ד׳ דַּלִּים 9, 13; ד׳ יָתוֹם 10; ד׳ עָנִי 11, 12; ד׳ רָשָׁע 16; כִּסֵּא דִין 4
דָּן דִּין 2, 11, 19; הִשְׁמִיעַ ד׳ 3; עָשָׂה דִין 12, 18; הִטָּה מִדִּין 9; יָדַע דִּין 13; שִׁנָּה דִּין 14

דִּין 1 כִּי יִפָּלֵא...בֵּין־דִּין לְדִין... Deut.17:8
2 דִּין לֹא־דָנוּ Jer.5:28
3 מִשָּׁמַיִם הִשְׁמַעְתָּ דִּין Ps.76:9
4 מֶלֶךְ יוֹשֵׁב עַל־כִּסֵּא־דִין Prov.20:8
5 וְיֵצֵא מָדוֹן וְיִשְׁבֹּת דִּין וְקָלוֹן Prov.22:10
6 דִּין וּמִשְׁפָּט יִתְמֹכוּ Job36:17
וָדִין 7 לִפְנֵי כָּל־יֹדְעֵי דָּת וָדִין Es.1:13
לְדִין 8 בֵּין־דִּין לְדִין וּבֵין נֶגַע לָנֶגַע Deut.17:8
מִדִּין 9 לְהַטּוֹת מִדִּין דַּלִּים Is.10:2
דִּין־ 10 דִּין יָתוֹם וְיַצְלִיחוּ Jer.5:28
11 דָּן דִּין־עָנִי וְאֶבְיוֹן Jer.22:16
12 כִּי־יַעֲשֶׂה יי דִּין עָנִי Ps.140:13
13 יֹדֵעַ צַדִּיק דִּין דַּלִּים Prov.29:7
14 וִישַׁנֶּה דִּין כָּל־בְּנֵי־עֹנִי Prov.31:5
15 אֶל־דִּין כָּל־בְּנֵי חֲלוֹף Prov.31:8
וְדִין־ 16 וְדִין־רָשָׁע מָלֵאתָ Job36:17
שַׁדּוּן (?) 17 לְמַעַן תֵּדְעוּן שַׁדּוּן (כת׳ שדין) Job19:29
וְדִינִי 18 כִּי־עָשִׂיתָ מִשְׁפָּטִי וְדִינִי Ps.9:5
דִּינֵךְ 19 אֵין־דָּן דִּינֵךְ לְמָזוֹר Jer.30:13

דִּין² ז׳ ארמית: א) משפט: 1, 3, 4
ב) בית משפט: 2, 5

דִּין 1 מַעֲבָדוֹהִי קְשֹׁט וְאֹרְחָתֵהּ דִּין Dan.4:34
דִּינָא 2 דִּינָא יְתִב וְסִפְרִין פְּתִיחוּ Dan.7:10
דִּינָה 3 דִּינָה לֶהֱוֵא מִתְעֲבֵד מִנֵּהּ Es.7:26
וְדִינָא 4 וְדִינָא יְהִב לְקַדִּישֵׁי עֶלְיוֹנִין Dan.7:22
5 וְדִינָא יִתִּב וְשָׁלְטָנֵהּ יְהַעְדּוֹן Dan.7:26

דַּיָּן¹ ז׳ שופט: 1, 2
לְדַיָּן 1 וְהָיָה יי לְדַיָּן וְשָׁפַט בֵּינִי וּבֵינֶךָ ISh.24:16(15)
וְדַיַּן־ 2 אֲבִי יְתוֹמִים וְדַיַּן אַלְמָנוֹת Ps.68:6

דַּיָּן*² ז׳ ארמית: שופט
וְדַיָּנִין 1 וְדַיָּנִין דִּי לֶהֱוֺן דָּיְנִין• Ez.7:25

דִּינָה שפ״נ – בת יעקב: 1–8 • אֲחִי דִינָה 5
דִּינָה 1 וַתִּקְרָא אֶת־שְׁמָהּ דִּינָה Gen.30:21
2 וַתֵּצֵא דִינָה בַּת־לֵאָה Gen.34:1
3 כִּי טִמֵּא אֶת־דִּינָה בִתּוֹ Gen.34:5
4 אֲשֶׁר טִמֵּא אֵת דִּינָה אֲחֹתָם Gen.34:13
5 וַיִּקְחוּ...אֲחֵי דִינָה אִישׁ חַרְבּוֹ Gen.34:25
6 וַיִּקְחוּ אֶת־דִּינָה מִבֵּית שְׁכֶם Gen.34:26
7 יָלְדָה לְיַעֲקֹב...וְאֵת דִּינָה בִתּוֹ Gen.46:15
בְּדִינָה 8 וַתִּדְבַּק נַפְשׁוֹ בְּדִינָה בַּת־יַעֲקֹב Gen.34:3

דִּינָיֵא ארמית: בני עם שהושיב מלך אשור בשומרון
דִּינָיֵא 1 דִּינָיֵא וַאֲפַרְסַתְכָיֵא... Ez.4:9

דִּיפַת שפ״ז – מבני גֹּמֶר, הוא רִיפַת
וְדִיפַת 1 אַשְׁכְּנַז וְדִיפַת וְתוֹגַרְמָה ICh.1:6

דָּיֵק ז׳ מבנה למצור על עיר: 1–6
בָּנָה דָיֵק 1–5; נָתַן דָּיֵק 6
דָּיֵק 1/2 וַיִּבְנוּ עָלֶיהָ דָּיֵק סָבִיב IIK.25:1 • Jer.52:4
3 וְנָתַתָּה...מָצוֹר וּבָנִיתָ עָלֶיהָ דָּיֵק Ezek.4:2
4 בִּשְׁפֹּךְ סֹלְלָה וּבִבְנוֹת דָּיֵק Ezek.17:17
5 לִשְׁפֹּךְ סֹלְלָה לִבְנוֹת דָּיֵק Ezek.21:27
6 וְנָתַן עָלַיִךְ דָּיֵק וְשָׁפַךְ...סֹלְלָה Ezek.26:8

דַּיִשׁ ז׳ פעולת הדישה
דַּיִשׁ 1 וְהִשִּׂיג לָכֶם דַּיִשׁ אֶת־בָּצִיר Lev.26:5

דִּישׁוֹן¹ ז׳ אחד ממיני האנטילופה
וְדִישֹׁן 1 וְאַקּוֹ וְדִישֹׁן וּתְאוֹ וָזָמֶר Deut.14:5

דִּישׁוֹן² שפ״ז – מאלופי החורי בני שעיר: 1–7
דִּישֹׁן 1 וְאֵלֶּה בְנֵי־עֲנָה דִּשֹׁן Gen.36:25
2 אַלּוּף דִּשֹׁן אַלּוּף אֵצֶר Gen.36:30
3 בְּנֵי עֲנָה דִּישׁוֹן ICh.1:41
4 וּבְנֵי דִישׁוֹן חַמְרָן וְאֶשְׁבָּן ICh.1:41
5 בְּנֵי דִישׁוֹן עוּץ וַאֲרָן ICh.1:42
וְדִישׁוֹן 6 וְדִשׁוֹן וְאֵצֶר וְדִישָׁן Gen.36:21
7 וְדִישׁוֹן וְאֵצֶר וְדִישָׁן ICh.1:38

דִּישָׁן שפ״ז – מאלופי החורי – עין דִּישׁוֹן: 1–5
דִּישָׁן 1 וְאֵלֶּה בְּנֵי דִישָׁן חֶמְדָּן... Gen.36:26
2 אֵלֶּה בְנֵי־דִישָׁן עוּץ וַאֲרָן Gen.36:28
3 אַלּוּף אֵצֶר אַלּוּף דִּישָׁן Gen.36:30
וְדִישָׁן 4 וְדִשׁוֹן וְאֵצֶר וְדִישָׁן Gen.36:21
5 וְדִישׁוֹן וְאֵצֶר וְדִישָׁן ICh.1:38

דַּךְ ת׳ רצוץ, עשוק: 1–4
דַּךְ 1 אַל־יָשֹׁב דַּךְ נִכְלָם Ps.74:21
וָדָךְ 2 לִשְׁפֹּט יָתוֹם וָדָךְ Ps.10:18
לַדָּךְ 3 וִיהִי יי מִשְׂגָּב לַדָּךְ Ps.9:10
דַּכָּיו 4 לְשׁוֹן־שֶׁקֶר יִשְׂנָא דַכָּיו Prov.26:28

דֵּךְ מ״ג לזכר ארמית: זֶה: 1–6
1 אֱדַיִן שֵׁשְׁבַּצַּר דֵּךְ אֲתָא Ez.5:16
2/3 לְמִבְנֵא בֵּית־אֱלָהָא דֵךְ Ez.5:17; 6:8
4 שְׁבֻקוּ לַעֲבִידַת בֵּית־אֱלָהָא דֵךְ Ez.6:7
5/6 בֵּית־אֱלָהָא דֵךְ Ez.6:7, 12

דָּךְ מ״ג לנקבה ארמית: זאת: 1–7
1 דִּי הֵן קִרְיְתָא דָךְ תִּתְבְּנֵא Ez.4:13
2-6 קִרְיְתָא דָךְ Ez.4:15, 16², 19, 21
7 וַעֲבִידְתָּא דָךְ אָסְפַּרְנָא מִתְעַבְדָא Ez.5:8

דכא : נִדְכָּא, דִּכָּא, דֻּכָּא, הִדַּכָּא; דַּכָּא, דַּכָּא; דָּךְ?

(דכא) א) [נפ׳ נִדְכָּא] שפל, דך: 1
ב) [פ׳ דִּכָּא] השפיל, רוצץ: 3–12
ג) [פ׳ דֻּכָּא] הושפל, נשבר: 13–16
ד) [הת׳ הִדַּכָּא] נשבר: 17, 18

נִדְכָּאִים 1 וּלְהַחֲיוֹת לֵב נִדְכָּאִים Is.57:15
לְדַכֵּא 2 לְדַכֵּא תַּחַת רַגְלָיו Lam.3:34
דַּכְּאוֹ 3 וַיי חָפֵץ דַּכְּאוֹ הֶחֱלִי Is.53:10
דִּכִּאתָ 4 אַתָּה דִכִּאתָ כֶחָלָל רָהַב Ps.89:11
דִּכָּא 5 דִּכָּא לָאָרֶץ חַיָּתִי Ps.143:3
תְּדַכֵּא 6 וְאַל־תְּדַכֵּא עָנִי בַשָּׁעַר Prov.22:22
וִידַכֵּא 7 יוֹשִׁיעַ לִבְנֵי אֶבְיוֹן וִידַכֵּא עוֹשֵׁק Ps.72:4
וִידַכְּאֵנִי 8 וְיֹאֵל אֱלוֹהַּ וִידַכְּאֵנִי Job6:9
תְּדַכְּאוּ 9 מַה־לָּכֶם• תְּדַכְּאוּ עַמִּי Is.3:15
וּתְדַכְּאוּנַנִי 10 עַד־אָנָה...וּתְדַכְּאוּנַנִי בְמִלִּים Job19:2
יְדַכְּאוּ 11 עַמְּךָ יי יְדַכְּאוּ וְנַחֲלָתְךָ יְעַנּוּ Ps.94:5
יְדַכְּאוּם 12 יְדַכְּאוּם לִפְנֵי־עָשׁ Job4:19
דֻּכְּאוּ 13 לֹא דֻכְּאוּ עַד הַיּוֹם הַזֶּה Jer.44:10
מְדֻכָּא 14 מְחֹלָל מִפְּשָׁעֵנוּ מְדֻכָּא מֵעֲוֺנֹתֵינוּ Is.53:5
מְדֻכָּאִים 15 וְהָיוּ שָׁתֹתֶיהָ מְדֻכָּאִים Is.19:10
יְדֻכָּא 16 וּזְרֹעוֹת יְתֹמִים יְדֻכָּא Job22:9
וְיִדַּכְּאוּ 17 וְיִדַּכְּאוּ בַשַּׁעַר וְאֵין מַצִּיל Job5:4
וְיִדַּכָּאוּ 18 וְהָפַךְ לַיְלָה וְיִדַּכָּאוּ Job34:25

דַּכָּא¹ ז׳ דך, שפל: 1–3 • עַד דַּכָּא 2
דַּכָּא 1 וְאֶת־דַּכָּא וּשְׁפַל־רוּחַ Is.57:15
2 תָּשֵׁב אֱנוֹשׁ עַד־דַּכָּא Ps.90:3
דַּכְּאֵי־ 3 וְאֶת־דַּכְּאֵי־רוּחַ יוֹשִׁיעַ Ps.34:19

דַּכָּא² ז׳ אֶשֶׁךְ
דַּכָּא 1 לֹא־יָבֹא פְצוּעַ־דַּכָּא וּכְרוּת שָׁפְכָה Deut.23:2

דכה : דָּכָה, נִדְכָּה, דִּכָּה; דֳּכִי [עין גם דכא]

דָּכָה פ׳ א) נשבר, נדכא: 1
ב) [נפ׳ נִדְכָּה] נדכא, נשבר: 2, 3
ג) [פ׳ דִּכָּה] שִׁבֵּר, דכא: 4, 5

יִדְכֶּה 1 יִדְכֶּה (כת׳ ודכה) יָשֹׁחַ... Ps.10:10
וְנִדְכֵּיתִי 2 נְפוּגוֹתִי וְנִדְכֵּיתִי עַד־מְאֹד Ps.38:9
וְנִדְכֶּה 3 לֵב־נִשְׁבָּר וְנִדְכֶּה אֱל׳ לֹא תִבְזֶה Ps.51:19
דִּכִּיתָ 4 תָּגֵלְנָה עֲצָמוֹת דִּכִּיתָ Ps.51:10
דִכִּיתָנוּ 5 כִּי דִכִּיתָנוּ בִּמְקוֹם תַּנִּים Ps.44:10

דֳּכִי* ז׳ גל, מִשְׁבָּר
דָּכְיָם 1 יִשְׂאוּ נְהָרוֹת דָּכְיָם Ps.93:3

דִּכֵּן מ״ג לזו״נ ארמית: הַזֶּה, הַזֹּאת: 1–3
דִּכֵּן 1 צַלְמָא דִּכֵּן רַב וְזִיוֵהּ יַתִּיר Dan.2:31
2 וְקַרְנָא דִכֵּן וְעַיְנִין לַהּ Dan.7:20
3 וְקַרְנָא דִכֵּן עָבְדָא קְרָב Dan.7:21

דְּכַר* ז׳ ארמית: זכר בצאן, אַיִל: 1–3
דִּכְרִין 1 תּוֹרִין מְאָה דִּכְרִין מָאתַיִן Ez.6:17
2 תּוֹרִין דִּכְרִין אִמְּרִין Ez.7:17
וְדִכְרִין 3 וּבְנֵי תוֹרִין וְדִכְרִין וְאִמְּרִין Ez.6:9

דִּכְרוֹן ז׳ ארמית: זכרון

דִּכְרוֹנָה 1 וְכֵן כְּתִיב בְּגַוַּהּ דִּכְרוֹנָה Ez.6:2

דָּכְרָן* ז׳ ארמית: דבר רשום לזכרון: 1, 2

דָּכְרָנַיָּא 1 יְבַקַּר בִּסְפַר־דָּכְרָנַיָּא דִּי אֲבָהָתָךְ Ez.4:15

2 וּתְהַשְׁכַּח בִּסְפַר דָּכְרָנַיָּא וְתִנְדַּע Ez.4:15

דַּל[1] ז׳ א) עני, מחוסר אמצעים: רוב המקראות
ב) כחוש: 2, 47

קרובים: ראה אֶבְיוֹן

דַּל וְאֶבְיוֹן 3, 4; דַּל וְיָתוֹם 11; עָנִי וָדָל 24;
עַם דַּל 18; דַּל מֵבִין 21; זַעֲקַת דַּל 15; חוֹנֵן
דַּל 14; עוֹשֵׁק דַּל 13, 16, 36, 39; פְּנֵי דַל 7;
צַעֲקַת דַּל 20; בְּכוֹרֵי דַלִּים 32; דִּין דַּלִּים 41;
מְחִתַּת ד׳ 38; פַּעֲמֵי דַלִּים 33; רֹאשׁ דַּלִּים 35

דַּל 1 וְאִם־דַּל הוּא וְאֵין יָדוֹ מַשֶּׂגֶת Lev.14:21
2 מַדּוּעַ אַתָּה כָּכָה דַּל IISh.13:4
3 יָחֹס עַל־דַּל וְאֶבְיוֹן Ps.72:13
4 פַּלְּטוּ־דַל וְאֶבְיוֹן Ps.82:4
5 אַל־תִּגְזָל־דָּל כִּי דַל־הוּא Prov.22:22
6 ...אִם־דַּל וְאִם־עָשִׁיר Ruth 3:10
דָל 7 לֹא־תִשָּׂא פְנֵי־דָל Lev.19:15
8 מֵקִים מֵעָפָר דָּל ISh.2:8
9 לָכֵן יַעַן בּוֹשַׁסְכֶם עַל־דָּל Am.5:11
10 אַשְׁרֵי מַשְׂכִּיל אֶל־דָּל Ps.41:2
11 שִׁפְטוּ־דַל וְיָתוֹם Ps.82:3
12 מְקִימִי מֵעָפָר דָּל Ps.113:7
13 עֹשֵׁק דָּל חֵרֵף עֹשֵׂהוּ Prov.14:31
14 מַלְוֵה יְיָ חוֹנֵן דָּל Prov.19:17
15 אֹטֵם אָזְנוֹ מִזַּעֲקַת־דָּל Prov.21:13
16 עֹשֵׁק דָּל לְהַרְבּוֹת לוֹ Prov.22:16
17 אַל־תִּגְזָל־דָּל כִּי דַל־הוּא Prov.22:22
18 מוֹשֵׁל רָשָׁע עַל עַם־דָּל Prov.28:15
19 וְלֹא נִכַּר־שׁוֹעַ לִפְנֵי־דָל Job 34:19
20 לְהָבִיא עָלָיו צַעֲקַת־דָּל Job 34:28
וְדַל 21 וְדַל מֵבִין יַחְקְרֶנּוּ Prov.28:11
וְדָל 22 וְדָל לֹא תֶהְדַּר בְּרִיבוֹ Ex.23:3
23 וְדָל מֵרֵעֵהוּ יִפָּרֵד Prov.19:4
וָדָל 24 וְהִשְׁאַרְתִּי...עַם עָנִי וָדָל Zep.3:12
הַדַּל 25 הִנֵּה אַלְפִּי הַדַּל בִּמְנַשֶּׁה Jud.6:15
וְהַדַּל 26 וְהַדַּל לֹא יַמְעִיט Ex.30:15
לַדַּל 27 וַתְּהִי לַדַּל תִּקְוָה... Job 5:16
לַדָּל 28 כִּי־הָיִיתָ מָעוֹז לַדָּל Is.25:4
29 כִּי־נָתַן מִלַּחְמוֹ לַדָּל Prov.22:9
דַּלִּים 30 לְהַטּוֹת מִדִּין דַּלִּים Is.10:2
31 וְשָׁפַט בְּצֶדֶק דַּלִּים Is.11:4
32 וְרָעוּ בְּכוֹרֵי דַלִּים Is.14:30
33 רַגְלֵי עָנִי פַּעֲמֵי דַלִּים Is.26:6
34 אָמַרְתִּי אַךְ־דַּלִּים הֵם Jer.5:4
35 הַשֹּׁאֲפִים עַל־עֲפַר־א׳ בְּרֹאשׁ דַּלִּים Am.2:7
36 הָעֹשְׁקוֹת דַּלִּים הָרֹצְצוֹת אֶבְיוֹנִים Am.4:1
37 לִקְנוֹת בַּכֶּסֶף דַּלִּים Am.8:6
38 מְחִתַּת דַּלִּים רֵישָׁם Prov.10:15
39 גֶּבֶר רָשׁ וְעֹשֵׁק דַּלִּים Prov.28:3
40 לְחוֹנֵן דַּלִּים יִקְבְּצֶנּוּ Prov.28:8
41 יֹדֵעַ צַדִּיק דִּין דַּלִּים Prov.29:7
42 מֶלֶךְ שׁוֹפֵט בֶּאֱמֶת דַּלִּים Prov.29:14
43 בָּנָיו יְרַצּוּ דַלִּים Job 20:10
44 כִּי־רִצַּץ עָזַב דַּלִּים Job 20:19
45 אִם־אֶמְנַע מֵחֵפֶץ דַּלִּים Job 31:16
הַדַּלִּים 46 וּמִן־הָעָם הַדַּלִּים Jer.39:10
דַּלּוֹת 47 דַּלּוֹת וְרָעוֹת תֹּאַר מְאֹד Gen.41:19

דַּל[2] נ׳ דֶּלֶת

דַּל־ 1 שִׁיתָה יְיָ שָׁמְרָה לְפִי
נִצְּרָה עַל־דַּל שְׂפָתָי Ps.141:3

דלג : דָּלַג, דִּלֵּג

דָּלַג פָּ׳ א) קפץ: 1
ב) [פִּ׳ דִּלֵּג] כנ״ל: 2—5

הַדּוֹלֵג 1 וּפָקַדְתִּי עַל כָּל־הַדּוֹלֵג עַל־הַמִּפְתָּן Zep.1:9
מְדַלֵּג 2 מְדַלֵּג עַל־הֶהָרִים מְקַפֵּץ עַל־הַגְּבָעוֹת S.ofS.2:8
אֲדַלֶּג 3 בֵּאלֹהַי אֲדַלֶּג־שׁוּר IISh.22:30
4 וּבֵאלֹהַי אֲדַלֶּג־שׁוּר Ps.18:30
יְדַלֵּג 5 אָז יְדַלֵּג כָּאַיָּל פִּסֵּחַ Is.35:6

דלה : דָּלָה, דִּלָּה; דְּלִי, דַּלִּיָה, דָּלִית, דֶּלֶת, דַּל[2]

ש״פ דְּלָיָה, דְּלָיָהוּ

דָּלָה פָּ׳ א) שאב מים: 1—4
ב) [פִּ׳ דִּלָּה] העלה: 5, 6

דָּלֹה 1 וְגַם־דָּלֹה דָלָה לָנוּ Ex.2:19
דָּלָה 2 וְגַם־דָּלֹה דָלָה לָנוּ Ex.2:19
יִדְלֶנָּה 3 וְאִישׁ תְּבוּנָה יִדְלֶנָּה Prov.20:5
וַתִּדְלֶינָה 4 וַתִּדְלֶנָה וַתְּמַלֶּאנָה אֶת־הָרְהָטִים Ex.2:16
דִּלִּיתָנִי 5 אֲרוֹמִמְךָ יְיָ כִּי דִלִּיתָנִי Ps.30:2
דַּלְיוּ 6 דַּלְיוּ שֹׁקַיִם מִפִּסֵּחַ... Prov.26:7

דַּלָּה[1] נ׳ א) חוטי השתי של האורג: 1
ב) קווצת שערות: 2

מִדַּלָּה 1 קִפַּדְתִּי כָאֹרֵג חַיַּי מִדַּלָּה יְבַצְּעֵנִי Is.38:12
וְדַלַּת 2 וְדַלַּת רֹאשֵׁךְ כָּאַרְגָּמָן S.ofS.7:6

דַּלָּה[2] נ׳ שכבת הדלים והעניים: 1—5

דַּלַּת הָאָרֶץ 2, 3, 5; דַּלַּת הָעָם 1, 4

דַּלַּת־ 1 זוּלַת דַּלַּת עַם־הָאָרֶץ IIK.24:14
וּמִדַּלַּת 2 וּמִדַּלַּת הָאָרֶץ הִשְׁאִיר... IIK.25:12
3 אֲנָשִׁים וְנָשִׁים וָטָף וּמִדַּלַּת הָאָרֶץ Jer.40:7
וּמִדַּלּוֹת 4 וּמִדַּלּוֹת הָעָם וְאֶת־יֶתֶר הָעָם Jer.52:15
5 וּמִדַּלּוֹת הָאָרֶץ הִשְׁאִיר Jer.52:16

דָּלַח פָּ׳ עָכַר (מים צלולים): 1—3

וַתִּדְלַח 1 וַתִּדְלַח־מַיִם בְּרַגְלֶיךָ Ezek.32:2
תִּדְלָחֵם 2 וְלֹא תִדְלָחֵם רֶגֶל־אָדָם עוֹד Ezek.32:13
3 וּפַרְסוֹת בְּהֵמָה לֹא תִדְלָחֵם Ezek.32:13

דְּלִי ז׳ כלי לשאיבת מים

מִדְּלִי 1 הֵן גּוֹיִם כְּמַר מִדְּלִי Is.40:15
מִדָּלְיָו 2 יִזַּל־מַיִם מִדָּלְיָו Num.24:7

דְּלָיָה שפ״ז א) אבי משפחה שעלתה עם זרובבל: 1, 2
ב) אבי בן דורו של נחמיה: 3
ג) מצאצאי זרובבל: 4

דְלָיָה 1/2 בְּנֵי־דְלָיָה בְנֵי־טוֹבִיָּה Ez.2:60 • Neh.7:62
3 וַאֲנִי בָאתִי בֵּית שְׁמַעְיָה בֶּן־דְּלָיָה Neh.6:10
וּדְלָיָה 4 וְיוֹחָנָן וּדְלָיָה וַעֲנָנִי ICh.3:24

דְּלָיָהוּ שפ״ז א) אבי מחלקת כהנים בימי דוד: 1
ב) שר בימי יהויקים: 2, 3

וּדְלָיָהוּ 1 אֱלִישָׁמָע...וּדְלָיָהוּ בֶּן־שְׁמַעְיָהוּ Jer.36:12
2 וּדְלָיָהוּ וּגְמַרְיָהוּ הִפְגִּעוּ בַמֶּלֶךְ Jer.36:25
לִדְלָיָהוּ 3 לִדְלָיָהוּ שְׁלֹשָׁה וְעֶשְׂרִים ICh.24:18

דְּלִילָה שפ״נ — אהובתו של שמשון שהסגירתו
בידי הפלשתים: 1—6

דְּלִילָה 1 וַיֶּאֱהַב אִשָּׁה...וּשְׁמָהּ דְּלִילָה Jud.16:4
4-2 וַתֹּאמֶר דְּלִילָה אֶל־שִׁמְשׁוֹן Jud.16:6,10,13
5 וַתִּקַּח דְּלִילָה עֲבֹתִים חֲדָשִׁים Jud.16:12
6 וַתֵּרֶא דְּלִילָה כִּי־הִגִּיד לָהּ... Jud.16:18

דָּלִית*, דָּלִיָּה* נ׳ ענף, זמורה של זית(1), של גפן (8,2)
או של ארז (3—7)

דָּלִיּוֹתָיו 1 זַיִת רַעֲנָן...וְרָעוּ דָּלִיּוֹתָיו Jer.11:16
2 לִפְנוֹת דָּלִיּוֹתָיו אֵלָיו Ezek.17:6
3 בְּצֵל דָּלִיּוֹתָיו תִּשְׁכֹּנָּה Ezek.17:23
4 וַיֵּרָא בְגָבְהוֹ בְּרֹב דָּלִיֹּתָיו Ezek.19:11
5 וַיְּיִף בְּגָדְלוֹ בְּאֹרֶךְ דָּלִיּוֹתָיו Ezek.31:7
6 יָפֶה עֲשִׂיתִיו בְּרֹב דָּלִיּוֹתָיו Ezek.31:9
7 וּבְכָל־גֵּאָיוֹת נָפְלוּ דָלִיּוֹתָיו Ezek.31:12
וְדָלִיּוֹתָיו 8 וְדָלִיּוֹתָיו שִׁלְּחָה־לוֹ Ezek.17:7

דלל : דָּלַל, דַּל; דַּלּוּ, דַּלָּה, דַּלִּי, דַּלָּה; ש״פ דְּלִילָה

דָּלַל פָּ׳ א) התמעט: 4
ב) נחלש, התרושש: 1—3, 6—9
ג) כָּלָה: 5

דַּלּוֹתִי 1 דַּלּוֹתִי וְלִי יְהוֹשִׁיעַ Ps.116:6
2 הַקְשִׁיבָה...כִּי־דַלּוֹתִי מְאֹד Ps.142:7
דַּלּוֹנוּ 3 ...כִּי דַלּוֹנוּ מְאֹד Ps.79:8
דָּלְלוּ 4 דָּלְלוּ וְחָרְבוּ יְאֹרֵי מָצוֹר Is.19:6
דַּלּוּ 5 דַּלּוּ עֵינַי לַמָּרוֹם Is.38:14
6 דַּלּוּ מֵאֱנוֹשׁ נָעוּ Job 28:4
יִדַּל 7 בַּיּוֹם הַהוּא יִדַּל כְּבוֹד יַעֲקֹב Is.17:4
וַיִּדַּל 8 וַיִּדַּל יִשְׂרָאֵל מְאֹד מִפְּנֵי מִדְיָן Jud.6:6
וְדַלִּים 9 וּבֵית שָׁאוּל הֹלְכִים וְדַלִּים IISh.3:1

דִּלְעָן עיר בנחלת יהודה

וְדִלְעָן 1 וְדִלְעָן וְהַמִּצְפֶּה וְיָקְתְאֵל Josh.15:38

דלף : דָּלַף; דֶּלֶף; ש״פ דַּלְפוֹן (?), יִדְלֹף

דָּלַף פָּ׳ טפטף, זלג: 1—3

דָּלַף הַבַּיִת 3; דָּלְפָה נַפְשׁוֹ 1; דָּלְפָה עֵינוֹ 2

דָּלְפָה 1 דָּלְפָה נַפְשִׁי מִתּוּגָה Ps.119:28
2 אֶל־אֱלוֹהַּ דָּלְפָה עֵינִי Job 16:20
יִדְלֹף 3 וּבְשִׁפְלוּת יָדַיִם יִדְלֹף הַבָּיִת Eccl.10:18

דֶּלֶף ז׳ טפטוף מים 1, 2

דֶּלֶף 1 דֶּלֶף טוֹרֵד בְּיוֹם סַגְרִיר Prov.27:15
וְדֶלֶף 2 וְדֶלֶף טֹרֵד מִדְיְנֵי אִשָּׁה Prov.19:13

דַּלְפוֹן שפ״ז — השני מבני המן

דַּלְפוֹן 1 וְאֵת דַּלְפוֹן וְאֵת אַסְפָּתָא Es.9:7

דלק : דָּלַק, הִדְלִיק; דַּלֶּקֶת; אר׳ דְּלַק

דָּלַק פָּ׳ א) בער, שרף: 3, 5, 7
ב) רדף: 1, 2, 4
ג) [הִפְ׳ הִדְלִיק] הבעיר: 8, 9

דָּלַק אַחֲרֵי 1, 2; דָּלַק (אֶת־) 4, 7

מִדְּלֹק 1 וַיָּשֻׁבוּ בְּנֵי יִשׂ׳ מִדְּלֹק אַחֲרֵי פְלִשְׁתִּים ISh.17:53
דָלַקְתָּ 2 מַה חַטָּאתִי כִּי דָלַקְתָּ אַחֲרָי Gen.31:36
וְדָלְקוּ 3 וְדָלְקוּ בָהֶם וַאֲכָלוּם Ob.18
דְּלָקֻנוּ 4 עַל־הֶהָרִים דְּלָקֻנוּ Lam.4:19
דֹּלְקִים 5 שְׂפָתַיִם דֹּלְקִים וְלֶב־רָע Prov.26:23
לְדֹלְקִים 6 חִצָּיו לְדֹלְקִים יִפְעָל Ps.7:14
יִדְלַק 7 בְּגַאֲוַת רָשָׁע יִדְלַק עָנִי Ps.10:2
יַדְלִיקֵם 8 מְאַחֲרֵי בַנֶּשֶׁף יַיִן יַדְלִיקֵם Is.5:11
הַדְלֵק 9 הַרְבֵּה הָעֵצִים הַדְלֵק הָאֵשׁ Ezek.24:10

דְּלַק פְּ׳ ארמית: כמו בעברית: בָּעַר

דָּלִק 1 ...גַּלְגִּלּוֹהִי נוּר דָּלִק Dan.7:9

דַּלֶּקֶת נ׳ מחלת חום גבוה

וּבַדַּלֶּקֶת 1 בַּשַּׁחֶפֶת וּבַקַּדַּחַת וּבַדַּלֶּקֶת Deut.28:22

דֶּלֶת נ׳ א) לוח סובב על ציר לסגור הפתח: כל המקראות [להוציא:] ב) עמוד של מגילה: 47

– דְּלָתַיִם וּבְרִיחַ 24, 25, 27, 30, 31; דַּלְתֵי בִטְנִי 35; דַּלְתֵי הַבַּיִת 38-41; ד׳ פָּנָיו 36; ד׳ שָׁמַיִם 37

– דַּלְתוֹת בֵּית־יְיָ 61, 72, 73; ד׳ הַהֵיכָל 69, 71; ד׳ נְחוּשָׁה 67; ד׳ הָעֲלִיָּה 57—59; ד׳ הָעַמִּים 68; ד׳ עֲצֵי־שֶׁמֶן 63—64; ד׳ הַשַּׁעַר 62, 75, 77

– הֵגִיף דֶּלֶת 54; הֶעֱמִיד דֶּלֶת 51, 53, 79—84; הִצִּיב ד׳ 44, 45; חִפָּה ד׳ 86; נָעַל ד׳ 4, 5, 57; נִשְׁבְּרָה ד׳ 68; סָבְבָה הַד׳ 15; סָגַר ד׳ 8—11, 18, 22, 28, 57, 72, 74; סָגְרוּ דְלָתַיִם 29; פָּתַח דֶּלֶת 12, 13, 26, 37, 42, 43, 59—61; פִּתֵּחַ ד׳ 36; צִפָּה ד׳ 87; קִצֵּץ ד׳ 66; שָׁבַר ד׳ 16; שִׁבֵּר ד׳ 70

– הִתְדַּפֵּק עַל דֶּלֶת 17; שָׁקַד עַל דַּלְתוֹתָיו 78

דֶּלֶת 1 וְאִם־דֶּלֶת הִיא נָצוּר עָלֶיהָ לוּחַ אָרֶז S.ofS.8:9
הַדֶּלֶת 2 וְאֶת־הַדֶּלֶת סָגָרוּ Gen.19:10
3 וְהִגִּישׁוֹ אֶל־הַדֶּלֶת אוֹ אֶל־הַמְּזוּזָה Ex.21:6
4 וּנְעֹל הַדֶּלֶת אַחֲרֶיהָ IISh.13:17
5 וְנָעַל הַדֶּלֶת אַחֲרֶיהָ IISh.13:18
6 שְׁנֵי צְלָעִים הַדֶּלֶת הָאַחַת גְּלִילִים IK.6:34
7 וּשְׁנֵי קְלָעִים הַדֶּלֶת הַשֵּׁנִית גְּלִילִים IK.6:34
8 וְסָגַרְתְּ הַדֶּלֶת בַּעֲדֵךְ וּבְעַד־בָּנַיִךְ IIK.4:4
9 וַתִּסְגֹּר הַדֶּלֶת בַּעֲדָהּ וּבְעַד בָּנֶיהָ IIK.4:5
10 וַיִּסְגֹּר הַדֶּלֶת בְּעַד שְׁנֵיהֶם IIK.4:33
11 סִגְרוּ הַדֶּלֶת וּלְחַצְתֶּם אֹתוֹ בַּדֶּלֶת IIK.6:32
12 וּפָתַחְתָּ הַדֶּלֶת וְנַסְתָּה IIK.9:3
13 וַיִּפְתַּח הַדֶּלֶת וַיָּנֹס IIK.9:10
14 וְאַחַר הַדֶּלֶת...שַׂמְתְּ זִכְרוֹנֵךְ Is.57:8
15 הַדֶּלֶת תִּסּוֹב עַל־צִירָהּ Prov.26:14
הַדָּלֶת 16 וַיִּגְּשׁוּ לִשְׁבֹּר הַדָּלֶת Gen.19:9
17 מִתְדַּפְּקִים עַל־הַדָּלֶת Jud.19:22
וְהַדֶּלֶת 18 וְהַדֶּלֶת סָגַר אַחֲרָיו Gen.19:6
בַּדֶּלֶת 19 וּלְחַצְתֶּם אֹתוֹ בַּדֶּלֶת IIK.6:32
וּבַדֶּלֶת 20 וְנָתַתָּה בְאָזְנוֹ וּבַדֶּלֶת Deut.15:17
לְדֶלֶת 21 שְׁתַּיִם...לְדֶלֶת אֶחָת... Ezek.41:24
דְּלָתְךָ 22 וּסְגֹר דְּלָתְךָ (כת׳ דלתיך) בַּעֲדֶךָ Is.26:20
בְּדַלְתּוֹ 23 וַיִּקֹּב חֹר בְּדַלְתּוֹ IIK.12:10
דְּלָתַיִם 24 חוֹמָה גְבֹהָה דְּלָתַיִם וּבְרִיחַ Deut.3:5
25 נִסְגַּר לָבוֹא בְּעִיר דְּלָתַיִם וּבְרִיחַ ISh.23:7
26 לִפְתֹּחַ לְפָנָיו דְּלָתַיִם Is.45:1
27 לֹא־דְלָתַיִם וְלֹא־בְרִיחַ לוֹ Jer.49:31
28 מִי גַם־בָּכֶם וְיִסְגֹּר דְּלָתַיִם IK.1:10
29 וְסֻגְּרוּ דְלָתַיִם בַּשּׁוּק Eccl.12:4
30 חוֹמוֹת דְּלָתַיִם וּבְרִיחַ IICh.8:5
31 חוֹמָה וּמִגְדָּלִים דְּלָתַיִם וּבְרִיחִים IICh.14:6
וּדְלָתַיִם 32 וּבְרִיחַ וּדְלָתַיִם אֵין לָהֶם Ezek.38:11
וּדְלָתָיִם 33 וָאָשִׂים בְּרִיחַ וּדְלָתָיִם Job38:10
בִּדְלָתַיִם 34 וַיָּסֶךְ בִּדְלָתַיִם יָם Job38:8
דַּלְתֵי־ 35 כִּי לֹא סָגַר דַּלְתֵי בִטְנִי Job3:10
36 דַּלְתֵי פָנָיו מִי פִתֵּחַ Job41:6
וְדַלְתֵי־ 37 וְדַלְתֵי שָׁמַיִם פָּתָח Ps.78:23
38 וְדַלְתֵי הַבַּיִת לַהֵיכָל זָהָב IICh.4:22
לְדַלְתֵי־ 39 וְהַפֹּתוֹת...לְדַלְתֵי הַבַּיִת לַהֵיכָל IK.7:50
מִדַּלְתֵי־ 40 אֲשֶׁר־יֵצֵא מִדַּלְתֵי בֵיתְךָ הַחוּצָה Josh.2:19
41 אֲשֶׁר יֵצֵא מִדַּלְתֵי בֵיתִי לִקְרָאתִי Jud.11:31
דְּלָתַי 42 דְּלָתַי לָאֹרַח אֶפְתָּח Job31:32
דְּלָתֶיךָ 43 פְּתַח לְבָנוֹן דְּלָתֶיךָ Zech.11:1
דְּלָתֶיהָ 44 ...וּבִצְעִירוֹ יַצִּיב דְּלָתֶיהָ Josh.6:26
45 וּבִשְׂגוּב· צְעִירוֹ הִצִּיב דְּלָתֶיהָ IK.16:34
דְּלָתוֹת 46 כִּקְרוֹא יְהוּדִי שָׁלֹשׁ דְּלָתוֹת וְאַרְבָּעָה Jer.36:23
47 וּשְׁתַּיִם דְּלָתוֹת לַהֵיכָל וְלַקֹּדֶשׁ Ezek.41:23
48 וּשְׁתַּיִם דְּלָתוֹת לַדְּלָתוֹת Ezek.41:24
49 שְׁתַּיִם מוּסַבּוֹת דְּלָתוֹת... Ezek.41:24
50 וּשְׁתֵּי דְלָתוֹת לָאַחֶרֶת Ezek.41:24
51 דְּלָתוֹת לֹא־הֶעֱמַדְתִּי בַשְּׁעָרִים Neh.6:1
וּדְלָתוֹת 52 וַיַּעַשׂ...וּדְלָתוֹת לָעֲזָרָה IICh.4:9
הַדְּלָתוֹת 53 וָאַעֲמִיד הַדְּלָתוֹת Neh.7:1
54 יָגִיפוּ הַדְּלָתוֹת וֶאֱחֹזוּ Neh.7:3
55 וָאֹמְרָה וַיִּסָּגְרוּ הַדְּלָתוֹת Neh.13:19
לַדְּלָתוֹת 56 וּשְׁתַּיִם דְּלָתוֹת לַדְּלָתוֹת Ezek.41:24
דַּלְתוֹת־ 57 וַיִּסְגֹּר דַּלְתוֹת הָעֲלִיָּה בַּעֲדוֹ וְנָעָל Jud.3:23
58 וְהִנֵּה דַּלְתוֹת הָעֲלִיָּה נְעֻלוֹת Jud.3:24
59 וְהִנֵּה אֵינֶנּוּ פֹּתֵחַ דַּלְתוֹת הָעֲלִיָּה Jud.3:25
60 וַיִּפְתַּח דַּלְתוֹת הַבַּיִת Jud.19:27
61 וַיִּפְתַּח אֶת־דַּלְתוֹת בֵּית־יְיָ ISh.3:15
62 וַיְתָו עַל־דַּלְתוֹת הַשַּׁעַר ISh.21:14
63/4 דַּלְתוֹת עֲצֵי־שָׁמֶן IK.6:31,32
65 וּשְׁתֵּי דַלְתוֹת עֲצֵי בְרוֹשִׁים IK.6:34
66 קִצַּץ...אֶת־דַּלְתוֹת הֵיכַל יְיָ IIK.18:16
67 דַּלְתוֹת נְחוּשָׁה אֲשַׁבֵּר Is.45:2
68 נִשְׁבְּרָה דַּלְתוֹת הָעַמִּים Ezek.26:2
69 אֶל־דַּלְתוֹת הַהֵיכָל כְּרוּבִים Ezek.41:25
70 כִּי־שִׁבַּר דַּלְתוֹת נְחֹשֶׁת Ps.107:16
71 וְנִסְגְּרָה דַּלְתוֹת הַהֵיכָל Neh.6:10
72 וַיִּסְגֹּר אֶת־דַּלְתוֹת בֵּית־יְיָ IICh.28:24
73 פָּתַח אֶת־דַּלְתוֹת בֵּית־יְיָ IICh.29:3
74 גַּם סָגְרוּ דַּלְתוֹת הָאוּלָם IICh.29:7
בְּדַלְתוֹת־ 75 וַיֶּאֱחֹז בְּדַלְתוֹת שַׁעַר־הָעִיר Jud.16:3
לְדַלְתוֹת־ 76 וְהַפֹּתוֹת לְדַלְתוֹת הַבַּיִת IK.7:50
77 לְדַלְתוֹת הַשְּׁעָרִים וְלַמְחַבְּרוֹת ICh.22:3(2)
דַּלְתוֹתַי 78 לִשְׁקֹד עַל־דַּלְתוֹתַי יוֹם יוֹם Prov.8:34
דַּלְתוֹתָיו 79-82 וַיַּעֲמִידוּ דַּלְתֹתָיו Neh.3:1,3,6,13
83/4 וְיַעֲמִיד דַּלְתֹתָיו... Neh.3:14,15
85 וּפֶתַח הַבַּיִת דַּלְתוֹתָיו הַפְּנִימִיּוֹת IICh.4:22
וְדַלְתוֹתָיו 86 וַיְחַף...וְקִירוֹתָיו וְדַלְתוֹתָיו זָהָב IICh.3:7
וְדַלְתוֹתֵיהֶם 87 וְדַלְתוֹתֵיהֶם צִפָּה נְחֹשֶׁת IICh.4:9

דָּם ז׳ א) הנוזל האדום שבכל גוף חי, (ובהשאלה) סמל לחיים: רוב המקראות ב) מיץ, עסיס: 187, 201

– דָּם וָאֵשׁ 41; חֵלֶב וָדָם 4, 60, 61; דֶּבֶר וָדָם 58, 59, 140; דָּם חִנָּם 18; דָּם נָקִי 15—17, 21, 22, 25, 26, 42—45, 50—51, 57, 97, 127; גֹּאֵל הַדָּם 13, 82—93; זוֹב דָּם 266; חֲצִי הַדָּם 68, 69

– דַּם אֶבְיוֹנִים 178; ד׳ הָאָדָם 158; ד׳ אֲנָשִׁים 191/2; דַּם הָאָשָׁם 166/7, 212/3; ד׳ בָּנָיו 183; ד׳ בְּנוֹתָיו 183; ד׳ בְּרִית 160, 198; ד׳ בָּשָׂר 168; ד׳ זֶבַח 159, 161, 175, 186, 214, 215; ד׳ חֲזִיר 177; ד׳ חַטָּאת 204, 209—211, 217; ד׳ חָלָל 185, 214, 215; ד׳ חֵמָה 181; ד׳ כָּרִים 216; ד׳ מַכָּה 173; ד׳ נָבוֹת 172; ד׳ הַנָּקִי 170, 176, 180; ד׳ נֶפֶשׁ 178, 200; ד׳ נְקִיִּים 179; ד׳ נְשִׂיאִים 189; ד׳ עֲבָדָיו 171, 182; ד׳ עוֹלָה 174; ד׳ עֵנָב 187; ד׳ עֲנָבִים 201; ד׳ עֲשָׂהאֵל 197; ד׳ עַתּוּדִים 190, 216; ד׳ פַּר (פָּרִים) 162, 188, 202, 203, 205—208; ד׳ צַדִּיקִים 184; ד׳ צִפּוֹר 193—195; ד׳ קִנְאָה 181; ד׳ רֵעֵהוּ 169; דַּם רָשָׁע 199; ד׳ שְׁבִיָּה 214; דַּם הַשְּׁלָמִים 163—165; דַּם שָׂעִיר 218

– אִישׁ דָּמִים 295, 301, 311; אַנְשֵׁי ד׳ 303—307; בֵּית הַד׳ 312; דּוֹרֵשׁ ד׳ 302; חֲתַן ד׳ 289, 290; מְקוֹר ד׳ 352, 353; מִשְׁפַּט ד׳ 298; עִיר דָּמִים 300, 313-315

– דְּמֵי אַבְנֵר 341; ד׳ אָדָם 342/3; ד׳ אָחִיו 325-326; ד׳ בֵּית שָׁאוּל 328; ד׳ בָּנִים 334, 339, 340; ד׳ חִנָּם 331; ד׳ טָהֳרָה 327, 338; ד׳ יִזְרְעֶאל 336; ד׳ יְרוּשָׁלַיִם 335; ד׳ מִלְחָמָה 329, 330; ד׳ נָבוֹת 333; דְּמֵי עֲבָדָיו 332, 337

– אָכַל דָּם 4—6, 10—12, 79, 81, 98—101, 232, 248; אָרַב דָּם 46; הֵבִיא ד׳ 243, 265, 277; הוֹצִיא דָּם 47; זָרַק דָּם 40, 69, 70, 74/5, 78, 236—239, 242, 278; חָטָא דָּם 284; יָצַק דָּם 72-73; לָקַק דָּם 225, 253; נִמְצָה ד׳ 240; נָפַל ד׳ 219; נִקָּה דָּם 280; נָקַם ד׳ 171; עָלַע דָּם 48; שָׁפַךְ דָּם 1, 9, 15, 18, 19, 21, 25, 27—36, 42, 44—45, 50—51, 54, 71, 95, 101, 102, 152, 158, 162, 176, 180, 182, 184, 186, 196, 231, 233, 241, 245, 263—264, 281, 283, 308; שָׁתָה דָּם 38, 39

– דָּמוֹ בְּרֹאשׁוֹ 224, 249, 250, 254, 360; דָּמוֹ עַל רֹאשׁוֹ 223, 252; הִתְבּוֹסֵס בְּדָמוֹ 230, 345; בָּא בְדָמִים 316, 317

דָּם 1 אַל־תִּשְׁפְּכוּ־דָם Gen.37:22
2 וּנְטֵה־יָדְךָ עַל־מֵימֵי מִצְ׳ וְיִהְיוּ־דָם Ex.7:19
3 וְהָיָה דָם בְּכָל־אֶרֶץ מִצְרַיִם Ex.7:19
4 כָּל־חֵלֶב וְכָל־דָּם לֹא תֹאכֵלוּ Lev.3:17
5 וְכָל־דָּם לֹא תֹאכְלוּ Lev.7:26
6 כָּל־נֶפֶשׁ אֲשֶׁר־תֹּאכַל כָּל־דָּם Lev.7:27
7 דָּם יִהְיֶה זֹבָהּ בִּבְשָׂרָהּ Lev.15:19
8/9 דָּם יֵחָשֵׁב לָאִישׁ הַהוּא דָּם שָׁפָךְ Lev.17:4
10 וְאִישׁ...אֲשֶׁר יֹאכַל כָּל־דָּם Lev.17:10
11 כָּל־נֶפֶשׁ מִכֶּם לֹא־תֹאכַל דָּם Lev.17:12
12 וְהַגֵּר...בְּתוֹכְכֶם לֹא־יֹאכַל דָּם Lev.17:12
13 וְרָצַח גֹּאֵל הַדָּם...אֵין לוֹ דָּם Num.35:27
14 כִּי יִפָּלֵא מִמְּךָ...בֵּין־דָּם לְדָם Deut.17:8
15 וְלֹא יִשָּׁפֵךְ דָּם נָקִי Deut.19:10
16 וְאַל־תִּתֵּן דָּם נָקִי בְּקֶרֶב עַמְּךָ יִשׂ׳ Deut.21:8
17 אָרוּר...לְהַכּוֹת נֶפֶשׁ דָּם נָקִי Deut.27:25
18 וְלִשְׁפָּךְ־דָּם חִנָּם ISh.25:31
19 ...עַד־שְׁפָךְ־דָּם עֲלֵיהֶם IK.18:28
20 וַיֹּאמְרוּ דָּם זֶה IIK.3:23
21 וְגַם דָּם נָקִי שָׁפַךְ מְנַשֶּׁה IIK.21:16
22 וַיְמַלֵּא אֶת יְרוּשָׁלַםִ דָּם נָקִי IIK.24:4
23 כִּי מֵי דִימוֹן מָלְאוּ דָם Is.15:9
24 חֶרֶב לַייָ מָלְאָה דָם Is.34:6
25 וִימַהֲרוּ לִשְׁפֹּךְ דָּם נָקִי Is.59:7
26 דָם נָקִי אַתֶּם נֹתְנִים עֲלֵיכֶם Jer.26:15
27 מִשְׁפְּטֵי נֹאֲפוֹת וְשֹׁפְכֹת דָּם Ezek.16:38
28-36 שָׁפַךְ (שׁוֹפֵךְ, לִשְׁפֹּךְ וכו׳) דָּם Ezek.18:10
22:3,6,9,12,27; 23:45 • Prov.1:16 • ICh.22:8(7)
37 אִם־לֹא דָם שָׂנֵאתָ וְדָם יִרְדֲּפֶךָ Ezek.35:6
38 וַאֲכַלְתֶּם בָּשָׂר וּשְׁתִיתֶם דָּם Ezek.39:17
39 וּשְׁתִיתֶם דָּם לְשִׁכָּרוֹן Ezek.39:19
40 וְלִזְרֹק עָלָיו דָּם Ezek.43:18
41 דָּם וָאֵשׁ וְתִימְרוֹת עָשָׁן Joel3:3
42 אֲשֶׁר שָׁפְכוּ דָם־נָקִיא בְּאַרְצָם Joel4:19
43 וְאַל־תִּתֵּן עָלֵינוּ דָּם נָקִיא Jon.1:14
44 וַיִּשְׁפְּכוּ דָם נָקִי Ps.106:38
45 וְיָדַיִם שֹׁפְכוֹת דָּם נָקִי Prov.6:17
46 דִּבְרֵי רְשָׁעִים אֱרָב־דָּם Prov.12:6
47 וּמִיץ־אַף יוֹצִיא דָם Prov.30:33
48 וְאֶפְרֹחָו יְעַלְעוּ־דָם Job39:30
49 וְכָל־רִיב...בֵּין־דָּם לְדָם IICh.19:10
וְדָם 50/51 וְדָם נָקִי אַל־תִּשְׁפְּכוּ Jer.7:6; 22:3
52 כִּי נִאֵפוּ וְדָם בִּידֵיהֶן Ezek.23:37
53 כִּי נֹאֲפֹת הֵנָּה וְדָם בִּידֵיהֶן Ezek.23:45

וְדָם (המשך)
54 עַל־הַדָּם תֹּאכֵלוּ...וְדָם תִּשְׁפֹּכוּ Ezek. 33:25
55 כִּי־לְדָם אֶעֶשְׂךָ וְדָם יִרְדֳּפֶךָּ Ezek. 35:6
56 אִם־לֹא דָם שָׂנֵאתָ וְדָם יִרְדֳּפֶךָּ Ezek. 35:6
57 וְדָם נָקִי יַרְשִׁיעוּ Ps. 94:21
וָדָם 58 וְדֶבֶר וָדָם יַעֲבָר־בָּךְ Ezek. 5:17
59 וְשִׁלַּחְתִּי־בָהּ דֶּבֶר וָדָם בְּחוּצוֹתֶיהָ Ezek. 28:23
60 בְּהַקְרִיבְכֶם...לַחְמִי חֵלֶב וָדָם Ezek. 44:7
61 לְהַקְרִיב לִי חֵלֶב וָדָם Ezek. 44:15
הַדָּם 62 וַיְהִי הַדָּם בְּכָל־אֶרֶץ מִצְרָיִם Ex. 7:21
63 וְלָקְחוּ מִן־הַדָּם וְנָתְנוּ Ex. 12:7
64 וְהָיָה הַדָּם לָכֶם לְאֹת עַל הַבָּתִּים Ex. 12:13
65 וְרָאִיתִי אֶת־הַדָּם וּפָסַחְתִּי Ex. 12:13
66 ...מִן־הַדָּם אֲשֶׁר בַּסַּף Ex. 12:22
67 וְרָאָה אֶת־הַדָּם עַל־הַמַּשְׁקוֹף Ex. 12:23
68 וַיִּקַּח מֹשֶׁה חֲצִי הַדָּם וַיָּשֶׂם בָּאַגָּנֹת Ex. 24:6
69 וַחֲצִי הַדָּם זָרַק עַל־הַמִּזְבֵּחַ Ex. 24:6
70 וַיִּקַּח מֹשֶׁה אֶת־הַדָּם וַיִּזְרֹק Ex. 24:8
71 וְאֶת־כָּל־הַדָּם תִּשְׁפֹּךְ Ex. 29:12
72/3 וְאֶת־הַדָּם יָצַק Lev. 8:15; 9:9
74/5 וַיִּזְרֹק מֹשֶׁה אֶת־הַדָּם Lev. 8:19,24
76 יַזֶּה...מִן־הַדָּם בְּאֶצְבָּעוֹ Lev. 16:14
77 וְהִזָּה עָלָיו מִן־הַדָּם בְּאֶצְבָּעוֹ Lev. 16:19
78 וְזָרַק הַכֹּהֵן אֶת־הַדָּם Lev. 17:6
79 ...בַּנֶּפֶשׁ הָאֹכֶלֶת אֶת־הַדָּם Lev. 17:10
80 כִּי־הַדָּם הוּא בַּנֶּפֶשׁ יְכַפֵּר Lev. 17:11
81 לֹא תֹאכְלוּ עַל־הַדָּם Lev. 19:26
82 גֹּאֵל הַדָּם הוּא יָמִית אֶת־הָרֹצֵחַ Num. 35:19
83-93 (מ) גֹּאֵל הַדָּם Num. 35:21,24,25,27^{2}
Deut. 19:6,12 • Josh. 20:3,5,9 • IISh. 14:11
94 כִּי הַדָּם הוּא הַנָּפֶשׁ Deut. 12:23
95 יָדֵינוּ לֹא שָׁפְכוּ אֶת־הַדָּם הַזֶּה Deut. 21:7
96 וְנִכַּפֵּר לָהֶם הַדָּם Deut. 21:8
97 תְּבַעֵר הַדָּם הַנָּקִי מִקִּרְבֶּךָ Deut. 21:9
98 וַיֹּאכַל הָעָם עַל־הַדָּם ISh. 14:32
99 חֹטְאִים לַייָ לֶאֱכֹל עַל־הַדָּם ISh. 14:33
100 וְלֹא־תֶחֶטְאוּ...לֶאֱכֹל אֶל־הַדָּם ISh. 14:34
101 עַל־הַדָּם תֹּאכֵלוּ...וְדָם תִּשְׁפֹּכוּ Ezek. 33:25
102 עַל־הַדָּם אֲשֶׁר־שָׁפְכוּ Ezek. 36:18
103 וַיְקַבְּלוּ הַכֹּהֲנִים אֶת־הַדָּם IICh. 29:22
104-125 הַדָּם Ex. 29:20,21 • Lev. 1:5^{2}; 3:2
4:6,7,17,18^{2}; 8:15,24,30; 9:9,12,18 • Num. 35:33 •
Deut. 12:16,23 • IICh. 29:22^{2}; 30:16
וְהַדָּם 126 וְעָשִׂיתָ עֹלֹתֶיךָ הַבָּשָׂר וְהַדָּם Deut. 12:27
בְּדָם 127 וְלָמָּה תֶחֱטָא בְּדָם נָקִי ISh. 19:5
128 וְהוֹרַדְתָּ אֶת־שֵׂיבָתוֹ בְּדָם שְׁאוֹל IK. 2:9
129 וְשָׁפַכְתִּי חֲמָתִי עָלֶיהָ בְּדָם Ezek. 14:19
130 לְמַעַן תִּמְחַץ רַגְלְךָ בְּדָם Ps. 68:24
בַּדָּם 131 וַיִּטְבְּלוּ אֶת־הַכֻּתֹּנֶת בַּדָּם Gen. 37:31
132 וּטְבַלְתֶּם בַּדָּם אֲשֶׁר־בַּסַּף Ex. 12:22
133 וְטָבַל הַכֹּהֵן אֶת־אֶצְבָּעוֹ בַּדָּם Lev. 4:6
134 וְהַנִּשְׁאָר בַּדָּם יִמָּצֵה אֶל־יְסוֹד... Lev. 5:9
135 וַיִּטְבֹּל אֶצְבָּעוֹ בַּדָּם Lev. 9:9
136 כִּי־נֶפֶשׁ הַבָּשָׂר בַּדָּם הִוא Lev. 17:11
137 וַעֲמָשָׂא מִתְגֹּלֵל בַּדָּם IISh. 20:12
138 כִּי כַפֵּיכֶם נְגֹאֲלוּ בַדָּם Is. 59:3
139 נָעוּ עִוְרִים בַּחוּצוֹת נְגֹאֲלוּ בַּדָּם Lam. 4:14
וּבְדָם 140 וְנִשְׁפַּטְתִּי אִתּוֹ בְּדֶבֶר וּבְדָם Ezek. 38:22
כַּדָּם 141 וַיִּרְאוּ...אֶת־הַמַּיִם אֲדֻמִּים כַּדָּם IIK. 3:22
לְדָם 142 וְהָיוּ הַמַּיִם...לְדָם בַּיַּבָּשֶׁת Ex. 4:9
143 וְנֶהֶפְכוּ לְדָם Ex. 7:17
144 וַיֵּהָפְכוּ כָּל־הַמַּיִם...לְדָם Ex. 7:20
145 כִּי יִפָּלֵא מִמְּךָ...בֵּין־דָּם לְדָם Deut. 17:8

לְדָם (המשך)
146 כִּי־לְדָם אֶעֶשְׂךָ וְדָם יִרְדֳּפֶךָּ Ezek. 35:6
147 הַשֶּׁמֶשׁ יֵהָפֵךְ לְחֹשֶׁךְ וְהַיָּרֵחַ לְדָם Joel 3:4
148 וַיַּהֲפֹךְ לְדָם יְאֹרֵיהֶם Ps. 78:44
149 הָפַךְ אֶת־מֵימֵיהֶם לְדָם Ps. 105:29
150 נֶאֶרְבָה לְדָם נִצְפְּנָה לְנָקִי חִנָּם Prov. 1:11
151 בֵּין־דָּם לְדָם בֵּין־תּוֹרָה לְמִצְוָה IICh. 19:10
לַדָּם 152 לֹא־יְכֻפַּר לַדָּם אֲשֶׁר שֻׁפַּךְ־בָּהּ Num. 35:33
מִדָּם 153 אַשְׁכִּיר חִצַּי מִדָּם Deut. 32:42
154 וְרִוְּתָה אַרְצָם מִדָּם Is. 34:7
155 וְאָרוּר מֹנֵעַ חַרְבּוֹ מִדָּם Jer. 48:10
156 גִּלְעָד...עֲקֻבָּה מִדָּם Hosh. 6:8
157 בַּל־אַסִּיךְ נִסְכֵּיהֶם מִדָּם Ps. 16:4
דַּם־ 158 שֹׁפֵךְ דַּם הָאָדָם בָּאָדָם דָּמוֹ יִשָּׁפֵךְ Gen. 9:6
159 לֹא־תִזְבַּח עַל־חָמֵץ דַּם־זִבְחִי Ex. 23:18
160 וַיֹּאמֶר הִנֵּה דַם־הַבְּרִית... Ex. 24:8
161 לֹא־תִשְׁחַט עַל־חָמֵץ דַּם־זִבְחִי Ex. 24:25
162 וְאֵת כָּל־דַּם הַפָּר יִשְׁפֹּךְ Lev. 4:7
163 לַכֹּהֵן הַזֹּרֵק אֶת־דַּם הַשְּׁלָמִים Lev. 7:14
164/5 דַּם הַשְּׁלָמִים Lev. 7:33 • IIK. 16:13
166 יִתֵּן הַכֹּהֵן...עַל דַּם הָאָשָׁם Lev. 14:17
167 עַל־מְקוֹם דַּם הָאָשָׁם Lev. 14:28
168 דַּם כָּל־בָּשָׂר לֹא תֹאכֵלוּ Lev. 17:14
169 לֹא תַעֲמֹד עַל־דַּם רֵעֶךָ Lev. 19:16
170 וּבִעַרְתָּ דַם־הַנָּקִי מִיִּשְׂרָאֵל Deut. 19:13
171 כִּי־דַם עֲבָדָיו יִקּוֹם Deut. 32:43
172 אֲשֶׁר לָקְקוּ...אֶת־דַּם נָבוֹת IK. 21:19
173 וַיִּצֶק דַּם־הַמַּכָּה אֶל־חֵיק הָרָכֶב IK. 22:35
174 וְכָל־דַּם עֹלָה IIK. 16:15
175 וְכָל־דַּם־זֶבַח עָלָיו תִּזְרֹק IIK. 16:15
176 וְגַם דַּם־הַנָּקִי אֲשֶׁר שָׁפָךְ IIK. 24:4
177 מַעֲלֵה מִנְחָה דַּם־חֲזִיר Is. 66:3
178 דַּם נַפְשׁוֹת אֶבְיוֹנִים נְקִיִּים Jer. 2:34
179 וּמָלְאוּ אֶת־הַמָּקוֹם הַזֶּה דַּם נְקִיִּם Jer. 19:4
180 ...וְעַל דַּם־הַנָּקִי לִשְׁפּוֹךְ Jer. 22:17
181 וּנְתַתִּיךְ דַּם חֵמָה וְקִנְאָה Ezek. 16:38
182 נִקְמַת דַּם־עֲבָדֶיךָ הַשָּׁפוּךְ Ps. 79:10
183 דַּם־בְּנֵיהֶם וּבְנוֹתֵיהֶם Ps. 106:8
184 הַשֹּׁפְכִים בְּקִרְבָּהּ דַּם צַדִּיקִים Lam. 4:13
וְדַם־ 185 וְדַם־חֲלָלִים יִשְׁתֶּה Num. 23:24
186 וְדַם־זְבָחֶיךָ יִשָּׁפֵךְ Deut. 12:27
187 וְדַם־עֵנָב תִּשְׁתֶּה־חָמֶר Deut. 32:14
188 וְדַם פָּרִים...לֹא חָפָצְתִּי Is. 1:11
189 וְדַם־נְשִׂיאֵי הָאָרֶץ תִּשְׁתּוּ Ezek. 39:18
190 וְדַם עַתּוּדִים אֶשְׁתֶּה Ps. 50:13
הֲדַם־ 191 הֲדַם הָאֲנָשִׁים הַהֹלְכִים בְּנַפְשׁוֹתָם IISh. 23:17
192 הֲדַם הָאֲנָשִׁים הָאֵלֶּה אֶשְׁתֶּה ICh. 11:19
בְּדַם־ 193 וְטָבַל...בְּדַם הַצִּפֹּר הַשְּׁחֻטָה Lev. 14:6
194 וְטָבַל אֹתָם בְּדַם הַצִּפֹּר Lev. 14:51
195 בְּדַם הַצִּפּוֹר וּבַמַּיִם הַחַיִּים Lev. 14:52
196 לֹא־יְכֻפַּר...כִּי־אִם בְּדַם שֹׁפְכוֹ Num. 35:33
197 וַיָּמָת בְּדַם עֲשָׂהאֵל אָחִיו IISh. 3:27
198 בְּדַם־בְּרִיתֵךְ שִׁלַּחְתִּי אֲסִירַיִךְ Zech. 9:11
199 פְּעָמָיו יִרְחַץ בְּדַם הָרָשָׁע Ps. 58:11
200 אָדָם עָשֻׁק בְּדַם־נָפֶשׁ Prov. 28:17
וּבְדַם־ 201 כִּבֵּס בַּיַּיִן לְבֻשׁוֹ
וּבְדַם־עֲנָבִים סוּתֹה Gen. 49:1
לְדַם־ 202 כַּאֲשֶׁר עָשָׂה לְדַם הַפָּר Lev. 16:15
מִדַּם־ 203 וְלָקַחְתָּ מִדַּם הַפָּר Ex. 29:12
204 מִדַּם חַטַּאת הַכִּפֻּרִים... Ex. 30:10
205 וְלָקַח...מִדַּם הַפָּר Lev. 4:5
206-208 מִדַּם הַפָּר Lev. 4:16; 16:14,18
209/10 וְלָקַח הַכֹּהֵן מִדַּם הַחַטָּאת Lev. 4:25,34

מִדַּם־ (המשך)
211 וְהִזָּה מִדַּם הַחַטָּאת Lev. 5:9
212/3 וְלָקַח הַכֹּהֵן מִדַּם הָאָשָׁם Lev. 14:14,25
214 מִדַּם חָלָל וְשִׁבְיָה Deut. 32:42
215 מִדַּם חֲלָלִים מֵחֵלֶב גִּבּוֹרִים IISh. 1:22
216 מִדַּם כָּרִים וְעַתּוּדִים Is. 34:6
217 וְלָקַח הַכֹּהֵן מִדַּם הַחַטָּאת Ezek. 45:19
וּמִדַּם־ 218 וְלָקַח מִדַּם הַפָּר וּמִדַּם הַשָּׂעִיר Lev. 16:18
דָּמִי 219 אַל־יִפֹּל דָּמִי אַרְצָה ISh. 26:20
220 אֶרֶץ אַל־תְּכַסִּי דָמִי Job 16:18
וְדָמִי 221 וְדָמִי אֶל־יֹשְׁבֵי כַשְׂדִּים Jer. 51:35
בְּדָמִי 222 מַה־בֶּצַע בְּדָמִי בְּרִדְתִּי אֶל־שָׁחַת Ps. 30:10
דָּמְךָ 223 דָּמְךָ (כת׳ דמיך) עַל־רֹאשֶׁךָ IISh. 1:16
224 דָּמְךָ יִהְיֶה בְרֹאשֶׁךָ IK. 2:37
225 יָלֹקּוּ...אֶת־דָּמְךָ גַּם־אָתָּה IK. 21:19
בְּדָמְךָ 226 אִמְּךָ כַגֶּפֶן בְּדָמְךָ Ezek. 19:10
מִדָּמְךָ 227 וְהִשְׁקֵיתִי אֶרֶץ צָפָתְךָ מִדָּמְךָ Ezek. 32:6
דָּמֵךְ 228 דָּמֵךְ יִהְיֶה בְּתוֹךְ הָאָרֶץ Ezek. 21:37
229 וְעַל־דָּמֵךְ אֲשֶׁר הָיוּ בְּתוֹכֵךְ Ezek. 22:13
בְּדָמֵךְ 230 מִתְבּוֹסֶסֶת בְּדָמֵךְ הָיִית Ezek. 16:22
231 בְּדָמֵךְ אֲשֶׁר־שָׁפַכְתְּ אָשַׁמְתְּ Ezek. 22:4
דָּמוֹ 232 אַךְ־בָּשָׂר בְּנַפְשׁוֹ דָמוֹ לֹא תֹאכֵלוּ Gen. 9:4
233 ...בָּאָדָם דָּמוֹ יִשָּׁפֵךְ Gen. 9:6
234 וְכִסִּינוּ אֶת־דָּמוֹ Gen. 37:26
235 וְגַם־דָּמוֹ הִנֵּה נִדְרָשׁ Gen. 42:22
236 וְלָקַחְתָּ אֶת־דָּמוֹ וְזָרַקְתָּ... Ex. 29:16
237-239 וְזָרְקוּ...אֶת־דָּמוֹ Lev. 1:11; 3:8,13
240 וְנִמְצָה דָמוֹ עַל קִיר הַמִּזְבֵּחַ Lev. 1:15
241 וְאֶת־דָּמוֹ יִשְׁפֹּךְ אֶל־יְסוֹד... Lev. 4:25
242 וְאֶת־דָּמוֹ יִזְרֹק עַל־הַמִּזְבֵּחַ Lev. 7:2
243 וְהֵבִיא אֶת־דָּמוֹ אֶל־מִבֵּית לַפָּרֹכֶת
Lev. 16:15
244 וְעָשָׂה אֶת־דָּמוֹ Lev. 16:15
245 וְשָׁפַךְ אֶת־דָּמוֹ וְכִסָּהוּ בֶּעָפָר Lev. 17:13
246 כִּי־נֶפֶשׁ כָּל־בָּשָׂר דָּמוֹ בְנַפְשׁוֹ Lev. 17:14
247 כִּי נֶפֶשׁ כָּל־בָּשָׂר דָּמוֹ הִוא Lev. 17:14
248 רַק אֶת־דָּמוֹ לֹא תֹאכֵל Deut. 15:23
249 דָּמוֹ בְרֹאשׁוֹ וַאֲנַחְנוּ נְקִיִּם Josh. 2:19
250 דָּמוֹ בְרֹאשֵׁנוּ אִם־יָד תִּהְיֶה־בּוֹ Josh. 2:19
251 הֲלוֹא אֲבַקֵּשׁ אֶת־דָּמוֹ מִיֶּדְכֶם IISh. 4:11
252 וְהֵשִׁיב יְיָ אֶת־דָּמוֹ עַל־רֹאשׁוֹ IK. 2:32
253 וַיָּלֹקּוּ הַכְּלָבִים אֶת־דָּמוֹ IK. 22:38
254 דָּמוֹ בְרֹאשׁוֹ יִהְיֶה Ezek. 33:4
255 וְלֹא נִזְהָר דָּמוֹ בּוֹ יִהְיֶה Ezek. 33:5
וְדָמוֹ 256-258 וְדָמוֹ מִיָּדְךָ אֲבַקֵּשׁ Ezek. 3:18,20; 33:8
259 וְדָמוֹ מִיַּד־הַצֹּפֶה אֶדְרֹשׁ Ezek. 33:6
מִדָּמוֹ 260 וְלָקַחְתָּ מִדָּמוֹ וְנָתַתָּה... Ex. 29:20
261 וַיִּקַּח מֹשֶׁה מִדָּמוֹ וַיִּתֵּן... Lev. 8:23
262 וְלָקַחְתָּ מִדָּמוֹ וְנָתַתָּה... Ezek. 43:20
דָּמָהּ 263/4 וְאֶת־כָּל־דָּמָהּ יִשְׁפֹּךְ Lev. 4:30,34
265 הֵן לֹא־הוּבָא אֶת־דָּמָהּ Lev. 10:18
266 וְאִשָּׁה כִּי־יָזוּב זוֹב דָּמָהּ Lev. 15:25
267 וְאֶת־דָּמָהּ עַל־פִּרְשָׁהּ יִשְׂרֹף Num. 19:5
268 כִּי דָמָהּ בְּתוֹכָהּ הָיָה Ezek. 24:7
269 נָתַתִּי אֶת־דָּמָהּ עַל־צְחִיחַ סָלַע Ezek. 24:8
מִדָּמָהּ 270 וְלָקַח הַכֹּהֵן מִדָּמָהּ בְּאֶצְבָּעוֹ Lev. 4:30
271 וַאֲשֶׁר יִזֶּה מִדָּמָהּ עַל־הַבֶּגֶד Lev. 6:20
272 אֲשֶׁר יוּבָא מִדָּמָהּ אֶל־אֹהֶל מוֹעֵד Lev. 6:23
273 וְלָקַח אֶלְעָזָר הַכֹּהֵן מִדָּמָהּ Num. 19:4
274 וְהִזָּה...מִדָּמָהּ שֶׁבַע פְּעָמִים Num. 19:4
275 וַיִּז מִדָּמָהּ אֶל־הַקִּיר IIK. 9:33
דִּמְכֶם 276 אֶת־דִּמְכֶם לְנַפְשֹׁתֵיכֶם אֶדְרֹשׁ Gen. 9:5
דָּמָם 277 אֲשֶׁר הוּבָא אֶת־דָּמָם Lev. 16:27

דָּמָם (המשך) 278 אֶת־דָּמָם תִּזְרֹק עַל־הַמִּזְבֵּחַ Num. 18:17
279 וְכֶעָסִיס דָּמָם יִשְׁכָּרוּן Is. 49:26
280 וְנִקֵּיתִי דָּמָם לֹא־נִקֵּיתִי Joel 4:21
281 וְשֻׁפַּךְ דָּמָם כֶּעָפָר Zep. 1:17
282 וְיֵיקַר דָּמָם בְּעֵינָיו Ps. 72:14
283 שָׁפְכוּ דָמָם כַּמַּיִם Ps. 79:3
284 וַיְחַטְּאוּ אֶת־דָּמָם הַמִּזְבֵּחָה IICh. 29:24
וְדָמָם 285 וְדָמָם לָשׂוּם עַל־אֲבִימֶלֶךְ Jud. 9:24
לְדָמָם 286 וְהֵם לְדָמָם יֶאֱרֹבוּ Prov. 1:18
מִדָּמָם 287 וְנָמַסּוּ הָרִים מִדָּמָם Is. 34:3
288 וְאָכְלָה חֶרֶב...וְרָוְתָה מִדָּמָם Jer. 46:10
דָּמִים 289 כִּי חֲתַן־דָּמִים אַתָּה לִי Ex. 4:25
290 אָז אָמְרָה חֲתַן דָּמִים לַמּוּלֹת Ex. 4:26
291 אִם בַּמַּחְתֶּרֶת...אֵין לוֹ דָּמִים Ex. 22:1
292 אִם־זָרְחָה הַשֶּׁמֶשׁ עָלָיו דָּמִים לוֹ Ex. 22:2
293 וְהָיָה עָלֶיךָ דָּמִים Deut. 19:10
294 וְלֹא־תָשִׂים דָּמִים בְּבֵיתֶךָ Deut. 22:8
295 כִּי אִישׁ דָּמִים אָתָּה IISh. 16:8
296 יְדֵיכֶם דָּמִים מָלֵאוּ Is. 1:15
297 אֹטֵם אָזְנוֹ מִשְּׁמֹעַ דָּמִים Is. 33:15
298 כִּי הָאָרֶץ מָלְאָה מִשְׁפַּט דָּמִים Ezek. 7:23
299 וַתִּמָּלֵא הָאָרֶץ דָּמִים Ezek. 9:9
300 הוֹי עִיר דָּמִים כֻּלָּהּ כַּחַשׁ Nah. 3:1
301 אִישׁ־דָּמִים וּמִרְמָה יְתָעֵב יְיָ Ps. 5:7
302 כִּי־דֹרֵשׁ דָּמִים אוֹתָם זָכָר Ps. 9:13
303 וְעִם־אַנְשֵׁי דָמִים חַיָּי Ps. 26:9
304 אַנְשֵׁי דָמִים וּמִרְמָה Ps. 55:24
305 וּמֵאַנְשֵׁי דָמִים הוֹשִׁיעֵנִי Ps. 59:3
306 וְאַנְשֵׁי דָמִים סוּרוּ מֶנִּי Ps. 139:19
307 אַנְשֵׁי דָמִים יִשְׂנְאוּ־תָם Prov. 29:10
308 כִּי דָּמִים רַבִּים שָׁפַכְתָּ ICh. 22:8(7)
וְדָמִים 309 וְדָמִים בְּדָמִים נָגָעוּ Hosh. 4:2
310 אִישׁ מִלְחָמוֹת אַתָּה וְדָמִים ICh. 28:3
הַדָּמִים 311 צֵא צֵא אִישׁ הַדָּמִים IISh. 16:7
312 אֶל־שָׁאוּל וְאֶל־בֵּית הַדָּמִים IISh. 21:1
313 הֲתִשְׁפֹּט אֶת־עִיר הַדָּמִים Ezek. 22:2
314/5 אוֹי עִיר הַדָּמִים Ezek. 24:6,9
בְּדָמִים 316 אֲשֶׁר מְנָעֲךָ יְיָ מִבּוֹא בְדָמִים ISh. 25:26
317 אֲשֶׁר כְּלִתְנִי...מִבּוֹא בְדָמִים ISh. 25:33
318 וְשִׂמְלָה מְגוֹלָלָה בְדָמִים Is. 9:4
319 וְדָמִים בְּדָמִים נָגָעוּ Hosh. 4:2
320 בֹּנֶה צִיּוֹן בְּדָמִים וִירוּשָׁלַם בְּעַוְלָה Mic. 3:10
321 הוֹי בֹּנֶה עִיר בְּדָמִים Hab. 2:12
בַּדָּמִים 322 וַתֶּחֱנַף הָאָרֶץ בַּדָּמִים Ps. 106:38
לְדָמִים 323 כֻּלָּם לְדָמִים יֶאֱרֹבוּ Mic. 7:2
מִדָּמִים 324 הַצִּילֵנִי מִדָּמִים אֱלֹהִים Ps. 51:16
דְּמֵי־ 325 קוֹל דְּמֵי אָחִיךָ צֹעֲקִים אֵלַי
מִן־הָאֲדָמָה Gen. 4:10
326 לָקַחַת אֶת־דְּמֵי אָחִיךָ מִיָּדֶךָ Gen. 4:11
327 תֵּשֵׁב עַל־דְּמֵי טָהֳרָה Lev. 12:5
328 הֵשִׁיב עָלֶיךָ יְיָ כֹּל דְּמֵי בֵית־שָׁאוּל IISh. 16:8
329 וַיָּשֶׂם דְּמֵי־מִלְחָמָה בְּשָׁלֹם IK. 2:5
330 וַיִּתֵּן דְּמֵי מִלְחָמָה בַּחֲגֹרָתוֹ IK. 2:5
331 וַהֲסִירֹתָ דְּמֵי חִנָּם אֲשֶׁר שָׁפַךְ יוֹאָב IK. 2:31
332 וְנִקַּמְתִּי דְּמֵי עֲבָדַי הַנְּבִיאִים IIK. 9:7
333 אִם־לֹא אֶת־דְּמֵי נָבוֹת IIK. 9:26
334 וְאֶת־דְּמֵי בָנָיו רָאִיתִי אֶמֶשׁ IIK. 9:26
335 וְאֶת־דְּמֵי יְרוּשָׁלַם יָדִיחַ מִקִּרְבָּהּ Is. 4:4
336 וּפָקַדְתִּי אֶת־דְּמֵי יִזְרְעֶאל
עַל־בֵּית יֵהוּא Hosh. 1:4
וּדְמֵי־ 337 וְנִקַּמְתִּי...וּדְמֵי כָּל־עַבְדֵי יְיָ IIK. 9:7
בִּדְמֵי־ 338 וּשְׁלֹשֶׁת יָמִים תֵּשֵׁב בִּדְמֵי טָהֳרָה Lev. 12:4
339 ...בִּדְמֵי בְּנֵי יְהוֹיָדָע הַכֹּהֵן IICh. 24:25
וְכִדְמֵי־ 340 וְכִדְמֵי בָנַיִךְ אֲשֶׁר נָתַתְּ לָהֶם Ezek. 16:36
מִדְּמֵי־ 341 נָקִי...מִדְּמֵי אַבְנֵר בֶּן־נֵר IISh. 3:28
342/3 מִדְּמֵי אָדָם וַחֲמַס־אֶרֶץ Hab. 2:8,17
דָּמַיִךְ 344 וָאֶשְׁטֹף דָּמַיִךְ מֵעָלָיִךְ Ezek. 16:9
בְּדָמַיִךְ 345 וָאֶרְאֵךְ מִתְבּוֹסֶסֶת בְּדָמָיִךְ Ezek. 16:6
346/7 וָאֹמַר לָךְ בְּדָמַיִךְ חֲיִי Ezek. 16:6[2]
דָּמָיו 348 אָבִיו וְאִמּוֹ קִלֵּל דָּמָיו בּוֹ Lev. 20:9
349 מוֹת יוּמָת דָּמָיו בּוֹ יִהְיֶה Ezek. 18:13
350 וַהֲסִרֹתִי דָמָיו מִפִּיו Zech. 9:7
וְדָמָיו 351 וְדָמָיו עָלָיו יִטּוֹשׁ Hosh. 12:15
דָּמֶיהָ 352 וְטָהֲרָה מִמְּקֹר דָּמֶיהָ Lev. 12:7
353 וְהִוא גִּלְּתָה אֶת־מְקוֹר דָּמֶיהָ Lev. 20:18
354 וְגִלְּתָה הָאָרֶץ אֶת־דָּמֶיהָ Is. 26:21
דְּמֵיהֶם 355-359 דְּמֵיהֶם בָּם Lev. 20:11,12,13,16,27
360 וְשָׁבוּ דְמֵיהֶם בְּרֹאשׁ יוֹאָב IK. 2:33

דמה
: א) דָּמָה, דִּמָּה, הִדַּמָּה; דּוּמָה, דְּמוּת, דִּמְיוֹן; אר׳ דְּמָה
ב) דָּמָה, נִדְמָה; דּוּמָה, דֻּמָה (?) דֳּמִי, דּוּמִיָּה

דָּמָה¹
פָּ׳ א) היה שוה (במראה, במעשה וכו׳): 1—13
ב) [נפ׳ נִדְמָה] היה דומה: 14, 15
ג) [פִּ׳ דִּמָּה] השוה: 18, 27—29
ד) [כנ״ל] תֵּאֵר, חשב: 16, 17, 19—26
ה) [הת׳ הִדַּמָּה] השתוה: 30

דָּמִיתִי 1 דָּמִיתִי לִקְאַת מִדְבָּר Ps. 102:7
דָּמִיתָ 2 אֶל־מִי דָּמִיתָ בְגָדְלֶךָ Ezek. 31:2
3 אֶל־מִי דָּמִיתָ כָּכָה בְּכָבוֹד Ezek. 31:18
דָּמָה 4 לֹא־דָמָה אֵלָיו בְּיָפְיוֹ Ezek. 31:8
5 אָדָם לַהֶבֶל דָּמָה Ps. 144:4
דָּמְתָה 6 זֹאת קוֹמָתֵךְ דָּמְתָה לְתָמָר S.ofS. 7:8
דָּמִינוּ 7 כִּסְדֹם הָיִינוּ לַעֲמֹרָה דָּמִינוּ Is. 1:9
דָּמוּ 8 לֹא דָמוּ אֶל־סְעַפֹּתָיו Ezek. 31:8
דּוֹמֶה 9 דּוֹמֶה דוֹדִי לִצְבִי S.ofS. 2:9
יִדְמֶה 10 כִּי מִי...יִדְמֶה לַייָ בִּבְנֵי אֵלִים Ps. 89:7
וְנִדְמֶה 11 לְמִי תְדַמְּיוּנִי...וְתַמְשִׁלוּנִי וְנִדְמֶה Is. 46:5
דְּמֵה 12 סֹב דְּמֵה־לְךָ דוֹדִי לִצְבִי S.ofS. 2:17
וּדְמֵה 13 בְּרַח דּוֹדִי וּדְמֵה־לְךָ לִצְבִי S.ofS. 8:14
נִדְמוּ 14/5 נִמְשַׁל כַּבְּהֵמוֹת נִדְמוּ Ps. 49:13,21
דִּמִּיתִי 16 כַּאֲשֶׁר דִּמִּיתִי לַעֲשׂוֹת לָהֶם... Num. 33:56
17 כַּאֲשֶׁר דִּמִּיתִי כֵּן הָיָתָה Is. 14:24
דִּמִּיתִיךְ 18 לְסֻסָתִי...דִּמִּיתִיךְ רַעְיָתִי S.ofS. 1:9
דִּמִּיתָ 19 דִּמִּיתָ הֱיוֹת־אֶהְיֶה כָמוֹךָ Ps. 50:21
דִּמָּה 20 אֲשֶׁר כִּלָּנוּ וַאֲשֶׁר דִּמָּה־לָנוּ IISh. 21:5
דִּמִּינוּ 21 דִּמִּינוּ אֱלֹהִים חַסְדֶּךָ Ps. 48:10
דִּמּוּ 22 אֹתִי דִּמּוּ לַהֲרֹג... Jud. 20:5
אֲדַמֶּה 23 וּבְיַד הַנְּבִיאִים אֲדַמֶּה Hosh. 12:11
24 מָה־אֲעִידֵךְ מָה אֲדַמֶּה־לָּךְ Lam. 2:13
תְּדַמִּי 25 אַל־תְּדַמִּי בְנַפְשֵׁךְ לְהִמָּלֵט Es. 4:13
יְדַמֶּה 26 וְהוּא לֹא־כֵן יְדַמֶּה Is. 10:7
תְּדַמְּיוּן 27 וְאֶל־מִי תְּדַמְּיוּן אֵל Is. 40:18
תְּדַמְּיוּנִי 28 וְאֶל־מִי תְדַמְּיוּנִי וְאֶשְׁוֶה Is. 40:25
29 לְמִי תְדַמְּיוּנִי וְתַשְׁווּ Is. 46:5
אֶדַּמֶּה 30 אֶעֱלֶה...אֶדַּמֶּה לְעֶלְיוֹן Is. 14:14

דָּמָה²
פָּ׳ א) חָדַל, פסק: 3, 4 ב) כָּלָה: 1, 2
ג) [נפ׳ נִדְמָה] נכרת: 5—17

דָּמִיתִי 1 הַנָּוָה וְהַמְּעֻנָּגָה דָּמִיתִי בַּת־צִיּוֹן Jer. 6:2
וְדָמִיתִי 2 וְכָשַׁל...לָיְלָה וְדָמִיתִי אִמֶּךָ Hosh. 4:5
תִדְמֶה 3 עֵינִי נִגְּרָה וְלֹא תִדְמֶה Lam. 3:49
תִּדְמֶינָה 4 תֵּרַדְנָה עֵינַי דִּמְעָה...וְאַל־תִּדְמֶינָה Jer. 14:17
נִדְמָה 5 בַּשַּׁחַר נִדְמֹה נִדְמָה מֶלֶךְ יִשְׂרָאֵל Hosh. 10:15
נִדְמֵיתִי 6 אוֹי־לִי כִי־נִדְמֵיתִי Is. 6:5
נִדְמֵיתָ 7 כְּפִיר גּוֹיִם נִדְמֵיתָ Ezek. 32:2
נִדְמֵיתָה 8 אִם־שׁוֹדְדֵי לַיְלָה אֵיךְ נִדְמֵיתָה Ob. 5
נִדְמָה 9 כִּי בְּלֵיל שֻׁדַּד עָר מוֹאָב נִדְמָה Is. 15:1
10 כִּי בְּלֵיל שֻׁדַּד קִיר־מוֹאָב נִדְמָה Is. 15:1
11 בַּשַּׁחַר נִדְמֹה נִדְמָה מֶלֶךְ יִשְׂרָאֵל Hosh. 10:15
12 כִּי נִדְמָה כָּל־עַם כְּנַעַן Zep. 1:11
נִדְמְתָה 13 נִדְמְתָה אַשְׁקְלוֹן Jer. 47:5
נִדְמוּ 14 נִדְמוּ עַמִּי מִבְּלִי הַדָּעַת Hosh. 4:6
15/6 (?) נִמְשַׁל כַּבְּהֵמוֹת נִדְמוּ Ps. 49:13,21
נִדְמֶה 17 נִדְמֶה שֹׁמְרוֹן מַלְכָּהּ Hosh. 10:7

דְּמָה
פ׳ ארמית, כמו בעברית: דמה¹: 1, 2
דָּמֵה 1 וְרֵוֵהּ...דָּמֵה לְבַר־אֱלָהִין Dan. 3:25
דָּמְיָה 2 וַאֲרוּ חֵיוָה...דָּמְיָה לְדֹב Dan. 7:5

דֻּמָה*
נ׳ דממה(?)
כְּדֻמָה 1 מִי כְצוֹר כְּדֻמָה בְּתוֹךְ הַיָּם Ezek. 27:32

דְּמוּת
נ׳ [ז׳—4, 5!] מַרְאֶה, צורה: 1—25
דְּמוּת אָדָם 10; ד׳ אֱלֹהִים 21; ד׳ בְּנֵי־אָדָם 23; ד׳ בְּנֵי בָבֶל 15; ד׳ בְּקָרִים 20; ד׳ חַיּוֹת 9, 17; ד׳ חֲמַת נָחָשׁ 22; ד׳ יָדַיִם 18; ד׳ כְּבוֹד יְיָ 13; ד׳ כִּסֵּא 11, 14; ד׳ עַם רָב 8; ד׳ פָּנִים 16, 19

דְּמוּת 1 וּמַה־דְּמוּת תַּעַרְכוּ־לוֹ Is. 40:18
2 וְהִנֵּה דְמוּת כְּמַרְאֵה־אֵשׁ Ezek. 8:2
3 דְּמוּת כְּמַרְאֵה אָדָם Ezek. 1:26
4 וּמַרְאֵיהֶם דְּמוּת אֶחָד לְאַרְבַּעְתָּם Ezek. 10:10
וּדְמוּת 5 וּדְמוּת אֶחָד לְאַרְבַּעְתָּן Ezek. 1:16
6 וּדְמוּת עַל־רָאשֵׁי הַחַיָּה רָקִיעַ Ezek. 1:22
דְּמוּת־ 7 אֶת־דְּמוּת הַמִּזְבֵּחַ וְאֶת־תַּבְנִיתוֹ IIK. 16:10
8 דְּמוּת עַם־רָב Is. 13:4
9 וּמִתּוֹכָהּ דְּמוּת אַרְבַּע חַיּוֹת Ezek. 1:5
10 וְזֶה מַרְאֵיהֶן דְּמוּת אָדָם לָהֵנָּה Ezek. 1:5
11 כְּמַרְאֵה אֶבֶן־סַפִּיר דְּמוּת כִּסֵּא Ezek. 1:26
12 וְעַל דְּמוּת הַכִּסֵּא Ezek. 1:26
13 הוּא מַרְאֵה דְּמוּת כְּבוֹד־יְיָ Ezek. 1:28
14 כְּאֶבֶן סַפִּיר כְּמַרְאֵה דְּמוּת כִּסֵּא Ezek. 10:1
15 מַרְאֵה שָׁלִשִׁים...דְּמוּת בְּנֵי־בָבֶל Ezek. 23:15
וּדְמוּת־ 16 וּדְמוּת פְּנֵיהֶם פְּנֵי אָדָם Ezek. 1:10
17 וּדְמוּת הַחַיּוֹת מַרְאֵיהֶם כְּגַחֲלֵי... Ezek. 1:13
18 וּדְמוּת יְדֵי אָדָם תַּחַת כַּנְפֵיהֶם Ezek. 10:21
19 וּדְמוּת פְּנֵיהֶם הֵמָּה הַפָּנִים... Ezek. 1:22
20 וּדְמוּת בְּקָרִים תַּחַת לוֹ סָבִיב IICh. 4:3
בִּדְמוּת־ 21 בִּדְמוּת אֱלֹהִים עָשָׂה אֹתוֹ Gen. 5:1
כִּדְמוּת־ 22 חֲמַת־לָמוֹ כִּדְמוּת חֲמַת־נָחָשׁ Ps. 58:5
23 וְהִנֵּה כִּדְמוּת בְּנֵי אָדָם נֹגֵעַ... Dan. 10:16
בִּדְמוּתוֹ 24 וַיּוֹלֶד בִּדְמוּתוֹ כְּצַלְמוֹ Gen. 5:3
כִּדְמוּתֵנוּ 25 נַעֲשֶׂה אָדָם בְּצַלְמֵנוּ כִּדְמוּתֵנוּ Gen. 1:26

דֳּמִי
ז׳ מנוחה, הפוגה: 1—4
אַל דֳּמִי 1, 3; בִּדְמִי יָמַי 4
דֳּמִי 1 הַמַּזְכִּירִים אֶת־יְיָ אַל־דֳּמִי לָכֶם Is. 62:6
2 וְאַל־תִּתְּנוּ דֳמִי לוֹ עַד יְכוֹנֵן... Is. 62:7
3 אֱלֹהִים אַל־דֳּמִי־לָךְ Ps. 83:2
בִּדְמִי־ 4 בִּדְמִי יָמַי אֵלֵכָה בְּשַׁעֲרֵי שְׁאוֹל Is. 38:10

דֻּמִיָּה
עין דּוּמִיָּה

דִּמְיוֹן*
ז׳ דמות, מראה
דִּמְיֹנוֹ 1 דִּמְיֹנוֹ כְּאַרְיֵה יִכְסוֹף לִטְרֹף Ps. 17:12

דמם : דַּם, נָדַם, דּוֹמֵם, הֻדַּם; דֹּם, דְּמָמָה

דָּמַם פ' א) פסק, כלה: 1, 2, 4, 10, 11
ב) שתק, נאלם: 3, 5-7, 9, 12-15, 17-20, 22, 23
ג) עמד בלי תנועה: 8, 16, 21
ד) [נפ' נָדַם] נכרת, כלה: 24—28
ה) [פ' דּוֹמֵם] השקיט: 29
ו) [הפ' הֻדַּם] הכרית: 30

דָּמּוּ 1 קָרְעוּ וְלֹא־דָמּוּ Ps.35:15
2 מֵעַי רֻתְּחוּ וְלֹא־דָמּוּ Job 30:27
וָאִדֹּם 3 וָאִדֹּם לֹא־אֵצֵא פָתַח Job 31:34
תִּדֹּמִּי 4 גַּם־מַדְמֵן תִּדֹּמִּי אַחֲרַיִךְ תֵּלֵךְ חָרֶב Jer.48:2
יִדֹּם 5 הַמַּשְׂכִּיל בָּעֵת הַהִיא יִדֹּם Am.5:13
6 לְמַעַן יְזַמֶּרְךָ כָבוֹד וְלֹא יִדֹּם Ps.30:13
וַיִּדֹּם 7 וַיֹּאמֶר מֹשֶׁה...וַיִּדֹּם אַהֲרֹן Lev.10:3
8 וַיִּדֹּם הַשֶּׁמֶשׁ וְיָרֵחַ עָמָד Josh.10:13
וְיִדֹּם 9 יֵשֵׁב בָּדָד וְיִדֹּם Lam.3:28
תִּדֹּם 10 אַל־תִּדֹּם בַּת־עֵינֵךְ Lam.2:18
וְנִדְּמָה 11 וְנָבוֹא אֶל־עָרֵי...וְנִדְּמָה־שָּׁם Jer.8:14
יִדְּמוּ 12 בִּגְדֹל זְרוֹעֲךָ יִדְּמוּ כָּאָבֶן Ex.15:16
13 יֵבֹשׁוּ רְשָׁעִים יִדְּמוּ לִשְׁאוֹל Ps.31:81
14 יֵשְׁבוּ לָאָרֶץ יִדְּמוּ זִקְנֵי בַת־צִיּוֹן Lam.2:10
וְיִדְּמוּ 15 לִי־שָׁמְעוּ וְיִחֵלּוּ וְיִדְּמוּ לְמוֹ עֲצָתִי Job 29:21
דֹּם 16 שֶׁמֶשׁ בְּגִבְעוֹן דּוֹם... Josh.10:12
17 הֵאָנֵק דֹּם מֵתִים אֵבֶל לֹא־תַעֲשֶׂה Ezek.24:17
18 דּוֹם לַייָ וְהִתְחוֹלֵל לוֹ Ps.37:7
דּוֹמִי 19 אַךְ לֵאלֹהִים דּוֹמִּי נַפְשִׁי Ps.62:6
וָדֹמִּי 20 עַד־אָנָה לֹא תִשְׁקֹטִי...הֵרָגְעִי וָדֹמִּי Jer.47:6
דֹּמּוּ 21 דֹּמּוּ עַד־הַגִּיעֵנוּ אֲלֵיכֶם ISh.14:9
22 דֹּמּוּ יֹשְׁבֵי אִי Is.23:2
וְדֹמּוּ 23 אִמְרוּ בִלְבַבְכֶם...וְדֹמּוּ סֶלָה Ps.4:5
וְנָדַמּוּ 24 וְנָדַמּוּ נְאוֹת הַשָּׁלוֹם Jer.25:37
תִּדַּמּוּ 25 אַל־תִּדַּמּוּ בַּעֲוֹנָהּ Jer.51:6
יִדַּמּוּ 26 וְכָל־אַנְשֵׁי הַמִּלְחָמָה יִדַּמּוּ Jer.49:26
27 וְכָל־אַנְשֵׁי מִלְחַמְתָּהּ יִדַּמּוּ Jer.50:30
יִדָּמּוּ 28 וּרְשָׁעִים בַּחֹשֶׁךְ יִדָּמּוּ ISh.2:9
וְדוֹמַמְתִּי 29 אִם־לֹא שִׁוִּיתִי וְדוֹמַמְתִּי נַפְשִׁי Ps.131:2
הֲדִמָּנוּ 30 כִּי יְיָ אֱלֹהֵינוּ הֲדִמָּנוּ Jer.8:14

דְּמָמָה נ' א) קול חרישי: 1, 2
ב) שֶׁקֶט: 3

דְּמָמָה 1 וְאַחַר הָאֵשׁ קוֹל דְּמָמָה דַקָּה IK.19:12
2 דְּמָמָה וָקוֹל אֶשְׁמָע Job 4:16
לִדְמָמָה 3 יָקֵם סְעָרָה לִדְמָמָה וַיֶּחֱשׁוּ גַּלֵּיהֶם Ps.107:29

דמן : דֹּמֶן, מַדְמֵנָה

דֹּמֶן ז' זֶבֶל: 1—6

דֹּמֶן 1 נִשְׁמְדוּ...הָיוּ דֹמֶן לָאֲדָמָה Ps.83:11
כְּדֹמֶן 2 נִבְלַת אִיזֶבֶל כְּדֹמֶן עַל־פְּנֵי הַשָּׂדֶה IIK.9:37
3 נִבְלַת הָאָדָם כְּדֹמֶן עַל־פְּנֵי הַשָּׂדֶה Jer.9:21
לְדֹמֶן 4-6 לְדֹמֶן עַל־פְּנֵי הָאֲדָמָה יִהְיוּ Jer.8:2 16:4; 25:33

דִּמְנָה עיר לויים בנחלת זבולון

דִּמְנָה 1 אֶת־דִּמְנָה וְאֶת־מִגְרָשֶׁהָ Josh.21:35

דמע : דָּמַע; דֶּמַע, דִּמְעָה

דָּמַע פ' הזיל דמעות: 1, 2

וְדָמֹעַ 1 וְדָמֹעַ תִּדְמַע וְתֵרַד עֵינִי דִּמְעָה Jer.13:17
תִּדְמַע 2 וְדָמֹעַ תִּדְמַע וְתֵרַד עֵינִי דִּמְעָה Jer.13:17

דֶּמַע* ז' נטפי ענבים וזיתים

וְדִמְעֲךָ 1 מְלֵאָתְךָ וְדִמְעֲךָ לֹא תְאַחֵר Ex.22:28

דִּמְעָה נ' מֵי העינים: 1—23

לֶחֶם דִּמְעָה 7; מְקוֹר דִּמְעָה 2; דִּמְעַת עֲשׁוּקִים 12; בִּדְמָעוֹת שָׁלִישׁ 22
הוֹרִיד דִּמְעָה 9; יָרְדָה עֵינוֹ ד' 3-5; כִּסָּה ד' 6; מָחָה ד' 1; זָרַע בְּדִמְעָה 10; רָאָה דִמְעָה 18, 19; רִוָּהוּ ד' 13; שָׂם ד' 16

דִּמְעָה 1 וּמָחָה אֲדֹנָי יְיָ דִּמְעָה מֵעַל כָּל־פָּנִים Is.25:8
2 מִי־יִתֵּן...וְעֵינַי מְקוֹר דִּמְעָה Jer.8:23
3 וְתֵרַדְנָה עֵינֵינוּ דִּמְעָה Jer.9:17
4 וְתֵרַד עֵינִי דִּמְעָה Jer.13:17
5 תֵּרַדְנָה עֵינַי דִּמְעָה לַיְלָה וְיוֹמָם Jer.14:17
6 כַּסּוֹת דִּמְעָה אֶת־מִזְבַּח יְיָ Mal.2:13
7 הֶאֱכַלְתָּם לֶחֶם דִּמְעָה Ps.80:6
8 כִּי חִלַּצְתָּ...אֶת־עֵינִי מִן־דִּמְעָה Ps.116:8
9 הוֹרִידִי כַנַּחַל דִּמְעָה Lam.2:18
בְּדִמְעָה 10 הַזֹּרְעִים בְּדִמְעָה בְּרִנָּה יִקְצֹרוּ Ps.126:5
מִדִּמְעָה 11 מִנְעִי קוֹלֵךְ מִבֶּכִי וְעֵינַיִךְ מִדִּמְעָה Jer.31:16(15)
דִּמְעַת־ 12 וְהִנֵּה דִּמְעַת הָעֲשֻׁקִים... Eccl.4:1
דִּמְעָתִי 13 גֶּפֶן שִׂבְמָה אֲרַיָּוֶךְ דִּמְעָתִי Is.16:9
14 אֶל־דִּמְעָתִי אַל־תֶּחֱרַשׁ Ps.39:13
15 הָיְתָה־לִּי דִמְעָתִי לֶחֶם... Ps.42:4
16 שִׂימָה דִמְעָתִי בְנֹאדֶךָ Ps.56:9
בְּדִמְעָתִי 17 בְּדִמְעָתִי עַרְשִׂי אַמְסֶה Ps.6:7
דִּמְעָתֶךָ 18/19 רָאִיתִי אֶת־דִּמְעָתֶךָ IIK.20:5 • Is.38:5
20 וְלֹא תִבְכֶּה וְלוֹא תָבוֹא דִּמְעָתֶךָ Ezek.24:16
וְדִמְעָתָהּ 21 בָּכוֹ תִבְכֶּה...וְדִמְעָתָהּ עַל לֶחֱיָהּ Lam.1:2
בִּדְמָעוֹת 22 וַתַּשְׁקֵמוֹ בִּדְמָעוֹת שָׁלִישׁ Ps.80:6
בַּדְּמָעוֹת 23 כָּלוּ בַדְּמָעוֹת עֵינַי Lam.2:11

דַּמֶּשֶׂק עיר הבירה בממלכות ארם: 1-36 [עיין גם אֲרַם דַּמֶּשֶׂק]

בְּרִיחַ דַּמֶּשֶׂק 19; גְּבוּל ד' 14,17; חוֹמַת ד' 22; חֵיל ד' 10; טוּב ד' 5; מִדְבַּר ד' 20; מַשָּׂא ד' 21; נַהֲרוֹת ד' 3; פְּנֵי ד' 23; פִּשְׁעֵי ד' 18; רֹאשׁ דַּמֶּשֶׂק 9

דַּמֶּשֶׂק 1 וּבֶן־מֶשֶׁק בֵּיתִי הוּא דַּמֶּשֶׂק אֱלִיעֶזֶר Gen.15:2
2 וַיֵּלְכוּ דַמֶּשֶׂק וַיֵּשְׁבוּ בָהּ IK.11:24
3 אֲמָנָה וּפַרְפַּר נַהֲרוֹת דַּמֶּשֶׂק IIK.5:12
4 וַיָּבֹא אֱלִישָׁע דַּמֶּשֶׂק IIK.8:7
5 וַיִּקַּח מִנְחָה בְיָדוֹ וְכָל־טוּב דַּמֶּשֶׂק IIK.8:9
6 וַאֲשֶׁר הֵשִׁיב אֶת־דַּמֶּשֶׂק IIK.14:28
7 וַיַּעַל מֶלֶךְ אַשּׁוּר אֶל־דַּמֶּשֶׂק IIK.16:9
8 כִּי רֹאשׁ אֲרָם דַּמֶּשֶׂק Is.7:8
9 וְרֹאשׁ דַּמֶּשֶׂק רְצִין Is.7:8
10 יִשָּׂא אֶת־חֵיל דַּמֶּשֶׂק... Is.8:4
11 הִנֵּה דַמֶּשֶׂק מוּסָר מֵעִיר Is.17:1
12 רָפְתָה דַמֶּשֶׂק הִפְנְתָה לָנוּס Jer.49:24
13 דַּמֶּשֶׂק סֹחַרְתֵּךְ בְּרֹב מַעֲשַׂיִךְ Ezek.27:18
14 אֲשֶׁר בֵּין־גְּבוּל דַּמֶּשֶׂק... Ezek.47:16
15 חֲצַר עֵינוֹן גְּבוּל דַּמֶּשֶׂק Ezek.47:17
16 מִבֵּין חַוְרָן וּמִבֵּין דַּמֶּשֶׂק Ezek.47:18
17 חֲצַר עֵינָן גְּבוּל דַּמֶּשֶׂק צָפוֹנָה Ezek.48:1
18 עַל־שְׁלֹשָׁה פִּשְׁעֵי דַמֶּשֶׂק Am.1:3
19 וְשָׁבַרְתִּי בְּרִיחַ דַּמֶּשֶׂק Am.1:5
דַּמָּשֶׂק 20 שׁוּב לְדַרְכְּךָ מִדְבַּרָה דַמָּשֶׂק IK.19:15
21 מַשָּׂא דַמָּשֶׂק ישעיה יז 1
22 וְהִצַּתִּי אֵשׁ בְּחוֹמַת דַּמֶּשֶׂק Is.49:27
23 כְּמִגְדַּל הַלְּבָנוֹן צוֹפֶה פְּנֵי דַמָּשֶׂק S.ofS.7:5
וְדַמֶּשֶׂק 24 בְּאֶרֶץ חַדְרָךְ וְדַמֶּשֶׂק מְנֻחָתוֹ Zech.9:1
בְּדַמֶּשֶׂק 25 אֶל־בֶּן־הֲדַד...הַיֹּשֵׁב בְּדַמֶּשֶׂק IK.15:18
26 וְחֻצוֹת תָּשִׂים לְךָ בְדַמֶּשֶׂק IK.20:34
בְּדַמָּשֶׂק 27 וַיֵּלְכוּ דַמֶּשֶׂק...וַיִּמְלְכוּ בְּדַמָּשֶׂק IK.11:24
28 וַיַּרְא אֶת־הַמִּזְבֵּחַ אֲשֶׁר בְּדַמָּשֶׂק IIK.16:10
כְּדַמֶּשֶׂק 29 אִם־לֹא כְדַמֶּשֶׂק שֹׁמְרוֹן Is.10:9
לְדַמֶּשֶׂק 30 לְדַמֶּשֶׂק בּוֹשָׁה חֲמָת וְאַרְפָּד Jer.49:23
לְדַמָּשֶׂק 31 עַד־חוֹבָה אֲשֶׁר מִשְּׂמֹאל לְדַמָּשֶׂק Gen.14:15
32 וְהִגְלֵיתִי אֶתְכֶם מֵהָלְאָה לְדַמָּשֶׂק Am.5:27
מִדַּמֶּשֶׂק 33 כְּכֹל אֲשֶׁר־שָׁלַח...אָחָז מִדַּמֶּשֶׂק IIK.16:11
34 וַיָּבֹא הַמֶּלֶךְ מִדַּמֶּשֶׂק... IIK.16:12
35 וְנִשְׁבַּת...וּמַמְלָכָה מִדַּמֶּשֶׂק Is.17:3
מִדַּמָּשֶׂק 36 עַד־בּוֹא הַמֶּלֶךְ־אָחָז מִדַּמָּשֶׂק IIK.16:11

דְּמֶשֶׁק דַּמֶּשֶׂק (?)

וּבִדְמֶשֶׁק 1 בִּשְׁמְרוֹן...וּבִדְמֶשֶׁק עָרֶשׂ Am.3:12

דָּן^{1} שפ"ז א) בן יעקב מבלהה: 1—6, 36, 37, 45, 50
ב) השבט המתיחס עליו וכן כנוי לנחלתו בגבול הצפוני של ארץ ישראל: 7-35, 38—44, 46—49, 51, 52

– בְּנֵי דָן 15, 17, 19—34; בְּנוֹת דָּן 46; גְּבוּל דָּן 43; מַחֲנֵה דָן 16, 18, 40, 41; מַטֵּה דָן 7—14; מִשְׁפְּחוֹת דָּן 35; שַׁעַר דָּן 44

דָּן 1 עַל־כֵּן קָרְאָה שְׁמוֹ דָּן Gen.30:6
2 וּבְנֵי בִלְהָה...דָּן וְנַפְתָּלִי Gen.35:25
3 וּבְנֵי־דָן חֻשִׁים Gen.46:23
4 דָּן יָדִין עַמּוֹ כְּאַחַד שִׁבְטֵי יש' Gen.49:16
5 יְהִי־דָן נָחָשׁ עֲלֵי־דֶרֶךְ Gen.49:17
6 דָּן וְנַפְתָּלִי גָּד וְאָשֵׁר Ex.1:4
7/8 בֶּן־אֲחִיסָמָךְ לְמַטֵּה־דָן Ex.31:6; 38:23
14-9 (וְ־, מִ) לְמַטֵּה דָן Ex.35:34
Lev.24:11 • Num.1:39; 13:12 • Josh.21:5,23 ויקו
15 לִבְנֵי דָן תּוֹלְדֹתָם לְמִשְׁפְּחֹתָם Num.1:38
16 דֶּגֶל מַחֲנֵה דָן צָפֹנָה לְצִבְאֹתָם Num.2:25
17 וְנָשִׂיא לִבְנֵי דָן אֲחִיעֶזֶר... Num.2:25
18 כָּל־הַפְּקֻדִים לְמַחֲנֵה דָן Num.2:31
34-19 (לְ־, מִ־) בְּנֵי דָן Num.7:66; 10:25; 26:42
34:22 • Josh.47^{2},48 • Jud.1:34; 18:2
18:16,22,23,25,26,30
35 אֵלֶּה מִשְׁפְּחֹת דָּן לְמִשְׁפְּחֹתָם Num.26:42
36 ...וּזְבוּלֻן דָּן וְנַפְתָּלִי Deut.27:13
37 דָּן גּוּר אַרְיֵה יְזַנֵּק מִן־הַבָּשָׁן Deut.33:22
38 וַיַּרְאֵהוּ...אֶת־הַגִּלְעָד עַד־דָּן Deut.34:1
39 וַיִּקְרְאוּ...כְּשֵׁם דָּן אֲבִיהֶם Josh.19:47
40 וַתָּחֶל רוּחַ יְיָ לְפַעֲמוֹ בְּמַחֲנֵה־דָן Jud.13:25
41 קָרְאוּ לַמָּקוֹם הַהוּא מַחֲנֵה־דָן Jud.18:12
42 פְּאַת־קָדִים הַיָּם דָּן אֶחָד Ezek.48:1
43 וְעַל גְּבוּל דָּן מִפְּאַת קָדִים Ezek.48:2
44 שַׁעַר דָּן אֶחָד Ezek.48:32
45 דָּן יוֹסֵף וּבִנְיָמִן... ICh.2:2
46 בֶּן־אִשָּׁה מִן־בְּנוֹת דָּן IICh.2:13
וְדָן 47 וְדָן לָמָּה יָגוּר אֳנִיּוֹת Jud.5:17
לְדָן 48 לְדָן אֲחִיעֶזֶר בֶּן־עַמִּישַׁדָּי Num.1:12
49 לְדָן עֲזַרְאֵל בֶּן־יְרֹחָם ICh.27:22
וּלְדָן 50 וּלְדָן אָמַר דָּן גּוּר אַרְיֵה Deut.33:22
מִדָּן 51 כִּי קוֹל מַגִּיד מִדָּן Jer.4:15
52 מִדָּן נִשְׁמַע נַחְרַת סוּסָיו Jer.8:16

דָּן^{2} שֵׁם העיר הראשית של שבט דן
שנקראה לפני הכבוש לַיִשׁ אוֹ לֶשֶׁם: 1—18
מִדָּן וְעַד בְּאֵר שָׁבַע 12—18;
מִבְּאֵר שֶׁבַע וְעַד דָּן 8, 9

1 וַיָּרֶק...וַיִּרְדֹּף עַד־דָּן Gen.14:14
2 וַיִּקְרְאוּ לְלֶשֶׁם דָּן Josh.19:47
3 וַיִּקְרְאוּ שֵׁם־הָעִיר דָּן Jud.18:29

דָּן (המשך) 4 וַיֵּלְכוּ הָעָם לִפְנֵי הָאֶחָד עַד־דָּן IK. 12:30
5 וַיַּךְ אֶת־עִיּוֹן וְאֶת־דָּן IK. 15:20
6 וַיַּכּוּ אֶת־עִיּוֹן וְאֶת־דָּן IICh. 16:4
7 חֵי אֱלֹהֶיךָ דָּן Am. 8:14
9-8 מִבְּאֵר שֶׁבַע וְעַד־דָּן ICh. 21:2 • IICh. 30:5
בְּדָן 10 ...וְאֶת־הָאֶחָד נָתַן בְּדָן IK. 12:29
11 אֲשֶׁר בֵּית־אֵל וַאֲשֶׁר בְּדָן IIK. 10:29
מִדָּן 17-12 מִדָּן וְעַד־בְּאֵר שָׁבַע ISh. 3:20
IISh. 3:10; 17:11; 24:2,15 • IK. 5:5
לְמִדָּן 18 לְמִדָּן וְעַד־בְּאֵר שֶׁבַע Jud. 20:1

דָּנִאֵל
עין דָּנִיֵּאל

דָּן יַעַן
כנראה עיר בנחלת דן

דָּנָה יַעַן 1 וַיָּבֹאוּ דָּנָה יַעַן וְסָבִיב אֶל צִידוֹן IISh. 24:6

דַּנָּה
עיר ביהודה מדרום לחֶברון

וְדַנָּה 1 וְדַנָּה וְקִרְיַת־סַנָּה הִיא דְבִר Josh. 15:49

דְּנָה
מ״ג ארמית א) כנוי רומז לזכר: זֶה, הזֶה: 1–38
ב) [כִּדְנָה] כזה, כך: 39–42
אַחֲרֵי דְנָה 2, 3; בָּאתַר דְּנָה 12
מִן קַדְמַת דְּנָה 10; מִקַּדְמַת דְּנָה 14

דְּנָה 1 לְמִבְעֵא...עַל־רָזָא דְנָה Dan. 2:18
2/3 מָה דִּי לֶהֱוֵא אַחֲרֵי דְנָה Dan. 2:29,45
4 דְּנָה חֶלְמָא וּפִשְׁרֵהּ נֵאמַר Dan. 2:36
5/6 וְלָא־לֶהֱוֺן דָּבְקִין דְּנָה עִם־דְּנָה Dan. 2:43
7 דְּנָה חֶלְמָא חֲזֵית Dan. 4:15
8 דְּנָה פִשְׁרָא מַלְכָּא Dan. 4:21
9 דִּי כָל־דְּנָה יְדַעְתָּ Dan. 5:22
10 דִּי־הֲוָא עָבֵד מִן־קַדְמַת דְּנָה Dan. 6:11
11 וְדָנִיֵּאל דְּנָה הַצְלַח Dan. 6:29
12 בָּאתַר דְּנָה חָזֵה הֲוֵית Dan. 7:6
13 אֶבְעֵא מִנֵּהּ עַל־כָּל־דְּנָה Dan. 7:16
14 מִקַּדְמַת דְּנָה שְׁנִין שַׂגִּיאָן Ez. 5:11
15 וּבַיְתֵהּ נְוָלוּ יִתְעֲבֵד עַל־דְּנָה Ez. 6:11
37-16 דְּנָה Dan. 2:28,30,47
5:7,15,24,26; 6:4,6 • Ez. 4:11; 5:3[2],4,9[2],12,13,15;
6:16,17; 7:17,24
וּדְנָה 38 וּדְנָה כְתָבָא דִּי רְשִׁים Dan. 5:25
כִּדְנָה 39 כִּדְנָה תֵּאמְרוּן לְהוֹם Jer. 10:11
40 כָּל־מֶלֶךְ...מִלָּה כִדְנָה לָא שְׁאֵל Dan. 2:10
41 לָא אִיתַי...דִּי־יִכֻּל לְהַצָּלָה כִּדְנָה Dan. 3:29
וְכִדְנָה 42 וְכִדְנָה כְּתִיב בְּגַוֵּהּ... Ez. 5:7

דִּנְהָבָה
עירו של בֶּלַע מלך אדום: 2,1

דִּנְהָבָה 1 בֶּלַע...וְשֵׁם עִירוֹ דִּנְהָבָה Gen. 36:32
2 בֶּלַע בֶּן־בְּעוֹר וְשֵׁם עִירוֹ דִּנְהָבָה ICh. 1:43

דָּנִי
ת׳ המתיחס על שבט דן: 1–5

הַדָּנִי 1/2 מִמִּשְׁפַּחַת הַדָּנִי Jud. 13:2; 18:11
3 שֵׁבֶט הַדָּנִי מְבַקֶּשׁ־לוֹ נַחֲלָה Jud. 18:1
4 ...הָיוּ כֹהֲנִים לְשֵׁבֶט הַדָּנִי Jud. 18:30
5 וּמִן־הַדָּנִי עֹרְכֵי מִלְחָמָה ICh. 12:35(36)

דָּנִיֵּאל
שפ״ז א) צדיק וחכם קדמון: 1, 2, 80
ב) בן דָוד מאביגל, הוא כִּלְאָב: 49
ג) כֹּהן בימי עזרא: 47, 48
ד) גבּור הספר דָּנִיֵּאל, אולי הוא דניאל(א):
3-46, 50-79

דָּנִיֵּאל 1 נֹחַ דָּנִיֵּאל (כת׳ דנאל) וְאִיּוֹב Ezek. 14:14
2 וְנֹחַ דָּנִיֵּאל (כת׳ דנאל) וְאִיּוֹב Ezek. 14:20
3 דָּנִיֵּאל חֲנַנְיָה מִישָׁאֵל וַעֲזַרְיָה Dan. 1:6
4 וַיָּשֶׂם דָּנִיֵּאל עַל־לִבּוֹ Dan. 1:8

דָּנִיֵּאל (המשך) 5 וַיִּתֵּן הָאֱלֹהִים אֶת־דָּנִיֵּאל לְחֶסֶד Dan. 1:9
6/7 דָּנִיֵּאל דִּי(־)שְׁמֵהּ בֵּלְטְשַׁאצַּר Dan. 4:5,16
8 חָזוֹן נִרְאָה אֵלַי אֲנִי דָנִיֵּאל Dan. 8:1
9 בִּרְאֹתִי אֲנִי דָנִיֵּאל אֶת־הֶחָזוֹן Dan. 8:15
10 דָּנִיֵּאל אִישׁ־חֲמֻדוֹת Dan. 10:11
46-11 דָּנִיֵּאל Dan. 1:11[2],21; 2:13,14,17,18
2:19,20,24,27; 5:12,13[2],17; 6:3,4,15,21,22,24,25,
27; 7:1,2,15,28; 8:27; 9:2,22; 10:2,7,12; 12:4,5,9
47 מִבְּנֵי אִיתָמָר דָּנִיֵּאל... Ez. 8:2
48 דָּנִיֵּאל גִּנְּתוֹן בָּרוּךְ Neh. 10:7
49 שֵׁנִי דָּנִיֵּאל לַאֲבִיגַיִל הַכַּרְמְלִית ICh. 3:1
וְדָנִיֵּאל 50 וְדָנִיֵּאל הֵבִין בְּכָל־לָשׁוֹן וַחֲלֹמוֹת Dan. 1:7
51 וְדָנִיֵּאל עַל וּבְעָא מִן־מַלְכָּא Dan. 2:16
55-52 וְדָנִיֵּאל Dan. 2:49[2]; 6:11,29
בְּדָנִיֵּאל 56 ...הִשְׁתְּכַחַת בֵּהּ בְּדָנִיֵּאל Dan. 5:12
57 דִּי לָא־תִשְׁנֵא צְבוּ בְּדָנִיֵּאל Dan. 6:18
כְּדָנִיֵּאל 58 וְלֹא נִמְצָא מִכֻּלָּם כְּדָנִיֵּאל Dan. 1:19
לְדָנִיֵּאל 59 וַיָּשֶׂם לְדָנִיֵּאל בֵּלְטְשַׁאצַּר... Dan. 1:7
77-60 לְדָנִיֵּאל Dan. 1:10; 2:15,19,25
2:26,47,48; 5:13,29; 6:5,6,12,17[2],21[2],28; 10:1
וּלְדָנִיֵּאל 78 נְפַל עַל־אַנְפּוֹהִי וּלְדָנִיֵּאל סְגִד Dan. 2:46
79 וּלְדָנִיֵּאל אֲמַר לְהַנְסָקָה מִן־גֻּבָּא Dan. 6:24
מִדָּנִיֵּאל 80 הִנֵּה חָכָם אַתָּה מִדָּנִיֵּאל (כ׳ דנאל) Ezek. 28:3

דֵּעַ
ז׳ ידיעה: 1–5 • קרובים: ראה דַּעַת
חִוָּה דֵעַ 1–3; נָשָׂא דֵעַ 4; תְּמִים דֵּעִים 5

דֵּעִי 1 וָאִירָא מֵחַוֹּת דֵּעִי אֶתְכֶם Job 32:6
2/3 אֲחַוֶּה דֵעִי אַף־אָנִי Job 32:10,17
4 אֶשָּׂא דֵעִי לְמֵרָחוֹק Job 36:3
דֵּעִים 5 מִפְלְאוֹת תְּמִים דֵּעִים Job 37:16

דֵּעָה
נ׳ ידיעה, דעת: 1–5 • קרובים: ראה דַּעַת
יוֹרֶה דֵעָה 2; אֵל דֵּעוֹת 4; תְּמִים דֵּעוֹת 5

דֵּעָה 1 כִּי־מָלְאָה הָאָרֶץ דֵּעָה אֶת־יְיָ Is. 11:9
2 אֶת־מִי יוֹרֶה דֵעָה Is. 28:9
3 אֵיכָה יָדַע־אֵל וְיֵשׁ דֵּעָה בְעֶלְיוֹן Ps. 73:11
דֵּעוֹת 4 כִּי אֵל דֵּעוֹת יְיָ ISh. 2:3
5 תְּמִים דֵּעוֹת עִמָּךְ Job 36:4

דְּעוּאֵל
שפ״ז – אבי נשׂיא מטה דן בימי משה: 1–4

דְּעוּאֵל 1-4 אֶלְיָסָף בֶּן־דְּעוּאֵל Num. 1:14; 7:42,47; 10:20

דעך
: דָּעַךְ, נִדְעַךְ, דֹּעֵךְ

דָּעַךְ
פָּ׳ א) כָּבָה: 1–7
ב) [נפ׳ נִדְעַךְ] נתיבּשׁ: 8
ג) [פִּ׳ דֹּעֵךְ] כבה: 9
דָּעַךְ אוֹר 5; דָּעַךְ נֵר 2–4, 6, 7

דָּעֲכוּ 1 דָּעֲכוּ כַּפִּשְׁתָּה כָבוּ Is. 43:17
יִדְעַךְ 2 יִדְעַךְ נֵרוֹ בֶּאֱשׁוּן° חֹשֶׁךְ Prov. 20:20
יִדְעָךְ 4/3 (וְ)נֵר רְשָׁעִים יִדְעָךְ Prov. 13:9; 24:20
5 גַּם אוֹר רְשָׁעִים יִדְעָךְ Job 18:5
6 וְנֵרוֹ עָלָיו יִדְעָךְ Job 18:6
7 כַּמָּה נֵר־רְשָׁעִים יִדְעָךְ Job 21:17
נִדְעֲכוּ 8 בְּחֻמּוֹ נִדְעֲכוּ מִמְּקוֹמָם Job 6:17
דֹּעֲכוּ 9 דֹּעֲכוּ כְּאֵשׁ קוֹצִים Ps. 118:12

דַּעַת
נ׳ (ז׳ – 47, 49?, 50) ידיעה, חכמה: 1–91
קרובים: בִּין / בִּינָה / דֵּעַ / דֵּעָה / הַשְׂכֵּל / חָכְמָה / מַדָּע / שֵׂכֶל / תְּבוּנָה

– דַּעַת וְחָכְמָה 54, 56; דַּ׳ וּמְזִמָּה 9; דַּ׳ וּתְבוּנָה 6, 10; חָכְמָה וָדַעַת 53, 56, 58, 61, 68,69,72,87
– דַּעַת אֱלֹהִים 76, 80, 81; דַּ׳ דְּרָכָיו 79, 85; דַּעַת מְזִמּוֹת 82; דַּ׳ נֶפֶשׁ 77; דַּ׳ עֶלְיוֹן 75; דַּעַת קְדוֹשִׁים 83, 84; דַּעַת־רוּחַ 78
– אוֹהֵב דַּעַת 26; אִישׁ דַּ׳ 11; אִמְרֵי דַ׳ 37,41; בְּלֹא דַ׳ 77; בְּלִי דַ׳ 45, 46; בִּבְלִי דַ׳ 1–2, 12, 17, 44; מִבְּלִי דַ׳ 18, 64; יוֹדֵעַ דַּ׳ 16,33; יִתְרוֹן דַּ׳ 14; עֵץ הַדַּ׳ 59, 60; פְּלִיאָה דַ׳ 8; רֵאשִׁית דַּ׳ 21; רוּחַ דַּ׳ 4; שִׂפְתֵי דַעַת 28, 38
– בִּקֵּשׁ דַּעַת 32,35; הֵבִין דַּ׳ 36,42; הוֹסִיף דַּ׳ 13; הֵיטִיב דַּ׳ 30; הִכְתִּיר דַּ׳ 29; זֵרָה דַ׳ 31; חִוָּה דַ׳ 19; כִּסָּה דַ׳ 27; לִמֵּד דַּ׳ 15,20,43; לָקַח דַּ׳ 39; מָאַס דַּ׳ 63; מָצָא דַ׳ 24; סִכֵּל דַּעַת 91; צָפַן דַּ׳ 25; רִבְּתָה דַעַת 65; שָׂנֵא דַּעַת 22,23

דַּעַת 1 אֲשֶׁר יִרְצַח ..בִּבְלִי דַעַת Deut. 4:42
2 אֲשֶׁר יַכֶּה אֶת־רֵעֵהוּ בִּבְלִי דַעַת Deut. 19:4
3 כִּי בִּבְלִי־דַעַת הִכָּה אֶת־רֵעֵהוּ Josh. 20:5
4 וְנָחָה עָלָיו...רוּחַ דַּעַת וְיִרְאַת יְיָ Is. 11:2
5 וַיְלַמְּדֵהוּ דַּעַת וְדֶרֶךְ תְּבוּנוֹת יוֹדִיעֶנּוּ Is. 40:14
6 וְלֹא־דַעַת וְלֹא־תְבוּנָה Is. 44:19
7 כִּי־שִׂפְתֵי כֹהֵן יִשְׁמְרוּ־דַעַת Mal. 2:7
8 פְּלִיאָה דַעַת מִמֶּנִּי Ps. 139:6
9 לְנַעַר דַּעַת וּמְזִמָּה Prov. 1:4
10 מִפִּיו דַּעַת וּתְבוּנָה Prov. 2:6
11 וְאִישׁ דַּעַת מְאַמֶּץ־כֹּחַ Prov. 24:5
12 בִּבְלִי־דַעַת מִלִּין יַכְבִּר Job 35:11
13 וְיוֹסִיף דַּעַת יוֹסִיף מַכְאוֹב Eccl. 1:8
14 וְיִתְרוֹן דַּעַת הַחָכְמָה תְּחַיֶּה בְעָלֶיהָ Eccl. 7:12
15 עוֹד לִמַּד־דַּעַת אֶת־הָעָם Eccl. 12:9
16 וּמַשְׂכִּלִים בְּכָל־חָכְמָה וְיֹדְעֵי דַעַת Dan. 1:4
דָּעַת 17 בִּשְׁגָגָה בִּבְלִי־דָעַת Josh. 20:3
18 לָכֵן גָּלָה עַמִּי מִבְּלִי־דָעַת Is. 5:13
19 וְלַיְלָה לְּלַיְלָה יְחַוֶּה־דָּעַת Ps. 19:3
20 הַמְלַמֵּד אָדָם דָּעַת Ps. 94:10
21 יִרְאַת יְיָ רֵאשִׁית דָּעַת Prov. 1:7
22 וּכְסִילִים יִשְׂנְאוּ־דָעַת Prov. 1:22
23 תַּחַת כִּי־שָׂנְאוּ דַעַת Prov. 1:29
24 וִישָׁרִים לְמֹצְאֵי דָעַת Prov. 8:9
25 חֲכָמִים יִצְפְּנוּ־דָעַת Prov. 10:14
26 אֹהֵב מוּסָר אֹהֵב דָּעַת Prov. 12:1
27 אָדָם עָרוּם כֹּסֶה דָּעַת Prov. 12:23
28 וּבַל־יָדַעְתָּ שִׂפְתֵי־דָעַת Prov. 14:7
29 וַעֲרוּמִים יַכְתִּרוּ דָעַת Prov. 14:18
30 לְשׁוֹן חֲכָמִים תֵּיטִיב דָּעַת Prov. 15:2
31 שִׂפְתֵי חֲכָמִים יְזָרוּ דָעַת Prov. 15:7
32 לֵב נָבוֹן יְבַקֶּשׁ־דָּעַת Prov. 15:14
33 חוֹשֵׂךְ אֲמָרָיו יוֹדֵעַ דָּעַת Prov. 17:27
34 לֵב נָבוֹן יִקְנֶה־דָּעַת Prov. 18:15
35 וְאֹזֶן חֲכָמִים תְּבַקֶּשׁ־דָּעַת Prov. 18:15
36 וְהוֹכִיחַ לְנָבוֹן יָבִין דָּעַת Prov. 19:25
37 לִשְׁגּוֹת מֵאִמְרֵי־דָעַת Prov. 19:27
38 וּכְלִי יְקָר שִׂפְתֵי־דָעַת Prov. 20:15
39 וּבְהַשְׂכִּיל לְחָכָם יִקַּח־דָּעַת Prov. 21:11
40 עֵינֵי יְיָ נָצְרוּ דָעַת Prov. 22:12
41 הָבִיאָה...וְאָזְנֶךָ לְאִמְרֵי־דָעַת Prov. 23:12
42 רָשָׁע לֹא־יָבִין דָּעַת Prov. 29:7
43 הַלְאֵל יְלַמֶּד־דָּעַת Job 21:22
44 וְיִגְוְעוּ בִּבְלִי־דָעַת Job 36:12
45 מַחְשִׁיךְ עֵצָה בְמִלִּין בְּלִי־דָעַת Job 38:2
46 מַעְלִים עֵצָה בְּלִי דָעַת Job 42:3
וְדַעַת 47 וְדַעַת לְנַפְשְׁךָ יִנְעָם Prov. 2:10
48 וְדַעַת שְׂפָתֶיךָ יִנְצֹרוּ Prov. 5:2
49 וְדַעַת מֵחָרוּץ נִבְחָר Prov. 8:10
50 וְדַעַת לְנָבוֹן נָקָל Prov. 14:6
51 וְדַעַת שְׂפָתַי בָּרוּר מִלֵּלוּ Job 33:3

וָדַעַת (המשך) 52 וְדַעַת הֹלֵלוֹת וְשִׂכְלוּת Eccl.1:17
53 נָתַן חָכְמָה וְדַעַת וְשִׂמְחָה Eccl.2:26
54 מַעֲשֶׂה וְחֶשְׁבּוֹן וְדַעַת וְחָכְמָה Eccl.9:10
וָדַעַת 55 טוּב טַעַם וָדַעַת לַמְּדֵנִי Ps.119:66
וָדָעַת 56 חֹסֶן יְשׁוּעֹת חָכְמַת וָדָעַת Is.33:6
57 הֲלֹא כָתַבְתִּי...בְּמֹעֵצוֹת וָדָעַת Prov.22:20
58 וְלִבִּי רָאָה הַרְבֵּה חָכְמָה וָדָעַת Eccl.1:16
הַדַּעַת 59 וְעֵץ הַדַּעַת טוֹב וָרָע Gen.2:9
60 וּמֵעֵץ הַדַּעַת טוֹב וָרָע Gen.2:17
61 אֶת־הַחָכְמָה...וְאֶת־הַדַּעַת IK.7:41
62 הֲלוֹא הִיא הַדַּעַת אֹתִי Jer.22:16
63 כִּי אַתָּה הַדַּעַת מָאַסְתָּ Hosh.4:6
הַדָּעַת 64 נִדְמוּ עַמִּי מִבְּלִי הַדָּעַת Hosh.4:6
65 יְשֹׁטְטוּ רַבִּים וְתִרְבֶּה הַדָּעַת Dan.12:4
בְּדַעַת 66 אִיּוֹב לֹא־בְדַעַת יְדַבֵּר Job 34:35
בְּדָעַת 67 כָּל־עָרוּם יַעֲשֶׂה בְדָעַת Prov.13:16
וּבְדַעַת 68 בְּחָכְמָה וּבִתְבוּנָה וּבְדַעַת Ex.31:3
69 בְּחָכְמָה בִּתְבוּנָה וּבְדַעַת Ex.35:31
70 וּבְדַעַת צַדִּיקִים יֵחָלֵצוּ Prov.11:9
71 וּבְדַעַת חֲדָרִים יִמָּלְאוּ Prov.24:4
72 בְּחָכְמָה וּבְדַעַת וּבְכִשְׁרוֹן Eccl.2:21
מִדַּעַת 73/4 נִבְעַר כָּל־אָדָם מִדַּעַת Jer.10:14; 51:17
דַּעַת־ 75 וְיֹדֵעַ דַּעַת עֶלְיוֹן Num.24:16
76 וְאֵין־דַּעַת אֱלֹהִים בָּאָרֶץ Hosh.4:1
77 גַּם בְּלֹא־דַעַת נֶפֶשׁ לֹא־טוֹב Prov.19:2
78 הֶחָכָם יַעֲנֶה דַעַת־רוּחַ Job 15:2
וְדַעַת־ 79 וְדַעַת דְּרָכַי יֶחְפָּצוּן Is.58:2
80 וְדַעַת אֱלֹהִים מֵעֹלוֹת Hosh.6:6
81 וְדַעַת אֱלֹהִים תִּמְצָא Prov.2:5
82 וְדַעַת מְזִמּוֹת אֶמְצָא Prov.8:12
83 וְדַעַת קְדֹשִׁים בִּינָה Prov.9:10
84 וְדַעַת קְדֹשִׁים אֵדָע Prov.30:3
85 וְדַעַת דְּרָכֶיךָ לֹא חָפָצְנוּ Job 21:14
לְדַעְתִּי 86 וְלִבְּךָ תָּשִׁית לְדַעְתִּי Prov.22:17
וְדַעְתֵּךְ 87 חָכְמָתֵךְ וְדַעְתֵּךְ הִיא שׁוֹבְבָתֶךְ Is.47:10
בְּדַעְתּוֹ 88 בְּדַעְתּוֹ יַצְדִּיק צַדִּיק Is.53:11
89 בְּדַעְתּוֹ תְּהוֹמוֹת נִבְקָעוּ Prov.3:20
כְּדַעְתְּכֶם 90 כְּדַעְתְּכֶם יָדַעְתִּי גַם אָנִי Job 13:2
וְדַעְתָּם 91 מֵשִׁיב חֲכָמִים...וְדַעְתָּם יְסַכֵּל Is.44:25

דֳּפִי
ז' פְּגָם, מוּם
דֳּפִי 1 בְּאָחִיךָ תְדַבֵּר בְּבֶן־אִמְּךָ תִּתֶּן־דֹּפִי Ps.50:20

דפק
: דָּפַק, הִתְדַּפֵּק; ש"פ דָּפְקָה

דָּפַק
פ' א) דחק, האיץ: 1; ב) הקיש: 2
ג) (הת' הִתְדַּפֵּק) דפק והקיש: 3
וּדְפָקוּם 1 וּדְפָקוּם...וָמֵתוּ כָּל־הַצֹּאן Gen.33:13
דּוֹפֵק 2 קוֹל דּוֹדִי דוֹפֵק פִּתְחִי־לִי... S.ofS.5:2
מִתְדַּפְּקִים 3 מִתְדַּפְּקִים עַל־הַדָּלֶת Jud.19:22

דָּפְקָה
שם אחת התחנות במסעי בני ישראל במדבר: 2,1
בְּדָפְקָה 1 וַיִּסְעוּ מִמִּדְבַּר־סִין
וַיַּחֲנוּ בְּדָפְקָה Num.33:12
מִדָּפְקָה 2 וַיִּסְעוּ מִדָּפְקָה וַיַּחֲנוּ בְּאָלוּשׁ Num.33:13

דַּק[1]
ת' א) שחוק היטב: 1–4, 6
ב) לא עבה, כחוש: 5, 8–13; ג) חרישי: 7
דַּק מְחֻסְפָּס 1; אָבָק דַּק 3; שֵׂעָר דַּק 5; דְּמָמָה דַקָּה 7; קְטֹרֶת סַמִּים דַּקָּה 6; שִׁבֳּלִים דַּקּוֹת 8, 9, 12, 13; (פָּרוֹת) דַּקּוֹת בָּשָׂר 10, 11
דַּק 1 עַל־פְּנֵי הַמִּדְבָּר דַּק מְחֻסְפָּס Ex.16:14
2 דַּק כַּכְּפֹר עַל־הָאָרֶץ Ex.16:14
3 וְהָיָה כְּאָבָק דַּק הֲמוֹן זָרָיִךְ Is.29:5
כַּדַּק 4 הֵן אִיִּים כַּדַּק יִטּוֹל... Is.40:15
דָּק 5 וּבוֹ שֵׂעָר צָהֹב דָּק Lev.13:30
דַּקָּה 6 וּמְלֹא חָפְנָיו קְטֹרֶת סַמִּים דַּקָּה Lev.16:12
7 וְאַחַר הָאֵשׁ קוֹל דְּמָמָה דַקָּה IK.19:12
דַּקּוֹת 8 שִׁבֳּלִים דַּקּוֹת וּשְׁדוּפֹת קָדִים Gen.41:6
9 צְנֻמוֹת דַּקּוֹת שְׁדֻפוֹת קָדִים Gen.41:23
וְדַקּוֹת 10 פָּרוֹת...רָעוֹת מַרְאֶה וְדַקּוֹת בָּשָׂר Gen.41:3
11 רָעוֹת הַמַּרְאֶה וְדַקֹּת הַבָּשָׂר Gen.41:4
הַדַּקּוֹת 12 וַתִּבְלַעְנָה הַשִּׁבֳּלִים הַדַּקּוֹת Gen.41:7
13 וַתִּבְלַעְןָ הַשִּׁבֳּלִים הַדַּקֹּת Gen.41:24

דַּק[2]
ז' אחת ממחלות העיניים
דַּק 1 אוֹ־דַק אוֹ תְּבַלֻּל בְּעֵינוֹ Lev.21:20

דֹּק
ז' יריעה דקה
כַּדֹּק 1 הַנּוֹטֶה כַדֹּק שָׁמַיִם וַיִּמְתָּחֵם כָּאֹהֶל Is.40:22

דִּקְלָה
שפ"ז – אחד מבני יקטן: 1, 2
דִּקְלָה 1/2 וְאֶת־הֲדוֹרָם וְאֶת־אוּזָל
וְאֶת־דִּקְלָה Gen.10:27 • ICh.1:21

דקק
: דַּק, הֵדַק, הוּדַק; דַּק, דַּק², דֹּק

(דָּקַק) דַּק
פ' א) היה כתות וקטן: 1, 2
ב) כתת ופורר: 3, 4
ג) [הפ' הֵדַק] כתת, שחק: 5–12
ד) [הָפ' הוּדַק] נשחק: 13
דַּק 1 טָחוֹן הֵיטֵב עַד אֲשֶׁר־דַּק לְעָפָר Deut.9:21
דָּק 2 וַיִּטְחַן עַד אֲשֶׁר־דָּק Ex.32:20
וְתָדֹק 3 תָּדוּשׁ הָרִים וְתָדֹק Is.41:15
יְדֻקֶּנּוּ 4 וּפָרָשָׁיו לֹא יְדֻקֶּנּוּ Is.28:28
הָדֵק 5 וְשָׁחַקְתָּ מִמֶּנָּה הָדֵק Ex.30:36
לְהֵדַק 6 וְהַפְּסִלִים כִּתַּת לְהֵדַק IICh.34:7
וַהֲדִקּוֹת 7 וַהֲדִקּוֹת עַמִּים רַבִּים Mic.4:13
הֵדַק 8 וַיִּשְׂרֹף אֶת־הַבָּמָה הֵדַק לְעָפָר IIK.23:15
וְהֵדַק 9 וְהַמַּסֵּכוֹת שִׁבַּר וְהֵדַק IICh.34:4
אֲדִקֵּם 10 כְּטִיט־חוּצוֹת אֲדִקֵּם אֶרְקָעֵם IISh.22:43
וַיָּדֶק 11 וַיִּשְׂרֹף אֹתָהּ...וַיָּדֶק לְעָפָר IIK.23:6
12 וַיָּדֶק וַיִּשְׂרֹף בְּנַחַל קִדְרוֹן IICh.15:16
יוּדָק 13 לֶחֶם יוּדָק... Is.28:28

(דְּקַק) דַּק
פ' ארמית, כמו בעברית
א) נכתת: 1
ב) [הַפ' הַדֵּק] כתת, שחק: 2–10
דָּקוּ 1 בֵּאדַיִן דָּקוּ כַחֲדָה פַּרְזְלָא Dan.2:35
וְהַדֵּקֶת 2 וּמְחָת...וְהַדֵּקֶת הִמּוֹן Dan.2:34
3 וְהַדֵּקֶת פַּרְזְלָא נְחָשָׁא Dan.2:45
הַדִּקוּ 4 וְכָל־גַּרְמֵיהוֹן הַדִּקוּ Dan.6:25
מְהַדֵּק 5 מְהַדֵּק וְחָשֵׁל כֹּלָּא Dan.2:40
מַדְּקָה 6 אָכְלָה מַדְּקָה וּשְׁאָרָא...רָפְסָה Dan.7:19
וּמַדְּקָה 7 אָכְלָה וּמַדְּקָה Dan.7:7
תַּדִּק 8 כָּל־אִלֵּין תַּדִּק וְתֵרֹעַ Dan.2:40
9 תַּדִּק וְתָסֵף כָּל־אִלֵּין Dan.2:44
וְתַדְּקִנַּהּ 10 וְתֵאכֻל...וּתְדוּשִׁנַּהּ וְתַדְּקִנַּהּ Dan.7:23

דקר
: דָּקַר, נִדְקַר, דֻּקַּר; מַדְקָרוֹת; ש"פ דֶּקֶר

דָּקַר
פ' א) נעץ והמית: 1–7
ב) [נפ' נִדְקַר] הומת בנעיצת חרב: 8
ג) [פֻּ' בינוני: מְדֻקָּר] נדקר, מת בדקירה: 9–11
דָּקָרוּ 1 וְהִבִּיטוּ אֵלַי אֵת אֲשֶׁר־דָּקָרוּ Zech.12:10
וּדְקָרֻנִי 2 וּדְקָרֻנִי וְהִתְעַלְּלוּ־בִי ISh.31:4
וּדְקָרֻהוּ 3 וּדְקָרֻהוּ אָבִיהוּ וְאִמּוֹ יֹלְדָיו Zech.13:3
וַיִּדְקֹר 4 וַיִּדְקֹר אֶת־שְׁנֵיהֶם... Num.25:8
וַיִּדְקְרֵהוּ 5 וַיִּדְקְרֵהוּ נַעֲרוֹ וַיָּמֹת Jud.9:54
וְדָקְרֵנִי 6/7 שְׁלֹף חַרְבְּךָ וְדָקְרֵנִי בָהּ ISh.31:5 • ICh.10:4
יִדָּקֵר 8 כָּל־הַנִּמְצָא יִדָּקֵר Is.13:15
מְדֻקָּרִים 9 וְנִשְׁאֲרוּ בָם אֲנָשִׁים מְדֻקָּרִים Jer.37:10
10 שֶׁהֵם יָזוּבוּ מְדֻקָּרִים Lam.4:9
וּמְדֻקָּרִים 11 חֲלָלִים...וּמְדֻקָּרִים בְּחוּצוֹתֶיהָ Jer.51:4

דֶּקֶר
עין בֶּן־דֶּקֶר

דַּר
ז' אבן־רִצּוּף יקרה
וְדַר 1 בַּהַט־וָשֵׁשׁ וְדַר וְסֹחָרֶת Es.1:6

דָּר
ז' ארמית דּוֹר: 1, 2
דָּר וְדָר 1 וְשָׁלְטָנֵהּ עִם־דָּר וְדָר Dan.33:33
2 מַלְכוּתֵהּ עִם־דָּר וְדָר Dan.4:31

דֵּרָאוֹן
ז' תועבה: 1, 2
דֵּרָאוֹן 1 וְהָיוּ דֵרָאוֹן לְכָל־בָּשָׂר Is.66:24
לְדִרְאוֹן־ 2 וְאֵלֶּה לַחֲרָפוֹת לְדִרְאוֹן עוֹלָם Dan.12:2

דָּרְבוֹן, דָּרְבָן
ז' חוד ברזל בקצה מלמד־הבקר: 2,1
הַדָּרְבָן 1 לַמַּחֲרֵשׁוֹת...וּלְהַצִּיב הַדָּרְבָן ISh.13:21
כַּדָּרְבֹנוֹת 2 דִּבְרֵי חֲכָמִים כַּדָּרְבֹנוֹת Eccl.12:11

דַּרְדַּע
שפ"ז – מבני מָחוֹל
וְדַרְדַּע 1 וַיֶּחְכַּם...מֵאֵיתָן...וְכַלְכֹּל וְדַרְדַּע IK.5:11

דַּרְדַּר
ז' צמח קוצני: 1, 2
וְדַרְדַּר 1 וְקוֹץ וְדַרְדַּר תַּצְמִיחַ לָךְ Gen.3:18
2 קוֹץ וְדַרְדַּר יַעֲלֶה עַל־מִזְבְּחוֹתָם Hosh.10:8

דָּרוֹם
ז' הצד מול צפון: 1–17
יָם וְדָרוֹם 3; דֶּרֶךְ הַדָּרוֹם 5–10; לִשְׁכּוֹת הַדָּ' 13; רוּחַ הַדָּרוֹם 14; שַׁעַר הַדָּ' 11, 12
דָּרוֹם 1 שִׂים פָּנֶיךָ...וְהַטֵּף אֶל־דָּרוֹם Ezek.21:2
2 הוֹלֵךְ אֶל־דָּרוֹם וְסוֹבֵב אֶל־צָפוֹן Eccl.1:6
וְדָרוֹם 3 יָם וְדָרוֹם יְרָשָׁה Deut.33:23
הַדָּרוֹם 4 וַיּוֹלִכֵנִי דֶּרֶךְ הַדָּרוֹם Ezek.40:24
5 וְהִנֵּה־שַׁעַר דֶּרֶךְ הַדָּרוֹם Ezek.40:24
6-10 דֶּרֶךְ הַדָּרוֹם Ezek.40:27²,44,45; 42:12
11 וַיְבִיאֵנִי אֶל־חָצֵר...בְּשַׁעַר הַדָּרוֹם Ezek.40:28
12 וַיָּמָד אֶת־שַׁעַר הַדָּרוֹם Ezek.40:28
13 לִשְׁכוֹת הַצָּפוֹן לִשְׁכוֹת הַדָּרוֹם Ezek.42:13
14 אֶת רוּחַ הַדָּרוֹם מָדַד Ezek.42:18
בַּדָּרוֹם 15 וְאִם־יִפּוֹל עֵץ בַּדָּרוֹם Eccl.11:3
לַדָּרוֹם 16 וּפֶתַח אֶחָד לַדָּרוֹם Ezek.41:11
מִדָּרוֹם 17 בְּהַשְׁקִט אֶרֶץ מִדָּרוֹם Job 37:17

דְּרוֹר[1]
ז' שחרור, חופש: 1–7
קָרָא דְרוֹר 1–6; שְׁנַת דְּרוֹר 7
דְּרוֹר 1 וּקְרָאתֶם דְּרוֹר בָּאָרֶץ Lev.25:10
2 לִקְרֹא לִשְׁבוּיִם דְּרוֹר Is.61:1
3 לִקְרֹא לָהֶם דְּרוֹר Jer.34:8
4 לִקְרֹא דְרוֹר אִישׁ לְרֵעֵהוּ Jer.34:15
5 לִקְרֹא דְרוֹר אִישׁ לְאָחִיו Jer.34:17
6 הִנְנִי קֹרֵא לָכֶם דְּרוֹר Jer.34:17
הַדְּרוֹר 7 וְהָיְתָה לּוֹ עַד־שְׁנַת הַדְּרוֹר Ezek.46:17

דְּרוֹר[2]
ז' ממיני הבושם
דְּרוֹר 1 קַח־לְךָ בְּשָׂמִים רֹאשׁ מָר־דְּרוֹר Ex.30:23

דְּרוֹר[3]
נ' צִפּוֹר, אולי היא הנקראת "אַנְקוֹר": 1, 2
וּדְרוֹר 1 גַּם־צִפּוֹר מָצְאָה בַיִת וּדְרוֹר קֵן לָהּ Ps.84:4
כַּדְּרוֹר 2 כַּצִּפּוֹר לָנוּד כַּדְּרוֹר לָעוּף Prov.26:2

דָּרְיָוֶשׁ שפ״ז – שמות של אחדים ממלכי פרס בימי חגי, זכריה, עזרא ונחמיה: 1—25

דָּרְיָוֶשׁ 1 שְׁפַר קֳדָם דָּרְיָוֶשׁ Dan. 6:2
2 דָּרְיָוֶשׁ מַלְכָּא לְעָלְמִין חֱיִי Dan. 6:7
3 וְעַד־מַלְכוּת דָּרְיָוֶשׁ מֶלֶךְ פָּרָס Ez. 4:5
13-4 דָּרְיָוֶשׁ Dan. 6:10,26,29
Ez. 4:24; 5:6; 6:1,12,13,15 • Neh. 12:22
וְדָרְיָוֶשׁ 14 וְדָרְיָוֶשׁ מָדָאָה° קַבֵּל מַלְכוּתָא Dan. 6:1
15 וּמִטְּעֵם כּוֹרֶשׁ וְדָרְיָוֶשׁ... Ez. 6:14
לְדָרְיָוֶשׁ 16/7 בִּשְׁנַת שְׁתַּיִם לְדָרְיָוֶשׁ הַמֶּלֶךְ Hag. 1:1,15
18 בִּשְׁנַת אַחַת לְדָרְיָוֶשׁ בֶּן־אֲחַשְׁוֵרוֹשׁ Dan. 9:1
19 לְדָרְיָוֶשׁ מַלְכָּא שְׁלָמָא כֹלָּא Ez. 5:7
25-20 לְדָרְיָוֶשׁ Hag. 2:10
Zech. 1:1,7; 7:1 • Dan. 11:1 • Ez. 5:5

דרך : דָּרַךְ, דָּרוּךְ, הִדְרִיךְ; דֶּרֶךְ, מִדְרָךְ

דָּרַךְ פָּ׳ א) צעד: 4,5,10,11,13,16,17,19,36,40,41, 44—47
ב) רמס: 1,7,14,18,20,22,24,25,33,35, 38, 39, 49
ג) מתח קשת בכף הרגל: 2, 6, 8, 9, 12, 15, 21, 26—32, 40, 43, 48
ד) [הִפ׳ הִדְרִיךְ]: 53
ה) [כנ״ל] הוליך: 51, 52, 54—62
דָּרַךְ גַּת 7, 24; דָּ׳ חֵץ 12, 43; דָּ׳ זַיִת 35; דָּ׳ יֶקֶב 14; דָּ׳ כּוֹכָב 4; דָּ׳ עֹז 37; דָּ׳ עֲנָבִים 18; דָּ׳ פּוּרָה 1; דָּ׳ קֶשֶׁת 2,6,8,9,15,21, 26—32,40,48,50; קֶשֶׁת דְּרוּכָה 23, 32

דָּרַכְתִּי 1 פּוּרָה דָּרַכְתִּי לְבַדִּי Is. 63:3
2 כִּי־דָרַכְתִּי לִי יְהוּדָה קֶשֶׁת Zech. 9:13
דָּרַכְתָּ 3 דָּרַכְתָּ בַיָּם סוּסֶיךָ חֹמֶר מַיִם רַבִּים Hab. 3:15
דָּרַךְ 4 דָּרַךְ כּוֹכָב מִיַּעֲקֹב Num. 24:17
5 אֶת־הָאָרֶץ אֲשֶׁר דָּרַךְ־בָּהּ Deut. 1:36
6 קַשְׁתּוֹ דָרַךְ וַיְכוֹנְנֶהָ Ps. 7:13
7 גַּת דָּרַךְ אֲדֹנָי לִבְתוּלַת בַּת־יְהוּדָה Lam. 1:15
8 דָּרַךְ קַשְׁתּוֹ כְּאוֹיֵב נִצָּב יְמִינוֹ כְּצָר Lam. 2:4
9 דָּרַךְ קַשְׁתּוֹ וַיַּצִּיבֵנִי כַּמַּטָּרָא לַחֵץ Lam. 3:12
וְדָרַךְ 10 וְדָרַךְ עַל־בָּמֳתֵי°־אָרֶץ Mic. 1:3
דָּרְכָה 11 הָאָרֶץ אֲשֶׁר דָּרְכָה רַגְלְךָ בָּהּ Josh. 14:9
דָּרְכוּ 12 דָּרְכוּ חִצָּם דָּבָר מָר Ps. 64:4
13 אֲשֶׁר דָּרְכוּ מְתֵי־אָוֶן Job 22:15
14 יְקָבִים דָּרְכוּ וַיִּצְמָאוּ Job 24:11
וְדָרְכוּ 15 חֶרֶב פָּתְחוּ...וְדָרְכוּ קַשְׁתָּם Ps. 37:14
דֹּרֵךְ 16 כֹּל דֹּרֵךְ בָּהּ לֹא יָדַע שָׁלוֹם Jer. 59:8
וְדוֹרֵךְ 17 וְדֹרֵךְ עַל־בָּמֳתֵי אָרֶץ Am. 4:13
18 וְדֹרֵךְ עֲנָבִים בְּמֹשֵׁךְ הַזָּרַע Am. 9:13
19 וְדוֹרֵךְ עַל־בָּמֳתֵי יָם Job 9:8
הַדּוֹרֵךְ 20 יַיִן בַּיְקָבִים לֹא־יִדְרֹךְ הַדֹּרֵךְ Is. 16:10
21 אֶל־(נ״א אַל) יִדְרֹךְ° הַדֹּרֵךְ קַשְׁתּוֹ Jer. 51:3
כְּדוֹרֵךְ 22 מַדּוּעַ...וּבְגָדֶיךָ כְּדֹרֵךְ בְּגַת Is. 63:2
דְּרוּכָה 23 וּמִפְּנֵי קֶשֶׁת דְּרוּכָה Is. 21:15
דוֹרְכִים 24 דֹּרְכִים־גִּתּוֹת בַּשַּׁבָּת Neh. 13:15
כְּדוֹרְכִים 25 הֵידָד כְּדֹרְכִים יַעֲנֶה Jer. 25:30
דּוֹרְכֵי־ 26 תֹּפְשֵׂי דֹּרְכֵי קָשֶׁת Jer. 46:9
27/8 כָּל־דֹּרְכֵי קֶשֶׁת Jer. 50:14,29
29 גִּבּוֹרֵי חַיִל דֹּרְכֵי קֶשֶׁת ICh. 8:40
וְדוֹרְכֵי־ 30 נֹשְׂאֵי מָגֵן וְחֶרֶב וְדֹרְכֵי קֶשֶׁת ICh. 5:18
31 נֹשְׂאֵי מָגֵן וְדֹרְכֵי קֶשֶׁת IICh. 14:7
דְּרוּכוֹת 32 וְכָל־קַשְּׁתֹתָיו דְּרֻכוֹת Is. 5:28
וְאֶדְרְכֵם 33 וְאֶדְרְכֵם בְּאַפִּי וְאֶרְמְסֵם בַּחֲמָתִי Is. 63:3
תִּדְרֹךְ 34 וְאַתָּה עַל־בָּמוֹתֵימוֹ תִדְרֹךְ Deut. 33:29
35 אַתָּה תִדְרֹךְ־זַיִת וְלֹא־תָסוּךְ שֶׁמֶן Mic. 6:15
36 עַל־שַׁחַל וָפֶתֶן תִּדְרֹךְ Ps. 91:13
תִּדְרְכִי 37 תִּדְרְכִי נַפְשִׁי עֹז Jud. 5:21
יִדְרֹךְ 38 יַיִן בַּיְקָבִים לֹא־יִדְרֹךְ הַדֹּרֵךְ Is. 16:10
39 וְיַיִן...לֹא־יִדְרֹךְ הֵידָד Jer. 48:33
40 אֶל־יִדְרֹךְ יִדרךְ° הַדֹּרֵךְ קַשְׁתּוֹ Jer. 51:3
41 כִּי־יָבוֹא...וְכִי יִדְרֹךְ בְּאַרְמְנֹתֵינוּ Mic. 5:4
42 כִּי־יָבוֹא...וְכִי יִדְרֹךְ בִּגְבוּלֵנוּ Mic. 5:5
43 יִדְרֹךְ חִצָּו° כְּמוֹ יִתְמֹלָלוּ Ps. 58:8
תִּדְרֹךְ 44/5 כָּל־(הַמָּ־)מָקוֹם אֲשֶׁר תִּדְרֹךְ כַּף־רַגְלְכֶם בּוֹ Deut. 11:24 • Josh. 1:3
תִּדְרְכוּ 46 ...כָּל־הָאָרֶץ אֲשֶׁר תִּדְרְכוּ־בָהּ Deut. 11:25
יִדְרְכוּ 47 לֹא־יִדְרְכוּ...עַל־מִפְתַּן דָּגוֹן ISh. 5:5
יִדְרְכוּן 48 כִּי הִנֵּה הָרְשָׁעִים יִדְרְכוּן קֶשֶׁת Ps. 11:2
וַיִּדְרְכוּ 49 וַיִּבְצְרוּ אֶת־כַּרְמֵיהֶם וַיִּדְרְכוּ Jud. 9:27
וַיִּדְרְכוּ 50 וַיַּדְרְכוּ אֶת־לְשׁוֹנָם קַשְׁתָּם שֶׁקֶר Jer. 9:2
הִדְרַכְתִּיךָ 51 הִדְרַכְתִּיךָ בְּמַעְגְּלֵי יֹשֶׁר Prov. 4:11
וְהִדְרִיךְ 52 ...וְהִדְרִיךְ בַּנְּעָלִים Is. 11:15
הַדְרִיכָהּ 53 בַּת־בָּבֶל כְּגֹרֶן עֵת הִדְרִיכָהּ Jer. 51:33
הִדְרִיכֻהוּ 54 הִרְדִיפֻהוּ מְנוּחָה הִדְרִיכֻהוּ Jud. 20:43
55 לֹא־הִדְרִיכוּהוּ בְנֵי־שָׁחַץ Job 28:8
מַדְרִיכְךָ 56 אֲנִי יְיָ...מַדְרִיכְךָ בְּדֶרֶךְ תֵּלֵךְ Is. 48:17
אַדְרִיכֵם 57 בִּנְתִיבוֹת לֹא־יָדְעוּ אַדְרִיכֵם Is. 42:16
יַדְרֵךְ 58 יַדְרֵךְ עֲנָוִים בַּמִּשְׁפָּט Ps. 25:9
יַדְרִיכֵנִי 59 וְעַל־בָּמוֹתַי יַדְרִכֵנִי Hab. 3:19
וַיַּדְרִיכֵם 60 וַיַּדְרִיכֵם בְּדֶרֶךְ יְשָׁרָה Ps. 107:7
הַדְרִיכֵנִי 61 הַדְרִיכֵנִי בַאֲמִתֶּךָ וְלַמְּדֵנִי Ps. 25:5
62 הַדְרִיכֵנִי בִּנְתִיב מִצְוֹתֶיךָ Ps. 119:35

דֶּרֶךְ זו״נ (עם ציון־לואי ז׳ – 16, 18, 24, 27 ועוד כ60 מקראות; עם ציון־לואי נ׳ – 10, 32, 95, 100, ועוד כ40 מקראות – עין גם בצרופים)
א) נתיב, שביל, מעבר, כִּוּוּן: 1—24, 26—35, 37—40, 42, 43, 47, 48, 50—85, 105—117, 129—265, 267—322, 356, 370—378, 411—420, 437—441, 452, 453, 481—489, 507—514, 536—539, 546—552, 676
ב) [בהשאלה] התנהגות, אופן: 25, 36, 41, 44—46, 49, 86—104, 118—128, 266, 323—355, 357—369, 379—410, 421—436, 442—451, 454—480, 490—506, 515—535, 540—545, 553—675, 677—706
קרובים: אֹרַח / מְסִלָּה / מַסְלוּל / מַעְגָּל / מִשְׁעוֹל / נָתִיב / נְתִיבָה / שְׁבִיל
– דֶּרֶךְ אֶחָד 16, 49, 110, 111, 114—115; דֶּ׳ אַחֵר 113; דֶּ׳ טוֹבָה 95, 103, 112, 118; דֶּ׳ יָשָׁר 27, 28, 120; דֶּ׳ יְשָׁרָה 32, 118, 125; דֶּ׳ לֹא טוֹב 24, 98, 127; דֶּ׳ קָשָׁה 543; דֶּ׳ רְחוֹקָה 109; דֶּ׳ רָע 128, 540; דֶּ׳ רָעָה 491—497, 542; דֶּ׳ רִשְׁעָה 498, 504; דֶּרֶךְ תָּמִים 123, 124
– דֶּרֶךְ אָבוֹת 405; דֶּ׳ אָבִיו 381, 385, 403, 406; דֶּ׳ אֱוִיל 350; דֶּ׳ אוּלָם 310,311,420; דֶּ׳ אֲחוֹתוֹ 393; דֶּ׳ אִישׁ 353, 354; דֶּ׳ אַמָּה 299; דֶּ׳ אֱמוּנָה 344; דֶּ׳ אֱמֶת 371; דֶּ׳ אֳנִיָּה 318; דֶּ׳ אֳרָחוֹת 357; דֶּ׳ הָאָרֶץ 251, 322; דֶּ׳ אֶרֶץ פְּלִשְׁתִּים 220; דֶּ׳ אִשָּׁה 355; דֶּ׳ הָאֲתָרִים 224; דֶּ׳ בְּאֵר שֶׁבַע 315; דֶּ׳ בּוֹגְדִים 366; דֶּ׳ בִּינָה 399; דֶּ׳ בֵּיתָהּ 356; דֶּ׳ בֵּית הַגָּן 256; דֶּ׳ בֵּית חוֹרוֹן 243; דֶּ׳ בֵּית הַיְשִׁימוֹת 237; דֶּ׳ בֵּית שֶׁמֶשׁ 241; דֶּ׳ הַבָּשָׁן 228, 232; דֶּ׳ בַּת עַמִּי 265; דֶּ׳ הַגְּבוּל 240, 244; דֶּ׳ גֶּבֶר 369; דֶּ׳ הַגּוֹיִם 333; דֶּ׳ גַּן הַמֶּלֶךְ 267; דֶּ׳ הַדָּרוֹם 286—292; דֶּ׳ הֵנָּה 269; דֶּ׳ הַר הָאֱמֹרִי 230; דֶּ׳ הַר שֵׂעִיר 229; דֶּ׳ חוּץ 313; דֶּ׳ חַטָּאִים 408; דֶּ׳ הַחַיִּים 335, 367; דֶּ׳ חָכְמָה 397; דֶּ׳ חֹל 326; דֶּ׳ חֲסִידִים 363; דֶּ׳ הֶחָצֵר 300; דֶּ׳ חֻקָּיו 346; דֶּ׳ חֹרֹנַיִם 622; דֶּ׳ חֶתְלֹן 314; דֶּ׳ הַטּוֹב 266; דֶּ׳ טוֹבִים 396; דֶּ׳ יוֹם 253, 410, 411; דֶּ׳ יְיָ 263, 323, 325, 331, 332, 337—340, 349, 390; דֶּ׳ הַיָּם 252, 261, 298; דֶּ׳ יַם סוּף 222, 225—227; דֶּ׳ הַיַּרְדֵּן 234; דֶּ׳ הַכִּכָּר 249; דֶּ׳ כָּל הָאָרֶץ 379,380,409; דֶּ׳ כְּרָמִים 319; דֶּ׳ לִבּוֹ 392; דֶּ׳ מְבוֹא הַסּוּסִים 257; דֶּ׳ מְבוֹא הַשֶּׁמֶשׁ 233; דֶּ׳ הַמִּדְבָּר 221, 231, 235, 239, 245, 254; דֶּ׳ הַמָּוֶת 336; דֶּ׳ הַמֶּלֶךְ 223, 374; דֶּ׳ מַלְכֵי יִשְׂרָאֵל 386—388, 404; דֶּ׳ מַעֲלֵה 236; דֶּ׳ מִצְוֹת 345; דֶּ׳ מִצְרַיִם 376—378,412; דֶּ׳ נָחָשׁ 317; דֶּ׳ נָשִׁים 324; דֶּ׳ הַנֶּשֶׁר 316; דֶּ׳ נְתִיבָה 365; דֶּ׳ עֵדוֹת 394; דֶּ׳ עוֹלָם 395; דֶּ׳ הָעִיר 250,275,321; דֶּ׳ הָעָם 264, 391; דֶּ׳ עַמִּי 417; דֶּ׳ עֲנָוִים 360; דֶּ׳ עָפְרָה 242; דֶּ׳ עֵץ הַחַיִּים 210; דֶּ׳ עֹצֶב 347; דֶּ׳ עָצֵל 352; דֶּ׳ עִקֵּשׁ 401; דֶּ׳ הָעֲרָבָה 246, 260, 268, 271, 414; דֶּ׳ פְּאַת הַיָּם 298; דֶּ׳ פִּקּוּדָיו 342; דֶּ׳ פֶּשַׁע 421; דֶּ׳ צַדִּיקִים 341; דֶּ׳ צְדָקָה 400; דֶּ׳ הַצָּפוֹן 278, 293-297; דֶּ׳ צָפוֹנָה 272, 273; דֶּ׳ הַקָּדִים(מָה) 276, 277, 279-285, 419; דֶּ׳ הַקֹּדֶשׁ 358; דֶּ׳ הָרוּחַ 320; דֶּ׳ רָע 368, 422, 499; דֶּ׳ רָעִים 398; דֶּ׳ רָשָׁע 351; דֶּ׳ רְשָׁעִים 334, 348, 361, 362, 364; דֶּ׳ הַשְּׁכוּנֵי בְאָהָלִים 238; דֶּ׳ הַשְׂכֵּל 423; דֶּ׳ שָׁלוֹם 330; דֶּ׳ הַשַּׁעַר 247, 258, 259, 270, 301—312, 418, 420; דֶּ׳ שֶׁקֶר 343; דֶּ׳ תְּבוּנוֹת 359; דֶּ׳ תֵּימָנָה 274; דֶּ׳ תָּמִים 123, 124
– אֵין דֶּרֶךְ 2; אֵם הַדֶּ׳ 65; הוֹלֵךְ דֶּ׳ 7; יַד דֶּ׳ 4; יְשִׁימוֹן דֶּ׳ 39; יֹשֵׁר דֶּ׳ 46; יִשְׁרֵי דֶּ׳ 36; מִנֵּי דֶּ׳ 6,107; עֹבְרֵי דֶּ׳ 30,31,37,38,43,48; עֲלֵי דֶּ׳ 1, 42; רֹאשׁ דֶּ׳ 13, 14, 35; תָּם דֶּ׳ 45; תְּמִימֵי דֶּ׳ 41,44
– נְלוֹז דְּרָכִים 646; נֶעֱקַשׁ דְּרָכַיִם 545; עִקֵּשׁ דְּרָכַיִם 544
– אָרְחוֹת דַּרְכּוֹ 530; מְשׁוֹשׂ דַּרְכּוֹ 474; נֹצֵר דַּ׳ 468; פְּרִי דַרְכּוֹ 529; רֵאשִׁית דַּ׳ 464
– דַּרְכֵי אִישׁ 559, 563—565; דַּ׳ אֵל 566; דַּ׳ בְּנֵי אָדָם 556; דַּ׳ חֹשֶׁךְ 569; דַּ׳ יְיָ 553, 554, 568, 572; דַּ׳ לִבּוֹ 570; דַּ׳ מָוֶת 561, 562; דַּ׳ מַלְכֵי יִשְׂרָאֵל 575; דַּ׳ נֹעַם 558; דַּ׳ עַמִּי 555; דַּ׳ צִיּוֹן 567; דַּ׳ שָׁאוּל 560
– דַּעַת דְּרָכָיו 579,611; קְצוֹת דְּ׳ 649; תֹּם דְּ׳ 610
– דְּרָכִים רָעִים 691, 694, 695, 697, 699, 705
– אָבַד דֶּרֶךְ 23; אָבְדָה דֶּ׳ 361; בָּחַר דֶּ׳ 344; הוֹדִיעַ דֶּ׳ 26; הֵבִין דֶּ׳ 506; הוֹרָה הַדֶּ׳ 95,103, 121; הִטָּה דֶּ׳ 360; הָלַךְ דֶּ׳ 11,98,100,102,223,438; הִנְחָה הַדֶּ׳ 55, 108; הֶרְאָה הַדֶּ׳ 25; יָדַע דֶּ׳ 29, 341; יָרַט הַדֶּ׳ 58; נָחָה הַדֶּ׳ 220; נָתַן דֶּ׳ 33; סָבַב דֶּ׳ 255; עִוֵּת דֶּ׳ 362; פִּנָּה דֶּ׳ 22, 34, 263, 264; צָלְחָה דֶּ׳ 334; צִפָּה דֶּ׳ 21; רָבָה הַדֶּ׳ 61; שָׂם דֶּרֶךְ 15, 25, 211; שָׁמַר דֶּ׳ 210, 363
– אָחַז דַּרְכּוֹ 475; בָּחַן דַּ׳ 518; הֵבִין דַּ׳ 466, 471, 506; הֶעֱוָה דַּ׳ 517; הִצְלִיחַ דַּ׳ 424, 425, 430, 452, 457, 462; הִשְׁחִית דַּ׳ 451; הִתִּיר דַּ׳ 426; לִמֵּד דַּ׳ 461; נִסְתְּרָה דַּ׳ 427, 473; נָצַר דַּ׳ 468; נָתַן דַּ׳ 479; סָלַל דַּ׳ 531; סִלֵּף דַּ׳ 469; עָזַב דַּ׳ 457; שָׁמַר דַּרְכּוֹ 463, 477, 515, 516, 533
– גָּבְהוּ דְרָכָיו 578; גָּדַר דְּ׳ 588; הוֹדִיעַ דְּ׳ 605,642; הֵיטִיב דְּ׳ 684—687; הֵכִין דְּ׳ 652; הִכִּיר דְּ׳ 648; הִצְלִיחַ דְּ׳ 602, 603; זָכַר דְּ׳ 623, 691; חִשֵּׁב דְּ׳ 593; יָדַע דְּ׳ 591; יִשֵּׁר דְּ׳ 637; נָכוֹנוּ דְּ׳ 592; נָשַׁמּוּ דְּ׳ 682; סוֹרֵר דְּ׳ 589; סִפֵּר דְּ׳ 582; עִקֵּשׁ דְּ׳ 645; פִּזֵּר דְּ׳ 621; רָאָה דְּ׳ 594, 638; שָׁמַר דְּ׳ 553, 554, 580, 581, 585; שֵׂרַךְ דְּרָכֶיהָ 676

דֶּרֶךְ (א) 1 יְהִי־דָן נָחָשׁ עֲלֵי־דֶרֶךְ... Gen. 49:17
2 אֲשֶׁר אֵין־דֶּרֶךְ לִנְטוֹת... Num. 22:26
3 וְהֹלְכֵי עַל־דֶּרֶךְ שִׂיחוּ Jud. 5:10
4 יֹשֵׁב...יַדּ דֶּרֶךְ מְצַפֶּה ISh. 4:13
5 כִּי שִׂיחַ...וְכִי־דֶרֶךְ לוֹ IK. 18:27
6 סוּרוּ מִנֵּי־דֶרֶךְ הַטּוּ מִנֵּי־אֹרַח Is. 30:11
7 הֹלֵךְ דֶּרֶךְ וֶאֱוִילִים לֹא יִתְעוּ Is. 35:8
8 אַף אָשִׂים בַּמִּדְבָּר דֶּרֶךְ Is. 43:19
9 דֶּרֶךְ לַעֲבֹר גְּאוּלִים Is. 51:10
10 לָלֶכֶת נְתִיבוֹת דֶּרֶךְ לֹא סְלוּלָה Jer. 18:15
11 שִׁתִי לִבֵּךְ...דֶּרֶךְ הָלָכְתְּ׳ Jer. 31:21(20)
12 אֶל־דֶּרֶךְ עִמְדִי וְצַפִּי Jer. 48:19
13 אֶל־כָּל־רֹאשׁ דֶּרֶךְ בָּנִית רָמָתֵךְ Ezek. 16:25
14 בִּבְנוֹתַיִךְ גַּבֵּךְ בְּרֹאשׁ כָּל־דֶּרֶךְ Ezek. 16:31
15 דֶּרֶךְ תָּשִׂים לָבוֹא חֶרֶב Ezek. 21:25
16 דֶּרֶךְ אֶחָד לִשְׁתֵּיהֶן Ezek. 23:13
17 דֶּרֶךְ בִּפְנֵי הַגְּדֶרֶת הֲגִינָה Ezek. 42:12
18 דֶּרֶךְ הַפּוֹנֶה קָדִים Ezek. 47:2
19 דֶּרֶךְ יְרַצְּחוּ שֶׁכְמָה Hosh. 6:9
20 כְּנָמֵר עַל־דֶּרֶךְ אָשׁוּר Hosh. 13:7
21 צַפֵּה־דֶרֶךְ חַזֵּק מָתְנַיִם Nah. 2:2
22 וּפִנָּה־דֶרֶךְ לְפָנָי Mal. 3:1
23 פֶּן־יֶאֱנַף וְתֹאבְדוּ דֶרֶךְ Ps. 2:12
24 יִתְיַצֵּב עַל־דֶּרֶךְ לֹא־טוֹב Ps. 36:5
25 וְשָׂם דֶּרֶךְ אַרְאֶנּוּ בְּיֵשַׁע אֱלֹהִים Ps. 50:23
26 הוֹדִיעֵנִי דֶּרֶךְ־זוּ אֵלֵךְ Ps. 143:8
27/8 יֵשׁ דֶּרֶךְ יָשָׁר לִפְנֵי־אִישׁ Prov. 14:12; 16:25
29 כִּי־יָדַע דֶּרֶךְ עִמָּדִי Job 23:10
30 לוֹא אֲלֵיכֶם כָּל־עֹבְרֵי דֶרֶךְ Lam. 1:12
31 סָפְקוּ...כַּפַּיִם כָּל־עֹבְרֵי דֶרֶךְ Lam. 2:15
32 לְבַקֵּשׁ מִמֶּנּוּ דֶּרֶךְ יְשָׁרָה... Ez. 8:21
דָּרֶךְ (א) 33 הַנּוֹתֵן בַּיָּם דָּרֶךְ Is. 43:16
34 סֹלּוּ־סֹלּוּ פַּנּוּ־דָרֶךְ Is. 57:14
35 פֶּתַח בְּרֹאשׁ דָּרֶךְ Ezek. 42:12
36 ...לִטְבוֹחַ יִשְׁרֵי־דָרֶךְ Ps. 37:14
37 וְאָרוּהָ כָּל־עֹבְרֵי דָרֶךְ Ps. 80:13
38 שַׁסֻּהוּ כָּל־עֹבְרֵי דָרֶךְ Ps. 89:42
39 תָּעוּ בַמִּדְבָּר בִּישִׁימוֹן דָּרֶךְ Ps. 107:4
40 וַיַּתְעֵם בְּתֹהוּ לֹא־דָרֶךְ Ps. 107:40
41 אַשְׁרֵי תְמִימֵי־דָרֶךְ Ps. 119:1
42 בְּרֹאשׁ־מְרוֹמִים עֲלֵי־דָרֶךְ Prov. 8:2
43 לִקְרֹא לְעֹבְרֵי דָרֶךְ Prov. 9:15
44 וּרְצוֹנוֹ תְּמִימֵי דָרֶךְ Prov. 11:20
45 צְדָקָה תִּצֹּר תָּם־דָּרֶךְ Prov. 13:6
46 וְתוֹעֲבַת רָשָׁע יְשַׁר־דָּרֶךְ Prov. 29:27
47 וַיַּתְעֵם בְּתֹהוּ לֹא־דָרֶךְ Job 12:24
48 הֲלֹא שְׁאֶלְתֶּם עוֹבְרֵי דָרֶךְ Job 21:29
וְדֶרֶךְ (א) 49 וְנָתַתִּי...וְדֶרֶךְ אֶחָד לְיִרְאָה אוֹתִי Jer. 32:39
50 וְדֶרֶךְ לִפְנֵיהֶם כְּמַרְאֵה הַלְּשָׁכוֹת Ezek. 42:11
51/2 וְדֶרֶךְ לַחֲזִיז קֹלוֹת Job 28:26; 38:25
וָדֶרֶךְ (א) 53 וְהָיָה־שָׁם מַסְלוּל וָדֶרֶךְ Is. 35:8
הַדֶּרֶךְ (א) 54 וַיֵּט אֵלֶיהָ אֶל־הַדֶּרֶךְ Gen. 38:16
55 הֹלֵךְ לִפְנֵיהֶם...לַנְחֹתָם הַדֶּרֶךְ Ex. 13:21
56 וְהוֹדַעְתָּ לָהֶם אֶת־הַדֶּרֶךְ Ex. 18:20
57 וַתֵּט הָאָתוֹן מִן־הַדֶּרֶךְ Num. 22:23
58 כִּי־יָרַט הַדֶּרֶךְ לְנֶגְדִּי Num. 22:32
59 אֶת־הַדֶּרֶךְ אֲשֶׁר נַעֲלֶה־בָּהּ Deut. 1:22
60 וְזָכַרְתָּ אֶת־כָּל־הַדֶּרֶךְ Deut. 8:2
61 וְכִי־יִרְבֶּה מִמְּךָ הַדֶּרֶךְ Deut. 14:24
62 וַיֹּאמֶר אֵי־זֶה הַדֶּרֶךְ נַעֲלֶה IIK. 3:8
63 לֹא־זֶה הַדֶּרֶךְ וְלֹא־זֹה הָעִיר IIK. 6:19
64 וְהִנֵּה כָל־הַדֶּרֶךְ מְלֵאָה בְגָדִים IIK. 7:15

הַדֶּרֶךְ (א) (המשך) 65 כִּי־עָמַד...אֶל־אֵם הַדֶּרֶךְ Ezek. 21:26
66 אֵי־זֶה הַדֶּרֶךְ יִשְׁכָּן־אוֹר Job 38:19
67–85 הַדֶּרֶךְ (א) Deut. 1:31; 19:3,6
Josh. 2:22; 3:4; 9:13; 24:17 • ISh. 24:4; 26:3 • IK. 13:12²,26; 19:7; 20:38 • Ezek. 42:1; 47:15; Job 38:24 • Ez. 8:31 • Neh. 9:12
הַדֶּרֶךְ (ב) 86 סָרוּ מַהֵר מִן־הַדֶּרֶךְ Ex. 32:8
87 בְּכָל־הַדֶּרֶךְ אֲשֶׁר צִוָּה יְיָ...תֵּלֵכוּ Deut. 5:30
88/9 סָרוּ מַהֵר מִן־הַדֶּרֶךְ Deut. 9:12 • Jud. 2:17
90 סַרְתֶּם מַהֵר מִן־הַדֶּרֶךְ Deut. 9:16
91/2 וְסַרְתֶּם מִן־הַדֶּרֶךְ Deut. 11:28; 31:29
93 לְהַדִּיחֲךָ מִן־הַדֶּרֶךְ Deut. 13:6
94 לֹא תִהְיֶה תִּפְאַרְתְּךָ עַל־הַדֶּרֶךְ Jud. 4:9
95 כִּי תוֹרֵם אֶת־הַדֶּרֶךְ הַטּוֹבָה IK. 8:36
96 בְּכָל־הַדֶּרֶךְ אֲשֶׁר־הָלַךְ אָבִיו IIK. 21:21
97 זֶה הַדֶּרֶךְ לְכוּ בוֹ Is. 30:21
98 הַהֹלְכִים הַדֶּרֶךְ לֹא־טוֹב Is. 65:2
99 וַהֲלַכְתֶּם בְּכָל־הַדֶּרֶךְ... Jer. 7:23
100 אֶת־הַדֶּרֶךְ אֲשֶׁר נֵלֶךְ־בָּהּ Jer. 42:3
101 וְאַתֶּם סַרְתֶּם מִן־הַדֶּרֶךְ Mal. 2:8
102 וְאֶת־הַדֶּרֶךְ אֲשֶׁר יֵלְכוּ־בָהּ Neh. 9:19
103 כִּי תוֹרֵם אֶל־הַדֶּרֶךְ הַטּוֹבָה IICh. 6:27
104 אֵי זֶה הַדֶּרֶךְ עָבַר רוּחַ־יְיָ מֵאִתִּי IICh. 18:23
הַדָּרֶךְ (א) 105 ...בָעֵינַיִם עַל־הַדָּרֶךְ Gen. 38:21
106 וַיַּךְ בִּלְעָם...לְהַטֹּתָהּ הַדָּרֶךְ Num. 22:23
107 אִם־תִּטֶּה אַשֻּׁרִי מִנִּי הַדָּרֶךְ Job 31:7
בְּהַדֶּרֶךְ (א) 108 לֹא־סָר...לְהַנְחֹתָם בְּהַדֶּרֶךְ Neh. 9:19
בְּדֶרֶךְ (א) 109 ...אוֹ בְדֶרֶךְ רְחֹקָה Num. 9:10
110 בְּדֶרֶךְ אֶחָד יֵצְאוּ אֵלֶיךָ Deut. 28:7
111 בְּדֶרֶךְ אֶחָד תֵּצֵא אֵלָיו Deut. 28:25
112 וְשִׁלְּחוֹ בְּדֶרֶךְ טוֹבָה ISh. 24:20(19)
113 וַיֵּלֶךְ בְּדֶרֶךְ אַחֵר IK. 13:10
114 אַחְאָב הָלַךְ בְּדֶרֶךְ אֶחָד לְבַדּוֹ IK. 18:6
115 וְעֹבַדְיָהוּ הָלַךְ בְּדֶרֶךְ־אֶחָד לְבַדּוֹ IK. 18:6
116 וְהוֹלַכְתִּי עִוְרִים בְּדֶרֶךְ לֹא יָדָעוּ Is. 42:16
117 הָלַךְ בְּדֶרֶךְ מֵרָחוֹק Prov. 7:19
בְּדֶרֶךְ (ב) 118 וְהוֹרֵיתִי...בְּדֶרֶךְ הַטּוֹבָה וְהַיְשָׁרָה ISh. 12:23
119 אֲנִי יְיָ...מַדְרִיכְךָ בְּדֶרֶךְ תֵּלֵךְ Is. 48:17
120 אוֹלִיכֵם...בְּדֶרֶךְ יָשָׁר Jer. 31:9(8)
121 מִי־זֶה...יוֹרֶנּוּ בְּדֶרֶךְ יִבְחָר Ps. 25:12
122 אַשְׂכִּילְךָ וְאוֹרְךָ בְּדֶרֶךְ־זוּ תֵלֵךְ Ps. 32:8
123 אַשְׂכִּילָה בְּדֶרֶךְ תָּמִים Ps. 101:2
124 הֹלֵךְ בְּדֶרֶךְ תָּמִים הוּא יְשָׁרְתֵנִי Ps. 101:6
125 וַיַּדְרִיכֵם בְּדֶרֶךְ יְשָׁרָה Ps. 107:7
126 אַל־תֵּלֵךְ בְּדֶרֶךְ אִתָּם Prov. 1:15
127 וְהוֹלִיכוֹ בְּדֶרֶךְ לֹא־טוֹב Prov. 16:29
128 מַשְׁגֶּה יְשָׁרִים בְּדֶרֶךְ רָע Prov. 28:10
בְּדָרֶךְ (א) 129 וַיִּשְׁלָחֲךָ יְיָ בְּדָרֶךְ ISh. 15:18
בַּדֶּרֶךְ (א) 130 אָנֹכִי בַּדֶּרֶךְ נָחַנִי יְיָ... Gen. 24:27
131 וּשְׁמָרַנִי בַּדֶּרֶךְ הַזֶּה Gen. 28:20
132 וַיְהִי עִמָּדִי בַּדֶּרֶךְ אֲשֶׁר הָלָכְתִּי Gen. 35:3
133 וּקְרָאָהוּ אָסוֹן בַּדֶּרֶךְ... Gen. 42:38
134 מֵתָה...רָחֵל בְּאֶרֶץ כְּנַעַן בַּדֶּרֶךְ Gen. 48:7
135 וַיְהִי בַדֶּרֶךְ בַּמָּלוֹן Ex. 4:24
136 הַתְּלָאָה אֲשֶׁר מְצָאָתַם בַּדֶּרֶךְ Ex. 18:8
137 וַיִּתְיַצֵּב מַלְאַךְ יְיָ בַּדֶּרֶךְ Num. 22:22
138 וַתֵּרֶא...אֶת־מַלְאַךְ יְיָ נִצָּב בַּדֶּרֶךְ Num. 22:23
139/40 בַּדֶּרֶךְ בַּדֶּרֶךְ אֵלֵךְ Deut. 2:27
141/2 בְּשִׁבְתְּךָ בְּבֵיתֶךָ וּבְלֶכְתְּךָ בַדֶּרֶךְ Deut. 6:7; 11:9
143-5 בַּדֶּרֶךְ בְּצֵאתְכֶם מִמִּצְ׳ Deut. 23:5; 24:9; 25:17
146 אֲשֶׁר קָרְךָ בַּדֶּרֶךְ Deut. 25:18

בַּדֶּרֶךְ (א) (המשך) 147 וַיִּשַּׁרְנָה הַפָּרוֹת בַּדֶּרֶךְ ISh. 6:12
148 וָאֵלֵךְ בַּדֶּרֶךְ אֲשֶׁר־שְׁלָחַנִי יְיָ ISh. 15:20
149 וְלֹא תָשׁוּב בַּדֶּרֶךְ אֲשֶׁר הָלָכְתָּ IK. 13:9
150 עִנָּה בַדֶּרֶךְ כֹּחִי׳ Ps. 102:24
151 מִנַּחַל בַּדֶּרֶךְ יִשְׁתֶּה Ps. 110:7
152 ...וְאַשֵּׁר בַּדֶּרֶךְ לִבֶּךָ Prov. 23:19
153 וַתֵּלַכְנָה בַדֶּרֶךְ לָשׁוּב Ruth 1:7
154 וְגַם־בַּדֶּרֶךְ כְּשֶׁסָּכָל׳ הֹלֵךְ Eccl. 10:3
155 מִגָּבֹהַּ יִירָאוּ וְחַתְחַתִּים בַּדֶּרֶךְ Eccl. 12:5
156-184 בַּדֶּרֶךְ Num. 22:31,34 • Deut. 1:33²; 17:16
22:4,6; 28:68 • Josh. 3:4; 5:4,5 • ISh. 15:2 • IISh. 13:30 • IK. 8:44; 11:29; 13:10,17,24²,25,28; 18:7 • IIK. 2:23; 10:12; 19:28,33; 37:29,34 • IICh. 6:34
בַּדָּרֶךְ (א) 185 אַל־תִּרְגְּזוּ בַּדָּרֶךְ Gen. 45:24
186 מַלְאָךְ...לִשְׁמָרְךָ בַּדָּרֶךְ Ex. 23:20
187 פֶּן־אֲכֶלְךָ בַּדָּרֶךְ Ex. 33:3
188 וַתִּקְצַר נֶפֶשׁ־הָעָם בַּדָּרֶךְ Num. 21:4
189 אָרוּר מַשְׁגֶּה עִוֵּר בַּדָּרֶךְ Deut. 27:18
190 כִּי לֹא־מָלוּ אוֹתָם בַּדָּרֶךְ Josh. 5:7
191 כָּל־אֲשֶׁר־יַעֲבֹר עֲלֵיהֶם בַּדָּרֶךְ Jud. 9:25
192 וְשָׁאוּל קָם מֵהַמְּעָרָה וַיֵּלֶךְ בַּדָּרֶךְ ISh. 24:8(7)
193 וִיהִי בְךָ כֹּחַ כִּי תֵלֵךְ בַּדָּרֶךְ ISh. 28:22
194 וַיֵּלֶךְ דָּוִד וַאֲנָשָׁיו בַּדָּרֶךְ IISh. 16:13
195 עָזְבֵךְ...בְּעֵת מוֹלִכֵךְ בַּדָּרֶךְ Jer. 2:17
196 עַל־כֵּן יוֹרֶה חַטָּאִים בַּדָּרֶךְ Ps. 25:8
197 אָמַר עָצֵל שַׁחַל בַּדָּרֶךְ Prov. 26:13
198 לְעָזְרֵנוּ מֵאוֹיֵב בַּדָּרֶךְ Ez. 8:22
וּבְדֶרֶךְ 199 הוּא טָהוֹר וּבְדֶרֶךְ לֹא־הָיָה Num. 9:13
וּבַדֶּרֶךְ 200 אַל־תֵּצְאוּ׳...וּבַדֶּרֶךְ אַל־תֵּלֵכוּ׳ Jer. 6:25
לְדֶרֶךְ 201 וְיָשֵׂם לְדֶרֶךְ פְּעָמָיו Ps. 85:14
לַדֶּרֶךְ 202 קְחוּ בְיֶדְכֶם צֵידָה לַדֶּרֶךְ Josh. 9:11
לַדָּרֶךְ 203 וְלָתֵת לָהֶם צֵדָה לַדָּרֶךְ Gen. 42:25
204 וַיִּתֵּן לָהֶם צֵדָה לַדָּרֶךְ Gen. 45:21
205 לֶחֶם וּמָזוֹן לְאָבִיו לַדָּרֶךְ Gen. 45:23
206 וְשַׂמְתִּי כָל־הָרַי לַדָּרֶךְ Josh. 49:11
מִדֶּרֶךְ 207 הֲלוֹא מִדֶּרֶךְ אַתָּה בָא IISh. 11:10
208 הֹלְכִים מִדֶּרֶךְ אַחֲרָיו מִצַּד הָהָר IISh. 13:34
מִדָּרֶךְ 209 יַטּוּ אֶבְיוֹנִים מִדָּרֶךְ Job 24:4
דֶּרֶךְ־ (א) 210 לִשְׁמֹר אֶת־דֶּרֶךְ עֵץ הַחַיִּים Gen. 3:24
211 וַיָּשֶׂם דֶּרֶךְ שְׁלֹשֶׁת יָמִים... Gen. 30:36
212 וַיִּרְדֹּף...דֶּרֶךְ שִׁבְעַת יָמִים Gen. 31:23
213 ...אֲשֶׁר עַל־דֶּרֶךְ תִּמְנָתָה Gen. 38:14
214-219 דֶּרֶךְ שְׁלֹשֶׁת יָמִים Ex. 3:18; 5:3; 8:23
Num. 10:33²; 33:8
220 וְלֹא־נָחָם אֱלֹ׳ דֶּרֶךְ אֶרֶץ פְּלִשְׁתִּים Ex. 13:17
221 וַיַּסֵּב...דֶּרֶךְ הַמִּדְבָּר יַם־סוּף Ex. 13:18
222 וּסְעוּ...דֶּרֶךְ יַם־סוּף Num. 14:25
223 דֶּרֶךְ הַמֶּלֶךְ נֵלֵךְ Num. 20:17
224 כִּי בָּא יִשְׂרָאֵל דֶּרֶךְ הָאֲתָרִים Num. 21:1
225-7 דֶּרֶךְ יַם־סוּף Num. 21:4 • Deut. 1:40; 2:1
228 וַיִּפְנוּ וַיַּעֲלוּ דֶּרֶךְ הַבָּשָׁן Num. 21:33
229 דֶּרֶךְ הַר־שֵׂעִיר Deut. 1:2
230 וַנֵּלֶךְ...דֶּרֶךְ הַר הָאֱמֹרִי Deut. 1:19
231 וַנַּעֲבֹר דֶּרֶךְ מִדְבַּר מוֹאָב Deut. 2:8
232 וַנֵּפֶן וַנַּעַל דֶּרֶךְ הַבָּשָׁן Deut. 3:1
233 אַחֲרֵי דֶּרֶךְ מְבוֹא הַשֶּׁמֶשׁ Deut. 11:30
234 דֶּרֶךְ הַיַּרְדֵּן עַל הַמַּעְבְּרוֹת Josh. 2:7
235 וַיָּנֻסוּ דֶּרֶךְ הַמִּדְבָּר Josh. 8:15
236 וַיִּרְדְּפֵם דֶּרֶךְ מַעֲלֵה בֵית־חוֹרֹן Josh. 10:10
237 דֶּרֶךְ בֵּית הַיְשִׁמוֹת Josh. 12:3
238 דֶּרֶךְ הַשְּׁכוּנֵי בָאֳהָלִים Jud. 8:11
239 וַיִּפְנוּ...אֶל־דֶּרֶךְ הַמִּדְבָּר Jud. 20:42

דֶּרֶךְ־(א) (המשך)

240 אִם־דֶּרֶךְ גְּבוּלוֹ יַעֲלֶה בֵּית שֶׁמֶשׁ ISh.6:9
241 עַל־דֶּרֶךְ בֵּית שֶׁמֶשׁ ISh.6:12
242 הָרֹאשׁ אֶחָד יִפְנֶה אֶל־דֶּרֶךְ עָפְרָה ISh.13:17
243 וְהָרֹאשׁ אֶחָד יִפְנֶה דֶּרֶךְ בֵּית חֹרוֹן ISh.13:18
244 וְהָרֹאשׁ אֶחָד יִפְנֶה דֶּרֶךְ הַגְּבוּל ISh.13:18
245 דֶּרֶךְ מִדְבַּר גִּבְעוֹן IISh.2:24
246 וַיֵּלְכוּ דֶּרֶךְ הָעֲרָבָה כָּל־הַלָּיְלָה IISh.4:7
247 וְעָמַד עַל־יַד דֶּרֶךְ הַשָּׁעַר IISh.15:2
248 עֹבְרִים עַל־פְּנֵי־דֶרֶךְ...הַמִּדְבָּר IISh.15:23
249 וַיָּרָץ אֲחִימַעַץ דֶּרֶךְ הַכִּכָּר IISh.18:23
250 וְהִתְפַּלְלוּ אֶל־יְיָ דֶּרֶךְ הָעִיר IK.8:44
251 וְהִתְפַּלְלוּ אֵלֶיךָ דֶּרֶךְ אַרְצָם IK.8:48
252 עֲלֵה־נָא הַבֵּט דֶּרֶךְ־יָם IK.18:43
253 וְהוּא־הָלַךְ בַּמִּדְבָּר דֶּרֶךְ יוֹם IK.19:4
254 וַיֹּאמֶר דֶּרֶךְ מִדְבַּר אֱדוֹם IIK.3:8
255 וַיָּסֹבּוּ דֶּרֶךְ שִׁבְעַת יָמִים IIK.3:9
256 וַיָּנָס דֶּרֶךְ בֵּית הַגָּן IIK.9:27
257 וַתָּבוֹא דֶּרֶךְ־מְבוֹא הַסּוּסִים IIK.11:16
258 וַיָּבוֹאוּ דֶּרֶךְ־שַׁעַר הָרָצִים IIK.11:19
259 דֶּרֶךְ שַׁעַר בֵּין הַחֹמֹתַיִם IIK.25:4
260 וַיֵּלֶךְ דֶּרֶךְ הָעֲרָבָה IIK.25:4
261 דֶּרֶךְ הַיָּם עֵבֶר הַיַּרְדֵּן Is.8:23
262 דֶּרֶךְ חֹרֹנַיִם זַעֲקַת־שֶׁבֶר יְעֹעֵרוּ Is.15:5
263 בַּמִּדְבָּר פַּנּוּ דֶּרֶךְ יְיָ Is.40:3
264 פַּנּוּ דֶּרֶךְ הָעָם סֹלּוּ...הַמְסִלָּה Is.62:10
265 רוּחַ צַח...דֶּרֶךְ בַּת־עַמִּי Jer.4:11
266 וְשַׁאֲלוּ...אֵי־זֶה דֶרֶךְ הַטּוֹב Jer.6:16
267 וַיֵּצְאוּ...מִן־הָעִיר דֶּרֶךְ גַּן הַמֶּלֶךְ Jer.39:4
268 וַיֵּצֵא דֶּרֶךְ הָעֲרָבָה Jer.39:4
269 צִיּוֹן יִשְׁאָלוּ דֶּרֶךְ הֵנָּה פְנֵיהֶם Jer.50:5
270 וַיֵּצְאוּ...דֶּרֶךְ שַׁעַר בֵּין הַחֹמֹתַיִם Jer.52:7
271 וַיֵּלְכוּ דֶּרֶךְ הָעֲרָבָה Jer.52:7
272 שָׂא־נָא עֵינֶיךָ דֶּרֶךְ צָפוֹנָה Ezek.8:5
273 וָאֶשָּׂא עֵינַי דֶּרֶךְ צָפוֹנָה Ezek.8:5
274 שִׂים פָּנֶיךָ דֶּרֶךְ תֵּימָנָה Ezek.21:2
275 בְּרֹאשׁ דֶּרֶךְ־עִיר בָּרֵא Ezek.21:24
276 אֲשֶׁר פָּנָיו דֶּרֶךְ הַקָּדִימָה Ezek.40:6
277 וְתָאֵי הַשַּׁעַר דֶּרֶךְ הַקָּדִים Ezek.40:10
278 אֲשֶׁר פָּנָיו דֶּרֶךְ הַצָּפוֹן Ezek.40:20
279-85 ד׳ הַקָּדִים Ezek.40:22,32; 42:10,12,15; 43:1,4
286 וַיּוֹלִכֵנִי דֶּרֶךְ הַדָּרוֹם Ezek.40:24
287-292 דֶּרֶךְ הַדָּרוֹם Ezek.40:24,27[2],44,45; 42:12
293-7 דֶּרֶךְ הַצָּפוֹן Ezek.40:44,46; 41:11; 42:1,11
298 וְהַבִּנְיָן...פְּאַת דֶּרֶךְ־הַיָּם Ezek.41:12
299 מַהֲלַךְ...דֶּרֶךְ אַמָּה אֶחָת Ezek.42:4
300 דֶּרֶךְ הֶחָצֵר הַחִיצוֹנָה Ezek.42:7
301 וְהוֹצִיאַנִי דֶּרֶךְ הַשַּׁעַר Ezek.42:15
302-309 דֶּרֶךְ שַׁעַר Ezek.43:4; 44:1,4; 46:9[4]; 47:2
310 וּבָא הַנָּשִׂיא דֶּרֶךְ אוּלָם הַשַּׁעַר Ezek.46:2
311 דֶּרֶךְ אוּלָם הַשַּׁעַר יָבוֹא Ezek.46:8
312 דֶּרֶךְ הַשַּׁעַר אֲשֶׁר־בָּא בוֹ Ezek.46:9
313 וַיְסִבֵּנִי דֶּרֶךְ חוּץ אֶל־שַׁעַר... Ezek.47:2
314 אֶל־יַד דֶּרֶךְ־חֶתְלֹן Ezek.48:1
315 חֵי אֱלֹהֶיךָ דָּן וְחֵי דֶּרֶךְ בְּאֵר־שָׁבַע Am.8:14
316 דֶּרֶךְ הַנֶּשֶׁר בַּשָּׁמַיִם Prov.30:19
317 דֶּרֶךְ נָחָשׁ עֲלֵי־צוּר Prov.30:19
318 דֶּרֶךְ אֳנִיָּה בְלֶב־יָם Prov.30:19
319 לֹא־יִפְנֶה דֶּרֶךְ כְּרָמִים Job 24:18
320 אֵינְךָ יוֹדֵעַ מַה־דֶּרֶךְ הָרוּחַ Eccl.11:5
321 וְהִתְפַּלְלוּ אֵלֶיךָ דֶּרֶךְ הָעִיר הַזֹּאת IICh.6:34
322 וְהִתְפַּלְלוּ דֶּרֶךְ אַרְצָם IICh.6:38

דֶּרֶךְ־(ב)

323 וְשָׁמְרוּ דֶּרֶךְ יְיָ Gen.18:19

דֶּרֶךְ־(ב) (המשך)

324 כִּי־דֶרֶךְ נָשִׁים לִי Gen.31:35
325 הֲשֹׁמְרִים הֵם אֶת־דֶּרֶךְ יְיָ Jud.2:22
326 וְהוּא דֶּרֶךְ חֹל ISh.21:6
327 וַיֵּלֶךְ בְּכָל־דֶּרֶךְ יָרָבְעָם IK.16:26
328 וַיֵּלֶךְ בְּכָל־דֶּרֶךְ אָסָא IK.22:43
329 וַיֵּלֶךְ בְּכָל־דֶּרֶךְ דָּוִד אָבִיו IIK.22:2
330 דֶּרֶךְ שָׁלוֹם לֹא יָדָעוּ Is.59:8
331/2 דֶּרֶךְ יְיָ מִשְׁפַּט אֱלֹהֵיהֶם Jer.5:4,5
333 אֶל דֶּרֶךְ הַגּוֹיִם אַל־תִּלְמָדוּ Jer.10:2
334 מַדּוּעַ דֶּרֶךְ רְשָׁעִים צָלֵחָה Jer.12:1
335 הִנְנִי נֹתֵן לִפְנֵיהֶם אֶת־דֶּרֶךְ הַחַיִּים Jer.21:8
336 וְאֶת־דֶּרֶךְ הַמָּוֶת Jer.21:8
337-40 לֹא יִתָּכֵן דֶּרֶךְ אֲד׳ Ezek.18:25,29; 33:17,20
341 כִּי־יוֹדֵעַ יְיָ דֶּרֶךְ צַדִּיקִים Ps.1:6
342 דֶּרֶךְ־פִּקּוּדֶיךָ הֲבִינֵנִי Ps.119:27
343 דֶּרֶךְ־שֶׁקֶר הָסֵר מִמֶּנִּי Ps.119:29
344 דֶּרֶךְ־אֱמוּנָה בָחָרְתִּי Ps.119:30
345 דֶּרֶךְ־מִצְוֺתֶיךָ אָרוּץ Ps.119:32
346 הוֹרֵנִי יְיָ דֶּרֶךְ חֻקֶּיךָ Ps.119:33
347 וּרְאֵה אִם־דֶּרֶךְ־עֹצֶב בִּי Ps.139:24
348 דֶּרֶךְ רְשָׁעִים כָּאֲפֵלָה Prov.4:19
349 מָעוֹז לַתֹּם דֶּרֶךְ יְיָ Prov.10:29
350 דֶּרֶךְ אֱוִיל יָשָׁר בְּעֵינָיו Prov.12:15
351 תּוֹעֲבַת יְיָ דֶּרֶךְ רָשָׁע Prov.15:9
352 דֶּרֶךְ עָצֵל כִּמְשֻׂכַת חָדֶק Prov.15:19
353 כָּל־דֶּרֶךְ אִישׁ יָשָׁר בְּעֵינָיו Prov.21:2
354 הֲפַכְפַּךְ דֶּרֶךְ אִישׁ וָזָר Prov.21:8
355 כֵּן דֶּרֶךְ אִשָּׁה מְנָאָפֶת Prov.30:20

וְדֶרֶךְ־(א)

356 וְדֶרֶךְ בֵּיתָהּ יִצְעָד Prov.7:8

וְדֶרֶךְ־(ב)

357 וְדֶרֶךְ אֹרְחֹתֶיךָ בִּלֵּעוּ Is.3:12
358 וְדֶרֶךְ הַקֹּדֶשׁ יִקָּרֵא לָהּ Is.35:8
359 וְדֶרֶךְ תְּבוּנוֹת יוֹדִיעֶנּוּ Is.40:14
360 וְדֶרֶךְ עֲנָוִים יַטּוּ Am.2:7
361 וְדֶרֶךְ רְשָׁעִים תֹּאבֵד Ps.1:6
362 וְדֶרֶךְ רְשָׁעִים יְעַוֵּת Ps.146:9
363 וְדֶרֶךְ חֲסִידָו יִשְׁמֹר Prov.2:8
364 וְדֶרֶךְ רְשָׁעִים תַּתְעֵם Prov.12:26
365 וְדֶרֶךְ נְתִיבָה אַל־מָוֶת Prov.12:28
366 וְדֶרֶךְ בֹּגְדִים אֵיתָן Prov.13:15
367 וְדֶרֶךְ חַיִּים תּוֹכְחוֹת מוּסָר Prov.6:23
368 גֵּאָה וְגָאוֹן וְדֶרֶךְ רָע Prov.8:13
369 וְדֶרֶךְ גֶּבֶר בְּעַלְמָה Prov.30:19

בְּדֶרֶךְ־(א)

370 וַיִּמְצָאָהּ...בְּדֶרֶךְ שׁוּר Gen.16:7
371 אֲשֶׁר הִנְחַנִי בְּדֶרֶךְ אֱמֶת Gen.24:48
372 וַתִּקָּבֵר בְּדֶרֶךְ אֶפְרָתָה Gen.35:19
373 וָאֶקְבְּרֶהָ שָּׁם בְּדֶרֶךְ אֶפְרָת Gen.48:7
374 בְּדֶרֶךְ הַמֶּלֶךְ נֵלֵךְ Num.21:22
375 וַיִּפְּלוּ...בְּדֶרֶךְ שַׁעֲרַיִם וְעַד־גַּת ISh.17:52
376 וּמַטֵּהוּ יִשָּׂא־עָלֶיךָ בְּדֶרֶךְ מִצְרָיִם Is.10:24
377 וּנְשָׂאוֹ בְּדֶרֶךְ מִצְרָיִם Is.10:26
378 שִׁלַּחְתִּי בָכֶם דֶּבֶר בְּדֶרֶךְ מִצְרַיִם Am.4:10

בְּדֶרֶךְ־(ב)

379 אָנֹכִי הוֹלֵךְ...בְּדֶרֶךְ כָּל־הָאָרֶץ Josh.23:14
380 אָנֹכִי הֹלֵךְ בְּדֶרֶךְ כָּל־הָאָרֶץ IK.2:2
381 וַיֵּלֶךְ בְּדֶרֶךְ אָבִיו וּבְחַטָּאתוֹ IK.15:26
382 וַיֵּלֶךְ בְּדֶרֶךְ יָרָבְעָם וּבְחַטָּאתוֹ IK.15:34
383/4 בְּדֶרֶךְ יָרָבְעָם IK.16:2,19
385 וַיֵּלֶךְ בְּדֶרֶךְ אָבִיו וּבְדֶרֶךְ אִמּוֹ IK.22:53
386-8 בְּדֶרֶךְ מַלְכֵי יִשׂ׳ IIK.8:18; 16:3 • IICh.21:6
389 וַיֵּלֶךְ בְּדֶרֶךְ בֵּית אַחְאָב IIK.8:27
390 וְלֹא הָלַךְ בְּדֶרֶךְ יְיָ IIK.21:22
391 וַיְסִרֵנִי מִלֶּכֶת בְּדֶרֶךְ הָעָם־הַזֶּה Is.8:11
392 וַיֵּלֶךְ שׁוֹבָב בְּדֶרֶךְ לִבּוֹ Is.57:17

בְּדֶרֶךְ־(ב) (המשך)

393 בְּדֶרֶךְ אֲחוֹתֵךְ הָלָכְתְּ Ezek.23:31
394 בְּדֶרֶךְ עֵדְוֺתֶיךָ שַׂשְׂתִּי Ps.119:14
395 וּנְחֵנִי בְּדֶרֶךְ עוֹלָם Ps.139:24
396 לְמַעַן תֵּלֵךְ בְּדֶרֶךְ טוֹבִים Prov.2:20
397 בְּדֶרֶךְ חָכְמָה הֹרֵתִיךָ Prov.4:11
398 וְאַל־תְּאַשֵּׁר בְּדֶרֶךְ רָעִים Prov.4:14
399 וְאִשְׁרוּ בְּדֶרֶךְ בִּינָה Prov.9:6
400 בְּדֶרֶךְ צְדָקָה תִּמָּצֵא Prov.16:31
401 צִנִּים פַּחִים בְּדֶרֶךְ עִקֵּשׁ Prov.22:5
402 כִּי הָלְכוּ בְּדֶרֶךְ דָּוִיד IICh.11:17
403 וַיֵּלֶךְ בְּדֶרֶךְ אָבִיו אָסָא IICh.20:32
404 וַתֵּלֶךְ בְּדֶרֶךְ מַלְכֵי יִשְׂרָאֵל IICh.21:13

הַבְּדֶרֶךְ־

405 הַבְּדֶרֶךְ אֲבוֹתֵיכֶם אַתֶּם נִטְמְאִים Ezek.20:30

וּבְדֶרֶךְ־

406 וַיֵּלֶךְ בְּדֶרֶךְ אָבִיו וּבְדֶרֶךְ אִמּוֹ IK.22:53
407 וּבְדֶרֶךְ יָרָבְעָם בֶּן־נְבָט IK.22:53
408 וּבְדֶרֶךְ חַטָּאִים לֹא עָמָד Ps.1:1

כְּדֶרֶךְ־

409 לָבוֹא עָלֵינוּ כְּדֶרֶךְ כָּל־הָאָרֶץ Gen.19:31
410 כְּדֶרֶךְ יוֹם כֹּה Num.11:31

וּכְדֶרֶךְ־

411 וּכְדֶרֶךְ יוֹם כֹּה Num.11:31

לְדֶרֶךְ־

412 מַה־לָּךְ לְדֶרֶךְ מִצְרַיִם Jer.2:18
413 וּמַה־לָּךְ לְדֶרֶךְ אַשּׁוּר Jer.2:18

מִדֶּרֶךְ־(א)

414 וַנַּעֲבֹר...מִדֶּרֶךְ הָעֲרָבָה Deut.2:8
415 בָּא מִדֶּרֶךְ אֵלוֹן מְעוֹנְנִים Jud.9:37
416 וְהִנֵּה־מַיִם בָּאִים מִדֶּרֶךְ אֱדוֹם IIK.3:20
417 הָרִימוּ מִכְשׁוֹל מִדֶּרֶךְ עַמִּי Is.57:14
418 בָּאִים מִדֶּרֶךְ־שַׁעַר הָעֶלְיוֹן Ezek.9:2
419 בָּא מִדֶּרֶךְ הַקָּדִים Ezek.43:2
420 מִדֶּרֶךְ אוּלָם הַשַּׁעַר יָבוֹא Ezek.44:3

מִדֶּרֶךְ־(ב)

421 אֱוִלִים מִדֶּרֶךְ פִּשְׁעָם...יִתְעַנּוּ Ps.107:17
422 לְהַצִּילְךָ מִדֶּרֶךְ רָע Prov.2:12
423 אָדָם תּוֹעֶה מִדֶּרֶךְ הַשְׂכֵּל Prov.21:16

דְּרָכִי

424 אִם־יֶשְׁךָ־נָּא מַצְלִיחַ דַּרְכִּי Gen.24:42
425 וַיְיָ הִצְלִיחַ דַּרְכִּי Gen.24:56
426 וַיַּתֵּר תָּמִים דַּרְכִּי (כת׳ דרכו) IISh.22:33
427 נִסְתְּרָה דַרְכִּי מֵיְיָ Is.40:27
428 וַיִּתֵּן תָּמִים דַּרְכִּי Ps.18:33

הַדַּרְכִּי

429 הֲדַרְכִּי לֹא יִתָּכֵן Ezek.18:25

דַּרְכְּךָ

430 וְהִצְלִיחַ דַּרְכֶּךָ Gen.24:40
431 הַיְשַׁר לְפָנַי דַּרְכֶּךָ Ps.5:9
432/3 הוֹרֵנִי יְיָ דַּרְכֶּךָ Ps.27:11; 86:11
434 גּוֹל עַל־יְיָ דַּרְכֶּךָ Ps.37:5
435 לָדַעַת בָּאָרֶץ דַּרְכֶּךָ Ps.67:3
436 אֱלֹהִים בַּקֹּדֶשׁ דַּרְכֶּךָ Ps.77:14
437 בַּיָּם דַּרְכֶּךָ וּשְׁבִילְךָ בְּמַיִם רַבִּים Ps.77:20
438 אָז תֵּלֵךְ לָבֶטַח דַּרְכֶּךָ Prov.3:23
439 הַרְחֵק מֵעָלֶיהָ דַרְכֶּךָ Prov.5:8

בְּדַרְכְּךָ

440 כִּי־בָטַחְתָּ בְדַרְכְּךָ בְּרֹב גִּבּוֹרֶיךָ Hosh.10:13

לְדַרְכְּךָ

441 לֵךְ שׁוּב לְדַרְכְּךָ IK.19:15

דַּרְכֵּךְ

442 בְּרֹב דַּרְכֵּךְ יָגַעַתְּ Is.57:10
443 רְאִי דַרְכֵּךְ בַּגַּיְא Jer.2:23
444 מַה־תֵּיטִבִי דַּרְכֵּךְ לְבַקֵּשׁ אַהֲבָה Jer.2:33
445 מַה־תֵּזְלִי...לְשַׁנּוֹת אֶת־דַּרְכֵּךְ Jer.2:36
446 דַּרְכֵּךְ וּמַעֲלָלַיִךְ עָשׂוֹ אֵלֶּה Jer.4:18
447 זֶה דַרְכֵּךְ מִנְּעוּרַיִךְ Jer.22:21
448 הֵא דַּרְכֵּךְ בְּרֹאשׁ נָתַתִּי Ezek.16:43
449 הִנְנִי־שָׂךְ אֶת־דַּרְכֵּךְ בַּסִּירִים Hosh.2:8

מִדַּרְכֵּךְ

450 הַנִּכְלָמוֹת מִדַּרְכֵּךְ זִמָּה Ezek.16:26

דַּרְכּוֹ

451 הִשְׁחִית...אֶת־דַּרְכּוֹ עַל־הָאָרֶץ Gen.6:12
452 הַהִצְלִיחַ יְיָ דַּרְכּוֹ אִם־לֹא Gen.24:21
453 וַיָּבֹא הַר־אֶפְרַיִם...לַעֲשׂוֹת דַּרְכּוֹ Jud.17:8
454/5 הָאֵל תָּמִים דַּרְכּוֹ IISh.22:31 • Ps.18:31
456 לָתֵת דַּרְכּוֹ בְּרֹאשׁוֹ IK.8:32

דַּרְכּוֹ (המשך)
457 הֲבִאֹתִיו וְהִצְלִיחַ דַּרְכּוֹ Is.48:15
458 יַעֲזֹב רָשָׁע דַּרְכּוֹ Is.55:7
459 כִּי לֹא לָאָדָם דַּרְכּוֹ Jer.10:23
460 בְּסוּפָה וּבִשְׂעָרָה דַּרְכּוֹ Nah.1:3
461 וִילַמֵּד עֲנָוִים דַּרְכּוֹ Ps.25:9
462 אַל־תִּתְחַר בְּמַצְלִיחַ דַּרְכּוֹ Ps.37:7
463 קַוֵּה אֶל־יְיָ וּשְׁמֹר דַּרְכּוֹ Ps.37:34
464 יְיָ קָנָנִי רֵאשִׁית דַּרְכּוֹ Prov.8:22
465 צִדְקַת תָּמִים תְּיַשֵּׁר דַּרְכּוֹ Prov.11:5
466 חָכְמַת עָרוּם הָבִין דַּרְכּוֹ Prov.14:8
467 לֵב אָדָם יְחַשֵּׁב דַּרְכּוֹ Prov.16:9
468 שֹׁמֵר נַפְשׁוֹ נֹצֵר דַּרְכּוֹ Prov.16:17
469 אִוֶּלֶת אָדָם תְּסַלֵּף דַּרְכּוֹ Prov.19:3
470 וְאָדָם מַה־יָּבִין דַּרְכּוֹ Prov.20:24
471 וְיָשָׁר הוּא יָכִין־דַּרְכּוֹ (כת׳ דרכיו) Prov.21:29
472 חֲנֹךְ לַנַּעַר עַל־פִּי דַרְכּוֹ Prov.22:6
473 לְגֶבֶר אֲשֶׁר־דַּרְכּוֹ נִסְתָּרָה Job 3:23
474 הֶן־הוּא מְשׂוֹשׂ דַּרְכּוֹ Job 8:19
475 וְיֹאחֵז צַדִּיק דַּרְכּוֹ Job 17:9
476 מִי־יַגִּיד עַל־פָּנָיו דַּרְכּוֹ Job 21:31
477 דַּרְכּוֹ שָׁמַרְתִּי וְלֹא־אָט Job 23:11
478 מִי־פָקַד עָלָיו דַּרְכּוֹ Job 36:23
479 לָתֵת דַּרְכּוֹ בְּרֹאשׁוֹ IICh.6:23
וְדַרְכּוֹ 480 מֵיְיָ מִצְעֲדֵי־גֶבֶר...וְדַרְכּוֹ יֶחְפָּץ Ps.37:23
וּבְדַרְכּוֹ 481 דֶּרֶךְ...הַשַּׁעַר יָבוֹא וּבְדַרְכּוֹ יֵצֵא Ezek.46:8
לְדַרְכּוֹ 482 וְיַעֲקֹב הָלַךְ לְדַרְכּוֹ Gen.32:2
483 וַיָּשָׁב...עֵשָׂו לְדַרְכּוֹ שֵׂעִירָה Gen.33:16
484 וְגַם־בָּלָק הָלַךְ לְדַרְכּוֹ Num.24:25
485 וַיֵּצֵא לָלֶכֶת לְדַרְכּוֹ Jud.19:27
486 וַיֵּלֶךְ דָּוִד לְדַרְכּוֹ ISh.26:25
487 וַיֵּלְכוּ אִישׁ לְדַרְכּוֹ IK.1:49
488 אִישׁ לְדַרְכּוֹ פָּנִינוּ Is.53:6
489 וַיֵּלֶךְ יִרְמְיָה הַנָּבִיא לְדַרְכּוֹ Jer.28:11
מִדַּרְכּוֹ 490 לֹא־שָׁב יָרָבְעָם מִדַּרְכּוֹ IK.13:33
491/2 שׁוּבוּ...אִישׁ מִדַּרְכּוֹ הָרָעָה Jer.18:11; 25:5
493-497 ...מִדַּרְכּוֹ הָרָעָה Jer.26:3; 35:15 36:3,7 • Jon.3:8
498 לְהַזְהִיר רָשָׁע מִדַּרְכּוֹ הָרְשָׁעָה Ezek.3:18
499 לְבִלְתִּי־שׁוּב מִדַּרְכּוֹ הָרָע Ezek.13:22
500 לְהַזְהִיר רָשָׁע מִדַּרְכּוֹ Ezek.33:8
501 וְאַתָּה כִּי־הִזְהַרְתָּ רָשָׁע מִדַּרְכּוֹ Ezek.33:9
502 וְלֹא־שָׁב מִדַּרְכּוֹ Ezek.33:9
503 כִּי אִם־בְּשׁוּב רָשָׁע מִדַּרְכּוֹ Ezek.33:11
וּמִדַּרְכּוֹ 504 וְלֹא־שָׁב...וּמִדַּרְכּוֹ הָרְשָׁעָה Ezek.3:19
505 מִדֶּרֶךְ...יָבוֹא וּמִדַּרְכּוֹ יֵצֵא Ezek.44:3
דַּרְכָּהּ 506 אֱלֹהִים הֵבִין דַּרְכָּהּ Job 28:23
לְדַרְכָּהּ 507 וַתֵּלֶךְ הָאִשָּׁה לְדַרְכָּהּ ISh.1:18
דַּרְכֵּנוּ 508 וְנֵדְעָה הֲתַצְלִחַ דַּרְכֵּנוּ Jud.18:5
509 אוּלַי יַגִּיד לָנוּ אֶת־דַּרְכֵּנוּ ISh.9:6
510 וְהִגִּיד לָנוּ אֶת־דַּרְכֵּנוּ ISh.9:8
דַּרְכְּכֶם 511 נֹכַח יְיָ דַּרְכְּכֶם Jud.18:6
לְדַרְכְּכֶם 512 וְהִשְׁכַּמְתֶּם וַהֲלַכְתֶּם לְדַרְכְּכֶם Gen.19:2
513 וְאַחַר תֵּלְכוּ לְדַרְכְּכֶם Josh.2:16
514 וְהִשְׁכַּמְתֶּם מָחָר לְדַרְכְּכֶם Jud.19:9
דַּרְכָּם 515/6 אִם־יִשְׁמְרוּ בָנֶיךָ אֶת־דַּרְכָּם IK.2:4; 8:25
517 כִּי הֶעֱווּ אֶת־דַּרְכָּם Jer.3:21
518 וְתֵדַע וּבָחַנְתָּ אֶת־דַּרְכָּם Jer.6:27
519 דַּרְכָּם לָהֶם כַּחֲלַקְלַקּוֹת Jer.23:12
520 דַּרְכָּם בְּרֹאשָׁם נָתָתִּי Ezek.9:10
521/2 דַּרְכָּם בְּרֹאשָׁם נָתָתִּי Ezek.11:21; 22:31
523/4 אֶת־דַּרְכָּם וְאֶת־עֲלִילוֹתָם Ezek.14:22,23
525 וְהֵמָּה דַּרְכָּם לֹא־יִתָּכֵן Ezek.33:17

דַּרְכָּם (המשך)
526 כְּטֻמְאַת הַנִּדָּה הָיְתָה דַרְכָּם Ezek.36:17
527 יְהִי־דַרְכָּם חֹשֶׁךְ וַחֲלַקְלַקֹּת Ps.35:6
528 זֶה דַרְכָּם כֵּסֶל לָמוֹ Ps.49:14
529 וְיֹאכְלוּ מִפְּרִי דַרְכָּם Prov.1:31
530 יִלָּפְתוּ אָרְחוֹת דַּרְכָּם Job 6:18
531 וַיָּסֹלּוּ עָלַי דַּרְכָּם Job 19:12
532 אֶבְחַר דַּרְכָּם וְאֵשֵׁב רֹאשׁ Job 29:25
533 אִם־יִשְׁמְרוּ בָנֶיךָ אֶת־דַּרְכָּם IICh.6:16
בְּדַרְכָּם 534 וַיְטַמְּאוּ אוֹתָהּ בְּדַרְכָּם Ezek.36:17
כְּדַרְכָּם 535 כְּדַרְכָּם וְכַעֲלִילוֹתָם שְׁפַטְתִּים Ezek.36:19
לְדַרְכָּם 536 וַיֵּלְכוּ בְנֵי־דָן לְדַרְכָּם Jud.18:26
537 וַיַּהַפְכוּ נַעֲרֵי־דָוִד לְדַרְכָּם ISh.25:12
538 וַיִּנְהֲגוּ וַיֵּלְכוּ לְדַרְכָּם ISh.30:2
539 כֻּלָּם לְדַרְכָּם פָּנוּ אִישׁ לְבִצְעוֹ Is.56:11
מִדַּרְכָּם 540 וִישִׁבוּם מִדַּרְכָּם הָרָע Jer.23:22
541 מִדַּרְכָּם אֶעֱשֶׂה אוֹתָם Ezek.7:27
542 כִּי־שָׁבוּ מִדַּרְכָּם הָרָעָה Jon.3:10
וּמִדַּרְכָּם 543 לֹא הִפִּילוּ וּמִדַּרְכָּם הַקָּשָׁה Jud.2:19
דְּרָכַיִם 544 ...מֵעִקֵּשׁ דְּרָכַיִם וְהוּא עָשִׁיר Prov.28:6
545 וְנֶעְקַשׁ דְּרָכַיִם יִפּוֹל בְּאֶחָת Prov.28:18
דְּרָכִים 546 וּבְשִׁבְעָה דְרָכִים יָנוּסוּ לְפָנֶיךָ Deut.28:7
547 וּבְשִׁבְעָה דְרָכִים תָּנוּס לְפָנָיו Deut.28:25
548 עַל־דְּרָכִים יִרְעוּ Is.49:9
549 עַל־דְּרָכִים יָשַׁבְתְּ לָהֶם Jer.3:2
550 עִמְדוּ עַל־דְּרָכִים וּרְאוּ Jer.6:16
551 שִׂים־לְךָ שְׁנַיִם דְּרָכִים Ezek.21:24
הַדְּרָכִים 552 כִּי־עָמַד...בְּרֹאשׁ שְׁנֵי הַדְּרָכִים Ezek.21:26
דַּרְכֵי־ 553/4 שָׁמַרְתִּי דַּרְכֵי יְיָ IISh.22:22 • Ps.18:22
555 אִם־לָמֹד יִלְמְדוּ אֶת־דַּרְכֵי עַמִּי Jer.12:16
556 עַל־כָּל־דַּרְכֵי בְּנֵי אָדָם Jer.32:19
557 כִּי־יְשָׁרִים דַּרְכֵי יְיָ Hosh.14:10
558 דְּרָכֶיהָ דַרְכֵי־נֹעַם Prov.3:17
559 כִּי נֹכַח עֵינֵי יְיָ דַּרְכֵי־אִישׁ Prov.5:21
560 דַּרְכֵי שְׁאוֹל בֵּיתָהּ Prov.7:27
561/2 וְאַחֲרִיתָהּ דַּרְכֵי־מָוֶת Prov.14:12; 16:25
563 כָּל־דַּרְכֵי־אִישׁ זַךְ בְּעֵינָיו Prov.16:2
564 בִּרְצוֹת יְיָ דַּרְכֵי־אִישׁ... Prov.16:7
565 כִּי־עֵינָיו עַל־דַּרְכֵי־אִישׁ Job 34:21
566 הוּא רֵאשִׁית דַּרְכֵי־אֵל Job 40:19
567 דַּרְכֵי צִיּוֹן אֲבֵלוֹת מִבְּלִי בָּאֵי מוֹעֵד Lam.1:4
בְּדַרְכֵי־ 568 וְיָשִׁירוּ בְּדַרְכֵי יְיָ Ps.138:5
569 לָלֶכֶת בְּדַרְכֵי חֹשֶׁךְ Prov.2:13
570 וְהַלֵּךְ בְּדַרְכֵי לִבְּךָ Eccl.11:9
571 כִּי הָלַךְ בְּדַרְכֵי דָּוִיד אָבִיו IICh.17:3
572 וַיִּגְבַּהּ לִבּוֹ בְּדַרְכֵי יְיָ IICh.17:6
573 בְּדַרְכֵי יְהוֹשָׁפָט אָבִיךָ IICh.21:12
574 הָלַךְ בְּדַרְכֵי בֵּית אַחְאָב IICh.22:3
575 וַיֵּלֶךְ בְּדַרְכֵי מַלְכֵי יִשְׂרָאֵל IICh.28:2
576 וַיֵּלֶךְ בְּדַרְכֵי דָּוִיד אָבִיו IICh.34:2
וּבְדַרְכֵי־ 577 ...וּבְדַרְכֵי אָסָא מֶלֶךְ־יְהוּדָה IICh.21:12
דְּרָכַי 578 כֵּן גָּבְהוּ דְרָכַי מִדַּרְכֵיכֶם Is.55:9
579 וְדַעַת דְּרָכַי יֶחְפָּצוּן Is.58:2
580 אֵינְכֶם שֹׁמְרִים אֶת־דְּרָכַי Mal.2:9
581 אָמַרְתִּי אֶשְׁמְרָה דְרָכַי Ps.39:2
582 דְּרָכַי סִפַּרְתִּי וַתַּעֲנֵנִי Ps.119:26
583 כִּי כָל־דְּרָכַי נֶגְדֶּךָ Ps.119:8,16
584 וְכָל־דְּרָכַי הִסְכַּנְתָּה Ps.139:3
585 וְאַשְׁרֵי דְּרָכַי יִשְׁמֹרוּ Prov.8:32
586 וְעֵינֶיךָ דְּרָכַי תִּצֹּרְנָה Prov.23:26
587 אַךְ־דְּרָכַי אֶל־פָּנָיו אוֹכִיחַ Job 13:15
588 גָּדַר דְּרָכַי בְּגָזִית Lam.3:9
589 דְּרָכַי סוֹרֵר וַיְפַשְּׁחֵנִי Lam.3:11

דְּרָכַי 590 וְלֹא דַרְכֵיכֶם דְּרָכָי Is.55:8
591 וְהֵם לֹא־יָדְעוּ דְרָכָי Ps.95:10
592 אַחֲלַי יִכֹּנוּ דְרָכָי Ps.119:5
593 חִשַּׁבְתִּי דְרָכָי וָאָשִׁיבָה רַגְלַי Ps.119:59
594 הֲלֹא־הוּא יִרְאֶה דְרָכָי Job 31:4
הַדְּרָכַי 595 הַדְּרָכַי לֹא יִתָּכְנוּ בֵּית יִשְׂרָאֵל Ezek.18:29
בִּדְרָכַי 596 וְאִם תֵּלֵךְ בִּדְרָכַי IK.3:14
597 וְלֹא־הָלְכוּ בִדְרָכַי IK.11:33
598 וְהָלַכְתָּ בִדְרָכַי וְעָשִׂיתָ הַיָּשָׁר IK.11:38
599 אִם־בִּדְרָכַי תֵּלֵךְ... Zech.3:7
600 יִשְׂרָאֵל בִּדְרָכַי יְהַלֵּכוּ Ps.81:14
דְּרָכֶךָ 601 הוֹדִעֵנִי נָא אֶת־דְּרָכֶךָ Ex.33:13
602 וְלֹא תַצְלִיחַ אֶת־דְּרָכֶיךָ Deut.28:29
603 כִּי־אָז תַּצְלִיחַ אֶת־דְּרָכֶךָ Josh.1:8
604 וְכִבַּדְתּוֹ מֵעֲשׂוֹת דְּרָכֶיךָ Is.58:13
605 דְּרָכֶיךָ יְיָ הוֹדִיעֵנִי Ps.25:4
606 אֲלַמְּדָה פֹשְׁעִים דְּרָכֶיךָ Ps.51:15
607 לִשְׁמָרְךָ בְּכָל־דְּרָכֶיךָ Ps.91:11
608 בְּכָל־דְּרָכֶיךָ דָעֵהוּ Prov.3:6
609 וְכָל־דְּרָכֶיךָ יִכֹּנוּ Prov.4:26
610 תִּקְוָתְךָ וְתֹם דְּרָכֶיךָ Job 4:6
611 וְדַעַת דְּרָכֶיךָ לֹא חָפָצְנוּ Job 21:14
612 וְאִם־בֶּצַע כִּי־תַתֵּם דְּרָכֶיךָ Job 22:3
613 וְעַל־דְּרָכֶיךָ נָגַהּ אוֹר Job 22:28
וּדְרָכֶיךָ 614 אַל־תִּתֵּן...וּדְרָכֶיךָ לַמְחוֹת מְלָכִין Prov.31:3
בִּדְרָכֶיךָ 615 וּבָנֶיךָ לֹא הָלְכוּ בִּדְרָכֶיךָ ISh.8:5
616 בִּדְרָכֶיךָ יִזְכְּרוּךָ Is.64:4
617 תָּמִים אַתָּה בִּדְרָכֶיךָ Ezek.28:15
618 בִּדְרָכֶךָ חַיֵּנִי Ps.119:37
619 לָלֶכֶת בִּדְרָכֶיךָ כָּל־הַיָּמִים IICh.6:31
מִדְּרָכֶיךָ 620 לָמָּה תַתְעֵנוּ יְיָ מִדְּרָכֶיךָ Is.63:17
דְּרָכַיִךְ 621 וַתְּפַזְּרִי אֶת־דְּרָכַיִךְ לַזָּרִים Jer.3:13
622 כִּי דְרָכַיִךְ עָלַיִךְ אֶתֵּן Ezek.7:4
623 וְזָכַרְתְּ אֶת־דְּרָכַיִךְ וְנִכְלַמְתְּ Ezek.16:61
דְּרָכָיִךְ 624 ...לִמַּדְתִּ אֶת־דְּרָכָיִךְ Jer.2:33
625 וַתַּשְׁחִתִי מֵהֵן בְּכָל־דְּרָכָיִךְ Ezek.16:47
כִּדְרָכַיִךְ 626 כִּדְרָכַיִךְ עָלַיִךְ אֶתֵּן Ezek.7:9
627 כִּדְרָכַיִךְ וְכַעֲלִילוֹתַיִךְ שְׁפָטוּךְ Ezek.24:14
כִּדְרָכַיִךְ 628/9 וּשְׁפַטְתִּיךְ כִּדְרָכָיִךְ Ezek.7:3,8
דְּרָכָיו 630/31 לָלֶכֶת בְּכָל־דְּרָכָיו Deut.10:12; 11:22
632 כִּי כָל־דְּרָכָיו מִשְׁפָּט Deut.32:4
633 וְלָלֶכֶת בְּכָל־דְּרָכָיו Josh.22:5
634 וַיְהִי דָוִד לְכָל־דְּרָכָו מַשְׂכִּיל ISh.18:14
635 וְנָתַתָּ לָאִישׁ כְּכָל־דְּרָכָיו IK.8:39
636 לָלֶכֶת בְּכָל־דְּרָכָיו IK.8:58
637 וְכָל־דְּרָכָיו אֲיַשֵּׁר Is.45:13
638 דְּרָכָיו רָאִיתִי וְאֶרְפָּאֵהוּ Is.57:18
639 וּפָקַדְתִּי עָלָיו דְּרָכָיו Hosh.4:9
640 נָבִיא פַּח יָקוֹשׁ עַל־כָּל־דְּרָכָיו Hosh.9:8
641 יָחִילוּ דְרָכָו בְּכָל־עֵת Ps.10:5
642 יוֹדִיעַ דְּרָכָיו לְמֹשֶׁה Ps.103:7
643 צַדִּיק יְיָ בְּכָל־דְּרָכָיו Ps.145:17
644 וְאַל־תִּבְחַר בְּכָל־דְּרָכָיו Prov.3:31
645 וּמְעַקֵּשׁ דְּרָכָיו יִוָּדֵעַ Prov.10:9
646 וּנְלוֹז דְּרָכָיו בּוֹזֵהוּ Prov.14:2
647 בּוֹזֵה דְרָכָיו יָמוּת Prov.19:16
648 לֹא־הִכִּירוּ דְרָכָיו Job 24:13
649 הֶן־אֵלֶּה קְצוֹת דְּרָכָו Job 26:14
650 וְכָל־דְּרָכָיו לֹא הִשְׂכִּילוּ Job 34:27
651 וְנָתַתָּה לָאִישׁ כְּכָל־דְּרָכָיו IICh.6:30
652 כִּי הֵכִין דְּרָכָיו לִפְנֵי יְיָ IICh.27:6
653 וְיֶתֶר דְּבָרָיו וְכָל־דְּרָכָיו... IICh.28:26

וּדְרָכָיו 654 וְיֶתֶר דִּבְרֵי אֲבִיָּה וּדְרָכָיו וּדְבָרָיו IICh.13:22
655 וְכָל־מִלְחֲמֹתָיו וּדְרָכָיו IICh.27:7
בִּדְרָכָיו 656 לָלֶכֶת בִּדְרָכָיו וּלְיִרְאָה אֹתוֹ Deut.8:6
657 וְלָלֶכֶת בִּדְרָכָיו כָּל־הַיָּמִים Deut.19:9
658 וְלָלֶכֶת בִּדְרָכָיו וְלִשְׁמֹר חֻקָּיו Deut.26:17
659 כִּי תִשְׁמֹר...וְהָלַכְתָּ בִּדְרָכָיו Deut.28:9
660 לָלֶכֶת בִּדְרָכָיו וְלִשְׁמֹר מִצְוֹתָיו Deut.30:16
661 וְלֹא־הָלְכוּ בָנָיו בִּדְרָכָו ISh.8:3
662 לָלֶכֶת בִּדְרָכָיו לִשְׁמֹר חֻקֹּתָיו IK.2:3
663 וְלֹא־אָבוּ בִדְרָכָיו הָלוֹךְ Is.42:24
664 וְאִישׁ בִּדְרָכָיו יֵלֵכוּן Joel 2:7
665 ...בִּדְרָכָיו הָלָכוּ Ps.119:3
666 אַשְׁרֵי...הַהֹלֵךְ בִּדְרָכָיו Ps.128:1
כִּדְרָכָיו 667 וְלָתֵת לְאִישׁ כִּדְרָכָו Jer.17:10
668 לָתֵת לְאִישׁ כִּדְרָכָיו... Jer.32:19
669/70 אִישׁ כִּדְרָכָיו אֶשְׁפֹּ(ו)ט Ezek.18:30; 33:20
671 וְלִפְקֹד עַל־יַעֲקֹב כִּדְרָכָיו Hosh.12:3
מִדְּרָכָיו 672/3 וְיֹרֵנוּ מִדְּרָכָיו Is.2:3 • Mic.4:2
674 הֲלוֹא בְּשׁוּבוֹ מִדְּרָכָיו וְחָיָה Ezek.18:23
675 מִדְּרָכָיו יִשְׂבַּע סוּג לֵב Prov.14:14
דְּרָכֶיהָ 676 בִּכְרָה קַלָּה מְשָׂרֶכֶת דְּרָכֶיהָ Jer.2:23
677 דְּרָכֶיהָ דַרְכֵי־נֹעַם Prov.3:17
678 רְאֵה דְרָכֶיהָ וַחֲכָם Prov.6:6
679 אַל־יֵשְׂטְ אֶל־דְּרָכֶיהָ לִבֶּךָ Prov.7:25
דְּרָכֵינוּ 680 נַחְפְּשָׂה דְרָכֵינוּ וְנַחְקֹרָה Lam.3:40
כִּדְרָכֵינוּ 681 כִּדְרָכֵינוּ וּכְמַעֲלָלֵינוּ כֵּן עָשָׂה Zech.1:6
דַּרְכֵיכֶם 682 וְנָשַׁמּוּ דַּרְכֵיכֶם Lev.26:22
683 ...וְלֹא דַרְכֵיכֶם דְּרָכָי Is.55:8
684/5 הֵיטִיבוּ דַרְכֵיכֶם וּמַעַלְלֵיכֶם Jer.7:3; 26:13
686 אִם־הֵיטֵיב תֵּיטִיבוּ אֶת־דַּרְכֵיכֶם Jer.7:5
687 וְהֵיטִיבוּ דַרְכֵיכֶם וּמַעַלְלֵיכֶם Jer.18:11
688 הֲלֹא דַרְכֵיכֶם לֹא יִתָּכֵנוּ Ezek.18:25
689 הֲלֹא דַרְכֵיכֶם לֹא יִתָּכֵן Ezek.18:29
690 וּזְכַרְתֶּם־שָׁם אֶת־דַּרְכֵיכֶם Ezek.20:43
691 וּזְכַרְתֶּם אֶת־דַּרְכֵיכֶם הָרָעִים Ezek.36:31
692/3 שִׂימוּ לְבַבְכֶם עַל־דַּרְכֵיכֶם Hag.1:5,7
כְּדַרְכֵיכֶם 694 לֹא כְדַרְכֵיכֶם הָרָעִים... Ezek.20:44
מִדַּרְכֵיכֶם 695 שֻׁבוּ מִדַּרְכֵיכֶם הָרָעִים IIK.17:13
696 כֵּן גָּבְהוּ דְרָכַי מִדַּרְכֵיכֶם Is.55:9
697 שׁוּבוּ מִדַּרְכֵיכֶם הָרָעִים Ezek.33:11
698 וְהִכָּלְמוּ מִדַּרְכֵיכֶם בֵּית יִשְׂרָאֵל Ezek.36:32
699 שׁוּבוּ נָא מִדַּרְכֵיכֶם הָרָעִים Zech.1:4
דַּרְכֵיהֶם 600 כִּי עֵינַי עַל־כָּל־דַּרְכֵיהֶם Jer.16:17
701 וְעֵינֵיהוּ עַל־דַּרְכֵיהֶם Job 24:23
בְּדַרְכֵיהֶם 702 גַּם־הֵמָּה בָּחֲרוּ בְּדַרְכֵיהֶם Is.66:3
703 וַיַּכְשִׁלוּם בְּדַרְכֵיהֶם שְׁבִילֵי עוֹלָם Jer.18:15
מִדַּרְכֵיהֶם 704 מִדַּרְכֵיהֶם לוֹא־שָׁבוּ Jer.15:7
705 וְיָשֻׁבוּ מִדַּרְכֵיהֶם הָרָעִים IICh.7:14
בְּדַרְכֵיהֶן 706 וְלֹא בְדַרְכֵיהֶן הָלַכְתְּ Ezek.16:47

דַּרְכְּמוֹן* ז' מטבע יָוָנִי: 1–4
דַּרְכְּמוֹנִים 1 זָהָב דַּרְכְּמוֹנִים שֵׁשׁ־רִבֹּאות וָאֶלֶף Ez.2:69
2 זָהָב דַּרְכְּמֹנִים אָלֶף Neh.7:69(70)
3 זָהָב דַּרְכְּמוֹנִים שְׁתֵּי רִבּוֹת Neh.7:70(71)
4 זָהָב דַּרְכְּמֹנִים שְׁתֵּי רִבּוֹא Neh.7:71(72)

דַּרְמֶשֶׂק נוסח אחר של שם העיר דַּמֶּשֶׂק: 1–5
1 וַיָּבֹא אֲרַם דַּרְמֶשֶׂק לַעְזוֹר... IICh.18:5
דַּרְמֶשֶׂק 2 וַיִּזְבַּח לֵאלֹהֵי דַרְמֶשֶׂק הַמַּכִּים בּוֹ IICh.28:23
דַּרְמָשֶׂק 3 וְכָל־שְׁלָלָם שִׁלְּחוּ לְמֶלֶךְ דַּרְמָשֶׂק IICh.24:3
4 וַיִּשְׁבּוּ מִמֶּנּוּ...וַיָּבִיאוּ דַּרְמָשֶׂק IICh.28:5
בְּדַרְמָשֶׂק 5 אֶל־בֶּן־הֲדַד...הַיּוֹשֵׁב בְּדַרְמָשֶׂק IICh.16:2

דָּרַע* שפ־ז – מבני זרח בן יהודה, אולי הוא דַּרְדַּע
וָדָרַע 1 וְאֵיתָן וְהֵימָן וְכַלְכֹּל וָדָרַע ICh.2:6

דְּרָע* ג' ארמית: זרוע
וּדְרָעוֹהִי 1 חֲדוֹהִי וּדְרָעוֹהִי דִּי כְסַף Dan.2:32

דַּרְקוֹן שפ־ז – אבי משפחת נתינים שעלתה עם זרובבל
2-1 בְּנֵי־דַרְקוֹן בְּנֵי גִדֵּל Ez.2:56 • Neh.7:58

דרש : דָּרַשׁ, נִדְרַשׁ; מִדְרָשׁ

דָּרַשׁ פָּ' א) חקר, בדק, ברר: 1, 16, 34, 48, 49, 50, 63, 69, 110, 111, 120, 121, 137
ב) בקש, חפש, שאל: 4–15, 17–33, 35–42, 45–47, 51, 53–62, 64–68, 70–79, 82–97, 104, 105, 107, 111–119, 122–136, 138–155
ג) תבע: 2, 3, 43, 44, 52, 80, 81, 99–103, 106
ד) [נפ' נִדְרַשׁ] נפקד, נבדק: 157
ה) [כנ־ל] נתבע: 158
ו) [כנ־ל] נענה לדרישה: 156, 159–164

דָּרַשׁ (אֶת־) רוב המקראות; דָּרַשׁ אֶת...מִן 7, 43, 51, 103, 126–128; דָּרַשׁ לְ־ 17, 27, 30, 32, 35, 55, 57, 77, 84, 107, 111, 118, 120, 125, 129; דָּרַשׁ בְּ־ 9–12, 33, 53, 105, 142; דָּרַשׁ מִן 7, 71, 80, 101, 103, 146; דָּרַשׁ אֶל 70, 87, 104, 115, 134, 145; דָּרַשׁ עַל 46, 121; ד' אַחַר 117; ד' בְּעַד 140, 143/4; נִדְרַשׁ לְ־ 156, 159–164; דָּרַשׁ (אֶת/אֶל/לְ/בְּ) אֱלֹהִים (יְיָ) 5, 6, 8, 10–13, 15, 17, 20–30, 32, 33, 37–39, 40, 47, 51, 53, 54, 56, 57, 65–67, 73, 76, 82, 83, 86, 92, 93, 96, 107, 115, 118, 122, 123, 125, 127, 140, 143/4, 146, 148, 149, 151–152; דָּרַשׁ דָּבָר 7, 12, 34; דָּרַשׁ דָּמוֹ 99, 103; ד' דָּמִים 81; ד' חַטָּאתוֹ 110; ד' טוֹב 85, 150; ד' טוֹבָתוֹ 108, 131; ד' מוֹפֵת 31; ד' מִשְׁפָּט 88; ד' נַפְשׁוֹ 100; ד' רָעָה 89, 94; ד' רִשְׁעוֹ 110; דָּרַשׁ שְׁלוֹמוֹ 108, 131, 153; דָּרַשׁ לְשָׁלוֹם 78

דָּרַשׁ 1 דָּרֹשׁ דָּרַשׁ מֹשֶׁה Lev.10:16
2 דָּרֹשׁ יִדְרְשֶׁנּוּ יְיָ אֱלֹהֶיךָ מֵעִמָּךְ Deut.23:22
דְּרֹשׁ 3 עַד דְּרֹשׁ אָחִיךָ אֹתוֹ Deut.22:2
לִדְרֹשׁ 4 וַתֵּלֶךְ לִדְרֹשׁ אֶת־יְיָ Gen.25:22
5 כִּי־יָבֹא אֵלַי הָעָם לִדְרֹשׁ אֱלֹהִים Ex.18:15
6 בְּלֶכְתּוֹ לִדְרוֹשׁ אֱלֹהִים ISh.9:9
7 לִדְרֹשׁ דָּבָר מֵעִמְּךָ אֶל־בְּנָהּ IK.14:5
8-10 לִדְרֹשׁ אֶת־יְיָ IK.22:8 • IIK.22:18
Ezek.20:1
11-13 לִדְרֹשׁ בְּבַעַל זְבוּב IK.1:3,6,16
14 לִדְרֹשׁ בִּדְבָרוֹ IIK.1:16
15 וְעֵת לִדְרוֹשׁ אֶת־יְיָ Hosh.10:12
16 לִדְרוֹשׁ וְלָתוּר בַּחָכְמָה Eccl.1:13
17 לִדְרֹשׁ לַייָ אֱלֹהֵי יִשְׂרָאֵל Ez.6:21
18 לִדְרוֹשׁ אֶת־תּוֹרַת יְיָ Ez.7:10
19 וְגַם־לִשְׁאוֹל בָּאוֹב לִדְרוֹשׁ ICh.10:13
20 לָלֶכֶת לְפָנָיו לִדְרֹשׁ אֱלֹהִים ICh.21:30
21 ...לִדְרוֹשׁ לַייָ אֱלֹהֵיכֶם ICh.22:19(18)
22-25 לִדְרוֹשׁ אֶת־יְיָ IICh.12:14; 14:3; 15:12; 18:7
26 וַהֲכִינוֹתָ לְבָבְךָ לִדְרֹשׁ הָאֱלֹהִים IICh.19:3
27 וַיִּתֵּן...אֶת־פָּנָיו לִדְרוֹשׁ לַייָ IICh.20:3
28 וַיְהִי לִדְרֹשׁ אֱלֹהִים בִּימֵי זְכַרְיָהוּ IICh.26:5
29 כָּל־לְבָבוֹ הֵכִין לִדְרוֹשׁ הָאֱלֹהִים IICh.30:19
30 אֲשֶׁר־הֵחֵל...לִדְרֹשׁ לֵאלֹהָיו IICh.31:21
31 לִדְרֹשׁ הַמּוֹפֵת אֲשֶׁר הָיָה בָאָרֶץ IICh.32:31
32 הֵחֵל לִדְרוֹשׁ לֵאלֹהֵי דָּוִיד IICh.34:3
33 הַשֹּׁלֵחַ אֶתְכֶם לִדְרוֹשׁ בַּייָ IICh.34:26
לְדַרְיוֹשׁ 34 וַיֵּשְׁבוּ...לְדַרְיוֹשׁ הַדָּבָר Ez.10:16
לִדְרָשׁ־ 35 וּבָא אֶל־הַנָּבִיא לִדְרָשׁ־לוֹ Ezek.14:7
הֲלִדְרֹשׁ 36 הֲלִדְרֹשׁ אֹתִי אַתֶּם בָּאִים Ezek.20:3
דָּרְשׁוֹ 37 וּבִימֵי דָּרְשׁוֹ אֶת־יְיָ הִצְלִיחוֹ הָאֱ' IICh.26:5
לְדָרְשֵׁנִי 38 הַשֹּׁלֵחַ אֶתְכֶם אֵלַי לְדָרְשֵׁנִי Jer.37:7
דָּרַשְׁתִּי 39 דָּרַשְׁתִּי אֶת־יְיָ וְעָנָנִי Ps.34:5

דָּרָשְׁתִּי 40 בְּיוֹם צָרָתִי אֲדֹנָי דָּרָשְׁתִּי Ps.77:3
41/2 כִּי פִקֻּ(ו)דֶיךָ דָרָשְׁתִּי תח Ps.119:45,94
וְדָרַשְׁתִּי 43 וְדָרַשְׁתִּי אֶת־צֹאנִי מִיָּדָם Ezek.34:10
44 וְדָרַשְׁתִּי אֶת־צֹאנִי וּבִקַּרְתִּים Ezek.34:11
דְּרַשְׁתִּיךָ 45 בְּכָל־לִבִּי דְרַשְׁתִּיךָ Ps.119:10
דָּרַשְׁתָּ 46 מַדּוּעַ לֹא־דָרַשְׁתָּ עַל־הַלְוִיִּם IICh.24:6
47 לָמָּה דָרַשְׁתָּ אֶת־אֱלֹהֵי הָעָם IICh.25:15
וְדָרַשְׁתָּ 48 וְדָרַשְׁתָּ וְחָקַרְתָּ וְשָׁאַלְתָּ הֵיטֵב Deut.13:15
49 וְדָרַשְׁתָּ הֵיטֵב וְהִנֵּה אֱמֶת Deut.17:4
50 וְדָרַשְׁתָּ וְהִגִּידוּ לְךָ Deut.17:9
51 וְדָרַשְׁתָּ אֶת־יְיָ מֵאוֹתוֹ IIK.8:8
דָּרַשׁ 52 וְאֵת שְׂעִיר הַחַטָּאת דָּרֹשׁ דָּרַשׁ מֹשֶׁה Lev.10:16
53 וְלֹא־דָרַשׁ בַּייָ וַיְמִיתֵהוּ ICh.10:14
54 וְגַם־בְּחָלְיוֹ לֹא־דָרַשׁ אֶת־יְיָ IICh.16:12
55 וְלֹא דָרַשׁ לַבְּעָלִים IICh.17:3
56 אֲשֶׁר־דָּרַשׁ אֶת־יְיָ בְּכָל־לְבָבוֹ IICh.22:9
דָּרָשׁ 57 כִּי לֵאלֹהֵי אָבִיו דָּרָשׁ IICh.17:4
דָּרְשָׁה 58 דָּרְשָׁה צֶמֶר וּפִשְׁתִּים Prov.31:13
דָּרַשְׁנוּ 59 כִּי דָרַשְׁנוּ אֶת־יְיָ אֱלֹהֵינוּ IICh.14:6
60 דָּרַשְׁנוּ וַיָּנַח לָנוּ מִסָּבִיב IICh.14:6
דְרַשְׁנֻהוּ 61 כִּי־לֹא דְרַשְׁנֻהוּ בִּימֵי שָׁאוּל ICh.13:3
62 כִּי לֹא דְרַשְׁנֻהוּ כַּמִּשְׁפָּט ICh.15:13
דָּרְשׁוּ 63 וְלֹא־דָרְשׁוּ רֹעַי אֶת־צֹאנִי Ezek.34:8
64 כִּי דָרְשׁוּ אֵת אֱלֹהֵי אֱדוֹם IICh.25:20
דָּרָשׁוּ 65 וְאֶת־יְיָ צְבָאוֹת לֹא דָרָשׁוּ Is.9:12
66/7 וְאֶת־יְיָ לֹא דָרָשׁוּ Is.31:1 • Jer.10:21
68 כִּי־חֻקֶּיךָ לֹא דָרָשׁוּ Ps.119:155
וְדָרְשׁוּ 69 וְדָרְשׁוּ הַשֹּׁפְטִים הֵיטֵב Deut.19:18
70 וְדָרְשׁוּ אֶל־הָאֱלִילִים Is.19:3
71 וְדָרְשׁוּ מֵחָרְבוֹתֵיהֶם Ps.109:10
דְּרָשׁוּנִי 72 ...לְעַמִּי אֲשֶׁר דְּרָשׁוּנִי Is.65:10
דְּרָשֻׁהוּ 73 לֹא־בִקְשׁוּ אֶת־יְיָ וְלֹא דְרָשֻׁהוּ Zep.1:6
וּדְרָשׁוּהוּ 74 וּדְרָשׁוּהוּ וְשָׁבוּ וְשִׁחֲרוּ־אֵל Ps.78:34
דְּרָשׁוּם 75 וַאֲשֶׁר עֲבָדוּם...וַאֲשֶׁר דְּרָשׁוּם Jer.8:2
דֹּרֵשׁ 76 אֶרֶץ אֲשֶׁר־יְיָ אֱלֹהֶיךָ דֹּרֵשׁ אֹתָהּ Deut.11:12
77 צִיּוֹן הִיא דֹּרֵשׁ אֵין לָהּ Jer.30:17
78 אֵינֶנּוּ דֹרֵשׁ לְשָׁלוֹם לָעָם הַזֶּה Jer.38:4
79 נָפֹצוּ צֹאנִי וְאֵין דּוֹרֵשׁ Ezek.34:6
80 ...וּמָה־יְיָ דּוֹרֵשׁ מִמְּךָ Mic.6:8
81 כִּי־דֹרֵשׁ דָּמִים אוֹתָם זָכָר Ps.9:13
82/3 הֲיֵשׁ...דֹּרֵשׁ אֶת־אֱלֹהִים Ps.14:2; 53:3
84 אֵין דּוֹרֵשׁ לְנַפְשִׁי Ps.142:5
85 דֹּרֵשׁ טוֹב לְעַמּוֹ Es.10:3
86 כִּי כָל־לְבָבוֹת דּוֹרֵשׁ יְיָ ICh.28:9
וְדֹרֵשׁ 87 ...וְדֹרֵשׁ אֶל־הַמֵּתִים Deut.18:11
88 שֹׁפֵט וְדֹרֵשׁ מִשְׁפָּט וּמְהִר צֶדֶק Is.16:5
89 וְדֹרֵשׁ רָעָה תְבוֹאֶנּוּ Prov.11:27
הַדֹּרֵשׁ 90 כַּעֲוֹן הַדֹּרֵשׁ כַּעֲוֹן הַנָּבִיא יִהְיֶה Ezek.14:10
דְּרוּשָׁה 91 וְלָךְ יִקָּרֵא דְרוּשָׁה עִיר לֹא נֶעֱזָבָה Is.62:12
דֹּרְשֵׁי 92 ...דֹּרְשֵׁי אֱלֹהִים וִיחִי לְבַבְכֶם Ps.69:33
וְדֹרְשֵׁי 93 וְדֹרְשֵׁי יְיָ לֹא־יַחְסְרוּ כָל־טוֹב Ps.34:11
94 מְבַקְשֵׁי נַפְשִׁי וְדֹרְשֵׁי רָעָתִי Ps.38:13
דֹּרְשֶׁיךָ 95 כִּי לֹא־עָזַבְתָּ דֹרְשֶׁיךָ יְיָ Ps.9:11
דֹּרְשָׁיו 96 יְהַלְלוּ יְיָ דֹּרְשָׁיו... Ps.22:27
97 זֶה דּוֹר דֹּרְשָׁו Ps.24:6
דְּרוּשִׁים 98 דְּרוּשִׁים לְכָל־חֶפְצֵיהֶם Ps.111:2
אֶדְרֹשׁ 99 אֶת־דִּמְכֶם לְנַפְשֹׁתֵיכֶם אֶדְרֹשׁ Gen.9:5
100 ...אֶדְרֹשׁ אֶת־נֶפֶשׁ הָאָדָם Gen.9:5
101 אָנֹכִי אֶדְרֹשׁ מֵעִמּוֹ Deut.18:19
102 וְשָׁם אֶדְרוֹשׁ אֶת־תְּרוּמֹתֵיכֶם Ezek.20:40
103 וְדָמוֹ מִיַּד־הַצֹּפֶה אֶדְרֹשׁ Ezek.33:6
104 אוּלָם אֲנִי אֶדְרֹשׁ אֶל־אֵל Job 5:8

וְאֶדְרְשָׁה 105 וְאֵלְכָה אֵלֶיהָ וְאֶדְרְשָׁה־בָּהּ ISh.28:7
אֶדְרְשֶׁנּוּ 106 מִיַּד כָּל־חַיָּה אֶדְרְשֶׁנּוּ Gen.9:5
תִּדְרֹשׁ 107 וּפֶן־תִּדְרֹשׁ לֵאלֹהֵיהֶם Deut.12:30
108 לֹא־תִדְרֹשׁ שְׁלֹמָם וְטֹבָתָם Deut.23:7
109 אָמַר בְּלִבּוֹ לֹא תִדְרֹשׁ Ps.10:13
110 תִּדְרוֹשׁ־רִשְׁעוֹ בַל־תִּמְצָא Ps.10:15
111 כִּי־תְבַקֵּשׁ לַעֲוֹנִי וּלְחַטָּאתִי תִדְרוֹשׁ Job 10:6
תִּדְרְשֶׁנּוּ 112 כִּי תִדְרְשֶׁנּוּ בְּכָל־לְבָבְךָ... Deut.4:29
113 טוֹב יְיָ לְקֹוָו לְנֶפֶשׁ תִּדְרְשֶׁנּוּ Lam.3:25
114 אִם־תִּדְרְשֶׁנּוּ יִמָּצֵא לָךְ ICh.28:9
יִדְרֹשׁ 115 הֲלוֹא־עַם אֶל־אֱלֹהָיו יִדְרֹשׁ Is.8:19
116 רָשָׁע כְּגֹבַהּ אַפּוֹ בַּל־יִדְרֹשׁ Ps.10:4
117 וְאַחַר כָּל־יָרוֹק יִדְרוֹשׁ Job 39:8
118 וְכֹל אֲשֶׁר לֹא־יִדְרֹשׁ לַיְיָ... IICh.15:13
וְיִדְרֹשׁ 119 וּכְמוֹתוֹ אָמַר יֵרֶא יְיָ וְיִדְרֹשׁ IICh.24:22
וַיִּדְרֹשׁ 120 וַיִּשְׁלַח דָּוִד וַיִּדְרֹשׁ לָאִשָּׁה IISh.11:3
121 וַיִּדְרֹשׁ יְחִזְקִיָּהוּ עַל־הַכֹּהֲנִים IICh.31:9
יִדְרְשֶׁנּוּ 122 דָּרֹשׁ יִדְרְשֶׁנּוּ יְיָ אֱלֹהֶיךָ מֵעִמָּךְ Deut.23:22
יִדְרְשֵׁהוּ 123 אַל־יִדְרְשֵׁהוּ אֱלוֹהַּ מִמָּעַל Job 3:4
וַיִּדְרְשֵׁהוּ 124 וּמִזְבַּח הַנְּחֹשֶׁת...וַיִּדְרְשֵׁהוּ שְׁלֹמֹה IICh.1:5
נִדְרוֹשׁ 125 כִּי כָכֶם נִדְרוֹשׁ לֵאלֹהֵיכֶם Ez.4:2
וְנִדְרְשָׁה 126 הַאֵין פֹּה נָבִיא...וְנִדְרְשָׁה מֵאוֹתוֹ IK.22:7
127 וְנִדְרְשָׁה אֶת־יְיָ מֵאוֹתוֹ IIK.3:11
128 הַאֵין פֹּה נָבִיא...וְנִדְרְשָׁה מֵאֹתוֹ IICh.18:6
תִּדְרְשׁוּ 129 לְשִׁכְנוֹ תִדְרְשׁוּ וּבָאתָ שָׁמָּה Deut.12:5
130 וְאַל־תִּדְרְשׁוּ בֵּית־אֵל Am.5:5
131 וְלֹא־תִדְרְשׁוּ שְׁלֹמָם וְטוֹבָתָם Ez.9:12
תִּדְרְשֻׁנִי 132 כִּי תִדְרְשֻׁנִי בְּכָל־לְבַבְכֶם Jer.29:13
תִּדְרְשֻׁהוּ 133 וְאִם־תִּדְרְשֻׁהוּ יִמָּצֵא לָכֶם IICh.15:2
יִדְרֹשׁוּ 134 שֹׁרֶשׁ יִשַׁי...אֵלָיו גּוֹיִם יִדְרֹשׁוּ Is.11:10
135 אוֹתָךְ לֹא יִדְרֹשׁוּ Jer.30:14
יִדְרֹשׁוּן 136 וְאוֹתִי יוֹם יוֹם יִדְרֹשׁוּן Is.58:2
וַיִּדְרְשׁוּ 137 וַיִּדְרְשׁוּ וַיְבַקְשׁוּ וַיֹּאמְרוּ Jud.6:29
יִדְרְשׁוּהוּ 138 אַשְׁרֵי...בְּכָל־לֵב יִדְרְשׁוּהוּ Ps.119:2
דְּרָשׁ־ 139 דְּרָשׁ־נָא כַיּוֹם אֶת־דְּבַר יְיָ IK.22:5
140 דְּרָשׁ־נָא בַעֲדֵנוּ אֶת־יְיָ Jer.21:2
141 דְּרָשׁ־נָא כַיּוֹם אֶת־דְּבַר יְיָ IICh.18:4
דִּרְשׁוּ 142 לְכוּ דִרְשׁוּ בְּבַעַל זְבוּב IIK.1:2
143/4 דִּרְשׁוּ אֶת־יְיָ בַּעֲדִי IIK.22:13 • IICh.34:21
145 לִמְדוּ הֵיטֵב דִּרְשׁוּ מִשְׁפָּט Is.1:17
146 דִּרְשׁוּ אֶל־הָאֹבוֹת וְאֶל־הַיִּדְּעֹנִים Is.8:19
147 דִּרְשׁוּ מֵעַל־סֵפֶר יְיָ וּקְרָאוּ Is.34:16
148 דִּרְשׁוּ יְיָ בְּהִמָּצְאוֹ Is.55:6
149 דִּרְשׁוּ אֶת־יְיָ וִחְיוּ Am.5:6
150 דִּרְשׁוּ טוֹב וְאַל־רָע Am.5:14
151/2 דִּרְשׁוּ יְיָ וְעֻזּוֹ Ps.105:4 • ICh.16:11
וְדִרְשׁוּ 153 וְדִרְשׁוּ אֶת־שְׁלוֹם הָעִיר Jer.29:7
154 שִׁמְרוּ וְדִרְשׁוּ כָּל־מִצְוֺת יְיָ ICh.28:8
דִּרְשׁוּנִי 155 כִּי כֹה אָמַר יְיָ...דִּרְשׁוּנִי וִחְיוּ Am.5:4
נִדְרַשְׁתִּי 156 נִדְרַשְׁתִּי לְלוֹא שָׁאָלוּ Is.65:1
נִדְרָשׁוּ 157 בִּשְׁנַת...נִדְרָשׁוּ וַיִּמָּצֵא בָהֶם ICh.26:31
נִדְרָשׁ 158 וְגַם־דָּמוֹ הִנֵּה נִדְרָשׁ Gen.42:22
הַאִדָּרֹשׁ 159 הַאִדָּרֹשׁ אִדָּרֵשׁ לָהֶם Ezek.14:3
אִדָּרֵשׁ 160 הַאִדָּרֹשׁ אִדָּרֵשׁ לָהֶם Ezek.14:3
161/2 אִם־אִדָּרֵשׁ לָכֶם Ezek.20:3,31
163 וַאֲנִי אִדָּרֵשׁ לָכֶם בֵּית יִשְׂרָאֵל Ezek.20:31
164 עוֹד זֹאת אִדָּרֵשׁ לְבֵית־יִשְׂרָאֵל Ezek.36:37

דשא : דָּשָׁא, הִדְשִׁיא; דֶּשֶׁא

דָּשָׁא
פ׳ א) כָּסָה דשא: 1
ב) [הפ׳ הִדְשִׁיא] הצמיח: 2

דָּשְׁאוּ 1 כִּי דָשְׁאוּ נְאוֹת מִדְבָּר Joel 2:22
תַּדְשֵׁא 2 תַּדְשֵׁא הָאָרֶץ דֶּשֶׁא עֵשֶׂב Gen.1:11

דֶּשֶׁא
ז׳ עשב: 1–14

דֶּשֶׁא עֵשֶׂב 1, 2; יֶרֶק דֶּשֶׁא 5, 7; יֶרֶק דֶּ׳ 10; מוֹצָא דֶ׳ 13; נְאוֹת דֶ׳ 9; עֲלֵי דֶשֶׁא 3, 12

דֶּשֶׁא 1 תַּדְשֵׁא הָאָרֶץ דֶּשֶׁא עֵשֶׂב... Gen.1:11
2 דֶּשֶׁא עֵשֶׂב מַזְרִיעַ זֶרַע Gen.1:12
3 כִּשְׂעִירִם עֲלֵי־דֶשֶׁא Deut.32:2
4 מִנֹּגַהּ מִמָּטָר דֶּשֶׁא מֵאָרֶץ IISh.23:4
5 הָיוּ עֵשֶׂב שָׂדֶה וִירַק דֶּשֶׁא IIK.19:26
6 יָבֵשׁ חָצִיר כָּלָה דֶשֶׁא Is.15:6
7 הָיוּ עֵשֶׂב שָׂדֶה וִירַק דֶּשֶׁא Is.37:27
8 כִּי לֹא־הָיָה דֶּשֶׁא Jer.14:5
9 בִּנְאוֹת דֶּשֶׁא יַרְבִּיצֵנִי Ps.23:2
10 וּכְיֶרֶק דֶּשֶׁא יִבּוֹלוּן Ps.37:2
11 גָּלָה חָצִיר וְנִרְאָה־דֶשֶׁא Prov.27:25
12 הֲיִנְהַק־פֶּרֶא עֲלֵי־דֶשֶׁא Job 6:5
13 וּלְהַצְמִיחַ מֹצָא דֶשֶׁא Job 38:27
כַּדֶּשֶׁא 14 וְעַצְמוֹתֵיכֶם כַּדֶּשֶׁא תִפְרַחְנָה Is.66:14

דשן : דָּשֵׁן, דִּשֵּׁן, דֻּשַּׁן, הִדַּשֵּׁן; דָּשֵׁן, דֶּשֶׁן

דָּשֵׁן
פ׳ א) שָׁמַן: 1
ב) [פ׳ דִּשֵּׁן] שִׁמֵּן, הוסיף דשן: 6,5,3
ג) (כנ״ל) סִלֵּק את השמן: 4,2
ד) [פ׳ דֻּשַּׁן] שֻׁמַּן (גם בהשאלה): 7–10
ה) [הִת׳ הִדַּשְּׁנָה] נעשָׂה שמן: 11

וְדָשֵׁן 1 וְאָכַל וְשָׂבַע וְדָשֵׁן Deut.31:20
לְדַשְּׁנוֹ 2 וְעָשִׂיתָ סִּירֹתָיו לְדַשְּׁנוֹ Ex.27:3
דִּשַּׁנְתָּ 3 דִּשַּׁנְתָּ בַשֶּׁמֶן רֹאשִׁי Ps.23:5
וְדִשְּׁנוּ 4 וְדִשְּׁנוּ אֶת־הַמִּזְבֵּחַ Num.4:13
יְדַשְּׁנֶה 5 וְעוֹלָתְךָ יְדַשְּׁנֶה סֶלָה Ps.20:4
תְּדַשֶּׁן 6 טוֹבָה תְּדַשֶּׁן־עָצֶם Prov.15:30
יְדֻשָּׁן 7 וַעֲפָרָם מֵחֵלֶב יְדֻשָּׁן Is.34:7
8 וּבוֹטֵחַ עַל־יְיָ יְדֻשָּׁן Prov.28:25
תְּדֻשָּׁן 9 נֶפֶשׁ־בְּרָכָה תְדֻשָּׁן Prov.11:25
10 וְנֶפֶשׁ חָרֻצִים תְּדֻשָּׁן Prov.13:4
הֻדַּשְּׁנָה 11 מָלְאָה דָם הֻדַּשְּׁנָה מֵחֵלֶב Is.34:6

דָּשֵׁן
ת׳ שָׁמֵן: 1–3

דָּשֵׁן 1 וְלֶחֶם...וְהָיָה דָשֵׁן וְשָׁמֵן Is.30:23
דְּשֵׁנִים 2 דְּשֵׁנִים וְרַעֲנַנִּים יִהְיוּ Ps.92:15
דִּשְׁנֵי־ 3 אָכְלוּ וַיִּשְׁתַּחֲווּ כָּל־דִּשְׁנֵי־אֶרֶץ Ps.22:30

דֶּשֶׁן
ז׳ א) שׁוּמָן: 1–4, 13, 15–13; ב) שׁוּמָן החי: 5–12

חֵלֶב וָדֶשֶׁן 4; מְקוֹם הַדֶּשֶׁן 11; שֶׁפֶךְ הַדֶּ׳ 5, 8; הוֹצִיא הַדֶּ׳ 10; הֵרִים הַדֶּ׳ 9; מָלֵא דֶשֶׁן 3; נִשְׁפַּךְ הַדֶּ׳ 7,6; רִוָּה דֶ׳ 1; רָעַף דֶּשֶׁן 2

דָּשֶׁן 1 וְרִוֵּיתִי נֶפֶשׁ הַכֹּהֲנִים דָּשֶׁן Jer.31:14(13)
2 וּמַעְגָּלֶיךָ יִרְעֲפוּן דָּשֶׁן Ps.65:12
3 וְנַחַת שֻׁלְחָנְךָ מָלֵא דָשֶׁן Job 36:16
וָדֶשֶׁן 4 כְּמוֹ חֵלֶב וָדֶשֶׁן תִּשְׂבַּע נַפְשִׁי Ps.63:6
הַדֶּשֶׁן 5 עַל־שֶׁפֶךְ הַדֶּשֶׁן יִשָּׂרֵף Lev.4:12
6 וְנִשְׁפַּךְ הַדֶּשֶׁן אֲשֶׁר־עָלָיו IK.13:3
7 וַיִּשָּׁפֵךְ הַדֶּשֶׁן מִן־הַמִּזְבֵּחַ IK.13:5
8 אֶל־שֶׁפֶךְ הַדָּשֶׁן Lev.4:12
9 וְהֵרִים אֶת־הַדֶּשֶׁן Lev.6:3
הַדָּשֶׁן 10 וְהוֹצִיא אֶת־הַדֶּשֶׁן Lev.6:4
11 וְהִשְׁלִיךְ...אֶל־מְקוֹם הַדָּשֶׁן Lev.1:16
וְהַדֶּשֶׁן 12 וְכָל־הָעֵמֶק הַפְּגָרִים וְהַדֶּשֶׁן Jer.31:39
בַּדֶּשֶׁן 13 וְתִתְעַנַּג בַּדֶּשֶׁן נַפְשְׁכֶם Is.55:2

מְדֻשָּׁן 14 יִרְוְיֻן מִדֶּשֶׁן בֵּיתֶךָ Ps.36:9
דִּשְׁנִי 15 וַיֹּאמֶר...הֶחֳדַלְתִּי אֶת־דִּשְׁנִי Jud.9:9

דָּת[1]
נ׳ חוֹק, מִשְׁפָּט: 1–21

דָּת וָדִין 11; דַּת הַיּוֹם 10; כְּדַת הַנָּשִׁים 9; כְּתָב הַדָּת 5; אַחַת דָּתוֹ 13; נִתְּנָה דָת 2–4, 6, 7; דָּתֵי הַמֶּלֶךְ 18, 19; דָּתֵי פָרַס וּמָדַי 20

דָּת 1 דְּבַר הַמֶּ׳ לִפְנֵי כָּל־יֹדְעֵי דָּת וָדִין Es.1:13
2/3 פַּתְשֶׁגֶן הַכְּתָב לְהִנָּתֵן דָּת Es.3:14; 8:13
4 וְהַדָּת נִתְּנָה בְּשׁוּשַׁן Es.9:14
הַדָּת 5 וְאֶת־פַּתְשֶׁגֶן כְּתָב־הַדָּת Es.4:8
וְהַדָּת 6/7 וְהַדָּת נִתְּנָה בְּשׁוּשַׁן הַבִּירָה Es.3:15; 8:14
כְּדָת 8 כְּדָת מַה־לַּעֲשׂוֹת בַּמַּלְכָּה וַשְׁתִּי Es.1:15
כְּדָת 9 מִקֵּץ הֱיוֹת לָהּ כְּדָת הַנָּשִׁים Es.2:12
כְּדָת 10 יִנָּתֵן גַּם־מָחָר...לַעֲשׂוֹת כְּדָת הַיּוֹם Es.9:13
כַּדָּת 11 וְהַשְּׁתִיָּה כַדָּת אֵין אֹנֵס Es.1:8
12 אָבוֹא אֶל־הַמֶּלֶךְ אֲשֶׁר לֹא־כַדָּת Es.4:16
דָּתוֹ 13 אֲשֶׁר־יָבוֹא...אַחַת דָּתוֹ לְהָמִית Es.4:11
וְדָתוֹ 14 בְּהִשָּׁמַע דְּבַר־הַמֶּלֶךְ וְדָתוֹ Es.2:8
15/6 דְּבַר־הַמֶּלֶךְ וְדָתוֹ מַגִּיעַ Es.4:3; 8:17
17 הִגִּיעַ דְּבַר־הַמֶּלֶךְ וְדָתוֹ לְהֵעָשׂוֹת Es.9:1
דָּתֵי־ 18 וַיִּתְּנוּ אֶת־דָּתֵי הַמֶּלֶךְ... Ez.8:36
19 וְאֶת־דָּתֵי הַמֶּלֶךְ אֵינָם עֹשִׂים Es.3:8
בְּדָתֵי־ 20 וְיִכָּתֵב בְּדָתֵי פָרַס־וּמָדַי Es.1:19
וְדָתֵיהֶם 21 וְדָתֵיהֶם שֹׁנוֹת מִכָּל־עָם Es.3:8

דָּת[2]
נ׳ ארמית: כמו בעברית – חוק, משפט: 1–14

דָּת אֱלָהָא 3, 4, 8–10, 12, 14

דָּת 1 דַּע...דִּי־דָת לְמָדַי וּפָרַס Dan.6:16
וְדָת 2 וְיִסְבַּר לְהַשְׁנָיָה זִמְנִין וְדָת Dan.7:25
בְּדָת 3 לָהֵן הַשְׁכַּחְנָא עֲלוֹהִי בְּדָת אֱלָהֵהּ Dan.6:6
4 בְּדָת אֱלָהָךְ דִּי בִידָךְ Ez.7:14
כְּדָת 5/6 כְּדָת־מָדַי וּפָרַס Dan.6:9,13
דָּתָא 7 עַל־מָה דָתָא מְהַחְצְפָה Dan.2:15
8/9 סָפַר דָּתָא דִי(־)אֱלָהּ שְׁמַיָּא Ez.7:12,21
10 דִּי־לָא לֶהֱוֵא עָבֵד דָּתָא דִי־אֱלָהָךְ Ez.7:26
וְדָתָא 11 וְדָתָא נֶפְקַת וְחַכִּימַיָּא מִתְקַטְּלִין Dan.2:13
12 דָּתָא דִי־אֱלָהָךְ וְדָתָא דִי מַלְכָּא Ez.7:26
דָּתְכוֹן 13 חֲדָה הִיא דָתְכוֹן Dan.2:9
דָּתֵי־ 14 לְכָל־יָדְעֵי דָּתֵי אֱלָהָךְ Ez.7:25

דִּתְאָא
ז׳ ארמית: דֶּשֶׁא

בְּדִתְאָא 1–2 בְּדִתְאָא דִּי בָרָא Dan.4:12,20

דְּתָבַר
יָא
ז״ר ארמית: יוֹדְעֵי דת ודין

דְּתָבְרַיָּא 1–2 אֲדַרְגָּזְרַיָּא גְדָבְרַיָּא דְּתָבְרַיָּא Dan.3:2,3

דֹּתַיִן*
עיר בצפון הר אפרים, היא דֹּתָן

דֹּתַיְנָה 1 כִּי שָׁמַעְתִּי אֹמְרִים נֵלְכָה דֹּתָיְנָה Gen.37:17

דָּתָן
שפ״ז – מבני ראובן שמרד במשה: 1–10

דָּתָן 1 לְמִשְׁכַּן־קֹרַח דָּתָן וַאֲבִירָם Num.16:24
2–4 דָּתָן וַאֲבִירָם Num.16:25,27; 26:9
5 תִּפְתַּח־אֶרֶץ וַתִּבְלַע דָּתָן Ps.106:17
וְדָתָן 6 וְדָתָן וַאֲבִירָם בְּנֵי אֱלִיאָב Num.16:1
וְדָתָן 7/8 וְדָתָן וַאֲבִירָם Num.16:27; 26:9
לְדָתָן 9 לִקְרֹא לְדָתָן וְלַאֲבִירָם Num.16:12
10 וַאֲשֶׁר עָשָׂה לְדָתָן וְלַאֲבִירָם Deut.11:6

דֹּתָן
עיר בצפון הר אפרים, היא דֹּתַיִן: 2,1

בְּדֹתָן 1 וַיֵּלֶךְ יוֹסֵף...וַיִּמְצָאֵם בְּדֹתָן Gen.37:17
2 וַיֻּגַּד־לוֹ לֵאמֹר הִנֵּה בְדֹתָן IIK.6:13

ה׳ זעירא

בְּהִבָּֽרְאָם	Gen. 2:4

ה׳ רבתי

הֲלַיְיָ	Deut. 32:6

ה׳ יתרה בראש תבה

החנית	חֲנִית	ISh. 26:22
הספרים	סְפָרִים	IK. 21:8
ההמון	הָמוֹן	IIK. 7:13
המלח	מֶלַח	IIK. 14:7
הסחבות	סְחָבוֹת	Jer. 38:11
הספר	סֵפֶר	Is. 29:11
הכנפים	כְּנָפַיִם	Eccl. 10:20

ה׳ יתרה באמצע תבה

בהשדה	בַּשָּׂדֶה	IIK. 7:12
בהחפזם	בְּחָפְזָם	IIK. 7:15

ה׳ יתרה בסוף תבה

צידה	צָיִד	Gen. 27:3
ואראה	וָאֵרֶא	Josh. 7:21
ואביאה	וָאָבִיא	Josh. 24:8

האריה	הָאֲרִי	IISh. 23:20
וקוה	וְקָו	IK. 7:23 • Zech. 1:16
ותראה	וַתֵּרֶא	Jer. 3:7
באה	בָּא	Jer. 15:9
הרעה	הָרָע	Jer. 18:10
הזאתה	הַזֹּאת	Jer. 26:6
קוה	קָו	Jer. 31:38
ובאה	וּבָא	Jer. 43:27
רעה	רָע	Mic. 3:3
יעשה	יַעַשׂ	Ruth 1:8
הרבה	הֶרֶב	Ps. 51:4
אהביה	אֹהֲבַי	Prov. 8:17
ורעה	וְרֵעַ	Prov. 27:10
פקחה	פְּקַח	Dan. 9:18
אריה	אֲרִי	Lam. 3:10
אלה	אֵל	Ez. 5:15

וכן כל ״אנתה״ בדניאל בה׳ יתרה

ה׳ חסרה בראש תבה

שלל	הַשָּׁלָל	ISh. 14:32
גברים	הַגִּבֹּרִים	IISh. 23:9

ה

מסורה מסורה מסורה מסורה
מסורה מסורה מסורה מסורה
מסורה מסורה מסורה מסורה
מסורה מסורה מסודה מסורה
מסורה מסורה
מסורה מסורה
מסורה מסורה
מסורה מסורה
מסורה מסורה
מסורה מסורה
מסורה מסורה מסורה מסורה
ממסור מסורה מסורה מסורה
מסורה מסורה מסורה מסורה
מסורה מסורה מסויה מסורה

האי״ן בתורה 28 052

אחד	הָאֶחָד	IK. 4:8
שבכה	הַשְּׂבָכָה	IK. 7:20
מלך	הַמֶּלֶךְ	IK. 15:18
		IIK. 11:20; 15:25
ארץ	הָאָרֶץ	Jer. 10:13
עם	הָעָם	Jer. 17:19
דבר	הַדָּבָר	Jer. 40:3
מלכים	הַמְּלָכִים	Jer. 52:32
רשע	הָרָשָׁע	Ezek. 18:20
עמים	הָעַמִּים	Lam. 1:18

ה׳ חסרה באמצע תבה

ויאהבו	וַיֶּאֱהָבֵהוּ	ISh. 18:1
לגיד	לְהַגִּיד	IIK. 9:15
וכרמל	וְהַכַּרְמֶל	Is. 32:15

ה׳ חסרה בסוף תבה

וארב	וָאַרְבֶּה	Josh. 24:3
הגג	הַגָּגָה	ISh. 9:26
ואת	וְאַתָּה	ISh. 24:18
יהי	יִהְיֶה	IK. 1:37

and: IIK. 9:37 • IS. 41:23; 54:16 • Jer. 17:8; 40:16 • Ezek. 23:16; 45:3 • Hag. 1:8 • Ps. 6:4; 74:6; 90:8 • Prov. 30:18; 31:10 • Job 1:10; 42:16 • Ruth 1:12 • Lam. 2:19; 5:1 • Eccl. 7:22 • Neh. 9:6

וכן כל ״נַעֲרָ״ בתורה (19 פעם), להוציא Deut. 22:19

כתיב ו׳ בסוף תבה – קרי ה׳

להשיבו	לַהֲשִׁיבָהּ	Jud. 19:3
נפשו	נַפְשָׁהּ	Jer. 2:24

ואיו	וְאַיֵּה	Jer. 37:19
והיו	וְהָיָה	Ezek. 47:12
נפקו	נְפַקָה	Dan. 5:5
אתעקרו	אֶתְעֲקָרָה	Dan. 7:8
ונפלו	וּנְפַלָה	Dan. 7:20
ויתגרו	וְיִתְגָּרֶה	Dan. 11:10

כתיב ח׳ באמצע תבה – קרי ה׳

עמיחור	עַמִּיהוּד	IISh. 13:37
מבחלת	מְבֹהֶלֶת	Prov. 20:21
רחיטנו	רָהִיטֵנוּ	S.ofS. 1:17
ולחתם	וּלְהָתֵם	Dan. 9:24

כתיב י׳ בסוף תבה – קרי ה׳

העמוני	הָעַמֹּונָה	Josh. 18:24
כי	כֹּה	IISh. 16:10
שמעי	שִׁמְעָה	IISh. 21:21
השלשי	הַשְּׁלֹשָׁה	IISh. 23:18
ובמראי	וּבְמַרְאֵה	Eccl. 11:9

הַ־(הָ־, הֶ־)

הֵא־הידיעה; תָּוִית־יִדּוּעַ הבאה בראש מלים במשמעים שונים. להלן המשמעים העִקריים ומקראות אחדים להדגמה (כל המלים במקרא עם ה׳־הידיעה בראשן – ליד כל ערך):

א) לציון שם עצם שכבר נזכר (א)
ב) לציון שם כשהוא ידוע ביחודו בטבע או בחיים (ב)
ג) ככנוי זיקה לפני בינוני, במשמע ״אשר״ (ג)
ד) כנ״ל לעתים נדירות גם לפני פועל עבר (ד)
ה) בפניה ישרה אל מישהו (ה)
ו) לציון שם קבוצי או חומר (ו)
ז) לפני שם מופשט (ז)
ח) ככנוי רומז בבטויי זמן (ח)

(א) וַיְהִי אוֹר... וַיַּרְא אֱלֹהִים אֶת־הָאוֹר — Gen. 1:3,4
קְחוּ לִי מְנַגֵּן... וְהָיָה כְּנַגֵּן הַמְנַגֵּן — IIK. 3:15
וְקָנִיתָ לְּךָ אֵזוֹר... וָאֶקְנֶה אֶת־הָאֵזוֹר — Jer. 13:2,3

(ב) בְּרֵאשִׁית בָּרָא אֱלֹהִים
אֵת הַשָּׁמַיִם וְאֵת הָאָרֶץ — Gen. 1:1
הַשֶּׁמֶשׁ וְהַיָּרֵחַ וְאַחַד עָשָׂר כּוֹכָבִים — Gen. 37:9
וַיִּקְרַע יְיָ אֶת־הַמַּמְלָכָה מִיָּדֶךָ — ISh. 28:17

(ג) וְגַם־לְלוֹט הַהֹלֵךְ אֶת־אַבְרָם — Gen. 13:5
כִּי־פִי הַמְדַבֵּר אֲלֵיכֶם — Gen. 45:12
שְׁפִיפֹן עֲלֵי־אֹרַח הַנֹּשֵׁךְ עִקְּבֵי־סוּס — Gen. 49:17

(ד) קְצִינֵי אַנְשֵׁי הַמִּלְחָמָה הֶהָלְכוּא אִתּוֹ — Josh. 10:24
תְּרוּמַת בֵּית־אֱלֹהֵינוּ
הַהֵרִימוּ הַמֶּלֶךְ וְיֹעֲצָיו — Ez. 8:25
וְעַתָּה עַמְּךָ הַנִּמְצְאוּ־פֹה רָאִיתִי — ICh. 29:17

(ה) בֶּן־מִי אַתָּה הַנָּעַר — ISh. 17:58
הַחֵרְשִׁים שְׁמָעוּ וְהַעִוְרִים הַבִּיטוּ — Is. 42:18
הַדּוֹר אַתֶּם רְאוּ — Jer. 2:31

(ו) וְיָסֵר מֵעָלֵינוּ אֶת הַנָּחָשׁ — Num. 21:7
לִי הַכֶּסֶף וְלִי הַזָּהָב — Hag. 2:8

(ז) שֹׁמֵר הַבְּרִית וְהַחֶסֶד — Deut. 7:9

(ח) הֵן גֵּרַשְׁתָּ אֹתִי הַיּוֹם מֵעַל פְּנֵי הָאֲדָמָה — Gen. 4:14
אִם־אֵינְךָ מְמַלֵּט אֶת־נַפְשְׁךָ הַלַּיְלָה — ISh. 19:11
נִקֵּיתִי הַפַּעַם מִפְּלִשְׁתִּים — Jud. 15:3

הֲ־(הַ־, הֶ־)

הֵא־הַשְּׁאֵלָה; באה בראש שֵׁמות וּפעלים וכדומה במשמעים שונים; להלן המשמעים העִקריים ומקראות אחדים להדגמה (כל המלים במקרא עם ה׳־השאלה בראשן – ליד כל ערך):

א) בשאלה ישרה, כשהתשובה אינה ידועה: (א)
ב) להבעת תמיהה, כשהתשובה על־פי־רוב שלילית: (ב)
ג) בשאלה עקיפה: (ג)
ד) בשאלות בְּרֵירָה: (ד)
ה) בצֵרוּף למליות שונות, כגון: הַאִם, הַאָמְנָם, הַאַף, הֲכִי, הֲלֹא – עַיֵּן ליד המליות: אִם, אָמְנָם, אַף, כִּי, לֹא וכדומה

(א) הַיְדַעְתֶּם אֶת־לָבָן בֶּן־נָחוֹר — Gen. 29:5
הֲשָׁלוֹם לַנַּעַר לְאַבְשָׁלוֹם — IISh. 18:32
הֲשַׂמְתָּ לִבְּךָ אֶל־עַבְדִּי אִיּוֹב — Job 2:3

(ב) הֲשֹׁמֵר אָחִי אָנֹכִי — Gen. 4:9
הֲטוֹב טוֹב אַתָּה מִבָּלָק — Jud. 11:25
הַאַתָּה תִּבְנֶה־לִּי בַיִת — IISh. 7:5

(ג) לִרְאוֹת הֲקַלּוּ הַמַּיִם מֵעַל פְּנֵי הָאֲדָמָה — Gen. 8:8
מַחֲרִישׁ לָדַעַת הַהִצְלִיחַ יְיָ דַּרְכּוֹ — Gen. 24:21

(ד) הֲלָנוּ אַתָּה אִם־לְצָרֵינוּ — Josh. 5:13
וּמִי יוֹדֵעַ הֶחָכָם יִהְיֶה אוֹ סָכָל — Eccl. 2:19

הֵא[1]

מ״ק הִנֵּה, הֲרֵי: 1, 2

הֵא
1 הֵא־לָכֶם זֶרַע וּזְרַעְתֶּם — Gen. 47:23
2 וְגַם־אֲנִי הֵא דַּרְכֵּךְ בְּרֹאשׁ נָתַתִּי — Ezek. 16:43

הֵא[2]

מ״ק ארמית: הֵן, הִנֵּה

הֵא
1 הֵא־כְדִי פַּרְזְלָא לָא מִתְעָרַב — Dan. 2:43

הָא

מלת רמז ארמית: והנה, וזה

הָא
1 הָא־אֲנָה חָזֵה גֻּבְרִין אַרְבְּעָה — Dan. 3:25

הֶאֱזְנִיחוּ

(ישעיה יט6) – עין זָנַח

הֶאָח

מ״ק להבעת שמחה והתרגשות: 1–12

הֶאָח
1 וְיֹאמַר הֶאָח חַמּוֹתִי רָאִיתִי אוּר — Is. 44:16
2 יַעַן אָמְרֵךְ הֶאָח
אֶל־מִקְדָּשִׁי כִּי־נִחָל — Ezek. 25:3
3 אָמְרָה צֹּר עַל־יְרוּשָׁלַםִ הֶאָח — Ezek. 26:2
4 יַעַן אָמַר הָאוֹיֵב עֲלֵיכֶם הֶאָח — Ezek. 36:2
5/6 אָמְרוּ הֶאָח הֶאָח רָאֲתָה עֵינֵנוּ — Ps. 35:21
7 אַל־יֹאמְרוּ בְלִבָּם הֶאָח נַפְשֵׁנוּ — Ps. 35:25
8/9 יָשֹׁמּוּ...הָאֹמְרִים לִי הֶאָח הֶאָח — Ps. 40:16
10/11 יָשׁוּבוּ...הָאֹמְרִים הֶאָח הֶאָח — Ps. 70:4
12 בְּדֵי שֹׁפָר יֹאמַר הֶאָח — Job 39:25

הֵאִיץ

– עין אוץ

הֵאִיר

– עין אור

הָאֲרָרִי

עַיֵּן הֲרָרִי

הַב

פָּ׳ צִוּוּי מן ״יהב״: תֵּן! צִוּוּי מוארך: הָבָה; לנקבה: הָבִי; ברבּוּי: הָבוּ – תני, תנו!

הַב
1/2 לַעֲלוּקָה שְׁתֵּי בָנוֹת הַב הַב — Prov. 30:15

הָבָה
3 הָבָה נִלְבְּנָה לְבֵנִים — Gen. 11:3
4 הָבָה נִבְנֶה־לָּנוּ עִיר — Gen. 11:4
5 הָבָה נֵרְדָה וְנָבְלָה שָׁם שְׂפָתָם — Gen. 11:7
6 הָבָה אֶת־אִשְׁתִּי — Gen. 29:21
7 הָבָה־לִּי בָנִים... — Gen. 30:1
8 הָבָה־נָּא אָבוֹא אֵלַיִךְ — Gen. 38:16
9 הָבָה־לָּנוּ לֶחֶם — Gen. 47:15
10 הָבָה נִתְחַכְּמָה לוֹ — Ex. 1:10
11 הָבָה־לִּי בְרָכָה — Jud. 1:15
12 יְיָ אֱלֹהֵי יִשְׂרָאֵל הָבָה תָמִים — ISh. 14:41
13/4 הָבָה־לָּנוּ עֶזְרָת מִצָּר — Ps. 60:13; 108:13

הָבִי
15 הָבִי הַמִּטְפַּחַת אֲשֶׁר־עָלַיִךְ — Ruth 3:15

הָבוּ
16 וַיֹּאמֶר יוֹסֵף הָבוּ מִקְנֵיכֶם — Gen. 47:16

הָבוּ (המשך)
17 הָבוּ לָכֶם אֲנָשִׁים חֲכָמִים Deut. 1:13
18 הָבוּ גֹדֶל לֵאלֹהֵינוּ Deut. 32:3
19 הָבוּ לָכֶם שְׁלֹשָׁה אֲנָשִׁים Josh. 18:4
20 הָבוּ לָכֶם דָּבָר וְעֵצָה הֲלֹם Jud. 20:7
21 הָבוּ אֶת־אוּרִיָּה אֶל־מוּל...הַמִּלְחָמָ׳ IISh. 11:15
22 הָבוּ לָכֶם עֵצָה מַה־נַּעֲשֶׂה IISh. 16:20
23 אִם־טוֹב בְּעֵינֵיכֶם הָבוּ שְׂכָרִי Zech. 11:12
24 הָבוּ לַיְיָ בְּנֵי אֵלִים Ps. 29:1
27-25 הָבוּ לַיְיָ כָּבוֹד וָעֹז Ps. 29:1; 96:7 ICh. 16:28
30-28 הָבוּ לַיְיָ כְּבוֹד שְׁמוֹ Ps. 29:2; 96:8 ICh. 16:29
32-31 הָבוּ לַיְיָ מִשְׁפְּחוֹת עַמִּים Ps. 96:7 ICh. 16:28
33 הֲכִי־אָמַרְתִּי הָבוּ לִי Job 6:22

הִבְאִישׁ (ישעיה ל5) – עין בָּאַשׁ

הַבְהָב* ז׳ בשר חרוך?

הַבְהָבַי 1 זִבְחֵי הַבְהָבַי יִזְבְּחוּ בָשָׂר וַיֹּאכֵלוּ Hosh. 8:13

הֵבוּ כנראה כפל אותיות של ״אהב״ להדגשה:

הֵבוּ 1 אָהֲבוּ הֵבוּ קָלוֹן מָגִנֶּיהָ Hosh. 4:18

הִבּוֹז (ישעיה כד3) – עין בָּזַז

הִבּוֹק (ישעיה כד3) – עין בָּקַק

הַבֵּט, הִבִּיט – עין נבט

הֵבִיא – עין בוא הֵבִין – עין בין

הִבִּיעַ – עין נָבַע הֵבִישׁ – עין בוש

הבל : הָבַל, הֶהְבִּיל; הֶבֶל1; ש״פ הֶבֶל2

הָבַל פָּ׳ א) עשה מעשה שטות: 1–4

ב) [הפ׳ הֶהְבִּיל] הטעה בהבל: 5

תֶּהְבָּלוּ 1 וּבְגָזֵל אַל־תֶּהְבָּלוּ Ps. 62:11
2 וְלָמָּה־זֶּה הֶבֶל תֶּהְבָּלוּ Job 27:12
וַיֶּהְבָּלוּ 3/4 וַיֵּלְכוּ אַחֲרֵי הַהֶבֶל וַיֶּהְבָּלוּ IIK. 17:15 Jer. 2:5
מַהְבִּלִים 5 מַהְבִּלִים הֵמָּה אֶתְכֶם Jer. 23:16

הֶבֶל1 ז׳ א) משב רוח: 11

ב) [בהשאלה] שָׁוְא, אפס: שאר המקראות

קרובים: ראה אָוֶן

הֶבֶל וָרִיק 1; הֶ׳ וּרְעוּת רוּחַ 21-23; הֶ׳ וְרַעְיוֹן רוּחַ 26; הֶ׳ נִדָּף 11; תֹּהוּ וָהֶבֶל 46; הֲבֵל הֲבָלִים 55–57; חַיֵּי הֶבְלוֹ 59,61; יְמֵי הֶ׳ 58–60; מוּסַר הֲבָלִים 62; הַבְלֵי הַגּוֹיִם 70; הַבְלֵי נֵכָר 69; הַבְלֵי שָׁוְא 67, 68

הֶבֶל 1 וּמִצְרַיִם הֶבֶל וָרִיק יַעְזֹרוּ Is. 30:7
2 כִּי־חֻקּוֹת הָעַמִּים הֶבֶל הוּא Jer. 10:3
3/4 הֶבֶל הֵמָּה מַעֲשֵׂה תַּעְתֻּעִים Jer. 10:15; 51:18
5 הֶבֶל וְאֵין־בָּם מוֹעִיל Jer. 16:19
6 וַחֲלֹמוֹת הַשָּׁוְא יְדַבֵּרוּ הֶבֶל יְנַחֵמוּן Zech. 10:2
7 אַךְ כָּל־הֶבֶל כָּל־אָדָם Ps. 39:6
8 אַךְ־הֶבֶל יֶהֱמָיוּן Ps. 39:7
9 אַךְ הֶבֶל כָּל־אָדָם Ps. 39:12
10 אַךְ הֶבֶל בְּנֵי־אָדָם Ps. 62:10
11 הֶבֶל נִדָּף מְבַקְשֵׁי־מָוֶת Prov. 21:6
12 חֲדַל מִמֶּנִּי כִּי־הֶבֶל יָמָי Job 7:16
13 לָמָּה־זֶּה הֶבֶל אִיגָע Job 9:29
14 וְלָמָּה־זֶּה הֶבֶל תֶּהְבָּלוּ Job 27:12
15 וְאִיּוֹב הֶבֶל יִפְצֶה־פִּיהוּ Job 35:16
18-16 הַכֹּל הֶבֶל וּרְעוּת רוּחַ Eccl. 1:14; 2:11,17

הֶבֶל (המשך)
19 גַּם־זֶה הֶבֶל וְרָעָה רַבָּה Eccl. 2:21
20 גַּם־זֶה הֶבֶל הוּא Eccl. 2:23
23-21 גַּם־זֶה הֶבֶל וּרְעוּת רוּחַ Eccl. 2:26; 4:4; 6:9
24 וָאֶרְאֶה הֶבֶל תַּחַת הַשָּׁמֶשׁ Eccl. 4:7
25 גַּם־זֶה הֶבֶל וְעִנְיַן רָע הוּא Eccl. 4:8
26 כִּי־גַם־זֶה הֶבֶל וְרַעְיוֹן רוּחַ Eccl. 4:16
27 זֶה הֶבֶל וָחֳלִי רָע הוּא Eccl. 6:2
28 יֶשׁ־הֶבֶל אֲשֶׁר נַעֲשָׂה עַל־הָאָרֶץ Eccl. 8:14
הָבֶל 29 וְאֶת־כֻּלָּם יִשָּׂא־רוּחַ יִקַּח־הָבֶל Is. 57:13
30 יְיָ יֹדֵעַ...כִּי־הֵמָּה הָבֶל Ps. 94:11
31 וְאֵיךְ תְּנַחֲמוּנִי הָבֶל Job 21:34
32 תִּכְלֶינָה עֵינֵינוּ אֶל־עֶזְרָתֵנוּ הָבֶל Lam. 4:17
33/4 הֲבֵל הֲבָלִים...הַכֹּל הָבֶל Eccl. 1:2; 12:8
35 וְהִנֵּה גַם־הוּא הָבֶל Eccl. 2:1
36 וְדִבַּרְתִּי בְלִבִּי שֶׁגַּם־זֶה הָבֶל Eccl. 2:15
41-37 (וְ־, שֶׁ־) גַּם־זֶה הָבֶ׳ Eccl. 2:19; 5:9; 7:6; 8:10,14
42 וּמוֹתַר...אָיִן כִּי הַכֹּל הָבֶל Eccl. 3:19
43 יֵשׁ־דְּבָרִים הַרְבֵּה מַרְבִּים הָבֶל Eccl. 6:11
44 וְיִזְכֹּר...כָּל־שֶׁבָּא הָבֶל Eccl. 11:8
45 כִּי־הַיַּלְדוּת וְהַשַּׁחֲרוּת הָבֶל Eccl. 11:10
וְהֶבֶל 46 לְתֹהוּ וְהֶבֶל כֹּחִי כִלֵּיתִי Is. 49:4
47 שֶׁקֶר הַחֵן וְהֶבֶל הַיֹּפִי Prov. 31:30
הַהֶבֶל 48/9 וַיֵּלְכוּ אַחֲרֵי הַהֶבֶל וַיֶּהְבָּלוּ IIK. 17:15 Jer. 2:5
בַּהֶבֶל 50 וַיְכַל־בַּהֶבֶל יְמֵיהֶם Ps. 78:33
51 כִּי־בַהֶבֶל בָּא וּבַחֹשֶׁךְ יֵלֵךְ Eccl. 6:4
לַהֶבֶל 52 אָדָם לַהֶבֶל דָּמָה Ps. 144:4
מֵהֶבֶל 53 בְּמֹאזְנַיִם...הֵמָּה מֵהֶבֶל יָחַד Ps. 62:10
54 הוֹן מֵהֶבֶל יִמְעָט Prov. 13:11
הֲבֵל־ 57-55 הֲבֵל הֲבָלִים Eccl. 1:2²; 12:8
הֶבְלִי 58 אֶת־הַכֹּל רָאִיתִי בִּימֵי הֶבְלִי Eccl. 7:15
הֶבְלֶךָ 59 אֲשֶׁר־אָהַבְתָּ כָּל־יְמֵי חַיֵּי הֶבְלֶךָ Eccl. 9:9
60 תַּחַת הַשָּׁמֶשׁ כֹּל יְמֵי הֶבְלֶךָ Eccl. 9:9
הֶבְלוֹ 61 מִסְפַּר יְמֵי־חַיֵּי הֶבְלוֹ Eccl. 6:12
הֲבָלִים 62 מוּסַר הֲבָלִים עֵץ הוּא Jer. 10:8
65-63 הֲבֵל הֲבָלִים Eccl. 1:2²; 12:8
וַהֲבָלִים 66 כִּי בְרֹב חֲלֹמוֹת וַהֲבָלִים... Eccl. 5:6
הַבְלֵי־ 67 מְשַׁמְּרִים הַבְלֵי־שָׁוְא חַסְדָּם יַעֲזֹבוּ Jon. 2:9
68 שָׂנֵאתִי הַשֹּׁמְרִים הַבְלֵי־שָׁוְא Ps. 31:7
בְּהַבְלֵי־ 69 ...בִּפְסִלֵיהֶם בְּהַבְלֵי נֵכָר Jer. 8:19
70 הֲיֵשׁ בְּהַבְלֵי הַגּוֹיִם מַגְשִׁמִים Jer. 14:22
בְּהַבְלֵיהֶם 71 קִנְאוּנִי...כִּעֲסוּנִי בְּהַבְלֵיהֶם Deut. 32:21
72/3 לְהַכְעִיס אֶת־יְיָ...בְּהַבְלֵיהֶם IK. 16:13,26

הֶבֶל2 שפ״ז – בנם של אדם וחוה: 1–8

הֶבֶל 1 וַיְהִי־הֶבֶל רֹעֵה צֹאן Gen. 4:2
2 וַיִּשַׁע יְיָ אֶל־הֶבֶל וְאֶל־מִנְחָתוֹ Gen. 4:4
3 וַיֹּאמֶר קַיִן אֶל־הֶבֶל אָחִיו... Gen. 4:8
4 וַיָּקָם קַיִן אֶל־הֶבֶל אָחִיו וַיַּהַרְגֵהוּ Gen. 4:8
5 וַיֹּאמֶר יְיָ אֶל־קַיִן אֵי הֶבֶל אָחִיךָ Gen. 4:9
6 שֵׁת...זֶרַע אַחֵר תַּחַת הֶבֶל Gen. 4:25
הָבֶל 7 וַתֹּסֶף לָלֶדֶת אֶת־אָחִיו אֶת־הָבֶל Gen. 4:2
וְהֶבֶל 8 וְהֶבֶל הֵבִיא גַם־הוּא מִבְּכֹרוֹת צֹאנוֹ Gen. 4:4

הָבְנֶה* ז׳ כנראה עץ שחור כבד (Ebony?)

וְהָבְנִים 1 קַרְנוֹת שֵׁן וְהָבְנִים (כת׳ והובנים) Ezek. 27:15

הָבַר* ז׳ חזה בכוכבים

הֹבְרֵי־ 1 הֹבְרֵי (כת׳ הברו) שָׁמַיִם הַחֹזִים בַּכּוֹכָבִים מוֹדִיעִים לֶחֳדָשִׁים מֵאֲשֶׁר יָבֹאוּ עָלָיִךְ Is. 47:13

הָבָרוּ (ישעיה נב11) – עין בָּרַר

הָבֵרוּ (ירמיה נא11) – עין בָּרַר

הֵגֶא שפ״ז – מסריסי אחשורוש, הוא הֵגַי

הֵגֶא 1 אֶל־יַד הֵגֶא (נ״א הֵגֵא) סְרִיס הַמֶּלֶךְ Es. 2:3

הַגֵּד, הֻגַּד – עין נגד

הגה : א) הָגָה1, הֹגָה, הֶהְגָּה; הֶגֶה, הָגוּת, הִגָּיוֹן, הָגִיג(? ב) הָגָה2, הֹגָה

הָגָה1 פָּ׳ א) נהם, השמיע קול 1, 6, 8, 20

ב) חשב, הרהר: 2-5, 7, 9-11, 14, 15, 21-23

ג) דבר: 12, 13, 16-19, 24

ד) [הפ׳ הֶהְגָּה] בטא, נהם: 25

הָגָה (אֶת־) 1,2, 6, 12-24; הָגָה בְּ־ 3-5, 7, 11 הָגָה אֶל־10; הָגָה עַל־ 8

הָגֹה 1 וְכַיּוֹנִים הָגֹה נֶהְגֶּה Is. 59:11
וְהֹגוֹ 2 הֹרוֹ וְהֹגוֹ מִלֵּב דִּבְרֵי־שָׁקֶר Is. 59:13
הָגִיתִי 3 זָכַרְתִּי יָמִים...הָגִיתִי בְכָל־פָּעֳלֶךָ Ps. 143:5
וְהָגִיתִי 4 וְהָגִיתִי בְכָל־פָּעֳלֶךָ Ps. 77:13
וְהָגִיתָ 5 וְהָגִיתָ בּוֹ יוֹמָם וָלַיְלָה Josh. 1:8
אֶהְגֶּה 6 כְּסוּס עָגוּר...אֲצַפְצֵף אֶהְגֶּה כַּיּוֹנָה Is. 38:14
7 בְּאַשְׁמֻרוֹת אֶהְגֶּה־בָּךְ Ps. 63:7
יֶהְגֶּה 8 כַּאֲשֶׁר יֶהְגֶּה הָאַרְיֵה...עַל־טַרְפּוֹ Is. 31:4
9 לִבְּךָ יֶהְגֶּה אֵימָה Is. 33:18
10 אֶל־אַנְשֵׁי קִיר־חֶרֶשׂ יֶהְגֶּה Jer. 48:31
11 וּבְתוֹרָתוֹ יֶהְגֶּה יוֹמָם וָלָיְלָה Ps. 1:2
12 פִּי־צַדִּיק יֶהְגֶּה חָכְמָה Ps. 37:30
13 כִּי־אֱמֶת יֶהְגֶּה חִכִּי Prov. 8:7
14 לֵב צַדִּיק יֶהְגֶּה לַעֲנוֹת... Prov. 15:28
15 כִּי־שֹׁד יֶהְגֶּה לִבָּם... Prov. 24:2
16 וּלְשׁוֹנִי אִם־יֶהְגֶּה רְמִיָּה Job 27:4
תֶּהְגֶּה 17 לְשׁוֹנְכֶם עַוְלָה תֶהְגֶּה Is. 59:3
18 וּלְשׁוֹנִי תֶּהְגֶּה צִדְקֶךָ Ps. 35:28
19 לְשׁוֹנִי כָּל־הַיּוֹם תֶּהְגֶּה צִדְקָתֶךָ Ps. 71:24
נֶהְגֶּה 20 וְכַיּוֹנִים הָגֹה נֶהְגֶּה Is. 59:11
תֶּהְגּוּ 21 לַאֲשִׁישֵׁי קִיר־חֲרֶשֶׂת תֶּהְגּוּ Is. 16:7
יֶהְגּוּ 22 לָמָּה רָגְשׁוּ גוֹיִם וּלְאֻמִּים יֶהְגּוּ־רִיק Ps. 2:1
23 וּמִרְמוֹת כָּל־הַיּוֹם יֶהְגּוּ Ps. 38:13
24 לֹא־יֶהְגּוּ בִּגְרוֹנָם Ps. 115:7
וְהַמַּהְגִּים 25 הָאֹבוֹת...הַמְצַפְצְפִים וְהַמַּהְגִּים Is. 8:19

הָגָה2 פָּ׳ א) הסיר, סִלק: 1–3

ב) [הֹפ׳ הֹגָה] הוּסר, סוּלק: 4

הָגוֹ 1 הָגוֹ סִיגִים מִכָּסֶף... Prov. 25:4
2 הָגוֹ רָשָׁע לִפְנֵי־מֶלֶךְ... Prov. 25:5
הָגָה 3 הָגָה בְּרוּחוֹ הַקָּשָׁה בְּיוֹם קָדִים Is. 27:8
הֹגָה (= הָהְגָּה?) 4 כַּאֲשֶׁר הֹגָה מִן הַמְסִלָּה IISh. 20:13

הֶגֶה ז׳ א) קול: 1, 2

ב) אנחה: 3

הֶגֶה 1 כִּלִּינוּ שָׁנֵינוּ כְמוֹ־הֶגֶה Ps. 90:9
וְהֶגֶה 2 שִׁמְעוּ...בְּרֹגֶז קֹלוֹ וְהֶגֶה מִפִּיו יֵצֵא Job 37:2
וָהֶגֶה 3 וְכָתוּב אֵלֶיהָ קִנִים וָהֶגֶה וָהִי Ezek. 2:10

הֹגָה (ש״ב כ13) – עין הָגָה2

הֹגוֹ (ישעיה נט13) – עין הגה1

הָגוּת נ׳ מחשבה

וְהָגוּת־ 1 ...וְהָגוּת לִבִּי תְבוּנוֹת Ps. 49:4

הֵגַי שפ״ז הוא הֵגֶא, מסריסי אחשורוש

הֵגַי 1 אֶל־יַד הֵגַי שֹׁמֵר הַנָּשִׁים Es. 2:8
2 הֵגַי סְרִיס־הַמֶּלֶךְ שֹׁמֵר הַנָּשִׁים Es. 2:15
הֵגָי 3 וּבְהִקָּבֵץ נְעָרוֹת רַבּוֹת...אֶל־יַד הֵגָי Es. 2:8

הָגִיג* ז׳ הֶגֶה: 1, 2

הֲגִיגִי 1 אֲמָרַי הַאֲזִינָה יְיָ בִּינָה הֲגִיגִי Ps.5:2

בַּהֲגִיגִי 2 בַּהֲגִיגִי תִבְעַר־אֵשׁ... Ps.39:4

הִגִּיד – עין נגד **הֵגִיהַּ** – עין נגה

הִגָּיוֹן ז׳ א) קול נגינה: 1, 2
ב) הגות, מחשבה: 3, 4

הִגָּיוֹן 1 ...הִגָּיוֹן סֶלָה Ps.9:17

2 עֲלֵי הִגָּיוֹן בְּכִנּוֹר Ps.92:4

וְהֶגְיוֹן־ 3 אִמְרֵי־פִי וְהֶגְיוֹן לִבִּי Ps.19:15

וְהֶגְיוֹנָם 4 שִׂפְתֵי קָמַי וְהֶגְיוֹנָם עָלַי כָּל־הַיּוֹם Lam.3:62

הֲגִינָה ג׳ (?)

הֲגִינָה 1 דֶּרֶךְ בִּפְנֵי הַגְּדֶרֶת הֲגִינָה Ezek.42:12

הִגִּיעַ (יחזקאל ז 12) – עין נגע

הִגִּיר – עין נגר **הִגִּישׁ** – עין נגש

הָגָר שפ״נ שפחת שרה ואם ישמעאל: 1—12

הָגָר 1 וְלָהּ שִׁפְחָה מִצְרִית וּשְׁמָהּ הָגָר Gen.16:1

2 אֶת־הָגָר הַמִּצְרִית שִׁפְחָתָהּ Gen.16:3

3 וַיָּבֹא אֶל־הָגָר וַתַּהַר Gen.16:4

4 הָגָר שִׁפְחַת שָׂרַי אֵי־מִזֶּה בָאת Gen.16:8

5 וַתֵּלֶד הָגָר לְאַבְרָם בֵּן Gen.16:15

6 ...שֶׁם־בְּנוֹ אֲשֶׁר־יָלְדָה הָגָר Gen.16:15

7 בְּלֶדֶת־הָגָר אֶת־יִשְׁמָעֵאל Gen.16:16

8 וַתֵּרֶא שָׂרָה אֶת־בֶּן־הָגָר הַמִּצְרִית Gen.21:9

9 וַיִּקַּח־לֶחֶם...וַיִּתֵּן אֶל־הָגָר Gen.21:14

10 וַיִּקְרָא מַלְאַךְ אֱלֹהִים אֶל־הָגָר Gen.21:17

11 וַיֹּאמֶר לָהּ מַה־לָּךְ הָגָר Gen.21:17

12 אֲשֶׁר יָלְדָה הָגָר הַמִּצְרִית Gen.25:12

הַגְרִי¹ ת׳ המתיחס על שבטי ישמעאל בן הָגָר: 1—5

הַהַגְרִי 1 וְעַל־הַצֹּאן יָזִיז הַהַגְרִי ICh.27:31

וְהַגְרִים 2 אֱדוֹם וְיִשְׁמְעֵאלִים מוֹאָב וְהַגְרִים Ps.83:7

הַהַגְרִאִים 3 עָשׂוּ מִלְחָמָה עִם־הַהַגְרִאִים ICh.5:10

4 וַיַּעֲשׂוּ מִלְחָמָה עִם־הַהַגְרִיאִים ICh.5:19

5 וַיִּנָּתְנוּ בְיָדָם הַהַגְרִיאִים ICh.5:20

הַגְרִי² שפ״ז – אביו של אחד מגבורי דוד

הַגְרִי 1 מִבְחָר בֶּן־הַגְרִי ICh.11:38

הֵד ז׳ בת־קול

הֵד־ 1 קָרוֹב הַיּוֹם מְהוּמָה וְלֹא־הֵד הָרִים Ezek.7:7

הַדָּבָר* ז׳ ארמית: מפקידי הממשלה בפרס: 1—4

הַדָּבְרַיָּא 1 סִגְנַיָּא...הַדָּבְרַיָּא וּפַחֲוָתָא Dan.6:8

וְהַדָּבְרֵי 2 סִגְנַיָּא וּפַחֲוָתָא וְהַדָּבְרֵי מַלְכָּא Dan.3:27

הַדָּבְרַי 3 וְלִי הַדָּבְרַי וְרַבְרְבָנַי יְבַעוֹן Dan.4:33

לְהַדָּבְרוֹהִי 4 עָנֵה וְאָמַר לְהַדָּבְרוֹהִי Dan.3:24

הֲדַד שפ״ז – שם למלכים שונים באדום [עין גם אֲדַד, בֶּן־הֲדַד, הֲדַר]

הֲדַד 1/2 וַיִּמְלֹךְ תַּחְתָּיו הֲדַד בֶּן־בְּדַד Gen.36:35 ICh.1:46

3 וַיָּקֶם יְיָ...אֵת הֲדַד הָאֲדֹמִי IK.11:14

4 וַיִּמְצָא הֲדַד חֵן בְּעֵינֵי פַרְעֹה IK.11:19

5 וַיֹּאמֶר הֲדַד אֶל־פַּרְעֹה IK.11:21

6 וַיִּמְלֹךְ תַּחְתָּיו הֲדַד ICh.1:50

הֲדָד 7-9 וּנְמַת הֲדָד Gen.36:36 • ICh.1:47,51

10 ...וְאֶת־הָרָעָה אֲשֶׁר הֲדָד IK.11:25

וַהֲדַד 11 וַהֲדַד נַעַר קָטָן IK.11:17

12 וַהֲדַד שָׁמַע בְּמִצְרַיִם... IK.11:21

הֲדַדְעֶזֶר בן־רחוב מלך ארם צובה בימי דוד [בכמה כתבי־יד בדה״א הֲדַרְעֶזֶר]: 1—21

חֵיל הֲדַדְעֶזֶר 14,9; עַבְדֵי הֲ׳ 16,12,11,5; עָרֵי הֲ׳ 13,8; שַׂר־צְבָא הֲ׳ 10,4

הֲדַדְעֶזֶר 1 וַיַּךְ דָּוִד אֶת־הֲדַדְעֶזֶר בֶּן־רְחֹב... IISh.8:3

2 וּמִשְּׁלַל הֲדַדְעֶזֶר בֶּן־רְחֹב... IISh.8:12

3 וַיִּשְׁלַח הֲדַדְעֶזֶר וַיֹּצֵא אֶת־אֲרָם IISh.10:16

4 וְשׁוֹבַךְ שַׂר־צְבָא הֲדַדְעֶזֶר IISh.10:16

5 וַיִּרְאוּ כָל־הַמְּלָכִים עַבְדֵי הֲדַדְעֶ׳ IISh.10:19

6 מֵאֵת הֲדַדְעֶזֶר מֶלֶךְ־צוֹבָה IK.11:23

7 וַיַּךְ דָּוִיד אֶת־הֲדַדְעֶזֶר מֶלֶךְ־צוֹבָה ICh.18:3

8 וּמִטִּבְחַת וּמִכּוּן עָרֵי הֲדַדְעֶזֶר ICh.18:8

9 אֶת־כָּל־חֵיל הֲדַדְעֶזֶר מֶלֶךְ־צוֹבָה ICh.18:9

10 וְשׁוֹפַךְ שַׂר־צְבָא הֲדַדְעֶזֶר ICh.19:16

11 וַיִּרְאוּ עַבְדֵי הֲדַדְעֶזֶר כִּי נִגְּפוּ... ICh.19:19

הֲדַדְעָזֶר 12 אֲשֶׁר הָיוּ אֶל עַבְדֵי הֲדַדְעָזֶר IISh.8:7

13 וּמִבֶּטַח וּמִבֵּרֹתַי עָרֵי הֲדַדְעָזֶר IISh.8:8

14 הִכָּה דָוִד אֵת כָּל־חֵיל הֲדַדְעָזֶר IISh.8:9

15 אִישׁ מִלְחֲמוֹת תֹּעִי הָיָה הֲדַדְעָזֶר IISh.8:10

16 אֲשֶׁר הָיוּ עַל עַבְדֵי הֲדַדְעָזֶר ICh.18:7

17 אִישׁ מִלְחֲמוֹת תֹּעוּ הָיָה הֲדַדְעָזֶר ICh.18:10

בַּהֲדַדְעֶזֶר 18/9 נִלְחַם בַּהֲדַדְעֶזֶר וַיַּכֵּ׳ IISh.8:10 • ICh.18:10

לַהֲדַדְעֶזֶר 20/1 לַעֲזֹ(ו)ר לַהֲדַדְעֶזֶר מֶלֶךְ צוֹבָה IISh.8:5 ICh.18:5

הֲדַד־רִמּוֹן מקום ליד מגדו, שהספידו בו את יאשיהו

1 כְּמִסְפַּד הֲדַד־רִמּוֹן (נ״א הֲדַדְרִמּוֹן) בְּבִקְעַת מְגִדּוֹן Zech.12:11

הָדָה פ׳ שלח

הָדָה 1 וְעַל מְאוּרַת צִפְעוֹנִי גָּמוּל יָדוֹ הָדָה Is.11:8

הֹדּוּ הארץ באסיה שבה עובר הנהר הינדוס: 1, 2

מֵהֹדּוּ 1-2 ...מֵהֹדּוּ וְעַד־כּוּשׁ Es.1:1; 8:9

הֲדוּם עין הֲדֹם

הֲדוּרִים ז״ר עקולים, מעלות ומורדות

וַהֲדוּרִים 1 אֲנִי לְפָנֶיךָ אֵלֵךְ וַהֲדוּרִים אֲיַשֵּׁר Is.45:2

הֲדוֹרָם שפ״ז א) מבני יקטן: 1, 2
ב) בן תועי מלך חמת: 3

הֲדוֹרָם 1/2 וְאֶת־הֲדוֹרָם וְאֶת־אוּזָל Gen.10:27 ICh.1:21

3 וַיִּשְׁלַח אֶת־הֲדוֹרָם־בְּנוֹ... ICh.18:10

הִדַּי שפ״ז – מגבורי דוד

הִדַּי 1 הִדַּי מִנַּחֲלֵי גָעַשׁ IISh.23:30

הֲדִיחַ – עין דוח

הִדִּיחַ (תהלים סב 5) – עין נדח

הָדַךְ פ׳ רמס, הכניע

וַהֲדֹךְ 1 רְאֵה כָל־גֵּאֶה הַכְנִיעֵהוּ וַהֲדֹךְ רְשָׁעִים תַּחְתָּם Job40:12

הֲדֹם ז׳ שרפרף לרגלים: 1—6 • הֲדֹם רַגְלָיו 1—6

הֲדֹם־ 1 הַשָּׁמַיִם כִּסְאִי וְהָאָרֶץ הֲדֹם רַגְלָי Is.66:1

2 עַד־אָשִׁית אֹיְבֶיךָ הֲדֹם לְרַגְלֶיךָ Ps.110:1

3 וְלֹא זָכַר הֲדֹם־רַגְלָיו בְּיוֹם אַפּוֹ Lam.2:1

לַהֲדֹם־ 4 וְהִשְׁתַּחֲווּ לַהֲדֹם רַגְלָיו Ps.99:5

5 נִשְׁתַּחֲוֶה לַהֲדֹם רַגְלָיו Ps.132:7

וְלַהֲדֹם־ 6 לַאֲרוֹן...וְלַהֲדֹם רַגְלֵי אֱלֹהֵינוּ ICh.28:2

הַדָּם* ז׳ ארמית: אבר? נתח?: 1, 2

הַדָּמִין 1 הַדָּמִין תִּתְעַבְדוּן Dan.2:5

2 הַדָּמִין יִתְעֲבֵד... Dan.3:29

הֲדָמְנוּ (ירמיה ח14) – עין דָּמַם

הֲדַס ז׳ שם שיח ירוק־עד (Myrtus): 1—6

הֲדַס 1 תַּחַת הַסִּרְפַּד יַעֲלֶה הֲדַס Is.55:13

2 וַעֲלֵי הֲדַס וַעֲלֵי תְמָרִים Neh.8:15

וַהֲדַס 3 אֶרֶז שִׁטָּה וַהֲדַס וְעֵץ שָׁמֶן Is.41:19

הַהֲדַסִּים 4 וְהוּא עֹמֵד בֵּין הַהֲדַסִּים Zech.1:8

5/6 הָעֹמֵד בֵּין הַהֲדַסִּים Zech.1:10,11

הֲדַסָּה שפ״נ – שמה העברי של אֶסְתֵּר

1 וַיְהִי אֹמֵן אֶת־הֲדַסָּה הִיא אֶסְתֵּר Es.2:7

הדף : הָדַף

הָדַף פ׳ דָּחַף, דחה: 1—11

בַּהֲדֹף 1 בַּהֲדֹף יְיָ אֱלֹהֶיךָ אֹתָם מִלְּפָנֶיךָ Deut.9:4

לַהֲדֹף 2 לַהֲדֹף אֶת־כָּל־אֹיְבֶיךָ מִפָּנֶיךָ Deut.6:19

לְהָדְפָהּ 3 וַתַּחֲזֵק בְּרַגְלָיו וַיִּגַּשׁ גֵּיחֲזִי לְהָדְפָהּ IIK.4:27

וַהֲדַפְתִּיךָ 4 וַהֲדַפְתִּיךָ מִמַּצָּבֶךָ Is.22:19

הֲדָפוֹ 5 וְאִם־בְּפֶתַע בְּלֹא־אֵיבָה הֲדָפוֹ Num.35:22

6 לֹא עָמַד כִּי יְיָ הֲדָפוֹ Jer.46:15

יֶהְדֹּף 7 וְהַוַּת רְשָׁעִים יֶהְדֹּף Prov.10:3

יֶהְדָּפֶנּוּ 8 וְאִם־בְּשִׂנְאָה יֶהְדָּפֶנּוּ...וַיָּמֹת Num.35:20

יֶהְדָּפֵם 9 וַיְיָ אֱלֹהֵיכֶם הוּא יֶהְדָּפֵם מִפְּנֵיכֶם Josh.23:5

תֶּהְדֹּפוּ 10 יַעַן בְּצַד וּבְכָתֵף תֶּהְדֹּפוּ Ezek.34:21

יֶהְדְּפֻהוּ 11 יֶהְדְּפֻהוּ מֵאוֹר אֶל־חֹשֶׁךְ Job18:18

הָדַק, הֵדֵק – עין דָּקַק

הדר : הָדַר, הָדוּר, נֶהְדָּר, הִתְהַדֵּר; הָדָר, הֶדֶר, הֲדָרָה; ש״פ הֲדַר; אר׳ הֲדַר; הַדַּר

הָדַר פ׳ א) כבד: 1
ב) [הָדוּר] מפואר: 2
ג) [נפ׳ נֶהְדַּר]: 3—5
ד) [הת׳ הִתְהַדֵּר]: 6

וְהָדַרְתָּ 1 וְהָדַרְתָּ פְּנֵי זָקֵן Lev.19:32

הָדוּר 2 זֶה הָדוּר בִּלְבוּשׁוֹ Is.63:1

תֶּהְדַּר 3 וְדָל לֹא תֶהְדַּר בְּרִיבוֹ Ex.23:3

4 וְלֹא תֶהְדַּר פְּנֵי גָדוֹל Lev.19:15

נֶהְדָּרוּ 5 פְּנֵי זְקֵנִים לֹא נֶהְדָּרוּ Lam.5:12

תִּתְהַדַּר 6 אַל־תִּתְהַדַּר לִפְנֵי־מֶלֶךְ Prov.25:6

הֲדַר פ׳ ארמית, כמו בעברית, הדר: 1—3

הַדַּרְתָּ 1 וּלְאֱלָהָא...לָא הַדַּרְתָּ Dan.5:23

וְהַדְּרֵת 2 וּלְחַי עָלְמָא שַׁבְּחֵת וְהַדְּרֵת Dan.4:31

וּמְהַדַּר 3 מְשַׁבַּח וּמְרוֹמֵם וּמְהַדַּר... Dan.4:34

הָדָר ז׳ הוד, תפארת: 1—30

קרובים: הֶדֶר / הֲדָרָה / הוֹד / זֹהַר / זִיו / חֵן / יֳפִי / יִפְעָה / כָּבוֹד / פְּאֵר / רוֹמְמוּת / תִּפְאֶרֶת

הוֹד וְהָדָר 12,10-6; כָּבוֹד וְהָדָר 5; עֹז וְהָדָר 11; פְּרִי עֵץ הָדָר 1; הֲדַר אֱלֹהֵינוּ 15; הֲ׳ גְּאוֹנוֹ 21-19; הֲדַר זְקֵנִים 18; הֲ׳ כְּבוֹד־ 16; הֲ׳ הַכַּרְמֶל 14; הֲדַר מַלְכוּת 17; הַדְרֵי קֹדֶשׁ 30

הָדָר 1 פְּרִי עֵץ הָדָר כַּפֹּת תְּמָרִים Lev.23:40

2 בְּכוֹר שׁוֹרוֹ הָדָר לוֹ Deut.33:17

3 לֹא־תֹאַר לוֹ וְלֹא הָדָר Is.53:2

4 הָדָר הוּא לְכָל־חֲסִידָיו Ps.149:9

וְהָדָר 5 וְכָבוֹד וְהָדָר תְּעַטְּרֵהוּ Ps. 8:6
6 הוֹד וְהָדָר תְּשַׁוֶּה עָלָיו Ps. 21:6
7/8 הוֹד־וְהָדָר לְפָנָיו... Ps. 96:6 • ICh. 16:27
9 הוֹד וְהָדָר לָבָשְׁתָּ Ps. 104:1
10 הוֹד־וְהָדָר פָּעֳלוֹ Ps. 111:3
11 עֹז־וְהָדָר לְבוּשָׁהּ Prov. 31:25
12 וְהוֹד וְהָדָר תִּלְבָּשׁ Job 40:10
בֶּהָדָר 13 קוֹל־יְיָ בַּכֹּחַ קוֹל יְיָ בֶּהָדָר Ps. 29:4
הֲדַר־ 14 הֲדַר הַכַּרְמֶל Is. 35:2
15 הֵמָּה יִרְאוּ כְבוֹד־יְיָ הֲדַר אֱלֹהֵינוּ Is. 35:2
16 הֲדַר כְּבוֹד הוֹדֶךָ...אָשִׂיחָה Ps. 145:5
17 גְּבוּרֹתָיו וּכְבוֹד הֲדַר מַלְכוּתוֹ Ps. 145:12
וַהֲדַר־ 18 וַהֲדַר זְקֵנִים שֵׂיבָה Prov. 20:29
וּמֵהֲדַר־ 19-21 מִפְּנֵי פַּחַד יְיָ וּמֵהֲדַר גְּאֹ(וֹ)נוֹ Is. 2:10,19,21
הֲדָרִי 22 מֵעַל עֹלָלֶיהָ תִּקְחוּ הֲדָרִי לְעוֹלָם Mic. 2:9
בַּהֲדָרִי 23 כָּלִיל הוּא בַּהֲדָרִי אֲשֶׁר־שַׂמְתִּי Ezek. 16:14
וַהֲדָרְךָ 24 וַהֲדָרְךָ צְלַח רְכַב... Ps. 45:5
25 וַהֲדָרְךָ עַל־בְּנֵיהֶם Ps. 90:16
וַהֲדָרֶךָ 26 חֲגוֹר־חַרְבְּךָ...הוֹדְךָ וַהֲדָרֶךָ Ps. 45:4
הֲדָרֵךְ 27 ...הֵמָּה נָתְנוּ הֲדָרֵךְ Ezek. 27:10
הֲדָרָהּ 28 וְיָרַד הֲדָרָהּ וַהֲמוֹנָהּ וּשְׁאוֹנָהּ Is. 5:14
29 וַיֵּצֵא מִבַּת־צִיּוֹן כָּל־הֲדָרָהּ Lam. 1:6
בְּהַדְרֵי־ 30 ...בְּיוֹם חֵילֶךָ בְּהַדְרֵי־קֹדֶשׁ Ps. 110:3

הֶדֶר ז׳ הָדָר, הוֹד

הֶדֶר־ 1 מַעֲבִיר נוֹגֵשׂ הֶדֶר מַלְכוּת Dan. 11:20

הֲדַר[1] ז׳ ארמית: הָדָר, הוֹד: 1–3

וְהַדְרָא 1 וּרְבוּתָא וִיקָרָא וְהַדְרָא יְהַב Dan. 5:18
הַדְרִי 2 בִּתְקַף חִסְנִי וְלִיקָר הַדְרִי Dan. 4:27
3 ...הַדְרִי וְזִיוִי יְתוּב עֲלַי Dan. 4:33

הֲדַר[2] שפ״ז – נוסח אחר במקום הֲדַד (עין הֲדַד 6)

הֲדַר 1 וַיִּמְלֹךְ תַּחְתָּיו הֲדַר Gen. 36:39

הֲדָרָה* נ׳ הדר, הוד: 1–5 • קרובים: ראה הָדָר

הַדְרַת מֶלֶךְ 1; הַדְרַת קֹדֶשׁ 2–5

הַדְרַת־ 1 בְּרָב־עָם הַדְרַת־מֶלֶךְ Prov. 14:28
בְּהַדְרַת־ 2/3 הִשְׁתַּחֲווּ לַייָ בְּהַדְרַת־קֹדֶשׁ Ps. 29:2; 96:9
4 הִשְׁתַּחֲווּ לַייָ בְּהַדְרַת־קֹדֶשׁ ICh. 16:29
לְהַדְרַת־ 5 מְשֹׁרְרִים...וּמְהַלְלִים לְהַדְרַת־קֹדֶ׳ IICh. 20:21

הֲדֹרָם שפ״ז – שַׂר המִסים בימי דוד ושלמה, הוּא אֲדֹרָם

הֲדֹרָם 1 הֲדֹרָם אֲשֶׁר עַל־הַמַּס IICh. 10:18

הַדְּשֵׁנָה (ישעיה לד6) – עין דָּשֵׁן

הָהּ מ״ק להבעת צער

הָהּ 1 הֵילִילוּ הָהּ לַיּוֹם Ezek. 30:2

הוֹ מ״ק הוֹי • קרובים: ראה אֲבוֹי

הוֹ 1/2 בְּכָל־רְחֹבוֹת מִסְפֵּד
וּבְכָל־חוּצוֹת יֹאמְרוּ הוֹ־הוֹ Am. 5:16

הוּא מ״ג א) כנוי נסתר כנושא במשפט (עִקרי או טפל):

רוב המקראות 1–542, 860–1072
ב) [כנ״ל] להדגשת הנושא, לרמז לשם קודם: 543-596
ג) כאוגד – להסבר או לזהוי וכדומה: 597–739
ד) בהוראה סתמית (״הוּא אֲשֶׁר״): 740–743
ה) כתמורה לנושא לשם הדגשתו (״גַּם הוּא״): 744–781
ו) [כנ״ל] כדי לצרף לנושא נושא נוסף:
(״הוּא וְ־״): 783–855
ז) כנוי רומז לשם מיודע: 856–859
ח) [הַהוּא] כנוי רומז לשם מיודע: 1074-1378, 1381-1384]
ט) [כנ״ל] כנוי רומז לשם בלתי־מיודע: 1379
י) [הַהוּא] (בשאלה) הַאִם הוּא: 1385
יא) [שֶׁהוּא] שֶׁהוּא: 1386

הוּא (א) (המשך)

– הוּא וְ־ 783–855; אֵי זֶה הוּא 654; אֲנִי הוּא 616, 626-628,630,631,634,659; אֲנִי וָהוּא 1073; אָנֹכִי הוּא 629, 633; אַף הוּא 782; אַתָּה הוּא 624–625, 636, 638, 639, 641, 643, 656–658,662; גַּם הוּא 744–781; הֲלֹא הוּא 6, 49; הִנֵּה הוּא 10, 24, 31; זֶה הוּא 618, 660; כִּי הוּא זֶה 47; כֶּן־הוּא 617, 620, 645; לֹא הוּא 635; מַה הוּא 39; מִי הוּא 632, 647–651; מִי הוּא זֶה 637,640,653; מָן הוּא 38; נַהֲפוֹךְ הוּא 655
– הָאִישׁ הַהוּא 1308-1323; (הַ־)בַּיּוֹם הַהוּא 1074,1079, 1082,1098,1100,1102-1305,1326,1356-1366,1377,1379; (הַ־)בַּלַּיְלָה הַהוּא 1075,1078,1084-1097,1368,1380/1; הַמָּקוֹם הַהוּא 1076, 1077, 1080/1,1083, 1325, 1327-1342

[עין עוד בשאר הצרופים במובאות]

הוּא (א) 1 הוּא יְשׁוּפְךָ רֹאשׁ... Gen. 3:15
2 הוּא הָיָה אֲבִי יֹשֵׁב אֹהֶל Gen. 4:20
3 הוּא הָיָה אֲבִי כָּל־תֹּפֵשׂ כִּנּוֹר Gen. 4:21
4 הוּא הֵחֵל לִהְיוֹת גִּבֹּר בָּאָרֶץ Gen. 10:8
5 הוּא־הָיָה גִבֹּר־צַיִד לִפְנֵי יְיָ Gen. 10:9
6 הֲלֹא הוּא אָמַר־לִי אֲחֹתִי הִוא Gen. 20:5
7 וְהִיא־גַם־הִוא אָמְרָה אָחִי הוּא Gen. 20:5
8 כִּי־נָבִיא הוּא וְיִתְפַּלֵּל בַּעַדְךָ Gen. 20:7
9 אִמְרִי־לִי אָחִי הוּא Gen. 20:13
10 הִנֵּה הוּא־לָךְ כְּסוּת עֵינַיִם Gen. 20:16
11 לְגוֹי אֲשִׂימֶנּוּ...כִּי זַרְעֲךָ הוּא Gen. 21:13
12 אֶל־קוֹל הַנַּעַר בַּאֲשֶׁר הוּא־שָׁם Gen. 21:17
13 הוּא יִשְׁלַח מַלְאָכוֹ לְפָנֶיךָ Gen. 24:7
14 וַיְהִי־הוּא טֶרֶם כִּלָּה לְדַבֵּר Gen. 24:15
15 וַיֹּאמֶר הָעֶבֶד הוּא אֲדֹנִי Gen. 24:65
16 וַיַּגֵּד...כִּי אֲחִי אָבִיהָ הוּא Gen. 29:12
17 וְכִי בֶן־רִבְקָה הוּא Gen. 29:12
18 ...כִּי בֹרֵחַ הוּא Gen. 31:20
19 וְכֹל אֲשֶׁר־הוּא עֹשֶׂה יְיָ מַצְלִיחַ Gen. 39:3
20 כִּי אִם־הַלֶּחֶם אֲשֶׁר־הוּא אוֹכֵל Gen. 39:6
21 ...הוּא הָיָה עֹשֶׂה Gen. 39:22
22 וַאֲשֶׁר־הוּא עֹשֶׂה יְיָ מַצְלִיחַ Gen. 39:23
23 כִּי־כָבֵד הוּא מְאֹד Gen. 41:31
24 וְהִנֵּה־הוּא בְּפִי אַמְתַּחְתּוֹ Gen. 42:27
25 אוּלַי מִשְׁגֶּה הוּא Gen. 43:12
26 הוּא יִהְיֶה־לִּי עָבֶד Gen. 44:17
27 וַיִּוָּתֵר הוּא לְבַדּוֹ Gen. 44:20
28 וְכִי־הוּא מֹשֵׁל בְּכָל־אֶרֶץ מִצְ׳ Gen. 45:26
29 אִם־בֵּן הוּא וַהֲמִתֶּן אֹתוֹ Ex. 1:16
30 יָדַעְתִּי כִּי־דַבֵּר יְדַבֵּר הוּא Ex. 4:14
31 וְגַם הִנֵּה־הוּא יֹצֵא לִקְרָאתֶךָ Ex. 4:14
32 רִאשׁוֹן הוּא לָכֶם לְחָדְשֵׁי הַשָּׁנָה Ex. 12:2
33 פֶּסַח הוּא לַייָ Ex. 12:11
34 הוּא לְבַדּוֹ יֵעָשֶׂה לָכֶם Ex. 12:16
35 זֶבַח־פֶּסַח הוּא לַייָ Ex. 12:27
36 לֵיל שִׁמֻּרִים הוּא לַייָ... Ex. 12:42
37 וְלֹא־נָחָם...כִּי קָרוֹב הוּא Ex. 13:17
38 וַיֹּאמְרוּ אִישׁ אֶל־אָחִיו מָן הוּא Ex. 16:15
39 כִּי לֹא יָדְעוּ מַה־הוּא... Ex. 16:15
40 עַל־כֵּן הוּא נֹתֵן לָכֶם...לֶחֶם יוֹמָיִם Ex. 16:29
41 אֲשֶׁר־הוּא חֹנֶה שָׁם Ex. 18:5
42 אֵת כָּל־אֲשֶׁר־הוּא עֹשֶׂה לָעָם Ex. 18:14
43 אִם־בַּעַל אִשָּׁה הוּא Ex. 21:3
44 לֹא יֻקַּם כִּי כַסְפּוֹ הוּא Ex. 21:21
45 וְאִם שׁוֹר נַגָּח הוּא Ex. 21:29
46 אוֹ נוֹדַע כִּי שׁוֹר נַגָּח הוּא Ex. 21:36
47 אֲשֶׁר יֹאמַר כִּי־הוּא זֶה Ex. 22:8
48 כִּי הוּא חַיֶּיךָ וְאֹרֶךְ יָמֶיךָ Deut. 30:20
49 הֲלוֹא־הוּא אָבִיךָ קָּנֶךָ Deut. 32:6

הוּא (א) (המשך) 50 הוּא עָשְׂךָ וַיְכֹנְנֶךָ Deut. 32:6
51-542 הוּא (א)
Ex. 22:14; 29:14,18^{2},22; 29:25,28,34; 30:10,32; 32:9,22,25; 34:9,10,14; 39:5 • Lev. 1:13,17; 3:1,7; 4:21,24; 5:9,19,24; 7:1,5,6; 8:21^{2},28; 11:4^{2},5^{2},7^{2},12,20,23,37,38,41; 13:3,11; 13:13,15,17,30^{2},36,37,39^{2},40^{2},41^{2},44^{2},46,49,51,55; 14:13^{2},21,44; 15:2,23; 18:23; 19:7; 20:17; 21:7,8; 22:7,11; 23:27,28,32; 24:9; 25:16,34; 27:8, 26, 28, 30 • Num. 1:4; 5:15; 6:8, 20; 12:7; 13:18^{2},19^{2},31; 15:30; 16:11; 18:9,16,31; 19:12,15,20; 22:3,6,12,22; 25:15; 26:9; 35:16,17,18,19,21,31 • Deut. 1:36,38^{2}; 3:28; 7:16,25,26; 9:13; 10:17,21; 14:8^{2},10,19; 17:1,15; 18:6,22; 19:5,6; 20:20; 21:17; 22:17; 23:8; 24:6,12,15^{2}; 28:44^{2}; 31:8,16,21; 32:4,34,47^{2} • Josh. 2:11; 5:15; 6:19; 13:12; 14:15; 17:1^{2},18^{2}; 20:5; 22:27,28,34; 23:5; 24:18,19^{2} • Jud. 1:26; 3:24; 6:22,31; 7:4; 9:3,18; 13:6,16,21; 14:4; 15:14; 20:39 • ISh. 1:28; 6:9; 9:13; 10:19,22; 15:29; 17:5,37; 18:15,16; 19:14,17; 20:26^{2},31; 22:17; 23:22; 24:7,11; 28:14 • IISh. 7:13; 9:4^{2},13; 13:20; 14:19; 17:9; 19:33; 22:31; 23:10,18,20 • IK. 1:45; 2:22; 3:3; 5:4,19; 7:14; 8:19,41; 11:14,28; 13:26; 14:2,3,5; 17:19; 18:27^{2}; 20:28,32,41; 21:2; 22:32,33 • IIK. 1:8; 4:9; 5:7; 6:13; 8:5,21,27,29; 10:12; 14:7,22,25; 15:12,35; 18:4,8; 19:37; 25:19 • Is. 2:22; 10:5; 19:16, 17; 27:11; 29:11; 30:9; 32:7; 33:16; 35:4; 37:38; 41:7; 45:13; 53:4,11; 63:9,10 • Jer. 2:14; 5:15^{2}; 6:23; 10:10,16; 18:4; 25:31; 32:8; 33:10; 37:13; 38:4,5; 48:11; 50:3; 51:6,19 • Ezek. 1:28; 3:18,19,20; 12:12,27^{2}; 16:14; 18:9,17,27; 21:5; 33:6,8,9,19; 34:23; 39:8; 44:3; 45:1,4,17; 48:15 • Hosh. 6:1; 7:6,8; 8:6; 10:2; 11:10; 13:1,13,15^{2} • Joel 2:13 • Am. 2:9; 5:18; 7:2,5,13^{2} • Jon. 1:10 • Mic. 4:1; 7:3,12,18 • Nah. 1:2,9; 2:12 • Hab. 1:7,10; 2:19^{2} • Hag. 1:9; 2:14 • Zech. 9:9; 11:11; 13:9^{2}; 14:7 • Mal. 2:5, 7, 17; 3:2 • Ps. 18:31; 24:2; 25:11,15; 28:8; 33:9^{2},20; 44:22; 45:12; 48:15; 50:6; 62:3,7; 89:27; 91:3; 95:7; 96:4; 99:2,3,5; 100:3; 101:6; 103:14; 105:7; 115:9,10,11; 148:5; 149:9 • Prov. 3:34; 5:23; 6:32; 7:23; 11:28; 13:13; 18:9; 21:29; 22:9,22; 23:11; 24:12^{2}; 28:10,24,26; 30:5 • Job 3:19; 5:18; 8:16,19; 9:22; 11:11; 15:9,20,22,23; 23:6; 24:18; 28:3,24; 31:4,11; 32:1; 37:21; 39:30; 40:19; 41:3,26 • Ruth 2:20^{2}; 3:2 • Lam. 3:10 • Eccl. 1:5,10,13; 3:9,14,15,22; 5:17; 6:10; 7:2; 9:9; 10:3 • Es. 1:1; 3:4,7; 8:1 • Ez. 1:3,4; 7:6 • Neh. 2:20; 3:14,15; 6:13,18; 7:2 • ICh. 1:10; 5:1,6,8; 7:31; 8:7,12; 9:31; 11:11,12,13,20,22,25; 15:22; 16:14,25; 17:12; 22:9(8),10(9); 27:6,32; 28:6 • IICh. 4:21; 6:9,32; 18:31; 20:25,35; 21:3; 22:6,9; 26:2,20,23; 27:3; 28:22; 29:3; 32:12; 33:23

הוּא (ב) 543 הוּא הַסֹּבֵב אֵת כָּל־אֶרֶץ... Gen. 2:11
544 הוּא הַסּוֹבֵב אֵת כָּל־אֶרֶץ כּוּשׁ Gen. 2:13
545 הוּא הַהֹלֵךְ קִדְמַת אַשּׁוּר Gen. 2:14
546 אֲשֶׁר יֵצֵא מִמֵּעֶיךָ הוּא יִירָשֶׁךָ Gen. 15:4
547 הוּא אֲבִי־מוֹאָב Gen. 19:37
548 הוּא אֲבִי בְנֵי־עַמּוֹן Gen. 19:38
549 וְאֵלֶּה אַלּוּפֵיהֶם הוּא אֱדוֹם Gen. 36:19
550 הוּא עֲנָה אֲשֶׁר מָצָא... Gen. 36:24
551 הוּא עֵשָׂו אֲבִי אֱדוֹם Gen. 36:43
552 הוּא הַדָּבָר אֲשֶׁר דִּבַּרְתִּי Gen. 41:28
553/4 הוּא הַשַּׁלִּיט ..הוּא הַמַּשְׁבִּיר Gen. 42:6
555 וְדִבֶּר־הוּא לְךָ אֶל־הָעָם Ex. 4:16

הוא (ב) (המשך)

556 וְהָיָה הוּא יִהְיֶה־לְּךָ לְפֶה... Ex. 4:16
557 הוּא אַהֲרֹן וּמֹשֶׁה... Ex. 6:26
558 הוּא מֹשֶׁה וְאַהֲרֹן Ex. 6:27
559 הוּא־הַלַּיְלָה הַזֶּה לַיְיָ Ex. 12:42
560 הוּא הַלֶּחֶם אֲשֶׁר נָתַן יְיָ לָכֶם Ex. 16:15
561 הוּא יִלָּחֵם לָכֶם Deut. 1:30
562 יְיָ אֱלֹהֵיכֶם הוּא הַנִּלְחָם לָכֶם Deut. 3:22
563 כִּי הוּא הַנֹּתֵן לְךָ כֹּחַ... Deut. 8:18
564 יְיָ אֱלֹהֶיךָ הוּא־הָעֹבֵר לְפָנֶיךָ Deut. 9:3
565 כִּי יְיָ אֱלֹהֶיךָ הוּא הַהֹלֵךְ עִמָּךְ Deut. 31:6
566 וַיְיָ הוּא הַהֹלֵךְ לְפָנֶיךָ Deut. 31:8
567/8 יְיָ אֱלֹהֵיכֶם הוּא הַנִּלְחָם לָכֶם Josh. 23:3,10
569 אֵל יִשְׂרָאֵל הוּא נֹתֵן עֹז Ps. 68:36
570 מַה־שֶּׁהָיָה הוּא שֶׁיִּהְיֶה Eccl. 1:9
571 וּמַה־שֶּׁנַּעֲשָׂה הוּא שֶׁיֵּעָשֶׂה Eccl. 1:9
572 וּמִלַּט־הוּא אֶת־הָעִיר Eccl. 9:15
573-596 הוּא (ב) Num. 18:23; 35:19,33
Deut. 31:3^{3} • Josh. 22:22^{2},23; 24:17 • ISh. 3:18; 6:9; 22:18 • IISh. 14:19 • IIK. 18:22 • Is. 7:14; 33:22; 34:16^{2}; 36:7; 38:19; 45:18^{2} • Jer. 41:9 • ICh. 5:36

הוא (ג)

597 וְהַנָּהָר הָרְבִיעִי הוּא פְרָת Gen. 2:14
598 אֲשֶׁר יִקְרָא־לוֹ...הוּא שְׁמוֹ Gen. 2:19
599 וְכִי תַאֲוָה־הוּא לָעֵינַיִם Gen. 3:6
600 כָּל־רֶמֶשׂ אֲשֶׁר הוּא־חַי Gen. 9:3
601 עֵמֶק הַשִּׂדִּים הוּא יָם הַמֶּלַח Gen. 14:3
602 עֵמֶק שָׁוֵה הוּא עֵמֶק הַמֶּלֶךְ Gen. 14:17
603/4 עֵשָׂו הוּא אֱדוֹם Gen. 36:1,8
605 חֲלוֹם פַּרְעֹה אֶחָד הוּא Gen. 41:25
606 כְדִבְרֵיכֶם כֶּן־הוּא Gen. 44:10
607 בָּאָדָם וּבַבְּהֵמָה לִי הוּא Ex. 13:2
608 וְהַמִּכְתָּב מִכְתַּב אֱלֹהִים הוּא Ex. 32:16
609 כִּי יְיָ אֱלֹהֶיךָ אֵשׁ אֹכְלָה הוּא Deut. 4:24
610/11 ...כִּי יְיָ הוּא הָאֱלֹהִים Deut. 4:35,39
612 וְעַד־הַר שִׂיאֹן הוּא חֶרְמוֹן Deut. 4:48
613 כִּי־יְיָ אֱלֹהֶיךָ הוּא הָאֱלֹהִים Deut. 7:9
614 יְיָ הוּא נַחֲלָתוֹ Deut. 10:9
615 כִּי הַדָּם הוּא הַנָּפֶשׁ Deut. 12:23
616 ...כִּי אֲנִי אֲנִי הוּא Deut. 32:39
617 כְּדִבְרֵיכֶם כֶּן־הוּא Josh. 2:21
618 קוּם מְשָׁחֵהוּ כִּי־זֶה הוּא ISh. 16:12
619 הֲלוֹא דָּבָר הוּא ISh. 17:29
620 כִּי כִשְׁמוֹ כֶּן־הוּא ISh. 25:25
621 אַתָּה־הוּא הָאֱלֹהִים IISh. 7:28
622/3 יְיָ הוּא הָאֱלֹהִים IK. 18:39^{2}
624/5 אַתָּה־הוּא הָאֱלֹהִים לְבַדְּךָ IIK. 19:15; Is. 37:16
626 וְאֶת־אַחֲרֹנִים אֲנִי־הוּא Is. 41:4
627 וְתָבִינוּ כִּי־אֲנִי הוּא Is. 43:10
628 גַּם־מִיּוֹם אֲנִי הוּא Is. 43:13
629 אָנֹכִי אָנֹכִי הוּא מֹחֶה פְשָׁעֶיךָ Is. 43:25
630 וְעַד־זִקְנָה אֲנִי הוּא Is. 46:4
631 אֲנִי־הוּא אֲנִי רִאשׁוֹן Is. 48:12
632 מִי־הוּא יַרְשִׁיעֵנִי Is. 50:9
633 אָנֹכִי אָנֹכִי הוּא מְנַחֶמְכֶם Is. 51:12
634 כִּי־אֲנִי־הוּא הַמְדַבֵּר הִנֵּנִי Is. 52:6
635 כִּחֲשׁוּ בַּיְיָ וַיֹּאמְרוּ לוֹא־הוּא Jer. 5:12
636 הֲלֹא אַתָּה־הוּא יְיָ אֱלֹהֵינוּ Jer. 14:22
637 כִּי מִי הוּא־זֶה עָרַב אֶת־לִבּוֹ Jer. 30:21
638 ...וְאַתָּה הוּא נָקֹה תִּנָּקֶה Jer. 49:12
639 הַאַתָּה־הוּא אֲשֶׁר־דִּבַּרְתִּי... Ezek. 38:17
640 מִי הוּא זֶה מֶלֶךְ הַכָּבוֹד Ps. 24:10

הוא (ג) (המשך)

641 אַתָּה־הוּא מַלְכִּי אֱלֹהִים Ps. 44:5
642 עָמָל הוּא (כת׳ היא) בְעֵינָי Ps. 73:16
643 וְאַתָּה־הוּא וּשְׁנוֹתֶיךָ לֹא יִתָּמּוּ Ps. 102:28
644 וּמוֹצִא דִבָּה הוּא כְסִיל Prov. 10:18
645 כְּמוֹ־שָׁעַר בְּנַפְשׁוֹ כֶּן־הוּא Prov. 23:7
646 בּוֹטֵחַ בְּלִבּוֹ הוּא כְסִיל Prov. 28:26
647 זְכָר־נָא מִי הוּא נָקִי אָבָד Job 4:7
648 אִם־לֹא אֵפוֹא מִי־הוּא Job 9:24
649 מִי־הוּא יָרִיב עִמָּדִי Job 13:19
650 מִי־הוּא לְיָדִי יִתָּקֵעַ Job 17:3
651 וּמִי הוּא לְפָנַי יִתְיַצָּב Job 41:2
652 וְיִתְרוֹן אֶרֶץ בַּכֹּל הוּא (כת׳ היא) Eccl. 5:8
653/4 מִי הוּא זֶה וְאֵי־זֶה הוּא Es. 7:5
655 וְנַהֲפוֹךְ הוּא Es. 9:1
656 אַתָּה־הוּא יְיָ לְבַדֶּךָ Neh. 9:6
657 אַתָּה הוּא יְיָ הָאֱלֹהִים... Neh. 9:7
658 אַתָּה־הוּא הָאֱלֹהִים ICh. 17:26
659 וַאֲנִי־הוּא אֲשֶׁר־חָטָאתִי ICh. 21:17
660 זֶה הוּא בֵּית יְיָ הָאֱלֹהִים ICh. 22:1(21:31)
661 מִיָּדְךָ הוּא (כת׳ היא) וּלְךָ הַכֹּל ICh. 29:16
662 אַתָּה־הוּא אֱלֹהִים בַּשָּׁמַיִם IICh. 20:6
663 כִּי יְיָ הוּא הָאֱלֹהִים IICh. 33:13
664-739 הוּא (ג) Gen. 9:18; 15:2; 17:12; 27:33; 30:33; 31:16,43; 37:3,27; 41:26; 45:20 • Ex. 2:2; 3:5; 16:36 • Lev. 17:11,14 • Num. 9:13; 11:7; 16:7; 17:5 • Deut. 1:17; 18:2 • Josh. 13:14,33 • Jud. 7:1 • ISh. 17:14 • IISh. 23:8 • IK. 6:1,17; 6:38; 8:2,60; 18:24; 20:3 • IIK. 7:9 • Is. 9:14^{2}; 42:8 • Jer. 10:3,8; 17:9; 31:9(8) • Hosh. 11:5 • Zech. 1:7 • Mal. 1:7,12 • Ps. 24:10; 81:5; 100:3 • Ruth 4:17 • Lam. 1:18 • Eccl. 1:17; 2:23; 4:8; 6:2; 9:4 • Es. 2:16; 3:7^{2},13; 8:9,12; 9:1,24 • Dan. 8:21,26; 10:4 • Ez. 7:6,9; 10:9,23 • Neh. 8:9^{2} • ICh. 1:27; 2:42; 4:11 • IICh. 5:3; 18:7

הוא (ד)

740 הוּא אֲשֶׁר דִּבַּרְתִּי אֲלֵכֶם Gen. 42:14
741 הוּא אֲשֶׁר דִּבֶּר יְיָ Ex. 16:23
742 הוּא אֲשֶׁר־דִּבֶּר יְיָ לֵאמֹר Lev. 10:3
743 הוּא אֲשֶׁר דִּבֶּר בְּיַד־עַבְדּוֹ IIK. 9:36

גַּם הוא

744 וְהֶבֶל הֵבִיא גַם־הוּא... Gen. 4:4
745 וּלְשֵׁת גַּם־הוּא יֻלַּד־בֵּן Gen. 4:26
746 ...בְּשַׁגַּם הוּא בָשָׂר Gen. 6:3
747 וּלְשֵׁם יֻלַּד גַּם־הוּא... Gen. 10:21
748 וַיַּעַשׂ גַּם־הוּא מַטְעַמִּים Gen. 27:31
749 וְהִנֵּה גַם־הוּא אַחֲרֵינוּ Gen. 32:18
750 פֶּן־יָמוּת גַּם־הוּא כְּאֶחָיו Gen. 38:11
751 גַּם־הוּא יִהְיֶה־לְּעָם Gen. 48:19
752 וְגַם־הוּא יִגְדָּל Gen. 48:19
753 וְנוֹסַף גַּם־הוּא עַל־שֹׂנְאֵינוּ Ex. 1:10
754 וְגַם־הוּא עֲדֵי אֹבֵד Num. 24:24
755-781 (וְ)גַם הוּא Jud. 3:31; 6:35; 9:19 • ISh. 19:22,23,24^{2}; 31:5 • IISh. 17:5; 21:20 • IK. 1:6; 4:15 • Is. 30:33; 31:2 • Jer. 27:7; 48:26 • Zech. 9:7 • Prov. 11:25; 21:13 • Job 13:16; 31:28 • Eccl. 2:1 • ICh. 10:5; 20:6 • IICh. 21:11; 22:3; 26:20

אַף הוא

782 אַף־הוּא וַיַּכֶּה אֶת־הַמַּיִם IIK. 2:14

הוא וְ־

783 הוּא וְאִשְׁתּוֹ וְכָל־אֲשֶׁר־לוֹ Gen. 13:1
784 וַיֵּחָלֵק...הוּא וַעֲבָדָיו Gen. 14:15
785 וַיֵּשֶׁב בַּמְּעָרָה הוּא וּשְׁתֵּי בְנֹתָיו Gen. 19:30
786 הוּא וְהָאֲנָשִׁים אֲשֶׁר־עִמּוֹ Gen. 24:54
787 וַיִּבְרַח הוּא וְכָל־אֲשֶׁר־לוֹ Gen. 31:21
788 הוּא וְכָל־הָעָם אֲשֶׁר־עִמּוֹ Gen. 35:6
789 וַיַּעַל...הוּא וְחִירָה רֵעֵהוּ Gen. 38:12

הוא (המשך)

790 וַיֵּשֶׁב יוֹסֵף...הוּא וְאֶחָיו Gen. 50:14
791 וַיֵּשֶׁב יוֹסֵף...הוּא וּבֵית אָבִיו Gen. 50:22
792 וַיַּכְבֵּד לִבּוֹ הוּא וַעֲבָדָיו Ex. 9:34
793 וְלָקַח הוּא וּשְׁכֵנוֹ Ex. 12:4
794 וַיָּקָם...הוּא וְכָל־עֲבָדָיו Ex. 12:30
795 וְקָדַשׁ הוּא וּבְגָדָיו Ex. 29:21
796 וּלְהוֹרֹת...הוּא וְאָהֳלִיאָב Ex. 35:34
797/8 וְיָצָא...הוּא וּבָנָיו עִמּוֹ Lev. 25:41,54
799/800 וְהָיָה־הוּא וּתְמוּרָתוֹ... Lev. 27:10,33
801 הוּא וְזִקְנֵי יִשְׂרָאֵל Num. 11:30
802 וַיֵּצֵא...הוּא וְכָל־עַמּוֹ... Num. 21:33
803 הוּא וְכָל־שָׂרֵי מוֹאָב Num. 23:6
804 הוּא וְכָל־בְּנֵי־יִשְׂרָאֵל אִתּוֹ Num. 27:21
805/6 וַיֵּצֵא...הוּא וְכָל־עַמּוֹ Deut. 2:32; 3:1
807/8 הוּא וּבָנָיו Deut. 17:20; 18:5
809 הוּא וְהוֹשֵׁעַ בִּן־נוּן Deut. 32:44
810-855 הוּא וְ־ Josh. 3:1; 7:6; 8:10,14; 10:7 • Jud. 7:11; 8:4; 9:33,48; 18:30; 19:9 • ISh. 9:26; 18:27; 19:18; 27:2,3; 28:8; 29:11; 30:9,10,31 • IISh. 17:24 • IK. 11:17; 20:12,16 • IIK. 5:15; 9:14; 14:11; 24:12; 25:1 • Jer. 22:4; 22:28; 37:2; 41:7; 52:4 • Ezek. 30:11; 31:18 • Am. 1:15 • Ruth 1:1 • Neh. 1:2; 3:12; 12:8 • ICh. 23:13; 25:9; 26:26 • IICh. 25:21; 32:26
856 וַתַּשְׁקֶיןָ ...בַּלַּיְלָה הוּא Gen. 19:33
857-859 בַּלַּיְלָה הוּא Gen. 30:16; 32:22 • ISh. 19:10
860/1 נוֹרָא מִן־הוּא וָהָלְאָה Is. 18:2,7

(הוא)וְהוּא

862 הוּא יַעֲבֹר...וְהוּא יַנְחִיל אוֹתָם Deut. 3:28
863 וְהוּא יַכְנִיעֵם לְפָנֶיךָ Deut. 9:3
864 הוּא תְהִלָּתְךָ וְהוּא אֱלֹהֶיךָ Deut. 10:21
865 הוּא צִוָּנִי וְהוּא שָׂם בְּפִי שִׁפְחָתְךָ IISh. 14:19
866 הוּא...וְהוּא עוֹרֵר אֶת־חֲנִיתוֹ... IISh. 23:18
867 הוּא הִכָּה...וְהוּא יָרַד וְהִכָּה IISh. 23:20
868 הוּא...וְהוּא־יִהְיֶה לָהֶן לְרֹעֶה Ezek. 34:23

וְהוּא

869 וְהוּא יִמְשָׁל־בָּךְ Gen. 3:16
870 וְהוּא יֹשֵׁב בִּסְדֹם Gen. 14:12
871 וְהוּא שֹׁכֵן בְּאֵלֹנֵי מַמְרֵא Gen. 14:13
872 וְהוּא כֹהֵן לְאֵל עֶלְיוֹן Gen. 14:18
873 וְהוּא יִהְיֶה פֶּרֶא אָדָם Gen. 16:12
874 וְהוּא יֹשֵׁב פֶּתַח־הָאֹהֶל Gen. 18:1
875 וְהוּא עֹמֵד עֲלֵיהֶם Gen. 18:8
876 ...וְהוּא אַחֲרָיו Gen. 18:10
877 וְהוּא יוֹשֵׁב בְּאֶרֶץ הַנֶּגֶב Gen. 24:62
878 וַיָּבֹא עֵשָׂו...וְהוּא עָיֵף Gen. 25:29
879 וְהוּא לָן בַּלַּיְלָה־הַהוּא Gen. 32:21
880 וְהוּא צֹלֵעַ עַל־יְרֵכוֹ Gen. 32:31
881 וְהוּא עָבַר לִפְנֵיהֶם Gen. 33:3
882 וְהוּא נִכְבָּד מִכֹּל בֵּית אָבִיו Gen. 34:19
883 וְהוּא נַעַר אֶת־בְּנֵי בִלְהָה Gen. 37:2
884 וְהוּא לְבַדּוֹ נִשְׁאָר Gen. 42:38
885 וְהוּא נַחֵשׁ יְנַחֵשׁ בּוֹ Gen. 44:5
886 וְהוּא עוֹדֶנּוּ שָׁם Gen. 44:14
887 ...וְהוּא הַצָּעִיר Gen. 48:14
888 וְהוּא לְחוֹף אֳנִיֹּת Gen. 49:13
889 וְהוּא יָגֻד עָקֵב Gen. 49:19
890 וְהוּא יִתֵּן מַעֲדַנֵּי־מֶלֶךְ Gen. 49:20
891 וְהוּא רַחוּם יְכַפֵּר עָוֹן Ps. 78:38
892-1072 וְהוּא Ex. 16:31; 21:4 • Lev. 5:1; 5:2,3,4,18; 11:7; 21:13; 22:4; 24:10 • Num. 21:26; 22:5,22; 27:3; 33:40; 35:23 • Deut. 4:42; 19:4; 29:12 • Josh. 8:14; 22:20 • Jud. 3:19,20,24,26,27; 4:2,3,21; 10:1; 11:1; 13:5,18; 16:20,31; 17:7; 19:16

וְהוּא (המשך)

ISh. 4:18; 16:12; 17:23,33; 19:9; 20:29,36; 21:6; 22:9; 25:3,17,36,37; 28:14 • IISh. 4:5,7,10; 7:14; 9:13; 12:23; 13:8; 15:30; 17:2,10; 19:10,33; 20:8; 21:16; 23:21; 24:13 • IK. 1:13,17,24,30,35; 2:8²; 11:29; 12:2; 16:9; 19:4,19²; 20:12,39,40 • IIK. 2:12,18,23; 5:18,25; 6:5,30,32; 14:21; 17:39 • Is. 8:13²; 10:7; 32:8; 34:17; 35:8; 38:15; 42:22; 53:5,7,12 • Jer. 20:1; 33:1; 38:7; 40:1 • Ezek. 3:21; 13:10; 18:11; 21:28; 33:5,13; 40:3; 44:1 • Hosh. 2:25; 5:13; 7:9²; 8:6 • Hab. 1:10; 2:5 • Zech. 1:8; 6:13²; 13:9; 14:12 • Ps. 9:9; 19:6; 37:5; 55:23; 60:14; 78:38; 87:5; 95:5; 99:6; 108:14; 130:8 • Prov. 3:6,29; 19:1; 23:3; 28:6 • Job 2:8; 13:28; 21:22,31,32; 22:18; 23:13; 28:23; 31:11 34:29; 37:12 • Ruth 3:4 • Eccl. 8:15; 10:10 • Dan. 11:8 • Ez. 1:2; 7:6; 10:8 • Neh. 6:10 • ICh. 2:21²; 11:20; 11:22,23; 12:16(15); 17:13; 22:9(10) • IICh. 10:2; 22:9; 26:1; 27:5; 28:3; 32:9,30; 33:6; 34:3; 36:23

וָהוּא
1073 וַנַּחַלְמָה חֲלוֹם...אֲנִי וָהוּא — Gen. 41:11

הַהוּא
1074 בַּיּוֹם הַהוּא כָּרַת יְיָ... — Gen. 15:18
1075 וַתַּשְׁקֶיןָ גַּם בַּלַּיְלָה הַהוּא... — Gen. 19:35
1076 עַל־כֵּן קָרָא לַמָּקוֹם הַהוּא — Gen. 21:31
1077 וַיִּקְרָא...שֵׁם־הַמָּקוֹם הַהוּא — Gen. 22:14
1078 וַיֵּרָא אֵלָיו יְיָ בַּלַּיְלָה הַהוּא — Gen. 26:24
1079 וַיְהִי בַּיּוֹם הַהוּא וַיָּבֹאוּ... — Gen. 26:32
1080 וַיִּשְׁכַּב בַּמָּקוֹם הַהוּא — Gen. 28:11
1081 וַיִּקְרָא אֶת־שֵׁם־הַמָּקוֹם הַהוּא — Gen. 28:19
1082 וַיָּסַר בַּיּוֹם הַהוּא אֶת־הַתְּיָשִׁים — Gen. 30:35
1083 וַיִּקְרָא שֵׁם־הַמָּקוֹם הַהוּא... — Gen. 32:2
1084 וַיָּלֶן שָׁם בַּלַּיְלָה הַהוּא — Gen. 32:13
1085-1097 בַּלַּיְלָה הַהוּא — Gen. 32:22

Num. 14:1 • Josh. 8:9,13 • Jud. 6:25,40; 7:9 • ISh. 28:25 • IISh. 7:4 • IIK. 19:35 • Es. 6:1 • ICh. 17:3 • IICh. 1:7

1098 וַיָּשָׁב בַּיּוֹם הַהוּא עֵשָׂו לְדַרְכּוֹ — Gen. 33:16
1099 וְלֹא־יִוָּדַע...מִפְּנֵי הָרָעָב הַהוּא — Gen. 41:31
1100 וַיְבָרְכֵם בַּיּוֹם הַהוּא לֵאמוֹר — Gen. 48:20
1101 וַיָּמָת יוֹסֵף...וְכֹל הַדּוֹר הַהוּא — Ex. 1:6
1102 וַיְצַו פַּרְעֹה בַּיּוֹם הַהוּא — Ex. 5:6
1103-1305 בַּיּוֹם הַהוּא — Ex. 8:18; 13:8; 14:30

32:28 • Lev. 22:30; 27:23 • Num. 6:11; 9:6²; 32:10 • Deut. 21:23; 27:11; 31:17²,18,22 • Josh. 4:14; 6:15; 8:25; 9:27; 10:28,35²; 14:9,12²; 24:25 • Jud. 3:30; 4:23; 5:1; 6:32; 20:15,21,26,35,46 • ISh. 3:2,12; 4:12; 6:15,16; 7:6,10; 8:18²; 9:24; 10:9; 12:18; 14:18,23,24,31,37; 18:2; 20:26; 21:8,11; 22:18; 22:22; 27:6; 31:6 • IISh. 2:17; 3:37; 5:8; 6:9; 11:12; 18:7,8; 19:3²,4; 23:10; 24:18 • IK. 8:64; 13:3; 16:16; 22:25,35 • IIK. 3:6 • Is. 2:11,17,20; 3:7,18; 4:1,2; 5:30; 7:18,20,21,23; 10:20,27; 11:10,11; 12:1,4; 17:4,7,9; 19:16,18,19,21,23,24; 20:6; 22:8,12,20,25; 23:15; 24:21; 25:9; 26:1; 27:1, 2, 12, 13; 28:5; 29:18; 30:23; 31:7; 52:6 • Jer. 4:9; 25:33; 30:7,8; 39:10,16,17; 48:41; 49:22, 26; 50:30 • Ezek. 20:6; 23:38, 39; 24:26, 27; 29:21; 30:9; 38:10, 14, 18, 19; 39:11, 22; 45:22 • Hosh. 1:5; 2:18, 20, 23 • Joel 4:18 • Am. 2:16; 8:3,9,13; 9:11 • Ob. 8 • Mic. 2:4; 4:6; 5:9 • Zep. 1:9,10; 3:11,16 • Hag. 2:23 • Zech. 2:15; 3:10; 6:10; 9:16; 11:11; 12:3,4; 12:6,8²,9,11; 13:1,2,4; 14:4,6,8,9,13,20,21 • Ps. 146:4 • Es. 5:9; 8:1; 9:11 • Neh. 12:43; 13:1 • ICh. 13:12; 16:7; 29:22 • IICh. 15:11; 18:24,34; 35:16

הַהוּא (המשך)
1306 כָּל־הַיּוֹם הַהוּא וְכָל־הַלָּיְלָה — Ex. 10:13
1307 אַל־יִרְעוּ אֶל־מוּל הָהָר הַהוּא — Ex. 34:3
1308 דָּם יֵחָשֵׁב לָאִישׁ הַהוּא — Lev. 17:4
1309-1323 (בַּ־) הָאִישׁ הַהוּא — Lev. 17:4,9

20:3,4,5 • Num. 9:13 • Deut. 17:5,12; 29:19 • ISh. 1:3 • Jer. 20:16; 23:34 • Ezek. 14:8

Job 1:1,3

1324 וְהָיָה הַטּוֹב הַהוּא אֲשֶׁר יֵיטִיב יְיָ — Num. 10:32
1325 וַיִּקְרָא שֵׁם־הַמָּקוֹם הַהוּא... — Num. 11:3
1326 כָּל־הַיּוֹם הַהוּא וְכָל־הַלַּיְלָה — Num. 11:32
1327 וַיִּקְרָא אֶת־שֵׁם־הַמָּקוֹם הַהוּא — Num. 11:34
1328-1342 (לַ)הַמָּקוֹם הַהוּא — Num. 13:24

Deut. 12:3; 17:10 • Josh. 5:9; 7:26 • Jud. 2:5; 15:17; 18:12 • ISh. 23:28 • IISh. 2:16; 5:20; 6:8 • ICh. 13:11; 14:11 • IICh. 20:26

1343/4 הַיֹּשֵׁב בָּהָר הַהוּא — Num. 14:45 • Deut. 1:44
1345 אֵת כָּל־הַמִּדְבָּר הַגָּדוֹל...הַהוּא — Deut. 1:19
1346 לְכָל־הַבָּשָׁן הַהוּא יִקָּרֵא... — Deut. 3:13
1347 לֹא תִשְׁמַע אֶל־דִּבְרֵי הַנָּבִיא הַהוּא — Deut. 13:4
1348 אֶל־חוֹלֵם הַחֲלוֹם הַהוּא — Deut. 13:4
1349 וְהַנָּבִיא הַהוּא — Deut. 13:6
1350 חֹלֵם הַחֲלוֹם הַהוּא יוּמָת — Deut. 13:6
1351/2 הַנָּבִיא הַהוּא — Deut. 18:20 • Ezek. 14:9
1353 וּמֵת הַגַּנָּב הַהוּא — Deut. 24:7
1354 וְלֹא הָיָה כַּיּוֹם הַהוּא לְפָנָיו — Josh. 10:14
1355 כָּל־הַדּוֹר הַהוּא נֶאֶסְפוּ... — Jud. 2:10
1356 נִלְחָם בָּעִיר כֹּל הַיּוֹם הַהוּא — Jud. 9:45
1357 לֹא־נָפְלָה לּוֹ עַד־הַיּוֹם הַהוּא — Jud. 18:1
1358/9 מֵהַיּוֹם הַהוּא וָמָעְלָה — ISh. 16:13; 30:25
1360 מֵהַיּוֹם הַהוּא וְהָלְאָה — ISh. 18:9
1361-1366 הַיּוֹם הַהוּא — ISh. 19:24 • Zep. 1:15

Job 3:4 • Neh. 4:10; 8:17 • ICh. 29:21

1367 ...נָהֲגוּ לִפְנֵי הַמִּקְנֶה הַהוּא — ISh. 30:20
1368 הָלְכוּ בָּעֲרָבָה כֹּל הַלַּיְלָה הַהוּא — IISh. 2:29
1369 אֶלֶף עֹלוֹת...עַל הַמִּזְבֵּחַ הַהוּא — IK. 3:4
1370 לֹא בָא כַבֹּשֶׂם הַהוּא עוֹד לָרֹב — IK. 10:10
1371 וְהַנַּחַל הַהוּא יִמָּלֵא מָיִם — IIK. 3:17
1372 גַּם אֶת־הַמִּזְבֵּחַ הַהוּא...נָתַץ — IIK. 23:15
1373 וְנָתַשְׁתִּי אֶת־הַגּוֹי הַהוּא — Jer. 12:17
1374 וְשָׁב הַגּוֹי הַהוּא מֵרָעָתוֹ — Jer. 18:8
1375 אֶפְקֹד...וְעַל־הַגּוֹי הַהוּא — Jer. 25:12
1376 אֶפְקֹד עַל־הַגּוֹי הַהוּא — Jer. 27:8
1377 וְהַיּוֹם הַהוּא...יוֹם נְקָמָה — Jer. 46:10
1378 וְהִשְׁתַּחֲווּ...פֶּתַח הַשַּׁעַר הַהוּא — Ezek. 46:3
1379 יוֹם הַהוּא יִרְחַק־חֹק — Mic. 7:11
1380 הַלַּיְלָה הַהוּא יִקָּחֵהוּ אֹפֶל — Job 3:6
1381 הִנֵּה הַלַּיְלָה הַהוּא יְהִי גַלְמוּד — Job 3:7
1382 וְאָבַד הָעֹשֶׁר הַהוּא בְּעִנְיַן רָע — Eccl. 5:13
1383 לֹא זָכַר אֶת־הָאִישׁ הַמִּסְכֵּן הַהוּא — Eccl. 9:15
1384 וְלֹא הָיָה כַּבֹּשֶׂם הַהוּא — IICh. 9:9

הַהוּא?
1385 הַהוּא אָמַר וְלֹא יַעֲשֶׂה — Num. 23:19

שֶׁהוּא
1386 שֶׁהוּא עָמֵל תַּחַת הַשָּׁמֶשׁ — Eccl. 2:22

הוּא²
מ״ג ארמית כמו בעברית: 1–14

הוּא
1 הוּא גָּלֵא עֲמִיקָתָא וּמְסַתְּרָתָא — Dan. 2:22
2 חֶלְמָךְ וְחֶזְוֵי רֵאשָׁךְ...דְּנָה הוּא — Dan. 2:28
3 הוּא צַלְמָא רֵאשֵׁהּ דִּי־דְהַב — Dan. 2:32
4 אַנְתְּ־הוּא רֵאשָׁה דִּי דַהֲבָא — Dan. 2:38
5 הוּא אֱלָהּ אֱלָהִין וּמָרֵא מַלְכִין — Dan. 2:47
6 וּמַן־הוּא אֱלָהּ דִּי יְשֵׁיזְבִנְכוֹן — Dan. 3:15
7 אַנְתְּ־הוּא מַלְכָּא דִּי רְבַת וּתְקֵפְתְּ — Dan. 4:19
8 אַנְתְּ־הוּא דָנִיֵּאל... — Dan. 5:13

הוּא (המשך)
9 כָּל־קֳבֵל דִּי־מְהֵימַן הוּא — Dan. 6:5
10 אֱלָהָךְ...הוּא יְשֵׁיזְבִנָּךְ — Dan. 6:17
11 דִּי־הוּא אֱלָהָא חַיָּא... — Dan. 6:27

וְהוּא
12 וְהוּא מְהַשְׁנֵא עִדָּנַיָּא וְזִמְנַיָּא — Dan. 2:21
13 וְהוּא יִשְׁנֵא מִן־קַדְמָיֵא — Dan. 7:24
14 וְהוּא מִתְבְּנֵא אֶבֶן גְּלָל — Ez. 5:8

הֲוָא, הֲוָה
פ׳ ארמית – הָיָה, על־פי־רוב כפועל־עזר: 1–71

הֲוֵית
1 אֲנָה...שְׁלֵה הֲוֵית בְּבֵיתִי — Dan. 4:1
2 חָזֵה הֲוֵית וַאֲלוּ אִילָן... — Dan. 4:7
3 חָזֵה הֲוֵית בְּחֶזְוֵי רֵאשִׁי... — Dan. 4:10
4-12 חָזֵה הֲוֵית — Dan. 7:2,4,6,7,9,11²,13,21
13 מִשְׂתַּכַּל הֲוֵית בְּקַרְנַיָּא וַאֲלוּ... — Dan. 7:8

הֲוַיְתָ
14 אַנְתְּ מַלְכָּא חָזֵה הֲוַיְתָ — Dan. 2:31
15 חָזֵה הֲוַיְתָ עַד דִּי הִתְגְּזֶרֶת אֶבֶן — Dan. 2:34

הֲוָה
16 עַל־הֵיכַל...מְהַלֵּךְ הֲוָה — Dan. 4:26
17/18 וְדִי־הֲוָה צָבֵא הֲוָה מָחֵא — Dan. 5:19
19/20 וְדִי הֲוָה צָבֵא הֲוָה מָרִים — Dan. 5:19
21 הֲוָה מִשְׁתַּדַּר לְהַצָּלוּתֵהּ — Dan. 6:15

הֲוָא
22/3 דִּי־הֲוָא צָבֵא הֲוָא קָטֵל — Dan. 5:19
24/5 וְדִי־הֲוָא צָבֵא הֲוָא מַשְׁפִּל — Dan. 5:19
26 הֲוָא מִתְנַצַּח עַל־סָרְכַיָּא — Dan. 6:4
27 וּמְצַלֵּא...כָּל־קֳבֵל דִּי־הֲוָא עָבֵד... — Dan. 6:11
28 כְּבַר אֱנָשׁ אָתֵה הֲוָא — Dan. 7:13
29 דִּי־הֲוָא בְנֵה מִקַּדְמַת דְּנָה — Ez. 5:11

הֲוָת
30 וְאַבְנָא...הֲוָת לְטוּר רַב — Dan. 2:35
31 דִּי־הֲוָת שָׁנְיָה מִן־כָּלְּהֵין — Dan. 7:19
32 וְעֵין אֱלָהֲהֹם הֲוָת עַל־שָׂבֵי יְהוּדָיֵא — Ez. 5:5

וַהֲוָת
33 וַהֲוָת בָּטְלָא עַד שְׁנַת תַּרְתֵּין — Ez. 4:24

הֲווֹ
34 ...הֲווֹ זָיְעִין וְדָחֲלִין... — Dan. 5:19
35 אֱדַיִן...הֲווֹ בָעַיִן עִלָּה... — Dan. 6:5
36 וּמַלְכִין...הֲווֹ עַל־יְרוּשְׁלֶם — Ez. 4:20
37 כְּעַן...רַחִיקִין הֲווֹ מִן־תַּמָּה — Ez. 6:6

וַהֲווֹ
38 וַהֲווֹ כְּעוּר מִן־אִדְּרֵי־קַיִט — Dan. 2:35

לֶהֱוֵא
39 לֶהֱוֵא שְׁמֵהּ דִּי־אֱלָהָא מְבָרַךְ — Dan. 2:20
40 מָה דִּי לֶהֱוֵא בְּאַחֲרִית יוֹמַיָּא — Dan. 2:28
41/2 מָה דִּי לֶהֱוֵא אַחֲרֵי דְנָה — Dan. 2:29,45
43 יְדִיעַ לֶהֱוֵא־לָךְ מַלְכָּא — Dan. 3:18
44-46 יְדִיעַ לֶהֱוֵא לְמַלְכָּא — Ez. 4:12,13; 5:8
47-54 לֶהֱוֵא — Dan. 2:29,41; 5:29; 6:3

Ez. 6:9; 7:23,26²

לֶהֱוֵה
55 וְעִם־חֵיוַת בָּרָא לֶהֱוֵה מְדֹרָךְ — Dan. 4:22

תֶּהֱוֵא
56 וּמַלְכוּ רְבִיעָאָה תֶּהֱוֵא תַקִּיפָה — Dan. 2:40
57 וּמִנַּהּ תֶּהֱוֵא תְבִירָה — Dan. 2:42
58 מַלְכוּ רְבִיעָאָה תֶּהֱוֵא בְאַרְעָא — Dan. 7:23
59 נִפְקְתָא תֶּהֱוֵא מִתְיַהֲבָא... — Ez. 6:8

תֶּהֱוֵה
60 מַלְכוּ פְלִיגָה תֶּהֱוֵה — Dan. 2:41
61 מִן־קְצָת מַלְכוּתָא תֶּהֱוֵה תַקִּיפָה — Dan. 2:42
62 הֵן תֶּהֱוֵה אַרְכָה לִשְׁלֵוְתָךְ — Dan. 4:24

לֶהֱוֺן
63 מִתְעָרְבִין לֶהֱוֺן בִּזְרַע אֲנָשָׁא — Dan. 2:43
64 וְלָא־לֶהֱוֺן דָּבְקִין דְּנָה עִם־דְּנָה — Dan. 2:43
65 ...דִּי לֶהֱוֺן בְּכָל־מַלְכוּתָא — Dan. 6:2
66-69 לֶהֱוֺן — Dan. 6:3,27 • Ez. 6:10; 7:25

לֶהֶוְיָן
70 מַתְּנָתָךְ לָךְ לֶהֶוְיָן — Dan. 5:17

הֱווֹ
71 וּזְהִירִין הֱווֹ שָׁלוּ לְמֶעְבַּד... — Ez. 4:22

הִוא
עין הִיא

הוּאִיל (דברים א5) – עין יאל
הוּבָא – עין בוא
הוּבִיל – עין יבל
הוּבִישׁ – עין בושׁ
הוּבְנִים ז״ר עין הָבְנֶה
הוּבַר ז׳ עין הָבַר
הוּגָה (איכה א5) – עין יגה
הוּעֲנוּ (מלאכי ב17) – עין יָגַע 17

הוֹד¹ ז׳ הדר, שגב: 1—24 • קרובים: ראה הָדָר

הוֹד וְהָדָר 16,8,6-2; הוֹד מַלְכוּת 12, 13; הוֹד נַחְרוֹ 11; הוֹד קוֹלוֹ 10; לָבַשׁ הוֹד 5, 8; נוֹרָא הוֹד 7; נֶהְפַּךְ הוֹדוֹ 14

הוד 1 וְהוּא־יִשָּׂא הוֹד וְיָשַׁב וּמָשַׁל Zech. 6:13
2 הוֹד וְהָדָר תְּשַׁוֶּה עָלָיו Ps. 21:6
3/4 הוֹד־וְהָדָר לְפָנָיו Ps. 96:6 • ICh. 16:27
5 הוֹד וְהָדָר לָבָשְׁתָּ Ps. 104:1
6 הוֹד וְהָדָר פָּעֳלוֹ Ps. 111:3
7 עַל־אֱלוֹהַּ נוֹרָא הוֹד Job 37:22
וְהוֹד 8 וְהוֹד וְהָדָר תִּלְבָּשׁ Job 40:10
וְהַהוֹד 9 וְהַתִּפְאֶרֶת וְהַנֵּצַח וְהַהוֹד ICh. 29:11
הוֹד־ 10 וְהִשְׁמִיעַ יְיָ אֶת־הוֹד קוֹלוֹ Is. 30:30
11 הוֹד נַחְרוֹ אֵימָה Job 39:20
12 וְלֹא־נָתְנוּ עָלָיו הוֹד מַלְכוּת Dan. 11:21
13 וַיִּתֵּן עָלָיו הוֹד מַלְכוּת ICh. 29:25
וְהוֹדִי 14 וְהוֹדִי נֶהְפַּךְ עָלַי לְמַשְׁחִית Dan. 10:8
הוֹדְךָ 15 אֲשֶׁר־תְּנָה הוֹדְךָ עַל־הַשָּׁמָיִם Ps. 8:2
16 חֲגוֹר־חַרְבְּךָ...הוֹדְךָ וַהֲדָרֶךָ Ps. 45:4
הוֹדֶךָ 17 הֲדַר כְּבוֹד הוֹדֶךָ Ps. 145:5
18 פֶּן־תִּתֵּן לַאֲחֵרִים הוֹדֶךָ Prov. 5:9
מֵהוֹדְךָ 19 וְנָתַתָּה מֵהוֹדְךָ עָלָיו Num. 27:20
הוֹדוֹ 20 וִיהִי כַזַּיִת הוֹדוֹ Hosh. 14:7
21 כִּסָּה שָׁמַיִם הוֹדוֹ Hab. 3:3
22 כְּסוּס הוֹדוֹ בַּמִּלְחָמָה Zech. 10:3
23 הוֹדוֹ עַל־אֶרֶץ וְשָׁמָיִם Ps. 148:13
הֹדֹה 24 הוֹי אָדוֹן וְהוֹי הֹדֹה Jer. 22:18

הוֹד² שפ״ז – איש משבט אשר
וָהוֹד 1 בֶּצֶר וָהוֹד וְשַׁמָּא וְשִׁלְשָׁה ICh. 7:37

הוֹדָה – עין יָדָה

הוֹדְוָה שפ״ז – אבי משפחת לויים שעלתה עם זרובבל
לְהוֹדְוָה 1 לִבְנֵי לְהוֹדְוָה שִׁבְעִים וְאַרְבָּעָה Neh. 7:43

הוֹדַוְיָה שפ״ז – א) מראשי האבות למטה מנשה: 3
ב) אבי משפחת לויים שעלתה עם זרובבל: 1
ג) בנימיני: 2
הוֹדַוְיָה 1 לִבְנֵי הוֹדַוְיָה שִׁבְעִים וְאַרְבָּעָה Ez. 2:40
2 וּמִן־בְּנֵי בִּנְיָמִן...בֶּן־הוֹדַוְיָה ICh. 9:7
וְהוֹדַוְיָה 3 וְיִרְמְיָה וְהוֹדַוְיָה וְיַחְדִּיאֵל ICh. 5:24

הוֹדַוְיָהוּ שפ״ז – מצאצאי זרובבל
הוֹדַוְיָהוּ 1 וּבְנֵי אֶלְיוֹעֵינַי הוֹדַיְוָהוּ (כ׳ הודיוהו) ICh. 3:24

הוֹדִיָּה שפ״ז – א) מצאצאי כָּלֵב בן יפונה: 6
ב) אנשים שונים בימי עזרא: 1–5
הוֹדִיָּה 1 שַׁבְּתַי הוֹדִיָּה מַעֲשֵׂיָה Neh. 8:7
2 שֵׁרֵבְיָה הוֹדִיָּה שְׁבַנְיָה Neh. 9:5
3 שְׁבַנְיָה הוֹדִיָּה קְלִיטָא Neh. 10:11
4 הוֹדִיָּה בָנִי בְּנִינוּ Neh. 10:14
5 הוֹדִיָּה חָשֻׁם בֵּצָי Neh. 10:19
6 וּבְנֵי אֵשֶׁת הוֹדִיָּה אֲחוֹת נַחַם ICh. 4:19

הוֹדִיעַ – עין ידע **הוֹדַע** – עין ידע

הָוָה, הָוָא פ׳ [צורה נדירה של היה; עפ״י הארמית]
א) נמצא, קים: 1–4, 6
ב) (?) נפל: 5
הֹוֶה 1 כִּי מֶה־הֹוֶה לָאָדָם בְּכָל־עֲמָלוֹ Eccl. 2:22
2 וְאַתָּה הֹוֶה לָהֶם לְמֶלֶךְ Neh. 6:6
יְהוּא 3 מְקוֹם שֶׁיִּפּוֹל הָעֵץ שָׁם יְהוּא Eccl. 11:3
הֱוֵה 4 הֱוֵה גְבִיר לְאַחֶיךָ Gen. 27:29
הֱוֵא 5 כִּי לַשֶּׁלֶג יֹאמַר הֱוֵא אָרֶץ Job 37:6
הֱוִי 6 הֱוִי־סֵתֶר לָמוֹ מִפְּנֵי שׁוֹדֵד Is. 16:4

הַוָּה נ׳ תאוה רעה, רשע: 1–16
הַוַּת בּוֹגְדִים 3; ה׳ רְשָׁעִים 2; הַוַּת נַפְשׁוֹ 1; דֹּבֵר הַוּוֹת 12; כִּסֵּא הַוּוֹת 13; לְשׁוֹן ה׳ 14; דֹּבֵר הַוּוֹת 8; הֵבִין ה׳ 16; חָשַׁב ה׳ 9

הַוַּת־ 1 וְהַגָּדוֹל דֹּבֵר הַוַּת נַפְשׁוֹ הוּא Mic. 7:3
וְהַוַּת־ 2 וְהַוַּת רְשָׁעִים יֶהְדֹּף Prov. 10:3
וּבְהַוַּת־ 3 וּבְהַוַּת בֹּגְדִים יִלָּכֵדוּ Prov. 11:6
וְהַוָּתִי 4 לוּ שָׁקוֹל יִשָּׁקֵל כַּעְשִׂי וְהַוָּתִי (כ׳ והיתי) Job 6:2
לְהַוָּתִי 5 נָתְסוּ נְתִיבָתִי לְהַוָּתִי (כ׳ להיתי) יֹעִילוּ Job 30:13
בְּהַוָּתוֹ 6 וַיִּבְטַח בְּרֹב עָשְׁרוֹ יָעֹז בְּהַוָּתוֹ Ps. 52:9
הַוּוֹת 7 אֵין בְּפִיהוּ נְכוֹנָה קִרְבָּם הַוּוֹת Ps. 5:10
8 דִּבְּרוּ הַוּוֹת וּמִרְמוֹת...יֶהְגּוּ Ps. 38:13
9 הַוּוֹת תַּחְשֹׁב לְשׁוֹנֶךָ Ps. 52:4
10 הַוּוֹת בְּקִרְבָּהּ...תֹּךְ וּמִרְמָה Ps. 55:12
11 וּבְצֵל...אֶחְסֶה עַד יַעֲבֹר הַוּוֹת Ps. 57:2
12 יַצִּילְךָ מִפַּח יָקוּשׁ מִדֶּבֶר הַוּוֹת Ps. 91:3
13 הַיְחָבְרְךָ כִּסֵּא הַוּוֹת Ps. 94:20
14 שֶׁקֶר מֵזִין עַל־לְשׁוֹן הַוֹּת Prov. 17:4
15 הַוֹּת לְאָבִיו בֵּן כְּסִיל Prov. 19:13
16 אִם־חִכִּי לֹא־יָבִין הַוּוֹת Job 6:30

הֹוָה נ׳ אסון: 1–3 • קרובים: ראה אֵיד
הֹוָה 1 וְנָפַל עָלַיִךְ הֹוָה לֹא תוּכְלִי כַּפְּרָהּ Is. 47:11
2/3 הֹוָה עַל־הֹוָה תָּבוֹא Ezek. 7:26

הוֹהָם שפ״ז – מלך חברון בימי יהושע
הוֹהָם 1 וַיִּשְׁלַח...אֶל־הוֹהָם מֶלֶךְ־חֶבְרוֹן Josh. 10:3

הוּחֲדָה (יחזקאל כא14) – עין חדד

הוֹחִיל – עין יחל **הוּחַל** (בראשית ד26) – עין חלל

הוּטַל – עין טול

הוֹי מ״ק א) קריאת יגון או אבל, אוי, אֲהָהּ: 1–9, 49–51
ב) מלת־פתיחה לתוכחה קשה: 10–42
ג) קריאת־זרוז: 43–48
קרובים: ראה אֲבוֹי
הוֹי 1–5, 8–17, 20–45, 48–51; הוֹי הוֹי 47,46; הוֹי אֶל 6; הוֹי לְ 19; הוֹי עַל 18,7; הוֹי אָדוֹן 51,4; הוֹי אָחוֹת 3; הוֹי אָחִי 3,1; הוֹי הֹדֹה 50,4

הוֹי (א) 1 וַיִּסְפְּדוּ עָלָיו הוֹי אָחִי IK. 13:30
2 הוֹי אֲרִיאֵל אֲרִיאֵל Is. 29:1
3 לֹא־יִסְפְּדוּ לוֹ הוֹי אָחִי וְהוֹי אָחוֹת Jer. 22:18
4 לֹא־יִסְפְּדוּ לוֹ הוֹי אָדוֹן וְהוֹי הֹדֹה Jer. 22:18
5 הוֹי כִּי גָדוֹל הַיּוֹם הַהוּא Jer. 30:7
6 הוֹי אֶל־נְבוֹ כִּי שֻׁדָּדָה Jer. 48:1
7 הוֹי עֲלֵיהֶם כִּי־בָא יוֹמָם Jer. 50:27
8 הוֹי יֹשְׁבֵי חֶבֶל הַיָּם Zep. 2:5
9 הוֹי רֹעִי הָאֱלִיל עֹזְבִי הַצֹּאן Zech. 11:17
הוֹי (ב) 10 הוֹי מַגִּיעֵי בַיִת בְּבַיִת Is. 5:8
11 הוֹי מַשְׁכִּימֵי בַבֹּקֶר שֵׁכָר יִרְדֹּפוּ Is. 5:11
12 הוֹי מֹשְׁכֵי הֶעָוֹן בְּחַבְלֵי הַשָּׁוְא Is. 5:18
13 הוֹי הָאֹמְרִים לָרַע טוֹב Is. 5:20
14 הוֹי חֲכָמִים בְּעֵינֵיהֶם Is. 5:21
15 הוֹי גִּבּוֹרִים לִשְׁתּוֹת יָיִן Is. 5:22
16 הוֹי הַחֹקְקִים חִקְקֵי־אָוֶן Is. 10:1
17 הוֹי בֹּנֶה בֵיתוֹ בְּלֹא־צֶדֶק Jer. 22:13
18 הוֹי עַל־הַנְּבִיאִים הַנְּבָלִים Ezek. 13:3
19 הוֹי לִמְתַפְּרוֹת כְּסָתוֹת Ezek. 13:18
20 הוֹי הַשַּׁאֲנַנִּים בְּצִיּוֹן Am. 6:1
21 הוֹי בֹּנֶה עִיר בְּדָמִים Hab. 2:12
הוֹי (ב) 22-42 Is. 1:4; 10:5; 17:12; 18:1; 28:1 29:15; 30:1; 31:1; 33:1; 45:9,10 • Jer. 23:1 • Ezek. 34:2 • Am. 5:18 • Mic. 2:1 • Nah. 3:1 • Hab. 2:6,9,15,19 • Zep. 3:1
הוֹי (ג) 43 הוֹי אֶנָּחֵם מִצָּרַי וְאִנָּקְמָה מֵאוֹיְבָי Is. 1:24
44 הוֹי כָּל־צָמֵא לְכוּ לַמַּיִם Is. 55:1
45 הוֹי חֶרֶב לַיְיָ Jer. 47:6
46/7 הוֹי הוֹי וְנֻסוּ מֵאֶרֶץ צָפוֹן Zech. 2:10
48 הוֹי צִיּוֹן הִמָּלְטִי Zech. 2:11
וְהוֹי (א) 49 לֹא־יִסְפְּדוּ לוֹ הוֹי אָחִי וְהוֹי אָחוֹת Jer. 22:18
50 לֹא־יִסְפְּדוּ לוֹ הוֹי אָדוֹן וְהוֹי הֹדֹה Jer. 22:18
51 וְהוֹי אָדוֹן יִסְפְּדוּ־לָךְ Jer. 34:5

הוּכָּה (תהלים קב5) – עין נכה

הוֹכִיחַ, הוֹכֵחַ – עין יכח

הוּכַן (ישעיה טז5) – עין כון

הוּלֶּדֶת (יחזקאל טז4) – עין יָלַד

הוֹלִיד – עין ילד **הוֹלִיךְ** – עין הלך

הוֹלֵל* ז׳ רָשָׁע, לֵץ: 1–3
הוֹלְלִים 1 לֹא־יִתְיַצְּבוּ הוֹלְלִים לְנֶגֶד עֵינֶיךָ Ps. 5:6
בַּהוֹלְלִים 2 כִּי־קִנֵּאתִי בַּהוֹלְלִים Ps. 73:3
לַהוֹלְלִים 3 אָמַרְתִּי לַהוֹלְלִים אַל־תָּהֹלּוּ Ps. 75:5

הוֹלֵלוֹת, הוֹלֵלוּת נ׳ משובה, תעלולים: 1–5
הוֹלֵלוֹת 1 חָכְמָה וְדַעַת הֹלֵלוֹת וְשִׂכְלוּת Eccl. 1:17
2 רֶשַׁע כֶּסֶל וְהַסִּכְלוּת הוֹלֵלוֹת Eccl. 7:25
הוֹלֵלוּת 3 וְאַחֲרִית פִּיהוּ הוֹלֵלוּת רָעָה Eccl. 10:13
וְהוֹלֵלוֹת 4 לִרְאוֹת חָכְמָה וְהוֹלֵלוֹת וְסִכְלוּת Eccl. 2:12
5 וְהוֹלֵלוֹת בִּלְבָבָם בְּחַיֵּיהֶם Eccl. 9:3

הֹלֶם־ (ישעיה מא7) – עין הָלַם

הום : הָם, נָהוֹם, הֵהִים; מְהוּמָה; ש״פ הוֹמָם, הֵימָם

(הום) הָם פ׳ א) הרעיש, גרם מהומה: 1
ב) המה, נהם: 2–3
ג) [נפ׳ נֵהוֹם] רָעַשׁ, סאן: 4–6
וְהָמָם 1 וְהָמָם מְהוּמָה גְדֹלָה Deut. 7:23
וְאָהִימָה 2 אָרִיד בְּשִׂיחִי וְאָהִימָה Ps. 55:3
תְּהִימֶנָה 3 כְּעֵדֶר בְּתוֹךְ הַדָּבְרוֹ תְּהִימֶנָה Mic. 2:12
וַתֵּהֹם 4 וַיָּרִעוּ...וַתֵּהֹם הָאָרֶץ ISh. 4:5
5 וַיַּעֲלוּ מִשָּׁם שְׂמֵחִים וַתֵּהֹם הַקִּרְיָה IK. 1:45
6 וַתֵּהֹם כָּל־הָעִיר Ruth 1:19

הוֹמָם שפ״ז – בן לוטן
וְהוֹמָם 1 וּבְנֵי לוֹטָן חֹרִי וְהוֹמָם ICh. 1:39

הוּמַת – עין מות

הון : הֵהִין; הוֹן

(הון) הֵהִין הפ׳ הֵעֵז
וַתָּהִינוּ 1 וַתָּהִינוּ לַעֲלֹת הָהָרָה Deut. 1:41

הוֹן ז׳ א) כסף, רכוש, נכסים: 1–12, 15–26
ב) דַּי: 13, 14
– הוֹן וָעֹשֶׁר 4; הוֹן בֵּיתוֹ 21; הוֹן יָקָר 6, 11; הוֹן נָעִים 11; הוֹן עָתֵק 7; הוֹן רָב 15; רַב הוֹן 1, 2, 26; בְּלֹא הוֹן 3
– אִבֵּד הוֹן 12; אָמַר הוֹן 14; הִרְבָּה הוֹן 25; נִבְהָל לַהוֹן 17
הוֹן 1 תַּרְשִׁישׁ סֹחַרְתֵּךְ מֵרֹב כָּל־הוֹן Ezek. 27:12
2 בְּרֹב מַעֲשַׂיִךְ מֵרֹב כָּל־הוֹן Ezek. 27:18

הוֹן (המשך) 3 תִּמְכֹּר־עַמְּךָ בְלֹא־הוֹן Ps.44:13
4 הוֹן־וָעֹשֶׁר בְּבֵיתוֹ Ps.112:3
5 שַׂשְׂתִּי כְּעַל כָּל־הוֹן Ps.119:14
6 כָּל־הוֹן יָקָר נִמְצָא Prov.1:13
7 הוֹן עָתֵק וּצְדָקָה Prov.8:18
8 לֹא־יוֹעִיל הוֹן בְּיוֹם עֶבְרָה Prov.11:4
9 הוֹן מֵהֶבֶל יִמְעָט Prov.13:11
10 הוֹן יֹסִיף רֵעִים רַבִּים Prov.19:4
11 יִמָּלְאוּ כָּל־הוֹן יָקָר וְנָעִים Prov.24:4
12 וְרֹעֶה זוֹנוֹת יְאַבֶּד־הוֹן Prov.29:3
13 אַרְבַּע לֹא־אָמְרוּ הוֹן Prov.30:15
14 וְאֵשׁ לֹא־אָמְרָה הוֹן Prov.30:16
וְהוֹן 15 יֵשׁ...מִתְרוֹשֵׁשׁ וְהוֹן רָב Prov.13:7
וָהוֹן 16 בַּיִת וָהוֹן נַחֲלַת אָבוֹת Prov.19:14
לַהוֹן 17 נִבְהָל לַהוֹן אִישׁ רַע עָיִן Prov.28:22
הוֹן־ 18 אֶת־כָּל־הוֹן בֵּיתוֹ יִתֵּן Prov.6:31
19/20 הוֹן עָשִׁיר קִרְיַת עֻזּוֹ Prov.10:15; 18:11
21 אִם־יִתֵּן אִישׁ אֶת־כָּל־הוֹן בֵּיתוֹ S.ofS.8:7
וְהוֹן־ 22 וְהוֹן־אָדָם יָקָר חָרוּץ Prov.12:27
מֵהוֹנֶךָ 23 כַּבֵּד אֶת־יְיָ מֵהוֹנֶךָ Prov.3:9
הוֹנֵךְ 24 הוֹנֵךְ וְעִזְבוֹנַיִךְ מַעֲרָבֵךְ Ezek.27:27
הוֹנוֹ 25 מַרְבֶּה הוֹנוֹ בְּנֶשֶׁךְ וְתַרְבִּית Prov.28:8
הוֹנַיִךְ 26 בְּרֹב הוֹנַיִךְ וּמַעֲרָבַיִךְ הֶעֱשַׁרְתְּ Ezek.27:33

הוֹנָה (יחזקאל יח16) – עין ינה
הוּנַח (איכה ה5) – עין נוח **הוּנַף** – עין נוף
הוּסַד (עזרא ג11) – עין יסד
הוּסְדָה (שמות ט18) – עין יסד **הוֹסִיף** – עין יסף
הוּסַר (דניאל יב11) – עין סור
הוּסְרִי (ירמיה ו8) – עין יָסַר
הוּעַד (שמות כא29) – עין עוד **הוֹעִיד** – עין יעד
הוֹעִיל – עין יעל **הוֹפִיעַ** (דברים לג2) – עין יפע
הוּצָא, (בראשית יט 12) – עין יצא
הוּצַק (תהלים מה3) – עין יָצַק
הוֹקִיעַ, הוּקַע – עין יקע **הוֹקִיר** – עין יקר
הוּקַם – עין קום **הוּקַשׁ** – עין יקש
הוּרַד, הוֹרִיד – עין ירד **הוֹרָה** – עין ירה

הוֹרָה* נ׳ אֵם, יולדת: 2,1
הוֹרָתִי 1 אֶל־בֵּית אִמִּי וְאֶל־חֶדֶר הוֹרָתִי S.ofS.3:4
הוֹרָתָם 2 זָנְתָה אִמָּם הֹבִישָׁה הוֹרָתָם Hosh.2:7

הוֹרִים* ז״ר יולדים, האב והאם
הוֹרַי 1 בִּרְכֹת...גָּבְרוּ עַל־בִּרְכֹת הוֹרַי Gen.49:26

הוּרַק (ירמיה מח11) – עין ריק
הוּרַשׁ, הוֹרִישׁ – עין ירש
הוּשַׁב (בראשית מב28) – עין שוב
הוּשַׁבְתֶּם (ישעיה ה8) – עין ישב
הוֹשִׁיב – עין ישב **הוֹשִׁיעַ, הוֹשַׁע** – עין ישע

הוֹשָׁמָע שפ״ז – מבני המלך יכניה
הוֹשָׁמָע 1 יְקַמְיָה הוֹשָׁמָע וּנְדַבְיָה ICh.3:18

הוֹשֵׁעַ שפ״ז א) הוא יהושע בן־נון: 1, 9, 12
ב) שר לשבט אפרים בימי דוד: 8
ג) נביא ישראל: 5, 6, 11
ד) אחרון מלכי ישראל: 2–4, 10, 13–16
ה) מראשי העם שחתמו על האמנה: 7

הוֹשֵׁעַ 1 לְמַטֵּה אֶפְרָיִם הוֹשֵׁעַ בִּן־נוּן Num.13:8
2 וַיִּקְשָׁר־קֶשֶׁר הוֹשֵׁעַ בֶּן־אֵלָה IIK.15:30
3 מָלַךְ הוֹשֵׁעַ בֶּן־אֵלָה בְּשֹׁמְרוֹן IIK.17:1
4 וַיְהִי־לוֹ הוֹשֵׁעַ עֶבֶד IIK.17:3
5 דְּבַר־יְיָ...אֶל־הוֹשֵׁעַ בֶּן־בְּאֵרִי Hosh.1:1
6 וַיֹּאמֶר יְיָ אֶל־הוֹשֵׁעַ לֵךְ קַח־לְךָ... Hosh.1:2
7 הוֹשֵׁעַ חֲנַנְיָה חַשּׁוּב Neh.10:24
8 לִבְנֵי אֶפְרַיִם הוֹשֵׁעַ בֶּן־עֲזַזְיָהוּ ICh.27:20
וְהוֹשֵׁעַ 9 וַיָּבֹא מֹשֶׁה...הוּא וְהוֹשֵׁעַ בִּן־נוּן Deut.32:44
בְּהוֹשֵׁעַ 10 וַיִּמְצָא מֶלֶךְ־אַשּׁוּר בְּהוֹשֵׁעַ קֶשֶׁר IIK.17:4
11 תְּחִלַּת דִּבֶּר־יְיָ בְּהוֹשֵׁעַ... Hosh.1:2
לְהוֹשֵׁעַ 12 וַיִּקְרָא מֹשֶׁה לְהוֹשֵׁעַ...יְהוֹשֻׁעַ Num.13:16
13 בִּשְׁנַת הַתְּשִׁיעִית לְהוֹשֵׁעַ IIK.17:6
14 בִּשְׁנַת שָׁלֹשׁ לְהוֹשֵׁעַ בֶּן־אֵלָה... IIK.18:1
15 הַשָּׁנָה הַשְּׁבִיעִית לְהוֹשֵׁעַ בֶּן־אֵלָה IIK.18:9
16 שְׁנַת־תֵּשַׁע לְהוֹשֵׁעַ מֶלֶךְ יִשְׂרָאֵל IIK.18:10

הוֹשַׁעְיָה שפ״ז – א) אבי אחד משרי יהודה: 1, 2
ב) ראש חצר שרי יהודה בימי נחמיה: 3
הוֹשַׁעְיָה 1 וַיִּגְּשׁוּ...וִיזַנְיָה בֶּן־הוֹשַׁעְיָה Jer.42:1
2 וַיֹּאמֶר עֲזַרְיָה בֶן־הוֹשַׁעְיָה Jer.43:2
3 וַיֵּלֶךְ אַחֲרֵיהֶם הוֹשַׁעְיָה... Neh.12:32

(הוּת) הוֹתֵת פ׳ השתער
תְּהוֹתְתוּ 1 עַד־אָנָה תְּהוֹתְתוּ עַל־אִישׁ Ps.62:4

הוֹתִיר שפ״ז – משורר מבני הימן: 2,1
הוֹתִיר 1 מַלּוֹתִי הוֹתִיר מַחֲזִיאוֹת ICh.25:4
לְהוֹתִיר 2 לְאֶחָד וְעֶשְׂרִים לְהוֹתִיר... ICh.25:28

הוֹתִיר – עין יתר
הוּתַל (ישעיה מד20) – עין תלל

הָזָה פ׳ חָלַם, דמדם מתוך שֵׁנָה
הֹזִים 1 הֹזִים שֹׁכְבִים אֹהֲבֵי לָנוּם Is.56:10

הִזָּה – עין נזה **הֵזִידוּ** (נחמיה ט29) – עין זוד
הִזִּיל (ישעיה מח21) – עין נָזַל
הִזִּילוּהָ (איכה א8) – עין זול
הִזִּיר (במדבר ו12) – עין נזר
הִזַּכּוּ (ישעיה א16) – עין זָכָה
הִזְכּוֹתִי (איוב ט30) – עין זכך **הֶחִישׁ** – עין חוש
הֵחַל (יחזקאל כ9), **הֵחַלּוֹ** (ויקרא כא4) – עין חללי
הֵחֵל (בראשית ו1) – עין חללי
הֵחַק – עין חקק
הֵחַתְּ (ישעיה ט3) – עין חתת
הֵט, הַטֵּה, הַטָּה – עין נָטָה **הֵטִיב** – עין טוב
הֵטִיל – עין טול **הִטִּיף** – עין נָטַף

הִי ז׳ נהי, קינה קרובים: ראה אֵבֶל
וָהִי 1 וְכָתוּב אֵלֶיהָ קִנִים וָהֶגֶה וָהִי Ezek.2:10

הִיא מ״ג – [בתורה על־פי־רוב הוא: 1–115, 241, 252–261, 290–294, 300, 316–326, 360–415
להוציא 11 מקראות: 116–118, 262, 327–333]
א) כנוי נסתרת כנושא במשפט – רוב המקראות 1–240, 316–359
ב) להדגשה או לרמז אל שם קודם: 241–251
ג) כאוגד במשפט – להסבר או לזהוי וכדומה: 252–289
ד) בתמורה לנושא לשם הדגשתו וכד׳ או כדי לצרף אליו נושא נוסף("הִיא וְ־"):290–315
ה) [הַהִיא] כנוי רומז לנסתרת: 360–484

הִיא וְ־ 304–315; אַחַת הִיא 137; אַף הִיא 300–302; אַתְּ־הִיא 266,267; גַּם הִיא 290–299; כֵּן הִיא 136; רַק הִיא 303

(בָּ)הָאָרֶץ הַהִיא 360, 361, 364, 367, 371, 414, 415, 474, 477–481; הַנֶּפֶשׁ הַהִיא 362, 372–387; הָעִיר הַהִיא 406, 409–413, 419, 471,472, 475; בָּעֵת הַהִיא 363, 368, 389–403, 416, 418, 420–470; (בַּ)הַשָּׁנָה הַהִיא 365, 369,370,407,417, 473, 482–484
(ועין עוד בצרופים שבמקראות)

הִוא 1 הִוא נָתְנָה־לִּי מִן־הָעֵץ Gen.3:12
2 כִּי הִוא הָיְתָה אֵם כָּל־חָי Gen.3:20
3 ...אֲשֶׁר לֹא טְהֹרָה הִוא Gen.7:2
4 הִוא הָעִיר הַגְּדֹלָה Gen.10:12
5 כִּי־יָפָה הִוא מְאֹד Gen.12:14
6 ...כִּי אִשְׁתְּךָ הִוא Gen.12:18
11-7 אֲחֹתִי הִוא Gen.12:19; 20:2,5; 26:7,9
12 הֲלֹא מִצְעָר הִוא Gen.19:20
13 אֲחֹתִי בַת־אָבִי הִוא Gen.20:12
14 בֵּינִי וּבֵינְךָ מַה־הִוא Gen.23:15
15 וְאִם־בַּת הִוא וָחָיָה Ex.1:16
16 אֶצְבַּע אֱלֹהִים הִוא Ex.8:15
17 עִיר סִיחֹן מֶלֶךְ הָאֱמֹרִי הִוא Num.21:26
18 לֹא בַשָּׁמַיִם הִוא Deut.30:12
19 וְלֹא־מֵעֵבֶר לַיָּם הִוא Deut.30:13
115-20 הִוא Gen.24:44; 25:21; 26:7,9; 27:38; 29:9,25; 32:19; 34:14; 37:32; 38:16,21,25; 43:32; 47:6 • Ex.22:26²; 31:13,14,17 • Lev.2:6,15; 5:11,12; 6:10,18,22; 10:12,13,17; 11:6²,26; 13:4,6; 13:8,11,20,22,23,25²,27,28²,42,52,55,57; 14:44; 15:3,23,25; 17:11,14; 18:7,8,11,12,13,14; 18:15,16,17,22; 20:14,21; 22:12; 23:3,36; 25:10,11,12,33; 27:4 • Num.5:18,28; 8:4; 13:18; 13:19,20,27,32; 14:8; 15:25; 18:19; 19:9; 21:16; 32:4 • Deut.3:11; 4:6; 11:10; 20:20; 24:4; 30:11²

הִיא 116 אֲשֶׁר־הִיא לָכֶם לְאָכְלָה Lev.11:39
117 שַׁבַּת שַׁבָּתוֹן הִיא לָכֶם Lev.16:31
118 אֶת־אָבִיהָ הִיא מְחַלֶּלֶת Lev.21:9
119 וּבַחוֹמָה הִיא יוֹשָׁבֶת Josh.2:15
120 ...אֶת־יַד יְיָ כִּי חֲזָקָה הִיא Josh.4:24
121 וְכִי הִיא גְדוֹלָה מִן־הָעַי Josh.10:2
122 הֲלֹא־הִיא כְתוּבָה... Josh.10:13
123 הִיא רֹאשׁ כָּל־הַמַּמְלָכוֹת הָאֵלֶּה Josh.11:10
124 כִּי־הִיא שָׁמְעָה... Josh.24:27
125 הִיא שֹׁפְטָה אֶת־יִשְׂרָאֵל Jud.4:4
126 כִּי־הִיא יָשְׁרָה בְעֵינָי Jud.14:3
127 לֹא יָדְעוּ כִּי מֵיְיָ הִיא Jud.14:4
128 כִּי רְחוֹקָה־הִיא מִצִּידוֹן Jud.18:28
129 וַיַּעַזְבוּ...הַמַּחֲנֶה כַּאֲשֶׁר הִיא IIK.7:7
130 שָׁלַח...לֵאמֹר אֲרֻכָּה הִיא Jer.29:28
131 וְעֵת־צָרָה הִיא לְיַעֲקֹב Jer.30:7
132 עוֹד אַחַת מְעַט הִיא Hag.2:6
133 יְקָרָה הִיא מִפְּנִינִים Prov.3:15
134 עֵץ־חַיִּים הִיא לַמַּחֲזִיקִים בָּהּ Prov.3:18
135 כִּי־הִיא חַיֶּיךָ Prov.4:13
136 הִנֵּה־זֹאת חֲקַרְנוּהָ כֶּן־הִיא Job5:27
137 אַחַת הִיא עַל־כֵּן אָמַרְתִּי Job9:22
138 כִּי־הִיא (כת׳ הוא) זִמָּה Job31:11
139 הִיא שְׁנַת הַשְּׁבִיעִת לַמֶּלֶךְ Ez.7:8
140 כִּי מֵהָאֱלֹהִים הִיא... IICh.25:20

הִיא (המשך) 141-240 הִיא ISh. 1:13; 20:33; 21:10; 25:20
IISh. 13:2; 14:27 • IK. 3:4,27; 14:17 • IIK. 9:34; 18:9,10,36; 25:8 • Is. 1:13; 36:21; 47:10 • Jer. 3:6,8; 6:6; 22:16; 25:1; 30:17; 32:1; 32:43; 45:4; 50:15,25,38; 51:6,11; 52:12 • Ezek. 1:2,13; 4:3; 10:15,20; 11:3,11,15; 17:8; 19:14; 20:6,15; 21:16; 21:17[2],19; 22:24; 28:18; 30:18; 32:16; 39:11; 46:16[2] • Hosh. 2:4 • Am. 5:13 • Mic. 1:13; 2:3 • Nah. 2:9 • Zech. 5:6 • Ps. 39:5,8; 77:11; 118:23; 119:97,98 • Prov. 6:22; 7:11; 18:13 • Job 28:14; 31:12; 32:8 • S.ofS. 6:9[3]; 8:9[2] • Ruth 1:18; 2:6; 4:15 • Lam. 1:3 • Eccl. 2:24; 3:13,21[2]; 4:4; 5:5,18; 6:1; 7:26; 9:13 • Es. 1:11,20; 2:14[2] • Dan. 11:6 • Ez. 9:11 • Neh. 2:18 • IICh. 22:11

הוּא (ב) 241 הוּא הָעֹלָה עַל מוֹקְדָה Lev. 6:2
הִיא (ב) 242 חֲמַת יְיָ אֲשֶׁר־הִיא נִצְּתָה בָנוּ IIK. 22:13
243 וְכַאֲשֶׁר יָעַצְתִּי הִיא תָקוּם Is. 14:24
244 וְצִדְקָתוֹ הִיא סְמָכָתְהוּ Is. 59:16
245 וַחֲמָתִי הִיא סְמָכָתְנִי Is. 63:5
246/7 הַנֶּפֶשׁ הַחֹטֵאת הִיא תָמוּת Ezek. 18:4,20
248 בִּרְכַּת יְיָ הִיא תַעֲשִׁיר Prov. 10:22
249 מְגוֹרַת רָשָׁע הִיא תְבוֹאֶנּוּ Prov. 10:24
250 וַעֲצַת יְיָ הִיא תָקוּם Prov. 19:21
251 אִשָּׁה יִרְאַת־יְיָ הִיא תִתְהַלָּל Prov. 31:30
הוּא (ג) 252 אֶל־עֵין מִשְׁפָּט הוּא קָדֵשׁ Gen. 14:7
253 וּמֶלֶךְ בֶּלַע הוּא־צֹעַר Gen. 14:8
254 בְּקִרְיַת אַרְבַּע הוּא חֶבְרוֹן Gen. 23:2
255 עַל־פְּנֵי מַמְרֵא הוּא חֶבְרוֹן Gen. 23:19
256 וַיָּבֹא יַעֲקֹב לוּזָה...הוּא בֵּית־אֵל Gen. 35:6
257 בְּדֶרֶךְ אֶפְרָתָה הוּא בֵּית לָחֶם Gen. 35:19
258 הוּא מַצֶּבֶת קְבֻרַת־רָחֵל Gen. 35:20
259 קִרְיַת הָאַרְבַּע הוּא חֶבְרוֹן Gen. 35:27
260 בְּדֶרֶךְ אֶפְרָת הוּא בֵּית לָחֶם Gen. 48:7
261 בְמִדְבַּר־צִן הוּא קָדֵשׁ Num. 33:36
הִיא (ג) 262 וּמֶלֶךְ בֶּלַע הִיא־צֹעַר Gen. 14:2
263 עַד־נֹכַח יְבוּס הִיא יְרוּשָׁלָם Jud. 19:10
264 מְצֻדַת צִיּוֹן הִיא עִיר דָּוִד IISh. 5:7
265 יִרְאַת יְיָ הִיא אוֹצָרוֹ Is. 33:6
266 הֲלוֹא אַתְּ־הִיא הַמַּחְצֶבֶת רַהַב Is. 51:9
267 הֲלוֹא אַתְּ־הִיא הַמַּחֲרֶבֶת יָם Is. 51:10
268 הֵן יִרְאַת אֲדֹנָי הִיא חָכְמָה Job 28:28
269 כִּי־חֶדְוַת יְיָ הִיא מָעֻזְּכֶם Neh. 8:10
270-289 הִיא (ג) Josh. 15:8,9,10,13,25
15:49,54,60; 18:13,14,28; 20:7; 21:11 • IK. 8:1 • Es. 2:7 • ICh. 2:26; 11:4,5 • IICh. 5:2; 20:2
גַּם־הִוא 290 וְצִלָּה גַם־הִוא יָלְדָה... Gen. 4:22
291 וְהַצְּעִירָה גַם־הִוא יָלְדָה בֵּן Gen. 19:38
292 וְהִיא־גַם־הִוא אָמְרָה... Gen. 20:5
293 הִנֵּה יָלְדָה מִלְכָּה גַם־הִוא Gen. 22:20
294 וַתֵּלֶד גַּם־הִוא אֶת־טֶבַח... Gen. 22:24
גַּם־הִיא 295 יָלְדָה־לּוֹ גַם־הִיא בֵּן Jud. 8:31
296 גַּם־הִיא (כת׳ הוא) לַמֶּלֶךְ הוּכָן Is. 30:33
297 גַּם־הִיא לֹא תִהְיֶה Am. 7:6
298 גַּם־הִיא לַגֹּלָה הָלְכָה בַשֶּׁבִי Nah. 3:10
299 גַּם־הִיא נֶאֶנְחָה וַתָּשָׁב אָחוֹר Lam. 1:8
אַף־הִוא 300 אֶרֶץ־רְפָאִים תֵּחָשֵׁב אַף־הִוא Deut. 2:20
אַף־הִיא 301 אַף־הִיא תָּשִׁיב אֲמָרֶיהָ לָהּ Jud. 5:29
302 אַף־הִיא כְּחֶתֶף תֶּאֱרֹב Prov. 23:28
רַק הִיא 303 וְרַק הִיא יְחִידָה... Jud. 11:34
הִיא וְ... 304 חֵרֶם הִיא וְכָל־אֲשֶׁר־בָּהּ לַיְיָ Josh. 6:17
305 ...הִיא וְכָל־אֲשֶׁר אִתָּהּ בַּבַּיִת Josh. 6:17
306 וַתֵּלֶךְ הִיא וְרֵעוֹתֶיהָ... Jud. 11:38

הִיא (המשך) 307/8 וַתֵּלֶךְ לְאַרְצָהּ הִיא וַעֲבָדֶיהָ IK. 10:13; IICh. 9:12
309 וַתֹּאכַל הִיא־וָהוּא (כת׳ הוא והיא) IK. 17:15
310 וַתֵּלֶךְ הִיא וּבֵיתָהּ IIK. 8:2
311/2 ...הִיא וּבְנוֹתֶיהָ Ezek. 16:46,48
313 ...הִיא וְיֹשְׁבֶיהָ Ezek. 26:17
314 וַתִּשָּׁאֵר הִיא וּשְׁנֵי בָנֶיהָ Ruth 1:3
315 וַתָּקָם הִיא וְכַלֹּתֶיהָ Ruth 1:6
וְהִוא 316 ...וְהִוא מִצְעָר Gen. 19:20
317 וְהִוא בְּעֻלַת בָּעַל Gen. 20:3
318 וְהִוא לֹא־נִתְּנָה לוֹ לְאִשָּׁה Gen. 38:14
319 וְהִוא כְפֹרַחַת עָלְתָה נִצָּהּ Gen. 40:10
320-326 וְהִוא Lev. 13:26,28
19:20; 20:18 • Num. 5:13,14; 14:41
וְהִיא 327 וְהִיא־גַם־הִוא אָמְרָה... Gen. 20:5
328 וְהִיא שָׁלְחָה אֶל־חָמִיהָ Gen. 38:25
329 וְהִיא הָפְכָה שֵׂעָר לָבָן Lev. 13:10
330 וְהִיא כֵהָה Lev. 13:21
331 וְהִיא תִרְאֶה אֶת־עֶרְוָתוֹ Lev. 20:17
332 וְנִסְתְּרָה וְהִיא נִטְמָאָה Num. 5:13
333 וְקִנֵּא... וְהִיא לֹא נִטְמָאָה Num. 5:14
334 וְהִיא הֶעֱלָתַם הַגָּגָה Josh. 2:6
335-358 וְהִיא Josh. 2:8
Jud. 4:5; 11:39; 13:9; 18:28 • ISh. 1:10; 18:19 • IISh. 11:4 • IK. 14:5 • IIK. 4:5 • 22:14 • Ezek. 2:10; 4:12; 11:7; 21:16; 37:1; 38:8 • Hosh. 2:10 • Zech. 9:4 • Mal. 2:14 • Prov. 30:28 • Lam. 1:4 • Eccl. 7:23 • IICh. 34:22
וָהִיא 359 עַתְּ יִזְנוּ תַזְנוּתֶיהָ וָהִיא Ezek. 23:43
הַהִוא 360 וּזְהַב הָאָרֶץ הַהִוא טוֹב Gen. 2:12
361 מִן־הָאָרֶץ הַהִוא יָצָא אַשּׁוּר Gen. 10:11
362 וְנִכְרְתָה הַנֶּפֶשׁ הַהִוא מֵעַמֶּיהָ Gen. 17:14
363 וַיְהִי בָּעֵת הַהִוא Gen. 21:22
364 וַיִּזְרַע יִצְחָק בָּאָרֶץ הַהִוא Gen. 26:12
365 ...בַּשָּׁנָה הַהִוא מֵאָה שְׁעָרִים Gen. 26:12
366 מִן־הַבְּאֵר הַהִוא יַשְׁקוּ הָעֲדָרִים Gen. 29:2
367 בִּשְׁכֹּן יִשְׂרָאֵל בָּאָרֶץ הַהִוא Gen. 35:22
368 וַיְהִי בָּעֵת הַהִוא וַיֵּרֶד יְהוּדָה Gen. 38:1
369 וַיְנַהֲלֵם בַּלֶּחֶם...בַּשָּׁנָה הַהִוא Gen. 47:17
370 וַתִּתֹּם הַשָּׁנָה הַהִוא Gen. 47:18
371 וּלְהַעֲלֹתוֹ מִן־הָאָרֶץ הַהִוא Ex. 3:8
372-374 וְנִכְרְתָה הַנֶּפֶשׁ הַהִוא Ex. 12:15,19; 31:14
375-387 (וְ־)הַנֶּפֶשׁ הַהִוא Lev. 7:20,21,27; 19:8
20:6; 22:3; 23:30 • Num. 5:6; 9:13; 15:30,31; 19:13,20
388 וְהָאִשָּׁה הַהִוא תִּשָּׂא אֶת־עֲוֹנָהּ Num. 5:31
389 ...מֶלֶךְ לְמוֹאָב בָּעֵת הַהִוא Num. 22:4
390-403 בָּעֵת הַהִוא Deut. 1:9,16; 2:34
3:4,8,12,18,21,23; 4:14; 5:5; 9:20 • Deut. 10:1,8
404/5 וַיִּשְׁמַע יְיָ אֵלַי גַּם בַּפַּעַם הַהִוא Deut. 9:19; 10:10
406 הַכֵּה תַכֶּה אֶת־יֹשְׁבֵי הָעִיר הַהִוא Deut. 13:16
407 מַעְשַׂר תְּבוּאָתְךָ בַּשָּׁנָה הַהִוא Deut. 14:28
408 ...אוֹ אֶת־הָאִשָּׁה הַהִוא Deut. 17:5
409-412 זִקְנֵי הָעִיר הַהִוא Deut. 21:3,4,6; 22:18
413 ...אֶל־שַׁעַר הָעִיר הַהִוא Deut. 22:24
414 וְרָאוּ אֶת־מַכּוֹת הָאָרֶץ הַהִוא Deut. 29:21
415 וַיִּחַר־אַף יְיָ בָּאָרֶץ הַהִוא Deut. 29:26
הַהִיא 416 בָּעֵת הַהִיא אָמַר יְיָ אֶל־יְהוֹשֻׁעַ Josh. 5:2
417 וַיֹּאכְלוּ...בַּשָּׁנָה הַהִיא Josh. 5:12
418 וַיַּשְׁבַּע יְהוֹשֻׁעַ בָּעֵת הַהִיא לֵאמֹר Josh. 6:26
419 הַבְּהֵמָה וּשְׁלַל הָעִיר הַהִיא Josh. 8:27
420 וַיָּשָׁב יְהוֹשֻׁעַ בָּעֵת הַהִיא Josh. 11:10

הַהִיא (ג) (המשך) 421-470 (הַ־ וּבְ) בָּעֵת הַהִיא Josh. 11:21
Jud. 3:29; 4:4 • Jud. 11:26; 12:6; 14:4; 21:14,24 • IK. 8:65; 11:29; 14:1 • IIK. 8:22; 16:6; 18:16; 20:12; 24:10 • Is. 18:7; 20:2; 39:1 • Jer. 3:17; 4:11; 8:1; 31:1; 33:15; 50:4,20 • Joel 4:1 • Am. 5:13 • Mic. 3:4 • Zep. 1:12; 3:19,20 • Es. 8:9 • Dan. 12:1[3] • Ez. 8:34 • Neh. 4:16; 6:1; 13:21 • ICh. 21:28,29 • IICh. 7:8; 13:18; 16:7,10; 21:10; 28:16; 30:3; 35:17
471 וְדִבֶּר בְּאָזְנֵי זִקְנֵי הָעִיר־הַהִיא Josh. 20:4
472 וְיָשַׁב בָּעִיר הַהִיא Josh. 20:6
473 וַיִּרְעֲצוּ וַיְרֹצְצוּ...בַּשָּׁנָה הַהִיא Jud. 10:8
474 וַיִּירַשׁ...יוֹשֵׁב הָאָרֶץ הַהִיא Jud. 11:21
475 וְהִשִּׂיאוּ...אֶל־הָעִיר הַהִיא חֲבָלִים IISh. 17:13
476 וַיֵּלֶךְ בְּכֹחַ הָאֲכִילָה הַהִיא IK. 19:8
477 הֲלוֹא חָנוֹף תֶּחֱנַף הָאָרֶץ הַהִיא Jer. 3:1
478-481 הָאָרֶץ הַהִיא Jer. 25:13
Ezek. 14:17,19 • Zech. 3:9
482 וַיְהִי בַּשָּׁנָה הַהִיא... Jer. 28:1
483/484 בַּשָּׁנָה הַהִיא Jer. 28:17 • IICh. 27:5

הִיא[2]
מ״ג ארמית, כמו בעברית: 1—7
הִיא 1 ...חֲדָה־הִיא דָתְכוֹן Dan. 2:9
2 דִּי חָכְמְתָא...דִּי־לֵהּ הִיא Dan. 2:20
3 גְּזֵרַת עִלָּאָה הִיא דִּי מְטָת... Dan. 4:21
4 הֲלָא דָא־הִיא בָּבֶל רַבְּתָא Dan. 4:27
5 ...דִּי־הִיא שְׁנַת־שֵׁת... Ez. 6:15
וְהִיא 6 ...וְהִיא תְּקוּם לְעָלְמַיָּא Dan. 2:44
7 וְהִיא מְשַׁנְיָה מִן־כָּל־חֵיוָתָא Dan. 7:7

הֵידָד
מ״ק קריאת שמחה, האח: 1—7
הֵידָד 1 עַל־קֵיצֵךְ וְעַל־קְצִירֵךְ הֵידָד נָפָל Is. 16:9
2 בַּיְקָבִים...הֵידָד הִשְׁבַּתִּי Is. 16:10
3 הֵידָד כְּדֹרְכִים יַעֲנֶה... Jer. 25:30
4 ...לֹא־יִדְרֹךְ הֵידָד Jer. 48:33
5/6 הֵידָד לֹא הֵידָד Jer. 48:33
7 וְעָנוּ עָלַיִךְ הֵידָד Jer. 51:14

הֻיְּדוֹת
נ״ר מקהלות שירי תודה
הֻיְּדוֹת 1 מַתַּנְיָה עַל הֻיְּדוֹת Neh. 12:8

היה
: הָיָה, נִהְיָה

הָיָה
פ׳ [עין גם הָוָה]

א) במשמע היסודי – נמצא, קרה, נעשה, בא, התקיים: 3, 5, 15, 26, 27—29, 32, 34, 35, 40, 41, 43, 45, 59, 61—63, 67, 69—71, 106—108, 125, 137, 138, 140, 145, 147, 150 – ועוד כ־200 מקראות

ב) כאוגד לנשוא במשפט שמני – לציון הזמן או כפועל־עזר לבינוני לציון משך הפעולה – רוב המקראות

ג) [וְהָיָה] פתיחה למשפט בזמן עתיד: 813—1011

ד) [וַיְהִי] פתיחה למשפט בזמן עבר: 2509—2917

ה) [נפ׳ נִהְיָה] בא לעולם, נעשה: 3531—3543, 3545, 3548

ו) [כנ״ל] הִשְׁתַּנָּה (ביחוד לרעה): 3530, 3544

– הָיָה אֶת־ 32, 278, 329; הָיָה לְ־ (לפני שם) 1, 2, 17, 18, 21, 40, 42, 49, 51—60, 67, 76, 78, 81, 82, 84, 85, 87 ועוד כ־150 מקראות; הָיָה כְּ־ 166, 168, 171, 174, 176, 177, 179, 190, 209, 213, 214, 230, 263, 275, 282, 372, 383, ועוד כ־30 מקראות; הָיָה עִם־ 43, 61, 62, 141, 145, 160, 161, 175, 218, 297, 300, 314, 334—336, 378—381, 1035, 1069, 1249, 1250, 1253, 1629; הָיָה אַחֲרֵי־ 1290

– הָיָה הָיָה 5; לְבִלְתִּי הֱיוֹת 21,16,15; לְמַעַן הֱיוֹת 13; מִקֵּץ הֱיוֹת 22; עַד הֱ׳ 14; כַּאֲשֶׁר בִּהְיוֹת 24

– וְהָיָה אִם 820, 825/6, 863, 867, 871–888; וְהָיָה כִּי 822–824, 828–832, 834–861; וְהָיָה כַּאֲשֶׁר 869,818

– וַיְהִי הַיּוֹם 2172-2179; וַיְהִי אַחַר (אַחֲרֵי) 2520-2527, 2561,2585,2587,2589–2608; וַיְהִי בִּימֵי 2616,2518–2619; וַיְהִי כַּאֲשֶׁר 2516,2519,2529-2560; וַיְהִי כִּי 2511, 2562, 2563, 2565–2578; וַיְהִי מִקֵּץ 2509, 2513, 2564, 2581, 2586, 2609–2615

הָיֹה
1 וְאַבְרָהָם הָיוֹ יִהְיֶה לְגוֹי גָּדוֹל Gen. 18:18
2 וְאִם־הָיוֹ תִהְיֶה לְאִישׁ Num. 30:7
3 כִּי הָיֹה יִהְיֶה הַדָּבָר... IK. 13:32
4 הָיוֹ תִהְיֶה לִי כְּמוֹ אַכְזָב Jer. 15:18
5 הָיֹה הָיָה דְבַר־יְיָ אֶל־יְחֶזְקֵאל Ezek. 1:3
6 ...הָיוֹ לֹא תִהְיֶה Ezek. 20:32

הֱיוֹת
7 לֹא־טוֹב הֱיוֹת הָאָדָם לְבַדּוֹ Gen. 2:18
8 לְבִלְתִּי הֱיוֹת־שָׁם עָרֹב Ex. 8:18
9 לְבִלְתִּי הֱיוֹת־לָהֶם תְּחִנָּה Josh. 11:20
10 כָּל־יְמֵי הֱיוֹת בֵּית־הָאֱלֹ׳ בְּשִׁלֹה Jud. 18:31
11 כָּל־יְמֵי הֱיוֹת־דָּוִד בַּמְּצוּדָה ISh. 22:4
12 וְאִם־הֱיוֹת שְׁלֹשֶׁת יָמִים דֶּבֶר IISh. 24:13
13 לְמַעַן הֱיוֹת־נִיר לְדָוִיד־עַבְדִּי IK. 11:36
14 עַד הֱיוֹת רֹאשׁ־חֲמוֹר בִּשְׁמֹנִים כֶּסֶף IIK. 6:25
15 וּלְבִלְתִּי הֱיוֹת יוֹמָם־וָלַיְלָה בְּעִתָּם Jer. 33:20
16 לְבִלְתִּי הֱיוֹת־בּוֹ יוֹשֵׁב Jer. 51:62
17 יַעַן הֱיוֹת כֻּלְּכֶם לְסִגִים Ezek. 22:19
18 יַעַן הֱיוֹת־צֹאנִי לָבַז Ezek. 34:8
19 יַעַן הֱיוֹת לְךָ אֵיבַת עוֹלָם Ezek. 35:5
20 דִּמִּיתָ הֱיוֹת־אֶהְיֶה כָמוֹךָ Ps. 50:21
21 ...לְבִלְתִּי הֱיוֹת לְאִישׁ Ruth 1:13
22 מִקֵּץ הֱיוֹת לָהּ כְּדָת הַנָּשִׁים Es. 2:12

הֱיֵה
23 לְמַעַן־הֱיֵה־לָהּ בָּרָק מֹרָטָּה Ezek. 21:15

בִּהְיוֹת
24 ...כַּאֲשֶׁר בִּהְיוֹת הַתֶּבֶן Ex. 5:13
25 וַיְהִי בַיּוֹם הַשְּׁלִישִׁי בִּהְיֹת הַבֹּקֶר Ex. 19:16
26 וַיְהִי בִּהְיוֹת יְהוֹשֻׁעַ בִּירִיחוֹ Josh. 5:13
27 בִּהְיוֹת עָלֶיךָ רוּחַ־אֱלֹהִים ISh. 16:16
28 בִּהְיוֹת רוּחַ־אֱלֹהִים אֶל־שָׁאוּל ISh. 16:23
29 וַיְהִי בִּהְיוֹת הַמִּלְחָמָה... IISh. 3:6
30 בִּהְיוֹת שָׁאוּל מֶלֶךְ עָלֵינוּ IISh. 5:2
31 בִּהְיוֹת הַיֶּלֶד חַי דִּבַּרְנוּ אֵלָיו IISh. 12:18
32 וַיְהִי בִּהְיוֹת דָּוִד אֶת־אֱדוֹם IK. 11:15
33 בִּהְיוֹת לָכֶם פְּלִיטֵי חֶרֶב בַּגּוֹיִם Ezek. 6:8
34 בִּהְיוֹת חַלְלֵיהֶם בְּתוֹךְ גִּלּוּלֵיהֶם Ezek. 6:13
35 בִּהְיוֹת מִקְדָּשִׁי בְּתוֹכָם Ezek. 37:28
36 בִּהְיוֹת יְרוּשָׁלַם יֹשֶׁבֶת וּשְׁלֵוָה Zech. 7:7
37 בִּהְיוֹת לְאֵל יָדְךָ לַעֲשׂוֹת Prov. 3:27
38 גַּם בִּהְיוֹת שָׁאוּל מֶלֶךְ... ICh. 11:2

לִהְיוֹת
39 הוּא הֵחֵל לִהְיוֹת גִּבֹּר בָּאָרֶץ Gen. 10:8
40 לִהְיוֹת לְךָ לֵאלֹהִים... Gen. 17:7
41 חָדַל לִהְיוֹת לְשָׂרָה אֹרַח כַּנָּשִׁים Gen. 18:11
42 יֵאֹתוּ...לִהְיוֹת לְעַם אֶחָד Gen. 34:22
43 לִשְׁכַּב אֶצְלָהּ לִהְיוֹת עִמָּהּ Gen. 39:10
44 ...לִהְיֹת עֵד חָמָס Ex. 23:1
45 לִהְיוֹת עַל־חֵשֶׁב הָאֵפוֹד Ex. 28:28
46 לְחַבֵּר אֶת־הָאֹהֶל לִהְיֹת אֶחָד Ex. 36:18
47 לִהְיֹת עַל־חֵשֶׁב הָאֵפֹד Ex. 39:21
48 וְהָיְתָה לִהְיֹת לָהֶם מָשְׁחָתָם Ex. 40:15
49 ...לִהְיֹת לָכֶם לֵאלֹהִים Lev. 11:45
50 וָאַבְדִּל אֶתְכֶם...לִהְיוֹת לִי Lev. 20:26
51/2 לִהְיוֹת לָכֶם לֵאלֹהִים Lev. 22:33; 25:38
53 לִהְיֹת לָהֶם לֵאלֹהִים Lev. 26:45

לִהְיוֹת (המשך)
54 לִהְיוֹת לָכֶם לֵאלֹהִים Num. 15:41
55 לִהְיוֹת לוֹ לְעַם נַחֲלָה Deut. 4:20
56-58 לִהְיוֹת לוֹ לְעַם סְגֻלָּה Deut. 7:6; 14:2; 26:18
59 לָשׁוּב לְקַחְתָּהּ לִהְיוֹת לוֹ לְאִשָּׁה Deut. 24:4
60 הֶאֱמַרְתָּ הַיּוֹם לִהְיוֹת לְךָ לֵאלֹ׳ Deut. 26:17
61 לֹא אוֹסִיף לִהְיוֹת עִמָּכֶם Josh. 7:12
62 וְגַם־הֵמָּה לִהְיוֹת עִם־יִשְׂרָאֵל ISh. 14:21
63 וַתֹּסֶף הַמִּלְחָמָה לִהְיוֹת ISh. 19:8
64 לִהְיוֹת נָגִיד עַל־עַמִּי עַל־יִשְׂרָאֵל IISh. 7:8
65/6 לִהְיוֹת לְעוֹלָם לְפָנֶיךָ IISh. 7:29 • ICh. 17:27
67 וַתִּקַּח...לִהְיוֹת לְךָ לְאִשָּׁה IISh. 12:10
68 צִוִּיתִי לִהְיוֹת נָגִיד עַל־יִשְׂרָאֵל IK. 1:35
69 לִבְנוֹת בַּיִת לִהְיוֹת שְׁמִי שָׁם וָאֶבְחַר IK. 8:16
70/1 לִהְיוֹת עַל־עַמִּי יִשְׂרָאֵל IK. 8:16 • IICh. 6:6
72/3 לִהְיוֹת עֵינְךָ פְתֻחוֹת אֶל־הַבַּיִת הַזֶּה IK. 8:29 • IICh. 6:20
74 לִהְיוֹת עֵינֶיךָ פְתֻחֹת אֶל־תְּחִנַּת עַבְדְּךָ IK. 8:52
75 לִהְיוֹת כְּבֵית יָרָבְעָם IK. 16:7
76 וַיִּכְרֹת...לִהְיוֹת לְעָם לַייָ IIK. 11:17
77 וַיִּתֵּן...לִהְיוֹת יָדָיו אִתּוֹ IIK. 15:19
78 לִהְיוֹת לְשַׁמָּה וְלִקְלָלָה IIK. 22:19
79 לִהְיוֹת אַלְמָנוֹת שְׁלָלָם Is. 10:2
80 לִהְיוֹת יְשׁוּעָתִי עַד־קְצֵה הָאָרֶץ Is. 49:6
81 לְשָׁרְתוֹ...לִהְיוֹת לוֹ לַעֲבָדִים Is. 56:6
82 לִהְיוֹת לִי לְעָם Jer. 13:11
83 לִהְיוֹת פְּקִדִים בֵּית יְיָ Jer. 29:26
84 וַתִּכְבְּשׁוּ אֹתָם לִהְיוֹת...לַעֲבָדִים Jer. 34:16
85 לִהְיוֹת לְגֶפֶן אַדָּרֶת Ezek. 17:8
86 לִהְיוֹת מַמְלָכָה שְׁפָלָה Ezek. 17:14
87 לִהְיוֹת לְאוֹת בֵּינִי וּבֵינֵיהֶם Ezek. 20:12
88 הָיָה מִפְרָשֵׂךְ לִהְיוֹת לָךְ לְנֵס Ezek. 27:7
89 וּבָאוֹת בַּקִּיר...לִהְיוֹת אֲחוּזִים Ezek. 41:6
90 בַּהֲבִיאֲכֶם...לִהְיוֹת בְּמִקְדָּשִׁי Ezek. 44:7
91 וַיַּעַל...לִהְיוֹת צֵל עַל־רֹאשׁוֹ Jon. 4:6
92 וְאַתָּה...צָעִיר לִהְיוֹת בְּאַלְפֵי יְהוּדָה Mic. 5:1
93 מִמְּךָ לִי יֵצֵא לִהְיוֹת מוֹשֵׁל בְּיִשְׂרָאֵל Mic. 5:1
94 לִהְיוֹת בְּרִיתִי אֶת־לֵוִי Mal. 2:4
95 לִהְיוֹת בַּייָ מִבְטַחֶךָ Prov. 22:19
96 וְאַל־תִּתְאָו לִהְיוֹת אִתָּם Prov. 24:1
97 וַאֲשֶׁר לִהְיוֹת כְּבָר הָיָה Eccl. 3:15
98 לִהְיוֹת כָּל־אִישׁ שֹׂרֵר בְּבֵיתוֹ Es. 1:22
99 לִהְיוֹת עֲתִדִים לַיּוֹם הַזֶּה Es. 3:14
100 לִהְיוֹת עֹשִׂים אֵת יוֹם... Es. 9:21
101 לִהְיוֹת עֹשִׂים אֶת־שְׁנֵי הַיָּמִים Es. 9:27
102 לִהְיוֹת פֶּחָם בְּאֶרֶץ יְהוּדָה Neh. 5:14
103 הוּא הֵחֵל לִהְיוֹת גִּבּוֹר בָּאָרֶץ ICh. 1:10
104 לִהְיוֹת נָגִיד עַל עַמִּי יִשְׂרָאֵל ICh. 17:7
105 לִהְיוֹת לְמֶלֶךְ עַל־יִשְׂרָאֵל לְעוֹלָם ICh. 28:4
106-108 לִהְיוֹת שְׁמִי שָׁם IICh. 6:5,5,6; 7:16
109 לִהְיוֹת נָגִיד עַל־עַמִּי יִשְׂרָאֵל IICh. 6:5
110 וַיִּכְרֹת...לִהְיוֹת לְעָם לַייָ IICh. 23:16
111 לִהְיוֹת עַל־הַמִּגְדָּלִים IICh. 26:15

וְלִהְיוֹת
112 וְלִהְיוֹת הַיְּהוּדִים◦ עֲתִידִים◦ Es. 8:13
113 וְלִהְיוֹת לוֹ מְשָׁרְתִים וּמַקְטִרִים IICh. 29:11

מִהְיוֹת
114 וְרַב מִהְיֹת קֹלֹת אֱלֹהִים וּבָרָד Ex. 9:28
115 וְאִם־יִמְעַט הַבַּיִת מִהְיוֹת מִשֶּׂה Ex. 12:4
116 הוֹצֵאתִי...מִהְיֹת לָהֶם עֲבָדִים Lev. 26:13
117 וְגָדַעְתִּי...מִהְיוֹת זָקֵן בְּבֵיתֶךָ ISh. 2:31
118 וַיִּמְאָסְךָ יְיָ מִהְיוֹת מֶלֶךְ ISh. 15:26
119 וַיְגָרֶשׁ...מִהְיוֹת כֹּהֵן לַייָ IK. 2:27
120 יִשְׁבְּתוּ מִהְיוֹת גּוֹי לְפָנַי Jer. 31:36(35)
121 מִהְיוֹת־לוֹ בֵן מֹלֵךְ... Jer. 33:21

מִהְיוֹת (המשך)
122 יִנְאָצוּן מִהְיוֹת עוֹד גּוֹי לִפְנֵיהֶם Jer. 33:24
123 זָקַנְתִּי מִהְיוֹת לְאִישׁ Ruth 1:12
124 אֲשֶׁר לֹא־נִהְיְתָה מִהְיוֹת גּוֹי... Dan. 12:1

הֱיוֹתִי
125 ...עַד־הֱיוֹתִי עַל־אַדְמָתִי Jon. 4:2

הֱיוֹתְךָ
126 הֲטוֹב הֱיוֹתְךָ כֹהֵן לְבֵית אִישׁ אֶחָד Jud. 18:19
127 אוֹ הֱיוֹתְךָ כֹהֵן לְשֵׁבֶט... Jud. 18:19

וְלִהְיֹתְךָ
128 וְלִהְיֹתְךָ עַם־קָדֹשׁ לַייָ אֱלֹהֶיךָ Deut. 26:19

מִהְיוֹתְךָ
129 נָקֵל מִהְיוֹתְךָ לִי עֶבֶד Is. 49:6

הֱיוֹתֵךְ
130 תַּחַת הֱיוֹתֵךְ עֲזוּבָה... Is. 60:15

בִּהְיוֹתֵךְ
131 בִּהְיוֹתֵךְ עֵירֹם וְעֶרְיָה Ezek. 16:22

הֱיוֹתוֹ
132 בְּיוֹם הֱיוֹתוֹ בְתוֹךְ־צֹאנוֹ Ezek. 34:12

בִּהְיוֹתוֹ
133 ...אֶת־פְּנֵי שְׁלֹמֹה אָבִיו בִּהְיֹתוֹ חַי IK. 12:6
134 קְרָאֻהוּ בִּהְיוֹתוֹ קָרוֹב Is. 55:6
135 בִּהְיֹתוֹ עָצוּר בַּחֲצַר הַמַּטָּרָה Jer. 39:15
136 בִּהְיוֹתוֹ תָמִים לֹא יֵעָשֶׂה לִמְלָאכָה Ezek. 15:5
137 בִּהְיוֹתוֹ בְּמִדְבַּר יְהוּדָה Ps. 63:1
138 בִּהְיוֹתוֹ בַמְּעָרָה תְפִלָּה Ps. 142:1
139 ...לִפְנֵי שְׁלֹמֹה אָבִיו בִּהְיֹתוֹ חַי IICh. 10:6

הֱיוֹתָהּ
140 מֵעֵת הֱיוֹתָהּ שָׁם אָנִי Is. 48:16

הֱיוֹתֵנוּ
141 כָּל־יְמֵי הֱיוֹתֵנוּ עִמָּם רֹעִים הַצֹּאן ISh. 25:16

בִּהְיוֹתֵנוּ
142 כָּל־יְמֵי...בִּהְיוֹתֵנוּ בַּשָּׂדֶה ISh. 25:15

הֱיוֹתְכֶם
143 וּלְמַעַן הֱיוֹתְכֶם לִקְלָלָה Jer. 44:8

בִּהְיוֹתְכֶם
144 בִּהְיוֹתְכֶם מְתֵי מִסְפָּר ICh. 16:19
145 יְיָ עִמָּכֶם בִּהְיוֹתְכֶם עִמּוֹ IICh. 15:2

לִהְיוֹתְכֶם
146 לִהְיוֹתְכֶם מוֹרָשָׁה לִשְׁאֵרִית הַגּוֹיִם Ezek. 36:3

הֱיוֹתָם
147 מִיּוֹם הֱיוֹתָם עַל־הָאֲדָמָה Ex. 10:6
148 כָּל־יְמֵי הֱיוֹתָם בַּכַּרְמֶל ISh. 25:7
149 יַעַן הֱיוֹתָם מִשְׁעֶנֶת קָנֶה Ezek. 29:6

בִּהְיוֹתָם
150 וַיְהִי בִּהְיוֹתָם בַּשָּׂדֶה... Gen. 4:8
151 בַיּוֹם הַשְּׁלִישִׁי בִּהְיוֹתָם כֹּאֲבִים Gen. 34:25
152 בִּהְיוֹתָם בְּאֶרֶץ אֹיְבֵיהֶם Lev. 26:44
153 בִּהְיוֹתָם בְּמִצְרַיִם לְבֵית פַּרְעֹה ISh. 2:27
154 בִּהְיוֹתָם מְתֵי מִסְפָּר Ps. 105:12

מִהְיוֹתָם
155 מִהְיוֹתָם בָּא אֶל־עֲרֵמַת עֶשְׂרִים Hag. 2:16

הָיִיתִי
156 הָיִיתִי בַיּוֹם אֲכָלַנִי חֹרֶב Gen. 31:40
157 וְעַתָּה הָיִיתִי לִשְׁנֵי מַחֲנוֹת Gen. 32:10
158/9 גֵּר הָיִיתִי בְּאֶרֶץ נָכְרִיָּה Ex. 2:22; 18:3
160/1 כַּאֲשֶׁר הָיִיתִי עִם־מֹשֶׁה... Josh. 1:5; 3:7
162 אִישׁ רִיב הָיִיתִי אֲנִי וְעַמִּי Jud. 12:2
163 מִיּוֹם אֲשֶׁר הָיִיתִי לְפָנֶיךָ ISh. 29:8
164 הֲמִדְבָּר הָיִיתִי לְיִשְׂרָאֵל Jer. 2:31
165 הָיִיתִי לִשְׂחוֹק כָּל־הַיּוֹם Jer. 20:7
166 הָיִיתִי כְּאִישׁ שִׁכּוֹר Jer. 23:9
167 כִּי־הָיִיתִי לְיִשְׂרָאֵל לְאָב Jer. 31:9(8)
168 כִּי הָיִיתִי כְּאָסְפֵּי־קַיִץ Mic. 7:1
169 הִסְתַּרְתָּ פָנֶיךָ הָיִיתִי נִבְהָל Ps. 30:8
170 מִכָּל־צֹרְרַי הָיִיתִי חֶרְפָּה Ps. 31:12
171 הָיִיתִי כִּכְלִי אֹבֵד Ps. 31:13
172 נַעַר הָיִיתִי גַּם־זָקַנְתִּי Ps. 37:25
173 מוּזָר הָיִיתִי לְאֶחָי Ps. 69:9
174 כְּמוֹפֵת הָיִיתִי לְרַבִּים Ps. 71:7
175 בְּהֵמוֹת הָיִיתִי עִמָּךְ Ps. 73:22
176 הָיִיתִי כְּגֶבֶר אֵין־אֱיָל Ps. 88:5
177 הָיִיתִי כְּכוֹס חֳרָבוֹת Ps. 102:7
178 וַאֲנִי הָיִיתִי חֶרְפָּה לָהֶם Ps. 109:25
179 כִּי־הָיִיתִי כְּנֹאד בְּקִיטוֹר Ps. 119:83
180 כִּי־בֵן הָיִיתִי לְאָבִי Prov. 4:3
181 כִּמְעַט הָיִיתִי בְכָל־רָע Prov. 5:14
182 כַּאֲשֶׁר לֹא־הָיִיתִי אֶהְיֶה Job 10:19
183 וּבַר הָיִיתִי בְעֵינֶיךָ Job 11:4
184 שָׁלֵו הָיִיתִי וַיְפַרְפְּרֵנִי Job 16:12
185 נָכְרִי הָיִיתִי בְעֵינֵיהֶם Job 19:15

הָיִיתִי (המשך)

186 כַּאֲשֶׁר הָיִיתִי בִּימֵי חָרְפִּי Job 29:4
187 עֵינַיִם הָיִיתִי לַעִוֵּר Job 29:15
188 וְעַתָּה נְגִינָתָם הָיִיתִי Job 30:9
189 אָח הָיִיתִי לְתַנִּים Job 30:29
190 הָיִיתִי בְעֵינָיו כְּמוֹצְאֵת שָׁלוֹם S.of S. 8:10
191 גַּם הָיִיתִי הַלַּיְלָה לְאִישׁ Ruth 1:12
192 רְאֵה יְ־יָ...כִּי הָיִיתִי זוֹלֵלָה Lam. 1:11
193 הָיִיתִי שְׂחֹק לְכָל־עַמִּי Lam. 3:14
194 אֲנִי קֹהֶלֶת הָיִיתִי מֶלֶךְ Eccl. 1:12
195 וַאֲנִי הָיִיתִי עַל־אוּבַל אוּלָי Dan. 8:2
196 וַאֲנִי הָיִיתִי מֵבִין וְהִנֵּה... Dan. 8:5
197 אֲנִי דָנִיֵּאל הָיִיתִי מִתְאַבֵּל Dan. 10:2
198 וַאֲנִי הָיִיתִי עַל יַד הַנָּהָר Dan. 10:4
199 וַאֲנִי הָיִיתִי נִרְדָּם עַל־פָּנַי Dan. 10:9
200 וַאֲנִי הָיִיתִי בְּשׁוּשַׁן הַבִּירָה Neh. 1:1
201 וַאֲנִי הָיִיתִי מַשְׁקֶה לַמֶּלֶךְ Neh. 1:11
202 וְלֹא־הָיִיתִי רַע לְפָנָיו Neh. 2:1
203 וּבְכָל־זֶה לֹא הָיִיתִי בִּירוּשָׁלָם Neh. 13:6

וְהָיִיתִי

204 וְהָיִיתִי נָע וָנָד בָּאָרֶץ Gen. 4:14
205-208 וְהָיִיתִי לָהֶם לֵאלֹהִים Gen. 17:8
Ex. 29:45 • Jer. 31:33(32) • Ezek. 37:27
209 וְהָיִיתִי בְעֵינָיו כִּמְתַעְתֵּעַ Gen. 27:12
210-212 וְהָיִיתִי לָכֶם לֵאלֹהִים Ex. 6:7
Lev. 26:12 • Jer. 7:23
213/4 וְחָלִיתִי וְהָיִיתִי כְּאַחַד הָאָ׳ Jud. 16:7,11
215 וְחָלִיתִי וְהָיִיתִי כְּכָל־הָאָדָם Jud. 16:17
216 וּנְקַלֹּתִי...וְהָיִיתִי שָׁפָל בְּעֵינָי IISh. 6:22
217 וְהָיִיתִי אֲנִי וּבְנִי שְׁלֹמֹה חַטָּאִים IK. 1:21
218 וְהָיָה אִם־תִּשְׁמַע...וְהָיִיתִי עִמָּךְ IK. 11:38
219 וְהָיִיתִי רוּחַ שֶׁקֶר בְּפִי כָּל־נְבִיאָיו IK. 22:22
220 וְהָיִיתִי עֵד מְמַהֵר בַּמְכַשְּׁפִים Mal. 3:5
221 וְהָיִיתִי לְרוּחַ שֶׁקֶר בְּפִי כָּל־נְבִיאָיו IICh. 18:21

הָיִיתָ

222 כַּמִּשְׁפָּט הָרִאשׁוֹן אֲשֶׁר הָיִיתָ מַשְׁקֵהוּ Gen. 40:13
223-225 כִּי(־)עֶבֶד הָיִיתָ בְּאֶרֶץ מִצְרַיִם
Deut. 5:15; 15:15; 24:22
226/7 כִּי־עֶבֶד הָיִיתָ בְּמִצְרָיִם Deut. 16:12; 24:18
228 כִּי־גֵר הָיִיתָ בְאַרְצוֹ Deut. 23:8
229 וְאַתָּה יְ־יָ הָיִיתָ לָהֶם לֵאלֹהִים IISh. 7:24
230 וְלֹא־הָיִיתָ כְּעַבְדִּי דָוִד IK. 14:8
231 כִּי־הָיִיתָ מָעוֹז לַדָּל Is. 25:4
232 בְּעֵדֶן גַּן־אֱלֹהִים הָיִיתָ Ezek. 28:13
233 בְּהַר קֹדֶשׁ אֱלֹהִים הָיִיתָ Ezek. 28:14
234 בַּלָּהוֹת הָיִיתָ וְאֵינְךָ Ezek. 28:19
235 יָתוֹם אַתָּה הָיִיתָ עוֹזֵר Ps. 10:14
236 עֶזְרָתִי הָיִיתָ אַל־תִּטְּשֵׁנִי Ps. 27:9
237 כִּי־הָיִיתָ מִשְׂגָּב לִי Ps. 59:17
238 כִּי־הָיִיתָ מַחְסֶה לִי Ps. 61:4
239 כִּי־הָיִיתָ עֶזְרָתָה לִּי Ps. 63:8
240 מָעוֹן אַתָּה הָיִיתָ לָּנוּ Ps. 90:1
241 אֵל נֹשֵׂא הָיִיתָ לָהֶם Ps. 99:8
242 אֵיפֹה הָיִיתָ בְּיָסְדִי־אָרֶץ Job 38:4
243 וְאַתָּה יְ־יָ הָיִיתָ לָהֶם לֵאלֹהִים ICh. 17:22

הָיִיתָה

244 אַתָּה הָיִיתָה הַמּוֹצִיא וְהַמֵּבִי׳ IISh. 5:2

וְהָיִיתָ

245 וְהָיִיתָ לְאַב הֲמוֹן גּוֹיִם Gen. 17:4
246 וְהָיִיתָ נָקִי מֵאָלָתִי Gen. 24:41
247 וְהָיִיתָ לִקְהַל עַמִּים Gen. 28:3
248 וְהָיִיתָ קָרוֹב אֵלַי Gen. 45:10
249 וְהָיִיתָ לָּנוּ לְעֵינָיִם Num. 10:31
250 וְהָיִיתָ חֵרֶם כָּמֹהוּ Deut. 7:26
251 וְהָיִיתָ אַךְ שָׂמֵחַ Deut. 16:15

וְהָיִיתָ (המשך)

252 וְהָיִיתָ רַק לְמַעְלָה Deut. 28:13
253 וְהָיִיתָ לְזַעֲוָה לְכֹל מַמְלְכוֹת הָאָ׳ Deut. 28:25
254 וְהָיִיתָ מְמַשֵּׁשׁ בַּצָּהֳרַיִם Deut. 28:29
255 וְהָיִיתָ אַךְ עָשׁוּק וְגָזוּל Deut. 28:29
256 וְהָיִיתָ רַק עָשׁוּק וְרָצוּץ Deut. 28:33
257 וְהָיִיתָ מְשֻׁגָּע מִמַּרְאֵה עֵינֶיךָ Deut. 28:34
258 וְהָיִיתָ לְשַׁמָּה לְמָשָׁל וְלִשְׁנִינָה Deut. 28:37
259 וְהָיִיתָ לָּנוּ לְרֹאשׁ Jud. 11:8
260 וְהָיִיתָ עָלַי לְמַשָּׂא IISh. 15:33
261 וְחָזַקְתָּ וְהָיִיתָ לְאִישׁ IK. 2:2
262 וְהָיִיתָ מֶּלֶךְ עַל־יִשְׂרָאֵל IK. 11:37
263 וְהָיִיתָ כְּגַן רָוֶה Is. 58:11
264 וְהָיִיתָ לָהֶם לְמוֹפֵת Ezek. 24:27
265 וְהָיִיתָ לָהֶם לְנַחֲלָה Ezek. 36:12
266 וְהָיִיתָ לָהֶם לְמִשְׁמָר Ezek. 38:7
267 וְהָיִיתָ לִמְשִׁסּוֹת לָמוֹ Hab. 2:7
268 וְהָיִיתָ כְּשֹׁכֵב בְּלֶב־יָם Prov. 23:34
269 וְהָיִיתָ מֻצָק וְלֹא תִירָא Job 11:15
270 וְהָיִיתָ לִּי לִתְשׁוּעָה ICh. 19:12

וְהָיִיתָה

271 לְכָה וְהָיִיתָה לָּנוּ לְקָצִין Jud. 11:6
272 וְהָיִיתָה לִּי לִישׁוּעָה IISh. 10:11

הָיִית

273 וְאַתְּ הָיִית בְּעֹכְרָי Jud. 11:35
274 מִתְבּוֹסֶסֶת בְּדָמַיִךְ הָיִית Ezek. 16:22
275 וְלֹא־הָיִית (כת׳ הייתי) כַּזּוֹנָה Ezek. 16:31
276 בַּלָּהוֹת הָיִית וְאֵינֵךְ... Ezek. 27:36
277 ...וּמְשַׁכֶּלֶת גּוֹיַיִךְ◦ הָיִית Ezek. 36:13
278 אֲשֶׁר הָיִית אֶת־נַעֲרוֹתָיו Ruth 3:2

וְהָיִית

279 וְהָיִית כְּאִשָּׁה זֶה יָמִים...מִתְאַבֶּלֶת IISh. 14:2
280 וְהָיִית עֲטֶרֶת תִּפְאֶרֶת בְּיַד־יְ־יָ Is. 62:3

הָיָה

281 וְהַנָּחָשׁ הָיָה עָרוּם Gen. 3:1
282 הֵן הָאָדָם הָיָה כְּאַחַד מִמֶּנּוּ Gen. 3:22
283 וְקַיִן הָיָה עֹבֵד אֲדָמָה Gen. 4:2
284 הוּא הָיָה אֲבִי יֹשֵׁב אֹהֶל וּמִקְנֶה Gen. 4:20
285 הוּא הָיָה אֲבִי כָּל־תֹּפֵשׂ כִּנּוֹר Gen. 4:21
286 אִישׁ צַדִּיק תָּמִים הָיָה בְּדֹרֹתָיו Gen. 6:9
287 וְהַמַּבּוּל הָיָה מַיִם עַל־הָאָרֶץ Gen. 7:6
288 הוּא־הָיָה גִבֹּר־צַיִד לִפְנֵי יְ־יָ Gen. 10:9
289 וְהַחֵמָר הָיָה לָהֶם לַחֹמֶר Gen. 11:3
290 אֲשֶׁר־הָיָה שָׁם אָהֳלֹה בַּתְּחִלָּה Gen. 13:3
291 וְגַם־לְלוֹט...הָיָה צֹאן־וּבָקָר Gen. 13:5
292/3 כִּי־הָיָה רְכוּשָׁם רָב Gen. 13:6; 36:7
294 הָיָה דְבַר־יְ־יָ אֶל־אַבְרָם Gen. 15:1
295 וַיְהִי הַשֶּׁמֶשׁ בָּאָה וַעֲלָטָה הָיָה Gen. 15:17
296 הָרָעָב...אֲשֶׁר הָיָה בִּימֵי אַבְרָהָם Gen. 26:1
297 רָאוֹ רָאִינוּ כִּי־הָיָה יְ־יָ עִמָּךְ Gen. 26:28
298 וְאֵת אֲשֶׁר־הָיָה מִקְנְךָ אִתִּי Gen. 30:29
299 כִּי מְעַט אֲשֶׁר־הָיָה לְךָ Gen. 30:30
300 וֵאלֹהֵי אָבִי הָיָה עִמָּדִי Gen. 31:5
301 לוּלֵי אֱלֹהֵי אָבִי...הָיָה לִי Gen. 31:42
302 הָיָה רֹעֶה אֶת־אֶחָיו בַּצֹּאן Gen. 37:2
303 וְאֵת כָּל...הוּא הָיָה עֹשֶׂה Gen. 39:22
304 כַּאֲשֶׁר פָּתַר־לָנוּ כֵּן הָיָה Gen. 41:13
305 הַשָּׂבָע אֲשֶׁר הָיָה בְּאֶרֶץ מִצְ׳ Gen. 41:53
306 וּבְכָל־אֶרֶץ מִצְרַיִם הָיָה לָחֶם Gen. 41:54
307 וְהָרָעָב הָיָה עַל כָּל־פְּנֵי הָאָרֶץ Gen. 41:56
308 כִּי־הָיָה הָרָעָב בְּאֶרֶץ כְּנָעַן Gen. 42:5
309 וְיוֹסֵף הָיָה בְמִצְרָיִם Ex. 1:5
310 וּמֹשֶׁה הָיָה רֹעֶה אֶת־צֹאן יִתְרוֹ Ex. 3:1
311/2 לֹא יָדַעְנוּ מֶה־הָיָה לוֹ Ex. 32:1,23
313 וְאִם־אֱמֶת הָיָה הַדָּבָר הַזֶּה Deut. 22:20
314 כַּאֲשֶׁר הָיָה עִם־מֹשֶׁה Josh. 1:17

הָיָה (המשך)

315 וְלֹא־הָיָה בָם עוֹד רוּחַ Josh. 5:1
316 וְלֹא־הָיָה בָהֶם יָדַיִם לָנוּס Josh. 8:20
317 לֹא־הָיָה דָבָר...אֲשֶׁר לֹא־קָרָא Josh. 8:35
318 וְהַמַּחֲנֶה הָיָה בֶטַח Jud. 8:11
319 וְהַנַּעַר הָיָה מְשָׁרֵת אֶת־יְ־יָ ISh. 2:11
320 וּדְבַר־יְ־יָ הָיָה יָקָר בַּיָּמִים הָהֵם ISh. 3:1
321 וַיִּגְדַּל שְׁמוּאֵל וַי־יָ הָיָה עִמּוֹ ISh. 3:19
322 כִּי־הָיָה לִבּוֹ חָרֵד עַל אֲרוֹן הָאֱ׳ ISh. 4:13
323 מֶה־הָיָה הַדָּבָר בְּנִי ISh. 4:16
324 מִקְרֶה הוּא הָיָה לָנוּ ISh. 6:9
325 מַה־זֶּה הָיָה לְבֶן־קִישׁ ISh. 10:11
326 כִּי־הָיָה דְבַר־הַמֶּלֶךְ נָחוּץ ISh. 21:9
327 וַיָּמָת לִבּוֹ...וְהוּא הָיָה לְאָבֶן ISh. 25:37
328 גַּם־כֹּחַ לֹא־הָיָה בוֹ ISh. 28:20
329 אֲשֶׁר הָיָה אִתִּי זֶה יָמִים ISh. 29:3
330 מֶה־הָיָה הַדָּבָר הַגֶּד־נָא IISh. 1:4
331 וְאַבְנֵר הָיָה מִתְחַזֵּק בְּבֵית שָׁאוּל IISh. 3:6
332 הָיָה לֶב־אִישׁ יִשְׂ׳ אַחֲרֵי אַבְשָׁלוֹם IISh. 15:13
333 וּשְׁלֹמֹה הָיָה מוֹשֵׁל בְּכָל־הַמַּמְלָכוֹת IK. 5:1
334 יַעַן אֲשֶׁר הָיָה עִם־לְבָבְךָ... IK. 8:18
335 הֱטִיבֹתָ כִּי הָיָה עִם־לְבָבֶךָ IK. 8:18
336 וַתְּדַבֵּר...כָּל־אֲשֶׁר הָיָה עִם־לְבָבָהּ IK. 10:2
337 לֹא־הָיָה דָבָר נֶעְלָם...מִן הַמֶּלֶךְ IK. 10:3
338 וְלֹא־הָיָה בָהּ עוֹד רוּחַ IK. 10:5
339 אֱמֶת הָיָה הַדָּבָר אֲשֶׁר שָׁמַעְתִּי IK. 10:6
340/1 וְלֹא־הָיָה לְבָבוֹ שָׁלֵם IK. 11:4; 15:3
342 רַק לְבַב־אָסָא הָיָה שָׁלֵם IK. 15:14
343 וְעֹבַדְיָהוּ הָיָה יָרֵא אֶת־יְ־יָ מְאֹד IK. 18:3
344 וְהַמֶּלֶךְ הָיָה מָעֳמָד בַּמֶּרְכָּבָה IK. 22:35
345 כִּי עַבְדְּךָ הָיָה יָרֵא אֶת־יְ־יָ IIK. 4:1
346 כַּסְפֵּךְ הָיָה לְסִיגִים Is. 1:22
347 כֶּרֶם הָיָה לִידִידִי Is. 5:1
348 זֶה הָעָם לֹא הָיָה... Is. 23:13
349 בֵּית קָדְשֵׁנוּ...הָיָה לִשְׂרֵפַת אֵשׁ Is. 64:10
350 וְכָל־מַחֲמַדֵּינוּ הָיָה לְחָרְבָּה Is. 64:10
351 מַדּוּעַ הָיָה לָבַז Jer. 2:14
352-362 הַדָּבָר אֲשֶׁר (־) הָיָה אֶל־יִרְמְ׳ Jer. 7:1;
11:1; 18:1; 21:1; 30:1; 32:1; 34:1, 8; 35:1; 40:1; 44:1
363 הַמְעָרַת פָּרִצִים הָיָה הַבַּיִת הַזֶּה Jer. 7:11
364 מִיכָה◦ הַמּוֹרַשְׁתִּי הָיָה נִבָּא... Jer. 26:18
365 וְגַם־אִישׁ הָיָה מִתְנַבֵּא בְּשֵׁם יְ־יָ Jer. 26:20
366 הָיָה גֶּשֶׁם שׁוֹטֵף Ezek. 13:11
367 דְּבַר־יְ־יָ הָיָה אֵלַי לֵאמֹר Ezek. 24:20
368 וְאִישׁ הָיָה עֹמֵד אֶצְלִי Ezek. 43:6
369 שֶׁבִּן־לַיְלָה הָיָה וּבִן־לַיְלָה אָבָד Jon. 4:10
370 הָיָה חֶרְפָּה לִשְׁכֵנָיו Ps. 89:42
371 אִישׁ הָיָה בְאֶרֶץ עוּץ Job 1:1
372 צָפַד עוֹרָם...יָבֵשׁ הָיָה כָעֵץ Lam. 4:8
373 זְכֹר יְ־יָ מֶה־הָיָה לָנוּ Lam. 5:1
374 עַל־זֶה הָיָה דָוֶה לִבֵּנוּ Lam. 5:17
375 כְּבָר הָיָה לְעֹלָמִים Eccl. 1:10
376 אֲשֶׁר הָיָה מִלְּפָנֵנוּ Eccl. 1:10
377 כִּי לָהֶם הָיָה הַגּוֹרָל ICh. 6:39
378 הָיָה עִם־לְבָבִי לִבְנוֹת בַּיִת ICh. 22:7(6)
379 יַעַן אֲשֶׁר הָיָה עִם־לְבָבְךָ לִבְנוֹת... IICh. 6:8
380 הֱטִיבוֹתָ כִּי הָיָה עִם־לְבָבֶךָ IICh. 6:8
381 וַתְּדַבֵּר...כָּל־אֲשֶׁר הָיָה עִם־לְבָבָהּ IICh. 9:1
382 וְלֹא־הָיָה עוֹד בָּהּ רוּחַ IICh. 9:4
383 וְלֹא הָיָה כַּבֹּשֶׂם הַהוּא IICh. 9:9
384 רַק לְבַב־אָסָא הָיָה שָׁלֵם... IICh. 15:17
385 וּמֶלֶךְ יִשְׂ׳ הָיָה מַעֲמִיד בַּמֶּרְכָּבָה IICh. 18:34
386 כִּי בְּפִתְאֹם הָיָה הַדָּבָר IICh. 29:36

הָיָה (המשך)

614-387 הָיָה Ex.8:13; 9:11,18,24,26; 10:13
10:14,23; 39:9 • Lev.8:29; 13:32 • Num.9:13; 20:2;
26:64; 27:3; 32:1; 33:14 • Deut. 10:9 • Josh. 5:12;
9:5; 10:14; 17:1; 19:9; 21:10; 22:20 • Jud. 3:31;
6:40; 7:1,8; 9:51; 11:1; 14:17; 17:13; 18:27; 20:38 •
ISh. 1:28; 9:2; 14:18; 17:34,42; 18:12; 20:13; 21:7 •
IISh. 2:11; 3:17; 4:4,10; 6:23; 8:10; 9:9; 12:2;
13:20,35; 14:25^{2}; 19:29,44; 20:26; 24:11,16 • IK.
1:37; 3:12,13,21; 5:4,15; 6:17; 7:8; 8:57; 12:20;
14:24; 16:7,21; 17:7; 18:1,31; 21:1,25 • IIK. 1:17;
3:4,9; 4:41; 5:1^{2}; 6:8; 8:17; 9:14; 14:2; 15:2,33;
18:2,5; 20:4,13,15; 23:25; 25:3,16 • Is. 10:14;
14:28; 15:6; 32:14; 33:9; 39:2,4; 49:5 • Jer. 1:2;
3:3^{2}; 5:23; 6:10; 14:1,4,5; 15:18; 17:16; 20:8;
25:1,3; 26:1; 27:1; 32:2,6,24; 36:1; 39:15; 46:1,2;
47:1; 48:27; 49:34; 52:6,20,25 • Ezek. 1:3; 2:5;
7:19; 9:3; 15:2; 16:49^{2}; 19:3,6,14; 21:27,32; 24:7;
26:1; 27:7^{2},19; 29:1,17,18; 30:20; 31:1,7; 32:1,17;
33:24,33; 35:10; 40:21 • Hosh. 1:1; 7:8 • Joel 1:1 •
Am. 1:1 • Mic. 1:1 • Zep. 1:1 • Hag. 1:1; 2:1,10 •
Zech. 1:1; 1:7; 3:3; 7:1 • Ps. 22:15; 53:6 • Job 16:8 •
S.ofS. 8:11 • Lam. 2:5,22; 3:47 • Eccl. 1:16; 2:7^{2},10;
3:15,20; 4:3,16; 7:10 • Es. 2:5 • Dan. 8:7^{2}; 9:2 • Neh.
5:18; 8:5; 13:26^{2} • ICh. 2:34; 9:20; 11:13,20; 17:13;
18:10; 22:14(13); 23:17; 24:28; 26:10; 28:12; 29:25
• IICh. 1:3, 12; 7:21; 12:7, 12; 13:7; 14:13; 17:13;
18:32; 21:20; 24:4; 26:10^{2}; 27:8; 28:9; 32:31

וְהָיָה

615 יִפָּרֵד וְהָיָה לְאַרְבָּעָה רָאשִׁים Gen. 2:10
616 וְהָיָה לְךָ וְלָהֶם לְאָכְלָה Gen. 6:21
617 וְהָיָה שִׁמְךָ אַבְרָהָם Gen. 17:5
618 וְהָיָה לְאוֹת בְּרִית Gen. 17:11
619 וְהָיָה כַצַּדִּיק כָּרָשָׁע Gen. 18:25
620 וְהָיָה זַרְעֲךָ כַּעֲפַר הָאָרֶץ Gen. 28:14
621 וְהָיָה יְיָ לִי לֵאלֹהִים Gen. 28:21
622 כָּל־שֶׂה נָקֹד...וְהָיָה שְׂכָרִי Gen. 30:32
623 וְהָיָה הָעֲטֻפִים לְלָבָן Gen. 30:42
624 וְהָיָה לְעֵד בֵּינִי וּבֵינֶךָ Gen. 31:44
625 וְהָיָה הַמַּחֲנֶה הַנִּשְׁאָר לִפְלֵיטָה Gen. 32:8
626 וְהָיָה בִכְזִיב בְּלִדְתָּהּ אֹתוֹ Gen. 38:5
627 וְהָיָה הָאֹכֶל לְפִקָּדוֹן Gen. 41:36
628 וְהָיָה בַּתְּבוּאֹת וּנְתַתֶּם... Gen. 47:24
629 וְהָיָה אֱלֹהִים עִמָּכֶם Gen. 48:21
630 וְהָיָה לְאוֹת עַל־יָדְכָה Ex. 13:16
631 וְקִדַּשְׁתָּ אֹתוֹ...וְהָיָה קֹדֶשׁ Ex. 40:9
632 וְהָיָה הַמִּזְבֵּחַ קֹדֶשׁ קָדָשִׁים Ex. 40:10
633 מִי־יִתֵּן וְהָיָה לְבָבָם זֶה לָהֶם Deut. 5:26
634 וְהָיָה (כ׳ יהיה) לַלְוִיִּם מְשָׁרְתֵי הַבַּיִת Ezek. 45:5
635 וְהָיָה (כת׳ והיו) פִּרְיוֹ לְמַאֲכָל Ezek. 47:12
812-636 וְהָיָה Ex. 7:19; 8:12; 9:9^{2}; 12:6,13
12:14,48; 13:9; 16:5; 26:6,11; 28:32,35,37,38^{2};
29:26; 29:28,37; 30:4,16 • Lev. 7:31; 10:15;
13:2,19,49; 14:22; 22:27; 25:28,50;
27:3^{2},4,5,6,7,10,15,16,21,33 • Num. 10:32; 11:8,20;
15:39; 24:18^{2}; 34:3^{2},6 • Deut. 15:9,17; 19:3,10;
20:11; 21:15; 22:2; 23:12,14,15,22; 24:15; 25:6,19;
27:2,4; 31:17,26 • Josh. 9:12; 17:18 • Jud. 2:18;
11:31 • ISh. 2:36; 17:36; 24:16(15); 27:12 • IISh.
9:10 • IK. 8:61; 9:7 • IIK. 18:7 • Is. 1:31; 5:5^{2},12;
7:25; 8:8,14; 10:17,18; 11:5; 13:14; 16:2; 17:5^{2};
19:20; 22:21,23; 23:18; 24:2; 28:13,19; 29:4,5^{2},7;
29:15; 30:3,23,25,26,32; 32:2,15,17; 33:6; 35:7,8;
40:4; 44:15; 55:13; 56:12; 60:19; 65:10 • Jer.
17:6,7,8^{2}; 20:9,16; 30:21; 40:3; 42:4; 48:26,39,41;
49:22 • Ezek. 17:23; 21:28; 24:24; 37:27; 39:13;
44:2; 45:4; 47:9^{2},17; 48:8,10,17,18,28 • Hosh. 2:1;
4:9 • Ob. 17,18 • Mic. 2:11; 5:4,6,7 • Zep. 1:13; 2:7 •
Zech. 6:13; 9:7; 12:8; 14:9,20,21 • Ps. 1:3 • Job 1:1;
8:7; 22:25 • Ruth 4:15 • Neh. 6:13; 10:39 • IICh.
13:9; 19:10

וְהָיָה (ג)

813 וְהָיָה כָל־מֹצְאִי יַהַרְגֵנִי Gen. 4:14
814 וְהָיָה בְּעַנְנִי עָנָן עַל־הָאָרֶץ Gen. 9:14
815 וְהָיָה כִּי־יִרְאוּ אֹתָךְ הַמִּצְרִים Gen. 12:12
816 וְהָיָה הַנַּעֲרָ אֲשֶׁר אֹמַר אֵלֶיהָ Gen. 24:14
817 וְהָיָה הָעַלְמָה הַיֹּצֵאת... Gen. 24:43
818 וְהָיָה כַּאֲשֶׁר תָּרִיד וּפָרַקְתָּ עֻלּוֹ Gen. 27:40
819 וְהָיָה בְּכָל־יַחֵם הַצֹּאן Gen. 30:41
820 וְהָיָה אִם־בָּא אֶל־אֵשֶׁת אָחִיו Gen. 38:9
821 וְהָיָה כִּרְאוֹתוֹ כִּי־אֵין הַנַּעַר וָמֵת Gen. 44:31
822 וְהָיָה כִּי־יִקְרָא לָכֶם פַּרְעֹה Gen. 46:33
823 וְהָיָה כִּי־תִקְרֶאנָה מִלְחָמָה Ex. 1:10
824 וְהָיָה כִּי תֵלֵכוּן לֹא תֵלְכוּ רֵיקָם Ex. 3:21
825/6 וְהָיָה אִם־לֹא יַאֲמִינוּ... Ex. 4:8,9
827 וְהָיָה הוּא יִהְיֶה־לְּךָ לְפֶה Ex. 4:16
828 וְהָיָה כִּי־תָבֹאוּ אֶל־הָאָרֶץ Ex. 12:25
829 וְהָיָה כִּי־יֹאמְרוּ אֲלֵיכֶם בְּנֵיכֶם Ex. 12:26
830/1 וְהָיָה כִּי־יְבִיאֲךָ יְיָ... Ex. 13:5,11
832 וְהָיָה כִּי־יִשְׁאָלְךָ בִנְךָ מָחָר Ex. 13:14
833 וְהָיָה כַּאֲשֶׁר יָרִים מֹשֶׁה יָדוֹ Ex. 17:11
834 וְהָיָה כִּי־יִצְעַק אֵלַי וְשָׁמַעְתִּי Ex. 22:26
835 וְהָיָה כִּי־יֶאְשַׁם לְאַחַת מֵאֵלֶּה Lev. 5:5
861-836 וְהָיָה כִּי... Lev. 5:23
Num. 10:32 • Deut. 6:10; 11:29; 15:16; 26:1; 30:1;
31:21 • Josh. 8:5; 22:28 • Jud. 12:5; 21:22 • ISh.
1:12; 10:7; 17:48; 25:30 • Is. 8:21; 10:12; 16:12 •
Jer. 3:16; 5:19; 15:2; 16:10; 25:28 • Ezek. 21:12 •
ICh. 17:11
862 וְהָיָה בַּאֲכָלְכֶם מִלֶּחֶם הָאָרֶץ Num. 15:19
863 וְהָיָה אִם מֵעֵינֵי הָעֵדָה נֶעֶשְׂתָה Num. 15:24
864 וְהָיָה הָאִישׁ אֲשֶׁר־יִבְחַר יְיָ Num. 16:7
865 וְהָיָה הָאִישׁ אֲשֶׁר אֶבְחַר־בּוֹ Num. 17:20
866 וְהָיָה כָּל־הַנָּשׁוּךְ וְרָאָה... Num. 21:8
867 וְהָיָה אִם־נָשַׁךְ הַנָּחָשׁ Num. 21:9
868 וְהָיָה אֲשֶׁר תּוֹתִירוּ מֵהֶם Num. 33:55
869 וְהָיָה כַּאֲשֶׁר דִּמִּיתִי לַעֲשׂוֹת... Num. 33:56
870 וְהָיָה עֵקֶב תִּשְׁמְעוּן Deut. 7:12
871 וְהָיָה אִם־שָׁכֹחַ תִּשְׁכַּח Deut. 8:19
872 וְהָיָה אִם־שָׁמֹעַ תִּשְׁמְעוּ Deut. 11:13
888-873 וְהָיָה אִם... Deut. 20:11; 24:1; 25:2
28:1,15 • Jud. 4:20; 6:3 • ISh. 3:9; 23:23 • IISh.
11:20 • IK. 11:38 • Jer. 12:16; 17:24 • Am. 6:9; 7:2
• Zech. 6:15
889 וְהָיָה בִּהְיוֹת עָלֶיךָ רוּחַ־אֱלֹהִים ISh. 16:16
890 וְהָיָה בִּהְיוֹת רוּחַ־אֱלֹהִים ISh. 16:23
891/2 וְהָיָה בְּאַחֲרִית הַיָּמִים Is. 2:2 • Mic. 4:1
924-893 וְהָיָה בַּיּוֹם הַהוּא Is. 7:18,21
7:23; 10:20,27; 11:10,11; 17:4; 22:20; 23:15;
24:21; 27:12,13 • Jer. 4:9; 30:8 • Ezek. 38:10,18;
39:11 • Hosh. 1:5; 2:18,23 • Joel 4:18 • Am. 8:9 •
Mic. 5:9 • Zep. 1:10 • Zech. 12:3,9; 13:2,4;
14:6,8,13
1011-925 וְהָיָה (ג) Ex. 16:5; 18:22; 33:7,8
9,22 • Lev. 14:9 • Deut. 12:11; 17:18; 18:19; 20:2,9;
21:3,14,16; 28:63; 29:18 • Josh. 2:14,19; 3:13; 6:5;
7:14,15; 8:8; 22:18; 23:15 • Jud. 2:19; 7:4,17; 9:33;

וְהָיָה (ג) (המשך)

11:31; 19:30 • ISh. 10:9; 13:22; 17:25; 25:20 • IISh.
6:16; 14:26; 15:5,35; 17:9 • IK. 1:21; 2:37; 17:4;
18:12,24; 19:17; 20:6 • IIK. 3:15; 4:10 • Is. 3:24;
4:3; 7:22; 14:3; 23:17; 24:18; 29:8; 65:24; 66:23 •
Jer. 3:9; 12:15; 25:12; 27:8; 31:28(27); 37:11;
38:28; 49:39; 51:63 • Ezek. 43:27; 44:17;
47:10,22,23 • Hosh. 2:1 • Joel 3:1,5 • Nah. 3:7 • Zep.
1:8,12 • Zech. 8:13; 13:3,8; 14:7^{2},16,17 • Ruth 3:13

שֶׁהָיָה

1012/3 לוּלֵי יְיָ שֶׁהָיָה לָנוּ... Ps. 124:1,2
1014 מַה־שֶּׁהָיָה הוּא שֶׁיִּהְיֶה Eccl. 1:9
1015 ...מִכֹּל שֶׁהָיָה לְפָנַי בִּירוּשָׁלָםִ Eccl. 2:9
1016 מַה־שֶּׁהָיָה כְּבָר הוּא Eccl. 3:15
1017 מַה־שֶּׁהָיָה כְּבָר נִקְרָא שְׁמוֹ Eccl. 6:10
1018 רָחוֹק מַה־שֶּׁהָיָה Eccl. 7:24
1019 וְיֹתֵר שֶׁהָיָה קֹהֶלֶת חָכָם Eccl. 12:9

כְּשֶׁהָיָה

1020 וְיָשֹׁב הֶעָפָר עַל־הָאָרֶץ כְּשֶׁהָיָה Eccl. 12:7

הָיְתָה

1021 וְהָאָרֶץ הָיְתָה תֹהוּ וָבֹהוּ Gen. 1:2
1022 כִּי הִוא הָיְתָה אֵם כָּל־חָי Gen. 3:20
1023 אַחֲרֵי בְלֹתִי הָיְתָה־לִּי עֶדְנָה Gen. 18:12
1024 וְרָחֵל הָיְתָה יְפַת־תֹּאַר Gen. 29:17
1025 וְתִמְנַע הָיְתָה פִילֶגֶשׁ לֶאֱלִיפַז Gen. 36:12
1026/7 לֹא־הָיְתָה בָזֶה קְדֵשָׁה Gen. 38:21,22
1028 אַדְמַת הַכֹּהֲנִים...לֹא הָיְתָה לְפַרְעֹה Gen. 47:26
1029 וַיַּרְא פַּרְעֹה כִּי הָיְתָה הָרְוָחָה Ex. 8:11
1030 מֵאָז הָיְתָה לְגוֹי Ex. 9:24
1031 וּבַבֹּקֶר הָיְתָה שִׁכְבַת הַטָּל Ex. 16:13
1032 וְרִמָּה לֹא־הָיְתָה־בּוֹ Ex. 16:24
1033 וְהַמְּלָאכָה הָיְתָה דַיָּם Ex. 36:7
1034 אֲשֶׁר לֹא־הָיְתָה לְאִישׁ Lev. 21:3
1035 עֵקֶב הָיְתָה רוּחַ אַחֶרֶת עִמּוֹ Num. 14:24
1036 וְגַם יַד־יְיָ הָיְתָה בָּם Deut. 2:15
1037 כִּי־מֵאֵת יְיָ הָיְתָה לְחַזֵּק Josh. 11:20
1038 יַד־יְיָ הָיְתָה־בָּם לְרָעָה Jud. 2:15
1039 לָמָה...הָיְתָה־זֹּאת בְּיִשְׂרָאֵל Jud. 21:3
1040 כִּי לֹא הָיְתָה כָּזֹאת אֶתְמוֹל שִׁלְשֹׁם ISh. 4:7
1041 עַל־כֵּן הָיְתָה לְמָשָׁל ISh. 10:12
1042 כִּי לֹא הָיְתָה מֵהַמֶּלֶךְ לְהָמִית... IISh. 3:37
1043 כִּי־הָיְתָה אֵלָיו פְּנֵי הַמִּלְחָמָה IISh. 10:9
1044 עַל־פִּי אַבְשָׁלוֹם הָיְתָה שׂוּמָה◦ IISh. 13:32
1045 ...אֲשֶׁר הָיְתָה־זֹּאת עִמָּךְ IK. 11:11
1046 כִּי־הָיְתָה סִבָּה מֵעִם יְיָ IK. 12:15
1047 וְיַד־יְיָ הָיְתָה אֶל־אֵלִיָּהוּ IK. 18:46
1048 אֵיכָה הָיְתָה לְזוֹנָה קִרְיָה נֶאֱמָנָה Is. 1:21
1049 מִיָּדִי הָיְתָה־זֹּאת לָכֶם Is. 50:11
1050 וּרְאוּ הֵן הָיְתָה כָּזֹאת Jer. 2:10
1051 יַד אֲחִיקָם...הָיְתָה אֶת־יִרְמְיָהוּ Jer. 26:24
1052 וְיַד־יְיָ הָיְתָה אֵלַי בָּעֶרֶב Ezek. 33:22
1053 הָאָרֶץ...הָיְתָה כְּגַן־עֵדֶן Ezek. 36:35
1054/5 הָיְתָה עָלַי יַד־יְיָ Ezek. 37:1; 40:1
1056 אֲשֶׁר־לֹא־הָיְתָה לְאִישׁ Ezek. 44:25
1057 וְגַם־פְּלֵיטָה לֹא־הָיְתָה לּוֹ Joel 2:3
1058 אֵיךְ הָיְתָה לְשַׁמָּה Zep. 2:15
1059 מִיֶּדְכֶם הָיְתָה זֹּאת Mal. 1:9
1060 הָיְתָה־לִּי דִמְעָתִי לֶחֶם Ps. 42:4
1061 הָיְתָה יְהוּדָה לְקָדְשׁוֹ Ps. 114:2
1062 אֶבֶן...הָיְתָה לְרֹאשׁ פִּנָּה Ps. 118:22
1063 מֵאֵת יְיָ הָיְתָה זֹּאת Ps. 118:23
1064 הָעִיר רַבָּתִי עָם הָיְתָה כְּאַלְמָנָה Lam. 1:1
1065 שָׂרָתִי בַּמְּדִינוֹת הָיְתָה לָמַס Lam. 1:1
1066 לַיְּהוּדִים הָיְתָה אוֹרָה Es. 8:16
1067 וְיַד־אֱלֹהֵינוּ הָיְתָה עָלֵינוּ Ez. 8:31

הָיְתָה (המשך)

1068 וְיַד הַשָּׂרִים...הָיְתָה בַּמַּעַל הַזֶּה Ez.9:2

1069 יַעַן אֲשֶׁר הָיְתָה זֹּאת עִם־לְבָבֶךָ IICh.1:11

1132-1070 הָיְתָה Deut.2:36; 3:4

Josh. 11:19; 14:14; 17:6,8 • Jud. 21:5 • ISh. 4:17; 5:11; 14:20,38; 27:6 • IISh. 14:27; 17:9 • IK. 2:15[2]; 4:11; 14:30; 15:6,7,16,32 • IIK. 8:18; 24:3,7,20 • Is. 11:16 • Jer. 12:8; 25:38; 32:31; 50:23; 51:41; 52:3 • Ezek. 16:56; 19:10; 21:17; 26:17; 31:3; 36:2,17,34 • Jon. 3:3 • Mal. 2:5,6 • Ps. 119:56 • Prov. 31:14 • Ruth 1:7 • Lam. 1:8,17 • Eccl. 6:3 • Es. 2:20 • Ez. 9:8 • ICh. 7:23; 19:10 • IICh. 10:15; 13:2; 14:13; 15:1; 20:14; 21:6; 22:3,7,11; 30:12

הָיָתָה

1133 כַּאֲשֶׁר דִּמִּיתִי כֵּן הָיָתָה Is.14:24

1134 צִיּוֹן מִדְבָּר הָיָתָה Is.64:9

1135 וּמִלְחָמָה לֹא הָיָתָה IICh.15:19

וְהָיְתָה

1136 וְהָיְתָה לְאוֹת בְּרִית... Gen.9:13

1137 וְהָיְתָה הַקֶּשֶׁת בֶּעָנָן Gen.9:16

1138 וְהָיְתָה בְרִיתִי בִּבְשַׂרְכֶם Gen.17:13

1139 וּבֵרַכְתִּיהָ וְהָיְתָה לְגוֹיִם Gen.17:16

1140 וְהָיְתָה לָכֶם לְחֻקַּת עוֹלָם Lev.16:29

1141 וְהָיְתָה־זֹּאת לָכֶם לְחֻקַּת עוֹלָם Lev.16:34

1142 וְהָיְתָה לְךָ לְאִשָּׁה Deut.24:2

1143 וְהָלְכָה וְהָיְתָה לְאִישׁ־אַחֵר ISh.25:29

1144 וְהָיְתָה נֶפֶשׁ אֲדֹנִי צְרוּרָה... IK.20:39, 42

1145/6 וְהָיְתָה נַפְשְׁךָ תַּחַת נַפְשׁוֹ IIK.9:37

1147 וְהָיְתָה (כ׳ והית) נִבְלַת אִיזֶבֶל כְּדֹמֶן Jer.3:1

1148 וְהָלְכָה מֵאִתּוֹ וְהָיְתָה לְאִישׁ־אַחֵר Jer.3:1

1149/50 וְהָיְתָה־לּוֹ נַפְשׁוֹ לְשָׁלָל Jer.21:9; 38:2

1151 וְהָיְתָה נַפְשָׁם כְּגַן רָוֶה Jer.31:12(11)

1152 וְהָיְתָה לִּי לְשֵׁם שָׂשׂוֹן Jer.33:9

1153 וְהָיְתָה לְךָ נַפְשְׁךָ לְשָׁלָל Jer.39:18

1154 וְהָיְתָה יְרוּשָׁלַיִם קֹדֶשׁ Joel 4:17

1155 וְהָיְתָה לַיי הַמְּלוּכָה Ob.21

1227-1156 וְהָיְתָה Ex.21:6; 27:5; 29:9; 30:21; 40:15 • Lev. 5:13; 13:24; 24:7,9; 25:6,29; 26:33 • Num. 5:27[2]; 19:9,10,21; 25:13; 27:11; 32:22 • Deut. 13:17; 17:19; 28:26 • Josh. 6:17; 24:27 • ISh. 12:15; 13:21 • Is. 6:13; 9:4; 11:10,16; 13:19; 17:1,9; 19:17; 28:4; 29:2[2]; 34:9,13 • Jer. 7:33; 16:4; 25:11; 34:20; 42:16; 49:2,17,33; 50:10,13; 51:37 • Ezek. 4:3; 5:15; 13:9; 14:15; 26:5; 29:9,19; 30:4,9; 44:28; 46:17; 48:12,15,18,21 • Mic. 7:13 • Zep. 2:6 • Hag. 2:16[2] • Dan. 12:1 • ICh. 4:10

הֶהָיְתָה

1228 הֶהָיְתָה זֹּאת בִּימֵיכֶם... Joel 1:2

הָיִינוּ

1229 לֹא הָיִינוּ מְרַגְּלִים Gen.42:31

1230 ...וְכֵן הָיִינוּ בְּעֵינֵיהֶם Num.13:33

1231 עֲבָדִים הָיִינוּ לְפַרְעֹה Deut.6:21

1232 כִּסְדֹם הָיִינוּ לַעֲמֹרָה דָּמִינוּ Is.1:9

1233 כֵּן הָיִינוּ מִפָּנֶיךָ יי Is.26:17

1234 הָיִינוּ מֵעוֹלָם לֹא־מָשַׁלְתָּ בָּם Is.63:19

1235 הָיִינוּ חֶרְפָּה לִשְׁכֵנֵינוּ Ps.79:4

1236 בְּשׁוּב יי...הָיִינוּ כְּחֹלְמִים Ps.126:1

1237 הִגְדִּיל יי...הָיִינוּ שְׂמֵחִים Ps.126:3

1238 יְתוֹמִים הָיִינוּ וְאֵין אָב Lam.5:3

1239 שְׁמַע אֱלֹהֵינוּ כִּי־הָיִינוּ בוּזָה Neh.3:36

וְהָיִינוּ

1240 וְהָיִינוּ לְעַם אֶחָד Gen.34:16

1241 וְהָיִינוּ עֲבָדִים לְפַרְעֹה Gen.47:25

1242 וְהָיִינוּ נְקִיִּם מִשְּׁבֻעָתֵךְ Josh.2:20

1243 וְהָיִינוּ גַם־אֲנַחְנוּ כְּכָל־הַגּוֹיִם ISh.8:20

1244 וְהָיִינוּ לָכֶם לַעֲבָדִים ISh.17:9

הֱיִיתֶם

1248-1245 כִּי־גֵרִים הֱיִיתֶם בְּאֶרֶץ מִצְרָיִם Ex.22:20; 23:9 • Lev.19:34 • Deut.10:19

1249/50 מַמְרִים הֱיִיתֶם עִם־יי Deut.9:7,24

1251 מַקְצִפִים הֱיִיתֶם אֶת־יי Deut.9:22

1252 תַּחַת אֲשֶׁר הֱיִיתֶם כְּכוֹכְבֵי הַשָּׁמַיִם לָרֹב Deut.28:62

1253 מַמְרִים הֱיִתֶם עִם־יי Deut.31:27

1254 גַּם־תְּמוֹל...הֱיִיתֶם מְבַקְשִׁים... IISh.3:17

1255 כִּי־פַח הֱיִיתֶם לְמִצְפָּה Hosh.5:1

1256 כַּאֲשֶׁר הֱיִיתֶם קְלָלָה בַּגּוֹיִם Zech.8:13

1257 כִּי־עַתָּה הֱיִיתֶם לוֹ Job 6:21

וִהְיִיתֶם

1258 וִהְיִיתֶם כֵּאלֹהִים יֹדְעֵי טוֹב וָרָע Gen.3:5

1259 וִהְיִיתֶם לִי סְגֻלָּה מִכָּל־הָעַמִּים Ex.19:5

1262-1260 וִהְיִיתֶם קְדשִׁים Lev.11:44,45; 20:7

1263 וִהְיִיתֶם לִי קְדשִׁים Lev.20:26

1264 וִהְיִיתֶם קְדשִׁים לֵאלֹהֵיכֶם Num.15:40

1265 וִהְיִיתֶם נְקִיִּם מֵיי וּמִיִּשְׂרָאֵל Num.32:22

1266 וִהְיִיתֶם כֻּלְּכֶם נְכֹנִים Josh.8:4

1267 וִהְיִיתֶם לַאֲנָשִׁים וְנִלְחַמְתֶּם ISh.4:9

1268 וִהְיִתֶם...אַחַר יי אֱלֹהֵיכֶם ISh.12:14

1269 וִהְיִיתֶם לָנוּ לַעֲבָדִים ISh.17:9

1270 וִהְיִיתֶם לוֹ לְמִרְמָס Is.28:18

1271-3 וִהְיִיתֶם לִי לְעָם Jer.11:4; 30:22 • Ezek.36:28

1274 וִהְיִיתֶם לְאָלָה וּלְשַׁמָּה Jer.42:18

1275 אוֹשִׁיעַ אֶתְכֶם וִהְיִיתֶם בְּרָכָה Zech.8:13

הָיוּ

1276 הַנְּפִלִים הָיוּ בָאָרֶץ Gen.6:4

1277 וּמֵי הַמַּבּוּל הָיוּ עַל־הָאָרֶץ Gen.7:10

1278 וְהַמַּיִם הָיוּ הָלוֹךְ וְחָסוֹר Gen.8:5

1279 כִּי־הָיוּ יָדָיו כִּידֵי עֵשָׂו Gen.27:23

1280 וּבָנָיו הָיוּ אֶת־מִקְנֵהוּ Gen.34:5

1281 שֶׁבַע שָׁנִים אֲשֶׁר הָיוּ בְּאֶרֶץ מִצ׳ Gen.41:48

1282 לֹא־הָיוּ עֲבָדֶיךָ מְרַגְּלִים Gen.42:11

1283 ...עָלַי הָיוּ כֻלָּנָה Gen.42:36

1284 מִמִּשְׁפְּחֹת...מְנַשֶּׁה...הָיוּ לְנָשִׁים Num.36:13

1285 לְיָמִים רִאשֹׁנִים אֲשֶׁר־הָיוּ לְפָנֶיךָ Deut.4:32

1286 הָיוּ מְלַקְּטִים תַּחַת שֻׁלְחָנִי Jud.1:7

1287 וּבֵית עֲנָת הָיוּ לָהֶם לָמַס Jud.1:33

1288 וּפָנֶיהָ לֹא־הָיוּ־לָהּ עוֹד ISh.1:18

1289 חוֹמָה הָיוּ עָלֵינוּ ISh.25:16

1290 אַךְ בֵּית יְהוּדָה הָיוּ אַחֲרֵי דָוִד IISh.2:10

1291 וּבְנֵי דָוִד כֹּהֲנִים הָיוּ IISh.8:18

1292 כִּי־הָיוּ הָאֲנָשִׁים נִכְלָמִים IISh.10:5

1293 אֲשֶׁר־הָיוּ עֹמְדִים אֶת־פְּנֵי שְׁלֹמֹה IK.12:6

1294 אֶת־יי הָיוּ יְרֵאִים IIK.17:33

1295 וְאֶת־אֱלֹהֵיהֶם הָיוּ עֹבְדִים IIK.17:33

1296 וְאֶת־פְּסִילֵיהֶם הָיוּ עֹבְדִים IIK.17:41

1297 הָיוּ בְנֵי־יִשְׂרָאֵל מְקַטְּרִים לוֹ IIK.18:4

1298 צֹאן אֹבְדוֹת הָיוּ (כת׳ היה) עַמִּי Jer.50:6

1299 נָשְׁתָה גְבוּרָתָם הָיוּ לְנָשִׁים Jer.51:30

1300 אֲשֶׁר הָיוּ לָבַז וּלְלַעַג Ezek.36:4

1301 אֲשֶׁר־הָיוּ לְחָרְבָּה תָּמִיד Ezek.38:8

1302 הָיוּ שָׂרֵי יְהוּדָה כְּמַסִּיגֵי גְּבוּל Hosh.5:10

1303 ...מַעַלְלֵיהֶם נֶגֶד פָּנַי הָיוּ Hosh.7:2

1304 הָיוּ כְּקֶשֶׁת רְמִיָּה Hosh.7:16

1305 עֹמְדוֹת הָיוּ רַגְלֵינוּ בִּשְׁעָרַיִךְ Ps.122:2

1306 ...לְאֹיְבִים הָיוּ לִי Ps.139:22

1307 הַבָּקָר הָיוּ חֹרְשׁוֹת... Job 1:14

1308 הֵמָּה הָיוּ בְּמֹרְדֵי אוֹר Job 24:13

1309 הָיוּ לְבָרוֹת לָמוֹ Lam.4:10

1310 קַלִּים הָיוּ רֹדְפֵינוּ... Lam.4:19

1311 ...שֶׁהַיָּמִים הָרִאשֹׁנִים הָיוּ טוֹבִים Eccl.7:10

1442-1312 הָיוּ Gen.25:3; 36:13,14

הָיוּ (המשך)

46:32,34; 47:9 • Ex. 34:1; 37:9,14,17,22,25; 38:2 • Num. 1:44; 3:4; 9:6; 19:18; 26:33; 27:3; 31:16 • Deut. 10:2 • Josh. 5:5,7; 7:12; 14:4; 17:3; 20:9 • Jud. 8:30[2]; 18:30 • ISh. 13:2; 14:21; 25:7 • IISh. 4:2; 8:7,10; 12:1 • IK. 1:8; 9:19; 12:31; 14:9; 16:33 • IIK. 7:3; 17:2; 18:5; 19:26; 25:25 • Is. 1:14; 30:4; 37:27; 42:22; 46:1; 47:14,15; 59:2; 64:9 • Jer. 2:28; 4:17; 5:8; 11:13; 23:14; 28:8; 32:30; 34:5; 36:28; 41:2,3; 51:2,43 • Ezek. 5:16; 13:4; 20:24; 21:17; 22:6,9,13,18[2]; 23:2; 27:8[2],9[2],10; 27:11; 31:8,13; 34:2 • Hosh. 8:8,11; 12:12 • Ob. 16 • Nah. 3:9 • Zep. 3:18 • Ps. 55:19; 64:8; 73:19; 83:9,11; 119:54 • Lam. 1:2,5,6,7,16; 4:9 • Eccl. 7:19 • Dan. 10:7 • Neh. 3:26; 6:14,19[2]; 12:12; 13:5 • ICh. 2:33,50; 3:1; 4:5,14; 14:4; 18:7; 19:5; 23:22; 24:2,5 • IICh. 8:6; 10:6; 16:8; 22:4; 28:23; 29:34

וְהָיוּ

1443 וְהָיוּ לְאֹתֹת וּלְמוֹעֲדִים Gen.1:14

1444 וְהָיוּ לִמְאוֹרֹת בִּרְקִיעַ הַשָּׁמַיִם Gen.1:15

1445 וְהָיוּ לְבָשָׂר אֶחָד Gen.2:24

1446 וְהָיוּ יָמָיו מֵאָה וְעֶשְׂרִים שָׁנָה Gen.6:3

1447 וְהָיוּ הַמַּיִם אֲשֶׁר תִּקַּח מִן־הַיְאֹר Ex.4:9

1448 וְהָיוּ לְדָם בַּיַּבָּשֶׁת Ex.4:9

1449 וְהָיוּ לָכֶם לַאֲחֻזָּה Lev.25:45

1452-1450 וְהָיוּ־לִי הַלְוִיִּם Num.3:12,45; 8:14

1453 וְהָיוּ לְךָ לְמִקְרָא הָעֵדָה Num.10:2

1454 וְהָיוּ לָכֶם לְחֻקַּת עוֹלָם Num.10:8

1455 וְהָיוּ לָכֶם לְזִכָּרוֹן Num.10:10

1456 וְהָיוּ (כת׳ והיה) תוֹצְאֹתָיו מִנֶּגֶב Num.34:4

1457 וְהָיוּ תוֹצְאֹתָיו הַיָּמָּה Num.34:5

1458 וְהָיוּ הַדְּבָרִים הָאֵלֶּה...עַל־לְבָבֶךָ Deut.6:6

1459 וְהָיוּ לְטֹטָפֹת בֵּין עֵינֶיךָ Deut.6:8

1460 וְהָיוּ לְטוֹטָפֹת בֵּין עֵינֵיכֶם Deut.11:18

1461 וְהָיוּ שָׁמֶיךָ...נְחֹשֶׁת Deut.28:23

1462 וְהָיוּ בְךָ לְאוֹת וּלְמוֹפֵת Deut.28:46

1463 וְהָיוּ חַיֶּיךָ תְּלֻאִים לְךָ מִנֶּגֶד Deut.28:66

1464 וְהָיוּ (כ׳ והיה) תֹּצְאוֹת הַגְּבוּל יָמָּה Josh.15:4

1465 וְהָיוּ (כ׳ והיה) תֹּצְאֹתָיו מִדְבָּרָה Josh.18:12

1466 וְהָיוּ (כת׳ והיה) תֹצְאֹתָיו אֶל־קִרְיַת־בַּעַל Josh.18:14

1467 וְהָיוּ (כת׳ והיה) תּוֹצְאוֹת הַגְּבוּל Josh.18:19

1468 וְהָיוּ (כת׳ ויהיו) תֹּצְאֹתָיו הַיָּמָּה Josh.19:29

1469 וְהָיוּ עֵינֶיךָ רֹאוֹת אֶת־מוֹרֶיךָ Is.30:20

1470 וְהָיוּ דֵרָאוֹן לְכָל־בָּשָׂר Is.66:24

1477-1471 וְהָיוּ־לִי לְעָם Jer.24:7 • 32:38 • Ezek.11:20; 14:11; 37:23 • Zech.2:15; 8:8

1478 וְהָיוּ שֹׁאסַיִךְ לִמְשִׁסָּה Jer.30:16

1479 וְהָיוּ בָנָיו כְּקֶדֶם... Jer.30:20

1480 ...וְהָיוּ לְנָשִׁים Jer.50:37

1481 וְהָיוּ אֶל־הֶהָרִים כְּיוֹנֵי הַגֵּאָיוֹת Ezek.7:16

1482 וְהָיוּ לָכֶם לַאֲנָשִׁים Ruth 1:11

1483 וְהָיוּ־לָנוּ הַלַּיְלָה מִשְׁמָר Neh.4:16

1553-1484 וְהָיוּ Ex.19:11; 22:23; 25:20; 26:25; 27:7; 28:30,43; 30:29; 36:29,30 • Lev. 21:6; 25:8 • Num. 7:5; 8:11; 34:8,9,12; 35:3,12,29; 36:3 • Josh. 4:7; 15:7,11; 16:3,8; 18:21; 19:14,22; 20:3; 23:13 • Jud. 2:3 • IK. 2:7; 9:3; 12:7 • IIK. 20:18; 21:14 • Is. 14:2; 19:10; 33:12; 39:7; 49:23 • Jer. 19:13; 25:33; 39:16; 44:12; 47:2; 49:32 • Ezek. 14:14; 20:20; 29:14; 34:27; 37:17,19,20; 44:11; 44:12; 47:22; 48:1 • Ob. 16 • Zech. 2:13; 10:5,6,7 • Mal. 3:3,17,19 • ICh. 9:26 • IICh. 7:16; 10:7

שֶׁהָיוּ

1554 ...מִכֹּל שֶׁהָיוּ לְפָנַי בִּירוּשָׁלִָם Eccl.2:7

הויה
1555 הִנֵּה יַד־יְיָ הוֹיָה בְּמִקְנְךָ Ex. 9:3

אֶהְיֶה
1556 וַיֹּאמֶר כִּי־אֶהְיֶה עִמָּךְ Ex. 3:12
1557/8 וַיֹּאמֶר אֱלֹ׳ אֶהְיֶה אֲשֶׁר אֶהְיֶה Ex. 3:14
אֶהְיֶה שְׁלָחַנִי (שמות ג 14) עין אֶהְיֶה באות א
1559/60 וְאָנֹכִי אֶהְיֶה עִם־פִּיךָ Ex. 4:12,15
1561 וְאָנֹכִי אֶהְיֶה עִמָּךְ Deut. 31:23
1562/3 כַּאֲשֶׁר הָיִיתִי עִם־מֹשֶׁה אֶהְיֶה עִמָּךְ
Josh. 1:5; 3:7
1564 וַיֹּאמֶר אֵלָיו יְיָ כִּי אֶהְיֶה עִמָּךְ Jud. 6:16
1565 אָנֹכִי אֶהְיֶה לָכֶם לְרֹאשׁ Jud. 11:9
1566 מִי אָנֹכִי...כִּי־אֶהְיֶה חָתָן לַמֶּלֶךְ ISh. 18:18
1567 וְאָנֹכִי אֶהְיֶה־לְּךָ לְמִשְׁנֶה ISh. 23:17
1568 אֲנִי אֶהְיֶה־לּוֹ לְאָב IISh. 7:14
1569 עַבְדְּךָ אֲנִי הַמֶּלֶךְ אֶהְיֶה IISh. 15:34
1570 לוֹ אֶהְיֶה וְאִתּוֹ אֵשֵׁב IISh. 16:18
1571 כַּאֲשֶׁר...כֵּן אֶהְיֶה לְפָנֶיךָ IISh. 16:19
1572 לֹא־אֶהְיֶה חֹבֵשׁ Is. 3:7
1573 וַתֹּאמְרִי לְעוֹלָם אֶהְיֶה גְבָרֶת Is. 47:7
1574/6 וְאָנֹכִי אֶהְיֶה לָכֶם לֵאלֹהִים
Jer. 11:4; 30:22 • Ezek. 36:28
1577 וְאָנֹכִי אֶהְיֶה לָהֶם לֵאלֹהִים Jer. 24:7
1578 אֶהְיֶה לֵאלֹהִים לְכֹל...יִשְׂ׳ Jer. 31:1(30:25)
1579‑1584 וַאֲנִי...אֶהְיֶה לָהֶם לֵאלֹהִים
Jer. 32:38 • Ezek. 11:20; 14:11; 37:23
34:24 • Zech. 8:8
1585 ...וְאָנֹכִי לֹא־אֶהְיֶה לָכֶם Hosh. 1:9
1586 אֶהְיֶה כַטַּל לְיִשְׂרָאֵל Hosh. 14:6
1587 וַאֲנִי אֶהְיֶה־לָּהּ...חוֹמַת אֵשׁ סָבִיב Zech. 2:9
1588 וּלְכָבוֹד אֶהְיֶה בְתוֹכָהּ Zech. 2:9
1589 דִּמִּיתָ הֱיוֹת־אֶהְיֶה כָמוֹךָ Ps. 50:21
1590 אוֹ כְנֵפֶל טָמוּן לֹא אֶהְיֶה Job 3:16
1591 כַּאֲשֶׁר לֹא־הָיִיתִי אֶהְיֶה Job 10:19
1592 שְׂחֹק לְרֵעֵהוּ אֶהְיֶה Job 12:4
1593 וְתֹפֶת לְפָנִים אֶהְיֶה Job 17:6
1594 שַׁלָּמָה אֶהְיֶה כְּעֹטְיָה S.of S. 1:7
1595 וְאָנֹכִי לֹא אֶהְיֶה כְּאַחַת שִׁפְחֹתֶךָ Ruth 2:13
1596/7 (וְ)אֲנִי אֶהְיֶה־לּוֹ לְאָב ICh. 17:13; 28:6

וְאֶהְיֶה
1598 וְאֶהְיֶה עִמְּךָ וַאֲבָרְכֶךָּ Gen. 26:3
1599 שׁוּב...וְאֶהְיֶה עִמָּךְ Gen. 31:3

וָאֶהְיֶה
1600 וָאֶהְיֶה מִתְהַלֵּךְ בְּאֹהֶל וּבְמִשְׁכָּן IISh. 7:6
1601 וָאֶהְיֶה עִמְּךָ בְּכֹל אֲשֶׁר הָלַכְתָּ IISh. 7:9
1602 וָאֶהְיֶה תָמִים לוֹ IISh. 22:24
1603 וָאֶהְיֶה לָהֶם כִּמְרִימֵי עֹל Hosh. 11:4
1604 שָׁקַדְתִּי וָאֶהְיֶה כְּצִפּוֹר בּוֹדֵד Ps. 102:8
1605 וָאֶהְיֶה אֶצְלוֹ אָמוֹן Prov. 8:30
1606 וָאֶהְיֶה שַׁעֲשֻׁעִים יוֹם יוֹם Prov. 8:30
1607 וָאֶהְיֶה עָלַי לְמַשָּׂא Job 7:20
1608 וָאֶהְיֶה מֵאֹהֶל אֶל־אֹהֶל... ICh. 17:5
1609 וָאֶהְיֶה עִמְּךָ בְּכֹל אֲשֶׁר הָלַכְתָּ ICh. 17:8

וָאֱהִי
1610 וַיִּשְׂכְּרֵנִי וָאֱהִי־לוֹ לְכֹהֵן Jud. 18:4
1611 וָאֱהִי לָהֶם לְמִקְדָּשׁ מְעַט Ezek. 11:16
1612 וָאֱהִי לָהֶם כְּמוֹ־שָׁחַל Hosh. 13:7
1613 וָאֱהִי תָמִים עִמּוֹ Ps. 18:24
1614 וָאֱהִי כְּאִישׁ אֲשֶׁר לֹא־שֹׁמֵעַ Ps. 38:15
1615 וָאֱהִי לָהֶם לְמָשָׁל Ps. 69:12
1616 וָאֱהִי נָגוּעַ כָּל־הַיּוֹם Ps. 73:14
1617 וָאֱהִי לָהֶם לְמִלָּה Job 30:9
1618 וָאֱהִי צָם וּמִתְפַּלֵּל Neh. 1:4
1619 וָאֱהִי־שָׁם יָמִים שְׁלֹשָׁה Neh. 2:11
1620 וָאֱהִי שֹׂבֵר בְּחוֹמֹת יְרוּשָׁלַםִ Neh. 2:13
1621 וָאֱהִי עֹלֶה בַנַּחַל לַיְלָה Neh. 2:15
1622 וָאֱהִי שֹׂבֵר בַּחוֹמָה Neh. 2:15

תִּהְיֶה
1623 נָע וָנָד תִּהְיֶה בָאָרֶץ Gen. 4:12
1624 אַתָּה תִּהְיֶה עַל־בֵּיתִי Gen. 41:40
1625 וְאַתָּה תִּהְיֶה־לּוֹ לֵאלֹהִים Ex. 4:16
1626 לֹא־תִהְיֶה לוֹ כְּנֹשֶׁה Ex. 22:24
1627 לֹא־תִהְיֶה אַחֲרֵי־רַבִּים לְרָעֹת Ex. 23:2
1628 בָּרוּךְ תִּהְיֶה מִכָּל־הָעַמִּים Deut. 7:14
1629 תָּמִים תִּהְיֶה עִם יְיָ אֱלֹהֶיךָ Deut. 18:13
1630 ...וְלֹא תִהְיֶה לְמָטָּה Deut. 28:13
1631 וְאַתָּה תִּהְיֶה לְזָנָב Deut. 28:44
1632 וְעֵזֶר מִצָּרָיו תִּהְיֶה Deut. 33:7
1633 וְאַתָּה תִּהְיֶה לְנָגִיד עַל־יִשְׂרָאֵל IISh. 5:2
1634 וְאַתָּה תִּהְיֶה כְּאַחַד הַנְּבָלִים IISh. 13:13
1635 כִּי־תִהְיֶה־לָּנוּ מֵעִיר לַעְזוֹר• IISh. 18:3
1636 אִם־לֹא שַׂר־צָבָא תִּהְיֶה לְפָנַי IISh. 19:14
1637 אִם־הַיּוֹם תִּהְיֶה־עֶבֶד לָעָם הַזֶּה IK. 12:7
1638 שִׂמְלָה לְכָה קָצִין תִּהְיֶה־לָּנוּ Is. 3:6
1639 לָמָּה תִהְיֶה כְּגֵר בָּאָרֶץ Jer. 14:8
1640 לָמָּה תִהְיֶה כְּאִישׁ נִדְהָם Jer. 14:9
1641 הָיוֹ תִהְיֶה לִי כְּמוֹ אַכְזָב Jer. 15:18
1642 וְאִם־תּוֹצִיא יָקָר מִזּוֹלֵל כְּפִי תִהְיֶה
Jer. 15:19
1643/4 שִׁמְמוֹת עוֹלָם תִּהְיֶה Jer. 51:26,62
1645 וְלֹא־תִהְיֶה לָהֶם לְאִישׁ מוֹכִיחַ Ezek. 3:26
1646 וְאַתָּה שְׁמָמָה תִהְיֶה Ezek. 35:4
1647 שְׁמָמָה תִהְיֶה הַר־שֵׂעִיר... Ezek. 35:15
1648 כֶּעָנָן לְכַסּוֹת הָאָרֶץ תִּהְיֶה Ezek. 38:9
1649 בְּאַחֲרִית הַיָּמִים תִּהְיֶה Ezek. 38:16
1650 וְאַתָּה תִּהְיֶה נָגִיד עַל עַמִּי יִשְׂרָאֵל ICh. 11:2
1651 אִם־תִּהְיֶה לְטוֹב לְהָעָם הַזֶּה IICh. 10:7

תִּהְיֶה־
1652 אַל־תִּהְיֶה־לִי לִמְחִתָּה Jer. 17:17

תְּהִי ז׳
1653 אַל־תְּהִי־מֶרִי כְּבֵית הַמֶּרִי Ezek. 2:8
1654 אַל־תְּהִי חָכָם בְּעֵינֶיךָ Prov. 3:7
1655 אַל־תְּהִי בְתֹקְעֵי־כָף Prov. 22:26
1656 אַל־תְּהִי בְסֹבְאֵי־יָיִן Prov. 23:20
1657 אַל־תְּהִי עֵד־חִנָּם בְּרֵעֶךָ Prov. 24:28
1658 אַל־תְּהִי צַדִּיק הַרְבֵּה Eccl. 7:16
1659 אַל־תִּרְשַׁע הַרְבֵּה וְאַל תְּהִי סָכָל Eccl. 7:17

וַתְּהִי ז׳
1660 וַתְּהִי־לִי לִישׁוּעָה Ps. 118:21

תִּהְיִי
1661 לֹא תִזְנִי וְלֹא תִהְיִי לְאִישׁ Hosh. 3:3

וַתִּהְיִי
1662 וָאָבוֹא בִבְרִית אֹתָךְ...וַתִּהְיִי־לִי Ezek. 16:8

תְּהִי נ׳
1663 גַּם־אַתְּ תִּשְׁכְּרִי תְּהִי נַעֲלָמָה Nah. 3:11

וַתְּהִי נ׳
1664 וַתְּהִי סְחַר גּוֹיִם Is. 23:3
1665 וּבְתִתֵּךְ אֶתְנַן...וַתְּהִי לְהֶפֶךְ Ezek. 16:34

יִהְיֶה
1666/7 לָכֶם יִהְיֶה לְאָכְלָה Gen. 1:29; 9:3
1668 וְכֹל שִׂיחַ הַשָּׂדֶה טֶרֶם יִהְיֶה בָאָ׳ Gen. 2:5
1669 וּמוֹרַאֲכֶם...יִהְיֶה עַל כָּל־חַיַּת... Gen. 9:2
1670 וְלֹא־יִהְיֶה עוֹד מַבּוּל לְשַׁחֵת Gen. 9:11
1671 וְלֹא־יִהְיֶה עוֹד הַמַּיִם לְמַבּוּל Gen. 9:15
1672 עֶבֶד עֲבָדִים יִהְיֶה לְאֶחָיו Gen. 9:25
1673 ...כֹּה יִהְיֶה זַרְעֶךָ Gen. 15:5
1674 כִּי־גֵר יִהְיֶה זַרְעֲךָ Gen. 15:13
1675 וְהוּא יִהְיֶה פֶּרֶא אָדָם Gen. 16:12
1676 וְאַבְרָהָם הָיוֹ יִהְיֶה לְגוֹי גָּדוֹל Gen. 18:18
1677 ...גַּם־בָּרוּךְ יִהְיֶה Gen. 27:33
1678 מִשְׁמַנֵּי הָאָרֶץ יִהְיֶה מוֹשָׁבֶךָ Gen. 27:39
1679 אִם־יִהְיֶה אֱלֹהִים עִמָּדִי Gen. 28:20
1680 וְהָאֶבֶן...יִהְיֶה בֵּית אֱלֹהִים Gen. 28:22
1681 כִּי אִם־יִשְׂרָאֵל יִהְיֶה שְׁמֶךָ Gen. 35:10
1682 גּוֹי וּקְהַל גּוֹיִם יִהְיֶה מִמֶּךָּ Gen. 35:11
1683 וְהָיָה הוּא יִהְיֶה־לְּךָ לְפֶה Ex. 4:16
1684 וְאַהֲרֹן אָחִיךָ יִהְיֶה נְבִיאֶךָ Ex. 7:1
1685 לְמָחָר יִהְיֶה הָאֹת הַזֶּה Ex. 8:19

יִהְיֶה (המשך)
1686 מִקְרָא־קֹדֶשׁ יִהְיֶה לָכֶם Ex. 12:16
1687 כָּל־פֶּטֶר...אֲשֶׁר יִהְיֶה לְךָ Ex. 13:12
1688 ...שַׁבָּת לֹא יִהְיֶה־בּוֹ Ex. 16:26
1689 כִּי־יִהְיֶה לָהֶם דָּבָר בָּא אֵלַי Ex. 18:16
1690/1 לֹא־יִהְיֶה לְךָ אֱלֹהִים אֲחֵרִים עַל־פָּנָי
Ex. 20:3 • Deut. 5:7
1692 ...וְלֹא יִהְיֶה אָסוֹן Ex. 21:22
1693 וְאִם־אָסוֹן יִהְיֶה... Ex. 21:23
1694 בַּד בְּבַד יִהְיֶה Ex. 30:34
1695 פֶּן־יִהְיֶה לְמוֹקֵשׁ בְּקִרְבֶּךָ Ex. 34:12
1696 וּבַיּוֹם הַשְּׁבִיעִי יִהְיֶה לָכֶם קֹדֶשׁ Ex. 35:2
1697 אֵיפַת צֶדֶק וְהִין צֶדֶק יִהְיֶה לָכֶם Lev. 19:36
1698 לֹא לְרָצוֹן יִהְיֶה לָכֶם Lev. 22:20
1699 תָּמִים יִהְיֶה לְרָצוֹן Lev. 22:21
1700‑1708 מִקְרָא־קֹדֶשׁ יִהְיֶה לָכֶם Lev. 23:7
23:21,27,36 • Num. 28:25,26; 29:1,7,12
1709 בָּאֶחָד לַחֹדֶשׁ יִהְיֶה לָכֶם שַׁבָּתוֹן Lev. 23:24
1710 מִשְׁפַּט אֶחָד יִהְיֶה לָכֶם Lev. 24:22
1711 כַּגֵּר כָּאֶזְרָח יִהְיֶה Lev. 24:22
1712 שַׁבַּת שַׁבָּתוֹן יִהְיֶה לָאָרֶץ Lev. 25:4
1713 שְׁנַת שַׁבָּתוֹן יִהְיֶה לָאָרֶץ Lev. 25:5
1714 וְלֹא־יִהְיֶה קֶצֶף עַל־עֲדַת בְּ״י Num. 1:53
1715 חֻקָּה אַחַת יִהְיֶה לָכֶם... Num. 9:14
1716 וּמִשְׁפָּט אֶחָד יִהְיֶה לָכֶם Num. 15:16
1717 תּוֹרָה אַחַת יִהְיֶה לָכֶם... Num. 15:29
1718 יוֹם תְּרוּעָה יִהְיֶה לָכֶם Num. 29:1
1719 אֶפֶס כִּי לֹא יִהְיֶה־בְּךָ אֶבְיוֹן Deut. 15:4
1720 לֹא־יִהְיֶה לְךָ בְּכִיסְךָ אֶבֶן וָאָבֶן Deut. 25:13
1721 לֹא־יִהְיֶה לְךָ...אֵיפָה וְאֵיפָה Deut. 25:14
1722 אֶבֶן שְׁלֵמָה וָצֶדֶק יִהְיֶה־לָּךְ Deut. 25:15
1723 אֵיפָה שְׁלֵמָה וָצֶדֶק יִהְיֶה־לָּךְ Deut. 25:15
1724 כַּאֲשֶׁר...כֵּן יְהִי עִם־שְׁלֹמֹה IK. 1:37
1725 נָכוֹן יִהְיֶה הַר בֵּית־יְיָ Is. 2:2
1726 וְאוֹר הַחַמָּה יִהְיֶה שִׁבְעָתַיִם Is. 30:26
1727 יִהְיֶה הַר בֵּית־יְיָ נָכוֹן... Mic. 4:1
1728 גָּדוֹל יִהְיֶה כְּבוֹד הַבַּיִת הַזֶּה Hag. 2:9
1729‑2086 יִהְיֶה Gen. 31:8²; 38:9; 44:10
44:17; 47:24; 48:19² • Ex. 9:29; 10:7,14; 12:5,13,49; 21:34,36; 22:29; 23:33; 26:13,24; 27:1; 28:7,8,16,32²,37; 29:28; 30:2,12,25,31,32 • Lev. 2:1; 7:7,8,14,18; 11:36; 13:2,18,24,29, 38,42,45,47,52; 15:2,10,17,19,26²; 16:17; 19:23,24,34; 20:27; 21:8,17,19; 22:21; 24:5; 25:26,40,50,53; 27:9,10,12,25²,32,33 • Num. 4:7; 5:9,10,17; 6:5; 8:19; 9:10,15,16,20,21; 12:6; 14:31,43; 15:15; 17:5; 18:5,9,10,13,14, 15,18²,20; 19:13; 24:22; 28:14; 33:54; 34:6,7,9; 35:5; 36:4 • Deut. 1:39; 7:14; 11:17,24²; 15:3,7,9,21; 17:1,9; 18:1,2,3,22; 19:11; 20:14; 21:5,16,18,22; 22:5,23; 23:11²,18,23; 24:5,19,20,21; 25:1; 26:3; 28:44,65; 29:12,18; 30:4; 31:8 • Josh. 1:4,17; 2:19; 3:4; 9:20; 15:4; 17:17,18; 20:6 • Jud. 6:37,39; 10:18; 11:10; 13:5,7,12 • ISh. 2:32; 8:11,19; 17:37; 20:42; 29:4 • IISh. 7:14,16,26; 14:17; 15:2,4,21²; 17:3; 19:36 • IK. 1:52; 2:33; 2:37,45; 3:26; 4:7; 5:8; 8:29,35,37³; 9:8; 11:32; 13:32; 14:3; 17:1; 18:31 • IIK. 2:10,21; 7:18; 16:15; 20:19; 23:27 • Is. 3:24; 4:2; 5:24; 7:23³; 10:22; 18:5; 19:15,16,19,24; 23:15,18; 24:13; 28:5; 29:8; 30:13,29; 35:9; 39:8; 43:10; 55:11; 58:5; 60:19,20,22; 65:20 • Jer. 4:10; 14:13,15; 17:11; 22:5,24; 23:12,17,36; 26:9; 29:7,32; 32:5; 33:12; 35:7,9; 36:30; 42:17; 44:14; 44:26; 49:36; 50:3 • Ezek. 1:12,16,20,28; 7:19; 10:10

יִהְיֶה (המשך) 12:24; 13:13; 14:10; 15:2; 16:16,63; 18:3,5,13,30; 21:18,37; 28:24; 29:16; 30:3,13; 33:4,5; 34:14,23; 37:22,24,26; 38:19; 44:2,29,30; 45:2,3,4,6,8; 45:11^2,12,17,21; 46:1; 48:22^2 • Hosh. 8:6 • Am. 5:5 • Ob. 18 • Jon. 4:5 • Mic. 2:5 • Zech. 8:19; 12:2; 13:1; 14:6,7,8,9,11,15,17,20,21 • Ps. 81:10; 89:37; 112:2,6 • Prov. 1:14; 3:26; 12:8; 14:23,26; 26:5; 29:21 • Eccl. 1:11; 2:19; 3:14; 6:12; 8:7,12,13; 10:14; 11:2 • Dan. 8:19 • Neh. 1:9; 2:6; 5:13 • ICh. 11:6; 12:18(17); 17:11,13,14; 21:3; 22:9(8)^2,10(9) • IICh. 1:12; 6:26,28^3,29; 7:13; 33:4

הַיִהְיֶה 2087 הֲיִהְיֶה הַדָּבָר הַזֶּה IIK. 7:2
2088 הֲיִהְיֶה כַּדָּבָר הַזֶּה IIK. 7:19

שֶׁיִּהְיֶה 2089 מַה־שֶּׁהָיָה הוּא שֶׁיִּהְיֶה Eccl. 1:9
2090 שֶׁאַנִּיחֶנּוּ לָאָדָם שֶׁיִּהְיֶה אַחֲרָי Eccl. 2:18
2091 לִרְאוֹת בְּמֶה שֶׁיִּהְיֶה אַחֲרָיו Eccl. 3:22
2092 כִּי־אֵינֶנּוּ יֹדֵעַ מַה־שֶּׁיִּהְיֶה Eccl. 8:7
2093 לֹא־יֵדַע הָאָדָם מַה־שֶּׁיִּהְיֶה Eccl. 10:14

יְהִי 2094 יְהִי־אוֹר וַיְהִי־אוֹר Gen. 1:3
2095 יְהִי רָקִיעַ בְּתוֹךְ הַמָּיִם Gen. 1:6
2096 יְהִי מְאֹרֹת בִּרְקִיעַ הַשָּׁמַיִם Gen. 1:14
2097 הֵן לוּ יְהִי כִדְבָרֶךָ Gen. 30:34
2098 יְהִי לְךָ אֲשֶׁר־לָךְ Gen. 33:9
2099 יְהִי־דָן נָחָשׁ עֲלֵי־דֶרֶךְ Gen. 49:17
2100 קַח אֶת־מַטְּךָ...יְהִי לְתַנִּין Ex. 7:9
2101 יְהִי כֵן יְיָ עִמָּכֶם... Ex. 10:10
2102 יְהִי עֲלֵיכֶם סִתְרָה Deut. 32:38
2103 וּלְאָשֵׁר אָמַר...יְהִי רְצוּי אֶחָיו Deut. 33:24
2104 יְהִי־נָא חֹרֶב אֶל־הַגִּזָּה לְבַדָּהּ Jud. 6:39
2105 וַייָ אֱלֹהֶיךָ יְהִי עִמָּךְ IISh. 14:17
2106 יְהִי יְיָ אֱלֹהֵינוּ עִמָּנוּ IK. 8:57
2107 יְהִי יְיָ אֱלֹהֶיךָ בָּרוּךְ IK. 10:9
2108 יְהִי־נָא דְבָרְךָ כִּדְבַר אַחַד מֵהֶם IK. 22:13
2109 אִם־תִּרְאֶה...יְהִי־לְךָ כֵן IIK. 2:10
2110 יוֹם...אַל־יְהִי בָרוּךְ Jer. 20:14
2111 יְהִי יְיָ בָּנוּ לְעֵד אֱמֶת Jer. 42:5
2112 אַל־יְהִי...פְּלֵטָה Jer. 50:29
2113 מֹאזְנֵי־צֶדֶק...יְהִי לָכֶם Ezek. 45:10
2114 יְהִי־חַסְדְּךָ יְיָ עָלֵינוּ Ps. 33:22
2115 יְהִי־דַרְכָּם חֹשֶׁךְ Ps. 35:6
2116 יְהִי־שֻׁלְחָנָם לִפְנֵיהֶם לְפָח Ps. 69:23
2117 בְּאָהֳלֵיהֶם אַל־יְהִי יֹשֵׁב Ps. 69:26
2118 יְהִי פִסַּת־בַּר בָּאָרֶץ... Ps. 72:16
2119 יְהִי שְׁמוֹ לְעוֹלָם Ps. 72:17
2120 יְהִי כְבוֹד יְיָ לְעוֹלָם Ps. 104:31
2121 אַל־יְהִי־לוֹ מֹשֵׁךְ חָסֶד Ps. 109:12
2122 וְאַל־יְהִי חוֹנֵן לִיתוֹמָיו Ps. 109:12
2123 יְהִי־אַחֲרִיתוֹ לְהַכְרִית Ps. 109:13
2124 יְהִי שֵׁם יְיָ מְבֹרָךְ... Ps. 113:2
2125 יְהִי־נָא חַסְדְּךָ לְנַחֲמֵנִי Ps. 119:76
2126 יְהִי־לִבִּי תָמִים בְּחֻקֶּיךָ Ps. 119:80
2127 יְהִי־שָׁלוֹם בְּחֵילֵךְ Ps. 122:7
2128 יְהִי־מְקוֹרְךָ בָרוּךְ Prov. 5:18
2129 יְהִי שֵׁם יְיָ מְבֹרָךְ Job 1:21
2130 הַיּוֹם הַהוּא יְהִי חֹשֶׁךְ Job 3:4
2131 הַלַּיְלָה הַהוּא יְהִי גַלְמוּד Job 3:7
2132 וְאַל־יְהִי מָקוֹם לְזַעֲקָתִי Job 16:18
2133 יְהִי־רָעֵב אֹנוֹ Job 18:12
2134 יְהִי לְמַלֵּא בִטְנוֹ Job 20:23
2135 וּבַלַּיְלָה יְהִי כַגַּנָּב Job 24:14
2136 יְהִי כְרָשָׁע אֹיְבִי... Job 27:7
2137 וַתֹּאמֶר לָהּ...יְהִי מַכִּירֵךְ בָּרוּךְ Ruth 2:19

יְהִי (המשך) 2138 יְהִי אֱלֹהָיו עִמּוֹ וְיַעַל לִירוּשָׁלִָם Ez. 1:3
2139 עַתָּה בְנִי יְהִי יְיָ עִמָּךְ ICh. 22:11(10)
2140 יְהִי יְיָ אֱלֹהֶיךָ בָּרוּךְ IICh. 9:8
2141 יְהִי־פַחַד־יְיָ עֲלֵיכֶם IICh. 19:7

יֶהִי 2142 עַל־כָּל־עוֹבֵר לוֹ־יֶהִי Ezek. 16:15

וַיְהִי (א) 2143 ...יְהִי־אוֹר וַיְהִי־אוֹר Gen. 1:3
2144-2149 וַיְהִי־עֶרֶב וַיְהִי־בֹקֶר Gen. 1:5
1:8,13,19,23,31
2150-2156 ...וַיְהִי־כֵן Gen. 1:7,9
1:11,15,24,30 • Jud. 6:38
2157 וַיְהִי הָאָדָם לְנֶפֶשׁ חַיָּה Gen. 2:7
2158 וַיְהִי־הֶבֶל רֹעֵה צֹאן... Gen. 4:2
2159 וַיְהִי בֹּנֶה עִיר Gen. 4:17
2160 וַיְהִי כָּל־יְמֵי חֲנוֹךְ... Gen. 5:23
2161 וַיְהִי הַגֶּשֶׁם עַל־הָאָרֶץ Gen. 7:12
2162 וַיְהִי הַמַּבּוּל אַרְבָּעִים יוֹם... Gen. 7:17
2163 ...וַיְהִי־לִי לִישׁוּעָה Ex. 15:2
2164 וַיְהִי יָדָיו אֱמוּנָה... Ex. 17:12
2165 וַיְהִי קוֹל הַשֹּׁפָר הוֹלֵךְ וְחָזֵק Ex. 19:19
2166 וַיְהִי מֹשֶׁה בָּהָר אַרְבָּעִים יוֹם... Ex. 24:18
2167 וַיְהִי־שָׁם לְגוֹי גָּדוֹל Deut. 26:5
2168 וַיְהִי בִישֻׁרוּן מֶלֶךְ Deut. 33:5
2169 וַיְהִי יְיָ אֶת־יְהוֹשֻׁעַ Josh. 6:27
2170 וַיְהִי שָׁמְעוֹ בְּכָל־הָאָרֶץ Josh. 6:27
2171 וַיִּמַּס לְבַב הָעָם וַיְהִי לְמָיִם Josh. 7:5
2172 וַיְהִי הַיּוֹם וַיִּזְבַּח אֶלְקָנָה ISh. 1:4
2173-2179 וַיְהִי הַיּוֹם ISh. 14:1
IIK. 4:8,11,18 • Job 1:6,13; 2:1
2180-2508 וַיְהִי (א) Gen. 5:31,32; 9:29; 10:19,30
11:1; 12:10,16; 13:7; 17:1; 19:14; 21:20^2; 25:20,27; 26:1; 26:14,34; 30:43; 32:6; 35:3,5; 38:7; 39:2^3,5,6,20,21; 41:54; 47:28; 49:15; 50:9 • Ex. 1:5; 2:10; 4:3,4; 7:10,21; 9:10,24; 10:22; 14:20; 19:16; 34:28; 36:13; 38:24,27 • Num. 3:43; 7:12; 9:6; 11:1; 31:32,37,52 • Josh. 8:25; 13:16,23,25,29,30; 15:1,2; 16:5^2,10; 17:1^2,2,7,9; 17:10,11; 18:12; 19:1,2,10,18,25,33^2,41; 21:4,10; 21:20,40(38); 22:17 • Jud. 1:19; 6:40; 7:6; 8:26,27; 10:4; 12:9,14; 13:2; 16:21; 17:1,4,5,7,11,12^2; 19:1; 20:46 • ISh. 1:1,2; 4:1; 6:1; 7:14; 8:2; 9:1; 10:27; 14:25; 15:10; 16:21; 18:9,14,29; 19:7; 22:2; 23:26; 27:7; 28:16 • IISh. 2:11; 3:2; 7:4; 8:14,15; 13:38; 15:12; 19:10; 21:1,20; 22:19; 23:19 • IK. 4:1; 5:2,6,11,12,24; 5:26,27,29; 6:11; 8:17; 10:14,26; 11:3,20,24,25,40; 12:22; 12:30; 13:20,34; 16:1; 17:2,8,17; 18:7,45; 20:39,40; 21:17,28 • IIK. 3:27; 6:5,26; 7:16,20; 11:3; 15:5,12; 17:3,28; 24:1 • Is. 9:18; 12:2; 38:4; 48:18,19; 63:8 • Jer. 1:4,11,13; 2:1; 13:3,8; 15:16; 16:1; 18:5; 24:4; 28:12; 29:30; 32:26; 33:1,19,23; 34:12; 35:12; 36:27; 37:6; 42:7; 43:8 • Ezek. 1:25; 3:16; 6:1; 7:1; 11:14; 12:1,8,17,21,26; 13:1; 14:2,12; 15:1; 16:1,34; 17:1,6,7,11; 18:1; 20:2; 21:1,6,13,23; 22:1,17,23; 23:1; 24:1,15; 25:1; 27:1; 28:1,11,20; 30:1; 32:23; 33:1,23; 34:1; 35:1; 36:16; 37:7,15; 38:1 • Hosh. 7:11 • Jon. 1:1,4; 2:1; 3:1 • Hab. 1:3 • Hag. 1:3; 2:20 • Zech. 4:8; 6:9; 7:4,8,12; 8:1 • Ps. 18:19; 76:3; 94:22; 118:14 • Job 1:3^2; 30:31; 42:12,13 • Ruth 1:1; 2:17 • Es. 2:7 • Dan. 1:6,16,21 • Ez. 4:4 • Neh. 3:38 • ICh. 2:3,22; 4:9; 6:51; 11:6,21; 15:25; 17:3; 18:6,14; 20:6; 21:5; 22:8(7); 23:3,11; 25:1,7; 27:24 • IICh. 1:14; 5:9,13; 6:7; 9:13,25,26; 11:2,12; 14:7; 17:3,5,10,12; 18:1; 20:29; 21:9; 22:12; 24:18; 26:11,21; 29:8,32; 32:25,27

וַיְהִי (ב) 2509 וַיְהִי מִקֵּץ יָמִים וַיָּבֵא קַיִן... Gen. 4:3
2510 וַיְהִי בִּהְיוֹתָם בַּשָּׂדֶה וַיָּקָם Gen. 4:8
2511 וַיְהִי כִּי־הֵחֵל הָאָדָם לָרֹב... Gen. 6:1
2512 וַיְהִי לְשִׁבְעַת הַיָּמִים Gen. 7:10
2513 וַיְהִי מִקֵּץ אַרְבָּעִים יוֹם Gen. 8:6
2514 וַיְהִי בְּאַחַת וְשֵׁשׁ־מֵאוֹת שָׁנָה Gen. 8:13
2515 וַיְהִי בְּנָסְעָם מִקֶּדֶם... Gen. 11:2
2516 וַיְהִי כַּאֲשֶׁר הִקְרִיב לָבוֹא Gen. 12:11
2517 וַיְהִי כְּבוֹא אַבְרָם מִצְרָיְמָה Gen. 12:14
2518 וַיְהִי בִּימֵי אַמְרָפֶל Gen. 14:1
2519 וַיְהִי כַּאֲשֶׁר הִתְעוּ אֹתִי אֱלֹהִים Gen. 20:13
2520-2527 וַיְהִי אַחַר (אַחֲרֵי) הַדְּבָרִים הָאֵלֶּה
Gen. 22:1,20; 39:7; 40:1; 48:1 • Josh. 24:29
IK. 17:17; 21:1
2528 וַיְהִי־הוּא טֶרֶם כִּלָּה לְדַבֵּר Gen. 24:15
2529 וַיְהִי כַּאֲשֶׁר כִּלּוּ...לִשְׁתּוֹת Gen. 24:22
2530-2560 וַיְהִי כַּאֲשֶׁר... Gen. 24:52
27:30; 29:10; 30:25; 37:23; 41:13; 43:2 • Ex. 32:19 • Deut. 2:16 • Josh. 4:1,11; 5:8 • Jud. 3:18; 6:27; 8:33; 11:5 • ISh. 8:1; 24:2(1) • IISh. 16:16 • IIK. 14:5 • Jer. 39:4 • Zech. 7:13 • Neh. 3:33; 4:1,6,9; 6:1,16; 7:1; 13:19 • ICh. 17:1
2561 וַיְהִי אַחֲרֵי מוֹת אַבְרָהָם Gen. 25:11
2562 וַיְהִי כִּי־אָרְכוּ־לוֹ שָׁם הַיָּמִים Gen. 26:8
2563 וַיְהִי כִּי־זָקֵן יִצְחָק... Gen. 27:1
2564 וַיְהִי מִקֵּץ שְׁנָתַיִם יָמִים Gen. 41:1
2565 וַיְהִי כִּי־בָאנוּ אֶל־הַמָּלוֹן Gen. 43:21
2566-2578 וַיְהִי כִּי־ Gen. 44:24 • Ex. 1:21
13:15 • Josh. 17:13 • Jud. 1:28; 6:7; 16:16,25 • IISh. 6:13; 7:1; 19:26 • IIK. 17:7 • Job 1:5
2579 וַיְהִי בַּחֲצִי הַלַּיְלָה... Ex. 12:29
2580 וַיְהִי מִקֵּץ שְׁלֹשִׁים שָׁנָה... Ex. 12:41
2581/82 וַיְהִי בְּעֶצֶם הַיּוֹם הַזֶּה Ex. 12:41,51
2583 וַיְהִי בְּשַׁלַּח פַּרְעֹה אֶת־הָעָם Ex. 13:17
2584 וַיְהִי בִּנְסֹעַ הָאָרֹן וַיֹּאמֶר מֹשֶׁה Num. 10:35
2585 וַיְהִי אַחֲרֵי הַמַּגֵּפָה Num. 26:1
2586 וַיְהִי מִקֵּץ אַרְבָּעִים יוֹם Deut. 9:11
2587 וַיְהִי אַחֲרֵי מוֹת מֹשֶׁה Josh. 1:1
2588 וַיְהִי מִקְצֵה שְׁלֹשֶׁת יָמִים Josh. 3:2
2589-2608 וַיְהִי אַחֲרֵי... Jud. 1:1; 16:4
ISh. 5:9; 24:6(5) • IISh. 1:1; 2:1; 10:1; 13:1; 17:21; 21:18 • IK. 13:23,31 • IIK. 6:24 • Ezek. 16:23 • ICh. 18:1; 19:1; 20:4 • IICh. 20:1; 24:4; 25:14
2609-2615 וַיְהִי מִקֵּץ Jud. 11:39 • IISh. 9:7
IK. 2:39; 17:7 • Jer. 13:6; 42:7 • IICh. 8:1
2616 וַיְהִי בִּימֵי אָחָז בֶּן־יוֹתָם Is. 7:1
2617 וַיְהִי בִּימֵי יְהוֹיָקִים בֶּן־יֹאשִׁיָּהוּ Jer. 1:3
2618 וַיְהִי בִּימֵי שְׁפֹט הַשֹּׁפְטִים Ruth 1:1
2619 וַיְהִי בִּימֵי אֲחַשְׁוֵרוֹשׁ Es. 1:1
2620-2917 וַיְהִי (ב) Gen. 15:12,17; 19:17
19:29,34; 21:22; 24:30; 26:32; 27:30; 29:13,23,25; 31:10; 34:25; 35:16,17,18,22; 38:1,24,27,28,29; 39:5,10,11,13,15,18,19; 40:20; 41:8; 42:35 • Ex. 2:11; 2:23; 4:24; 6:28; 14:24; 16:10,13,22,27; 18:13; 19:16; 32:30; 34:29; 40:17 • Lev. 9:1 • Num. 7:1; 10:11; 11:25; 16:31; 17:7,23; 22:41 • Deut. 1:3; 5:23(20); 31:24 • Josh. 2:5; 3:14; 4:18; 5:1,13; 6:8,15,16,20; 8:14,24; 9:1,16; 10:1,11,20,24,27; 11:1; 15:18; 23:1 • Jud. 1:14; 2:4; 3:27; 6:25; 7:9,15; 9:42; 11:4,35; 13:20; 14:11,15,17; 15:1,17; 19:1,5;

וַיְהִי (ב) (המשך)
21:4 • ISh. 1:20; 3:2; 4:5,18; 5:10; 7:2,10; 9:26; 10:11; 11:11[2]; 13:10; 14:19; 16:6; 18:1,6,10,19,30; 20:24,27,35; 23:6; 24:17(16); 25:2,37,38; 28:1; 30:1,25; 31:8 • IISh. 1:2[2]; 2:23; 3:6; 4:4; 7:4; 8:1; 11:1,2,14,16; 12:18; 13:23,30,36; 15:1,2,32; 17:27 • IK. 3:18; 5:21; 6:1; 8:10,54; 9:1,10; 11:4,15,29; 12:2,20; 13:4,20; 14:6,25,28; 15:21,29; 16:11,18,31; 18:1,4,17,27,29,36,44,45; 19:13; 20:12,26,29; 21:15,16,27; 22:2,32,33 • IIK. 2:1,9,11; 3:5,20; 4:6,8,25,40; 5:7,8; 6:20,25,30; 7:18; 8:3,5,15,21; 9:22; 10:7,9,25; 12:7,11; 13:21; 17:25; 18:1,9; 19:1,35,37; 20:4; 22:3,11; 25:1,25,27 • Is. 22:7; 36:1; 37:1,38 • Jer. 20:3; 26:8; 28:1; 35:11; 36:1,9,16,23; 37:13; 41:1,4,6,7,13; 43:1; 52:4,31 • Ezek. 1:1; 3:16; 8:1; 9:8; 10:6; 11:13; 20:1; 26:1; 29:17; 30:20; 31:1; 32:1,17; 33:21 • Jon. 4:8 • Zech. 7:1 • Job 42:7 • Ruth 1:19; 3:8 • Es. 2:8; 3:4; 5:1,2 • Dan. 8:2,15 • Neh. 1:1,4; 2:1; 4:10; 13:3 • ICh. 10:8; 15:26,29; 17:3; 20:1 • IICh. 5:11; 10:2; 12:1,2,11; 13:15; 16:5; 18:31,32; 21:19; 22:8; 24:11,23; 25:3,16; 26:5; 34:19

וַיֶּהִי
2918 וּנְתַתִּיהוּ לִפְנֵיהֶם לְרֵיחַ נִיחֹחַ וַיֶּהִי Ezek. 16:19
2919 כִּי הוּא אָמַר וַיֶּהִי Ps. 33:9

וִיהִי (ב)
2920 וִיהִי מַבְדִּיל בֵּין מַיִם לָמָיִם Gen. 1:6
2921/2 וִיהִי כְנַעַן עֶבֶד לָמוֹ Gen. 9:26,27
2923 וִיהִי בָרָד בְּכָל־אֶרֶץ מִצְרָיִם Ex. 9:22
2924 וִיהִי חֹשֶׁךְ עַל־אֶרֶץ מִצְרָיִם Ex. 10:21
2925 וִיהִי אֱלֹהִים עִמָּךְ Ex. 18:19
2926 וִיהִי מְתָיו מִסְפָּר Deut. 33:6
2927 וִיהִי כְּבֹאֲךָ שָׁם הָעִיר... ISh. 10:5
2928 וִיהִי יְיָ עִמָּךְ כַּאֲשֶׁר הָיָה... ISh. 20:13
2929 וִיהִי בְךָ כֹּחַ כִּי תֵלֵךְ בַּדָּרֶךְ ISh. 28:22
2930 וִיהִי כְּשָׁמְעֲךָ◦ אֶת־קוֹל צְעָדָה IISh. 5:24
2931 וִיהִי מָה אָרֻצָה־נָּא גַם־אָנִי IISh. 18:22
2932 וִיהִי־מָה אָרוּץ IISh. 18:23
2933 יְמַלֵּא אֶת־יָדוֹ וִיהִי כֹּהֲנֵי בָמוֹת IK. 13:33
2934 וִיהִי כְבֹאָהּ וְהִיא מִתְנַכֵּרָה IK. 14:5
2935 וִיהִי־לִי לְגַן־יָרָק IK. 21:2
2936 וִיהִי־נָא פִּי־שְׁנַיִם בְּרוּחֲךָ אֵלָי IIK. 2:9
2937 וִיהִי כָּאֵזוֹר הַזֶּה Jer. 13:10
2938 וִיהִי כַזַּיִת הוֹדוֹ Hosh. 14:7
2939 וִיהִי־כֵן יְיָ אֱלֹהֵי־צְבָאוֹת אִתְּכֶם Am. 5:14
2940 וִיהִי אֲדֹנָי יְיָ בָּכֶם לְעֵד Mic. 1:2
2941 הָבִיאוּ...וִיהִי טֶרֶף בְּבֵיתִי Mal. 3:10
2942 וִיהִי יְיָ מִשְׂגָּב לַדָּךְ Ps. 9:10
2943 וִיהִי עִתָּם לְעוֹלָם Ps. 81:16
2944 וִיהִי נֹעַם אֲדֹנָי אֱלֹהֵינוּ עָלֵינוּ Ps. 90:17
2945 תָּשֶׁת־חֹשֶׁךְ וִיהִי לָיְלָה Ps. 104:20
2946 וִיהִי בְשָׁכְבוֹ וְיָדַעַתְּ אֶת־הַמָּקוֹם Ruth 3:4
2947 וִיהִי בֵיתְךָ כְּבֵית פֶּרֶץ Ruth 4:12
2948 וִיהִי כְּשָׁמְעֲךָ אֶת־קוֹל הַצְּעָדָה ICh. 14:15
2949 וִיהִי יְיָ עִמָּךְ ICh. 22:16(15)
2950 וִיהִי־נָא דְבָרְךָ כְּאַחַד מֵהֶם IICh. 18:12
2951 וִיהִי יְיָ עִם־הַטּוֹב IICh. 19:11

תִּהְיֶה
2952 בַּעֲבוּר תִּהְיֶה־לִּי לְעֵדָה Gen. 21:30
2953 וְהָאָרֶץ תִּהְיֶה לִפְנֵיכֶם Gen. 34:10
2954 לְמַעַן תִּהְיֶה תּוֹרַת יְיָ בְּפִיךָ Ex. 13:9
2955 וּבַעֲבוּר תִּהְיֶה יִרְאָתוֹ עַל־פְּנֵיכֶם Ex. 20:17
2956 הָאִשָּׁה וִילָדֶיהָ תִּהְיֶה לַאדֹנֶיהָ Ex. 21:4
2957 שְׁבֻעַת יְיָ תִּהְיֶה בֵּין שְׁנֵיהֶם Ex. 22:10
2958 לֹא תִהְיֶה מְשַׁכֵּלָה וַעֲקָרָה בְּאַרְ׳ Ex. 23:26
2959 פֶּן־תִּהְיֶה הָאָרֶץ שְׁמָמָה Ex. 23:29

תִּהְיֶה (המשך)
2960 קֹדֶשׁ קָדָשִׁים תִּהְיֶה לָכֶם Ex. 30:36
2961 קֹדֶשׁ תִּהְיֶה לְךָ לַיְיָ Ex. 30:37
2962 וְאֵשׁ תִּהְיֶה לַיְלָה בּוֹ Ex. 40:38
2963 בִּקֹּרֶת תִּהְיֶה לֹא יוּמְתוּ Lev. 19:20
2964 זֹאת תִּהְיֶה לָכֶם הָאָרֶץ Num. 34:12
2965 לֹא תִהְיֶה תִּפְאַרְתְּךָ עַל־הַדֶּרֶךְ Jud. 4:9
2966 מָחָר תִּהְיֶה־לָכֶם תְּשׁוּעָה ISh. 11:9
2967 כִּי־מָרָה תִהְיֶה בָּאַחֲרוֹנָה IISh. 2:26
2968 כִּי לֹא־תִהְיֶה־לָּנוּ פְלֵיטָה IISh. 15:14
2969 לֹא תָקוּם וְלֹא תִהְיֶה Is. 7:7
2970 ..הָיוֹ לֹא תִהְיֶה Ezek. 20:32
2971 לָאֵשׁ תִּהְיֶה לְאָכְלָה Ezek. 21:37
2972־3088 תִּהְיֶה Lev. 2:5; 6:16; 7:9,10,33; 13:9; 14:2; 15:3,19[2],25; 17:7; 20:14; 22:12,13; 25:7,10; 25:11,12,29,31,32,48; 26:37; 27:21 • Num. 4:27; 27:17; 29:35; 30:7; 36:8 • Deut. 6:25; 13:10; 17:7; 22:19; 22:29; 23:13,14,18; 24:13; 25:5; 31:19 • Josh. 2:19; 4:6; 14:9; 24:27 • ISh. 23:22; 24:13(12),14(13); 25:31 • IK. 8:38 • Is. 4:6; 7:24; 19:23; 30:15; 51:6,8; 61:7 • Jer. 4:27; 7:34; 11:23; 26:18; 27:17; 36:30; 46:19; 49:13; 51:26,62 • Ezek. 7:26; 11:11; 12:20; 14:16; 18:20[2]; 23:32; 26:5,14; 29:15; 30:16; 38:21; 44:22; 46:11,16,17; 47:10; 48:8,10 • Hosh. 5:9 • Joel 3:5; 4:19[2] • Am. 3:6; 7:3,6 • Ob. 17 • Mic. 3:12; 7:4,10 • Hab. 3:4 • Zep. 2:4,9 • Zech. 6:13,14; 14:12,13,15,18,19 • Ps. 37:18; 109:7 • Prov. 12:24; 14:35; 24:20 • Job 11:17; 15:31 • Dan. 11:17,29,42

תְּהִי
3089 אַל־נָא תְהִי מְרִיבָה... Gen. 13:8
3090 תְּהִי נָא אָלָה בֵּינוֹתֵינוּ Gen. 26:28
3091 וְיָדֵנוּ אַל־תְּהִי־בוֹ Gen. 37:27
3092 אַל־נָא תְהִי כַּמֵּת Num. 12:12
3093 תְּהִי־נָא לְךָ תַּחְתֶּיהָ Jud. 15:2
3094 אַל־תְּהִי יָדִי בּוֹ ISh. 18:17
3095 תְּהִי נָא יָדְךָ בִּי וּבְבֵית אָבִי IISh. 24:17
3096 אַל־תְּהִי־לָהּ שְׁאֵרִית Jer. 50:26
3097 תְּהִי־טִירָתָם נְשַׁמָּה Ps. 69:26
3098 תְּהִי־יָדְךָ עַל־אִישׁ יְמִינֶךָ Ps. 80:18
3099 תְּהִי־לוֹ כְּבֶגֶד יַעְטֶה Ps. 109:19
3100 תְּהִי־יָדְךָ לְעָזְרֵנִי Ps. 119:173
3101 רִפְאוּת תְּהִי־לְשָׁרֶּךָ Prov. 3:8
3102 שֻׁבוּ־נָא אַל־תְּהִי עַוְלָה Job 6:29
3103/4 תְּהִי נָא אָזְנְךָ־קַשֶּׁבֶת Neh. 1:6,11
3105 תְּהִי נָא יָדְךָ בִּי וּבְבֵית אָבִי ICh. 21:17

וּתְהִי
3106 וּתְהִי אִשָּׁה לְבֶן־אֲדֹנֶיךָ Gen. 24:51
3107 וּתְהִי נִדָּתָהּ עָלָיו Lev. 15:24
3108 וּתְהִי אַחֲרִיתִי כָּמֹהוּ Num. 23:10
3109/10 וּתְהִי־בוֹ יַד־פְּלִשְׁתִּים ISh. 18:17,21
3111 אֶתְּנֶנָּה לּוֹ וּתְהִי־לוֹ לְמוֹקֵשׁ ISh. 18:21
3112 וּתְהִי־לוֹ סֹכֶנֶת IK. 1:2
3113 וּתְהִי לַהְשׁוֹת גַּלִּים נִצִּים IIK. 19:25
3114 וּתְהִי לְיוֹם אַחֲרוֹן לָעַד Is. 30:8
3115 וּתְהִי לְהַשְׁאוֹת גַּלִּים נִצִּים Is. 37:26
3116 וּתְהִי־עוֹד נֶחָמָתִי Job 6:10
3117 מִי־יִתֵּן...וּתְהִי לָכֶם לְחָכְמָה Job 13:5
3118 וּתְהִי־זֹאת תַּנְחוּמֹתֵיכֶם Job 21:2
3119 וּתְהִי מַשְׂכֻּרְתֵּךְ שְׁלֵמָה Ruth 2:12

וַתְּהִי
3120 וַתְּהִי רֵאשִׁית מַמְלַכְתּוֹ Gen. 10:10
3121 וַתְּהִי לָהֶם הַלְּבֵנָה לְאָבֶן Gen. 11:3
3122 וַתְּהִי שָׂרַי עֲקָרָה Gen. 11:30
3123 וַתַּבֵּט...וַתְּהִי נְצִיב מֶלַח Gen. 19:26
3124 וַתְּהִי־לִי לְאִשָּׁה Gen. 20:12

וַתְּהִי (המשך)
3125 וַתְּהִי־לוֹ לְאִשָּׁה Gen. 24:67
3126 וַתְּהִי הָאָרֶץ לְפַרְעֹה Gen. 47:20
3127 וַתְּהִי עָלָיו רוּחַ אֱלֹהִים Num. 24:2
3128 וַתְּהִי עָלָיו רוּחַ־יְיָ Jud. 3:10
3129 וַתְּהִי עַל־יִפְתָּח רוּחַ יְיָ Jud. 11:29
3130 וַתְּהִי־חֹק בְּיִשְׂרָאֵל... Jud. 11:39
3131 וַתְּהִי חֲרָדָה בַמַּחֲנֶה בַשָּׂדֶה... ISh. 14:15
3132 וַתְּהִי לְחֶרְדַּת אֱלֹהִים ISh. 14:15
3133—3204 וַתְּהִי Ex. 8:13,14; 12:30; Num. 31:16,36,43; 36:12 • Jud. 14:20; 19:2 • ISh. 2:17; 4:10; 5:9; 7:13; 14:14,52; 19:9,20,23; 25:42 • IISh. 2:17; 3:1; 8:2,6; 11:27; 12:3,30; 18:6,7,8; 19:3; 21:15,18,19,20; 23:11; 24:9 • IK. 1:4; 2:15; 13:6,24 • IIK. 3:15; 5:2 • Is. 5:25; 9:5; 23:3; 29:11,13; 59:15 • Jer. 20:17; 23:10; 44:22 • Ezek. 1:3; 3:3,22; 16:34; 17:6; 19:14; 23:10; 32:27 • Ps. 69:11 • Job 5:16 • Ruth 4:13; 4:16 • Es. 2:15 • Neh. 5:1; 8:17 • ICh. 2:26; 11:13; 20:2,5,6 • IICh. 30:26

וַתֶּהִי
3205 מִי זֶה אָמַר וַתֶּהִי... Lam. 3:37

נִהְיֶה
3206 תִּקַּח־לָהּ פֶּן נִהְיֶה לָבוּז Gen. 38:23
3207 נִהְיֶה לַאדֹנִי לַעֲבָדִים Gen. 44:9
3208 וַאֲנִי וְיוֹנָתָן בְּנִי נִהְיֶה לְעֵבֶר אֶחָד ISh. 14:40
3209 נִהְיֶה כַגּוֹיִם כְּמִשְׁפְּחוֹת הָאֲרָצוֹת Ezek. 20:32
3210 וְלֹא־נִהְיֶה עוֹד חֶרְפָּה Neh. 2:17

וְנִהְיֶה
3211 וְנִהְיֶה אֲנַחְנוּ וְאַדְמָתֵנוּ עֲבָדִים Gen. 47:19

וַנִּהְיֶה
3212 וַנִּהְיֶה עֲלֵיהֶם עַד־פֶּתַח הַשָּׁעַר IISh. 11:23
3213 וַנִּשְׂבַּע־לֶחֶם וַנִּהְיֶה טוֹבִים Jer. 44:17

וַנְּהִי
3214 וַנְּהִי בְעֵינֵינוּ כַּחֲגָבִים Num. 13:33
3215 וַנְּהִי כַטָּמֵא כֻּלָּנוּ Is. 64:5

תִּהְיוּ
3216 אִם תִּהְיוּ כָמֹנוּ לְהִמֹּל לָכֶם Gen. 34:15
3217 ...וְאַתֶּם תִּהְיוּ נְקִיִּם Gen. 44:10
3218 וְאַתֶּם תִּהְיוּ־לִי מַמְלֶכֶת כֹּהֲנִים Ex. 19:6
3219 קְדֹשִׁים תִּהְיוּ כִּי קָדוֹשׁ אֲנִי... Lev. 19:2
3220 וְאַתֶּם תִּהְיוּ־לִי לְעָם Lev. 26:12
3221 וְאַתֶּם תִּהְיוּ־לוֹ לַעֲבָדִים ISh. 8:17
3222 אַתֶּם תִּהְיוּ לְעֵבֶר אֶחָד... ISh. 14:40
3223/4 (וְ)לָמָּה תִהְיוּ אַחֲרֹנִים... IISh. 19:12,13
3225 כִּי־תִהְיוּ־לִי הַיּוֹם לְשָׂטָן IISh. 19:23
3226 כִּי תִהְיוּ כְּאֵלָה נֹבֶלֶת עָלֶהָ Is. 1:30
3227 וְאַתֶּם תִּהְיוּ־לִי לְעָם Jer. 7:23
3228 וְאַתֶּם תִּהְיוּ בְתוֹכָהּ לְבָשָׂר Ezek. 11:11
3229 אַל־תִּהְיוּ כַּאֲבֹתֵיכֶם... Zech. 1:4
3230 כִּי־תִהְיוּ אַתֶּם אֶרֶץ חֵפֶץ Mal. 3:12
3231 אַל־תִּהְיוּ כְּסוּס כְּפֶרֶד Ps. 32:9
3232 וְאַל־תִּהְיוּ כַּאֲבוֹתֵיכֶם וְכַאֲחֵיכֶם IICh. 30:7

וַתִּהְיוּ
3233 וַתִּהְיוּ כְּאוּד מֻצָּל מִשְּׂרֵפָה Am. 4:11

תִּהְיוּן
3234 וְאַנְשֵׁי־קֹדֶשׁ תִּהְיוּן לִי Ex. 22:30

יִהְיוּ
3235 זָכָר וּנְקֵבָה יִהְיוּ Gen. 6:19
3236 מַלְכֵי עַמִּים מִמֶּנָּה יִהְיוּ Gen. 17:16
3237 וְנִרְאֶה מַה־יִּהְיוּ חֲלֹמֹתָיו Gen. 37:20
3238 ...יִהְיוּ שֶׁבַע שְׁנֵי רָעָב Gen. 41:27
3239 כִּרְאוּבֵן וְשִׁמְעוֹן יִהְיוּ־לִי Gen. 48:5
3240 וּמוֹלַדְתְּךָ אֲשֶׁר־הוֹלַדְתָּ אַחֲרֵיהֶם לְךָ יִהְיוּ Gen. 48:6
3241 בְּטַבְּעֹת הָאָרֹן יִהְיוּ הַבַּדִּים Ex. 25:15
3242 וְשֶׁקֶץ יִהְיוּ לָכֶם Lev. 11:11
3243 טְמֵאִים הֵם וּטְמֵאִים יִהְיוּ לָכֶם Lev. 11:35
3244 בְּגָדָיו יִהְיוּ פְרֻמִים Lev. 13:45
3245 קְדֹשִׁים יִהְיוּ לֵאלֹהֵיהֶם Lev. 21:6
3246 וּדְבָרֶיךָ יִהְיוּ אֱמֶת IISh. 7:28
3247 יִהְיוּ כְאַיִן וְיֹאבְדוּ... Is. 41:11

יִהְיוּ (המשך)

3248 יִהְיוּ כְאַיִן וּכְאֶפֶס... Is.41:12
3249 וְלֹא יִהְיוּ(כת׳ יהיה)־עוֹד לִשְׁנֵי גוֹיִם Ezek.37:22
3250 יִהְיוּ לְרָצוֹן אִמְרֵי־פִי Ps.19:15
3251 בְּכָל־עֵת יִהְיוּ בְגָדֶיךָ לְבָנִים Eccl.9:8
3252–3349 יִהְיוּ Ex.25:20,31,36 26:24²; 28:20,42; 29:29; 36:29 • Lev.16:4; 20:21; 23:18,20; 25:44; 26:33 • Num.1:4; 3:13; 5:10,18; 14:3,33; 28:19,31; 29:8,13; 32:26; 35:3 • Deut. 12:26; 19:17; 20:11; 28:40,41 • Jud.2:3 • ISh. 25:26 • IISh.18:32 • IK.5:20,28; 12:17 • Is.1:18²; 5:9; 10:19; 15:6; 17:3,9; 19:18; 31:8; 34:12; 45:14; 59:6 • Jer.5:13; 8:2; 14:16; 16:2,4; 18:21; 25:33; 27:22; 31:1(30:25),33(32); 48:34 • Ezek.13:9,21; 17:6; 34:26,28,29; 37:27; 41:6; 44:18²; 45:16; 46:6; 47:10 • Hosh.13:3 • Mic.5:11 • Mal.3:21 • Ps. 35:5; 45:17; 63:11; 78:8; 90:5; 92:15; 109:8,9,15; 115:8; 129:6; 135:18 • Prov.5:17 • Job 21:18 • Eccl.5:1; 11:8 • Neh.13:22 • ICh.9:24 • IICh.6:40; 7:15; 12:8

וְיִהְיוּ
3350 עַל־מֵימֵי מִצְרַיִם...וְיִהְיוּ־דָם Ex.7:19
3351 וְיִהְיוּ תֹאֲמִם מִלְּמַטָּה Ex.26:24
3352 וְיִהְיוּ לְאוֹת לִבְנֵי יִשְׂרָאֵל Num.17:3
3353 וְיִהְיוּ עַל־מִדְיָן... Num.31:3
3354 וְיִהְיוּ דְבָרַי אֵלֶּה...קְרֹבִים אֶל־יְיָ IK.8:59
3355 וְיִהְיוּ (כת׳ והיו) מֻכְשָׁלִים לְפָנֶיךָ Jer.18:23
3356 וְיִהְיוּ כָל־הָאֲנָשִׁים...יָמוּתוּ בַּחֶרֶב Jer.42:17
3357 וְיִהְיוּ נֹדְדִים בַּגּוֹיִם Hosh.9:17
3358 וְיִהְיוּ חַיִּים לְנַפְשֶׁךָ... Prov.3:22
3359 וְיִהְיוּ־נָא שָׁדַיִךְ כְּאֶשְׁכְּלוֹת הַגֶּפֶן S.ofS.7:9
3360 הֵבֵאתָ יוֹם־קָרָאתָ וְיִהְיוּ כָמֹנִי Lam.1:21

וַיִּהְיוּ
3361 וַיִּהְיוּ שְׁנֵיהֶם עֲרוּמִּים Gen.2:25
3362 וַיִּהְיוּ יְמֵי־אָדָם... Gen.5:4
3363 וַיִּהְיוּ כָּל־יְמֵי אָדָם... Gen.5:5
3364 וַיִּהְיוּ כָּל־יְמֵי־שֵׁת... Gen.5:8
3365 וַיִּהְיוּ הַכְּרֻבִים פֹּרְשֵׂי כְנָפַיִם Ex.37:9
3366 וַיִּהְיוּ חֹטְבֵי עֵצִים וְשֹׁאֲבֵי־מַיִם Josh.9:21
3367 וַיִּהְיוּ תְּלוּיִם עַל־הָעֵצִים Josh.10:26
3368 וַיִּהְיוּ כְלֵי־הַנְּעָרִים קֹדֶשׁ ISh.21:6
3369 וַיִּהְיוּ לַאֲגֻדָּה אֶחָת IISh.2:25
3370 וַיִּהְיוּ־שָׁם גָּרִים עַד הַיּוֹם הַזֶּה IISh.4:3
3371 וַיִּהְיוּ גֹזְזִים לְאַבְשָׁלוֹם IISh.13:23
3372 וַיִּהְיוּ הֹרְגִים בָּהֶם IIK.17:25
3373–3459 וַיִּהְיוּ Gen.5:11,14,17 5:20,27; 9:18; 11:32; 23:1; 29:20; 35:22,28; 36:11,22; 40:4; 46:12 • Ex.7:12 • Num. 1:20,45,46; 3:17; 4:36,40,44,48; 11:35; 15:32; 17:14; 25:9; 26:7,10,20,21,40,62 • Deut.10:5 • Josh.4:9; 8:22; 10:1; 15:21; 24:32 • Jud.3:4; 14:11; 16:30 • ISh.7:2; 11:8; 13:2; 14:49; 22:2 • IISh. 2:18 • IK.1:7; 8:8; 20:15 • IIK.17:29,32²,41; 21:15 • Is.9:15; 66:2 • Jer.7:24; 52:23 • Ezek. 19:11 • Hosh.9:10 • Ps.106:36 • Ruth 1:2 • Es.6:1 • ICh.1:51; 2:25; 6:17; 7:19; 8:3,40; 12:22(21),40(39); 18:2,13; 23:11,17 • IICh.5:8; 13:13; 20:25; 24:12,14; 30:10²; 36:16,20

שֶׁיִּהְיוּ
3460 וְגַם לָאַחֲרֹנִים שֶׁיִּהְיוּ לֹא־יִהְיֶה לָהֶם זִכָּרוֹן Eccl.1:11
3461 עִם־שֶׁיִּהְיוּ לָאַחֲרֹנָה Eccl.1:11
3462 וְרַב שֶׁיִּהְיוּ יְמֵי־שָׁנָיו... Eccl.6:3

תִּהְיֶינָה
3463 שֶׁבַע שַׁבָּתוֹת תְּמִימֹת תִּהְיֶינָה Lev.23:15
3464 סֹלֶת תִּהְיֶינָה חָמֵץ תֵּאָפֶינָה Lev.23:17
3465/6 עָרֵי מִקְלָט תִּהְיֶינָה לָכֶם Num.35:11,13
3467 עָרֵי מִקְלָט תִּהְיֶינָה Num.35:14
3468 תִּהְיֶינָה...הֶעָרִים...לְמִקְלָט Num.35:15
3469/70 עַל נַחֲלַת...תִּהְיֶינָה לָהֶם Num.36:3,4
3471 לַטּוֹב בְּעֵינֵיהֶם תִּהְיֶינָה לְנָשִׁים Num.36:6
3472 לְמִשְׁפַּחַת...תִּהְיֶינָה לְנָשִׁים Num.36:6
3473 תִּהְיֶינָה הֶעָרִים הָאֵלֶּה... Josh.21:42(40)
3474 תִּהְ׳ בְּנוֹת מוֹאָב מַעְבָּרֹת לְאַרְנוֹן Is.16:2
3475 עָרֵי עֲרֹעֵר לַעֲדָרִים תִּהְיֶינָה Is.17:2
3476 וְעָרֶיהָ לְשַׁמָּה תִהְיֶינָה Jer.48:9
3477 וְכָל־עָרֶיהָ תִהְיֶינָה לְחָרְבוֹת Jer.49:13
3478 בְּתוֹךְ־עָרִים נַחֲרָבוֹת תִּהְיֶינָה Ezek.30:7
3479 וְלֹא־תִהְיֶינָה עוֹד לָבַז Ezek.34:22
3480 וְאֶת־שְׁתֵּי הָאֲרָצוֹת לִי תִהְיֶינָה Ezek.35:10
3481 כֵּן תִּהְיֶינָה הֶעָרִים הֶחֳרֵבוֹת Ezek.36:38
3482 תִּהְיֶינָה אָזְנֶיךָ קַשֻּׁבוֹת Ps.130:2

תִּהְיֶיןָ
3483 אֲשֶׁר תִּהְיֶיןָ בְּאֶרֶץ מִצְרָיִם Gen.41:36
3484 תִּהְיֶיןָ לְרֹאשׁ יוֹסֵף... Gen.49:26
3485 לְעֻמַּת הַמִּסְגֶּרֶת תִּהְיֶיןָ הַטַּבָּעֹת Ex.25:27
3486 תִּהְיֶיןָ חֹבְרֹת אִשָּׁה אֶל־אֲחֹתָהּ Ex.26:3
3487 מִמֶּנּוּ תִּהְיֶיןָ קַרְנֹתָיו Ex.27:2
3488 וְהָאֲבָנִים תִּהְיֶיןָ עַל־שְׁמֹת בְּ״י Ex.28:21
3489 אִישׁ עַל־שְׁמוֹ תִּהְיֶיןָ... Ex.28:21
3490 כִּי־תִהְיֶיןָ לְאִישׁ שְׁתֵּי נָשִׁים Deut.21:15
3491/2 וְתוֹעֲבוֹתַיִךְ בְּתוֹכֵךְ תִּהְיֶיןָ Ezek.7:4,9
3493 וְעָרֶיהָ...תִּהְיֶיןָ שְׁמָמָה Ezek.29:12
3494 וְלֹא־תִהְיֶיןָ לָהֶם לְאָכְלָה Ezek.34:10

וְתִהְיֶינָה
3495 וְתִהְיֶנָה נְשֵׁיהֶם שַׁכֻּלוֹת Jer.18:21
3496 וְתִהְיֶינָה כַּעֲרוֹעֵר בַּמִּדְבָּר Jer.48:6

וַתִּהְיֶינָה
3497 וַתִּהְיֶינָה...לִבְנֵי דֹדֵיהֶן לְנָשִׁים Num.36:11
3498 וַתִּהְיֶינָה הָעֲבֹתִים...כַּפִּשְׁתִּים Jud.15:14
3499 וַתִּהְיֶינָה צְרֻרוֹת עַד־יוֹם מֻתָן IISh.20:3
3500 וַתִּהְיֶינָה לְחָרְבָּה לִשְׁמָמָה Jer.44:6
3501 וַתִּהְיֶינָה לִי וַתֵּלַדְנָה בָּנִים Ezek.23:4
3502 וַתִּהְ׳ לְאָכְלָה לְכָל־חַיַּת הַשָּׂדֶה Ezek.34:5
3503 וַתִּהְיֶינָה צֹאנִי לְאָכְלָה... Ezek.34:8
3504 וַתִּהְיֶינָה לִצְלָפְחָד בָּנוֹת ICh.7:15

וַתִּהְיֶיןָ
3505 וַתִּהְיֶיןָ מֹרַת רוּחַ לְיִצְחָק... Gen.26:35
3506 וַתִּהְיֶיןָ גַּם־שְׁתֵּיהֶן לוֹ לְנָשִׁים ISh.25:43

הֱיֵה
3507 הֱיֵה אַתָּה לָעָם מוּל הָאֱלֹהִים Ex.18:19
3508 אַךְ הֱיֵה־לִי לְבֶן־חַיִל ISh.18:17
3509 הֱיֵה זְרֹעָם לַבְּקָרִים... Is.33:2
3510 הֱיֵה־עֹזֵר לִי Ps.30:11
3511 הֱיֵה לִי לְצוּר־מָעוֹז Ps.31:3
3512 הֱיֵה לִי לְצוּר מָעוֹן Ps.71:3
3513 בְּיוֹם טוֹבָה הֱיֵה בְטוֹב Eccl.7:14

וֶהְיֵה
3514 וַאֲבָרֶכְךָ...וֶהְיֵה בְּרָכָה Gen.12:2
3515 הִתְהַלֵּךְ לְפָנַי וֶהְיֵה תָמִים Gen.17:1
3516 עֲלֵה אֵלַי הָהָרָה וֶהְיֵה־שָׁם Ex.24:12
3517 וֶהְיֵה נָכוֹן לַבֹּקֶר Ex.34:2
3518 וֶהְיֵה־לִי לְאָב וּלְכֹהֵן Jud.17:10
3519 וֶהְיֵה־לָנוּ לְאָב וּלְכֹהֵן Jud.18:19

הֲיִי
3520 אֲחֹתֵנוּ אַתְּ הֲיִי לְאַלְפֵי רְבָבָה Gen.24:60

הֱיוּ
3521 הֱיוּ נְכֹנִים לִשְׁלֹשֶׁת יָמִים Ex.19:15
3522 אַתָּה וְכָל־עֲדָתְךָ הֱיוּ לִפְנֵי יְיָ Num.16:16

וִהְיוּ
3523 הִתְחַזְּקוּ וִהְיוּ לַאֲנָשִׁים ISh.4:9
3524 תֶּחֱזַקְנָה יְדֵיכֶם וִהְיוּ לִבְנֵי־חַיִל IISh.2:7
3525 חִזְקוּ וִהְיוּ לִבְנֵי־חָיִל IISh.13:28
3526 וִהְיוּ אֶת־הַמֶּלֶךְ בְּצֵאתוֹ וּבְבֹאוֹ IIK.11:8
3527 וִהְיוּ כְיוֹנָה תְּקַנֵּן בְּעֶבְרֵי... Jer.48:28
3528 וִהְיוּ כְּעַתּוּדִים לִפְנֵי־צֹאן Jer.50:8
3529 וִהְיוּ אֶת הַמֶּלֶךְ בְּבֹאוֹ וּבְצֵאתוֹ IICh.23:7

נִהְיֵיתִי
3530 וַאֲנִי דָנִיֵּאל נִהְיֵיתִי וְנֶחֱלֵיתִי Dan.8:27

נִהְיֵיתָ
3531 נִהְיֵיתָ לְעָם לַייָ אֱלֹהֶיךָ Deut.27:9

נִהְיָה
3532 אִם מֵאֵת אֲדֹנִי...נִהְיָה הַדָּבָר הַזֶּה IK.1:27
3533 כִּי מֵאִתִּי נִהְיָה הַדָּבָר הַזֶּה IK.12:24
3534 כָּמֹהוּ לֹא נִהְיָה מִן־הָעוֹלָם Joel2:2
וְנָהָה נְהִי נִהְיָה (מיכה ב4) – עיין נִהְיָה (באות נ׳)
3535 שְׂכַר הָאָדָם לֹא נִהְיָה Zech.8:10
3536 תַּאֲוָה נִהְיָה תֶּעֱרַב לְנָפֶשׁ Prov.13:19
3537 לֹא נִהְיָה כַּדְּבָרִים הָאֵלֶּה... Neh.6:8
3538 כִּי מֵאִתִּי נִהְיָה הַדָּבָר IICh.11:4

הֲנִהְיָה
3539 הֲנִהְיָה כַּדָּבָר הַגָּדוֹל הַזֶּה Deut.4:32

נִהְיְתָה
3540 לֹא־נִהְיְתָה וְלֹא־נִרְאֲתָה כָּזֹאת Jud.19:30
3541 אֵיכָה נִהְיְתָה הָרָעָה הַזֹּאת Jud.20:3
3542 מָה הָרָעָה הַזֹּאת אֲשֶׁר נִהְיְתָה בָּכֶם Jud.20:12
3543 שַׁמָּה וְשַׁעֲרוּרָה נִהְיְתָה בָּאָרֶץ Jer.5:30
3544 וַתִּתְפָּעֶם רוּחוֹ וּשְׁנָתוֹ נִהְיְתָה עָלָיו Dan.2:1
3545 אֲשֶׁר לֹא־נִהְיְתָה מִהְיוֹת גּוֹי Dan.12:1

נִהְיָתָה
3546 ...אֲשֶׁר כָּמֹהוּ לֹא נִהְיָתָה Ex.11:6
3547 שַׁאֲלִי־נָס...אִמְרִי מַה־נִּהְיָתָה Jer.48:19

וְנִהְיָתָה
3548 הִנֵּה בָאָה וְנִהְיָתָה Ezek.21:12; 39:8

הֵיטֵב
תה״פ באופן טוב, הרבה: 1–10

הֵיטֵב
1 וָאֶכֹּת אֹתוֹ טָחוֹן הֵיטֵב Deut.9:21
2 וְדָרַשְׁתָּ וְחָקַרְתָּ וְשָׁאַלְתָּ הֵיטֵב Deut.13:15
3 וְדָרַשְׁתָּ הֵיטֵב וְהִנֵּה אֱמֶת... Deut.17:4
4 וְדָרְשׁוּ הַשֹּׁפְטִים הֵיטֵב... Deut.19:18
5 וְכָתַבְתָּ...בַּאֵר הֵיטֵב Deut.27:8
6 וְאֶת־צְלָמָיו שִׁבְּרוּ הֵיטֵב IIK.11:18
7 לִמְדוּ הֵיטֵב דִּרְשׁוּ מִשְׁפָּט Is.1:17
8 הֵיטֵב חָרָה־לִי עַד־מָוֶת Jon.4:9

הַהֵיטֵב
9 הַהֵיטֵב חָרָה לָךְ Jon.4:4
10 הַהֵיטֵב חָרָה־לְךָ עַל־הַקִּיקָיוֹן Jon.4:9

הֵיךְ
מ״ש אֵיךְ: 1, 2

הֵיךְ
1 הֵיךְ אָבִיא אֵלַי אֵת אֲרוֹן הָאֱלֹהִים ICh.13:12

וְהֵיךְ
2 וְהֵיךְ יוּכַל עֶבֶד אֲדֹנִי זֶה לְדַבֵּר... Dan.10:17

הֵיכָל
ז׳ א) בֵּית־פְּאֵר, אַרְמוֹן: 31,52,53,61,62,72,76–80 ב) כִּנּוּי לְבֵית ה׳ וּבִיחוּד לְחֶלְקוֹ הַמֶּרְכָּזִי שֶׁל בֵּית הַמִּקְדָּשׁ בִּירוּשָׁלַיִם: 1–30,32–51,54–60, 63–71,73–75

קרובים: אַפֶּדֶן / אוּלָם / אַרְמוֹן / בַּיִת / בִּיתָן / דְּבִיר / הַרְמוֹן / יָצִיעַ / מִקְדָּשׁ / מִשְׁכָּן / עֲזָרָה

– הַהֵיכָל הַפְּנִימִי 20; הֵיכַל אַחְאָב 31; ה׳ הַבַּיִת 30; ה׳ יְיָ 29,32–44,50–51,54–58,63; ה׳ מֶלֶךְ 52, 53,61,62; ה׳ קָדְשׁוֹ 45–49,59,60,64

– אוּלָם הַהֵיכָל 7; דַּלְתוֹת הַה׳ 13,17; מְזוּזַת הַה׳ 29; נִקְמַת הַה׳ 68, 69; פְּנֵי הַה׳ 10,14,19; פֶּתַח הַה׳ 6; קְדוֹשׁ הַה׳ 66; קִיר הַה׳ 11; שִׁירוֹת הַה׳ 1; תַּבְנִית הַהֵיכָל 2; תּוֹךְ הַהֵיכָל 16

– הֵיכְלֵי מֶלֶךְ 78; הֵיכְלֵי עֹנֶג 77; הֵיכְלֵי שֵׁן 76

הֵיכָל
1 וְהֵילִילוּ שִׁירוֹת הֵיכָל Am.8:3
2 מְחֻטָּבוֹת תַּבְנִית הֵיכָל Ps.144:12
3 בּוֹנִים הֵיכָל לַייָ אֱלֹהֵי יִשְׂרָאֵל Ez.4:1

וְהֵיכָל
4 וְלֵאמֹר...וְהֵיכָל תִּוָּסֵד Is.44:28

הַהֵיכָל 5 ...הוּא הַהֵיכָל לִפְנָי IK.6:17
6 וְכֵן עָשָׂה לְפֶתַח הַהֵיכָל IK.6:33
7 וַיָּקֶם אֶת־הָעַמֻּדִים לְאֻלָם הַהֵיכָל IK.7:21
8 וְשׁוּלָיו מְלֵאִים אֶת־הַהֵיכָל Is.6:1
9 וַיְבִיאֵנִי אֶל־הַהֵיכָל Ezek.41:1
10 וְרֹחַב...אֶל־פְּנֵי הַהֵיכָל Ezek.41:4
11 הַכְּרוּבִים...וְקִיר הַהֵיכָל Ezek.41:20
12 הַהֵיכָל מְזוּזַת רְבֻעָה Ezek.41:21
13 וַעֲשׂוּיָה...אֶל־דַּלְתוֹת הַהֵיכָל Ezek.41:25
14 עַל־פְּנֵי הַהֵיכָל מֵאָה אַמָּה Ezek.42:8
15 בְּיוֹם יֻסַּד בֵּית־יְיָ צְבָאוֹת
הַהֵיכָל לְהִבָּנוֹת Zech.8:9
16 אֶל־בֵּית הָאֱלֹ׳ אֶל־תּוֹךְ הַהֵיכָל Neh.6:10
17 וְנִסְגְּרָה דַּלְתוֹת הַהֵיכָל Neh.6:10
18 ...אֲשֶׁר יָבוֹא אֶל־הַהֵיכָל וָחָי Neh.6:11
19 וַיָּקֶם...הָעַמּוּדִים עַל־פְּנֵי הַהֵיכָל IICh.3:17
וְהַהֵיכָל 20 וְהַהֵיכָל הַפְּנִימִי וְאֻלַמֵּי הֶחָצֵר Ezek.41:15
21 שַׁעֲרֵי הַנְּהָרוֹת נִפְתָּחוּ וְהַהֵיכָל Nah.2:7
בַּהֵיכָל 22 וַיִּתֵּן בַּהֵיכָל חָמֵשׁ מִיָּמִין... IICh.4:7
23 וַיַּנַּח בַּהֵיכָל חֲמִשָּׁה מִיָּמִין... IICh.4:8
לַהֵיכָל 24 וַיִּבֶן...סָבִיב לַהֵיכָל וְלַדְּבִיר IK.6:5
25 לְדַלְתֵי הַבַּיִת לַהֵיכָל זָהָב IK.7:50
26 וּשְׁתַּיִם דְּלָתוֹת לַהֵיכָל וְלַקֹּדֶשׁ Ezek.41:23
27 וְדַלְתֵי הַבַּיִת לַהֵיכָל זָהָב IICh.4:22
מֵהֵיכָל 28 קוֹל שָׁאוֹן מֵעִיר קוֹל מֵהֵיכָל Is.66:6
הֵיכַל־ 29 יֹשֵׁב עַל־הַכִּסֵּא עַל־מְזוּזַת הֵיכַל יְיָ ISh.1:9
30 וְהָאוּלָם עַל־פְּנֵי הֵיכַל הַבַּיִת IK.6:3
31 כֶּרֶם הָיָה...אֵצֶל הֵיכַל אַחְאָב IK.21:1
32 קִצַּץ חִזְקִיָּה אֶת־דַּלְתוֹת הֵיכַל יְיָ IIK.18:16
33-35 הֵיכַל יְיָ הֵיכַל יְיָ הֵיכַל יְיָ הֵמָּה Jer.7:4
36–44 הֵיכַל יְיָ Jer.24:1
Ezek.8:16[2] • Hag.2:18 • Zech.6:12,13 • Ez.3:10 •
IICh.26:16; 27:2
45 אוֹסִיף לְהַבִּיט אֶל־הֵיכַל קָדְשֶׁךָ Jon.2:5
46 וַתָּבוֹא...תְּפִלָּתִי אֶל־הֵיכַל קָדְשֶׁךָ Jon.2:8
47/8 אֶשְׁתַּחֲוֶה אֶל־הֵיכַל(־)
קָדְשְׁךָ Ps.5:8; 138:2
49 טִמְּאוּ אֶת־הֵיכַל קָדְשֶׁךָ Ps.79:1
וְהֵיכַל־ 50 וְהֵיכַל יְיָ לֹא יֻסָּד Ez.3:6
בְּהֵיכַל־ 51 בְּהֵיכַל יְיָ אֲשֶׁר־שָׁם אֲרוֹן אֱלֹהִים ISh.3:3
52/3 בְּהֵיכַל מֶלֶךְ בָּבֶל IIK.20:18 • Is.39:7
54-58 בְּהֵיכַל יְיָ IIK.24:13 • Hag.2:15
Zech.6:14,15 • IICh.29:16
59 וַיְיָ בְּהֵיכַל קָדְשׁוֹ... Hab.2:20
60 יְיָ בְּהֵיכַל קָדְשׁוֹ יְיָ בַּשָּׁמַיִם כִּסְאוֹ Ps.11:4
61 ...תְּבֹאֶינָה בְּהֵיכַל מֶלֶךְ Ps.45:16
62 כֹּחַ בָּהֶם לַעֲמֹד בְּהֵיכַל הַמֶּלֶךְ Dan.1:4
מֵהֵיכַל־ 63 לְהוֹצִיא מֵהֵיכַל יְיָ אֵת כָּל־הַכֵּלִים IIK.23:4
64 ...אֲדֹנָי מֵהֵיכַל קָדְשׁוֹ Mic.1:2
הֵיכָלֶךָ 65 דִּמִּינוּ אֱלֹ׳ חַסְדֶּךָ בְּקֶרֶב הֵיכָלֶךָ Ps.48:10
66 נִשְׂבְּעָה בְּטוּב בֵּיתֶךָ קְדֹשׁ הֵיכָלֶךָ Ps.65:5
מֵהֵיכָלֶךָ 67 מֵהֵיכָלֶךָ עַל־יְרוּשָׁלָםִ... Ps.68:30
הֵיכָלוֹ 68/9 ...נִקְמַת הֵיכָלוֹ Jer.50:28; 51:11
70 וּפִתְאֹם יָבוֹא אֶל־הֵיכָלוֹ Mal.3:1
בְּהֵיכָלוֹ 71 לַחֲזוֹת בְּנֹעַם־יְיָ וּלְבַקֵּר בְּהֵיכָלוֹ Ps.27:4
72 וַיִּתְּנֵם בְּהֵיכָלוֹ בְּבָבֶל IICh.36:7
וּבְהֵיכָלוֹ 73 וּבְהֵיכָלוֹ כֻּלּוֹ אֹמֵר כָּבוֹד Ps.29:9
מֵהֵיכָלוֹ 74 וַיִּשְׁמַע מֵהֵיכָלוֹ קוֹלִי IISh.22:7
75 יִשְׁמַע מֵהֵיכָלוֹ קוֹלִי Ps.18:7
הֵיכְלֵי־ 76 מִן־הֵיכְלֵי שֵׁן מִנִּי שִׂמְּחוּךָ Ps.45:9
בְּהֵיכְלֵי־ 77 וְתַנִּים בְּהֵיכְלֵי עֹנֶג Is.13:22
78 שְׂמָמִית...וְהִיא בְּהֵיכְלֵי מֶלֶךְ Prov.30:28
לְהֵיכְלֵיכֶם 79 וּמַחֲמַדַּי...הֲבֵאתֶם לְהֵיכְלֵיכֶם Joel 4:5
הֵיכָלוֹת 80 וַיִּשְׁכַּח יִשְׂרָאֵל...וַיִּבֶן הֵיכָלוֹת Hosh.8:14

הֵיכַל* ז׳ ארמית: כמו בעברית; הֵיכְלָא = ההיכל: 1–13

הֵיכַל־ 1 עַל־הֵיכַל מַלְכוּתָא...מְהַלֵּךְ הֲוָה Dan.4:26
הֵיכְלָא 2 מִן־הֵיכְלָא דִּי בִירוּשְׁלֶם Dan.5:2
3 הֵיכְלָא דִּי־בֵית אֱלָהָא דִּי בִירוּשְׁלֶם Dan.5:3
4 דִּי־כְתַל הֵיכְלָא דִּי מַלְכָּא Dan.5:5
5 דִּי־מְלַח הֵיכְלָא מְלַחְנָא Ez.4:14
6/7 מִן־הֵיכְלָא דִּי בִירוּשְׁלֶם Ez.5:14; 6:5
8 מִן־הֵיכְלָא דִּי בָבֶל Ez.5:14
בְּהֵיכְלָא 9 בְּהֵיכְלָא דִּי בִירוּשְׁלֶם Ez.5:15
לְהֵיכְלָא 10 וְהֵיבֵל הִמּוֹ לְהֵיכְלָא דִּי בָבֶל Ez.5:14
11 וִיהָךְ לְהֵיכְלָא דִּי־בִירוּשְׁלֶם Ez.6:5
בְּהֵיכְלִי 12 שְׁלֵה הֲוֵית בְּבֵיתִי וְרַעְנַן בְּהֵיכְלִי Dan.4:1
לְהֵיכְלֵהּ 13 אֱדַיִן אֲזַל מַלְכָּא לְהֵיכְלֵהּ Dan.6:19

הֵילִכִי (שמות ב9) – עין הָלַךְ (מכ׳ 1548)

הֵילֵל בֶּן־שַׁחַר ז׳ כנוי לכוכב השחר

הֵילֵל 1 אֵיךְ נָפַלְתָּ מִשָּׁמַיִם הֵילֵל בֶּן־שָׁחַר Is.14:12

הֵימִין – עין ימן הֵימִיר (ירמיה ב11) – עין מור

הֵימָם שפ״ז – הוא הוֹמָם

וְהֵימָם 1 בְנֵי־לוֹטָן חֹרִי וְהֵימָם Gen.36:22

הֵימָן שפ״ז א) אבי משפחת משוררים בימי דוד: 1–7, 10–17

ב) אחד החכמים, מבני זרח בן יהודה: 8, 9

הֵימָן 1 מִבְּנֵי הַקְּהָתִי הֵימָן הַמְשׁוֹרֵר ICh.6:18
2 וַיַּעֲמִידוּ הַלְוִיִּם אֵת הֵימָן בֶּן־יוֹאֵל ICh.15:17
3 וְהַמְשֹׁרְרִים הֵימָן אָסָף וְאֵיתָן ICh.15:19
4/5 וְעִמָּהֶם הֵימָן וִידוּתוּן ICh.16:41,42
6 בְּנֵי הֵימָן בֻּקִּיָּהוּ מַתַּנְיָהוּ ICh.25:4
7 וּמִן־בְּנֵי הֵימָן יְחִיאֵל וְשִׁמְעִי IICh.29:14
וְהֵימָן 8 וַיֶּחְכַּם...מֵאֵיתָן...וְהֵימָן... IK.5:11
9 וּבְנֵי זֶרַח זִמְרִי וְאֵיתָן וְהֵימָן... ICh.2:6
10 לִבְנֵי אָסָף וְהֵימָן וִידוּתוּן ICh.25:1
11 אָסָף וִידוּתוּן וְהֵימָן ICh.25:6
12 וְאָסָף וְהֵימָן וִידִתוּן IICh.35:15
לְהֵימָן 13 מַשְׂכִּיל לְהֵימָן הָאֶזְרָחִי Ps.88:1
14 לְהֵימָן בְּנֵי הֵימָן בֻּקִּיָּהוּ ICh.25:4
15 כָּל־אֵלֶּה בָנִים לְהֵימָן חֹזֵה הַמֶּלֶךְ ICh.25:5
16 וַיִּתֵּן הָאֱלֹהִים לְהֵימָן בָּנִים ICh.25:5
17 לְאָסָף לְהֵימָן לִידִתוּן IICh.5:12

הֵין עין הון

הִין ז׳ ששית של בַּת (אֵיפה): 1–22 • קרובים: ראה אֵיפָה

הִין צֶדֶק 22; חֲצִי הַהִין 18–20; רֶבַע (רְבִיעִית) הַהִין 6-13; שְׁלִישִׁית הַהִין 14-17; שִׁשִּׁית הַהִין 21

הִין 1 וְשֶׁמֶן זַיִת הִין Ex.30:24
2–5 וְשֶׁמֶן הִין לָאֵיפָה Ezek.45:24; 46:5,7,11
הַהִין 6 בָּלוּל בְּשֶׁמֶן כָּתִית רֶבַע הַהִין Ex.29:40
7 וְנֵסֶךְ רְבִיעִת הַהִין יָיִן Ex.29:40
8-13 (וּ־, בְּ־)רְבִיעִ(י)ת הַהִין Lev.23:13
Num.15:4,5; 28:5,7,14
14 בְּלוּלָה בַשֶּׁמֶן שְׁלִשִׁית הַהִין Num.15:6
15-17 (וּ)שְׁלִ(י)שִׁית הַהִין Num.15:7; 28:14
Ezek.46:14
18 בָּלוּל בַּשֶּׁמֶן חֲצִי הַהִין Num.15:9
19-20 חֲצִי הַהִין Num.15:10; 28:14
21 וּמַיִם בִּמְשׂוּרָה תִשְׁתֶּה שִׁשִּׁית הַהִין Ezek.4:11
וְהִין־ 22 אֵיפַת צֶדֶק וְהִין צֶדֶק יִהְיֶה לָכֶם Lev.19:36

הַךְ[1] (מ״ב 18ו), הִכָּה (שמות ט25) – עין נכה

הַךְ[2] פ׳ ארמית – עין הֲלַךְ

הָכִיל (ירמיה ו11) – עין כול

הָכִיל (יחזקאל כא33) – עין אָכַל (מס׳ 807)

הֵכִין – עין כון הִכִּיר – עין נכר

הָכַר פָּ׳ לָעַג, התחצף (?)

תַּהְכְּרוּ 1 לֹא־תֵבֹשׁוּ תַּהְכְּרוּ־לִי Job 19:3

הַכָּרָה נ׳ הבעה (?)

הַכָּרַת־ 1 הַכָּרַת פְּנֵיהֶם עָנְתָה בָּם... Is.3:9

הלא : נַהֲלָא; הָלְאָה

(הלא) נַהֲלָא נפ׳ נִדַּח, מורחק

וְהַנַּהֲלָאָה 1 וְשַׂמְתִּי אֶת־הַצֹּלֵעָה לִשְׁאֵרִית
וְהַנַּהֲלָאָה לְגוֹי עָצוּם Mic.4:7

הֲלֹא, הֲלוֹא מ״ח – עין לֹא

הָלְאָה מלת רמז

א) למרחק במקום: 1, 2, 5, 6, 8–11, 14–16

ב) למרחק בזמן: 3, 4, 7, 12, 13

מִן...וָהָלְאָה 3–12; בְּ־...וָהָ׳ 13; מֵהָלְאָה לְ־ 14–16; גֶּשׁ־הָלְאָה 1

הָלְאָה 1 וַיֹּאמְרוּ גֶּשׁ־הָלְאָה Gen.19:9
2 וְאֶת־הָאֵשׁ זְרֵה־הָלְאָה Num.17:2
וָהָלְאָה 3 וּמִיּוֹם הַשְּׁמִינִי וָהָלְאָה יֵרָצֶה... Lev.22:27
4 מִן־הַיּוֹם אֲשֶׁר צִוָּה יְיָ וָהָלְאָה... Num.15:23
5 מֵעֵבֶר לַיַּרְדֵּן וָהָלְאָה Num.32:19
6 וְחָלַפְתָּ מִשָּׁם וָהָלְאָה ISh.10:3
7 מֵהַיּוֹם הַהוּא וָהָלְאָה ISh.18:9
8 הִנֵּה הַחִצִּים מִמְּךָ וָהָלְאָה ISh.20:22
9 הֲלוֹא הַחֵצִי מִמְּךָ וָהָלְאָה ISh.20:37
10 אֶל־עַם נוֹרָא מִן־הוּא וָהָלְאָה Is.18:2
11 וּמֵעַם נוֹרָא מִן־הוּא וָהָלְאָה Is.18:7
12 מִן־הַיּוֹם הַהוּא וָהָלְאָה Ezek.39:22
13 וְהָיָה בַיּוֹם הַשְּׁמִינִי וָהָלְאָה... Ezek.43:27
מֵהָלְאָה 14 וַיֵּט אָהֳלֹה מֵהָלְאָה לְמִגְדַּל־עֵדֶר Gen.35:21
15 וְהַשְׁלֵךְ מֵהָלְאָה לְשַׁעֲרֵי יְרוּשָׁלָםִ Jer.22:19
16 וְהִגְלֵיתִי אֶתְכֶם מֵהָלְאָה לְדַמָּשֶׂק Am.5:27

הֻלֶּדֶת – עין יָלַד הִלּוֹ (איוב כט3) – עין הלל

הִלּוּלִים ז״ר דִּבְרֵי הַלֵּל, חגיגיות: 1, 2

הִלּוּלִים 1 יִהְיֶה כָּל־פִּרְיוֹ קֹדֶשׁ הִלּוּלִים לַיְיָ Lev.19:24
2 וַיִּבְצְרוּ...וַיִּדְרְכוּ וַיַּעֲשׂוּ הִלּוּלִים Jud.9:27

הֲלוֹם עין הֲלֹם

הַלָּז מלת־רמז לזכר (1–5, 7) גם לנקבה(6)

(קצור של הַלָּזֶה, הַלֵּזוּ)

הַלָּז ז׳ 1 וְהַנַּח אֶל־הַסֶּלַע הַלָּז Jud.6:20
2 מַצַּב פְּלִשְׁתִּים אֲשֶׁר מֵעֵבֶר הַלָּז ISh.14:1
3 אֲשֶׁר יַכֶּה אֶת־הַפְּלִשְׁתִּי הַלָּז ISh.17:26
4 מָה הַצִּיּוּן הַלָּז IIK.23:17
5 דַּבֵּר אֶל־הַנַּעַר הַלָּז Zech.2:8
הַלָּז נ׳ 6 הִנֵּה הַשּׁוּנַמִּית הַלָּז IIK.4:25
לְהַלָּז ז׳ 7 הָבֵן לְהַלָּז אֶת־הַמַּרְאֶה Dan.8:16

הַלָּזֶה מלת־רמז לזכר: 1, 2

הַלָּזֶה 1 מִי־הָאִישׁ הַלָּזֶה Gen.24:65
2 הִנֵּה בַּעַל הַחֲלֹמוֹת הַלָּזֶה בָּא Gen.37:19

הַלֵּזוּ מלת־רמז לנקבה

הַלֵּזוּ 1 הָאָרֶץ הַלֵּזוּ הַנְּשַׁמָּה Ezek.36:35

הֲלִיךְ* ז׳ רגל

הֲלִיכַי 1 בִּרְחֹץ הֲלִיכַי בְּחֵמָה Job 29:6

הֲלִיכָה* נ׳ א) צעידה: 1

ב) דרך: 2, 3, 4, 6
ג) שַׁיָרָה: 5

בַּהֲלִיכָתָם 1 יִכָּשְׁלוּ בַּהֲלִיכָתָם (כת׳ בהלוכתם) Nah. 2:6
הֲלִיכוֹת־ 2 ...הֲלִיכוֹת עוֹלָם לוֹ Hab. 3:6
3 הֲלִיכוֹת אֵלִי מַלְכִּי בַקֹּדֶשׁ Ps. 68:25
4 צוֹפִיָּה הֲלִיכוֹת (כת׳ הילכות) בֵּיתָהּ Prov. 31:27
5 הֲלִיכֹת שְׁבָא קִוּוּ־לָמוֹ Job 6:19
הֲלִיכוֹתֶיךָ 6 רָאוּ הֲלִיכוֹתֶיךָ אֱלֹהִים Ps. 68:25

הלך

: הָלַךְ, נֶהֱלַךְ, הִלֵּךְ, הִתְהַלֵּךְ, הוֹלִיךְ; הֵלֶךְ, הֲלִיךְ, הֲלִיכָה, מַהֲלָךְ, תַּהֲלוּכָה; אר׳ הֲלַךְ, הַלֵּךְ; הֲלָךְ

הָלַךְ

פָּ׳ א) צעד, עבר ברגל: רוב המקראות
ב) [על דומם] התקדם, נע: 4, 96, 106, 107, 144, 245, 343, 393, 454, 455, 466, 499, 500, 527, 528, 639, 651, 896—898, 999, 1021, 1059, 1067, 1070
ג) חלף, כלה: 252, 453, 481
ד) [הָלַךְ אַחֲרֵי־, בְּ־, בְּדֶרֶךְ־, בְּדַרְכֵי־] [בהשאלה] התנהג (מבחינה מוסרית וכו׳): מקראות רבים – עין במקראות
ה) [הָלוֹךְ וְ־, לפני מקור או בינוני של פועל אחר] לציון התמדה והמשכיות או התגברות הפעולה: 9—27
ו) [כנ״ל לפני פועל בעבר]: 28—31
ז) [הָלוֹךְ] כצווי, לֵךְ: 32—45
ח) [הוֹלֵךְ וְ־] נעשה יותר ויותר, ביטוי לציון המשכיות הפעולה או התגברותה: 386, 403, 405—407, 432, 433, 440, 463, 464, 492
ט) [פ׳ הִלֵּךְ] הלך לכאן ולכאן: 1415—1439
י) [הת׳ הִתְהַלֵּךְ] כנ״ל: 1440—1503
יא) [הפ׳ הוֹלִיךְ] הוביל, העביר: 1504—1549

קרובים: אָזַל / בָּא / הִתְנַהֵל / זָחַל / חָלַף / טָפַף / יָצָא / יָרַד / נִגַּשׁ / נָדַד / נָסַע / נָע / סָבַב / עָבַר / עָלָה / פָּגַע / פָּגַשׁ / פָּסַע / צָעַד / קָרַב / רָץ / שָׁט / שׁוֹטֵט

– הָלַךְ אַחֲרֵי־ 46, 56, 58, 65, 66, 72, 73, 79, 95, 98 ועוד כ־30 מקראות; הָלַךְ אֶל־ (לְ־) 51, 53, 63, 64, 77, 78, 100, 106, 107, 155 ועוד כ־50 מקראות; הָלַךְ בְּ־ 68, 69,74,76,80, 89, 90, 92—94 ועוד כ־100 מקראות; הָלַךְ לִפְנֵי־ 88, 91, 206, 209, 291, 385, 390, 394, 396, 420, 469, 472, 476, 484, 510,519; הָלַךְ לִקְרַאת 86, 232, 384; הָלַךְ מִן־ 180, 236, 340, 493; הָלַךְ מֵאֵצֶל 711; הָלַךְ מֵעַל־ 6, 1177; הָלַךְ מִפְּנֵי 84, 341; הָלַךְ עַל־ 302, 381, 387—389, 412, 413, 470, 471,482, 485, 490; הָלַךְ עִם (אֵת) 48, 50, 57, 81,103,150, 156, 160, 170, 186 ועוד כ־20 מקראות: הָלַךְ מֵעִם (מֵאֵת) 83, 161, 237, 299

– הֲלָךְ־נֶפֶשׁ 54; הָלַךְ בֶּטַח 669; הָ׳ חָלָב 1166; הָ׳ מַעֲדַנּוֹת 693; הָ׳ עֲרִירִי 379; הָ׳ קְדוֹרַנִּית 303; הָ׳ קוֹדֵר 550; הָ׳ (בְּ)קֶרִי 190—191, 311, 312; הָ׳ רוֹמָה 982; הָ׳ רָכִיל 444, 449, 522, 598, 637; הָ׳ (בַּ)שְּׁבִי 344, 1034, 1035, 1165; הָ׳ שׁוֹבָב 721; הָ׳ שׁוֹלָל 577; הָ׳ שֶׁפִי 685; הָ׳ (בְּ)תָמִים 450, 521

– הוֹלֵךְ יָשָׁר 434; הוֹ׳ נְכֹחוֹ 421; הוֹ׳ צְדָקוֹת 418; הוֹלֵךְ רוּחַ 435; הוֹלֵךְ בַּתֹּם 443, 447, 448

– הֵיטִיב לֶכֶת 60; יַשֵּׁר לֶכֶת 59

– לֵךְ בְּשָׁלוֹם 1180; לֵךְ לְשָׁלוֹם 1179, 1183, 1342

הָלוֹךְ 1 וְעַתָּה הָלֹךְ הָלַכְתָּ... Gen. 31:30
2 וַתֹּאמֶר הָלֹךְ אֵלֵךְ עִמָּךְ Jud. 4:9
3 הָלוֹךְ הָלְכוּ הָעֵצִים... Jud. 9:8
4 לָמָּה־זֶּה שִׁלַּחְתּוֹ וַיֵּלֶךְ הָלוֹךְ IISh. 3:24
5 וְלֹא־אָבוּ בִדְרָכָיו הָלוֹךְ Is. 42:24
6 הָלֹךְ יֵלְכוּ מֵעָלֵינוּ הַכַּשְׂדִּים Jer. 37:9
7 נֵלְכָה הָלוֹךְ לְחַלּוֹת... Zech. 8:21
8 הָלוֹךְ יֵלֵךְ וּבָכֹה... Ps. 126:6
הָלוֹךְ (ה) 9 וַיָּשֻׁבוּ הַמַּיִם...הָלוֹךְ וָשׁוֹב Gen. 8:3
10 וְהַמַּיִם הָיוּ הָלוֹךְ וְחָסוֹר... Gen. 8:5
11 וַיִּסַּע אַבְרָם הָלוֹךְ וְנָסוֹעַ הַנֶּגְבָּה Gen. 12:9
12 ...וַיֵּלֶךְ הָלוֹךְ וְגָדֵל... Gen. 26:13
13 הָלוֹךְ וְתָקוֹעַ בַּשּׁוֹפָרוֹת Josh. 6:9
14 הָלוֹךְ (כת׳ הולך) וְתָקוֹעַ בַּשּׁוֹפָרוֹת Josh. 6:13
15 וַתֵּלֶךְ יַד בְּנֵי־יִשְׂ׳ הָלוֹךְ וְקָשָׁה... Jud. 4:24
16 וַיֵּלֶךְ הָלוֹךְ וְאָכֹל Jud. 14:9
17 ...הָלְכוּ הָלֹךְ וְגָעוֹ ISh. 6:12
18 ...וַיֵּלֶךְ הָלוֹךְ וָרָב ISh. 14:19
19 וַיֵּלֶךְ...הָלוֹךְ וּבָכֹה אַחֲרֶיהָ IISh. 3:16
20 וַיֵּלֶךְ דָּוִד הָלוֹךְ וְגָדוֹל IISh. 5:10
21 וַיֵּלֶךְ הָלוֹךְ וְקָרֵב IISh. 18:25
22 וַיְהִי הֵמָּה הֹלְכִים הָלוֹךְ וְדַבֵּר IIK. 2:11
23 הָלוֹךְ וְטָפוֹף תֵּלַכְנָה Is. 3:16
24 וַיַּעַשׂ כֵּן הָלֹךְ עָרוֹם וְיָחֵף Is. 20:2
25 וַיֵּצֵא...הֹלֵךְ הָלֹךְ וּבֹכֶה Jer. 41:6
26 הָלוֹךְ וּבָכוֹ יֵלֵכוּ Jer. 50:4
27 וַיֵּלֶךְ דָּוִיד הָלוֹךְ וְגָדוֹל ICh. 11:9
הָלוֹךְ (ו) 28 הֹלְכִים הָלוֹךְ וְתָקְעוּ בַּשּׁוֹפָרוֹת Josh. 6:13
29 וַיֵּלֶךְ הָלוֹךְ וַיִּתְנַבֵּא ISh. 19:23
30 וַתֵּלֶךְ הָלוֹךְ וְזָעָקָה IISh. 13:19
31 וְשִׁמְעִי הֹלֵךְ...הָלוֹךְ וַיְקַלֵּל IISh. 16:13
הָלוֹךְ (ז) 32 הָלוֹךְ וְדִבַּרְתָּ אֶל־דָּוִד IISh. 24:12
33 הָלוֹךְ וְרָחַצְתָּ...בַּיַּרְדֵּן IIK. 5:10
34 הָלוֹךְ וְאָמַרְתָּ אֶל־חִזְקִיָּהוּ Is. 38:5
35 הָלֹךְ וְקָרָאתָ בְאָזְנֵי יְרוּשָׁלַםִ Jer. 2:2
36 הָלֹךְ וְקָרָאתָ אֶת־הַדְּבָרִים Jer. 3:12
37 הָלוֹךְ וְקָנִיתָ לְּךָ אֵזוֹר פִּשְׁתִּים Jer. 13:1
38 הָלֹךְ וְעָמַדְתָּ בְּשַׁעַר בְּנֵי־הָעָם° Jer. 17:19
39 הָלֹךְ וְקָנִיתָ בַקְבֻּק Jer. 19:1
40 הָלוֹךְ וְאָמַרְתָּ אֶל־חֲנַנְיָה Jer. 28:13
41 הָלוֹךְ לְהַרְגִּיעוֹ יִשְׂרָאֵל Jer. 31:2(1)
42 הָלֹךְ וְאָמַרְתָּ אֶל־צִדְקִיָּהוּ Jer. 34:2
43 הָלוֹךְ אֶל־בֵּית הָרֵכָבִים... Jer. 35:2
44 הָלֹךְ וְאָמַרְתָּ לְאִישׁ יְהוּדָה Jer. 35:13
45 הָלוֹךְ וְאָמַרְתָּ לְעֶבֶד־מֶלֶךְ Jer. 39:16
וְהָלוֹךְ 46 הֲגָנֹב...וְהָלֹךְ אַחֲרֵי אֱלֹהִים אֲחֵרִים Jer. 7:9
47 נָאוֹף וְהָלֹךְ בַּשֶּׁקֶר Jer. 23:14
הֲלֹךְ 48 מֵאֵן בִּלְעָם הֲלֹךְ עִמָּנוּ Num. 22:14
לַהֲלֹךְ 49 כִּי לֹא־יִתֵּן אֶתְכֶם...לַהֲלֹךְ Ex. 3:19
50 מֵאֵן יְיָ לְתִתִּי לַהֲלֹךְ עִמָּכֶם Num. 22:13
51 ...לַהֲלֹךְ אֶל־אֵל בַּמִּשְׁפָּט Job 34:23
52 מַה־לֶּעָנִי יוֹדֵעַ לַהֲלֹךְ נֶגֶד הַחַיִּים Eccl. 6:8
מֵהֲלֹךְ 53 אַל־נָא תִמָּנַע מֵהֲלֹךְ אֵלָי Num. 22:16
מֵהֲלָךְ־ 54 טוֹב מַרְאֵה עֵינַיִם מֵהֲלָךְ־נָפֶשׁ Eccl. 6:9
לֶכֶת 55 לְמִן־הַיּוֹם לֶכֶת הַמֶּלֶךְ IISh. 19:25
56 לְבִלְתִּי־לֶכֶת אַחֲרֵי אֱלֹהִים אֲחֵרִים IK.11:10
57 וְהַצְנֵעַ לֶכֶת עִם־אֱלֹהֶיךָ Mic. 6:8
58 לְבִלְתִּי־לֶכֶת אַחֲרֵי הַבַּחוּרִים Ruth 3:10
לָכֶת 59 וְאִישׁ תְּבוּנָה יְיַשֶּׁר־לָכֶת Prov. 15:21
60 ...וְאַרְבָּעָה מֵיטִבֵי לָכֶת Prov. 30:29
וּבְלֶכֶת 61 וּבְלֶכֶת הַחַיּוֹת יֵלְכוּ הָאוֹפַנִּים Ezek. 1:19
62 וּבְלֶכֶת הַכְּרוּבִים יֵלְכוּ הָאוֹפַנִּים Ezek. 10:16

לָלֶכֶת 63 וַיֵּצְאוּ...לָלֶכֶת אַרְצָה כְּנַעַן Gen. 11:31
64 וַיֵּצְאוּ לָלֶכֶת אַרְצָה כְּנַעַן Gen. 12:5
65 לֹא־תֹאבֶה הָאִשָּׁה לָלֶכֶת אַחֲרַי Gen. 24:5
66 וְאִם־לֹא תֹאבֶה...לָלֶכֶת אַחֲרֶיךָ Gen. 24:8
67 ...לָלֶכֶת יוֹמָם וָלָיְלָה Ex. 13:21
68 וְאֶת־חֻקֹּתַי תִּשְׁמְרוּ לָלֶכֶת בָּהֶם Lev. 18:4
69 לָלֶכֶת בִּדְרָכָיו וּלְיִרְאָה אֹתוֹ Deut. 8:6
70/1 לָלֶכֶת בְּכָל־דְּרָכָיו... Deut. 10:12; 11:22
72/3 לָלֶכֶת אַחֲרֵי אֱלֹ׳ אֲחֵרִים Deut. 11:28; 28:14
74 אֲשֶׁר צִוְּךָ יְיָ אֱלֹהֶיךָ לָלֶכֶת בָּהּ Deut. 13:6
75 לָלֶכֶת לַעֲבֹד אֶת־אֱלֹהֵי הַגּוֹיִם Deut. 29:17
76 לָלֶכֶת בִּדְרָכָיו וְלִשְׁמֹר מִצְוֹתָיו Deut. 30:16
77 בְּיוֹם צֵאתֵנוּ לָלֶכֶת אֲלֵיכֶם Josh. 9:12
78 לָלֶכֶת אֶל־אֶרֶץ הַגִּלְעָד Josh. 22:9
79 לָלֶכֶת אַחֲרֵי אֱלֹהִים אֲחֵרִים Jud. 2:19
80 ...אֶת־דֶּרֶךְ יְיָ לָלֶכֶת בָּם Jud. 2:22
81 וְלָנוּ לֹא קָרָאתָ לָלֶכֶת עִמָּךְ Jud. 12:1
82 אַל־תֵּעָצְלוּ לָלֶכֶת לָבֹא לָרֶשֶׁת Jud. 18:9
83 כְּהַפְנֹתוֹ שִׁכְמוֹ לָלֶכֶת מֵעִם שְׁמוּאֵל ISh. 10:9
84 וַיְהִי דָוִד נֶחְפָּז לָלֶכֶת מִפְּנֵי שָׁאוּל ISh. 23:26
85 וְלֹא־נָטָה לָלֶכֶת עַל־הַיָּמִין IISh. 2:19
86 בָּא...לָלֶכֶת לִקְרַאת הַמֶּלֶךְ IISh. 19:16
87 לָלֶכֶת בִּדְרָכָיו לִשְׁמֹר חֻקֹּתָיו IK. 2:3
88 לָלֶכֶת לְפָנַי בֶּאֱמֶת... IK. 2:4
89 לָלֶכֶת בְּחֻקּוֹת דָּוִד אָבִיו IK. 3:3
90 וְשָׁמַרְתָּ אֶת־כָּל־מִצְוֹתַי לָלֶכֶת בָּהֶם IK. 6:12
91 ...לָלֶכֶת לְפָנַי כַּאֲשֶׁר הָלַכְתָּ לְפָנָי IK. 8:25
92 לָלֶכֶת בְּכָל־דְּרָכָיו... IK. 8:58
93 לָלֶכֶת בְּחֻקָּיו וְלִשְׁמֹר מִצְוֹתָיו IK. 8:61
94 ...לָלֶכֶת בְּדֶרֶךְ יָרָבְעָם... IK. 16:19
95 ...לָלֶכֶת אַחֲרֵי הַגִּלֻּלִים IK. 21:26
96 יְהוֹשָׁפָט עָשָׂה° אֳנִיּוֹת...לָלֶכֶת אוֹפִירָה לַזָּהָב IK. 22:49
97 לָלֶכֶת בְּתוֹרַת־יְיָ...בְּכָל־לְבָבוֹ IIK. 10:31
98 לָלֶכֶת אַחַר יְיָ וְלִשְׁמֹר מִצְוֹתָיו IIK. 23:3
99 לָלֶכֶת בְּתוֹרָתִי אֲשֶׁר נָתַתִּי לִפְנֵיכֶם Jer. 26:4
100 טוֹב לָלֶכֶת אֶל־בֵּית־אֵבֶל... Eccl. 7:2
101 לָלֶכֶת בְּתוֹרֹתָיו אֲשֶׁר־נָתַן לְפָנֵינוּ Dan. 9:10
102 לָלֶכֶת בְּתוֹרַת הָאֱלֹהִים Neh. 10:30
103 מָלְאוּ יָמֶיךָ לָלֶכֶת עִם־אֲבֹתֶיךָ ICh. 17:11
104 לָלֶכֶת בְּתוֹרָתִי כַּאֲשֶׁר הָלַכְתָּ... IICh. 6:16
105 לְמַעַן יִירָאוּךָ לָלֶכֶת בִּדְרָכֶיךָ IICh. 6:31
106 לַעֲשׂוֹת אֳנִיּוֹת לָלֶכֶת תַּרְשִׁישׁ IICh. 20:36
107 וְלֹא עָצְרוּ לָלֶכֶת אֶל־תַּרְשִׁישׁ IICh. 20:37
108 לָלֶכֶת אַחֲרֵי יְיָ וְלִשְׁמוֹר... IICh. 34:31
109־140 לָלֶכֶת Jud. 19:7,8,9,27
ISh. 17:33,39²; 29:11 • IISh. 13:25; 15:14, 20 • IK. 11:22; 12:24; 13:17 • IIK. 9:15 • Jer. 18:15; 37:12; 40:4,5; 41:17; 44:3 • Ezek. 1:12; 1:20 • Zech. 6:7 • Ps. 107:7 • Prov. 2:13 • Ruth 1:18 • Eccl. 5:14; 10:15 • Ez. 8:31 • ICh. 21:30 • IICh. 25:10

לָלָכֶת 141 הַרְחֵק לֹא־תַרְחִיקוּ לָלֶכֶת Ex. 8:24
142 וַיַּשְׁכִּימוּ בַבֹּקֶר וַיָּקָם לָלֶכֶת Jud. 19:5
143 וַיִּסֹּב שְׁמוּאֵל לָלֶכֶת ISh. 15:27
144 שָׁמָּה הָרוּחַ לָלֶכֶת Ezek. 1:20
145 וּבְתוֹרָתוֹ מֵאֲנוּ לָלֶכֶת Ps. 78:10
לָלָכֶת 146 שָׁם הֵם שָׁבִים לָלָכֶת Eccl. 1:7
וְלָלֶכֶת 147 וְלָלֶכֶת בִּדְרָכָיו כָּל־הַיָּמִים Deut. 19:9
148 וְלָלֶכֶת בִּדְרָכָיו וְלִשְׁמֹר חֻקָּיו Deut. 26:17
149 וְלָלֶכֶת בְּכָל־דְּרָכָיו Josh. 22:5
150 וְלָלֶכֶת עִם־אַנְשֵׁי־רֶשַׁע Job 34:8

מַלֶּכֶת 151 אֲשֶׁר־פִּגְּרוּ מִלֶּכֶת אַחֲרֵי דָוִד ISh. 30:21
152 וְיִסְּרֵנִי מִלֶּכֶת בְּדֶרֶךְ הָעָם־הַזֶּה Is. 8:11
153 צָדוּ צְעָדֵינוּ מִלֶּכֶת בִּרְחֹבֹתֵינוּ Lam. 4:18
154 טוֹב...מִלֶּכֶת אֶל־בֵּית מִשְׁתֶּה Eccl. 7:2
155 וַיָּשֻׁבוּ מִלֶּכֶת אֶל־יָרָבְעָם IICh. 11:4
156 אֲשֶׁר הֵשִׁיב אֲמַצְיָהוּ מִלֶּכֶת עִמּוֹ לַמִּלְחָמָה IICh. 25:13
לֶכְתִּי 157 ...בְּיוֹם לֶכְתִּי מַחֲנָיִם IK. 2:8
לֶכְתְּךָ 158 יָדַע לֶכְתְּךָ אֶת־הַמִּדְבָּר... Deut. 2:7
בְּלֶכְתְּךָ 159 בְּלֶכְתְּךָ לָשׁוּב מִצְרַיְמָה Ex. 4:21
160 וּבַמֶּה יִוָּדַע...הֲלוֹא בְּלֶכְתְּךָ עִמָּנוּ Ex. 33:16
161 בְּלֶכְתְּךָ הַיּוֹם מֵעִמָּדִי... ISh. 10:2
162 בְּלֶכְתְּךָ לֹא־יֵצַר צַעֲדֶךָ Prov. 4:12
וּבְלֶכְתְּךָ 163/4 וּבְלֶכְתְּךָ בַדֶּרֶךְ... Deut. 6:7; 11:19
לֶכְתֵּךְ 165 ...לֶכְתֵּךְ אַחֲרַי בַּמִּדְבָּר Jer. 2:2
לֶכְתּוֹ 166 וַיְהִי הֲנָקֵל לֶכְתּוֹ בְּחַטֹּאות יָרָבְעָם IK. 16:31
בְּלֶכְתּוֹ 167 בְּלֶכְתּוֹ לִדְרוֹשׁ אֱלֹהִים ISh. 9:9
168 בְּלֶכְתּוֹ לְהָשִׁיב יָדוֹ בִּנְהַר פְּרָת IISh. 8:3
169 וְכֹה אָמַר בְּלֶכְתּוֹ... IISh. 19:1
170 בְּלֶכְתּוֹ אֶת־צִדְקִיָּהוּ Jer. 51:59
171 בְּלֶכְתּוֹ אֶל־צִיקְלַג ICh. 12:21(20)
172 בְּלֶכְתּוֹ לְהַצִּיב יָדוֹ בִּנְהַר פְּרָת ICh. 18:3
לֶכְתָּם 173 וַיְהִי אַחֲרֵי לֶכְתָּם... IISh. 17:21
בְּלֶכְתָּם 174 עַל־אַרְבַּעַת רִבְעֵיהֶן בְּלֶכְתָּם יֵלֵכוּ Ezek. 1:17
175 בְּלֶכְתָּם יֵלֵכוּ וּבְעָמְדָם יַעֲמֹדוּ Ezek. 1:21
176 וָאֶשְׁמַע...כְּקוֹל־שַׁדַּי בְּלֶכְתָּם Ezek. 1:24
177 בְּלֶכְתָּם אֶל...רִבְעֵיהֶם יֵלֵכוּ Ezek. 10:11
178/79 לֹא יִסַּבּוּ בְּלֶכְתָּם Ezek. 10:11[2]
וּבְלֶכְתָּם 180 וּבְלֶכְתָּם מִמֶּנּוּ...הִתְקַשְּׁרוּ עָלָיו IICh. 24:25
בְּלֶכְתָּן 181-183 לֹא(־)יִסַּבּוּ בְּלֶכְתָּן Ezek. 1:9,12,17
הָלַכְתִּי 184 אַחֲרֵי הַבְּעָלִים לֹא הָלַכְתִּי Jer. 2:23
185 כִּי־אֲנִי בְּתֻמִּי הָלַכְתִּי Ps. 26:1
186 אִם־הָלַכְתִּי עִם־שָׁוְא Job 31:5
187 אֲנִי מְלֵאָה הָלַכְתִּי וְרֵיקָם הֱשִׁיבַנִי Ruth 1:21
188 וְהַסְּגָנִים לֹא יָדְעוּ אָנָה הָלַכְתִּי Neh. 2:16
הָלָכְתִּי 189 וַיְהִי עִמָּדִי בַּדֶּרֶךְ אֲשֶׁר הָלָכְתִּי Gen. 35:3
וְהָלַכְתִּי 190 וְהָלַכְתִּי אַף־אֲנִי עִמָּכֶם בְּקֶרִי Lev. 26:24
191 וְהָלַכְתִּי עִמָּכֶם בַּחֲמַת־קֶרִי Lev. 26:28
192 וְהָלַכְתִּי גַם־אֲנִי אִתְּךָ בְּגוֹרָלֶךָ Jud. 1:3
193-5 וְהָלַכְתִּי לָנוּעַ עַל הָעֵצִים Jud. 9:9,11,13
196 וְשַׁבְתֶּם אֵלַי...וְהָלַכְתִּי אִתְּכֶם ISh. 23:23
197 ...וְהָלַכְתִּי לְהוֹשִׁיעַ לָךְ IISh. 10:11
וְהָלָכְתִּי 198 אִם־תֵּלְכִי עִמִּי וְהָלָכְתִּי Jud. 4:8
הָלַכְתָּ 199 וְעַתָּה הָלֹךְ הָלַכְתָּ... Gen. 31:30
200 לָמָּה לֹא־הָלַכְתָּ אֵלָי Num. 22:37
201 כִּי הָלַכְתָּ לְהִלָּחֵם בְּמִדְיָן Jud. 8:1
202 הָאֲתֹנוֹת אֲשֶׁר הָלַכְתָּ לְבַקֵּשׁ ISh. 10:2
203 וָאֶהְיֶה עִמְּךָ בְּכֹל אֲשֶׁר הָלַכְתָּ IISh. 7:9
204 לָמָּה לֹא־הָלַכְתָּ אֶת־רֵעֶךָ IISh. 16:17
205 לָמָּה לֹא־הָלַכְתָּ עִמִּי מְפִיבֹשֶׁת IISh. 19:26
206 ...כַּאֲשֶׁר הָלַכְתָּ לְפָנָי IK. 8:25
207 בַּדֶּרֶךְ אֲשֶׁר־הָלַכְתָּ בָּהּ IK. 13:17
208 וָאֶהְיֶה עִמְּךָ בְּכֹל אֲשֶׁר הָלַכְתָּ ICh. 17:8
209 ...כַּאֲשֶׁר הָלַכְתָּ לְפָנָי IICh. 6:16
210 תַּחַת אֲשֶׁר לֹא־הָלַכְתָּ בְּדַרְכֵי... IICh. 21:12
הָלָכְתָּ 211 וְלֹא תָשׁוּב בַּדֶּרֶךְ אֲשֶׁר הָלָכְתָּ IK. 13:9
וְהָלַכְתָּ 212 וְהָלַכְתָּ אַחֲרֵי אֱלֹהִים אֲחֵרִים Deut. 8:19
213/4 וְהָלַכְתָּ אֶל־הַמָּקוֹם... Deut. 14:25; 26:2
215 וּפָנִיתָ בַבֹּקֶר וְהָלַכְתָּ לְאֹהָלֶיךָ Deut. 16:7
216 כִּי תִשְׁמֹר...וְהָלַכְתָּ בִּדְרָכָיו Deut. 28:9
217 וְהָלַכְתָּ עִמָּנוּ וְנִלְחַמְתָּ Jud. 11:8
218 וְהִשְׁכַּמְתֶּם...וְהָלַכְתָּ לְאֹהָלֶךָ Jud. 19:9

וְהָלַכְתָּ (המשך)
219 וְשִׁלַּחְתִּיךָ וְהָלַכְתָּ לְשָׁלוֹם ISh. 20:13
220 בְּיוֹם צֵאתְךָ וְהָלַכְתָּ אָנֶה וָאָנָה IK. 2:42
221 וְהָלַכְתָּ בִדְרָכַי וְעָשִׂיתָ הַיָּשָׁר... IK. 11:38
וְהָלָכְתָּ 222 וּמַטְּךָ...קַח בְּיָדְךָ וְהָלָכְתָּ Ex. 17:5
הָלַכְתְּ 223 וְלֹא בְדַרְכֵיהֶן הָלַכְתְּ Ezek. 16:47
224 בְּדֶרֶךְ אֲחוֹתֵךְ הָלָכְתְּ Ezek. 23:31
הָלָכְתְּ 225 שִׁתִי לִבֵּךְ לַמְסִלָּה דֶּרֶךְ הָלָכְתְּ Jer. 31:21(20)
(כת׳ הלכתי)
וְהָלַכְתְּ 226 קוּמִי נָא...וְהָלַכְתְּ שִׁלֹה IK. 14:2
227 עֵינַיִךְ בַּשָּׂדֶה...וְהָלַכְתְּ אַחֲרֵיהֶן Ruth 2:9
228 וְהָלַכְתְּ אֶל־הַכֵּלִים וְשָׁתִית Ruth 2:9
הָלַךְ 229 וַאֲבִימֶלֶךְ הָלַךְ אֵלָיו מִגְּרָר Gen. 26:26
230 וְלָבָן הָלַךְ לִגְזֹז אֶת־צֹאנוֹ Gen. 31:19
231 ...וְיַעֲקֹב הָלַךְ לְדַרְכּוֹ Gen. 32:1
232 וְלֹא־הָלַךְ...לִקְרַאת נְחָשִׁים Num. 24:1
233 וְגַם־בָּלָק הָלַךְ לְדַרְכּוֹ Num. 24:25
234 אֲשֶׁר הָלַךְ אַחֲרֵי בַעַל־פְּעוֹר Deut. 4:3
235 אֲשֶׁר־הָלַךְ יִשְׂרָאֵל בַּמִּדְבָּר Josh. 14:10
236 וּמַלְאַךְ יְיָ הָלַךְ מֵעֵינָיו Jud. 6:21
237 וּרְאוּ מִי הָלַךְ מֵעִמָּנוּ ISh. 14:17
238 כַּאֲשֶׁר הָלַךְ לְפָנֶיךָ בֶּאֱמֶת... IK. 3:6
239/40 כַּאֲשֶׁר הָלַךְ דָּוִיד אָבִיךָ IK.3:14 • IICh.7:17
241 כַּאֲשֶׁר הָלַךְ דָּוִד אָבִיךָ בְּתָם־לֵבָב IK. 9:4
242 וַאֲשֶׁר הָלַךְ אַחֲרַי בְּכָל־לְבָבוֹ IK. 14:8
243 לֹא־הָלַךְ עַבְדְּךָ אָנֶה וָאָנָה IIK. 5:25
244 לֹא־לִבִּי הָלַךְ כַּאֲשֶׁר הָפַךְ־אִישׁ... IIK. 5:26
245 הָלַךְ הַצֵּל עֶשֶׂר מַעֲלוֹת IIK. 20:9
246 בְּכָל־הַדֶּרֶךְ אֲשֶׁר־הָלַךְ אָבִיו IIK. 21:21
247 וְלֹא־הָלַךְ בְּדֶרֶךְ יְיָ IIK. 21:22
248 כַּאֲשֶׁר הָלַךְ...עָרוֹם וְיָחֵף Is. 20:3
249 אֲשֶׁר הָלַךְ חֲשֵׁכִים וְאֵין נֹגַהּ לוֹ Is. 50:10
250 בְּחֻקּוֹת הַחַיִּים הָלַךְ... Ezek. 33:15
251 כִּי הוֹאִיל הָלַךְ אַחֲרֵי־צָו Hosh. 5:11
252 אֲשֶׁר הָלַךְ אַרְיֵה לָבִיא שָׁם Nah. 2:12
253 בְּשָׁלוֹם וּבְמִישׁוֹר הָלַךְ אִתִּי Mal. 2:6
254 אֲשֶׁר לֹא הָלַךְ בַּעֲצַת רְשָׁעִים Ps. 1:1
255 הָלַךְ בְּדֶרֶךְ מֵרָחוֹק Prov. 7:19
256 וְאַחַר עֵינַי הָלַךְ לִבִּי Job 31:7
257 הַגֶּשֶׁם חָלַף הָלַךְ לוֹ S.ofS. 2:11
258 אָנָה הָלַךְ דּוֹדֵךְ הַיָּפָה בַּנָּשִׁים S.ofS. 6:1
259 וִיהוֹצָדָק הָלַךְ בְּהַגְלוֹת יְיָ... ICh. 5:41
260 אֲשֶׁר הָלַךְ הָאֱלֹהִים לִפְדּוֹת לוֹ עָם ICh.17:21
261 אָז הָלַךְ שְׁלֹמֹה לְעֶצְיוֹן־גֶּבֶר IICh. 8:17
262 כִּי הָלַךְ בְּדַרְכֵי דָּוִיד אָבִיו... IICh. 17:3
263 גַּם־הוּא הָלַךְ בְּדַרְכֵי בֵּית אַחְאָב IICh. 22:3
264 גַּם בַּעֲצָתָם הָלַךְ... IICh. 22:5
265–276 הָלַךְ Num. 32:41,42
ISh. 10:26; 14:3; 23:18 • IK. 2:41; 13:12
18:6[2]; 19:4; 22:13 • IICh. 18:12
הָלָךְ 277 וַיּוֹשַׁע יְיָ אֶת־דָּוִד בְּכֹל אֲשֶׁר הָלָךְ IISh. 8:6
278 וַיּוֹשַׁע יְיָ אֶת־דָּוִד בְּכֹל אֲשֶׁר הָלָ׳ IISh. 8:14
279 אֵי־זֶה הַדֶּרֶךְ הָלָךְ IK. 13:12
280 לָלֶכֶת אוֹפִירָה...וְלֹא הָלָךְ IK. 22:49
281 לֹא־סָרוּ מֵחַטֹּאת...בָּהּ הָלָךְ IIK. 13:6
282 לֹא־סָר מִכָּל־חַטֹּאות...בָּהּ הָלָךְ IIK.13:11
283 שַׁאֲנַן מוֹאָב...וּבַגּוֹלָה לֹא הָלָךְ Jer. 48:11
284 מִשְׁפָּטַי עָשָׂה בְּחֻקּוֹתַי הָלָךְ Ezek. 18:17
285 וַיּוֹשַׁע יְיָ לְדָוִיד בְּכֹל אֲשֶׁר הָלָךְ ICh. 18:6
286 וַיּוֹשַׁע יְיָ אֶת דָּוִיד בְּכֹל אֲשֶׁר הָלָךְ ICh. 18:13
287 לֵא׳ אָבִיו דָּרָשׁ וּבְמִצְוֹתָיו הָלָךְ IICh. 17:4
וְהָלַךְ 288 וְהָלַךְ הַגְּבוּל אֶל־הַיָּמִין Josh. 17:7
289 וְהָלַךְ מִדֵּי שָׁנָה בְּשָׁנָה... ISh. 7:16

וְהָלַךְ (המשך)
290 וְהָלַךְ עַל־כָּל־גְּדוֹתָיו Is. 8:7
291 וְהָלַךְ לְפָנֶיךָ צִדְקֶךָ... Is. 58:8
292 וְהָלַךְ מַלְכָּם בַּגּוֹלָה Am. 1:15
293 ...וְהָלַךְ בְּסַעֲרוֹת תֵּימָן Zech. 9:14
וְהָלָךְ 294 וְשִׁלַּחְתֶּם אֹתוֹ וְהָלָךְ ISh. 6:8
הָלְכָה 295 גַּם־הִיא לַגֹּלָה הָלְכָה בַשֶּׁבִי Nah. 3:10
הָלָכָה 296 ...וְנַפְשָׁם בַּשְּׁבִי הָלָכָה Is. 46:2
וְהָלְכָה 297 וְהָלְכָה וְהָיְתָה לְאִישׁ־אַחֵר Deut. 24:2
298 וְהָלְכָה הַשִּׁפְחָה וְהִגִּידָה לָהֶם IISh. 17:17
299 וְהָלְכָה מֵאִתּוֹ וְהָיְתָה לְאִישׁ־אַחֵר Jer. 3:1
הָלַכְנוּ 300 וְהַיָּמִים אֲשֶׁר־הָלַכְנוּ מִקָּדֵשׁ בַּרְנֵעַ Deut. 2:14
301 בְּכָל־הַדֶּרֶךְ אֲשֶׁר־הָלַכְנוּ בָהּ Josh. 24:17
302 אֶת־דַּרְכֵּנוּ אֲשֶׁר־הָלַכְנוּ עָלֶיהָ ISh. 9:6
303 וְכִי הָלַכְנוּ קְדֹרַנִּית מִפְּנֵי יְיָ... Mal. 3:14
וְהָלָכְנוּ 304 וְלָקַחְנוּ אֶת־בִּתֵּנוּ וְהָלָכְנוּ Gen. 34:17
הֲלַכְתֶּם 305 בְּכָל־הַדֶּרֶךְ אֲשֶׁר הֲלַכְתֶּם Deut. 1:31
306 וַיֹּאמֶר...אָן הֲלַכְתֶּם ISh. 10:14
307 וּבְעֵדְוֹתָיו לֹא הֲלַכְתֶּם Jer. 44:23
308 בְּחֻקּוֹתַי לֹא הֲלַכְתֶּם Ezek. 5:7
309 אֲשֶׁר בְּחֻקַּי לֹא הֲלַכְתֶּם Ezek. 11:12
וַהֲלַכְתֶּם 310 וְהִשְׁכַּמְתֶּם וַהֲלַכְתֶּם לְדַרְכְּכֶם Gen. 19:2
311 וַהֲלַכְתֶּם עִמִּי קֶרִי Lev. 26:23
312 וַהֲלַכְתֶּם עִמִּי בְּקֶרִי Lev. 26:27
313 תִּסְעוּ מִמְּקוֹמְכֶם וַהֲלַכְתֶּם אַחֲרָיו Josh. 3:3
314/5 וַהֲלַכְתֶּם וַעֲבַדְתֶּם אֱלֹהִים אֲחֵרִים
Josh. 23:16 • IK. 9:6
316 וַחֲטַפְתֶּם...וַהֲלַכְתֶּם אֶרֶץ בִּנְיָמִן Jud. 21:21
317 וַהֲלַכְתֶּם בְּכָל־הַדֶּרֶךְ... Jer. 7:23
318 וַהֲלַכְתֶּם וְהִתְפַּלַּלְתֶּם אֵלָי Jer. 29:12
319 וַהֲלַכְתֶּם וַעֲבַדְתֶּם אֱלֹהִים אֲחֵרִים IICh.7:19
הָלְכוּ 320 הָאֲנָשִׁים אֲשֶׁר הָלְכוּ אִתִּי Gen. 14:24
321/2 וּבְנֵי־יִשְׂרָאֵל הָלְכוּ בַיַּבָּשָׁה Ex.14:29; 15:19
323 וְאַף אֲשֶׁר־הָלְכוּ עִמִּי בְּקֶרִי Lev. 26:40
324 לֹא יָדַעְתִּי אָנָה הָלְכוּ הָאֲנָשִׁים Josh. 2:5
325 אַרְבָּעִים שָׁנָה הָלְכוּ ב״י בַּמִּדְבָּר Josh. 5:6
326 מִן־הַדֶּרֶךְ אֲשֶׁר הָלְכוּ אֲבוֹתָם Jud. 2:17
327 הָלוֹךְ הָלְכוּ הָעֵצִים... Jud. 9:8
328 וְלֹא־הָלְכוּ בָנָיו בִּדְרָכָו ISh. 8:3
329 וּבָנֶיךָ לֹא הָלְכוּ בִּדְרָכֶיךָ ISh. 8:5
330 אֲשֶׁר הָלְכוּ־אֱל׳ לִפְדּוֹת־לוֹ לְעָם IISh.7:23
331 וְלֹא־הָלְכוּ בִדְרָכַי לַעֲשׂוֹת הַיָּשָׁר IK. 11:33
332 הָלְכוּ בַכְּלִמָּה חָרָשֵׁי צִירִים Is. 45:16
333 הָלְכוּ אַחֲרֵיהֶם וַאֲשֶׁר דְּרָשׁוּם Jer. 8:2
334 וְהֵמָּה הָלְכוּ אַחֲרֵי אֱל׳ אֲחֵרִים Jer. 11:10
335 וְלֹא־הָלְכוּ בְתוֹרָתִי וּבְחֻקֹּתַי Jer. 44:10
336/7 (וּ)חֻקּוֹתַי לֹא־הָלְכוּ בָהֶם Ezek. 5:6; 20:16
338 בֵּית יְהוּדָה כִּי הָלְכוּ בַּגּוֹלָה Ezek. 25:3
339 מִבֵּין הַגּוֹיִם אֲשֶׁר הָלְכוּ־שָׁם Ezek. 37:21
340 כִּי־הִנֵּה הָלְכוּ מִשֹּׁד מִצְרַיִם Hosh. 9:6
341 קָרְאוּ לָהֶם כֵּן הָלְכוּ מִפְּנֵיהֶם Hosh. 11:2
342 אֲשֶׁר־הָלְכוּ אֲבוֹתָם אַחֲרֵיהֶם Am. 2:4
343 וַיָּזוּבוּ מַיִם הָלְכוּ בַּצִּיּוֹת נָהָר Ps. 105:41
344 עוֹלָלֶיהָ הָלְכוּ שְׁבִי לִפְנֵי־צָר Lam. 1:5
345 בְּתוּלֹתַי וּבַחוּרַי הָלְכוּ בַשֶּׁבִי Lam. 1:18
346 כִּי הָלְכוּ בְּדֶרֶךְ דָּוִיד וּשְׁלֹמֹה IICh. 11:17
347-358 הָלְכוּ ISh. 6:12; 14:46; 17:13[2],14
30:22[2] • IISh. 2:29; 15:11 • IIK. 2:7 • Jer. 9:12 •
ICh. 4:42
הָלָכוּ 359 וְאַחֲרֵי לֹא־יוֹעִלוּ הָלָכוּ Jer. 2:8
360 מֵעוֹף...וְעַד־בְּהֵמָה נָדְדוּ הָלָכוּ Jer. 9:9
361 ...וּבְתוֹרָתְךָ לֹא־הָלָכוּ Jer. 32:23
362 מֵאָדָם וְעַד־בְּהֵמָה נָדוּ הָלָכוּ Jer. 50:3

הָלְכוּ (המשך)
363 מֵהַר אֶל־גִּבְעָה הָלָכוּ Jer. 50:6
364/5 בְּחֻקּוֹתַי לֹא־הָלָכוּ Ezek. 20:13,21
366 מִצְרַיִם קָרָאוּ אַשּׁוּר הָלָכוּ Hosh. 7:11
367 בִּדְרָכָיו הָלָכוּ Ps. 119:3

וְהָלְכוּ
368 וּבֵרַךְ עֵלִי...וְהָלְכוּ לִמְקֹמוֹ ISh. 2:20
369 וְהָלְכוּ עַמִּים רַבִּים וְאָמְרוּ... Is. 2:3
370 וְהָלְכוּ גְּאוּלִים Is. 35:9
371 וְהָלְכוּ גוֹיִם לְאוֹרֵךְ Is. 60:3
372 וְהָלְכוּ אֵלַיִךְ שְׁחוֹחַ בְּנֵי מְעַנַּיִךְ Is. 60:14
373 וְהָלְכוּ עָרֵי יְהוּדָה...וְזָעֲקוּ Jer. 11:12
374 וְהָלְכוּ גּוֹיִם רַבִּים וְאָמְרוּ... Mic. 4:2
375 וַהֲצֵרֹתִי לָאָדָם וְהָלְכוּ כַּעִוְרִים Zep. 1:17
376 וְהָלְכוּ יוֹשְׁבֵי אַחַת אֶל־אַחַת Zech. 8:21
377 וְהָלְכוּ בָנָיו וְעָשׂוּ מִשְׁתֶּה Job 1:4

הֶהָלְכוּא
378 אַנְשֵׁי הַמִּלְחָמָה הֶהָלְכוּא אִתּוֹ Josh. 10:24

הוֹלֵךְ
379 וְאָנֹכִי הוֹלֵךְ עֲרִירִי Gen. 15:2
380 וְאַבְרָהָם הֹלֵךְ עִמָּם לְשַׁלְּחָם Gen. 18:16
381 דַּרְכִּי אֲשֶׁר אָנֹכִי הֹלֵךְ עָלֶיהָ Gen. 24:42
382 הִנֵּה אָנֹכִי הוֹלֵךְ לָמוּת... Gen. 25:32
383 בַּדֶּרֶךְ הַזֶּה אֲשֶׁר אָנֹכִי הוֹלֵךְ Gen. 28:20
384 וְגַם הֹלֵךְ לִקְרָאתְךָ Gen. 32:6
385 וַיְיָ הֹלֵךְ לִפְנֵיהֶם יוֹמָם Ex. 13:21
386 וַיְהִי קוֹל הַשֹּׁפָר הוֹלֵךְ וְחָזֵק Ex. 19:19
387 וְכֹל הוֹלֵךְ עַל־כַּפָּיו Lev. 11:27
388 כֹּל הוֹלֵךְ עַל־גָּחוֹן Lev. 11:42
389 וְכֹל הוֹלֵךְ עַל־אַרְבַּע Lev. 11:42
390 וּבְעַמֻּד עָנָן אַתָּה הֹלֵךְ לִפְנֵיהֶם יוֹמָם Num. 14:14
391 וַיִּחַר־אַף אֱלֹ׳ כִּי־הוֹלֵךְ הוּא Num. 22:22
392 וְעַתָּה הִנְנִי הוֹלֵךְ לְעַמִּי Num. 24:14
393 וַאֲרוֹן בְּרִית יְיָ הֹלֵךְ אַחֲרֵיהֶם Josh. 6:8
394 וְהֶחָלוּץ הֹלֵךְ לִפְנֵי הַכֹּהֲנִים... Josh. 6:9
395 וְהַמְאַסֵּף הֹלֵךְ אַחֲרֵי הָאָרוֹן Josh. 6:9
396 וְהֶחָלוּץ הֹלֵךְ לִפְנֵיהֶם Josh. 6:13
397 וְהַמְאַסֵּף הֹלֵךְ אַחֲרֵי אֲרוֹן יְיָ Josh. 6:13
398 וְהִנֵּה אָנֹכִי הוֹלֵךְ הַיּוֹם בְּדֶרֶךְ כָּל־הָאָרֶץ Josh. 23:14
399 ...עַל־הַדֶּרֶךְ אֲשֶׁר אַתָּה הוֹלֵךְ Jud. 4:9
400 כִּי־אַתָּה הוֹלֵךְ לָקַחַת אִשָּׁה... Jud. 14:3
401 וְאָנֹכִי הֹלֵךְ לָגוּר בַּאֲשֶׁר אֶמְצָא Jud. 17:9
402 וְאֶת־בֵּית יְיָ אֲנִי הֹלֵךְ Jud. 19:18
403 וְהַנַּעַר שְׁמוּאֵל הֹלֵךְ וְגָדֵל וָטוֹב ISh. 2:26
404 וְנֹשֵׂא הַצִּנָּה הֹלֵךְ לְפָנָיו ISh. 17:7
405 וְדָוִד הֹלֵךְ וָשָׁב מֵעַל שָׁאוּל ISh. 17:15
406 וַיֵּלֶךְ...הֹלֵךְ וְקָרֵב אֶל־דָּוִד ISh. 17:41
407 וְדָוִד הֹלֵךְ וְחָזֵק... IISh. 3:1
408 וְהַמֶּלֶךְ דָּוִד הֹלֵךְ אַחֲרֵי הַמִּטָּה IISh. 3:31
409 וְאַחְיוֹ הֹלֵךְ לִפְנֵי הָאָרוֹן IISh. 6:4
410 אֲנִי הֹלֵךְ אֵלָיו וְהוּא לֹא־יָשׁוּב אֵלָי IISh. 12:23
411 וְהָעָם הוֹלֵךְ וָרָב אֶת־אַבְשָׁלוֹם IISh. 15:12
412/3 וַאֲנִי הוֹלֵךְ עַל אֲשֶׁר־אֲנִי הוֹלֵךְ IISh. 15:20
414 וְדָוִד עֹלֶה...וְהוּא הֹלֵךְ יָחֵף IISh. 15:30
415 וְשִׁמְעִי הֹלֵךְ בְּצֵלַע הָהָר לְעֻמָּתוֹ IISh. 16:13
416 אָנֹכִי הֹלֵךְ בְּדֶרֶךְ כָּל־הָאָרֶץ IK. 2:2
417 הִנְּךָ הוֹלֵךְ מֵאִתִּי וְהִכְּךָ הָאַרְיֵה IK. 20:36
418 הֹלֵךְ צְדָקוֹת וְדֹבֵר מֵישָׁרִים Is. 33:15
419 הֹלֵךְ דֶּרֶךְ וֶאֱוִילִים לֹא יִתְעוּ Is. 35:8
420 כִּי־הֹלֵךְ לִפְנֵיכֶם יְיָ Is. 52:12
421 יָבוֹא שָׁלוֹם...הֹלֵךְ נְכֹחוֹ Is. 57:2
422 לֹא־לְאִישׁ הֹלֵךְ וְהָכִין אֶת־צַעֲדוֹ Jer. 10:23
423 וְכֹל הֹלֵךְ בִּשְׁרִרוּת לִבּוֹ אָמְרוּ Jer. 23:17
424 וַיֵּצֵא...הֹלֵךְ הָלֹךְ וּבֹכֶה Jer. 41:6

הוֹלֵךְ (המשך)
425 ...וְאֵין הֹלֵךְ לַמִּלְחָמָה Ezek. 7:14
426 וְאֶל־לֵב שִׁקּוּצֵיהֶם...לִבָּם הֹלֵךְ Ezek. 11:21
427 כִּי אַחֲרֵי גִלּוּלֵיהֶם לִבָּם הֹלֵךְ Ezek. 20:16
428 (?) אֶת־נַהֲרֹתֶיהָ הֹלֶךְ סְבִיבוֹת מַטָּעָהּ Ezek. 31:4
429 אַחֲרֵי בִצְעָם לִבָּם הֹלֵךְ Ezek. 33:31
430 וְחַסְדְּכֶם כַּעֲנַן...וְכַטַּל מַשְׁכִּים הֹלֵךְ Hosh. 6:4
431 וְכַטַּל מַשְׁכִּים הֹלֵךְ Hosh. 13:3
432 כִּי הַיָּם הוֹלֵךְ וְסֹעֵר Jon. 1:11
433 כִּי הַיָּם הוֹלֵךְ וְסֹעֵר עֲלֵיהֶם Jon. 1:13
434 ...יֵיטִיבוּ עִם הַיָּשָׁר הוֹלֵךְ Mic. 2:7
435 לוּ־אִישׁ הֹלֵךְ רוּחַ וָשֶׁקֶר כִּזֵּב Mic. 2:11
436 וָאֹמַר אָנָה אַתָּה הֹלֵךְ Zech. 2:6
437 הוֹלֵךְ תָּמִים וּפֹעֵל צֶדֶק Ps. 15:2
438 רוּחַ הוֹלֵךְ וְלֹא יָשׁוּב Ps. 78:39
439 הֹלֵךְ בְּדֶרֶךְ תָּמִים... Ps. 101:6
440 הוֹלֵךְ וָאוֹר עַד־נְכוֹן הַיּוֹם Prov. 4:18
441 ...הוֹלֵךְ עִקְּשׁוּת פֶּה Prov. 6:12
442 הוֹלֵךְ אַחֲרֶיהָ פִּתְאֹם... Prov. 7:22
443 הוֹלֵךְ בַּתֹּם יֵלֶךְ בֶּטַח Prov. 10:9
444 הוֹלֵךְ רָכִיל מְגַלֶּה־סּוֹד Prov. 11:13
445 הוֹלֵךְ(כת׳ הלוך) אֶת־חֲכָמִים יֶחְכָּם Prov. 13:20
446 הוֹלֵךְ בְּיָשְׁרוֹ יְרֵא יְיָ Prov. 14:2
447/8 טוֹב רָשׁ הוֹלֵךְ בְּתֻמּוֹ Prov. 19:1; 28:6
449 גּוֹלֶה־סּוֹד הוֹלֵךְ רָכִיל Prov. 20:19
450 הוֹלֵךְ תָּמִים יִוָּשֵׁעַ... Prov. 28:18
451 ...וְיָרֵחַ יָקָר הֹלֵךְ Job 31:26
452 כְּיֵין הַטּוֹב הוֹלֵךְ לְדוֹדִי לְמֵישָׁרִים S.ofS. 7:10
453 דּוֹר הֹלֵךְ וְדוֹר בָּא... Eccl. 1:4
454 הוֹלֵךְ אֶל־דָּרוֹם וְסוֹבֵב אֶל־צָפוֹן Eccl. 1:6
455 סוֹבֵב סֹבֵב הוֹלֵךְ הָרוּחַ Eccl. 1:6
456 וְהַכְּסִיל בַּחֹשֶׁךְ הוֹלֵךְ Eccl. 2:14
457 הַכֹּל הוֹלֵךְ אֶל־מָקוֹם אֶחָד Eccl. 3:20
458 הֲלֹא אֶל־מָקוֹם אֶחָד הַכֹּל הוֹלֵךְ Eccl. 6:6
459 בִּשְׁאוֹל אֲשֶׁר אַתָּה הֹלֵךְ שָׁמָּה Eccl. 9:10
460 וְגַם־בַּדֶּרֶךְ כְּשֶׁסָּכָל הֹלֵךְ Eccl. 10:3
461 כִּי־הֹלֵךְ הָאָדָם אֶל־בֵּית עוֹלָמוֹ Eccl. 12:5
462 וְשָׁמְעוֹ הוֹלֵךְ בְּכָל־הַמְּדִינוֹת Es. 9:4
463 כִּי־הָאִישׁ מָרְדֳּכַי הוֹלֵךְ וְגָדוֹל Es. 9:4
464 וַיְהִי יְהוֹשָׁפָט הֹלֵךְ וְגָדֵל IICh. 17:12

וְהוֹלֵךְ
465 וְהוֹלֵךְ בְּחָכְמָה הוּא יִמָּלֵט Prov. 28:26

הַהוֹלֵךְ
466 הוּא הַהֹלֵךְ קִדְמַת אַשּׁוּר Gen. 2:14
467 וְגַם־לְלוֹט הַהֹלֵךְ אֶת־אַבְרָם... Gen. 13:5
468 מִי־הָהֹלֵךְ בַּשָּׂדֶה לִקְרָאתֵנוּ Gen. 24:65
469 ...הַהֹלֵךְ לִפְנֵי מַחֲנֵה יִשְׂרָאֵל Ex. 14:19
470/1 שֶׁרֶץ הָעוֹף הַהֹלֵךְ עַל־אַרְבַּע Lev. 11:20,21
472 יְיָ אֱלֹהֵיכֶם הַהֹלֵךְ לִפְנֵיכֶם Deut. 1:30
473 הַהֹלֵךְ לִפְנֵיכֶם בַּדֶּרֶךְ Deut. 1:33
474 כִּי יְיָ אֱלֹהֵיכֶם הַהֹלֵךְ עִמָּכֶם Deut. 20:4
475 כִּי יְיָ אֱלֹהֶיךָ הוּא הַהֹלֵךְ עִמָּךְ Deut. 31:6
476 וַיְיָ הוּא הַהֹלֵךְ לְפָנֶיךָ Deut. 31:8
477 ...וְהַגֵּר הַהֹלֵךְ בְּקִרְבָּם Josh. 8:35
478 הַגּוֹי...הַהוֹלֵךְ לְמֶרְחֲבֵי־אֶרֶץ... Hab. 1:6
479 יְרֵא יְיָ הַהֹלֵךְ בִּדְרָכָיו Ps. 128:1

כַּהוֹלֵךְ
480 כַּהוֹלֵךְ בֶּחָלִיל לָבוֹא בְהַר־יְיָ Is. 30:29

לַהוֹלֵךְ
481 בְּכוּ בָכוֹ לַהֹלֵךְ כִּי לֹא יָשׁוּב עוֹד Jer. 22:10

הוֹלְכָה
482 הֹלְכָה הִיא עַל־כָּל־הַר גָּבֹהַּ Jer. 3:6

הוֹלֶכֶת
483 מַדּוּעַ אַתְּ הֹלֶכֶת (כת׳ הלכתי) אֵלָיו IIK. 4:23

הַהוֹלֶכֶת
484 ...בַּמִּנְחָה הַהֹלֶכֶת לְפָנָי Gen. 32:20
485 בְּכָל־הַחַיָּה הַהֹלֶכֶת עַל־אַרְבַּע Lev. 11:27
486 וְהַתּוֹדָה הַשֵּׁנִית הַהוֹלֶכֶת לְמוֹאל Neh. 12:38

הוֹלְכִים
487 הוֹלְכִים לְהוֹרִיד מִצְרָיְמָה Gen. 37:25

הוֹלְכִים (המשך)
488 אִם־אֵין פָּנֶיךָ הֹלְכִים... Ex. 33:15
489 הֹלְכִים הָלוֹךְ וְתָקְעוּ בַּשּׁוֹפָרוֹת Josh. 6:13
490 דַּרְכֵּנוּ אֲשֶׁר אֲנַחְנוּ הֹלְכִים עָלֶיהָ Jud. 18:5
491 וְסַרְנֵי פְלִשְׁתִּים הֹלְכִים אַחֲרֵיהֶם ISh. 6:12
492 וּבֵית שָׁאוּל הֹלְכִים וְדַלִּים IISh. 3:1
493 וְהִנֵּה עַם־רַב הֹלְכִים מִדֶּרֶךְ... IISh. 13:34
494 וּפָנֶיךָ הֹלְכִים בַּקְרָב IISh. 17:11
495 אַתֶּם הֹלְכִים לִדְרֹשׁ בְּבַעַל זְבוּב IIK. 1:3
496 וַיְהִי הֵמָּה הֹלְכִים הָלוֹךְ וְדַבֵּר IIK. 2:11
497 וְהִנְּכֶם הֹלְכִים אִישׁ אַחֲרֵי שְׁרִרוּת לִבּוֹ Jer. 16:12
498 אֲשֶׁר הֹלְכִים אַחַר רוּחָם Ezek. 13:3
499 כָּל־הַנְּחָלִים הֹלְכִים אֶל־הַיָּם... Eccl. 1:7
500 אֶל־מְקוֹם שֶׁהַנְּחָלִים הֹלְכִים Eccl. 1:7
501 וְשָׂרִים הֹלְכִים כַּעֲבָדִים עַל־הָאָרֶץ Eccl. 10:7

וְהוֹלְכִים
502 קְרֻאִים וְהֹלְכִים לְתֻמָּם IISh. 15:11

הַהוֹלְכִים
503 כָּל־הַהֹלְכִים אַחֲרֵי הָעֲדָרִים Gen. 32:19
504 מִי וָמִי הַהֹלְכִים Ex. 10:8
505 הַהֹלְכִים לָתוּר אֶת־הָאָרֶץ Num. 14:38
506 אֶת־הַהֹלְכִים לִכְתֹּב אֶת־הָאָרֶץ Josh. 18:8
507/8 הַהֹלְכִים לְרַגֵּל אֶת־הָאָרֶץ Jud. 18:14,17
509 הֲדַם הָאֲנָשִׁים הַהֹלְכִים בְּנַפְשׁוֹתָם IISh. 23:17
510 הַהֹלְכִים לְפָנֶיךָ בְּכָל־לִבָּם IK. 8:23
511 ...אֵת מֵי הַשִּׁלֹחַ הַהֹלְכִים לְאַט Is. 8:6
512 הָעָם הַהֹלְכִים בַּחֹשֶׁךְ... Is. 9:1
513 הַהֹלְכִים לָרֶדֶת מִצְרַיִם... Is. 30:2
514 הַהֹלְכִים הַדֶּרֶךְ לֹא־טוֹב Is. 65:2
515 הַהֹלְכִים בִּשְׁרִרוּת לִבָּם Jer. 13:10
516 לְעֵינֵי הָאֲנָשִׁים הַהֹלְכִים אוֹתָךְ Jer. 19:10
517 אַשְׁרֵי...הַהֹלְכִים בְּתוֹרַת יְיָ Ps. 119:1
518 הַהֹלְכִים לְהַעֲלוֹת אֶת־אֲרוֹן... ICh. 15:25
519 הַהֹלְכִים לְפָנֶיךָ בְּכָל־לִבָּם... IICh. 6:14

לַהוֹלְכִים
520 נֹתֵן נְשָׁמָה...וְרוּחַ לַהֹלְכִים בָּהּ Is. 42:5
521 לֹא יִמְנַע־טוֹב לַהֹלְכִים בְּתָמִים Ps. 84:12

הוֹלְכֵי־
522 כֻּלָּם סָרֵי סוֹרְרִים הֹלְכֵי רָכִיל Jer. 6:28

וְהוֹלְכֵי־
523 וְהֹלְכֵי נְתִיבוֹת יֵלְכוּ אֳרָחוֹת עֲקַלְקַלּוֹת Jud. 5:6
524 ...וְהֹלְכֵי עַל־דֶּרֶךְ שִׂיחוּ Jud. 5:10

לְהוֹלְכֵי־
525 מָגֵן לְהֹלְכֵי תֹם Prov. 2:7

הוֹלְכוֹת
526 וְנַעֲרֹתֶיהָ הֹלְכֹת עַל־יַד הַיְאֹר Ex. 2:5
527 אִגְּרֹתֵיהֶם הוֹלְכוֹת עַל־טוֹבִיָּה Neh. 6:17
528 אֳנִיּוֹת לַמֶּלֶךְ הֹלְכוֹת תַּרְשִׁישׁ IICh. 9:21

הַהוֹלְכוֹת
529 וְחָמֵשׁ נַעֲרֹתֶיהָ הַהֹלְכוֹת לְרַגְלָהּ ISh. 25:42

אֶהֱלֹךְ
530 וְאֹרַח לֹא־אָשׁוּב אֶהֱלֹךְ Job 16:22
531 הֵן קֶדֶם אֶהֱלֹךְ וְאֵינֶנּוּ Job 23:8

אֵלֵךְ
532 הֲתֵלְכִי...וַתֹּאמֶר אֵלֵךְ Gen. 24:58
533 מִי אָנֹכִי כִּי אֵלֵךְ אֶל־פַּרְעֹה Ex. 3:11
534 אַף־אֲנִי אֵלֵךְ עִמָּם בְּקֶרִי Lev. 26:41
535 לֹא אֵלֵךְ כִּי אִם־אֶל־אַרְצִי Num. 10:30
536 וְאֶל־מוֹלַדְתִּי אֵלֵךְ Num. 10:30
537 ...בַּדֶּרֶךְ בַּדֶּרֶךְ אֵלֵךְ Deut. 2:27
538 כִּי בִּשְׁרִרוּת לִבִּי אֵלֵךְ Deut. 29:18
539 וְאִם־לֹא תֵלְכִי עִמִּי לֹא אֵלֵךְ Jud. 4:8
540 וַתֹּאמֶר הָלֹךְ אֵלֵךְ עִמָּךְ Jud. 4:9
541 וַיֹּאמֶר שְׁמוּאֵל אֵיךְ אֵלֵךְ... ISh. 16:2
542 וְהָיָה אֲנִי אֵלֵךְ מֵאִתָּךְ... IK. 18:12
543 ...וַיֹּאמֶר אֲנִי אֵלֵךְ IIK. 6:3
544 אֲנִי לְפָנֶיךָ אֵלֵךְ Is. 45:2
545 אָהַבְתִּי זָרִים וְאַחֲרֵיהֶם אֵלֵךְ Jer. 2:25
546 אֵלֵךְ אָשׁוּבָה אֶל־מְקוֹמִי Hosh. 5:15
547 גַּם כִּי־אֵלֵךְ בְּגֵיא צַלְמָוֶת... Ps. 23:4
548 וַאֲנִי בְּתֻמִּי אֵלֵךְ... Ps. 26:11

אֵלֵךְ (המשך)

549 ...בְּטֶרֶם אֵלֵךְ וְאֵינֶנִּי Ps. 39:14
550 לָמָּה־קֹדֵר אֵלֵךְ בְּלַחַץ אוֹיֵב Ps. 42:10
551 אִם־אֵלֵךְ בְּקֶרֶב צָרָה תְּחַיֵּנִי Ps. 138:7
552 אָנָה אֵלֵךְ מֵרוּחֶךָ... Ps. 139:7
553 הוֹדִיעֵנִי דֶּרֶךְ־זוּ אֵלֵךְ Ps. 143:8
554 בְּטֶרֶם אֵלֵךְ וְלֹא אָשׁוּב Job 10:21
555 כִּי אֶל־אֲשֶׁר תֵּלְכִי אֵלֵךְ Ruth 1:16

אֵלֶךְ

556 לְאוֹרוֹ אֵלֶךְ חֹשֶׁךְ Job 29:3
557 אֵלֶךְ לִי אֶל־הַר הַמּוֹר S.ofS. 4:6

וְאֵלֵךְ

558 וְאֶרְכַּב עָלֶיהָ וְאֵלֵךְ אֶת־הַמֶּלֶךְ IISh. 19:27
559 שַׁלְּחֵנִי וְאֵלֵךְ אֶל־אַרְצִי IK. 11:21
560 אֲנִי אֲנִי אֶטְרֹף וְאֵלֵךְ Hosh. 5:14

וָאֵלֵךְ

561 וָאֵלֵךְ עַד־בֵּית לֶחֶם יְהוּדָה Jud. 19:18
562 וָאֵלֵךְ בַּדֶּרֶךְ אֲשֶׁר־שְׁלָחַנִי יְיָ ISh. 15:20
563 וָאֵלֵךְ וָאֶטְמְנֵהוּ בִּפְרָת Jer. 13:5
564 וָאֵלֵךְ פְּרָתָה וָאֶחְפֹּר Jer. 13:7
565 וָאֵלֵךְ מַר בַּחֲמַת רוּחִי Ezek. 3:14

וָאֵלַךְ

566 יִתְּצֵנִי סָבִיב וָאֵלַךְ Job 19:10

הַאֵלֵךְ

567 הַאֵלֵךְ וְקָרָאתִי לָךְ אִשָּׁה מֵינֶקֶת Ex. 2:7
568 הַאֵלֵךְ וְהִכֵּיתִי בַּפְּלִשְׁתִּים ISh. 23:2
569 הַאֵלֵךְ עַל־רָמֹת גִּלְעָד IK. 22:6

אֵלְכָה

570 אֵלְכָה וְאֶרְאֶנּוּ בְּטֶרֶם אָמוּת Gen. 45:28
571 אֵלְכָה־נָּא וְאָשׁוּבָה אֶל־אַחַי Ex. 4:18
572 אֵלְכָה נָּא וַאֲשַׁלֵּם אֶת־נִדְרִי IISh. 15:7
573 אֵלְכָה־לִּי אֶל־הַגְּדֹלִים Jer. 5:5
574 אֵלְכָה נָּא וְאַכֶּה אֶת־יִשְׁמָעֵאל Jer. 40:15
575 כִּי אָמְרָה אֵלְכָה אַחֲרֵי מְאַהֲבַי Hosh. 2:7
576 אֵלְכָה וְאָשׁוּבָה אֶל־אִישִׁי הָרִאשׁוֹן Hosh. 2:9
577 אֵילְכָה שׁוֹלָל וְעָרוֹם Mic. 1:8
578 נֵלְכָה הָלוֹךְ...אֵלְכָה גַּם־אָנִי Zech. 8:21
579 אֵלְכָה־נָּא הַשָּׂדֶה וַאֲלַקֳטָה... Ruth 2:2

אֵלֵכָה

580 בִּדְמִי יָמַי אֵלֵכָה בְּשַׁעֲרֵי שְׁאוֹל Is. 38:10

וְאֵלְכָה

581 שַׁלְּחוּנִי וְאֵלְכָה לַאדֹנִי Gen. 24:56
582 וְאֵלְכָה אֶל־מְקוֹמִי וּלְאַרְצִי Gen. 30:25
583 נִסְעָה וְנֵלֵכָה וְאֵלְכָה לְנֶגְדֶּךָ Gen. 33:12
584 הִתְיַצֵּב עַל־עֹלָתֶךָ וְאֵלְכָה... Num 23:3
585 וְאֵלְכָה וְיָרַדְתִּי עַל־הֶהָרִים Jud 11:37
586 וְאֵלְכָה אֵלֶיהָ וְאֶדְרְשָׁה־בָּהּ ISh. 28:7
587 תְּנוּ...וְאֵלְכָה מֵעַל הָעִיר IISh. 20:21
588 אֶשְּׁקָה־נָּא...וְאֵלְכָה אַחֲרֶיךָ IK. 19:20
589 וְאֶעֶזְבָה אֶת־עַמִּי וְאֵלְכָה מֵאִתָּם Jer. 9:1

וְאֵלֵכָה

590 תְּנָה אֶת־נָשַׁי...וְאֵלֵכָה Gen. 30:26
591 אָקוּמָה וְאֵלֵכָה וְאֶקְבְּצָה... IISh. 3:21

תֵלֵךְ

592 עַל־גְּחֹנְךָ תֵלֵךְ... Gen. 3:14
593 אֶל־אַרְצִי וְאֶל־מוֹלַדְתִּי תֵּלֵךְ Gen. 24:4
594 אִם־לֹא אֶל־בֵּית־אָבִי תֵּלֵךְ Gen. 24:38
595 תֵּשֵׁב הַנַּעֲרָ...אַחַר תֵּלֵךְ Gen. 24:55
596 וּשְׁמַרְתִּיךָ בְּכֹל אֲשֶׁר־תֵּלֵךְ Gen. 28:15
597 לְמִי־אַתָּה וְאָנָה תֵלֵךְ Gen. 32:17
598 לֹא־תֵלֵךְ רָכִיל בְּעַמֶּיךָ Lev. 19:16
599 וְהָיָה כִּי־תֵלֵךְ עִמָּנוּ Num. 10:32
600 לֹא תֵלֵךְ עִמָּהֶם Num. 22:12
601 לְמַעַן תַּשְׂכִּיל בְּכֹל אֲשֶׁר תֵּלֵךְ Josh. 1:7
602 כִּי עִמְּךָ יְיָ...בְּכֹל אֲשֶׁר תֵּלֵךְ Josh. 1:9
603 אָנָה תֵלֵךְ וּמֵאַיִן תָּבוֹא Jud. 19:17
604 כִּי תֵלֵךְ בַּדָּרֶךְ ISh. 28:22
605 לָמָּה תֵלֵךְ גַּם־אַתָּה אִתָּנוּ IISh. 15:19
606 וְאִם תֵּלֵךְ בִּדְרָכַי... IK. 3:14
607 אִם־תֵּלֵךְ בְּחֻקֹּתַי IK. 6:12
608 וְאַתָּה אִם־תֵּלֵךְ לְפָנַי IK. 9:4
609 כִּי־תֵלֵךְ בְּמוֹ־אֵשׁ לֹא תִכָּוֶה Is. 43:2
610 מַדְרִיכְךָ בְּדֶרֶךְ תֵּלֵךְ Is. 48:17

תֵּלֵךְ (המשך)

611 עַל־כָּל־אֲשֶׁר אֶשְׁלָחֲךָ תֵּלֵךְ Jer. 1:7
612 וְאַל־תֵּלֵךְ לִסְפּוֹד... Jer. 16:5
613 אִם־בִּדְרָכַי תֵּלֵךְ... Zech. 3:7
614 וְאוֹרְךָ בְּדֶרֶךְ־זוּ תֵלֵךְ Ps. 32:8
615 בְּנִי אַל־תֵּלֵךְ בְּדֶרֶךְ אִתָּם Prov. 1:15
616 לְמַעַן תֵּלֵךְ בְּדֶרֶךְ טוֹבִים Prov. 2:20
617 אָז תֵּלֵךְ לָבֶטַח דַּרְכֶּךָ Prov. 3:23
618 כַּאֲשֶׁר תֵּלֵךְ אֶל־בֵּית הָאֱלֹהִים Eccl. 4:17
619 אַל־תִּבָּהֵל מִפָּנָיו תֵּלֵךְ Eccl. 8:3
620 וְאַתָּה אִם־תֵּלֵךְ לְפָנַי IICh. 7:17

תֵּלֶךְ־

621 הַמְּקֹמוֹת אֲשֶׁר תֵּלֶךְ־שָׁם Jer. 45:5

וַתֵּלֶךְ

622 וַתֵּלֶךְ וַתַּעֲשֶׂה־לְּךָ אֱלֹהִים אֲחֵרִים IK. 14:9
623 וַתֵּלֶךְ בְּדֶרֶךְ יָרָבְעָם IK. 16:2
624 וַתֵּלֶךְ אַחֲרֵי הַבְּעָלִים IK. 18:18
625 וַתֵּלֶךְ בְּדֶרֶךְ מַלְכֵי יִשְׂרָאֵל IICh. 21:13

הֲתֵלֵךְ

626 הֲתֵלֵךְ אִתִּי לַמִּלְחָמָה IK. 22:4
627 הֲתֵלֵךְ אִתִּי אֶל־מוֹאָב לַמִּלְחָמָה IIK. 3:7
628 הֲתֵלֵךְ עִמִּי רָמֹת גִּלְעָד IICh. 18:3

תֵּלְכִי

629 אִם־תֵּלְכִי עִמִּי וְהָלָכְתִּי Jud. 4:8
630 וְאִם־לֹא תֵלְכִי עִמִּי לֹא אֵלֵךְ Jud. 4:8
631 כִּי אֶל־אֲשֶׁר תֵּלְכִי אֵלֵךְ Ruth 1:16
632 אַל־תֵּלְכִי לִלְקֹט בְּשָׂדֶה אַחֵר Ruth 2:8

תֵּלֵכִי

633 אֵי־מִזֶּה בָאת וְאָנָה תֵלֵכִי Gen. 16:8
634 אַתְּ נָטַשְׁתְּ אֹתִי...אָחוֹר תֵּלֵכִי Jer. 15:6

וַתֵּלְכִי

635 וַתֵּלְכִי אֶל־עַם אֲשֶׁר לֹא־יָדַעַתְּ Ruth 2:11

הֲתֵלְכִי

636 הֲתֵלְכִי עִם־הָאִישׁ הַזֶּה Gen. 24:58

יַהֲלֹךְ

637 וְכָל־רֵעַ רָכִיל יַהֲלֹךְ Jer. 9:3
638 כְּמוֹ שַׁבְּלוּל תֶּמֶס יַהֲלֹךְ Ps. 58:9
639 מִדֶּבֶר בָּאֹפֶל יַהֲלֹךְ Ps. 91:6
640 וְאַחְדְּלָה מַה־מִּנִּי יַהֲלֹךְ Job 16:6
641 יַהֲלֹךְ עָלָיו אֵמִים Job 20:25

וַיַּהֲלֹךְ

642 תִּתְקְפֵהוּ לָנֶצַח וַיַּהֲלֹךְ Job 14:20

יֵלֵךְ

643 גַּם־טַפְּכֶם יֵלֵךְ עִמָּכֶם Ex. 10:24
644 וְגַם־מִקְנֵנוּ יֵלֵךְ עִמָּנוּ Ex. 10:26
645 כִּי־יֵלֵךְ מַלְאָכִי לְפָנֶיךָ Ex. 23:23
646 הִנֵּה מַלְאָכִי יֵלֵךְ לְפָנֶיךָ Ex. 32:34
647-650 יֵלֵךְ וְיָשֹׁב לְבֵיתוֹ Deut. 20:5,6,7,8
651 מִתַּפּוּחַ יֵלֵךְ הַגְּבוּל יָמָּה Josh. 16:8
652-655 וְהָיָה אֲשֶׁר אֹמַר אֵלֶיךָ זֶה יֵלֵךְ אִתָּךְ
הוּא יֵלֵךְ אִתָּךְ וְכֹל אֲשֶׁר־אֹמַר אֵלֶיךָ
זֶה לֹא־יֵלֵךְ עִמָּךְ הוּא לֹא יֵלֵךְ Jud. 7:4
656 עַבְדְּךָ יֵלֵךְ וְנִלְחַם... ISh. 17:32
657 לָמָּה יֵלֵךְ עִמָּךְ IISh. 13:26
658 קוֹלָהּ כַּנָּחָשׁ יֵלֵךְ Jer. 46:22
659 כִּי מַלְכָּם בַּגּוֹלָה יֵלֵךְ Jer. 49:3
660 הָלוֹךְ יֵלֵךְ וּבָכֹה... Ps. 126:6
661 ...אֶל־חֲכָמִים לֹא יֵלֵךְ Prov. 15:12
662 כָּל־עֻמַּת שֶׁבָּא כֵּן יֵלֵךְ Eccl. 5:15
663 כִּי־בַהֶבֶל בָּא וּבַחֹשֶׁךְ יֵלֵךְ Eccl. 6:4

יֵלֶךְ־

664 יֵלֶךְ־נָא אֲדֹנָי בְּקִרְבֵּנוּ Ex. 34:9
665 יֵלֶךְ־נָא הַמֶּלֶךְ...עִם־עַבְדֶּךָ IISh. 13:24
666 וְלֹא יֵלֶךְ־נָא אִתָּנוּ אַמְנוֹן אָחִי... IISh. 13:26
667 אֶת־מִי אֶשְׁלַח וּמִי יֵלֶךְ־לָנוּ Is. 6:8
668 לְפָנָיו יֵלֶךְ דָּבֶר Hab. 3:5
669 הוֹלֵךְ בַּתֹּם יֵלֶךְ בֶּטַח Prov. 10:9

הֲיֵלֵךְ

670 הֲיֵלֵךְ בְּתוֹרָתִי אִם־לֹא Ex. 16:4

וְיֵלַךְ

671 יִשָּׂאֵהוּ קָדִים וְיֵלַךְ Job 27:21

וַיֵּלֶךְ

672 וַיֵּלֶךְ אַבְרָם כַּאֲשֶׁר דִּבֶּר אֵלָיו יְיָ Gen. 12:4
673 וַיֵּלֶךְ אִתּוֹ לוֹט Gen. 12:4
674 וַיֵּלֶךְ לְמַסָּעָיו מִנֶּגֶב Gen. 13:3
675 וַיֵּלֶךְ יְיָ כַּאֲשֶׁר כִּלָּה לְדַבֵּר Gen. 18:33
676 וַיָּקָם וַיֵּלֶךְ אֶל־הַמָּקוֹם... Gen. 22:3

וַיֵּלֶךְ (המשך)

677 וַיֵּלֶךְ אַבְרָהָם וַיִּקַּח אֶת־הָאַיִל Gen. 22:13
678 וַיֵּלֶךְ וְכָל־טוּב אֲדֹנָיו בְּיָדוֹ Gen. 24:10
679 וַיָּקָם וַיֵּלֶךְ אֶל־אֲרַם נַהֲרַיִם Gen. 24:10
680 וַיֵּלֶךְ יִצְחָק אֶל־אֲבִימֶלֶךְ Gen. 26:1
681 וַיִּגְדַּל הָאִישׁ וַיֵּלֶךְ הָלוֹךְ וְגָדֵל Gen. 26:13
682 וַיֵּלֶךְ מִשָּׁם יִצְחָק... Gen. 26:17
683 וַיֵּלֶךְ יוֹסֵף אַחַר אֶחָיו Gen. 37:17
684 וַיִּסַּע...וַיֵּלֶךְ מֵאַחֲרֵיהֶם Ex. 14:19
685 ...וַיֵּלֶךְ שֶׁפִי Num. 23:3
686 וַיֵּלֶךְ יְהוּדָה אֶת־שִׁמְעוֹן אָחִיו Jud. 1:17
687 וַיֵּלֶךְ מָנוֹחַ אַחֲרֵי אִשְׁתּוֹ Jud. 13:11
688 וַיֵּלֶךְ הָלוֹךְ וְאָכֹל Jud. 14:9
689 וַיָּקָם אִישָׁהּ וַיֵּלֶךְ אַחֲרֶיהָ Jud. 19:3
690 וַיֵּלֶךְ אֶלְקָנָה הָרָמָתָה עַל־בֵּיתוֹ ISh. 2:11
691 הֶהָמוֹן נָמוֹג וַיֵּלֶךְ וַהֲלֹם ISh. 14:16
692 וְהֶהָמוֹן...וַיֵּלֶךְ הָלוֹךְ וָרָב ISh. 14:19
693 וַיֵּלֶךְ אֵלָיו אֲגַג מַעֲדַנֹּת ISh. 15:32
694 וַיָּשָׁב...וַיֵּלֶךְ לִקְרַאת פְּלִשְׁתִּים ISh. 23:28
695 וַיְשַׁלַּח דָּוִד אֶת־אַבְנֵר וַיֵּלֶךְ בְּשָׁלוֹ' IISh. 3:21
696 ...כִּי שִׁלְּחוֹ וַיֵּלֶךְ בְּשָׁלוֹם IISh. 3:22
697 וַיְשַׁלְּחֵהוּ וַיֵּלֶךְ בְּשָׁלוֹם IISh. 3:23
698 וַיֵּלֶךְ דָּוִד הָלוֹךְ וְגָדוֹל IISh. 5:10
699 וַיֵּלֶךְ בְּכָל־חַטֹּאות אָבִיו IK. 15:3
700 וַיֵּלֶךְ בְּדֶרֶךְ אָבִיו וּבְחַטָּאתוֹ IK. 15:26
701-707 וַיֵּלֶךְ בְּדֶרֶךְ... IK. 15:34; 22:53
IIK. 8:18,27; 16:3 • IICh. 20:32; 21:6
708 וַיֵּלֶךְ בְּכָל־דֶּרֶךְ יָרָבְעָם IK. 16:26
709 וַיַּרְא וַיָּקָם וַיֵּלֶךְ אֶל־נַפְשׁוֹ IK. 19:3
710 וַיֵּלֶךְ בְּכֹחַ הָאֲכִילָה הַהִיא IK. 19:8
711 וַיֵּלֶךְ מֵאֶצְלוֹ וַיִּמְצָאֵהוּ הָאַרְיֵה IK. 20:36
712 וַיֵּלֶךְ מֶלֶךְ־יִשְׂרָאֵל עַל־בֵּיתוֹ IK. 20:43
713 וַיֵּלֶךְ בְּכָל־דֶּרֶךְ אָסָא אָבִיו IK. 22:43
714 וַיִּפֶן וַיֵּלֶךְ בְּחֵמָה IIK. 5:12
715 וַיֵּלֶךְ מֵאִתּוֹ כִּבְרַת אָרֶץ IIK. 5:19
716 וַיֵּלֶךְ חֲזָאֵל לִקְרָאתוֹ IIK. 8:9
717 וַיֵּלֶךְ מֵאֵת אֱלִישָׁע וַיָּבֹא אֶל־אֲדֹנָיו IIK. 8:14
718 וַיֵּלֶךְ אַחַר חַטֹּאת יָרָבְעָם IIK. 13:2
719 וַיֵּלֶךְ בְּכָל־הַדֶּרֶךְ אֲשֶׁר־הָלַךְ אָבִיו IIK. 21:21
720 וַיֵּלֶךְ בְּכָל־דֶּרֶךְ דָּוִד אָבִיו IIK. 22:2
721 וַיֵּלֶךְ שׁוֹבָב בְּדֶרֶךְ לִבּוֹ Is. 57:17
722 וַיֵּלֶךְ דָּוִיד הָלוֹךְ וְגָדוֹל ICh. 11:9
723 וַיֵּלֶךְ בְּלֹא חֶמְדָּה IICh. 21:20
724 וַיֵּלֶךְ אֶת־יְהוֹרָם...לַמִּלְחָמָה IICh. 22:5
725 וַיֵּלֶךְ שְׁמוֹ עַד־לְבוֹא מִצְרַיִם IICh. 26:8
726 וַיֵּלֶךְ בְּדַרְכֵי מַלְכֵי יִשְׂרָאֵל IICh. 28:2
727 וַיֵּלֶךְ בְּדַרְכֵי דָּוִיד אָבִיו IICh. 34:2
728-884 וַיֵּלֶךְ Gen. 27:5,14; 28:5,7,9
28:10; 29:1; 30:14; 32:1; 35:22; 36:6 • Ex. 2:1; 4:18,27,29; 18:27 • Num. 16:25; 22:21,35,39; 24:25 • Deut. 17:3; 31:1,14 • Josh. 5:13; 8:13 • Jud. 1:3,10,11,16,26; 3:13; 8:29; 9:1,7,21,50; 11:11,16,18; 14:9; 15:4; 16:1; 17:8,10; 19:10,28 • ISh. 3:5,6,8,9; 15:34; 16:13; 17:20,41,48; 18:27; 19:12,18,22,23^{2}; 22:1,3,5; 23:5,16,25,26; 24:3(2),8(7),23(22); 26:25; 28:8; 30:9 • IISh. 3:16; 3:19,24; 5:6; 6:2,12,19; 11:22; 12:15,29; 13:37,38; 14:23; 15:9; 16:13; 17:23; 18:24,25; 20:5; 21:12 • IK. 1:50; 2:40^{2}; 3:4; 11:5; 12:1,16; 13:10,14,24,28; 16:31; 17:5^{2},10; 18:2,16^{2},45; 19:19,21; 20:38 • IIK. 1:4; 2:1,25; 3:7,9; 4:30; 4:35; 5:5; 6:4; 8:28; 9:4,16,18; 10:12,15; 13:21; 16:10; 19:36; 22:14; 23:29; 35:4 • Is. 37:37 • Jer. 28:11; 41:10,15 • Hosh. 1:3; 5:13 • Jon. 3:3 • Ruth 1:1 • Ez. 10:6^{2} • Neh.

12:32 • ICh. 11:4 • IICh. 8:3; 10:1,5,16; 25:11; 34:2,22

וַיֵּלַךְ 885 וַיִּקַּח הָעֶבֶד אֶת־רִבְקָה וַיֵּלַךְ Gen. 24:61
886 וַיֹּאכַל וַיֵּשְׁתְּ וַיָּקָם וַיֵּלַךְ Gen. 25:34
887 וַיִּחַר־אַף יְיָ בָּם וַיֵּלַךְ Num. 12:9
888 וַיָּקָם וַיֵּלַךְ ISh. 21:1
889 וַיִּקְצֹף נַעֲמָן וַיֵּלַךְ IIK. 5:11
890 בְּשַׁנּוֹתוֹ...וַיְגָרְשֵׁהוּ וַיֵּלַךְ Ps. 34:1
891 כָּלָה עָנָן וַיֵּלַךְ Job 7:9

תִּהֲלַךְ 892 וּלְשׁוֹנָם תִּהֲלַךְ בָּאָרֶץ Ps. 73:9

וַתִּהֲלַךְ 893 וַתִּהֲלַךְ־אֵשׁ אָרְצָה Ex. 9:23

תֵּלֵךְ 894 אֻלַי לֹא־תֵלֵךְ הָאִשָּׁה אַחֲרָי Gen. 24:39
895 אֵשׁ לְפָנָיו תֵּלֵךְ וּתְלַהֵט... Ps. 97:3

תֵּלֶךְ 896 בַּל־תֵּלֶךְ בּוֹ אֳנִי־שַׁיִט Is. 33:21
897 אַחֲרַיִךְ תֵּלֶךְ חָרֶב Jer. 48:2

וַתֵּלֶךְ 898 וַתֵּלֶךְ הַתֵּבָה עַל־פְּנֵי הַמָּיִם Gen. 7:18
899 וַתֵּלֶךְ וַתֵּתַע בְּמִדְבַּר Gen. 21:14
900 וַתֵּלֶךְ וַתֵּשֶׁב לָהּ מִנֶּגֶד Gen. 21:16
901 וַתֵּלֶךְ וַתְּמַלֵּא אֶת־הַחֵמֶת מַיִם Gen. 21:19
902 וַתֵּלֶךְ לִדְרֹשׁ אֶת־יְיָ Gen. 25:22
903 וַתֵּלֶךְ יַד בְּ״י הָלוֹךְ וְקָשָׁה עַל יָבִין Jud. 4:24
904 וַתֵּלֶךְ מֵאִתּוֹ אֶל־בֵּית אָבִיהָ Jud. 19:2
905 וַתֵּלֶךְ הָלוֹךְ וְזָעָקָה IISh. 13:19
906 וַתֵּלֶךְ מֵאִתּוֹ וַתִּסְגֹּר הַדֶּלֶת IIK. 4:5
907 וַתֵּלֶךְ אַחֲרֵי מְאַהֲבֶיהָ Hosh. 2:15
926-908 וַתֵּלֶךְ Gen. 38:11,19

Ex. 2:8 • Num. 22:23 • Jud. 4:9; 11:38 • ISh. 1:18; 25:42 • IISh. 13:8 • IK. 10:13; 14:4,17; 17:11,15 • IIK. 4:25; 8:2 • Jer. 3:8 • Ruth 2:3 • IICh. 9:12

נֵלֵךְ 927 דֶּרֶךְ שְׁלֹשֶׁת יָמִים נֵלֵךְ בַּמִּדְבָּר Ex. 8:23
928 בִּנְעָרֵינוּ וּבִזְקֵנֵינוּ נֵלֵךְ Ex. 10:9
929 בְּצֹאנֵנוּ וּבִבְקָרֵנוּ נֵלֵךְ Ex. 10:9
930 דֶּרֶךְ הַמֶּלֶךְ נֵלֵךְ Num. 20:17
931 בְּדֶרֶךְ הַמֶּלֶךְ נֵלֵךְ Num. 21:22
932 וְאֶל־כָּל־אֲשֶׁר תִּשְׁלָחֵנוּ נֵלֵךְ Josh. 1:16
933 לֹא נֵלֵךְ אִישׁ לְאָהֳלוֹ Jud. 20:8
934 וְהִנֵּה נֵלֵךְ וּמַה־נָּבִיא לָאִישׁ ISh. 9:7
935 ...וְאַף כִּי־נֵלֵךְ קְעִלָה ISh. 23:3
936 אַל־בְּנִי אַל־נָא נֵלֵךְ כֻּלָּנוּ IISh. 13:25
937 וַיֹּאמְרוּ לֹא נֵלֵךְ Jer. 6:16
938 אַחֲרֵי מַחְשְׁבוֹתֵינוּ נֵלֵךְ Jer. 18:12
939 וַאֲנַחְנוּ נֵלֵךְ בְּשֵׁם־יְיָ אֱלֹהֵינוּ Mic. 4:5
940 ...בֵּית יְיָ נֵלֵךְ Ps. 122:1

נֵלֶךְ־ 941 אֶת־הַדֶּרֶךְ אֲשֶׁר נֵלֶךְ־בָּהּ Jer. 42:3

וַנֵּלֶךְ 942 ...וַנֵּלֶךְ אֵת כָּל־הַמִּדְבָּר הַגָּדוֹל Deut. 1:19

וְנֵלֵךְ 943 עִזְבוּהָ וְנֵלֵךְ אִישׁ לְאַרְצוֹ Jer. 51:9

הֲנֵלֵךְ 944 הֲנֵלֵךְ אֶל־רָמֹת גִּלְעָד לַמִּלְחָמָה IK. 22:15
945/46 הֲנֵלֵךְ אֶל־רָמֹת גִּלְעָד... IICh. 18:5,14

נֵלְכָה 947 וַאֲנִי וְהַנַּעַר נֵלְכָה עַד־כֹּה Gen. 22:5
948 שָׁמַעְתִּי אֹמְרִים נֵלְכָה דֹּתָיְנָה Gen. 37:17
949/50 נֵלְכָה (־) נָּא דֶּרֶךְ שְׁלֹשֶׁת יָמִים Ex. 3:18; 5:3
951 נֵלְכָה נִזְבְּחָה לֵאלֹהֵינוּ Ex. 5:8
952 נֵלְכָה נִזְבְּחָה לַייָ Ex. 5:17
953 נֵלְכָה אַחֲרֵי אֱלֹהִים אֲחֵרִים Deut. 13:3
954/5 נֵלְכָה וְנַעַבְדָה אֱלֹ׳ אֲחֵרִים Deut. 13:7,14
956 עַתָּה נֵלְכָה שָּׁם... ISh. 9:6
957 נֵלְכָה־נָּא עַד־הַיַּרְדֵּן IIK. 6:2
958 נֵלְכָה הָלוֹךְ לְחַלּוֹת אֶת־פְּנֵי יְיָ Zech. 8:21
959 וְהֶחֱזִיקוּ...לֵאמֹר נֵלְכָה עִמָּכֶם Zech. 8:23

נֵלֵכָה 960 טוֹב דְּבָרְךָ לְכָה נֵלֵכָה ISh. 9:10

וְנֵלְכָה 961 לְכוּ וְנֵלְכָה עַד־הָרֹאֶה ISh. 9:9

וְנֵלְכָה (המשך) 962 לְכוּ וְנֵלְכָה הַגִּלְגָּל... ISh. 11:14
963 קַח־נָא...וְנֵלְכָה־לָּנוּ ISh. 26:11
964 וְיֹרֵנוּ מִדְּרָכָיו וְנֵלְכָה בְּאֹרְחֹתָיו Is. 2:3
965 לְכוּ וְנֵלְכָה בְּאוֹר יְיָ Is. 2:5
966 וְיוֹרֵנוּ מִדְּרָכָיו וְנֵלְכָה בְּאֹרְחֹתָיו Mic. 4:2

וְנֵלֵכָה 967 נִסְעָה וְנֵלֵכָה וְאֵלְכָה לְנֶגְדֶּךָ Gen. 33:12
968 שִׁלְחָה...וְנָקוּמָה וְנֵלֵכָה Gen. 43:8
969 וַיֹּאמֶר אֵלֶיהָ קוּמִי וְנֵלֵכָה... Jud. 19:28

תֵּלְכוּ 970 בַּדֶּרֶךְ אֲשֶׁר תֵּלְכוּ־בָהּ Gen. 42:38
971 לֹא תֵלְכוּ רֵיקָם Ex. 3:21
972 וְלֹא תֵלְכוּ בְּחֻקֹּת הַגּוֹי... Lev. 20:23
973 וְאִם־תֵּלְכוּ עִמִּי קֶרִי Lev. 26:21
974 לַרְאֹתְכֶם בַּדֶּרֶךְ אֲשֶׁר תֵּלְכוּ־בָהּ Deut. 1:33
975 וְאַחַר תֵּלְכוּ לְדַרְכְּכֶם Josh. 2:16
976 אֶת־הַדֶּרֶךְ אֲשֶׁר תֵּלְכוּ־בָהּ Josh. 3:4
977 נֹכַח יְיָ דַּרְכְּכֶם אֲשֶׁר תֵּלְכוּ־בָהּ Jud. 18:6
978 וְאַחֲרֵי אֱלֹהִים אֲחֵרִים לֹא תֵלְכוּ Jer. 7:6
979 וְכֹל יֹשְׁבֵי בֵיתֶךָ תֵּלְכוּ בַּשֶּׁבִי Jer. 20:6
980/1 וְאַל־תֵּלְכוּ אַחֲרֵי אֱלֹהִים אֲחֵרִים Jer. 25:6; 35:15
982 וְלֹא תֵלְכוּ רוֹמָה Mic. 2:3

תֵּלֵכוּ 983 וּבְחֻקֹּתֵיהֶם לֹא תֵלֵכוּ Lev. 18:3
984 אִם־בְּחֻקֹּתַי תֵּלֵכוּ... Lev. 26:3
985 בְּכָל־הַדֶּרֶךְ אֲשֶׁר צִוָּה...תֵּלֵכוּ Deut. 5:30
986 אַחֲרֵי יְיָ אֱלֹהֵיכֶם תֵּלֵכוּ Deut. 13:5
987 סְעַד לִבְּךָ...וְאַחַר תֵּלֵכוּ Jud. 19:5
988 הֲלוֹא־אָמַרְתִּי אֲלֵיכֶם אַל־תֵּלֵכוּ IIK. 2:18
989 וּבַדֶּרֶךְ אַל־תֵּלֵכוּ (כת׳ תלכי) Jer. 6:25
990 בְּחוּקֵּי אֲבוֹתֵיכֶם אַל־תֵּלֵכוּ Ezek. 20:18
991 וְעָשִׂיתִי אֵת אֲשֶׁר־בְּחֻקַּי תֵּלֵכוּ Ezek. 36:27
992 הֲלוֹא בְּיִרְאַת אֱלֹהֵינוּ תֵּלֵכוּ Neh. 5:9

תֵּלְכוּן 993 לֹא תֵלְכוּן אַחֲרֵי אֱלֹהִים אֲחֵרִים Deut. 6:14

תֵּלֵכוּן 994 וְהָיָה כִּי תֵלֵכוּן לֹא תֵלְכוּ רֵיקָם Ex. 3:21
995 כִּי לֹא בְחִפָּזוֹן תֵּצֵאוּ וּבִמְנוּסָה לֹא תֵלֵכוּן Is. 52:12

וַתֵּלֵכוּ 996 לְקַחְתֶּם וְאֶת־הַכֹּהֵן וַתֵּלֵכוּ Jud. 18:24
997 וַתֵּלְכוּ בְּמֹעֲצוֹתָם Mic. 6:16

תֵּלַכְנָה 998 שֹׁבְנָה בְנֹתַי לָמָּה תֵלַכְנָה עִמִּי Ruth 1:11

יְהַלֵּכוּ 999 מִפִּיו לַפִּידִים יְהַלֵּכוּ Job 41:11

יֵלְכוּ 1000 הֵם יֵלְכוּ וְקֹשְׁשׁוּ לָהֶם תֶּבֶן Ex. 5:7
1001 וְהוֹדַעְתָּ לָהֶם אֶת־הַדֶּרֶךְ יֵלְכוּ בָהּ Ex. 18:20
1002/3 עֲשֵׂה־לָנוּ אֱלֹהִים אֲשֶׁר יֵלְכוּ לְפָנֵינוּ Ex. 32:1,23
1004 וְלֹא־יִהְיוּ לָךְ כִּי יֵלְכוּ בַּשֶּׁבִי Deut. 28:41
1005 יֵלְכוּ אֳרָחוֹת עֲקַלְקַלּוֹת Jud. 5:6
1006 וְכָל־הָעָם יֵלְכוּ אִישׁ לִמְקֹמוֹ Jud. 7:7
1007 וְהֵם יֵלְכוּ וְהִגִּידוּ לַמֶּלֶךְ דָּוִד IISh. 17:17
1008 אֶת־הַדֶּרֶךְ הַטּוֹבָה אֲשֶׁר יֵלְכוּ־בָהּ IK. 8:36
1009 יֵלְכוּ עֲבָדַי עִם־עֲבָדֶיךָ IK. 22:50
1010 יֵלְכוּ־נָא וִיבַקְשׁוּ אֶת־אֲדֹנֶיךָ IIK. 2:16
1011 לְמַעַן יֵלְכוּ וְכָשְׁלוּ אָחוֹר Is. 28:13
1012 יָרוּצוּ וְלֹא יִיגָעוּ יֵלְכוּ וְלֹא יִיעָפוּ Is. 40:31
1013 וְלֹא־יֵלְכוּ עוֹד אַחֲרֵי שְׁרִרוּת לִבָּם Jer. 3:17
1014 יֵלְכוּ בֵית־יְהוּדָה עַל־בֵּית יִשְׂ׳ Jer. 3:18
1015 יֵלְכוּ גַּם־עָשׂוּ פֶרִי Jer. 12:2
1016 הָלֹךְ יֵלְכוּ מֵעָלֵינוּ הַכַּשְׂדִּים Jer. 37:9
1017/8 יֵלְכוּ הָאוֹפַנִּים אֶצְלָם Ezek. 1:19; 10:16
1019 בְּצֹאנָם...יֵלְכוּ לְבַקֵּשׁ אֶת־יְיָ Hosh. 5:6
1020 אַחֲרֵי יְיָ יֵלְכוּ כְּאַרְיֵה יִשְׁאָג Hosh. 11:10
1021 יֵלְכוּ יוֹנְקוֹתָיו וִיהִי כַזַּיִת הוֹדוֹ Hosh. 14:7
1022 ...וְצַדִּקִים יֵלְכוּ בָם Hosh. 14:10
1023 וְכָל־אֲפִיקֵי יְהוּדָה יֵלְכוּ מָיִם Joel 4:18

יֵלְכוּ (המשך) 1024 וְאִישׁ וְאָבִיו יֵלְכוּ אֶל־הַנַּעֲרָה Am. 2:7
1025 וְאִם־יֵלְכוּ בַשְּׁבִי לִפְנֵי אֹיְבֵיהֶם Am. 9:4
1026 כָּל־הָעַמִּים יֵלְכוּ אִישׁ בְּשֵׁם אֱלֹהָיו Mic. 4:5
1027 ...יֵלְכוּ בְּמוֹעֲצוֹתֵיהֶם Ps. 81:13
1028 יֵלְכוּ מֵחַיִל אֶל־חָיִל Ps. 84:8
1029/30 הַדֶּרֶךְ אֲשֶׁר יֵלְכוּ־בָהּ Neh. 9:12,19
1031 הַדֶּרֶךְ הַטּוֹבָה אֲשֶׁר יֵלְכוּ־בָהּ IICh. 6:27

יֵלֵכוּ 1032 פָּנַי יֵלֵכוּ וַהֲנִחֹתִי לָךְ Ex. 33:14
1033 אַחֲרַיִךְ יֵלֵכוּ בַּזִּקִּים יַעֲבֹרוּ Is. 45:14
1034 וּמְאַהֲבַיִךְ בַּשְּׁבִי יֵלֵכוּ Jer. 22:22
1035 וְכָל־צָרַיִךְ כֻּלָּם בַּשְּׁבִי יֵלֵכוּ Jer. 30:16
1036 כִּי־לֹא יֵלֵכוּ Jer. 37:9
1037 כִּי־בְחַיִל יֵלֵכוּ Jer. 46:22
1038 הָלוֹךְ וּבָכוֹ יֵלֵכוּ Jer. 50:4
1039-41 (וְ)אִישׁ אֶל־עֵבֶר פָּנָיו יֵלֵ׳ Ezek. 1:9,12; 10:22
1042 אֶל אֲשֶׁר יִהְיֶה־שָׁמָּה הָרוּחַ לָלֶכֶת יֵלֵכוּ Ezek. 1:12
1043 עַל־אַרְבַּעַת רִבְעֵיהֶן בְּלֶכְתָּם יֵלֵכוּ Ezek. 1:17
1044 עַל אֲשֶׁר יִהְיֶה־שָׁם הָרוּחַ לָלֶכֶת יֵלֵכוּ Ezek. 1:20
1045 בְּלֶכְתָּם יֵלֵכוּ וּבְעָמְדָם יַעֲמֹדוּ Ezek. 1:21
1046 אֶל־אַרְבַּעַת רִבְעֵיהֶם יֵלֵכוּ Ezek. 10:11
1047 אֲשֶׁר־יִפְנֶה הָרֹאשׁ אַחֲרָיו יֵלֵכוּ Ezek. 10:11
1048 לְמַעַן בְּחֻקֹּתַי יֵלֵכוּ Ezek. 11:20
1049 בַּגּוֹלָה בַשְּׁבִי יֵלֵכוּ Ezek. 12:11
1050 וּבְמִשְׁפָּטַי יֵלֵכוּ... Ezek. 37:24
1051 כַּאֲשֶׁר יֵלֵכוּ אֶפְרוֹשׂ עֲלֵיהֶם רִשְׁ׳ Hosh. 7:12

הֲיֵלְכוּ 1052 הֲיֵלְכוּ שְׁנַיִם יַחְדָּו... Am. 3:3

יֵלֵכוּן 1053 וְאִישׁ בִּדְרָכָיו יֵלֵכוּן Joel 2:7
1054 גֶּבֶר בִּמְסִלָּתוֹ יֵלֵכוּן Joel 2:8
1055 וּבְמִשְׁפָּטַי לֹא יֵלֵכוּן Ps. 89:31

וְיֵלְכוּ 1056 וְיֹאכְלוּ וְיִשְׁתּוּ וְיֵלְכוּ אֶל־אֲדֹנֵיהֶם IIK. 6:22
1057 וְיֵלְכוּ וְיֵשְׁבוּ שָׁם IIK. 17:27

וְיֵלֵכוּ 1058 וַיְנַהֲגוּ וְיֵלֵכוּ ISh. 30:22
1059 הַתְשַׁלַּח בְּרָקִים וְיֵלֵכוּ Job 38:35

וַיֵּלְכוּ 1060 ...וַיֵּלְכוּ אֲחֹרַנִּית... Gen. 9:23
1061 וַיִּפְנוּ מִשָּׁם הָאֲנָשִׁים וַיֵּלְכוּ סְדֹמָה Gen. 18:22
1062/3 וַיֵּלְכוּ שְׁנֵיהֶם יַחְדָּו Gen. 22:6,8
1064 וַיֵּלְכוּ יַחְדָּו אֶל־בְּאֵר שָׁבַע Gen. 22:19
1065 וַיֵּלְכוּ מֵאִתּוֹ בְּשָׁלוֹם Gen. 26:31
1066 וַיֵּלְכוּ אֶחָיו לִרְעוֹת אֶת־צֹאן Gen. 37:12
1067 וַיָּשֻׁבוּ מֵי־הַיַּרְדֵּן...וַיֵּלְכוּ כִתְמוֹל־שִׁלְשׁוֹם Josh. 4:18
1068 וַיֵּלְכוּ אַחֲרֵי אֱלֹהִים אֲחֵרִים Jud. 2:12
1069 וַיִּשְׂכֹּר...אֲנָשִׁים...וַיֵּלְכוּ אַחֲרָיו Jud. 9:4
1070 וַיֵּלְכוּ הַמַּיִם סָבִיב לַמִּזְבֵּחַ IK. 18:35
1071 וַיֵּלְכוּ בְּחֻקּוֹת הַגּוֹיִם... IIK. 17:8
1072 וַיֵּלְכוּ אַחֲרֵי הַהֶבֶל וַיֶּהְבָּלוּ IIK. 17:15
1073 וַיֵּלְכוּ בְּחֻקּוֹת יִשְׂרָאֵל IIK. 17:19
1074 וַיֵּלְכוּ בְּ״י בְּכָל־חַטֹּאות יָרָבְעָם IIK. 17:22
1075 וַיֵּלְכוּ אַחֲרֵי הַהֶבֶל וַיֶּהְבָּלוּ Jer. 2:5
1076 וַיֵּלְכוּ בְּמֹעֵצוֹת בִּשְׁרִרוּת לִבָּם Jer. 7:24
1077 וַיֵּלְכוּ אַחֲרֵי שְׁרִרוּת לִבָּם Jer. 9:13
1078 וַיֵּלְכוּ אִישׁ בִּשְׁרִירוּת לִבָּם Jer. 11:8
1079/80 וַיֵּלְכוּ אַחֲרֵי אֱלֹ׳ אֲחֵרִים Jer. 13:10; 16:11
1081 וַיֵּלְכוּ בְלֹא־כֹחַ לִפְנֵי רוֹדֵף Lam. 1:6
1082 וַיֵּלְכוּ הָרָצִים בָּאִגְּרוֹת... IICh. 30:6
1149–1083 וַיֵּלְכוּ Gen. 42:26; 50:18

Ex. 12:28; 15:22 • Num. 13:26; 16:25; 22:7; 32:39; 33:8 • Deut. 29:25 • Josh. 2:1,22; 3:6; 8:9; 9:4,6; 18:9; 22:6,9 • Jud. 2:6; 9:6,49,55; 11:5; 18:7,26

וַיֵּלְכוּ (המשך)
21:23 • ISh. 9:10; 10:26; 11:15; 17:13; 23:24; 26:12; 28:25; 30:2; 31:12 • IISh. 2:29,32; 4:5,7; 17:18,21 • IK. 1:49; 8:66; 11:24; 12:5,30; 20:9,27 • IIK. 2:6; 6:23; 7:8², 15; 9:35; 10:25 • Jer. 41:12; 41:14,17; 52:7 • Job 42:9 • Neh. 8:12 • ICh. 4:39; 16:43; 19:5 • IICh. 1:3; 11:14

וַיֵּלֵכוּ
1150 וַיִּקְחוּ אֶת־כָּל־רְכֻשׁ סְדֹם...וַיֵּלֵכוּ Gen. 14:11
1151 וַיִּקְחוּ אֶת־לוֹט וְאֶת־רְכֻשׁוֹ...וַיֵּלֵכוּ Gen. 14:12
1152 וַיְשַׁלַּח אֶת־אֶחָיו וַיֵּלֵכוּ Gen. 45:24
1153 וַתְּשַׁלְּחֵם וַיֵּלֵכוּ Josh. 2:21
1154 וַיָּקֻמוּ הָאֲנָשִׁים וַיֵּלֵכוּ Josh. 18:8
1155 וַיִּפְנוּ וַיֵּלֵכוּ Jud. 18:21
1156 וַיַּעַבְרוּ וַיֵּלֵכוּ Jud. 19:14
1157 ...וַיְשַׁלְּחוּם וַיֵּלֵכוּ ISh. 6:6
1158 וַיְשַׁלַּח אֶת־הָאֲנָשִׁים וַיֵּלֵכוּ IIK. 5:24
1159 ...סָרוּ וַיֵּלֵכוּ Jer. 5:23

תֵּלַכְנָה
1160 מִיָּמִים יָמִימָה תֵּלַכְנָה בְּנוֹת יִשְׂ׳ Jud. 11:40
1161 הָלוֹךְ וְטָפוֹף תֵּלַכְנָה... Is. 3:16
1162/3 וְכָל־בִּרְכַּיִם תֵּלַכְנָה מָּיִם Ezek. 7:17; 21:12
1164 וְהֵנָּה בַּשְּׁבִי תֵלַכְנָה Ezek. 30:17
1165 וּבְנוֹתֶיהָ בַּשְּׁבִי תֵלַכְנָה Ezek. 30:18
1166 וְהַגְּבָעוֹת תֵּלַכְנָה חָלָב Joel 4:18

וַתֵּלַכְנָה
1167 וַתֵּלַכְנָה אַחֲרֵי הָאִישׁ Gen. 24:61
1168 וַתֵּלַכְנָה נְטוּיוֹת גָּרוֹן Is. 3:16
1169 וַתֵּלַכְנָה בַדֶּרֶךְ לָשׁוּב... Ruth 1:7
1170 וַתֵּלַכְנָה שְׁתֵּיהֶם עַד־בּוֹאָנָה... Ruth 1:19

לֵךְ
1171 לֵךְ מֵעִמָּנוּ כִּי־עָצַמְתָּ מִמֶּנּוּ Gen. 26:16
1172 קוּם לֵךְ פַּדֶּנָה אֲרָם Gen. 28:2
1173 לֵךְ וְאָסַפְתָּ אֶת־זִקְנֵי יִשְׂרָאֵל Ex. 3:16
1174 וְעַתָּה לֵךְ וְאָנֹכִי אֶהְיֶה עִם־פִּיךָ Ex. 4:12
1175 וַיֹּאמֶר יִתְרוֹ לְמֹשֶׁה לֵךְ לְשָׁלוֹם Ex. 4:18
1176 לֵךְ לִקְרַאת מֹשֶׁה הַמִּדְבָּרָה Ex. 4:27
1177 וַיֹּאמֶר־לוֹ פַרְעֹה לֵךְ מֵעָלָי Ex. 10:28
1178 לֵךְ בְּכֹחֲךָ זֶה וְהוֹשַׁעְתָּ... Jud. 6:14
1179 וַיֹּאמֶר יְהוֹנָתָן לְדָוִד לֵךְ לְשָׁלוֹם ISh. 20:42
1180 וַיֹּאמֶר־לוֹ הַמֶּלֶךְ לֵךְ בְּשָׁלוֹם IISh. 15:9
1181 לֵךְ מִזֶּה וּפָנִיתָ לְּךָ קֵדְמָה IK. 17:3
1182 וַיֹּאמֶר לוֹ לֵךְ הִתְחַזַּק IK. 20:22
1183 וַיֹּאמֶר לוֹ לֵךְ לְשָׁלוֹם IIK. 5:19
1184 לֵךְ אֱמָר־לוֹ׳ חָיֹה תִחְיֶה IIK. 8:10
1185 לֵךְ עַמִּי בֹּא בַחֲדָרֶיךָ Is. 26:20
1186 חֹזֶה לֵךְ בְּרַח־לְךָ.... Am. 7:12
1187 אַל־תֹּאמַר לְרֵעֲךָ׳ לֵךְ וָשׁוּב Prov. 3:28
1188 לֵךְ הִתְרַפֵּס וּרְהַב רֵעֶיךָ Prov. 6:3
1189 לֵךְ מִנֶּגֶד לְאִישׁ כְּסִיל Prov. 14:7
1190 לֵךְ אֱכֹל בְּשִׂמְחָה לַחְמֶךָ Eccl. 9:7
1191 לֵךְ כְּנוֹס אֶת־כָּל־הַיְּהוּדִים Es. 4:16
1192 וַיֹּאמֶר לֵךְ דָּנִיֵּאל... Dan. 12:9
1193 וְאַתָּה לֵךְ לַקֵּץ... Dan. 12:13
1194—1252 לֵךְ Ex. 4:19; 7:15; 19:10; 32:34 33:1 • Num. 22:20,35 • Deut. 5:30(27); 10:11 • Jud. 4:6,22; 9:14 • ISh. 3:9; 9:3; 15:3,18; 17:37; 20:21,22,40; 22:5; 23:2; 26:19 • IISh. 3:16; 7:3,5; 15:22; 18:21; 24:1 • IK. 1:53; 2:26,29; 13:15; 15:19; 17:9; 18:1,5,8,11,14; 19:15,20 • IIK. 3:13 • Is. 6:9; 20:2; 21:6 • Jer. 13:4,6; 36:19; 40:4,5 • Hosh. 1:2; 3:1 • Am. 7:15 • Jon. 1:2; 3:2 • ICh. 17:4; 21:10 • IICh. 16:3

לֶךְ־
1253 לֶךְ־לְךָ מֵאַרְצְךָ וּמִמּוֹלַדְתְּךָ Gen. 12:1
1254 לֶךְ־נָא אֶל־הַצֹּאן... Gen. 27:9

לֶךְ־ (המשך)
1255 לֶךְ־נָא רְאֵה אֶת־שְׁלוֹם אַחֶיךָ Gen. 37:14
1256 לֶךְ־רֵד וְעָלִיתָ אַתָּה... Ex. 19:24
1257 לֶךְ־רֵד כִּי שִׁחֵת עַמְּךָ Ex. 32:7
1258 לֶךְ־בֹּא וְאֶשְׁלְחָה סֵפֶר IIK. 5:5
1259 לֶךְ־בֹּא אֶל־הַסֹּכֵן... Is. 22:15
1260 לֶךְ־בֹּא אֶל־בֵּית יִשְׂרָאֵל Ezek. 3:4

לֵךְ־
1261 לֵךְ־אֶל־נְמָלָה עָצֵל... Prov. 6:6

לְךָ (לְכָה)
1262 לְךָ־נָּא אִתִּי אֶל־מָקוֹם אַחֵר Num. 23:13
1263 לְךָ וְנִקְרְבָה בְּאַחַד הַמְּקֹמוֹת Jud. 19:13
1264 לְךָ נִתְרָאֶה פָנִים IICh. 25:17

וְלֵךְ
1265 אַךְ שְׁמַע בְּקֹלִי וְלֵךְ קַח־לִי Gen. 27:13
1266 שִׂים־יָדְךָ עַל־פִּיךָ וְלֵךְ עִמָּנוּ Jud. 18:19
1267 וְלֵךְ אֶשְׁלָחֲךָ אֶל־יִשַׁי... ISh. 16:1
1268 וְעַתָּה שׁוּב וְלֵךְ בְּשָׁלוֹם ISh. 29:7
1269 וְלֵךְ הָשֵׁב אֶת־הַנַּעַר... IISh. 14:21
1270 הוֹאֶל נָא וְלֵךְ אֶת־עֲבָדֶיךָ IIK. 6:3
1271 וְלֵךְ לִקְרַאת אִישׁ הָאֱלֹהִים IIK. 8:8
1272 חֲגֹר מָתְנֶיךָ...וְלֵךְ רָמֹת גִּלְעָד IIK. 9:1
1273 וְלֵךְ דַּבֵּר אֶל־בֵּית יִשְׂרָאֵל Ezek. 3:1
1274 וְלֵךְ בֹּא אֶל־הַגּוֹלָה... Ezek. 3:11

וְלֶךְ־
1275 וְלֶךְ־לְךָ אֶל־אֶרֶץ הַמֹּרִיָּה Gen. 22:2

וָלֵךְ
1276 הִנֵּה אִשְׁתְּךָ קַח וָלֵךְ Gen. 12:19
1277 הִנֵּה־רִבְקָה לְפָנֶיךָ קַח וָלֵךְ Gen. 24:51
1278 וַתֹּאמֶר אֶל־נַעֲרָהּ נְהַג וָלֵךְ IIK. 4:24
1279 וְקַח מִשְׁעַנְתִּי בְיָדְךָ וָלֵךְ IIK. 4:29
1280 קָחֶנָּה בְּיָדְךָ וָלֵךְ Jer. 36:14

לְכָה נ׳
1281 לְכָה נַשְׁקֶה אֶת־אָבִינוּ Gen. 19:32

לְכָה ז׳
1282 וְעַתָּה לְכָה נִכְרְתָה בְרִית Gen. 31:44
1283 לְכָה וְאֶשְׁלָחֲךָ אֲלֵיהֶם Gen. 37:13
1284 לְכָה וְאֶשְׁלָחֲךָ אֶל־פַּרְעֹה Ex. 3:10
1285 לְכָה אִתָּנוּ וְהֵטַבְנוּ לָךְ Num. 10:29
1286 וְעַתָּה לְכָה־נָּא אָרָה־לִּי Num. 22:6
1287 עַתָּה לְכָה קָבָה־לִּי אֹתוֹ Num. 22:11
1288 לְכָה אָרָה־לִּי יַעֲקֹב Num. 23:7
1289 לְכָה־נָּא אֶקָּחֲךָ אֶל־מָקוֹם אַחֵר Num. 23:27
1290 לְכָה אִיעָצְךָ אֲשֶׁר יַעֲשֶׂה הָעָם Num. 24:14
1291 לְכָה וְהָיִיתָה לָּנוּ לְקָצִין Jud. 11:6
1292 לְכָה־נָּא וְנָסוּרָה אֶל־עִיר.. Jud. 19:11
1293 וְשָׁאוּל אָמַר...לְכָה וְנָשׁוּבָה ISh. 9:5
1294 טוֹב דְּבָרְךָ לְכָה נֵלֵכָה ISh. 9:10
1295 לְכָה וְנַעְבְּרָה אֶל־מַצַּב פְּלִשְׁתִּים ISh. 14:1
1296 לְכָה וְנַעְבְּרָה אֶל־מַצַּב הָעֲרֵלִים ISh. 14:6
1297 לְכָה אֵלַי וְאֶתְּנָה אֶת־בְּשָׂרְךָ... ISh. 17:44
1298 לְכָה וְנֵצֵא הַשָּׂדֶה ISh. 20:11
1299 לְכָה אִתִּי וּרְאֵה בְּקִנְאָתִי לַיי׳ IIK. 10:16
1300 לְכָה נִתְרָאֶה פָנִים IIK. 14:8
1301 אִם־יֹאמְרוּ לְכָה אִתָּנוּ... Prov. 1:11
1302 לְכָה נִרְוֶה דֹדִים עַד־הַבֹּקֶר Prov. 7:18
1303 לְכָה דוֹדִי נֵצֵא הַשָּׂדֶה S.ofS. 7:12
1304 לְכָה־נָּא אֲנַסְּכָה בְשִׂמְחָה Eccl. 2:1
1305 לְכָה וְנִוָּעֲדָה יַחְדָּו Neh. 6:2
1306 לְכָה וְנִוָּעֲצָה יַחְדָּו Neh. 6:7

וּלְכָה
1307 וּלְכָה־נָּא קָבָה לִּי... Num. 22:17
1308 וּלְכָה זֹעֲמָה יִשְׂרָאֵל Num. 23:7
1309 וּלְכָה לִישֻׁעָתָה לָּנוּ Ps. 80:3

וְלֵכָה
1310 מַהֲרָה וְלֵכָה כִּי־פָשְׁטוּ פְלִשְׁתִּים ISh. 23:27

לְכִי
1311/2 לְכִי־אַתְּ מָלְכִי עָלֵינוּ Jud. 9:10,12
1313 וַיַּעַן עֵלִי וַיֹּאמֶר לְכִי לְשָׁלוֹם ISh. 1:17
1314 לְכִי נָא בֵּית אַמְנוֹן אָחִיךְ IISh. 13:7
1315 וַיֹּאמֶר הַמֶּלֶךְ...לְכִי לְבֵיתֵךְ IISh. 14:8
1316 לְכִי אִיעָצֵךְ נָא עֵצָה IK. 1:12
1317 לְכִי וּבֹאִי אֶל־הַמֶּלֶךְ דָּוִד IK. 1:13

לְכִי (המשך)
1318 לְכִי אִמְרִי לְיָרָבְעָם... IK. 14:7
1319 וְאַתְּ קוּמִי לְכִי לְבֵיתֵךְ IK. 14:12
1320 לְכִי שַׁאֲלִי־לָךְ כֵּלִים IIK. 4:3
1321 לְכִי מִכְרִי אֶת־הַשֶּׁמֶן IIK. 4:7
1322 וַתֹּאמֶר לָהּ לְכִי בִתִּי Ruth 2:2

לֵכִי
1323 וַתֹּאמֶר־לָהּ בַּת־פַּרְעֹה לֵכִי Ex. 2:8
1324 וַיֹּאמֶר לֵכִי וַיִּשְׁלַח אוֹתָהּ... Jud. 11:38
1325 וַיֹּאמֶר־לָהּ אַמְנוֹן קוּמִי לֵכִי IISh. 13:15

וּלְכִי
1326 קוּמִי וּלְכִי אַתְּ׳ וּבֵיתֵךְ IIK. 8:1
1327 קוּמִי לָךְ...וּלְכִי־לָךְ S.ofS. 2:10
1328 קוּמִי לָכִי׳ רַעְיָתִי יָפָתִי וּלְכִי־לָךְ S.ofS. 2:13

הִלְכוּ
1329 הִלְכוּ אַל־תַּעֲמֹדוּ Jer. 51:50

לְכוּ
1330 וְעַתָּה לְכוּ וְנַהַרְגֵהוּ Gen. 37:20
1331 לְכוּ וְנִמְכְּרֶנּוּ לַיִּשְׁמְעֵאלִים Gen. 37:27
1332 וַיֹּאמֶר פַּרְעֹה...לְכוּ אֶל־יוֹסֵף Gen. 41:55
1333 וְאַתֶּם לְכוּ הָבִיאוּ שֶׁבֶר... Gen. 42:19
1334 ...לְכוּ לְסִבְלֹתֵיכֶם Ex. 5:4
1335 אַתֶּם לְכוּ קְחוּ לָכֶם תֶּבֶן Ex. 5:11
1336 וְעַתָּה לְכוּ עִבְדוּ... Ex. 5:18
1337 לְכוּ זִבְחוּ לֵאלֹהֵיכֶם בָּאָרֶץ Ex. 8:21
1338 לְכוּ עִבְדוּ אֶת־יְיָ אֱלֹהֵיכֶם Ex. 10:8
1339 לְכוּ־נָא הַגְּבָרִים וְעִבְדוּ אֶת־יְיָ Ex. 10:11
1340 לְכוּ עִבְדוּ אֶת־יְיָ Ex. 10:24
1341 לְכוּ אֶל־אַרְצְכֶם... Num. 22:13
1342 וַיֹּאמֶר לָהֶם הַכֹּהֵן לְכוּ לְשָׁלוֹם Jud. 18:6
1343 אִם־יְיָ הָאֱלֹהִים לְכוּ אַחֲרָיו IK. 18:21
1344 וְאִם־הַבַּעַל לְכוּ אַחֲרָיו IK. 18:21
1345 לְכוּ־נָא וְנִוָּכְחָה יֹאמַר יְיָ Is. 1:18
1346/7 לְכוּ וְנַעֲלֶה אֶל־הַר־יְיָ Is. 2:3 • Mic. 4:2
1348 לְכוּ וְנֵלְכָה בְּאוֹר יְיָ Is. 2:5
1349 לְכוּ מַלְאָכִים קַלִּים Is. 18:2
1350 זֶה הַדֶּרֶךְ לְכוּ בוֹ Is. 30:21
1351 לְכוּ בְּאוּר אֶשְׁכֶם... Is. 50:11
1352 הוֹי כָּל־צָמֵא לְכוּ לַמַּיִם... Is. 55:1
1353 לְכוּ שִׁבְרוּ וֶאֱכֹלוּ Is. 55:1
1354 לְכוּ נְרַנְּנָה לַיי׳ Ps. 95:1
1355 לְכוּ לַחֲמוּ בְלַחֲמִי Prov. 9:5
1356 לְכוּ וְנִבְנֶה אֶת־חוֹמַת יְרוּשָׁלַםִ Neh. 2:17
1357—1394 לְכוּ Josh. 2:1; 18:8 • Jud. 10:14 18:2; 21:10,20 • ISh. 8:22; 9:9; 11:14; 15:6; 23:22 • IISh. 14:30 • IK. 12:5 • IIK. 1:2; 1:6; 6:13,19; 7:4,9,14; 22:13 • Jer. 7:12; 12:9; 18:18²; 48:2 • Ezek. 20:39 • Hosh. 6:1 • Jon. 1:7; 6:7 • Ps. 34:12; 46:9; 66:5,16; 83:5 • Neh. 8:10 • ICh. 21:1 • IICh. 34:21

לֵכוּ
1395 וַתֹּאמֶר לָהֶם הָהָרָה לֵּכוּ Josh. 2:16
1396 נֵלְכָה־נָּא...וַיֹּאמֶר לֵכוּ IIK. 6:2
1397 אֲנִי יְיָ אֱלֹהֵיכֶם בְּחֻקּוֹתַי לֵכוּ Ezek. 20:19

וּלְכוּ
1398 הַשְׁקוּ הַצֹּאן וּלְכוּ רְעוּ Gen. 29:7
1399 וּלְכוּ־בֹאוּ אַרְצָה כְּנָעַן Gen. 45:17
1400 וּלְכוּ עִבְדוּ אֶת־יְיָ Ex. 12:31
1401 קְחוּ...וּלְכוּ לִקְרָאתָם Josh. 9:11
1402 פְּנוּ וּלְכוּ לָכֶם לְאָהֳלֵיכֶם Josh. 22:4
1403 ...וּלְכוּ שִׁבְרוּ בְּלוֹא־כֶסֶף Is. 55:1
1404 הַטּוּ אָזְנְכֶם וּלְכוּ אֵלַי Is. 55:3
1405 אֵי־זֶה דֶרֶךְ הַטּוֹב וּלְכוּ־בָהּ Jer. 6:16
1406 וּלְכוּ מִשָּׁם חֲמַת רַבָּה Am. 6:2
1407 קוּמוּ וּלְכוּ... Mic. 2:10
1408 ...וּלְכוּ אֶל־עַבְדִּי אִיּוֹב Job 42:8

וָלֵכוּ
1409 וְאֶת־רַעֲבוֹן בָּתֵּיכֶם קְחוּ וָלֵכוּ Gen. 42:33
1410 גַּם־צֹאנְכֶם...קְחוּ...וָלֵכוּ Ex. 12:32
1411 וְהִשְׁכַּמְתֶּם...וְאוֹר לָכֶם וָלֵכוּ ISh. 29:10

לְכְנָה 1412 לְכְנָה שֹׁבְנָה אִשָּׁה לְבֵית אִמָּהּ Ruth 1:8
לָכֶן 1413 שֹׁבְנָה בְנֹתַי לָכֶן Ruth 1:12
נֶהֱלָכְתִּי 1414 כְּצֵל כִּנְטוֹתוֹ נֶהֱלָכְתִּי Ps. 109:23
הִלַּכְתִּי 1415 וְלֹא־הִלַּכְתִּי בִּגְדֹלוֹת...מִמֶּנִּי Ps. 131:1
1416 קֹדֵר הִלַּכְתִּי בְּלֹא חַמָּה Job 30:28
הִלָּכְתִּי 1417 כָּל־הַיּוֹם קֹדֵר הִלָּכְתִּי Ps. 38:7
הִלְּכוּ 1418 עָרוֹם הִלְּכוּ בְּלִי לְבוּשׁ Job 24:10
1419 שׁוּעָלִים הִלְּכוּ־בוֹ Lam. 5:18
הַמְהַלֵּךְ 1420 הַמְהַלֵּךְ עַל־כַּנְפֵי־רוּחַ Ps. 104:3
כִּמְהַלֵּךְ 1421 וּבָא־כִמְהַלֵּךְ רֵאשֶׁךָ Prov. 6:11
הַמְהַלְּכִים 1422 רָאִיתִי־הַמְהַלְּכִים תַּחַת הַשָּׁמֶשׁ Eccl. 4:15
אֲהַלֵּךְ 1423 הוֹרֵנִי יְיָ דַּרְכֶּךָ אֲהַלֵּךְ בַּאֲמִתֶּךָ Ps. 86:11
1424 בְּאֹרַח־זוּ אֲהַלֵּךְ טָמְנוּ פַח לִי Ps. 142:4
1425 בְּאֹרַח־צְדָקָה אֲהַלֵּךְ Prov. 8:20
יְהַלֵּךְ 1426 בְּחֻקּוֹתַי יְהַלֵּךְ וּמִשְׁפָּטַי שָׁמַר Ezek. 18:9
1427 צֶדֶק לְפָנָיו יְהַלֵּךְ.... Ps. 85:14
1428 אִם־יְהַלֵּךְ אִישׁ עַל־הַגֶּחָלִים Prov. 6:28
וַיְהַלֵּךְ 1429 וַיִּשְׁכַּב בַּשָּׂק וַיְהַלֵּךְ אַט IK. 21:27
נְהַלֵּךְ 1430 ...לִנְגֹהוֹת בָּאֲפֵלוֹת נְהַלֵּךְ Is. 59:9
1431 בְּבֵית אֱלֹהִים נְהַלֵּךְ בְּרָגֶשׁ Ps. 55:15
יְהַלֵּכוּ 1432 לְאוֹר חִצֶּיךָ יְהַלֵּכוּ Hab. 3:11
1433 לוּ...יִשְׂרָאֵל בִּדְרָכַי יְהַלֵּכוּ Ps. 81:14
1434 רַגְלֵיהֶם וְלֹא יְהַלֵּכוּ Ps. 115:7
1435 וּמִמְּקוֹם קָדוֹשׁ יְהַלֵּכוּ Eccl. 8:10
יְהַלֵּכוּן 1436 יְיָ בְּאוֹר־פָּנֶיךָ יְהַלֵּכוּן Ps. 89:16
1437 ...בֵּין הָרִים יְהַלֵּכוּן Ps. 104:10
1438 שָׁם אֳנִיּוֹת יְהַלֵּכוּן Ps. 104:26
וְהַלֵּךְ 1439 שְׂמַח בָּחוּר...וְהַלֵּךְ בְּדַרְכֵי לִבְּךָ Eccl. 11:9
לְהִתְהַלֵּךְ 1440 אֲשֶׁר שָׁלַח יְיָ לְהִתְהַלֵּךְ בָּאָרֶץ Zech. 1:10
1441 וַיְבַקְשׁוּ לָלֶכֶת לְהִתְהַלֵּךְ בָּאָרֶץ Zech. 6:7
1442 לְהִתְהַלֵּךְ לִפְנֵי־אֵל׳ בְּאוֹר הַחַיִּים Ps. 56:14
וּמֵהִתְהַלֵּךְ 1443/4 מִשּׁוּט בָּאָרֶץ וּמֵהִתְהַלֵּךְ בָּהּ Job 1:7; 2:2
בְּהִתְהַלֶּכְךָ 1445 בְּהִתְהַלֶּכְךָ תַּנְחֶה אֹתָךְ Prov. 6:22
הִתְהַלַּכְתִּי 1446 יְיָ אֲשֶׁר־הִתְהַלַּכְתִּי לְפָנָיו Gen. 24:40
1447 וַאֲנִי הִתְהַלַּכְתִּי לִפְנֵיכֶם מִנְּעֻרַי... ISh. 12:2
1448/9 הִתְהַלַּכְתִּי בְּכָל־ב״י IISh. 7:7 • ICh. 17:6
1450/1 הִתְהַ׳ לְפָנֶיךָ בֶּאֱמֶת Is. 38:3 • IIK. 20:3
הִתְהַלָּכְתִּי 1452 כְּרֵעַ־כְּאָח לִי הִתְהַלָּכְתִּי Ps. 35:14
וְהִתְהַלַּכְתִּי 1453 וְהִתְהַלַּכְתִּי בְּתוֹכְכֶם Lev. 26:12
1454 וְהִתְהַלַּכְתִּי בַּאֲמִתֶּךָ Ps. 26:3
הִתְהַלָּכְתָּ 1455 בְּתוֹךְ אַבְנֵי־אֵשׁ הִתְהַלָּכְתָּ Ezek. 28:14
1456 וּבְחֵקֶר תְּהוֹם הִתְהַלָּכְתָּ Job 38:16
הִתְהַלֶּךְ 1457 אֶת־הָאֱלֹהִים הִתְהַלֶּךְ־נֹחַ Gen. 6:9
1458 ...אֲשֶׁר־הִתְהַלֶּךְ־שָׁם דָּוִד ISh. 30:31
וְהִתְהַלֵּךְ 1459 וְהִתְהַלֵּךְ בַּחוּץ עַל־מִשְׁעַנְתּוֹ Ex. 21:19
1460 וְהִתְהַלֵּךְ לִפְנֵי־מְשִׁיחִי כָּל־הַיָּמִים ISh. 2:35
הִתְהַלַּכְנוּ 1461 כָּל־יְמֵי הִתְהַלַּכְנוּ אִתָּם ISh. 25:15
1462 וַיֹּאמְרוּ הִתְהַלַּכְנוּ בָאָרֶץ... Zech. 1:11
הִתְהַלְּכוּ 1463 הָאֵל׳...הִתְהַלְּכוּ אֲבֹתַי לְפָנָיו Gen. 48:15
מִתְהַלֵּךְ 1464 מִתְהַלֵּךְ בַּגָּן לְרוּחַ הַיּוֹם Gen. 3:8
1465 יְיָ אֱלֹהֶיךָ מִתְהַלֵּךְ בְּקֶרֶב מַחֲנֶךָ Deut. 23:15
1466 הִנֵּה הַמֶּלֶךְ מִתְהַלֵּךְ לִפְנֵיכֶם ISh. 12:2
1467 וָאֶהְיֶה מִתְהַלֵּךְ בְּאֹהֶל וּבְמִשְׁכָּן IISh. 7:6
1468 קָדְקֹד שֵׂעָר מִתְהַלֵּךְ בַּאֲשָׁמָיו Ps. 68:22
1469 מִתְהַלֵּךְ בְּתֻמּוֹ צַדִּיק Prov. 20:7
1470 וּבָא־מִתְהַלֵּךְ רֵישֶׁךָ Prov. 24:34
1471 מִתְהַלֵּךְ לִפְנֵי חֲצַר בֵּית־הַנָּשִׁים Es. 2:11
מִתְהַלֶּכֶת 1472 הִיא מִתְהַלֶּכֶת בֵּין הַחַיּוֹת Ezek. 1:13
הַמִּתְהַלְּכִים 1473 הַמִּתְהַלְּכִים בְּרַגְלֵי אֲדֹנִי ISh. 25:27
אֶתְהַלֵּךְ 1474 לָמָּה־קֹדֵר אֶתְהַלֵּךְ בְּלַחַץ אוֹיֵב Ps. 43:2
1475 אֶתְהַלֵּךְ בְּתָם־לְבָבִי בְּקֶרֶב בֵּיתִי Ps. 101:2
1476 אֶתְהַלֵּךְ לִפְנֵי יְיָ בְּאַרְצוֹת הַחַיִּים Ps. 116:9

וְאֶתְהַלְּכָה 1477 וְאֶתְהַלְּכָה בָרְחָבָה... Ps. 119:45
יִתְהַלֶּךְ־ 1478 אַךְ־בְּצֶלֶם יִתְהַלֶּךְ־אִישׁ Ps. 39:7
יִתְהַלֵּךְ 1479 יִתֵּן בַּכּוֹס עֵינוֹ יִתְהַלֵּךְ בְּמֵישָׁרִים׳ Prov. 23:31
יִתְהַלָּךְ 1480 ...וְעַל־שְׂבָכָה יִתְהַלָּךְ Job 18:8
1481 ...וְחוּג שָׁמַיִם יִתְהַלָּךְ Job 22:14
וַיִּתְהַלֵּךְ 1482/3 וַיִּתְהַלֵּךְ חֲנוֹךְ אֶת־הָאֵל׳ Gen. 5:22,24
1484 וַיִּתְהַלֵּךְ עַל־גַּג בֵּית־הַמֶּלֶךְ IISh. 11:2
1485 וַיִּתְהַלֵּךְ בְּתוֹךְ־אֲרָיוֹת Ezek. 19:6
1486 וַיֵּצֵא יוֹאָב וַיִּתְהַלֵּךְ בְּכָל־יִשְׂרָאֵל ICh. 21:4
יִתְהַלְּכוּ 1487 בֵּיתְךָ וּבֵית אָבִיךָ יִתְהַלְּכוּ לְפָנַי ISh. 2:30
1488 יִמָּאֲסוּ כְמוֹ־מַיִם יִתְהַלְּכוּ־לָמוֹ Ps. 58:8
יִתְהַלָּכוּ 1489 וַיִּתְהַלְּכוּ בַּאֲשֶׁר יִתְהַלָּכוּ ISh. 23:13
1490 וְגִבַּרְתִּים בַּייָ וּבִשְׁמוֹ יִתְהַלָּכוּ Zech. 10:12
1491 אַף־חֲצָצֶיךָ יִתְהַלָּכוּ Ps. 77:18
1492 לֹא יָדְעוּ...בַּחֲשֵׁכָה יִתְהַלָּכוּ Ps. 82:5
וַיִּתְהַלְּכוּ 1493 ...וַיָּקֻמוּ וַיִּתְהַלְּכוּ בָאָרֶץ Josh. 18:4
וַיִּתְהַלְּכוּ 1494 וַיִּתְהַלְּכוּ מִשָּׁם בְּנֵי־יִשְׂרָאֵל Jud. 21:24
1495 וַיִּתְהַלְּכוּ בַּאֲשֶׁר יִתְהַלָּכוּ ISh. 23:13
1496/7 וַיִּתְהַלְּכוּ מִגּוֹי אֶל־גּוֹי Ps. 105:13
ICh. 16:20
יִתְהַלָּכוּן 1498 סָבִיב רְשָׁעִים יִתְהַלָּכוּן Ps. 12:9
וַתִּתְהַלַּכְנָה 1499 וַיֹּאמֶר לְכוּ...וַתִּתְהַלַּכְנָה בָּאָרֶץ Zech. 6:7
הִתְהַלֵּךְ 1500 הִתְהַלֵּךְ בָּאָ׳ לְאָרְכָּהּ וּלְרָחְבָּהּ Gen. 13:17
1501 הִתְהַלֵּךְ לְפָנַי וֶהְיֵה תָמִים Gen. 17:1
הִתְהַלְּכוּ 1502 לְכוּ הִתְהַלְּכוּ בָאָרֶץ Zech. 6:7
וְהִתְהַלְּכוּ 1503 לְכוּ וְהִתְהַלְּכוּ בָאָרֶץ Josh. 18:8
הוֹלִיךְ (?) 1504 אֶת־נַהֲרֹתֶיהָ הֹלֵךְ Ezek. 31:4
(= הוֹלִיךְ) סְבִיבוֹת מַטָּעָהּ
לְהוֹלִיכוֹ 1505 וַיַּאַסְרֵהוּ בַּנְחֻשְׁתַּיִם לְהוֹלִיכוֹ בָּבֶל׳ IICh. 36:6
וְהוֹלַכְתִּי 1506 וְהוֹלַכְתִּי עִוְרִים בְּדֶרֶךְ לֹא יָדָעוּ Is. 42:16
1507 וְהוֹלַכְתִּי עֲלֵיכֶם אָדָם אֶת־עַמִּי Ezek. 36:12
וְהֹלַכְתִּיהָ 1508 אָנֹכִי מְפַתֶּיהָ וְהֹלַכְתִּיהָ הַמִּדְבָּר Hosh. 2:16
הוֹלִיךְ 1509 הוֹלִיךְ גּוֹלָה מִירוּשָׁלַםִ בָּבֶלָה IIK. 24:15
הוֹלִיכֲךָ 1510 הַדֶּרֶךְ אֲשֶׁר־הוֹלִיכֲךָ יְיָ אֱלֹהֶיךָ Deut. 8:2
וְהוֹלִיכוֹ 1511 וְהוֹלִיכוֹ בְּדֶרֶךְ לֹא־טוֹב Prov. 16:29
הוֹלִיכָם 1512 וְלֹא צָמְאוּ בָּחֳרָבוֹת הוֹלִיכָם Is. 48:21
מוֹלִיךְ 1513 מוֹלִיךְ לִימִין מֹשֶׁה זְרוֹעַ תִּפְאַרְתּוֹ Is. 63:12
1514 מוֹלִיךְ יוֹעֲצִים שׁוֹלָל Job 12:17
1515 מוֹלִיךְ כֹּהֲנִים שׁוֹלָל Job 12:19
הַמּוֹלִיךְ 1516 הַמּוֹלִיךְ אֹתָנוּ בַּמִּדְבָּר Jer. 2:6
לְמוֹלִיךְ 1517 לְמוֹלִיךְ עַמּוֹ בַּמִּדְבָּר Ps. 136:16
מוֹלִיכֵךְ 1518 עָזְבֵךְ אֶת־יְיָ...בְּעֵת מוֹלִיכֵךְ בַּדָּרֶךְ Jer. 2:17
הַמּוֹלִיכֲךָ 1519 הַמּוֹלִיכֲךָ בַּמִּדְבָּר הַגָּדֹל וְהַנּוֹרָא Deut. 8:15
מוֹלִיכָם 1520 מוֹלִיכָם בַּתְּהֹמוֹת כַּסּוּס בַּמִּדְבָּר Is. 63:13
מוֹלִיכוֹת 1521 אָנָה הֵמָּה מוֹלִכוֹת אֶת־הָאֵיפָה Zech. 5:10
אוֹלִיךְ 1522 וַאֲנִי אָנָה אוֹלִיךְ אֶת־חֶרְפָּתִי IISh. 13:13
1523 וְנַהֲרוֹתָם כַּשֶּׁמֶן אוֹלִיךְ Ezek. 32:14
וָאוֹלֵךְ 1524 וָאוֹלֵךְ אֶתְכֶם קוֹמְמִיּוּת Lev. 26:13
1525 וָאוֹלֵךְ אֶתְכֶם אַרְבָּעִים שָׁנָה Deut. 29:4
1526 וָאוֹלֵךְ אוֹתוֹ בְּכָל־אֶרֶץ כְּנָעַן Josh. 24:3
1527 וָאוֹלֵךְ אֶתְכֶם בַּמִּדְבָּר Am. 2:10
וְאוֹלִיכָה 1528 וְאוֹלִיכָה אֶתְכֶם אֶל־הָאִישׁ IIK. 6:19
אוֹלִיכֵם 1529 אוֹלִיכֵם אֶל־נַחֲלֵי מַיִם Jer. 31:8(9)
יוֹלֵךְ 1530 יוֹלֵךְ יְיָ אֹתְךָ וְאֶת־מַלְכְּךָ Deut. 28:36
יוֹלִיךְ 1531 וּבָבֶל יוֹלִךְ אֶת־צִדְקִיָּהוּ Jer. 32:5
1532 כִּי עוֹף הַשָּׁמַיִם יוֹלִיךְ אֶת־הַקּוֹל Eccl. 10:20
וַיּוֹלֶךְ 1533 וַיּוֹלֶךְ יְיָ אֶת־הַיָּם בְּרוּחַ קָדִים Ex. 14:21
1534 וַיֹּלֶךְ אוֹתָם שֹׁמְרוֹנָה IIK. 6:19
1535 וַיֹּלֶךְ אֹתָם עַל־מֶלֶךְ בָּבֶל IIK. 25:20
1536 וַיֹּלֶךְ אוֹתָם אֶל־מֶלֶךְ בָּבֶל Jer. 52:26
וַיֹּלַךְ 1537 אוֹתִי נָהַג וַיֹּלַךְ חֹשֶׁךְ וְלֹא־אוֹר Lam. 3:2
שֶׁיֹּלֵךְ 1538 וּמְאוּמָה לֹא־יִשָּׂא...שֶׁיֹּלֵךְ בְּיָדוֹ Eccl. 5:14

וַיּוֹלִכֵנִי 1539 וַיּוֹלִכֵנִי דֶּרֶךְ הַדָּרוֹם Ezek. 40:24
1540 וַיּוֹלִכֵנִי אֶל־הַשָּׁעַר Ezek. 43:1
1541 וַיּוֹלִכֵנִי וַיְשִׁבֵנִי שְׂפַת הַנָּחַל Ezek. 47:6
יוֹלִיכֵם 1542 יוֹלִיכֵם יְיָ אֶת־פֹּעֲלֵי הָאָוֶן Ps. 125:5
וַיּוֹלִיכֵם 1543 וַיּוֹלִיכֵם בַּתְּהֹמוֹת כַּמִּדְבָּר Ps. 106:9
וַיֹּלִכוּ 1544 וַיֹּלִכוּ אֹתוֹ עַל־גִּחוֹן IK. 1:38
וַיּוֹלִיכֻהוּ 1545 וַיַּאַסְרֻהוּ...וַיּוֹלִיכֻהוּ בָּבֶלָה IICh. 33:11
1546 וַיּוֹלִיכֻהוּ יְרוּשָׁלַםִ וַיָּמָת IICh. 35:24
וְהוֹלֵךְ 1547 וְהוֹלֵךְ מְהֵרָה אֶל־הָעֵדָה Num. 17:11
הֵילִיכִי 1548 הֵילִיכִי אֶת־הַיֶּלֶד הַזֶּה Ex. 2:9
הוֹלִיכוּ 1549 הוֹלִיכוּ שָׁמָּה אֶחָד מֵהַכֹּהֲנִים IIK. 17:27

הֲלַךְ

פ׳ ארמית א) כמו בעברית הלך: 1–7; לְמְהָךְ = ללכת
ב) [פ׳, אַף׳ הַלֵּךְ, מְהַלְּכִין] הלך: 5–7

לִמְהָךְ 1 דִּי כָל־מִתְנַדַּב...לִמְהָךְ לִירוּשְׁלֶם Ez. 7:13
יְהָךְ 2 עַד־טַעְמָא לְדָרְיָוֶשׁ יְהָךְ Ez. 5:5
3 כָּל־מִתְנַדַּב...לִמְהָךְ...יְהָךְ Ez. 7:13
וִיהָךְ 4 וִיהָךְ לְהֵיכְלָא דִּי־בִירוּשְׁלֶם Ez. 6:5
מְהַלֵּךְ 5 עַל־הֵיכַל מַלְכוּתָא...מְהַלֵּךְ הֲוָה Dan. 4:26
מְהַלְּכִין 6 ...מְהַלְּכִין בְּגוֹא־נוּרָא Dan. 3:25
7 וְדִי מַהְלְכִין בְּגֵוָה יָכִל לְהַשְׁפָּלָה Dan. 4:34

הֲלָךְ

ז׳ ארמית מס־דרכים: 1–3

וַהֲלָךְ 1 מִנְדָּה־בְלוֹ וַהֲלָךְ לָא יִנְתְּנוּן Ez. 4:13
2 וּמִדָּה בְלוֹ וַהֲלָךְ מִתְיְהֵב לְהוֹן Ez. 4:20
3 מִנְדָּה בְלוֹ וַהֲלָךְ...לְמִרְמֵא עֲלֵיהֹם Ez. 7:24

הֵלֶךְ

ז׳ א) אורח, עובר דרך: 1 ב) זרם: 2

הֵלֶךְ 1 וַיָּבֹא הֵלֶךְ לְאִישׁ הֶעָשִׁיר IISh. 12:4
הֵלֶךְ־ 2 וַיָּבֹאוּ... אֶל הַיַּעַר וְהִנֵּה הֵלֶךְ דְּבָשׁ ISh. 14:26

הלל:

א) הֻלַּל, הַלֵּל, הִתְהַלֵּל, הֵהֵל, הֵילֵל, הוֹלְלִים, מְהֻלָּל, תְּהִלָּה; ש״פ הִלֵּל, יְהַלֶּלְאֵל, מַהֲלַלְאֵל
ב) הָלַל, הוֹלֵל, הוֹלֵל, הִתְהוֹלֵל, הוֹלֵלוֹת, הוֹלֵלוּת

הִלֵּל[1]

פ׳ א) שבח, רומם: 1–113
ב) [פ׳ הֻלַּל] שֻׁבַּח, רוֹמַם: 114–123
ג) [הת׳ הִתְהַלֵּל]: התפאר, השתבח: 124–146
ד) [הפ׳ הֵהֵל] זרח, האיר: 147–150

הַלֵּל (אֶת-) 9,8,19,22-24,29,55-57,113; הַלֵּל בּ־ 21; הַלֵּל לְ־ 1–4, 6, 11, 13, 15–17, 25–28; לְהוֹדוֹת וּלְהַלֵּל 16–18; הַלְלוּיָהּ 74–97; הִתְהַלֵּל 137,138, 140, 143, 144; הִתְהַלֵּל בּ־ 125–131, 133–136, 139, 141, 142, 145, 146; הִתְהַלֵּל עִם־ 124

וְהַלֵּל 1 וַיֹּאמְרוּ...אָמֵן וְהַלֵּל לַייָ ICh. 16:36
2 הַנִּבָּא עַל־הוֹדוֹת וְהַלֵּל לַייָ ICh. 25:3
בְּהַלֵּל 3 וַיַּעֲנוּ בְּהַלֵּל וּבְהוֹדֹת לַייָ Ez. 3:11
4 בְהַלֵּל לַייָ עַל הוּסַד בֵּית־יְיָ Ez. 3:11
5 וְהַלְוִיִּם...בְּהַלֵּל דָּוִיד בְּיָדָם IICh. 7:6
וּבְהַלֵּל 6 וּבִכְלֵי הַשִּׁיר וּבְהַלֵּל לַייָ... IICh. 5:13
לְהַלֵּל 7 לֹא־הָיָה אִישׁ־יָפֶה...לְהַלֵּל מְאֹד IISh. 14:25
8 לְהַלֵּל אֶת־יְיָ עַל־יְדֵי דָּוִיד Ez. 3:10
9 לְהַלֵּל לְהוֹדוֹת בְּמִצְוַת דָּוִיד Neh. 12:24
10 בַּכֵּלִים אֲשֶׁר עָשִׂיתִי לְהַלֵּל ICh. 23:5
11 לְהַשְׁמִיעַ...לְהַלֵּל וּלְהֹדוֹת לַייָ IICh. 5:13
12 לְהַלֵּל וּלְשָׁרֵת נֶגֶד הַכֹּהֲנִים IICh. 8:14
13 לְהַלֵּל לַייָ...בְּקוֹל גָּדוֹל לְמָעְלָה IICh. 20:19
14 וְהַמְשׁוֹרְרִים...וּמוֹדִיעִים לְהַלֵּל IICh. 23:13
15 לְהַלֵּל לַייָ בְּדִבְרֵי דָוִיד IICh. 29:30
וּלְהַלֵּל 16 וּלְהַזְכִּיר וּלְהוֹדוֹת וּלְהַלֵּל לַייָ ICh. 16:4
17 וְלַעֲמֹד...לְהֹדוֹת וּלְהַלֵּל לַייָ ICh. 23:30
18 לְשָׁרֵת וּלְהֹדוֹת וּלְהַלֵּל IICh. 31:2

הִלַּלְתִּיךָ 19 שֶׁבַע בַּיּוֹם הִלַּלְתִּיךָ Ps. 119:164
הִלֵּל 20 כִּי־הִלֵּל רָשָׁע עַל־תַּאֲוַת נַפְשׁוֹ Ps. 10:3
הִלַּלְנוּ 21 בֵּאלֹהִים הִלַּלְנוּ כָל־הַיּוֹם Ps. 44:9
וְהִלַּלְתֶּם 22 וְהִלַּלְתֶּם אֶת־שֵׁם יְיָ אֱלֹהֵיכֶם Joel 2:26
וְהִלְלוּ 23 מְאַסְפָיו יֹאכְלֻהוּ וְהִלְלוּ אֶת־יְיָ Is. 62:9
הִלְלוּךָ 24 בֵּית קָדְשֵׁנוּ...אֲשֶׁר הִלְלוּךָ אֲבֹתֵינוּ Is. 64:10
מְהַלְלִים 25 ...מְהַלְלִים לַייָ בַּכֵּלִים ICh. 23:5
וּמְהַלְלִים 26 מוֹדִים...וּמְהַלְלִים לְשֵׁם תִּפְאַרְתֶּךָ ICh. 29:13
27 וּמְהַלְלִים לְהַדְרַת־קֹדֶשׁ IICh. 20:21
28 ...וּמְהַלְלִים לַייָ יוֹם בְּיוֹם IICh. 30:21
וְהַמְהַלְלִים 29 ...וְהַמְהַלְלִים אֶת־הַמֶּלֶךְ IICh. 23:12
אֲהַלֵּל 30 בֵּאלֹהִים אֲהַלֵּל דְּבָרוֹ Ps. 56:5
31 בֵּאלֹהִים אֲהַלֵּל דָּבָר Ps. 56:11
32 בַּייָ אֲהַלֵּל דָּבָר Ps. 56:11
אֲהַלְלָה 33 אֲהַלְלָה שֵׁם־אֱלֹהִים בְּשִׁיר Ps. 69:31
34 אֲהַלְלָה יְיָ בְּחַיָּי... Ps. 146:2
וַאֲהַלְלָה 35 וַאֲהַלְלָה שִׁמְךָ לְעוֹלָם וָעֶד Ps. 145:2
אֲהַלְלֶךָּ 36 בְּתוֹךְ קָהָל אֲהַלְלֶךָּ Ps. 22:23
37 בְּעָם עָצוּם אֲהַלְלֶךָּ Ps. 35:18
אֲהַלְלֶנּוּ 38 וּבְתוֹךְ רַבִּים אֲהַלְלֶנּוּ Ps. 109:30
יְהַלֶּל־ 39 וְשִׂפְתֵי רְנָנוֹת יְהַלֶּל־פִּי Ps. 63:6
40 וְעַם נִבְרָא יְהַלֶּל־יָהּ Ps. 102:19
יְהַלְלֶךָּ 41 כִּי לֹא שְׁאוֹל תּוֹדֶךָּ מָוֶת יְהַלְלֶךָּ Is. 38:18
יְהַלֶּלְךָ 42 יְהַלֶּלְךָ זָר וְלֹא־פִיךָ... Prov. 27:2
וַיְהַלְלָהּ 43 קָמוּ בָנֶיהָ וַיְאַשְּׁרוּהָ בַּעְלָהּ וַיְהַלְלָהּ Prov. 31:28
תְּהַלֵּל 44 כֹּל הַנְּשָׁמָה תְּהַלֵּל יָהּ Ps. 150:6
וּתְהַלְלֶךָּ 45 תְּחִי־נַפְשִׁי וּתְהַלְלֶךָּ Ps. 119:175
יְהַלְלוּ 46 יְהַלְלוּ יְיָ דֹּרְשָׁיו Ps. 22:27
47 עָנִי וְאֶבְיוֹן יְהַלְלוּ שְׁמֶךָ Ps. 74:21
48 לֹא הַמֵּתִים יְהַלְלוּ־יָהּ Ps. 115:17
49/50 יְהַלְלוּ אֶת־שֵׁם יְיָ Ps. 148:5,13
51 יְהַלְלוּ שְׁמוֹ בְמָחוֹל Ps. 149:3
52 עֹזְבֵי תוֹרָה יְהַלְלוּ רָשָׁע Prov. 28:4
וַיְהַלְלוּ 53 וַיְהַלְלוּ אֹתָהּ אֶל־פַּרְעֹה Gen. 12:15
וַיְהַלְלוּ 54 וַיִּרְאוּ...וַיְהַלְלוּ אֶת־אֱלֹהֵיהֶם Jud. 16:24
55 וַיֹּאמְרוּ...אָמֵן וַיְהַלְלוּ אֶת־יְיָ Neh. 5:13
56 וַיְהַלְלוּ עַד־לְשִׂמְחָה וַיִּקְּדוּ IICh. 29:30
יְהַלְלוּךָ 57 עוֹד יְהַלְלוּךָ סֶּלָה Ps. 84:5
יְהַלְלוּהוּ 58 יְהַלְלוּהוּ שָׁמַיִם וָאָרֶץ... Ps. 69:35
59 וּבְמוֹשַׁב זְקֵנִים יְהַלְלוּהוּ Ps. 107:32
וִיהַלְלוּהָ 60 וִיהַלְלוּהָ בַשְּׁעָרִים מַעֲשֶׂיהָ Prov. 31:31
61 רָאוּהָ...מְלָכוֹת...וַיְהַלְלוּהָ S.ofS. 6:9
הַלְלִי 62 ...הַלְלִי נַפְשִׁי אֶת־יְיָ Ps. 146:1
63 הַלְלִי אֱלֹהַיִךְ צִיּוֹן Ps. 147:12
הַלְלוּ 64 שִׁירוּ לַייָ הַלְלוּ אֶת־יְיָ Jer. 20:13
65 הַשְׁמִיעוּ הַלְלוּ וְאִמְרוּ... Jer. 31:7(6)
66/7 הַלְלוּ עַבְדֵי יְיָ Ps. 113:1; 135:1
68/9 הַלְלוּ אֶת־שֵׁם יְיָ Ps. 113:1; 135:1
70 הַלְלוּ אֶת־יְיָ כָּל־גּוֹיִם Ps. 117:1
71 הַלְלוּ אֶת־יְיָ מִן־הַשָּׁמַיִם Ps. 148:1
72 הַלְלוּ אֶת־יְיָ מִן־הָאָרֶץ Ps. 148:7
73 הַלְלוּ־אֵל בְּקָדְשׁוֹ Ps. 150:1
הַלְלוּיָהּ 74 בָּרְכִי נַפְשִׁי אֶת־יְיָ הַלְלוּיָהּ Ps. 104:35
75 וְתוֹרֹתָיו יִנְצֹרוּ הַלְלוּיָהּ Ps. 105:45
76 הַלְלוּיָהּ הוֹדוּ לַייָ כִּי־טוֹב Ps. 106:1
77 הַלְלוּיָהּ הַלְלוּ עַבְדֵי יְיָ Ps. 113:1
78 אֵם־הַבָּנִים שְׂמֵחָה הַלְלוּיָהּ Ps. 113:9
79 וַאֲנַחְנוּ נְבָרֵךְ יָהּ...הַלְלוּיָהּ Ps. 115:18
80 ...בְּתוֹכֵכִי יְרוּשָׁלָםִ הַלְלוּיָהּ Ps. 116:19
81 יִמְלֹךְ יְיָ...לְדֹר וָדֹר הַלְלוּיָהּ Ps. 146:10
82 כֹּל הַנְּשָׁמָה תְּהַלֵּל יָהּ הַלְלוּיָהּ Ps. 150:6

83–97 הַלְלוּיָהּ Ps.106:48;111:1; 112:1;117:2 135:1, 3,21; 146:1; 147:1,20; 148:1,14;149:1,9; 150:1
הַלְלוּהוּ 98 יִרְאֵי יְיָ הַלְלוּהוּ Ps. 22:24
99 הַלְלוּהוּ בַּמְּרוֹמִים Ps. 148:1
100 הַלְלוּהוּ כָל־מַלְאָכָיו Ps. 148:2
101 הַלְלוּהוּ כָּל־צְבָאָיו Ps. 148:2
102 הַלְלוּהוּ שֶׁמֶשׁ וְיָרֵחַ Ps. 148:3
103 הַלְלוּהוּ כָּל־כּוֹכְבֵי אוֹר Ps. 148:3
104 הַלְלוּהוּ שְׁמֵי הַשָּׁמָיִם... Ps. 148:4
105 הַלְלוּהוּ בִּרְקִיעַ עֻזּוֹ Ps. 150:1
106 הַלְלוּהוּ בִגְבוּרֹתָיו Ps. 150:2
107 הַלְלוּהוּ כְּרֹב גֻּדְלוֹ Ps. 150:2
108 הַלְלוּהוּ בְּתֵקַע שׁוֹפָר Ps. 150:3
109 הַלְלוּהוּ בְּנֵבֶל וְכִנּוֹר Ps. 150:3
110 הַלְלוּהוּ בְתֹף וּמָחוֹל Ps. 150:4
111 הַלְלוּהוּ בְּמִנִּים וְעֻגָב Ps. 150:4
112 הַלְלוּהוּ בְצִלְצְלֵי־שָׁמַע Ps. 150:5
113 הַלְלוּהוּ בְּצִלְצְלֵי תְרוּעָה Ps. 150:5
הַהֻלָּלָה 114 אָבַדְתְּ...הָעִיר הַהֻלָּלָה Ezek. 26:17
הוּלָּלוּ 115 וּבְתוּלֹתָיו לֹא הוּלָּלוּ Ps. 78:63
מְהֻלָּל 116 מְהֻלָּל אֶקְרָא יְיָ וּמֵאֹיְבַי אִוָּשֵׁעַ IISh. 22:4
117 מְהֻלָּל אֶקְרָא יְיָ וּמִן־אֹיְבַי אִוָּשֵׁעַ Ps. 18:4
118 מִמִּזְרַח־שֶׁמֶשׁ...מְהֻלָּל שֵׁם יְיָ Ps. 113:3
וּמְהֻלָּל 119-122 גָּדוֹל יְיָ וּמְהֻלָּל מְאֹד Ps. 48:2
96:4; 145:3 • ICh. 16:25
יְהֻלַּל 123 לְפִי־שִׂכְלוֹ יְהֻלַּל־אִישׁ Prov. 12:8
לְהִתְהַלֵּל 124 לְהִתְהַלֵּל עִם־נַחֲלָתֶךָ Ps. 106:5
מִתְהַלֵּל 125 אִישׁ מִתְהַלֵּל בְּמַתַּת־שָׁקֶר Prov. 25:14
הַמִּתְהַלֵּל 126 כִּי אִם־בְּזֹאת יִתְהַלֵּל הַמִּתְהַלֵּל Jer. 9:23
הַמִּתְהַלְלִים 127 יֵבֹשׁוּ...הַמִּתְהַלְלִים בָּאֱלִילִים Ps. 97:7
תִּתְהַלֵּל 128 מַה־תִּתְהַלֵּל בְּרָעָה הַגִּבּוֹר Ps. 52:3
129 אַל־תִּתְהַלֵּל בְּיוֹם מָחָר Prov. 27:1
תִּתְהַלָּל 130 בִּקְדוֹשׁ יִשְׂרָאֵל תִּתְהַלָּל Is. 41:16
תִּתְהַלְלִי 131 מַה־תִּתְהַלְלִי בָּעֲמָקִים Jer. 49:4
יִתְהַלֵּל 132 אַל־יִתְהַלֵּל חֹגֵר כִּמְפַתֵּחַ IK. 20:11
133 אַל־יִתְהַלֵּל חָכָם בְּחָכְמָתוֹ Jer. 9:22
134 וְאַל־יִתְהַלֵּל הַגִּבּוֹר בִּגְבוּרָתוֹ Jer. 9:22
135 אַל־יִתְהַלֵּל עָשִׁיר בְּעָשְׁרוֹ Jer. 9:22
136 כִּי אִם־בְּזֹאת יִתְהַלֵּל הַמִּתְהַלֵּל Jer. 9:23
137 יִתְהַלֵּל כָּל־הַנִּשְׁבָּע בּוֹ Ps. 63:12
יִתְהַלָּל 138 רַע רַע יֹאמַר הַקּוֹנֶה
וְאֹזֵל לוֹ אָז יִתְהַלָּל Prov. 20:14
תִּתְהַלֵּל 139 בַּייָ תִּתְהַלֵּל נַפְשִׁי Ps. 34:3
תִּתְהַלָּל 140 אִשָּׁה יִרְאַת־יְיָ הִיא תִתְהַלָּל Prov. 31:30
יִתְהַלָּלוּ 141 וְהִתְבָּרְכוּ בוֹ גּוֹיִם וּבוֹ יִתְהַלָּלוּ Jer. 4:2
142 וּבְרֹב עָשְׁרָם יִתְהַלָּלוּ Ps. 49:7
וְיִתְהַלְלוּ 143 וְיִתְהַלְלוּ כָּל־זֶרַע יִשְׂרָאֵל Is. 45:25
144 וְיִתְהַלְלוּ כָּל־יִשְׁרֵי־לֵב Ps. 64:11
הִתְהַלְלוּ 145/6 הִתְהַלְלוּ בְּשֵׁם קָדְשׁוֹ Ps. 105:3 • ICh. 16:10
בְּהִלּוֹ 147 בְּהִלּוֹ נֵרוֹ עֲלֵי רֹאשִׁי Job 29:3
יָהֵל 148 אִם־אֶרְאֶה אוֹר כִּי יָהֵל Job 31:26
תָּהֶל 149 עֲטִישֹׁתָיו תָּהֶל אוֹר Job 41:10
יָהֵלּוּ 150 כּוֹכְבֵי הַשָּׁמַיִם...לֹא יָהֵלּוּ אוֹרָם Is. 13:10

הָלַל2

פָּ' א) נהג בסכלות, השתובב: 1, 2
ב) [פִּ' הוֹלֵל] סִכֵּל, עשה לשוטה: 3–5
ג) [פֻּ' הוֹלַל] סֻכַּל: 6, 7
ד) [הִתְ' הִתְהוֹלֵל] השתובב, נהג בשגעון: 8–13

לַהוֹלְלִים 1 אָמַרְתִּי לַהוֹלְלִים אַל־תָּהֹלּוּ Ps. 75:5
תָּהֹלּוּ 2 אָמַרְתִּי לַהוֹלְלִים אַל־תָּהֹלּוּ Ps. 75:5
יְהוֹלֵל 3 וְקֹסְמִים יְהוֹלֵל...וְדַעְתָּם יְסַכֵּל Is. 44:25
4 ...יוֹעֲצִים שׁוֹלָל וְשֹׁפְטִים יְהוֹלֵל Job 12:17
5 כִּי הָעֹשֶׁק יְהוֹלֵל חָכָם Eccl. 7:7
מְהוֹלָל 6 לִשְׂחוֹק אָמַרְתִּי מְהוֹלָל Eccl. 2:2
מְהוֹלָלַי 7 מְהוֹלָלַי בִּי נִשְׁבָּעוּ Ps. 102:9
וְהִתְהֹלְלוּ 8 עֲלוּ הַסּוּסִים וְהִתְהֹלְלוּ הָרֶכֶב Jer. 46:9
וְהִתְהֹלָלוּ 9 וְשָׁתוּ וְהִתְגֹּעֲשׁוּ וְהִתְהֹלָלוּ Jer. 25:16
וַיִּתְהֹלֵל 10 וַיְשַׁנּוֹ אֶת־טַעְמוֹ...וַיִּתְהֹלֵל בְּיָדָם ISh. 21:14
יִתְהֹלְלוּ 11 עַל־כֵּן יִתְהֹלְלוּ גוֹיִם Jer. 51:7
12 בַּחוּצוֹת יִתְהוֹלְלוּ הָרֶכֶב Nah. 2:5
יִתְהֹלָלוּ 13 ...וּבָאֵימִים יִתְהֹלָלוּ Jer. 50:38

הִלֵּל3

שפ״ז – אביו של עַבְדּוֹן – שופט בישראל
הִלֵּל 1-2 עַבְדּוֹן בֶּן־הִלֵּל הַפִּרְעָתוֹנִי Jud. 12:13,15

הַלְלוּיָהּ

עַיֵּן הָלַל1 (74–97)

הלם

: הֲלֹם, הָלוּם; הֲלֹם(?), הַלְמוּת, יַהֲלֹם, מַהֲלֻמָּה
ש״פ הֶלֶם

הָלַם

פָּ' הכה, דפק: 1–8
וְהָלְמָה 1 וְהָלְמָה סִיסְרָא מָחֲקָה רֹאשׁוֹ Jud. 5:26
הָלְמוּ 2 אָז הָלְמוּ עִקְּבֵי־סוּס Jud. 5:22
3 בַּעֲלֵי גוֹיִם הָלְמוּ שְׂרוּקֶּיהָ Is. 16:8
הֲלָמוּנִי 4 הִכּוּנִי...הֲלָמוּנִי בַּל־יָדָעְתִּי Prov. 23:35
הוֹלֶם 5 וַיְחַזֵּק...אֶת־הוֹלֶם פָּעַם Is. 41:7
הֲלוּמֵי־ 6 שִׁכֹּרֵי אֶפְרַיִם...הֲלוּמֵי יָיִן Is. 28:1
יֶהֶלְמֵנִי 7 יֶהֶלְמֵנִי צַדִּיק חֶסֶד וְיוֹכִיחֵנִי Ps. 141:5
יַהֲלֹמוּן 8 בְּכַשִּׁיל וְכֵילַפּוֹת יַהֲלֹמוּן Ps. 74:6

הֲלֹם

ז' ותה״פ א) צעד: 1
ב) הנה, לכאן: 2–12
עַד הֲלֹם 8, 11; בָּא הֲ' 5; גֹּשׁ הֲ' 7, 10; הֵבִיא (עַד) הֲלֹם 3, 8, 11; קָרַב הֲ' 2; הָלַךְ וַהֲלֹם 12

הֲלֹם 1 הֲגַם הֲלֹם רָאִיתִי אַחֲרֵי רֹאִי Gen. 16:13
2 אַל־תִּקְרַב הֲלֹם Ex. 3:5
3 מִי־הֱבִיאֲךָ הֲלֹם... Jud. 18:3
4 הָבוּ לָכֶם דָּבָר וְעֵצָה הֲלֹם Jud. 20:7
5 הֲבָא עוֹד הֲלֹם אִישׁ ISh. 10:22
6 נִקְרְבָה הֲלֹם אֶל־הָאֱלֹהִים ISh. 14:36
7 גֹּשׁוּ הֲלֹם כֹּל פִּנּוֹת הָעָם ISh. 14:38
8 מִי אָנֹכִי...כִּי הֲבִיאֹתַנִי עַד־הֲלֹם IISh. 7:18
9 לָכֵן יָשׁוּב עַמּוֹ הֲלֹם Ps. 73:10
10 גֹּשִׁי הֲלֹם וְאָכַלְתְּ מִן־הַלֶּחֶם Ruth 2:14
11 מִי־אֲנִי...כִּי הֲבִיאֹתַנִי עַד־הֲלֹם ICh. 17:16
וַהֲלֹם 12 וְהִנֵּה הֶהָמוֹן נָמוֹג וַיֵּלֶךְ וַהֲלֹם ISh. 14:16

הֶלֶם

שפ״ז – איש משבט אשר
הֶלֶם 1 וּבֶן־הֶלֶם אָחִיו ICh. 7:35

הַלְמוּת

נ' פשיט
לְהַלְמוּת־ 1 יָדָהּ לַיָּתֵד תִּשְׁלַחְנָה
וִימִינָהּ לְהַלְמוּת עֲמֵלִים Jud. 5:26

הָם

עיר בעבר הירדן המזרחי
בְּהָם 1 וַיַּכּוּ...וְאֶת־הַזּוּזִים בְּהָם Gen. 14:5

הָם

פָּ' עַיֵּן הום

הֵם

מ״ג כנוי השם לנסתרים, והוא בדרך כלל ברוב שמושיו לכנוי "הוא" לנסתר [נ' – הֵנָּה]
א) כנושא במשפט – רוב המקראות 1–113, 145–188; כמושא: 41
ב) כאוגד המקשר את הנושא עם הנושא השמני, או לתוספת הדגשה: 114–129
ג) כתמורה לנושא כדי לצרף נושא נוסף או לתוספת הדגשה: 130–188

הֵם (המשך)

ד) [הָהֵם אחרי שם מיודע] אותם: 189–234

ה) [שֶׁהֵם, שְׁהֶם־] אשר הם: 235–237

ו) [בָּהֶם, כָּהֶם, לָהֶם, מֵהֶם] עיין הערכים ב׳, כ׳, ל׳, מִן.

– הֵם הֵם 47, 48; אַיֵּה הֵם 123; אֵיפֹה הֵם 122; אֵלֶּה הֵם 114, 120, 125–127; אֲשֶׁר הֵם 60, 61, 65; גַּם הֵם 130–132,134,137–140,142–144; הֲלֹא הֵם 57, 128, 129; הִנֵּה הֵם 66

– הָאוֹתוֹת וְהַמּוֹפְתִים הָהֵם 226; הָאֲנָשִׁים הָהֵם 192, 193, 228; (בַּ)הַגּוֹיִם הָהֵם 195, 225, 227, 232; הַיָּמִים הָהֵם 229–231; בַּיָּמִים הָהֵם 189–191, 194, 196–224; בָּעִתִּים הָהֵם 233, 234

הֵם (א)
1 וַיֵּדְעוּ כִּי עֵירֻמִּם הֵם Gen. 3:7
2 ...אֶשְׁכֹּל וּמַמְרֵא הֵם יִקְחוּ חֶלְקָם Gen. 14:24
3 בְּהִמּוֹל...כַּאֲשֶׁר הֵם נִמֹּלִים Gen. 34:22
4 מִקְנֵהֶם...הֲלוֹא לָנוּ הֵם Gen. 34:23
5 הַגִּידָה נָּא לִי אֵיפֹה הֵם רֹעִים Gen. 37:16
6 וַיְהִי הֵם מְרִיקִים שַׂקֵּיהֶם Gen. 42:35
7 הֵם יָצְאוּ אֶת־הָעִיר Gen. 44:4
8 בַּשֶּׁבֶר אֲשֶׁר־הֵם שֹׁבְרִים Gen. 47:14
9 הֵם יֵלְכוּ וְקֹשְׁשׁוּ לָהֶם תֶּבֶן Ex. 5:7
10 אֲשֶׁר הֵם עֹשִׂים תְּמוֹל שִׁלְשֹׁם Ex. 5:8
11 כִּי־נִרְפִּים הֵם Ex. 5:8
12 עַל־כֵּן הֵם צֹעֲקִים לֵאמֹר Ex. 5:8
13 הֵם הַמְדַבְּרִים אֶל־פַּרְעֹה Ex. 6:27
14 וְגַם הָאֲדָמָה אֲשֶׁר־הֵם עָלֶיהָ Ex. 8:17
15 נְבֻכִים הֵם בָּאָרֶץ Ex. 14:3
16 וְלֹא יָכְלוּ לִשְׁתֹּת...כִּי מָרִים הֵם Ex. 15:23
17 וְכָל־הַדָּבָר הַקָּטֹן יִשְׁפְּטוּ־הֵם Ex. 18:22
18 וְכָל־הַדָּבָר הַקָּטֹן יִשְׁפּוּטוּ הֵם Ex. 18:26
19 וְזָר לֹא־יֹאכַל כִּי־קֹדֶשׁ הֵם Ex. 29:33
20 מִזֶּה וּמִזֶּה הֵם כְּתֻבִים Ex. 32:15
21 הֵם נְשִׂיאֵי הַמַּטֹּת Num. 7:2
22 הֵם הָעֹמְדִים עַל־הַפְּקֻדִים Num. 7:2
23 כִּי־הֵם זִקְנֵי הָעָם וְשֹׁטְרָיו Num. 11:16
24 אַל־תִּירְאוּ...כִּי לַחְמֵנוּ הֵם Num. 14:9
25 הֵם וְכָל־אֲשֶׁר לָהֶם Num. 16:33
26 אֲשֶׁר הֵם מַלִּינִם עֲלֵיכֶם Num. 17:20
27 לֹא תִפְדֶּה קֹדֶשׁ הֵם Num. 18:17
28 חֵלֶף עֲבֹדָתָם אֲשֶׁר־הֵם עֹבְדִים Num. 18:21
29 כִּי־צֹרְרִים הֵם לָכֶם Num. 25:18
30 הֵם מֵי־מְרִיבַת קָדֵשׁ Num. 27:14
31 אֲשֶׁר הֵם חַיִּים עַל־הָאֲדָמָה Deut. 4:10
32 טְמֵאִים הֵם לָכֶם Deut. 14:7
33 הֵם קִנְאוּנִי בְלֹא־אֵל Deut. 32:21
34 וַיִּשְׁמְעוּ כִּי־קְרֹבִים הֵם אֵלָיו Josh. 9:16
35 וּבְקִרְבּוֹ הֵם יֹשְׁבִים Josh. 9:16
36 הֵם בְּמוֹרַד בֵּית־חוֹרֹן... Josh. 10:11
37 הֵם עִם־יְבוּס וְהַיּוֹם רַד מְאֹד Jud. 19:11
38 נִגָּפִים הֵם לְפָנֵינוּ Jud. 20:32
39 כִּי־מַלְכֵי חֶסֶד הֵם IK. 20:31
40 הֵם מַגִּשִׁים אֵלֶיהָ וְהִיא מוֹצָקֶת IIK. 4:5
41 בָּא־הַמַּלְאָךְ עַד־הֵם IIK. 9:18
42/3 כִּי בֶאֱמֻ(וּ)נָה הֵם עֹשִׂים IIK. 12:16; 22:7
44 וַיְהִי הֵם קֹבְרִים אִישׁ IIK. 13:21
45 בְּעָרֵיהֶם אֲשֶׁר הֵם יֹשְׁבִים שָׁם IIK. 17:29
46 קָרָאתִי לָזֹאת רַהַב הֵם שָׁבֶת Is. 30:7
47/8 הֵם הֵם גּוֹרָלֵךְ Is. 57:6
49 עוֹד הֵם מְדַבְּרִים וַאֲנִי אֶשְׁמָע Is. 65:24
50 וַאֲנִי אָמַרְתִּי אַךְ־דַּלִּים הֵם Jer. 5:4
51 הֲרֹאֶה אַתָּה מָה הֵם (כת׳ מהם) עֹשִׂים Ezek. 8:6
52 כִּי בֵּית מְרִי הֵם Ezek. 12:2

הֵם (המשך)
53 כִּי הֵם לְבַדָּם יִנָּצֵלוּ Ezek. 14:18
54 עַם תֹּעֵי לֵבָב הֵם Ps. 95:10
55 כִּי לִוְיַת חֵן הֵם לְרֹאשֶׁךָ Prov. 1:9
56 כִּי־חַיִּים הֵם לְמֹצְאֵיהֶם Prov. 4:22
57 הֲלֹא־הֵם יוֹרוּךָ Job 8:10
58 ...שָׁם הֵם שָׁבִים לָלָכֶת Eccl. 1:7
59 וְלֹא יָכְלוּ לְהַגִּיד...אִם מִיִּשְׂרָאֵל הֵם Ez. 2:59
60 בְּחוֹמֹת יְרוּשָׁלַםִ אֲשֶׁר־הֵם פְּרוּצִים (כת׳ המפרוצים) Neh. 2:13
61 גַּם אֲשֶׁר־הֵם בּוֹנִים... Neh. 3:35
62 וְעַד הֵם עֹמְדִים יָגִיפוּ הַדְּלָתוֹת Neh. 7:3
63 ...אִם מִיִּשְׂרָאֵל הֵם Neh. 7:61
64 גִּבּוֹרֵי הַשְּׁעָרִים...הֵם הַלְוִיִּם ICh. 9:26
65 כָּל־הַיָּמִים אֲשֶׁר־הֵם חַיִּים... IICh. 6:31
66 וְהִנֵּה־הֵם גֹּמְלִים עָלֵינוּ IICh. 20:11
67 אֱלֹ׳ מַלְכֵי אֲרָם הֵם מַעְזְרִים אֹתָם IICh. 28:23
68–113 הֵם Lev. 8:28; 11:8,10,13
11:26,27,35,42; 16:4; 17:5,7; 21:6; 22:2,11; 25:42,55 • Num. 1:16 • Jud. 2:22; 6:5; 8:5,19,24 • ISh. 26:19 • IISh. 20:8 • IK. 8:40,51; 9:22; 13:20 • IIK. 17:34,40,41 • Is. 61:9 • Jer. 7:19; 11:12; 22:27; 27:9,10; 27:14,18; 29:9 • Ezek. 8:9; 43:19 • Hosh. 4:14; 8:4; 13:2 • IICh. 34:16

הֵם (ב)
114 אֵלֶּה הֵם בְּנֵי יִשְׁמָעֵאל Gen. 25:16
115 הָאֲנָשִׁים הָאֵלֶּה...הֵם אִתָּנוּ Gen. 34:21
116 שְׁלֹשֶׁת הַשָּׂרִגִים שְׁלֹשֶׁת יָמִים הֵם Gen. 40:12
117 שְׁלֹשֶׁת הַסַּלִּים שְׁלֹשֶׁת יָמִים הֵם Gen. 40:18
118 וְעַתָּה שְׁנֵי־בָנֶיךָ...לִי־הֵם Gen. 48:5
119 וַיֹּאמֶר יוֹסֵף...בָּנַי הֵם Gen. 48:9
120 אֵלֶּה הֵם הָאֱלֹ׳ הַמַּכִּים אֶת־מִצְרַיִם ISh. 4:8
121 ...וּבָנֶיךָ הַטּוֹבִים לִי־הֵם IK. 20:3
122 אֵלֶּה אֵיפֹה הֵם Is. 49:21
123 אֲבוֹתֵיכֶם אַיֵּה־הֵם Zech. 1:5
124 אַרְבָּעָה הֵם קְטַנֵּי־אָרֶץ Prov. 30:24
125 אֵלֶּה הֵם בְּנֵי יִשְׁמָעֵאל ICh. 1:31
126 אֵלֶּה הֵם רָאשֵׁי אָבוֹת לְיוֹשְׁבֵי גֶבַע ICh. 8:6
127 אֵלֶּה הֵם...עָבְרוּ אֶת־הַיַּרְדֵּן ICh. 12:16(15)
128 וּשְׁאָר דִּבְרֵי שְׁלֹמֹה... הֲלֹא־הֵם כְּתוּבִים... IICh. 9:29
129 הֲלֹא־הֵם כְּתוּבִים בְּדִבְרֵי שְׁמַעְיָה הַנָּבִיא IICh. 12:15

הֵם (ג)
130 וַיַּעֲשׂוּ גַם־הֵם חַרְטֻמֵּי מִצְרַיִם Ex. 7:11
131 נָשֹׂא אֶת־רֹאשׁ בְּנֵי גֵרְשׁוֹן גַּם־הֵם Num. 4:22
132 וְלֹא־יָמֻתוּ גַם־הֵם גַּם־אַתֶּם Num. 18:3
133 יֵחָשְׁבוּ אַף־הֵם כַּעֲנָקִים Deut. 2:11
134 וְיָרְשׁוּ גַם־הֵם אֶת־הָאָרֶץ Deut. 3:20
135 חֲמֵשֶׁת מַלְכֵי...הֵם וְכָל־מַחֲנֵיהֶם Josh. 10:5
136 וַיֵּצְאוּ הֵם וְכָל־מַחֲנֵיהֶם Josh. 11:4
137 וַיַּעֲלוּ בֵית־יוֹסֵף גַּם־הֵם Jud. 1:22
138 לֹא־יִסַּבּוּ הָאוֹפַנִּים גַּם־הֵם Ezek. 10:16
139 גַּם־הֵם אִתּוֹ יָרְדוּ שְׁאֹלָה Ezek. 31:17
140 וְאוֹר־עֵינַי גַּם־הֵם אֵין אִתִּי Ps. 38:11
141 וְאַף־הֵם נֶגֶד אֲחֵיהֶם ICh. 9:38
142 וַיָּנוּסוּ גַם־הֵם... ICh. 19:15
143 וַיַּפִּילוּ גַם־הֵם גּוֹרָלוֹת ICh. 24:31
144 גַּם־הֵם מַעְשַׂר בָּקָר...הֵבִיאוּ IICh. 31:6

וְהֵם
145 וְהֵם בַּעֲלֵי בְרִית־אַבְרָם Gen. 14:13
146 וַיַּכֵּר...וְהֵם לֹא הִכִּרֻהוּ Gen. 42:8
147 וְהֵם לֹא יָדְעוּ כִּי שֹׁמֵעַ יוֹסֵף Gen. 42:23
148 וְנִגַּשׁ מֹשֶׁה לְבַדּוֹ...וְהֵם לֹא יִגָּשׁוּ Ex. 24:2
149 ...וְהֵם יִירָשׁוּהָ Deut. 1:39

וְהֵם (המשך)
150 וְהֵם עַמְּךָ וְנַחֲלָתֶךָ Deut. 9:29
151 וְהֵם תֻּכּוּ לְרַגְלֶךָ Deut. 33:3
152 וְהֵם רִבְבוֹת אֶפְרַיִם Deut. 33:17
153 וְהֵם אַלְפֵי מְנַשֶּׁה Deut. 33:17
154 בָּנִים גִּדַּלְתִּי...וְהֵם פָּשְׁעוּ בִי Is. 1:2
155 וְנִרְאֶה בְשִׂמְחַתְכֶם וְהֵם יֵבֹשׁוּ Is. 66:5
156 וְהֵם יַעֲנוּ אֶת־הָאָרֶץ Hosh. 2:23
157 וְהֵם יַעֲנוּ אֶת־יִזְרְעֶאל Hosh. 2:24
158 וְהֵם וַאֲבֹתֵינוּ הֵזִידוּ Neh. 9:16
159–187 וְהֵם Ex. 28:5; 36:3; 38:17
Lev. 26:43 • Num. 1:50; 15:25; 18:23 • Josh. 23:12 • Jud. 20:34 • IISh. 17:17 • IK. 1:41; 11:2 • IIK. 12:6 • Jer. 23:21[2]; 27:15 • Hosh. 3:1 • Ps. 95:10 • Prov. 1:18; 18:8; 26:22 • Neh. 1:10; 9:35; 10:38 • ICh. 9:23,27 • IICh. 3:13; 9:24; 28:23

וָהֵם
188 ...אַתָּה וָהֵם וְאַהֲרֹן מָחָר Num. 16:16

הָהֵם
189 הַנְּפִלִים הָיוּ בָאָרֶץ בַּיָּמִים הָהֵם Gen. 6:4
190 וַיְהִי בַּיָּמִים הָהֵם... Ex. 2:11
191 וַיְהִי בַיָּמִים הָרַבִּים הָהֵם Ex. 2:23
192 חָיוּ מִן־הָאֲנָשִׁים הָהֵם Num. 14:38
193 הַעֵינֵי הָאֲנָשִׁים הָהֵם תְּנַקֵּר Num. 16:14
194 אֲשֶׁר יִהְיֶה בַּיָּמִים הָהֵם Deut. 17:9
195 כְּתוֹעֲבֹת הַגּוֹיִם הָהֵם Deut. 18:9
196 אֲשֶׁר יִהְיוּ בַּיָּמִים הָהֵם Deut. 19:17
197–224 (וּ)בַיָּמִים הָהֵם Deut. 26:3
Josh. 20:6 • Jud. 17:6; 18:1[2]; 19:1; 20:27,28; 21:25 • ISh. 3:1; 28:1 • IISh. 16:23 • IIK. 10:32; 15:37; 20:1 • Is. 38:1 • Jer. 31:29(28); 33:15,16; 50:20 • Ezek. 38:17 • Zech. 8:6 • Es. 1:2; 2:21 • Dan. 10:2 • Neh. 6:17; 13:23 • IICh. 32:24
225 וּבַגּוֹיִם הָהֵם לֹא תַרְגִּיעַ Deut. 28:65
226 הָאֹתֹת וְהַמֹּפְתִים הַגְּדֹלִים הָהֵם Deut. 29:2
227 לַעֲבֹד אֶת־אֱלֹהֵי הַגּוֹיִם הָהֵם Deut. 29:17
228 הֲלוֹא בְּרָאשֵׁי הָאֲנָשִׁים הָהֵם ISh. 29:4
229 עַד הַיָּמִים הָהֵם IK. 3:2
230 אַחֲרֵי הַיָּמִים הָהֵם Jer. 31:33(32)
231 כִּי לִפְנֵי הַיָּמִים הָהֵם Zech. 8:10
232 וְנִלְחַם בַּגּוֹיִם הָהֵם Zech. 14:3
233 וּבָעִתִּים הָהֵם רַבִּים יַעַמְדוּ Dan. 11:14
234 וּבָעִתִּים הָהֵם אֵין שָׁלוֹם IICh. 15:5

שֶׁהֵם
235 הָסֵבִּי עֵינַיִךְ מִנֶּגְדִּי שֶׁהֵם הִרְהִיבֻנִי S.ofS. 6:5
236 שֶׁהֵם יָזוּבוּ מְדֻקָּרִים מִתְּנוּבֹת שָׂדָי Lam. 4:9

שְׁהֶם־
237 ...שְׁהֶם־בְּהֵמָה הֵמָּה לָהֶם Eccl. 3:18

הַמְּדָתָא שפ״ז – אבי הָמָן: 1–5

הַמְּדָתָא
1–3 הָמָן בֶּן־הַמְּדָתָא הָאֲגָגִי Es. 3:1; 8:5; 9:24
4 וַיִּתְּנָהּ לְהָמָן בֶּן־הַמְּדָתָא הָאֲגָגִי Es. 3:10
5 עֲשֶׂרֶת בְּנֵי הָמָן בֶּן־הַמְּדָתָא Es. 9:10

המה : הָמָה; הָמוֹן, הָמֶה, הֶמְיָה, הֲמִית

הָמָה

פָּ׳ א) נהם, רעש: רוֹב המקראות

ב) נהם, השמיע קול (מכעס, מצער וכד׳): 2, 5, 9, 16–20, 23, 24, 26

הָמָה יָם 1, 21, 22; הָ׳ הַלֵּב 23, 24; הָ׳ הַקּוֹל 21, 22; הָמְתָה הַנֶּפֶשׁ 18–20; הָמוּ אוֹיְבִים 34; הָמוּ גַּלִּים 6,7,30,31; הָ׳ מֵימָיו 27; הָ׳ מֵעָיו 2,5,26; אִשָּׁה הוֹמִיָּה 12,13; עִיר הָ׳ 11; קִרְיָה הוֹמָה 10; יוֹנִים הוֹמוֹת 14

כַּהֲמוֹת
1 עַמִּים...כַּהֲמוֹת יַמִּים יֶהֱמָיוּן Is. 17:12

הָמוּ
2 עַל־כֵּן הָמוּ מֵעַי לוֹ Jer. 31:20(19)
3 וְשָׁתוּ הָמוּ כְּמוֹ־יָיִן Zech. 9:15

הָמוּ (המשך)
4 הָמוּ גוֹיִם מָטוּ מַמְלָכוֹת Ps. 46:7
5 וּמֵעַי הָמוּ עָלָיו S.ofS. 5:4
וְהָמוּ 6 וְהָמוּ גַלָּיו וְלֹא יַעַבְרֻנְהוּ Jer. 5:22
7 וְהָמוּ גַלֵּיהֶם כְּמַיִם רַבִּים Jer. 51:55
הוֹמֶה 8 הֹמֶה־לִּי לִבִּי לֹא אַחֲרִשׁ Jer. 4:19
9 לֵץ הַיַּיִן הֹמֶה שֵׁכָר Prov. 20:1
הוֹמָה 10 מַדּוּעַ קוֹל־הַקִּרְיָה הוֹמָה IK. 1:41
הוֹמִיָּה 11 עִיר הוֹמִיָּה קִרְיָה עַלִּיזָה Is. 22:2
12 הֹמִיָּה הִיא וְסֹרָרֶת Prov. 7:11
13 אֵשֶׁת כְּסִילוּת הֹמִיָּה Prov. 9:13
הוֹמוֹת 14 כְּיוֹנֵי הַגֵּאָיוֹת כֻּלָּם הֹמוֹת Ezek. 7:16
הוֹמִיּוֹת 15 בְּרֹאשׁ הֹמִיּוֹת תִּקְרָא Prov. 1:21
וְאֶהֱמֶה 16 עֶרֶב...אָשִׂיחָה וְאֶהֱמֶה Ps. 55:18
וְאֶהֱמָיָה 17 אֶזְכְּרָה אֱלֹהִים וְאֶהֱמָיָה Ps. 77:4
תֶּהֱמִי 18/9 מַה־תִּשְׁתּוֹחֲחִי נַפְשִׁי וּמַה־תֶּהֱמִי עָלָי Ps. 42:12; 43:5
וַתֶּהֱמִי 20 מַה־תִּשְׁתּוֹחֲחִי נַפְשִׁי וַתֶּהֱמִי עָלָי Ps. 42:6
יֶהֱמֶה 21/2 קוֹלָם כַּיָּם יֶהֱמֶה Jer. 6:23; 50:42
23 לִבִּי לְמוֹאָב כַּחֲלִלִים יֶהֱמֶה Jer. 48:36
24 וְלִבִּי אֶל־אַנְשֵׁי...כַּחֲלִילִים יֶהֱמֶה Jer. 48:36
נֶהֱמֶה 25 נֶהֱמֶה כַדֻּבִּים כֻּלָּנוּ Is. 59:11
יֶהֱמוּ 26 עַל־כֵּן מֵעַי לְמוֹאָב כַּכִּנּוֹר יֶהֱמוּ Is. 16:11
27 יֶהֱמוּ יֶחְמְרוּ מֵימָיו Ps. 46:4
28/9 יֶהֱמוּ כַכָּלֶב וִיסוֹבְבוּ עִיר Ps. 59:7,15
וַיֶּהֱמוּ 30/1 רֹגַע הַיָּם וַיֶּהֱמוּ גַּלָּיו Is. 51:15
Jer. 31:35(34)
יֶהֱמָיוּן 32 עַמִּים...כַּהֲמוֹת יַמִּים יֶהֱמָיוּן Is. 17:12
33 אַךְ־הֶבֶל יֶהֱמָיוּן Ps. 39:7
34 כִּי־הִנֵּה אוֹיְבֶיךָ יֶהֱמָיוּן Ps. 83:3

הָמָה*
ז׳ הָמִיה, שאון

מֶהֱמֵהֶם 1 לֹא־מֵהֶם וְלֹא מֵהֲמוֹנָם וְלֹא מֶהֱמֵהֶם Ezek. 7:11

הֵמָּה
מ״ג כנוי השם לנסתרים (לנסתרות – מס׳ 26), צורה מארכת מן ״הם״

א) כנושא במשפט–רוב המקראות 1–165, 220–272
ב) כאוגד המקשר את הנושא עם הנשוא השמני, או לתוספת הדגשה: 166—182
ג) כתמורה לנושא – להדגשה או לתוספת הדגשה: 183—219
ד) [הָהֵמָּה אחרי שם מיודע] ההם, אותם: 273—284
[בָּהֵמָּה, כָּהֵמָּה, לָהֵמָּה, מֵהֵמָּה] עין הערכים ב׳, כ׳, ל׳, מן

אַף הֵמָּה 218; גַּם הֵמָּה 188—200; הֲלֹא הֵמָּה 187; מָה הֵמָּה 175, 176; הָאֲנָשִׁים הָהֵמָּה 273; הַיָּמִים הָהֵמָּה 274; הַנְּבִאִים הָהֵמָּה 278; בַּיָּמִים הָהֵמָּה 275—277, 279—282, 284; בְּמַחֲנוֹת הָהֵמָּה 283

הֵמָּה (א) 1 הֵמָּה הַגִּבֹּרִים אֲשֶׁר מֵעוֹלָם Gen. 6:4
2 בִּמְשֹׁךְ הַיֹּבֵל הֵמָּה יַעֲלוּ בָהָר Ex. 19:13
3 מִמְּלַאכְתּוֹ אֲשֶׁר־הֵמָּה עֹשִׂים Ex. 36:4
4 טְמֵאִים הֵמָּה לָכֶם Lev. 11:28
5 הֵמָּה יִשְׂאוּ אֶת־הַמִּשְׁכָּן Num. 1:50
6 נְתוּנִם נְתוּנִם הֵמָּה לוֹ Num. 3:9
7 כִּי נְתֻנִים נְתֻנִים הֵמָּה לִי Num. 8:16
8 רָאשֵׁי בְנֵי־יִשְׂרָאֵל הֵמָּה Num. 13:3
10-9 אֲשֶׁר הֵמָּה מַלִּינִים עָלַי (עָלָי) Num. 14:27²
11 כִּי־מַעֲלֵה גֵרָה הֵמָּה Deut. 14:7
12 כִּי דוֹר תַּהְפֻּכֹת הֵמָּה Deut. 32:20
13 כִּי־גוֹי אֹבַד עֵצוֹת הֵמָּה Deut. 32:28
14 וְלֹא יָדַעְתִּי מֵאַיִן הֵמָּה Josh. 2:4
15 כָּל־הָעָם כִּי מְעַט הֵמָּה Josh. 7:3

הֵמָּה (א) (המשך)
16 וְעֵדֵיהֶם הֵמָּה Is. 44:9
17 הֵיכַל יְיָ הֵיכַל יְיָ הֵמָּה Jer. 7:4
18 הַאֵינְךָ רֹאֶה מָה הֵמָּה עֹשִׂים Jer. 7:17
24-19 כִּי בֵּית מְרִי הֵמָּה Ezek. 2:5,6
3:9,26,27; 12:3
25 כִּי־אַנְשֵׁי מוֹפֵת הֵמָּה Zech. 3:8
26 אָנָה הֵמָּה מוֹלִכוֹת... Zech. 5:10
27 הֵמָּה יִבְנוּ וַאֲנִי אֶהֱרוֹס Mal. 1:4
28 הֵמָּה כָּרְעוּ וְנָפָלוּ Ps. 20:9
29 הֵמָּה יַבִּיטוּ יִרְאוּ־בִי Ps. 22:18
30 וַחֲסָדֶיךָ כִּי מֵעוֹלָם הֵמָּה Ps. 25:6
31 הֵמָּה כָשְׁלוּ וְנָפָלוּ Ps. 27:2
32 שְׁלַח־אוֹרְךָ וַאֲמִתְּךָ הֵמָּה יַנְחוּנִי Ps. 43:3
33 הֵמָּה רָאוּ כֵּן תָּמָהוּ Ps. 48:6
34 יְקַלְלוּ־הֵמָּה וְאַתָּה תְבָרֵךְ Ps. 109:28
35 הֵמָּה כִּדְוֵי לַחְמִי Job 6:7
36 קָרָאתִי לַמְאַהֲבַי הֵמָּה רִמּוּנִי Lam. 1:19
37 שְׁהֶם־בְּהֵמָה הֵמָּה לָהֶם Eccl. 3:18
38 אֲשֶׁר הֵמָּה חַיִּים עֲדֶנָה Eccl. 4:2
165-39 הֵמָּה (א) Num. 20:13 • Josh. 22:14 • Jud. 10:14; 18:3,7,22,26; 19:22 • ISh. 8:8; 9:5,11,14,27; 12:21; 25:11 • IISh. 13:30; 17:8² • IIK. 2:11; 7:10; 19:18 • Is. 9:20; 24:14; 35:2; 37:19; 44:11; 63:8; 65:23 • Jer. 4:22³; 5:5²,10; 10:5,15; 14:14,16; 15:19; 17:15,18; 23:16; 27:16; 31:32(31); 44:14; 46:5; 50:42; 51:18 • Ezek. 2:7; 3:6,7,15; 8:13; 10:20,22; 11:7; 12:10; 14:14,16,20; 20:9; 21:5; 23:10,25,45; 25:4; 27:8,10,11,13,21,22,24; 32:29; 33:31; 36:7; 37:11; 40:46; 44:11,15,16,19,24,29; 47:12 • Hosh. 2:6,14; 8:9,13; 9:10 • Zep. 3:13 • Ps. 9:7,21; 16:3; 56:7; 59:16; 62:10; 68:39; 94:11; 102:27; 107:24; 119:111; 120:7 • Prov. 19:7 • Job 24:13; 32:4 • Neh. 3:1; 3:3,6,13 • ICh. 2:55; 4:23; 5:23; 8:13²; 9:18,22²,26; 23:27; 26:6 • IICh. 8:7,9,11; 22:4; 23:6²

הֵמָּה (ב) 166 וְהַלֻּחֹת מַעֲשֵׂה אֱלֹהִים הֵמָּה Ex. 32:16
167 וְהַגִּבְעֹנִים לֹא מִבְּנֵי יִשְׂרָאֵל הֵמָּה IISh. 21:2
168 אֲשֶׁר לֹא־מִבְּנֵי יִשְׂרָאֵל הֵמָּה IK. 9:20
169/70 הֲלֹא־הֵמָּה כְתוּבִים IK. 14:29; 15:23
171 הֲלוֹא־הֵמָּה כְתוּבִים IIK. 1:18
172 כֻּלָּם מַשְׁחִיתִם הֵמָּה Jer. 6:28
173 יְהוּדָה וְאֶרֶץ יִשְׂ׳ הֵמָּה רֹכְלָיִךְ Ezek. 27:17
174 גַּם־אַתֶּם כּוּשִׁים חַלְלֵי חַרְבִּי הֵמָּה Zep. 2:12
175 אֲנִי אַרְאֶךָּ מָה־הֵמָּה אֵלֶּה Zech. 1:9
176 הֲלוֹא יָדַעְתָּ מָה־הֵמָּה אֵלֶּה Zech. 4:5
177 עֵינֵי יְיָ הֵמָּה מְשׁוֹטְטִים... Zech. 4:10
178 שִׁבְטְךָ וּמִשְׁעַנְתֶּךָ הֵמָּה יְנַחֲמֻנִי Ps. 23:4
179 וְקֹוֵי יְיָ הֵמָּה יִירְשׁוּ־אָרֶץ Ps. 37:9
180 שְׁלֹשָׁה הֵמָּה נִפְלְאוּ מִמֶּנִּי Prov. 30:18
181 שְׁלֹשָׁה הֵמָּה מֵיטִיבֵי צָעַד Prov. 30:29
182 שִׁשִּׁים הֵמָּה מְלָכוֹת... S.ofS. 6:8
הֵמָּה (ג) 183 הֵמָּה וְכָל־הַחַיָּה לְמִינָהּ Gen. 7:14
184 וַיִּרְאוּ...הֵמָּה וַאֲבִיהֶם Gen. 42:35
185 וְהָאֲנָשִׁים שֻׁלְּחוּ הֵמָּה וַחֲמֹרֵיהֶם Gen. 44:3
186 וְטַפְּכֶם...וּבְנֵיכֶם...הֵמָּה יָבֹאוּ Deut. 1:39
187 הֲלֹא־הֵמָּה בְּעֵבֶר הַיַּרְדֵּן Deut. 11:30
188 וְיָרְשׁוּ גַם־הֵמָּה אֶת־הָאָרֶץ Josh. 1:15
189 וַיַּעֲשׂוּ גַם־הֵמָּה בְעָרְמָה Josh. 9:4
200—190 גַּם הֵמָּה ISh. 14:15,22; 19:20,21² • IK. 14:23 • Is. 66:3 • Jer. 12:6²; 25:14; 46:21
201 וְגַם־הֵמָּה לִהְיוֹת עִם־יִשְׂרָאֵל ISh. 14:21
202 וַיִּשְׁמְעוּ...הֵמָּה וְהָאֲנָשִׁים... IIK. 25:23

הֵמָּה (ג) (המשך)
205-203 הֵמָּה וְאַנְשֵׁיהֶם IIK. 25:23 • Jer. 40:7,8
206/7 הֵמָּה מַלְכֵיהֶם שָׂרֵיהֶם... Jer. 2:26; 32:32
208 אֲשֶׁר לֹא יָדְעוּ הֵמָּה וַאֲבוֹתָם Jer. 9:15
209 הֵמָּה נְשֵׁיהֶם וּבְנֵיהֶם וּבְנֹתֵיהֶם Jer. 14:16
210 וּבָאוּ...הֵמָּה וְשָׂרֵיהֶם Jer. 17:25
211 אֲשֶׁר לֹא־יְדָעוּם הֵמָּה וַאֲבוֹתֵיהֶם Jer. 19:4
212 הֵמָּה אַתֶּם וַאֲבֹתֵיכֶם Jer. 44:3
213 הֵמָּה וּבְנֵי־יְהוּדָה יַחְדָּו Jer. 50:4
214 הֵמָּה וַאֲבוֹתָם פָּשְׁעוּ בִי Ezek. 2:3
215 הֵמָּה וּבְנֵיהֶם וּבְנֵי בְנֵיהֶם Ezek. 37:25
216 וְלֹא יְטַמְּאוּ...הֵמָּה וּמַלְכֵיהֶם Ezek. 43:7
217 יִשְׁלְטוּ הַיְּהוּדִים הֵמָּה בְּשֹׂנְאֵיהֶם Es. 9:1
218 וְאַף־הֵמָּה נֶגֶד אֲחֵיהֶם ICh. 8:32
219 הֵמָּה וּבְנֵיהֶם וַאֲחֵיהֶם ICh. 26:8
וְהֵמָּה 220 וְהֵמָּה בַּכְּתֻבִים Num. 11:26
221 וְהֵמָּה בֹכִים פֶּתַח אֹהֶל מוֹעֵד Num. 25:6
222 וְהֵמָּה טֶרֶם יִשְׁכָּבוּן Josh. 2:8
223 וְהֵמָּה הִכִּירוּ אֶת־קוֹל הַנַּעַר Jud. 18:3
224 וְהֵמָּה לָקְחוּ אֵת אֲשֶׁר־עָשָׂה Jud. 18:27
225 וְהֵמָּה מָצְאוּ נְעָרוֹת ISh. 9:11
226 וְהֵמָּה כִּשְׁלֹשִׁים אִישׁ ISh. 9:22
227 חֶבֶל נְבִאִים...וְהֵמָּה מִתְנַבְּאִים ISh. 10:5
228 וְשָׁאוּל וְהֵמָּה וְכָל־אִישׁ יִשְׂרָאֵל ISh. 17:19
229 וְהֵמָּה שֹׁסִים אֶת־הַגְּרָנוֹת ISh. 23:1
230 וְהֵמָּה בָּאוּ עַד־גִּבְעַת אַמָּה IISh. 2:24
231 וְהֵמָּה (כת׳ והם) הֻמְתוּ בִּימֵי קָצִיר IISh. 21:9
232/3 וְהֵמָּה יִהְיוּ־לִי לְעָם Jer. 30:25; 31:33(32)
234 וְהֵמָּה דַּרְכָּם לֹא־יִתָּכֵן Ezek. 33:17
235 וְהֵמָּה חֲכָמִים מְחֻכָּמִים Prov. 30:24
236 וְהֵמָּה בָּאוּ בֵּית לֶחֶם Ruth 1:22
237 וְהֵמָּה בִקְשׁוּ חִשְּׁבֹנוֹת רַבִּים Eccl. 7:29
238 הַיְחַיּוּ...הָאֲבָנִים...וְהֵמָּה שְׂרוּפוֹת Neh. 3:34
272—239 וְהֵמָּה IK. 10:25; 22:32 • IIK. 4:40; 19:37 • Is. 37:38; 56:11; 63:10 • Jer. 2:11; 11:10; 14:15; 16:20; 42:5 • Ezek. 2:5; 8:16; 23:8; 25:4; 34:30; 37:27; 44:11,16 • Hosh. 6:7; 7:13; 4:12 • Nah. 2:9 • Zech. 1:15 • Ps. 55:22; 63:10; 88:6; 106:43 • Neh. 6:2; 9:29 • ICh. 12:1,22; 18:31
הָהֵמָּה 273 וַיֹּאמְרוּ הָאֲנָשִׁים הָהֵמָּה אֵלָיו Num. 9:7
274 כִּי עַד־הַיָּמִים הָהֵמָּה... IIK. 18:4
275 וּפְרִיתֶם בָּאָרֶץ בַּיָּמִים הָהֵמָּה Jer. 3:16
276 בַּיָּמִים הָהֵמָּה יֵלְכוּ בֵית־יְהוּדָה Jer. 3:18
277 וְגַם בַּיָּמִים הָהֵמָּה נְאֻם־יְיָ... Jer. 5:18
278 ...יִתַּמּוּ הַנְּבִאִים הָהֵמָּה Jer. 14:15
279/80 בַּיָּמִים הָהֵמָּה וּבָעֵת הַהִיא Jer. 50:4
Joel 4:1
281 בַּיָּמִים הָהֵמָּה אֶשְׁפּוֹךְ אֶת־רוּחִי Joel 3:2
282 בַּיָּמִים הָהֵמָּה אֲשֶׁר יַחֲזִיקוּ... Zech. 8:23
283 אֲשֶׁר יִהְיֶה בַּמַּחֲנוֹת הָהֵמָּה Zech. 14:15
284 בַּיָּמִים הָהֵמָּה רָאִיתִי בִיהוּדָה Neh. 13:15

הִמּוֹ
מ״ג ארמית: הֵם: 1—9

הִמּוֹ 1 וְהוֹתֵב הִמּוֹ בְּקִרְיָה דִּי שָׁמְרָיִן Ez. 4:10
2 וּבַטִּלוּ הִמּוֹ בְּאֶדְרָע וְחָיִל Ez. 4:23
3 וְלָא בַטִּלוּ הִמּוֹ Ez. 5:5
4 אֲנַחְנָא הִמּוֹ עַבְדוֹהִי דִי־אֱלָהּ Ez. 5:11
9-5 הִמּוֹ Ez. 5:12,14²,15; 7:17

הִמּוֹן
מ״ג ארמית: הם, אותם: 1—3

הִמּוֹן 1 וּמְחָת לְצַלְמָא...וְהַדֵּקֶת הִמּוֹן Dan. 2:34
2 ...וּנְשָׂא הִמּוֹן רוּחָא Dan. 2:35
3 קַטִּל הִמּוֹן שְׁבִיבָא דִּי נוּרָא Dan. 3:22

הָמוֹן ז׳ א) המיה, שאון: 3,33,42—46,50,55,71,78
ב) קהל: 1,2,4׳,32—34,41,47—49,51—54,56—77,79—81

– הָמוֹן גָּדוֹל 14–16; ה׳ חוֹגֵג 5; ה׳ רַב 8–11, 23, 24; ה׳ רַבָּה 6; יֶתֶר הֶהָמוֹן 17; קוֹל הָמוֹן 1, 2, 4, 7, 12, 33

– הֲמוֹן גּוֹיִם 30, 31, 38, 39; ה׳ גַּלְגַּלִּים 45; ה׳ גַּלִּים 55; ה׳ הַגֶּשֶׁם 33; ה׳ זָרִים 36; ה׳ חֲיָלִים 51; ה׳ יָם 41; ה׳ יִשְׂרָאֵל 34; ה׳ לְאֻמִּים 54; ה׳ מַיִם 43, 44; ה׳ מֵעָיו 42; ה׳ מִצְרַיִם 47,49; ה׳ מִקְנֶה 53; ה׳ נֹא 48; ה׳ נָשִׁים 52; ה׳ עִיר 40; ה׳ עַמִּים 35; ה׳ עָרִיצִים 37; ה׳ קִרְיָה 56; ה׳ רְשָׁעִים 57; ה׳ שִׁירִים 46, 50

הָמוֹן 1 קוֹל הָמוֹן בֶּהָרִים דְּמוּת עַם־רָב Is. 13:4
2 מִקּוֹל הָמוֹן נָדְדוּ עַמִּים Is. 33:3
3 לַשֶּׁקֶר מִגְּבָעוֹת הָמוֹן הָרִים Jer. 3:23
4 ...וְקוֹל הָמוֹן שָׁלֵו בָהּ Ezek. 23:42
5 בְּקוֹל־רִנָּה וְתוֹדָה הָמוֹן חוֹגֵג Ps. 42:5
6 כִּי אֶעֱרוֹץ הָמוֹן רַבָּה Job 31:34
7 וְקוֹל דְּבָרָיו כְּקוֹל הָמוֹן Dan. 10:6
8 וְהֶעֱמִיד הָמוֹן רָב Dan. 11:11
9 וְהֶעֱמִיד הָמוֹן רַב מִן־הָרִאשׁוֹן Dan. 11:13
10 וְאַתֶּם הָמוֹן רָב IICh. 13:8
11 בָּא עָלֶיךָ הָמוֹן רָב מֵעֵבֶר לַיָּם IICh. 20:2
הֶהָמוֹן 12 מֶה קוֹל הֶהָמוֹן הַזֶּה ISh. 4:14
13 וְהִנֵּה הֶהָמוֹן נָמוֹג... ISh. 14:16
14 רָאִיתִי הֶהָמוֹן הַגָּדוֹל... IISh. 18:29
15 הֲרָאִיתָ אֵת כָּל־הֶהָמוֹן הַגָּדוֹל הַזֶּה IK.20:13
16 וְנָתַתִּי אֶת־כָּל־הֶהָמוֹן הַגָּדוֹל הַזֶּה בְּיָדֶךָ IK. 20:28
17 וְאֵת יֶתֶר הֶהָמוֹן הֶגְלָה IIK. 25:11
18 וְנִקְלָה...בְּכֹל הֶהָמוֹן הָרָב Is. 16:14
19 וְנִתַּן הֶהָמוֹן בְּיָדוֹ Dan. 11:11
20 וְנִשָּׂא הֶהָמוֹן וְרָם לְבָבוֹ Dan. 11:12
21 כֹּל הֶהָמוֹן הַזֶּה אֲשֶׁר הֲכִינוֹנוּ ICh. 29:16
22 וּבְשִׁמְךָ בָאנוּ עַל־הֶהָמוֹן הַזֶּה IICh. 14:10
23 אֵין בָּנוּ כֹּחַ לִפְנֵי הֶהָמוֹן הָרָב הַזֶּה IICh. 20:12
24 אַל־תִּירְאוּ...מִפְּנֵי הֶהָמוֹן הָרָב הַזֶּה IICh.20:15
25 וַיִּפְנוּ אֶל־הֶהָמוֹן וְהִנָּם פְּגָרִים IICh. 20:24
26 ...וְהַנּוֹתָר אֶת־הֶהָמוֹן הַזֶּה IICh. 31:10
27 ...וּמִלִּפְנֵי כָּל־הֶהָמוֹן אֲשֶׁר־עִמּוֹ IICh. 32:7
וְהֶהָמוֹן 28 וְהֶהָמוֹן אֲשֶׁר בְּמַחֲנֵה פְלִשְׁתִּים... ISh. 14:19
בֶּהָמוֹן 29 וּמִי־אֹהֵב בֶּהָמוֹן לֹא תְבוּאָה Eccl. 5:9
הֲמוֹן־ 30 וְהָיִיתָ לְאַב הֲמוֹן גּוֹיִם Gen. 17:4
31 כִּי אַב־הֲמוֹן גּוֹיִם נְתַתִּיךָ Gen. 17:5
32 וַיְחַלֵּק לְכָל־הָעָם לְכָל־הֲמוֹן יִשׂ׳ IISh. 6:19
33 כִּי־קוֹל הֲמוֹן הַגָּשֶׁם IK. 18:41
34 הִנָּם כְּכָל־הֲמוֹן יִשְׂרָאֵל אֲשֶׁר־תָּמּוּ IIK. 7:13
35 הוֹי הֲמוֹן עַמִּים רַבִּים... Is. 17:12
36 וְהָיָה כְּאָבָק דַּק הֲמוֹן זָרָיִךְ Is. 29:5
37 וּכְמֹץ עֹבֵר הֲמוֹן עָרִיצִים Is. 29:5
38/9 הֲמוֹן כָּל־הַגּוֹיִם הַצֹּבְאִים Is. 29:7,8
40 אַרְמוֹן נֻטָּשׁ הֲמוֹן עִיר עֻזָּב Is. 32:14
41 כִּי־יֵהָפֵךְ עָלַיִךְ הֲמוֹן יָם Is. 60:5
42 הֲמוֹן מֵעֶיךָ וְרַחֲמֶיךָ...הִתְאַפָּקוּ Is. 63:15
43/4 לְקוֹל תִּתּוֹ הֲמוֹן מַיִם Jer. 10:13; 51:16
45 מֵרַעַשׁ לְרִכְבּוֹ הֲמוֹן גַּלְגִּלָּיו Jer. 47:3
46 וְהִשְׁבַּתִּי הֲמוֹן שִׁירָיִךְ Ezek. 26:13
47 וְהִשְׁבַּתִּי אֶת־הֲמוֹן מִצְרַיִם Ezek. 30:10
48 וְהִכְרַתִּי אֶת־הֲמוֹן נֹא Ezek. 30:15
49 נְהֵה עַל־הֲמוֹן מִצְרַיִם Ezek. 32:18
50 הָסֵר מֵעָלַי הֲמוֹן שִׁרֶיךָ Am. 5:23
51 וְאָסְפוּ הֲמוֹן חֲיָלִים רַבִּים Dan. 11:10
52 וַיִּתֵּן לָהֶם...וַיִּשְׁאַל הֲמוֹן נָשִׁים IICh. 11:23
וַהֲמוֹן־ 53 ...וַהֲמוֹן מִקְנֵיהֶם לְשָׁלָל Jer. 49:32
54 שְׁאוֹן יַמִּים...וַהֲמוֹן לְאֻמִּים Ps. 65:8
בַּהֲמוֹן־ 55 ...בַּהֲמוֹן גַּלָּיו נִכְסָתָה Jer. 51:42
לַהֲמוֹן־ 56 יִשְׂחַק לַהֲמוֹן קִרְיָה Job 39:7
מֵהֲמוֹן־ 57 טוֹב מְעַט־לַצַּדִּיק מֵהֲמוֹן רְשָׁעִים רַבִּים Ps. 37:16
הֲמוֹנֶךָ 58 בְּחַרְבוֹת גִּבּוֹרִים אַפִּיל הֲמוֹנֶךָ Ezek. 32:12
הֲמוֹנוֹ 59 ...וְאֶת־רִכְבּוֹ וְאֶת־הֲמוֹנוֹ Jud. 4:7
60 אֱמֹר אֶל־פַּרְעֹה...וְאֶל־הֲמוֹנוֹ Ezek. 31:2
הֲמוֹנֹה 61 הוּא פַרְעֹה וְכָל־הֲמוֹנֹה Ezek. 31:18
62 וְנִחַם עַל־כָּל־הֲמוֹנֹה Ezek. 32:31
63 וְהֻשְׁכַּב...פַּרְעֹה וְכָל־הֲמוֹנֹה Ezek. 32:32
64 וְקָבְרוּ...אֶת־גּוֹג וְאֶת־כָּל־הֲמוֹנֹה Ezek. 39:11
וַהֲמוֹנוֹ 65 וּכְבוֹדוֹ מְתֵי רָעָב וַהֲמוֹנוֹ צִחֵה צָמָא Is. 5:13
הֲמוֹנָהּ 66 כִּי חָרוֹן אֶל־כָּל־הֲמוֹנָהּ Ezek. 7:12
67 כִּי־חָזוֹן אֶל־כָּל־הֲמוֹנָהּ לֹא יָשׁוּב Ezek. 7:13
68 כִּי חֲרוֹנִי אֶל־כָּל־הֲמוֹנָהּ Ezek. 7:14
69 וְנָשָׂא הֲמֹנָהּ וְשָׁלַל שְׁלָלָהּ Ezek. 29:19
70 וְלָקְחוּ הֲמוֹנָהּ וְנֶהֶרְסוּ יְסוֹדוֹתֶיהָ Ezek. 30:4
71 וְשָׁדְדוּ...וְנִשְׁמַד כָּל־הֲמוֹנָהּ Ezek. 32:12
72 וְעַל־כָּל־הֲמוֹנָהּ תְּקוֹנֵנָּה אוֹתָהּ Ezek. 32:16
73 שָׁם עֵילָם וְכָל־הֲמוֹנָהּ Ezek. 32:24
74 נָתְנוּ מִשְׁכָּב לָהּ בְּכָל־הֲמוֹנָהּ Ezek. 32:25
75 שָׁם מֶשֶׁךְ תֻּבַל וְכָל־הֲמוֹנָהּ Ezek. 32:26
וַהֲמוֹנָהּ 76 וְיָרַד הֲדָרָהּ וַהֲמוֹנָהּ וּשְׁאוֹנָהּ Is. 5:14
מֵהֲמוֹנָם 77 לֹא־מֵהֶם וְלֹא מֵהֲמוֹנָם... Ezek. 7:11
וּמֵהֲמוֹנָם 78 מִקּוֹלָם לֹא יֵחָת וּמֵהֲמוֹנָם לֹא יַעֲנֶה Is. 31:4
הֲמוֹנִים 79/80 הֲמוֹנִים הֲמוֹנִים בְּעֵמֶק הֶחָרוּץ Joel 4:14
הֲמוֹנֶיהָ 81 מָשְׁכוּ אוֹתָהּ וְכָל־הֲמוֹנֶיהָ Ezek. 32:20

הֲמוֹנָה שם עיר
הֲמוֹנָה 1 וְגַם שֶׁם־עִיר הֲמוֹנָה Ezek. 39:16

הֶמְיָה* נ׳ נהימה, קול
הֶמְיַת 1 הוּרַד שְׁאוֹל גְּאוֹנֶךָ הֶמְיַת נְבָלֶיךָ Is. 14:11

הֶמִי* עין הָמָה

הַמִּישַׁנִּי (שופטים טז 26) – עין מוש גם משש

הֵמִית – עין מות **הַמְּכּוֹ** (איוב כד24) – עין מכך

הֲמֻלָּה נ׳ שאון, המון: 1, 2
הֲמֻלָּה 1 לְקוֹל הֲמוּלָּה גְדֹלָה הִצִּית אֵשׁ Jer. 11:16
2 קוֹל הֲמֻלָּה כְּקוֹל מַחֲנֶה Ezek. 1:24

המם : הָמַם

הָמַם פ׳ הטיל מהומה ובהלה: 1—13
לְהֻמָּם 1 ...לְהֻמָּם מִקֶּרֶב הַמַּחֲנֶה Deut. 2:15
2 וְהִפִּל פּוּר...לְהֻמָּם וּלְאַבְּדָם Es. 9:24
וְהַמֹּתִי 3 וְהַמֹּתִי אֶת־כָּל־הָעָם... Ex. 23:27
וְהָמַם 4 וְהָמַם גִּלְגַּל עֶגְלָתוֹ Is. 28:28
הַמְּמָנִי 5 אֲכָלַנִי הֲמָמַנִי (כת׳ הממנו) נְבוּכַדְרֶאצַּר Jer. 51:34
הֲמָמָם 6 כִּי־אֱלֹהִים הֲמָמָם בְּכָל־צָרָה IICh. 15:6
וּתְהֻמֵּם 7 שְׁלַח חִצֶּיךָ וּתְהֻמֵּם Ps. 144:6
וַיָּהָם 8 וַיָּהָם אֵת מַחֲנֵה מִצְרָיִם Ex. 14:24
9 וַיָּהָם יְיָ אֶת־סִיסְרָא...לְפִי־חֶרֶב Jud. 4:15
וַיָּהֹם 10 וַיִּשְׁלַח...בָּרָק וַיָּהֹם (כת׳ ויהמם) IISh. 22:15
וַיְהֻמֵּם 11 וַיְהֻמֵּם יְיָ לִפְנֵי יִשְׂרָאֵל וַיַּכֵּם Josh. 10:10
12 וַיַּרְעֵם...עַל־פְּלִשְׁתִּים וַיְהֻמֵּם ISh. 7:10
13 וּבְרָקִים רָב וַיְהֻמֵּם Ps. 18:15

הָמֵם (דברים ז 23) – עין הום

הָמָן* פ׳ המה? רעש?
הֲמָנְכֶם 1 יַעַן הֲמָנְכֶם מִן־הַגּוֹיִם אֲשֶׁר סְבִיבוֹתֵיכֶם Ezek. 5:7

הָמָן שפ״ז – בֶּן־הַמְּדָתָא, צורר היהודים: 1—54
הָמָן הָאֲגָגִי 14; ה׳ הָרָע 8; בֵּית הָמָן 10, 16; בְּנֵי הָמָן 17—20; פְּנֵי ה׳ 9; רָעַת ה׳ 14
הָמָן 1 גִּדַּל הַמֶּלֶךְ...אֶת־הָמָן... Es. 3:1
2 וַיַּרְא הָמָן כִּי־אֵין מָרְדֳּכַי כֹּרֵעַ... Es. 3:5
3 וַיִּמָּלֵא הָמָן חֵמָה Es. 3:5
4 וַיְבַקֵּשׁ הָמָן לְהַשְׁמִיד... Es. 3:6
5 הִפִּיל פּוּר... לִפְנֵי הָמָן Es. 3:7
6 וַיֹּאמֶר הָמָן לַמֶּלֶךְ אֲחַשְׁוֵרוֹשׁ Es. 3:8
7 וַיִּכָּתֵב כְּכָל־אֲשֶׁר־צִוָּה הָמָן Es. 3:12
8 אִישׁ צַר וְאוֹיֵב הָמָן הָרָע הַזֶּה Es. 7:6
9 וּפְנֵי הָמָן חָפוּ Es. 7:8
10 הִנֵּה־הָעֵץ...עֹמֵד בְּבֵית הָמָן Es. 7:9
11 וַיִּתְלוּ אֶת־הָמָן עַל־הָעֵץ Es. 7:10
12 אֶת־בֵּית הָמָן צֹרֵר הַיְּהוּדִים Es. 8:1
13 וַתָּשֶׂם...אֶת־מָרְדֳּכַי עַל־בֵּית הָמָן Es. 8:2
14 לְהַעֲבִיר אֶת־רָעַת הָמָן הָאֲגָגִי Es. 8:3
15 ...מַחֲשֶׁבֶת הָמָן בֶּן־הַמְּדָתָא Es. 8:5
16 הִנֵּה בֵית־הָמָן נָתַתִּי לְאֶסְתֵּר Es. 8:7
17-20 עֲשֶׂרֶת בְּנֵי־הָמָן Es. 9:10,12,13,14
21 כִּי הָמָן בֶּן־הַמְּדָתָא הָאֲגָגִי. Es. 9:24
22-38 הָמָן Es. 4:7; 5:5,9³,10
5:11,12,14; 6:5,6²,7; 7:9,11,13,14
וְהָמָן 39 וְהַמֶּלֶךְ וְהָמָן יָשְׁבוּ לִשְׁתּוֹת Es. 3:15
40/1 יָבוֹא הַמֶּלֶךְ וְהָמָן... Es. 5:4,8
42/3 וַיָּבֹא הַמֶּלֶךְ וְהָמָן... Es. 5:5; 7:1
44 וְהָמָן בָּא לַחֲצַר בֵּית־הַמֶּלֶךְ Es. 6:4
45-48 וְהָמָן Es. 6:12; 7:6,7,8
לְהָמָן 49 ...כֹּרְעִים וּמִשְׁתַּחֲוִים לְהָמָן Es. 3:2
50 וַיַּגִּידוּ לְהָמָן לִרְאוֹת... Es. 3:4
51 וַיִּתְּנָהּ לְהָמָן בֶּן־הַמְּדָתָא Es. 3:10
52/3 וַיֹּאמֶר הַמֶּלֶךְ לְהָמָן Es. 3:11; 6:10
מֵהָמָן 54 אֶת־טַבַּעְתּוֹ אֲשֶׁר הֶעֱבִיר מֵהָמָן Es. 8:2

הַמְנִיכָא ז׳ ארמית: רביד
1-2 וְהַמְנִיכָא (כת׳ והמונכא) דִּי־דַהֲבָא עַל־צַוְּארֵהּ Dan. 5:7,29
3 וְהַמְנִיכָא (כת׳ והמונכא) דִּי־דַהֲבָא עַל־צַוְּארָךְ Dan. 5:16

הֶמֶס* ז׳ חומר מתלקח באש (?)
הֲמָסִים 1 כִּקְדֹחַ אֵשׁ הֲמָסִים מַיִם תִּבְעֶה־אֵשׁ Is. 64:1

הֵמַס (ש״ב יז 10) – עין מסס

הֵמַסּוּ (דברים א 28) – עין מסס

הֵמְסִיו (יהושע יד 8) – עין מסה

הַמְצִיתִיךָ (ש״ב ג 8) – עין מצא

הָמֵר (ויקרא כז 10) – עין מור

הָמֵר (זכריה יב10) – עין מרר

הֵמַר (רות א20) – עין מרר

הַמֹּתִי (שמות כג27) – עין המם

הֵן¹ מ״ק א) הנה, הלא, אמנם: 1—55, 74—99
ב) [בלשון תנאי או בשאלה עקיפה] אם, האם: 56—73
הֵן (א) 1 הֵן הָאָדָם הָיָה כְּאַחַד מִמֶּנּוּ Gen. 3:22
2 הֵן גֵּרַשְׁתָּ אֹתִי הַיּוֹם... Gen. 4:14

הֵן (א) (המשך)

3 הֵן עַם אֶחָד וְשָׂפָה אַחַת לְכֻלָּם Gen. 11:6
4 הֵן לִי לֹא נָתַתָּה זָרַע Gen. 15:3
5 הֵן עֵשָׂו אָחִי אִישׁ שָׂעִר Gen. 27:11
6 הֵן גְּבִיר שַׂמְתִּיו לָךְ Gen. 27:37
7 הֵן עוֹד הַיּוֹם גָּדוֹל Gen. 29:7
8 וַיֹּאמֶר לָבָן הֵן לוּ יְהִי כִדְבָרֶךָ Gen. 30:34
9 הֵן אֲדֹנִי לֹא־יָדַע אִתִּי מַה־בַּבָּיִת Gen. 39:8
10 הֵן כֶּסֶף אֲשֶׁר מָצָאנוּ...וְאֵיךְ נִגְנֹב Gen. 44:8
11 הֵן קָנִיתִי אֶתְכֶם הַיּוֹם Gen. 47:23
12 הֵן נִזְבַּח אֶת־תּוֹעֲבַת מִצְרַיִם Ex. 8:22
13 הֵן לֹא־הוּבָא אֶת־דָּמָהּ Lev. 10:18
14 הֵן הַיּוֹם הִקְרִיבוּ אֶת־חַטָּאתָם Lev. 10:19
15 הֵן לֹא נִזְרָע וְלֹא נֶאֱסֹף Lev. 25:20
16 הֵן גָּוַעְנוּ אָבַדְנוּ כֻּלָּנוּ אָבָדְנוּ Num. 17:27
17 הֵן הֵנָּה הָיוּ לִבְנֵי יִשְׂרָאֵל Num. 31:16
18 הֵן הֶרְאָנוּ יְיָ אֱלֹהֵינוּ... Deut. 5:21
19 הֵן לַייָ אֱלֹהֶיךָ הַשָּׁמַיִם Deut. 10:14
20 הֵן קָרְבוּ יָמֶיךָ לָמוּת Deut. 31:14
21 הֵן אֶרֶץ כַּשְׂדִּים זֶה הָעָם לֹא הָיָה Is. 23:13
22 הֵן לְצֶדֶק יִמְלָךְ־מֶלֶךְ Is. 32:1
23 הֵן אֶרְאֶלָּם צָעֲקוּ חֻצָה Is. 33:7
24–55 הֵן (א) Is. 40:15[2] 41:11,29; 42:1; 44:11; 49:16,21; 50:1,2,9[2],11; 54:15; 55:4,5; 56:3; 58:3,4; 59:1; 64:8 • Ezek. 18:4 • Ps. 78:20; 139:4 • Job 19:7; 21:16,27; 24:5; 28:28; 32:11; 33:10; 40:4

הֵן (ב)

56 הֵן בְּנֵי־יִשְׂרָאֵל לֹא־שָׁמְעוּ אֵלַי וְאֵיךְ יִשְׁמָעֵנִי פַרְעֹה Ex. 6:12
57 הֵן אֲנִי עֲרַל שְׂפָתַיִם וְאֵיךְ... Ex. 6:30
58 הֵן בְּעוֹדֶנִּי חַי עִמָּכֶם...וְאַף כִּי... Deut. 31:27
59 וּרְאוּ הֵן הָיְתָה כָּזֹאת Jer. 2:10
60 הֵן יְשַׁלַּח אִישׁ אֶת־אִשְׁתּוֹ Jer. 3:1
61 הֵן יִשָּׂא־אִישׁ בְּשַׂר־קֹדֶשׁ Hag. 2:12
62 הֵן צַדִּיק בָּאָרֶץ יְשֻׁלָּם Prov. 11:31
63 הֵן בַּעֲבָדָיו לֹא יַאֲמִין Job 4:18
64 הֵן יַעֲבֹר עָלַי וְלֹא אֶרְאֶה Job 9:11
65 הֵן יַחְתֹּף מִי יְשִׁיבֶנּוּ Job 9:12
66 הֵן יַהֲרוֹס וְלֹא יִבָּנֶה Job 12:14
67 הֵן יַעְצֹר בַּמַּיִם וְיִבָשׁוּ Job 12:15
68 הֵן יִקְטְלֵנִי לוֹ° אֲיַחֵל Job 13:15
69 הֵן בִּקְדֹשָׁו לֹא יַאֲמִין Job 15:15
70 הֵן קֶדֶם אֶהֱלֹךְ וְאֵינֶנּוּ Job 23:8
71 הֵן עַד־יָרֵחַ וְלֹא יַאֲהִיל Job 25:5
72 הֵן יַעֲשֹׁק נָהָר וְלֹא יַחְפּוֹז Job 40:23
73 הֵן אֶעְצֹר הַשָּׁמַיִם וְלֹא־יִהְיֶה מָטָר IICh. 7:13

הֵן־ (א)

74 הֵן־שָׁכַבְתִּי אֶמֶשׁ אֶת־אָבִי Gen. 19:34
75 הֵן־רַבִּים עַתָּה עַם־הָאָרֶץ... Ex. 5:5
76 הֵן־אַתֶּם מֵאַיִן וּפָעָלְכֶם מֵאָפַע Is. 41:24
77 הֵן־אַתָּה קָצַפְתָּ וַנֶּחֱטָא Is. 64:4
78 הֵן־בְּעָווֹן חוֹלָלְתִּי Ps. 51:7
79 הֵן־אֱמֶת חָפַצְתָּ בַטֻּחוֹת Ps. 51:8
80 הֵן יִתֵּן בְּקוֹלוֹ קוֹל עֹז Ps. 68:34
81 כִּי תֹאמַר הֵן לֹא־יָדַעְנוּ זֶה Prov. 24:12
82 הֵן אַתֶּם כֻּלְּכֶם חֲזִיתֶם Job 27:2
83 הֵן־אֲנִי כְפִיךָ לָאֵל Job 33:6
84 הֵן־פָּרַשׂ עָלָיו אוֹרוֹ Job 36:30
85 הֵן־תֹּחַלְתּוֹ נִכְזָבָה Job 41:1

הֶן־ (א)

86 הֶן־עָם לְבָדָד יִשְׁכֹּן Num. 23:9
87 הֶן־עָם כְּלָבִיא יָקוּם Num. 23:24
88 הֶן־הוּא מְשׂוֹשׂ דַּרְכּוֹ Job 8:19
89 הֶן־אֵל לֹא יִמְאַס־תָּם Job 8:20
90 הֶן־כֹּל רָאֲתָה עֵינִי Job 13:1

הֶן־(א) (המשך)

91 הֶן־אֵלֶּה קְצוֹת דְּרָכָו Job 26:14
92–97 הֶן־ Job 31:35; 33:12,29; 36:5,22,26

וְהֵן

98 וְהֵן לֹא־יַאֲמִינוּ לִי Ex. 4:1

וְהֶן־

99 וְהֶן־אֲצַוֶּה עַל־חָגָב לֶאֱכוֹל הָאָרֶץ IICh. 7:13

הֵן[2]

ארמית: אִם: 1–16

הֵן

1 הֵן לָא תְהוֹדְעוּנַּנִי חֶלְמָא... Dan. 2:5
2 דִּי הֵן־חֶלְמָא לָא תְהוֹדְעֻנַּנִי... Dan. 2:9
3 כְּעַן הֵן אִיתֵיכוֹן עֲתִידִין Dan. 3:15
4 הֵן אִיתַי אֱלָהַנָא...יָכִל לְשֵׁיזָבוּתַנָא Dan. 3:17
5 הֵן תֶּהֱוֵה אַרְכָה לִשְׁלֵוְתָךְ Dan. 4:24
6 כְּעַן הֵן תִּכֻּל° כְּתָבָא לְמִקְרֵא Dan. 5:16
7/8 דִּי הֵן קִרְיְתָא דָךְ תִּתְבְּנֵא Ez. 4:13,16
9 וּכְעַן הֵן עַל־מַלְכָּא טָב Ez. 5:17
10 הֵן אִיתַי דִּי־מִן־כּוֹרֶשׁ מַלְכָּא Ez. 5:17
11–13 הֵן לְמוֹת הֵן לִשְׁרֹשִׁי° הֵן־לַעֲנָשׁ Ez. 7:26

וְהֵן

14 וְהֵן חֶלְמָא וּפִשְׁרֵהּ תְּהַחֲוֺן Dan. 2:6
15 וְהֵן לָא תִסְגְּדוּן בַּהּ־שַׁעֲתָא Dan. 3:15
16 וְהֵן לָא יְדִיעַ לֶהֱוֵא־לָךְ... Dan. 3:18

הֵנָּה[1]

מ״ג כנוי רומז לנסתרות, הֵן: 1–30 [עין גם הֵם]

הֵנָּה

1 וַיִּרְאוּ...כִּי טֹבֹת הֵנָּה Gen. 6:2
2 מָה הֵנָּה שֶׁבַע כְּבָשֹׂת הָאֵלֶּה Gen. 21:29
3 וַתִּגַּשְׁןָ הַשְּׁפָחוֹת הֵנָּה וְיַלְדֵיהֶן Gen. 33:6
4–6 שֶׁבַע שָׁנִים הֵנָּה Gen. 41:26[2],27
7 כִּי־חָיוֹת הֵנָּה Ex. 1:19
8 וְהַחִטָּה וְהַכֻּסֶּמֶת...כִּי אֲפִילֹת הֵנָּה Ex. 9:32
9 עַל־שְׁמֹת בְּנֵי־יִשְׂרָאֵל הֵנָּה Ex. 39:14
10 כִּי עֶרְוָתְךָ הֵנָּה Lev. 18:10
11 שַׁאֲרָה הֵנָּה זִמָּה הִוא Lev. 18:17
12 הֵן הֵנָּה הָיוּ לִבְנֵי יִשְׂרָאֵל Num. 31:16
13 אֲשֶׁר לֹא־מֵעָרֵי הַגּוֹיִם־הָאֵלֶּה הֵנָּ׳ Deut. 20:15
14 אֲשֶׁר לֹא־מִבְּנֵי יִשְׂרָאֵל הֵנָּה Jud. 19:12
15 כִּי הֵנָּה יֹשְׁבוֹת הָאָרֶץ... ISh. 27:8
16 הָרִאשֹׁנוֹת מָה הֵנָּה הַגִּידוּ Is. 41:22
17 שְׁתַּיִם הֵנָּה קֹרְאֹתַיִךְ Is. 51:19
18 כִּי הֵנָּה נִשְׁאֲרוּ...עָרֵי מִבְצָר Jer. 34:7
19 כָּל־הַנְּפָשׁוֹת לִי הֵנָּה כְּנֶפֶשׁ הָאָב Ezek. 18:4
20 וּכְנֶפֶשׁ הַבֵּן לִי־הֵנָּה Ezek. 18:4
21 כִּי נֹאֲפֹת הֵנָּה Ezek. 23:45
22 כִּי מְשֻׁלָּשׁוֹת הֵנָּה Ezek. 42:6
23 הֵנָּה לִשְׁכוֹת הַקֹּדֶשׁ Ezek. 42:13
24 כִּי־קֹדֶשׁ הֵנָּה Ezek. 42:14
25 שֶׁשׁ־הֵנָּה שָׂנֵא יְיָ Prov. 6:16
26 שָׁלוֹשׁ הֵנָּה לֹא תִשְׂבַּעְנָה Prov. 30:15

וְהֵנָּה

27 (?) וְהֵנָּה בָּאוּ עַד־תּוֹךְ הַבַּיִת IISh. 4:6
28 כָל־הַנָּשִׁים...וְהֵנָּה אֹמְרֹת... Jer. 38:22
29 וְהֵנָּה בַּשְּׁבִי תֵלַכְנָה Ezek. 30:17

הָהֵנָּה

30 ...נָטַשְׁתָּ מְעַט הַצֹּאן הָהֵנָּה ISh. 17:28

הֵנָּה[2]

תה״פ א) לכאן: 1, 3–27
ב) כאן: 2
ג) [עַד הֵנָּה] עד עתה: 28–33, 38, 40
ד) [״ ״] עד כאן: 34–37, 39
ה) [הֵנָּה וָהֵנָּה] לכאן ולכאן: 41–44

הֵנָּה

1 וְדוֹר רְבִיעִי יָשׁוּבוּ הֵנָּה Gen. 15:16
2 הִשָּׁבְעָה לִּי בֵאלֹהִים הֵנָּה Gen. 21:23
3 כִּי אִם־בְּבוֹא אֲחִיכֶם הַקָּטֹן הֵנָּה Gen. 42:15
4 כִּי־מְכַרְתֶּם אֹתִי הֵנָּה Gen. 45:5
5 לֹא־אַתֶּם שְׁלַחְתֶּם אֹתִי הֵנָּה Gen. 45:8
6 וּמִהַרְתֶּם וְהוֹרַדְתֶּם אֶת־אָבִי הֵנָּה Gen. 45:13
7 הִנֵּה אֲנָשִׁים בָּאוּ הֵנָּה הַלַּיְלָה Josh. 2:2
8 גֹּשׁוּ הֵנָּה וְשִׁמְעוּ... Josh. 3:9

הֵנָּה (המשך)

9 וַהֲבֵאתֶם אֵלַי הֵנָּה Josh. 18:6
10 לָעַזָּתִים לֵאמֹר בָּא שִׁמְשׁוֹן הֵנָּה Jud. 16:2
11 וָאֲבִיאֵם אֶל־אֲדֹנִי הֵנָּה IISh. 1:10
12 לֹא־תָבוֹא הֵנָּה כִּי אִם־הֱסִירְךָ... IISh. 5:6
13 לֹא־יָבוֹא דָוִד הֵנָּה IISh. 5:6
14 בֹּא הֵנָּה וְאֶשְׁלְחָה אֹתְךָ IISh. 14:32
15/6 וַיֵּלֶךְ בַּבַּיִת אַחַת הֵנָּה וְאַחַת הֵנָּה IIK. 4:35
17 וְאַתֶּם קִרְבוּ־הֵנָּה בְּנֵי עֹנְנָה Is. 57:3
18 קָהָל גָּדוֹל יָשׁוּבוּ הֵנָּה Jer. 31:7
19 צִיּוֹן יִשְׁאָלוּ דֶּרֶךְ הֵנָּה פְּנֵיהֶם Jer. 50:5
20 לְמַעַן הַרְאוֹתְכָה הֻבָאתָה הֵנָּה Ezek. 40:4
21/2 מִי־פֶתִי יָסֻר הֵנָּה Prov. 9:4,16
23 כִּי טוֹב אֲמָר־לְךָ עֲלֵה הֵנָּה Prov. 25:7
24 אֶחָד הֵנָּה לִשְׂפַת הַיְאֹר Dan. 12:5
25 וְאֶחָד הֵנָּה לִשְׂפַת הַיְאֹר Dan. 12:5
26 וַיֹּאמְרוּ...לְדָוִיד לֹא תָבוֹא הֵנָּה ICh. 11:5
27 לֹא־תָבִיאוּ אֶת־הַשִּׁבְיָה הֵנָּה IICh. 28:13

עַד הֵנָּה

28 לֹא־שָׁלֵם עֲוֹן הָאֱמֹרִי עַד־הֵנָּה Gen. 15:16
29 וְלֹא רְאִיתִיו עַד־הֵנָּה Gen. 44:28
30 מִמִּצְרַיִם וְעַד־הֵנָּה Num. 14:19
31 עַד־הֵנָּה הֵתַלְתָּ בִּי Jud. 16:13
32 מֵרֹב שִׂיחִי וְכַעְסִי דִּבַּרְתִּי עַד־הֵנָּה ISh. 1:16
33 עַד־הֵנָּה עֲזָרָנוּ יְיָ ISh. 7:12
34 קְרַב עַד־הֵנָּה IISh. 20:16
35 בָּא אִישׁ הָאֱלֹהִים עַד־הֵנָּה IIK. 8:7
36 עַד־הֵנָּה מִשְׁפַּט מוֹאָב Jer. 48:47
37 עַד־הֵנָּה דִּבְרֵי יִרְמְיָהוּ Jer. 51:64
38 וְעַד־הֵנָּה אַגִּיד נִפְלְאוֹתֶיךָ Ps. 71:17
39 וְעַד־הֵנָּה בְּשַׁעַר הַמֶּלֶךְ מִזְרָחָה ICh. 9:18
40 וְעַד־הֵנָּה מַרְבִּיתָם שֹׁמְרִים ICh. 12:30

הֵנָּה וָהֵנָּה

41 וְלֹא־הָיָה...יָדַיִם לָנוּס הֵנָּה וָהֵנָּה Josh. 8:20
42 (?) וַיְהִי עַבְדְּךָ עֹשֶׂה הֵנָּה וָהֵנָּה IK. 20:40
43/4 וַיֵּחָצוּ הֵנָּה וָהֵנָּה IIK. 2:8,14

וָהֵנָּה

45 הִנֵּה הַחִצִּים מִמְּךָ וָהֵנָּה ISh. 20:21

וְהֵנָּה (?)

46 (?) וְהֵנָּה בָּאוּ עַד־תּוֹךְ הַבַּיִת IISh. 4:6

הִנֵּה

מ״ר [בכנויים: הִנְנִי = הנה אני, הִנְּךָ = הנה אתה]
א) [עפ״ר לפני שם] להדגשת הנוכחות, הרי: 1–66
ב) [עפ״ר לפני פועל] כמלת פתיחה במשפט: 67–414]
ג) מלת פתיחה במשפט קל־וחומר: 415–422
ד) [וְהִנֵּה] פתיחה במשפט להבעת הפתעה או חידוש, או אחרי פועל המביע ראייה: 449–807
ה) [הִנְנִי, הִנְּךָ וכו׳] עפ״ר לפני בינוני: 818–939, 985–995]
ו) [הִנְנִי אֶל־, עַל־] לשון פניה לרעה: 947–956,958–968; ופעם לטובה: 957

הִנֵּה אִם 472; הִנֵּה זֶה 117/8, 473, 477; הִנֵּה כִּי כֵן 114
הִנֵּה־נָא 423–448; הִנֵּה הִנָּם 18; הִנְנִי אֶל־ 947–961;
הִנְנִי עַל־ 962–968

1 הִנֵּה אִשְׁתְּךָ קַח וָלֵךְ Gen. 12:19
2 הִנֵּה שִׁפְחָתֵךְ בְּיָדֵךְ Gen. 16:6
3 הִנֵּה בֵין־קָדֵשׁ וּבֵין בָּרֶד Gen. 16:14
4 אֲנִי הִנֵּה בְרִיתִי אִתָּךְ Gen. 17:4
5 אַיֵּה שָׂרָה...וַיֹּאמֶר הִנֵּה בָאֹהֶל Gen. 18:9
6 הִנֵּה אַרְצִי לְפָנֶיךָ Gen. 20:15
7 הִנֵּה הוּא־לָךְ כְּסוּת עֵינַיִם Gen. 20:16
8 הִנֵּה הָאֵשׁ וְהָעֵצִים וְאַיֵּה הַשֶּׂה Gen. 22:7
9 הִנֵּה־רִבְקָה לְפָנֶיךָ קַח וָלֵךְ Gen. 24:51
10 אַךְ הִנֵּה אִשְׁתְּךָ הִוא... Gen. 26:9
11 הִנֵּה אֲמָתִי בִלְהָה בֹּא אֵלֶיהָ Gen. 30:3
12 הִנֵּה הַגַּל הַזֶּה וְהִנֵּה הַמַּצֵּבָה Gen. 31:51
13 גַּם הִנֵּה עַבְדְּךָ יַעֲקֹב אַחֲרֵינוּ Gen. 32:20

הִנֵּה (המשך)

14 וְהָאָרֶץ הִנֵּה רַחֲבַת־יָדַיִם Gen. 34:21
15 הִנֵּה דַם־הַבְּרִית אֲשֶׁר כָּרַת יְיָ Ex. 24:8
16 הִנֵּה מָקוֹם אִתִּי וְנִצַּבְתָּ עַל־הַצּוּר Ex. 33:21
17 הִנֵּה אַלְפִּי הַדַּל בִּמְנַשֶּׁה Jud. 6:15
18 רִאשׁוֹן לְצִיּוֹן הִנֵּה הִנָּם Is. 41:27
19–66 הִנֵּה (א) Deut. 3:11 • Josh. 3:11
Jud. 8:15; 17:2; 18:12; 19:24 • ISh. 9:12,17; 9:24; 12:13; 14:11; 18:17; 19:19,22; 20:23; 24:2; 25:41; 26:22; 28:7; 30:26 • IISh. 4:8; 9:6; 15:15,36; 16:4; 19:9; 20:21 • IK. 1:23; 2:39; 12:28; 14:2; 18:8,11,14; 21:18 • IIK. 4:25; 6:13,33 • Is. 3:1; 10:33; 12:2; 25:9; 40:9,10 • Jer. 38:5 • Zech. 6:12 S.ofS. 3:7 • Es. 7:9

הִנֵּה (ב)

67 וַיֹּאמֶר אֱלֹהִים הִנֵּה נָתַתִּי לָכֶם Gen. 1:29
68 הִנֵּה בֵּרַכְתִּי אֹתוֹ Gen. 17:20
69 הִנֵּה נָשָׂאתִי פָנֶיךָ Gen. 19:21
70 הִנֵּה נָתַתִּי אֶלֶף כֶּסֶף לְאָחִיךְ Gen. 20:16
71 הִנֵּה יָלְדָה מִלְכָּה גַם־הִוא Gen. 22:20
72/3 הִנֵּה אָנֹכִי נִצָּב עַל־עֵין הַמָּיִם Gen. 24:13,43
74 הִנֵּה אָנֹכִי הוֹלֵךְ לָמוּת Gen. 25:32
75 הִנֵּה שָׁמַעְתִּי אֶת־אָבִיךָ מְדַבֵּר Gen. 27:6
76 הִנֵּה מִשְׁמַנֵּי הָאָרֶץ יִהְיֶה מוֹשָׁבֶךָ Gen. 27:39
77 הִנֵּה עֵשָׂו אָחִיךָ מִתְנַחֵם לְךָ Gen. 27:42
78 הִנֵּה חָלַמְתִּי חֲלוֹם עוֹד Gen. 37:9
79 הִנֵּה בַּעַל הַחֲלֹמוֹת הַלָּזֶה בָּא Gen. 37:19
80 הִנֵּה שָׁמַעְתִּי כִּי יֶשׁ־שֶׁבֶר בְּמִצְ׳ Gen. 42:2
81 הִנֵּה אָנֹכִי בָא אֶל־בְּנֵי יִשְׂרָאֵל Ex. 3:13
82 וְגַם הִנֵּה־הוּא יֹצֵא לִקְרָאתֶךָ Ex. 4:14
83 הִנֵּה אָנֹכִי הֹרֵג אֶת־בִּנְךָ בְּכֹרֶךָ Ex. 4:23
84 הִנֵּה יֹצֵא הַמַּיְמָה Ex. 7:15
85 הִנֵּה אָנֹכִי בָּא אֵלֶיךָ בְּעַב הֶעָנָן Ex. 19:9
86 הִנֵּה אָנֹכִי שֹׁלֵחַ מַלְאָךְ לְפָנֶיךָ Ex. 23:20
87 הִנֵּה אָנֹכִי כֹּרֵת בְּרִית Ex. 34:10
88 הִנֵּה עַם יָצָא מִמִּצְרַיִם Num. 22:5
89 הִנֵּה כִסָּה אֶת־עֵין הָאָרֶץ Num. 22:5
90 הִנֵּה יָמִים בָּאִים וְגָדַעְתִּי... ISh. 2:31
91 הִנֵּה אָנֹכִי עֹשֶׂה דָבָר בְּיִשְׂרָאֵל ISh. 3:11
92 הִנֵּה אַתָּה זָקַנְתָּ ISh. 8:5
93–112 הִנֵּה־יָמִים בָּאִים... IIK. 20:17
Is. 39:6 • Jer. 7:32; 9:24; 16:14; 19:6; 23:5,7; 30:3; 31:27(26),31(30),38(37); 33:14; 48:12; 49:2; 51:47,52 • Am. 4:2; 8:11; 9:13
113 הִנֵּה (כת׳ הן) אָנֹכִי בָּרָאתִי חָרָשׁ Is. 54:16
114 הִנֵּה כִי־כֵן יְבֹרַךְ גָּבֶר יְרֵא יְיָ Ps. 128:4
115 הִנֵּה מַה־טּוֹב וּמַה־נָּעִים... Ps. 133:1
116 אִם־לְכֹחַ אַמִּיץ הִנֵּה Job 9:19
117 קוֹל דּוֹדִי הִנֵּה־זֶה בָּא S.ofS. 2:8
118 הִנֵּה־זֶה עוֹמֵד אַחַר כָּתְלֵנוּ S.ofS. 2:9
119–414 הִנֵּה (ב) Gen. 38:13,23,24; 41:29
42:22,28; 48:1,2,21; 50:5 • Ex. 1:9; 3:9; 7:17; 7:27; 8:16,25; 9:3; 31:6; 32:34 • Num. 3:12; 18:6,8,21; 22:11,32,38; 23:20; 32:23 • Deut. 26:10 • Josh. 2:2,18; 9:12; 14:10^{2}; 22:11; 24:27 • Jud. 1:2; 6:37; 7:13; 9:31,36,37; 13:10; 16:10; 19:9; 20:7; 21:19 • ISh. 9:8; 10:22; 12:1,2; 14:8,33; 15:22; 16:18; 18:22; 20:2,5,21,22; 21:10,15; 23:1; 24:5^{2},10,11,21; 25:14; 26:21; 28:9,21 • IISh. 1:18; 3:24; 4:10; 9:4; 13:35; 14:32; 16:3; 17:9; 18:10,26; 19:2; 24:17 • IK. 1:14; 1:18,51; 3:12^{2}; 13:2,3; 14:5; 15:19; 17:9; 18:44; 22:23 • IIK. 1:14; 4:13; 5:6,11,20,22; 7:2,6; 10:9; 18:21; 19:9,11 • Is. 6:7; 7:14; 8:7,18; 13:9; 17:1; 19:1; 22:17; 24:1; 26:21;

הִנֵּה (ב) (המשך)

28:2; 30:27; 34:5; 35:4; 36:6; 37:11; 38:17; 40:10; 41:15; 42:9; 47:14; 48:7,10; 49:12,22; 51:22; 52:13; 54:11; 60:2; 62:11^{3}; 65:6,13^{3},14; 66:15 • Jer. 1:6,9,18; 3:5; 4:13,16; 6:10^{2},19,22; 7:8,11,20; 8:8,9,19; 10:22; 14:13; 17:15; 18:6,11; 23:19; 25:29,32; 27:16; 30:23; 32:7; 32:17,24,27; 37:7; 40:4; 45:4; 47:2; 48:40; 49:12,15; 49:19,22; 50:9,12,41,44 • Ezek. 3:8,25; 4:14; 7:5,6,10; 12:27; 15:4,5; 16:44,49; 17:12; 21:12; 22:6; 25:8; 28:3; 30:9; 31:3; 33:33; 37:5,11,12,19,21; 39:8; 43:12 • Hosh. 2:16; 9:6 • Joel 4:1 • Am. 2:13; 4:13; 6:11; 9:8,9 • Ob. 2 • Mic. 1:3 • Nah. 2:1; 3:13 • Hab. 2:4; 2:13,19 • Zech. 3:9; 9:4,9; 11:16; 12:2; 14:1 • Mal. 1:13; 3:1,19,23 • Ps. 7:15; 11:2; 33:18; 39:6; 40:8,10; 48:5; 52:9; 54:6; 55:8; 59:4,8; 73:12,15,27; 83:3; 87:4; 92:10^{2}; 119:40; 121:4; 123:2; 127:3; 132:6; 134:1 • Prov. 1:23 • Job 1:12; 3:7; 4:3; 5:17,27; 16:19; 32:19; 33:7 • S.ofS. 2:11 • Ruth 1:15; 3:2 • Eccl. 1:16; 5:17 • Es. 6:5; 8:7 • Dan. 11:2 • Neh. 9:36^{2} • ICh. 11:1; 17:1; 22:8 • IICh. 2:3; 16:3; 18:12,22; 20:10; 21:14; 23:3; 25:19; 28:9

הִנֵּה (ג)

415 הִנֵּה לְאָבִי וּלְאִמִּי לֹא הִגַּדְתִּי וְלָךְ אַגִּיד Jud. 14:16
416 הִנֵּה אֲנַחְנוּ פֹה בִּיהוּדָה יְרֵאִים... ISh. 23:3
417 הִנֵּה בִהְיוֹת הַיֶּלֶד חַי... IISh. 12:18
418 הִנֵּה בְנִי אֲשֶׁר־יָצָא מִמֵּעַי... IISh. 16:11
419 הִנֵּה הַשָּׁמַיִם...לֹא יְכַלְכְּלוּךָ אַף כִּי־הַבַּיִת הַזֶּה IK. 8:27
420 הִנֵּה שְׁנֵי הַמְּלָכִים לֹא עָמְדוּ לְפָנָיו וְאֵיךְ נַעֲמֹד אֲנָחְנוּ IIK. 10:4
421 הִנֵּה־כֹה מַבָּטֵנוּ...וְאֵיךְ... Is. 20:6
422 הִנֵּה שָׁמַיִם...לֹא יְכַלְכְּלוּךָ IICh. 6:18

הִנֶּה

423 הִנֶּה נָּא־אֲדֹנַי סוּרוּ נָא... Gen. 19:2

הִנֵּה־נָא

424 הִנֵּה־נָא יָדַעְתִּי כִּי... Gen. 12:11
425 הִנֵּה־נָא עֲצָרַנִי יְיָ מִלֶּדֶת Gen. 16:2
426/7 הִנֵּה־נָא הוֹאַלְתִּי לְדַבֵּר Gen. 18:27,31
428 הִנֵּה־נָא לִי שְׁתֵּי בָנוֹת Gen. 19:8
429 הִנֵּה־נָא מָצָא עַבְדְּךָ חֵן בְּעֵינֶיךָ Gen. 19:19
430 הִנֵּה־נָא הָעִיר הַזֹּאת קְרֹבָה Gen. 19:20
431 הִנֵּה־נָא זָקַנְתִּי Gen. 27:2
432 הִנֵּה־נָא אַתְּ־עֲקָרָה Jud. 13:3
433 הִנֵּה נָא רָפָה הַיּוֹם לַעֲרוֹב Jud. 19:9
434 הִנֵּה־נָא אִישׁ־אֱלֹהִים בָּעִיר הַזֹּאת ISh. 9:6
435 הִנֵּה־נָא רוּחַ־אֱלֹ׳ רָעָה מְבַעִתֶּךָ ISh. 16:15
436 הִנֵּה־נָא גֹזְזִים לְעַבְדֶּךָ IISh. 13:24
437 הִנֵּה־נָא עָשִׂיתִי אֶת־הַדָּבָר הַזֶּה IISh. 14:21
438 הִנֵּה־נָא שָׁמַעְנוּ... IK. 20:31
439 הִנֵּה־נָא דִּבְרֵי הַנְּבִיאִים פֶּה־אֶחָד IK. 22:13
440 הִנֵּה־נָא יֵשׁ־אֶת־עֲבָדֶיךָ IIK. 2:16
441 הִנֵּה־נָא מוֹשַׁב הָעִיר טוֹב IIK. 2:19
442/3 הִנֵּה־נָא יָדַעְתִּי IIK. 4:9; 5:15
444 הִנֵּה־נָא הַמָּקוֹם...צַר מִמֶּנּוּ IIK. 6:1
445 הִנֵּה־נָא עָרַכְתִּי מִשְׁפָּט Job 13:18
446 הִנֵּה־נָא פָּתַחְתִּי פִי Job 33:2
447 הִנֵּה־נָא בְהֵמוֹת... כַּבָּקָר יֹאכֵל Job 40:15
448 הִנֵּה־נָא כֹחוֹ בְמָתְנָיו Job 40:16

וְהִנֵּה

449 וַיַּרְא אֱלֹהִים...וְהִנֵּה־טוֹב מְאֹד Gen. 1:31
450 וַיַּרְא אֱלֹהִים אֶת־הָאָרֶץ וְהִנֵּה נִשְׁחָתָה Gen. 6:12
451 וְהִנֵּה עֲלֵה־זַיִת טָרָף בְּפִיהָ Gen. 8:11
452 וַיַּרְא וְהִנֵּה חָרְבוּ פְּנֵי הָאֲדָמָה Gen. 8:13
453 וְהִנֵּה בֶן־בֵּיתִי יוֹרֵשׁ אֹתִי Gen. 15:3
454 וְהִנֵּה דְבַר־יְיָ אֵלָיו לֵאמֹר Gen. 15:4

וְהִנֵּה (המשך)

455 וְהִנֵּה אֵימָה...נֹפֶלֶת עָלָיו Gen. 15:12
456 וְהִנֵּה תַנּוּר עָשָׁן וְלַפִּיד אֵשׁ Gen. 15:17
457 וַיַּרְא וְהִנֵּה שְׁלֹשָׁה אֲנָשִׁים נִצָּבִים Gen. 18:2
458 וְהִנֵּה־בֵן לְשָׂרָה אִשְׁתֶּךָ Gen. 18:10
459 וַיַּרְא וְהִנֵּה עָלָה קִיטֹר הָאָרֶץ Gen. 19:28
460 וַיַּרְא וְהִנֵּה־אַיִל Gen. 22:13
461/2 וְהִנֵּה רִבְקָה יֹצֵאת Gen. 24:15,45
463 וְהִנֵּה עֹמֵד עַל־הַגְּמַלִּים Gen. 24:30
464 וַיַּרְא וְהִנֵּה גְמַלִּים בָּאִים Gen. 24:63
465 וְהִנֵּה תוֹמִם בְּבִטְנָהּ Gen. 25:24
466 וַיַּרְא וְהִנֵּה יִצְחָק מְצַחֵק Gen. 26:8
467 וְהִנֵּה עַתָּה לָקַח בִּרְכָתִי Gen. 27:36
468 וַיַּחֲלֹם וְהִנֵּה סֻלָּם מֻצָּב אַרְצָה Gen. 28:12
469 וְהִנֵּה מַלְאֲכֵי אֱלֹהִים עֹלִים... Gen. 28:12
470 וְהִנֵּה יְיָ נִצָּב עָלָיו Gen. 28:13
471 וְהִנֵּה אָנֹכִי עִמָּךְ... Gen. 28:15
472 וּרְאִיתֶם וְהִנֵּה אִם־יֵצְאוּ בְנוֹת־שִׁילוֹ Jud. 21:21
473 וְהִנֵּה־זֶה מַלְאָךְ נֹגֵעַ בּוֹ IK. 19:5
474 וְהִנֵּה יְיָ עֹשֶׂה אֲרֻבּוֹת בַּשָּׁמַיִם IIK. 7:19
475 וַיְקַו לְמִשְׁפָּט וְהִנֵּה מִשְׂפָּח Is. 5:7
476 לִצְדָקָה וְהִנֵּה צְעָקָה Is. 5:7
477 וְהִנֵּה־זֶה בָא רֶכֶב אִישׁ Is. 21:9
478 וְהִנֵּה־הוּא (כת׳ והנהו) עֹשֶׂה מְלָאכָה Jer. 18:3
479–807 וְהִנֵּה Gen. 29:2^{2},6,25; 31:2
31:10,51; 32:19; 33:1; 37:7^{3},9,15,25,29; 38:27,29; 40:9,16; 41:1,2,3,5,6,7,18,19,22,23; 42:13,27; 42:35; 43:21; 45:12; 48:11 • Ex. 2:6,13; 3:2; 4:6,7; 5:16; 7:16; 9:7; 14:10; 16:10,14; 24:14; 32:9; 34:30; 39:43 • Lev. 10:16; 13:5,6,8, 10,13,17,20, 21,25,26,30, 31,32,34,36, 39,43,53,55,56; 14:3,37,39; 14:44,48 • Num. 12:10; 17:7,12,23; 20:16; 23:6,11; 24:10,11; 25:6; 32:1,14 • Deut. 9:13,16; 13:15; 17:4; 19:18; 22:17 • Josh. 5:13; 7:22; 8:20; 9:13; 23:14 • Jud. 3:24,25^{2}; 4:22^{2}; 6:28; 7:13^{2},17; 9:33,43; 11:34; 14:5,8; 18:9; 19:16,22,27; 20:40; 21:8,9 • ISh. 4:13; 5:3,4; 9:7,14; 10:2,8,10,11; 11:5; 12:13; 13:10; 14:16,17,20,26; 15:12; 16:11; 17:23; 19:16; 20:12,21; 25:20,36; 26:7,24; 30:3,16 • IISh. 1:2,6^{2}; 3:12,22; 13:34,36; 14:7; 15:24,32; 16:1,5; 18:11,24,31; 19:21,38,42 • IK. 1:22,42,51; 2:8,29; 3:15,21^{2}; 10:7; 13:1,25; 17:10; 18:7; 19:5,6,9,11,13; 20:13,39 • IIK. 2:11; 3:20; 4:32; 6:15, 17,20, 25,30,33; 7:5,10,15; 8:5; 9:5; 11:14; 13:21; 19:35 • Is. 5:26,30; 8:22; 17:14; 22:13; 29:8^{3}; 37:36; 49:12; 59:9 • Jer. 4:23,24,25,26; 8:15; 13:7; 14:18^{2},19; 24:1; 36:12; 38:22 • Ezek. 1:4; 1:15; 2:9^{2}; 3:23; 4:8; 8:2,4,5,7,8,10,14,16; 9:2,11; 10:1,9; 11:1; 13:12; 14:22; 16:8,27; 17:7,10,18; 18:14,18; 22:13; 23:39,40; 30:21; 37:2^{2},7,8; 40:3,5,17,24; 42:8; 43:2,5; 44:4; 46:19,21; 47:1,2,7 • Am. 7:1^{2},4,7; 8:1 • Hag. 1:9 • Zech. 1:8,11; 2:1,5,7; 4:2; 5:1,7,9; 6:1; 11:6 • Ps. 37:36 • Prov. 7:10; 24:31 • Job 1:19; 32:12 • Ruth 2:4; 3:8; 4:1 • Eccl. 1:14; 2:1,11; 4:1 • Dan. 8:3,5,15; 10:5,10,13,16,20; 12:5 • Neh. 5:5; 6:12 • ICh. 22:13(14); 28:21 • IICh. 2:7,9; 9:6; 13:12,14; 16:11; 19:11; 20:11; 23:13; 26:20; 29:9

הִנְנִי (א)

808–810 וַיֹּאמֶר הִנְנִי כִּי(־)קָרָאתָ לִי ISh. 3:5,6,8
811 הִנְנִי עֲנוּ בִי ISh. 12:3
812 הִנְנִי עִמְּךָ כִּלְבָבֶךָ ISh. 14:7
813 הִנְנִי אָמוּת ISh. 14:43
814 וַיֹּאמֶר הִנְנִי אֲדֹנִי ISh. 22:12
815 הִנְנִי יַעֲשֶׂה־לִּי כַּאֲשֶׁר טוֹב בְּעֵינָיו IISh. 15:26

הִנְנִי (א) (המשך)
816 אֶת־מִי אֶשְׁלַח...וָאֹמַר הִנְנִי שְׁלָחֵנִי Is. 6:8
817 וַאֲנִי הִנְנִי בְיֶדְכֶם Jer. 26:14

הִנְנִי (ב)
818 וַאֲנִי הִנְנִי מֵבִיא אֶת־הַמַּבּוּל Gen. 6:17
819 וַאֲנִי הִנְנִי מֵקִים אֶת־בְּרִיתִי Gen. 9:9
820 הִנְנִי עֹמֵד עַל־שְׂפַת הַיְאֹר Gen. 41:17
821 הִנְנִי מַפְרְךָ וְהִרְבִּיתִךָ Gen. 48:4
822 הִנְנִי מַשְׁלִיחַ בְּךָ...אֶת־הֶעָרֹב Ex. 8:17
823 הִנְנִי מַמְטִיר כָּעֵת מָחָר בָּרָד Ex. 9:18
824 הִנְנִי מֵבִיא מָחָר אַרְבֶּה בִּגְבֻלֶךָ Ex. 10:4
825 וַאֲנִי הִנְנִי מְחַזֵּק אֶת־לֵב מִצְרַיִם Ex. 14:17
826 הִנְנִי מַמְטִיר לָכֶם לֶחֶם... Ex. 16:4
827 הִנְנִי עֹמֵד לְפָנֶיךָ שָּׁם Ex. 17:6
828 הִנְנִי גֹרֵשׁ מִפָּנֶיךָ אֶת־הָאֱמֹרִי Ex. 34:11
829 וְעַתָּה הִנְנִי הוֹלֵךְ לְעַמִּי Num. 24:14
830 הִנְנִי נֹתֵן לוֹ אֶת־בְּרִיתִי שָׁלוֹם Num. 25:12
831 הִנְנִי אַחֲרֵיכֶם בָּאָה ISh. 25:19
832 הִנְנִי מֵקִים עָלֶיךָ רָעָה מִבֵּיתֶךָ IISh. 12:11
833 הִנְנִי קֹרֵעַ אֶת־הַמַּמְלָכָה IK. 11:31
834 כִּי־הִנְנִי בוֹרֵא שָׁמַיִם חֲדָשִׁים Is. 65:17
835 הִנְנִי בוֹרֵא אֶת־יְרוּשָׁלַםִ גִּילָה Is. 65:18
836 הִנְנִי נֹטֶה־אֵלֶיהָ כְּנָהָר שָׁלוֹם Is. 66:12
837 הִנְנִי מוֹשִׁיעֲךָ מֵרָחוֹק Jer. 30:10
838 הִנְנִי־שָׁב שְׁבוּת אָהֳלֵי יַעֲקוֹב Jer. 30:18
839–939 הִנְנִי IK. 14:10; 16:3; 20:13; 21:21 • IIK. 19:7; 20:5; 21:12; 22:16,20 • Is. 13:17; 28:16; 29:14; 37:7; 38:5,8; 43:19 • Jer. 1:15; 2:35; 5:14,15; 6:21; 8:17; 9:6,14; 10:18; 11:11,22; 12:14; 13:13; 16:9,16,21; 19:3,15; 20:4; 21:4; 21:8; 23:2,15; 25:9; 28:16; 29:17,21,32; 31:8(7); 32:3,28,37; 33:6; 34:2,17,22; 35:17; 39:16; 40:10; 42:4; 43:10; 44:11,27,30; 45:5; 46:25,27; 49:5,35; 50:18; 51:1,36 • Ezek. 4:16; 16:37; 21:3; 22:19; 23:22,28; 24:16,21; 25:4,9,16; 26:7; 28:7; 29:8,19; 34:17 • Hosh. 2:8 • Joel 2:19; 4:7 • Am. 6:14; 7:8 • Mic. 2:3 • Hab. 1:6 • Zep. 3:19 • Zech. 2:13,14; 3:8,9; 8:7 • Mal. 2:3; 3:1 • Dan. 8:19 • IICh. 34:24,28
940 לָכֵן הִנְנִי וְנָשִׁיתִי אֶתְכֶם נָשֹׁא Jer. 23:39
941 הִנְנִי נִשְׁבַּעְתִּי בִּשְׁמִי הַגָּדוֹל Jer. 44:26
942 הִנְנִי אֲנִי מֵבִיא עֲלֵיכֶם חֶרֶב Ezek. 6:3
943 הִנְנִי נָטִיתִי אֶת־יָדִי עָלֶיךָ Ezek. 25:7
944 הִנְנִי־אָנִי וְדָרַשְׁתִּי אֶת־צֹאנִי Ezek. 34:11
945 הִנְנִי־אָנִי וְשָׁפַטְתִּי... Ezek. 34:20
946 הִנְנִי בְקִנְאָתִי וּבַחֲמָתִי דִּבַּרְתִּי Ezek. 36:6

הִנְנִי אֶל־
947 הִנְנִי אֵלַיִךְ יֹשֶׁבֶת הָעֵמֶק Jer. 21:13
948 הִנְנִי אֵלֶיךָ זָדוֹן... Jer. 50:31
949 הִנְנִי אֵלֶיךָ הַר הַמַּשְׁחִית נְאֻם־יְיָ Jer. 51:25
950 לָכֵן הִנְנִי אֲלֵיכֶם נְאֻם אֲדֹנָי יְיָ Ezek. 13:8
951 הִנְנִי אֶל־כִּסְּתוֹתֵיכֶנָה Ezek. 13:20
952 הִנְנִי אֵלַיִךְ וְהוֹצֵאתִי חַרְבִּי Ezek. 21:8
953 הִנְנִי אֵלֶיךָ וְאֶל־יְאֹרֶיךָ Ezek. 29:10
954 הִנְנִי אֶל־פַּרְעֹה...וְשָׁבַרְתִּי... Ezek. 30:22
955 הִנְנִי אֶל־הָרֹעִים Ezek. 34:10
956 הִנְנִי אֵלֶיךָ הַר־שֵׂעִיר Ezek. 35:3
957 הִנְנִי אֲלֵיכֶם...וְנֶעֱבַדְתֶּם וְנִזְרַעְתֶּם Ezek. 36:9
958/9 הִנְנִי אֵלֶיךָ גּוֹג Ezek. 38:3; 39:1
960/1 הִנְנִי אֵלַיִךְ נְאֻם יְיָ צְבָאוֹת Nah. 2:14; 3:5

הִנְנִי־עַל
962/3 הִנְנִי עַל־הַנְּבִאִים Jer. 23:30,31
964 הִנְנִי עַל־נִבְּאֵי חֲלֹמוֹת שֶׁקֶר Jer. 23:32
965 הִנְנִי עָלַיִךְ גַּם־אָנִי Ezek. 5:8
966 הִנְנִי עָלַיִךְ צֹר Ezek. 26:3
967 הִנְנִי עָלַיִךְ צִידוֹן Ezek. 28:22
968 הִנְנִי עָלֶיךָ פַּרְעֹה Ezek. 29:3

הִנֵּנִי
969 וַיֹּאמֶר אֵלָיו אַבְרָהָם וַיֹּאמֶר הִנֵּנִי Gen. 22:1
970 אַבְרָהָם אַבְרָהָם וַיֹּאמֶר הִנֵּנִי Gen. 22:11
971 בְּנִי וַיֹּאמֶר אֵלָיו הִנֵּנִי Gen. 27:1
972 וַיֹּאמֶר אֵלַי...יַעֲקֹב וָאֹמַר הִנֵּנִי Gen. 31:11
973 לְכָה וְאֶשְׁלָחֲךָ...וַיֹּאמֶר לוֹ הִנֵּנִי Gen. 37:13
974 וַיֹּאמֶר יַעֲקֹב יַעֲקֹב וַיֹּאמֶר הִנֵּנִי Gen. 46:2
975 וַיֹּאמֶר מֹשֶׁה מֹשֶׁה וַיֹּאמֶר הִנֵּנִי Ex. 3:4
976 וַיִּקְרָא יְיָ אֶל־שְׁמוּאֵל וַיֹּאמֶר הִנֵּנִי ISh. 3:4
977 וַיֹּאמֶר שְׁמוּאֵל בְּנִי וַיֹּאמֶר הִנֵּנִי ISh. 3:16
978 וַיִּקְרָא אֵלָי וָאֹמַר הִנֵּנִי IISh. 1:7
979 כִּי־אֲנִי־הוּא הַמְדַבֵּר הִנֵּנִי Is. 52:6
980 תְּשַׁוַּע וְיֹאמַר הִנֵּנִי Is. 58:9
981/2 אָמַרְתִּי הִנֵּנִי הִנֵּנִי אֶל־גּוֹי... Is. 65:1

הִנֶּנִּי
983 וַיֹּאמֶר הִנֶּנִּי בְנִי Gen. 22:7
984 וַיֹּאמֶר הִנֶּנִּי מִי אַתָּה בְּנִי Gen. 27:18

וְהִנְנִי
985 וְהִנְנִי מַשְׁחִיתָם אֶת־הָאָרֶץ Gen. 6:13
986 וְהִנְנִי אֹמֵר לִבְנוֹת בַּיִת... IK. 5:19
987 וְהִנְנִי מְקֹשֶׁשֶׁת שְׁנַיִם עֵצִים IK. 17:12

הִנְּךָ
988 הִנְּךָ מֵת עַל־הָאִשָּׁה אֲשֶׁר־לָקַחְתָּ Gen. 20:3
989 הִנְּךָ שֹׁכֵב עִם־אֲבֹתֶיךָ Deut. 31:16
990 הִנְּךָ הוֹלֵךְ מֵאִתִּי וְהִכְּךָ הָאַרְיֵה IK. 20:36
991 הִנְּךָ רֹאֶה בַּיּוֹם הַהוּא IK. 22:25
992 הִנְּךָ רֹאֶה בְּעֵינֶיךָ... IIK. 7:19
993 הִנְּךָ יָפֶה דוֹדִי אַף נָעִים S.ofS. 1:16
994 הִנְּךָ רֹאֶה בַּיּוֹם הַהוּא IICh. 18:24

הִנְּכָה
995 הִנְּכָה רֹאֶה בְּעֵינֶיךָ... IIK. 7:2

הִנֶּךָּ
996 אִם־אֶסַּק שָׁמַיִם שָׁם אָתָּה
וְאַצִּיעָה שְּׁאוֹל הִנֶּךָּ Ps. 139:8

וְהִנְּךָ
997 ...וְהִנְּךָ בְּרָעָתֶךָ IISh. 16:8
998 וְהִנְּךָ מְבַקֵּשׁ לָלֶכֶת אֶל־אַרְצֶךָ IK. 11:22
999 וַאֲשֶׁר דִּבַּרְתָּ הָיָה וְהִנְּךָ רֹאֶה Jer. 32:24
1000 וְהִנְּךָ לָהֶם כְּשִׁיר עֲגָבִים Ezek. 33:32

הִנָּךְ
1001 הִנָּךְ הָרָה וְיֹלַדְתְּ בֵּן Gen. 16:11
1002/3 הִנָּךְ הָרָה וְיֹלַדְתְּ בֵּן Jud. 13:5,7
1004/5 הִנָּךְ יָפָה רַעְיָתִי S.ofS. 1:15; 4:1
1006/7 הִנָּךְ יָפָה עֵינַיִךְ יוֹנִים S.ofS. 1:15; 4:1

הִנּוֹ
1008 וַיֹּאמֶר יְיָ אֶל־הַשָּׂטָן הִנּוֹ בְיָדֶךָ Job 2:6
1009 מִן־הַשְּׁלוֹשִׁים הִנּוֹ נִכְבָּד הוּא ICh. 11:25

וְהִנּוֹ
1010 וְהִנּוֹ נִצָּב עַל־עֹלָתוֹ Num. 23:17

הִנְנוּ
1011 וְעַתָּה הִנְנוּ בְיָדֶךָ Josh. 9:25
1012 הִנְנוּ עַצְמְךָ וּבְשָׂרְךָ אֲנָחְנוּ IISh. 5:1
1013 הִנְנוּ אָתָנוּ לָךְ Jer. 3:22
1014 הִנְנוּ לְפָנֶיךָ בְּאַשְׁמָתֵינוּ Ez. 9:15

הִנֶּנּוּ
1015 הִנֶּנּוּ עֲבָדִים לַאדֹנִי Gen. 44:16
1016 הִנֶּנּוּ לְךָ לַעֲבָדִים Gen. 50:18
1017 הִנֶּנּוּ וְעָלִינוּ אֶל־הַמָּקוֹם Num. 14:40

הִנֵּנוּ
1018 הַתְשַׁלַּח...וְיֹאמְרוּ לְךָ הִנֵּנוּ Job 38:35

וְהִנְּכֶם
1019 וְהִנְּכֶם הַיּוֹם כְּכוֹכְבֵי הַשָּׁמַיִם Deut. 1:10
1020 וְהִנְּכֶם הֹלְכִים אִישׁ אַחֲרֵי... Jer. 16:12

הִנָּם
1021 וּבָנַי הִנָּם אִתְּכֶם ISh. 12:2
1022 וְיֶתֶר דִּבְרֵי יָרָבְעָם...הִנָּם כְּתוּבִים IK. 14:19
1023/4 הִנָּם כְּכָל־הֲמוֹן יִשְׂרָאֵל... IIK. 7:13[2]
1034-1025 הִנָּם כְּתוּבִים עַל־סֵפֶר... IIK. 15:11,15; 15:26,31 • IICh.16:11; 25:26; 27:7; 28:26; 35:27; 36:8
1035 רִאשׁוֹן לְצִיּוֹן הִנֵּה הִנָּם Is. 41:27
1036 הִנָּם יוֹצְאִים אֲלֵיכֶם Ezek. 14:22
1037 הִנָּם כְּתוּבִים עַל־דִּבְרֵי שְׁמוּאֵל ICh. 29:29
1038 הִנָּם עֹלִים בְּמַעֲלֵה הַצִּיץ IICh. 20:16
1039 הִנָּם כְּתוּבִים בְּדִבְרֵי יֵהוּא IICh. 20:34
1040 הִנָּם כְּתוּבִים עַל־מִדְרַשׁ סֵפֶר... IICh. 24:27
1041 הִנָּם כְּתוּבִים בַּחֲזוֹן יְשַׁעְיָהוּ IICh. 32:32

הִנָּם (המשך)
1042 הִנָּם עַל־דִּבְרֵי מַלְכֵי יִשְׂרָאֵל IICh. 33:18
1043 הִנָּם כְּתוּבִים עַל דִּבְרֵי חוֹזָי IICh. 33:19

וְהִנָּם
1044 וַיַּרְא אֹתָם וְהִנָּם זֹעֲפִים Gen. 40:6
1045 וְהִנָּם בְּאֶרֶץ גֹּשֶׁן Gen. 47:1
1046 וְהִנָּם טְמֻנִים בָּאָרֶץ Josh. 7:21
1047 וְהִנָּם צָרִים אֶת־הָעִיר עָלֶיךָ Jud. 9:31
1048 וְהִנָּם אֹכְלִים וְשֹׁתִים לְפָנָיו IK. 1:25
1049 וְהִנָּם מְמִיתִים אוֹתָם IIK. 17:26
1050 וְהִנָּם חָרְבָּה הַיּוֹם הַזֶּה Jer. 44:2
1051 וְהִנָּם שֹׁלְחִים אֶת־הַזְּמוֹרָה... Ezek. 8:17
1052 וְהִנָּם טָחִים אֹתוֹ תָפֵל Ezek. 13:10
1053 וְהִנָּם כְּתוּבִים עַל־סֵפֶר מַלְכֵי... ICh. 9:1
1054 וְהִנָּם בְּחַצְצוֹן תָּמָר IICh. 20:2
1055 וְהִנָּם פְּגָרִים נֹפְלִים אַרְצָה IICh. 20:24
1056 וְהִנָּם לִפְנֵי מִזְבַּח יְיָ IICh. 29:19
1057 וְהִנָּם כְּתוּבִים עַל־הַקִּינוֹת IICh. 35:25

הֲנָחָה
נ' הקלה (ממסים)

וַהֲנָחָה
1 וַהֲנָחָה לַמְּדִינוֹת עָשָׂה Es. 2:18

הֵנִיא
(במדבר ל6) – עין נוא

הֵנִיחַ, הִנִּיחַ
– עין נוח

הֲנִיחָה
(זכריה ה11) – עין נוח

הֵנִיס
(שמות ט20) – עין נוס

הֵנִיף
(שמות לה22) – עין נוף

הִנֹּם
עין גֵּי בֶן־הִנֹּם

הֵנַע
שם מקום או מדינה: 1–3

הֵנַע
1 אַיֵּה אֱלֹהֵי סְפַרְוַיִם הֵנַע וְעִוָּה IIK. 18:34
2/3 וּמֶלֶךְ לָעִיר סְפַרְוָיִם הֵנַע וְעִוָּה IIK. 19:13 Is. 37:13

הֲנָפָה
נ' הנעה, טלטול בנפה

לַהֲנָפָה
1 לַהֲנָפָה גוֹיִם בְּנָפַת שָׁוְא Is. 30:28

הֵנֵצוּ
(שה"ש ו11) – עין נוץ

הַס
מ"ק שקט! שתיקה!: 1–6

הַס
1 וַייָ בְּהֵיכַל קָדְשׁוֹ הַס מִפָּנָיו כָּל־הָאָרֶץ Hab. 2:20
2 הַס מִפְּנֵי אֲדֹנָי יְיָ כִּי קָרוֹב יוֹם יְיָ Zep. 1:7
3 הַס כָּל־בָּשָׂר מִפְּנֵי יְיָ Zech. 2:17

הָס
4 דְּבַר־סֵתֶר לִי...וַיֹּאמֶר הָס Jud. 3:19
5 וְאָמַר הָס כִּי לֹא לְהַזְכִּיר בְּשֵׁם יְיָ Am. 6:10
6 רַב הַפֶּגֶר בְּכָל־מָקוֹם הִשְׁלִיךְ הָס Am. 8:3

הֵסֵב, הֵסֵבִּי
(שה"ש ו5) – עין סבב

הסה
: הַסָּה, הַס! הַסּוּ! וַיַּהַס

הַסָּה
פ' א) שתק, החריש [רק בצווי: הַס, הַסּוּ]: 1 ב) [הפ' וַיַּהַס] השתיק: 2

הַסּוּ
1 וְהַלְוִיִּם מַחְשִׁים...לֵאמֹר הַסּוּ Neh. 8:11

וַיַּהַס
2 וַיַּהַס כָּלֵב אֶת־הָעָם אֶל־מֹשֶׁה Num. 13:30

הַסּוּרִים
עין אָסַר (מס' 36)

הִסִּיךְ
– עין נָסַךְ

הֵסִיר
– עין סור

הֵסִית
– עין סות

הַסִּיתוּךְ
(ירמיה לח22) – עין סות

הַסֵּךְ
(במדבר כח7) – עין נָסַךְ

הֲסָתָה
(מ"א כא25) – עין סות

הַסְתּוֹפֵף (תהלים פד11) – עין ספף

הָעֵז (שמות ט19) – עין עוז

הָעִזָּה (משלי ז13) – עין עזז

הֵעִיב – עין עוב   **הֵעִיד** (בראשית מג3) – עין עוד

הֵעִיזוּ (ישעיה י31) – עין עוז

הֵעִיק – עין עוק   **הָעִיר, הָעִירָה** – עין עור

הֶעֱל (במדבר כ25) – עין עָלָה

הֲפוּגָה* נ׳ הפסקה

1 עֵינִי נִגְּרָה וְלֹא תִדְמֶה מֵאֵין הֲפֻגוֹת Lam. 3:49

הָפֵחַ (ישעיה מב22) – עין פחח

הַפְּחָתֶם (מלאכי א13) – עין נפח

הֵפִיחַ – עין פוח   **הָפִיחַ** – עין נָפח

הִפִּיל – עין נפל   **הָפִיץ** (ישעיה כח25) – עין פוץ

הֵפִיק – עין פוק   **הֵפִיר** (תהלים לג10) – עין פרר

הפך
: הָפַךְ, הָפוּךְ, נֶהְפַּךְ, הִתְהַפֵּךְ, הָהְפַּךְ; הֵפֶךְ, הֲפֵכָה, הֲפַכְפַּךְ, מַהְפֵּכָה, מַהְפֶּכֶת, תַּהְפֻּכוֹת

הָפַךְ פ׳ א) הפנה, הטה לצד המנוגד: 36, 42, 44, 45, 50, 51, 53—55
ב) [בהשאלה] עקר, החריב: 1, 2, 4, 6, 9, 10, 27, 29, 37, 41, 52
ג) [בהשאלה] שִׁנָּה: 7, 8, 11, 23-25, 28, 31, 32, 34, 35, 43
ד) השתנה: 13—17, 30
ה) בחן ובדק הרבה: 3, 5
ו) [נפ׳ נֶהְפַּךְ] הופנה, הוסב: 62, 63, 70, 73, 74, 76, 81, 83
ז) [כנ״ל] נעקר, חרב: 64, 82
ח) [כנ״ל] נשתנה: 57-61, 67-69, 71, 72, 77, 80-84, 89
ט) [הת׳ הִתְהַפֵּךְ] התגלגל, הסתובב: 90—92
י) [כנ״ל] השתנה: 93
יא) [הָפ׳ הָהְפַּךְ] נהפך: 94

– הָפַךְ אֶת־ 1—5; הָפַךְ (אֶת־) לְ־ 7, 8, 11, 23, 25, 31, 34, 38, 43, 46, 47; הָפַךְ בְּ־ 6; הָפַךְ אֶל־ 39

– נֶהְפַּךְ לְ־ 57, 59, 60, 67—69, 71, 72, 77—80, 84, 86, 88, 89; נֶהְפַּךְ אֶל־ 62, 83; נֶהְפַּךְ בְּ־ 76; נֶהְפַּךְ עָלָיו 63, 73; נַהֲפוֹךְ הוּא 56

– הָפַךְ יָדוֹ 40, 54, 55; הָ׳ יָדָיו 45; הָפַךְ לִבּוֹ 24; הָפַךְ עֹרֶף 19

הָפוֹךְ 1 הָפוֹךְ רְשָׁעִים וְאֵינָם Prov. 12:7
בַּהֲפֹךְ 2 וַיְשַׁלַּח...בַּהֲפֹךְ אֶת־הֶעָרִים... Gen. 19:29
וְלַהֲפֹךְ 3 בַּעֲבוּר לַחְקֹר וְלַהֲפֹךְ וּלְרַגֵּל הָאָרֶץ ICh. 19:3
הָפְכִּי 4 לְבִלְתִּי הָפְכִּי אֶת־הָעִיר Gen. 19:21
וּלְהָפְכָהּ 5 בַּעֲבוּר חֲקֹר אֶת־הָעִיר וּלְרַגְּלָהּ וּלְהָפְכָהּ IISh. 10:3
הָפַכְתִּי 6 הָפַכְתִּי בָכֶם כְּמַהְפֵּכַת אֱלֹהִים Am. 4:11
וְהָפַכְתִּי 7 וְהָפַכְתִּי אֶבְלָם לְשָׂשׂוֹן Jer. 31:13(12)
8 וְהָפַכְתִּי חַגֵּיכֶם לְאֵבֶל Am. 8:10
9 וְהָפַכְתִּי כִּסֵּא מַמְלָכוֹת... Hag. 2:22
10 וְהָפַכְתִּי מֶרְכָּבָה וְרֹכְבֶיהָ Hag. 2:22
הָפַכְתָּ 11 הָפַכְתָּ מִסְפְּדִי לְמָחוֹל לִי Ps. 30:12
12 כָּל־מִשְׁכָּבוֹ הָפַכְתָּ בְחָלְיוֹ Ps. 41:4
הָפַךְ 13 וְשֵׂעָר בַּנֶּגַע הָפַךְ לָבָן Lev. 13:3
14 וּשְׂעָרָה לֹא־הָפַךְ לָבָן Lev. 13:4
15 כֻּלּוֹ הָפַךְ לָבָן טָהוֹר הוּא Lev. 13:13
16 וּשְׂעָרָהּ הָפַךְ לָבָן Lev. 13:20
17 וְהִנֵּה לֹא־הָפַךְ הַנֶּגַע אֶת־עֵינוֹ Lev. 13:55
18 אֲשֶׁר הָפַךְ יְיָ בְּאַפּוֹ וּבַחֲמָתוֹ Deut. 29:22
הָפַךְ (המשך) 19 הָפַךְ יִשְׂרָאֵל עֹרֶף לִפְנֵי אֹיְבָיו Josh. 7:8
20 וְאִישׁ יִשְׂרָאֵל הָפַךְ Jud. 20:41
21 כַּאֲשֶׁר הָפַךְ־אִישׁ מֵעַל מֶרְכַּבְתּוֹ IIK. 5:26
22 ...כֶּעָרִים אֲשֶׁר־הָפַךְ יְיָ Jer. 20:16
23 הָפַךְ יָם לְיַבָּשָׁה Ps. 66:6
24 הָפַךְ לִבָּם לִשְׂנֹא עַמּוֹ Ps. 105:25
25 הָפַךְ אֶת־מֵימֵיהֶם לְדָם Ps. 105:29
26 הָפַךְ מִשֹּׁרֶשׁ הָרִים Job 28:9
וְהָפַךְ 27 מָחָה וְהָפַךְ עַל־פָּנֶיהָ IIK. 21:13
28 וְהָפַךְ לַיְלָה וְיִדַּכָּאוּ Job 34:25
הֲפָכָם 29 הַמַּעְתִּיק הָרִים...אֲשֶׁר הֲפָכָם בְּאַפּוֹ Job 9:5
הָפְכָה 30 וְהִיא הָפְכָה שֵׂעָר לָבָן Lev. 13:10
הֲפַכְתֶּם 31 כִּי־הֲפַכְתֶּם לְרֹאשׁ מִשְׁפָּט Am. 6:12
וַהֲפַכְתֶּם 32 וַהֲפַכְתֶּם אֶת־דִּבְרֵי אֱלֹהִים חַיִּים Jer. 23:36
הָפְכוּ 33 ...הָפְכוּ בְּיוֹם קְרָב Ps. 78:9
וְהֹפֵךְ 34 ...וְהֹפֵךְ לַבֹּקֶר צַלְמָוֶת Am. 5:8
הַהֹפְכִי 35 הַהֹפְכִי הַצּוּר אֲגַם־מָיִם Ps. 114:8
הֲפוּכָה 36 אֶפְרַיִם הָיָה עֻגָה בְּלִי הֲפוּכָה Hosh. 7:8
הַהֲפוּכָה 37 הַהֲפוּכָה כְמוֹ־רָגַע Lam. 4:6
הַהֹפְכִים 38 הַהֹפְכִים לְלַעֲנָה מִשְׁפָּט Am. 5:7
אֶהְפֹּךְ 39 אֶהְפֹּךְ אֶל־עַמִּים שָׂפָה בְרוּרָה Zep. 3:9
יַהֲפֹךְ 40 אַךְ בִּי יָשֻׁב יַהֲפֹךְ יָדוֹ כָּל־הַיּוֹם Lam. 3:3
וַיַּהֲפֹךְ 41 וַיַּהֲפֹךְ אֶת־הֶעָרִים הָאֵל Gen. 19:25
42 וַיַּהֲפֹךְ יְיָ רוּחַ־יָם חָזָק מְאֹד Ex. 10:19
43 וַיַּהֲפֹךְ...אֶת־הַקְּלָלָה לִבְרָכָה Deut. 23:6
44 וַיַּהֲפֹךְ אִישׁ־יִשְׂרָאֵל בַּמִּלְחָמָה Jud. 20:39
45 וַיַּהֲפֹךְ יְהוֹרָם יָדָיו וַיָּנֹס IIK. 9:23
46 וַיַּהֲפֹךְ לְדָם יְאֹרֵיהֶם Ps. 78:44
47 וַיַּהֲפֹךְ אֱלֹהֵינוּ הַקְּלָלָה לִבְרָכָה Neh. 13:2
וַיַּהֲפָךְ־ 48 וַיַּהֲפָךְ־לוֹ אֱלֹהִים לֵב אַחֵר ISh. 10:9
הֲיַהֲפֹךְ 49 הֲיַהֲפֹךְ כּוּשִׁי עוֹרוֹ... Jer. 13:23
וַיַּהַפְכֵהוּ 50 וַיַּהַפְכֵהוּ לְמַעְלָה וְנָפַל הָאֹהֶל Jud. 7:13
וַתַּהֲפֹךְ 51 וַתַּהֲפֹךְ וַתֵּלֶךְ לְאַרְצָהּ IICh. 9:12
וְיַהַפְכוּ 52 וִישַׁלְּחֵם וְיַהַפְכוּ־אָרֶץ Job 12:15
וַיַּהַפְכוּ 53 וַיַּהַפְכוּ נַעֲרֵי־דָוִד לְדַרְכָּם וַיָּשֻׁבוּ ISh. 25:12
הֲפֹךְ 54 וַיֹּאמֶר לְרַכָּבוֹ הֲפֹךְ יָדְךָ וְהוֹצֵיאֵנִי IK. 22:34
55 וַיֹּאמֶר לָרַכָּב הֲפֹךְ יָדְךָ° וְהוֹצֵאתַנִי IICh. 18:33
וְנַהֲפוֹךְ 56 וְנַהֲפוֹךְ הוּא אֲשֶׁר יִשְׁלְטוּ הַיְּהוּדִים Es. 9:1
וְנֶהְפַּכְתָּ 57 וְנֶהְפַּכְתָּ לְאִישׁ אַחֵר ISh. 10:6
נֶהְפַּכְתְּ 58 וְאֵיךְ נֶהְפַּכְתְּ לִי סוּרֵי הַגֶּפֶן נָכְרִיָּה Jer. 2:21
נֶהְפַּךְ 59 וְהַמַּטֶּה אֲשֶׁר־נֶהְפַּךְ לְנָחָשׁ Ex. 7:15
60 וְהִנֵּה נֶהְפַּךְ הַנֶּגַע לְלָבָן Lev. 13:17
61 וְהִנֵּה נֶהְפַּךְ שֵׂעָר לָבָן בַּבַּהֶרֶת Lev. 13:25
62 וְהָעָם...נֶהְפַּךְ אֶל־הָרוֹדֵף Josh. 8:20
63 נֶהְפַּךְ עָלַי לִבִּי יַחַד נִכְמְרוּ נִחוּמָי Hosh. 11:8
64 נֶהְפַּךְ לְשַׁדִּי בְּחַרְבֹנֵי קַיִץ Ps. 32:4
65 וְתַחְתֶּיהָ נֶהְפַּךְ כְּמוֹ־אֵשׁ Job 28:5
66 נֶהְפַּךְ לִבִּי בְּקִרְבִּי Lam. 1:20
67 נֶהְפַּךְ לְאֵבֶל מְחֹלֵנוּ Lam. 5:15
68 וְהַחֹדֶשׁ...נֶהְפַּךְ לָהֶם מִיָּגוֹן לְשִׂמְחָה Es. 9:22
69 וְהוֹדִי נֶהְפַּךְ עָלַי לְמַשְׁחִית Dan. 10:8
נֶהְפָּךְ 70 לַחְמוֹ בְּמֵעָיו נֶהְפָּךְ Job 20:14
וְנֶהְפַּךְ 71 אוֹ כִי יָשׁוּב...וְנֶהְפַּךְ לְלָבָן Lev. 13:16
נֶהֶפְכָה 72 נַחֲלָתֵנוּ נֶהֶפְכָה לְזָרִים Lam. 5:2
נֶהֶפְכוּ 73 כִּי־נֶהֶפְכוּ עָלֶיהָ צִרֶיהָ ISh. 4:19
74 בַּמַּרְאָה נֶהֶפְכוּ צִירַי עָלַי Dan. 10:16
75 נֶהְפְּכוּ כְּקֶשֶׁת רְמִיָּה Ps. 78:57
76 וְזֶה־אָהַבְתִּי נֶהְפְּכוּ־בִי Job 19:19
77 לְקַשׁ נֶהֶפְכוּ־לוֹ אַבְנֵי־קָלַע Job 41:20
וְנֶהֶפְכוּ 78 הַמַּיִם...וְנֶהֶפְכוּ לְדָם Ex. 7:17
79 וְנֶהֶפְכוּ נְחָלֶיהָ לְזֶפֶת Is. 34:9
80 וְנֶהֶפְכוּ כָל־פָּנִים לְיֵרָקוֹן Jer. 30:6
וְנֶהְפָּךְ 81 וְנֶהְפָּךְ בִּלְשׁוֹנוֹ יִפּוֹל בְּרָעָה Prov. 17:20
נֶהְפָּכֶת 82 עוֹד אַרְבָּעִים יוֹם וְנִינְוֵה נֶהְפָּכֶת Jon. 3:4
תֵּהָפֵךְ 83 וְלֹא־תֵהָפֵךְ מִצִּדְּךָ אֶל־צִדֶּךָ Ezek. 4:8
84 תֵּהָפֵךְ לְאַכְזָר לִי Job 30:21
יֵהָפֵךְ 85 כִּי־יֵהָפֵךְ עָלַיִךְ הֲמוֹן יָם Is. 60:5
86 הַשֶּׁמֶשׁ יֵהָפֵךְ לְחֹשֶׁךְ... Joel 3:4
וַיֵּהָפֵךְ 87 וַיֵּהָפֵךְ לְבַב פַּרְעֹה...אֶל־הָעָם Ex. 14:5
88 וַיֵּהָפֵךְ לָהֶם לְאוֹיֵב Is. 63:10
וַיֵּהָפְכוּ 89 וַיֵּהָפְכוּ כָּל־הַמַּיִם...לְדָם Ex. 7:20
מִתְהַפֵּךְ 90 צְלִיל לֶחֶם° שְׂעֹרִים מִתְהַפֵּךְ בְּמַחֲנֵה מִדְיָן Jud. 7:13
91 וְהוּא מְסִבּוֹת מִתְהַפֵּךְ בְּתַחְבּוּלֹתָו Job 37:12
הַמִּתְהַפֶּכֶת 92 וְאֵת לַהַט הַחֶרֶב הַמִּתְהַפֶּכֶת Gen. 3:24
תִּתְהַפֵּךְ 93 תִּתְהַפֵּךְ כְּחֹמֶר חוֹתָם Job 38:14
הָהְפַּךְ 94 הָהְפַּךְ עָלַי בַּלָּהוֹת Job 30:15

הֶפֶךְ ז׳ נִגּוּד: 1—3

הֶפֶךְ 1 וַיְהִי־בָךְ הֶפֶךְ מִן־הַנָּשִׁים Ezek. 16:34
לְהֶפֶךְ 2 וּבְתִתֵּךְ אֶתְנַן...וַתְּהִי לְהֶפֶךְ Ezek. 16:34
הַפְכְּכֶם 3 הַפְכְּכֶם אִם־כְּחֹמֶר הַיֹּצֵר יֵחָשֵׁב Is. 29:16

הֲפֵכָה נ׳ מַהְפֵּכָה

הֲפֵכָה 1 וַיְשַׁלַּח אֶת־לוֹט מִתּוֹךְ הַהֲפֵכָה Gen. 19:29

הֲפַכְפַּךְ ת׳ מְעֻוָּת

הֲפַכְפַּךְ 1 הֲפַכְפַּךְ דֶּרֶךְ אִישׁ וָזָר וְזַךְ יָשָׁר פָּעֳלוֹ Prov. 21:8

הִפְלָא (דברים כח59) – עין פלה

הֵפֵר (ישעיה לג8) – עין פרר

הַפְרְכֶם (ויקרא כו15) – עין פרר

הֲפִתִּיתָ (משלי כד28) – עין פתה

הַצּוּ (במדבר כו9), **הַצּוֹתוֹ** (תהלים ס2) – עין נצה

הִצְטַיַּדְנוּ (יהושע ט12) – עין צוד

הִצִּיב – עין יצב   **הִצִּיג** – עין יצג

הִצִּיל – עין נצל   **הִצִּיעַ** – עין יצע

הֵצִיף – עין צוף   **הֵצִיץ** – עין צוץ

הֱצִיקָה (שופטים טז16) – עין צוק

הִצִּית – עין יצת

הַצֵּל – עין נצל   **הָצֵל** – עין צלל

הַצָּלָה נ׳ חִלּוּץ מִסַּכָּנָה

הַצָּלָה 1 רֶוַח וְהַצָּלָה יַעֲמוֹד לַיְּהוּדִים... Es. 4:14

הַצְלֶלְפּוֹנִי שפ״נ – אשה משבט יהודה

הַצְלֶלְפּוֹנִי 1 וְשֵׁם אֲחוֹתָם הַצְלֶלְפּוֹנִי ICh. 4:3

הֹצֶן ז׳ סוּס? כְּלִי־זַיִן?

הֹצֶן 1 וּבָאוּ עָלַיִךְ הֹצֶן רֶכֶב וְגַלְגַּל Ezek. 23:24

הַצַּע – עין יצע

הָצֵר (דה״ב כח 22) – עין צרר

הֵקִא, הֱקִאתוֹ (משלי כה 16) – עין קיא

הֵקִים – עין קום   **הִקִּיף** – עין נקף

הֵקִיץ – עין קוץ   **הֵקֵל, הֵקַל** – עין קלל

הֻקַם (ש״ב כג 1) – עין קום

הַקֵּף (יהושע ו11), **הַקִּיף** (שם ו3), **הִקִּיף** – עין נקף

הֹקַר (משלי כה17) – עין יקר

הֵקְרָה (ירמיה ו7) – עין קור

הַר ז׳ מקום מורם מעל פני האדמה: כל המקראות

קרובים: גֶּבַע / גִּבְעָה / כֵּף / מָצוּק / פִּסְגָּה / צוּק / תֵּל

– הַר וְגִבְעָה 5, 16; הַר גָּבוֹהַּ 4, 6–8, 11–12; הַר הַגָּדוֹל 13; הָהָר הֶחָלָק 57, 59; הַר טוֹב 49; הַר הַמַּשְׁחִית 10; הַר נוֹפֵל 15; הַר נִשָּׂא 7; הַר נִשְׁפֶּה 3; הַר עָשֵׁן 32; הַר תָּלוּל 11

– הַר הָאֱלֹהִים 159, 160, 168, 215, 253, 273, 368; הַר הָאֱמֹרִי 171–173; הַר אֶפְרַיִם 198, 202, 205–210, 289–304, 339, 359–365; הַר הַבַּיִת 261, 262; הַר בֵּית אֵל 338; הַר בֵּית יְיָ 216, 246, 337; הַר הַבַּעֲלָה 197; הַר בַּעַל חֶרְמוֹן 356; הַר בָּשָׁן 254, 256; הַר בַּת צִיּוֹן 219, 222; הַר גַּבְנֻנִּים 255; הַר הַגִּלְבֹּעַ 311–315; הַר הַגִּלְעָד 158, 177, 269, 270, 339, 358, 374; הַר גַּעַשׁ 343, 344; הַר גְּרִזִּים 179, 181, 185, 203; הַר הָהָר 91; הַר הַזֵּיתִים 249, 250; הַר חוֹרֵב 351; הַר חֶרְמוֹן 176, 188, 189, 192, 193, 265, 287; הַר חֶרֶס 308; הַר יְהוּדָה 190, 306, 307, 336; הַר יְיָ 217, 247, 264, 268, 321, 334, 353; הַר יְעָרִים 196; הַר יִשְׂרָאֵל 187, 191; הַר הַכַּרְמֶל 211–214; הַר הַלְּבָנוֹן 200; הַר מוֹעֵד 318; הַר הַמּוֹר 257; הַר הַמֹּרִיָּה 335; הַר מִצְעָר 373; הַר מְרוֹם יִשְׂרָאֵל 322, 324; הַר־הַמַּשְׁחִית 345; הַר נְבוֹ 183, 184; הַר נַחֲלָתוֹ 274; הַר נַפְתָּלִי 305; הַר סִינַי 161–167, 260, 275–282, 352; הַר הָעֲבָרִים 169, 182; הַר עֵיבָל 180, 186, 284, 285, 286; הַר הָעֲמָלֵקִי 310; הַר הָעֵמֶק 288; הַר עֶפְרוֹן 194; הַר עֵשָׂו 244, 245, 369, 370; הַר פָּארָן 355, 371; הַר פְּרָצִים 341; הַר צְבִי קֹדֶשׁ 348; הַר צִיּוֹן 218, 223–230, 316, 317, 319, 327, 330, 331, 340, 342, 366, 367; הַר צַלְמוֹן 204; הַר צְמָרַיִם 350; הַר הַקֶּדֶם 157; הַר הַקֹּדֶשׁ 238, 248, 259, 320, 325; הַר קָדְשׁוֹ 220–221, 231, 232–237, 251, 252, 258, 323, 326, 332, 333, 347, 372; הַר שִׂיאֹן 178; הַר שֹׁמְרוֹן 328, 329; הַר שֵׂעִיר 170, 174, 175, 195, 199, 239–243, 266, 267, 271, 272, 349; הַר שֶׁפֶר 283, 354; הַר שְׂרֵפָה 346; הַר תָּבוֹר 201,309, 357

– אֲדוֹנֵי הָהָר 80; הַר הָהָר 91; חֲצִי הָהָר 93; יוֹשֵׁב הָהָר 54, 60, 67, 200; יַרְכְּתֵי הָר 209, 210; כֶּתֶף הַר 196; מוּל הָהָר 42; נֶגֶד הָהָר 18; סֵתֶר הָהָר 74; עָרֵי הָהָר 48,87,88,194; צַד הָהָר 72–73,76; צֶלַע הָהָר 77; קְצֵה הָהָר 66; רֹאשׁ הָהָר 25–30, 36, 40, 45, 62, 75, 81, 85, 90; תַּחַת הָהָר 33,39,50; תַּחְתִּית הָהָר 23

– הָרִים וּבְקָעוֹת 424; הָרִים וּגְבָעוֹת 391,394,399, 405,454,455,485,499–501; הָרִים גְּבֹהִים 427, 437; הָרִים גַּבְנֻנִּים 413; הָרִים רוֹעֲשִׁים 457; הָרִים רָמִים 441, 450

– אֱלֹהֵי הָרִים 383, 384; אֶרֶץ הָרִים 379; בּוּל הָרִים 436; גֵּיא הָ׳ 407, 543; הֵד הָ׳ 401; זֶרֶם הָ׳ 433; יוֹצֵר הָרִים 402; יוֹרֵשׁ הָרִים 544; יְתוּר הָ׳ 435; מִדְבַּר הָ׳ 416; מוֹט הָ׳ 409; מוֹסְדֵי הָ׳ 380,408; מֹץ הָ׳ 387; מְרוֹם הָ׳ 385,386; נֵס הָרִים 388; עוֹף הָ׳ 411; עֵיט הָ׳ 389; עִשְּׁבוֹת הָ׳ 431; צֵל הָ׳ 444; קִצְבֵי הָ׳ 403; רָאשֵׁי הָ׳ 393, 415, 439, 442, 443, 449, 459, 470, 472, 476; תּוֹעֲפוֹת הָרִים 420

– הָרֵי אֲרָרָט 512; הָרֵי בְשָׂמִים 533; הָרֵי בֶתֶר 532; הָרֵי יְהוּדָה 537; הָרֵי יִשְׂרָאֵל 515–529, 536; הָרֵי מְרוֹם יִשְׂרָאֵל 538; הָרֵי נְחֹשֶׁת 531; הָ׳ נֶשֶׁף 514; הָרֵי הָעֲבָרִים 534,539; הָ׳ שֹׁמְרוֹן 530,535

– הַרְרֵי אֵל 508; הַרְרֵי אֶלֶף 506; הַ׳ טֶרֶף 510; הַ׳ נְמֵרִים 511; הַרְרֵי עַד 504; הַרְרֵי צִיּוֹן 505; הַרְרֵי קֶדֶם 503,509; הַרְרֵי קֹדֶשׁ 507

הַר

1 עַמִּים הַר־יִקְרָאוּ — Deut. 33:19
2 כִּי הַר יִהְיֶה־לָּךְ... — Josh. 17:18
3 עַל הַר־נִשְׁפֶּה שְׂאוּ־נֵס — Is. 13:2
4 וְהָיָה עַל־כָּל־הַר גָּבֹהַּ... — Is. 30:25
5 וְכָל־הַר וְגִבְעָה יִשְׁפָּלוּ — Is. 40:4
6 עַל הַר־גָּבֹהַּ עֲלִי־לָךְ — Is. 40:9
7 עַל הַר־גָּבֹהַּ וְנִשָּׂא שַׂמְתְּ מִשְׁכָּבֵךְ — Is. 57:7
8 הֹלְכָה הִיא עַל־כָּל־הַר גָּבֹהַּ — Jer. 3:6
9 וְצָדוּם מֵעַל כָּל־הַר... — Jer. 16:16
10 הִנְנִי אֵלֶיךָ הַר הַמַּשְׁחִית — Jer. 51:25
11 ...עַל הַר־גָּבֹהַּ וְתָלוּל — Ezek. 17:22
12 וַיְנִיחֵנִי אֶל־הַר גָּבֹהַּ מְאֹד — Ezek. 40:2
13 מִי־אַתָּה הַר־הַגָּדוֹל... — Zech. 4:7
14 ...הַר־זֶה קָנְתָה יְמִינוֹ — Ps. 78:54
15 וְאוּלָם הַר־נוֹפֵל יִבּוֹל — Job 14:18

מֵהַר

16 מֵהַר אֶל־גִּבְעָה הָלָכוּ — Jer. 50:6

הָהָר

17 תַּעַבְדוּן...עַל הָהָר הַזֶּה — Ex. 3:12
18 וַיִּחַן־שָׁם יִשְׂרָאֵל נֶגֶד הָהָר — Ex. 19:2
19 וַיִּקְרָא אֵלָיו יְיָ מִן־הָהָר — Ex. 19:3
20/1 וַיֵּרֶד מֹשֶׁה מִן־הָהָר — Ex. 19:14; 32:15
22 ...וְעָנָן כָּבֵד עַל־הָהָר — Ex. 19:16
23 וַיִּתְיַצְּבוּ בְּתַחְתִּית הָהָר — Ex. 19:17
24 וַיֶּחֱרַד כָּל־הָהָר מְאֹד — Ex. 19:18
25 וַיֵּרֶד יְיָ עַל־הַר סִינַי אֶל־רֹאשׁ הָהָר — Ex. 19:20
26–30 אֶל־רֹאשׁ הָהָר — Ex. 19:20
Num. 14:40,44 • Josh. 15:8 • Jud. 16:3
31 הַגְבֵּל אֶת־הָהָר וְקִדַּשְׁתּוֹ — Ex. 19:23
32 רֹאִים...וְאֶת־הָהָר עָשֵׁן — Ex. 20:15
33 וַיִּבֶן מִזְבֵּחַ תַּחַת הָהָר — Ex. 24:4
34 וַיַּעַל מֹשֶׁה אֶל־הָהָר — Ex. 24:15
35 וַיְכַס הֶעָנָן אֶת־הָהָר — Ex. 24:15
36 ...כְּאֵשׁ אֹכֶלֶת בְּרֹאשׁ הָהָר — Ex. 24:17
37 וַיָּבֹא מֹשֶׁה...וַיַּעַל אֶל־הָהָר — Ex. 24:18
38 כִּי־בֹשֵׁשׁ מֹשֶׁה לָרֶדֶת מִן־הָהָר — Ex. 32:1
39 וַיְשַׁבֵּר אֹתָם תַּחַת הָהָר — Ex. 32:19
40 וְנִצַּבְתָּ לִי שָׁם עַל־רֹאשׁ הָהָר — Ex. 34:2
41 וְגַם־אִישׁ אַל־יֵרָא בְּכָל־הָהָר... — Ex. 34:3
42 אַל־יִרְעוּ אֶל־מוּל הָהָר הַהוּא — Ex. 34:3
43 וּשְׁנֵי לֻחֹת...בְּרִדְתּוֹ מִן־הָהָר — Ex. 34:29
44 וַעֲלִיתֶם אֶת־הָהָר — Num. 13:17
45 וַיָּמָת אַהֲרֹן שָׁם בְּרֹאשׁ הָהָר — Num. 20:28
46 וַיֵּרֶד מֹשֶׁה וְאֶלְעָזָר מִן־הָהָר — Num. 20:28
47 רַב־לָכֶם סֹב אֶת־הָהָר הַזֶּה — Deut. 2:3
48 כָּל־יַד נַחַל יַבֹּק וְעָרֵי הָהָר — Deut. 2:37
49 הָהָר הַטּוֹב הַזֶּה וְהַלְּבָנֹן — Deut. 3:25
50 וַתַּעַמְדוּן תַּחַת הָהָר — Deut. 4:11
51/2 וָאֵפֶן וָאֵרֵד מִן־הָהָר — Deut. 9:15; 10:5
53 ...אֶל־הַנַּחַל הַיֹּרֵד מִן־הָהָר — Deut. 9:21
54 כָּל־מַלְכֵי הָאֱמֹרִי יֹשְׁבֵי הָהָר — Josh. 10:6
55 הָהָר וְהַנֶּגֶב וְהַשְּׁפֵלָה — Josh. 10:40
56 וַיִּקַּח...הָהָר וְאֶת־כָּל־הַנֶּגֶב — Josh. 11:16
57 מִן־הָהָר הֶחָלָק הָעוֹלֶה שֵׂעִיר — Josh. 11:17
58 וַיַּכְרֵת אֶת־הָעֲנָקִים מִן־הָהָר — Josh. 11:21
59 וְעַד־הָהָר הֶחָלָק הָעֹלֶה שֵׂעִירָה — Josh. 12:7
60 כָּל־יֹשְׁבֵי הָהָר מִן־הַלְּבָנוֹן... — Josh. 13:6
61 תְּנָה־לִּי אֶת־הָהָר הַזֶּה — Josh. 14:12
62 וְתָאַר הַגְּבוּל מֵרֹאשׁ הָהָר — Josh. 15:9
63 לֹא־יִמָּצֵא לָנוּ הָהָר — Josh. 17:16
64 וְיָרַד הַגְּבוּל...עַל־הָהָר... — Josh. 18:13

הָהָר (המשך)

65 מִן־הָהָר אֲשֶׁר עַל־פְּנֵי בֵית־חֹרוֹן — Josh. 18:14
66 וְיָרַד הַגְּבוּל אֶל־קְצֵה הָהָר — Josh. 18:16
67 יוֹשֵׁב הָהָר וְהַנֶּגֶב וְהַשְּׁפֵלָה — Jud. 1:9
68 ...וַיֹּרֶשׁ אֶת־הָהָר — Jud. 1:19
69 וַיֵּרְדוּ עִמּוֹ בְנֵי־יִשְׂרָאֵל מִן־הָהָר — Jud. 3:27
70 וּפְלִשְׁתִּים עֹמְדִים אֶל־הָהָר מִזֶּה — ISh. 17:3
71 וְיִשְׂרָאֵל עֹמְדִים אֶל־הָהָר מִזֶּה — ISh. 17:3
72 וַיֵּלֶךְ שָׁאוּל מִצַּד הָהָר מִזֶּה — ISh. 23:26
73 וְדָוִד וַאֲנָשָׁיו מִצַּד הָהָר מִזֶּה — ISh. 23:26
74 רֹכֶבֶת...וְיֹרֶדֶת בְּסֵתֶר הָהָר — ISh. 25:20
75 וַיַּעֲמֹד עַל־רֹאשׁ־הָהָר מֵרָחֹק — ISh. 26:13
76 הֹלְכִים מִדֶּרֶךְ אַחֲרָיו מִצַּד הָהָר — IISh. 13:34
77 וְשִׁמְעִי הֹלֵךְ בְּצֵלַע הָהָר... — IISh. 16:13
78 וַיִּקֶן אֶת־הָהָר שֹׁמְרוֹן... — IK. 16:24
79 וַיִּבֶן אֶת־הָהָר וַיִּקְרָא...עַל שֶׁם־שֶׁמֶר — IK.16:24
80 אֲדֹנֵי הָהָר שֹׁמְרוֹן — IK. 16:24
81 וְהִנֵּה יֹשֵׁב עַל־רֹאשׁ הָהָר — IIK. 1:9
82 וַתָּבֹא אֶל־אִישׁ הָאֱלֹהִים אֶל־הָהָר — IIK. 4:27
83 וְהִנֵּה הָהָר מָלֵא סוּסִים — IIK. 6:17
84 מְקַרְקַר קִר וְשׁוֹעַ אֶל־הָהָר — Is. 22:5
85 כַּתֹּרֶן עַל־רֹאשׁ הָהָר — Is. 30:17
86 וּמִן־הָהָר וּמִן־הַנֶּגֶב — Jer. 17:26
87 וּבְעָרֵי הָהָר וּבְעָרֵי הַשְּׁפֵלָה — Jer. 32:44
88 בְּעָרֵי הָהָר בְּעָרֵי הַשְּׁפֵלָה — Jer. 33:13
89 עַל־הָהָר אֲשֶׁר מִקֶּדֶם לָעִיר — Ezek. 11:23
90 עַל־רֹאשׁ הָהָר כָּל־גְּבֻלוֹ... — Ezek. 43:12
91 וְיָם מִיָּם וְהַר הָהָר — Mic. 7:12
92 עֲלוּ הָהָר וַהֲבֵאתֶם עֵץ וּבְנוּ הַבָּיִת — Hag. 1:8
93 וּמָשׁ חֲצִי הָהָר צָפוֹנָה — Zech. 14:4
94 הָהָר חָמַד אֱלֹהִים לְשִׁבְתּוֹ — Ps. 68:17
95 צְאוּ הָהָר וְהָבִיאוּ עֲלֵי־זַיִת — Neh. 8:15

וְהָהָר

96–98 וְהָהָר בֹּעֵר בָּאֵשׁ — Deut. 4:11; 5:23(20); 9:15

מֵהָהָר

99 וַיָּשֻׁבוּ...וַיֵּרְדוּ מֵהָהָר — Josh. 2:23

בָּהָר

100 וַיַּעַל לוֹט מִצּוֹעַר וַיֵּשֶׁב בָּהָר — Gen. 19:30
101 וְיַעֲקֹב תָּקַע אֶת־אָהֳלוֹ בָּהָר — Gen. 31:25
102 וַיִּזְבַּח יַעֲקֹב זֶבַח בָּהָר — Gen. 31:54
103 וַיֹּאכְלוּ לֶחֶם וַיָּלִינוּ בָּהָר — Gen. 31:54
104 הִשָּׁמְרוּ לָכֶם עֲלוֹת בָּהָר — Ex. 19:12
105 כָּל־הַנֹּגֵעַ בָּהָר מוֹת יוּמָת — Ex. 19:12
106 בִּמְשֹׁךְ הַיֹּבֵל הֵמָּה יַעֲלוּ בָהָר — Ex. 19:13
107 וַיְהִי מֹשֶׁה בָּהָר אַרְבָּעִים יוֹם... — Ex. 24:18
108 ...אֲשֶׁר־אַתָּה מָרְאֶה בָּהָר — Ex. 25:40
109 כְּמִשְׁפָּטוֹ אֲשֶׁר הָרְאֵיתָ בָּהָר — Ex. 26:30
110 כַּאֲשֶׁר הֶרְאָה אֹתְךָ בָּהָר — Ex. 27:8
111 וְהַחִתִּי...יוֹשֵׁב בָּהָר — Num. 13:29
112 הָעֲמָלֵקִי...הַיֹּשֵׁב בָּהָר הַהוּא — Num. 14:45
113 רַב־לָכֶם שֶׁבֶת בָּהָר הַזֶּה — Deut. 1:6
114 בָּעֲרָבָה בָהָר וּבַשְּׁפֵלָה... — Deut. 1:7
115 וַיֵּצֵא הָאֱמֹרִי הַיֹּשֵׁב בָּהָר הַהוּא — Deut. 1:44
116–119 דִּבֶּר יְיָ...בָּהָר מִתּוֹךְ הָאֵשׁ — Deut. 5:4,22(19); 9:10; 10:4
120 ...וְלֹא־עֲלִיתֶם בָּהָר — Deut. 5:5
121 וָאֵשֵׁב בָּהָר אַרְבָּעִים יוֹם... — Deut. 9:9
122 וְאָנֹכִי עָמַדְתִּי בָהָר... — Deut. 10:10
123 וּמֻת בָּהָר אֲשֶׁר אַתָּה עֹלֶה שָׁמָּה — Deut. 32:50
124 בְּעֵבֶר הַיַּרְדֵּן בָּהָר וּבַשְּׁפֵלָה — Josh. 9:1
125 אֲשֶׁר מִצְּפוֹן בָּהָר וּבָעֲרָבָה — Josh. 11:2
126 וְהָאֱמֹרִי וְהַחִתִּי...בָּהָר — Josh. 11:3
127 בָּהָר וּבַשְּׁפֵלָה וּבָעֲרָבָה — Josh. 12:8
128 עֹלֶה מִירִיחוֹ בָּהָר בֵּית־אֵל — Josh. 16:1
129 וְעָלָה בָהָר יָמָּה — Josh. 18:12
130 וַיֵּשֶׁב בָּהָר בְּמִדְבַּר־זִיף — ISh. 23:14

בָּהָר (המשך)

131 וַיֹּקִיעֻם בָּהָר לִפְנֵי יְיָ IISh. 21:9
132 וּשְׁמֹנִים אֶלֶף חֹצֵב בָּהָר IK. 5:29
133 ...בָּהָר אֲשֶׁר עַל־פְּנֵי יְרוּשָׁלָם IK. 11:7
134 וְעָמַדְתָּ בָהָר לִפְנֵי יְיָ IK. 19:11
135 אֶת־הַקְּבָרִים אֲשֶׁר־שָׁם בָּהָר IIK. 23:16
136 וְעָשָׂה...בָּהָר הַזֶּה מִשְׁתֵּה... Is. 25:6
137 וּבִלַּע בָּהָר הַזֶּה פְּנֵי־הַלּוֹט Is. 25:7
138 כִּי־תָנוּחַ יַד־יְיָ בָּהָר הַזֶּה Is. 25:10
139 וּשְׁמֹנִים אֶלֶף אִישׁ חֹצֵב בָּהָר IICh. 2:1
140 וּשְׁמֹנִים אֶלֶף חֹצֵב בָּהָר IICh. 2:17

וּבָהָר

141 עֵינֹת...יֹצְאִים בַּבִּקְעָה וּבָהָר Deut. 8:7
142 וּבָהָר שָׁמִיר וְיַתִּיר וְשׂוֹכֹה Josh. 15:48

הֶרָה

143 וְהַנִּשְׁאָרִים הֶרָה נָּסוּ Gen. 14:10

הָהָרָה

144 וַיַּעְתֵּק מִשָּׁם הָהָרָה Gen. 12:8
145 הָהָרָה הִמָּלֵט פֶּן־תִּסָּפֶה Gen. 19:17
146 לֹא אוּכַל לְהִמָּלֵט הָהָרָה Gen. 19:19
147 עֲלֵה אֵלַי הָהָרָה וֶהְיֵה־שָׁם Ex. 24:12
148 וַיִּפְנוּ וַיַּעֲלוּ הָהָרָה Deut. 1:24
149 וַתָּהִינוּ לַעֲלֹת הָהָרָה Deut. 1:41
150 וַתָּזִדוּ וַתַּעֲלוּ הָהָרָה Deut. 1:43
151 בַּעֲלֹתִי הָהָרָה לָקַחַת... Deut. 9:9
152 פְּסָל־לְךָ...וַעֲלֵה אֵלַי הָהָרָה Deut. 10:1
153 וָאֶפְסֹל...וָאַעַל הָהָרָה Deut. 10:3
154 וַתֹּאמֶר לָהֶם הָהָרָה לֵּכוּ Josh. 2:16
155 וַיֵּלְכוּ וַיָּבֹאוּ הָהָרָה Josh. 2:22
156 וַיִּלְחֲצוּ...אֶת־בְּנֵי־דָן הָהָרָה Jud. 1:34

הַר־

157 בֹּאֲכָה סְפָרָה הַר הַקֶּדֶם Gen. 10:30
158 וַיָּשֶׂם אֶת־פָּנָיו הַר הַגִּלְעָד Gen. 31:21
159 וַיָּבֹא אֶל־הַר הָאֱלֹהִים חֹרֵבָה Ex. 3:1
160 וַיָּבֹא...אֶל־הַמִּדְבָּר...הַר הָאֱלֹהִים Ex. 18:5
161 יֵרֵד יְיָ...עַל־הַר סִינָי Ex. 19:11
162–167 הַר סִינָי Ex. 19:20,23; 24:16
34:2,4 • Neh. 9:13
168 וַיַּעַל מֹשֶׁה אֶל־הַר הָאֱלֹהִים Ex. 24:13
169 עֲלֵה אֶל־הַר הָעֲבָרִים הַזֶּה Num. 27:12
170 אַחַד עָשָׂר יוֹם...דֶּרֶךְ הַר־שֵׂעִיר Deut. 1:2
171 פְּנוּ...וּבֹאוּ הַר הָאֱמֹרִי Deut. 1:7
172/3 הַר הָאֱמֹרִי Deut. 1:19,20
174 וַנָּסָב אֶת־הַר־שֵׂעִיר יָמִים רַבִּים Deut. 2:1
175 יְרֻשָּׁה לְעֵשָׂו נָתַתִּי אֶת־הַר שֵׂעִיר Deut. 2:5
176 מִנַּחַל אַרְנֹן עַד־הַר חֶרְמוֹן Deut. 3:8
177 וַחֲצִי הַר־הַגִּלְעָד וְעָרָיו Deut. 3:12
178 וְעַד־הַר שִׂיאֹן הוּא חֶרְמוֹן Deut. 4:48
179 אֶת־הַבְּרָכָה עַל־הַר גְּרִזִים Deut. 11:29
180 וְאֶת־הַקְּלָלָה עַל־הַר עֵיבָל Deut. 11:29
181 לְבָרֵךְ אֶת־הָעָם עַל־הַר גְּרִזִים Deut. 27:12
182 עֲלֵה אֶל־הַר הָעֲבָרִים הַזֶּה Deut. 32:49
183 הַר־נְבוֹ אֲשֶׁר בְּאֶרֶץ מוֹאָב Deut. 32:49
184 וַיַּעַל מֹשֶׁה...אֶל־הַר נְבוֹ Deut. 34:1
185 חֶצְיוֹ אֶל־מוּל הַר־גְּרִזִים Josh. 8:33
186 וְהֶחֱצְיוֹ אֶל־מוּל הַר־עֵיבָל Josh. 8:33
187 וְאֶת־הַר יִשְׂרָאֵל וּשְׁפֵלָתֹה Josh. 11:16
188/9 תַּחַת הַר־חֶרְמוֹן Josh. 11:17; 13:5
190 וַיַּכְרֵת...וּמִכֹּל הַר יְהוּדָה Josh. 11:21
191 וּמִכֹּל הַר יִשְׂרָאֵל Josh. 11:21
192 מִנַּחַל אַרְנוֹן עַד־הַר חֶרְמוֹן Josh. 12:1
193 וְכֹל הַר חֶרְמוֹן וְכָל־הַבָּשָׁן Josh. 13:11
194 וְיָצָא אֶל־עָרֵי הַר־עֶפְרוֹן Josh. 15:9
195 וְנָסַב הַגְּבוּל...אֶל־הַר שֵׂעִיר Josh. 15:10
196 וְעָבַר אֶל־כֶּתֶף הַר־יְעָרִים Josh. 15:10
197 וְעָבַר הַר־הַבַּעֲלָה Josh. 15:11
198 כִּי־אָץ לְךָ הַר־אֶפְרָיִם Josh. 17:15

הַר־ (המשך)

199 וָאֶתֵּן לְעֵשָׂו אֶת־הַר שֵׂעִיר Josh. 24:4
200 וְהַחִוִּי יֹשֵׁב הַר הַלְּבָנוֹן Jud. 3:3
201 כִּי עָלָה בָרָק...הַר־תָּבוֹר Jud. 4:12
202 וּמַלְאָכִים שָׁלַח...בְּכָל־הַר אֶפְ׳ Jud. 7:24
203 וַיַּעֲמֹד בְּרֹאשׁ הַר־גְּרִזִים Jud. 9:7
204 וַיַּעַל אֲבִימֶלֶךְ הַר־צַלְמוֹן Jud. 9:48
205 וַיָּבֹא הַר־אֶפְרָיִם Jud. 17:8
206-208 הַר־אֶפְרָיִם Jud. 18:2,13 • IICh. 19:4
209 ...גָּר בְּיַרְכְּתֵי הַר־אֶפְרַיִם Jud. 19:1
210 ...עַד־יַרְכְּתֵי הַר־אֶפְרַיִם Jud. 19:18
211 קְבֹץ אֵלַי...אֶל־הַר הַכַּרְמֶל IK. 18:19
212-214 הַר הַכַּרְמֶל IK. 18:20 • IIK. 2:25; 4:25
215 וַיֵּלֶךְ...עַד הַר הָאֱלֹהִים חֹרֵב IK. 19:8
216 נָכוֹן יִהְיֶה הַר בֵּית־יְיָ בְּרֹאשׁ הֶהָרִים
Is. 2:2
217 לְכוּ וְנַעֲלֶה אֶל־הַר־יְיָ Is. 2:3
218 וּבָרָא יְיָ עַל כָּל־מְכוֹן הַר־צִיּוֹן Is. 4:5
219 יְנֹפֵף יָדוֹ הַר בַּת־צִיּוֹן Is. 10:32
220/1 לֹא־יָרֵעוּ...בְּכָל־הַר קָדְשִׁי Is. 11:9; 65:25
222 שִׁלְחוּ־כַר...אֶל־הַר בַּת־צִיּוֹן Is. 16:1
223 מְקוֹם שֵׁם־יְיָ צְבָאוֹת הַר־צִיּוֹן Is. 18:7
224-230 הַר צִיּוֹן Is. 29:8; 31:4
Ps. 48:3,12; 74:2; 78:68 • Lam. 5:18
231 וַהֲבִיאוֹתִים אֶל־הַר קָדְשִׁי Is. 56:7
232 יִנְחַל־אֶרֶץ וְיִירַשׁ הַר קָדְשִׁי Is. 57:13
233-237 הַר קָדְשִׁי Is. 65:11; 66:20
Joel 4:17 • Ob. 16 • Ps. 2:6
238 נְוֵה־צֶדֶק הַר הַקֹּדֶשׁ Jer. 31:23(22)
239 שִׂים פָּנֶיךָ עַל־הַר שֵׂעִיר Ezek. 35:2
240–243 הַר שֵׂעִיר Ezek. 35:3,7,15 • IICh. 20:23
244 וְיָרְשׁוּ הַנֶּגֶב אֶת־הַר עֵשָׂו Ob. 19
245 וְעָלוּ...לִשְׁפֹּט אֶת־הַר עֵשָׂו Ob. 21
246 יִהְיֶה הַר בֵּית־יְיָ נָכוֹן בְּרֹאשׁ הֶהָרִים Mic. 4:1
247 לְכוּ וְנַעֲלֶה אֶל־הַר־יְיָ Mic. 4:2
248 וְהַר־יְיָ צְבָאוֹת הַר הַקֹּדֶשׁ Zech. 8:3
249 וְעָמְדוּ רַגְלָיו...עַל־הַר הַזֵּיתִים Zech. 14:4
250 ...וְנִבְקַע הַר הַזֵּיתִים... Zech. 14:4
251 יְבִיאוּנִי אֶל־הַר־קָדְשְׁךָ... Ps. 43:3
252 ...בְּעִיר אֱלֹהֵינוּ הַר־קָדְשׁוֹ Ps. 48:2
253/4 הַר־אֱלֹהִים הַר־בָּשָׁן Ps. 68:16
255/6 הַר גַּבְנֻנִּים הַר־בָּשָׁן Ps. 68:16
257 אֵלֶךְ לִי אֶל־הַר הַמּוֹר S.ofS. 4:6
258 מֵעִירְךָ יְרוּשָׁלִַם הַר־קָדְשֶׁךָ Dan. 9:16
259 לִפְנֵי יְיָ...עַל הַר־קֹדֶשׁ אֱלֹהָי Dan. 9:20

וְהַר־

260 וְהַר סִינַי עָשַׁן כֻּלּוֹ Ex. 19:18
261/2 וְהַר הַבַּיִת לְבָמוֹת יָעַר Jer. 26:18
Mic. 3:12
263 ...וְיָם מִיָּם וְהַר הָהָר Mic. 7:12
264 וְהַר־יְיָ צְבָאוֹת הַר הַקֹּדֶשׁ Zech. 8:3
265 עַד...וּשְׂנִיר וְהַר־חֶרְמוֹן ICh. 5:23
266 בְנֵי־עַמּוֹן וּמוֹאָב וְהַר־שֵׂעִיר IICh. 20:10
267 עַל־בְּנֵי עַמּוֹן מוֹאָב וְהַר־שֵׂעִיר IICh.20:22

בְּהַר־

268 אֲשֶׁר יֵאָמֵר הַיּוֹם בְּהַר יְיָ יֵרָאֶה Gen. 22:14
269 וַיַּדְבֵּק אֹתוֹ בְּהַר הַגִּלְעָד Gen. 31:23
270 תָּקַע אֶת־אֶחָיו בְּהַר הַגִּלְעָד Gen. 31:25
271 וַיֵּשֶׁב עֵשָׂו בְּהַר שֵׂעִיר Gen. 36:8
272 עֵשָׂו אֲבִי אֱדוֹם בְּהַר שֵׂעִיר Gen. 36:9
273 וַיִּפְגְּשֵׁהוּ בְּהַר הָאֱלֹהִים Ex. 4:27
274 ...וְתִטָּעֵמוֹ בְּהַר נַחֲלָתְךָ Ex. 15:17
275 כְּכַלֹּתוֹ לְדַבֵּר אִתּוֹ בְּהַר סִינַי Ex. 31:18
276-282 בְּהַר סִינָי(סִינַי) Ex. 34:32 • Lev. 7:38
25:1; 26:46; 27:34 • Num. 3:1; 28:6

בְּהַר־ (המשך)

283 וַיִּסְעוּ...וַיַּחֲנוּ בְּהַר־שָׁפֶר Num. 33:23
284 תָּקִימוּ...בְּהַר עֵיבָל Deut. 27:4
285 יַעַמְדוּ עַל־הַקְּלָלָה בְּהַר עֵיבָל Deut. 27:13
286 יִבְנֶה...מִזְבֵּחַ לַייָ...בְּהַר עֵיבָל Josh. 8:30
287 וּמֹשֵׁל בְּהַר חֶרְמוֹן וּבְסַלְכָה Josh. 12:5
288 וְצֶרֶת הַשַּׁחַר בְּהַר הָעֵמֶק Josh. 13:19
289 אֶת־תִּמְנַת־סֶרַח בְּהַר אֶפְרָיִם Josh. 19:50
290–304 בְּהַר אֶפְרָיִם Josh. 20:7; 21:21
24:30,33 • Jud. 2:9; 3:27; 4:5; 10:1 • ISh. 9:4; 14:22
• IK. 4:8; 12:25 • Jer. 31:6(5) • ICh. 6:52 •
IICh. 13:4
305 אֶת־קֶדֶשׁ בַּגָּלִיל בְּהַר נַפְתָּלִי Josh. 20:7
306/7 קִרְיַת אַרְבַּע(...)הִיא חֶבְרוֹן בְּהַר יְהוּדָה
Josh. 20:7; 21:11
308 וַיּוֹאֶל... לָשֶׁבֶת בְּהַר־חֶרֶס Jud. 1:35
309 לֵךְ וּמָשַׁכְתָּ בְּהַר תָּבוֹר Jud. 4:6
310 בְּאֶרֶץ אֶפְרַיִם בְּהַר הָעֲמָלֵקִי Jud. 12:15
311 וַיִּפְּלוּ חֲלָלִים בְּהַר הַגִּלְבֹּעַ ISh. 31:1
312–315 בְּהַר הַגִּלְבֹּעַ ISh. 31:8
IISh. 1:6 • ICh. 10:1,8
316 יְיָ צְבָאוֹת הַשֹּׁכֵן בְּהַר צִיּוֹן Is. 8:18
317 ...מַעֲשֵׂהוּ בְּהַר צִיּוֹן וּבִירוּשָׁלָם Is. 10:12
318 בְּהַר־מוֹעֵד בְּיַרְכְּתֵי צָפוֹן Is. 14:13
319 מָלַךְ...בְּהַר צִיּוֹן וּבִירוּשָׁלַם Is. 24:23
320 וְהִשְׁתַּחֲווּ לַייָ בְּהַר הַקֹּדֶשׁ בִּירוּשָׁלָם
Is. 27:13
321 לָבוֹא בְהַר־יְיָ אֶל־צוּר יִשְׂרָאֵל Is. 30:29
322 בְּהַר מְרוֹם יִשְׂרָאֵל אֶשְׁתֳּלֶנּוּ Ezek. 17:23
323 כִּי בְהַר־קָדְשִׁי...שָׁם יַעַבְדֻנִי Ezek. 20:40
324 בְּהַר מְרוֹם יִשְׂרָאֵל...יַעַבְדֻנִי Ezek. 20:40
325 וּנְתַתִּיךָ בְּהַר קֹדֶשׁ Ezek. 28:14
326 וְהָרִיעוּ בְּהַר קָדְשִׁי Joel 2:1
327 בְּהַר־צִיּוֹן וּבִירוּשָׁלַם תִּהְיֶה פְלֵיטָה Joel 3:5
328 פָּרוֹת הַבָּשָׁן אֲשֶׁר בְּהַר שֹׁמְרוֹן Am. 4:1
329 וְהַבֹּטְחִים בְּהַר שֹׁמְרוֹן Am. 6:1
330 וְעָלוּ מוֹשִׁעִים בְּהַר צִיּוֹן Ob. 21
331 וּמָלַךְ יְיָ עֲלֵיהֶם בְּהַר צִיּוֹן Mic. 4:7
332 וְלֹא־תוֹסִפִי לְגָבְהָה...בְּהַר קָדְשִׁי Zep. 3:11
333 מִי־יִשְׁכֹּן בְּהַר קָדְשֶׁךָ Ps. 15:1
334 מִי־יַעֲלֶה בְהַר־יְיָ... Ps. 24:3
335 בִּירוּשָׁלַם בְּהַר הַמּוֹרִיָּה IICh. 3:1
336 וְעָרִים בָּנָה בְּהַר יְהוּדָה IICh. 27:4
337 בְּהַר בֵּית־יְיָ וּבִירוּשָׁלָם IICh. 33:15

וּבְהַר־

338 בְּמִכְמָשׂ וּבְהַר בֵּית־אֵל ISh. 13:2
339 וּבְהַר אֶפְרַיִם וְהַגִּלְעָד Jer. 50:19
340 וּבְהַר צִיּוֹן תִּהְיֶה פְלֵיטָה Ob. 17

כְּהַר־

341 כְהַר־פְּרָצִים יָקוּם יְיָ Is. 28:21
342 כְּהַר־צִיּוֹן לֹא־יִמּוֹט Ps. 125:1

לְהַר־

343/4 מִצְּפוֹן לְהַר־גָּעַשׁ Josh. 24:30 • Jud. 2:9
345 מִימִין לְהַר־הַמַּשְׁחִית IIK. 23:13
346 וּנְתַתִּיךָ לְהַר שְׂרֵפָה Jer. 51:25
347 וְהִשְׁתַּחֲווּ לְהַר קָדְשׁוֹ Ps. 99:9
348 בֵּין יַמִּים לְהַר־צְבִי־קֹדֶשׁ Dan. 11:45
349 וּמֵהֶם...הָלְכוּ לְהַר שֵׂעִיר ICh. 4:42
350 וַיָּקָם אֲבִיָּה מֵעַל לְהַר צְמָרַיִם IICh. 13:4

מֵהַר־

351 וַיִּתְנַצְּלוּ...אֶת־עֶדְיָם מֵהַר חוֹרֵב Ex. 33:6
352 בְּרֶדֶת מֹשֶׁה מֵהַר סִינָי Ex. 34:29
353 וַיִּסְעוּ מֵהַר יְיָ Num. 10:33
354 וַיִּסְעוּ מֵהַר־שָׁפֶר Num. 33:24
355 יְיָ...הוֹפִיעַ מֵהַר פָּארָן Deut. 33:2
356 מֵהַר בַּעַל חֶרְמוֹן עַד לְבוֹא חֲמָת Jud. 3:3
357 וַיֵּרֶד בָּרָק מֵהַר תָּבוֹר Jud. 4:14

מֵהַר־ (המשך) 358 יָשֹׁב וְיִצְפֹּר מֵהַר הַגִּלְעָד Jud. 7:3
359 וַיְהִי־אִישׁ מֵהַר־אֶפְרָיִם Jud. 17:1
360–365 מֵהַר אֶפְרָיִם Jud. 19:16
ISh. 1:1 • IISh. 20:21 • IIK. 5:22 • Jer. 4:15 ··
IICh. 15:8
366/7 וּפְלֵיטָה מֵהַר צִיּוֹן IIK. 19:31 • Is. 37:32
368 וָאֲחַלֶּלְךָ מֵהַר אֱלֹהִים Ezek. 28:16
369 וְהַאֲבַדְתִּי...וּתְבוּנָה מֵהַר עֵשָׂו Ob. 8
370 לְמַעַן יִכָּרֶת־אִישׁ מֵהַר עֵשָׂו מִקָּטֶל Ob. 9
371 אֱלוֹהַּ מִתֵּימָן יָבוֹא...מֵהַר־פָּארָן Hab. 3:3
372 ...וַיַּעֲנֵנִי מֵהַר קָדְשׁוֹ Ps. 3:5
373 ...וְחֶרְמוֹנִים מֵהַר מִצְעָר Ps. 42:7
374 כְּעֵדֶר הָעִזִּים שֶׁגָּלְשׁוּ מֵהַר גִּלְעָד S.ofS. 4:1
הֲרָרִי 375 הֲרָרִי בַּשָּׂדֶה...לָבַז אֶתֵּן Jer. 17:3
לְהַרְרִי 376 הֶעֱמַדְתָּה לְהַרְרִי עֹז Ps. 30:8
בְּהַרְרָם 377 וְאֶת־הַחֹרִי בְּהַרְרָם שֵׂעִיר Gen. 14:6
הַרְכֶם 378 נוּדִי· הַרְכֶם צִפּוֹר Ps. 11:1
הָרִים 379 אֶרֶץ הָרִים וּבְקָעֹת Deut. 11:11
380 וַתְּלַהֵט מוֹסְדֵי הָרִים Deut. 32:22
381 הָרִים נָזְלוּ מִפְּנֵי יְיָ Jud. 5:5
382 מְפָרֵק הָרִים וּמְשַׁבֵּר סְלָעִים IK. 19:11
383 אֱלֹהֵי הָרִים אֱלֹהֵיהֶם IK. 20:23
384 אֱלֹהֵי הָרִים יְיָ... IK. 20:28
385/6 עָלִיתִי מְרוֹם הָרִים IIK. 19:23 • Is. 37:24
387 כְּמֹץ הָרִים לִפְנֵי־רוּחַ Is. 17:13
388 כִּנְשֹׂא־נֵס הָרִים תִּרְאוּ Is. 18:3
389 יֵעָזְבוּ יַחְדָּו לְעֵיט הָרִים Is. 18:6
390 וְנָמַסּוּ הָרִים מִדָּמָם Is. 34:3
391 וְשָׁקַל בַּפֶּלֶס הָרִים וּגְבָעוֹת בְּמֹאזְנָיִם Is. 40:12
392 תָּדוּשׁ הָרִים וְתָדֹק Is. 41:15
393 מֵרֹאשׁ הָרִים יִצְוָחוּ Is. 42:11
394 אַחֲרִיב הָרִים וּגְבָעוֹת Is. 42:15
395 פִּצְחוּ הָרִים רִנָּה Is. 44:23
396 וּפִצְחוּ· הָרִים רִנָּה Is. 49:13
397/8 מִפָּנֶיךָ הָרִים נָזֹלּוּ Is. 63:19; 64:2
399 לַשֶּׁקֶר מִגְּבָעוֹת הֲמוֹן הָרִים Jer. 3:23
400 רֹעֵיהֶם הִתְעוּם הָרִים שׁוֹבְבוּם· Jer. 50:6
401 מְהוּמָה וְלֹא־הֵד הָרִים Ezek. 7:7
402 יוֹצֵר הָרִים וּבֹרֵא רוּחַ Am. 4:13
403 לְקִצְבֵי הָרִים יָרַדְתִּי Jon. 2:7
404 שִׁמְעוּ הָרִים אֶת־רִיב יְיָ Mic. 6:2
405 הָרִים רָעֲשׁוּ מִמֶּנּוּ וְהַגְּבָעוֹת הִתְמֹגָגוּ Nah. 1:5
406 רָאוּךָ יָחִילוּ הָרִים Hab. 3:10
407 כִּי־יַגִּיעַ גֵּי־הָרִים אֶל־אָצַל Zech. 14:5
408 וּמוֹסְדֵי הָרִים יִרְגָּזוּ Ps. 18:8
409 ...וּבְמוֹט הָרִים בְּלֵב יַמִּים Ps. 46:3
410 יִרְעֲשׁוּ־הָרִים בְּגַאֲוָתוֹ Ps. 46:4
411 יָדַעְתִּי כָּל־עוֹף הָרִים Ps. 50:11
412 מֵכִין הָרִים בְּכֹחוֹ Ps. 65:7
413 לָמָּה תְּרַצְּדוּן הָרִים גַּבְנֻנִּים Ps. 68:17
414 יִשְׂאוּ הָרִים שָׁלוֹם לָעָם... Ps. 72:3
415 יְהִי פִסַּת־בַּר...בְּרֹאשׁ הָרִים Ps. 72:16
416 ...וְלֹא מִמִּדְבַּר הָרִים Ps. 75:7
417 כָּסּוּ הָרִים צִלָּהּ Ps. 80:11
418 וּכְלֶהָבָה תְּלַהֵט הָרִים Ps. 83:15
419 בְּטֶרֶם הָרִים יֻלָּדוּ... Ps. 90:2
420 וְתוֹעֲפוֹת הָרִים לוֹ Ps. 95:4
421 הָרִים כַּדּוֹנַג נָמַסּוּ... Ps. 97:5
422 יַחַד הָרִים יְרַנֵּנוּ Ps. 98:8
423 עַל־הָרִים יַעַמְדוּ־מָיִם Ps. 104:6
424 יַעֲלוּ הָרִים יֵרְדוּ בְקָעוֹת Ps. 104:8

הָרִים (המשך) 425 מַעְיָנִים... בֵּין הָרִים יְהַלֵּכוּן Ps. 104:10
426 מַשְׁקֶה הָרִים מֵעֲלִיּוֹתָיו Ps. 104:13
427 הָרִים הַגְּבֹהִים לַיְּעֵלִים Ps. 104:18
428 יְרוּשָׁלַםִ הָרִים סָבִיב לָהּ Ps. 125:2
429 הַמַּצְמִיחַ הָרִים חָצִיר Ps. 147:8
430 בְּטֶרֶם הָרִים הָטְבָּעוּ Prov. 8:25
431 ...וְנֶאֶסְפוּ עִשְּׂבוֹת הָרִים Prov. 27:25
432 הַמַּעְתִּיק הָרִים וְלֹא יָדָעוּ Job 9:5
433 מִזֶּרֶם הָרִים יִרְטָבוּ Job 24:8
434 הָפַךְ מִשֹּׁרֶשׁ הָרִים Job 28:9
435 יְתוּר הָרִים מִרְעֵהוּ Job 39:8
436 כִּי־בוּל הָרִים יִשְׂאוּ־לוֹ Job 40:20
הֶהָרִים 437 וַיְכֻסּוּ כָּל־הֶהָרִים הַגְּבֹהִים Gen. 7:19
438 גָּבְרוּ הַמָּיִם וַיְכֻסּוּ הֶהָרִים Gen. 7:20
439 בָּעֲשִׂירִי...נִרְאוּ רָאשֵׁי הֶהָרִים Gen. 8:5
440 וְהַעֲלֵהוּ...עַל אַחַד הֶהָרִים Gen. 22:2
441 עַל־הֶהָרִים הָרָמִים... Deut. 12:2
442 וַיָּשִׂימוּ...מְאָרְבִים עַל רָאשֵׁי הֶהָרִים
Jud. 9:25
443 הִנֵּה־עָם יוֹרֵד מֵרָאשֵׁי הֶהָרִים... Jud. 9:36
444 צֵל הֶהָרִים אַתָּה רֹאֶה כָּאֲנָשִׁים Jud. 9:36
445 וְאֵלְכָה וְיָרַדְתִּי עַל־הֶהָרִים Jud. 11:37
446 וַתֵּבְךְּ עַל־בְּתוּלֶיהָ עַל־הֶהָרִים Jud. 11:38
447 ...נְפֹצִים אֶל־הֶהָרִים כַּצֹּאן... IK. 22:17
448 וַיַּשְׁלִכֵהוּ בְּאַחַד הֶהָרִים IIK. 2:16
449 נָכוֹן יִהְיֶה...בְּרֹאשׁ הֶהָרִים Is. 2:2
450 וְעַל כָּל־הֶהָרִים הָרָמִים Is. 2:14
451 וַיַּכֵּהוּ וַיִּרְגְּזוּ הֶהָרִים Is. 5:25
452 וְכֹל הֶהָרִים אֲשֶׁר בַּמַּעְדֵּר יֵעָדֵרוּן Is. 7:25
453 מַה־נָּאווּ עַל־הֶהָרִים רַגְלֵי מְבַשֵּׂר Is. 52:7
454 הֶהָרִים יָמוּשׁוּ וְהַגְּבָעוֹת תְּמוּטֶינָה Is. 54:10
455 הֶהָרִים וְהַגְּבָעוֹת יִפְצְחוּ...רִנָּה Is. 55:12
456 אֲשֶׁר קִטְּרוּ עַל־הֶהָרִים Is. 65:7
457 רָאִיתִי הֶהָרִים וְהִנֵּה רֹעֲשִׁים Jer. 4:24
458 עַל־הֶהָרִים אֶשָּׂא בְכִי וָנֶהִי Jer. 9:9
459 ...בְּכֹל רָאשֵׁי הֶהָרִים Ezek. 6:13
460 וְהָיוּ אֶל־הֶהָרִים כְּיוֹנֵי הַגֵּאָיוֹת Ezek. 7:16
461 אֶל־הֶהָרִים לֹא אָכָל Ezek. 18:6
462 כִּי גַם אֶל־הֶהָרִים אָכַל Ezek. 18:11
463 עַל־הֶהָרִים לֹא אָכָל Ezek. 18:15
464 וְאֶל־הֶהָרִים אָכְלוּ בָךְ Ezek. 22:9
465 וַיִּטְּשֻׁהוּ אֶל־הֶהָרִים Ezek. 31:12
466 וְנָתַתִּי אֶת־בְּשָׂרְךָ עַל־הֶהָרִים Ezek. 32:5
467 וְהִשְׁקֵיתִי...מִדָּמְךָ אֶל־הֶהָרִים Ezek. 32:6
468 יִשְׁגּוּ צֹאנִי בְּכָל־הֶהָרִים Ezek. 34:6
469 וְנֶהֶרְסוּ הֶהָרִים וְנָפְלוּ הַמַּדְרֵגוֹת Ezek. 38:20
470 עַל־רָאשֵׁי הֶהָרִים יְזַבֵּחוּ Hosh. 4:13
471 כְּשַׁחַר פָּרֻשׂ עַל־הֶהָרִים Joel 2:2
472 עַל־רָאשֵׁי הֶהָרִים יְרַקֵּדוּן Joel 2:5
473 ...יִטְּפוּ הֶהָרִים עָסִיס Joel 4:18
474 וְהִטִּיפוּ הֶהָרִים עָסִיס Am. 9:13
475 וְנָמַסּוּ הֶהָרִים תַּחְתָּיו Mic. 1:4
476 יִהְיֶה...נָכוֹן בְּרֹאשׁ הֶהָרִים Mic. 4:1
477 קוּם רִיב אֶת־הֶהָרִים... Mic. 6:1
478 הִנֵּה עַל־הֶהָרִים רַגְלֵי מְבַשֵּׂר Nah. 2:1
479 נָפֹשׁוּ עַמְּךָ עַל־הֶהָרִים Nah. 3:18
480 חֹרֶב עַל־הָאָרֶץ וְעַל־הֶהָרִים Hag. 1:11
481 יֹצְאוֹת מִבֵּין שְׁנֵי הֶהָרִים Zech. 6:1
482 הֶהָרִים רָקְדוּ כְאֵילִים Ps. 114:4
483 הֶהָרִים תִּרְקְדוּ כְאֵילִים Ps. 114:6
484 אֶשָּׂא עֵינַי אֶל־הֶהָרִים... Ps. 121:1
485 הֶהָרִים וְכָל־גְּבָעוֹת Ps. 148:9

הֶהָרִים (המשך) 486 מְדַלֵּג עַל־הֶהָרִים S.ofS. 2:8
487 עַל־הֶהָרִים דְּלָקֻנוּ Lam. 4:19
488 וְכִצְבָאִים עַל־הֶהָרִים לְמַהֵר ICh. 12:9(8)
489 נְפוֹצִים עַל־הֶהָרִים כַּצֹּאן... IICh. 18:16
וְהֶהָרִים 490 וְהֶהָרִים הָרֵי נְחֹשֶׁת Zech. 6:1
בֶּהָרִים 491 לַהֲרֹג אֹתָם בֶּהָרִים Ex. 32:12
492 אֶת־הַמִּנְהָרוֹת אֲשֶׁר בֶּהָרִים Jud. 6:2
493 כַּאֲשֶׁר יִרְדֹּף הַקֹּרֵא בֶּהָרִים ISh. 26:20
494 קוֹל הָמוֹן בֶּהָרִים Is. 13:4
495 כְּתָבוֹר בֶּהָרִים וּכְכַרְמֶל בַּיָּם Jer. 46:18
496 יִגַּע בֶּהָרִים וְיֶעֱשָׁנוּ Ps. 104:32
497 גַּע בֶּהָרִים וְיֶעֱשָׁנוּ Ps. 144:5
498 אִכָּרִים וְכֹרְמִים בֶּהָרִים IICh. 26:10
לֶהָרִים 499–501 לֶהָרִים וְלַגְּבָעוֹת לָאֲפִיקִים וְלַגֵּאָיוֹת·
Ezek. 6:3; 36:4,6
502 וְאָמְרוּ לֶהָרִים כַּסּוּנוּ... Hosh. 10:8
הַרְרֵי־ 503 וּמֵרֹאשׁ הַרְרֵי־קֶדֶם
וּמִמֶּגֶד גִּבְעוֹת עוֹלָם Deut. 33:15
הַרְרֵי־ 504 וַיִּתְפֹּצְצוּ הַרְרֵי־עַד Hab. 3:6
505 ...שֶׁיֹּרֵד עַל־הַרְרֵי צִיּוֹן Ps. 133:3
בְּהַרְרֵי־ 506 ...בְּהֵמוֹת בְּהַרְרֵי־אָלֶף Ps. 50:10
507 יְסוּדָתוֹ בְּהַרְרֵי־קֹדֶשׁ Ps. 87:1
כְּהַרְרֵי־ 508 צִדְקָתְךָ כְּהַרְרֵי־אֵל Ps. 36:7
מֵהַרְרֵי־ 509 מִן־אֲרָם יַנְחֵנִי...מֵהַרְרֵי־קֶדֶם Num. 23:7
מֵהַרְרֵי־ 510 ...אַדִּיר מֵהַרְרֵי־טָרֶף Ps. 76:5
511 מִמְּעֹנוֹת אֲרָיוֹת מֵהַרְרֵי נְמֵרִים S.ofS. 4:8
הָרֵי־ 512 וַתָּנַח הַתֵּבָה...עַל הָרֵי אֲרָרָט Gen. 8:4
513 הָרֵי בַגִּלְבֹּעַ אַל־טַל...עֲלֵיכֶם IISh. 1:21
514 יִתְנַגְּפוּ רַגְלֵיכֶם עַל־הָרֵי נָשֶׁף Jer. 13:16
515 שִׂים פָּנֶיךָ אֶל־הָרֵי יִשְׂרָאֵל Ezek. 6:2
516/7 הָרֵי יִשְׂרָאֵל שִׁמְעוּ דְּבַר־אֲדֹנָי יְיָ
Ezek. 6:3; 36:4
518 לֹא־יִשָּׁמַע קוֹלוֹ עוֹד אֶל־הָרֵי יִשְׂ׳ Ezek. 19:9
519 וְשָׁמְמוּ הָרֵי יִשְׂרָאֵל מֵאֵין עוֹבֵר Ezek. 33:28
520–529 הָרֵי יִשְׂרָאֵל Ezek. 34:13,14
35:12; 36:1[2],8; 38:8; 39:2,4,17
530 הֵאָסְפוּ עַל־הָרֵי שֹׁמְרוֹן Am. 3:9
531 וְהֶהָרִים הָרֵי נְחֹשֶׁת Zech. 6:1
532 לְעֹפֶר הָאַיָּלִים עַל־הָרֵי בָתֶר S.ofS. 2:17
533 לְעֹפֶר הָאַיָּלִים עַל הָרֵי בְשָׂמִים S.ofS. 8:14
בְּהָרֵי־ 534 וַיַּחֲנוּ בְּהָרֵי הָעֲבָרִים Num. 33:47
535 עוֹד תִּטְּעִי כְרָמִים בְּהָרֵי שֹׁמְרוֹן Jer. 31:5(4)
536 לְגוֹי אֶחָד בָּאָרֶץ בְּהָרֵי יִשְׂרָאֵל Ezek. 37:22
537 גַּם־הוּא עָשָׂה בָמוֹת בְּהָרֵי יְהוּדָה IICh. 21:11
וּבְהָרֵי־ 538 וּבְהָרֵי מְרוֹם־יִשְׂרָאֵל יִהְיֶה נְוֵהֶם Ezek. 34:14
מֵהָרֵי־ 539 וַיִּסְעוּ מֵהָרֵי הָעֲבָרִים... Num. 33:48
הָרַי 540 ...וְעַל־הָרַי אֲבוּסֶנּוּ Is. 14:25
541 וְשַׂמְתִּי כָל־הָרַי לַדָּרֶךְ Is. 49:11
542 וְקָרָאתִי עָלָיו לְכָל־הָרַי חֶרֶב Ezek. 38:21
543 וְנַסְתֶּם גֵּיא־הָרַי... Zech. 14:5
הָרָי 544 וְהוֹצֵאתִי...וּמִיהוּדָה יוֹרֵשׁ הָרָי Is. 65:9
הָרָיו 545 וּמִלֵּאתִי אֶת־הָרָיו חֲלָלָיו Ezek. 35:8
546 וָאָשִׂים אֶת־הָרָיו שְׁמָמָה Mal. 1:3
וּמֵהֲרָרֶיהָ 547 וּמֵהֲרָרֶיהָ תַּחְצֹב נְחֹשֶׁת Deut. 8:9

הֹר הָהָר

א) הר בגבול אדום: 1–4, 6–11
ב) הר בגבולה הצפוני של ארץ כנען: 5, 12

הֹר הָהָר 1 וַיָּבֹאוּ בְ״ כָּל־הָעֵדָה הֹר הָהָר Num. 20:22
2 קַח...וְהַעַל אֹתָם הֹר הָהָר Num. 20:25
3 וַיַּעֲלוּ אֶל־הֹר הָהָר Num. 20:27
4 וַיַּעַל אַהֲרֹן הַכֹּהֵן אֶל־הֹר הָהָר Num. 33:38
5 ...תְּתָאוּ לָכֶם הֹר הָהָר Num. 34:7

בְּהֹר הָהָר 6 וַיֹּאמֶר יְיָ אֶל־מֹשֶׁה...בְּהֹר הָהָר Num. 20:23
7 בְּהֹר הָהָר בִּקְצֵה אֶרֶץ אֱדוֹם Num. 33:37
8 וְאַהֲרֹן...בְּמֹתוֹ בְּהֹר הָהָר Num. 33:39
9 כַּאֲשֶׁר־מֵת אַהֲרֹן אָחִיךָ בְּהֹר הָהָר Deut. 32:50
מֵהֹר הָהָר 10/1 וַיִּסְעוּ מֵהֹר הָהָר Num. 21:4; 33:41
12 מֵהֹר הָהָר תְּתָאוּ לְבֹא חֲמָת Num. 34:8

הַר־חֶרֶס עיר בנחלת דן

בְּהַר ח׳ 1 וַיּוֹאֶל הָאֱמֹרִי לָשֶׁבֶת בְּהַר־חֶרֶס בְּאַיָּלוֹן וּבְשַׁעַלְבִים Jud. 1:35

הָרָא מן המקומות שהגלה לשם מלך אשור את בני ישראל

וְהָרָא 1 וַיְבִיאֵם לַחְלַח וְחָבוֹר וְהָרָא ICh. 5:26

הַרְאֵל ז׳ כנוי למזבח בפי יחזקאל [עין גם אֲרִיאֵל]

וְהַהַרְאֵל 1 וְהַהַרְאֵל אַרְבַּע אַמּוֹת... Ezek. 43:15

הֶרֶב (תהלים נא) – עין רָבָה

הַרְבֵּה תה״פ מאוד (בכמות או בטיב או בחוזק וכו׳)

הַרְבֵּה מְאֹד 1–18; הַרְבֵּה (לפני שֵׁם) 25, 40, 45; הַרְבֵּה (אחרי שֵׁם) 21, 26, 27, 31, 34, 35, 37–39, 42, 43; הַרְבֵּה (לפני פועל) 19, 28, 30; הַרְבֵּה (אחרי פועל) 20, 23, 29, 33, 41; לְהַרְבֵּה 46–48; מֵהַרְבֵּה 49

הַרְבֵּה 1 שְׂכָרְךָ הַרְבֵּה מְאֹד Gen. 15:1
2 ...כְּחוֹל הַיָּם הַרְבֵּה מְאֹד Gen. 41:49
3 לְבַד מֵעָרֵי הַפְּרָזִי הַרְבֵּה מְאֹד Deut. 3:5
4 וְהָאָרֶץ נִשְׁאֲרָה הַרְבֵּה־מְאֹד לְרִשְׁתָּהּ Josh. 13:1
5–18 הַרְבֵּה מְאֹד Josh. 22:8 • ISh. 26:21 • IISh. 8:8; 12:2,30 • IK. 5:9; 10:10,11 • IIK. 21:16 • Jer. 40:12 • Neh. 2:2 • ICh. 20:2 • IICh. 14:12; 32:27
19 וְגַם־הַרְבֵּה נָפַל מִן־הָעָם IISh. 1:4
20 יֵהוּא יַעַבְדֶנּוּ הַרְבֵּה IIK. 10:18
21 מְדֻרָתָהּ אֵשׁ וְעֵצִים הַרְבֵּה Is. 30:33
22 הַרְבֵּה מִשְׁתֵּים־עֶשְׂרֵה רִבּוֹ אָדָם Jon. 4:11
23 זְרַעְתֶּם הַרְבֵּה וְהָבֵא מְעָט Hag. 1:6
24 פָּנֹה אֶל־הַרְבֵּה וְהִנֵּה לִמְעָט Hag. 1:9
25 וְלִבִּי רָאָה הַרְבֵּה חָכְמָה Eccl. 1:16
26 גַּם מִקְנֶה בָקָר וָצֹאן הַרְבֵּה הָיָה לִי Eccl. 2:7
27 בְרֹב חֲלֹמוֹת...וּדְבָרִים הַרְבֵּה Eccl. 5:6
28 אִם־מְעַט וְאִם־הַרְבֵּה יֹאכֵל Eccl. 5:11
29 וְכָעַס הַרְבֵּה וְחָלְיוֹ וָקָצֶף Eccl. 5:16
30 כִּי לֹא הַרְבֵּה יִזְכֹּר אֶת־יְמֵי חַיָּיו Eccl. 5:19
31 יֵשׁ־דְּבָרִים הַרְבֵּה מַרְבִּים הָבֶל Eccl. 6:11
32 אַל־תְּהִי צַדִּיק הַרְבֵּה Eccl. 7:16
33 אַל־תִּרְשַׁע הַרְבֵּה... Eccl. 7:17
34 וְחוֹטֶא אֶחָד יְאַבֵּד טוֹבָה הַרְבֵּה Eccl. 9:18
35 כִּי אִם־שָׁנִים הַרְבֵּה יִחְיֶה הָאָדָם Eccl. 11:8
36 אֶת־יְמֵי הַחֹשֶׁךְ כִּי־הַרְבֵּה יִהְיוּ Eccl. 11:8
37 וְאִזֵּן וְחִקֵּר תִּקֵּן מְשָׁלִים הַרְבֵּה Eccl. 12:9
38 עֲשׂוֹת סְפָרִים הַרְבֵּה אֵין קֵץ Eccl. 12:12
39 וְלַהַג הַרְבֵּה יְגִעַת בָּשָׂר Eccl. 12:12
40 כִּי־בָכוּ הָעָם הַרְבֵּה בֶכֶה Ez. 10:1
41 וַיִּחַר לוֹ וַיִּכְעַס הַרְבֵּה Neh. 3:33
42 כָּשַׁל כֹּחַ הַסַּבָּל וְהֶעָפָר הַרְבֵּה Neh. 4:4
43 הַמְּלָאכָה הַרְבֵּה וּרְחָבָה Neh. 4:13
44 יֵשׁ לַייָ לָתֶת לְךָ הַרְבֵּה מִזֶּה IICh. 25:9
וְהַרְבֵּה 45 וְהַרְבֵּה עִמּוֹ פְדוּת Ps. 130:7
לְהַרְבֵּה 46 וּבֵין עֲשֶׂרֶת יָמִים בְּכָל־יַיִן לְהַרְבֵּה Neh. 5:18
47 וַיְחַזְּקֵם לְהַרְבֵּה מְאֹד IICh. 11:12
48 לְרֶכֶב וּלְפָרָשִׁים לְהַרְבֵּה מְאֹד IICh. 16:8
מֵהַרְבֵּה 49 כִּי־נִשְׁאַרְנוּ מְעַט מֵהַרְבֵּה Jer. 42:2

הרג הָרַג

הָרַג: הָרֹג, הָרוֹג, נֶהֱרַג, הֹרֵג; הֶרֶג, הֲרֵגָה

פ׳ א) המית, רצח: 1–162
ב) השחית: 115
ג) [נפ׳ נֶהֱרַג] הומת, נרצח: 163, 164, 165
ד) [פֻּ׳ הֹרַג] הומת: 166, 167

קרובים: אִבֵּד / הֵמִית (מות) / השמיד (שמד) / טָבַח / כִּלָּה / רָצַח / שָׁחַט

הָרַג אֶת־ רוב המקראות; הָרַג בְּ־ 4, 91; הָרַג לְ־ 68, 116

הָרוֹג 1 הָרְגֵנִי נָא הָרֹג... Num. 11:15
2 כִּי הָרֹג תַּהַרְגֶנּוּ... Deut. 13:10
3 הָרֹג בָּקָר וְשָׁחֹט צֹאן Is. 22:13
וְהָרוֹג 4 וְנוֹחַ מֵאֹיְבֵיהֶם וְהָרוֹג בְּשֹׂנְאֵיהֶם Es. 9:16
בַּהֲרֹג 5 וַיְהִי שַׂר־גְּדוּד בַּהֲרֹג דָּוִד אֹתָם IK. 11:24
6 בַּהֲרֹג אִיזֶבֶל אֵת נְבִיאֵי יְיָ IK. 18:13
לַהֲרֹג 7 וַיְבַקֵּשׁ לַהֲרֹג אֶת־מֹשֶׁה Ex. 2:15
8 לַהֲרֹג אֹתָם בֶּהָרִים... Ex. 32:12
9 וַיְהִי כְּכַלּוֹת יִשְׂרָאֵל לַהֲרֹג... Josh. 8:24
10 חִזְּקוּ אֶת־יָדָיו לַהֲרֹג אֶת־אֶחָיו Jud. 9:24
11 ...לַהֲרֹג אֶת־שִׁבְעִים אֶחָיו Jud. 9:56
12 אוֹתִי דִּמּוּ לַהֲרֹג... Jud. 20:5
13 וּפָקַדְתִּי...אֶת־הַחֶרֶב לַהֲרֹג Jer. 15:3
14 וְתָמִיד לַהֲרֹג גּוֹיִם לֹא יַחְמוֹל Hab. 1:17
15 עֵת לַהֲרוֹג וְעֵת לִרְפּוֹא Eccl. 3:3
16 לְהַשְׁמִיד לַהֲרֹג וּלְאַבֵּד Es. 3:13
17 לְהַשְׁמִיד לַהֲרוֹג וּלְאַבֵּד Es. 7:4
וְלַהֲרֹג 18 לְהַשְׁמִיד וְלַהֲרֹג וּלְאַבֵּד Es. 8:11
הַלְהָרְגֵנִי 19 הַלְהָרְגֵנִי אַתָּה אֹמֵר... Ex. 2:14
לְהָרָגְךָ 20 וְאָמַר לַהֲרָגְךָ וַתָּחָס עָלֶיךָ ISh. 24:11(10)
לְהָרְגֶךָ 21 אָחִיךָ מִתְנַחֵם לְךָ לְהָרְגֶךָ Gen. 27:42
22 וְנִסְגְּרָה...כִּי בָאִים לְהָרְגֶךָ Neh. 6:10
23 וְלַיְלָה בָּאִים לְהָרְגֶךָ Neh. 6:10
לְהָרְגוֹ 24 וְכִי־יָזִד...לְהָרְגוֹ בְעָרְמָה Ex. 21:14
לְהָרְגֵנוּ 25 לָתֶת־חֶרֶב בְּיָדָם לְהָרְגֵנוּ Ex. 5:21
הָרַגְתִּי 26 כִּי אִישׁ הָרַגְתִּי לְפִצְעִי Gen. 4:23
27 כִּי עַתָּה גַּם־אֹתְכָה הָרַגְתִּי Num. 22:33
28 לוּ הַחֲיִתֶם אוֹתָם לֹא הָרַגְתִּי אֶתְכֶם Jud. 8:19
29 הָרַגְתִּי בַחֶרֶב בַּחוּרֵיכֶם Am. 4:10
וְהָרַגְתִּי 30 וְהָרַגְתִּי אֶתְכֶם בֶּחָרֶב Ex. 22:23
הֲרַגְתִּיךָ 31 כִּי בְּכָרְתִי...וְלֹא הֲרַגְתִּיךָ ISh. 24:12(11)
הֲרַגְתִּיךְ 32 לוּ יֶשׁ־חֶרֶב בְּיָדִי כִּי עַתָּה הֲרַגְתִּיךְ Num. 22:29
הֲרַגְתִּים 33 חָצַבְתִּי בַּנְּבִיאִים הֲרַגְתִּים בְּאִמְרֵי־פִי Hosh. 6:5
הָרַגְתָּ 34 ...כַּאֲשֶׁר הָרַגְתָּ אֶת־הַמִּצְרִי Ex. 2:14
35 וְאֹתוֹ הָרַגְתָּ בְּחֶרֶב בְּנֵי עַמּוֹן IISh. 12:9
36 הָרַגְתָּ בְּיוֹם אַפֶּךָ טָבַחְתָּ לֹא חָמָלְתָּ Lam. 2:21
37 הָרַגְתָּ לֹא חָמָלְתָּ Lam. 3:43
הָרָגְתָּ 38 כִּי־אַרְצְךָ שִׁחַתָּ עַמְּךָ הָרָגְתָּ Is. 14:20
39 אֶת־אַחֶיךָ בֵית־אָבִיךָ...הָרָגְתָּ IICh. 21:13
הֲרַגְתָּנִי 40 סִגְּרַנִי יְיָ בְּיָדְךָ וְלֹא הֲרַגְתָּנִי ISh. 24:19(18)
וְהָרַגְתָּ 41 וְהָרַגְתָּ אֶת־הָאִשָּׁה וְאֶת־הַבְּהֵמָה Lev. 20:16
הָרַג 42 עַל־אֲבִימֶלֶךְ...אֲשֶׁר הָרַג אוֹתָם Jud. 9:24
43 כִּי הָרַג שָׁאוּל אֵת כֹּהֲנֵי יְיָ ISh. 22:21
44 וְאֵת כָּל־אֲשֶׁר הָרַג...בֶּחָרֶב IK. 19:1
45 כִּי כָל־הָרִאשֹׁנִים הָרַג הַגְּדוּד IICh. 22:1
הָרָג 46 וְאֶת־הָעָם אֲשֶׁר־בָּהּ הָרָג Jud. 9:45
47 וּנְמִתֵהוּ בְּנֶפֶשׁ אָחִיו אֲשֶׁר הָרָג IISh. 14:7
48 וְאֶת־הַכְּנַעֲנִי הַיֹּשֵׁב בָּעִיר הָרָג IK. 9:16
וְהָרַג 49 וְהָרַג אֶת־הַתַּנִּין אֲשֶׁר בַּיָּם Is. 27:1
50 וְהָרַג מְלָכִים עֲצוּמִים Ps. 135:10
וַהֲרָגָנִי 51 וְשָׁמַע שָׁאוּל וַהֲרָגָנִי ISh. 16:2
52 וְלֹא יִמְצָאֲךָ וַהֲרָגָנִי IK. 18:12
53 אֱמֹר לַאדֹנֶיךָ הִנֵּה אֵלִיָּהוּ וַהֲרָגָנִי IK. 18:14
הֲרָגוֹ 54 ...תַּחַת הֶבֶל כִּי הֲרָגוֹ קָיִן Gen. 4:25
הֲרָגָם 55 אִם־הֲרָגָם וּדְרָשׁוּהוּ... Ps. 78:34
הֲרָגָתְהוּ 56 פֶּן־יֹאמְרוּ לִי אִשָּׁה הֲרָגָתְהוּ Jud. 9:54
וַהֲרָגָתַם 57 אֲצַוֶּה אֶת־הַחֶרֶב וַהֲרָגָתַם Am. 9:4
וַהֲרַגְנֻהוּ 58 עַד־אוֹר הַבֹּקֶר וַהֲרַגְנֻהוּ Jud. 16:2
וַהֲרַגְנוּם 59 נָבוֹא אֶל־תּוֹכָם וַהֲרַגְנוּם Neh. 4:5
הֲרַגְתֶּם 60 אֵיפֹה הָאֲנָשִׁים אֲשֶׁר הֲרַגְתֶּם בְּתָבוֹר Jud. 8:18
הָרְגוּ 61 וְאֶת־שְׁכֶם בְּנוֹ הָרְגוּ לְפִי־חָרֶב Gen. 34:26
62 כִּי בְאַפָּם הָרְגוּ אִישׁ Gen. 49:6
63 וְאֶת־מַלְכֵי מִדְיָן הָרְגוּ Num. 31:8
64 וְאֵת בִּלְעָם...הָרְגוּ בֶּחָרֶב Num. 31:8
65 רַבִּים...מֵאֲשֶׁר הָרְגוּ בְּ״י בֶּחָרֶב Josh. 10:11
66 הָרְגוּ בְנֵי־יִשְׂ׳ בַּחֶרֶב אֶל־חַלְלֵיהֶם Josh. 13:22
67 וְאֶת־זְאֵב הָרְגוּ בְיֶקֶב־זְאֵב Jud. 7:25
68 וְיוֹאָב וַאֲבִישַׁי אָחִיו הָרְגוּ לְאַבְנֵר IISh. 3:30
69 ...הָרְגוּ אֶת־אִישׁ־צַדִּיק בְּבֵיתוֹ IISh. 4:11
70/1 וְאֶת־נְבִיאֶיךָ הָרְגוּ בֶחָרֶב IK. 19:10,14
72 וְאֵת מַתָּן...הָרְגוּ לִפְנֵי הַמִּזְבְּחוֹת IIK. 11:18
73/4 ...הָרְגוּ הַיְּהוּדִים וְאַבֵּד Es. 9:6,12
75 וְאֵת מַתָּן...הָרְגוּ לִפְנֵי הַמִּזְבְּחוֹת IICh. 23:17
הָרָגוּ 76 ...וְאוֹתָהּ בַּחֶרֶב הָרָגוּ Ezek. 23:10
77 עֲשֶׂרֶת בְּנֵי הָמָן...הָרָגוּ Es. 9:10
78 וַיִּמְרוּ...וְאֶת־נְבִיאֶיךָ הָרָגוּ Neh. 9:26
וְהָרְגוּ 79 וְהָרְגוּ אֹתִי וְאֹתָךְ יְחַיּוּ Gen. 12:12
וַהֲרָגוּנִי 80 וַהֲרָגוּנִי עַל־דְּבַר אִשְׁתִּי Gen. 20:11
81 וַהֲרָגֻנִי וְשָׁבוּ אֶל־רְחַבְעָם IK. 12:27
הֲרָגוּם 82 וַיַּצֵּל אוֹתָם...וְלֹא הֲרָגוּם Josh. 9:26
וַהֲרָגוּם 83 וַהֲרָגוּם אַנְשֵׁי־גַת ICh. 7:21
הֹרֵג 84 כָּל־הֹרֵג קַיִן שִׁבְעָתַיִם יֻקָּם Gen. 4:15
85 הִנֵּה אָנֹכִי הֹרֵג אֶת־בִּנְךָ בְּכֹרֶךָ Ex. 4:23
86 כֹּל הֹרֵג נֶפֶשׁ...תִּתְחַטְּאוּ Num. 31:19
87 הֲשָׁלוֹם זִמְרִי הֹרֵג אֲדֹנָיו IIK. 9:31
88 ...לָתֵת אוֹתָהּ בְּיַד־הוֹרֵג Ezek. 21:16
89 וְאֶפְרַיִם לְהוֹצִיא אֶל־הֹרֵג בָּנָיו Hosh. 9:13
הֹרְגֶךָ 90 הֶאָמֹר תֹּאמַר אֱלֹ׳ אָנִי לִפְנֵי הֹרְגֶךָ Ezek. 28:9
הֹרְגִים 91 וַיִּהְיוּ הֹרְגִים בָּהֶם IIK. 17:25
לְהֹרְגִים 92 כִּי־עָיְפָה נַפְשִׁי לְהֹרְגִים Jer. 4:31
הֲרוּגִים 93 וְתַחַת הֲרוּגִים יִפֹּלוּ Is. 10:4
94 לְבוּשׁ הֲרֻגִים מְטֹעֲנֵי חָרֶב Is. 14:19
הַהֲרוּגִים 95 בָּא מִסְפַּר הַהֲרוּגִים...לִפְנֵי הַמֶּלֶךְ Es. 9:11
בַּהֲרוּגִים 96 וּפְחִי בַּהֲרוּגִים הָאֵלֶּה וְיִחְיוּ Ezek. 37:9
הֲרוּגֵי־ 97 וְאַנְשֵׁיהֶם יִהְיוּ הֲרֻגֵי מָוֶת Jer. 18:21
הֲרוּגָיו 98 אִם־כְּהֶרֶג הֲרֻגָיו הֹרָג Is. 27:7
הֲרוּגֶיהָ 99 וְלֹא־תְכַסֶּה עוֹד עַל־הֲרוּגֶיהָ Is. 26:21
100 וַעֲצֻמִים כָּל־הֲרֻגֶיהָ Prov. 7:26
אֶהֱרוֹג 101 וְכָל־שָׂרֶיהָ אֶהֱרוֹג עִמּוֹ Am. 2:3
102 וְאַחֲרִיתָם בַּחֶרֶב אֶהֱרֹג Am. 9:1
וְאַהַרְגָה 103 וְאַהַרְגָה אֶת־יַעֲקֹב אָחִי Gen. 27:41
וָאֶהְרְגֵהוּ 104 וָאֹחֲזָה בוֹ וָאֶהְרְגֵהוּ בְּצִקְלָג IISh. 4:10
105 קָשַׁרְתִּי עַל־אֲדֹנִי וָאֶהְרְגֵהוּ IIK. 10:9
תַּהֲרֹג 106 הֲגוֹי גַּם־צַדִּיק תַּהֲרֹג Gen. 20:4
107 וְנָקִי וְצַדִּיק אַל־תַּהֲרֹג Ex. 23:7
108 וּבַחֻרֵיהֶם בַּחֶרֶב תַּהֲרֹג IIK. 8:12
תַּהַרְגֶנּוּ 109 כִּי הָרֹג תַּהַרְגֶנּוּ Deut. 13:10
תַּהַרְגֵם 110 אַל־תַּהַרְגֵם פֶּן־יִשְׁכְּחוּ עַמִּי Ps. 59:12
יַהֲרֹג 111 וְהֵמַתִּי...וּשְׁאֵרִיתֵךְ יַהֲרֹג Is. 14:30
112 בְּנוֹתַיִךְ בַּשָּׂדֶה בַּחֶרֶב יַהֲרֹג Ezek. 26:8
113 עַמֵּךְ בַּחֶרֶב יַהֲרֹג Ezek. 26:11
114 בַּמִּסְתָּרִים יַהֲרֹג נָקִי Ps. 10:8
115 יַהֲרֹג בַּבָּרָד גַּפְנָם Ps. 78:47

יֵהָרֵג־ 116 כִּי־לֶאֱוִיל יַהֲרָג־כָּעַשׂ Job 5:2
וַיַּהֲרֹג 117 וַיַּהֲרֹג יְיָ כָּל־בְּכוֹר... Ex. 13:15
118 וַיַּהֲרֹג אֶת־אַנְשֵׁי הָעִיר Jud. 8:17
119 וַיַּהֲרֹג אֶת־זֶבַח וְאֶת־צַלְמֻנָּע Jud. 8:21
120 וַיַּהֲרֹג אֶת־אֶחָיו בְּנֵי־יְרֻבַּעַל Jud. 9:5
121 וַיַּהֲרֹג דָּוִד מֵאֲרָם שְׁבַע מֵאוֹת רֶכֶ׳ IISh.10:18
122 וַיַּהֲרֹג בְּמִשְׁמַנֵּיהֶם... Ps. 78:31
123 וַיַּהֲרֹג מְלָכִים אַדִּירִים Ps. 136:18
124 וַיַּהֲרֹג כֹּל מַחֲמַדֵּי־עָיִן Lam. 2:4
125 וַיַּהֲרֹג דָּוִיד מֵאֲרָם שִׁבְעַת אֲלָפִים רֶכֶב ICh. 19:18
126 וַיַּהֲרֹג אֶת־כָּל־אֶחָיו IICh. 21:4
127 וַיַּהֲרֹג אֶת־בְּנוֹ IICh. 24:22
128 וַיַּהֲרֹג אֶת־עֲבָדָיו IICh. 25:3
129 וַיַּהֲרֹג פֶּקַח...בִּיהוּדָה... IICh. 28:6
130 וַיַּהֲרֹג זִכְרִי גִּבּוֹר אֶפְרַיִם... IICh. 28:7
131 וַיַּהֲרֹג בַּחוּרֵיהֶם בַּחֶרֶב IICh. 36:17
יַהַרְגֵנִי 132 וְהָיָה כָל־מֹצְאִי יַהַרְגֵנִי Gen. 4:14
וַיַּהַרְגֵהוּ 133 וַיָּקָם קַיִן אֶל־הֶבֶל אָחִיו וַיַּהַרְגֵהוּ Gen. 4:8
134/5 וַיִּגְזֹל...וַיַּהַרְגֵהוּ בַּחֲנִיתוֹ IISh.23:21 • ICh. 11:23
וַיַּהַרְגֵם 136 אֲשֶׁר עָשָׂה...לְאַבְנֵר...וַיַּהַרְגֵם IK. 2:5
137 אֲשֶׁר פָּגַע...וַיַּהַרְגֵם בַּחֶרֶב IK. 2:32
138 וַיִּמְצָא אֶת־שָׂרֵי יְהוּדָה...וַיַּהַרְגֵם IICh. 22:8
תַּהַרְגֵהוּ 139 תַּהַרְגֵהוּ לְשׁוֹן אֶפְעֶה Job 20:16
תַּהַרְגֵם 140 כִּי מְשׁוּבַת פְּתָיִם תַּהַרְגֵם Prov. 1:32
נַהֲרֹג 141 מַה־בֶּצַע כִּי נַהֲרֹג אֶת־אָחִינוּ Gen. 37:26
וְנַהַרְגֵהוּ 142 וְעַתָּה לְכוּ וְנַהַרְגֵהוּ... Gen. 37:20
תַּהַרְגוּ 143 זָקֵן בָּחוּר...תַּהַרְגוּ לְמַשְׁחִית Ezek. 9:6
תַּהֲרֹגוּ 144 ...וְאֶת־הַבְּהֵמָה תַּהֲרֹגוּ Lev. 20:15
וַתַּהַרְגוּ 145 וַתַּהַרְגוּ אֶת־בָּנָיו Jud. 9:18
146 וַתַּהַרְגוּ־בָם בְּזַעַף IICh. 28:9
יַהֲרֹגוּ 147 בְּנֵיהֶם וּבְנוֹתֵיהֶם יַהֲרֹגוּ Ezek. 23:47
148 אַלְמָנָה וְגֵר יַהֲרֹגוּ Ps. 94:6
יַהַרְגֻן 149 אֲשֶׁר קֹנֵיהֶן יַהַרְגֻן Zech. 11:5
וַיַּהַרְגוּ 150 וַיָּבֹאוּ...וַיַּהַרְגוּ כָּל־זָכָר Gen. 34:25
151 וַיִּצְבְּאוּ...וַיַּהַרְגוּ כָּל־זָכָר Num. 31:7
152 וַיַּהַרְגוּ אֶת־עוֹרֵב בְּצוּר־עוֹרֵב Jud. 7:25
153 וַיַּהַרְגוּ בְשׁוּשָׁן שְׁלֹשׁ מֵאוֹת אִישׁ Es. 9:15
יַהַרְגֻנִי 154 פֶּן־יַהַרְגֻנִי אַנְשֵׁי הַמָּקוֹם... Gen. 26:7
וַיַּהַרְגֻהוּ 155 ...וַיַּהַרְגֻהוּ עַל־מִטָּתוֹ IICh. 24:25
וַיַּהַרְגוּם 156 וַיְצַו דָּוִד אֶת־הַנְּעָרִים וַיַּהַרְגוּם IISh. 4:12
הֲרֹג 157 וַיֹּאמֶר...קוּם הֲרֹג אוֹתָם Jud. 8:20
הָרְגֵנִי 158 הָרְגֵנִי נָא הָרֹג... Num. 11:15
הִרְגוּ 159 הִרְגוּ אִישׁ אֲנָשָׁיו... Num. 25:5
160 הִרְגוּ כָל־זָכָר בַּטָּף Num. 31:17
הֲרֹגוּ 161 וְכָל־אִשָּׁה יֹדַעַת אִישׁ...הֲרֹגוּ Num. 31:17
וְהִרְגוּ 162 וְהִרְגוּ אִישׁ־אֶת־אָחִיו... Ex. 32:27
בֵּהָרֵג 163 בֵּהָרֵג הֶרֶג בְּתוֹכֵךְ Ezek. 26:15
יֵהָרֵג 164 אִם־יֵהָרֵג בְּמִקְדַּשׁ אֲדֹנָי כֹּהֵן וְנָבִיא Lam. 2:20
תֵּהָרַגְנָה 165 וּבְנוֹתֶיהָ...בַּחֶרֶב תֵּהָרַגְנָה Ezek. 26:6
הֹרָג 166 אִם־כְּהֶרֶג הֲרֻגָיו הֹרָג Is. 27:7
הֹרַגְנוּ 167 כִּי־עָלֶיךָ הֹרַגְנוּ כָל־הַיּוֹם Ps. 44:23

הֶרֶג ז׳ הריגה, המתה: 1–5
קרובים: אָבְדָן / הֲרֵגָה / הַשְׁמֵד / זֶבַח / טֶבַח / טִבְחָה / כִּלָּיוֹן / מָוֶת / קֶטֶל / רֶצַח
הֶרֶג 1 בְּיוֹם הֶרֶג רָב בִּנְפֹל מִגְדָּלִים Is. 30:25
2 בֵּהָרֵג הֶרֶג בְּתוֹכֵךְ Ezek. 26:15
וְהֶרֶג 3 מַכַּת־חֶרֶב וְהֶרֶג וְאַבְדָן Es. 9:5
לַהֶרֶג 4 וּמָטִים לַהֶרֶג אִם־תַּחְשׂוֹךְ Prov. 24:11
כְּהֶרֶג־ 5 אִם־כְּהֶרֶג הֲרֻגָיו הֹרָג Is. 27:7

הֲרֵגָה נ׳ הריגה, המתה: 1–5 • קרובים: ראה הֶרֶג
גֵּיא הַהֲרֵגָה 2, 3; יוֹם הֲרֵגָה 1; צֹאן הַהֲרֵגָה 4, 5
הֲרֵגָה 1 וְהַקְדִּשֵׁם לְיוֹם הֲרֵגָה Jer. 12:3
הַהֲרֵגָה 2 וְלֹא יֵאָמֵר...כִּי אִם־גֵּיא הַהֲרֵגָה Jer. 7:32
3 וְלֹא יִקָּרֵא...כִּי אִם־גֵּיא הַהֲרֵגָה Jer. 19:6
4 רְעֵה אֶת־צֹאן הַהֲרֵגָה Zech. 11:4
5 וָאֶרְעֶה אֶת־צֹאן הַהֲרֵגָה Zech. 11:7

הרה: הָרָה, הָרְתָה, הֹרָה; הָרָה, הָרִיָּה; הוֹרָה, הוֹרִים, הֵרוֹן, הֵרָיוֹן

הָרָה¹ פ׳ א) [הָרְתָה נקבה] נתעברה: רוב המקראות
ב) [הָרָה בהשאלה על זכר] הגה, תכנן: 1, 3, 6, 8, 37
ג) [פֻּ׳ הֹרָה] נעשה לעובר: 54
הָרָה עָמָל 1, 2, 6; וַתַּהַר וַתֵּלֶד 9, 10, 12, 14–33; הֹרַת עוֹלָם 50; הָרוֹת הַגִּלְעָד 51
הָרֹה 1 הָרֹה עָמָל וְיָלֹד אָוֶן Job 15:35
2 הָרוֹ עָמָל וְהוֹלִיד אָוֶן Is. 59:4
הֹרוֹ 3 הֹרוֹ וְהֹגוֹ מִלֵּב דִּבְרֵי־שָׁקֶר Is. 59:13
הָרִיתִי 4 הֶאָנֹכִי הָרִיתִי אֵת כָּל־הָעָם הַזֶּה Num. 11:12
וְהָרִית 5 וְהָרִית וְיָלַדְתְּ בֵּן Jud. 13:3
וְהָרָה 6 יְחַבֶּל־אָוֶן וְהָרָה עָמָל וְיָלַד שָׁקֶר Ps. 7:15
הָרָתָה 7 וַתֵּרֶא כִּי הָרָתָה... Gen. 16:4
הָרִינוּ 8 הָרִינוּ חַלְנוּ כְּמוֹ יָלַדְנוּ רוּחַ Is. 26:18
וַתַּהַר 9 וַתַּהַר וַתֵּלֶד אֶת־קַיִן Gen. 4:1
10 וַתַּהַר וַתֵּלֶד אֶת־חֲנוֹךְ Gen. 4:17
11 וַיָּבֹא אֶל־הָגָר וַתַּהַר Gen. 16:4
12 וַתַּהַר וַתֵּלֶד שָׂרָה לְאַבְרָהָם Gen. 21:2
13 וַתַּהַר רִבְקָה אִשְׁתּוֹ Gen. 25:21
14 וַתַּהַר לֵאָה וַתֵּלֶד בֵּן Gen. 29:32
15–33 וַתַּהַר...וַתֵּלֶד... Gen. 29:33,34
29:35; 30:5, 7, 17, 19, 23: 38:3, 4 • Ex.2:2 •
ISh.1:20; 2:21 • II.4:17 • Is.8:3 • Hosh.1:3, 6, 8 •
ICh.7:23
34 וַיָּבֹא אֵלֶיהָ וַתַּהַר לוֹ Gen. 38:18
35 וַתַּהַר הָאִשָּׁה IISh. 11:5
36 וַתַּהַר אֶת־מִרְיָם וְאֶת־שַׁמַּי ICh. 4:17
תַּהֲרוּ 37 תַּהֲרוּ חֲשַׁשׁ תֵּלְדוּ קַשׁ Is. 33:11
וַתַּהֲרֶינָה 38 וַתַּהֲרֶיןָ שְׁתֵּי בְנוֹת־לוֹט מֵאֲבִיהֶן Gen. 19:36
הָרָה 39 הִנָּךְ הָרָה וְיֹלַדְתְּ בֵּן Gen. 16:11
40 וְגַם הִנֵּה הָרָה לִזְנוּנִים Gen. 38:24
41 לְאִישׁ אֲשֶׁר־אֵלֶּה לּוֹ אָנֹכִי הָרָה Gen. 38:25
42 ...וְנָגְפוּ אִשָּׁה הָרָה Ex. 21:22
43/4 הִנָּךְ הָרָה וְיֹלַדְתְּ בֵּן Jud. 13:5,7
45 וְכַלָּתוֹ אֵשֶׁת־פִּינְחָס הָרָה לָלַת ISh. 4:19
46 וַתֹּאמֶר הָרָה אָנֹכִי IISh. 11:5
47 הִנֵּה הָעַלְמָה הָרָה וְיֹלֶדֶת בֵּן Is. 7:14
48 כְּמוֹ הָרָה תַּקְרִיב לָלֶדֶת Is. 26:17
49 בָּם...הָרָה וְיֹלֶדֶת יַחְדָּו Jer. 31:8(7)
הֲרַת־ 50 ...וְרַחְמָהּ הֲרַת עוֹלָם Jer. 20:17
הָרוֹת־ 51 עַל־בִּקְעָם הָרוֹת הַגִּלְעָד Am. 1:13
הֶהָרוֹתֶיהָ 52 אֵת כָּל־הֶהָרוֹתֶיהָ בִּקֵּעַ IIK. 15:16
וְהָרֹתֵיהֶם 53 וְעֹלְלֵיהֶם תְּרַטֵּשׁ וְהָרֹתֵיהֶם תְּבַקֵּעַ IIK. 8:12
הֹרָה 54 וְהַלַּיְלָה אָמַר הֹרָה גָבֶר Job 3:3

הָרָה² נ׳ אשה בהריון – עין הָרָה¹ (42, 48, 49, 51–53)

הַרְהֹר* ז׳ ארמית: מחשבה
וְהַרְהֹרִין 1 וְהַרְהֹרִין עַל־מִשְׁכְּבִי...יְבַהֲלֻנַּנִי Dan. 4:2

הֹרוֹ (ישעיה נט13) – עין הָרָה¹; **הָרוּג** ז׳ עין הָרַג

הָרוּם שפ־ז – איש משבט יהודה
הָרוּם 1 וּמִשְׁפְּחֹת אֲחַרְחֵל בֶּן־הָרוּם ICh. 4:8

הֵרוֹן ז׳ הריון
וְהֵרֹנֵךְ 1 הַרְבָּה אַרְבֶּה עִצְּבוֹנֵךְ וְהֵרֹנֵךְ Gen. 3:16

הַהֲרוֹרִי ת׳ כנוי לאחד מגבורי דוד: עין גם הֲרָרִי [בכתוב המקביל ש־ב כג25: הַחֲרֹדִי, ועין גם ש־ב כג33]
הַהֲרוֹרִי 1 שַׁמּוֹת הַהֲרוֹרִי חֶלֶץ הַפְּלוֹנִי ICh. 11:27

הֵרִיד – עין רוד

הֲרִיָּה* נ׳ אשה הרה
וְהָרִיּוֹתָיו 1 עֹלְלֵיהֶם יְרֻטָּשׁוּ וְהָרִיּוֹתָיו יְבֻקָּעוּ Hosh. 14:1

הֵרָיוֹן ז׳ מצבה של האשה ההרה
וּמֵהֵרָיוֹן 1 מִלֵּדָה וּמִבֶּטֶן וּמֵהֵרָיוֹן Hosh. 9:11

הֵרִיחַ – עין רוח **הֵרִים** – עין רום

הֲרִיסָה* נ׳ מקום הרוס, חורבה
וַהֲרִיסֹתָיו 1 וְגָדַרְתִּי אֶת־פִּרְצֵיהֶן וַהֲרִסֹתָיו אָקִים Am. 9:11

הֲרִיסוּת* נ׳ הרס, חורבן
הֲרִיסֻתֵךְ 1 חָרְבֹתַיִךְ וְשֹׁמְמֹתַיִךְ וְאֶרֶץ הֲרִסֻתֵךְ Is. 49:19

הֵרִיעַ – עין רוע **הֵרִיק** – עין ריק

הֵרַךְ (איוב כג16) – עין רכך

הֹרָם שפ־ז – מלך גזר בימי יהושע
הֹרָם 1 אָז עָלָה הֹרָם מֶלֶךְ גֶּזֶר Josh. 10:33

הֵרֹמּוּ (במדבר יז10) – עין רום

הַרְמוֹן* ז׳ ארמון? שם מקום?
הַהַרְמוֹנָה 1 ...וְהִשְׁלַכְתֶּנָה הַהַרְמוֹנָה Am. 4:3

הַרְמִים עין אֲרַמִּי (מס׳ 12).

הָרָן שפ־ז א) בן תרח: 1–6
ב) לוי מבני גרשון: 7
הָרָן 1/2 אֶת־אַבְרָם אֶת־נָחוֹר וְאֶת־הָרָן Gen. 11:26,27
3 וַיָּמָת הָרָן עַל־פְּנֵי תֶּרַח אָבִיו Gen. 11:28
4 ...בַּת־הָרָן אֲבִי־מִלְכָּה... Gen. 11:29
5 וַיִּקַּח...וְאֶת־לוֹט בֶּן־הָרָן Gen. 11:31
וְהָרָן 6 וְהָרָן הוֹלִיד אֶת־לוֹט Gen. 11:27
7 שְׁלֹמִית וַחֲזִיאֵל וְהָרָן שְׁלֹשָׁה ICh. 23:9

הרס: הָרַס, נֶהֱרַס, הֶרֶס, הֲרִיסָה, הֲרִיסוּת, הָרֶס

הָרַס פ׳ א) נתץ, החריב: 1–25, 28–30
ב) פָּרַץ גבול: 26, 27
ג) [נפ׳ נֶהֱרַס] נפרץ, נחרב: 31–40
ד) [פִּ׳ הֵרֵס] נִתֵּץ: 41–43
וְלַהֲרוֹס 1 לִנְתוֹשׁ וְלִנְתוֹץ וּלְהַאֲבִיד וְלַהֲרוֹס Jer. 1:10
2 לִנְתוֹשׁ וְלִנְתוֹץ וְלַהֲרֹס וּלְהַאֲבִיד Jer. 31:28(27)
וְהָרַסְתִּי 3 וְהָרַסְתִּי אֶת־הַקִּיר... Ezek. 13:14
4 וְהָרַסְתִּי כָּל־מִבְצָרֶיךָ Mic. 5:10
וְהָרַסְתָּ 5 וְהָרַסְתָּ אֶת־מִזְבַּח הַבַּעַל Jud. 6:25
הָרַס 6 הָרַס בְּעֶבְרָתוֹ מִבְצְרֵי בַת־יְהוּדָה Lam. 2:2
7 הָרַס וְלֹא חָמָל Lam. 2:17
הָרָס 8 שָׂם תֵּבֵל כַּמִּדְבָּר וְעָרָיו הָרָס Is. 14:17
הָרָסוּ 9/10 אֶת־מִזְבְּחֹתֶיךָ הָרָסוּ IK. 19:10,14

וְהָרְסוּ 11 וְהָרְסוּ גַבֵּךְ וְנִתְּצוּ רָמֹתַיִךְ Ezek. 16:39

12 וְשִׁחֲתוּ חֹמוֹת צֹר וְהָרְסוּ מִגְדָּלֶיהָ Ezek. 26:4

13 וְהָרְסוּ חוֹמוֹתַיִךְ וּבָתֵּי חֶמְדָּתֵךְ יִתֹּצוּ Ezek. 26:12

הוֹרֵס 14 אֲשֶׁר־בָּנִיתִי אֲנִי הֹרֵס Jer. 45:4

הֶהָרוּס 15 וַיְרַפֵּא אֶת־מִזְבַּח יְיָ הֶהָרוּס IK. 18:30

אֶהֱרֹס 16 וּבְנִיתִים וְלֹא אֶהֱרֹס Jer. 24:6

17 וּבָנִיתִי אֶתְכֶם וְלֹא אֶהֱרֹס Jer. 42:10

18 הֵמָּה יִבְנוּ וַאֲנִי אֶהֱרוֹס Mal. 1:4

תַּהֲרֹס 19 וּבְרֹב גְּאוֹנְךָ תַּהֲרֹס קָמֶיךָ Ex. 15:7

יֵהָרֵס 20 הֵן יַהֲרוֹס וְלֹא יִבָּנֶה Job 12:14

יֶהֶרְסֶךָּ 21 וַהֲדַפְתִּיךָ מִמַּצָּבֶךָ וּמִמַּעֲמָדְךָ יֶהֶרְסֶךָ Is. 22:19

וַיֶּהֶרְסֶהָ 22 וַיַּךְ יוֹאָב אֶת־רַבָּה וַיֶּהֶרְסֶהָ ICh. 20:1

יֶהֶרְסֶנָּה 23 מֶלֶךְ בְּמִשְׁפָּט יַעֲמִיד אָרֶץ
וְאִישׁ תְּרוּמוֹת יֶהֶרְסֶנָּה Prov. 29:4

יֶהֶרְסֵם 24 יֶהֶרְסֵם וְלֹא יִבְנֵם Ps. 28:5

תֶּהֶרְסֶנּוּ 25 חַכְמוֹת נָשִׁים בָּנְתָה בֵיתָהּ
וְאִוֶּלֶת בְּיָדֶיהָ תֶהֶרְסֶנּוּ Prov. 14:1

יֶהֶרְסוּ 26 פֶּן־יֶהֶרְסוּ אֶל־יְיָ לִרְאוֹת Ex. 19:21

27 אַל־יֶהֶרְסוּ לַעֲלֹת אֶל־יְיָ Ex. 19:24

יַהֲרֹסוּ 28 וְהֶעָרִים יַהֲרֹסוּ IIK. 3:25

הֲרָס־ 29 אֱלֹהִים הֲרָס־שִׁנֵּימוֹ בְּפִימוֹ Ps. 58:7

וְהָרְסָהּ 30 הַחֲזֵק מִלְחַמְתְּךָ אֶל־הָעִיר וְהָרְסָהּ IISh. 11:25

נֶהֱרָסָה 31 וְגֶדֶר אֲבָנָיו נֶהֱרָסָה Prov. 24:31

נֶהֶרְסוּ 32 נָפְלוּ אָשְׁיוֹתֶיהָ נֶהֶרְסוּ חוֹמוֹתֶיהָ Jer. 50:15

33 נָשַׁמּוּ אֹצָרוֹת נֶהֶרְסוּ מַמְּגֻרוֹת Joel 1:17

וְנֶהֶרְסוּ 34 וְלָקְחוּ הֲמוֹנָהּ וְנֶהֶרְסוּ יְסוֹדֹתֶיהָ Ezek. 30:4

25 וְנֶהֶרְסוּ הֶהָרִים וְנָפְלוּ הַמַּדְרֵגוֹת Ezek. 38:20

הַנֶּהֱרָסוֹת 36 בָּנִיתִי הַנֶּהֱרָסוֹת נָטַעְתִּי הַנְּשַׁמָּה Ezek. 36:36

וְהַנֶּהֱרָסוֹת 37 וְהַנֶּהֱרָסוֹת בְּצוּרוֹת יָשָׁבוּ Ezek. 36:35

יֵהָרֵס 38 לֹא־יִנָּתֵשׁ וְלֹא־יֵהָרֵס Jer. 31:(39)40

תֵּהָרֵס 39 בְּבִרְכַּת יְשָׁרִים תָּרוּם קָרֶת
וּבְפִי רְשָׁעִים תֵּהָרֵס Prov. 11:11

יֵהָרֵסוּן 40 כִּי הַשָּׁתוֹת יֵהָרֵסוּן... Ps. 11:3

הָרֵס 41 כִּי הָרֵס תְּהָרְסֵם Ex. 23:24

מְהָרְסַיִךְ 42 מְהָרְסַיִךְ וּמַחֲרִיבַיִךְ מִמֵּךְ יֵצֵאוּ Is. 49:17

תְּהָרְסֵם 43 כִּי הָרֵס תְּהָרְסֵם Ex. 23:24

הֶרֶס ז' חורבן • קרובים: ראה חֶרֶב

הַהֶרֶס 1 עִיר הַהֶרֶס יֵאָמֵר לְאֶחָת Is. 19:18

הָרַע, הֵרְעוּ, הֲרֵעֹתֶם (בראשית מג6) – עין רעע

הֲרֵעֹתֶם (במדבר י 9) – עין רוע

הֶרֶף (ש״ב כד16) – עין רפה

הָרֶץ (ש״א יז 17) – עין רוץ

הִרְצָת (ויקרא כו 34) – עין רָצָה

הֲרָרִי ת' כנוי לאחדים מגבורי דוד: 1–5 [עין גם הָאֲרָרִי]

הֲרָרִי 1 שַׁמָּה בֶן־אָגֵא הָרָרִי IISh. 23:11

2 אֲחִיאָם בֶּן־שָׁרָר הָאֲרָרִי IISh. 23:33

הַהֲרָרִי 3 שַׁמָּה הַהֲרָרִי IISh. 23:33

4 יוֹנָתָן בֶּן־שָׁגֵה הַהֲרָרִי ICh. 11:34

5 אֲחִיאָם בֶּן־שָׂכָר הַהֲרָרִי ICh. 11:35

הַשֵּׁא, הַשֵּׁאת (ירמיה ד10) – עין נָשָׁא

הַשָּׁאוֹת (ישעיה לז 26) – עין שָׁאָה

הָשֵׁב, הָשֵׁב, הָשִׁיב – עין שוב

הִשָּׁה (איוב לט17) – עין נָשָׁה

הֵשַׁח (ישעיה כה12) – עין שחח

הִשִּׁיא – עין נָשָׁא **הִשִּׁיא** – עין נשא

הִשִּׂיג – עין נשג **הִשִּׁיךְ** – עין נָשַׁךְ

הִשִּׁיקוּ (יחזקאל לט9) – עין נָשַׂק

הֵשִׁיקוּ (יואל ב24) – עין שוק

הֵשִׁירוּ (הושע ח4) – עין שור

הָשֵׁם שפ״ז – אביהם של אחדים מגבורי דוד [בש״ב כג 32 – ״יָשֵׁן״]

הָשֵׁם 1 בְּנֵי הָשֵׁם הַגִּזוֹנִי ICh. 11:34

הַשַּׁמָּה (ויקרא כו 34) – עין שָׁמֵם

הָשֵׁם, הֲשִׁמּוּ (ירמיה י 25) – עין שָׁמֵם

הִשְׁמִיל (ש״ב יד 19) – עין שׂמאל

הַשְׁמָעוּת נ' השמעה, האזנה

לְהַשְׁמָעוּת 1 יָבוֹא הַפָּלִיט...לְהַשְׁמָעוּת אָזְנָיִם Ezek. 24:26

הֵשַׁע (ישעיה ו 10) – עין שָׁעָה

הַשְׁפּוֹת (נחמיה ג 13) – עין אַשְׁפָּה (מס' 10)

הִשְׁתּוֹמֵם – עין שָׁמֵם

הִשְׁתּוֹנֵן – עין שָׁנַן

הִשְׁתַּחֲוָה, הִשְׁתַּחֲוּוּ וכו' – עין שָׁחָה

הִשְׁתַּחֲוָיָה* נ' כפיפת קומה לאות כניעה

בְּהִשְׁתַּחֲוָיָתִי 1 בְּהִשְׁתַּחֲוָיָתִי בֵּית רִמֹּן IIK. 5:18

הִשְׁתַּנִּית (מ״א יד2) – עין שָׁנָה

הִשְׁתָּרֵר – עין שׂרר

הִתְבּוֹנֵן – עין בין **הִתְבּוֹשֵׁשׁ** – עין בוש

הִתְגָּר (דברים ב24) – עין גָּרָה

הִתְגּוֹדֵד – עין גדד **הִתְגּוֹרֵר** – עין גור

הִתְוַדָּה (ויקרא ה5) – עין יָדָה

הִתְוַדַּע (בראשית מה1) – עין יָדַע

הַתּוּךְ ז' יציקת מתכת

כְּהִתּוּךְ 1 כְּהִתּוּךְ כֶּסֶף בְּתוֹךְ כּוּר... Ezek. 22:22

הִתְוַכַּח – עין יכח

הֲתֻלִּים ז״ר לעג, צחוק

הֲתֻלִים 1 אִם־לֹא הֲתֻלִים עִמָּדִי Job 17:2

הֵתַז (ישעיה יח5) – עין תזז

הִתְחַבְּרוּת נ' השתתפות

הִתְחַבְּרוּת 1 וּמִן־הִתְחַבְּרוּת אֵלָיו יַעֲשֶׂה מִרְמָה Dan. 11:23

הֵתַחֵל (ש״ב יג 5) – עין חָלָה

הֵתָיוּ (ירמיה יב9) – עין אָתָה

הִתִּיכוּ (מ״ב כב9) – עין נָתַךְ

הַתִּיקֵנוּ (יהושע ח 6) – עין נָתַק

הֲתָךְ שפ״ז – מסריסי המלך אחשורוש: 1–4

הֲתָךְ 1 וַיֵּצֵא הֲתָךְ אֶל־מָרְדֳּכָי Es. 4:6

2 וַיָּבוֹא הֲתָךְ וַיַּגֵּד לְאֶסְתֵּר... Es. 4:9

לַהֲתָךְ 3–4 וַתִּקְרָא אֶסְתֵּר לַהֲתָךְ Es. 4:5,10

התל : הָתֵל; הֲתֻלִים, מַהֲתַלּוֹת

הָתֵל פ' לעג, לגלג

וַיְהַתֵּל 1 וַיְהַתֵּל בָּהֶם אֵלִיָּהוּ IK. 18:27

הֵתֵל (בראשית לא7) – עין תלל

הֵתֵל (שמות ח25) – עין תלל

הָתֵם (יחזקאל כד10), **הֵתַמּוּ** (ש״ב כ18) – עין תמם

הִתְמַגְּגוּ (נחום א5) – עין מוג

הִתַּמְּהוּ (חבקוק א5) – עין תָּמַהּ

הִתְמוֹטְטָה (ישעיה כד19) – עין מוט

הֲתָמֵךְ (ישעיה לג 1) – עין תמם

הִתְנוּ (הושע ח9) – עין תָּנָה

הִתְנוֹסֵס (תהלים ס6) – עין נסס

הִתְנַבֵּית (ש״א י 6) – עין נָבָא

הִתְפּוֹרְרָה (ישעיה כד19) – עין פרר

הִתְקוֹשְׁשׁוּ (צפניה ב1) – עין קשש

הִתְרוֹעֵעַ (משלי יח24) – עין רעע

הִתְרוֹעֲעִי (תהלים ס10) – עין רוע

הִתְרֹעֲעָה (ישעיה כד19) – עין רעע

הִתְשׁוֹטַטְנָה (ירמיה מט3) – עין שוט

התת – עין הות

ו׳ זעירא		
לַשָּׁוְא		Ps. 24:5
ו׳ רבתי		
גָּחוֹן		Lev. 11:42
וַיְזָתָא		Es. 9:9
ו׳ יתרה בראש תבה		
וכי	כִּי	IISh. 16:10
ומסגרתיה	מִסְגְּרֹתֶיהָ	IK. 7:36
וראתה	רָאֲתָה	IIK. 11:1
ואת	אֶת־	IIK. 16:17
ותקעו	תִּקְעוּ	Jer. 4:5
וירה	יוֹרֶה	Jer. 5:24
ויוציאו	יוֹצִיאוּ	Jer. 8:1
וישמח	יִשְׂמַח	Prov. 23:24
וכל	כֹּל	Lam. 4:12
והרשענו	הִרְשַׁעְנוּ	Dan. 9:5
וחסד	חֶסֶד	Neh. 9:17
ו׳ יתרה בסוף תבה		
ויאמרו	וַיֹּאמֶר	Josh. 6:7; 9:7 ISh. 15:16

רגליו	רַגְלַי	IISh. 22:24
ויבאו	וַיָּבֹא	IK. 12:3, 21 IIK. 14:13
שמטוהו	שִׁמְטוּהָ	IIK. 9:33
ויצוהו	וַיְצַוֶּה	IIK. 16:15
יצאו	יֵצֵא	Ezek. 46:9
ויעמידו	וַיַּעֲמִיד	Neh. 3:15
ו חסרה בראש תבה		
בניכי	וּבָנַיִךְ	IIK. 4:7
תחת	וְתַחַת	Is. 55:13
דור	וָדוֹר	Prov. 27:24
יולד	וְיוֹלֵד	Prov. 23:24
עד	וְעַד	Job 2:7
די	וְדִי	Dan. 2:43
לא	וְלֹא	Lam. 2:2; 5:5
אין	וְאֵין	Lam. 5:3
אינם	וְאֵינָם	Lam. 5:7
אנחנו	וַאֲנַחְנוּ	Lam. 5:7
כתיב ה׳ בסוף תבה – קרי ו׳		
יקרחה	יִקְרְחוּ	Lev. 21:5
והיה	וְהָיוּ	Num. 34:4 Josh. 15:4; 18:12, 14, 19

מסורה מסורה מסורה
מסורה מסורה מסורה
מסורה מסורה מסורה
מסורה מסורה מסורה
מסורה ו מסורה
מסורה מסורה
מסורה מסורה
מסורה מסורה
מסורה מסורה
מסורה מסורה
מסורה מסורה מסורה
מסורה מסורה מסורה
מסורה מסורה מסורה
מסורה מסורה מסורה

ווי״ן בתורה 30 509

שפכה	שָׁפְכוּ	Deut. 21:7
נשברה	נִשְׁבְּרוּ	IK. 22:49
עלה	עָלוּ	IIK. 24:10
נצתה	נִצְּתוּ	Jer. 2:15
נושבה	נוֹשָׁבוּ	Jer. 22:6
היה	הָיוּ	Jer. 50:6
יזנה	יִזְנוּ	Ezek. 23:43
שממה	שָׁמֵמוּ	Ezek. 35:12
שפכה	שֻׁפְּכוּ	Ps. 73:2
חמרמרה	חֳמַרְמְרוּ	Job 16:16
עודינה	עוֹדֵינוּ	Lam. 4:17
שלה	שָׁלוּ	Dan. 3:29

כתיב י׳ בראש תבה – קרי ו׳		
יבאו	וּבָאוּ	Jud. 6:5
יחנני	וְחַנַּנִי	IISh. 12:22
יפצחו	וּפִצְחוּ	Is. 49:13
יאבדו	וְאָבָדוּ	Jer. 6:21
ישית	וְשִׁית	Jer. 13:16 Job 10:20

and: Jer. 17:13; 21:9: 48:18 Ezek. 45:5 • Nah. 3:3 • Zech. 14:6 • Ps. 41:3 • Prov. 18:17; 20:4 • Job 6:29 • Dan. 11:12 • Ez. 10:29 • ICh. 4:7; 7:34

כתיב י׳ באמצע תבה–קרי ו׳		
גיים	גּוֹיִם	Gen. 25:23
יעיש	יְעוּשׁ	Gen. 36:5, 14 ICh. 7:10
האסירים	הָאֲסוּר׳	Jud 16:21, 25
חמיטל	חֲמוּטַל	IIK. 24:18 Jer. 52:1
הכליא	הַכְּלוּא	Jer. 37:4; 52:31
שבית	שְׁבוּת	Jer. 49:39

Ezek. 16:53^{2}; 39:25 • Job 42:10

ושבית	וּשְׁבוּת	Ezek. 16:53

עניים	עֲנָוִים	Ps. 9:13

10:12 • Prov. 14:21; 16:19

לידיתון	לִידוּתוּן	Ps. 39:1
ישיב	יָשׁוּב	Ps. 73:10
		ICh. 7:1
ידיתון	יְדוּתוּן	Ps. 77:1
		Neh. 11:17
ולעניים	וְלַעֲנָוִים	Prov. 3:34
חירם	חוּרָם	ICh. 14:1 IICh. 4:11; 9:10
כתיב י׳ בסוף תבה – קרי ו׳		
דדי	דֹּדוֹ	IISh. 23:9
במי	בְּמוֹ	Is. 25:10
ילדתני	יְלִדְתָּנוּ	Jer. 2:27
תצאי	תֵּצְאוּ	Jer. 6:25
תלכי	תֵּלֵכוּ	Jer. 6:25
שאי	שְׂאוּ	Jer. 13:20
וראי	וּרְאוּ	Jer. 13:20

and Jer. 23:18; 48:20^{2}; 50:11^{2} • Ps. 17:11 • Job 6:29; 33:21, 28^{2} • Ez. 10:3; 35, 44 • IICh. 9:29; 34:9

וְ־ (וּ־, וַ־, וָ־, וֶ־, וֵ־) אות־חבור הבאה בראש מלים במשמעים שונים. להלן המשמעים העקריים ומקראות אחדים להדגמה (כל המלים במקרא עם ו׳ בראשן – ליד כל ערך):

א) לחִבּוּר בין מלים במשפט (שמות, פעלים וכד׳): (א)

ב) לחִבּוּר משפטים: (ב)

ג) לציון ברירה או חִלוּק – כמלת ״אוֹ״: (ג)

ד) לציון נִגּוּד, כמלת ״אֲבָל״: (ד)

ה) לציון תנאי או נימוק, כמלות ״אִם״, ״וַהֲלֹא״: (ה)

ו) לציון תכלית, כמלת ״כְּדֵי״: (ו)

ז) במשמע ״אַף״, ״אֲפִילוּ״: (ז)

ח) לחבור שני שמות המהַוים מושׂג אחד: (ח)

ט) לחבור אותו שם החוזר פעמַים להדגשה, לחִלוּק או להבלטת שוני ביניהם: (ט)

י) במשמע ״כִּי״, ״שֶׁ־״: (י)

יא) ו׳ ההפוך מעתיד לעבר: (יא)

יב) ו׳ ההפוּך מעבר לעתיד: (יב)

(א) בְּרֵאשִׁית בָּרָא אֱלֹהִים
אֵת הַשָּׁמַיִם וְאֵת הָאָרֶץ Gen. 1:2
וְקֹר וָחֹם וְקַיִץ וָחֹרֶף וְיוֹם וָלַיְלָה Gen. 8:22
בְּגָדִים וְזֵיתִים וְצֹאן וּבָקָר
וַעֲבָדִים וּשְׁפָחוֹת IIK. 5:26
לְכוּ שִׁבְרוּ וֶאֱכֹלוּ Is. 55:1
הִנֵּה לֹא־יָנוּם וְלֹא יִישָׁן שׁוֹמֵר יִשְׂרָאֵל Ps. 121:4

(ב) וַיִּקְרָא אֱלֹהִים לָאוֹר יוֹם
וְלַחֹשֶׁךְ קָרָא לָיְלָה Gen. 1:5
יָדַע שׁוֹר קֹנֵהוּ וַחֲמוֹר אֵבוּס בְּעָלָיו Is. 1:3
שִׁמְעוּ־זֹאת... וְהַאֲזִינוּ כֹּל יוֹשְׁבֵי הָאָרֶץ Joel 1:2

(ג) הַנֹּגֵעַ בָּאִישׁ הַזֶּה וּבְאִשְׁתּוֹ מוֹת יוּמָת
Gen. 26:11
וּמְקַלֵּל אָבִיו וְאִמּוֹ Ex. 21:17
וְכָל־מִנְחָה בְלוּלָה־בַשֶּׁמֶן וַחֲרֵבָה Lev. 7:10
דְּבַר־מִי יָקוּם מִמֶּנִּי וּמֵהֶם Jer. 44:28

(ד) לֹא אֲדֹנִי וַעֲבָדֶיךָ בָּאוּ לִשְׁבָּר־אֹכֶל Gen. 42:10
מוֹשַׁב הָעִיר טוֹב...וְהַמַּיִם רָעִים IIK. 2:19
כִּי כָּל־אֱלֹהֵי הָעַמִּים אֱלִילִים
וַיְיָ שָׁמַיִם עָשָׂה Ps. 96:5

(ה) מַה־תִּתֶּן־לִי וְאָנֹכִי הוֹלֵךְ עֲרִירִי Gen. 15:2
לֹא נוּכַל לִרְאוֹת פְּנֵי הָאִישׁ
וְאָחִינוּ הַקָּטֹן אֵינֶנּוּ אִתָּנוּ Gen. 44:26
אֵיךְ תֹּאמַר אֲהַבְתִּיךְ וְלִבְּךָ אֵין אִתִּי Jud. 16:15

(ו) וְאִם־אֶקַּח מִכָּל־אֲשֶׁר־לָךְ וְלֹא תֹאמַר
אֲנִי הֶעֱשַׁרְתִּי אֶת־אַבְרָם Gen. 14:23
זֹאת עֲשׂוּ וִחְיוּ Gen. 42:18
שַׁלַּח אֶת־עַמִּי וְיַעַבְדֻנִי בַּמִּדְבָּר Ex. 7:16
וְרָחֲצוּ יְדֵיהֶם וְרַגְלֵיהֶם וְלֹא יָמֻתוּ Ex. 30:21

(ז) הַנֶּאֱהָבִים וְהַנְּעִימִם בְּחַיֵּיהֶם
וּבְמוֹתָם לֹא נִפְרָדוּ IISh. 1:23

(ח) חָכְמַת וָדָעַת Is. 33:6
שֹׁד וָשֶׁבֶר בִּמְסִלּוֹתָם Is. 59:7
כָּל־יֹדְעֵי דָּת וָדִין Es. 1:13

(ט) לֹא־יִהְיֶה לְךָ בְּכִיסְךָ אֶבֶן וָאָבֶן Deut. 25:13
בִּינוּ שְׁנוֹת דֹּר־וָדֹר Deut. 32:7
בְּלֵב וָלֵב יְדַבֵּרוּ Ps. 12:3
זִקְנֵי־עִיר וָעִיר Ez. 10:14

(י) וְאִם־יָדַעְתָּ וְיֶשׁ־בָּם אַנְשֵׁי־חַיִל Gen. 47:6
דַּבֵּר אֶל־בְּנֵי־יִשְׂרָאֵל וְיִסָּעוּ Ex. 14:15
מִי־יִתֵּן וְהָיָה לְבָבָם זֶה לָהֶם Deut. 5:26

(יא) וַיְבָרֶךְ אֱלֹהִים אֶת־יוֹם הַשְּׁבִיעִי Gen. 2:3
וּבְנֵי יִשׂ׳ פָּרוּ וַיִּשְׁרְצוּ וַיִּרְבּוּ וַיַּעַצְמוּ Ex. 1:7
וַיְהִי אִישׁ אֶחָד מִן־הָרָמָתַיִם צוֹפִים ISh. 1:1
וָאֶתְפַּלֵּל אֶל־יְיָ אַחֲרֵי תִתִּי אֶת־סֵפֶר Jer. 32:16

(יב) וְעָזַב אֶת־אָבִיו וָמֵת Gen. 44:22
וְאָהַבְתָּ אֵת יְיָ אֱלֹהֶיךָ בְּכָל־לְבָבְךָ Deut. 6:5
אַחַר וּבָנִיתָ בֵיתֶךָ Prov. 24:27

וְאַבֶּדְךָ (Ezek. 28:16) – עין אָבַד

וְאֵחַר (Gen. 32:4) – עין אָחַר

וְאוֹצְרָה (Neh. 13:13) – עין אָצַר

וְדָן שֵׁם עיר בדרום עֲרָב
וְדָן 1 וְדָן וְיָוָן מְאוּזָּל... Ezek. 27:19

וָהֵב שֵׁם מקום בקרבת נחל ארנוֹן
וָהֵב 1 אֶת־וָהֵב בְּסוּפָה... Num. 21:14

וָו* ז׳ קָנֶה מעוּקם לתליה
וָוִים 1 עָשָׂה וָוִים לָעַמּוּדִים Ex. 38:28
וָוֵי 7-2 וָוֵי הָעַמֻּדִים וַחֲשֻׁקֵיהֶם כָּסֶף Ex. 27:10
27:11; 38:10,11,12,17
וָוֵיהֶם 10-8 וָוֵיהֶם זָהָב Ex. 26:32,37; 36:36
12-11 וָוֵיהֶם כָּסֶף Ex. 27:17; 38:19
13 וְאֶת־עַמּוּדָיו חֲמִשָּׁה וְאֶת־וָוֵיהֶם Ex. 36:38

וָזָר עין זָר (לדעה אחרת: עקש, טעון חטא)
וָזָר 1 הֲפַכְפַּךְ דֶּרֶךְ אִישׁ וָזָר Prov. 21:8

וַיֹּאֶל (ISh. 14:24) – עין אָלָה

וַיֵּאת (Is. 41:25) – עין אָתָה

וַיִּבֶז (Gen. 25:34) – עין בָּזָה

וַיֵּבְךְּ (Gen. 45:15) – עין בָּכָה

וַיָּבָל (Jud. 19:21) – עין בָּלַל

וַיִּבֶן (Gen. 2:22) – עין בָּנָה

וַיְּבִשֵׁהוּ (Lam. 3:33) – עין יָבֵשׁ

וַיֵּגֶד, וַיַּגֵּד – עין נגד **וַיַּגֶּה** (Lam. 3:33) – עין יגה

וַיָּגָז (Num. 11:31) – עין גוז

וַיָּגָז (Job 1:20) – עין גָּזַז

וַיָּגֶל (Gen. 29:10) – עין גָּלַל

וַיֶּגֶל (IIK. 17:6) – עין גָּלָה^{2}

וַיְגַל (Num. 22:31) – עין גָּלָה^{1}

וַיֶּגֶל (Job 36:10) – עין גָּלָה^{1}

וַיָּגֶל (Ps. 16:9) – עין גיל

וַיִּגַל — (עמוס ה24) — עין גָּלַל
וַיִּגַּע — (Is. 6:7) — עין נָגַע
וַיָּגָר — (Gen. 21:34) — עין גור[1]
וַיָּגָר — (Num. 22:3) — עין גור[3]
וַיֵּדֶא — (Ps. 18:11) — עין דָּאָה
וַיַּדּוּ — (Lam. 3:53) — עין יָדָה
וַיִּדַּח — (IIK. 17:21) — עין נדח
וַיָּדֶק — (IIK. 23:6) — עין דקק
וַיָּהָם — (Ex. 14:24) — עין המם
וַיַּהַס — (Num. 13:30) — עין הָסָה
וַיּוֹאֶל — (Ex. 2:21) — עין יאל
וַיּוֹאֶל — (ISh. 14:24) — עין אלה
וַיּוֹחֶל — (ISh. 13:8) — עין יחל
וַיּוֹחֶר — (IISh. 20:5) — עין אחר
וַיּוֹכַח — (Gen. 31:42) — עין יכח
וַיּוֹר — (IIK. 13:17) — עין ירה
וַיּוּשַׂם — (Gen. 24:33) — עין שׂים
וַיֵּז, וַיִּז, וַיַּז וכו׳ — עין נזה
וַיָּזֶד — (Gen. 25:29) — עין זוד
וַיֶּזֶן — (IICh. 21:11) — עין זָנָה
וַיָּזַר — (Jud. 6:38) — עין זור
וַיִּזֶר — (Ex. 32:20) — עין זָרָה
וַיְזָתָא שפ״ז — צעיר בניו של המן
וַיְזָתָא 1 וְאֵת אֲרִידַי וְאֵת וַיְזָתָא Es. 9:9
וַיִּחַדְּ — (Ex. 18:9) — עין חדה
וַיָּחִילוּ — (Jud. 3:25) — עין חיל[2]
וַיָּחֶל — (Gen. 8:10) — עין חיל[2]
וַיָּחֶל — (ISh. 31:3) — עין חלה
וַיָּחַל — (IIK. 1:2) — עין חלה
וַיֵּחַם — (IIK. 4:34) — עין חמם
וַיֶּחֱמוּ — (Gen. 30:39) — עין יחם
וַיִּחַן — (Gen. 33:18) — עין חָנָה
וַיָּחָן — (IIK. 13:23) — עין חָנַן
וַיָּחַף — (IICh. 3:7) — עין חָפָה
וַיַּחַץ — (Gen. 32:7) — עין חָצָה
וַיִּחַר — (Gen. 4:5) — עין חרה
וַיֵּט, וַיַּט, וַיֵּטוּ וכו׳ — עין נָטָה
וַיָּטֶל — (ISh. 18:11) — עין טול
וַיַּטַשׁ — (ISh. 17:20) — עין נָטַשׁ
וַיְּיַחֵל — (Gen. 8:12) — עין יחל
וַיְיַף — (Ezek. 31:7) — עין יָפָה
וַיִּירָא — (Gen. 28:17) — עין יָרֵא
וַיִּישֶׂם — (Gen. 50:26) — עין שׂים
וַיַּךְ, וַיַּכּוּ — עין נכה
וַיְכוֹנְנוּ — (Job 31:15) — עין כון
וַיְכַל, וַיְכַלּוּ — עין כָּלָה
וַיַּכְּתוּ — (Deut. 1:44) — עין כתת
וַיִּלֹּנוּ — (Ex. 16:2) — עין לון

וַיָּלֶט — (IK. 19:13) — עין לוט
וַיָּלֶן — (Gen. 28:11) — עין לין[1]
וַיָּלֶן — (Ex. 17:3) — עין לון, לין[2]
וַיִּלֹּנוּ — (Ex. 15:24) — עין לון[2]
וַיָּמָד — (Ruth 3:15) — עין מדד
וַיִּמַח — (Gen. 7:23) — עין מחה
וַיָּמֹכּוּ — (Ps. 106:43) — עין מכך
וַיָּמָל — (Gen. 17:23) — עין מול
וַיְמַן — (Jon. 4:7) — עין מָנָה
וַיָּמֶץ — (Jud. 6:38) — עין מָצָה
וַיִּנָּהוּ — (ISh. 7:2) — עין נהה
וַיָּנַח, וַיַּנַּח — עין נוח
וַיִּנָּחֵם — (Ps. 107:30) — עין נָחָה
וַיָּנַע — (Is. 7:2) — עין נוע
וַיָּסֶף — (IISh. 12:20) — עין סוך
וַיַּסֵּךְ — (Gen. 35:14) — עין נָסַךְ
וַיֹּסֶף — (IISh. 6:1) — עין אָסַף
וַיָּסַר — (Jud. 16:19) — עין סור
וַיָּסֶת — (ICh. 21:1) — עין סות
וַיָּעַד — (IIK. 17:13) — עין עוד
וַיְעִדֵהוּ — (IK. 21:13) — עין עוד
וַיַּעַט — (ISh. 14:32) — עין עיט
וַיַּעַט — (Is. 59:17) — עין עָטָה
וַיָּעַף — (Jud. 4:21) — עין עָיֵף
וַיָּעָף — (Is. 6:6) — עין עוף
וַיִּעַף — (Is. 44:12) — עין יעף
וַיָּעַר — (IICh. 21:16) — עין עור
וַיָּפָג — (Gen. 45:26) — עין פוג
וַיָּפֹזּוּ — (Gen. 49:24) — עין פזז
וַיִּפַּח — (Gen. 2:7) — עין נָפַח
וַיִּפֶן — (Ex. 2:12) — עין פָּנָה
וַיִּפֶן — (Jud. 15:4) — עין פָּנָה
וַיָּפֶץ — (Gen. 11:8) — עין פוץ
וַיָּפֶק — (Prov. 8:35) — עין פוק
וַיָּפֵר — (Neh. 4:9) — עין פרר
וַיֶּפֶר — (Ps. 105:24) — עין פָּרָה
וַיִּפְתְּ — (Job 31:27) — עין פָּתָה
וַיִּצְטַיָּרוּ — (Josh. 9:4) — עין ציר
וַיַּצֵּל — (Gen. 31:9) — עין נצל
וַיְצַף — (IK. 6:15) — עין צָפָה
וַיָּצֶף — (IIK. 6:6) — עין צוף
וַיִּצַּק, וַיִּצְקוּם — עין יָצַק
וַיָּצַר — (Ex. 32:4) — עין צור
וַיִּצֶר — (Gen. 2:19) — עין יצר
וַיֵּצֶר — (Gen. 32:7) — עין צרר
וַיָּצֵרוּ — (Neh. 9:27) — עין צרר
וַיָּקֵא — (Jon. 2:11) — עין קיא
וַיִּקֹּד — (ISh. 28:14) — עין קדד
וַיְקַו — (Is. 5:2) — עין קוה

וַיֵּקֶן — (IISh. 24:24) — עין קנה
וַיַּקֵּף — (Lam. 3:5) — עין נָקַף
וַיִּקַץ — (Jud. 16:20) — עין יקץ
וַיָּקָץ — (Num. 22:3) — עין קוץ
וַיִּקָּר — (Num. 23:16) — עין קרה
וַיִּקֶר — (Ruth 2:3) — עין קרה
וַיֶּקֶשׁ — (IISh. 19:44) — עין קשה
וַיֵּרָא, וַיַּרְא — עין ראה
וַיִּרְאוּ — (Josh. 4:14) — עין יָרֵא
וַיָּרֶב — (ISh. 15:5) — עין אָרַב
וַיָּרֶב — (Gen. 31:36) — עין ריב
וַיֵּרֶד — (IK. 6:32) — עין רדד
וְיֵרְדְּ — (Ps. 72:8) — עין רדה[2]
וַיִּרְדֵּהוּ — (Jud. 14:9) — עין רדה[1]
וַיָּרַח — (Gen. 8:21) — עין ריח
וַיָּרָם — (Hosh. 13:6) — עין רום
וַיָּרֻם — (Ex. 16:20) — עין רמם
וַיָּרַע — (Josh. 6:20) — עין רוע
וַיָּרַע — (IK. 16:25) — עין רעע
וַיִּרֶף — (Ex. 4:26) — עין רפה
וַיֵּרָפוּ — (IIK. 2:22) — עין רפא
וַיְרַפּוּ — (Jer. 8:11) — עין רפא
וַיָּרֶק — (Gen. 14:14) — עין ריק
וַיֹּרֶשׁ, וַיּוֹרֶשׁ — עין יָרַשׁ
וַיִּשָּׂא — (Gen. 13:10) — עין נָשָׂא
וַיֵּשֶׁב — (Gen. 4:16) — עין יָשַׁב
וַיַּשֵּׁב — (Gen. 15:11) — עין נָשַׁב
וַיָּשָׁב — (Gen. 22:19) — עין שוב
וַיִּשְׁבְּ — (Num. 21:1) — עין שָׁבָה
וַיִּשַּׁח — (Is. 2:9) — עין שחח
וַיָּשֹׁכּוּ — (Gen. 8:1) — עין שָׁכַךְ
וַיָּשֹׁסּוּ — (Jud. 2:14) — עין שסס
וַיִּשַׁע — (Gen. 4:4) — עין שָׁעָה
וַיִּשַּׁק — (Gen. 27:27) — עין נָשַׁק
וַיַּשְׁק — (Gen. 29:10) — עין שקה
וַיָּשַׂר — (Hosh. 12:5) — עין שׂור[1]
וַיָּשַׂר — (ICh. 20:3) — עין שׂור[2]
וַיִּשַׁר — (ISh. 18:20) — עין ישר
וַיִּשַּׁרְנָה — (ISh. 6:12) — עין ישר
וַיֵּשְׁתְּ — (Gen. 9:21) — עין שָׁתָה
וַיִּשְׁתַּחוּ, וַיִּשְׁתַּחֲווּ — עין שחה
וַיֵּתֵא — (Deut. 33:21) — עין אָתָה
וַיִּתְגַּל — (Gen. 9:21) — עין גלה
וַיִּתְחָל — (IISh. 13:6) — עין חלה
וַיִּתָו — (ISh. 21:14) — עין תוה
וַיִּתְכַּס — (IIK. 19:1) — עין כָּסָה
וַיִּתְּכוּ — (Job 3:24) — עין נתך
וַיִּתַּר — (Hab. 3:6) — עין נָתַר
וַיִּתְרֹצְצוּ — (Gen. 25:22) — עין רוץ

וַיִּתְּשֵׁם — (Deut. 29:27) — עין נָתַשׁ
וָלָד ז׳ יֶלֶד
וָלָד 1 וַתְּהִי שָׂרַי עֲקָרָה אֵין לָהּ וָלָד Gen. 11:30
וְנָאשְׁאַר — (Ezek. 9:8) — עין שָׁאַר
וַנְּהִי — (Num. 13:33) — עין הָיָה
וַנְיָה שפ״ז — מבני בָּנִי שנשאו נשים נכריות
וַנְיָה 1 וַנְיָה מְרֵמוֹת אֶלְיָשִׁיב Ez. 10:36
וַנִּירָם — (Num. 21:30) — עין יָרָה
וַנֵּפֶן — (Deut. 2:1) — עין פָּנָה
וַנַּשִּׁים — (Num. 21:30) — עין שמם
וַנִּבֹּל — (Is. 64:5) — עין בָּלָה, בלל
וָעֶד — עין ערך עד
וָפְסִי שפ״ז — אבי אחד ממרגלי משה, משבט נפתלי
וָפְסִי 1 לְמַטֵּה נַפְתָּלִי נַחְבִּי בֶּן־וָפְסִי Num. 13:14
וְקָבְנוֹ — (Num. 23:13) — עין קבב
וַשְׁנִי שפ״ז — בכור שמואל הנביא [בש״א ח2: יואל]
וַשְׁנִי 1 וּבְנֵי שְׁמוּאֵל הַבְּכֹר וַשְׁנִי וַאֲבִיָּה ICh. 6:13
וַשְׁתִּי שפ״נ — אשתו של אחשורוש מלך פרס
וַשְׁתִּי 1 גַּם וַשְׁתִּי הַמַּלְכָּה עָשְׂתָה מִשְׁתֵּה נָשִׁים Es. 1:9
2/3 לְהָבִיא אֶת־וַשְׁתִּי הַמַּלְכָּה Es. 1:11, 17
4 וַתְּמָאֵן הַמַּלְכָּה וַשְׁתִּי לָבוֹא Es. 1:12
5-10 וַשְׁתִּי Es. 1:15, 16, 19; 2:1, 4, 17
וַתִּדַּד — (Gen. 31:40) — עין נדד
וַתֵּהֹם — (ISh. 4:5) — עין הום
וַתַּהַר — (Gen. 16:4) — עין הָרָה
וַתָּחִל — (Ps. 97:4) — עין חול, חיל
וַתָּחֶל — (Jud. 16:19) — עין חלל
וַתָּחֹל — (Jer. 51:29) — עין חול
וַתְּחִלֶּינָה — (Gen. 41:54) — עין חלל
וַתֵּכַהּ — (Job 17:7) — עין כָּהָה
וַתֵּלֶא — (Job 4:5) — עין לאה
וַתֵּלַהּ — (Gen. 47:13) — עין להה
וַתֶּמֶס — (Ps. 39:12) — עין מסה
וַתֶּמֶר — (Ezek. 5:6) — עין מָרָה
וַתַּעַד — (Hosh. 2:15) — עין עדה
וַתָּעַד — (Neh. 9:29) — עין עוד
וַתָּעָז — (Jud. 6:2) — עין עזז
וַתַּעַט — (ISh. 15:19) — עין עוט
וַתֹּפַע — (Job 10:22) — עין יפע
וַתַּצִּק — (IISh. 13:9) — עין יצק
וַתִּצַּת — (Is. 9:17) — עין יצת
וַתִּקֹּד — (IK. 1:16) — עין קדד
וַתֵּקַע — (Gen. 32:25) — עין יקע
וַתְּקַשׁ — (Gen. 35:16) — עין קשה
וַתֵּרֶב — (Gen. 43:34) — עין רָבָה
וְתֹרֶךָ — (Job 12:7) — עין יָרָה
וַתָּרָץ — (Jud. 9:53) — עין רָצַץ
וַתִּרֶץ — (Ps. 50:18) — עין רָצָה
וַתִּשֹּׁם — (Ezek. 11:7) — עין שמם
וַתָּשַׁר — (Jud. 5:1) — עין שיר

ז' זעירא: וַיְזָתָא Es. 9:9
ז' רבתי: הַכְזוֹנָה Gen. 34:31
זָכְרוּ Mal. 3:22

ז

מסורה מסורה מסורה
זיני"ן בתורה 2 198

כתיב ג' – קרי ז'
לבג לְבַז Ezek. 25:7

זְאֵב¹ ז' חיה טורפת ממשפחת הכלבים: 1–7
זְאֵבֵי עֶרֶב 6, 7

זְאֵב 1 בִּנְיָמִין זְאֵב יִטְרָף Gen. 49:27
2 וְגָר זְאֵב עִם־כֶּבֶשׂ Is. 11:6
3 זְאֵב וְטָלֶה יִרְעוּ כְאֶחָד Is. 65:25
זְאֵב־ 4 זְאֵב עֲרָבוֹת יְשָׁדְדֵם Jer. 5:6
כִּזְאֵבִים 5 שָׂרֶיהָ בְקִרְבָּהּ כִּזְאֵבִים טֹרְפֵי טָרֶף Ezek. 22:27
זְאֵבֵי־ 6 שֹׁפְטֶיהָ זְאֵבֵי עֶרֶב לֹא גָרְמוּ לַבֹּקֶר Zep. 3:3
מִזְּאֵבֵי 7 וְקַלּוּ מִנְּמֵרִים...וְחַדּוּ מִזְּאֵבֵי עֶרֶב Hab. 1:8

זְאֵב² שפ"ז – אחד משני שרי מדין בימי גדעון
זְאֵב 1 וַיִּלְכְּדוּ...אֶת־עֹרֵב וְאֶת־זְאֵב... Jud. 7:25
2/3 וְאֶת־זְאֵב הָרְגוּ בְיֶקֶב־זְאֵב Jud. 7:25
4 אֶת־שָׂרֵי מִדְיָן אֶת־עֹרֵב וְאֶת־זְאֵב Jud. 8:3
וּזְאֵב 5 וְרֹאשׁ־עֹרֵב וּזְאֵב הֵבִיאוּ אֶל־גִּדְעוֹן Jud. 7:25
וְכִזְאֵב 6 שִׁיתֵמוֹ נְדִיבֵמוֹ כְּעֹרֵב וְכִזְאֵב Ps. 83:12

זָאעִין פ' ארמית – עיין (זוע)²

זֹאת מלת־רמיזה לנקבה [עין גם זֶה, זֹה, זוֹ]
א) כנוי רומז לנקבה לפני השם או לאחריו: 1–92, 250–268, 543, 546, 547, 595
ב) קיצור סתמי במשמע "דָבר זה": 93–239, 269–274, 534, 545, 548–594, 596–600
ג) מלת־הדגשה למלה הקודמת: 240–249
ד) [הַזֹּאת] כנוי רמיזה אחרי השם מיודע: 275–542
– זֹאת לֹא זֹאת 170; זֹאת הָאָרֶץ 39, 41, 43, 45, 74; זֹאת הַפַּעַם 1; אַחֲרֵי זֹאת 180, 181; אַחֲרֵי כָּל־זֹאת 185; אֵין זֹאת 122; הַאַף אֵין זֹאת 175; אַף גַּם זֹאת 109; בְּכָל־זֹאת 124, 128, 137-141, 152, 174, 177–179, 182; בַּעֲבוּר זֹאת 103; כָּזֹאת וְכָזֹאת 574, 576, 577, 588, 591; כָּל זֹאת 97, 114, 118, 176, 184; לְמַעַן זֹאת 133; מַה זֹּאת 104, 240–249; מִי זֹאת 87–89; עַל־זֹאת 151, 153–168; תַּחַת זֹאת 130
– הָאָרֶץ הַזֹּאת 275–278, 283, 284, 287, 293–340, 370, 371; הָעִיר הַזֹּאת 395, 400–459; הַשִּׁירָה הַזֹּאת 347, 354, 387–394; הַתּוֹרָה הַזֹּאת 349, 355–369 (ועוד שמות רבים מיודעים עם הַזֹּאת, עין במקראות).
– בְּזֹאת, בָּזֹאת 548–566; הֲזֹאת 543–547; כְּזֹאת, כָּזֹאת 567–594; לְזֹאת, לָזֹאת 595–599; מִזֹּאת 600

זֹאת (א) 1 זֹאת הַפַּעַם עֶצֶם מֵעֲצָמַי Gen. 2:23
2 כִּי מֵאִישׁ לֻקֳחָה־זֹּאת Gen. 2:23
3/4 זֹאת אוֹת־הַבְּרִית Gen. 9:12,17
5 וְאָמְרוּ אִשְׁתּוֹ זֹאת Gen. 12:12
6 זֹאת בְּרִיתִי אֲשֶׁר תִּשְׁמְרוּ Gen. 17:10
7 וְנִקִּיתָ מִשְּׁבֻעָתִי זֹאת Gen. 24:8
8/9 מַלֵּא שְׁבֻעַ זֹאת וְנִתְּנָה לְךָ גַּם־אֶת־זֹאת Gen. 29:27
10 וַיְמַלֵּא שְׁבֻעַ זֹאת Gen. 29:28
11 זֹאת חֻקַּת הַפָּסַח Ex. 12:43
12 זֹאת תּוֹרַת הָעֹלָה Lev. 6:2
13 זֹאת תּוֹרַת הַחַטָּאת Lev. 6:18
14 זֹאת מִשְׁחַת אַהֲרֹן... Lev. 7:35
15 זֹאת הַתּוֹרָה לָעֹלָה... וְלַחַטָּאת Lev. 7:37
16 זֹאת הַחַיָּה אֲשֶׁר תֹּאכְלוּ Lev. 11:2

זֹאת (א) (המשך)
17 זֹאת תּוֹרַת הַבְּהֵמָה וְהָעוֹף Lev. 11:46
18–26 זֹאת תּוֹרַת... Lev. 12:7; 13:59
14:32,57; 15:32 • Num. 5:29; 6:21 • Ezek. 43:12²
27 זֹאת תִּהְיֶה תּוֹרַת הַמְּצֹרָע Lev. 14:2
28 זֹאת הַתּוֹרָה לְכָל־נֶגַע הַצָּרַעַת Lev. 14:54
29 זֹאת עֲבֹדַת בְּנֵי־קְהָת Num. 4:4
30–32 זֹאת עֲבֹדַת Num. 4:24,28,33
33/4 זֹאת חֲנֻכַּת הַמִּזְבֵּחַ Num. 7:84,88
35/6 זֹאת חֻקַּת הַתּוֹרָה Num. 19:2; 31:21
37 זֹאת הַתּוֹרָה אָדָם כִּי־יָמוּת בְּאֹהֶל Num. 19:14
38 זֹאת עֹלַת חֹדֶשׁ בְּחָדְשׁוֹ Num. 28:14
39 זֹאת הָאָרֶץ אֲשֶׁר תִּפֹּל...בְּנַחֲלָה Num. 34:2
40 זֹאת תִּהְיֶה לָכֶם הָאָרֶץ... Num. 34:12
41 זֹאת הָאָרֶץ אֲשֶׁר תִּתְנַחֲלוּ Num. 34:13
42 זֹאת הַבְּהֵמָה אֲשֶׁר תֹּאכֵלוּ Deut. 14:4
43 זֹאת הָאָרֶץ אֲשֶׁר נִשְׁבַּעְתִּי... Deut. 34:4
44 לְמַעַן תִּהְיֶה זֹאת אוֹת בְּקִרְבְּכֶם Josh. 4:6
45 זֹאת הָאָרֶץ הַנִּשְׁאָרֶת Josh. 13:2
46 זֹאת נַחֲלַת בְּנֵי־רְאוּבֵן Josh. 13:23
47–58 זֹאת נַחֲלַת Josh. 13:28; 15:20; 16:8
18:20,28; 19:8,16,23,31,39,48 • Is. 54:17
59 זֹאת פְּאַת־יָם Josh. 18:14
60 הֲלוֹא־זֹאת בַּת־שֶׁבַע IISh. 11:3
61 שִׁלְחוּ־נָא אֶת־זֹאת מֵעָלַי IISh. 13:17
62 זֹאת אֹמֶרֶת זֶה־בְּנִי הַחַי IK. 3:23
63 הִנֵּה־זֹאת הָרָעָה מֵאֵת יְיָ IIK. 6:33
64 זֹאת הָאִשָּׁה וְזֶה־בְּנָהּ IIK. 8:5
65 אֲשֶׁר לֹא־יֹאמְרוּ זֹאת אִיזָבֶל IIK. 9:37
66 זֹאת הָעֵצָה הַיְּעוּצָה Is. 14:26
67 זֹאת הַמְּנוּחָה הָנִיחוּ לֶעָיֵף Is. 28:12
68 וַאֲנִי זֹאת בְּרִיתִי אוֹתָם Is. 59:21
69 זֹאת רָעָתֵךְ כִּי מָר Jer. 4:18
70 כִּי זֹאת הַבְּרִית אֲשֶׁר אֶכְרֹת Jer. 31:33(32)
71 זֹאת יְרוּשָׁלַםִ בְּתוֹךְ הַגּוֹיִם Ezek. 5:5
72 זֹאת הַתְּרוּמָה אֲשֶׁר תָּרִימוּ Ezek. 45:13
73 זֹאת פְּאַת־יָם Ezek. 47:20
74 זֹאת הָאָרֶץ אֲשֶׁר־תַּפִּילוּ מִנַּחֲלָה Ezek. 48:29
75 כִּי לֹא־זֹאת הַמְּנוּחָה Mic. 2:10
76 זֹאת הָעִיר הָעַלִּיזָה Zep. 2:15
77 זֹאת הָאָלָה הַיּוֹצֵאת... Zech. 5:3
78 זֹאת הָאֵיפָה הַיּוֹצֵאת... Zech. 5:6
79 זֹאת עֵינָם בְּכָל־הָאָרֶץ Zech. 5:6
80 וַיֹּאמֶר זֹאת הָרִשְׁעָה Zech. 5:8
81 זֹאת תִּהְיֶה חַטַּאת מִצְרָיִם Zech. 14:19
82 וּפְקֹד גֶּפֶן זֹאת Ps. 80:15
83 זֹאת פְּעֻלַּת שֹׂטְנַי מֵאֵת יְיָ Ps. 109:20
84 וְיֵדְעוּ כִּי־יָדְךָ זֹּאת Ps. 109:27
85 זֹאת נֶחָמָתִי בְעָנְיִי Ps. 119:50
86 זֹאת־מְנוּחָתִי עֲדֵי־עַד Ps. 132:14
87/8 מִי זֹאת עֹלָה מִן־הַמִּדְבָּר S.ofS. 3:6; 8:5
89 מִי־זֹאת הַנִּשְׁקָפָה כְּמוֹ־שָׁחַר S.ofS. 6:10
90 זֹאת קוֹמָתֵךְ דָּמְתָה לְתָמָר S.ofS. 7:8
91 זֹאת מוֹשְׁבֹתָם ICh. 4:33
92 וַיְהִי־קֶצֶף... בְּאַשְׁמָתָם זֹאת IICh. 24:18

זֹאת (ב)
93 כִּי עָשִׂיתָ זֹּאת אָרוּר אַתָּה... Gen. 3:14
94 בְּתָם־לְבָבִי... עָשִׂיתִי זֹאת Gen. 20:5
95 בְתָם־לְבָבְךָ עָשִׂיתָ זֹּאת Gen. 20:6
96 וַיֹּאמְרוּ זֹאת מָצָאנוּ Gen. 37:32
97 הוֹדִיעַ... אֶת־כָּל־זֹאת Gen. 41:39
98 זֹאת עֲשׂוּ וִחְיוּ Gen. 42:18
99 אִם־כֵּן אֵפוֹא זֹאת עֲשׂוּ Gen. 43:11
100 חָלִילָה לִּי מֵעֲשׂוֹת זֹאת Gen. 44:17
101 אֱמֹר אֶל־אַחֶיךָ זֹאת עֲשׂוּ Gen. 45:17
102 זֹאת עֲשׂוּ קְחוּ־לָכֶם... Gen. 45:19
103 וְאוּלָם בַּעֲבוּר זֹאת הֶעֱמַדְתִּיךָ Ex. 9:16
104 וְהָיָה כִּי־יִשְׁאָלְךָ... מַה־זֹּאת Ex. 13:14
105 כְּתֹב זֹאת זִכָּרוֹן בַּסֵּפֶר Ex. 17:14
106 וְהָיְתָה־זֹּאת לָכֶם לְחֻקַּת עוֹלָם Lev. 16:34
107 חֻקַּת עוֹלָם תִּהְיֶה־זֹּאת לָהֶם Lev. 17:7
108 אַף־אֲנִי אֶעֱשֶׂה־זֹּאת לָכֶם Lev. 26:16
109 וְאַף גַּם־זֹאת בִּהְיוֹתָם... Lev. 26:44
110 זֹאת אֲשֶׁר לַלְוִיִּם Num. 8:24
111 אִם־לֹא זֹאת אֶעֱשֶׂה... Num. 14:35
112 זֹאת עֲשׂוּ קְחוּ־לָכֶם מַחְתּוֹת Num. 16:6
113 הַ־לַיְיָ תִּגְמְלוּ־זֹאת Deut. 32:6
114 וְלֹא יְיָ פָּעַל כָּל־זֹאת Deut. 32:27
115 לוּ חָכְמוּ יַשְׂכִּילוּ זֹאת Deut. 32:29
116 זֹאת נַעֲשֶׂה לָהֶם Josh. 9:20
117 מִדְּאָגָה מִדָּבָר עָשִׂינוּ אֶת־זֹאת Josh. 22:24
118 וְלָמָּה מְצָאַתְנוּ כָּל־זֹאת Jud. 6:13
119 אֵין זֹאת בִּלְתִּי אִם־חֶרֶב גִּדְעוֹן Jud. 7:14
120 מִי עָשָׂה זֹאת Jud. 15:6
121 לָמָה... הָיְתָה־זֹּאת בְּיִשְׂרָאֵל Jud. 21:3
122 וּמַדּוּעַ יַסְתִּיר... אֵין זֹאת ISh. 20:2
123 אַל־יֵדַע־זֹאת יְהוֹנָתָן ISh. 20:3
124 כִּי לֹא־יָדַע עַבְדְּךָ בְּכָל־זֹאת... ISh. 22:15
125 וְלֹא תִהְיֶה זֹאת לְךָ לְפוּקָה ISh. 25:31
126 וַתִּקְטַן עוֹד זֹאת בְּעֵינֶיךָ IISh. 7:19
127 כִּי בֶן־מָוֶת הָאִישׁ הָעֹשֶׂה זֹאת IISh. 12:5
128 הֲיַד יוֹאָב אִתָּךְ בְּכָל־זֹאת IISh. 14:19
129 וְרָעָה לְךָ זֹאת מִכָּל־הָרָעָה... IISh. 19:8
130 הֲתַחַת זֹאת לֹא יוּמַת שִׁמְעִי IISh. 19:22
131 חָלִילָה לִּי יְיָ מֵעֲשֹׂתִי זֹאת IISh. 23:17
132 יַעַן אֲשֶׁר הָיְתָה־זֹּאת עִמָּךְ IK. 11:11
133 וַאֲעַנֶּה אֶת־זֶרַע דָּוִד לְמַעַן זֹאת IK. 11:39
134 וְנָקַל זֹאת בְּעֵינֵי יְיָ IIK. 3:18
135 קִנְאַת יְיָ...תַּעֲשֶׂה־זֹּאת IIK. 19:31
136 מִי־בִקֵּשׁ זֹאת מִיֶּדְכֶם רְמֹס חֲצֵרָי Is. 1:12
137–141 בְּכָל־זֹאת לֹא־שָׁב אַפּוֹ Is. 5:25
9:11,16,20; 10:4
142/3 קִנְאַת יְיָ צְבָאוֹת תַּעֲשֶׂה־זֹּאת Is. 9:6; 37:32
144 מוּדַעַת זֹאת בְּכָל־הָאָרֶץ Is. 12:5
145 מִי יָעַץ זֹאת עַל־צֹר Is. 23:8
146 גַּם־זֹאת מֵעִם יְיָ צְבָאוֹת יָצָאָה Is. 28:29
147 כִּי יַד־יְיָ עָשְׂתָה זֹּאת Is. 41:20
148 מִי בָכֶם יַאֲזִין זֹאת Is. 42:23
149 מִי בָהֶם יַגִּיד זֹאת Is. 43:9
150 מִי הִשְׁמִיעַ זֹאת מִקֶּדֶם Is. 45:21

זאת (ב) (המשך)

151 שֹׁמּוּ שָׁמַיִם עַל־זֹאת Jer. 2:12
152 וְגַם־בְּכָל־זֹאת לֹא־שָׁבָה אֵלַי Jer. 3:10
153 עַל־זֹאת חִגְרוּ שַׂקִּים Jer. 4:8
154 עַל־זֹאת תֶּאֱבַל הָאָרֶץ Jer. 4:28
155-168 עַל־זֹאת Jer. 31:26(25) • Am. 8:8
Mic. 1:8 • Ps. 32:6 • Job 17:8 • Ez. 8:23; 9:15; 10:2,15 • Neh. 13:14 • IICh. 16:9,10; 29:9; 32:20
169 עוֹד זֹאת גִּדְּפוּ אוֹתִי אֲבוֹתֵיכֶם Ezek. 20:27
170 זֹאת לֹא־זֹאת הַשָּׁפָלָה הַגְבֵּהַּ Ezek. 21:31
171 גַּם־זֹאת לֹא הָיָה... Ezek. 21:32
172 עוֹד זֹאת עָשׂוּ לִי Ezek. 23:38
173 עוֹד זֹאת אִדָּרֵשׁ לְבֵית־יִשְׂרָאֵל Ezek. 36:37
174 וְלֹא בִקְשֻׁהוּ בְּכָל־זֹאת Hosh. 7:10
175 הַאַף אֵין־זֹאת בְּנֵי יִשְׂרָאֵל Am. 2:11
176 כָּל־זֹאת בָּאַתְנוּ וְלֹא שְׁכַחֲנוּךָ Ps. 44:18
177 בְּכָל־זֹאת חָטְאוּ־עוֹד Ps. 78:32
178/9 בְּכָל־זֹאת לֹא־חָטָא אִיּוֹב Job 1:22; 2:10
180 וַיְחִי אִיּוֹב אַחֲרֵי־זֹאת מֵאָה...שָׁנָה Job 42:16
181 מַה־נֹּאמַר אֱלֹהֵינוּ אַחֲרֵי־זֹאת Ez. 9:10
182 וּבְכָל־זֹאת אֲנַחְנוּ כֹּרְתִים אֲמָנָה Neh. 10:1
183 וְאַחֲרֵי כָּל־זֹאת נְגָפוֹ יְיָ IICh. 21:18
184 וּכְכַלּוֹת כָּל־זֹאת... IICh. 31:1
185 אַחֲרֵי כָּל־זֹאת... IICh. 35:20
186-239 זֹאת (ב) Is. 46:8; 47:8
48:1,16,20; 50:11; 51:21; 54:9; 56:2 • Jer. 2:17; 5:20,21; 9:11 • Hosh. 5:1 • Joel 1:2^{2}; 4:9 • Am. 4:12; 7:3,6; 8:4; 9:12 • Mic. 1:5; 3:9 • Zep. 2:10 • Mal. 1:9 • Ps. 7:4; 44:22; 49:2; 50:22; 73:16; 74:18; 92:7; 102:19; 118:23; 119:56 • Prov. 6:3 • Job 5:27; 10:13; 12:9; 19:26; 21:2; 33:12; 34:16; 37:14 • Lam. 3:21 • Neh. 13:22 • ICh. 11:19; 17:17; 21:3; 29:18 • IICh. 1:11; 2:3; 25:16; 27:5

זאת (ג)

240 מַה־זֹּאת עָשִׂית Gen. 3:13
241/2 מַה־זֹּאת עָשִׂיתָ לִּי Gen. 12:18; 29:25
243 מַה־זֹּאת עָשִׂיתָ לָּנוּ Gen. 26:10
244-249 מַה־זֹּאת עָשָׂה (עָשִׂיתָ וגו׳) Gen. 42:28
Ex. 14:5,11 • Jud. 2:2; 15:11 • Jon. 1:10

וְזֹאת (א)

250 וְזֹאת הַתְּרוּמָה... Ex. 25:3
251 וְזֹאת תּוֹרַת הַמִּנְחָה Lev. 6:7
252 וְזֹאת תּוֹרַת הָאָשָׁם Lev. 7:1
253 וְזֹאת תּוֹרַת זֶבַח הַשְּׁלָמִים Lev. 7:11
254 וְזֹאת תִּהְיֶה טֻמְאָתוֹ בְּזוֹבוֹ Lev. 15:3
255 וְזֹאת מִשְׁמֶרֶת מַשָּׂאָם Num. 4:31
256 וְזֹאת תּוֹרַת הַנָּזִיר Num. 6:13
257 וְזֹאת הַתּוֹרָה אֲשֶׁר־שָׂם מֹשֶׁה Deut. 4:44
258 וְזֹאת הַמִּצְוָה הַחֻקִּים וְהַמִּשְׁפָּטִים Deut. 6:1
259 וְזֹאת הַבְּרָכָה אֲשֶׁר בֵּרַךְ מֹשֶׁה Deut. 33:1
260 וְזֹאת תּוֹרַת הָאָדָם IISh. 7:19
261/2 וְזֹאת אֹמֶרֶת לֹא... IK. 3:22,23
263 וְזֹאת אֹמֶרֶת גַּם־לִי גַם־לָךְ... IK. 3:26
264 וְזֹאת הַיָּד הַנְּטוּיָה Is. 14:26
265 הָנִיחוּ לֶעָיֵף וְזֹאת הַמַּרְגֵּעָה Is. 28:12
266 וְזֹאת אִשָּׁה אַחַת יוֹשֶׁבֶת... Zech. 5:7
267 וְזֹאת תִּהְיֶה הַמַּגֵּפָה Zech. 14:12
268 וְזֹאת הַתְּעוּדָה בְּיִשְׂרָאֵל Ruth 4:7

וְזֹאת (ב)

269 וְזֹאת אֲשֶׁר־דִּבֶּר לָהֶם Gen. 49:28
270 וְזֹאת עֲשׂוּ לָהֶם וִחְיוּ Num. 4:19
271 וְזֹאת לִיהוּדָה וַיֹּאמַר Deut. 33:7
272 וְזֹאת לָכֶם הָאוֹת Jer. 44:29
273 וְזֹאת שֵׁנִית תַּעֲשׂוּ Mal. 2:13
274 וְזֹאת לְפָנִים בְּיִשְׂרָאֵל... Ruth 4:7

הַזֹּאת (ד)

275/6 לְזַרְעֲךָ אֶתֵּן אֶת־הָאָ׳ הַזֹּאת Gen. 12:7; 24:7

הַזֹּאת (ד) (המשך)

277 לָתֶת לְךָ אֶת־הָאָרֶץ הַזֹּאת Gen. 15:7
278 לְזַרְעֲךָ נָתַתִּי אֶת־הָאָרֶץ הַזֹּאת Gen. 15:18
279 הִנֵּה־נָא הָעִיר הַזֹּאת קְרֹבָה Gen. 19:20
280 גָּרֵשׁ הָאָמָה הַזֹּאת Gen. 21:10
281 לֹא יִירַשׁ בֶּן־הָאָמָה הַזֹּאת Gen. 21:10
282 כִּי חָפַרְתִּי אֶת־הַבְּאֵר הַזֹּאת Gen. 21:30
283 לָלֶכֶת אַחֲרַי אֶל־הָאָרֶץ הַזֹּאת Gen. 24:5
284 גּוּר בָּאָרֶץ הַזֹּאת Gen. 26:3
285 וַהֲשִׁבֹתִיךָ אֶל־הָאֲדָמָה הַזֹּאת Gen. 28:15
286 וְהָאֶבֶן הַזֹּאת אֲשֶׁר־שַׂמְתִּי מַצֵּבָה Gen. 28:22
287 צֵא מִן־הָאָרֶץ הַזֹּאת Gen. 31:13
288 וְאֵת־הַמַּצֵּבָה הַזֹּאת... Gen. 31:52
289 קַח־לִי אֶת־הַיַּלְדָּה הַזֹּאת Gen. 34:4
290 וְאֵיךְ אֶעֱשֶׂה הָרָעָה הַגְּדֹלָה הַזֹּאת Gen. 39:9
291 עַל־כֵּן בָּאָה אֵלֵינוּ הַצָּרָה הַזֹּאת Gen. 42:21
292 וַיִּקְחוּ הָאֲנָשִׁים אֶת־הַמִּנְחָה הַזֹּאת Gen. 43:15
293 וְנָתַתִּי אֶת־הָאָרֶץ הַזֹּאת לְזַרְעֲךָ Gen. 48:4
294-340 (בָ/לְ) הָאָרֶץ הַזֹּאת Gen. 50:24
Ex. 32:13 • Num. 14:3,8,14; 32:5,22 • Deut. 3:12,18; 4:22; 9:4; 26:9; 29:23 • Josh. 1:13; 11:16; 13:7; 17:12 • Jud. 1:27; 2:2 • IK. 9:8 • IIK. 18:25 • Is. 36:10^{2} • Jer. 13:13; 14:15; 16:3,6,13; 22:12; 24:6,8; 25:9,11; 26:20; 32:15, 22,41,43; 36:29; 37:19; 42:10,13 • Ezek. 47:14,21 • IICh. 7:21; 20:7; 30:9

341 וַיַּכְבֵּד... גַּם בַּפַּעַם הַזֹּאת Ex. 8:28
342 כִּי בַּפַּעַם הַזֹּאת... Ex. 9:14
343 וּשְׁמַרְתֶּם אֶת־הָעֲבֹדָה הַזֹּאת Ex. 12:25
344 מָה הָעֲבֹדָה הַזֹּאת לָכֶם Ex. 12:26
345 וְעָבַדְתָּ אֶת־הָעֲבֹדָה הַזֹּאת Ex. 13:5
346 וְשָׁמַרְתָּ אֶת־הַחֻקָּה הַזֹּאת Ex. 13:10
347 אָז יָשִׁיר... אֶת־הַשִּׁירָה הַזֹּאת Ex. 15:1
348 בִּשְׁנַת הַיּוֹבֵל הַזֹּאת... Lev. 25:13
349 אֵת כָּל־הַתּוֹרָה הַזֹּאת Num. 5:30
350 עַד־מָתַי לָעֵדָה הָרָעָה הַזֹּאת Num. 14:27
351 לְכָל־הָעֵדָה הָרָעָה הַזֹּאת Num. 14:35
352 הִבָּדְלוּ מִתּוֹךְ הָעֵדָה הַזֹּאת Num. 16:21
353 הֵרֹמּוּ מִתּוֹךְ הָעֵדָה הַזֹּאת Num. 17:10
354 אָז יָשִׁיר יִשְׂ׳ אֶת־הַשִּׁירָה הַזֹּאת Num. 21:17
355 בֵּאֵר אֶת־הַתּוֹרָה הַזֹּאת Deut. 1:5
356-369 הַתּוֹרָה הַזֹּאת Deut. 4:8; 17:18,19
27:3,8,26; 28:58,61; 29:28; 31:9,11,12,24; 32:46
370/1 אֶת־הָאָרֶץ הַטּוֹבָה הַזֹּאת Deut. 4:22; 9:6
372 כָּרַת יְיָ אֶת־הַבְּרִית הַזֹּאת Deut. 5:3
373 כִּי תֹאכְלֵנוּ הָאֵשׁ הַגְּדֹלָה הַזֹּאת Deut. 5:22
374 לַעֲשׂוֹת אֶת־כָּל־הַמִּצְוָה הַזֹּאת Deut. 6:25
375 ...אֶת־כָּל־הַמִּצְוָה הַזֹּאת Deut. 11:22
376 נֶעֶשְׂתָה הַתּוֹעֵבָה הַזֹּאת בְּקִרְבֶּךָ Deut. 13:15
377 לַעֲשׂוֹת אֶת־כָּל־הַמִּצְוָה הַזֹּאת Deut. 15:5
378 נֶעֶשְׂתָה הַתּוֹעֵבָה הַזֹּאת בְּיִשְׂרָאֵל Deut. 17:4
379 וְאֶת־הָאֵשׁ הַגְּדֹלָה הַזֹּאת Deut. 18:16
380 כִּי־תִשְׁמֹר אֶת־כָּל הַמִּצְוָה הַזֹּאת Deut. 19:9
381 אֶת־הָאִשָּׁה הַזֹּאת לָקַחְתִּי Deut. 22:14
382 וּשְׁמַרְתֶּם אֶת־דִּבְרֵי הַבְּרִית הַזֹּאת Deut. 29:8
383 אָנֹכִי כֹּרֵת אֶת־הַבְּרִית הַזֹּאת Deut. 29:13
384 וְאֶת־הָאָלָה הַזֹּאת Deut. 29:13
385 בְּשָׁמְעוֹ אֶת־דִּבְרֵי הָאָלָה הַזֹּאת Deut. 29:18
386 כִּי הַמִּצְוָה הַזֹּאת...לֹא־נִפְלֵאת Deut. 30:11
387 כִּתְבוּ לָכֶם אֶת־הַשִּׁירָה הַזֹּאת Deut. 31:19
388 תִּהְיֶה־לִּי הַשִּׁירָה הַזֹּאת לְעֵד Deut. 31:19
389-394 הַשִּׁירָה הַזֹּאת Deut. 31:21,22,30
32:44 • IISh. 22:1 • Ps. 18:1

הַזֹּאת (ד) (המשך)

395 אֲשֶׁר יָקוּם וּבָנָה אֶת־הָעִיר הַזֹּאת Josh. 6:26
396 כִּי מָחָר כָּעֵת הַזֹּאת... Josh. 11:6
397/8 מֵעַל הָאֲדָמָה הַטּוֹבָה הַזֹּאת Josh. 23:13,15
399 הָאֶבֶן הַזֹּאת תִּהְיֶה־בָּנוּ לְעֵדָה Josh. 24:27
400 הִנֵּה־נָא אִישׁ־אֱלֹהִים בָּעִיר הַזֹּאת ISh. 9:6
401 וְלֹא תִנָּתֵן אֶת־הָעִיר הַזֹּאת... IIK. 18:30
402-459 (מֵ־ / בָ־ / וְ־) הָעִיר הַזֹּאת IIK. 19:32–34
20:6^{2}; 23:27 • Is. 36:15; 37:33,34,35; 38:6^{2} • Jer. 17:24,25^{2}; 19:8,11,12,15; 20:5; 21:4,6,7,9,10; 22:8^{2}; 26:6 (כת׳ הזאתה), 9,11,12,15; 27:17,19; 29:16; 32:3,28,29^{2},31,36; 33:4,5; 34:2,22; 37:8,10; 38:2,3,4,17,18,23; 39:16 • Ezek. 11:2,6 • Neh. 13:18 • IICh. 6:34
460-542 הַזֹּאת (ד) Jud. 15:18; 19:11,23,24
20:3,12 • ISh. 2:20; 4:6; 6:9; 12:20; 14:38,45; 25:27 • IISh. 1:17; 2:6; 7:21,27,28; 12:11; 13:12,16; 17:7; 19:37 • IK. 3:17,18,19; 8:54; 9:9; 14:15 • IIK. 4:12,13,36; 6:28; 9:26,34; 19:33; 23:3 • Is. 3:6 • Jer. 8:3; 10:18; 11:2,3,6,8; 16:10,21; 25:15; 32:23,35,42; 36:29; 38:16; 40:2; 42:2; 44:4,23 • Ezek. 3:1,2,3; 6:10; 17:7; 45:3,16 • Jon. 1:7,8 • Mic. 2:3 • Zech. 5:5; 14:15 • Mal. 2:1,4 • Job 2:11 • Ruth 2:5; 4:12 • Es. 4:14; 9:26,29 • Dan. 9:13; 10:8 • Neh. 5:16; 6:16; 13:18,27 • ICh. 17:19,26 • IICh. 7:22

הֲזֹאת

543 הֲזֹאת לָכֶם עַלִּיזָה Is. 23:7
544 הֲזֹאת יָדַעְתָּ מִנִּי־עַד Job 20:4
545 הֲזֹאת חָשַׁבְתָּ לְמִשְׁפָּט Job 35:2
546 וַתֹּאמַרְנָה הֲזֹאת נָעֳמִי Ruth 1:19
547 הֲזֹאת הָעִיר שֶׁיֹּאמְרוּ... Lam. 2:15

בְּזֹאת (ב)

548 אַךְ־בְּזֹאת נֵאוֹת לָכֶם Gen. 34:15
549 אַךְ־בְּזֹאת יֵאֹתוּ לָנוּ...בְּהִמּוֹל Gen. 34:22
550 בְּזֹאת תִּבָּחֵנוּ Gen. 42:15
551 בְּזֹאת אֵדַע כִּי כֵנִים אַתֶּם Gen. 42:33
552 בְּזֹאת תֵּדַע כִּי אֲנִי יְיָ Ex. 7:17
553 בְּזֹאת יָבֹא אַהֲרֹן אֶל־הַקֹּדֶשׁ Lev. 16:3
554 וְאִם־בְּזֹאת לֹא תִשְׁמְעוּ לִי Lev. 26:27
555 בְּזֹאת תֵּדְעוּן כִּי־יְיָ שְׁלָחַנִי Num. 16:28
556 בְּזֹאת תֵּדְעוּן כִּי אֵל חַי בְּקִרְבְּכֶם Josh. 3:10
557 בְּזֹאת אֶכְרֹת לָכֶם ISh. 11:2
558 בְּזֹאת יְכֻפַּר עֲוֹן־יַעֲקֹב Is. 27:9
559 כִּי אִם־בְּזֹאת יִתְהַלֵּל הַמִּתְהַלֵּל Jer. 9:23
560 וְגַם־בְּזֹאת לֹא שָׂבָעַתְּ Ezek. 16:29
561 בְּזֹאת אֲנִי בוֹטֵחַ Ps. 27:3
562 בְּזֹאת יָדַעְתִּי כִּי־חָפַצְתָּ בִּי Ps. 41:12

בָּזֹאת (ב)

563 וּבְחָנוּנִי נָא בָּזֹאת Mal. 3:10
564 וַיְהִי בָזֹאת קֶצֶף עַל־יִשְׂרָאֵל ICh. 27:24
565 לֹא לָכֶם לְהִלָּחֵם בָּזֹאת IICh. 20:17

וּבָזֹאת (ב)

566 וּבָזֹאת עָלֶיךָ קֶּצֶף מִלִּפְנֵי יְיָ IICh. 19:2

כְּזֹאת (ב)

567 וּלְאָבִיו שָׁלַח כְּזֹאת Gen. 45:23

כָּזֹאת (ב)

568 וַיְדַבֵּר אֲלֵיהֶם כָּזֹאת Jud. 8:8
569 וְכָעֵת לֹא הִשְׁמִיעָנוּ כָּזֹאת Jud. 13:23
570 אִם־תַּעֲשׂוּן כָּזֹאת... Jud. 15:7
571 ...וְלֹא־נִרְאֲתָה כָּזֹאת Jud. 19:30
572 לֹא הָיְתָה כָּזֹאת אֶתְמוֹל שִׁלְשֹׁם ISh. 4:7
573 וְלָמָּה חָשַׁבְתָּה כָּזֹאת... IISh. 14:13
574 כָּזֹאת וְכָזֹאת יָעַץ אֲחִיתֹפֶל IISh. 17:15
575 כָּזֹאת עָשָׂה אֵת עֶשֶׂר הַמְּכֹנוֹת IK. 7:37
576 כָּזֹאת וְכָזֹאת דִּבְּרָה הַנַּעֲרָה IIK. 5:4
577 כָּזֹאת וְכָזֹאת אָמַר אֵלַי IIK. 9:12
578 מִי־שָׁמַע כָּזֹאת מִי רָאָה כָּאֵלֶּה Is. 66:8
579 הֵן הָיְתָה כָּזֹאת Jer. 2:10

כָּזֹאת (ב) 580 אִם־לְעֵת כָּזֹאת הִגַּעַתְּ לַמַּלְכוּת Es.4:14
(המשך) 581 אֲשֶׁר נָתַן כָּזֹאת בְּלֵב הַמֶּלֶךְ Ez.7:27
582 וְנָתַתָּה לָּנוּ פְּלֵיטָה כָּזֹאת Ez.9:13
583 כִּי־נַעְצֹר כֹּחַ לְהִתְנַדֵּב כָּזֹאת ICh.29:14
584 מִימֵי שְׁלֹמֹה...לֹא כָזֹאת בִּירוּשָׁלָ׳ IICh.30:26
585 וַיַּעַשׂ כָּזֹאת יְחִזְקִיָּהוּ IICh.31:20
586 וְאַל־יַסִּית אֶתְכֶם כָּזֹאת IICh.32:15
587 וַיְדַבְּרוּ אֵלֶיהָ כָּזֹאת IICh.34:22
וְכָזֹאת (ב) 588/9 חָטָאתִי...וְכָזֹאת וְכָזֹאת עָשִׂיתִי Josh.7:20
590 כָּזֹאת וְכָזֹאת יָעַץ אֲחִיתֹפֶל IISh.17:15
591/2 וְכָזֹאת וְכָזֹאת יָעַצְתִּי אָנִי IISh.17:15
593 כָּזֹאת וְכָזֹאת דִּבְּרָה הַנַּעֲרָה IIK.5:4
594 וַיֹּאמֶר כָּזֹאת וְכָזֹאת אָמַר אֵלַי IIK.9:12
לְזֹאת (א) 595 לְזֹאת יִקָּרֵא אִשָּׁה Gen.2:23
לְזֹאת (ב) 596 אַף־לְזֹאת יֶחֱרַד לִבִּי Job 37:1
לָזֹאת (ב) 597 וְלֹא־שָׁת לִבּוֹ גַּם־לָזֹאת Ex.7:23
598 לָכֵן קָרָאתִי לָזֹאת... Is.30:7
599 אֵי לָזֹאת אֶסְלַח־לָךְ Jer.5:7
מִזֹּאת (ב) 600 וּנְקַלֹּתִי עוֹד מִזֹּאת IISh.6:22

זבד

זבד : זָבַד; זֶבֶד; ש״פ זָבָד, זַבְדִּי, זַבְדִּיאֵל, זְבַדְיָה, זְבַדְיָהוּ, זָבוּד, זְבוּדָה

זָבַד פָּ׳ נתן מתנה, העניק

זְבָדַנִי 1 זְבָדַנִי אֱלֹהִים אֹתִי זֶבֶד טוֹב Gen.30:20

זֶבֶד ז׳ מַתָּנָה

זֶבֶד 1 זְבָדַנִי אֱלֹהִים אֹתִי זֶבֶד טוֹב Gen.30:20

זָבָד שפ״ז א) מבני אפרים: 8
ב) בן נתן מבני יַרְחָע עבד מצרי: 3, 7
ג) בן אַחְלַי, מגבורי דָוד: 4
ד) בן שמעה העמונית, עבד יוֹאָשׁ מלך יהודה, הוא יוזבד: 5
ה) אנשים שונים בימי עזרא, שנשאו נשים נכריות: 1, 2, 6

זָבָד 1 מַתְּנַי מַתַּתָּה זָבָד אֱלִיפָלֶט Ez.10:33
2 יְעִיאֵל מַתִּתְיָה זָבָד זְבִינָא Ez.10:43
3 וְנָתָן הוֹלִיד אֶת־זָבָד ICh.2:36
4 זָבָד בֶּן־אַחְלָי ICh.11:41
5 זָבָד בֶּן־שִׁמְעָת הָעַמּוֹנִית IICh.24:26
וְזָבָד 6 מַתַּנְיָה וִירֵמוֹת וְזָבָד וַעֲזִיזָא Ez.10:27
7 וְזָבָד הוֹלִיד אֶת־אֶפְלָל ICh.2:37
8 וְזָבָד בְּנוֹ וְשׁוּתֶלַח בְּנוֹ ICh.7:21

זַבְדִּי שפ״ז א) בן זרח בן יהודה, זקנו של עכן, הוא זמרי (ב): 1–3
ב) מבני שמעי מיושבי אַיָּלוֹן: 6
ג) פָּקִיד של דוד, השפמי: 5
ד) בכור אָסָף, הוא זַכּוּר (ד), הוא זִכְרִי(ה): 4

זַבְדִּי 1-2 עָכָן בֶּן־כַּרְמִי בֶן־זַבְדִּי... Josh.7:1, 18
3 וַיַּקְרֵב...לַגְּבָרִים וַיִּלָּכֵד זַבְדִּי Josh.7:17
4 וּמַתַּנְיָה...בֶּן־זַבְדִּי בֶּן־אָסָף Neh.11:17
5 וְעַל שֶׁבַּכְּרָמִים... זַבְדִּי הַשִּׁפְמִי ICh.27:27
וְזַבְדִּי 6 וְיָקִים וְזִכְרִי וְזַבְדִּי ICh.8:19

זַבְדִּיאֵל שפ״ז א) אביו של שׂר בימי דוד: 2
ב) כֹּהן בימי נחמיה: 1

זַבְדִּיאֵל 1 וּפָקִיד... זַבְדִּיאֵל בֶּן־הַגְּדוֹלִים Neh.11:14
2 לַחֹדֶשׁ הָרִאשׁוֹן יָשָׁבְעָם בֶּן־זַבְדִּיאֵל ICh.27:2

זְבַדְיָה שפ״ז א) מבניו של אחד מיושבי אילון: 3
ב) איש משבט בנימין: 4
ג) מגבורי דוד: 5
ד) בן עשהאל משרי צבא דוד: 6
ה) מן העולים בימי עזרא: 1
ו) כֹּהן בימי עזרא, שנשא אשה נכריה: 2

זְבַדְיָה 1 וּמִבְּנֵי שְׁפַטְיָה זְבַדְיָה בֶּן־מִיכָאֵל Ez.8:8
וּזְבַדְיָה 2 וּמִבְּנֵי אִמֵּר חֲנָנִי וּזְבַדְיָה Ez.10:20
3 וּזְבַדְיָה וַעֲרָד וָעֶדֶר ICh.8:15
4 וּזְבַדְיָה וּמְשֻׁלָּם וְחִזְקִי וָחָבֶר ICh.8:17
5 וְיוֹעֵאלָה וּזְבַדְיָה בְּנֵי יְרֹחָם ICh.12:7(8)
6 וּזְבַדְיָה בְנוֹ אַחֲרָיו ICh.27:7

זְבַדְיָהוּ שפ״ז א) לוי מן השוערים: 1
ב) לוי בימי יהושפט מלך יהודה: 2
ג) בן ישמעאל נגיד לבית יהודה בימי יהושפט: 3

זְבַדְיָהוּ 1 יְדִיעֲאֵל הַשֵּׁנִי זְבַדְיָהוּ הַשְּׁלִישִׁי ICh.26:2
וּזְבַדְיָהוּ 2 וּנְתַנְיָהוּ וּזְבַדְיָהוּ וַעֲשָׂהאֵל IICh.17:8
3 וּזְבַדְיָהוּ בֶן־יִשְׁמָעֵאל הַנָּגִיד IICh.19:11

זְבוּב ז׳ שם לאחד משרצי העוף: 1,2 [עין גם בַּעַל זְבוּב]

לִזְבוּב 1 וְהָיָה בַּיּוֹם הַהוּא יִשְׁרֹק יְיָ לַזְּבוּב אֲשֶׁר בִּקְצֵה יְאֹרֵי מִצְרָיִם Is.7:18
זְבוּבֵי־ 2 זְבוּבֵי מָוֶת יַבְאִישׁ יַבִּיעַ שֶׁמֶן רוֹקֵחַ Eccl.10:1

זָבוּד שפ״ז – בן נָתָן רֵע דוד [עין גם זַכּוּר]

וְזָבוּד 1 וְזָבוּד בֶּן־נָתָן כֹּהֵן רֵעֶה הַמֶּלֶךְ IK.4:5

זְבוּדָה שפ״נ – אם יהויקים מלך יהודה

זְבוּדָה 1 וְשֵׁם אִמּוֹ זְבוּדָה (כת׳ זבידה) בַּת־פְּדָיָה IIK.23:36

זְבוּל[1] ז׳ מקום נִשָּׂא? מעון? 1–4; [ובהשאלה] 5
קרובים: ראה בַּיִת
בֵּית זְבוּל 1, 2; זְבוּל קֹדֶשׁ 3

זְבוּל 1 בָּנֹה בָנִיתִי בֵּית זְבֻל לָךְ IK.8:13
2 וַאֲנִי בָּנִיתִי בֵית־זְבֻל לָךְ IICh.6:2
מִזְּבוּל־ 3 הַבֵּט... מִזְּבֻל קָדְשְׁךָ וְתִפְאַרְתֶּךָ Is.63:15
4 וְצוּרָם לְבַלּוֹת שְׁאוֹל מִזְּבֻל לוֹ Ps.49:15
זְבֻלָה 5 שֶׁמֶשׁ יָרֵחַ עָמַד זְבֻלָה Hab.3:11

זְבוּל[2] שפ״ז – שׂר העיר שכם בימי אבימלך: 1–6

זְבוּל 1 וַיִּשְׁמַע זְבֻל שַׂר הָעִיר Jud.9:30
2 וַיֹּאמֶר אֶל־זְבֻל הִנֵּה־עָם יוֹרֵד... Jud.9:36
3-4 וַיֹּאמֶר אֵלָיו זְבֻל Jud.9:36, 38
5 וַיְגָרֶשׁ זְבֻל אֶת־גַּעַל Jud.9:41
וּזְבוּל 6 הֲלֹא בֶן־יְרֻבַּעַל וּזְבֻל פְּקִידוֹ Jud.9:28

זְבוּלוּן שפ״ז א) בן יעקב: 1, 2, 4, 32–34
ב) השבט המתיחס על זבולון וכן שֵׁם נחלתו: שאר המקראות
אֶרֶץ זְבוּלוּן 26; בְּנֵי זְבוּלוּן 2, 5, 13–19; גְּבוּל ז׳ 28; מַטֵּה ז׳ 6–12; שַׁעַר ז׳ 29; שָׂרֵי ז׳ 30

זְבוּלוּן 1 וַתִּקְרָא אֶת־שְׁמוֹ זְבֻלוּן Gen.30:20
2 וּבְנֵי זְבֻלוּן סֶרֶד וְאֵלוֹן... Gen.46:14
3 זְבוּלֻן לְחוֹף יַמִּים יִשְׁכֹּן Gen.49:13
4 יִשָּׂשכָר זְבוּלֻן וּבִנְיָמִן Ex.1:3
5 לִבְנֵי זְבוּלֻן... לְבֵית אֲבֹתָם Num.1:30
6 פְּקֻדֵיהֶם לְמַטֵּה זְבוּלֻן Num.1:31
7-12 (לְ־/ מִ־) מַטֵּה זְבוּלֻן Num.2:7; 13:10
Josh.21:7, 34 • ICh.6:48, 62
13-19 (לִ)בְנֵי זְבוּלֻן Num.2:7
7:24; 10:16; 26:26; 34:25 • Josh.19:10, 16
20 שְׂמַח זְבוּלֻן בְּצֵאתֶךָ Deut.33:18
21 זְבוּלֻן לֹא הוֹרִישׁ... Jud.1:30
22 מִבְּנֵי נַפְתָּלִי וּמִבְּנֵי זְבֻלוּן Jud.4:6
23 וַיַּזְעֵק בָּרָק אֶת־זְבוּלֻן... Jud.4:10
זבולון (המשך) 24 זְבֻלוּן עַם חֵרֵף נַפְשׁוֹ לָמוּת Jud.5:18
25 וַיִּקָּבֵר בְּאַיָּלוֹן בְּאֶרֶץ זְבוּלֻן Jud.12:12
26 אַרְצָה זְבֻלוּן וְאַרְצָה נַפְתָּלִי Is.8:23
27 מִפְּאַת קָדִימָה... זְבוּלֻן אֶחָד Ezek.48:26
28 וְעַל גְּבוּל זְבוּלֻן... Ezek.48:27
29 שַׁעַר זְבוּלֻן אֶחָד Ezek.48:33
30 שָׂרֵי זְבֻלוּן שָׂרֵי נַפְתָּלִי Ps.68:28
31 בְּאֶרֶץ־אֶפְרַיִם...וְעַד־זְבֻלוּן IICh.30:10
וּזְבוּלוּן 32 בְּנֵי לֵאָה... וְיִשָּׂשכָר וּזְבֻלוּן Gen.35:23
33 ...וּזְבוּלֻן דָּן וְנַפְתָּלִי Deut.27:13
34 אֵלֶּה בְּנֵי יִשְׂרָאֵל... יִשָּׂשכָר וּזְבֻלוּן ICh.2:1
35 עַד־יִשָּׂשכָר וּזְבֻלוּן וְנַפְתָּלִי ICh.12:40(41)
36 רַבַּת מֵאֶפְרַיִם... יִשָּׂשכָר וּזְבֻלוּן IICh.30:18
בִּזְבֻלוּן 37-38 וּפָגַע בִּזְבֻלוּן... Josh.19:27, 34
וּבִזְבֻלוּן 39 בְּאָשֵׁר וּבִזְבֻלוּן וּבְנַפְתָּלִי Jud.6:35
לִזְבוּלוּן 40 לִזְבוּלֻן אֱלִיאָב בֶּן־חֵלֹן Num.1:9
41 לִזְבוּלֻן יִשְׁמַעְיָהוּ בֶּן־עֹבַדְיָהוּ Num.27:19
וְלִזְבוּלוּן 42 וְלִזְבוּלֻן אָמַר שְׂמַח זְבוּלֻן בְּצֵאתֶךָ Deut.33:18
מִזְּבֻלוּן 43 מִזְּבֻלוּן יוֹצְאֵי צָבָא ICh.12:33(34)
וּמִזְּבֻלוּן 44 וּמִזְּבוּלֻן מֹשְׁכִים בְּשֵׁבֶט סֹפֵר Jud.5:14
45 מֵאָשֵׁר וּמְנַשֶּׁה וּמִזְּבֻלוּן IICh.30:11

זְבוּלוֹנִי ת׳ המתיחס על שבט זבולון: 1–3

הַזְּבוּלוֹנִי 1 אֵלֶּה מִשְׁפְּחֹת הַזְּבוּלֹנִי... Num.26:27
2 וַיִּשְׁפֹּט אַחֲרָיו... אֵילוֹן הַזְּבוּלֹנִי Jud.12:11
3 וַיָּמָת אֵילוֹן הַזְּבוּלֹנִי... Jud.12:12

זבח

זבח : זָבַח, זִבַּח; זֶבַח, מִזְבֵּחַ; ש״פ זֶבַח

זָבַח פָּ׳ שחט א) שחט בהמה לקרבן לאלהים: רוב המקראות
ב) שחט שחיטת חולין: 22, 54–56, 59, 60, 63, 65, 75, 76, 93
ג) הרג, המית: 24, 48, 69
ד) [פִּ׳ זִבַּח] זָבַח: 113–134
קרובים: אִבֵּד / הֵמִית / הָרַג / הִשְׁמִיד / טָבַח / כִּלָּה / קָטַל / רָצַח / שָׁחַט

זְבֹחַ 1 ...לְמַעַן זְבֹחַ לַיְיָ אֱלֹהֶיךָ ISh.15:15
לִזְבֹּחַ 2 לְבִלְתִּי שַׁלַּח אֶת־הָעָם לִזְבֹּחַ לַיְיָ Ex.8:25
3 וְשׁוֹר... לִזְבֹּחַ לִפְנֵי יְיָ Lev.9:4
4 לֹא תוּכַל לִזְבֹּחַ אֶת־הַפָּסַח... Deut.16:5
5 נֶאֶסְפוּ לִזְבֹּחַ זֶבַח־גָּדוֹל Jud.16:23
6 לִזְבֹּחַ לַיְיָ אֶת־זֶבַח הַיָּמִים ISh.1:21
7 בַּעֲלוֹתָהּ... לִזְבֹּחַ אֶת־זֶבַח הַיָּמִים ISh.2:19
8 לִזְבֹּחַ זִבְחֵי שְׁלָמִים ISh.10:8
9 לִזְבֹּחַ לַיְיָ אֱלֹהֶיךָ בַּגִּלְגָּל ISh.15:21
10-11 לִזְבֹּחַ לַיְיָ בָּאתִי ISh.16:2, 5
12 וַיֵּלֶךְ הַמֶּלֶךְ גִּבְעֹנָה לִזְבֹּחַ שָׁם IK.3:4
13 גַּם־שָׁם עָלִית לִזְבֹּחַ זָבַח Is.57:7
14 וְכִי־תַגִּשׁוּן עִוֵּר לִזְבֹּחַ... Mal.1:8
15 לִזְבוֹחַ לַיְיָ אֱלֹהֵי אֲבוֹתֵיהֶם IICh.11:16
וְלִזְבֹּחַ 16 לְהִשְׁתַּחֲוֹת וְלִזְבֹּחַ לַיְיָ צְבָאוֹת ISh.1:3
בְּזָבְחוֹ 17 וַיִּשְׁלַח... בְּזָבְחוֹ אֶת־הַזְּבָחִים IISh.15:12
זָבַחְתִּי 18 מִזִּבְחִי אֲשֶׁר־זָבַחְתִּי לָכֶם Ezek.39:19
וְזָבַחְתָּ 19 וְזָבַחְתָּ עָלָיו אֶת־עֹלֹתֶיךָ Ex.20:21
20 וְזָבַחְתָּ מִבְּקָרְךָ וּמִצֹּאנְךָ Deut.12:21
21 וְזָבַחְתָּ פֶּסַח לַיְיָ אֱלֹהֶיךָ Deut.16:2
22 וְזָבַחְתָּ שְׁלָמִים וְאָכַלְתָּ שָּׁם Deut.27:7
זָבַח 23 אֵת זֶבַח הַשְּׁלָמִים אֲשֶׁר זָבַח לַיְיָ IK.8:63
וְזָבַח 24 וְזָבַח עָלֶיךָ אֶת־כֹּהֲנֵי הַבָּמוֹת IK.13:2
וְזָבַחְנוּ 25 וְזָבַחְנוּ לַיְיָ אֱלֹהֵינוּ Ex.8:23
וּזְבַחְתֶּם 26 וּזְבַחְתֶּם לַיְיָ אֱלֹהֵיכֶם בַּמִּדְבָּר Ex.8:24

זָבְחוּ 27 וְזָנוּ... וְזָבְחוּ לֵאלֹהֵיהֶם Ex.34:15
28 וְזָבְחוּ זִבְחֵי שְׁלָמִים לַייָ אוֹתָם Lev.17:5
זֹבֵחַ 29 עַל־כֵּן אֲנִי זֹבֵחַ לַייָ כָּל־פֶּטֶר רֶחֶם Ex.13:15
30 זֹבֵחַ לָאֱלֹהִים יָחֳרָם Ex.22:19
31 כָּל־אִישׁ זֹבֵחַ זֶבַח... ISh.2:13
32 זוֹבֵחַ הַשֶּׂה עֹרֵף כֶּלֶב Is.66:3
33 עַל־זִבְחִי אֲשֶׁר אֲנִי זֹבֵחַ לָכֶם Ezek.39:17
34 זֹבֵחַ תּוֹדָה יְכַבְּדָנְנִי Ps.50:23
35 וְלַזֹּבֵחַ וְלַאֲשֶׁר אֵינֶנּוּ זֹבֵחַ Eccl.9:2
וְזוֹבֵחַ 36 וְנֹדֵר וְזֹבֵחַ מָשְׁחָת לַאדֹנָי Mal.1:14
הַזֹּבֵחַ 37 וְאָמַר לָאִישׁ הַזֹּבֵחַ תְּנָה בָשָׂר ISh.2:15
וְלַזֹּבֵחַ 38 וְלַזֹּבֵחַ וְלַאֲשֶׁר אֵינֶנּוּ זֹבֵחַ Eccl.9:2
זֹבְחִים 39 אֲשֶׁר הֵם זֹבְחִים עַל־פְּנֵי הַשָּׂדֶה Lev.17:5
40/1 זֹבְחִים זֶבַח לִפְנֵי יְיָ IK.8:62 • IICh.7:4
42 זֹבְחִים בַּגַּנּוֹת וּמְקַטְּרִים Is.65:3
43 ...וְלוּ° אֲנַחְנוּ זֹבְחִים... Ez.4:2
44 עוֹד הָעָם זֹבְחִים בַּבָּמוֹת IICh.33:17
הַזֹּבְחִים 45 וּבָאוּ כָּל־הַזֹּבְחִים וְלָקְחוּ מֵהֶם Zech.14:21
46 עַל־פְּנֵי הַקְּבָרִים הַזֹּבְחִים לָהֶם IICh.34:4
זֹבְחֵי־ 47 מֵאֵת הָעָם מֵאֵת זֹבְחֵי הַזֶּבַח Deut.18:3
48 זֹבְחֵי אָדָם עֲגָלִים יִשָּׁקוּן Hosh.13:2
אֶזְבַּח 49 לְךָ־אֶזְבַּח זֶבַח תּוֹדָה Ps.116:17
אֶזְבְּחָה 50 בְּקוֹל תּוֹדָה אֶזְבְּחָה־לָּךְ Jon.2:10
51 בִּנְדָבָה אֶזְבְּחָה־לָּךְ Ps.54:8
וְאֶזְבְּחָה 52 וְאֶזְבְּחָה בְאָהֳלוֹ זִבְחֵי תְרוּעָה Ps.27:6
תִּזְבַּח 53 לֹא־תִזְבַּח עַל־חָמֵץ דַּם־זִבְחִי Ex.23:18
54 תִּזְבַּח וְאָכַלְתָּ בָשָׂר Deut.12:15
55 ...מִן־הַבָּשָׂר אֲשֶׁר תִּזְבַּח בָּעֶרֶב Deut.16:4
56 שָׁם תִּזְבַּח אֶת־הַפֶּסַח בָּעָרֶב Deut.16:6
57 לֹא־תִזְבַּח לַייָ אֱלֹהֶיךָ... Deut.17:1
תִּזְבָּחֶנּוּ 58 לֹא תִזְבָּחֶנּוּ לַייָ אֱלֹהֶיךָ Deut.15:21
וַתִּזְבָּחִים 59 וַתִּזְבָּחִים לָהֶם לֶאֱכוֹל Ezek.16:20
וַיִּזְבַּח 60 וַיִּזְבַּח יַעֲקֹב זֶבַח בָּהָר Gen.31:54
61 וַיִּזְבַּח זְבָחִים לֵאלֹהֵי אָבִיו Gen.46:1
62 וַיִּזְבַּח בָּלָק בָּקָר וָצֹאן Num.22:40
63 וַיְהִי הַיּוֹם וַיִּזְבַּח אֶלְקָנָה ISh.1:4
64 וַיִּזְבַּח שׁוֹר וּמְרִיא IISh.6:13
65 וַיִּזְבַּח אֲדֹנִיָּהוּ צֹאן וּבָקָר IK.1:9
66/7 וַיִּזְבַּח שׁוֹר וּמְרִיא־וְצֹאן לָרֹב IK.1:19,25
68 וַיִּזְבַּח שְׁלֹמֹה אֶת זֶבַח הַשְּׁלָמִים IK.8:63
69 וַיִּזְבַּח אֶת־כָּל־כֹּהֲנֵי הַבָּמוֹת IIK.23:20
70 בִּרְאוֹת דָּוִיד... וַיִּזְבַּח שָׁם ICh.21:28
71 וַיִּזְבַּח... אֶת־זֶבַח הַבָּקָר IICh.7:5
72 וַיִּזְבַּח־לוֹ אַחְאָב צֹאן וּבָקָר לָרֹב IICh.18:2
73 וַיִּזְבַּח לֵאלֹהֵי דַרְמֶשֶׂק IICh.28:23
74 וַיִּזְבַּח עָלָיו זִבְחֵי שְׁלָמִים IICh.33:16
וַיִּזְבָּחֵהוּ 75 וַיִּקַּח אֶת־צֶמֶד הַבָּקָר וַיִּזְבָּחֵהוּ IK.19:21
וַתִּזְבָּחֵהוּ 76 וַתְּמַהֵר וַתִּזְבָּחֵהוּ ISh.28:24
נִזְבַּח 77 כִּי תוֹעֲבַת מִצְרַיִם נִזְבַּח לַייָ אֱל׳ Ex.8:22
78 הֵן נִזְבַּח אֶת־תּוֹעֲבַת מִצְ׳ לְעֵינֵיהֶם Ex.8:22
נִזְבְּחָה 79 נֵלְכָה נִזְבְּחָה לֵאלֹהֵינוּ Ex.5:8
80 נֵלְכָה נִזְבְּחָה לַייָ Ex.5:17
וְנִזְבְּחָה 81/2 וְנִזְבְּחָה לַייָ אֱלֹהֵינוּ Ex.3:18; 5:3
תִּזְבְּחוּ 83 וְכִי תִזְבְּחוּ זֶבַח שְׁלָמִים לַייָ Lev.19:5
84 וְכִי תִזְבְּחוּ זֶבַח־תּוֹדָה לַייָ Lev.22:29
85 וְלֹא תַעַבְדוּם וְלֹא תִזְבְּחוּ לָהֶם IIK.17:35
תִּזְבָּחוּ 86 לִרְצֹנְכֶם תִּזְבָּחוּ Lev.22:29
87 וְלוֹ תִשְׁתַּחֲווּ וְלוֹ תִזְבָּחוּ IIK.17:36
88 הַבְּרִיאָה תִּזְבָּחוּ Ezek.34:3
תִּזְבָּחֻהוּ 89 ...לִרְצֹנְכֶם תִּזְבָּחֻהוּ Lev.19:5
יִזְבְּחוּ 90 וְלֹא־יִזְבְּחוּ עוֹד... לַשְּׂעִירִם Lev.17:7
91 יִזְבְּחוּ לַשֵּׁדִים לֹא אֱלֹהַ Deut.32:17

יִזְבְּחוּ (המשך) 92 שָׁם יִזְבְּחוּ זִבְחֵי־צֶדֶק Deut.33:19
93 זִבְחֵי הַבְהָבַי יִזְבְּחוּ בָשָׂר וַיֹּאכֵלוּ Hosh.8:13
וְיִזְבְּחוּ 94 וַאֲשַׁלְּחָה אֶת־הָעָם וְיִזְבְּחוּ לַייָ Ex.8:4
95 וְיִזְבְּחוּ זִבְחֵי תוֹדָה Ps.107:22
וַיִּזְבְּחוּ 96 וַיִּזְבְּחוּ זְבָחִים שְׁלָמִים Ex.24:5
97 וַיִּשְׁתַּחֲווּ־לוֹ וַיִּזְבְּחוּ־לוֹ Ex.32:8
98 וַיַּעֲלוּ... עֹלוֹת לַייָ וַיִּזְבְּחוּ שְׁלָמִים Josh.8:31
99 וַיִּזְבְּחוּ־שָׁם לַייָ Jud.2:5
100 וַיִּזְבְּחוּ זְבָחִים בַּיּוֹם הַהוּא לַייָ ISh.6:15
101 וַיִּזְבְּחוּ־שָׁם זְבָחִים שְׁלָמִים ISh.11:15
102 וַיִּזְבְּחוּ־שָׁם אֶת־זִבְחֵיהֶם Ezek.20:28
103 וַיִּזְבְּחוּ־זֶבַח לַייָ Jon.1:16
104 וַיִּזְבְּחוּ אֶת־בְּנֵיהֶם... לַשֵּׁדִים Ps.106:37
105 וַיִּזְבְּחוּ בַיּוֹם־הַהוּא זְבָחִים Neh.12:43
106 וַיִּזְבְּחוּ שִׁבְעָה־פָרִים... ICh.15:26
107 וַיִּזְבְּחוּ לַייָ זְבָחִים ICh.29:21
108 וַיִּזְבְּחוּ לַייָ בַּיּוֹם הַהוּא IICh.15:11
הֲיִזְבָּחוּ 109 הֲיַעַזְבוּ לָהֶם הֲיִזְבָּחוּ Neh.3:34
זְבַח 110 זְבַח לֵאלֹהִים תּוֹדָה Ps.50:14
זִבְחוּ 111 לְכוּ זִבְחוּ לֵאלֹהֵיכֶם בָּאָרֶץ Ex.8:21
112 זִבְחוּ זִבְחֵי־צֶדֶק וּבִטְחוּ אֶל־יְיָ Ps.4:6
לְזַבֵּחַ 113 לְזַבֵּחַ לָעֲגָלִים אֲשֶׁר־עָשָׂה IK.12:32
זִבַּח 114 וּלְכָל־הַפְּסִילִים... זִבַּח אָמוֹן IICh.33:22
זִבְּחוּ 115 אֲשֶׁר זִבְּחוּ לַעֲצַבֵּי כְנָעַן Ps.106:38
זִבֵּחוּ 116 בַּגִּלְגָּל שְׁוָרִים זִבֵּחוּ Hosh.12:12
מְזַבֵּחַ 117 רַק בַּבָּמוֹת הוּא מְזַבֵּחַ וּמַקְטִיר IK.3:3
מְזַבְּחִים 118 רַק הָעָם מְזַבְּחִים בַּבָּמוֹת IK.3:2
119/20 מְזַבְּחִים צֹאן וּבָקָר IK.8:5 • IICh.5:6
125-121 עוֹד הָעָם מְזַבְּחִים וּמְקַטְּרִים IK.22:44
IIK.12:4; 14:4; 15:4,35
126 מְזַבְּחִים זִבְחֵי שְׁלָמִים IICh.30:22
וּמְזַבְּחוֹת 127 מַקְטִירוֹת וּמְזַבְּחוֹת לֵאלֹהֵיהֶן IK.11:8
יְזַבֵּחוּ 128 עַל־רָאשֵׁי הֶהָרִים יְזַבֵּחוּ Hosh.4:13
129 וְעִם־הַקְּדֵשׁוֹת יְזַבֵּחוּ Hosh.4:14
130 לַבְּעָלִים יְזַבֵּחוּ וְלַפְּסִלִים יְקַטֵּרוּן Hosh.11:2
אֲזַבֵּחַ 131 ...לָהֶם אֲזַבֵּחַ וְיַעְזְרוּנִי IICh.28:23
יְזַבֵּחַ 132 עַל־כֵּן יְזַבֵּחַ לְחֶרְמוֹ Hab.1:16
וַיְזַבֵּחַ 133/4 וַיְזַבֵּחַ וַיְקַטֵּר בַּבָּמוֹת IIK.16:4 • IICh.28:4

זֶבַח[1] ז׳ א) קרבן של צאן או בקר ליי, שהזובח וקרואיו אוכלים אותו (רק דמו, חלבו וכליותיו מוקטרים על המזבח): רוב המקראות
ב) קרבן לעבודה זרה: 4, 29, 137, 140
ג) [בהשאלה] טבח, הרג: 12, 14, 101
קרובים: ראה קָרְבָּן,

– זֶבַח וּמִנְחָה 11, 19, 21, 31, 37, 102; עוֹלָה וָזֶבַח 22, 23, 29–31, 36, 40–42

– זֶבַח בָּקָר 78; זֶבַח גָּדוֹל 4, 9, 15; זֶבַח יְיָ 74; ז׳ הַיָּמִים 69–71; ז׳ מִשְׁפָּחָה 72; ז׳ הָעָם 73; ז׳ (חַג) פֶּסַח 48,47; ז׳ קָרְבָּן 65; ז׳ רְשָׁעִים 77,76; ז׳ שְׁלָמִים 49–61, 66, 67, 79–98; ז׳ תּוֹדָה 62–64, 68, 75

– בֵּית זֶבַח 28; בְּשַׂר זֶבַח 35, 64, 66; דַּם זֶבַח 10, 99, 100

– זְבָחִים וּמִנְחָה 123; ז׳ וְעוֹלוֹת 108, 113, 119, 122, 149, 153, 154, 160; זְבָחִים וְתוֹדוֹת 116, 117; זְבָחִים גְּדוֹלִים 114; דַּם זְבָחִים 145; חֵלֶב זְבָחִים 146, 161

– זִבְחֵי אֱלֹהִים 135, 140; ז׳ הַבְהָבַי 132; ז׳ מֵתִים 137; ז׳ צֶדֶק 126, 133, 136; ז׳ רִיב 139; זִבְחֵי שְׁלָמִים 124, 125, 127–131, 141–144; זִבְחֵי תוֹדָה 138; זִבְחֵי תְרוּעָה 134

– בִּשֵּׁל זֶבַח 73; הֵבִיא ז׳ 117; הִגִּישׁ ז׳ 123; הֵכִין ז׳ 18; הֶעֱלָה ז׳ 22; הִקְרִיב ז׳ 104; הִשְׁבִּית ז׳ 21; זָבַח ז׳ 1, 4, 5, 7–8, 24, 32, 68–70, 75, 78, 107, 109–111, 114–115, 121, 124, 126, 134, 138; עָבַד ז׳ 11; עָשָׂה ז׳ 13, 112, 113, 127; שָׁחַט ז׳ 34, 36, 100

זֶבַח 1 וַיִּזְבַּח יַעֲקֹב זֶבַח בָּהָר Gen.31:54
2 עֹלָה וּמִנְחָה זֶבַח וּנְסָכִים Lev.23:37
3 אִשֶּׁה לַייָ עֹלָה אוֹ־זֶבַח Num.15:3
4 לִזְבֹּחַ זֶבַח־גָּדוֹל לְדָגוֹן אֱלֹהֵיהֶם Jud.16:23
5 כָּל־אִישׁ זֹבֵחַ זֶבַח ISh.2:13
6 כִּי זֶבַח הַיּוֹם לָעָם בַּבָּמָה ISh.9:12
7/8 זֹבְחִים זֶבַח לִפְנֵי יְיָ IK.8:62 • IICh.7:4
9 כִּי זֶבַח גָּדוֹל לִי לַבַּעַל IIK.10:19
10 וְכָל־דַּם־זֶבַח עָלָיו תִּזְרֹק IIK.16:15
11 וְעָבְדוּ זֶבַח וּמִנְחָה Is.19:21
12 כִּי זֶבַח לַייָ בְּבָצְרָה Is.34:6
13 וּמַקְטִיר מִנְחָה וְעֹשֶׂה זֶבַח Jer.33:18
14 כִּי זֶבַח לַאדֹנָי... בְּאֶרֶץ צָפוֹן Jer.46:10
15 ...זֶבַח גָּדוֹל עַל הָרֵי יִשְׂרָאֵל Ezek.39:17
16 וְאֵין זֶבַח וְאֵין מַצֵּבָה Hosh.3:4
17 וַיִּזְבְּחוּ־זֶבַח לַייָ וַיִּדְּרוּ נְדָרִים Jon.1:16
18 כִּי־הֵכִין יְיָ זֶבַח Zep.1:7
19 זֶבַח וּמִנְחָה לֹא־חָפַצְתָּ Ps.40:7
20 כִּי לֹא־תַחְפֹּץ זֶבַח וְאֶתֵּנָה Ps.51:18
21 יַשְׁבִּית זֶבַח וּמִנְחָה Dan.9:27
זָבַח 22 יַעֲלֶה עֹלָה אוֹ־זָבַח Lev.17:8
23 בֶן־בָּקָר עֹלָה אוֹ־זָבַח Num.15:8
24 גַּם־שָׁם עָלִית לִזְבֹּחַ זָבַח Is.57:7
25 כִּי חֶסֶד חָפַצְתִּי וְלֹא־זָבַח Hosh.6:6
26 כֹּרְתֵי בְרִיתִי עֲלֵי־זָבַח Ps.50:5
27 וְקָרוֹב לִשְׁמֹעַ מִתֵּת הַכְּסִילִים זָבַח Eccl.4:17
28 וּבָחַרְתִּי בַּמָּקוֹם הַזֶּה לִי לְבֵית זָבַח IICh.7:12
וָזֶבַח 29 ...עֹלָה וָזֶבַח לֵאלֹהִים אֲחֵרִים IIK.5:17
וָזָבַח 30 ...עַל־דִּבְרֵי עוֹלָה וָזָבַח Jer.7:22
וְזֶבַח 31 עוֹלָה וְזֶבַח וּמִנְחָה וּלְבוֹנָה Jer.17:26
הַזֶּבַח 32 מֵאֵת הָעָם מֵאֵת זֹבְחֵי הַזֶּבַח Deut.18:3
33 כִּי־הוּא יְבָרֵךְ הַזֶּבַח ISh.9:13
34 הֵמָּה יִשְׁחֲטוּ... וְאֶת־הַזֶּבַח לָעָם Ezek.44:11
הַזָּבַח 35 וְהַנּוֹתָר מִבְּשַׂר הַזָּבַח Lev.7:17
וְהַזָּבַח 36 אֲשֶׁר יִשְׁחֲטוּ אֶת־הָעוֹלָה בָּם וְהַזָּ׳ Ezek.40:42
בְּזֶבַח 37 אִם־יִתְכַּפֵּר... בְּזֶבַח וּבְמִנְחָה ISh.3:14
בַּזָּבַח 38 וְקָרָאתָ לְיִשַׁי בַּזָּבַח ISh.16:3
39 הִתְקַדְּשׁוּ וּבָאתֶם אִתִּי בַּזָּבַח ISh.16:5
לְזֶבַח 40 ...לֹא לְעוֹלָה וְלֹא לְזֶבַח Josh.22:28
לְזָבַח 41 ...לֹא לְעוֹלָה וְלֹא לְזָבַח Josh.22:26
לַזָּבַח 42 וְיַיִן לַנֶּסֶךְ...עַל־הָעֹלָה אוֹ לַזָּבַח Num.15:5
43 ...וַיִּקְרָא לָהֶם לַזָּבַח ISh.16:5
וּלְזָבַח 44 מִזְבֵּחַ לְעֹלָה לְמִנְחָה וּלְזָבַח Josh.22:29
מִזֶּבַח 45 הִנֵּה שְׁמֹעַ מִזֶּבַח טוֹב ISh.15:22
מִזָּבַח 46 ...נִבְחָר לַייָ מִזָּבַח Prov.21:3
זֶבַח־ 47 זֶבַח־פֶּסַח הוּא לַייָ Ex.12:27
48 וְלֹא־יָלִין לַבֹּקֶר זֶבַח חַג הַפָּסַח Ex.34:25
49 וְאִם־זֶבַח שְׁלָמִים קָרְבָּנוֹ Lev.3:1
50 כַּאֲשֶׁר יוּרַם מִשּׁוֹר זֶבַח הַשְּׁלָמִים Lev.4:10
61-51 זֶבַח (הַ)שְּׁלָמִים Lev.4:26,31; 7:11,21
9:18; 19:5; 22:21 • Num.6:17,18; 7:88 • IK.8:63
62 וְהִקְרִיב עַל־זֶבַח הַתּוֹדָה Lev.7:12
63 ...עַל־זֶבַח תּוֹדַת שְׁלָמָיו Lev.7:13
64 וּבְשַׂר זֶבַח תּוֹדַת שְׁלָמָיו... Lev.7:15
65 וְאִם־נֶדֶר אוֹ נְדָבָה זֶבַח קָרְבָּנוֹ Lev.7:16
66 וְאִם...יֵאָכֵל מִבְּשַׂר־זֶבַח שְׁלָמָיו Lev.7:18
67 אֶת־זֶבַח שְׁלָמָיו לַייָ Lev.7:29

זֶבַח (המשך)

68 וְכִי־תִזְבְּחוּ זֶבַח־תּוֹדָה לַיְיָ — Lev. 22:29
69 לִזְבֹּחַ לַיְיָ אֶת־זֶבַח הַיָּמִים — ISh. 1:21
70 לִזְבֹּחַ אֶת־זֶבַח הַיָּמִים — ISh. 2:19
71 כִּי זֶבַח הַיָּמִים שָׁם לְכָל־הַמִּשְׁפָּחָה — ISh. 20:6
72 כִּי זֶבַח מִשְׁפָּחָה לָנוּ בָּעִיר — ISh. 20:29
73 אֲשֶׁר יְבַשְּׁלוּ־שָׁם...אֶת־זֶבַח הָעָם — Ezek. 46:24
74 וְהָיָה בְּיוֹם זֶבַח יְיָ... — Zep. 1:8
75 לְךָ־אֶזְבַּח זֶבַח תּוֹדָה — Ps. 116:17
76 זֶבַח רְשָׁעִים תּוֹעֲבַת יְיָ — Prov. 15:8
77 זֶבַח רְשָׁעִים תּוֹעֵבָה — Prov. 21:27
78 וַיִּזְבַּח... אֶת־זֶבַח הַבָּקָר — IICh. 7:5

לְזֶבַח־ 79 ...קָרְבָּנוֹ לְזֶבַח שְׁלָמִים לַיְיָ — Lev. 3:6
80 וּשְׁנֵי כְבָשִׂים... לְזֶבַח שְׁלָמִים — Lev. 23:19

וּלְזֶבַח 81 זֹאת הַתּוֹרָה... וּלְזֶבַח הַשְּׁלָמִים — Lev. 7:37
82–93 וּלְזֶבַח הַשְּׁלָמִים בָּקָר שְׁנַיִם — Num. 7:17
7:23, 29, 35, 41, 47, 53, 59, 65, 71, 77, 83

מִזֶּבַח־ 94–95 וְהִקְרִיב מִזֶּבַח הַשְּׁלָמִים — Lev. 3:3, 9
96 כַּאֲשֶׁר יוּסַר... מִזֶּבַח הַשְּׁלָמִים — Lev. 4:35
97 ...מִזֶּבַח הַשְּׁלָמִים אֲשֶׁר לַיְיָ — Lev. 7:20
98 יָבִיא... מִזֶּבַח שְׁלָמָיו — Lev. 7:29

זִבְחִי 99 לֹא־תִזְבַּח עַל־חָמֵץ דַּם־זִבְחִי — Ex. 23:18
100 לֹא־תִשְׁחַט עַל־חָמֵץ דַּם־זִבְחִי — Ex. 34:25
101 הֵאָסְפוּ מִסָּבִיב עַל־זִבְחִי... — Ezek. 39:17

בְּזִבְחִי 102 לָמָּה תִבְעֲטוּ בְּזִבְחִי וּבְמִנְחָתִי — ISh. 2:29

מִזִּבְחִי 103 וַאֲכַלְתֶּם־חֵלֶב... מִזִּבְחִי — Ezek. 39:19

זִבְחוֹ 104 בְּיוֹם הַקְרִיבוֹ אֶת־זִבְחוֹ — Lev. 7:16

מִזִּבְחוֹ 105 וְקָרָא לְךָ וְאָכַלְתָּ מִזִּבְחוֹ — Ex. 34:15

זִבְחֲכֶם 106 בְּיוֹם זִבְחֲכֶם יֵאָכֵל וּמִמָּחֳרָת — Lev. 19:6

זְבָחִים 107 וַיִּזְבַּח זְבָחִים לֵאלֹהֵי אָבִיו יִצְחָק — Gen. 46:1
108 גַּם־אַתָּה תִּתֵּן בְּיָדֵנוּ זְבָחִים וְעֹלֹת — Ex. 10:25
109 וַיִּזְבְּחוּ זְבָחִים שְׁלָמִים לַיְיָ פָּרִים — Ex. 24:5
110 וַיִּזְבְּחוּ זְבָחִים בַּיּוֹם הַהוּא — ISh. 6:15
111 וַיִּזְבְּחוּ־שָׁם זְבָחִים שְׁלָמִים — ISh. 11:15
112 לַעֲשׂוֹת זְבָחִים בְּבֵית־יְיָ — IK. 12:27
113 וַיָּבֹאוּ לַעֲשׂוֹת זְבָחִים וְעֹלוֹת — IIK. 10:24
114 וַיִּזְבְּחוּ... זְבָחִים גְּדוֹלִים — Neh. 12:43
115 וַיִּזְבְּחוּ לַיְיָ זְבָחִים וַיַּעֲלוּ עֹלוֹת — ICh. 29:21
116 וְהָבִיאוּ זְבָחִים וְתוֹדוֹת לְבֵית יְיָ — IICh. 29:31
117 וַיָּבִיאוּ הַקָּהָל זְבָחִים וְתוֹדוֹת — IICh. 29:31

וּזְבָחִים 118 וַיִּקַּח... עֹלָה וּזְבָחִים לֵאלֹהִים — Ex. 18:12
119 הַחֵפֶץ לַיְיָ בְּעֹלוֹת וּזְבָחִים — ISh. 15:22
120 וּזְבָחִים לָרֹב לְכָל־יִשְׂרָאֵל — ICh. 29:21

הַזְּבָחִים 121 ...בְּזָבְחוֹ אֶת־הַזְּבָחִים — IISh. 15:12

וְהַזְּבָחִים 122 וְהָאֵשׁ...וַתֹּאכַל הָעֹלָה וְהַזְּבָחִים — IICh. 7:1

הַזְּבָחִים 123 הַזְּבָחִים וּמִנְחָה הִגַּשְׁתֶּם־לִי — Am. 5:25

זִבְחֵי־ 124 וּזְבָחוּ זִבְחֵי שְׁלָמִים לַיְיָ אוֹתָם — Lev. 17:5
125 וּתְקַעְתֶּם...וְעַל זִבְחֵי שַׁלְמֵיכֶם — Num. 10:10
126 שָׁם יִזְבְּחוּ זִבְחֵי־צֶדֶק — Deut. 33:19
127 לַעֲשׂוֹת עָלָיו זִבְחֵי שְׁלָמִים — Josh. 22:23
128–131 זִבְחֵי שְׁלָמִים — ISh. 10:8
Prov. 7:14 • IICh. 30:22; 33:16
132 זִבְחֵי הַבְהָבַי יִזְבְּחוּ בָשָׂר וַיֹּאכֵלוּ — Hosh. 8:13
133 זִבְחוּ זִבְחֵי־צֶדֶק וּבִטְחוּ אֶל־יְיָ — Ps. 4:6
134 וְאֶזְבְּחָה בְאָהֳלוֹ זִבְחֵי תְרוּעָה — Ps. 27:6
135 זִבְחֵי אֱלֹהִים רוּחַ נִשְׁבָּרָה — Ps. 51:19
136 אָז תַּחְפֹּץ זִבְחֵי־צֶדֶק — Ps. 51:21
137 וַיֹּאכְלוּ זִבְחֵי מֵתִים — Ps. 106:28
138 וְיִזְבְּחוּ זִבְחֵי תוֹדָה — Ps. 107:22
139 טוֹב...מִבַּיִת מָלֵא זִבְחֵי־רִיב — Prov. 17:1

לְזִבְחֵי־ 140 וַתִּקְרֶאןָ לָעָם לְזִבְחֵי אֱלֹהֵיהֶן — Num. 25:2

מִזִּבְחֵי־ 141 וּתְרוּמָה יִהְיֶה...מִזִּבְחֵי שַׁלְמֵיהֶם — Ex. 29:28
142 תְּרוּמָה לַכֹּהֵן מִזִּבְחֵי שַׁלְמֵיכֶם — Lev. 7:32
143 מֵאֵת בְּנֵי־יִשְׂרָ׳ מִזִּבְחֵי שַׁלְמֵיהֶם — Lev. 7:34
144 ...נִתְּנוּ מִזִּבְחֵי שַׁלְמֵי בְּנֵי יִשְׂרָאֵל — Lev. 10:14

זְבָחֶיךָ 145 וְדַם־זְבָחֶיךָ יִשָּׁפֵךְ — Deut. 12:27
146 וְחֵלֶב זְבָחֶיךָ לֹא הִרְוִיתָנִי — Is. 43:24
147 לֹא עַל־זְבָחֶיךָ אוֹכִיחֶךָ — Ps. 50:8

וּזְבָחֶיךָ 148 וּזְבָחֶיךָ לֹא כִבַּדְתָּנִי — Is. 43:23

וּבִזְבָחֵינוּ 149 בְּעֹלוֹתֵינוּ וּבִזְבָחֵינוּ וּבִשְׁלָמֵינוּ — Josh. 22:27

זִבְחֵיכֶם 150 לָמָּה־לִּי רֹב־זִבְחֵיכֶם יֹאמַר יְיָ — Is. 1:11
151 עֹלוֹתֵיכֶם סְפוּ עַל־זִבְחֵיכֶם... — Jer. 7:21
152 וְהָבִיאוּ לַבֹּקֶר זִבְחֵיכֶם — Am. 4:4

וְזִבְחֵיכֶם 153 וַהֲבֵאתֶם... עֹלֹתֵיכֶם וְזִבְחֵיכֶם — Deut. 12:6
154 שָׁמָּה תָבִיאוּ...עוֹלֹתֵיכֶם וְזִבְחֵיכֶם — Deut. 12:11
155 וְזִבְחֵיכֶם לֹא־עָרְבוּ לִי — Jer. 6:20

זִבְחֵיהֶם 156 יָבִיאוּ בְּנֵי יִשְׂרָאֵל אֶת־זִבְחֵיהֶם — Lev. 17:5
157 וְלֹא־יִזְבְּחוּ עוֹד אֶת־זִבְחֵיהֶם — Lev. 17:7
158 וַיִּזְבְּחוּ־שָׁם אֶת־זִבְחֵיהֶם — Ezek. 20:28
159 וְלֹא יֶעֶרְבוּ־לוֹ זִבְחֵיהֶם — Hosh. 9:4

וְזִבְחֵיהֶם 160 עוֹלֹתֵיהֶם וְזִבְחֵיהֶם...עַל־מִזְבְּחִי — Is. 56:7

זְבָחֵימוֹ 161 חֵלֶב זְבָחֵימוֹ יֹאכֵלוּ — Deut. 32:38

מִזִּבְחוֹתָם 162 ...וְיֵבֹשׁוּ מִזִּבְחוֹתָם — Hosh. 4:19

זֶבַח²
שפ״ז – אחד משני מלכי מדין בימי גדעון: 1–12

זֶבַח 1 רֹדֵף אַחֲרֵי זֶבַח וְצַלְמֻנָּע — Jud. 8:5
2–3 הֲכַף זֶבַח וְצַלְמֻנָּע עַתָּה בְּיָדֶךָ — Jud. 8:6, 15
4 בְּתֵת יְיָ אֶת־זֶבַח וְאֶת־צַלְמֻנָּע — Jud. 8:7
5 וַיָּנֻסוּ זֶבַח וְצַלְמֻנָּע — Jud. 8:12
6 וַיִּלְכֹּד...אֶת־זֶבַח וְאֶת־צַלְמֻנָּע — Jud. 8:12
7 וַיֹּאמֶר הִנֵּה זֶבַח וְצַלְמֻנָּע — Jud. 8:15
8 וַיֹּאמֶר אֶל־זֶבַח וְאֶל־צַלְמֻנָּע — Jud. 8:18
9 וַיֹּאמֶר זֶבַח וְצַלְמֻנָּע...וּפְגַע־בָּנוּ — Jud. 8:21
10 וַיַּהֲרֹג אֶת־זֶבַח וְאֶת־צַלְמֻנָּע — Jud. 8:21

וְזֶבַח 11 וְזֶבַח וְצַלְמֻנָּע בַּקַּרְקֹר — Jud. 8:10

וּכְזֶבַח 12 וּכְזֶבַח וּכְצַלְמֻנָּע כָּל־נְסִיכֵמוֹ — Ps. 83:12

זַבַּי
שפ״ז – איש בימי עזרא (עין גם זַכַּי)

זַבַּי 1 יְהוֹחָנָן חֲנַנְיָה זַבַּי עַתְלָי — Ez. 10:28

זְבִידָה
שפ״נ – עין זְבוּדָה

זְבִינָא
שפ״ז – איש בימי עזרא שנשא אשה נכריה

זְבִינָא 1 יְעִיאֵל מַתִּתְיָה זָבָד זְבִינָא — Ez. 10:43

זבל
: זָבַל; זְבוּל; ש״פ זְבוּל, זְבֻלוּן, זְבוּלוֹנִי

זָבַל
פ׳ נשא, כבד

יִזְבְּלֵנִי 1 הַפַּעַם יִזְבְּלֵנִי אִישִׁי... — Gen. 30:20

זְבֻל, זְבֻלוּן
– עין זְבוּל, זְבוּלוּן

זְבַן
פ׳ ארמית: קנה, רכש

זָבְנִין 1 יַדַּע אֲנָה דִּי עִדָּנָא אַנְתּוּן זָבְנִין — Dan. 2:8

זָג
ז׳ קליפת הענב

זָג 1 מֵחַרְצַנִּים וְעַד־זָג לֹא יֹאכֵל — Num. 6:4

זֵד
תו״ז רָשָׁע • קרובים: ראה רָשָׁע

זֵד אָרוּר 6; זֵד יָהִיר 1; גְּאוֹן זֵדִים 2

זֵד 1 זֵד יָהִיר לֵץ שְׁמוֹ — Prov. 21:24

זֵדִים 2 וְהִשְׁבַּתִּי גְּאוֹן זֵדִים — Is. 13:11
3 וְעַתָּה אֲנַחְנוּ מְאַשְּׁרִים זֵדִים — Mal. 3:15
4 כָל־זֵדִים וְכָל־עֹשֵׂה רִשְׁעָה — Mal. 3:19
5 אֱלֹהִים זֵדִים קָמוּ־עָלַי — Ps. 86:14
6 גָּעַרְתָּ זֵדִים אֲרוּרִים — Ps. 119:21
7 זֵדִים הֱלִיצֻנִי עַד־מְאֹד — Ps. 119:51
8 טָפְלוּ עָלַי שֶׁקֶר זֵדִים — Ps. 119:69

זֵדִים (המשך) 9 יֵבֹשׁוּ זֵדִים כִּי־שֶׁקֶר עִוְּתוּנִי — Ps. 119:78
10 כָּרוּ־לִי זֵדִים שִׁיחוֹת — Ps. 119:85
11 אַל־יַעַשְׁקֻנִי זֵדִים — Ps. 119:122

הַזֵּדִים 12 וְכָל הָאֲנָשִׁים הַזֵּדִים — Jer. 43:2

מִזֵּדִים 13 גַּם מִזֵּדִים חֲשֹׂךְ עַבְדֶּךָ — Ps. 19:14

זָדוֹן
ז׳ רֶשַׁע, מזמה רעה • קרובים: ראה רֶשַׁע

זְדוֹן לִבּוֹ 9, 10; עֶבְרַת זָדוֹן 4
בָּא זָדוֹן 3; הִשִּׁיאוֹ ז׳ 9, 10; כָּשַׁל ז׳ 2; נָפַל ז׳ 2; פָּרַח זָדוֹן 5

זָדוֹן 1 הִנְנִי אֵלֶיךָ זָדוֹן — Jer. 50:31
2 וְכָשַׁל זָדוֹן וְנָפַל — Jer. 50:32
3 בָּא־זָדוֹן וַיָּבֹא קָלוֹן — Prov. 11:2
4 זֵד יָהִיר...עוֹשֶׂה בְּעֶבְרַת זָדוֹן — Prov. 21:24

הַזָּדוֹן 5 צָץ הַמַּטֶּה פָּרַח הַזָּדוֹן — Ezek. 7:10

בְּזָדוֹן 6 וְהָאִישׁ אֲשֶׁר־יַעֲשֶׂה בְזָדוֹן — Deut. 17:12
7 בְּזָדוֹן דִּבְּרוֹ הַנָּבִיא — Deut. 18:22
8 רַק־בְּזָדוֹן יִתֵּן מַצָּה — Prov. 13:10

זְדוֹן־ 9 תִּפְלַצְתְּךָ הִשִּׁיא אֹתָךְ זְדוֹן לִבֶּךָ — Jer. 49:16
10 זְדוֹן לִבְּךָ הִשִּׁיאֶךָ — Ob. 3

זְדֹנְךָ 11 יָדַעְתִּי אֶת־זְדֹנְךָ וְאֵת רֹעַ לְבָבֶךָ — ISh. 17:28

זֶה
מלת רמיזה לזכר [עין גם זֹאת, זֹה, זוּ]

א) כנוי רומז לזכר נוכח או רחוק יותר: 1–155, 306–357, 1062–1065
ב) קצור סתמי במשמע "דבר זה": 156–189, 358–361
ג) במשמע "אשר", "כי": 190–199, 362, 363
ד) לפני מספר או מלת־זמן לציון משך הזמן: 200–224, 364, 365
ה) לחזוק המלה הקודמת או לתוספת הדגשה: 225–305
ו) [הַזֶּה] לרמז ולהצבעה על שם ידוע: 366–1061
ז) [בָּזֶה, בַּזֶּה] כאן, במקום הזה: 1066–1078, 1081, 1084
באיש או בדבר הזה: 1079, 1080, 1082, 1083
ח) [כָּזֶה] כמו זה: 1085–1089, 1093; כדבר הזה: 1090–1093
ט) [לָזֶה] לאיש או לדבר הזה: 1094–1097
י) [מִזֶּה] מכאן: 1098–1129, 1134, 1139–1173
מדבר זה: 1130–1133, 1135–1138

– זֶה אֶל זֶה 18, 59; זֶה...וָזֶה 306–324; זֶה לְעֻמַּת זֶה 176; הֲזֶה אוֹ זֶה 183; זֶה הַדָּבָר 17, 21–25, 32–34, 56; זֶה הַיּוֹם 64, 65; אַחַר זֶה 189; אֵי־זֶה 225–240; אֵין זֶה 241, 242; אַתָּה זֶה 243–247; בְּכָל זֶה 188; בַּעֲבוּר זֶה 156; גַּם זֶה 161–172, 174, 179; הִנֵּה זֶה 248–252; כִּי־הוּא זֶה 26; כָּל זֶה 180, 181, 185; לָמָּה זֶה 253–278; מַה־זֶּה 279–287; מִי זֶה 288–290, 292–295, 297–300; מִי הוּא זֶה 291, 296, 301/2; עַל זֶה 158–160, 175; וְעִם זֶה 488; עַתָּה זֶה 304, 305; רְאֵה זֶה 197–199

– וְזֶה אֲשֶׁר 358–361; וְזֶה דְּבַר־ 333–335, 371

– הַבַּיִת הַזֶּה 907–942; הַדָּבָר הַזֶּה 372, 376, 378–488; הַחֹדֶשׁ הַזֶּה 698–705; הַיּוֹם הַזֶּה 367–370, 492–571, 708–798; הַמָּקוֹם הַזֶּה 373, 374, 814, 820–878; הָעָם הַזֶּה 596, 598–695 [ועוד מאות שמות מיודעים]

– בָּזֶה (בַּזֶּה) 1066–1084; כָּזֶה 1085–1089; כָּזֹה וְכָזֶה 1090–1092; הֲכָזֶה 1093; לָזֶה 1094–1096; הַלָזֶה 1097; מִזֶּה 1098–1138; מִזֶּה וּמִזֶּה 1148–1173; אֵי מִזֶּה 1139–1147

זֶה (א) 1 זֶה סֵפֶר תּוֹלְדֹת אָדָם — Gen. 5:1
2 זֶה יְנַחֲמֵנוּ מִמַּעֲשֵׂנוּ — Gen. 5:29

זֶה (א) (המשך)

3 לֹא יִירָשְׁךָ זֶה Gen. 15:4
4 זֶה חַסְדֵּךְ אֲשֶׁר תַּעֲשִׂי עִמָּדִי Gen. 20:13
5 וַיִּתֶּן־לִי גַּם־אֶת־זֶה Gen. 29:33
6 מַחֲנֵה אֱלֹהִים זֶה Gen. 32:2
7 כִּי־גַם־זֶה לָךְ בֵּן Gen. 35:17
8 זֶה יָצָא רִאשֹׁנָה Gen. 38:28
10-9 זֶה פִּתְרֹנוֹ Gen. 40:12, 18
11 הֲלוֹא זֶה אֲשֶׁר יִשְׁתֶּה אֲדֹנִי בּוֹ Gen. 44:5
12 וּלְקַחְתֶּם גַּם־אֶת־זֶה מֵעִם פָּנַי Gen. 44:29
13 לֹא־כֵן אָבִי כִּי־זֶה הַבְּכֹר Gen. 48:18
14 אֵבֶל־כָּבֵד זֶה לְמִצְרָיִם Gen. 50:11
15 מִיַּלְדֵי הָעִבְרִים זֶה Ex. 2:6
16 עַד־מָתַי יִהְיֶה זֶה לָנוּ לְמוֹקֵשׁ Ex. 10:7
17 הֲלֹא־זֶה הַדָּבָר אֲשֶׁר דִּבַּרְנוּ אֵלֶיךָ Ex. 14:12
19-18 וְלֹא־קָרַב זֶה אֶל־זֶה Ex. 14:20
20 זֶה אֵלִי וְאַנְוֵהוּ Ex. 15:2
25-21 זֶה הַדָּבָר אֲשֶׁר(־)צִוָּה יְיָ Ex. 16:16
16:32; 35:4 • Num. 30:2; 36:6
26 ...אֲשֶׁר יֹאמַר כִּי־הוּא זֶה Ex. 22:8
27 זֶה יִתְּנוּ כָּל־הָעֹבֵר... Ex. 30:13
28 שֶׁמֶן מִשְׁחַת־קֹדֶשׁ יִהְיֶה זֶה לִי Ex. 30:31
30-29 כִּי־זֶה מֹשֶׁה הָאִישׁ... Ex. 32:1, 23
31 זֶה קָרְבַּן אַהֲרֹן וּבָנָיו Lev. 6:13
34-32 זֶה הַדָּבָר אֲשֶׁר־צִוָּה יְיָ Lev. 8:5; 9:6; 17:2
35/6 אַךְ אֶת־זֶה לֹא תֹאכְלוּ Lev. 11:4 • Deut. 14:7
39-37 אֶת־זֶה תֹּאכְלוּ Lev. 11:9, 21 • Deut. 14:9
40 זֶה קָרְבַּן נַחְשׁוֹן בֶּן־עַמִּינָדָב Num. 7:17
51-41 זֶה קָרְבַּן... Num. 7:23, 29, 35, 41
7:47, 53, 59, 65, 71, 77, 83
52 זֶה לַחְמֵנוּ חָם הִצְטַיַּדְנוּ אֹתוֹ Josh. 9:12
53 כִּי זֶה הַיּוֹם אֲשֶׁר נָתַן יְיָ... Jud. 4:14
54 זֶה סִינַי מִפְּנֵי יְיָ אֱלֹהֵי יִשְׂרָאֵל Jud. 5:5
55 לֵךְ בְּכֹחֲךָ זֶה וְהוֹשַׁעְתָּ... Jud. 6:14
56 זֶה הַדָּבָר אֲשֶׁר נַעֲשֶׂה לַגִּבְעָה Jud. 20:9
57 אֲשֶׁר יַכְרִית...זֶה הַיּוֹם IK. 14:14
58 לֹא זֶה הַדֶּרֶךְ וְלֹא־זֹה הָעִיר IIK. 6:19
60-59 וְקָרָא זֶה אֶל־זֶה וְאָמַר Is. 6:3
61 זֶה הָעָם לֹא הָיָה Is. 23:13
62 זֶה הַיָּם גָּדוֹל וּרְחַב יָדָיִם Ps. 104:25
63 זֶה־הַשַּׁעַר לַייָ Ps. 118:20
64 זֶה־הַיּוֹם עָשָׂה יְיָ Ps. 118:24
65 אַךְ זֶה הַיּוֹם שֶׁקִּוִּינֻהוּ Lam. 2:16
155-66 זֶה (א) Num. 18:9; 28:3; 34:6, 9; 35:5
Deut. 5:29(26); 21:20 • Josh. 2:14, 20; 15:4, 12; 18:19 • Jud. 7:4²; 9:38; 20:16, 17 • ISh. 8:11; 9:17; 10:27; 16:12; 21:12, 16; 24:16; 26:17; 29:3, 4, 5; 30:20 • IISh. 16:17; 18:26, 27 • IK. 3:23; 13:3; 14:13; 20:7; 21:2; 22:27 • IIK. 1:2; 3:23; 4:43; 5:7; 8:8, 9; 11:5; 19:21; 20:9 • Is. 6:7; 16:13; 17:14; 25:9; 29:11, 12; 30:21; 37:22; 58:6; 63:1; 66:2 • Jer. 2:37; 7:28; 10:19; 13:25; 22:21; 38:21; 52:28 • Ezek. 41:4, 22; 46:20 • Jon. 4:2 • Mic. 5:4 • Zech. 3:2; 4:6 • Ps. 24:6; 34:7; 48:15; 49:14; 68:9; 87:4, 6 • Job 20:29; 21:23; 27:13 • Eccl. 3:19 • Dan. 10:17² • Ez. 3:12 • Neh. 9:18 • ICh. 22:1 • IICh. 18:26; 23:4

זֶה (ב)

156 בַּעֲבוּר זֶה עָשָׂה יְיָ לִי Ex. 13:8
157 כִּי־תֹאמַר הֵן לֹא־יָדַעְנוּ זֶה Prov. 24:12
158 אַף־עַל־זֶה פָּקַחְתָּ עֵינֶךָ Job 14:3
159 כִּי עַל־זֶה בָּחַרְתָּ מֵעֹנִי Job 36:21
160 עַל־זֶה הָיָה דָוֶה לִבֵּנוּ Lam. 5:17
161 שֶׁגַּם־זֶה הוּא רַעְיוֹן רוּחַ Eccl. 1:17

זֶה (ב) (המשך)

162 וְדִבַּרְתִּי בְלִבִּי שֶׁגַּם־זֶה הָבֶל Eccl. 2:15
165-163 גַּם־זֶה הָבֶל Eccl. 2:19; 5:9; 8:10
166 גַּם־זֶה הֶבֶל וְרָעָה רַבָּה Eccl. 2:21
167 גַּם־זֶה הֶבֶל הוּא Eccl. 2:23
170-168 גַּם־זֶה הֶבֶל וּרְעוּת רוּחַ Eccl. 2:26
4:4; 6:9
171 גַּם־זֶה הֶבֶל וְעִנְיַן רָע הוּא Eccl. 4:8
172 גַּם־זֶה הֶבֶל וְרַעְיוֹן רוּחַ Eccl. 4:16
173 זֶה הֶבֶל וָחֳלִי רָע הוּא Eccl. 6:2
174 וְגַם־זֶה הָבֶל Eccl. 7:6
175 כִּי לֹא מֵחָכְמָה שָׁאַלְתָּ עַל־זֶה Eccl. 7:10
176/7 גַּם אֶת־זֶה לְעֻמַּת־זֶה... Eccl. 7:14
178 אֶת־כָּל־זֶה רָאִיתִי Eccl. 8:9
179 אָמַרְתִּי שֶׁגַּם־זֶה הָבֶל Eccl. 8:14
180 אֶת־כָּל־זֶה נָתַתִּי אֶל־לִבִּי Eccl. 9:1
181 וְלָבוּר אֶת־כָּל־זֶה Eccl. 9:1
182 זֶה רָע בְּכֹל אֲשֶׁר־נַעֲשָׂה Eccl. 9:3
183 הֲזֶה אוֹ־זֶה Eccl. 11:6
184 כִּי־זֶה כָּל־הָאָדָם Eccl. 12:13
185 וְכָל־זֶה אֵינֶנּוּ שֹׁוֶה לִי Es. 5:13
186 מַה־נַּעֲשָׂה...לְמָרְדֳּכַי עַל־זֶה Es. 6:3
187 וְעִם־זֶה לֶחֶם הַפֶּחָה לֹא בִקַּשְׁתִּי Neh. 5:18
188 וּבְכָל־זֶה לֹא הָיִיתִי בִּירוּשָׁלָםִ Neh. 13:6
189 אַחַר זֶה שָׁלַח סַנְחֵרִיב IICh. 32:9

זֶה (ג)

190 הִנֵּה אֱלֹהֵינוּ זֶה קִוִּינוּ לוֹ וְיוֹשִׁיעֵנוּ Is. 25:9
191 זֶה־יָדַעְתִּי כִּי־אֱלֹהִים לִי Ps. 56:10
192 הַר־צִיּוֹן זֶה שָׁכַנְתָּ בּוֹ Ps. 74:2
193 הַר־זֶה קָנְתָה יְמִינוֹ Ps. 78:54
194 אֶל־מְקוֹם זֶה יָסַדְתָּ לָהֶם Ps. 104:8
195 לִוְיָתָן זֶה־יָצַרְתָּ לְשַׂחֶק־בּוֹ Ps. 104:26
196 שְׁמַע לְאָבִיךָ זֶה יְלָדֶךָ Prov. 23:22
197 רְאֵה־זֶה חָדָשׁ הוּא Eccl. 1:10
198 רְאֵה זֶה מָצָאתִי Eccl. 7:27
199 לְבַד רְאֵה־זֶה מָצָאתִי Eccl. 7:29

זֶה (ד)

200 וַיַּעְקְבֵנִי זֶה פַעֲמַיִם Gen. 27:36
201 זֶה עֶשְׂרִים שָׁנָה אָנֹכִי עִמָּךְ Gen. 31:38
202 זֶה־לִּי עֶשְׂרִים שָׁנָה בְּבֵיתֶךָ Gen. 31:41
203 כִּי־עַתָּה שַׁבְנוּ זֶה פַעֲמָיִם Gen. 43:10
204 כִּי־זֶה שְׁנָתַיִם הָרָעָב Gen. 45:6
205 וַיְנַסּוּ אֹתִי זֶה עֶשֶׂר פְּעָמִים Num. 14:22
206 כִּי הִכִּיתַנִי זֶה שָׁלֹשׁ רְגָלִים Num. 22:28
207/8 זֶה שָׁל(וֹ)שׁ רְגָלִים Num. 22:32, 33
209 בֵּרַכְתָּ בָרֵךְ זֶה שָׁלֹשׁ פְּעָמִים Num. 24:10
212-210 זֶה אַרְבָּעִים שָׁנָה Deut. 2:7; 8:2, 4
213 זֶה אַרְבָּעִים וְחָמֵשׁ שָׁנָה Josh. 14:10
214 זֶה יָמִים רַבִּים Josh. 22:3
215 זֶה שָׁלֹשׁ פְּעָמִים הֵתַלְתָּ בִּי Jud. 16:15
216 אֲשֶׁר הָיָה אִתִּי זֶה יָמִים ISh. 29:3
217 אוֹ־זֶה שָׁנִים ISh. 29:3
218 זֶה יָמִים רַבִּים מִתְאַבֶּלֶת IISh. 14:2
219 זֶה שָׁלֹשׁ וְעֶשְׂרִים שָׁנָה Jer. 25:3
220 אֲשֶׁר זָעַמְתָּה זֶה שִׁבְעִים שָׁנָה Zech. 1:12
221 כַּאֲשֶׁר עָשִׂיתִי זֶה כַּמֶּה שָׁנִים Zech. 7:3
222 זֶה עֶשֶׂר פְּעָמִים תַּכְלִימוּנִי Job 19:3
223 זֶה שִׁבְתָּהּ הַבַּיִת מְעָט Ruth 2:7
224 לֹא נִקְרֵאתִי...זֶה שְׁלוֹשִׁים יוֹם Es. 4:11

זֶה (ה) אֵי־זֶה

225 אֵי־זֶה בֵּית הָרֹאֶה ISh. 9:18
226 אֵי־זֶה הַדֶּרֶךְ הָלָךְ IK. 13:12
227 אֵי־זֶה עָבַר רוּחַ־יְיָ מֵאִתִּי IK. 22:24
228 אֵי־זֶה הַדֶּרֶךְ נַעֲלֶה IIK. 3:8
229 אֵי זֶה סֵפֶר כְּרִיתוּת אִמְּכֶם Is. 50:1
230 אֵי־זֶה בַיִת אֲשֶׁר תִּבְנוּ־לִי Is. 66:1

זֶה (ה) (המשך)

231 וְאֵי־זֶה מָקוֹם מְנוּחָתִי Is. 66:1
232 אֵי־זֶה דֶרֶךְ הַטּוֹב Jer. 6:16
233/4 וְאֵי זֶה מְקוֹם בִּינָה Job 28:12, 20
235 אֵי־זֶה הַדֶּרֶךְ יִשְׁכָּן־אוֹר Job 38:19
236 וְחֹשֶׁךְ אֵי־זֶה מְקֹמוֹ Job 38:19
237 אֵי־זֶה הַדֶּרֶךְ יֵחָלֶק אוֹר Job 38:24
238 אֵי־זֶה טוֹב לִבְנֵי הָאָדָם Eccl. 2:3
239 כִּי אֵינְךָ יוֹדֵעַ אֵי זֶה יִכְשַׁר Eccl. 11:6
240 אֵי זֶה הַדֶּרֶךְ עָבַר רוּחַ־יְיָ IICh. 18:23

אֵין זֶה

241 אֵין זֶה כִּי אִם־בֵּית אֱלֹהִים Gen. 28:17
242 אֵין זֶה כִּי־אִם רֹעַ לֵב Neh. 2:2

אַתָּה זֶה

243 וַאֲמֻשְׁךָ בְּנִי הַאַתָּה זֶה בְּנִי עֵשָׂו Gen. 27:21
244 אַתָּה זֶה בְּנִי עֵשָׂו Gen. 27:24
245 הַאַתָּה זֶה עֲשָׂהאֵל IISh. 2:20
246 הַאַתָּה זֶה אֲדֹנִי אֵלִיָּהוּ IK. 18:7
247 הַאַתָּה זֶה עֹכֵר יִשְׂרָאֵל IK. 18:17

הִנֵּה זֶה

248 וְהִנֵּה־זֶה מַלְאָךְ נֹגֵעַ בּוֹ IK. 19:5
249 וְהִנֵּה־זֶה בָא רֶכֶב אִישׁ Is. 21:9
250 הִנֵּה־זֶה הָיָה עֲוֹן סְדֹם Ezek. 16:49
251 קוֹל דּוֹדִי הִנֵּה־זֶה בָּא S.ofS. 2:8
252 הִנֵּה־זֶה עוֹמֵד אַחַר כָּתְלֵנוּ S.ofS. 2:9

לָמָּה זֶה

253 לָמָּה זֶה צָחֲקָה שָׂרָה Gen. 18:13
254 אִם־כֵּן לָמָּה זֶּה אָנֹכִי Gen. 25:22
255 וְלָמָּה־זֶּה לִי בְּכֹרָה Gen. 25:32
256 לָמָּה זֶּה תִּשְׁאַל לִשְׁמִי Gen. 32:29
257 לָמָּה זֶּה אֶמְצָא־חֵן... Gen. 33:15
258 לָמָּה זֶּה עֲזַבְתֶּן אֶת־הָאִישׁ Ex. 2:20
259 לָמָּה זֶּה שְׁלַחְתָּנִי Ex. 5:22
260 לָמָּה זֶּה הֶעֱלִיתָנוּ מִמִּצְרַיִם Ex. 17:3
278-261 לָמָּה(־)זֶה Num. 11:20; 14:41
Josh. 7:10 • Jud. 13:18 • ISh. 17:28; 20:8; 26:18 • IISh. 3:24; 12:23; 18:22; 19:43 • IK. 14:6 • Jer. 6:20; 20:18 • Am. 5:18 • Prov. 17:16 • Job 9:29; 27:12

מַה זֶה

279 מַה־זֶּה מִהַרְתָּ לִמְצֹא Gen. 27:20
280 וַיֹּאמֶר אֵלָיו יְיָ מַה־זֶּה (כת׳ מזה) בְיָדֶךָ Ex. 4:2
281 וּמַה־זֶּה תֹּאמְרוּ אֵלַי מַה־לָּךְ Jud. 18:24
282 מַה־זֶּה הָיָה לְבֶן־קִישׁ ISh. 10:11
283 מַה־זֶּה רוּחֲךָ סָרָה IK. 21:5
284 וַיֹּאמֶר אֲלֵיהֶם מַה־זֶּה שַׁבְתֶּם IIK. 1:5
285/6 לָדַעַת מַה־זֶּה וְעַל־מַה־זֶּה Es. 4:5
287 עַל־מַה־זֶּה אַתָּה מְבַקֵּשׁ Neh. 2:4

מִי זֶה

288 בֶּן־מִי־זֶה הַנָּעַר ISh. 17:55
289 בֶּן־מִי־זֶה הָעָלֶם ISh. 17:56
290 מִי־זֶה בָּא מֵאֱדוֹם... Is. 63:1
291 מִי הוּא־זֶה עָרַב אֶת־לִבּוֹ Jer. 30:21
292 מִי־זֶה כַּיְאֹר יַעֲלֶה Jer. 46:7
293/4 וּמִי־זֶה רֹעֶה אֲשֶׁר יַעֲמֹד לְפָנָי Jer. 49:19; 50:44
295 מִי זֶה מֶלֶךְ הַכָּבוֹד Ps. 24:8
296 מִי הוּא זֶה מֶלֶךְ הַכָּבוֹד Ps. 24:10
297 מִי־זֶה הָאִישׁ יְרֵא יְיָ Ps. 25:12
298 מִי זֶה מַחְשִׁיךְ עֵצָה Job 38:2
299 מִי זֶה מַעְלִים עֵצָה Job 42:3
300 מִי זֶה אָמַר וַתֶּהִי Lam. 3:37
301/2 מִי הוּא זֶה וְאֵי־זֶה הוּא Es. 7:5
303 עֲלוּ זֶה בַּנֶּגֶב Num. 13:17
304 עַתָּה זֶה יָדַעְתִּי... p17:24
305 הִנֵּה עַתָּה זֶה בָּאוּ אֵלַי... IIK. 5:22

זֶה...וְזֶה (א)

306/7 זֶה־שְּׁמִי לְעֹלָם וְזֶה זִכְרִי לְדֹר דֹּר Ex. 3:15
308/9 וַיֹּאמֶר זֶה בְּכֹה וְזֶה אֹמֵר בְּכֹה IK. 22:20

זֶה...וְזֶה (המשך)

310-312 זֶה יֹאמַר לַייָ אָנִי
וְזֶה יִקְרָא בְשֵׁם־יַעֲקֹב
וְזֶה יִכְתֹּב יָדוֹ לַייָ — Is. 44:5
313/4 זֶה יַשְׁפִּיל וְזֶה יָרִים — Ps. 75:8
315-318 עוֹד זֶה מְדַבֵּר וְזֶה בָּא — Job 1:16, 17
319/20 עַד זֶה מְדַבֵּר וְזֶה בָּא — Job 1:18
321/2 זֶה דוֹדִי וְזֶה רֵעִי — S.ofS. 5:16
323/4 זֶה אֹמֵר כָּכָה וְזֶה אֹמֵר כָּכָה — IICh. 18:19

וְזֶה (א)

325 וְזֶה שַׁעַר הַשָּׁמָיִם — Gen. 28:17
326 וְזֶה־לְּךָ הָאוֹת... — Ex. 3:12
327 וְזֶה הַדָּבָר אֲשֶׁר תַּעֲשֶׂה לָהֶם — Ex. 29:1
328 וְזֶה לָכֶם הַטָּמֵא — Lev. 11:29
329 וְזֶה מַעֲשֵׂה הַמְּנֹרָה — Num. 8:4
330 ...וְזֶה־פִּרְיָהּ — Num. 13:27
331 וְזֶה־לְּךָ תְּרוּמַת מַתָּנָם — Num. 18:11
332 וְזֶה־יִהְיֶה לָכֶם גְּבוּל צָפוֹן — Num. 34:7
333 וְזֶה דְּבַר הַשְּׁמִטָּה — Deut. 15:2
334 וְזֶה יִהְיֶה מִשְׁפַּט הַכֹּהֲנִים... — Deut. 18:3
335 וְזֶה דְּבַר הָרֹצֵחַ... — Deut. 19:4
336 וְזֶה הַדָּבָר אֲשֶׁר־מָל יְהוֹשֻׁעַ — Josh. 5:4
337 וְזֶה הַדָּבָר אֲשֶׁר תַּעֲשׂוּ — Jud. 21:11
338 וְזֶה־לְּךָ הָאוֹת... — ISh. 2:34
339 וְזֶה־לָּנוּ הָאוֹת — ISh. 14:10
340 וְזֶה מַעֲשֵׂה הַמְּכוֹנָה — IK. 7:28
341 וְזֶה דְבַר־הַמַּס... — IK. 9:15
342 וְזֶה הַדָּבָר אֲשֶׁר־הֵרִים יָד — IK. 11:27
343 זֹאת הָאִשָּׁה וְזֶה־בְּנָהּ... — IIK. 8:5
344 וְזֶה־לְּךָ הָאוֹת — IIK. 19:29
345 וְזֶה כָּל־פְּרִי הָסִר חַטָּאתוֹ — Is. 27:9
346/7 וְזֶה־לְּךָ הָאוֹת — Is. 37:30; 38:7
348 וְזֶה־שְּׁמוֹ אֲשֶׁר־יִקְרְאוֹ... — Jer. 23:6
349 וְזֶה הָאַחֲרוֹן עִצְּמוֹ נְבוּכַדְרֶאצַּר — Jer. 50:17
350 וְזֶה מַרְאֵיהֶן דְּמוּת אָדָם לָהֵנָּה — Ezek. 1:5
351 וְזֶה גַּב הַמִּזְבֵּחַ — Ezek. 43:13
352 וְזֶה גְּבוּל הָאָרֶץ — Ezek. 47:15
353 וְזֶה מְקוֹם לֹא־יָדַע־אֵל — Job 18:21
354 וְזֶה יָמוּת בְּנֶפֶשׁ מָרָה — Job 21:25
355 וְזֶה־הָיָה חֶלְקִי מִכָּל־עֲמָלִי — Eccl. 2:10
356 וְזֶה פַּרְשֶׁגֶן הַנִּשְׁתְּוָן — Ez. 7:11
357 וְזֶה־מִּזְבֵּחַ לְעֹלָה לְיִשְׂרָאֵל — IICh. 22:1

וְזֶה (ב)

358 וְזֶה אֲשֶׁר תַּעֲשֶׂה אֹתָהּ — Gen. 6:15
359 וְזֶה אֲשֶׁר תַּעֲשֶׂה עַל־הַמִּזְבֵּחַ — Ex. 29:38
360 וְזֶה אֲשֶׁר לֹא־תֹאכְלוּ מֵהֶם — Deut. 14:12
361 וְזֶה אֲשֶׁר־יִקְרָא־לָהּ... — Jer. 33:16

וְזֶה (ג)

362 וְזֶה־חָזִיתִי וַאֲסַפֵּרָה — Job 15:17
363 וְזֶה־אָהַבְתִּי נֶהְפְּכוּ־בִי — Job 19:19

וְזֶה (ד)

364 וְזֶה הַחִלָּם לַעֲשׂוֹת — Gen. 11:6
365 וְזֶה שִׁבְעִים שָׁנָה... — Zech. 7:5

הַזֶּה

366 אֹתְךָ רָאִיתִי צַדִּיק לְפָנַי בַּדּוֹר הַזֶּה — Gen. 7:1
367 בַּיּוֹם הַזֶּה נִבְקְעוּ כָּל־מַעְיְנֹת... — Gen. 7:11
368-370 בְּעֶצֶם הַיּוֹם הַזֶּה — Gen. 7:13; 17:23, 26
371 אֲשֶׁר תֵּלֵד...לַמּוֹעֵד הַזֶּה — Gen. 17:21
372 חָלִלָה לְּךָ מֵעֲשֹׂת כַּדָּבָר הַזֶּה — Gen. 18:25
373 מַשְׁחִתִים אֲנַחְנוּ אֶת־הַמָּקוֹם הַזֶּה — Gen. 19:13
374 צְאוּ מִן־הַמָּקוֹם הַזֶּה — Gen. 19:14
375 נָשָׂאתִי פָנֶיךָ גַּם לַדָּבָר הַזֶּה — Gen. 19:21
376 ...כִּי עָשִׂיתָ אֶת־הַדָּבָר הַזֶּה — Gen. 20:10
377 אֵין־יִרְאַת אֱלֹהִים בַּמָּקוֹם הַזֶּה — Gen. 20:11
378 מִי עָשָׂה אֶת־הַדָּבָר הַזֶּה — Gen. 21:26
379-488 (וְ־/בַּ־/כַּ־/לַ־) הַדָּבָר הַזֶּה — Gen. 22:16
24:9; 30:31; 34:14; 44:7 • Ex. 1:18; 2:15; 9:5, 6; 12:24; 18:14, 23 • Num. 32:20 • Deut. 1:32; 3:26;

הַזֶּה (המשך)

15:10, 15; 22:20, 26; 24:18, 22; 32:47 • Josh. 9:24; 14:10 • Jud. 6:29[2]; 8:1, 3; 11:37 • ISh. 9:21; 17:27, 30; 18:8; 20:2; 24:7(6); 26:16; 28:10, 18; 30:24 • IISh. 2:6; 11:11, 25; 12:6, 12, 14, 21; 13:20; 14:3, 13, 15, 20, 21; 15:6; 17:6; 19:43; 24:3 • IK. 1:27; 2:23; 3:10, 11; 11:10; 12:24, 30; 13:33, 34; 20:9, 12, 24 • IIK. 5:18[2]; 6:11; 7:2, 19; 17:12 • Is. 8:20; 24:3; 30:12; 38:7 • Jer. 5:14; 7:2, 23; 13:12; 14:17; 22:1, 4; 23:38; 26:1; 27:1; 28:7; 31:23(22); 36:1; 40:3, 16 • Am. 3:1; 4:1; 5:1 • Dan. 1:14; 10:11 • Ez. 9:3 • 10:5, 13, 14 • Neh. 2:19; 5:12, 13[2]; 6:4[2], 5 • ICh. 21:7, 8 • IICh. 11:4

489 הֲתֵלְכִי עִם־הָאִישׁ הַזֶּה — Gen. 24:58
490 ...מִן־הָאָדֹם הָאָדֹם הַזֶּה — Gen. 25:30
491 הַנֹּגֵעַ בָּאִישׁ הַזֶּה וּבְאִשְׁתּוֹ... — Gen. 26:11
492-571 (וְ)עַד הַיּוֹם הַזֶּה — Gen. 26:33
32:32; 47:26; 48:15 • Ex. 10:6 • Num. 22:30 • Deut. 29:3; 34:6 • Josh. 4:9; 5:9; 6:25; 7:26[2]; 8:28, 29; 9:27; 13:13; 14:14; 15:63; 16:10; 22:3, 17; 23:8, 9 • Jud. 1:21, 26; 6:24; 10:4; 15:19; 18:12; 19:30 • ISh. 5:5; 6:18; 8:8; 12:2; 27:6; 29:3, 6, 8; 30:25 • IISh. 4:3; 6:8; 7:6; 18:18 • IK. 8:8; 9:13, 21; 10:12; 12:18 • IIK. 2:22; 8:22; 14:7; 16:6; 17:23, 34; 17:41; 20:17; 21:15 • Is. 39:6 • Jer. 3:25; 7:25; 11:7; 25:3; 32:20, 31; 35:14; 36:2; 44:10 • Ezek. 20:29 • Ez. 9:7 • Neh. 9:32 • ICh. 4:41, 43; 5:26; 13:11; 17:5 • IICh. 5:9; 8:8; 10:19; 21:10

572 אָכֵן יֵשׁ יְיָ בַּמָּקוֹם הַזֶּה — Gen. 28:16
573 מַה־נּוֹרָא הַמָּקוֹם הַזֶּה — Gen. 28:17
574 וּשְׁמָרַנִי בַּדֶּרֶךְ הַזֶּה... — Gen. 28:20
575 ...עָשָׂה אֵת כָּל־הַכָּבֹד הַזֶּה — Gen. 31:1
576 הַגַּל הַזֶּה עֵד — Gen. 31:48
577-580 הַגַּל הַזֶּה — Gen. 31:51, 52[3]
581 בְמַקְלִי עָבַרְתִּי אֶת־הַיַּרְדֵּן — Gen. 32:10
582 כַּדָּבָר הַזֶּה תְּדַבְּרוּן אֶל־עֵשָׂו — Gen. 32:19
583 מִי לְךָ כָּל־הַמַּחֲנֶה הַזֶּה — Gen. 33:8
584 שִׁמְעוּ־נָא הַחֲלוֹם הַזֶּה — Gen. 37:6
585 מָה הַחֲלוֹם הַזֶּה אֲשֶׁר חָלָמְתָּ — Gen. 37:10
586 הַשְׁלִיכוּ אֹתוֹ אֶל־הַבּוֹר הַזֶּה — Gen. 37:22
587 הִנֵּה שָׁלַחְתִּי הַגְּדִי הַזֶּה — Gen. 38:23
588 אֵינֶנּוּ גָדוֹל בַּבַּיִת הַזֶּה מִמֶּנִּי — Gen. 39:9
589 וַיְהִי כְּהַיּוֹם הַזֶּה וַיָּבֹא הַבַּיְתָה — Gen. 39:11
590 וְהוֹצֵאתַנִי מִן־הַבַּיִת הַזֶּה — Gen. 40:14
591 מָה־הַמַּעֲשֶׂה הַזֶּה אֲשֶׁר עֲשִׂיתֶם — Gen. 44:15
592 לְמַעַן עֲשֹׂה כַּיּוֹם הַזֶּה — Gen. 50:20
593 הֵילִיכִי אֶת־הַיֶּלֶד הַזֶּה — Ex. 2:9
594 וְאֶרְאֶה אֶת־הַמַּרְאֶה הַגָּדֹל הַזֶּה — Ex. 3:3
595 תַּעַבְדוּן...עַל הָהָר הַזֶּה — Ex. 3:12
596 וְנָתַתִּי אֶת־חֵן הָעָם־הַזֶּה... — Ex. 3:21
597 וְאֶת־הַמַּטֶּה הַזֶּה תִּקַּח בְּיָדֶךָ — Ex. 4:17
598 לָמָה הֲרֵעֹתָה לָעָם הַזֶּה — Ex. 5:22
599-695 (וְ־/הָ־/לָ־)עָם הַזֶּה — Ex. 5:23; 17:4
18:18, 23; 32:9, 21, 31; 33:12 • Num. 11:11, 12; 11:13, 14; 14:11, 13, 14, 15, 16, 19[2]; 21:2; 22:6, 17; 24:14; 32:15 • Deut. 3:28; 5:25; 9:13, 27; 31:7, 16 • Josh. 1:2, 6; 7:7 • Jud. 9:29; 20:16 • IISh. 16:18 • IK. 12:6, 7, 9, 10; 12:27[2]; 14:2; 18:37 • Is. 6:9, 10; 8:6, 11, 12; 9:5; 28:11, 14; 29:13, 14 • Jer. 4:10, 11; 5:14, 23; 6:19, 21; 7:16, 33; 8:5; 9:14; 11:14; 13:10; 14:10, 11; 15:1, 20; 16:5, 10; 19:11; 21:8; 23:32, 33; 27:16; 28:15; 29:32; 32:42; 33:24; 35:16; 36:7; 37:18; 38:4 • Mic. 2:11 • Hag. 1:2; 2:14 • Zech. 8:6, 11, 12 • Neh. 5:18, 19 • IICh. 1:10; 10:6, 7, 9

הַזֶּה (המשך)

696 לְמָחָר יִהְיֶה הָאֹת הַזֶּה — Ex. 8:19
697 וְיָסֵר מֵעָלַי רַק אֶת־הַמָּוֶת הַזֶּה — Ex. 10:17
698 הַחֹדֶשׁ הַזֶּה לָכֶם רֹאשׁ חֳדָשִׁים — Ex. 12:2
699-705 (בַּ־/לַ־)הַחֹדֶשׁ הַזֶּה — Ex. 12:3, 6; 13:5
Lev. 23:6 • Num. 9:3; 28:17 • Neh. 9:1
706 וְאָכְלוּ אֶת־הַבָּשָׂר בַּלַּיְלָה הַזֶּה — Ex. 12:8
707 וְעָבַרְתִּי...בַּלַּיְלָה הַזֶּה — Ex. 12:12
708 וְהָיָה הַיּוֹם הַזֶּה לָכֶם לְזִכָּרוֹן — Ex. 12:14
709-723 (בְּ)עֶצֶם הַיּוֹם הַזֶּה... — Ex. 12:17, 41
12:51 • Lev. 23:14, 21, 28, 29, 30 • Deut. 32:48 • Josh. 5:11; 10:27 • Ezek. 2:3; 24:2[2]; 40:1
724-798 (וְ־/בַּ־/כַּ־/לַ־) הַיּוֹם הַזֶּה — Ex. 12:17
13:3; 19:1 • Lev. 8:34; 16:30 • Deut. 2:22, 25, 30; 3:14; 4:20, 38; 5:21; 6:24; 8:18; 10:8, 15; 11:4; 26:16; 27:9; 29:27 • Josh. 3:7; 7:25; 22:22 • Jud. 9:19; 10:15; 12:3 • ISh. 11:13; 12:5; 14:45; 17:10, 46[2]; 22:8, 13; 24:11(10), 20(19); 25:32, 33; 26:21, 24; 28:18 • IISh. 3:38; 4:8; 16:12; 18:20[2] • IK. 1:30; 2:26; 3:6; 8:24, 61 • IIK. 7:9; 19:3 • Is. 37:3 • Jer. 1:10; 11:5; 25:18; 32:20; 44:2, 6, 22, 23 • Hag. 2:15, 18, 19 • Es. 1:18; 3:14; 8:13 • Dan. 9:7, 15 • Ez. 9:7, 15 • Neh. 9:10 • ICh. 28:7 • IICh. 6:15
799 הוּא־הַלַּיְלָה הַזֶּה לַייָ — Ex. 12:42
800 הוֹצֵאתֶם אֹתָנוּ אֶל־הַמִּדְבָּר הַזֶּה — Ex. 16:3
801 לְהָמִית אֶת־כָּל־הַקָּהָל הַזֶּה — Ex. 16:3
802 כַּמִּשְׁפָּט הַזֶּה יֵעָשֶׂה לּוֹ — Ex. 21:31
803 ...וַיֵּצֵא הָעֵגֶל הַזֶּה — Ex. 32:24
804 וַיִּשְׁמַע הָעָם אֶת־הַדָּבָר הָרָע הַזֶּה — Ex. 33:4
805 וּרְאֵה כִּי עַמְּךָ הַגּוֹי הַזֶּה — Ex. 33:13
806 גַּם אֶת־הַדָּבָר הַזֶּה...אֶעֱשֶׂה — Ex. 33:17
807/8 ...לַחֹדֶשׁ הַשְּׁבִיעִי הַזֶּה — Lev. 23:27, 34
809 אוֹ בַּמִּדְבָּר הַזֶּה לוּ־מָתְנוּ — Num. 14:2
810-813 (הַ)בַּמִּדְבָּר הַזֶּה — Num. 14:29, 32, 35; 20:4
814 ...אֶל־הַמָּקוֹם הָרָע הַזֶּה — Num. 20:5
815 הֲמִן־הַסֶּלַע הַזֶּה נוֹצִיא לָכֶם — Num. 20:10
816 לֹא תָבִיאוּ אֶת־הַקָּהָל הַזֶּה — Num. 20:12
817 עֲלֵה אֶל־הַר הָעֲבָרִים הַזֶּה — Num. 27:12
818 וּבֶעָשׂוֹר לַחֹדֶשׁ הַשְּׁבִיעִי הַזֶּה — Num. 29:7
819 רַב־לָכֶם שֶׁבֶת בָּהָר הַזֶּה — Deut. 1:6
820 עַד־בֹּאֲכֶם עַד־הַמָּקוֹם הַזֶּה — Deut. 1:31
821-878 (בַּ־) הַמָּקוֹם הַזֶּה — Deut. 9:7; 11:5
26:9; 29:6 • ISh. 12:8 • IK. 8:29, 30, 35; 13:8, 16 • IIK. 6:9; 18:25; 22:16, 17, 19, 20 • Jer. 7:3, 6, 7, 20; 14:13; 16:2, 3, 9; 19:3, 4[2], 6, 7, 12; 22:3, 11; 24:5; 27:22; 28:3[2], 4, 6; 29:10; 32:37; 33:10, 12; 40:2; 42:18; 44:29; 51:62 • Zep. 1:4 • Hag. 2:9 • IICh. 6:20, 21, 26, 40; 7:12, 15; 34:24, 25, 27, 28
879 הַדּוֹר הָרָע הַזֶּה — Deut. 1:35
880 רַב־לָכֶם סֹב אֶת־הָהָר הַזֶּה — Deut. 2:3
881 אֶת־הַמִּדְבָּר הַגָּדֹל הַזֶּה — Deut. 2:7
882 הָהָר הַטּוֹב הַזֶּה וְהַלְּבָנֹן — Deut. 3:25
883/4 לֹא תַעֲבֹר אֶת־הַיַּרְדֵּן הַזֶּה — Deut. 3:27; 31:2
885 הַגּוֹי הַגָּדוֹל הַזֶּה — Deut. 4:6
886 הֲנִהְיָה כַּדָּבָר הַגָּדוֹל הַזֶּה — Deut. 4:32
887 עָשָׂה לִי אֶת־הַחַיִל הַזֶּה — Deut. 8:17
888 לַעֲשׂוֹת כַּדָּבָר הָרָע הַזֶּה — Deut. 13:12
889 אֲשֶׁר עָשׂוּ אֶת־הַדָּבָר הָרָע הַזֶּה — Deut. 17:5
890 לֹא תֹסִפוּן לָשׁוּב בַּדֶּרֶךְ הַזֶּה — Deut. 17:16
891 לַעֲשׂוֹת עוֹד כַּדָּבָר הָרָע הַזֶּה — Deut. 19:20
892 יָדֵינוּ לֹא שָׁפְכוּ אֶת־הַדָּם הַזֶּה — Deut. 21:7
893 אֶת־בִּתִּי נָתַתִּי לָאִישׁ הַזֶּה — Deut. 22:16

הַזֶּה (המשך)

894 הַכְּתֻבִים בְּסֵפֶר הַזֶּה Deut. 28:58
895 הַשֵּׁם הַנִּכְבָּד וְהַנּוֹרָא הַזֶּה Deut. 28:58
896/7 הַכְּתוּבָה בַּסֵּפֶר הַזֶּה Deut. 29:19,26
898/9 הַכְּתוּבָה בְּסֵפֶר הַתּוֹרָה הַזֶּה Deut. 29:20; 30:10
900 מֶה חֳרִי הָאַף הַגָּדוֹל הַזֶּה Deut. 29:23
901 לָקֹחַ אֵת סֵפֶר הַתּוֹרָה הַזֶּה Deut. 31:26
902 עֲלֵה אֶל־הַר הָעֲבָרִים הַזֶּה Deut. 32:49
903 קוּם עֲבֹר אֶת־הַיַּרְדֵּן הַזֶּה Josh. 1:2
904 מֵהַמִּדְבָּר וְהַלְּבָנוֹן הַזֶּה Josh. 1:4
905 לֹא־יָמוּשׁ סֵפֶר הַתּוֹרָה הַזֶּה מִפִּיךָ
וְהָגִיתָ בּוֹ יוֹמָם וָלַיְלָה Josh. 1:8
906 אַתֶּם עֹבְרִים אֶת־הַיַּרְדֵּן הַזֶּה Josh. 1:11
907 ...אַף כִּי־הַבַּיִת הַזֶּה IK. 8:27
908 לִהְיוֹת עֵינֶךָ פְתֻחֹת אֶל־הַבַּיִת הַזֶּה IK. 8:29
909-944 (בַּ־ וְהַ־) הַבַּיִת הַזֶּה IK. 6:12
8:31,33,38,42,43; 9:3,8² • IIK. 21:7 • Jer. 7:10,11; 22:4,5; 26:6,9,12 • Hag. 1:4; 2:3,7,9 • Zech. 4:9 • IICh. 6:18,20,22,24,29; 6:32,33; 7:16,20,21²; 20:9²; 33:7

945-1061 הַזֶּה Josh. 2:17,18; 4:22; 6:15; 14:12
22:16,31 • Jud. 2:20; 6:26; 8:9; 16:28; 19:23,24 • ISh. 1:27; 4:14; 6:20; 12:16; 14:29; 15:14; 17:12, 17²;25, 26,32,33,36,37,47, 25:25; 30:8,15² • IISh. 2:5; 7:17; 16:9 • IK. 3:6,9; 5:21; 7:8²; 17:21; 20:13,28,39 • IIK. 3:16; 4:16,17; 5:6,20; 6:18,32; 8:13; 9:1,11,25; 10:2; 18:19,21,22; 22:13²; 23:3,21,22,23 • Is. 14:4,28; 20:6; 22:14; 22:15; 25:6,7,10; 26:1; 30:13; 36:4,6,7 • Jer. 13:10; 18:6; 22:28,30; 25:13; 26:11,16; 29:29; 32:14²; 38:4²; 51:63 • Ezek. 8:5; 12:10,22,23; 18:2,3; 44:2 • Ob. 20 • Jon. 1:12,14 • Es. 7:6 • Ez. 9:2 • Neh. 1:11; 5:10; 13:17 • ICh. 17:15; 29:16 • IICh. 1:10; 14:10; 20:12,15; 31:10; 34:21,31; 35:19

הֲזֶה
1062 הֲזֶה אֲחִיכֶם הַקָּטֹן... Gen. 43:29
1063 הֲזֶה יָבוֹא אֶל־בֵּיתִי ISh. 21:16
1064 הֲזֶה הָאִישׁ מַרְגִּיז הָאָרֶץ Is. 14:16
1065 אֵי זֶה יִכְשַׁר הֲזֶה אוֹ־זֶה Eccl. 11:6

בָּזֶה
1066/7 לֹא־הָיְתָה בָזֶה קְדֵשָׁה Gen. 38:21,22
1068 אֲשֶׁר־נָתַן־לִי אֱלֹהִים בָּזֶה Gen. 48:9
1069 שְׁבוּ־לָנוּ בָזֶה Ex. 24:14
1070 שְׁבוּ נָא בָזֶה גַּם־אַתֶּם Num. 22:19
1071/2 בְּנֵה־לִי בָזֶה שִׁבְעָה מִזְבְּחֹת Num. 23:1,29
1073/4 וְהָכֵן לִי בָּזֶה שִׁבְעָה פָרִים Num. 23:1,29
1075 וּמָה־אַתָּה עֹשֶׂה בָּזֶה Jud. 18:3
1076 אֲנִי הָאִשָּׁה הַנִּצֶּבֶת עִמְּכָה בָּזֶה ISh. 1:26
1077 הֲיֵשׁ בָּזֶה הָרֹאֶה ISh. 9:11
1078 וּשְׁחַטְתֶּם בָּזֶה וַאֲכַלְתֶּם ISh. 14:34
1079/80 גַּם־בָּזֶה לֹא־בָחַר יְיָ ISh. 16:8,9
1081 שֵׁב בָּזֶה גַּם־הַיּוֹם IISh. 11:12
1082 טוֹב אֲשֶׁר תֶּאֱחֹז בָּזֶה... Eccl. 7:18

וּבָזֶה
1083 וּבָזֶה הַנַּעֲרָה בָּאָה אֶל־הַמֶּלֶךְ Es. 2:13

בָּזֶה
1084 כִּי אֵין אַחֶרֶת זוּלָתָהּ בָּזֶה ISh. 21:10

כָּזֶה
1085 הֲנִמְצָא כָזֶה אִישׁ אֲשֶׁר רוּחַ אֱלֹהִים בּוֹ Gen. 41:38
1086 וְהָיָה כָזֶה יוֹם מָחָר Is. 56:12
1087 וְאִם בְּגוֹי אֲשֶׁר־כָּזֶה... Jer. 5:9
1088/9 אִם בְּגוֹי אֲשֶׁר־כָּזֶה... Jer. 5:29; 9:8

וְכָזֶה
1090 כָּזֹה וְכָזֶה עָשָׂה לִי מִיכָה Jud. 18:4
1091 כִּי־כָזֹה וְכָזֶה תֹּאכַל הֶחָרֶב IISh. 11:25
1092 כָּזֹה וְכָזֶה תְּדַבֵּר אֵלֶיהָ IK. 14:5

הֲכָזֶה
1093 הֲכָזֶה יִהְיֶה צוֹם אֶבְחָרֵהוּ Is. 58:5

לָזֶה
1094 הֲלוֹא לָזֶה יַעֲנוּ בַמְּחֹלוֹת... ISh. 21:12
1095 לַשֶּׁקֶר שָׁמַרְתִּי אֶת־כָּל־אֲשֶׁר לָזֶה ISh. 25:21
1096 נַחַת לָזֶה מִזֶּה Eccl. 6:5

הֲלָזֶה
1097 הֲלָזֶה תִּקְרָא־צוֹם Is. 58:5

מִזֶּה
1098 וַיֹּאמֶר הָאִישׁ נָסְעוּ מִזֶּה Gen. 37:17
1099 חֵי פַרְעֹה אִם־תֵּצְאוּ מִזֶּה Gen. 42:15
1100 וְהַעֲלִתֶם אֶת־עַצְמֹתַי מִזֶּה Gen. 50:25
1101 אַחֲרֵי־כֵן יְשַׁלַּח אֶתְכֶם מִזֶּה... Ex. 11:1
1102 כָּלָה גָּרֵשׁ יְגָרֵשׁ אֶתְכֶם מִזֶּה Ex. 11:1
1103 הוֹצִיא יְיָ אֶתְכֶם מִזֶּה Ex. 13:3
1104 וְהַעֲלִיתֶם אֶת־עַצְמֹתַי מִזֶּה Ex. 13:19
1105/6 כְּרוּב(־)אֶחָד מִקָּצָה מִזֶּה Ex. 25:19; 37:8
1107/8 וּכְרוּב־אֶחָד מִקָּצָה מִזֶּה Ex. 25:19; 37:8
1109/10 וְהָאַמָּה מִזֶּה וְהָאַמָּה מִזֶּה Ex. 26:13
1111 לֵךְ עֲלֵה מִזֶּה Ex. 33:1
1112 אַל־תַּעֲלֵנוּ מִזֶּה Ex. 33:15
1113/4 גָּדֵר מִזֶּה וְגָדֵר מִזֶּה Num. 22:24
1115 קוּם רֵד מַהֵר מִזֶּה Deut. 9:12
1116 שְׂאוּ־לָכֶם מִזֶּה מִתּוֹךְ הַיַּרְדֵּן Josh. 4:3
1117/8 אֵלֶּה מִזֶּה וְאֵלֶּה מִזֶּה Josh. 8:22
1119 אַל־נָא תָמֻשׁ מִזֶּה Jud. 6:18
1120 שֵׁן־הַסֶּלַע מֵהָעֵבֶר מִזֶּה ISh. 14:4
1121 וְשֵׁן־הַסֶּלַע מֵהָעֵבֶר מִזֶּה ISh. 14:4
1122 וּפְלִשְׁתִּים עֹמְדִים אֶל־הָהָר מִזֶּה ISh. 17:3
1123 וְיִשְׂרָאֵל עֹמְדִים אֶל־הָהָר מִזֶּה ISh. 17:3
1124/5 ...מִצַּד הָהָר מִזֶּה ISh. 23:26²
1126 אֵלֶּה עַל־הַבְּרֵכָה מִזֶּה IISh. 2:13
1127 וְאֵלֶּה עַל־הַבְּרֵכָה מִזֶּה IISh. 2:13
1128 לֵךְ מִזֶּה וּפָנִיתָ לְּךָ קֵדְמָה IK. 17:3
1129 קַח בְּיָדְךָ מִזֶּה שְׁלֹשִׁים אֲנָשִׁים Jer. 38:10
1130 יִהְיֶה מִזֶּה אֶל־הַקֹּדֶשׁ... Ezek. 45:2
1131 כָּל־הַגֹּנֵב מִזֶּה כָּמוֹהָ נִקָּה Zech. 5:3
1132 וְכָל־הַנִּשְׁבָּע מִזֶּה כָּמוֹהָ נִקָּה Zech. 5:3
1133 כּוֹס... מָלֵא מֶסֶךְ וַיַּגֵּר מִזֶּה Ps. 75:9
1134 וְגַם לֹא־תַעֲבוּרִי מִזֶּה Ruth 2:8
1135 נַחַת לָזֶה מִזֶּה Eccl. 6:5
1136 וְגַם־מִזֶּה אַל־תַּנַּח אֶת־יָדֶךָ Eccl. 7:18
1137 וְלִפְנֵי מִזֶּה אֶלְיָשִׁיב הַכֹּהֵן... Neh. 13:4
1138 יֵשׁ לַיְיָ לָתֶת לְךָ הַרְבֵּה מִזֶּה IICh. 25:9

אֵי־מִזֶּה
1139 אֵי־מִזֶּה בָאת וְאָנָה תֵלֵכִי Gen. 16:8
1140 וְלֹא שְׁאִלְתִּיהוּ אֵי־מִזֶּה הוּא Jud. 13:6
1141 אֲשֶׁר לֹא יָדַעְתִּי אֵי מִזֶּה הֵמָּה ISh. 25:11
1142 לְמִי־אַתָּה וְאֵי מִזֶּה אָתָּה ISh. 30:13
1143 אֵי מִזֶּה תָּבוֹא IISh. 1:3
1144 אֵי מִזֶּה אָתָּה IISh. 1:13
1145 אֵי־מִזֶּה עִיר אַתָּה IISh. 15:2
1146 וְאֵי־מִזֶּה עַם אָתָּה Jon. 1:8
1147 אֵי מִזֶּה תָּבֹא Job 2:2

מִזֶּה...וּמִזֶּה
1148/9 מִזֶּה אֶחָד וּמִזֶּה אֶחָד Ex. 17:12

מִזֶּה וּמִזֶּה
1150/1 עַל־צִדֵּי הַמִּשְׁכָּן מִזֶּה וּמִזֶּה Ex. 26:13
1152/3 מִזֶּה וּמִזֶּה הֵם כְּתֻבִים Ex. 32:15
1154/5 וְלַכָּתֵף הַשֵּׁנִית מִזֶּה וּמִזֶּה Ex. 38:15
1156/7 עֹמְדִים מִזֶּה וּמִזֶּה לָאָרוֹן Josh. 8:33
1158/9 וְיָדֹת מִזֶּה וּמִזֶּה IK. 10:19
1160/1 עַל־שֵׁשׁ הַמַּעֲלוֹת מִזֶּה וּמִזֶּה IK. 10:20
1162/3 וְלַנָּשִׂיא מִזֶּה וּמִזֶּה... Ezek. 45:7
1164/5 עֵץ רַב מְאֹד מִזֶּה וּמִזֶּה Ezek. 47:7
1166/7 יַעֲלֶה עַל־שְׂפָתוֹ מִזֶּה וּמִזֶּה Ezek. 47:12
1168/9 וְהַנּוֹתָר לַנָּשִׂיא מִזֶּה וּמִזֶּה Ezek. 48:21
1170/1 וְיָדוֹת מִזֶּה וּמִזֶּה IICh. 9:18
1172/3 עַל־שֵׁשׁ הַמַּעֲלוֹת מִזֶּה וּמִזֶּה IICh. 9:19

זֹה

מ״ג לנקבה = זאת

גַּם זֹה 4, 5, 8; כָּל זֹה 7; כָּזֹה וְכָזֶה 9–11
מַה־זֹּה עָשָׂה 3;

זֹה
1 לֹא זֶה הַדֶּרֶךְ וְלֹא־זֹה הָעִיר IIK. 6:19
2 זֹה הַלִּשְׁכָּה אֲשֶׁר פָּנֶיהָ... Ezek. 40:45
3 וּלְשִׂמְחָה מַה־זֹּה עֹשָׂה Eccl. 2:2
4 גַּם־זֹה רָאִיתִי אָנִי Eccl. 2:24
5 וְגַם־זֹה רָעָה חוֹלָה Eccl. 5:15
6 זֹה מַתַּת אֱלֹהִים הִיא Eccl. 5:18
7 כָּל־זֹה נִסִּיתִי בַחָכְמָה Eccl. 7:23
8 גַּם־זֹה רָאִיתִי חָכְמָה... Eccl. 9:13

כָּזֹה
9 כָּזֹה וְכָזֶה עָשָׂה לִי מִיכָה Jud. 18:4
10 כָּזֹה וְכָזֶה תֹּאכַל הֶחָרֶב IISh. 11:25
11 כָּזֹה וְכָזֶה תְּדַבֵּר אֵלֶיהָ IK. 14:5

זָהָב

ז׳ א) הַמַּתֶּכֶת הַיְקָרָה בַּעֲלַת הַבָּרָק הַצָּהֹב (Gold):
כל המובאות

ב) מטבע או משקל ממתכת זאת, קצור מן ״שקל זהב״: 2, 104–115, 122, 146, 214, 216

קרובים: חָרוּץ/כֶּתֶם/פָּז; עוד קרובים ראה בַּרְזֶל

– זָהָב וָכֶסֶף 11, 12, 153–157, 163–166, 168, 170, 173, 185, 194, 198, 212, 217, 220, 283, 304, 316, 321, 336, 337, 340, 341, 343, 349, 356, 357, 360–362, 377; כֶּסֶף וְזָהָב 3–9, 165, 218, 237–259, 294–299, 305, 306, 308, 327–334, 344–347, 353, 354, 363, 364, 367, 375, 376, 379, 385, 387; זָהָב טָהוֹר 13–32, 75, 76, 90, 94, 99, 102, 103; זָ׳ טוֹב 201, 202; זָ׳ מוּפָז 149; זָ׳ מְזֻקָּק 196; זָ׳ סָגוּר 128–133; זָ׳ שָׁחוּט 145, 147, 213, 214, 215

– אֲגַרְטְלֵי זָהָב 188; אֱלֹהֵי זָ׳ 10, 96; אֱלִילֵי זָ׳ 381, 382; אַלְפֵי זָ׳ 170; גְּלִילֵי זָ׳ 183; גֻּלַּת זָ׳ 312; דִּי־זָהָב, עין באות ד׳; הֵיכַל זָ׳ 135, 209; זֵר זָ׳ 33–40; טַבְּעוֹת זָ׳ 41–52; טְחוֹרֵי זָ׳ 123, 290; כּוֹס זָ׳ 162; כִּכַּר זָ׳ 76, 102, 127, 136–144, 199, 211; כְּלֵי זָ׳ 3, 97, 119, 125, 186, 194, 220, 288, 307; כְּפוֹרֵי זָ׳ 189, 192, 320; כַּפּוֹת זָ׳ 116, 117; כַּפֹּרֶת זָ׳ 99; לְשׁוֹן זָ׳ 120, 286; מָגִנֵּי זָ׳ 301, 324; מִזְבַּח זָ׳ 276–281; מִזְרְקֵי זָ׳ 206; מִטּוֹת זָ׳ 185; מֵי־זָהָב, עין באות מ׳; מִכְלוֹת זָ׳ 208; מִכְמַנֵּי זָ׳ 316; מְנוֹרַת זָ׳ 75, 167, 318, 322, 325; מַסֵּכַת זָ׳ 378; מִשְׁבְּצוֹת זָ׳ 85–89, 169; מִשְׁקַל זָ׳ 300, 323; נֶזֶם זָ׳ 1, 121, 171, 174, 180, 271, 272, 287; עֲבוֹתוֹת זָ׳ 270, 275; עֶגְלֵי זָ׳ 151, 219, 302; עֲדִי זָ׳ 126, 161; עֲטֶרֶת זָ׳ 187; עַכְבְּרֵי זָ׳ 124, 289, 291; עַפְרוֹת זָ׳ 176; פַּחֵי זָ׳ 274; פַּעֲמוֹן זָ׳ 91–93, 103; צִיץ זָ׳ 94, 282; צַנְתְּרוֹת זָ׳ 309; קַרְסֵי זָ׳ 77, 78; רְבִיד זָ׳ 268; רַתּוּקוֹת זָ׳ 134; שִׁלְטֵי זָ׳ 292, 317; שִׁקְלֵי זָ׳ 195; שַׁרְבִיט זַ׳ 313–315; שַׁרְשְׁרוֹת זָ׳ 90; תּוֹרֵי זָ׳ 181; תְּנוּפַת זָ׳ 98; תַּפּוּחֵי זָהָב 173

– זְהַב אוֹפִיר 374; זְ׳ הָאָרֶץ 372; זְ׳ הַכַּפּוֹת 369; זְ׳ פַּרְוַיִם 371; זְ׳ שְׁבָא 373; זְ׳ הַתְּנוּפָה 368; זְהַב הַתְּרוּמָה 370

זָהָב
1 נֶזֶם זָהָב בֶּקַע מִשְׁקָלוֹ Gen. 24:22
2 וּשְׁנֵי צְמִידִים... עֲשָׂרָה זָהָב מִשְׁקָלָם Gen. 24:22
3 כְּלֵי־כֶסֶף וּכְלֵי זָהָב וּבְגָדִים Gen. 24:53
4 וְאֵיךְ נִגְנֹב...כֶּסֶף אוֹ זָהָב Gen. 44:8
5-9 כְּלֵי־כֶסֶף וּכְלֵי זָהָב Ex. 3:22; 11:2; 12:35 • IISh. 8:10 • IK. 10:25
10 וֵאלֹהֵי זָהָב לֹא תַעֲשׂוּ לָכֶם Ex. 20:20
11-12 זָהָב וָכֶסֶף וּנְחֹשֶׁת Ex. 25:3; 35:5

זָהָב (המשך)

13-14 וְצִפִּיתָ אֹתוֹ זָהָב טָהוֹר Ex.25:11,24
15 וְעָשִׂיתָ כַפֹּרֶת זָהָב טָהוֹר Ex.25:17
16-32 זָהָב טָהוֹר Ex.25:29,36,38; 28:22 30:3; 37:2,11,16,22,23,26; 39:15,25,30 • ICh.28:17 IICh.3:4; 9:17
33 וְעָשִׂיתָ עָלָיו זֵר זָהָב סָבִיב Ex.25:11
34-40 זֵר־זָהָב Ex.25:24,25; 30:3 37:2,11,12,26
41 וְיָצַקְתָּ לּוֹ אַרְבַּע טַבְּעֹת זָהָב Ex.25:12
42-52 טַבְּע(ו)ֹת זָהָב Ex.25:26 28:23,26,27; 30:4; 37:3,13,27; 39:16,19,20
53-54 וְצִפִּיתָ אֹתָם זָהָב Ex.25:13,28
55-74 וְצִפִּיתָ (תְּצַפֶּה, צִפָּה, וַיְצַף וכו׳)...זָהָב Ex. 26:29²,37; 30:5; 36:34²,36,38; 38:(2),4,(11), 15, (26), 28 • IK. 6:(20), 21², 22², 28, 30, 32, 35; (10:18) • IICh. (3:4), 10; (9:17)
75 וְעָשִׂיתָ מְנֹרַת זָהָב טָהוֹר Ex.25:31
76 כִּכָּר זָהָב טָהוֹר יַעֲשֶׂה אֹתָהּ Ex.25:39
77-78 חֲמִשִּׁים קַרְסֵי זָהָב Ex.26:6; 36:13
79-84 זָהָב תְּכֵלֶת וְאַרְגָּמָן... Ex.28:6, 8,15; 39:2,5,8
85 מִשְׁבְּצוֹת זָהָב תַּעֲשֶׂה אֹתָם Ex.28:11
86-89 מִשְׁבְּצֹת זָהָב Ex.28:13; 39:6,13,16
90 וּשְׁתֵּי שַׁרְשְׁרֹת זָהָב טָהוֹר Ex.28:14
91 וּפַעֲמֹנֵי זָהָב בְּתוֹכָם Ex.28:33
92-93 פַּעֲמֹן זָהָב וְרִמּוֹן פַּעֲמֹן זָהָב וְרִמּוֹן Ex.28:34
94 וְעָשִׂיתָ צִּיץ זָהָב טָהוֹר Ex.28:36
95 וָאֹמַר לָהֶם לְמִי זָהָב... Ex.32:24
96 וַיַּעֲשׂוּ לָהֶם אֱלֹהֵי זָהָב Ex.32:31
97 הֵבִיאוּ חָח וָנֶזֶם...כָּל־כְּלִי זָהָב... Ex.35:22
98 אֲשֶׁר הֵנִיף תְּנוּפַת זָהָב לַיְיָ Ex.35:22
99 וַיַּעַשׂ כַּפֹּרֶת זָהָב טָהוֹר Ex.37:6
100 וַיַּעַשׂ שְׁנֵי כְרֻבִים זָהָב Ex.37:7
101 וַיַּעַשׂ אֶת־הַמְּנֹרָה זָהָב Ex.37:17
102 כִּכָּר זָהָב טָהוֹר עָשָׂה אֹתָהּ Ex.37:24
103 וַיַּעֲשׂוּ פַעֲמֹנֵי זָהָב טָהוֹר Ex.39:25
104-115 כַּף אַחַת עֲשָׂרָה זָהָב Num.7:14,20,26,32, 38,44,50,56,62,68,74,80
116-117 כַּפּוֹת זָהָב שְׁתֵּים(־)עֶשְׂרֵה Num.7:84,86
118 וְזֶה מַעֲשֵׂה הַמְּנֹרָה מִקְשָׁה זָהָב Num.8:4
119 כְּלִי־זָהָב אֶצְעָדָה וְצָמִיד Num.31:50
120 ...וּלְשׁוֹן זָהָב אֶחָד Josh.7:21
121 כִּי־נִזְמֵי זָהָב לָהֶם Jud.8:24
122 אֶלֶף וּשְׁבַע־מֵאוֹת זָהָב Jud.8:26
123 חֲמִשָּׁה טְחֹרֵי זָהָב ISh.6:4
124 וַחֲמִשָּׁה עַכְבְּרֵי זָהָב ISh.6:4
125 וְאֶת־הָאַרְגַּז...אֲשֶׁר־בּוֹ כְלֵי־זָהָב ISh.6:15
126 הַמַּעֲלֶה עֲדִי זָהָב עַל לְבוּשְׁכֶן IISh.1:24
127 וּמִשְׁקָלָהּ כִּכַּר זָהָב IISh.12:30
128-133 זָהָב סָגוּר IK.6:20,(21);7:49,50; 10:21 IICh.4:20; 9:20
134 וַיְעַבֵּר בְּרַתּוּקוֹת זָהָב IK.6:21
135 וְהַפֹּתוֹת...לְדַלְתֵי הַבַּיִת...זָהָב IK.7:50
136 מֵאָה וְעֶשְׂרִים כִּכַּר זָהָב IK.9:14
137-144 (ו)כִכַּר זָהָב IK.10:10,14 IIK. 18:14; 23:33 • ICh. 20:2 • IICh. 8:18; 9:9; 36:3
145 מָאתַיִם צִנָּה זָהָב שָׁחוּט IK.10:16
146 שֵׁשׁ־מֵאוֹת זָהָב יַעֲלֶה עַל־הַצִּנָּה IK.10:16
147 וּשְׁלֹשׁ־מֵאוֹת מָגִנִּים זָהָב שָׁחוּט IK.10:17
148 שְׁלֹשֶׁת מָנִים זָהָב יַעֲלֶה עַל... IK.10:17
149 זָהָב מוּפָז IK.10:18

זָהָב (המשך)

150 אֳנִי תַרְשִׁישׁ נֹשְׂאֵת זָהָב וָכֶסֶף IK.10:22
151 וַיַּעַשׂ שְׁנֵי עֶגְלֵי זָהָב IK.12:28
152 ...וְשֵׁשֶׁת אֲלָפִים זָהָב IIK.5:5
153 כָּל־כְּלִי זָהָב וּכְלִי־כָסֶף IIK.12:14
154-157 אֲשֶׁר זָהָב זָהָב וַאֲשֶׁר־כֶּסֶף כָּסֶף IIK.25:15 • Jer.52:19
158 הַזָּלִים זָהָב מִכִּיס... Is.46:6
159 זָהָב וּלְבוֹנָה יִשָּׂאוּ Is.60:6
160 תַּחַת הַנְּחֹשֶׁת אָבִיא זָהָב Is.60:17
161 כִּי־תַעְדִּי עֲדִי־זָהָב Jer.4:30
162 כּוֹס־זָהָב בָּבֶל בְּיַד־יְיָ Jer.51:7
163 וַתַּעְדִּי זָהָב וָכֶסֶף Ezek.16:13
164 וַתַּעַשׂ זָהָב וָכֶסֶף בְּאוֹצְרוֹתֶיךָ Ezek.28:4
165 בֹּזּוּ כֶסֶף בֹּזּוּ זָהָב Nah.2:10
166 הִנֵּה־הוּא תָּפוּשׂ זָהָב וָכֶסֶף Hab.2:19
167 וְהִנֵּה מְנוֹרַת זָהָב כֻּלָּהּ Zech.4:2
168 זָהָב וָכֶסֶף וּבְגָדִים לָרֹב מְאֹד Zech.14:14
169 מִמִּשְׁבְּצוֹת זָהָב לְבוּשָׁהּ Ps.45:14
170 טוֹב... מֵאַלְפֵי זָהָב וָכָסֶף Ps.119:72
171 נֶזֶם זָהָב בְּאַף חֲזִיר... Prov.11:22
172 יֵשׁ זָהָב וְרָב־פְּנִינִים... Prov.20:15
173 תַּפּוּחֵי זָהָב בְּמַשְׂכִּיּוֹת כָּסֶף Prov.25:11
174 נֶזֶם זָהָב וַחֲלִי־כָתֶם Prov.25:12
175 אוֹ עִם־שָׂרִים זָהָב לָהֶם Job3:15
176 ...וְעַפְרֹת זָהָב לוֹ Job28:6
177 לֹא־יַעַרְכֶנָּה זָהָב וּזְכוֹכִית Job28:17
178 אִם־שַׂמְתִּי זָהָב כִּסְלִי... Job31:24
179 מִצָּפוֹן זָהָב יֶאֱתֶה... Job37:22
180 וְאִישׁ נֶזֶם זָהָב אֶחָד Job42:11
181 תּוֹרֵי זָהָב נַעֲשֶׂה־לָּךְ S.ofS.1:11
182 רְפִידָתוֹ זָהָב S.ofS.3:10
183 יָדָיו גְּלִילֵי זָהָב... S.ofS.5:14
184 אֵיכָה יוּעַם זָהָב יִשְׁנֶא הַכֶּתֶם הַטּוֹב Lam.4:1
185 מִטּוֹת זָהָב וָכֶסֶף Es.1:6
186 וְהַשְׁקוֹת בִּכְלֵי זָהָב Es.1:7
187 ...וַעֲטֶרֶת זָהָב גְּדוֹלָה Es.8:15
188 אֲגַרְטְלֵי זָהָב שְׁלֹשִׁים... Ez.1:9
189 כְּפוֹרֵי זָהָב שְׁלֹשִׁים... Ez.1:10
190 זָהָב דַּרְכְּמוֹנִים שֵׁשׁ־רִבֹּאות וָאֶלֶף Ez.2:69
191 ...זָהָב מֵאָה כִכָּר Ez.8:26
192 וּכְפֹרֵי זָהָב עֶשְׂרִים... Ez.8:27
193 זָהָב דַּרְכְּמֹנִים אֶלֶף Neh.7:69(70)
194 וְכֹל כְּלֵי זָהָב וָכֶסֶף וּנְחֹשֶׁת ICh.18:10
195 שִׁקְלֵי זָהָב מִשְׁקָל שֵׁשׁ מֵאוֹת ICh.21:25
196 וּלְמִזְבַּח הַקְּטֹרֶת זָהָב מְזֻקָּק ICh.28:18
197 וּלְתַבְנִית...הַכְּרוּבִים זָהָב ICh.28:18
198 יֶשׁ־לִי סְגֻלָּה זָהָב וָכָסֶף ICh.29:3
199 שְׁלֹשֶׁת אֲלָפִים כִּכְּרֵי זָהָב... ICh.29:4
200 זָהָב כִּכָּרִים חֲמֵשֶׁת־אֲלָפִים ICh.29:7
201-202 וַיְחַפֵּהוּ זָהָב טוֹב IICh.3:5,8
203 וְקִירוֹתָיו וְדַלְתוֹתָיו זָהָב IICh.3:7
204 וּמִשְׁקָל...לְשְׁקָלִים חֲמִשִּׁים זָהָב IICh.3:9
205 וְהָעֲלִיּוֹת חִפָּה זָהָב IICh.3:9
206 וַיַּעַשׂ מִזְרְקֵי זָהָב מֵאָה IICh.4:8
207-208 וְהַפֶּרַח וְהַנֵּרוֹת וְהַמֶּלְקָחַיִם זָהָב הוּא מִכְלוֹת זָהָב IICh.4:21
209 ...וְדַלְתֵי הַבַּיִת לְהֵיכָל זָהָב IICh.4:22
210 אֲשֶׁר־הֵבִיאוּ זָהָב מֵאוֹפִיר IICh.9:10
211 שֵׁשׁ מֵאוֹת וְשִׁשִּׁים וָשֵׁשׁ כִּכְּרֵי זָהָב IICh.9:13
212 מְבִיאִים זָהָב וָכֶסֶף לִשְׁלֹמֹה IICh.9:14
213 מָאתַיִם צִנָּה זָהָב שָׁחוּט IICh.9:15
214 שֵׁשׁ מֵאוֹת זָהָב שָׁחוּט יַעֲלֶה... IICh.9:15

זָהָב (המשך)

215 וּשְׁלֹשׁ־מֵאוֹת מָגִנִּים זָהָב שָׁחוּט IICh.9:16
216 שְׁלֹשׁ מֵאוֹת זָהָב...עַל־הַמָּגֵן הָאֶחָת IICh.9:16
217 אֳנִיּוֹת תַּרְשִׁישׁ נֹשְׂאוֹת זָהָב וָכֶסֶף IICh.9:21
218 כְּלֵי כֶסֶף וּכְלֵי זָהָב וּשְׂלָמוֹת IICh.9:24
219 וְעִמָּכֶם עֶגְלֵי זָהָב IICh.13:8
220 כְּלֵי שָׁרֵת...וּכְלֵי זָהָב וָכָסֶף IICh.24:14
221-236 זָהָב Ex.25:18; 26:29,32² 28:20; 36:34 • IK. 7:48,49; 9:28; 10:11,21 • Neh. 7:70(71),71(72) • ICh. 22:14(13),28:15 • IICh. 9:20

וְזָהָב

237 וַיִּתֶּן־לוֹ צֹאן וּבָקָר וְכֶסֶף וְזָהָב Gen.24:35
238-239 אִם־יִתֶּן־לִי בָלָק מְלֹא בֵיתוֹ כֶּסֶף וְזָהָב Num.22:18; 24:13
240 לֹא־תַחְמֹד כֶּסֶף וְזָהָב עֲלֵיהֶם Deut.7:25
241-259 (בְּ־ / וְ־) כֶּסֶף וְזָהָב Deut.8:13 17:17; 29:16 • Josh. 6:19 • IISh. 21:4 • IK. 15:15,19 • IIK. 7:8 • Is. 2:7 • Ezek. 38:13 • Zech. 6:11 • Ps. 105:37; 115:4; 135:15 • Eccl. 2:8 • Dan. 11:8 • IICh. 15:18; 16:2,3
260 בְּשָׂמִים וְזָהָב רַב־מְאֹד וְאֶבֶן יְקָרָה IK.10:2
261 ...וְזָהָב לֹא יַחְפְּצוּ־בוֹ Is.13:17
262 כֶּסֶף...יוּבָא וְזָהָב מֵאוּפָז Jer.10:9
263 וּבְכָל־אֶבֶן יְקָרָה וְזָהָב נָתְנוּ עִזְבוֹנָיִךְ Ezek.27:22
264 ...סַפִּיר נֹפֶךְ וּבָרְקַת וְזָהָב Ezek.28:13
265 ...וְזָהָב עָשׂוּ לַבָּעַל Hosh.2:10
266 וְזָהָב לָרֹב וְאֶבֶן יְקָרָה IICh.9:1

הַזָּהָב

267 ...אֶרֶץ הַחֲוִילָה אֲשֶׁר־שָׁם הַזָּהָב Gen.2:11
268 וַיָּשֶׂם רְבִד הַזָּהָב עַל־צַוָּארוֹ Gen.41:42
269 וְהֵם יִקְחוּ אֶת־הַזָּהָב... Ex.28:5
270 וְנָתַתָּה אֶת־שְׁתֵּי עֲבֹתֹת הַזָּהָב Ex.28:24
271 פָּרְקוּ נִזְמֵי הַזָּהָב... Ex.32:2
272 וַיִּתְפָּרְקוּ...אֶת־נִזְמֵי הַזָּהָב Ex.32:3
273 כָּל־הַזָּהָב הֶעָשׂוּי לַמְּלָאכָה Ex.38:24
274 וַיְרַקְּעוּ אֶת־פַּחֵי הַזָּהָב Ex.39:3
275 וַיִּתְּנוּ שְׁתֵּי הָעֲבֹתֹת הַזָּהָב Ex.39:17
276 וְאֵת מִזְבַּח הַזָּהָב... Ex.39:38
277-281 מִזְבַּח הַזָּהָב Ex.40:5,26 Num.4:11 • IK.7:48 • IICh.4:19
282 אֶת צִיץ הַזָּהָב נֵזֶר הַקֹּדֶשׁ Lev.8:9
283 אַךְ אֶת־הַזָּהָב וְאֶת־הַכָּסֶף Num.31:22
284 וַיִּקַּח...אֶת־הַזָּהָב מֵאִתָּם Num.31:51
285 וַיִּקַּח...אֶת־הַזָּהָב מֵאֵת... Num.31:54
286 וְאֶת־הָאַדֶּרֶת וְאֶת־לְשׁוֹן הַזָּהָב Josh.7:24
287 וַיְהִי מִשְׁקַל נִזְמֵי הַזָּהָב... Jud.8:26
288 וְאֵת כְּלֵי הַזָּהָב אֲשֶׁר הֲשֵׁבֹתֶם לוֹ אָשָׁ׳ ISh.6:8
289 וְאֵת עַכְבְּרֵי הַזָּהָב ISh.6:11
290 וְאֵלֶּה טְחֹרֵי הַזָּהָב ISh.6:17
291 וְעַכְבְּרֵי הַזָּהָב ISh.6:18
292 וַיִּקַּח דָּוִד אֵת שִׁלְטֵי הַזָּהָב... IISh.8:7
293 וַיָּרֶד עַל־הַכְּרוּבִים...אֶת־הַזָּהָב IK.6:32
294-299 אֶת־הַכֶּסֶף וְאֶת־הַזָּהָב... IK.7:51 IIK.16:8 • Is.39:2 • Ez.8:25 • IICh.1:15; 5:1
300 וַיְהִי מִשְׁקַל הַזָּהָב... IK.10:14
301 וַיִּקַּח אֶת־כָּל־מָגִנֵּי הַזָּהָב IK.14:26
302 עֶגְלֵי הַזָּהָב אֲשֶׁר בֵּית־אֵל... IIK.10:29
303 כָּל־הַזָּהָב הַנִּמְצָא בְּאֹצְרוֹת בֵּית־יְיָ IIK.12:19
304 וְלָקַח אֶת־כָּל־הַזָּהָב וְהַכֶּסֶף IIK.14:14
305 וַיַּרְאֵם...אֶת־הַכֶּסֶף וְאֶת־הַזָּהָב IIK.20:13
306 נָגַשׂ אֶת־הַכֶּסֶף וְאֶת־הַזָּהָב IIK.23:35
307 וַיְקַצֵּץ אֶת־כָּל־כְּלֵי הַזָּהָב IIK.24:13
308 לִי הַכֶּסֶף וְלִי הַזָּהָב נְאֻם יְיָ צְבָאוֹת Hag.2:8

הַזָּהָב (המשך) 309 ...אֲשֶׁר בְּיַד שְׁנֵי צַנְתְּרוֹת הַזָּהָב Zech. 4:12
310 הַמְרִיקִים מֵעֲלֵיהֶם הַזָּהָב Zech. 4:12
311 וּבְחַנְתִּים כִּבְחֹן אֶת־הַזָּהָב Zech. 13:9
312 ...וְתָרֻץ גֻּלַּת הַזָּהָב Eccl. 12:6
313-315 שַׁרְבִיט הַזָּהָב Es. 4:11; 5:2; 8:4
316 וּמָשַׁל בְּמִכְמַנֵּי הַזָּהָב וְהַכֶּסֶף Dan. 11:43
317 וַיִּקַּח דָּוִיד אֵת שִׁלְטֵי הַזָּהָב ICh. 18:7
318 וּמִשְׁקָל לִמְנֹרוֹת הַזָּהָב... ICh. 28:15
319 וְאֶת־הַזָּהָב מִשְׁקָל לְשֻׁלְחֲנוֹת הַמַּעֲרֶכֶת ICh. 28:16
320 וְלִכְפוֹרֵי הַזָּהָב בְּמִשְׁקָל... ICh. 28:17
321 הַזָּהָב לַזָּהָב וְהַכֶּסֶף לַכֶּסֶף ICh. 29:2
322 וַיַּעַשׂ אֶת־מְנֹרוֹת הַזָּהָב IICh. 4:7
323 וַיְהִי מִשְׁקַל הַזָּהָב... IICh. 9:13
324 וַיִּקַּח אֶת־מָגִנֵּי הַזָּהָב... IICh. 12:9
325 וּמְנוֹרַת הַזָּהָב וְנֵרֹתֶיהָ IICh. 13:11
326 וְכָל־הַזָּהָב וְהַכֶּסֶף...הַנִּמְצְאִים בְּבֵית־הָאֱלֹהִים IICh. 25:24
וְהַזָּהָב 327 הַכֶּסֶף וְהַזָּהָב...נָתְנוּ אוֹצַר בֵּית־יְיָ Josh. 6:24
328 עִם־הַכֶּסֶף וְהַזָּהָב אֲשֶׁר הִקְדִּישׁ... IISh. 8:11
329-334 (ו)הַכֶּסֶף וְהַזָּהָב IK. 15:18
IIK. 23:35 • Ez. 8:28,30,33 • ICh. 18:11
335 וְהַזָּהָב זְהַב פַּרְוָיִם IICh. 3:6
בַּזָּהָב 336 לַעֲשׂוֹת בַּזָּהָב וּבַכֶּסֶף וּבַנְּחֹשֶׁת Ex. 31:4
337 לַעֲשֹׂת בַּזָּהָב וּבַכֶּסֶף וּבַנְּחֹשֶׁת Ex. 35:32
338 וְצֹרֵף בַּזָּהָב יְרַקְּעֶנּוּ Is. 40:19
339 חִזְּקוּ בִידֵיהֶם בִּכְלֵי־כֶסֶף בַּזָּהָב... Ez. 1:6
340/1 לַעֲשׂוֹת בַּזָּהָב(־)וּבַכֶּסֶף... IICh. 2:6,13
342 וְכֶבֶשׁ בַּזָּהָב לַכִּסֵּא מָאֳחָזִים IICh. 9:18
בְּזָהָב 343 ...יְכַבֵּד בְּזָהָב וּבְכֶסֶף... Dan. 11:38
וּבְזָהָב 344 שׁוּבוּ...בְּכֶסֶף וּבְזָהָב וּבִנְחֹשֶׁת Josh. 22:8
345 בְּכֶסֶף וּבְזָהָב יְיַפֵּהוּ Jer. 10:4
346 יְנַשְּׂאוּהוּ...בְּכֶסֶף וּבְזָהָב וּבִרְכוּשׁ Ez. 1:4
וּבַזָּהָב 347 כָּבֵד מְאֹד בַּמִּקְנֶה בַּכֶּסֶף וּבַזָּהָב Gen. 13:2
348 נִשָּׂא...בַּעֲצֵי אֲרָזִים...וּבַזָּהָב IK. 9:11
כַּזָּהָב 349 וְזִקַּק אֹתָם כַּזָּהָב וְכַכָּסֶף Mal. 3:3
350 בְּחָנַנִי כַּזָּהָב אֵצֵא Job 23:10
351 וּכְלֵי נְחֹשֶׁת...חֲמוּדֹת כַּזָּהָב Ez. 8:27
לַזָּהָב 352 לָלֶכֶת אוֹפִירָה לַזָּהָב IK. 22:49
353/4 מַצְרֵף לַכֶּסֶף וְכוּר לַזָּהָב Prov. 17:3; 27:21
355 וּמָקוֹם לַזָּהָב יָזֹקּוּ Job 28:1
356 כָּל־כֵּלִים לַזָּהָב וְלַכֶּסֶף... Ez. 1:11
357 לַזָּהָב לַכֶּסֶף...אֵין מִסְפָּר ICh. 22:16(15)
358-359 לַזָּהָב בַּמִּשְׁקָל לַזָּהָב ICh. 28:14
360 הַזָּהָב לַזָּהָב וְהַכֶּסֶף לַכֶּסֶף ICh. 29:2
361/2 לַזָּהָב לַזָּהָב וְלַכֶּסֶף לַכֶּסֶף ICh. 29:5
וּלְזָהָב 363 מַתָּנוֹת רַבּוֹת לְכֶסֶף וּלְזָהָב וּלְמִגְדָּנוֹת IICh. 21:3
364 וְאֹצָרוֹת...לְכֶסֶף וּלְזָהָב וּלְאֶבֶן יְקָרָה IICh. 32:27
מִזָּהָב 365 הַנֶּחֱמָדִים מִזָּהָב וּמִפַּז רָב Ps. 19:11
366 אָהַבְתִּי מִצְוֹתֶיךָ מִזָּהָב וּמִפָּז Ps. 119:127
וּמִזָּהָב 367 נִבְחָר...מִכֶּסֶף וּמִזָּהָב חֵן טוֹב Prov. 22:1
זְהַב־ 368 וַיְהִי זְהַב הַתְּנוּפָה... Ex. 38:24
369 כָּל־זְהַב הַכַּפּוֹת עֶשְׂרִים וּמֵאָה Num. 7:86
370 וַיְהִי כָּל־זְהַב הַתְּרוּמָה... Num. 31:52
371 וְהַזָּהָב זְהַב פַּרְוָיִם IICh. 3:6
וּזְהַב־ 372 וּזֲהַב הָאָרֶץ הַהִוא טוֹב Gen. 2:12
מִזְּהַב־ 373 וִיחִי וְיִתֶּן־לוֹ מִזְּהַב שְׁבָא Ps. 72:15
374 כִּכְּרֵי זָהָב מִזְּהַב אוֹפִיר ICh. 29:4
וּזְהָבִי 375 אֲשֶׁר־כַּסְפִּי וּזְהָבִי לְקַחְתֶּם Joel 4:5
וְלִזְהָבִי 376 כִּי־שָׁלַח אֵלַי...וּלְכַסְפִּי וְלִזְהָבִי IK. 20:7

מִזְּהָבִי 377 וַתִּקְחִי...מִזְּהָבִי וּמִכַּסְפִּי Ezek. 16:17
זְהָבֶךָ 378 וְאֶת־אֲפֻדַּת מַסֵּכַת זְהָבֶךָ Is. 30:22
וּזְהָבְךָ 379 כַּסְפְּךָ וּזְהָבְךָ לִי־הוּא IK. 20:3
380 כַּסְפְּךָ וּזְהָבְךָ...לִי תִתֵּן IK. 20:5
זְהָבוֹ 381 אֵת אֱלִילֵי כַסְפּוֹ וְאֵת אֱלִילֵי זְהָבוֹ Is. 2:20
382 ...אֱלִילֵי כַסְפּוֹ וֶאֱלִילֵי זְהָבוֹ Is. 31:7
זְהָבָם 383 גַּם־כַּסְפָּם גַּם־זְהָבָם לֹא־יוּכַל לְהַצִּילָם Zep. 1:18
וּזְהָבָם 384 כַּסְפָּם וּזְהָבָם אִתָּם... Is. 60:9
385 כַּסְפָּם...יַשְׁלִיכוּ וּזְהָבָם לְנִדָּה Ezek. 7:19
386 וּזְהָבָם לֹא־יוּכַל לְהַצִּילָם Ezek. 7:19
387 כַּסְפָּם וּזְהָבָם עָשׂוּ לָהֶם עֲצַבִּים Hosh. 8:4

זָהִיר*
ת׳ ארמית: זָהִיר, נשמר
וּזְהִירִין 1 וּזְהִירִין הֱווֹ שָׁלוּ לְמֶעְבַּד... Ez. 4:22

זהם
: זֹהַם; ש״פ זַהַם

זָהַם
פ׳ לכלך, הגעיל
וְזִהֲמַתּוּ 1 וְזִהֲמַתּוּ חַיָּתוֹ לָחֶם Job 33:20

זַהַם*
שפ״ז — בן רחבעם מלך יהודה
זָהַם 1 אֶת־יְעוּשׁ וְאֶת־שְׁמַרְיָה וְאֶת־זָהַם IICh. 11:19

זהר
: נִזְהַר, הִזְהִיר; זֹהַר; אר׳ זְהִיר

(זהר)1
א) [נפ׳ נִזְהַר] נשמר, היה זהיר בדבר: 1–8
ב) [הפ׳ הִזְהִיר] התרה, הדריך: 9–21
ג) [כנ״ל] האיר: 22
הִזְהִיר אֶת־ 13, 16–21; הִזְהִיר אֶת־ מִן־ 9,10,11, 12, 14, 15
לְהִזָּהֵר 1 אֲשֶׁר לֹא־יָדַע לְהִזָּהֵר עוֹד Eccl. 4:13
נִזְהָר (עבר) 2 חָיוֹ יִחְיֶה כִּי נִזְהָר Ezek. 3:21
3 וְשָׁמַע הַשֹּׁמֵעַ...וְלֹא נִזְהָר Ezek. 33:4
4 אֵת קוֹל הַשּׁוֹפָר שָׁמַע וְלֹא נִזְהָר Ezek. 33:5
5 וְהוּא נִזְהָר נַפְשׁוֹ מִלֵּט Ezek. 33:5
6 וְלֹא־תָקַע בַּשּׁוֹפָר וְהָעָם לֹא־נִזְהָר Ezek. 33:6
נִזְהָר (בינ׳) 7 גַּם־עַבְדְּךָ נִזְהָר בָּהֶם Ps. 19:12
הִזָּהֵר 8 הִזָּהֵר עֲשׂוֹת סְפָרִים הַרְבֵּה Eccl. 12:12
לְהַזְהִיר 9-10 לְהַזְהִיר רָשָׁע מִדַּרְכּוֹ Ezek. 3:18; 33:8
הִזְהַרְתָּ 11 וְאַתָּה כִּי־הִזְהַרְתָּ רָשָׁע... Ezek. 3:19
12 וְאַתָּה כִּי־הִזְהַרְתָּ רָשָׁע מִדַּרְכּוֹ Ezek. 33:9
וְהִזְהַרְתָּה 13 וְהִזְהַרְתָּה אֶתְהֶם אֶת־הַחֻקִּים Ezek. 18:20
וְהִזְהַרְתָּ 14 וְהִזְהַרְתָּ אוֹתָם מִמֶּנִּי Ezek. 3:17
15 וְהִזְהַרְתָּ אֹתָם מִמֶּנִּי Ezek. 33:7
הִזְהַרְתּוֹ 16 וְלֹא הִזְהַרְתּוֹ וְלֹא דִבַּרְתָּ... Ezek. 3:18
17 כִּי לֹא הִזְהַרְתּוֹ בְּחַטָּאתוֹ יָמוּת Ezek. 3:20
18 הִזְהַרְתּוֹ צַדִּיק לְבִלְתִּי חֲטֹא Ezek. 3:21
וְהִזְהִיר 19 וְרָאָה...וְהִזְהִיר אֶת־הָעָם Ezek. 33:3
וְהִזְהִירֹה 20 וְהִזְהִירֹה וְנִשְׁמַר־שָׁם IIK. 6:10
וְהִזְהַרְתֶּם 21 וְהִזְהַרְתֶּם אֹתָם וְלֹא יֶאְשְׁמוּ לַיְיָ IICh. 19:10
יַזְהִרוּ 22 וְהַמַּשְׂכִּלִים יַזְהִרוּ כְּזֹהַר הָרָקִיעַ Dan. 12:3

(זהר)2
ארמית — עין זְהִיר.

זֹהַר
ז׳ אור מבהיק: 1, 2
מַרְאֵה זֹהַר 1; כְּזֹהַר הָרָקִיעַ 2
זֹהַר 1 כְּמַרְאֵה־זֹהַר כְּעֵין הַחַשְׁמַלָה Ezek. 8:2
כְּזֹהַר־ 2 וְהַמַּשְׂכִּלִים יַזְהִרוּ כְּזֹהַר הָרָקִיעַ Dan. 12:3

זוֹ
מלת רמז = זה, זאת
זוֹ 1 זוֹ לַעְגָּם בְּאֶרֶץ מִצְרָיִם Hosh. 7:16
2 וְעֵדֹתִי זוֹ אֲלַמְּדֵם Ps. 132:12

זוּ
מלת־זיקה כמו ״אֲשֶׁר״, ״שֶׁ־״: 1–14 [עין גם זֶה(ג)]
זוּ 1 נָחִיתָ בְחַסְדְּךָ עַם־זוּ גָּאָלְתָּ Ex. 15:13
2 עַד־יַעֲבֹר עַם־זוּ קָנִיתָ Ex. 15:16
3 הֲלוֹא יְיָ זוּ חָטָאנוּ לוֹ Is. 42:24
4 עַם־זוּ יָצַרְתִּי לִי Is. 43:21
5 זוּ כֹחוֹ לֵאלֹהוֹ Hab. 1:11
6 בְּרֶשֶׁת־זוּ טָמָנוּ נִלְכְּדָה רַגְלָם Ps. 9:16
7 יִתָּפְשׂוּ בִּמְזִמּוֹת זוּ חָשָׁבוּ Ps. 10:2
8 תִּצְּרֶנּוּ מִן־הַדּוֹר זוּ לְעוֹלָם Ps. 12:8
9 מִפְּנֵי רְשָׁעִים זוּ שַׁדּוּנִי Ps. 17:9
10 אַשְׂכִּילְךָ וְאוֹרְךָ בְּדֶרֶךְ־זוּ תֵלֵךְ Ps. 32:8
11 שְׁתַּיִם־זוּ שָׁמָעְתִּי Ps. 62:12
12 עוּזָּה אֱלֹהִים זוּ פָּעַלְתָּ לָנוּ Ps. 68:29
13 בְּאֹרַח־זוּ אֲהַלֵּךְ טָמְנוּ פַח לִי Ps. 142:4
14 הוֹדִיעֵנִי דֶּרֶךְ־זוּ אֵלֵךְ Ps. 143:8

זו
עין זִיו

זוב
: זָב; זוֹב

(זוב) זָב
פ׳ א) נזל: 1–2, 17–34, 37–40
ב) נזל דם האשה בנסתה: 16, 35, 36
ג) [זָב] כנוי לגבר חולה ביציאת הזרע: 3–15
(אֶרֶץ) זָבַת חָלָב וּדְבָשׁ 17–34
זָב (עבר) 1 זָב עִמְקֵךְ הַבַּת הַשּׁוֹבֵבָה Jer. 49:4
זָב (בינוני) 2 אִישׁ אִישׁ כִּי יִהְיֶה זָב מִבְּשָׂרוֹ Lev. 15:2
3 ...וְהוּא צָרוּעַ אוֹ זָב Lev. 22:4
4 וִישַׁלְּחוּ...כָּל־צָרוּעַ וְכָל־זָב Num. 5:2
5 וְאַל־יִכָּרֵת...זָב וּמְצֹרָע... IISh. 3:29
הַזָּב 6 ...אֲשֶׁר יִשְׁכַּב עָלָיו הַזָּב Lev. 15:4
7 ...אֲשֶׁר־יֵשֵׁב עָלָיו הַזָּב Lev. 15:6
8 וְהַנֹּגֵעַ בִּבְשַׂר הַזָּב יְכַבֵּס בְּגָדָיו Lev. 15:7
9 וְכִי־יָרֹק הַזָּב בַּטָּהוֹר Lev. 15:8
10 ...אֲשֶׁר יִרְכַּב עָלָיו הַזָּב Lev. 15:9
11 וְכֹל אֲשֶׁר יִגַּע־בּוֹ הַזָּב Lev. 15:11
12 וּכְלִי־חֶרֶשׂ אֲשֶׁר־יִגַּע־בּוֹ הַזָּב Lev. 15:12
13 וְכִי־יִטְהַר הַזָּב מִזּוֹבוֹ Lev. 15:13
14 זֹאת תּוֹרַת הַזָּב Lev. 15:32
וְהַזָּב 15 וְהַדָּוָה בְּנִדָּתָהּ וְהַזָּב אֶת־זוֹבוֹ Lev. 15:33
זָבָה 16 וְאִשָּׁה כִּי־תִהְיֶה זָבָה Lev. 15:19
זָבַת־ 17 אֶל־אֶרֶץ זָבַת חָלָב וּדְבָשׁ Ex. 3:8,17; 33:3
18-30 (מֵ)אֶרֶץ...זָבַת חָלָב וּדְבָשׁ Ex. 13:5
Lev. 20:24 • Num. 14:8; 16:13,14 • Deut. 6:3; 11:9;
26:9,15; 27:3 • Josh. 5:6 • Jer. 11:5; 32:22
31 וְגַם זָבַת חָלָב וּדְבַשׁ הִוא Num. 13:27
32 אֶל־הָאֲדָמָה...זָבַת חָלָב וּדְבַשׁ Deut. 31:20
33/4 ...זָבַת חָלָב וּדְבַשׁ... Ezek. 20:6,15
תָּזוּב 35 אוֹ כִי־תָזוּב עַל־נִדָּתָהּ Lev. 15:25
יָזוּב 36 וְאִשָּׁה כִּי־יָזוּב זוֹב דָּמָהּ... Lev. 15:25
יָזוּבוּ 37 שֶׁהֵם יָזוּבוּ מְדֻקָּרִים... Lam. 4:9
וַיָּזֻבוּ 38 וַיִּבְקַע־צוּר וַיָּזֻבוּ מָיִם Is. 48:21
39 הֵן הִכָּה־צוּר וַיָּזוּבוּ מַיִם Ps. 78:20
40 פָּתַח צוּר וַיָּזוּבוּ מָיִם Ps. 105:41

זוֹב
ז׳ א) נזילת דם האשה בנסתה: 1–3, 11–13
ב) יציאת זרע הגבר: 4–10
זוֹב דָּם 1; זוֹב טֻמְאָה 2, 3; יְמֵי זוֹב 12
זוֹב 1 וְאִשָּׁה כִּי־יָזוּב זוֹב דָּמָהּ יָמִים רַבִּים Lev. 15:25
2 כָּל־יְמֵי זוֹב טֻמְאָתָהּ Lev. 15:25
מִזּוֹב 3 וְכִפֶּר עָלֶיהָ...מִזּוֹב טֻמְאָתָהּ Lev. 15:30
זוֹבוֹ 4 כִּי יִהְיֶה זָב מִבְּשָׂרוֹ זוֹבוֹ טָמֵא הוּא Lev. 15:2
5 רָר בְּשָׂרוֹ אֶת־זוֹבוֹ... Lev. 15:3
6 וְהַדָּוָה בְּנִדָּתָהּ וְהַזָּב אֶת־זוֹבוֹ Lev. 15:33

בְּזוֹבוֹ 7 וְזֹאת תִּהְיֶה טֻמְאָתוֹ בְּזוֹבוֹ Lev. 15:3
מִזּוֹבוֹ 8 אוֹ־הֶחְתִּים בְּשָׂרוֹ מִזּוֹבוֹ Lev. 15:3
9 וְכִי־יִטְהַר הַזָּב מִזּוֹבוֹ Lev. 15:13
10 וְכִפֶּר עָלָיו הַכֹּהֵן לִפְנֵי יְיָ מִזּוֹבוֹ Lev. 15:15
זֹבָהּ 11 דָּם יִהְיֶה זֹבָהּ בִּבְשָׂרָהּ Lev. 15:19
12 אֲשֶׁר תִּשְׁכַּב עָלָיו כָּל־יְמֵי זוֹבָהּ Lev. 15:26
מִזּוֹבָהּ 13 וְאִם־טָהֲרָה מִזּוֹבָהּ... Lev. 15:28

זוד : זָד, הֵזִיד; זֵד, זָדוֹן, זֵידוֹן; נָזִיד; אר׳ לַהֲזָדָה

(זוד)1 זָד פ׳ א) עשה בכונה רעה: 1—2
ב) [הפ׳ הֵזִיד] כנ״ל: 3—9
ג) [כנ״ל] בִּשֵּׁל: 10
זָדָה 1 כִּי אֶל־יְיָ זָדָה... Jer. 50:29
זָדוּ 2 כִּי בַדָּבָר אֲשֶׁר זָדוּ עֲלֵיהֶם Ex. 18:11
יָזִד 3 וְכִי־יָזִד אִישׁ עַל־רֵעֵהוּ... Ex. 21:14
4 אֲשֶׁר יָזִיד לְדַבֵּר דָּבָר בִּשְׁמִי Deut. 18:20
וַתָּזִדוּ 5 וַתַּמְרוּ אֶת־פִּי יְיָ וַתָּזִדוּ וַתַּעֲלוּ Deut. 1:43
יְזִידוּן 6 יִשְׁמְעוּ וְיִרָאוּ וְלֹא יְזִידוּן עוֹד Deut. 17:13
הֵזִידוּ 7 ...כִּי הֵזִידוּ עֲלֵיהֶם Neh. 9:10
8 וְהֵם...הֵזִידוּ וַיַּקְשׁוּ אֶת־עָרְפָּם Neh. 9:16
9 וְהֵמָּה הֵזִידוּ וְלֹא־שָׁמְעוּ... Neh. 9:29
וַיָּזֶד 10 וַיָּזֶד יַעֲקֹב נָזִיד Gen. 25:29

(זוד)2 ארמית הפ׳ לַהֲזָדָה = לפעול בזדון
לַהֲזָדָה 1 ...וְרוּחֵהּ תִּקְפַת לַהֲזָדָה Dan. 5:20

זוּזִים שם עם בעבר הירדן מזרחה בימי אברהם
הַזּוּזִים 1 וַיַּכּוּ...וְאֶת־הַזּוּזִים בְּהָם Gen. 14:5

זוֹחֵת שפ״ז — מבני יהודה
זוֹחֵת 1—2 וּבְנֵי יִשְׁעִי זוֹחֵת וּבֶן־זוֹחֵת ICh. 4:20

זָוִית* נ׳ פנה (במזבח): 1—2
כְּזָוִיֹּת 1 בְּנוֹתֵינוּ כְזָוִיֹּת מְחֻטָּבוֹת Ps. 144:12
כְּזָוִיּוֹת־ 2 וּמָלְאוּ כַּמִּזְרָק כְּזָוִיּוֹת מִזְבֵּחַ Zech. 9:15

(זול) זָל פ׳ א) הוציא, הטיל: 1
ב) [הפ׳ הֵזִיל] השפיל: 2 [עין גם זלל]
הַזָּלִים 1 הַזָּלִים זָהָב מִכִּיס וְכֶסֶף בַּקָּנֶה יִשְׁקֹלוּ Is. 46:6
הִזִּילוּהָ 2 (?) כָּל־מְכַבְּדֶיהָ הִזִּילוּהָ Lam. 1:8

זוּלַת מ״י א) חוץ מן: 1
ב) [זוּלָתִי] זולת: 2, 3, 5—7; אלא רק: 4
ג) [זוּלָתִי] חוץ ממני: 8—10
ד) [זוּלָתְךָ] חוץ ממך: 11—15
ה) [זוּלָתָהּ] חוץ ממנה: 16
זוּלַת 1 לֹא נִשְׁאַר זוּלַת דַּלַּת עַם־הָאָרֶץ IIK. 24:14
זוּלָתִי (ב) 2 זוּלָתִי כָּלֵב...הוּא יִרְאֶנָּה Deut. 1:36
3 וּתְמוּנָה אֵינְכֶם רֹאִים זוּלָתִי קוֹל Deut. 4:12
4 זוּלָתִי אֶת־חָצוֹר לְבַדָּהּ שָׂרַף Josh. 11:13
5 אֵין־זָר אִתָּנוּ בַּבַּיִת
זוּלָתִי שְׁתַּיִם־אֲנַחְנוּ בַּבָּיִת IK. 3:18
6 לֹא הָיָה...זוּלָתִי שֵׁבֶט־יְהוּדָה לְבַדּוֹ IK. 12:20
7 וּמִי צוּר זוּלָתִי אֱלֹהֵינוּ Ps. 18:32
זוּלָתִי (ג) 8 אֲנִי יְיָ וְאֵין עוֹד זוּלָתִי אֵין אֱלֹהִים Is. 45:5
9 וּמוֹשִׁיעַ אַיִן זוּלָתִי Is. 45:21
10 וֵאלֹהִים זוּלָתִי לֹא תֵדָע Hosh. 13:4
זוּלָתְךָ 11 עַיִן לֹא־רָאָתָה אֱלֹהִים זוּלָתְךָ Is. 64:3
12 כִּי אֵין זוּלָתְךָ לִגְאוֹל Ruth 4:4
זוּלָתֶךָ 13 אֵין כָּמוֹךָ וְאֵין אֱלֹהִים זוּלָתֶךָ IISh. 7:22
14 יְיָ אֱלֹהֵינוּ בְּעָלוּנוּ אֲדֹנִים זוּלָתֶךָ Is. 26:13
15 אֵין כָּמוֹךָ וְאֵין אֱלֹהִים זוּלָתֶךָ ICh. 17:20
זוּלָתָהּ 16 כִּי אֵין אַחֶרֶת זוּלָתָהּ בָּזֶה ISh. 21:10

זוֹלוּת עין זֻלּוּת

(זון) אִתְּזִין אתפ׳ ארמית: נזון, התכלכל
יִתְּזִין 1 וּמִנֵּהּ יִתְּזִין כָּל־בִּשְׂרָא Dan. 4:9

זוֹנָה נ׳ אשה נואפת [עין גם זָנָה]
זוֹנָה נִשְׁכָּחָה 7; אִשָּׁה זוֹנָה 1, 4, 5, 6, 9, 11, 13, 17, 21; אֶתְנַן זוֹנָה 3, 14, 15; בֵּית זוֹנָה 10; חֲלָלָה ז׳ 2; זְנוּנֵי ז׳ 16; עִיר ז׳ 7; שִׁירַת ז׳ 23; נָשִׁים זוֹנוֹת 30; רוֹעֶה זוֹנוֹת 32
זוֹנָה 1 אִשָּׁה זֹנָה וַחֲלָלָה לֹא יִקָּחוּ Lev. 21:7
2 אַלְמָנָה וּגְרוּשָׁה וַחֲלָלָה זֹנָה... Lev. 21:14
3 לֹא־תָבִיא אֶתְנַן זוֹנָה Deut. 23:19
4 וַיֵּלְכוּ וַיָּבֹאוּ בֵּית אִשָּׁה זוֹנָה Josh. 2:1
5 וְיִפְתָּח...וְהוּא בֶּן־אִשָּׁה זוֹנָה Jud. 11:1
6 וַיַּרְא־שָׁם אִשָּׁה זוֹנָה וַיָּבֹא אֵלֶיהָ Jud. 16:1
7 סֹבִּי עִיר זוֹנָה נִשְׁכָּחָה Is. 23:16
8 וְתַחַת כָּל־עֵץ רַעֲנָן אַתְּ צֹעָה זֹנָה Jer. 2:20
9 וּמֵצַח אִשָּׁה זוֹנָה הָיָה לָךְ Jer. 3:3
10 ...וּבֵית זוֹנָה יִתְגּוֹדָדוּ Jer. 5:7
11 מַעֲשֵׂה אִשָּׁה זוֹנָה שַׁלָּטֶת Ezek. 16:30
12 לָכֵן זוֹנָה שִׁמְעִי דְּבַר־יְיָ Ezek. 16:35
13 וַיָּבוֹא אֵלֶיהָ כְּבוֹא אֶל־אִשָּׁה זוֹנָה Ezek. 23:44
14 כִּי מֵאֶתְנַן זוֹנָה קִבָּצָה Mic. 1:7
15 וְעַד־אֶתְנַן זוֹנָה יָשׁוּבוּ Mic. 1:7
16 מֵרֹב זְנוּנֵי זוֹנָה טוֹבַת חֵן Nah. 3:4
17 בְּעַד־אִשָּׁה זוֹנָה עַד־כִּכַּר לָחֶם Prov. 6:26
18 שִׁית זוֹנָה וּנְצֻרַת לֵב Prov. 7:10
19 כִּי־שׁוּחָה עֲמֻקָּה זוֹנָה Prov. 23:27
הַזּוֹנָה 20 רַק רָחָב הַזּוֹנָה תִּחְיֶה Josh. 6:17
21 בֹּאוּ בֵּית־הָאִשָּׁה הַזּוֹנָה Josh. 6:22
22 וְאֶת־רָחָב הַזּוֹנָה...הֶחֱיָה יְהוֹשֻׁעַ Josh. 6:25
23 יִהְיֶה לְצֹר כְּשִׁירַת הַזּוֹנָה Is. 23:15
בַּזּוֹנָה 24 וַיִּתְּנוּ הַיֶּלֶד בַּזּוֹנָה Joel 4:3
כַּזּוֹנָה 25 וְלֹא־הָיִית כַּזּוֹנָה לְקַלֵּס אֶתְנָן Ezek. 16:31
הַכְזוֹנָה 26 הַכְזוֹנָה יַעֲשֶׂה אֶת־אֲחוֹתֵנוּ Gen. 34:31
לְזוֹנָה 27 וַיַּחְשְׁבֶהָ לְזוֹנָה כִּי כִסְּתָה פָּנֶיהָ Gen. 38:15
28 אֵיכָה הָיְתָה לְזוֹנָה קִרְיָה נֶאֱמָנָה Is. 1:21
מִזּוֹנָה 29 וְהִשְׁבַּתִּיךְ מִזּוֹנָה... Ezek. 16:41
זוֹנוֹת 30 אָז תָּבֹאנָה שְׁתַּיִם נָשִׁים זֹנוֹת IK. 3:16
31 לְכָל־זֹנוֹת יִתְּנוּ־נֵדֶה Ezek. 16:33
32 וְרֹעֶה זוֹנוֹת יְאַבֶּד־הוֹן Prov. 29:3
הַזֹּנוֹת 33 כִּי־הֵם עִם־הַזֹּנוֹת יְפָרֵדוּ Hosh. 4:14
וְהַזֹּנוֹת 34 וַיָּלֹקּוּ הַכְּלָבִים...וְהַזֹּנוֹת רָחָצוּ IK. 22:38

(זוע)1 זָע פ׳ א) נע, זז: 1 ב) רעד: 2
זָע 1 וְלֹא־קָם וְלֹא־זָע מִמֶּנּוּ Es. 5:9
שֶׁיָּזֻעוּ 2 בַּיּוֹם שֶׁיָּזֻעוּ שֹׁמְרֵי הַבַּיִת Eccl. 12:3

(זוע)2 זָע פ׳ ארמית: חרד, רעד: 1, 2
זָיְעִין 1 הֲווֹ זָיְעִין (כת׳ זאעין) וְדָחֲלִין Dan. 5:19
2 לֶהֱוֹן זָיְעִין (כת׳ זאעין) וְדָחֲלִין Dan. 6:27

זְוָעָה נ׳ פחד, רעדה [עין גם זַעֲוָה]
זְוָעָה 1 וְהָיָה רַק־זְוָעָה הָבִין שְׁמוּעָה Is. 28:19

זור : זָר, נָזוֹר, הוּזַר; זָר [עין עוד ערך זר]

(זור)1 זָר פ׳ א) סר, רחק: 1—4
ב) [נפ׳ נָזוֹר] נסוג: 5, 6
ג) [הפ׳ בינוני מוּזָר] רחוק, זר: 7
זָרָה 1 רוּחִי זָרָה לְאִשְׁתִּי Job 19:17
זָרוּ 2 לֹא־זָרוּ מִתַּאֲוָתָם Ps. 78:30
3 אַחַי...הִרְחִיק וְיֹדְעַי אַךְ־זָרוּ מִמֶּנִּי Job 19:13
זֹרוּ 4 זֹרוּ רְשָׁעִים מֵרָחֶם תָּעוּ Ps. 58:4
נָזֹרוּ 5 עָזְבוּ אֶת־יְיָ... נָזֹרוּ אָחוֹר Is. 1:4
6 אֲשֶׁר נָזֹרוּ מֵעָלַי בְּגִלּוּלֵיהֶם כֻּלָּם Ezek. 14:5
מוּזָר 7 מוּזָר הָיִיתִי לְאֶחָי Ps. 69:9

(זור)2 זָר פ׳ א) סחט, דרס: 1, 2
ב) [זוּרֶה] סחוט (?): 3
ג) [פ׳ זָרָה] נסחט: 4
וַיָּזַר 1 וַיָּזַר אֶת־הַגִּזָּה וַיִּמֶץ טַל Jud. 6:38
תְּזוּרֶהָ 2 וַתִּשְׁכַּח כִּי־רֶגֶל תְּזוּרֶהָ Job 39:15
וְהַזּוּרֶה 3 וְהַזּוּרֶה תִּבָּקַע אֶפְעֶה Is. 59:5
זֹרוּ 4 לֹא זֹרוּ וְלֹא חֻבָּשׁוּ Is. 1:6

זָזָא שפ״ז — מצאצאי ירחמאל משבט יהודה
וְזָזָא 1 וּבְנֵי יוֹנָתָן פֶּלֶת וְזָזָא ICh. 2:33

(זחח) נָזַח נפ׳ זָז, הֶעְתַּק: 1, 2
יִזַּח 1 וְלֹא־יִזַּח הַחֹשֶׁן מֵעַל הָאֵפוֹד Ex. 28:28
2 וְלֹא־יִזַּח הַחֹשֶׁן מֵעַל הָאֵפֹד Ex. 39:21

זחל : זָחַל; ש״פ זֹחֶלֶת [עין אֶבֶן הַזֹּחֶלֶת]

זָחַל א) רמש, הלך על גחון: 2, 3
ב) (ארמית: דחל) פחד, ירא: 1
זָחַלְתִּי 1 עַל־כֵּן זָחַלְתִּי וָאִירָא Job 32:6
זֹחֲלֵי־ 2 עִם־חֲמַת זֹחֲלֵי עָפָר Deut. 32:24
כְּזֹחֲלֵי־ 3 כְּנָחָשׁ כְּזֹחֲלֵי אֶרֶץ Mic. 7:17

זיד עין זוד

זֵידוֹן* ת׳ גועש
הַזֵּידוֹנִים 1 אֲזַי עָבַר עַל־נַפְשֵׁנוּ הַמַּיִם הַזֵּידוֹנִים Ps. 124:5

זִיו1 ז׳ אור, זוהר; כנוי לחודש איר: 1, 2
זִו 1 בְּחֹדֶשׁ זִו הוּא הַחֹדֶשׁ הַשֵּׁנִי IK. 6:1
2 בַּשָּׁנָה...יֻסַּד בֵּית יְיָ בְּיֶרַח זִו IK. 6:37

זִיו2 ז׳ ארמית: הוד, הדר, זוהר: 1—6
וְזִיוִי 1 ...הַדְרִי וְזִיוִי יְתוּב עֲלַי Dan. 4:33
וְזִיוָךְ 2 וְזִיוָךְ (כת׳ וזיויך) אַל־יִשְׁתַּנּוֹ Dan. 5:10
וְזִיוֵהּ 3 צַלְמָא דִּכֵּן רַב וְזִיוֵהּ יַתִּיר Dan. 2:31
וְזִיוַי 4 ...וְזִיוַי יִשְׁתַּנּוֹן עֲלַי Dan. 7:28
זִיוֹהִי 5 זִיוֹהִי שְׁנוֹהִי וְרַעְיֹנֹהִי יְבַהֲלֻנֵּהּ Dan. 5:6
וְזִיוֹהִי 6 שַׂגִּיא מִתְבָּהַל וְזִיוֹהִי שָׁנַיִן עֲלוֹהִי Dan. 5:9

זִיז ז׳ א) כלל החיות הקטנות: 1, 2
ב) לשד(?): 3
זִיז כְּבוֹדָהּ 3; זִיז שָׂדַי 1, 2
וְזִיז 1 כָּל־עוֹף הָרִים וְזִיז שָׂדַי עִמָּדִי Ps. 50:11
2 וְזִיז שָׂדַי יִרְעֶנָּה Ps. 80:14
מִזִּיז 3 לְמַעַן תָּמֹצּוּ וְהִתְעַנַּגְתֶּם מִזִּיז כְּבוֹדָהּ Is. 66:11

זִיזָא שפ״ז — א) בן רחבעם מלך יהודה: 1
ב) נשיא משפחה בימי חזקיהו מלך יהודה: 2
זִיזָא 1 וַתֵּלֶד לוֹ אֶת־אֲבִיָּה...וְאֶת־זִיזָא IICh. 11:20
וְזִיזָא 2 וְזִיזָא בֶּן־שִׁפְעִי בֶּן־אַלּוֹן ICh. 4:37

זִיזָה שפ״ז — בן שמעי בן גרשון, הוא זִינָא
וְזִיזָה 1 וַיְהִי־יַחַת הָרֹאשׁ וְזִיזָה הַשֵּׁנִי ICh. 23:11

זִינָא שפ״ז — בנו השני של שמעי בן גרשון
זִינָא 1 וּבְנֵי שִׁמְעִי יַחַת זִינָא... ICh. 23:10

זִיעַ שפ״ז — אבי בית־אב לבני גד
וָזִיעַ 1 ...וְיַעְכָּן וְזִיעַ וָעֶבֶר ICh. 5:13

זִיף1 א) ישוב בנגב: 1
ב) עיר בערי יהודה: 2–9

זִיף 1 זִיף וָטֶלֶם וּבְעָלוֹת Josh. 15:24
2 וַיֵּשֶׁב בָּהָר בְּמִדְבַּר־זִיף ISh. 23:14
3 וְדָוִד בְּמִדְבַּר־זִיף בַּחֹרְשָׁה ISh. 23:15
4 וַיָּקָם שָׁאוּל וַיֵּרֶד אֶל־מִדְבַּר־זִיף ISh. 26:2
5 לְבַקֵּשׁ אֶת־דָּוִד בְּמִדְבַּר־זִיף ISh. 26:2
6 הוּא אֲבִי־זִיף וּבְנֵי מָרֵשָׁה ICh. 2:42
7 וְאֶת־מָרֵשָׁה וְאֶת־זִיף IICh. 11:8
זִיף 8 מָעוֹן כַּרְמֶל וָזִיף וְיוּטָּה Josh. 15:55
זִיפָה 9 וַיָּקוּמוּ וַיֵּלְכוּ זִיפָה לִפְנֵי שָׁאוּל ISh. 23:24

זִיף2 שפ״ז – מבני יהללאל משבט יהודה
זִיף 1 וּבְנֵי יְהַלֶּלְאֵל זִיף וְזִיפָה ICh. 4:16

זִיפָה שפ״ז – מבני יהללאל משבט יהודה
וְזִיפָה 1 וּבְנֵי יְהַלֶּלְאֵל זִיף וְזִיפָה... ICh. 4:16

זִיפִים ת״ר תושבי המקום זיף
זִפִים 1 וַיַּעֲלוּ זִפִים אֶל־שָׁאוּל הַגִּבְעָתָה ISh. 23:19
הַזִּפִים 2 וַיָּבֹאוּ הַזִּפִים אֶל־שָׁאוּל... ISh. 26:1
3 בְּבוֹא הַזִּיפִים וַיֹּאמְרוּ לְשָׁאוּל Ps. 54:2

זִיקָה נ׳ ניצוץ, שביב
זִיקוֹת 1 קֹדְחֵי אֵשׁ מְאַזְּרֵי זִיקוֹת Is. 50:11

זַיִת ז׳ – העץ ופריו המפיק שמן (Olea)
זַיִת רַעֲנָן 14,7; כֶּרֶם זַיִת 11; מַעֲשֵׂה זַיִת 9; נֹקֶף זַיִת 6,5; עֲלֵה(־) זַיִת 10,1; עֵץ זַיִת 13; שֶׁמֶן זַיִת 4-2; זֵית יִצְהָר 19; זֵית שֶׁמֶן 18; הַר הַזֵּיתִים 33, 34; מַעֲלֵה הַזֵּיתִים 30; שִׁבֲּלֵי הַזֵּ׳ 32; שְׁתִילֵי הַזֵּיתִים 25

זַיִת 1 וְהִנֵּה עֲלֵה־זַיִת טָרָף בְּפִיהָ Gen. 8:11
2/3 שֶׁמֶן זַיִת זָךְ כָּתִית Ex. 27:20 • Lev. 24:2
4 וְשֶׁמֶן זַיִת הִין Ex. 30:24
5 וְנִשְׁאַר־בּוֹ עוֹלֵלוֹת כְּנֹקֶף זַיִת Is. 17:6
6 כְּנֹקֶף זַיִת כְּעוֹלֵלֹת אִם־כָּלָה בָצִיר Is. 24:13
7 זַיִת רַעֲנָן יְפֵה פְרִי־תֹאַר Jer. 11:16
8 אַתָּה תִדְרֹךְ־זַיִת וְלֹא־תָסוּךְ שֶׁמֶן Mic. 6:15
9 כִּחֵשׁ מַעֲשֵׂה־זַיִת Hab. 3:17
10 עֲלֵי־זַיִת וַעֲלֵי־עֵץ שֶׁמֶן Neh. 8:15
זָ֑יִת 11 מִגָּדִישׁ וְעַד־קָמָה וְעַד־כֶּרֶם זָיִת Jud. 15:5
הַזַּיִת 12 וַיֹּאמֶר לָהֶם הַזַּיִת... Jud. 9:9
13 וְעֵץ הַזַּיִת לֹא נָשָׂא Hag. 2:19
כְּזַיִת 14 וַאֲנִי כְּזַיִת רַעֲנָן בְּבֵית אֱלֹהִים Ps. 52:10
כַּזַּיִת 15 וִיהִי כַזַּיִת הוֹדוֹ Hosh. 14:7
16 וְיַשְׁלֵךְ כַּזַּיִת נִצָּתוֹ Job 15:33
לַזַּיִת 17 וַיֹּאמְרוּ לַזַּיִת מָלְכָה׳ עָלֵינוּ Jud. 9:8
זֵית־ 18 אֶרֶץ־זֵית שֶׁמֶן וּדְבָשׁ Deut. 8:8
19 אֶרֶץ זֵית יִצְהָר וּדְבַשׁ IIK. 18:32
זֵיתְךָ 20 כִּי תַחְבֹּט זֵיתְךָ לֹא תְפָאֵר אַחֲרֶיךָ Deut. 24:20
זֵיתֶךָ 21 כִּי יִשַּׁל זֵיתֶךָ Deut. 28:40
לְזֵיתֶךָ 22 כֵּן־תַּעֲשֶׂה לְכַרְמְךָ לְזֵיתֶךָ Ex. 23:11
זֵיתִים 23 זֵיתִים יִהְיוּ לְךָ בְּכָל־גְּבוּלֶךָ Deut. 28:40
24 וּשְׁנַיִם זֵיתִים עָלֶיהָ Zech. 4:3
25 בָּנֶיךָ כִּשְׁתִלֵי זֵיתִים... Ps. 128:3
וְזֵיתִים 26 כְּרָמִים וְזֵיתִים אֲשֶׁר לֹא־נָטָעְתָּ Deut. 6:11
27 כְּרָמִים וְזֵיתִים אֲשֶׁר לֹא־נְטַעְתֶּם Josh. 24:13
28 וְלָקַחַת בְּגָדִים וְזֵיתִים וּכְרָמִים... IIK. 5:26
29 כְּרָמִים וְזֵיתִים וְעֵץ מַאֲכָל לָרֹב Neh. 9:25
הַזֵּיתִים 30 וְדָוִד עֹלֶה בְמַעֲלֵה הַזֵּיתִים IISh. 15:30
31 מַה־שְּׁנֵי הַזֵּיתִים הָאֵלֶּה Zech. 4:11
32 מַה־שְׁתֵּי שִׁבֲּלֵי הַזֵּיתִים... Zech. 4:12

(המשך) הַזֵּיתִים 33 וְעָמְדוּ רַגְלָיו...עַל־הַר הַזֵּיתִים Zech. 14:4
34 וְנִבְקַע הַר הַזֵּיתִים מֵחֶצְיוֹ... Zech. 14:4
35 וְעַל־הַזֵּיתִים וְהַשִּׁקְמִים... ICh. 27:28
וְזֵיתֵיכֶם 36 וְזֵיתֵיכֶם הַטּוֹבִים יִקָּח ISh. 8:14
37 וּתְאֵנֵיכֶם וְזֵיתֵיכֶם יֹאכַל Am. 4:9
זֵיתֵיהֶם 38 הָשִׁיבוּ...כַּרְמֵיהֶם זֵיתֵיהֶם Neh. 5:11

זֵיתָן שפ״ז – איש מבני בנימין
וְזֵיתָן 1 וְאֵהוּד וּכְנַעֲנָה וְזֵיתָן ICh. 7:10

זַךְ ת׳ – טהור, צח [גם בהשאלה]: 1–11
קרובים: בַּר / חַף / טָהוֹר / נָקִי / צַח
זַךְ וְיָשָׁר 2, 3, 8; שֶׁמֶן זַיִת זָךְ 7,6; לְבֹנָה זַכָּה 10; תְּפִלָּה זַכָּה 11

זַךְ 1 כָּל־דַּרְכֵי־אִישׁ זַךְ בְּעֵינָיו Prov. 16:2
2 אִם־זַךְ וְאִם־יָשָׁר פָּעֳלוֹ Prov. 20:11
3 אִם־זַךְ וְיָשָׁר אָתָּה Job 8:6
4 זַךְ לִקְחִי וּבַר הָיִיתִי בְעֵינֶיךָ Job 11:4
5 זַךְ אֲנִי בְּלִי פָשַׁע Job 33:9
זָךְ 6/7 שֶׁמֶן זַיִת זָךְ כָּתִית Ex. 27:20 • Lev. 24:2
וְזַךְ 8 וְזַךְ יָשָׁר פָּעֳלוֹ Prov. 21:8
זַכָּה 9 קַח־לְךָ...סַמִּים וּלְבֹנָה זַכָּה Ex. 30:34
10 וְנָתַתָּ עַל־הַמַּעֲרֶכֶת לְבֹנָה זַכָּה Lev. 24:7
11 עַל לֹא־חָמָס בְּכַפָּי וּתְפִלָּתִי זַכָּה Job 16:17

זכה : זָכָה, זַכָּה, הִזַּכָּה; אר׳ זָכוּ; ש״פ זַכַּי [עיין גם זכך]

זָכָה פ׳ א) היה טהור: 1–4
ב) [פ׳ זִכָּה] טהר מחטא: 5–7
ג) [הת׳ הִזַּכָּה] טהר עצמו: 8

הַאֶזְכֶּה 1 הַאֶזְכֶּה בְּמֹאזְנֵי רֶשַׁע Mic. 6:11
תִּזְכֶּה 2 תִּצְדַּק בְּדָבְרֶךָ תִּזְכֶּה בְשָׁפְטֶךָ Ps. 51:6
יִזְכֶּה 3 מָה־אֱנוֹשׁ כִּי־יִזְכֶּה Job 15:14
4 וּמַה־יִּזְכֶּה יְלוּד אִשָּׁה Job 25:4
זִכִּיתִי 5 אַךְ־רִיק זִכִּיתִי לְבָבִי Ps. 73:13
6 מִי־יֹאמַר זִכִּיתִי לִבִּי Prov. 20:9
יְזַכֶּה 7 בַּמֶּה יְזַכֶּה־נַּעַר אֶת־אָרְחוֹ Ps. 119:9
הִזַּכּוּ 8 רַחֲצוּ הִזַּכּוּ הָסִירוּ רֹעַ מַעַלְלֵיכֶם Is. 1:16

זָכוּ נ׳ ארמית: זכות, צדקה: 1
זָכוּ 1 קֳדָמוֹהִי זָכוּ הִשְׁתְּכַחַת לִי Dan. 6:23

זְכוּכִית נ׳ החומר השקוף לחלונות, זגוגית
וּזְכוֹכִית 1 לֹא־יַעַרְכֶנָּה זָהָב וּזְכוֹכִית Job 28:17

זָכוּר ז׳ כלל הזכרים: 1–4
זְכוּרְךָ 1–2 יֵרָאֶה כָּל־זְכוּרְךָ Ex. 23:17; 34:23
3 יֵרָאֶה כָל־זְכוּרְךָ Deut. 16:16
זְכוּרָהּ 4 וְהִכִּיתָ אֶת־כָּל־זְכוּרָהּ Deut. 20:13

זָכוֹר ת׳ זוכר – עיין זָכַר

זַכּוּר שפ״ז א) אבי אחד המרגלים שתרו את הארץ: 1
ב) איש מבני שמעון: 6
ג) לוי מבני מררי: 10
ד) אנשים שונים בימי נחמיה: 2–5, 7–9

זַכּוּר 1 לְמַטֵּה רְאוּבֵן שַׁמּוּעַ בֶּן־זַכּוּר Num. 13:4
2 וְעַל־יָדוֹ בָנָה זַכּוּר בֶּן־אִמְרִי Neh. 3:2
3 זַכּוּר שֵׁרֵבְיָה שְׁבַנְיָה Neh. 10:13
4 ...בֶּן־זַכּוּר בֶּן־אָסָף Neh. 12:35
5 חָנָן בֶּן־זַכּוּר בֶּן־מַתַּנְיָה Neh. 13:13
6 זַכּוּר בְּנוֹ שִׁמְעִי בְנוֹ ICh. 4:26
7 לִבְנֵי אָסָף זַכּוּר וְיוֹסֵף ICh. 25:2
8 הַשְּׁלִשִׁי זַכּוּר בָּנָיו וְאֶחָיו... ICh. 25:10

חֲכּוּר 9 וּמִבְּנֵי בִּגְוַי עוּתַי וְזַכּוּר (כת׳ וזבוד) Ez. 8:14
10 וְשֹׁהַם וְזַכּוּר וְעִבְרִי ICh. 24:27

זַכַּי שפ״ז – אבי משפחה שעלתה מבבל בימי זרובבל ועזרא: 1–3
זַכַּי 1 ...הֶחֱזִיק בָּרוּךְ בֶּן־זַבַּי (כת׳ זבי) Neh. 3:20
זַכָּ֑י 2/3 בְּנֵי זַכָּי שְׁבַע מֵאוֹת... Ez. 2:9 • Neh. 7:14

זכך : זַךְ, הִזַּךְ; ת׳ זַךְ; זְכוּכִית(?)

זָכַךְ, זַךְ פ׳ א) היה צח וטהור: 1–3
ב) [הפ׳ הִזַּךְ] טִהַר: 4

זַכּוּ 1 וְשָׁמַיִם לֹא־זַכּוּ בְעֵינָיו Job 15:15
2 וְכוֹכָבִים לֹא־זַכּוּ בְעֵינָיו Job 25:5
3 זַכּוּ נְזִירֶיהָ מִשֶּׁלֶג צַחוּ מֵחָלָב Lam. 4:7
וַהֲזִכּוֹתִי 4 וַהֲזִכּוֹתִי בְּבֹר כַּפָּי Job 9:30

זכר : א) זָכַר, זָכוֹר, נִזְכַּר, הִזְכִּיר; זֵכֶר, זִכָּרוֹן, אַזְכָּרָה, מַזְכִּיר, מַזְכֶּרֶת; ש״פ זַכּוּר, זֶכֶר, זִכְרִי, זְכַרְיָה, זְכַרְיָהוּ
ב) זָכָר; תִּזָּכָר (?)

זָכַר1 פ׳ א) שמר דבר בדעתו, העלה על לב, הרהר: רוב המקראות 1–172
ב) [בינוני פָּעוּל זָכוּר] זוכר: 70
ג) [נפ׳ נִזְכַּר] נשמר בזכרון: 173–191
ד) [הפ׳ הִזְכִּיר] העלה בזכרון, גרם שיזכור: 192–202, 204–222
ה) [כנ״ל] הקטיר (לבונה): 203

זָכַר (אֶת־) 1–13, 15–22, 24–48, 50–74, 76–91, 93–125, 127, 139–148, 150–154, 162–172; זָכַר (אֶת־) לְ־14, 23, 92, 137, 138, 149; זָכַר בְּ־ 121; זָכַר לְ־ 49,75,126, 128, 155, 156, 157, 159, 160, 161; נִזְכַּר לְ־ 184; נִזְכַּר לִפְנֵי־ 174; הִזְכִּיר (אֶת־) 192, 193, 195–200, 202, 204–212, 214, 216, 217, 220, 221; הִזְכִּיר (אֶת־) אֶל־ 201, 213; הִזְכִּיר לְ־ 194,(197), 211, 222; הִזְכִּיר בְּ־ 194, 215, 218, 219

זָכוֹר 1 זָכוֹר אֶת־הַיּוֹם הַזֶּה... Ex. 13:3
2 זָכוֹר אֶת־יוֹם הַשַּׁבָּת לְקַדְּשׁוֹ Ex. 20:8
3 זָכֹר תִּזְכֹּר אֵת אֲשֶׁר־עָשָׂה יְיָ Deut. 7:18
4 זָכוֹר אֵת אֲשֶׁר־עָשָׂה יְיָ...לְמִרְיָם Deut. 24:9
5 זָכוֹר אֵת אֲשֶׁר־עָשָׂה לְךָ עֲמָלֵק Deut. 25:17
6 זָכוֹר אֶת־הַדָּבָר אֲשֶׁר צִוָּה... Josh. 1:13
7 ...זָכֹר אֶזְכְּרֶנּוּ עוֹד Jer. 31:20(19)
8 זָכוֹר תִּזְכּוֹר וְתָשׁוֹחַ׳ עָלַי נַפְשִׁי Lam. 3:20
זְכֹר 9 (?) זְכֹר מִלְחָמָה אַל־תּוֹסַף Job 40:32
כִּזְכֹּר 10 כִּזְכֹּר בְּנֵיהֶם מִזְבְּחוֹתָם Jer. 17:2
לִזְכֹּר 11 וּרְאִיתִיהָ לִזְכֹּר בְּרִית עוֹלָם Gen. 9:16
12 לִזְכֹּר אֶת־יְמֵי נְעוּרֶיהָ Ezek. 23:19
בְּזָכְרֵנוּ 13 בָּכִינוּ...בְּזָכְרֵנוּ אֶת־צִיּוֹן Ps. 137:1
זָכַרְתִּי 14 זָכַרְתִּי לָךְ חֶסֶד נְעוּרַיִךְ Jer. 2:2
15 זָכַרְתִּי מִשְׁפָּטֶיךָ מֵעוֹלָם Ps. 119:52
16 זָכַרְתִּי בַלַּיְלָה שִׁמְךָ יְיָ Ps. 119:55
17 זָכַרְתִּי יָמִים מִקֶּדֶם Ps. 143:5
18 וְאִם־זָכַרְתִּי וְנִבְהָלְתִּי Job 21:6
זָכָרְתִּי 19 וּבַל־יֹאמְרוּ...כָּל־רָעָתָם זָכָרְתִּי Hosh. 7:2
20 בְּהִתְעַטֵּף...אֶת־יְיָ זָכָרְתִּי Jon. 2:8
וְזָכַרְתִּי 21 וְזָכַרְתִּי אֶת־בְּרִיתִי... Gen. 9:15
22 וְזָכַרְתִּי אֶת־בְּרִיתִי יַעֲקוֹב Lev. 26:42
23 וְזָכַרְתִּי לָהֶם בְּרִית רִאשֹׁנִים Lev. 26:45
24 וְזָכַרְתִּי אֲנִי אֶת־בְּרִיתִי אוֹתָךְ Ezek. 16:60
זְכַרְתִּיךָ 25 אִם־זְכַרְתִּיךָ עַל־יְצוּעָי Ps. 63:7
וְזָכַרְתָּ 26–30 וְזָכַרְתָּ כִּי(־)עֶבֶד הָיִיתָ... Deut. 5:15; 15:15; 16:12; 24:18,22

וְזָכַרְתָּ (המשך) 31 וְזָכַרְתָּ אֶת־כָּל־הַדֶּרֶךְ... Deut. 8:2
32 וְזָכַרְתָּ אֶת־יְיָ אֱלֹהֶיךָ Deut. 8:18
33 ...וְזָכַרְתָּ אֶת־אֲמָתֶךָ ISh. 25:31
זְכַרְתַּנִי 34 כִּי אִם־זְכַרְתַּנִי אִתְּךָ Gen. 40:14
וּזְכַרְתַּנִי 35 וּזְכַרְתַּנִי וְלֹא־תִשְׁכַּח אֶת־אֲמָתֶךָ ISh. 1:11
זְכַרְתָּם 36 שֹׁכְבֵי קֶבֶר אֲשֶׁר לֹא זְכַרְתָּם עוֹד Ps. 88:6
זָכַרְתְּ 37 לֹא זָכַרְתְּ אַחֲרִיתָהּ Is. 47:7
38 וְאוֹתִי לֹא זָכַרְתְּ Is. 57:11
39/40 לֹא זָכַרְתְּ (כת׳ זכרתי) אֶת־יְמֵי נְעוּרָיִךְ (־רַיִךְ) Ezek. 16:22, 43
זָכַרְתְּ 41 וְצוּר מָעֻזֵּךְ לֹא זָכַרְתְּ Is. 17:10
וְזָכַרְתְּ 42 וְזָכַרְתְּ אֶת־דְּרָכַיִךְ וְנִכְלַמְתְּ Ezek. 16:61
זָכַר 43 וְלֹא־זָכַר...אֶת־יוֹסֵף וַיִּשְׁכָּחֵהוּ Gen. 40:23
44 אֹתָם זָכַר יְיָ וַתַּעֲלֶה עַל־לִבּוֹ Jer. 44:21
45 זָכַר חַסְדּוֹ וֶאֱמוּנָתוֹ לְבֵית יִשְׂ׳ Ps. 98:3
46 זָכַר לְעוֹלָם בְּרִיתוֹ Ps. 105:8
47 כִּי־זָכַר אֶת־דְּבַר קָדְשׁוֹ Ps. 105:42
48 יַעַן אֲשֶׁר לֹא זָכַר עֲשׂוֹת חָסֶד Ps. 109:16
49 שֶׁבְּשִׁפְלֵנוּ זָכַר לָנוּ Ps. 136:23
50 וְלֹא־זָכַר הֲדֹם־רַגְלָיו בְּיוֹם אַפּוֹ Lam. 2:1
51 וְאָדָם לֹא זָכַר אֶת־הָאִישׁ... Eccl. 9:15
52 זָכַר אֶת־וַשְׁתִּי וְאֵת אֲשֶׁר־עָשָׂתָה Es. 2:1
53 וְלֹא־זָכַר יוֹאָשׁ הַמֶּלֶךְ הַחֶסֶד IICh. 24:22
זָכָר 54 כִּי־דֹרֵשׁ דָּמִים אוֹתָם זָכָר Ps. 9:13
זְכָרָנוּ 55 יְיָ זְכָרָנוּ יְבָרֵךְ... Ps. 115:12
זָכְרָה 56 זָכְרָה יְרוּשָׁלַםִ...כֹּל מַחֲמֻדֶיהָ Lam. 1:7
57 לֹא זָכְרָה אַחֲרִיתָהּ Lam. 1:9
זָכַרְנוּ 58 זָכַרְנוּ אֶת־הַדָּגָה אֲשֶׁר־נֹאכַל... Num. 11:5
וּזְכַרְתֶּם 59 וּזְכַרְתֶּם אֶת־כָּל־מִצְוֹת יְיָ Num. 15:39
60 וּזְכַרְתֶּם כִּי־עַצְמְכֶם וּבְשַׂרְכֶם אָנִי Jud. 9:2
61 וּזְכַרְתֶּם־שָׁם אֶת־דַּרְכֵיכֶם Ezek. 20:43
62 וּזְכַרְתֶּם אֶת־דַּרְכֵיכֶם הָרָעִים Ezek. 36:31
זָכְרוּ 63 וְלֹא זָכְרוּ בְּנֵי יִשְׂרָאֵל אֶת־יְיָ Jud. 8:34
64 וְלֹא זָכְרוּ בְּרִית אַחִים Am. 1:9
65 לֹא־זָכְרוּ אֶת־יָדוֹ... Ps. 78:42
66 לֹא זָכְרוּ אֶת־רֹב חֲסָדֶיךָ Ps. 106:7
67 וְלֹא־זָכְרוּ נִפְלְאֹתֶיךָ... Neh. 9:17
וְזָכְרוּ 68 וְזָכְרוּ פְלִיטֵיכֶם אוֹתִי בַּגּוֹיִם Ezek. 6:9
וּלְזֹכְרֵי־ 69 לְשֹׁמְרֵי בְרִיתוֹ וּלְזֹכְרֵי פִקֻּדָיו Ps. 103:18
זָכוּר 70 זָכוּר כִּי־עָפָר אֲנָחְנוּ Ps. 103:14
אֶזְכֹּר 71 וְאַף אֶת־בְּרִיתִי אַבְרָהָם אֶזְכֹּר Lev. 26:42
72 וְהָאָרֶץ אֶזְכֹּר Lev. 26:42
73 וְחַטֹּאתֶיךָ לֹא אֶזְכֹּר Is. 43:25
74 אֶזְכּוֹר (כת׳ אזכיר) מַעַלְלֵי־יָהּ... Ps. 77:12
אֶזְכָּר־ 75 וּלְחַטָּאתָם לֹא אֶזְכָּר־עוֹד Jer. 31:34(33)
וָאֶזְכֹּר 76 וָאֶזְכֹּר אֶת־בְּרִיתִי Ex. 6:5
אֶזְכְּרָה 77 אֵלֶּה אֶזְכְּרָה וְאֶשְׁפְּכָה עָלַי נַפְשִׁי Ps. 42:5
78 אֶזְכְּרָה אֱלֹהִים וְאֶהֱמָיָה Ps. 77:4
79 אֶזְכְּרָה נְגִינָתִי בַּלָּיְלָה Ps. 77:7
80 כִּי־אֶזְכְּרָה מִקֶּדֶם פִּלְאֶךָ Ps. 77:12
אֶזְכָּרְךָ 81 עַל־כֵּן אֶזְכָּרְךָ מֵאֶרֶץ יַרְדֵּן Ps. 42:7
אֶזְכְּרֵכִי 82 תִּדְבַּק לְשׁוֹנִי לְחִכִּי אִם־לֹא אֶזְכְּרֵכִי Ps. 137:6
אֶזְכְּרֶנּוּ 83 וְאָמַרְתִּי לֹא־אֶזְכְּרֶנּוּ Jer. 20:9
84 מִדֵּי־דַבְּרִי בּוֹ זָכֹר אֶזְכְּרֶנּוּ עוֹד Jer. 31:20(19)
תִּזְכֹּר 85 זָכֹר תִּזְכֹּר אֵת אֲשֶׁר־עָשָׂה יְיָ Deut. 7:18
86 לְמַעַן תִּזְכֹּר אֶת־יוֹם צֵאתְךָ... Deut. 16:3
87 וְאַל־תִּזְכֹּר אֵת אֲשֶׁר הֶעֱוָה IISh. 19:20
88 וְאַל־לָעַד תִּזְכֹּר עָוֹן Is. 64:8
89 בְּרֹגֶז רַחֵם תִּזְכּוֹר Hab. 3:2
90 חַטֹּאות נְעוּרַי וּפְשָׁעַי אַל־תִּזְכֹּר Ps. 25:7
91 כְּמַיִם עָבְרוּ תִזְכֹּר Job 11:16

תִּזְכָּר־ 92 אַל־תִּזְכָּר־לָנוּ עֲוֹנֹת רִאשֹׁנִים Ps. 79:8
וְתִזְכְּרֵנִי 93 תָּשִׁית לִי חֹק וְתִזְכְּרֵנִי Job 14:13
תִּזְכְּרֶנּוּ 94 מָה־אֱנוֹשׁ כִּי־תִזְכְּרֶנּוּ... Ps. 8:5
תִּזְכְּרִי 95 וְחֶרְפַּת אַלְמְנוּתַיִךְ לֹא תִזְכְּרִי־עוֹד Is. 54:4
96 לְמַעַן תִּזְכְּרִי וָבֹשְׁתְּ Ezek. 16:63
97 וּמִצְרַיִם לֹא תִזְכְּרִי־עוֹד Ezek. 23:27
יִזְכֹּר 98 עַתָּה יִזְכֹּר עֲוֹנָם Jer. 14:10
99 עַתָּה יִזְכֹּר עֲוֹנָם וְיִפְקֹד חַטֹּאתָם Hosh. 8:13
100 יִזְכּוֹר עֲוֹנָם יִפְקוֹד חַטֹּאתָם Hosh. 9:9
101 יִזְכֹּר אַדִּירָיו יִכָּשְׁלוּ בַּהֲלִכָתָם׃ Nah. 2:6
102 יִזְכֹּר כָּל־מִנְחֹתֶיךָ Ps. 20:4
103 יִזְכֹּר לְעוֹלָם בְּרִיתוֹ Ps. 111:5
104 כִּי לֹא הַרְבֵּה יִזְכֹּר אֶת־יְמֵי חַיָּיו Eccl. 5:19
יִזְכָּר־ 105 יִזְכָּר־נָא הַמֶּלֶךְ אֶת־יְיָ אֱלֹהֶיךָ IISh. 14:11
106 וַעֲמָלוֹ לֹא יִזְכָּר־עוֹד Prov. 31:7
וְיִזְכֹּר 107 וְיִזְכֹּר אֶת־יְמֵי הַחֹשֶׁךְ Eccl. 11:8
וַיִּזְכֹּר 108 וַיִּזְכֹּר אֱלֹהִים אֶת־נֹחַ Gen. 8:1
109 וַיִּזְכֹּר אֱלֹהִים אֶת־אַבְרָהָם Gen. 19:29
110 וַיִּזְכֹּר אֱלֹהִים אֶת־רָחֵל Gen. 30:22
111 וַיִּזְכֹּר יוֹסֵף אֵת הַחֲלֹמוֹת Gen. 42:9
112 וַיִּזְכֹּר אֱלֹהִים אֶת־בְּרִיתוֹ Ex. 2:24
113 וַיִּזְכֹּר יְמֵי־עוֹלָם מֹשֶׁה עַמּוֹ Is. 63:11
114 וַיִּזְכֹּר כִּי־בָשָׂר הֵמָּה Ps. 78:39
115 וַיִּזְכֹּר לָהֶם בְּרִיתוֹ Ps. 106:45
וַיִּזְכְּרֶהָ 116 וַיֵּדַע אֶלְקָנָה...וַיִּזְכְּרֶהָ יְיָ ISh. 1:19
תִּזְכּוֹר 117 זָכוֹר תִּזְכּוֹר וְתָשׁוֹחַ עָלַי נַפְשִׁי Lam. 3:20
תִּזְכְּרוּ 118 לְמַעַן תִּזְכְּרוּ וַעֲשִׂיתֶם... Num. 15:40
119 אַל־תִּזְכְּרוּ רִאשֹׁנוֹת Is. 43:18
120 וּמַשָּׂא יְיָ לֹא תִזְכְּרוּ־עוֹד Jer. 23:36
יִזְכְּרוּ 121 וְלֹא יִזְכְּרוּ־בוֹ וְלֹא יִפְקֹדוּ Jer. 3:16
122 יִזְכְּרוּ וְיָשֻׁבוּ אֶל־יְיָ Ps. 22:28
וַיִּזְכְּרוּ 123 וַיִּזְכְּרוּ כִּי־אֱלֹהִים צוּרָם Ps. 78:35
יִזְכְּרוּנִי 124 ...וּבַמֶּרְחַקִּים יִזְכְּרוּנִי Zech. 10:9
יִזְכְּרוּךָ 125 בִּדְרָכֶיךָ יִזְכְּרוּךָ Is. 64:4
זְכֹר 126 זְכֹר לְאַבְרָהָם לְיִצְחָק וּלְיִשְׂרָאֵל Ex. 32:13
127 זְכֹר אַל־תִּשְׁכַּח אֵת אֲשֶׁר־הִקְצַפְתָּ Deut. 9:7
128 זְכֹר לַעֲבָדֶיךָ לְאַבְרָהָם לְיִצְחָק Deut. 9:27
129 זְכֹר יְמוֹת עוֹלָם Deut. 32:7
130 זְכֹר אֲנִי וָאַתָּה אֵת רֹכְבִים צְמָדִים IIK. 9:25
131 זְכֹר אַל־תָּפֵר בְּרִיתְךָ אִתָּנוּ Jer. 14:21
132 זְכֹר עָמְדִי לְפָנֶיךָ... Jer. 18:20
133 זְכֹר־רַחֲמֶיךָ יְיָ Ps. 25:6
134 זְכֹר עֲדָתְךָ קָנִיתָ קֶּדֶם Ps. 74:2
135 זְכֹר חֶרְפָּתְךָ מִנִּי־נָבָל Ps. 74:22
136 זְכֹר אֲדֹנָי חֶרְפַּת עֲבָדֶיךָ Ps. 89:51
137 זְכוֹר־יְיָ לְדָוִד אֵת כָּל־עֻנּוֹתוֹ Ps. 132:1
138 זְכֹר יְיָ לִבְנֵי אֱדוֹם Ps. 137:7
139 זְכֹר כִּי־רוּחַ חַיָּי Job 7:7
140 זְכֹר כִּי־תַשְׂגִּיא פָעֳלוֹ Job 36:24
141 זְכֹר יְיָ מֶה־הָיָה לָנוּ Lam. 5:1
זְכָר־ 142/3 זְכָר־נָא אֵת אֲשֶׁר הִתְהַלַּכְתִּי IIK. 20:3; Is. 38:3
144 זְכָר־אֵלֶּה יַעֲקֹב Is. 44:21
145 זְכָר־נָא מַה־יָּעַץ בָּלָק Mic. 6:5
146 כְּחַסְדְּךָ זְכָר־לִי־אַתָּה Ps. 25:7
147 זְכָר־זֹאת אוֹיֵב חֵרֵף יְיָ Ps. 74:18
148 זְכָר־אֲנִי מֶה־חָלֶד Ps. 89:48
149 זְכָר־דָּבָר לְעַבְדֶּךָ Ps. 119:49
150 זְכָר־נָא מִי הוּא נָקִי אָבָד Job 4:7
151 זְכָר־נָא כִּי־כַחֹמֶר עֲשִׂיתָנִי Job 10:9
152 זְכָר־עָנְיִי וּמְרוּדִי Lam. 3:19
153 זְכָר־נָא אֶת־הַדָּבָר אֲשֶׁר צִוִּיתָ Neh. 1:8

וּזְכֹר 154 וּזְכֹר אֶת־בּוֹרְאֶיךָ בִּימֵי בְּחוּרֹתֶיךָ Eccl. 12:1
זָכְרָה 155 זָכְרָה־לִּי אֱלֹהַי לְטוֹבָה Neh. 5:19
156 זָכְרָה אֱלֹהַי לְטוֹבִיָּה Neh. 6:14
157 זָכְרָה־לִּי אֱלֹהַי עַל־זֹאת Neh. 13:14
158 גַּם־זֹאת זָכְרָה־לִּי אֱלֹהַי Neh. 13:22
159 זָכְרָה לָהֶם...עַל גָּאֳלֵי הַכְּהֻנָּה Neh. 13:29
160 זָכְרָה־לִּי אֱלֹהַי לְטוֹבָה Neh. 13:31
161 זָכְרָה לְחַסְדֵי דָּוִיד עַבְדֶּךָ IICh. 6:42
זָכְרֵנִי 162 זָכְרֵנִי נָא וְחַזְּקֵנִי נָא Jud. 16:28
163 זָכְרֵנִי וּפָקְדֵנִי וְהִנָּקֶם לִי Jer. 15:15
164 זָכְרֵנִי יְיָ בִּרְצוֹן עַמֶּךָ Ps. 106:4
זִכְרוּ 165 זִכְרוּ־זֹאת וְהִתְאֹשָׁשׁוּ Is. 46:8
166 זִכְרוּ רִאשֹׁנוֹת מֵעוֹלָם Is. 46:9
167 זִכְרוּ מֵרָחוֹק אֶת־יְיָ Jer. 51:50
168 זִכְרוּ תּוֹרַת מֹשֶׁה עַבְדִּי Mal. 3:22
169 זִכְרוּ נִפְלְאוֹתָיו אֲשֶׁר־עָשָׂה Ps. 105:5
170 זִכְרוּ נִפְלְאֹתָיו אֲשֶׁר עָשָׂה ICh. 16:12
171 זִכְרוּ לְעוֹלָם בְּרִיתוֹ ICh. 16:15
זְכֹרוּ 172 אֶת־אֲדֹנָי הַגָּדוֹל וְהַנּוֹרָא זְכֹרוּ Neh. 4:8
הִזָּכֶרְכֶם 173 יַעַן הִזָּכֶרְכֶם בַּכַּף תִּתָּפֵשׂוּ Ezek. 21:29
וְנִזְכַּרְתֶּם 174 וְנִזְכַּרְתֶּם לִפְנֵי יְיָ אֱלֹהֵיכֶם Num. 10:9
נִזְכָּרִים 175 וְהַיָּמִים הָאֵלֶּה נִזְכָּרִים וְנַעֲשִׂים... Es. 9:28
תִּזָּכֵרִי 176 הַרְבִּי־שִׁיר לְמַעַן תִּזָּכֵרִי Is. 23:16
177 לֹא תִזָּכֵרִי כִּי אֲנִי יְיָ דִּבַּרְתִּי Ezek. 21:37
יִזָּכֵר 178 וּשְׁמוֹ לֹא־יִזָּכֵר עוֹד Jer. 11:19
179 וְלֹא־יִזָּכֵר שֵׁם־יִשְׂרָאֵל עוֹד Ps. 83:5
180 יִזָּכֵר עֲוֹן אֲבֹתָיו אֶל־יְיָ Ps. 109:14
181 יִשְׁכָּחֵהוּ רֶחֶם...עוֹד לֹא־יִזָּכֵר Job 24:20
182 רָאמוֹת וְגָבִישׁ לֹא יִזָּכֵר Job 28:18
תִּזָּכֵר 183 לֹא־תִזָּכֵר בְּנֵי־עַמּוֹן בַּגּוֹיִם Ezek. 25:10
יִזָּכְרוּ 184 כָּל־פְּשָׁעָיו...לֹא יִזָּכְרוּ לוֹ Ezek. 18:22
185 וְלֹא־יִזָּכְרוּ עוֹד בִּשְׁמָם Hosh. 2:19
186 אַכְרִית...וְלֹא יִזָּכְרוּ עוֹד Zech. 13:2
תִּזָּכַרְנָה 187 וְלֹא תִזָּכַרְנָה הָרִאשֹׁנוֹת Is. 65:17
188 וְלֹא תִזָּכַרְןָ צִדְקֹתָו אֲשֶׁר עָשָׂה Ezek. 3:20
189/90 צִדְקֹתָו...לֹא תִזָּכַרְנָה Ezek. 18:24; 33:13
191 כָּל־חַטֹּאתָו...לֹא תִזָּכַרְנָה לוֹ Ezek. 33:16
הַזְכִּיר 192 בַּעֲבוּר הַזְכִּיר שְׁמִי IISh. 18:18
לְהַזְכִּיר 193 בָּאתָ אֵלַי לְהַזְכִּיר אֶת־עֲוֹנִי IK. 17:18
194 הַס כִּי לֹא לְהַזְכִּיר בְּשֵׁם יְיָ Am. 6:10
195 מִזְמוֹר לְדָוִד לְהַזְכִּיר Ps. 38:1
196 לַמְנַצֵּחַ לְדָוִד לְהַזְכִּיר Ps. 70:1
וּלְהַזְכִּיר 197 וּלְהַזְכִּיר וּלְהוֹדוֹת וּלְהַלֵּל לַיְיָ... ICh. 16:4
כְּהַזְכִּירוֹ 198 וַיְהִי כְּהַזְכִּירוֹ אֶת־אֲרוֹן הָאֱלֹהִים ISh. 4:18
הַזְכִּרְכֶם 199 יַעַן הַזְכִּרְכֶם עֲוֹנְכֶם Ezek. 21:29
הִזְכִּיר 200 יְיָ...מִמְּעֵי אִמִּי הִזְכִּיר שְׁמִי Is. 49:1
וְהִזְכַּרְתַּנִי 201 וְהִזְכַּרְתַּנִי אֶל־פַּרְעֹה... Gen. 40:14
מַזְכִּיר 202 אֶת־חֲטָאַי אֲנִי מַזְכִּיר הַיּוֹם Gen. 41:9
203 מַזְכִּיר לְבֹנָה מְבָרֵךְ אָוֶן Is. 66:3
204 וְהוּא־מַזְכִּיר עָוֹן לְהִתָּפֵשׂ Ezek. 21:28
205 וְלֹא יִהְיֶה...לְמִבְטָח מַזְכִּיר עָוֹן Ezek. 29:16
מַזְכֶּרֶת 206 מִנְחַת זִכָּרוֹן מַזְכֶּרֶת עָוֹן Num. 5:15
הַמַּזְכִּירִים 207 הַמַּזְכִּירִים אֶת־יְיָ אַל־דֳּמִי לָכֶם Is. 62:6
אַזְכִּיר 208 בְּכָל־הַמָּקוֹם אֲשֶׁר אַזְכִּיר...שְׁמִי Ex. 20:21
209 חַסְדֵי יְיָ אַזְכִּיר תְּהִלֹּת יְיָ Is. 63:7
210 אַזְכִּיר צִדְקָתְךָ לְבַדֶּךָ Ps. 71:16
211 אַזְכִּיר רַהַב וּבָבֶל לְיֹדְעָי Ps. 87:4
אַזְכִּירָה 212 אַזְכִּירָה שִׁמְךָ בְּכָל־דֹּר וָדֹר Ps. 45:18
יַזְכִּיר 213 כֹּל אֲשֶׁר יַזְכִּיר אֹתָהּ אֵלָיו יִפְחָד Is. 19:17
נַזְכִּיר 214 לְבַד־בְּךָ נַזְכִּיר שְׁמֶךָ Is. 26:13
215 וַאֲנַחְנוּ בְּשֵׁם־יְיָ אֱלֹהֵינוּ נַזְכִּיר Ps. 20:8
נַזְכִּירָה 216 נַזְכִּירָה דֹדֶיךָ מִיַּיִן S.of S. 1:4

תַּזְכִּירוּ 217 וְשֵׁם אֱלֹהִים אֲחֵרִים לֹא תַזְכִּירוּ Ex. 23:13
218 וּבְשֵׁם אֱלֹהֵיהֶם לֹא־תַזְכִּירוּ Josh. 23:7
יַזְכִּירוּ 219 וּבֵאלֹהֵי יִשְׂרָאֵל יַזְכִּירוּ... Is. 48:1
הַזְכִּירֵנִי 220 הַזְכִּירֵנִי נִשָּׁפְטָה יָחַד Is. 43:26
הַזְכִּירוּ 221 הַזְכִּירוּ כִּי נִשְׂגָּב שְׁמוֹ Is. 12:4
222 הַזְכִּירוּ לַגּוֹיִם הִנֵּה הַשְׁמִיעוּ... Jer. 4:16

(זכר)2 תִּזָּכָר פ׳ הקדיש את הזכרים(?)

תִּזָּכָר 1 וְכָל־מִקְנְךָ תִּזָּכָר פֶּטֶר שׁוֹר וָשֶׂה Ex. 34:19

זָכָר ז׳ המין המוליד, באדם ובבהמה, להבדיל מן "נְקֵבָה": 1–82

זָכָר וּנְקֵבָה 1–6, 19, 20, 47; זָכָר תָּמִים 17, 18, 21, 28; 63–65; בְּכוֹר זָכָר 39, 40; בֶּן זָכָר 54; מִשְׁכַּב ז׳ 44–46, 49, 50; עָרֵל ז׳ 9; צַלְמֵי ז׳ 56

זָכָר 1 זָכָר וּנְקֵבָה בָּרָא אֹתָם Gen. 1:27
2 זָכָר וּנְקֵבָה בְּרָאָם Gen. 5:2
3–6 זָכָר וּנְקֵבָה Gen. 6:19; 7:3, 9, 16
7 הִמּוֹל לָכֶם כָּל־זָכָר Gen. 17:10
8 וּבֶן־שְׁמֹנַת יָמִים יִמּוֹל...כָּל־זָכָר Gen. 17:12
9 וְעָרֵל זָכָר אֲשֶׁר לֹא־יִמּוֹל Gen. 17:14
10 כָּל־זָכָר בְּאַנְשֵׁי בֵּית אַבְרָהָם Gen. 17:23
11 ...לְהִמֹּל לָכֶם כָּל־זָכָר Gen. 34:15
12 בְּהִמּוֹל לָנוּ כָּל־זָכָר... Gen. 34:22
13 וַיִּמֹּלוּ כָּל־זָכָר... Gen. 34:24
14 וַיָּבֹאוּ...וַיַּהַרְגוּ כָּל־זָכָר Gen. 34:25
15 שֶׂה תָמִים זָכָר בֶּן־שָׁנָה Ex. 12:5
16 וְכִי־יָגוּר...הִמּוֹל לוֹ כָל־זָכָר Ex. 12:48
17–18 זָכָר תָּמִים יַקְרִיבֶנּוּ Lev. 1:3, 10
19 אִם־זָכָר אִם־נְקֵבָה Lev. 3:1
20 זָכָר אוֹ נְקֵבָה תָּמִים יַקְרִיבֶנּוּ Lev. 3:6
21 שְׂעִיר עִזִּים זָכָר תָּמִים Lev. 4:23
22 כָּל־זָכָר בִּבְנֵי אַהֲרֹן יֹאכְלֶנָּה Lev. 6:11
23 כָּל־זָכָר בַּכֹּהֲנִים יֹאכַל אֹתָהּ Lev. 6:22
24 כָּל־זָכָר בַּכֹּהֲנִים יֹאכְלֶנּוּ Lev. 7:6
25 אִשָּׁה כִּי תַזְרִיעַ וְיָלְדָה זָכָר Lev. 12:2
26 וְאֶת־זָכָר לֹא תִשְׁכַּב מִשְׁכְּבֵי אִשָּׁה Lev. 18:22
27 אֲשֶׁר יִשְׁכַּב אֶת־זָכָר מִשְׁכְּבֵי אִשָּׁה Lev. 20:13
28 תָּמִים זָכָר בַּבָּקָר... Lev. 22:19
29 אִם־זָכָר וְהָיָה עֶרְכְּךָ... Lev. 27:7
30 כָּל־זָכָר לְגֻלְגְּלֹתָם Num. 1:2
31–32 כָּל־זָכָר מִבֶּן עֶשְׂרִים... Num. 1:20, 22
33–38 כָּל־זָכָר מִבֶּן־חֹדֶשׁ... Num. 3:15, 22, 28, 34, 39; 26:62
39 פְּקֹד כָּל־בְּכֹר זָכָר לִבְנֵי יִשְׂרָאֵל Num. 3:40
40 וַיְהִי כָל־בְּכוֹר זָכָר... Num. 3:43
41 כָּל־זָכָר יֹאכַל אֹתוֹ Num. 18:10
42 וַיִּצְבְּאוּ...וַיַּהַרְגוּ כָּל־זָכָר Num. 31:7
43 הִרְגוּ כָל־זָכָר בַּטָּף Num. 31:17
44 וְכָל־אִשָּׁה יֹדַעַת אִישׁ לְמִשְׁכַּב זָכָר Num. 31:17
45/6 אֲשֶׁר לֹא־יָדְעוּ מִשְׁכַּב זָכָר Num. 31:18, 35
47 תַּבְנִית זָכָר אוֹ נְקֵבָה Deut. 4:16
48–49 כָּל־זָכָר וְכָל־אִשָּׁה יֹדַעַת מִשְׁכַּב־זָכָר תַּחֲרִימוּ Jud. 21:11
50 לֹא־יָדְעָה אִישׁ לְמִשְׁכַּב זָכָר Jud. 21:12
51 וַיַּךְ כָּל־זָכָר בֶּאֱדוֹם IK. 11:15
52 עַד־הִכְרִית כָּל־זָכָר בֶּאֱדוֹם IK. 11:16
53 בְּטֶרֶם יָבוֹא חֵבֶל לָהּ וְהִמְלִיטָה זָכָר Is. 66:7
54 אֲשֶׁר בִּשַּׂר...יֻלַּד־לְךָ בֵּן זָכָר Jer. 20:15
55 שַׁאֲלוּ־נָא וּרְאוּ אִם־יֹלֵד זָכָר Jer. 30:6

זָכָר (המשך) 56 וַתַּעֲשִׂי־לָךְ צַלְמֵי זָכָר Ezek. 16:17
57 וְאָרוּר נוֹכֵל וְיֵשׁ בְּעֶדְרוֹ זָכָר Mal. 1:14
58 לָתֵת מָנוֹת לְכָל־זָכָר בַּכֹּהֲנִים IICh. 31:19
הַזָּכָר 59–61 וְהָיָה עֶרְכְּךָ הַזָּכָר... Lev. 27:3, 5, 6
62 הַזָּכָר תַּקְדִּישׁ לַייָ אֱלֹהֶיךָ Deut. 15:19
לַזָּכָר 63 זֹאת תּוֹרַת הַיֹּלֶדֶת לַזָּכָר אוֹ לַנְּקֵבָה Lev. 12:7
64 וְהַדָּוָה...וְהַזָּב...לַזָּכָר וְלַנְּקֵבָה Lev. 15:33
מִזָּכָר 65 מִזָּכָר עַד־נְקֵבָה תְּשַׁלֵּחוּ Num. 5:3
הַזְּכָרִים 66 וְכָל־פֶּטֶר...בְּהֵמָה...הַזְּכָרִים לַייָ Ex. 13:12
67 כָּל־פֶּטֶר רֶחֶם הַזְּכָרִים... Ex. 13:15
68 כָּל־הָעָם הַיֹּצֵא מִמִּצְרַיִם הַזְּכָרִים Josh. 5:4
69 בְּנֵי מְנַשֶּׁה...הַזְּכָרִים לְמִשְׁפְּחֹתָם Josh. 17:2
70 וְעִמּוֹ מָאתַיִם הַזְּכָרִים Ez. 8:4
71 וְעִמּוֹ שְׁלֹשׁ מֵאוֹת הַזְּכָרִים Ez. 8:5
72–80 וְעִמּוֹ (וְעִמָּהֶם)...הַזְּכָרִים Ez. 8:6, 7 8:8, 9, 10, 11, 12, 13, 14
לַזְּכָרִים 81 וְעִמּוֹ הִתְיַחֵשׂ לַזְּכָרִים... Ez. 8:3
82 מִלְּבַד הִתְיַחְשָׂם לִזְכָרִים IICh. 31:16

זֵכֶר ז׳ א) זכירה, הפך מן "שִׁכְחָה": 1, 17–23

ב) [בהשאלה] שם תהלה, פרסום: 2, 5–11, 13–16

– זֵכֶר עוֹלָם 9; זֵכֶר עֲמָלֵק 3–4; זֵכֶר צַדִּיק 6; זֵכֶר קָדְשׁוֹ 7, 8;

– אָבַד זֵכֶר 17, 19; אִבַּד ז׳ 1; הִשְׁבִּית ז׳ 18; מָחָה ז׳ 3, 4; נִשְׁכַּח ז׳ 22; סָף זֵכֶר 23; עָשָׂה ז׳ 2

זֵכֶר 1 וַתְּאַבֵּד כָּל־זֵכֶר לָמוֹ Is. 26:14
2 זֵכֶר עָשָׂה לְנִפְלְאֹתָיו Ps. 111:4
זֵכֶר־ 3 מָחֹה אֶמְחֶה אֶת־זֵכֶר עֲמָלֵק Ex. 17:14
4 תִּמְחֶה אֶת־זֵכֶר עֲמָלֵק Deut. 25:19
5 זֵכֶר רַב־טוּבְךָ יַבִּיעוּ Ps. 145:7
6 זֵכֶר צַדִּיק לִבְרָכָה וְשֵׁם רְשָׁעִים יִרְקָב Prov. 10:7
לְזֵכֶר־ 7–8 וְהוֹדוּ לְזֵכֶר קָדְשׁוֹ Ps. 30:5; 97:12
9 לְזֵכֶר עוֹלָם יִהְיֶה צַדִּיק Ps. 112:6
זִכְרִי 10 זֶה־שְּׁמִי לְעֹלָם וְזֶה זִכְרִי לְדֹר דֹּר Ex. 3:15
זִכְרְךָ 11 יְיָ זִכְרְךָ לְדֹר־וָדֹר Ps. 135:13
זִכְרֶךָ 12 כִּי אֵין בַּמָּוֶת זִכְרֶךָ Ps. 6:6
וְזִכְרְךָ 13 וְאַתָּה יְיָ...וְזִכְרְךָ לְדֹר וָדֹר Ps. 102:13
וּלְזִכְרְךָ 14 לְשִׁמְךָ וּלְזִכְרְךָ תַּאֲוַת־נָפֶשׁ Is. 26:8
זִכְרוֹ 15 וַייָ אֱלֹהֵי הַצְּבָאוֹת יְיָ זִכְרוֹ Hosh. 12:6
16 זִכְרוֹ כְּיֵין לְבָנוֹן Hosh. 14:8
17 זִכְרוֹ־אָבַד מִנִּי־אָרֶץ Job 18:17
זִכְרָם 18 אַשְׁבִּיתָה מֵאֱנוֹשׁ זִכְרָם Deut. 32:26
19 וְעָרִים נָתַשְׁתָּ אָבַד זִכְרָם הֵמָּה Ps. 9:7
20 לְהַכְרִית מֵאֶרֶץ זִכְרָם Ps. 34:17
21 וְיַכְרֵת מֵאֶרֶץ זִכְרָם Ps. 109:15
22 כִּי נִשְׁכַּח זִכְרָם Eccl. 9:5
וְזִכְרָם 23 וְזִכְרָם לֹא־יָסוּף מִזַּרְעָם Es. 9:28

זֶ֫כֶר* שפ״ז – איש מבנימין, אולי הוא זְכַרְיָה (א)

וָזָכֶר 1 וּגְדוֹר וְאַחְיוֹ וָזָכֶר ICh. 8:31

זִכָּרוֹן ז׳ א) זֵכֶר, זכירה: 4, 10–21

ב) אות או עדות למאורע שהיה: 1–3, 5–9, 22, 24

אַבְנֵי זִכָּרֹן 2–3; מִנְחַת זִכָּרוֹן 4, 10; סֵפֶר זִכָּרוֹן (זִכְרוֹנוֹת) 7, 24; זִכְרוֹן תְּרוּעָה 21

זִכָּרוֹן 1 כְּתֹב זֹאת זִכָּרוֹן בַּסֵּפֶר Ex. 17:14
2 אַבְנֵי זִכָּרֹן לִבְנֵי יִשְׂרָאֵל Ex. 28:12
3 אַבְנֵי זִכָּרוֹן לִבְנֵי יִשְׂרָאֵל Ex. 39:7
4 מִנְחַת זִכָּרוֹן מַזְכֶּרֶת עָוֹן Num. 5:15
5–6 זִכָּרוֹן לִבְנֵי(־)יִשְׂרָאֵל Num. 17:5; 31:54
7 וַיִּכָּתֵב סֵפֶר זִכָּרוֹן לְפָנָיו Mal. 3:16
8 לֹא־יִהְיֶה לָהֶם זִכָּרוֹן Eccl. 1:11

וְזִכָּרוֹן 9 אֵין־חֵלֶק...וְזִכָּרוֹן בִּירוּשָׁלָםִ Neh. 2:20
הַזִּכָּרוֹן 10 וְנָתַן עַל־כַּפֶּיהָ אֵת מִנְחַת הַזִּכָּרוֹן Num. 5:18
לְזִכָּרוֹן 11 וְהָיָה הַיּוֹם הַזֶּה לָכֶם לְזִכָּרוֹן Ex. 12:14
12 וְנָשָׂא...עַל־שְׁתֵּי כְתֵפָיו לְזִכָּרֹן Ex. 28:12
13 וְנָשָׂא...לְזִכָּרֹן לִפְנֵי־יְיָ תָּמִיד Ex. 28:29
14 וְהָיָה לִבְנֵי יִשְׂ׳ לְזִכָּרוֹן לִפְנֵי יְיָ Ex. 30:16
15 וְהָיוּ...לְזִכָּרוֹן לִפְנֵי אֱלֹהֵיכֶם Num. 10:10
16 לְזִכָּרוֹן לִבְנֵי יִשְׂרָאֵל עַד־עוֹלָם Josh. 4:7
17 וְהָעֲטָרֹת...לְזִכָּרוֹן בְּהֵיכַל יְיָ Zech. 6:14
וּלְזִכָּרוֹן 18 לְאוֹת עַל־יָדְךָ וּלְזִכָּרוֹן בֵּין עֵינֶיךָ Ex. 13:9
זִכְרוֹן 19 אֵין זִכְרוֹן לָרִאשֹׁנִים Eccl. 1:11
20 כִּי אֵין זִכְרוֹן לֶחָכָם עִם־הַכְּסִיל לְעוֹלָם Eccl. 2:16
21 זִכְרוֹן תְּרוּעָה מִקְרָא־קֹדֶשׁ Lev. 23:24
זִכְרוֹנֵךְ 22 וְאַחַר הַדֶּלֶת וְהַמְּזוּזָה שַׂמְתְּ זִכְרוֹנֵךְ Is. 57:8
זִכְרֹנֵיכֶם 23 זִכְרֹנֵיכֶם מִשְׁלֵי־אֵפֶר Job 13:12
הַזִּכְרֹנוֹת 24 אֶת־סֵפֶר הַזִּכְרֹנוֹת דִּבְרֵי הַיָּמִים Es. 6:1

זִכְרִי שפ״ז א) בן יצהר בן קהת: 8

ב) אנשים שונים מתושבי אילון: 9, 10, 11

ג) לויים: 3, 12

ד) איש בימי דוד: 4

ה) אבי אחד משרי הצבא בימי יהושפט: 5

ו) אבי אחד משרי הצבא בימי יהוידע כהן הראש: 6

ז) גבור אפרים בימי פקח: 7

ח) אביו של הפקיד על בני בנימין בימי נחמיה: 1

ט) ראש בית אב לכהנים בימי יהויקים כהן גדול: 2

זִכְרִי 1 וְיוֹאֵל בֶּן־זִכְרִי פָּקִיד עֲלֵיהֶם Neh. 11:9
2 לַאֲבִיָּה זִכְרִי Neh. 12:17
3 וּמַתַּנְיָה בֶּן־מִיכָא בֶּן־זִכְרִי ICh. 9:15
4 נָגִיד אֱלִיעֶזֶר בֶּן־זִכְרִי ICh. 27:16
5 וְעַל־יָדוֹ עֲמַסְיָה בֶּן־זִכְרִי IICh. 17:16
6 וְאֶת־אֱלִישָׁפָט בֶּן־זִכְרִי IICh. 23:1
7 וַיַּהֲרֹג זִכְרִי גִּבּוֹר אֶפְרַיִם IICh. 28:7
וְזִכְרִי 8 וּבְנֵי יִצְהָר קֹרַח וָנֶפֶג וְזִכְרִי Ex. 6:21
9 וְיָקִים וְזִכְרִי וְזַבְדִּי ICh. 8:19
10 וְעַבְדּוֹן וְזִכְרִי וְחָנָן ICh. 8:23
11 וְאֵלִיָּה וְזִכְרִי בְּנֵי יְרֹחָם ICh. 8:27
12 ...וְיֹרָם בְּנוֹ וְזִכְרִי בְנוֹ ICh. 26:25

זְכַרְיָה שפ״ז א) מבני יעיאל אבי גבעון, הוא זָכֶר: 23

ב) מאבות אבותיו של תושב ירושלים בימי נחמיה: 13

ג) מאחיו המשנים של יוסף: 19, 24

ד) שוער פתח אהל מועד בימי דוד: 18

ה) שר בימי יהושפט: 27

ו) בן יהוידע כהן הראש בימי יואש מלך יהודה: 20

ז) אבי אמו של חזקיהו המלך: 3

ח) מלך ישראל הוא זְכַרְיָהוּ (יב): 1, 2

ט) לוי מבני קהת בימי יאשיהו: 25

י) מאבות אבותיו של מתישב בירושלים בימי נחמיה: 14

יא) בן ברכיה, הנשא בימי שיבת ציון: 4–7, 21, 22

יב) אנשים שונים בימי עזרא ונחמיה: 8–12, 15–17, 26

זְכַרְיָה 1 וַיִּמְלֹךְ זְכַרְיָה בְנוֹ תַּחְתָּיו IIK. 14:29
2 וְיֶתֶר דִּבְרֵי זְכַרְיָה... IIK. 15:11
3 וְשֵׁם אִמּוֹ אֲבִי בַּת־זְכַרְיָה IIK. 18:2

זְכַרְיָה (המשך)
4 זְכַרְיָה בֶּן־בֶּרֶכְיָה בֶּן־עִדּוֹ הַנָּבִיא — Zech. 1:1
5 זְכַ׳ בֶּן־בֶּרֶכְיָהוּ בֶּן־עִדּוֹא הַנָּבִיא — Zech. 1:7
6 הָיָה דְבַר־יְיָ אֶל־זְכַרְיָה — Zech. 7:1
7 וַיְהִי דְּבַר־יְיָ אֶל־זְכַרְיָה לֵאמֹר — Zech. 7:8
8 מִבְּנֵי פַרְעֹשׁ זְכַרְיָה... — Ez. 8:3
9 וּמִבְּנֵי בֵבַי זְכַרְיָה בֶּן־בֵּבָי — Ez. 8:11
10 וּמִבְּנֵי עֵילָם מַתַּנְיָה זְכַרְיָה — Ez. 10:26
11 וַיַּעֲמֹד אֶצְלוֹ...זְכַרְיָה מְשֻׁלָּם — Neh. 8:4
12 מִבְּנֵי יְהוּדָה עֲתָיָה...בֶּן־זְכַרְיָה — Neh. 11:4
13 וּמַעֲשֵׂיָה...בֶּן־זְכַרְיָה בֶּן־הַשִּׁלֹנִי — Neh. 11:5
14 וַעֲדָיָה...בֶּן־אַמְצִי בֶן־זְכַרְיָה — Neh. 11:12
15 לְעִדּוֹא° זְכַרְיָה... — Neh. 12:16
16 וּמִבְּנֵי הַכֹּהֲנִים...זְכַרְיָה בֶן־יוֹנָתָן — Neh. 12:35
17 זְכַרְיָה חֲנַנְיָה בַּחֲצֹצְרוֹת — Neh. 12:41
18 זְכַרְיָה בֶּן מְשֶׁלֶמְיָה שֹׁעֵר פֶּתַח... — ICh. 9:21
19 אָסָף הָרֹאשׁ וּמִשְׁנֵהוּ זְכַרְיָה — ICh. 16:5
20 זְכַרְיָה בֶּן־יְהוֹיָדָע הַכֹּהֵן — IICh. 24:20

וּזְכַרְיָה
21 וְהִתְנַבִּי...וּזְכַרְיָה בַר־עִדּוֹא — Ez. 5:1
22 חַגַּי נְבִיָּא° וּזְכַרְיָה בַּר עִדּוֹא — Ez. 6:14
23 וּגְדוֹר וְאַחְיוֹ וּזְכַרְיָה וּמִקְלוֹת — ICh. 9:37
24 וּזְכַרְיָה וַעֲזִיאֵל וּשְׁמִירָמוֹת — ICh. 15:20
25 וּזְכַרְיָה וּמְשֻׁלָּם מִן־בְּנֵי הַקְּהָתִים — IICh. 34:12

וְלִזְכַרְיָה
26 וָאֶשְׁלְחָה...וְלִזְכַרְיָה וְלִמְשֻׁלָּם — Ez. 8:16
27 שָׁלַח לְשָׂרָיו...וְלִזְכַרְיָה — IICh. 17:7

זְכַרְיָהוּ
שפ״ז א) כֹּהן בימי דוד: 13
ב) מאחיו המשנים של יוסף, הוא זְכַרְיָה (ג): 3
ג) שוער בפתח אהל מועד, הוא זְכַרְיָה (ד) 5, 14
ד) שוערים ולויים בימי דוד: 4, 6
ה) אבי הנגיד על חצי שבט המנשה בימי דוד: 7
ו) לוי בימי יהושפט: 8
ז) מבני יהושפט מלך יהודה: 15
ח) נביא בימי עוזיהו מלך יהודה: 9
ט) אבי אמו של חזקיהו המלך, הוא זְכַרְיָה (ז): 10
י) ראובני בימי ירבעם מלך ישראל: 12
יא) מלך ישראל, הוא זְכַרְיָה (ח): 1
יב) בן דורו של ישעיהו הנביא: 2
יג) לוי בימי חזקיהו: 11
יד) כהן בימי יאשיהו: 16

זְכַרְיָהוּ
1 מָלַךְ זְכַרְיָהוּ בֶן־יָרָבְעָם עַל־יִשְׂרָאֵל — IIK. 15:8
2 וְאָעִידָה...וְאֶת־זְכַרְיָהוּ בֶּן־יְבֶרֶכְיָהוּ — Is. 8:2
3 וְעִמָּהֶם...זְכַרְיָהוּ בֵן וְיַעֲזִיאֵל — ICh. 15:18
4 לִבְנֵי יִשִּׁיָּה זְכַרְיָהוּ — ICh. 24:25
5 זְכַרְיָהוּ הַבְּכוֹר יְדִיעֲאֵל הַשֵּׁנִי — ICh. 26:2
6 טְבַלְיָהוּ הַשְּׁלִשִׁי זְכַרְיָהוּ הָרְבִעִי — ICh. 26:11
7 לַחֲצִי הַמְנַשֶּׁה... יִדּוֹ בֶּן־זְכַרְיָהוּ — ICh. 27:21
8 וְיַחֲזִיאֵל בֶּן־זְכַרְיָהוּ...הַלֵּוִי — IICh. 20:14
9 בִּימֵי זְכַרְיָהוּ הַמֵּבִין בִּרְאֹת הָאֱל׳ — IICh. 26:5
10 וְשֵׁם אִמּוֹ אֲבִיָּה בַּת־זְכַרְיָהוּ — IICh. 29:1
11 וּמִן־בְּנֵי אָסָף זְכַרְיָהוּ וּמַתַּנְיָהוּ — IICh. 29:13

וּזְכַרְיָהוּ
12 הָרֹאשׁ יְעִיאֵל וּזְכַרְיָהוּ — ICh. 5:7
13 וּזְכַרְיָהוּ וּבְנָיָהוּ וֶאֱלִיעֶזֶר — ICh. 15:24
14 וּזְכַרְיָהוּ בְנוֹ יוֹעֵץ בְּשֶׂכֶל — ICh. 26:14
15 בְּנֵי יְהוֹשָׁפָט עֲזַרְיָה...וּזְכַרְיָהוּ — IICh. 21:2
16 וְשָׂרָיו...חִלְקִיָּה וּזְכַרְיָהוּ וִיחִיאֵל — IICh. 35:8

זֻלּוּת
נ׳ שפלות, זלזול (?)

זֻלֻּת
1 ...כְּרֻם זֻלֻּת לִבְנֵי אָדָם — Ps. 12:9

זַלְזַל*
ז׳ שריג, ענף דק

הַזַּלְזַלִּים
1 וְכָרַת הַזַּלְזַלִּים בַּמַּזְמֵרוֹת — Is. 18:5

זלל
: זָלַל, זוֹלֵל, נָזֹל, תֵּזְלִי(?), הִזִּיל; זֻלּוּת

זָלַל
פָּ׳ א) שָׁפֵל, היה נקלה: 3–5, 7
ב) אכל אכילה גסה: 1, 2, 6
ג) [נפ׳ נָזֹל] שפל, חרד: 8, 9, 10
ד) [הִפ׳ הִזִּיל] השפיל: 11 [עין גם זול]

זוֹלֵל
1 סוֹרֵר וּמֹרֶה...זוֹלֵל וְסֹבֵא — Deut. 21:20

וְזוֹלֵל
2 כִּי־סֹבֵא וְזוֹלֵל יִוָּרֵשׁ — Prov. 23:21

מִזּוֹלֵל
3 וְאִם־תּוֹצִיא יָקָר מִזּוֹלֵל... — Jer. 15:19

זוֹלֵלָה
4 רְאֵה יְיָ וְהַבִּיטָה כִּי הָיִיתִי זוֹלֵלָה — Lam. 1:11

זוֹלְלִים
5 וְרֹעֶה זוֹלְלִים יַכְלִים אָבִיו — Prov. 28:7

בְּזוֹלְלֵי־
6 אַל־תְּהִי בְסֹבְאֵי־יָיִן בְּזֹלְלֵי בָשָׂר... — Prov. 23:20

תֵּזְלִי
7 (?) מַה־תֵּזְלִי...לְשַׁנּוֹת אֶת־דַּרְכֵּךְ — Jer. 2:36

נָזֹלּוּ
8/9 מִפָּנֶיךָ הָרִים נָזֹלּוּ — Is. 63:19; 64:2

נָזְלוּ(נָזֹלּוּ)
10 הָרִים נָזְלוּ מִפְּנֵי יְיָ — Jud. 5:5

הִזִּילוּהָ
11 (?) כָּל־מְכַבְּדֶיהָ הִזִּילוּהָ — Lam. 1:8

זַלְעָפָה
נ׳ פלצות, חרדה: 1–3

רוּחַ זַלְעָפוֹת 2; זַלְעֲפוֹת רָעָב 3

זַלְעָפָה
1 זַלְעָפָה אֲחָזַתְנִי מֵרְשָׁעִים... — Ps. 119:53

זִלְעָפוֹת
2 וְרוּחַ זִלְעָפוֹת מְנָת כּוֹסָם — Ps. 11:6

זַלְעֲפוֹת־
3 עוֹרֵנוּ כְּתַנּוּר נִכְמָרוּ מִפְּנֵי זַלְעֲפוֹת רָעָב — Lam. 5:10

זִלְפָּה
שפ״נ – שפחת לאה ופילגש יעקב: 1–7

זִלְפָּה
1 וַיִּתֵּן לָבָן לָהּ אֶת־זִלְפָּה שִׁפְחָתוֹ — Gen. 29:24
2 וַתִּקַּח אֶת־זִלְפָּה שִׁפְחָתָהּ וַתִּתֵּן... — Gen. 30:9
3-4 וַתֵּלֶד זִלְפָּה שִׁפְחַת לֵאָה — Gen. 30:10, 12
5 וּבְנֵי זִלְפָּה שִׁפְחַת לֵאָה גָּד וְאָשֵׁר — Gen. 35:26
6 וְהוּא נַעַר...וְאֶת־בְּנֵי זִלְפָּה — Gen. 37:2
7 אֵלֶּה בְּנֵי זִלְפָּה אֲשֶׁר־נָתַן לָבָן — Gen. 46:18

זִמָּה[1]
נ׳ א) מחשבה, תחבולה: 29
ב) מחשבה רעה: 28
ג) גלוי עריות, מעשה זנות: 1–27

אִשּׁוֹת זִמָּה 16; רוֹדְפֵי זִמָּה 12; זִמַּת אִוֶּלֶת 21; זִמַּת זְנוּת 19; זִמַּת נְעוּרִים 20

זִמָּה
1 עֶרְוַת אִשָּׁה וּבִתָּהּ לֹא תְגַלֵּה... שַׁאֲרָה הֵנָּה זִמָּה הִוא — Lev. 18:17
2 וּמָלְאָה הָאָרֶץ זִמָּה — Lev. 19:29
3-4 אֲשֶׁר יִקַּח אֶת־אִשָּׁה וְאֶת־אִמָּהּ זִמָּה הִוא...וְלֹא־תִהְיֶה זִמָּה בְּתוֹכְכֶם — Lev. 20:14
5 כִּי עָשׂוּ זִמָּה וּנְבָלָה בְּיִשְׂרָאֵל — Jud. 20:6
6 הַנִּכְלָמוֹת מִדַּרְכֵּךְ זִמָּה — Ezek. 16:27
7 זִמָּה עָשׂוּ בְתוֹכֵךְ — Ezek. 22:9
8 וְהִשְׁבַּתִּי זִמָּה מִן־הָאָרֶץ — Ezek. 23:48
9 בְּטֻמְאָתֵךְ זִמָּה — Ezek. 24:13
10 דֶּרֶךְ יְרַצְּחוּ־שֶׁכְמָה כִּי זִמָּה עָשׂוּ — Hosh. 6:9
11 אֲשֶׁר־בִּידֵיהֶם זִמָּה — Ps. 26:10
12 קָרְבוּ רֹדְפֵי זִמָּה — Ps. 119:150
13 כִּשְׂחוֹק לִכְסִיל עֲשׂוֹת זִמָּה — Prov. 10:23
14 כִּי־הִיא° זִמָּה וְהוּא° עָוֹן פְּלִילִים — Job 31:11

הַזִּמָּה
15 וְלֹא עָשִׂיתִ° אֶת־הַזִּמָּה — Ezek. 16:43
16 בָּאוּ אֶל־אָהֳלָה...אִשֹּׁת הַזִּמָּה — Ezek. 23:44

בְּזִמָּה
17 אֶת־כַּלָּתוֹ טִמֵּא בְזִמָּה — Ezek. 22:11
18 אַף כִּי־בְזִמָּה יְבִיאֶנּוּ — Prov. 21:27

זִמַּת־
19 נִאֻפַיִךְ וּמִצְהֲלוֹתַיִךְ זִמַּת זְנוּתֵךְ — Jer. 13:27
20 וַתִּפְקְדִי אֵת זִמַּת נְעוּרָיִךְ — Ezek. 23:21
21 זִמַּת אִוֶּלֶת חַטָּאת — Prov. 24:9

זִמָּתֵךְ
22 אֶת־זִמָּתֵךְ וְאֶת־תּוֹעֲבוֹתַיִךְ — Ezek. 16:58
23 וְהִשְׁבַּתִּי זִמָּתֵךְ מִמֵּךְ — Ezek. 23:27
24 שְׂאִי זִמָּתֵךְ וְאֶת־תַּזְנוּתָיִךְ — Ezek. 23:35

וְזִמָּתֵךְ
25 וְנִגְלָה...וְזִמָּתֵךְ וְתַזְנוּתָיִךְ — Ezek. 23:29

זִמַּתְכֶנָה
26 וְנָתְנוּ זִמַּתְכֶנָה עֲלֵיכֶן — Ezek. 23:49

כְּזִמַּתְכֶנָה
27 וְלֹא תַעֲשֶׂינָה כְּזִמַּתְכֶנָה — Ezek. 23:48

זִמּוֹת
28 וְכֵלַי כֵּלָיו רָעִים הוּא זִמּוֹת יָעָץ — Is. 32:7

זִמֹּתַי
29 זִמֹּתַי נִתְּקוּ מוֹרָשֵׁי לְבָבִי — Job 17:11

זִמָּה[2]
שפ״ז א) מבני גרשום בן לוי: 1, 2
ב) אבי אחד הלויים בימי חזקיהו: 3

זִמָּה
1 לְגֵרְשׁוֹם לִבְנִי בְנוֹ...זִמָּה בְנוֹ — ICh. 6:5
2 בֶּן־אֵיתָן בֶּן־זִמָּה בֶּן־שִׁמְעִי — ICh. 6:27
3 וּמִן־הַגֵּרְשֻׁנִּי יוֹאָח בֶּן־זִמָּה — IICh. 29:12

זְמוֹרָה
נ׳ ענף הגפן: 1–5

קרובים: אָמִיר / בַּד / דָּלִית / זַלְזַל / חֹטֶר / יוֹנְקוֹת / מַטֶּה / סַנְסַן / סָעִיף / סְעַפָּה / סַרְעַפָּה / עָנָף / עֳפָאִים / פֹּארָה / שׂוֹכָה / שׂוֹרֵק / שׂוֹרֵקָה / שְׁלוּחָה / שָׂרִיג

עֵץ הַזְּמוֹרָה 3; זְמוֹרַת זָר 4

זְמוֹרָה
1 וַיִּכְרְתוּ מִשָּׁם זְמוֹרָה... — Num. 13:23

הַזְּמוֹרָה
2 שֹׁלְחִים אֶת־הַזְּמוֹרָה אֶל־אַפָּם — Ezek. 8:17
3 מַה־יִּהְיֶה עֵץ־הַגֶּפֶן מִכָּל־עֵץ הַזְּמוֹרָה — Ezek. 15:2

וּזְמוֹרַת־
4 ...וּזְמֹרַת זָר תִּזְרָעֶנּוּ — Is. 17:10

וּזְמֹרֵיהֶם
5 כִּי בְקָקוּם בֹּקְקִים וּזְמֹרֵיהֶם שִׁחֵתוּ — Nah. 2:3

זַמְזֻמִּים
שפ״ז – עם שישב בארץ עמון, אולי הם זוּזִים

זַמְזֻמִּים
1 וְהָעַמֹּנִים יִקְרְאוּ לָהֶם זַמְזֻמִּים — Deut. 2:20

זָמִיר
ז׳ א) צִפּוֹר־שִׁיר(?) זמירת ענפי הגפן(?): 1
ב) שירה, זמרה: 2–7

עֵת הַזָּמִיר 1; זְמִיר עָרִיצִים 2; נְעִים זְמִרוֹת 7

הַזָּמִיר
1 עֵת הַזָּמִיר הִגִּיעַ — S.ofS. 2:12

זְמִיר־
2 זְמִיר עָרִיצִים יַעֲנֶה — Is. 25:5

זְמִירוֹת
3 מִכְּנַף הָאָרֶץ זְמִרֹת שָׁמַעְנוּ — Is. 24:16
4 זְמִרוֹת הָיוּ־לִי חֻקֶּיךָ... — Ps. 119:54
5 אַיֵּה אֱלוֹהַּ עֹשָׂי נֹתֵן זְמִרוֹת בַּלָּיְלָה — Job 35:10

בִּזְמִירוֹת
6 נְקַדְּמָה פָנָיו...בִּזְמִרוֹת נָרִיעַ לוֹ — Ps. 95:2

זְמִירוֹת־
7 וּנְעִים זְמִרוֹת יִשְׂרָאֵל — IISh. 23:1

זְמִירָה
שפ״ז – בן בכר בן בנימין

זְמִירָה
1 וּבְנֵי בֶכֶר זְמִירָה וְיוֹעָשׁ — ICh. 7:8

זמם
: זָמַם, יָזְמוּ (= יָזֹמּוּ); זִמָּה, זָמָם, מְזִמָּה; ש״פ זִמָּה

זָמַם
פָּ׳ א) חשב מחשבות להרע: 1, 6, 11, 12; או להיטיב: 2
ב) חשב, גמר בלבו לעשות דבר: 3, 4, 5, 7–10, 13

זָמַמְתִּי
1 כַּאֲשֶׁר זָמַמְתִּי לְהָרַע לָכֶם... — Zech. 8:14
2 כֵּן שַׁבְתִּי זָמַמְתִּי בַּיָּמִים הָאֵלֶּה — Zech. 8:15

זַמֹּתִי
3 זַמֹּתִי בַּל־יַעֲבָר־פִּי — Ps. 17:3
4 עַל כִּי־דִבַּרְתִּי זַמֹּתִי וְלֹא נִחַמְתִּי — Jer. 4:28

זַמּוֹתָ
5 וְאִם־זַמּוֹתָ יָד לְפֶה — Prov. 30:32

זָמַם
6 כַּאֲשֶׁר זָמַם לַעֲשׂוֹת לְאָחִיו — Deut. 19:19
7 כִּי גַּם־זָמַם יְיָ גַּם־עָשָׂה — Jer. 51:12
8 כַּאֲשֶׁר זָמַם יְיָ צְבָאוֹת לַעֲשׂוֹת — Zech. 1:6

זָמָם
9 עָשָׂה יְיָ אֲשֶׁר זָמָם — Lam. 2:17

זָמְמָה
10 זָמְמָה שָׂדֶה וַתִּקָּחֵהוּ — Prov. 31:16

זָמָמוּ
11 לָקַחַת נַפְשִׁי זָמָמוּ — Ps. 31:14

זוֹמֵם
12 זֹמֵם רָשָׁע לַצַּדִּיק — Ps. 37:12

יָזְמוּ
13 לֹא־יִבָּצֵר...כֹּל אֲשֶׁר יָזְמוּ לַעֲשׂוֹת — Gen. 11:6

זָמָם
ז׳ מחשבת־רשע: 1

זְמָמוֹ
1 אַל־תִּתֵּן יְיָ מַאֲוַיֵּי רָשָׁע זְמָמוֹ אַל־תָּפֵק — Ps. 140:9

זמן : זָמַן; זְמַן; אר׳ אִזְדְּמַן; זְמַן, זִמְנָא

זָמַן פ׳ נקבע: 1–3

לְעִתִּים מְזֻמָּנִים: 1, 2; בְּעִתִּים מְזֻמָּנוֹת 3

מְזֻמָּנִים 1 יָבֹא לְעִתִּים מְזֻמָּנִים Ez. 10:14

2 לְעִתִּים מְזֻמָּנִים שָׁנָה בְשָׁנָה Neh. 10:35

מְזֻמָּנוֹת 3 וּלְקֻרְבַּן הָעֵצִים בְּעִתִּים מְזֻמָּנוֹת Neh. 13:31

(זמן) אִזְדְּמַן אתפ׳ ארמית: היה נכון

הִזְדְּמִנְתּוּן 1 וּמִלָּה כִדְבָה...הִזְדְּמִנְתּוּן (כת׳ הזמנתון) לְמֵאמַר קָדָמַי Dan. 2:9

זְמָן[1] ז׳ מועד קבוע

קרובים: חֹדֶשׁ / יוֹם / מוֹעֵד / עִדָּן / עוֹנָה / עֵת / שָׁבוּעַ / שָׁנָה / שָׁעָה / תּוֹר

זְמָן 1 לַכֹּל זְמָן וְעֵת לְכָל־חֵפֶץ Eccl. 3:1

2 וָאֶתְּנָה לוֹ זְמָן Neh. 2:6

וְכִזְמַנָּם 3 שְׁנֵי הַיָּמִים הָאֵלֶּה כִּכְתָבָם וְכִזְמַנָּם Es. 9:27

בִּזְמַנֵּיהֶם 4 לְקַיֵּם אֶת־יְמֵי הַפֻּרִים הָאֵלֶּה בִּזְמַנֵּיהֶם Es. 9:31

זְמַן[2] ז׳ ארמית, כמו בעברית; זִמְנָא = הזמן

זְמַן 1 וּבְעָא...דִּי זְמָן יִנְתֶּן־לֵהּ Dan. 2:16

2 וְאַרְכָה בְחַיִּין...עַד־זְמַן וְעִדָּן Dan. 7:12

זִמְנָא 3 בֵּהּ זִמְנָא כְּדִי שָׁמְעִין...קָל קַרְנָא Dan. 3:7

4 בֵּהּ זִמְנָא קְרִבוּ גֻּבְרִין כַּשְׂדָּאִין Dan. 3:8

5 בֵּהּ־זִמְנָא מַנְדְּעִי יְתוּב עֲלַי Dan. 4:33

6 בֵּהּ־זִמְנָא אֲתָה עֲלֵיהוֹן תַּתְּנַי Ez. 5:3

וְזִמְנָא 7 וְזִמְנָא מְטָה וּמַלְכוּתָא הֶחֱסִנוּ Dan. 7:22

זִמְנִין 8 וְיִסְבַּר לְהַשְׁנָיָה זִמְנִין וְדָת Dan. 7:25

וְזִמְנִין 9–10 וְזִמְנִין תְּלָתָה בְיוֹמָא... Dan. 6:11, 14

וְזִמְנַיָּא 11 וְהוּא מְהַשְׁנֵא עִדָּנַיָּא וְזִמְנַיָּא Dan. 2:21

זמר : א) זִמֵּר; זָמִיר, זֶמֶר(?), זִמְרָה, זִמְרָת, מִזְמוֹר; ש״פ זִמְרִי, זִמְרָן; אר׳ זְמָרָא, זַמָּר

ב) זָמַר, נִזְמַר; מַזְמֵרָה, מְזַמֶּרֶת

זִמֵּר[1] פ׳ נגן בכלי בלוית שיר או בלעדיו: כל המקראות

זִמֵּר (אֶת־) 1, 5, 6, 16, 20–25, 28, 32, 34–37;

זִמֵּר לְ־ 2–4, 7–15, 17, 26, 27, 29–35, 37–42;

זִמֵּר אֶל־ 14; זִמֵּר בְּכִנּוֹר 7, 41; זִמֵּר בְּנֵבֶל 12;

זִמֵּר בְּתֹף וְכִנּוֹר 26

זַמְּרָה 1 הַלְלוּיָהּ כִּי־טוֹב זַמְּרָה אֱלֹהֵינוּ Ps. 147:1

וּלְזַמֵּר 2 טוֹב לְהֹדוֹת לַייָ וּלְזַמֵּר לְשִׁמְךָ Ps. 92:2

אֲזַמֵּר 3 אֲזַמֵּר לַייָ אֱלֹהֵי יִשְׂרָאֵל Jud. 5:3

4 עַל־כֵּן אוֹדְךָ...וּלְשִׁמְךָ אֲזַמֵּר IISh. 22:50

אֲזַמְּרָה 5 אֲזַמְּרָה שִׁמְךָ עֶלְיוֹן Ps. 9:3

6 אֲזַמְּרָה שִׁמְךָ לָעַד Ps. 61:9

7 אֲזַמְּרָה לְךָ בְכִנּוֹר... Ps. 71:22

8 תְּרַנֵּנָּה שְׂפָתַי כִּי אֲזַמְּרָה־לָּךְ Ps. 71:23

9 אֲזַמְּרָה לֵאלֹהֵי יַעֲקֹב Ps. 75:10

10–11 אֲזַמְּרָה לֵאלֹהַי בְּעוֹדִי Ps. 104:33; 146:2

12 בְּנֵבֶל עָשׂוֹר אֲזַמְּרָה־לָּךְ Ps. 144:9

אֲזַמֵּרָה 13 עַל־כֵּן אוֹדְךָ...וּלְשִׁמְךָ אֲזַמֵּרָה Ps. 18:50

14 עֻזִּי אֵלֶיךָ אֲזַמֵּרָה Ps. 59:18

15 ...לְךָ יְיָ אֲזַמֵּרָה Ps. 101:1

וַאֲזַמְּרָה 16 וַאֲזַמְּרָה שֵׁם־יְיָ עֶלְיוֹן Ps. 7:18

17 אָשִׁירָה וַאֲזַמְּרָה לַייָ Ps. 27:6

18 אָשִׁירָה וַאֲזַמְּרָה אַף־כְּבוֹדִי Ps. 108:2

וַאֲזַמֵּרָה 19 נָכוֹן לִבִּי אָשִׁירָה וַאֲזַמֵּרָה Ps. 57:8

אֲזַמֶּרְךָ 20 אוֹדְךָ בָעַמִּים...אֲזַמֶּרְךָ בַּלְאֻמִּים Ps. 57:10

אֲזַמְּרֶךָּ 21 אוֹדְךָ...נֶגֶד אֱלֹהִים אֲזַמְּרֶךָּ Ps. 138:1

וַאֲזַמֶּרְךָ 22 אוֹדְךָ בָעַמִּים...וַאֲזַמֶּרְךָ בַּלְאֻמִּים Ps. 108:4

יְזַמֶּרְךָ 23 לְמַעַן יְזַמֶּרְךָ כָבוֹד וְלֹא יִדֹּם Ps. 30:13

וּנְזַמְּרָה 24 נָשִׁירָה וּנְזַמְּרָה גְּבוּרָתֶךָ Ps. 21:14

יְזַמְּרוּ 25 כָּל־הָאָרֶץ...יְזַמְּרוּ שִׁמְךָ Ps. 66:4

26 בְּתֹף וְכִנּוֹר יְזַמְּרוּ־לוֹ Ps. 149:3

וִיזַמְּרוּ 27 ...יִשְׁתַּחֲווּ לְךָ וִיזַמְּרוּ־לָךְ Ps. 66:4

זַמְּרוּ 28 זַמְּרוּ יְיָ כִּי גֵאוּת עָשָׂה Is. 12:5

29 זַמְּרוּ לַייָ יֹשֵׁב צִיּוֹן Ps. 9:12

30 זַמְּרוּ לַייָ חֲסִידָיו וְהוֹדוּ... Ps. 30:5

31 הוֹדוּ...בְּנֵבֶל עָשׂוֹר זַמְּרוּ־לוֹ Ps. 33:2

32 זַמְּרוּ אֱלֹהִים זַמֵּרוּ Ps. 47:7

33 זַמְּרוּ לְמַלְכֵּנוּ זַמֵּרוּ Ps. 47:7

34 ...זַמְּרוּ מַשְׂכִּיל Ps. 47:8

35 זַמְּרוּ כְבוֹד־שְׁמוֹ... Ps. 66:2

36 שִׁירוּ לֵאלֹהִים זַמְּרוּ שְׁמוֹ Ps. 68:5

37 שִׁירוּ לֵאלֹהִים זַמְּרוּ אֲדֹנָי Ps. 68:33

38 זַמְּרוּ לַייָ בְּכִנּוֹר... Ps. 98:5

39 שִׁירוּ־לוֹ זַמְּרוּ־לוֹ Ps. 105:2

40 זַמְּרוּ לִשְׁמוֹ כִּי נָעִים Ps. 135:3

41 זַמְּרוּ לֵאלֹהֵינוּ בְכִנּוֹר Ps. 147:7

42 שִׁירוּ לוֹ זַמְּרוּ־לוֹ ICh. 16:9

זַמֵּרוּ 43 זַמְּרוּ אֱלֹהִים זַמֵּרוּ Ps. 47:7

44 זַמְּרוּ לְמַלְכֵּנוּ זַמֵּרוּ Ps. 47:7

וְזַמֵּרוּ 45 פִּצְחוּ וְרַנְּנוּ וְזַמֵּרוּ Ps. 98:4

זָמַר[2] פ׳ א) כרת ענפי גפן להיטיבה: 1, 2

ב) [נפ׳ נִזְמַר] נכרת: 3

תִזְמֹר 1 וְשֵׁשׁ שָׁנִים תִּזְמֹר כַּרְמֶךָ Lev. 25:3

2 וְכַרְמְךָ לֹא תִזְמֹר Lev. 25:4

יִזָּמֵר 3 לֹא יִזָּמֵר וְלֹא יֵעָדֵר Is. 5:6

זֶמֶר* ז׳ מן החיות המותרות לאכילה: 1

וָזָמֶר 1 וְאַקּוֹ וְדִישֹׁן וּתְאוֹ וָזָמֶר Deut. 14:5

זְמָרָא ז׳ ארמית: נגינה: 1–4

זְמָרָא 1–4 ...וְכֹל זְנֵי זְמָרָא Dan. 3:5, 7, 10, 15

זַמָּר* ז׳ ארמית: מנגן

זַמָּרַיָּא 1 ...זַמָּרַיָּא תָרָעַיָּא נְתִינַיָּא... Ez. 7:24

זִמְרָה נ׳ א) נגינה בלוית שירה או בלעדיה: 1–3, 7

ב) גְבוּרָה (?): 4–6

ג) פרי משובח: 8

קוֹל זִמְרָה 1, 3; זִמְרָת יָהּ 4–6; זִמְרַת הָאָרֶץ 8;

זִמְרַת נְבָלִים (נֵבֶל) 7

זִמְרָה 1 תּוֹדָה וְקוֹל זִמְרָה Is. 51:3

2 שְׂאוּ־זִמְרָה וּתְנוּ־תֹף Ps. 81:3

3 זַמְּרוּ...בְּכִנּוֹר וְקוֹל זִמְרָה Ps. 98:5

וְזִמְרָת 4–6 עָזִּי וְזִמְרָת יָהּ Ex. 15:2 • Is. 12:2 Ps. 118:14

וְזִמְרַת־ 7 וְזִמְרַת נְבָלֶיךָ לֹא אֶשְׁמָע Am. 5:23

מִזִּמְרַת־ 8 קְחוּ מִזִּמְרַת הָאָרֶץ בִּכְלֵיכֶם Gen. 43:11

זִמְרִי שפ״ז א) בן סלוא, נשיא בית אב לשמעוני: 1

ב) בן זרח בן־יהודה, הוא זַבְדִּי (1): 11

ג) שם עם לא ידוע, אולי זִמְרָן: 10

ד) מלך ישראל: 2–9

ה) מצאצאי יונתן בן שאול: 12–15

זִמְרִי 1 וְשֵׁם אִישׁ יִשְׂ׳...זִמְרִי בֶּן־סָלוּא Num. 25:14

2 וַיִּקְשֹׁר עָלָיו עַבְדּוֹ זִמְרִי... IK. 16:9

3 וַיָּבֹא זִמְרִי וַיַּכֵּהוּ וַיְמִיתֵהוּ IK. 16:10

4 וַיַּשְׁמֵד זִמְרִי אֵת כָּל־בֵּית בַּעְשָׁא IK. 16:12

5 מָלַךְ זִמְרִי שִׁבְעַת יָמִים בְּתִרְצָה IK. 16:15

6 קָשַׁר זִמְרִי וְגַם הִכָּה אֶת־הַמֶּלֶךְ IK. 16:16

7 כִּרְאוֹת זִמְרִי כִּי־נִלְכְּדָה הָעִיר IK. 16:18

8 וְיֶתֶר דִּבְרֵי זִמְרִי וְקִשְׁרוֹ IK. 16:20

זִמְרִי (המשך) 9 הֲשָׁלוֹם זִמְרִי הֹרֵג אֲדֹנָיו IIK. 9:31

10 וְאֵת כָּל־מַלְכֵי זִמְרִי... Jer. 25:25

11 וּבְנֵי זֶרַח זִמְרִי וְאֵיתָן... ICh. 2:6

12/3 וְאֶת־עַזְמָוֶת וְאֶת־זִמְרִי ICh. 8:36; 9:42

וְזִמְרִי 14/5 וְזִמְרִי הוֹלִיד אֶת־מוֹצָא ICh. 8:36; 9:42

זִמְרָן שפ״ז – בן אברהם מקטורה

זִמְרָן 1 וַתֵּלֶד לוֹ אֶת־זִמְרָן וְאֶת־יָקְשָׁן Gen. 25:2

2 ...יָלְדָה אֶת־זִמְרָן וְיָקְשָׁן ICh. 1:32

זִמְרָת עין זִמְרָה

זַן[1] ז׳ מין: 1–3

זַן 1 מְזָוֵינוּ מְלֵאִים מְפִיקִים מִזַּן אֶל זַן Ps. 144:13

מִזַּן 2 ...מְפִיקִים מִזַּן אֶל זַן Ps. 144:13

וּזְנִים 3 בְּשָׂמִים וּזְנִים מְרֻקָּחִים... IICh. 16:14

זַן*[2] ז׳ ארמית, כמו בעברית: מין

זְנֵי־ 1–4 ...וְכֹל זְנֵי זְמָרָא Dan. 3:5, 7, 10, 15

זנב זִנֵּב; זָנָב

זִנֵּב פ׳ התקיף, השמיד את המאסף: 1, 2

וְזִנַּבְתֶּם 1 רִדְפוּ...וְזִנַּבְתֶּם אוֹתָם Josh. 10:19

וַיְזַנֵּב 2 וַיְזַנֵּב בְּךָ כָּל־הַנֶּחֱשָׁלִים אַחֲרֶיךָ Deut. 25:18

זָנָב ז׳ א) הקצה האחורי באחוריו של נחש (9), של שועל (1, 2, 10) של בהמות (8)

ב) [בהשאלה] קצה: 11

ג) [בהשאלה] שפל, נקלה: 3–7

רֹאשׁ וְזָנָב 3, 4, 6, 7; זַנְבוֹת אוּדִים 11

זָנָב 1/2 וַיֶּפֶן זָנָב אֶל־זָנָב Jud. 15:4

וְזָנָב 3/4 רֹאשׁ וְזָנָב כִּפָּה וְאַגְמוֹן Is. 9:13; 19:15

הַזָּנָב 5 זָקֵן וּנְשׂוּא־פָנִים הוּא הָרֹאשׁ וְנָבִיא מוֹרֶה־שֶּׁקֶר הוּא הַזָּנָב Is. 9:14

לְזָנָב 6 וּנְתָנְךָ יְיָ לְרֹאשׁ וְלֹא לְזָנָב Deut. 28:13

7 הוּא יִהְיֶה לְרֹאשׁ וְאַתָּה תִּהְיֶה לְזָנָב Deut. 28:44

זְנָבוֹ 8 יַחְפֹּץ זְנָבוֹ כְמוֹ־אָרֶז Job 40:17

בִּזְנָבוֹ 9 שְׁלַח יָדְךָ וֶאֱחֹז בִּזְנָבוֹ Ex. 4:4

הַזְּנָבוֹת 10 בֵּין־שְׁנֵי הַזְּנָבוֹת בָּתָוֶךְ Jud. 15:4

זַנְבוֹת־ 11 אַל־תִּירָא...מִשְּׁנֵי זַנְבוֹת הָאוּדִים הָעֲשֵׁנִים הָאֵלֶּה Is. 7:4

זנה : זָנָה, זֻנָּה, הִזְנָה; זוֹנָה, זְנוּנִים, זְנוּת, תַּזְנוּת

זָנָה פ׳ א) [ביחוד על אשה: זָנְתָה] נבעלה על־ידי זר, נִאפה: 4, 6, 9, 11, 13, 27–32, 36–42 48–50

ב) [בהשאלה] סָר, בגד: רוב המקראות

ג) [פ׳ זֻנָּה] נפתה לזנות: 51

ד) [הפ׳ הִזְנָה] מסר לזנונים, הדיח: 52–60

ה) עין עוד זוֹנָה

זָנָה אַחֲרֵי 2, 3, 7, 10, 15, 17, 18, 22–26, 43, 44, 47;

זָנָה מֵאַחֲרֵי 1, 35; זָ׳ אֶל־ 5, 31, 32; זָ׳ בְּ־ 30;

זָ׳ עַל־ 29, 37; זָ׳ מֵעַל־ 8; זָנָה מִן־ 20;

זָנְתָה תַּחְתָּיו 41; זָ׳ מִתַּחְתָּיו 45; הִזְנָה אֶת־ 52–60

זָנֹה 1 כִּי־זָנֹה תִזְנֶה הָאָרֶץ מֵאַחֲרֵי יְיָ Hosh. 1:2

לִזְנוֹת 2 לִזְנוֹת אַחֲרֵי הַמֹּלֶךְ Lev. 20:5

3 ...אֶל־הָאֹבֹת...לִזְנֹת אַחֲרֵיהֶם Lev. 20:6

4 וּבַת אִישׁ כֹּהֵן כִּי תֵחֵל לִזְנוֹת Lev. 21:9

5 וַיָּחֶל הָעָם לִזְנוֹת אֶל־בְּנוֹת מוֹאָב Num. 25:1

6 נְבָלָה...לִזְנוֹת בֵּית אָבִיהָ Deut. 22:21

בִּזְנוֹתֵךְ 7 בִּזְנוֹתֵךְ אַחֲרֵי גוֹיִם Ezek. 23:30

זָנִיתָ 8 כִּי זָנִיתָ מֵעַל אֱלֹהֶיךָ Hosh. 9:1

זָנִית 9 וְאַתְּ זָנִית רֵעִים רַבִּים Jer. 3:1

וְזָנָה 10 וְזָנָה אַחֲרֵי אֱלֹהֵי נֵכַר־הָאָרֶץ Deut. 31:16
זָנְתָה 11 זָנְתָה תָּמָר כַּלָּתֶךָ Gen. 38:24
12 אֲשֶׁר זָנְתָה בְּאֶרֶץ מִצְרָיִם Ezek. 23:19
13 כִּי זָנְתָה אִמָּם הֹבִישָׁה הוֹרָתָם Hosh. 2:7
וְזָנְתָה 14 וְזָנְתָה אֶת־כָּל־מַמְלְכוֹת הָאָרֶץ Is. 23:17
זָנוּ 15 כִּי זָנוּ אַחֲרֵי אֱלֹהִים אֲחֵרִים Jud. 2:17
16 בִּנְעוּרֵיהֶן זָנוּ Ezek. 23:3
וְזָנוּ 17 וְזָנוּ אַחֲרֵי אֱלֹהֵיהֶם Ex. 34:15
18 וְזָנוּ בְנֹתָיו אַחֲרֵי אֱלֹהֵיהֶן Ex. 34:16
זוֹנֶה 19 אִם־זֹנֶה אַתָּה יִשְׂרָאֵל... Hosh. 4:15
20 הִצְמַתָּה כָּל־זוֹנֶה מִמֶּךָּ Ps. 73:27
הַזּוֹנֶה 21 אֲשֶׁר נִשְׁבַּרְתִּי אֶת־לִבָּם הַזּוֹנֶה Ezek. 6:9
זֹנִים 22 לַשְּׂעִירִם אֲשֶׁר הֵם זֹנִים אַחֲרֵיהֶם Lev. 17:7
23 אֲשֶׁר־אַתֶּם זֹנִים אַחֲרֵיהֶם Num. 15:39
24 וְאַחֲרֵי שִׁקּוּצֵיהֶם אַתֶּם זֹנִים Ezek. 20:30
הַזֹּנִים 25 ...וְאֵת כָּל־הַזֹּנִים אַחֲרָיו Lev. 20:5
הַזֹּנוֹת 26 עֵינֵיהֶם הַזֹּנוֹת אַחֲרֵי גִּלּוּלֵיהֶם Ezek. 6:9
תִּזְנִי 27 לֹא תִזְנִי וְלֹא תִהְיִי לְאִישׁ Hosh. 3:3
וַתִּזְנִי 28 וַתִּבְטְחִי בְיָפְיֵךְ וַתִּזְנִי עַל־שְׁמֵךְ Ezek. 16:15
29 וַתַּעֲשִׂי־לָךְ בָּמוֹת...וַתִּזְנִי עֲלֵיהֶם Ezek. 16:16
30 וַתַּעֲשִׂי־לָךְ צַלְמֵי זָכָר וַתִּזְנִי־בָם Ezek. 16:17
31 וַתִּזְנִי אֶל־בְּנֵי־מִצְרַיִם שְׁכֵנַיִךְ Ezek. 16:26
32 וַתִּזְנִי אֶל־בְּנֵי אַשּׁוּר Ezek. 16:28
וַתִּזְנִים 33 וַתִּזְנִים וְגַם לֹא שָׂבָעַתְּ Ezek. 16:28
תִּזְנֶה 34 וְלֹא־תִזְנֶה הָאָרֶץ Lev. 19:29
35 כִּי־זָנֹה תִזְנֶה הָאָרֶץ מֵאַחֲרֵי יְיָ Hosh. 1:2
36 אִשְׁתְּךָ בָּעִיר תִּזְנֶה Am. 7:17
וַתִּזְנֶה 37 וַתִּזְנֶה עָלָיו פִּילַגְשׁוֹ Jud. 19:2
38 זֶרַע מְנָאֵף וַתִּזְנֶה Is. 57:3
וַתִּזְנִי 39 הָלְכָה הִיא...וַתִּזְנִי־שָׁם Jer. 3:6
וַתִּזֶן 40 וַתֵּלֶךְ וַתִּזֶן גַּם־הִיא Jer. 3:8
41 וַתִּזֶן אָהֳלָה תַּחְתָּי Ezek. 23:5
יִזְנוּ 42 עַתָּ יִזְנוּ (כת׳ יזנה) תַזְנוּתֶיהָ וָהִיא Ezek. 23:43
וַיִּזְנוּ 43 וַיִּזְנוּ כָל־יִשְׂרָאֵל אַחֲרָיו שָׁם Jud. 8:27
44 וַיָּשׁוּבוּ...וַיִּזְנוּ אַחֲרֵי הַבְּעָלִים Jud. 8:33
45 וַיִּזְנוּ מִתַּחַת אֱלֹהֵיהֶם Hosh. 4:12
46 וַיִּטְמְאוּ...וַיִּזְנוּ בְּמַעַלְלֵיהֶם Ps. 106:39
47 וַיִּזְנוּ אַחֲרֵי אֱלֹהֵי עַמֵּי־הָאָרֶץ ICh. 5:25
תִּזְנֶינָה 48 עַל־כֵּן תִּזְנֶינָה בְּנוֹתֵיכֶם Hosh. 4:13
49 לֹא־אֶפְקוֹד עַל־בְּנוֹתֵיכֶם כִּי תִזְנֶינָ׳ Hosh. 4:14
וַתִּזְנֶינָה 50 וַתִּזְנֶינָה בְמִצְרַיִם בִּנְעוּרֵיהֶן זָנוּ Ezek. 23:3
זוּנָּה 51 ...וְאַחֲרַיִךְ לֹא זוּנָּה Ezek. 16:34
הַזְנֵה 52 הַזְנֵה הִזְנוּ אָהֲבוּ הֵבוּ... Hosh. 4:18
כְּהַזְנוֹת 53 וַתַּזְנֶה...כְּהַזְנוֹת בֵּית אַחְאָב IICh. 21:13
לְהַזְנוֹתָהּ 54 אַל־תְּחַלֵּל אֶת־בִּתְּךָ לְהַזְנוֹתָהּ Lev. 19:29
הִזְנֵית 55 הִזְנֵיתָ אֶפְרַיִם נִטְמָא יִשְׂרָאֵל Hosh. 5:3
הִזְנוּ 56 הִזְנוּ וְלֹא יִפְרֹצוּ Hosh. 4:10
57 הַזְנֵה הִזְנוּ אָהֲבוּ הֵבוּ Hosh. 4:18
וְהִזְנוּ 58 וְהִזְנוּ אֶת־בָּנֶיךָ אַחֲרֵי אֱלֹהֵיהֶן Ex. 34:16
וַתַּזְנֶה 59 וַתַּזְנֶה אֶת־יְהוּדָה IICh. 21:13
וַיֶּזֶן 60 וַיֶּזֶן אֶת־יֹשְׁבֵי יְרוּשָׁלִָם IICh. 21:11

זָנוֹחַ
עיר ביהודה: 1–5
זָנוֹחַ 1 ...הֶחֱזִיק חָנוּן וְיֹשְׁבֵי זָנוֹחַ Neh. 3:13
2 זָנֹחַ עֲדֻלָּם וְחַצְרֵיהֶם Neh. 11:30
3 וְאֶת־יְקוּתִיאֵל אֲבִי זָנוֹחַ ICh. 4:18
וְזָנוֹחַ 4 וְזָנוֹחַ וְעֵין גַּנִּים... Josh. 15:34
5 וְיִזְרְעֶאל וְיָקְדְעָם וְזָנוֹחַ Josh. 15:56

זְנוּנִים
ז״ר זנות, זמה: 1–12
אֵשֶׁת זְנוּנִים 1; בְּנֵי זְנוּנִים 3; יַלְדֵי זְנוּנִים 1;
עֶרְוַת זְנוּנַיִךְ 10; רוּחַ ז׳ 4, 5; זְנוּנֵי אֲחוֹתָהּ 9;
זְנוּנֵי אִיזֶבֶל 7; זְנוּנֵי זוֹנָה 8

זְנוּנִים 1/2 אֵשֶׁת זְנוּנִים וְיַלְדֵי זְנוּנִים Hosh. 1:2
3 כִּי־בְנֵי זְנוּנִים הֵמָּה Hosh. 2:6
4 כִּי רוּחַ זְנוּנִים הִתְעָה Hosh. 4:12
5 כִּי רוּחַ זְנוּנִים בְּקִרְבָּם Hosh. 5:4
לִזְנוּנִים 6 וְגַם הִנֵּה הָרָה לִזְנוּנִים Gen. 38:24
זְנוּנֵי־ 7 זְנוּנֵי אִיזֶבֶל אִמֵּךְ וּכְשָׁפֶיהָ הָרַבִּים IIK. 9:22
8 מֵרֹב זְנוּנֵי זוֹנָה טוֹבַת חֵן Nah. 3:4
מִזְּנוּנֵי־ 9 וַתַּשְׁחֵת עַגְבָתָהּ מִמֶּנָּה וְאֶת־תַּזְנוּתֶיהָ
מִזְּנוּנֵי אֲחוֹתָהּ Ezek. 23:11
זְנוּנַיִךְ 10 וְנִגְלָה עֶרְוַת זְנוּנַיִךְ וְזִמָּתֵךְ... Ezek. 23:29
זְנוּנֶיהָ 11 וְתָסֵר זְנוּנֶיהָ מִפָּנֶיהָ Hosh. 2:4
בִּזְנוּנֶיהָ 12 הַמֹּכֶרֶת גּוֹיִם בִּזְנוּנֶיהָ Nah. 3:4

זְנוּת
נ׳ זנונים, זמה: 1–9
זִמַּת זְנוּתֵךְ 3; קוֹל זְנוּתָהּ 6
זְנוּת 1 זְנוּת וְיַיִן וְתִירוֹשׁ יִקַּח־לֵב Hosh. 4:11
2 שָׁם זְנוּת לְאֶפְרַיִם נִטְמָא יִשְׂרָאֵל Hosh. 6:10
זְנוּתֵךְ 3 נִאֻפַיִךְ וּמִצְהֲלוֹתַיִךְ זִמַּת זְנוּתֵךְ Jer. 13:27
4 וְהִשְׁבַּתִּי זִמָּתֵךְ מִמֵּךְ וְאֶת־זְנוּתֵךְ Ezek. 23:27
בִּזְנוּתַיִךְ 5 וַתַּחֲנִיפִי אֶרֶץ בִּזְנוּתַיִךְ וּבְרָעָתֵךְ Jer. 3:2
זְנוּתָהּ 6 וְהָיָה מִקֹּל זְנוּתָהּ וַתֶּחֱנַף אֶת־הָאָרֶץ Jer. 3:9
זְנוּתֵיכֶם 7 וְנָשְׂאוּ אֶת־זְנוּתֵיכֶם Num. 14:33
זְנוּתָם 8 עַתָּה יְרַחֲקוּ אֶת־זְנוּתָם...מִמֶּנִּי Ezek. 43:9
בִּזְנוּתָם 9 וְלֹא יְטַמְּאוּ...בִּזְנוּתָם... Ezek. 43:7

זנח : זָנַח, הִזְנִיחַ, הֶאֱזְנִיחַ; ש״פ זָנוֹחַ

זָנַח
פ׳ א) עזב, נטש: 1–9, 11–15
ב) נעזב, הופקר: 10, 16
ג) [הפ׳ הִזְנִיחַ] זנח, עזב: 17–19
ד) [הפ׳ הֶאֱזְנִיחַ] הסריח, הבאיש: 20
זְנַחְתִּים 1 וְהָיוּ כַּאֲשֶׁר לֹא־זְנַחְתִּים Zech. 10:6
זָנַחְתָּ 2 אַף־זָנַחְתָּ וַתַּכְלִימֵנוּ Ps. 44:10
3 לָמָה אֱלֹהִים זָנַחְתָּ לָנֶצַח Ps. 74:1
4 וְאַתָּה זָנַחְתָּ וַתִּמְאָס Ps. 89:39
זְנַחְתָּנִי 5 אֱלֹהֵי מָעוּזִּי לָמָה זְנַחְתָּנִי Ps. 43:2
זְנַחְתָּנוּ 6 אֱלֹהִים זְנַחְתָּנוּ פְרַצְתָּנוּ Ps. 60:3
7 הֲלֹא־אַתָּה אֱלֹהִים זְנַחְתָּנוּ Ps. 60:12
8 הֲלֹא־אֱלֹהִים זְנַחְתָּנוּ Ps. 108:12
זָנַח 9 זָנַח יִשְׂרָאֵל טוֹב... Hosh. 8:3
10 זָנַח עֶגְלֵךְ שֹׁמְרוֹן חָרָה אַפִּי בָּם Hosh. 8:5
11 זָנַח אֲדֹנָי מִזְבְּחוֹ נִאֵר מִקְדָּשׁוֹ Lam. 2:7
תִּזְנַח 12 הָקִיצָה אַל־תִּזְנַח לָנֶצַח Ps. 44:24
13 לָמָה יְיָ תִּזְנַח נַפְשִׁי Ps. 88:15
יִזְנַח 14 הַלְעוֹלָמִים יִזְנַח Ps. 77:8
15 כִּי לֹא יִזְנַח לְעוֹלָם אֲדֹנָי Lam. 3:31
וַתִּזְנַח 16 וַתִּזְנַח מִשָּׁלוֹם נַפְשִׁי נָשִׁיתִי טוֹבָה Lam. 3:17
הִזְנִיחַ 17 אֲשֶׁר הִזְנִיחַ הַמֶּלֶךְ אָחָז IICh. 29:19
הִזְנִיחָם 18 כִּי־הִזְנִיחָם יָרָבְעָם...מִכַּהֵן לַיְיָ IICh. 11:14
יַזְנִיחֲךָ 19 וְאִם־תַּעַזְבֶנּוּ יַזְנִיחֲךָ לָעַד ICh. 28:9
וְהֶאֶזְנִיחוּ 20 וְהֶאֶזְנִיחוּ נְהָרוֹת דָּלְלוּ וְחָרְבוּ יְאֹרֵי מָצוֹר Is. 19:6

זנק
פ׳ קפץ
יְזַנֵּק 1 דָּן גּוּר אַרְיֵה יְזַנֵּק מִן־הַבָּשָׁן Deut. 33:22

זֵעָה*
נ׳ רטיבות המופרשת מן העור בחום: 1
בְּזֵעַת־ 1 בְּזֵעַת אַפֶּיךָ תֹּאכַל לֶחֶם Gen. 3:19

זַעֲוָה
נ׳ פלצות, חרדה: 1–6
לְזַעֲוָה 1 וְהָיִיתָ לְזַעֲוָה לְכֹל מַמְלְכוֹת הָאָרֶץ Deut. 28:25
2 וְנָתֹן אֶתְהֶן לְזַעֲוָה וְלָבַז Ezek. 23:46
3-4 וּנְתַתִּים לְזַעֲוָה (כת׳ לזועה)
לְכֹל מַמְלְכוֹת הָאָרֶץ Jer. 15:4; 29:18
לְזַעֲוָה (המשך) 5 וּנְתַתִּים לְזַעֲוָה (כת׳ לזועה) לְרָעָה... Jer. 24:9
6 וַיִּתְּנֵם לְזַעֲוָה (כת׳ לזועה) לְשַׁמָּה וְלִשְׁרֵקָה IICh. 29:8

זַעֲוָן
שפ״ז – בן אצר מבני שעיר החורי: 1, 2
וְזַעֲוָן 1 אֵלֶּה בְּנֵי־אֵצֶר בִּלְהָן וְזַעֲוָן וַעֲקָן Gen. 36:27
2 בְּנֵי־אֵצֶר בִּלְהָן וְזַעֲוָן יַעֲקָן ICh. 1:42

זִעְזַע
פ׳ הניע בחזקה [עין גם זוע]
מְזַעְזְעֶיךָ 1 פֶּתַע יָקוּמוּ נֹשְׁכֶיךָ וְיִקְצוּ מְזַעְזְעֶיךָ Hab. 2:7

זְעֵיר[1]
ת׳ מעט: 1–3
זְעֵיר 1/2 זְעֵיר שָׁם זְעֵיר שָׁם Is. 28:10, 13
3 כַּתַּר־לִי זְעֵיר וַאֲחַוֶּךָּ Job 36:2

זְעֵיר[2]
ת׳ ארמית: זָעִיר, קטן; זְעֵירָה – קטנה
זְעֵירָה 1 וַאֲלוּ קֶרֶן אָחֳרִי זְעֵירָה סִלְקָת Dan. 7:8

(זעך) נִזְעַךְ
נפ׳ דעך, כבה
נִזְעָכוּ 1 רוּחִי חֻבָּלָה יָמַי נִזְעָכוּ קְבָרִים לִי Job 17:1

זעם : זָעַם, נִזְעַם; זַעַם

זָעַם
פ׳ א) כָּעַס: 1, 5, 6
ב) קִלֵּל: 2, 3, 4, 9, 10, 11
ג) [זָעוּם] מקולל: 7, 8
ד) נפ׳ נִזְעָם] מלא כעס: 12
זָעַם (אֶת־) 1–4, 6, 9; זָעַם עַל־ 5; אֵל זֹעֵם 6;
זְעוּם יְיָ 7; אֵיפָה זְעוּמָה 8; פָּנִים נִזְעָמִים 12
זָעַמְתָּה 1 זָעַמְתָּה זֶה שִׁבְעִים שָׁנָה Zech. 1:12
זָעַם 2 וּמָה אֶזְעֹם לֹא זָעַם יְיָ Num. 23:8
3 וְהָעָם אֲשֶׁר־זָעַם יְיָ עַד־עוֹלָם Mal. 1:4
וְזָעַם 4 וְנוֹדְעָה יַד־יְיָ...וְזָעַם אֶת־אֹיְבָיו Is. 66:14
5 וְזָעַם עַל־בְּרִית־קוֹדֶשׁ Dan. 11:30
זֹעֵם 6 וְאֵל זֹעֵם בְּכָל־יוֹם Ps. 7:12
זְעוּם 7 זְעוּם יְיָ יִפָּל־שָׁם Prov. 22:14
זְעוּמָה 8 ...וְאֵיפַת רָזוֹן זְעוּמָה Mic. 6:10
אֶזְעֹם 9 וּמָה אֶזְעֹם לֹא זָעַם יְיָ Num. 23:8
יִזְעָמוּהוּ 10 יִקְּבֻהוּ עַמִּים יִזְעָמוּהוּ לְאֻמִּים Prov. 24:24
זֹעֲמָה 11 לְכָה אָרָה־לִּי יַעֲקֹב
וּלְכָה זֹעֲמָה יִשְׂרָאֵל Num. 23:7
נִזְעָמִים 12 וּפָנִים נִזְעָמִים לְשׁוֹן סָתֶר Prov. 25:23

זַעַם
ז׳ כַּעַס, חרון אף: 1–22
קרובים: ראה כַּעַס
עֶבְרָה וָזַעַם 7; אַחֲרִית הַזַּעַם 8; יוֹם זַעַם 6;
זַעַם אַפּוֹ 10; ז׳ לְשׁוֹנוֹ 11; כְּלִי זַעְמוֹ 19, 21;
כָּלָה זַעַם 1, 4; מָלֵא ז׳ 2; מְלֹאוֹ ז׳ 3; שָׁפַךְ
זַעְמוֹ 13–15, 18; עָבַר זַעְמוֹ 5
זַעַם 1 וְכָלָה זַעַם וְאַפִּי עַל־תַּבְלִיתָם Is. 10:25
2 שְׂפָתָיו מָלְאוּ זַעַם וּלְשׁוֹנוֹ כְּאֵשׁ Is. 30:27
3 בָּדָד יָשַׁבְתִּי כִּי־זַעַם מִלֵּאתָנִי Jer. 15:17
4 וְהִצְלִיחַ עַד־כָּלָה זַעַם Dan. 11:36
זָעַם 5 חֲבִי...עַד־יַעֲבָר־זָעַם Is. 26:20
6 ...לֹא גֻשְׁמָהּ בְּיוֹם זָעַם Ezek. 22:24
וָזַעַם 7 יְשַׁלַּח־בָּם...עֶבְרָה וָזַעַם וְצָרָה Ps. 78:49
הַזָּעַם 8 אֵת אֲשֶׁר־יִהְיֶה בְּאַחֲרִית הַזָּעַם Dan. 8:19
בְּזַעַם 9 בְּזַעַם תִּצְעַד־אָרֶץ בְּאַף תָּדוּשׁ גּוֹיִם Hab. 3:12
בְּזַעַם־ 10 וַיִּנְאַץ בְּזַעַם־אַפּוֹ מֶלֶךְ וְכֹהֵן Lam. 2:6
מִזַּעַם־ 11 יִפְּלוּ...מִזַּעַם לְשׁוֹנָם Hosh. 7:16
זַעְמִי 12 הוֹי אַשּׁוּר שֵׁבֶט אַפִּי
וּמַטֶּה־הוּא בְיָדָם זַעְמִי Is. 10:5
13 וְשָׁפַכְתִּי עָלַיִךְ זַעְמִי Ezek. 21:36
14 וָאֶשְׁפֹּךְ עֲלֵיהֶם זַעְמִי Ezek. 22:31
15 לִשְׁפֹּךְ עֲלֵיהֶם זַעְמִי Zep. 3:8

זַעַמְךָ 16 מִפְּנֵי־זַעַמְךָ וְקִצְפֶּךָ Ps.102:11
זַעְמֶךָ 17 אֵין־מְתֹם בִּבְשָׂרִי מִפְּנֵי זַעְמֶךָ Ps.38:4
18 שְׁפָךְ־עֲלֵיהֶם זַעְמֶךָ Ps.69:25
זַעְמוֹ 19 ...יְיָ וּכְלֵי זַעְמוֹ לְחַבֵּל כָּל־הָאָרֶץ Is.13:5
20 וְלֹא־יָכִלוּ גוֹיִם זַעְמוֹ Jer.10:10
21 פָּתַח...וַיּוֹצֵא אֶת־כְּלֵי זַעְמוֹ Jer.50:25
22 לִפְנֵי זַעְמוֹ מִי יַעֲמוֹד Nah.1:6

זעף : זָעַף; זָעֵף, זַעַף, זַלְעָפָה

זָעַף
פ׳ כָּעַס, זָעַם: 1–4

זֹעֲפִים 1 וַיַּרְא אֹתָם וְהִנָּם זֹעֲפִים Gen.40:6
2 לָמָּה יִרְאֶה אֶת־פְּנֵיכֶם זֹעֲפִים Dan.1:10
יִזְעַף 3 וְעַל־יְיָ יִזְעַף לִבּוֹ Prov.19:3
וַיִּזְעַף 4 וַיִּזְעַף עֻזִּיָּהוּ וּבְיָדוֹ מִקְטֶרֶת IICh.26:19

זָעֵף
ת׳ מלא זַעַף, זועם [רק בצירוף ״סַר וְזָעֵף״]: 2,1

וְזָעֵף 1 וַיֵּלֶךְ...עַל־בֵּיתוֹ סַר וְזָעֵף IK.20:43
2 וַיָּבֹא אַחְאָב אֶל־בֵּיתוֹ סַר וְזָעֵף IK.21:4

זַעַף
ז׳ א) כַּעַס, קֶצֶף: 1–6
ב) התגעשות: 7 קרובים: ראה כַּעַס

זַעַף אַף 4; זַעַף מֶלֶךְ 3; זַעַף יְיָ 2; זַעַף עִם־ 5, 6

בְּזַעַף 1 וַתַּהַרְגוּ־בָם בְּזַעַף עַד לַשָּׁמַיִם הִגִּיעַ IICh.28:9
זַעַף־ 2 זַעַף יְיָ אֶשָּׂא כִּי חָטָאתִי לוֹ Mic.7:9
3 נַהַם כַּכְּפִיר זַעַף מֶלֶךְ Prov.19:12
בְּזַעַף־ 4 בְּזַעַף אַף וְלַהַב אֵשׁ אוֹכֵלָה Is.30:30
5 וַיִּכְעַס...כִּי־בְזַעַף עִמּוֹ עַל־זֹאת IICh.16:10
וּבְזַעְפּוֹ 6 וּבְזַעְפּוֹ עִם־הַכֹּהֲנִים... IICh.26:19
מִזַּעְפּוֹ 7 וַיַּעֲמֹד הַיָּם מִזַּעְפּוֹ Jon.1:15

זעק : זָעַק, נִזְעַק, הִזְעִיק; זַעַק, זְעָקָה; אר׳ זְעַק

זָעַק
פ׳ א) צעק, צרח: רוב המקראות
ב) [נפ׳ נִזְעַק] נקהל, התאסף לקול זעקה: 59–64
ג) [הפ׳ הִזְעִיק] קרא בקול, הכריז להתאסף (למלחמה): 65–69, 71
ד) [כנ״ל] זעק: 70

קרובים: בָּכָה / יָלַל / נֶאֱנַח / נֶאֱנַק / צָוַח / צָעַק / צָרַח / שִׁוַּע

זָעַק, זָעַק אֶל־ רוב המקראות; זָעַק לְ־ 9, 13, 22, 37; זָעַק (אֶת) 18, 50, 52; ז׳ בְּעַד 23; זָעַק מִלִּפְנֵי־ 5; זָעַק עַל־ 21, 31; הִזְעִיק אֶת־ 65–69, 71

וְלִזְעֹק 1 וְלִזְעֹק עוֹד אֶל־הַמֶּלֶךְ IISh.19:29
מִזְּעֹק 2 אַל־תַּחֲרֵשׁ מִמֶּנּוּ מִזְּעֹק אֶל־יְיָ ISh.7:8
זָעַקְתִּי 3 זָעַקְתִּי אֵלֶיךָ יְיָ...אַתָּה מַחְסִי Ps.142:6
וְזָעָקָה 4 וַתֵּלֶךְ הָלוֹךְ וְזָעָקָה IISh.13:19
וּזְעַקְתֶּם 5 וּזְעַקְתֶּם...מִלִּפְנֵי מַלְכְּכֶם ISh.8:18
זָעֲקוּ 6 וַיְהִי כִּי־זָעֲקוּ בְנֵי־יִשְׂרָאֵל Jud.6:7
7 וְלֹא־זָעֲקוּ אֵלַי בְּלִבָּם Hosh.7:14
8 אֵלֶיךָ זָעֲקוּ וְנִמְלָטוּ Ps.22:6
9 כִּי לֵאלֹהִים זָעֲקוּ בַּמִּלְחָמָה ICh.5:20
וְזָעֲקוּ 10 וְזָעֲקוּ אֵלַי וְלֹא אֶשְׁמַע Jer.11:11
11 וְהָלְכוּ...וְזָעֲקוּ אֶל־הָאֱלֹהִים Jer.11:12
12 וְזָעֲקוּ הָאָדָם וְהֵילִל... Jer.47:2
אֶזְעַק 13 אֶזְעַק אֵלֶיךָ חָמָס וְלֹא תוֹשִׁיעַ Hab.1:2
14 גַּם כִּי אֶזְעַק וַאֲשַׁוֵּעַ... Lam.3:8
אֶזְעָק 15 כִּי־מִדֵּי אֲדַבֵּר אֶזְעָק Jer.20:8
16 וּלְמוֹאָב כֻּלֹּה אֶזְעָק Jer.48:31
17 קוֹלִי אֶל־יְיָ אֶזְעָק Ps.142:2
וָאֶזְעַק 18 וָאֶזְעַק אֶתְכֶם וְלֹא־הוֹשַׁעְתֶּם Jud.12:2
19 וָאֶפְּלָה עַל־פָּנַי וָאֶזְעַק Ezek.9:8
20 וָאֶזְעַק קוֹל גָּדוֹל וָאֹמַר אֲהָהּ Ezek.11:13
תִּזְעַק 21 מַה־תִּזְעַק עַל־שִׁבְרֵךְ Jer.30:15
יִזְעָק 22 לִבִּי לְמוֹאָב יִזְעָק Is.15:5
וַיִּזְעַק 23 וַיִּזְעַק שְׁמוּאֵל אֶל־יְיָ בְּעַד יִשְׂרָאֵל ISh.7:9
24 וַיִּזְעַק אֶל־יְיָ כָּל־הַלָּיְלָה ISh.15:11
25 וַיִּזְעַק הַמֶּלֶךְ קוֹל גָּדוֹל IISh.19:5
26 ...וַיִּזְעַק יְהוֹשָׁפָט IK.22:32
27 וַיִּזְעַק זְעָקָה גְדֹלָה וּמָרָה Es.4:1
28 וַיִּזְעַק יְהוֹשָׁפָט וַיְיָ עֲזָרוֹ IICh.18:31
תִּזְעַק 29 ...תָּחִיל תִּזְעַק בַּחֲבָלֶיהָ Is.26:17
תִּזְעָק 30 כִּי־אֶבֶן מִקִּיר תִּזְעָק Hab.2:11
31 אִם־עָלַי אַדְמָתִי תִזְעָק Job31:38
וַתִּזְעַק 32 וַתִּזְעַק כָּל־הָעִיר ISh.4:13
33 וַתֵּרֶא...וַתִּזְעַק בְּקוֹל גָּדוֹל ISh.28:12
34 וַתִּזְעַק חֶשְׁבּוֹן וְאֶלְעָלֵה Is.15:4
וְנִזְעַק 35 וְנִזְעַק אֵלֶיךָ מִצָּרָתֵנוּ IICh.20:9
יִזְעֲקוּ 36 אָז יִזְעֲקוּ אֶל־יְיָ... Mic.3:4
יִזְעָקוּ 37 לִי יִזְעָקוּ אֱלֹהַי יְדַעֲנוּךָ יִשְׂרָאֵל Hosh.8:2
וְיִזְעֲקוּ 38 וְהִשְׁמִיעוּ...בְּקוֹלָם וְיִזְעֲקוּ מָרָה Ezek.27:30
וַיִּזְעֲקוּ 39–41 וַיִּזְעֲקוּ בְנֵי־יִשְׂרָ׳ אֶל־יְיָ Jud.3:9,15; 6:6
42 וַיִּזְעֲקוּ בְּנֵי יִשְׂרָאֵל אֶל־יְיָ Jud.10:10
43 וַיִּזְעֲקוּ הָעֶקְרֹנִים לֵאמֹר ISh.5:10
44 וַיִּזְעֲקוּ אֲבֹתֵיכֶם אֶל־יְיָ ISh.12:8
45 וַיִּזְעֲקוּ אֶל־יְיָ וַיֹּאמְרוּ חָטָאנוּ ISh.12:10
46 וַיִּזְעֲקוּ אִישׁ אֶל־אֱלֹהָיו Jon.1:5
47/8 וַיִּזְעֲקוּ אֶל־יְיָ בַּצַּר לָהֶם Ps.107:13,19
49 וַיִּזְעֲקוּ בְּקוֹל גָּדוֹל אֶל־יְיָ אֱלֹהֵיהֶם Neh.9:4
50 וַיִּתְפַּלֵּל...וַיִּזְעֲקוּ הַשָּׁמָיִם IICh.32:20
וַיִּזְעָקוּ 51 וַיֵּאָנְחוּ בְ״י מִן־הָעֲבֹדָה וַיִּזְעָקוּ Ex.2:23
וַיִּזְעָקוּךָ 52 וַתַּעַזְבֵם...וַיָּשׁוּבוּ וַיִּזְעָקוּךָ Neh.9:28
זְעַק 53 זְעַק וְהֵילֵל בֶּן־אָדָם Ezek.21:17
זַעֲקִי 54 הֵילִילִי שַׁעַר זַעֲקִי־עִיר Is.14:31
וְזַעֲקוּ 55 לְכוּ וְזַעֲקוּ אֶל־הָאֱלֹהִים Jud.10:14
56 הֵילִילוּ הָרֹעִים וְזַעֲקוּ Jer.25:34
57 קַדְּשׁוּ־צוֹם...וְזַעֲקוּ אֶל־יְיָ Joel 1:14
וּזְעָקוּ 58 הֵילִילוּ וּזְעָקוּ (כת׳ וזעקי) Jer.48:20
נִזְעָקְתָּ 59 מַה־לְּךָ כִּי נִזְעָקְתָּ Jud.18:23
נִזְעֲקוּ 60 וְהָאֲנָשִׁים אֲשֶׁר בַּבָּתִּים...נִזְעֲקוּ Jud.18:22
וַיִּזָּעֵק 61 וַיִּתְקַע...וַיִּזָּעֵק אֲבִיעֶזֶר אַחֲרָיו Jud.6:34
62 וַיִּזָּעֵק גַּם־הוּא אַחֲרָיו Jud.6:35
63 וַיִּזָּעֵק שָׁאוּל וְכָל־הָעָם אֲשֶׁר אִתּוֹ ISh.14:20
וַיִּזָּעֲקוּ 64 וַיִּזָּעֲקוּ כָּל־הָעָם אֲשֶׁר בָּעַי° Josh.8:16
לְהַזְעִיק 65 וַיֵּלֶךְ עֲמָשָׂא לְהַזְעִיק אֶת־יְהוּדָה IISh.20:5
וַיַּזְעֵק 66 וַיַּזְעֵק בָּרָק אֶת־זְבוּלֻן...קֶדְשָׁה Jud.4:10
67 וַיַּזְעֵק סִיסְרָא אֶת־כָּל־רִכְבּוֹ Jud.4:13
68 וַיַּזְעֵק וַיֹּאמֶר בְּנִינְוֵה Jon.3:7
69 וַיַּזְעֵק אֹתִי וַיְדַבֵּר אֵלַי לֵאמֹר Zech.6:8
יַזְעִיקוּ 70 מֵרֹב עֲשׁוּקִים יַזְעִיקוּ Job35:9
הַזְעֶק־ 71 הַזְעֶק־לִי אֶת־אִישׁ־יְהוּדָה IISh.20:4

זְעַק
פ׳ ארמית: זָעַק, צָעַק: 1

זְעִק 1 וּכְמִקְרְבֵהּ...בְּקָל עֲצִיב זְעִק Dan.6:21

זַעַק*
ז׳ זעקה, צעקה: 1, 2

זַעֲקֶךָ 1 חָנוֹן יָחְנְךָ לְקוֹל זַעֲקֶךָ Is.30:19
בְּזַעֲקֵךְ 2 בְּזַעֲקֵךְ יַצִּילֻךְ קִבּוּצַיִךְ Is.57:13

זְעָקָה
נ׳ א) צעקה מרוב פחד או סבל: רוב המקראות
ב) גערה: 14
קרובים: ראה צְעָקָה

– זְעָקָה גְדוֹלָה 6; ז׳ מָרָה 6; קוֹל זְעָקָה 1, 5; זַעֲקַת דָּל 13; ז׳ חוֹבְלִים 11; ז׳ חֶשְׁבּוֹן 12; זַעֲקַת מוֹשֵׁל 14; ז׳ סְדוֹם וַעֲמוֹרָה 9; זַעֲקַת שֶׁבֶר 10

זְעָקָה 1 קוֹל בְּכִי וְקוֹל זְעָקָה Is.65:19
2 תִּשָּׁמַע זְעָקָה מִבָּתֵּיהֶם Jer.18:22
3 וְשָׁמַע זְעָקָה בַּבֹּקֶר Jer.20:16
4 הִשְׁמִיעוּ זְעָקָה צְעִירֶיהָ° Jer.48:4
5 קוֹל זְעָקָה מִבָּבֶל Jer.51:54
6 וַיִּזְעַק זְעָקָה גְדוֹלָה וּמָרָה Es.4:1
וּזְעָקָה 7 וּזְעָקָה בַּגּוֹיִם נִשְׁמָע Jer.50:46
הַזְּעָקָה 8 הִקִּיפָה הַזְּעָקָה אֶת־גְּבוּל מוֹאָב Is.15:8
זַעֲקַת־ 9 זַעֲקַת סְדֹם וַעֲמֹרָה כִּי־רָבָּה Gen.18:20
10 דֶּרֶךְ חֹרֹנַיִם זַעֲקַת־שֶׁבֶר יְעֹעֵרוּ Is.15:5
11 לְקוֹל זַעֲקַת חֹבְלָיִךְ יִרְעֲשׁוּ מִגְרֹשׁוֹת Ezek.27:28
מִזַּעֲקַת־ 12 מִזַּעֲקַת חֶשְׁבּוֹן עַד־אֶלְעָלֵה Jer.48:34
13 אֹטֵם אָזְנוֹ מִזַּעֲקַת־דָּל Prov.21:13
14 מִזַּעֲקַת מוֹשֵׁל בַּכְּסִילִים Eccl.9:17
לְזַעֲקָתִי 15 וְאַל־יְהִי מָקוֹם לְזַעֲקָתִי Job16:18
זַעֲקָתָם 16 כַּאֲשֶׁר שָׁמַעְתִּי אֶת־זַעֲקָתָם Neh.5:6
17 וְאֶת־זַעֲקָתָם שָׁמַעְתָּ עַל־יַם־סוּף Neh.9:9
וְזַעֲקָתָם 18 דִּבְרֵי הַצּוֹמוֹת וְזַעֲקָתָם Es.9:31

זִפְרוֹן*
מקום בצפון־מזרחה של כנען: 1

זִפְרֹנָה 1 וְיָצָא הַגְּבֻל זִפְרֹנָה... Num.34:9

זֶפֶת
נ׳ חומר דליק מופק מסוגי עצים: 1–3

וּבַזָּפֶת 1 וַתַּחְמְרָה בַחֵמָר וּבַזָּפֶת Ex.2:3
לְזֶפֶת 2 וְנֶהֶפְכוּ נְחָלֶיהָ לְזֶפֶת Is.34:9
3 וְהָיְתָה אַרְצָהּ לְזֶפֶת בֹּעֵרָה Is.34:9

זִק*1
ז׳ חֵץ בוער הנשלח בקשת: 1

זִקִּים 1 כְּמִתְלַהְלֵהַּ הַיֹּרֶה זִקִּים חִצִּים וָמָוֶת Ps.149:8

זֵק*2
ז׳ כבל לחבור ידי אסירים [עין גם אֲזִקִּים]: 1–4

בְּזִקִּים 1 לֶאְסֹר מַלְכֵיהֶם בְּזִקִּים Ps.149:8
בַּזִּקִּים 2 אַחֲרַיִךְ יֵלֵכוּ בַּזִּקִּים יַעֲבֹרוּ Is.45:14
3 וְכָל־גְּדוֹלֶיהָ רֻתְּקוּ בַזִּקִּים Nah.3:10
4 וְאִם־אֲסוּרִים בַּזִּקִּים Job36:8

זְקֻנִים
ז״ר זִקְנָה: 1–4
בֶּן־זְקֻנִים 1; יֶלֶד זְקֻנִים 2

זְקֻנִים 1 כִּי־בֶן־זְקֻנִים הוּא לוֹ Gen.37:3
2 יֶשׁ־לָנוּ...וְיֶלֶד זְקֻנִים קָטָן Gen.44:20
לִזְקֻנָיו 3 וַתֵּלֶד שָׂרָה לְאַבְרָהָם בֵּן לִזְקֻנָיו Gen.21:2
4 כִּי־יָלַדְתִּי בֵן לִזְקֻנָיו Gen.21:7

זְקַף
ז׳ ארמית: עמוד נצב

וּזְקִיף 1 ...וּזְקִיף יִתְמְחֵא עֲלֹהִי Ez.6:11

זקן : זָקֵן, הִזְקִין; זָקֵן, זָקָן, זֹקֶן, זִקְנָה, זְקֻנִים

זָקֵן
פ׳ א) בָּא בַּיָּמִים, הגיע לגיל שֵׂיבָה [עין עוד זָקֵן להלן]: 1–16
ב) [הפ׳ הִזְקִין] נעשה זקן: 17, 18

זָקַנְתִּי 1 הַאַף אֻמְנָם אֵלֵד וַאֲנִי זָקַנְתִּי Gen.18:13
2 הִנֵּה...זָקַנְתִּי לֹא יָדַעְתִּי יוֹם מוֹתִי Gen.27:2
3 אֲנִי זָקַנְתִּי בָּאתִי בַּיָּמִים Josh.23:2
4 וַאֲנִי זָקַנְתִּי וָשַׂבְתִּי ISh.12:2
5 נַעַר הָיִיתִי גַּם־זָקַנְתִּי Ps.37:25
6 כִּי זָקַנְתִּי מִהְיוֹת לְאִישׁ Ruth1:12
זָקַנְתָּ 7 אַתָּה זָקַנְתָּה בָּאתָ בַּיָּמִים Josh.13:1
8 הִנֵּה אַתָּה זָקַנְתָּ ISh.8:5

זָקֵן
9 וְאַבְרָהָם זָקֵן בָּא בַּיָּמִים Gen. 24:1
10 וַיְהִי כִּי־זָקֵן יִצְחָק וַתִּכְהֶיןָ עֵינָיו Gen. 27:1
11/2 וִיהוֹשֻׁעַ זָקֵן בָּא בַּיָּמִים Josh. 13:1; 23:1
13 וַיְהִי כַּאֲשֶׁר זָקֵן שְׁמוּאֵל... ISh. 8:1
14 וְהַמֶּלֶךְ דָּוִד זָקֵן בָּא בַּיָּמִים IK. 1:1
זָקְנָה 15 וְאַל־תָּבוּז כִּי־זָקְנָה אִמֶּךָ Prov. 23:22
וַיִּזְקַן 16 וַיִּזְקַן יְהוֹיָדָע וַיִּשְׂבַּע יָמִים IICh. 24:15
יַזְקִין 17 גַּם כִּי־יַזְקִין לֹא־יָסוּר מִמֶּנָּה Prov. 22:6
18 אִם־יַזְקִין בָּאָרֶץ שָׁרְשׁוֹ Job 14:8

זָקֵן

תו״ז א) שָׂב, יָשִׁישׁ, בָּא בימים: רוב המקראות
ב) נכבד, ראש, מנהיג: 20, 30, 43, 44, 53, 56, 58, 175—177, 182—184, 186
ג) [זְקֵנָה] ישישה, באה בימים: 187 (45)

— זָקֵן וְנַעַר 23; נַעַר וְזָקֵן 2, 8, 27, 32, 39; זָקֵן וְיָשִׁישׁ 29; זָקֵן וּשְׂבַע יָמִים 5, 25, 28; פְּנֵי זָקֵן 7; אָב זָקֵן 6, 33; אִישׁ זָקֵן 9, 13, 15, 34—35; מֶלֶךְ זָקֵן 17, 26; נָבִיא זָקֵן 37, 38; זְקַן בֵּיתוֹ 41

— זְקֵנִים וּזְקֵנוֹת 45; זְקֵנִים וּנְעָרִים 47; בַּחוּרִים וּזְקֵנִים 55; נְעָרִים וּזְקֵנִים 54, 183; אֲנָשִׁים זְקֵנִים 75; הֲדַר זְקֵנִים 49; טַעַם זְ׳ 50; יְמֵי הַזְּ׳ 63, 64; מוֹשַׁב זְ׳ 46; עֲטֶרֶת זְ׳ 48; עֵינֵי זְ׳ 62; עֲצַת זְ׳ 78, 82, (85); פְּנֵי זְקֵנִים 52

— זִקְנֵי הָאָרֶץ 137, 145, 167; זִקְנֵי בֵיתוֹ 87, 135; זְ׳ בֵּית יִשְׂרָאֵל 143; זְ׳ בַּת צִיּוֹן 147; זְ׳ גְּבַל 144; זְ׳ הַגּוֹלָה 142; זְ׳ גִלְעָד 127—131, 159; זְ׳ יָבֵשׁ 133; זְ׳ בְּנֵי יִשְׂרָאֵל 90; זְ׳ יְהוּדָה 136, 139, 148, 156, 160; זְ׳ יְרוּשָׁלַיִם 148; זְ׳ יִשְׂרָאֵל 89, 91—107, 149—154, 158, 161—165, 169, 170; זְ׳ הַכֹּהֲנִים 141, 173; זְ׳ מִדְיָן 110, 111; זְ׳ מוֹאָב 111; זְ׳ מִצְרַיִם 88; זְ׳ הָעֵדָה 108, 132; זְ׳ הָעִיר 112—125, 171; זְ׳ הָעָם 109, 134, 146, 157, 166, 172; זִקְנֵי הַשְּׁבָטִים 126

זָקֵן
1 אַחֲרֵי בְלֹתִי...וַאדֹנִי זָקֵן Gen. 18:12
2 מִנַּעַר וְעַד־זָקֵן כָּל־הָעָם מִקָּצֶה Gen. 19:4
3 אָבִינוּ זָקֵן וְאִישׁ אֵין בָּאָרֶץ Gen. 19:31
4 וַיִּגְוַע...בְּשֵׂיבָה טוֹבָה זָקֵן וְשָׂבֵעַ Gen. 25:8
5 וַיִּגְוַע...זָקֵן וּשְׂבַע יָמִים Gen. 35:29
6 יֶשׁ־לָנוּ אָב זָקֵן Gen. 44:20
7 מִפְּנֵי שֵׂיבָה תָּקוּם וְהָדַרְתָּ פְּנֵי זָקֵן Lev. 19:32
8 מֵאִישׁ וְעַד־אִשָּׁה מִנַּעַר וְעַד־זָקֵן Josh. 6:21
9 וְהִנֵּה אִישׁ זָקֵן בָּא Jud. 19:16
10 וְעֵלִי זָקֵן מְאֹד ISh. 2:22
11 וְגָדַעְתִּי...מִהְיוֹת זָקֵן בְּבֵיתֶךָ ISh. 2:31
12 וְלֹא־יִהְיֶה זָקֵן בְּבֵיתְךָ ISh. 2:32
13 כִּי־זָקֵן הָאִישׁ וְכָבֵד ISh. 4:18
14 וְהָאִישׁ...זָקֵן בָּא בַאֲנָשִׁים ISh. 17:12
15 אִישׁ זָקֵן עֹלֶה... ISh. 28:14
16 וּבַרְזִלַּי זָקֵן מְאֹד בֶּן־שְׁמֹנִים שָׁנָה IISh. 19:33
17 וְהַמֶּלֶךְ זָקֵן מְאֹד IK. 1:15
18 וְנָבִיא אֶחָד זָקֵן יֹשֵׁב בְּבֵית־אֵל IK. 13:11
19 אֲבָל בֵּן אֵין־לָהּ וְאִישָׁהּ זָקֵן IIK. 4:14
20 זָקֵן וּנְשׂוּא־פָנִים הוּא הָרֹאשׁ Is. 9:14
21 עַל־זָקֵן הִכְבַּדְתְּ עֻלֵּךְ מְאֹד Is. 47:6
22 זָקֵן עִם־מְלֵא יָמִים Jer. 6:11
23 וְנִפַּצְתִּי בְךָ זָקֵן וָנָעַר Jer. 51:22
24 זָקֵן בָּחוּר וּבְתוּלָה וְטַף וְנָשִׁים Ezek. 9:6
25 וַיָּמָת אִיּוֹב זָקֵן וּשְׂבַע יָמִים Job 42:17
26 טוֹב...מִמֶּלֶךְ זָקֵן וּכְסִיל Eccl. 4:13
27 מִנַּעַר וְעַד־זָקֵן טַף וְנָשִׁים Es. 3:13
28 וְדָוִיד זָקֵן וְשָׂבַע יָמִים ICh. 23:1
29 וְלֹא חָמַל עַל־בָּחוּר...זָקֵן וְיָשֵׁשׁ IICh. 36:17

וְזָקֵן 30 שׁוֹפֵט וְנָבִיא וְקֹסֵם וְזָקֵן Is. 3:2
31 וְזָקֵן אֲשֶׁר לֹא־יְמַלֵּא אֶת־יָמָיו Is. 65:2
32 שָׁכְבוּ לָאָרֶץ חוּצוֹת נַעַר וְזָקֵן Lam. 2:21
הַזָּקֵן 33 הֲשָׁלוֹם אֲבִיכֶם הַזָּקֵן Gen. 43:27
34/5 וַיֹּאמֶר הָאִישׁ הַזָּקֵן Jud. 19:17, 20
36 וַיֹּאמְרוּ אֶל...בַּעַל הַבַּיִת הַזָּקֵן Jud. 19:22
37 אֲשֶׁר הַנָּבִיא הַזָּקֵן יֹשֵׁב בָּהּ IK. 13:25
38 וַיָּבֹא אֶל־עִיר הַנָּבִיא הַזָּקֵן IK. 13:29
בַּזָּקֵן 39 יִרְהֲבוּ הַנַּעַר בַּזָּקֵן וְהַנִּקְלֶה בַּנִּכְבָּד Is. 3:5
לְזָקֵן 40 אֲשֶׁר לֹא־יִשָּׂא פָנִים לְזָקֵן Deut. 28:50
זְקַן־ 41 וַיֹּאמֶר אַבְ׳ אֶל־עַבְדּוֹ זְקַן בֵּיתוֹ Gen. 24:2
זְקֵנִים 42 וְאַבְ׳ וְשָׂרָה זְקֵנִים בָּאִים בַּיָּמִים Gen. 18:11
43 קִרְאוּ עֲצָרָה אִסְפוּ זְקֵנִים Joel 1:14
44 קַדְּשׁוּ קָהָל קִבְצוּ זְקֵנִים Joel 2:16
45 עֹד יֵשְׁבוּ זְקֵנִים וּזְקֵנוֹת... Zech. 8:4
46 וּבְמוֹשַׁב זְקֵנִים יְהַלְלוּהוּ Ps. 107:32
47 זְקֵנִים עִם־נְעָרִים Ps. 148:12
48 עֲטֶרֶת זְקֵנִים בְּנֵי בָנִים Prov. 17:6
49 וַהֲדַר זְקֵנִים שֵׂיבָה Prov. 20:29
50 וְטַעַם זְקֵנִים יִקָּח Job 12:20
51 כִּי זְקֵנִים־הֵמָּה מִמֶּנּוּ לְיָמִים Job 32:4
52 פְּנֵי זְקֵנִים לֹא נֶהְדָּרוּ Lam. 5:12
53 זְקֵנִים מִשַּׁעַר שָׁבָתוּ Lam. 5:14
וּזְקֵנִים 54 יִנְהַג...נְעָרִים וּזְקֵנִים עָרוֹם וְיָחֵף Is. 20:4
55 וּבַחֻרִים וּזְקֵנִים יַחְדָּו Jer. 31:13(12)
56 וּזְקֵנִים יָבִינוּ מִשְׁפָּט Job 32:9
57 וּזְקֵנִים (כת׳ זקנים) לֹא חָנָנוּ Lam. 4:16
הַזְּקֵנִים 58 וְאֶל־הַזְּקֵנִים אָמַר... Ex. 24:14
59 ...וַיִּתֵּן עַל־שִׁבְעִים אִישׁ הַזְּקֵנִים Num. 11:25
60 וְאָמַר אֲבִי הַנַּעֲרָ אֶל־הַזְּקֵנִים Deut. 22:16
61 וְעָלְתָה יְבִמְתּוֹ...אֶל־הַזְּקֵנִים Deut. 25:7
62 וְנִגְּשָׁה יְבִמְתּוֹ...לְעֵינֵי הַזְּקֵנִים Deut. 25:9
63 וַיַּעֲבֹד...וְכֹל יְמֵי הַזְּקֵנִים Josh. 24:31
64 וַיַּעַבְדוּ...וְכֹל יְמֵי הַזְּקֵנִים Jud. 2:7
65-66 וַיִּוָּעַץ...אֶת־הַזְּקֵנִים IK. 12:6 • IICh. 10:6
67-69 וַיַּעֲזֹב...עֲצַת הַזְּקֵנִים IK. 12:8, 13 • IICh. 10:8
70 וַיֹּאמְרוּ אֵלָיו כָּל־הַזְּקֵנִים IK. 20:8
71 וַתִּשְׁלַח סְפָרִים אֶל־הַזְּקֵנִים IK. 21:8
72 וַיַּעֲשׂוּ...הַזְּקֵנִים וְהַחֹרִים IK. 21:11
73 וְהוּא אָמַר אֶל־הַזְּקֵנִים... IIK. 6:32
74 וַיִּשְׁלַח...אֶל־שָׂרֵי יִזְרְעֶאל הַזְּקֵנִים IIK. 10:1
75 וַיָּחֵלּוּ בָּאֲנָשִׁים הַזְּקֵנִים... Ezek. 9:6
76 שִׁמְעוּ־זֹאת הַזְּקֵנִים Joel 1:2
77 וְרָאשֵׁי הָאָבוֹת הַזְּקֵנִים Ez. 3:12
78 וַיַּעֲזֹב הַמֶּלֶךְ...אֵת עֲצַת הַזְּקֵנִים IICh. 10:13
וְהַזְּקֵנִים 79 וְהַזְּקֵנִים יֹשְׁבִים אִתּוֹ IIK. 6:32
80 וַאֲשֶׁר עַל־הָעִיר וְהַזְּקֵנִים וְהָאֹמְנִים IIK. 10:5
81 וַיֹּאמְרוּ כָּל־הָעָם...וְהַזְּקֵנִים Ruth 4:11
82 כַּעֲצַת הַשָּׂרִים וְהַזְּקֵנִים Ez. 10:8
83 וַיִּפֹּל דָּוִיד וְהַזְּקֵנִים... ICh. 21:16
לַזְּקֵנִים 84 וַיֹּאמֶר בֹּעַז לַזְּקֵנִים וְכָל־הָעָם Ruth 4:9
מִזְּקֵנִים 85 וְתוֹרָה תֹּאבַד מִכֹּהֵן וְעֵצָה מִזְּקֵנִים Ezek. 7:26
86 מִזְּקֵנִים אֶתְבּוֹנָן... Ps. 119:100
זִקְנֵי־ 87 וַיַּעֲלוּ אִתּוֹ כָּל...זִקְנֵי בֵיתוֹ Gen. 50:7
88 וְכֹל זִקְנֵי אֶרֶץ־מִצְרָיִם Gen. 50:7
89 לֵךְ וְאָסַפְתָּ אֶת־זִקְנֵי יִשְׂרָאֵל Ex. 3:16
90 וַיַּאַסְפוּ אֶת־כָּל־זִקְנֵי בְּנֵי יִשְׂרָאֵל Ex. 4:29
91 וַיִּקְרָא מֹשֶׁה לְכָל־זִקְנֵי יִשְׂרָאֵל Ex. 12:21
92-107 זִקְנֵי יִשְׂרָאֵל Ex. 17:6; 18:12
Num. 16:25 • Deut. 31:9 • ISh. 4:3; 8:4 • IISh. 3:17; 5:3; 17:4,15 • IK. 8:1,3 • Ezek. 20:3 • ICh. 11:3 • IICh. 5:2,4

זִקְנֵי־ (המשך)
108 וְסָמְכוּ זִקְנֵי הָעֵדָה אֶת־יְדֵיהֶם Lev. 4:15
109 כִּי־הֵם זִקְנֵי הָעָם וְשֹׁטְרָיו Num. 11:16
110 וַיֹּאמֶר מוֹאָב אֶל־זִקְנֵי מִדְיָן Num. 22:4
111 וַיֵּלְכוּ זִקְנֵי מוֹאָב וְזִקְנֵי מִדְיָן Num. 22:7
112 וְשָׁלְחוּ זִקְנֵי עִירוֹ... Deut. 19:12
113/4 וְלָקְחוּ זִקְנֵי הָעִיר Deut. 21:3; 22:18
115-125 זִקְנֵי הָעִיר (עירו) Deut. 21:4,6
ISh. 21:19, 20; 22:15, 17; 25:8 • Josh. 20:4 • Jud. 8:16 • 16:4 • Ez. 10:14
126 כָּל־זִקְנֵי שִׁבְטֵיכֶם וְשֹׁטְרֵיכֶם Deut. 31:28
127 וַיֵּלְכוּ זִקְנֵי גִלְעָד לָקַחַת אֶת־יִפְתָּח Jud. 11:5
128-131 זִקְנֵי(־) גִלְעָד Jud. 11:8,9,10; 11:11
132 וַיֹּאמְרוּ זִקְנֵי הָעֵדָה מַה־נַּעֲשֶׂה Jud. 2116
133 וַיֹּאמְרוּ אֵלָיו זִקְנֵי יָבֵישׁ... ISh. 11:3
134 כַּבְּדֵנִי נָא נֶגֶד זִקְנֵי־עַמִּי... ISh. 15:30
135 וַיָּקֻמוּ זִקְנֵי בֵיתוֹ עָלָיו לַהֲקִימוֹ IISh. 12:17
136 דַּבְּרוּ אֶל־זִקְנֵי יְהוּדָה לֵאמֹר IISh. 19:12
137 וַיִּקְרָא...לְכָל־זִקְנֵי הָאָרֶץ IK. 20:7
138 וַיִּשְׁלַח...וְאֵת זִקְנֵי הַכֹּהֲנִים IIK. 19:2
139 וַיַּאַסְפוּ...כָּל־זִקְנֵי יְהוּדָה וִירוּשָׁלִָם IIK. 23:1
140 יְיָ בְּמִשְׁפָּט יָבוֹא עִם־זִקְנֵי עַמּוֹ Is. 3:14
141 וַיִּשְׁלַח...וְאֵת זִקְנֵי הַכֹּהֲנִים Is. 37:2
142 ...אֶל־יֶתֶר זִקְנֵי הַגּוֹלָה Jer. 29:1
143 הֲרָאִיתָ...אֲשֶׁר זִקְנֵי בֵית־יִשְׂ׳ עֹשִׂים Ezek. 8:12
144 זִקְנֵי גְבַל וַחֲכָמֶיהָ הָיוּ בָךְ Ezek. 27:9
145 בְּשִׁבְתּוֹ עִם־זִקְנֵי־אָרֶץ Prov. 31:23
146 קְנֵה נֶגֶד הַיֹּשְׁבִים וְנֶגֶד זִקְנֵי עַמִּי Ruth 4:4
147 יֵשְׁבוּ לָאָרֶץ יִדְּמוּ זִקְנֵי בַת־צִיּוֹן Lam. 2:10
148 וַיֶּאֱסֹף אֶת...זִקְנֵי יְהוּדָה וִירוּשָׁלִָם IICh. 34:29
וְזִקְנֵי־ 149 וּבָאתָ אַתָּה וְזִקְנֵי יִשְׂרָאֵל... Ex. 3:18
150-154 וְזִקְנֵי יִשְׂרָאֵל Num. 11:30
Deut. 27:1 • Josh. 7:6; 8:10 • ICh. 15:25
155 וַיֵּלְכוּ זִקְנֵי מוֹאָב וְזִקְנֵי מִדְיָן Num. 22:7
156 וְזִקְנֵי יְהוּדָה יוֹשְׁבִים לְפָנָי Ezek. 8:1
לְזִקְנֵי־ 157 וַיָּבֹא מֹשֶׁה וַיִּקְרָא לְזִקְנֵי הָעָם Ex. 19:7
158 וַיִּקְרָא לְזִקְנֵי יִשְׂרָאֵל וּלְרָאשָׁיו Josh. 24:1
159 וַיֹּאמֶר יִפְתָּח לְזִקְנֵי גִלְעָד Jud. 11:7
160 וַיְשַׁלַּח מֵהַשָּׁלָל לְזִקְנֵי יְהוּדָה.... ISh. 30:26
וּלְזִקְנֵי־ 161 קָרָא מֹשֶׁה...וּלְזִקְנֵי יִשְׂרָאֵל Lev. 9:1
מִזִּקְנֵי־ 162 וְקַח אִתְּךָ מִזִּקְנֵי יִשְׂרָאֵל Ex. 17:5
163/4 וְשִׁבְעִים מִזִּקְנֵי יִשְׂרָאֵל Ex. 24:1,9
165 אֶסְפָה־לִּי שִׁבְעִים...מִזִּקְנֵי יִשְׂ׳ Num. 11:16
166 וַיֶּאֱסֹף שִׁבְעִים אִישׁ מִזִּקְנֵי הָעָם Num. 11:24
167 וַיָּקֻמוּ אֲנָשִׁים מִזִּקְנֵי הָאָרֶץ Jer. 26:17
168 וְשִׁבְעִים אִישׁ מִזִּקְנֵי בֵית־יִשְׂ׳ Ezek. 8:11
169/70 אֲנָשִׁים מִזִּקְנֵי יִשְׂרָאֵל... Ezek. 14:1; 20:1
171 וַיִּקַּח עֲשָׂרָה אֲנָשִׁים מִזִּקְנֵי הָעִיר Ruth 4:2
וּמִזִּקְנֵי־ 172/3 וּמִזִּקְנֵי הָעָם וּמִזִּקְנֵי הַכֹּהֲנִים Jer. 19:1
וּזְקֵנַי 174 כֹּהֲנַי וּזְקֵנַי בָּעִיר גָּוָעוּ Lam. 1:19
זְקֵנֶיךָ 175 וְיָצְאוּ זְקֵנֶיךָ וְשֹׁפְטֶיךָ וּמָדְדוּ... Deut. 21:2
176 שְׁאַל...זְקֵנֶיךָ וְיֹאמְרוּ לָךְ Deut. 32:7
זְקֵנָיו 177 וְנֶגֶד זְקֵנָיו כָּבוֹד Is. 24:23
וּזְקֵנָיו 178 וְכָל־יִשְׂרָאֵל וּזְקֵנָיו...וְשֹׁפְטָיו Josh. 8:33
179 לֶאְסֹר שָׂרָיו...וּזְקֵנָיו יְחַכֵּם Ps. 105:22
לִזְקֵנָיו 180 לִזְקֵנָיו וּלְרָאשָׁיו וּלְשֹׁפְטָיו Josh. 23:2
זְקֵנֶיהָ 181 אֶת־שָׂרֵי סֻכּוֹת וְאֶת־זְקֵנֶיהָ Jud. 8:14
זְקֵנֵינוּ 182 וַיֹּאמְרוּ אֵלֵינוּ זְקֵינֵינוּ... Josh. 9:11
וּבִזְקֵנֵינוּ 183 בִּנְעָרֵינוּ וּבִזְקֵנֵינוּ נֵלֵךְ Ex. 10:9
זִקְנֵיכֶם 184 רָאשֵׁיכֶם...זִקְנֵיכֶם וְשֹׁטְרֵיכֶם Deut. 29:9
185 זִקְנֵיכֶם חֲלֹמוֹת יַחֲלֹמוּן Joel 3:1

זְקֵנֵיכֶם 186 כָּל־רָאשֵׁי שִׁבְטֵיכֶם וְזִקְנֵיכֶם Deut. 5:20
וּזְקֵנוֹת 187 עֹד יֵשְׁבוּ זְקֵנִים וּזְקֵנוֹת... Zech. 8:4

זָקָן

ז' [נ' – 1, 2?] שְׂעַר הַסַּנְטֵר: כל המקראות

זָקָן גְּרוּעָה 1, 3; חֲצִי זָקָן 19; פְּאַת ז' 11, 18; מְגֻלְּחֵי זָקָן 2; שְׂעַר ז' 10; זְקַן אַהֲרֹן 8; זְקַן עֲמָשָׂא 9; גִּלַּח זְקָנוֹ 13, 18, 19; צִמַּח ז' 16, 17

זָקָן 1 בְּכָל־רָאשָׁיו קָרְחָה כָּל־זָקָן גְּרוּעָה Is. 15:2
2 מְגֻלְּחֵי זָקָן וּקְרֻעֵי בְגָדִים Jer. 41:5
3 כָּל־רֹאשׁ קָרְחָה וְכָל־זָקָן גְּרֻעָה Jer. 48:37
הַזָּקָן 4 צָרַעַת הָרֹאשׁ אוֹ הַזָּקָן הוּא Lev. 13:30
5 וְגַם אֶת־הַזָּקָן תִּסְפֶּה Is. 7:20
6 כַּשֶּׁמֶן הַטּוֹב...יֹרֵד עַל־הַזָּקָן Ps. 133:2
7 כִּי־יִהְיֶה בוֹ נָגַע בְּרֹאשׁ אוֹ בְזָקָן Lev. 13:29
זְקַן־ 8 זְקַן־אַהֲרֹן שֶׁיֹּרֵד עַל־פִּי מִדּוֹתָיו Ps. 133:2
בִּזְקַן־ 9 וַתֹּחֶז...בִּזְקַן עֲמָשָׂא לִנְשָׁק־לוֹ IISh. 20:9
וּזְקָנִי 10 וָאֲמָרְטָה מִשְּׂעַר רֹאשִׁי וּזְקָנִי Ez. 9:3
זְקָנֶךָ 11 וְלֹא תַשְׁחִית אֵת פְּאַת זְקָנֶךָ Lev. 19:27
12 וְהַעֲבַרְתָּ עַל־רֹאשְׁךָ וְעַל־זְקָנֶךָ Ezek. 5:1
זְקָנוֹ 13 יְגַלַּח...אֶת־רֹאשׁוֹ וְאֶת־זְקָנוֹ Lev. 14:9
14 וַיּוֹרֶד רִירוֹ אֶל־זְקָנוֹ ISh. 21:14
בִּזְקָנוֹ 15 וְהֶחֱזַקְתִּי בִּזְקָנוֹ וְהִכִּתִיו... ISh. 17:35
זְקַנְכֶם 16 שְׁבוּ בִירֵחוֹ עַד־יְצַמַּח זְקַנְכֶם IISh. 10:5
17 שְׁבוּ בִירֵחוֹ עַד אֲשֶׁר־יְצַמַּח זְקַנְכֶם ICh. 19:5
זְקָנָם 18 וּפְאַת זְקָנָם לֹא יְגַלֵּחוּ Lev. 21:5
19 וַיְגַלַּח אֶת־חֲצִי זְקָנָם IISh. 10:4

זֹקֶן

ז' זקנה

מִזֹּקֶן 1 וְעֵינֵי יִשְׂרָאֵל כָּבְדוּ מִזֹּקֶן Gen. 48:10

זִקְנָה

נ' מצב הזקן, שיבה: 1—6

זִקְנָה וְשֵׂיבָה 3; עֵת זִקְנָה 2, 4, 5; זִקְנַת שְׁלֹמֹה 4

זִקְנָה 1 וְעַד־זִקְנָה אֲנִי הוּא Is. 46:4
2 אַל־תַּשְׁלִיכֵנִי לְעֵת זִקְנָה Ps. 71:9
3 עַד־זִקְנָה וְשֵׂיבָה אֱלֹ' אַל־תַּעַזְבֵנִי Ps. 71:18
זִקְנַת־ 4 וַיְהִי לְעֵת זִקְנַת שְׁלֹמֹה... IK. 11:4
זִקְנָתוֹ 5 רַק לְעֵת זִקְנָתוֹ חָלָה אֶת־רַגְלָיו IK. 15:23
זִקְנָתָהּ 6 וַתֵּלֶד...בֵן לַאדֹנִי אַחֲרֵי זִקְנָתָהּ Gen. 24:36

זקף

: זָקַף; אר' זְקִיף

זָקַף

פ' יָשַׁר, רוֹמֵם

זֹקֵף 1 יְיָ פֹּקֵחַ עִוְרִים יְיָ זֹקֵף כְּפוּפִים Ps. 146:8
וְזוֹקֵף 2 וְזוֹקֵף לְכָל־הַכְּפוּפִים Ps. 145:14

זקק

זָקַק, זִקֵּק, זֻקַּק; זַקִּי, זִקִּי

זָקַק

פ' א) סנן, נקה: 1, 2
ב) [פ' זִקֵּק] נִקָּה: 3
ג) [פ' מְזֻקָּק] מנוקה, צרוף: 4—7

זָהָב מְזֻקָּק 5; כֶּסֶף מְז' 4, 6; שְׁמָרִים מְזֻקָּקִים 7

יָזֹקּוּ 1 וּמָקוֹם לַזָּהָב יָזֹקּוּ Job 28:1
2 יָזֹקּוּ מָטָר לְאֵדוֹ Job 36:27
וְזִקַּק 3 וְזִקַּק אֹתָם כַּזָּהָב וְכַכָּסֶף Mal. 3:3
מְזֻקָּק 4 כֶּסֶף צָרוּף...מְזֻקָּק שִׁבְעָתָיִם Ps. 12:7
5 זָהָב מְזֻקָּק בְּמִשְׁקָל ICh. 28:18
6 וְשִׁבְעַת אֲלָפִים כִּכַּר־כֶּסֶף מְזֻקָּק ICh. 29:4
מְזֻקָּקִים 7 שְׁמָנִים מְמֻחָיִם שְׁמָרִים מְזֻקָּקִים Is. 25:6

זָר

ת' א) שאינו שייך לעם, למשפחה, לאדם וכדומה: 6—8, 10, 14—19, 28, 29, 34—69
ב) שאינו כהן: 1—5, 21, 22, 24—27
ג) שאינו לפי חוקי הפולחן: 11, 12, 13, 30—33
ד) מוזר: 9, 20, 23, 70, 71

אִישׁ זָר 3, 5, 6; אֵל זָר 12, 13; זְמֹרַת זָר 8; אֵשׁ זָרָה 31—33; אִשָּׁה זָרָה 34, 36; קְטֹרֶת זָרָה 30; שִׂפְתֵי זָרָה 35; אַרְמוֹן זָרִים 41; בָּנִים זָרִים 56; הֲמוֹן זָרִים 69; יַד ז' 50, 53, 54, 64; מַהְפֵּכַת ז' 40; מַיִם זָרִים 38, 46; שְׁאוֹן זָרִים 42; פִּי זָרוֹת 70

זָר 1 וַאֲשֶׁר יִתֵּן מִמֶּנּוּ עַל־זָר Ex. 30:33
2 וְכָל־זָר לֹא־יֹאכַל קֹדֶשׁ Lev. 22:10
3 וּבַת־כֹּהֵן כִּי תִהְיֶה לְאִישׁ זָר Lev. 22:12
4 וְכָל־זָר לֹא־יֹאכַל בּוֹ Lev. 22:13
5 אֲשֶׁר לֹא־יִקְרַב אִישׁ זָר Num. 17:5
6 לֹא־תִהְיֶה...הַחוּצָה לְאִישׁ זָר Deut. 25:5
7 אֵין־זָר אִתָּנוּ בַּבָּיִת IK. 3:18
8 וּזְמֹרַת זָר תִּזְרָעֶנּוּ Is. 17:10
9 זָר מַעֲשֵׂהוּ...נָכְרִיָּה עֲבֹדָתוֹ Is. 28:21
10 אָנֹכִי הִגַּדְתִּי...וְאֵין בָּכֶם זָר Is. 43:12
11 רֻבֵּי תוֹרָתִי כְּמוֹ־זָר נֶחְשָׁבוּ Hosh. 8:12
12 וַנִּפְרֹשׂ כַּפֵּינוּ לְאֵל זָר Ps. 44:21
13 לֹא־יִהְיֶה בְךָ אֵל זָר Ps. 81:10
14 רַע־יֵרוֹעַ כִּי־עָרַב זָר Prov. 11:15
15 וּבְשִׂמְחָתוֹ לֹא־יִתְעָרַב זָר Prov. 14:10
16 לְקַח־בִּגְדוֹ כִּי־עָרַב זָר Prov. 20:16
17 יְהַלֶּלְךָ זָר וְלֹא־פִיךָ Prov. 27:2
18 קַח־בִּגְדוֹ כִּי־עָרַב זָר Prov. 27:13
19 וְלֹא־עָבַר זָר בְּתוֹכָם Job 15:19
20 וְעֵינַי רָאוּ וְלֹא־זָר Job 19:27
וְזָר 21 וְזָר לֹא־יֹאכַל כִּי־קֹדֶשׁ הֵם Ex. 29:33
22 וְזָר לֹא־יִקְרַב אֲלֵיכֶם Num. 18:4
וָזָר 23 הֲפַכְפַּךְ דֶּרֶךְ אִישׁ וָזָר Prov. 21:8
וְהַזָּר 24-27 וְהַזָּר הַקָּרֵב יוּמָת Num. 1:51; 3:10,38; 18:7
לְזָר 28 גָּרֵי בֵיתִי...לְזָר תַּחְשְׁבֻנִי Job 19:15
לַזָּר 29 אִם־עָרַבְתָּ לְרֵעֶךָ תָּקַעְתָּ לַזָּר כַּפֶּיךָ Prov. 6:1
זָרָה 30 לֹא־תַעֲלוּ עָלָיו קְטֹרֶת זָרָה Ex. 30:9
31 וַיַּקְרִיבוּ לִפְנֵי יְיָ אֵשׁ זָרָה Lev. 10:1
32 בְּהַקְרִבָם אֵשׁ זָרָה לִפְנֵי יְיָ Num. 3:4
33 בְּהַקְרִיבָם אֵשׁ־זָרָה לִפְנֵי יְיָ Num. 26:61
34 לְהַצִּילְךָ מֵאִשָּׁה זָרָה Prov. 2:16
35 כִּי נֹפֶת תִּטֹּפְנָה שִׂפְתֵי זָרָה Prov. 5:3
36 לִשְׁמָרְךָ מֵאִשָּׁה זָרָה... Prov. 7:5
בְזָרָה 37 וְלָמָּה תִשְׁגֶּה בְנִי בְזָרָה Prov. 5:20
זָרִים 38 אֲנִי קַרְתִּי וְשָׁתִיתִי מַיִם זָרִים IIK. 19:24
39 אַדְמַתְכֶם...זָרִים אֹכְלִים אֹתָהּ Is. 1:7
40 וּשְׁמָמָה כְּמַהְפֵּכַת זָרִים Is. 1:7
41 כִּי שַׂמְתָּ...אַרְמוֹן זָרִים מֵעִיר Is. 25:2
42 כְּחֹרֶב בְּצָיוֹן שְׁאוֹן זָרִים תַּכְנִיעַ Is. 25:5
43 וְעָמְדוּ זָרִים וְרָעוּ צֹאנְכֶם Is. 61:5
44 לוֹא כִּי־אָהַבְתִּי זָרִים Jer. 2:25
45 כֵּן תַּעַבְדוּ זָרִים בְּאֶרֶץ לֹא לָכֶם Jer. 5:19
46 אִם־יִנָּתְשׁוּ מַיִם זָרִים קָרִים נוֹזְלִים Jer. 18:14
47 וְלֹא־יַעַבְדוּ־בוֹ עוֹד זָרִים Jer. 30:8
48 וְשִׁלַּחְתִּי לְבָבֶל זָרִים וְזֵרוּהָ Jer. 51:2
49 בָּאוּ זָרִים עַל־מִקְדְּשֵׁי בֵּית יְיָ Jer. 51:51
50 וְנָתַתִּי אֶתְכֶם בְּיַד־זָרִים Ezek. 11:9
51 תַּחַת אִישָׁהּ תִּקַּח אֶת־זָרִים Ezek. 16:32
52 הִנְנִי מֵבִיא...זָרִים עָרִיצֵי גּוֹיִם Ezek. 28:7
53 מוֹתֵי עֲרֵלִים תָּמוּת בְּיַד זָרִים Ezek. 28:10
54 וַהֲשִׁמֹּתִי אֶרֶץ וּמְלֹאָהּ בְּיַד־זָרִים Ezek. 30:12
55 וַיִּכְרְתֻהוּ זָרִים עָרִיצֵי גוֹיִם Ezek. 31:12
56 כִּי־בָנִים זָרִים יָלָדוּ Hosh. 5:7
57 אָכְלוּ זָרִים כֹּחוֹ וְהוּא לֹא יָדָע Hosh. 7:9
58 אוּלַי יַעֲשֶׂה זָרִים יִבְלָעֻהוּ Hosh. 8:7
זָרִים (המשך) 59 בְּיוֹם שְׁבוֹת זָרִים חֵילוֹ Ob. 11
60 כִּי זָרִים קָמוּ עָלַי Ps. 54:5
61 וִיבֹזּוּ זָרִים יְגִיעוֹ Ps. 109:11
62 פֶּן־יִשְׂבְּעוּ זָרִים כֹּחֶךָ Prov. 5:10
וְזָרִים 63 וְזָרִים לֹא־יַעַבְרוּ־בָהּ עוֹד Joel 4:17
הַזָּרִים 64 וּנְתַתִּיו בְּיַד־הַזָּרִים לָבַז Ezek. 7:21
בְּזָרִים 65 יַקְנִאֻהוּ בְּזָרִים...יַכְעִיסֻהוּ Deut. 32:16
לְזָרִים 66 יִהְיוּ־לְךָ לְבַדֶּךָ וְאֵין לְזָרִים אִתָּךְ Prov. 5:17
67 נַחֲלָתֵנוּ נֶהֶפְכָה לְזָרִים Lam. 5:2
לַזָּרִים 68 וַתְּפַזְּרִי אֶת־דְּרָכַיִךְ לַזָּרִים Jer. 3:13
זָרָיִךְ 69 וְהָיָה כְּאָבָק דַּק הֲמוֹן זָרָיִךְ Is. 29:5
זָרוֹת 70 שׁוּחָה עֲמֻקָּה פִּי זָרוֹת Prov. 22:14
71 עֵינֶיךָ יִרְאוּ זָרוֹת Prov. 23:33

זֵר

ז' שפה מסביב לכלי: 1—10

זֵר זָהָב 1—8; טַבְּעֹת זָהָב 9—10

זֵר־ 1 וְעָשִׂיתָ עָלָיו זֵר זָהָב סָבִיב Ex. 25:11
3-2 וְעָשִׂיתָ לּוֹ זֵר זָהָב סָבִיב Ex. 25:24; 30:3
4 וְעָשִׂיתָ זֵר־זָהָב לְמִסְגַּרְתּוֹ Ex. 25:25
7-5 וַיַּעַשׂ לוֹ זֵר זָהָב סָבִיב Ex. 37:2, 11, 26
8 וַיַּעַשׂ זֵר־זָהָב לְמִסְגַּרְתּוֹ Ex. 37:12
לְזֵרוֹ 10-9 טַבְּעֹת זָהָב...מִתַּחַת לְזֵרוֹ Ex. 30:4; 37:27

זָרָא

ז' גועל, מאוס: 1

לְזָרָא 1 עַד אֲשֶׁר־יֵצֵא מֵאַפְּכֶם
וְהָיָה לָכֶם לְזָרָא Num. 11:20

זָרַב

פ' נצרב? נחרב?

יְזֹרְבוּ 1 בְּעֵת יְזֹרְבוּ נִצְמָתוּ Job 6:17

זְרֻבָּבֶל

שפ״ז — פחת יהודה, בן שאלתיאל

בֶּן זְרֻבָּבֶל 21; יַד ז' 11; יְדֵי ז' 10; יְמֵי ז' 19

זְרֻבָּבֶל 1 זְרֻבָּבֶל בֶּן־שַׁלְתִּיאֵל פַּחַת יְהוּדָה Hag. 1:1
2 וַיִּשְׁמַע זְרֻבָּבֶל בֶּן־שַׁלְתִּיאֵל Hag. 1:12
3 וַיָּעַר יְיָ אֶת־רוּחַ זְרֻבָּבֶל בֶּן־שַׁלְתִּיאֵ' Hag 1:14
4 אֱמָר־נָא אֶל־זְרֻבָּבֶל בֶּן־שַׁלְתִּיאֵל Hag. 2:2
5 וְעַתָּה חֲזַק זְרֻבָּבֶל... Hag. 2:4
6 אֱמֹר אֶל־זְרֻבָּבֶל פַּחַת־יְהוּדָה Hag. 2:21
7 אֶקָּחֲךָ זְרֻבָּבֶל בֶּן־שְׁאַלְתִּיאֵל עַבְדִּי Hag. 2:23
8 זֶה דְּבַר־יְיָ אֶל־זְרֻבָּבֶל לֵאמֹר Zech. 4:6
9 מִי־אַתָּה הַר־הַגָּדוֹל לִפְנֵי זְרֻבָּבֶל Zech. 4:7
10 יְדֵי זְרֻבָּבֶל יִסְּדוּ הַבַּיִת הַזֶּה Zech. 4:9
11 אֶת־הָאֶבֶן הַבְּדִיל בְּיַד זְרֻבָּבֶל Zech. 4:10
12 אֲשֶׁר־בָּאוּ עִם־זְרֻבָּבֶל... Ez. 2:2
13 הֵחֵלּוּ זְרֻבָּבֶל בֶּן־שְׁאַלְתִּיאֵל וְיֵשׁוּעַ Ez. 3:8
14 וַיִּגְּשׁוּ אֶל־זְרֻבָּבֶל וְאֶל־רָאשֵׁי הָאָבוֹת Ez. 4:2
15 וַיֹּאמֶר לָהֶם זְרֻבָּבֶל וְיֵשׁוּעַ Ez. 4:3
16 קָמוּ זְרֻבָּבֶל בַּר־שְׁאַלְתִּיאֵל וְיֵשׁוּעַ Ez. 5:2
17 הַבָּאִים עִם־זְרֻבָּבֶל... Neh. 7:7
18 עָלוּ עִם־זְרֻבָּבֶל בֶּן־שְׁאַלְתִּיאֵל Neh. 12:1
19 בִּימֵי זְרֻבָּבֶל וּבִימֵי נְחֶמְיָה Neh. 12:47
20 וּבְנֵי פְדָיָה זְרֻבָּבֶל וְשִׁמְעִי ICh. 3:19
21 וּבֶן־זְרֻבָּבֶל מְשֻׁלָּם וַחֲנַנְיָה ICh. 3:19
וּזְרֻבָּבֶל 22 וּזְרֻבָּבֶל בֶּן־שְׁאַלְתִּיאֵל וְאֶחָיו Ez. 3:2

זֶרֶד

שם נחל הנשפך לים המלח בגבול מואב ואדום: 1-4

זֶרֶד 1 עַד אֲשֶׁר־עָבַרְנוּ אֶת־נַחַל זֶרֶד Deut. 2:14
זָרֶד 2 מִשָּׁם נָסָעוּ וַיַּחֲנוּ בְּנַחַל זָרֶד Num. 21:12
3 קֻמוּ וְעִבְרוּ לָכֶם אֶת־נַחַל זֶרֶד Deut. 2:13
4 וַנַּעֲבֹר אֶת־נַחַל זֶרֶד Deut. 2:13

זרה : זָרָה, נִזְרָה, זֵרָה, זֹרָה; מִזְרֶה, מְזָרִים

זָרָה פָּ׳ א) פִּזֵּר, הֵפִיץ: 1–9

ב) [נִפ׳ נִזְרָה] פֻּזַּר, הוּפַץ: 10–11

ג) [פִּ׳ זֵרָה] פִּזֵּר, הֵפִיץ: 12–37

ד) [פֻּ׳ זֹרָה] פֻּזַּר, הוּפַץ: 39; נִפְרַשׂ: 38

לִזְרוֹת	1 לוֹא לִזְרוֹת וְלוֹא לְהָבַר	Jer. 4:11
זוֹרֶה	2 אֲשֶׁר־זֹרֶה בָרַחַת וּבַמִּזְרֶה	Is. 30:24
	3 הִנֵּה־הוּא זֹרֶה אֶת־גֹּרֶן הַשְּׂעֹרִים	Ruth 3:2
וָאֶזְרֵם	4 וָאֶזְרֵם בְּמִזְרֶה בְּשַׁעֲרֵי הָאָרֶץ	Jer. 15:7
תִּזְרֶה	5 וְהַשְּׁלִשִׁית תִּזְרֶה לָרוּחַ	Ezek. 5:2
תִּזְרֵם	6 תִּזְרֵם כְּמוֹ דָוָה צֵא תֹּאמַר לוֹ	Is. 30:22
	7 תִּזְרֵם וְרוּחַ תִּשָּׂאֵם	Is. 41:16
וַיִּזֶר	8 וַיִּטְחַן...וַיִּזֶר עַל־פְּנֵי הַמַּיִם	Ex. 32:20
זְרֵה	9 וְאֶת־הָאֵשׁ זְרֵה־הָלְאָה	Num. 17:2
בְּהִזָּרוֹתֵיכֶם	10 וְהוֹתַרְתִּי...בְּהִזָּרוֹתֵיכֶם בָּאֲרָצוֹת	Ezek. 6:8
וַיִּזָּרוּ	11 וָאָפִיץ...וַיִּזָּרוּ בָּאֲרָצוֹת	Ezek. 36:19
וּלְזָרוֹת	12 לְהָפִיץ...וּלְזָרוֹת אוֹתָם בָּאֲרָצוֹת	Ezek. 20:23
לְזָרוֹתָהּ	13 הַנֹּשְׂאִים קֶרֶן אֶל־אֶרֶץ יְהוּדָה לְזָרוֹתָהּ	Zech. 2:4
וּלְזָרוֹתָם	14 וּלְהַפִּיל...וּלְזָרוֹתָם בָּאֲרָצוֹת	Ps. 106:27
וְזֵרִיתִי	15 וְזֵרִיתִי אֶת־כָּל־שְׁאֵרִיתֵךְ לְכָל־רוּחַ	Ezek. 5:10
	16 וְזֵרִיתִי אֶת־עַצְמוֹתֵיכֶם	Ezek. 6:5
	17/8 וְזֵרִיתִי אוֹתָם בָּאֲרָצוֹת	Ezek. 12:15; 30:26
	19 וְזֵרִיתִי פֶרֶשׁ עַל־פְּנֵיכֶם	Mal. 2:3
וְזֵרִיתִיךְ	20 וַהֲפִיצוֹתִי...וְזֵרִיתִיךְ בָּאֲרָצוֹת	Ezek. 22:15
וְזֵרִתִים	21 וְזֵרִתִים לְכָל־רוּחַ קְצוּצֵי פֵאָה	Jer. 49:32
	22 וְזֵרִתִים לְכֹל הָרֻחוֹת הָאֵלֶּה	Jer. 49:36
	23 וַהֲפִצֹתִי...וְזֵרִיתִים בָּאֲרָצוֹת	Ezek. 29:12
	24 וַהֲפִצוֹתִי...וְזֵרִיתִם בָּאֲרָצוֹת	Ezek. 30:23
זֵרִיתָ	25 אָרְחִי וְרִבְעִי זֵרִיתָ...	Ps. 139:3
זֵרִיתָנוּ	26 תִּתְּנֵנוּ כְּצֹאן מַאֲכָל וּבַגּוֹיִם זֵרִיתָנוּ	Ps. 44:12
וְזֵרָם	27 וְנָתַשׁ...וְזֵרָם מֵעֵבֶר לַנָּהָר	IK. 14:15
זֵרוּ	28/9 הַקְּרָנוֹת אֲשֶׁר(־)זֵרוּ אֶת־יְהוּדָה	Zech. 2:2,4
וְזֵרוּהָ	30 וְשִׁלַּחְתִּי לְבָבֶל זָרִים וְזֵרוּהָ	Jer. 51:2
מְזָרֶה	31 מֶלֶךְ...מְזָרֶה בְעֵינָיו כָּל־רָע	Prov. 20:8
	32 מְזָרֶה רְשָׁעִים מֶלֶךְ חָכָם	Prov. 20:26
מְזָרֵה־	33 מְזָרֵה יִשְׂרָאֵל יְקַבְּצֶנּוּ	Jer. 31:10(9)
אֱזָרֶה	34 וְאֶתְכֶם אֱזָרֶה בַגּוֹיִם	Lev. 26:33
	35 וְהַשְּׁלִישִׁית לְכָל־רוּחַ אֱזָרֶה	Ezek. 5:12
	36 וְכָל־אֲגַפָּיו אֱזָרֶה לְכָל־רוּחַ	Ezek. 12:14
יְזָרוּ	37 שִׂפְתֵי חֲכָמִים יְזָרוּ דָעַת	Prov. 15:7
מְזֹרָה	38 כִּי־חִנָּם מְזֹרָה הָרָשֶׁת	Prov. 1:17
יְזֹרֶה	39 יְזֹרֶה עַל־נָוֵהוּ גָפְרִית	Job 18:15

זְרוֹעַ

ג׳ א) חלק היד שבין הפרק לאצבעות: 1, 44, 46, 51–57, 59, 60, 65, 70, 72

ב) [בהשאלה] כּוֹחַ, עוֹז: 2–7, 10, 11–43, 45, 47–50, 58, 61–64, 66–69, 71, 73–81, 82–89

ג) רגל קדמית של בהמה: 8, 9

– זְרוֹעַ גְּדוֹלָה 13; ז׳ חֲזָקָה 21; ז׳ חֲשׂוּפָה 46; ז׳ נְטוּיָה 11, 12, 15–20, 22, 39, 45, 48–50, 58; ז׳ רָמָה 7; אִישׁ זְרוֹעַ 4; כֹּחַ הַזְּרוֹעַ 10;

– זְרוֹעַ בָּשָׂר 29; ז׳ יְיָ 30; ז׳ כֹּחוֹ 32; ז׳ עֻזּוֹ 33, 34; ז׳ עַמּוֹ 14; ז׳ פַּרְעֹה 27; ז׳ קָדְשׁוֹ 25, 31; ז׳ רַבִּים 35; ז׳ רָשָׁע 28; ז׳ תִּפְאַרְתּוֹ 26

– בְּשַׂר זְרוֹעוֹ 52; גֹּדֶל זְרוֹעוֹ 40, 43; נַחַת זְרוֹעוֹ 53

– זְרוֹעֵי יָדָיו 70; זְרוֹעוֹת יְתוֹמִים 79; ז׳ מֶלֶךְ בָּבֶל 74, 76; ז׳ הַנֶּגֶב 80; ז׳ עוֹלָם 73; ז׳ פַּרְעֹה 75, 78; זְרוֹעוֹת רְשָׁעִים 77; זְרוֹעוֹת הַשֶּׁטֶף 81

זְרוֹעַ	1 וְטָרַף זְרוֹעַ אַף־קָדְקֹד	Deut. 33:20
	2 הָיוּ זְרוֹעַ לִבְנֵי־לוֹט	Ps. 83:9
	3 לְךָ זְרוֹעַ עִם־גְּבוּרָה	Ps. 89:14
	4 וְאִישׁ זְרוֹעַ לוֹ הָאָרֶץ	Job 22:8
	5 הוֹשַׁעְתָּ זְרוֹעַ לֹא־עֹז	Job 26:2
	6 וְאִם־זְרוֹעַ כָּאֵל לָךְ	Job 40:9
וּזְרוֹעַ	7 וּזְרוֹעַ רָמָה תִּשָּׁבֵר	Job 38:15
הַזְּרוֹעַ	8 וְלָקַח...אֶת־הַזְּרֹעַ בְּשֵׁלָה	Num. 6:19
	9 הַזְּרֹעַ וְהַלְּחָיַיִם וְהַקֵּבָה	Deut. 18:3
	10 וְלֹא־תַעְצֹר כּוֹחַ הַזְּרוֹעַ	Dan. 11:6
וְהַזְּרוֹעַ	11 וְהַיָּד הַחֲזָקָה וְהַזְּרֹעַ הַנְּטוּיָה	Deut. 7:19
בִּזְרוֹעַ	12 בִּזְרוֹעַ נְטוּיָה וּבִשְׁפָטִים גְּדֹלִים	Ex. 6:6
	13 וְלֹא־בִזְרֹעַ גְּדוֹלָה וּבְעַם רָב	Ezek. 17:9
	14 גָּאַלְתָּ בִּזְרוֹעַ עַמֶּךָ	Ps. 77:16
וּבִזְרוֹעַ	15 וּבְיָד חֲזָקָה וּבִזְרוֹעַ נְטוּיָה	Deut. 4:34
	16-19 בְּיָד חֲזָקָהוּבִזְר(וֹ)עַ נְטוּיָה	Deut. 5:15; 26:8 Ezek. 20:33, 34
	20 בְּכֹחַ גָּדוֹל וּבִזְרוֹעַ נְטוּיָה	IIK. 17:36
	21 בְּיָד נְטוּיָה וּבִזְרוֹעַ חֲזָקָה	Jer. 21:5
	22 בְּיָד חֲזָקָה וּבִזְרוֹעַ נְטוּיָה	Ps. 136:12
זְרוֹעַ־	23 וְגָדַעְתִּי...וְאֶת־זְרֹעַ בֵּית אָבִיךָ	ISh. 2:31
	24 עוּרִי לִבְשִׁי־עֹז זְרוֹעַ יְיָ	Is. 51:9
	25 חָשַׂף יְיָ אֶת־זְרוֹעַ קָדְשׁוֹ	Is. 52:10
	26 מוֹלִיךְ לִימִין מֹשֶׁה זְרוֹעַ תִּפְאַרְתּוֹ	Is. 63:12
	27 אֶת־זְרוֹעַ פַּרְעֹה...שָׁבָרְתִּי	Ezek. 30:21
	28 שְׁבֹר זְרוֹעַ רָשָׁע	Ps. 10:15
	29 עִמּוֹ זְרוֹעַ בָּשָׂר וְעִמָּנוּ יְיָ	IICh. 32:8
וּזְרוֹעַ־	30 וּזְרוֹעַ יְיָ עַל־מִי נִגְלָתָה	Is. 53:1
	31 הוֹשִׁיעָה־לּוֹ יְמִינוֹ וּזְרוֹעַ קָדְשׁוֹ	Ps. 98:1
בִּזְרוֹעַ־	32 וַיִּפְעָלֵהוּ בִּזְרוֹעַ כֹּחוֹ	Is. 44:12
	33 בִּזְרוֹעַ עֻזְּךָ פִּזַּרְתָּ אוֹיְבֶיךָ	Ps. 89:11
וּבִזְרוֹעַ־	34 נִשְׁבַּע יְיָ בִּימִינוֹ וּבִזְרוֹעַ עֻזּוֹ	Is. 62:8
מִזְּרוֹעַ־	35 יְשַׁוְּעוּ מִזְּרוֹעַ רַבִּים	Job 35:9
זְרוֹעַי	36 וְאֶל־זְרֹעִי יְיַחֵלוּן	Is. 51:5
	37 וַתּוֹשַׁע לִי זְרֹעִי	Is. 63:5
	38 אַף־זְרוֹעִי תְאַמְּצֶנּוּ	Ps. 89:22
וּבִזְרוֹעִי	39 בְּכֹחִי הַגָּדוֹל וּבִזְרוֹעִי הַנְּטוּיָה	Jer. 27:5
זְרוֹעֲךָ	40 בִּגְדֹל זְרוֹעֲךָ יִדְּמוּ כָּאָבֶן	Ex. 15:16
	41 וְגָדַעְתִּי אֶת־זְרֹעֲךָ	ISh. 2:31
	42 עַד־אַגִּיד זְרוֹעֲךָ לְדוֹר	Ps. 71:18
	43 כְּגֹדֶל זְרוֹעֲךָ הוֹתֵר בְּנֵי תְמוּתָה	Ps. 79:11
זְרוֹעֶךָ	44 שִׂימֵנִי...כַּחוֹתָם עַל־זְרוֹעֶךָ	S.ofS. 8:6
וּזְרוֹעֲךָ	45 יָדְךָ הַחֲזָקָה וּזְרֹעֲךָ הַנְּטוּיָה	IK. 8:42
	46 תָּכִין פָּנֶיךָ וּזְרֹעֲךָ חֲשׂוּפָה	Ezek. 4:7
	47 כִּי־יְמִינְךָ וּזְרוֹעֲךָ וְאוֹר פָּנֶיךָ	Ps. 44:4
	48 וְיָדְךָ הַחֲזָקָה וּזְרוֹעֲךָ הַנְּטוּיָה	IICh. 6:32
וּבִזְרוֹעֲךָ	49 בְּכֹחֲךָ הַגָּדֹל וּבִזְרֹעֲךָ הַנְּטוּיָה	Deut. 9:29
	50 בְּכֹחֲךָ הַגָּדוֹל וּבִזְרֹעֲךָ הַנְּטוּיָה	Jer. 32:17
זְרוֹעוֹ	51 וְאֶצְעָדָה אֲשֶׁר עַל־זְרֹעוֹ	IISh. 1:10
	52 אִישׁ בְּשַׂר־זְרֹעוֹ יֹאכֵלוּ	Is. 9:19
	53 וְנַחַת זְרוֹעוֹ יַרְאֶה	Is. 30:30
	54 וַתּוֹשַׁע לוֹ זְרֹעוֹ	Is. 59:16
	55 יִבְטַח בָּאָדָם וְשָׂם בָּשָׂר זְרֹעוֹ	Jer. 17:5
	56 חֶרֶב עַל־זְרוֹעוֹ וְעַל־עֵין יְמִינוֹ	Zech. 11:17
	57 זְרֹעוֹ יָבוֹשׁ תִּיבָשׁ	Zech. 11:17
וּזְרוֹעוֹ	58 אֶת־יָדוֹ הַחֲזָקָה וּזְרֹעוֹ הַנְּטוּיָה	Deut. 11:2
	59 וּזְרֹעוֹ שִׁבֳּלִים יִקְצוֹר	Is. 17:5
	60 וּזְרֹעוֹ מֹשְׁלָה לוֹ	Is. 40:10
	61 יַעֲשֶׂה חֶפְצוֹ בְּבָבֶל וּזְרֹעוֹ כַּשְׂדִּים	Is. 48:14
	62 נִגְדְּעָה קֶרֶן מוֹאָב וּזְרֹעוֹ נִשְׁבָּרָה	Jer. 48:25
	63 וּזְרֹעוֹ יָשְׁבוּ בְצִלּוֹ בְּתוֹךְ גּוֹיִם	Ezek. 31:17
	64 ...וְלֹא יַעֲמֹד וּזְרֹעוֹ	Dan. 11:6
בִּזְרוֹעוֹ	65 בִּזְרֹעוֹ יְקַבֵּץ טְלָאִים וּבְחֵיקוֹ יִשָּׂא	Is. 40:11
לִזְרוֹעוֹ	66 אִישׁ לִזְרֹעוֹ הָיוּ בָךְ	Ezek. 22:6
זְרוֹעָם	67 הֱיֵה זְרֹעָם לַבְּקָרִים	Is. 33:2
וּזְרוֹעָם	68 וּזְרוֹעָם לֹא־הוֹשִׁיעָה לָּמוֹ	Ps. 44:4
וּזְרוֹעִים	69 וּזְרֹעִים מִמֶּנּוּ יַעֲמֹדוּ	Dan. 11:31
זְרוֹעֵי־	70 וַיָּפֹזּוּ זְרֹעֵי יָדָיו	Gen. 49:24
וּזְרוֹעַי	71 וּזְרֹעַי עַמִּים יִשְׁפֹּטוּ	Is. 51:5
זְרוֹעָיו	72 וַיַּךְ אֶת־יְהוֹרָם בֵּין זְרֹעָיו	IIK. 9:24
זְרוֹעוֹת־	73 וּמִתַּחַת זְרֹעֹת עוֹלָם	Deut. 33:27
	74 וְחִזַּקְתִּי אֶת־זְרֹעוֹת מֶלֶךְ בָּבֶל...	Ezek. 30:24
	75 וְשָׁבַרְתִּי אֶת־זְרֹעוֹת פַּרְעֹה	Ezek. 30:24
	76 וְהַחֲזַקְתִּי אֶת־זְרֹעוֹת מֶלֶךְ בָּבֶל	Ezek. 30:25
	77 כִּי זְרוֹעוֹת רְשָׁעִים תִּשָּׁבַרְנָה	Ps. 37:17
וּזְרוֹעוֹת־	78 וּזְרֹעוֹת פַּרְעֹה תִּפֹּלְנָה	Ezek. 30:25
	79 וּזְרֹעוֹת יְתֹמִים יְדֻכָּא	Job 22:9
	80 וּזְרֹעוֹת הַנֶּגֶב לֹא יַעֲמֹדוּ	Dan. 11:15
	81 וּזְרֹעוֹת הַשֶּׁטֶף יִשָּׁטְפוּ מִלְּפָנָיו	Dan. 11:22
זְרוֹעוֹתָי	82 וְנִחַת קֶשֶׁת־נְחוּשָׁה זְרֹעֹתָי	IISh. 22:35
	83 וְנִחֲתָה קֶשֶׁת־נְחוּשָׁה זְרוֹעֹתָי	Ps. 18:35
זְרוֹעוֹתָיו	84 הָעֲבֹתִים אֲשֶׁר־עַל־זְרוֹעוֹתָיו	Jud. 15:14
	85 וַיְנַתְּקֵם מֵעַל זְרֹעֹתָיו	Jud. 16:12
	86 וְשָׁבַרְתִּי אֶת־זְרֹעֹתָיו	Ezek. 30:22
	87 ...קָחָם עַל־זְרוֹעֹתָיו	Hosh. 11:3
וּזְרוֹעוֹתָיו	88 וּזְרֹעֹתָיו וּמַרְגְּלֹתָיו כְּעֵין נְחֹשֶׁת קָלָל	Dan. 10:6
זְרוֹעוֹתֶיהָ	89 חָגְרָה בְעוֹז מָתְנֶיהָ וַתְּאַמֵּץ זְרוֹעֹתֶיהָ	Prov. 31:17
זְרוֹעוֹתֵיכֶם	90 וְקָרַעְתִּי אֹתָם מֵעַל זְרוֹעֹתֵיכֶם	Ezek. 13:20
זְרוֹעוֹתָם	91 וַאֲנִי יִסַּרְתִּי חִזַּקְתִּי זְרוֹעֹתָם	Hosh. 7:15

זֵרוּעַ

ז׳ זרעון: 1–3

זֵרוּעַ	1 עַל־כָּל־זֶרַע זֵרוּעַ אֲשֶׁר יִזָּרֵעַ	Lev. 11:37
זֵרוּעֶיהָ	2 וּכְגַנָּה זֵרוּעֶיהָ תַצְמִיחַ	Is. 61:11
הַזֵּרֹעִים	3 וְיִתְּנוּ־לָנוּ מִן־הַזֵּרֹעִים וְנֹאכְלָה	Dan. 1:12

זַרְזִיף

ז׳ זרם מים (?): 1

זַרְזִיף־	1 יֵרֵד...כִּרְבִיבִים זַרְזִיף אָרֶץ	Ps. 72:6

זַרְזִיר

ז׳ עוף (?) בהמה?: 1

זַרְזִיר־	1 זַרְזִיר מָתְנַיִם אוֹ־תָיִשׁ...	Prov. 30:31

זרח : זָרַח; זֶרַח, אֶזְרָח, מִזְרָח; ש״פ זֶרַח, זַרְחִי, זְרַחְיָה, יִזְרַחְיָה

זָרַח פָּ׳ א) הֵאִיר, הֶאְדִּים: 1–4, 6–10, 12–18

ב) הוֹפִיעַ: 5, 11

זָרַח אוֹר 3, 6; ז׳ הַחֶרֶס 16; זָרַח יְיָ 5, 15; ז׳ כָּבוֹד 4; זָרְחָה צָרַעַת 11; זָרְחָה הַשֶּׁמֶשׁ 1, 2, 7–10, 12, 14, 17, 18

כִּזְרֹחַ	1 וְהָיָה בַבֹּקֶר כִּזְרֹחַ הַשֶּׁמֶשׁ	Jud. 9:33
	2 וַיְהִי כִּזְרֹחַ הַשֶּׁמֶשׁ	Jon. 4:8
זָרַח	3 זָרַח בַּחֹשֶׁךְ אוֹר לַיְשָׁרִים	Ps. 112:4
זָרָח	4 קוּמִי אוֹרִי...וּכְבוֹד יְיָ עָלַיִךְ זָרָח	Is. 60:1
וְזָרַח	5 יְיָ מִסִּינַי בָּא וְזָרַח מִשֵּׂעִיר לָמוֹ	Deut. 33:2
	6 וְזָרַח בַּחֹשֶׁךְ אוֹרֶךָ	Is. 58:10
	7 וְזָרַח הַשֶּׁמֶשׁ וּבָא הַשָּׁמֶשׁ	Eccl. 1:5
זָרְחָה	8 אִם־זָרְחָה הַשֶּׁמֶשׁ עָלָיו דָּמִים לוֹ	Ex. 22:2
	9 וְהַשֶּׁמֶשׁ זָרְחָה עַל־הַמָּיִם	IIK. 3:22
	10 שֶׁמֶשׁ זָרְחָה וְנוֹדַד	Nah. 3:17
	11 וְהַצָּרַעַת זָרְחָה בְמִצְחוֹ	IICh. 26:19
וְזָרְחָה	12 וְזָרְחָה לָכֶם...שֶׁמֶשׁ צְדָקָה	Mal. 3:20
זוֹרֵחַ	13 וְאֶל־מְקוֹמוֹ שׁוֹאֵף זוֹרֵחַ הוּא שָׁם	Eccl. 1:5

יִזְרַח	14	וּכְאוֹר בֹּקֶר יִזְרַח־שָׁמֶשׁ	IISh. 23:4
	15	וְעָלַיִךְ יִזְרַח יְיָ וּכְבוֹדוֹ עָלַיִךְ יֵרָאֶה	Is. 60:2
יִזְרָח	16	הָאֹמֵר לַחֶרֶס וְלֹא יִזְרָח	Job 9:7
וַיִּזְרַח	17	וַיִּזְרַח־לוֹ הַשֶּׁמֶשׁ כַּאֲשֶׁר עָבַר	Gen. 32:31
תִּזְרַח	18	תִּזְרַח הַשֶּׁמֶשׁ יֵאָסֵפוּן	Ps. 104:22

זֶרַח*[1]

ז׳ אור, זהר: 1

זַרְחֵךְ	1	וְהָלְכוּ גוֹיִם לְאוֹרֵךְ וּמְלָכִים לְנֹגַהּ זַרְחֵךְ	Is. 60:3

זֶרַח[2]

שפ״ז א) בן שמעון, אבי משפחת הזרחי: 11, 20
ב) בן יהודה ותמר: 3–7, 10, 14, 16, 17,19,21
ג) בן רעואל בן עשו מאשתו בשמת: 1,8,18
ד) אבי יובב מלך אדום: 2, 9
ה) לוי מצאצאי גרשום: 12, 13
ו) הכושי, בן דודו של אסא מלך יהודה: 15

זֶרַח	1	אַלּוּף נַחַת אַלּוּף זֶרַח...	Gen. 36:17
	2	וַיִּמְלֹךְ...יוֹבָב בֶּן־זֶרַח מִבָּצְרָה	Gen. 36:33
	3/4	עָכָן...בֶּן־זַבְדִּי בֶּן־זֶרַח	Josh. 7:1, 18
	5	וַיִּקַּח יְהוֹשֻׁעַ אֶת־עָכָן בֶּן־זֶרַח	Josh. 7:24
	6	הֲלוֹא עָכָן בֶּן־זֶרַח מָעַל מַעַל	Josh. 22:20
	7	וּפְתַחְיָה...מִבְּנֵי זֶרַח בֶּן־יְהוּדָה	Neh. 11:24
	8	בְּנֵי רְעוּאֵל נַחַת זֶרַח...	ICh. 1:37
	9	וַיִּמְלֹךְ...יוֹבָב בֶּן־זֶרַח מִבָּצְרָה	ICh. 1:44
	10	וּבְנֵי זֶרַח זִמְרִי וְאֵיתָן	ICh. 2:6
	11	בְּנֵי שִׁמְעוֹן...יָרִיב זֶרַח שָׁאוּל	ICh. 4:24
	12	יוֹאָח בְּנוֹ עִדּוֹ בְנוֹ זֶרַח בְּנוֹ	ICh. 6:6
	13	בֶּן־אֶתְנִי בֶן־זֶרַח בֶּן־עֲדָיָה	ICh. 6:26
	14	וּמִן־בְּנֵי זֶרַח יְעוּאֵל...	ICh. 9:6
	15	וַיֵּצֵא אֲלֵיהֶם זֶרַח הַכּוּשִׁי בְּחַיִל...	IICh. 14:8
זָרַח	16	וַיִּקְרָא שְׁמוֹ זָרַח	Gen. 38:30
	17	יָלְדָה־לּוֹ אֶת־פֶּרֶץ וְאֶת־זָרַח	ICh. 2:4
וָזֶרַח	18	וְאֵלֶּה בְּנֵי רְעוּאֵל נַחַת וָזֶרַח...	Gen. 36:13
וָזָרַח	19	וּבְנֵי יְהוּדָה...וָפֶרֶץ וָזָרַח	Gen. 46:12
לְזֶרַח	20	לְזֶרַח מִשְׁפַּחַת הַזַּרְחִי	Num. 26:13
	21	לְזֶרַח מִשְׁפַּחַת הַזַּרְחִי	Num. 26:20

זַרְחִי

ת׳ א) המתיַחס על משפחת זרח (א): 1
ב) ״ ״ זֶרַח (ב): 2–6

הַזַּרְחִי	1	לְזֶרַח מִשְׁפַּחַת הַזַּרְחִי	Num. 26:13
	2	לְזֶרַח מִשְׁפַּחַת הַזַּרְחִי	Num. 26:20
	3	וַיִּלְכֹּד אֵת מִשְׁפַּחַת הַזַּרְחִי	Josh. 7:17
	4	וַיַּקְרֵב אֶת־מִשְׁפַּחַת הַזַּרְחִי	Josh. 7:17
לַזַּרְחִי	5	סִבְּכַי הַחֻשָׁתִי לַזַּרְחִי	ICh. 27:11
	6	מַהְרַי הַנְּטוֹפָתִי לַזַּרְחִי	ICh. 27:13

זְרַחְיָה

שפ״ז א) מצאצאי אלעזר בן אהרן: 1, 3–5
ב) אבי אליְהועיני מבני פחת מואב שעלו עם עזרא: 2

זְרַחְיָה	1	בֶּן־זְרַחְיָה בֶן־עֻזִּי בֶּן־בֻּקִּי	Ez. 7:4
	2	אֶלְיְהוֹעֵינַי בֶּן־זְרַחְיָה	Ez. 8:4
	3	וְעֻזִּי הוֹלִיד אֶת־זְרַחְיָה	ICh. 5:32
	4	בֻּקִּי בְנוֹ עֻזִּי בְנוֹ זְרַחְיָה בְנוֹ	ICh. 6:36
וּזְרַחְיָה	5	וּזְרַחְיָה הוֹלִיד אֶת־מְרָיוֹת	ICh. 5:32

זרם

: זָרַם, זֹרַם; זֶרֶם, זִרְמָה

זָרַם

פָּ׳ א) גָרף כזרם: 1
ב) [פֹּ׳ זֹרַם] נשפך כזרם: 2

זְרַמְתָּם	1	זְרַמְתָּם שֵׁנָה יִהְיוּ	Ps. 90:5
זֹרְמוּ	2	זֹרְמוּ מַיִם עָבוֹת	Ps. 77:18

זֶרֶם

ז׳ פֶּרֶץ-מים, שֶׁטֶף

זֶרֶם בָּרָד 7; זֶ׳ הָרִים 9; זֶ׳ מַיִם 5, 8; זֶ׳ קִיר 6; סֵתֶר זֶרֶם 1

זָרֶם	1	כְּמַחֲבֵא־רוּחַ וְסֵתֶר זָרֶם	Is. 32:2
וָזֶרֶם	2	נֶפֶץ וָזֶרֶם וְאֶבֶן בָּרָד	Is. 30:30
מִזֶּרֶם	3	וּלְמַחֲסֶה וּלְמִסְתּוֹר מִזֶּרֶם וּמִמָּטָר	Is. 4:6
	4	מַחְסֶה מִזֶּרֶם צֵל מֵחֹרֶב	Is. 25:4
זֶרֶם־	5	יָחִילוּ הָרִים זֶרֶם מַיִם עָבָר...	Hab. 3:10
כְּזֶרֶם־	6	כִּי רוּחַ עָרִיצִים כְּזֶרֶם קִיר	Is. 25:4
	7	כְּזֶרֶם בָּרָד שַׂעַר קָטֶב	Is. 28:2
	8	כְּזֶרֶם מַיִם כַּבִּירִים שֹׁטְפִים	Is. 28:2
מִזֶּרֶם־	9	מִזֶּרֶם הָרִים יִרְטָבוּ	Job 24:8

זִרְמָה*

נ׳ שֶׁפֶךְ (הזֶרע): 1, 2 • זִרְמַת סוּסִים 1

וְזִרְמַת־	1	וְזִרְמַת סוּסִים זִרְמָתָם	Ezek. 23:20
זִרְמָתָם	2	וְזִרְמַת סוּסִים זִרְמָתָם	Ezek. 23:20

זרע

: זָרַע, זָרוּעַ, נִזְרַע, זֹרַע, הִזְרִיעַ; זֵרוּעַ, זֶרַע, זֵרָעוֹן, מִזְרָע; ש״פ יִזְרְעֶאל

זָרַע

פָּ׳ א) שׂם זרעים באדמה: רוב המקראות
ב) הפיץ: 22, 35
ג) [זָרוּעַ] פָּרוּשׂ, מוּפץ: 16, 17
ד) [נפ׳ נִזְרַע] קלט את הזרע: 47, 48, 51, 52
ה) הוכנס הזרע: 49, 50
ו) [פֻּ׳ זֹרַע:] נזרע: 53
ז) [הפ׳ הִזְרִיעַ] הצמיח זרעים: 54–55
ח) [כנ״ל על אשה] קלטה זרע, התעברה: 56

זָרַע זֶרַע – עין זֶרַע; זָרַע חִטִּים 9; זָרַע עַוְלָה 13; זָ׳ עָמָל 20; זָ׳ צְדָקָה 14; זָ׳ רוּחַ 41; אוֹר זָרֻעַ 16

לִזְרֹעַ	1	הֲכֹל הַיּוֹם יַחֲרֹשׁ הַחֹרֵשׁ לִזְרֹעַ	Is. 28:24
וְזָרַעְתִּי	2	וְזָרַעְתִּי אֶת־בֵּית יִשְׂרָאֵל	Jer. 31:27(26)
וּזְרַעְתִּיהָ	3	וּזְרַעְתִּיהָ לִּי בָּאָרֶץ	Hosh. 2:25
זָרַע	4	וְהָיָה אִם־זָרַע יִשְׂרָאֵל...	Jud. 6:3
זְרַעְתֶּם	5	זְרַעְתֶּם הַרְבֵּה וְהָבֵא מְעָט	Hag. 1:6
וּזְרַעְתֶּם	6	הֵא־לָכֶם זֶרַע וּזְרַעְתֶּם...	Gen. 47:23
	7	וּזְרַעְתֶּם אֵת הַשָּׁנָה הַשְּׁמִינִת	Lev. 25:22
	8	וּזְרַעְתֶּם לָרִיק זַרְעֲכֶם	Lev. 26:16
זָרְעוּ	9	זָרְעוּ חִטִּים וְקֹצִים קָצָרוּ	Jer. 12:13
זֹרֵעַ	10	נָתַתִּי לָכֶם...כָּל-עֵשֶׂב זֹרֵעַ זֶרַע	Gen. 1:29
	11	פְּרִי־עֵץ זֹרֵעַ זָרַע	Gen. 1:29
	12	כִּרְתוּ זוֹרֵעַ מִבָּבֶל	Jer. 50:16
	13	זוֹרֵעַ עַוְלָה יִקְצָר־אָוֶן	Prov. 22:8
וְזֹרֵעַ	14	וְזֹרֵעַ צְדָקָה שֶׂכֶר אֱמֶת	Prov. 11:18
לַזֹּרֵעַ	15	וְנָתַן זֶרַע לַזֹּרֵעַ וְלֶחֶם לָאֹכֵל	Is. 55:10
זָרֻעַ	16	אוֹר זָרֻעַ לַצַּדִּיק	Ps. 97:11
זְרוּעָה	17	...בַּמִּדְבָּר בְּאֶרֶץ לֹא זְרוּעָה	Jer. 2:2
הַזֹּרְעִים	18	הַזֹּרְעִים בְּדִמְעָה בְּרִנָּה יִקְצֹרוּ	Ps. 126:5
זֹרְעֵי־	19	אַשְׁרֵיכֶם זֹרְעֵי עַל־כָּל־מָיִם	Is. 32:20
וְזֹרְעֵי־	20	וְזֹרְעֵי עָמָל יִקְצְרֻהוּ	Job 4:8
אֶזְרְעָה	21	אֶזְרְעָה וְאַחֵר יֹאכֵל	Job 31:8
וְאֶזְרָעֵם	22	וְאֶזְרָעֵם בָּעַמִּים...	Zech. 10:9
תִּזְרַע	23	וְשֵׁשׁ שָׁנִים תִּזְרַע אֶת־אַרְצֶךָ	Ex. 23:10
	24	בִּכּוּרֵי מַעֲשֶׂיךָ אֲשֶׁר תִּזְרַע בַּשָּׂדֶה	Ex. 23:16
	25	שָׂדְךָ לֹא תִזְרַע כִּלְאָיִם	Lev. 19:19
	26	שֵׁשׁ שָׁנִים תִּזְרַע שָׂדֶךָ	Lev. 25:3
	27	אֲשֶׁר תִּזְרַע אֶת־זַרְעֲךָ...	Deut. 11:10
	28	לֹא־תִזְרַע כַּרְמְךָ כִּלְאָיִם	Deut. 22:9
	29	אֲשֶׁר־תִּזְרַע אֶת־הָאֲדָמָה	Is. 30:23
	30	אַתָּה תִזְרַע וְלֹא תִקְצוֹר	Mic. 6:15
תִּזְרָע	31	שָׂדְךָ לֹא תִזְרָע	Lev. 25:4
	32	הַזֶּרַע אֲשֶׁר תִּזְרָע	Deut. 22:9
יִזְרָע	33	שֹׁמֵר רוּחַ לֹא יִזְרָע...	Eccl. 11:4
וַיִּזְרַע	34	וַיִּזְרַע יִצְחָק בָּאָרֶץ הַהִוא	Gen. 26:12
וַיִּזְרָעֶהָ	35	וַיִּתֹּץ אֶת־הָעִיר וַיִּזְרָעֶהָ מֶלַח	Jud. 9:45
תִּזְרָעֶנּוּ	36	...וּזְמֹרַת זָר תִּזְרָעֶנּוּ	Is. 17:10
נִזְרָע	37	הֵן לֹא נִזְרָע וְלֹא נֶאֱסֹף	Lev. 25:20
תִּזְרְעוּ	38	נִירוּ לָכֶם נִיר וְאַל־תִּזְרְעוּ אֶל־קֹצִים	Jer. 4:3
תִּזְרָעוּ	39	לֹא תִזְרָעוּ וְלֹא תִקְצְרוּ...	Lev. 25:11
	40	וְזֶרַע לֹא־תִזְרָעוּ וְכֶרֶם לֹא־תִטָּעוּ	Jer. 35:7
יִזְרָעוּ	41	רוּחַ יִזְרָעוּ וְסוּפָתָה יִקְצֹרוּ	Hosh. 8:7
וַיִּזְרְעוּ	42	וַיִּזְרְעוּ שָׂדוֹת וַיִּטְּעוּ כְרָמִים	Ps. 107:37
זְרַע	43	בַּבֹּקֶר זְרַע אֶת־זַרְעֶךָ	Eccl. 11:6
זִרְעוּ	44	זִרְעוּ וְקִצְרוּ וְנִטְעוּ כְרָמִים	IIK. 19:29
	45	וּבַשָּׁנָה הַשְּׁלִישִׁית זִרְעוּ וְקִצְרוּ	Is. 37:30
	46	זִרְעוּ לָכֶם לִצְדָקָה	Hosh. 10:12
וְנִזְרְעָה	47	וְנִקְּתָה וְנִזְרְעָה זָרַע	Num. 5:28
וְנִזְרַעְתֶּם	48	...וְנֶעֱבַדְתֶּם וְנִזְרַעְתֶּם	Ezek. 36:9
יִזָּרַע	49	לֹא־יִזָּרַע מִשִּׁמְךָ עוֹד	Nah. 1:14
יִזָּרֵעַ	50	עַל־כָּל־זֶרַע זֵרוּעַ אֲשֶׁר יִזָּרֵעַ	Lev. 11:37
	51	לֹא־יֵעָבֵד בּוֹ וְלֹא יִזָּרֵעַ	Deut. 21:4
תִּזָּרַע	52	לֹא תִזָּרַע וְלֹא תַצְמִחַ	Deut. 29:22
זֹרָעוּ	53	אַף בַּל־נִטָּעוּ אַף בַּל־זֹרָעוּ	Is. 40:24
מַזְרִיעַ	54/55	עֵשֶׂב מַזְרִיעַ זֶרַע	Gen. 1:11, 12
תַּזְרִיעַ	56	אִשָּׁה כִּי תַזְרִיעַ וְיָלְדָה זָכָר	Lev. 12:2

זֶרַע

ז׳ א) החלק בפרי הצמח שממנו גדל צמח חדש: 1–3,9–12,17,21,25,35,38,39,41,42,45,46,81, 86, 87, 121, 132, 141, 169, 171, 172, 189
ב) עונת הזריעה: 6, 34
ג) כנוי לתבואת השדה והגן: 16, 19, 36, 40, 48, 56, 63, 88, 94, 124, 229
ד) החומר המַפרה שמוציא הזכר באדם ובכל חי: 13–15, 30–33, 47
ה) [בהשאלה] צאצאים, בנים, בני בנים: 4, 5, 7–8, 18, 20,22–24, 26–29,37, 43,44,49–55, 57–62,64–80,82–85,89–93, 95–120,122–123, 125–131, 133–168, 170, 173–188, 190–228

– זֶרַע אַבְרָהָם 57, 71, 76, 91; זֶ׳ אָדָם 66; זֶ׳ אַהֲרֹן 92, 93, 95; זֶ׳ אַחֵר 4; זֶ׳ אֱלֹהִים 73; זֶ׳ אֱמֶת 63; זֶ׳ אֲנָשִׁים 49; זֶ׳ אֶפְרַיִם 64; זֶ׳ הָאָרֶץ 94, 99; זֶ׳ בְּהֵמָה 82; זֶ׳ בֵּית יַעֲקֹב 90; זֶ׳ בֵּית יִשְׂרָאֵל 65, 102; זֶרַע גַּד 86; זְרַע גָּד 87; זֶרַע דָּוִד 50, 69; זֶ׳ זַרְעוֹ 61; זֶ׳ חֹמֶר 81; זֶ׳ הַיְּהוּדִים 103; זֶ׳ יַעֲקֹב 70,74,89; זֶ׳ יִשְׂרָאֵל 52, 58, 67, 68, 75, 78, 79; זֶ׳ מָדַי 104; זֶ׳ הַמְּלוּכָה 97, 98, 100, 105; זֶ׳ הַמֶּלֶךְ 96; זֶ׳ הַמַּמְלָכָה 51, 80; זֶ׳ מְנָאֵף 59; זֶ׳ מְרֵעִים 53, 55; זֶ׳ עֲבָדִים 84; זֶ׳ צַדִּיקִים 85; זֶ׳ קֹדֶשׁ 54, 77; זֶ׳ רַב 17; זֶ׳ רְשָׁעִים 83; זֶ׳ הַשָּׂדֶה 88; זֶ׳ הַשָּׁלוֹם 72

– מְקוֹם זֶרַע 16; מֶשֶׁךְ הַזָּרַע 46; שְׂדֵה זֶרַע 36; שִׁכְבַת זֶרַע 13–15, 30–33

– לְבַב זַרְעוֹ 134; לְפִי זַ׳ 176; מְטַר זַ׳ 124; מַכּוֹת זַרְעוֹ 133; פִּי זַ׳ 125, 126

– הִזְרִיעַ זֶרַע 1,2; הֵקִים זֶ׳ 7; זָרַע זֶ׳ 3,21,25,35,38, 124,141; חִיָּה זֶ׳ 5,27,28; מָשַׁךְ זֶ׳ 45; רָאָה זֶרַע 20

זֶרַע	1/2	עֵשֶׂב מַזְרִיעַ זֶרַע	Gen. 1:11, 12
	3	נָתַתִּי לָכֶם אֶת-כָּל-עֵשֶׂב זֹרֵעַ זֶרַע	Gen. 1:29
	4	כִּי שָׁת־לִי אֱלֹהִים זֶרַע אַחֵר	Gen. 4:25
	5	לְחַיּוֹת זֶרַע עַל־פְּנֵי כָל־הָאָרֶץ	Gen. 7:3
	6	זֶרַע וְקָצִיר...לֹא יִשְׁבֹּתוּ	Gen. 8:22
	7	וְיַבֵּם אֹתָהּ וְהָקֵם זֶרַע לְאָחִיךָ	Gen. 38:8

זֶרַע (המשך)

8 ...לְבִלְתִּי נְתָן־זֶרַע לְאָחִיו Gen. 38:9

9 וְתֶן־זֶרַע וְנִחְיֶה וְלֹא נָמוּת Gen. 47:19

10 הֵא־לָכֶם זֶרַע... Gen. 47:23

11 עַל־כָּל־זֶרַע זֵרוּעַ אֲשֶׁר יִזָּרֵעַ Lev. 11:37

12 וְכִי יֻתַּן־מַיִם עַל־זֶרַע Lev. 11:38

13 וַאֲשֶׁר תֵּצֵא מִמֶּנּוּ שִׁכְבַת־זֶרַע Lev. 15:32

14/5 שִׁכְבַת־זֶרַע Lev. 19:20 • Num. 5:13

16 לֹא מְקוֹם זֶרַע וּתְאֵנָה וְגֶפֶן... Num. 20:5

17 זֶרַע רַב תּוֹצִיא הַשָּׂדֶה Deut. 28:38

18 יָשֵׂם יְיָ לְךָ זֶרַע מִן־הָאִשָּׁה הַזֹּאת ISh. 2:20

19 כְּבֵית סָאתַיִם זֶרַע סָבִיב IK. 18:32

20 יִרְאֶה זֶרַע יַאֲרִיךְ יָמִים Is. 53:10

21 וְנָתַן זֶרַע לַזֹּרֵעַ וְלֶחֶם לָאֹכֵל Is. 55:10

22 כִּי הֵם זֶרַע בֵּרַךְ יְיָ Is. 61:9

23 וְהוֹצֵאתִי מִיַּעֲקֹב זֶרַע... Is. 65:9

24 זֶרַע יַעַבְדֶנּוּ יְסֻפַּר לַאדֹנָי לַדּוֹר Ps. 22:31

זָ֑רַע

25 אֲשֶׁר־בּוֹ פְרִי־עֵץ זֹרֵעַ זָרַע Gen. 1:29

26 הֵן לִי לֹא נָתַתָּה זָרַע... Gen. 15:3

27/8 וּנְחַיֶּה מֵאָבִינוּ זָרַע Gen. 19:32, 34

29 כִּי בְיִצְחָק יִקָּרֵא לְךָ זָרַע Gen. 21:12

30 וְאִישׁ כִּי־תֵצֵא מִמֶּנּוּ שִׁכְבַת־זָרַע Lev. 15:16

31-33 שִׁכְבַת־זָרַע Lev. 15:17, 18; 22:4

34 וּבָצִיר יַשִּׂיג אֶת־זָרַע Lev. 26:5

35 וְנִקְּתָה וְנִזְרְעָה זָרַע Num. 5:28

36 וַיִּקַּח...וַיִּתְּנֵהוּ בִּשְׂדֵה־זָרַע Ezek. 17:5

וְזֶרַע

37 וּבַת־כֹּהֵן...וְזֶרַע אֵין לָהּ Lev. 22:13

38 וְזֶרַע לֹא־תִזְרָעוּ וְכֶרֶם לֹא־תִטָּעוּ Jer. 35:7

וָזֶרַע

39 וְשָׂדֶה וָזֶרַע לֹא יִהְיֶה־לָּנוּ Jer. 35:9

הַזֶּרַע

40 תִּקְדַּשׁ הַמְלֵאָה הַזֶּרַע אֲשֶׁר תִּזְרָע Deut. 22:9

41 הַעוֹד הַזֶּרַע בַּמְּגוּרָה Hag. 2:19

42 הִנְנִי גֹעֵר לָכֶם אֶת־הַזֶּרַע Mal. 2:3

43 הַזֶּרַע אֲשֶׁר יִתֵּן יְיָ לְךָ Ruth 4:12

הַזָּ֑רַע

44 וַיֵּדַע...כִּי לֹּא לוֹ יִהְיֶה הַזָּרַע Gen. 38:9

45 וְנִגַּשׁ...וְדֹרֵךְ עֲנָבִים בְּמֹשֵׁךְ הַזָּרַע Am. 9:13

46 יֵלֵךְ וּבָכֹה נֹשֵׂא מֶשֶׁךְ־הַזָּרַע Ps. 126:6

לְזָ֑רַע

47 לֹא־תִתֵּן שְׁכָבְתְּךָ לְזָרַע Lev. 18:20

זֶרַע־

48 זֶרַע חֹמֶר שְׂעֹרִים... Lev. 27:16

49 וְנָתַתָּה לַאֲמָתְךָ זֶרַע אֲנָשִׁים ISh. 1:11

50 וַאֲעַנֶּה אֶת־זֶרַע דָּוִד... IK. 11:39

51 וַתְּאַבֵּד אֵת כָּל־זֶרַע הַמַּמְלָכָה IIK. 11:1

52 וַיִּמְאַס יְיָ בְּכָל־זֶרַע יִשְׂרָאֵל IIK. 17:20

53 זֶרַע מְרֵעִים בָּנִים מַשְׁחִיתִים Is. 1:4

54 זֶרַע קֹדֶשׁ מַצַּבְתָּהּ Is. 6:13

55 לֹא־יִקָּרֵא לְעוֹלָם זֶרַע מְרֵעִים Is. 14:20

56 זֶרַע שִׁחֹר קְצִיר יְאוֹר תְּבוּאָתָהּ Is. 23:3

57 זֶרַע אַבְרָהָם אֹהֲבִי Is. 41:8

58 בַּיְיָ יִצְדְּקוּ...כָּל־זֶרַע יִשְׂרָאֵל Is. 45:25

59 בְּנֵי עֹנְנָה זֶרַע מְנָאֵף וַתִּזְנֶה Is. 57:3

60 יַלְדֵי־פֶשַׁע זֶרַע שָׁקֶר Is. 57:4

61 וּמִפִּי זַרְעֲךָ וּמִפִּי זֶרַע זַרְעֲךָ Is. 59:21

62 כִּי זֶרַע בְּרוּכֵי יְיָ הֵמָּה Is. 65:23

63 נְטַעְתִּיךְ שׂוֹרֵק כֻּלֹּה זֶרַע אֱמֶת Jer. 2:21

64 הִשְׁלַכְתִּי...אֵת כָּל־זֶרַע אֶפְרָיִם Jer. 7:15

65 וַאֲשֶׁר הֵבִיא אֶת־זֶרַע בֵּית יִשְׂרָאֵל Jer. 23:8

66 זֶרַע אָדָם וְזֶרַע בְּהֵמָה Jer. 31:27(26)

67 גַּם זֶרַע יִשְׂרָאֵל יִשְׁבְּתוּ Jer. 31:36(35)

68 אֶמְאַס בְּכָל־זֶרַע יִשְׂרָאֵל Jer. 31:37(36)

69 כֵּן אַרְבֶּה אֶת־זֶרַע דָּוִד עַבְדִּי Jer. 33:22

70 גַּם־זֶרַע יַעֲקוֹב...אֶמְאַס Jer. 33:26

71 אֶל־זֶרַע אַבְרָהָם Jer. 33:26

72 כִּי־זֶרַע הַשָּׁלוֹם... Zech. 8:12

73 וּמָה הָאֶחָד מְבַקֵּשׁ זֶרַע אֱלֹהִים Mal. 2:15

זֶרַע (המשך)

74 כָּל־זֶרַע יַעֲקֹב כַּבְּדוּהוּ Ps. 22:24

75 וְגוּרוּ מִמֶּנּוּ כָּל־זֶרַע יִשְׂרָאֵל Ps. 22:24

76 זֶרַע אַבְרָהָם עַבְדּוֹ Ps. 105:6

77 וְהִתְעָרְבוּ זֶרַע הַקֹּדֶשׁ בְּעַמֵּי הָאָרֳ׳ Ez. 9:2

78 וַיִּבָּדְלוּ זֶרַע יִשְׂרָאֵל מִכֹּל בְּנֵי נֵכָר Neh. 9:2

79 זֶרַע יִשְׂרָאֵל עַבְדּוֹ ICh. 16:13

80 וַתְּדַבֵּר אֶת־כָּל־זֶרַע הַמַּמְלָכָה IICh. 22:10

וְזֶרַע־

81 וְזֶרַע חֹמֶר יַעֲשֶׂה אֵיפָה Is. 5:10

82 זֶרַע אָדָם וְזֶרַע בְּהֵמָה Jer. 31:27(26)

83 וְזֶרַע רְשָׁעִים נִכְרָת Ps. 37:28

84 וְזֶרַע עֲבָדָיו יִנְחָלוּהָ Ps. 69:37

85 וְזֶרַע צַדִּיקִים נִמְלָט Prov. 11:21

כְּזֶרַע־

86 וְהוּא כְּזֶרַע גַּד לָבָן Ex. 16:31

כִּזְרַע־

87 וְהַמָּן כִּזְרַע־גַּד הוּא Num. 11:7

לְזֶרַע־

88 יִהְיֶה...לְזֶרַע הַשָּׂדֶה וּלְאָכְלְכֶם Gen. 47:24

89 לֹא אָמַרְתִּי לְזֶרַע יַעֲקֹב... Is. 45:19

90 וָאֶשָּׂא יָדִי לְזֶרַע בֵּית יַעֲקֹב Ezek. 20:5

91 וַתִּתְּנָהּ לְזֶרַע אַבְרָהָם אֹהַבְךָ IICh. 20:7

מִזֶּרַע־

92 כָּל־אִישׁ...מִזֶּרַע אַהֲרֹן הַכֹּהֵן Lev. 21:21

93 אִישׁ אִישׁ מִזֶּרַע אַהֲרֹן... Lev. 22:4

94 מִזֶּרַע הָאָרֶץ מִפְּרִי הָעֵץ Lev. 27:30

95 אִישׁ זָר אֲשֶׁר לֹא מִזֶּרַע אַהֲרֹן הוּא Num. 17:5

96 מִזֶּרַע הַמֶּלֶךְ הוּא בֶּאֱדוֹם IK. 11:14

97 יִשְׁמָעֵאל...מִזֶּרַע הַמְּלוּכָה IIK. 25:25

98 יִשְׁמָעֵאל בֶּן־נְתַנְיָה...מִזֶּרַע הַמְּלוּכָה Jer. 41:1

99 וַיִּקַּח מִזֶּרַע הָאָרֶץ Ezek. 17:5

100 וַיִּקַּח מִזֶּרַע הַמְּלוּכָה Ezek. 17:13

101 מִזֶּרַע צָדוֹק הַקְּרֹבִים אֵלַי Ezek. 43:19

102 כִּי אִם־בְּתוּלֹת מִזֶּרַע בֵּית יִשְׂ׳ Ezek. 44:22

103 אִם מִזֶּרַע הַיְּהוּדִים מָרְדֳּכַי Es. 6:13

104 לְדָרְיָוֶשׁ בֶּן־אֲחַשְׁוֵרוֹשׁ מִזֶּרַע מָדָי Dan. 9:1

וּמִזֶּרַע־

105 וּמִזֶּרַע הַמְּלוּכָה וּמִן־הַפַּרְתְּמִים Dan. 1:3

זַרְעִי

106 ...וּבֵין זַרְעִי וּבֵין זַרְעֲךָ ISh. 20:42

107 אִם־תַּכְרִית אֶת־זַרְעִי אַחֲרָי ISh. 24:21

זַרְעֲךָ

108 ...וּבֵין זַרְעֲךָ וּבֵין זַרְעָהּ Gen. 3:15

109 וְשַׂמְתִּי אֶת־זַרְעֲךָ כַּעֲפַר הָאָרֶץ Gen. 13:16

110 גַּם־זַרְעֲךָ יִמָּנֶה Gen. 13:16

111 כִּי־גֵר יִהְיֶה זַרְעֲךָ Gen. 15:13

112 ...וּבֵין זַרְעֲךָ אַחֲרֶיךָ לְדֹרֹתָם Gen. 17:7

113 ...וּבֵין זַרְעֲךָ אַחֲרֶיךָ Gen. 17:10

114 ...לְגוֹי אֲשִׂימֶנּוּ כִּי זַרְעֲךָ הוּא Gen. 21:13

115 וְהַרְבָּה אַרְבֶּה אֶת־זַרְעֲךָ Gen. 22:17

116 וְיִרַשׁ זַרְעֲךָ אֵת שַׁעַר אֹיְבָיו Gen. 22:17

117/8 וְהִרְבֵּיתִי אֶת־זַרְעֲךָ Gen. 26:4, 24

119 וְהָיָה זַרְעֲךָ כַּעֲפַר הָאָרֶץ Gen. 28:14

120 וְשַׂמְתִּי אֶת־זַרְעֲךָ כְּחוֹל הַיָּם Gen. 32:12

121 אֲשֶׁר תִּזְרַע אֶת־זַרְעֲךָ... Deut. 11:10

122 וּבֵין זַרְעִי וּבֵין זַרְעֲךָ עַד־עוֹלָם ISh. 20:42

123 וַהֲקִימֹתִי אֶת־זַרְעֲךָ אַחֲרֶיךָ IISh. 7:12

124 וְנָתַן מְטַר זַרְעֲךָ אֲשֶׁר־תִּזְרַע Is. 30:23

125/6 וּמִפִּי זַרְעֲךָ וּמִפִּי זֶרַע זַרְעֲךָ Is. 59:21

127/8 וְאֶת־זַרְעֲךָ מֵאֶרֶץ שִׁבְיָם Jer. 30:10; 46:27

129 וַהֲקִימוֹתִי אֶת־זַרְעֲךָ אַחֲרֶיךָ ICh. 17:11

זַרְעֶךָ

130 וַיֹּאמֶר לוֹ כֹּה יִהְיֶה זַרְעֶךָ Gen. 15:5

131 הֶרְאָה אֹתִי אֱלֹ׳ גַּם אֶת־זַרְעֶךָ Gen. 48:11

132 עַשֵּׂר תְּעַשֵּׂר אֵת...תְּבוּאַת זַרְעֶךָ Deut. 14:22

133 ...וְאֵת מַכּוֹת זַרְעֶךָ Deut. 28:59

134 ...אֶת־לְבָבְךָ וְאֶת־לְבַב זַרְעֶךָ Deut. 30:6

135 מִמִּזְרָח אָבִיא זַרְעֶךָ Is. 43:5

136 ...אֶצֹּק רוּחִי עַל־זַרְעֶךָ Is. 44:3

137 וַיְהִי כַחוֹל זַרְעֶךָ Is. 48:19

138 עַד־עוֹלָם אָכִין זַרְעֶךָ Ps. 89:5

זַרְעֶךָ (המשך)

139 וְיָדַעְתָּ כִּי־רַב זַרְעֶךָ... Job 5:25

140 הֲתַאֲמִין בּוֹ כִּי־יָשִׁיב זַרְעֶךָ Job 39:12

141 בַּבֹּקֶר זְרַע אֶת־זַרְעֶךָ Eccl. 11:6

וְזַרְעֲךָ

142 אַתָּה וְזַרְעֲךָ אַחֲרֶיךָ לְדֹרֹתָם Gen. 17:9

וְזַרְעֶ֑ךָ

143 לְמַעַן תִּחְיֶה אַתָּה וְזַרְעֶךָ Deut. 30:19

בְזַרְעֲךָ

144/5 וְהִתְבָּרְכוּ בְזַרְעֲךָ כֹּל גּוֹיֵי הָאָרֶץ Gen. 22:18; 26:4

וּבְזַרְעֲךָ

146 וְהָיוּ בְךָ...וּבְזַרְעֲךָ עַד־עוֹלָם Deut. 28:46

147 וְצָרַעַת...תִּדְבַּק־בְּךָ וּבְזַרְעֲךָ IIK. 5:27

וּבְזַרְעֶךָ

148 וְנִבְרְכוּ בְךָ...וּבְזַרְעֶךָ Gen. 28:14

לְזַרְעֲךָ

149/50 לְזַרְעֲךָ אֶתֵּן אֶת־הָאָרֶץ הַזֹּאת Gen. 12:7; 24:7

151 לְזַרְעֲךָ נָתַתִּי אֶת־הָאָרֶץ הַזֹּאת Gen. 15:18

152 וְנָתַתִּי לְזַרְעֲךָ אֵת כָּל־הָאֲרָצֹת הָאֵל Gen. 26:4

153 ...לְזַרְעֲךָ אַחֲרֶיךָ אֲחֻזַּת עוֹלָם Gen. 48:4

154 אֲשֶׁר נִשְׁבַּעְתִּי...לְזַרְעֲךָ אֶתְּנֶנָּה Ex. 33:1

155 אֲשֶׁר נִשְׁבַּעְתִּי...לְזַרְעֲךָ אֶתְּנֶנָּה Deut. 34:4

וּלְזַרְעֲךָ

156 לְךָ אֶתְּנֶנָּה וּלְזַרְעֲךָ עַד־עוֹלָם Gen. 13:15

157 לִהְיוֹת לְךָ לֵאלֹהִים וּלְזַרְעֲךָ אַחֲרֶיךָ Gen. 17:7

158 וְנָתַתִּי לְךָ וּלְזַרְעֲךָ אַחֲרֶיךָ... Gen. 17:8

159 כִּי־לְךָ וּלְזַרְעֲךָ אֶתֵּן... Gen. 26:3

160 וְיִתֶּן־לְךָ...לְךָ וּלְזַרְעֲךָ אִתָּךְ Gen. 28:4

161 וּלְזַרְעֲךָ אַחֲרֶיךָ אֶתֵּן אֶת־הָאָרֶץ Gen. 35:12

162 בְּרִית...לְךָ וּלְזַרְעֲךָ אִתָּךְ Num. 18:19

וּלְזַרְעֶךָ

163 ...לְךָ אֶתְּנֶנָּה וּלְזַרְעֶךָ Gen. 28:13

מִזַּרְעֲךָ

164 ...אֲשֶׁר לֹא מִזַּרְעֲךָ הוּא Gen. 17:12

165 אִישׁ מִזַּרְעֲךָ לְדֹרֹתָם... Lev. 21:17

וּמִזַּרְעֲךָ

166 וּמִזַּרְעֲךָ לֹא־תִתֵּן... לַמֹּלֶךְ Lev. 18:21

זַרְעֵךְ

167 הַרְבָּה אַרְבֶּה אֶת־זַרְעֵךְ Gen. 16:10

168 וְיִירַשׁ זַרְעֵךְ אֵת שַׁעַר שֹׂנְאָיו Gen. 24:60

169 וּבַבֹּקֶר זַרְעֵךְ תַּפְרִיחִי Is. 17:11

וְזַרְעֵךְ

170 וְזַרְעֵךְ גּוֹיִם יִירָשׁ Is. 54:3

זַרְעוֹ

171 אֲשֶׁר זַרְעוֹ־בוֹ עַל־הָאָרֶץ Gen. 1:11

172 אֲשֶׁר זַרְעוֹ־בוֹ לְמִינֵהוּ Gen. 1:12

173 יַעֲקֹב וְכָל־זַרְעוֹ אִתּוֹ Gen. 46:6

174 בָּנָיו וּבְנֵי בָנָיו אִתּוֹ...וְכָל־זַרְעוֹ Gen. 46:7

175 וְלֹא־יְחַלֵּל זַרְעוֹ בְּעַמָּיו Lev. 21:15

176 וְהָיָה עֶרְכְּךָ לְפִי זַרְעוֹ Lev. 27:16

177 כִּי לֹא תִשָּׁכַח מִפִּי זַרְעוֹ Deut. 31:21

178 וָאַרְבֶּה אֶת־זַרְעוֹ... Josh. 24:3

179 בְּרֹאשׁ יוֹאָב וּבְרֹאשׁ זַרְעוֹ לְעֹלָם IK. 2:33

180 הִנְנִי פֹקֵד...וְעַל־זַרְעוֹ Jer. 29:32

181 וּפָקַדְתִּי עָלָיו וְעַל־זַרְעוֹ Jer. 36:31

182 שֻׁדַּד זַרְעוֹ וְאֶחָיו וּשְׁכֵנָיו Jer. 49:10

183 וְשַׂמְתִּי לָעַד זַרְעוֹ Ps. 89:30

184 זַרְעוֹ לְעוֹלָם יִהְיֶה Ps. 89:37

185 גִּבּוֹר בָּאָרֶץ יִהְיֶה זַרְעוֹ Ps. 112:2

186 וְדֹבֵר שָׁלוֹם לְכָל־זַרְעוֹ Es. 10:3

וְזַרְעוֹ

187 וְזַרְעוֹ יִהְיֶה מְלֹא־הַגּוֹיִם Gen. 48:19

188 וַהֲבִיאֹתִיו...וְזַרְעוֹ יוֹרִשֶׁנָּה Num. 14:24

189 יִזַּל...וְזַרְעוֹ בְּמַיִם רַבִּים Num. 24:7

190 מַדּוּעַ הוּטְלוּ הוּא וְזַרְעוֹ Jer. 22:28

191 וְזַרְעוֹ יִירַשׁ אָרֶץ Ps. 25:13

192 צַדִּיק נֶעֱזָב וְזַרְעוֹ מְבַקֶּשׁ־לָחֶם Ps. 37:25

193 כָּל־הַיּוֹם חוֹנֵן...וְזַרְעוֹ לִבְרָכָה Ps. 37:26

בְּזַרְעוֹ

194 וַיִּבְחַר בְּזַרְעוֹ אַחֲרָיו Deut. 4:37

לְזַרְעוֹ

195 לִבְרִית עוֹלָם לְזַרְעוֹ אַחֲרָיו Gen. 17:19

196 וְכָרוֹת עִמּוֹ הַבְּרִית...לָתֵת לְזַרְעוֹ Neh. 9:8

וּלְזַרְעוֹ

197 חֻקַּת עוֹלָם לוֹ וּלְזַרְעוֹ אַחֲרָיו Ex. 28:43

198 חָק־עוֹלָם לוֹ וּלְזַרְעוֹ לְדֹרֹתָם Ex. 30:21

וּלְזַרְעוֹ 199 וְהָיְתָה לּוֹ וּלְזַרְעוֹ...בְּרִית... Num.25:13
200/1 וּלְזַרְעוֹ עַד־עוֹלָם IISh.22:51 • Ps.18:51
202 וּלְדָוִד וּלְזַרְעוֹ...יִהְיֶה שָׁלוֹם IK.2:33
מִזַּרְעוֹ 203 ...אֲשֶׁר יִתֵּן מִזַּרְעוֹ לַמֹּלֶךְ Lev.20:2
204 כִּי מִזַּרְעוֹ נָתַן לַמֹּלֶךְ Lev.20:3
205 בְּתִתּוֹ מִזַּרְעוֹ לַמֹּלֶךְ Lev.20:4
206 כִּי לֹא יִצְלַח מִזַּרְעוֹ אִישׁ Jer.22:30
207 מִקַּחַת מִזַּרְעוֹ מֹשְׁלִים Jer.33:26
וּמִזַּרְעוֹ 208 נְקָמוֹת...מִשָּׁאוּל וּמִזַּרְעוֹ IISh.4:8
זַרְעָהּ 209 ...וּבֵין זַרְעֲךָ וּבֵין זַרְעָהּ Gen.3:15
זַרְעֲכֶם 210 ...וְאֶת־זַרְעֲכֶם אַחֲרֵיכֶם Gen.9:9
211 אַרְבֶּה...זַרְעֲכֶם כְּכוֹכְבֵי הַשָּׁמָיִם Ex.32:13
212 כָּל־אִישׁ אֲשֶׁר־יִקְרַב מִכָּל־זַרְעֲכֶם Lev.22:3
213 וּזְרַעְתֶּם לָרִיק זַרְעֲכֶם Lev.26:16
214 כֵּן יַעֲמֹד זַרְעֲכֶם וְשִׁמְכֶם Is.66:22
לְזַרְעֲכֶם 215 אֶתֵּן לְזַרְעֲכֶם וְנָחֲלוּ לְעֹלָם Ex.32:13
זַרְעָם 216 וְנוֹדַע בַּגּוֹיִם זַרְעָם Is.61:9
217 וּלְהַפִּיל זַרְעָם בַּגּוֹיִם Ps.106:27
218 זַרְעָם נָכוֹן לִפְנֵיהֶם עִמָּם Job 21:8
219 קִיְּמוּ...עֲלֵיהֶם וְעַל־זַרְעָם Es.9:27
220 קִיְּמוּ עַל־נַפְשָׁם וְעַל־זַרְעָם Es.9:31
וְזַרְעָם 221 פִּרְיָמוֹ...תְּאַבֵּד וְזַרְעָם מִבְּנֵי אָדָם Ps.21:11
222 וְזַרְעָם לְפָנֶיךָ יִכּוֹן Ps.102:29
223/4 לְהַגִּיד בֵּית־אֲבוֹתָם וְזַרְעָם Ez.2:59
Neh.7:61
בְּזַרְעָם 225 וַיִּבְחַר בְּזַרְעָם אַחֲרֵיהֶם Deut.10:15
וּלְזַרְעָם 226 לָתֵת לָהֶם וּלְזַרְעָם אַחֲרֵיהֶם Deut.1:8
227 לָתֵת לָהֶם וּלְזַרְעָם Deut.11:9
מִזַּרְעָם 228 וְזִכְרָם לֹא־יָסוּף מִזַּרְעָם Es.9:28
וְזַרְעֵיכֶם 229 וְזַרְעֵיכֶם וְכַרְמֵיכֶם יַעְשֹׂר ISh.8:15

זְרַע

ז׳ ארמית: זְרַע: 1

בִּזְרַע־ 1 מִתְעָרְבִין לֶהֱוֹן בִּזְרַע אֲנָשָׁא Dan.2:43

זֵרְעוֹן*

ז׳ זֶרַע, גרעין: 1

זֵרְעֹנִים 1 וְנֹתֵן לָהֶם זֵרְעֹנִים Dan.1:16

זרק

: זָרַק, זֹרֵק; מִזְרָק

זָרַק

פָּ׳ א) התיז, הִזָּה: 1–6,9–18,21–24,26,27,29–31

ב) פִּזֵּר, השליך: 7, 8, 19, 20, 25, 28, 32, 33

ג) [פָּ׳ זֹרֵק] הזה, הותז: 34, 35

קרובים: א) הִזָּה (נזה) / יָצַק / נָסַךְ / שָׁפַךְ

ב) הֵטִיל (טול) / הֵפִיץ (פוץ) / הִשְׁלִיךְ / יָדָה / פִּזֵּר

זָרַק גֶּחָלִים 33; זָ׳ דָּם 1, 3–6, 9–18, 21–27, 29, 32
זָ׳ כַּמֹּן 19; זָ׳ מַיִם 2, (34, 35); זָ׳ עָפָר 28;
זָ׳ פִּיחַ 7, 20; זָ׳ (שְׁבָרִים) 25; זָרְקָה שֵׂיבָה 8

וְלִזְרֹק 1 וְלִזְרֹק עָלָיו דָּם Ezek.43:18
וְזָרַקְתִּי 2 וְזָרַקְתִּי עֲלֵיכֶם מַיִם טְהוֹרִים Ezek.36:25
וְזָרַקְתָּ 3 וְזָרַקְתָּ עַל־הַמִּזְבֵּחַ סָבִיב Ex.29:16
4 וְזָרַקְתָּ אֶת־הַדָּם עַל־הַמִּזְבֵּחַ סָבִיב Ex.29:20
זָרַק 5 וַחֲצִי הַדָּם זָרַק עַל־הַמִּזְבֵּחַ Ex.24:6
וְזָרַק 6 וְזָרַק הַכֹּהֵן אֶת־הַדָּם Lev.17:6
וּזְרָקוֹ 7 קְחוּ לָכֶם...פִּיחַ וּזְרָקוֹ מֹשֶׁה הַשָּׁמַיְמָה Ex.9:8
זָרְקָה 8 גַּם־שֵׂיבָה זָרְקָה בּוֹ... Hosh.7:9
וְזָרְקוּ 9 וְזָרְקוּ אֶת־הַדָּם עַל־הַמִּזְבֵּחַ סָבִיב Lev.1:5
10–12 וְזָרְקוּ...אֶת־דָּמוֹ עַל־הַמִּזְבֵּחַ סָבִיב
Lev.1:11; 3:8,13
13 וְזָרְקוּ...אֶת־הַדָּם עַל־הַמִּזְבֵּחַ Lev.3:2
הַזֹּרֵק 14 לַכֹּהֵן הַזֹּרֵק אֶת־דַּם הַשְּׁלָמִים Lev.7:14
זֹרְקִים 15 הַכֹּהֲנִים זֹרְקִים...הַדָּם מִיַּד הַלְוִיִּם IICh.30:16
תִּזְרֹק 16 אֶת־דָּמָם תִּזְרֹק עַל־הַמִּזְבֵּחַ Num.18:17
17 וְכָל־דַּם־זֶבַח עָלָיו תִּזְרֹק IIK.16:15
יִזְרֹק 18 וְאֶת־דָּמוֹ יִזְרֹק עַל־הַמִּזְבֵּחַ סָבִיב Lev.7:2
19 וְהֵפִיץ קֶצַח וְכַמֹּן יִזְרֹק Is.28:25
וַיִּזְרֹק 20 וַיִּזְרֹק אֹתוֹ מֹשֶׁה הַשָּׁמַיְמָה Ex.9:10
21 וַיִּקַּח...אֶת־הַדָּם וַיִּזְרֹק עַל־הָעָם Ex.24:8
22/3 וַיִּזְרֹק...אֶת־הַדָּם עַל־הַמִּזְבֵּחַ Lev.8:19,24
24 וַיִּזְרֹק אֶת־דַּם־הַשְּׁלָמִים IIK.16:13
25 וַיִּזְרֹק עַל־פְּנֵי הַקְּבָרִים IICh.34:4
וַיִּזְרְקֵהוּ 26/7 וַיִּזְרְקֵהוּ עַל־הַמִּזְבֵּחַ סָבִיב Lev.9:12,18
וַיִּזְרְקוּ 28 וַיִּזְרְקוּ עָפָר עַל־רָאשֵׁיהֶם Job 2:12

וַיִּזְרְקוּ (המשך) 29 וַיְקַבְּלוּ...הַדָּם וַיִּזְרְקוּ הַמִּזְבֵּחָה IICh.29:22
30/1 וַיִּזְרְקוּ הַדָּם הַמִּזְבֵּחָה IICh.29:22²
32 וַיִּזְרְקוּ הַכֹּהֲנִים מִיָּדָם... IICh.35:11
וּזְרֹק 33 וּמַלֵּא...גַחֲלֵי־אֵשׁ...וּזְרֹק עַל־הָעִיר Ezek.10:2
זֹרַק 34/5 מֵי נִדָּה לֹא־זֹרַק עָלָיו Num.19:13,20

(זרר)[1] זוֹרֵר

פִּ׳ התעטש (?)

וַיְזוֹרֵר 1 וַיְזוֹרֵר הַנַּעַר עַד־שֶׁבַע פְּעָמִים IIK.4:35

(זרר)[2]

עין (זור)[2]

זֶרֶשׁ

שפ־נ – אשת המן: 1–4

זֶרֶשׁ 1 אֶת־אֹהֲבָיו וְאֶת־זֶרֶשׁ אִשְׁתּוֹ Es.5:10
2 וַתֹּאמֶר לוֹ זֶרֶשׁ אִשְׁתּוֹ... Es.5:14
וְזֶרֶשׁ 3 וַיֹּאמְרוּ לוֹ חֲכָמָיו וְזֶרֶשׁ אִשְׁתּוֹ Es.6:13
לְזֶרֶשׁ 4 וַיְסַפֵּר הָמָן לְזֶרֶשׁ אִשְׁתּוֹ Es.6:13

זֶרֶת

נ׳ מידת אורך קטנה (כמרחק שבין קצה האצבע הקטנה לקצה הבוהן, כשהאצבעות מפושקות): 1–7

זֶרֶת 1/2 זֶרֶת אָרְכּוֹ וְזֶרֶת רָחְבּוֹ Ex.28:16; 39:9
3 וּגְבוּלָהּ...סָבִיב זֶרֶת הָאֶחָד Ezek.43:13
וְזֶרֶת 4/5 זֶרֶת אָרְכּוֹ וְזֶרֶת רָחְבּוֹ Ex.28:16; 39:9
וָזָרֶת 6 גָּבְהוֹ שֵׁשׁ אַמּוֹת וָזָרֶת ISh.17:4
בַּזֶּרֶת 7 וְשָׁמַיִם בַּזֶּרֶת תִּכֵּן Is.40:12

זַתּוּא

שפ־ז – שם משפחה בימי נחמיה: 1–4

זַתּוּא 1 בְּנֵי זַתּוּא תְּשַׁע מֵאוֹת וְאַרְבָּעִים... Ez.2:8
2 וּמִבְּנֵי זַתּוּא אֶלְיוֹעֵינַי...מַתַּנְיָה Ez.10:27
3 בְּנֵי זַתּוּא שְׁמֹנֶה מֵאוֹת אַרְבָּעִים... Neh.7:13
4 עֵילָם זַתּוּא בָּנִי Neh.10:15

זֵתָם

שפ־ז – לוי ממשפחת גרשוני: 1, 2

זֵתָם 1 בְּנֵי יְחִיאֵלִי זֵתָם וְיוֹאֵל אָחִיו ICh.26:22
וְזֵתָם 2 יְחִיאֵל וְזֵתָם וְיוֹאֵל שְׁלֹשָׁה ICh.23:8

זֵתַר

שפ־ז – מסריסי המלך אחשורוש: 1

זֵתַר 1 בִּזְּתָא וַאֲבַגְתָא זֵתַר וְכַרְכַּס Es.1:10

ח׳ זעירא

חַף		Job 33:9

ח׳ רבתי

חוּר		Es. 1:6

מסורה מסורה מסורה מסורה
מסורה מסורה מסורה מסורה
מסורה ח מסורה
מסורה מסורה
מסורה מסורה
מסורה מסורה
מסורה מסורה
מסורה מסורה
מסורה מסורה
מסורה מסורה מסורה מסורה
מסורה מסורה מסורה מסורה
מסורה מסורה מסורה מסורה

חית״ן בתורה 7 187

כתיב ח׳ – קרי ה׳

עמיחור	עַמִּיהוּד	IISh. 13:37
מבחלת	מְבֹהֶלֶת	Prov. 20:21
ולחתם	וּלְהָתֵם	Dan. 9:24
רחיטנו	רָהִיטֵנוּ	S.ofS. 1:17

חֹב* ז׳ חיק, פְּנים

בְּחֻבִּי	1 אִם־כִּסִּיתִי...לִטְמוֹן בְּחֻבִּי עֲוֹנִי	Job 31:33

חבא : נֶחְבָּא, חָבָא, הִתְחַבֵּא, הֶחְבִּיא, הָחְבָּא; מַחֲבֵא, מַחֲבוֹא [עין גם חבה]

(חבא) א) [נפ׳ נֶחְבָּא] הסתתר, נטמן: 1–16
ב) [פְּ׳ חָבָא] הוסתר: 17
ג) [הת׳ הִתְחַבֵּא] הִסְתַּתֵּר: 18-27
ד) [הפ׳ הֶחְבִּיא] הִסְתִּיר: 28–33
ה) [הָפ׳ הָחְבָּא] הוסתר: 34

קרובים: חבה / טמן / כסה / סתר / עלם / צפן

נֶחְבָּא אֶל־ 10; נֶחְבָּא בְּ־ 11, 12, 15, 16

בְּהֵחָבֵא	1 וַיִּבְרְחוּ בְּהֵחָבֵא	Dan. 10:7
לְהֵחָבֵא	2 אֲשֶׁר תָּבוֹא חֶדֶר בְּחֶדֶר לְהֵחָבֵא	IICh. 18:24
נַחְבֵּאתָ	3 לָמָּה נַחְבֵּאתָ לִבְרֹחַ	Gen. 31:27
וְנַחְבֵּאתָ	4 וְיָשַׁבְתָּ בַסֵּתֶר וְנַחְבֵּאתָ	ISh. 19:2
נֶחְבָּא (עבר)	5 וַיִּוָּתֵר יוֹתָם...כִּי נֶחְבָּא	Jud. 9:5
וְנַחְבֵּאתֶם	6 וְנַחְבֵּתֶם שָׁמָּה שְׁלֹשֶׁת יָמִים	Josh. 2:16
נֶחְבְּאוּ	7 אֶל־הַמְּעָרָה אֲשֶׁר נֶחְבְּאוּ־שָׁם	Josh. 10:27
נֶחְבָּאוּ	8 קוֹל־נְגִידִים נֶחְבָּאוּ	Job 29:10
וְנֶחְבָּאוּ	9 רָאוּנִי נְעָרִים וְנֶחְבָּאוּ	Job 29:8
נֶחְבָּא (הוה)	10 הִנֵּה־הוּא נֶחְבָּא אֶל־הַכֵּלִים	ISh. 10:22
	11 עַתָּה הוּא־נֶחְבָּא בְּאַחַת הַפְּחָתִים	IISh. 17:9
נֶחְבְּאִים	12 נִמְצְאוּ...נֶחְבְּאִים בַּמְּעָרָה	Josh. 10:17
וָאֵחָבֵא	13 וָאִירָא כִּי־עֵירֹם אָנֹכִי וָאֵחָבֵא	Gen. 3:10
תֵּחָבֵא	14 בְּשׁוֹט לָשׁוֹן תֵּחָבֵא	Job 5:21
יֵחָבְאוּ	15 וְאִם־יֵחָבְאוּ בְּרֹאשׁ הַכַּרְמֶל	Am. 9:3
וַיֵּחָבְאוּ	16 וַיֵּחָבְאוּ בַּמְּעָרָה בְּמַקֵּדָה	Josh. 10:16
חֻבְּאוּ	17 יַחַד חֻבְּאוּ עֲנִיֵּי־אָרֶץ	Job 24:4
הִתְחַבְּאוּ	18 מִן־הַחֹרִים אֲשֶׁר הִתְחַבְּאוּ־שָׁם	ISh. 14:11
מִתְחַבֵּא	19/20 מִתְחַבֵּא שֵׁשׁ שָׁנִים	IIK. 11:3 • IICh. 22:12
	21 וְהוּא מִתְחַבֵּא בְשֹׁמְרוֹן	IICh. 22:9
מִתְחַבְּאִים	22 וְאַרְבַּעַת בָּנָיו עִמּוֹ מִתְחַבְּאִים	ICh. 21:20
הַמִּתְחַבְּאִים	23 הַמִּתְחַבְּאִים בְּהַר־אֶפְרַיִם	ISh. 14:22
יִתְחַבֵּא	24 מִכֹּל הַמַּחֲבֹאִים אֲשֶׁר יִתְחַבֵּא שָׁם	ISh. 23:23
וַיִּתְחַבֵּא	25 וַיִּתְחַבֵּא הָאָדָם וְאִשְׁתּוֹ	Gen. 3:8
יִתְחַבָּאוּ	26 כָּאֶבֶן מַיִם יִתְחַבָּאוּ	Job 38:30
וַיִּתְחַבְּאוּ	27 וַיִּתְחַבְּאוּ הָעָם בַּמְּעָרוֹת	ISh. 13:6
הֶחְבִּיאָנִי	28 בְּצֵל יָדוֹ הֶחְבִּיאָנִי	Is. 49:2
הֶחְבִּיאָה	29 כִּי הֶחְבִּיאָה אֶת־הַמַּלְאָכִים	Josh. 6:25
הֶחְבְּאַתָה	30 כִּי הֶחְבְּאַתָה אֶת־הַמַּלְאָכִים	Josh. 6:17
וָאַחְבִּא	31 וָאַחְבִּא מִנְּבִיאֵי יְיָ מֵאָה אִישׁ	IK. 18:13
וַתַּחְבִּא	32 וַתַּחְבִּא אֶת־בְּנָהּ	IIK. 6:29
וַיַּחְבִּיאֵם	33 וַיַּחְבִּיאֵם חֲמִשִּׁים אִישׁ בַּמְּעָרָה	IK. 18:4
הָחְבָּאוּ	34 וּבְבָתֵּי כְלָאִים הָחְבָּאוּ	Is. 42:22

חבב : חוֹבֵב; חֹב(?); ש״פ חֹבָב, חֻבָּה

חָבַב פָּ׳ אָהב

חוֹבֵב	1 אַף חֹבֵב עַמִּים כָּל־קְדֹשָׁיו בְּיָדֶךָ	Deut. 33:3

חֹבָב שפ״ז – בן רעואל, חותן משה: 2,1

חֹבָב	1 ...נִפְרָד מִבְּנֵי חֹבָב חֹתֵן מֹשֶׁה	Jud. 4:11
לְחֹבָב	2 לְחֹבָב בֶּן־רְעוּאֵל...חֹתֵן מֹשֶׁה	Num. 10:29

חֻבָּה שפ״ז – מבני שֶׁמֶר לשבט אָשר

חֻבָּה	1 וּבְנֵי שָׁמֶר...וְחֻבָּה (כת׳ יחבה) וַאֲרָם	ICh. 7:34

חבה : חָבָה, נֶחְבָּה; חֶבְיוֹן; ש״פ חֲבַיָּה (?)

חָבָה פָּ׳ א) [צורת־משנה של חבא] התחבא: 1
ב) [נפ׳ נֶחְבָּה] נחבא, התחבא: 2–4

חֲבִי	1 לֵךְ עַמִּי...חֲבִי כִמְעַט־רֶגַע	Is. 26:20
לְהֵחָבֵה	2 אֲשֶׁר תָּבֹא חֶדֶר בְּחֶדֶר לְהֵחָבֵה	IK. 22:25
	3 וַיֵּצְאוּ...לְהֵחָבֵה בַשָּׂדֶה°	IIK. 7:12
וְנֶחְבָּה	4 גִּלֵּיתִי...וְנֶחְבָּה לֹא יוּכָל	Jer. 49:10

חֲבוֹל ז׳ משכון לחוב: 1–4 • קרוב: עֲבוֹט

חֲבוֹל	1 גְּזֵלוֹת גָּזָל חֲבֹל לֹא יָשִׁיב	Ezek. 18:12
	2 חֲבֹל לֹא חָבָל וּגְזֵלָה לֹא גָזָל	Ezek. 18:16
	3 חֲבֹל יָשִׁיב רָשָׁע גְּזֵלָה יְשַׁלֵּם	Ezek. 33:15
	4 חֲבֹל חָבַלְנוּ לָךְ	Neh. 1:7

חָבוֹל ת׳ עין חָבַל1 (מס׳ 5)

חֲבוֹלָה נ׳ חבול, משכון

חֲבוֹלָתוֹ	1 חֲבֹלָתוֹ חוֹב יָשִׁיב גְּזֵלָה לֹא יִגְזֹל	Ezek. 18:7

חֲבוּלָה נ׳ ארמית: עוון, פשע

חֲבוּלָה	1 וְאַף קֳדָמָךְ°...חֲבוּלָה לָא עַבְדֵת	Dan. 6:23

חִבּוּק ז׳ שִׁלּוּב, גִּפּוּף: 2,1

חִבּוּק־	1-2 מְעַט חִבֻּק יָדַיִם לִשְׁכָּב	Prov. 6:10; 24:33

חָבוֹר נהר שבין פרת לחידקל: 1–3

וְחָבוֹר	1 וַיְבִיאֵם לַחְלַח וְחָבוֹר	ICh. 5:26
וּבְחָבוֹר	2 וַיֹּשֶׁב אוֹתָם בַּחְלַח וּבְחָבוֹר	IIK. 17:6
	3 וַיַּנְחֵם בַּחְלַח וּבְחָבוֹר	IIK. 18:11

חָבוּר ת׳ דָּבֵק, צָמוּד – עין חָבַר

חַבּוּרָה, חֲבוּרָה* נ׳ תפיחה בעור, פֶּצַע, מכה: 1–7
קרובים: אֲבַעְבֻּעָה / יַבֶּלֶת / מַכָּה / נֶגַע / פֶּצַע

חַבּוּרָה	1-2 חַבּוּרָה תַּחַת חַבּוּרָה	Ex. 21:25
וְחַבּוּרָה	3 פֶּצַע וְחַבּוּרָה וּמַכָּה טְרִיָּה	Is. 1:6
לְחַבּוּרָתִי	4 אִישׁ הָרַגְתִּי לְפִצְעִי וְיֶלֶד לְחַבֻּרָתִי	Gen. 4:23
וּבַחֲבוּרָתוֹ	5 וּבַחֲבֻרָתוֹ נִרְפָּא־לָנוּ	Is. 53:5
חַבּוּרוֹת	6 חַבֻּרוֹת פֶּצַע תַּמְרוּק° בְּרָע	Prov. 20:30
חַבּוּרוֹתָי	7 הִבְאִישׁוּ נָמַקּוּ חַבּוּרֹתָי	Ps. 38:6

חבט : חָבַט, נֶחְבַּט

חָבַט פָּ׳ א) הִכה, דפק (שבּלים, זיתים וכד׳): 1–4
ב) [נפ׳ נֶחְבַּט] הֻכה, נדפק (כנ״ל): 5

חוֹבֵט	1 וְגִדְעוֹן בְּנוֹ חֹבֵט חִטִּים	Jud. 6:11
תַּחְבֹּט	2 כִּי תַחְבֹּט זֵיתְךָ	Deut. 24:20
יַחְבֹּט	3 יַחְבֹּט יְיָ מִשִּׁבֹּלֶת הַנָּהָר	Is. 27:12
וַתַּחְבֹּט	4 וַתַּחְבֹּט אֵת אֲשֶׁר־לִקֵּטָה	Ruth 2:17
יֵחָבֶט	5 בַּמַּטֶּה יֵחָבֶט קֶצַח וְכַמֹּן בַּשָּׁבֶט	Is. 28:27

חֲבַיָּה שפ״ז– אבי משפחת כהנים שגוֹאלוּ מן הכהונה: 1, 2

חֲבַיָּה	1 וּמִבְּנֵי הַכֹּהֲנִים בְּנֵי חֲבַיָּה...	Ez. 2:61
	2 וּמִן־הַכֹּהֲנִים בְּנֵי חֲבַיָּה...	Neh. 7:63

חֶבְיוֹן ז׳ מחבוא, מסתור

חֶבְיוֹן־	1 וְנֹגַהּ כָּאוֹר תִּהְיֶה...וְשָׁם חֶבְיוֹן עֻזֹּה	Hab. 3:4

חבל : א) חָבַל1, חָבוֹל; חֲבוֹל, חֲבוֹלָה; חֶבֶל1, חֹבֵל, חוֹבֵל(?)
ב) חִבֵּל2, חֻבַּל, נֶחְבַּל; חֶבֶל2, חוֹבְלִים; אר׳ חַבֵּל, אִתְחַבַּל; חֲבָל, חֲבוּלָה
ג) חִבֵּל3; חֵבֶל; תַּחְבּוּלָה(?)

חָבַל1 פָּ׳ א) לקח כמשכון: 1,2, 4, 7–14
ב) נתן כמשכון: 3

חָבֹל	1 אִם־חָבֹל תַּחְבֹּל שַׂלְמַת רֵעֶךָ	Ex. 22:25
חָבָל	2 חֲבֹל לֹא חָבָל וּגְזֵלָה לֹא גָזָל	Ezek. 18:16
חָבַלְנוּ	3 חֲבֹל חָבַלְנוּ לָךְ	Neh. 1:7
חוֹבֵל	4 כִּי־נֶפֶשׁ הוּא חֹבֵל	Deut. 24:6
חֲבוּלִים	5 וְעַל־בְּגָדִים חֲבֻלִים יַטּוּ	Am. 2:8
אֶחְבֹּל	6 אֶל־אֵל הֶאָמַר נָשָׂאתִי לֹא אֶחְבֹּל	Job 34:31
תַּחְבֹּל	7 אִם־חָבֹל תַּחְבֹּל שַׂלְמַת רֵעֶךָ	Ex. 22:25
	8 כִּי־תַחְבֹּל אַחֶיךָ חִנָּם	Job 22:6
תַּחֲבֹל	9 וְלֹא תַחֲבֹל בֶּגֶד אַלְמָנָה	Deut. 24:17
יַחֲבֹל	10 לֹא־יַחֲבֹל רֵחַיִם וָרָכֶב	Deut. 24:6
יַחְבְּלוּ	11 יַחְבְּלוּ שׁוֹר אַלְמָנָה	Job 24:3
יַחְבֹּלוּ	12 יִגְזְלוּ מִשֹּׁד יָתוֹם וְעַל־עָנִי יַחְבֹּלוּ	Job 24:9
חַבְלֵהוּ	13 לְקַח־בִּגְדוֹ...וּבְעַד נָכְרִיָּה° חַבְלֵהוּ	Prov 20:16
	14 קַח־בִּגְדוֹ...וּבְעַד נָכְרִיָּה חַבְלֵהוּ	Prov. 27:13

חִבֵּל2 פִּ׳ א) פגע, קלקל: 1–6
ב) [פֻּ׳ חֻבַּל] נפגע, הושחת: 7, 8
ג) [נפ׳ נֶחְבַּל] נפגע: 9

לְחַבֵּל	1 בָּאִים...לְחַבֵּל כָּל־הָאָרֶץ	Is. 13:5
	2 לְחַבֵּל עֲנִיִּים° בְּאִמְרֵי־שֶׁקֶר	Is. 32:7
	3 וְאָנֹכִי בָּרָאתִי מַשְׁחִית לְחַבֵּל	Is. 54:16
וְחִבֵּל	4 וְחִבֵּל אֶת־מַעֲשֵׂה יָדֶיךָ	Eccl. 5:5
מְחַבְּלִים	5 שֻׁעָלִים קְטַנִּים מְחַבְּלִים כְּרָמִים	S.ofS. 2:15
תְּחַבֵּל	6 בַּעֲבוּר טָמְאָה תְּחַבֵּל וְחֶבֶל נִמְרָץ	Mic. 2:10
וְחֻבַּל	7 וְחֻבַּל עֹל מִפְּנֵי־שָׁמֶן	Is. 10:27
חֻבָּלָה	8 רוּחִי חֻבָּלָה יָמַי נִזְעָכוּ	Job 17:1
יֵחָבֶל	9 בָּז לְדָבָר יֵחָבֶל לוֹ	Prov. 13:13

חָבַל³
פ' א) [חִבְּלָה] הרתה (אשה): 2,1
ב) [בהשאלה] הגה, זמם: 3

חִבְּלָה 1 שָׁמָּה חִבְּלָה יְלָדַתְךָ S.ofS.8:5
חִבְּלַתְךָ 2 שָׁמָּה חִבְּלַתְךָ אִמֶּךָ S.ofS.8:5
יְחַבֶּל־ 3 יְחַבֶּל־אָוֶן וְהָרָה עָמָל וְיָלַד שָׁקֶר Ps.7:15

חֲבַל⁴
פ' ארמית: א) חִבֵּל, השחית: 1–3
ב) [הת' אִתְחַבַּל] הושחת: 4–6

לְחַבָּלָה 1 לְחַבָּלָה בֵּית־אֱלָהָא דֵךְ Ez.6:12
חַבְּלוּנִי 2 וּסְגַר פֻּם אַרְיָוָתָא וְלָא חַבְּלוּנִי Dan.6:23
וְחַבְּלוּהִי 3 גֹּדּוּ אִילָנָא וְחַבְּלוּהִי Dan.4:20
תִּתְחַבַּל 4 מַלְכוּ דִּי לְעָלְמִין לָא תִתְחַבַּל Dan.2:44
5-6 וּמַלְכוּתֵהּ דִּי־לָא תִתְחַבַּל Dan.6:27; 7:14

חֲבָל
ז' ארמית: מום, נזק: 1–3

חֲבָל 1 וְכָל־חֲבָל לָא הִשְׁתְּכַח־בֵּהּ Dan.6:24
וַחֲבָל 2 וַחֲבָל לָא־אִיתַי בְּהוֹן Dan.3:25
חֲבָלָא 3 לְמָה יִשְׂגֵּא חֲבָלָא לְהַנְזָקַת מַלְכִין Ez.4:22

חֶבֶל¹
ז' א) מיתר, חוט עבה קלוע מסיבים שונים: 6, 9, 21, 26, 30, 31, 33–37, 42, 49, 50
ב) מיתרי מלכודת, מוקש [גם בהשאלה]: 24, 32, 39–41, 43–48
ג) חוט למדידת אורך: 4, 7, 8, 19, 25
ד) מנה, חלק: 1–3, 5, 14, 28, 29, 38
ה) אזור, גליל: 10–13, 17, 18, 20, 22, 23, 27
ו) חבר, קבוצה: 15, 16

קרובים: א) גְּדִיל / חוּט / יֶתֶר / מֵיתָר / עֲבוֹת / פְּתִיל / קַו / שְׂרוֹךְ / תִּקְוָה²
ב) אֵזוֹר / גָּלִיל / מָחוֹז / נָפָה / פֶּלֶךְ

– חֶבֶל אַרְגֹּב 10–13; חֶבֶל בְּנֵי יְהוּדָה 23; חֶבֶל יָם 17–18; חֶ' כֶּסֶף 21; חֶ' מִדָּה 19; חֶבֶל נְבִיאִים 15–16; חֶ' נַחֲלָה 14, 20, 22
– חַבְלֵי אָדָם 40; חַ' אַרְגָּמָן 42; חַ' בּוּץ 42; חַ' חַטָּאת 43; חֶ' מָוֶת 45, 46; חַ' מְנַשֶּׁה 38; חַבְלֵי עֹנִי 41; חֶבְלֵי רְשָׁעִים 48; חֶבְלֵי שְׁאוֹל 44, 47; חַבְלֵי שָׁוְא 39

חֶבֶל 1 לֹא־יִהְיֶה לְךָ מַשְׁלִיךְ חֶבֶל בְּגוֹרָל Mic.2:5
2 וְהָיָה חֶבֶל לִשְׁאֵרִית בֵּית יְהוּדָה Zep.2:7
וְחֶבֶל 3 גּוֹרָל אֶחָד וְחֶבֶל אֶחָד Josh.17:14
הַחֶבֶל 4 וּמְלֹא הַחֶבֶל לְהַחֲיוֹת IISh.8:2
בְּחֶבֶל 5 וַיַּפִּילֵם בְּחֶבֶל נַחֲלָה Ps.78:55
בַּחֶבֶל 6 וַתּוֹרִדֵם בַּחֶבֶל בְּעַד הַחַלּוֹן Josh.2:15
7 וַיַּךְ אֶת־מוֹאָב וַיְמַדְּדֵם בַּחֶבֶל IISh.8:2
8 וְאַדְמָתְךָ בַּחֶבֶל תְּחֻלָּק Am.7:17
וּבְחֶבֶל 9 וּבְחֶבֶל תַּשְׁקִיעַ לְשֹׁנוֹ Job 40:25
חֶבֶל־ 10 שִׁשִּׁים עִיר כָּל־חֶבֶל אַרְגֹּב Deut.3:4
11-13 חֶבֶל (הָ)אַרְגֹּב Deut.3:13,14 • IK.4:13
14 חֵלֶק יְיָ עַמּוֹ יַעֲקֹב חֶבֶל נַחֲלָתוֹ Deut.32:9
15 וּפָגַעְתָּ חֶבֶל נְבִאִים ISh.10:5
16 וְהִנֵּה חֶבֶל־נְבִאִים לִקְרָאתוֹ ISh.10:10
17 הוֹי יֹשְׁבֵי חֶבֶל הַיָּם Zep.2:5
18 וְהָיְתָה חֶבֶל הַיָּם נְוֺת כְּרֹת רֹעִים Zep.2:6
19 וְהִנֵּה־אִישׁ וּבְיָדוֹ חֶבֶל מִדָּה Zech.2:5
20 אֶת־אֶרֶץ־כְּנָעַן חֶבֶל נַחֲלַתְכֶם Ps.105:11
21 עַד אֲשֶׁר לֹא־יֵרָתֵק חֶבֶל הַכֶּסֶף Eccl.12:6
22 אֶרֶץ־כְּנָעַן חֶבֶל נַחֲלַתְכֶם ICh.16:18
מֵחֶבֶל־ 23 מֵחֶבֶל בְּנֵי יְהוּדָה נַחֲלַת בְּנֵי שִׁמְעוֹן Josh.19:9
חַבְלוֹ 24 טָמוּן בָּאָרֶץ חַבְלוֹ Job 18:10
חֲבָלִים 25 וַיְמַדֵּד שְׁנֵי־חֲבָלִים לְהָמִית IISh.8:2
26 וְהִשִּׂיאוּ...אֶל־הָעִיר הַהִיא חֲבָלִים IISh.17:13
27 אֲשֶׁר תִּתְנַחֲלוּ...יוֹסֵף חֲבָלִים Ezek.47:13
28 חֲבָלִים נָפְלוּ־לִי בַּנְּעִמִים Ps.16:6
29 חֲבָלִים יְחַלֵּק בְּאַפּוֹ Job 21:17
וַחֲבָלִים 30 נָשִׂימָה...וַחֲבָלִים בְּרֹאשֵׁנוּ IK.20:31
31 וַיַּחְגְּרוּ...וַחֲבָלִים בְּרָאשֵׁיהֶם IK.20:32
32 טָמְנוּ־גֵאִים פַּח לִי וַחֲבָלִים Ps.140:6
בַּחֲבָלִים 33 וַיְשַׁלְּחוּ אֶת־יִרְמְיָהוּ בַּחֲבָלִים Jer.38:6
34 וַיְשַׁלְּחֵם אֶל־יִרְמְיָהוּ...בַּחֲבָלִים Jer.38:11
35 וַיִּמְשְׁכוּ אֶת־יִרְמְיָהוּ בַּחֲבָלִים Jer.38:13
36 בַּחֲבָלִים חֲבֻשִׁים וַאֲרֻזִים Ezek.27:24
לַחֲבָלִים 37 שִׂים נָא...מִתַּחַת לַחֲבָלִים Jer.38:12
חַבְלֵי־ 38 וַיִּפְּלוּ חַבְלֵי־מְנַשֶּׁה עֲשָׂרָה Josh.17:5
בְּחַבְלֵי־ 39 הוֹי מֹשְׁכֵי הֶעָוֺן בְּחַבְלֵי הַשָּׁוְא Is.5:18
40 בְּחַבְלֵי אָדָם אֶמְשְׁכֵם Hosh.11:4
41 יִלָּכְדוּן בְּחַבְלֵי־עֹנִי Job 36:8
42 אָחוּז בְּחַבְלֵי־בוּץ וְאַרְגָּמָן Es.1:6
וּבְחַבְלֵי־ 43 וּבְחַבְלֵי חַטָּאתוֹ יִתָּמֵךְ Prov.5:22
חֶבְלֵי־ 44 חֶבְלֵי שְׁאוֹל סַבּוּנִי IISh.22:6
45/6 אֲפָפוּנִי חֶבְלֵי־מָוֶת Ps.18:5; 116:3
47 חֶבְלֵי שְׁאוֹל סְבָבוּנִי Ps.18:6
48 חֶבְלֵי רְשָׁעִים עִוְּדֻנִי Ps.119:61
חֲבָלָיִךְ 49 נִטְּשׁוּ חֲבָלָיִךְ בַּל־יְחַזְּקוּ כֵן־תָּרְנָם Is.33:23
חֲבָלָיו 50 וְכָל־חֲבָלָיו בַּל־יִנָּתֵקוּ Is.33:20

חֶבֶל²
ז' השחתה

וְחֶבֶל 1 בַּעֲבוּר טָמְאָה תְּחַבֵּל וְחֶבֶל נִמְרָץ Mic.2:10

חֵבֶל¹
ז' א) כאב הולדת, צירי יולדה: 1–7
ב) עובר: 8

צִירִים וַחֲבָלִים 4; צָרָה וַחֲבָלִים 5; חֶבְלֵי יוֹלֵדָה 6

חֵבֶל 1 בְּטֶרֶם יָבוֹא חֵבֶל לָהּ וְהִמְלִיטָה זָכָר Is.66:7
חֲבָלִים 2 חֲבָלִים יֹאחֵזוּךְ כְּמוֹ אֵשֶׁת לֵדָה Jer.13:21
3 בְּבֹא־לָךְ חֲבָלִים חִיל כַּיֹּלֵדָה Jer.22:23
וַחֲבָלִים 4 צִירִים וַחֲבָלִים יֹאחֵזוּן Is.13:8
5 צָרָה וַחֲבָלִים אֲחָזַתָּה כַּיּוֹלֵדָה Jer.49:24
חֶבְלֵי־ 6 חֶבְלֵי יוֹלֵדָה יָבֹאוּ לוֹ Hosh.13:13
בַּחֲבָלֶיהָ 7 כְּמוֹ הָרָה...תָּחִיל תִּזְעַק בַּחֲבָלֶיהָ Is.26:17
חֶבְלֵיהֶם 8 יַלְדֵיהֶן תְּפַלַּחְנָה חֶבְלֵיהֶם תְּשַׁלַּחְנָה Job 39:3

חֵבֶל²
שם עיר בנחלת אשר, חלב(?)

מֵחֵבֶל 1 תֹּצְאֹתָיו הַיָּמָּה מֵחֵבֶל אַכְזִיבָה Josh.19:29

חִבֵּל
ז' תורן הספינה

חִבֵּל 1 וּכְשֹׁכֵב בְּרֹאשׁ חִבֵּל Prov.23:34

חֲבֹל, חֲבֹלָה
עין חֲבוֹל, חֲבוֹלָה

חֹבֵל
עין חוֹבֵל

חֹבְלִים
עין חוֹבְלִים

חֲבַצֶּלֶת
נ' צמח ממשפחת הנרקיסיים הגדל בשרון (Pancratium): 2,1

חֲבַצֶּלֶת־ 1 אֲנִי חֲבַצֶּלֶת הַשָּׁרוֹן שׁוֹשַׁנַּת הָעֲמָקִים S.ofS.2:1
כַּחֲבַצָּלֶת 2 וְתָגֵל עֲרָבָה וְתִפְרַח כַּחֲבַצָּלֶת Is.35:1

חֲבַצִּנְיָה
שפ"ז – מבני רכב

חֲבַצִּנְיָה 1 וָאֶקַּח אֶת־יַאֲזַנְיָה...בֶּן־חֲבַצִּנְיָה Jer.35:3

חבק
: חָבַק, חִבֵּק; חִבּוּק; ש"פ חֲבַקּוּק(?)

חָבַק
פ' א) הקיף בזרועותיו: 1–3
ב) [פ' חִבֵּק] כנ"ל: 4–13

– חֹבֶקֶת בֵּן 3; חֹבֵק יָדָיו 2
– חִבֵּק אֶת־ 5–8, 11–13; חִבֵּק לְ־ 9, 10; חִבֵּק אַשְׁפַּתּוֹת 6; חִבֵּק חֵיק 7; חִבֵּק צוּר 5

לַחֲבוֹק 1 עֵת לַחֲבוֹק וְעֵת לִרְחֹק מֵחַבֵּק Eccl.3:5
חֹבֵק 2 הַכְּסִיל חֹבֵק אֶת־יָדָיו Eccl.4:5
חוֹבֶקֶת 3 כָּעֵת חַיָּה אַתְּ חֹבֶקֶת בֵּן IIK.4:16
מֵחַבֵּק 4 עֵת לַחֲבוֹק וְעֵת לִרְחֹק מֵחַבֵּק Eccl.3:5
חִבְּקוּ 5 וּמִבְּלִי מַחְסֶה חִבְּקוּ־צוּר Job 24:8
6 הָאֱמֻנִים עֲלֵי תוֹלָע חִבְּקוּ אַשְׁפַּתּוֹת Lam.4:5
וּתְחַבֵּק 7 תִשְׁגֶּה בְנִי בְזָרָה וּתְחַבֵּק חֵק נָכְרִיָּה Prov.5:20
תְּחַבְּקֶנָּה 8 תְּכַבֵּדְךָ כִּי תְחַבְּקֶנָּה Prov.4:8
וַיְחַבֵּק 9 וַיִּשַּׁק לָהֶם וַיְחַבֵּק לָהֶם Gen.48:10
וַיְחַבֶּק־ 10 וַיְחַבֶּק־לוֹ וַיְנַשֶּׁק־לוֹ Gen.29:13
וַיְחַבְּקֵהוּ 11 וַיְחַבְּקֵהוּ וַיִּפֹּל עַל־צַוָּארָו Gen.33:4
תְּחַבְּקֵנִי 12 שְׂמֹאלוֹ תַּחַת לְרֹאשִׁי וִימִינוֹ תְּחַבְּקֵנִי S.ofS.2:6
13 שְׂמֹאלוֹ תַּחַת רֹאשִׁי וִימִינוֹ תְּחַבְּקֵנִי S.ofS.8:3

חֹבֶק
עין חִבּוּק

חֲבַקּוּק
שפ"ז – נביא ישראל: 2,1

חֲבַקּוּק 1 הַמַּשָּׂא אֲשֶׁר חָזָה חֲבַקּוּק הַנָּבִיא Hab.1:1
לַחֲבַקּוּק 2 תְּפִלָּה לַחֲבַקּוּק הַנָּבִיא Hab.3:1

חבר
: חָבַר, חוֹבֵר, חִבּוּר, חִבֵּר, חֻבַּר, הִתְחַבֵּר; חָבֵר, חַבָּר, חֶבֶר, חֶבְרָה, חֲבֵרָה, חוֹבֶרֶת, מַחְבֶּרֶת, מְחַבֶּרֶת; ש"פ חֶבֶר, חֶבְרוֹן, חֶבְרִי, חֶבְרוֹנִי; אר' חֲבַר, חַבְרָה

חָבַר
פ' א) התאחד: 1–8
ב) [פ' חִבֵּר] קשר יחד: 9–17
ג) [פ' חֻבַּר] נקשר, אוחד: 18–21
ד) [הִיחָבֵר = הֵחָבֵר(?)]: 22
ה) [הת' הִתְחַבֵּר] התאחד: 23–25
ו) [הפ' הֶחְבִּיר] צֵרֵף, הוסיף: 26

חָבְרוּ 1 כָּל־אֵלֶּה חָבְרוּ אֶל־עֵמֶק הַשִּׂדִּים Gen.14:3
חֲבוּר־ 2 חֲבוּר עֲצַבִּים אֶפְרָיִם Hosh.4:17
חוֹבְרוֹת 3-5 חֹבְרֹת אִשָּׁה אֶל־אֲחֹתָהּ Ex.26:3² • Ezek.1:9
6 שְׁתֵּי כְתֵפֹת חֹבְרֹת יִהְיֶה־לּוֹ Ex.28:7
7 כְּתֵפֹת עָשׂוּ־לוֹ חֹבְרֹת Ex.39:4
8 לְאִישׁ שְׁתַּיִם חֹבְרוֹת אִישׁ Ezek.1:11
לְחַבֵּר 9 לְחַבֵּר אֶת־הָאֹהֶל לִהְיֹת אֶחָד Ex.36:18
וְחִבַּרְתָּ 10 וְחִבַּרְתָּ...אִשָּׁה אֶל־אֲחֹתָהּ בַּקְּרָסִים Ex.26:6
11 וְחִבַּרְתָּ אֶת־חֲמֵשׁ הַיְרִיעֹת לְבָד Ex.26:9
12 וְחִבַּרְתָּ אֶת־הָאֹהֶל וְהָיָה אֶחָד Ex.26:11
חִבַּר 13 וְחָמֵשׁ יְרִיעֹת חִבַּר אַחַת אֶל־אֶחָת Ex.36:10
וַיְחַבֵּר 14 וַיְחַבֵּר...אַחַת אֶל־אֶחָת Ex.36:10
15 וַיְחַבֵּר...אַחַת אֶל־אַחַת בַּקְּרָסִים Ex.36:13
16 וַיְחַבֵּר אֶת־חֲמֵשׁ הַיְרִיעֹת לְבָד Ex.36:16
וַיְחַבְּרֵהוּ 17 וַיְחַבְּרֵהוּ עִמּוֹ לַעֲשׂוֹת אֳנִיּוֹת IICh.20:36
חֻבָּר 18 עַל־שְׁנֵי קְצוֹתָו חֻבָּר Ex.39:4
וְחֻבָּר 19 אֶל־שְׁנֵי קְצוֹתָיו וְחֻבָּר Ex.28:7
שֶׁחֻבְּרָה 20 כְּעִיר שֶׁחֻבְּרָה־לָּהּ יַחְדָּו Ps.122:3
יְחֻבַּר 21 יְחֻבַּר (כ' יבחר) אֶל כָּל־הַחַיִּים Eccl.9:4
הַיְחָבְרְךָ 22 הַיְחָבְרְךָ כִּסֵּא הַוּוֹת Ps.94:20
כְּהִתְחַבֶּרְךָ 23 כְּהִתְחַבֶּרְךָ עִם־אֲחַזְיָהוּ... IICh.20:37
אֶתְחַבַּר 24 אֶתְחַבַּר יְהוֹשָׁפָט...עִם אֲחַזְיָה IICh.20:35
יִתְחַבָּרוּ 25 וּלְקֵץ שָׁנִים יִתְחַבָּרוּ Dan.11:6
אַחְבִּירָה 26 אַחְבִּירָה עֲלֵיכֶם בְּמִלִּים Job 16:4

חֶבֶר¹
ז' א) חבורה, קבוצה: 2, 3, 4
ב) כשוף, קסם: 1, 5–7 [עין חוֹבֵר]

חוֹבֵר חֶבֶר (חֲבָרִים) 1, 5; בֵּית חֶבֶר 2, 3; חֶבֶר כֹּהֲנִים 4; עָצְמַת חֲבָרִים 6

חָבֶר 1 וְחֹבֵר חָבֶר וְשֹׁאֵל אוֹב וְיִדְּעֹנִי Deut.18:11
2/3 מֵאֵשֶׁת מִדְיָנִים וּבֵית חָבֶר Prov.21:9; 25:24
חֶבֶר־ 4 וּכְחַכֵּי־אִישׁ גְּדוּדִים חֶבֶר כֹּהֲנִים Hosh.6:9
חֲבָרִים 5 חוֹבֵר חֲבָרִים מְחֻכָּם Ps.58:6
חֲבָרַיִךְ 6 בְּרֹב כְּשָׁפַיִךְ בְּעָצְמַת חֲבָרַיִךְ מְאֹד Is.47:9
בַּחֲבָרַיִךְ 7 עִמְדִי־נָא בַחֲבָרַיִךְ וּבְרֹב כְּשָׁפַיִךְ Is.47:12

חֶבֶר²
שפ״ז – א) בן בריעה, בן אשר: 1, 7, 9, 11
ב) הקיני, מבני חובב חותן משה: 2–5, 8
ג) אבי העיר שׂוֹכוֹ: 6
ד) מבני בנימין: 10
אֵשֶׁת חֶבֶר 2, 3, 5; בֵּית חֶבֶר 4

חֶבֶר 1 וּבְנֵי בְרִיעָה חֶבֶר וּמַלְכִּיאֵל Gen.46:17
2-3 יָעֵל אֵשֶׁת חֶבֶר הַקֵּינִי Jud.4:17; 5:24
4 בֵּית חֶבֶר הַקֵּינִי Jud.4:17
5 וַתִּקַּח יָעֵל אֵשֶׁת־חֶבֶר Jud.4:21
6 וְאֶת־חֶבֶר אֲבִי שׂוֹכוֹ ICh.4:18
7 וּבְנֵי בְרִיעָה חֶבֶר וּמַלְכִּיאֵל ICh.7:31
וְחֶבֶר 8 וְחֶבֶר הַקֵּינִי נִפְרָד מִקַּיִן Jud.4:11
9 וְחֶבֶר הוֹלִיד אֶת־יַפְלֵט ICh.7:32
וָחֶבֶר 10 וּזְבַדְיָה וּמְשֻׁלָּם וְחִזְקִי וָחָבֶר ICh.8:17
לְחֶבֶר 11 לְחֶבֶר מִשְׁפַּחַת הַחֶבְרִי Num.26:45

חָבֵר
ז׳ רֵעַ, ידיד: 1–12
קרובים: יָדִיד / מוֹדָע / מַכִּיר / מַכָּר / מֵרֵעַ / רֵעַ / רֵעֶה
חַבְרֵי גַנָּבִים 6; עֶדְרֵי חֲבֵרָיו 7

חָבֵר 1 חָבֵר אָנִי לְכָל־אֲשֶׁר יְרֵאוּךָ Ps.119:63
2 חָבֵר הוּא לְאִישׁ מַשְׁחִית Prov.28:24
חֲבֵרוֹ 3 אִם־יִפֹּלוּ הָאֶחָד יָקִים אֶת־חֲבֵרוֹ Eccl.4:10
חֲבֵרִים 4 כָּל־אִישׁ יִשׂ׳...כְּאִישׁ אֶחָד חֲבֵרִים Jud.20:11
5 חֲבֵרִים מַקְשִׁיבִים לְקוֹלֵךְ S.ofS.8:13
וְחַבְרֵי 6 שָׂרַיִךְ סוֹרְרִים וְחַבְרֵי גַּנָּבִים Is.1:23
חֲבֵרֶיךָ 7 אֶהְיֶה כְּעֹטְיָה עַל עֶדְרֵי חֲבֵרֶיךָ S.ofS.1:7
מֵחֲבֵרֶיךָ 8 מְשָׁחֲךָ...שֶׁמֶן שָׂשׂוֹן מֵחֲבֵרֶךָ Ps.45:8
חֲבֵרָיו 9 הֵן כָּל־חֲבֵרָיו יֵבֹשׁוּ Is.44:11
10 לִיהוּדָה וְלִבְנֵי יִשְׂרָאֵל חֲבֵרָו Ezek.37:16
11 לְיוֹסֵף...וְכָל־בֵּית יִשְׂרָאֵל חֲבֵרָו Ezek.37:16
12 וְשִׁבְטֵי יִשְׂרָאֵל חֲבֵרָו Ezek.37:19

חֲבַר
ז׳ ארמית: חָבֵר; חַבְרוֹהִי = חבריו: 1–3
חַבְרוֹהִי 1 וְלַחֲנַנְיָה...חַבְרוֹהִי מִלְּתָא הוֹדַע Dan.2:17
וְחַבְרוֹהִי 2 וּבְעוֹ דָּנִיֵּאל וְחַבְרוֹהִי לְהִתְקְטָלָה Dan.2:13
3 דִּי לָא יְהֹבְדוּן דָּנִיֵּאל וְחַבְרוֹהִי Dan.2:18

חַבָּר*
ז׳ סוחר (?)
חַבָּרִים 1 יִכְרוּ עָלָיו חַבָּרִים יֶחֱצוּהוּ בֵּין כְּנַעֲנִים Job40:30

חֲבַרְבּוּרָה*
נ׳ כֶּתֶם מנומר
חֲבַרְבֻּרֹתָיו 1 הֲיַהֲפֹךְ כּוּשִׁי עוֹרוֹ וְנָמֵר חֲבַרְבֻּרֹתָיו Jer.13:23

חֶבְרָה
נ׳ חבורה, קבוצה
לְחֶבְרָה 1 וְאָרַח לְחֶבְרָה עִם־פֹּעֲלֵי אָוֶן Job34:8

חֲבֵרָה*
נ׳ רֵעָה, ידידה • קרובים: רֵעָה / רְעוּת / רַעְיָה
חֲבֶרְתְּךָ 1 וְהִיא חֲבֶרְתְּךָ וְאֵשֶׁת בְּרִיתֶךָ Mal.2:14

חַבְרָה*
נ׳ ארמית: חברה
חַבְרָתַהּ 1 וְחֶזְוַהּ רַב מִן־חַבְרָתַהּ Dan.7:20

חֶבְרוֹן¹
שפ״ז א) בן קהת בן לוי: 1, 3–8
ב) אבי ארבעה בתי אב משבט יהודה: 2
בְּנֵי חֶבְרוֹן 2, 3, 5

חֶבְרוֹן 1 וּבְנֵי קְהָת...עַמְרָם וְיִצְהָר חֶבְרוֹן Num.3:19
2 וּבְנֵי חֶבְרוֹן קֹרַח וְתַפֻּחַ... ICh.2:43
3 לִבְנֵי חֶבְרוֹן אֱלִיאֵל הַשָּׂר ICh.15:9
4 בְּנֵי קְהָת עַמְרָם יִצְהָר חֶבְרוֹן ICh.23:12
5 בְּנֵי חֶבְרוֹן יְרִיָּהוּ הָרֹאשׁ... ICh.23:19
וְחֶבְרוֹן 6-8 עַמְרָם וְיִצְהָר וְחֶבְרוֹן Ex.6:18 • ICh.5:28; 6:3

חֶבְרוֹן²
עיר האבות בנחלת שבט יהודה: 1–63
אֲבִי חֶבְרוֹן 23; מֶלֶךְ חֶבְרוֹן 6–9; עֵמֶק חֶבְרוֹן 4;
עָרֵי חֶבְרוֹן 22; שֵׁם חֶבְרוֹן 13, 19

חֶבְרוֹן 1 בְּקִרְיַת אַרְבַּע הִוא חֶבְרוֹן Gen.23:2
2 עַל־פְּנֵי מַמְרֵא הִוא חֶבְרוֹן Gen.23:19
3 מַמְרֵא קִרְיַת הָאַרְבַּע הִוא חֶבְרוֹן Gen.35:27
4 וַיִּשְׁלָחֵהוּ מֵעֵמֶק חֶבְרוֹן Gen.37:14
5 וַיַּעֲלוּ בַנֶּגֶב וַיָּבֹא עַד־חֶבְרוֹן Num.13:22
6 וַיִּשְׁלַח...אֶל־הוֹהָם מֶלֶךְ חֶבְרוֹן Josh.10:3
7-9 מֶלֶךְ חֶבְרוֹן Josh.10:5,23; 12:10
10 וַיַּכְרֵת...מִן־הָהָר מִן־חֶבְרוֹן Josh.11:21
11 וַיִּתֵּן אֶת־חֶבְרוֹן לְכָלֵב...לְנַחֲלָה Josh.14:13
12 עַל־כֵּן הָיְתָה חֶבְרוֹן לְכָלֵב Josh.14:14
13 וְשֵׁם חֶבְרוֹן לְפָנִים קִרְיַת אַרְבַּע Josh.14:15
14/5 (וְ)קִרְיַת אַרְבַּע(...)הִיא חֶבְרוֹן Josh.15:13,54
16/7 הִיא חֶבְרוֹן בְּהַר יְהוּדָה Josh.20:7; 21:11
18 אֶת־חֶבְרוֹן וְאֶת־מִגְרָשֶׁהָ Josh.21:13
19 וְשֵׁם־חֶבְרוֹן לְפָנִים קִרְיַת אַרְבַּע Jud.1:10
20 וַיִּתְּנוּ לְכָלֵב אֶת־חֶבְרוֹן Jud.1:20
21 רֹאשׁ הָהָר אֲשֶׁר עַל־פְּנֵי חֶבְרוֹן Jud.16:3
22 וַיֵּשְׁבוּ בְּעָרֵי חֶבְרוֹן IISh.2:3
23 וּבְנֵי מָרֵשָׁה אֲבִי חֶבְרוֹן ICh.2:42
24-29 חֶבְרוֹן IISh.3:20,27; 4:8
ICh.6:40,42 • IICh.11:10
חֶבְרוֹנָה 30 וַיַּעַל...מֵעֶגְלוֹנָה חֶבְרוֹנָה Josh.10:36
31 אָנָה אֶעֱלֶה וַיֹּאמֶר חֶבְרֹנָה IISh.2:1
32-38 חֶבְרוֹנָה IISh.5:1,3; 15:9
ICh.11:1,3; 12:23(24),38(39)
וְחֶבְרוֹן 39 וְחֶבְרוֹן שֶׁבַע שָׁנִים נִבְנְתָה
לִפְנֵי צֹעַן מִצְרָיִם Num.13:22
בְּחֶבְרוֹן 40 בְּאֵלֹנֵי מַמְרֵא אֲשֶׁר בְּחֶבְרוֹן Gen.13:18
41 אֶל־הַכְּנַעֲנִי הַיּוֹשֵׁב בְּחֶבְרוֹן Jud.1:10
42 הַיָּמִים אֲשֶׁר הָיָה דָוִד מֶלֶךְ בְּחֶבְרוֹן IISh.2:11
43 וַיֵּאֹר לָהֶם בְּחֶבְרוֹן IISh.2:32
44 וַיִּוָּלְדוּ לְדָוִד בָּנִים בְּחֶבְרוֹן IISh.3:2
45-61 בְּחֶבְרוֹן ISh.30:31 • IISh.3:5,19,22,32; 4:1
4:12²; 5:3, 5; 15:7, 10 • IK.2:11 • ICh.3:14; 11:3; 29:27
לְחֶבְרוֹן 62 כַּאֲשֶׁר עָשָׂה לְחֶבְרוֹן Josh.10:39
מֵחֶבְרוֹן 63 וַיִּקַּח...אַחֲרֵי בֹּאוֹ מֵחֶבְרוֹן IISh.5:13

חֶבְרוֹנִי
ת׳ המתייחס על חֶבְרוֹן¹: 1–6
הַחֶבְרֹנִי 1/2 (וּ)מִשְׁפַּחַת הַחֶבְרֹנִי... Num.3:27; 26:58
לַחֶבְרוֹנִי 3 לַעַמְרָמִי לַיִּצְהָרִי לַחֶבְרוֹנִי ICh.26:23
4 לַחֶבְרוֹנִי חֲשַׁבְיָהוּ וְאֶחָיו בְּנֵי־חַיִל ICh.26:30
5 לַחֶבְרוֹנִי יְרִיָּה הָרֹאשׁ ICh.26:31
6 לַחֶבְרוֹנִי לְתֹלְדֹתָיו לְאָבוֹת ICh.26:31

חֶבְרִי
ת׳ המתייחס על חֶבֶר²
הַחֶבְרִי 1 לְחֶבֶר מִשְׁפַּחַת הַחֶבְרִי Num.26:45

חֲבֶרֶת*
נ׳ עיין חֲבֵרָה*

חֹבֶרֶת
נ׳ עיין חוֹבֶרֶת

חבשׁ
: חָבַשׁ, חוֹבֵשׁ, חָבוּשׁ, חִבֵּשׁ, חֻבַּשׁ

חָבַשׁ
פ׳ א) קָשַׁר, כָּרַךְ: 1–7, 10, 11, 13, 14, 16, 21, 22, 26, 27
ב) שׂם אוכף על בהמה: 8, 9, 12, 15, 17–20, 23–25, 28, 29
ג) [פִּ׳ חִבֵּשׁ] קשר, כסה: 30, 31
ד) [פֻּ׳ חֻבַּשׁ] נכרך בתחבושת: 32, 33
חָבַשׁ חֲמוֹר (אָתוֹן) 12, 15, 17–20, 23–25, 28, 29;
חָבַשׁ מִגְבָּעֹת 4, 16; חָ׳ פְּאֵר 26; חָ׳ שֶׁבֶר 1

חֲבֹשׁ 1 בְּיוֹם חֲבֹשׁ יְיָ אֶת־שֶׁבֶר עַמּוֹ Is.30:26
לַחֲבֹשׁ 2 לַחֲבֹשׁ לְנִשְׁבְּרֵי־לֵב Is.61:1
לְחָבְשָׁהּ 3 לָשׂוּם חִתּוּל לְחָבְשָׁהּ לְחָזְקָהּ Ezek.30:21
וְחָבַשְׁתָּ 4 וְחָבַשְׁתָּ לָהֶם מִגְבָּעֹת Ex.29:9
חֲבַשְׁתֶּם 5 וְלַנִּשְׁבֶּרֶת לֹא חֲבַשְׁתֶּם Ezek.34:4
חוֹבֵשׁ 6 לֹא־אֶהְיֶה חֹבֵשׁ Is.3:7
חָבוּשׁ 7 סוּף חָבוּשׁ לְרֹאשִׁי Jon.2:6
חֲבוּשִׁים 8 וְעִמּוֹ צֶמֶד חֲמוֹרִים חֲבוּשִׁים Jud.19:10
9 וְצֶמֶד חֲמֹרִים חֲבֻשִׁים IISh.16:1
10 בַּחֲבָלִים חֲבֻשִׁים וַאֲרֻזִים Ezek.27:24
אֶחֱבֹשׁ 11 וְלַנִּשְׁבֶּרֶת אֶחֱבֹשׁ Ezek.34:16
אֶחְבְּשָׁה 12 אֶחְבְּשָׁה־לִּי הַחֲמוֹר IISh.19:27
וָאֶחְבָּשֵׁךְ 13 וָאֶחְבְּשֵׁךְ בַּשֵּׁשׁ וַאֲכַסֵּךְ מֶשִׁי Ezek.16:10
יַחֲבוֹשׁ 14 הַאַף שׂוֹנֵא מִשְׁפָּט יַחֲבוֹשׁ Job34:17
וַיַּחֲבֹשׁ 15 וַיַּחֲבֹשׁ אֶת־חֲמֹרוֹ Gen.22:3
16 וַיַּחֲבֹשׁ לָהֶם מִגְבָּעוֹת Lev.8:13
17 וַיַּחֲבֹשׁ אֶת־אֲתֹנוֹ Num.22:21
18 וַיַּחֲבֹשׁ אֶת־הַחֲמוֹר IISh.17:23
19 וַיַּחֲבֹשׁ אֶת־חֲמֹרוֹ IK.2:40
וַיַּחֲבָשׁ־ 20 וַיַּחֲבָשׁ־לוֹ הַחֲמוֹר IK.13:23
וְיֶחְבָּשׁ 21 כִּי הוּא יַכְאִיב וְיֶחְבָּשׁ Job5:18
וְיַחְבְּשֵׁנוּ 22 כִּי הוּא טָרָף וְיִרְפָּאֵנוּ יַךְ וְיַחְבְּשֵׁנוּ Hosh.6:1
וַתַּחֲבֹשׁ 23 וַתַּחֲבֹשׁ הָאָתוֹן IIK.4:24
וַיַּחְבְּשׁוּ 24 וַיַּחְבְּשׁוּ־לוֹ הַחֲמוֹר IK.13:13
וַיַּחֲבְשׁוּ 25 חִבְשׁוּ־לִי אֶת הַחֲמוֹר וַיַּחֲבְשׁוּ IK.13:27
חֲבוֹשׁ 26 פְּאֵרְךָ חֲבוֹשׁ עָלֶיךָ Ezek.24:17
חֲבֹשׁ 27 פְּנֵיהֶם חֲבֹשׁ בַּטָּמוּן Job40:13
חִבְשׁוּ 28 חִבְשׁוּ־לִי הַחֲמוֹר IK.13:13
29 חִבְשׁוּ־לִי אֶת־הַחֲמוֹר IK.13:27
חִבֵּשׁ 30 מִבְּכִי נְהָרוֹת חִבֵּשׁ Job28:11
וּמְחַבֵּשׁ 31 הָרֹפֵא...וּמְחַבֵּשׁ לְעַצְּבוֹתָם Ps.147:3
חֻבְּשָׁה 32 וְהִנֵּה לֹא־חֻבְּשָׁה לָתֵת רְפֻאוֹת Ezek.30:21
חֻבָּשׁוּ 33 לֹא־זֹרוּ וְלֹא חֻבָּשׁוּ Is.1:6

חֲבִתִּים
ז״ר מעשה מאפה על מחבת
הַחֲבִתִּים 1 וּמַתִּתְיָה...עַל מַעֲשֵׂה הַחֲבִתִּים ICh.9:31

חַג
ז׳ א) יוֹם קדוש, יוֹם שנועד לעבודת יי בשמחה: רוב המקראות
ב) קרבן החג: 7, 52, 62
ג) [הֶחָג] חג הסוכות: 12–20
– חַג הָאָסִף 42, 44; חַג יְיָ 21, 27, 30, 32; חַג הַמַּצּוֹת 22, 23, 25, 37–40, 45, 46; חַג הַסֻּכּוֹת 26, 29, 33–36, 47, 49, 51; חַג הַפֶּסַח 24; חַג הַקָּצִיר 41; חַג שָׁבֻעוֹת 28, 31, 43, 48, 50
– אִסְרוּ חַג 7; יוֹם חַג 13, 55; חֵלֶב חַג 52; פֶּרֶשׁ חַגִּים 62
– הִתְקַדֵּשׁ חַג 10; חָגַג חַג 1, 2, 5, 27, 33–35, 59; עָשָׂה חַג 6, 9, 12, 14, 28, 29, 36–38; שָׁמַר חַג 22, 23; וְשָׂמַחְתָּ בְּחַגֶּךָ 53

חַג 1/2 וְחַגֹּתֶם אֹתוֹ חַג לַיְיָ Ex.12:17 • Lev.23:41
3 וּבַיּוֹם הַשְּׁבִיעִי חַג לַיְיָ Ex.13:6
4 וַיִּקְרָא...חַג לַיְיָ מָחָר Ex.32:5
5 וְחַגֹּתֶם חַג לַיְיָ שִׁבְעַת יָמִים Num.29:12
6 וַיַּעַשׂ חַג לִבְנֵי יִשְׂרָאֵל IK.12:33
7 אִסְרוּ־חַג בַּעֲבֹתִים עַד־קַרְנוֹת... Ps.118:27
חָג 8 וּבַחֲמִשָּׁה עָשָׂר יוֹם...חָג... Num.28:17
9 וַיַּעַשׂ יָרָבְעָם חַג בַּחֹדֶשׁ הַשְּׁמִינִי IK.12:32
10 כְּלֵיל הִתְקַדֶּשׁ־חָג Is.30.29
11 וַיַּעֲשׂוּ־חַג שִׁבְעַת יָמִים Neh.8:18

הֶחָג 12 וַיַּעַשׂ שְׁלֹמֹה...אֶת־הֶחָג IK.8:65

13 וְשִׁבְעַת יְמֵי־הֶחָג יַעֲשֶׂה עוֹלָה Ezek.45:23

14 וַיַּעַשׂ שְׁלֹמֹה אֶת־הֶחָג IICh.7:8

וְהֶחָג 15 וְהֶחָג שִׁבְעַת יָמִים IICh.7:9

בֶּחָג 16 וַיִּקָּהֲלוּ...בְּיֶרַח הָאֵתָנִים בֶּחָג IK.8:2

17 בַּחֲמִשָּׁה עָשָׂר יוֹם...בֶּחָג Ezek.45:25

18 בֶּחָג בַּחֹדֶשׁ הַשְּׁבִיעִי Neh.8:14

19 וַיִּקָּהֲלוּ...כָּל־אִישׁ יִשְׂרָאֵל בֶּחָג IICh.5:3

כֶּחָג 20 וַיַּעַשׂ...כֶּחָג אֲשֶׁר בִּיהוּדָה IK.12:32

חַג־ 21 בִּנְעָרֵינוּ וּבִזְקֵנֵינוּ נֵלֵךְ...כִּי חַג־יְיָ לָנוּ Ex.10:9

22/3 אֶת־חַג הַמַּצּוֹת תִּשְׁמֹר Ex.23:15; 34:18

24 וְלֹא־יָלִין...זֶבַח חַג הַפָּסַח Ex.34:25

25 וּבַחֲמִשָּׁה עָשָׂר יוֹם...חַג הַמַּצּוֹת לַייָ Lev.23:6

26 חַג הַסֻּכּוֹת שִׁבְעַת יָמִים לַייָ Lev.23:34

27 תָּחֹגּוּ אֶת־חַג־יְיָ שִׁבְעַת יָמִים Lev.23:39

28 וְעָשִׂיתָ חַג שָׁבֻעוֹת לַייָ אֱלֹהֶיךָ Deut.16:10

29 חַג הַסֻּכֹּת תַּעֲשֶׂה לְךָ Deut.16:13

30 הִנֵּה חַג־יְיָ בְּשִׁלוֹ מִיָּמִים יָמִימָה Jud.21:19

31 חַג שְׁבֻעוֹת יָמִים מַצּוֹת יֵאָכֵל Ezek.45:21

32 לְיוֹם מוֹעֵד וּלְיוֹם חַג־יְיָ Hosh.9:5

35-33 (ו)לָחֹג אֶת־חַג הַסֻּכּוֹת Zech.14:16,18,19

36 וַיַּעֲשׂוּ אֶת־חַג הַסֻּכּוֹת כַּכָּתוּב Ez.3:4

37 וַיַּעֲשׂוּ חַג־מַצּוֹת שִׁבְעַת יָמִים Ez.6:22

38 לַעֲשׂוֹת אֶת־חַג הַמַּצּוֹת IICh.30:13

39/40 חַג הַמַּצּוֹת שִׁבְעַת יָמִים IICh.30:21; 35:17

וְחַג־ 41 וְחַג הַקָּצִיר בִּכּוּרֵי מַעֲשֶׂיךָ Ex.23:16

42 וְחַג הָאָסִף בְּצֵאת הַשָּׁנָה Ex.23:16

43 וְחַג שָׁבֻעֹת תַּעֲשֶׂה לְךָ Ex.34:22

44 וְחַג הָאָסִיף תְּקוּפַת הַשָּׁנָה Ex.34:22

בְּחַג־ 45/6 בְּחַג הַמַּצּוֹת Deut.16:16 • IICh.8:13

47 בְּמֹעֵד שְׁנַת הַשְּׁמִטָּה בְּחַג הַסֻּכּוֹת Deut.31:10

וּבְחַג־ 51-48 וּבְחַג הַשָּׁבֻעוֹת וּבְחַג הַסֻּכּוֹת Deut.16:16 • IICh.8:13

חַגִּי 52 וְלֹא־יָלִין חֵלֶב־חַגִּי עַד־בֹּקֶר Ex.23:18

בְּחַגֶּךָ 53 וְשָׂמַחְתָּ בְּחַגֶּךָ Deut.16:14

חַגָּהּ 54 חַגָּהּ חָדְשָׁהּ וְשַׁבַּתָּהּ Hosh.2:13

חַגֵּנוּ 55 תִּקְעוּ...בַּכֵּסֶה לְיוֹם חַגֵּנוּ Ps.81:4

חַגִּים 56 סְפוּ שָׁנָה עַל־שָׁנָה חַגִּים יִנְקֹפוּ Is.29:1

בַּחַגִּים 57 בַּחַגִּים וּבֶחֳדָשִׁים וּבַשַּׁבָּתוֹת Ezek.45:17

וּבַחַגִּים 58 וּבַחַגִּים וּבַמּוֹעֲדִים תִּהְיֶה הַמִּנְחָה Ezek.46:11

חַגַּיִךְ 59 חָגִּי יְהוּדָה חַגַּיִךְ Nah.2:1

חַגֵּיכֶם 60 שָׂנֵאתִי מָאַסְתִּי חַגֵּיכֶם Am.5:21

61 וְהָפַכְתִּי חַגֵּיכֶם לְאֵבֶל Am.8:10

62 וְזֵרִיתִי...פֶּרֶשׁ חַגֵּיכֶם Mal.2:3

חָגָא ז׳ פחד, רעדה(?)

לְחָגָּא 1 וְהָיְתָה...יְהוּדָה לְמִצְרַיִם לְחָגָּא Is.19:17

חָגָב¹ ז׳ אחד ממיני הארבה: 1—5

קרובים: אַרְבֶּה / גּוֹב / גּוֹבַי / גָּזָם / חָסִיל / יֶלֶק / סָלְעָם

חָגָב 1 וְהֵן־אֲצַוֶּה עַל־חָגָב לֶאֱכוֹל הָאָרֶץ IICh.7:13

הֶחָגָב 2 וְאֶת־הֶחָגָב לְמִינֵהוּ Lev.11:22

3 וְיָנֵאץ הַשָּׁקֵד וְיִסְתַּבֵּל הֶחָגָב Eccl.12:5

כַּחֲגָבִים 4 וַנְּהִי בְעֵינֵינוּ כַּחֲגָבִים Num.13:33

5 ...עַל־חוּג הָאָרֶץ וְיֹשְׁבֶיהָ כַּחֲגָבִים Is.40:22

חָגָב² שפ״ז – אבי משפחת נתינים שעלתה עם זרובבל

חָגָב 1 בְּנֵי־חָגָב בְּנֵי־שַׁלְמַי... Ez.2:46

חֲגָבָא, חֲגָבָה שפ״ז – אבי משפחת נתינים שעלתה עם זרובבל: 1, 2

חֲגָבָה 1 בְּנֵי־לְבָנָה בְנֵי־חֲגָבָה Ez.2:45

חֲגָבָא 2 בְנֵי־לְבָנָה בְנֵי חֲגָבָא Neh.7:48

חגג : חָג (חג); חַג; חָגָא? ש״פ חַגַּי, חַגִּי, חַגִּיָּה, חַגִּית

חגג חג 1—6, 11, 16; הָמוֹן חוֹגֵג 7

חָגַג פ׳ א) עשה חג: 1—13, 15, 16

ב) התנודד: 14

לָחֹג 2-1 לָחֹג אֶת־חַג הַסֻּכּוֹת Zech.14:18,19

וְלָחֹג 3 וְלָחֹג אֶת־חַג הַסֻּכּוֹת Zech.14:16

וְחַגֹּתֶם 4/5 וְחַגֹּתֶם אֹתוֹ חַג לַייָ Ex.12:14 • Lev.23:41

6 וְחַגֹּתֶם חַג לַייָ שִׁבְעַת יָמִים Num.29:12

חוֹגֵג 7 בְּקוֹל־רִנָּה וְתוֹדָה הָמוֹן חוֹגֵג Ps.42:5

וְחוֹגְגִים 8 אֹכְלִים וְשֹׁתִים וְחֹגְגִים ISh.30:16

תָּחֹג 9 שָׁלֹשׁ רְגָלִים תָּחֹג לִי בַּשָּׁנָה Ex.23:14

10 שִׁבְעַת יָמִים תָּחֹג לַייָ Deut.16:15

תָּחֹגּוּ 11 תָּחֹגּוּ אֶת־חַג־יְיָ שִׁבְעַת יָמִים Lev.23:39

12 בַּחֹדֶשׁ הַשְּׁבִיעִי תָּחֹגּוּ אֹתוֹ Lev.23:41

תְּחָגֻּהוּ 13 חֻקַּת עוֹלָם תְּחָגֻּהוּ Ex.12:14

יָחוֹגּוּ 14 יָחוֹגּוּ וְיָנוּעוּ כַּשִּׁכּוֹר Ps.107:27

וְיָחֹגּוּ 15 שַׁלַּח...וְיָחֹגּוּ לִי בַּמִּדְבָּר Ex.5:1

חָגִּי 16 חָגִּי יְהוּדָה חַגַּיִךְ שַׁלְּמִי נְדָרָיִךְ Nah.2:1

חָגָו* ז׳ נקיק: 1—3

קרובים: חוֹחַ² / חָרִיץ / נָקִיק / נִקְרָה

חַגְוֵי סֶלַע 1—3

בְּחַגְוֵי־ 1 שֹׁכְנִי בְּחַגְוֵי הַסֶּלַע Jer.49:16

2 שֹׁכְנִי בְחַגְוֵי־סֶלַע מְרוֹם שִׁבְתּוֹ Ob.3

3 יוֹנָתִי בְּחַגְוֵי הַסֶּלַע S.ofS.2:14

חֲגוֹר* ת׳ חָגוּר

חֲגוֹרֵי־ 1 חֲגוֹרֵי אֵזוֹר בְּמָתְנֵיהֶם Ezek.23:15

חָגוּר ת׳ עין חגר¹

חֲגוֹר ז׳ חגורה לקשירת נדן־החרב למתנים: 1—3

קרובים: אַבְנֵט / אֵזוֹר / חֲגוֹרָה

חֲגוֹר־ 1 חֲגוֹר חֶרֶב מְצֻמֶּדֶת עַל־מָתְנָיו IISh.20:8

וַחֲגוֹר 2 וַחֲגוֹר נָתְנָה לַכְּנַעֲנִי Prov.31:24

חֲגֹרוֹ 3 וְעַד־חַרְבּוֹ וְעַד־קַשְׁתּוֹ וְעַד־חֲגֹרוֹ ISh.18:4

חֲגוֹרָה נ׳ א) רצועה לקשירת נדן־החרב למתנים: 4,3,1

ב) אזור, חלק מן הלבוש מחובר למתנים: 5,2

קרובים: ראה חֲגוֹר

חֲגֹרָה 1 מִכֹּל חֹגֵר חֲגֹרָה וָמָעְלָה IIK.3:21

2 וְתַחַת חֲגוֹרָה נִקְפָּה Is.3:24

וַחֲגֹרָה 3 עֲשָׂרָה כֶסֶף וַחֲגֹרָה אֶחָת IISh.18:11

בַּחֲגֹרָתוֹ 4 בַּחֲגֹרָתוֹ אֲשֶׁר בְּמָתְנָיו IK.2:5

חֲגֹרֹת 5 וַיִּתְפְּרוּ...וַיַּעֲשׂוּ לָהֶם חֲגֹרֹת Gen.3:7

חַגַּי שפ״ז – הנביא שנבא בימי שיבת ציון: 1—11

חַגַּי 1-4 דְּבַר יְיָ בְּיַד־חַגַּי הַנָּבִיא Hag.1:1,3; 2:1,10

5 וַיִּשְׁמַע...וְעַל־דִּבְרֵי חַגַּי הַנָּבִיא Hag.1:12

6 וַיֹּאמֶר חַגַּי מַלְאַךְ יְיָ Hag.1:13

7 וַיֹּאמֶר חַגַּי אִם־יִגַּע טְמֵא־נֶפֶשׁ... Hag.2:13

8 וַיַּעַן חַגַּי וַיֹּאמֶר Hag.2:14

9 וַיְהִי דְבַר־יְיָ שֵׁנִית אֶל־חַגַּי Hag.2:20

10 וְהִתְנַבִּי חַגַּי נְבִיאָ° Ez.5:1

11 בָּנַיִן...בִּנְבוּאַת חַגַּי נְבִיאָ° Ez.6:14

חַגִּי שפ״ז א) בן גד: 1, 3

ב) ת׳ המתיחס על משפחת חגי: 2

וְחַגִּי 1 וּבְנֵי גָד צִפְיוֹן וְחַגִּי Gen.46:16

הַחַגִּי 2 לְחַגִּי מִשְׁפַּחַת הַחַגִּי Num.26:15

לְחַגִּי 3 לְחַגִּי מִשְׁפַּחַת הַחַגִּי Num.26:15

חָגִּי (נחום ב 1) – עין חגג

חַגִּיָּה שפ״ז – לוי מבני מררי

חַגִּיָּה 1 שִׁמְעָא בְנוֹ חַגִּיָּה בְנוֹ ICh.6:15

חַגִּית שפ״נ – אשת דוד, אם אֲדֹנִיָּה: 1—5

חַגִּית 1 וְהָרְבִיעִי אֲדֹנִיָּה בֶן־חַגִּית IISh.3:4

2 וַאֲדֹנִיָּה בֶן־חַגִּית מִתְנַשֵּׂא לֵאמֹר IK.1:5

3 מָלַךְ אֲדֹנִיָּהוּ בֶן־חַגִּית IK.1:11

4/5 אֲדֹנִיָּה בֶּן־חַגִּית IK.2:13 • ICh.3:2

חָגְלָה שפ״נ – מבנות צלפחד: 1—4

חָגְלָה 1/2 חָגְלָה מִלְכָּה וְתִרְצָה Num.26:33 • Josh.17:3

וְחָגְלָה 3 וְחָגְלָה וּמִלְכָּה וְתִרְצָה Num.27:1

4 וְחָגְלָה וּמִלְכָּה וְנֹעָה Num.36:11

חגר : א) חָגוּר, חוֹגֵר, חָגוּר, חָגֹר; חֲגוֹר, חֲגוֹרָה, מַחֲגֹרֶת

ב) חָגֵר²

חָגַר¹ פ׳ א) אזר, קשר למתנים חגורה

או כיוצא בזה: רוב המקראות

ב) [בהשאלה] התמלא: 3, 20, 33

קרובים: אָזַר / אָפַד / צָרַר / קָשַׁר

חָגַר אַבְנֵט 2, 21—24; חָ׳ אֵפוֹד 11, 12; חָ׳ גִּיל 33;
חָ׳ חֲגוֹרָה 9; חָ׳ חֵמוֹת 20; חָ׳ חֶרֶב 25–27,31,36,38;
חָ׳ כְּלֵי מִלְחָמָה 10,18,29; חָ׳ מַדּוֹ 13; חָ׳ מָתְנָיו
3,34,35; חָגַר שַׂק 1, 4—7, 16, 32, 37, 39, 41, 42

וְלַחְגֹּר 1 וַיִּקְרָא...לִבְכִי...וְלַחֲגֹר שָׂק Is.22:12

וְחָגַרְתָּ 2 וְחָגַרְתָּ אֹתָם אַבְנֵט Ex.29:9

חָגְרָה 3 חָגְרָה בְעוֹז מָתְנֶיהָ Prov.31:17

חָגְרוּ 4 בְּחוּצֹתָיו חָגְרוּ שָׂק Is.15:3

5 הֶעֱלוּ עָפָר עַל־רֹאשָׁם חָגְרוּ שַׂקִּים Lam.2:10

וְחָגְרוּ 6-7 וְחָגְרוּ שַׂקִּים Ezek.7:18; 27:31

חֹגֵר 8 אַל־יִתְהַלֵּל חֹגֵר כִּמְפַתֵּחַ IK.20:11

9 מִכֹּל חֹגֵר חֲגֹרָה וָמָעְלָה IIK.3:21

חָגוּר 10 חָגוּר כְּלֵי מִלְחָמָה Jud.18:11

11-12 חָגוּר אֵפוֹד בָּד ISh.2:18 • IISh.6:14

13 וְיוֹאָב חָגוּר מִדּוֹ לְבֻשׁוֹ IISh.20:8

14 וְהוּא חָגוּר חֲדָשָׁה IISh.21:16

הֶחָגוּר 15 ...הֶחָגוּר כְּלֵי הַמִּלְחָמָה Jud.18:17

חֲגֻרַת־ 16 כִּבְתוּלָה חֲגֻרַת־שַׂק עַל־בַּעַל נְעוּרֶיהָ Joel 1:8

חֲגֻרִים 17 מָתְנֵיכֶם חֲגֻרִים נַעֲלֵיכֶם בְּרַגְלֵיכֶם Ex.12:11

18 חֲגוּרִים כְּלֵי מִלְחַמְתָּם Jud.18:16

19 וּמָתְנָיו חֲגֻרִים בְּכֶתֶם אוּפָז Dan.10:5

תַּחְגֹּר 20 שְׁאֵרִית חֵמֹת תַּחְגֹּר Ps.76:11

יַחְגֹּר 21 וּבְאַבְנֵט בַּד יַחְגֹּר Lev.16:4

וַיַּחְגֹּר 22 וַיַּחְגֹּר אֹתוֹ בָּאַבְנֵט Lev.8:7

23 וַיַּחְגֹּר אֹתוֹ בְּחֵשֶׁב הָאֵפֹד Lev.8:7

24 וַיַּחְגֹּר אֹתָם אַבְנֵט Lev.8:13

25 וַיַּחְגֹּר אוֹתָהּ מִתַּחַת לְמַדָּיו Jud.3:16

26/7 וַיַּחְגֹּר (גַּם) דָּוִד אֶת־חַרְבּוֹ ISh.17:39; 25:13

יַחְגְּרֶהָ 28 וּלְמֵזַח תָּמִיד יַחְגְּרֶהָ Ps.109:19

וַתַּחְגְּרוּ 29 וַתַּחְגְּרוּ אִישׁ אֶת־כְּלֵי מִלְחַמְתּוֹ Deut.1:41

יַחְגְּרוּ 30 וּמִכְנְסֵי...לֹא יַחְגְּרוּ בַּיָּזַע Ezek.44:18

וַיַּחְגְּרוּ 31 וַיַּחְגְּרוּ אִישׁ אֶת־חַרְבּוֹ ISh.25:13

32 וַיַּחְגְּרוּ שַׂקִּים בְּמָתְנֵיהֶם IK.20:32

תַּחְגֹּרְנָה 33 וְגִיל גְּבָעוֹת תַּחְגֹּרְנָה Ps.65:13

חֲגֹר 34-35 חֲגֹר מָתְנֶיךָ IIK.4:29; 9:1

36 חֲגוֹר־חַרְבְּךָ עַל־יָרֵךְ גִּבּוֹר Ps.45:4

חִגְרִי 37 חִגְרִי־שָׂק וְהִתְפַּלְּשִׁי בָאֵפֶר Jer.6:26

חִגְרוּ 38 חִגְרוּ אִישׁ אֶת־חַרְבּוֹ ISh.25:13

39 חִגְרוּ שַׂקִּים סִפְדוּ וְהֵילִילוּ Jer.4:8

40 חִגְרוּ וְסִפְדוּ הַכֹּהֲנִים Joel 1:13

וְחִגְרוּ 41 קִרְעוּ בִגְדֵיכֶם וְחִגְרוּ שַׂקִּים IISh.3:31

חֲגֹרְנָה 42 חֲגֹרְנָה שַׂקִּים סְפֹדְנָה Jer.49:3

וַחֲגוֹרָה 43 פְּשֹׁטָה וְעֹרָה וַחֲגוֹרָה עַל־חֲלָצָיִם Is.32:11

חָגַר² פ׳ חרג, פרץ

וַיַּחְגְּרוּ 1 בְּנֵי נֵכָר יִבֹּלוּ וְיַחְגְּרוּ מִמִּסְגְּרוֹתָם IISh. 22:46

חָגַר, חֲגֹרָה עין חָגוֹר, חֲגוֹרָה

חֲגָתָם (שמות יב14) – עין חגג

חַד*¹ ת׳ שנון, חותך היטב: 1–4 • חֶרֶב חַדָּה 1–4

חַדָּה 1 וַיָּשֶׂם פִּי כְּחֶרֶב חַדָּה Is. 49:2
2 חֶרֶב חַדָּה תַּעַר הַגַּלָּבִים Ezek. 5:1
3 וּלְשׁוֹנָם חֶרֶב חַדָּה Ps. 57:5
4 חַדָּה כְּחֶרֶב פִּיּוֹת Prov. 5:4

חַד² קצור של "אֶחָד"

חַד 1 וְדִבֶּר־חַד אֶת־אַחַד Ezek. 33:30

חַד³ ארמית: אֶחָד: 1–5; חֲדָה = אחת: 6–14

חַד 1 וַאֲלוּ צְלֵם חַד שַׂגִּיא Dan. 2:31
2 לְמֵזֵא לְאַתּוּנָא חַד־שִׁבְעָה Dan. 3:19
3 ...דִּי דָנִיֵּאל חַד מִנְּהוֹן Dan. 6:3
4 וְלִשְׂטַר־חַד הֳקִמַת Dan. 7:5
5 קִרְבֵת עַל־חַד מִן־קָאֲמַיָּא Dan. 7:16
חֲדָה 6 חֲדָה־הִיא דָתְכוֹן Dan. 2:9
7 אֱדַיִן...אֶשְׁתּוֹמַם כְּשָׁעָה חֲדָה Dan. 4:16
8 וְהַיְתִית אֶבֶן חֲדָה Dan. 6:18
9 בִּשְׁנַת חֲדָה לְבֵלְאשַׁצַּר מֶלֶךְ בָּבֶל Dan. 7:1
10 כְּתַבוּ אִגְּרָה חֲדָה עַל־יְרוּשְׁלֶם Ez. 4:8
11–12 בִּשְׁנַת חֲדָה לְכוֹרֶשׁ מַלְכָּא Ez. 5:13; 6:3
13 וְהִשְׁתְּכַח בְּאַחְמְתָא...מְגִלָּה חֲדָה Ez. 6:2
כַּחֲדָה 14 דָּקוּ כַחֲדָה פַּרְזְלָא חַסְפָּא... Dan. 2:35

חדד : חָדַד, חַד, הֵחַד, הוּחַד; חַד, חִדּוּד; ש״פ חֲדַד, חָדִיד

חָדַד, חַד פ׳ א) היה חד (בהשאלה): 1
ב) [הִפ׳ הֵחַד] השחיז (גם בהשאלה): 2, 3
ג) [הָפ׳ הוּחַד] הושחז: 4–6

וְחַדּוּ 1 וְקַלּוּ מִנְּמֵרִים...וְחַדּוּ מִזְּאֵבֵי עֶרֶב Hab. 1:8
יַחַד 2 וְאִישׁ יַחַד פְּנֵי־רֵעֵהוּ Prov. 27:17
יָחַד 3 בַּרְזֶל בְּבַרְזֶל יָחַד Prov. 27:17
הוּחַדָּה 4 חֶרֶב חֶרֶב הוּחַדָּה וְגַם־מְרוּטָה Ezek. 21:14
5 לְמַעַן טְבֹחַ טֶבַח הוּחַדָּה Ezek. 21:15
6 הִיא־הוּחַדָּה חֶרֶב וְהִיא מֹרָטָה Ezek. 21:16

חֲדַד שפ״ז – בן ישמעאל: 2,1

חֲדַד 1 חֲדַד וְתֵימָא יְטוּר נָפִישׁ Gen. 25:15
2 מַשָּׂא חֲדַד וְתֵימָא ICh. 1:30

חדה : חָדָה, יִחַדְּ, חִדָּה; חֶדְוָה; ש״פ חֲדָיָה, יַחְדּוֹ, יַחְדִּיאֵל, יֶחְדְּיָהוּ

חָדָה פ׳ א) שָׂמַח: 2,1
ב) [פִ׳ חִדָּה] שִׂמַּח: 3

יִחַדְּ 1 אַל־יִחַדְּ בִּימֵי שָׁנָה... Job 3:6
וַיִּחַדְּ 2 וַיִּחַדְּ יִתְרוֹ עַל כָּל־הַטּוֹבָה Ex. 18:9
תְּחַדֵּהוּ 3 תְּחַדֵּהוּ בְשִׂמְחָה אֶת־פָּנֶיךָ Ps. 21:7

חִדּוּד* ז׳ חד

חַדּוּדֵי 1 תַּחְתָּיו חַדּוּדֵי חָרֶשׂ Job 41:22

חֶדְוָה¹ נ׳ שמחה: 2,1

קרובים: גִּיל / גִּילָה / עֲלִיצוּת / רִנָּה / שִׂמְחָה / שָׂשׂוֹן

וְחֶדְוָה 1 הוֹד וְהָדָר לְפָנָיו עֹז וְחֶדְוָה בִּמְקֹמוֹ ICh. 16:27
חֶדְוַת־ 2 כִּי־חֶדְוַת יְיָ הִיא מָעֻזְּכֶם Neh. 8:10

חֶדְוָה² נ׳ ארמית, כמו בעברית

בְּחֶדְוָה 1 וַעֲבַדוּ...חֲנֻכַּת בֵּית־אֱלָהָא...בְּחֶדְוָה Ez. 6:16

חֲדִי*, חֲדֵיא* ז׳ ארמית: חָזֶה; חֲדוֹהִי = חזותיו

חֲדוֹהִי 1 חֲדוֹהִי וּדְרָעוֹהִי דִּי כְסַף Dan. 2:32

חָדִיד עיר בנחלת בנימין, ממזרח ללוד: 1–3

חָדִיד 1/2 בְּנֵי־לֹד חָדִיד וְאֹ(וֹ)נוֹ... Ez. 2:33 • Neh. 7:37
3 חָדִיד צְבֹעִים נְבַלָּט Neh. 11:34

חדל : חָדַל, חֶדֶל; חָדֵל(?); ש״פ חַדְלָי

חָדַל פ׳ א) הפסיק, נמנע מן: 1–5, 7, 10, 11, 13, 16–18, 21–28, 30, 32–38, 40–44, 46, 48–59
ב) נפסק: 6, 8, 9, 12, 14, 15, 19, 20, 29, 31, 39, 45, 47
[עין להלן חָדֵל]

חָדַל פ״ע – רוב המקראות; חָדַל (אֶת־) 2–4, 17; חָדַל מִן־ 5, 30, 34, 35, 48, 51, 53, 55, 58; חָדַל לְ־ 1, 6, 7, 10, 11, 13, 16, 28, 33, 37, 40, 46

מֵחֲדֹל 1 חָלִילָה לִּי...מֵחֲדֹל לְהִתְפַּלֵּל בַּעַדְכֶם ISh. 12:23
הֶחֳדַלְתִּי 2 הֶחֳדַלְתִּי אֶת־דִּשְׁנִי Jud. 9:9
3 הֶחֳדַלְתִּי אֶת־מָתְקִי Jud. 9:11
4 הֶחֳדַלְתִּי אֶת־תִּירוֹשִׁי Jud. 9:13
וְחָדַלְתָּ 5 ...וְחָדַלְתָּ מֵעֲזֹב לוֹ Ex. 23:5
חָדַל 6 חָדַל לִהְיוֹת לְשָׂרָה אֹרַח כַּנָּשִׁים Gen. 18:11
7 עַד כִּי־חָדַל לִסְפֹּר Gen. 41:49
8 כִּי־חָדַל הַמָּטָר וְהַבָּרָד וְהַקֹּלֹת Ex. 9:34
9 חָדַל שְׁאוֹן עַלִּיזִים Is. 24:8
10 חָדַל לְהַשְׂכִּיל לְהֵיטִיב Ps. 36:4
וְחָדַל 11 וְחָדַל לַעֲשׂוֹת הַפֶּסַח Num. 9:13
12 וְיֵקַר פִּדְיוֹן נַפְשָׁם וְחָדַל לְעוֹלָם Ps. 49:9
חָדַלְנוּ 13 וּמִן־אָז חָדַלְנוּ לְקַטֵּר... Jer. 44:18
חָדְלוּ 14 בִּימֵי יָעֵל חָדְלוּ אֳרָחוֹת Jud. 5:6
15 חָדְלוּ פְרָזוֹן בְּיִשְׂרָאֵל חָדֵלּוּ Jud. 5:7
16 חָדְלוּ גִבּוֹרֵי בָבֶל לְהִלָּחֵם Jer. 51:30
17 שָׁם רְשָׁעִים חָדְלוּ רֹגֶז Job 3:17
18 חָדְלוּ קְרוֹבָי וּמְיֻדָּעַי שְׁכֵחוּנִי Job 19:14
חָדֵלּוּ 19 חָדְלוּ פְרָזוֹן בְּיִשְׂרָאֵל חָדֵלּוּ Jud. 5:7
20 וּרְעֵבִים חָדֵלּוּ ISh. 2:5
וְהֶחָדֵל 21 הַשֹּׁמֵעַ יִשְׁמָע וְהֶחָדֵל יֶחְדָּל Ezek. 3:27
אֶחְדָּל 22 כִּי אִם־נִקַּמְתִּי בָכֶם וְאַחַר אֶחְדָּל Jud. 15:7
23 הַאוֹסִף עוֹד...אִם־אֶחְדָּל Jud. 20:28
24 הַאֵלֵךְ...לַמִּלְחָמָה אִם־אֶחְדָּל IK. 22:6
25/6 הֲנֵלֵךְ...לַמִּלְחָמָה אִם־אֶחְדָּל IICh. 18:5, 14
וְאֶחְדְּלָה 27 אִם...וְאַחְדְּלָה מַה־מִּנִּי יַהֲלֹךְ Job 16:6
תֶחְדַּל 28 וְכִי תֶחְדַּל לִנְדֹּר... Deut. 23:23
יֶחְדַּל 29 לֹא־יֶחְדַּל אֶבְיוֹן מִקֶּרֶב הָאָרֶץ Deut. 15:11
30 פֶּן־יֶחְדַּל אָבִי מִן־הָאֲתֹנוֹת ISh. 9:5
31 בְּרֹב דְּבָרִים לֹא יֶחְדַּל־פָּשַׁע Prov. 10:19
יֶחְדָּל 32 הַשֹּׁמֵעַ יִשְׁמָע וְהֶחָדֵל יֶחְדָּל Ezek. 3:27
וַיֶּחְדַּל 33 וַיֶּחְדַּל לָצֵאת ISh. 23:13
34/5 וַיֶּחְדַּל מִבְּנוֹת אֶת־הָרָמָה IK. 15:21 • IICh. 16:5
36 וַיֶּחְדַּל וְלֹא הֱמִיתָם Jer. 41:8
37 חֲדַל־לְךָ...וַיֶּחְדַּל הַנָּבִיא IICh. 25:16
וְיֶחְדָּל 38 שְׁעֵה מֵעָלָיו וְיֶחְדָּל Job 14:6
תֶחְדָּל 39 וְיֹנַקְתּוֹ לֹא תֶחְדָּל Job 14:7
וַתֶּחְדַּל 40 וַתֶּחְדַּל לְדַבֵּר אֵלֶיהָ Ruth 1:18
נֶחְדָּל 41 הֲנֵלֵךְ...לַמִּלְחָמָה אִם־נֶחְדָּל IK. 22:15
יֶחְדָּלוּ 42–44 אִם־יִשְׁמְעוּ וְאִם־יֶחְדָּלוּ Ezek. 2:5, 7; 3:11
יֶחְדָּלוּן 45 הַקֹּלוֹת יֶחְדָּלוּן וְהַבָּרָד לֹא יִהְיֶה Ex. 9:29
וַיַּחְדְּלוּ 46 וַיַּחְדְּלוּ לִבְנֹת הָעִיר Gen. 11:8
47 וַיֶּחְדְּלוּ הַקֹּלוֹת וְהַבָּרָד Ex. 9:33
חֲדַל 48 חֲדַל מִמֶּנּוּ וְנַעַבְדָה אֶת־מִצְרָיִם Ex. 14:12
49 וָאֹמַר אֲדֹנָי יְיָ חֲדַל־נָא Am. 7:5
50 חֲדַל־בְּנִי לִשְׁמֹעַ מוּסָר Prov. 19:27
51 חֲדַל מִמֶּנִּי כִּי־הֶבֶל יָמָי Job 7:16
52 חֲדַל־לְךָ לָמָּה יַכּוּךָ IICh. 25:16
53 חֲדַל־לְךָ מֵאֱלֹהִים אֲשֶׁר־עִמִּי IICh. 35:21
חֲדָל 54 וְאִם־רַע בְּעֵינֶיךָ...חֲדָל Jer. 40:4
55 אַל־תִּיגַע...מִבִּינָתְךָ חֲדָל Prov. 23:4
וַחֲדָל 56 הֲלֹא־מְעַט יָמַי וַחֲדָל (כת׳ יחדל) Job 10:20
חִדְלוּ 57 רַחֲצוּ הִזַּכּוּ...חִדְלוּ הָרֵעַ Is. 1:16
58 חִדְלוּ לָכֶם מִן־הָאָדָם Is. 2:22
חֲדָלוּ 59 הָבוּ שְׂכָרִי וְאִם־לֹא חֲדָלוּ Zech. 11:12

חָדֵל ת׳ חלש, אין־אונים: 2,1 • חֲדַל אִישִׁים 2

חָדֵל 1 אֵדְעָה מֶה־חָדֵל אָנִי Ps. 39:5
וַחֲדַל־ 2 נִבְזֶה וַחֲדַל אִישִׁים Is. 53:3

חֶדֶל* ז׳ צורת־משנה של חֶלֶד(?)

חָדֶל 1 לֹא־אַבִּיט אָדָם עוֹד עִם־יוֹשְׁבֵי חָדֶל Is. 38:11

חַדְלַי* שפ״ז – מראשי בני אפרים בימי פקח מלך ישראל

חַדְלָי 1 וַיָּקֻמוּ...וַעֲמָשָׂא בֶּן־חַדְלָי IICh. 28:12

חֵדֶק ז׳ צמח קוצני: 2,1

חֵדֶק 1 דֶּרֶךְ עָצֵל כִּמְשֻׂכַת חָדֶק Prov. 15:19
כְּחֵדֶק 2 טוֹבָם כְּחֵדֶק יָשָׁר מִמְּסוּכָה Mic. 7:4

חִדֶּקֶל הנהר המזרחי בשני נהרות ארם־נהרים: 2,1

חִדֶּקֶל 1 וְשֵׁם הַנָּהָר הַשְּׁלִישִׁי חִדֶּקֶל Gen. 2:14
חִדָּקֶל 2 הַנָּהָר הַגָּדוֹל הוּא חִדָּקֶל Dan. 10:4

חדר : חָדַר; חֶדֶר

חָדַר פ׳ נכנס פנימה

הַחֹדֶרֶת 1 חֶרֶב חָלָל הַגָּדוֹל הַחֹדֶרֶת לָהֶם Ezek. 21:19

חֶדֶר ז׳ מדור בפנים הבית (גם בהשאלה): 1–38

– חֶדֶר בְּחֶדֶר 1–4 (7–10); חֲדַר הוֹרָתוֹ 17; חֲדַר מִטּוֹת 21–22; חֲדַר מִקְרָה 18; חֲדַר מִשְׁכָּב 19, 20, 23, 35
– חֲדָרִים פְּנִימִים 38; חַדְרֵי בֶטֶן 28–31; ח׳ מָוֶת 27; ח׳ מְלָכִים 34; ח׳ מַשְׂכִּית 33; ח׳ תֵימָן 32

חֶדֶר 1 וַיָּבֹא אֶל־הָעִיר חֶדֶר בְּחָדֶר IK. 20:30
2 אֲשֶׁר תָּבֹא חֶדֶר בְּחֶדֶר לְהֵחָבֵה IK. 22:25
3 וְהֵבֵיאתָ אֹתוֹ חֶדֶר בְּחָדֶר IIK. 9:2
4 אֲשֶׁר תָּבוֹא חֶדֶר בְּחֶדֶר לְהֵחָבֵא IICh. 18:24
הַחֶדֶר 5 הָבִיאִי הַבִּרְיָה הַחֶדֶר IISh. 13:10
6 מִן־הַחֶדֶר תָּבוֹא סוּפָה Job 37:9
בְּחֶדֶר 7 אֲשֶׁר תָּבֹא חֶדֶר בְּחֶדֶר לְהֵחָבֵה IK. 22:25
8 אֲשֶׁר תָּבוֹא חֶדֶר בְּחֶדֶר לְהֵחָבֵא IICh. 18:24
בְּחָדֶר 9 וַיָּבֹא אֶל־הָעִיר חֶדֶר בְּחָדֶר IK. 20:30
10 וְהֵבֵיאתָ אֹתוֹ חֶדֶר בְּחָדֶר IIK. 9:2
בַּחֶדֶר 11 וְהָאֹרֵב יֹשֵׁב לָהּ בַּחֶדֶר Jud. 16:9
בֶּחָדֶר 12 וְהָאֹרֵב יֹשֵׁב בֶּחָדֶר Jud. 16:12
הַחַדְרָה 13 וַיָּבֹא הַחַדְרָה וַיֵּבְךְּ שָׁמָּה Gen. 43:30
14 וַתָּבֹא...אֶל־הַמֶּלֶךְ הַחַדְרָה IK. 1:15
הֶחָדְרָה 15 אָבֹאָה אֶל־אִשְׁתִּי הֶחָדְרָה Jud. 15:1
16 וַתָּבֵא לְאַמְנוֹן אָחִיהָ הֶחָדְרָה IISh. 13:10
חֶדֶר־ 17 אֶל־בֵּית אִמִּי וְאֶל־חֶדֶר הוֹרָתִי S.of S. 3:4
בַּחֲדַר־ 18 אַךְ מֵסִיךְ הוּא...בַּחֲדַר הַמְּקֵרָה Jud. 3:24
19 וְהוּא־שֹׁכֵב...בַּחֲדַר מִשְׁכָּבוֹ IISh. 4:7
20 אֲשֶׁר תְּדַבֵּר בַּחֲדַר מִשְׁכָּבֶךָ IIK. 6:12
21/2 וַתִּגְנֹב...בַּחֲדַר הַמִּטּוֹת IIK. 11:2 • IICh. 22:11
וּבַחֲדַר־ 23 וּבַחֲדַר מִשְׁכָּבְךָ וְעַל־מִטָּתֶךָ Ex. 7:28

מֵחֲדָרוֹ 24 יֵצֵא חָתָן מֵחֶדְרוֹ וְכַלָּה מֵחֻפָּתָהּ Joel 2:16
חֲדָרִים 25 וּבְדַעַת חֲדָרִים יִמָּלְאוּ Prov. 24:4
וּמֵחֲדָרִים 26 מִחוּץ...חֶרֶב וּמֵחֲדָרִים אֵימָה Deut. 32:25
חַדְרֵי־ 27 יֹרְדוֹת אֶל־חַדְרֵי־מָוֶת Prov. 7:27
28-29 וְהֵם יָרְדוּ חַדְרֵי־בָטֶן Prov. 18:8; 26:22
30 חֹפֵשׂ כָּל־חַדְרֵי־בָטֶן Prov. 20:27
31 וּמַכּוֹת חַדְרֵי־בָטֶן Prov. 20:30
וְחַדְרֵי־ 32 עֹשֶׂה־עָשׁ...וְחַדְרֵי תֵמָן Job 9:9
בְּחַדְרֵי־ 33 עֹשִׂים בַּחֹשֶׁךְ אִישׁ בְּחַדְרֵי מַשְׂכִּיתוֹ Ezek. 8:12
34 ...צְפַרְדְּעִים בְּחַדְרֵי מַלְכֵיהֶם Ps. 105:30
וּבְחַדְרֵי־ 35 וּבְחַדְרֵי מִשְׁכָּבְךָ אַל־תְּקַלֵּל עָשִׁיר Eccl. 10:20
בַּחֲדָרֶיךָ 36 לֵךְ עַמִּי בֹּא בַחֲדָרֶיךָ Is. 26:20
חֲדָרָיו 37 הֱבִיאַנִי הַמֶּלֶךְ חֲדָרָיו S.ofS. 1:4
וַחֲדָרָיו 38 וַעֲלִיֹּתָיו וַחֲדָרָיו הַפְּנִימִים ICh. 28:11

חַדְרָךְ
עיר ומדינה בסוריה הצפונית
חַדְרָךְ 1 מַשָּׂא דְבַר־יְיָ בְּאֶרֶץ חַדְרָךְ Zech. 9:1

חדשׁ
: חִדֵּשׁ, הִתְחַדֵּשׁ; חֹדֶשׁ, חָדָשׁ
ש״פ חֹדֶשׁ, חֲדָשָׁה, חֳדָשִׁי; אר׳ חֲדַת

חִדֵּשׁ
פ׳ א) עשה שיהיה חדש: 1—9
ב) [הת׳ הִתְחַדֵּשׁ] נעשה חָדָשׁ, שב לקדמותו: 10
חִדֵּשׁ בַּיִת 1, 2; ח׳ יָמָיו 9; ח׳ מִזְבֵּחַ 6; חִדֵּשׁ הַמְּלוּכָה 7; ח׳ עָרִים 3; ח׳ רוּחַ 8

לְחַדֵּשׁ 1 לְחַדֵּשׁ אֶת־בֵּית יְיָ IICh. 24:4
2 לְחַדֵּשׁ בֵּית יְיָ IICh. 24:12
וְחִדְּשׁוּ 3 וּבָנוּ...וְחִדְּשׁוּ עָרֵי חֹרֶב Is. 61:4
תְּחַדֵּשׁ 4 תְּחַדֵּשׁ עֵדֶיךָ נֶגְדִּי Job 10:17
וּתְחַדֵּשׁ 5 וּתְחַדֵּשׁ פְּנֵי אֲדָמָה Ps. 104:30
וַיְחַדֵּשׁ 6 וַיְחַדֵּשׁ אֶת־מִזְבַּח יְיָ IICh. 15:8
וּנְחַדֵּשׁ 7 וּנְחַדֵּשׁ שָׁם הַמְּלוּכָה ISh. 11:14
חַדֵּשׁ 8 וְרוּחַ נָכוֹן חַדֵּשׁ בְּקִרְבִּי Ps. 51:12
9 חַדֵּשׁ יָמֵינוּ כְּקֶדֶם Lam. 5:21
תִּתְחַדֵּשׁ 10 תִּתְחַדֵּשׁ כַּנֶּשֶׁר נְעוּרָיְכִי Ps. 103:5

חָדָשׁ
ת׳ שאינו ישן: 1—53
– בַּיִת חָדָשׁ 3, 4; כָּבוֹד ח׳ 16; לֵב ח׳ 11, 12; מוֹרַג ח׳ 5; מֶלֶךְ ח׳ 1; שִׁיר ח׳ 6—9, 13—15; שֵׁם ח׳ 10; שַׁעַר חָדָשׁ 19, 20
– אֶרֶץ חֲדָשָׁה 31, 39; אִשָּׁה ח׳ 23; בְּרִית ח׳ 33; חָצֵר ח׳ 40; מִנְחָה ח׳ 21, 22; עֲגָלָה ח׳ 24—26, 37; צְלוֹחִית ח׳ 29; רוּחַ ח׳ 34—36; שַׂלְמָה ח׳ 28, 38
– אֹבוֹת חֲדָשִׁים 48; אֱלֹהִים חֲדָשִׁים 43; מְגָדִים ח׳ 49; נֹאדוֹת ח׳ 42; עֲבֹתִים ח׳ 44—46; שָׁמַיִם ח׳ 47, 51; ח׳ לַבְּקָרִים 50; חֲדָשׁוֹת 52, 53

חָדָשׁ 1 וַיָּקָם מֶלֶךְ־חָדָשׁ Ex. 1:8
2 וְיָשָׁן מִפְּנֵי חָדָשׁ תּוֹצִיאוּ Lev. 26:10
3 אֲשֶׁר בָּנָה בַיִת־חָדָשׁ וְלֹא חֲנָכוֹ Deut. 20:5
4 כִּי תִבְנֶה בַּיִת חָדָשׁ Deut. 22:8
5 שַׂמְתִּיךְ לְמוֹרַג חָרוּץ חָדָשׁ Is. 41:15
6-9 שִׁירוּ לַייָ שִׁיר חָדָשׁ Is. 42:10
Ps. 96:1; 98:1; 149:1
10 וְקֹרָא לָךְ שֵׁם חָדָשׁ Is. 62:2
11 וַעֲשׂוּ לָכֶם לֵב חָדָשׁ Ezek. 18:31
12 וְנָתַתִּי לָכֶם לֵב חָדָשׁ Ezek. 36:26
13 שִׁירוּ־לוֹ שִׁיר חָדָשׁ Ps. 33:3
14/5 שִׁיר חָדָשׁ Ps. 40:4; 144:9
16 כְּבוֹדִי חָדָשׁ עִמָּדִי Job 29:20
17 וְאֵין כָּל־חָדָשׁ תַּחַת הַשָּׁמֶשׁ Eccl. 1:9
18 רְאֵה־זֶה חָדָשׁ הוּא Eccl. 1:10
הֶחָדָשׁ 19 בְּפֶתַח שַׁעַר־יְיָ הֶחָדָשׁ Jer. 26:10
20 פֶּתַח שַׁעַר בֵּית־יְיָ הֶחָדָשׁ Jer. 36:10

חֲדָשָׁה 21 וְהִקְרַבְתֶּם מִנְחָה חֲדָשָׁה לַייָ Lev. 23:16
22 בְּהַקְרִיבְכֶם מִנְחָה חֲדָשָׁה לַייָ Num. 28:26
23 כִּי־יִקַּח אִישׁ אִשָּׁה חֲדָשָׁה Deut. 24:5
24 קְחוּ וַעֲשׂוּ עֲגָלָה חֲדָשָׁה אֶחָת ISh. 6:7
25 וַיַּרְכִּבוּ...אֶל־עֲגָלָה חֲדָשָׁה IISh. 6:3
26 נֹהֲגִים אֶת־הָעֲגָלָה חֲדָשָׁה IISh. 6:3
27 וְהוּא חָגוּר חֲדָשָׁה IISh. 21:16
28 וְהוּא מִתְכַּסֶּה בְּשַׂלְמָה חֲדָשָׁה IK. 11:29
29 קְחוּ־לִי צְלֹחִית חֲדָשָׁה IIK. 2:20
30 הִנְנִי עֹשֶׂה חֲדָשָׁה עַתָּה תִצְמָח Is. 43:19
31 שָׁמַיִם חֲדָשִׁים וָאָרֶץ חֲדָשָׁה Is. 65:17
32 כִּי־בָרָא יְיָ חֲדָשָׁה בָּאָרֶץ Jer. 31:22(21)
33 וְכָרַתִּי...בְּרִית חֲדָשָׁה Jer. 31:31(30)
34 לֵב אֶחָד וְרוּחַ חֲדָשָׁה Ezek. 11:19
35/6 לֵב חָדָשׁ וְרוּחַ חֲדָשָׁה Ezek. 18:31; 36:26
37 וַיַּרְכִּיבוּ...עַל־עֲגָלָה חֲדָשָׁה ICh. 13:7
הַחֲדָשָׁה 38 וַיִּתְפֹּשׂ אֲחִיָּה בַּשַּׂלְמָה הַחֲדָשָׁה IK. 11:30
39 הַשָּׁמַיִם הַחֲדָשִׁים וְהָאָרֶץ הַחֲדָשָׁה Is. 66:22
40 וַיַּעֲמֹד...לִפְנֵי הֶחָצֵר הַחֲדָשָׁה IICh. 20:5
חֲדָשִׁים 41 חֲדָשִׁים מִקָּרֹב בָּאוּ Deut. 32:17
42 וְאֵלֶּה נֹאדוֹת הַיַּיִן...חֲדָשִׁים Josh. 9:13
43 יִבְחַר אֱלֹהִים חֲדָשִׁים... Jud. 5:8
44 וַיַּאַסְרֻהוּ בִּשְׁנַיִם עֲבֹתִים חֲדָשִׁים Jud. 15:13
45 אִם־...יַאַסְרוּנִי בַּעֲבֹתִים חֲדָשִׁים ud. 16:11
46 וַתִּקַּח דְּלִילָה עֲבֹתִים חֲדָשִׁים Jud. 16:12
47 כִּי־הִנְנִי בוֹרֵא שָׁמַיִם חֲדָשִׁים Is. 65:17
48 כְּאֹבוֹת חֲדָשִׁים יִבָּקֵעַ Job 32:19
49 כָּל־מְגָדִים חֲדָשִׁים גַּם־יְשָׁנִים S.ofS. 7:14
50 חֲדָשִׁים לַבְּקָרִים רַבָּה אֱמוּנָתֶךָ Lam. 3:23
הַחֲדָשִׁים 51 הַשָּׁמַיִם הַחֲדָשִׁים...אֲשֶׁר אֲנִי עֹשֶׂה Is. 66:22
חֲדָשׁוֹת 52 הִשְׁמַעְתִּיךָ חֲדָשׁוֹת מֵעַתָּה Is. 48:6
וַחֲדָשׁוֹת 53 הָרִאשֹׁנוֹת...וַחֲדָשׁוֹת אֲנִי מַגִּיד Is. 42:9

חֹדֶשׁ[1]
ז׳ א) יום מולד הלבנה: 14, 15, 18, 20, 33, 34, 36, 40—42, 101, 233, 264—272, 281
ב) פרק הזמן שבין מולד למולד, כשלושים יום: רוב המקראות: 1—281
קרובים: זְמַן / יוֹם / יֶרַח / מוֹעֵד / עִדָּן / עֵת / שָׁבוּעַ / שָׁנָה
– חֹדֶשׁ בְּחֹדֶשׁ 29, 103; חֹדֶשׁ בְּחָדְשׁוֹ 12, 21; חֹדֶשׁ הָאָבִיב 207, 208, 211, 220—222; ח׳ אֲדָר 215—218, 226—229; ח׳ זִו 37; ח׳ טֵבֵת 213; ח׳ יָמִים 206, 209, 210; ח׳ כִּסְלֵו 224; ח׳ נִיסָן 214, 225; ח׳ סִיוָן 219; ח׳ שְׁבָט 212
– בֶּן חֹדֶשׁ 1—9, 11; יוֹם הַחֹדֶשׁ 36, 40, 41; עֹלַת הַחֹדֶשׁ 12, 33; בְּאֶחָד (בְּשִׁבְעָה, בְּתִשְׁעָה וְכוּ׳) לַחֹדֶשׁ 110—135, 137—157, 169—201; בֶּעָשׂוֹר לַחֹדֶשׁ 136, 158—168
– מִסְפַּר חֳדָשִׁים 276, 277; רֹאשׁ חֳדָשִׁים 236; רָאשֵׁי חָדְשֵׁיכֶם 279, 280; חָדְשֵׁי הַשָּׁנָה 273—275

חֹדֶשׁ 1 וְאִם מִבֶּן־חֹדֶשׁ וְעַד בֶּן־חָמֵשׁ שָׁנִים Lev. 27:6
2-9 מִבֶּן־חֹדֶשׁ וָמַעְלָה Num. 3:15, 22
3:28, 34, 39, 40, 43; 26:62
10 אוֹ־יֹמַיִם אוֹ־חֹדֶשׁ אוֹ־יָמִים Num. 9:22
11 וּפְדוּיָו מִבֶּן־חֹדֶשׁ תִּפְדֶּה Num. 18:16
12 זֹאת עֹלַת חֹדֶשׁ בְּחָדְשׁוֹ Num. 28:14
13 בְּעַשְׁתֵּי־עָשָׂר חֹדֶשׁ בְּאֶחָד לַחֹדֶשׁ Deut. 1:3
14 הִנֵּה־חֹדֶשׁ מָחָר ISh. 20:5
15 וַיֹּאמֶר־לוֹ יְהוֹנָתָן מָחָר חֹדֶשׁ ISh. 20:18
16 חֹדֶשׁ בַּשָּׁנָה יִהְיֶה עַל־הָאֶחָד לְכַלְכֵּל IK. 4:7
17 חֹדֶשׁ יִהְיוּ בַלְּבָנוֹן IK. 5:28
18 הַיּוֹם לֹא־חֹדֶשׁ וְלֹא שַׁבָּת IIK. 4:23

חֹדֶשׁ (המשך) 19 בִּשְׁנֵים עָשָׂר חֹדֶשׁ IIK. 25:27
20 חֹדֶשׁ וְשַׁבָּת קְרֹא מִקְרָא Is. 1:13
21 וְהָיָה מִדֵּי־חֹדֶשׁ בְּחָדְשׁוֹ Is. 66:23
22/3 בִּשְׁנֵי(ם) עָשָׂר חֹדֶשׁ... Jer. 52:31 • Ezek. 32:1
24 עַתָּה יֹאכְלֵם חֹדֶשׁ אֶת־חֶלְקֵיהֶם Hosh. 5:7
25 בְּיוֹם...לְעַשְׁתֵּי־עָשָׂר חֹדֶשׁ Zech. 1:7
26 מִקֵּץ...שְׁנֵים עָשָׂר חֹדֶשׁ Es. 2:12
27 וּבִשְׁנֵים עָשָׂר חֹדֶשׁ Es. 9:1
28 הוּא חֹדֶשׁ הַתְּשִׁיעִי Ez. 10:9
29 הַבָּאָה וְהַיֹּצֵאת חֹדֶשׁ בְּחֹדֶשׁ ICh. 27:1
הַחֹדֶשׁ 30 עַד הַחֹדֶשׁ הָעֲשִׂירִי Gen. 8:5
31 הַחֹדֶשׁ הַזֶּה לָכֶם רֹאשׁ חֳדָשִׁים Ex. 12:2
32 בְּיוֹם־הַחֹדֶשׁ הָרִאשׁוֹן Ex. 40:2
33 מִלְּבַד עֹלַת הַחֹדֶשׁ וּמִנְחָתָהּ Num. 29:6
34 וַיְהִי הַחֹדֶשׁ וַיֵּשֶׁב הַמֶּלֶךְ... ISh. 20:24
35 וַיְהִי מִמָּחֳרַת הַחֹדֶשׁ הַשֵּׁנִי ISh. 20:27
36 וְלֹא־אָכַל בְּיוֹם־הַחֹדֶשׁ הַשֵּׁנִי לֶחֶם ISh. 20:34
37 בְּחֹדֶשׁ זִו הוּא הַחֹדֶשׁ הַשֵּׁנִי IK. 6:1
38 בְּיֶרַח בּוּל הוּא הַחֹדֶשׁ הַשְּׁמִינִי IK. 6:38
39 בְּיֶרַח הָאֵתָנִים... הוּא הַחֹדֶשׁ הַשְּׁבִיעִי IK. 8:2
40 וּבְיוֹם הַחֹדֶשׁ יִפָּתֵחַ Ezek. 46:1
41 וּבְיוֹם הַחֹדֶשׁ פַּר בֶּן־בָּקָר Ezek. 46:6
42 מָתַי יַעֲבֹר הַחֹדֶשׁ וְנַשְׁבִּירָה שֶּׁבֶר Am. 8:5
43/4 וַיִּגַּע הַחֹדֶשׁ הַשְּׁבִיעִי Ez. 3:1 • Neh. 7:73(72)
45 וְעַל מַחֲלֹקֶת הַחֹדֶשׁ הַשֵּׁנִי ICh. 27:4
46 עַשְׁתֵּי־עָשָׂר לְעַשְׁתֵּי עָשָׂר הַחֹדֶשׁ ICh. 27:14
47 הַשְּׁנֵים עָשָׂר לִשְׁנֵים עָשָׂר הַחֹדֶשׁ ICh. 27:15
48 וַיִּקָּהֲלוּ...בֶּחָג הוּא הַחֹדֶשׁ הַשְּׁבִעִי IICh. 5:3
וְהַחֹדֶשׁ 49 וְהַחֹדֶשׁ...נֶהְפַּךְ...מִיָּגוֹן לְשִׂמְחָה Es. 9:22
בַּחֹדֶשׁ 50 בַּחֹדֶשׁ הַשֵּׁנִי בְּשִׁבְעָה־עָשָׂר יוֹם Gen. 7:11
51 בַּחֹדֶשׁ הַשְּׁבִיעִי בְּשִׁבְעָה־עָשָׂר יוֹם Gen. 8:4
52 וְעָבַדְתָּ...הָעֲבֹדָה הַזֹּאת בַּחֹדֶשׁ הַזֶּה Ex. 13:5
53 בַּחֹדֶשׁ הַשְּׁלִישִׁי לְצֵאת בְּנֵי־יִשְׂרָאֵל Ex. 19:1
54 וַיְהִי בַּחֹדֶשׁ הָרִאשׁוֹן... Ex. 40:17
55 בַּחֹדֶשׁ הַשְּׁבִיעִי בֶּעָשׂוֹר לַחֹדֶשׁ Lev. 16:29
56 בַּחֹדֶשׁ הָרִאשׁוֹן בְּאַרְבָּעָה עָשָׂר... Lev. 23:5
57 בַּחֹדֶשׁ הַשְּׁבִיעִי בְּאֶחָד לַחֹדֶשׁ Lev. 23:24
58-98 בַּחֹדֶשׁ (הָרִאשׁוֹן, הַשֵּׁנִי וְכוּ׳) Lev. 23:41
25:9 • Num. 9:1, 3, 11; 10:11; 20:1; 33:3, 38 • IK. 12:32, 33 • IIK. 25:1, 25 • Jer. 1:3; 28:1, 17; 36:9, 22; 39:1, 2; 41:1; 52:4, 6 • Ezek. 24:1 • Hag. 1:1 • Zech. 1:1; 7:3 • Es. 2:16; 3:7, 12; 8:9 • Ez. 3:8; 7:8 • Neh. 8:14 • ICh. 12:16(15) • IICh. 3:2; 15:10; 29:3; 30:2, 13; 31:7
99 עֲשֶׂרֶת אֲלָפִים בַּחֹדֶשׁ חֲלִיפוֹת IK. 5:28
100 וְכֵן תַּעֲשֶׂה בְּשִׁבְעָה בַחֹדֶשׁ Ezek. 45:20
101 תִּקְעוּ בַחֹדֶשׁ שׁוֹפָר Ps. 81:4
102 הוּא חֹדֶשׁ הַתְּשִׁיעִי בְּעֶשְׂרִים בַּחֹדֶשׁ Ez. 10:9
בְּחֹדֶשׁ 103 הַבָּאָה וְהַיֹּצֵאת חֹדֶשׁ בְּחֹדֶשׁ ICh. 27:1
וּבַחֹדֶשׁ 104 וּבַחֹדֶשׁ הַשֵּׁנִי בְּשִׁבְעָה... Gen. 8:14
105 וּבַחֹדֶשׁ הָרִאשׁוֹן בְּאַרְבָּעָה... Num. 28:16
106 וּבַחֹדֶשׁ הַשְּׁבִיעִי בְּאֶחָד לַחֹדֶשׁ Num. 29:1
107 וּבַחֹדֶשׁ הַחֲמִישִׁי בְּשִׁבְעָה לַחֹדֶשׁ IIK. 25:8
108 וּבַחֹדֶשׁ הַחֲמִישִׁי בֶּעָשׂוֹר לַחֹדֶשׁ Jer. 52:12
109 וּבַחֹדֶשׁ הַשְּׁבִיעִי כִּלּוּ IICh. 31:7
לַחֹדֶשׁ 110/1 בְּשִׁבְעָה־עָשָׂר יוֹם לַחֹדֶשׁ Gen. 7:11; 8:4
112 בָּעֲשִׂירִי בְּאֶחָד לַחֹדֶשׁ Gen. 8:5
113-134 (ו)בְאֶחָד לַחֹדֶשׁ Gen. 8:13
Ex. 40:2, 17 • Lev. 23:24 • Num. 1:1, 18; 29:1; 33:38 • Deut. 1:3 • Ezek. 26:1; 29:17; 31:1; 32:1; 45:18 • Hag. 1:1 • Ez. 3:6; 7:9^2; 10:16, 17 • Neh. 8:2 • IICh. 29:17

לַחֹדֶשׁ (המשך)

135 בְּשִׁבְעָה וְעֶשְׂרִים יוֹם לַחֹדֶשׁ Gen. 8:14
136 בֶּעָשֹׂר לַחֹדֶשׁ הַזֶּה וְיִקְחוּ... Ex. 12:3
137 עַד אַרְבָּעָה עָשָׂר יוֹם לַחֹדֶשׁ הַזֶּה Ex. 12:6
138-146 (בְּ)אַרְבָּעָה עָשָׂר (יוֹם) לַחֹדֶשׁ
Ex. 12:18 • Lev. 23:5 • Num. 9:5; 28:16 • Josh. 5:10 • Ezek. 45:21 • Ez. 6:19 • IICh. 30:15; 35:1

147 עַד יוֹם הָאֶחָד וְעֶשְׂרִים לַחֹדֶשׁ Ex. 12:18
148 בַּחֲמִשָּׁה עָשָׂר יוֹם לַחֹדֶשׁ הַשֵּׁנִי Ex. 16:1
149-157 (בַּ/וּבַ)חֲמִשָּׁה עָשָׂר (יוֹם) לַחֹדֶשׁ
Lev. 23:6, 34, 39 • Num. 28:17; 29:12; 33:3 • IK. 12:32 • Ezek. 32:17; 45:25

158 בַּחֹדֶשׁ הַשְּׁבִיעִי בֶּעָשׂוֹר לַחֹדֶשׁ Lev. 16:29
159-168 (בֶּ/וּבֶ)עָשׂוֹר לַחֹדֶשׁ Lev. 23:27; 25:9
Num. 29:7 • Josh. 4:19 • IIK. 25:1 • Jer. 52:4, 12 • Ezek. 20:1; 24:1; 40:1

169 בְּתִשְׁעָה לַחֹדֶשׁ בָּעֶרֶב Lev. 23:32
170-172 בְּתִשְׁעָה לַחֹדֶשׁ IIK. 25:3 • Jer. 39:2; 52:6
173 וּבַחֹדֶשׁ הַחֲמִישִׁי בְּשִׁבְעָה לַחֹדֶשׁ IIK. 25:8
174 בְּעֶשְׂרִים וְשִׁבְעָה לַחֹדֶשׁ IIK. 25:27
175 בְּעֶשְׂרִים וַחֲמִשָּׁה לַחֹדֶשׁ Jer. 52:31
176 בָּרְבִיעִי בַּחֲמִשָּׁה לַחֹדֶשׁ Ezek. 1:1
177-179 בַּחֲמִשָּׁה לַחֹדֶשׁ Ezek. 1:2; 8:1; 33:21
180 בָּעֲשִׂרִי בִּשְׁנֵים עָשָׂר לַחֹדֶשׁ Ezek. 29:1
181 בָּרִאשׁוֹן בְּשִׁבְעָה לַחֹדֶשׁ Ezek. 30:20
182 בְּיוֹם עֶשְׂרִים וְאַרְבָּעָה לַחֹדֶשׁ בַּשִּׁשִּׁי Hag. 1:15
183 בַּשְּׁבִיעִי בְּעֶשְׂרִים וְאֶחָד לַחֹדֶשׁ Hag. 2:1
184 בְּעֶשְׂרִים וְאַרְבָּעָה לַחֹדֶשׁ Hag. 2:20
185 בְּאַרְבָּעָה לַחֹדֶשׁ הַתְּשִׁעִי בְּכִסְלֵו Zech. 7:1
186-187 (בְּ/וּבְ)יוֹם עֶשְׂרִים וְאַרְבָּעָה לַחֹדֶשׁ
Dan. 10:4 • Neh. 9:1
188 בִּשְׁנֵים עָשָׂר לַחֹדֶשׁ הָרִאשׁוֹן Ez. 8:31
189-200 לַחֹדֶשׁ (הָרִאשׁוֹן, הַשֵּׁנִי וכו׳) ICh. 27:2
27:3, 5, 7, 8, 9, 10, 11, 12, 13 • IICh. 7:10; 29:17
201 וּבְיוֹם שְׁמוֹנָה לַחֹדֶשׁ בָּאוּ IICh. 29:17

לְחֹדֶשׁ 202 מִיּוֹם לְיוֹם וּמֵחֹדֶשׁ לְחֹדֶשׁ Es. 3:7
203/4 בִּשְׁלוֹשָׁה עָשָׂר לְחֹדֶשׁ שְׁנֵים־עָשָׂר
Es. 3:13; 8:12

וּמֵחֹדֶשׁ 205 מִיּוֹם לְיוֹם וּמֵחֹדֶשׁ לְחֹדֶשׁ Es. 3:7

חֹדֶשׁ־ 206 וַיֵּשֶׁב עִמּוֹ חֹדֶשׁ יָמִים Gen. 29:14
207/8 לְמוֹעֵד חֹדֶשׁ הָאָבִיב Ex. 23:15; 34:18
209 עַד חֹדֶשׁ יָמִים Num. 11:20
210 וְאָכְלוּ חֹדֶשׁ יָמִים Num. 11:21
211 שָׁמוֹר אֶת־חֹדֶשׁ הָאָבִיב Deut. 16:1
212 הוּא־חֹדֶשׁ שְׁבָט Zech. 1:7
213 בַּחֹדֶשׁ הָעֲשִׂירִי הוּא־חֹדֶשׁ טֵבֵת Es. 2:16
214 בַּחֹדֶשׁ הָרִאשׁוֹן הוּא־חֹדֶשׁ נִיסָן Es. 3:7
215-218 הוּא־חֹדֶשׁ אֲדָר Es. 3:7, 13; 8:12; 9:1
219 בַּחֹדֶשׁ הַשְּׁלִישִׁי הוּא־חֹדֶשׁ סִיוָן Es. 8:9

בְּחֹדֶשׁ־ 220 הַיּוֹם אַתֶּם יֹצְאִים בְּחֹדֶשׁ הָאָבִיב Ex. 13:4
221 בְּחֹדֶשׁ הָאָבִיב יָצָאתָ מִמִּצְרָיִם Ex. 34:18
222 כִּי בְּחֹדֶשׁ הָאָבִיב הוֹצִיאֲךָ יְיָ Deut. 16:1
223 בְּחֹדֶשׁ זִו הוּא הַחֹדֶשׁ הַשֵּׁנִי IK. 6:1
224 וַיְהִי בְחֹדֶשׁ־כִּסְלֵו שְׁנַת עֶשְׂרִים Neh. 1:1
225 וַיְהִי בְּחֹדֶשׁ נִיסָן שְׁנַת עֶשְׂרִים... Neh. 2:1

לְחֹדֶשׁ־ 226-228 בְּיוֹם אַרְבָּעָה עָשָׂר לְחֹדֶשׁ אֲדָר
Es. 9:15, 19, 21
229 בְּיוֹם שְׁלוֹשָׁה עָשָׂר לְחֹדֶשׁ אֲדָר Es. 9:17

חָדְשׁוֹ 230 וְכִלְכְּלוּ הַנִּצָּבִים...אִישׁ חָדְשׁוֹ IK. 5:7

בְּחָדְשׁוֹ 231 זֹאת עֹלַת חֹדֶשׁ בְּחָדְשׁוֹ Num. 28:14
232 וְהָיָה מִדֵּי־חֹדֶשׁ בְּחָדְשׁוֹ Is. 66:23

חָדְשָׁהּ 233 וְהִשְׁבַּתִּי כָּל־מְשׂוֹשָׂהּ חַגָּהּ חָדְשָׁהּ Hosh. 2:13

בְּחָדְשָׁהּ 234 כָּל־מְבַקְשֶׁיהָ...בְּחָדְשָׁהּ יִמְצָאוּנְהָ Jer. 2:24

חֳדָשִׁים 235 וַיְהִי כְּמִשְׁלֹשׁ חֳדָשִׁים... Gen. 38:24
236 הַחֹדֶשׁ הַזֶּה לָכֶם רֹאשׁ חֳדָשִׁים Ex. 12:2
237 הַרְפֵּה מִמֶּנִּי שְׁנַיִם חֳדָשִׁים Jud. 11:37
238 וַיִּשְׁלַח אוֹתָהּ שְׁנֵי חֳדָשִׁים Jud. 11:38
239 וַיְהִי מִקֵּץ שְׁנַיִם חֳדָשִׁים Jud. 11:39
240 וַתְּהִי־שָׁם יָמִים אַרְבָּעָה חֳדָשִׁים Jud. 19:2
241-263 חֳדָשִׁים Jud. 20:47 • ISh. 6:1 27:7 • IISh. 2:11; 5:5; 6:11; 24:8, 13 • IK. 5:28; 11:16 • IIK. 15:8; 23:31; 24:8 • Ezek. 39:12, 14 • Am. 4:7 • Es. 2:12[2] • ICh. 3:4; 13:14; 21:12 • IICh. 36:2, 9

הֶחֳדָשִׁים 264 הַשַּׁבָּתוֹת הֶחֳדָשִׁים לַמּוֹעֲדִים Neh. 10:34

וּבֶחֳדָשִׁים 265 בַּחַגִּים וּבֶחֳדָשִׁים וּבַשַּׁבָּתוֹת Ezek. 45:17
266 וְהִשְׁתַּחֲווּ...בַּשַּׁבָּתוֹת וּבֶחֳדָשִׁים Ezek. 46:3

לֶחֳדָשִׁים 267 מוֹדִיעִים לֶחֳדָשִׁים מֵאֲשֶׁר יָבֹאוּ Is. 47:13
268 לַשַּׁבָּתוֹת לֶחֳדָשִׁים וְלַמֹּעֲדִים ICh. 23:31

וְלֶחֳדָשִׁים 269 וְלֶחֳדָשִׁים וּלְכָל־מוֹעֲדֵי יְיָ Ez. 3:5
270 לַשַּׁבָּתוֹת וְלֶחֳדָשִׁים וּלְמוֹעֲדֵי יְיָ IICh. 2:3
271 לַשַּׁבָּתוֹת וְלֶחֳדָשִׁים וְלַמּוֹעֲדוֹת IICh. 8:13
272 לַשַּׁבָּתוֹת וְלֶחֳדָשִׁים וְלַמֹּעֲדִים IICh. 31:3

חָדְשֵׁי־ 273 חֹדֶשׁ בְּחֹדֶשׁ לְכֹל חָדְשֵׁי הַשָּׁנָה ICh. 27:1

לְחָדְשֵׁי־ 274 רִאשׁוֹן הוּא לָכֶם לְחָדְשֵׁי הַשָּׁנָה Ex. 12:2
275 חֹדֶשׁ בְּחָדְשׁוֹ לְחָדְשֵׁי הַשָּׁנָה Num. 28:14

חֳדָשָׁיו 276 חֲרוּצִים יָמָיו מִסְפַּר־חֳדָשָׁיו אִתָּךְ Job 14:5
277 וּמִסְפַּר חֳדָשָׁיו חֻצָּצוּ Job 21:21

לָחֳדָשָׁיו 278 וְלֹא־יִתֹּם פִּרְיוֹ לָחֳדָשָׁיו יְבַכֵּר Ezek. 47:12

חָדְשֵׁיכֶם 279 וּבְמוֹעֲדֵיכֶם וּבְרָאשֵׁי חָדְשֵׁכֶם Num. 10:10
280 וּבְרָאשֵׁי חָדְשֵׁיכֶם תַּקְרִיבוּ... Num. 28:11
281 חָדְשֵׁיכֶם וּמוֹעֲדֵיכֶם שָׂנְאָה נַפְשִׁי Is. 1:14

חֹדֶשׁ[2]
שפ״נ – אחת מנשי שחרים מבנימין

חֹדֶשׁ 1 וַיּוֹלֶד מִן־חֹדֶשׁ אִשְׁתּוֹ... ICh. 8:9

חֲדָשָׁה
עיר באזור לָכִיש

וַחֲדָשָׁה 1 צְנָן וַחֲדָשָׁה וּמִגְדַּל־גָּד Josh. 15:37

חָדְשִׁי
עין תַּחְתִּים חָדְשִׁי

חֲדַת
ת׳ ארמית: חדש

חֲדַת 1 וְנִדְבָּךְ דִּי־אָע חֲדַת Ez. 6:4

חֲדַתָּה
עין חָצוֹר חֲדַתָּה

חוב
: חַיָּב; חוֹב; ש״פ חוֹבָה

(חוב) חִיֵּב
פ׳ הטיל אשמה

וְחִיַּבְתֶּם 1 וְחִיַּבְתֶּם אֶת־רֹאשִׁי לַמֶּלֶךְ Dan. 1:10

חוֹב
ז׳ מה שאדם חיב לשלם

חוֹב 1 חֲבֹלָתוֹ חוֹב יָשִׁיב Ezek. 18:7

חוֹבָב
שפ״ז – עין חֹבָב

חוֹבֵב
ת׳ עין חָבַב

חוֹבָה
עיר צפונית לדמשק

חוֹבָה 1 עַד־חוֹבָה אֲשֶׁר מִשְּׂמֹאל לְדַמָּשֶׂק Gen. 14:15

חוֹבֵל
ז׳ מַלָּח, סַפָּן: 1–5
רַב חוֹבֵל 1; חוֹבְלֵי הַיָּם 2; זַעֲקַת חוֹבְלִים 4

הַחֹבֵל 1 וַיִּקְרַב אֵלָיו רַב הַחֹבֵל Jon. 1:6
חֹבְלֵי־ 2 כֹּל תֹּפְשֵׂי מָשׁוֹט...כֹּל חֹבְלֵי הַיָּם Ezek. 27:29
חֹבְלָיִךְ 3 הָיוּ שָׁטִים לָךְ...הֵמָּה חֹבְלָיִךְ Ezek. 27:8
4 לְקוֹל זַעֲקַת חֹבְלָיִךְ Ezek. 27:28
וְחֹבְלָיִךְ 5 מַעֲרָבֵךְ מַלָּחַיִךְ וְחֹבְלָיִךְ Ezek. 27:27

חוֹבְלִים
ז״ר כנוי לאחד המקלות בחזון זכריה: 1, 2

חֹבְלִים 1 וּלְאַחַד קָרָאתִי חֹבְלִים Zech. 11:7
הַחוֹבְלִים 2 וָאֶגְדַּע...אֶת הַחֹבְלִים Zech. 11:14

חוֹבֵר
ז׳ מְכַשֵּׁף – עין חֶבֶר[1] (5, 1)

חֹבֵר 1 חוֹבֵר חֲבָרִים מְחֻכָּם Ps. 58:6
וְחֹבֵר 2 וְחֹבֵר חָבֶר וְשֹׁאֵל אוֹב וְיִדְּעֹנִי Deut. 18:11

חוֹבֶרֶת
נ׳ דברים מחוברים יחד: 1–4 • קרוב: מַחְבֶּרֶת

הַחֹבֶרֶת 1-2 הַחֹבֶרֶת הַשֵּׁנִית Ex. 26:10; 36:17
בַּחֹבָרֶת 3 מִקְצָה בַּחֹבָרֶת Ex. 26:4
4 הַקִּיצֹנָה בַּחֹבָרֶת Ex. 26:10

חוֹבֶשׁ
ז׳ עין חָבַשׁ

חוג
: חָג; חוּג, מְחוּגָה

(חוג) חָג
פ׳ עשה עגול

חָג 1 חֹק־חָג עַל־פְּנֵי־מָיִם Job 26:10

חוּג
ז׳ עִגּוּל: 1–3 • חוּג הָאָרֶץ 1; חוּג שָׁמַיִם 3

חוּג 1 הַיֹּשֵׁב עַל־חוּג הָאָרֶץ Is. 40:22
2 בְּחֻקוֹ חוּג עַל־פְּנֵי תְהוֹם Prov. 8:27
וְחוּג־ 3 וְחוּג שָׁמַיִם יִתְהַלָּךְ Job 22:14

חוּגָג
תו״ז – עין חגג

חוד
: חָד; חִידָה; א״ר אֲחִידָן

(חוד) חָד
פ׳ אמר דבר חידה ומשל: 1–4

חֻדְתָּה 1 הַחִידָה חֻדְתָּה לִבְנֵי עַמִּי Jud. 14:16
אָחוּדָה 2 אָחוּדָה־נָּא לָכֶם חִידָה Jud. 14:12
חוּד 3 חוּד חִידָה וּמְשֹׁל מָשָׁל Ezek. 17:2
חוּדָה 4 חוּדָה חִידָתְךָ וְנִשְׁמָעֶנָּה Jud. 14:13

חוה
: חִוָּה; אַחְוָה; א״ר חֲוָה, הַחֲוָה; אַחְוָיַת

חִוָּה
פ׳ הוֹדִיעַ, הִבִּיעַ: 1–6
חִוָּה דֵעוֹ 1–3; חִוָּה דַּעַת 6

מֵחַוֺּת 1 וָאִירָא מֵחַוֺּת דֵּעִי אֶתְכֶם Job 32:6
אֲחַוֶּה 2-3 אֲחַוֶּה דֵעִי אַף־אָנִי Job 32:10, 17
אֲחַוְּךָ 4 אֲחַוְּךָ שְׁמַע־לִי Job 15:17
וַאֲחַוֶּךָּ 5 כַּתַּר־לִי זְעֵיר וַאֲחַוֶּךָּ Job 36:2
יְחַוֶּה 6 וְלַיְלָה לְּלַיְלָה יְחַוֶּה־דָּעַת Ps. 19:3

חֲוָה
פ׳ ארמית א) [פ׳ חֲוָא, חַוָּה] הודיע: 1–4
ב) [הפ׳ הַחֲוָה] הודיע: 5–14

אֲחַוֵּא 1 וּפִשְׁרָא לְמַלְכָּא אֲחַוֵּא Dan. 2:24
יְחַוִּנַּנִי 2 יִקְרֵה כְּתָבָה דְנָה וּפִשְׁרֵהּ יְחַוִּנַּנִי Dan. 5:7
יְחַוִּנֵּהּ 3 וְאָחֳרָן לָא אִיתַי דִּי יְחַוִּנֵּהּ... Dan. 2:11
נְחַוֵּא 4 אֱמַר חֶלְמָא... פִּשְׁרֵהּ נְחַוֵּא Dan. 2:4
לְהַחֲוָיָה 5 דִּי מִלַּת מַלְכָּא יוּכַל לְהַחֲוָיָה Dan. 2:10
6 וּפִשְׁרָא לְהַחֲוָיָה לְמַלְכָּא Dan. 2:16
7 לָא חַכִּימִין...יָכְלִין לְהַחֲוָיָה Dan. 2:27
8 אָתַיָּא...שְׁפַר קָדָמַי לְהַחֲוָיָה Dan. 3:32
9 וְלָא־כָהֲלִין פְּשַׁר־מִלְּתָא לְהַחֲוָיָה Dan. 5:15
יְהַחֲוֵה 10 כְּעַן דָּנִיֵּאל יִתְקְרֵי וּפִשְׁרָה יְהַחֲוֵה Dan. 5:12
נְהַחֲוֵה 11 חֶלְמָא יֵאמַר... וּפִשְׁרֵהּ נְהַחֲוֵה Dan. 2:7
תְּהַחֲוֺן 12 וְהֵן חֶלְמָא וּפִשְׁרֵהּ תְּהַחֲוֺן Dan. 2:6
תְּהַחֲוֻנַּנִי 13 ...וְאִנְדַּע דִּי פִשְׁרֵהּ תְּהַחֲוֻנַּנִי Dan. 2:9
הַחֲוֹנִי 14 לָהֵן חֶלְמָא וּפִשְׁרֵהּ הַחֲוֹנִי Dan. 2:6

חַוָּה*[1]
נ׳ מַחֲנֶה: 1–7

חַוֺּת־ 1 וַיִּקְרָא אֶתְהֶן חַוֺּת יָאִיר Num. 32:41
2-6 חַוֺּת יָאִיר Deut. 3:14
Josh. 13:30 • Jud. 10:4 • IK. 4:13 • ICh. 2:23
חַוֺּתֵיהֶם 7 הָלַךְ וַיִּלְכֹּד אֶת־חַוֺּתֵיהֶם Num. 32:41

חַוָּה² שפ״נ – אשת אדם: 1, 2

חַוָּה 1 וַיִּקְרָא הָאָדָם שֵׁם אִשְׁתּוֹ חַוָּה Gen.3:20

2 וְהָאָדָם יָדַע אֶת־חַוָּה אִשְׁתּוֹ Gen.4:1

חוֹזֶה ז׳ א) נביא: 1, 3—17

ב) הֶסְכֵּם, בְּרִית: 2

קרובים: נָבִיא / נְבִיאָה / רוֹאֶה

אָסָף הַחוֹזֶה 8; גָּד הַח׳ 4; יֵהוּא הַח׳ 7; יֶעְדּוֹ הַח׳ 5; עִדּוֹ הַח׳ 6; חֹזֵה דָוִד 9, 10; ח׳ הַמֶּלֶךְ 11—13; דִּבְרֵי הַחוֹזִים 16; רָאשֵׁי הַחוֹזִים 14

חוֹזֶה 1 בְּיַד כָּל־נְבִיאֵי° כָל־חֹזֶה IIK.17:13

2 וְעִם־שְׁאוֹל עָשִׂינוּ חֹזֶה Is.28:15

3 חֹזֶה לֵךְ בְּרַח־לְךָ Am.7:12

הַחוֹזֶה 4 וְעַל־דִּבְרֵי גָּד הַחֹזֶה ICh.29:29

5 וּבַחֲזוֹת יֶעְדּוֹ° הַחֹזֶה עַל־יָרָבְעָם IICh.9:29

6 בְּדִבְרֵי...וְעִדּוֹ הַחֹזֶה IICh.12:15

7 וַיֵּצֵא...יֵהוּא בֶן־חֲנָנִי הַחֹזֶה IICh.19:2

8 בְּדִבְרֵי דָוִיד וְאָסָף הַחֹזֶה IICh.29:30

חוֹזֵה־ 9 אֶל־גָּד הַנָּבִיא חֹזֵה דָוִד IISh.24:11

10 וַיְדַבֵּר יְ׳ אֶל־גָּד חֹזֵה דָוִיד ICh.21:9

11 לְהֵימָן חֹזֵה הַמֶּלֶךְ בְּדִבְרֵי הָאֱלֹ׳ ICh.25:5

12 בְּמִצְוַת דָּוִיד וְגָד חֹזֵה־הַמֶּלֶךְ IICh.29:25

13 וְהֵימָן וִידֻתוּן חוֹזֵה הַמֶּלֶךְ IICh.35:15

הַחוֹזִים 14 וְאֶת־רָאשֵׁיכֶם הַחֹזִים כִּסָּה Is.29:10

15 וּבֹשׁוּ הַחֹזִים וְחָפְרוּ הַקֹּסְמִים Mic.3:7

16 וְדִבְרֵי הַחֹזִים הַמְדַבְּרִים אֵלָיו IICh.33:18

וְלַחוֹזִים 17 אָמְרוּ...וְלַחֹזִים לֹא תֶחֱזוּ־לָנוּ Is.30:10

חוֹזַי* שפ״ז – סופר קורות מנשה מלך יהודה

חוֹזָי 1 הִנָּם כְּתוּבִים עַל דִּבְרֵי חוֹזָי IICh.33:19

חוֹחַ¹ ז׳ א) קוץ: 1—8, 10

ב) חָח, קרס ללכידת חיה: 9

קרובים: בַּרְקָן / דַּרְדַּר / חָרוּל / נַהֲלֹל / נַעֲצוּץ / סִירִים / סִלּוֹן / סִרְפָּד / צְנִינִים / קוֹץ / קִמּוֹשׂ / שַׁיִת / שָׁמִיר

חוֹחַ 1 קִמּוֹשׂ יִירָשֵׁם חוֹחַ בְּאָהֳלֵיהֶם Hos.9:6

2 חוֹחַ עָלָה בְיַד־שִׁכּוֹר Prov.26:9

3 תַּחַת חִטָּה יֵצֵא חוֹחַ Job31:40

וָחוֹחַ 4 קִמּוֹשׂ וָחוֹחַ בְּמִבְצָרֶיהָ Is.34:13

הַחוֹחַ 5-6 הַחוֹחַ...שָׁלַח אֶל־הָאֶרֶז IIK.14:9 • IICh.25:18

7-8 וַתִּרְמֹס אֶת־הַחוֹחַ IIK.14:9 • IICh.25:18

וּבְחוֹחַ 9 וּבְחוֹחַ תִּקֹּב לֶחֱיוֹ Job40:26

הַחוֹחִים 10 כְּשׁוֹשַׁנָּה בֵּין הַחוֹחִים כֵּן... S.ofS.2:2

חוֹחַ*² ז׳ נקיק סלע: 1, 2

בַּחוֹחִים 1 וַיִּלְכְּדוּ אֶת־מְנַשֶּׁה בַּחֹחִים IICh.33:11

וּבַחֲוָחִים 2 וַיִּתְחַבְּאוּ הָעָם בַּמְּעָרוֹת וּבַחֲוָחִים ISh.13:6

חוּט ז׳ פְּתִיל דק: 1—7

קרובים: גְּדִיל / חֶבֶל / יֶתֶר / מֵיתָר / עֲבֹת / פְּתִיל / קַו / שְׂרוֹךְ / תִּקְוָה²

חוּט מְשֻׁלָּשׁ 1; חוּט הַשָּׁנִי 4, 7

וְהַחוּט 1 וְהַחוּט הַמְשֻׁלָּשׁ לֹא בִמְהֵרָה יִנָּתֵק Eccl.4:12

כְּחוּט 2 וַיְנַתְּקֵם מֵעַל זְרֹעֹתָיו כַּחוּט Jud.16:12

מִחוּט 3 אִם־מִחוּט וְעַד שְׂרוֹךְ־נַעַל Gen.14:23

חוּט־ 4 אֶת־תִּקְוַת חוּט הַשָּׁנִי הַזֶּה תִּקְשְׁרִי Josh.2:18

וְחוּט־ 5 וְחוּט שְׁתֵּים־עֶשְׂרֵה אַמָּה יָסֹב IK.7:15

6 וְחוּט שְׁתֵּים־עֶשְׂרֵה אַמָּה יְסֻבֶּנּוּ Jer.52:21

כְּחוּט־ 7 כְּחוּט הַשָּׁנִי שִׂפְתֹתַיִךְ S.ofS.4:3

(חוּט) ארמית – עין חיט

חוֹטֵא תו״ז עין חָטָא

חוֹטֵב ז׳ עין חָטַב

חִוִּי ז׳ אחד משבעת עמי כנען: 1—25

הַחִוִּי 1/2 וְאֶת־הַחִוִּי וְאֶת־הָעַרְקִי Gen.10:17 • ICh.1:15

3 וַיַּרְא אֹתָהּ שְׁכֶם בֶּן־חֲמוֹר הַחִוִּי Gen.34:2

4 בַּת־עֲנָה בַּת־צִבְעוֹן הַחִוִּי Gen.36:2

5-11 הַחִוִּי וְהַיְבוּסִי Ex.23:23; 33:2 • Deut.20:17 • Josh.9:1; 12:8; 24:11 • IK.9:20

12 וְגֵרְשָׁה אֶת־הַחִוִּי אֶת־הַכְּנַעֲנִי Ex.23:28

13 וְאֶת־הַחִוִּי...וְאֶת־הַפְּרִזִּי Josh.3:10

14 וַיֹּאמְרוּ° אִישׁ־יִשְׂרָאֵל אֶל־הַחִוִּי Josh.9:7

15 בִּלְתִּי הַחִוִּי יֹשְׁבֵי גִבְעוֹן Josh.11:19

16 וְכָל־עָרֵי הַחִוִּי וְהַכְּנַעֲנִי IISh.24:7

וְהַחִוִּי 17-23 וְהַחִוִּי וְהַיְבוּסִי Ex.3:8, 17 • 13:5; 34:11 • Deut.7:1 • Jud.3:5 • IICh.8:7

24 וְהַחִוִּי תַּחַת חֶרְמוֹן Josh.11:3

25 וְהַחִוִּי יֹשֵׁב הַר הַלְּבָנוֹן Jud.3:3

חֲוִילָה¹ שפ״א א) בן יָקְטָן: 1, 2

ב) בן כּוּשׁ: 3, 4

חֲוִילָה 1-2 וְאֶת־אוֹפִר וְאֶת־חֲוִילָה Gen.10:29 • ICh.1:23

וַחֲוִילָה 3-4 וּבְנֵי כוּשׁ סְבָא וַחֲוִילָה Gen.10:7 • ICh.1:9

חֲוִילָה² א) ארץ שסבב אותה נהר פישון: 1

ב) ארץ־גבול נדודיהם של ישמעאל ועמלק: 2,3

הַחֲוִילָה 1 אֶרֶץ הַחֲוִילָה אֲשֶׁר־שָׁם הַזָּהָב Gen.2:11

מֵחֲוִילָה 2 וַיִּשְׁכְּנוּ מֵחֲוִילָה עַד־שׁוּר Gen.25:18

3 וַיַּךְ...מֵחֲוִילָה בּוֹאֲךָ שׁוּר ISh.15:7

חול : א) חָל, חוֹלֵל, הִתְחוֹלֵל; מָחוֹל, חוּל; ש״פ חוּל, חוֹלוֹן

ב) חָל ג) חָל

(חול)¹ **חָל** פ׳ א) רקד, הסתובב: 1

ב) [פ׳ חוֹלֵל] כנ״ל: 2, 3

ג) [הת׳ הִתְחוֹלֵל] הסתובב: 4

לָחוּל 1 אִם־יֵצְאוּ...לָחוּל בַּמְּחֹלוֹת Jud.21:21

כְּחֹלְלִים 2 וְשָׁרִים כְּחֹלְלִים Ps.87:7

הַמְחוֹלְלוֹת 3 וַיִּשְׂאוּ נָשִׁים...מִן־הַמְּחֹלְלוֹת Jud.21:23

מִתְחוֹלֵל 4 חֵמָה יָצְאָה וְסַעַר מִתְחוֹלֵל Jer.23:19

(חול)² **חָל** פ׳ נפל, פגע: 1—5

וְחָלָה 1 וְחָלָה חֶרֶב בְּעָרָיו Hos.11:6

חָלוּ 2 וְלֹא־חָלוּ בָהּ יָדָיִם Lam.4:6

יָחוּל 3-4 עַל רֹאשׁ רְשָׁעִים יָחוּל Jer.23:19; 30:23

יָחוּלוּ 5 יָחֻלוּ עַל־רֹאשׁ יוֹאָב IISh.3:29

(חול)³ **חָל** פ׳ חרד, רעד [עין גם (חיל), חלה]: 1—6

חוּל 1 חוּל תָּחוּל° סִין Ezek.30:16

כְּחוֹלָה(?) 2 קוֹל כְּחוֹלָה שָׁמַעְתִּי...כְּמַבְכִּירָה Jer.4:31

תָּחוּל 3 חוּל תָּחוּל (כ׳ תחיל) סִין Ezek.30:16

וַתָּחֹל 4 וַתִּרְעַשׁ הָאָרֶץ וַתָּחֹל Jer.51:29

חוּלִי 5 חוּלִי וָגֹחִי בַּת־צִיּוֹן כַּיּוֹלֵדָה Mic.4:10

6 מִלִּפְנֵי אָדוֹן חוּלִי אָרֶץ Ps.114:7

חוּל שפ״ז – מבני ארם: 1, 2

וְחוּל 1 וּבְנֵי אֲרָם עוּץ וְחוּל... Gen.10:23

2 וְעוּץ וְחוּל וְגֶתֶר וָמֶשֶׁךְ ICh.1:17

חוֹל ז׳ א) גרגרים זעירים של אדמה ואבן: 1—13, 15—23

ב) עוף אגדי המאריך ימים(?): 14

חוֹל הַיָּם 16—20; חוֹל יַמִּים 21—23; טְמוּנֵי חוֹל 1; נֵטֶל הַחוֹל 3

חוֹל 1 וּשְׂפֻנֵי טְמוּנֵי חוֹל Deut.33:19

2 אֲשֶׁר־שַׂמְתִּי חוֹל גְּבוּל לַיָּם Jer.5:22

הַחוֹל 3 כֹּבֶד־אֶבֶן וְנֵטֶל הַחוֹל Prov.27:3

בַּחוֹל 4 וַיַּךְ...וַיִּטְמְנֵהוּ בַּחוֹל Ex.2:12

כַּחוֹל 5-7 כַּחוֹל אֲשֶׁר עַל־שְׂפַת־הַיָּם (לָרֹב) Josh.11:4 • ISh.13:5 • IK.5:9

8 כַּחוֹל שֶׁעַל־שְׂפַת הַיָּם לָרֹב Jud.7:12

9-10 כַּחוֹל אֲשֶׁר־עַל־הַיָּם לָרֹב IISh.17:11•IK.4:20

11 וַיְהִי כַחוֹל זַרְעֶךָ Is.48:19

12 וַיֶּאֱסֹף כַּחוֹל שֶׁבִי Hab.1:9

וְכַחוֹל 13 וְכַחוֹל אֲשֶׁר עַל־שְׂפַת הַיָּם Gen.22:17

14 עִם־קִנִּי אֶגְוָע וְכַחוֹל אַרְבֶּה יָמִים Job29:18

מֵחוֹל 15 אֶסְפְּרֵם מֵחוֹל יִרְבּוּן Ps.139:18

חוֹל־ 16 וְלֹא יִמַּד חוֹל הַיָּם Jer.33:22

כְּחוֹל־ 17 וְשַׂמְתִּי אֶת־זַרְעֲךָ כְּחוֹל הַיָּם Gen.32:12

18 וַיִּצְבֹּר יוֹסֵף בָּר כְּחוֹל הַיָּם Gen.41:49

19 כִּי אִם־יִהְיֶה עַמְּךָ יִשְׂ׳ כְּחוֹל הַיָּם Is.10:22

20 וְהָיָה מִסְפַּר בְּנֵי־יִשְׂ׳ כְּחוֹל הַיָּם Hosh.2:1

וּכְחוֹל־ 21 וּכְחוֹל יַמִּים עוֹף כָּנָף Ps.78:27

מֵחוֹל־ 22 עָצְמוּ־לִי אַלְמְנוֹתָו מֵחוֹל יַמִּים Jer.15:8

23 כִּי־עַתָּה מֵחוֹל יַמִּים יִכְבָּד Job6:3

חוֹלֶה ת׳ עין חָלָה

חוֹלוֹן א) עיר כהנים בנחלת יהודה: 1, 3

ב) עיר באזור מואב: 2

חוֹלוֹן 1 וְאֶת־חֹלֹן וְאֶת־מִגְרָשֶׁהָ... Josh.21:15

2 אֶל־חֹלוֹן וְאֶל־יַהְצָה Jer.48:21

וְחוֹלוֹן 3 וְגֹשֶׁן וְחֹלֹן וְגִלֹה Josh.15:51

חוֹלְלִים (תהלים פז 7) – עין חול¹

חוֹלֶלֶת (איוב טו 7) – עין (חיל)

חוּם ת׳ שצבעו כהה (אדום־שחרחר): 1—4

חוּם 1 וְכָל־שֶׂה־חוּם בַּכְּשָׂבִים Gen.30:32

2 וְכָל־חוּם בַּכְּשָׂבִים Gen.30:35

3 וְכָל־חוּם בְּצֹאן לָבָן Gen.30:40

וְחוּם 4 נָקֹד וְטָלוּא בָּעִזִּים וְחוּם בַּכְּשָׂבִים Gen.30:33

חוֹמָה נ׳ א) קיר אבנים: רוב המקראות

ב) [בהשאלה] מחסה, מגן: 1, 2, 7, 78, 96, 100

– חוֹמָה וּבְרִיחַ 8, 10; חוֹמָה בְּצוּרָה 9, 96; חוֹמָה גְבֹהָה 6,116; ח׳ חִיצוֹנָה 19; ח׳ נִשְׂגָּבָה 57; חוֹמָה פְּרוּצָה 45; חוֹמָה רְחָבָה 32, 43

– חֵל וְחוֹמָה 20; מְלֶאכֶת הַחוֹמָה 37; עִיר חוֹמָה 3; קִיר הַחוֹמָה 21

– חוֹמַת אֲבָנִים 83; ח׳ אֲנָךְ 77; ח׳ אֵשׁ 78; ח׳ אַשְׁדּוֹד 86; ח׳ בָּבֶל 76; ח׳ בַּת צִיּוֹן 79, 80; ח׳ בֵּית שָׁן 88,98; ח׳ בְּרֵכַת הַשֶּׁלַח 81; ח׳ גַּת 84; ח׳ דַּמֶּשֶׂק 91; ח׳ יַבְנֶה 85; ח׳ יְרוּשָׁלַם 71—75, 87, 89, 90; ח׳ נְחֹשֶׁת 96; ח׳ עַזָּה 92; ח׳ הָעִיר 70, 97; ח׳ הָעֹפֶל 82, 95; ח׳ צֹר 93; ח׳ רַבָּה 94;

– חוֹמוֹת אַרְמְנוֹתֶיהָ 110; חוֹמוֹת בָּבֶל 105, 106; חוֹמוֹת יְרוּשָׁלַםִ 103, 104, 107, 109, 112, 113, 121; חוֹמוֹת צֹר 108

– מִשְׂגַּב חוֹמוֹת 117; שׁוֹמְרֵי הַחוֹמוֹת 111; בֵּין הַחֹמֹתַיִם 130—133

חוֹמָה 1-2 וְהַמַּיִם לָהֶם חוֹמָה Ex.14:22,29

3 בֵּית־מוֹשַׁב עִיר חוֹמָה Lev.25:29

4 אֲשֶׁר־בָּעִיר אֲשֶׁר־לוֹ° חֹמָה Lev.25:30

5 אֲשֶׁר אֵין־לָהֶם חֹמָה סָבִיב Lev.25:31

6 עָרִים בְּצֻרֹת חוֹמָה גְבֹהָה Deut.3:5

7 חוֹמָה הָיוּ עָלֵינוּ גַּם־לַיְלָה גַּם־יוֹמָם ISh.25:16

8 חוֹמָה וּבְרִיחַ נְחֹשֶׁת IK.4:13

9 וְעַל כָּל־חוֹמָה בְצוּרָה Is.2:15

10 יֹשְׁבִים בְּאֵין חוֹמָה וּבְרִיחַ Ezek.38:11

11 וְכָל־חוֹמָה לָאָרֶץ תִּפּוֹל Ezek.38:20

12 וְהִנֵּה חוֹמָה מִחוּץ לַבַּיִת Ezek.40:5

13 חוֹמָה לוֹ סָבִיב סָבִיב Ezek.42:20

חוֹמָה (המשך)

14 כְּאַנְשֵׁי מִלְחָמָה יַעֲלוּ חוֹמָה Joel 2:7
15 עִיר פְּרוּצָה אֵין חוֹמָה Prov. 25:28
16 אִם־חוֹמָה הִיא נִבְנֶה עָלֶיהָ... S.ofS. 8:9
17 אֲנִי חוֹמָה וְשָׁדַי כַּמִּגְדָּלוֹת S.ofS. 8:10
18 וְנָסֵב חוֹמָה וּמִגְדָּלִים IICh. 14:6
19 וְאַחֲרֵי־כֵן בָּנָה חוֹמָה חִיצוֹנָה IICh. 33:14
וְחוֹמָה 20 וַיַּאֲבֶל־חֵל וְחוֹמָה Lam. 2:8
הַחוֹמָה 21 כִּי בֵיתָהּ בְּקִיר הַחוֹמָה Josh. 2:15
22 וַתִּפֹּל הַחוֹמָה תַּחְתֶּיהָ Josh. 6:20
23 אֵת אֲשֶׁר־יֹרוּ מֵעַל הַחוֹמָה IISh. 11:20
24 הִשְׁלִיכָה...פֶּלַח רֶכֶב מֵעַל הַחוֹמָ׳ IISh. 11:21
25 לָמָּה נִגַּשְׁתֶּם אֶל־הַחוֹמָה IISh. 11:21
26 וַיֹּראוּ...מֵעַל הַחוֹמָה IISh. 11:24
27 אֶל־גַּג הַשַּׁעַר אֶל־הַחוֹמָה IISh. 18:24
28 מַשְׁחִיתִם לְהַפִּיל הַחוֹמָה IISh. 20:15
29 מֻשְׁלָךְ אֵלֶיךָ בְּעַד הַחוֹמָה IISh. 20:21
30 וַתִּפֹּל הַחוֹמָה עַל...הַנּוֹתָרִים IK. 20:30
31 וַתִּתְצוּ הַבָּתִּים לְבַצֵּר הַחוֹמָה Is. 22:10
32 וַיַּעַזְבוּ...עַד הַחוֹמָה הָרְחָבָה Neh. 3:8
33 כִּי־אֲנַחְנוּ בוֹנִים אֶת־הַחוֹמָה Neh. 3:33
34 וַנִּבְנֶה אֶת־הַחוֹמָה Neh. 3:38
35 וַתִּקָּשֵׁר כָּל־הַחוֹמָה עַד־חֶצְיָהּ Neh. 3:38
36 וַנָּשָׁב כֻּלָּנוּ אֶל־הַחוֹמָה Neh. 4:9
37 בִּמְלֶאכֶת הַחוֹמָה הַזֹּאת הֶחֱזַקְתִּי Neh. 5:16
38 כִּי בָנִיתִי אֶת־הַחוֹמָה Neh. 6:1
39 עַל־כֵּן אַתָּה בוֹנֶה הַחוֹמָה Neh. 6:6
40 וַתִּשְׁלַם הַחוֹמָה Neh. 6:15
41 וַיְהִי כַּאֲשֶׁר נִבְנְתָה הַחוֹמָה Neh. 7:1
42 וַיְטַהֲרוּ...הַשְּׁעָרִים וְאֶת־הַחוֹמָה Neh. 12:30
43 וְעַד הַחוֹמָה הָרְחָבָה Neh. 12:38
44 מַדּוּעַ אַתֶּם לֵנִים נֶגֶד הַחוֹמָה Neh. 13:21
45 וַיִּבֶן אֶת־כָּל־הַחוֹמָה הַפְּרוּצָה IICh. 32:5
46 וְלַחוּצָה הַחוֹמָה אַחֶרֶת IICh. 32:5
47-51 עַל־הַחֹמָה IIK. 3:27; 6:26,30; 18:26,27
52-55 עַל־הַחוֹמָה Is. 36:11,12 • Neh. 4:13
לְהַחוֹמָה 56 וַחֲצִי הָעָם מֵעַל לְהַחוֹמָה Neh. 12:38
בְּחוֹמָה 57 כְּפֶרֶץ נֹפֵל נִבְעֶה בְּחוֹמָה נִשְׂגָּבָה Is. 30:13
בַּחוֹמָה 58 בַּחוֹמָה יְרֻצוּן בַּבָּתִּים יַעֲלוּ Joel 2:9
59 וָאֱהִי שֹׁבֵר בַּחוֹמָה Neh. 2:15
60 וָאֶלֶף אַמָּה בַּחוֹמָה Neh. 3:13
61 לֹא נוּכַל לִבְנוֹת בַּחוֹמָה Neh. 4:4
62 הַבּוֹנִים בַּחוֹמָה וְהַנֹּשְׂאִים בַּסֶּבֶל Neh. 4:11
וּבַחוֹמָה 63 וּבַחוֹמָה הִיא יוֹשָׁבֶת Josh. 2:15
וּכְחוֹמָה 64 וּכְחוֹמָה נִשְׂגָּבָה בְּמַשְׂכִּתוֹ Prov. 18:11
לַחוֹמָה 65 הַצָּרִים עֲלֵיכֶם מִחוּץ לַחוֹמָה Jer. 21:4
66 מֵאַחֲרֵי לַחוֹמָה בַּצְּחִיחִים Neh. 4:7
67 וָאַעֲלֶה...מֵעַל לַחוֹמָה Neh. 12:31
68 וְהֹלְכֹת לַיָּמִין מֵעַל לַחוֹמָה Neh. 12:31
69 וְנֶגְדָּם עָלוּ...בַּמַּעֲלֶה לַחוֹמָה Neh. 12:37
חוֹמַת־ 70 וְנָפְלָה חוֹמַת הָעִיר תַּחְתֶּיהָ Josh. 6:5
71 וְאֶת־חוֹמַת יְרוּשָׁלַם סָבִיב IK. 3:1
72-75 חוֹמַת יְרוּשָׁלָם IK. 9:15
Neh. 2:17; 12:27 • IICh. 36:19
76 גַּם־חוֹמַת בָּבֶל נָפָלָה Jer. 51:44
77 וְהִנֵּה אֲדֹנָי נִצָּב עַל־חוֹמַת אֲנָךְ Am. 7:7
78 אֶהְיֶה־לָּהּ...חוֹמַת אֵשׁ סָבִיב Zech. 2:9
79 לְהַשְׁחִית חוֹמַת בַּת־צִיּוֹן Lam. 2:8
80 חוֹמַת בַּת־צִיּוֹן הוֹרִידִי...דִּמְעָה Lam. 2:18
81 וְאֵת חוֹמַת בְּרֵכַת הַשֶּׁלַח... Neh. 3:15
82 וְעַד חוֹמַת הָעֹפֶל Neh. 3:27
83 וּפָרַץ חוֹמַת אַבְנֵיהֶם Neh. 3:35
84-86 וַיִּפְרֹץ אֶת־חוֹמַת גַּת וְאֵת חוֹמַת יַבְנֵה
וְאֵת חוֹמַת אַשְׁדּוֹד IICh. 26:6
וְחוֹמַת־ 87 וְחוֹמַת יְרוּשָׁלַם מְפֹרָצֶת Neh. 1:3
בְּחוֹמַת־ 88 וְאֶת־גְּוִיָּתוֹ תָּקְעוּ בְּחוֹמַת בֵּית שָׁן ISh. 31:10
89-90 וַיִּפְרֹץ בְּחוֹמַת יְרוּ׳ IIK. 14:13 • IICh. 25:23
91 וְהִצַּתִּי אֵשׁ בְּחוֹמַת דַּמֶּשֶׂק Jer. 49:27
92 וְשִׁלַּחְתִּי אֵשׁ בְּחוֹמַת עַזָּה Am. 1:7
93 וְשִׁלַּחְתִּי אֵשׁ בְּחוֹמַת צֹר Am. 1:10
94 וְהִצַּתִּי אֵשׁ בְּחוֹמַת רַבָּה Am. 1:14
וּבְחוֹמַת־ 95 וּבְחוֹמַת הָעֹפֶל בָּנָה לָרֹב IICh. 27:3
לְחוֹמַת־ 96 וּנְתַתִּיךָ...לְחוֹמַת נְחֹשֶׁת בְּצוּרָה Jer. 15:20
וּלְחוֹמַת־ 97 אֲשֶׁר־לַבַּיִת וּלְחוֹמַת הָעִיר Neh. 2:8
מֵחוֹמַת־ 98 וַיִּקְחוּ...מֵחוֹמַת בֵּית שָׁן ISh. 31:12
חוֹמָתָהּ 99 יְמַהֲרוּ חוֹמָתָהּ וְהֻכַן הַסֹּכֵךְ Nah. 2:6
100 אֲשֶׁר־חֵיל יָם מִיָּם חוֹמָתָהּ Nah. 3:8
חוֹמוֹת 101 יְשׁוּעָה יָשִׁית חוֹמוֹת וָחֵל Is. 26:1
102 חוֹמוֹת דְּלָתַיִם וּבְרִיחַ IICh. 8:5
חוֹמוֹת־ 103 וְאֶת־חוֹמֹת יְרוּשָׁלַם סָבִיב IIK. 25:10
104 וְאֶת־חֹמוֹת יְרוּשָׁלַם נָתָצוּ Jer. 39:8
105 אֶל־חוֹמֹת בָּבֶל שְׂאוּ־נֵס Jer. 51:12
106 חֹמוֹת בָּבֶל הָרְחָבָה...תִּתְעַרְעָר Jer. 51:58
107 וְאֶת־כָּל־חֹמוֹת יְרוּשָׁלַם סָבִיב Jer. 52:14
108 וְשִׁחֲתוּ חֹמוֹת צֹר Ezek. 26:4
109 תִּבְנֶה חוֹמוֹת יְרוּשָׁלָם Ps. 51:20
110 הִסְגִּיר...חוֹמֹת אַרְמְנוֹתֶיהָ Lam. 2:7
הַחוֹמוֹת 111 נָשְׂאוּ...שֹׁמְרֵי הַחֹמוֹת S.ofS. 5:7
בְּחוֹמוֹת־ 112 וָאֱהִי שֹׁבֵר בְּחוֹמֹת יְרוּשָׁלַם Neh. 2:13
לְחוֹמוֹת־ 113 עָלְתָה אֲרוּכָה לְחֹמוֹת יְרוּשָׁלַם Neh. 4:1
וּלְחוֹמוֹת־ 114 וּלְעַמּוּד בַּרְזֶל וּלְחֹמוֹת נְחֹשֶׁת Jer. 1:18
וּבְחוֹמֹתַי 115 וְנָתַתִּי...בְּבֵיתִי וּבְחוֹמֹתַי יָד וָשֵׁם Is. 56:5
חוֹמֹתֶיךָ 116 עַד רֶדֶת חֹמֹתֶיךָ הַגְּבֹהֹת Deut. 28:52
117 וּמִבְצַר מִשְׂגַּב חוֹמֹתֶיךָ הֵשַׁח Is. 25:12
חוֹמֹתַיִךְ 118 חוֹמֹתַיִךְ נֶגְדִּי תָּמִיד Is. 49:16
119 וּבָנוּ בְנֵי־נֵכָר חֹמֹתַיִךְ Is. 60:10
120 וְקָרָאת יְשׁוּעָה חוֹמֹתַיִךְ Is. 60:18
121 עַל־חוֹמֹתַיִךְ יְרוּשָׁלַם הִפְקַדְתִּי שֹׁמְרִים Is. 62:6
122 מִקּוֹל...תִּרְעַשְׁנָה חוֹמוֹתַיִךְ Ezek. 26:10
123 וְהָרְסוּ חוֹמוֹתַיִךְ Ezek. 26:12
124 בְּנֵי אַרְוַד...עַל־חוֹמוֹתַיִךְ סָבִיב Ezek. 27:11
125 שִׁלְטֵיהֶם תִּלּוּ עַל־חוֹמוֹתַיִךְ סָ... Ezek. 27:11
בְּחוֹמוֹתַיִךְ 126 וּמְחִי קָבָלוֹ יִתֵּן בְּחוֹמוֹתָיִךְ Ezek. 26:9
חוֹמֹתֶיהָ 127 וְעַל כָּל־חוֹמֹתֶיהָ סָבִיב Jer. 1:15
128 נָפְלוּ אָשְׁיוֹתֶיהָ נֶהֶרְסוּ חוֹמוֹתֶיהָ Jer. 50:15
129 וָלַיְלָה יְסוֹבְבֻהָ עַל־חוֹמֹתֶיהָ Ps. 55:11
הַחוֹמֹתַיִם 130/1 דֶּרֶךְ שַׁעַר בֵּין הַחֹמֹתַיִם IIK. 25:4 • Jer. 52:7
132 וּמִקְוָה עֲשִׂיתֶם בֵּין הַחֹמֹתַיִם Is. 22:11
הַחוֹמֹתָיִם 133 בְּשַׁעַר בֵּין הַחֹמֹתָיִם Jer. 39:4

חוֹמֵץ ז׳ חוֹמֵס, רָשָׁע

וְחוֹמֵץ 1 פַּלְּטֵנִי...מִכַּף מְעַוֵּל וְחוֹמֵץ Ps. 71:4

(חוּס) חָס פ׳ רִחֵם, היה צר לו על־: 1—24

קרובים: חָמַל / חָנַן / נִחַם / רִחַם

חָס עַל־ רוב המקראות; חָסָה עֵינוֹ 2, 8—20, 22

חַסְתָּ 1 אַתָּה חַסְתָּ עַל־הַקִּיקָיוֹן Jon. 4:10
חָסָה 2 לֹא־חָסָה עָלַיִךְ עַיִן Ezek. 16:5
אָחוּס 3 לֹא־אֶחְמוֹל וְלֹא־אָחוּס וְלֹא אֲרַחֵם Jer. 13:14
4 וְלֹא־אָחוּס וְלֹא אֶנָּחֵם Ezek. 24:14
5 וַאֲנִי לֹא אָחוּס עַל־נִינְוֵה Jon. 4:11
יָחוּס 6 לֹא־יָחוּס עֲלֵיהֶם וְלֹא יְרַחֵם Jer. 21:7
יָחֹס 7 יָחֹס עַל־דַּל וְאֶבְיוֹן Ps. 72:13
תָּחוֹס 8 עַל־בָּנִים לֹא־תָחוּס עֵינָם Is. 13:18
תָּחֹס 9 וְעֵינְכֶם אַל־תָּחֹס עַל־כְּלֵיכֶם Gen. 45:20
10 לֹא־תָחוֹס עֵינְךָ עֲלֵיהֶם Deut. 7:16
11/2 (וְ)לֹא־תָחוֹס עֵינְךָ עָלָיו Deut. 13:9; 19:13
13/4 (וְ)לֹא תָחוֹס עֵינֶךָ Deut. 19:21; 25:12
15 וְגַם־אֲנִי אֶגְרַע וְלֹא־תָחוֹס עֵינִי Ezek. 5:11
16 וְלֹא־תָחוֹס עֵינִי עָלַיִךְ Ezek. 7:4
17-19 (וְ)לֹא־תָחוֹס עֵינִי וְלֹא אֶחְמוֹל
Ezek. 7:9; 8:18; 9:10
20 אַל־תָּחֹס עֵינְכֶם וְאַל־תַּחְמֹלוּ Ezek. 9:5
וַתָּחָס 21 וְאָמַר לַהֲרָגְךָ וַתָּחָס עָלֶיךָ ISh. 24:10
22 וַתָּחָס עֵינִי עֲלֵיהֶם מִשַּׁחֲתָם Ezek. 20:17
חוּסָה 23 חוּסָה יְיָ עַל־עַמֶּךָ Joel 2:17
וְחוּסָה 24 וְחוּסָה עָלַי כְּרֹב חַסְדֶּךָ Neh. 13:22

חוֹסָה ש״פ – עין חֹסָה

חוֹף ז׳ שְׂפַת הַיָּם: 1—7 • קרובים: גָּדָה / שָׂפָה

חוֹף אֳנִיּוֹת 6; חוֹף הַיָּם 1—4; חוֹף יַמִּים 5, 7

חוֹף־ 1 וּבְכֹל חוֹף הַיָּם הַגָּדוֹל Josh. 9:1
2 וְאֶל־חוֹף הַיָּם שָׁם יְעָדָהּ Jer. 47:7
3 וְהַאֲבַדְתִּי אֶת־שְׁאֵרִית חוֹף הַיָּם Ezek. 25:16
וּבְחוֹף־ 4 בָּעֲרָבָה...וּבַנֶּגֶב וּבְחוֹף הַיָּם Deut. 1:7
לְחוֹף־ 5 זְבוּלֻן לְחוֹף יַמִּים יִשְׁכֹּן Gen. 49:13
6 וְהוּא לְחוֹף אֳנִיֹּת Gen. 49:13
7 אָשֵׁר יָשַׁב לְחוֹף יַמִּים Jud. 5:17

חוּפָּם שפ״ז – מִבְּנֵי בִנְיָמִן

לְחוּפָם 1 לְחוּפָם מִשְׁפַּחַת הַחוּפָמִי Num. 26:39

חוּפָמִי ת׳ הַמִּתְיַחֵס עַל חוּפָם

הַחוּפָמִי 1 לְחוּפָם מִשְׁפַּחַת הַחוּפָמִי Num. 26:39

חוּץ ז׳ א) מָקוֹם שֶׁאֵינוֹ פְּנִים: 1—5, 7

ב) רְחוֹב, רְשׁוּת הָרַבִּים: 8—35, 104—137, 140—164

ג) שׁוּק, מֶרְכַּז־מִסְחָר: 91, 138, 139

ד) [תה״פ] זוּלַת, בִּלְעֲדֵי: 6

– חוּץ מִן 6; מִחוּץ לְ־ 36—88, 91; מִחוּצָה לְ־ 122, 123; מִבַּיִת וּמִחוּץ 92—95
– מוֹלֶדֶת חוּץ 1; שַׁעַר הַחוּץ 12,4; חוּץ הָאוֹפִים 91
– חוּצוֹת אַשְׁקְלוֹן 147; ח׳ יְרוּשָׁלַם 146, 148—157
– חֹמֶר חוּצוֹת 126; טִיט ח׳ 124, 129, 133—135; בְּרֹאשׁ כָּל־חוּצוֹת 127, 130—132

חוּץ 1 מוֹלֶדֶת בַּיִת אוֹ מוֹלֶדֶת חוּץ Lev. 18:9
2 וְיָצָאתָ שָׁמָּה חוּץ Deut. 23:13
3 וְהָיָה בְּשִׁבְתְּךָ חוּץ וְחָפַרְתָּה בָהּ Deut. 23:14
4 וַיְסִבֵּנִי דֶּרֶךְ חוּץ אֶל־שַׁעַר הַחוּץ Ezek. 47:2
5 וְלֹא־שֵׁם לוֹ עַל־פְּנֵי־חוּץ Job 18:17
6 וּמִי יָחוּשׁ חוּץ מִמֶּנִּי Eccl. 2:25
הַחוּץ 7 הֵבִיא לְבָנָיו מִן־הַחוּץ Jud. 12:9
8 וַיֹּצֵא אֲלֵיהֶם הַחוּץ Jud. 19:25
9 וַיֹּצֵא אוֹתָהּ מְשָׁרְתוֹ הַחוּץ IISh. 13:18
10 שְׁאַלִי־לָךְ כֵּלִים מִן־הַחוּץ IIK. 4:3
11 הַקִּיר אֲשֶׁר־לַצֵּלָע אֶל־הַחוּץ Ezek. 41:9
12 וַיְסִבֵּנִי דֶּרֶךְ חוּץ אֶל־שַׁעַר הַחוּץ Ezek. 47:2
13 וָאַשְׁלִיכָה...הַחוּץ מִן־הַלִּשְׁכָּה Neh. 13:8
מֵהַחוּץ 14 וְעָב...אֶל־פְּנֵי הָאוּלָם מֵהַחוּץ Ezek. 41:25
בַּחוּץ 15 וַיַּגֵּד לִשְׁנֵי־אֶחָיו בַּחוּץ Gen. 9:22
16 לָמָּה תַעֲמֹד בַּחוּץ Gen. 24:31
17 אִם־יָקוּם וְהִתְהַלֵּךְ בַּחוּץ Ex. 21:19
18 בַּחוּץ תַּעֲמֹד וְהָאִישׁ...יוֹצִיא אֵלֶיךָ Deut. 24:11
19 וְיֵהוּא שָׂם־לוֹ בַחוּץ שְׁמֹנִים אִישׁ IIK. 10:24
20 וְלֹא־יַשְׁמִיעַ בַּחוּץ קוֹלוֹ Is. 42:2
21 שְׁפֹךְ עַל־עוֹלָל בַּחוּץ Jer. 6:11

בַּחוּץ (המשך) 22 הַחֶרֶב בַּחוּץ וְהַדֶּבֶר...מִבָּיִת Ezek. 7:15
23 פָּשַׁט גְּדוּד בַּחוּץ Hosh. 7:1
24 רֹאַי בַּחוּץ נָדְדוּ מִמֶּנִּי Ps. 31:12
25 חָכְמוֹת בַּחוּץ תָּרֹנָּה Prov. 1:20
26 פַּעַם בַּחוּץ פַּעַם בָּרְחֹבוֹת Prov. 7:12
27 אָמַר עָצֵל אֲרִי בַחוּץ Prov. 22:13
28 הָכֵן בַּחוּץ מְלַאכְתֶּךָ Prov. 24:27
29 בַּחוּץ לֹא־יָלִין גֵּר Job 31:32
30 אֶמְצָאֲךָ בַחוּץ אֶשָּׁקְךָ S.ofS. 8:1
31 וְאֵין כֹּחַ לַעֲמוֹד בַּחוּץ Ez. 10:13
וְכַחוּץ 32 וַתָּשִׂימִי כָאָרֶץ...וְכַחוּץ לַעֹבְרִים Is. 51:23
לַחוּץ 33 וְגָדֵר אֲשֶׁר־לַחוּץ Ezek. 42:7
34 יֵצֵא לַחוּץ יְדַבֵּר Ps. 41:7
וְלַחוּץ 35 וְעַד־הַבַּיִת הַפְּנִימִי וְלַחוּץ Ezek. 41:17
מִחוּץ 36 וַיֹּצִאֻהוּ וַיַּנִּחֻהוּ מִחוּץ לָעִיר Gen. 19:16
37-40 מִחוּץ לָעִיר Gen. 24:11
Num. 35:5 • IK. 21:13 • IICh. 32:3
41 וְשַׂמְתָּ אֶת־הַשֻּׁלְחָן מִחוּץ לַפָּרֹכֶת Ex. 26:35
42/3 בְּאֹהֶל מוֹעֵד(...)מִחוּץ לַפָּרֹכֶת Ex. 27:21; 40:22
44 תִּשְׂרֹף בָּאֵשׁ מִחוּץ לַמַּחֲנֶה Ex. 29:14
45-57 מִחוּץ לַמַּחֲנֶה Ex. 33:7[2]
Lev. 8:17; 9:11; 13:46; 17:3 • Num. 12:14, 15;
15:35; 19:9; 31:19 • Deut. 23:13 • Josh. 6:23
58-72 ...אֶל־מִחוּץ לַמַּחֲנֶה Lev. 4:12, 21
6:4; 10:4, 5; 14:3; 16:27; 24:14, 23 • Num. 5:3, 4;
15:36; 19:3; 31:13 • Deut. 23:11
73 וְיָשַׁב מִחוּץ לְאָהֳלוֹ Lev. 14:8
74-77 אֶל־מִחוּץ לָעִיר Lev. 14:40, 41, 45, 53
78 מִחוּץ לְפָרֹכֶת הָעֵדֻת Lev. 24:3
79 מִחוּץ לִגְבוּל עִיר מִקְלָטוֹ Num. 35:27
80 מִחוּץ תְּשַׁכֶּל־חֶרֶב... Deut. 32:25
81 וַיִּשְׂרְפֵם מִחוּץ לִירוּשָׁלַםִ IIK. 23:4
82 וַיֹּצֵא...מִבֵּית יְיָ מִחוּץ לִירוּשָׁלַםִ IIK. 23:6
83 לְהַכְרִית עוֹלָל מִחוּץ Jer. 9:20
84 הַצָּרִים עֲלֵיכֶם מִחוּץ לַחוֹמָה Jer. 21:4
85 וְהִנֵּה חוֹמָה מִחוּץ לַבַּיִת Ezek. 40:5
86 לִפְנֵי הֶחָצֵר הַפְּנִימִי מִחוּץ Ezek. 40:19
87 בְּמִפְקַד הַבַּיִת מִחוּץ לַמִּקְדָּשׁ Ezek. 43:21
88 וּבָא...דֶּרֶךְ אוּלָם הַשַּׁעַר מִחוּץ Ezek. 46:2
89 מִחוּץ שִׁכְּלָה־חֶרֶב... Lam. 1:20
90 וַיָּלִינוּ...מִחוּץ לִירוּשָׁלָםִ Neh. 13:20
מִחוּץ־ 91 כִּכַּר־לֶחֶם לַיּוֹם מִחוּץ הָאֹפִים Jer. 37:21
וּמִחוּץ 92 וְכָפַרְתָּ אֹתָהּ מִבַּיִת וּמִחוּץ Gen. 6:14
93-95 מִבַּיִת וּמִחוּץ Ex. 25:11; 37:2 • IK. 7:9
96 וּמִחוּץ עַד־הֶחָצֵר הַגְּדוֹלָה IK. 7:9
חֻוצָה 97 לֹא־תוֹצִיא מִן־הַבַּיִת...חוּצָה Ex. 12:46
98 מִגְרָעוֹת נָתַן לַבַּיִת סָבִיב חוּצָה IK. 6:6
99 הֵן אֶרְאֶלָּם צָעֲקוּ חֻצָה Is. 33:7
100 יָפוּצוּ מַעְיְנֹתֶיךָ חוּצָה Prov. 5:16
101 וַיִּתְּנֻהוּ בְּשַׁעַר בֵּית־יְיָ חוּצָה IICh. 24:8
102 לְהוֹצִיא לְנַחַל־קִדְרוֹן חוּצָה IICh. 29:16
103 וַיַּשְׁלֵךְ חוּצָה לָעִיר IICh. 33:15
וָחוּצָה 104 ...מִקִּיר הָעִיר וָחוּצָה Num. 35:4
הַחוּצָה 105 וַיּוֹצֵא אֹתוֹ הַחוּצָה Gen. 15:5
106 וַיְהִי כְהוֹצִיאָם אֹתָם הַחוּצָה Gen. 19:17
107 וַיָּרָץ לָבָן...הַחוּצָה אֶל־הָעָיִן Gen. 24:29
108-109 וַיָּנָס וַיֵּצֵא הַחוּצָה Gen. 39:12, 15
110-111 וַיָּנָס הַחוּצָה Gen. 39:13, 18
112 יוֹצִיא...אֶת־הָעֲבוֹט הַחוּצָה Deut. 24:11
113 לֹא־תִהְיֶה אֵשֶׁת־הַמֵּת הַחוּצָה Deut. 25:5
114 אֲשֶׁר־יֵצֵא מִדַּלְתֵי בֵיתֵךְ הַחוּצָה Josh. 2:19
115 וּשְׁלֹשִׁים בָּנוֹת שִׁלַּח הַחוּצָה Jud. 12:9

הַחוּצָה (המשך) 116 וַיֵּצְאוּ שְׁנֵיהֶם...הַחוּצָה ISh. 9:26
117 שִׁלְחוּ־נָא אֶת־זֹאת מֵעָלַי הַחוּצָה IISh. 13:17
118 וְלֹא יֵרָאוּ הַחוּצָה IK. 8:8
119 הֲפִיצוֹתֶם אוֹתָנָה אֶל־הַחוּצָה Ezek. 34:21
120 וְלֹא יֵרָאוּ הַחוּצָה IICh. 5:9
וְלַחוּצָה 121 עַל־הַמִּגְדָּלוֹת וְלַחוּצָה IICh. 32:5
מִחוּצָה 122 וְאֶל־הַכָּתֵף מִחוּצָה לָעוֹלֶה... Ezek. 40:40
וּמִחוּצָה 123 וּמִחוּצָה לַשַּׁעַר הַפְּנִימִי Ezek. 40:44
חוּצוֹת 124 כְּטִיט־חוּצוֹת אֲדִקֵּם IISh. 22:43
125 כַּסּוּחָה בְּקֶרֶב חוּצוֹת Is. 5:25
126 וּלְשׂוּמוֹ° מִרְמָס כְּחֹמֶר חוּצוֹת Is. 10:6
127 שָׁכְבוּ בְּרֹאשׁ כָּל־חוּצוֹת Is. 51:20
128 וּבְכָל־חוּצוֹת יֹאמְרוּ הוֹ־הוֹ Am. 5:16
129 תִּהְיֶה לְמִרְמָס כְּטִיט חוּצוֹת Mic. 7:10
130-2 בְּרֹאשׁ כָּל־חוּצוֹת Nah. 3:10 • Lam. 2:19; 4:1
133 וַתִּצְבֹּר...וְחָרוּץ כְּטִיט חוּצוֹת Zech. 9:3
134 כְגִבֹּרִים בּוֹסִים בְּטִיט חוּצוֹת Zech. 10:5
135 כְּטִיט חוּצוֹת אֲרִיקֵם Ps. 18:43
136 וְשֹׁלֵחַ מַיִם עַל־פְּנֵי חוּצוֹת Job 5:10
137 שָׁכְבוּ לָאָרֶץ חוּצוֹת נַעַר וְזָקֵן Lam. 2:21
וְחוּצוֹת 138 וְחֻצוֹת תָּשִׂים לְךָ בְדַמֶּשֶׂק IK. 20:34
139 עַד־לֹא עָשָׂה אֶרֶץ וְחוּצוֹת Prov. 8:26
בַּחוּצוֹת 140 צְוָחָה עַל־הַיַּיִן בַּחוּצוֹת Is. 24:11
141 כַּסְפָּם בַּחוּצוֹת יַשְׁלִיכוּ Ezek. 7:19
142 בַּחוּצוֹת יִתְהוֹלְלוּ הָרֶכֶב Nah. 2:5
143 נָשַׁמּוּ בַּחוּצוֹת...חִבְּקוּ אַשְׁפַּתּוֹת Lam. 4:5
144 לֹא נִכְּרוּ בַּחוּצוֹת Lam. 4:8
145 נָעוּ עִוְרִים בַּחוּצוֹת Lam. 4:14
חוּצוֹת־ 146 וּמִסְפַּר חֻצוֹת יְרוּשָׁלַםִ... Jer. 11:13
בְּחוּצוֹת־ 147 אַל־תְּבַשְּׂרוּ בְּחוּצֹת אַשְׁקְלוֹן IISh. 1:20
148 שׁוֹטְטוּ בְּחוּצוֹת יְרוּשָׁלַםִ Jer. 5:1
149 יִהְיוּ מֻשְׁלָכִים בְּחֻצוֹת יְרוּשָׁלַםִ Jer. 14:16
וּבְחוּצוֹת־ 150-155 בְּעָרֵי יְהוּדָה וּבְחֻצוֹת יְרוּשָׁלָםִ
Jer. 7:17; 11:6; 33:10; 44:6, 17, 21
156 בְּאֶרֶץ יְהוּדָה וּבְחֻצוֹת יְרוּשָׁלִַם Jer. 44:9
וּמֵחוּצוֹת־ 157 מֵעָרֵי יְהוּדָה וּמֵחֻצוֹת יְרוּשָׁלַםִ Jer. 7:34
חוּצוֹתַיִךְ 158 יִרְמֹס אֶת־כָּל־חוּצוֹתָיִךְ Ezek. 26:11
בְּחוּצוֹתָיו 159 בְּחוּצֹתָיו חָגְרוּ שָׂק Is. 15:3
חוּצוֹתֶיהָ 160 וּמִלֵּאתֶם חוּצֹתֶיהָ חָלָל Ezek. 11:6
בְּחוּצוֹתֶיהָ 161 וְנָפְלוּ...וּמְדֻקָּרִים בְּחוּצוֹתֶיהָ Jer. 51:4
162 ...דֶּבֶר וָדָם בְּחוּצוֹתֶיהָ Ezek. 28:23
בְּחוּצוֹתֵינוּ 163 צֹאונֵנוּ מַאֲלִיפוֹת מְרֻבָּבוֹת בְּחוּצוֹתֵינוּ
Ps. 144:13
חוּצוֹתָם 164 נָשַׁמּוּ פִּנּוֹתָם הֶחֱרַבְתִּי חוּצוֹתָם Zep. 3:6

חוֹצֵב
ז׳ עין חָצַב

חוֹקֵק
ז׳ עין חָקַק

חוּקֹק
א) עיר לויים בנחלת אָשֵׁר: 1
ב) עיר בגבולו הדרומי של נפתלי: 2

חוּקֹק 1 וְאֶת־חוּקֹק וְאֶת־מִגְרָשֶׁהָ ICh. 6:60
חוּקֹקָה 2 וְשָׁב הַגְּבוּל...וְיָצָא מִשָּׁם חוּקֹקָה Josh. 19:34

חור
: א) חָוַר; אר׳ חִוָּר
ב) חוּר[1], חוּר[2], חוּר (חֹר), חוּרַי; ש״פ חוּר, חוּרִי, חוּרִי, חוּרַי, חוּרָם (חִירָם)

חָוַר
פָּ׳ הלבין

יֶחֱוָרוּ 1 וְלֹא עַתָּה פָּנָיו יֶחֱוָרוּ Is. 29:22

חִוָּר
ת׳ ארמית: לָבָן

חִוָּר 1 לְבוּשֵׁהּ כִּתְלַג חִוָּר Dan. 7:9

חוּר[1]
ז׳ אריג לָבָן: 1, 2

חוּר 1 חוּר כַּרְפַּס וּתְכֵלֶת Es. 1:6
וְחוּר 2 בִּלְבוּשׁ מַלְכוּת תְּכֵלֶת וָחוּר Es. 8:15

חוּר[2]
ז׳ חוֹר: 1, 2

חוּר־ 1 וְשִׁעֲשַׁע יוֹנֵק עַל־חֻר פָּתֶן Is. 11:8
בַּחוּרִים 2 (?) הָפֵחַ בַּחוּרִים כֻּלָּם Is. 42:22

חוּר[3]
שפ״ז א) מבני יהודה: 15
ב) בן מרים אחות משה: 11—13
ג) זקנו של בצלאל: 1—4, 8—10, 14
ד) אחד ממלכי מִדְיָן: 5, 6
ה) אביו של אחד מבוני חומת ירושלים בימי נחמיה: 7
ו) עין בֶּן־חוּר

חוּר 1-3 בְּצַלְאֵל בֶּן־אוּרִי בֶן־חוּר Ex. 31:2; 35:30
IICh. 1:5
4 וּבְצַלְאֵל בֶּן־אוּרִי בֶן־חוּר Ex. 38:22
5/6 וְאֶת־צוּר וְאֶת־חוּר Num. 31:8 • Josh. 13:21
7 וְעַל־יָדָם הֶחֱזִיק רְפָיָה בֶן־חוּר Neh. 3:9
8 וַתֵּלֶד לוֹ אֶת־חוּר ICh. 2:19
9 אֵלֶּה הָיוּ בְּנֵי כָלֵב בֶּן־חוּר ICh. 2:50
10 אֵלֶּה בְנֵי־חוּר בְּכוֹר אֶפְרָתָה ICh. 4:4
וְחוּר 11 וּמֹשֶׁה אַהֲרֹן וְחוּר עָלוּ Ex. 17:10
12 וְאַהֲרֹן וְחוּר תָּמְכוּ בְיָדָיו Ex. 17:12
13 וְהִנֵּה אַהֲרֹן וְחוּר עִמָּכֶם Ex. 24:14
14 וְחוּר הוֹלִיד אֶת־אוּרִי ICh. 2:20
15 בְּנֵי יְהוּדָה...וְכַרְמִי וְחוּר וְשׁוֹבָל ICh. 4:1

חוֹר, חֹר
ז׳ נֶקֶב, מקום חלול בתוך דבר: 1—7

חוֹר 1 וַיִּקֹּב חֹר בְּדַלְתּוֹ IIK. 12:10
2 וְהִנֵּה חֹר־אֶחָד בַּקִּיר Ezek. 8:7
הַחוֹר 3 דּוֹדִי שָׁלַח יָדוֹ מִן־הַחוֹר S.ofS. 5:4
הַחוֹרִים 4 הִנֵּה עִבְרִים יֹצְאִים מִן־הַחֹרִים ISh. 14:11
חוֹרֵי־ 5 חֹרֵי עָפָר וְכֵפִים Job 30:6
חוֹרָיו 6 וַיְמַלֵּא־טֶרֶף חֹרָיו וּמְעֹנֹתָיו טְרֵפָה Nah. 2:13
בְּחוֹרֵיהֶן 7 וְעֵינָיו תִּמַּקְנָה בְחֹרֵיהֶן Zech. 14:12

חוֹרֵב, חֹרֵב
שם אחר להר סִינַי: 1—17

חוֹרֵב 1 וַיִּתְנַצְּלוּ ב״י אֶת־עֶדְיָם מֵהַר חוֹרֵב Ex. 33:6
2 וַיֵּלֶךְ...עַד הַר הָאֱלֹהִים חֹרֵב IK. 19:8
בְּחוֹרֵב 3 הִנְנִי עֹמֵד...עַל־הַצּוּר בְּחֹרֵב Ex. 17:6
4 יְיָ אֱלֹהֵינוּ דִּבֶּר אֵלֵינוּ בְּחֹרֵב Deut. 1:6
5-13 בְּחֹרֵב Deut. 4:10, 15; 5:2; 18:16; 28:69
IK. 8:9 • Mal. 3:22 • Ps. 106:19 • IICh. 5:10
וּבְחוֹרֵב 14 וּבְחֹרֵב הִקְצַפְתֶּם אֶת־יְיָ Deut. 9:8
מֵחוֹרֵב 15 אַחַד עָשָׂר יוֹם מֵחֹרֵב Deut. 1:2
16 וַנִּסַּע מֵחֹרֵב וַנֵּלֶךְ.... Deut. 1:19
חוֹרֵבָה 17 וַיָּבֹא אֶל־הַר הָאֱלֹהִים חֹרֵבָה Ex. 3:1

חוֹרֹנַיִם
עיר בדרום מואב: 1—4

חוֹרוֹנַיִם 1 דֶּרֶךְ חֹרֹנַיִם זַעֲקַת־שֶׁבֶר יְעֹעֵרוּ Is. 15:5
2 בְּמוֹרַד חֹרוֹנַיִם...צַעֲקַת־שֶׁבֶר Jer. 48:5
3 מִצֹּעַר עַד־חֹרֹנַיִם Jer. 48:34
מֵחוֹרוֹנָיִם 4 קוֹל צְעָקָה מֵחֹרוֹנָיִם Jer. 48:3

חוּרָי*
ז״ר אריג לבן [עין חוּר[2]]

חוּרָי 1 וּבֹשׁוּ עֹבְדֵי פִשְׁתִּים...וְאֹרְגִים חוֹרָי Is. 19:9

חוֹרִי
שפ״ז – אבי שָׁפָט משבט שמעון שהיה מן המרגלים

חוֹרִי 1 לְמַטֵּה שִׁמְעוֹן שָׁפָט בֶּן חוֹרִי Num. 13:5

חוּרִי
שפ״ז – מראשי האבות לשבט גד

חוּרִי 1 אֵלֶּה בְּנֵי אֲבִיחַיִל בֶּן־חוּרִי ICh. 5:14

חוּרַי
שפ״ז – מגבורי דוד, הוא הִדַּי (ש״ב כג 30)

חוּרַי 1 חוּרַי מִנַּחֲלֵי גָעַשׁ ICh. 11:32

חוֹרִים, חֹרִים ז״ר אצילים, חפשים: 1—13

חוֹרִים 1 אַשְׁרֵיךְ אֶרֶץ שֶׁמַּלְכֵּךְ בֶּן־חוֹרִים Eccl. 10:17
הַחוֹרִים 2 וַתִּשְׁלַח...אֶל־הַזְּקֵנִים וְאֶל־הַחֹרִים IK. 21:8
3/4 וָאֹמַר אֶל־הַחֹרִים וְאֶל־הַסְּגָנִים Neh. 4:8, 13
5 וָאָרִיבָה אֶת־הַחֹרִים וְאֶת־הַסְּגָנִים Neh. 5:7
6 וָאֶקְבְּצָה אֶת־הַחֹרִים וְאֶת־הַסְּגָנִים Neh. 7:5
וְהַחוֹרִים 7 וַיַּעֲשׂוּ...הַזְּקֵנִים וְהַחֹרִים IK. 21:11
וְלַחוֹרִים 8 וְלַכֹּהֲנִים וְלַחֹרִים וְלַסְּגָנִים Neh. 2:16
חוֹרֵי־ 9 וְאֵת כָּל־חֹרֵי יְהוּדָה וִירוּשָׁלִָם Jer. 27:20
10 וְאֵת כָּל־חֹרֵי יְהוּדָה שָׁחַט Jer. 39:6
11 מַרְבִּים חֹרֵי יְהוּדָה אִגְּרֹתֵיהֶם Neh. 6:17
12 וָאָרִיבָה אֵת חֹרֵי יְהוּדָה Neh. 13:17
חוֹרֶיהָ 13 חֹרֶיהָ וְאֵין־שָׁם מְלוּכָה יִקְרָאוּ Is. 34:12

חוּרָם שפ״ז א) איש מבנימין: 12

ב) מלך צור, הוא חירם: 1—4, 8—11, 13

ג) חרש נחושת מצור בימי שלמה: 5—7

חוּרָם 1 וַיִּשְׁלַח חוּרָם (כת׳ חירם) מֶלֶךְ־צֹר ICh. 14:1
2 וַיִּשְׁלַח שְׁלֹמֹה אֶל־חוּרָם מֶלֶךְ־צֹר IICh. 2:2
3 וַיֹּאמֶר חוּרָם מֶלֶךְ־צֹר בִּכְתָב IICh. 2:10
4 וַיֹּאמֶר חוּרָם בָּרוּךְ יְיָ אֱלֹהֵי יִשְׂר׳ IICh. 2:11
5 וַיַּעַשׂ חוּרָם אֶת־הַסִּירוֹת IICh. 4:11
6 וַיְכַל חוּרָם (כת׳ חירם) לַעֲשׂוֹת IICh. 4:11
7 כָּל־כְּלֵיהֶם עָשָׂה חוּרָם אָבִיו IICh. 4:16
8 וְהֶעָרִים אֲשֶׁר נָתַן חוּרָם לִשְׁלֹמֹה IICh. 8:2
9 וַיִּשְׁלַח־לוֹ חוּרָם בְּיַד־עֲבָדָיו IICh. 8:18
10 עַבְדֵי חוּרָם (כת׳ חירם) וְעַבְ׳ שְׁלֹמֹה IICh. 9:10
11 הֹלְכוֹת תַּרְשִׁישׁ עִם עַבְדֵי חוּרָם IICh. 9:21
וְחוּרָם 12 וְגֵרָא וּשְׁפוּפָן וְחוּרָם ICh. 8:5
לְחוּרָם 13 שָׁלַחְתִּי אִישׁ־חָכָם...לְחוּרָם אָבִי IICh. 2:12

חַוְרָן האזור בצפון־מזרח של עבר הירדן המזרחי: 2, 1

חַוְרָן 1 חָצֵר הַתִּיכוֹן אֲשֶׁר אֶל־גְּבוּל חַוְרָן Ezek. 47:16
2 מִבֵּין חַוְרָן וּמִבֵּין דַּמֶּשֶׂק Ezek. 47:18

חוֹרֶף ז׳ עין חרף[1] — חוֹרֶשׁ ז׳ עין חֹרֶשׁ[1]

חוש : חָשׁ, הַחִישׁ; חוּשׁ, חִישׁ; ש״פ חוּשָׁה, חוּשַׁי, חוּשִׁים, חוּשָׁם

(חוש) חָשׁ פ׳ א) מהר: 1—6, 8—16 ב) הרגיש: 7

ג) [הפ׳ הַחִישׁ] האיץ, עורר למהר: 18—21

ד) [כנ״ל] מהר: 17

חַשְׁתִּי 1 חַשְׁתִּי וְלֹא הִתְמַהְמָהְתִּי Ps. 119:60
חָשׁ 2 וּכְתֹב...לְמַהֵר שָׁלָל חָשׁ בַּז Is. 8:1
3 קְרָא שְׁמוֹ מַהֵר שָׁלָל חָשׁ בַּז Is. 8:3
4 כְּנֶשֶׁר חָשׁ לֶאֱכוֹל Hab. 1:8
וְחָשׁ 5 וְחָשׁ עֲתִדֹת לָמוֹ Deut. 32:35
חוּשִׁים 6 וַאֲנַחְנוּ נֵחָלֵץ חֻשִׁים לִפְנֵי בְּנֵי יִשׂ׳ Num. 32:17
יָחוּשׁ 7 כִּי מִי יֹאכַל וּמִי יָחוּשׁ חוּץ מִמֶּנִּי Eccl. 2:25
וַתַּחַשׁ 8 וַתַּחַשׁ עַל־מִרְמָה רַגְלִי Job 31:5
חוּשָׁה 9 מְהֵרָה חוּשָׁה אַל־תַּעֲמֹד ISh. 20:38
10 אֱיָלוּתִי לְעֶזְרָתִי חוּשָׁה Ps. 22:20
11 חוּשָׁה לְעֶזְרָתִי אֲדֹנָי תְּשׁוּעָתִי Ps. 38:23
12—13 יְיָ לְעֶזְרָתִי חוּשָׁה Ps. 40:14; 70:2
14 אֱלֹהִים חוּשָׁה לִּי Ps. 70:6
15 יְיָ קְרָאתִיךָ חוּשָׁה לִּי Ps. 141:1
16 אֱלֹהַי לְעֶזְרָתִי חוּשָׁה (כת׳ חישה) Ps. 71:12
הֵחִישׁוּ 17 וְהָאֹרֵב הֵחִישׁוּ וַיִּפְשְׁטוּ... Jud. 20:37
אָחִישָׁה 18 אָחִישָׁה מִפְלָט לִי Ps. 55:9
אֲחִישֶׁנָּה 19 אֲנִי יְיָ בְּעִתָּהּ אֲחִישֶׁנָּה Is. 60:22
יָחִישׁ 20 הַמַּאֲמִין לֹא יָחִישׁ Is. 28:16
יָחִישָׁה 21 יְמַהֵר יָחִישָׁה מַעֲשֵׂהוּ Is. 5:19

חוּשׁ ז׳ רגש

חוּשִׁי 1 שְׂעִפַּי יְשִׁיבוּנִי...וּבַעֲבוּר חוּשִׁי בִי Job 20:2

חוֹשֵׁב ז׳ אָמָּן במלאכת מחשבת — עין חָשַׁב

חוּשָׁה מקום בקרבת בית לחם

חוּשָׁה 1 וּפְנוּאֵל אֲבִי גְדֹר וְעֵזֶר אֲבִי חוּשָׁה ICh. 4:4

חוּשַׁי שפ״ז א) רעהו ויועצו של דוד: 1—11, 13, 14

ב) אבי אחד מנציבי שלמה: 12

חוּשַׁי 1 וְהִנֵּה לִקְרָאתוֹ חוּשַׁי הָאַרְכִּי IISh. 15:32
2 וַיָּבֹא חוּשַׁי רֵעֶה דָוִד הָעִיר IISh. 15:37
3 כַּאֲשֶׁר־בָּא חוּשַׁי הָאַרְכִּי רֵעֶה דָוִד IISh. 16:16
4—10 חוּשַׁי IISh. 16:16, 17, 18; 17:6, 7, 8, 15
11 טוֹבָה עֲצַת חוּשַׁי הָאַרְכִּי IISh. 17:14
חוּשָׁי 12 בַּעֲנָא בֶּן־חוּשָׁי בְּאָשֵׁר וּבְעָלוֹת IK. 4:16
וְחוּשַׁי 13 וְחוּשַׁי הָאַרְכִּי רֵעַ הַמֶּלֶךְ ICh. 27:33
לְחוּשַׁי 14 קְרָא נָא גַּם לְחוּשַׁי הָאַרְכִּי IISh. 17:5

חוּשִׁים[1] שפ״ז — א) בן דן, אולי הוא שוּחָם: 1

ב) איש מבנימין: 2

חֻשִׁים 1 וּבְנֵי־דָן חֻשִׁים Gen. 46:23
2 חֻשִׁם בְּנֵי אַחֵר ICh. 7:12

חוּשִׁים[2] שפ״נ — אחת מנשות שחרים הבנימיני: 1, 2

חוּשִׁים 1 אֹתָם חוּשִׁים וְאֶת־בַּעֲרָא נָשָׁיו ICh. 8:8
וּמֵחוּשִׁים 2 וּמֵחֻשִׁים הוֹלִיד אֶת־אֲבִיטוּב ICh. 8:11

חוּשָׁם שפ״ז — מלך אדום: 1—4

חוּשָׁם 1 וַיִּמְלֹךְ...חֻשָׁם מֵאֶרֶץ הַתֵּימָנִי Gen. 36:34
2 וַיָּמָת חֻשָׁם Gen. 36:35
3 וַיִּמְלֹךְ...חוּשָׁם מֵאֶרֶץ הַתֵּימָנִי ICh. 1:45
4 וַיָּמָת חוּשָׁם ICh. 1:46

חוּשָׁתִי ת׳ שהוא מן המקום חושה: 1—5

הַחוּשָׁתִי 1 אָז הִכָּה סִבְּכַי הַחֻשָׁתִי... IISh. 21:18
2 מְבֻנַּי הַחֻשָׁתִי IISh. 23:27
3—5 סִבְּכַי הַחֻשָׁתִי ICh. 11:29; 20:4; 27:11

חוֹתָם[1] ז׳ טבעת וכד׳ שמפותחה בה שם נושאה ותארו לשם חתימה: 1—14

חוֹתָם צַר 9; חֹמֶר חוֹתָם 8; פִּתּוּחֵי חוֹתָם 1—6

חוֹתָם 1 פִּתּוּחֵי חֹתָם תְּפַתַּח... Ex. 28:11
2 פִּתּוּחֵי חוֹתָם אִישׁ עַל־שְׁמוֹ Ex. 28:21
3/4 פִּתּוּחֵי חֹתָם Ex. 28:36; 39:14
5/6 פִּתּוּחֵי חוֹתָם Ex. 39:6, 30
7 אִם יִהְיֶה...חוֹתָם עַל־יַד יְמִינִי Jer. 22:24
8 תִּתְהַפֵּךְ כְּחֹמֶר חוֹתָם Job 38:14
9 סָגוּר חוֹתָם צָר Job 41:7
כַּחוֹתָם 10 וְשַׂמְתִּיךָ כַּחוֹתָם כִּי־בְךָ בָחַרְתִּי Hag. 2:23
11 שִׂימֵנִי כַחוֹתָם עַל־לִבֶּךָ S.ofS. 8:6
12 כַּחוֹתָם עַל־זְרוֹעֶךָ S.ofS. 8:6
חוֹתָמְךָ 13 חֹתָמְךָ וּפְתִילֶךָ וּמַטְּךָ Gen. 38:18
בְּחוֹתָמוֹ 14 וַתִּכְתֹּב סְפָרִים...וַתַּחְתֹּם בְּחֹתָמוֹ IK. 21:8

חוֹתָם[2] שפ״ז א) בן חבר בן בריעה בן אשר: 1

ב) אביהם של שנים מגבורי דוד: 2

חוֹתָם 1 וְאֶת־שׁוֹמֵר וְאֶת־חוֹתָם ICh. 7:32
2 שָׁמָע וִיעִיאֵל בְּנֵי חוֹתָם הָעֲרֹעֵרִי ICh. 11:44

חוֹתֶמֶת נ׳ חותם

הַחוֹתֶמֶת 1 לְמִי הַחֹתֶמֶת וְהַפְּתִילִים וְהַמַּטֶּה Gen. 38:25

חוֹתֵן ז׳ אבי אשתו של איש: 1—20 • חוֹתֵן מֹשֶׁה 1—10

חוֹתֵן־ 1 יִתְרוֹ כֹהֵן מִדְיָן חֹתֵן מֹשֶׁה Ex. 18:1
2—4 יִתְרוֹ חֹתֵן מֹשֶׁה Ex. 18:2, 5, 12
5—7 חֹתֵן מֹשֶׁה Ex. 18:12, 14, 17
8 וַיֹּאמֶר מֹשֶׁה לְחֹבָב...חֹתֵן מֹשֶׁה Num. 10:29
9 וּבְנֵי קֵינִי חֹתֵן מֹשֶׁה עָלוּ... Jud. 1:16
10 מִבְּנֵי חֹבָב חֹתֵן מֹשֶׁה Jud. 4:11
חוֹתֶנְךָ 11 אֲנִי חֹתֶנְךָ יִתְרוֹ בָּא אֵלֶיךָ Ex. 18:6
חוֹתְנוֹ 12 רֹעֶה אֶת־צֹאן יִתְרוֹ חֹתְנוֹ Ex. 3:1
13 וַיֵּלֶךְ מֹשֶׁה וַיָּשָׁב אֶל־יֶתֶר חֹתְנוֹ Ex. 4:18
14 וַיֵּצֵא מֹשֶׁה לִקְרַאת חֹתְנוֹ Ex. 18:7
15 וַיִּשְׁמַע מֹשֶׁה לְקוֹל חֹתְנוֹ Ex. 18:24
16 וַיֶּחֱזַק־בּוֹ חֹתְנוֹ אֲבִי הַנַּעֲרָה Jud. 19:4
17 וַיִּפְצַר־בּוֹ חֹתְנוֹ וַיָּשָׁב... Jud. 19:7
18 וַיֹּאמֶר לוֹ חֹתְנוֹ אֲבִי הַנַּעֲרָה Jud. 19:9
לְחוֹתְנוֹ 19 וַיְסַפֵּר מֹשֶׁה לְחֹתְנוֹ Ex. 18:8
20 וַיֹּאמֶר מֹשֶׁה לְחֹתְנוֹ Ex. 18:15

חוֹתֶנֶת* נ׳ אם אשתו של איש

חוֹתַנְתּוֹ 1 אָרוּר שֹׁכֵב עִם־חֹתַנְתּוֹ Deut. 27:23

חֲזָאֵל, חֲזָהאֵל שפ״ז — אבי שושלת של מלכים בארם, בימי יֵהוּא מלך ישראל: 1—23

חֲזָאֵל 1 וּמָשַׁחְתָּ אֶת־חֲזָאֵל לְמֶלֶךְ עַל־אֲרָם IK. 19:15
2 הַנִּמְלָט מֵחֶרֶב חֲזָאֵל יָמִית יֵהוּא IK. 19:17
3—9 חֲזָאֵל מֶלֶךְ־אֲרָם IIK. 8:28; 9:14
9:15; 12:18; 13:3, 24 • IICh. 22:5
10 וּבְיַד בֶּן־הֲדַד בֶּן־חֲזָאֵל IIK. 13:3
11 וַיִּקַּח...מִיַּד בֶּן־הֲדַד בֶּן־חֲזָאֵל IIK. 13:25
12 וְשִׁלַּחְתִּי אֵשׁ בְּבֵית חֲזָאֵל Am. 1:4
13—16 חֲזָאֵל IIK. 8:9, 12; 10:32; 12:18
חֲזָהאֵל 17/8 חֲזָהאֵל מֶלֶךְ אֲרָם IIK. 8:29 • IICh. 22:6
19—21 חֲזָהאֵל IIK. 8:8, 13, 15
וַחֲזָאֵל 22 וַחֲזָאֵל מֶלֶךְ אֲרָם לָחַץ אֶת־יִשְׂרָאֵל IIK. 13:22
לַחֲזָאֵל 23 וַיִּשְׁלַח לַחֲזָאֵל מֶלֶךְ אֲרָם IIK. 12:19

חזה : חָזָה; חוֹזֶה, חָזוֹן, חִזָּיוֹן, חֲזוּת, חָזוּת, חָזוֹת, מֶחֱזֶה, מַחֲזֶה, מֶחֱזָה;

ש״פ חֲזָאֵל, חֲזִיאֵל, חֲזוֹ, חֲזָיָה, יַחֲזִיאֵל, יַחְזְיָה, כָּל־חֹזֶה, חֶזְיוֹן; מַחֲזִיאוֹת; אר׳ חֲזָה; חֱזוּ

חָזָה פ׳ א) ראה, הביט: 2—7, 14, 20—22, 26, 29—30, 34, 35, 38—47, 49—53, 55

ב) [בהשאלה] הבין, ראה בשכלו: 31—33

ג) [בהשאלה] נבא, ראה בנבואה: 1, 8—13, 15—19, 23—25, 27, 28, 36, 37, 48, 54 [עין עוד חוֹזֶה]

קרובים: הִבִּיט (נבט) / הֵצִיץ (צי״ץ) / הִתְבּוֹנֵן (בין) / הִשְׁקִיף (שקף) / נִבָּא / צָפָה / רָאָה / שׁוּף / שׁוּר (שור)

— חָזָה אֶת־ רוב המקראות; חָזָה בְּ־ 22, 39, 40, 42; חָזָה עַל־ 8, 9, 11, 12

— חָזָה מַהֲתַלּוֹת 54; חָ׳ מִפְעָלוֹת 55; חָ׳ יָמָיו 21; חָ׳ נָקָם 14; חָ׳ פָּנָיו 29; חָ׳ שָׁוְא 18, 23, 25, 27, 50; חָזָה שֶׁמֶשׁ 20; חָ׳ שֶׁקֶר 19

בַּחֲזוֹת 1 בַּחֲזוֹת לָךְ שָׁוְא Ezek. 21:34
לַחֲזוֹת 2 לַחֲזוֹת בְּנֹעַם־יְיָ וּלְבַקֵּר בְּהֵיכָלוֹ Ps. 27:4
חָזִיתִי 3 וְזֶה־חָזִיתִי וַאֲסַפֵּרָה Job 15:17
חֲזִיתִיךָ 4 כֵּן בַּקֹּדֶשׁ חֲזִיתִךָ לִרְאוֹת עֻזְּךָ Ps. 63:3
חָזִיתָ 5 חָזִיתָ אִישׁ מָהִיר בִּמְלַאכְתּוֹ Prov. 22:29
6 חָזִיתָ אִישׁ אָץ בִּדְבָרָיו Prov. 29:20
חָזִית 7 אָהַבְתְּ מִשְׁכָּבָם יָד חָזִית Is. 57:8
חָזָה 8/9 אֲשֶׁר חָזָה...עַל־יְהוּדָה וִירוּשׁ׳ Is. 1:1; 2:1
10 מַשָּׂא בָּבֶל אֲשֶׁר חָזָה יְשַׁעְיָהוּ Is. 13:1
11 דִּבְרֵי...אֲשֶׁר חָזָה עַל־יִשְׂרָאֵל Am. 1:1
12 אֲשֶׁר־חָזָה עַל־שֹׁמְרוֹן וִירוּשָׁלִָם Mic. 1:1
13 הַמַּשָּׂא אֲשֶׁר חָזָה חֲבַקּוּק הַנָּבִיא Hab. 1:1
14 יִשְׂמַח צַדִּיק כִּי־חָזָה נָקָם Ps. 58:11
חֲזִיתֶם 15 הֲלוֹא מַחֲזֵה־שָׁוְא חֲזִיתֶם Ezek. 13:7
16 הֵן אַתֶּם כֻּלְּכֶם חֲזִיתֶם Job 27:12
וַחֲזִיתֶם 17 יַעַן דַּבֶּרְכֶם שָׁוְא וַחֲזִיתֶם כָּזָב Ezek. 13:8
חָזוּ 18 חָזוּ שָׁוְא וְקֶסֶם כָּזָב Ezek. 13:6
19 וְהַקּוֹסְמִים חָזוּ שֶׁקֶר Zech. 10:2

חָזוּ (המשך) 20 נֵפֶל אֵשֶׁת בַּל־חָזוּ שָׁמֶשׁ Ps. 58:9
21 וְיֹדְעָו לֹא־חָזוּ יָמָיו Job 24:1
22 כָּל־אָדָם חָזוּ־בוֹ Job 36:25
23 נְבִיאַיִךְ חָזוּ לָךְ שָׁוְא וְתָפֵל Lam. 2:14
חוֹזֶה 24 הֶחָזוֹן אֲשֶׁר...חֹזֶה לְיָמִים רַבִּים Ezek. 12:27
חוֹזִים 25 חֹזִים שָׁוְא וְקֹסְמִים לָהֶם כָּזָב Ezek. 22:28
הַחוֹזִים 26 הֹבְרֵי° שָׁמַיִם הַחֹזִים בַּכּוֹכָבִים Is. 47:13
27 הַחֹזִים שָׁוְא וְהַקֹּסְמִים כָּזָב Ezek. 13:9
וְהַחוֹזִים 28 וְהַחֹזִים לָהּ חֲזוֹן שָׁלֹם Ezek. 13:16
אֶחֱזֶה 29 אֲנִי בְּצֶדֶק אֶחֱזֶה פָנֶיךָ Ps. 17:15
30 וּמִבְּשָׂרִי אֶחֱזֶה אֱלוֹהַּ Job 19:26
31 אֲשֶׁר אֲנִי אֶחֱזֶה־לִּי Job 19:27
32 בִּלְעֲדֵי אֶחֱזֶה אַתָּה הֹרֵנִי Job 34:32
וָאֶחֱזֶה 33 וָאֶחֱזֶה אָנֹכִי אָשִׁית לִבִּי Prov. 24:32
אָחַז 34 שְׂמֹאול בַּעֲשֹׂתוֹ וְלֹא־אָחַז Job 23:9
תֶּחֱזֶה 35 וְאַתָּה תֶחֱזֶה מִכָּל־הָעָם Ex. 18:21
יֶחֱזֶה 36/7 מַחֲזֵה שַׁדַּי יֶחֱזֶה Num. 24:4,16
38 בֵּית אֲבָנִים יֶחֱזֶה Job 8:17
וְתַחַז 39 וְתַחַז בְּצִיּוֹן עֵינֵינוּ Mic. 4:11
וְנֶחֱזֶה 40 שׁוּבִי שׁוּבִי וְנֶחֱזֶה־בָּךְ S.ofS. 7:1
תֶּחֱזוּ 41 לֹא תֶחֱזוּ־לָנוּ נְכֹחוֹת Is. 30:10
42 מַה־תֶּחֱזוּ בַּשּׁוּלַמִּית S.ofS. 7:1
יֶחֱזוּ 43 יֶחֱזוּ וְיֵבֹשׁוּ קִנְאַת־עָם Is. 26:11
44 עֵינָיו יֶחֱזוּ עַפְעַפָּיו יִבְחֲנוּ Ps. 11:4
45 יָשָׁר יֶחֱזוּ פָנֵימוֹ Ps. 11:7
יֶחֱזָיוּן 46 יְיָ רָמָה יָדְךָ בַּל־יֶחֱזָיוּן Is. 26:11
וַיֶּחֱזוּ 47 וַיֶּחֱזוּ אֶת־הָאֱלֹהִים Ex. 24:11
48 וַיֶּחֱזוּ לָךְ מַשְׂאוֹת שָׁוְא וּמַדּוּחִים Lam. 2:14
תֶּחֱזֶינָה 49 מֶלֶךְ בְּיָפְיוֹ תֶּחֱזֶינָה עֵינֶיךָ Is. 33:17
50 לָכֵן שָׁוְא לֹא תֶחֱזֶינָה Ezek. 13:23
51 עֵינֶיךָ תֶּחֱזֶינָה מֵישָׁרִים Ps. 17:2
חֲזֵה 52 חֲזֵה צִיּוֹן קִרְיַת מוֹעֲדֵנוּ Is. 33:20
53 שָׁמַעְתָּ חֲזֵה כֻּלָּהּ Is. 48:6
חֲזוּ 54 דַּבְּרוּ־לָנוּ חֲלָקוֹת חֲזוּ מַהֲתַלּוֹת Is. 30:10
55 לְכוּ־חֲזוּ מִפְעֲלוֹת יְיָ Ps. 46:9

חֹזֶה
ז׳ עין חוֹזֶה

כָּל־חֹזֶה
ש״פ עין כָּל־חֹזֶה (באות כ׳)

חֲזָה
פ׳ ארמית: חָזָה, רָאָה; לְמֶחֱזֵא=לראות: 1–31
לְמֶחֱזֵא 1 ...לָא־אֲרִיךְ לַנָא לְמֶחֱזֵא Ez. 4:14
חֲזֵית 2 לְהוֹדָעֻתַנִי חֶלְמָא דִי־חֲזֵית Dan. 2:26
3-5 חֲזֵית Dan. 4:2,6,15
חֲזַיְתָה 6 וְדִי חֲזַיְתָה רַגְלַיָּא וְאֶצְבְּעָתָא Dan. 2:41
7 כָּל־קֳבֵל דִּי חֲזַיְתָה פַּרְזְלָא Dan. 2:41
חֲזַיְתָ 8-10 דִּי חֲזַיְתָ Dan. 2:43,45; 4:17
חָזֵה 11 אַנְתְּ° מַלְכָּא חָזֵה הֲוַיְתָ... Dan. 2:31
12 חָזֵה הֲוַיְתָ עַד דִּי הִתְגְּזֶרֶת אֶבֶן Dan. 2:34
13 הָא־אֲנָה חָזֵה גֻּבְרִין אַרְבְּעָה Dan. 3:25
14 חָזֵה הֲוֵית וַאֲלוּ אִילָן בְּגוֹא אַרְעָא Dan. 4:7
15-24 חָזֵה הֲוֵית Dan. 4:10; 7:2,4,6,7,9,11², 13,21
חֱזֵה 25 לְמֵזֵא...עַל דִּי חֲזֵה לְמֵזְיֵהּ Dan. 3:19
26 וּמַלְכָּא חָזֵה פַּס יְדָה דִּי כָתְבָה Dan. 5:5
חָזָה 27 וְדִי חֲזָה מַלְכָּא עִיר וְקַדִּישׁ Dan. 4:20
28 בִּשְׁנַת...דָּנִיֵּאל חֵלֶם חֲזָה Dan. 7:1
חֲזַיְתוּן 29 כָּל־קֳבֵל דִּי חֲזַיְתוּן דִּי־אָזְדָא... Dan. 2:8
חָזַיִן 30 וּמִתְכַּנְּשִׁין...חָזַיִן לְגֻבְרַיָּא אִלֵּךְ Dan. 3:27
31 וְלֵאלָהֵי...דִּי־לָא־חָזַיִן וְלָא־שָׁמְעִין Dan. 5:23

חָזֶה
ז׳ החלק הקדמי בגוף, מול הלב (בבהמה – כאחת ממתנות הכהונה): 1–13
חֲזֵה הַתְּנוּפָה 6–11
הֶחָזֶה 1 וְלָקַחְתָּ אֶת־הֶחָזֶה Ex. 29:26
2 אֶת־הַחֵלֶב עַל־הֶחָזֶה יְבִיאֶנּוּ Lev. 7:30
3 אֶת הֶחָזֶה לְהָנִיף אֹתוֹ תְּנוּפָה Lev. 7:30
4 וְהָיָה הֶחָזֶה לְאַהֲרֹן וּלְבָנָיו Lev. 7:31
5 וַיִּקַּח מֹשֶׁה אֶת־הֶחָזֶה Lev. 8:29
חֲזֵה־ 6 וְקִדַּשְׁתָּ אֵת חֲזֵה הַתְּנוּפָה Ex. 29:27
7-9 חֲזֵה הַתְּנוּפָה Lev. 7:34; 10:14 • Num. 6:20
וַחֲזֵה־ 10 שׁוֹק הַתְּרוּמָה וַחֲזֵה הַתְּנוּפָה Lev. 10:15
כַּחֲזֵה־ 11 כַּחֲזֵה הַתְּנוּפָה וּכְשׁוֹק הַיָּמִין Num. 18:18
הֶחָזוֹת 12 וַיָּשִׂימוּ אֶת־הַחֲלָבִים עַל־הֶחָזוֹת Lev. 9:20
13 וְאֵת הֶחָזוֹת וְאֵת שׁוֹק הַיָּמִין Lev. 9:21

חֲזוֹ
שפ״ז – בן נחור מִמִּלְכָּה אשתו
חֲזוֹ 1 וְאֶת־כֶּשֶׂד וְאֶת־חֲזוֹ... Gen. 22:22

חֶזְוָא
ז׳ ארמית חִזָּיוֹן, מַרְאֶה: 1–12
חֶזְוֵי לֵילְיָא 11, 12; חֶזְוֵי רֵאשֵׁהּ 5–10
בְּחֶזְוָא 1 לְדָנִיֵּאל בְּחֶזְוָא דִי־לֵילְיָא רָזָא גְלִי Dan. 2:19
בְּחֶזְוִי 2 חָזֵה הֲוֵית בְּחֶזְוִי עִם־לֵילְיָא Dan. 7:2
וְחֶזְוַהּ 3 וְחֶזְוַהּ רַב מִן־חַבְרָתַהּ Dan. 7:20
חֶזְוֵי־ 4 חֶזְוֵי חֶלְמִי דִי־חֲזֵית וּפִשְׁרֵהּ אֱמַר Dan. 4:6
וְחֶזְוֵי־ 5 חֶלְמָךְ וְחֶזְוֵי רֵאשָׁךְ עַל־מִשְׁכְּבָךְ Dan. 2:28
6-7 וְחֶזְוֵי רֵאשִׁי יְבַהֲלֻנַּנִי Dan. 4:2; 7:15
8 וְחֶזְוֵי רֵאשִׁי עַל־מִשְׁכְּבִי Dan. 4:7
9 וְחֶזְוֵי רֵאשֵׁהּ עַל־מִשְׁכְּבֵהּ Dan. 7:1
בְּחֶזְוֵי־ 10 בְּחֶזְוֵי רֵאשִׁי עַל־מִשְׁכְּבִי Dan. 4:10
11-12 חָזֵה הֲוֵית בְּחֶזְוֵי לֵילְיָא Dan. 7:7,13

חָזוֹן
ז׳ א) מַרְאֶה נבואי: כל המקראות (1-35)(להוציא:) ב) מַרְאֶה: 28
קרובים: דָּבָר / חָזוּת / חֲזוֹת / חִזָּיוֹן / מַחֲזֶה / מַרְאֶה / מַשָּׂא / נְבוּאָה
– חָזוֹן לַיָּמִים 14; ח׳ לַמּוֹעֵד 8; ח׳ נִפְרָץ 1; קֵץ חָזוֹן 19
– חֲזוֹן לֵב 30; ח׳ לַיְלָה 28; ח׳ יְשַׁעְיָהוּ 27, 35; חֲזוֹן נַחוּם 34; חֲזוֹן עוֹבַדְיָה 33; חֲזוֹן שָׁוְא 31; חֲזוֹן שָׁלוֹם 32; חֲזוֹן שֶׁקֶר 29
– חָתַם חָזוֹן 13; סָתַם חָזוֹן 20
חָזוֹן 1 אֵין חָזוֹן נִפְרָץ ISh. 3:1
2 כִּי־חָזוֹן אֶל־כָּל־הֲמוֹנָהּ Ezek. 7:13
3 וּבִקְשׁוּ חָזוֹן מִנָּבִיא Ezek. 7:26
4 יַאַרְכוּ הַיָּמִים וְאָבַד כָּל־חָזוֹן Ezek. 12:22
5 קָרְבוּ הַיָּמִים וּדְבַר כָּל־חָזוֹן Ezek. 12:23
6 וְאָנֹכִי חָזוֹן הִרְבֵּיתִי Hosh. 12:11
7 כְּתוֹב חָזוֹן וּבָאֵר עַל־הַלֻּחוֹת Hab. 2:2
8 כִּי עוֹד חָזוֹן לַמּוֹעֵד Hab. 2:3
9 בְּאֵין חָזוֹן יִפָּרַע עָם Prov. 29:18
10 גַּם־נְבִיאֶיהָ לֹא־מָצְאוּ חָזוֹן מֵיְיָ Lam. 2:9
11 הֵבִין בְּכָל־חָזוֹן וַחֲלֹמוֹת Dan. 1:17
12 חָזוֹן נִרְאָה אֵלַי אֲנִי דָנִיֵּאל Dan. 8:1
13 וְלַחְתֹּם חָזוֹן וְנָבִיא Dan. 9:24
14 כִּי־עוֹד חָזוֹן לַיָּמִים Dan. 10:14
15 יִנַּשְּׂאוּ לְהַעֲמִיד חָזוֹן וְנִכְשָׁלוּ Dan. 11:14
הֶחָזוֹן 16 הֶחָזוֹן אֲשֶׁר־הוּא חֹזֶה Ezek. 12:27
17 עַד־מָתַי הֶחָזוֹן הַתָּמִיד Dan. 8:13
18 בִּרְאֹתִי אֲנִי דָנִיֵּאל אֶת־הֶחָזוֹן Dan. 8:15
19 כִּי לְעֶת־קֵץ הֶחָזוֹן Dan. 8:17
20 וְאַתָּה סְתֹם הֶחָזוֹן Dan. 8:26
21 וּכְכֹל הֶחָזוֹן הַזֶּה ICh. 17:15
בְּחָזוֹן 22 אָז דִּבַּרְתָּ בְחָזוֹן לַחֲסִידֶיךָ Ps. 89:20
בֶּחָזוֹן 23-24 וָאֶרְאֶה בֶּחָזוֹן Dan. 8:2²
25 אֲשֶׁר רָאִיתִי בֶחָזוֹן בַּתְּחִלָּה Dan. 9:21
מֵחָזוֹן 26 לָכֵן לַיְלָה לָכֶם מֵחָזוֹן Mic. 3:6
חֲזוֹן־ 27 חֲזוֹן יְשַׁעְיָהוּ בֶן־אָמוֹץ Is. 1:1
28 וְהָיָה כַּחֲלוֹם חֲזוֹן לַיְלָה Is. 29:7
29 חֲזוֹן שֶׁקֶר וְקֶסֶם Jer. 14:14
30 חֲזוֹן לִבָּם יְדַבֵּרוּ Jer. 23:16
31 כָּל־חֲזוֹן שָׁוְא וּמִקְסַם חָלָק Ezek. 12:24
32 וְהַחֹזִים לָהּ חֲזוֹן שָׁלֹם Ezek. 13:16
33 חֲזוֹן עֹבַדְיָה כֹּה־אָמַר אֲדֹנָי יְיָ Ob. 1
34 סֵפֶר חֲזוֹן נַחוּם הָאֶלְקֹשִׁי Nah. 1:1
בַּחֲזוֹן־ 35 הִנָּם כְּתוּבִים בַּחֲזוֹן יְשַׁעְיָהוּ IICh. 32:32

חָזוּת
נ׳ א) חָזוֹן, נבואה: 1, 2
ב) דבר נראה, בולט: 3, 4
ג) חוזה, ברית: 5
חָזוּת קָשָׁה 1; חָזוּת הַכֹּל 2; קֶרֶן חָזוּת 3
חָזוּת 1 חָזוּת קָשָׁה הֻגַּד־לִי Is. 21:2
2 וַתְּהִי לָכֶם חָזוּת הַכֹּל... Is. 29:11
3 וְהַצָּפִיר קֶרֶן חָזוּת בֵּין עֵינָיו Dan. 8:5
4 וַתַּעֲלֶנָה חָזוּת אַרְבַּע תַּחְתֶּיהָ Dan. 8:8
וְחָזוּתְכֶם 5 וְחָזֻתְכֶם אֶת־שְׁאוֹל לֹא תָקוּם Is. 28:18

חֲזוֹת¹
נ׳ חָזוֹן, נבואה
וּבַחֲזוֹת־ 1 ...וּבַחֲזוֹת יֶעְדּוֹ° הַחֹזֶה IICh. 9:29

חֲזוֹת²
נ׳ ארמית: מַרְאֶה: 1, 2
וַחֲזוֹתֵהּ 1 וַחֲזוֹתֵהּ לְסוֹף כָּל־אַרְעָא Dan. 4:8
2 וַחֲזוֹתֵהּ לְכָל־אַרְעָא Dan. 4:17

חֲזִיאֵל
שפ״ז – לוי מבני גרשום
וַחֲזִיאֵל 1 בְּנֵי שִׁמְעִי שְׁלֹמִית° וַחֲזִיאֵל... ICh. 23:9

חֲזָיָה
שפ״ז – מבני יהודה, בימי נחמיה
חֲזָיָה 1 ...בֶּן־חֲזָיָה בֶן־עֲדָיָה Neh. 11:5

חִזָּיוֹן
ז׳ חָזוּת, נבואה, מַרְאֶה: 1–9
קרובים: ראה חָזוֹן
גֵּיא חִזָּיוֹן 1, 2; חֶזְיוֹן לַיְלָה 4, 5, 8
חִזָּיוֹן 1 מַשָּׂא גֵּיא חִזָּיוֹן Is. 22:1
2 יוֹם מְהוּמָה...בְּגֵיא חִזָּיוֹן Is. 22:5
הַחִזָּיוֹן 3 כְּכֹל הַדְּבָרִים...וּכְכֹל הַחִזָּיוֹן הַזֶּה IISh. 7:17
חֶזְיוֹן־ 4 בַּחֲלוֹם חֶזְיוֹן לַיְלָה Job 33:15
כְּחֶזְיוֹן־ 5 וְיֻדַּד כְּחֶזְיוֹן לָיְלָה Job 20:8
מֵחֶזְיֹנוֹ 6 יֵבֹשׁוּ הַנְּבִיאִים אִישׁ מֵחֶזְיֹנוֹ Zech. 13:4
חֶזְיֹנוֹת 7 בַּחוּרֵיכֶם חֶזְיֹנוֹת יִרְאוּ Joel 3:1
מֵחֶזְיֹנוֹת־ 8 בִּשְׂעִפִּים מֵחֶזְיֹנוֹת לָיְלָה Job 4:13
וּמֵחֶזְיֹנוֹת 9 וּמֵחֶזְיֹנוֹת תְּבַעֲתַנִּי Job 7:17

חֶזְיוֹן
שפ״ז – זקנו של בן־הדד הראשון מלך דמשק
חֶזְיוֹן 1 אֶל־בֶּן־הֲדַד בֶּן־טַבְרִמֹּן בֶּן־חֶזְיוֹן IK. 15:18

חֲזִיז*
ז׳ בָּרָק, רַעַם: 1–3 • חֲזִיז קוֹלוֹת 1, 2
לַחֲזִיז־ 1 ...לַמָּטָר חֹק וְדֶרֶךְ לַחֲזִיז קֹלוֹת Job 28:26
2 מִי־פִלַּג...וְדֶרֶךְ לַחֲזִיז קֹלוֹת Job 38:25
חֲזִיזִים 3 יְיָ עֹשֶׂה חֲזִיזִים וּמְטַר־גֶּשֶׁם יִתֵּן Zech. 10:1

חֲזִיר
ז׳ בהמה מפרסת פרסה ואינה מעלה גרה (Sus scrofa) האסורה באכילה: 1–7
חֲזִיר מִיָּעַר 2; אַף חֲזִיר 3; בְּשַׂר ח׳ 7,6; דַּם ח׳ 1
חֲזִיר 1 מַעֲלֵה מִנְחָה דַּם־חֲזִיר Is. 66:3
2 יְכַרְסְמֶנָּה חֲזִיר מִיָּעַר Ps. 80:14
3 נֶזֶם זָהָב בְּאַף חֲזִיר Prov. 11:22
הַחֲזִיר 4/5 הַחֲזִיר...מַפְרִיס פַּרְסָה Lev. 11:7 • Deut. 14:8
6 הָאֹכְלִים בְּשַׂר הַחֲזִיר Is. 65:4
7 אֹכְלֵי בְּשַׂר הַחֲזִיר וְהַשֶּׁקֶץ Is. 66:17

חֲזִיר שפ״ז א) מראשי העם שחתמו על האמנה בימי נחמיה: 1
ב) אבי משמרת כהונה: 2

חֵזִיר 1 מַגְפִּיעָשׁ מְשֻׁלָּם חֵזִיר Neh. 10:21
לְחֵזִיר 2 לְחֵזִיר שִׁבְעָה עָשָׂר ICh. 24:15

חזק : חָזַק, חִזֵּק, הִתְחַזֵּק, הֶחֱזִיק; חָזָק, חָזֵק, חֵזֶק, חֹזֶק, חֶזְקָה, חָזְקָה; ש״פ חִזְקִי, חִזְקִיָּה, חִזְקִיָּהוּ, יְחִזְקִיָּהוּ, יְחֶזְקֵאל

חָזַק פ׳ א) היה צמוד היטב 1, 32, 50
ב) גָבר, אָמץ, היה חזק מן־: רוב המקראות
ג) היה קשה ועז: 5, 6, 8, 25—29, 35, 36
ד) חזר לאיתנו: 39
ה) [פִּ׳ חִזֵּק] קשר בחוזקה: 98, 114, 128, 134, 138, 147
ו) [כנ״ל] בִּצֵּר: 85, 87־94, 97, 102, 105, 125, 126, 129—131, 133, 146
ז) [כנ״ל] הקשה, הכביד: 86, 95, 106, 109, 110, 112, 116—121
ח) [כנ״ל] תמך, סעד: 96, 98, 100, 101, 103, 113, 115, 122—124, 127, 135—137, 139—145, 148
ט) [הת׳ הִתְחַזֵּק] התגבר, נעשה חזק, הִתאמץ: 149—175
י) [הִפ׳ הֶחֱזִיק] אחז, תפש: 180—182, 186, 187, 215, 216, 218—220, 222—228, 237, 238, 240, 243—245, 247, 248, 250—253, 255—257, 260—264, 266—280, 282—287, 289—292
יא) [כנ״ל] הגביר, בִּצר, תמך, אִמץ: 176—179, 183—185, 188—214, 217, 221, 229—236, 239, 241, 242, 249, 254, 258, 259, 265, 281, 288, 293
יב) [כנ״ל] הכיל: 246

קרובים: אָמץ / גָבר / יָכֹל / עזז / עָצם / שָׂרה

– חָזַק (אֶת־) 4, 11; חָזַק עַל־ 6, 9, 14, 18, 24, 37, 38, 42; חָ׳ מִן־ 17, 23, 30, 31, 40, 41, 43, 44, 47, 48; חָ׳ אֶל־ 33; חָ׳ בְּ 49
– חִזֵּק (אֶת־) 85—90, 92—95, 97—123, 125—148; חִזֵּק לְ־ 91, 96, 135
– הִתְחַזֵּק בְּ־ 158, 163; הִתְחַזֵּק עִם־ 150, 151, 159, 160; הִתְחַ׳ לִפְנֵי 149, 153; הִתְחַזֵּק עַל־ 164, 167; הִתְחַזֵּק בְּעַד 171, 172
– הֶחֱזִיק (אֶת־) 176, 183, 187־214, 218־221, 224־226, 229, 230, 236, 239, 241, 251, 252, 258, 259, 278, 279, 291—293; הֶחֱזִיק בְּ־ 177—182, 185, 186, 215, 222, 223, 227, 228, 237, 238, 240, 242—245, 247, 248, 250, 253, 255—257, 260—264, 266—277, 282—287, 290; הֶחֱזִיק לְ־ 216; הֶחֱזִיק עַל־ 254, 265
– חָזַק (אָדָם, עַם וכַד׳) רוב המקראות 2—84; חָזַק דָּבָר 9, 18, 33; חָ׳ לֵב 26—29; חָ׳ קוֹל 20; חָ׳ רָעָב 5, 6, 25, 35, 36; חָזְקָה יָד 14; חָ׳ מַמְלָכָה 12, 13; חָזְקוּ יָדָיו 19, 52—55; חָ׳ מוֹסֵרוֹת 50; חֲזַק וַחֲזָק! 67; חֲזַק וֶאֱמָץ! 57—63, 71, 77—79; חֲזַק וְנִתְחַזַּק 64
– חִזֵּק בֶּדֶק 85, 87, 88, 105, 111, 133; חִ׳ בַּיִת 89, 91—94, 97; חִ׳ בְּרִיחִים 102; חִ׳ זְרוֹעוֹת 100; חִ׳ חוֹלֶה 113; חִ׳ יָדַיִם 90, 95, 109, 115, 136, 142, 148; חִזֵּק יְתֵדוֹת 147; חִ׳ לֵב 99, 110, 112, 116—120; חִזֵּק מַלְכוּת 137; חִ׳ מָתְנַיִם 141
– הֶחֱזִיק אַפּוֹ 187; הֶחֱזִיק בֶּדֶק 258, 259; הֶחֱזִיק זְרוֹעוֹת 183; הֶחֱ׳ יָד 239; הֶחֱ׳ יְמִינוֹ 241

לְחָזְקָה 1 לָשׂוּם חִתּוּל לְחָבְשָׁהּ לְחָזְקָהּ Ezek. 30:21
לְחָזְקָה 2 וּלְכֹל אֲשֶׁר־יֵצֵא עַל־הַבַּיִת לְחָזְקָה IIK. 12:13

וְחָזַקְתָּ 3 וְחָזַקְתָּ וְהָיִיתָ לְאִישׁ IK. 2:2
חֲזַקְתַּנִי 4 פִּתִּיתַנִי יְיָ וָאֶפָּת חֲזַקְתַּנִי וַתּוּכָל Jer. 20:7
חָזַק 5 כִּי־חָזַק הָרָעָב בְּכָל־הָאָרֶץ Gen. 41:57
6 כִּי־חָזַק עֲלֵהֶם הָרָעָב Gen. 47:20
7 וַיְהִי כִּי־חָזַק יִשְׂרָאֵל Jud. 1:28
8 כִּי־חָזַק מִמֶּנּוּ הַמִּלְחָמָה IIK. 3:26
9 וּדְבַר־הַמֶּלֶךְ חָזַק עַל־יוֹאָב ICh. 21:4
חָזָק 10 הִפְלִיא לְהֵעָזֵר עַד כִּי־חָזָק IICh. 26:15
חֲזָקוֹ 11 וַיָּצַר לוֹ וְלֹא חֲזָקוֹ IICh. 28:20
חָזְקָה 12 כַּאֲשֶׁר חָזְקָה הַמַּמְלָכָה בְּיָדוֹ IIK. 14:5
13 כַּאֲשֶׁר חָזְקָה הַמַּמְלָכָה עָלָיו IICh. 25:3
חָזָקָה 14 וְיַד־יְיָ עָלַי חָזָקָה Ezek. 3:14
וַחֲזַקְתֶּם 15 וַחֲזַקְתֶּם מְאֹד לִשְׁמֹר וְלַעֲשׂוֹת Josh. 23:6
חָזְקוּ 16 וַיְהִי כִּי חָזְקוּ בְּנֵי יִשְׂרָאֵל... Josh. 17:13
17 עַל־כֵּן חָזְקוּ מִמֶּנּוּ IK. 20:23
18 חָזְקוּ עָלַי דִּבְרֵיכֶם אָמַר יְיָ Mal. 3:13
וְחָזְקוּ 19 וְחָזְקוּ יְדֵי כָּל־אֲשֶׁר אִתָּךְ IISh. 16:21
וְחָזֵק 20 קוֹל הַשֹּׁפָר הוֹלֵךְ וְחָזֵק מְאֹד Ex. 19:19
21 וְדָוִד הֹלֵךְ וְחָזֵק IISh. 3:1
יֶחֱזַק 22 אִם־יֶחֱזַק לַעֲשׂוֹת מִצְוֹתַי ICh. 28:7
וְיֶחֱזַק 23 וְיֶחֱזַק מֶלֶךְ־הַנֶּגֶב וּמִן־שָׂרָיו Dan. 11:5
24 וְיֶחֱזַק עָלָיו וּמָשָׁל Dan. 11:5
וַיֶּחֱזַק 25 וַיֶּחֱזַק הָרָעָב בְּאֶרֶץ מִצְרָיִם Gen. 41:56
26־29 וַיֶּחֱזַק לֵב(־)פַּרְעֹה Ex. 7:13, 22; 8:15; 9:35
30 וַיֶּחֱזַק דָּוִד מִן־הַפְּלִשְׁתִּי ISh. 17:50
31 וַיֶּחֱזַק מִמֶּנָּה וַיְעַנֶּהָ IISh. 13:14
32 וַיֶּחֱזַק רֹאשׁוֹ בָאֵלָה IISh. 18:9
33 וַיֶּחֱזַק דְּבַר־הַמֶּלֶךְ אֶל־יוֹאָב IISh. 24:4
34 וַיֶּחֱזַק הָעָם אֲשֶׁר אַחֲרֵי עָמְרִי IK. 16:22
35/6 וַיֶּחֱזַק הָרָעָב בָּעִיר מ״ IIK. 25:3 • Jer. 52:6
37 וַיֵּלֶךְ שְׁלֹמֹה חֲמָת צוֹבָה וַיֶּחֱזַק עָלֶיהָ IICh. 8:3
38 וְהוּא נִלְחַם...וַיֶּחֱזַק עֲלֵיהֶם IICh. 27:5
וַיֶּחֱזָק 39 וַיִּשְׁמַע כִּי חָלָה וַיֶּחֱזָק Is. 39:1
תֶּחֱזַק 40 אִם־תֶּחֱזַק אֲרָם מִמֶּנִּי IISh. 10:11
41 אִם־תֶּחֱזַק מִמֶּנִּי אֲרָם ICh. 19:12
וַתֶּחֱזַק 42 וַתֶּחֱזַק מִצְרַיִם עַל־הָעָם לְמַהֵר Ex. 12:33
נֶחֱזַק 43־44 אִם־לֹא נֶחֱזַק מֵהֶם IK. 20:23, 25
תֶּחֶזְקוּ 45 לְמַעַן תֶּחֶזְקוּ וּבָאתֶם וִירִשְׁתֶּם Deut. 11:8
46 תֶּחֶזְקוּ וַאֲכַלְתֶּם אֶת־טוּב הָאָרֶץ Ez. 9:12
יֶחֶזְקוּ 47/8 וְאִם־בְּנֵי עַמּוֹן יֶחֶזְקוּ מִמְּךָ... IISh. 10:11 ICh. 19:12
49 לְמַעַן יֶחֶזְקוּ בְּתוֹרַת יְיָ IICh. 31:4
יֶחְזְקוּ 50 פֶּן־יֶחְזְקוּ מוֹסְרֵיכֶם Is. 28:22
תֶּחֱזַקְנָה 51 וְאַחַר תֶּחֱזַקְנָה יָדֶיךָ Jud. 7:11
52 תֶּחֱזַקְנָה יְדֵיכֶם וִהְיוּ לִבְנֵי־חַיִל IISh. 2:7
53 הֲיַעֲמֹד לִבֵּךְ אִם־תֶּחֱזַקְנָה יָדַיִךְ Ezek. 22:14
54/5 תֶּחֱזַקְנָה יְדֵיכֶם Zech. 8:9, 13
חֲזַק 56 רַק חֲזַק לְבִלְתִּי אֲכֹל הַדָּם Deut. 12:23
57 וַיֹּאמֶר אֵלָיו...חֲזַק וֶאֱמָץ Deut. 31:7
58־62 חֲזַק וֶאֱמָץ Josh. 1:6, 9, 18 Deut. 31:23 • IICh. 22:13(12)
63 רַק חֲזַק וֶאֱמַץ מְאֹד Josh. 1:7
64 חֲזַק וְנִתְחַזַּק בְּעַד עַמֵּנוּ IISh. 10:12
65 וְעַתָּה חֲזַק זְרֻבָּבֶל נְאֻם־יְיָ Hag. 2:4
66 חֲזַק וְיַאֲמֵץ לִבֶּךָ Ps. 27:14
67 שָׁלוֹם לָךְ חֲזַק וַחֲזָק Dan. 10:19
68 קוּם...חֲזַק וַעֲשֵׂה Ez. 10:4
69 חֲזַק וְנִתְחַזְּקָה בְּעַד־עַמֵּנוּ ICh. 19:13
70 כִּי־יְיָ בָּחַר בְּךָ...חֲזַק וַעֲשֵׂה ICh. 28:10
71 חֲזַק וֶאֱמַץ וַעֲשֵׂה ICh. 28:20
72 בֹּא אַתָּה עֲשֵׂה חֲזַק לַמִּלְחָמָה IICh. 25:8
חֲזָק 73 וּלְאָחִיו יֹאמַר חֲזָק Is. 41:6

וַחֲזַק 74 חֲזַק...וַחֲזַק יְהוֹשֻׁעַ בֶּן־יְהוֹצָדָק... Hag. 2:4
75 וַחֲזַק כָּל־עַם הָאָרֶץ Hag. 2:4
וַחֲזָק 76 שָׁלוֹם לָךְ חֲזַק וַחֲזָק Dan. 10:19
חִזְקוּ 77/8 חִזְקוּ וְאִמְצוּ Deut. 31:6 • IICh. 32:7
79 אַל־תִּירְאוּ...חִזְקוּ וְאִמְצוּ Josh. 10:25
80 חִזְקוּ וִהְיוּ לִבְנֵי־חָיִל IISh. 13:28
81 אִמְרוּ...חִזְקוּ אַל־תִּירָאוּ Is. 35:4
82 חִזְקוּ וְיַאֲמֵץ לְבַבְכֶם... Ps. 31:25
83 חִזְקוּ וְאַל־יִרְפּוּ יְדֵיכֶם IICh. 15:7
84 חִזְקוּ וַעֲשׂוּ וִיהִי יְיָ עִם־הַטּוֹב IICh. 19:11
חַזֵּק 85 וּלְבִלְתִּי חַזֵּק אֶת־בֶּדֶק הַבָּיִת IIK. 12:9
לְחַזֵּק 86 לְחַזֵּק אֶת־לִבָּם לִקְרַאת הַמִּלְחָמָה Josh. 11:20
87 לְחַזֵּק אֶת־בֶּדֶק בֵּית־יְיָ IIK. 12:13
88 לְחַזֵּק בֶּדֶק הַבָּיִת IIK. 22:5
89 וְלִקְנוֹת עֵצִים...לְחַזֵּק אֶת־הַבָּיִת IIK. 22:6
90 לְחַזֵּק יְדֵיהֶם בִּמְלֶאכֶת בֵּית־הָאֱלֹ׳ Ez. 6:22
91 הַשָּׁלָל הִקְדִּישׁוּ לְחַזֵּק לְבֵית יְיָ ICh. 26:27
92 לְחַזֵּק אֶת־בֵּית אֱלֹהֵיכֶם IICh. 24:5
93/4 לְחַזֵּק אֶת־בֵּית יְיָ IICh. 24:12; 34:8
וּלְחַזֵּק 95 וּלְחַזֵּק יְדֵי רָשָׁע לְבִלְתִּי־שׁוּב מִדַּרְכּוֹ Ezek. 13:22
96 וּבְיָדְךָ לְגַדֵּל וּלְחַזֵּק לַכֹּל ICh. 29:12
97 לִבְדּוֹק וּלְחַזֵּק הַבָּיִת IICh. 34:10
חִזַּקְתִּי 98 וַאֲנִי יִסַּרְתִּי חִזַּקְתִּי זְרוֹעֹתָם Hosh. 7:15
וְחִזַּקְתִּי 99 וְחִזַּקְתִּי אֶת־לֵב־פַּרְעֹה... Ex. 14:4
100 וְחִזַּקְתִּי אֶת־זְרֹעוֹת מֶלֶךְ בָּבֶל Ezek. 30:24
חִזַּקְתָּנִי 101 יְדַבֵּר אֲדֹנִי כִּי חִזַּקְתָּנִי Dan. 10:19
חִזַּק 102 כִּי־חִזַּק בְּרִיחֵי שְׁעָרָיִךְ Ps. 147:13
חִזַּקְתֶּם 103 אֶת־הַנַּחְלוֹת לֹא חִזַּקְתֶּם Ezek. 34:4
חִזְּקוּ 104 אֲשֶׁר־חִזְּקוּ אֶת־יָדָיו לַהֲרֹג Jud. 9:24
105 לֹא־חִזְּקוּ...אֶת־בֶּדֶק הַבָּיִת IIK. 12:7
106 חִזְּקוּ פְנֵיהֶם מִסֶּלַע Jer. 5:3
107 וְכָל־סְבִיבֹתֵיהֶם חִזְּקוּ בִידֵיהֶם Ez. 1:6
וְחִזְּקוּ 108 וְחִזְּקוּ־בוֹ אֶת־בֵּית יְיָ IIK. 12:15
109 וְחִזְּקוּ יְדֵי מְרֵעִים Jer. 23:14
מְחַזֵּק 110 הִנְנִי מְחַזֵּק אֶת־לֵב מִצְרַיִם Ex. 14:17
מְחַזְּקִים 111 אֵינְכֶם מְחַזְּקִים אֶת־בֶּדֶק הַבָּיִת IIK. 12:8
אֲחַזֵּק 112 וַאֲנִי אֲחַזֵּק אֶת־לִבּוֹ Ex. 4:21
113 וְאֶת־הַחוֹלָה אֲחַזֵּק Ezek. 34:16
אֲחַזְּקֶנּוּ 114 וְאַבְנֵטְךָ אֲחַזְּקֶנּוּ Is. 22:21
תְּחַזֵּק 115 וְיָדַיִם רָפוֹת תְּחַזֵּק Job 4:3
וַיְחַזֵּק 116־120 וַיְחַזֵּק יְיָ אֶת־לֵב פַּרְעֹה Ex. 9:12; 10:20, 27; 11:10; 14:8
121 וַיְחַזֵּק יְיָ אֶת־עֶגְלוֹן...עַל־יִשְׂרָאֵל Jud. 3:12
122 וַיְחַזֵּק אֶת־יָדוֹ בֵּאלֹהִים ISh. 23:16
123 וַיְחַזֵּק חָרָשׁ אֶת־צֹרֵף Is. 41:7
124 וַיְחַזֵּק עַל־יָדוֹ עֵזֶר בֶּן־יֵשׁוּעַ Neh. 3:19
125 וַיְחַזֵּק אֶת־הַמְּצוּרוֹת IICh. 11:11
126 וַיְחַזֵּק אֶת־הַמִּלּוֹא עִיר דָּוִיד IICh. 32:5
וַיְחַזְּקֵנִי 127 וַיֹּסֶף וַיִּגַּע־בִּי...וַיְחַזְּקֵנִי Dan. 10:18
וַיְחַזְּקֵהוּ 128 וַיְחַזְּקֵהוּ בְמַסְמְרִים לֹא יִמּוֹט Is. 41:7
וַיְחַזְּקֵם 129 וַיְחַזְּקֵם לְהַרְבֵּה מְאֹד IICh. 11:12
130 וַיִּבֶן עֻזִּיָּהוּ מִגְדָּלִים...וַיְחַזְּקֵם IICh. 26:9
131 פָּתַח אֶת־דַּלְתוֹת בֵּית־יְיָ וַיְחַזְּקֵם IICh. 29:3
132 וַיְחַזְּקֵם לַעֲבוֹדַת בֵּית יְיָ IICh. 35:2
יְחַזְּקוּ 133 וְהֵם יְחַזְּקוּ אֶת־בֶּדֶק הַבָּיִת IIK. 12:6
134 בַּל־יְחַזְּקוּ כֵן־תָּרְנָם Is. 33:23
135 יְחַזְּקוּ־לָמוֹ דָּבָר רָע Ps. 64:6
וַיְחַזְּקוּ 136 וַיְחַזְּקוּ יְדֵיהֶם לַטּוֹבָה Neh. 2:18
137 וַיְחַזְּקוּ אֶת־מַלְכוּת יְהוּדָה IICh. 11:17
יְחַזְּקוּם 138 וּבְמַקָּבוֹת יְחַזְּקוּם Jer. 10:4
וַיְחַזְּקוּם 139 וַיְחַזְּקוּם אֲחֵיהֶם הַלְוִיִּם IICh. 29:34

חַזֵּק 140 אֹתוֹ חַזֵּק כִּי־הוּא יַנְחִלֶנָּה Deut. 1:38
141 חַזֵּק מָתְנַיִם אַמֵּץ כֹּחַ מְאֹד Nah. 2:2
142 וְעַתָּה חַזֵּק אֶת־יָדָי Neh. 6:9
וְחַזְּקֵנִי 143 זָכְרֵנִי נָא וְחַזְּקֵנִי נָא Jud. 16:28
וְחַזְּקֵהוּ 144 וְצַו...וְחַזְּקֵהוּ וְאַמְּצֵהוּ Deut. 3:28
145 הַחֲזֵק מִלְחַמְתְּךָ...וְחַזְּקֵהוּ IISh. 11:25
חַזְּקִי 146 חַזְּקִי מִבְצָרָיִךְ Nah. 3:14
חַזֵּקִי 147 הַאֲרִיכִי מֵיתָרַיִךְ וִיתֵדֹתַיִךְ חַזֵּקִי Is. 54:2
חַזְּקוּ 148 חַזְּקוּ יָדַיִם רָפוֹת Is. 35:3
לְהִתְחַזֵּק 149 לְהִתְחַזֵּק לִפְנֵי מַמְלֶכֶת יְיָ IICh. 13:8
150 לְהִתְחַזֵּק עִם־לְבָבָם שָׁלֵם אֵלָיו IICh. 16:9
הִתְחַזַּקְתִּי 151 וּכְדַבְּרוֹ עִמִּי הִתְחַזַּקְתִּי Dan. 10:19
152 וַאֲנִי הִתְחַזַּקְתִּי כְּיַד־יְיָ אֱלֹהַי עָלַי Ez. 7:28
הִתְחַזֵּק 153 וְלֹא הִתְחַזֵּק לִפְנֵיהֶם IICh. 13:7
154 הִתְחַזֵּק וַיַּעֲבֵר הַשִּׁקּוּצִים IICh. 15:8
155 הִתְחַזַּק יְהוֹיָדָע וַיִּקַּח... IICh. 23:1
156 וַאֲמַצְיָהוּ הִתְחַזַּק וַיִּנְהַג אֶת־עַמּוֹ IICh. 25:11
וְהִתְחַזַּקְתֶּם 157 וְהִתְחַזַּקְתֶּם וּלְקַחְתֶּם... Num. 13:20
מִתְחַזֵּק 158 וְאַבְנֵר הָיָה מִתְחַזֵּק בְּבֵית שָׁאוּל IISh. 3:6
159 וְאֵין אֶחָד מִתְחַזֵּק עִמִּי עַל־אֵלֶּה Dan. 10:21
הַמִּתְחַזְּקִים 160 הַמִּתְחַזְּקִים עִמּוֹ בְמַלְכוּתוֹ ICh. 11:10
וַיִּתְחַזֵּק 161 וַיִּתְחַזֵּק יִשְׂ׳ וַיֵּשֶׁב עַל־הַמִּטָּה Gen. 48:2
162 וַיִּתְחַזֵּק הָעָם אִישׁ יִשְׂרָאֵל Jud. 20:22
163 וַיִּתְחַזֵּק דָּוִד בַּיְיָ אֱלֹהָיו ISh. 30:6
164 וַיִּתְחַזֵּק שְׁלֹמֹה...עַל־מַלְכוּתוֹ IICh. 1:1
165 וַיִּתְחַזֵּק הַמֶּ׳ רְחַבְעָם בִּירוּשָׁלַםִ IICh. 12:13
166 וַיִּתְחַזֵּק אֲבִיָּהוּ וַיִּשָּׂא־לוֹ נָשִׁים IICh. 13:21
167 וַיִּמְלֹךְ...וַיִּתְחַזֵּק עַל־יִשְׂרָאֵל IICh. 17:1
168 וַיִּתְחַזֵּק יוֹתָם כִּי הֵכִין דְּרָכָיו IICh. 27:6
וַיִּתְחַזָּק 169 וַיָּקָם...עַל־מַמְלֶכֶת אָבִיו וַיִּתְחַזָּק IICh. 21:4
170 וַיִּתְחַזַּק וַיִּבֶן אֶת־כָּל־הַחוֹמָה IICh. 32:5
וְנִתְחַזֵּק 171 חֲזַק וְנִתְחַזַּק בְּעַד עַמֵּנוּ IISh. 10:12
וְנִתְחַזְּקָה 172 חֲזַק וְנִתְחַזְּקָה בְּעַד־עַמֵּנוּ ICh. 19:13
יִתְחַזָּקוּ 173 וְאִישׁ בַּעֲוֹנוֹ חַיָּתוֹ לֹא־יִתְחַזָּקוּ Ezek. 7:13
הִתְחַזֵּק 174 וַיֹּאמֶר לוֹ לֵךְ הִתְחַזַּק... IK. 20:22
הִתְחַזְּקוּ 175 הִתְחַזְּקוּ וִהְיוּ לַאֲנָשִׁים ISh. 4:9
לְהַחֲזִיק 176 לְהַחֲזִיק הַמַּמְלָכָה בְּיָדוֹ IIK. 15:19
177 וְאֵין...מִתְעוֹרֵר לְהַחֲזִיק בָּךְ Is. 64:6
הַחֲזִיקִי 178 בְּיוֹם הַחֲזִיקִי בְיָדָם לְהוֹצִיאָם Jer. 31:32(31)
הֶחֱזַקְתִּי 179 אֲשֶׁר־הֶחֱזַקְתִּי בִימִינוֹ Is. 45:1
180 בְּצִדְקָתִי הֶחֱזַקְתִּי וְלֹא אַרְפֶּהָ Job 27:6
181 בִּמְלֶאכֶת הַחוֹמָה הַזֹּאת הֶחֱזַקְתִּי Neh. 5:16
וְהֶחֱזַקְתִּי 182 וְהֶחֱזַקְתִּי בִּזְקָנוֹ וְהִכִּתִיו ISh. 17:35
וְהַחֲזַקְתִּי 183 וְהַחֲזַקְתִּי אֶת־זְרֹעוֹת מֶלֶךְ בָּבֶל Ezek. 30:25
הֶחֱזַקְתִּיךָ 184 אֲשֶׁר הֶחֱזַקְתִּיךָ מִקְצוֹת הָאָרֶץ Is. 41:9
וְהֶחֱזַקְתָּ 185 וְכִי־יָמוּךְ...וְהֶחֱזַקְתָּ בּוֹ Lev. 25:35
הֶחֱזִיק 186 וּבִשְׁלֹשׁ־מֵאוֹת הָאִישׁ הֶחֱזִיק Jud. 7:8
187 לֹא־הֶחֱזִיק לָעַד אַפּוֹ Mic. 7:18
188-193 וְעַל־יָדָם הֶחֱזִיק Neh. 3:4[3], 7, 9, 10
194-198 (וְ)עַל־יָדוֹ הֶחֱזִיק Neh. 3:8[2], 10, 12, 17
199 מִדָּה שֵׁנִית הֶחֱזִיק Neh. 3:11
200 אֵת שַׁעַר הַגַּיְא הֶחֱזִיק Neh. 3:13
201 וְאֵת שַׁעַר הָאַשְׁפּוֹת הֶחֱזִיק Neh. 3:14
202 וְאֵת שַׁעַר הָעַיִן הֶחֱזִיק Neh. 3:15
203-209 אַחֲרָיו הֶחֱזִיק.. Neh. 3:16, 21, 23[2], 24, 29, 30
210 אַחֲרָיו הֶחֱרָה הֶחֱזִיק Neh. 3:20
211-213 (וְ)אַחֲרָיו הֶחֱזִיק Neh. 3:29, 30, 31
214 כִּי הֶחֱזִיק עַד־לְמַעְלָה IICh. 26:8
וְהֶחֱזִיק 215 וְהֶחֱזִיק־בָּהּ הָאִישׁ Deut. 22:25
216 וְהֶחֱזִיק לוֹ וְנָשַׁק לוֹ IISh. 15:5
217 וְעָשָׂה בָהֶם וְהֶחֱזִיק Dan. 11:7
218 וְהֶחֱזִיק מַלְכוּת בַּחֲלַקְלַקּוֹת Dan. 11:21

הֶחֱזִיקֵךְ 219 הֶחֱזִיקֵךְ חִיל כַּיּוֹלֵדָה Mic. 4:9
הֶחֱזִיקָה 220 הִפְנְתָה לָנוּס וְרֶטֶט הֶחֱזִיקָה Jer. 49:24
221 וְיַד־עָנִי וְאֶבְיוֹן לֹא הֶחֱזִיקָה Ezek. 16:49
וְהֶחֱזִיקָה 222 וְשָׁלְחָה יָדָהּ וְהֶחֱזִיקָה בִּמְבֻשָׁיו Deut. 25:11
223 וְהֶחֱזִיקָה בּוֹ וְנָשְׁקָה־לוֹ Prov. 7:13
הֶחֱזִקָתְנִי 224 קָדַרְתִּי שַׁמָּה הֶחֱזִקָתְנִי Jer. 8:21
הֶחֱזִקַתְנוּ 225 צָרָה הֶחֱזִקַתְנוּ חִיל כַּיּוֹלֵדָה Jer. 6:24
הֶחֱזִקַתְהוּ 226 צָרָה הֶחֱזִקַתְהוּ חִיל כַּיּוֹלֵדָה Jer. 50:43
הֶחֱזִיקוּ 227 הֶחֱזִיקוּ בַּתַּרְמִת מֵאֲנוּ לָשׁוּב Jer. 8:5
228 הֶחֱזִיקוּ בָם מֵאֲנוּ שַׁלְּחָם Jer. 50:33
229 וְעַל־יָדָם הֶחֱזִיקוּ הַתְּקוֹעִים Neh. 3:5
230 וְאֵת שַׁעַר הַיְשָׁנָה הֶחֱזִיקוּ Neh. 3:6
231 אַחֲרָיו הֶחֱזִיקוּ הַלְוִיִּם Neh. 3:17
232-234 (וְ)אַחֲרָיו הֶחֱזִיקוּ... Neh. 3:18, 22, 27
235 הֶחֱזִיקוּ הַכֹּהֲנִים אִישׁ לְנֶגֶד בֵּיתוֹ Neh. 3:28
236 הֶחֱזִיקוּ הַצֹּרְפִים וְהָרֹכְלִים Neh. 3:32
וְהֶחֱזִיקוּ 237 וְהֶחֱזִיקוּ שֶׁבַע נָשִׁים בְּאִישׁ אֶחָד Is. 4:1
238 וְהֶחֱזִיקוּ בִּכְנַף אִישׁ יְהוּדִי Zech. 8:23
239 וְהֶחֱזִיקוּ אִישׁ יַד רֵעֵהוּ Zech. 14:13
מַחֲזִיק 240 וְעוֹדְךָ מַחֲזִיק בָּם Ex. 9:2
241 אֲנִי יְיָ אֱלֹהֶיךָ מַחֲזִיק יְמִינֶךָ Is. 41:13
242 אֵין־מְנַהֵל...וְאֵין מַחֲזִיק בְּיָדָהּ Is. 51:18
243 מַחֲזִיק בְּאָזְנֵי־כָלֶב Prov. 26:17
244 וְעֹדֶנּוּ מַחֲזִיק בְּתֻמָּתוֹ Job 2:3
245 עֹדְךָ מַחֲזִיק בְּתֻמָּתֶךָ Job 2:9
246 מַחֲזִיק בַּתִּים שְׁלֹשֶׁת אֲלָפִים יָכִיל IICh. 4:5
וּמַחֲזִיק 247 זָב וּמְצֹרָע וּמַחֲזִיק בַּפֶּלֶךְ IISh. 3:29
הַמַּחֲזִיק 248 וַיֹּאמֶר...אֶל־הַנַּעַר הַמַּחֲזִיק בְּיָדוֹ Jud. 16:26
לְמַחֲזִיק 249 עָמְדִי לְמַחֲזִיק וּלְמָעוֹז לוֹ Dan. 11:1
וּמַחֲזִקָהּ 250 וְהַיֹּלְדָהּ וּמַחֲזִקָהּ בָּעִתִּים Dan. 11:6
מַחֲזֶקֶת 251 וְאַחַת מַחֲזֶקֶת הַשָּׁלַח Neh. 4:11
מַחֲזִיקִים 252 וְהַחֲצִים מַחֲזִיקִים וְהָרְמָחִים... Neh. 4:10
253 וְחֶצְיָם מַחֲזִיקִים בָּרְמָחִים Neh. 4:15
254 מַחֲזִיקִים עַל־אֲחֵיהֶם אַדִּירֵיהֶם Neh. 10:30
וּמַחֲזִיקִים 255/6 וּמַחֲזִיקִים בִּבְרִיתִי Is. 56:4, 6
לַמַּחֲזִיקִים 257 עֵץ חַיִּים הִיא לַמַּחֲזִיקִים בָּהּ... Prov. 3:18
מַחֲזִיקֵי־ 258/9 מַחֲזִיקֵי בִּדְקֵךְ Ezek. 27:9, 27
וְאַחְזֵק 260 קְרָאתִיךָ בְצֶדֶק וְאַחְזֵק בְּיָדֶךָ Is. 42:6
יַחֲזִיק 261 וּבֶן־אָדָם יַחֲזִיק בָּהּ Is. 56:2
262 יַחֲזִיק בּוֹ וְלֹא יָקוּם Job 8:15
263 וְלֹא־יַחֲזִיק בְּיַד־מְרֵעִים Job 8:20
יַחֲזֵק 264 אוֹ יַחֲזֵק בְּמָעֻזִּי יַעֲשֶׂה שָׁלוֹם לִי Is. 27:5
265 יַחֲזֵק עָלָיו צַמִּים Job 18:9
וַיַּחֲזֵק 266 וַיַּחֲזֵק הָאִישׁ בְּפִילַגְשׁוֹ Jud. 19:25
267 וַיַּחֲזֵק בְּפִילַגְשׁוֹ וַיְנַתְּחֶהָ Jud. 19:29
268 וַיַּחֲזֵק בִּכְנַף־מְעִילוֹ וַיִּקָּרַע ISh. 15:27
269 וַיַּחֲזֵק דָּוִד בִּבְגָדָו וַיִּקְרָעֵם IISh. 1:11
270/1 וַיַּחֲזֵק בְּקַרְנוֹת הַמִּזְבֵּחַ IK. 1:50; 2:28
272 וַיַּחֲזֵק בִּבְגָדָיו וַיִּקְרָעֵם IIK. 2:12
וַיַּחֲזֶק־ 273 וַיִּשְׁלַח יָדוֹ וַיַּחֲזֶק־בּוֹ Ex. 4:4
274 וַיֶּחֱזַק־בּוֹ חֹתְנוֹ Jud. 19:4
275 וַיַּחֲזֶק־בָּהּ וַיֹּאמֶר לָהּ IISh. 13:11
וַתַּחֲזֵק 276 וַתָּבֹא...וַתַּחֲזֵק בְּרַגְלָיו IIK. 4:27
וַתַּחֲזֶק־ 277 וַתַּחֲזֶק־בּוֹ לֶאֱכָל־לָחֶם IIK. 4:8
יַחֲזִיקוּ 278/9 קֶשֶׁת וְכִידוֹ(ו)ן יַחֲזִיקוּ Jer. 6:23; 50:42
280 אֲשֶׁר יַחֲזִיקוּ עֲשָׂרָה אֲנָשִׁים Zech. 8:23
281 וְעַם יֹדְעֵי אֱלֹהָיו יַחֲזִקוּ וְעָשׂוּ Dan. 11:32
וַיַּחֲזִיקוּ 282 וַיַּחֲזִיקוּ הָאֲנָשִׁים בְּיָדוֹ Gen. 19:16
283 וַיַּחֲזִיקוּ בְיַד־שְׂמֹאולָם בַּלַּפִּדִים Jud. 7:20
284 וַיַּחֲזִקוּ אִישׁ בְּרֹאשׁ רֵעֵהוּ IISh. 2:16
285 וַיַּחֲזִקוּ בֵּאלֹהִים אֲחֵרִים IK. 9:9
286 וַיַּחֲזִיקוּ בֵּאלֹהִים אֲחֵרִים IICh. 7:22

287 וַיָּקֻמוּ...וַיַּחֲזִיקוּ בַשִּׁבְיָה IICh. 28:15
הַחֲזֵק 288 הַחֲזֵק מִלְחַמְתְּךָ אֶל־הָעִיר IISh. 11:25
289 הַחֲזֵק מָגֵן וְצִנָּה Ps. 35:2
290 הַחֲזֵק בַּמּוּסָר אַל־תֶּרֶף Prov. 4:13
הַחֲזִיקִי 291 בֹּאִי בַטִּיט...הַחֲזִיקִי מַלְבֵּן Nah. 3:14
וְהַחֲזִיקִי 292 וְהַחֲזִיקִי אֶת־יָדֵךְ בּוֹ Gen. 21:18
הַחֲזִיקוּ 293 שְׁאוּ־נֵס הַחֲזִיקוּ הַמִּשְׁמָר Jer. 51:12

חָזָק

ת׳ א) בעל כוח רב, עז: רוב המקראות 1–56
ב) קשה, מוצק: 6, 7, 11, 12, 51, 53, 54, 55, 56
קרובים: ראה אַבִּיר

– גֹּאֵל חָזָק 13; חֳלִי חָ׳ 6; מֵצַח חָ׳ 11; קוֹל חָ׳ 2; רוּחַ חָזָק 1; רֶכֶב חָזָק 5
– יָד חֲזָקָה 20–37,39,41–44,46,49,50; מִלְחָמָה חֲ׳ 38, 45; פָּנִים חֲזָקִים 53; חִזְקֵי לֵב 56; חִ׳ מֵצַח 55

חָזָק 1 וַיַּהֲפֹךְ יְיָ רוּחַ־יָם חָזָק מְאֹד Ex. 10:19
2 וְקֹל שֹׁפָר חָזָק מְאֹד Ex. 19:16
3 כִּי־חָזָק הוּא מִמֶּנּוּ Num. 13:31
4 עוֹדֶנִּי הַיּוֹם חָזָק Josh. 14:11
5 כִּי רֶכֶב בַּרְזֶל לוֹ כִּי חָזָק הוּא Josh. 17:18
6 וַיְהִי חָלְיוֹ חָזָק מְאֹד IK. 17:17
7 וְהָרָעָב חָזָק בְּשֹׁמְרוֹן IK. 18:2
8 הִנֵּה חָזָק וְאַמִּץ לַאדֹנָי Is. 28:2
9 וּגְאָלוֹ מִיַּד חָזָק מִמֶּנּוּ Jer. 31:11(10)
10 גֹּאֲלָם חָזָק יְיָ צְבָאוֹת שְׁמוֹ Jer. 50:34
11 וְאֶת־מִצְחֲךָ חָזָק לְעֻמַּת מִצְחָם Ezek. 3:8
12 כְּשָׁמִיר חָזָק מִצֹּר נָתַתִּי מִצְחֶךָ Ezek. 3:9
13 כִּי־גֹאֲלָם חָזָק Prov. 23:11
14 וַיֹּשַׁע... וּמִיַּד חָזָק אֶבְיוֹן Job 5:15
וְחָזָק 15 וְרוּחַ גְּדוֹלָה וְחָזָק IK. 19:11
16 וְחָזָק לֹא־יְאַמֵּץ כֹּחוֹ Am. 2:14
הֶחָזָק 17 הֶחָזָק הוּא הֲרָפֶה Num. 13:18
בְּחָזָק 18 הִנֵּה אֲדֹנָי יְיָ בְּחָזָק יָבוֹא Is. 40:10
מֵחָזָק 19 מַצִּיל עָנִי מֵחָזָק מִמֶּנּוּ Ps. 35:10
חֲזָקָה 20 וְלֹא בְּיָד חֲזָקָה Ex. 3:19
21 כִּי בְיָד חֲזָקָה יְשַׁלְּחֵם Ex. 6:1
22 וּבְיָד חֲזָקָה יְגָרְשֵׁם מֵאַרְצוֹ Ex. 6:1
23-29 (וּ)בְיָד חֲזָקָה Ex. 13:9; 32:11
Num. 20:20 • Deut. 6:21; 7:8; 9:26 • Dan. 9:15
30-36 (וּ)בְיָד חֲזָקָה וּבִזְרוֹעַ נְטוּיָה Deut. 4:34
5:15; 26:8 • Jer. 21:5 • Ezek. 20:33, 34
Ps. 136:12
37 אֶת־יַד יְיָ כִּי חֲזָקָה הִיא Josh. 4:24
38 וַתְּהִי הַמִּלְחָמָה חֲזָקָה עַל־פְּלִשְׁ׳ ISh. 14:52
39 וּבְיָד חֲזָקָה וּבְאֶזְרוֹעַ נְטוּיָה Jer. 32:21
40 אֲשֶׁר הָיְתָה חֲזָקָה בַיָּם Ezek. 26:17
הַחֲזָקָה 41 אֶת־גָּדְלְךָ וְאֶת־יָדְךָ הַחֲזָקָה Deut. 3:24
42 וְהַיָּד הַחֲזָקָה וְהַזְּרֹעַ הַנְּטוּיָה Deut. 7:19
43 אֶת־יָדוֹ הַחֲזָקָה וּזְרֹעוֹ הַנְּטוּיָה Deut. 11:2
44 וּלְכֹל הַיָּד הַחֲזָקָה Deut. 34:12
45 אֶל־מוּל פְּנֵי הַמִּלְחָמָה הַחֲזָקָה IISh. 11:15
46 וְאֶת־יָדְךָ הַחֲזָקָה וּזְרֹעֲךָ הַנְּטוּיָה IK. 8:42
47 אֶת־הַחֲזָקָה וְאֶת־הַנִּשְׁבָּרֶת Ezek. 30:22
48 וְאֶת־הַשְּׁמֵנָה וְאֶת־הַחֲזָקָה Ezek. 34:16
49 בְּכֹחֲךָ הַגָּדוֹל וּבְיָדְךָ הַחֲזָקָה Neh. 1:10
50 וְיָדְךָ הַחֲזָקָה וּזְרוֹעֲךָ הַנְּטוּיָה IICh. 6:32
וְהַחֲזָקָה 51 בְּחַרְבּוֹ הַקָּשָׁה וְהַגְּדוֹלָה וְהַחֲזָקָה Is. 27:1
חֲזָקִים 52 כִּי־חֲזָקִים הֵמָּה מִמֶּנּוּ Jud. 18:26
53 הִנֵּה נָתַתִּי אֶת־פָּנֶיךָ חֲזָקִים Ezek. 3:8
54 חֲזָקִים כִּרְאִי מוּצָק Job 37:18
חִזְקֵי־ 55 חִזְקֵי־מֵצַח וּקְשֵׁי־לֵב הֵמָּה Ezek. 3:7
וְחִזְקֵי־ 56 וְהַבָּנִים קְשֵׁי פָנִים וְחִזְקֵי־לֵב Ezek. 2:4

חָזֵק בינוני – עין חזק

חָזֵק* ז' כּוח, חווק

חִזְקִי 1 אֶרְחָמְךָ יְיָ חִזְקִי... Ps. 18:2

חֹזֶק ז' כוח רב, עצמה: 1–5 • חֹזֶק יָד 2–4

חֹזֶק- 1 וְהִשְׁמַדְתִּי חֹזֶק מַמְלְכוֹת הַגּוֹיִם Hag. 2:22
בְּחֹזֶק- 2 בְּחֹזֶק יָד הוֹצִיא יְיָ אֶתְכֶם Ex. 13:3
3-4 בְּחֹזֶק יָד הוֹצִיאָנוּ יְיָ Ex. 13:14,16
בְּחָזְקֵנוּ 5 הֲלוֹא בְחָזְקֵנוּ לָקַחְנוּ לָנוּ קַרְנָיִם Am. 6:13

חָזְקָה נ' תוקף, עצמה: 1–5

בְּחָזְקָה 1 וְהוּא לָחַץ אֶת-בְּנֵי יִשְׂר' בְּחָזְקָה Jud. 4:3
2 וַיְרִיבוּן אִתּוֹ בְּחָזְקָה Jud. 8:1
3 וְאִם-לֹא לָקַחְתִּי בְחָזְקָה ISh. 2:16
4 וְיִקְרְאוּ אֶל-אֱלֹהִים בְּחָזְקָה Jon. 3:8
וּבְחָזְקָה 5 וּבְחָזְקָה רְדִיתֶם אֹתָם וּבְפָרֶךְ Ezek. 34:4

חֶזְקָה* נ' חווק, כוח גבורה: 1–4

בְּחֶזְקַת- 1 כִּי כֹה אָמַר יְיָ אֵלַי בְּחֶזְקַת הַיָּד Is. 8:11
וּכְחֶזְקָתוֹ 2 וּכְחֶזְקָתוֹ בְעָשְׁרוֹ יָעִיר הַכֹּל Dan. 11:2
3 וּכְחֶזְקַתוֹ עָזַב אֶת-תּוֹרַת יְיָ IICh. 12:1
4 וּכְחֶזְקָתוֹ גָּבַהּ לִבּוֹ IICh. 26:16

חִזְקִי שפ"ז – מראשי האבות לשבט בנימין

וְחִזְקִי 1 וּזְבַדְיָה וּמְשֻׁלָּם וְחִזְקִי וָחָבֶר ICh. 8:17

חִזְקִיָּה שפ"ז – א) הוא חזקיהו מלך יהודה: 1–8, 12
ב) מאבות אבותיו של הנביא צפניה: 9
ג) מורע זרובבל: 11
ד) מן החותמים על האמנה: 10, 13

חִזְקִיָּה 1 מָלַךְ חִזְקִיָּה בֶן-אָחָז IIK. 18:1
2 וּבְאַרְבַּע עֶשְׂרֵה שָׁנָה לַמֶּלֶךְ חִזְקִיָּה IIK. 18:13
3-6 חִזְקִיָּה מֶלֶךְ-יְהוּדָה IIK. 18:14², 16 • Prov. 25:1
7-8 חִזְקִיָּה IIK. 18:15, 16
9 צְפַנְיָה בֶּן-כּוּשִׁי...בֶּן-חִזְקִיָּה Zep. 1:1
10 אָטֵר חִזְקִיָּה עַזּוּר Neh. 10:18
וְחִזְקִיָּה 11 וּבֶן-נְעַרְיָה אֶלְיוֹעֵינַי וְחִזְקִיָּה ICh. 3:23
לְחִזְקִיָּה 12 וַיִּלְכְּדֻהָ...בִּשְׁנַת-שֵׁשׁ לְחִזְקִיָּה IIK. 18:10
13 בְּנֵי אָטֵר לְחִזְקִיָּה Neh. 7:21

חִזְקִיָּהוּ שפ"ז – בן אחז, מלך יהודה
[עין גם חזקיה, יחזקיה, יְחִזְקִיָּהוּ]: 1–73

חִזְקִיָּהוּ 1 וַיִּמְלֹךְ חִזְקִיָּהוּ בְנוֹ תַּחְתָּיו IIK. 16:20
2 וַיְהִי בַּשָּׁנָה הָרְבִיעִית לַמֶּלֶךְ חִזְקִיָּהוּ IIK. 18:9
3 וַיִּשְׁלַח...אֶל-הַמֶּלֶךְ חִזְקִיָּהוּ IIK. 18:17
4 אִמְרוּ-נָא אֶל-חִזְקִיָּהוּ IIK. 18:19
5 אֲשֶׁר הֵסִיר חִזְקִיָּהוּ אֶת-בָּמֹתָיו IIK. 18:22
6 אַל-יַשִּׁא לָכֶם חִזְקִיָּהוּ IIK. 18:29
7 וְאַל-יַבְטַח אֶתְכֶם חִזְקִיָּהוּ אֶל-יְיָ IIK. 18:30
8 וַיְהִי כִּשְׁמֹעַ הַמֶּלֶךְ חִזְקִיָּהוּ IIK. 19:1
9 כֹּה אָמַר חִזְקִיָּהוּ IIK. 19:3
10 וַיָּבֹאוּ עַבְדֵי הַמֶּלֶךְ חִזְקִיָּהוּ IIK. 19:5
11 שׁוּב וְאָמַרְתָּ אֶל-חִזְקִיָּהוּ נְגִיד-עַמִּי IIK. 20:5
12 וְיֶתֶר דִּבְרֵי חִזְקִיָּהוּ וְכָל-גְּבוּרָתוֹ IIK. 20:20
13-72 חִזְקִיָּהוּ IIK. 18:31, 32, 37
19:9, 10, 14², 15, 20; 20:1, 3, 8, 12, 13², 14², 15, 16, 19, 21; 21:3 • Is. 15:1, 2, 4; 36:7, 14, 15, 16, 18, 22; 37:1, 3, 5, 9, 10, 14², 15, 21; 38:1, 2, 3, 5, 22; 39:1, 2², 3², 4, 5, 39:8 • Jer. 26:18, 19 • ICh. 3:13 • IICh. 29:18, 27; 30:24; 32:15
לְחִזְקִיָּהוּ 73 מִכְתָּב לְחִזְקִיָּהוּ מֶלֶךְ-יְהוּדָה Is. 38:9

חָח ז' א) טבעת לקשוט: 1
ב) טבעת באף או בלחיים של חיה או אסיר: 2–7

חָח 1 חָח וָנֶזֶם וְטַבַּעַת וְכוּמָז Ex. 35:22
חַחִי 2/3 וְשַׂמְתִּי חַחִי בְּאַפֶּךָ IIK. 19:28 • Is. 37:29
חַחִים 4 וְנָתַתִּי חַחִים (כת' חחיים) בִּלְחָיֶיךָ Ezek. 29:4
5 וְנָתַתִּי חַחִים בִּלְחָיֶיךָ Ezek. 38:4
בַּחַחִים 6 וַיְבִאֻהוּ בַחַחִים אֶל-אֶרֶץ מִצְרָיִם Ezek. 19:4
7 וַיִּתְּנֻהוּ בַסּוּגַר בַּחַחִים Ezek. 19:9

חֹחַ עין חוח

חטא : חָטָא, חִטֵּא, הִתְחַטֵּא, הֶחֱטִיא; חוֹטֵא, חֵטְא, חַטָּאָה, חַטָּאת; אר' חֲטָא, חֲטִי, חֲטָאָה

חָטָא פ' א) טעה, נכשל, עבר עברה:
רוב המקראות: 1–182
ב) התחייב קרבן אשם: 56–60
ג) [פ' חִטֵּא] הקריב קרבן חטאת: 185, 192, 196/7
ד) [כנ"ל] טהר מטומאה: 183, 184, 186–191, 194/5
ה) [כנ"ל] נתן תמורה ל-: 193
ו) [הת' הִתְחַטֵּא] הטהר, טהר עצמו: 198–206
ז) [הפ' הֶחֱטִיא] הביא לידי חטא: 207–235, 237, 238
ח) [כנ"ל] סטה מן המטרה: 236

קרובים: אָשַׁם/בָּגַד/זָדָה/מָעַל/מָרַד/עָוָה/פָּשַׁע/רָשַׁע

חָטָא לְ- 8, 10, 11, 14–24, 40–42, 47, 64, 77, 84, 85, 87, 90, 91–94, 99, 100, 102, 103, 106–109, 111, 114, 117–119, 121, 124, 127, 129, 147, 148, 152, 157, 158, 160, 164, 171, 174, 177–182; חָטָא בְּ- 126, 149, 159, 173; חָטָא עַל- 56, 62, 113; חָטָא מִן- 61, 79; חִטֵּא (אֶת)- 183, 186–197; הֶחֱטִיא (אֶת-) 207–237; הֶחֱטִיא אֶת- לְ- 238

חֲטֹא 1 הִזְהַרְתּוֹ...לְבִלְתִּי חֲטֹא צַדִּיק Ezek. 3:21
בְּחֶטְאָה 2 הַנֶּפֶשׁ הַשֹּׁגֶגֶת בְּחֶטְאָה בִשְׁגָגָה Num. 15:28
לַחֲטֹא 3 וַיַּרְא פַּרְעֹה...וַיֹּסֶף לַחֲטֹא Ex. 9:34
4 מִכֹּל אֲשֶׁר-יַעֲשֶׂה...לַחֲטֹא בָהֵנָּה Lev. 5:22
5 כִּי-הִרְבָּה אֶפְרַיִם מִזְבְּחֹת לַחֲטֹא Hosh. 8:11
6 הָיוּ-לוֹ מִזְבְּחוֹת לַחֲטֹא Hosh. 8:11
7 וְעַתָּה יוֹסִפוּ לַחֲטֹא Hosh. 13:2
8 וַיּוֹסִיפוּ עוֹד לַחֲטֹא-לוֹ Ps. 78:17
9 וְלֹא-נָתַתִּי לַחֲטֹא חִכִּי Job 31:30
מֵחֲטוֹ 10 וָאֶחְשֹׂךְ...אוֹתְךָ מֵחֲטוֹ-לִי Gen. 20:6
מֵחֲטֹא 11 גַּם אָנֹכִי חָלִילָה לִּי מֵחֲטֹא לַיְיָ ISh. 12:23
12 אֶשְׁמְרָה דְרָכַי מֵחֲטוֹא בִלְשׁוֹנִי Ps. 39:2
חֲטֹאתוֹ 13 לֹא יוּכַל לִחְיוֹת בָּהּ בְּיוֹם חֲטֹאתוֹ Ezek. 33:12
חָטָאתִי 14 מֶה-עָשִׂיתָ לָּנוּ וּמֶה-חָטָאתִי לָךְ Gen. 20:9
15 וַיֹּאמֶר אֲלֵהֶם חָטָאתִי הַפָּעַם Ex. 9:27
16 חָטָאתִי לַיְיָ אֱלֹהֵיכֶם וְלָכֶם Ex. 10:16
17 חָטָאתִי לַיְיָ אֱלֹהֵי יִשְׂרָאֵל Josh. 7:20
18 וְאָנֹכִי לֹא-חָטָאתִי לָךְ Jud. 11:27
19 וְלֹא-חָטָאתִי לָךְ ISh. 24:11
20 וַיֹּאמֶר דָּוִד...חָטָאתִי לַיְיָ IISh. 12:13
21 מֶה חָטָאתִי לְךָ וְלַעֲבָדֶיךָ Jer. 37:18
22 זַעַף יְיָ אֶשָּׂא כִּי חָטָאתִי לוֹ Mic. 7:9
23 רְפָאָה נַפְשִׁי כִּי-חָטָאתִי לָךְ Ps. 41:5
24 לְךָ לְבַדְּךָ חָטָאתִי Ps. 51:6
25-39 חָטָאתִי Num. 22:34
ISh. 15:24, 30; 26:21 • IISh. 19:21; 24:10, 17 • IK. 18:9 • IIK. 18:14 • Jer. 2:35 • Job 7:20; 10:14; 33:27 • IICh. 21:8, 17
וְחָטָאתִי 40 וְאֵיךְ אֶעֱשֶׂה...וְחָטָאתִי לֵאלֹהִים Gen. 39:9
41 וְחָטָאתִי לְךָ כָּל-הַיָּמִים Gen. 43:9
42 וְחָטָאתִי לְאָבִי כָּל-הַיָּמִים Gen. 44:32
43 וְאֶעֱשֶׂה-כֵּן וְחָטָאתִי Neh. 6:13
חָטָאתָ 44 מִימֵי הַגִּבְעָה חָטָאתָ יִשְׂרָאֵל Hosh. 10:9
45 אִם-חָטָאתָ מַה-תִּפְעָל-בּוֹ Job 35:6
חָטָא 46 חָטָא הָעָם הַזֶּה חֲטָאָה גְדֹלָה Ex. 32:31
47 מִי אֲשֶׁר חָטָא-לִי אֶמְחֶנּוּ Ex. 32:33
48-53 חַטָּאתוֹ אֲשֶׁר(-)חָטָא Lev. 4:3, 28, 35; 5:6, 13; 19:22
54 הוֹדַע אֵלָיו חַטָּאתוֹ אֲשֶׁר חָטָא בָּהּ Lev. 4:23
55 אוֹ הוֹדַע אֵלָיו חַטָּאתוֹ אֲשֶׁר חָטָא Lev. 4:28
56 וְהִתְוַדָּה אֲשֶׁר חָטָא עָלֶיהָ Lev. 5:5
57 וְהֵבִיא אֶת-אֲשָׁמוֹ אֲשֶׁר חָטָא Lev. 5:7
58/9 וְכִפֶּר...מֵחַטָּאתוֹ אֲשֶׁר-חָטָא Lev. 5:10; 19:22
60 וְהֵבִיא אֶת-קָרְבָּנוֹ אֲשֶׁר-חָטָא Lev. 5:11
61 וְאֵת אֲשֶׁר חָטָא מִן-הַקֹּדֶשׁ Lev. 5:16
62 ...מֵאֲשֶׁר חָטָא עַל-הַנָּפֶשׁ Num. 6:11
63 חָטָא יִשְׂר' וְגַם עָבְרוּ אֶת-בְּרִיתִי Josh. 7:11
64 אַל-יֶחֱטָא...כִּי לוֹא חָטָא לָךְ ISh. 19:4
65/6 אֲשֶׁר חָטָא וַאֲשֶׁר הֶחֱטִיא אֶת-יִשְׂרָאֵל IK. 14:16; 15:30
67/8 חַטֹּאתָיו אֲשֶׁר חָטָא IK. 16:19 • Ezek. 33:16
69 וְיֶתֶר...וְחַטָּאתוֹ אֲשֶׁר חָטָא IIK. 21:17
70 אָבִיךָ הָרִאשׁוֹן חָטָא Is. 43:27
71 וְהוּא לֹא-חָטָא Ezek. 3:21
72 וּבְחַטָּאתוֹ אֲשֶׁר-חָטָא Ezek. 18:24
73/4 בְּכָל-זֹאת לֹא-חָטָא אִיּוֹב Job 1:22; 2:10
75 הֲלוֹא עַל-אֵלֶּה חָטָא-שְׁלֹמֹה Neh. 13:26
חָטְאָה 76 חֵטְא חָטְאָה יְרוּשָׁלַםִ Lam. 1:8
חָטָאָה 77 כִּי לַיְיָ חָטָאָה Jer. 50:14
78 כַּחֲצִי חַטֹּאתַיִךְ לֹא חָטָאָה Ezek. 16:51
וְחָטְאָה 79 וְחָטְאָה בִּשְׁגָגָה מִקָּדְשֵׁי יְיָ Lev. 5:15
וְחָטָאת 80 עֲבָדֶיךָ מֻכִּים וְחָטָאת עַמֶּךָ Ex. 5:16
חָטָאנוּ 81 אֲשֶׁר נוֹאַלְנוּ וַאֲשֶׁר חָטָאנוּ Num. 12:11
82 הִנֶּנּוּ וְעָלִינוּ...כִּי חָטָאנוּ Num. 14:40
83 חָטָאנוּ כִּי-דִבַּרְנוּ בַיְיָ וָבָךְ Num. 21:7
84 וַתַּעֲנוּ וַתֹּאמְרוּ אֵלַי חָטָאנוּ לַיְיָ Deut. 1:41
85 וַיִּזְעֲקוּ...לֵאמֹר חָטָאנוּ לָךְ Jud. 10:10
86 וַיֹּאמְרוּ בְנֵי-יִשְׂ' אֶל-יְיָ חָטָאנוּ Jud. 10:15
87 וַיֹּאמְרוּ שָׁם חָטָאנוּ לַיְיָ ISh. 7:6
88 וַיִּזְעֲקוּ אֶל-יְיָ וַיֹּאמְרוּ חָטָאנוּ ISh. 12:10
89 חָטָאנוּ וְהֶעֱוִינוּ רָשָׁעְנוּ IK. 8:47
90 הֲלוֹא יְיָ זוּ חָטָאנוּ לוֹ Is. 42:24
91 כִּי לַיְיָ אֱלֹהֵינוּ חָטָאנוּ Jer. 3:25
92 כִּי חָטָאנוּ לַיְיָ Jer. 8:14
93 רַבּוּ מְשׁוּבֹתֵינוּ לְךָ חָטָאנוּ Jer. 14:7
94 יָדַעְנוּ...כִּי חָטָאנוּ לָךְ Jer. 14:20
95 וּמֶה חַטָּאתֵנוּ אֲשֶׁר חָטָאנוּ Jer. 16:10
96 חָטָאנוּ עִם-אֲבוֹתֵינוּ הֶעֱוִינוּ Ps. 106:6
97 אוֹי-נָא לָנוּ כִּי חָטָאנוּ Lam. 5:16
98 חָטָאנוּ וְעָוִינוּ הִרְשַׁעְנוּ Dan. 9:5
99 יְיָ...אֲשֶׁר חָטָאנוּ לָךְ Dan. 9:8
100 כִּי חָטָאנוּ לוֹ Dan. 9:11
101 חָטָאנוּ רָשָׁעְנוּ Dan. 9:15
102/3 חָטָאנוּ לָךְ וַאֲנִי וּבֵית-אָבִי חָטָאנוּ Neh. 1:6
104 חָטָאנוּ הֶעֱוִינוּ וְרָשָׁעְנוּ IICh. 6:37
חֲטָאתֶם 105 אַתֶּם חֲטָאתֶם חֲטָאָה גְדֹלָה Ex. 32:30
106-109 חֲטָאתֶם לַיְיָ Num. 32:23
Deut. 9:16 • Jer. 40:3; 44:23
110 עַל כָּל-חַטַּאתְכֶם אֲשֶׁר חֲטָאתֶם Deut. 9:18
וַחֲטָאתֶם 111 וַחֲטָאתֶם לַיְיָ אֱלֹהֵיכֶם Deut. 20:18
חָטְאוּ 112 חָטְאוּ מַשְׁקֵה מֶלֶךְ-מִצְ' וְהָאֹפֶה Gen. 40:1
113 הַחַטָּאת אֲשֶׁר חָטְאוּ עָלֶיהָ Lev. 4:14

חָטְאוּ 114 וְסָלַחְתָּ לְעַמְּךָ אֲשֶׁר חָטְאוּ־לָךְ IK.8:50
115 אֲשֶׁר חָטְאוּ וַאֲשֶׁר הֶחֱטִיאוּ IK.16:13
116 וַיְהִי כִּי־חָטְאוּ בְנֵי־יִשְׂרָאֵל IIK.17:7
117 מִכָּל־עֲוֹנָם אֲשֶׁר חָטְאוּ־לִי Jer.33:8
118 אֲשֶׁר חָטְאוּ־לִי וַאֲשֶׁר פָּשְׁעוּ בִי Jer.33:8
119 תַּחַת אֲשֶׁר חָטְאוּ לַיְיָ Jer.50:7
120 מוֹשְׁבֹתֵיהֶם אֲשֶׁר חָטְאוּ בָהֶם Ezek.37:23
121 כְּרֻבָּם כֵּן חָטְאוּ־לִי Hosh.4:7
122 בְּכָל־זֹאת חָטְאוּ־עוֹד Ps.78:32
123 אוּלַי חָטְאוּ בָנַי Job 1:5
124 אִם־בָּנֶיךָ חָטְאוּ־לוֹ Job 8:4
125 אֲבֹתֵינוּ חָטְאוּ וְאֵינָם° Lam.5:7
126 וּבְמִשְׁפָּטֶיךָ חָטְאוּ־בָם Neh.9:29
127 וְסָלַחְתָּ לְעַמְּךָ אֲשֶׁר חָטְאוּ־לָךְ IICh.6:39
חָטָאוּ 128 בְּחַטֹּאתָם אֲשֶׁר חָטָאוּ IK.14:22
129 כִּי לַיְיָ חָטָאוּ Zep.1:17
130 שְׁאוֹל חָטָאוּ Job 24:19
חוֹטֵא 131 הוֹי גּוֹי חֹטֵא עַם כֶּבֶד עָוֹן Is.1:4
132 וְצָפוּן לַצַּדִּיק חֵיל חוֹטֵא Prov.13:22
133 בָּז־לְרֵעֵהוּ חוֹטֵא Prov.14:21
134 וְאָץ בְּרַגְלַיִם חוֹטֵא Prov.19:2
135 מִתְעַבְּרוֹ חוֹטֵא נַפְשׁוֹ Prov.20:2
חוֹטֶא 136 אֲשֶׁר חֹטֶא עֹשֶׂה רָע Eccl.8:12
וְחוֹטֵא 137 קְצוֹת־עַמִּים רַבִּים וְחוֹטֵא נַפְשֶׁךָ Hab.2:10
138 ...אַף כִּי־רָשָׁע וְחוֹטֵא Prov.11:31
139 וְחוֹטֵא יִלָּכֶד בָּהּ Eccl.7:26
וְחוֹטֶא 140 וְחוֹטֶא אֶחָד יְאַבֵּד טוֹבָה הַרְבֵּה Eccl.9:18
וְהַחוֹטֶא 141 וְהַחוֹטֶא בֶּן־מֵאָה שָׁנָה יְקֻלָּל Is.65:20
כַּחוֹטֶא 142 מִקְרֶה אֶחָד...כַּטּוֹב כַּחֹטֶא Eccl.9:2
וְלַחוֹטֶא 143 וְלַחוֹטֶא נָתַן עִנְיָן לֶאֱסוֹף וְלִכְנוֹס Eccl.2:26
וְחֹטְאִי 144 וְחֹטְאִי חֹמֵס נַפְשׁוֹ Prov.8:36
הַחוֹטֵאת 145/6 הַנֶּפֶשׁ הַחֹטֵאת הִיא תָמוּת Ezek.18:4,20
חוֹטְאִים 147 הִנֵּה הָעָם חֹטְאִים לַיְיָ ISh.14:33
אֶחֱטָא 148 לְמַעַן לֹא אֶחֱטָא־לָךְ Ps.119:11
תֶּחֱטָא 149 וְלָמָּה תֶחֱטָא בְּדָם נָקִי ISh.19:5
150 וּפָקַדְתָּ נָוְךָ וְלֹא תֶחֱטָא Job 5:24
וַתֶּחֱטָא 151 מָלוּ תוֹכְךָ חָמָס וַתֶּחֱטָא Ezek.28:16
יֶחֱטָא 152 אִם הַכֹּהֵן...יֶחֱטָא לְאַשְׁמַת הָעָם Lev.4:3
153 אֲשֶׁר נָשִׂיא יֶחֱטָא Lev.4:22
154 וְהָיָה כִּי־יֶחֱטָא וְאָשֵׁם Lev.5:23
155 הָאִישׁ אֶחָד יֶחֱטָא Num.16:22
156 בְּכָל־חֵטְא אֲשֶׁר יֶחֱטָא Deut.19:15
157 אִם־יֶחֱטָא אִישׁ לְאִישׁ ISh.2:25
158 וְאִם לַיְיָ יֶחֱטָא־אִישׁ ISh.2:25
159 אַל־יֶחֱטָא הַמֶּלֶךְ בְּעַבְדּוֹ ISh.19:4
160 אֲשֶׁר יֶחֱטָא אִישׁ לְרֵעֵהוּ IK.8:31
161/2 אֵין אָדָם אֲשֶׁר לֹא־יֶחֱטָא IK.8:46 • IICh.6:36
163 אֲשֶׁר יַעֲשֶׂה־טּוֹב וְלֹא יֶחֱטָא Eccl.7:20
164 אִם־יֶחֱטָא אִישׁ לְרֵעֵהוּ IICh.6:22
תֶּחֱטָא 165/6 נֶפֶשׁ כִּי־תֶחֱטָא Lev.4:2; 5:21
167/8 וְאִם־נֶפֶשׁ אַחַת תֶּחֱטָא בִשְׁגָגָה Lev.4:27 Num.15:27
169/70 (וְ)נֶפֶשׁ כִּי־תֶחֱטָא Lev.5:1,17
171 אֶרֶץ כִּי תֶחֱטָא־לִי לִמְעָל־מַעַל Ezek.14:12
וַנֶּחֱטָא 172 הֵן־אַתָּה קָצַפְתָּ וַנֶּחֱטָא Is.64:4
תֶּחֶטְאוּ 173 אַל־תֶּחֶטְאוּ בַיֶּלֶד Gen.42:22
174 וְלֹא־תֶחֶטְאוּ לַיְיָ לֶאֱכֹל אֶל־הַדָּם ISh.14:34
תֶּחֱטָאוּ 175 תִּהְיֶה יִרְאָתוֹ...לְבִלְתִּי תֶחֱטָאוּ Ex.20:17
176 רִגְזוּ וְאַל־תֶּחֱטָאוּ Ps.4:5
יֶחֶטְאוּ 177 בְּהִנָּגֵף...אֲשֶׁר יֶחֶטְאוּ־לָךְ IK.8:33
178-182 כִּי יֶחֶטְאוּ־לָךְ IK.8:35,46 IICh.6:24,26,36

לְחַטֵּא 183 וְלָקַח לְחַטֵּא אֶת־הַבַּיִת Lev.14:49
מְחַטֵּא 184 בְּכַלּוֹתְךָ מֵחַטֵּא תַּקְרִיב Ezek.43:23
וְחִטֵּאתָ 185 וְחִטֵּאתָ עַל־הַמִּזְבֵּחַ Ex.29:36
186 וְחִטֵּאתָ אוֹתוֹ וְכִפַּרְתָּהוּ Ezek.43:20
187 וְחִטֵּאתָ אֶת־הַמִּקְדָּשׁ Ezek.45:18
וְחִטֵּא 188 וְחִטֵּא אֶת־הַבַּיִת בְּדַם הַצִּפּוֹר Lev.14:52
וְחִטְּאוֹ 189 וְחִטְּאוֹ בַּיּוֹם הַשְּׁבִיעִי Num.19:19
חִטְּאוּ 190 כַּאֲשֶׁר חִטְּאוּ בַּפָּר Ezek.43:22
וְחִטְּאוּ 191 וְחִטְּאוּ אֶת־הַמִּזְבֵּחַ Ezek.43:22
הַמְחַטֵּא 192 הַמְחַטֵּא אֹתָהּ יֹאכְלֶנָּה Lev.6:19
אֲחַטֶּנָּה 193 אָנֹכִי אֲחַטֶּנָּה מִיָּדִי תְּבַקְשֶׁנָּה Gen.31:39
תְּחַטְּאֵנִי 194 תְּחַטְּאֵנִי בְאֵזוֹב וְאֶטְהָר Ps.51:9
וַיְחַטֵּא 195 וַיְחַטֵּא אֶת־הַמִּזְבֵּחַ Lev.8:15
וַיְחַטְּאֵהוּ 196 וַיִּשְׁחָטֵהוּ וַיְחַטְּאֵהוּ כָּרִאשׁוֹן Lev.9:15
וַיְחַטְּאוּ 197 וַיְחַטְּאוּ אֶת־דָּמָם הַמִּזְבֵּחָה IICh.29:24
יִתְחַטָּא 198 הוּא יִתְחַטָּא־בוֹ בַּיּוֹם הַשְּׁלִישִׁי Num.19:12
199 וְאִם־לֹא יִתְחַטָּא בַּיּוֹם הַשְּׁלִישִׁי Num.19:12
200 כָּל־הַנֹּגֵעַ...וְלֹא יִתְחַטָּא Num.19:13
201 וְאִישׁ אֲשֶׁר־יִטְמָא וְלֹא יִתְחַטָּא Num.19:20
202 אַךְ בְּמֵי נִדָּה יִתְחַטָּא Num.31:23
תִּתְחַטְּאוּ 203 תִּתְחַטְּאוּ בַּיּוֹם הַשְּׁלִישִׁי Num.31:19
תִּתְחַטָּאוּ 204 וְכָל־בֶּגֶד...תִּתְחַטָּאוּ Num.31:20
יִתְחַטָּאוּ 205 מִשֵּׂתוֹ יָגוּרוּ...מִשְּׁבָרִים יִתְחַטָּאוּ Job 41:17
וַיִּתְחַטְּאוּ 206 וַיִּתְחַטְּאוּ הַלְוִיִּם וַיְכַבְּסוּ בִּגְדֵיהֶם Num.8:21
הַחֲטִי(א) 207 לְמַעַן הַחֲטִי° אֶת־יְהוּדָה Jer.32:35
לְהַחֲטִיא 208 לְהַחֲטִיא אֶת־יִשְׂרָאֵל IK.16:19
לַחֲטִיא 209 אַל־תִּתֵּן...לַחֲטִיא אֶת־בְּשָׂרֶךָ Eccl.5:5
הֶחֱטִיא 210-211 אֲשֶׁר חָטָא וַאֲשֶׁר הֶחֱטִיא אֶת־יִשְׂרָאֵל IK.14:16; 15:30
212-226 אֲשֶׁר הֶחֱטִיא אֶת־יִשְׂרָאֵל IK.15:26,34 16:26; 22:53 • IIK.3:3; 10:29,31; 13:2,11; 14:24; 15:9,18,24,28; 23:15
227 אֲשֶׁר־הֶחֱטִי° אֶת־יִשְׂרָאֵל IIK.13:6
228 אֲשֶׁר הֶחֱטִיא אֶת־יְהוּדָה IIK.21:16
וְהֶחֱטִיאָם 229 וְהֶחֱטִיאָם חֲטָאָה גְדוֹלָה IIK.17:21
הֶחֱטִיאוּ 230 וַאֲשֶׁר הֶחֱטִיאוּ אֶת־יִשְׂרָאֵל IK.16:13
231 גַּם־אוֹתוֹ הֶחֱטִיאוּ הַנָּשִׁים הַנָּכְרִיּוֹת Neh.13:26
מַחֲטִיאֵי־ 232 מַחֲטִיאֵי אָדָם בְּדָבָר Is.29:21
תַחֲטִיא 233 וְלֹא תַחֲטִיא אֶת־הָאָרֶץ Deut.24:4
וַתַּחֲטִיא 234 וַתַּחֲטִא אֶת־עַמִּי יִשְׂרָאֵל IK.16:2
235 וַתַּחֲטִא אֶת־יִשְׂרָאֵל IK.21:22
יַחֲטִיא 236 קֹלֵעַ...אֶל־הַשַּׂעֲרָה וְלֹא יַחֲטִא Jud.20:16
וַיַּחֲטִיא 237 וַיַּחֲטִא גַם־אֶת־יְהוּדָה בְּגִלּוּלָיו IIK.21:11
יַחֲטִיאוּ 238 פֶּן־יַחֲטִיאוּ אֹתְךָ לִי Ex.23:33

חַטָּא*

תו"ז חוטא, רגיל בחטא: 1–19

קרובים: אָשֵׁם / בְּלִיַּעַל / זֵד / חוֹטֵא / חוֹמֵץ / מְעַוֵּל / מֵרַע / נָבָל / נוֹכֵל / נָלוֹז / עַוָּל / עָרִיץ / פּוֹשֵׁעַ / פָּרִיץ / רַע / רָשָׁע

הַחַטָּאָה 1 עֵינֵי אֲדֹנָי יְיָ בַּמַּמְלָכָה הַחַטָּאָה Am.9:8
חַטָּאִים 2 תַּרְבּוּת אֲנָשִׁים חַטָּאִים Num.32:14
3 וְהָיִיתִי אֲנִי וּבְנִי שְׁלֹמֹה חַטָּאִים IK.1:21
4 פָּחֲדוּ בְצִיּוֹן חַטָּאִים Is.33:14
5 וּבְדֶרֶךְ חַטָּאִים לֹא עָמָד Ps.1:1
6 עַל־כֵּן יוֹרֶה חַטָּאִים בַּדָּרֶךְ Ps.25:8
7 אַל־תֶּאֱסֹף עִם־חַטָּאִים נַפְשִׁי Ps.26:9
8 יִתַּמּוּ חַטָּאִים מִן־הָאָרֶץ Ps.104:35
9 אִם־יְפַתּוּךָ חַטָּאִים אַל־תֹּבֵא Prov.1:10
10 חַטָּאִים תְּרַדֵּף רָעָה Prov.13:21
וְחַטָּאִים 11 וְאַנְשֵׁי סְדֹם רָעִים וְחַטָּאִים לַיְיָ Gen.13:13
12 וְשֶׁבֶר פֹּשְׁעִים וְחַטָּאִים יַחְדָּו Is.1:28
13 לֹא־יָקֻמוּ...וְחַטָּאִים בַּעֲדַת צַדִּיקִים Ps.1:5
14 וְחַטָּאִים אֵלֶיךָ יָשׁוּבוּ Ps.51:15
הַחַטָּאִים 15 הַחַטָּאִים הָאֵלֶּה בְּנַפְשֹׁתָם Num.17:3
16 וְהַחֲרַמְתָּה אֶת־הַחַטָּאִים ISh.15:18
בַּחַטָּאִים 17 אַל־יְקַנֵּא לִבְּךָ בַּחַטָּאִים Prov.23:17
חַטָּאֵי־ 18 בַּחֶרֶב יָמוּתוּ כֹּל חַטָּאֵי עַמִּי Am.9:10
וְחַטָּאֶיהָ 19 וְחַטָּאֶיהָ יַשְׁמִיד מִמֶּנָּה Is.13:9

חֵטְא

ז׳ א) עבירה על מצוה, עוון: רוב המקראות 1–33
ב) אשמה: 5–7, 16
ג) עונש של עבירה: 1–4, 14, 17–18

קרובים: אָוֶן / אָשָׁם / אַשְׁמָה / חֲטָאָה / חַטָּאָה / חַטָּאת / מַעַל / עָוֶל / עַוְלָה / עָוֹן / פֶּשַׁע

חֵטְא מָוֶת 14; חֵטְא רַבִּים 15; חֲטָאִים גְּדוֹלִים 24; חֲטָאֵי גִלּוּלָיו 26; חֲטָאֵי יָרָבְעָם 25

חֵטְא 1 וְלֹא־תִשָּׂא עָלָיו חֵטְא Lev.19:17
2 וְלֹא־יִשְׂאוּ עָלָיו חֵטְא Lev.22:9
3 וְלֹא־יִקְרְבוּ...לָשֵׂאת חֵטְא לָמוּת Num.18:22
4 וְלֹא־תִשְׂאוּ עָלָיו חֵטְא Num.18:32
5-7 וְהָיָה בְךָ חֵטְא Deut.15:9; 23:22; 24:15
8 בְּכָל־חֵטְא אֲשֶׁר יֶחֱטָא Deut.19:15
9 יִהְיֶה בְאִישׁ חֵטְא מִשְׁפַּט־מָוֶת Deut.21:22
10 וְכִי תֶחְדַּל לִנְדֹּר לֹא־יִהְיֶה בְךָ חֵטְא Deut.23:23
11 אֲשֶׁר עָשׂוּ לָכֶם יְדֵיכֶם חֵטְא Is.31:7
12 לֹא יִמְצְאוּ־לִי עָוֹן אֲשֶׁר־חֵטְא Hosh.12:9
13 חֵטְא חָטְאָה יְרוּשָׁלִַם Lam.1:8
חֵטְא־ 14 אֵין לַנַּעֲרָ חֵטְא מָוֶת Deut.22:26
15 וְהוּא חֵטְא־רַבִּים נָשָׂא Is.53:12
וּבְחֵטְא 16 וּבְחֵטְא יֶחֱמַתְנִי אִמִּי Ps.51:7
חֶטְאוֹ 17 אִישׁ כִּי־יְקַלֵּל אֱלֹהָיו וְנָשָׂא חֶטְאוֹ Lev.24:15
18 חֶטְאוֹ יִשָּׂא הָאִישׁ הַהוּא Num.9:13
בְּחֶטְאוֹ 19 כִּי־בְחֶטְאוֹ מֵת Num.27:3
20 אִישׁ בְּחֶטְאוֹ יוּמָתוּ Deut.24:16
21 כִּי אִם־אִישׁ בְּחֶטְאוֹ יוּמָת° IIK.14:6
22 כִּי אִישׁ בְּחֶטְאוֹ יָמוּתוּ IICh.25:4
חֶטְאָם 23 חֶטְאָם יִשָּׂאוּ עֲרִירִים יָמֻתוּ Lev.20:20
חֲטָאִים 24 כִּי מַרְפֵּא יַנִּיחַ חֲטָאִים גְּדוֹלִים Eccl.10:4
חֲטָאֵי־ 25 רַק חֲטָאֵי יָרָבְעָם בֶּן־נְבָט... IIK.10:29
וַחֲטָאֵי־ 26 וַחֲטָאֵי גִלּוּלֵיכֶן תִּשֶּׂאינָה Ezek.23:49
חֲטָאַי 27 אֶת־חֲטָאַי אֲנִי מַזְכִּיר הַיּוֹם Gen.41:9
חֲטָאָי 28 הִשְׁלַכְתָּ אַחֲרֵי גֵוְךָ כָּל־חֲטָאָי Is.38:17
מֵחֲטָאָי 29 הַסְתֵּר פָּנֶיךָ מֵחֲטָאָי Ps.51:11
חֲטָאָיו 30 מַה־יִּתְאוֹנֵן...גֶּבֶר עַל־חֲטָאָו Lam.3:39
בַּחֲטָאֵינוּ 31 בַּחֲטָאֵינוּ וּבַעֲוֹנוֹת אֲבֹתֵינוּ Dan.9:16
כַּחֲטָאֵינוּ 32 לֹא כַחֲטָאֵינוּ עָשָׂה לָנוּ Ps.103:10
חֲטָאֵיכֶם 33 אִם־יִהְיוּ חֲטָאֵיכֶם כַּשָּׁנִים Is.1:18

חֲטָא

ז׳ ארמית: חטא

וַחֲטָאָךְ 1 וַחֲטָאָךְ (כת׳ וחטיך) בְּצִדְקָה פְרֻק Dan.4:24

חֲטָאָה

נ׳ א) עבירה: 1–6, 8
ב) קרבן חטאת: 7

חֲטָאָה גְדוֹלָה 1–5; כְּסוּי חֲטָאָה 6

חֲטָאָה 1 כִּי־הֵבֵאתָ עָלַי...חֲטָאָה גְדֹלָה Gen.20:9
2 כִּי־הֵבֵאתָ עָלָיו חֲטָאָה גְדֹלָה Ex.32:21
3 אַתֶּם חֲטָאתֶם חֲטָאָה גְדֹלָה Ex.32:30
4 חָטָא הָעָם הַזֶּה חֲטָאָה גְדֹלָה Ex.32:31
5 וְהֶחֱטִיאָם חֲטָאָה גְדוֹלָה IIK.17:21
6 אַשְׁרֵי נְשׂוּי־פֶּשַׁע כְּסוּי חֲטָאָה Ps.32:1
וַחֲטָאָה 7 עוֹלָה וַחֲטָאָה לֹא שָׁאָלְתָּ Ps.40:7
לַחֲטָאָה 8 וּתְפִלָּתוֹ תִּהְיֶה לַחֲטָאָה Ps.109:7

חַטָּאָה[1] נ׳ חֵטְא: 1–73 • קרובים: ראה חֵטְא

חַטֹּאת אָבִיו 15, 19; חַ׳ הָאָדָם 6; חַ׳ אֵלֶּה 22; חַטֹּאת בֵּית יָרָבְעָם 27; חַ׳ בֵּית יִשְׂרָאֵל 26; חַטֹּאת בְּ״יְ 21; חַ׳ בַּעְשָׁא 16, 22; חַ׳ יָרָבְעָם 7–14, 17, 23, 24, 28, 29; חַטֹּאת מְנַשֶּׁה 25; חַטֹּאת נְבִיאִים 30; חַטֹּאת נְעוּרִים 20

חֲטָאָה 1 וְכַעֲבוֹת הָעֲגָלָה חֲטָאָה Is. 5:18
וַחֲטָאָה 2 נֹשֵׂא עָוֺן וָפֶשַׁע וְחַטָּאָה Ex. 34:7
חַטָּאוֹת 3 כֶּסֶף אָשָׁם וְכֶסֶף חַטָּאוֹת IIK. 12:17
וְחַטָּאוֹת 4 כַּמָּה לִי עֲוֺנוֹת וְחַטָּאוֹת Job 13:23
וְלַחַטָּאוֹת 5 וְלַקֳּדָשִׁים וְלַחַטָּאוֹת לְכַפֵּר... Neh. 10:34
חַטֹּאת־ 6 כִּי יַעֲשׂוּ מִכָּל־חַטֹּאת הָאָדָם Num. 5:6
7-14 חַטֹּאות יָרָבְעָם... IK. 14:16; 15:30
IIK. 10:31; 13:11; 14:24; 15:18, 28; 17:22
15 וַיֵּלֶךְ בְּכָל־חַטֹּאות אָבִיו... IK. 15:3
16 אֶל כָּל־חַטֹּאות בַּעְשָׁא... IK. 16:13
17 וַיֵּלֶךְ אַחַר חַטֹּאת יָרָבְעָם בֶּן־נְבָט IIK. 13:2
18 יְבֻקַּשׁ...וְאֶת־חַטֹּאת יְהוּדָה Jer. 50:20
19 וַיַּרְא אֶת־כָּל־חַטֹּאת אָבִיו Ezek. 18:14
20 חַטֹּאות נְעוּרַי וּפְשָׁעַי אַל־תִּזְכֹּר Ps. 25:7
21 וּמִתְוַדֶּה עַל־חַטֹּאות בְּנֵי־יִשְׂרָאֵל Neh. 1:6
וְחַטֹּאת־ 22 כָּל־חַטֹּאות בַּעְשָׁא וְחַטֹּאות אֵלָה IK. 16:13
בְּחַטֹּאת־ 23/4 בְּחַטֹּאות יָרָבְעָם IK. 16:31 • IIK. 3:3
25 בְּחַטֹּאת מְנַשֶּׁה כְּכֹל אֲשֶׁר עָשָׂה IIK. 24:3
וּבְחַטֹּאת־ 26 בְּפֶשַׁע...וּבְחַטֹּאות בֵּית יִשְׂרָאֵל Mic. 1:5
מֵחַטֹּאת־ 27 לֹא־סָרוּ מֵחַטֹּאת בֵּית־יָרָבְעָם IIK. 13:6
28/9 לֹא סָר מֵחַטֹּאות יָרָבְעָם IIK. 15:9, 24
30 מֵחַטֹּאת נְבִיאֶיהָ עֲוֺנֹת כֹּהֲנֶיהָ Lam. 4:13
חַטֹּאתָי 31 וְשָׂא לְכָל־חַטֹּאותָי Ps. 25:18
חַטֹּאתֶיךָ 32 מָחִיתִי...וְכֶעָנָן חַטֹּאותֶיךָ Is. 44:22
33 וּבְכָל־חַטֹּאותֶיךָ וּבְכָל־גְּבוּלֶיךָ Jer. 15:13
34 הַשְׁמֵם עַל־חַטֹּאתֶךָ Mic. 6:13
וְחַטֹּאתֶיךָ 35 וְחַטֹּאתֶיךָ לֹא אֶזְכֹּר Is. 43:25
בְּחַטֹּאתֶיךָ 36 אַךְ הֶעֱבַדְתַּנִי בְּחַטֹּאותֶיךָ Is. 43:24
חַטֹּאתַיִךְ 37 עַל רֹב עֲוֺנֵךְ עָצְמוּ חַטֹּאתַיִךְ Jer. 30:15
38 כַּחֲצִי חַטֹּאתַיִךְ לֹא חָטָאָה Ezek. 16:51
חַטֹּאתָיִךְ 39 עַל רֹב עֲוֺנֵךְ עָצְמוּ חַטֹּאתָיִךְ Jer. 30:14
40 גִּלָּה עַל־חַטֹּאתָיִךְ Lam. 4:22
בְּחַטֹּאתַיִךְ 41 בְּחַטֹּאתַיִךְ אֲשֶׁר־הִתְעַבְתְּ מֵהֵן Ezek. 16:52
חַטֹּאתֶיהָ 42 לָקְחָה...כִּפְלַיִם בְּכָל־חַטֹּאתֶיהָ Is. 40:2
חַטֹּאתֵינוּ 43 כִּי־יָסַפְנוּ עַל־כָּל־חַטֹּאתֵינוּ רָעָה ISh. 12:19
44 וְכַפֵּר עַל־חַטֹּאתֵינוּ לְמַעַן שְׁמֶךָ Ps. 79:9
45 לְהֹסִיף עַל־חַטֹּאתֵנוּ IICh. 28:13
וְחַטֹּאתֵינוּ 46 וְחַטֹּאותֵינוּ עָנְתָה בָּנוּ Is. 59:12
47 כִּי־פְשָׁעֵינוּ וְחַטֹּאתֵינוּ עָלֵינוּ Ezek. 33:10
חַטֹּאתָיו 48 עַל־חַטֹּאתָיו אֲשֶׁר חָטָא IK. 16:19
49 מִכָּל־חַטֹּאתָו אֲשֶׁר עָשָׂה Ezek. 18:21
50 כָּל־חַטֹּאתָו אֲשֶׁר חָטָא Ezek. 33:16
בְּחַטֹּאתֵינוּ 51 נָתַתָּה עָלֵינוּ בְּחַטֹּאותֵינוּ Neh. 9:37
חַטֹּאתֵיכֶם 52 מִכֹּל חַטֹּאתֵיכֶם לִפְנֵי יְיָ תִּטְהָרוּ Lev. 16:30
53 לְיַסְּרָה...שֶׁבַע עַל־חַטֹּאתֵיכֶם Lev. 26:18
54/5 ...שֶׁבַע עַל־חַטֹּאתֵיכֶם Lev. 26:24, 28
56 לְהֵרָאוֹת חַטֹּאותֵיכֶם Ezek. 21:29
57 רַבִּים פִּשְׁעֵיכֶם וַעֲצֻמִים חַטֹּאתֵיכֶם Am. 5:12
וְחַטֹּאתֵיכֶם 58 וְחַטֹּאותֵיכֶם הִסְתִּירוּ פָנִים מִכֶּם Is. 59:2
59 וְחַטֹּאותֵיכֶם מָנְעוּ הַטּוֹב מִכֶּם Jer. 5:25
כְּחַטֹּאתֵיכֶם 60 מַכָּה שֶׁבַע כְּחַטֹּאתֵיכֶם Lev. 26:21
וּלְחַטֹּאתֵיכֶם 61 לֹא־יִשָּׂא...וּלְחַטֹּאותֵיכֶם Josh. 24:19
חַטֹּאתָם 62 וּמִפִּשְׁעֵיהֶם לְכָל־חַטֹּאתָם Lev. 16:16
63 כָּל־פִּשְׁעֵיהֶם לְכָל־חַטֹּאתָם Lev. 16:21
64 לְכַפֵּר עַל־בְּ״יְ מִכָּל־חַטֹּאתָם Lev. 16:34

חַטֹּאתָם (המשך) 65 פֶּן־תִּסָּפוּ בְּכָל־חַטֹּאתָם Num. 16:26
66 וְהַגֵּד...וּלְבֵית יַעֲקֹב חַטֹּאתָם Is. 58:1
67-69 יִזְכֹּר עֲוֺנָם (וְ)יִפְקֹד חַטֹּאתָם Jer. 14:10
Hosh. 8:13; 9:9
70 וְתַשְׁלִיךְ בִּמְצֻלוֹת יָם כָּל־חַטֹּאתָם Mic. 7:19
בְּחַטֹּאתָם 71 בְּחַטֹּאתָם אֲשֶׁר חָטָאוּ IK. 14:22
72 לְהַכְעִיסֵנִי בְּחַטֹּאתָם IK. 16:2
חַטֹּאתֵיהֶם 73 וַיִּתְוַדּוּ עַל־חַטֹּאתֵיהֶם Neh. 9:2

חַטָּאָה[2] נ׳ ארמית, כמו בעברית

לְחַטָּאָה 1 לְחַטָּאָה (כת׳ לחטיא) עַל־כָּל־יִשְׂרָאֵל Ez. 10:17

חַטָּאת נ׳ (ז׳ – 1-4) א) חֵטְא, חֲטָאָה: 18, 30–33, 36–40, 43, 78, 79, 81, 83, 113, 131–133, 135–164, 166-175, 177, 178-200, 202-205, 207-211, 213-221

ב) עונש על חטא: 201

ג) קרבן לכפר על חטא: 2–17, 19–29, 34, 35, 41, 42, 44–77, 80, 82, 84–112, 114–130, 134, 165, 176, 179, 206, 212

קרובים: ראה חֵטְא

– דַּם הַחַטָּאת 85, 86, 90, 115; חֵלֶב הַחַ׳ 111; עֵגֶל הַחַ׳ 101; פַּר הַחַ׳ 35, 82, 84, 93-100; צְפִירֵי הַחַ׳ 41; רֹאשׁ הַחַ׳ 87, 88; רֵאשִׁית חַ׳ 33; שְׂעִיר חַ׳ 19–24, 34, 103–106, 117; שְׂרֵפַת הַחַ׳ 112; תּוֹרַת הַחַ׳ 91

– חַטַּאת אֵם 140; חַ׳ בֵּית יָרָבְעָם 144; חַ׳ גּוֹיִם 139; חַטַּאת יְהוּדָה 133; חַטַּאת יִשְׂרָאֵל 135; חַטַּאת כִּפֻּרִים 128, 130; חַטַּאת מִצְרַיִם 137; חַטַּאת הַנְּעָרִים 131; חַ׳ נַפְשׁוֹ 136; חַ׳ סְדוֹם 147; חַ׳ עֲבָדָיו 143, 146; חַ׳ הָעָם 134, 141, 142, 145; חַ׳ פִּיו 138; חַ׳ הַקָּהָל 129; חַ׳ קֶסֶם 132

– אָכַל חַטָּאת 10, 108; הִגִּיד חַ׳ 213; הִקְרִיב חַ׳ 179, 206; הִתְוַדָּה חַ׳ 157, 207; כָּבְדָה חַ׳ 210; כִּסָּה חַ׳ 209; מָחָה חַ׳ 215, 216; נָשָׂא חַ׳ 149, 150, 204; עָשָׂה חַ׳ 15, 107, 110, 114; פָּקַד חַ׳ 205; צְפוּנָה חַ׳ 180; רֹבֵץ חַ׳ 1; שָׁת חַ׳ 18

חַטָּאת 1 לַפֶּתַח חַטָּאת רֹבֵץ Gen. 4:7
2-4 חַטָּאת הוּא Ex. 29:14 • Lev. 4:24; 5:9
5 וּפַר חַטָּאת תַּעֲשֶׂה לַיּוֹם Ex. 29:36
6-8 חַטָּאת הִוא Lev. 5:11, 12 • Num. 19:9
9 וְכָל־חַטָּאת אֲשֶׁר יוּבָא מִדָּמָהּ Lev. 6:23
10 ...וְאָכַלְתִּי חַטָּאת הַיּוֹם Lev. 10:19
11-12 אֶחָד חַטָּאת וְהָאֶחָד עֹלָה Lev. 14:22; 15:15
13-14 אֶת־הָאֶחָד חַטָּאת Lev. 14:31; 15:30
15 וְהִקְרִיב...וְעָשָׂהוּ חַטָּאת Lev. 16:9
16 הַזֵּה עֲלֵיהֶם מֵי חַטָּאת Num. 8:7
17 וַעֲשֵׂה אֶת־הָאֶחָד חַטָּאת Num. 8:12
18 אַל־נָא תָשֵׁת עָלֵינוּ חַטָּאת Num. 12:11
19-24 וּשְׂעִיר חַטָּאת אֶחָד Num. 28:22
29:22, 28, 31, 34, 38
25-29 (וּ)שְׂעִיר־עִזִּים אֶחָד חַטָּאת
Num. 29:5, 11, 16, 19, 25
30 לְכָל־עָוֺן וּלְכָל־חַטָּאת Deut. 19:15
31-32 לְמַעַן סְפוֹת חַטָּאת עַל־חַטָּאת Is. 30:1
33 רֵאשִׁית חַטָּאת הִיא לְבַת־צִיּוֹן Mic. 1:13
34 תַּעֲשֶׂה שְׂעִיר־חַטָּאת לַיּוֹם Ezek. 43:25
35 וְעָשָׂה הַנָּשִׂיא...פַּר חַטָּאת Ezek. 45:22
36 וְרִשְׁעָה תְּסַלֵּף חַטָּאת Prov. 13:6
37 וְחֶסֶד לְאֻמִּים חַטָּאת Prov. 14:34
38 נִר רְשָׁעִים חַטָּאת Prov. 21:4
39 זִמַּת אִוֶּלֶת חַטָּאת Prov. 24:9
40 לְכַלֵּא הַפֶּשַׁע וּלְהָתֵם° חַטָּאת Dan. 9:24
41 צְפִירֵי חַטָּאת שְׁנֵים עָשָׂר Ez. 8:35
וְחַטָּאת 42 וְחַטָּאת שְׂעִיר עִזִּים לַיּוֹם Ezek. 45:23

בְּחַטָּאת 43 בָּמֹתֶיךָ בְּחַטָּאת בְּכָל גְּבוּלֶיךָ Jer. 17:3
לְחַטָּאת 44 פַּר בֶּן־בָּקָר תָּמִים לַיְיָ לְחַטָּאת Lev. 4:3
45 פַּר בֶּן־בָּקָר לְחַטָּאת Lev. 4:14
46 וְאִם־כֶּבֶשׂ יָבִיא קָרְבָּנוֹ לְחַטָּאת Lev. 4:32
47-77 לְחַטָּאת Lev. 4:33
5:6, 7, 11; 9:2, 3; 12:6, 8; 16:3, 5 • Num. 6:11, 14;
7:16, 22, 28, 34, 40, 46, 52, 58, 64, 70, 76, 82, 87; 8:8;
15:27; 28:15 • Ezek. 43:19, 22 • IICh. 29:21
78 וַיְהִי הַדָּבָר הַזֶּה לְחַטָּאת IK. 12:30
79 תְּבוּאַת רָשָׁע לְחַטָּאת Prov. 10:16
לְחַטָּת 80 וּשְׂעִיר־עִזִּים אֶחָד לְחַטָּת Num. 15:24
לְחַטָּאת 81 מָקוֹר נִפְתָּח...לְחַטַּאת וּלְנִדָּה Zech. 13:1
הַחַטָּאת 82 וְאֶת־כָּל־חֵלֶב פַּר הַחַטָּאת Lev. 4:8
83 וְנוֹדְעָה הַחַטָּאת אֲשֶׁר חָטְאוּ Lev. 4:14
84 כַּאֲשֶׁר עָשָׂה לְפַר הַחַטָּאת Lev. 4:20
85/6 וְלָקַח הַכֹּהֵן מִדַּם הַחַטָּאת Lev. 4:25, 34
87/8 וְסָמַךְ...יָדוֹ עַל רֹאשׁ הַחַטָּאת Lev. 4:29, 33
89 וְשָׁחַט אֶת־הַחַטָּאת בִּמְקוֹם הָעֹלָה Lev. 4:29
90 וְהִזָּה מִדַּם הַחַטָּאת Lev. 5:9
91 זֹאת תּוֹרַת הַחַטָּאת Lev. 6:18
92 בִּמְקוֹם...תִּשָּׁחֵט הַחַטָּאת Lev. 6:18
93-100 פַּר הַחַטָּאת Lev. 8:2, 14^2
16:6, 11^2, 27 • Ezek. 43:21
101 וַיִּשְׁחַט אֶת־עֵגֶל הַחַטָּאת אֲשֶׁר־לוֹ Lev. 9:8
102 וְאֶת־הַחֵלֶב...מִן־הַחַטָּאת Lev. 9:10
103-106 שְׂעִיר הַחַטָּאת Lev. 9:15; 10:16; 16:15, 27
107 וַיֵּרֶד מֵעֲשֹׂת הַחַטָּאת... Lev. 9:22
108 מַדּוּעַ לֹא־אֲכַלְתֶּם אֶת־הַחַטָּאת Lev. 10:17
109 בִּמְקוֹם אֲשֶׁר יִשְׁחַט אֶת־הַחַטָּאת Lev. 14:13
110 וְעָשָׂה הַכֹּהֵן אֶת־הַחַטָּאת Lev. 14:19
111 וְאֵת חֵלֶב הַחַטָּאת יַקְטִיר Lev. 16:25
112 וְלָקְחוּ...מֵעֲפַר שְׂרֵפַת הַחַטָּאת Num. 19:17
113 בַּמָּה הָיְתָה הַחַטָּאת הַזֹּאת הַיּוֹם ISh. 14:38
114 הוּא־יַעֲשֶׂה אֶת־הַחַטָּאת Ezek. 45:17
115 וְלָקַח הַכֹּהֵן מִדַּם הַחַטָּאת Ezek. 45:19
116 יְבַשְּׁלוּ־שָׁם...וְאֶת־הַחַטָּאת Ezek. 46:20
117 וַיַּגִּישׁוּ אֶת־שְׂעִירֵי הַחַטָּאת IICh. 29:23
וְהַחַטָּאת 118 הָעוֹלָה וְהַחַטָּאת וְהָאָשָׁם Ezek. 40:39
119/20 וְהַחַטָּאת וְהָאָשָׁם Ezek. 42:13; 44:29
121 לְכָל־יִשְׂרָ׳...הָעוֹלָה וְהַחַטָּאת IICh. 29:24
כַּחַטָּאת 122 קֹדֶשׁ קָדָשִׁים הִוא כַּחַטָּאת וְכָאָשָׁם Lev. 6:10
123 כַּחַטָּאת כָּאָשָׁם Lev. 7:7
124 כַּחַטָּאת הָאָשָׁם Lev. 14:13
125 כַּחַטָּאת כָּעֹלָה וְכַמִּנְחָה וְכַשָּׁמֶן Ezek. 45:25
לַחַטָּאת 126 וְהִקְרִיב אֶת־אֲשֶׁר לַחַטָּאת Lev. 5:8
וְלַחַטָּאת 127 זֹאת הַתּוֹרָה...וְלַחַטָּאת וְלָאָשָׁם Lev. 7:37
חַטַּאת־ 128 מִדַּם חַטַּאת הַכִּפֻּרִים...יְכַפֵּר Ex. 30:10
129 חַטַּאת הַקָּהָל הוּא Lev. 4:21
130 מִלְּבַד חַטַּאת הַכִּפֻּרִים... Num. 29:11
131 וַתְּהִי חַטַּאת הַנְּעָרִים גְּדוֹלָה מְאֹד ISh. 2:17
132 כִּי חַטַּאת־קֶסֶם מֶרִי ISh. 15:23
133 חַטַּאת יְהוּדָה כְּתוּבָה בְּעֵט בַּרְזֶל Jer. 17:1
134 חַטַּאת עַמִּי יֹאכֵלוּ Hosh. 4:8
135 וְנִשְׁמְדוּ בָּמוֹת אָוֶן חַטַּאת יִשְׂרָאֵל Hosh. 10:8
136 הַאֶתֵּן...פְּרִי בִטְנִי חַטַּאת נַפְשִׁי Mic. 6:7
137 זֹאת תִּהְיֶה חַטַּאת מִצְרָיִם Zech. 14:19
138 חַטַּאת־פִּימוֹ דְּבַר־שְׂפָתֵימוֹ Ps. 59:13
וְחַטַּאת־ 139 וְחַטַּאת כָּל־הַגּוֹיִם אֲשֶׁר לֹא יַעֲלוּ Zech. 14:19
140 וְחַטַּאת אִמּוֹ אַל־תִּמָּח Ps. 109:14
141 חַטָּאתִי וְחַטַּאת עַמִּי יִשְׂרָאֵל Dan. 9:20
לְחַטַּאת־ 142 וְסָלַחְתָּ לְחַטַּאת עַמְּךָ יִשְׂרָאֵל IK. 8:34
143 וְסָלַחְתָּ לְחַטַּאת עֲבָדֶיךָ IK. 8:36

לְחַטַּאת־ (המשך) 144 וַיְהִי בַּדָּבָר...לְחַטַּאת בֵּית יָרָבְעָם IK.13:34

145 וְסָלַחְתָּ לְחַטַּאת עַמְּךָ יִשְׂרָאֵל IICh.6:25

146 וְסָלַחְתָּ לְחַטַּאת עֲבָדֶיךָ IICh.6:27

מֵחַטַּאת־ 147 וַיִּגְדַּל עֲוֹן בַּת־עַמִּי מֵחַטַּאת סְדֹם Lam.4:6

חַטָּאתִי 148 מַה־פִּשְׁעִי מַה חַטָּאתִי Gen.31:36

149 וְעַתָּה שָׂא נָא חַטָּאתִי אַךְ הַפַּעַם Ex.10:17

150 וְעַתָּה שָׂא נָא אֶת־חַטָּאתִי ISh.15:25

151 מֶה־עֲוֹנִי וּמֶה־חַטָּאתִי לִפְנֵי אָבִיךָ ISh.20:1

152 חַטָּאתִי אוֹדִיעֲךָ וַעֲוֹנִי לֹא־כִסִּיתִי Ps.32:5

153 וְאַתָּה נָשָׂאתָ עֲוֹן חַטָּאתִי Ps.32:5

154 אֵין־שָׁלוֹם בַּעֲצָמַי מִפְּנֵי חַטָּאתִי Ps.38:4

155 לֹא־פִשְׁעִי וְלֹא־חַטָּאתִי יְיָ Ps.59:4

156 לֹא־תִשְׁמֹר עַל־חַטָּאתִי Job 14:16

157 וּמִתְוַדֶּה חַטָּאתִי וְחַטַּאת עַמִּי יִשְׂ׳ Dan.9:20

וְחַטָּאתִי 158 ...וְחַטָּאתִי נֶגְדִּי תָמִיד Ps.51:5

159 פִּשְׁעִי וְחַטָּאתִי הֹדִיעֵנִי Job 13:23

וּלְחַטָּאתִי 160 כִּי־תְבַקֵּשׁ לַעֲוֹנִי וּלְחַטָּאתִי תִדְרוֹשׁ Job 10:6

מֵחַטָּאתִי 161 כִּי־עֲוֹנִי אַגִּיד אֶדְאַג מֵחַטָּאתִי Ps.38:19

162 מִי־יֹאמַר...טָהַרְתִּי מֵחַטָּאתִי Prov.20:9

163 מָה־אֹעִיל מֵחַטָּאתִי Job 35:3

וּמֵחַטָּאתִי 164 כַּבְּסֵנִי מֵעֲוֹנִי וּמֵחַטָּאתִי טַהֲרֵנִי Ps.51:4

חַטָּאתְךָ 165 וַעֲשֵׂה אֶת־חַטָּאתְךָ וְאֶת־עֹלָתֶךָ Lev.9:7

166 גַּם־יְיָ הֶעֱבִיר חַטָּאתְךָ IISh.12:13

וְחַטָּאתְךָ 167 וְסָר עֲוֹנֶךָ וְחַטָּאתְךָ תְּכֻפָּר Is.6:7

חַטָּאתוֹ 168 וְהִקְרִיב עַל חַטָּאתוֹ אֲשֶׁר חָטָא Lev.4:3

169-175 חַטָּאתוֹ אֲשֶׁר(־)חָטָא Lev.4:23, 28², 35 5:6, 13; 19:22

176 וְעָשָׂה אֶת־חַטָּאתוֹ וְאֶת־עֹלָתוֹ Num.6:16

177 אַל־תֵּפֶן...וְאֶל־רִשְׁעוֹ וְאֶל־חַטָּאתוֹ Deut.9:27

178 וְזֶה כָּל־פְּרִי הָסִר חַטָּאתוֹ Is.27:9

179 וּבְיוֹם בֹּאוֹ...יַקְרִיב חַטָּאתוֹ Ezek.44:27

180 צָרוּר עֲוֹן אֶפְרָיִם צְפוּנָה חַטָּאתוֹ Hosh.13:2

181 לְהַגִּיד...וּלְיִשְׂרָאֵל חַטָּאתוֹ Mic.3:8

182 וּבְחַבְלֵי חַטָּאתוֹ יִתָּמֵךְ Prov.5:22

183 כִּי יֹסִיף עַל־חַטָּאתוֹ פֶשַׁע Job 34:37

184 וְכָל־חַטָּאתוֹ וּמַעְלוֹ IICh.33:19

וְחַטָּאתוֹ 185 וְחַטָּאתוֹ אֲשֶׁר חָטָא IIK.21:17

בְּחַטָּאתוֹ 186 כִּי לֹא הִזְהַרְתּוֹ בְּחַטָּאתוֹ יָמוּת Ezek.3:20

וּבְחַטָּאתוֹ 187/8 וַיֵּלֶךְ בְּדֶרֶךְ...וּבְחַטָּאתוֹ IK.15:26, 34

189 בְּדֶרֶךְ יָרָבְ׳ וּבְחַטָּאתוֹ אֲשֶׁר עָשָׂה IK.16:19

190 בְּמַעֲלוֹ...וּבְחַטָּאתוֹ אֲשֶׁר־חָטָא Ezek.18:24

191 וַיֵּלֶךְ בְּכָל־דֶּרֶךְ יָרָבְעָם...וּבְחַטָּאתוֹ (כת׳ ובחטאתיו) IK.16:26

מֵחַטָּאתוֹ 192-194 וְכִפֶּר...הַכֹּהֵן מֵחַטָּאתוֹ Lev.4:26; 5:6, 10

195 וְנִסְלַח לוֹ מֵחַטָּאתוֹ אֲשֶׁר חָטָא Lev.19:22

196 לְבַד מֵחַטָּאתוֹ אֲשֶׁר הֶחֱטִיא IIK.21:16

197 וְשָׁב מֵחַטָּאתוֹ Ezek.33:14

חַטָּאתֵנוּ 198 וּמֶה חַטָּאתֵנוּ אֲשֶׁר חָטָאנוּ Jer.16:10

וּלְחַטָּאתֵנוּ 199 וְסָלַחְתָּ לַעֲוֹנֵנוּ וּלְחַטָּאתֵנוּ Ex.34:9

חַטַּאתְכֶם 200 אוּלַי אֲכַפְּרָה בְּעַד חַטַּאתְכֶם Ex.32:30

201 חַטַּאתְכֶם אֲשֶׁר תִּמְצָא אֶתְכֶם Num.32:23

202 חַטַּאתְכֶם אֲשֶׁר חֲטָאתֶם Deut.9:18

203 חַטַּאתְכֶם אֲשֶׁר־עֲשִׂיתֶם אֶת־הָעֵגֶל Deut.9:21

חַטָּאתָם 204 וְעַתָּה אִם־תִּשָּׂא חַטָּאתָם Ex.32:32

205 וּפָקַדְתִּי עֲלֵהֶם חַטָּאתָם Ex.32:34

206 הִקְרִיבוּ אֶת־חַטָּאתָם וְאֶת־עֹלָתָם Lev.10:19

207 וְהִתְוַדּוּ אֶת־חַטָּאתָם אֲשֶׁר עָשׂוּ Num.5:7

208 וּלְכָל־חַטָּאתָם וּלְכָל־אֲשָׁמָם Num.18:9

209 כִּסִּיתָ כָל־חַטָּאתָם Ps.85:3

וְחַטָּאתָם 210 וְחַטָּאתָם כִּי כָבְדָה מְאֹד Gen.18:20

211 שָׂא נָא פֶּשַׁע אַחֶיךָ וְחַטָּאתָם Gen.50:17

212 הֵבִיאוּ אֶת־קָרְבָּנָם...וְחַטָּאתָם Num.15:25

וְחַטָּאתָם (המשך) 213 וְחַטָּאתָם כִּסְדֹם הִגִּידוּ... Is.3:9

214 וְשִׁלַּמְתִּי...מִשְׁנֵה עֲוֹנָם וְחַטָּאתָם Jer.16:18

215 וְחַטָּאתָם מִלְּפָנֶיךָ אַל־תֶּמְחִי Jer.18:23

216 וְחַטָּאתָם מִלְּפָנֶיךָ אַל־תִּמָּחֶה Neh.3:37

לְחַטָּאתָם 217 וַאֲנִי אֶשְׁמַע...וְאֶסְלַח לְחַטָּאתָם IICh.7:14

וּלְחַטָּאתָם 218 וּלְחַטָּאתָם לֹא אֶזְכָּר־עוֹד י Jer.31:34(33)

219 וְסָלַחְתִּי לַעֲוֹנָם וּלְחַטָּאתָם Jer.36:3

מֵחַטָּאתָם 220 מֵחַטָּאתָם יְשׁוּבוּן כִּי תַעֲנֵם IICh.6:26

וּמֵחַטָּאתָם 221 וּמֵחַטָּאתָם יְשׁוּבוּן כִּי תַעֲנֵם IK.8:35

חטב : חָטַב, מְחֻטָּב; חֲטוּבָה

חָטַב

פָּ׳ א) כָּרַת: 1–8

ב) [פֻּ׳ בינוני: מְחֻטָּב] מגולף: 9

לַחְטֹב 1 וַאֲשֶׁר יָבֹא...בַיַּעַר לַחְטֹב עֵצִים Deut.19:5

מֵחוֹטֵב 2 מֵחֹטֵב עֵצֶיךָ עַד שֹׁאֵב מֵימֶיךָ Deut.29:10

לַחוֹטְבִים 3 לַחֹטְבִים לְכֹרְתֵי הָעֵצִים נָתַתִּי... IICh.2:9

חוֹטְבֵי־ 4-5 חֹטְבֵי עֵצִים וְשֹׁאֲבֵי־מַיִם Josh.9:21, 27

וְחוֹטְבֵי־ 6 וְחֹטְבֵי עֵצִים וְשֹׁאֲבֵי־מַיִם Josh.9:23

כְּחוֹטְבֵי־ 7 וּבְקַרְדֻּמּוֹת בָּאוּ לָהּ כְּחֹטְבֵי עֵצִים Jer.46:22

יַחְטְבוּ 8 וְלֹא יַחְטְבוּ מִן־הַיְּעָרִים Ezek.39:10

מְחֻטָּבוֹת 9 מְחֻטָּבוֹת תַּבְנִית הֵיכָל Ps.144:12

חֲטֻבָה עין חֲטוּבָה

חִטָּה

נ׳ ממיני הדָּגָן (Triticum): 1–30

קרובים: דָּגָן / דֹּחַן / כֻּסֶּמֶת / שְׂעוֹרָה

אֶרֶץ חִטָּה 1; חֵלֶב חִטָּה 5; כִּלְיוֹת ח׳ 2; חֵלֶב חִטִּים 19; חֹמֶר חִטִּים 26; לוֹקְחֵי ח׳ 15; סֹלֶת ח׳ 9; עֲרֵמַת ח׳ 20; קְצִיר חִטִּים 8, 10, 12–14, 27; חִטֵּי מִנִּית 30

חִטָּה 1 אֶרֶץ חִטָּה וּשְׂעֹרָה... Deut.8:8

2 עִם־חֵלֶב כִּלְיוֹת חִטָּה Deut.32:14

3 וְשָׂם חִטָּה שׂוֹרָה וּשְׂעֹרָה נִסְמָן Is.28:25

4 הֵילִילוּ...עַל־חִטָּה וְעַל־שְׂעֹרָה Joel 1:11

5 וַיַּאֲכִילֵהוּ מֵחֵלֶב חִטָּה Ps.81:17

6 תַּחַת חִטָּה יֵצֵא חוֹחַ Job 31:40

וְהַחִטָּה 7 וְהַחִטָּה וְהַכֻּסֶּמֶת לֹא נֻכּוּ Ex.9:32

חִטִּים 8 וַיֵּלֶךְ רְאוּבֵן בִּימֵי קְצִיר־חִטִּים Gen.30:14

9 סֹלֶת חִטִּים תַּעֲשֶׂה אֹתָם Ex.29:2

10 וְחַג...בִּכּוּרֵי קְצִיר חִטִּים Ex.34:22

11 וְגִדְעוֹן בְּנוֹ חֹבֵט חִטִּים בַּגַּת Jud.6:11

12 וַיְהִי מִיָּמִים בִּימֵי קְצִיר־חִטִּים Jud.15:1

13 קֹצְרִים קְצִיר־חִטִּים בָּעֵמֶק ISh.6:13

14 הֲלוֹא קְצִיר־חִטִּים הַיּוֹם ISh.12:17

15 וְהֵנָּה בָּאוּ...לֹקְחֵי חִטִּים IISh.4:6

16 עֶשְׂרִים אֶלֶף כֹּר חִטִּים מַכֹּלֶת IK.5:25

17 זָרְעוּ חִטִּים וְקֹצִים קָצָרוּ Jer.12:13

18 מַטְמֹנִים בַּשָּׂדֶה חִטִּים וּשְׂעֹרִים Jer.41:8

19 חֵלֶב חִטִּים יַשְׂבִּיעֵךְ Ps.147:14

20 בִּטְנֵךְ עֲרֵמַת חִטִּים S.ofS.7:3

21 וְאָרְנָן דָּשׁ חִטִּים ICh.21:20

22 נָתַתִּי חִטִּים מַכּוֹת לַעֲבָדֶיךָ IICh.2:9

23 וַעֲשֶׂרֶת אֲלָפִים כֹּרִים חִטִּים IICh.27:5

חִטִּין 24 קַח־לְךָ חִטִּין וּשְׂעֹרִים Ezek.4:9

וְחִטִּים 25 וְחִטִּים וּשְׂעֹרִים וְקֶמַח IISh.17:28

הַחִטִּים 26 שִׁשִּׁית הָאֵיפָה מֵחֹמֶר הַחִטִּים Ezek.45:13

27 קְצִיר־הַשְּׂעֹרִים וּקְצִיר הַחִטִּים Ruth 2:23

28 הַחִטִּים וְהַשְּׂעֹרִים הַשֶּׁמֶן וְהַיַּיִן IICh.2:14

וְהַחִטִּים 29 הַבָּקָר לָעֹלוֹת...וְהַחִטִּים לַמִּנְחָה ICh.21:23

בְּחִטֵּי־ 30 רֹכְלַיִךְ בְּחִטֵּי מִנִּית וּפַנַּג Ezek.27:17

חִטָּה (בראשית לא 39) – עין חָטָא (מס׳ 193)

חֲטוּבָה* נ׳ אריג משובח

חֲטֻבוֹת 1 מַרְבַדִּים רָבַדְתִּי עַרְשִׂי חֲטֻבוֹת אֵטוּן מִצְרָיִם Prov.7:16

חַטּוּשׁ

שפ״ז – א) מצאצאי דוד ששב עם עזרא: 1, 5

ב) מן הכהנים והבונים את חומת ירושלים בימי נחמיה: 2–4

חַטּוּשׁ 1 מִבְּנֵי דָוִיד חַטּוּשׁ Ez.8:2

2 וְעַל־יָדוֹ הֶחֱזִיק חַטּוּשׁ Neh.3:10

3 חַטּוּשׁ שְׁבַנְיָה מַלּוּךְ Neh.10:5

4 אֲמַרְיָה מַלּוּךְ חַטּוּשׁ Neh.12:2

5 וּבְנֵי שְׁמַעְיָה חַטּוּשׁ וְיִגְאָל ICh.3:22

חֲטָי* ז׳ ארמית עין חֲטָא

חֲטִיטָא שפ״ז – אבי משפחת שוערים שעלתה עם זרובבל

חֲטִיטָא 1/2 בְּנֵי חֲטִיטָא בְּנֵי שֹׁבָי Ez.2:42 • Neh.7:45

חַטִּיל שפ״ז – אבי משפחה שעלתה עם זרובבל: 1, 2

חַטִּיל 1/2 בְּנֵי שְׁפַטְיָה בְּנֵי־חַטִּיל Ez.2:57 • Neh.7:59

חֲטִיפָא שפ״ז–אבי משפ׳ נתינים שעלתה עם זרובבל: 1,2

חֲטִיפָא 1/2 בְּנֵי נְצִיחַ בְּנֵי חֲטִיפָא Ez.2:54 • Neh.7:56

חָטַם פָּ׳ התאפק (מכעס)

אֶחֱטָם־ 1 לְמַעַן שְׁמִי אַאֲרִיךְ אַפִּי וּתְהִלָּתִי אֶחֱטָם־לָךְ Is.48:9

חָטַף פָּ׳ תפס, לקח בכוח: 1–3

לַחֲטוֹף 1 יֶאֱרֹב לַחֲטוֹף עָנִי Ps.10:9

וַחֲטַפְתֶּם 2 וַחֲטַפְתֶּם לָכֶם אִישׁ אִשְׁתּוֹ Jud.21:21

יַחְטֹף 3 יַחְטֹף עָנִי בְּמָשְׁכוֹ בְרִשְׁתּוֹ Ps.10:9

חֹטֶר ז׳ ענף היוצא מגזע העץ: 1, 2

חֹטֶר 1 וְיָצָא חֹטֶר מִגֵּזַע יִשָׁי Is.11:1

חֹטֶר־ 2 בְּפִי־אֱוִיל חֹטֶר גַּאֲוָה Prov.14:3

חַטָּת (במדבר טו 24) – עין חַטָּאת (מס׳ 80)

חַי

תו״ז א) שיש בו רוח חיים, לא מת: רוב המקראות

ב) חזק, בריא: 239

ג) שעלתה בו צָלֶקֶת: 6, 7, 119–121

ד) שאינו צלוי: 104

– חַי אֵל 94; חַי הָאֱלֹהִים 78; חַי אֱלֹהָיו 149; חַי יְיָ 34–77, 141–146, 148; חַי אָנִי 9–30; חֵי נַפְשִׁי (נַפְשְׁךָ) 137–139, 141–147; חֵי הָעוֹלָם 150; חֵי פַרְעֹה 135, 136

– אָדָם חַי 117; אֵל חַי 33, 109–111; אֱלֹהִים חַי 88, 89, 107, 108; בָּשָׂר חַי 6, 7, 104, 119–121; גּוֹאֲלִי חַי 114; כֹּה לֶחָי 134; כֶּלֶב חַי 95; כָּעֵת חַיָּה 160–163; נֶפֶשׁ חַיָּה 151–159, 164–167; צִפּוֹר חַיָּה 168–173; אֱלֹהִים חַיִּים 186, 189–190, 199, 202; אֶרֶץ (הַ)חַיִּים 197, 200, 203–209, 211, 213, 228–231; מַיִם חַיִּים 174, 177–179, 182, 198, 201, 210, 218, 223–225; סֵפֶר חַיִּים 215

חַי 1 וְלֹא אֹסִף עוֹד לְהַכּוֹת אֶת־כָּל־חַי Gen.8:21

2 כָּל רֶמֶשׂ אֲשֶׁר הוּא־חַי Gen.9:3

3 וַיְשַׁלְּחֵם...בְּעוֹדֶנּוּ חַי Gen.25:6

4 הַעוֹד אֲבִיכֶם חַי Gen.43:7

5 וַיַּגִּדוּ לוֹ לֵאמֹר עוֹד יוֹסֵף חַי Gen.45:26

6 וּמִחְיַת בָּשָׂר חַי בַּשְׂאֵת Lev.13:10

7 וּבְיוֹם הֵרָאוֹת בּוֹ בָּשָׂר חַי Lev.13:14

8 יָעֳמַד־חַי לִפְנֵי יְיָ Lev.16:10

9 וְאוּלָם חַי־אָנִי... Num.14:21

חי (המשך)

10-30 חַי אָנִי Num. 14:28

Is. 49:18 • Jer. 22:24; 46:18 • Ezek. 5:11; 14:16, 18, 20; 16:48; 17:16, 19; 18:3; 20:3, 31, 33; 33:11, 27; 34:8; 35:6, 11 • Zep. 2:9

31 הֵן בְּעוֹדֶנִּי חַי עִמָּכֶם Deut. 31:27

32 וְאָמַרְתִּי חַי אָנֹכִי לְעֹלָם Deut. 32:40

33 כִּי אֵל חַי בְּקִרְבְּכֶם Josh. 3:10

34 חַי־יְיָ לוּ הַחֲיִתֶם אוֹתָם... Jud. 8:19

35 חַי־יְיָ הַמּוֹשִׁיעַ אֶת־יִשְׂרָאֵל ISh. 14:39

36 חָלִילָה חַי־יְיָ אִם־יִפֹּל... ISh. 14:45

37-77 חַי־יְיָ ISh. 19:6; 20:3, 21; 25:26, 34; 26:10, 16; 28:10; 29:6 • IISh. 4:9; 12:5; 14:11; 15:21; 22:47 • IK. 1:29; 2:24; 17:1, 12; 18:10, 15; 22:14 • IIK. 2:2, 4, 6; 3:14; 4:30; 5:16, 20 • Jer. 4:2; 5:2; 12:16; 16:14, 15; 23:7, 8; 38:16; 44:26 • Hosh. 4:15 • Ps. 18:47 • Ruth 3:13 • IICh. 18:13

78 חַי הָאֱלֹהִים כִּי לוּלֵא דִּבַּרְתָּ... IISh. 2:27

79 בִּהְיוֹת הַיֶּלֶד חַי דִּבַּרְנוּ אֵלָיו IISh. 12:18

80 בַּעֲבוּר הַיֶּלֶד חַי צַמְתָּ IISh. 12:21

81 בְּעוֹד הַיֶּלֶד חַי צַמְתִּי IISh. 12:22

82 עוֹדֶנּוּ חַי בְּלֵב הָאֵלָה IISh. 18:14

83 ...כִּי לוּ° אַבְשָׁלוֹם חַי IISh. 19:7

84 הָיוּ עֹמְדִים אֶת־פְּנֵי... בִּהְיֹתוֹ חַי IK. 12:6

85 וַיֹּאמֶר אֵלִיָּהוּ רְאִי חַי בְּנֵךְ IK. 17:23

86 הַעוֹדֶנּוּ חַי אָחִי הוּא IK. 20:32

87 כִּי אֵין נָבוֹת חַי כִּי־מֵת IK. 21:15

88/9 שְׁלָחוֹ...לְחָרֵף אֱלֹהִים חַי IIK. 19:4 • Is. 37:4

90/1 חַי חַי הוּא יוֹדֶךָ כָּמוֹנִי הַיּוֹם Is. 38:19

92 כְּמוֹ־חַי כְּמוֹ־חָרוֹן יִשְׂעָרֶנּוּ Ps. 58:10

93 וּמַשְׂבִּיעַ לְכָל־חַי רָצוֹן Ps. 145:16

94 חַי־אֵל הֵסִיר מִשְׁפָּטִי Job 27:2

95 לְכֶלֶב חַי הוּא טוֹב מִן־הָאַרְיֵה הַמֵּת Eccl. 9:4

96 אֲשֶׁר־הָיוּ עֹמְדִים לִפְנֵי...בִּהְיוֹתוֹ חַי IICh. 10:6

חָי 97 כִּי הִוא הָיְתָה אֵם כָּל־חָי Gen. 3:20

98 הֲשָׁלוֹם אֲבִיכֶם...הַעוֹדֶנּוּ חָי Gen. 43:27

99 שָׁלוֹם לְעַבְדְּךָ...עוֹדֶנּוּ חָי Gen. 43:28

100 אֲנִי יוֹסֵף הַעוֹד אָבִי חָי Gen. 45:3

101 רַב עוֹד־יוֹסֵף בְּנִי חָי Gen. 45:28

102 אַחֲרֵי רְאוֹתִי כִּי עוֹדְךָ חָי Gen. 46:30

103 וְאֶת־מֶלֶךְ הָעַי תָּפְשׂוּ חָי Josh. 8:23

104 וְלֹא־יִקַּח...בָּשָׂר מְבֻשָּׁל כִּי אִם־חָי ISh. 2:15

105 וַיִּתְפֹּשׂ אֶת־אֲגַג...חָי ISh. 15:8

106 וְלֹא אִם־עוֹדֶנִּי חָי ISh. 20:14

107/8 לְחָרֵף אֱלֹהִים חָי IIK. 19:16 • Is. 37:17

109 יֵאָמֵר לָהֶם בְּנֵי אֵל־חָי Hosh. 2:1

110 צָמְאָה נַפְשִׁי לֵאלֹהִים לְאֵל חָי Ps. 42:3

111 לִבִּי וּבְשָׂרִי יְרַנְּנוּ אֶל־אֵל חָי Ps. 84:3

112 כִּי לֹא־יִצְדַּק לְפָנֶיךָ כָל־חָי Ps. 143:2

113 אֲשֶׁר בְּיָדוֹ נֶפֶשׁ כָּל־חָי Job 12:10

114 וַאֲנִי יָדַעְתִּי גֹּאֲלִי חָי Job 19:25

115 וְנֶעֶלְמָה מֵעֵינֵי כָל־חָי Job 28:21

116 וּבֵית מוֹעֵד לְכָל־חָי Job 30:23

117 מַה־יִּתְאוֹנֵן אָדָם חָי Lam. 3:39

הַחַי 118 וּמָכְרוּ אֶת־הַשּׁוֹר הַחַי Ex. 21:35

119 וְרָאָה הַכֹּהֵן אֶת־הַבָּשָׂר הַחַי Lev. 13:15

120 הַבָּשָׂר הַחַי טָמֵא הוּא Lev. 13:15

121 יָשׁוּב הַבָּשָׂר הַחַי וְנֶהְפַּךְ לְלָבָן Lev. 13:16

122 וְסָמַךְ...עַל רֹאשׁ הַשָּׂעִיר הַחַי Lev. 16:21

123 לֹא כִּי בְּנִי הַחַי וּבְנֵךְ הַמֵּת IK. 3:22

124 זֶה־בְּנִי הַחַי וּבְנֵךְ הַמֵּת IK. 3:23

125 גִּזְרוּ אֶת־הַיֶּלֶד הַחַי לִשְׁנָיִם IK. 3:25

126 וַתֹּאמֶר הָאִשָּׁה אֲשֶׁר־בְּנָהּ הַחַי IK. 3:26

127/8 תְּנוּ־לָהּ אֶת־הַיָּלוּד הַחַי IK. 3:26, 27

הָחַי 129 וּמִכָּל־הָחַי מִכָּל־בָּשָׂר Gen. 6:19

הֶחָי 130 וְהִקְרִיב אֶת־הַשָּׂעִיר הֶחָי Lev. 16:20

131-132 בְּנֵךְ הַמֵּת וּבְנִי הֶחָי IK. 3:22, 23

וְהַחַי 133 וְהַחַי יִתֵּן אֶל־לִבּוֹ Eccl. 7:2

לֶחָי 134 וַאֲמַרְתֶּם כֹּה לֶחָי ISh. 25:6

חֵי־ 135 חֵי פַרְעֹה אִם־תֵּצְאוּ מִזֶּה Gen. 42:15

136 חֵי פַרְעֹה כִּי מְרַגְּלִים אַתֶּם Gen. 42:16

137 בִּי אֲדֹנִי חֵי נַפְשְׁךָ אֲדֹנִי ISh. 1:26

138 חֵי־נַפְשְׁךָ הַמֶּלֶךְ אִם־יָדָעְתִּי ISh. 17:55

139 חֵי־נַפְשְׁךָ אֲדֹנִי הַמֶּלֶךְ IISh. 14:19

140 וְאָמְרוּ חֵי אֱלֹהֶיךָ דָּן Am. 8:14

וְחֵי־ 141 חַי־יְיָ וְחֵי נַפְשְׁךָ כִּי... ISh. 20:3

142-146 חַי־יְיָ וְחֵי־נַפְשְׁךָ ISh. 25:26; IIK. 2:2, 4, 6; 4:30

147 חַיֶּךָ וְחֵי נַפְשֶׁךָ אִם־אֶעֱשֶׂה IISh. 11:11

148 חַי־יְיָ וְחֵי אֲדֹנִי הַמֶּלֶךְ... IISh. 15:21

149 חֵי אֱלֹהֶיךָ דָן וְחֵי דֶּרֶךְ בְּאֵר־שָׁבַע Am. 8:14

בְּחֵי־ 150 וַיִּשָּׁבַע בְּחֵי הָעוֹלָם Dan. 12:7

חַיָּה 151 יִשְׁרְצוּ הַמַּיִם שֶׁרֶץ נֶפֶשׁ חַיָּה Gen. 1:20

152 תּוֹצֵא הָאָרֶץ נֶפֶשׁ חַיָּה לְמִינָהּ Gen. 1:24

153 ...אֲשֶׁר־בּוֹ נֶפֶשׁ חַיָּה Gen. 1:30

154 וַיְהִי הָאָדָם לְנֶפֶשׁ חַיָּה Gen. 2:7

155-159 נֶפֶשׁ חַיָּה Gen. 2:19; 9:12, 15, 16 • Ezek. 47:9

160 שׁוֹב אָשׁוּב אֵלֶיךָ כָּעֵת חַיָּה Gen. 18:10

161 לַמּוֹעֵד אָשׁוּב אֵלֶיךָ כָּעֵת חַיָּה Gen. 18:14

162/3 לַמּוֹעֵד הַזֶּה כָּעֵת חַיָּה IIK. 4:16, 17

הַחַיָּה 164/5 וְאֵת כָּל־נֶפֶשׁ הַחַיָּה Gen. 1:21; 9:10

166/7 נֶפֶשׁ הַחַיָּה Lev. 11:10, 46

168 אֶת־הַצִּפֹּר הַחַיָּה יִקַּח Lev. 14:6

169 וְאֵת הַצִּפֹּר הַחַיָּה בְּדַם...הַשְּׁחֻטָה Lev. 14:6

170-172 הַצִּפֹּר הַחַיָּה Lev. 14:7, 51, 53

173 וְחִטֵּא...וּבַצִּפֹּר הַחַיָּה Lev. 14:52

חַיִּים 174 וַיִּמְצְאוּ־שָׁם בְּאֵר מַיִם חַיִּים Gen. 26:19

175 אֵלְכָה...וְאֶרְאֶה הַעוֹדָם חַיִּים Ex. 4:18

176 מִשּׁוֹר עַד־חֲמוֹר עַד־שֶׂה חַיִּים Ex. 22:3

177/8 וְשָׁחַט...עַל־מַיִם חַיִּים Lev. 14:5, 50

179 וְרָחַץ בְּשָׂרוֹ בְּמַיִם חַיִּים Lev. 15:13

180 וְיָרְדוּ חַיִּים שְׁאֹלָה Num. 16:30

181 וַיֵּרְדוּ הֵם...חַיִּים שְׁאֹלָה Num. 16:33

182 וְנָתַן עָלָיו מַיִם חַיִּים אֶל־כֶּלִי Num. 19:17

183 וְאַתֶּם...חַיִּים כֻּלְּכֶם הַיּוֹם Deut. 4:4

184 כָּל־הַיָּמִים אֲשֶׁר הֵם חַיִּים Deut. 4:10

185 אֲנַחְנוּ אֵלֶּה פֹה הַיּוֹם כֻּלָּנוּ חַיִּים Deut. 5:3

186 אֲשֶׁר שָׁמַע קוֹל אֱלֹהִים חַיִּים Deut. 5:23

187/8 הַיָּמִים אֲשֶׁר(-)אַתֶּם חַיִּים Deut. 12:1; 31:13

189/90 חֵרֵף מַעַרְכוֹת אֱלֹהִים חַיִּים ISh. 17:26, 36

191 כָּל־הַיָּמִים אֲשֶׁר־הֵם חַיִּים IK. 8:40

192 אִם־לְשָׁלוֹם יָצְאוּ תִּפְשׂוּם חַיִּים IK. 20:18

193 וְאִם לְמִלְחָמָה יָצְאוּ חַיִּים תִּפְשׂוּם IK. 20:18

194 כִּי־יֵצְאוּ...וְנִתְפְּשֵׂם חַיִּים IIK. 7:12

195/6 תִּפְשׂוּם חַיִּים וַיִּתְפְּשׂוּם חַיִּים IIK. 10:14

197 כִּי נִגְזַר מֵאֶרֶץ חַיִּים Is. 53:8

198 אֹתִי עָזְבוּ מְקוֹר מַיִם חַיִּים Jer. 2:13

199 הוּא־אֱלֹהִים חַיִּים וּמֶלֶךְ עוֹלָם Jer. 10:10

200 וְנִכְרְתֶנּוּ מֵאֶרֶץ חַיִּים Jer. 11:19

201 כִּי עָזְבוּ מְקוֹר מַיִם־חַיִּים Jer. 17:13

202 וַהֲפַכְתֶּם אֶת־דִּבְרֵי אֱלֹהִים חַיִּים Jer. 23:36

203 וְנָתַתִּי צְבִי בְּאֶרֶץ חַיִּים Ezek. 26:20

204 אֲשֶׁר־נָתְנוּ חִתִּית בְּאֶרֶץ חַיִּים Ezek. 32:23

205-209 בְּאֶרֶץ חַיִּים Ezek. 32:24, 25, 26, 27, 32

חַיִּים (המשך) 210 יֵצְאוּ מַיִם־חַיִּים מִירוּשָׁלִַם Zech. 14:8

211 לִרְאוֹת בְּטוּב־יְיָ בְּאֶרֶץ חַיִּים Ps. 27:13

212 וְאֹיְבַי חַיִּים עָצֵמוּ Ps. 38:20

213 וְשֵׁרֶשְׁךָ מֵאֶרֶץ חַיִּים Ps. 52:7

214 יֵרְדוּ שְׁאוֹל חַיִּים Ps. 55:16

215 יִמָּחוּ מִסֵּפֶר חַיִּים Ps. 69:29

216 אֲזַי חַיִּים בְּלָעוּנוּ Ps. 124:3

217 נִבְלָעֵם כִּשְׁאוֹל חַיִּים Prov. 1:12

218 מַעְיַן גַּנִּים בְּאֵר מַיִם חַיִּים S.ofS. 4:15

219 אֲשֶׁר הֵמָּה חַיִּים עֲדֶנָה Eccl. 4:2

220 וְיַיִן יְשַׂמַּח חַיִּים Eccl. 10:19

221 כָּל־הַיָּמִים אֲשֶׁר־הֵם חַיִּים IICh. 6:31

222 וַעֲשֶׂרֶת אֲלָפִים חַיִּים שָׁבוּ IICh. 25:12

הַחַיִּים 223 עַל הַמַּיִם הַחַיִּים Lev. 14:6

224 וְטָבַל אֹתָם...וּבַמַּיִם הַחַיִּים Lev. 14:51

225 בְּדַם הַצִּפּוֹר וּבַמַּיִם הַחַיִּים Lev. 14:52

226 וַיַּעֲמֹד בֵּין־הַמֵּתִים וּבֵין הַחַיִּים Num. 17:13

227 ...בְּעַד הַחַיִּים אֶל־הַמֵּתִים Is. 8:19

228 לֹא־אֶרְאֶה יָהּ יָהּ בְּאֶרֶץ הַחַיִּים Is. 38:11

229 אֶתְהַלֵּךְ לִפְנֵי יְיָ בְּאַרְצוֹת הַחַיִּים Ps. 116:9

230 אַתָּה מַחְסִי חֶלְקִי בְּאֶרֶץ הַחַיִּים Ps. 142:6

231 וְלֹא תִמָּצֵא בְּאֶרֶץ הַחַיִּים Job 28:13

232 ...חַסְדּוֹ אֶת־הַחַיִּים וְאֶת־הַמֵּתִים Ruth 2:20

233 וְשַׁבֵּחַ אֲנִי אֶת־הַמֵּתִים...מִן־הַחַיִּים Eccl. 4:2

234 רָאִיתִי אֶת־כָּל־הַחַיִּים Eccl. 4:15

235 לַהֲלֹךְ נֶגֶד הַחַיִּים Eccl. 6:8

236 אֲשֶׁר יְחֻבַּר° אֶל כָּל־הַחַיִּים Eccl. 9:4

237 כִּי הַחַיִּים יוֹדְעִים שֶׁיָּמֻתוּ Eccl. 9:5

חַיּוֹת 238 שְׁתֵּי־צִפֳּרִים חַיּוֹת טְהֹרוֹת Lev. 14:4

חָיוֹת 239 כִּי־חָיוֹת הֵנָּה בְּטֶרֶם תָּבוֹא אֲלֵהֶן הַמְיַלֶּדֶת וְיָלָדוּ Ex. 1:19

חַי

תו״ז ארמית כמו בעברית: 1—5

וּלְחַי 1 וּלְחַי עָלְמָא שַׁבְּחֵת וְהַדְּרֵת Dan. 4:31

חַיָּא 2 דָּנִיֵּאל עֲבֵד אֱלָהָא חַיָּא Dan. 6:21

3 אֱלָהָא חַיָּא וְקַיָּם לְעָלְמִין Dan. 6:27

חַיַּיָּא 4 בְּחָכְמָה דִּי־אִיתַי בִּי מִן־כָּל־חַיַּיָּא Dan. 2:30

5 עַד־דִּבְרַת דִּי־יִנְדְּעוּן חַיַּיָּא Dan. 4:14

חִיאֵל

שפ״ז – האיש שבנה את יריחו בימי אחאב

חִיאֵל 1 בָּנָה חִיאֵל בֵּית הָאֱלִי אֶת־יְרִיחֹה IK. 16:34

חִיֵּב

פ׳ עיין (חוב)

חִידָה

נ׳ א) שאלת נחוש: 1, 3—8, 10, 15, 16
ב) משל־חכמים, דבר חכמה: 2, 9, 11—14, 17
קרובים: מליצה / משל / פתגם
הֵבִין חִידָה 13; הִבִּיעַ חִידָה 12; הִגִּיד ח׳ 3,4,6,7; חָד חִידָה 1,2,5,10; מָצָא חִידָתוֹ 8

חִידָה 1 אָחוּדָה־נָּא לָכֶם חִידָה Jud. 14:12

2 חוּד חִידָה וּמְשֹׁל מָשָׁל Ezek. 17:2

הַחִידָה 3 וְלֹא יָכְלוּ לְהַגִּיד הַחִידָה Jud. 14:14

4 וְיַגֶּד־לָנוּ אֶת־הַחִידָה Jud. 14:15

5 הַחִידָה חַדְתָּה לִבְנֵי עַמִּי Jud. 14:16

6 וַתַּגֵּד הַחִידָה לִבְנֵי עַמָּהּ Jud. 14:17

7 וַיִּתֵּן הַחֲלִיפוֹת לְמַגִּידֵי הַחִידָה Jud. 14:19

חִידָתִי 8 לוּלֵא חֲרַשְׁתֶּם בְּעֶגְלָתִי לֹא מְצָאתֶם חִידָתִי Jud. 14:18

9 אֶפְתַּח בְּכִנּוֹר חִידָתִי Ps. 49:5

חִידָתְךָ 10 חוּדָה חִידָתְךָ וְנִשְׁמָעֶנָּה Jud. 14:13

חִידוֹת 11 מָשָׁל יִשָּׂאוּ וּמְלִיצָה חִידוֹת לוֹ Hab. 2:6

12 אַבִּיעָה חִידוֹת מִנִּי־קֶדֶם Ps. 78:2

13 עַז־פָּנִים וּמֵבִין חִידוֹת Dan. 8:23

בְּחִידוֹת 14 וּמַרְאֶה וְלֹא בְחִידֹת Num. 12:8
15 וַתָּבֹא לְנַסֹּתוֹ בְּחִידוֹת IK. 10:1
16 וַתָּבוֹא לְנַסּוֹת אֶת־שְׁלֹמֹה בְחִידוֹת IICh. 9:1
וְחִידֹתָם 17 לְהָבִין...דִּבְרֵי חֲכָמִים וְחִידֹתָם Prov. 1:6

חיה : חַי, חָיָה, חִיָּה, הֶחֱיָה; חַוָּה, חַי, חַיָּה, חַיּוּת, חַיִּים, מִחְיָה; ש״פ חַוָּה, חִוִּי(?), יְחִיאֵל, יְחִיָּה, מְחוּיָאֵל; אר׳ חֲיָה, מְחֵי; חֵיוָא, חַיִּין

חָיָה פָּ׳ א) היה בחיים, הפך מן ״מֵת״:
רוב המקראות 1–204
ב) קם לתחיה, שב לאיתנו: 13, 22, 30, 31, 51–53, 57, 61, 62, 69–73, 117, 158–160, 167, 192, 203, 204
ג) [פִּ׳ חִיָּה] השאיר בחיים: 207–215, 221–225, 228, 229, 231–239, 247, 248–250
ד) [כנ״ל] נתן חיים: 205, 206, 216, 217–220, 230, 240–244, 251–260
ה) [כנ״ל] השיב לחיים: 226, 227, 246
ו) [הִפְ׳ הֶחֱיָה] השאיר בחיים: 261–268, 271, 272, 274, 275, 280, 281, 283
ז) [כנ״ל] השיב לחיים: 269, 270, 273, 276–279, 282
– יְחִי הַמֶּלֶךְ 104–112
– חָיְתָה נַפְשׁוֹ 48; חָיְתָה רוּחוֹ 167; חִיָּה אֲבָנִים 246; חִיָּה דָּגָן 245; ח׳ זֶרַע 205, 240, 241; חִיָּה נְפָשׁוֹת (נֶפֶשׁ) 206, 213, 230, 232, 248; הֶחֱיָה לֵב 270; הֶחֱ׳ נֶפֶשׁ 264; הֶחֱיָה רוּחַ 267

חָיֹה 1-2 חָיֹה תִחְיֶה IIK. 8:10, 14
3 צַדִּיק הוּא חָיֹה יִחְיֶה Ezek. 18:9
4 הוּא לֹא יָמוּת...חָיֹה יִחְיֶה Ezek. 18:17
5-7 חָיֹה יִחְיֶה Ezek. 18:19, 21; 33:13
חָיוֹ 8 חָיוֹ יִחְיֶה כִּי נִזְהָר Ezek. 3:21
9-11 חָיוֹ יִחְיֶה Ezek. 18:28; 33:15, 16
לִחְיוֹת 12 וְצַדִּיק לֹא יוּכַל לִחְיוֹת בָּהּ Ezek. 33:12
חֲיוֹתָם 13 וַיֵּשְׁבוּ תַחְתָּם בַּמַּחֲנֶה עַד חֲיוֹתָם Josh. 5:8
וְחָיִיתָ 14 וְחָיִיתָ וְרָבִיתָ Deut. 30:16
15 וְחָיִתָה אַתָּה וּבֵיתֶךָ Jer. 38:17
חָיָה 16 וְאִלּוּ חָיָה אֶלֶף שָׁנִים פַּעֲמַיִם Eccl. 6:6
חַי 17 וַיִּהְיוּ כָּל־יְמֵי אָדָם אֲשֶׁר־חַי Gen. 5:5
18 וְאַרְפַּכְשַׁד חַי חָמֵשׁ וּשְׁלֹשִׁים שָׁנָה Gen. 11:12
19 וְשֶׁלַח חַי שְׁלֹשִׁים שָׁנָה... Gen. 11:14
20 כָּל־הַיָּמִים אֲשֶׁר...חַי עַל־הָאֲדָמָה ISh. 20:31
חָי 21 יְמֵי שְׁנֵי־חַיֵּי אַבְרָהָם אֲשֶׁר־חָי Gen. 25:7
וְחַי 22 מִי יוֹדֵעַ וְחַנַּנִי° יְיָ וְחַי הַיָּלֶד IISh. 12:22
וָחַי 23 וְלָקַח...וְאָכַל וָחַי לְעֹלָם Gen. 3:22
24 אֲשֶׁר יַעֲשֶׂה אֹתָם הָאָדָם וָחַי בָּהֶם Lev. 18:5
25 גֵּר וְתוֹשָׁב וָחַי עִמָּךְ Lev. 25:35
26-28 אֲשֶׁר יַעֲשֶׂה א(וֹ)תָם הָאָדָם וָחַי בָּהֶם Ezek. 20:11, 13, 21
וָחָי 29 כִּי לֹא־יִרְאַנִי הָאָדָם וָחָי Ex. 33:20
30 וְהָיָה כָּל־הַנָּשׁוּךְ וְרָאָה אֹתוֹ וָחָי Num. 21:8
31 וְהִבִּיט אֶל־נְחַשׁ הַנְּחֹשֶׁת וָחָי Num. 21:9
32 וְנָס אֶל־אַחַת מִן־הֶעָרִים הָאֵל וָחָי Deut. 4:42
33 כִּי־יְדַבֵּר אֱלֹהִים אֶת־הָאָדָם וָחָי Deut. 5:21
34 אֲשֶׁר־יָנוּס שָׁמָּה וָחָי Deut. 19:4
35 יָנוּס אֶל־אַחַת הֶעָרִים־הָאֵלֶּה וָחָי Deut. 19:5
36 וְהָיְתָה־לּוֹ נַפְשׁוֹ לְשָׁלָל וָחָי Jer. 38:2
37 בַּנֶּשֶׁךְ נָתַן וְתַרְבִּית לָקַח וָחָי Ezek. 18:13
38 כְּכֹל הַתּוֹעֵבוֹת...יַעֲשֶׂה וָחָי Ezek. 18:24
39 בָּאוּ...הַמַּיִם הָאֵלֶּה וְיֵרָפְאוּ וָחָי Ezek. 47:9
40 אֲשֶׁר־יָבוֹא אֶל־הַהֵיכָל וָחָי Neh. 6:11
וְחֵי 41 וְחֵי אָחִיךָ עִמָּךְ Lev. 25:36
וְחָיָה 42 וְנָפַל עַל־הַכַּשְׂדִּים...וְחָיָה(כ׳ יחיה) Jer. 21:9
43 וְהַיֹּצֵא אֶל־הַכַּשְׂדִּים וְחָיָה(כ׳ יחיה) Jer. 38:2

וְחָיָה (המשך) 44 הֲלוֹא בְּשׁוּבוֹ מִדְּרָכָיו וְחָיָה Ezek. 18:23
45 כִּי־אִם־בְּשׁוּב רָשָׁע מִדַּרְכּוֹ וְחָיָה Ezek. 33:11
46 מֵאֲשֶׁר יוֹשִׁיט־לוֹ הַמֶּלֶךְ...וְחָיָה Es. 4:11
47 אֲשֶׁר־יַעֲשֶׂה אָדָם וְחָיָה בָהֶם Neh. 9:29
וְחָיְתָה 48 וְחָיְתָה נַפְשִׁי בִּגְלָלֵךְ Gen. 12:13
49 אִם־יָצֹא תֵצֵא...וְחָיְתָה נַפְשֶׁךָ Jer. 38:17
וָחָיָה 50 וְאִם־בַּת הִוא וָחָיָה Ex. 1:16
וִחְיִיתֶם 51 אֲנִי מֵבִיא בָכֶם רוּחַ וִחְיִיתֶם Ezek. 37:5
52 וְנָתַתִּי בָכֶם רוּחַ וִחְיִיתֶם Ezek. 37:6
53 וְנָתַתִּי רוּחִי בָכֶם וִחְיִיתֶם Ezek. 37:14
חָיוּ 54 וִיהוֹשֻׁעַ...חָיוּ מִן־הָאֲנָשִׁים הָהֵם Num. 14:38
וְחָיוּ 55 וְזֹאת עֲשׂוּ לָהֶם וְחָיוּ וְלֹא יָמֻתוּ Num. 4:19
56 וְחָיוּ אֶת־בְּנֵיהֶם וָשָׁבוּ Zech. 10:9
אֶחְיֶה 57 אִם־אֶחְיֶה מֵחֳלִי זֶה IIK. 1:2
58 לֹא אָמוּת כִּי־אֶחְיֶה Ps. 118:17
59 גְּמֹל עַל־עַבְדְּךָ אֶחְיֶה Ps. 119:17
60 מָאַסְתִּי לֹא־לְעֹלָם אֶחְיֶה Job 7:16
הַאֶחְיֶה 61-62 הַאֶחְיֶה מֵחֳלִי זֶה IIK. 8:8, 9
וְאֶחְיֶה 63 יְבֹאוּנִי רַחֲמֶיךָ וְאֶחְיֶה Ps. 119:77
64 סָמְכֵנִי כְאִמְרָתְךָ וְאֶחְיֶה Ps. 119:116
65 הֲבִינֵנִי וְאֶחְיֶה Ps. 119:144
תִחְיֶה 66 וְעַל־חַרְבְּךָ תִחְיֶה Gen. 27:40
67 לְמַעַן תִּחְיֶה וְיָרַשְׁתָּ אֶת־הָאָרֶץ Deut. 16:20
68 לְמַעַן תִּחְיֶה אַתָּה וְזַרְעֶךָ Deut. 30:19
69-70 חָיֹה תִחְיֶה IIK. 8:10, 14
71/2 כִּי מֵת אַתָּה וְלֹא תִחְיֶה IIK. 20:1 • Is. 38:1
73 וְאָמְרוּ אֵלָיו...לֹא תִחְיֶה Zech. 13:3
תִּחְיִי 74 וְאַתְּ וּבָנַיִךְ° תִּחְיִי בַּנּוֹתָר IIK. 4:7
יִחְיֶה 75 לוּ יִשְׁמָעֵאל יִחְיֶה לְפָנֶיךָ Gen. 17:18
76 עִם אֲשֶׁר תִּמְצָא...לֹא יִחְיֶה Gen. 31:32
77 אִם־בְּהֵמָה אִם־אִישׁ לֹא יִחְיֶה Ex. 19:13
78 אוֹי מִי יִחְיֶה מִשֻּׂמוֹ אֵל Num. 24:23
79 לֹא עַל־הַלֶּחֶם לְבַדּוֹ יִחְיֶה הָאָדָם Deut. 8:3
80 עַל־כָּל־מוֹצָא פִי־יְיָ יִחְיֶה הָאָדָם Deut. 8:3
81 כִּי לֹא יִחְיֶה אַחֲרֵי נִפְלוֹ IISh. 1:10
82 כֹּל אֲשֶׁר־יִפָּקֵד לֹא יִחְיֶה IIK. 10:19
83 חָיוֹ יִחְיֶה כִּי נִזְהָר Ezek. 3:21
84-91 חָיֹה (חָיוֹ) יִחְיֶה Ezek. 18:9, 17, 19
18:21, 28; 33:13, 15, 16
92 בַּנֶּשֶׁךְ נָתַן...לֹא יִחְיֶה Ezek. 18:13
93 בְּצִדְקָתוֹ אֲשֶׁר־עָשָׂה יִחְיֶה Ezek. 18:22
94 עֲלֵיהֶם הוּא יִחְיֶה Ezek. 33:19
95 כָּל־אֲשֶׁר יָבוֹא שָׁם נַחֲלַיִם יִחְיֶה Ezek. 47:9
96 וְצַדִּיק בֶּאֱמוּנָתוֹ יִחְיֶה Hab. 2:4
97 מִי גֶבֶר יִחְיֶה וְלֹא יִרְאֶה־מָּוֶת Ps. 89:49
98 וְשׂוֹנֵא מַתָּנֹת יִחְיֶה Prov. 15:27
99 וְשָׁנִים רַבּוֹת יִחְיֶה Eccl. 6:3
100 כִּי אִם־שָׁנִים הַרְבֵּה יִחְיֶה הָאָדָם Eccl. 11:8
101 וָאֹמַר לַמֶּלֶךְ הַמֶּלֶךְ לְעוֹלָם יִחְיֶה Neh. 2:3
הֲיִחְיֶה 102 אִם־יָמוּת גֶּבֶר הֲיִחְיֶה Job 14:14
יְחִי 103 יְחִי רְאוּבֵן וְאַל־יָמֹת Deut. 33:6
104 וַיֹּאמְרוּ יְחִי הַמֶּלֶךְ ISh. 10:24
105-106 יְחִי הַמֶּלֶךְ יְחִי הַמֶּלֶךְ IISh. 16:16
107-112 יְחִי הַמֶּלֶךְ IK. 1:25, 31, 34, 39
IIK. 11:13 • IICh. 23:11
113 יְחִי לְבַבְכֶם לָעַד Ps. 22:27
וִיחִי 114 וִיחִי־עוֹד לָנֶצַח Ps. 49:10
115 רָאוּ...דֹּרְשֵׁי אֱלֹ׳ וִיחִי לְבַבְכֶם Ps. 69:33
116 וִיחִי וְיִתֶּן־לוֹ מִזְּהַב שְׁבָא Ps. 72:15
וְיֶחִי 117 וְיִמְרְחוּ עַל־הַשְּׁחִין וְיֶחִי Is. 38:21
וַיְחִי 118 וַיְחִי אָדָם שְׁלֹשִׁים וּמְאַת שָׁנָה Gen. 5:3
119 וַיְחִי־שֵׁת חָמֵשׁ שָׁנִים וּמְאַת שָׁנָה Gen. 5:6

וַיְחִי (המשך) 120-155 וַיְחִי Gen. 5:7, 9, 10, 12, 13
5:15, 16, 18, 19, 21, 25, 26, 28, 30; 9:28; 11:11, 13;
11:15, 16, 17, 18, 19, 20, 21, 22, 23, 24, 25, 26; 47:28;
50:22 • IIK. 13:21; 14:17 • Is. 38:9 • Job 42:16 •
IICh. 25:25
וַיֶּחִי 156 הֲשָׁמַע עָם קוֹל אֱלֹהִים...וַיֶּחִי Deut. 4:33
157 מִי כָל־בָּשָׂר אֲשֶׁר שָׁמַע...וַיֶּחִי Deut. 5:23
158 וַיֵּשְׁתְּ וַתָּשָׁב רוּחוֹ וַיֶּחִי Jud. 15:19
159 וַתָּשָׁב נֶפֶשׁ־הַיֶּלֶד עַל־קִרְבּוֹ וַיֶּחִי IK. 17:22
160 וַיָּשִׂימוּ עַל־הַשְּׁחִין וַיֶּחִי IIK. 20:7
תִּחְיֶה 161 רַק רָחָב הַזּוֹנָה תִּחְיֶה Josh. 6:17
תְּחִי 162 תְּחִי־נָא נַפְשִׁי IK. 20:32
163 תְּחִי־נַפְשִׁי וּתְהַלְלֶךָּ Ps. 119:175
וּתְחִי 164 הֲלֹא מִצְעָר הִוא וּתְחִי נַפְשִׁי Gen. 19:20
165 שִׁמְעוּ וּתְחִי נַפְשְׁכֶם Is. 55:3
166 וְיִיטַב־לְךָ וּתְחִי נַפְשֶׁךָ Jer. 38:20
וַתְּחִי 167 וַתְּחִי רוּחַ יַעֲקֹב אֲבִיהֶם Gen. 45:27
נִחְיֶה 168 אִם־יְחַיֻּנוּ נִחְיֶה... IIK. 7:4
169 וּבָם אֲנַחְנוּ נְמַקִּים וְאֵיךְ נִחְיֶה Ezek. 33:10
170 אֲשֶׁר אָמַרְנוּ בְּצִלּוֹ נִחְיֶה בַגּוֹיִם Lam. 4:20
וְנִחְיֶה 171-172 וְנִחְיֶה וְלֹא נָמוּת Gen. 42:2; 43:8
173 וְתֶן־זֶרַע וְנִחְיֶה וְלֹא נָמוּת Gen. 47:19
174 יְקִמֵנוּ וְנִחְיֶה לְפָנָיו Hosh. 6:2
175 וְנִקְחָה דָגָן וְנֹאכְלָה וְנִחְיֶה Neh. 5:2
תִּחְיוּ 176 לְמַעַן תִּחְיוּ וּבָאתֶם וִירִשְׁתֶּם Deut. 4:1
177 לְמַעַן תִּחְיוּ יָמִים רַבִּים Jer. 35:7
178 דִּרְשׁוּ־טוֹב וְאַל־רָע לְמַעַן תִּחְיוּ Am. 5:14
תִּחְיוּן 179 לְמַעַן תִּחְיוּן וְטוֹב לָכֶם Deut. 5:30
180 לְמַעַן תִּחְיוּן וּרְבִיתֶם Deut. 8:1
יִחְיוּ 181 וַיֹּאמְרוּ אֲלֵיהֶם הַנְּשִׂיאִים יִחְיוּ Josh. 9:21
182 מֵתִים בַּל־יִחְיוּ Is. 26:14
183 יִחְיוּ מֵתֶיךָ נְבֵלָתִי יְקוּמוּן Is. 26:19
184 אֲדֹנָי עֲלֵיהֶם יִחְיוּ Is. 38:16
185 וּמִשְׁפָּטִים לֹא יִחְיוּ בָּהֶם Ezek. 20:25
186 וְהַנְּבִאִים הַלְעוֹלָם יִחְיוּ Zech. 1:5
187 מַדּוּעַ רְשָׁעִים יִחְיוּ Job 21:7
וְיִחְיוּ 188 וּפְחִי בַּהֲרוּגִים הָאֵלֶּה וְיִחְיוּ Ezek. 37:9
וַיִּחְיוּ 189 וַתָּבוֹא בָהֶם הָרוּחַ וַיִּחְיוּ Ezek. 37:10
תְּחְיֶינָה 190 וּלְחַיּוֹת נְפָשׁוֹת אֲשֶׁר לֹא־תְחְיֶינָה Ezek. 13:19
הֲתִחְיֶינָה 191 הֲתִחְיֶינָה הָעֲצָמוֹת הָאֵלֶּה Ezek. 37:3
וֶחְיֵה 192 וְיִתְפַּלֵּל בַּעַדְךָ וֶחְיֵה Gen. 20:7
193-194 שְׁמֹר מִצְוֹתַי וֶחְיֵה Prov. 4:4; 7:2
וִחְיוּ 195 זֹאת עֲשׂוּ וִחְיוּ Gen. 42:18
196 וִחְיוּ וְלֹא תָמֻתוּ IIK. 18:32
197 וְעִבְדוּ אֹתוֹ וְעַמּוֹ וִחְיוּ Jer. 27:12
198 עִבְדוּ אֶת־מֶלֶךְ בָּבֶל וִחְיוּ Jer. 27:17
199 וְהָשִׁיבוּ וִחְיוּ Ezek. 18:32
200 דִּרְשׁוּנִי וִחְיוּ Am. 5:4
201 דִּרְשׁוּ אֶת־יְיָ וִחְיוּ Am. 5:6
202 עִזְבוּ פְתָאיִם וִחְיוּ Prov. 9:6
חֲיִי 203-204 וָאֹמַר לָךְ בְּדָמַיִךְ חֲיִי Ezek. 16:6[2]
לְחַיּוֹת 205 לְחַיּוֹת זֶרַע עַל־פְּנֵי כָל־הָאָרֶץ Gen. 7:3
וּלְחַיּוֹת 206 וּלְחַיּוֹת נְפָשׁוֹת אֲשֶׁר לֹא־תְחְיֶינָה Ezek. 13:19
לְחַיֹּתֵנוּ 207 לְטוֹב לָנוּ...לְחַיֹּתֵנוּ כְּהַיּוֹם הַזֶּה Deut. 6:24
לְחַיֹּתוֹ 208 לְהַזְהִיר רָשָׁע...לְחַיֹּתוֹ Ezek. 3:18
לְחַיּוֹתָם 209 וַיִּכְרֹת לָהֶם בְּרִית לְחַיּוֹתָם Josh. 9:15
וּלְחַיּוֹתָם 210 לְהַצִּיל מִמָּוֶת...וּלְחַיּוֹתָם בָּרָעָב Ps. 33:19
חִיִּיתַנִי 211 חִיִּיתַנִי מִיָּרְדִי־בוֹר Ps. 30:4
חִיִּיתָנִי 212 כִּי־בָם חִיִּיתָנִי Ps. 119:93
חִיָּה 213 וְנַפְשׁוֹ לֹא חִיָּה Ps. 22:30
חִיָּתְנִי 214 כִּי אִמְרָתְךָ חִיָּתְנִי Ps. 119:50
הַחִיִּיתֶם 215 הַחִיִּיתֶם כָּל־נְקֵבָה Num. 31:15

חִיּוּ 216 אֲשֶׁר חִיּוּ מִנְּשֵׁי יָבֵשׁ גִּלְעָד Jud. 21:14
מְחַיֶּה 217 וְאַתָּה מְחַיֶּה אֶת־כֻּלָּם Neh. 9:6
וּמְחַיֶּה 218 יְיָ מֵמִית וּמְחַיֶּה מוֹרִיד שְׁאוֹל וַיָּעַל ISh. 2:6
אֲחַיֶּה 219 עָזְבָה יְתֹמֶיךָ אֲנִי אֲחַיֶּה Jer. 49:11
וַאֲחַיֶּה 220 אֲנִי אָמִית וַאֲחַיֶּה Deut. 32:39
תְחַיֶּה 221 מְכַשֵּׁפָה לֹא תְחַיֶּה Ex. 22:17
222 לֹא תְחַיֶּה כָּל־נְשָׁמָה Deut. 20:16
תְּחַיֵּנִי 223 תָּשׁוּב תְּחַיֵּינִי (כת׳ תחיינו) Ps. 143:11
224 אִם־אֵלֵךְ בְּקֶרֶב צָרָה תְּחַיֵּנִי Ps. 138:7
225 לְמַעַן־שִׁמְךָ יְיָ תְּחַיֵּנִי Ps. 143:11
תְּחַיֵּנוּ 226 תְּחַיֵּנוּ וּבְשִׁמְךָ נִקְרָא Ps. 80:19
227 הֲלֹא־אַתָּה תָּשׁוּב תְּחַיֵּנוּ Ps. 85:7
יְחַיֶּה 228 וְלֹא יְחַיֶּה אִישׁ וְאִשָּׁה ISh. 27:9
229 וְאִישׁ וְאִשָּׁה לֹא־יְחַיֶּה דָוִד ISh. 27:11
230 אוּלַי יְחַיֶּה אֶת־נַפְשֶׁךָ IK. 20:31
231 יְחַיֶּה־אִישׁ עֶגְלַת בָּקָר Is. 7:21
232 הוּא אֶת־נַפְשׁוֹ יְחַיֶּה Ezek. 18:27
233 לֹא־יְחַיֶּה רָשָׁע Job 36:6
234 וְיוֹאָב יְחַיֶּה אֶת־שְׁאָר הָעִיר ICh. 11:8
יְחַיֵּנוּ 235 יְחַיֵּנוּ מִיֹּמָיִם בַּיּוֹם הַשְּׁלִישִׁי יְקִמֵנוּ Hosh. 6:2
וִיחַיֵּהוּ 236 יְיָ יִשְׁמְרֵהוּ וִיחַיֵּהוּ Ps. 41:3
וַיְחַיֶּה 237 וַיְחַיֶּה וַתִּגְדַּל עִמּוֹ IISh. 12:3
תְּחַיֶּה 238 הַחָכְמָה תְּחַיֶּה בְעָלֶיהָ Eccl. 7:12
תְּחַיֵּנִי 239 רוּחַ־אֵל עָשָׂתְנִי וְנִשְׁמַת שַׁדַּי תְּחַיֵּנִי Job 33:4
וּנְחַיֶּה 240/1 וּנְחַיֶּה מֵאָבִינוּ זָרַע Gen. 19:32, 34
242 וּנְחַיֶּה סוּס וָפֶרֶד IK. 18:5
תְּחַיּוּן 243 וְכָל־הַבַּת תְּחַיּוּן Ex. 1:22
יְחַיּוּ 244 וְהָרְגוּ אֹתִי וְאֹתָךְ יְחַיּוּ Gen. 12:12
245 יְחַיּוּ דָגָן וְיִפְרְחוּ כַגָּפֶן Hosh. 14:8
הַיְחַיּוּ 246 הַיְחַיּוּ אֶת־הָאֲבָנִים מֵעֲרֵמוֹת... Neh. 3:34
יְחַיֻּנוּ 247 אִם־יְחַיֻּנוּ נִחְיֶה וְאִם־יְמִיתֻנוּ וָמָתְנוּ IK. 7:4
תְּחַיֶּינָה 248 וּנְפָשׁוֹת לָכֶנָה תְחַיֶּינָה Ezek. 13:18
וַתְּחַיֶּינָה 249-250 וַתְּחַיֶּיןָ אֶת־הַיְלָדִים Ex. 1:17, 18
חַיֵּנִי 251/2 חַיֵּנִי כִּדְבָרֶךָ Ps. 119:25, 107
253 בִּדְרָכֶךָ חַיֵּנִי Ps. 119:37
254 בְּצִדְקָתְךָ חַיֵּנִי Ps. 119:40
255/6 כְּחַסְדְּךָ חַיֵּנִי Ps. 119:88, 159
257 יְיָ כְּמִשְׁפָּטֶךָ חַיֵּנִי Ps. 119:149
258 לְאִמְרָתְךָ חַיֵּנִי Ps. 119:154
259 כְּמִשְׁפָּטֶיךָ חַיֵּנִי Ps. 119:156
חַיֵּיהוּ 260 יְיָ פָּעָלְךָ בְּקֶרֶב שָׁנִים חַיֵּיהוּ Hab. 3:2
וְהַחֲיֵה 261 זֹאת נַעֲשֶׂה לָהֶם וְהַחֲיֵה אוֹתָם Josh. 9:20
לְהַחֲיוֹת 262 תָּבִיא אֶל־הַתֵּבָה לְהַחֲיֹת אִתָּךְ Gen. 6:19
263 שְׁנַיִם מִכֹּל יָבֹאוּ אֵלֶיךָ לְהַחֲיוֹת Gen. 6:20
264 לְהַחֲיוֹת אֶת־נַפְשִׁי Gen. 19:19
265 לְמַעַן...לְהַחֲיֹת עַם־רָב Gen. 50:20
266 וַיְמַדֵּד...וּמְלֹא הַחֶבֶל לְהַחֲיוֹת IISh. 8:2
267 לְהַחֲיוֹת רוּחַ שְׁפָלִים Is. 57:15
וּלְהַחֲיוֹת 268 וּלְהַחֲיוֹת לָכֶם לִפְלֵיטָה גְּדֹלָה Gen. 45:7
269 הַאֱלֹהִים אָנִי לְהָמִית וּלְהַחֲיוֹת IIK. 5:7
270 וּלְהַחֲיוֹת לֵב נִדְכָּאִים Is. 57:15
לְהַחֲיֹתוֹ 271 לְבִלְתִּי־שׁוּב מִדַּרְכּוֹ הָרָע לְהַחֲיֹתוֹ Ezek. 13:22
הֶחֱיֵיתִי 272 אַתְּכָה הָרַגְתִּי וְאוֹתָהּ הֶחֱיֵיתִי Num. 22:33
הֶחֱיִתָנוּ 273 וַיֹּאמְרוּ הֶחֱיִתָנוּ Gen. 47:25
הֶחֱיָה 274 וְאֶת־רָחָב הַזּוֹנָה...הֶחֱיָה יְהוֹשֻׁעַ Josh. 6:25
275 וְעַתָּה הִנֵּה הֶחֱיָה יְיָ אוֹתִי Josh. 14:10
276-277 אֲשֶׁר־הֶחֱיָה אֶת־בְּנָהּ IIK. 8:1, 5
278 אֵת אֲשֶׁר־הֶחֱיָה אֶת־הַמֵּת IIK. 8:5
279 וְזֶה־בְּנָהּ אֲשֶׁר־הֶחֱיָה אֱלִישָׁע IIK. 8:5
הַחֲיִתֶם 280 לוּ הַחֲיִתֶם אוֹתָם לֹא הָרַגְתִּי אֶתְכֶם Jud. 8:19
וְהַחֲיִתֶם 281 וְהַחֲיִתֶם אֶת־אָבִי וְאֶת־אִמִּי Josh. 2:13
וְהַחֲיֵנִי 282 וְתַחֲלִימֵנִי וְהַחֲיֵנִי Is. 38:16
הַחֲיוּ 283 וְכֹל הַטַּף בַּנָּשִׁים...הַחֲיוּ לָכֶם Num. 31:18

חֲיָה פ׳ ארמית א) חֲיִי = חָיָה: 1—5
ב) [הפ׳ בינוני מְחָא] מחיה: 6
חֱיִי 1-5 מַלְכָּא לְעָלְמִין חֱיִי Dan. 2:7; 3:9; 5:10; 6:7, 22
מָחֵא 6 וְדִי־הֲוָה צָבֵא הֲוָה מָחֵא Dan. 5:19

חַיָּה[1] נ׳ א) שם קבוצי לכל בעלי־החיים, ביחוד להולכים על ארבע שאינם מבויתים: 1—25, 18—96
ב) מן הדמויות שבמעשה־מרכבה בחזון יחזקאל: 19—24
– רוּחַ הַחַיָּה 24,20,19; חַיָּה גְדוֹלָה 88; ח׳ טְמֵאָה 5; חַיָּה הַנֶּאֱכֶלֶת 17; ח׳ קְטַנָּה 87; ח׳ רָעָה 3, 4, 7—9, 27, 28; צֵיד חַיָּה 6
– חַיַּת הָאָרֶץ 35—38, 64, 66, 72, 73, 74; ח׳ קָנֶה 65; ח׳ הַשָּׂדֶה 39—63, 67—71; חַיְתוֹ אֶרֶץ 81, 82; חַיְתוֹ גוֹי 77; חַיְתוֹ יַעַר 78, 80; ח׳ שָׂדָי 75, 79
– דְּמוּת חַיּוֹת 86, 89; כַּנְפֵי ח׳ 95; פְּרִיץ ח׳ 85
חַיָּה 1 וּבְכָל־חַיָּה הָרֹמֶשֶׂת עַל־הָאָרֶץ Gen. 1:28
2 מִיַּד כָּל־חַיָּה אֶדְרְשֶׁנּוּ Gen. 9:5
3-4 חַיָּה רָעָה אֲכָלָתְהוּ Gen. 37:20, 33
5 אוֹ בְנִבְלַת חַיָּה טְמֵאָה Lev. 5:2
6 אֲשֶׁר יָצוּד צֵיד חַיָּה אוֹ־עוֹף Lev. 17:13
7 וְהִשְׁבַּתִּי חַיָּה רָעָה מִן־הָאָרֶץ Lev. 26:6
8 לוּ־חַיָּה רָעָה אַעֲבִיר בָּאָרֶץ Ezek. 14:15
9 וְהִשְׁבַּתִּי חַיָּה־רָעָה מִן־הָאָרֶץ Ezek. 34:25
10 וַתָּבוֹא חַיָּה בְמוֹ־אָרֶב Job 37:8
הַחַיָּה 11 הֵמָּה וְכָל־הַחַיָּה לְמִינָהּ Gen. 7:14
12 וְאֵת כָּל־הַחַיָּה וְאֶת־כָּל־הַבְּהֵמָה Gen. 8:1
13 כָּל־הַחַיָּה אֲשֶׁר־אִתְּךָ Gen. 8:17
14 כָּל־הַחַיָּה... וְכָל־הָעוֹף Gen. 8:19
15 זֹאת הַחַיָּה אֲשֶׁר תֹּאכְלוּ Lev. 11:2
16 בְּכָל־הַחַיָּה הַהֹלֶכֶת עַל־אַרְבַּע Lev. 11:27
17 לְהַבְדִּיל...וּבֵין הַחַיָּה הַנֶּאֱכֶלֶת Lev. 11:47
18 וּבֵין הַחַיָּה אֲשֶׁר לֹא תֵאָכֵל Lev. 11:47
19-20 כִּי רוּחַ הַחַיָּה בָּאוֹפַנִּים Ezek. 1:20, 21
21 וּדְמוּת עַל־רָאשֵׁי הַחַיָּה רָקִיעַ Ezek. 1:22
22/3 הִיא הַחַיָּה אֲשֶׁר רָאִיתִי Ezek. 10:15, 20
24 כִּי רוּחַ הַחַיָּה בָּהֶם Ezek. 10:17
25 מִבְּלִי עוֹבֵר מִפְּנֵי הַחַיָּה Ezek. 14:15
26 הַחַיָּה וְכָל־בְּהֵמָה רֶמֶשׂ Ps. 148:10
וְחַיָּה 27 רָעָב וְחַיָּה רָעָה Ezek. 5:17
28 חֶרֶב וְרָעָב וְחַיָּה רָעָה וָדָבֶר Ezek. 14:21
וּבַחַיָּה 29 בָּעוֹף וּבַבְּהֵמָה וּבַחַיָּה Gen. 7:21
לַחַיָּה 30 הָיוּ עֲצַבֵּיהֶם לַחַיָּה וְלַבְּהֵמָה Is. 46:1
31 לַחַיָּה נְתַתִּיו לְאָכְלוֹ Ezek. 33:27
32 אֵיךְ הָיְתָה לְשַׁמָּה מַרְבֵּץ לַחַיָּה Zep. 2:15
לְחַיַּת 33 אַל־תִּתֵּן לְחַיַּת נֶפֶשׁ תּוֹרֶךָ Ps. 74:19
וְלַחַיָּה 34 וְלִבְהֶמְתְּךָ וְלַחַיָּה אֲשֶׁר בְּאַרְצֶךָ Lev. 25:7
חַיַּת־ 35 אֶת־חַיַּת הָאָרֶץ לְמִינָהּ Gen. 1:25
36-38 חַיַּת הָאָרֶץ Gen. 1:30; 9:10[2]
39 וַיִּצֶר...כָּל־חַיַּת הַשָּׂדֶה Gen. 2:19
40-63 חַיַּת הַשָּׂדֶה Gen. 2:20; 3:1, 14; 9:2
Ex. 23:11, 29 • Lev. 26:22 • Deut. 7:22 • IISh. 21:10 • IIK. 14:9 • Is. 43:20 • Jer. 12:9; 27:6; 28:14 • Ezek. 31:6, 13; 34:5, 8; 39:17 • Hosh. 2:14, 20; 13:8 • Job 40:20 • IICh. 25:18
64 וְהִשְׂבַּעְתִּי מִמְּךָ חַיַּת כָּל־הָאָרֶץ Ezek. 32:4
65 גְּעַר חַיַּת קָנֶה עֲדַת אַבִּירִים Ps. 68:31
וְחַיַּת־ 66 וְחַיַּת הָאָרֶץ לֹא תֹאכְלֵם Ezek. 34:28
וְחַיַּת־ (המשך) 67 וְחַיַּת הַשָּׂדֶה וְכָל־הָרֶמֶשׂ... Ezek. 38:20
68 לְעֵיט צִפּוֹר...וְחַיַּת הַשָּׂדֶה Ezek. 39:4
69 וְחַיַּת הַשָּׂדֶה הָשְׁלְמָה־לָךְ Job 5:23
70 וְחַיַּת הַשָּׂדֶה תְּדוּשֶׁהָ Job 39:15
בְּחַיַּת 71 בְּחַיַּת הַשָּׂדֶה וּבְעוֹף הַשָּׁמָיִם Hosh. 4:3
לְחַיַּת־ 72 לְחַיַּת הָאָרֶץ...נְתַתִּיךָ לְאָכְלָה Ezek. 29:5
וּלְחַיַּת־ 73 לְעוֹף הַשָּׁמַיִם וּלְחַיַּת הָאָרֶץ ISh. 17:46
וּמֵחַיַּת־ 74 וּמֵחַיַּת הָאָרֶץ אַל־תִּירָא Job 5:22
חַיְתוֹ־ 75 כֹּל חַיְתוֹ שָׂדָי אֵתָיוּ לֶאֱכֹל Is. 56:9
76 כָּל־חַיְתוֹ בַּיָּעַר Is. 56:9
77 וְרָבְצוּ...כָּל־חַיְתוֹ־גוֹי Zep. 2:14
78 כִּי־לִי כָל־חַיְתוֹ־יָעַר Ps. 50:10
79 יַשְׁקוּ כָּל־חַיְתוֹ שָׂדָי Ps. 104:11
80 בּוֹ־תִרְמֹשׂ כָּל־חַיְתוֹ־יָעַר Ps. 104:20
וְחַיְתוֹ־ 81 וְחַיְתוֹ־אֶרֶץ לְמִינָהּ Gen. 1:24
לְחַיְתוֹ־ 82 בְּשַׂר חֲסִידֶיךָ לְחַיְתוֹ־אָרֶץ Ps. 79:2
וְחַיָּתוֹ 83 וְחַיָּתוֹ אֵין דֵּי עוֹלָה Is. 40:16
חַיָּתָם 84 לִבְהֶמְתָּם וְלִרְכֻשָׁם וּלְכֹל חַיָּתָם Num. 35:3
חַיּוֹת 85 וּפְרִיץ חַיּוֹת בַּל־יַעֲלֶנָּה Is. 35:9
86 וּמִתּוֹכָהּ דְּמוּת אַרְבַּע חַיּוֹת Ezek. 1:5
87 חַיּוֹת קְטַנּוֹת עִם־גְּדֹלוֹת Ps. 104:25
88 וְכָל־חַיּוֹת לֹא־יַעַמְדוּ לְפָנָיו Dan. 8:4
הַחַיּוֹת 89 וּדְמוּת הַחַיּוֹת מַרְאֵיהֶם כְּגַחֲלֵי־אֵשׁ Ezek. 1:13
90 הִיא מִתְהַלֶּכֶת בֵּין הַחַיּוֹת Ezek. 1:13
91 וָאֵרֶא הַחַיּוֹת וְהִנֵּה... Ezek. 1:15
92 אוֹפַן אֶחָד בָּאָרֶץ אֵצֶל הַחַיּוֹת Ezek. 1:15
93 וּבְלֶכֶת הַחַיּוֹת יֵלְכוּ הָאוֹפַנִּים Ezek. 1:19
94 וּבְהִנָּשֵׂא הַחַיּוֹת מֵעַל הָאָרֶץ Ezek. 1:19
95 וְקוֹל כַּנְפֵי הַחַיּוֹת מַשִּׁיקוֹת Ezek. 3:13
וְהַחַיּוֹת 96 וְהַחַיּוֹת רָצוֹא וָשׁוֹב Ezek. 1:14

חַיָּה[2] נ׳ כנוי לנפש: 1—12
חַיַּת יָד 1; ח׳ כְּפִירִים 3; חַיַּת עֲנִיִּים 2
חַיַּת־ 1 חַיַּת יָדֵךְ מָצָאת... Is. 57:10
2 חַיַּת עֲנִיֶּיךָ אַל־תִּשְׁכַּח לָנֶצַח Ps. 74:19
וְחַיַּת־ 3 וְחַיַּת כְּפִירִים תְּמַלֵּא Job 38:39
חַיָּתִי 4 דִּכָּא לָאָרֶץ חַיָּתִי Ps. 143:3
חַיָּתוֹ 5 וְאִישׁ בַּעֲוֹנוֹ חַיָּתוֹ לֹא־יִתְחַזָּקוּ Ezek. 7:13
6 וְזִהֲמַתּוּ חַיָּתוֹ לָחֶם Job 33:20
וְחַיָּתוֹ 7 יַחְשֹׂךְ...וְחַיָּתוֹ מֵעֲבֹר בַּשָּׁלַח Job 33:18
8 וַתִּקְרַב...וְחַיָּתוֹ לַמְמִתִים Job 33:22
9 וְחַיָּתִי (כת׳ וחיתו) בָּאוֹר תִּרְאֶה Job 33:28
חַיָּתָם 10 וְעוֹד בַּחַיִּים חַיָּתָם Ezek. 7:13
וְחַיָּתָם 11 וְחַיָּתָם לַדֶּבֶר הִסְגִּיר Ps. 78:50
12 תָּמֹת בַּנֹּעַר נַפְשָׁם וְחַיָּתָם בַּקְּדֵשִׁים Job 36:14

חַיָּה[3] נ׳ חוה, מחנה, חבורה: 1—3
לַחַיָּה 1 וַיֵּאָסְפוּ פְלִשְׁתִּים לַחַיָּה... IISh. 23:11
וְחַיַּת־ 2 וְחַיַּת פְּלִשְׁתִּים חֹנָה בְּעֵמֶק רְפָאִים IISh 23:13
חַיָּתְךָ 3 חַיָּתְךָ יָשְׁבוּ־בָהּ... Ps. 68:11

חָיֶה* ת׳ עין חי (מס׳ 239)

חֵיוָא נ׳ ארמית: חַיָּה [חֵיוְתָא=החיה; חֵיוָתָא=החיות]: 1—20
לְבַב חֵיוָא 1; חֵיוַת בָּרָא 11—16
חֵיוָא 1 וּלְבַב חֵיוָא יִתְיְהִב לֵהּ Dan. 4:13
חֵיוָה 2 וַאֲרוּ חֵיוָה אָחֳרִי תִנְיָנָה... Dan. 7:5
3 וַאֲרוּ חֵיוָה רְבִיעָאָה דְּחִילָה Dan. 7:7
חֵיוְתָא 4 תְּנֻד חֵיוְתָא מִן־תַּחְתּוֹהִי Dan. 4:11
5 וְעִם־חֵיוְתָא חֲלָקֵהּ בַּעֲשַׂב אַרְעָא Dan. 4:12
6 וְלִבְבֵהּ עִם־חֵיוְתָא שַׁוִּיו Dan. 5:21
7-9 חֵיוְתָא Dan. 7:11, 19, 23

לְחֵיוָתָא 10 וְאַרְבְּעָה רֵאשִׁין לְחֵיוְתָא Dan.7:6
חֵיוַת־ 11 חֵיוַת בָּרָא וְעוֹף־שְׁמַיָּא Dan.2:38
12 תְּחֹתוֹהִי תַּטְלֵל חֵיוַת בָּרָא Dan.4:9
13-16 חֵיוַת בָּרָא Dan.4:18,20,22,29
חֵיוָן 17 וְאַרְבַּע חֵיוָן רַבְרְבָן סָלְקָן Dan.7:3
חֵיוְתָא 18 וְהִיא מְשַׁנְּיָה מִן־כָּל־חֵיוָתָא Dan.7:7
19 וּשְׁאָר חֵיוָתָא הֶעְדִּיו שָׁלְטָנְהוֹן Dan.7:12
20 אִלֵּין חֵיוָתָא רַבְרְבָתָא Dan.7:17

חַיּוֹת
ג׳ חיים • אַלְמְנוּת חַיּוּת 1

חַיּוּת 1 צְרֻרוֹת עַד־יוֹם מֻתָן אַלְמְנוּת חַיּוּת IISh.20:3

(חיט) אַחִיט
אַפ׳ ארמית: חִבֵּר, חִזֵּק

יַחִיטוּ 1 וְשׁוּרַיָּא° שַׁכְלִלוּ° וְאֻשַּׁיָּא יַחִיטוּ Ez.4:12

חַיִּים
ז״ר א) כוח התנועה והרגש של כל חַי: 1—150
ב) מִחְיָה: 40

– חַיִּים וָמָוֶת 38, 46, 48, 61, 67, 106, 107, (139), (149)
– אוֹר הַחַיִּים 51, 52; אֹרַח חַיִּים 6, 20, 31; אָרְחוֹת חַיִּים 13; דֶּרֶךְ (הַ)חַיִּים 21, 48; חֻקּוֹת הַחַ׳ 49; מְקוֹר חַיִּים 10, 24, 28, 29, 34; נִשְׁמַת חַ׳ 1; עֵץ (הַ)חַיִּים 15, 25, 27, 30, 42—44; צְרוֹר הַחַיִּים 47; רוּחַ חַיִּים 2—4; שְׁנוֹת חַ׳ 14, 17, 23; תּוֹכַחַת חַיִּים 32; תּוֹצְאוֹת חַיִּים 19
– חַיֵּי אֲבוֹתָיו 73; חַיֵּי אַבְרָהָם 71; חַיֵּי בְשָׂרִים 78; חַ׳ הֶבְלוֹ 79, 80; חַ׳ יִשְׁמָעֵאל 72; חַ׳ לֵוִי 74; חַ׳ נֹחַ 81; חַ׳ עַמְרָם 76; חַ׳ קְהָת 75; חַיֵּי רוּחוֹ 77; חַיֵּי שָׂרָה 69, 70
– אֵל חַיָּיו 94; יְמֵי חַיָּיו 79, 80, 89, 92, 108, 109, 111-115, 124—138, 143, 145, 148; מָעוֹז חַיָּיו 88; רוּחַ חַיָּיו 96; שְׁנֵי חַיָּיו 71-76, 83, 85, 110, 123
– גָּאַל חַיִּים 99, 122; חָפֵץ חַיִּים 9; כָּלוּ חַ׳ 90; מָאַס חַ׳ 97; מָצָא חַ׳ 22, 35; מֵרַר (אֶת־) חַ׳ 147; נָצַר חַ׳ 95; נָתַן חַ׳ 41,46; צִוָּה חַ׳ 12; צָמַת חַ׳ 98; קִפֵּד חַ׳ 86; קָץ בְּחַ׳ 101; רָאָה חַ׳ 37; רָמַס חַ׳ 91; שָׁאַל חַ׳ 7; שָׂנֵא חַיִּים 53
– חַיֶּיךָ 119; חַיָּיו תְּלֻאִים 116

חַיִּים 1 וַיִּפַּח בְּאַפָּיו נִשְׁמַת חַיִּים Gen.2:7
2 כָּל־בָּשָׂר אֲשֶׁר־בּוֹ רוּחַ חַיִּים Gen.6:17
3 מִכָּל־הַבָּשָׂר אֲשֶׁר־בּוֹ רוּחַ חַיִּים Gen.7:15
4 כֹּל אֲשֶׁר נִשְׁמַת־רוּחַ חַיִּים בְּאַפָּיו Gen.7:22
5 לָמָּה לִּי חַיִּים Gen.27:46
6 תּוֹדִיעֵנִי אֹרַח חַיִּים Ps.16:11
7 חַיִּים שָׁאַל מִמְּךָ נָתַתָּה לּוֹ Ps.21:5
8 כִּי רֶגַע בְּאַפּוֹ חַיִּים בִּרְצוֹנוֹ Ps.30:6
9 מִי־הָאִישׁ הֶחָפֵץ חַיִּים Ps.34:13
10 כִּי־עִמְּךָ מְקוֹר חַיִּים Ps.36:10
11 וְאֹיְבַי חַיִּים עָצֵמוּ Ps.38:20
12 שָׁם צִוָּה יְיָ...חַיִּים עַד־הָעוֹלָם Ps.133:3
13 וְלֹא יַשִּׂיגוּ אָרְחוֹת חַיִּים Prov.2:19
14 אֹרֶךְ יָמִים וּשְׁנוֹת חַיִּים Prov.3:2
15 עֵץ־חַיִּים הִיא לַמַּחֲזִיקִים בָּהּ Prov.3:18
16 וְיִהְיוּ חַיִּים לְנַפְשֶׁךָ Prov.3:22
17 וְיִרְבּוּ לְךָ שְׁנוֹת חַיִּים Prov.4:10
18 כִּי־חַיִּים הֵם לְמֹצְאֵיהֶם Prov.4:22
19 כִּי־מִמֶּנּוּ תּוֹצְאוֹת חַיִּים Prov.4:23
20 אֹרַח חַיִּים פֶּן־תְּפַלֵּס Prov.5:6
21 וְדֶרֶךְ חַיִּים תּוֹכְחוֹת מוּסָר Prov.6:23
22 כִּי מֹצְאִי מָצָא° חַיִּים Prov.8:35
23 וְיוֹסִיפוּ לְּךָ שְׁנוֹת חַיִּים Prov.9:11
24 מְקוֹר חַיִּים פִּי צַדִּיק Prov.10:11
25 פְּרִי־צַדִּיק עֵץ חַיִּים Prov.11:30

חַיִּים (המשך) 26 בְּאֹרַח־צְדָקָה חַיִּים Prov.12:28
27 וְעֵץ חַיִּים תַּאֲוָה בָאָה Prov.13:12
28 תּוֹרַת חָכָם מְקוֹר חַיִּים Prov.13:14
29 יִרְאַת יְיָ מְקוֹר חַיִּים Prov.14:27
30 מַרְפֵּא לָשׁוֹן עֵץ חַיִּים Prov.15:4
31 אֹרַח חַיִּים לְמַעְלָה לְמַשְׂכִּיל Prov.15:24
32 אֹזֶן שֹׁמַעַת תּוֹכַחַת חַיִּים Prov.15:31
33 בְּאוֹר־פְּנֵי־מֶלֶךְ חַיִּים Prov.16:15
34 מְקוֹר חַיִּים שֵׂכֶל בְּעָלָיו Prov.16:22
35 יִמְצָא חַיִּים צְדָקָה וְכָבוֹד Prov.21:21
36 חַיִּים וָחֶסֶד עָשִׂיתָ עִמָּדִי Job 10:12
37 רְאֵה חַיִּים עִם־אִשָּׁה אֲשֶׁר־אָהַבְתָּ Eccl.9:9
וְחַיִּים 38 מָוֶת וְחַיִּים בְּיַד־לָשׁוֹן Prov.18:21
39 עֵקֶב עֲנָוָה...עֹשֶׁר וְכָבוֹד וְחַיִּים Prov.22:4
40 לְלֶחֶם בֵּיתֶךָ וְחַיִּים לְנַעֲרוֹתֶיךָ Prov.27:27
41 לָמָּה יִתֵּן...וְחַיִּים לְמָרֵי נָפֶשׁ Job 3:20
הַחַיִּים 42 וְעֵץ הַחַיִּים בְּתוֹךְ הַגָּן Gen.2:9
43 וְלָקַח גַּם מֵעֵץ הַחַיִּים Gen.3:22
44 לִשְׁמֹר אֶת־דֶּרֶךְ עֵץ הַחַיִּים Gen.3:24
45 ...אֶת־הַחַיִּים וְאֶת־הַטּוֹב Deut.30:15
46 הַחַיִּים וְהַמָּוֶת נָתַתִּי לְפָנֶיךָ Deut.30:19
47 וְהָיְתָה נֶפֶשׁ אֲדֹנִי צְרוּרָה בִּצְרוֹר הַחַיִּים אֵת יְיָ ISh.25:29
48 אֶת־דֶּרֶךְ הַחַיִּים וְאֶת־דֶּרֶךְ הַמָּוֶת Jer.21:8
49 בְּחֻקּוֹת הַחַיִּים הָלַךְ Ezek.33:15
50 בְּרִיתִי הָיְתָה אִתּוֹ הַחַיִּים וְהַשָּׁלוֹם Mal.2:5
51 לְהִתְהַלֵּךְ לִפְנֵי אֱלֹ׳ בְּאוֹר הַחַיִּים Ps.56:14
52 לֵאוֹר בְּאוֹר הַחַיִּים Job 33:30
53 וְשָׂנֵאתִי אֶת־הַחַיִּים Eccl.2:17
בַּחַיִּים 54 ...וּבָחַרְתָּ בַּחַיִּים Deut.30:19
55 וְעוֹד בַּחַיִּים חַיָּתָם Ezek.7:13
56 מִמְתִים מֵחֶלֶד חֶלְקָם בַּחַיִּים Ps.17:14
57 הַשָּׂם נַפְשֵׁנוּ בַּחַיִּים Ps.66:9
58 מִי־יוֹדֵעַ מַה־טּוֹב לָאָדָם בַּחַיִּים Eccl.6:12
59 כִּי הוּא חֶלְקְךָ בַּחַיִּים Eccl.9:9
בַּחַיִּין 60 יָקוּם וְלֹא־יַאֲמִין בַּחַיִּין Job 24:22
לְחַיִּים 61 אִם־לְמָוֶת אִם־לְחַיִּים IISh.15:21
62 פְּעֻלַּת צַדִּיק לְחַיִּים Prov.10:16
63 אֹרַח לְחַיִּים שׁוֹמֵר מוּסָר Prov.10:17
64 כֵּן־צְדָקָה לְחַיִּים Prov.11:19
65 יִרְאַת יְיָ לְחַיִּים Prov.19:23
לַחַיִּים 66 כָּל־הַכָּתוּב לַחַיִּים בִּירוּשָׁלָ͏ִם Is.4:3
מֵחַיִּים 67 וְנִבְחַר מָוֶת מֵחַיִּים Jer.8:3
68 כִּי־טוֹב חַסְדְּךָ מֵחַיִּים Ps.63:4
חַיֵּי־ 69 וַיִּהְיוּ חַיֵּי שָׂרָה מֵאָה שָׁנָה... Gen.23:1
70 שְׁנֵי חַיֵּי שָׂרָה Gen.23:1
71 וְאֵלֶּה יְמֵי שְׁנֵי־חַיֵּי אַבְרָהָם Gen.25:7
72 וְאֵלֶּה שְׁנֵי חַיֵּי יִשְׁמָעֵאל Gen.25:17
73 יְמֵי שְׁנֵי חַיֵּי אֲבֹתַי Gen.47:9
74 וּשְׁנֵי חַיֵּי לֵוִי Ex.6:16
75 וּשְׁנֵי חַיֵּי קְהָת Ex.6:18
76 וּשְׁנֵי חַיֵּי עַמְרָם Ex.6:20
77 וּלְכָל־בָּהֵן חַיֵּי רוּחִי Is.38:16
78 חַיֵּי בְשָׂרִים לֵב מַרְפֵּא Prov.14:30
79 ...מִסְפַּר יְמֵי־חַיֵּי הֶבְלוֹ Eccl.6:12
80 כָּל־יְמֵי חַיֵּי הֶבְלֶךָ Eccl.9:9
לְחַיֵּי־ 81 בִּשְׁנַת שֵׁשׁ־מֵאוֹת שָׁנָה לְחַיֵּי־נֹחַ Gen.7:11
82 אֵלֶּה לְחַיֵּי עוֹלָם וְאֵלֶּה לַחֲרָפוֹת Dan.12:2
חַיַּי 83 מְעַט וְרָעִים הָיוּ יְמֵי שְׁנֵי חַיַּי Gen.47:9
84 מִי אָנֹכִי וּמִי חַיַּי ISh.18:18
85 כַּמָּה יְמֵי שְׁנֵי חַיַּי כִּי־אֶעֱלֶה IISh.19:35
86 קִפַּדְתִּי כָאֹרֵג חַיַּי Is.38:12

חַיַּי (המשך) 87 וַתַּעַל מִשַּׁחַת חַיַּי יְיָ אֱלֹהָי Jon.2:7
88 יְיָ מָעוֹז־חַיַּי מִמִּי אֶפְחָד Ps.27:1
89 שִׁבְתִּי בְּבֵית־יְיָ כָּל־יְמֵי חַיַּי Ps.27:4
90 כִּי כָלוּ בְיָגוֹן חַיַּי Ps.31:11
חַיָּי 91 וְיִרְמֹס לָאָרֶץ חַיָּי Ps.7:6
92 טוֹב וָחֶסֶד יִרְדְּפוּנִי כָּל־יְמֵי חַיָּי Ps.23:6
93 אַל־תֶּאֱסֹף...וְעִם־אַנְשֵׁי דָמִים חַיָּי Ps.26:9
94 תְּפִלָּה לְאֵל חַיָּי Ps.42:9
95 מִפַּחַד אוֹיֵב תִּצֹּר חַיָּי Ps.64:2
96 זְכֹר כִּי־רוּחַ חַיָּי Job 7:7
97 לֹא־אֵדַע נַפְשִׁי אֶמְאַס חַיָּי Job 9:21
98 צָמְתוּ בַבּוֹר חַיָּי Lam.3:53
99 רַבְתָּ...רִיבֵי נַפְשִׁי גָּאַלְתָּ חַיָּי Lam.3:58
וְחַיַּי 100 וְחַיַּי לִשְׁאוֹל הִגִּיעוּ Ps.88:4
בְּחַיַּי 101 קַצְתִּי בְחַיַּי מִפְּנֵי בְּנוֹת חֵת Gen.27:46
בְחַיָּי 102 כֵּן אֲבָרֶכְךָ בְחַיָּי Ps.63:5
103 אָשִׁירָה לַיְיָ בְּחַיָּי Ps.104:33
104 אֲהַלְלָה יְיָ בְּחַיָּי Ps.146:2
105 נָקְטָה נַפְשִׁי בְּחַיָּי Job 10:1
מֵחַיָּי 106-107 טוֹב מוֹתִי מֵחַיָּי Jon.4:3,8
חַיֶּיךָ 108 וְעָפָר תֹּאכַל כָּל־יְמֵי חַיֶּיךָ Gen.3:14
109 בְּעִצָּבוֹן תֹּאכְלֶנָּה כֹּל יְמֵי חַיֶּיךָ Gen.3:17
110 כַּמָּה יְמֵי שְׁנֵי חַיֶּיךָ Gen.47:8
111 וּפֶן־יָסוּרוּ מִלְּבָבְךָ כֹּל יְמֵי חַיֶּיךָ Deut.4:9
112-115 כֹּל יְמֵי חַיֶּיךָ Deut.6:2; 16:3 Josh.1:5 • Ps.128:5
116 וְהָיוּ חַיֶּיךָ תְּלֻאִים לְךָ מִנֶּגֶד Deut.28:66
117 לְאַהֲבָה אֶת־יְיָ...לְמַעַן חַיֶּיךָ Deut.30:6
118 כִּי הוּא חַיֶּיךָ וְאֹרֶךְ יָמֶיךָ Deut.30:20
119 חַיֶּךָ וְחֵי נַפְשֶׁךָ IISh.11:11
120 נִצְּרֶהָ כִּי־הִיא חַיֶּיךָ Prov.4:13
בְּחַיֶּיךָ 121 ...וְלֹא תַאֲמִין בְּחַיֶּיךָ Deut.28:66
חַיָּיְכִי 122 הַגּוֹאֵל מִשַּׁחַת חַיָּיְכִי Ps.103:4
חַיָּיו 123 וַיְהִי יְמֵי־יַעֲקֹב שְׁנֵי חַיָּיו... Gen.47:28
124 וְקָרָא בוֹ כָּל־יְמֵי חַיָּיו Deut.17:19
125 יָרְאוּ אֶת־מֹשֶׁה כָּל־יְמֵי חַיָּיו Josh.4:14
126 וּנְתַתִּיו לַיְיָ כָּל־יְמֵי חַיָּיו ISh.1:11
127-135 כֹּל יְמֵי חַיָּיו ISh.7:15 • IK.5:1 11:34; 15:5,6 • IIK.25:29,30 • Jer.52:34 • Eccl.5:19
136 וְאָכַל לֶחֶם לְפָנָיו...כָּל־יְמֵי חַיָּיו Jer.52:33
137 מִסְפַּר יְמֵי־חַיָּו Eccl.5:17
138 יְמֵי חַיָּיו אֲשֶׁר־נָתַן־לוֹ הָאֱלֹהִים Eccl.8:15
בְחַיָּיו 139 ...רַבִּים מֵאֲשֶׁר הֵמִית בְּחַיָּיו Jud.16:30
140 כִּי־נַפְשׁוֹ בְּחַיָּיו יְבָרֵךְ Ps.49:19
141 וְלַעֲשׂוֹת טוֹב בְּחַיָּיו Eccl.3:12
142 וַיַּצֶּב־לוֹ בְחַיָּו אֶת־מַצֶּבֶת IISh.18:18
חַיֶּיהָ 143 גְּמָלַתְהוּ טוֹב...כֹּל יְמֵי חַיֶּיהָ Prov.31:12
בְּחַיֶּיהָ 144 לְגַלּוֹת עֶרְוָתָהּ עָלֶיהָ בְּחַיֶּיהָ Lev.18:18
חַיֵּינוּ 145 וּנְגִינוֹתַי נְנַגֵּן כָּל־יְמֵי חַיֵּינוּ Is.38:20
חַיֵּיכֶם 146 כִּי־הוּא חַיֵּיכֶם Deut.32:47
חַיֵּיהֶם 147 וַיְמָרְרוּ אֶת־חַיֵּיהֶם בַּעֲבֹדָה Ex.1:14
148 אֲשֶׁר יַעֲשׂוּ...מִסְפַּר יְמֵי חַיֵּיהֶם Eccl.2:3
בְחַיֵּיהֶם 149 הַנֶּאֱהָבִים וְהַנְּעִימִם בְּחַיֵּיהֶם... IISh.1:23
150 וְהוֹלֵלוֹת בִּלְבָבָם בְּחַיֵּיהֶם Eccl.9:3

חַיִּין
ז״ר ארמית: חיים [עיין גם חיים 60]

בְּחַיִּין 1 וְאַרְכָה בְחַיִּין יְהִיבַת לְהוֹן Dan.7:12
לְחַיֵּי־ 2 וּמְצַלַּיִן לְחַיֵּי מַלְכָּא וּבְנוֹהִי Ez.6:10

חיל
: א) חָלִי, חוֹלֵל, חוּלַל, הִתְחוֹלֵל, הֵחִיל, הוּחַל; חִיל, חִילָה
ב) חָלִ², חַיִל; אר׳ חַיִל
ג) חָלִ¹, חוֹלֵל, הִתְחוֹלֵל

(חיל) חָל[1] פָּ׳ א) רָעַד מפחד וכד׳, רעדה מחֶבלי לֵדה [עין גם חול[3]]: 1–24
ב) [פִּ׳ חוֹלֵל] יָלַד, הביא לעולם, גרם לחֶבלי לדה: 25–31
ג) [פֻּ׳ חוֹלַל] נולד: 32–36
ד) [הת׳ הִתְחוֹלֵל] הִתרגז: 37
ה) [הִפ׳ הֵחִיל] הרגיז, הרעיד: 38, 39
ו) [הָפ׳ הוּחַל] נולד: 40

חַלְתִּי 1 לֹא־חַלְתִּי וְלֹא־יָלַדְתִּי... Is. 23:4
חָלָה 2 פִּצְחִי רִנָּה וְצַהֲלִי לֹא־חָלָה Is. 54:1
3 כִּי־חָלָה גַּם־יָלְדָה צִיּוֹן Is. 66:8
חַלְנוּ 4 הָרִינוּ חַלְנוּ כְּמוֹ יָלַדְנוּ רוּחַ Is. 26:18
חָלוּ 5 הִכִּיתָה אֹתָם וְלֹא־חָלוּ Jer. 5:3
וְחָלוּ 6 וְרָגְזוּ וְחָלוּ מִפָּנֶיךָ Deut. 2:25
כְּחוֹלָה(?) 7 קוֹל כְּחוֹלָה שָׁמַעְתִּי צָרָה כְּמַבְכִּירָה Jer. 4:31
אוֹחִילָה 8 מֵעַי מֵעַי אוֹחִילָה (כת׳ אחילה) Jer. 4:19
תְּחִילִין 9 הוֹי אֹמֵר...וּלְאִשָּׁה מַה־תְּחִילִין Is. 45:10
יָחִיל 10 לִבִּי יָחִיל בְּקִרְבִּי Ps. 55:5
וַיָּחֶל 11 וַיָּחֶל מְאֹד מֵהַמּוֹרִים ISh. 31:3
12 וַיָּחֶל מִן־הַיּוֹרִים ICh. 10:3
תָּחִיל 13 כְּמוֹ הָרָה...תָּחִיל תִּזְעַק בַּחֲבָלֶיהָ Is. 26:17
14 בְּטֶרֶם תָּחִיל יָלָדָה Is. 66:7
וַתָּחֵל 15 רָאֲתָה וַתָּחֵל הָאָרֶץ Ps. 97:4
וְתָחִיל 16 תֵּרֶא...וְעַזָּה וְתָחִיל מְאֹד Zech. 9:5
תָּחִילוּ 17 אִם מִפָּנַי לֹא תָחִילוּ Jer. 5:22
יָחִילוּ 18 יָחִילוּ כְּשֵׁמַע צֹר Is. 23:5
19 מִפָּנָיו יָחִילוּ עַמִּים Joel 2:6
20 רָאוּךָ יָחִילוּ הָרִים Hab. 3:10
21 רָאוּךָ מַּיִם יָחִילוּ...יִרְגְּזוּ תְהֹמוֹת Ps. 77:17
יְחִילוּן 22 וְנִבְהָלוּ...כַּיּוֹלֵדָה יְחִילוּן Is. 13:8
חִילוּ 23 חִילוּ מִפָּנָיו כָּל־הָאָרֶץ Ps. 96:9
24 חִילוּ מִלְּפָנָיו כָּל־הָאָרֶץ ICh. 16:30
חוֹלֵל 25 חֹלֵל אַיָּלוֹת תִּשְׁמֹר Job 39:1
מְחוֹלֵל 26 רַב מְחוֹלֵל־כֹּל Prov. 26:10
מְחוֹלְלֶךָ 27 וַתִּשְׁכַּח אֵל מְחֹלְלֶךָ Deut. 32:18
וַתְּחוֹלֵל 28 וַתְּחוֹלֵל אֶרֶץ וְתֵבֵל Ps. 90:2
יְחוֹלֵל 29 קוֹל יְיָ יְחוֹלֵל אַיָּלוֹת Ps. 29:9
תְּחוֹלֵל 30 רוּחַ צָפוֹן תְּחוֹלֵל גָּשֶׁם Prov. 25:23
תְּחוֹלֶלְכֶם 31 הַבִּיטוּ...וְאֶל־שָׂרָה תְּחוֹלֶלְכֶם Is. 51:2
חוֹלָלְתִּי 32 הֵן־בְּעָוֹון חוֹלָלְתִּי Ps. 51:7
33 בְּאֵין־תְּהֹמוֹת חוֹלָלְתִּי Prov. 8:24
34 לִפְנֵי גְבָעוֹת חוֹלָלְתִּי Prov. 8:25
חוֹלָלְתָּ 35 וְלִפְנֵי גְבָעוֹת חוֹלָלְתָּ Job 15:7
יְחוֹלָלוּ 36 הָרְפָאִים יְחוֹלָלוּ Job 26:5
מִתְחוֹלֵל 37 כָּל־יְמֵי רָשָׁע הוּא מִתְחוֹלֵל Job 15:20
יָחִיל 38 קוֹל יְיָ יָחִיל מִדְבָּר Ps. 29:8
39 יָחִיל יְיָ מִדְבַּר קָדֵשׁ Ps. 29:8
הֲיוּחַל 40 הֲיוּחַל אֶרֶץ...אִם־יִוָּלֵד גּוֹי... Is. 66:8

(חיל) חָל[2] הצליח: 1, 2

יָחִיל 1 אֵין־שָׂרִיד לְאָכְלוֹ...לֹא־יָחִיל טוּבוֹ Job 20:21
יָחִילוּ 2 יָחִילוּ דְרָכָו בְּכָל־עֵת Ps. 10:5

(חיל) חָל[3] פָּ׳ א) יִחֵל, קִוָּה: [עין גם יחל]: 1
ב) חִכָּה, המתין: 2, 3
ג) [פִּ׳ חוֹלֵל] קִוָּה, צִפָּה: 4
ד) [הת׳ הִתְחוֹלֵל] כנ״ל: 5

חָלָה 1 כִּי־חָלָה לְטוֹב יוֹשֶׁבֶת מָרוֹת Mic. 1:12
וַיָּחֶל 2 וַיָּחֶל עוֹד שִׁבְעַת יָמִים Gen. 8:10
וַיָּחִילוּ 3 וַיָּחִילוּ עַד־בּוֹשׁ Jud. 3:25
וּתְחוֹלֵל 4 דִּין לְפָנָיו וּתְחוֹלֵל לוֹ Job 35:14
וְהִתְחוֹלֵל 5 דּוֹם לַייָ וְהִתְחוֹלֵל לוֹ Ps. 37:7

חַיִל[1] ז׳ א) כֹּח, עֹז, גבורה (בחומר או ברוח): 1–23, 25, 26, 29, 32, 37, 42–59, 66, 68–75, 77, 87–98, 103, 104, 119, 128, 165, 179, 229
ב) צבא, לוחמים: 24, 27, 28, 30, 31, 40, 41, 60, 61, 63, 64, 78, 99–101, 105–118, 120–127, 129–138, 140–146, 148–161, 163, 164, 166–174, 176–178, 188–193, 195–206, 208–212, 224–228, 230–243
ג) הצלחה, עושר, רכוש: 33–36, 39, 62, 65, 67, 76, 79–86, 102, 139, 145–147, 162, 175, 180–187, 194, 207, 213–223, 244
– **חַיִל גָּדוֹל** 28, 31, 127, 129–131; **חַיִל כָּבֵד** 100, 125, 132; **חֵיל כָּבֵד** 135, 136; **חַיִל עָצוּם** 131; **חַיִל רַב** 101
– **אִישׁ (אַנְשֵׁי) חַיִל** 1–7, 14, 15, 20–22, 29, 56, 57, 68–70, 112, 122; **אֵשֶׁת חַיִל** 34, 35, 38; **בֶּן (בְּנֵי) חַיִל** 9, 11, 13, 16–18, 23, 25, 43, 58, 59, 66, 73, 95–98; **גִּבּוֹר (גִּבּוֹרֵי) חַיִל** 8, 12, 26, 37, 42, 44–55, 72, 75, 87–94, 103, 104, 110, 111, 114, 117–119, 165; **כֹּחַ חַיִל** 99; **פְּקוּדֵי הַחַיִל** 109, 115, 116; **קוֹל חַיִל** 28; **רַב חַיִל** 78; **שָׂרֵי (שַׂר) חַיִל** 41, 64, 106–108, 121
– **חֵיל אֲרָם** 151, 169, 170; **חֵ׳ גּוֹיִם** 145–147, 161; **חֵ׳ הֲדַדְעֶזֶר** 141, 166; **חֵ׳ חוֹטֵא** 162; **חֵיל כָּאִים** 161א; **חֵ׳ כַּשְׂדִּים** 142,143,150,153,154,157,158,160; **חֵ׳ מֶלֶךְ אֲרָם** 168; **חֵ׳ מֶלֶךְ בָּבֶל** 148, 149, 156; **חֵיל מִצְרַיִם** 176; **חֵיל עַם (עַמִּים)** 164, 177; **חֵ׳ פָּרַס וּמָדַי** 163; **חֵ׳ פַּרְעֹה** 140,152,155,159,173; **חֵ׳ (הַ)צָּבָא** 167,171; **חֵ׳ שׁוֹמְרוֹן** 174; **חֵ׳ תְּמוּרָה** 175
– **יוֹם חֵילוֹ** 185
– **גִּבּוֹרֵי חֲיָלִים** 225–228, 243; **הֲמוֹן חֲ׳** 224; **שָׂרֵי חֲיָלִים** 230–242
– **אָזַר חַיִל** 71; **אִזְּרוּ חַ׳** 32,77; **גָּבַר חַ׳** 86; **הִשְׂגָּה חַיִל** 81; **עָשָׂה חַיִל** 10,39,65,67,76,79,80,83–85,102
– **גֶּבֶר חֲיָלִים** 229

חַיִל 1 וְאִם־יָדַעְתָּ וְיֶשׁ־בָּם אַנְשֵׁי־חַיִל Gen. 47:6
2 אַנְשֵׁי־חַיִל יִרְאֵי אֱלֹהִים... Ex. 18:21
3-7 (וְ)אַנְשֵׁי־חַיִל Ex. 18:25
IISh. 11:16 • Jer. 48:14 • Nah. 2:4 • Ps. 76:6
8 וְיִפְתָּח הַגִּלְעָדִי הָיָה גִּבּוֹר חַיִל Jud. 11:1
9 וַיִּשְׁלְחוּ...אֲנָשִׁים בְּנֵי־חַיִל Jud. 18:2
10 וַיַּעַשׂ חַיִל וַיַּךְ אֶת־עֲמָלֵק ISh. 14:48
11 כָּל־אִישׁ גִּבּוֹר וְכָל־בֶּן־חַיִל ISh. 14:52
12 וְגִבּוֹר חַיִל וְאִישׁ מִלְחָמָה ISh. 16:18
13 אַךְ הֱיֵה־לִי לְבֶן־חַיִל ISh. 18:17
14/5 וַיָּקוּמוּ כָּל-אִישׁ חַיִל ISh. 31:12 • ICh. 10:12
16 תֶּחֱזַקְנָה יְדֵיכֶם וִהְיוּ לִבְנֵי־חַיִל IISh. 2:7
17 וְהוּא גַם־בֶּן־חַיִל... IISh. 17:10
18 וּבְנֵי־חַיִל אֲשֶׁר אִתּוֹ IISh. 17:10
19 וַתַּזְרֵנִי חַיִל לַמִּלְחָמָה IISh. 22:40
20 בֶּן-אִישׁ-חַיִל (כת׳ חי) רַב-פְּעָלִים IISh. 23:20
21 אִישׁ־חַיִל שֹׁלֵף חֶרֶב IISh. 24:9
22 כִּי אִישׁ חַיִל אַתָּה וְטוֹב תְּבַשֵּׂר IK. 1:42
23 אִם יִהְיֶה לְבֶן־חַיִל... IK. 1:52
24 וְאַתָּה תִמְנֶה־לְּךָ חַיִל IK. 20:25
25 חֲמִשִּׁים אֲנָשִׁים בְּנֵי־חַיִל IIK. 2:16
26 וְהָאִישׁ הָיָה גִּבּוֹר חַיִל מְצֹרָע IIK. 5:1
27 וְהִנֵּה־חַיִל סוֹבֵב אֶת־הָעִיר IIK. 6:15
28 קוֹל רֶכֶב...קוֹל חַיִל גָּדוֹל IIK. 7:6
29 וְאַנְשֵׁי־חַיִל לִמְסֹךְ שֵׁכָר Is. 5:22
30 רֶכֶב־וָסוּס חַיִל וְעִזּוּז Is. 43:17
31 וַיַּעַמְדוּ...חַיִל גָּדוֹל מְאֹד-מְאֹד Ezek. 37:10

חַיִל (המשך) 32 וַתְּאַזְּרֵנִי חַיִל לַמִּלְחָמָה Ps. 18:40
33 חַיִל כִּי־יָנוּב אַל־תָּשִׁיתוּ לֵב Ps. 62:11
34 אֵשֶׁת־חַיִל עֲטֶרֶת בַּעְלָהּ Prov. 12:4
35 אֵשֶׁת־חַיִל מִי יִמְצָא Prov. 31:10
36 חַיִל בָּלַע וַיְקִאֶנּוּ Job 20:15
37 אִישׁ גִּבּוֹר חַיִל Ruth 2:1
38 כִּי־יוֹדֵעַ...כִּי אֵשֶׁת חַיִל אָתְּ Ruth 3:11
39 וַעֲשֵׂה־חַיִל בְּאֶפְרָתָה Ruth 4:11
40 ...חַיִל וּפָרָשִׁים לְעָזְרֵנוּ מֵאוֹיֵב Ez. 8:22
41 וַיִּשְׁלַח עִמִּי...שָׂרֵי חַיִל וּפָרָשִׁים Neh. 2:9
42 וַאֲחֵיהֶם גִּבֹּרֵי חַיִל... Neh. 11:14
43 בְּנֵי־רְאוּבֵן...מִן־בְּנֵי־חַיִל ICh. 5:18
44 אֲנָשִׁים גִּבּוֹרֵי חַיִל אַנְשֵׁי שֵׁמוֹת ICh. 5:24
45-55 גִּבּוֹרֵי (גִּבּוֹר) חַיִל ICh. 7:2; 8:40; 12:22(21) 12:26(25), 31(30); 26:6, 31 • IICh. 17:13, 14, 17; 32:21
56 בֶּן־אִישׁ־חַיִל רַב־פְּעָלִים ICh. 11:22
57 אִישׁ־חַיִל בַּכֹּחַ לַעֲבֹדָה ICh. 26:8
58-59 וְאֶחָיו בְּנֵי־חַיִל ICh. 26:30, 32
60 וַיְהִי לְאָסָא חַיִל נֹשֵׂא צִנָּה IICh. 14:7
61 וַיִּתֶּן־חַיִל בְּכָל־עָרֵי יְהוּדָה IICh. 17:2
62 וַייָ נָתַן בְּיָדָם חַיִל לָרֹב מְאֹד IICh. 24:24
63 חַיִל עֹשֵׂה מִלְחָמָה IICh. 26:11
64 וַיָּשֶׂם שָׂרֵי-חַיִל בְּכָל-הֶעָרִים IICh. 33:14
חָיִל 65 וְיִשְׂרָאֵל עֹשֶׂה חָיִל Num. 24:18
66 תַּעַבְרוּ...כָּל־בְּנֵי־חָיִל Deut. 3:18
67 הוּא הַנֹּתֵן לְךָ כֹּחַ לַעֲשׂוֹת חָיִל Deut. 8:18
68 כָּל־שָׁמֵן וְכָל־אִישׁ חָיִל Jud. 3:29
69-70 כָּל־אֵלֶּה אַנְשֵׁי חָיִל Jud. 20:44, 46
71 וְנִכְשָׁלִים אָזְרוּ חָיִל ISh. 2:4
72 בֶּן־אִישׁ יְמִינִי גִּבּוֹר חָיִל ISh. 9:1
73 חִזְקוּ וִהְיוּ לִבְנֵי־חָיִל IISh. 13:28
74 הָאֵל מָעוּזִּי חָיִל IISh. 22:33
75 וְהָאִישׁ יָרָבְעָם גִּבּוֹר חָיִל IK. 11:28
76 בְּחָכְמָתְךָ...עָשִׂיתָ לְּךָ חָיִל Ezek. 28:4
77 הָאֵל הַמְאַזְּרֵנִי חָיִל Ps. 18:33
78 אֵין־הַמֶּלֶךְ נוֹשָׁע בְּרָב־חָיִל Ps. 33:16
79-80 בֵּאלֹהִים נַעֲשֶׂה־חָיִל Ps. 60:14; 108:14
81 וְשַׁלְוֵי עוֹלָם הִשְׂגּוּ־חָיִל Ps. 73:12
82 יֵלְכוּ מֵחַיִל אֶל־חָיִל Ps. 84:8
83-84 יְמִין יְיָ עֹשָׂה חָיִל Ps. 118:15, 16
85 רַבּוֹת בָּנוֹת עָשׂוּ חָיִל Prov. 31:29
86 עָתְקוּ גַּם־גָּבְרוּ חָיִל Job 21:7
87 רָאשֵׁי בֵּית אֲבוֹתָם גִּבּוֹרֵי חָיִל ICh. 7:9
88-94 גִּבּוֹרֵי (גִּבּוֹר) חָיִל ICh. 12:29(28); 28:1
IICh. 13:3; 14:7; 17:16; 25:6; 26:12
95 וְעוֹבֵד אֶלְזָבָד אֶחָיו בְּנֵי־חָיִל ICh. 26:7
96-98 בְּנֵי חָיִל ICh. 26:9 • IICh. 26:17; 28:6
99 עוֹשֵׂי מִלְחָמָה בְּכֹחַ חָיִל IICh. 26:13
וְחַיִל 100 סוּסִים וָרֶכֶב וְחַיִל כָּבֵד IIK. 6:14
101 קָהָל גָּדוֹל וְחַיִל רָב Ezek. 38:15
הַחַיִל 102 כֹּחִי...עָשָׂה לִי אֶת־הַחַיִל הַזֶּה Deut. 8:17
103 תַּעַבְרוּ...כֹּל גִּבּוֹרֵי הַחַיִל Josh. 1:14
104 וַיִּבְחַר...אִישׁ גִּבּוֹרֵי הַחַיִל Josh. 8:3
105 וַיֵּלְכוּ עִמּוֹ הַחַיִל ISh. 10:26
106 וַיֹּאמֶר...אֶל־יוֹאָב שַׂר־הַחַיִל IISh. 24:2
107 וַיֵּצֵא יוֹאָב וְשָׂרֵי הַחַיִל IISh. 24:4
108 וְהִנֵּה שָׂרֵי הַחַיִל יֹשְׁבִים IIK. 9:5
109 אֶת־שָׂרֵי הַמֵּאוֹת° פְּקֻדֵי הַחַיִל IIK. 11:15
110 וַיֹּצֵא...עַל כָּל־גִּבּוֹרֵי הַחַיִל IIK. 15:20
111 וְהִגְלָה...וְאֵת כָּל־גִּבּוֹרֵי הַחַיִל IIK. 24:14
112 וְאֵת כָּל־אַנְשֵׁי הַחַיִל... IIK. 24:16
113 וְעָמַד...וְיָבֹא אֶל־הַחַיִל Dan. 11:7

114 גִּבֹּרֵי הַחַיִל אַנְשֵׁי צָבָא IСh.12:9(8)
115 אֶת־שָׂרֵי הַמֵּאוֹת פְּקוּדֵי הַחַיִל IICh.23:14
הֶחָיִל 116 וַיִּקְצֹף מֹשֶׁה עַל פְּקוּדֵי הֶחָיִל Num.31:14
117 רְאֵה נָתַתִּי בְיָדְךָ...גִּבּוֹרֵי הֶחָיִל Josh.6:2
118 וְכֹל גִּבּוֹרֵי הֶחָיִל Josh.10:7
119 יְיָ עִמְּךָ גִּבּוֹר הֶחָיִל Jud.6:12
120 וַיִּשְׁלְחוּ...אִישׁ מִבְּנֵי הֶחָיִל Jud.21:10
121 וַיֶּחֱזַק דְּבַר הַמֶּלֶךְ...וְעַל שָׂרֵי הֶחָיִל IISh.24:4
122 וְהִתְעַוְּתוּ אַנְשֵׁי הֶחָיִל Eccl.12:3
וְהַחַיִל 123 וְהַחַיִל הַיֹּצֵא אֶל־הַמַּעֲרָכָה ISh.17:20
124 וְהַחַיִל אֲשֶׁר אַחֲרֵיהֶם IK.20:19
בְּחַיִל 125 וַתָּבֹא...בְּחַיִל כָּבֵד מְאֹד IK.10:2
126 כִּי־בְחַיִל יֵלֵכוּ... Jer.46:22
127 וְלֹא בְחַיִל גָּדוֹל וּבְקָהָל רָב Ezek.17:17
128 לֹא בְחַיִל וְלֹא בְכֹחַ... Zech.4:6
129 בְּחַיִל גָּדוֹל וּבִרְכוּשׁ רָב Dan.11:13
130 וְיָעֵר...עַל...הַנֶּגֶב בְּחַיִל גָּדוֹל Dan.11:25
131 בְּחַיִל־גָּדוֹל וְעָצוּם עַד־מְאֹד Dan.11:25
132 וַתָּבוֹא...בְּחַיִל כָּבֵד מְאֹד IICh.9:1
133 וַיֶּאְסֹר...בְּחַיִל גִּבּוֹרֵי מִלְחָמָה IICh.13:3
134 וַיֵּצֵא אֲלֵיהֶם...בְּחַיִל אֶלֶף אֲלָפִים IICh.14:8
בְּחֵיל 135 וַיִּשְׁלַח...בְּחֵיל כָּבֵד יְרוּשָׁלִָם IIK.18:17
136 ...אֶל־הַמֶּלֶךְ חִזְקִיָּהוּ בְּחֵיל כָּבֵד Is.36:2
כַּחַיִל 137 חַיִל כַּחַיִל הַנֹּפֵל מֵאוֹתָךְ IK.20:25
לְחַיִל 138 וְהַלּוּבִים הָיוּ לְחַיִל לָרֹב IICh.16:8
מֵחַיִל 139 יֵלְכוּ מֵחַיִל אֶל־חָיִל Ps.84:8
חֵיל־ 140 אֶת־הָרֶכֶב...לְכֹל חֵיל פַּרְעֹה Ex.14:28
141 הִכָּה דָוִד אֵת כָּל־חֵיל הֲדַדְעָזֶר IISh.8:9
142 וַיִּרְדְּפוּ חֵיל־כַּשְׂדִּים אַחַר הַמֶּלֶךְ IIK.25:5
143 נָתְצוּ כָּל־חֵיל כַּשְׂדִּים IIK.25:10
144 יִשָּׂא אֶת־חֵיל דַּמֶּשֶׂק Is.8:4
145 חֵיל גּוֹיִם יָבֹאוּ לָךְ Is.60:5
146 לְהָבִיא אֵלַיִךְ חֵיל גּוֹיִם Is.60:11
147 חֵיל גּוֹיִם תֹּאכֵלוּ Is.61:6
148 חֵיל מֶלֶךְ בָּבֶל צָרִים עַל־יְרוּשׁ׳ Jer.32:2
149 וּבְיַד חֵיל מֶלֶךְ בָּבֶל Jer.34:21
150 וְנָבוֹא יְרוּשׁ׳ מִפְּנֵי חֵיל הַכַּשְׂדִּים Jer.35:11
151 וּמִפְּנֵי חֵיל אֲרָם Jer.35:11
152 חֵיל פַּרְעֹה הַיֹּצֵא לָכֶם לְעֶזְרָה Jer.37:7
153 אִם־הִכִּיתֶם כָּל־חֵיל כַּשְׂדִּים Jer.37:10
154 בְּהֵעָלוֹת חֵיל הַכַּשְׂדִּים מֵעַל יְרוּ׳ Jer.37:11
155 מִפְּנֵי חֵיל פַּרְעֹה Jer.37:11
156 תִּנָּתֵן...בְּיַד חֵיל מֶלֶךְ־בָּבֶל Jer.38:3
157/8 וַיִּרְדְּפוּ חֵיל־כַּשְׂדִּים... Jer.39:5; 52:8
159 עַל־חֵיל פַּרְעֹה נְכוֹ Jer.46:2
160 נָתְצוּ כָּל־חֵיל כַּשְׂדִּים Jer.52:14
161 וְאֻסַּף חֵיל כָּל־הַגּוֹיִם סָבִיב Zech.14:14
161א וְנָפַל בַּעֲצוּמָיו חֵל כָּאִים (כת׳ חלכאים) Ps.10:10
162 וְצָפוּן לַצַּדִּיק חֵיל חוֹטֶא Prov.13:22
163 חֵיל פָּרַס וּמָדַי הַפַּרְתְּמִים Es.1:3
164 אֶת־כָּל־חֵיל עַם וּמְדִינָה Es.8:11
165 גִּבּוֹרֵי חֵיל...בֵּית־הָאֱלֹהִים ICh.9:13
166 הִכָּה דָוִיד אֶת־כָּל־חֵיל הֲדַדְעָזֶר ICh.18:9
167 וַיִּנְהַג יוֹאָב אֶת־חֵיל הַצָּבָא ICh.20:1
168 נִמְלַט חֵיל מֶלֶךְ־אֲרָם מִיָּדֶךָ IICh.16:7
169 עָלָה עָלָיו חֵיל אֲרָם IICh.24:23
170 בְּמִצְעַר אֲנָשִׁים בָּאוּ חֵיל אֲרָם IICh.24:24
171 וְעַל־יָדָם חֵיל צָבָא IICh.26:13
וְחֵיל־ 172 וְחֵיל מֶלֶךְ־בָּבֶל נִלְחָמִים Jer.34:7
173 וְחֵיל פַּרְעֹה יָצָא מִמִּצְרָיִם Jer.37:5
174 וַיֹּאמֶר לִפְנֵי אֶחָיו וְחֵיל שֹׁמְרוֹן Neh.3:34

כְּחֵיל־ 175 כְּחֵיל תְּמוּרָתוֹ וְלֹא יַעֲלֹס Job 20:18
לְחֵיל־ 176 וַאֲשֶׁר עָשָׂה לְחֵיל מִצְרַיִם Deut.11:4
177 וַתִּמְצָא כַקֵּן יָדִי לְחֵיל הָעַמִּים Is.10:14
חֵילִי 178 חֵילִי הַגָּדוֹל אֲשֶׁר שִׁלַּחְתִּי בָּכֶם Joel 2:25
179 יְיָ אֲדֹנָי חֵילִי Hab.3:19
180 אִם־אֶשְׂמַח כִּי־רַב חֵילִי Job 31:25
חֵילְךָ 181 חֵילְךָ וְאוֹצְרוֹתֶיךָ לָבַז אֶתֵּן Jer.15:13
182 חֵילְךָ כָּל־אוֹצְרוֹתֶיךָ לָבַז אֶתֵּן Jer.17:3
חֵילֶךָ 183 בְּרֹכֻלָּתְךָ הִרְבִּיתָ חֵילֶךָ Ezek.28:5
184 אוֹתְךָ וְאֶת כָּל־חֵילֶךָ Ezek.38:4
185 עַמְּךָ נְדָבֹת בְּיוֹם חֵילֶךָ Ps.110:3
186 אַל־תִּתֵּן לַנָּשִׁים חֵילֶךָ... Prov.31:3
חֵילֵךְ 187 וְשָׁלְלוּ חֵילֵךְ וּבָזְזוּ רְכֻלָּתֵךְ Ezek.26:12
וְחֵילֵךְ 188 בְּנֵי אַרְוַד וְחֵילֵךְ עַל־חוֹמוֹתַיִךְ Ezek.27:11
בְּחֵילְךָ 189 הֲנִיעֵמוֹ בְחֵילְךָ וְהוֹרִידֵמוֹ Ps.59:12
בְּחֵילֶךָ 190 וַיִּגְבַּהּ לְבָבְךָ בְּחֵילֶךָ Ezek.28:5
בְּחֵילֵךְ 191 ...הָיוּ בְחֵילֵךְ אַנְשֵׁי מִלְחַמְתֵּךְ Ezek.27:10
חֵילוֹ 192/3 וְאִכָּבְדָה בְּפַרְעֹה וּבְכָל־חֵילוֹ Ex.14:4,17
194 בָּרֵךְ יְיָ חֵילוֹ וּפֹעַל יָדָיו תִּרְצֶה Deut.33:11
195 וּבֶן־הֲדַד...קָבַץ אֶת־כָּל־חֵילוֹ IK.20:1
196 בָּא...וְכָל־חֵילוֹ עַל־יְרוּשָׁלִַם IIK.25:1
197/8 וְכָל־חֵילוֹ נָפֹצוּ מֵעָלָיו IIK.25:5 • Jer.52:8
199 וְכָל־חֵילוֹ...נִלְחָמִים Jer.34:1
200-201 בָּא...וְכָל־חֵילוֹ אֶל־יְרוּשׁ׳ Jer.39:1; 52:4
202 מֶלֶךְ־בָּבֶל הֶעֱבִיד אֶת־חֵילוֹ Ezek.29:18
203 חַלְלֵי־חֶרֶב פַּרְעֹה וְכָל־חֵילוֹ Ezek.32:31
204 וַיְיָ נָתַן קוֹלוֹ לִפְנֵי חֵילוֹ Joel 2:11
205 בְּיוֹם שְׁבוֹת זָרִים חֵילוֹ Ob.11
206 וּבְרֹב חֵילוֹ לֹא יְמַלֵּט Ps.33:17
207 לֹא־יֶעְשַׁר וְלֹא־יָקוּם חֵילוֹ Job 15:29
וְחֵילוֹ 208 רֶכֶב פַּרְעֹה וּפָרָשָׁיו וְחֵילוֹ Ex.14:9
209 מַרְכְּבֹת פַּרְעֹה וְחֵילוֹ יָרָה בַיָּם Ex.15:4
210 וְנִעֵר פַּרְעֹה וְחֵילוֹ בְיַם־סוּף Ps.136:15
211 ...יְשַׁבְּרוּהוּ וְחֵילוֹ יִשְׁטוֹף Dan.11:26
בְּחֵילוֹ 212 וְאַל־תִּשְׁלַחְנָה בְחֵילוֹ בְּיוֹם אֵידוֹ Ob.13
לְחֵילוֹ 213 ...וְהָיְתָה שָׂכָר לְחֵילוֹ Ezek.29:19
וּלְחֵילוֹ 214 וְשָׂכָר לֹא־הָיָה לוֹ וּלְחֵילוֹ Ezek.29:18
חֵילָהּ 215 וְהִכָּה בַיָּם חֵילָהּ Zech.9:4
חֵילָם 216 וְאֶת־כָּל־חֵילָם...שָׁבוּ וַיָּבֹזּוּ Gen.34:29
217 וְאֶת־כָּל־חֵילָם בָּזָזוּ Num.31:9
218 תְּאֵנָה וָגֶפֶן נָתְנוּ חֵילָם Joel 2:22
219 וְהָיָה חֵילָם לִמְשִׁסָּה Zep.1:13
220 הַבֹּטְחִים עַל־חֵילָם Ps.49:7
221 וְעָזְבוּ לַאֲחֵרִים חֵילָם Ps.49:11
222 וְשָׁאַף צַמִּים חֵילָם Job 5:5
וְחֵילָם 223 וְהַחֲרַמְתִּי לַיְיָ בִּצְעָם וְחֵילָם Mic.4:13
חֲיָלִים 224 וְאָסְפוּ הֲמוֹן חֲיָלִים Dan.11:10
225 וַאֲחֵיהֶם...גִּבּוֹרֵי חֲיָלִים ICh.7:5
226-228 גִּבּוֹרֵי חֲיָלִים ICh.7:7,11,40
וַחֲיָלִים 229 ...וַחֲיָלִים יְגַבֵּר Eccl.10:10
הַחֲיָלִים 230 וַיִּשְׁלַח אֶת־שָׂרֵי הַחֲיָלִים IK.15:20
231-242 (וְ)שָׂרֵי הַחֲיָלִים, IIK.25:23,26 • Jer.40:7, 13; 41:11, 13, 16; 42:1, 8; 43:4, 5 • IICh.16:4
243 וְגִבּוֹרֵי הַחֲיָלִים עֲשָׂהאֵל... ICh.11:26
חֵילֵיהֶם 244 יִשְׂאוּ עַל־כֶּתֶף עֲיָרִים חֵילֵיהֶם Is.30:6

חֲיִל2

ז׳ ארמית, כמו בעברית: 1–7

חַיִל 1 וּלְגֻבְרִין גִּבָּרֵי־חַיִל דִּי בְחַיְלֵהּ Dan.3:20
וַחֲיִל 2 וּבַטִּלוּ הִמּוֹ בְּאֶדְרָע וְחָיִל Ez.4:23
בְּחַיִל 3 קָרֵא בְחַיִל וְכֵן אָמַר Dan.4:11
4 קָרֵא מַלְכָּא בְּחַיִל לְהֶעָלָה... Dan.5:7
בְּחָיִל 5 וְכָרוֹזָא קָרֵא בְחָיִל Dan.3:4
בְּחֵיל־ 6 וּכְמִצְבְּיֵהּ עָבֵד בְּחֵיל שְׁמַיָּא Dan.4:32
בְּחַיְלֵהּ 7 וּלְגֻבְרִין גִּבָּרֵי־חַיִל דִּי בְחַיְלֵהּ Dan.3:20

חֵיל, חֵל

ז׳ חומת־בצורים לפני החומה הראשית: 1–8

חֵל 1 וַיַּאֲבֶל־חֵל וְחוֹמָה... Lam.2:8
וָחֵל 2 יְשׁוּעָה יָשִׁית חוֹמוֹת וָחֵל Is.26:1
הַחֵל 3 (?) וְגָלֻת הַחֵל־הַזֶּה לִבְנֵי יִשְׂרָאֵל Ob.20
בַּחֵל 4 וַיִּשְׁפְּכוּ סֹלְלָה...וַתַּעֲמֹד בַּחֵל IISh.20:15
חֵיל־ 5 אֲשֶׁר־חֵיל יָם מִיָּם חוֹמָתָהּ Nah.3:8
בְּחֵל־ 6 יֹאכְלוּ אֶת־אִיזֶבֶל בְּחֵל יִזְרְעֶאל IK.21:23
בְּחֵילֵךְ 7 יְהִי־שָׁלוֹם בְּחֵילֵךְ Ps.122:7
לְחֵילָה 8 שִׁיתוּ לִבְּכֶם לְחֵילָה Ps.48:14

חִיל

ז׳ כְּאֵב, רַעַד: 1–6 • קרובים: ראה אֵימָה

חִיל 1 חִיל אָחַז יֹשְׁבֵי פְּלָשֶׁת Ex.15:14
2 צָרָה הֶחֱזִקַתְנוּ חִיל כַּיּוֹלֵדָה Jer.6:24
3 בְּבֹא־לָךְ חֲבָלִים חִיל כַּיֹּלֵדָה Jer.22:23
4 צָרָה הֶחֱזִיקַתְהוּ חִיל כַּיּוֹלֵדָה Jer.50:43
5 כִּי־הֶחֱזִיקֵךְ חִיל כַּיּוֹלֵדָה Mic.4:9
6 רְעָדָה אֲחָזָתַם שָׁם חִיל כַּיּוֹלֵדָה Ps.48:7

חִילָה

נ׳ חִיל, כְּאֵב

בְּחִילָה 1 וַאֲסַלְּדָה בְחִילָה לֹא יַחְמוֹל Job 6:10

חִילֵז

עיר כהנים בנחלת יהודה

חִילֵז 1 וְאֶת־חִילֵז וְאֶת־מִגְרָשֶׁיהָ ICh.6:43

חֵילֵךְ

(יחזקאל כז 11) – עין חַיִל (מס׳ 188)

חֵילָם

מקום בעבר הירדן המזרחי: 2,1

חֵילָם 1 וַיֹּצֵא אֶת־אֲרָם...וַיָּבֹאוּ חֵילָם IISh.10:16
חֵלָאמָה 2 וַיַּעֲבֹר אֶת־הַיַּרְדֵּן וַיָּבֹא חֵלָאמָה IISh.10:17

חִין

ז׳ חֵן

וְחִין־ 1 וּדְבַר־גְּבוּרוֹת וְחִין עֶרְכּוֹ Job 41:4

חַיִץ

ז׳ קִיר

חַיִץ 1 וְהוּא בֹּנֶה חַיִץ Ezek.13:10

חִיצוֹן

ת׳ שֶׁבַּחוּץ, לא פנימי: 1–25

שַׁעַר חִיצוֹן 1; חוֹמָה חִיצוֹנָה 5; חָצֵר חִיצוֹנָה 7–23; מָבוֹא(?) חִיצוֹנָה 6; מְלָאכָה חִיצוֹנָה 25,24

הַחִיצוֹן 1 דֶּרֶךְ שַׁעַר הַמִּקְדָּשׁ הַחִיצוֹן Ezek.44:1
וּבַחִיצוֹן 2 בַּפְּנִימִי וּבַחִיצוֹן מִדּוֹת Ezek.41:17
וְלַחִיצוֹן 3 מִלִּפְנִים וְלַחִיצוֹן IK.6:29
4 לִפְנִימָה וְלַחִיצוֹן IK.6:30
חִיצוֹנָה 5 וְאַחֲרֵי־כֵן בָּנָה חוֹמָה חִיצוֹנָה IICh.33:14
הַחִיצוֹנָה 6 וְאֶת־מְבוֹא הַמֶּלֶךְ הַחִיצוֹנָה IIK.16:18
7 נִשְׁמַע עַד־הֶחָצֵר הַחִיצֹנָה Ezek.10:5
8-18 (הֶ־/לֶ־)חָצֵר הַחִיצוֹנָה Ezek.40:17,20 40:34,37; 42:1,3,14; 44:19²; 46:20,21
19-22 (הֶ־/לֶ־)חָצֵר הַחִצוֹנָה Ezek.40:31; 42:7,8,9
23 לַחֲצַר בֵּית־הַמֶּלֶךְ הַחִיצוֹנָה Es.6:4
24 ...עַל־הַמְּלָאכָה הַחִיצֹנָה לְבֵית הָאֱ׳ Neh.11:16
25 לַמְּלָאכָה הַחִיצוֹנָה עַל־יִשְׂרָאֵל ICh.26:29

חֵיק

ז׳ א) בית קִבּוּל, יְסוֹד: 1–4, 8, 11
ב) הֶרֶוַח שבין החזה לזרועות: 6, 7, 13–35
ג) [בהשאלה] קֶרֶב, תּוֹךְ: 5, 9, 10, 12, 36–38

חֵיק אִמּוֹת 7; חֵיק הָאַמָּה 8; חֵיק הָאָרֶץ 11; חֵיק בָּנִים 5; חֵ׳ כְּסִילִים 9; חֵ׳ נָכְרִיָּה 6; חֵיק הָרֶכֶב 4; חֵ׳ רָשָׁע 10; אֵשֶׁת חֵיקוֹ 18, 26; אִישׁ חֵיקָהּ 32; שֹׁכֶבֶת חֵיקוֹ 19

וְהֵחִיק 1 וְהֵחִיק־לָהּ אַמָּה סָבִיב Ezek.43:17
בַּחֵיק 2 בַּחֵיק יוּטַל אֶת־הַגּוֹרָל Prov.16:33
3 וְשֹׁחַד בַּחֵק חֵמָה עַזָּה Prov.21:14
חֵיק־ 4 וַיִּצֶק דַּם־הַמַּכָּה אֶל־חֵיק הָרָכֶב IK.22:35
5 וּמְשַׁלֵּם עֲוֹן אָבוֹת אֶל־חֵיק בְּנֵיהֶם Jer.32:18
6 וּתְחַבֵּק חֵק נָכְרִיָּה Prov.5:20
7 בְּהִשְׁתַּפֵּךְ נַפְשָׁם אֶל־חֵיק אִמֹּתָם Lam.2:12
וְחֵיק־ 8 וְחֵיק הָאַמָּה וְאַמָּה־רֹחַב Ezek.43:13
בְּחֵיק־ 9 כִּי כַעַס בְּחֵיק כְּסִילִים יָנוּחַ Eccl.7:9
מֵחֵיק־ 10 שֹׁחַד מֵחֵיק רָשָׁע יִקָּח Prov.17:23
וּמֵחֵיק 11 וּמֵחֵיק הָאָרֶץ עַד־הָעֲזָרָה Ezek.43:14
חֵיקִי 12 וּתְפִלָּתִי עַל־חֵיקִי תָשׁוּב Ps.35:13
בְּחֵיקִי 13 וְאֶת־בְּנָהּ הַמֵּת הִשְׁכִּיבָה בְחֵיקִי IK.3:20
14 שְׂאֵתִי בְחֵיקִי כָּל־רַבִּים עַמִּים Ps.89:51
15 כָּלוּ כִלְיֹתַי בְּחֵקִי Job 19:27
חֵיקְךָ 16 מִקֶּרֶב חֵיקְךָ (כת׳ חוקך) כַלֵּה Ps.74:11
חֵיקֶךָ 17 הָשֵׁב יָדְךָ אֶל־חֵיקֶךָ Ex.4:7
18 אוֹ־בִתְּךָ אוֹ אֵשֶׁת חֵיקֶךָ Deut.13:7
19 מִשֹּׁכֶבֶת חֵיקֶךָ שְׁמֹר פִּתְחֵי־פִיךָ Mic.7:5
בְּחֵיקֶךָ 20 אָנֹכִי נָתַתִּי שִׁפְחָתִי בְּחֵיקֶךָ Gen.16:5
21 הָבֵא־נָא יָדְךָ בְּחֵיקֶךָ Ex.4:6
22 כִּי־תֹאמַר אֵלַי שָׂאֵהוּ בְחֵיקֶךָ Num.11:12
23 וְאֶת־נְשֵׁי אֲדֹנֶיךָ בְּחֵיקֶךָ IISh.12:8
24 וְשָׁכְבָה בְחֵיקֶךָ וְחַם לַאדֹנִי הַמֶּלֶךְ IK.1:2
חֵיקוֹ 25 וַיָּשֶׁב יָדוֹ אֶל־חֵיקוֹ Ex.4:7
26 תֵּרַע עֵינוֹ בְאָחִיו וּבְאֵשֶׁת חֵיקוֹ Deut.28:54
בְּחֵיקוֹ 27 וַיָּבֵא יָדוֹ בְּחֵיקוֹ וַיּוֹצִאָהּ... Ex.4:6
28 הֲיַחְתֶּה אִישׁ אֵשׁ בְּחֵיקוֹ Prov.6:27
וּבְחֵיקוֹ 29 וּבְחֵיקוֹ תִשְׁכָּב וַתְּהִי־לוֹ כְּבַת IISh.12:3
30 בִּזְרֹעוֹ יְקַבֵּץ טְלָאִים וּבְחֵיקוֹ יִשָּׂא Is.40:11
מֵחֵיקוֹ 31 וַיּוֹצִאָהּ מֵחֵיקוֹ וְהִנֵּה־שָׁבָה כִּבְשָׂרוֹ Ex.4:7
חֵיקָהּ 32 תֵּרַע עֵינָהּ בְּאִישׁ חֵיקָהּ Deut.28:56
בְּחֵיקָהּ 33 וַתִּקַּח...וַתַּשְׁכִּיבֵהוּ בְּחֵיקָהּ IK.3:20
34 וַתְּשִׁתֵהוּ בְחֵיקָהּ וַתְּהִי־לוֹ לְאֹמֶנֶת Ruth 4:16
מֵחֵיקָהּ 35 וַיִּקָּחֵהוּ מֵחֵיקָהּ וַיַּעֲלֵהוּ אֶל־הָעֲלִיָּה IK.17:19
חֵיקָם 36 וְשִׁלַּמְתִּי עַל־חֵיקָם Is.65:6
37 וּמַדֹּתִי פְעֻלָּתָם רִאשֹׁנָה אֶל־חֵיקָם Is.65:7
38 וְהָשֵׁב...שִׁבְעָתַיִם אֶל־חֵיקָם Ps.79:12

חִירָה
שפ״ז – איש עדולמי בימי יהודה: 1, 2
חִירָה 1 וַיֵּט עַד־אִישׁ עֲדֻלָּמִי וּשְׁמוֹ חִירָה Gen.38:1
וְחִירָה 2 הוּא וְחִירָה רֵעֵהוּ הָעֲדֻלָּמִי Gen.38:12

חִירוֹם
שפ״ז א) הוא חִירָם או חוּרָם מלך צור: 1, 2
ב) חרש־נחושת מצור בימי דוד: 3
חִירוֹם 1 וַיְהִי חִירוֹם נֹתֵן לִשְׁלֹמֹה...כָּל חֶפְצוֹ IK.5:24
2 וַיִּפְסְלוּ בֹּנֵי שְׁלֹמֹה וּבֹנֵי חִירוֹם IK.5:32
3 וַיַּעַשׂ חִירוֹם אֶת־הַכִּיֹּרוֹת IK.7:40

חִירָם
שפ״ז א) מלך צור בימי דוד ושלמה: 1–11, 15–19
ב) חרש־נחושת מצור בימי שלמה: 12–14
אֲנִי חִירָם 15, 16
חִירָם 1 וַיִּשְׁלַח חִירָם מֶלֶךְ־צֹר...אֶל־דָּוִד IISh.5:11
2-3 חִירָם מֶלֶךְ צֹ(וֹ)ר IK.5:15; 9:11
4-11 חִירָם IK.5:15,16,21,22,26; 9:12,14,27
12 וַיִּשְׁלַח...וַיִּקַּח אֶת־חִירָם מִצֹּר IK.7:13
13 וַיְכַל חִירָם לַעֲשׂוֹת... IK.7:40
14 אֲשֶׁר עָשָׂה חִירָם לַמֶּלֶךְ שְׁלֹמֹה IK.7:45
15 וְגַם אֳנִי חִירָם אֲשֶׁר־נָשָׂא זָהָב IK.10:11
16 אֳנִי תַרְשִׁישׁ...עִם אֳנִי חִירָם IK.10:22
לְחִירָם 17 וּשְׁלֹמֹה נָתַן לְחִירָם עֶשְׂרִים אֶלֶף כֹּר IK.5:25
18 כֹּה־יִתֵּן שְׁלֹמֹה לְחִירָם שָׁנָה בְשָׁנָה IK.5:25
19 אָז יִתֵּן הַמֶּלֶךְ שְׁלֹמֹה לְחִירָם... IK.9:11

חִישׁ
תה״פ מהר
חִישׁ 1 כִּי־גָז חִישׁ וַנָּעֻפָה Ps.90:10

חֵךְ
ז׳ כפת חלל הפה מעל ללשון: 1–18
חֵךְ הבין 4; ח׳ הגה 3; חֵךְ חָטָא 5; חֵךְ טָעַם 1, 2
וְחֵךְ 1 וְחֵךְ אֹכֶל יִטְעַם־לוֹ Job 12:11
2 וְחֵךְ יִטְעַם לֶאֱכֹל Job 34:3
חִכִּי 3 כִּי־אֱמֶת יֶהְגֶּה חִכִּי Prov.8:7
4 אִם־חִכִּי לֹא־יָבִין הַוּוֹת Job 6:30
5 וְלֹא־נָתַתִּי לַחֲטֹא חִכִּי Job 31:30
בְּחִכִּי 6 פָּתַחְתִּי פִי דִּבְּרָה לְשׁוֹנִי בְחִכִּי Job 33:2
לְחִכִּי 7 מַה־נִּמְלְצוּ לְחִכִּי אִמְרָתֶךָ Ps.119:103
8 תִּדְבַּק־לְשׁוֹנִי לְחִכִּי אִם... Ps.137:6
9 וּפִרְיוֹ מָתוֹק לְחִכִּי S.ofS.2:3
חִכְּךָ 10 אֶל־חִכְּךָ שֹׁפָר Hosh.8:1
חִכֶּךָ 11 וּלְשׁוֹנְךָ אַדְבִּיק אֶל־חִכֶּךָ Ezek.3:26
12 וְנֹפֶת מָתוֹק עַל־חִכֶּךָ Prov.24:13
וְחִכֵּךְ 13 וְחִכֵּךְ כְּיֵין הַטּוֹב S.ofS.7:10
חִכּוֹ 14 וְיִמְנָעֶנָּה בְּתוֹךְ חִכּוֹ Job 20:13
15 חִכּוֹ מַמְתַקִּים וְכֻלּוֹ מַחֲמַדִּים S.ofS.5:16
16 דָּבַק לְשׁוֹן יוֹנֵק אֶל־חִכּוֹ Lam.4:4
חִכָּהּ 17 וְחָלָק מִשֶּׁמֶן חִכָּהּ Prov.5:3
לְחִכָּם 18 וּלְשׁוֹנָם לְחִכָּם דָּבֵקָה Job 29:10

חכה
: חוֹכֶה, חַכָּה

חָכָה
פ׳ א) [רק בבינוני: חוֹכֶה]: מקוה: 1
ב) [פ׳ חִכָּה] צפה, המתין: 2–14
חִכָּה לְ־ 3, 5, 7, 9, 10, 13, 14; חִכָּה אֶת־ 4
חוֹכֵי־ 1 אַשְׁרֵי כָּל־חוֹכֵי לוֹ Is.30:18
וּכְחַכֵּי־ 2 וּכְחַכֵּי אִישׁ גְּדוּדִים... Hosh.6:9
וְחִכִּיתִי 3 וְחִכִּיתִי לַיְיָ הַמַּסְתִּיר פָּנָיו Is.8:17
חִכָּה 4 וֶאֱלִיהוּ חִכָּה אֶת־אִיּוֹב בִּדְבָרִים Job 32:4
חִכְּתָה 5 נַפְשֵׁנוּ חִכְּתָה לַיְיָ Ps.33:20
וְחִכִּינוּ 6 וְחִכִּינוּ עַד־אוֹר הַבֹּקֶר IIK.7:9
חִכּוּ 7 לֹא־חִכּוּ לַעֲצָתוֹ Ps.106:13
הַמְחַכֶּה 8 אַשְׁרֵי הַמְחַכֶּה וְיַגִּיעַ לְיָמִים Dan.12:12
לִמְחַכֵּה־ 9 אֱלֹהִים זוּלָתְךָ יַעֲשֶׂה לִמְחַכֵּה־לוֹ Is.64:3
הַמְחַכִּים 10 הַמְחַכִּים לַמָּוֶת וְאֵינֶנּוּ Job 3:21
תְּחַכֶּה 11 וּפָתַחְתָּ הַדֶּלֶת וְנַסְתָּה וְלֹא תְחַכֶּה IIK.9:3
יְחַכֶּה 12 וְלָכֵן יְחַכֶּה יְיָ לַחֲנַנְכֶם Is.30:18
חַכֵּה 13 אִם־יִתְמַהְמָהּ חַכֵּה־לוֹ Hab.2:3
חַכּוּ 14 חַכּוּ־לִי...לְיוֹם קוּמִי לְעַד Zep.3:8

חַכָּה
נ׳ קרס קשור בחבל לצוד דגים: 1–3
קרובים: חֵרֶם / מִכְמָר / מִכְמֹרֶת / רֶשֶׁת
חַכָּה 1 וְאָבְלוּ כָּל־מַשְׁלִיכֵי בַיְאוֹר חַכָּה Is.19:8
בְּחַכָּה 2 כֻּלֹּה בְּחַכָּה הֵעֲלָה יְגֹרֵהוּ בְחֶרְמוֹ Hab.1:15
3 תִּמְשֹׁךְ לִוְיָתָן בְּחַכָּה Job 40:25

חֲכִילָה
עין גִּבְעַת הַחֲכִילָה

חַכִּים
תו״ז ארמית: חכם: 1–14
חַכִּימֵי בָבֶל 5–8, 11–14; חַכִּימֵי מַלְכָּא 10; חַכִּימֵי מַלְכוּתָא 9
חַכִּימִין 1 חַכִּימִין אָשְׁפִין חַרְטֻמִּין גָּזְרִין Dan.2:27
לְחַכִּימִין 2 יָהֵב חָכְמְתָא לְחַכִּימִין Dan.2:21
חַכִּימַיָּא 3 הֻעַלּוּ קָדָמַי חַכִּימַיָּא אָשְׁפַיָּא Dan.5:15
וְחַכִּימַיָּא 4 וְדָתָא נֶפְקַת וְחַכִּימַיָּא מִתְקַטְּלִין Dan.2:13
חַכִּימֵי־ 5 לְהוֹבָדָה לְכֹל חַכִּימֵי בָבֶל Dan.2:12
6 לָא יְהֹבְדוּן...עִם־שְׁאָר חַכִּימֵי בָבֶל Dan.2:18
7-8 חַכִּימֵי בָבֶל Dan.2:48; 4:3
9 כָּל־חַכִּימֵי מַלְכוּתִי לָא־יָכְלִין... Dan.4:15
10 אֱדַיִן עָלִּין° כֹּל חַכִּימֵי מַלְכָּא Dan.5:8
לְחַכִּימֵי־ 11 דִּי נְפַק לְקַטָּלָה לְחַכִּימֵי בָבֶל Dan.2:14
12-14 לְחַכִּימֵי בָבֶל Dan.2:24²; 5:7

חֲכַלְיָה
שפ״ז – אביו של נחמיה: 2,1
חֲכַלְיָה 1 דִּבְרֵי נְחֶמְיָה בֶּן־חֲכַלְיָה Neh.1:1
2 נְחֶמְיָה הַתִּרְשָׁתָא בֶּן־חֲכַלְיָה Neh.10:2

חַכְלִילוּת
נ׳ אדמימות
חַכְלִלוּת־ 1 לְמִי חַכְלִלוּת עֵינָיִם Prov.23:29

חַכְלִילִי
ת׳ אדמדם
חַכְלִילִי 1 חַכְלִילִי עֵינַיִם מִיָּיִן Gen.49:12

חכם
: חָכַם, חָכָם, חִכֵּם, חַכֵּם, הֶחְכִּים, הִתְחַכֵּם; חָכְמָה, חָכְמָה, חָכְמוֹת; ש״פ חַכְמוֹנִי, תַּחְכְּמוֹנִי

חָכַם
פ׳ א) קנה חכמה: 1–19
ב) [פ׳ חִכֵּם] לִמד חכמה: 20–22
ג) [פ׳ בינוני מְחֻכָּם] חכם ביותר: 23, 24
ד) [הת׳ הִתְחַכֵּם] העמיד פני חכם: 25
ה) [כנ־ל] נהג בחכמה: 26
ו) [הפ׳ הֶחְכִּים] הִקְנָה חכמה: 27
חָכַמְתִּי 1 וְלָמָּה חָכַמְתִּי אֲנִי אָז יֹתֵר Eccl.2:15
וְשֶׁחָכַמְתִּי 2 שֶׁעָמַלְתִּי וְשֶׁחָכַמְתִּי תַּחַת הַשָּׁמֶשׁ Eccl.2:19
חָכַמְתָּ 3-4 אִם־חָכַמְתָּ חָכַמְתָּ לָּךְ Prov.9:12
חָכַם 5 בְּנִי אִם־חָכַם לִבֶּךָ... Prov.23:15
חָכְמָה 6 צֹר וְצִידוֹן כִּי חָכְמָה מְאֹד Zech.9:2
חָכְמוּ 7 לוּ חָכְמוּ יַשְׂכִּילוּ זֹאת... Deut.32:29
אֶחְכָּמָה 8 אָמַרְתִּי אֶחְכָּמָה וְהִיא רְחוֹקָה מִמֶּנִּי Eccl.7:23
תֶּחְכַּם 9 לְמַעַן תֶּחְכַּם בְּאַחֲרִיתֶךָ Prov.19:20
יֶחְכַּם 10 בַּעֲנָשׁ־לֵץ יֶחְכַּם־פֶּתִי Prov.21:11
11 הוֹלֵךְ° אֶת־חֲכָמִים יֶחְכָּם (כת׳ וחכם) Prov.13:20
יֶחְכָּם 12 וְכָל־שֹׁגֶה בּוֹ לֹא יֶחְכָּם Prov.20:1
וְיֶחְכַּם 13 תֵּן לְחָכָם וְיֶחְכַּם־עוֹד Prov.9:9
וַיֶּחְכַּם 14 וַיֶּחְכַּם מִכָּל־הָאָדָם IK.5:11
יֶחְכָּמוּ 15 לֹא־רַבִּים יֶחְכָּמוּ Job 32:9
חֲכַם 16 חֲכַם בְּנִי וְשַׂמַּח לִבִּי Prov.27:11
וַחֲכָם 17 ...נְמָלָה...רְאֵה דְרָכֶיהָ וַחֲכָם Prov.6:6
18 שְׁמַע־אַתָּה בְנִי וַחֲכָם Prov.23:19
וַחֲכָמוּ 19 שִׁמְעוּ מוּסָר וַחֲכָמוּ Prov.8:33
יְחַכֵּם 20 לֶאְסֹר שָׂרָיו בְּנַפְשׁוֹ וּזְקֵנָיו יְחַכֵּם Ps.105:22
יְחַכְּמֵנוּ 21 וּמֵעוֹף הַשָּׁמַיִם יְחַכְּמֵנוּ Job 35:11
תְּחַכְּמֵנִי 22 מֵאֹיְבַי תְּחַכְּמֵנִי מִצְוֹתֶךָ Ps.119:98
מְחֻכָּם 23 חוֹבֵר חֲבָרִים מְחֻכָּם Ps.58:6
מְחֻכָּמִים 24 ...וְהֵמָּה חֲכָמִים מְחֻכָּמִים Prov.30:24
תִּתְחַכַּם 25 וְאַל־תִּתְחַכַּם יוֹתֵר Eccl.7:16
נִתְחַכְּמָה 26 הָבָה נִתְחַכְּמָה לוֹ Ex.1:10
מַחְכִּימַת־ 27 עֵדוּת יְיָ...מַחְכִּימַת פֶּתִי Ps.19:8

חָכָם
תו״ז א) נבון, ערום, בעל שׂכל: רוב המקראות
ב) בקי, מומחה: 9, 47, 48, 69–73, 76, 81, 115–117, 122, 124, 125
ג) תואר ליועץ בפקידות המלך: 118, 121, 123, 126–137
קרובים: מֵבִין / נָבוֹן / עָרוּם
– חָכָם וֶאֱוִיל 37,26; חָ׳ וּכְסִיל 57,56,54,44,40,17/8, 65/6; חָ׳ בְּעֵינָיו 33, 34; אִישׁ חָכָם 37,34,24,5,3, 43, 48, 50, 51, 55; בֵּן חָכָם 7, 17, 18, 21, 49; גֶּבֶר חָ׳ 31, 39; נַעֲרַת חָ׳ 40; חָרָשׁ חָ׳ 9; יוֹלֵד חָ׳ 30; יֶלֶד חָ׳ 54; לֹא חָכָם 2, 12; לֵב חָ׳ 6, 25, 42, 44; מֶלֶךְ חָ׳ 27; נָוֶה חָכָם 28; עַם חָ׳ 1; פִּי חָ׳ 45; תּוֹרַת חָכָם 22

– חֲכַם חֲרָשִׁים 76; חֲכַם לֵב 69–74, 77, 78; חֲכַם לֵבָב 75

– אִשָּׁה חֲכָמָה 79, 80; חַכְמַת לֵב 81

– חֲכָמִים מְחֻכָּמִים 107; אֹזֶן חֲכָמִים 105; אֲנָשִׁים חֲכָמִים 82, 83; בֶּן חֲכָמִים 86; דִּבְרֵי ח׳ 94, 106, 112, 113; לֵב ח׳ 111; לְשׁוֹן ח׳ 97, 101; מַעֲשֵׂה ח׳ 91; עֲטֶרֶת ח׳ 100; שִׂפְתֵי ח׳ 99, 102

– חַכְמֵי הַגּוֹיִם 124; חַכְמֵי לֵב 122, 125

– חַכְמוֹת נָשִׁים 138; חַכְמוֹת הַשָּׂרוֹת 137

חָכָם 1 רַק עַם־חָכָם וְנָבוֹן הַגּוֹי...הַזֶּה Deut.4:6
2 עַם נָבָל וְלֹא חָכָם Deut.32:6
3 וְיוֹנָדָב אִישׁ חָכָם מְאֹד IISh.13:3
4 וַאדֹנִי חָכָם כְּחָכְמַת מַלְאַךְ הָאֱלֹהִים IISh.14:20
5 כִּי אִישׁ חָכָם אָתָּה וְיָדַעְתָּ... IK.2:9
6 הִנֵּה נָתַתִּי לְךָ לֵב חָכָם וְנָבוֹן IK.3:12
7 אֲשֶׁר נָתַן לְדָוִד בֵּן חָכָם IK.5:21
8 וְגַם־הוּא חָכָם וַיָּבֵא רָע Is.31:2
9 חָרָשׁ חָכָם יְבַקֶּשׁ־לוֹ... Is.40:20
10 אַל־יִתְהַלֵּל חָכָם בְּחָכְמָתוֹ Jer.9:22
11 הִנֵּה חָכָם אַתָּה מִדָּנִאֵל Ezek.28:3
12 הוּא־בֵן לֹא חָכָם Hosh.13:13
13 מִי חָכָם וְיָבֵן אֵלֶּה נָבוֹן וְיֵדָעֵם Hosh.14:10
14 מִי־חָכָם וְיִשְׁמָר־אֵלֶּה Ps.107:43
15 יִשְׁמַע חָכָם וְיוֹסֶף לֶקַח Prov.1:5
16 אַל־תְּהִי חָכָם בְּעֵינֶיךָ Prov.3:7
17-18 בֵּן חָכָם יְשַׂמַּח־אָב Prov.10:1; 15:20
19 וְלֹקֵחַ נְפָשׁוֹת חָכָם Prov.11:30
20 וְשֹׁמֵעַ לְעֵצָה חָכָם Prov.12:15
21 בֵּן חָכָם מוּסַר אָב Prov.13:1
22 תּוֹרַת חָכָם מְקוֹר חַיִּים Prov.13:14
23 חָכָם יָרֵא וְסָר מֵרָע Prov.14:16
24 וְאִישׁ חָכָם יְכַפְּרֶנָּה Prov.16:14
25 לֵב חָכָם יַשְׂכִּיל פִּיהוּ Prov.16:23
26 גַּם אֱוִיל מַחֲרִישׁ חָכָם יֵחָשֵׁב Prov.17:28
27 מְזָרֶה רְשָׁעִים מֶלֶךְ חָכָם Prov.20:26
28 אוֹצָר נֶחְמָד וָשֶׁמֶן בִּנְוֵה חָכָם Prov.21:20
29 עִיר גִּבֹּרִים עָלָה חָכָם Prov.21:22
30 וְיוֹלֵד° חָכָם יִשְׂמַח° בּוֹ Prov.23:24
31 גֶּבֶר־חָכָם בַּעוֹז Prov.24:5
32 מוֹכִיחַ חָכָם עַל־אֹזֶן שֹׁמָעַת Prov.25:12
33 ...פֶּן־יִהְיֶה חָכָם בְּעֵינָיו Prov.26:5
34 רָאִיתָ אִישׁ חָכָם בְּעֵינָיו Prov.26:12
35 חָכָם עָצֵל בְּעֵינָיו מִשִּׁבְעָה... Prov.26:16
36 חָכָם בְּעֵינָיו אִישׁ עָשִׁיר Prov.28:11
37 אִישׁ־חָכָם נִשְׁפָּט אֶת־אִישׁ אֱוִיל Prov.29:9
38 וְלֹא־אֶמְצָא בָכֶם חָכָם Job 17:10
39 וְגֶבֶר חָכָם שֹׁמֵעַ לִי Job 34:34
40 טוֹב לִשְׁמֹעַ גַּעֲרַת חָכָם... Eccl.7:5
41 כִּי הָעֹשֶׁק יְהוֹלֵל חָכָם Eccl.7:7
42 וְעֵת וּמִשְׁפָּט יֵדַע לֵב חָכָם Eccl.8:5
43 וּמָצָא בָהּ אִישׁ מִסְכֵּן חָכָם Eccl.9:15
44 לֵב חָכָם לִימִינוֹ וְלֵב כְּסִיל לִשְׂמֹאלוֹ Eccl.10:2
45 דִּבְרֵי פִי־חָכָם חֵן Eccl.10:12
46 וְיֹתֵר שֶׁהָיָה קֹהֶלֶת חָכָם... Eccl.12:9
47 וְכָל־חָכָם בְּכָל־מְלָאכָה ICh.22:15(14)
48 וְעַתָּה שְׁלַח־לִי אִישׁ־חָכָם IICh.2:6
49 בֵּן חָכָם יוֹדֵעַ שֵׂכֶל וּבִינָה IICh.2:11
50 שָׁלַחְתִּי אִישׁ־חָכָם יוֹדֵעַ בִּינָה IICh.2:12
וְחָכָם 51 יֵרֶא פַרְעֹה אִישׁ נָבוֹן וְחָכָם Gen.41:33
52 אֵין־נָבוֹן וְחָכָם כָּמוֹךָ Gen.41:39
53 וְחָכָם בְּאָחוֹר יְשַׁבְּחֶנָּה Prov.29:11
54 טוֹב יֶלֶד מִסְכֵּן וְחָכָם מִמֶּלֶךְ זָקֵן וּכְסִיל Eccl.4:13
הֶחָכָם 55 מִי־הָאִישׁ הֶחָכָם וְיָבֵן אֶת־זֹאת Jer.9:11
56 הֶחָכָם עֵינָיו בְּרֹאשׁוֹ וְהַכְּסִיל... Eccl.2:14
57 וְאֵיךְ יָמוּת הֶחָכָם עִם־הַכְּסִיל Eccl.2:16
58 וְגַם אִם־יֹאמַר הֶחָכָם לָדַעַת... Eccl.8:17
59 הֶחָכָם יַעֲנֶה דַעַת־רוּחַ Job 15:2
60 וּמִי יוֹדֵעַ הֶחָכָם יִהְיֶה אוֹ סָכָל Eccl.2:19
כְּהֶחָכָם 61 מִי כְּהֶחָכָם וּמִי יוֹדֵעַ פֵּשֶׁר דָּבָר Eccl.8:1
לְחָכָם 62 הוֹכַח לְחָכָם וְיֶאֱהָבֶךָּ Prov.9:8
63 תֵּן לְחָכָם וְיֶחְכַּם־עוֹד Prov.9:9
64 וּבְהַשְׂכִּיל לְחָכָם יִקַּח־דָּעַת Prov.21:11
לֶחָכָם 65 אֵין זִכְרוֹן לֶחָכָם עִם־הַכְּסִיל Eccl.2:16
66 כִּי מַה־יּוֹתֵר לֶחָכָם מִן־הַכְּסִיל Eccl.6:8
67 הַחָכְמָה תָּעֹז לֶחָכָם Eccl.7:19
מֵחָכָם 68 לֹא־תֹאבַד תּוֹרָה...וְעֵצָה מֵחָכָם Jer.18:18
חֲכַם־ 69 וּבְלֵב כָּל־חֲכַם־לֵב נָתַתִּי חָכְמָה Ex.31:6
70 וְכָל־חֲכַם־לֵב בָּכֶם יָבֹאוּ... Ex.35:10
71 וְכֹל אִישׁ חֲכַם־לֵב... Ex.36:1
72 וְאֶל כָּל־אִישׁ חֲכַם־לֵב Ex.36:2
73 כָל־חֲכַם־לֵב בְּעֹשֵׂי הַמְּלָאכָה Ex.36:8
74 חֲכַם־לֵב יִקַּח מִצְוֹת Prov.10:8
75 חֲכַם לֵבָב וְאַמִּיץ כֹּחַ Job 9:4
וַחֲכַם־ 76 וַחֲכַם חֲרָשִׁים וּנְבוֹן לָחַשׁ Is.3:3
לַחֲכַם־ 77 וְעֶבֶד אֱוִיל לַחֲכַם־לֵב Prov.11:29
78 לַחֲכַם־לֵב יִקָּרֵא נָבוֹן Prov.16:21
חֲכָמָה 79 וַיִּקַּח מִשָּׁם אִשָּׁה חֲכָמָה IISh.14:2
80 וַתִּקְרָא אִשָּׁה חֲכָמָה מִן־הָעִיר IISh.20:16
חַכְמַת־ 81 וְכָל־אִשָּׁה חַכְמַת־לֵב בְּיָדֶיהָ טָווּ Ex.35:25
חֲכָמִים 82 אֲנָשִׁים חֲכָמִים וּנְבֹנִים Deut.1:13
83 אֲנָשִׁים חֲכָמִים וִידֻעִים Deut.1:15
84 כִּי הַשֹּׁחַד יְעַוֵּר עֵינֵי חֲכָמִים Deut.16:19
85 הוֹי חֲכָמִים בְּעֵינֵיהֶם Is.5:21
86 בֶּן־חֲכָמִים אֲנִי בֶּן־מַלְכֵי־קֶדֶם Is.19:11
87 מֵשִׁיב חֲכָמִים אָחוֹר Is.44:25
88 חֲכָמִים הֵמָּה לְהָרַע Jer.4:22
89 חֲכָמִים אֲנַחְנוּ וְתוֹרַת יְיָ אִתָּנוּ Jer.8:8
90 הֹבִשׁוּ חֲכָמִים חַתּוּ וַיִּלָּכֵדוּ Jer.8:9
91 מַעֲשֵׂה חֲכָמִים כֻּלָּם Jer.10:9
92 וְהַאֲבַדְתִּי חֲכָמִים מֵאֱדוֹם Ob.8
93 כִּי יִרְאֶה חֲכָמִים יָמוּתוּ Ps.49:11
94 לְהָבִין...דִּבְרֵי חֲכָמִים וְחִידֹתָם Prov.1:6
95 כָּבוֹד חֲכָמִים יִנְחָלוּ Prov.3:35
96 חֲכָמִים יִצְפְּנוּ־דָעַת Prov.10:14
97 וּלְשׁוֹן חֲכָמִים מַרְפֵּא Prov.12:18
98 הוֹלֵךְ° אֶת־חֲכָמִים יֶחְכָּם° Prov.13:20
99 וְשִׂפְתֵי חֲכָמִים תִּשְׁמוּרֵם Prov.14:3
100 עֲטֶרֶת חֲכָמִים עָשְׁרָם Prov.14:24
101 לְשׁוֹן חֲכָמִים תֵּיטִיב דָּעַת Prov.15:2
102 שִׂפְתֵי חֲכָמִים יְזָרוּ דָעַת Prov.15:7
103 ...אֶל־חֲכָמִים לֹא יֵלֵךְ Prov.15:12
104 אֹזֶן שֹׁמַעַת...בְּקֶרֶב חֲכָמִים תָּלִין Prov.15:31
105 וְאֹזֶן חֲכָמִים תְּבַקֶּשׁ־דָּעַת Prov.18:15
106 הַט אָזְנְךָ וּשְׁמַע דִּבְרֵי חֲכָמִים Prov.22:17
107 וְהֵמָּה חֲכָמִים מְחֻכָּמִים Prov.30:24
108 לֹכֵד חֲכָמִים בְּעָרְמָם Job 5:13
109 אֲשֶׁר־חֲכָמִים יַגִּידוּ Job 15:18
110 שִׁמְעוּ חֲכָמִים מִלָּי Job 34:2
111 לֵב חֲכָמִים בְּבֵית אֵבֶל Eccl.7:4
112 דִּבְרֵי חֲכָמִים בְּנַחַת נִשְׁמָעִים Eccl.9:17
113 דִּבְרֵי חֲכָמִים כַּדָּרְבֹנוֹת Eccl.12:11
וַחֲכָמִים 114 וַחֲכָמִים יָשִׁיבוּ אָף Prov.29:8
הַחֲכָמִים 115 וַיָּבֹאוּ כָּל־הַחֲכָמִים הָעֹשִׂים... Ex.36:4
116 עִם־הַחֲכָמִים אֲשֶׁר עִמִּי בִּיהוּדָה IICh.2:6
וְהַחֲכָמִים 117 וְהַחֲכָמִים וַעֲבָדֵיהֶם בְּיַד הָאֱלֹהִים Eccl.9:1
לַחֲכָמִים 118 וַיִּקְרָא...לַחֲכָמִים וְלַמְכַשְּׁפִים Ex.7:11
119 גַּם־אֵלֶּה לַחֲכָמִים Prov.24:23
120 וְגַם לֹא לַחֲכָמִים לֶחֶם Eccl.9:11
121 וַיֹּאמֶר הַמֶּ׳ לַחֲכָמִים יֹדְעֵי הָעִתִּים Es.1:13
חַכְמֵי־ 122 חַכְמֵי־לֵב אֲשֶׁר מִלֵּאתִיו...חָכְמָה Ex.28:3
123 ...חַכְמֵי יֹעֲצֵי פַרְעֹה Is.19:11
124 בְּכָל־חַכְמֵי הַגּוֹיִם...מֵאֵין כָּמוֹךָ Jer.10:7
125 לֹא יִרְאֶה כָּל־חַכְמֵי־לֵב Job 37:24
וְחַכְמֵי־ 126 וְחַכְמֵי אֲדֹנִי דָּוִיד אָבִיךָ IICh.2:13
חֲכָמֶיךָ 127 אַיָּם אֵפוֹא חֲכָמֶיךָ וְיַגִּידוּ נָא לָךְ Is.19:12
128 חֲכָמֶיךָ וְחַכְמֵי אֲדֹנִי דָּוִיד אָבִיךָ IICh.2:13
חֲכָמַיִךְ 129 חֲכָמַיִךְ צוֹר הָיוּ בָךְ הֵמָּה חֹבְלָיִךְ Ezek.27:8
חֲכָמָיו 130 וְאָבְדָה חָכְמַת חֲכָמָיו Is.29:14
131 וַיֹּאמְרוּ לוֹ חֲכָמָיו Es.6:13
חֲכָמֶיהָ 132 ...חַרְטֻמֵּי מִצְרַיִם...כָּל־חֲכָמֶיהָ Gen.41:8
133 וְאֶל־שָׂרֶיהָ וְאֶל־חֲכָמֶיהָ Jer.50:35
וַחֲכָמֶיהָ 134 וְהִשְׁכַּרְתִּי שָׂרֶיהָ וַחֲכָמֶיהָ Jer.51:57
135 זִקְנֵי גְבַל וַחֲכָמֶיהָ הָיוּ בָךְ Ezek.27:9
הַחֲכָמוֹת 136 וְאֶל־הַחֲכָמוֹת שִׁלְחוּ וְתָבוֹאנָה Jer.9:16
חַכְמוֹת־ 137 חַכְמוֹת שָׂרוֹתֶיהָ תַּעֲנֶינָּה Jud.5:29
138 חַכְמוֹת נָשִׁים בָּנְתָה בֵיתָהּ Prov.14:1

חָכְמָה

ג׳ א) תבונה, פקחות, ערמה: רוב המקראות ב) כשרון המעשה, מומחיות: 1, 4, 86–88, 90, 100, 109

קרובים: בִּינָה / דֵּעַ / דֵּעָה / דַּעַת / הַשְׂכֵּל / טַעַם / לֶקַח / מַדָּע / מְזִמָּה / עָרְמָה / שֵׂכֶל / תְּבוּנָה / תּוּשִׁיָּה

– חָכְמָה וּבִינָה 9, 147; ח׳ וּגְבוּרָה 49; ח׳ וָדַעַת 60, 64, 96, 108, 137; ח׳ וּמַדָּע 74, 83; ח׳ וּמוּסָר 16, 17; ח׳ וּתְבוּנָה 3, 86, 88, 135; דַּעַת וְחָכְמָה 76; עֹשֶׁר וְחָכְמָה 78, 105

– אוֹהֵב חָכְמָה 43; דַּעַת ח׳ 81; דֶּרֶךְ ח׳ 24; יְפִי ח׳ 132; לְבַב ח׳ 14; מוּסַר ח׳ 35; מְקוֹר חָכְמָה 39; מַרְבִּית ח׳ 133; מֶשֶׁךְ ח׳ 52; צֵל הַחָכְמָה 80; רֵאשִׁית ח׳ 15, 22; רֹב חָכְמָה 62, 127; רוּחַ חָכְמָה 1,5,9; תְּחִלַּת ח׳ 28; תַּעֲלֻמוֹת חָכְמָה 46

– חָכְמַת אָדָם 117; ח׳ אֱלֹהִים 110; ח׳ בִּינָה 118; ח׳ בְּנֵי קֶדֶם 123; ח׳ הַחֲכָמִים 115; ח׳ לֵב 109; ח׳־מָה 120; ח׳ מַלְאָךְ 122; ח׳ מִסְכֵּן 121; ח׳ מִצְרַיִם 112; ח׳ עָרוּם 116; ח׳ שְׁלֹמֹה 111, 113, 114, 119

– אָבְדָה חָכְמָה 115; בָּאָה ח׳ 19, 85; הֵאִירָה ח׳ 117; הִתְבַּלְּעָה ח׳ 149; נָחָה ח׳ 9, 34; נִסְרְחָה ח׳ 148; [וכן עוד כנושא או כמושא לפעלים רבים — עין במקראות]

חָכְמָה 1 אֲשֶׁר מִלֵּאתִיו רוּחַ חָכְמָה Ex.28:3
2 וּבְלֵב כָּל־חֲכַם־לֵב נָתַתִּי חָכְמָה Ex.31:6
3 אֲשֶׁר נָתַן יְיָ חָכְמָה וּתְבוּנָה בָּהֵמָּה Ex.36:1
4 אֲשֶׁר נָתַן יְיָ חָכְמָה בְּלִבּוֹ Ex.36:2
5 וִיהוֹשֻׁעַ...מָלֵא רוּחַ חָכְמָה Deut.34:9
6 וַיִּתֵּן אֱלֹהִים חָכְמָה לִשְׁלֹמֹה IK.5:9
7 וַיְיָ נָתַן חָכְמָה לִשְׁלֹמֹה IK.5:26
8 הוֹסַפְתָּ חָכְמָה וָטוֹב אֶל־הַשְּׁמוּעָה... IK.10:7
9 וְנָחָה עָלָיו...רוּחַ חָכְמָה וּבִינָה Is.11:2
10 הַאֵין עוֹד חָכְמָה בְּתֵימָן Jer.49:7
11 מָלֵא חָכְמָה וּכְלִיל יֹפִי Ezek.28:12
12 פִּי־צַדִּיק יֶהְגֶּה חָכְמָה Ps.37:30
13 וּבְסָתֻם חָכְמָה תוֹדִיעֵנִי Ps.51:8

חָכְמָה (המשך)

14 וְנָבִא לְבַב חָכְמָה Ps.90:12
15 רֵאשִׁית חָכְמָה יִרְאַת יְיָ Ps.111:10
16 לָדַעַת חָכְמָה וּמוּסָר Prov.1:2
17 חָכְמָה וּמוּסָר אֱוִילִים בָּזוּ Prov.1:7
18 יְיָ יִתֵּן חָכְמָה מִפִּיו דַּעַת וּתְבוּנָה Prov.2:6
19 כִּי־תָבוֹא חָכְמָה בְלִבֶּךָ Prov.2:10
20 אַשְׁרֵי אָדָם מָצָא חָכְמָה Prov.3:13
21 קְנֵה חָכְמָה קְנֵה בִינָה Prov.4:5
22-23 רֵאשִׁית חָכְמָה קְנֵה חָכְמָה Prov.4:7
24 בְּדֶרֶךְ חָכְמָה הֹרֵיתִיךָ Prov.4:11
25 הֲלֹא־חָכְמָה תִקְרָא... Prov.8:1
26 כִּי־טוֹבָה חָכְמָה מִפְּנִינִים Prov.8:11
27 אֲנִי־חָכְמָה שָׁכַנְתִּי עָרְמָה Prov.8:12
28 תְּחִלַּת חָכְמָה יִרְאַת יְיָ Prov.9:10
29 בְּשִׂפְתֵי נָבוֹן תִּמָּצֵא חָכְמָה Prov.10:13
30 פִּי־צַדִּיק יָנוּב חָכְמָה Prov.10:31
31 וְאֶת־צְנוּעִים חָכְמָה Prov.11:2
32 וְאֶת־נוֹעָצִים חָכְמָה Prov.13:10
33 בִּקֶּשׁ־לֵץ חָכְמָה וָאָיִן Prov.14:6
34 בְּלֵב נָבוֹן תָּנוּחַ חָכְמָה Prov.14:33
35 יִרְאַת יְיָ מוּסַר חָכְמָה Prov.15:33
36 קְנֹה־חָכְמָה מַה־טּוֹב מֵחָרוּץ Prov.16:16
37 ...לִקְנוֹת חָכְמָה וְלֶב־אָיִן Prov.17:16
38 אֶת־פְּנֵי מֵבִין חָכְמָה Prov.17:24
39 נַחַל נֹבֵעַ מְקוֹר חָכְמָה Prov.18:4
40 אֵין חָכְמָה...וְאֵין עֵצָה לְנֶגֶד יְיָ Prov.21:30
41 אֱמֶת קְנֵה...חָכְמָה וּמוּסָר וּבִינָה Prov.23:23
42 כֵּן דְּעֶה חָכְמָה לְנַפְשֶׁךָ Prov.24:14
43 אִישׁ־אֹהֵב חָכְמָה יְשַׂמַּח אָבִיו Prov.29:3
44 שֵׁבֶט וְתוֹכַחַת יִתֵּן חָכְמָה Prov.29:15
45 וְלֹא־לָמַדְתִּי חָכְמָה Prov.30:3
46 וְיַגֶּד־לְךָ תַּעֲלֻמוֹת חָכְמָה Job 11:6
47 וְעִמָּכֶם תָּמוּת חָכְמָה Job 12:2
48 בִּישִׁישִׁים חָכְמָה Job 12:12
49 עִמּוֹ חָכְמָה וּגְבוּרָה Job 12:13
50 וְתִגְרַע אֵלֶיךָ חָכְמָה Job 15:8
51 מַה־יָּעַצְתָּ לְלֹא חָכְמָה Job 26:3
52 וּמֶשֶׁךְ חָכְמָה מִפְּנִינִים Job 28:18
53 הֵן יִרְאַת אֲדֹנָי הִיא חָכְמָה Job 28:28
54 וְרֹב שָׁנִים יֹדִיעוּ חָכְמָה Job 32:7
55 פֶּן־תֹּאמְרוּ מָצָאנוּ חָכְמָה Job 32:13
56 הַחֲרֵשׁ וַאֲאַלֶּפְךָ חָכְמָה Job 33:33
57 מִי־שָׁת בַּטֻּחוֹת חָכְמָה Job 38:36
58 כִּי־הִשָּׁהּ אֱלוֹהַּ חָכְמָה Job 39:17
59 וְהוֹסַפְתִּי חָכְמָה עַל...אֲשֶׁר...לְפָנַי Eccl.1:16
60 וְלִבִּי רָאָה הַרְבֵּה חָכְמָה וָדָעַת Eccl.1:16
61 וָאֶתְּנָה לִבִּי לָדַעַת חָכְמָה Eccl.1:17
62 כִּי בְּרֹב חָכְמָה רָב־כָּעַס Eccl.1:18
63 וּפָנִיתִי אֲנִי לִרְאוֹת חָכְמָה Eccl.2:12
64 נָתַן חָכְמָה וְדַעַת וְשִׂמְחָה Eccl.2:26
65 טוֹבָה חָכְמָה עִם־נַחֲלָה Eccl.7:11
66 וּבַקֵּשׁ חָכְמָה וְחֶשְׁבּוֹן Eccl.7:25
67 נָתַתִּי אֶת־לִבִּי לָדַעַת חָכְמָה Eccl.8:16
68 גַּם־זֹה רָאִיתִי חָכְמָה תַּחַת הַשָּׁמֶשׁ Eccl.9:13
69 טוֹבָה חָכְמָה מִגְּבוּרָה Eccl.9:16
70 טוֹבָה חָכְמָה מִכְּלֵי קְרָב Eccl.9:18
71 וְיִתְרוֹן הַכְשֵׁיר חָכְמָה Eccl.10:10
72 וּמַשְׂכִּלִים בְּכָל־חָכְמָה Dan.1:4
73 עַתָּה חָכְמָה וּמַדָּע תֶּן־לִי IICh.1:10
74 וַתִּשְׁאַל־לְךָ חָכְמָה וּמַדָּע IICh.1:11
וְחָכְמָה 75 וְחָכְמָה לְאִישׁ תְּבוּנָה Prov.10:23
76 אֵין...וְדַעַת וְחָכְמָה בִּשְׁאוֹל Eccl.9:10
77 מַדָּע וְהַשְׂכֵּל בְּכָל־סֵפֶר וְחָכְמָה Dan.1:17
78 וַיִּגְדַּל...לְעֹשֶׁר וְחָכְמָה IICh.9:22
הַחָכְמָה 79 וַיִּמָּלֵא אֶת־הַחָכְמָה וְאֶת־הַתְּבוּנָה IK.7:14
80 כִּי בְּצֵל הַחָכְמָה בְּצֵל הַכָּסֶף Eccl.7:12
81 וְיִתְרוֹן דַּעַת הַחָכְמָה תְּחַיֶּה בְעָלֶיהָ Eccl.7:12
82 הַחָכְמָה תָּעֹז לֶחָכָם Eccl.7:19
83 הַחָכְמָה וְהַמַּדָּע נָתוּן לָךְ IICh.1:12
וְהַחָכְמָה 84 וְהַחָכְמָה מֵאַיִן תִּמָּצֵא Job 28:12
85 וְהַחָכְמָה מֵאַיִן תָּבוֹא Job 28:20
בְּחָכְמָה 86 וָאֲמַלֵּא...בְּחָכְמָה וּבִתְבוּנָה וּבְדַעַת Ex.31:3
87 אֲשֶׁר נָשָׂא לִבָּן אֹתָנָה בְּחָכְמָה Ex.35:26
88 בְּחָכְמָה בִּתְבוּנָה וּבְדַעַת Ex.35:31
89 כֻּלָּם בְּחָכְמָה עָשִׂיתָ Ps.104:24
90 יְיָ בְּחָכְמָה יָסַד־אָרֶץ Prov.3:19
91 בְּחָכְמָה יִבָּנֶה בָּיִת Prov.24:3
92 וְהוֹלֵךְ בְּחָכְמָה הוּא יִמָּלֵט Prov.28:26
93 פִּיהָ פָּתְחָה בְחָכְמָה Prov.31:26
94 יָמוּתוּ וְלֹא בְחָכְמָה Job 4:21
95 מִי־יְסַפֵּר שְׁחָקִים בְּחָכְמָה Job 38:37
96 בְּחָכְמָה וּבְדַעַת וּבְכִשְׁרוֹן Eccl.2:21
בַּחָכְמָה 97 לִדְרוֹשׁ וְלָתוּר בַּחָכְמָה Eccl.1:13
98 וְלִבִּי נֹהֵג בַּחָכְמָה Eccl.2:3
99 כָּל־זֹה נִסִּיתִי בַחָכְמָה Eccl.7:23
100 לְכָל־נָדִיב בַּחָכְמָה לְכָל־עֲבוֹדָה ICh.28:21
לְחָכְמָה 101 ...תַּחֲרִישׁוּן וּתְהִי לָכֶם לְחָכְמָה Job 13:5
לַחָכְמָה 102 לְהַקְשִׁיב לַחָכְמָה אָזְנֶךָ Prov.2:2
103 אֱמֹר לַחָכְמָה אֲחֹתִי אָתְּ Prov.7:4
104 שֶׁיֵּשׁ יִתְרוֹן לַחָכְמָה מִן־הַסִּכְלוּת Eccl.2:13
וּלְחָכְמָה 105 וַיִּגְדַּל...לְעֹשֶׁר וּלְחָכְמָה IK.10:23
מֵחָכְמָה 106 כִּי לֹא מֵחָכְמָה שָׁאַלְתָּ עַל־זֶה Eccl.7:10
107 יָקָר מֵחָכְמָה מִכָּבוֹד סִכְלוּת מְעָט Eccl.10:1
חָכְמַת 108 חֹסֶן יְשׁוּעֹת חָכְמַת וָדָעַת Is.33:6
חָכְמַת־ 109 מִלֵּא אֹתָם חָכְמַת־לֵב Ex.35:35
110 רָאוּ כִּי־חָכְמַת אֱלֹהִים בְּקִרְבּוֹ IK.3:28
111 וַתֵּרֶב חָכְמַת שְׁלֹמֹה IK.5:10
112 וּמִכֹּל חָכְמַת מִצְרָיִם IK.5:10
113 וַיָּבֹאוּ...לִשְׁמֹעַ אֵת חָכְמַת שְׁלֹמֹה IK.5:14
114 וַתֵּרֶא...אֵת כָּל־חָכְמַת שְׁלֹמֹה IK.10:4
115 וְאָבְדָה חָכְמַת חֲכָמָיו Is.29:14
116 חָכְמַת עָרוּם הָבִין דַּרְכּוֹ Prov.14:8
117 חָכְמַת אָדָם תָּאִיר פָּנָיו Eccl.8:1
118 וְכֹל דְּבַר חָכְמַת בִּינָה Dan.1:20
119 וַתֵּרֶא...אֵת חָכְמַת שְׁלֹמֹה IICh.9:3
וְחָכְמַת־ 120 וְחָכְמַת־מֶה לָהֶם Jer.8:9
121 וְחָכְמַת הַמִּסְכֵּן בְּזוּיָה Eccl.9:16
כְּחָכְמַת־ 122 וַאדֹנִי חָכָם כְּחָכְמַת מַלְאַךְ הָאֱלֹ' IISh.14:20
מֵחָכְמַת־ 123 וַתֵּרֶב...מֵחָכְמַת כָּל־בְּנֵי־קֶדֶם IK.5:10
חָכְמָתִי 124 אַף חָכְמָתִי עָמְדָה לִּי Eccl.2:9
וּבְחָכְמָתִי 125 וּבְחָכְמָתִי כִּי נְבֻנוֹתִי Is.10:13
לְחָכְמָתִי 126 בְּנִי לְחָכְמָתִי הַקְשִׁיבָה Prov.5:1
חָכְמָתְךָ 127 בְּרֹב חָכְמָתְךָ בִּרְכֻלָּתְךָ Ezek.28:5
128 שִׁחַתָּ חָכְמָתְךָ עַל־יִפְעָתֶךָ Ezek.28:17
חָכְמָתֶךָ 129/30 עַל־דְּבָרֶיךָ וְעַל־חָכְמָתֶךָ IK.10:6 • IICh.9:5
131 ...הַשֹּׁמְעִים אֶת־חָכְמָתֶךָ IK.10:8
132 ...חַרְבוֹתָם עַל־יְפִי חָכְמָתֶךָ Ezek.28:7
133 לֹא הֻגַּד־לִי חֲצִי מַרְבִּית חָכְמָתֶךָ IICh.9:6
134 הָעֹמְדִים...וְשֹׁמְעִים אֶת־חָכְמָתֶךָ IICh.9:7
בְּחָכְמָתְךָ 135 בְּחָכְמָתְךָ וּבִתְבוּנָתְךָ עָשִׂיתָ Ezek.28:4
כְּחָכְמָתֶךָ 136 וְעָשִׂיתָ כְּחָכְמָתֶךָ... IK.2:6
חָכְמָתֵךְ 137 חָכְמָתֵךְ וְדַעְתֵּךְ הִיא שׁוֹבְבָתֶךְ Is.47:10
חָכְמָתוֹ 138 ...אֲשֶׁר שָׁמְעוּ אֶת־חָכְמָתוֹ IK.5:14
139/40 לִשְׁמ(ו)עַ אֶת־חָכְמָתוֹ IK.10:24 • IICh.9:23
וְחָכְמָתוֹ 141 וְיֶתֶר...וְכָל־אֲשֶׁר עָשָׂה וְחָכְמָתוֹ IK.11:41
בְּחָכְמָתוֹ 142 אַל־יִתְהַלֵּל חָכָם בְּחָכְמָתוֹ Jer.9:22
143/4 מֵכִין תֵּבֵל בְּחָכְמָתוֹ Jer.10:12; 51:15
145 וּמִלַּט־הוּא אֶת־הָעִיר בְּחָכְמָתוֹ Eccl.9:15
בְּחָכְמָתָהּ 146 וַתָּבוֹא הָאִשָּׁה אֶל...הָעָם בְּחָכְמָתָהּ IISh.20:22
חָכְמַתְכֶם 147 כִּי הוּא חָכְמַתְכֶם וּבִינַתְכֶם Deut.4:6
חָכְמָתָם 148 אָבְדָה עֵצָה...נִסְרְחָה חָכְמָתָם Jer.49:7
149 וְכָל־חָכְמָתָם תִּתְבַּלָּע Ps.107:27
חָכְמוֹת 150 פִּי יְדַבֵּר חָכְמוֹת Ps.49:4
151 חָכְמוֹת בַּחוּץ תָּרֹנָּה Prov.1:20
152 חָכְמוֹת בָּנְתָה בֵיתָהּ Prov.9:1
153 רָאמוֹת לֶאֱוִיל חָכְמוֹת Prov.24:7

חָכְמָה

נ׳ ארמית: כמו בעברית: 1–8; חָכְמְתָא = הַחָכְמָה

וְחָכְמָה 1 וְחָכְמָה כְּחָכְמַת־אֱלָ׳ הִשְׁתְּכַחַת בֵּהּ Dan.5:11
2 וְחָכְמָה יַתִּירָה הִשְׁתְּכַחַת בָּךְ Dan.5:14
בְּחָכְמָה 3 לָא בְחָכְמָה דִּי־אִיתַי בִּי Dan.2:30
חָכְמְתָא 4 דִּי חָכְמְתָא וּגְבוּרְתָא דִּי־לֵהּ הִיא Dan.2:20
5 יָהֵב חָכְמְתָא לְחַכִּימִין Dan.2:21
6 דִּי חָכְמְתָא וּגְבוּרְתָא יְהַבְתְּ לִי Dan.2:23
כְּחָכְמַת־ 7 וְחָכְמָה כְּחָכְמַת־אֱלָ׳ הִשְׁתְּכַחַת בֵּהּ Dan.5:11
8 כְּחָכְמַת אֱלָהָךְ דִּי־בִידָךְ Ez.7:25

חַכְמוֹנִי

שפ״ז א) בנו של אחד מגבורי דוד [ועיין ש״ב כג8]: 1
ב) אבי איש שהיה עם בני המלך דוד: 2

חַכְמוֹנִי 1 יָשָׁבְעָם בֶּן־חַכְמוֹנִי רֹאשׁ הַשָּׁלִישִׁים° ICh.11:11
2 וִיחִיאֵל בֶּן־חַכְמוֹנִי עִם־בְּנֵי הַמֶּלֶךְ ICh.27:32

חֹל

ז׳ כל שאינו קודש, לא־קדוש: 1–7
דֶּרֶךְ חֹל 2; לֶחֶם חֹל 1; בֵּין קֹדֶשׁ לְחֹל 4–7

חֹל 1 אֵין־לֶחֶם חֹל אֶל־תַּחַת יָדִי ISh.21:5
2 וְהוּא דֶּרֶךְ חֹל ISh.21:6
3 חֹל־הוּא לָעִיר לְמוֹשָׁב... Ezek.48:15
הַחֹל 4 וּלְהַבְדִּיל בֵּין הַקֹּדֶשׁ וּבֵין הַחֹל Lev.10:10
לְחֹל 5 בֵּין־קֹדֶשׁ לְחֹל לֹא הִבְדִּילוּ Ezek.22:26
6 לְהַבְדִּיל בֵּין הַקֹּדֶשׁ לְחֹל Ezek.42:20
7 וְאֶת־עַמִּי יוֹרוּ בֵּין קֹדֶשׁ לְחֹל Ezek.44:23

חלא

: חָלָא, הֶחֱלִיא; תַּחֲלוּא; חֶלְאָה(?); ש״פ חֶלְאָה

חָלָא

פ׳ א) חָלָה: 1
ב) [הפ׳ הֶחֱלִיא] גרם למחלה: 2

וַיֶּחֱלֶא 1 וַיֶּחֱלֶא אָסָא...בְּרַגְלָיו... IICh.16:12
הֶחֱלִי(א) 2 וַייָ חָפֵץ דַּכְּאוֹ הֶחֱלִי Is.53:10

חֶלְאָה*[1]

נ׳ חלודה, זוהמת: 1–5

חֶלְאָתָה 1 סִיר אֲשֶׁר חֶלְאָתָה בָהּ Ezek.24:6
חֶלְאָתָהּ 2 וְנִתְּכָה...תִּתֹּם חֶלְאָתָהּ Ezek.24:11
3 וְלֹא־תֵצֵא מִמֶּנָּה רַבַּת חֶלְאָתָהּ Ezek.24:12
4 בְּאֵשׁ חֶלְאָתָהּ Ezek.24:12
וְחֶלְאָתָהּ 5 וְחֶלְאָתָהּ לֹא יָצְאָה מִמֶּנָּה Ezek.24:6

חֶלְאָה[2]

שפ״נ – אשת אשחור משבט יהודה: 1, 2

חֶלְאָה 1 וּלְאַשְׁחוּר...שְׁתֵּי נָשִׁים חֶלְאָה וְנַעֲרָה ICh.4:5
2 וּבְנֵי חֶלְאָה צֶרֶת וְצֹחַר° וְאֶתְנָן ICh.4:7

חֶלְאמָה

(ש״ב י17) – עין חֵילָם

חָלָב

ז׳ נוזל לָבן הנפרש מן השָׁדַיִם,
באדם ובבעלי־חיים: 1–44

– חָלָב וּדְבַשׁ 1–18, 22, 23; דְּבַשׁ וְחָלָב 29; חֶמְאָה וְחָלָב 27; יַיִן וְחָלָב 28, 43

– חֲרִיצֵי חָלָב 31; טְלֵה חָלָב 20; נֹאד חָלָב 30

– חֲלֵב אִמּוֹ 40–42; חֲ' גּוֹיִם 37; חֲ' עִזִּים 38; חֲלֵב צֹאן 39

חָלָב 1-14 אֶרֶץ זָבַת חָלָב וּדְבָשׁ Ex.3:8,17
13:5; 33:3 • Lev.20:24 • Num.16:14 • Deut.6:3; 11:9; 26:9,15; 27:3 • Josh.5:6 • Jer.11:5; 32:22
15 וְגַם זָבַת חָלָב וּדְבַשׁ הִוא Num.13:27
16 אֶרֶץ אֲשֶׁר־הִוא זָבַת חָלָב וּדְבָשׁ Num.14:8
17 הֶעֱלִיתָנוּ מֵאֶרֶץ זָבַת חָלָב וּדְבַשׁ Num.16:13
18 אֶל־הָאֲדָמָה...זָבַת חָלָב וּדְבַשׁ Deut.31:20
19 מַיִם שָׁאַל חָלָב נָתָנָה Jud.5:25
20 וַיִּקַּח שְׁמוּאֵל טְלֵה חָלָב אֶחָד ISh.7:9
21 מֵרֹב עֲשׂוֹת חָלָב יֹאכַל חֶמְאָה Is.7:22
22-23 זָבַת חָלָב וּדְבַשׁ Ezek.20:6,15
24 וְהַגְּבָעוֹת תֵּלַכְנָה חָלָב Joel 4:18
25 כִּי מִיץ חָלָב יוֹצִיא חֶמְאָה Prov.30:33
26 עֲטִינָיו מָלְאוּ חָלָב Job 21:24
וְחָלָב 27 וַיִּקַּח חֶמְאָה וְחָלָב Gen.18:8
28 וּבְלוֹא מְחִיר יַיִן וְחָלָב Is.55:1
29 דְּבַשׁ וְחָלָב תַּחַת לְשׁוֹנֵךְ S.ofS.4:11
הֶחָלָב 30 וַתִּפְתַּח אֶת־נֹאוד הֶחָלָב Jud.4:19
31 וְאֵת עֲשֶׂרֶת חֲרִיצֵי הֶחָלָב... ISh.17:18
בֶּחָלָב 32 עֵינָיו...רֹחֲצוֹת בֶּחָלָב S.ofS.5:12
כֶּחָלָב 33 הֲלֹא כֶחָלָב תַּתִּיכֵנִי Job 10:10
מֵחָלָב 34 וּלְבֶן־שִׁנַּיִם מֵחָלָב Gen.49:12
35 גְּמוּלֵי מֵחָלָב עַתִּיקֵי מִשָּׁדָיִם Is.28:9
36 זַכּוּ נְזִירֶיהָ מִשֶּׁלֶג צַחוּ מֵחָלָב Lam.4:7
חֲלֵב־ 37 וְיָנַקְתְּ חֲלֵב גּוֹיִם Is.60:16
38 וְדֵי חֲלֵב עִזִּים לְלַחְמְךָ Prov.27:27
וַחֲלֵב־ 39 חֶמְאַת בָּקָר וַחֲלֵב צֹאן Deut.32:14
בַּחֲלֵב־ 40-42 לֹא־תְבַשֵּׁל גְּדִי בַּחֲלֵב אִמּוֹ Ex.23:19
34:26 • Deut.14:21
חֲלָבִי 43 שָׁתִיתִי יֵינִי עִם־חֲלָבִי S.ofS.5:1
חֲלָבֵךְ 44 וְהֵמָּה יִשְׁתּוּ חֲלָבֵךְ Ezek.25:4

חֵלֶב1 ז' א) שומן מן החי: רוב המקראות 1–91
ב) [בהשאלה] משמן, מבחר: 43, 49, 50, 52, 54, 61, 63, 75, 91

– חֵלֶב וָדָם 6, 7; חֵלֶב וָדֶשֶׁן 8
– חֵלֶב אֵילִים 51, 60; חֵ' הָאָרֶץ 43; חֵ' גִּבּוֹרִים 61; חֵ' דָּגָן 50; חֵ' זְבָחִים 53, 58, 59; חֵ' חַג 44; חֵ' חִטִּים (חִטָּה) 54, 63; חֵ' טְרֵפָה 56; חֵ' יִצְהָר 49; חֵ' כְּלָיוֹת 52, 62; חֵ' כָּרִים 51; חֵ' כֶּשֶׂב 46, 47; חֵ' נְבֵלָה 55; חֵ' עֵז 47; חֵ' פַּר 45; חֵ' שׁוֹר 47; חֵלֶב תִּירוֹשׁ 50
– אִשֵּׁי הַחֲלָבִים 83; חֶלְבֵי שְׁלָמִים 86–90

חֵלֶב 1 כָּל־חֵלֶב לַיי Lev.3:16
2 כָּל־חֵלֶב וְכָל־דָּם לֹא תֹאכֵלוּ Lev.3:17
3 הוּסַר חֵלֶב מֵעַל־זֶבַח הַשְּׁלָמִים Lev.4:31
4 כִּי כָּל־אֹכֵל חֵלֶב מִן־הַבְּהֵמָה... Lev.7:25
5 וַאֲכַלְתֶּם־חֵלֶב לְשָׂבְעָה Ezek.39:19
6 בְּהַקְרִיבְכֶם אֶת־לַחְמִי חֵלֶב וָדָם Ezek.44:7
7 לְהַקְרִיב לִי חֵלֶב וָדָם Ezek.44:15
8 כְּמוֹ חֵלֶב וָדֶשֶׁן תִּשְׂבַּע נַפְשִׁי Ps.63:6
הַחֵלֶב 9 וְלָקַחְתָּ אֶת־כָּל־הַחֵלֶב Ex.29:13
10/1 וְאֵת־הַחֵלֶב אֲשֶׁר עֲלֵ(י)הֶן Ex.29:13,22
12-16 הַחֵלֶב הַמְכַסֶּה אֶת־הַקֶּרֶב Ex.29:22
Lev.3:3,9,14; 7:3
17-22 הַחֵלֶב אֲשֶׁר עַל־הַקֶּרֶב Lev.3:3,9,14
4:8; 8:16,25
23-25 וְאֶת־הַחֵלֶב אֲשֶׁר עֲלֵהֶן Lev.3:4,10,15
26 הַחֵלֶב הַמְכַסֶּה עַל־הַקֶּרֶב Lev.4:8

הַחֵלֶב (המשך) 27/8 וְאֶת־הַחֵלֶב אֲשֶׁר עֲלֵיהֶן Lev.4:9; 7:4
29 אֶת־הַחֵלֶב עַל־הֶחָזֶה יְבִיאֶנּוּ Lev.7:30
30 וְהִקְטִיר הַכֹּהֵן אֶת־הַחֵלֶב Lev.7:31
31 אֶת־דַּם הַשְּׁלָמִים וְאֶת־הַחֵלֶב Lev.7:33
32 וַיִּקַּח אֶת־הַחֵלֶב וְאֶת־הָאַלְיָה Lev.8:25
33 וְאֶת־הַחֵלֶב וְאֶת־הַכְּלָיֹת Lev.9:10
34 וְהִקְטִיר הַחֵלֶב לְרֵיחַ נִיחֹחַ לַיי Lev.17:6
35 וַיִּסְגֹּר הַחֵלֶב בְּעַד הַלַּהַב Jud.3:22
36 גַּם בְּטֶרֶם יַקְטִרוּן אֶת־הַחֵלֶב... ISh.2:15
37 קַטֵּר יַקְטִירוּן כַּיּוֹם הַחֵלֶב ISh.2:16
38 אֶת־הַחֵלֶב תֹּאכֵלוּ Ezek.34:3
כַּחֵלֶב 39 טָפַשׁ כַּחֵלֶב לִבָּם Ps.119:70
מֵחֵלֶב 40 חֶרֶב לַיי מָלְאָה דָם הֻדַּשְׁנָה מֵחֵלֶב Is.34:6
41 וַעֲפָרָם מֵחֵלֶב יְדֻשָּׁן Is.34:7
42 יָצָא מֵחֵלֶב עֵינֵמוֹ Ps.73:7
חֵלֶב־ 43 וְאִכְלוּ אֶת־חֵלֶב הָאָרֶץ Gen.45:18
44 וְלֹא־יָלִין חֵלֶב־חַגִּי עַד־בֹּקֶר Ex.23:18
45 וְאֶת־כָּל־חֵלֶב פַּר הַחַטָּאת Lev.4:8
46 כַּאֲשֶׁר יוּסַר חֵלֶב־הַכֶּשֶׂב Lev.4:35
47 כָּל־חֵלֶב שׁוֹר וְכֶשֶׂב וָעֵז Lev.7:23
48 וְאֵת חֵלֶב הַחַטָּאת יַקְטִיר Lev.16:25
49 כֹּל חֵלֶב יִצְהָר Num.18:12
50 וְכָל־חֵלֶב תִּירוֹשׁ וְדָגָן Num.18:12
51 עִם־חֵלֶב כָּרִים וְאֵילִים Deut.32:14
52 עִם־חֵלֶב כִּלְיוֹת חִטָּה Deut.32:14
53 אֲשֶׁר חֵלֶב זְבָחֵימוֹ יֹאכֵלוּ Deut.32:38
54 חֵלֶב חִטִּים יַשְׂבִּיעֵךְ Ps.147:14
וְחֵלֶב־ 55/6 וְחֵלֶב נְבֵלָה וְחֵלֶב טְרֵפָה Lev.7:24
57 עֹלוֹת אֵילִים וְחֵלֶב מְרִיאִים Is.1:11
58 וְחֵלֶב זְבָחֶיךָ לֹא הִרְוִיתָנִי Is.43:24
כְּחֵלֶב־ 59 כְּחֵלֶב זֶבַח הַשְּׁלָמִים Lev.4:26
מֵחֵלֶב־ 60 הִנֵּה שְׁמֹעַ מִזֶּבַח טוֹב לְהַקְשִׁיב מֵחֵלֶב אֵילִים ISh.15:22
61 מִדַּם חֲלָלִים מֵחֵלֶב גִּבּוֹרִים IISh.1:22
62 מֵחֵלֶב כִּלְיוֹת אֵילִים Is.34:6
63 וַיַּאֲכִילֵהוּ מֵחֵלֶב חִטָּה Ps.81:17
חֶלְבּוֹ 64 וְהִקְרִיב...חֶלְבּוֹ הָאַלְיָה תְמִימָה Lev.3:9
65 וְאֵת כָּל־חֶלְבּוֹ יָרִים מִמֶּנּוּ Lev.4:19
66 וְאֶת־כָּל־חֶלְבּוֹ יַקְטִיר הַמִּזְבֵּחָה Lev.4:26
67 וְאֵת כָּל־חֶלְבּוֹ יַקְרִיב מִמֶּנּוּ Lev.7:3
68 מִכָּל־חֶלְבּוֹ אֶת־מִקְדְּשׁוֹ מִמֶּנּוּ Num.18:29
69-70 בַּהֲרִימְכֶם אֶת־חֶלְבּוֹ מִמֶּנּוּ Num.18:30,32
בְּחֶלְבּוֹ 71 כִּי־כִסָּה פָנָיו בְּחֶלְבּוֹ Job 15:27
חֶלְבָּהּ 72-73 וְאֶת־כָּל־חֶלְבָּהּ יָסִיר Lev.4:31,35
חֶלְבָּם 74 וְאֶת־חֶלְבָּם תַּקְטִיר Num.18:17
חֶלְבָּמוֹ 75 חֶלְבָּמוֹ סָּגְרוּ פִּימוֹ דִּבְּרוּ בְגֵאוּת Ps.17:10
חֶלְבְּהֶן 76/7 וְאֶת־שְׁתֵּי הַכְּלָיֹת וְאֶת־חֶלְבְּהֶן Lev.8:16,25
הַחֲלָבִים 78 וַיָּשֶׂם עַל־הַחֲלָבִים וְעַל שׁוֹק הַיָּמִין Lev.8:26
79 וְאֶת־הַחֲלָבִים מִן־הַשּׁוֹר Lev.9:19
80 וַיָּשִׂימוּ אֶת־הַחֲלָבִים עַל־הֶחָזוֹת Lev.9:20
81 וַיַּקְטֵר הַחֲלָבִים הַמִּזְבֵּחָה Lev.9:20
82 וַתֹּאכַל...אֶת־הָעֹלָה וְאֶת־הַחֲלָבִים Lev.9:24
83 עַל אִשֵּׁי הַחֲלָבִים יָבִיאוּ Lev.10:15
84 אֶת־הָעֹלָה...וְאֶת־הַחֲלָבִים IICh.7:7
וְהַחֲלָבִים 85 בְּהַעֲלוֹת הָעוֹלָה וְהַחֲלָבִים IICh.35:14
חֶלְבֵי־ 86 וְהִקְטִיר עָלֶיהָ חֶלְבֵי הַשְּׁלָמִים Lev.6:5
87-89 וְאֵת חֶלְבֵי הַשְּׁלָמִים IK.8:64² • IICh.7:7
בְּחֶלְבֵי־ 90 בְּחֶלְבֵי הַשְּׁלָמִים וּבַנְּסָכִים לָעֹלָה IICh.29:35
וּמֵחֶלְבֵהֶן 91 מִבְּכֹרוֹת צֹאנוֹ וּמֵחֶלְבֵהֶן Gen.4:4

חֵלֶב2 שפ"ז בן בענה, מגבורי דוד, הוא חֵלֶד או חֶלְדַּי
חֵלֶב 1 חֵלֶב בֶּן־בַּעֲנָה הַנְּטֹפָתִי IISh.23:29

חֶלְבָּה עיר בנחלת אשר
חֶלְבָּה 1 ...וְאֶת־אַכְזִיב וְאֶת־חֶלְבָּה Jud.1:31

חֶלְבּוֹן עיר בארם מצפון לדמשק
חֶלְבּוֹן 1 בְּיֵין חֶלְבּוֹן וְצֶמֶר צָחַר Ezek.27:18

חֶלְבְּנָה נ' מסממני הקטורת שהקטירו באוהל מועד
וְחֶלְבְּנָה 1 נָטָף וּשְׁחֵלֶת וְחֶלְבְּנָה Ex.30:34

חֶלֶד ז' א) תֵּבֵל, עולם (?): 1, 4
ב) משך החיים (?): 2, 3, 5
חָלֶד 1 הַאֲזִינוּ כָּל־יֹשְׁבֵי חָלֶד Ps.49:2
2 זְכָר־אֲנִי מֶה־חָלֶד Ps.89:48
3 וּמִצָּהֳרַיִם יָקוּם חָלֶד Job 11:17
מֵחֶלֶד 4 מִמְתִים מֵחֶלֶד חֶלְקָם בַּחַיִּים Ps.17:14
וְחֶלְדִּי 5 וְחֶלְדִּי כְאַיִן נֶגְדֶּךָ Ps.39:6

חֹלֶד ז' שרץ מכרסם, מטמא במגע
הַחֹלֶד 1 הַחֹלֶד וְהָעַכְבָּר וְהַצָּב Lev.11:29

חֵלֶד שפ"ז – בן בענה, מגבורי דוד, הוא חֶלְדַּי(א)
חֵלֶד 1 חֵלֶד בֶּן־בַּעֲנָה הַנְּטוֹפָתִי ICh.11:30

חֻלְדָּה שפ"נ – נביאה בימי יאשיהו: 1, 2
חֻלְדָּה 1/2 אֶל־חֻלְדָּה הַנְּבִיאָה אֵשֶׁת שַׁלֻּם IIK.22:14
IICh.34:22

חֶלְדַּי שפ"ז א) מבני עתניאל שר לדוד: 1
ב) כהן בימי זכריה הנשיא: 2
חֶלְדַּי 1 ...חֶלְדַּי הַנְּטוֹפָתִי לְעָתְנִיאֵל ICh.27:15
מֵחֶלְדַּי 2 לָקוֹחַ מֵאֵת הַגּוֹלָה מֵחֶלְדַּי... Zech.6:10

חלה ☜: חָלָה, נַחֲלָה, חִלָּה, חֻלָּה, הִתְחַלָּה, הֶחֱלָה, הָחֳלָה; חוֹלֶה, חֳלִי, מַחֲלֶה, מַחֲלָה, מַחֲלוּי; ש"פ חֲלִי, חֶלְיָה, מַחְלָה, מַחְלוֹן, מַחְלִי, מָחֳלַת

חָלָה פ' א) היה כואב ממחלה או ממכה: 1–5, 9–21, 23–29, 32–37
ב) נחלש, דאג: 6–8, 22, 30, 31
ג) [נפ' נֶחֱלָה] נחלש, חלה: 38–41, 46, 47
ד) [כנ"ל] היה אנוש וחמור: 42–45
ה) [פ' חִלָּה] הכה, גרם למחלה: 54
ו) [כנ"ל] התחנן, העתיר: 48–53, 55–65
ז) [פ' חֻלָּה] חלה, כאב: 66
ח) [הת' הִתְחַלָּה] נעשה חולה: 67
ט) [כנ"ל] התראה כחולה: 68, 69
י) [הפ' הֶחֱלָה] גרם מחלה: 70–72
יא) [הפ' הָחֳלָה] הכה, נפצע: 73–75
קרובים: דָּאַב / דָּוָה / חָלַשׁ / כָּאַב / סָבַל
חָלָה אֶת־ 11, 13; חָלָה עַל־ 22; רָעָה חוֹלָה 30, 31; חוֹלַת אַהֲבָה 35, 36; מַכָּה נַחְלָה 42–45; חִלָּה (אֶת־) פְּנֵי־ 48–50, 53, 55–65
בַּחֲלֹתוֹ 1 ...בַּחֲלֹתוֹ וַיְחִי מֵחָלְיוֹ Is.38:9
בַּחֲלוֹתָם 2 וַאֲנִי בַּחֲלוֹתָם לְבוּשִׁי שָׂק Ps.35:13
חָלִיתִי 3 כִּי חָלִיתִי הַיּוֹם שְׁלֹשָׁה ISh.30:13
4 וּבַל־יֹאמַר שָׁכֵן חָלִיתִי Is.33:24
5 הִכּוּנִי בַל־חָלִיתִי Prov.23:35
וְחָלִיתִי 6-7 וְחָלִיתִי וְהָיִיתִי כְּאַחַד הָאָדָם Jud.16:7,11
8 וְחָלִיתִי וְהָיִיתִי כְּכָל־הָאָדָם Jud.16:17
חָלִית 9 עַל־כֵּן לֹא חָלִית Is.57:10
חָלָה 10 בָּעֵת הַהִיא חָלָה אֲבִיָּה IK.14:1
11 לְעֵת זִקְנָתוֹ חָלָה אֶת־רַגְלָיו IK.15:23

חָלָה (המשך)

חָלָה 12 חָלָה בֶּן־הָאִשָּׁה בַּעֲלַת הַבָּיִת IK.17:17
13 וֶאֱלִישָׁע חָלָה אֶת־חָלְיוֹ IIK.13:14
14 בַּיָּמִים הָהֵם חָלָה חִזְקִיָּהוּ לָמוּת IIK.20:1
15 כִּי שָׁמַע כִּי חָלָה חִזְקִיָּהוּ IIK.20:12
16 בַּיָּמִים הָהֵם חָלָה חִזְקִיָּהוּ לָמוּת Is.38:1
17 וַיִּשְׁמַע כִּי חָלָה וַיֶּחֱזָק Is.39:1
18 חָלָה יְחִזְקִיָּהוּ עַד־לָמוּת IICh.32:24
חָלוּ 19 (?)הִכִּיתָה אֹתָם וְלֹא־חָלוּ Jer.5:3
חוֹלֶה 20 הִנֵּה אָבִיךָ חֹלֶה Gen.48:1
21 וַתֹּאמֶר חֹלֶה הוּא ISh.19:14
22 וְאֵין־חֹלֶה מִכֶּם עָלַי ISh.22:8
23 אֶל־בְּנָהּ כִּי־חֹלֶה הוּא IK.14:5
24 וּבֶן־הֲדַד מֶלֶךְ־אֲרָם חֹלֶה IIK.8:7
25/6 לִרְאוֹת...כִּי־חֹלֶה הוּא IIK.8:29 • IICh.22:6
27 פָּנֶיךָ רָעִים וְאַתָּה אֵינְךָ חוֹלֶה Neh.2:2
וְחֹלֶה 28 וְכִי תַגִּישׁוּ פִּסֵּחַ וְחֹלֶה אֵין רָע Mal.1:8
הַחוֹלֶה 29 וְאֶת־הַפִּסֵּחַ וְאֶת־הַחוֹלֶה Mal.1:13
חוֹלָה 30 יֵשׁ רָעָה חוֹלָה רָאִיתִי... Eccl.5:12
31 וְגַם־זֹה רָעָה חוֹלָה Eccl.5:15
הַחוֹלָה 32 וְאֶת־הַחוֹלָה לֹא־רִפֵּאתֶם Ezek.34:4
33 וְאֶת־הַחוֹלָה אֲחַזֵּק Ezek.34:16
כְּחוֹלָה 34 כִּי קוֹל כְּחוֹלָה שָׁמַעְתִּי Jer.4:31
חוֹלַת־ 35 כִּי־חוֹלַת אַהֲבָה אָנִי S.ofS.2:5
שֶׁחוֹלַת־ 36 שֶׁחוֹלַת אַהֲבָה אָנִי S.ofS.5:8
וַיָּחַל 37 וַיִּפֹּל אֲחַזְיָה בְּעַד הַשְּׂבָכָה...וַיָּחַל IIK.1:2
וְנֶחֱלֵיתִי 38 וַאֲנִי דָנִיֵּאל נִהְיֵיתִי וְנֶחֱלֵיתִי יָמִים Dan.8:27
נֶחְלוּ 39 נֶחְלוּ לֹא יוֹעִלוּ Jer.12:13
40 וְלֹא נֶחְלוּ עַל־שֵׁבֶר יוֹסֵף Am.6:6
נַחֲלָה 41 נֵד קָצִיר בְּיוֹם נַחֲלָה וּכְאֵב אָנוּשׁ Is.17:11
נַחְלָה 42 אוֹי לִי עַל־שִׁבְרִי נַחְלָה מַכָּתִי Jer.10:19
43 מַכָּה נַחְלָה מְאֹד Jer.14:17
44 אָנוּשׁ לְשִׁבְרֵךְ נַחְלָה מַכָּתֵךְ Jer.30:12
45 אֵין־כֵּהָה לְשִׁבְרֶךָ נַחְלָה מַכָּתֶךָ Nah.3:19
הַנַּחְלוֹת 46 אֶת־הַנַּחְלוֹת לֹא חִזַּקְתֶּם Ezek.34:4
47 וּבְקַרְנֵיכֶם תְּנַגְּחוּ כָּל־הַנַּחְלוֹת Ezek.34:21
לְחַלּוֹת 48-49 לְחַלּוֹת אֶת־פְּנֵי יְיָ Zech.7:2; 8:21
וּלְחַלּוֹת 50 וּלְחַלּוֹת אֶת־פְּנֵי יְיָ Zech.8:22
חַלּוֹתִי 51 (?) וָאֹמַר חַלּוֹתִי הִיא Ps.77:11
חִלִּיתִי 52 וּפְנֵי יְיָ לֹא חִלִּיתִי ISh.13:12
53 חִלִּיתִי פָנֶיךָ בְכָל־לֵב Ps.119:58
חִלָּה 54 תַּחֲלֻאֶיהָ אֲשֶׁר־חִלָּה יְיָ בָּהּ Deut.29:21
55 חִלָּה אֶת־פְּנֵי יְיָ אֱלֹהָיו IICh.33:12
חִלִּינוּ 56 וְלֹא־חִלִּינוּ אֶת־פְּנֵי יְיָ אֱלֹהֵינוּ Dan.9:13
וְחִלּוּ 57 וְחִלּוּ פָנֶיךָ רַבִּים Job11:19
וַיְחַל 58 וַיְחַל מֹשֶׁה אֶת־פְּנֵי יְיָ אֱלֹהָיו Ex.32:11
59 וַיְחַל אִישׁ־הָאֱלֹהִים אֶת־פְּנֵי יְיָ IK.13:6
60 וַיְחַל יְהוֹאָחָז אֶת־פְּנֵי יְיָ IIK.13:4
61 וַיְחַל אֶת־פְּנֵי יְיָ Jer.26:19
יְחַלּוּ 62 פָּנַיִךְ יְחַלּוּ עֲשִׁירֵי עָם Ps.45:13
63 רַבִּים יְחַלּוּ פְנֵי־נָדִיב Prov.19:6
חַל 64 חַל־נָא אֶת־פְּנֵי יְיָ אֱלֹהֶיךָ IK.13:6
חַלּוּ 65 חַלּוּ־נָא פְנֵי־אֵל וִיחָנֵנוּ Mal.1:9
חֻלֵּיתָ 66 גַּם־אַתָּה חֻלֵּיתָ כָמוֹנוּ Is.14:10
לְהִתְחַלּוֹת 67 וַיֵּצֶר לְאַמְנוֹן לְהִתְחַלּוֹת IISh.13:2
וַיִּתְחָל 68 וַיִּשְׁכַּב אַמְנוֹן וַיִּתְחָל IISh.13:6
וְהִתְחָל 69 שְׁכַב עַל־מִשְׁכָּבְךָ וְהִתְחָל IISh.13:5
הֶחֱלֵיתִי 70 וְגַם־אֲנִי הֶחֱלֵיתִי הַכּוֹתֶךָ Mic.6:13
הֶחֱלוּ 71 הֶחֱלוּ שָׂרִים חֲמַת מִיָּיִן Hosh.7:5
מַחֲלָה 72 תּוֹחֶלֶת מְמֻשָּׁכָה מַחֲלָה־לֵב Prov.13:12
הָחֳלֵיתִי 73 וְהוֹצִיאֵנִי מִן־הַמַּחֲנֶה כִּי הָחֳלֵיתִי IK.22:34
74 וְהוֹצֵאתַנִי מִן־הַמַּחֲנֶה כִּי הָחֳלֵיתִי IICh.18:33
75 הַעֲבִירוּנִי כִּי הָחֳלֵיתִי מְאֹד IICh.35:23

חַלָּה

ג' כִּכַּר לחם, עפ"ר מקמח סלת: 1–15

קרובים: כִּכָּר / לֶחֶם / מָעוֹג / מַצָּה / עֻגָה / פַּת / צַפִּיחִית / רָקִיק / תּוּפִין

חַלַּת לֶחֶם 4-6, 14; חַלַּת מַצָּה 3, 7, 11, 12, 15

חַלָּה 1 רֵאשִׁית עֲרִסֹתֵכֶם חַלָּה תָּרִימוּ תְרוּמָה Num.15:20
הַחַלָּה 2 שְׁנֵי עֶשְׂרֹנִים יִהְיֶה הַחַלָּה הָאֶחָת Lev.24:5
חַלַּת־ 3 לָקַח חַלַּת מַצָּה אַחַת Lev.8:26
4 לְאִישׁ חַלַּת לֶחֶם אַחַת IISh.6:19
וְחַלַּת־ 5/6 וְחַלַּת לֶחֶם שֶׁמֶן אַחַת Ex.29:23 • Lev.8:26
7 וְחַלַּת מַצָּה אַחַת מִן־הַסַּל Num.6:19
חַלּוֹת 8 חַלֹּת בְּלוּלֹת בַּשֶּׁמֶן Lev.7:12
9 וְאָפִיתָ אֹתָהּ שְׁתֵּים עֶשְׂרֵה חַלּוֹת Lev.24:5
10 מַצּוֹת סֹלֶת חַלֹּת בְּלוּלֹת בַּשֶּׁמֶן Num.6:15
חַלּוֹת־ 11 סֹלֶת חַלּוֹת מַצֹּת בְּלוּלֹת בַּשֶּׁמֶן Lev.2:4
12 חַלּוֹת מַצּוֹת בְּלוּלֹת בַּשֶּׁמֶן Lev.7:12
13 חַלֹּת בְּלוּלֹת בַּשָּׁמֶן Lev.7:12
14 עַל־חַלֹּת לֶחֶם חָמֵץ יַקְרִיב Lev.7:13
וְחַלּוֹת־ 15 וְחַלֹּת מַצֹּת בְּלוּלֹת בַּשֶּׁמֶן Ex.29:2

חָלָה

(ישעיה נד 1, סו 8) – עין (חיל) חָלִי

חֲלוֹם

ז' מַרְאֶה שאדם רואה בשנתו: 1–65

קרובים: חָזוֹן / חִזָּיוֹן / מַחֲזֶה / מַרְאָה

חֲלוֹם הַלַּיְלָה 35–37; מִסְפַּר הַחֲלוֹם 24; פִּתְרוֹן חֲלֹמוֹ 43, 46; בַּעַל הַחֲלֹמוֹת 53; חֲלֹמוֹת שֶׁקֶר 58

חֲלוֹם 1 וַיַּחֲלֹם יוֹסֵף חֲלוֹם Gen.37:5
2 וַיַּחֲלֹם עוֹד חֲלוֹם אַחֵר Gen.37:9
3 הִנֵּה חָלַמְתִּי חֲלוֹם עוֹד Gen.37:9
4 וַיַּחַלְמוּ חֲלוֹם שְׁנֵיהֶם Gen.40:5
5 חֲלוֹם חָלַמְנוּ וּפֹתֵר אֵין אֹתוֹ Gen.40:8
6 וַיִּיקַץ פַּרְעֹה וְהִנֵּה חֲלוֹם Gen.41:7
7 וַנַּחַלְמָה חֲלוֹם בְּלַיְלָה אֶחָד Gen.41:11
8 חֲלוֹם חָלַמְתִּי וּפֹתֵר אֵין אֹתוֹ Gen.41:15
9 תִּשְׁמַע חֲלוֹם לִפְתֹּר אֹתוֹ Gen.41:15
10 חֲלוֹם פַּרְעֹה אֶחָד הוּא Gen.41:25
11 ...חֲלוֹם אֶחָד הוּא Gen.41:26
12 כִּי־יָקוּם...נָבִיא אוֹ חֹלֵם חֲלוֹם Deut.13:2
13 וְהִנֵּה אִישׁ מְסַפֵּר לְרֵעֵהוּ חֲלוֹם Jud.7:13
14 הִנֵּה חֲלוֹם חָלַמְתִּי וְהִנֵּה... Jud.7:13
15 וַיִּקַץ שְׁלֹמֹה וְהִנֵּה חֲלוֹם IK.3:15
16/7 אֲשֶׁר־אִתּוֹ חֲלוֹם יְסַפֵּר חֲלוֹם Jer.23:28
18 חֲלוֹם חָלָמְתִּי וַתִּפָּעֶם רוּחִי Dan.2:3
הַחֲלוֹם 19 הַחֲלוֹם הַזֶּה אֲשֶׁר חָלָמְתִּי Gen.37:6
20 מָה הַחֲלוֹם הַזֶּה אֲשֶׁר חָלָמְתָּ Gen.37:10
21 וְעַל הִשָּׁנוֹת הַחֲלוֹם...פַּעֲמָיִם Gen.41:32
22 ...אוֹ אֶל־חוֹלֵם הַחֲלוֹם הַהוּא Deut.13:4
23 אוֹ חֹלֵם הַחֲלוֹם הַהוּא יוּמָת Deut.13:6
24 אֶת־מִסְפַּר הַחֲלוֹם וְאֶת־שִׁבְרוֹ Jud.7:15
25 כִּי בָּא הַחֲלוֹם בְּרֹב עִנְיָן Eccl.5:2
26 וַתִּפָּעֶם רוּחִי לָדַעַת אֶת־הַחֲלוֹם Dan.2:3
בַּחֲלוֹם 27 וַיֹּאמֶר אֵלָיו הָאֱלֹהִים בַּחֲלֹם Gen.20:6
28 וָאֶשָּׂא עֵינַי וָאֵרֶא בַּחֲלוֹם Gen.31:10
29 וַיֹּאמֶר...מַלְאַךְ הָאֱ' בַּחֲלוֹם Gen.31:11
30 בַּחֲלוֹם אֲדַבֶּר־בּוֹ Num.12:6
31 בַּחֲלוֹם חֶזְיוֹן לַיְלָה Job33:15
כַּחֲלוֹם 32 וְהָיָה כַּחֲלוֹם חֲזוֹן לַיְלָה Is.29:7
33 כַּחֲלוֹם מֵהָקִיץ...צַלְמָם תִּבְזֶה Ps.73:20
34 כַּחֲלוֹם יָעוּף וְלֹא יִמְצָאֻהוּ Job20:8
בַּחֲלוֹם־ 35 וַיָּבֹא אֱלֹהִים...בַּחֲלוֹם הַלָּיְלָה Gen.20:3
36 וַיָּבֹא אֱלֹהִים...בַּחֲלֹם הַלָּיְלָה Gen.31:24
37 נִרְאָה יְיָ אֶל־שְׁלֹמֹה בַּחֲלוֹם הַלָּיְלָה IK.3:5
בַּחֲלוֹמִי 38 בַּחֲלוֹמִי וְהִנֵּה־גֶפֶן לְפָנָי Gen.40:9
39 אַף־אֲנִי בַּחֲלוֹמִי וְהִנֵּה... Gen.40:16
40 בַּחֲלֹמִי הִנְנִי עֹמֵד... Gen.41:17
41 וָאֵרֶא בַּחֲלֹמִי וְהִנֵּה... Gen.41:22
חֲלוֹמוֹ 42 וַיַּחַלְמוּ...אִישׁ חֲלֹמוֹ בְּלַיְלָה אֶחָד Gen.40:5
43 אִישׁ כְּפִתְרוֹן חֲלֹמוֹ Gen.40:5
44 וַיְסַפֵּר...אֶת־חֲלֹמוֹ לְיוֹסֵף Gen.40:9
45 וַיְסַפֵּר פַּרְעֹה לָהֶם אֶת־חֲלֹמוֹ Gen.41:8
46 אִישׁ כְּפִתְרוֹן חֲלֹמוֹ חָלָמְנוּ Gen.41:11
כַּחֲלוֹמוֹ 47 אִישׁ כַּחֲלֹמוֹ פָּתָר Gen.41:12
חֲלוֹמוֹת 48 זִקְנֵיכֶם חֲלֹמוֹת יַחֲלֹמוּן Joel3:1
49 כִּי בְרֹב חֲלֹמוֹת וַהֲבָלִים... Eccl.5:6
50 וּבִשְׁנַת...חָלַם נְבֻכַדְנֶצַּר חֲלֹמוֹת Dan.2:1
וַחֲלוֹמוֹת 51 וַחֲלֹמוֹת הַשָּׁוְא יְדַבֵּרוּ Zech.10:2
52 הֵבִין בְּכָל־חָזוֹן וַחֲלֹמוֹת Dan.1:17
הַחֲלוֹמוֹת 53 הִנֵּה בַּעַל הַחֲלֹמוֹת הַלָּזֶה בָּא Gen.37:19
54 וַיִּזְכֹּר יוֹסֵף אֵת הַחֲלֹמוֹת Gen.42:9
בַּחֲלוֹמוֹת 55 גַּם בַּחֲלֹמוֹת גַּם בָּאוּרִים גַּם בַּנְּבִיאִם ISh.28:6
56 גַּם בְּיַד־הַנְּבִיאִם גַּם בַּחֲלֹמוֹת ISh.28:15
57 וְחִתַּתַּנִי בַחֲלֹמוֹת וּמֵחֶזְיֹנוֹת תְּבַעֲתַנִּי Job7:14
חֲלוֹמוֹת־ 58 הִנְנִי עַל־נִבְּאֵי חֲלֹמוֹת שֶׁקֶר Jer.23:32
חֲלוֹמוֹתָיו 59 עַל־חֲלֹמֹתָיו וְעַל־דְּבָרָיו Gen.37:8
60 וְנִרְאֶה מַה־יִּהְיוּ חֲלֹמֹתָיו Gen.37:20
61 לְהַגִּיד לַמֶּלֶךְ חֲלֹמֹתָיו Dan.2:2
חֲלוֹמוֹתֵינוּ 62 וַיִּפְתָּר־לָנוּ אֶת־חֲלֹמֹתֵינוּ Gen.41:12
חֲלוֹמוֹתֵיכֶם 63 אֶל־נְבִיאֵיכֶם...וְאֶל חֲלֹמֹתֵיכֶם Jer.27:9
64 וְאַל־תִּשְׁמְעוּ אֶל־חֲלֹמֹתֵיכֶם Jer.29:8
בַּחֲלוֹמוֹתָם 65 בַּחֲלוֹמֹתָם אֲשֶׁר יְסַפְּרוּ Jer.23:27

חֵילוֹן

שם־ז – עין חַלּוֹן

חַלּוֹן

זו"נ [ז' – 10; נ' – 16, 18, 22, 29] פֶּתַח בקיר לחדירת אור ואויר: 1–31

קרובים: אֲרֻבָּה / אֶשְׁנָב / חָרָךְ / פֶּתַח / צֹהַר

בְּעַד הַחַלּוֹן 1–6, 9, 17; חַלּוֹן בֵּיתוֹ 14; חַלּוֹן הַתֵּבָה 13; חַלּוֹנִים אֲטוּמוֹת 16, 18; חַלּוֹנֵי שְׁקוּפִים אֲטוּמִים 19

הַחַלּוֹן 1 וַיַּשְׁקֵף אֲבִימֶלֶךְ...בְּעַד הַחַלּוֹן Gen.26:8
2 וַתּוֹרִדֵם בַּחֶבֶל בְּעַד הַחַלּוֹן Josh.2:15
3 בְּעַד הַחַלּוֹן נִשְׁקְפָה Jud.5:28
4 וַתֹּרֶד מִיכַל אֶת־דָּוִד בְּעַד הַחַלּוֹן ISh.19:12
5 וּמִיכַל...נִשְׁקְפָה בְּעַד הַחַלּוֹן IISh.6:16
6 וַתַּשְׁקֵף בְּעַד הַחַלּוֹן IIK.9:30
7 וַיִּשָּׂא פָנָיו אֶל־הַחַלּוֹן וַיֹּאמֶר IIK.9:32
8 וַיֹּאמֶר פְּתַח הַחַלּוֹן קֵדְמָה IIK.13:17
9 וּמִיכַל...נִשְׁקְפָה בְּעַד הַחַלּוֹן ICh.15:29
בַּחַלּוֹן 10 תִּקְשְׁרִי בַּחַלּוֹן אֲשֶׁר הוֹרַדְתֵּנוּ בוֹ Josh.2:18
11 וַתִּקְשֹׁר אֶת־תִּקְוַת הַשָּׁנִי בַּחַלּוֹן Josh.2:21
12 קוֹל יְשׁוֹרֵר בַּחַלּוֹן Zep.2:14
חַלּוֹן־ 13 וַיִּפְתַּח נֹחַ אֶת־חַלּוֹן הַתֵּבָה Gen.8:6
בְּחַלּוֹן־ 14 כִּי בְּחַלּוֹן בֵּיתִי בְּעַד אֶשְׁנַבִּי נִשְׁקָפְתִּי Prov.7:6
חַלּוֹנִים 15 וְחַלּוֹנִים לוֹ וּלְאֵילַמָּו Ezek.40:25
16 וְחַלּוֹנִים אֲטֻמוֹת וְתִמֹרִים Ezek.41:26
הַחַלּוֹנִים 17 בְּעַד הַחַלּוֹנִים יָבֹאוּ כַּגַּנָּב Joel2:9
וְהַחַלּוֹנִים 18 הַסִּפִּים וְהַחַלּוֹנִים הָאֲטֻמוֹת Ezek.41:16
חַלּוֹנֵי־ 19 וַיַּעַשׂ לַבָּיִת חַלּוֹנֵי שְׁקֻפִים אֲטֻמִים IK.6:4
בְּחַלּוֹנֵינוּ 20 כִּי־עָלָה מָוֶת בְּחַלּוֹנֵינוּ Jer.9:20
וְחַלּוֹנָיו 21 וְחַלּוֹנָו וְאֵילַמָּו וְתִמֹרָו Ezek.40:22
וְחַלּוֹנוֹת 22 וְחַלֹּנוֹת אֲטֻמוֹת אֶל־הַתָּאִים... Ezek.40:16
23 וְחַלּוֹנוֹת סָבִיב סָבִיב לִפְנִימָה Ezek.40:16

24/5 וְחַלּוֹנוֹת לוֹ וּלְאֵלַמּוֹ... Ezek.40:29,33
26 וְחַלּוֹנוֹת לוֹ סָבִיב סָבִיב Ezek.40:36
הַחַלֹּנוֹת 27 וְהָאָרֶץ עַד־הַחַלֹּנוֹת Ezek.41:16
28 מַשְׁגִּיחַ מִן־הַחַלֹּנוֹת S.ofS.2:9
וְהַחַלֹּנוֹת 29 וְהַחַלֹּנוֹת מְכֻסּוֹת Ezek.41:16
כְּהַחַלֹּנוֹת 30 וְחַלּוֹנִים לוֹ...כְּהַחַלֹּנוֹת הָאֵלֶּה Ezek.40:25
חַלּוֹנָי 31 וְקָרַע לוֹ חַלּוֹנָי Jer.22:14

חלון עין חוּלוֹן

חֲלוֹף ז׳ אבדון, כליון • בְּנֵי חֲלוֹף 1
חֲלוֹף 1 פְּתַח־פִּיךָ לְאִלֵּם
אֶל־דִּין כָּל־בְּנֵי חֲלוֹף Prov.31:8

חָלוּץ תו״ז א) לוחם חָגור בכלי־זין: 1, 2, 9–17
ב) החיל ההולך בראש המחנה: 3–8
רָאשֵׁי הֶחָלוּץ 3; חֲלוּץ צָבָא 9; חֲלוּצֵי מוֹאָב 15; חֲלוּצֵי צָבָא 13, 14, 16, 17
חָלוּץ 1 וְעָבַר לָכֶם כָּל־חָלוּץ אֶת־הַיַּרְדֵּן Num.32:21
2 יַעַבְרוּ...כָּל־חָלוּץ לַמִּלְחָמָה Num.32:29
הֶחָלוּץ 3 רָאשֵׁי הֶחָלוּץ לַצָּבָא ICh.12:24(23)
4 מְשֹׁרְרִים לַיי...בְּצֵאת לִפְנֵי הֶחָלוּץ IICh.20:21
5 וַיַּעֲזֹב הֶחָלוּץ אֶת־הַשִּׁבְיָה IICh.28:14
וְהֶחָלוּץ 6 וְהֶחָלוּץ יַעֲבֹר לִפְנֵי אֲרוֹן יְיָ Josh.6:7
7 וְהֶחָלוּץ הֹלֵךְ לִפְנֵי הַכֹּהֲנִים Josh.6:9
8 וְהֶחָלוּץ הֹלֵךְ לִפְנֵיהֶם Josh.6:13
חֲלוּץ־ 9 יַעַבְרוּ כָּל־חֲלוּץ צָבָא...לַמִּלְחָמָה Num.32:27
חֲלוּצִים 10 וְאִם־לֹא יַעַבְרוּ חֲלוּצִים Num.32:30
11 נַחְנוּ נַעֲבֹר חֲלוּצִים לִפְנֵי יְיָ Num.32:32
12 חֲלוּצִים תַּעַבְרוּ לִפְנֵי אֲחֵיכֶם Deut.3:18
חֲלוּצֵי־ 13 שְׁנֵים־עָשָׂר אֶלֶף חֲלוּצֵי צָבָא Num.31:5
14 כְּאַרְבָּעִים אֶלֶף חֲלוּצֵי הַצָּבָא Josh.4:13
15 עַל־כֵּן חֲלֻצֵי מוֹאָב יָרִיעוּ Is.15:4
16 נֹשְׂאֵי צִנָּה וָרֹמַח...חֲלוּצֵי צָבָא ICh.12:25(24)
17 מֵאָה־וּשְׁמוֹנִים אֶלֶף חֲלוּצֵי צָבָא IICh.17:18

חִלּוּק* ז׳ דבר חלק
חִלּוּקֵי־ 1 חֲמִשָּׁה חַלֻּקֵי־אֲבָנִים מִן־הַנַּחַל ISh.17:40

חֲלוּשָׁה נ׳ חולשה, רפיון
חֲלוּשָׁה 1 אֵין קוֹל עֲנוֹת גְּבוּרָה
וְאֵין קוֹל עֲנוֹת חֲלוּשָׁה Ex.32:18

חֲלוֹתִי (תהלים עז 11) – עין חָלָה (מס׳ 51)

חֲלַח עיר ומחוז באשור מצפון לנינוה: 1–3
בַּחְלַח 1 וַיֹּשֶׁב אוֹתָם בַּחְלַח וּבְחָבוֹר IIK.17:6
2 וַיַּנְחֵם בַּחְלַח וּבְחָבוֹר IIK.18:11
לַחְלַח 3 וַיְבִיאֵם לַחְלַח וְחָבוֹר וְהָרָא ICh.5:26

חַלְחוּל עיר בנחלת יהודה, מצפון לחברון
חַלְחוּל 1 חַלְחוּל בֵּית־צוּר וּגְדוֹר Josh.15:58

חלחל: הִתְחַלְחֵל; חַלְחָלָה

(חלחל) הִתְחַלְחֵל הת׳ נבהל, הזדעזע
וַתִּתְחַלְחַל 1 וַתִּתְחַלְחַל הַמַּלְכָּה מְאֹד Es.4:4

חַלְחָלָה נ׳ בהלה, חיל: 1–4 • קרובים: ראה אֵימָה
חַלְחָלָה 1 עַל־כֵּן מָלְאוּ מָתְנַי חַלְחָלָה Is.21:3
2 וְהָיְתָה חַלְחָלָה בְּכוּשׁ Ezek.30:4
3 וְהָיְתָה חַלְחָלָה בָהֶם כְּיוֹם מִצְרַיִם Ezek.30:9
וְחַלְחָלָה 4 וְחַלְחָלָה בְּכָל־מָתְנַיִם Neh.2:11

חָלַט פ׳ החליט
וַיַּחְלְטוּ 1 וַיְמַהֲרוּ וַיַּחְלְטוּ הֲמִמֶּנּוּ IK.20:33

חֲלִי¹ ז׳ תכשיט: 1, 2
וַחֲלִי־ 1 נֶזֶם זָהָב וַחֲלִי־כָתֶם... Prov.25:12
חֲלָאִים 2 חַמּוּקֵי יְרֵכַיִךְ כְּמוֹ חֲלָאִים S.ofS.7:2

חֲלִי² ישוב בנחלת אשר
וַחֲלִי 1 חֶלְקַת וַחֲלִי וָבֶטֶן וְאַכְשָׁף Josh.19:25

חֳלִי ז׳ מחלה, מכאוב: 1–24
קרובים: דְּוַי / כְּאֵב / מַגֵּפָה / מַדְוֶה / מַחֲלֶה / מַחֲלָה / מַחֲלוּי / מַכְאוֹב / מַכָּה / נֶגַע / נֶגֶף / תַּחֲלוּא
חֳלִי חָזָק 13; חֳ׳ נֶאֱמָן 22; חֳלִי רָע 6, 22; יְדוּעַ חֹלִי 5; חֳלָיִים רַבִּים 23
חֳלִי 1 גַּם כָּל־חֳלִי וְכָל־מַכָּה Deut.28:61
2 עַל־פָּנַי תָּמִיד חֳלִי וּמַכָּה Jer.6:7
3 אַךְ זֶה חֳלִי וְאֶשָּׂאֶנּוּ Jer.10:19
חֹלִי 4 וְהֵסִיר יְיָ מִמְּךָ כָּל־חֹלִי Deut.7:15
5 אִישׁ מַכְאֹבוֹת וִידוּעַ חֹלִי Is.53:3
וָחֳלִי 6 זֶה הֶבֶל וָחֳלִי רַע הוּא Eccl.6:2
הַחֹלִי 7 עַד־יֵצְאוּ מֵעֶיךָ מִן־הַחֹלִי IICh.21:15
לָחֳלִי 8 כָּל־רֹאשׁ לָחֳלִי וְכָל־לֵבָב דַּוָּי Is.1:5
9 נְגָפוֹ...לָחֳלִי לְאֵין מַרְפֵּא IICh.21:18
מֵחֳלִי 10 דִּרְשׁוּ...אִם־אֶחְיֶה מֵחֳלִי זֶה IIK.1:2
11-12 הַאֶחְיֶה מֵחֳלִי זֶה IIK.8:8,9
חָלְיוֹ 13 וַיְהִי חָלְיוֹ חָזָק מְאֹד IK.17:17
14 חָלָה אֶת־חָלְיוֹ אֲשֶׁר יָמוּת בּוֹ IIK.13:14
15 וַיַּרְא אֶפְרַיִם אֶת־חָלְיוֹ Hosh.5:13
16 וַיֶּחֱלָא...עַד־לְמַעְלָה חָלְיוֹ IICh.16:12
17 יָצְאוּ מֵעָיו עִם־חָלְיוֹ IICh.21:19
וְחָלְיוֹ 18 וְכָעַס הַרְבֵּה וְחָלְיוֹ וָקָצֶף Eccl.5:16
בְחָלְיוֹ 19 כָּל־מִשְׁכָּבוֹ הָפַכְתָּ בְחָלְיוֹ Ps.41:4
20 וְגַם־בְּחָלְיוֹ לֹא־דָרַשׁ אֶת־יְיָ IICh.16:12
מֵחָלְיוֹ 21 בַּחֲלֹתוֹ וַיְחִי מֵחָלְיוֹ Is.38:9
וָחֳלָיִם 22 וָחֳלָיִם רָעִים וְנֶאֱמָנִים Deut.28:59
בָּחֳלָיִים 23 בָּחֳלָיִים רַבִּים בְּמַחֲלֵה מֵעֶיךָ IICh.21:15
חֳלָיֵנוּ 24 אָכֵן חֳלָיֵנוּ הוּא נָשָׂא... Is.53:4

חֶלְיָה* נ׳ תכשיט
וְחֶלְיָתָהּ 1 וַתַּעַד נִזְמָהּ וְחֶלְיָתָהּ Hosh.2:15

חָלִיל ז׳ כלי נגינה חלול: 1–6
וְחָלִיל 1 נֵבֶל וְתֹף וְחָלִיל וְכִנּוֹר ISh.10:5
2 כִּנּוֹר וָנֶבֶל תֹּף וְחָלִיל Is.5:12
בֶּחָלִיל 3 כַּהוֹלֵךְ בֶּחָלִיל לָבוֹא בְהַר־יְיָ Is.30:29
בַּחֲלִלִים 4 וְהָעָם מְחַלְּלִים בַּחֲלִלִים IK.1:40
כַּחֲלִלִים 5 לִבִּי לְמוֹאָב כַּחֲלִלִים יֶהֱמֶה Jer.48:36
6 וְלִבִּי אֶל־אַנְשֵׁי...כַּחֲלִילִים יֶהֱמֶה Jer.48:36

חָלִילָה מלת־קריאה: לא ולא! חס ושלום: 1–21
חָלִילָה 9, 10; חָלִילָה לִי (לְךָ...) 2, 7, 11, 12; חָלִילָה לְ־ מִ־ 1, 3–6, 8, 13, 14, 17, 18, 20, 21; חָלִילָה לְ־ אִם 19
חָלִלָה 1 חָלִלָה לְּךָ מֵעֲשֹׂת כַּדָּבָר הַזֶּה Gen.18:25
2 חָלִלָה לָּךְ... Gen.18:25
3 חָלִילָה לַעֲבָדֶיךָ מֵעֲשׂוֹת... Gen.44:7
4 חָלִילָה לִּי מֵעֲשׂוֹת זֹאת Gen.44:17
5 חָלִילָה לָּנוּ מִמֶּנּוּ לִמְרֹד בַּייָ Josh.22:29
6 חָלִילָה לָּנוּ מֵעֲזֹב אֶת־יְיָ Josh.24:16
7 וְעַתָּה נְאֻם־יְיָ חָלִילָה לִּי ISh.2:30
8 חָלִילָה לִּי מֵחֲטֹא לַייָ ISh.12:23
9 הֲיוֹנָתָן יָמוּת...חָלִילָה חַי־יְיָ ISh.14:45
10 וַיֹּאמֶר לוֹ חָלִילָה לֹא תָמוּת ISh.20:2
11 וַיֹּאמֶר יְהוֹנָתָן חָלִילָה לָּךְ ISh.20:9

חָלִילָה (המשך) 12 הַיּוֹם הַחִלֹּתִי...חָלִילָה לִּי ISh.22:15
13 חָלִילָה לִּי מֵייָ אִם־אֶעֱשֶׂה... ISh.24:6
14 חָלִילָה לִּי מֵייָ מִשְּׁלֹחַ יָדִי ISh.26:11
15/6 חָלִילָה חָלִילָה לִי אִם־אֲבַלַּע IISh.20:20
17 חָלִילָה לִּי יְיָ מֵעֲשֹׂתִי זֹאת IISh.23:17
18 חָלִילָה לִּי מֵייָ מִתִּתִּי... IK.21:3
19 חָלִילָה לִּי אִם־אַצְדִּיק אֶתְכֶם Job 27:5
20 חָלִלָה לָאֵל מֵרֶשַׁע Job 34:10
21 חָלִילָה לִּי מֵאֱלֹהַי מֵעֲשׂוֹת זֹאת ICh.11:19

חֲלִיפָה¹ נ׳ א) שנוי, תמורה: 1, 3, 4
ב) [תה״פ חֲלִיפוֹת] במשמרות מתחלפים: 2
חֲלִיפָתִי 1 אֲיַחֵל עַד־בּוֹא חֲלִיפָתִי Job 14:14
חֲלִיפוֹת 2 עֲשֶׂרֶת אֲלָפִים בַּחֹדֶשׁ חֲלִיפוֹת IK.5:28
3 אֲשֶׁר אֵין חֲלִיפוֹת לָמוֹ Ps.55:20
4 חֲלִיפוֹת וְצָבָא עִמִּי Job 10:17

חֲלִיפָה*² נ׳ מערכת בגדים: 1–8
חֲלִיפוֹת בְּגָדִים 3–7; חֲלִיפוֹת שְׂמָלוֹת 2,1
חֲלִיפוֹת־ 1 לְכֻלָּם נָתַן...חֲלִפוֹת שְׂמָלֹת Gen.45:22
2 וּלְבִנְיָמִן נָתַן...וְחָמֵשׁ חֲלִפֹת שְׂמָלֹת Gen.45:22
3 וּשְׁלֹשִׁים חֲלִפֹת בְּגָדִים Jud.14:12
4/5 חֲלִיפוֹת בְּגָדִים Jud.14:13 • IIK.5:5
6/7 וּשְׁתֵּי חֲלִפוֹת בְּגָדִים IIK.5:22,23
הַחֲלִיפוֹת 8 וַיִּתֵּן הַחֲלִיפוֹת לְמַגִּידֵי הַחִידָה Jud.14:19

חֲלִיצָה* נ׳ בגדו של לוחם: 1, 2
חֲלִצָתוֹ 1 וֶאֱחָז לְךָ...וְקַח־לְךָ אֶת־חֲלִצָתוֹ IISh.2:21
חֲלִיצוֹתָם 2 וַיַּךְ...וַיִּקַּח אֶת־חֲלִיצוֹתָם Jud.14:19

חֶלְכָה* נ׳ עני, מדוכא (?): 1–3
חֵלְכָה 1 עָלֶיךָ יַעֲזֹב חֵלְכָה Ps.10:14
לְחֵלְכָה 2 עֵינָיו לְחֵלְכָה יִצְפֹּנוּ Ps.10:8
חֵלְכָּאִים• 3 וְנָפַל בַּעֲצוּמָיו חלכאים (כך כתיב; קרי: חֵיל כָּאִים, עין חַיִל מס׳ 161א) Ps.10:10

חלל: א) נִחַל, חִלֵּל, חֻלַּל, הֵחֵל; חֹל, חָלָל¹, חָלִילָה
ב) הֵחֵל, הוּחַל; תְּחִלָּה
ג) חָלַל, חִלֵּל, חֻלַּל, חוֹלֵל, חוֹלַל, הֵחֵל; חָלָל², חָלִיל, חַלָּה, חַלּוֹן, מְחִלָּה

חלל¹ א) [נפ׳ נִחַל] נעשה חֹל, בטלה קדושתו: 1–10
ב) [פִּ׳ חִלֵּל] בִּזָּה את הקדוש: 11–31, 33–42, 44–58, 60–63, 65–76
ג) [כנ״ל] עשה לחולין: 32, 43, 59, 64
ד) [פֻּ׳ בינוני מְחֻלָּל] שנעשה חֹל, מבוזה: 77
ה) [הִפ׳ הֵחֵל] חִלֵּל, עשה חֹל: 78, 79
קרובים: בָּזָה / בִּלַּע / גֵּאַל / גֵּעַל / הֵפֵר (פרר) / זִהֵם / טִמֵּא / נִאֵץ
– חִלֵּל אָבִיו 50; חִ׳ בֵּיתוֹ 18; חִ׳ בְּרִית 13, 30, 54; חִ׳ בִּתּוֹ 58; חִ׳ גָּאוֹן 12; חִ׳ זַרְעוֹ 62; חִ׳ חֻקּוֹת 73; חִ׳ יִפְעָתוֹ 41; חִ׳ יְצוּעוֹ 16, 23; חִלֵּל כֶּרֶם 32, 59, 64; חִ׳ מַמְלָכָה 31; חִ׳ מִקְדָּשׁ 17, 24, 42, 49, 61, 63; חִ׳ נִזְרוֹ 25; חִ׳ נַחֲלָתוֹ 22; חִ׳ צְפוּנוֹ 40; חִלֵּל קֹדֶשׁ 28, 29, 34, 66, 72, 74; חִ׳ שַׁבָּת 14, 19, 20, 27, 33, 36–39, 52, 53; חִ׳ שֵׁם 15, 26, 47, 57, 65, 67, 68, 70, 71, 75; חִלֵּל שָׂרִים 55
– הֵחֵל דְּבָרוֹ 79; הֵחֵל שֵׁם 78
הֵחֵל 1-3 לְבִלְתִּי הֵחֵל לְעֵינֵי הַגּוֹיִם Ezek.20:9,14,22
לְהֵחַלּוֹ 4 לֹא יִטַּמָּא בַּעַל בְּעַמָּיו לְהֵחַלּוֹ Lev.21:4
וְנִחַלְתְּ 5 וְנִחַלְתְּ בָּךְ לְעֵינֵי גוֹיִם Ezek.22:16
נִחָל 6 הֶאָח אֶל־מִקְדָּשִׁי כִּי־נִחָל Ezek.25:3
וְנִחֲלוּ 7 וְנִחֲלוּ מְקַדְשֵׁיהֶם Ezek.7:24

וָאֵחַל 8 וַיְחַלְּלוּ קָדָשַׁי...וָאֵחַל בְּתוֹכָם Ezek. 22:26
יֵחָל 9 לְמַעֲנִי...כִּי אֵיךְ יֵחָל Is. 48:11
תֵחֵל 10 וּבַת אִישׁ כֹּהֵן כִּי תֵחֵל לִזְנוֹת Lev. 21:9
חַלֵּל 11 לְמַעַן חַלֵּל אֶת־שֵׁם קָדְשִׁי Am. 2:7
לְחַלֵּל 12 לְחַלֵּל גְּאוֹן כָּל־צְבִי Is. 23:9
13 מַדּוּעַ נִבְגַּד...לְחַלֵּל בְּרִית אֲבֹתֵינוּ Mal. 2:10
14 מוֹסִיפִים חָרוֹן...לְחַלֵּל אֶת־הַשַּׁבָּת Neh. 13:18
וּלְחַלֵּל 15 וּלְחַלֵּל אֶת־שֵׁם קָדְשִׁי Lev. 20:3
וּבְחַלְּלוֹ 16 וּבְחַלְּלוֹ יְצוּעֵי אָבִיו ICh. 5:1
לְחַלְּלוֹ 17 וַיָּבֹאוּ אֶל־מִקְדָּשִׁי...לְחַלְּלוֹ Ezek. 23:39
18 לִהְיוֹת בְּמִקְדָּשִׁי לְחַלְּלוֹ אֶת־בֵּיתִי Ezek. 44:7
מֵחַלְּלוֹ 19-20 שֹׁמֵר שַׁבָּת מֵחַלְּלוֹ Is. 56:2,6
חַלְּלָם 21 וְשִׁלַּמְתִּי...עַל חַלְּלָם אֶת־אַרְצִי Jer. 16:18
חִלַּלְתִּי 22 קָצַפְתִּי עַל־עַמִּי חִלַּלְתִּי נַחֲלָתִי Is. 47:6
חִלַּלְתָּ 23 אָז חִלַּלְתָּ יְצוּעִי עָלָה Gen. 49:4
24 בְּעֹוֶל רְכֻלָּתְךָ חִלַּלְתָּ מִקְדָּשֶׁיךָ Ezek. 28:18
25 חִלַּלְתָּ לָאָרֶץ נִזְרוֹ Ps. 89:40
וְחִלַּלְתָּ 26 וְחִלַּלְתָּ אֶת־שֵׁם אֱלֹהֶיךָ Lev. 19:12
חִלָּלְתְּ 27 קָדָשַׁי בָּזִית וְאֶת־שַׁבְּתֹתַי חִלָּלְתְּ Ezek. 22:8
חִלֵּל 28 כִּי אֶת־קֹדֶשׁ יְיָ חִלֵּל Lev. 19:8
29 כִּי חִלֵּל יְהוּדָה קֹדֶשׁ Mal. 2:11
30 שָׁלַח יָדָיו בִּשְׁלֹמָיו חִלֵּל בְּרִיתוֹ Ps. 55:21
31 הִגִּיעַ לָאָרֶץ חִלֵּל מַמְלָכָה וְשָׂרֶיהָ Lam. 2:2
חִלְּלוֹ 32 אֲשֶׁר־נָטַע כֶּרֶם וְלֹא חִלְּלוֹ Deut. 20:6
חִלְּלוּ 33 וְאֶת־שַׁבְּתֹתַי חִלְּלוּ מְאֹד Ezek. 20:13
34 כֹּהֲנֶיהָ חִלְּלוּ־קֹדֶשׁ Zep. 3:4
35 לָאָרֶץ חִלְּלוּ מִשְׁכַּן־שְׁמֶךָ Ps. 74:7
חִלֵּלוּ 36-38 וְאֶת־שַׁבְּתוֹתַי חִלֵּלוּ Ezek. 20:16, 24; 23:38
39 אֶת־שַׁבְּתוֹתַי חִלֵּלוּ Ezek. 20:21
וְחִלְּלוּ 40 וְחִלְּלוּ אֶת־צְפוּנִי Ezek. 7:22
41 וְהֵרִיקוּ חַרְבוֹתָם...וְחִלְּלוּ יִפְעָתֶךָ Ezek. 28:7
42 וְחִלְּלוּ הַמִּקְדָּשׁ הַמָּעוֹז Dan. 11:31
וְחִלֵּלוּ 43 נָטְעוּ נֹטְעִים וְחִלֵּלוּ Jer. 31:5(4)
חִלְּלוּהוּ 44 אֲשֶׁר חִלְּלֻהוּ בֵּית יִשְׂרָאֵל Ezek. 36:21
וְחִלְּלוּהוּ 45 וּנְתַתִּיו בְּיַד־הַזָּרִים...וְחִלְּלוּהָ Ezek. 7:21
וְחִלְּלוּהָ 46 וּבָאוּ־בָהּ פָּרִיצִים וְחִלְּלוּהָ Ezek. 7:22
חִלַּלְתֶּם 47 לְשֵׁם־קָדְשִׁי אֲשֶׁר חִלַּלְתֶּם בַּגּוֹיִם Ezek. 36:22
48 אֲשֶׁר חִלַּלְתֶּם בְּתוֹכָם Ezek. 36:23
מְחַלֵּל 49 הִנְנִי מְחַלֵּל אֶת־מִקְדָּשִׁי Ezek. 24:21
מְחַלֶּלֶת 50 אֶת־אָבִיהָ הִיא מְחַלֶּלֶת Lev. 21:9
מְחַלְּלִים 51 וְאַתֶּם מְחַלְּלִים אוֹתוֹ Mal. 1:12
וּמְחַלְּלִים 52 וּמְחַלְּלִים אֶת־יוֹם הַשַּׁבָּת Neh. 13:17
מְחַלְלֶיהָ 53 הַשַּׁבָּת...מְחַלְלֶיהָ מוֹת יוּמָת Ex. 31:14
אֲחַלֵּל 54 לֹא־אֲחַלֵּל בְּרִיתִי Ps. 89:35
וַאֲחַלֵּל 55 וַאֲחַלֵּל שָׂרֵי קֹדֶשׁ Is. 43:28
וָאֲחַלֶּלְךָ 56 וָאֲחַלֶּלְךָ מֵהַר אֱלֹהִים Ezek. 28:16
תְּחַלֵּל 57 וְלֹא תְחַלֵּל אֶת־שֵׁם אֱלֹהֶיךָ Lev. 18:21
58 אַל־תְּחַלֵּל אֶת־בִּתְּךָ לְהַזְנוֹתָהּ Lev. 19:29
תְּחַלְּלֶנּוּ 59 כֶּרֶם תִּטַּע וְלֹא תְחַלְּלֶנּוּ Deut. 28:30
וַתְּחַלְלֶהָ 60 כִּי חַרְבְּךָ הֵנַפְתָּ עָלֶיהָ וַתְּחַלְלֶהָ Ex. 20:22
יְחַלֵּל 61 וְלֹא יְחַלֵּל אֵת מִקְדַּשׁ אֱלֹהָיו Lev. 21:12
62 וְלֹא־יְחַלֵּל זַרְעוֹ בְּעַמָּיו Lev. 21:15
63 וְלֹא יְחַלֵּל אֶת־מִקְדָּשַׁי Lev. 21:23
יְחַלְּלֶנּוּ 64 פֶּן־יָמוּת...וְאִישׁ אַחֵר יְחַלְּלֶנּוּ Deut. 20:6
תְּחַלְּלוּ 65 וְלֹא תְחַלְּלוּ אֶת־שֵׁם קָדְשִׁי Lev. 22:32
66 וְאֶת־קָדְשֵׁי בְנֵי־יִשׂ׳ לֹא תְחַלְּלוּ Num. 18:32
67 וְאֶת־שֵׁם קָדְשִׁי לֹא תְחַלְּלוּ־עוֹד Ezek. 20:39
וַתְּחַלְּלוּ 68 וַתָּשֻׁבוּ וַתְּחַלְּלוּ אֶת־שְׁמִי Jer. 34:16
וַתְּחַלֶּלְנָה 69 וַתְּחַלֶּלְנָה אֹתִי אֶל־עַמִּי Ezek. 13:19
יְחַלְּלוּ 70 וְלֹא יְחַלְּלוּ שֵׁם אֱלֹהֵיהֶם Lev. 21:6
71 וְלֹא יְחַלְּלוּ אֶת־שֵׁם קָדְשִׁי Lev. 22:2
72 וְלֹא יְחַלְּלוּ אֶת־קָדְשֵׁי בְּנֵי יִשְׂרָ׳ Lev. 22:15
יְחַלֵּלוּ 73 אִם־חֻקֹּתַי יְחַלֵּלוּ Ps. 89:32
וַיְחַלְּלוּ 74 חָמְסוּ תוֹרָתִי וַיְחַלְּלוּ קָדָשַׁי Ezek. 22:26
75 וַיְחַלְּלוּ אֶת־שֵׁם קָדְשִׁי Ezek. 36:20
יְחַלְּלֻהוּ 76 וּמֵתוּ בוֹ כִּי יְחַלְּלֻהוּ Lev. 22:9
הַמְחֻלָּל 77 שְׁמִי הַגָּדוֹל הַמְחֻלָּל בַּגּוֹיִם Ezek. 36:23
אַחֵל 78 וְלֹא־אַחֵל אֶת־שֵׁם־קָדְשִׁי עוֹד Ezek. 39:7
יַחֵל 79 לֹא יַחֵל דְּבָרוֹ Num. 30:3

חלל[2]

א) [הִפ׳ הֵחֵל] התחיל: 1—52
ב) [הָפ׳ הוּחַל] הותחל: 53
– הֵחֵל (לפני פועל, עפ״ר לפני מקור נסמך עם ל׳) רוב המקראות
– הָחֵל וְכַלֵּה 1; הֵחֵל בְּ־ 11,31,49; הֵחֵל מִן־ 47

הָחֵל 1 אָקִים אֶל־עֵלִי...הָחֵל וְכַלֵּה ISh. 3:12
מֵהָחֵל 2 מֵהָחֵל חֶרְמֵשׁ בַּקָּמָה תָּחֵל לִסְפֹּר Deut. 16:9
3 מֵהָחֵל הַתְּרוּמָה לָבִיא בֵית־יְיָ IICh. 31:10
הַחִלָּם 4 וְזֶה הַחִלָּם לַעֲשׂוֹת Gen. 11:6
הַחִלֹּתִי 5 רְאֵה הַחִלֹּתִי תֵּת לְפָנֶיךָ... Deut. 2:31
6 הַיּוֹם הַחִלֹּתִי לִשְׁאָל° לוֹ בֵאלֹהִים ISh. 22:15
הַחִלּוֹתָ 7 אַתָּה הַחִלּוֹתָ לְהַרְאוֹת אֶת־עַבְדְּךָ Deut. 3:24
8 אֲשֶׁר הַחִלּוֹתָ לִנְפֹּל לְפָנָיו... Es. 6:13
הֵחֵל 9 וַיְהִי כִּי־הֵחֵל הָאָדָם לָרֹב Gen. 6:1
10 הוּא הֵחֵל לִהְיוֹת גִּבֹּר בָּאָרֶץ Gen. 10:8
11 בַּגָּדוֹל הֵחֵל וּבַקָּטֹן כִּלָּה Gen. 44:12
12 כִּי־יָצָא הַקֶּצֶף...הֵחֵל הַנָּגֶף Num. 17:11
13 וְהִנֵּה הֵחֵל הַנֶּגֶף בָּעָם Num. 17:12
14 וּבִנְיָמִן הֵחֵל לְהַכּוֹת חֲלָלִים Jud. 20:39
15 אֹתוֹ הֵחֵל לִבְנוֹת מִזְבֵּחַ לַיְיָ ISh. 14:35
16 הֵחֵל יְיָ לְקַצּוֹת בְּיִשְׂרָאֵל IIK. 10:32
17 הֵחֵל יְיָ לְהַשְׁלִיחַ בִּיהוּדָה... IIK. 15:37
18 הוּא הֵחֵל לִהְיוֹת גִּבּוֹר בָּאָרֶץ ICh. 1:10
19 ...הֵחֵל לִמְנוֹת וְלֹא כִלָּה ICh. 27:24
20/1 וּבְעֵת הֵחֵל הָעוֹלָה הֵחֵל שִׁיר־יְיָ IICh. 29:27
22 וּבְכָל־מַעֲשֶׂה אֲשֶׁר־הֵחֵל... IICh. 31:21
23 הֵחֵל לִדְרוֹשׁ לֵאלֹהֵי דָּוִיד IICh. 34:3
24 הֵחֵל לְטַהֵר אֶת־יְהוּדָה IICh. 34:3
הֵחֵלָּה 25 וְהַמַּשְׂאֵת הֵחֵלָּה לַעֲלוֹת Jud. 20:40
הֵחֵלּוּ 26 וְעֵינָו הֵחֵלּוּ כֵהוֹת ISh. 3:2
27 וְקִבֵּל...אֵת אֲשֶׁר־הֵחֵלּוּ לַעֲשׂוֹת Es. 9:23
28 הֵחֵלּוּ לְהַעֲלוֹת עֹלוֹת לַיְיָ Ez. 3:6
29 הֵחֵלּוּ זְרֻבָּבֶל...וַיַּעֲמִידוּ... Ez. 3:8
30 כִּי־הֵחֵלּוּ הַפְּרֻצִים לְהִסָּתֵם Neh. 4:1
31 וּבְעֵת הֵחֵלּוּ בְּרִנָּה וּתְהִלָּה IICh. 2:22
32 בַּחֹדֶשׁ...הֵחֵלּוּ הָעֲרֵמוֹת לִיסּוֹד IICh. 31:7
מֵחֵל 33 אָנֹכִי מֵחֵל לְהָרַע Jer. 25:29
אָחֵל 34 אָחֵל תֵּת פַּחְדְּךָ וְיִרְאָתְךָ... Deut. 2:25
35 אָחֵל גַּדֶּלְךָ בְּעֵינֵי כָּל־יִשְׂרָאֵל Josh. 3:7
תָּחֵל 36 ...תָּחֵל לִסְפֹּר שִׁבְעָה שָׁבֻעוֹת Deut. 16:9
יָחֵל 37 מִי הָאִישׁ אֲשֶׁר יָחֵל לְהִלָּחֵם... Jud. 10:18
38 וְהוּא יָחֵל לְהוֹשִׁיעַ אֶת־יִשְׂרָאֵל Jud. 13:5
וַיָּחֶל 39 וַיָּחֶל נֹחַ...וַיִּטַּע כָּרֶם Gen. 9:20
40 וַיָּחֶל הָעָם לִזְנוֹת אֶל־בְּנוֹת מוֹאָב Num. 25:1
41 וַיָּחֶל שְׂעַר־רֹאשׁוֹ לְצַמֵּחַ Jud. 16:22
42 וַיָּחֶל יוֹנָה לָבוֹא בָעִיר Jon. 3:4
43 וַיָּחֶל שְׁלֹמֹה לִבְנוֹת אֶת־בֵּית־יְיָ IICh. 3:1
44 וַיָּחֶל לִבְנוֹת בַּחֹדֶשׁ הַשֵּׁנִי IICh. 3:2
וַתָּחֶל 45 וַתָּחֶל רוּחַ יְיָ לְפַעֲמוֹ Jud. 13:25
46 וַתָּחֶל לְעַנּוֹתוֹ וַיָּסַר כֹּחוֹ מֵעָלָיו Jud. 16:19
תָּחֵלּוּ 47 ...וּמִמִּקְדָּשִׁי תָּחֵלּוּ Ezek. 9:6
וַיָּחֵלּוּ 48 וַיָּחֵלּוּ לְהַכּוֹת מֵהָעָם חֲלָלִים Jud. 20:31
49 וַיָּחֵלּוּ בָּאֲנָשִׁים הַזְּקֵנִים Ezek. 9:6
50 וַיָּחֵלּוּ בְּאֶחָד לַחֹדֶשׁ...לְקַדֵּשׁ IICh. 29:17
וַתְּחִלֶּינָה 51 וַתְּחִלֶּינָה שֶׁבַע שְׁנֵי הָרָעָב Gen. 41:53
הָחֵל 52 וְאֶת־אַרְצוֹ הָחֵל רָשׁ Deut. 2:24
53 הָחֵל רָשׁ לָרֶשֶׁת אֶת־אַרְצוֹ Deut. 2:31
הוּחַל 54 אָז הוּחַל לִקְרֹא בְּשֵׁם יְיָ Gen. 4:26

חָלַל[3]

פָּ׳ א) היה חָלָל, מת: 1
ב) [פִּ׳[1] חִלֵּל] המית: 2
ג) [פֻּ׳[1] חֻלַּל] נדקר, הומת: 3
ד) [פִּ׳[2] חוֹלֵל] המית: 4, 5
ה) [פֻּ׳[2] חוֹלַל] הומת: 6
ו) [הִפ׳ הֵחֵל] המית: 7

חָלַל 1 וְלִבִּי חָלַל בְּקִרְבִּי Ps. 109:22
מְחַלְלֶיךָ 2 וְאַתָּה אָדָם וְלֹא־אֵל בְּיַד מְחַלְלֶיךָ Ezek. 28:9
מְחֻלְלֵי־ 3 כֻּלָּם עֲרֵלִים מְחֻלְלֵי חֶרֶב Ezek. 32:26
חוֹלְלָה 4 חֹלְלָה יָדוֹ נָחָשׁ בָּרִחַ Job 26:13
מְחוֹלֶלֶת 5 הַמַּחְצֶבֶת רַהַב מְחוֹלֶלֶת תַּנִּין Is. 51:9
מְחוֹלָל 6 וְהוּא מְחֹלָל מִפְּשָׁעֵינוּ... Is. 53:5
וַיָּחֵלּוּ 7 וַיָּחֵלּוּ מְּעָט מִמַּשָּׂא מֶלֶךְ שָׂרִים Hosh. 8:10

חָלַל[4]

פִּ׳ נגן בחליל

מְחַלְּלִים 1 וְהָעָם מְחַלְּלִים בַּחֲלִלִים IK. 1:40

חָלָל[1]

תּ׳ א) של חֹל, מבוזה: 1
ב) [נ׳ חֲלָלָה] פסולה להִנשׂא לכֹהן: 2,3

חָלָל 1 וְאַתָּה חָלָל רָשָׁע נְשִׂיא יִשְׂרָאֵל Ezek. 21:30
וַחֲלָלָה 2 אִשָּׁה זֹנָה וַחֲלָלָה לֹא יִקָּחוּ Lev. 21:7
3 אַלְמָנָה וּגְרוּשָׁה וַחֲלָלָה זֹנָה Lev. 21:14

חָלָל[2]

ז׳ הָרוּג, מת: 1—91
– דַּם חָלָל 2; מְמוֹתֵי חָ׳ 14; נַאֲקוֹת חָ׳ 18; סְבִיבוֹת הֶחָלָל 20; חֲלַל חֶרֶב 27
– דַּם חֲלָלִים 28, 34; נֶפֶשׁ חֲלָלִים 47
– חַלְלֵי הָאָרֶץ 64; חַ׳ בַּת־עַמִּי 60; חַ׳ חֶרֶב 58, 61, 66—79; חַלְלֵי יְיָ 62; חַ׳ יִשְׂרָאֵל 63; חַ׳ פְּלִשְׁתִּים 57; חַ׳ רָעָב 78, 79; חַ׳ רְשָׁעִים 65

חָלָל 1 כִּי־יִמָּצֵא חָלָל בָּאֲדָמָה Deut. 21:1
2 מִדַּם חָלָל וְשִׁבְיָה Deut. 32:42
3-4 עַל־בָּמוֹתֶיךָ חָלָל IISh. 1:19,25
5 עַל־שְׁמֹנֶה מֵאוֹת חָלָל IISh. 23:8
6-8 שְׁלֹשׁ מֵאוֹת חָלָל IISh. 23:18 • ICh. 11:11,20
9 וּבְכָל־אַרְצָהּ יֶאֱנֹק חָלָל Jer. 51:52
10 וְנָפַל חָלָל בְּתוֹכְכֶם Ezek. 6:7
11 וּמִלֵּאתֶם חוּצֹתֶיהָ חָלָל Ezek. 11:6
12 חֶרֶב חָלָל הַגָּדוֹל הַחֹדֶרֶת לָהֶם Ezek. 21:19
13 בֶּאֱנֹק חָלָל בֵּהָרֵג הֶרֶג בְּתוֹכֵךְ Ezek. 26:15
14 וּמַתָּה מְמוֹתֵי חָלָל בְּלֵב יַמִּים Ezek. 28:8
15 וְנִפְלַל חָלָל בְּתוֹכָהּ Ezek. 28:23
16 בִּנְפֹל חָלָל בְּמִצְרָיִם Ezek. 30:4
17 וּמָלְאוּ אֶת־הָאָרֶץ חָלָל Ezek. 30:11
18 וְנָאַק נַאֲקוֹת חָלָל לְפָנָיו Ezek. 30:24
19 וְרֹב חָלָל וְכֹבֶד פָּגֶר Nah. 3:3
הֶחָלָל 20 הֶעָרִים אֲשֶׁר סְבִיבֹת הֶחָלָל Deut. 21:2
21 הָעִיר הַקְּרֹבָה אֶל־הֶחָלָל Deut. 21:3
22 וְכֹל...הַקְּרֹבִים אֶל־הֶחָלָל Deut. 21:6
בֶּחָלָל 23 הַנֹּגֵעַ בַּעֶצֶם אוֹ בֶחָלָל Num. 19:18
24 וְכֹל נֹגֵעַ בֶּחָלָל תִּתְחַטְּאוּ Num. 31:19
כֶּחָלָל 25 אַתָּה דִכִּאתָ כֶחָלָל רָהַב Ps. 89:11
26 בְּהִתְעַטְּפָם כֶּחָלָל בִּרְחֹבוֹת עִיר Lam. 2:12
בַּחֲלַל־ 27 אֲשֶׁר־יִגַּע...בַּחֲלַל־חֶרֶב אוֹ בְמֵת Num. 19:16
חֲלָלִים 28 יֹאכַל טֶרֶף וְדַם־חֲלָלִים יִשְׁתֶּה Num. 23:24
29 אָנֹכִי נֹתֵן אֶת־כֻּלָּם חֲלָלִים Josh. 11:6
30 וַיִּפְּלוּ חֲלָלִים רַבִּים Jud. 9:40
31 וַיָּחֵלּוּ לְהַכּוֹת מֵהָעָם חֲלָלִים Jud. 20:31

חֲלָלִים (המשך)
32 הֵחֵל לְהַכּוֹת חֲלָלִים בְּאִישׁ־יִשְׂ׳ Jud. 20:39
33 וַיִּפְּלוּ חֲלָלִים בְּהַר הַגִּלְבֹּעַ ISh. 31:1
34 מִדַּם חֲלָלִים מֵחֵלֶב גִּבּוֹרִים IISh. 1:22
35 אֹתוֹ מִלֵּא יִשְׁמָעֵאל...חֲלָלִים Jer. 41:9
36 וְנָפְלוּ חֲלָלִים...וּמְדֻקָּרִים... Jer. 51:4
37 וּמַלְאוּ אֶת־הַחֲצֵרוֹת חֲלָלִים Ezek. 9:7
38 חֶרֶב שְׁלִישִׁתָה חֶרֶב חֲלָלִים Ezek. 21:19
39-41 כֻּלָּם חֲלָלִים (הַ)נֹּפְלִים בַּחֶרֶב Ezek. 32:22, 23, 24
42 בְּתוֹךְ חֲלָלִים נָתְנוּ מִשְׁכָּב לָהּ Ezek. 32:25
43 בְּתוֹךְ חֲלָלִים נִתָּן Ezek. 32:25
44 אֲשֶׁר־יָרְדוּ אֶת־חֲלָלִים Ezek. 32:30
45 כְּמוֹ חֲלָלִים שֹׁכְבֵי קֶבֶר Ps. 88:6
46 כִּי־רַבִּים חֲלָלִים הִפִּילָה Prov. 7:26
47 וְנֶפֶשׁ־חֲלָלִים תְּשַׁוֵּעַ Job 24:12
48 וּבַאֲשֶׁר חֲלָלִים שָׁם הוּא Job 39:30
49 וְנָפְלוּ חֲלָלִים רַבִּים Dan. 11:26
50 כִּי־חֲלָלִים רַבִּים נָפָלוּ ICh. 5:22
51 וַיִּפְּלוּ חֲלָלִים בְּהַר גִּלְבֹּעַ ICh. 10:1
52 וַיִּפְּלוּ חֲלָלִים מִיִּשְׂרָאֵל IICh. 13:17
הַחֲלָלִים 53 בְּנֵי יַעֲקֹב בָּאוּ עַל־הַחֲלָלִים Gen. 34:27
54/5 לְפַשֵּׁט אֶת־הַחֲלָלִים ISh. 31:8 • ICh. 10:8
56 בַּעֲלוֹת יוֹאָב...לְקַבֵּר אֶת־הַחֲלָלִים IK. 11:15
חַלְלֵי־ 57 וַיִּפְּלוּ חַלְלֵי פְלִשְׁתִּים ISh. 17:52
58 חֲלָלַיִךְ לֹא חַלְלֵי־חֶרֶב Is. 22:2
59 וְרַבּוּ חַלְלֵי יְיָ Is. 66:16
60 וְאֶבְכֶּה...אֵת חַלְלֵי בַת־עַמִּי Jer. 8:23
61 ...וְהִנֵּה חַלְלֵי־חֶרֶב Jer. 14:18
62 וְהָיוּ חַלְלֵי יְיָ בַּיּוֹם הַהוּא... Jer. 25:33
63 גַּם־בָּבֶל לִנְפֹּל חַלְלֵי יִשְׂרָאֵל Jer. 51:49
64 גַּם־לְבָבֶל נָפְלוּ חַלְלֵי כָל־הָאָרֶץ Jer. 51:49
65 אֶל־צַוְּארֵי חַלְלֵי רְשָׁעִים Ezek. 21:34
66 יָרְדוּ שְׁאֹלָה אֶל־חַלְלֵי־חָרֶב Ezek. 31:17
67-76 חַלְלֵי(־)חֶרֶב Ezek. 31:18; 32:20
32:21, 25, 28, 29, 30, 31, 32; 35:8
77 חַלְלֵי חַרְבִּי הֵמָּה Zep. 2:12
78 טוֹבִים הָיוּ חַלְלֵי־חֶרֶב מֵחַלְלֵי רָעָב Lam. 4:9
מֵחַלְלֵי־ 79 טוֹבִים הָיוּ חַלְלֵי־חֶרֶב מֵחַלְלֵי רָעָב Lam. 4:9
חֲלָלֶיךָ 80 וְאֶל־מַכְאוֹב חֲלָלֶיךָ יְסַפֵּרוּ Ps. 69:27
חֲלָלַיִךְ 81 חֲלָלַיִךְ לֹא חַלְלֵי־חֶרֶב Is. 22:2
חֲלָלָיו 82 וּמִלֵּאתִי אֶת־הָרָיו חֲלָלָיו Ezek. 35:8
חֲלָלֶיהָ 83 וְכָל־חֲלָלֶיהָ יִפְּלוּ בְתוֹכָהּ Jer. 51:47
חֲלָלֵינוּ 84 וַאֲשֶׁר הִרְבָּה אֶת־חֲלָלֵינוּ Jud. 16:24
חַלְלֵיכֶם 85 וְהִפַּלְתִּי חַלְלֵיכֶם לִפְנֵי גִּלּוּלֵיכֶם Ezek. 6:4
86 הִרְבֵּיתֶם חַלְלֵיכֶם בָּעִיר הַזֹּאת Ezek. 11:6
87 חַלְלֵיכֶם אֲשֶׁר שַׂמְתֶּם בְּתוֹכָהּ Ezek. 11:7
חַלְלֵיהֶם 88 וְאֶת־מַ׳ מִדְיָן הָרְגוּ עַל־חַלְלֵיהֶם Num. 31:8
89 הָרְגוּ בְ׳־י׳ בַּחֶרֶב אֶל־חַלְלֵיהֶם Josh. 13:22
90 בִּהְיוֹת חַלְלֵיהֶם בְּתוֹךְ גִּלּוּלֵיהֶם Ezek. 6:13
וְחַלְלֵיהֶם 91 וְחַלְלֵיהֶם יֻשְׁלָכוּ... Is. 34:3

חלם
: א) חָלַם, הֶחֱלִים; חֲלוֹם, חַלָּמוּת(?); אר׳ חֵלֶם
ב) חָלַם, הֶחֱלִים; אַחְלָמָה(?); ש״פ חֵלֶם, נַחְלָמִי

חָלַם¹
פ׳ א) ראה חזיון (חלום) בשנתו: 1—26
ב) [הִפ׳ הֶחֱלִים] ספר דברי חלום: 27
חָלַמְתִּי 1 הִנֵּה חָלַמְתִּי חֲלוֹם עוֹד Gen. 37:9
2 חֲלוֹם חָלַמְתִּי וּפֹתֵר אֵין אֹתוֹ Gen. 41:15
3 הִנֵּה חֲלוֹם חָלַמְתִּי וְהִנֵּה... Jud. 7:13
חֲלָמְתִּי 4 חֲלוֹם חָלָמְתִּי וַתִּפָּעֶם רוּחִי Dan. 2:3
5 שִׁמְעוּ־נָא הַחֲלוֹם...אֲשֶׁר חָלָמְתִּי Gen. 37:6
6-7 לֵאמֹר חָלַמְתִּי חָלָמְתִּי Jer. 23:25
חָלָמְתָּ 8 מָה הַחֲלוֹם הַזֶּה אֲשֶׁר חָלָמְתָּ Gen. 37:10
חָלַם 9 אֵת הַחֲלֹמוֹת אֲשֶׁר חָלַם לָהֶם Gen. 42:9
10 וּבִשְׁנַת...חָלַם נְבֻכַדְנֶצַּר חֲלֹמוֹת Dan. 2:1
חָלַמְנוּ 11 חֲלוֹם חָלַמְנוּ וּפֹתֵר אֵין אֹתוֹ Gen. 40:8
חָלָמְנוּ 12 אִישׁ כְּפִתְרוֹן חֲלֹמוֹ חָלָמְנוּ Gen. 41:11
חוֹלֵם 13 וּפַרְעֹה חֹלֵם וְהִנֵּה עֹמֵד... Gen. 41:1
14 כִּי־יָקוּם...נָבִיא אוֹ חֹלֵם חֲלוֹם Deut. 13:2
15 אוֹ אֶל־חוֹלֵם הַחֲלוֹם הַהוּא Deut. 13:4
16 אוֹ חֹלֵם הַחֲלוֹם הַהוּא יוּמָת Deut. 13:6
כְּחֹלְמִים 17 בְּשׁוּב יְיָ...הָיִינוּ כְּחֹלְמִים Ps. 126:1
יַחֲלֹם 18 כַּאֲשֶׁר יַחֲלֹם הָרָעֵב וְהִנֵּה אוֹכֵל Is. 29:8
19 וְכַאֲשֶׁר יַחֲלֹם הַצָּמֵא וְהִנֵּה שֹׁתֶה Is. 29:8
וַיַּחֲלֹם 20 וַיַּחֲלֹם וְהִנֵּה סֻלָּם מֻצָּב אַרְצָה Gen. 28:12
21 וַיַּחֲלֹם יוֹסֵף חֲלוֹם Gen. 37:5
22 וַיַּחֲלֹם עוֹד חֲלוֹם אַחֵר Gen. 37:9
23 וַיִּישָׁן וַיַּחֲלֹם שֵׁנִית Gen. 41:5
וַיַּחַלְמוּ 24 וַיַּחַלְמוּ חֲלוֹם שְׁנֵיהֶם Gen. 40:5
וַנַּחַלְמָה 25 וַנַּחַלְמָה חֲלוֹם בְּלַיְלָה אֶחָד Gen. 41:11
יַחֲלֹמוּן 26 זִקְנֵיכֶם חֲלֹמוֹת יַחֲלֹמוּן Joel 3:1
מַחְלְמִים 27 חֲלֹמֹתֵיכֶם אֲשֶׁר אַתֶּם מַחְלְמִים Jer. 29:8

חָלַם²
פ׳ א) היה בריא: 1
ב) [הִפ׳ הֶחֱלִים] הבריא: 2
יַחְלְמוּ 1 יַחְלְמוּ בְנֵיהֶם יִרְבּוּ בַבָּר Job 39:4
וְתַחֲלִימֵנִי 2 וְתַחֲלִימֵנִי וְהַחֲיֵנִי Is. 38:16

חֵלֶם¹
ז׳ ארמית: חלום; חֶלְמָא = הַחֲלוֹם: 1—22
חֵלֶם 1 חֵלֶם חֲזֵית וִידַחֲלִנַּנִי Dan. 4:2
2 בִּשְׁנַת...דָּנִיֵּאל חֵלֶם חֲזָה Dan. 7:1
חֶלְמָא 3 אֱמַר חֶלְמָא לְעַבְדָךְ°... Dan. 2:4
4 הֵן לָא תְהוֹדְעוּנַּנִי חֶלְמָא וּפִשְׁרֵהּ Dan. 2:5
5 וְהֵן חֶלְמָא וּפִשְׁרֵהּ תְּהַחֲוֺן... Dan. 2:6
6-16 חֶלְמָא Dan. 2:6, 7, 9², 26, 36, 45; 4:15, 16²; 7:1
17 דִּי־פְשַׁר חֶלְמָא יְהוֹדְעֻנַּנִי Dan. 4:3
וְחֶלְמָא 18 וְחֶלְמָא אָמַר אֲנָה קֳדָמֵיהוֹן Dan. 4:4
19 וְחֶלְמָא קֳדָמוֹהִי אַמְרֵת Dan. 4:5
חֶלְמִי 20 דִּי חֶלְמִי דִי חֲזֵית וּפִשְׁרֵהּ אֱמַר Dan. 4:6
חֶלְמָךְ 21 חֶלְמָךְ וְחֶזְוֵי רֵאשָׁךְ עַל־מִשְׁכְּבָךְ Dan. 2:28
חֶלְמִין 22 מְפַשַּׁר חֶלְמִין וְאַחֲוָיַת אֲחִידָן Dan. 5:12

חֵלֶם²
שפ״ז – מבני דורו של הנביא זכריה
לְחֵלֶם 1 וְהָעֲטָרֹת תִּהְיֶה לְחֵלֶם וּלְטוֹבִיָּה Zech. 6:14

חַלָּמוּת
נ׳ צמח בר שטעמו תפל
חַלָּמוּת 1 ...אִם יֶשׁ־טַעַם בְּרִיר חַלָּמוּת Job 6:6

חַלָּמִישׁ
אבן קשה: 1-5 • קרובים: בַּהַט / צוּר / צַר / שַׁיִשׁ
חַלָּמִישׁ 1 הַהֹפְכִי...חַלָּמִישׁ לְמַעְיְנוֹ־מָיִם Ps. 114:8
הַחַלָּמִישׁ 2 הַמּוֹצִיא לְךָ מַיִם מִצּוּר הַחַלָּמִישׁ Deut. 8:15
בַּחַלָּמִישׁ 3 בַּחַלָּמִישׁ שָׁלַח יָדוֹ Job 28:9
כַּחַלָּמִישׁ 4 עַל־כֵּן שַׂמְתִּי פָנַי כַּחַלָּמִישׁ Is. 50:7
מֵחַלְמִישׁ־ 5 וַיֵּנִקֵהוּ...וְשֶׁמֶן מֵחַלְמִישׁ צוּר Deut. 32:13

חֵלֹן
שפ״ז – אביו של אליאב הנשיא למטה זבולון: 1—5
חֵלֹן 1-5 אֱלִיאָב בֶּן־חֵלֹן Num. 1:9; 2:7; 7:24, 29; 10:16

חלן
עין חולון

חלף
: חָלַף, חִלֵּף, הֶחֱלִיף; חֵלֶף, מַחֲלָפָה; אר׳ חֲלַף; ש״פ חֵלֶף

חָלַף
פ׳ א) עבר: 1—5, 8—14, 16
ב) יצא, פרץ: 6
ג) נקב, חדר ודקר: 7, 15
ד) [פִּ׳ חִלֵּף] העביר, החליף: 17, 18
ה) [הִפ׳ הֶחֱלִיף] הֵמִיר, העביר: 19—28
לַחֲלוֹף 1 כְּסוּפוֹת בַּנֶּגֶב לַחֲלוֹף Is. 21:1
וְחָלַפְתָּ 2 וְחָלַפְתָּ מִשָּׁם וָהָלְאָה ISh. 10:3
חָלַף 3 אָז חָלַף רוּחַ וַיַּעֲבֹר וְאָשֵׁם Hab. 1:11
4 הַסְּתָו עָבָר הַגֶּשֶׁם חָלַף הָלַךְ לוֹ S.ofS. 2:11
וְחָלַף 5 וְחָלַף בִּיהוּדָה שָׁטַף וְעָבַר Is. 8:8
וְחָלָף 6 בַּבֹּקֶר יָצִיץ וְחָלָף לָעֶרֶב...וְיָבֵשׁ Ps. 90:6
וְחָלְפָה 7 וּמָחֲצָה וְחָלְפָה רַקָּתוֹ Jud. 5:26
חָלְפוּ 8 עָבְרוּ תוֹרֹת חָלְפוּ חֹק Is. 24:5
9 חָלְפוּ עִם־אֳנִיּוֹת אֵבֶה Job 9:26
יַחֲלֹף 10 וְהָאֱלִילִים כָּלִיל יַחֲלֹף Is. 2:18
11 בַּבֹּקֶר כֶּחָצִיר יַחֲלֹף Ps. 90:5
12 וְרוּחַ עַל־פָּנַי יַחֲלֹף Job 4:15
13 אִם־יַחֲלֹף וְיַסְגִּיר Job 11:10
וְיַחֲלֹף 14 וְיַחֲלֹף וְלֹא־אָבִין לוֹ Job 9:11
תַּחְלְפֵהוּ 15 תַּחְלְפֵהוּ קֶשֶׁת נְחוּשָׁה Job 20:24
וְיַחֲלֹפוּ 16 כַּלְּבוּשׁ תַּחֲלִיפֵם וְיַחֲלֹפוּ Ps. 102:27
וַיְחַלֵּף 17 וַיְגַלַּח וַיְחַלֵּף שִׂמְלֹתָיו Gen. 41:14
18 וַיִּרְחַץ וַיָּסֶךְ וַיְחַלֵּף שִׂמְלֹתָו IISh. 12:20
וְהֶחֱלִף 19 וְהֶחֱלִף אֶת־מַשְׂכֻּרְתִּי עֲשֶׂרֶת מֹנִים Gen. 31:7
וַתַּחֲלֵף 20 וַתַּחֲלֵף אֶת־מַשְׂכֻּרְתִּי עֲשֶׂרֶת מֹנִים Gen. 31:41
תַּחֲלִיפֵם 21 כַּלְּבוּשׁ תַּחֲלִיפֵם וְיַחֲלֹפוּ Ps. 102:27
יַחֲלִיף 22 אִם־יִכָּרֵת וְעוֹד יַחֲלִיף Job 14:7
יַחֲלִיפֶנּוּ 23 לֹא יַחֲלִיפֶנּוּ וְלֹא־יָמִיר אֹתוֹ Lev. 27:10
תַּחֲלִיף 24 וְקַשְׁתִּי בְּיָדִי תַחֲלִיף Job 29:20
נַחֲלִיף 25 שִׁקְמִים גֻּדָּעוּ וַאֲרָזִים נַחֲלִיף Is. 9:9
יַחֲלִיפוּ 26 וְקוֹיֵ יְיָ יַחֲלִיפוּ כֹחַ Is. 40:31
27 וּלְאֻמִּים יַחֲלִיפוּ כֹחַ Is. 41:1
וְהַחֲלִיפוּ 28 הִטַּהֲרוּ וְהַחֲלִיפוּ שִׂמְלֹתֵיכֶם Gen. 35:2

חֲלַף
פ׳ ארמית: עבר: 1—4
יַחְלְפוּן 1 וְשִׁבְעָה עִדָּנִין יַחְלְפוּן עֲלוֹהִי Dan. 4:13
2 עַד דִּי־שִׁבְעָה עִדָּנִין יַחְלְפוּן עֲלוֹהִי Dan. 4:20
3-4 וְשִׁבְעָה עִדָּנִין יַחְלְפוּן עֲלָךְ° Dan. 4:22, 29

חֵלֶף¹
מ״י: תמורת: 1, 2
חֵלֶף 1 וְלִבְנֵי לֵוִי...חֵלֶף עֲבֹדָתָם Num. 18:21
2 שָׂכָר הוּא לָכֶם חֵלֶף עֲבֹדַתְכֶם Num. 18:31

חֵלֶף²
עיר בנחלת נפתלי
מֵחֵלֶף 1 וַיְהִי גְבוּלָם מֵחֵלֶף מֵאֵלוֹן בְּצַעֲנַנִּים Josh. 19:33

חלץ
: חָלַץ, חָלוּץ, נֶחֱלַץ, חִלֵּץ, הֶחֱלִיץ; חֲלִיצָה, חָלוּץ, חֲלָצַיִם, מַחֲלָצוֹת; ש״פ חֶלֶץ

חָלַץ
פ׳ א) סר, הסתלק: 1
ב) הסיר, הוציא: 2—5
ג) [נִפ׳ נֶחֱלַץ] נצל, נמלט: 6, 9—11
ד) [כנ״ל] פרץ בראש: 7, 8, 12 [עין גם חָלוּץ]
ה) [פִּ׳ חִלֵּץ] הוציא, עקר: 13, 15
ו) [כנ״ל] הוציא מצרה, מִלֵּט: 14, 16—26
ז) [הִפ׳ הֶחֱלִיץ] הִרְוָה, השמין (?): 27
חָלַץ 1 יֵלְכוּ...וְלֹא יִמְצָאוּ חָלַץ מֵהֶם Hosh. 5:6
וְחָלְצָה 2 וְחָלְצָה נַעֲלוֹ מֵעַל רַגְלוֹ Deut. 25:9
חָלְצוּ 3 גַּם־תַּנִּים° חָלְצוּ שַׁד הֵינִיקוּ גּוּרֵיהֶן Lam. 4:3
חֲלוּץ־ 4 וְנִקְרָא...בֵּית חֲלוּץ הַנָּעַל Deut. 25:10
תַּחֲלֹץ 5 וְנַעַלְךָ תַחֲלֹץ מֵעַל רַגְלֶךָ Is. 20:2
נֶחֱלָץ 6 צַדִּיק מִצָּרָה נֶחֱלָץ וַיָּבֹא רָשָׁע תַּחְתָּיו Prov. 11:8
נֵחָלֵץ 7 וַאֲנַחְנוּ נֵחָלֵץ חֻשִׁים לִפְנֵי בְּ׳־י׳ Num. 32:17
תֵּחָלְצוּ 8 אִם־תֵּחָלְצוּ לִפְנֵי יְיָ לַמִּלְחָמָה Num. 32:20
יֵחָלֵצוּ 9 וּבְדַעַת צַדִּיקִים יֵחָלֵצוּ Prov. 11:9

יְחַלְּצוּן 10/11 לְמַעַן יֵחָלְצוּן יְדִידֶיךָ Ps.60:7; 108:7
הֵחָלְצוּ 12 הֵחָלְצוּ מֵאִתְּכֶם אֲנָשִׁים לַצָּבָא Num.31:3
חִלֵּץ 13 אַחַר חִלֵּץ אֶת־הָאֲבָנִים Lev.14:43
חִלַּצְתָּ 14 כִּי חִלַּצְתָּ נַפְשִׁי מִמָּוֶת Ps.116:8
וְחִלְּצוּ 15 וְחִלְּצוּ אֶת־הָאֲבָנִים Lev.14:40
וָאֲחַלְּצָה 16 אִם...וָאֲחַלְּצָה צוֹרְרִי רֵיקָם Ps.7:5
אֲחַלֶּצְךָ 17 וּקְרָאֵנִי...אֲחַלֶּצְךָ וּתְכַבְּדֵנִי Ps.50:15
וָאֲחַלְּצֶךָּ 18 בַּצָּרָה קָרָאתָ וָאֲחַלְּצֶךָּ Ps.81:8
אֲחַלְּצֵהוּ 19 אֲחַלְּצֵהוּ וַאֲכַבְּדֵהוּ Ps.91:15
יְחַלֵּץ 20 יְחַלֵּץ עָנִי בְעָנְיוֹ Job 36:15
יְחַלְּצֵנִי 21/2 יְחַלְּצֵנִי כִּי־חָפֵץ בִּי IISh.22:20 • Ps.18:20
וַיְחַלְּצֵם 23 מַלְאַךְ־יְיָ סָבִיב לִירֵאָיו וַיְחַלְּצֵם Ps.34:8
חַלְּצָה 24 שׁוּבָה יְיָ חַלְּצָה נַפְשִׁי Ps.6:5
חַלְּצֵנִי 25 חַלְּצֵנִי יְיָ מֵאָדָם רָע Ps.140:2
וְחַלְּצֵנִי 26 רְאֵה־עָנְיִי וְחַלְּצֵנִי Ps.119:153
יַחֲלִיץ 27 וְעַצְמֹתֶיךָ יַחֲלִיץ Is.58:11

חֶלֶץ

שפ״ז א) הַפַּלְטִי מִגִּבּוֹרֵי דוד: 1–3
ב) מִצֶּאֱצָאֵי יְרַחְמְאֵל: 5,4

חֶלֶץ 1 חֶלֶץ הַפַּלְטִי IISh.23:26
חֶלֶץ 2/3 חֶלֶץ הַפְּלוֹנִי ICh.11:27; 27:10
חָלֶץ 4 וַעֲזַרְיָה הוֹלִיד אֶת־חָלֶץ ICh.2:39
וְחֶלֶץ 5 וְחֶלֶץ הוֹלִיד אֶת־אֶלְעָשָׂה ICh.2:39

חֲלָצַיִם

ז״ר מתנים: 1–10
אֱזוֹר חֲלָצָיו 8,7; אֱזָר חֲלָצֶיךָ 3,2; יָצָא מֵחֲלָצָיו 4–6

חֲלָצָיִם 1 וַחֲגוֹרָה עַל־חֲלָצָיִם Is.32:11
חֲלָצֶיךָ 2/3 אֱזָר־נָא כְגֶבֶר חֲלָצֶיךָ Job 38:3; 40:7
מֵחֲלָצֶיךָ 4 וּמְלָכִים מֵחֲלָצֶיךָ יֵצֵאוּ Gen.35:11
5/6 בִּנְךָ הַיֹּצֵא מֵחֲלָצֶיךָ IK.8:19 • IICh.6:9
חֲלָצָיו 7 וְלֹא נִפְתַּח אֵזוֹר חֲלָצָיו Is.5:27
8 וְהָאֱמוּנָה אֵזוֹר חֲלָצָיו Is.11:5
9 יָדָיו עַל־חֲלָצָיו כַּיּוֹלֵדָה Jer.30:6
10 אִם־לֹא בֵרְכוּנִי חֲלָצָו Job 31:20

חלק

א) חָלַק, הֶחֱלִיק; חָלָק, חֵלֶק, חֶלְקָה, חֲלַקְלַקּוֹת
ב) חָלַק, נֶחֱלַק, חִלֵּק, חֻלַּק, הִתְחַלֵּק; חֵלֶק²,
חִלּוּק, חֶלְקָה², חֲלֻקָּה; מַחֲלֹקֶת, מַחְלְקָה, מַחְלֶקֶת;
ש״פ חֵלֶק, חֶלְקִי, חֶלְקַי, חִלְקִיָּה(וּ), חֶלְקַת; אר׳ חֲלָק

חָלַק¹

פָּ׳ א) היה בלי חספוסים (גם בהשאלה): 1, 2
ב) [הפ׳ הֶחֱלִיק] חמק: 3
ג) [כנ״ל] עשה חלק (גם בהשאלה): 4–10
הֶחֱלִיק אֲמָרָיו 5, 6; הֶחֱלִיק לָשׁוֹן 9, 10;
הֶחֱלִיק בְּעֵינָיו 4; הֶחֱלִיק פַּטִּישׁ 7

חָלַק 1 (?) חָלַק לִבָּם עַתָּה יֶאְשָׁמוּ Hosh.10:2
חָלְקוּ 2 חָלְקוּ מַחֲמָאֹת פִּיו Ps.55:22
לַחֲלִיק 3 וַיֵּצֵא...לַחֲלִק מִשָּׁם בְּתוֹךְ הָעָם Jer.37:12
הֶחֱלִיק 4 כִּי־הֶחֱלִיק אֵלָיו בְּעֵינָיו Ps.36:3
הֶחֱלִיקָה 5/6 מִנָּכְרִיָּה אֲמָרֶיהָ הֶחֱלִיקָה Prov.2:16; 7:5
מַחֲלִיק 7 וַיְחַזֵּק...מַחֲלִיק פַּטִּישׁ אֶת־הוֹלֶם... Is.41:7
8 גֶּבֶר מַחֲלִיק עַל־רֵעֵהוּ Prov.29:5
מִמַּחֲלִיק 9 מוֹכִיחַ...חֵן יִמְצָא מִמַּחֲלִיק לָשׁוֹן Prov.28:23
יַחֲלִיקוּן 10 אֵין בְּפִיהוּ נְכוֹנָה...לְשׁוֹנָם יַחֲלִיקוּן Ps.5:10

חָלַק²

פָּ׳ א) הפריד לחלקים: 6, 10, 12, 15–17
ב) נתן חלק: 1–3, 5
ג) קִבֵּל את חלקו: 7–9, 11, 13, 14, 18
ד) [נפ׳ נֶחֱלַק] נפרד לחלקים: 19–24
ה) [פ׳ חִלֵּק] הפריד לחלקים: 25–27, 29–36, 38–52
ו) [כנ״ל] פִּזֵּר: 28, 37
ז) [וַיֶּחָלְקֵם = וַיְחַלְּקֵם]: 46, 47
ח) [פֻ׳ חֻלַּק] הופרד לחלקים: 53–55
ט) [הת׳ הִתְחַלֵּק] חלקו ביניהם: 56

לַחֲלֹק 1 וַעֲלֵיהֶם לַחֲלֹק לַאֲחֵיהֶם Neh.13:13
חָלַק 2 אֲשֶׁר חָלַק יְיָ...אֹתָם לְכֹל הָעַמִּים Deut.4:19
3 אֲשֶׁר לֹא־יְדָעוּם וְלֹא חָלַק לָהֶם Deut.29:25
4 (?) חָלַק לִבָּם עַתָּה יֶאְשָׁמוּ Hosh.10:2
5 וְלֹא־חָלַק לָהּ בַּבִּינָה Job 39:17
6 אֲשֶׁר חָלַק דָּוִיד עַל־בֵּית יְיָ IICh.23:18
7 כִּי־חָלַק אָחָז אֶת־בֵּית יְיָ IICh.28:21
חָלְקוּ 8 אֲשֶׁר לֹא־חָלְקוּ אֶת־נַחֲלָתָם Josh.18:2
חוֹלֵק 9 חוֹלֵק עִם־גַּנָּב שׂוֹנֵא נַפְשׁוֹ Prov.29:24
וַתַּחְלְקֵם 10 וַתַּחְלְקֵם לְפֵאָה Neh.9:22
יַחֲלֹק 11 וּבְתוֹךְ אַחִים יַחֲלֹק נַחֲלָה Prov.17:2
12 וְכֶסֶף נָקִי יַחֲלֹק Job 27:17
תַּחְלְקוּ 13 אַתָּה וְצִיבָא תַּחְלְקוּ אֶת־הַשָּׂדֶה IISh.19:30
יַחֲלֹקוּ 14 כְּחֵלֶק הַיֹּרֵד°...יַחְדָּו יַחֲלֹקוּ ISh.30:24
וַיַּחְלְקוּ 15 וַיַּחְלְקוּ אֶת־הָאָרֶץ Josh.14:5
וַיַּחְלְקוּם 16 וַיִּמָּצְאוּ...רַבִּים...וַיַּחְלְקוּם ICh.24:4
17 וַיַּחְלְקוּם בְּגוֹרָלוֹת אֵלֶּה עִם אֵלֶּה ICh.24:5
חִלְקוּ 18 חִלְקוּ שְׁלַל־אֹיְבֵיכֶם עִם־אֲחֵיכֶם Josh.22:8
יֵחָלֵק 19 אַךְ־בְּגוֹרָל יֵחָלֵק אֶת־הָאָרֶץ Num.26:55
20 אָז יֵחָלֵק הָעָם יִשְׂרָאֵל לַחֵצִי IK.16:21
יֵחָלֶק 21 אֵי־זֶה הַדֶּרֶךְ יֵחָלֶק אוֹר Job 38:24
וַיֵּחָלֵק 22 וַיֵּחָלֵק עֲלֵיהֶם לַיְלָה Gen.14:15
תֵּחָלֵק 23 לָאֵלֶּה תֵּחָלֵק הָאָרֶץ בְּנַחֲלָה Num.26:53
24 עַל־פִּי הַגּוֹרָל תֵּחָלֵק נַחֲלָתוֹ Num.26:56
מֵחַלֵּק 25 וַיְכַלּוּ מֵחַלֵּק אֶת־הָאָרֶץ Josh.19:51
26 טוֹב...מֵחַלֵּק שָׁלָל אֶת־גֵּאִים Prov.16:19
בְּחַלְּקָם 27 כַּאֲשֶׁר יָגִילוּ בְּחַלְּקָם שָׁלָל Is.9:2
חִלְּקָם 28 פְּנֵי יְיָ חִלְּקָם לֹא יוֹסִיף לְהַבִּיטָם Lam.4:16
חִלְּקַתָּה 29 וְיָדוֹ חִלְּקַתָּה לָהֶם בַּקָּו Is.34:17
וְחִלַּקְתָּם 30 וְלָקַחְתָּ לְךָ מֹאזְנֵי מִשְׁקָל וְחִלַּקְתָּם Ezek.5:1
וְחִלַּקְתֶּם 31 וְחִלַּקְתֶּם אֶת־הָאָרֶץ...לָכֶם... Ezek.47:21
חִלֵּקוּ 32 פִּזְּרוּ בַגּוֹיִם וְאֶת־אַרְצִי חִלֵּקוּ Joel 4:2
אֲחַלֵּק 33 אֶרְדֹּף אַשִּׂיג אֲחַלֵּק שָׁלָל Ex.15:9
34 לָכֵן אֲחַלֶּק־לוֹ בָרַבִּים Is.53:12
אֲחַלְּקָה 35/6 אֲחַלְּקָה שְׁכֶם...סֻכּוֹת אֲמַדֵּד Ps.60:8; 108:8
אֲחַלְּקֵם 37 אֲחַלְּקֵם בְּיַעֲקֹב וַאֲפִיצֵם בְּיִשְׂ׳ Gen.49:7
יְחַלֵּק 38 וְלָעֶרֶב יְחַלֵּק שָׁלָל Gen.49:27
39 וְאֶת־עֲצוּמִים יְחַלֵּק שָׁלָל Is.53:12
40 לְשׁוֹבֵב שָׂדֵינוּ יְחַלֵּק Mic.2:4
41 חֲבָלִים יְחַלֵּק בְּאַפּוֹ Job 21:17
42 וַאֲדָמָה יְחַלֵּק בִּמְחִיר Dan.11:39
וַיְחַלֵּק 43 וַיְחַלֵּק לְכָל־הָעָם...לְאִישׁ חַלַּת לֶחֶם IISh.6:19
44 וַיְחַלֵּק לְכָל־אִישׁ יִשְׂרָאֵל... ICh.16:3
וַיְחַלֶּק 45 וַיְחַלֶּק־שָׁם יְהוֹשֻׁעַ אֶת־הָאָרֶץ Josh.18:10
וַיֶּחָלְקֵם 46 וַיֶּחָלְקֵם דָּוִיד מַחְלְקוֹת ICh.23:6
47 וַיֶּחָלְקֵם...לִפְקֻדָּתָם בַּעֲבֹדָתָם ICh.24:3
תְּחַלֵּק 48 וּנְוַת־בַּיִת תְּחַלֵּק שָׁלָל Ps.68:13
יְחַלְּקוּ 49 הֲלֹא יִמְצְאוּ יְחַלְּקוּ שָׁלָל Jud.5:30
50 יְחַלְּקוּ בְגָדַי לָהֶם Ps.22:19
וַיְחַלְּקוּ 51 וַיְחַלְּקוּ לָהֶם אֶת־הָאָרֶץ IK.18:6
חַלֵּק 52 חַלֵּק אֶת־הָאָרֶץ הַזֹּאת בְּנַחֲלָה Josh.13:7
חֻלַּק 53 אָז חֻלַּק עַד־שָׁלָל Is.33:23
וְחֻלַּק 54 וְחֻלַּק שְׁלָלֵךְ בְּקִרְבֵּךְ Zech.14:1
תְּחֻלָּק 55 וְאַדְמָתְךָ בַּחֶבֶל תְּחֻלָּק Am.7:17
וְהִתְחַלְּקוּ 56 וְהִתְחַלְּקוּ אֹתָהּ לְשִׁבְעָה חֲלָקִים Josh.18:5

חָלָק

ת׳ שאינו מחוספס (גם בהשאלה): 1–12
אִישׁ חָלָק 1; הָהָר הֶחָלָק 5, 6; חֵךְ חָ׳ 4;
מִקְסַם חָ׳ 2; פֶּה חָ׳ 3; שְׂפַת חֲלָקוֹת 8; שִׂפְתֵי
חֲלָקוֹת 9; חַלְּקֵי נַחַל 12; דַּבֵּר חֲלָקוֹת 7;
הֶחֱנִיף בַּחֲלַקּוֹת 11; שִׁית בַּחֲלָקוֹת 10

חָלָק 1 אָחִי אִישׁ שָׂעִר וְאָנֹכִי אִישׁ חָלָק Gen.27:11
2 חֲזוֹן שָׁוְא וּמִקְסַם חָלָק Ezek.12:24
3 וּפֶה חָלָק יַעֲשֶׂה מִדְחֶה Prov.26:28
וְחָלָק 4 וְחָלָק מִשֶּׁמֶן חִכָּהּ Prov.5:3
הֶחָלָק 5 מִן־הָהָר הֶחָלָק הָעוֹלֶה שֵׂעִיר Josh.11:17
6 וְעַד־הָהָר הֶחָלָק הָעֹלֶה שֵׂעִירָה Josh.12:7
חֲלָקוֹת 7 דַּבְּרוּ־לָנוּ חֲלָקוֹת חֲזוּ מַהֲתַלּוֹת Is.30:10
8 שָׁוְא יְדַבְּרוּ...שְׂפַת חֲלָקוֹת Ps.12:3
9 יַכְרֵת יְיָ כָּל־שִׂפְתֵי חֲלָקוֹת Ps.12:4
בַּחֲלָקוֹת 10 אַךְ בַּחֲלָקוֹת תָּשִׁית לָמוֹ Ps.73:18
בַּחֲלַקּוֹת 11 וּמַרְשִׁיעֵי בְרִית יַחֲנִיף בַּחֲלַקּוֹת Dan.11:32
בְּחַלְּקֵי־ 12 בְּחַלְּקֵי־נַחַל חֶלְקֵךְ... Is.57:6

חֵלֶק¹

ז׳ תכונת הדבר החלק • חֵלֶק שְׂפָתַיִם 1
בְּחֵלֶק־ 1 בְּחֵלֶק שְׂפָתֶיהָ תַּדִּיחֶנּוּ Prov.7:21

חֵלֶק²

ז׳ א) מָנָה, מִקְצָת מִן הַשָּׁלֵם: 1–23, 25, 33, 37, 38,
42, 48–54, 56–58, 60–66
ב) מְנַת גּוֹרָל: 24, 26–32, 39–41, 43–47, 55, 59
ג) חֶלְקָה, שֶׁטַח: 34–36
קרובים: יָד / מָנָה

– חֵלֶק וְנַחֲלָה 1–6; חֵלֶק וּצְדָקָה 16; חֵלֶק כְּחֵלֶק 7; חֵלֶק שֶׁמֶן 50;
– חֵלֶק אָדָם 30, 31; חֵ׳ אֱלוֹהַּ 32; חֵ׳ הָאֲנָשִׁים 33; חֵ׳ בְּנֵי יְהוּדָה 25; חֵ׳ יִזְרְעֶאל 34–36; חֵ׳ יְיָ 24; חֵ׳ יַעֲקֹב 27, 28; חֵ׳ הָעָם 29; חֵ׳ שׁוֹסִים 26; מְנָת חֶלְקִי 39; אַחַד הַחֲלָקִים 64, 65

חֵלֶק 1 הַעוֹד לָנוּ חֵלֶק וְנַחֲלָה Gen.31:14
2 ...חֵלֶק וְנַחֲלָה עִם־אֶחָיו Deut.10:9
3 כִּי אֵין לוֹ חֵלֶק וְנַחֲלָה אִתְּכֶם Deut.12:12
4/5 אֵין (־) לוֹ חֵלֶק וְנַחֲלָה עִמָּךְ Deut.14:27,29
6 ...חֵלֶק וְנַחֲלָה עִם־יִשְׂרָאֵל Deut.18:1
7 חֵלֶק כְּחֵלֶק יֹאכֵלוּ Deut.18:8
8 וְלֹא־נָתְנוּ חֵלֶק לַלְוִיִּם בָּאָרֶץ Josh.14:4
9 וּלְכָלֵב...נָתַן חֵלֶק בְּתוֹךְ בְּ׳־יְהוּדָה Josh.15:13
10 כִּי אֵין־חֵלֶק לַלְוִיִּם בְּקִרְבְּכֶם Josh.18:7
11-12 אֵין־לָכֶם חֵלֶק בַּיְיָ Josh.22:25,27
13 אֵין־לָנוּ חֵלֶק בְּדָוִד IISh.20:1
14 מַה־לָּנוּ חֵלֶק בְּדָוִד IK.12:16
15 תֶּן־חֵלֶק לְשִׁבְעָה וְגַם לִשְׁמוֹנָה Eccl.11:2
16 וְלָכֶם אֵין־חֵלֶק וּצְדָקָה...בִּירוּשׁ׳ Neh.2:20
17 מַה־לָּנוּ חֵלֶק בְּדָוִיד IICh.10:16
הַחֵלֶק 18 וְאָכְלָה אֶת־הַחֵלֶק Am.7:4
וְחֵלֶק 19 וְחֵלֶק לֹא־יִהְיֶה לְךָ בְּתוֹכָם Num.18:20
20 וְחֵלֶק אֵין־לָהֶם עוֹד לְעוֹלָם Eccl.9:6
כְּחֵלֶק 21 חֵלֶק כְּחֵלֶק יֹאכֵלוּ Deut.18:8
לְחֵלֶק 22 לְחֵלֶק יַגִּיד רֵעִים Job 17:5
חֵלֶק־ 23 חֵלֶק הַיֹּצְאִים בַּצָּבָא Num.31:16
24 חֵלֶק יְיָ עַמּוֹ יַעֲקֹב חֶבֶל נַחֲלָתוֹ Deut.32:9
25 הָיָה חֵלֶק בְּנֵי־יְהוּדָה רַב מֵהֶם Josh.19:9
26 זֶה חֵלֶק שׁוֹסֵינוּ וְגוֹרָל לְבֹזְזֵינוּ Is.17:14
27/8 לֹא־כְאֵלֶּה חֵלֶק יַעֲקֹ(וֹ)ב Jer.10:16; 51:19
29 חֵלֶק עַמִּי יָמִיר... Mic.2:4
30 זֶה חֵלֶק־אָדָם רָשָׁע מֵאֱלֹהִים Job 20:29
31 זֶה חֵלֶק־אָדָם רָשָׁע עִם־אֵל Job 27:13
32 וּמֶה חֵלֶק אֱלוֹהַּ מִמָּעַל Job 31:2
וְחֵלֶק־ 33 וְחֵלֶק הָאֲנָשִׁים אֲשֶׁר הָלְכוּ אִתִּי Gen.14:24
בְּחֵלֶק־ 34 ...יֹאכְלוּ הַכְּלָבִים בְּחֵלֶק יִזְרְעֶאל IIK.9:10
35 בְּחֵלֶק יִזְרְעֶאל יֹאכְלוּ הַכְּלָבִים IIK.9:36
36 עַל־פְּנֵי הַשָּׂדֶה בְּחֵלֶק יִזְרְעֶאל IIK.9:37
כְּחֵלֶק־ 37 כְּחֵלֶק הַיֹּרֵד בַּמִּלְחָמָה ISh.30:24
וּכְחֵלֶק־ 38 וּכְחֵלֶק הַיֹּשֵׁב עַל־הַכֵּלִים ISh.30:24
חֶלְקִי 39 יְיָ מְנָת־חֶלְקִי וְכוֹסִי Ps.16:5
40 חֶלְקִי יְיָ אָמַרְתִּי לִשְׁמֹר דְּבָרֶיךָ Ps.119:57

חֶלְקִי (המשך) 41 אַתָּה מַחְסִי חֶלְקִי בְּאֶרֶץ הַחַיִּים Ps. 142:6
42 אַעֲנֶה אַף־אֲנִי חֶלְקִי Job 32:17
43 חֶלְקִי יְיָ אָמְרָה נַפְשִׁי Lam. 3:24
44 וְזֶה־הָיָה חֶלְקִי מִכָּל־עֲמָלִי Eccl. 2:10
וְחֶלְקִי 45 צוּר־לְבָבִי וְחֶלְקִי אֱלֹהִים לְעוֹלָם Ps. 73:26
חֶלְקְךָ 46 אֲנִי חֶלְקְךָ וְנַחֲלָתְךָ בְּתוֹךְ בְּ״י Num. 18:20
47 כִּי הוּא חֶלְקְךָ בַּחַיִּים Eccl. 9:9
חֶלְקֶךָ 48 וְעִם מְנָאֲפִים חֶלְקֶךָ Ps. 50:18
חֶלְקֵךְ 49 בְּחַלְּקֵי־נַחַל חֶלְקֵךְ Is. 57:6
חֶלְקוֹ 50 כִּי בָהֵמָּה שָׁמֵן חֶלְקוֹ Hab. 1:16
51 וְנָחַל יְיָ אֶת־יְהוּדָה חֶלְקוֹ Zech. 2:16
52 וּלְאָדָם שֶׁלֹּא עָמַל־בּוֹ יִתְּנֶנּוּ חֶלְקוֹ Eccl. 2:21
53-54 כִּי־הוּא חֶלְקוֹ Eccl. 3:22; 5:17
55 וְלָשֵׂאת אֶת־חֶלְקוֹ וְלִשְׂמֹחַ בַּעֲמָלוֹ Eccl. 5:18
חֶלְקָם 56 הֵם יִקְחוּ חֶלְקָם Gen. 14:24
57 חֶלְקָם נָתַתִּי אֹתָהּ מֵאִשָּׁי Lev. 6:10
58 תַּחַת... וּכְלִמָּה יָרֹנּוּ חֶלְקָם Is. 61:7
59 חֶלְקָם בַּחַיִּים...תְּמַלֵּא בִטְנָם Ps. 17:14
חֲלָקִים 60 וְהִתְחַלְּקוּ אֹתָהּ לְשִׁבְעָה חֲלָקִים Josh. 18:5
61 תִּכְתְּבוּ אֶת־הָאָרֶץ שִׁבְעָה חֲלָקִים Josh. 18:6
62 וַיִּכְתְּבוּהָ לֶעָרִים לְשִׁבְעָה חֲלָקִים Josh. 18:9
63 ...לְעֻמַּת חֲלָקִים לַנָּשִׂיא Ezek. 48:21
הַחֲלָקִים 64 וְאֹרֶךְ לְעֻמּוֹת אַחַד הַחֲלָקִים Ezek. 45:7
65 וְאֹרֶךְ כְּאַחַד הַחֲלָקִים Ezek. 48:8
חֶלְקֵיהֶם 66 עַתָּה יֹאכְלֵם חֹדֶשׁ אֶת־חֶלְקֵיהֶם Hosh. 5:7

חֵלֶק[3]
שפ״ז – אבי משפחה ממטה מנשה: 1, 2
חֵלֶק 1 לִבְנֵי אֲבִיעֶזֶר וְלִבְנֵי־חֵלֶק Josh. 17:2
לְחֵלֶק 2 לְחֵלֶק מִשְׁפַּחַת הַחֶלְקִי Num. 26:30

חֲלָק
ז׳ ארמית: חלק: 1–3
חֲלָק 1 חֲלָק בַּעֲבַר נַהֲרָא לָא אִיתַי לָךְ Ez. 4:16
חֲלָקֵהּ 2 וְעִם־חֵיוְתָא חֲלָקֵהּ בַּעֲשַׂב אַרְעָא Dan. 4:12
3 וְעִם־חֵיוַת בָּרָא חֲלָקֵהּ Dan. 4:20

חֵלֶק
עין חלוק

חֶלְקָה[1]
נ׳ מקום חלק: 1, 2
חֶלְקַת לָשׁוֹן 2; חֶלְקַת צַוָּאר 1
חֶלְקַת־ 1 ...וְעַל חֶלְקַת צַוָּארָיו Gen. 27:16
מֵחֶלְקַת־ 2 לִשְׁמָרְךָ...מֵחֶלְקַת לָשׁוֹן נָכְרִיָּה Prov. 6:24

חֶלְקָה[2]
נ׳ חלק אדמה, שדה: 1–23
חֶלְקָה טוֹבָה 1, 7; חֶ׳ מְלֵאָה 18; חֶלְקַת יוֹאָב 13; חֶ׳ נָבוֹת 20; חֶ׳ שָׂדֶה 11, 14, 16–19, 21
חֶלְקָה 1 וְכָל־חֶלְקָה טוֹבָה...וּמְלֹאוֹ IIK. 3:25
2 חֶלְקָה אַחַת תִּמָּטֵר Am. 4:7
וְחֶלְקָה 3 ...וְחֶלְקָה אֲשֶׁר־לֹא־תַמְטִיר עָלֶיהָ Am. 4:7
הַחֶלְקָה 4 וַיַּצִּתוּ...אֶת־הַחֶלְקָה בָּאֵשׁ IISh. 14:30
5 הִצִּיתוּ...אֶת־הַחֶלְקָה אֲשֶׁר־לִי בָּאֵשׁ IISh. 14:31
6 וַיִּתְיַצֵּב בְּתוֹךְ־הַחֶלְקָה וַיַּצִּילֶהָ IISh. 23:12
7 וְכֹל הַחֶלְקָה הַטּוֹבָה תַּכְאִבוּ בָּאֲבָנִים IIK. 3:19
8 וַיִּתְיַצְּבוּ בְתוֹךְ־הַחֶלְקָה וַיַּצִּילוּהָ ICh. 11:14
בַּחֶלְקָה 9 וְשִׁלַּמְתִּי לְךָ בַּחֶלְקָה הַזֹּאת IIK. 9:26
10 וְעַתָּה שָׂא הַשְׁלִכֵהוּ בַּחֶלְקָה IIK. 9:26
חֶלְקַת־ 11 וַיִּקֶן אֶת־חֶלְקַת הַשָּׂדֶה Gen. 33:19
12 כִּי־שָׁם חֶלְקַת מְחֹקֵק סָפוּן Deut. 33:21
13 רְאוּ חֶלְקַת יוֹאָב אֶל־יָדִי IISh. 14:30
14 חֶלְקַת הַשָּׂדֶה מְלֵאָה עֲדָשִׁים IISh. 23:11
15 חֶלְקַת חֶמְדָּתִי לְמִדְבַּר שְׁמָמָה Jer. 12:10
16 וַיִּקֶר מִקְרֶהָ חֶלְקַת הַשָּׂדֶה לְבֹעַז Ruth 2:3
17 חֶלְקַת הַשָּׂדֶה אֲשֶׁר לְאָחִינוּ Ruth 4:3
18 וַתְּהִי חֶלְקַת הַשָּׂדֶה מְלֵאָה שְׂעוֹרִים ICh. 11:13

בְּחֶלְקַת־ 19 בְּחֶלְקַת הַשָּׂדֶה אֲשֶׁר קָנָה יַעֲקֹב Josh. 24:32
20 בְּחֶלְקַת נָבוֹת הַיִּזְרְעֵאלִי IIK. 9:21
21 בְּחֶלְקַת שְׂדֵה נָבוֹת הַיִּזְרְעֵאלִי IIK. 9:25
חֶלְקָתִי 22 שִׁחֲתוּ כַרְמִי בֹּסְסוּ אֶת־חֶלְקָתִי Jer. 12:10
חֶלְקָתָם 23 תְּקֻלַּל חֶלְקָתָם בָּאָרֶץ Job 24:18

חֲלֻקָּה*
נ׳ חלוק
וַחֲלֻקַּת־ 1 לִפְלֻגּוֹת בֵּית הָאָבוֹת... וַחֲלֻקַּת בֵּית־אָב לַלְוִיִּם IICh. 35:5

חֶלְקִי
ת׳ המתיחס על בית חלק[3]
הַחֶלְקִי 1 לְחֵלֶק מִשְׁפַּחַת הַחֶלְקִי Num. 26:30

חֶלְקַי*
שפ״ז – ראש בית אב לכהנים אשר עלו עם זרובבל
חֶלְקָי 1 לְחָרִים עַדְנָא לִמְרָיוֹת חֶלְקָי Neh. 12:15

חִלְקִיָּה
שפ״ז א) לוי בימי דוד מצאצאי מררי בן לוי: 10
ב) אביו של פקיד הר הבית בימי חזקיהו: 1
ג) כהן גדול בימי יאשיהו: 2–4, 6, 7, 9, 11–13
ד) אביו של איש שנשלח במלאכות צדקיהו לארץ בבל: 5
ה) כהנים ולויים שונים בימי עזרא ונחמיה: 8, 14, 15
חִלְקִיָּה 1 אֶלְיָקִים בֶּן־חִלְקִיָּה אֲשֶׁר עַל־הַבָּיִת IIK. 18:37
2 וַיִּתֵּן חִלְקִיָּה אֶת־הַסֵּפֶר אֶל־שָׁפָן IIK. 22:8
3 סֵפֶר נָתַן לִי חִלְקִיָּה הַכֹּהֵן IIK. 22:10
4 וַיְצַו הַמֶּלֶךְ אֶת־חִלְקִיָּה הַכֹּהֵן IIK. 22:12
5 בְּיַד אֶלְעָשָׂה...וּגְמַרְיָה בֶּן־חִלְקִיָּה Jer. 29:3
6 עֶזְרָא בֶּן־שְׂרָיָה בֶּן־עֲזַרְיָה בֶּן־חִלְקִיָּה Ez. 7:1
7 שְׂרָיָה בֶּן־חִלְקִיָּה בֶּן מְשֻׁלָּם Neh. 11:11
8 סַלּוּ עָמוֹק חִלְקִיָּה יְדַעְיָה Neh. 12:7
9 וְשַׁלּוּם הוֹלִיד אֶת־חִלְקִיָּה ICh. 5:39
10 בֶּן־חֲשַׁבְיָה בֶּן־אֲמַצְיָה בֶּן־חִלְקִיָּה ICh. 6:30
11 וַעֲזַרְיָה בֶּן־חִלְקִיָּה בֶּן־מְשֻׁלָּם ICh. 9:11
12 חִלְקִיָּה...וִיחִיאֵל נְגִידֵי בֵּית הָאֱ׳ IICh. 35:8
וְחִלְקִיָּה 13 וְחִלְקִיָּה וּמַעֲשֵׂיָה עַל־יְמִינוֹ Neh. 8:4
14 וְחִלְקִיָּה הוֹלִיד אֶת־עֲזַרְיָה ICh. 5:39
לְחִלְקִיָּה 15 לְחִלְקִיָּה חֲשַׁבְיָה לִידַעְיָה נְתַנְאֵל Neh. 12:21

חִלְקִיָּהוּ
שפ״ז א) לוי, הוא חִלְקִיָּה (א): 19
ב) אבי ירמיהו הנביא: 18
ג) כֹּהן גדול בימי יאשיהו, הוא חִלְקִיָּה(ג): 1–17
חִלְקִיָּהוּ 1 וַיֵּצֵא אֲלֵהֶם אֶלְיָקִים בֶּן־חִלְקִיָּהוּ IIK. 18:18
2-5 אֶלְיָקִים בֶּן־חִלְקִיָּהוּ IIK. 18:26 Is. 22:20; 36:3, 22
6 עֲלֵה אֶל־חִלְקִיָּהוּ הַכֹּהֵן הַגָּדוֹל IIK. 22:4
7-13 חִלְקִיָּהוּ הַכֹּהֵן (הַגָּדוֹל) IIK. 22:8, 14 23:4, 24 • IICh. 34:9, 14, 18
14-17 חִלְקִיָּהוּ IICh. 34:15[2], 20, 22
18 דִּבְרֵי יִרְמְיָהוּ בֶּן־חִלְקִיָּהוּ Jer. 1:1
19 חִלְקִיָּהוּ הַשֵּׁנִי טְבַלְיָהוּ הַשְּׁלִשִׁי ICh. 26:11

חֲלַקְלַקּוֹת
נ״ר א) מקום חלק: 1, 3, 4
ב) [בהשאלה] דברי חנופה: 2
וַחֲלַקְלַקּוֹת 1 יְהִי־דַרְכָּם חֹשֶׁךְ וַחֲלַקְלַקֹּת Ps. 35:6
בַּחֲלַקְלַקּוֹת 2 וְהֶחֱזִיק מַלְכוּת בַּחֲלַקְלַקּוֹת Dan. 11:21
3 וְנִלְווּ עֲלֵיהֶם רַבִּים בַּחֲלַקְלַקּוֹת Dan. 11:34
כַּחֲלַקְלַקּוֹת 4 דַּרְכָּם...כַּחֲלַקְלַקּוֹת בָּאֲפֵלָה Jer. 23:12

חֶלְקַת
עיר בנחלת אשר: 1, 2
חֶלְקַת 1 וַיְהִי גְּבוּלָם חֶלְקַת וַחֲלִי... Josh. 19:25
חֶלְקָת 2 אֶת־חֶלְקָת וְאֶת־מִגְרָשֶׁהָ Josh. 21:31

חֶלְקַת הַצֻּרִים
מקום ליד גבעון
חֶלְקַת־הַצֻּ׳ 1 וַיִּקְרָא לַמָּקוֹם...חֶלְקַת הַצֻּרִים IISh. 2:16

חלשׁ : חָלַשׁ; חַלָּשׁ

חָלַשׁ
פ׳ א) נצח: 1, 2
ב) רפה, נעשה חלש: 3
חוֹלֵשׁ 1 נִגְדַּעְתָּ לָאָרֶץ חוֹלֵשׁ עַל־גּוֹיִם Is. 14:12
וַיַּחֲלֹשׁ 2 וַיַּחֲלֹשׁ יְהוֹ׳ אֶת־עֲמָלֵק...לְפִי־חָרֶב Ex. 17:13
וַיֶּחֱלָשׁ 3 וְגֶבֶר יָמוּת וַיֶּחֱלָשׁ Job 14:10

חַלָּשׁ
ת׳ רפה
הַחַלָּשׁ 1 הַחַלָּשׁ יֹאמַר גִּבּוֹר אָנִי Joel 4:10

חָם[1]
ז׳ אבי בעלה של אשה, חותן: 1–4
חָמִיךְ 1 הִנֵּה חָמִיךְ עֹלֶה תִמְנָתָה Gen. 38:13
חָמִיהָ 2 וְהִיא שָׁלְחָה אֶל־חָמִיהָ לֵאמֹר Gen. 38:25
3 וּמֵת חָמִיהָ וְאִישָׁהּ ISh. 4:19
4 אֶל־הִלָּקַח...וְאֶל־חָמִיהָ וְאִישָׁהּ ISh. 4:21

חָם[2]
ת׳ שאינו קר: 1, 2
חָם 1 זֶה לַחְמֵנוּ חָם הִצְטַיַּדְנוּ... Josh. 9:12
חַמִּים 2 אֲשֶׁר־בְּגָדֶיךָ חַמִּים בְּהַשְׁקִט אֶרֶץ Job 37:17

חָם[3]
שפ״ז א) בנו השני של נח: 1–6, 11–16
ב) כנוי לארץ מצרים: 7–10
אָהֳלֵי חָם 7; אֶרֶץ חָם 8, 9, 10; בְּנֵי חָם 5, 6, 12
חָם 1-2 אֶת־שֵׁם אֶת־חָם וְאֶת־יָפֶת Gen. 5:32; 6:10
3 וַיַּרְא חָם אֲבִי כְנַעַן אֵת עֶרְוַת... Gen. 9:22
4 בְּנֵי־נֹחַ שֵׁם חָם וָיָפֶת Gen. 10:1
5 וּבְנֵי חָם כּוּשׁ וּמִצְרַיִם Gen. 10:6
6 אֵלֶּה בְנֵי־חָם לְמִשְׁפְּחֹתָם Gen. 10:20
7 וַיַּךְ...רֵאשִׁית אוֹנִים בְּאָהֳלֵי־חָם Ps. 78:51
8 וְיַעֲקֹב גָּר בְּאֶרֶץ־חָם Ps. 105:23
9 וּמֹפְתִים בְּאֶרֶץ חָם Ps. 105:27
10 נִפְלָאוֹת בְּאֶרֶץ חָם Ps. 106:22
11 נֹחַ שֵׁם חָם וָיָפֶת ICh. 1:4
12 בְּנֵי חָם כּוּשׁ וּמִצְרַיִם... ICh. 1:8
13 מִן־חָם הַיֹּשְׁבִים שָׁם לְפָנִים ICh. 4:40
וְחָם 14 נֹחַ וְשֵׁם־וְחָם וָיֶפֶת בְּנֵי־נֹחַ Gen. 7:13
15 וַיִּהְיוּ בְנֵי־נֹחַ...שֵׁם וְחָם וָיָפֶת Gen. 9:18
16 וְחָם הוּא אֲבִי כְנָעַן Gen. 9:18

חֹם
ז׳ הפך מן ״קֹר״: 1–6 [עין גם חמם 1–8]
חֹם 1 לָשׂוּם לֶחֶם חֹם בְּיוֹם הִלָּקְחוֹ ISh. 21:7
2 וְלֹא יִרְאֶ׳ כִּי־יָבֹא חֹם Jer. 17:8
3 צִיָּה גַם־חֹם יִגְזְלוּ מֵימֵי־שֶׁלֶג Job 24:19
וָחֹם 4 וְקֹר וָחֹם וְקַיִץ וָחֹרֶף Gen. 8:22
בְּחֹם־ 5 כְּעָב טַל בְּחֹם קָצִיר Is. 18:4
כְּחֹם 6 כְּחֹם צַח עֲלֵי־אוֹר Is. 18:4

חֱמָא
נ׳ ארמית: חמה, כעס: 1, 2
חֱמָא 1 בֵּאדַיִן נְבוּכַדְנֶצַּר הִתְמְלִי חֱמָא Dan. 3:19
וַחֲמָא 2 בִּרְגַז וַחֲמָא אֲמַר לְהַיְתָיָה... Dan. 3:13

חֶמְאָה
נ׳ שומן מעובה עשוי מחלב: 1–10 [חֵמָה=חמאה?]: 9
[מַחְמָאוֹת = מֵחֶמְאוֹת ?]: 11
חֶמְאָה וּדְבַשׁ 3, 4; חֶמְאָה וְחָלָב 1; דְּבַשׁ וְחֶמְאָה 7, 8; חֶמְאַת בָּקָר 10
חֶמְאָה 1 וַיִּקַּח חֶמְאָה וְחָלָב Gen. 18:8
2 בְּסֵפֶל אַדִּירִים הִקְרִיבָה חֶמְאָה Jud. 5:25
3-4 חֶמְאָה וּדְבַשׁ יֹאכֵל Is. 7:15, 22
5 מֵרֹב עֲשׂוֹת חָלָב יֹאכַל חֶמְאָה Is. 7:22

6 כִּי מִיץ חָלָב יוֹצִיא חֶמְאָה Prov.30:33
וְחֶמְאָה 7 וּדְבַשׁ וְחֶמְאָה וְצֹאן וּשְׁפוֹת בָּקָר IISh.17:29
8 נַהֲרֵי נַחֲלֵי דְבַשׁ וְחֶמְאָה Job 20:17
בְּחֵמָה 9 בִּרְחֹץ הֲלִיכַי בְּחֵמָה...פַּלְגֵי־שָׁמֶן Job 29:6
חֶמְאַת־ 10 חֶמְאַת בָּקָר וַחֲלֵב צֹאן Deut.32:14
מַחֲמָאוֹת 11 חָלְקוּ מַחֲמָאֹת פִּיו Ps.55:22

חמד
: חָמַד, חָמוּד, נֶחְמָד, חִמֵּד; חֶמֶד, חֶמְדָּה, מַחְמָד, מַחֲמַדִּים; ש״פ חֶמְדָּן

חָמַד
פָּ׳ א) מצא חן בעיניו: 1, 13 [עין גם חָמוּד]
ב) חָשַׁק, התאוָה: 2—12
ג) [נפ׳ בינוני נֶחְמָד] נעים, חביב: 14—17
ד) [פִּ׳ חִמֵּד] התאוָה: 18
קרובים: ראה חָשַׁק

לֹא תַחְמֹד! 7-10; אוֹצָר נֶחְמָד 15; עֵץ נֶחְמָד 14,16

חָמַד 1 הָהָר חָמַד אֱלֹהִים לְשִׁבְתּוֹ Ps.68:17
2 חָמַד רָשָׁע מְצוֹד רָעִים Prov.12:12
חֲמַדְתֶּם 3 כִּי יֵבֹשׁוּ מֵאֵילִים אֲשֶׁר חֲמַדְתֶּם Prov.1:29
חָמְדוּ 4 וְלֵצִים לָצוֹן חָמְדוּ לָהֶם Prov.1:22
וְחָמְדוּ 5 וְחָמְדוּ שָׂדוֹת וְגָזָלוּ Mic.2:2
וָאֶחְמְדֵם 6 וָאֵרֶא°...וָאֶחְמְדֵם וָאֶקָּחֵם Josh.7:21
תַחְמֹד 7 לֹא תַחְמֹד בֵּית רֵעֶךָ Ex.20:14
8 לֹא־תַחְמֹד אֵשֶׁת רֵעֶךָ Ex.20:14
9 וְלֹא תַחְמֹד אֵשֶׁת רֵעֶךָ Deut.5:18
10 לֹא־תַחְמֹד כֶּסֶף וְזָהָב עֲלֵיהֶם Deut.7:25
11 אַל־תַּחְמֹד יָפְיָהּ בִּלְבָבֶךָ Prov.6:25
יַחְמֹד 12 וְלֹא־יַחְמֹד אִישׁ אֶת־אַרְצְךָ Ex.34:24
וְנֶחְמְדֵהוּ 13 וְלֹא־מַרְאֶה וְנֶחְמְדֵהוּ Is.53:2
נֶחְמָד 14 כָּל־עֵץ נֶחְמָד לְמַרְאֶה Gen.2:9
15 אוֹצָר נֶחְמָד וָשֶׁמֶן בִּנְוֵה חָכָם Prov.21:20
וְנֶחְמָד 16 וְנֶחְמָד הָעֵץ לְהַשְׂכִּיל Gen.3:6
הַנֶּחֱמָדִים 17 הַנֶּחֱמָדִים מִזָּהָב וּמִפַּז רָב Ps.19:11
חִמַּדְתִּי 18 בְּצִלּוֹ חִמַּדְתִּי וְיָשַׁבְתִּי S.ofS.2:3

חֶמֶד
ז׳ חֵן, יֹפִי: 1—5
קרובים: ראה יֹפִי

בַּחוּרֵי חֶמֶד 2-4; כַּרְמֵי חֶמֶד 5; שְׂדֵי חֶמֶד 1

חֶמֶד 1 עַל־שְׂדֵי־חֶמֶד עַל־גֶּפֶן פֹּרִיָּה Is.32:12
2-3 בַּחוּרֵי חֶמֶד כֻּלָּם Ezek.23:6,12
4 בַּחוּרֵי חֶמֶד פַּחוֹת וּסְגָנִים כֻּלָּם Ezek.23:23
5 כַּרְמֵי־חֶמֶד נְטַעְתֶּם Am.5:11

חֶמְדָּה
נ׳ א) הָדָר, יְקָר: 1—6, 8—11, 13—16
ב) חֵשֶׁק: 7, 12 • קרובים: ראה יֹפִי

– אֶרֶץ חֶמְדָּה 1,5,6; בְּלֹא חֶמְדָּה 7; בָּתֵּי חֶ׳ 15; כְּלֵי חֶמְדָּה 2—4, 8, 16; שְׂכִיּוֹת חֶמְדָּה 9
– חֶמְדַּת בֵּית יְיָ 13; חֶ׳ גּוֹיִם 11; חֶ׳ יִשְׂרָאֵל 10; חֶמְדַּת נָשִׁים 12

חֶמְדָּה 1 וְאֶתֶּן־לָךְ אֶרֶץ חֶמְדָּה Jer.3:19
2 וּנְפַלְתֶּם כִּכְלִי חֶמְדָּה Jer.25:34
3 הוּא יִשְׁסֶה אוֹצַר כָּל־כְּלִי חֶמְדָּה Hosh.13:15
4 כָּבֹד מִכֹּל כְּלִי חֶמְדָּה Nah.2:10
5 וַיָּשִׂימוּ אֶרֶץ־חֶמְדָּה לְשַׁמָּה Zech.7:14
6 וַיִּמְאֲסוּ בְּאֶרֶץ חֶמְדָּה Ps.106:24
7 וַיֵּלֶךְ בְּלֹא חֶמְדָּה... IICh.21:20
8 וְאֹצָרוֹת...וּלְכֹל כְּלֵי חֶמְדָּה IICh.32:27
הַחֶמְדָּה 9 וְעַל כָּל־שְׂכִיּוֹת הַחֶמְדָּה Is.2:16
חֶמְדַּת־ 10 וּלְמִי כָּל־חֶמְדַּת יִשְׂרָאֵל ISh.9:20
11 וּבָאוּ חֶמְדַּת כָּל־הַגּוֹיִם Hag.2:7
12 וְעַל־חֶמְדַּת נָשִׁים...לֹא יָבִין Dan.11:37
13 עִם־כְּלֵי חֶמְדַּת בֵּית־יְיָ IICh.36:10
חֶמְדָּתִי 14 חֶלְקַת חֶמְדָּתִי לְמִדְבַּר שְׁמָמָה Jer.12:10
חֶמְדָּתֵךְ 15 וְהָרְסוּ...וּבָתֵּי חֶמְדָּתֵךְ יִתֹּצוּ Ezek.26:12
חֶמְדָּתָם 16 עִם־כְּלֵי חֶמְדָּתָם כֶּסֶף וְזָהָב Dan.11:8

חֶמְדָּן
שפ״ז – מבני שעיר החורי, הוא חַמְרָן

חֶמְדָּן 1 וְאֵלֶּה בְּנֵי דִישָׁן חֶמְדָּן וְאֶשְׁבָּן... Gen.36:26

חַמָּה
נ׳ א) שֶׁמֶשׁ: 1—5
ב) לַהַט הַשֶּׁמֶשׁ: 6
קרובים: חֶרֶס / חַרְסָה / שֶׁמֶשׁ

אוֹר הַחַמָּה 3, 4; בְּלֹא חַמָּה 1; בָּרָה כַּחַמָּה 5

חַמָּה 1 קֹדֵר הִלַּכְתִּי בְּלֹא חַמָּה Job 30:28
הַחַמָּה 2 וְחָפְרָה הַלְּבָנָה וּבוֹשָׁה הַחַמָּה Is.24:23
3 וְהָיָה אוֹר־הַלְּבָנָה כְּאוֹר הַחַמָּה Is.30:26
4 וְאוֹר הַחַמָּה יִהְיֶה שִׁבְעָתַיִם... Is.30:26
כַּחַמָּה 5 יָפָה כַלְּבָנָה בָּרָה כַּחַמָּה S.ofS.6:10
מֵחַמָּתוֹ 6 וְאֵין נִסְתָּר מֵחַמָּתוֹ Ps.19:7

חֵמָה
נ׳ א) כַּעַס: 1
ב) רעל: 24, 42, 43, 50—52, 54
קרובים: אַף / זַעַם / זַעַף / חָרוֹן / חֳרִי / כַּעַס / עֶבְרָה / קֶצֶף / רֹגֶז

– אַף וְחֵמָה 25,26, 35-37, 40,71,73,74, 94-96, 98-100, 102, 110, 111, 113, 122; חֵמָה גְדוֹלָה 23, 34, 45; חֵמָה עַזָּה 15; חֵ׳ שְׁפוּכָה 38, 39
– אִישׁ חֵמָה 13; אַכְזְרִיּוּת חֵ׳ 16; בַּעַל חֵמָה 10, 17; גְּדָל חֵמָה 14; דַּם חֵמָה 7; כּוֹס חֵמָה 68,114; תּוֹכְחוֹת חֵמָה 6, 9
– חֲמַת אָדָם 53; חֲ׳ אָחִיו 41; חֲ׳ גֶּבֶר 55; חֲ׳ זוֹחֲלִים 42; חֲמַת יְיָ 45,48,49,58,64; חֲ׳ כֹּחוֹ 63; חֲמַת הַמֶּלֶךְ 44, 56, 57, 60; חֲ׳ הַמֵּצִיק 46, 47; חֲ׳ נָחָשׁ 52; חֲ׳ עַכְשׁוּב 54; חֲ׳ קֶרִי 61; חֲ׳ רוּחוֹ 62; חֲמַת שַׁדַּי 65; חֲ׳ תַּנִּינִים 43
– אִישׁ חֵמוֹת 125; שְׁאֵרִית חֵמוֹת 124
– בָּעֲרָה חֲמָתוֹ 120; הֵנִיחַ חֲמָתוֹ 74, 80, 84, 86; הֶעֱלָה חֵמָה 8; הֵשִׁיב חֵ׳ 12, 66, 104, 117; כִּלָּה חֲמָתוֹ 75, 76, 78, 119; נִמְלָא חֵמָה 20, 21; נִצְּתָה חֲמָתוֹ 45,67; נִתְּכָה חֵ׳ 58,72,73,90,91,93,94,115; סִפַּח חֵ׳ 106; עָזַב חֵ׳ 11; עָלְתָה חֵ׳ 59, 89; שָׁבָה חֵ׳ 41; שָׁכְכָה חֵ׳ 57, 60; שִׁלֵּם חֵ׳ 3; שָׁפַךְ חֲמָתוֹ 2, 77, 79, 81—83, 85, 87, 88, 103, 105, 107, 118

חֵמָה 1 חֵמָה אֵין לִי Is.27:4
2 וַיִּשְׁפֹּךְ עָלָיו חֵמָה אַפּוֹ Is.42:25
3 כְּעַל יְשַׁלֵּם חֵמָה לְצָרָיו Is.59:18
4-5 סַעֲרַת יְיָ חֵמָה יָצְאָה Jer.23:19; 30:23
6 בְּאַף וּבְחֵמָה וּבְתֹכְחוֹת חֵמָה Ezek.5:15
7 וּנְתַתִּיךְ דַּם חֵמָה וְקִנְאָה Ezek.16:38
8 לְהַעֲלוֹת חֵמָה לִנְקֹם נָקָם Ezek.24:8
9 נְקָמוֹת גְּדֹלוֹת בְּתוֹכְחוֹת חֵמָה Ezek.25:17
10 נֹקֵם יְיָ וּבַעַל חֵמָה Nah.1:2
11 הֶרֶף מֵאַף וַעֲזֹב חֵמָה Ps.37:8
12 מַעֲנֶה־רַּךְ יָשִׁיב חֵמָה Prov.15:1
13 אִישׁ חֵמָה יְגָרֶה מָדוֹן Prov.15:18
14 גְּדָל° ־חֵמָה נֹשֵׂא עֹנֶשׁ Prov.19:19
15 וְשֹׁחַד בַּחֵק חֵמָה עַזָּה Prov.21:14
16 אַכְזְרִיּוּת חֵמָה וְשֶׁטֶף אָף Prov.27:4
17 וּבַעַל חֵמָה רַב־פָּשַׁע Prov.29:22
18 כִּי־חֵמָה עֲוֺנוֹת חָרֶב Job 19:29
19 כִּי־חֵמָה פֶּן־יְסִיתְךָ בְשָׂפֶק Job 36:18
20 וַיִּמָּלֵא הָמָן חֵמָה Es.3:5
21 וַיִּמָּלֵא הָמָן עַל־מָרְדֳּכַי חֵמָה Es.5:9
וְחֵמָה 22 כִּי קֶצֶף...וְחֵמָה עַל־כָּל־צְבָאָם Is.34:2
23 וְחֵמָה גְדוֹלָה קִנֵּאתִי לָהּ Zech.8:2
הַחֵמָה 24 אֶת־כּוֹס הַיַּיִן הַחֵמָה Jer.25:15
וְהַחֵמָה 25 כִּי יָגֹרְתִּי מִפְּנֵי הָאַף וְהַחֵמָה Deut.9:19
26 כִּי־גָדוֹל הָאַף וְהַחֵמָה Jer.36:7
בְּחֵמָה 27 וַיִּפֶן וַיֵּלֶךְ בְּחֵמָה IIK.5:12
28 לְהָשִׁיב בְּחֵמָה אַפּוֹ Is.66:15
29 וְגַם־אֲנִי אֶעֱשֶׂה בְחֵמָה Ezek.8:18
30 וְאַבְנֵי אֶלְגָּבִישׁ בְּחֵמָה לְכָלָה Ezek.13:13
31 וַתֻּתַּשׁ בְּחֵמָה לָאָרֶץ הֻשְׁלָכָה Ezek.19:12
32 וְעָשׂוּ אוֹתָךְ בְּחֵמָה Ezek.23:25
33 כַּלֵּה בְחֵמָה כַּלֵּה וְאֵינֵמוֹ Ps.59:14
בְּחֵמָא 34 וְיָצָא בְּחֵמָא גְדֹלָה לְהַשְׁמִיד Dan.11:44
וּבְחֵמָה 35 בְּאַף וּבְחֵמָה וּבְקֶצֶף גָּדוֹל Deut.29:27
36 וּבְאַף וּבְחֵמָה וּבְקֶצֶף גָּדוֹל Jer.21:5
37 בְּאַף וּבְחֵמָה וּבְתֹכְחוֹת חֵמָה Ezek.5:15
38/9 בְּיָד חֲזָקָה...וּבְחֵמָה שְׁפוּכָה Ezek.20:33,34
40 וְעָשִׂיתִי בְּאַף וּבְחֵמָה נָקָם Mic.5:14
חֲמַת־ 41 עַד אֲשֶׁר־תָּשׁוּב חֲמַת אָחִיךָ Gen.27:44
42 וְשֶׁן־בְּהֵמֹת...עִם־חֲמַת זֹחֲלֵי עָפָר Deut.32:24
43 חֲמַת תַּנִּינִם יֵינָם Deut.32:33
44 וְהָיָה אִם־תַּעֲלֶה חֲמַת הַמֶּלֶךְ IISh.11:20
45 כִּי־גְדוֹלָה חֲמַת יְיָ
אֲשֶׁר־הִיא נִצְּתָה בָנוּ IIK.22:13
46 וַתְּפַחֵד תָּמִיד...מִפְּנֵי חֲמַת הַמֵּצִיק Is.51:13
47 וְאַיֵּה חֲמַת הַמֵּצִיק Is.51:13
48 הַמְלֵאִים חֲמַת־יְיָ גַּעֲרַת אֱלֹהָיִךְ Is.51:20
49 וְאֵת חֲמַת יְיָ מָלֵאתִי Jer.6:11
50 הֶחֱלוּ שָׂרִים חֲמַת מִיָּיִן Hosh.7:5
51/2 חֲמַת־לָמוֹ כִּדְמוּת חֲמַת־נָחָשׁ Ps.58:5
53 כִּי־חֲמַת אָדָם תּוֹדֶךָּ Ps.76:11
54 חֲמַת עַכְשׁוּב תַּחַת שְׂפָתֵימוֹ Ps.140:4
55 כִּי־קִנְאָה חֲמַת־גָּבֶר Prov.6:34
56 חֲמַת־מֶלֶךְ מַלְאֲכֵי־מָוֶת Prov.16:14
57 כְּשֹׁךְ חֲמַת הַמֶּלֶךְ Es.2:1
58 גְדוֹלָה חֲמַת־יְיָ אֲשֶׁר נִתְּכָה בָנוּ IICh.34:21
59 עַד עֲלוֹת חֲמַת־יְיָ בְּעַמּוֹ... IICh.36:16
וַחֲמַת־ 60 וַחֲמַת הַמֶּלֶךְ שָׁכָכָה Es.7:10
בַּחֲמַת־ 61 וְהָלַכְתִּי עִמָּכֶם בַּחֲמַת־קֶרִי Lev.26:28
62 וָאֵלֵךְ מַר בַּחֲמַת רוּחִי Ezek.3:14
63 וַיָּרָץ אֵלָיו בַּחֲמַת כֹּחוֹ Dan.8:6
64 הִנֵּה בַּחֲמַת יְיָ...עַל־יְהוּדָה IICh.28:9
וּמֵחֲמַת־ 65 וּמֵחֲמַת שַׁדַּי יִשְׁתֶּה Job 21:20
חֲמָתִי 66 הֵשִׁיב אֶת־חֲמָתִי מֵעַל בְּנֵי־יִשְׂ׳ Num.25:11
67 וְנִצְּתָה חֲמָתִי...וְלֹא תִכְבֶּה IIK.22:17
68 אֶת־קֻבַּעַת כּוֹס חֲמָתִי... Is.51:22
69-70 פֶּן־תֵּצֵא כָאֵשׁ חֲמָתִי Jer.4:4; 21:12
71 עַל־אַפִּי וְעַל־חֲמָתִי הָיְתָה...הָעִיר Jer.32:31
72 כֵּן תִּתַּךְ חֲמָתִי עֲלֵיכֶם Jer.42:18
73 וַתִּתַּךְ חֲמָתִי וְאַפִּי וַתִּבְעַר... Jer.44:6
74 וְכָלָה אַפִּי וַהֲנִחוֹתִי חֲמָתִי בָּם Ezek.5:13
75 בְּכַלּוֹתִי חֲמָתִי בָּם Ezek.5:13
76 וְכִלֵּיתִי חֲמָתִי בָּם Ezek.6:12
77 אֶשְׁפּוֹךְ חֲמָתִי עָלַיִךְ Ezek.7:8
78 וְכִלֵּיתִי אֶת־חֲמָתִי בַּקִּיר... Ezek.13:15
79 וְשָׁפַכְתִּי חֲמָתִי עָלֶיהָ בְּדָם Ezek.14:19
80 וַהֲנִחֹתִי חֲמָתִי בָּךְ Ezek.16:42
81-83 וָאֹמַר לִשְׁפֹּךְ חֲמָתִי עֲלֵיהֶם Ezek.20:8,13,21
84 אַכֶּה כַפִּי אֶל־כַּפִּי וַהֲנִחֹתִי חֲמָתִי Ezek.21:22
85 כִּי־אֲנִי יְיָ שָׁפַכְתִּי חֲמָתִי עֲלֵיכֶם Ezek.22:22
86 עַד־הֲנִיחִי אֶת־חֲמָתִי בָּךְ Ezek.24:13
87 וְשָׁפַכְתִּי חֲמָתִי עַל־סִין Ezek.30:15

חֲמָתִי (המשך) 88 וְאֶשְׁפֹּךְ חֲמָתִי עֲלֵיהֶם Ezek.36:18
89 ...תַּעֲלֶה חֲמָתִי בְּאַפִּי Ezek.38:18
90 וְלֹא־תִתַּךְ חֲמָתִי בִּירוּשָׁלִָם IICh.12:7
91 וְתִתַּךְ חֲמָתִי...וְלֹא תִכְבֶּה IICh.34:25
וַחֲמָתִי 92 וַתּוֹשַׁע לִי זְרֹעִי וַחֲמָתִי הִיא סְמָכָתְנִי Is.63:5
93 וַחֲמָתִי נִתֶּכֶת אֶל־הַמָּקוֹם הַזֶּה Jer.7:20
94 נִתַּךְ אַפִּי וַחֲמָתִי עַל־יֹשְׁבֵי יְרוּשָׁ׳ Jer.42:18
בַּחֲמָתִי 95 וְאֶדְרְכֵם בְּאַפִּי וְאֶרְמְסֵם בַּחֲמָתִי Is.63:3
96 וְאָבוּס...בְּאַפִּי וַאֲשַׁכְּרֵם בַּחֲמָתִי Is.63:6
97 וּבִקַּעְתִּי רוּחַ־סְעָרוֹת בַּחֲמָתִי Ezek.13:13
וּבַחֲמָתִי 98 בְּאַפִּי וּבַחֲמָתִי וּבְקֶצֶף גָּדוֹל Jer.32:37
99 אֲשֶׁר־הִכֵּיתִי בְאַפִּי וּבַחֲמָתִי Jer.33:5
100 כֵּן אֶקְבֹּץ בְּאַפִּי וּבַחֲמָתִי Ezek.22:20
101 הִנְנִי בְקִנְאָתִי וּבַחֲמָתִי דִּבַּרְתִּי Ezek.36:6
וְכַחֲמָתִי 102 וְעָשׂוּ בֶאֱדוֹם כְּאַפִּי וְכַחֲמָתִי Ezek.25:14
חֲמָתְךָ 103 שְׁפֹךְ חֲמָתְךָ עַל־הַגּוֹיִם Jer.10:25
104 לְהָשִׁיב אֶת־חֲמָתְךָ מֵהֶם Jer.18:20
105 בְּשָׁפְכְּךָ אֶת־חֲמָתְךָ עַל־יְרוּשָׁ׳ Ezek.9:8
106 מְסַפֵּחַ חֲמָתְךָ וְאַף שַׁכֵּר Hab.2:15
107 שְׁפֹךְ חֲמָתְךָ אֶל־הַגּוֹיִם Ps.79:6
חֲמָתֶךָ 108 עָלַי סָמְכָה חֲמָתֶךָ Ps.88:8
109 תִּבְעַר כְּמוֹ־אֵשׁ חֲמָתֶךָ Ps.89:47
וַחֲמָתְךָ 110 יָשָׁב־נָא אַפְּךָ וַחֲמָתְךָ מֵעִירְךָ Dan.9:16
בַּחֲמָתְךָ 111 אַל־בְּאַפְּךָ...וְאַל־בַּחֲמָתְךָ תְיַסְּרֵנִי Ps.6:2
וּבַחֲמָתְךָ 112 אַל־בְּקֶצְפְּךָ...וּבַחֲמָתְךָ תְיַסְּרֵנִי Ps.38:2
113 כָלִינוּ בְאַפֶּךָ וּבַחֲמָתְךָ נִבְהָלְנוּ Ps.90:7
חֲמָתוֹ 114 שָׁתִית מִיַּד יְיָ אֶת־כּוֹס חֲמָתוֹ Is.51:17
115 חֲמָתוֹ נִתְּכָה כָאֵשׁ Nah.1:6
116 וְלֹא־יָעִיר כָּל־חֲמָתוֹ Ps.78:38
117 לְהָשִׁיב חֲמָתוֹ מֵהַשְׁחִית Ps.106:23
118 בְּאֹהֶל בַּת־צִיּוֹן שָׁפַךְ כָּאֵשׁ חֲמָתוֹ Lam.2:4
119 כִּלָּה יְיָ אֶת־חֲמָתוֹ שָׁפַךְ חֲרוֹן אַפּוֹ Lam.4:11
וַחֲמָתוֹ 120 וַיִּקְצֹף...וַחֲמָתוֹ בָּעֲרָה בוֹ Es.1:12
בַּחֲמָתוֹ 121 וְהַמֶּלֶךְ קָם בַּחֲמָתוֹ מִמִּשְׁתֵּה הַיַּיִן Es.7:7
וּבַחֲמָתוֹ 122 אֲשֶׁר הָפַךְ יְיָ בְּאַפּוֹ וּבַחֲמָתוֹ Deut.29:22
חֲמָתָם 123 אֲשֶׁר חֲמָתָם שֹׁתָה רוּחִי Job 6:4
חֵמֹת 124 שְׁאֵרִית חֵמֹת תַּחְגֹּר Ps.76:11
125 וְאֶת־אִישׁ חֵמוֹת לֹא תָבוֹא Prov.22:24

חֵמָה (איוב כט6) – עין חֶמְאָה (9)

חַמּוּאֵל שפ״ז – איש מזרע שמעון
חמואל 1 וּבְנֵי מִשְׁמָע חַמּוּאֵל בְּנוֹ... ICh.4:26

חָמוּד* תו״ז א) נחמד, יקר: 3
ב) מחמד, כלי יקר: 1, 2, 4–12
אִישׁ חֲמֻדוֹת 7, 8; כְּלִי חֲ׳ 10; לֶחֶם חֲ׳ 6; חֲמֻדוֹת מִצְרַיִם 11
חֲמוּדוֹ 1 וַתֶּמֶס כָּעָשׁ חֲמוּדוֹ Ps.39:12
בַּחֲמוּדוֹ 2 בַּחֲמוּדוֹ לֹא יְמַלֵּט Job 20:20
הַחֲמֻדֹת 3 בִּגְדֵי עֵשָׂו...הַחֲמֻדֹת Gen.27:15
וַחֲמוּדֵיהֶם 4 וַחֲמוּדֵיהֶם בַּל־יוֹעִילוּ Is.44:9
חֲמוּדוֹת 5 כִּי חֲמוּדוֹת אָתָּה Dan.9:23
6 לֶחֶם חֲמֻדוֹת לֹא אָכַלְתִּי Dan.10:3
7 דָּנִיֵּאל אִישׁ־חֲמֻדוֹת Dan.10:11
8 אַל־תִּירָא אִישׁ־חֲמֻדוֹת Dan.10:19
9 וּכְלֵי נְחֹשֶׁת...חֲמוּדֹת כַּזָּהָב Ez.8:27
10 וּרְכוּשׁ וּפְגָרִים וּכְלֵי חֲמֻדוֹת IICh.20:25
חֲמוּדוֹת־ 11 וּמָשַׁל...וּבְכֹל חֲמֻדוֹת מִצְרָיִם Dan.11:43
וּבַחֲמֻדוֹת 12 וּבְאֶבֶן יְקָרָה וּבַחֲמֻדוֹת Dan.11:38

חֲמוּטַל שפ״נ – אשת יהואחז מלך יהודה: 1–3
חֲמוּטַל 1 וְשֵׁם אִמּוֹ חֲמוּטַל בַּת־יִרְמְיָהוּ IIK.23:31
2 חֲמוּטַל (כת׳ חמיטל) בַּת־יִרְמְיָהוּ IIK.24:18
3 חֲמוּטַל (כת׳ חמיטל) בַּת־יִרְמְיָהוּ Jer.52:1

חָמוּל שפ״ז – בן פרץ בן יהודה: 1–3
וְחָמוּל 1 וַיִּהְיוּ בְנֵי־פֶרֶץ חֶצְרֹן וְחָמוּל Gen.46:12
2 בְּנֵי־פֶרֶץ חֶצְרוֹן וְחָמוּל ICh.2:5
לְחָמוּל 3 לְחָמוּל מִשְׁפַּחַת הֶחָמוּלִי Num.26:21

חָמוּלִי ת׳ המתיחס על משפחת חמול
הֶחָמוּלִי 1 לְחָמוּל מִשְׁפַּחַת הֶחָמוּלִי Num.26:21

חַמּוֹן א) מקום בנחלת אשר: 2
ב) עיר לויים בנחלת נפתלי: 1
חַמּוֹן 1 וְאֶת־חַמּוֹן וְאֶת־מִגְרָשֶׁיהָ ICh.6:61
וְחַמּוֹן 2 וְעֶבְרֹן וּרְחֹב וְחַמּוֹן וְקָנָה Josh.19:28

חָמוֹץ ז׳ עושק, חומס
חָמוֹץ 1 דִּרְשׁוּ מִשְׁפָּט אַשְּׁרוּ חָמוֹץ Is.1:17

חָמוּץ* ת׳ אדם(?)
חֲמוּץ־ 1 מִי־זֶה בָּא מֵאֱדוֹם
חֲמוּץ בְּגָדִים מִבָּצְרָה Is.63:1

חַמּוּק* ז׳ עגול
חַמּוּקֵי־ 1 חַמּוּקֵי יְרֵכַיִךְ כְּמוֹ חֲלָאִים S.ofS.7:2

חֲמוֹר[1] ז׳ [נ׳–מס׳ 30] בהמת־בית ממשפחת הסוס: 1–96
[חֲמוֹר חֲמֹרָתָיִם – עין להלן חֲמוֹר[2]]
קרובים: אָתוֹן / עַיִר / עָרוֹד / פֶּרֶא / פֶּרֶד / פִּרְדָּה
– חֲמוֹר אָחִיו 46; חֲמֹר גָּרֶם 43; חֲ׳ חָבוּשׁ 64, 65; חֲמוֹר יְתוֹמִים 48; חֲ׳ לֶחֶם 47; חֲ׳ שֹׂנַאֲךָ 44; חֲמוֹר תֹּעֶה 55
– לְחִי חֲמוֹר 24,23,7; פֶּטֶר חֲ׳ 6,1; קְבוּרַת חֲ׳ 11; רֹאשׁ חֲ׳ 9; רֶכֶב חֲ׳ 10; בְּשַׂר חֲמוֹרִים 66
– אָסַר חֲמוֹר 38; חָבַשׁ חֲמוֹר 29–34, 53, 57
חֲמוֹר 1 וְכָל־פֶּטֶר חֲמֹר תִּפְדֶּה בְשֶׂה Ex.13:13
2 וְנָפַל־שָׁמָּה שׁוֹר אוֹ חֲמוֹר Ex.21:33
3 מִשּׁוֹר עַד־חֲמוֹר עַד־שֶׂה Ex.22:3
4 עַל־שׁוֹר עַל־חֲמוֹר עַל־שֶׂה Ex.22:8
5 חֲמוֹר אוֹ־שׁוֹר אוֹ־שֶׂה Ex.22:9
6 וּפֶטֶר חֲמוֹר תִּפְדֶּה בְשֶׂה Ex.34:20
7 וַיִּמְצָא לְחִי־חֲמוֹר טְרִיָּה Jud.15:15
8 מִשּׁוֹר וְעַד־שֶׂה מִגָּמָל וְעַד־חֲמוֹר ISh.15:3
9 רֹאשׁ־חֲמוֹר בִּשְׁמֹנִים כֶּסֶף IIK.6:25
10 רֶכֶב חֲמוֹר רֶכֶב גָּמָל Is.21:7
11 קְבוּרַת חֲמוֹר יִקָּבֵר Jer.22:19
12 עָנִי וְרֹכֵב עַל־חֲמוֹר Zech.9:9
וַחֲמוֹר 13 וַיְהִי־לִי שׁוֹר וַחֲמוֹר Gen.32:5
14 וַיַּחֲרִימוּ...וְעַד שׁוֹר וָשֶׂה וַחֲמוֹר Josh.6:21
15 וְלֹא־יַשְׁאִירוּ...וָשֶׂה וְשׁוֹר וַחֲמוֹר Jud.6:4
16 הִכָּה...וְשׁוֹר וַחֲמוֹר וָשֶׂה ISh.22:19
17 וַחֲמוֹר וְהָאַרְיֵה עֹמְדִים IK.13:28
18 יָדַע שׁוֹר קֹנֵהוּ וַחֲמוֹר אֵבוּס בְּעָלָיו Is.1:3
הַחֲמוֹר 19 שְׁבוּ־לָכֶם פֹּה עִם־הַחֲמוֹר Gen.22:5
20 וַיַּרְכִּבֵם עַל־הַחֲמֹר Ex.4:20
21/2 וַתִּצְנַח מֵעַל הַחֲמוֹר Josh.15:18 • Jud.1:14
23 בִּלְחִי הַחֲמוֹר חֲמוֹר חֲמֹרָתָיִם Jud.15:16
24 בִּלְחִי הַחֲמוֹר הִכֵּיתִי אֶלֶף אִישׁ Jud.15:16
25 וַיִּקָּחֶהָ עַל־הַחֲמוֹר Jud.19:28
26 וְהָיָה הִיא רֹכֶבֶת עַל־הַחֲמוֹר ISh.25:20
27 וַתֵּרֶד מֵעַל הַחֲמוֹר ISh.25:23
28 וַתְּמַהֵר...וַתִּרְכַּב עַל־הַחֲמוֹר ISh.25:42
29 וַיַּחֲבֹשׁ אֶת־הַחֲמוֹר וַיָּקָם וַיֵּלֶךְ IISh.17:23
30 אֶחְבְּשָׁה־לִּי הַחֲמוֹר וְאֶרְכַּב עָלֶיהָ IISh.19:27
31 וַיֹּאמֶר אֶל־בָּנָיו חִבְשׁוּ־לִי הַחֲמוֹר IK.13:13
32 וַיַּחְבְּשׁוּ־לוֹ הַחֲמוֹר וַיִּרְכַּב עָלָיו IK.13:13
33 וַיַּחֲבָשׁ־לוֹ הַחֲמוֹר IK.13:23
הַחֲמוֹר (המשך) 34 חִבְשׁוּ־לִי אֶת־הַחֲמוֹר IK.13:27
35 וְלֹא שָׁבַר אֶת־הַחֲמוֹר IK.13:28
36 וַיַּנִּחֵהוּ אֶל־הַחֲמוֹר וַיְשִׁיבֵהוּ IK.13:29
וְהַחֲמוֹר 37 וְהַחֲמוֹר עֹמֵד אֶצְלָהּ IK.13:24
38 הַסּוּס אָסוּר וְהַחֲמוֹר אָסוּר IIK.7:10
39 מְשַׁלְּחֵי רֶגֶל־הַשּׁוֹר וְהַחֲמוֹר Is.32:20
40 מַגֵּפַת...הַגָּמָל וְהַחֲמוֹר Zech.14:15
וּבַחֲמֹר 41 לֹא־תַחֲרֹשׁ בְּשׁוֹר־וּבַחֲמֹר יַחְדָּו Deut.22:10
לַחֲמוֹר 42 שׁוֹט לַסּוּס מֶתֶג לַחֲמוֹר Prov.26:3
חֲמוֹר־ 43 יִשָּׂשכָר חֲמֹר גָּרֶם Gen.49:14
44 חֲמוֹר שֹׂנַאֲךָ רֹבֵץ תַּחַת מַשָּׂאוֹ Ex.23:5
45 לֹא חֲמוֹר אֶחָד מֵהֶם נָשָׂאתִי Num.16:15
46 חֲמוֹר אָחִיךָ אוֹ שׁוֹרוֹ Deut.22:4
47 וַיִּקַּח יִשַׁי חֲמוֹר לֶחֶם וְנֹאד יַיִן ISh.16:20
48 חֲמוֹר יְתוֹמִים יִנְהָגוּ Job 24:3
וַחֲמוֹר־ 49 וַחֲמוֹר מִי לָקַחְתִּי ISh.12:3
חֲמֹרְךָ 50 חֲמֹרְךָ גָּזוּל מִלְּפָנֶיךָ Deut.28:31
וַחֲמֹרְךָ 51 וְשׁוֹרְךָ וַחֲמֹרְךָ וְכָל־בְּהֶמְתֶּךָ Deut.5:14
וַחֲמֹרֶךָ 52 לְמַעַן יָנוּחַ שׁוֹרְךָ וַחֲמֹרֶךָ Ex.23:12
חֲמֹרוֹ 53 וַיַּחֲבֹשׁ אֶת־חֲמֹרוֹ Gen.22:3
54 וַיַּעֲמֹס אִישׁ עַל־חֲמֹרוֹ Gen.44:13
55 שׁוֹר אֹיִבְךָ אוֹ חֲמֹרוֹ תֹּעֶה Ex.23:4
56 וְאֶת־שׁוֹרוֹ וְאֶת־חֲמֹרוֹ וְאֶת־צֹאנוֹ Josh.7:24
57 וַיַּחֲבֹשׁ אֶת־חֲמֹרוֹ IK.2:40
וַחֲמֹרוֹ 58 וְעַבְדּוֹ וַאֲמָתוֹ וְשׁוֹרוֹ וַחֲמֹרוֹ Ex.20:14
59 וְעַבְדּוֹ וַאֲמָתוֹ שׁוֹרוֹ וַחֲמֹרוֹ Deut.5:18
לַחֲמֹרוֹ 60 ...לָתֵת מִסְפּוֹא לַחֲמֹרוֹ Gen.42:27
61 וְכֵן תַּעֲשֶׂה לַחֲמֹרוֹ Deut.22:3
חֲמוֹרִים 62 חֲמֹרִים נֹשְׂאִים מִטּוּב מִצְרָיִם Gen.45:23
63 וְנַעֲרוֹ עִמּוֹ וְצֶמֶד חֲמֹרִים Jud.19:3
64 וְעִמּוֹ צֶמֶד חֲמוֹרִים חֲבוּשִׁים Jud.19:10
65 וְצֶמֶד חֲמֹרִים חֲבֻשִׁים IISh.16:1
66 אֲשֶׁר בְּשַׂר־חֲמוֹרִים בְּשָׂרָם Ezek.23:20
67/8 חֲמֹרִים שֵׁשֶׁת אֲלָפִים Ez.2:67 • Neh.7:68(69)
וַחֲמֹרִים 69 וַיְהִי־לוֹ צֹאן־וּבָקָר וַחֲמֹרִים Gen.12:16
70 וַעֲבָדִם...וּגְמַלִּים וַחֲמֹרִים Gen.24:35
75–71 ...וַחֲמֹרִים Gen.30:43
Num.31:34,39,45 • ISh.27:9
76 וַיִּשְׁבּוּ מִקְנֵיהֶם...וַחֲמוֹרִים אַלְפָּיִם ICh.5:21
הַחֲמֹרִים 77 בִּרְעֹתוֹ אֶת־הַחֲמֹרִים לְצִבְעוֹן Gen.36:24
78/9 (וּ)מִן־הַבָּקָר (וּ)מִן־הַחֲמֹרִים Num.31:28,30
80 וַתִּקַּח...וַתָּשֶׂם עַל־הַחֲמֹרִים ISh.25:18
81 הַחֲמוֹרִים לְבֵית־הַמֶּלֶךְ לִרְכֹּב IISh.16:2
82 וְעֹמְסִים עַל־הַחֲמֹרִים Neh.13:15
בַּחֲמֹרִים 83 בַּסּוּסִים בַּחֲמֹרִים בַּגְּמַלִּים Ex.9:3
84 בַּחֲמוֹרִים וּבַגְּמַלִּים וּבַפְּרָדִים ICh.12:41(40)
85 וַיְנַהֲלוּם בַּחֲמֹרִים לְכָל־כּוֹשֵׁל IICh.28:15
וּבַחֲמוֹרִים 86 וּבְמִקְנֵה הַבָּקָר וּבַחֲמֹרִים Gen.47:17
לַחֲמוֹרִים 87 וַיְבִיאֵהוּ לְבֵיתוֹ וַיָּבָל לַחֲמוֹרִים Jud.19:21
חֲמֹרֵינוּ 88 וְלָקַחַת אֹתָנוּ...וְאֶת־חֲמֹרֵינוּ Gen.43:18
לַחֲמוֹרֵינוּ 89 גַּם־מִסְפּוֹא יֵשׁ לַחֲמוֹרֵינוּ Jud.19:19
חֲמוֹרֵיכֶם 90 וְאֶת־חֲמוֹרֵיכֶם יִקָּח ISh.8:16
חֲמֹרֵיהֶם 91 וְאֶת־בְּקָרָם וְאֶת־חֲמֹרֵיהֶם Gen.34:28
92 וַיִּשְׂאוּ אֶת־שִׁבְרָם עַל־חֲמֹרֵיהֶם Gen.42:26
93 וְאֶת־סוּסֵיהֶם וְאֶת־חֲמֹרֵיהֶם IIK.7:7
וַחֲמֹרֵיהֶם 94 וְהָאֲנָשִׁים שֻׁלְּחוּ הֵמָּה וַחֲמֹרֵיהֶם Gen.44:3
לַחֲמֹרֵיהֶם 95 וַיִּתֵּן מִסְפּוֹא לַחֲמֹרֵיהֶם Gen.43:24
96 וַיִּקְחוּ שַׂקִּים בָּלִים לַחֲמוֹרֵיהֶם Josh.9:4

חֲמוֹר[2] ז׳ חוֹמֶר, עֲרֵמָה: 2,1
חֲמוֹר 1 בִּלְחִי הַחֲמוֹר חֲמוֹר חֲמֹרָתָיִם Jud.15:16
חֲמֹרָתָיִם 2 בִּלְחִי הַחֲמוֹר חֲמוֹר חֲמֹרָתָיִם Jud.15:16

חֲמוֹר3 שפ״ז – אבי שכם בימי יעקב: 1–13
אַנְשֵׁי חֲמוֹר 8; בֶּן (בְּנֵי) חֲ׳ 1, 2, 6, 7; עֵינֵי חֲ׳ 5
חֲמוֹר 1 וַיִּקֶן...מִיַּד בְּנֵי־חֲמוֹר אֲבִי שְׁכֶם Gen.33:19
2 שְׁכֶם בֶּן־חֲמוֹר הַחִוִּי... Gen.34:2
3 וַיֹּאמֶר שְׁכֶם אֶל־חֲמוֹר אָבִיו Gen.34:4
4 וַיֵּצֵא חֲמוֹר אֲבִי־שְׁכֶם אֶל־יַעֲקֹב Gen.34:6
5 וַיִּיטְבוּ דִבְרֵיהֶם בְּעֵינֵי חֲמוֹר Gen.34:18
6 וּבְעֵינֵי שְׁכֶם בֶּן־חֲמוֹר Gen.34:18
7 ...מֵאֵת בְּנֵי־חֲמוֹר אֲבִי־שְׁכֶם Josh.24:32
8 עִבְדוּ אֶת־אַנְשֵׁי חֲמוֹר אֲבִי שְׁכֶם Jud.9:28
9–13 חֲמוֹר Gen.34:8,13,20,24,26

חָמוּשׁ* ת׳ מזוין, מצויד למלחמה: 1–4
חֲמֻשִׁים 1 וְאַתֶּם תַּעַבְרוּ חֲמֻשִׁים לִפְנֵי אֲחֵיכֶם Josh.1:14
2 וַיַּעַבְרוּ...חֲמֻשִׁים לִפְנֵי בְּנֵי יִשְׂרָאֵל Josh.4:12
וַחֲמֻשִׁים 3 וַחֲמֻשִׁים עָלוּ בְ׳׳י מֵאֶרֶץ מִצְרָיִם Ex.13:18
הַחֲמֻשִׁים 4 אֶל־קְצֵה הַחֲמֻשִׁים אֲשֶׁר בַּמַּחֲנֶה Jud.7:11

חָמוֹת* נ׳ אם בעלה של אשה, חותנת: 1–11
חֲמוֹתֵךְ 1 כֹּל אֲשֶׁר־עָשִׂית אֶת־חֲמוֹתֵךְ Ruth2:11
2 אַל־תָּבוֹאִי רֵיקָם אֶל־חֲמוֹתֵךְ Ruth3:17
חֲמוֹתָהּ 3 וַתֵּרֶא חֲמוֹתָהּ אֵת אֲשֶׁר־לִקֵּטָה Ruth2:18
4 וַתֹּאמֶר לָהּ חֲמוֹתָהּ Ruth2:19
5 וַתֵּשֶׁב אֶת־חֲמוֹתָהּ Ruth2:23
6 וַתֹּאמֶר לָהּ נָעֳמִי חֲמוֹתָהּ Ruth3:1
7 וַתַּעַשׂ כְּכֹל אֲשֶׁר־צִוַּתָּה חֲמוֹתָהּ Ruth3:6
8 וַתָּבוֹא אֶל־חֲמוֹתָהּ Ruth3:16
בַּחֲמֹתָהּ 9 בַּת קָמָה בְאִמָּהּ כַּלָּה בַּחֲמֹתָהּ Mic.7:6
לַחֲמוֹתָהּ 10 וַתִּשַּׁק עָרְפָּה לַחֲמוֹתָהּ Ruth1:14
11 וַתַּגֵּד לַחֲמוֹתָהּ אֵת אֲשֶׁר־עָשְׂתָה עִמּוֹ Ruth2:19

חֲמוּתִי (ישעיה מד16) – עין חמם

חֹמֶט ז׳ ממיני הלטאות(?)
וְהַחֹמֶט 1 וְהַחֹמֶט וְהַתִּנְשָׁמֶת Lev.11:30

חֻמְטָה מקום בנחלת יהודה בסביבת חברון
וְחֻמְטָה 1 וְחֻמְטָה וְקִרְיַת אַרְבַּע... Josh.15:54

חָמִיץ ז׳ מספוא חמוץ
חָמִיץ 1 וְהָאֲלָפִים...בְּלִיל חָמִיץ יֹאכֵלוּ Is.30:24

חֲמִישִׁי ת׳ מספר סודר של ״חָמֵשׁ״ או ״חֲמִשָּׁה״: 1–33
בֶּן חֲמִישִׁי 2; גּוֹרָל חֲ׳ 6; יוֹם חֲמִישִׁי 1, 3, 4, 7; חֹדֶשׁ חֲ׳ 5, 8–15; צוֹם הַחֲ׳ 16; פַּעַם חֲמִישִׁית 28; שָׁנָה חֲמִישִׁית 29–33
חֲמִישִׁי 1 וַיְהִי־עֶרֶב וַיְהִי־בֹקֶר יוֹם חֲמִישִׁי Gen.1:23
2 וַתֵּלֶד לְיַעֲקֹב בֵּן חֲמִישִׁי Gen.30:17
הַחֲמִישִׁי 3 בַּיּוֹם הַחֲמִישִׁי נָשִׂיא לִבְנֵי שִׁמְעוֹן Num.7:36
4 וּבַיּוֹם הַחֲמִישִׁי פָּרִים תִּשְׁעָה Num.29:26
5 בַּחֹדֶשׁ הַחֲמִישִׁי בְּאֶחָד לַחֹדֶשׁ Num.33:38
6 וַיֵּצֵא הַגּוֹרָל הַחֲמִישִׁי... Josh.19:24
7 וַיַּשְׁכֵּם בַּבֹּקֶר בַּיּוֹם הַחֲמִישִׁי Jud.19:8
8 וּבַחֹדֶשׁ הַחֲמִישִׁי בְּשִׁבְעָה לַחֹדֶשׁ IIK.25:8
9 עַד־גְּלוֹת יְרוּשָׁלַםִ בַּחֹדֶשׁ הַחֲמִישִׁי Jer.1:3
10–15 (ו׳-, ל׳-) בַּחֹדֶשׁ הַחֲמִישִׁי Jer.28:1
52:12 • Zech.7:3 • Ez.7:8,9 • ICh.27:8
16 צוֹם הָרְבִיעִי וְצוֹם הַחֲמִישִׁי Zech.8:19
17–24 הַחֲמִישִׁי ICh.2:14; 3:3; 8:2
12:11(10); 24:9; 25:12; 26:3,4
וְהַחֲמִשִׁי 25 וְהַחֲמִישִׁי שְׁפַטְיָה בֶן־אֲבִיטָל IISh.3:4
בַּחֲמִשִׁי 26 בַּחֲמִשִׁי בֶּעָשׂוֹר לַחֹדֶשׁ Ezek.20:1
27 צַמְתֶּם וְסָפוֹד בַּחֲמִישִׁי וּבַשְּׁבִיעִי Zech.7:5
חֲמִשִׁית 28 וַיִּשְׁלַח...כַּדָּבָר הַזֶּה פַּעַם חֲמִישִׁית Neh.6:5
הַחֲמִישִׁת 29 וּבַשָּׁנָה הַחֲמִישִׁת תֹּאכְלוּ... Lev.19:25
30 וַיְהִי בַּשָּׁנָה הַחֲמִישִׁית IK.14:25
31 וַיְהִי בַשָּׁנָה הַחֲמִשִׁית לִיהוֹיָקִים Jer.36:9
32 הִיא הַשָּׁנָה הַחֲמִישִׁית... Ezek.1:2
33 וַיְהִי בַּשָּׁנָה הַחֲמִישִׁית לַמֶּ׳ רְחַבְעָם IICh.12:2

חֲמִישִׁית נ׳ חלק חמישי משלם, חֹמֶשׁ: 1–11
חֲמִשִׁית 1 וּנְתַתֶּם חֲמִישִׁית לְפַרְעֹה Gen.47:24
2 וְיָסַף חֲמִישִׁית כֶּסֶף־עֶרְכְּךָ Lev.27:15
3 וְיָסַף חֲמִשִׁית כֶּסֶף־עֶרְכְּךָ Lev.27:19
4 עָשָׂה דַלְתוֹת...הָאַיִל מְזֻזוֹת חֲמִשִׁית IK.6:31
חֲמִישִׁתוֹ 5 וְאֶת־חֲמִישִׁתוֹ יוֹסֵף עָלָיו Lev.5:16
6 וְיָסַף חֲמִישִׁתוֹ עָלָיו Lev.22:14
7 וְיָסַף חֲמִישִׁתוֹ עַל־עֶרְכֶּךָ Lev.27:13
8 וְיָסַף חֲמִשִׁתוֹ עָלָיו Lev.27:27
9 חֲמִישִׁתוֹ יֹסֵף עָלָיו Lev.27:31
וַחֲמִישִׁתוֹ 10 וַחֲמִישִׁתוֹ יֹסֵף עָלָיו Num.5:7
וַחֲמִשִׁתָיו 11 וַחֲמִשִׁתָיו יֹסֵף עָלָיו Lev.5:24

חמל: חָמַל, חֶמְלָה; חֶמְלָה, מַחְמָל

חָמַל פ׳ רחם: 1–41 • קרובים: חָנַן / חָס / רִחֵם
חָמַל, חָמַל עַל־ רוב המקראות; חָמַל אֶל־ 38, 39, 41
לְחֻמְלָה 1 לֹא־חָסָה עָלַיִךְ...לְחֻמְלָה עָלָיִךְ Ezek.16:5
וְחָמַלְתִּי 2 וְחָמַלְתִּי עֲלֵיהֶם כַּאֲשֶׁר יַחְמֹל... Mal.3:17
חָמָלְתָּ 3 טָבַחְתָּ לֹא חָמָלְתָּ Lam.2:21
4 הָרַגְתָּ לֹא חָמָלְתָּ Lam.3:43
חָמַל 5 אֲשֶׁר חָמַל הָעָם עַל־מֵיטַב הַצֹּאן ISh.15:15
6 בִּלַּע אֲדֹנָי וְלֹא חָמַל Lam.2:2
7 כִּי־חָמַל עַל־עַמּוֹ וְעַל־מְעוֹנוֹ IICh.36:15
8 וְלֹא חָמַל עַל־בָּחוּר וּבְתוּלָה IICh.36:17
חָמָל 9 ...וְעַל אֲשֶׁר לֹא־חָמָל IISh.12:6
10 הָרַס וְלֹא חָמָל Lam.2:17
חֲמַלְתֶּם 11 בְּרוּכִים אַתֶּם לַי״י כִּי חֲמַלְתֶּם עָלָי ISh.23:21
אֶחְמוֹל 12 לֹא־אֶחְמוֹל וְלֹא־אָחוּס Jer.13:14
13 וְגַם־אֲנִי לֹא אֶחְמוֹל Ezek.5:11
14 וְלֹא־תָחוֹס עֵינִי עָלַיִךְ וְלֹא אֶחְמוֹל Ezek.7:4
15 וְלֹא־תָחוֹס עֵינִי וְלֹא אֶחְמוֹל Ezek.7:9
16/7 לֹא־תָחוֹס עֵינִי וְלֹא אֶחְמֹל Ezek.8:18; 9:10
18 כִּי לֹא אֶחְמוֹל עוֹד עַל... Zech.11:6
וָאֶחְמֹל 19 וָאֶחְמֹל עַל־שֵׁם קָדְשִׁי... Ezek.36:21
תַּחְמֹל 20 וְלֹא־תַחְמֹל וְלֹא־תְכַסֶּה עָלָיו Deut.13:9
21 וְהַחֲרַמְתֶּם...וְלֹא תַחְמֹל עָלָיו ISh.15:3
יַחְמֹל 22 וּשְׁבָרָהּ...כָּתוּת לֹא יַחְמֹל Is.30:14
23 מִי־יַחְמֹל עָלַיִךְ יְרוּשָׁלַםִ Jer.15:5
24 לֹא־יָחוּס עֲלֵיהֶם וְלֹא יַחְמֹל Jer.21:7
25 וְתָמִיד לַהֲרֹג גּוֹיִם לֹא יַחְמוֹל Hab.1:17
26 וְרֹעֵיהֶם לֹא יַחְמוֹל עֲלֵיהֶן Zech.11:5
27 כַּאֲשֶׁר יַחְמֹל אִישׁ עַל־בְּנוֹ Mal.3:17
28 וְלֹא־יַחְמוֹל בְּיוֹם נָקָם Prov.6:34
29 וַאֲסַלְּדָה בְחִילָה לֹא יַחְמוֹל Job6:10
30 יְפַלַּח כִּלְיוֹתַי וְלֹא יַחְמֹל Job16:13
31 יַחְמֹל עָלֶיהָ וְלֹא יַעַזְבֶנָּה Job20:13
32 וְיַשְׁלֵךְ עָלָיו וְלֹא יַחְמֹל Job27:22
וַיַּחְמֹל 33 וַיַּחְמֹל שָׁאוּל וְהָעָם עַל־אֲגָג ISh.15:9
34 וַיַּחְמֹל לָקַחַת מִצֹּאנוֹ וּמִבְּקָרוֹ IISh.12:4
35 וַיַּחְמֹל הַמֶּלֶךְ עַל־מְפִיבֹשֶׁת IISh.21:7
36 וַיְקַנֵּא יְ׳...וַיַּחְמֹל עַל־עַמּוֹ Joel2:18
וַתַּחְמֹל 37 וַתִּרְאֵהוּ אֶת־הַיֶּלֶד...וַתַּחְמֹל עָלָיו Ex.2:6
תַּחְמְלוּ 38 אַל־תַּחְמְלוּ אֶל־חֵץ Jer.50:14
39 וְאַל־תַּחְמְלוּ אֶל־בַּחֻרֶיהָ Jer.51:3
תַּחְמֹלוּ 40 אַל־תָּחֹס עֵינְכֶם וְאַל־תַּחְמֹלוּ Ezek.9:5
יַחְמֹלוּ 41 אִישׁ אֶל־אָחִיו לֹא יַחְמֹלוּ Is.9:18

חֶמְלָה נ׳ רחמים: 1, 2
קרובים: אַהֲבָה / חֵן / חֲנִינָה / חֶסֶד / רַחֲמִים
בְּחֶמְלַת־ 1 ...בְּחֶמְלַת יְיָ עָלָיו Gen.19:16
וּבְחֶמְלָתוֹ 2 בְּאַהֲבָתוֹ וּבְחֶמְלָתוֹ הוּא גְאָלָם Is.63:9

חֻמְלָה עין חמל

חמם: חָמַם, חַם, נִחַם, חִמֵּם, הִתְחַמֵּם; חַם, חֹם, חַמָּה, חַמָּן; ש״פ חָם, חַמּוֹן, חַמַּת, חַמַּת דֹּאר

חָמַם, חַם פ׳ א) היה בו, או עלה בו, חום: 1–17
ב) [נפ׳ נֵחַם] נעשה חם: 18–23 [עיין גם יָחַם]
ג) [פִּ׳ חִמֵּם] הוסיף חום: 24
ד) [הת׳ הִתְחַמֵּם] חש בחום: 25
(כְּ)חֹם הַיּוֹם 1,3,5; חֹם הַשֶּׁמֶשׁ 2,4; חַם לִבּוֹ 11; חַם הַשֶּׁמֶשׁ 12; נֵחַם לִבּוֹ 19
חֹם 1 וַיַּכּוּ אֶת־עַמּוֹן עַד־חֹם הַיּוֹם ISh.11:11
2 לֹא יִפָּתְחוּ...עַד־חֹם הַשֶּׁמֶשׁ Neh.7:3
כְּחֹם 3 וְהוּא יֹשֵׁב...כְּחֹם הַיּוֹם Gen.18:1
4 מָחָר...כְּחֹם (כת׳ בחם) הַשֶּׁמֶשׁ ISh.11:9
5 וַיָּבֹאוּ כְּחֹם הַיּוֹם IISh.4:5
לְחֹם 6 לָבוֹשׁ וְאֵין־לְחֹם לוֹ Hag.1:6
בְּחֻמּוֹ 7 בְּחֻמּוֹ נִדְעֲכוּ מִמְּקוֹמָם Job6:17
בְּחֻמָּם 8 בְּחֻמָּם אָשִׁית אֶת־מִשְׁתֵּיהֶם Jer.51:39
לַחְמָם 9 אֵין־גַּחֶלֶת לַחְמָם Is.47:14
חַמּוֹתִי 10 הֶאָח חַמּוֹתִי רָאִיתִי אוּר Is.44:16
חַם 11 חַם־לִבִּי בְּקִרְבִּי Ps.39:4
וְחַם 12 וְחַם הַשֶּׁמֶשׁ וְנָמָס Ex.16:21
13 וְחַם לַאדֹנִי הַמֶּלֶךְ IK.1:2
14 אִם־יִשְׁכְּבוּ שְׁנַיִם וְחַם לָהֶם Eccl.4:11
יָחֹם 15 אַף־יָחֹם וְיֹאמַר הֶאָח Is.44:16
וַיָּחָם 16 וַיִּגְהַר עָלָיו וַיָּחָם בְּשַׂר הַיָּלֶד IIK.4:34
17 וַיִּקַּח מֵהֶם וַיָּחָם Is.44:15
הַנֵּחָמִים 18 הַנֵּחָמִים בָּאֵלִים Is.57:5
יֵחַם 19 פֶּן־יִרְדֹּף...כִּי יֵחַם לְבָבוֹ Deut.19:6
יִחַם 20 וַיְכַסֻּהוּ בַּבְּגָדִים וְלֹא יִחַם לוֹ IK.1:1
יֵחָם 21 וּלְאֶחָד אֵיךְ יֵחָם Eccl.4:11
תֵּחַם 22 לְמַעַן תֵּחַם וְחָרָה נְחֻשְׁתָּהּ Ezek.24:11
יֵחַמּוּ 23 כֻּלָּם יֵחַמּוּ כַּתַּנּוּר Hosh.7:7
תְּחַמֵּם 24 וְעַל־עָפָר תְּחַמֵּם Job39:14
יִתְחַמָּם 25 וּמִגֵּז כְּבָשַׂי יִתְחַמָּם Job31:20

חַמָּן* ז׳ מזבח לפולחן החמה: 1–8
וְחַמָּנִים 1 לֹא־יָקֻמוּ אֲשֵׁרִים וְחַמָּנִים Is.27:9
הַחַמָּנִים 2 וַיָּסַר...אֶת־הַבָּמוֹת וְאֶת־הַחַמָּנִים IICh.14:4
3 וְכָל־הַחַמָּנִים גִּדַּע IICh.34:7
וְהַחַמָּנִים 4 וְהָאֲשֵׁרִים וְהַחַמָּנִים Is.17:8
5 וְהַחַמָּנִים אֲשֶׁר־לְמַעְלָה...גִּדֵּעַ IICh.34:4
חַמָּנֵיכֶם 6 וְהִכְרַתִּי אֶת־חַמָּנֵיכֶם Lev.26:30
7 וְנָשַׁמּוּ מִזְבְּחוֹתֵיכֶם וְנִשְׁבְּרוּ חַמָּנֵיכֶם Ezek.6:4
8 וְנִשְׁבְּתוּ גִּלּוּלֵיכֶם וְנִגְדְּעוּ חַמָּנֵיכֶם Ezek.6:6

חמס: חָמַס, נֶחְמַס; חָמָס, תַּחְמָס

חָמַס פ׳ א) גָּזַל: 1–7
ב) [נפ׳ נֶחְמַס] נחשף: 8
חָמַס בִּסְרוֹ 4; חֲ׳ נַפְשׁוֹ 3; חָמַס תּוֹרָה 1, 2
קרובים: גָּזַל / עָשַׁק / קָבַע
חָמְסוּ 1 חָמְסוּ תוֹרָתִי וַיְחַלְּלוּ קָדָשַׁי Ezek.22:26
2 חִלְּלוּ־קֹדֶשׁ חָמְסוּ תּוֹרָה Zep.3:4

חוֹמֵס 3 וְחֹטְאִי חֹמֵס נַפְשׁוֹ Prov.8:36
יַחְמֹס 4 יַחְמֹס כַּגֶּפֶן בִּסְרוֹ וְיַשְׁלֵךְ...נִצָּתוֹ Job 15:33
וַיַּחְמֹס 5 וַיַּחְמֹס כַּגַּן שֻׂכּוֹ שִׁחֵת מֹעֲדוֹ Lam.2:6
תַּחְמֹסוּ 6 וְגֵר...אַל־תֹּנוּ אַל־תַּחְמֹסוּ Jer.22:3
7 וּמְזִמּוֹת עָלַי תַּחְמֹסוּ Job21:27
נֶחְמְסוּ 8 נִגְלוּ שׁוּלַיִךְ נֶחְמְסוּ עֲקֵבָיִךְ Jer.13:22

חָמָס

ז׳ א) גָּזֵל, עוֹשֶׁק: רוב המקראות 1—60
ב) מה שנרכש בגזל: 14, 15

קרובים: בַּז / בִּזָּה / גָּזֵל / גְּזֵלָה / מַעֲשַׁקּוֹת / מְרוּצָה / מְשִׁסָּה / עֹשֶׁק / שֹׁד / שָׁלָל / תּוֹךְ

– חָמָס וּמִרְמָה 19; חָ׳ וָשֹׁד 9, 10, 14, 15, 40
– אוֹהֵב חָמָס 21; אִישׁ חָמָס 22,29,30,34; יָפֵחַ חָ׳ 24; כְּלֵי חָ׳ 3; לֹא־חָמָס 6, 36; נְאוֹת חָ׳ 28; עֵד חָ׳ 4,5; פֹּעַל חָ׳ 7; שֶׁבֶת חָ׳ 16; שִׂנְאַת חָ׳ 23
– חֲמַס אָח 53; חֲ׳ אֶרֶץ 49, 50; חֲ׳ בְּנֵי יְהוּדָה 52; חֲמַס יָדָיו 48; חֲ׳ לְבָנוֹן 47
– אִישׁ חֲמָסִים 57—59; יֵין חֲמָסִים 60

חָמָס 1 וַתִּשָּׁחֵת...וַתִּמָּלֵא הָאָרֶץ חָמָס Gen.6:11
2 כִּי־מָלְאָה הָאָרֶץ חָמָס Gen.6:13
3 כְּלֵי חָמָס מְכֵרֹתֵיהֶם Gen.49:5
4 אַל־תָּשֶׁת יָדְךָ...לִהְיֹת עֵד חָמָס Ex.23:1
5 כִּי־יָקוּם עֵד־חָמָס בְּאִישׁ Deut. 19:16
6 עַל לֹא־חָמָס עָשָׂה... Is.53:9
7 וּפֹעַל חָמָס בְּכַפֵּיהֶם Is.59:6
8 לֹא־יִשָּׁמַע עוֹד חָמָס בְּאַרְצֵךְ Is.60:18
9 חָמָס וָשֹׁד יִשָּׁמַע בָּהּ Jer.6:7
10 חָמָס וָשֹׁד אֶקְרָא Jer.20:8
11 וְהָעִיר מָלְאָה חָמָס Ezek. 7:23
12 כִּי־מָלְאוּ אֶת־הָאָרֶץ חָמָס Ezek.8:17
13 בְּרֹב רְכֻלָּתְךָ מָלוּ תוֹכְךָ חָמָס Ezek. 28:16
14 חָמָס וָשֹׁד הָסִירוּ Ezek.45:9
15 הָאוֹצְרִים חָמָס וָשֹׁד בְּאַרְמְנוֹתֵיהֶם Am.3:10
16 וַתַּגִּשׁוּן שֶׁבֶת חָמָס Am.6:3
17 עֲשִׁירֶיהָ מָלְאוּ חָמָס Mic.6:12
18 אֶזְעַק אֵלֶיךָ חָמָס וְלֹא תוֹשִׁיעַ Hab. 1:2
19 הַמְמַלְאִים...חָמָס וּמִרְמָה Zep. 1:9
20 וְכִסָּה חָמָס עַל־לְבוּשׁוֹ Mal.2:16
21 וְרָשָׁע וְאֹהֵב חָמָס שָׂנְאָה נַפְשׁוֹ Ps. 11:5
22 מֵאִישׁ חָמָס תַּצִּילֵנִי Ps. 18:49
23 וְשִׂנְאַת חָמָס שְׂנֵאוּנִי Ps.25:19
24 עֵדֵי־שֶׁקֶר וִיפֵחַ חָמָס Ps.27:12
25 יְקוּמוּן עֵדֵי חָמָס Ps.35:11
26 כִּי־רָאִיתִי חָמָס וְרִיב בָּעִיר Ps.55:10
27 יַעֲטָף־שִׁית חָמָס לָמוֹ Ps. 73:6
28 כִּי־מָלְאוּ...נְאוֹת חָמָס Ps.74:20
29 אִישׁ חָמָס רָע יְצוּדֶנּוּ לְמַדְחֵפֹת Ps.140:12
30 אַל־תְּקַנֵּא בְּאִישׁ חָמָס Prov.3:31
31-32 וּפִי רְשָׁעִים יְכַסֶּה חָמָס Prov. 10:6,11
33 וְנֶפֶשׁ בֹּגְדִים חָמָס Prov. 13:2
34 אִישׁ חָמָס יְפַתֶּה רֵעֵהוּ Prov. 16:29
35 מְקַצֶּה רַגְלַיִם חָמָס שֹׁתֶה Prov.26:6
36 עַל לֹא־חָמָס בְּכַפָּי Job 16:17
37 הֵן אֶצְעַק חָמָס וְלֹא אֵעָנֶה Job 19:7
38 בְּלֹא חָמָס בְּכַפָּי ICh. 12:18(17)
וְחָמָס 39 וְחָמָס בָּאָרֶץ מֹשֵׁל עַל־מֹשֵׁל Jer.51:46
40 וְעָמָל תַּבִּיט וְשֹׁד וְחָמָס לְנֶגְדִּי Hab. 1:3
הֶחָמָס 41 הֶחָמָס קָם לְמַטֵּה־רֶשַׁע Ezek. 7:11
42 וּמִן־הֶחָמָס אֲשֶׁר בְּכַפֵּיהֶם Jon. 3:8
לְחָמָס 43 כֻּלֹּה לְחָמָס יָבוֹא Hab. 1:9
מֵחָמָס 44 מֹשִׁעִי מֵחָמָס תֹּשִׁעֵנִי IISh. 22:3
וּמֵחָמָס 45 מִתּוֹךְ וּמֵחָמָס יִגְאַל נַפְשָׁם Ps.72:14
חֲמַס־ 46 לָבוֹא חֲמַס שִׁבְעִים בְּנֵי־יְרֻבָּעַל Jud.9:24
47 כִּי־חֲמַס לְבָנוֹן יְכַסֶּךָּ Hab.2:17
48 בָּאָרֶץ חֲמַס יְדֵיכֶם תְּפַלֵּסוּן Ps.58:3
וַחֲמַס־ 49-50 מִדְּמֵי אָדָם וַחֲמַס־אֶרֶץ Hab.2:8,17
מֵחֲמַס־ 51 מֵחֲמַס כָּל־הַיֹּשְׁבִים בָּהּ Ezek. 12:19
52 מֵחֲמַס בְּנֵי יְהוּדָה Joel4:19
53 מֵחֲמַס אָחִיךָ יַעֲקֹב תְּכַסְּךָ בוּשָׁה Ob. 10
חֲמָסִי 54 וַתֹּאמֶר שָׂרַי...חֲמָסִי עָלֶיךָ Gen. 16:5
55 חֲמָסִי וּשְׁאֵרִי עַל־בָּבֶל Jer.51:35
חֲמָסוֹ 56 וְעַל קָדְקֳדוֹ חֲמָסוֹ יֵרֵד Ps. 7:17
חֲמָסִים 57 מֵאִישׁ חֲמָסִים תַּצִּילֵנִי IISh. 22:49
58-59 מֵאִישׁ חֲמָסִים תִּנְצְרֵנִי Ps. 140:2,5
60 וְיֵין חֲמָסִים יִשְׁתּוּ Prov.4:17

חמץ : חָמֵץ, חָמֵץ, הִתְחַמֵּץ: חוֹמֶץ, חָמֵץ, חָמוּץ, חָמוֹץ, חֹמֶץ, חֲמִצָּה

חָמֵץ[1]

פ׳ א) נעשה חָמוּץ על־ידי שְׂאוֹר: 1—3 [עיין גם חוֹמֶץ, חָמוֹץ]
ב) [הת׳ הִתְחַמֵּץ (בהשאלה) התמרמר: 4
הִתְחַמֵּץ לְבָבוֹ 4

חֻמְצָתוֹ 1 מִלּוּשׁ בָּצֵק עַד־חֻמְצָתוֹ Hosh. 7:4
חָמֵץ 2 וַיֹּאפוּ אֶת־הַבָּצֵק...כִּי לֹא חָמֵץ Ex.12:39
יֶחְמָץ 3 וַיִּשָּׂא הָעָם אֶת־בְּצֵקוֹ טֶרֶם יֶחְמָץ Ex.12:34
יִתְחַמֵּץ 4 יִתְחַמֵּץ לְבָבִי וְכִלְיוֹתַי אֶשְׁתּוֹנָן Ps. 73:21

חָמֵץ[2]

ז׳ לחם שהחמיץ בצקו לפני האפיה: 1—11
קרוב: שְׂאוֹר

חָמֵץ 1 כָּל־אֹכֵל חָמֵץ וְנִכְרְתָה הַנֶּפֶשׁ Ex. 12:15
2 וְלֹא יֵאָכֵל חָמֵץ Ex. 13:3
3 מַצּוֹת יֵאָכֵל...וְלֹא־יֵרָאֶה לְךָ חָמֵץ Ex. 13:7
4 לֹא־תִזְבַּח עַל־חָמֵץ דַּם־זִבְחִי Ex.23:18
5 לֹא־תִשְׁחַט עַל־חָמֵץ דַּם־זִבְחִי Ex.34:25
6 כָּל־הַמִּנְחָה...לֹא תֵעָשֶׂה חָמֵץ Lev. 2:11
7 לֹא תֵאָפֶה חָמֵץ Lev. 6:10
8 עַל־חַלֹּת לֶחֶם חָמֵץ יַקְרִיב Lev. 7:13
9 סֹלֶת תִּהְיֶינָה חָמֵץ תֵּאָפֶינָה Lev.23:17
10 לֹא תֹאכַל עָלָיו חָמֵץ Deut. 16:3
מֵחָמֵץ 11 וְקַטֵּר מֵחָמֵץ תּוֹדָה Am.4:5

חֹמֶץ

ז׳ משקה חמוץ עשוי מיין: 1—6
חֹמֶץ יַיִן 5; חֹמֶץ שֵׁכָר 6

חֹמֶץ 1 וְלִצְמָאִי יַשְׁקוּנִי חֹמֶץ Ps.69:22
2 חֹמֶץ עַל־נָתֶר Prov. 25:20
בַּחֹמֶץ 3 וְטָבַלְתְּ פִּתֵּךְ בַּחֹמֶץ Ruth2:14
כַּחֹמֶץ 4 כַּחֹמֶץ לַשִּׁנַּיִם וְכֶעָשָׁן לָעֵינַיִם Prov. 10:26
חֹמֶץ־ 5 חֹמֶץ יַיִן וְחֹמֶץ שֵׁכָר לֹא יִשְׁתֶּה Num.6:3
וְחֹמֶץ־ 6 חֹמֶץ יַיִן וְחֹמֶץ שֵׁכָר לֹא יִשְׁתֶּה Num.6:3

חֲמִצָּה

עיין חָמֵץ

חמק : חָמַק, הִתְחַמֵּק; חַמּוּקִים

חָמַק

פ׳ א) חָלַף: 1
ב) [הת׳ הִתְחַמֵּק] השתמט: 2

חָמַק 1 וְדוֹדִי חָמַק עָבָר S.ofS.5:6
תִּתְחַמָּקִין 2 עַד־מָתַי תִּתְחַמָּקִין...הַשּׁוֹבֵבָה Jer.31:22(21)

חמר : א) חָמַר[1]; חֶמֶר; חֲמַרְמַר; אר׳ חֲמַר
ב) חָמַר[2]; חֵמָר, חֹמֶר[2]

חָמַר[1]

פ׳ תסס, העלה קצף: 1, 2 [עיין גם חֲמַרְמַר]

חָמַר 1 וְיַיִן חָמַר מָלֵא מֶסֶךְ Ps. 75:9
יֶחְמְרוּ 2 יֶהֱמוּ יֶחְמְרוּ מֵימָיו Ps.46:4

חָמַר[2]

פ׳ מרח בחמר

וַתַּחְמְרָה 1 וַתַּחְמְרָה בַחֵמָר וּבַזָּפֶת Ex.2:3

חֵמָר

ז׳ זפת־אדמה, אספלט: 1—3

חֵמָר 1 וְעֵמֶק הַשִּׂדִּים בֶּאֱרֹת בֶּאֱרֹת חֵמָר Gen. 14:10
וְהַחֵמָר 2 וְהַחֵמָר הָיָה לָהֶם לַחֹמֶר Gen. 11:3
בַחֵמָר 3 וַתַּחְמְרָה בַחֵמָר וּבַזָּפֶת Ex.2:3

חֹמֶר[1]

ז׳ א) מדת נפח לְיָבֵשׁ: 1—7, 9—11
ב) עֲרֵמָה: 8, 12—14

קרובים: אֵיפָה / בַּת[2] / כֹּר / לֶתֶךְ / סְאָה

חֹמֶר חִטִּים 10; חֹ׳ מַיִם 8; חֹ׳ שְׂעֹרִים 7, 9, 11; זֶרַע חֹמֶר 1, 7; מַעְשַׂר חֹ׳ 4; עֲשִׂירִית הַחֹמֶר 5

חֹמֶר 1 וְזֶרַע חֹמֶר יַעֲשֶׂה אֵיפָה Is.5:10
2 מִן־הַכֹּר עֲשֶׂרֶת הַבַּתִּים חֹמֶר Ezek.45:14
3 כִּי־עֲשֶׂרֶת הַבַּתִּים חֹמֶר Ezek.45:14
הַחֹמֶר 4 לָשֵׂאת מַעְשַׂר הַחֹמֶר הַבָּת Ezek.45:11
5 וַעֲשִׂירִת הַחֹמֶר הָאֵיפָה Ezek.45:11
6 אֶל־הַחֹמֶר יִהְיֶה מַתְכֻּנְתּוֹ Ezek.45:11
חֹמֶר־ 7 זֶרַע חֹמֶר שְׂעֹרִים Lev.27:16
8 חֹמֶר מַיִם רַבִּים Hab.3:15
וְחֹמֶר־ 9 וְחֹמֶר שְׂעֹרִים וְלֶתֶךְ שְׂעֹרִים Hosh.3:2
מֵחֹמֶר־ 10 שִׁשִּׁית הָאֵיפָה מֵחֹמֶר הַחִטִּים Ezek.45:13
11 וְשִׁשִּׁיתֶם הָאֵיפָה מֵחֹמֶר הַשְּׂעֹרִים Ezek.45:13
חֳמָרִים 12-13 וַיִּצְבְּרוּ אֹתָם חֳמָרִם חֳמָרִם Ex.8:10
14 הַמַּמְעִיט אָסַף עֲשָׂרָה חֳמָרִים Num.11:32

חֹמֶר[2]

ז׳ אדמה דביקה לתעשית לבנים וכלים: 1—17

חֹמֶר וּלְבֵנִים 6; חֹמֶר חוּצוֹת 16; חֹ׳ חוֹתָם 17; בָּתֵּי חֹמֶר 3

חֹמֶר 1 וְיָבֹא סְגָנִים כְּמוֹ־חֹמֶר Is.41:25
2 הֲיֹאמַר חֹמֶר לְיֹצְרוֹ מַה־תַּעֲשֶׂה Is.45:9
3 אַף שֹׁכְנֵי בָתֵּי־חֹמֶר Job4:19
4 לְגַבֵּי־חֹמֶר גַּבֵּיכֶם Job13:12
הַחֹמֶר 5 אֲנַחְנוּ הַחֹמֶר וְאַתָּה יֹצְרֵנוּ Is.64:7
בְּחֹמֶר 6 בַּעֲבֹדָה קָשָׁה בְּחֹמֶר וּבִלְבֵנִים Ex.1:14
בַּחֹמֶר 7 וְנִשְׁחַת הַכְּלִי אֲשֶׁר הוּא עֹשֶׂה בַּחֹמֶר Jer.18:4
8 בֹּאִי בַטִּיט וְרִמְסִי בַחֹמֶר Nah.3:14
כְּחֹמֶר 9 אִם־כְּחֹמֶר הַיֹּצֵר יֵחָשֵׁב Is.29:16
כַּחֹמֶר 10 הִנֵּה כַחֹמֶר בְּיַד הַיּוֹצֵר... Jer. 18:6
11 זְכָר־נָא כִּי־כַחֹמֶר עֲשִׂיתָנִי Job10:9
וְכַחֹמֶר 12 וְכַחֹמֶר יָכִין מַלְבּוּשׁ Job27:16
לַחֹמֶר 13 וְהַחֵמָר הָיָה לָהֶם לַחֹמֶר Gen. 11:3
14 הֹרָנִי לַחֹמֶר וָאֶתְמַשֵּׁל כֶּעָפָר וָאֵפֶר Job30:19
מֵחֹמֶר 15 מֵחֹמֶר קֹרַצְתִּי גַם־אָנִי Job33:6
כְּחֹמֶר־ 16 וּלְשׂוּמוֹ° מִרְמָס כְּחֹמֶר חוּצוֹת Is. 10:6
17 תִּתְהַפֵּךְ כְּחֹמֶר חוֹתָם Job38:14

חֶמֶר

ז׳ יַיִן: 1, 2

חֶמֶר 1 בַּיּוֹם הַהוּא כֶּרֶם חֶמֶר עַנּוּ־לָהּ Is.27:2
חָמֶר 2 וְדַם־עֵנָב תִּשְׁתֶּה־חָמֶר Deut.32:14

חֲמַר

ז׳ ארמית: חֶמֶר, יַיִן; חַמְרָא = היין: 1—6

חֲמַר 1 חִנְטִין מְלַח חֲמַר וּמְשַׁח Ez.6:9
2 וְעַד־חֲמַר בַּתִּין מְאָה Ez. 7:22
חַמְרָא 3 וְלָקֳבֵל אַלְפָּא חַמְרָא שָׁתֵה Dan.5:1
4 בֵּלְשַׁאצַּר אֲמַר בִּטְעֵם חַמְרָא Dan.5:2
5 אִשְׁתִּיו חַמְרָא וְשַׁבַּחוּ לֵאלָהֵי דַהֲבָא Dan.5:4
6 וְאַנְתְּ°...חַמְרָא שָׁתַיִן בְּהוֹן Dan.5:23

חֲמַרְמַר פ׳ נצרב (בהשאלה): 1–3 [עיין גם חָמַר¹]

חֳמַרְמְרוּ 1 פָּנַי חֳמַרְמְרוּ (כ׳ חמרמרה) מִנִּי־בֶכִי Job 16:16
2 כָּלוּ בַדְּמָעוֹת עֵינַי חֳמַרְמְרוּ מֵעַי Lam. 2:11
חֳמַרְמָרוּ 3 מֵעַי חֳמַרְמָרוּ נֶהְפַּךְ לִבִּי בְּקִרְבִּי Lam. 1:20

חַמְרָן שפ״ז – מבני שעיר, הוא חֶמְדָּן

חַמְרָן 1 וּבְנֵי דִישׁוֹן חַמְרָן וְאֶשְׁבָּן ICh. 1:41

חמש : חֹמֶשׁ; חָמֵשׁ, חֲמִשָּׁה, חֲמִשִּׁים; חֲמִישִׁי, חֲמִישִׁית, חִמֵּשׁ

חִמֵּשׁ פ׳ חלק לחמישה חלקים (?) הטיל מס החומש (?)

וְחִמֵּשׁ 1 וְחִמֵּשׁ אֶת־אֶרֶץ מִצְרָיִם Gen. 41:34

חָמֵשׁ המספר 5 לנקבה: 1–164

– חָמֵשׁ אַמּוֹת 9–23, 36–39, 60, 65–72; חָ׳ חֲלִיפוֹת 56; חָ׳ יָדוֹת 6; חָ׳ יְרִיעוֹת 57, 59; חָ׳ נְעָרוֹת 64; חָ׳ סְאִים 63; חָ׳ עָרִים 33; חָ׳ פְּעָמִים 32; חָמֵשׁ צֹאן 62; חָ׳ שָׁנִים 1–3, 7, 8, 24, 25, 29, 55;
– בֶּן חָמֵשׁ 24–26, 28, 29; שְׁנַת חָמֵשׁ 31; חָמֵשׁ בָּאַמָּה 30, 34, 73, 74
– חֲמֵשׁ עֶשְׂרֵה 97, 99, 105, 108, 109, 111–116, 138; חֲמֵשׁ מֵאוֹת 98, 100, 106, 107, 110, 117, 137–139, 164

חָמֵשׁ 1 וַיְחִי־שֵׁת חָמֵשׁ שָׁנִים וּמְאַת שָׁנָה Gen. 5:6
2 חָמֵשׁ שָׁנִים וּתְשַׁע מֵאוֹת שָׁנָה Gen. 5:11
3 חָמֵשׁ שָׁנִים וְשִׁשִּׁים שָׁנָה Gen. 5:15
4-5 חָמֵשׁ וְתִשְׁעִים שָׁנָה Gen. 5:17, 30
6 וַתֵּרֶב מַשְׂאַת בִּנְיָמִן...חָמֵשׁ יָדוֹת Gen. 43:34
7 וְעוֹד חָמֵשׁ שָׁנִים אֲשֶׁר אֵין... Gen. 45:6
8 כִּי עוֹד־חָמֵשׁ שָׁנִים רָעָב Gen. 45:11
9 חָמֵשׁ אַמּוֹת אֹרֶךְ... Ex. 27:1
10-23 חָמֵשׁ אַמּוֹת Ex. 27:18; 38:1
38:18 • IK. 6:10; 7:16 • Jer. 52:22 • Ezek. 40:7, 30, 48; 41:2, 9, 11, 12 • IICh. 6:13
24 וְאִם מִבֶּן־חָמֵשׁ שָׁנִים... Lev. 27:5
25 וְעַד בֶּן־חָמֵשׁ שָׁנִים Lev. 27:6
26 מִבֶּן חָמֵשׁ וְעֶשְׂרִים שָׁנָה וָמַעְלָה Num. 8:24
27 שֵׁשׁ מֵאוֹת חָמֵשׁ וְשִׁבְעִים Num. 31:37
28 בֶּן־חָמֵשׁ וּשְׁמֹנִים שָׁנָה Josh. 14:10
29 בֶּן־חָמֵשׁ שָׁנִים הָיָה IISh. 4:4
30 חָמֵשׁ בָּאַמָּה רָחְבָּהּ IK. 6:6
31 וּבִשְׁנַת חָמֵשׁ לְיוֹרָם... IIK. 8:16
32 לְהַכּוֹת חָמֵשׁ אוֹ־שֵׁשׁ פְּעָמִים IIK. 13:19
33 יִהְיוּ חָמֵשׁ עָרִים בְּאֶרֶץ מִצְרַיִם Is. 19:18
34 אִישׁ מִדָּה חָמֵשׁ בָּאַמָּה ICh. 11:23
35 כְּנַף הָאֶחָד לְאַמּוֹת חָמֵשׁ IICh. 3:11
36-39 אַמּוֹת חָמֵשׁ IICh. 3:11, 12², 15
40-54 חָמֵשׁ Gen. 5:21, 23; 11:12, 32; 12:4
IK. 7:39, 49 • Ezek. 40:21, 25, 30, 33; 40:36 • ICh. 3:20; 4:32 • IICh. 4:7
וְחָמֵשׁ 55 וְשִׁבְעִים שָׁנָה וְחָמֵשׁ שָׁנִים Gen. 25:7
56 וְחָמֵשׁ חֲלִפֹת שְׂמָלֹת Gen. 45:22
57 וְחָמֵשׁ יְרִיעֹת חֹבְרֹת... Ex. 26:3
58 וְחָמֵשׁ אַמּוֹת רֹחַב Ex. 27:1
59 וְחָמֵשׁ יְרִיעֹת חִבַּר אַחַת אֶל־אֶחָת Ex. 36:10
60 וְחָמֵשׁ־אַמּוֹת רָחְבּוֹ Ex. 38:1
61 זֶה אַרְבָּעִים וְחָמֵשׁ שָׁנָה Josh. 14:10
62 וְחָמֵשׁ צֹאן עֲשׂוּיוֹת° ISh. 25:18
63 וְחָמֵשׁ סְאִים קָלִי ISh. 25:18
64 וְחָמֵשׁ נַעֲרֹתֶיהָ הַהֹלְכוֹת לְרַגְלָהּ ISh. 25:42
65 וְחָמֵשׁ אַמּוֹת כְּנַף הַכְּרוּב הָאֶחָת IK. 6:24
66-72 וְחָמֵשׁ אַמּוֹת IK. 6:24; 7:16 • Ezek. 40:13
40:29, 48; 41:2 • IICh. 6:13

וְחָמֵשׁ (המשך) 73/4 וְחָמֵשׁ בָּאַמָּה קוֹמָתוֹ IK. 7:23 • IICh. 4:2
75 וְחָמֵשׁ עַל־כֶּתֶף הַבַּיִת IK. 7:39
76 חָמֵשׁ מִיָּמִין וְחָמֵשׁ מִשְּׂמֹאל IK. 7:49
77 בֶּן־שְׁלֹשִׁים וְחָמֵשׁ שָׁנָה בְּמָלְכוֹ IK. 22:42
78 וְעֶשְׂרִים וְחָמֵשׁ שָׁנָה מָלַךְ... IK. 22:42
79 בְּעֶשְׂרִים וְחָמֵשׁ שָׁנָה לְגָלוּתֵנוּ Ezek. 40:1
80-96 וְחָמֵשׁ IIK. 14:2; 15:33; 18:2; 21:1; 23:36
Is. 7:8 • IICh. 3:15; 4:7; 15:19; 20:31²; 25:1; 27:1, 8; 29:1; 33:1; 36:5
חֲמֵשׁ־ 97 וַיְחִי...חֲמֵשׁ עֶשְׂרֵה שָׁנָה... Gen. 5:10
98 וַיְהִי־נֹחַ בֶּן־חֲמֵשׁ מֵאוֹת שָׁנָה Gen. 5:32
99 חֲמֵשׁ עֶשְׂרֵה אַמָּה מִלְמַעְלָה Gen. 7:20
100 וַיְחִי־שֵׁם...חֲמֵשׁ מֵאוֹת שָׁנָה... Gen. 11:11
101 חֲמֵשׁ הַיְרִיעֹת תִּהְיֶיןָ חֹבְרֹת Ex. 26:3
102-104 חֲמֵשׁ הַיְרִיעֹת Ex. 26:9; 36:10, 16
105 חֲמֵשׁ עֶשְׂרֵה קְלָעִים Ex. 27:15
106 מָר־דְּרוֹר חֲמֵשׁ מֵאוֹת Ex. 30:23
107 וְקִדָּה חֲמֵשׁ מֵאוֹת בְּשֶׁקֶל הַקֹּדֶשׁ Ex. 30:24
108-109 קְלָעִים חֲמֵשׁ־עֶשְׂרֵה אַמָּה Ex. 38:14, 15
110 חֲמֵשׁ־מֵאוֹת אֶלֶף אִישׁ IISh. 24:9
111 וַיְחִי...חֲמֵשׁ עֶשְׂרֵה שָׁנָה IIK. 14:17
112-116 חֲמֵשׁ עֶשְׂרֵה (שָׁנָה) IIK. 14:23; 20:6
Is. 38:5 • IICh. 15:10; 25:25
117 חֲמֵשׁ מֵאוֹת (כ׳ אמות) קָנִים Ezek. 42:16
118-136 חֲמֵשׁ מֵאוֹת Ezek. 42:17, 18, 19, 20²
45:2; 48:16⁴, 30, 32, 33, 34 • Es. 9:6, 12 • ICh. 4:42 • IICh. 13:17; 35:9
וַחֲמֵשׁ־ 137 וַיְחִי...וַחֲמֵשׁ מֵאֹת שָׁנָה Gen. 5:30
138 וַחֲמֵשׁ עֶשְׂרֵה אַמָּה קְלָעִים Ex. 27:14
139 וַחֲמֵשׁ מֵאוֹת וַחֲמִשִּׁים Ex. 38:26
140-151 אֶלֶף וַחֲמֵשׁ מֵאוֹת Num. 1:21, 33, 41
2:11, 19, 28; 26:18, 22, 27, 37; 31:39, 45
152-156 ...אֲלָפִים וַחֲמֵשׁ מֵאוֹת Num. 1:46
3:22; 4:48; 31:36, 43
157 וַחֲמֵשׁ מֵאוֹת וַחֲמִשִּׁים Num. 2:32
158-162 וַחֲמֵשׁ מֵאוֹת IK. 9:23 • Job 1:3²
Neh. 7:69(70) • IICh. 26:13
בַּחֲמֵשׁ־ 163 חֲמֵשׁ מֵאוֹת בַּחֲמֵשׁ מֵאוֹת מְרֻבָּע Ezek. 45:2
מֵחֲמֵשׁ־ 164 אֶחָד נֶפֶשׁ מֵחֲמֵשׁ הַמֵּאוֹת Num. 31:28

חֹמֶשׁ¹ ז׳ חלק אחד מחמש, חמישית

לַחֹמֶשׁ 1 וַיָּשֶׂם...לְחֹק...לְפַרְעֹה לַחֹמֶשׁ Gen. 47:26

חֹמֶשׁ² ז׳ אזור הבטן התחתונה: 1–4

הַחֹמֶשׁ 1 וַיַּכֵּהוּ אַבְנֵר בְּאַחֲרֵי הַחֲנִית אֶל־הַחֹמֶשׁ IISh. 2:23
2 וַיַּכֵּהוּ שָׁם הַחֹמֶשׁ וַיָּמָת IISh. 3:27
3 וַיַּכֻּהוּ אֶל־הַחֹמֶשׁ IISh. 4:6
4 וַיַּכֵּהוּ בָהּ אֶל־הַחֹמֶשׁ IISh. 20:10

חֲמִשָּׁה המספר 5 לזכר: 1–180

– חֲמִשָּׁה בָּקָר 3; חֲ׳ בְּרִיחִים 93–96; חֲ׳ לֶחֶם 12; חֲ׳ סְרָנִים 102; חֲ׳ עַכְבְּרִים 101; חֲ׳ עַמּוּדִים 6; חֲמִשָּׁה עָשָׂר 9, 28, 133–140, 147–152; חֲ׳ שְׁקָלִים 8
– חֲמֵשֶׁת אֲלָפִים 159–165, 175, 177, 178; חֲמֵשֶׁת עָשָׂר 176, 179; חֲמֵשֶׁת הַמְּלָכִים 156–158; חֲמֵשֶׁת הַסְּרָנִים 180; חֲ׳ שְׁקָלִים 153–155

חֲמִשָּׁה 1 יַחְסְרוּן חֲמִשִּׁים הַצַּדִּיקִם חֲמִשָּׁה Gen. 18:28
2 וּמִקְצֵה אֶחָיו לָקַח חֲמִשָּׁה Gen. 47:2
3 חֲמִשָּׁה בָקָר יְשַׁלֵּם תַּחַת הַשּׁוֹר Ex. 21:37
4-5 חֲמִשָּׁה לְקַרְשֵׁי צֶלַע־הַמִּשְׁכָּן Ex. 26:26; 36:31
6 וְעָשִׂיתָ לַמָּסָךְ חֲמִשָּׁה עַמּוּדֵי שִׁטִּים Ex. 26:37
7 וְרָדְפוּ מִכֶּם חֲמִשָּׁה מֵאָה Lev. 26:8
8 חֲמִשָּׁה שְׁקָלִים כָּסֶף Lev. 27:6

חֲמִשָּׁה (המשך) 9 וְהָיָה עֶרְכְּךָ חֲמִשָּׁה עָשָׂר שָׁקֶל Lev. 27:7
10-11 חֲמִשָּׁה וְאַרְבָּעִים אָלֶף Num. 1:25; 2:15
12 מַה־יֵּשׁ תַּחַת־יָדְךָ חֲמִשָּׁה־לֶחֶם ISh. 21:4
13 וַיְהִי שִׁירוֹ חֲמִשָּׁה וָאָלֶף IK. 5:12
14 אַרְבָּעָה חֲמִשָּׁה בִּסְעִפֶיהָ פֹּרִיָּה Is. 17:6
15-26 חֲמִשָּׁה וְעֶשְׂרִים אָלֶף Ezek. 45:1
45:3, (כ׳ חמש) 6; 48:8, 9, 10, 13², 15, 20, 21
27 חֲמִשָּׁה וְעֶשְׂרִים שְׁקָלִים Ezek. 45:12
28 וְאֵת יוֹם־חֲמִשָּׁה עָשָׂר בּוֹ Es. 9:21
29-91 חֲמִשָּׁה Ex. 26:37; 36:38²
Num. 1:37; 2:23; 3:50; 7:17³, 23³, 29³, 35³, 41³, 47³, 53³, 59³, 65³, 71³, 77³, 83³; 11:19; 26:41, 50 • Josh. 10:26 • Jud. 18:2 • ISh. 6:4; 17:40 • IISh. 9:10 • IK. 7:3 • IIK. 7:13 • Is. 30:17 • Ezek. 48:10 • Es. 9:16 • Ez. 2:5 • ICh. 2:4, 6; 7:3, 7; 24:14 • IICh. 4:6, 8
וַחֲמִשָּׁה 92 אִם־אֶמְצָא...אַרְבָּעִים וַחֲמִשָּׁה Gen. 18:28
93-96 וַחֲמִשָּׁה בְרִיחִם Ex. 26:27²; 36:32²
97 וַחֲמִשָּׁה וְשִׁבְעִים שָׁקֶל Ex. 38:25
98 וּשְׁבַע הַמֵּאוֹת וַחֲמִשָּׁה וְשִׁבְעִים Ex. 38:28
99-100 עֶשְׂרִים וַחֲמִשָּׁה אֶלֶף...אִישׁ Jud. 20:35, 46
101 וַחֲמִשָּׁה עַכְבְּרֵי זָהָב ISh. 6:4
102 וַחֲמִשָּׁה סַרְנֵי־פְלִשְׁתִּים רָאוּ ISh. 6:16
103 שְׁמֹנִים וַחֲמִשָּׁה אִישׁ נֹשֵׂא אֵפוֹד ISh. 22:18
104 מֵאָה שְׁמוֹנִים וַחֲמִשָּׁה אָלֶף IIK. 19:35
105 נֶפֶשׁ שְׁבַע מֵאוֹת אַרְבָּעִים וַחֲמִשָּׁה Jer. 52:30
106 בְּעֶשְׂרִים וַחֲמִשָּׁה לַחֹדֶשׁ Jer. 52:31
107-130 וַחֲמִשָּׁה IK. 7:3 • IIK. 25:19
Is. 37:36 • Ezek. 8:16; 11:1; 45:5, 12 • Dan. 12:12 • Ez. 2:8, 20, 33, 34, 66, 67 • Neh. 6:15; 7:13, 20, 25, 36, 67, 68, 69 • IICh. 4:6, 8
הַחֲמִשָּׁה 131 אַרְבָּעָה מְלָכִים אֶת־הַחֲמִשָּׁה Gen. 14:9
בַּחֲמִשָּׁה 132 הֲתַשְׁחִית בַּחֲמִשָּׁה אֶת־כָּל־הָעִיר Gen. 18:28
133-139 בַּחֲמִשָּׁה עָשָׂר יוֹם לַחֹדֶשׁ Ex. 16:1
Lev. 23:34, 39 • Num. 33:3 • IK. 12:32
Ezek. 32:17; 45:25
140 בַּחֲמִשָּׁה עָשָׂר יוֹם בַּחֹדֶשׁ הַשְּׁמִינִי IK. 12:33
141 וְרֹבַע הַקַּב...בַּחֲמִשָּׁה־כָסֶף IIK. 6:25
142-145 בַּחֲמִשָּׁה לַחֹדֶשׁ Ezek. 1:1, 2; 8:1; 33:21
146 בַּחֲמִשָּׁה וְעֶשְׂרִים אָלֶף Ezek. 48:20
147 וָאֶכְּרֶהָ לִּי בַּחֲמִשָּׁה עָשָׂר כָּסֶף Hosh. 3:2
148 וְנוֹחַ בַּחֲמִשָּׁה עָשָׂר בּוֹ Es. 9:18
וּבַחֲמִשָּׁה 149 וּבַחֲמִשָּׁה עָשָׂר יוֹם לַחֹדֶשׁ הַזֶּה Lev. 23:6
150 וּבַחֲמִשָּׁה עָשָׂר יוֹם לַחֹדֶשׁ הַזֶּה חָג Num. 28:17
151 וּבַחֲמִשָּׁה עָשָׂר יוֹם לַחֹדֶשׁ Num. 29:12
לַחֲמִשָּׁה 152 לַחֲמִשָּׁה עָשָׂר לִירֵמוֹת... ICh. 25:22
חֲמֵשֶׁת־ 153/4 חֲמֵשֶׁת חֲמֵשֶׁת שְׁקָלִים לַגֻּלְגֹּלֶת Num. 3:47
155 חֲמֵשֶׁת שְׁקָלִים בְּשֶׁקֶל הַקֹּדֶשׁ Num. 18:16
156 חֲמֵשֶׁת מַלְכֵי מִדְיָן Num. 31:8
157 וַיַּעֲלוּ חֲמֵשֶׁת מַלְכֵי הָאֱמֹרִי Josh. 10:5
158 וַיָּנֻסוּ חֲמֵשֶׁת הַמְּלָכִים הָאֵלֶּה Josh. 10:16
159 וַיְעֹלְלֻהוּ...חֲמֵשֶׁת אֲלָפִים אִישׁ Jud. 20:45
160-165 חֲמֵשֶׁת אֲלָפִים ISh. 17:5 • Ezek. 45:6
Ez. 1:11; 2:69 • ICh. 29:7 • IICh. 35:9
166-174 חֲמֵשֶׁת... Josh. 10:17, 22, 23; 13:3
Jud. 3:3; 18:7, 14, 17 • IISh. 21:8
וַחֲמֵשֶׁת־ 175 וְשִׁבְעִים אֶלֶף וַחֲמֵשֶׁת אֲלָפִים Num. 31:32
176 וַחֲמֵשֶׁת עָשָׂר בָּנָיו...אִתּוֹ IISh. 19:18
177 וַחֲמֵשֶׁת אֲלָפִים הַנּוֹתָר בָּרֹחַב Ezek. 48:15
כַּחֲמֵשֶׁת־ 178 וַיִּקַּח כַּחֲמֵשֶׁת אֲלָפִים אִישׁ Josh. 8:12
179 וּמַחֲנֵיהֶם עִמָּם כַּחֲמֵשֶׁת עָשָׂר אָלֶף Jud. 8:10
לַחֲמֵשֶׁת־ 180 מִסְפַּר...לַחֲמֵשֶׁת הַסְּרָנִים ISh. 6:18

חֲמִשִּׁים חמש עשרות, 50 לזו״נ: 1—163

– חֲמִשִּׁים אִישׁ 56—58, 65, 69, 120—124; חֲ' אֶלֶף 52, 81, 82, 105—118, 17—30, 125, 126; חֲ' אַמָּה 1, 17—30; חֲ' אַמּוֹת 71; חֲ' אֲנָשִׁים 64; חֲ' זָהָב 83; חֲ' זְכָרִים 79; חֲ' יוֹם 2, 3, 36; חֲ' כֶּסֶף 50; חֲ' לוּלָאֹת 10—12, 34, 100—103; חֲ' מִזְרָקוֹת 80; חֲ' פּוּרָה 76; חֲ' פָּרָשִׁים 66; חֲ' צַדִּיקִים 4—7; חֲ' קְרָסִים 13, 14; חֲ' שָׁנָה 68, 98, 99; חֲ' שֶׁקֶל 37, 119; חֲמִשִּׁים שְׁקָלִים 51, 54, 67;

– אָחֻז מִן הַחֲמִשִּׁים 146, 147

– בֶּן חֲמִשִּׁים 38—45; שְׁנַת הַחֲמִשִּׁים 143, 144; שַׂר חֲמִשִּׁים 59—62, 148, 149; שָׂרֵי חֲ' 8, 9, 49, 53, 150

חֲמִשִּׁים 1 חֲמִשִּׁים אַמָּה רָחְבָּהּ Gen.6:15
2 וַיִּגְבְּרוּ הַמַּיִם...חֲמִשִּׁים וּמְאַת יוֹם Gen.7:24
3 וַיַּחְסְרוּ...מִקְצֵה חֲמִשִּׁים וּמְאַת יוֹם Gen.8:3
4 אוּלַי יֵשׁ חֲמִשִּׁים צַדִּיקִם Gen.18:24
5 לְמַעַן חֲמִשִּׁים הַצַּדִּיקִם... Gen.18:24
6 אִם־אֶמְצָא...חֲמִשִּׁים צַדִּיקִם Gen.18:26
7 אוּלַי יַחְסְרוּן חֲמִשִּׁים הַצַּדִּיקִם Gen.18:28
8-9 שָׂרֵי חֲמִשִּׁים וְשָׂרֵי עֲשָׂרֹת Ex.18:21,25
10-12 חֲמִשִּׁים לֻלָאֹת Ex.26:5,10; 36:12
13-14 חֲמִשִּׁים קַרְסֵי זָהָב Ex.26:6; 36:13
15-16 קַרְסֵי נְחֹשֶׁת חֲמִשִּׁים Ex.26:11; 36:18
17-30 חֲמִשִּׁים אַמָּה Ex.27:12,13
38:13 • IK.7:6 • Ezek.40:15,21,25,29,33,36
42:7,8 • Es.5:14; 7:9
31 וְרֹחַב חֲמִשִּׁים בַּחֲמִשִּׁים Ex.27:18
32 וְקִנְּמָן־בֶּשֶׂם...חֲמִשִּׁים וּמָאתָיִם Ex.30:23
33 וּקְנֵה־בֹשֶׂם חֲמִשִּׁים וּמָאתָיִם Ex.30:23
34 וַיַּעַשׂ לֻלָאֹת חֲמִשִּׁים Ex.36:17
35 קְלָעִים חֲמִשִּׁים בָּאַמָּה Ex.38:12
36 תִּסְפְּרוּ חֲמִשִּׁים יוֹם Lev.23:16
37 וְהָיָה עֶרְכְּךָ חֲמִשִּׁים שֶׁקֶל כֶּסֶף Lev.27:3
38-44 ...(וְ)עַד בֶּן־חֲמִשִּׁים שָׁנָה Num.4:3
4:23,30,35,39,43,47
45 וּמִבֶּן חֲמִשִּׁים שָׁנָה יָשׁוּב Num.8:25
46 וַאֲנָשִׁים מִבְּנֵי־יִשׂ' חֲמִשִּׁים וּמָאתָיִם Num.16:2
47 חֲמִשִּׁים וּמָאתַיִם מַחְתֹּת Num.16:17
48 חֲמִשִּׁים וּמָאתַיִם אִישׁ Num.26:10
49 וְשָׂרֵי חֲמִשִּׁים וְשָׂרֵי עֲשָׂרֹת Deut.1:15
50 וְנָתַן הָאִישׁ...חֲמִשִּׁים כָּסֶף Deut.22:29
51 חֲמִשִּׁים שְׁקָלִים מִשְׁקָלוֹ Josh.7:21
52 ...שִׁבְעִים אִישׁ חֲמִשִּׁים אֶלֶף אִישׁ ISh.6:19
53 שָׂרֵי אֲלָפִים וְשָׂרֵי חֲמִשִּׁים ISh.8:12
54 וַיִּקֶן...בְּכֶסֶף שְׁקָלִים חֲמִשִּׁים IISh.24:24
55 שָׂרֵי הַנִּצָּבִים...חֲמִשִּׁים וַחֲמֵשׁ מֵאוֹת IK.9:23
56 וַיַּחְבִּיאֵם חֲמִשִּׁים אִישׁ בַּמְּעָרָה IK.18:4
57/8 וָאַחְבִּא...חֲמִשִּׁים חֲמִשִּׁים אִישׁ IK.18:13
59 וַיִּשְׁלַח אֵלָיו שַׂר־חֲמִשִּׁים וַחֲמִשָּׁיו IIK.1:9
60-62 שַׂר־חֲמִשִּׁים IIK.1:11,13 • Is.3:3
63 וְנֶפֶשׁ עֲבָדֶיךָ אֵלֶּה חֲמִשִּׁים IIK.1:13
64 חֲמִשִּׁים אֲנָשִׁים בְּנֵי־חַיִל IIK.2:16
65 וַיִּשְׁלְחוּ חֲמִשִּׁים אִישׁ IIK.2:17
66 חֲמִשִּׁים פָּרָשִׁים וַעֲשָׂרָה רֶכֶב IIK.13:7
67 חֲמִשִּׁים שְׁקָלִים כֶּסֶף לְאִישׁ אֶחָד IIK.15:20
68 בִּשְׁנַת חֲמִשִּׁים שָׁנָה לַעֲזַרְיָה IIK.15:23
69 וְעִמּוֹ חֲמִשִּׁים אִישׁ IIK.15:25
70 בִּשְׁנַת חֲמִשִּׁים וּשְׁתַּיִם שָׁנָה IIK.15:27
71 וְהָרֹחַב חֲמִשִּׁים אַמּוֹת Ezek.42:2
72-75 חֲמִשִּׁים וּמָאתָיִם Ezek.48:17[4]
76 בָּא...לַחְשֹׂף חֲמִשִּׁים פּוּרָה Hag.2:16

חֲמִשִּׁים (המשך) 77/8 אֶלֶף מָאתַיִם חֲמִשִּׁים וְאַרְבָּעָה Ez.2:7,31
79 וְעִמּוֹ חֲמִשִּׁים הַזְּכָרִים Ez.8:6
80 נָתַן לָאוֹצָר...מִזְרָקוֹת חֲמִשִּׁים Neh.7:70
81 מִקְנֵיהֶם גְּמַלֵּיהֶם חֲמִשִּׁים אֶלֶף... ICh.5:21
82 יֹצְאֵי צָבָא...חֲמִשִּׁים אֶלֶף ICh.12:34(33)
83 וּמִשְׁקָל...חֲמִשִּׁים זָהָב IICh.3:9
84 שָׂרֵי הַנִּצָּבִים°...חֲמִשִּׁים וּמָאתָיִם IICh.8:10
85-97 חֲמִשִּׁים Ez.2:14,15,22,29,30,37,60
Neh.7:10,12,20,33,34,40
וַחֲמִשִּׁים 98 שְׁלֹשׁ מֵאוֹת שָׁנָה וַחֲמִשִּׁים שָׁנָה Gen.9:28
99 תְּשַׁע מֵאוֹת שָׁנָה וַחֲמִשִּׁים שָׁנָה Gen.9:29
100-103 וַחֲמִשִּׁים לֻלָאֹת Ex.26:5,10; 36:12,17
104 ...וַחֲמֵשׁ מֵאוֹת וַחֲמִשִּׁים Ex.38:26
105/6 תִּשְׁעָה וַחֲמִשִּׁים אֶלֶף... Num.1:23; 2:13
107-118 וַחֲמִשִּׁים אָלֶף Num.1:29,31,43
2:6,8,16,30,31; 26:34,47 • ICh.5:21 • IICh.2:16
119 שִׁבְעָ־מֵאוֹת וַחֲמִשִּׁים שָׁקֶל Num.31:52
120 וַחֲמִשִּׁים אִישׁ רָצִים לְפָנָיו IISh.15:1
121-124 וַחֲמִשִּׁים אִישׁ IK.1:5; 18:22
IIK.2:7 • Neh.5:17
125/6 וַחֲמִשִּׁים אַמָּה IK.7:2 • Ezek.45:2
127/8 וַחֲמִשִּׁים וּשְׁתַּיִם שָׁנָה מָלַךְ בִּירוּשָׁלִָם
IIK.15:2 • IICh.26:3
129/30 וַחֲמִשִּׁים וְחָמֵשׁ שָׁנָה מָלַךְ בִּירוּשָׁלִָם
IIK.21:1 • IICh.33:1
131-142 וַחֲמִשִּׁים Num.1:25,46
2:15,16,32; 4:36 • IK.18:19 • Ez.8:3,26
ICh.8:40; 9:9 • IICh.8:18
הַחֲמִשִּׁים 143 וְקִדַּשְׁתֶּם אֵת שְׁנַת הַחֲמִשִּׁים שָׁנָה Lev.25:10
144 יוֹבֵל הוא שְׁנַת הַחֲמִשִּׁים שָׁנָה Lev.25:11
145 וַתֹּאכַל...הַחֲמִשִּׁים וּמָאתַיִם אִישׁ Num.16:35
146 אֶחָד אָחֻז מִן־הַחֲמִשִּׁים Num.31:30
147 אֶת־הָאָחֻז אֶחָד מִן־הַחֲמִשִּׁים Num.31:47
148 וַיְדַבֵּר אֶל־שַׂר הַחֲמִשִּׁים IIK.1:10
149 וַיַּעַל וַיָּבֹא שַׂר הַחֲמִשִּׁים IIK.1:13
150 אֶת־שְׁנֵי שָׂרֵי הַחֲמִשִּׁים הָרִאשֹׁנִים IIK.1:14
בַּחֲמִשִּׁים 151 וְרֹחַב חֲמִשִּׁים בַּחֲמִשִּׁים Ex.27:18
152 זֶרַע...בַּחֲמִשִּׁים שֶׁקֶל כָּסֶף Lev.27:16
153/4 וְסוּס בַּחֲמִשִּׁים וּמֵאָה IK.10:29 • IICh.1:17
לַחֲמִשִּׁים 155 וַתִּשְׁלַם...לַחֲמִשִּׁים וּשְׁנַיִם יוֹם Neh.6:15
חֲמִשֶּׁיךָ 156/7 וְתֹאכַל אֹתְךָ וְאֶת־חֲמִשֶּׁיךָ IIK.1:10,12
חֲמִשָּׁיו 158/9 וַתֹּאכַל אֹתוֹ וְאֶת־חֲמִשָּׁיו IIK.1:10,12
וַחֲמִשָּׁיו 160 וַיִּשְׁלַח אֵלָיו שַׂר־חֲמִשִּׁים וַחֲמִשָּׁיו IIK.1:9
161 ...שַׂר־חֲמִשִּׁים אַחֵר וַחֲמִשָּׁיו IIK.1:11
162 ...שַׂר־חֲמִשִּׁים שְׁלִשִׁים וַחֲמִשָּׁיו IIK.1:13
חֲמִשֵּׁיהֶם 163 שָׂרֵי הַחֲמִ' הָרִאשֹׁנִים וְאֶת־חֲמִשֵּׁיהֶם IIK.1:14

חֲמֻשִׁים עין חֲמוּשִׁים

חֵמֶת נ' נאד לנוזלים: 1—3
קרובים: אָסוּךְ / דְּלִי / כַּד / כְּלִי / נֹאד / נֵבֶל / פַּךְ / צִנְצֶנֶת / צַפַּחַת • חֵמֶת מַיִם 3
הַחֵמֶת 1 וַתֵּלֶךְ וַתְּמַלֵּא אֶת־הַחֵמֶת Gen.21:19
הַחֵמֶת 2 וַיִּכְלוּ הַמַּיִם מִן־הַחֵמֶת Gen.21:15
וְחֵמַת־ 3 וַיִּקַּח־לֶחֶם וְחֵמַת מַיִם Gen.21:14

חֲמָת עיר גדולה בממלכת ארם בסוריה: 1—35
[עין עוד לְבוֹא חֲמָת באות ל]
אֱלֹהֵי חֲמָת 14, 15; אַנְשֵׁי חֲ' 13; אֶרֶץ חֲ' 18, 19, 21, 22, 24; גְּבוּל חֲ' 26, 27; לְבוֹא חֲ' 1—7, 9—11, 29; מֶלֶךְ חֲמָת 8, 16, 17, 31
חֲמָת 1 מִמִּדְבַּר־צִן עַד־רְחֹב לְבֹא חֲמָת Num.13:21
2-7 לְבֹא (לְבוֹא) חֲמָת Num.34:8 • Josh.13:5
Jud.3:3 • Ezek.47:20; 48:1 • ICh.13:5

חֲמָת (המשך) 8 וַיִּשְׁמַע תֹּעִי מֶלֶךְ חֲמָת IISh.8:9
9-10 מִלְּבוֹא חֲמָת עַד־נַחַל מִצְ' IK.8:65 • IICh.7:8
11 מִלְּבוֹא חֲמָת עַד־יָם הָעֲרָבָה IIK.14:25
12 הֵשִׁיב...וְאֶת־חֲמָת לִיהוּדָה IIK.14:28
13 וְאַנְשֵׁי חֲמָת עָשׂוּ אֶת־אֲשִׁימָא IIK.17:30
14/5 אֱלֹהֵי חֲמָת וְאַרְפָּד IIK.18:34 • Is.36:19
16/7 מֶלֶךְ־חֲמָת וּמֶ' אַרְפָּד IIK.19:13 • Is.37:13
18/9 בְּרִבְלָה בְּאֶרֶץ חֲמָת IIK.23:33; 25:21
20 אִם־לֹא כְאַרְפַּד חֲמָת Is.10:9
21/2 רִבְלָתָה בְּאֶרֶץ חֲמָת Jer.39:5; 52:9
23 בּוֹשָׁה חֲמָת וְאַרְפָּד Jer.49:23
24 וַיְמִתֵם בְּרִבְלָה בְּאֶרֶץ חֲמָת Jer.52:27
25 חֲמָת בֵּרוֹתָה סִבְרַיִם Ezek.47:16
26 בֵּין־גְּבוּל דַּמֶּשֶׂק וּבֵין גְּבוּל חֲמָת Ezek.47:16
27 וְצָפוֹן צָפוֹנָה וּגְבוּל חֲמָת Ezek.47:17
28 צָפוֹנָה אֶל־יַד חֲמָת Ezek.48:1
29 מִלְּבוֹא חֲמָת עַד־נַחַל הָעֲרָבָה Am.6:14
30 וְגַם־חֲמָת תִּגְבָּל־בָּהּ Zech.9:2
31 וַיִּשְׁמַע תֹּעוּ מֶלֶךְ חֲמָת ICh.18:9
חֲמָתָה 32 וַיַּךְ דָּוִיד אֶת־הֲדַדְעֶזֶר...חֲמָתָה ICh.18:3
בַּחֲמָת 33 עָרֵי הַמִּסְכְּנוֹת אֲשֶׁר בָּנָה בַּחֲמָת IICh.8:4
וּמֵחֲמָת 34 וּמֵעַוָּא וּמֵחֲמָת וּמִסְפַרְוָיִם° IIK.17:24
35 וּמֵחֲמָת וּמֵאִיֵּי הַיָּם Is.11:11

חַמַּת[1] עיר מבצר בנחלת נפתלי
וְחַמַּת 1 וְחַמַּת רַקַּת וְכִנָּרֶת Josh.19:35

חַמַּת[2] שפ״ז – אבי הקינים
מֵחַמַּת 1 הַקִּינִים הַבָּאִים מֵחַמַּת...בֵית־רֵכָב ICh.2:55

חַמֹּת דֹּאר עיר מקלט בנחלת נפתלי
חַמֹּת דֹּאר 1 וְאֶת־חַמֹּת דֹּאר וְאֶת־מִגְרָשֶׁהָ Josh.21:32

חֲמַת צוֹבָה בירת ארץ צובה
חֲמַת צוֹ' 1 וַיֵּלֶךְ שְׁלֹמֹה חֲמַת צוֹבָה IICh.8:3

חֲמַת רַבָּה היא חֲמַת צוֹבָה
חֲמַת ר' 1 וּלְכוּ מִשָּׁם חֲמַת רַבָּה Am.6:2

חֲמָתִי ת' המתיחס על חֲמָת: 1, 2
הַחֲמָתִי 1/2 וְאֶת־הַצְּמָרִי וְאֶת־הַחֲמָתִי Gen.10:18
ICh.1:16

חֵן[1] ז' יופי, נועם (גם בהשאלה): 1—69
קרובים: ראה יָפִי

– חֵן וָחֶסֶד 65; חֵן וְכָבוֹד 50; חֵן וְשֵׂכֶל טוֹב 52; חֵן שְׂפָתַיִם 60
– אֶבֶן חֵן 58; אֵשֶׁת חֵן 56; טוֹבַת חֵן 45; יַעֲלַת חֵן 55; לִוְיַת חֵן 51, 54; רוּחַ חֵן 48; תְּשֻׁאוֹת חֵן 68; שֶׁקֶר הַחֵן 46
– הוּצַק חֵן 49; יוֹדֵעַ חֵן 62; מָצָא חֵן 1—17, 21—44, 52; נָשָׂא חֵן 64—66; נָתַן חֵן 18—20, 53, 57, 69

חֵן 1 וְנֹחַ מָצָא חֵן בְּעֵינֵי יְיָ Gen.6:8
2-9 אִם־נָא מָצָאתִי חֵן בְּעֵינֶיךָ Gen.18:3
30:27; 33:10; 47:29 • Ex.33:13; 34:9 • Jud.6:17
ISh.27:5
10 הִנֵּה־נָא מָצָא עַבְדְּךָ חֵן בְּעֵינֶיךָ Gen.19:19
11 לִמְצֹא־חֵן בְּעֵינֶיךָ Gen.32:5
12 לִמְצֹא־חֵן בְּעֵינֵי אֲדֹנִי Gen.33:8
13 לָמָּה זֶּה אֶמְצָא־חֵן בְּעֵינֵי אֲדֹנִי Gen.33:15
14 אֶמְצָא־חֵן בְּעֵינֵיכֶם Gen.34:11
15 וַיִּמְצָא יוֹסֵף חֵן בְּעֵינָיו Gen.39:4
16 נִמְצָא־חֵן בְּעֵינֵי אֲדֹנִי Gen.47:25

חֵן (המשך)

17 אִם־נָא מָצָאתִי חֵן בְּעֵינֵיכֶם Gen. 50:4
18 וְנָתַתִּי אֶת־חֵן הָעָם־הַזֶּה בְּעֵינֵי מִצְ׳ Ex. 3:21
19 וַיִּתֵּן יְיָ אֶת־חֵן הָעָם בְּעֵינֵי מִצְרָיִם Ex. 11:3
20 וַיְיָ נָתַן אֶת־חֵן הָעָם בְּעֵינֵי מִצְרַיִם Ex. 12:36
21–43 מָצָא (מָצָאתִי, אֶמְצָא...) חֵן בְּעֵינֵי...
Ex. 33:12, 13, 16, 17 • Num. 11:11, 15; 32:5 • Deut. 24:1 • ISh. 1:18; 16:22; 20:3, 29; 25:8 • IISh. 14:22; 15:25; 16:4 • IK. 11:19 • Ruth 2:2, 10, 13 • Es. 5:8; 7:3; 8:5
44 מָצָא חֵן בַּמִּדְבָּר Jer. 31:2(1)
45 זוֹנָה טוֹבַת חֵן בַּעֲלַת כְּשָׁפִים Nah. 3:4
46/7 תְּשֻׁאוֹת חֵן חֵן לָהּ Zech. 4:7
48 וְשָׁפַכְתִּי...רוּחַ חֵן וְתַחֲנוּנִים Zech. 12:10
49 הוּצַק חֵן בְּשִׂפְתוֹתֶיךָ Ps. 45:3
50 חֵן וְכָבוֹד יִתֵּן יְיָ Ps. 84:12
51 כִּי לִוְיַת חֵן הֵם לְרֹאשֶׁךָ Prov. 1:9
52 וּמְצָא־חֵן וְשֵׂכֶל טוֹב
בְּעֵינֵי אֱלֹהִים וְאָדָם Prov. 3:4
53 וְלַעֲנָוִים° יִתֶּן־חֵן Prov. 3:34
54 תִּתֵּן לְרֹאשְׁךָ לִוְיַת־חֵן Prov. 4:9
55 אַיֶּלֶת אֲהָבִים וְיַעֲלַת חֵן Prov. 5:19
56 אֵשֶׁת־חֵן תִּתְמֹךְ כָּבוֹד Prov. 11:16
57 שֵׂכֶל־טוֹב יִתֶּן־חֵן Prov. 13:15
58 אֶבֶן־חֵן הַשֹּׁחַד בְּעֵינֵי בְעָלָיו Prov. 17:8
59 מִכֶּסֶף וּמִזָּהָב חֵן טוֹב Prov. 22:1
60 חֵן שְׂפָתָיו רֵעֵהוּ מֶלֶךְ Prov. 22:11
61 מוֹכִיחַ אָדָם אַחֲרַי חֵן יִמְצָא Prov. 28:23
62 וְגַם לֹא לַיֹּדְעִים חֵן Eccl. 9:11
63 דִּבְרֵי פִי־חָכָם חֵן Eccl. 10:12
64 נֹשֵׂאת חֵן בְּעֵינֵי כָּל־רֹאֶיהָ Es. 2:15
65 וַתִּשָּׂא־חֵן וָחֶסֶד לְפָנָיו Es. 2:17
66 נָשְׂאָה חֵן בְּעֵינָיו Es. 5:2
וְחֵן 67 חַיִּים לְנַפְשֶׁךָ וְחֵן לְגַרְגְּרֹתֶיךָ Prov. 3:22
הַחֵן 68 שֶׁקֶר הַחֵן וְהֶבֶל הַיֹּפִי Prov. 31:30
חִנּוֹ 69 וַיִּתֵּן חִנּוֹ בְּעֵינֵי שַׂר בֵּית־הַסֹּהַר Gen. 39:21

חֵן[2]

שפ״ז – בן דורו של זרובבל
וּלְחֵן 1 וְהָעֲטָרֹת...וּלְחֵן בֶּן־צְפַנְיָה Zech. 6:14

חֵנָדָד

שפ״ז – אבי משפחת לויים בימי זרובבל ונחמיה: 1–4
חֵנָדָד 1 בְּנֵי חֵנָדָד בְּנֵיהֶם וַאֲחֵיהֶם הַלְוִיִּם Ez. 3:9
2 בַּוַּי בֶּן־חֵנָדָד Neh. 3:18
3 אַחֲרָיו הֶחֱזִיק בִּנּוּי בֶּן־חֵנָדָד Neh. 3:24
4 וְהַלְוִיִּם...בִּנּוּי מִבְּנֵי חֵנָדָד Neh. 10:10

חנה

: א) חָנָה; חֲנוֹת, מַחֲנֶה, תַּחֲנוֹת; ש״פ תחן
ב) חָנָה; חֲנוֹת

חָנָה

פ׳ א) נָטָה, שקע: 1
ב) הפסיק הליכתו, הקים מחנה: 2–4, 7–9, 12–14, 18–21, 23–34, 38, 43–124, 137–140, 142
ג) קבע מחנה לצבא כדי לצור על מקום ולכבשו, או כדי להגן על מקום: 5, 6, 10, 11, 15–17, 22, 35–37, 39–42, 125–136, 141, 143
חָנָה בְּ־ 3, 10, 11, 16, 17, 20, 26, 32, 36, 38, 60, 62–110, 112–124, 140; חָנָה עַל־ 5, 18, 21, 22, 28–30, 35, 37, 40–42, 44, 51, 52, 61, 111, 126, 127, 129–132, 136, 141, 143; חָנָה לִפְנֵי 31, 59, 139; חָנָה נֶגֶד 34, 134; חָנָה אֶת פְּנֵי־ 33; חָנָה אֶל־128; חָנָה לְ־ 6; חֲנוֹת הַיּוֹם 1

חֲנוֹת 1 הִנֵּה חֲנוֹת הַיּוֹם לִין פֹּה Jud. 19:9
וּבַחֲנֹת 2 וּבַחֲנֹת הַמִּשְׁכָּן יָקִימוּ אֹתוֹ הַלְוִיִּם Num. 1:51

חֲנֹתֵנוּ 3 כִּי עַל־כֵּן יָדַעְתָּ חֲנֹתֵנוּ בַּמִּדְבָּר Num. 10:31
לַחֲנֹתְכֶם 4 לָתוּר לָכֶם מָקוֹם לַחֲנֹתְכֶם Deut. 1:33
וְחָנִיתִי 5 וְחָנִיתִי כַדּוּר עָלָיִךְ וְצַרְתִּי עָלַיִךְ Is. 29:3
6 וְחָנִיתִי לְבֵיתִי מִצָּבָה Zech. 9:8
חָנָה 7 אֶל־הַמָּקוֹם אֲשֶׁר חָנָה־שָׁם שָׁאוּל ISh. 26:5
8 הוֹי אֲרִיאֵל אֲרִיאֵל קִרְיַת חָנָה דָוִד Is. 29:1
חָנוּ 9 כֵּן־חָנוּ לְדִגְלֵיהֶם וְכֵן נָסָעוּ Num. 2:34
10 וּפְלִשְׁתִּים חָנוּ בַאֲפֵק ISh. 4:1
11 וּפְלִשְׁתִּים חָנוּ בְמִכְמָשׂ ISh. 13:16
וְחָנוּ 12 וְחָנוּ בְּנֵי יִשְׂרָ׳ אִישׁ עַל־מַחֲנֵהוּ... Num. 1:52
חֹנֶה 13 אֲשֶׁר־הוּא חֹנֶה שָׁם הַר הָאֱלֹהִים Ex. 18:5
14 חֹנֶה מַלְאַךְ־יְיָ סָבִיב לִירֵאָיו Ps. 34:8
חֹנָךְ 15 כִּי־אֱלֹהִים פִּזַּר עַצְמוֹת חֹנָךְ Ps. 53:6
חֹנָה 16 וְחַיַּת פְּלִשְׁתִּים חֹנָה בְּעֵמֶק רְפָאִים IISh. 23:13
17 וּמַחֲנֵה פְלִשְׁ׳ חֹנָה בְּעֵמֶק רְפָאִים ICh. 11:15
חֹנִים 18 וַיַּשִּׂיגוּ אוֹתָם חֹנִים עַל־הַיָּם Ex. 14:9
19 וְהָעָם חֹנִים סְבִיבֹתָו ISh. 26:5
20 וְיִשְׂרָאֵל חֹנִים בַּעַיִן ISh. 29:1
21 וְעַבְדֵי אֲדֹנִי עַל־פְּנֵי הַשָּׂדֶה חֹנִים IISh. 11:11
22 וְהָעָם חֹנִים עַל־גִּבְּתוֹן IK. 16:15
הַחֹנִים 23 וְנָסְעוּ הַמַּחֲנוֹת הַחֹנִים קֵדְמָה Num. 10:5
24 וְנָסְעוּ הַמַּחֲנוֹת הַחֹנִים תֵּימָנָה Num. 10:6
25 וַיִּשְׁמַע הָעָם הַחֹנִים לֵאמֹר IK. 16:16
26 הַחוֹנִים בַּגְּדֵרוֹת בְּיוֹם קָרָה Nah. 3:17
וְהַחֹנִים 27 וְהַחֹנִים קֵדְמָה מִזְרָחָה
28 וְהַחֹנִים עָלָיו
29 וְהַחוֹנִם עָלָיו
30 וְהַחֹנִים עָלָיו Num. 2:27
31 וְהַחֹנִים לִפְנֵי הַמִּשְׁכָּן קֵדְמָה Num. 3:38
וַיִּחַן 32 וַיִּחַן בְּנַחַל־גְּרָר וַיֵּשֶׁב שָׁם Gen. 26:17
33 וַיִּחַן אֶת־פְּנֵי הָעִיר Gen. 33:18
34 וַיִּחַן־שָׁם יִשְׂרָאֵל נֶגֶד הָהָר Ex. 19:2
35 וַיִּחַן עָלֶיהָ וַיִּלָּחֶם בָּהּ Josh. 10:31
36 וַיִּחַן בְּתֵבֵץ וַיִּלְכְּדָהּ Jud. 9:50
37 וַיַּעַל...וַיִּחַן עַל־יָבֵישׁ גִּלְעָד ISh. 11:1
38 וַיִּחַן שָׁאוּל בְּגִבְעַת הַחֲכִילָה ISh. 26:3
39 וַיִּחַן יִשְׂרָאֵל וְאַבְשָׁלֹם אֶרֶץ הַגִּלְעָד IISh. 17:26
40 וַיִּחַן עָלֶיהָ וַיִּבְנוּ עָלֶיהָ דָּיֵק IIK. 25:1
41 וַיִּחַן עַל־הֶעָרִים הַבְּצֻרוֹת IICh. 32:1
תַּחֲנֶה 42 אִם־תַּחֲנֶה עָלַי מַחֲנֶה... Ps. 27:3
וַנַּחֲנֶה 43 וַנַּחֲנֶה שָׁם יָמִים שְׁלֹשָׁה Ez. 8:15
תַּחֲנוּ 44 נִכְחוֹ תַחֲנוּ עַל־הַיָּם Ex. 14:2
יַחֲנוּ 45 וְסָבִיב לַמִּשְׁכָּן יַחֲנוּ Num. 1:50
46 וְהַלְוִיִּם יַחֲנוּ סָבִיב לְמִשְׁכַּן הָעֵדֻת Num. 1:53
47 אִישׁ עַל־דִּגְלוֹ...יַחֲנוּ בְּנֵי יִשְׂרָאֵל Num. 2:2
48 מִנֶּגֶד סָבִיב לְאֹהֶל־מוֹעֵד יַחֲנוּ Num. 2:2
49 כַּאֲשֶׁר יַחֲנוּ כֵּן יִסָּעוּ Num. 2:17
50 אַחֲרֵי הַמִּשְׁכָּן יַחֲנוּ יָמָּה Num. 3:23
51 יַחֲנוּ עַל יֶרֶךְ הַמִּשְׁכָּן תֵּימָנָה Num. 3:29
52 עַל יֶרֶךְ הַמִּשְׁכָּן יַחֲנוּ צָפֹנָה Num. 3:35
53 וּבִמְקוֹם...שָׁם יַחֲנוּ בְּנֵי יִשְׂרָאֵל Num. 9:17
54–58 יַחֲנוּ Num. 9:18[2], 20, 22, 23
וְיַחֲנוּ 59 וְיָשֻׁבוּ וְיַחֲנוּ לִפְנֵי פִּי הַחִירֹת Ex. 14:2
וַיַּחֲנוּ 60 וַיִּסְעוּ מִסֻּכֹּת וַיַּחֲנוּ בְאֵתָם Ex. 13:20
61 וַיַּחֲנוּ־שָׁם עַל־הַמָּיִם Ex. 15:27
62 וַיִּסְעוּ...וַיַּחֲנוּ בִּרְפִידִים Ex. 17:1
63 וַיָּבֹאוּ מִדְבַּר סִינַי וַיַּחֲנוּ בַּמִּדְבָּר Ex. 19:2
64 וַיַּחֲנוּ בְּמִדְבַּר פָּארָן Num. 12:16
65 וַיִּסְעוּ בְּנֵי יִשְׂרָאֵל וַיַּחֲנוּ בְּאֹבֹת Num. 21:10
66 וַיַּחֲנוּ בְּעִיֵּי הָעֲבָרִים Num. 21:11
67 מִשָּׁם נָסָעוּ וַיַּחֲנוּ בְּנַחַל זָרֶד Num. 21:12
68 מִשָּׁם נָסָעוּ וַיַּחֲנוּ מֵעֵבֶר אַרְנוֹן Num. 21:13

וַיַּחֲנוּ (המשך)
69 וַיִּסְעוּ בְּ״י וַיַּחֲנוּ בְּעַרְבוֹת מוֹאָב Num. 22:1
70–110 וַיִּסְעוּ...וַיַּחֲנוּ בְּ־... Num. 33:5, 6, 7, 8; 33:9, 10, 11, 12, 13, 14, 15, 16, 17, 18, 19, 20, 21, 22, 23; 33:24, 25, 26, 27, 28, 29, 30, 31, 32, 33, 34, 35; 33:36, 37, 41, 42, 43, 44, 45, 46, 47, 48
111 וַיַּחֲנוּ עַל־הַיַּרְדֵּן... Num. 33:49
112 עָלוּ מִן־הַיַּרְדֵּן...וַיַּחֲנוּ בַּגִּלְגָּל Josh. 4:19
113–124 וַיַּחֲנוּ בְ־ Josh. 5:10
Jud. 6:33; 10:17[2]; 11:20; 15:9; 18:12 • ISh. 13:5; 17:2; 28:4[2] • IISh. 24:5
125 וַיַּחֲנוּ מִצְּפוֹן לָעַי Josh. 8:11
126 וַיַּחֲנוּ עַל־גִּבְעוֹן וַיִּלָּחֲמוּ עָלֶיהָ Josh. 10:5
127 וַיַּחֲנוּ עָלֶיהָ וַיִּלָּחֲמוּ עָלֶיהָ Josh. 10:34
128 וַיַּחֲנוּ יַחְדָּו אֶל־מֵי מֵרוֹם Josh. 11:5
129 וַיַּחֲנוּ עֲלֵיהֶם וַיַּשְׁחִיתוּ אֶת־יְבוּל Jud. 6:4
130 וַיַּחֲנוּ עַל־עֵין חֲרֹד Jud. 7:1
131 וַיָּקוּמוּ...וַיַּחֲנוּ עַל־הַגִּבְעָה Jud. 20:19
132 וַיַּחֲנוּ עַל־הָאֶבֶן הָעֵזֶר ISh. 4:1
133 וַיַּחֲנוּ בֵּין־שׂוֹכֹה וּבֵין־עֲזֵקָה ISh. 17:1
134 וַיַּחֲנוּ בְנֵי־יִשְׂרָאֵל נֶגְדָּם IK. 20:27
135 וַיַּחֲנוּ אֵלֶּה נֹכַח־אֵלֶּה שִׁבְעַת יָמִים IK. 20:29
136 וַיַּחֲנוּ עָלֶיהָ וַיִּבְנוּ עָלֶיהָ דָּיֵק Jer. 52:4
137 וַיַּחֲנוּ סָבִיב לְאָהֳלִי Job 19:12
138 [illegible] מִבְּאֵר־שֶׁבַע עַד־גֵּיא־הִנֹּם Neh. 11:30
וַיַּחֲנוּ לִפְנֵי מֵידְבָא ICh. 19:7
..וַיַּחֲנוּן בְּעֵבֶר אַרְנוֹן Jud. 11:18
[illegible] עַל־הָעִיר וְלָכְדָהּ IISh. 12:28
חֲנוּ 142 וְאַתֶּם חֲנוּ מִחוּץ לַמַּחֲנֶה Num. 31:19
143 חֲנוּ עָלֶיהָ סָבִיב Jer. 50:29

חַנָּה

פ׳ צורת-משנה של ״חָנַן״: רחם: 2,1
חַנּוֹת 1 הֲשָׁכַח חַנּוֹת אֵל אִם־קָפַץ בְּאַף רַחֲמָיו Ps. 77:10
וְחַנֹּתִי 2 (?) רוּחִי זָרָה לְאִשְׁתִּי
וְחַנֹּתִי לִבְנֵי בִטְנִי Job 19:17

חַנָּה

שפ״נ – אשת אלקנה, אמו של שמואל הנביא: 1–13
חַנָּה 1 שֵׁם אַחַת חַנָּה וְשֵׁם הַשֵּׁנִית פְּנִנָּה ISh. 1:2
2 כִּי אֶת־חַנָּה אָהֵב ISh. 1:5
3 חַנָּה לָמֶה תִבְכִּי וְלָמֶה לֹא תֹאכְלִי ISh. 1:8
4 וַתָּקָם חַנָּה אַחֲרֵי אָכְלָה בְשִׁלֹה ISh. 1:9
5 וַתַּעַן חַנָּה וַתֹּאמֶר ISh. 1:15
6 וַיֵּדַע אֶלְקָנָה אֶת־חַנָּה אִשְׁתּוֹ ISh. 1:19
7 וַתַּהַר חַנָּה וַתֵּלֶד בֵּן ISh. 1:20
8 וַתִּתְפַּלֵּל חַנָּה וַתֹּאמַר ISh. 2:1
9 כִּי־פָקַד יְיָ אֶת־חַנָּה IISh. 2:21
וְחַנָּה 10 וְחַנָּה הִיא מְדַבֶּרֶת עַל־לִבָּהּ ISh. 1:13
11 וְחַנָּה לֹא עָלָתָה ISh. 1:22
וּלְחַנָּה 12 וּלְחַנָּה אֵין יְלָדִים ISh. 1:2
13 וּלְחַנָּה יִתֵּן מָנָה אַחַת אַפָּיִם ISh. 1:5

חָנוּט*

ת׳ (גוף) מותקן בסממנים כדי לשמרו
הַחֲנֻטִים 1 כִּי כֵּן יִמְלְאוּ יְמֵי הַחֲנֻטִים Gen. 50:3

חֲנוֹךְ

שפ״ז א) בן קין: 2,1
ב) בן ירד, מצאצאי שת: 3–8, 13
ג) מבני מדין בן אברהם: 14–16
ד) בכור ראובן, אבי משפחת החנוכי: 9–12
חֲנוֹךְ 1 וַתַּהַר וַתֵּלֶד אֶת־חֲנוֹךְ Gen. 4:17
2 שֵׁם הָעִיר כְּשֵׁם בְּנוֹ חֲנוֹךְ Gen. 4:17
3 וַיְחִי־יֶרֶד...וַיּוֹלֶד אֶת־חֲנוֹךְ Gen. 5:18
4 אַחֲרֵי הוֹלִידוֹ אֶת־חֲנוֹךְ Gen. 5:19

חֲנוֹךְ (המשך) 5 וַיְחִי חֲנוֹךְ חָמֵשׁ וְשִׁשִּׁים שָׁנָה Gen. 5:21
6-7 וַיִּתְהַלֵּךְ חֲנוֹךְ אֶת־הָאֱלֹהִים Gen. 5:22,24
8 וַיְהִי כָּל־יְמֵי חֲנוֹךְ... Gen. 5:23
9-11 (ג)בְנֵי רְאוּבֵן חֲנוֹךְ וּפַלּוּא... Gen. 46:9 Ex. 6:14 • ICh. 5:3
12 חֲנוֹךְ מִשְׁפַּחַת הַחֲנֹכִי Num. 26:5
13 חֲנוֹךְ מְתוּשֶׁלַח לָמֶךְ ICh. 1:3
וַחֲנוֹךְ 14 וּבְנֵי מִדְיָן עֵיפָה וָעֵפֶר וַחֲנֹךְ Gen. 25:4
15 וּבְנֵי מִדְיָן עֵיפָה וָעֵפֶר וַחֲנוֹךְ ICh. 1:33
לַחֲנוֹךְ 16 וַיִּוָּלֵד לַחֲנוֹךְ אֶת־עִירָד Gen. 4:18

חֲנוֹכִי
ת׳ – המתיחס על חֲנוֹךְ (ד)
הַחֲנֹכִי 1 חֲנוֹךְ מִשְׁפַּחַת הַחֲנֹכִי Num. 26:5

חַנּוּן
ת׳ רחום, מתארי ה׳ אלהי ישראל: 1–13
חַנּוּן וְרַחוּם 2–6, 8–10; רַחוּם וְחַנּוּן 11–13
חַנּוּן 1 וְשָׁמַעְתִּי כִּי־חַנּוּן אָנִי Ex. 22:26
2 כִּי־חַנּוּן וְרַחוּם הוּא Joel 2:13
3 כִּי אַתָּה אֵל־חַנּוּן וְרַחוּם Jon. 4:2
4-5 חַנּוּן וְרַחוּם יְיָ Ps. 111:4; 145:8
6 חַנּוּן וְרַחוּם וְצַדִּיק Ps. 112:4
7 חַנּוּן יְיָ וְצַדִּיק וֵאלֹהֵינוּ מְרַחֵם Ps. 116:5
8 אֱלוֹהַּ סְלִיחוֹת חַנּוּן וְרַחוּם Neh. 9:17
9 כִּי אֵל־חַנּוּן וְרַחוּם אָתָּה Neh. 9:31
10 כִּי־חַנּוּן וְרַחוּם יְיָ IICh. 30:9
וְחַנּוּן 11 יְיָ יְיָ אֵל רַחוּם וְחַנּוּן Ex. 34:6
12 וְאַתָּה אֲדֹנָי אֵל־רַחוּם וְחַנּוּן Ps. 86:15
13 רַחוּם וְחַנּוּן יְיָ Ps. 103:8

חָנוּן
שפ״ז א) מלך בני עמון בימי דוד: 1–5, 7–9, 11
ב) שני אנשים מבוני הבית בימי נחמיה: 6, 10
חָנוּן 1 וַיִּמְלֹךְ חָנוּן בְּנוֹ תַּחְתָּיו IISh. 10:1
2 אֶעֱשֶׂה־חֶסֶד עִם־חָנוּן בֶּן־נָחָשׁ IISh. 10:2
3 וַיֹּאמְרוּ...אֶל־חָנוּן אֲדֹנֵיהֶם IISh. 10:3
4/5 וַיִּקַּח חָנוּן אֶת־עַבְדֵי IISh. 10:4 • ICh. 19:4
6 אֵת שַׁעַר הַגַּיְא הֶחֱזִיק חָנוּן Neh. 3:13
7 אֶעֱשֶׂה־חֶסֶד עִם־חָנוּן בֶּן־נָחָשׁ ICh. 19:2
8 וַיָּבֹאוּ...אֶל־חָנוּן לְנַחֲמוֹ ICh. 19:2
9 וַיִּשְׁלַח חָנוּן וּבְנֵי עַמּוֹן ICh. 19:6
וְחָנוּן 10 וְחָנוּן בֶּן־צָלָף הַשִּׁשִּׁי מִדָּה שֵׁנִי Neh. 3:30
לְחָנוּן 11 וַיֹּאמְרוּ שָׂרֵי בְנֵי־עַמּוֹן לְחָנוּן ICh. 19:3

חָנוּת*
נ׳ חדר? תא?
הַחֲנֻיּוֹת 1 אֶל־בֵּית הַבּוֹר וְאֶל־הַחֲנֻיּוֹת Jer. 37:16

חַנּוֹת
(תהלים עז10), חַנֹּתִי (איוב יט17) – עין חָנַן

חנט :
חָנַט, חָנוּט; חִטָּה; ארמית: חִנְטִין

חָנַט
פָּ׳ א) שִׁמֵּר גופת מת בסממנים: 1–3
ב) התחיל להבשיל (תאנה): 4
לַחֲנֹט 1 וַיְצַו יוֹסֵף...לַחֲנֹט אֶת־אָבִיו Gen. 50:2
וַיַּחַנְטוּ 2 וַיַּחַנְטוּ הָרֹפְאִים אֶת־יִשְׂרָאֵל Gen. 50:2
3 וַיַּחַנְטוּ אֹתוֹ וַיִּישֶׂם בָּאָרוֹן Gen. 50:26
חָנְטָה 4 הַתְּאֵנָה חָנְטָה פַגֶּיהָ S.ofS. 2:13

חֲנֻטִים
עין חָנוּט

חִנְטִין
נ״ר ארמית: חִטִּים: 1, 2
חִנְטִין 1 חִנְטִין מְלַח חֲמַר וּמְשַׁח Ez. 6:9
2 וְעַד־חִנְטִין כּוֹרִין מְאָה Ez. 7:22

חַנִּיאֵל
שפ״ז א) נשיא למטה מנשה בימי משה: 1
ב) אבי משפחה משבט אשר: 2
חַנִּיאֵל 1 לִבְנֵי יוֹסֵף...חַנִּיאֵל בֶּן־אֵפֹד Num. 34:23
וְחַנִּיאֵל 2 וּבְנֵי עֻלָּא אָרַח וְחַנִּיאֵל וְרִצְיָא ICh. 7:39

חָנִיךְ*
ז׳ עֶבֶד לוחם (?)
חֲנִיכָיו 1 וַיָּרֶק אֶת־חֲנִיכָיו יְלִידֵי בֵיתוֹ Gen. 14:14

חֲנִינָה
נ׳ רחמים
חֲנִינָה 1 אֲשֶׁר לֹא־אֶתֵּן לָכֶם חֲנִינָה Jer. 16:13

חֲנִית
נ׳ כלי־נשק, מוט מחודד בקצהו: 1–47
קרובים: חֶרֶב / כִּידוֹן / מַאֲכֶלֶת / קַיִן / רֹמַח / שֶׁלַח
חֶרֶב וַחֲנִית 1, 2, 5, 10, 12, 27, 28, 46; חֲנִית וְחִצִּים 8;
חֲ׳ וְכִידוֹן 9; צִנָּה וַחֲנִית 13; חֲנִית הַמֶּלֶךְ 29, 30
אַחֲרֵי הַחֲנִית 19; בְּרַק חֲ׳ 5, 31; לַהַב חֲ׳ 9;
עֵץ חֲנִית 3, 32, 35, 36
הֵטִיל חֲנִית 14–15; הֵרִיק חֲ׳ 6; עוֹרֵר חֲ׳ 37–39;
קִצֵּץ חֲנִית 7
חֲנִית 1 פֶּן יַעֲשׂוּ הָעִבְרִים חֶרֶב אוֹ חֲנִית ISh. 13:19
2 וְאִין יֶשׁ־פֹּה...חֲנִית אוֹ־חֶרֶב ISh. 21:9
3 ...יִמָּלֵא בַרְזֶל וְעֵץ חֲנִית IISh. 23:7
4 וּבְיַד הַמִּצְרִי חֲנִית IISh. 23:21
5 וְלַהַב חֶרֶב וּבְרַק חֲנִית Nah. 3:3
6 וְהָרֵק חֲנִית וּסְגֹר לִקְרַאת רֹדְפָי Ps. 35:3
7 קֶשֶׁת יְשַׁבֵּר וְקִצֵּץ חֲנִית Ps. 46:10
8 שִׁנֵּיהֶם חֲנִית וְחִצִּים Ps. 57:5
9 לַהַב חֲנִית וְכִידוֹן Job 39:23
10 חֶרֶב בְּלִי תָקוּם חֲנִית מַסָּע וְשִׁרְיָה Job 41:18
11 וּבְיַד הַמִּצְרִי חֲנִית כִּמְנוֹר אֹרְגִים ICh. 11:23
וַחֲנִית 12 וְלֹא נִמְצָא חֶרֶב וַחֲנִית בְּיַד כָּל־הָעָם ISh. 13:22
13 וְעִמָּהֶם בְּצִנָּה וַחֲנִית ICh. 12:35(34)
הַחֲנִית 14/5 וַיָּטֶל שָׁאוּל אֶת־הַחֲנִית ISh. 18:11; 20:33
16 וַיַּךְ אֶת־הַחֲנִית בַּקִּיר ISh. 19:10
17 וְעַתָּה קַח־נָא אֶת־הַחֲנִית ISh. 26:11
18 וַיִּקַּח דָּוִד אֶת־הַחֲנִית ISh. 26:12
19 וַיַּכֵּהוּ...בְּאַחֲרֵי הַחֲנִית אֶל־הַחֹמֶשׁ IISh. 2:23
20 וַתֵּצֵא הַחֲנִית מֵאַחֲרָיו IISh. 2:23
21 וַיִּגְזֹל אֶת־הַחֲנִית מִיַּד הַמִּצְרִי IISh. 23:21
22 אֶת־הַחֲנִית וְאֶת־הַשְּׁלָטִים IIK. 11:10
23 וַיִּגְזֹל אֶת־הַחֲנִית מִיַּד הַמִּצְרִי ICh. 11:23
וְהַחֲנִית 24 וְהַחֲנִית בְּיַד־שָׁאוּל ISh. 18:10
בַּחֲנִית 25 לְהַכּוֹת בַּחֲנִית בְּדָוִד וּבַקִּיר ISh. 19:10
26 אַכֶּנּוּ נָא בַּחֲנִית וּבָאָרֶץ ISh. 26:8
וּבַחֲנִית 27 אַתָּה בָּא אֵלַי בְּחֶרֶב וּבַחֲנִית ISh. 17:45
28 כִּי־לֹא בְּחֶרֶב וּבַחֲנִית יְהוֹשִׁיעַ יְיָ ISh. 17:47
חֲנִית־ 29 רְאֵה אֵי־חֲנִית הַמֶּלֶךְ... ISh. 26:16
30 וַיֹּאמֶר הִנֵּה חֲנִית (כת׳ החנית) הַמֶּלֶךְ ISh. 26:22
חֲנִיתֶךָ 31 לְאוֹר חִצֶּיךָ...לְנֹגַהּ בְּרַק חֲנִיתֶךָ Hab. 3:11
חֲנִיתוֹ 32 וְעֵץ׳ חֲנִיתוֹ כִּמְנוֹר אֹרְגִים ISh. 17:7
33 וְלֶהֶבֶת חֲנִיתוֹ שֵׁשׁ־מֵאוֹת שְׁקָלִים ISh. 17:7
34 וְהִנֵּה שָׁאוּל נִשְׁעָן עַל־חֲנִיתוֹ IISh. 1:6
35/6 וְעֵץ חֲנִיתוֹ כִּמְנוֹר אֹרְגִים IISh. 21:19 • ICh. 20:5
37-39 עוֹרֵר אֶת־חֲנִיתוֹ IISh. 23:18 • ICh. 11:11, 20
וַחֲנִיתוֹ 40 וְהוּא בְּבֵיתוֹ יוֹשֵׁב וַחֲנִיתוֹ בְּיָדוֹ ISh. 19:9
41 וְשָׁאוּל יוֹשֵׁב בַּגִּבְעָה...וַחֲנִיתוֹ בְיָדוֹ ISh. 22:6
42 וַחֲנִיתוֹ מְעוּכָה־בָאָרֶץ מְרַאֲשֹׁתָו ISh. 26:7
בַּחֲנִיתוֹ 43/4 וַיַּהַרְגֵהוּ בַּחֲנִיתוֹ IISh. 23:21 • ICh. 11:23
הַחֲנִיתִים 45 אֶת־הַחֲנִיתִים וְאֶת־הַמָּגִנּוֹת IICh. 23:9
וַחֲנִיתוֹתֵיהֶם 46 וְכִתְּתוּ חַרְבוֹתָם לְאִתִּים
וַחֲנִיתוֹתֵיהֶם לְמַזְמֵרוֹת Is. 2:4
47 וְכִתְּתוּ...וַחֲנִיתֹתֵיהֶם לְמַזְמֵרוֹת Mic. 4:3

חנך :
חָנַךְ; חָנִיךְ, חֲנֻכָּה; ש״פ חֲנוֹךְ, חֲנוֹכִי

חָנַךְ
פָּ׳ א) ערך טקס פתיחת מקום: 1–4
ב) לִמֵּד, הדריך: 5
חֲנָכוֹ 1 אֲשֶׁר בָּנָה בַיִת־חָדָשׁ וְלֹא חֲנָכוֹ Deut. 20:5
יַחְנְכֶנּוּ 2 פֶּן־יָמוּת...וְאִישׁ אַחֵר יַחְנְכֶנּוּ Deut. 20:5
וַיַּחְנְכוּ 3 וַיַּחְנְכוּ אֶת־בֵּית יְיָ IK. 8:63
4 וַיַּחְנְכוּ אֶת־בֵּית הָאֱלֹהִים IICh. 7:5
חֲנֹךְ 5 חֲנֹךְ לַנַּעַר עַל־פִּי דַרְכּוֹ Prov. 22:6

חֲנֻכָּה
נ׳ הקדשת בנין או מתקן חדש לתפקידו: 1–8
חֲנֻכַּת הַבַּיִת 5; חֲ׳ חוֹמָה 7; חֲ׳ הַמִּזְבֵּחַ 2–4, 6, 6, 8
חֲנֻכָּה 1 לַעֲשֹׂת חֲנֻכָּה וְשִׂמְחָה... Neh. 12:27
חֲנֻכַּת־ 2 חֲנֻכַּת הַמִּזְבֵּחַ בְּיוֹם הִמָּשַׁח אֹתוֹ Num. 7:10
3-4 זֹאת חֲנֻכַּת הַמִּזְבֵּחַ Num. 7:84, 88
5 מִזְמוֹר שִׁיר־חֲנֻכַּת הַבַּיִת Ps. 30:1
6 חֲנֻכַּת הַמִּזְבֵּחַ עָשׂוּ שִׁבְעַת יָמִים IICh. 7:9
וּבַחֲנֻכַּת־ 7 וּבַחֲנֻכַּת חוֹמַת יְרוּשָׁלַםִ... Neh. 12:27
לַחֲנֻכַּת־ 8 ...יַקְרִיבוּ...לַחֲנֻכַּת הַמִּזְבֵּחַ Num. 7:11

חֲנֻכָּה*
נ׳ ארמית: כמו בעברית: 1–4
חֲנֻכַּת בֵּית אֱלָהָא 1, 4; חֲ׳ צַלְמָא 2, 3
חֲנֻכַּת־ 1 וַעֲבַדוּ...חֲנֻכַּת בֵּית־אֱלָהָא דְנָה Ez. 6:16
לַחֲנֻכַּת־ 2 לְמֵתֵא לַחֲנֻכַּת צַלְמָא Dan. 3:2
3 בֵּאדַיִן מִתְכַּנְּשִׁין...לַחֲנֻכַּת צַלְמָא Dan. 3:3
4 וְהַקְרִבוּ לַחֲנֻכַּת בֵּית־אֱלָהָא דְנָה Ez. 6:17

חֲנֹכִי
עין חֲנוֹכִי

חִנָּם
תה״פ א) בלא תמורה: 1–4, 7, 9–11, 29, 31
ב) בלא סבה, לשוא: 5, 6, 8, 12, 13–28, 30, 32
אֵל חִנָּם 12; דָּם (דְּמֵי) חִנָּם 6, 8; עֵד חָ׳ 25;
עוֹלוֹת חָ׳ 7; קִלְלַת חָ׳ 26; שׂוֹנֵא חִנָּם 17, 18
חִנָּם 1 הֲכִי־אָחִי אַתָּה וַעֲבַדְתַּנִי חִנָּם Gen. 29:15
2 וּבַשְּׁבִעִת יֵצֵא לַחָפְשִׁי חִנָּם Ex. 21:2
3 וְיָצְאָה חִנָּם אֵין כָּסֶף Ex. 21:11
4 הַדָּגָה אֲשֶׁר־נֹאכַל בְּמִצְרַיִם חִנָּם Num. 11:5
5 לְהָמִית אֶת־דָּוִד חִנָּם ISh. 19:5
6 וְלִשְׁפָּךְ־דָּם חִנָּם ISh. 25:31
7 וְלֹא אַעֲלֶה...עֹלוֹת חִנָּם IISh. 24:24
8 וַהֲסִירֹתָ דְּמֵי חִנָּם...מֵעָלַי IK. 2:31
9 חִנָּם נִמְכַּרְתֶּם וְלֹא בְכֶסֶף תִּגָּאֵלוּ Is. 52:3
10 כִּי־לֻקַּח עַמִּי חִנָּם Is. 52:5
11 בְּרֵעֵהוּ יַעֲבֹד חִנָּם... Jer. 22:13
12 לֹא אֶל־חִנָּם דִּבַּרְתִּי Ezek. 6:10
13 וִידַעְתֶּם כִּי לֹא חִנָּם עָשִׂיתִי... Ezek. 14:23
14 וְלֹא־תָאִירוּ מִזְבְּחִי חִנָּם Mal. 1:10
15 כִּי־חִנָּם טָמְנוּ־לִי שַׁחַת רִשְׁתָּם Ps. 35:7
16 חִנָּם חָפְרוּ לְנַפְשִׁי Ps. 35:7
17 שֹׂנְאַי חִנָּם יִקְרְצוּ־עָיִן Ps. 35:19
18 רַבּוּ...שֹׂנְאַי חִנָּם Ps. 69:5
19 וַיִּלָּחֲמוּנִי חִנָּם Ps. 109:3
20 שָׂרִים רְדָפוּנִי חִנָּם Ps. 119:161
21 נִצְפְּנָה לְנָקִי חִנָּם Prov. 1:11
22 כִּי־חִנָּם מְזֹרָה הָרָשֶׁת... Prov. 1:17
23 אַל־תָּרִיב° עִם־אָדָם חִנָּם Prov. 3:30
24 לְמִי פְּצָעִים חִנָּם Prov. 23:29
25 אַל־תְּהִי עֵד־חִנָּם בְּרֵעֶךָ Prov. 24:28
26 כֵּן קִלְלַת חִנָּם לֹוא תָבֹא Prov. 26:2
27 וַתְּסִיתֵנִי בוֹ לְבַלְּעוֹ חִנָּם Job 2:3
28 וְהִרְבָּה פְצָעַי חִנָּם Job 9:17

חִנָּם (המשך)
29 כִּי־תַחְבֹּל אַחִיךָ חִנָּם Job 22:6
30 צוֹד צָדוּנִי כַּצִּפּוֹר אֹיְבַי חִנָּם Lam. 3:52
31 ...וְהַעֲלוֹת עוֹלָה חִנָּם ICh. 21:24
הַחִנָּם 32 הַחִנָּם יָרֵא אִיּוֹב אֱלֹהִים Job 1:9

חֲנַמְאֵל שפ״ז – דודו של ירמיה: 1–4
חֲנַמְאֵל 1 חֲנַמְאֵל בֶּן־שַׁלֻּם דֹּדְךָ בָּא אֵלֶיךָ Jer. 32:7
2 וַיָּבֹא אֵלַי חֲנַמְאֵל בֶּן־דֹּדִי Jer. 32:8
3 וָאֶקְנֶה...מֵאֵת חֲנַמְאֵל בֶּן־דֹּדִי Jer. 32:9
4 לְעֵינֵי חֲנַמְאֵל דֹּדִי וּלְעֵינֵי הָעֵדִים Jer. 32:12

חֲנָמַל ז׳ בָּרָד (?)
בַּחֲנָמַל 1 יַהֲרֹג בַּבָּרָד גַּפְנָם וְשִׁקְמוֹתָם בַּחֲנָמַל Ps. 78:47

חנן : חָנַן, חוֹנֵן, חִנֵּן, הִתְחַנֵּן; חִין, חֵן, חַנּוּן, חֲנִינָה, חִנָּם, תְּחִנָּה, תַּחֲנוּנִים; ש״פ חַנָּה, חָנוּן, חַנִּיאֵל, חָנָן, חֲנָנִי, חֲנַנְיָה, חֲנַנְיָהוּ, חֲנַמְאֵל(?), חֲנַנְאֵל, יְהוֹחָנָן

חָנַן פ׳ א) עשה חסד, רחם: 1–5, 8, 9, 17–54
ב) נתן מתוך רחמים: 6, 7, 10–16, 55
ג) [נפ׳ נֵחַן] נזקק לרחמים: 56
ד) [פ׳ חוֹנֵן] רחם, אהב: 57, 58
ה) [פ׳ חִנֵּן] שוה חן: 59
ו) [הת׳ הִתְחַנֵּן] בקש, התפלל: 60–76
ז) [הפ׳ הוּחַן] זכה לחנינה: 77, 78
חָנַן (אֶת) 1–55; חִנֵּן קוֹלוֹ 59; הִתְחַנֵּן לְ־ 60, 68, 71, 75, 76; הִתְחַנֵּן אֶל־ 61, 64, 65, 67, 69, 70, 72–74; הִתְחַנֵּן לִפְנֵי־ 62, 63, 66

חָנוֹן 1 חָנוֹן יָחְנְךָ לְקוֹל זַעֲקֶךָ Is. 30:19
לְחֶנְנָהּ 2 כִּי־עֵת לְחֶנְנָהּ Ps. 102:14
לַחֲנַנְכֶם 3 וְלָכֵן יְחַכֶּה יְיָ לַחֲנַנְכֶם Is. 30:18
וְחַנֹּתִי 4 וְחַנֹּתִי אֶת־אֲשֶׁר אָחֹן Ex. 33:19
5 וְחַנֹּתִי לִבְנֵי בִטְנִי Job 19:17
חָנַן 6 הַיְלָדִים אֲשֶׁר־חָנַן אֱלֹ׳ אֶת־עַבְדֶּךָ Gen. 33:5
חַנַּנִי 7 כִּי־חַנַּנִי אֱלֹהִים וְכִי יֶשׁ־לִי־כֹל Gen. 33:11
וְחַנַּנִי 8 מִי יוֹדֵעַ וְחַנַּנִי (כ׳ וחננו) יְיָ וְחַי הַיָּלֶד IISh. 12:22
חָנָנוּ 9 וּזְקֵנִים° לֹא חָנָנוּ Lam. 4:16
חוֹנֵן 10 לֹוֶה רָשָׁע...וְצַדִּיק חוֹנֵן וְנוֹתֵן Ps. 37:21
11 כָּל־הַיּוֹם חוֹנֵן וּמַלְוֶה Ps. 37:26
12 וְאַל־יְהִי חוֹנֵן לִיתוֹמָיו Ps. 109:12
13 טוֹב־אִישׁ חוֹנֵן וּמַלְוֶה Ps. 112:5
14 וּמְכַבְּדוֹ חֹנֵן אֶבְיוֹן Prov. 14:31
15 מַלְוֵה יְיָ חוֹנֵן דָּל Prov. 19:17
לְחוֹנֵן 16 לְחוֹנֵן דַּלִּים יִקְבְּצֶנּוּ Prov. 28:8
אָחֹן 17 וְחַנֹּתִי אֶת־אֲשֶׁר אָחֹן Ex. 33:19
תָּחֹן 18 אַל־תָּחֹן כָּל בֹּגְדֵי אָוֶן Ps. 59:6
תְחָנֵּם 19 לֹא־תִכְרֹת לָהֶם בְּרִית וְלֹא תְחָנֵּם Deut. 7:2
יָחֹן 20 לֹא־יִשָּׂא פָנִים לְזָקֵן וְנַעַר לֹא יָחֹן Deut. 28:50
וַיָּחָן 21 וַיָּחָן יְיָ אֹתָם וַיְרַחֲמֵם IIK. 13:23
יֶחֱנַן 22 אוּלַי יֶחֱנַן יְיָ אֱלֹהֵי־צְבָאוֹת Am. 5:15
יָחְנְךָ 23 אֱלֹהִים יָחְנְךָ בְּנִי Gen. 43:29
24 חָנוֹן יָחְנְךָ לְקוֹל זַעֲקֶךָ Is. 30:19
וִיחֻנֶּךָּ 25 יָאֵר יְיָ פָּנָיו אֵלֶיךָ וִיחֻנֶּךָּ Num. 6:25
יְחֻנֶּנּוּ 26 וְיֹצְרוֹ לֹא יְחֻנֶּנּוּ Is. 27:11
וַיְחֻנֶּנּוּ 27 וַיְחֻנֶּנּוּ וַיֹּאמֶר פְּדָעֵהוּ מֵרֶדֶת שַׁחַת Job 33:24
יְחָנֵּנוּ 28 אֱלֹהִים יְחָנֵּנוּ וִיבָרְכֵנוּ Ps. 67:2
וִיחָנֵנוּ 29 חַלּוּ־נָא פְנֵי־אֵל וִיחָנֵנוּ Mal. 1:9
שֶׁיְּחָנֵּנוּ 30 עֵינֵינוּ אֶל־יְיָ אֱלֹ׳ עַד שֶׁיְּחָנֵּנוּ Ps. 123:2
חָנֵּנִי 31 חָנֵּנִי וּשְׁמַע תְּפִלָּתִי Ps. 4:2
32 חָנֵּנִי יְיָ כִּי אֻמְלַל אָנִי Ps. 6:3
33 חָנֵּנִי יְיָ כִּי צַר לִי Ps. 31:10
34 אֲנִי־אָמַרְתִּי יְיָ חָנֵּנִי Ps. 41:5

חָנֵּנִי (המשך)
35 וְאַתָּה יְיָ חָנֵּנִי וַהֲקִימֵנִי Ps. 41:11
36 חָנֵּנִי אֱלֹהִים כְּחַסְדֶּךָ Ps. 51:3
37 חָנֵּנִי אֱלֹהִים כִּי־שְׁאָפַנִי אֱנוֹשׁ Ps. 56:2
38–39 חָנֵּנִי אֱלֹהִים חָנֵּנִי Ps. 57:2
40 חָנֵּנִי אֲדֹנָי כִּי־אֵלֶיךָ אֶקְרָא Ps. 86:3
41 וְתוֹרָתְךָ חָנֵּנִי Ps. 119:29
42 חָנֵּנִי כְּאִמְרָתֶךָ Ps. 119:58
וְחָנֵּנִי 43–45 פְּנֵה(־) אֵלַי וְחָנֵּנִי Ps. 25:16; 86:16; 119:132
46 וַאֲנִי בְּתֻמִּי אֵלֵךְ פְּדֵנִי וְחָנֵּנִי Ps. 26:11
47 שְׁמַע־יְיָ...וְחָנֵּנִי וַעֲנֵנִי Ps. 27:7
48 שְׁמַע־יְיָ וְחָנֵּנִי Ps. 30:11
חָנְנֵנִי 49 חָנְנֵנִי יְיָ רְאֵה עָנְיִי Ps. 9:14
חָנֵּנוּ 50 יְיָ חָנֵּנוּ לְךָ קִוִּינוּ Is. 33:2
51–52 חָנֵּנוּ יְיָ חָנֵּנוּ Ps. 123:3
חָנֻּנִי 53–54 חָנֻּנִי חָנֻּנִי אַתֶּם רֵעָי Job 19:21
חָנּוּנוּ 55 וְאָמַרְנוּ אֲלֵיהֶם חָנּוּנוּ אוֹתָם Jud. 21:22
נֵּחַנְתְּ 56 מַה־נֵּחַנְתְּ בְּבֹא־לָךְ חֲבָלִים Jer. 22:23
וּמְחוֹנֵן 57 וּמְחוֹנֵן עֲנָיִים° אַשְׁרָיו Prov. 14:21
יְחוֹנֵנוּ 58 וְאֶת־עֲפָרָהּ יְחֹנֵנוּ Ps. 102:15
יְחַנֵּן 59 כִּי־יְחַנֵּן קוֹלוֹ אַל־תַּאֲמֶן־בּוֹ Prov. 26:25
לְהִתְחַנֶּן־ 60 לְהִתְחַנֶּן־לוֹ וּלְבַקֵּשׁ מִלְּפָנָיו Es. 4:8
בְּהִתְחַנְנוֹ 61 בְּהִתְחַנְנוֹ אֵלֵינוּ וְלֹא שָׁמָעְנוּ Gen. 42:21
הִתְחַנַּנְתִּי 62 דְּבָרַי אֵלֶּה אֲשֶׁר הִתְחַנַּנְתִּי לִפְנֵי יְיָ IK. 8:59
הִתְחַנַּנְתָּה 63 וְאֶת־תְּחִנָּתְךָ אֲשֶׁר הִתְחַנַּנְתָּה לְפָנַי IK. 9:3
וְהִתְחַנְּנוּ 64 וְהִתְחַנְּנוּ אֵלֶיךָ בַּבַּיִת הַזֶּה IK. 8:33
65 וְהִתְחַנְּנוּ אֵלֶיךָ בְּאֶרֶץ שֹׁבֵיהֶם IK. 8:47
66 וְהִתְחַנְּנוּ לְפָנֶיךָ בַּבַּיִת הַזֶּה IICh. 6:24
67 וְהִתְחַנְּנוּ אֵלֶיךָ בְּאֶרֶץ שִׁבְיָם IICh. 6:37
אֶתְחַנֶּן־ 68 בְּמוֹ־פִי אֶתְחַנֶּן־לוֹ Job 19:16
אֶתְחַנָּן 69 אֵלֶיךָ יְיָ אֶקְרָא וְאֶל־אֲדֹנָי אֶתְחַנָּן Ps. 30:9
70 קוֹלִי אֶל־יְיָ אֶתְחַנָּן Ps. 142:2
71 לִמְשֹׁפְטִי אֶתְחַנָּן Job 9:15
וָאֶתְחַנַּן 72 וָאֶתְחַנַּן אֶל־יְיָ בָּעֵת הַהִוא Deut. 3:23
תִּתְחַנָּן 73 תְּשַׁחֵר אֶל־אֵל וְאֶל־שַׁדַּי תִּתְחַנָּן Job 8:5
וַיִּתְחַנֵּן 74 וַיִּתְחַנֵּן אֵלָיו וַיְדַבֵּר אֵלָיו IIK. 1:13
וַיִּתְחַנֶּן־ 75 בָּכָה וַיִּתְחַנֶּן־לוֹ Hosh. 12:5
וַתִּתְחַנֶּן־ 76 וַתֵּבְךְּ וַתִּתְחַנֶּן־לוֹ... Es. 8:3
יֻחַן 77 יֻחַן רָשָׁע בַּל־לָמַד צֶדֶק Is. 26:10
78 לֹא־יֻחַן בְּעֵינָיו רֵעֵהוּ Prov. 21:10

(חֲנַן) ארמית א) [פ׳ מקור: מִחַן] מתן חנינה: 1
ב) [אתפ׳ בינוני: מִתְחַנַּן] מתחנן: 2
בְּמִחַן 1 וַעֲוָיָתָךְ בְּמִחַן עֲנָיִן Dan. 4:24
וּמִתְחַנַּן 2 בָּעֵא וּמִתְחַנַּן קֳדָם אֱלָהֵהּ Dan. 6:12

חָנָן שפ״ז א) מגבורי דוד: 9
ב) אנשים משבט בנימין: 10–12
ג) אביהם של בעלי לשכה בבית המקדש בימי ירמיה: 1
ד) אנשים שונים משבי הגולה בימי זרובבל, עזרא ונחמיה: 2–8
חָנָן 1 אֶל־לִשְׁכַּת בְּנֵי חָנָן בֶּן־יִגְדַּלְיָהוּ Jer. 35:4
2 בְּנֵי־חָגָב בְּנֵי שַׁלְמַי° בְּנֵי חָנָן Ez. 2:46
3 בְּנֵי־חָנָן בְּנֵי־גִדֵּל בְּנֵי־גָחַר Neh. 7:49
4 עֲזַרְיָה יוֹזָבָד חָנָן פְּלָאיָה Neh. 8:7
5 הוֹדִיָּה קְלִיטָא פְּלָאיָה חָנָן Neh. 10:11
6 פְּלַטְיָה חָנָן עֲנָיָה Neh. 10:23
7 וַאֲחִיָּה חָנָן עָנָן Neh. 10:27
8 וְעַל־יָדָם חָנָן בֶּן־זַכּוּר Neh. 13:13
9 חָנָן בֶּן־מַעֲכָה ICh. 11:43
וְחָנָן 10 וְעַבְדּוֹן וְזִכְרִי וְחָנָן ICh. 8:23
11–12 וּשְׁעַרְיָה וְעֹבַדְיָה וְחָנָן ICh. 8:38; 9:44

חֲנַנְאֵל שפ״ז – איש אשר על שמו נקרא מגדל בירושלים: 1–4
חֲנַנְאֵל 1 מִמִּגְדַּל חֲנַנְאֵל עַד שַׁעַר הַפִּנָּה Jer. 31:38(37)
2 וּמִגְדַּל חֲנַנְאֵל עַד יִקְבֵי הַמֶּלֶךְ Zech. 14:10
3 עַד מִגְדַּל חֲנַנְאֵל Neh. 3:1
4 וּמִגְדַּל חֲנַנְאֵל וּמִגְדַּל הַמֵּאָה Neh. 12:39

חֲנָנִי שפ״ז – א) משורר מבני הימן בימי דוד: 7, 11
ב) נביא בימי אסא מלך יהודה: 1, 2, 8–10
ג) כהנים בימי עזרא: 3, 6
ד) אחי נחמיה: 4, 5
חֲנָנִי 1 וַיְהִי דְבַר־יְיָ אֶל־יֵהוּא בֶן־חֲנָנִי IK. 16:1
2 בְּיַד יֵהוּא בֶן־חֲנָנִי הַנָּבִיא IK. 16:7
3 וּמִבְּנֵי אִמֵּר חֲנָנִי וּזְבַדְיָה Ez. 10:20
4 וַיָּבֹא חֲנָנִי אֶחָד מֵאַחַי Neh. 1:2
5 וָאֲצַוֶּה אֶת־חֲנָנִי אָחִי Neh. 7:2
6 וִיהוּדָה חֲנָנִי בִּכְלֵי־שִׁיר Neh. 12:36
7 בְּנֵי הֵימָן...חֲנַנְיָה חֲנָנִי... ICh. 25:4
8 בָּא חֲנָנִי הָרֹאֶה אֶל־אָסָא IICh. 16:7
9 וַיֵּצֵא אֶל־פָּנָיו יֵהוּא בֶן־חֲנָנִי הַחֹזֶה IICh. 19:2
10 כְּתוּבִים בְּדִבְרֵי יֵהוּא בֶּן־חֲנָנִי IICh. 20:34
לַחֲנָנִי 11 לִשְׁמוֹנָה עָשָׂר לַחֲנָנִי ICh. 25:25

חֲנַנְיָה שפ״ז א) משורר מבני הימן בימי דוד: 22
ב) איש מבנימין: 24
ג) נביא שקר בימי ירמיה: 1–9
ד) זקנו של בעל פקידות בימי צדקיהו: 10
ה) בן זרובבל: 21, 23
ו) ראש בית אב של כהנים בימי יהויקים: 19
ז) כהנים ושרים בימי עזרא ונחמיה: 14–18, 20
ח) מחבריו של דניאל: 11–13, 25, 26
חֲנַנְיָה 1 אָמַר אֵלַי חֲנַנְיָה בֶן־עַזּוּר הַנָּבִיא Jer. 28:1
2–3 וַיֹּאמֶר...אֶל־חֲנַנְיָה הַנָּבִיא Jer. 28:5, 15
4 וַיִּקַּח חֲנַנְיָה הַנָּבִיא אֶת־הַמּוֹטָה Jer. 28:10
5 וַיֹּאמֶר חֲנַנְיָה לְעֵינֵי כָל־הָעָם Jer. 28:11
6 אַחֲרֵי שְׁבוֹר חֲנַנְיָה הַנָּבִיא... Jer. 28:12
7 הָלוֹךְ וְאָמַרְתָּ אֶל־חֲנַנְיָה לֵאמֹר Jer. 28:13
8 שְׁמַע־נָא חֲנַנְיָה לֹא־שְׁלָחֲךָ יְיָ Jer. 28:15
9 וַיָּמָת חֲנַנְיָה הַנָּבִיא בַּשָּׁנָה הַהִיא Jer. 28:17
10 יִרְאִיָּיה בֶּן־שֶׁלֶמְיָה בֶּן־חֲנַנְיָה Jer. 37:13
11–12 דָּנִיֵּאל חֲנַנְיָה מִישָׁאֵל וַעֲזַרְיָה Dan. 1:6, 11
13 כְּדָנִיֵּאל חֲנַנְיָה מִישָׁאֵל וַעֲזַרְיָה Dan. 1:19
14 וּמִבְּנֵי בֵּבָי יְהוֹחָנָן חֲנַנְיָה Ez. 10:28
15 הֶחֱזִיק חֲנַנְיָה בֶּן־הָרַקָּחִים Neh. 3:8
16 הֶחֱזִיק חֲנַנְיָה בֶּן־שֶׁלֶמְיָה Neh. 3:30
17 וָאֲצַוֶּה...וְאֶת־חֲנַנְיָה שַׂר הַבִּירָה Neh. 7:2
18 הוֹשֵׁעַ חֲנַנְיָה חַשּׁוּב Neh. 10:24
19 לִשְׂרָיָה מְרָיָה לְיִרְמְיָה חֲנַנְיָה Neh. 12:12
20 זְכַרְיָה חֲנַנְיָה בַּחֲצֹצְרוֹת Neh. 12:41
21 וּבֶן־חֲנַנְיָה פְּלַטְיָה וִישַׁעְיָה ICh. 3:21
22 בְּנֵי הֵימָן...חֲנַנְיָה חֲנָנִי... ICh. 25:4
וַחֲנַנְיָה 23 וּבֶן־זְרֻבָּבֶל מְשֻׁלָּם וַחֲנַנְיָה ICh. 3:19
24 וַחֲנַנְיָה וְעֵילָם וְעַנְתֹתִיָּה ICh. 8:24
וְלַחֲנַנְיָה 25 וַיָּשֶׂם...וְלַחֲנַנְיָה שַׁדְרַךְ Dan. 1:7
26 וְלַחֲנַנְיָה מִישָׁאֵל וַעֲזַרְיָה...הוֹדַע Dan. 2:17

חֲנַנְיָהוּ שפ״ז א) הוא חֲנַנְיָה (א): 3
ב) משרי עוזיהו מלך יהודה: 1, 2
חֲנַנְיָהוּ 1 וְצִדְקִיָּהוּ בֶן־חֲנַנְיָהוּ וְכָל־הַשָּׂרִים Jer. 36:12
2 עַל יַד־חֲנַנְיָהוּ מִשָּׂרֵי הַמֶּלֶךְ IICh. 26:11
לַחֲנַנְיָהוּ 3 לְשִׁשָּׁה עָשָׂר לַחֲנַנְיָהוּ ICh. 25:23

חָנֵס
עיר במצרים התיכונה

חָנֵס 1 וּמַלְאָכָיו חָנֵס יַגִּיעוּ — Is. 30:4

חנף : חָנַף, הֶחֱנִיף; חָנֵף; חֹנֶף, חֲנֻפָּה

חָנַף
פָּ׳ א) חָטָא: 1–7
ב) [הִפ׳ הֶחֱנִיף] החטיא: 8–11

חָנוֹף 1 הֲלוֹא חָנוֹף תֶּחֱנַף הָאָרֶץ הַהִיא — Jer. 3:1
חָנְפָה 2 וְהָאָרֶץ חָנְפָה תַּחַת יֹשְׁבֶיהָ — Is. 24:5
חָנֵפוּ 3 כִּי־גַם־נָבִיא גַם־כֹּהֵן חָנֵפוּ — Jer. 23:11
תֶּחֱנַף 4 הֲלוֹא חָנוֹף תֶּחֱנַף הָאָרֶץ הַהִיא — Jer. 3:1
תֶּחֱנָף 5 הָאֹמְרִים תֶּחֱנָף וְתַחַז בְּצִיּוֹן עֵינֵינוּ — Mic. 4:11
וַתֶּחֱנַף 6 וַתֶּחֱנַף אֶת־הָאָרֶץ — Jer. 3:9
7 וַתֶּחֱנַף הָאָרֶץ בַּדָּמִים — Ps. 106:38
וַתַּחֲנִיפִי 8 וַתַּחֲנִיפִי אֶרֶץ בִּזְנוּתַיִךְ וּבְרָעָתֵךְ — Jer. 3:2
יַחֲנִיף 9 הַדָּם הוּא יַחֲנִיף אֶת־הָאָרֶץ — Num. 35:33
10 וּמַרְשִׁיעֵי בְרִית יַחֲנִיף בַּחֲלַקּוֹת — Dan. 11:32
תַּחֲנִיפוּ 11 וְלֹא־תַחֲנִיפוּ אֶת־הָאָרֶץ — Num. 35:33

חָנֵף
ת׳ חוטא, נוכל: 1–13
קרובים: בְּלִיַּעַל / זֵד / חַטָּא / לֵץ / נָבָל / נוֹכֵל / עַוָּל
חָנֵף וּמֵרַע 1; אָדָם חָנֵף 10; גּוֹי חָ׳ 2; עֲדַת חָנֵף 6; פֶּה חָ׳ 3; שִׂמְחַת חָ׳ 8; תִּקְוַת חָ׳ 4, 9; חַנְפֵי לֵב 12

חָנֵף 1 כִּי כֻלּוֹ חָנֵף וּמֵרַע — Is. 9:16
2 בְּגוֹי חָנֵף אֲשַׁלְּחֶנּוּ — Is. 10:6
3 בְּפֶה חָנֵף יַשְׁחִת רֵעֵהוּ — Prov. 11:9
4 וְתִקְוַת חָנֵף תֹּאבֵד — Job 8:13
5 כִּי־לֹא לְפָנָיו חָנֵף יָבוֹא — Job 13:16
6 כִּי־עֲדַת חָנֵף גַּלְמוּד — Job 15:34
7 וְנָקִי עַל־חָנֵף יִתְעֹרָר — Job 17:8
8 וְשִׂמְחַת חָנֵף עֲדֵי־רָגַע — Job 20:5
9 כִּי מַה־תִּקְוַת חָנֵף כִּי יִבְצָע — Job 27:8
10 מִמְּלֹךְ אָדָם חָנֵף מִמֹּקְשֵׁי עָם — Job 34:30
חֲנֵפִים 11 אָחֲזָה רְעָדָה חֲנֵפִים — Is. 33:14
וְחַנְפֵי־ 12 וְחַנְפֵי־לֵב יָשִׂימוּ אָף — Job 36:13
בְּחַנְפֵי־ 13 בְּחַנְפֵי לַעֲגֵי מָעוֹג — Ps. 35:16

חֹנֶף
ז׳ חֵטא, עָוֶל

חֹנֶף 1 ...וְלִבּוֹ יַעֲשֶׂה־אָוֶן לַעֲשׂוֹת חֹנֶף — Is. 32:6

חֲנֻפָּה
נ׳ חֵטא, חֹנֶף

חֲנֻפָּה 1 יָצְאָה חֲנֻפָּה לְכָל־הָאָרֶץ — Jer. 23:15

חנק : נֶחֱנַק, חִנֵּק; מַחֲנָק

(חנק) נֶחֱנַק
נִפ׳ א) המית עצמו בחניקה: 1
ב) [פִּ׳ חִנֵּק] המית בחניקה: 2

וַיֵּחָנַק 1 וַיְצַו אֶל־בֵּיתוֹ וַיֵּחָנַק וַיָּמָת — IISh. 17:23
וּמְחַנֵּק 2 אַרְיֵה טֹרֵף...וּמְחַנֵּק לְלִבְאֹתָיו — Nah. 2:13

חַנָּתוֹן
עיר בנחלת זבולון

חַנָּתוֹן 1 וְנָסַב אֹתוֹ הַגְּבוּל מִצְּפוֹן חַנָּתֹן — Josh. 19:14

חסד : חִסֵּד, הִתְחַסֵּד; חֶסֶד[1], חֶסֶד[2]; חָסִיד, חֲסִידָה;
ש״פ בֶּן־חֶסֶד, יוּשַׁב־חֶסֶד, חֲסַדְיָה

חִסֵּד
פִּ׳ א) חֵרֵף, גִּנָּה: 1
ב) [הִתְ׳ הִתְחַסֵּד] נהג בחסד: 2, 3

יְחַסֶּדְךָ 1 פֶּן־יְחַסֶּדְךָ שֹׁמֵעַ... — Prov. 25:10
תִּתְחַסָּד 2/3 עִם־חָסִיד תִּתְחַסָּד — IISh. 22:26 • Ps. 18:26

חֶסֶד[1]
ז׳ נדיבות, צדקה, מעשים טובים, רחמים (ביחס לאדם או לאלהים): 1–246

קרובים: אֱמוּנָה / אֹמֶן / אֱמֶת / חֵן / חֲנִינָה / טוֹב / יֹשֶׁר / יְשָׁרָה / מֵישָׁרִים / מִשְׁפָּט / נְדִיבָה / צֶדֶק / צְדָקָה / רַחֲמִים / תֹּם / תֻּמָּה

– חֶסֶד וֶאֱמוּנָה 148, 173; חֶסֶד וֶאֱמֶת 3,4,7,11,25, 26, 33, 44, 46, 47, 49, 51, 56, 57, 74, 91, 125, 126, 131, 134, 166, 171, 229; חֶסֶד וּמִשְׁפָּט 36, 52; חֶסֶד וְרַחֲמִים 53, 73, 83, 94, 97;
– אֱמוּנָה וָחֶסֶד 114; בְּרִית וָחֶסֶד 78, 80, 86–90; חַיִּים וָחֶסֶד 76; טוֹב וָחֶסֶד 75; חֵן וָחֶסֶד 77; צְדָקָה וָחֶסֶד 79
– חֶסֶד אֵל 102; חֶ׳ אֱלֹהִים 99, 105; חֶ׳ יְיָ 98, 101, 103; חֶסֶד לְאֻמִּים 104; חֶ׳ נְעוּרִים 100; חֶ׳ עוֹלָם 106; חֶסֶד עֶלְיוֹן 107
– אַהֲבַת חֶסֶד 40; אִישׁ חֶ׳ 71, 222; אֱלֹהֵי חֶ׳ 108, 111; אַנְשֵׁי חֶ׳ 30; גְּדָל חֶ׳ 55, 136; מוֹשֵׁךְ חֶ׳ 69; מַלְכֵי חֶ׳ 29; רַב חֶסֶד 7, 9, 37–39, 48, 49, 68; רֹב חֶסֶד 120, 143, 151; תּוֹרַת חֶ׳ 58
– חֲסָדִים נֶאֱמָנִים 230; רֹב חֲסָדִים 242–244
– חַסְדֵי דָוִד 230, 235; חַסְדֵי יְיָ 231–234
– הִגְדִּיל חֶסֶד 117; הִטָּה חֶ׳ 60, 61, 62; הֵיטִיב חֶ׳ 165; הִכְרִית חֶ׳ 118; הָלַם חֶ׳ 54; הֵסִיר חֶ׳ 224; הִפְלִיא חֶ׳ 169; הִשְׁמִיעַ חֶ׳ 150; חָפֵץ חֶ׳ 34, 41; כִּחֵד חֶ׳ 125; מָחָה חֶ׳ 236; מָשַׁךְ חֶ׳ 66, 124; נָצַר חֶ׳ 8; נָשָׂא חֶ׳ 59; נָתַן חֶ׳ 42; עָשָׂה חֶ׳ 1–6, 10–25, 27, 28, 31, 32, 43, 70, 73, 76, 81, 85, 95, 98, 99, 164; צִוָּה חֶסֶד 170; שָׁלַח חֶסֶד 171; שָׁמַר חֶסֶד 36, 82, 109
– הִפְלָה חֲסָדָיו 237

חֶסֶד 1 וַעֲשֵׂה־חֶסֶד עִם אֲדֹנִי אַבְרָהָם — Gen. 24:12
2 וּבָהּ אֵדַע כִּי־עָשִׂיתָ חֶסֶד... — Gen. 24:14
3 אִם־יֶשְׁכֶם עֹשִׂים חֶסֶד וֶאֱמֶת — Gen. 24:49
4 וְעָשִׂיתָ עִמָּדִי חֶסֶד וֶאֱמֶת — Gen. 47:29
5/6 וְעֹשֶׂה חֶסֶד לַאֲלָפִים — Ex. 20:6 • Deut. 5:10
7 ...וְרַב־חֶסֶד וֶאֱמֶת — Ex. 34:6
8 נֹצֵר חֶסֶד לָאֲלָפִים... — Ex. 34:7
9 יְיָ אֶרֶךְ אַפַּיִם וְרַב־חֶסֶד — Num. 14:18
10 וַעֲשִׂיתֶם...עִם־בֵּית אָבִי חֶסֶד — Josh. 2:12
11 וְעָשִׂינוּ עִמְּךָ חֶסֶד וֶאֱמֶת — Josh. 2:14
12-23 עָשָׂה (עָשִׂיתָ, אֶעֱשֶׂה...) חֶסֶד עִם־
Jud. 8:35 • ISh. 15:6 • IISh. 3:8; 9:1, 7; 10:2[2] • IK. 3:6 • Ruth 1:8 • ICh. 19:2[2] • IICh. 1:8
24 וְעָשִׂיתָ חֶסֶד עַל־עַבְדֶּךָ — ISh. 20:8
25 יַעַשׂ־יְיָ עִמָּכֶם חֶסֶד וֶאֱמֶת — IISh. 2:6
26 וְהָשֵׁב אֶת־אַחֶיךָ עִמְּךָ חֶסֶד וֶאֱמֶת — IISh. 15:20
27 וְעֹשֶׂה־חֶסֶד לִמְשִׁיחוֹ — IISh. 22:51
28 וְלִבְנֵי בַרְזִלַּי...תַּעֲשֶׂה־חֶסֶד — IK. 2:7
29 כִּי־מַלְכֵי חֶסֶד הֵם — IK. 20:31
30 הַצַּדִּיק אָבָד...וְאַנְשֵׁי° חֶסֶד נֶאֱסָפִים — Is. 57:1
31 עֹשֶׂה חֶסֶד מִשְׁפָּט וּצְדָקָה בָּאָרֶץ — Jer. 9:23
32 עֹשֶׂה חֶסֶד לַאֲלָפִים — Jer. 32:18
33 אֵין־אֱמֶת וְאֵין־חֶסֶד — Hosh. 4:1
34 כִּי חֶסֶד חָפַצְתִּי וְלֹא־זָבַח — Hosh. 6:6
35 זִרְעוּ לָכֶם לִצְדָקָה קִצְרוּ לְפִי־חֶ׳ — Hosh. 10:12
36 חֶסֶד וּמִשְׁפָּט שְׁמֹר — Hosh. 12:7
37-39 אֶרֶךְ אַפַּיִם וְרַב־חֶסֶד — Joel 2:13
Jon. 4:2 • Neh. 9:17
40 עֲשׂוֹת מִשְׁפָּט וְאַהֲבַת חֶסֶד — Mic. 6:8
41 כִּי־חָפֵץ חֶסֶד הוּא — Mic. 7:18
42 תִּתֵּן אֱמֶת לְיַעֲקֹב חֶסֶד לְאַבְרָהָם — Mic. 7:20
43 וְעֹשֶׂה חֶסֶד לִמְשִׁיחוֹ — Ps. 18:51
44 כָּל־אָרְחוֹת יְיָ חֶסֶד וֶאֱמֶת — Ps. 25:10

חֶסֶד (המשך) 45 וְהַבּוֹטֵחַ בַּייָ חֶסֶד יְסוֹבְבֶנּוּ — Ps. 32:10
46 חֶסֶד וֶאֱמֶת מַן יִנְצְרֻהוּ — Ps. 61:8
47 חֶסֶד־וֶאֱמֶת נִפְגָּשׁוּ — Ps. 85:11
48 וְרַב־חֶסֶד לְכָל־קֹרְאֶיךָ — Ps. 86:5
49 אֶרֶךְ אַפַּיִם וְרַב־חֶסֶד וֶאֱמֶת — Ps. 86:15
50 כִּי־אָמַרְתִּי עוֹלָם חֶסֶד יִבָּנֶה — Ps. 89:3
51 חֶסֶד וֶאֱמֶת יְקַדְּמוּ פָנֶיךָ — Ps. 89:15
52 חֶסֶד־וּמִשְׁפָּט אָשִׁירָה — Ps. 101:1
53 הַמְעַטְּרֵכִי חֶסֶד וְרַחֲמִים — Ps. 103:4
54 יֶהֶלְמֵנִי צַדִּיק חֶסֶד — Ps. 141:5
55 אֶרֶךְ אַפַּיִם וּגְדָל°־חָסֶד — Ps. 145:8
56 חֶסֶד וֶאֱמֶת אַל־יַעַזְבֻךָ — Prov. 3:3
57 חֶסֶד וֶאֱמֶת יִצְּרוּ־מֶלֶךְ — Prov. 20:28
58 וְתוֹרַת־חֶסֶד עַל־לְשׁוֹנָהּ — Prov. 31:26
59 וַתִּשָּׂא חֶסֶד לְפָנָיו — Es. 2:9
60 וְעָלַי הִטָּה־חֶסֶד לִפְנֵי הַמֶּלֶךְ — Ez. 7:28
61 וַיַּט־עָלֵינוּ חֶסֶד לִפְנֵי מַלְכֵי פָרַס — Ez. 9:9
חָסֶד 62 וַיְהִי יְיָ אֶת־יוֹסֵף וַיֵּט אֵלָיו חָסֶד — Gen. 39:21
63 וְעָשִׂיתָ־נָּא עִמָּדִי חָסֶד — Gen. 40:14
64 כִּי־עָשִׂיתִי עִמָּכֶם חָסֶד — Josh. 2:12
65 וְעָשִׂינוּ עִמְּךָ חָסֶד — Jud. 1:24
66 עַל־כֵּן מְשַׁכְתִּיךְ חָסֶד — Jer. 31:3(2)
67 וּלְךָ־אֲדֹנָי חָסֶד — Ps. 62:13
68 אֶרֶךְ אַפַּיִם וְרַב־חָסֶד — Ps. 103:8
69 אַל־יְהִי־לוֹ מֹשֵׁךְ חָסֶד — Ps. 109:12
70 יַעַן אֲשֶׁר לֹא זָכַר עֲשׂוֹת חָסֶד — Ps. 109:16
71 גֹּמֵל נַפְשׁוֹ אִישׁ חָסֶד — Prov. 11:17
72 לַמָּס מֵרֵעֵהוּ חָסֶד — Job 6:14
וְחֶסֶד 73 וְחֶסֶד וְרַחֲמִים עֲשׂוּ אִישׁ אֶת־אָחִיו — Zech. 7:9
74 וְחֶסֶד וֶאֱמֶת חֹרְשֵׁי טוֹב — Prov. 14:22
וָחֶסֶד 75 אַךְ טוֹב וָחֶסֶד יִרְדְּפוּנִי — Ps. 23:6
76 חַיִּים וָחֶסֶד עָשִׂיתָ עִמָּדִי — Job 10:12
77 וַתִּשָּׂא חֵן־וָחֶסֶד לְפָנָיו — Es. 2:17
78 שֹׁמֵר הַבְּרִית וָחֶסֶד לְאֹהֲבָיו — Neh. 1:5
וָחָסֶד 79 רֹדֵף צְדָקָה וָחָסֶד — Prov. 21:21
הַחֶסֶד 80 וְשָׁמַר...אֶת־הַבְּרִית וְאֶת־הַחֶסֶד — Deut. 7:12
81 אֲשֶׁר עֲשִׂיתֶם הַחֶסֶד הַזֶּה עִם... — IISh. 2:5
82 וַתִּשְׁמָר־לוֹ אֶת־הַחֶסֶד הַגָּדוֹל הַזֶּה — IK. 3:6
83 אָסַפְתִּי...אֶת־הַחֶסֶד וְאֶת־הָרַחֲמִים — Jer. 16:5
84 כִּי־עִם־יְיָ הַחֶסֶד — Ps. 130:7
85 הַחֶסֶד אֲשֶׁר עָשָׂה יְהוֹיָדָע — IICh. 24:22
וְהַחֶסֶד 86 שֹׁמֵר הַבְּרִית וְהַחֶסֶד לְאֹהֲבָיו — Deut. 7:9
87-90 שֹׁ(ו)מֵר הַבְּרִית וְהַחֶסֶד — IK. 8:23
Dan. 9:4 • Neh. 9:32 • IICh. 6:14
בְּחֶסֶד 91 בְּחֶסֶד וֶאֱמֶת יְכֻפַּר עָוֹן — Prov. 16:6
בַּחֶסֶד 92 וְהוּכַן בַּחֶסֶד כִּסֵּא — Is. 16:5
93 וְסָעַד בַּחֶסֶד כִּסְאוֹ — Prov. 20:28
וּבְחֶסֶד 94 בְּצֶדֶק...וּבְחֶסֶד וּבְרַחֲמִים — Hosh. 2:21
כַּחֶסֶד 95 כַּחֶסֶד אֲשֶׁר־עָשִׂיתִי עִמְּךָ — Gen. 21:23
לְחֶסֶד 96 אִם־לְשֵׁבֶט...אִם־לְחֶסֶד... — Job 37:13
97 וַיִּתֵּן הָאֱלֹהִים...לְחֶסֶד וּלְרַחֲמִים — Dan. 1:9
חֶסֶד־ 98 וְלֹא־תַעֲשֶׂה עִמָּדִי חֶסֶד יְיָ — ISh. 20:14
99 וְאֶעֱשֶׂה עִמּוֹ חֶסֶד אֱלֹהִים — IISh. 9:3
100 חֶסֶד נְעוּרַיִךְ אַהֲבַת כְּלוּלֹתָיִךְ — Jer. 2:2
101 חֶסֶד יְיָ מָלְאָה הָאָרֶץ — Ps. 33:5
102 חֶסֶד אֵל כָּל־הַיּוֹם — Ps. 52:3
וְחֶסֶד־ 103 וְחֶסֶד יְיָ מֵעוֹלָם...עַל־יְרֵאָיו — Ps. 103:17
104 וְחֶסֶד לְאֻמִּים חַטָּאת — Prov. 14:34
בְּחֶסֶד־ 105 בָּטַחְתִּי בְחֶסֶד־אֱלֹ׳ עוֹלָם וָעֶד — Ps. 52:10
וּבְחֶסֶד־ 106 וּבְחֶסֶד עוֹלָם רִחַמְתִּיךְ — Is. 54:8
107 בֹּטֵחַ בַּייָ וּבְחֶסֶד עֶלְיוֹן — Ps. 21:8
חַסְדִּי 108 כִּי־אֱלֹהִים מִשְׂגַּבִּי אֱלֹהֵי חַסְדִּי — Ps. 59:18

חַסְדִּי (המשך)
109 לְעוֹלָם אֶשְׁמָר־לוֹ חַסְדִּי Ps. 89:29
110 חַסְדִּי וּמְצוּדָתִי מִשְׂגַּבִּי Ps. 144:2
111 אֱלֹהֵי חַסְדִּי (כת׳ חסדו) יְקַדְּמֵנִי Ps. 59:11
וְחַסְדִּי 112 וְחַסְדִּי לֹא־יָסוּר מִמֶּנּוּ IISh. 7:15
113 וְחַסְדִּי מֵאִתֵּךְ לֹא־יָמוּשׁ Is. 54:10
114 וֶאֱמוּנָתִי וְחַסְדִּי עִמּוֹ Ps. 89:25
115 וְחַסְדִּי לֹא־אָפִיר Ps. 89:34
116 וְחַסְדִּי לֹא־אָסִיר מֵעִמּוֹ ICh. 17:13
חַסְדְּךָ 117 וַתַּגְדֵּל חַסְדְּךָ אֲשֶׁר עָשִׂיתָ עִמָּדִי Gen. 19:19
118 וְלֹא־תַכְרִית אֶת־חַסְדְּךָ מֵעִם בֵּיתִי ISh. 20:15
119 זֶה חַסְדְּךָ אֶת־רֵעֶךָ IISh. 16:17
120 וַאֲנִי בְּרֹב חַסְדְּךָ אָבוֹא בֵיתֶךָ Ps. 5:8
121 כִּי־חַסְדְּךָ לְנֶגֶד עֵינָי Ps. 26:3
122 יְהִי־חַסְדְּךָ יְיָ עָלֵינוּ Ps. 33:22
123 מַה־יָּקָר חַסְדְּךָ אֱלֹהִים Ps. 36:8
124 מְשֹׁךְ חַסְדְּךָ לְיֹדְעֶיךָ Ps. 36:11
125 לֹא־כִחַדְתִּי חַסְדְּךָ וַאֲמִתְּךָ Ps. 40:11
126 חַסְדְּךָ וַאֲמִתְּךָ תָּמִיד יִצְּרוּנִי Ps. 40:12
127 כִּי־טוֹב חַסְדְּךָ מֵחַיִּים Ps. 63:4
128 כִּי־חַסְדְּךָ גָּדוֹל עָלָי Ps. 86:13
129 חַסְדְּךָ יְיָ יִסְעָדֵנִי Ps. 94:18
130 כִּי־טוֹב חַסְדְּךָ הַצִּילֵנִי Ps. 109:21
131 עַל־חַסְדְּךָ עַל־אֲמִתֶּךָ Ps. 115:1
132 חַסְדְּךָ יְיָ מָלְאָה הָאָרֶץ Ps. 119:64
133 יְהִי־נָא חַסְדְּךָ לְנַחֲמֵנִי Ps. 119:76
134 וְאוֹדֶה...עַל־חַסְדְּךָ וְעַל־אֲמִתֶּךָ Ps. 138:2
135 יְיָ חַסְדְּךָ לְעוֹלָם Ps. 138:8
חַסְדֶּךָ 136 סְלַח־נָא...כְּגֹדֶל חַסְדֶּךָ Num. 14:19
137 הוֹשִׁיעֵנִי לְמַעַן חַסְדֶּךָ Ps. 6:5
138 יְיָ בְּהַשָּׁמַיִם חַסְדֶּךָ Ps. 36:6
139 קוּמָה...וּפְדֵנוּ לְמַעַן חַסְדֶּךָ Ps. 44:27
140 דִּמִּינוּ אֱלֹ׳ חַסְדֶּךָ בְּקֶרֶב הֵיכָלֶךָ Ps. 48:10
141 כִּי־גָדֹל עַד־שָׁמַיִם חַסְדֶּךָ Ps. 57:11
142 וַאֲרַנֵּן לַבֹּקֶר חַסְדֶּךָ Ps. 59:17
143 אֱלֹהִים בְּרָב־חַסְדֶּךָ עֲנֵנִי Ps. 69:14
144 עֲנֵנִי יְיָ כִּי־טוֹב חַסְדֶּךָ Ps. 69:17
145 הַרְאֵנוּ יְיָ חַסְדֶּךָ Ps. 85:8
146 הַיְסֻפַּר בַּקֶּבֶר חַסְדֶּךָ Ps. 88:12
147 שַׂבְּעֵנוּ בַבֹּקֶר חַסְדֶּךָ Ps. 90:14
148 בַּבֹּקֶר חַסְדֶּךָ וֶאֱמוּנָתְךָ בַּלֵּילוֹת Ps. 92:3
149 כִּי־גָדוֹל מֵעַל־שָׁמַיִם חַסְדֶּךָ Ps. 108:5
150 הַשְׁמִיעֵנִי בַבֹּקֶר חַסְדֶּךָ Ps. 143:8
151 וְחוּסָה עָלַי כְּרֹב חַסְדֶּךָ Neh. 13:22
בְּחַסְדְּךָ 152 נָחִיתָ בְחַסְדְּךָ עַם־זוּ גָּאָלְתָּ Ex. 15:13
153 וַאֲנִי בְּחַסְדְּךָ בָטַחְתִּי Ps. 13:6
בְּחַסְדֶּךָ 154 אָגִילָה וְאֶשְׂמְחָה בְּחַסְדֶּךָ Ps. 31:8
155 הוֹשִׁיעֵנִי בְחַסְדֶּךָ Ps. 31:17
וּבְחַסְדְּךָ 156 וּבְחַסְדְּךָ תַּצְמִית אֹיְבָי Ps. 143:12
כְּחַסְדְּךָ 157 כְּחַסְדְּךָ זְכָר־לִי־אַתָּה Ps. 25:7
158-159 כְּחַסְדְּךָ חַיֵּנִי Ps. 119:88, 159
כְּחַסְדֶּךָ 160 חָנֵּנִי אֱלֹהִים כְּחַסְדֶּךָ Ps. 51:3
161 עָזְרֵנִי...הוֹשִׁיעֵנִי כְחַסְדֶּךָ Ps. 109:26
162 עֲשֵׂה עִם־עַבְדְּךָ כְחַסְדֶּךָ Ps. 119:124
163 קוֹלִי שִׁמְעָה כְחַסְדֶּךָ Ps. 119:149
חַסְדֵּךְ 164 זֶה חַסְדֵּךְ אֲשֶׁר תַּעֲשִׂי עִמָּדִי Gen. 20:13
165 הֵיטַבְתְּ חַסְדֵּךְ הָאַחֲרוֹן מִן־הָרִאשׁוֹן Ruth 3:10
חַסְדּוֹ 166 לֹא־עָזַב חַסְדּוֹ וַאֲמִתּוֹ מֵעִם אֲדֹנִי Gen. 24:27
167 וְכָל־חַסְדּוֹ כְּצִיץ הַשָּׂדֶה Is. 40:6
168 הוֹדוּ אֶת־יְיָ...כִּי־לְעוֹלָם חַסְדּוֹ Jer. 33:11
169 הִפְלִיא חַסְדּוֹ לִי בְּעִיר מָצוֹר Ps. 31:22
170 יוֹמָם יְצַוֶּה יְיָ חַסְדּוֹ Ps. 42:9
171 יִשְׁלַח אֱלֹהִים חַסְדּוֹ וַאֲמִתּוֹ Ps. 57:4

חַסְדּוֹ (המשך)
172 הֶאָפֵס לָנֶצַח חַסְדּוֹ Ps. 77:9
173 זָכַר חַסְדּוֹ וֶאֱמוּנָתוֹ לְבֵית יִשְׂ׳ Ps. 98:3
174 כִּי־טוֹב יְיָ לְעוֹלָם חַסְדּוֹ Ps. 100:5
175 גָּבַר חַסְדּוֹ עַל־יְרֵאָיו Ps. 103:11
176-215 כִּי לְעוֹלָם חַסְדּוֹ Ps. 106:1
107:1; 118:1,2,3,4,29; 136:1–26 • Ez. 3:11
ICh. 16:34,41 • IICh. 5:13; 7:3,6; 20:21
216-219 יוֹדוּ לַייָ חַסְדּוֹ וְנִפְלְאוֹתָיו לִבְנֵי אָדָם
Ps. 107:8,15,21,31
220 כִּי גָבַר עָלֵינוּ חַסְדּוֹ Ps. 117:2
221 תַּאֲוַת אָדָם חַסְדּוֹ Prov. 19:22
222 רָב־אָדָם יִקְרָא אִישׁ חַסְדּוֹ Prov. 20:6
223 אֲשֶׁר לֹא־עָזַב חַסְדּוֹ אֶת־הַחַיִּים Ruth 2:20
וְחַסְדּוֹ 224 לֹא־הֵסִיר תְּפִלָּתִי וְחַסְדּוֹ מֵאִתִּי Ps. 66:20
לְחַסְדּוֹ 225 עֵין יְיָ...לַמְיַחֲלִים לְחַסְדּוֹ Ps. 33:18
226 רוֹצֶה...אֶת־הַמְיַחֲלִים לְחַסְדּוֹ Ps. 147:11
וְחַסְדְּכֶם 227 וְחַסְדְּכֶם כַּעֲנַן־בֹּקֶר Hosh. 6:4
חַסְדָּם 228 מְשַׁמְּרִים הַבְלֵי־שָׁוְא חַסְדָּם יַעֲזֹבוּ Jon. 2:9
הַחֲסָדִים 229 קָטֹנְתִּי מִכֹּל הַחֲסָדִים וּמִכָּל־הָאֱמֶת Gen. 32:1(10)
חַסְדֵי־ 230 חַסְדֵי דָוִד הַנֶּאֱמָנִים Is. 55:3
231 חַסְדֵי יְיָ אַזְכִּיר תְּהִלֹּת יְיָ Is. 63:7
232 חַסְדֵי יְיָ עוֹלָם אָשִׁירָה Ps. 89:2
233 מִי־חָכָם...וְיִתְבּוֹנְנוּ חַסְדֵי יְיָ Ps. 107:43
234 חַסְדֵי יְיָ כִּי לֹא־תָמְנוּ Lam. 3:22
לְחַסְדֵי־ 235 זָכְרָה לְחַסְדֵי דָּוִיד עַבְדֶּךָ IICh. 6:42
חֲסָדַי 236 וְאַל־תֶּמַח חֲסָדַי אֲשֶׁר עָשִׂיתִי Neh. 13:14
חֲסָדֶיךָ 237 הַפְלֵה חֲסָדֶיךָ מוֹשִׁיעַ חוֹסִים Ps. 17:7
238 אַיֵּה חֲסָדֶיךָ הָרִאשֹׁנִים אֲדֹנָי Ps. 89:50
239 לֹא זָכְרוּ אֶת־רֹב חֲסָדֶיךָ Ps. 106:7
240 וִיבֹאֻנִי חֲסָדֶךָ יְיָ Ps. 119:41
וַחֲסָדֶיךָ 241 זְכֹר־רַחֲמֶיךָ יְיָ וַחֲסָדֶיךָ Ps. 25:6
חֲסָדָיו 242 כְּרַחֲמָיו וּכְרֹב חֲסָדָיו Is. 63:7
243 וַיִּנָּחֵם כְּרֹב חֲסָדָו Ps. 106:45
244 וְרִחַם כְּרֹב חֲסָדָו Lam. 3:32
וַחֲסָדָיו 245 וְיֶתֶר דִּבְרֵי יְחִזְקִיָּהוּ וַחֲסָדָיו IICh. 32:32
246 וְיֶתֶר דִּבְרֵי יֹאשִׁיָּהוּ וַחֲסָדָיו IICh. 35:26

חֶסֶד² ז׳ תּוֹעֵבָה
חֶסֶד 1 וְרָאָה אֶת־עֶרְוָתָהּ...חֶסֶד הוּא Lev. 20:17

(בֶּן־)חֶסֶד שפ״ז – עין בֶּן־חֶסֶד (באות ב׳)

(יוּשַׁב־)חֶסֶד שפ״ז – עין יוּשַׁב־חֶסֶד (באות י׳)

חֲסַדְיָה שפ״ז – בן זרובבל
וַחֲסַדְיָה 1 וַחֲשֻׁבָה וָאֹהֶל וּבֶרֶכְיָה וַחֲסַדְיָה ICh. 3:20

חסה : חָסָה; חָסוּת, מַחֲסֶה; ש״פ חֹסָה, מַחְסֵיָה

חָסָה פ׳ מצא מסתור (גם בהשאלה): 1–37
חָסָה בְּ־ רוב המקראות
לַחֲסוֹת 1-2 טוֹב לַחֲסוֹת בַּייָ Ps. 118:8,9
3 אֲשֶׁר־בָּאת לַחֲסוֹת תַּחַת־כְּנָפָיו Ruth 2:12
וְלַחְסוֹת 4 לָעוֹז...וְלַחְסוֹת בְּצֵל מִצְרָיִם Is. 30:2
חָסִיתִי 5 יְיָ אֱלֹהַי בְּךָ חָסִיתִי Ps. 7:2
6 לַמְנַצֵּחַ לְדָוִד בַּייָ חָסִיתִי Ps. 11:1
7 שָׁמְרֵנִי אֵל כִּי־חָסִיתִי בָךְ Ps. 16:1
8 אַל־אֵבוֹשׁ כִּי־חָסִיתִי בָךְ Ps. 25:20
9-10 בְּךָ(־)יְיָ חָסִיתִי Ps. 31:2; 71:1
11 בְּכָה חָסִיתִי אַל־תְּעַר נַפְשִׁי Ps. 141:8
12 מִשְׂגַּבִּי...מָגִנִּי וּבוֹ חָסִיתִי Ps. 144:2
וְחָסָה 13 יִשְׂמַח צַדִּיק בַּייָ וְחָסָה בוֹ Ps. 64:11
חָסָיָה 14 כִּי בְךָ חָסָיָה נַפְשִׁי Ps. 57:2
חָסוּ 15 וְיוֹשִׁיעֵם כִּי־חָסוּ בוֹ Ps. 37:40
וְחָסוּ 16 וְחָסוּ בְּשֵׁם יְיָ Zep. 3:12
חָסָיוּ 17 אֵי אֱלֹהֵימוֹ צוּר חָסָיוּ בוֹ Deut. 32:37
וְחוֹסֶה 18 וְחֹסֶה בְמוֹתוֹ צַדִּיק Prov. 14:32
וְהַחוֹסֶה 19 וְהַחוֹסֶה בִי יִנְחַל־אֶרֶץ Is. 57:13
חוֹסִים 20 הַפְלֵה חֲסָדֶיךָ מוֹשִׁיעַ חוֹסִים Ps. 17:7
הַחוֹסִים 21 מָגֵן הוּא לְכֹל הַחֹסִים בּוֹ IISh. 22:31
22 מָגֵן הוּא לְכֹל הַחֹסִים בּוֹ Ps. 18:31
23 וְלֹא יֶאְשְׁמוּ כָּל־הַחֹסִים בּוֹ Ps. 34:23
לַחוֹסִים 24 פָּעַלְתָּ לַחֹסִים בָּךְ נֶגֶד בְּנֵי אָדָם Ps. 31:20
25 מָגֵן הוּא לַחֹסִים בּוֹ Prov. 30:5
חוֹסֵי־ 26 טוֹב יְיָ...וְיֹדֵעַ חֹסֵי בוֹ Nah. 1:7
27 אַשְׁרֵי כָּל־חוֹסֵי בוֹ Ps. 2:12
28 וְיִשְׂמְחוּ כָל־חוֹסֵי בָךְ Ps. 5:12
אֶחֱסֶה 29 אֱלֹהֵי צוּרִי אֶחֱסֶה־בּוֹ IISh. 22:3
30 אֵלִי צוּרִי אֶחֱסֶה־בּוֹ Ps. 18:3
31 אֶחֱסֶה בְסֵתֶר כְּנָפֶיךָ Ps. 61:5
אֶחְסֶה 32 וּבְצֵל־כְּנָפֶיךָ אֶחְסֶה Ps. 57:2
תֶּחְסֶה 33 וְתַחַת־כְּנָפָיו תֶּחְסֶה Ps. 91:4
יֶחֱסֶה 34 אַשְׁרֵי הַגֶּבֶר יֶחֱסֶה־בּוֹ Ps. 34:9
יֶחֱסוּ 35 וּבָהּ יֶחֱסוּ עֲנִיֵּי עַמּוֹ Is. 14:32
יֶחֱסָיוּן 36 וּבְנֵי אָדָם בְּצֵל כְּנָפֶיךָ יֶחֱסָיוּן Ps. 36:8
חֲסוּ 37 בֹּאוּ חֲסוּ בְצִלִּי Jud. 9:15

חֹסָה¹ עיר בנחלת אשר
חֹסָה 1 וַיָּשָׁב הַגְּבוּל חֹסָה Josh. 19:29

חֹסָה² שפ״ז – מבני מררי, אבי משפחת שוערים: 1–4
וְחֹסָה 1 בֶּן־יְדִיתוּן וְחֹסָה לְשֹׁעֲרִים ICh. 16:38
לְחֹסָה 2 כָּל־בָּנִים וְאַחִים לְחֹסָה ICh. 26:11
וּלְחֹסָה 3 וּלְחֹסָה מִן־בְּנֵי־מְרָרִי בָּנִים ICh. 26:10
4 לְשֻׁפִּים וּלְחֹסָה לַמַּעֲרָב ICh. 26:16

חָסוּת נ׳ מקלט, מסתור
וְהֶחָסוּת 1 וְהֶחָסוּת בְּצֵל־מִצְרַיִם לִכְלִמָּה Is. 30:3

חָסִיד תו״ז עושה חסד, מיטיב, צדיק: 1–32
קרובים: בַּר | זַךְ | חָרֵד | יָשָׁר | נָבָר | נָקִי | צַדִּיק | תָּם | תָּמִים
אִישׁ חָסִיד 12; בְּשַׂר חֲסִידָיו 17; דֶּרֶךְ חֲ׳ 30; נַפְשׁוֹת חֲסִידִים 26; קְהַל חֲ׳ 13; רַגְלֵי חֲ׳ 29
חָסִיד 1/2 עִם־חָסִיד תִּתְחַסָּד IISh. 22:26 • Ps. 18:26
3 כִּי־חָסִיד אֲנִי...לֹא אֶטּוֹר לְעוֹלָם Jer. 3:12
4 אָבַד חָסִיד מִן־הָאָרֶץ Mic. 7:2
5 כִּי־הִפְלָה יְיָ חָסִיד לוֹ Ps. 4:4
6 כִּי־גָמַר חָסִיד כִּי־פַסּוּ אֱמוּנִים Ps. 12:2
7 יִתְפַּלֵּל כָּל־חָסִיד אֵלֶיךָ Ps. 32:6
8 רִיבָה רִיבִי מִגּוֹי לֹא־חָסִיד Ps. 43:1
9 שָׁמְרָה נַפְשִׁי כִּי־חָסִיד אָנִי Ps. 86:2
וְחָסִיד 10 צַדִּיק יְיָ...וְחָסִיד בְּכָל־מַעֲשָׂיו Ps. 145:17
חֲסִידְךָ 11 לֹא־תִתֵּן חֲסִידְךָ (כת׳ חסידיך) לִרְאוֹת שָׁחַת Ps. 16:10
חֲסִידֶךָ 12 תֻּמֶּיךָ וְאוּרֶיךָ לְאִישׁ חֲסִידֶךָ Deut. 33:8
חֲסִידִים 13 תְּהִלָּתוֹ בִּקְהַל חֲסִידִים Ps. 149:1
14 יַעְלְזוּ חֲסִידִים בְּכָבוֹד Ps. 149:5
חֲסִידָי 15 אִסְפוּ־לִי חֲסִידָי Ps. 50:5
חֲסִידֶיךָ 16 וַאֲקַוֶּה שִׁמְךָ...נֶגֶד חֲסִידֶיךָ Ps. 52:11
17 בְּשַׂר חֲסִידֶיךָ לְחַיְתוֹ־אָרֶץ Ps. 79:2
וַחֲסִידֶיךָ 18 כֹּהֲנֶיךָ...וַחֲסִידֶיךָ יְרַנֵּנוּ Ps. 132:9
19 יוֹדוּךָ יְיָ...וַחֲסִידֶיךָ יְבָרְכוּכָה Ps. 145:10
20 כֹּהֲנֶיךָ...וַחֲסִידֶיךָ יִשְׂמְחוּ בַטּוֹב IICh. 6:41

לַחֲסִידֶיךָ 21 אָז דִּבַּרְתָּ בְחָזוֹן לַחֲסִידֶיךָ Ps.89:20
חֲסִידָיו 22 זַמְּרוּ לַיְיָ חֲסִידָיו Ps.30:5
23 אֶהֱבוּ אֶת־יְיָ כָּל־חֲסִידָיו Ps.31:24
24 וְלֹא־יַעֲזֹב אֶת־חֲסִידָיו Ps.37:28
25 שָׁלוֹם אֶל־עַמּוֹ וְאֶל־חֲסִידָיו Ps.85:9
26 שֹׁמֵר נַפְשׁוֹת חֲסִידָיו Ps.97:10
27 תְּהִלָּה לְכָל־חֲסִידָיו Ps.148:14
28 הָדָר הוּא לְכָל־חֲסִידָיו Ps.149:9
29 רַגְלֵי חֲסִידָו יִשְׁמֹר ISh.2:9
30 וְדֶרֶךְ חֲסִידָו יִשְׁמֹר Prov.2:8
לַחֲסִידָיו 31 יָקָר בְּעֵינֵי יְיָ הַמָּוְתָה לַחֲסִידָיו Ps.116:15
וַחֲסִידֶיהָ 32 וְכֹהֲנֶיהָ...וַחֲסִידֶיהָ רַנֵּן יְרַנֵּנוּ Ps.132:16

חֲסִידָה
נ׳ עוֹף־בִּצּוֹת גדול: 1—6 • קרובים: ראה עוֹף

כַּנְפֵי חֲסִידָה 5

חֲסִידָה 1 גַּם־חֲסִידָה בַשָּׁמַיִם יָדְעָה מוֹעֲדֶיהָ Jer.8:7
2 חֲסִידָה בְּרוֹשִׁים בֵּיתָהּ Ps.104:17
3 אִם־אֶבְרָה חֲסִידָה וְנֹצָה Job 39:13
הַחֲסִידָה 4 וְאֵת הַחֲסִידָה הָאֲנָפָה לְמִינָהּ Lev.11:19
5 וְלָהֵנָּה כְנָפַיִם כְּכַנְפֵי הַחֲסִידָה Zech.5:9
וְהַחֲסִידָה 6 וְהַחֲסִידָה וְהָאֲנָפָה לְמִינָהּ Deut.14:18

חָסִיל
ז׳ ארבה באחד מגלגוליו, כשעודנו חסר כנפים 1-6 • קרובים: ראה אַרְבֶּה

חָסִיל 1 אַרְבֶּה חָסִיל כִּי יִהְיֶה IK.8:37
וְחָסִיל 2 אַרְבֶּה וְחָסִיל כִּי יִהְיֶה IICh.6:28
הֶחָסִיל 3 וְאֻסַּף שְׁלַלְכֶם אֹסֶף הֶחָסִיל Is.33:4
4 וְיֶתֶר הַיֶּלֶק אָכַל הֶחָסִיל Joel 1:4
וְהֶחָסִיל 5 הָאַרְבֶּה הַיֶּלֶק וְהֶחָסִיל וְהַגָּזָם Joel 2:25
לֶחָסִיל 6 וַיִּתֵּן לֶחָסִיל יְבוּלָם וִיגִיעָם לָאַרְבֶּה Ps.78:46

חֲסִין
ת׳ חזק

חֲסִין 1 מִי־כָמוֹךָ חֲסִין יָהּ Ps.89:9

חַסִּיר
ת׳ ארמית: חָסֵר

חַסִּיר 1 תְּקִיל תְּקִלְתָּא...וְהִשְׁתְּכַחַתְּ חַסִּיר Dan.5:27

חסל
: חָסַל; חָסִיל

חָסַל
פ׳ השמיד

יַחְסְלֶנּוּ 1 זֶרַע רַב...כִּי יַחְסְלֶנּוּ הָאַרְבֶּה Deut.28:38

חסם
: חָסַם; מַחְסוֹם

חָסַם
פ׳ גדר, סגר: 1, 2

וְחֹסֶמֶת 1 וְחֹסֶמֶת הִיא אֶת־הָעֹבְרִים Ezek.39:11
תַחְסֹם 2 לֹא־תַחְסֹם שׁוֹר בְּדִישׁוֹ Deut.25:4

חסן
: נֶחְסַן; חֲסִין, חֹסֶן, חָסֹן; אר׳ הַחְסֵן; חִסְנָא

(חסן) נֶחְסַן
נפ׳ נאגר, נשמר

יֵחָסֵן 1 לֹא יֵאָצֵר וְלֹא יֵחָסֵן Is.23:18

חֹסֶן
ז׳ דבר שמור, אוצר: 1—5

חֹסֶן רַב 2; חֹסֶן יְשׁוּעוֹת 4; חֹסֶן הָעִיר 5

חֹסֶן 1 חֹסֶן וִיקָר יִקָּחוּ Ezek.22:25
2 בֵּית צַדִּיק חֹסֶן רָב Prov.15:6
3 כִּי לֹא לְעוֹלָם חֹסֶן Prov.27:24
חֹסֶן־ 4 חֹסֶן יְשׁוּעֹת חָכְמַת וָדָעַת Is.33:6
5 וְנָתַתִּי אֶת־כָּל־חֹסֶן הָעִיר הַזֹּאת Jer.20:5

חָסֹן
ת׳ חזק: 1, 2

וְחָסֹן 1 וְחָסֹן הוּא כָּאַלּוֹנִים Am.2:9
הֶחָסֹן 2 וְהָיָה הֶחָסֹן לִנְעֹרֶת וּפֹעֲלוֹ לְנִיצוֹץ Is.1:31

(חסן) הַחְסֵן
הפ׳ ארמית: יָרַשׁ: 2,1

הֶחֱסִנוּ 1 וּמַלְכוּתָא הֶחֱסִנוּ קַדִּישִׁין Dan.7:22
וְיַחְסְנוּן 2 וְיַחְסְנוּן מַלְכוּתָא עַד־עָלְמָא Dan.7:18

חִסְנָא
ז׳ ארמית: חוֹסֶן, תּוֹקֶף: 1, 2

חִסְנָא 1 מַלְכוּתָא חִסְנָא וְתָקְפָּא וִיקָרָא Dan.2:37
חִסְנִי 2 בִּתְקַף חִסְנִי וְלִיקָר הַדְרִי Dan.4:27

חֲסַף
ז׳ ארמית: חֶרֶס; חַסְפָּא = הַחֶרֶס: 1—9

חֲסַף 1 מִנְּהוֹן דִּי פַרְזֶל וּמִנְּהוֹן דִּי חֲסַף Dan.2:33
2 מִנְּהֵן חֲסַף דִּי־פֶחָר וּמִנְּהֵין פַּרְזֶל Dan.2:41
3 מִנְּהֵן פַּרְזֶל וּמִנְּהֵין חֲסַף Dan.2:42
בַּחֲסַף־ 4-5 פַּרְזְלָא מְעָרַב בַּחֲסַף טִינָא Dan.2:41,43
חַסְפָּא 6 פַּרְזְלָא חַסְפָּא נְחָשָׁא כַּסְפָּא וְדַהֲבָא Dan.2:35
7 פַּרְזְלָא לָא מִתְעָרַב עִם־חַסְפָּא Dan.2:43
8 פַּרְזְלָא נְחָשָׁא חַסְפָּא כַּסְפָּא Dan.2:45
וְחַסְפָּא 9 עַל־רַגְלוֹהִי דִּי פַרְזְלָא וְחַסְפָּא Dan.2:34

(חספס) מְחֻסְפָּס
ת׳ לא־חָלָק

מְחֻסְפָּס 1 דַּק מְחֻסְפָּס דַּק כַּכְּפֹר Ex.16:14

חסר
: חָסֵר, חָסֵר, חִסֵּר, הֶחְסִיר; חָסֵר, חֶסֶר, חֹסֶר, חֶסְרוֹן, מַחְסוֹר; אר׳ חַסִּיר; ש״פ חַסְרָה

חָסֵר
פ׳ א) פחת, התמעט: 1, 3, 12—16, 20, 21
ב) לא היה לו: 2, 4—11, 17—19
ג) [פ׳ חִסֵּר] המעיט: 22, 23
ד) [הפ׳ הֶחְסִיר] המעיט: 24, 25

וְחָסוֹר 1 וְהַמַּיִם הָיוּ הָלוֹךְ וְחָסוֹר Gen.8:5
חָסַרְתָּ 2 לֹא חָסַרְתָּ דָּבָר Deut.2:7
חָסֵר 3 וְצַפַּחַת הַשֶּׁמֶן לֹא חָסֵר IK.17:16
חָסַרְנוּ 4 וּמִן־אָז חָדַלְנוּ...חָסַרְנוּ כֹל Jer.44:18
חָסֵרוּ 5 כִּלְכַּלְתָּם בַּמִּדְבָּר לֹא חָסֵרוּ Neh.9:21
חָסֵר 6 כִּי מָה־אַתָּה חָסֵר עִמִּי IK.11:22
7 וְאֵינֶנּוּ חָסֵר לְנַפְשׁוֹ מִכֹּל אֲשֶׁר־יִתְאַוֶּה Eccl.6:2
8 וְגַם־בַּדֶּרֶךְ כְּשֶׁסָּכָל הֹלֵךְ לִבּוֹ חָסֵר Eccl.10:3
אֶחְסָר 9 יְיָ רֹעִי לֹא אֶחְסָר Ps.23:1
תֶּחְסַר 10 לֹא־תֶחְסַר כֹּל בָּהּ Deut.8:9
יֶחְסַר 11 דֵּי מַחְסֹרוֹ אֲשֶׁר יֶחְסַר לוֹ Deut.15:8
12 וְלֹא יֶחְסַר לַחְמוֹ Is.51:14
13 אַל־יֶחְסַר הַמָּזֶג S.ofS.7:3
יֶחְסָר 14 וְשָׁלָל לֹא יֶחְסָר Prov.31:11
15 וְשֶׁמֶן עַל־רֹאשְׁךָ אַל־יֶחְסָר Eccl.9:8
תֶּחְסָר 16 וְצַפַּחַת הַשֶּׁמֶן לֹא תֶחְסָר IK.17:14
17 וּבֶטֶן רְשָׁעִים תֶּחְסָר Prov.13:25
יַחְסְרוּ 18 לְמַעַן יַחְסְרוּ לֶחֶם וָמָיִם Ezek.4:17
19 וְדֹרְשֵׁי יְיָ לֹא־יַחְסְרוּ כָל־טוֹב Ps.34:11
וַיַּחְסְרוּ 20 וַיַּחְסְרוּ הַמַּיִם מִקְצֵה...יוֹם Gen.8:3
יַחְסְרוּן 21 יַחְסְרוּן חֲמִשִּׁים הַצַּדִּיקִם חֲמִשָּׁה Gen.18:28
וּמְחַסֵּר 22 וּמְחַסֵּר אֶת־נַפְשִׁי מִטּוֹבָה Eccl.4:8
וַתְּחַסְּרֵהוּ 23 וַתְּחַסְּרֵהוּ מְּעַט מֵאֱלֹהִים Ps.8:6
הֶחְסִיר 24 וְהַמַּמְעִיט לֹא הֶחְסִיר Ex.16:18
יַחְסִיר 25 וּמַשְׁקֶה צָמֵא יַחְסִיר Is.32:6

חָסֵר
ת׳ שאין לו (גם בהשאלה): 1—14

חֲסַר לֵב 2-14,12,9; חֲ׳ לֶחֶם 13,11; חֲ׳ מְשֻׁגָּעִים 1
חָסַר תְּבוּנוֹת 10

חֲסַר־ 1 חֲסַר מְשֻׁגָּעִים אָנִי ISh.21:16
2 נֹאֵף אִשָּׁה חֲסַר־לֵב Prov.6:32
3 אָבִינָה בַבָּנִים נַעַר חֲסַר־לֵב Prov.7:7
4 חֲסַר־לֵב אָמְרָה לּוֹ Prov.9:4
חֲסַר־ (המשך) 5 וְשֵׁבֶט לְגֵו חֲסַר־לֵב Prov.10:13
6 בָּז־לְרֵעֵהוּ חֲסַר־לֵב Prov.11:12
7 וּמְרַדֵּף רֵיקִים חֲסַר־לֵב Prov.12:11
8 אָדָם חֲסַר־לֵב תּוֹקֵעַ כָּף Prov.17:18
9 וְעַל־כֶּרֶם אָדָם חֲסַר־לֵב Prov.24:30
10 נָגִיד חֲסַר תְּבוּנוֹת וְרַב מַעֲשַׁקּוֹת Prov.28:16
וַחֲסַר־ 11 וְנֹפֵל בַּחֶרֶב וַחֲסַר־לָחֶם IISh.3:29
12 וַחֲסַר־לֵב וְאָמְרָה לּוֹ Prov.9:16
13 טוֹב נִקְלֶה...מִמִּתְכַּבֵּד וַחֲסַר־לָחֶם Prov.12:9
לַחֲסַר־ 14 אִוֶּלֶת שִׂמְחָה לַחֲסַר־לֵב Prov.15:21

חֶסֶר
ז׳ מחסור: 1—3

חֶסֶר 1 וְלֹא־יֵדַע כִּי־חֶסֶר יְבֹאֶנּוּ Prov.28:22
בְּחֶסֶר 2 בְּחֶסֶר וּבְכָפָן גַּלְמוּד Job 30:3
בַּחֲסַר־ 3 וֶאֱוִילִים בַּחֲסַר־לֵב יָמוּתוּ Prov.10:21

חֹסֶר
ז׳ מחסור: 1—3

חֹסֶר כֹּל 2, 3; חֹסֶר לֶחֶם 1

וְחֹסֶר־ 1 נִקְיוֹן שִׁנַּיִם...וְחֹסֶר לֶחֶם Am.4:6
בְּחֹסֶר־ 2 כִּי־תֹאכְלֵם בְּחֹסֶר־כֹּל Deut.28:57
וּבְחֹסֶר־ 3 בְּרָעָב...וּבְעֵירֹם וּבְחֹסֶר כֹּל Deut.28:48

חַסְרָה
שפ״ז – זקנו של בעל חולדה הנביאה, הוא חַרְחַס

חַסְרָה 1 בֶּן־חַסְרָה שׁוֹמֵר הַבְּגָדִים IICh.34:22

חֶסְרוֹן
ז׳ חֶסֶר

וְחֶסְרוֹן 1 מְעֻוָּת לֹא־יוּכַל לִתְקֹן
וְחֶסְרוֹן לֹא־יוּכַל לְהִמָּנוֹת Eccl.1:15

חַף
ת׳ לא אָשֵׁם

קרובים: בַּר / זַךְ / טָהוֹר / נָבָר / נָקִי / תָּם / תָּמִים

חַף 1 זַךְ אֲנִי בְּלִי פָשַׁע חַף אָנֹכִי וְלֹא עָוֹן לִי Job 33:9

חָפָא
פ׳ כסה, טפל

וַיְחַפְּאוּ 1 וַיְחַפְּאוּ בְנֵי־יִשְׂרָאֵל דְּבָרִים אֲשֶׁר לֹא־כֵן עַל־יְיָ IIK.17:9

חפה
: חָפָה, חָפוּי

חָפָה
פ׳ א) כסה [עם מושא "ראש"]: 1—6
ב) [נפ׳ נֶחְפָּה] כֻּסָּה: 7
ג) [פ׳ חִפָּה] צִפָּה: 8—11

חֲפוּי רֹאשׁ 6

חָפוּ 1 וְכָל־הָעָם...חָפוּ אִישׁ רֹאשׁוֹ IISh.15:30
2 בֹּשׁוּ אִכָּרִים חָפוּ רֹאשָׁם Jer.14:4
3 הַדָּבָר יָצָא...וּפְנֵי הָמָן חָפוּ Es.7:8
וְחָפוּ 4 בֹּשׁוּ וְהָכְלְמוּ וְחָפוּ רֹאשָׁם Jer.14:3
חָפוּי 5 עֹלֶה וּבוֹכֶה וְרֹאשׁ לוֹ חָפוּי IISh.15:30
וַחֲפוּי־ 6 נִדְחַף...אָבֵל וַחֲפוּי רֹאשׁ Es.6:12
נֶחְפָּה 7 כַּנְפֵי יוֹנָה נֶחְפָּה בַכֶּסֶף Ps.68:14
חִפָּה 8 וְאֵת הַבַּיִת הַגָּדוֹל חִפָּה עֵץ בְּרוֹשִׁים IICh.3:5
9 וְהָעֲלִיּוֹת חִפָּה זָהָב IICh.3:9
וַיְחַף 10 וַיְחַף אֶת־הַבַּיִת...זָהָב IICh.3:7
וַיְחַפֵּהוּ 11 וַיְחַפֵּהוּ זָהָב טוֹב IICh.3:5,8

חֻפָּה[1]
נ׳ מקום מכוסה לחתן ולכלה בטקס נשואיהם: 1-3

חֻפָּה 1 כִּי עַל־כָּל־כָּבוֹד חֻפָּה Is.4:5
מֵחֻפָּתוֹ 2 וְהוּא כְּחָתָן יֹצֵא מֵחֻפָּתוֹ Ps.19:6
מֵחֻפָּתָהּ 3 יֵצֵא חָתָן מֵחֶדְרוֹ וְכַלָּה מֵחֻפָּתָהּ Joel 2:16

חֻפָּה[2]
שפ״ז – ראש משמר כהנים בימי דוד

לְחֻפָּה 1 לְחֻפָּה שְׁלֹשָׁה עָשָׂר... ICh.24:13

חָפוּי
ת׳ עין חָפָה (6,5)

חפז : חָפַז, נֶחְפַּז; חִפָּזוֹן

חָפַז פ' א) מהר: 1–6
ב) [נפ' נֶחְפַּז] מהר: 7–9

בְּחָפְזִי 1 וַאֲנִי אָמַרְתִּי בְחָפְזִי... Ps. 31:23
2 אֲנִי אָמַרְתִּי בְחָפְזִי... Ps. 116:11
בְּחָפְזָהּ 3 וַיְהִי בְּחָפְזָהּ לָנוּס וַיִּפֹּל וַיִּפָּסֵחַ IISh. 4:4
בְּחָפְזָם 4 הִשְׁלִיכוּ אֲרָם בְּחָפְזָם (כת' בהחפזם) IIK. 7:15
יַחְפּוֹז 5 הֵן יַעֲשֹׁק נָהָר וְלֹא יַחְפּוֹז Job 40:23
תַּחְפְּזוּ 6 אַל־תִּירְאוּ וְאַל־תַּחְפְּזוּ Deut. 20:3
נֶחְפָּזוּ 7 הֵמָּה רָאוּ כֵּן תָּמָהוּ נִבְהֲלוּ נֶחְפָּזוּ Ps. 48:6
נֶחְפָּז 8 וַיְהִי דָוִד נֶחְפָּז לָלֶכֶת ISh. 23:26
יֵחָפֵזוּן 9 מִן־קוֹל רַעַמְךָ יֵחָפֵזוּן Ps. 104:7

חִפָּזוֹן ז' מהירות רבה, בהילות: 1–3
בְּחִפָּזוֹן 1 וַאֲכַלְתֶּם אֹתוֹ בְּחִפָּזוֹן Ex. 12:11
2 כִּי בְחִפָּזוֹן יָצָאתָ מֵאֶרֶץ מִצְרַיִם Deut. 16:3
3 כִּי לֹא בְחִפָּזוֹן תֵּצֵאוּ Is. 52:12

חֻפִּים שפ"ז א) מבני בנימין, הוא חוּפָם: 1
ב) בן עיר בן בלע מבנימין: 2
ג) משפחה שאליה מתיחסת אחת מנשי מכיר: 3

וְחֻפִּים 1 מֻפִּים וְחֻפִּים וָאָרְדְּ Gen. 46:21
2 וְשֻׁפִּם וְחֻפִּם בְּנֵי עִיר ICh. 7:12
לְחֻפִּים 3 וּמָכִיר לָקַח אִשָּׁה לְחֻפִּים וּלְשֻׁפִּים ICh. 7:15

חפן : חֹפֶן; ש"פ חָפְנִי

חֹפֶן* ז' חלל כף־היד כשהיא קמוצה (זוגי בלבד): 1–6
מְלֹא חָפְנַיִם 1, 4, 6; מְלֹא חָפְנָיו 3

חָפְנַיִם 1 טוֹב...כַּף נָחַת מִמְּלֹא חָפְנַיִם עָמָל Eccl. 4:6
חָפְנֵי־ 2 וַיִּתֵּן אֶל־חָפְנֵי לְבֻשׁ הַבַּדִּים Ezek. 10:7
חָפְנֶיךָ 3 וּמַלֵּא חָפְנֶיךָ גַחֲלֵי־אֵשׁ Ezek. 10:2
חָפְנָיו 4 וּמְלֹא חָפְנָיו קְטֹרֶת סַמִּים Lev. 16:12
בְּחָפְנָיו 5 מִי אָסַף־רוּחַ בְּחָפְנָיו Prov. 30:4
חָפְנֵיכֶם 6 קְחוּ לָכֶם מְלֹא חָפְנֵיכֶם פִּיחַ כִּבְשָׁן Ex. 9:8

חָפְנִי שפ"ז – בנו בכורו של עלי הכהן: 1–5
חָפְנִי 1 וְשָׁם שְׁנֵי בְנֵי־עֵלִי חָפְנִי וּפִנְחָס ISh. 1:3
2 אֶל־שְׁנֵי בָנֶיךָ אֶל־חָפְנִי וּפִינְחָס ISh. 2:34
3 וְשָׁם שְׁנֵי בְנֵי־עֵלִי...חָפְנִי וּפִינְחָס ISh. 4:4
5-4 מֵתוּ חָפְנִי וּפִינְחָס ISh. 4:11, 17

חפף : חָפַף; חֻפָּה, חַף; ש"פ חֻפִּים

חֹפֵף 1 חֹפֵף עָלָיו כָּל־הַיּוֹם Deut. 33:12

חפץ : א) חָפֵץ; חֵפֶץ; ש"פ חֶפְצִי־בָהּ; ב) חָפֵץ

חָפֵץ[1] פ' א) רצה, השתדל: רוב המקראות
ב) [חָפֵץ בְּ־] רצה ב־, מצא חן בעיניו: ראה להלן

קרובים: אבה / אהב / אוה / חמד / חשק / כמה / נטה / נכסף / ערג / רצה / תאב

– חָפֵץ (אֶת־) רוב המקראות; חָפֵץ בְּ־ 3, 5–7, 14, 15, 18, 20, 23–27, 29, 32–36, 39–46, 49, 52, 78, 82, 83
– חָפֵץ חַיִּים 55; חָפֵץ חֶסֶד 51; חָפֵץ רֶשַׁע 53; חָפֵץ שָׁלוֹם 56
– נֶפֶשׁ חֲפֵצָה 57; חֲפֵצֵי צֶדֶק 60; חֲפֵצֵי רָעָה 61, 62

הֶחָפֹץ 1 הֶחָפֹץ אֶחְפֹּץ מוֹת רָשָׁע Ezek. 18:23
חָפַצְתִּי 2 לֹא חָפַצְתִּי לְקַחְתָּהּ Deut. 25:8
3 וְאִם כֹּה יֹאמַר לֹא חָפַצְתִּי בָּךְ IISh. 15:26
4 כִּי אִם־עָשָׂה אֶת־אֲשֶׁר חָפַצְתִּי Is. 55:11
5 וּבַאֲשֶׁר לֹא־חָפַצְתִּי בְּחַרְתֶּם Is. 65:12

חָפַצְתִּי (המשך) 6 וּבַאֲשֶׁר לֹא־חָפַצְתִּי בָּחָרוּ Is. 66:4
7 כִּי־בְאֵלֶּה חָפַצְתִּי נְאֻם־יְיָ Jer. 9:23
8 כִּי חֶסֶד חָפַצְתִּי וְלֹא־זָבַח Hosh. 6:6
9 וְעִמְּךָ לֹא־חָפַצְתִּי בָאָרֶץ Ps. 73:25
10 דַּבֵּר כִּי־חָפַצְתִּי צַדְּקֶךָּ Job 33:32
חָפָצְתִּי 11 וְדַם פָּרִים...לֹא חָפָצְתִּי Is. 1:11
12 וּבָחֲרוּ בַּאֲשֶׁר חָפָצְתִּי Is. 56:4
13 לַעֲשׂוֹת־רְצוֹנְךָ אֱלֹהַי חָפָצְתִּי Ps. 40:9
14 הַדְרִיכֵנִי...כִּי־בוֹ חָפָצְתִּי Ps. 119:35
חָפַצְתָּ 15 וְהָיָה אִם־לֹא חָפַצְתָּ בָּהּ Deut. 21:14
16 כִּי־אַתָּה יְיָ כַּאֲשֶׁר חָפַצְתָּ עָשִׂיתָ Jon. 1:14
17 זֶבַח וּמִנְחָה לֹא־חָפַצְתָּ Ps. 40:7
18 בְּזֹאת יָדַעְתִּי כִּי־חָפַצְתָּ בִּי Ps. 41:12
19 הֵן־אֱמֶת חָפַצְתָּ בַטֻּחוֹת Ps. 51:8
חָפֵץ 20 כִּי חָפֵץ בְּבַת־יַעֲקֹב Gen. 34:19
21 לוּ חָפֵץ יְיָ לַהֲמִיתֵנוּ... Jud. 13:23
22 כִּי־חָפֵץ יְיָ לַהֲמִיתָם ISh. 2:25
23 הִנֵּה חָפֵץ בְּךָ הַמֶּלֶךְ ISh. 18:22
24 וִיהוֹנָתָן...חָפֵץ בְּדָוִד מְאֹד ISh. 19:1
25 מִי אֲשֶׁר חָפֵץ בְּיוֹאָב...אַחֲרֵי יוֹאָב IISh. 20:11
26 יְחַלְּצֵנִי כִּי־חָפֵץ בִּי IISh. 22:20
27 וַאדֹנִי הַמֶּלֶךְ לָמָּה חָפֵץ בַּדָּבָר הַזֶּה IISh. 24:3
28 כָּל־חֵשֶׁק שְׁלֹמֹה אֲשֶׁר חָפֵץ לַעֲשׂוֹת IK. 9:1
29 אֲשֶׁר חָפֵץ בְּךָ לְתִתְּךָ עַל־כִּסֵּא יִשׂ' IK. 10:9
30 יְיָ חָפֵץ לְמַעַן צִדְקוֹ Is. 42:21
31 וַיְיָ חָפֵץ דַּכְּאוֹ הֶחֱלִי Is. 53:10
32 כִּי־חָפֵץ יְיָ בָּךְ וְאַרְצֵךְ תִּבָּעֵל Is. 62:4
33 יְחַלְּצֵנִי כִּי חָפֵץ בִּי Ps. 18:20
34 יַצִּילֵהוּ כִּי חָפֵץ בּוֹ Ps. 22:9
35 וַיֶּאֱהַב קְלָלָה...וְלֹא־חָפֵץ בִּבְרָכָה Ps. 109:17
36 בְּמִצְוֹתָיו חָפֵץ מְאֹד Ps. 112:1
37/8 כֹּל אֲשֶׁר־חָפֵץ (יְיָ) עָשָׂה Ps. 115:3; 135:6
39 כִּי אִם־חָפֵץ בָּהּ הַמֶּלֶךְ וְנִקְרְאָה Es. 2:14
40-4 אֲשֶׁר הַמֶּלֶךְ חָפֵץ בִּיקָרוֹ Es. 6:6, 7, 9², 11
45 אֲשֶׁר חָפֵץ בְּךָ לְתִתְּךָ עַל־כִּסְאוֹ IICh. 9:8
חָפֵצָה 46 וּבְשִׁקּוּצֵיהֶם נַפְשָׁם חָפֵצָה Is. 66:3
חָפָצְנוּ 47 וְדַעַת דְּרָכֶיךָ לֹא חָפָצְנוּ Job 21:14
חֲפַצְתֶּם 48 בַּמָּקוֹם אֲשֶׁר חֲפַצְתֶּם לָבוֹא Jer. 42:22
חָפֵץ (הוה) 49 אִם־חָפֵץ בָּנוּ יְיָ וְהֵבִיא אֹתָנוּ... Num. 14:8
50 אוֹ אִם־חָפֵץ אַתָּה אֶתְּנָה־לְּךָ IK. 21:6
51 כִּי־חָפֵץ חֶסֶד הוּא Mic. 7:18
52 וּבָהֶם הוּא חָפֵץ Mal. 2:17
53 כִּי לֹא אֵל־חָפֵץ רֶשַׁע אָתָּה Ps. 5:5
הֶחָפֵץ 54 הֶחָפֵץ יְמַלֵּא אֶת־יָדוֹ IK. 13:33
55 מִי־הָאִישׁ הֶחָפֵץ חַיִּים Ps. 34:13
56 יִגְדַּל יְיָ הֶחָפֵץ שְׁלוֹם עַבְדּוֹ Ps. 35:27
חֲפֵצָה 57 בְּלֵב שָׁלֵם וּבְנֶפֶשׁ חֲפֵצָה ICh. 28:9
חֲפֵצִים 58 וּמַלְאַךְ הַבְּרִית אֲשֶׁר אַתֶּם חֲפֵצִים Mal. 3:1
הַחֲפֵצִים 59 הַחֲפֵצִים לְיִרְאָה אֶת־שְׁמֶךָ Neh. 1:11
חֲפֵצֵי־ 60 יָרֹנּוּ וְיִשְׂמְחוּ חֲפֵצֵי צִדְקִי Ps. 35:27
61/2 וְיִכָּלְמוּ חֲפֵצֵי רָעָתִי Ps. 40:15; 70:3
חֲפֵצֵיהֶם 63 דְּרוּשִׁים לְכָל־חֶפְצֵיהֶם Ps. 111:2
אֶחְפֹּץ 64 הֶחָפֹץ אֶחְפֹּץ מוֹת רָשָׁע Ezek. 18:23
65 כִּי לֹא אֶחְפֹּץ בְּמוֹת הַמֵּת Ezek. 18:32
66 אִם־אֶחְפֹּץ בְּמוֹת הָרָשָׁע Ezek. 33:11
אֶחְפָּץ 67 וְהוֹכֵחַ אֶל־אֵל אֶחְפָּץ Job 13:3
תַּחְפֹּץ 68 כִּי לֹא־תַחְפֹּץ זֶבַח וְאֶתֵּנָה Ps. 51:18
69 אָז תַּחְפֹּץ זִבְחֵי־צֶדֶק Ps. 51:21
יַחְפֹּץ 70 וְאִם־לֹא יַחְפֹּץ הָאִישׁ Deut. 25:7
71 לֹא יַחְפֹּץ כְּסִיל בִּתְבוּנָה Prov. 18:2
72 עַל־כָּל־אֲשֶׁר יַחְפֹּץ יַטֶּנּוּ Prov. 21:1
73 אִם־יַחְפֹּץ לָרִיב עִמּוֹ Job 9:3

יַחְפֹּץ (המשך) 74 וְאִם־לֹא יַחְפֹּץ לְגָאֳלֵךְ Ruth 3:13
75 כָּל־אֲשֶׁר יַחְפֹּץ יַעֲשֶׂה Eccl. 8:3
76 לְמִי יַחְפֹּץ הַמֶּלֶךְ לַעֲשׂוֹת יְקָר Es. 6:6
יֶחְפָּץ 77 מִיְ...כּוֹנָנוּ וְדַרְכּוֹ יֶחְפָּץ Ps. 37:23
78 לֹא בִגְבוּרַת הַסּוּס יֶחְפָּץ Ps. 147:10
שֶׁתֶּחְפָּץ 79-80 אִם־תְּעִירוּ...עַד שֶׁתֶּחְפָּץ S.of S. 2:7; 3:5
81 מַה־תָּעִירוּ...עַד שֶׁתֶּחְפָּץ S.of S. 8:4
יַחְפְּצוּ 82 וְזָהָב לֹא יַחְפְּצוּ־בוֹ Is. 13:17
83 הִנֵּה דְבַר־יְיָ...לֹא יַחְפְּצוּ־בוֹ Jer. 6:10
יֶחְפָּצוּ 84 בִּזַּר עַמִּים קְרָבוֹת יֶחְפָּצוּ Ps. 68:31
יֶחְפָּצוּן 85 וְדַעַת דְּרָכַי יֶחְפָּצוּן Is. 58:2
86 קִרְבַת אֱלֹהִים יֶחְפָּצוּן Is. 58:2

חָפֵץ[2] פ' זקף, שלח
יַחְפֹּץ 1 יַחְפֹּץ זְנָבוֹ כְמוֹ־אָרֶז Job 40:17

חֵפֶץ ז' א) רצון, נטית הלב: רוב המקראות 1–39
ב) דבר או ענין שאדם חָפֵץ בו: 10, 11, 13, 22–24, 27, 29, 31, 34, 35, 37, 38, 39

קרובים: אַוָּה/חֶמְדָּה/חֵשֶׁק/מַאֲוַיִּים/רָצוֹן/תַּאֲוָה/תְּשׁוּקָה

אַבְנֵי חֵפֶץ 3; אֶרֶץ חֵפֶץ 9; דִּבְרֵי חֵפֶץ 15; מְחוֹז חֶפְצָם 36; חֵפֶץ יְיָ 19; חֵפֶץ כַּפֶּיהָ 20; חֶפְצִי־בָהּ 25

חֵפֶץ 1 אֵין־חֵפֶץ לַמֶּלֶךְ בְּמֹהַר ISh. 18:25
2 כִּי־כָל־יִשְׁעִי וְכָל־חֵפֶץ IISh. 23:5
3 וְכָל־גְּבוּלֵךְ לְאַבְנֵי־חֵפֶץ Is. 54:12
4 בְּיוֹם צֹמְכֶם תִּמְצְאוּ־חֵפֶץ Is. 58:3
5 אִם־כְּלִי אֵין חֵפֶץ בּוֹ Jer. 22:28
7-6 כִּכְלִי אֵין־חֵפֶץ בּוֹ Jer. 48:38 • Hosh. 8:8
8 אֵין־לִי חֵפֶץ בָּכֶם... Mal. 1:10
9 כִּי־תִהְיוּ אַתֶּם אֶרֶץ חֵפֶץ Mal. 3:12
10 לַכֹּל זְמָן וְעֵת לְכָל־חֵפֶץ Eccl. 3:1
11 כִּי־עֵת לְכָל־חֵפֶץ Eccl. 3:17
12 כִּי אֵין חֵפֶץ בַּכְּסִילִים Eccl. 5:3
13 כִּי לְכָל־חֵפֶץ יֵשׁ עֵת וּמִשְׁפָּט Eccl. 8:6
14 שָׁנִים...אֵין־לִי בָהֶם חֵפֶץ Eccl. 12:1
15 בִּקֵּשׁ קֹהֶלֶת לִמְצֹא דִּבְרֵי־חֵפֶץ Eccl. 12:10
הַחֵפֶץ 16 הַחֵפֶץ לַיְיָ בְּעֹלוֹת וּזְבָחִים ISh. 15:22
17 הַחֵפֶץ לְשַׁדַּי כִּי תִצְדָּק Job 22:3
18 אַל־תִּתְמַהּ עַל־הַחֵפֶץ Eccl. 5:7
וְחֵפֶץ־ 19 וְחֵפֶץ יְיָ בְּיָדוֹ יִצְלָח Is. 53:10
בְּחֵפֶץ־ 20 וַתַּעַשׂ בְּחֵפֶץ כַּפֶּיהָ Prov. 31:13
מֵחֵפֶץ־ 21 אִם־אֶמְנַע מֵחֵפֶץ דַּלִּים Job 31:16
חֶפְצִי 22 וְאַתָּה תַּעֲשֶׂה אֶת־חֶפְצִי IK. 5:23
23 וְכָל־חֶפְצִי יַשְׁלִם Is. 44:28
24 עֲצָתִי תָקוּם וְכָל־חֶפְצִי אֶעֱשֶׂה Is. 46:10
25 כִּי לָךְ יִקָּרֵא חֶפְצִי־בָהּ Is. 62:4
26 לִקְדוֹשִׁים...וְאַדִּירֵי כָּל־חֶפְצִי־בָם Ps. 16:3
חֶפְצְךָ 27 אֲנִי אֶעֱשֶׂה אֶת־כָּל־חֶפְצְךָ IK. 5:22
28 מִמְּצוֹא חֶפְצְךָ וְדַבֵּר דָּבָר Is. 58:13
חֶפְצוֹ 29 נֹתֵן לִשְׁלֹמֹה...כָּל־חֶפְצוֹ IK. 5:24
30 נִשָּׂא...וּבַזָּהָב לְכָל־חֶפְצוֹ IK. 9:11
31 יַעֲשֶׂה חֶפְצוֹ בְּבָבֶל Is. 48:14
32 כִּי אִם בְּתוֹרַת יְיָ חֶפְצוֹ Ps. 1:2
33 כִּי מַה־חֶפְצוֹ בְּבֵיתוֹ אַחֲרָיו Job 21:21
חֶפְצָהּ 34 נָתַן...אֶת־כָּל־חֶפְצָהּ אֲשֶׁר שָׁאָלָה IK. 10:13
35 נָתַן...אֶת־כָּל־חֶפְצָהּ אֲשֶׁר שָׁאָלָה IICh. 9:12
חֶפְצָם 36 וַיַּנְחֵם אֶל־מְחוֹז חֶפְצָם Ps. 107:30
חֲפָצִים 37 וְכָל־חֲפָצִים לֹא יִשְׁווּ־בָהּ Prov. 8:11
חֲפָצֶיךָ 38 עֲשׂוֹת חֲפָצֶיךָ בְּיוֹם קָדְשִׁי Is. 58:13
חֲפָצֶיךָ 39 וְכָל־חֲפָצֶיךָ לֹא יִשְׁווּ־בָהּ Prov. 3:15
חֶפְצֵיהֶם(?) 40 דְּרוּשִׁים לְכָל חֶפְצֵיהֶם Ps. 111:2

חֶפְצִי־בָהּ שפ״נ – א) אשת חזקיהו מלך יהודה: 1
ב) כנוי חִבָּה לעם ישראל: 2

חֶפְצִי־בָהּ 1 וְשֵׁם אִמּוֹ חֶפְצִי־בָהּ IIK. 21:1
2 כִּי לָךְ יִקָּרֵא חֶפְצִי־בָהּ Is. 62:4

חפר : א) חָפַר; ש״פ חֵפֶר, חֶפְרִי, חֲפָרַיִם; חֲפַרְפֵּרוֹת*?
ב) חָפֵר, הֶחְפִּיר

חָפַר1 פ׳ א) כרה, פתח בּוֹר: 4–18, 20–23
ב) תָּר, רגל: 1, 2, 19

לַחְפֹּר 1 בָּאוּ הֵנָּה...לַחְפֹּר אֶת־הָאָרֶץ Josh. 2:2
2 כִּי לַחְפֹּר אֶת־כָּל־הָאָרֶץ בָּאוּ Josh. 2:3
3 (?) לַחְפֹּר פֵּרוֹת וְלָעֲטַלֵּפִים Is. 2:20
חָפַרְתִּי 4 כִּי חָפַרְתִּי אֶת־הַבְּאֵר הַזֹּאת Gen. 21:30
וְחָפַרְתָּה 5 וְהָיָה בְּשִׁבְתְּךָ חוּץ וְחָפַרְתָּה בָהּ Deut. 23:14
וְחָפַרְתָּ 6 וְחָפַרְתָּ לָבֶטַח תִּשְׁכָּב Job 11:18
חָפַר 7 מִשָּׁם חָפַר־אֹכֶל Job 39:29
חָפְרוּ 8 הַבְּאֵרֹת אֲשֶׁר חָפְרוּ...סִתְּמוּם Gen. 26:15
9 אֲשֶׁר חָפְרוּ בִּימֵי אַבְרָהָם אָבִיו Gen. 26:18
10 חִנָּם חָפְרוּ לְנַפְשִׁי Ps. 35:7
חָפָרוּ 11 עַל־אֹדוֹת הַבְּאֵר אֲשֶׁר חָפָרוּ Gen. 26:32
חֲפָרוּהָ 12 בְּאֵר חֲפָרוּהָ שָׂרִים Num. 21:18
חוֹפֵר 13 חֹפֵר גּוּמָּץ בּוֹ יִפּוֹל Eccl. 10:8
וָאֶחְפֹּר 14 וָאֶחְפֹּר וָאֶקַּח אֶת־הָאֵזוֹר Jer. 13:7
וַיַּחְפֹּר 15 וַיַּחְפֹּר אֶת־בְּאֵרֹת הַמַּיִם Gen. 26:18
16 וַיַּחְפֹּר בְּאֵר אַחֶרֶת Gen. 26:22
וַיַּחְפְּרֵהוּ 17 בּוֹר כָּרָה וַיַּחְפְּרֵהוּ... Ps. 7:16
יַחְפְּרוּ 18 יַחְפְּרוּ בָעֵמֶק וְיָשִׂישׂ בְּכֹחַ Job 39:21
וְיַחְפְּרוּ 19 וְיַחְפְּרוּ־לָנוּ אֶת־הָאָרֶץ Deut. 1:22
וַיַּחְפְּרוּ 20 וַיַּחְפְּרוּ עַבְדֵי־יִצְחָק בַּנָּחַל Gen. 26:19
21 וַיַּחְפְּרוּ בְּאֵר אַחֶרֶת Gen. 26:21
22 וַיַּחְפְּרוּ כָל־מִצְרַיִם סְבִיבֹת הַיְאֹר Ex. 7:24
וַיַּחְפְּרֻהוּ 23 הַמְחַכִּים לַמָּוֶת...וַיַּחְפְּרֻהוּ מִמַּטְמוֹנִים Job 3:21

חָפֵר2 פ׳ א) חָוַר, נכלם: 1–13
ב) [הפ׳ הֶחְפִּיר] התביש, נכלם: 14, 16
ג) [כנ״ל] הוביש, המיט בושה: 15, 17
קרובים: בּוֹשׁ / הוֹבִישׁ / הִתְבּוֹשֵׁשׁ / חָוַר / נִכְלַם

חָפְרָה 1 בּוֹשָׁה...חָפְרָה יוֹלַדְתְּכֶם Jer. 50:12
וְחָפְרָה 2 וְחָפְרָה הַלְּבָנָה וּבוֹשָׁה הַחַמָּה Is. 24:23
וְחָפֵרָה 3 בָּא° שִׁמְשָׁהּ...בּוֹשָׁה וְחָפֵרָה Jer. 15:9
חָפְרוּ 4 כִּי־בֹשׁוּ כִּי־חָפְרוּ מְבַקְשֵׁי רָעָתִי Ps. 71:24
וְחָפְרוּ 5 וּבֹשׁוּ הַחֹזִים וְחָפְרוּ הַקֹּסְמִים Mic. 3:7
וְתַחְפְּרוּ 6 יֵבֹשׁוּ מֵאֵילִים...וְתַחְפְּרוּ מֵהַגַּנּוֹת Is. 1:29
יֶחְפָּרוּ 7 הִבִּיטוּ אֵלָיו...וּפְנֵיהֶם אַל־יֶחְפָּרוּ Ps. 34:6
וְיַחְפְּרוּ 8 יֵבֹשׁוּ וְיִכָּלְמוּ...יִסֹּגוּ אָחוֹר וְיַחְפְּרוּ Ps. 35:4
9 יֵבֹשׁוּ וְיַחְפְּרוּ יַחְדָּו Ps. 35:26
10 יֵבֹשׁוּ וְיַחְפְּרוּ יַחַד Ps. 40:15
11 יֵבֹשׁוּ וְיַחְפְּרוּ מְבַקְשֵׁי נַפְשִׁי Ps. 70:3
12 יֵבֹשׁוּ וְיִבָּהֲלוּ...וְיַחְפְּרוּ וְיֹאבֵדוּ Ps. 83:18
וַיֶּחְפָּרוּ 13 בֹּשׁוּ...בָּאוּ עָדֶיהָ וַיֶּחְפָּרוּ Job 6:20
הֶחְפִּיר 14 הֶחְפִּיר לְבָנוֹן קָמַל Is. 33:9
וּמַחְפִּיר 15 בֵּן מֵבִישׁ וּמַחְפִּיר Prov. 19:26
תַּחְפִּירִי 16 וְאַל־תִּכָּלְמִי כִּי לֹא תַחְפִּירִי Is. 54:4
וְיַחְפִּיר 17 וְרָשָׁע יַבְאִישׁ וְיַחְפִּיר Prov. 13:5

חֵפֶר1 שפ״ז – עיר ואזור בנחלת מנשה (ובזולון?)
[עין גם גַּת הַחֵפֶר]: 1, 2

חֵפֶר 1 מֶלֶךְ חֵפֶר אֶחָד Josh. 12:17
2 לוֹ שֹׂכֹה וְכָל־אֶרֶץ חֵפֶר IK. 4:10

חֵפֶר2 שפ״ז – א) מבני מכיר בן מנשה: 1–4, 7
ב) בן אַשְׁחוּר משבט יהודה: 5
ג) מגבורי דוד: 6

חֵפֶר 1/2 וּ(לְ)צְלָפְחָד בֶּן־חֵפֶר לֹא־הָיוּ לוֹ בָּנִים Num. 26:33 • Josh. 17:3
3 בְּנוֹת צְלָפְחָד בֶּן־חֵפֶר בֶּן־גִּלְעָד Num. 27:1
4 וְלִבְנֵי־חֵפֶר וְלִבְנֵי שְׁמִידָע Josh. 17:2
5 וַתֵּלֶד לוֹ...אֶת־אֲחֻזָּם וְאֶת־חֵפֶר ICh. 4:6
6 חֵפֶר הַמְּכֵרָתִי ICh. 11:36
וְחֵפֶר 7 וְחֵפֶר מִשְׁפַּחַת הַחֶפְרִי Num. 26:32

חֶפְרִי ת׳ המתיחס על חֵפֶר

הַחֶפְרִי 1 וְחֵפֶר מִשְׁפַּחַת הַחֶפְרִי Num. 26:32

חֲפָרַיִם מקום בנחלת יששכר

וַחֲפָרַיִם 1 וַחֲפָרַיִם וְשִׁיאֹן וַאֲנָחֲרַת Josh. 19:19

חָפְרַע שפ״ז – שם פרעה מלך מצרים בימי ירמיהו

חָפְרַע 1 אֶת־פַּרְעֹה חָפְרַע מֶלֶךְ־מִצְרַיִם Jer. 44:30

חֲפַרְפֵּרוֹת* נ״ר בעלי-חיים מכרסמים [כך יש קוראים ומפרשים בערך חָפַר1 מס׳ 3, עין שם]

חפש : חֻפַּשׁ; חֹפֶשׁ, חֻפְשָׁה, חָפְשִׁי, חָפְשִׁית

חֻפַּשׁ פ׳ שֻׁחְרַר

חֻפָּשָׁה 1 לֹא יוּמְתוּ כִּי־לֹא חֻפָּשָׁה Lev. 19:20

חֹפֶשׁ ז׳ חֵרוּת, רוחה(?)

חֹפֶשׁ 1 רֹכַלְתֵּךְ בְּבִגְדֵי־חֹפֶשׁ לְרִכְבָּה Ezek. 27:20

חֻפְשָׁה נ׳ שחרור מעבדות

חֻפְשָׁה 1 אוֹ חֻפְשָׁה לֹא נִתַּן־לָהּ Lev. 19:20

חָפְשִׁי ת׳ משוחרר, בן חורין (גם בהשאלה): 1–17
יָצָא (לַ)חָפְשִׁי 1, 10; עָשָׂה חָפְשִׁי 5; שִׁלַּח (לַ)חָפְשִׁי 2–4, 6, 9, 11, 12; שִׁלַּח חָפְשִׁים 13–17; בַּמֵּתִים חָפְשִׁי 7

חָפְשִׁי 1 אָהַבְתִּי אֶת־אֲדֹנִי...לֹא אֵצֵא חָפְשִׁי Ex. 21:5
2 תְּשַׁלְּחֶנּוּ חָפְשִׁי מֵעִמָּךְ Deut. 15:12
3 וְכִי־תְשַׁלְּחֶנּוּ חָפְשִׁי מֵעִמָּךְ Deut. 15:13
4 בְּשַׁלֵּחֲךָ אֹתוֹ חָפְשִׁי מֵעִמָּךְ Deut. 15:18
5 וְאֵת בֵּית אָבִיו יַעֲשֶׂה חָפְשִׁי בְּיִשְׂרָאֵל ISh. 17:25
6 וְשִׁלַּחְתּוֹ חָפְשִׁי מֵעִמָּךְ Jer. 34:14
7 בַּמֵּתִים חָפְשִׁי כְּמוֹ חֲלָלִים Ps. 88:6
8 וְעֶבֶד חָפְשִׁי מֵאֲדֹנָיו Job 3:19
9 מִי־שִׁלַּח פֶּרֶא חָפְשִׁי Job 39:5
לַחָפְשִׁי 10 שֵׁשׁ...וּבַשְּׁבִעִת יֵצֵא לַחָפְשִׁי חִנָּם Ex. 21:2
11 לַחָפְשִׁי יְשַׁלְּחֶנּוּ תַּחַת עֵינוֹ Ex. 21:26
12 לַחָפְשִׁי יְשַׁלְּחֶנּוּ תַּחַת שִׁנּוֹ Ex. 21:27
חָפְשִׁים 13 וְשַׁלַּח רְצוּצִים חָפְשִׁים Is. 58:6
14/5 לְשַׁלַּח...חָפְשִׁים לְבִלְתִּי עֲבָד־בָּם Jer. 34:9, 10
16 הָעֲבָדִים...אֲשֶׁר שִׁלְּחוּ חָפְשִׁים Jer. 34:11
17 אֲשֶׁר־שִׁלַּחְתֶּם חָפְשִׁים לְנַפְשָׁם Jer. 34:16

חָפְשִׁית נ׳ [בצירוף: בֵּית הַחָפְשִׁית] בית מצורעים: 1, 2

הַחָפְשִׁית 1 וַיְהִי מְצֹרָע...וַיֵּשֶׁב בְּבֵית הַחָפְשִׁית IIK. 15:5
2 יוֹשֵׁב בֵּית הַחָפְשִׁית (כת׳ החפשות) IICh. 26:21

חפש : חָפַשׂ, נֶחְפַּשׂ, חִפֵּשׂ, חֻפַּשׂ, הִתְחַפֵּשׂ; חֵפֶשׂ

חָפַשׂ פ׳ א) בקש, בחן: 1–4
ב) [נפ׳ נֶחְפַּשׂ] חפשו אותו: 5
ג) [פ׳ חִפֵּשׂ] בקש, השתדל למצוא: 6–13
ד) [פ׳ חֻפַּשׂ] בקשו אותו: 14, 15
ה) [הת׳ הִתְחַפֵּשׂ] שנה את מראהו: 16–23

חוֹפֵשׂ 1 נֵר יי...חֹפֵשׂ כָּל־חַדְרֵי־בָטֶן Prov. 20:27
תַּחְפְּשֶׂנָּה 2 תְּבַקְשֶׁנָּה כַכָּסֶף וְכַמַּטְמוֹנִים תַּחְפְּשֶׂנָּה Prov. 2:4
נַחְפְּשָׂה 3 נַחְפְּשָׂה דְרָכֵינוּ וְנַחְקֹרָה Lam. 3:40
יַחְפְּשׂוּ 4 יַחְפְּשׂוּ עוֹלֹת תַּמְנוּ חֵפֶשׂ מְחֻפָּשׂ Ps. 64:7
נֶחְפְּשׂוּ 5 אֵיךְ נֶחְפְּשׂוּ עֵשָׂו נִבְעוּ מַצְפֻּנָיו Ob. 6
וְחִפַּשְׂתִּי 6 וְחִפַּשְׂתִּי אֹתוֹ בְּכֹל אַלְפֵי יְהוּדָה ISh. 23:23
וְחִפְּשׂוּ 7 וְחִפְּשׂוּ אֶת־בֵּיתְךָ וְאֵת בָּתֵּי עֲבָדֶיךָ IK. 20:6
אֲחַפֵּשׂ 8 מִשָּׁם אֲחַפֵּשׂ וּלְקַחְתִּים Am. 9:3
9 אֲחַפֵּשׂ אֶת־יְרוּשָׁלַםִ בַּנֵּרוֹת Zep. 1:12
וַיְחַפֵּשׂ 10 וַיְחַפֵּשׂ וְלֹא מָצָא Gen. 31:35
11 וַיְחַפֵּשׂ...וַיִּמָּצֵא הַגָּבִיעַ Gen. 44:12
12 עִם־לְבָבִי אָשִׂיחָה וַיְחַפֵּשׂ רוּחִי Ps. 77:7
חַפְּשׂוּ 13 חַפְּשׂוּ וּרְאוּ פֶּן־יֶשׁ־פֹּה עִמָּכֶם IIK. 10:23
מְחֻפָּשׂ 14 יַחְפְּשׂוּ־עוֹלֹת תַּמְנוּ חֵפֶשׂ מְחֻפָּשׂ Ps. 64:7
יְחֻפַּשׂ 15 וּבְקוּם רְשָׁעִים יְחֻפַּשׂ אָדָם Prov. 28:12
הִתְחַפֵּשׂ (עבר) 16 כִּי לְהִלָּחֵם בּוֹ הִתְחַפֵּשׂ IICh. 35:22
יִתְחַפֵּשׂ 17 בְּרָב־כֹּחַ יִתְחַפֵּשׂ לְבוּשִׁי Job 30:18
וַיִּתְחַפֵּשׂ 18 וַיִּתְחַפֵּשׂ...וַיִּלְבַּשׁ בְּגָדִים אֲחֵרִים ISh. 28:8
19 וַיִּתְחַפֵּשׂ בָּאֲפֵר עַל־עֵינָיו IK. 20:38
20/1 וַיִּתְחַפֵּשׂ מֶ׳ יִשְׂרָאֵל IK. 22:30 • IICh. 18:29
הִתְחַפֵּשׂ (צווי) 22 הִתְחַפֵּשׂ וָבֹא בַמִּלְחָמָה IK. 22:30
23 הִתְחַפֵּשׂ וָבוֹא בַּמִּלְחָמָה IICh. 18:29

חֵפֶשׂ ז׳ חִפּוּשׂ

חֵפֶשׂ 1 יַחְפְּשׂוּ־עוֹלֹת תַּמְנוּ חֵפֶשׂ מְחֻפָּשׂ Ps. 64:7

חֵץ ז׳ א) קנה מחודד הנורה מן הקשת: רוב המקראות 1–53
ב) [בהשאלה] נגע, פגע: 39, 40, 43, 44; בָּרָק: 42, 53
– חֵץ בָּרוּר 7; חֵץ פִּתְאֹם 11; חֵץ שָׁחוּט 3; חֵץ שָׁנוּן 6, 38, 44, 47; חֵץ תְּשׁוּעָה 10, 12
– חֲנִית וְחִצִּים 22; קֶשֶׁת וְחִצִּים 20, 21, 31, 34, 35
בַּעֲלֵי חִצִּים 17;
– חִצֵּי גִבּוֹר 38; חִצֵּי רָעָב 37; חִצֵּי שַׁדַּי 39

חֵץ 1 וְלֹא־יוֹרֶה שָׁם חֵץ וְלֹא־יְקַדְּמֶנָּה מָגֵן IIK. 19:32
2 וְלֹא־יוֹרֶה שָׁם חֵץ Is. 37:33
3 חֵץ שָׁחוּט° לְשׁוֹנָם מִרְמָה דִבֵּר בְּפִיו Jer. 9:7
4 אַל־תַּחְמְלוּ אֶל־חֵץ Jer. 50:14
5 עַד יְפַלַּח חֵץ כְּבֵדוֹ Prov. 7:23
וְחֵץ 6 מֵפִיץ וְחֶרֶב וְחֵץ שָׁנוּן Prov. 25:18
לְחֵץ 7 וַיְשִׂימֵנִי לְחֵץ בָּרוּר Is. 49:2
לַחֵץ 8 דָּרַךְ קַשְׁתּוֹ וַיַּצִּיבֵנִי כַּמַּטָּרָא לַחֵץ Lam. 3:12
מֵחֵץ 9 לֹא־תִירָא...מֵחֵץ יָעוּף יוֹמָם Ps. 91:5
חֵץ־ 10 וַיֹּאמֶר חֵץ־תְּשׁוּעָה לַיי IIK. 13:17
11 וַיֹּרֵם אֱלֹהִים חֵץ פִּתְאוֹם Ps. 64:8
וְחֵץ־ 12 וְחֵץ־תְּשׁוּעָה בַּאֲרָם IIK. 13:17
חִצִּי 13 אָנוּשׁ חִצִּי בְלִי־פָשַׁע Job 34:6
חִצּוֹ 14 וַיי עֲלֵיהֶם יֵרָאֶה וְיָצָא כַבָּרָק חִצּוֹ Zech. 9:14
חִצָּם 15 כּוֹנְנוּ חִצָּם עַל־יֶתֶר לִירוֹת Ps. 11:2
16 דָּרְכוּ חִצָּם דָּבָר מָר Ps. 64:4
חִצִּים 17 וַיִּשְׂטְמֻהוּ בַּעֲלֵי חִצִּים Gen. 49:23
18 וַיִּשְׁלַח חִצִּים וַיְפִיצֵם IISh. 22:15
19 הַיֹּרֶה זִקִּים חִצִּים וָמָוֶת Prov. 26:18
וְחִצִּים 20 וַיֹּאמֶר לוֹ אֱלִישָׁע קַח קֶשֶׁת וְחִצִּים IIK. 13:15
21 וַיִּקַּח אֵלָיו קֶשֶׁת וְחִצִּים IIK. 13:15
22 שִׁנֵּיהֶם חֲנִית וְחִצִּים Ps. 57:5
הַחִצִּים 23 שְׁלֹשֶׁת הַחִצִּים צִדָּה אוֹרֶה ISh. 20:20
24 לֵךְ מְצָא אֶת־הַחִצִּים ISh. 20:21
25 הִנֵּה הַחִצִּים מִמְּךָ וָהֵנָּה ISh. 20:21
26 הִנֵּה הַחִצִּים מִמְּךָ וָהָלְאָה ISh. 20:22
27 רֻץ מְצָא־נָא אֶת־הַחִצִּים ISh. 20:36
28 וַיְלַקֵּט...אֶת־הַחִצִּים (כת׳ החצי) ISh. 20:38
29 וַיֹּאמֶר קַח הַחִצִּים וַיִּקָּח IIK. 13:18
30 הָבֵרוּ הַחִצִּים מִלְאוּ הַשְּׁלָטִים Jer. 51:11
בַּחִצִּים 31 בַּחִצִּים וּבַקֶּשֶׁת יָבוֹא שָׁמָּה Is. 7:24
32 קִלְקַל בַּחִצִּים שָׁאַל בַּתְּרָפִים Ezek. 21:26
33 לִירוֹא בַּחִצִּים וּבָאֲבָנִים גְּדֹלוֹת IICh. 26:15

וּבַחִצִּים 34 בָּאֲבָנִים וּבַחִצִּים בַּקָּשֶׁת ICh. 12:2
וּבְחִצִּים 35 וְהִשִּׁיקוּ...בְּקֶשֶׁת וּבְחִצִּים Ezek. 32:9
כְּחִצִּים 36 כְּחִצִּים בְּיַד־גִּבּוֹר Ps. 127:4
חִצֵּי־ 37 בְּשַׁלְּחִי אֶת־חִצֵּי הָרָעָב הָרָעִים Ezek. 5:16
38 חִצֵּי גִבּוֹר שְׁנוּנִים Ps. 120:4
39 כִּי חִצֵּי שַׁדַּי עִמָּדִי Job 6:4
חִצַּי 40 חִצַּי אֲכַלֶּה בָּם Deut. 32:23
41 אַשְׁכִּיר חִצַּי מִדָּם Deut. 32:42
חִצֶּיךָ 42 לְאוֹר חִצֶּיךָ יְהַלֵּכוּ Hab. 3:11
43 כִּי־חִצֶּיךָ נִחֲתוּ בִי Ps. 38:3
44 חִצֶּיךָ שְׁנוּנִים...יִפְּלוּ בְּלֵב אוֹיְבֵי... Ps. 45:6
45 שְׁלַח חִצֶּיךָ וּתְהֻמֵּם Ps. 144:6
וְחִצֶּיךָ 46 וְחִצֶּיךָ מִיַּד יְמִינְךָ אַפִּיל Ezek. 39:3
חִצָּיו 47 אֲשֶׁר חִצָּיו שְׁנוּנִים Is. 5:28
48 חִצָּיו כְּגִבּוֹר מַשְׂכִּיל Jer. 50:9
49 חִצָּיו לְדֹלְקִים יִפְעָל Ps. 7:14
50 וַיִּשְׁלַח חִצָּיו וַיְפִיצֵם Ps. 18:15
51 יִדְרֹךְ חִצָּו כְּמוֹ יִתְמֹלָלוּ Ps. 58:8
וְחִצָּיו 52 יֹאכַל גּוֹיִם צָרָיו...וְחִצָּיו יִמְחָץ Num. 24:8
חֲצָצֶיךָ 53 אַף־חֲצָצֶיךָ יִתְהַלָּכוּ Ps. 77:18

חצב : חָצַב, נֶחְצַב, חֻצַּב, הֶחְצִיב; חוֹצֵב, מַחְצֵב

חָצַב פ׳ א) חָטַב, הִכָּה בסלע (גם בהשאלה): 1—22
ב) [נפ׳ נֶחְצַב] נחטב, נחרת: 23
ג) [פ׳ חֻצַּב] נחצב: 24
ד) [הפ׳ הֶחְצִיב] שִׁבֵּר, הרס: 25
– חָצַב אֶבֶן (אֲבָנִים) 18,2; חָ׳ בּוֹר (בּוֹרוֹת) 22,4,1; חָצַב יֶקֶב 6; חָצַב לְהָבוֹת 9; חָצַב נְחֹשֶׁת 21; חָצַב עַמּוּדִים 7; חָ׳ קֶבֶר 5, 13
– חוֹצְבִים וְחָרָשִׁים 15–17; בּוֹרוֹת חֲצוּבִים 19, 20

לַחְצֹב 1 לַחְצֹב לָהֶם בֹּארוֹת בֹּארֹת נִשְׁבָּרִים Jer. 2:13
2 חֹצְבִים לַחְצוֹב אַבְנֵי גָזִית ICh. 22:2(1)
חָצַבְתִּי 3 עַל־כֵּן חָצַבְתִּי בַּנְּבִיאִים Hos. 6:5
חָצַבְתָּ 4 וּבֹרֹת חֲצוּבִים אֲשֶׁר לֹא־חָצַבְתָּ Deut. 6:11
5 כִּי־חָצַבְתָּ לְּךָ פֹּה קָבֶר Is. 22:16
חָצֵב 6 וְגַם־יֶקֶב חָצֵב בּוֹ Is. 5:2
חָצְבָה 7 חָכְמוֹת...חָצְבָה עַמּוּדֶיהָ שִׁבְעָה Prov. 9:1
חֹצֵב 8 וּשְׁמֹנִים אֶלֶף חֹצֵב בָּהָר IK. 5:29
9 קוֹל־יְיָ חֹצֵב לַהֲבוֹת אֵשׁ Ps. 29:7
10 וּשְׁמוֹנִים אֶלֶף אִישׁ חֹצֵב בָּהָר IICh. 2:1
11 וּשְׁמֹנִים אֶלֶף חֹצֵב בָּהָר IICh. 2:17
הַחֹצֵב 12 הֲיִתְפָּאֵר הַגַּרְזֶן עַל הַחֹצֵב בּוֹ Is. 10:15
חֹצְבִי 13 חֹצְבִי מָרוֹם קִבְרוֹ Is. 22:16
חֹצְבִים 14 וַיַּעֲמֵד חֹצְבִים לַחְצוֹב ICh. 22:2(1)
15 חֹצְבִים וְחָרָשֵׁי אֶבֶן וָעֵץ ICh. 22:15(14)
16 וַיִּהְיוּ שֹׂכְרִים חֹצְבִים וְחָרָשִׁים IICh. 24:12
לַחֹצְבִים 17 וַיִּתְּנוּ־כֶסֶף לַחֹצְבִים וְלֶחָרָשִׁים Ez. 3:7
וּלְחֹצְבֵי־ 18 וְלַגֹּדְרִים וּלְחֹצְבֵי הָאֶבֶן IIK. 12:13
חֲצוּבִים 19 וּבֹרֹת חֲצוּבִים אֲשֶׁר לֹא־חָצַבְתָּ Deut. 6:11
20 בֹּרוֹת חֲצוּבִים כְּרָמִים וְזֵיתִים Neh. 9:25
תַּחְצֹב 21 וּמֵהֲרָרֶיהָ תַּחְצֹב נְחֹשֶׁת Deut. 8:9
וַיַּחְצֹב 22 וַיַּחְצֹב בֹּרוֹת רַבִּים IICh. 26:10
יֵחָצְבוּן 23 וְיֻכְתְּבוּן מִלָּי...בַּצּוּר יֵחָצְבוּן Job 19:23–24
חֻצַּבְתֶּם 24 הַבִּיטוּ אֶל־צוּר חֻצַּבְתֶּם Is. 51:1
הַמַּחְצֶבֶת 25 הַמַּחְצֶבֶת רַהַב מְחוֹלֶלֶת תַּנִּין Is. 51:9

חצה : חָצָה, נֶחֱצָה; חֲצוֹת, חֵצִי, מֶחֱצָה, מַחֲצִית

חָצָה פ׳ א) חלק לשנים: 1, 2, 3, 5, 6, 9, 10
ב) חלק לחלקים: 7, 8, 11
ג) בקע, עבר בין־: 4
ד) [נפ׳ נֶחֱצָה] נחלק לשנים: 13—15
ה) [כנ״ל] נחלק לחלקים: 12
– חָצָה (אֲנָשִׁים) 8–5,2; חָצָה יָמָיו 9; חָצָה נַחַל 4

וְחָצִיתָ 1 וְחָצִיתָ אֶת־הַמַּלְקוֹחַ בֵּין...וּבֵין... Num. 31:27
חָצָה 2 וּמִמַּחֲצִית בְּ״י אֲשֶׁר חָצָה מֹשֶׁה Num. 31:42
וְחָצוּ 3 וּמָכְרוּ...וְחָצוּ אֶת־כַּסְפּוֹ Ex. 21:35
יֶחֱצֶה 4 כְּנַחַל שׁוֹטֵף עַד־צַוָּאר יֶחֱצֶה Is. 30:28
וַיַּחַץ 5 וַיַּחַץ אֶת־הָעָם...לִשְׁנֵי מַחֲנוֹת Gen. 32:7
6 וַיַּחַץ אֶת־הַיְלָדִים עַל־לֵאָה... Gen. 33:1
7 וַיַּחַץ אֶת־שְׁלֹשׁ־מֵאוֹת הָאִישׁ שְׁלֹשָׁה רָאשִׁים Jud. 7:16
וַיֶּחֱצֵם 8 וַיֶּחֱצֵם לִשְׁלֹשָׁה רָאשִׁים Jud. 9:43
יֶחֱצוּ 9 אַנְשֵׁי דָמִים...לֹא־יֶחֱצוּ יְמֵיהֶם Ps. 55:24
יֶחֱצוּן 10 וְגַם אֶת־הַמֵּת יֶחֱצוּן Ex. 21:35
יֶחֱצוּהוּ 11 יֶחֱצוּהוּ בֵּין כְּנַעֲנִים Job 40:30
וְתֵחָץ 12 וְתֵחָץ לְאַרְבַּע רוּחוֹת הַשָּׁמָיִם Dan. 11:4
יֵחָצוּ 13 וְלֹא יֵחָצוּ עוֹד לִשְׁתֵּי מַמְלָכוֹת Ezek. 37:22
וַיֵּחָצוּ 14/5 וַיַּכֶּה אֶת־הַמַּיִם וַיֵּחָצוּ הֵנָּה וָהֵנָּה IIK. 2:8, 14

חֲצֹצְרָה נ׳ כלי נשיפה לנגינה: 1—29

קרובים: חָלִיל / יוֹבֵל / קֶרֶן / שׁוֹפָר
חֲצֹצְרוֹת כֶּסֶף 27; חֲצֹצְרוֹת תְּרוּעָה 28, 29
הֶחְצִיר (בַּ)חֲצֹצְרָה 7, 17, 20, 21; הֵרִיעַ בַּחֲ׳ 9, 13, 29; תָּקַע בַּחֲצֹצְרָה 8, 10

חֲצֹצְרָה 1 תִּקְעוּ שׁוֹפָר...חֲצֹצְרָה בָּרָמָה Hos. 5:8
חֲצֹצְרוֹת 2 מְזַמְּרוֹת מִזְרָקוֹת חֲצֹצְרוֹת IIK. 12:14
3 חֲצֹצְרוֹת וּמְצִלְתַּיִם לְמַשְׁמִיעִים ICh. 16:42
וְהַחֲצוֹצְרוֹת 4 וְהַשָּׂרִים וְהַחֲצֹצְרוֹת אֶל־הַמֶּלֶךְ IIK. 11:14
5 וְהַשָּׂרִים וְהַחֲצֹצְרוֹת עַל־הַמֶּלֶךְ IICh. 23:13
6 הֵחֵל שִׁיר־יְיָ וְהַחֲצֹצְרוֹת IICh. 29:27
7 וְהַשִּׁיר...וְהַחֲצֹצְרוֹת מַחְצְרִים° IICh. 29:28
בַּחֲצוֹצְרוֹת 8 וּבְנֵי אַהֲרֹן...יִתְקְעוּ בַּחֲצֹצְרוֹת Num. 10:8
9 וַהֲרֵעֹתֶם בַּחֲצֹצְרֹת Num. 10:9
10 וּתְקַעְתֶּם בַּחֲצֹצְרֹת Num. 10:10
11/2 וְתֹ(וֹ)קֵעַ בַּחֲצֹצְרוֹת IIK. 11:14 • IICh. 23:13
13 בַּחֲצֹצְרוֹת וְקוֹל שׁוֹפָר הָרִיעוּ Ps. 98:6
14 הַכֹּהֲנִים מְלֻבָּשִׁים בַּחֲצֹצְרוֹת Ez. 3:10
15 וּמִבְּנֵי הַכֹּהֲנִים בַּחֲצֹצְרוֹת Neh. 12:35
16 וְהַכֹּהֲנִים אֶלְיָקִים...בַּחֲצֹצְרוֹת Neh. 12:41
17 (הַ)כֹּהֲנִים מַחְצְרִים° בַּחֲצֹצְרוֹת ICh. 15:24
18 בַּחֲצֹצְרוֹת תָּמִיד לִפְנֵי אֲרוֹן... ICh. 16:6
19 וּכְהָרִים קוֹל בַּחֲצֹצְרוֹת IICh. 5:13
20/1 וְהַכֹּהֲנִים מַחְצְרִים° בַּחֲצֹצְרוֹת IICh. 5:12;13:14
22 וְהַכֹּהֲנִים בַּחֲצֹצְרוֹת IICh. 29:26
וּבַחֲצוֹצְרוֹת 23 וּבִמְצִלְתַּיִם וּבַחֲצֹצְרוֹת ICh. 13:8
24 וּבְקוֹל שׁוֹפָר וּבַחֲצֹצְרוֹת ICh. 15:28
25 וּבִתְרוּעָה וּבַחֲצֹצְרוֹת וּבְשׁוֹפָרוֹת IICh. 15:14
26 בִּנְבָלִים וּבְכִנֹּרוֹת וּבַחֲצֹצְרוֹת IICh. 20:28
חֲצוֹצְרוֹת־ 27 עֲשֵׂה לְךָ שְׁתֵּי חֲצוֹצְרֹת כֶּסֶף Num. 10:2
וַחֲצוֹצְרוֹת־ 28 וַחֲצֹצְרוֹת הַתְּרוּעָה בְּיָדוֹ Num. 31:6
29 וַחֲצֹצְרוֹת הַתְּרוּעָה לְהָרִיעַ IICh. 13:12

חָצוֹר

א) עיר מלוכה כנענית בגליל, נכללה בנחלת נפתלי: 1—6, 8—11, 17, 18
ב) מקום ישוב בנגב בנחלת יהודה: 7, 16
ג) אחת מערי בנימין בימי נחמיה: 15
ד) שם לקבוצי בני קדר יושבי חֲצֵרוֹת במדבר סוריה: 12—14
– יוֹשְׁבֵי חָצוֹר 13; מֶלֶךְ חָ׳ 1, 6, 8; מַמְלְכוֹת חָצוֹר 12; שַׂר צְבָא חָצוֹר 9

חָצוֹר 1 וַיְהִי כִּשְׁמֹעַ יָבִין מֶלֶךְ־חָצוֹר Josh. 11:1
2 וַיָּשָׁב יְהוֹשֻׁעַ...וַיִּלְכֹּד אֶת־חָצוֹר Josh. 11:10
חָצוֹר (המשך) 3 חָצוֹר לְפָנִים הִיא רֹאשׁ...הַמַּמְלָכוֹת Josh. 11:10
4 וְאֶת־חָצוֹר שָׂרַף בָּאֵשׁ Josh. 11:11
5 זוּלָתִי אֶת־חָצוֹר לְבַדָּהּ שָׂרַף Josh. 11:13
6 מֶלֶךְ חָצוֹר אֶחָד Josh. 12:19
7 וּקְרִיּוֹת חֶצְרוֹן הִיא חָצוֹר Josh. 15:25
8 שָׁלוֹם בֵּין יָבִין מֶלֶךְ־חָצוֹר וּבֵין... Jud. 4:17
9 בְּיַד סִיסְרָא שַׂר־צְבָא חָצוֹר ISh. 12:9
10 וְאֶת־חָצֹר וְאֶת־מְגִדּוֹ IK. 9:15
11 וְאֶת־חָצוֹר וְאֶת־הַגִּלְעָד IIK. 15:29
12 לְקֵדָר וּלְמַמְלְכוֹת חָצוֹר Jer. 49:28
13 הֶעְמִיקוּ לָשֶׁבֶת יֹשְׁבֵי חָצוֹר Jer. 49:30
14 וְהָיְתָה חָצוֹר לִמְעוֹן תַּנִּים Jer. 49:33
15 חָצוֹר רָמָה גִּתָּיִם Neh. 11:33
וְחָצוֹר 16 וְקֶדֶשׁ וְחָצוֹר וְיִתְנָן Josh. 15:23
17 וַאֲדָמָה וְהָרָמָה וְחָצוֹר Josh. 19:36
בְּחָצוֹר 18 בְּיַד יָבִין...אֲשֶׁר מָלַךְ בְּחָצוֹר Jud. 4:2

חָצוֹר חֲדַתָּה ישוב בנגב יהודה

וְחָצוֹר חֲדַתָּה 1 וְחָצוֹר חֲדַתָּה וּקְרִיּוֹת Josh. 15:25

חֲצוֹת נ׳ [בצרוף עם "לַיְלָה"] אֶמְצַע: 1—3

חֲצוֹת־ 1 חֲצוֹת־לַיְלָה אָקוּם לְהוֹדוֹת לָךְ Ps. 119:62
וַחֲצוֹת־ 2 וַחֲצוֹת לָיְלָה יְגֹעֲשׁוּ עָם Job 34:20
כַּחֲצוֹת־ 3 כַּחֲצֹת הַלַּיְלָה אֲנִי יוֹצֵא Ex. 11:4

חֲצִי, חֶצְיִ[1] ז׳ א) מחצית, אחד משני חלקים שָׁוים:

רוב המקראות 1—126
ב) [בלשון גוזמה] חלק נכר: 3, 37, 42—44, 93,56
ג) אמצע: 21, 22, 33, 87—92, 120
קרובים: חֵלֶק / מֶחֱצָה / מַחֲצִית / מָנָה
חֲצִי אַמָּה 5—19, 36, 39, 58—61; חֲצִי אֶרֶץ 77; חֲ׳ בָּנִים 98; חֲ׳ בַּיִת 37; חֲ׳ בְּשָׂרוֹ 27; חֲ׳ גִּלְעָד 75, 76, 78; חֲ׳ הַדָּם 24, 57; חֲ׳ הַהִין 28—30; חֲ׳ הָהָר 41, 65; חֲ׳ זָקָן 34; חֲ׳ חוֹמָה 121; חֲ׳ חַטֹּאות 93; חֲ׳ יָמָיו 90, 91; חֲ׳ יְרִיעָה 25; חֲ׳ הַלַּיְלָה 92,89,87; חֲ׳ מִזְבֵּחַ 26; חֲ׳ מַטֶּה 55, 62—64, 79, 80, 97, 107—111; חֲ׳ הַמַּלְכוּת 42—44; חֲ׳ מְנוּחוֹת 52; חֲ׳ מַעֲנָה 94; חֲ׳ מַרְבִּית 56; חֲ׳ הַנְּעָרִים 50; חֲ׳ הַסְּגָנִים 84; חֲ׳ הָעִיר 40; חֲ׳ הָעָם 83,38,35; חֲ׳ פֶּלֶךְ 45—49; חֲ׳ הַשְּׁבוּעַ 81; חֲ׳ שֵׁבֶט 31, 32, 53, 66—74, 86, 95, 96, 99, 101—106; חֲצִי הַשָּׁמַיִם 88; חֲצִי הַשָּׂרִים 82

הַחֵצִי 1 וּתְנוּ אֶת־הַחֲצִי לְאַחַת IK. 3:25
2 וְאֶת־הַחֲצִי לְאֶחָת IK. 3:25
הַחֵצִי 3 וְהִנֵּה לֹא־הֻגַּד־לִי הַחֵצִי IK. 10:7
וְהַחֵצִי 4 וְהַחֵצִי אַחֲרֵי עָמְרִי IK. 16:21
וָחֵצִי 7-5 אַמָּתַיִם וָחֵצִי אָרְכּוֹ Ex. 25:10; 37:1, 10
9-8 וְאַמָּה וָחֵצִי רָחְבּוֹ Ex. 25:10; 37:1
13-10 וְאַמָּה וָחֵצִי קֹמָתוֹ Ex. 25:10, 23; 37:1, 10
15-14 אַמָּתַיִם וָחֵצִי אָרְכָּהּ Ex. 25:17; 37:6
17-16 וְאַמָּה וָחֵצִי רָחְבָּהּ Ex. 25:17; 37:6
18 אֹרֶךְ אַמָּה אַחַת וָחֵצִי Ezek. 40:42
19 וְרֹחַב אַמָּה אַחַת וָחֵצִי Ezek. 40:42
20 כִּי לְמוֹעֵד מוֹעֲדִים וָחֵצִי Dan. 12:7
בַּחֲצִי 21/2 וַיִּכְרֹת אֶת־מַדְוֵיהֶם בַּחֲצִי IISh. 10:4 • ICh. 19:4
לַחֲצִי 23 אָז יֵחָלֵק הָעָם יִשְׂרָאֵל לַחֲצִי IK. 16:21
חֲצִי־ 24 וַיִּקַּח מֹשֶׁה חֲצִי הַדָּם Ex. 24:6
25 חֲצִי הַיְרִיעָה הָעֹדֶפֶת תִּסְרַח... Ex. 26:12
26 וְהָיְתָה הָרֶשֶׁת עַד חֲצִי הַמִּזְבֵּחַ Ex. 27:5
27 וַיֵּאָכֵל חֲצִי בְשָׂרוֹ Num. 12:12
28 בָּלוּל בַּשֶּׁמֶן חֲצִי הַהִין Num. 15:9

חֲצִי־ (המשך)
29 וְיַיִן תַּקְרִיב לַנֶּסֶךְ חֲצִי הַהִין Num. 15:10
30 וְנִסְכֵּיהֶם חֲצִי הַהִין יִהְיֶה לַפָּר Num. 28:14
31/2 וְאֶל־חֲצִי שֵׁבֶט מְנַשֶּׁה Josh. 22:13, 15
33 וַיִּשְׁכַּב שִׁמְשׁוֹן עַד־חֲצִי הַלַּיְלָה Jud. 16:3
34 וַיְגַלַּח אֶת־חֲצִי זְקָנָם IISh. 10:4
35 וְגַם חֲצִי עַם יִשְׂרָאֵל IISh. 19:41
36 חֲצִי הָאַמָּה קוֹמָה IK. 7:35
37 אִם־תִּתֶּן־לִי אֶת־חֲצִי בֵיתֶךָ IK. 13:8
38 חֲצִי הָעָם הָיָה אַחֲרֵי תִבְנִי IK. 16:21
39 וְהַגְּבוּל סָבִיב אוֹתָהּ חֲצִי הָאַמָּה Ezek. 43:17
40 וְיָצָא חֲצִי הָעִיר בַּגּוֹלָה Zech. 14:2
41 וּמָשׁ חֲצִי הָהָר צָפוֹנָה Zech. 14:4
42 עַד־חֲצִי הַמַּלְכוּת וְיִנָּתֵן לָךְ Es. 5:3
43/4 עַד־חֲצִי הַמַּלְכוּת וְתֵעָשׂ Es. 5:6; 7:2
45/6 שַׂר חֲצִי פֶּלֶךְ יְרוּשָׁלָם Neh. 3:9, 12
47 שַׂר חֲצִי פֶּלֶךְ בֵּית־צוּר Neh. 3:16
48/9 שַׂר(־)חֲצִי(־)פֶלֶךְ קְעִילָה Neh. 3:17, 18
50 חֲצִי נְעָרַי עֹשִׂים בַּמְּלָאכָה Neh. 4:10
51 וּבְנֵיהֶם חֲצִי מְדַבֵּר אַשְׁדּוֹדִית Neh. 13:24
52 הָרֹאֶה חֲצִי הַמְּנֻחוֹת ICh. 2:52
53 וּבְנֵי חֲצִי שֵׁבֶט מְנַשֶּׁה ICh. 5:23
54 מִמַּחֲצִית מַטֵּה חֲצִי מְנַשֶּׁה ICh. 6:46
55 מִמִּשְׁפַּחַת חֲצִי מַטֵּה מְנַשֶּׁה ICh. 6:56
56 לֹא הֻגַּד־לִי חֲצִי מַרְבִּית חָכְמָתֶךָ IICh. 9:6

וַחֲצִי־
57 וַחֲצִי הַדָּם זָרַק עַל־הַמִּזְבֵּחַ Ex. 24:6
58-61 (וְ)אַמָּה וַחֲצִי הָאַמָּה Ex. 26:16; 36:21
IK. 7:31, 32
62 לְתִשְׁעַת הַמַּטּוֹת וַחֲצִי הַמַּטֶּה Num. 34:13
63 וַחֲצִי מַטֵּה מְנַשֶּׁה לָקְחוּ נַחֲלָתָם Num. 34:14
64 שְׁנֵי הַמַּטּוֹת וַחֲצִי הַמַּטֶּה Num. 34:15
65 וַחֲצִי הַר־הַגִּלְעָד וְעָרָיו Deut. 3:12
66-74 וַחֲצִי שֵׁבֶט (הַ)מְנַשֶּׁה Josh. 4:12; 13:7
18:7; 22:9, 10, 11, 21 • ICh. 5:18; 12:38(37)
75 וְתוֹךְ הַנַּחַל וַחֲצִי הַגִּלְעָד Josh. 12:2
76 וַחֲצִי הַגִּלְעָד גְּבוּל סִיחוֹן Josh. 12:5
77 וַחֲצִי אֶרֶץ בְּנֵי עַמּוֹן Josh. 13:25
78 וַחֲצִי הַגִּלְעָד וְעַשְׁתָּרוֹת Josh. 13:31
79 לְתִשְׁעַת הַמַּטּוֹת וַחֲצִי הַמַּטֶּה Josh. 14:2
80 שְׁנֵי הַמַּטּוֹת וַחֲצִי הַמַּטֶּה Josh. 14:3
81 שָׁבוּעַ אֶחָד וַחֲצִי הַשָּׁבוּעַ Dan. 9:27
82 הוֹשַׁעְיָה וַחֲצִי שָׂרֵי יְהוּדָה Neh. 12:32
83 וַחֲצִי הָעָם מֵעַל לְהַחוֹמָה Neh. 12:38
84 וַאֲנִי וַחֲצִי הַסְּגָנִים עִמִּי Neh. 12:40
85 וַחֲצִי הַמָּנַחְתִּי הַצָּרְעִי ICh. 2:54
86 וְהַגָּדִי וַחֲצִי שֵׁבֶט הַמְנַשִּׁי ICh. 26:32

בַּחֲצִי־
87 וַיְהִי בַּחֲצִי הַלַּיְלָה וַיְיָ הִכָּה Ex. 12:29
88 וַיַּעֲמֹד הַשֶּׁמֶשׁ בַּחֲצִי הַשָּׁמַיִם Josh. 10:13
89 וַיָּקָם בַּחֲצִי הַלַּיְלָה Jud. 16:3
90 בַּחֲצִי יָמָו יַעַזְבֶנּוּ Jer. 17:11
91 אֵלִי אַל־תַּעֲלֵנִי בַּחֲצִי יָמָי Ps. 102:25
92 וַיְהִי בַּחֲצִי הַלַּיְלָה וַיֶּחֱרַד הָאִישׁ Ruth 3:8

כַּחֲצִי־
93 כַּחֲצִי חַטֹּאתַיִךְ לֹא חָטָאָה Ezek. 16:51

כְּבַחֲצִי־
94 כְּבַחֲצִי מַעֲנָה צֶמֶד שָׂדֶה ISh. 14:14

לַחֲצִי־
95 נָתַתִּי לַחֲצִי שֵׁבֶט הַמְנַשֶּׁה Deut. 3:13
96 וַיִּתֵּן מֹשֶׁה לַחֲצִי שֵׁבֶט מְנַשֶּׁה Josh. 13:29
97 וַיְהִי לַחֲצִי מַטֵּה בְנֵי־מְנַשֶּׁה Josh. 13:29
98 לַחֲצִי בְנֵי־מָכִיר לְמִשְׁפְּחוֹתָם Josh. 13:31
99 לַחֲצִי שֵׁבֶט מְנַשֶּׁה יוֹאֵל... ICh. 27:20
100 לַחֲצִי הַמְנַשֶּׁה גִּלְעָדָה יִדּוֹ... ICh. 27:21

וְלַחֲצִי־
101-105 וְלַחֲצִי שֵׁבֶט (הַ)מְנַשֶּׁה Num. 32:33
Josh. 1:12; 12:6; 22:7 • ICh. 5:26
106 וְלַגָּדִי וְלַחֲצִי שֵׁבֶט הַמְנַשִּׁי Deut. 29:7
107 וְלַגָּדִי וְלַחֲצִי מַטֵּה מְנַשֶּׁה Josh. 22:1

מֵחֲצִי־
108 מֵחֲצִי מַטֵּה מְנַשֶּׁה Josh. 21:27

וּמֵחֲצִי־
109-111 וּמֵחֲצִי מַטֵּה מְנַשֶּׁה Josh. 21:5, 6
ICh. 12:32(31)

חֶצְיוֹ
112 תַּחַת כַּרְכֹּבוֹ מִלְּמַטָּה עַד־חֶצְיוֹ Ex. 38:4
113 חֶצְיוֹ אֶל־מוּל הַר־גְּרִזִים Josh. 8:33
114 חֶצְיוֹ שָׂרַף בְּמוֹ־אֵשׁ Is. 44:16
115 עַל־חֶצְיוֹ בָּשָׂר יֹאכֵל Is. 44:16
116 חֶצְיוֹ שָׂרַפְתִּי בְמוֹ־אֵשׁ Is. 44:19

וְחֶצְיוֹ
117 וּמָשׁ...וְחֶצְיוֹ נֶגְבָּה Zech. 14:4

וְהַחֶצְיוֹ
118 וְהַחֶצְיוֹ אֶל־מוּל הַר־עֵיבָל Josh. 8:33

וּלְחֶצְיוֹ
119 וּלְחֶצְיוֹ נָתַן יְהוֹשֻׁעַ עִם־אֲחֵיהֶם Josh. 22:7

מֶחֶצְיוֹ
120 וְנִבְקַע הַר הַזֵּיתִים מֶחֶצְיוֹ Zech. 14:4

חֶצְיָהּ
121 וַתִּקָּשֵׁר כָּל־הַחוֹמָה עַד־חֶצְיָהּ Neh. 3:38

חֶצְיֵנוּ
122 וְאִם־יָמֻתוּ חֶצְיֵנוּ לֹא־יָשִׂימוּ... IISh. 18:3

חֶצְיָם
123 חֶצְיָם אֶל־הַיָּם הַקַּדְמוֹנִי Zech. 14:8

וְחֶצְיָם
124 וְחֶצְיָם אֶל־הַיָּם הָאַחֲרוֹן Zech. 14:8
125 וְחֶצְיָם מַחֲזִיקִים וְהָרְמָחִים... Neh. 4:10
126 וְחֶצְיָם מַחֲזִיקִים בָּרְמָחִים Neh. 4:15

חֵצִי[2]

ז׳ צוּרַת־מִשְׁנֶה שֶׁל ״חֵץ״: 1–4

הַחֵצִי
1 וְהוּא־יָרָה הַחֵצִי לְהַעֲבִרוֹ ISh. 20:36
2 וַיָּבֹא הַנַּעַר עַד־מְקוֹם הַחֵצִי ISh. 20:37
3 הֲלוֹא הַחֵצִי מִמְּךָ וָהָלְאָה ISh. 20:37
4 וַיֵּצֵא הַחֵצִי מִלִּבּוֹ IIK. 9:24

חָצִיר

ז׳ א) עֵשֶׂב הַמְשַׁמֵּשׁ לְמִסְפּוֹא לִבְהֵמוֹת: 1–15, 17–22
ב) אֶחָד מִמִּינֵי הַיָּרָק לְמַאֲכָל לָאָדָם: 16

קרובים: א) דֶּשֶׁא / יֶרֶק / עֵשֶׂב / תֶּבֶן
ב) אֲבַטִּיחַ / בָּצָל / גַּד / יָרָק / מָרוֹר / קִשּׁוּא / שׁוּם

גָּלָה חָצִיר 13; יָבֵשׁ חָ׳ 2, 6, 7; חֲצִיר גַּגּוֹת 20–22

חָצִיר
1 אוּלַי נִמְצָא חָצִיר וּנְחַיֶּה סוּס IK. 18:5
2 כִּי־יָבֵשׁ חָצִיר כָּלָה דֶשֶׁא Is. 15:6
3 נְוֵה תַנִּים חָצִיר לִבְנוֹת יַעֲנָה Is. 34:13
4 חָצִיר לְקָנֶה וָגֹמֶא Is. 35:7
5 כָּל־הַבָּשָׂר חָצִיר Is. 40:6
6-7 יָבֵשׁ חָצִיר נָבֵל צִיץ Is. 40:7, 8
8 אָכֵן חָצִיר הָעָם Is. 40:7
9 וְצָמְחוּ בְּבֵין חָצִיר Is. 44:4
10 וּמִבֶּן־אָדָם חָצִיר יִנָּתֵן Is. 51:12
11 מַצְמִיחַ חָצִיר לַבְּהֵמָה Ps. 104:14
12 הַמַּצְמִיחַ הָרִים חָצִיר Ps. 147:8
13 גָּלָה חָצִיר וְנִרְאָה־דֶשֶׁא Prov. 27:25
14 וְלִפְנֵי כָל־חָצִיר יִיבָשׁ Job 8:12
15 חָצִיר כַּבָּקָר יֹאכֵל Job 40:15

הֶחָצִיר
16 אֶת הַקִּשֻּׁאִים...וְאֶת־הֶחָצִיר Num. 11:5

כֶּחָצִיר
17 כִּי כֶחָצִיר מְהֵרָה יִמָּלוּ Ps. 37:2
18 בַּבֹּקֶר כֶּחָצִיר יַחֲלֹף Ps. 90:5
19 אֱנוֹשׁ כֶּחָצִיר יָמָיו Ps. 103:15

חֲצִיר־
20 וִירַק דֶּשֶׁא חֲצִיר גַּגּוֹת IIK. 19:26
21 וְיֹשְׁבֵיהֶן...חֲצִיר גַּגּוֹת Is. 37:27

כַּחֲצִיר־
22 יִהְיוּ כַּחֲצִיר גַּגּוֹת Ps. 129:6

חֹצֶן

ז׳ חֵיק? שׁוּלֵי הַבֶּגֶד?: 1–3 • נָעַר חָצְנוֹ 2

בְּחֹצֶן
1 וְהֵבִיאוּ בָנַיִךְ בְּחֹצֶן Is. 49:22

חָצְנִי
2 גַּם־חָצְנִי נָעַרְתִּי וָאֹמְרָה... Neh. 5:13

וְחִצְנוֹ
3 שֶׁלֹּא מִלֵּא כַפּוֹ...וְחִצְנוֹ מְעַמֵּר Ps. 129:7

(חצף) מַחְצְפָה, מְהַחְצְפָה

אַפ׳ בֵּינוֹנִי ארמית: עַז, נִמְרָץ

מַחְצְפָה
1 מִן־דִּי מִלַּת מַלְכָּא מַחְצְפָה Dan. 3:22

מְהַחְצְפָה
2 דָּתָא מְהַחְצְפָה מִן־קֳדָם מַלְכָּא Dan. 2:15

חצץ

: חוֹצֵץ, חִצֵּץ, חִצַּץ; חָצָץ, חֵץ, חֵצִי; ש״פ חַצְצוֹן

חָצַץ

פָּ׳ א) [רק בינוני חוֹצֵץ] מחולק למחלקות: 1
ב) [פִּ׳ בינוני מְחַצְצִים] מחלקים (עדרי הצאן): 2
ג) [פֻּ׳ חֻצַּץ] חולק: 3

חוֹצֵץ
1 מֶלֶךְ אֵין לָאַרְבֶּה וַיֵּצֵא חֹצֵץ כֻּלּוֹ Prov. 30:27

מְחַצְצִים
2 מִקּוֹל מְחַצְצִים בֵּין מַשְׁאַבִּים Jud. 5:11

חֻצָּצוּ
3 וּמִסְפַּר חֳדָשָׁיו חֻצָּצוּ Job 21:21

חָצָץ

ז׳ שברי אבנים: 1, 2

חָצָץ
1 וְאַחַר יִמָּלֵא־פִיהוּ חָצָץ Prov. 20:17

בֶּחָצָץ
2 וַיַּגְרֵס בֶּחָצָץ שִׁנָּי Lam. 3:16

חַצְצוֹן תָּמָר

ישוב ביהודה, היא עֵין גֶּדִי: 1, 2

בְּחַצֲצוֹן תָּ׳
1 הָאֱמֹרִי הַיֹּשֵׁב בְּחַצֲצֹן תָּמָר Gen. 14:7
2 בְּחַצְצוֹן תָּמָר הִיא עֵין גֶּדִי IICh. 20:2

חֲצָצֶיךָ

(תהלים עז 18) – עַיֵּן חֵץ (53)

חֲצֹצְרָה

עַיֵּן חֲצוֹצְרָה

חצר

: א) חִצֵּר; חֲצוֹצְרָה
ב) חָצֵר; ש״פ חֶצְרוֹ, חֶצְרוֹן, חֶצְרוֹנִי, חֲצֵרוֹת, חֶצְרַי

חִצֵּר

פִּ׳ תקע בַּחֲצוֹצְרָה: 1–6

לַמְחַצְּרִים
1 לַמְחַצְּרִים (כת׳ למחצצרים) וְלַמְשֹׁרְרִים... IICh. 5:13

מַחְצְרִים
2/3 הַכֹּהֲנִים מַחְצְרִים (כת׳ מחצצרים) בַּחֲצֹצְרוֹת ICh. 15:24 • IICh. 13:14
4 וְהַחֲצֹצְרוֹת מַחְצְרִים (כ׳ מחצצרים) IICh. 29:28
5 מַחְצְרִים (כת׳ מחצצרים) בַּחֲצֹצְרוֹת IICh. 5:12
6 מַחְצְרִים (כת׳ מחצצרים) נֶגְדָּם IICh. 7:6

חָצֵר

נו״ז [ז׳ – 2, 54–56, 74, 75, 84–86]

א) מגרש מסביב לבית: 1–117, 120, 123, 126, 128–131, 171–190

ב) [חֲצֵרִים] ישובים קטנים ללא חומה: 118–119, 124, 125, 127, 132–170

– חָצֵר הָאַחֶרֶת 1; חָצֵר הַגְּדוֹלָה 7, 41; חָ׳ הַחִיצוֹנָה 3, 45, 47–53, 59, 73, 81–83, 87, 88; חָ׳ הָעֶלְיוֹן 74; חָ׳ הַפְּנִימִי(ת) 2, 40, 44, 54–56, 61–64, 69, 75, 84–86; חָ׳ הַתִּיכוֹנָה 6

– אַדְנֵי הֶחָצֵר 36; אוּלַמֵּי הֶחָ׳ 58; אֹרֶךְ הֶחָ׳ 24; גֶּדֶר הֶחָ׳ 60; יִתְדוֹת הֶחָ׳ 25–27; מִקְצוֹעַ הֶחָ׳ 4, 5, 65–68; עַמּוּדֵי הֶחָ׳ 21–23; פֶּתַח הֶחָ׳ 39, 43; קַלְעֵי הֶחָ׳ 28–34; רֹחַב הֶחָ׳ 8, 9; שַׁעַר הֶחָ׳ 10–20, 61, 62

– חֲצַר אֹהֶל מוֹעֵד 96, 97; חֲ׳ בֵּית יְיָ 93, 98, 99, 111, 114, 115; חֲ׳ בֵּית הַמֶּלֶךְ 110, 112; חֲ׳ גִּנַּת 109; חֲצַר הַכֹּהֲנִים 95; חֲ׳ הַמַּטָּרָה 92, 100–108, 113, 116; חֲצַר הַמִּשְׁכָּן 91

– בָּתֵּי חֲצֵרִים 121; מֵאֲרַב חֲצֵרִים 119

– חֲצֵרוֹת קְטוּרוֹת 171; עַמּוּדֵי הַחֲצֵרוֹת 174

– חַצְרֵי בֵּית אֱלֹהִים 126; חַ׳ נְטוֹפָתִי 125, 127

– חַצְרוֹת אֱלֹהֵינוּ 180; חַ׳ בֵּית הָאֱלֹהִים 184; חַצְרוֹת בֵּית יְיָ 176–178, 183, 186; חַצְרוֹת יְיָ 185

חָצֵר
1 וּבֵיתוֹ...חָצֵר הָאַחֶרֶת מִבֵּית לָאוּלָם IK. 7:8
2 וַיְבִיאֵנִי אֶל־חָצֵר הַפְּנִימִי Ezek. 40:28
3 וְאֵלַמָּו אֶל־חָצֵר הַחִצוֹנָה Ezek. 40:31
4 וְהִנֵּה חָצֵר בְּמִקְצֹעַ הֶחָצֵר Ezek. 46:21
5 חָצֵר בְּמִקְצֹעַ הֶחָצֵר Ezek. 46:21
6 לֹא יָצָא חָצֵר (כת׳ העיר) הַתִּיכֹנָה IIK. 20:4

וְחָצֵר
7 וְחָצֵר הַגְּדוֹלָה סָבִיב IK. 7:12

הֶחָצֵר
8 וְרֹחַב הֶחָצֵר לִפְאַת־יָם Ex. 27:12
9 וְרֹחַב הֶחָצֵר לִפְאַת קֵדְמָה Ex. 27:13

הֶחָצֵר (המשך)

10 וּלְשַׁעַר הֶחָצֵר מָסָךְ עֶשְׂרִים אַמָּה – Ex. 27:16
20-11 (לְ)שַׁעַר הֶחָצֵר Ex. 35:17; 38:15, 18, 31
39:40; 40:8, 33 • Num. 4:26 • Ezek. 45:19; 46:1
23-21 עַמּוּדֵי הֶחָצֵר Ex. 27:17; 38:17 • Num. 3:37; 4:32
24 אֹרֶךְ הֶחָצֵר מֵאָה בָאַמָּה Ex. 27:18
25 וְכָל־יִתְדֹת הֶחָצֵר נְחֹשֶׁת Ex. 27:19
27-26 יִתְדֹת הֶחָצֵר Ex. 35:18; 38:31
28 אֵת קַלְעֵי הֶחָצֵר אֶת־עַמֻּדָיו Ex. 35:17
34-29 קַלְעֵי הֶחָצֵר Ex. 38:9, 16, 18; 39:40
Num. 3:26; 4:26
35 וַיַּעַשׂ אֶת־הֶחָצֵר Ex. 38:9
36 וְאֶת־אַדְנֵי הֶחָצֵר סָבִיב Ex. 38:31
37 וְשַׂמְתָּ אֶת־הֶחָצֵר סָבִיב וְנָתַתָּ Ex. 40:8
38 וַיָּקֶם אֶת־הֶחָצֵר סָבִיב לַמִּשְׁכָּן... Ex. 40:33
39 וְאֶת־מָסַךְ פֶּתַח הֶחָצֵר Num. 3:26
40 וַיִּבֶן אֶת־הֶחָצֵר הַפְּנִימִית IK. 6:36
41 וּמִחוּץ עַד־הֶחָצֵר הַגְּדוֹלָה IK. 7:9
42 אֶת־תּוֹךְ הֶחָצֵר אֲשֶׁר לִפְנֵי בֵית־יְיָ IK. 8:64
43 וַיָּבֵא אֹתִי אֶל־פֶּתַח הֶחָצֵר Ezek. 8:7
44 וְהֶעָנָן מָלֵא אֶת־הֶחָצֵר הַפְּנִימִית Ezek. 10:3
45 נִשְׁמַע עַד־הֶחָצֵר הַחִיצֹנָה Ezek. 10:5
46 וְאֶל־אֵיל הֶחָצֵר הַשַּׁעַר Ezek. 40:14
53-47 אֶל־הֶחָצֵר הַחִיצוֹנָה Ezek. 40:17
42:1, 14; 44:19²; 46:20, 21
54 לִפְנֵי הֶחָצֵר הַפְּנִימִי Ezek. 40:19
56-55 אֶל־הֶחָצֵר הַפְּנִימִי Ezek. 40:32; 43:5
57 וַיָּמָד אֶת־הֶחָצֵר Ezek. 40:47
58 וְהַהֵיכָל הַפְּנִימִי וְאֻלַמֵּי הֶחָצֵר Ezek. 41:15
59 דֶּרֶךְ הֶחָצֵר הַחִצוֹנָה Ezek. 42:7
60 בְּרֹחַב גֶּדֶר הֶחָצֵר Ezek. 42:10
61 אֶל־שַׁעֲרֵי הֶחָצֵר הַפְּנִימִית Ezek. 44:17
62 בְּשַׁעֲרֵי הֶחָצֵר הַפְּנִימִית Ezek. 44:17
64-63 אֶל־הֶחָצֵר הַפְּנִימִית Ezek. 44:21, 27
65 אֶל־אַרְבַּעַת מִקְצוֹעֵי הֶחָצֵר... Ezek. 46:21
67-66 חָצֵר בְּמִקְצֹעַ הֶחָצֵר Ezek. 46:21²
68 בְּאַרְבַּעַת מִקְצֹעוֹת הֶחָצֵר Ezek. 46:22
69 אֶל־הֶחָצֵר הַפְּנִימִית Es. 4:11
70 אֶת־תּוֹךְ הֶחָצֵר אֲשֶׁר לִפְנֵי בֵית־יְיָ IICh. 7:7
71 וַיַּעֲמֹד...לִפְנֵי הֶחָצֵר הַחֲדָשָׁה IICh. 20:5
וְהֶחָצֵר 72 וְהֶחָצֵר מָלְאָה אֶת־נֹגַהּ כְּבוֹד יְיָ Ezek. 10:4
מֵהֶחָצֵר 73 בְּבֹאוֹ לָהֵנָּה מֵהֶחָצֵר הַחִצֹנָה Ezek. 42:9
בֶּחָצֵר 74 בֶּחָצֵר הָעֶלְיוֹן פֶּתַח שַׁעַר... Jer. 36:10
75 בֶּחָצֵר הַפְּנִימִי אֲשֶׁר אֶל־כֶּתֶף... Ezek. 40:44
76 ...אֶת־אֶסְתֵּר...עֹמֶדֶת בֶּחָצֵר Es. 5:2
77 וַיֹּאמֶר הַמֶּלֶךְ מִי בֶחָצֵר Es. 6:4
78 הִנֵּה הָמָן עֹמֵד בֶּחָצֵר Es. 6:5
לֶחָצֵר 79 קְלָעִים לֶחָצֵר שֵׁשׁ מָשְׁזָר Ex. 27:9
80 וְרִצְפָה עָשׂוּי לֶחָצֵר סָבִיב סָבִיב Ezek. 40:17
83-81 לֶחָצֵר הַחִיצוֹנָה Ezek. 40:20, 34, 37
85-84 וְשַׁעַר לֶחָצֵר הַפְּנִימִי Ezek. 40:23, 27
86 אֲשֶׁר לֶחָצֵר הַפְּנִימִי Ezek. 42:3
87 אֲשֶׁר לֶחָצֵר הַחִיצוֹנָה Ezek. 42:3
88 הַלְּשָׁכוֹת אֲשֶׁר לֶחָצֵר הַחִצוֹנָה Ezek. 42:8
וְלֶחָצֵר 89 וְכָל־הַיְתֵדֹת לַמִּשְׁכָּן וְלֶחָצֵר Ex. 38:20
חָצֵרָה 90 וַיָּבֹאוּ אֶל־הַמֶּלֶךְ חָצֵרָה Jer. 36:20
חֲצַר־ 91 וְעָשִׂיתָ אֵת חֲצַר הַמִּשְׁכָּן Ex. 27:9
92 וַיָּבֹא אֵלַי...אֶל־חֲצַר הַמַּטָּרָה Jer. 32:8
93 אֶל־חֲצַר בֵּית־יְיָ הַפְּנִימִית Ezek. 8:16
94 מִתְהַלֵּךְ לִפְנֵי חֲצַר בֵּית הַנָּשִׁים Es. 2:11
95 וַיַּעַשׂ חֲצַר הַכֹּהֲנִים IICh. 4:9
בַּחֲצַר־ 96/7 בַּחֲצַר אֹהֶל(־)מוֹעֵד Lev. 6:9, 19
98/9 בַּחֲצַר בֵּית־יְיָ Jer. 19:14; 26:2

בַּחֲצַר־ (המשך)

100 הָיָה כָּלוּא בַּחֲצַר הַמַּטָּרָה Jer. 32:2
101 הַיֹּשְׁבִים בַּחֲצַר הַמַּטָּרָה Jer. 32:12
102/3 עָצוּר בַּחֲצַר הַמַּטָּרָה Jer. 33:1; 39:15
108-104 בַּחֲצַר הַמַּטָּרָה Jer. 37:21²; 38:6, 13, 28
109 בַּחֲצַר גִּנַּת בִּיתַן הַמֶּלֶךְ Es. 1:5
110 בַּחֲצַר בֵּית־הַמֶּלֶךְ הַפְּנִימִית Es. 5:1
111 וַיִּרְגְּמֻהוּ...בַּחֲצַר בֵּית יְיָ IICh. 24:21
לַחֲצַר־ 112 לַחֲצַר בֵּית־הַמֶּלֶךְ הַחִיצוֹנָה Es. 6:4
113 וְהַמִּגְדָּל...אֲשֶׁר לַחֲצַר הַמַּטָּרָה Neh. 3:25
114 בְּהֵיכַל יְיָ לַחֲצַר בֵּית יְיָ IICh. 29:16
וְלַחֲצַר־ 115 וְלַחֲצַר בֵּית־יְיָ הַפְּנִימִית IK. 7:12
מֵחֲצַר־ 116 וַיִּקְחוּ אֶת־יִרְמְ׳ מֵחֲצַר הַמַּטָּרָה Jer. 39:14
בַּחֲצֵרוֹ 117 וְלוֹ בְאֵר בַּחֲצֵרוֹ IISh. 17:18
חֲצֵרִים 118 חֲצֵרִים תֵּשֵׁב קֵדָר Is. 42:11
119 יֵשֵׁב בְּמַאְרַב חֲצֵרִים Ps. 10:8
120 כִּי חֲצֵרִים בָּנוּ לָהֶם הַמְשֹׁרְרִים Neh. 12:29
הַחֲצֵרִים 121 וּבָתֵּי הַחֲצֵרִים...אֵין־לָהֶם חֹמָה Lev. 25:31
122 הַחֲצֵרִים אֲשֶׁר סְבִיבוֹת הֶעָרִים Josh. 19:8
123 וְאֶל־הַחֲצֵרִים בִּשְׂדֹתָם Neh. 11:25
בַּחֲצֵרִים 124 וְהָעַוִּים הַיֹּשְׁבִים בַּחֲצֵרִים Deut. 2:23
חַצְרֵי־ 125 וַיֵּאָסְפוּ...וּמִן־חַצְרֵי נְטֹפָתִי Neh. 12:28
בְּחַצְרֵי־ 126 נִשְׁכָּה בְּחַצְרֵי בֵּית הָאֱלֹהִים Neh. 13:7
127 הַיּוֹשֵׁב בְּחַצְרֵי נְטוֹפָתִי ICh. 9:16
חֲצֵרָי 128 מִי־בִקֵּשׁ...מִיֶּדְכֶם רְמֹס חֲצֵרָי Is. 1:12
129 תָּדִין אֶת־בֵּיתִי וְגַם תִּשְׁמֹר אֶת־חֲצֵרָי Zech. 3:7
חֲצֵרֶיךָ 130 אַשְׁרֵי תִּבְחַר...יִשְׁכֹּן חֲצֵרֶיךָ Ps. 65:5
בַּחֲצֵרֶיךָ 131 כִּי טוֹב־יוֹם בַּחֲצֵרֶיךָ מֵאָלֶף Ps. 84:11
חֲצֵרֶיהָ 133-132 וְאֶת־שְׂדֵה הָעִיר וְאֶת־חֲצֵרֶיהָ
Josh. 21:12 • ICh. 6:41
וַחֲצֵרֶיהָ 134 עֶקְרוֹן וּבְנֹתֶיהָ וַחֲצֵרֶיהָ Josh. 15:45
135 אַשְׁדּוֹד בְּנוֹתֶיהָ וַחֲצֵרֶיהָ Josh. 15:47
136 עַזָּה בְּנֹתֶיהָ וַחֲצֵרֶיהָ Josh. 15:47
137 וּבִיקַבְצְאֵל וַחֲצֵרֶיהָ Neh. 11:25
חַצְרֵיהֶם 138 וְכָל־חַצְרֵיהֶם סְבִיבוֹת הֶעָרִים ICh. 4:33
וְחַצְרֵיהֶם 139 הֶעָרִים וְחַצְרֵיהֶם Josh. 13:28
140 זָנֹחַ עֲדֻלָּם וְחַצְרֵיהֶם Neh. 11:30
141 וְחַצְרֵיהֶם עֵיטָם וָעַיִן...עָרִים חָמֵשׁ ICh. 4:32
בְּחַצְרֵיהֶם 142 שְׁמֹתָם בְּחַצְרֵיהֶם וּבְטִירֹתָם Gen. 25:16
143 הֵמָּה בְחַצְרֵיהֶם הִתְיַחְשָׂם ICh. 9:22
144 וַאֲחֵיהֶם בְּחַצְרֵיהֶם ICh. 9:25
וְחַצְרֵיהֶן 147-145 הֶעָרִים וְחַצְרֵיהֶן Josh. 13:23; 19:23, 39
148 כָּל־עָרִים עֶשְׂרִים...וְחַצְרֵיהֶם Josh. 15:32
169-149 (בְּ)עָרִים...וְחַצְרֵיהֶן Josh. 15:36, 41
15:44, 51, 54, 57, 59, 60, 62; 16:9; 18:24, 28; 19:6, 7;
19:15, 16, 22, 30, 31, 38, 48
170 אֲשֶׁר־עַל־יַד אַשְׁדּוֹד וְחַצְרֵיהֶן Josh. 15:46
חֲצֵרוֹת 171 חֲצֵרוֹת קְטֻרוֹת Ezek. 46:22
הַחֲצֵרֹת 172 מִן־הַבָּתִּים מִן־הַחֲצֵרֹת Ex. 8:9
173 וּמַלְאוּ אֶת־הַחֲצֵרוֹת חֲלָלִים Ezek. 9:7
174 עַמּוּדִים כְּעַמּוּדֵי הַחֲצֵרוֹת Ezek. 42:6
175 עַל־הַחֲצֵרוֹת וְעַל־הַלְּשָׁכוֹת ICh. 23:28
חַצְרוֹת־ 176/7 בִּשְׁתֵּי חַצְרוֹת בֵּית־יְיָ IIK. 21:5; 23:12
178 בִּשְׁתֵּי חַצְרוֹת בֵּית־יְיָ IICh. 33:5
בְּחַצְרוֹת־ 179 וּמְקַבְּצָיו יִשְׁתֻּהוּ בְּחַצְרוֹת קָדְשִׁי Is. 62:9
180 בְּחַצְרוֹת אֱלֹהֵינוּ יַפְרִיחוּ Ps. 92:14
181 בְּחַצְרוֹת בֵּית יְיָ בְּתוֹכֵכִי יְרוּשָׁ׳ Ps. 116:19
182 בְּבֵית יְיָ בְּחַצְרוֹת בֵּית אֱלֹהֵינוּ Ps. 135:2
183 וְכָל־הָעָם בְּחַצְרוֹת בֵּית יְיָ IICh. 23:5
וּבְחַצְרוֹת־ 184 וּבְחַצְרוֹת בֵּית הָאֱלֹהִים Neh. 8:16
לְחַצְרוֹת־ 185 נִכְסְפָה...נַפְשִׁי לְחַצְרוֹת יְיָ Ps. 84:3
186 לְחַצְרוֹת בֵּית־יְיָ וּלְכָל־הַלְּשָׁכוֹת ICh. 28:12
וַחֲצֵרוֹתָי 187 הוּא־יִבְנֶה בֵיתִי וַחֲצֵרוֹתָי ICh. 28:6
חֲצֵרֹתָיו 188 בֹּאוּ...חֲצֵרֹתָיו בִּתְהִלָּה Ps. 100:4
לְחַצְרוֹתָיו 189 שְׂאוּ־מִנְחָה וּבֹאוּ לְחַצְרוֹתָיו Ps. 96:8
וּבְחַצְרוֹתֵיהֶם 190 אִישׁ עַל־גַּגּוֹ וּבְחַצְרֹתֵיהֶם Neh. 8:16

חָצֵר
עין חָצוֹר

חֲצַר־אַדָּר
מקום בגבולה הדרומי של ארץ־ישראל

חֲצַר־אַדָּר 1 וְיָצָא חֲצַר־אַדָּר וְעָבַר עַצְמֹנָה Num. 34:4

חֲצַר־גַּדָּה
מקום בנגב בנחלת יהודה

וַחֲצַר גַּדָּה 1 וַחֲצַר גַּדָּה וְחֶשְׁמוֹן וּבֵית פָּלֶט Josh. 15:27

חֲצַר הַתִּיכוֹן
מקום בגבול צפון ארץ־ישראל

חֲצַר הַתִּ׳ 1 חֲצַר הַתִּיכוֹן אֲשֶׁר אֶל־גְּבוּל חַוְרָן Ezek. 47:16

חֲצַר סוּסָה
מקום בנחלת שמעון

וַחֲצַר סוּסָה 1 וּבֵית־הַמַּרְכָּבֹת וַחֲצַר סוּסָה Josh. 19:5

חֲצַר סוּסִים
היא חֲצַר־סוּסָה

וּבַחֲצַר סוּסִים 1 וּבְבֵית מַרְכָּבוֹת וּבַחֲצַר סוּסִים ICh. 4:31

חֲצַר עֵינוֹן
מקום בצפון־מזרח ארץ כנען

חֲצַר עֵינוֹן 1 חֲצַר עֵינוֹן גְּבוּל דַּמֶּשֶׂק Ezek. 47:17

חֲצַר עֵינָן
היא חצר עינון: 1–3

חֲצַר עֵינָן 1 וְהָיוּ תֹצְאֹתָיו חֲצַר עֵינָן Num. 34:9
2 חֲצַר עֵינָן גְּבוּל דַּמֶּשֶׂק Ezek. 48:1
מֵחֲצַר עֵ׳ 3 וְהִתְאַוִּיתֶם...מֵחֲצַר עֵינָן שְׁפָמָה Num. 34:10

חֲצַר שׁוּעָל
מקום בנחלת שמעון, בקרבת באר שבע: 1–4

וַחֲצַר שׁוּ׳ 1 וַחֲצַר שׁוּעָל וּבְאֵר שֶׁבַע וּבִזְיוֹתְיָה Josh. 15:28
2 וַחֲצַר שׁוּעָל וּבָלָה וָעָצֶם Josh. 19:3
3 בִּבְאֵר־שֶׁבַע וּמוֹלָדָה וַחֲצַר שׁוּעָל ICh. 4:28
וּבַחֲצַר שׁוּ׳ 4 וּבַחֲצַר שׁוּעָל וּבִבְאֵר שֶׁבַע Neh. 11:27

חֶצְרוֹ
שפ״ז מגבורי דוד, הוא חֶצְרַי

חֶצְרוֹ 1 חֶצְרוֹ הַכַּרְמְלִי ICh. 11:37

חֶצְרוֹן¹
א) מקום בגבולה הדרומי של ארץ יהודה: 1 ב) מקום בנגב יהודה, הוא חָצוֹר(ב): 2

חֶצְרוֹן 1 וְעָבַר חֶצְרוֹן וְעָלָה אַדָּרָה Josh. 15:3
2 חֶצְרוֹן הִיא חָצוֹר Josh. 15:25

חֶצְרוֹן²
שפ״ז א) בן ראובן, אבי משפ׳ החצרוני: 2, 12, 13, 15 ב) בן פרץ בן יהודה: 1, 3–11, 14, 16

חֶצְרוֹן 1 וַיִּהְיוּ בְנֵי־פֶרֶץ חֶצְרֹן וְחָמוּל Gen. 46:12
2 חֲנוֹךְ וּפַלּוּא חֶצְרֹן וְכַרְמִי Ex. 6:14
3 פֶּרֶץ הוֹלִיד אֶת־חֶצְרוֹן Ruth 4:18
4 בְּנֵי־פֶרֶץ חֶצְרוֹן וְחָמוּל ICh. 2:5
5 וּבְנֵי חֶצְרוֹן אֲשֶׁר נוֹלַד־לוֹ ICh. 2:9
6 וְכָלֵב בֶּן־חֶצְרוֹן הוֹלִיד... ICh. 2:18
7 וְאַחַר בָּא חֶצְרוֹן אֶל־בַּת־מָכִיר ICh. 2:21
8 וְאַחַר מוֹת־חֶצְרוֹן בְּכָלֵב אֶפְרָתָה ICh. 2:24
9 וְאֵשֶׁת חֶצְרוֹן אֲבִיָּה ICh. 2:24
10 בְּכוֹר חֶצְרוֹן הַבְּכוֹר רָם ICh. 2:25
11 בְּנֵי יְהוּדָה פֶּרֶץ חֶצְרוֹן ICh. 4:1
12 חֲנוֹךְ וּפַלּוּא חֶצְרוֹן וְכַרְמִי ICh. 5:3
וְחֶצְרוֹן 13 חֲנוֹךְ וּפַלּוּא וְחֶצְרֹן וְכַרְמִי Gen. 46:9
14 וְחֶצְרוֹן הוֹלִיד אֶת־רָם Ruth 4:19
לְחֶצְרוֹן 15 לְחֶצְרֹן מִשְׁפַּחַת הַחֶצְרוֹנִי Num. 26:6
16 לְחֶצְרֹן מִשְׁפַּחַת הַחֶצְרֹנִי Num. 26:21

חֶצְרוֹנִי
ת׳ המתייחס על חצרון (א): 1, או (ב): 2

הַחֶצְרוֹנִי 1 לְחֶצְרֹן מִשְׁפַּחַת הַחֶצְרוֹנִי Num. 26:6
2 לְחֶצְרֹן מִשְׁפַּחַת הַחֶצְרֹנִי Num. 26:21

חֲצֵרוֹת התחנה השנית במסעי בני ישראל אחרי הר סיני: 1–6

חֲצֵרוֹת 1 מִקִּבְרוֹת הַתַּאֲוָה נָסְעוּ הָעָם חֲצֵרוֹת Num. 11:35
וַחֲצֵרֹת 2 בַּמִּדְבָּר...וַחֲצֵרֹת וְדִי זָהָב Deut. 1:1
בַּחֲצֵרוֹת 3 נָסְעוּ הָעָם...וַיִּהְיוּ בַּחֲצֵרוֹת Num. 11:35
4 וַיִּסְעוּ...וַיַּחֲנוּ בַּחֲצֵרֹת Num. 33:17
מֵחֲצֵרוֹת 5 וְאַחַר נָסְעוּ הָעָם מֵחֲצֵרוֹת Num. 12:16
6 וַיִּסְעוּ מֵחֲצֵרֹת וַיַּחֲנוּ בְּרִתְמָה Num. 33:18

חֶצְרַי שפ״ז – מגבורי דוד, הוא חֶצְרוֹ

חֶצְרַי 1 חֶצְרַי (כת׳ חצרו) הַכַּרְמְלִי IISh. 23:35

חֲצַרְמָוֶת שפ״ז – בן יָקְטָן, על שמו עם שישב בערב הדרומית: 1, 2

חֲצַרְמָוֶת 1/2 וְיָקְטָן יָלַד...וְאֶת־חֲצַרְמָוֶת וְאֶת־יָרַח Gen. 10:26 • ICh. 1:20

חֶצְרֹן שפ״ז – עין חֶצְרוֹן

חֵק ז׳ עין חֵיק

חֹק, חוֹק ז׳ א) דין, משפט מנוסח: רוב המקראות 1–129 ב) מדה קצובה, גבול למשהו: 1, 5, 13, 14, 17, 23, 29, 39, 40, 46, 47, 48

קרובים: דִּין / דָּת / חֻקָּה / מִצְוָה / מִשְׁפָּט / עֵדוּת / פִּקּוּדָה / צַו / תּוֹרָה

– חֹק וּמִצְוָה (חֻקִּים וּמִצְוֹת) 78, 80, 85, 116–118, 124, 126; חֹק וּמִשְׁפָּט (חֻקִּים וּמִשְׁפָּטִים) 2, 3, 15, 19, 49–51, 53, 58, 60, 62, 63, 65–70, 75–77, 79, 80, 86, 89, 121, 124, 127; עֵדוֹת וְחֻקִּים 75, 77, 109, 123, 128

– חָק־הַבָּנִים 30, 31; חָק־עוֹלָם 25–29, 33–38; דֶּרֶךְ חֹק 98; לֶחֶם חֹק 39; לִבְלִי חֹק 5; חֹק לְיִשְׂרָאֵל 10

– חֻקֵּי אָבוֹת 84; חִקְקֵי אָוֶן 83; חִקְקֵי לֵב 82

– גָּרַע חֹק 45; דָּרַשׁ חֹק 106; הָיָה (לְ)חֹק 4, 25; הוֹרָה חֹק 98; הֶעֱמִיד (לְ)חֹק 20, 21; הִשְׁלִים חֹק 40; חָג חֹק 13; חָלַף חֹק 6; כִּלָּה חֹק 47; לֶדֶת חֹק 8; לָמַד חֹק 15, 49, 51, 95–97, 100, 104, 107, 108; מָאַס חֹק 119; מָשׁ חֹק 74; נָצַר חֹק 105; נָתַן (לְ)חֹק 16, 22, 24; סִפֵּר חֹק 87; עָשָׂה חֹק 14, 64, 71, 73, 103, 118, 122; צִוָּה חֹק 53, 123; שָׁבַר חֹק 41; שָׁכַח חֹק 102; שָׂם (לְ)חֹק 2, 3, 18, 19, 46; שָׁמַר חֹק 85, 86, 89, 93, 94, 115–117, 120, 124, 125; שִׁית חֹק 12

חֹק 1 כִּי חֹק לַכֹּהֲנִים מֵאֵת פַּרְעֹה Gen. 47:22
2 שָׂם לוֹ חֹק וּמִשְׁפָּט Ex. 15:25
3 וַיָּשֶׂם לוֹ חֹק וּמִשְׁפָּט בִּשְׁכֶם Josh. 24:25
4 וַתְּהִי־חֹק בְּיִשְׂרָאֵל Jud. 11:39
5 וּפָעֲרָה פִיהָ לִבְלִי־חֹק Is. 5:14
6 כִּי־עָבְרוּ תוֹרֹת חָלְפוּ חֹק Is. 24:5
7 יוֹם הַהוּא יִרְחַק־חֹק Mic. 7:11
8 בְּטֶרֶם לֶדֶת חֹק Zep. 2:2
9 אֲסַפְּרָה אֶל חֹק יְיָ אָמַר אֵלַי Ps. 2:7
10 כִּי חֹק לְיִשְׂרָאֵל הוּא Ps. 81:5
11 יֹצֵר עָמָל עֲלֵי־חֹק Ps. 94:20
12 תָּשִׁית לִי חֹק וְתִזְכְּרֵנִי Job 14:13
13 חֹק־חָג עַל־פְּנֵי־מָיִם Job 26:10
14 בַּעֲשֹׂתוֹ לַמָּטָר חֹק Job 28:26
15 וּלְלַמֵּד בְּיִשְׂרָאֵל חֹק וּמִשְׁפָּט Ez. 7:10
וְחֹק 16 שָׁמְרוּ עֵדֹתָיו וְחֹק נָתַן־לָמוֹ Ps. 99:7
17 טֶרֶף לְבֵיתָהּ וְחֹק לְנַעֲרֹתֶיהָ Prov. 31:15
לְחֹק 18 וַיָּשֶׂם אֹתָהּ יוֹסֵף לְחֹק Gen. 47:26
19 וַיְשִׂמֶהָ לְחֹק וּלְמִשְׁפָּט לְיִשְׂרָאֵל ISh. 30:25
20/1 וַיַּעֲמִידֶהָ לְיַעֲקֹב לְחֹק Ps. 105:10 / ICh. 16:17
22 וַיִּתְּנוּם לְחֹק עַל־יִשְׂרָאֵל IICh. 35:25
וְחֹק־ 23 וְחֹק הַשֶּׁמֶן הַבַּת הַשֶּׁמֶן Ezek. 45:14
חָק־ 24 חָק־נָתַן וְלֹא יַעֲבוֹר Ps. 148:6
25 וְהָיְתָה לָהֶם חָק־עוֹלָם Ex. 30:21
26 חָק־עוֹלָם לְדֹרֹתֵיכֶם Lev. 6:11
27 חָק־עוֹלָם לַייָ כָּלִיל תָּקְטָר Lev. 6:15
28 מֵאִשֵּׁי יְיָ חָק־עוֹלָם Lev. 24:9
29 חָק־עוֹלָם וְלֹא יַעַבְרֶנְהוּ Jer. 5:22
וְחָק־ 30/1 כִּי חָקְךָ וְחָק־בָּנֶיךָ Lev. 10:13, 14
לְחָק־ 32 לְחָק־לְךָ וּלְבָנֶיךָ עַד־עוֹלָם Ex. 12:24
33 לְאַהֲרֹן וּלְבָנָיו לְחָק־עוֹלָם... Ex. 29:28
34 לְאַהֲרֹן הַכֹּהֵן וּלְבָנָיו לְחָק־עוֹלָם Lev. 7:34
35-38 לְחָק־עוֹלָם Lev. 10:15 / Num. 18:8, 11, 19
חֻקִּי 39 הַטְרִיפֵנִי לֶחֶם חֻקִּי Prov. 30:8
40 כִּי יַשְׁלִים חֻקִּי Job 23:14
41 וָאֶשְׁבֹּר עָלָיו חֻקִּי Job 38:10
מֵחֻקִּי 42 מֵחֻקִּי צָפַנְתִּי אִמְרֵי־פִיו Job 23:12
חָקְךָ 43/4 כִּי(־)חָקְךָ וְחָק־בָּנֶיךָ Lev. 10:13, 14
חֻקֵּךְ 45 נָטִיתִי יָדִי עָלַיִךְ וָאֶגְרַע חֻקֵּךְ Ezek. 16:27
חֻקּוֹ 46 בְּשׂוּמוֹ לַיָּם חֻקּוֹ Prov. 8:29
חָקְכֶם 47 מַדּוּעַ לֹא כִלִּיתֶם חָקְכֶם Ex. 5:14
חֻקָּם 48 וְאָכְלוּ אֶת־חֻקָּם Gen. 47:22
חֻקִּים 49 לִמַּדְתִּי אֶתְכֶם חֻקִּים וּמִשְׁפָּטִים Deut. 4:5
50 חֻקִּים וּמִשְׁפָּטִים צַדִּיקִם Deut. 4:8
51 לְלַמֵּד אֶתְכֶם חֻקִּים וּמִשְׁפָּטִים Deut. 4:14
52 נָתַתִּי לָהֶם חֻקִּים לֹא טוֹבִים Ezek. 20:25
53 צִוִּיתִי אוֹתוֹ...חֻקִּים וּמִשְׁפָּטִים Mal. 3:22
54 חֻקִּים וּמִצְוֹת טוֹבִים Neh. 9:13
וְחֻקִּים 55 וּמִצְוֹת וְחֻקִּים וְתוֹרָה Neh. 9:14
הַחֻקִּים 56 וְהִזְהַרְתָּה אֶתְהֶם אֶת־הַחֻקִּים Ex. 18:20
57 אֵת כָּל־הַחֻקִּים אֲשֶׁר דִּבֶּר יְיָ Lev. 10:11
58 אֵלֶּה הַחֻקִּים וְהַמִּשְׁפָּטִים Lev. 26:46
59 אֵלֶּה הַחֻקִּים אֲשֶׁר צִוָּה יְיָ Num. 30:17
60 שְׁמַע אֶל־הַחֻקִּים וְאֶל־הַמִּשְׁפָּטִים Deut. 4:1
61 יִשְׁמְעוּן אֵת כָּל־הַחֻקִּים הָאֵלֶּה Deut. 4:6
62 אֶת־הַחֻקִּים וְאֶת־הַמִּשְׁפָּטִים Deut. 5:1
63 הַמִּצְוָה הַחֻקִּים וְהַמִּשְׁפָּטִים Deut. 6:1
64 לַעֲשׂוֹת אֶת־כָּל־הַחֻקִּים הָאֵלֶּה Deut. 6:24
65-68 וְאֶת־הַחֻקִּים וְאֶת־הַמִּשְׁפָּטִים Deut. 7:11
IIK. 17:37 • Neh. 1:7 • ICh. 22:13
69 אֵת כָּל־הַחֻקִּים וְאֶת־הַמִּשְׁפָּטִים Deut. 11:32
70 אֵלֶּה הַחֻקִּים וְהַמִּשְׁפָּטִים Deut. 12:1
71 וְעָשִׂיתָ אֶת־הַחֻקִּים הָאֵלֶּה Deut. 16:12
72 וְאֶת־הַחֻקִּים הָאֵלֶּה לַעֲשֹׂתָם Deut. 17:19
73 לַעֲשׂוֹת אֶת־הַחֻקִּים הָאֵלֶּה Deut. 26:16
74 אִם־יָמֻשׁוּ הַחֻקִּים הָאֵלֶּה Jer. 31:36(35)
וְהַחֻקִּים 75 הָעֵדֹת וְהַחֻקִּים וְהַמִּשְׁפָּטִים Deut. 4:45
76 הַמִּצְוָה וְהַחֻקִּים וְהַמִּשְׁפָּטִים Deut. 5:28
77 מָה הָעֵדֹת וְהַחֻקִּים וְהַמִּשְׁפָּטִים Deut. 6:20
78 אֶת־הֶחָתוּם הַמִּצְוָה וְהַחֻקִּים... Jer. 32:11
79 לְכָל־הַתּוֹרָה וְהַחֻקִּים וְהַמִּשְׁפָּטִים IICh. 33:8
לְחֻקִּים 80 לְמִצְוָה לְחֻקִּים וּלְמִשְׁפָּטִים IICh. 19:10
חֻקֵּי־ 81 אֶת־חֻקֵּי הָאֱלֹהִים וְאֶת־תּוֹרֹתָיו Ex. 18:16
חִקְקֵי־ 82 בִּפְלַגּוֹת רְאוּבֵן גְּדֹלִים חִקְקֵי־לֵב Jud. 5:15
83 הוֹי הַחֹקְקִים חִקְקֵי־אָוֶן Is. 10:1
בְּחוּקֵּי־ 84 בְּחוּקֵּי אֲבוֹתֵיכֶם אַל־תֵּלֵכוּ Ezek. 20:18
חֻקַּי 85 לִשְׁמֹר חֻקַּי וּמִצְוֹתַי IK. 3:14
86 חֻקַּי וּמִשְׁפָּטַי תִּשְׁמֹר IK. 9:4
חֻקָּי 87 מַה־לְּךָ לְסַפֵּר חֻקָּי Ps. 50:16
וְחֻקַּי 88 דְּבָרַי וְחֻקַּי...הִשִּׂיגוּ אֲבֹתֵיכֶם Zech. 1:6
89 וְחֻקַּי וּמִשְׁפָּטַי תִּשְׁמוֹר IICh. 7:17
בְּחֻקַּי 90 אֲשֶׁר בְּחֻקַּי לֹא הֲלַכְתֶּם... Ezek. 11:12
91 וְעָשִׂיתִי אֵת אֲשֶׁר־בְּחֻקַּי תֵּלֵכוּ Ezek. 36:27
מֵחֻקַּי 92 סַרְתֶּם מֵחֻקַּי וְלֹא שְׁמַרְתֶּם Mal. 3:7
חֻקֶּיךָ 93 יִכֹּנוּ דְרָכָי לִשְׁמֹר חֻקֶּיךָ Ps. 119:5
94 אֶת־חֻקֶּיךָ אֶשְׁמֹר Ps. 119:8
95-97 לַמְּדֵנִי חֻקֶּיךָ Ps. 119:12, 26, 68
98 הוֹרֵנִי יְיָ דֶּרֶךְ חֻקֶּיךָ Ps. 119:33
99 זְמִרוֹת הָיוּ־לִי חֻקֶּיךָ Ps. 119:54
100 חֻקֶּיךָ לַמְּדֵנִי Ps. 119:64
101 לְמַעַן אֶלְמַד חֻקֶּיךָ Ps. 119:71
102 חֻקֶּיךָ לֹא שָׁכָחְתִּי Ps. 119:83
103 נָטִיתִי לִבִּי לַעֲשׂוֹת חֻקֶּיךָ Ps. 119:112
104 וְלַמְּדֵנִי אֶת־חֻקֶּיךָ Ps. 119:135
105 חֻקֶּיךָ אֶצֹּרָה Ps. 119:145
106 כִּי־חֻקֶּיךָ לֹא דָרָשׁוּ Ps. 119:155
107 כִּי תְלַמְּדֵנִי חֻקֶּיךָ Ps. 119:171
וְחֻקֶּיךָ 108 עֲשֵׂה...כְחַסְדֶּךָ וְחֻקֶּיךָ לַמְּדֵנִי Ps. 119:124
109 מִצְוֹתֶיךָ עֵדְוֹתֶיךָ וְחֻקֶּיךָ ICh. 29:19
בְּחֻקֶּיךָ 110 עַבְדְּךָ יָשִׂיחַ בְּחֻקֶּיךָ Ps. 119:23
111 וְאָשִׂיחָה בְחֻקֶּיךָ Ps. 119:48
112 יְהִי־לִבִּי תָמִים בְּחֻקֶּיךָ Ps. 119:80
113 וְאֶשְׁעָה בְחֻקֶּיךָ תָמִיד Ps. 119:117
מֵחֻקֶּיךָ 114 סָלִיתָ כָּל־שׁוֹגִים מֵחֻקֶּיךָ Ps. 119:118
חֻקָּיו 115 וְשָׁמַרְתָּ כָּל־חֻקָּיו Ex. 15:26
116 וְשָׁמַרְתָּ אֶת־חֻקָּיו וְאֶת־מִצְוֹתָיו Deut. 4:40
117 וְלִשְׁמֹר חֻקָּיו וּמִצְוֹתָיו וּמִשְׁפָּטָיו Deut. 26:17
118 וְעָשִׂיתָ אֶת־מִצְוֹתָו וְאֶת־חֻקָּיו Deut. 27:10
119 וַיִּמְאֲסוּ אֶת־חֻקָּיו IIK. 17:15
120 בַּעֲבוּר יִשְׁמְרוּ חֻקָּיו Ps. 105:45
121 חֻקָּיו וּמִשְׁפָּטָיו לְיִשְׂרָאֵל Ps. 147:19
122 חֻקָּו עָשִׂיתָ וְלֹא יַעֲבֹר Job 14:5
וְחֻקָּיו 123 וְעֵדֹתָיו וְחֻקָּיו אֲשֶׁר צִוָּךְ Deut. 6:17
124 וְלִשְׁמֹר מִצְוֹתָיו וְחֻקָּיו וּמִשְׁפָּטָיו IK. 8:58
125 וְחֻקָּיו לֹא שָׁמָרוּ Am. 2:4
126 סֹפֵר דִּבְרֵי מִצְוֹת־יְיָ וְחֻקָּיו עַל־יִשְׂ׳ Ez. 7:11
127 אֶת־כָּל־מִצְוֹת...וּמִשְׁפָּטָיו וְחֻקָּיו Neh. 10:30
128 אֶת־מִצְוֹתָיו וְעֵדְוֹתָיו וְחֻקָּיו IICh. 34:31
בְּחֻקָּיו 129 לָלֶכֶת בְּחֻקָּיו וְלִשְׁמֹר מִצְוֹתָיו IK. 8:61

חֻקָּה נ׳ א) חֹק, משפט: רוב המקראות 1–100 ב) תופעה קבועה: 29, 31, 32, 37

קרובים: ראה חֹק

– חֻקָּה אַחַת 1, 2; חֻקַּת מִשְׁפָּט 27, 28; חֻקַּת עוֹלָם 4, 5, 7–20, 22–26, 35; ח׳ הַפֶּסַח 6, 21

– חֻקּוֹת וּמִצְוֹת 44, 54–56, 64, 70, 84–86, 92–95; חֻקּוֹת וּמִשְׁפָּטִים 57, 66, 68, 76, 77, 83, 90, 91, 99; חֻקּוֹת וְעֵדוֹת 87, 98; תּוֹרָה וְחֻקּוֹת 62, 81

– חֻקּוֹת אֶרֶץ 32; ח׳ הַגּוֹי 38, 40; ח׳ דָּוִד 39; ח׳ הַחַיִּים 42; ח׳ יָרֵחַ 31; ח׳ יִשְׂרָאֵל 41; ח׳ כּוֹכָבִים 31; ח׳ הַמִּזְבֵּחַ 33; ח׳ עַמִּים 30; ח׳ עָמְרִי 36; ח׳ קָצִיר 29; חֻקּוֹת שָׁמַיִם 32, 37

– הָיָה (לְ)חֻקָּה 22, 23, 27; הֵסִיר חֻקּוֹת 97; חִלֵּל חֻקּוֹת 63; מָאַס ח׳ 68; נָתַן ח׳ 60; עָזַב ח׳ 64; עָשָׂה ח׳ 52, 66, 69, 92; שָׂם ח׳ 32; שָׁמַר חֻקּוֹת (חֻקָּה) 3, 5, 45–51, 54–56, 58, 59, 65, 69, 70, 84, 85, 93–95

חֻקָּה 1 חֻקָּה אַחַת יִהְיֶה לָכֶם וְלַגֵּר Num. 9:14
2 חֻקָּה אַחַת לָכֶם וְלַגֵּר הַגָּר Num. 15:15

הַחֻקָּה 3 וְשָׁמַרְתָּ אֶת־הַחֻקָּה הַזֹּאת לְמוֹעֲדָהּ Ex.13:10
חֻקַּת־ 4 וְחַגֹּתֶם...חֻקַּת עוֹלָם תְּחָגֻּהוּ Ex.12:14
5 וּשְׁמַרְתֶּם...לְדֹרֹתֵיכֶם חֻקַּת עוֹלָם Ex.12:17
6 זֹאת חֻקַּת הַפָּסַח Ex.12:43
7 חֻקַּת עוֹלָם לְדֹרֹתָם מֵאֵת בְּ״י Ex.27:21
8 חֻקַּת עוֹלָם לוֹ וּלְזַרְעוֹ אַחֲרָיו Ex.28:43
20-9 חֻקַּת עוֹלָם Lev.3:17; 7:36; 10:9; 16:31
17:7; 23:14, 21, 31, 41; 24:3 • Num. 15:15; 18:23
21 כְּכָל־חֻקַּת הַפֶּסַח יַעֲשׂוּ אֹתוֹ Num.9:12
לְחֻקַּת־ 22 וְהָיְתָה לָכֶם לְחֻקַּת עוֹלָם Lev.16:29
23 וְהָיְתָה־זֹּאת לָכֶם לְחֻקַּת עוֹלָם Lev.16:34
26-24 לְחֻקַּת עוֹלָם Num.10:8; 19:10,21
27 וְהָיְתָה לִבְנֵי יִשְׂ׳ לְחֻקַּת מִשְׁפָּט Num.27:11
28 לְחֻקַּת מִשְׁפָּט לְדֹרֹתֵיכֶם... Num.35:29
חֻקּוֹת־ 29 שְׁבֻעֹת חֻקּוֹת קָצִיר יִשְׁמָר־לָנוּ Jer.5:24
30 כִּי־חֻקּוֹת הָעַמִּים הֶבֶל הוּא Jer.10:3
31 חֻקֹּת יָרֵחַ וְכוֹכָבִים Jer.31:35(34)
32 חֻקּוֹת שָׁמַיִם וָאָרֶץ לֹא־שָׂמְתִּי Jer.33:25
33 אֵלֶּה חֻקּוֹת הַמִּזְבֵּחַ Ezek.43:18
34 לְכָל־חֻקּוֹת בֵּית־יְיָ וּלְכָל־תּוֹרֹתָו Ezek.44:5
35 חֻקּוֹת עוֹלָם תָּמִיד Ezek.46:14
36 וְיִשְׁתַּמֵּר חֻקּוֹת עָמְרִי Mic.6:16
37 הֲיָדַעְתָּ חֻקּוֹת שָׁמָיִם Job38:33
בְּחֻקּוֹת־ 38 וְלֹא תֵלְכוּ בְּחֻקֹּת הַגּוֹי Lev.20:23
39 לָלֶכֶת בְּחֻקּוֹת דָּוִד אָבִיו IK.3:3
40 וַיֵּלְכוּ בְּחֻקּוֹת הַגּוֹיִם IIK.17:8
41 וַיֵּלְכוּ בְּחֻקּוֹת יִשְׂרָאֵל אֲשֶׁר עָשׂוּ IIK.17:19
42 בְּחֻקּוֹת הַחַיִּים הָלָךְ Ezek.33:15
מֵחֻקּוֹת־ 43 לְבִלְתִּי עֲשׂוֹת מֵחֻקּוֹת הַתּוֹעֵבֹת... Lev.18:30
חֻקּוֹתַי 44 מִצְוֹתַי חֻקּוֹתַי וְתוֹרֹתָי Gen.26:5
45 וְאֶת־חֻקֹּתַי תִּשְׁמְרוּ לָלֶכֶת בָּהֶם Lev.18:4
47-46 וּשְׁמַרְתֶּם אֶת־חֻקֹּתַי Lev.18:5; 20:8
48 וּשְׁמַרְתֶּם אַתֶּם אֶת־חֻקֹּתַי Lev.18:26
49 אֶת־חֻקֹּתַי תִּשְׁמֹרוּ Lev.19:19
51-50 וּשְׁמַרְתֶּם אֶת־כָּל־חֻקֹּתַי Lev.19:37; 20:22
52 וַעֲשִׂיתֶם אֶת־חֻקֹּתַי Lev.25:18
53 וְאֶת־חֻקֹּתַי גָּעֲלָה נַפְשָׁם Lev.26:43
54 וְלֹא תִשְׁמְרוּ מִצְוֹתַי חֻקֹּתַי IK.9:6
55 לִשְׁמוֹר חֻקּוֹתַי וּמִצְוֹתַי IK.11:38
56 וְשִׁמְרוּ מִצְוֹתַי חֻקּוֹתַי IIK.17:13
57 וַתֶּמֶר אֶת־מִשְׁפָּטַי...וְאֶת־חֻקּוֹתַי Ezek.5:6
58 אֶת כָּל־חֻקּוֹתַי שָׁמַר Ezek.18:19
59 וְשָׁמַר אֶת־כָּל־חֻקּוֹתַי Ezek.18:21
60 וָאֶתֵּן לָהֶם אֶת־חֻקּוֹתַי Ezek.20:11
61 וְאֶת־חֻקּוֹתַי לֹא־הָלְכוּ בָהֶם Ezek.20:16
62 וְאֶת־תּוֹרֹתַי וְאֶת־חֻקֹּתַי Ezek.44:24
63 אִם־חֻקֹּתַי יְחַלֵּלוּ Ps.89:32
64 וַעֲזַבְתֶּם חֻקּוֹתַי וּמִצְוֹתַי IICh.7:19
וְחֻקּוֹתַי 65 וְלֹא שָׁמַרְתָּ בְּרִיתִי וְחֻקֹּתַי IK.11:11
66 לַעֲשׂוֹת...וְחֻקֹּתַי וּמִשְׁפָּטַי IK.11:33
67 וְחֻקּוֹתַי לֹא־הָלְכוּ בָהֶם Ezek.5:6
68 מִשְׁפָּטַי לֹא־עָשׂוּ וְחֻקּוֹתַי מָאָסוּ Ezek.20:24
69 וְחֻקּוֹתַי יִשְׁמְרוּ וְעָשׂוּ אוֹתָם Ezek.37:24
וְחֻקֹּתָי 70 אֲשֶׁר שָׁמַר מִצְוֹתַי וְחֻקֹּתָי IK.11:34
בְּחֻקּוֹתַי 71 אִם־בְּחֻקֹּתַי תֵּלֵכוּ Lev.26:3
72 וְאִם־בְּחֻקֹּתַי תִּמְאָסוּ Lev.26:15
73 אִם־תֵּלֵךְ בְּחֻקֹּתַי IK.6:12
74 בְּחֻקּוֹתַי לֹא הֲלַכְתֶּם Ezek.5:7
75 לְמַעַן בְּחֻקֹּתַי יֵלֵכוּ Ezek.11:20
76 בְּחֻקּוֹתַי יְהַלֵּךְ וּמִשְׁפָּטַי שָׁמַר Ezek.18:9
77 מִשְׁפָּטַי עָשָׂה בְּחֻקּוֹתַי הָלָךְ Ezek.18:17
79-78 בְּחֻקּוֹתַי לֹא־הָלָכוּ Ezek.20:13,21
80 אֲנִי יְיָ אֱלֹהֵיכֶם בְּחֻקּוֹתַי לֵכוּ Ezek.20:19
וּבְחֻקֹּתַי 81 וְלֹא־הָלְכוּ בְתוֹרָתִי וּבְחֻקֹּתַי Jer.44:10
בְּחֻקֹּתֶיךָ 82 בְּחֻקֹּתֶיךָ אֶשְׁתַּעֲשָׁע Ps.119:16
חֻקֹּתָיו 83 כְּכָל־חֻקֹּתָיו וּכְכָל־מִשְׁפָּטָיו Num.9:3
84 לִשְׁמֹר אֶת־כָּל־חֻקֹּתָיו וּמִצְוֹתָיו Deut.6:2
85 לִשְׁמֹר אֶת־מִצְוֹת יְיָ וְאֶת־חֻקֹּתָיו Deut.10:13
86 חֻקֹּתָיו מִצְוֹתָיו וּמִשְׁפָּטָיו וְעֵדְוֹתָיו IK.2:3
87 מִצְוֹתָיו וְאֶת־עֵדְוֹתָיו וְאֶת־חֻקֹּתָיו IIK.23:3
88 וְכָל־צוּרֹתָו וְאֵת כָּל־חֻקֹּתָיו Ezek.43:11
89 אֶת־כָּל־צוּרָתוֹ וְאֶת־כָּל־חֻקֹּתָיו Ezek.43:11
וְחֻקֹּתָיו 90 מִצְוֹתָיו וּמִשְׁפָּטָיו וְחֻקֹּתָיו Deut.8:11
91 מִשְׁמַרְתּוֹ וְחֻקֹּתָיו וּמִשְׁפָּ׳ וּמִצְוֹתָיו Deut.11:1
92 לַעֲשׂוֹת אֶת־כָּל־מִצְוֹתָיו וְחֻקֹּתָיו Deut.28:15
94-93 לִשְׁמֹר מִצְוֹתָיו וְחֻקֹּתָיו Deut.28:45; 30:10
95 וְלִשְׁמֹר מִצְוֹתָיו וְחֻקֹּתָיו Deut.30:16
96 וְחֻקֹּתָיו לֹא־אָסוּר מִמֶּנָּה IISh.22:23
97 וְחֻקֹּתָיו לֹא־אָסִיר מֶנִּי Ps.18:23
וּבְחֻקֹּתָיו 98 וּבְתֹרָתוֹ וּבְחֻקֹּתָיו וּבְעֵדְוֹתָיו Jer.44:23
כְּחֻקּוֹתָם 99 וְאֵינָם עֹשִׂים כְּחֻקֹּתָם וּכְמִשְׁפָּטָם IIK.17:34
וּבְחֻקּוֹתֵיהֶם 100 וּבְחֻקֹּתֵיהֶם לֹא תֵלֵכוּ Lev.18:3

חקה
חקה : חָקָה, הִתְחַקָּה

חָקָה פ׳ א) נחרת: 1—3
ב) [הת׳ הִתְחַקָּה] (בהשאלה) ארב: 4

מְחֻקֶּה 1 כָל־תַּבְנִית...מְחֻקֶּה עַל־הַקִּיר Ezek.8:10
2 אַנְשֵׁי מְחֻקֶּה עַל־הַקִּיר Ezek.23:14
הַמְּחֻקֶּה 3 וְצִפָּה זָהָב מְיֻשָּׁר עַל־הַמְּחֻקֶּה IK.6:35
תִּתְחַקֶּה 4 עַל־שָׁרְשֵׁי רַגְלַי תִּתְחַקֶּה Job13:27

חֲקוּפָא שפ״ז – אבי משפחת נתינים שעלו עם זרובבל
חֲקוּפָא 1/2 בְּנֵי־בַקְבּוּק בְּנֵי־חֲקוּפָא Ez.2:51 • Neh.7:53

חָקַק עין חוקק

חקק
חקק : חָקַק (חַק), חוֹקֵק, חוּקַּק, חֻקַּק, הוּחַק; חֹק, חֻקָּה, מְחוֹקֵק; ש״פ חֲקוֹק

חָקַק פ׳ א) חצב: 1, 2, 5
ב) חרת, פִּתֵּחַ כתב או ציור: 3, 4, 8, 9
ג) קבע חוק: 6, 7
ד) [פִּ׳ חוֹקֵק] קבע חוק: 10—17
ה) [פֻּ׳ חֻקַּק] נחרת: 18
ו) [הֻפ׳ הוּחַק] נחרת: 19
קרובים: חָטַב / חָצַב / חָרַת / כָּתַב

בְּחֻקוֹ 1 בְּחֻקוֹ חוּג עַל־פְּנֵי תְהוֹם Prov.8:27
2 בְּחוּקוֹ מוֹסְדֵי אָרֶץ Prov.8:29
חַקֹּתִיךְ 3 הֵן עַל־כַּפַּיִם חַקֹּתִיךְ Is.49:16
וְחַקּוֹתָ 4 וְחַקּוֹתָ עָלֶיהָ עִיר אֶת־יְרוּשָׁלָ͏ִם Ezek.4:1
חֹקְקִי 5 חֹקְקִי בַסֶּלַע מִשְׁכָּן לוֹ Is.22:16
הַחֹקְקִים 6 הוֹי הַחֹקְקִים חִקְקֵי־אָוֶן Is.10:1
לְחוֹקְקֵי 7 לִבִּי לְחוֹקְקֵי יִשְׂרָאֵל... Jud.5:9
חֲקֻקִים 8 צַלְמֵי כַשְׂדִּים° חֲקֻקִים בַּשָּׁשַׁר Ezek.23:14
חֻקָּהּ 9 כָּתְבָהּ עַל־לוּחַ...וְעַל־סֵפֶר חֻקָּהּ Is.30:8
מְחֹקֵק 10 כִּי־שָׁם חֶלְקַת מְחֹקֵק סָפוּן Deut.33:21
וּמְחֹקֵק 11 לֹא־יָסוּר שֵׁבֶט...וּמְחֹקֵק Gen.49:10
בִּמְחֹקֵק 12 כָּרוּהָ...בִּמְחֹקֵק בְּמִשְׁעֲנֹתָם Num.21:18
מְחֹקְקִי 13/4 מָעוֹז רֹאשִׁי יְהוּדָה מְחֹקְקִי Ps.60:9; 108:9
מְחֹקְקֵנוּ 15 כִּי יְיָ שֹׁפְטֵנוּ יְיָ מְחֹקְקֵנוּ Is.33:22
מְחֹקְקִים 16 מִנִּי מָכִיר יָרְדוּ מְחֹקְקִים Jud.5:14
יְחוֹקְקוּ 17 וְרוֹזְנִים יְחֹקְקוּ צֶדֶק Prov.8:15
מְחֻקָּק 18 פֶּן־יִשְׁתֶּה וְיִשְׁכַּח מְחֻקָּק Prov.31:5
וְיֻחָקוּ 19 מִי־יִתֵּן...בַּסֵּפֶר וְיֻחָקוּ Job19:23

חִקְקֵי (שופטים ה15, ישעיה י1) – עין חֵק (82, 83)

חקר
חקר : חָקַר, נֶחְקַר, חִקֵּר; חֵקֶר, מֶחְקָר

חָקַר פ׳ א) בדק, דרש: 2, 3, 6—21
ב) רגל, תָּר: 1, 4, 5, 22
ג) [נפ׳ נֶחְקַר] נבדק: 23—26
ד) [פִּ׳ חִקֵּר] בקר: 27
קרובים: בָּדַק/בָּחַן/דָּרַשׁ/חִפֵּר/חִפֵּשׂ/רִגֵּל/שָׁאַל/תָּר

חֲקֹר 1 בַּעֲבוּר חֲקֹר אֶת־הָעִיר וּלְרַגְּלָהּ IISh.10:3
2 וּכְבֹד מְלָכִים חֲקֹר דָּבָר Prov.25:2
לַחְקֹר 3 לַבָּאִים לַחְקֹר מִמְסָךְ Prov.23:30
4 לַחְקֹר וְלַהֲפֹךְ וּלְרַגֵּל הָאָרֶץ ICh.19:3
וּלְחָקְרָהּ 5 לְרַגֵּל אֶת־הָאָרֶץ וּלְחָקְרָהּ Jud.18:2
וְחָקַרְתָּ 6 וְדָרַשְׁתָּ וְחָקַרְתָּ וְשָׁאַלְתָּ הֵיטֵב Deut.13:15
חֲקַרְתַּנִי 7 יְיָ חֲקַרְתַּנִי וַתֵּדָע Ps.139:1
וַחֲקָרוֹ 8 ...וּבָא־רֵעֵהוּ וַחֲקָרוֹ Prov.18:17
חֲקָרָהּ 9 אָז רָאָהּ וַיְסַפְּרָהּ הֱכִינָהּ וְגַם־חֲקָרָהּ Job28:27
חֲקַרְנוּהָ 10 הִנֵּה־זֹאת חֲקַרְנוּהָ כֶּן־הִיא Job5:27
חוֹקֵר 11 אֲנִי יְיָ חֹקֵר לֵב בֹּחֵן כְּלָיוֹת Jer.17:10
12 וּלְכָל־תַּכְלִית הוּא חוֹקֵר Job28:3
אֶחְקֹר 13 כִּי־אֶחְקֹר אֶת־אָבִי ISh.20:12
אֶחְקְרֵהוּ 14 וְרִב לֹא־יָדַעְתִּי אֶחְקְרֵהוּ Job29:16
יַחְקֹר 15 הֲטוֹב כִּי־יַחְקֹר אֶתְכֶם Job13:9
יַחֲקָר־ 16 הֲלֹא אֱלֹהִים יַחֲקָר־זֹאת Ps.44:22
יַחְקְרֶנּוּ 17 עָשִׁיר...וְדַל מֵבִין יַחְקְרֶנּוּ Prov.28:11
וְנַחְקֹרָה 18 נַחְפְּשָׂה דְרָכֵינוּ וְנַחְקֹרָה Lam.3:40
תַּחְקְרוּן 19 אָזִין...עַד־תַּחְקְרוּן מִלִּין Job32:11
יַחְקֹרוּ 20 מִקְצֵה שִׁבְעָה־חֳדָשִׁים יַחְקֹרוּ Ezek.39:14
חָקְרֵנִי 21 חָקְרֵנִי אֵל וְדַע לְבָבִי Ps.139:23
חִקְרוּ 22 לְכוּ חִקְרוּ אֶת־הָאָרֶץ Jud.18:2
נֶחְקַר 23/4 לֹא נֶחְקַר מִשְׁקַל הַנְּחֹשֶׁת IK.7:47 • IICh.4:18
יֵחָקֵר 25 כִּי לֹא יֵחָקֵר כִּי רַבּוּ מֵאַרְבֶּה Jer.46:23
וְיֵחָקְרוּ 26 וְיֵחָקְרוּ מוֹסְדֵי־אֶרֶץ Jer.31:37(36)
וְחִקֵּר 27 וְאִזֵּן וְחִקֵּר תִּקֵּן מְשָׁלִים הַרְבֵּה Eccl.12:9

חֵקֶר ז׳ בדיקה, בחינה: 1—12
אֵין חֵקֶר 1—5; חֵקֶר אָבוֹת 11; חֵ׳ אֱלוֹהַּ 8; חֵקֶר כָּבוֹד 9; חֵ׳ תְּהוֹם 10; חִקְרֵי לֵב 12

חֵקֶר 1 אֵין חֵקֶר לִתְבוּנָתוֹ Is.40:28
2 וְלִגְדֻלָּתוֹ אֵין חֵקֶר Ps.145:3
3 וְלֵב מְלָכִים אֵין חֵקֶר Prov.25:3
4 עֹשֶׂה גְדֹלוֹת וְאֵין חֵקֶר Job5:9
5 עֹשֶׂה גְדֹלוֹת עַד־אֵין חֵקֶר Job9:10
6 יָרֹעַ כַּבִּירִים לֹא־חֵקֶר Job34:24
7 מִסְפַּר שָׁנָיו וְלֹא־חֵקֶר Job36:26
הַחֵקֶר־ 8 הַחֵקֶר אֱלוֹהַּ תִּמְצָא Job11:7
וְחֵקֶר־ 9 וְחֵקֶר כְּבֹדָם כָּבוֹד Prov.25:27
וּבְחֵקֶר־ 10 וּבְחֵקֶר תְּהוֹם הִתְהַלָּכְתָּ Job38:16
לַחֵקֶר־ 11 וְכוֹנֵן לַחֵקֶר אֲבוֹתָם Job8:8
חִקְרֵי־ 12 לִפְלַגּוֹת רְאוּבֵן גְּדֹלִים חִקְרֵי־לֵב Jud.5:16

חֹר[1] ז׳ עין חוֹר[1]   **חֹר[2]** ז׳ עין חוֹרִים

חֹר הַגִּדְגָּד מתחנות בני ישראל במדבר: 1, 2
בְּחֹר הַגִּדְגָּד 1 וַיִּסְעוּ...וַיַּחֲנוּ בְּחֹר הַגִּדְגָּד Num.33:32
מֵחֹר הַגִּדְגָּד 2 וַיִּסְעוּ מֵחֹר הַגִּדְגָּד... Num.33:33

חראיהם (ישעיה לו12) כת׳ – עין צוֹאָה

חרב
חרב : חָרַב, נֶחֱרַב, חֹרַב, הֶחֱרִיב, הָחֳרַב; חָרֵב, חֹרֶב, חֶרֶב, חָרְבָּה, חָרָבָה, חֶרְבוֹן; ש״פ חוֹרֵב, חַרְבוֹנָא; אר׳ הָחֳרְבָה

חָרַב

פָּ׳ א) נהרס: 1, 2, 10—17, 19
ב) יבש: 3—9, 18
ג) [נפ׳ נֶחֱרַב] נהרס: 20—22
ד) [פִּ׳ חֵרֵב] יובש: 23, 24
ה) [הפ׳ הֶחֱרִיב] יבש: 25, 28, 32, 35—37
ו) [כנ״ל] הרס: 26, 27, 29—31, 33, 34
ז) [הָפ׳ הָחֳרַב] נהרס: 38—40

קרובים: הרס / חרם / נתץ / פרץ / שחת / שמד / שמם

חָרֹב 1 וְהַגּוֹיִם חָרֹב יֶחֱרָבוּ Is.60:12
חָרְבוּ 2 שֹׁמּוּ...וְשַׂעֲרוּ חָרְבוּ מְאֹד Jer.2:12
3 בְּאֶחָד לַחֹדֶשׁ חָרְבוּ הַמַּיִם Gen.8:13
4 וְהִנֵּה חָרְבוּ פְּנֵי הָאֲדָמָה Gen.8:13
וְחָרְבוּ 5 דָּלְלוּ וְחָרְבוּ יְאֹרֵי מָצוֹר Is.19:6
יֶחֱרַב 6/7 וְנָהָר יֶחֱרַב וְיָבֵשׁ Is.19:5 • Job 14:11
וְיֶחֱרַב 8 וְיֵבוֹשׁ מְקוֹרוֹ וְיֶחֱרַב מַעְיָנוֹ Hosh.13:15
וַיֶּחֱרָב 9 וַיִּגְעַר בְּיַם־סוּף וַיֶּחֱרָב Ps.106:9
תֶּחֱרַב 10 וְהָעִיר הַזֹּאת תֶּחֱרַב מֵאֵין יוֹשֵׁב Jer.26:9
תֶּחֱרָב 11 מִדּוֹר לָדוֹר תֶּחֱרָב Is.34:10
יֶחֶרְבוּ 12 לְמַעַן יֶחֶרְבוּ וְיֶאְשְׁמוּ מִזְבְּחוֹתֵיכֶם Ezek.6:6
יֶחֱרָבוּ 13 וְהַגּוֹיִם חָרֹב יֶחֱרָבוּ Is.60:12
14 וּמִקְדְּשֵׁי יִשְׂרָאֵל יֶחֱרָבוּ Am.7:9
תֶּחֱרַבְנָה 15 הֶעָרִים תֶּחֱרַבְנָה וְהַבָּמוֹת תִּישָׁמְנָה Ezek.6:6
16 וְהֶעָרִים הַנּוֹשָׁבוֹת תֶּחֱרַבְנָה Ezek.12:20
חֲרֹב 17 חֲרֹב וְהַחֲרֵם אַחֲרֵיהֶם Jer.50:21
חֳרָבִי 18 הָאֹמֵר לַצּוּלָה חֳרָבִי Is.44:27
חִרְבוּ 19 חִרְבוּ כָּל־פָּרֶיהָ יֵרְדוּ לַטָּבַח Jer.50:27
נֶחֶרְבוּ 20 הָחֳרֵב נֶחֶרְבוּ הַמְּלָכִים IIK.3:23
נֶחֱרֶבֶת 21 בְּתִתִּי אֹתָךְ עִיר נֶחֱרֶבֶת Ezek.26:19
נֶחֱרָבוֹת 22 בְּתוֹךְ־עָרִים נֶחֱרָבוֹת תִּהְיֶינָה Ezek.30:7
חֹרָבוּ 23/4 יְתָרִים לַחִים אֲשֶׁר לֹא־חֹרָבוּ Jud.16:7,8
וְהַחֲרַבְתִּי 25 וְהַחֲרַבְתִּי אֶת־יַמָּהּ Jer.51:36
הֶחֱרַבְתִּי 26 הֶחֱרַבְתִּי חוּצוֹתָם מִבְּלִי עוֹבֵר Zep.3:6
הֶחֱרִיב 27 וַיֵּדַע אַלְמְנוֹתָיו וְעָרֵיהֶם הֶחֱרִיב Ezek.19:7
28 וְכָל־הַנְּהָרוֹת הֶחֱרִיב Nah.1:4
הֶחֱרִיבוּ 29 הֶחֱרִיבוּ...אֶת־הַגּוֹיִם וְאֶת־אַרְצָם IIK.19:17
30 הֶחֱרִיבוּ...אֶת־כָּל־הָאֲרָצוֹת Is.37:18
מַחֲרִיב 31 אֶת־אוֹיְבֵנוּ וְאֵת מַחֲרִיב אַרְצֵנוּ Jud.16:24
הַמַּחֲרֶבֶת 32 הֲלוֹא אַתְּ־הִיא הַמַּחֲרֶבֶת יָם Is.51:10
וּמַחֲרִיבַיִךְ 33 מְהָרְסַיִךְ וּמַחֲרִיבַיִךְ מִמֵּךְ יֵצֵאוּ Is.49:17
אַחֲרִיב 34 אַחֲרִיב הָרִים וּגְבָעוֹת Is.42:15
35 הֵן בְּגַעֲרָתִי אַחֲרִיב יָם Is.50:2
וְאַחְרִב 36/7 וְאַחְרִב...כֹּל יְאֹרֵי מָצוֹר IIK.19:24 • Is.37:25
הָחֳרֵב 38 הָחֳרֵב נֶחֶרְבוּ הַמְּלָכִים IIK.3:23
הָחֳרָבָה 39 נָסַבָּה אֵלַי אִמָּלְאָה הָחֳרָבָה Ezek.26:2
מָחֳרָבוֹת 40 בְּתוֹךְ עָרִים מָחֳרָבוֹת תִּהְיֶין Ezek.29:12

(חרב) הָחָרְבַת

הָפ׳ ארמית: נחרב

הָחָרְבַת 1 עַל־דְּנָה קִרְיְתָא דָךְ הָחָרְבַת Ez.4:15

חָרֵב

ת׳ א) הָרוּס, שמם: 1—4, 6, 7, 9, 10 ב) יבש: 5, 8

בַּיִת חָרֵב 2, 3; מָקוֹם חָרֵב 1, 4; מִנְחָה חֲרֵבָה 8; פַּת חֲרֵבָה 5; עָרִים חֲרֵבוֹת 9, 10

חָרֵב 1 בַּמָּקוֹם הַזֶּה...חָרֵב הוּא מֵאֵין אָדָם Jer.33:10
2 לָשֶׁבֶת בְּבָתֵּיכֶם...וְהַבַּיִת הַזֶּה חָרֵב Hag.1:4
3 יַעַן בֵּיתִי אֲשֶׁר־הוּא חָרֵב Hag.1:9
הֶחָרֵב 4 בַּמָּקוֹם הַזֶּה הֶחָרֵב מֵאֵין־אָדָם Jer.33:12
חֲרֵבָה 5 טוֹב פַּת חֲרֵבָה וְשַׁלְוָה־בָהּ Prov.17:1
6 בֵּית־קִבְרוֹת אֲבֹתַי חֲרֵבָה Neh.2:3
7 אֲשֶׁר יְרוּשָׁלִַם חֲרֵבָה Neh.2:17
וַחֲרֵבָה 8 וְכָל־מִנְחָה בְלוּלָה־בַשֶּׁמֶן וַחֲרֵבָה Lev.7:10
הֶחֳרֵבוֹת 9 וְהֶעָרִים הֶחֳרֵבוֹת וְהַנְּשַׁמּוֹת Ezek.36:35
10 תִּהְיֶינָה הֶעָרִים הֶחֳרֵבוֹת מְלֵאוֹת Ezek.36:38

חֶרֶב

נ׳ כְּלִי־נשק כעין סכין ארוך: רוב המקראות

קרובים: אָזֵן / חֲנִית / כִּידוֹן / מַאֲכֶלֶת / רֹמַח / שַׂכִּין / שֶׁלַח

– חֶרֶב וַחֲנִית 33, 34, 93, 194; חֶ׳ וְרָעָב 48, 68, 153, 178, 191, 212—215, 217—223, 225—227, 230; חֶ׳ וּשְׁבִי 259; מָגֵן וְחֶרֶב 160, 162

– חֶרֶב גְּדוֹלָה 387; חֶרֶב חַדָּה 62, 96, 292; חֶ׳ מִתְהַפֶּכֶת 163; חֶ׳ נֹקֶמֶת 2; חֶ׳ נְטוּשָׁה 40; חֶרֶב פְּתוּחָה 73; חֶ׳ קָשָׁה 387; חֶ׳ רָעָה 309; חֶ׳ שְׁלוּפָה 382—385

– חֶרֶב אָחִיו 334; חֶ׳ אוֹיֵב (אוֹיְבִים) 330, 333; חֶרֶב אִישׁ 323; חֶ׳ בְּנֵי עַמּוֹן 331; חֶ׳ גִּבּוֹר 335; חֶ׳ גִּדְעוֹן 311; חֶ׳ גָּלְיָת 314, 315; חֶ׳ חֲזָאֵל 338; חֶ׳ חֲלָלִים 319; חֶ׳ יֵהוּא 339; חֶ׳ הַיּוֹנָה 316, 317; חֶ׳ יְיָ 325; חֶ׳ לֹא־אָדָם 328; חֶ׳ לֹא־אִישׁ 332; חֶ׳ הַמִּדְבָּר 324; חֶ׳ מַלְאָךְ 326; חֶ׳ מֶלֶךְ בָּבֶל 321, 322; חֶ׳ פִּיּוֹת 336; חֶ׳ פִּיפִיּוֹת 329; חֶ׳ פַּרְעֹה 337

– אִבְחַת חֶרֶב 134; אֲחוּזֵי חֶ׳ 99; בְּרַק חֶ׳ 341; חֲגוּר חֶ׳ 37; חַלְלֵי חֶ׳ 5, 41, 49, 76—84, 136—139, 350; לַהַב חֶ׳ 91; לַהַט חֶ׳ 163; לְפִי חֶרֶב 10—26, 104—120; מַדְקְרוֹת חֶ׳ 144; מְטֹעֲנֵי חֶ׳ 131; מֻכֵּי חֶ׳ 51; מַכַּת חֶ׳ 101; מְנֻסַת חֶ׳ 3; עֲוֹנוֹת חֶ׳ 147; פְּלִיטֵי חֶ׳ 53, 64; שְׁבוּיֵי חֶרֶב 103; שׁוֹלֵף חֶרֶב 29—32, 122—128

– תּוֹפְשֵׂי חֲרָבוֹת 394; חַרְבוֹת גִּבּוֹרִים 401; חַרְבוֹת צוּרִים 399, 400

– אָכַל חֶרֶב 38; אָכְלָה חֶ׳ 54, 55, 142, 167, 328, 351, 389; הוֹשִׁיעָה חֶ׳ 352; הִכְרִיתָה חֶ׳ 92; חָלָה חֶ׳ 89; יָצְאָה חֶ׳ 346; רִוְּתָה חֶ׳ 343; שִׁכְּלָה חֶ׳ 7, 100, 360; שָׁקְטָה חֶרֶב 56

– הוֹצִיא חֶרֶב 344, 345; הֵנִיף חֶ׳ 355; הֵרִיק חֶ׳ 121, 340, 404, 405; חָגַר חֶ׳ 359, 367, 370—372; כִּתֵּת חֶ׳ 403, 409; לָטַשׁ חֶ׳ 376; נָשָׂא חֶ׳ 39, 90; עוֹסֵף חֶ׳ 349; שָׁלַף חֶרֶב 165, 356—358, 366, 368

– בֵּרָא בַּחֶרֶב 408; בִּתֵּק בַּחֶ׳ 407; הוּמַת בַּחֶ׳ 284; הִכָּה בַּחֶ׳ 201, 208, 209, 228, 266, 276, 277; הֵמִית בַּחֶ׳ 205, 269, 273, 285; הִפִּיל בַּחֶ׳ 206, 207, 216, 287; הָרַג בַּחֶ׳ 199, 203, 204, 244—246, 253, 255, 262, 264, 265, 270—272, 283, 331; הִתְגּוֹדְדוּ בַּחֶ׳ 397; מֵת בַּחֶ׳ 211, 232, 254, 256, 278; נָפַל בַּחֶ׳ 197, 200, 210, 229—231, 233—241, 243, 247—251, 258, 263, 267, 274, 280, 282, 286, 287, 290, 332, 333; נָתַן בַּחֶ׳ 259; קָם בַּחֶ׳ 281; רוֹשֵׁשׁ בַּחֶ׳ 275; שָׁבָה בַּחֶרֶב 363; תָּפַשׂ בַּחֶ׳ 279

חֶרֶב 1 לָתֶת־חֶרֶב בְּיָדָם לְהָרְגֵנוּ Ex.5:21
2 וְהֵבֵאתִי עֲלֵיכֶם חֶרֶב נֹקֶמֶת Lev.26:25
3 וְנָסוּ מְנֻסַת־חֶרֶב Lev.26:36
4 וְכָשְׁלוּ אִישׁ־בְּאָחִיו כְּמִפְּנֵי־חֶרֶב Lev.26:37
5 בַּחֲלַל־חֶרֶב אוֹ בְמֵת Num.19:16
6 לוּ יֶשׁ־חֶרֶב בְּיָדִי Num.22:29
7 מִחוּץ תְּשַׁכֶּל־חֶרֶב Deut.32:25
8 מָגֵן עֶזְרֶךָ וַאֲשֶׁר־חֶרֶב גַּאֲוָתֶךָ Deut.33:29
9 וַיִּפְּלוּ כֻלָּם לְפִי־חֶרֶב עַד־תֻּמָּם Josh.8:24
10-12 וַיַּכֶּהָ לְפִי חֶרֶב Josh.10:28,30,32
13-26 לְפִי חֶרֶב Josh.10:35,37,39; 11:11
11:12,14; 19:47 • Jud.1:25; 4:15,16; 20:48; 21:10
ISh.22:19 • Jer.21:7
27 וַיַּעַשׂ לוֹ אֵהוּד חֶרֶב Jud.3:16
28 וַיִּקְרְאוּ חֶרֶב לַייָ וּלְגִדְעוֹן Jud.7:20
29-32 אֶלֶף אִישׁ שֹׁלֵף חֶרֶב Jud.20:46
IISh.24:9 • IIK.3:26 • ICh.21:5

חֶרֶב (המשך)

33 פֶּן יַעֲשׂוּ הָעִבְרִים חֶרֶב אוֹ חֲנִית Sh.13:19
34 וְלֹא נִמְצָא חֶרֶב וַחֲנִית בְּיַד כָּל־הָעָם ש״א Sh.
35 הֲלָנֶצַח תֹּאכַל חֶרֶב Sh.2:26
36 לֹא־תָסוּר חֶרֶב מִבֵּיתְךָ Sh.12:10
37 וְעָלָו חֲגוֹר חֶרֶב מְצֻמֶּדֶת Sh.20:8
38 וְאִם־תְּמָאֲנוּ...חֶרֶב תְּאֻכְּלוּ s.1:20
39 לֹא־יִשָּׂא גוֹי אֶל־גּוֹי חֶרֶב s.2:4
40 מִפְּנֵי חֶרֶב נְטוּשָׁה s.21:15
41 חֲלָלַיִךְ לֹא חַלְלֵי־חֶרֶב s.22:2
42 וְנָס לוֹ מִפְּנֵי־חֶרֶב s.31:8
43 חֶרֶב לַייָ מָלְאָה דָם s.34:6
44 וְנָגְעָה חֶרֶב עַד־הַנָּפֶשׁ Jer.4:10
45 כִּי חֶרֶב לְאֹיֵב מָגוֹר מִסָּבִיב Jer.6:25
46 כִּי חֶרֶב לַייָ אֹכְלָה Jer.12:12
47 אֹמְרִים לָהֶם לֹא־תִרְאוּ חֶרֶב Jer.14:13
48 חֶרֶב וְרָעָב לֹא יִהְיֶה בָּאָרֶץ הַזֹּאת Jer.14:15
49 וְהִנֵּה חַלְלֵי־חֶרֶב Jer.14:18
50 וְהַגִּרֵם עַל־יְדֵי־חֶרֶב Jer.18:21
51 בַּחוּרֵיהֶם מֻכֵּי־חֶרֶב בַּמִּלְחָמָה Jer.18:21
52 חֶרֶב אֲנִי קֹרֵא עַל־כָּל־יֹשְׁבֵי הָאָ׳ Jer.25:29
53 וּפְלִיטֵי חֶרֶב יְשֻׁבוּן Jer.44:28
54 וְאָכְלָה חֶרֶב וְשָׂבְעָה Jer.46:10
55 כִּי־אָכְלָה חֶרֶב סְבִיבֶיךָ Jer.46:14
56 הוֹי חֶרֶב לַייָ עַד־אָנָה לֹא תִשְׁקֹטִי Jer.47:6
57 חֶרֶב עַל־כַּשְׂדִּים נְאֻם־יְיָ Jer.50:35
58 חֶרֶב אֶל־הַבַּדִּים וְנֹאָלוּ Jer.50:36
59 חֶרֶב אֶל־גִּבּוֹרֶיהָ וָחָתּוּ Jer.50:36
60 חֶרֶב אֶל־סוּסָיו וְאֶל־רִכְבּוֹ Jer.50:37
61 חֶרֶב אֶל־אוֹצְרֹתֶיהָ וּבֻזָּזוּ Jer.50:37
62 קַח־לְךָ חֶרֶב חַדָּה תַּעַר הַגַּלָּבִים Ezek.5:1
63 הִנְנִי אֲנִי מֵבִיא עֲלֵיכֶם חֶרֶב Ezek.6:3
64 בִּהְיוֹת לָכֶם פְּלִיטֵי חֶרֶב בַּגּוֹיִם Ezek.6:8
65 חֶרֶב יְרֵאתֶם וְחֶרֶב אָבִיא עֲלֵיכֶם Ezek.11:8
66 אוֹ חֶרֶב אָבִיא עַל־הָאָרֶץ הַהִיא Ezek.14:17
67 וְאָמַרְתִּי חֶרֶב תַּעֲבֹר בָּאָרֶץ Ezek.14:17
68 חֶרֶב וְרָעָב וְחַיָּה רָעָה וָדֶבֶר Ezek.14:21
69/א חֶרֶב חֶרֶב הוּחַדָּה וְגַם־מְרוּטָה Ezek.21:14
70 הִיא־הוּחַדָּה חֶרֶב וְהִיא מֹרָטָּה Ezek.21:16
71 מְגוּרֵי אֶל־חֶרֶב הָיוּ אֶת־עַמִּי Ezek.21:17
72 דֶּרֶךְ תָּשִׂים לָבוֹא חֶרֶב Ezek.21:25
73/4 חֶרֶב חֶרֶב פְּתוּחָה לְטֶבַח מְרוּטָה Ezek.21:33
75 וּבָאָה חֶרֶב בְּמִצְרַיִם Ezek.30:4
76-84 (מֵ)חַלְלֵי חֶרֶב Ezek.31:18; 32:20
32:25,26,30,31,32; 35:8 • Lam.4:9
85 חֶרֶב נִתָּנָה מָשְׁכוּ אוֹתָהּ... Ezek.32:20
86 וַתָּבוֹא חֶרֶב וַתִּקָּחֵהוּ Ezek.33:4
87 וַתָּבוֹא חֶרֶב וַתִּקַּח מֵהֶם נָפֶשׁ Ezek.33:6
88 וְקָרָאתִי עָלָיו לְכָל־הָרַי חֶרֶב Ezek.38:21
89 וְחָלָה חֶרֶב בְּעָרָיו Hosh.11:6
90 לֹא־יִשְׂאוּ גוֹי אֶל־גּוֹי חֶרֶב Mic.4:3
91 וְלַהַב חֶרֶב וּבְרַק חֲנִית Nah.3:3
92 תַּכְרִיתֵךְ חֶרֶב תֹּאכְלֵךְ כַּיָּלֶק Nah.3:15
93 חֶרֶב עַל־זְרוֹעוֹ וְעַל־עֵין יְמִינוֹ Zech.11:17
94 חֶרֶב עוּרִי עַל־רֹעִי Zech.13:7
95 חֶרֶב פָּתְחוּ רְשָׁעִים Ps.37:14
96 שִׁנֵּיהֶם חֲנִית...וּלְשׁוֹנָם חֶרֶב חַדָּה Ps.57:5
97 גּוּרוּ לָכֶם מִפְּנֵי־חֶרֶב Job 19:29
98 מַשִּׂיגֵהוּ חֶרֶב בְּלִי תָקוּם Job 41:18
99 כֻּלָּם אֲחֻזֵי חֶרֶב מְלֻמְּדֵי מִלְחָמָה S.ofS.3:8
100 מִחוּץ שִׁכְּלָה־חֶרֶב Lam.1:20
101 מַכַּת־חֶרֶב וְהֶרֶג וְאַבְדָן Es.9:5
102 חֶרֶב שְׁפוֹט וְדֶבֶר וְרָעָב IICh.20:9

חֶרֶב 103 וַתְּנַהֵג אֶת־בְּנֹתַי כִּשְׁבֻיוֹת חָרֶב Gen.31:26
(המשך) 104 וְאֶת־שְׁכֶם בְּנוֹ הָרְגוּ לְפִי־חָרֶב Gen.34:26
120-105 לְפִי חָרֶב Ex.17:13 • Num.21:24 • Deut.13:16²; 20:13 • Josh.6:21; 8:24 • Jud.1:8; 18:27; 20:37 • ISh.15:8; 22:19 • IISh.15:14 • IIK.10:25 • Job 1:15,17
121 וַהֲרִיקֹתִי אַחֲרֵיכֶם חָרֶב Lev.26:33
125-122 ...אֶלֶף אִישׁ שֹׁלֵף חָרֶב Jud.8:10 • 20:15,17 • ICh.21:5
126 ...אֶלֶף אִישׁ רַגְלִי שֹׁלֵף חָרֶב Jud.20:2
127 כָּל־אֵלֶּה שֹׁלְפֵי חָרֶב Jud.20:25
128 כָּל־אֵלֶּה שֹׁלֵף חָרֶב Jud.20:35
129 וְאִין יֶשׁ־פֹּה...חֲנִית אוֹ־חָרֶב ISh.21:9
130 וַיֹּאמֶר הַמֶּלֶךְ קְחוּ־לִי חָרֶב IK.3:24
131 לְבֻשׁ הֲרֻגִים מְטֹעֲנֵי חָרֶב Is.14:19
132 אַחֲרַיִךְ תֵּלֵךְ חָרֶב Jer.48:2
133 עַם שְׂרִידֵי חָרֶב Jer.31:2(1)
134 עַל כָּל־שַׁעֲרֵיהֶם נָתַתִּי אִבְחַת־חָרֶב Ezek.21:20
135 הִנְנִי מֵבִיא עָלַיִךְ חָרֶב Ezek.29:8
136 יָרְדוּ שְׁאֹלָה אֶל־חַלְלֵי־חָרֶב Ezek.31:17
139-137 חַלְלֵי חָרֶב Ezek.32:21,28,29
140 אֶרֶץ כִּי־אָבִיא עָלֶיהָ חָרֶב Ezek.33:2
141 וַתַּגֵּר אֶת־בְּנֵי־יִשׂ׳ עַל־יְדֵי־חָרֶב Ezek.35:5
142 וּכְפִירַיִךְ תֹּאכַל חָרֶב Nah.2:14
143 יַגִּירֻהוּ עַל־יְדֵי־חָרֶב Ps.63:11
144 יֵשׁ בּוֹטֶה כְּמַדְקְרוֹת חָרֶב Prov.12:18
145 וּבְמִלְחָמָה מִידֵי חָרֶב Job 5:20
146 וְצָפוּי° הוּא אֱלֵי חָרֶב Job 15:22
147 כִּי־חֵמָה עֲוֺנוֹת חָרֶב Job 19:29
148 אִם־יִרְבּוּ בָנָיו לְמוֹ חָרֶב Job 27:14
149 וְלֹא־יָשׁוּב מִפְּנֵי־חָרֶב Job 39:22
וְחֶרֶב 150 וְחֶרֶב לֹא־תַעֲבֹר בְּאַרְצְכֶם Lev.26:6
151 וְחֶרֶב אֵין בְּיַד־דָּוִד ISh.17:50
152 בְּתִתְּךָ לוֹ לֶחֶם וְחֶרֶב ISh.22:13
153 וְחֶרֶב וְרָעָב לוֹא נִרְאֶה Jer.5:12
156-154 וְחֶרֶב אָרִיק אַחֲרֵיהֶם Ezek.5:2,12; 12:14
157 וְחֶרֶב אָבִיא עָלָיִךְ Ezek.5:17
158 חֶרֶב יְרֵאתֶם וְחֶרֶב אָבִיא עֲלֵיכֶם Ezek.11:8
159 וְקֶשֶׁת וְחֶרֶב וּמִלְחָמָה אֶשְׁבּוֹר Hosh.2:20
160 שִׁבַּר...מָגֵן וְחֶרֶב וּמִלְחָמָה Ps.76:4
161 מֵפִיץ וְחֶרֶב וְחֵץ שָׁנוּן Prov.25:18
162 נֹשְׂאֵי מָגֵן וְחֶרֶב... ICh.5:18
הַחֶרֶב 163 וְאֵת לַהַט הַחֶרֶב הַמִּתְהַפֶּכֶת Gen.3:24
164 וַיִּקַּח אֶת־הַחֶרֶב מֵעַל יֶרֶךְ יְמִינוֹ Jud.3:21
165 כִּי לֹא שָׁלַף הַחֶרֶב מִבִּטְנוֹ Jud.3:22
166 וַיִּקַּח שָׁאוּל אֶת־הַחֶרֶב וַיִּפֹּל עָלֶיהָ ISh.31:4
167 ...מֵאֲשֶׁר אָכְלָה הַחָרֶב IISh.18:8
168 וַתִּדְבַּק יָדוֹ אֶל־הַחֶרֶב IISh.23:10
169 וַיָּבִאוּ הַחֶרֶב לִפְנֵי הַמֶּלֶךְ IK.3:24
170/1 וְשִׁלַּחְתִּי...אֶת־הַחֶרֶב Jer.9:15; 49:37
172 אֶת־הַחֶרֶב לַהֲרֹג Jer.15:3
173 מִן־הַדֶּבֶר מִן־הַחֶרֶב וּמִן־הָרָעָב Jer.21:7
174 וְשִׁלַּחְתִּי בָם אֶת־הַחֶרֶב... Jer.24:10
175/6 מִפְּנֵי הַחֶרֶב אֲשֶׁר אָנֹכִי שֹׁלֵחַ Jer.25:16,27
177 הִנְנִי מְשַׁלֵּחַ בָּם אֶת־הַחֶרֶב Jer.29:17
178 מִפְּנֵי הַחֶרֶב וְהָרָעָב וְהַדָּבֶר Jer.32:24
179 קֹרֵא לָכֶם דְּרוֹר...אֶל־הַחֶרֶב Jer.34:17
180 הַחֶרֶב אֲשֶׁר אַתֶּם יְרֵאִים מִמֶּנָּה Jer.42:16
181 הַחֶרֶב בַּחוּץ וְהַדֶּבֶר...מִבָּיִת Ezek.7:15
182 וְהִפַּלְתִּי אֶת־הַחֶרֶב מִיָּדוֹ Ezek.30:22
183 וְרָאָה אֶת־הַחֶרֶב בָּאָה עַל־הָאָ׳ Ezek.33:3

הַחֶרֶב (המשך) 184 כִּי־יִרְאֶה אֶת־הַחֶרֶב בָּאָה Ezek.33:6
185 מִשָּׁם אֲצַוֶּה אֶת־הַחֶרֶב וַהֲרָגָתַם Am.9:4
186 וַיִּקַּח שָׁאוּל אֶת־הַחֶרֶב וַיִּפֹּל עָלֶיהָ ICh.10:4
187 וַיִּפֹּל גַּם־הוּא עַל־הַחֶרֶב ICh.10:5
188 וַיֶּגֶל הַשְּׁאֵרִית מִן־הַחֶרֶב IICh.36:20
הֶחָרֶב 189 כִּי־כָזֹה וְכָזֶה תֹּאכַל הֶחָרֶב IISh.11:25
190 אֶל־הַסֹּלְלוֹת וְאֶל־הֶחָרֶב Jer.33:4
וְהַחֶרֶב 191 וְהָרָעָב וְהַחֶרֶב מִי אֲנַחֲמֵךְ Is.51:19
192 מֻשְׁלָכִים...מִפְּנֵי הָרָעָב וְהַחֶרֶב Jer.14:16
בְּחֶרֶב 193 בְּחֶרֶב וּבַחֲנִית וּבְכִידוֹן ISh.17:45
194 כִּי־לֹא בְּחֶרֶב וּבַחֲנִית יְהוֹשִׁיעַ יְיָ ISh.17:47
195 וְנִפְלַל...בְּחֶרֶב עָלֶיהָ מִסָּבִיב Ezek.28:23
196 וְנִכְשְׁלוּ בְּחֶרֶב וּבְלֶהָבָה Dan.11:33
בַּחֶרֶב 197 מֵבִיא אֹתָנוּ...לִנְפֹּל בַּחֶרֶב Num.14:3
198 פֶּן־בַּחֶרֶב אֵצֵא לִקְרָאתֶךָ Num.20:18
199 וְאֶת־בִּלְעָם...הָרְגוּ ב״י בַּחֶרֶב Josh.13:22
200 וְנֹפֵל בַּחֶרֶב וַחֲסַר־לָחֶם IISh.3:29
201 אֵת אוּרִיָּה הַחִתִּי הִכִּיתָ בַחֶרֶב IISh.12:9
202 וַעֲמָשָׂא לֹא־נִשְׁמַר בַּחֶרֶב IISh.20:10
203 אֲשֶׁר פָּגַע...וַיַּהַרְגֵם בַּחֶרֶב IK.2:32
204 וּבַחֻרֵיהֶם בַּחֶרֶב תַּהֲרֹג IIK.8:12
205 וְאֶת־עֲתַלְיָהוּ הֵמִיתוּ בַחֶרֶב IIK.11:20
206/7 וְהִפַּלְתִּיו בַּחֶרֶב IIK.19:7 • Is.37:7
208/9 וְאַדְרַמֶּלֶךְ...הִכֻּהוּ בַחֶרֶב IIK.19:37 • Is.37:38
210 מְתַיִךְ בַּחֶרֶב יִפֹּלוּ... Is.3:25
211 הַבַּחוּרִים יָמֻתוּ בַחֶרֶב Jer.11:22
14-212 בַּחֶרֶב וּבָרָעָב וּבַדֶּבֶר Jer.14:12; 27:8; 42:22
215 בַּחֶרֶב וּבָרָעָב יִתַּמּוּ Jer.14:15
216 וְהִפַּלְתִּים בַּחֶרֶב לִפְנֵי אֹיְבֵיהֶם Jer.19:7
223-217 בַּחֶרֶב (וּ)בָרָעָב וּבַדָּבֶר Jer.21:9 • 27:13; 29:18; 32:36; 38:2; 42:17; 44:13
224 וַיַּכּוּ...בַּחֶרֶב וַיָּמֶת אֹתוֹ Jer.41:2
225 בַּחֶרֶב בָּרָעָב יִתַּמּוּ Jer.44:12
226 בַּחֶרֶב וּבָרָעָב יָמֻתוּ Jer.44:12
227 וְתַמּוּ...בַּחֶרֶב וּבָרָעָב עַד כְּלוֹתָם Jer.44:27
228 תַּכֶּה בַחֶרֶב סְבִיבוֹתֶיהָ Ezek.5:2
229 בַּחֶרֶב יִפְּלוּ סְבִיבוֹתָיִךְ Ezek.5:12
230 בַּחֶרֶב בָּרָעָב וּבַדֶּבֶר יִפֹּלוּ Ezek.6:11
231 וְהַקָּרוֹב בַּחֶרֶב יִפּוֹל Ezek.6:12
232 אֲשֶׁר בַּשָּׂדֶה בַּחֶרֶב יָמוּת Ezek.7:15
233 בַּחֶרֶב תִּפֹּלוּ Ezek.11:10
241-234 בַּחֶרֶב יִפֹּלוּ Ezek.17:21; 24:21 • 25:13; 30:5,17; 33:27 • Hosh.14:1 • Am.7:17
242 וְאוֹתָהּ בַּחֶרֶב הָרָגוּ Ezek.23:10
243 וְאַחֲרִיתֵךְ בַּחֶרֶב תִּפּוֹל Ezek.23:25
244 וּבְנוֹתֶיהָ...בַּחֶרֶב תֵּהָרַגְנָה Ezek.26:6
245 בְּנוֹתַיִךְ בַּשָּׂדֶה בַּחֶרֶב יַהֲרֹג Ezek.26:8
246 עַמֵּךְ בַּחֶרֶב יַהֲרֹג Ezek.26:11
247 בַּחֶרֶב יִפְּלוּ־בָהּ Ezek.30:6
248/9 חֲלָלִים (הַ)נֹּפְלִים בַּחֶרֶב Ezek.32:23,24
250 וַיִּפְּלוּ בַחֶרֶב כֻּלָּם Ezek.39:23
251 יִפְּלוּ בַחֶרֶב שָׂרֵיהֶם Hosh.7:16
252 עַל־רָדְפוֹ בַחֶרֶב אָחִיו Am.1:11
253 הָרַגְתִּי בַחֶרֶב בַּחוּרֵיכֶם Am.4:10
254 בַּחֶרֶב יָמוּת יָרָבְעָם Am.7:11
255 וְאַחֲרִיתָם בַּחֶרֶב אֶהֱרֹג Am.9:1
256 בַּחֶרֶב יָמוּתוּ כֹּל חַטָּאֵי עַמִּי Am.9:10
257 וְרָעוּ אֶת־אֶרֶץ אַשּׁוּר בַּחֶרֶב Mic.5:5
258 כֹּהֲנָיו בַּחֶרֶב נָפָלוּ Ps.78:64
259 נִתְּנוּ...בַּחֶרֶב בַּשְּׁבִי וּבַבִּזָּה Ez.9:7
260 וַיַּהֲרֹג בַּחוּרֵיהֶם בַּחֶרֶב IICh.36:17
בֶּחָרֶב 261 פֶּן־יִפְגָּעֵנוּ בַּדֶּבֶר אוֹ בֶחָרֶב Ex.5:3

בֶּחָרֶב (המשך) 262 וְהָרַגְתִּי אֶתְכֶם בֶּחָרֶב Ex.22:23
263 וּנְפַלְתֶּם בֶּחָרֶב Num.14:43
264 וְאֵת בִּלְעָם...הָרְגוּ בֶּחָרֶב Num.31:8
265 הָרְגוּ בְּנֵי יִשְׂרָאֵל בֶּחָרֶב Josh.10:11
266 וְאֶת־מַלְכָּהּ הִכָּה בֶחָרֶב Josh.11:10
267 וְעַל־בֵּית יִשְׂרָאֵל כִּי נָפְלוּ בֶּחָרֶב IISh.1:12
268 אִם־יָמִית אֶת־עַבְדּוֹ בֶּחָרֶב IK.1:51
269 וָאֶשָּׁבַע לוֹ...אִם־אֲמִיתְךָ בֶּחָרֶב IK.2:8
270 הָרַג אֶת־כָּל הַנְּבִיאִים בֶּחָרֶב IK.19:1
271/2 וְאֶת־נְבִיאֶיךָ הָרְגוּ בֶחָרֶב IK.19:10,14
273 וְהַבָּא אַחֲרֶיהָ הָמֵת בֶּחָרֶב IIK.11:15
274 וְכָל־הַנִּסְפֶּה יִפּוֹל בֶּחָרֶב Is.13:15
275 יְרֹשֵׁשׁ עָרֵי מִבְצָרֶיךָ...בֶּחָרֶב Jer.5:17
276 וְהִגְלָם בָּבֶלָה וְהִכָּם בֶּחָרֶב Jer.20:4
277 וַיְבִאֻהוּ...וַיַּכֵּהוּ בֶּחָרֶב Jer.26:23
278 לֹא תָמוּת בֶּחָרֶב Jer.34:4
279 ...לְחָזְקָהּ לִתְפֹּשׂ בֶּחָרֶב Ezek.30:21
280 כֻּלָּם חֲלָלִים הַנֹּפְלִים בֶּחָרֶב Ezek.32:22
281 וְקַמְתִּי עַל־בֵּית יָרָבְעָם בֶּחָרֶב Am.7:9
282 בְּתוּלֹתַי וּבַחוּרַי נָפְלוּ בֶחָרֶב Lam.2:21
283 וַיַּהֲרֹג אֶת־כָּל־אֶחָיו בֶּחָרֶב IICh.21:4
284 וְהַבָּא אַחֲרֶיהָ יוּמַת בֶּחָרֶב IICh.23:14
285 וְאֶת־עֲתַלְיָהוּ הֵמִיתוּ בֶחָרֶב IICh.23:21
286 וְהִנֵּה נָפְלוּ אֲבוֹתֵינוּ בֶּחָרֶב IICh.29:9
287 שָׁם הִפִּילֻהוּ בֶחָרֶב IICh.32:21
וּבְחֶרֶב 288 בְּקֶשֶׁת וּבְחֶרֶב וּבְמִלְחָמָה Hosh.1:7
וּבַחֶרֶב 289 וּבַחֶרֶב וּבָרָעָב יִכְלוּ Jer.16:4
290 וּבַחֶרֶב לֹא תִפֹּל Jer.39:18
291 וּבַחֶרֶב וּבָרָעָב תָּמוּ Jer.44:18
כְּחֶרֶב 292 וַיָּשֶׂם פִּי כְּחֶרֶב חַדָּה... Is.49:2
כַּחֶרֶב 293 שָׁנְנוּ כַחֶרֶב לְשׁוֹנָם Ps.64:4
לַחֶרֶב 294 וּמָנִיתִי אֶתְכֶם לַחֶרֶב Is.65:12
295/6 וַאֲשֶׁר לַחֶרֶב לַחֶרֶב Jer.15:2
297 וּשְׁאֵרִיתָם לַחֶרֶב אֶתֵּן Jer.15:9
298 הָרְשָׁעִים נְתָנָם לַחֶרֶב Jer.25:31
299 וַאֲשֶׁר לַחֶרֶב לֶחָרֶב Jer.43:11
300 וַאֲשֶׁר תְּפַלֵּט לַחֶרֶב אֶתֵּן Mic.6:14
301 וַיַּסְגֵּר לַחֶרֶב עַמּוֹ Ps.78:62
לֶחָרֶב 302 וְנָפְלוּ לִפְנֵיכֶם לֶחָרֶב Lev.26:7
303 וְנָפְלוּ אֹיְבֵיכֶם לִפְנֵיכֶם לֶחָרֶב Lev.26:8
304 וַאֲשֶׁר לַחֶרֶב לֶחָרֶב Jer.43:11
מֵחֶרֶב 305 פְּלֵטִים מֵחֶרֶב הִלְכוּ אַל־תַּעֲמֹדוּ Jer.51:50
306 וְהוֹתַרְתִּי...מֵחֶרֶב מֵרָעָב וּמִדָּבֶר Ezek.12:16
307 אֶל־אֶרֶץ מְשׁוֹבֶבֶת מֵחֶרֶב Ezek.38:8
308 הַצִּילָה מֵחֶרֶב נַפְשִׁי Ps.22:21
309 הַפּוֹצֶה אֶת־דָּוִד...מֵחֶרֶב רָעָה Ps.144:10
310 וַיֹּשַׁע מֵחֶרֶב מִפִּיהֶם Job 5:15
חֶרֶב־ 311 אֵין זֹאת בִּלְתִּי אִם־חֶרֶב גִּדְעוֹן Jud.7:14
312/3 חֶרֶב אִישׁ בְּרֵעֵהוּ Jud.7:22 • ISh.14:20
314/5 חֶרֶב גָּלְיָת הַפְּלִשְׁתִּי ISh.21:10; 22:10
316/7 מִפְּנֵי חֶרֶב הַיּוֹנָה Jer.46:16; 50:16
318/9 חֶרֶב שְׁלִישִׁתָה חֶרֶב חֲלָלִים Ezek.21:19
320 הִיא חֶרֶב חָלָל הַגָּדוֹל Ezek.21:19
321 לָבוֹא חֶרֶב מֶלֶךְ־בָּבֶל Ezek.21:24
322 חֶרֶב מֶלֶךְ־בָּבֶל תְּבוֹאֶךָ Ezek.32:11
323 חֶרֶב אִישׁ בְּאָחִיו תִּהְיֶה Ezek.38:21
324 מִפְּנֵי חֶרֶב הַמִּדְבָּר Lam.5:9
325 חֶרֶב יְיָ וְדֶבֶר בָּאָרֶץ ICh.21:12
326 כִּי נִבְעַת מִפְּנֵי חֶרֶב מַלְאַךְ יְיָ ICh.21:30
וְחֶרֶב־ 327 וְחֶרֶב שָׁאוּל לֹא תָשׁוּב רֵיקָם IISh.1:22
328 וְחֶרֶב לֹא־אָדָם תֹּאכְלֶנּוּ Is.31:8
329 וְחֶרֶב פִּיפִיּוֹת בְּיָדָם Ps.149:6

330 וְחֶרֶב אוֹיִבֶיךָ לְמַשֶּׂגֶת ICh.21:12
בְּחֶרֶב־ 331 וְאֹתוֹ הָרַגְתָּ בְּחֶרֶב בְּנֵי עַמּוֹן IISh.12:9
332 וְנָפַל אַשּׁוּר בְּחֶרֶב לֹא־אִישׁ Is.31:8
333 וְנָפְלוּ בְּחֶרֶב אֹיְבֵיהֶם Jer.20:4
334 וְיָרְדוּ...אִישׁ בְּחֶרֶב אָחִיו Hag.2:22
כְּחֶרֶב־ 335 וְשַׂמְתִּיךְ כְּחֶרֶב גִּבּוֹר Zech.9:13
336 וְאַחֲרִיתָהּ...חַדָּה כְּחֶרֶב פִּיּוֹת Prov.5:4
מֵחֶרֶב־ 337 וַיַּצִּלֵנִי מֵחֶרֶב פַּרְעֹה Ex.18:4
338 הַנִּמְלָט מֵחֶרֶב חֲזָאֵל יָמִית יֵהוּא IK.19:17
339 וְהַנִּמְלָט מֵחֶרֶב יֵהוּא יָמִית אֱלִישָׁע IK.19:17
חַרְבִּי 340 אָרִיק חַרְבִּי תּוֹרִישֵׁמוֹ יָדִי Ex.15:9
341 אִם־שַׁנּוֹתִי בְּרַק חַרְבִּי Deut.32:41
342 גַּם־חַרְבִּי וְגַם־כֵּלַי לֹא־לָקַחְתִּי ISh.21:9
343 כִּי־רִוְּתָה בַשָּׁמַיִם חַרְבִּי Is.34:5
344/5 (וְ)הוֹצֵאתִי חַרְבִּי מִתַּעְרָהּ י Ezek.21:8,10
346 לָכֵן תֵּצֵא חַרְבִּי מִתַּעְרָהּ Ezek.21:9
347 וְנָתַתִּי אֶת־חַרְבִּי בְּיָדוֹ Ezek.30:24
348 בְּתִתִּי חַרְבִּי בְּיַד מֶלֶךְ־בָּבֶל Ezek.30:25
349 בְּעוֹפְפִי חַרְבִּי עַל־פְּנֵיהֶם Ezek.32:10
350 חַלְלֵי חַרְבִּי הֵמָּה Zep.2:12
וְחַרְבִּי 351 וְחַרְבִּי תֹּאכַל בָּשָׂר Deut.32:42
352 וְחַרְבִּי לֹא תוֹשִׁיעֵנִי Ps.44:7
בְּחַרְבִּי 353 אֲשֶׁר לָקַחְתִּי...בְּחַרְבִּי וּבְקַשְׁתִּי Gen.48:22
חַרְבְּךָ 354 וְעַל־חַרְבְּךָ תִחְיֶה Gen.27:40
355 כִּי חַרְבְּךָ הֵנַפְתָּ עָלֶיהָ וַתְּחַלְלֶהָ Ex.20:22
356 שְׁלֹף חַרְבְּךָ וּמוֹתְתֵנִי Jud.9:54
357/8 שְׁלֹף חַרְבְּךָ וְדָקְרֵנִי בָהּ ISh.31:4 • ICh.10:4
359 חֲגוֹר־חַרְבְּךָ עַל־יָרֵךְ גִּבּוֹר Ps.45:4
חַרְבֶּךָ 360 כַּאֲשֶׁר שִׁכְּלָה נָשִׁים חַרְבֶּךָ... ISh.15:33
361 פַּלְּטָה נַפְשִׁי מֵרָשָׁע חַרְבֶּךָ Ps.17:13
בְּחַרְבְּךָ 362 לֹא בְחַרְבְּךָ וְלֹא בְקַשְׁתֶּךָ Josh.24:12
363 הַאֲשֶׁר שָׁבִיתָ בְּחַרְבְּךָ וּבְקַשְׁתְּךָ IIK.6:22
חַרְבּוֹ 364 וַיִּקְחוּ...אֲחֵי דִינָה אִישׁ חַרְבּוֹ Gen.34:25
365 שִׂימוּ אִישׁ־חַרְבּוֹ עַל־יְרֵכוֹ Ex.32:27
366 וְלֹא־שָׁלַף הַנַּעַר חַרְבּוֹ Jud.8:20
367 וַיַּחְגֹּר דָּוִד אֶת־חַרְבּוֹ ISh.17:39
368 וַיִּקַּח אֶת־חַרְבּוֹ וַיִּשְׁלְפָהּ מִתַּעְרָהּ ISh.17:51
369 וְעַד־חַרְבּוֹ וְעַד־קַשְׁתּוֹ וְעַד־חֲגֹרוֹ ISh.18:4
370 חִגְרוּ אִישׁ אֶת־חַרְבּוֹ ISh.25:13
371 וַיַּחְגְּרוּ אִישׁ אֶת־חַרְבּוֹ ISh.25:13
372 וַיַּחְגֹּר גַּם־דָּוִד אֶת־חַרְבּוֹ ISh.25:13
373 וַיִּפֹּל גַּם־הוּא עַל־חַרְבּוֹ ISh.31:5
374 יִתֵּן כֶּעָפָר חַרְבּוֹ Is.41:2
375 וְאָרוּר מֹנֵעַ חַרְבּוֹ מִדָּם Jer.48:10
376 אִם־לֹא יָשׁוּב חַרְבּוֹ יִלְטוֹשׁ Ps.7:13
377 אַף־תָּשִׁיב צוּר חַרְבּוֹ Ps.89:44
378 הָעֹשׂוֹ יַגֵּשׁ חַרְבּוֹ Job40:19
379 אִישׁ חַרְבּוֹ עַל־יְרֵכוֹ S.ofS.3:8
380 אִישׁ חַרְבּוֹ אֲסוּרִים עַל־מָתְנָיו Neh.4:12
381 וַיָּשֶׁב חַרְבּוֹ אֶל־נְדָנָהּ ICh.21:27
וְחַרְבּוֹ 382-385 וְחַרְבּוֹ שְׁלֻ(וּ)פָה בְּיָדוֹ Num.22:23
22:31 • Josh.5:13 • ICh.21:16
386 וַיַּחֲזִקוּ...וְחַרְבּוֹ בְּצַד רֵעֵהוּ IISh.2:16
בְּחַרְבּוֹ 387 ...בְּחַרְבּוֹ הַקָּשָׁה וְהַגְּדוֹלָה Is.27:1
וּבְחַרְבּוֹ 388 כִּי בָאֵשׁ יְיָ נִשְׁפָּט וּבְחַרְבּוֹ Is.66:16
חַרְבְּכֶם 389 אָכְלָה חַרְבְּכֶם נְבִיאֵיכֶם Jer.2:30
390 עֲמַדְתֶּם עַל־חַרְבְּכֶם Ezek.33:26
חַרְבָּם 391 חַרְבָּם תָּבוֹא בְלִבָּם Ps.37:15
בְּחַרְבָּם 392 כִּי לֹא בְחַרְבָּם יָרְשׁוּ אָרֶץ Ps.44:4
חֲרָבוֹת 393 מִפְּנֵי חֲרָבוֹת נָדָדוּ Is.21:15
394 תֹּפְשֵׂי חֲרָבוֹת כֻּלָּם Ezek.38:4
395 חֲרָבוֹת בְּשִׂפְתוֹתֵיהֶם Ps.59:8
396 דּוֹר חֲרָבוֹת שִׁנָּיו Prov.30:14
בַּחֲרָבוֹת 397 וַיִּתְגֹּדְדוּ...בַּחֲרָבוֹת וּבָרְמָחִים IK.18:28
לַחֲרָבוֹת 398 כֹּתּוּ אִתֵּיכֶם לַחֲרָבוֹת Joel4:10
חַרְבוֹת־ 399 עֲשֵׂה לְךָ חַרְבוֹת צֻרִים Josh.5:2
400 וַיַּעַשׂ לוֹ יְהוֹשֻׁעַ חַרְבוֹת צֻרִים Josh.5:3
בְּחַרְבוֹת־ 401 בְּחַרְבוֹת גִּבּוֹרִים אַפִּיל הֲמוֹנֶךָ Ezek.32:12
בְּחַרְבוֹתָיו 402 וּמִגְדְּלֹתַיִךְ יִתֹּץ בְּחַרְבוֹתָיו Ezek.26:9
חַרְבוֹתָם 403 וְכִתְּתוּ חַרְבוֹתָם לְאִתִּים Is.2:4
404 וְהֵרִיקוּ חַרְבוֹתָם עַל־יְפִי... Ezek.28:7
405 וְהֵרִיקוּ חַרְבוֹתָם עַל־מִצְרָיִם Ezek.30:11
406 וַיִּתְּנוּ...חַרְבוֹתָם תַּחַת רָאשֵׁיהֶם Ezek.32:27
בְּחַרְבוֹתָם 407 וּבִתְּקוּךְ בְּחַרְבוֹתָם Ezek.16:40
408 וּבָרֵא אוֹתְהֶן בְּחַרְבוֹתָם Ezek.23:47
חַרְבוֹתֵיהֶם 409 וְכִתְּתוּ חַרְבֹתֵיהֶם לְאִתִּים Mic.4:3
410 חַרְבֹתֵיהֶם רָמְחֵיהֶם וְקַשְּׁתֹתֵיהֶם Neh.4:7
בְּחַרְבוֹתֵיהֶם 411 וּבְעָרֵי מְנַשֶּׁה...בְּחַרְבֹתֵיהֶם
(כת׳ בחר בתיהם) סָבִיב IICh.34:6

חֹרֶב
ז׳ א) יובש: 1–5, 7, 9, 11, 12, 14–16
ב) שממה, חורבן: 6, 8, 10, 13
קרובים: א) בַּצֹּרֶת / חַמָּה / חָרָבָה / חֵרָבוֹן / יָבֵשׁ / לַהַט / שָׁרָב
ב) הֲרִיסוּת / הֶרֶס / חָרְבָּה / כִּלָּיוֹן / מְשׁוֹאָה / נְשַׁמָּה / שְׁאִיָּה / שַׁמָּה / שְׁמָמָה

חֹרֶב 1 בַּיּוֹם אֲכָלַנִי חֹרֶב וְקֶרַח בַּלָּיְלָה Gen.31:40
2 וְעַל־כָּל־הָאָרֶץ חֹרֶב Jud.6:37
3 יְהִי־נָא חֹרֶב אֶל־הַגִּזָּה לְבַדָּהּ Jud.6:39
4 וַיְהִי־חֹרֶב אֶל־הַגִּזָּה לְבַדָּהּ Jud.6:40
5 חֹרֶב בְּצַל עָב Is.25:5
6 וְחִדְּשׁוּ עָרֵי חֹרֶב שִׁמְמוֹת דּוֹר וָדוֹר Is.61:4
7 חֹרֶב אֶל־מֵימֶיהָ וְיָבֵשׁוּ Jer.50:38
8 לְחָרְבוֹת חֹרֶב שְׁמָמָה Ezek.29:10
9 וָאֶקְרָא חֹרֶב עַל־הָאָרֶץ Hag.1:11
10 חֹרֶב בַּסַּף כִּי אַרְזָה עֵרָה Zep.2:14
11 וְעַצְמִי־חָרָה מִנִּי־חֹרֶב Job30:30
כְּחֹרֶב 12 כְּחֹרֶב בְּצָיוֹן שְׁאוֹן זָרִים תַּכְנִיעַ Is.25:5
לְחֹרֶב 13 לְשַׁמָּה לְחֶרְפָּה לְחֹרֶב וְלִקְלָלָה Jer.49:13
לַחֹרֶב 14 לַחֹרֶב בַּיּוֹם וְלַקֶּרַח בַּלָּיְלָה Jer.36:30
מֵחֹרֶב 15 וְסֻכָּה תִּהְיֶה לְצֵל־יוֹמָם מֵחֹרֶב Is.4:6
16 מַחְסֶה מִזֶּרֶם צֵל מֵחֹרֶב Is.25:4

חֹרֵב
עין חורב

חָרְבָּה
נ׳ א) הרס, חורבן: 1–16
ב) [חֳרָבוֹת] מקום הרוס: 17–41
קרובים: ראה חֹרֶב (ב)
– הָיָה (לְ)חָרְבָּה 2–4, 7–13, 16; נָתַן (לְ)חָרְבָּה 1, 5, 15; שָׂם חָרְבָּה 6
– חֳרָבוֹת נוֹשָׁבוֹת 17; חֳ׳ שׁוֹמֵמוֹת 28; יוֹשְׁבֵי חֳרָבוֹת 22; כּוֹס חֳרָבוֹת 20
– חָרְבוֹת יְרוּשָׁלַיִם 29, 35; חֳ׳ מֵחִים 32; חֳ׳ עוֹלָם 30, 31, 33, 36
– בָּנָה חֳרָבוֹת 18, 21, 30, 31; הֶעֱמִיד חֳ׳ 37; נִבְנוּ חֳ׳ 23, 24; נִחַם חֳ׳ 39; קוֹמֵם חֳרָבוֹת 40

חָרְבָּה 1 וְנָתַתִּי אֶת־עָרֵיכֶם חָרְבָּה Lev.26:31
2 וְעָרֵיכֶם יִהְיוּ חָרְבָּה Lev.26:33
3 לָמָּה תִהְיֶה הָעִיר הַזֹּאת חָרְבָּה Jer.27:17
4 וְהִנָּם חָרְבָּה הַיּוֹם הַזֶּה Jer.44:2
5 וּנְתַתִּיהָ חָרְבָּה מִתֵּימָן Ezek.25:13
6 עָרַיִךְ חָרְבָּה אָשִׂים Ezek.35:4
וְחָרְבָּה 7 וְהָיְתָה...לִשְׁמָמָה וְחָרְבָּה Ezek.29:9
לְחָרְבָּה 8 וְכָל־מַחֲמַדֵּינוּ הָיָה לְחָרְבָּה Is.64:10
9 כִּי לְחָרְבָּה תִּהְיֶה הָאָרֶץ Jer.7:34
לְחָרְבָּה (המשך) 10 כִּי־לְחָרְבָּה יִהְיֶה הַבַּיִת הַזֶּה Jer.22:5
11 וְהָיְתָה...לְחָרְבָּה לְשַׁמָּה Jer.25:11
12 לְחָרְבָּה לְשַׁמָּה...וְלִקְלָלָה Jer.25:18
13 וַתִּהְיֶינָה לְחָרְבָּה לִשְׁמָמָה Jer.44:6
14 לְחָרְבָּה וּלְשַׁמָּה וְלִקְלָלָה Jer.44:22
15 וְאֶתְּנֵךְ לְחָרְבָּה וּלְחֶרְפָּה בַּגּוֹיִם Ezek.5:14
16 הָרֵי יִשְׂרָאֵל אֲשֶׁר־הָיוּ לְחָרְבָּה Ezek.38:8
חֳרָבוֹת 17 לְהָשִׁיב יָדְךָ עַל־חֳרָבוֹת נוֹשָׁבוֹת Ezek.38:12
18 רֻשַּׁשְׁנוּ וְנָשׁוּב וְנִבְנֶה חֳרָבוֹת Mal.1:4
19 הָאוֹיֵב תַּמּוּ חֳרָבוֹת לָנֶצַח Ps.9:7
20 הָיִיתִי כְּכוֹס חֳרָבוֹת Ps.102:7
21 הַבֹּנִים חֳרָבוֹת לָמוֹ Job3:14
הֶחֳרָבוֹת 22 יֹשְׁבֵי הֶחֳרָבוֹת הָאֵלֶּה Ezek.33:24
23 וְהוֹשַׁבְתִּי...וְנִבְנוּ הֶחֳרָבוֹת Ezek.36:33
וְהֶחֳרָבוֹת 24 וְנוֹשְׁבוּ הֶעָרִים וְהֶחֳרָבוֹת תִּבָּנֶינָה Ezek.36:10
בֶּחֳרָבוֹת 25 אֲשֶׁר בֶּחֳרָבוֹת בַּחֶרֶב יִפֹּלוּ Ezek.33:27
בֶּחֳרָבוֹת 26 כְּשֻׁעָלִים בֶּחֳרָבוֹת נְבִיאֶיךָ יִשְׂ׳ הָיוּ Ezek.13:4
כָּחֳרָבוֹת 27 בְּאֶרֶץ תַּחְתִּיּוֹת כָּחֳרָבוֹת מֵעוֹלָם Ezek.26:20
וְלֶחֳרָבוֹת 28 וְלֶחֳרָבוֹת הַשֹּׁמְמוֹת Ezek.36:4
חָרְבוֹת־ 29 פִּצְחוּ רַנְּנוּ יַחְדָּו חָרְבוֹת יְרוּשָׁלָםִ Is.52:9
30 וּבָנוּ מִמְּךָ חָרְבוֹת עוֹלָם Is.58:12
31 וּבָנוּ חָרְבוֹת עוֹלָם Is.61:4
וְחָרְבוֹת־ 32 וְחָרְבוֹת מֵחִים גָּרִים יֹאכֵלוּ Is.5:17
לְחָרְבוֹת־ 33 ...תִּהְיֶינָה לְחָרְבוֹת עוֹלָם Jer.49:13
34 וְנָתַתִּי...לְחָרְבוֹת חֹרֶב שְׁמָמָה Ezek.29:10
35 לְמַלֹּאות לְחָרְבוֹת יְרוּשָׁלָםִ Dan.9:2
וּלְחָרְבוֹת־ 36 לְשַׁמָּה וְלִשְׁרֵקָה וּלְחָרְבוֹת עוֹלָם Jer.25:9
חָרְבֹתָיו 37 וּלְהַעֲמִיד אֶת־חָרְבֹתָיו Ez.9:9
חָרְבֹתַיִךְ 38 חָרְבֹתַיִךְ וְשֹׁמְמֹתַיִךְ וְאֶ׳ הֲרִסֻתֵךְ Is.49:19
חָרְבֹתֶיהָ 39 נִחַם כָּל־חָרְבֹתֶיהָ Is.51:3
וְחָרְבוֹתֶיהָ 40 וְחָרְבוֹתֶיהָ אֲקוֹמֵם Is.44:26
מֵחָרְבוֹתֵיהֶם 41 וְשָׁאֲלוּ וְדָרְשׁוּ מֵחָרְבוֹתֵיהֶם Ps.109:10

חָרָבָה
נ׳ יַבָּשָׁה, יוֹבֶשׁ: 1–9 • קרובים: ראה חֹרֶב

חָרָבָה 1 וְנָתַתִּי יְאֹרִים חָרָבָה Ezek.30:12
הֶחָרָבָה 2 נִתְּקוּ כַּפּוֹת רַגְלֵי הַכֹּהֲ׳ אֶל הֶחָרָבָה Josh.4:18
3 וַאֲנִי מַרְעִישׁ...וְאֶת־הַיָּם וְאֶת־הֶחָרָבָה Hag.2:6
בֶּחָרָבָה 4 מִכֹּל אֲשֶׁר בֶּחָרָבָה מֵתוּ Gen.7:22
5 וַיַּעַמְדוּ...בֶּחָרָבָה בְּתוֹךְ הַיַּרְדֵּן Josh.3:17
6 וְכָל־יִשְׂרָאֵל עֹבְרִים בֶּחָרָבָה Josh.3:17
7 וַיַּעַבְרוּ שְׁנֵיהֶם בֶּחָרָבָה IIK.2:8
לֶחָרָבָה 8 וַיָּשֶׂם אֶת־הַיָּם לֶחָרָבָה Ex.14:21
בֶּחֳרָבוֹת 9 וְלֹא צָמְאוּ בֶּחֳרָבוֹת הוֹלִיכָם Is.48:21

חֵרָבוֹן*
ז׳ יוֹבֶשׁ • קרובים: ראה חֹרֶב (א)

בְּחַרְבֹנֵי־ 1 נֶהְפַּךְ לְשַׁדִּי בְּחַרְבֹנֵי קַיִץ Ps.32:4

חַרְבוֹנָא
שפ״ז – סריס המלך אחשורוש: 1, 2

חַרְבוֹנָא 1 אָמַר לִמְהוּמָן בִּזְּתָא חַרְבוֹנָא Es.1:10
חַרְבוֹנָה 2 וַיֹּאמֶר חַרְבוֹנָה אֶחָד מִן־הַסָּרִיסִים Es.7:9

חרג
פ׳ פָּרַץ

וְיַחְרְגוּ 1 יִבֹּלוּ וְיַחְרְגוּ מִמִּסְגְּרוֹתֵיהֶם Ps.18:46

חַרְגֹּל
ז׳ חגב גדול נטול כנפים, ממיני הארבה המותרים באכילה

הַחַרְגֹּל 1 ...וְאֶת־הַחַרְגֹּל לְמִינֵהוּ וְאֶת־הֶחָגָב... Lev.11:22

חרד
: חָרַד, חָרֵד, הֶחֱרִיד; חֲרָדָה; ש״פ חֲרוֹד, חֲרֹדָה, חֲרֹדִי

חָרַד
פ׳ א) פחד, רעד: 1,2,3,5–17,19–21,23,24,26,28,29
ב) [בהשאלה] מהר, נחפז, נבהל: 4,18,22,25,27
ג) [הפ׳ הֶחֱרִיד] הרגיז, הבהיל: 30–45

קרובים: דָּאַג / הִתְחַלְחֵל (חלחל) / חַת (חתת) / יָגֹר / יָרֵא / נִבְהַל / נִבְעַת / נִדְהַם / עָרַץ / פָּחַד / פִּחֵד / רָגַז / רָעַד

חָרַד אֶל־ 1, 12, 26; חָ׳ אַחֲרֵי־ 4; חָרַד בְּ־ 9, 13; חָ׳ עַל־ 8, 11; חָ׳ לִקְרַאת 18, 27; חָ׳ מִן־ 22, 25; חָרַד לִבּוֹ 8, 14, 19; חָרַד חֲרָדָה 1, 15; אֵין מַחֲרִיד 34–45

חָרַדְתְּ 1 חָרַדְתְּ אֵלֵינוּ אֶת־כָּל־הַחֲרָדָה IIK.4:13
וְחָרַד 2 וְחָרַד וּפָחַד מִפְּנֵי תְּנוּפַת יַד־יְיָ Is.19:16
חָרְדָה 3 חָרְדָה הָרָמָה גִּבְעַת שָׁאוּל נָסָה Is.10:29
חָרְדוּ 4 וְכָל־הָעָם חָרְדוּ אַחֲרָיו ISh.13:7
5 הַמַּצָּב וְהַמַּשְׁחִית חָרְדוּ גַּם־הֵמָּה ISh.14:15
וְחָרְדוּ 6 וְחָרְדוּ לִרְגָעִים וְשָׁמְמוּ עָלָיִךְ Ezek.26:16
7 וְחָרְדוּ לִרְגָעִים אִישׁ לְנַפְשׁוֹ Ezek.32:10
חָרֵד 8 כִּי־הָיָה לִבּוֹ חָרֵד עַל אֲרוֹן הָאֱלֹהִים ISh.4:13
9 כֹּל חָרֵד בְּדִבְרֵי אֱלֹהֵי־יִשְׂרָאֵל Ez.9:4
וְחָרֵד 10 מִי־יָרֵא וְחָרֵד יָשֹׁב וְיִצְפֹּר... Jud.7:3
11 וּנְכֵה־רוּחַ וְחָרֵד עַל־דְּבָרִי Is.66:2
הַחֲרֵדִים 12 שִׁמְעוּ דְּבַר־יְיָ הַחֲרֵדִים אֶל־דְּבָרוֹ Is.66:5
וְהַחֲרֵדִים 13 וְהַחֲרֵדִים בְּמִצְוַת אֱלֹהֵינוּ Ez.10:3
יֶחֱרַד 14 יֶחֱרַד לִבִּי וְיִתַּר מִמְּקוֹמוֹ Job 37:1
וַיֶּחֱרַד 15 וַיֶּחֱרַד יִצְחָק חֲרָדָה גְּדֹלָה Gen.27:33
16 וַיֶּחֱרַד כָּל־הָעָם אֲשֶׁר בַּמַּחֲנֶה Ex.19:16
17 וַיֶּחֱרַד כָּל־הָהָר מְאֹד Ex.19:18
18 וַיֶּחֱרַד אֲחִימֶלֶךְ לִקְרַאת דָּוִד ISh.21:2
19 וַיִּרָא וַיֶּחֱרַד לִבּוֹ מְאֹד ISh.28:5
20 וַיֶּחֱרַד הָאִישׁ וַיִּלָּפֵת Ruth 3:8
יֶחֶרְדוּ 21 עַתָּה יֶחֶרְדוּ הָאִיִּן יוֹם מַפַּלְתֵּךְ Ezek.26:18
יֶחֶרְדוּ 22 יֶחֶרְדוּ כְצִפּוֹר מִמִּצְרַיִם Hosh.11:11
יֶחֱרָדוּ 23 אִיִּים וְיִירָאוּ קְצוֹת הָאָרֶץ יֶחֱרָדוּ Is.41:5
24 יִתָּקַע...וְעָם לֹא יֶחֱרָדוּ Am.3:6
וְיֶחֶרְדוּ 25 וְיֶחֶרְדוּ בָנִים מִיָּם Hosh.11:10
וַיֶּחֶרְדוּ 26 וַיֶּחֶרְדוּ אִישׁ אֶל־אָחִיו לֵאמֹר Gen.42:28
27 וַיֶּחֶרְדוּ זִקְנֵי הָעִיר לִקְרָאתוֹ ISh.16:4
28 וַיֶּחֶרְדוּ וַיָּקֻמוּ כָּל־הַקְּרֻאִים IK.1:49
חִרְדוּ 29 חִרְדוּ שַׁאֲנַנּוֹת רְגָזָה בֹּטְחוֹת Is.32:11
לְהַחֲרִיד 30 לְהַחֲרִיד אֶת־כּוּשׁ בֶּטַח Ezek.30:9
31 וַיָּבֹאוּ אֵלֶּה לְהַחֲרִיד אֹתָם Zech.2:4
וְהַחֲרַדְתִּי 32 וְהַחֲרַדְתִּי אֹתוֹ וְנָס כָּל־הָעָם IISh.17:2
הֶחֱרִיד 33 וְכָל־הַמַּחֲנֶה הֶחֱרִיד Jud.8:12
מַחֲרִיד 34 וּשְׁכַבְתֶּם וְאֵין מַחֲרִיד Lev.26:6
35 נִבְלָתְךָ לְמַאֲכָל...וְאֵין מַחֲרִיד Deut.28:26
36 וְרָבְצוּ וְאֵין מַחֲרִיד Is.17:2
37 נִבְלַת...לְמַאֲכָל...וְאֵין מַחֲרִיד Jer.7:33
38/9 וְשָׁקַט וְשַׁאֲנַן וְאֵין מַחֲרִיד Jer.30:10; 46:27
40 וְיָשְׁבוּ לָבֶטַח וְאֵין מַחֲרִיד Ezek.34:28
41-45 ...וְאֵין מַחֲרִיד Ezek.39:26
Mic.4:4 • Nah.2:12 • Zep.3:13 • Job 11:19

חָרֵד ת׳ עין חָרַד — חֲרֹד עין חֲרוֹד

חֲרָדָה[1] נ׳ פחד, בהלה: 1–9

קרובים: אֵימָה / בֶּהָלָה / בַּלָּהָה / בִּעוּת / בְּעָתָה / דְּאָגָה / חִיל / חַת / חִתָּה / חֲתַת / יִרְאָה / מָגוֹר / מוֹרָא / מְחִתָּה / פַּחַד / פַּחְדָּה / פַּלָּצוּת / רֹגֶז / רֶטֶט / רַעַד / רְעָדָה / רְתֵת

חֲרָדָה גְּדוֹלָה 1, 4; קוֹל חֲרָדָה 3; חֶרְדַּת אָדָם 7; חֶרְדַּת אֱלֹהִים 8; לָבַשׁ חֲרָדוֹת 9

חֲרָדָה 1 וַיֶּחֱרַד...חֲרָדָה גְּדֹלָה עַד־מְאֹד Gen.27:33
2 וַתְּהִי חֲרָדָה בַמַּחֲנֶה ISh.14:15
3 קוֹל חֲרָדָה שָׁמָעְנוּ Jer.30:5
4 חֲרָדָה גְדֹלָה נָפְלָה עֲלֵיהֶם Dan.10:7
הַחֲרָדָה 5 חָרַדְתְּ אֵלֵינוּ אֶת־כָּל־הַחֲרָדָה הַזֹּאת IIK.4:13
לַחֲרָדָה 6 אֵת נֶשֶׁף חִשְׁקִי שָׂם לִי לַחֲרָדָה Is.21:4
חֶרְדַּת־ 7 חֶרְדַּת אָדָם יִתֵּן מוֹקֵשׁ Prov.29:25
לְחֶרְדַּת־ 8 וַתִּרְגַּז הָאָרֶץ וַתְּהִי לְחֶרְדַּת אֱלֹהִים ISh.14:15
חֲרָדוֹת 9 בִּגְדֵי רִקְמָתָם יִפְשֹׁטוּ חֲרָדוֹת יִלְבָּשׁוּ Ezek.26:16

חֲרָדָה[2] תחנה של בני ישראל במסעם במדבר: 1, 2

בַּחֲרָדָה 1 וַיִּסְעוּ מֵהַר־שָׁפֶר וַיַּחֲנוּ בַּחֲרָדָה Num.33:24
מֵחֲרָדָה 2 וַיִּסְעוּ מֵחֲרָדָה וַיַּחֲנוּ בְּמַקְהֵלֹת Num.33:25

חֲרֹדִי – עין חֲרוֹדִי

חרה : חָרָה, נֶחֱרָה, הִתְחָרָה, תִּחֲרָה, הֶחֱרָה; חָרוֹן, חֳרִי; ש״פ חַרְהֲיָה?

חָרָה פ׳ א) בָּעַר [בהשאלה, על־פי־רוב בצירוף ״אַף״] כעס מאוד: 1–82

ב) [נפ׳ נֶחֱרָה] התרגז, התגרה: 83–85
ג) [הת׳ הִתְחָרָה] כנ״ל: 89–92
ד) [תפ׳ תִּחֲרָה] התקנא ב־: 88, 93
ה) [הפ׳ הֶחֱרָה] הזדרז: 86; עורר: 87

קרובים: ראה כָּעַס

– חָרָה לְ־ 1, 4, 6, 7, 15–18, 27–29, 36, 38, 39, 72–82; חָרָה בְּ־ 19, 30; חָרָה אַפּוֹ (בְּ־) 2,3,5,8–14, 20–26, 31, 33–35, 37, 40–71; חָרָה בְּעֵינָיו 32
– נֶחֱרָה בְּ־ 83–85; הֶחֱרָה אַפּוֹ עַל־ 87; הֶחֱרָה הֶחֱזִיק 86; הִתְחָרָה 89–92; תִּחֲרָה 88, 93

חָרֹה 1 וְאִם־חָרֹה יֶחֱרֶה לוֹ ISh.20:7
בַּחֲרוֹת 2 בַּחֲרוֹת אַפָּם בָּנוּ Ps.124:3
לַחֲרוֹת 3 וַיֹּסֶף אַף־יְיָ לַחֲרוֹת בְּיִשְׂרָאֵל IISh.24:1
חָרָה 4 לָמָּה חָרָה לָךְ וְלָמָּה נָפְלוּ פָנֶיךָ Gen.4:6
5 וְאַף יְיָ חָרָה בָעָם Num.11:33
6 וְלָמָּה זֶּה חָרָה לְךָ עַל־הַדָּבָר הַזֶּה IISh.19:43
7 וַיִּתְגָּעֲשׁוּ כִּי־חָרָה לוֹ IISh.22:8
8 אֲשֶׁר־חָרָה אַפּוֹ בִּיהוּדָה IIK.23:26
9 עַל־כֵּן חָרָה אַף־יְיָ בְּעַמּוֹ Is.5:25
10-14 חָרָה אַפִּי (אַפּוֹ) Hosh.8:5
Zech.10:3 • Job 32:2,3; 42:7
15-18 חָרָה לָךְ (לִי...) Jon.4:4,9² • Ps.18:8
19 הֲבִנְהָרִים חָרָה יְיָ Hab.3:8
וְחָרָה 20 וְחָרָה אַפִּי וְהָרַגְתִּי אֶתְכֶם בֶּחָרֶב Ex.22:23
21/2 וְחָרָה אַף־יְיָ בָּכֶם Deut.7:4; 11:17
23 וְחָרָה אַפִּי בוֹ בַיּוֹם־הַהוּא Deut.31:17
24 וְחָרָה אַף־יְיָ בָּכֶם Josh.23:16
יֶחֱרֶה 25 לָמָה יְיָ יֶחֱרֶה אַפְּךָ בְּעַמֶּךָ Ex.32:11
26 פֶּן־יֶחֱרֶה אַף־יְיָ אֱלֹהֶיךָ בָּךְ Deut.6:15
27 וְאִם־חָרֹה יֶחֱרֶה לוֹ ISh.20:7
יִחַר 28/9 אַל־נָא יִחַר לַאדֹנָי וַאֲדַבֵּרָה Gen.18:30,32
30 אַל־יִחַר בְּעֵינֵי אֲדֹנִי Gen.31:35
31 וְאַל־יִחַר אַפְּךָ בְּעַבְדֶּךָ Gen.44:18
32 אַל־תֵּעָצְבוּ וְאַל־יִחַר בְּעֵינֵיכֶם Gen.45:5
33 אַל־יִחַר אַף אֲדֹנִי Ex.32:22
34 אַל־יִחַר אַפְּךָ בִּי Jud.6:39
וְיִחַר 35 וְיִחַר־אַפִּי בָהֶם וַאֲכַלֵּם Ex.32:10
וַיִּחַר 36 וַיִּחַר לְקַיִן מְאֹד וַיִּפְּלוּ פָּנָיו Gen.4:5
37 וַיִּחַר־אַף יַעֲקֹב בְּרָחֵל Gen.30:2
38 וַיִּחַר לְיַעֲקֹב וַיָּרֶב בְּלָבָן Gen.31:36
39 וַיִּתְעַצְּבוּ...וַיִּחַר לָהֶם מְאֹד Gen.34:7
40 וַיְהִי כִשְׁמֹעַ אֲדֹנָיו...וַיִּחַר אַפּוֹ Gen.39:19
41 וַיִּחַר־אַף יְיָ בְּמֹשֶׁה Ex.4:14
42-71 וַיִּחַר אַף... Ex.32:19
Num.11:1, 10; 12:9; 22:22, 27; 24:10; 25:3; 32:10, 32:13 • Deut.29:26 • Josh.7:1 • Jud.2:14, 20; 3:8; 9:30; 10:7; 14:19 • ISh.11:6; 17:28; 20:30

וַיִּחַר (המשך) IISh.6:7; 12:5 • IIK.13:3 • Ps.106:40 • Job 32:2,5 • ICh.13:10 • IICh.25:10,15
72 וַיִּחַר לְמֹשֶׁה מְאֹד Num.16:15
73 וַיִּחַר לִשְׁמוּאֵל וַיִּזְעַק אֶל־יְיָ ISh.15:11
74-82 וַיִּחַר לְ־ ISh.18:8 • IISh.3:8; 6:8; 13:21 • Jon.4:1 • Neh.3:33; 4:1; 5:6 • ICh.13:11
נִחֲרוּ 83 בְּנֵי אִמִּי נִחֲרוּ־בִי S.ofS.1:6
הַנֶּחֱרִים 84 הֵן יֵבֹשׁוּ וְיִכָּלְמוּ כֹּל הַנֶּחֱרִים בָּךְ Is.41:11
85 וְיֵבֹשׁוּ כֹּל הַנֶּחֱרִים בּוֹ Is.45:24
הֶחֱרָה 86 אַחֲרָיו הֶחֱרָה הֶחֱזִיק בָּרוּךְ Neh.3:20
וַיַּחַר 87 וַיַּחַר עָלַי אַפּוֹ... Job 19:11
מְתַחֲרֶה 88 הֲתִמְלֹךְ כִּי אַתָּה מְתַחֲרֶה בָאָרֶז Jer.22:15
תִּתְחַר 89-90 אַל־תִּתְחַר בַּמְּרֵעִים Ps.37:1 • Prov.24:19
91 אַל־תִּתְחַר בְּמַצְלִיחַ דַּרְכּוֹ Ps.37:7
92 אַל־תִּתְחַר אַךְ־לְהָרֵעַ Ps.37:8
תְּתַחֲרֶה 93 וְאֵיךְ תְּתַחֲרֶה אֶת־הַסּוּסִים Jer.12:5

חָרָה (איוב ל30), חָרוּ (ישעיה כד6) – עין חרר

חַרְהֲיָה שפ״ז–אבי אחד מבוני חומת ירושלים בימי נחמיה

חַרְהֲיָה 1 הֶחֱזִיק עֻזִּיאֵל בֶּן־חַרְהֲיָה Neh.3:8

חֲרוֹד מקום לרגלי הר הגלבוע, בו מעין

חֲרֹד 1 וַיַּחֲנוּ עַל־עֵין חֲרֹד Jud.7:1

חֲרוֹדִי ת׳ המתיחס על חֲרוֹד

הַחֲרֹדִי 1 שַׁמָּה הַחֲרֹדִי אֱלִיקָא הַחֲרֹדִי IISh.23:25

חָרוּז* ז׳ תכשיט

בַּחֲרוּזִים 1 נָאווּ לְחָיַיִךְ...צַוָּארֵךְ בַּחֲרוּזִים S.ofS.1:10

חָרוּל ז׳ צמח קוצי, אולי קרוב לסִרְפָּד: 1–3

קרובים: ראה חוֹחַ • מִמְשַׁק חָרוּל 1

חָרוּל 1 מִמְשַׁק חָרוּל וּמִכְרֵה־מֶלַח וּשְׁמָמָה Zep.2:9
2 בֵּין־שִׂיחִים יִנְהָקוּ תַּחַת חָרוּל יְסֻפָּחוּ Job 30:7
חֲרֻלִּים 3 עָלָה...קִמְּשֹׂנִים כָּסּוּ פָנָיו חֲרֻלִּים Prov.24:31

חָרוּם ת׳ בעל חוטם שקוע

חָרוּם 1 עִוֵּר אוֹ פִסֵּחַ אוֹ חָרֻם אוֹ שָׂרוּעַ Lev.21:18

חֲרוּמַף שפ״ז–אבי אחד מבוני חומת ירושלים בימי נחמיה

חֲרוּמַף 1 הֶחֱזִיק יְדָיָה בֶן־חֲרוּמַף Neh.3:10

חָרוֹן ז׳ כעס גדול, חֵמה [עפ״ר בצירוף ״אַף״]: 1–41

קרובים: ראה כַּעַס

חֲרוֹן אַף 4–19, 21–37; חֲרוֹן הַיּוֹנָה 20

חָרוֹן 1 כִּי חָרוֹן אֶל־כָּל־הֲמוֹנָהּ Ezek.7:12
2 כְּמוֹ־חַי כְּמוֹ־חָרוֹן יִשְׂעָרֶנּוּ Ps.58:10
3 וְאַתֶּם מוֹסִיפִים חָרוֹן עַל־יִשְׂרָאֵל Neh.13:18
חֲרוֹן־ 4 וְיָשֹׁב חֲרוֹן אַף־יְיָ מִיִּשְׂרָאֵל Num.25:4
5 חֲרוֹן אַף־יְיָ אֶל־יִשְׂרָאֵל Num.32:14
6 וְלֹא־עָשִׂיתָ חֲרוֹן־אַפּוֹ בַּעֲמָלֵק ISh.28:18
7 בְּעֶבְרַת יְיָ צְבָאוֹת וּבְיוֹם חֲרוֹן אַפּוֹ Is.13:13
8 כִּי לֹא־שָׁב חֲרוֹן אַף־יְיָ מִמֶּנּוּ Jer.4:8
9-19 חֲרוֹן אַפּוֹ Jer.4:26; 25:37,38
49:37 • Hosh.11:9 • Zep.2:2; 3:8; • Ps.78:49 • Job 20:23 • Lam.1:12 • IICh.28:11
20 מִפְּנֵי חֲרוֹן הַיּוֹנָה Jer.25:38
21 לֹא יָשׁוּב חֲרוֹן אַף־יְיָ Jer.30:24
22 כִּלָּה יְיָ אֶת־חֲמָתוֹ שָׁפַךְ חֲרוֹן אַפּוֹ Lam.4:11
23 לְהָשִׁיב חֲרוֹן אַף־אֱלֹהֵינוּ מִמֶּנּוּ Ez.10:14
24 וְיָשֹׁב מִמֶּנּוּ חֲרוֹן אַפּוֹ IICh.29:10
25 וְיָשֹׁב מִכֶּם חֲרוֹן אַפּוֹ IICh.30:8

וַחֲרוֹן־ 26 אַכְזָרִי וְעֶבְרָה וַחֲרוֹן אָף Is.13:9
27 וַחֲרוֹן אַפְּךָ יַשִּׂיגֵם Ps.69:25
28 וַחֲרוֹן אָף עַל־יִשְׂרָאֵל IICh.28:13
בַּחֲרוֹן־ 29 וּמִי יָקוּם בַּחֲרוֹן אַפּוֹ Nah.1:6
מֵחֲרוֹן־ 30 שׁוּב מֵחֲרוֹן אַפֶּךָ וְהִנָּחֵם Ex.32:12
31 לְמַעַן יָשׁוּב יְיָ מֵחֲרוֹן אַפּוֹ Deut.13:18
32 וַיָּשָׁב יְיָ מֵחֲרוֹן אַפּוֹ Josh.7:26
33 לֹא־שָׁב יְיָ מֵחֲרוֹן אַפּוֹ הַגָּדוֹל IIK.23:26
34/5 מֵחֲרוֹן אַף־יְיָ Jer.12:13; 51:45
36 יָשׁוּב וְנִחַם הָאֱלֹהִים וְשָׁב מֵחֲרוֹן אַפּוֹ Jon.3:9
37 הֱשִׁיבוֹתָ מֵחֲרוֹן אַפֶּךָ Ps.85:4
חֲרוֹנִי 38 כִּי חֲרוֹנִי אֶל־כָּל־הֲמוֹנָהּ Ezek.7:14
חֲרֹנְךָ 39 תְּשַׁלַּח חֲרֹנְךָ יֹאכְלֵמוֹ כַּקַּשׁ Ex.15:7
וּבַחֲרוֹנוֹ 40 יְדַבֵּר...בְאַפּוֹ וּבַחֲרוֹנוֹ יְבַהֲלֵמוֹ Ps.2:5
חֲרוֹנֶיךָ 41 עָלַי עָבְרוּ חֲרוֹנֶיךָ Ps.88:17

חֲרוֹנַיִם עין חורונים

חֲרוּפִי ת' המתיחס על איש בשם חָרוּף או חָרִיף
הַחֲרוּפִי 1 וּשְׁפַטְיָהוּ הַחֲרוּפִי (כת' החריפי) ICh.12:6(5)

חָרוּץ[1] ז' מכנויי הזהב: 1–6 • קרובים: ראה זָהָב
יְרַקְרַק חָרוּץ 1
חָרוּץ 1 וְאֶבְרוֹתֶיהָ בִּירַקְרַק חָרוּץ Ps.68:14
וְחָרוּץ 2 כֶּסֶף כֶּעָפָר וְחָרוּץ כְּטִיט חוּצוֹת Zech.9:3
מֵחָרוּץ 3 וְדַעַת מֵחָרוּץ נִבְחָר Prov.8:10
4 טוֹב פִּרְיִי מֵחָרוּץ וּמִפָּז Prov.8:19
5 קְנֹה־חָכְמָה מַה־טּוֹב מֵחָרוּץ Prov.16:16
וּמֵחָרוּץ 6 טוֹב סַחְרָהּ מִסְּחַר־כָּסֶף
וּמֵחָרוּץ תְּבוּאָתָהּ Prov.3:14

חָרוּץ[2] תו"ז א) משונן, עשוי חריצים: 2, 3
ב) כלי מחורץ: 5, 6
ג) פצוע בכלי חד: 1
ד) חריץ, תעלה: 4
עין עוד חָרֵץ
מוֹרַג חָרוּץ 2; חֲרוּצוֹת בַּרְזֶל 6
חָרוּץ 1 עַוֶּרֶת אוֹ שָׁבוּר אוֹ־חָרוּץ Lev.22:22
2 לְמוֹרַג חָרוּץ חָדָשׁ בַּעַל פִּיפִיּוֹת Is.41:15
3 יִרְפַּד חָרוּץ עֲלֵי־טִיט Job41:22
וְחָרוּץ 4 וְנִבְנְתָה רְחוֹב וְחָרוּץ Dan.9:25
בֶחָרוּץ 5 כִּי לֹא בֶחָרוּץ יוּדַשׁ קֶצַח Is.28:27
בַּחֲרֻצוֹת 6 עַל־דּוּשָׁם בַּחֲרֻצוֹת הַבַּרְזֶל... Am.1:3

חָרוּץ[3] ת' שקדן, זריז: 1–5
מַחְשְׁבוֹת חָרוּץ 2; יַד חָרוּצִים 3, 4; נֶפֶשׁ חָ' 5
חָרוּץ 1 וְהוֹן־אָדָם יָקָר חָרוּץ Prov.12:27
2 מַחְשְׁבוֹת חָרוּץ אַךְ־לְמוֹתָר Prov.21:5
חָרוּצִים 3 וְיַד חָרוּצִים תַּעֲשִׁיר Prov.10:4
4 יַד־חָרוּצִים תִּמְשׁוֹל Prov.12:24
5 וְנֶפֶשׁ חָרֻצִים תְּדֻשָּׁן Prov.13:4

(חָרוּץ)[4] עֵמֶק הֶחָרוּץ – שם סמלי לעמק יְהוֹשָׁפָט, שבו יחרוץ ה' משפט הגויים באחרית הימים: 1, 2
הֶחָרוּץ 1 הֲמוֹנִים הֲמוֹנִים בְּעֵמֶק הֶחָרוּץ Joel4:14
2 כִּי קָרוֹב יוֹם יְיָ בְּעֵמֶק הֶחָרוּץ Joel4:14

חָרוּץ[5] שפ"ז – חותן מנשה מלך יהודה
חָרוּץ 1 מְשֻׁלֶּמֶת בַּת־חָרוּץ מִן־יָטְבָה IIK.21:19

חָרוּת ת' חָקוּק, כתוב
חָרוּת 1 וְהַמִּכְתָּב...חָרוּת עַל־הַלֻּחֹת Ex.32:16

חַרְחֻר[1] ז' דַּלֶּקֶת
וּבַחַרְחֻר 1 ...וּבַדַּלֶּקֶת וּבַחַרְחֻר וּבַחֶרֶב Deut.28:22

חַרְחוּר[2] שפ"ז – אבי משפחת נתינים ששבו עם זרובבל: 1,2
חַרְחוּר 1/2 בְּנֵי־חֲקוּפָא בְּנֵי חַרְחוּר Ez.2:51 • Neh.7:53

חַרְהֲיָה עין חַרְהֲיָה

חַרְחַס שפ"ז – זקנו של בעל חולדה הנביאה, הוא חַסְרָה
חַרְחַס 1 בֶּן־חַרְחַס שֹׁמֵר הַבְּגָדִים IIK.22:14

חרחר: חִרְחֵר; חַרְחֻר; ש"פ חַרְחוּר [עין גם חרר]

חִרְחֵר פ' עורר, הלהיב
לְחַרְחַר 1 וְאִישׁ מִדְיָנִים° לְחַרְחַר־רִיב Prov.26:21

חַרְחֻר ז' – עין חַרְחוּר

חֶרֶט ז' מַפְסֶלֶת; קנה מחודד לכתיבה: 1, 2
בְּחֶרֶט־ 1 וּכְתֹב עָלָיו בְּחֶרֶט אֱנוֹשׁ Is.8:1
בַּחֶרֶט 2 וַיָּצַר אֹתוֹ בַּחֶרֶט וַיַּעֲשֵׂהוּ עֵגֶל Ex.32:4

חַרְטֹם*[1] ז' כהן־קוסם בחצר מלכי מצרים ובבל: 1–11
הַחַרְטֻמִּים 1 וָאֹמַר אֶל־הַחַרְטֻמִּים וְאֵין מַגִּיד Gen.41:24
2-3 וַיַּעֲשׂוּ־כֵן הַחַרְטֻמִּים בְּלָטֵיהֶם Ex.8:3,14
4 וַיֹּאמְרוּ הַחַרְטֻמִּם אֶל־פַּרְעֹה Ex.8:15
5 וְלֹא־יָכְלוּ הַחַרְטֻמִּים לַעֲמֹד Ex.9:11
6 עַל כָּל־הַחַרְטֻמִּים הָאַשָּׁפִים Dan.1:20
בַּחַרְטֻמִּם 7 כִּי־הָיָה הַשְּׁחִין בַּחַרְטֻמִּם Ex.9:11
לַחַרְטֻמִּים 8 לַחַרְטֻמִּים וְלָאַשָּׁפִים וְלַמְכַשְּׁפִים Dan.2:2
חַרְטֻמֵּי־ 9 אֶת־כָּל־חַרְטֻמֵּי מִצְרָיִם Gen.41:8
10 וַיַּעֲשׂוּ...חַרְטֻמֵּי מִצְרַיִם בְּלַהֲטֵיהֶם Ex.7:11
11 וַיַּעֲשׂוּ...חַרְטֻמֵּי מִצְרַיִם בְּלָטֵיהֶם Ex.7:22

חַרְטֹם[2] ז' ארמית: כמו בעברית: 1–5
חַרְטֹם 1 לְכָל־חַרְטֹם וְאָשַׁף וְכַשְׂדָּי Dan.2:10
חַרְטֻמִּין 2 לָא חַכִּימִין אָשְׁפִין חַרְטֻמִּין גָּזְרִין Dan.2:27
3 רַב חַרְטֻמִּין אָשְׁפִין כַּשְׂדָּאִין גָּזְרִין Dan.5:11
חַרְטֻמַּיָּא 4 חַרְטֻמַּיָּא אָשְׁפַיָּא כַּשְׂדָּאֵי° וְגָזְרַיָּא Dan.4:4
5 בֵּלְטְשַׁאצַּר רַב חַרְטֻמַּיָּא Dan.4:6

חֳרִי ז' [בצירוף "חֳרִי־אַף"] כעס גדול: 1–6
קרובים: ראה כַּעַס
חֳרִי־ 1 מֶה חֳרִי הָאַף הַגָּדוֹל הַזֶּה Deut.29:23
בָּחֳרִי־ 2 וַיֵּצֵא מֵעִם־פַּרְעֹה בָּחֳרִי־אָף Ex.11:8
3 וַיָּקָם יְהוֹנָתָן...בָּחֳרִי־אָף ISh.20:34
4 ...בָּחֳרִי־אַף רְצִין וַאֲרָם Is.7:4
5 גָּדַע בָּחֳרִי־אַף כֹּל קֶרֶן יִשְׂרָאֵל Lam.2:3
6 וַיָּשׁוּבוּ לִמְקוֹמָם בָּחֳרִי־אָף IICh.25:10

חֹרִי[1] ז' מין מאפה
חֹרִי 1 וְהִנֵּה שְׁלֹשָׁה סַלֵּי חֹרִי עַל־רֹאשִׁי Gen.40:16

חֹרִי[2] שפ"ז א) בנו של אחד האלופים בהר שֵׂעִיר: 1, 2
ב) שם העם שישב בהר שֵׂעִיר: 3–9
אַלּוּפֵי הַחֹרִי 5–7
חֹרִי 1 וַיִּהְיוּ בְנֵי־לוֹטָן חֹרִי וְהֵימָם Gen.36:22
2 וּבְנֵי לוֹטָן חֹרִי וְהוֹמָם ICh.1:39
הַחֹרִי 3 וְאֶת־הַחֹרִי בְּהַרְרָם שֵׂעִיר Gen.14:6
4 אֵלֶּה בְנֵי־שֵׂעִיר הַחֹרִי Gen.36:20
5-7 אֵלֶּה אַלּוּפֵי הַחֹרִי Gen.36:21,29,30
8 אֲשֶׁר הִשְׁמִיד אֶת־הַחֹרִי מִפְּנֵיהֶם Deut.2:22
הַחֹרִים 9 וּבְשֵׂעִיר יָשְׁבוּ הַחֹרִים לְפָנִים Deut.2:12

חריהם (מ"ב יח 27 כת') – עין צוֹאָה

חָרִיט* ז' כיס להחזיק בו כסף: 1,2
חֲרִטִים 1 וַיָּצַר...בִּשְׁנֵי חֲרִטִים IIK.5:23
וְהַחֲרִיטִים 2 וְהַמִּטְפָּחוֹת וְהַחֲרִיטִים Is.3:22

חרייונים (מ"ב ו 25 כת') – עין דִּבְיוֹנִים

חָרִים עין חוֹרִים

חָרִם שפ"ז אבי משפחה שבניה עלו משבי הגולה עם זרובבל: 1–11 • בְּנֵי (בֶן) חָרִם 1–7
חָרִם 1-2 בְּנֵי חָרִם שְׁלֹשׁ מֵאוֹת Ez.2:32 • Neh.7:35
3 בְּנֵי חָרִם אֶלֶף וְשִׁבְעָה עָשָׂר Ez.2:39
4 וּמִבְּנֵי חָרִם מַעֲשֵׂיָה וְאֵלִיָּה Ez.10:21
5 וּבְנֵי חָרִם אֱלִיעֶזֶר יִשִּׁיָּה Ez.10:31
6 הֶחֱזִיק מַלְכִּיָּה בֶן־חָרִם Neh.3:11
7 בְּנֵי חָרִם אֶלֶף שִׁבְעָה עָשָׂר Neh.7:42
8 חָרִם מְרֵמוֹת עֹבַדְיָה Neh.10:6
9 מַלּוּךְ חָרִם בַּעֲנָה Neh.10:28
לְחָרִים 10 לְחָרִים עַדְנָא Neh.12:15
11 לְחָרִם הַשְּׁלִשִׁי ICh.24:8

חָרִיף שפ"ז – אבי משפחה שעלתה עם זרובבל: 1, 2
חָרִיף 1 בְּנֵי חָרִיף מֵאָה שְׁנֵים עָשָׂר Neh.7:24
2 חָרִיף עֲנָתוֹת נֵיבָי° Neh.10:20

חָרִיץ*[1] ז' [בצרוף: "חֲרִיצֵי בַרְזֶל"] כלי דיש עשוי שנים: 1, 2
וּבַחֲרִצֵי־ 1 וַיָּשֶׂם בַּמְּגֵרָה וּבַחֲרִצֵי הַבַּרְזֶל IISh.12:31
2 וַיָּשַׂר בַּמְּגֵרָה וּבַחֲרִיצֵי הַבַּרְזֶל ICh.20:3

חָרִיץ*[2] [בצרוף "חֲרִיצֵי חָלָב"] נתח גבינה
חֲרִצֵי־ 1 וְאֵת עֲשֶׂרֶת חֲרִצֵי הֶחָלָב הָאֵלֶּה ISh.17:18

חָרִישׁ ז' א) עונת החרישה: 1, 2
ב) עבוד אדמה במחרשה: 3
חָרִישׁ 1 אֲשֶׁר אֵין־חָרִישׁ וְקָצִיר Gen.45:6
בֶּחָרִישׁ 2 בֶּחָרִישׁ וּבַקָּצִיר תִּשְׁבֹּת Ex.34:21
חֲרִישׁוֹ 3 וְלַחֲרֹשׁ חֲרִישׁוֹ וְלִקְצֹר קְצִירוֹ ISh.8:12

חֲרִישִׁי* ת' בקול דממה(?); מחריש אוזנים(?)
חֲרִישִׁית 1 וַיְמַן אֱלֹהִים רוּחַ קָדִים חֲרִישִׁית Jon.4:8

חרך: חָרַךְ, חָרֵךְ(?); אר' הִתְחָרַךְ

חָרַךְ פ' הבהב, קלה
יַחֲרֹךְ 1 לֹא־יַחֲרֹךְ רְמִיָּה צֵידוֹ Prov.12:27

(חרך) הִתְחָרַךְ הת' ארמית: נחרך, נשרף
הִתְחָרַךְ 1 וּשְׂעַר רֵאשְׁהוֹן לָא הִתְחָרַךְ Dan.3:27

חֲרַךְ* ז' אשנב
הַחֲרַכִּים 1 מַשְׁגִּיחַ מִן־הַחַלֹּנוֹת מֵצִיץ מִן־הַחֲרַכִּים S.ofS.2:9

חרם: הֶחֱרִים; חֵרֶם¹, חֵרֶם², חָרוּם; ש"פ חָרִים, חָרֵם, חָרְמָה, חֶרְמוֹן

(חרם) הֶחֱרִים הפ' א) השמיד, החריב: 1–13, 15–22, 24–32, 34–48
ב) הקדיש לה': 14, 33
ג) יבש: 23
ד) [הפ' הָחֳרַם] הושמד: 49–51
קרובים: ראה חָרַב
הַחֲרֵם 1 הַחֲרֵם כָּל־עִיר מְתִם Deut.3:6
2 הַחֲרֵם תַּחֲרִים אֹתָם Deut.7:2
3 כִּי־הַחֲרֵם תַּחֲרִימֵם Deut.20:17
4 וַיַּכּוּ...לְפִי־חֶרֶב הַחֲרֵם Josh.11:11
לְהַחֲרִים 5 וַיַּעַמְדוּ...לְהַחֲרִים וּלְהַשְׁמִיד IICh.20:23
וּלְהַחֲרִים 6 לְהַשְׁמִיד וּלְהַחֲרִים רַבִּים Dan.11:44
הַחֲרִימָם 7 מֵאֵת יְיָ הָיְתָה...לְמַעַן הַחֲרִימָם Josh.11:20
8 וַיַּחְמֹל...וְלֹא אָבוּ הַחֲרִימָם ISh.15:9
לְהַחֲרִימָם 9 לֹא־יָכְלוּ בְּנֵי יִשְׂרָאֵל לְהַחֲרִימָם IK.9:21
10/1 לְכָל־הָאֲרָצוֹת לְהַחֲרִימָם IIK.19:11 • Is.37:11

הֶחֱרַמְתִּי 12 וְאֶת־עֲמָלֵק הֶחֱרַמְתִּי ISh.15:20
וְהַחֲרַמְתִּי 13 וְהַחֲרַמְתִּי אֶת־עָרֵיהֶם Num.21:2
14 וְהַחֲרַמְתִּי לַיְיָ בִּצְעָם Mic.4:13
וְהַחֲרַמְתִּים 15 וְהַחֲרַמְתִּים וְשַׂמְתִּים לְשַׁמָּה Jer.25:9
וְהַחֲרַמְתָּה 16 וְהַחֲרַמְתָּה אֶת־הַחַטָּאִים ISh.15:18
הֶחֱרִים 17 עַד אֲשֶׁר הֶחֱרִים אֵת כָּל־יֹשְׁבֵי הָעָי Josh.8:26
18 הֶחֱרִם אוֹתָם וְאֶת־כָּל־הַנֶּפֶשׁ Josh.10:28
19 וְאֵת כָּל־הַנֶּפֶשׁ...הֶחֱרִים Josh.10:35
20 וְאֵת כָּל־הַנְּשָׁמָה הֶחֱרִים Josh.10:40
21 וַיַּכֵּם לְפִי־חֶרֶב הֶחֱרִים אוֹתָם Josh.11:12
22 וְאֶת־כָּל־הָעָם הֶחֱרִים לְפִי־חָרֶב ISh.15:8
וְהֶחֱרִים 23 וְהֶחֱרִים יְיָ אֵת לְשׁוֹן יָם־מִצְרַיִם Is.11:15
הֶחֱרִימָם 24 עִם־עָרֵיהֶם הֶחֱרִימָם יְהוֹשֻׁעַ Josh.11:21
25 הֶחֱרִימָם נְתָנָם לַטָּבַח Is.34:2
הֶחֱרַמְנוּ 26 וְאֶת־הַיּוֹתֵר הֶחֱרַמְנוּ ISh.15:15
הֶחֱרַמְתֶּם 27 ...אֲשֶׁר הֶחֱרַמְתֶּם אוֹתָם Josh.2:10
וְהַחֲרַמְתֶּם 28 וְהַחֲרַמְתֶּם אֶת־כָּל־אֲשֶׁר־לוֹ ISh.15:3
הֶחֱרִימוּ 29 וְכָל־הַמְּלָאכָה...אֹתָהּ הֶחֱרִימוּ ISh.15:9
30 מִי...אֲשֶׁר הֶחֱרִימוּ אֲבוֹתַי IICh.32:14
תַּחֲרִים 31 הַחֲרֵם תַּחֲרִים אֹתָם Deut.7:2
תַּחֲרִימֵם 32 כִּי־הַחֲרֵם תַּחֲרִימֵם Deut.20:17
יַחֲרִם 33 כָּל־חֵרֶם אֲשֶׁר יַחֲרִם אִישׁ לַיְיָ Lev.27:28
וַיַּחֲרֵם 34 וַיַּחֲרֵם אֶתְהֶם וְאֶת־עָרֵיהֶם Num.21:3
35 וַיַּחֲרֵם אוֹתָהּ וְאֶת־כָּל־הַנֶּפֶשׁ Josh.10:37
וַיַּחֲרִימָהּ 36 כִּי־לָכַד יְהוֹשֻׁעַ אֶת־הָעַי וַיַּחֲרִימָהּ Josh.10:1
וַנַּחֲרֵם 37 וַנַּחֲרֵם אֶת־כָּל־עִיר מְתִם Deut.2:34
38 וַנַּחֲרֵם אוֹתָם...הַחֲרֵם... Deut.3:6
תַּחֲרִימוּ 39 פֶּן־תַּחֲרִימוּ וּלְקַחְתֶּם מִן־הַחֵרֶם Josh.6:18
40 אִשָּׁה יֹדַעַת מִשְׁכַּב...תַּחֲרִימוּ Jud.21:11
וַיַּחֲרִימוּ 41 וַיַּחֲרִימוּ אֶת־כָּל־אֲשֶׁר בָּעִיר Josh.6:21
42 וַיַּחֲרִימוּ אֶת־כָּל־נֶפֶשׁ אֲשֶׁר־בָּהּ Josh.10:39
43 וַיַּכּוּ אֶת־...צְפַת וַיַּחֲרִימוּ אוֹתָהּ Jud.1:17
וַיַּחֲרִימוּם 44 וַיַּכּוּ...וַיַּחֲרִמֻם עַד־הַיּוֹם הַזֶּה ICh.4:41
הַחֲרֵם 45 הַחֲרֵם אֹתָהּ וְאֶת־כָּל־אֲשֶׁר־בָּהּ Deut.13:16
וְהַחֲרֵם 46 חֲרֹב וְהַחֲרֵם אַחֲרֵיהֶם Jer.50:21
הַחֲרִימוּ 47 הַחֲרִימוּ כָּל־צְבָאָהּ Jer.51:3
וְהַחֲרִימוּהָ 48 סָלּוּהָ כְמוֹ־עֲרֵמִים וְהַחֲרִימוּהָ Jer.50:26
יָחֳרַם 49 כָּל־חֵרֶם אֲשֶׁר יָחֳרַם מִן־הָאָדָם Lev.27:29
50 יָחֳרַם כָּל־רְכוּשׁוֹ Ez.10:8
יָחֳרָם 51 זֹבֵחַ לָאֱלֹהִים יָחֳרָם Ex.22:19

חֵרֶם1

ז׳ א) דבר שהוקדש לאוצר ה׳ (או לכהן): 9,4,2,1
ב) דבר אסור בהנאה: 3, 6, 8, 12–24
ג) כליון, השמדה: 5, 7, 10, 11, 25–29
רֵאשִׁית הַחֵרֶם 20; שְׂדֵה הַחֵרֶם 12; אִישׁ חֶרְמִי 28; עַם חֶרְמִי 29

חֵרֶם 1 אַךְ כָּל־חֵרֶם אֲשֶׁר יַחֲרִם אִישׁ לַיְיָ Lev.27:28
2 כָּל־חֵרֶם קֹדֶשׁ־קָדָשִׁים הוּא לַיְיָ Lev.27:28
3 כָּל־חֵרֶם אֲשֶׁר יָחֳרַם מִן הָאָדָם Lev.27:29
4 כָּל־חֵרֶם בְּיִשְׂרָאֵל לְךָ יִהְיֶה Num.18:14
5 וְלֹא־תָבִיא תוֹעֵבָה...וְהָיִיתָ חֵרֶם Deut.7:26
6 שַׁקֵּץ תְּשַׁקְּצֶנּוּ...כִּי־חֵרֶם הוּא Deut.7:26
7 וְהָיְתָה הָעִיר חֵרֶם Josh.6:17
8 חֵרֶם בְּקִרְבְּךָ יִשְׂרָאֵל Josh.7:13
9 וְכָל־חֵרֶם בְּיִשְׂרָאֵל לָהֶם יִהְיֶה Ezek.44:29
10 וְהִכֵּיתִי אֶת־הָאָרֶץ חֵרֶם Mal.3:24
וְחֵרֶם 11 וְיָשְׁבוּ בָהּ וְחֵרֶם לֹא יִהְיֶה־עוֹד Zech.14:11
הַחֵרֶם 12 וְהָיָה...קֹדֶשׁ לַיְיָ כִּשְׂדֵה הַחֵרֶם Lev.27:21
13 וְלֹא־יִדְבַּק בְּיָדְךָ...מִן־הַחֵרֶם Deut.13:18
14 וְרַק אַתֶּם שִׁמְרוּ מִן־הַחֵרֶם Josh.6:18
15 וּלְקַחְתֶּם מִן־הַחֵרֶם Josh.6:18
16 וַיִּקַּח עָכָן...מִן־הַחֵרֶם Josh.7:1

הַחֵרֶם (המשך) 17 וְגַם לָקְחוּ מִן־הַחֵרֶם וְגַם גָּנְבוּ Josh.7:11
18 אִם־לֹא תַשְׁמִידוּ הַחֵרֶם מִקִּרְבְּכֶם Josh.7:12
19 עַד־הֲסִירְכֶם הַחֵרֶם מִקִּרְבְּכֶם Josh.7:13
20 וַיִּקַּח הָעָם מֵהַשָּׁלָל...רֵאשִׁית הַחֵרֶם ISh.15:21
בַּחֵרֶם 21 וַיִּמְעֲלוּ בְנֵי־יִשְׂרָאֵל מַעַל בַּחֵרֶם Josh.7:1
22 וְהָיָה הַנִּלְכָּד בַּחֵרֶם יִשָּׂרֵף בָּאֵשׁ Josh.7:15
23 הֲלוֹא עָכָן...מָעַל מַעַל בַּחֵרֶם Josh.22:20
24 עָכָר עוֹכֵר יִשְׂ׳ אֲשֶׁר מָעַל בַּחֵרֶם ICh.2:7
לְחֵרֶם 25 וְשַׂמְתֶּם אֶת־מַחֲנֵה יִשְׂרָאֵל לְחֵרֶם Josh.6:18
26 וְלֹא יָכְלוּ...כִּי הָיוּ לְחֵרֶם Josh.7:12
לַחֵרֶם 27 וְאֶתְּנָה לַחֵרֶם יַעֲקֹב Is.43:28
חֶרְמִי 28 שִׁלַּחְתָּ אֶת־אִישׁ־חֶרְמִי מִיָּד IK.20:42
29 וְעַל־עַם חֶרְמִי לְמִשְׁפָּט Is.34:5

חֵרֶם2

ז׳ רשת גדולה לדיג: 1–9
קרובים: חַכָּה / מִכְמֶרֶת / מִכְמֹרֶת / רֶשֶׁת
מִשְׁטַח חֲרָמִים 6, 7

חֵרֶם 1 אִישׁ אֶת־אָחִיהוּ יָצוּדוּ חֵרֶם Mic.7:2
בְּחֶרְמִי 2 וּפָרַשְׂתִּי...רִשְׁתִּי...וְהֶעֱלוּךָ בְּחֶרְמִי Ezek.32:3
חֶרְמוֹ 3 הַעַל כֵּן יָרִיק חֶרְמוֹ Hab.1:17
בְּחֶרְמוֹ 4 כֻּלֹּה בְּחַכָּה הֵעֲלָה יְגֹרֵהוּ בְחֶרְמוֹ Hab.1:15
לְחֶרְמוֹ 5 יְזַבֵּחַ לְחֶרְמוֹ וִיקַטֵּר לְמִכְמַרְתּוֹ Hab.1:16
חֲרָמִים 6-7 מִשְׁטַח חֲרָמִים תִּהְיֶה Ezek.26:5,14
וַחֲרָמִים 8 אֲשֶׁר־הִיא מְצוֹדִים וַחֲרָמִים לִבָּהּ Eccl.7:26
לַחֲרָמִים 9 מִשְׁטוֹחַ לַחֲרָמִים יִהְיוּ Ezek.47:10

חֳרֵם

מקום בנחלת נפתלי

חֳרֵם 1 חֳרֵם וּבֵית־עֲנָת וּבֵית שָׁמֶשׁ Josh.19:38

חָרִם

שפ״ז – עין חָרִים

חָרְמָה

מקום בנחלת שמעון: 1–9

חָרְמָה 1 וַיִּקְרָא שֵׁם־הַמָּקוֹם חָרְמָה Num.21:3
2 וַיַּכְּתוּ אֶתְכֶם בְּשֵׂעִיר עַד־חָרְמָה Deut.1:44
3 מֶלֶךְ חָרְמָה אֶחָד Josh.12:14
4 וַיִּקְרָא אֶת־שֵׁם־הָעִיר חָרְמָה Jud.1:17
וְחָרְמָה 5 וְאֶלְתּוֹלַד וּכְסִיל וְחָרְמָה Josh.15:30
6 וְאֶלְתּוֹלַד וּבְתוּל וְחָרְמָה Josh.19:4
בְּחָרְמָה 7 וְלַאֲשֶׁר בְּחָרְמָה וְלַאֲשֶׁר בְּבוֹר־עָשָׁן ISh.30:30
וּבְחָרְמָה 8 וּבִבְתוּאֵל וּבְחָרְמָה וּבְצִקְלָג ICh.4:30
הַחָרְמָה 9 וַיַּכּוּם וַיַּכְּתוּם עַד־הַחָרְמָה Num.14:45

חֶרְמוֹן

רכס הרים בצפון א״י, מול הלבנון; נקרא גם שִׂיאֹן(2), שְׂנִיר(10), שִׂרְיוֹן(13): 1–14
הַר חֶרְמוֹן 1, 4–8, 10; טַל חֶרְמוֹן 9

חֶרְמוֹן 1 מִנַּחַל אַרְנֹן עַד־הַר חֶרְמוֹן Deut.3:8
2 וְעַד־הַר שִׂיאֹן הוּא חֶרְמוֹן Deut.4:48
3 וְהַחִוִּי תַּחַת חֶרְמוֹן בְּאֶרֶץ הַמִּצְפָּה Josh.11:3
4 בְּבִקְעַת הַלְּבָנוֹן תַּחַת הַר־חֶרְמוֹן Josh.11:17
5 מִנַּחַל אַרְנוֹן עַד־הַר חֶרְמוֹן Josh.12:1
6 וּמֹשֵׁל בְּהַר חֶרְמוֹן וּבְסַלְכָה Josh.12:5
7 מִבַּעַל גָּד תַּחַת הַר־חֶרְמוֹן Josh.13:5
8 וְכֹל הַר חֶרְמוֹן וְכָל־הַבָּשָׁן Josh.13:11
9 כְּטַל־חֶרְמוֹן שֶׁיֹּרֵד עַל־הַרְרֵי צִיּוֹן Ps.133:3
10 עַד...וּשְׂנִיר וְהַר־חֶרְמוֹן הֵמָּה רָבוּ ICh.5:23
וְחֶרְמוֹן 11 תָּבוֹר וְחֶרְמוֹן בְּשִׁמְךָ יְרַנֵּנוּ Ps.89:13
12 תָּשׁוּרִי...מֵרֹאשׁ שְׂנִיר וְחֶרְמוֹן S.ofS.4:8
לְחֶרְמוֹן 13 צִידֹנִים יִקְרְאוּ לְחֶרְמוֹן שִׂרְיֹן Deut.3:9
וְחֶרְמוֹנִים 14 וְחֶרְמוֹנִים מֵהַר מִצְעָר Ps.42:7

חֶרְמֵשׁ

ז׳ כלי לקציר תבואה: 1, 2 • קרובים: מַגָּל / שַׂכִּין

חֶרְמֵשׁ 1 מֵהָחֵל חֶרְמֵשׁ בַּקָּמָה Deut.16:9
וְחֶרְמֵשׁ 2 וְחֶרְמֵשׁ לֹא תָנִיף עַל קָמַת רֵעֶךָ Deut.23:26

חָרָן1

עיר בארם־נהרים: 1–10

חָרָן 1 וַיָּבֹאוּ עַד־חָרָן וַיֵּשְׁבוּ שָׁם Gen.11:31
2/3 אֶת־גּוֹזָן וְאֶת־חָרָן IIK.19:12 • Is.37:12
4 חָרָן וְכַנֵּה וָעֶדֶן Ezek.27:23
חָרָנָה 5 בְּרַח־לְךָ אֶל־לָבָן אָחִי חָרָנָה Gen.27:43
6 וַיֵּצֵא יַעֲקֹב...וַיֵּלֶךְ חָרָנָה Gen.28:10
בְּחָרָן 7 וַיָּמָת תֶּרַח בְּחָרָן Gen.11:32
8 וְאֶת־הַנֶּפֶשׁ אֲשֶׁר־עָשׂוּ בְחָרָן Gen.12:5
מֵחָרָן 9 וְאַבְרָם...בְּצֵאתוֹ מֵחָרָן Gen.12:4
10 וַיֹּאמְרוּ מֵחָרָן אֲנָחְנוּ Gen.29:4

חָרָן2

שפ״ז – בן כָּלֵב מפילגשו: 1, 2

חָרָן 1 וְעֵיפָה פִּילֶגֶשׁ כָּלֵב יָלְדָה אֶת־חָרָן ICh.2:46
וְחָרָן 2 וְחָרָן הוֹלִיד אֶת־גָּזֵז ICh.2:46

חַרְנֶפֶר

שפ״ז – איש מזרע אשר

וְחַרְנֶפֶר 1 בְּנֵי צוֹפַח סוּחַ וְחַרְנֶפֶר ICh.7:36

חֶרֶס1

ז׳ שֶׁמֶשׁ: 1, 2 • קרובים: חַמָּה / שֶׁמֶשׁ

לַחֶרֶס 1 הָאֹמֵר לַחֶרֶס וְלֹא יִזְרָח Job 9:7
הַחַרְסָה 2 בְּטֶרֶם יָבֹא הַחַרְסָה Jud.14:18

חֶרֶס2*

ז׳ אחד מנגעי העור

וּבֶחָרֶס 1 יַכְּכָה יְיָ...וּבַגָּרָב וּבֶחָרֶס Deut.28:27

חֶרֶס3

שם מקום, כנראה בגבול יהודה ודן: 1, 2

חֶרֶס 1 וַיּוֹאֶל הָאֱמֹרִי לָשֶׁבֶת בְּהַר־חֶרֶס Jud.1:35
הֶחָרֶס 2 וַיָּשָׁב גִּדְעוֹן...מִלְמַעֲלֵה הֶחָרֶס Jud.8:13

חַרְסִית

נ׳ חרש

הַחַרְסִית 1 פֶּתַח שַׁעַר הַחַרְסִית (כת׳ החרסות) Jer.19:2

חרף

א) חָרַף, חֵרֵף, נֶחֱרַף; חֶרְפָּה
ב) חָרַף; חֹרֶף; ש״פ חָרֵף
ג) נֶחֱרַף

חָרַף1

פ׳ א) גִּדֵּף, גִּנָּה: 1–5
ב) [פ׳ חֵרֵף] כנ״ל: 6–39
קרובים: אָרַר / בָּז / בָּזָה / גִּדֵּף / לָעַג / נִאֵץ / קִלֵּל

בְּחָרְפָם 1 בְּחָרְפָם בַּפְּלִשְׁתִּים נֶאֶסְפוּ־שָׁם IISh.23:9
חוֹרְפִי 2 וְאֶעֱנֶה חֹרְפִי דָבָר Ps.119:42
3 וְאָשִׁיבָה חֹרְפִי דָבָר Prov.27:11
חוֹרְפֶיךָ 4 וְחֶרְפּוֹת חוֹרְפֶיךָ נָפְלוּ עָלָי Ps.69:10
יֶחֱרַף 5 לֹא־יֶחֱרַף לְבָבִי מִיָּמָי Job 27:6
לְחָרֵף 6 כִּי לְחָרֵף אֶת־יִשְׂרָאֵל עָלֶה ISh.17:25
9-7 לְחָרֵף אֱלֹהִים חַי(ח) IIK.19:4,16 • Is.37:4
10 אֲשֶׁר שְׁלָחוֹ לְחָרֵף אֱלֹהִים חָי Is.37:17
11 וּסְפָרִים כָּתַב לְחָרֵף...אֱלֹהֵי יִשׂ׳ IICh.32:17
חֵרַפְתִּי 12 אֲנִי חֵרַפְתִּי אֶת־מַעַרְכוֹת יִשְׂרָאֵל ISh.17:10
חֵרַפְתָּ 13 בְּשֵׁם יְיָ צְבָאוֹת...אֲשֶׁר חֵרַפְתָּ ISh.17:45
14/5 אֶת־מִי חֵרַפְתָּ וְגִדַּפְתָּ IIK.19:22 • Is.37:23
16 בְּיַד מַלְאָכֶיךָ חֵרַפְתָּ אֲדֹנָי IIK.19:23
17 בְּיַד עֲבָדֶיךָ חֵרַפְתָּ אֲדֹנָי Is.37:24
חֵרֵף 18 זְבֻלוּן עַם חֵרֵף נַפְשׁוֹ לָמוּת Jud.5:18
19/20 כִּי חֵרֵף מַעַרְכ(וֹ)ת אֱלֹהִים חַיִּים ISh.17:26,36
21 חֵרֵף שֹׁאֲפִי סֶלָה Ps.57:4
22 זְכָר־זֹאת אוֹיֵב חֵרֵף יְיָ Ps.74:18
23 עֹשֵׁק דָּל חֵרֵף עֹשֵׂהוּ Prov.14:31
24 לֹעֵג לָרָשׁ חֵרֵף עֹשֵׂהוּ Prov.17:5
חֵרַפְתֶּם 25 אֲשֶׁר חֵרַפְתֶּם אוֹתִי לֵאמֹר Jud.8:15
חֵרְפוּ 26 אֲשֶׁר חֵרְפוּ אֶת־עַמִּי Zep.2:8
27 כִּי חֵרְפוּ וַיַּגְדִּלוּ עַל־עַם יְיָ Zep.2:10
28 אֲשֶׁר חֵרְפוּ אוֹיְבֶיךָ יְיָ Ps.89:52
29 אֲשֶׁר חֵרְפוּ עִקְּבוֹת מְשִׁיחֶךָ Ps.89:52

חֵרְפוּנִי 30 וְעַל־הַגְּבָעוֹת חֵרְפוּנִי Is.65:7
31 בְּרֶצַח בְּעַצְמוֹתַי חֵרְפוּנִי צוֹרְרָי Ps.42:11
32 כָּל־הַיּוֹם חֵרְפוּנִי אוֹיְבָי Ps.102:9
מְחָרֵף 33 מִקּוֹל מְחָרֵף וּמְגַדֵּף Ps.44:17
חֵרְפוּךָ 34 וְהָשֵׁב...חֶרְפָּתָם אֲשֶׁר חֵרְפוּךָ Ps.79:12
יְחָרֶף 35 עַד־מָתַי אֱלֹהִים יְחָרֶף צָר Ps.74:10
וַיְחָרֵף 36/7 וַיְחָרֵף אֶת־יִשְׂרָאֵל IISh.21:21 • ICh.20:7
יְחָרְפֵנִי 38 כִּי לֹא־אוֹיֵב יְחָרְפֵנִי וְאֶשָּׂא Ps.55:13
יְחָרְפוּנִי 39 וְהָיָה לָהֶם לְשֵׁם רָע לְמַעַן יְחָרְפוּנִי Neh.6:13

חָרַף פ׳ בלה את החורף
תֶּחֱרָף 1 וְקָץ עָלָיו הָעַיִט וְכָל־בֶּהֱמַת הָאָרֶץ עָלָיו תֶּחֱרָף Is.18:6

(חרף)3 נֶחֱרַף נפ׳ נארס (?)
נֶחֱרֶפֶת 1 וְהִוא שִׁפְחָה נֶחֱרֶפֶת לְאִישׁ Lev.19:20

חֹרֶף ז׳ א) תקופת הקור והגשמים: 1–6
ב) [בהשאלה] ימי הנעורים: 7
קרוב: סְתָו / קֹר
קַיִץ וָחֹרֶף 1, 2, 5; בֵּית הַחֹרֶף 3, 4; יְמֵי חָרְפִּי 7
וָחֹרֶף 1 וְקֹר וָחֹם וְקַיִץ וָחֹרֶף Gen.8:22
2 קַיִץ וָחֹרֶף אַתָּה יְצַרְתָּם Ps.74:17
הַחֹרֶף 3 וְהַמֶּלֶךְ יוֹשֵׁב בֵּית הַחֹרֶף Jer.36:22
4 וְהִכֵּיתִי בֵית־הַחֹרֶף עַל־בֵּית הַקָּיִץ Am.3:15
וּבַחֹרֶף 5 בַּקַּיִץ וּבַחֹרֶף יִהְיֶה Zech.14:8
מֵחֹרֶף 6 מֵחֹרֶף עָצֵל לֹא־יַחֲרֹשׁ Prov.20:4
חָרְפִּי 7 כַּאֲשֶׁר הָיִיתִי בִּימֵי חָרְפִּי Job29:4

חָרֵף שפ״ז – איש מזרע כָּלֵב
חָרֵף 1 חָרֵף אֲבִי בֵית־גָּדֵר ICh.2:51

חֶרְפָּה נ׳ בושה, כלמה: 1–73
קרובים: בּוּז / בּוּזָה / בּוּשָׁה / בִּזָּיוֹן / בֹּשֶׁת / גִּדּוּף / גְּדוּפָה / דְּרָאוֹן / כְּלִמָּה / לַעַג / נְאָצָה / קָלוֹן / קֶלֶס / קַלָּסָה / שִׁמְצָה / שְׁנִינָה
– חֶרְפָּה וָבוּז 18; ח׳ וּכְלִמָּה 14; בֹּשֶׁת וְחֶרְפָּה 25; רָעָה וְחֶרְפָּה 21, 24; קְלָלָה וְחֶרְפָּה 33–35; שַׁמָּה וְחֶרְפָּה 29
– חֶרְפַּת אָדָם 44; ח׳ אַלְמְנוּת 49; ח׳ אֱנוֹשׁ 38; ח׳ בְּנוֹת אֲרָם 41; ח׳ גּוֹיִם 52; ח׳ מוֹאָב 43; ח׳ מִצְרַיִם 37; ח׳ נָבָל 45; ח׳ נְעוּרִים 40; ח׳ עֲבָדָיו 47; ח׳ עוֹלָם 46; ח׳ עַמּוֹ 48, 50, 51; חֶרְפַּת רָעָב 42; רִיב חֶרְפָּתוֹ 54; חֶרְפּוֹת חוֹרְפָיו 73
– אָסַף חֶרְפָּה 65,53; גָּלַל ח׳ 37,18; הָיָה ח׳ 15,10, 16,17,20; הֵסִיר ח׳ 3,48; הֶעֱבִיר ח׳ 57; הֵשִׁיב ח׳ 70,68,63,62; זָכַר ח׳ 59,49,47; לָקַח ח׳ 42; נָשָׂא ח׳ 12,4,40,50,51; מָחָה ח׳ 64; נָתַן ח׳ 46; עָטָה ח׳ 14; עָשָׂה ח׳ 12; שָׂבַע (בְּ)ח׳ 23; שָׂמוּ ח׳ 45,11; שָׁמַע חֶרְפָּה 5,43,69
– הָיָה לַחֲרָפוֹת 71; נָפְלוּ חֲרָפוֹת 73
חֶרְפָּה 1 כִּי־חֶרְפָּה הִוא לָנוּ Gen.34:14
2 וְשַׂמְתִּיהָ חֶרְפָּה עַל־כָּל־יִשְׂרָאֵל ISh.11:2
3 וְהֵסִיר חֶרְפָּה מֵעַל יִשְׂרָאֵל ISh.17:26
4 דַּע שְׂאֵתִי עָלֶיךָ חֶרְפָּה Jer.15:15
5 בֹּשְׁנוּ כִּי־שָׁמַעְנוּ חֶרְפָּה Jer.51:51
6 חֶרְפָּה וּגְדוּפָה מוּסָר וּמְשַׁמָּה Ezek.5:15
7 חֶרְפָּה לַגּוֹיִם וְקַלָּסָה לְכָל־הָאֲרָ׳ Ezek.22:4
8 וְלֹא־אֶתֵּן אֶתְכֶם עוֹד חֶרְפָּה בַּגּוֹיִם Joel2:19
9 הָיוּ מַשְׂאֵת עָלֶיהָ חֶרְפָּה Zep.3:18
10 מִכָּל־צֹרְרַי הָיִיתִי חֶרְפָּה Ps.31:12
11 תְּשִׂימֵנוּ חֶרְפָּה לִשְׁכֵנֵינוּ Ps.44:14

חֶרְפָּה (המשך) 12 כִּי־עָלֶיךָ נָשָׂאתִי חֶרְפָּה Ps.69:8
13 חֶרְפָּה שָׁבְרָה לִבִּי וָאָנוּשָׁה Ps.69:21
14 יֵבֹשׁוּ...יַעֲטוּ חֶרְפָּה וּכְלִמָּה Ps.71:13
15 הָיִינוּ חֶרְפָּה לִשְׁכֵנֵינוּ Ps.79:4
16 הָיָה חֶרְפָּה לִשְׁכֵנָיו Ps.89:42
17 וַאֲנִי הָיִיתִי חֶרְפָּה לָהֶם Ps.109:25
18 גַּל מֵעָלַי חֶרְפָּה וָבוּז Ps.119:22
19 וְעִם־קָלוֹן חֶרְפָּה Prov.18:3
20 וְלֹא־נִהְיֶה עוֹד חֶרְפָּה Neh.2:17
וְחֶרְפָּה 21 לֹא־עָשָׂה לְרֵעֵהוּ רָעָה וְחֶרְפָּה Ps.15:3
בְּחֶרְפָּה 22 בְּחֶרְפָּה הִכּוּ לְחָיָי Job16:10
23 יִתֵּן לְמַכֵּהוּ לֶחִי יִשְׂבַּע בְּחֶרְפָּה Lam.3:30
וּבְחֶרְפָּה 24 בְּרָעָה גְדֹלָה וּבְחֶרְפָּה Neh.1:3
לְחֶרְפָּה 25 כִּי לְבֹשֶׁת וְגַם־לְחֶרְפָּה Is.30:5
26 הִנֵּה דְבַר־יְיָ הָיָה לָהֶם לְחֶרְפָּה Jer.6:10
27 כִּי־הָיָה דְבַר־יְיָ לִי לְחֶרְפָּה Jer.20:8
28 לְחֶרְפָּה וּלְמָשָׁל לִשְׁנִינָה וְלִקְלָלָה Jer.24:9
29 לְשַׁמָּה לְחֶרְפָּה לְחֹרֶב וְלִקְלָלָה Jer.49:13
30 וְאַל־תִּתֵּן נַחֲלָתְךָ לְחֶרְפָּה Joel2:17
31 לְחֶרְפָּה לְכָל־סְבִיבֹתֵינוּ Dan.9:16
וּלְחֶרְפָּה 32 לְאָלָה וּלְשַׁמָּה וְלִשְׁרֵקָה וּלְחֶרְפָּה Jer.29:18
33 לְאָלָה וּלְשַׁמָּה וְלִקְלָלָה וּלְחֶרְפָּה Jer.42:18
34 לִקְלָלָה וּלְחֶרְפָּה בְּכֹל גּוֹיֵי הָאָרֶץ Jer.44:8
35 לְאָלָה לְשַׁמָּה וְלִקְלָלָה וּלְחֶרְפָּה Jer.44:12
36 וְאֶתֶּנְךָ לְחָרְבָּה וּלְחֶרְפָּה בַּגּוֹיִם Ezek.5:14
חֶרְפַּת־ 37 גַּלּוֹתִי אֶת־חֶרְפַּת מִצְרַיִם מֵעֲלֵיכֶם Josh.5:9
38 אַל־תִּירְאוּ חֶרְפַּת אֱנוֹשׁ Is.51:7
39 וְנָתַתִּי עֲלֵיכֶם חֶרְפַּת עוֹלָם Jer.23:40
40 כִּי נָשָׂאתִי חֶרְפַּת נְעוּרָי Jer.31:19(18)
41 כְּמוֹ עֵת חֶרְפַּת בְּנוֹת־אֲרָם Ezek.16:57
42 לֹא תִקְחוּ עוֹד חֶרְפַּת רָעָב בַּגּוֹיִם Ezek.36:30
43 שָׁמַעְתִּי חֶרְפַּת מוֹאָב Zep.2:8
44 וְאָנֹכִי...חֶרְפַּת אָדָם וּבְזוּי עָם Ps.22:7
45 חֶרְפַּת נָבָל אַל־תְּשִׂימֵנִי Ps.39:9
46 חֶרְפַּת עוֹלָם נָתַן לָמוֹ Ps.78:66
47 זְכֹר אֲדֹנָי חֶרְפַּת עֲבָדֶיךָ Ps.89:51
וְחֶרְפַּת־ 48 וְחֶרְפַּת עַמּוֹ יָסִיר מֵעַל כָּל־הָאָרֶץ Is.25:8
49 וְחֶרְפַּת אַלְמְנוּתַיִךְ לֹא תִזְכְּרִי־עוֹד Is.54:4
50 וְחֶרְפַּת עַמִּים לֹא תִשְׂאִי־עוֹד Ezek.36:15
51 וְחֶרְפַּת עַמִּי תִּשָּׂאוּ Mic.6:16
מֵחֶרְפַּת־ 52 ...מֵחֶרְפַּת הַגּוֹיִם אוֹיְבֵינוּ Neh.5:9
חֶרְפָּתִי 53 אָסַף אֱלֹהִים אֶת־חֶרְפָּתִי Gen.30:23
54 רָב אֶת־רִיב חֶרְפָּתִי מִיַּד נָבָל ISh.25:39
55 אָנָה אוֹלִיךְ אֶת־חֶרְפָּתִי IISh.13:13
56 חֶרְפָּתִי וּבָשְׁתִּי וּכְלִמָּתִי Ps.69:20
57 הַעֲבֵר חֶרְפָּתִי אֲשֶׁר יָגֹרְתִּי Ps.119:39
58 וְתוֹכִיחוּ עָלַי חֶרְפָּתִי Job19:5
חֶרְפָּתְךָ 59 זְכֹר חֶרְפָּתְךָ מִנִּי־נָבָל כָּל־הַיּוֹם Ps.74:22
חֶרְפָּתֵךְ 60 תִּגָּל עֶרְוָתֵךְ גַּם תֵּרָאֶה חֶרְפָּתֵךְ Is.47:3
חֶרְפָּתוֹ 61 וְהִשְׁבִּית קָצִין חֶרְפָּתוֹ לוֹ Dan.11:18
62 בִּלְתִּי חֶרְפָּתוֹ יָשִׁיב לוֹ Dan.11:18
וְחֶרְפָּתוֹ 63 וְחֶרְפָּתוֹ יָשִׁיב לוֹ אֲדֹנָיו Hosh.12:15
64 נֶגַע־וְקָלוֹן...וְחֶרְפָּתוֹ לֹא תִמָּחֶה Prov.6:33
חֶרְפָּתֵנוּ 65 יִקָּרֵא שִׁמְךָ עָלֵינוּ אֱסֹף חֶרְפָּתֵנוּ Is.4:1
66 הַבִּיטָה° וּרְאֵה אֶת־חֶרְפָּתֵנוּ Lam.5:1
חֶרְפָּתָם 67 אֶל־בְּנֵי עַמּוֹן וְאֶל־חֶרְפָּתָם Ezek.21:33
68 וְהָשֵׁב...חֶרְפָּתָם אֲשֶׁר חֵרְפוּךָ Ps.79:12
69 שָׁמַעְתָּ חֶרְפָּתָם יְיָ Lam.3:61
70 וְהָשֵׁב חֶרְפָּתָם אֶל־רֹאשָׁם Neh.3:36
לַחֲרָפוֹת 71 וַתְּהִי לַחֲרָפוֹת לִי Ps.69:11
72 וְאֵלֶּה לַחֲרָפוֹת לְדִרְאוֹן עוֹלָם Dan.12:2
וְחֶרְפּוֹת־ 73 וְחֶרְפּוֹת חוֹרְפֶיךָ נָפְלוּ עָלָי Ps.69:10

חרץ : חָרַץ, חָרוּץ, נֶחֱרַץ; חָרוּץ, חָרִיץ, חַרְצָן(?); ארמית: חֲרַץ

חָרַץ פ׳ א) גזר, חדד: 1, 2, 6
ב) [חָרוּץ] גזור, מוחלט: 3, 4
ג) הזדרז: 5
ד) [נפ׳ נֶחֱרַץ] מוחלט: 7–11
– חָרַץ לְשׁוֹנוֹ 2, 5; ח׳ מִשְׁפָּט 1
– כִּלָּיוֹן חָרוּץ 3; כָּלָה וְנֶחֱרָצָה 8–10; מִלְחָמָה נֶחֱרֶצֶת 11
חָרָצְתְּ 1 כֵּן מִשְׁפָּטֶךָ אַתָּה חָרָצְתְּ IK.20:40
חָרַץ 2 לֹא־חָרַץ לִבְנֵי יִשְׂ׳ לְאִישׁ אֶת־לְשֹׁנוֹ Josh.10:21
חָרוּץ 3 כִּלָּיוֹן חָרוּץ שׁוֹטֵף צְדָקָה Is.10:22
חֲרוּצִים 4 אִם־חֲרוּצִים יָמָיו Job14:5
תֶּחֱרָץ 5 וִיהִי כְּשָׁמְעֲךָ°...אָז תֶּחֱרָץ IISh.5:24
יֶחֱרַץ 6 וּלְכֹל בְּנֵי יִשְׂ׳ לֹא יֶחֱרַץ־כֶּלֶב לְשֹׁנוֹ Ex.11:7
נֶחֱרָצָה 7 כִּי נֶחֱרָצָה נֶעֱשָׂתָה Dan.11:36
וְנֶחֱרָצָה 8 כִּי כָלָה וְנֶחֱרָצָה אֲדֹנָי...עֹשֶׂה Is.10:23
9 כִּי־כָלָה וְנֶחֱרָצָה שָׁמַעְתִּי Is.28:22
10 וְעַד־כָּלָה וְנֶחֱרָצָה Dan.9:27
נֶחֱרֶצֶת 11 וְעַד קֵץ מִלְחָמָה נֶחֱרֶצֶת שֹׁמֵמוֹת Dan.9:26

חֲרַץ ז׳ ארמית: מותן, חלצים
חַרְצֵהּ 1 וְקִטְרֵי חַרְצֵהּ מִשְׁתָּרַיִן Dan.5:6

חַרְצֻבָּה נ׳ כבל, שלשלת: 1, 2
חַרְצֻבּוֹת 1 פַּתֵּחַ חַרְצֻבּוֹת רֶשַׁע Is.58:6
2 אֵין חַרְצֻבּוֹת לְמוֹתָם וּבָרִיא אוּלָם Ps.73:4

חַרְצָן* ז׳ גרעין הענב
מֵחַרְצַנִּים 1 מֵחַרְצַנִּים וְעַד־זָג לֹא יֹאכֵל Num.6:4

חרק פ׳ [חָרַק שֵׁן] חכך בשניו מכעס: 1–5
חָרֹק 1 בְּחַנְפֵי לַעֲגֵי...חָרֹק עָלַי שִׁנֵּימוֹ Ps.35:16
חָרַק 2 אַפּוֹ טָרַף וַיִּשְׂטְמֵנִי חָרַק עָלַי בְּשִׁנָּיו Job16:9
וְחֹרֵק 3 זֹמֵם רָשָׁע לַצַּדִּיק וְחֹרֵק עָלָיו שִׁנָּיו Ps.37:12
יַחֲרֹק 4 רָשָׁע יִרְאֶה וְכָעָס שִׁנָּיו יַחֲרֹק וְנָמָס Ps.112:10
וַיַּחַרְקוּ 5 פָּצוּ עָלַיִךְ פִּיהֶם...שָׁרְקוּ וַיַּחַרְקוּ שֵׁן Lam.2:16

חרר : חָרַר, נִחַר; חֲרֵרִים [עיין גם חַרְחֻר]

חָרַר, חַר פ׳ א) בער, נשרף: 1–3
ב) [נפ׳ נִחַר, נָחַר] נשרף, נתיבש: 4–9
נִחַר גְּרוֹנִי 6; נָחַר מַפּוּחַ 4; נִחֲרוּ עַצְמוֹת 7, 9;
חָרָה 1 עוֹרִי שָׁחַר...וְעַצְמִי־חָרָה מִנִּי־חֹרֶב Job30:30
וְחָרָה 2 לְמַעַן תֵּחַם וְחָרָה נְחֻשְׁתָּהּ Ezek.24:11
חָרוּ 3 עַל־כֵּן חָרוּ יֹשְׁבֵי אֶרֶץ Is.24:6
נָחַר 4 נָחַר מַפֻּחַ מֵאֵשׁ תַּם° עֹפָרֶת Jer.6:29
נָחָר 5 אָכְלָה הָאֵשׁ וְתוֹכוֹ נָחָר Ezek.15:4
נִחַר 6 יָגַעְתִּי בְקָרְאִי נִחַר גְּרוֹנִי Ps.69:4
נִחָרוּ 7 וְעַצְמוֹתַי כְּמוֹקֵד נִחָרוּ Ps.102:4
וַיֵּחָר 8 אַף כִּי־אֵשׁ אֲכָלַתְהוּ וַיֵּחָר Ezek.15:5
יֵחָרוּ 9 הַדְלֵק הָאֵשׁ...וְהָעֲצָמוֹת יֵחָרוּ Ezek.24:10

חֲרֵרִים ז״ר אדמת מדבר יבשה
חֲרֵרִים 1 וְשָׁכַן חֲרֵרִים בַּמִּדְבָּר Jer.17:6

חרש : א) חָרַשׁ, חָרוּשׁ, נֶחֱרַשׁ; חָרִישׁ, מַחֲרֵשָׁה, מַחֲרֶשֶׁת; חוֹרֵשׁ, חָרָשׁ, חֲרֹשֶׁת; חֹרֶשׁ
ש״פ חֶרֶשׁ, חַרְשָׁא
ב) חָרַשׁ, הֶחֱרִישׁ; חֵרֵשׁ, חֶרֶשׁ; חֲרִישִׁי

חָרַשׁ1 פ׳ א) עבד אדמתו במחרשה [גם בהשאלה]: 1–4, 7, 8, 11, 12, 16, 17, 19, 21–24
ב) חרת, עִבֵּד: 5, 6, 18
ג) [בהשאלה] חשב, זמם: 9, 10, 13–15, 20
ד) [נפ׳ נֶחֱרַשׁ] עֻבַּד במחרשה: 25, 26
ה) [הפ׳ הֶחֱרִישׁ] העלה, חשב: 27

חָרַשׁ אָוֶן 16; חָרַשׁ חָרִישׁ 1; חָרַשׁ טוֹב 15; חָרַשׁ רַע 9,13,14; חָ׳ רֶשַׁע 3; חוֹרֵשׁ נְחֹשֶׁת 5, 6

וְלַחֲרֹשׁ 1 וְלַחֲרֹשׁ חֲרִישׁוֹ וְלִקְצֹר קְצִירוֹ ISh.8:12
חֲרַשְׁתֶּם 2 לוּלֵא חֲרַשְׁתֶּם בְּעֶגְלָתִי... Jud.14:18
3 חֲרַשְׁתֶּם־רֶשַׁע עַוְלָתָה קְצַרְתֶּם Hosh.10:13
חָרְשׁוּ 4 עַל־גַּבִּי חָרְשׁוּ חֹרְשִׁים Ps.129:3
חוֹרֵשׁ 5 לֹטֵשׁ כָּל־חֹרֵשׁ נְחֹשֶׁת וּבַרְזֶל Gen.4:22
6 וְאָבִיו אִישׁ־צֹרִי חֹרֵשׁ נְחֹשֶׁת IK.7:14
7 וְהוּא חֹרֵשׁ שְׁנֵים־עָשָׂר צְמָדִים IK.19:19
8 וְנִגַּשׁ חוֹרֵשׁ בַּקֹּצֵר... Am.9:13
9 תַּהְפֻּכוֹת בְּלִבּוֹ חֹרֵשׁ רָע Prov.6:14
10 לֵב חֹרֵשׁ מַחְשְׁבוֹת אָוֶן Prov.6:18
הַחוֹרֵשׁ 11 הֲכֹל הַיּוֹם יַחֲרֹשׁ הַחֹרֵשׁ לִזְרֹעַ Is.28:24
חוֹרְשִׁים 12 עַל־גַּבִּי חָרְשׁוּ חֹרְשִׁים Ps.129:3
חוֹרְשֵׁי־ 13 מִרְמָה בְּלֶב־חֹרְשֵׁי רָע Prov.12:20
14 הֲלוֹא־יִתְעוּ חֹרְשֵׁי רָע Prov.14:22
15 וְחֶסֶד וֶאֱמֶת חֹרְשֵׁי טוֹב Prov.14:22
16 חֹרְשֵׁי אָוֶן וְזֹרְעֵי עָמָל Job 4:8
חוֹרְשׁוֹת 17 הַבָּקָר הָיוּ חֹרְשׁוֹת Job 1:14
חֲרוּשָׁה 18 חֲרוּשָׁה עַל־לוּחַ לִבָּם Jer.17:1
תַּחֲרֹשׁ 19 לֹא־תַחֲרֹשׁ בְּשׁוֹר־וּבַחֲמֹר יַחְדָּו Deut.22:10
20 אַל־תַּחֲרֹשׁ עַל־רֵעֲךָ רָעָה Prov.3:29
יַחֲרֹשׁ 21 הֲכֹל הַיּוֹם יַחֲרֹשׁ הַחֹרֵשׁ לִזְרֹעַ Is.28:24
22 יַחֲרוֹשׁ יְהוּדָה יְשַׂדֶּד־לוֹ יַעֲקֹב Hosh.10:11
23 אִם־יַחֲרוֹשׁ בַּבְּקָרִים Am.6:12
24 מֵחֹרֶף עָצֵל לֹא־יַחֲרֹשׁ Prov.20:4
תֵּחָרֵשׁ 25/6 צִיּוֹן שָׂדֶה תֵחָרֵשׁ Jer.26:18 • Mic.3:12
מַחֲרִישׁ 27 כִּי עָלָיו שָׁאוּל מַחֲרִישׁ הָרָעָה ISh.23:9

חָרַשׁ2 פ׳ א) שתק: 1–6
ב) נעשה חרש: 7
ג) [הפ׳ הֶחֱרִישׁ] שתק: 8–46
ד) [התפ׳ הִתְחָרֵשׁ] התלחש: 47

חָרְשׁוּ אָזְנָיו 7; חָרַשׁ מִן־ 1,30; הֶחֱרִישׁ לְ־ 8,14, 16–18, 32; הֶחֱרִישׁ אֶל־ 45; הֶחֱרִישׁ מִן־ 39, 46; אֱוִיל מַחֲרִישׁ 21

תֶּחֱרַשׁ 1 אַל־תֶּחֱרַשׁ מִמֶּנִּי פֶּן־תֶּחֱשֶׁה מִמֶּנִּי Ps.28:1
2 רָאִיתָה יְיָ אַל־תֶּחֱרַשׁ Ps.35:22
3 אֶל־דִּמְעָתִי אַל־תֶּחֱרַשׁ Ps.39:13
4 אַל־תֶּחֱרַשׁ וְאַל־תִּשְׁקֹט אֵל Ps.83:2
5 אֱלֹהֵי תְהִלָּתִי אַל־תֶּחֱרַשׁ Ps.109:1
יֶחֱרַשׁ 6 יָבֹא אֱלֹהֵינוּ וְאַל־יֶחֱרַשׁ Ps.50:3
תֶּחֱרַשְׁנָה 7 יָשִׂימוּ יָד עַל־פֶּה אָזְנֵיהֶם תֶּחֱרַשְׁנָה Mic.7:16
הַחֲרֵשׁ 8 וְאִם־הַחֲרֵשׁ יַחֲרִישׁ לָהּ Num.30:15
9 מִי־יִתֵּן הַחֲרֵשׁ תַּחֲרִישׁוּן Job 13:5
10 אִם־הַחֲרֵשׁ תַּחֲרִישִׁי בָּעֵת הַזֹּאת Es.4:14
הֶחֱרַשְׁתִּי 11 כִּי־הֶחֱרַשְׁתִּי בָּלוּ עֲצָמָי Ps.32:3
12 וְאִלּוּ לַעֲבָדִים...נִמְכַּרְנוּ הֶחֱרַשְׁתִּי Es.7:4
וְהֶחֱרַשְׁתִּי 13 אֵלֶּה עָשִׂיתָ וְהֶחֱרַשְׁתִּי Ps.50:21
הֶחֱרִישׁ 14 כִּי־הֶחֱרִשׁ לָהּ בְּיוֹם שָׁמְעוֹ Num.30:15
וְהֶחֱרִישׁ 15 וְהֶחֱרִשׁ יַעֲקֹב עַד־בֹּאָם Gen.34:5
16 וְהֶחֱרִישׁ לָהּ אָבִיהָ Num.30:5
17 וְשָׁמַע אִישָׁהּ...וְהֶחֱרִישׁ לָהּ Num.30:8
18 וְשָׁמַע אִישָׁהּ וְהֶחֱרִשׁ לָהּ Num.30:12
וְהֶחֱרִישׁוּ 19 וְהֶחֱרִישׁוּ הָעָם וְלֹא־עָנוּ אֹתוֹ דָּבָר IIK.18:36
מַחֲרִישׁ 20 מִשְׁתָּאֵה לָהּ מַחֲרִישׁ לָדַעַת Gen.24:21
21 גַּם אֱוִיל מַחֲרִישׁ חָכָם יֵחָשֵׁב Prov.17:28
כְּמַחֲרִישׁ 22 וַיִּבְזֻהוּ...וַיְהִי כְּמַחֲרִישׁ ISh.10:27
מַחֲרִשִׁים 23 לָמָּה אַתֶּם מַחֲרִשִׁים לְהָשִׁיב IISh.19:11
אַחֲרִישׁ 24 הֶחֱשֵׁיתִי מֵעוֹלָם אַחֲרִישׁ אֶתְאַפָּק Is.42:14
25 הֹמֶה־לִּי לִבִּי לֹא אַחֲרִישׁ Jer.4:19
26 הוֹרוּנִי וַאֲנִי אַחֲרִישׁ Job 6:24
27 כִּי־עַתָּה אַחֲרִישׁ וְאֶגְוָע Job 13:19
28 לוֹ־אַחֲרִישׁ בַּדָּיו Job 41:4
תַּחֲרִישׁ 29 תַּחֲרִישׁ בְּבַלַּע רָשָׁע צַדִּיק מִמֶּנּוּ Hab.1:13
תַּחֲרֵשׁ 30 אַל־תַּחֲרֵשׁ מִמֶּנּוּ מִזְּעֹק אֶל־יְיָ ISh.7:8
תַּחֲרִישִׁי 31 אִם־הַחֲרֵשׁ תַּחֲרִישִׁי בָּעֵת הַזֹּאת Es.4:14
יַחֲרִישׁ 32 וְאִם־הַחֲרֵשׁ יַחֲרִישׁ לָהּ Num.30:15
33 יַחֲרִישׁ בְּאַהֲבָתוֹ Zep.3:17
34 וְאִישׁ תְּבוּנוֹת יַחֲרִישׁ Prov.11:12
תַּחֲרִשׁוּן 35 יְיָ יִלָּחֵם לָכֶם וְאַתֶּם תַּחֲרִשׁוּן Ex.14:14
36 מִי־יִתֵּן הַחֲרֵשׁ תַּחֲרִישׁוּן Job 13:5
יַחֲרִישׁוּ 37 בַּדֶּיךָ מְתִים יַחֲרִישׁוּ Job 11:3
וַיַּחֲרִישׁוּ 38 וַיַּחֲרִישׁוּ וְלֹא־עָנוּ אֹתוֹ דָּבָר Is.36:21
39 וַיַּגִּד לָהֶם...וַיַּחֲרִשׁוּ מִמֶּנּוּ Jer.38:27
40 וַיַּחֲרִישׁוּ וְלֹא מָצְאוּ דָּבָר Neh.5:8
הַחֲרֵשׁ 41 הַחֲרֵשׁ שִׂים־יָדְךָ עַל־פִּיךָ Jud.18:19
42 הַחֲרֵשׁ וְאָנֹכִי אֲדַבֵּר Job 33:31
43 שְׁמַע־לִי הַחֲרֵשׁ וַאֲאַלֶּפְךָ חָכְמָה Job 33:33
הַחֲרִישִׁי 44 הַחֲרִישִׁי אָחִיךְ הוּא IISh.13:20
הַחֲרִישׁוּ 45 הַחֲרִישׁוּ אֵלַי אִיִּים Is.41:1
46 הַחֲרִישׁוּ מִמֶּנִּי וַאֲדַבְּרָה־אָנִי Job 13:13
וַיִּתְחָרְשׁוּ 47 וַיִּתְחָרְשׁוּ כָל־הַלַּיְלָה Jud.16:2

חֶרֶשׁ1 ז׳ סֵתֶר, סוד: 1, 2 • חֲכַם חֲרָשִׁים 2

חֶרֶשׁ 1 וַיִּשְׁלַח יְהוֹשֻׁעַ...מְרַגְּלִים חֶרֶשׁ Josh.2:1
חֲרָשִׁים 2 וַחֲכַם חֲרָשִׁים וּנְבוֹן לָחַשׁ Is.3:3

חֶרֶשׁ2 שפ״ז – לוי שישב בירושלים בימי נחמיה

חֶרֶשׁ 1 וּבַקְבַּקַּר חֶרֶשׁ וְגָלָל ICh.9:15

חֹרֶשׁ ז׳ יַעַר: 1–7 • קרובים: גַּן / יַעַר / כֶּרֶם / פַּרְדֵּס

חֹרֶשׁ מֵצַל 1; עֲזוּבַת הַחֹרֶשׁ 2

וְחֹרֶשׁ 1 יְפֵה עָנָף וְחֹרֶשׁ מֵצַל Ezek.31:3
הַחֹרֶשׁ 2 כַּעֲזוּבַת הַחֹרֶשׁ וְהָאָמִיר Is.17:9
חֹרְשָׁה 3 וַיָּקָם...וַיֵּלֶךְ אֶל־דָּוִד חֹרְשָׁה ISh.23:16
בַּחֹרְשָׁה 4 וְדָוִד בְּמִדְבַּר־זִיף בַּחֹרְשָׁה ISh.23:15
5 וַיֵּשֶׁב דָּוִד בַּחֹרְשָׁה ISh.23:18
6 מִסְתַּתֵּר עִמָּנוּ בִמְצָדוֹת בַּחֹרְשָׁה ISh.23:19
וּבֶחֳרָשִׁים 7 וּבֶחֳרָשִׁים בָּנָה בִּירָנִיּוֹת וּמִגְדָּלִים IICh.27:4

חָרָשׁ ז׳ אֻמָּן: 1–37 [חָרָשִׁים = חֲרָשִׁים, מס׳ 36/7]

חָרָשׁ וּמַסְגֵּר 12–15; חָרָשׁ חָכָם 5; מְלֶאכֶת חָרָשׁ 1; מַעֲשֵׂה (יְדֵי) חָרָשׁ 8, 9, 16, 19; חָרָשׁ אֶבֶן 30,33; חָ׳ בַּרְזֶל 17,35; חָ׳ נְחֹשֶׁת 35; חָ׳ עֵץ 18, 29, 33, 34; חָ׳ קִיר 31; גֵּיא חֲרָשִׁים 36; יַד חָרָשִׁים 21; חָרָשֵׁי צִירִים 27

חָרָשׁ 1 כָּל־מְלֶאכֶת חָרָשׁ וְחֹשֵׁב וְרֹקֵם Ex.35:35
2 חָרָשׁ וְחֹשֵׁב וְרֹקֵם בַּתְּכֵלֶת Ex.38:23
3 פֶּסֶל וּמַסֵּכָה...מַעֲשֵׂה יְדֵי חָרָשׁ Deut.27:15
4 הַפֶּסֶל נָסַךְ חָרָשׁ Is.40:19
5 חָרָשׁ חָכָם יְבַקֶּשׁ־לוֹ... Is.40:20
6 וַיְחַזֵּק חָרָשׁ אֶת־צֹרֵף Is.41:7
7 חָרָשׁ נֹפֵחַ בְּאֵשׁ פֶּחָם Is.54:16
8 מַעֲשֵׂה יְדֵי־חָרָשׁ בַּמַּעֲצָד Jer.10:3
9 מַעֲשֵׂה חָרָשׁ וִידֵי צוֹרֵף Jer.10:9
10 כִּי מִיִּשְׂרָאֵל וְהוּא חָרָשׁ עָשָׂהוּ Hosh.8:6
וְחָרָשׁ 11 וְחָרָשׁ לֹא יִמָּצֵא בְּכֹל אֶרֶץ יִשְׂרָאֵל ISh.13:19
הֶחָרָשׁ 12 וְהִגְלָה...וְכָל־הֶחָרָשׁ וְהַמַּסְגֵּר IIK.24:14
13 הַגְּלוֹת...וְאֶת־הֶחָרָשׁ וְאֶת־הַמַּסְגֵּר Jer.24:1
וְהֶחָרָשׁ 14 כָּל־אַנְשֵׁי הַחַיִל...וְהֶחָרָשׁ וְהַמַּסְגֵּר IIK.24:16
15 אַחֲרֵי צֵאת...וְהֶחָרָשׁ וְהַמַּסְגֵּר Jer.29:2
חָרַשׁ־ 16 מַעֲשֵׂה חָרַשׁ אֶבֶן פִּתּוּחֵי חֹתָם Ex.28:11
17 חָרַשׁ בַּרְזֶל מַעֲצָד Is.44:12
18 חָרַשׁ עֵצִים נָטָה קָו Is.44:13
חָרָשִׁים 19 עֲצַבִּים מַעֲשֵׂה חָרָשִׁים כֻּלֹּה Hosh.13:2
20 וַיַּרְאֵנִי יְיָ אַרְבָּעָה חָרָשִׁים Zech.2:3
21 וּלְכָל־מְלָאכָה בְּיַד חָרָשִׁים ICh.29:5
וְחָרָשִׁים 22 וְחָרָשִׁים הֵמָּה מֵאָדָם Is.44:11
23 וַיִּהְיוּ שֹׂכְרִים חֹצְבִים וְחָרָשִׁים IICh.24:12
לֶחָרָשִׁים 24 לֶחָרָשִׁים וְלַבֹּנִים וְלַגֹּדְרִים IIK.22:6
25 וַיִּתְּנוּ לֶחָרָשִׁים וְלַבֹּנִים IICh.34:11
וְלֶחָרָשִׁים 26 וַיִּתְּנוּ־כֶסֶף לַחֹצְבִים וְלֶחָרָשִׁים Ez.3:7
חָרָשֵׁי־ 27 הָלְכוּ בַכְּלִמָּה חָרָשֵׁי צִירִים Is.45:16
28 אֲנָשִׁים בֹּעֲרִים חָרָשֵׁי מַשְׁחִית Ezek.21:36
וְחָרָשֵׁי־ 29–30 וְחָרָשֵׁי עֵץ וְחָרָשֵׁי אֶבֶן IISh.5:11
31–32 וְחָרָשֵׁי קִיר וְחָרָשֵׁי עֵצִים ICh.14:1
33 חֹצְבִים וְחָרָשֵׁי אֶבֶן וָעֵץ ICh.22:15(14)
לְחָרָשֵׁי־ 34 וַיּוֹצִיאֻהוּ לְחָרָשֵׁי הָעֵץ וְלַבֹּנִים IIK.12:12
35 וְגַם לְחָרָשֵׁי בַרְזֶל וּנְחֹשֶׁת IICh.24:12
חֲרָשִׁים(?) 36/7 אֲבִי גֵיא חֲרָשִׁים כִּי חֲרָשִׁים הָיוּ ICh.4:14

חֵרֵשׁ ז׳ מי שאינו שומע: 1–9

חֵרֵשׁ 1 אוֹ מִי־יָשׂוּם אִלֵּם אוֹ חֵרֵשׁ Ex.4:11
2 לֹא־תְקַלֵּל חֵרֵשׁ Lev.19:14
3 כְּמוֹ־פֶתֶן חֵרֵשׁ יַאְטֵם אָזְנוֹ Ps.58:5
וְחֵרֵשׁ 4 מִי...וְחֵרֵשׁ כְּמַלְאָכִי אֶשְׁלָח Is.42:19
כְּחֵרֵשׁ 5 וַאֲנִי כְחֵרֵשׁ לֹא אֶשְׁמָע Ps.38:14
חֵרְשִׁים 6 וְאָזְנֵי חֵרְשִׁים תִּפָּתַחְנָה Is.35:5
וְחֵרְשִׁים 7 וְחֵרְשִׁים וְאָזְנַיִם לָמוֹ Is.43:8
הַחֵרְשִׁים 8 וְשָׁמְעוּ...הַחֵרְשִׁים דִּבְרֵי־סֵפֶר Is.29:18
9 הַחֵרְשִׁים שְׁמָעוּ... Is.42:18

חֶרֶשׂ ז׳ חומר שיובש באש לעשות כלים: 1–17

חֲדוּדֵי חֶרֶשׂ 14; יוֹצֵר חֶ׳ 11; כְּלִי חֶ׳ 1–5,10,12; נִבְלֵי חֶ׳ 9; חַרְשֵׂי אֲדָמָה 7, 16; יָבֵשׁ כַּחֶרֶשׂ 15

חֶרֶשׂ 1 וּכְלִי־חֶרֶשׂ אֲשֶׁר תְּבֻשַּׁל־בּוֹ יִשָּׁבֵר Lev.6:21
2 וְכָל־כְּלִי־חֶרֶשׂ אֲשֶׁר־יִפֹּל מֵהֶם Lev.11:33
3–4 וְשָׁחַט...אֶל־כְּלִי־חֶרֶשׂ Lev.14:5,50
5 וּכְלִי־חֶרֶשׂ אֲשֶׁר־יִגַּע־בּוֹ הַזָּב Lev.15:12
6 וְלֹא־יִמָּצֵא בִמְכִתָּתוֹ חֶרֶשׂ Is.30:14
7 חֶרֶשׂ אֶת־חַרְשֵׂי אֲדָמָה Is.45:9
8 וַיִּקַּח־לוֹ חֶרֶשׂ לְהִתְגָּרֵד בּוֹ Job 2:8
9 אֵיכָה נֶחְשְׁבוּ לְנִבְלֵי־חֶרֶשׂ Lam.4:2
חָרֶשׂ 10 מַיִם קְדֹשִׁים בִּכְלִי־חָרֶשׂ Num.5:17
11 וְקָנִיתָ בַקְבֻּק יוֹצֵר חָרֶשׂ Jer.19:1
12 וּנְתַתָּם בִּכְלִי־חָרֶשׂ Jer.32:14
13 כֶּסֶף סִיגִים מְצֻפֶּה עַל־חָרֶשׂ Prov.26:23
14 תַּחְתָּיו חַדּוּדֵי חָרֶשׂ Job 41:22
כַּחֶרֶשׂ 15 יָבֵשׁ כַּחֶרֶשׂ כֹּחִי Ps.22:16
חַרְשֵׂי־ 16 חֶרֶשׂ אֶת־חַרְשֵׂי אֲדָמָה Is.45:9
חֲרָשֶׂיהָ 17 וְאֶת־חֲרָשֶׂיהָ תְּגָרֵמִי Ezek.23:34

חַרְשָׁא שפ״ז – אבי משפחת נתינים שעלתה עם זרובבל: 1, 2

חַרְשָׁא 1–2 בְּנֵי מְחִידָא בְּנֵי חַרְשָׁא Ez.2:52 • Neh.7:54

חֹרְשָׁה מקום בהרי יהודה (?) – עין חֹרֶשׁ (3–6)

חֲרֹשֶׁת נ׳ מלאכת החרש, אומנות: 1, 2

וּבַחֲרֹשֶׁת־ 1/2 וּבַחֲרֹשֶׁת אֶבֶן...וּבַחֲרֹשֶׁת עֵץ Ex.31:5; 35:33

חֲרֹשֶׁת הַגּוֹיִם
מקום בצפון ארץ ישראל בסביבות הקישון: 1–3

חֲרֹשֶׁת הַגּ׳ 1 וּבָרָק רָדַף...עַד חֲרֹשֶׁת הַגּוֹיִם Jud.4:16
בַּחֲרֹשֶׁת הַגּ׳ 2 וְהוּא יוֹשֵׁב בַּחֲרֹשֶׁת הַגּוֹיִם Jud.4:2
מֵחֲרֹשֶׁת הַגּ׳ 3 וַיַּזְעֵק...מֵחֲרֹשֶׁת הַגּוֹיִם Jud.4:13

חָרֶת
פ׳ עין חָרוּת

חֶרֶת*
יער בארץ יהודה

חֶרֶת 1 וַיֵּלֶךְ דָּוִד וַיָּבֹא יַעַר חָרֶת ISh.22:5

חשב
: חָשַׁב, נֶחְשַׁב, חִשֵּׁב, הִתְחַשֵּׁב; חֹשֵׁב, חֶשְׁבּוֹן, מַחֲשָׁבָה, מַחֲשֶׁבֶת; אר׳ חֲשִׁיב; ש״פ חֲשׁוּב, חֲשׁוּבָה, חֶשְׁבּוֹן, חֲשַׁבְיָה, חֲשַׁבְיָהוּ, חֲשַׁבְנָה, חֲשַׁבְנְיָה

חָשַׁב
פ׳ א) הרהר, הגה: 5–8, 11–18, 22–24, 26–29, 46, 50–52, 56–58, 68–72, 74, 75, 77
ב) התכון, היה סבור: 9, 19, 38–42, 47–49
ג) העריך: 10, 20, 21, 54, 55, 59–67, 73, 76
ד) העלה תכניות של אומן: 1–4, 25, 30–37, 43–45, 53
ה) [נפ׳ נֶחְשַׁב] הערך: 78, 81–95, 97–106
ו) [כנ״ל] הובא בחשבון: 79, 80, 96
ז) [פ׳ חִשֵּׁב] העריך: 107, 108
ח) [כנ״ל] סכם: 109–113
ט) [כנ״ל] חָשַׁב, התכון: 114–122
י) [הת׳ הִתְחַשֵּׁב] נמנה עם־: 123

קרובים: הָגָה / הָרָה / זָמַם / חָרַשׁ

– חָשַׁב אָוֶן 51; חָ׳ מְזִמָּה 26; חָ׳ מַחֲשָׁבָה (מַחֲשֶׁבֶת, מַחֲשָׁבוֹת) 1,3,4,8,11,12,14–15,17,18,23,46,53,69,75; חָשַׁב (ל)עָוֹן 57,61; חָ׳ רָעָה 22, 27, 52, 74; חָשַׁב תַּהְפֻּכוֹת 2; מַעֲשֵׂה חוֹשֵׁב 30–37

– חִשֵּׁב ל־ 111–113; חִ׳ עִם־ 110; חִ׳ דְּרָכוֹ 108,118; חִשֵּׁב מַחְשְׁבֹתָיו 119; חִשֵּׁב רַע 122; חִשְּׁבָה לְהִשָּׁבֵר 114

לַחְשֹׁב 1 לַחְשֹׁב מַחֲשָׁבֹת לַעֲשׂוֹת בַּזָּהָב Ex.31:4
2 עֹצֶה עֵינָיו לַחְשֹׁב תַּהְפֻּכוֹת Prov.16:30
וְלַחְשֹׁב 3 וְלַחְשֹׁב מַחֲשָׁבֹת לַעֲשֹׂת בַּזָּהָב Ex.35:32
4 וּלְפַתֵּחַ...וְלַחְשֹׁב כָּל־מַחֲשָׁבֶת IICh.2:13
חָשַׁבְתִּי 5 ...הָרָעָה אֲשֶׁר חָשַׁבְתִּי לַעֲשׂוֹת לוֹ Jer.18:8
חָשַׁבְתָּ 6 הֲזֹאת חָשַׁבְתָּ לְמִשְׁפָּט Job35:2
חָשַׁבְתָּה 7 וְלָמָּה חָשַׁבְתָּה כָּזֹאת עַל־עַם אֱלֹהִים IISh.14:13
וְחָשַׁבְתָּ 8 וְחָשַׁבְתָּ מַחֲשֶׁבֶת רָעָה Ezek.38:10
חָשַׁב 9 וְשָׁאוּל חָשַׁב לְהַפִּיל אֶת־דָּוִד... ISh.18:25
10 מָאַס עָרִים לֹא חָשַׁב אֱנוֹשׁ Is.33:8
11/2 וּמַחְשְׁבוֹתָיו אֲשֶׁר חָשַׁב אֶל Jer.49:20; 50:45
13 חָשַׁב יְיָ לְהַשְׁחִית... Lam.2:8
14/5 מַחֲשַׁבְתּוֹ...אֲשֶׁר חָשַׁב עַל־הַיְּהֻ׳ Es.8:3; 9:26
16 חָשַׁב עַל־הַיְּהוּדִים לְאַבְּדָם Es.9:24
וְחָשַׁב 17 וְחָשַׁב מַחֲשָׁבוֹת לְבִלְתִּי יִדַּח IISh.14:14
18 וְחָשַׁב עֲלֵיכֶם° מַחֲשָׁבָה Jer.49:30
חֲשָׁבָהּ 19 אֱלֹהִים חֲשָׁבָהּ לְטֹבָה Gen.50:20
חֲשַׁבְנֻהוּ 20 נִבְזֶה וְלֹא חֲשַׁבְנֻהוּ Is.53:3
21 וַאֲנַחְנוּ חֲשַׁבְנֻהוּ נָגוּעַ Is.53:4
חֲשַׁבְתֶּם 22 וְאַתֶּם חֲשַׁבְתֶּם עָלַי רָעָה... Gen.50:20
חָשְׁבוּ 23 כִּי־עָלַי חָשְׁבוּ מַחֲשָׁבוֹת Jer.11:19
24 בְּחֶשְׁבּוֹן חָשְׁבוּ עָלֶיהָ רָעָה Jer.48:2
25 כְּדָוִיד חָשְׁבוּ לָהֶם כְּלֵי־שִׁיר Am.6:5
26 כִּי־נָטוּ עָלֶיךָ רָעָה חָשְׁבוּ מְזִמָּה Ps.21:12
27 אֲשֶׁר חָשְׁבוּ רָעוֹת בְּלֵב Ps.140:3
28 אֲשֶׁר חָשְׁבוּ לִדְחוֹת פְּעָמָי Ps.140:5
חָשָׁבוּ 29 יִתָּפְשׂוּ בִּמְזִמּוֹת זוּ חָשָׁבוּ Ps.10:2
חוֹשֵׁב 30/1 כְּרֻבִים מַעֲשֵׂה חֹשֵׁב Ex.26:1; 36:8
32 מַעֲשֵׂה חֹשֵׁב יַעֲשֶׂה אֹתָהּ כְּרֻבִים Ex.26:31
חוֹשֵׁב (המשך) 33/4 ...מַעֲשֵׂה חֹשֵׁב Ex.28:6; 39:3
35/6 מַעֲשֵׂה חֹשֵׁב כְּמַעֲשֵׂה אֵפֹד Ex.28:15; 39:8
37 מַעֲשֵׂה חֹשֵׁב עָשָׂה אֹתָם כְּרֻבִים Ex.36:35
38/9 אָנֹכִי חֹשֵׁב לַעֲשׂוֹת לָהֶם Jer.26:3; 36:3
40 ...אֲשֶׁר אָנֹכִי חֹשֵׁב עֲלֵיכֶם Jer.29:11
41 הִנְנִי חֹשֵׁב עַל־הַמִּשְׁפָּחָה...רָעָה Mic.2:3
42 מִמֵּךְ יָצָא חֹשֵׁב עַל־יְיָ רָעָה Nah.1:11
43 וַיַּעַשׂ...חִשְּׁבֹנוֹת מַחֲשֶׁבֶת חוֹשֵׁב IICh.26:15
וְחוֹשֵׁב 44 כָּל־מְלֶאכֶת חָרָשׁ וְחֹשֵׁב וְרֹקֵם... Ex.35:35
45 חָרָשׁ וְחֹשֵׁב וְרֹקֵם בַּתְּכֵלֶת Ex.38:23
46 וְחֹשֵׁב עֲלֵיכֶם מַחֲשָׁבָה Jer.18:11
חוֹשְׁבִים 47 וְהֵמָּה חֹשְׁבִים לַעֲשׂוֹת לִי רָעָה Neh.6:2
48 אַתָּה וְהַיְּהוּדִים חֹשְׁבִים לִמְרוֹד Neh.6:6
הַחוֹשְׁבִים 49 הַחֹשְׁבִים לְהַשְׁכִּיחַ אֶת־עַמִּי שְׁמִי Jer.23:27
50 הַחֹשְׁבִים אָוֶן וְהַיֹּעֲצִים עֲצַת־רָע Ezek.11:2
חוֹשְׁבֵי־ 51 הוֹי חֹשְׁבֵי־אָוֶן וּפֹעֲלֵי רָע... Mic.2:1
52 יִסֹּגוּ אָחוֹר וְיַחְפְּרוּ חֹשְׁבֵי רָעָתִי Ps.35:4
וְחוֹשְׁבֵי־ 53 עֹשֵׂי כָּל־מְלָאכָה וְחֹשְׁבֵי מַחֲשָׁבֹת Ex.35:35
וּלְחוֹשְׁבֵי־ 54 לְיִרְאֵי יְיָ וּלְחֹשְׁבֵי שְׁמוֹ Mal.3:16
וְתַחְשְׁבֵנִי 55 וְתַחְשְׁבֵנִי לְאוֹיֵב לָךְ Job 13:24
יַחְשֹׁב 56 וּלְבָבוֹ לֹא־כֵן יַחְשֹׁב Is.10:7
57 לֹא יַחְשֹׁב יְיָ לוֹ עָוֹן Ps.32:2
58 אָוֶן יַחְשֹׁב עַל־מִשְׁכָּבוֹ Ps.36:5
59 יַחְשֹׁב לְתֶבֶן בַּרְזֶל Job41:19
60 יַחְשֹׁב תְּהוֹם לְשֵׂיבָה Job41:24
יַחֲשָׁב 61 אַל־יַחֲשָׁב־לִי אֲדֹנִי עָוֹן IISh.19:20
62 וַאֲנִי עָנִי וְאֶבְיוֹן אֲדֹנָי יַחֲשָׁב־לִי Ps.40:18
יַחְשְׁבֵנִי 63 יַחְשְׁבֵנִי לְאוֹיֵב לוֹ Job33:10
וַיַּחְשְׁבֵנִי 64 וַיַּחְשְׁבֵנִי לוֹ כְצָרָיו Job19:11
וַיַּחְשְׁבֶהָ 65 וְהֶאֱמִן בַּיְיָ וַיַּחְשְׁבֶהָ לּוֹ צְדָקָה Gen.15:6
66 וַיִּרְאֶהָ יְהוּדָה וַיַּחְשְׁבֶהָ לְזוֹנָה Gen.38:15
67 וַיַּחְשְׁבֶהָ עֵלִי לְשִׁכֹּרָה ISh.1:13
תַּחְשֹׁב 68 הַוּוֹת תַּחְשֹׁב לְשׁוֹנֶךָ Ps.52:4
וְנַחְשְׁבָה 69 לְכוּ וְנַחְשְׁבָה עַל־יִרְמְ׳ מַחֲשָׁבוֹת Jer.18:18
תַּחְשְׁבוּ 70 וְרָעַת אִישׁ...אַל־תַּחְשְׁבוּ בִּלְבַבְכֶם Zech.7:10
71 רָעַת רֵעֵהוּ אַל תַּחְשְׁבוּ בִּלְבַבְכֶם Zech.8:17
תַּחְשֹׁבוּ 72 הַלְהוֹכַח מִלִּים תַּחְשֹׁבוּ Job6:26
תַּחְשְׁבֻנִי 73 לְזָר תַּחְשְׁבֻנִי נָכְרִי הָיִיתִי בְעֵינֵיהֶם Job 19:15
יַחְשְׁבוּ 74 עָלַי יַחְשְׁבוּ רָעָה לִי Ps.41:8
75 כִּי־יַחְשְׁבוּ עָלָיו מַחֲשָׁבוֹת Dan.11:25
יַחְשֹׁבוּ 76 אֲשֶׁר־כֶּסֶף לֹא יַחְשֹׁבוּ Is.13:17
יַחֲשֹׁבוּן 77 דִּבְרֵי מִרְמוֹת יַחֲשֹׁבוּן Ps.35:20
נֶחְשַׁבְתִּי 78 נֶחְשַׁבְתִּי עִם־יוֹרְדֵי בוֹר Ps.88:5
וְנֶחְשַׁב 79 וְנֶחְשַׁב לָכֶם תְּרוּמַתְכֶם כַּדָּגָן... Num.18:27
80 וְנֶחְשַׁב לַלְוִיִּם כִּתְבוּאַת גֹּרֶן Num.18:30
נֶחְשַׁבְנוּ 81 הֲלוֹא נָכְרִיּוֹת נֶחְשַׁבְנוּ לוֹ Gen.31:15
82 נֶחְשַׁבְנוּ כְּצֹאן טִבְחָה Ps.44:23
83 מַדּוּעַ נֶחְשַׁבְנוּ כַבְּהֵמָה Job18:3
נֶחְשְׁבוּ 84 מֵאֶפֶס וָתֹהוּ נֶחְשְׁבוּ־לוֹ Is.40:17
85 כְּקַשׁ נֶחְשְׁבוּ תוֹתָח Job41:21
86 אֵיכָה נֶחְשְׁבוּ לְנִבְלֵי־חֶרֶשׂ Lam.4:2
נֶחְשָׁבוּ 87 פַּרְסוֹת סוּסָיו כַּצַּר נֶחְשָׁבוּ Is.5:28
88 וּכְשַׁחַק מֹאזְנַיִם נֶחְשָׁבוּ Is.40:15
89 רֻבֵּו° תּוֹרָתִי כְּמוֹ־זָר נֶחְשָׁבוּ Hosh.8:12
נֶחְשָׁב 90/1 אֵין כֶּסֶף (לֹא) נֶחְשָׁב...לִמְאוּמָה IK.10:21 IICh.9:20
92 כִּי־בַמֶּה נֶחְשָׁב הוּא Is.2:22
יֵחָשֵׁב 93 לֹא יֵחָשֵׁב לוֹ פִּגּוּל יִהְיֶה Lev.7:18
94 דָּם יֵחָשֵׁב לָאִישׁ הַהוּא Lev.17:4
95 עַל־שְׂדֵה הָאָרֶץ יֵחָשֵׁב Lev.25:31
96 אַךְ לֹא־יֵחָשֵׁב אִתָּם הַכֶּסֶף IIK.22:7
97 אִם־כְּחֹמֶר הַיֹּצֵר יֵחָשֵׁב Is.29:16
98/9 וְהַכַּרְמֶל לַיַּעַר יֵחָשֵׁב Is.29:17; 32:15
100 גַּם אֱוִיל מַחֲרִישׁ חָכָם יֵחָשֵׁב Prov.17:28
תֵּחָשֵׁב 101 אֶרֶץ־רְפָאִים תֵּחָשֵׁב אַף־הִוא Deut.2:20
102 מִן הַשִּׁיחוֹר...לַכְּנַעֲנִי תֵּחָשֵׁב Josh.13:3
103 גַּם־בְּאֵרוֹת תֵּחָשֵׁב עַל־בִּנְיָמִן IISh.4:2
תֵּחָשֶׁב 104 מְבָרֵךְ...קְלָלָה תֵּחָשֶׁב לוֹ Prov.27:14
וַתֵּחָשֶׁב 105 וַתֵּחָשֶׁב לוֹ לִצְדָקָה Ps.106:31
יֵחָשְׁבוּ 106 רְפָאִים יֵחָשְׁבוּ אַף־הֵם כָּעֲנָקִים Deut.2:11
חִשַּׁבְתִּי 107 חִשַּׁבְתִּי יָמִים מִקֶּדֶם Ps.77:6
108 חִשַּׁבְתִּי דְרָכָי וָאָשִׁיבָה רַגְלַי Ps.119:59
וְחִשַּׁב 109 וְחִשַּׁב אֶת־שְׁנֵי מִמְכָּרוֹ Lev.25:27
110 וְחִשַּׁב עִם־קֹנֵהוּ...עַד שְׁנַת הַיֹּבֵל Lev.25:50
111 וְאִם־מְעַט...וְחִשַּׁב־לוֹ כְּפִי שָׁנָיו Lev.25:52
112 וְחִשַּׁב־לוֹ הַכֹּהֵן אֶת־הַכֶּסֶף Lev.27:18
113 וְחִשַּׁב־לוֹ הַכֹּהֵן אֵת מִכְסַת... Lev.27:23
חִשְּׁבָה 114 וְהָאֳנִיָּה חִשְּׁבָה לְהִשָּׁבֵר Jon.1:4
מְחַשֵּׁב 115 מְחַשֵּׁב לְהָרֵעַ...בַּעַל־מְזִמּוֹת Prov.24:8
וָאֲחַשְּׁבָה 116 וָאֲחַשְּׁבָה לָדַעַת זֹאת Ps.73:16
וַתְּחַשְּׁבֵהוּ 117 מָה־אָדָם...בֶּן־אֱנוֹשׁ וַתְּחַשְּׁבֵהוּ Ps.144:3
יְחַשֵּׁב 118 לֵב אָדָם יְחַשֵּׁב דַּרְכּוֹ Prov.16:9
119 וְעַל מִבְצָרִים יְחַשֵּׁב מַחְשְׁבֹתָיו Dan.11:24
תְּחַשְּׁבוּן 120 מַה־תְּחַשְּׁבוּן אֶל־יְיָ Nah.1:9
יְחַשְּׁבוּ 121 וְלֹא יְחַשְּׁבוּ אֶת־הָאֲנָשִׁים IIK.12:16
122 וְאֵלַי יְחַשְּׁבוּ־רָע Hosh.7:15
יִתְחַשָּׁב 123 לְבָדָד יִשְׁכֹּן וּבַגּוֹיִם לֹא יִתְחַשָּׁב Num.23:9

חֲשַׁב
ארמית – עין חֲשִׁיב

חֵשֶׁב
ז׳ קשר (?) אזור (?): 1–8 • חֵשֶׁב הָאֵפוֹד 1–8

חֵשֶׁב־ 1/2 לִהְיוֹ(וֹ)ת עַל־חֵשֶׁב הָאֵפוֹ(וֹ)ד Ex.28:28; 39:21
וְחֵשֶׁב־ 3/4 וְחֵשֶׁב אֲפֻדָּתוֹ אֲשֶׁר עָלָיו Ex.28:8; 39:5
בְּחֵשֶׁב־ 5 וְאָפַדְתָּ לוֹ בְּחֵשֶׁב הָאֵפֹד Ex.29:5
6 וַיַּחְגֹּר אֹתוֹ בְּחֵשֶׁב הָאֵפֹד Lev.8:7
לְחֵשֶׁב־ 7/8 מִמַּעַל לְחֵשֶׁב הָאֵפוֹ(וֹ)ד Ex.28:27; 39:20

חַשְׁבַּדָּנָה
שפ״ז – מבני דורו של עזרא

וְחַשְׁבַּדָּנָה 1 וּמִשְּׂמֹאלוֹ...וְחָשֻׁם וְחַשְׁבַּדָּנָה Neh.8:4

חֲשֻׁבָה
שפ״ז – עין חֲשׁוּבָה

חֶשְׁבּוֹן[1]
ז׳ חֲשׁוּב, עִיּוּן: 1–5

חֶשְׁבּוֹן וָדַעַת 3; חָכְמָה וְחֶשְׁבּוֹן 2; חִשְּׁבֹנוֹת רַבִּים 4

חֶשְׁבּוֹן 1 אַחַת לְאַחַת לִמְצֹא חֶשְׁבּוֹן Eccl.7:27
וְחֶשְׁבּוֹן 2 וּבַקֵּשׁ חָכְמָה וְחֶשְׁבּוֹן Eccl.7:25
3 מַעֲשֶׂה וְחֶשְׁבּוֹן וְדַעַת וְחָכְמָה Eccl.9:10
חִשְּׁבֹנוֹת 4 וְהֵמָּה בִקְשׁוּ חִשְּׁבֹנוֹת רַבִּים Eccl.7:29
5 וַיַּעַשׂ...חִשְּׁבֹנוֹת מַחֲשֶׁבֶת חוֹשֵׁב IICh.26:15

חֶשְׁבּוֹן[2]
עיר סיחון מלך האמורי, אחרי הכבוש – עיר לויים בנחלת ראובן (או גד?): 1–38

זַעֲקַת חֶשְׁבּוֹן 19; מֶלֶךְ חֶשְׁבּוֹן 5–12, 15, 22; צֵל חֶשְׁבּוֹן 20; שַׁדְמוֹת חֶשְׁבּוֹן 17

חֶשְׁבּוֹן 1 כִּי חֶשְׁבּוֹן עִיר סִיחֹן...הִוא Num.21:26
2 בֹּאוּ חֶשְׁבּוֹן תִּבָּנֶה...עִיר סִיחוֹן Num.21:27
3 וַנִּירָם אָבַד חֶשְׁבּוֹן עַד־דִּיבֹן Num.21:30
4 וּבְנֵי רְאוּבֵן בָּנוּ אֶת־חֶשְׁבּוֹן Num.32:37
5–12 (ל)סִיחוֹן מֶלֶךְ חֶשְׁבּוֹן Deut.2:24,26,30 3:6; 29:6 • Josh.9:10; 12:5; 13:27
13 חֶשְׁבּוֹן וְכָל־עָרֶיהָ Josh.13:17
14 אֶת־חֶשְׁבּוֹן וְאֶת־מִגְרָשֶׁהָ Josh.21:37
15 מֶלֶךְ־הָאֱמֹרִי מֶלֶךְ חֶשְׁבּוֹן Jud.11:19
16 וַתִּזְעַק חֶשְׁבּוֹן וְאֶלְעָלֵה Is.15:4

חֶשְׁבּוֹן (המשך) 17 כִּי שַׁדְמוֹת חֶשְׁבּוֹן אֻמְלָל Is. 16:8
18 אֲרַיָּוֵךְ דִּמְעָתִי חֶשְׁבּוֹן וְאֶלְעָלֵה Is. 16:9
19 מִזַּעֲקַת חֶשְׁבּוֹן עַד־אֶלְעָלֵה Jer. 48:34
20 בְּצֵל חֶשְׁבּוֹן עָמְדוּ מִכֹּחַ נָסִים Jer. 48:45
21 הֵילִילִי חֶשְׁבּוֹן כִּי שֻׁדְּדָה־עַי Jer. 49:3
22 וַיִּירְשׁוּ...וְאֶת־אֶרֶץ מֶלֶךְ חֶשְׁבּוֹן Neh. 9:22
23 וְאֶת־חֶשְׁבּוֹן וְאֶת־מִגְרָשֶׁיהָ ICh. 6:66
וְחֶשְׁבּוֹן 24 וְיַעְזֵר וְנִמְרָה וְחֶשְׁבּוֹן וְאֶלְעָלֵה Num. 32:3
בְּחֶשְׁבּוֹן 25 וַיֵּשֶׁב...בְּחֶשְׁבּוֹן וּבְכָל־בְּנֹתֶיהָ Num. 21:25
26-29 ...אֲשֶׁר יוֹשֵׁב בְּחֶשְׁבּוֹן Num. 21:34; Deut. 1:4; 3:2; 4:46
30 סִיחוֹן...הַיּוֹשֵׁב בְּחֶשְׁבּוֹן Josh. 12:2
31/32 אֲשֶׁר מָלַךְ בְּחֶשְׁבּוֹן Josh. 13:10,21
33 בְּשֶׁבֶת יִשְׂרָאֵל בְּחֶשְׁבּוֹן Jud. 11:26
34 בְּחֶשְׁבּוֹן חָשְׁבוּ עָלֶיהָ רָעָה Jer. 48:2
35 עֵינַיִךְ בְּרֵכוֹת בְּחֶשְׁבּוֹן S.ofS. 7:5
מֵחֶשְׁבּוֹן 36 כִּי־אֵשׁ יָצְאָה מֵחֶשְׁבּוֹן Num. 21:28
37 כִּי־אֵשׁ יָצָא מֵחֶשְׁבּוֹן Jer. 48:45
וּמֵחֶשְׁבּוֹן 38 וּמֵחֶשְׁבּוֹן עַד־רָמַת הַמִּצְפֶּה Josh. 13:26

חֲשַׁבְיָה שפ״ז—שם של כהנים ולויים שונים בתקופות שונות מימי דוד ועד נחמיה: 1—12
חֲשַׁבְיָה 1 וְאֶת־חֲשַׁבְיָה וְאִתּוֹ יְשַׁעְיָה... Ez. 8:19
2 וָאַבְדִּילָה...לְשֵׁרֵבְיָה חֲשַׁבְיָה Ez. 8:24
3 עַל־יָדוֹ הֶחֱזִיק חֲשַׁבְיָה Neh. 3:17
4 מִיכָא רְחוֹב חֲשַׁבְיָה Neh. 10:12
5 שְׁמַעְיָה...בֶּן־חֲשַׁבְיָה בֶּן־בּוּנִּי Neh. 11:15
6 עֻזִּי בֶּן־בָּנִי בֶּן־חֲשַׁבְיָה Neh. 11:22
7 לְחִלְקִיָּה חֲשַׁבְיָה... Neh. 12:21
8 וְרָאשֵׁי הַלְוִיִּם חֲשַׁבְיָה שֵׁרֵבְיָה Neh. 12:24
9 בֶּן־חֲשַׁבְיָה בֶּן־אֲמַצְיָה ICh. 6:30
10 שְׁמַעְיָה...בֶּן־חֲשַׁבְיָה ICh. 9:14
11 לְלֵוִי חֲשַׁבְיָה בֶן־קְמוּאֵל ICh. 27:17
לַחֲשַׁבְיָה 12 הַשְּׁנֵים עָשָׂר לַחֲשַׁבְיָה ICh. 25:19

חֲשַׁבְיָהוּ שפ״ז — שם של כהנים ולויים שונים: 1—3
חֲשַׁבְיָהוּ 1 בְּנֵי יְדוּתוּן...חֲשַׁבְיָהוּ וּמַתִּתְיָהוּ ICh. 25:3
2 לַחֶבְרוֹנִי חֲשַׁבְיָהוּ וְאֶחָיו ICh. 26:30
וַחֲשַׁבְיָהוּ 3 וַחֲשַׁבְיָהוּ וִיעִיאֵל...שָׂרֵי הַלְוִיִּם IICh. 35:9

חֲשַׁבְנָה שפ״ז — מן החותמים על האמנה בימי נחמיה
חֲשַׁבְנָה 1 רְחוּם חֲשַׁבְנָה מַעֲשֵׂיָה Neh. 10:26

חֲשַׁבְנְיָה שפ״ז — א) מבוני חומת ירושלים: 1
ב) לוי בימי עזרא: 1, 2
חֲשַׁבְנְיָה 1 וְעַל־יָדוֹ הֶחֱזִיק חַטּוּשׁ בֶּן־חֲשַׁבְנְיָה Neh. 3:10
2 וַיֹּאמְרוּ הַלְוִיִּם...חֲשַׁבְנְיָה שֵׁרֵבְיָה Neh. 9:5

חָשָׁה פ׳ א) שתק: 1—7
ב) [הפ׳ הֶחֱשָׁה] שתק: 8—13, 15, 16
ג) [כנ״ל] השתיק: 14
קרובים: דָּמַם / חָרַשׁ² / הֶחֱרִישׁ / נֶאֱלַם / נָדַם
לַחֲשׁוֹת 1 עֵת לַחֲשׁוֹת וְעֵת לְדַבֵּר Eccl. 3:7
אֶחֱשֶׁה 2 לְמַעַן צִיּוֹן לֹא אֶחֱשֶׁה Is. 62:1
3 לֹא אֶחֱשֶׁה כִּי אִם־שִׁלַּמְתִּי Is. 65:6
תֶּחֱשֶׁה 4 הַעַל־אֵלֶּה תִתְאַפַּק יְיָ תֶּחֱשֶׁה Is. 64:11
5 פֶּן־תֶּחֱשֶׁה...וְנִמְשַׁלְתִּי עִם־יוֹרְדֵי בוֹר Ps. 28:1
יֶחֱשׁוּ 6 כָּל־הַיּוֹם...תָּמִיד לֹא יֶחֱשׁוּ Is. 62:6
וַיֶּחֱשׁוּ 7 יָקֵם סְעָרָה לִדְמָמָה וַיֶּחֱשׁוּ גַּלֵּיהֶם Ps. 107:29
הֶחֱשֵׁיתִי 8 הֶחֱשֵׁיתִי מֵעוֹלָם אַחֲרִישׁ אֶתְאַפָּק Is. 42:14
9 הֶחֱשֵׁיתִי מִטּוֹב וּכְאֵבִי נֶעְכָּר Ps. 39:3

מַחֲשֶׁה 10 הֲלֹא אֲנִי מַחֲשֶׁה וּמֵעֹלָם Is. 57:11
מַחְשִׁים 11 ...וְאַתֶּם מַחְשִׁים אַל־תֵּעָצְלוּ Jud. 18:9
12 וַאֲנַחְנוּ מַחְשִׁים מִקַּחַת אֹתָהּ IK. 22:3
13 וַאֲנַחְנוּ מַחְשִׁים וְחִכִּינוּ עַד־אוֹר... IIK. 7:9
14 וְהַלְוִיִּם מַחְשִׁים לְכָל־הָעָם Neh. 8:11
הֶחֱשׁוּ 15/6 גַּם־אֲנִי יָדַעְתִּי הֶחֱשׁוּ IIK. 2:3,5

חַשּׁוּב שפ״ז — שֵׁם לאנשים שונים בימי נחמיה: 1—5
חַשּׁוּב 1 הוֹשֵׁעַ חֲנַנְיָה חַשּׁוּב Neh. 10:24
2 וּמִן־הַלְוִיִּם שְׁמַעְיָה בֶן־חַשּׁוּב Neh. 11:15
3 וּמִן־הַלְוִיִּם שְׁמַעְיָה בֶן־חַשּׁוּב ICh. 9:14
וְחַשּׁוּב 4 וְחַשּׁוּב בֶּן־פַּחַת מוֹאָב Neh. 3:11
5 אַחֲרָיו הֶחֱזִיק בִּנְיָמִן וְחַשּׁוּב Neh. 3:23

חֲשֻׁבָה שפ״ז — אחד מבני זרובבל
וַחֲשֻׁבָה 1 וַחֲשֻׁבָה וָאֹהֶל וּבֶרֶכְיָה ICh. 3:20

חֲשׁוֹכָא ז׳ ארמית: החושך
בַּחֲשׁוֹכָא 1 יָדַע מָה בַחֲשׁוֹכָא וּנְהוֹרָא° עִמֵּהּ שְׁרֵא Dan. 2:22

חָשֻׁם שפ״ז — א) איש משבי הגולה בימי זרובבל: 1—4
ב) איש מבני דורו של עזרא: 5
חָשֻׁם 1 בְּנֵי חָשֻׁם מָאתַיִם עֶשְׂרִים וּשְׁלֹשָׁה Ez. 2:19
2 מִבְּנֵי חָשֻׁם מַתְּנַי מַתַּתָּה Ez. 10:33
3 בְּנֵי חָשֻׁם שְׁלֹשׁ מֵאוֹת עֶשְׂרִים וּשְׁמֹנָה Neh. 7:22
4 הוֹדִיָּה חָשֻׁם בֵּצָי Neh. 10:19
וְחָשֻׁם 5 וּמִשְּׂמֹאלוֹ...וְחָשֻׁם וְחַשְׁבַּדָּנָה Neh. 8:4

חָשׂוּף ת׳ עין חָשַׂף

חֲשׂוּפָא שפ״ז — אבי משפחת נתינים שעלו עם זרובבל 1,2
חֲשׂוּפָא 1 בְנֵי־חֲשׂוּפָא בְנֵי טַבָּעוֹת Ez. 2:43
2 בְּנֵי־חֲשִׂפָא בְּנֵי טַבָּעוֹת Neh. 7:46

חָשׁוּק* ז׳ חגורת מתכת מסביב לעמוד: 1—8
וַחֲשֻׁקֵיהֶם 1-2 וָוֵי הָעַמֻּדִים וַחֲשֻׁקֵיהֶם כָּסֶף Ex. 27:10,11
3 וְצִפָּה רָאשֵׁיהֶם וַחֲשֻׁקֵיהֶם זָהָב Ex. 36:38
4-5 וָוֵי הָעַמּוּדִים וַחֲשׁוּקֵיהֶם כָּסֶף Ex. 38:10,11
6 וָוֵי הָעַמֻּדִים וַחֲשׁוּקֵיהֶם כָּסֶף Ex. 38:12
7 וָוֵי הָעַמּוּדִים וַחֲשׁוּקֵיהֶם כָּסֶף Ex. 38:17
8 וְצִפּוּי רָאשֵׁיהֶם וַחֲשֻׁקֵיהֶם כָּסֶף Ex. 38:19

חִשּׁוּק* ז׳ חָשׁוּק, חגורת־מתכת
וְחִשֻּׁקֵיהֶם 1 יְדוֹתָם וְגַבֵּיהֶם וְחִשֻּׁקֵיהֶם וְחִשֻּׁרֵיהֶם IK. 7:33

חִשּׁוּר* ז׳ הזרוע המחברת את טבור האופן אל החשוק
וְחִשֻּׁרֵיהֶם 1 יְדוֹתָם וְגַבֵּיהֶם וְחִשֻּׁקֵיהֶם וְחִשֻּׁרֵיהֶם IK. 7:33

חֲשַׁח ארמית: הצטרך, נדרש: 1,2
חַשְׁחִין 1 לָא חַשְׁחִין אֲנַחְנָא...לַהֲתָבוּתָךְ Dan. 3:16
חַשְׁחָן 2 וּמָה חַשְׁחָן וּבְנֵי תוֹרִין Ez. 6:9

חַשְׁחוּ* נ׳ ארמית: צורך
חַשְׁחוּת- 1 וּשְׁאָר חַשְׁחוּת בֵּית אֱלָהָךְ Ez. 7:20

חֲשִׁיב ת׳ ארמית: חשוב
חֲשִׁיבִין 1 וְכָל־דָּיְרֵי° אַרְעָא כְּלָה חֲשִׁיבִין Dan. 4:32

חֲשֵׁיכָה (תהלים קלט 12) — עין חֲשֵׁכָה

חָשִׁים — עין חוּשִׁים

חָשִׂיף* ז׳ [בצרוף ״חֲשִׂפֵי עִזִּים״ עדר קטן(?)]
חֲשִׂפֵי- 1 וַיַּחֲנוּ...כִּשְׁנֵי חֲשִׂפֵי עִזִּים IK. 20:27

חשך : חָשַׁךְ, הֶחְשִׁיךְ; חֹשֶׁךְ, חָשֹׁךְ, חֲשֵׁכָה, מַחְשָׁךְ; אר׳ חֲשׁוֹכָא

חָשַׁךְ פ׳ א) קדר, נעשה אפל: 1—3, 8—10
ב) [בהשאלה] השחיר, נתעור: 4—7, 11
ג) [הפ׳ הֶחְשִׁיךְ] האפיל, מנע אור, הקדיר: 12—17
קרובים: אָפֵל / הוּעַם (עמם) / קָדַר
– חָשַׁךְ אוֹר 1, 3; חָשְׁכָה הָאָרֶץ 9; חָשְׁכוּ כּוֹכָבִים 10; חָשְׁכוּ עֵינָיו 6, 11; חָ׳ הָרֹאוֹת 7; חָשַׁךְ (חָשְׁכָה) הַשֶּׁמֶשׁ 2, 8; חָשַׁךְ תָּאֳרוֹ 4; חָשְׁכָה לוֹ 5
– הֶחְשִׁיךְ עֵצָה 14
חָשַׁךְ 1 צַר וָאוֹר חָשַׁךְ בַּעֲרִיפֶיהָ Is. 5:30
2 חָשַׁךְ הַשֶּׁמֶשׁ בְּצֵאתוֹ Is. 13:10
3 אוֹר חָשַׁךְ בְּאָהֳלוֹ Job 18:6
4 חָשַׁךְ מִשְּׁחוֹר תָּאֳרָם Lam. 4:8
וְחָשְׁכָה 5 וְחָשְׁכָה לָכֶם מִקְּסֹם Mic. 3:6
חָשְׁכוּ 6 עַל־אֵלֶּה חָשְׁכוּ עֵינֵינוּ Lam. 5:17
וְחָשְׁכוּ 7 וְחָשְׁכוּ הָרֹאוֹת בָּאֲרֻבּוֹת Eccl. 12:3
תֶחְשַׁךְ 8 עַד אֲשֶׁר לֹא־תֶחְשַׁךְ הַשֶּׁמֶשׁ Eccl. 12:2
וַתֶּחְשַׁךְ 9 וַיְכַס...וַתֶּחְשַׁךְ הָאָרֶץ Ex. 10:15
יֶחְשְׁכוּ 10 יֶחְשְׁכוּ כּוֹכְבֵי נִשְׁפּוֹ Job 3:9
תֶּחְשַׁכְנָה 11 תֶּחְשַׁכְנָה עֵינֵיהֶם מֵרְאוֹת Ps. 69:24
וְהַחֲשַׁכְתִּי 12 וְהַחֲשַׁכְתִּי לָאָרֶץ בְּיוֹם אוֹר Am. 8:9
הֶחְשִׁיךְ 13 וְיוֹם לַיְלָה הֶחְשִׁיךְ Am. 5:8
מַחְשִׁיךְ 14 מַחְשִׁיךְ עֵצָה בְמִלִּין בְּלִי־דָעַת Job 38:2
יַחְשִׁךְ 15 תְּנוּ...כָּבוֹד בְּטֶרֶם יַחְשִׁךְ Jer. 13:16
16 גַּם־חֹשֶׁךְ לֹא־יַחְשִׁיךְ מִמֶּךָּ Ps. 139:12
וַיַּחְשִׁךְ 17 שָׁלַח חֹשֶׁךְ וַיַּחְשִׁךְ Ps. 105:28

חֹשֶׁךְ העדר אור, אפלה [גם בהשאלה]: 1—80
קרובים: אֹפֶל / אֲפֵלָה / חֲשֵׁכָה / לַיְלָה / מַאְפֵּל / מַאְפֵּלְיָה / מַחְשָׁךְ / עֲלָטָה / עֲרָפֶל / צַלְמָוֶת / קַדְרוּת
– חֹשֶׁךְ וָאוֹר 6, 10, 12, 15, 16, 37, 38, 43, 47, 50, 51, 54, 59, 62, 64, 66, 73; חֹשֶׁךְ וַאֲפֵלָה 3, 14, 18; חֹשֶׁךְ וְצַלְמָוֶת 29, 31, 45, 77
– אוֹצְרוֹת חֹשֶׁךְ 9; אֶרֶץ ח׳ 11, 31; אִישׁוֹן ח׳ 27; בּוֹרֵא ח׳ 10; דַּרְכֵי ח׳ (20), 26; יוֹם חֹשֶׁךְ 16, 18, 35; יוֹשְׁבֵי חֹשֶׁךְ 8, 23
חֹשֶׁךְ 1 וִיהִי חֹשֶׁךְ עַל־אֶרֶץ מִצְרָיִם Ex. 10:21
2 וְיָמֵשׁ חֹשֶׁךְ Ex. 10:21
3 וַיְהִי חֹשֶׁךְ־אֲפֵלָה בְּכָל־אֶרֶץ מִצ׳ Ex. 10:22
4 חֹשֶׁךְ עָנָן וַעֲרָפֶל Deut. 4:11
5 וַיָּשֶׁת חֹשֶׁךְ סְבִיבֹתָיו IISh. 22:12
6 שָׂמִים חֹשֶׁךְ לְאוֹר וְאוֹר לְחֹשֶׁךְ Is. 5:20
7 וְנִבַּט לָאָרֶץ וְהִנֵּה־חֹשֶׁךְ Is. 5:30
8 לְהוֹצִיא...מִבֵּית כֶּלֶא יֹשְׁבֵי חֹשֶׁךְ Is. 42:7
9 אוֹצְרוֹת חֹשֶׁךְ וּמַטְמֻנֵי מִסְתָּרִים Is. 45:3
10 יוֹצֵר אוֹר וּבוֹרֵא חֹשֶׁךְ Is. 45:7
11 לֹא בַסֵּתֶר...בִּמְקוֹם אֶרֶץ חֹשֶׁךְ Is. 45:19
12 נְקַוֶּה לָאוֹר וְהִנֵּה־חֹשֶׁךְ Is. 59:9
13 וְנָתַתִּי חֹשֶׁךְ עַל־אַרְצְךָ Ezek. 32:8
14 יוֹם חֹשֶׁךְ וַאֲפֵלָה יוֹם עָנָן וַעֲרָפֶל Joel 2:2
15 יוֹם יְיָ הוּא־חֹשֶׁךְ וְלֹא־אוֹר Am. 5:18
16 הֲלֹא־חֹשֶׁךְ יוֹם יְיָ וְלֹא־אוֹר Am. 5:20
17 וְאֹיְבָיו יְרַדֶּף־חֹשֶׁךְ Nah. 1:8
18 יוֹם חֹשֶׁךְ וַאֲפֵלָה יוֹם עָנָן וַעֲרָפֶל Zep. 1:15
19 יָשֶׁת חֹשֶׁךְ סִתְרוֹ Ps. 18:12
20 יְהִי־דַרְכָּם חֹשֶׁךְ וַחֲלַקְלַקֹּת Ps. 35:6
21 תָּשֶׁת־חֹשֶׁךְ וִיהִי לָיְלָה Ps. 104:20

חֹשֶׁךְ (המשך)

22 שָׁלַח חֹשֶׁךְ וַיַּחְשִׁךְ Ps. 105:28
23 יֹשְׁבֵי חֹשֶׁךְ וְצַלְמָוֶת Ps. 107:10
24 וָאֹמַר אַךְ־חֹשֶׁךְ יְשׁוּפֵנִי Ps. 139:11
25 גַּם־חֹשֶׁךְ לֹא־יַחְשִׁיךְ מִמֶּךָּ Ps. 139:12
26 הַעֹזְבִים...לָלֶכֶת בְּדַרְכֵי־חֹשֶׁךְ Prov. 2:13
27 יִדְעַךְ נֵרוֹ בֶּאֱשׁוּן חֹשֶׁךְ Prov. 20:20
28 הַיּוֹם הַהוּא יְהִי חֹשֶׁךְ Job 3:4
29 יִגְאָלֻהוּ חֹשֶׁךְ וְצַלְמָוֶת Job 3:5
30 יוֹמָם יְפַגְּשׁוּ־חֹשֶׁךְ Job 5:14
31 אֶל־אֶרֶץ חֹשֶׁךְ וְצַלְמָוֶת Job 10:21
32 מְגַלֶּה עֲמֻקוֹת מִנִּי־חֹשֶׁךְ Job 12:22
33 יְמַשְׁשׁוּ־חֹשֶׁךְ וְלֹא־אוֹר Job 12:25
34 לֹא־יַאֲמִין שׁוּב מִנִּי־חֹשֶׁךְ Job 15:22
35 כִּי־נָכוֹן בְּיָדוֹ יוֹם־חֹשֶׁךְ Job 15:23
36 לֹא־יָסוּר מִנִּי־חֹשֶׁךְ Job 15:30
37 אוֹר קָרוֹב מִפְּנֵי־חֹשֶׁךְ Job 17:12
38 יֶהְדְּפֻהוּ מֵאוֹר אֶל־חֹשֶׁךְ Job 18:18
39 אָרְחִי גָדַר...וְעַל־נְתִיבוֹתַי חֹשֶׁךְ יָשִׂים Job 19:8
40 כָּל־חֹשֶׁךְ טָמוּן לִצְפוּנָיו Job 20:26
41 אוֹ־חֹשֶׁךְ לֹא תִרְאֶה Job 22:11
42 כִּי־לֹא נִצְמַתִּי מִפְּנֵי־חֹשֶׁךְ Job 23:17
43 עַד־תַּכְלִית אוֹר עִם־חֹשֶׁךְ Job 26:10
44 לְאוֹרוֹ אֵלֶךְ חֹשֶׁךְ Job 29:3
45 אֵין־חֹשֶׁךְ וְאֵין צַלְמָוֶת לְהִסָּתֶר שָׁם Job 34:22
46 לֹא־נַעֲרֹךְ מִפְּנֵי־חֹשֶׁךְ Job 37:19
47 אוֹתִי נָהַג וַיֹּלַךְ חֹשֶׁךְ וְלֹא־אוֹר Lam. 3:2
וְחֹשֶׁךְ 48 וְחֹשֶׁךְ עַל־פְּנֵי תְהוֹם Gen. 1:2
49 וְחֹשֶׁךְ אֵי־זֶה מְקֹמוֹ Job 38:19
הַחֹשֶׁךְ 50 וַיַּבְדֵּל אֱל׳ בֵּין הָאוֹר וּבֵין הַחֹשֶׁךְ Gen. 1:4
51 וּלְהַבְדִּיל בֵּין הָאוֹר וּבֵין הַחֹשֶׁךְ Gen. 1:18
52 כְּשָׁמְעֲכֶם אֶת־הַקּוֹל מִתּוֹךְ הַחֹשֶׁךְ Deut. 5:20
53 הַחֹשֶׁךְ יְכַסֶּה־אֶרֶץ וַעֲרָפֶל לְאֻמִּים Is. 60:2
54 כִּיתְרוֹן הָאוֹר מִן־הַחֹשֶׁךְ Eccl. 2:13
55 וְיִזְכֹּר אֶת־יְמֵי הַחֹשֶׁךְ Eccl. 11:8
וְהַחֹשֶׁךְ 56 וַיְהִי הֶעָנָן וְהַחֹשֶׁךְ Ex. 14:20
בַּחֹשֶׁךְ 57 וַיְהִי הַשַּׁעַר לִסְגּוֹר בַּחֹשֶׁךְ Josh. 2:5
58 וּרְשָׁעִים בַּחֹשֶׁךְ יִדָּמּוּ ISh. 2:9
59 הָעָם הַהֹלְכִים בַּחֹשֶׁךְ רָאוּ אוֹר Is. 9:1
60 שְׁבִי דוּמָם וּבֹאִי בַחֹשֶׁךְ Is. 47:5
61 לֵאמֹר...לַאֲשֶׁר בַּחֹשֶׁךְ הִגָּלוּ Is. 49:9
62 וְזָרַח בַּחֹשֶׁךְ אוֹרֶךָ Is. 58:10
63 זִקְנֵי בֵית־יִשְׂרָאֵל עֹשִׂים בַּחֹשֶׁךְ Ezek. 8:12
64 כִּי־אֵשֵׁב בַּחֹשֶׁךְ יְיָ אוֹר לִי Mic. 7:8
65 הֲיִוָּדַע בַּחֹשֶׁךְ פִּלְאֶךָ Ps. 88:13
66 זָרַח בַּחֹשֶׁךְ אוֹר לַיְשָׁרִים Ps. 112:4
67 בַּחֹשֶׁךְ רִפַּדְתִּי יְצוּעָי Job 17:13
68 חָתַר בַּחֹשֶׁךְ בָּתִּים Job 24:16
69 וְהַכְּסִיל בַּחֹשֶׁךְ הוֹלֵךְ Eccl. 2:14
70 גַּם כָּל־יָמָיו בַּחֹשֶׁךְ יֹאכֵל Eccl. 5:16
וּבַחֹשֶׁךְ 71 כִּי־בַהֶבֶל בָּא וּבַחֹשֶׁךְ יֵלֵךְ Eccl. 6:4
72 וּבַחֹשֶׁךְ שְׁמוֹ יְכֻסֶּה Eccl. 6:4
לְחֹשֶׁךְ 73 שָׂמִים חֹשֶׁךְ לְאוֹר וְאוֹר לְחֹשֶׁךְ Is. 5:20
74 הַשֶּׁמֶשׁ יֵהָפֵךְ לְחֹשֶׁךְ וְהַיָּרֵחַ לְדָם Joel 3:4
לַחֹשֶׁךְ 75 קֵץ שָׂם לַחֹשֶׁךְ Job 28:3
וְלַחֹשֶׁךְ 76 וְלַחֹשֶׁךְ קָרָא לָיְלָה Gen. 1:5
מֵחֹשֶׁךְ 77 יוֹצִיאֵם מֵחֹשֶׁךְ וְצַלְמָוֶת Ps. 107:14
וּמֵחֹשֶׁךְ 78 וּמֵחֹשֶׁךְ עֵינֵי עִוְרִים תִּרְאֶינָה Is. 29:18
חָשְׁכִּי 79 וַיְיָ יַגִּיהַּ חָשְׁכִּי IISh. 22:29
80 יְיָ אֱלֹהַי יַגִּיהַּ חָשְׁכִּי Ps. 18:29

חָשֹׁךְ* ת׳ קודר, בזוי
חֲשֻׁכִּים 1 בַּל־יִתְיַצֵּב לִפְנֵי חֲשֻׁכִּים Prov. 22:29

חשׂך : חָשַׂךְ, נֶחְשַׂךְ; חָשָׂךְ

חָשַׂךְ פ׳ א) מנע, לא נתן: 1–5, 7–9, 11–20, 22–24
ב) [בהשאלה] הציל: 6, 10, 21, 25
ג) [נפ׳ נֶחְשַׂךְ] נמנע: 26, 27
קרובים: הֵנִיא (נוא) / מָנַע / עָצַר
– חָשַׂךְ (אֶת) 1, 7, 12–17, 19–23; חָשַׂךְ אֶת־ מִן־ 2–6, 8, 10, 11, 18, 24
– חָשַׂךְ אֲמָרָיו 14; חָ׳ נַפְשׁוֹ 10, 24; חָ׳ פִּיו 17; חָ׳ רֹק 11; חָ׳ שִׁבְטוֹ 13; חָ׳ שְׂפָתָיו 15
– נֶחְשַׂךְ כְּאֵבוֹ 26; נֶחְשַׂךְ רָע 27

חָשַׂכְתִּי 1 אֲשֶׁר־חָשַׂכְתִּי לְעֶת־צָר Job 38:23
חָשַׂכְתָּ 2 וְלֹא חָשַׂכְתָּ אֶת־בִּנְךָ...מִמֶּנִּי Gen. 22:12
3 וְלֹא חָשַׂכְתָּ אֶת־בִּנְךָ אֶת־יְחִידֶךָ Gen. 22:16
4 חָשַׂכְתָּ לְמַטָּה מֵעֲוֺנֵנוּ Ez. 9:13
חָשַׂךְ 5 וְלֹא־חָשַׂךְ מִמֶּנִּי מְאוּמָה Gen. 39:9
6 וְאֶת־עַבְדּוֹ חָשַׂךְ מֵרָעָה ISh. 25:39
7 כִּי־חָשַׂךְ יוֹאָב אֶת־הָעָם IISh. 18:16
8 חָשַׂךְ אֲדֹנִי אֶת נַעֲמָן...מִקַּחַת IIK. 5:20
9 וּבִתְחַפְנְחֵס חָשַׂךְ הַיּוֹם Ezek. 30:18
10 לֹא־חָשַׂךְ מִמָּוֶת נַפְשָׁם Ps. 78:50
חָשְׂכוּ 11 רִחֲקוּ מֶנִּי וּמִפָּנַי לֹא־חָשְׂכוּ רֹק Job 30:10
חָשָׂכוּ 12 אָהֲבוּ לָנוּעַ רַגְלֵיהֶם לֹא חָשָׂכוּ Jer. 14:10
חוֹשֵׂךְ 13 חוֹשֵׂךְ שִׁבְטוֹ שׂוֹנֵא בְנוֹ Prov. 13:24
14 חוֹשֵׂךְ אֲמָרָיו יוֹדֵעַ דָּעַת Prov. 17:27
וְחוֹשֵׂךְ 15 וְחוֹשֵׂךְ שְׂפָתָיו מַשְׂכִּיל Prov. 10:19
16 וְחוֹשֵׂךְ מִיֹּשֶׁר אַךְ־לְמַחְסוֹר Prov. 11:24
אֶחֱשָׂךְ־ 17 גַּם־אֲנִי לֹא אֶחֱשָׂךְ־פִּי אֲדַבְּרָה... Job 7:11
וָאֶחְשֹׂךְ 18 וָאֶחְשֹׂךְ גַּם־אָנֹכִי אוֹתְךָ מֵחֲטוֹ־לִי Gen. 20:6
תַּחְשֹׂךְ 19 קְרָא בְגָרוֹן אַל־תַּחְשֹׂךְ Is. 58:1
20 וּמָטִים לַהֶרֶג אִם־תַּחְשׂוֹךְ Prov. 24:11
תַּחְשֹׂכִי 21 וִירִיעוֹת מִשְׁכְּנוֹתַיִךְ יַטּוּ אַל־תַּחְשֹׂכִי Is. 54:2
יַחְשֹׂךְ 22 וְצַדִּיק יִתֵּן וְלֹא יַחְשֹׂךְ Prov. 21:26
23 וְנִיד שְׂפָתַי יַחְשֹׂךְ Job 16:5
24 יַחְשֹׂךְ נַפְשׁוֹ מִנִּי־שָׁחַת Job 33:18
חֲשֹׂךְ 25 גַּם מִזֵּדִים חֲשֹׂךְ עַבְדֶּךָ Ps. 19:14
יֵחָשֵׂךְ 26 אִם־אֲדַבְּרָה לֹא־יֵחָשֵׂךְ כְּאֵבִי Job 16:6
יֵחָשֶׂךְ 27 כִּי לְיוֹם אֵיד יֵחָשֶׂךְ רָע Job 21:30

חָשָׂךְ ז׳ הֶפְסֵק
חָשָׂךְ 1 מֻרְדָּף בְּלִי חָשָׂךְ Is. 14:6

חֲשֵׁכָה נ׳ חושך (גם בהשאלה): 1–6
קרובים: ראה חֹשֶׁךְ
חֲשֵׁכָה גְדוֹלָה 1; צָרָה וַחֲשֵׁכָה 2; חֶשְׁכַת מַיִם 5; הָלַךְ חֲשֵׁכִים 6

חֲשֵׁכָה 1 וְהִנֵּה אֵימָה חֲשֵׁכָה גְדֹלָה Gen. 15:12
וַחֲשֵׁכָה 2 וְהִנֵּה צָרָה וַחֲשֵׁכָה מְעוּף צוּקָה Is. 8:22
בַּחֲשֵׁכָה 3 לֹא יָדְעוּ...בַּחֲשֵׁכָה יִתְהַלָּכוּ Ps. 82:5
כַּחֲשֵׁיכָה 4 כַּחֲשֵׁיכָה כָּאוֹרָה Ps. 139:12
חֶשְׁכַת־ 5 חֶשְׁכַת־מַיִם עָבֵי שְׁחָקִים Ps. 18:12
חֲשֵׁכִים 6 אֲשֶׁר הָלַךְ חֲשֵׁכִים וְאֵין נֹגַהּ לוֹ Is. 50:10

(חשל) נֶחֱשַׁל נפ׳ היה חלש וכושל
הַנֶּחֱשָׁלִים 1 וַיְזַנֵּב בְּךָ כָּל־הַנֶּחֱשָׁלִים אַחֲרֶיךָ Deut. 25:18

חֲשַׁל פ׳ ארמית: דכא, כתת
וְחָשֵׁל 1 דִּי פַרְזְלָא מְהַדֵּק וְחָשֵׁל כֹּלָּא Dan. 2:40

חָשֵׁם שפ״ז – עין חָשׁוּם

חֶשְׁמוֹן מקום בנגב יהודה, על גבול אדום
וְחֶשְׁמוֹן 1 וַחֲצַר גַּדָּה וְחֶשְׁמוֹן וּבֵית פָּלֶט Josh. 15:27

חַשְׁמַל ז׳ זוהר, נוגה(?): 1–3
חַשְׁמַל 1 כְּעֵין חַשְׁמַל כְּמַרְאֵה־אֵשׁ Ezek. 1:27
הַחַשְׁמַל 2 כְּעֵין הַחַשְׁמַל מִתּוֹךְ הָאֵשׁ Ezek. 1:4
הַחַשְׁמַלָה 3 כְּמַרְאֵה־זֹהַר כְּעֵין הַחַשְׁמַלָה Ezek. 8:2

חַשְׁמָן* ז׳ שם אביר(?) שבט(?)
חַשְׁמַנִּים 1 יֶאֱתָיוּ חַשְׁמַנִּים מִנִּי מִצְרָיִם Ps. 68:32

חַשְׁמֹנָה ז׳ מתחנות ב״י במסעיהם במדבר פארן: 1, 2
בְּחַשְׁמֹנָה 1 וַיִּסְעוּ מִמִּתְקָה וַיַּחֲנוּ בְּחַשְׁמֹנָה Num. 33:29
מֵחַשְׁמֹנָה 2 וַיִּסְעוּ מֵחַשְׁמֹנָה וַיַּחֲנוּ בְּמֹסֵרוֹת Num. 33:30

חֹשֶׁן ז׳ מבגדי הכהן הגדול, כעין חזיה שהיו בה האורים והתומים: 1–25
חֹשֶׁן מִשְׁפָּט 23–25; קְצוֹת הַחֹשֶׁן 4–9

חֹשֶׁן 1 חֹשֶׁן וְאֵפוֹד וּמְעִיל... Ex. 28:4
הַחֹשֶׁן 2/3 וְעָשִׂיתָ עַל־הַחֹשֶׁן... Ex. 28:22, 23
4–9 קְצוֹת הַחֹשֶׁן Ex. 28:23, 24, 26; 39:16, 17, 19
10/1 וְיִרְכְּסוּ אֶת־הַחֹשֶׁן... Ex. 28:28; 39:21
12/3 וְלֹא־יִזַּח הַחֹשֶׁן מֵעַל הָאֵפוֹד Ex. 28:28; 39:21
14 ...וְאֶת־הָאֵפֹד וְאֶת־הַחֹשֶׁן Ex. 29:5
15 וַיַּעַשׂ אֶת־הַחֹשֶׁן מַעֲשֵׂה חֹשֵׁב Ex. 39:8
16 רָבוּעַ הָיָה כָּפוּל עָשׂוּ אֶת־הַחֹשֶׁן Ex. 39:9
17 וַיַּעֲשׂוּ עַל־הַחֹשֶׁן שַׁרְשְׁרֹת גַּבְלֻת Ex. 39:15
18/9 וַיָּשֶׂם עָלָיו אֶת־הַחֹשֶׁן וַיִּתֵּן אֶל־הַחֹשֶׁן אֶת־הָאוּרִים וְאֶת־הַתֻּמִּים Lev. 8:8
וְלַחֹשֶׁן 20–22 (וְ)אַבְנֵי (הַ)מִּלֻּאִים לָאֵפ(וֹ)ד וְלַחֹשֶׁן Ex. 25:7; 35:9, 27
חֹשֶׁן־ 23 וְעָשִׂיתָ חֹשֶׁן מִשְׁפָּט מַעֲשֵׂה חֹשֵׁב Ex. 28:15
24 וְנָתַתָּ אֶל־חֹשֶׁן הַמִּשְׁפָּט אֶת־הָאוּרִים וְאֶת־הַתֻּמִּים Ex. 28:30
בְּחֹשֶׁן־ 25 וְנָשָׂא...בְּחֹשֶׁן הַמִּשְׁפָּט עַל־לִבּוֹ Ex. 28:29

חשׂף : חָשַׂף, חָשׂוּף; חֲשִׂיף, מַחְשׂוֹף

חָשַׂף פ׳ א) גלה, הפשיט: 1, 4–11
ב) העלה נוזלים: 2, 3
קרובים: גִּלָּה / עֵרָה
חָשַׂף זְרוֹעַ 6; חָ׳ מַיִם 3; חָ׳ שֹׁבֶל 11; חָשַׂף שׁוּלַיִם 4; זְרוֹעַ חֲשׂוּפָה 8; חֲשׂוּפֵי שֵׁת 9

חָשֹׂף 1 חָשֹׂף חֲשָׂפָהּ וְהִשְׁלִיךְ הִלְבִּינוּ שָׂרִיגֶיהָ Joel 1:7
לַחְשֹׂף 2 לַחְשֹׂף חֲמִשִּׁים פּוּרָה Hag. 2:16
וְלַחְשֹׂף 3 וְלַחְשֹׂף מַיִם מִגֶּבֶא Is. 30:14
חָשַׂפְתִּי 4 חָשַׂפְתִּי שׁוּלַיִךְ עַל־פָּנָיִךְ Jer. 13:26
5 חָשַׂפְתִּי...גִּלֵּיתִי אֶת־מִסְתָּרָיו Jer. 49:10
חָשַׂף 6 חָשַׂף יְיָ אֶת־זְרוֹעַ קָדְשׁוֹ Is. 52:10
חֲשָׂפָהּ 7 חָשֹׂף חֲשָׂפָהּ וְהִשְׁלִיךְ הִלְבִּינוּ שָׂרִיגֶיהָ Joel 1:7
חֲשׂוּפָה 8 תָּכִין פָּנַיִךְ וּזְרֹעֵךְ חֲשׂוּפָה Ezek. 4:7
וַחֲשׂוּפַי 9 וַחֲשׂוּפַי שֵׁת עֶרְוַת מִצְרָיִם Is. 20:4
וַיֶּחֱשֹׂף 10 יְחוֹלֵל אַיָּלוֹת וַיֶּחֱשֹׂף יְעָרוֹת Ps. 29:9
חֶשְׂפִּי 11 חֶשְׂפִּי־שֹׁבֶל גַּלִּי־שׁוֹק Is. 47:2

חשק : חָשַׁק, חִשַּׁק, חֻשַּׁק; חִשּׁוּק, חָשׁוּק, חֵשֶׁק

חָשַׁק פ׳ א) התאַוה, השתוקק: 1–8
ב) [פִּ׳ חִשַּׁק] חבר בחשוקים: 9
ג) [פֻּ׳ חֻשַּׁק] חֻבַּר בחשוקים: 10, 11
קרובים: אָהַב / אִוָּה / התאַוה / חָמַד / חָפֵץ / כָּמַהּ / נִכסף / עָגַב / רָצה / תָּאב
חָשַׁק (אֶת־) 1, 7; חָשַׁק בְּ־ 2–5, 6, 8

חָשַׁקְתָּ 1 חָשַׁקְתָּ נַפְשִׁי מִשַּׁחַת בְּלִי Is. 38:17
וְחָשַׁקְתָּ 2 וְחָשַׁקְתָּ בָהּ וְלָקַחְתָּ לְךָ לְאִשָּׁה Deut. 21:11
חָשַׁק 3 חָשַׁק יְיָ בָּכֶם וַיִּבְחַר בָּכֶם Deut. 7:7
4 בַּאֲבֹתֶיךָ חָשַׁק יְיָ לְאַהֲבָה אוֹתָם Deut. 10:15
5 וְאֵת חֵשֶׁק שְׁלֹמֹה אֲשֶׁר חָשַׁק לִבְנוֹת IK. 9:19
6 כִּי בִי חָשַׁק וַאֲפַלְּטֵהוּ Ps. 91:14
7 כָּל־חֵשֶׁק שְׁלֹמֹה אֲשֶׁר חָשַׁק לִבְנוֹת IICh. 8:6
חָשְׁקָה 8 שְׁכֶם בְּנִי חָשְׁקָה נַפְשׁוֹ בְּבִתְּכֶם Gen. 34:8
וְחִשַּׁק 9 וְצִפָּה רָאשֵׁיהֶם וְחִשַּׁק אֹתָם Ex. 38:28
מְחֻשָּׁקִים 10 עַמּוּדֵי הֶחָצֵר...מְחֻשָּׁקִים כֶּסֶף Ex. 27:17
11 וְהֵם מְחֻשָּׁקִים כָּסֶף Ex. 38:17

חֵשֶׁק
ז׳ תשוקה, רצון עז: 1–4

קרובים: אַהֲבָה / אַוָּה / חֶמְדָּה / חֵפֶץ / רָצוֹן / תַּאֲוָה / תְּשׁוּקָה

חֵשֶׁק שְׁלֹמֹה 1–3; נֶשֶׁף חִשְׁקוֹ 4

חֵשֶׁק־ 1 כָּל־חֵשֶׁק שְׁלֹמֹה אֲשֶׁר חָפֵץ לַעֲשׂוֹת IK. 9:1
2/3 חֵשֶׁק שְׁל׳ אֲשֶׁר חָשַׁק לִבְנוֹת IK. 9:19 • IICh. 8:6
חִשְׁקִי 4 אֵת נֶשֶׁף חִשְׁקִי שָׂם לִי לַחֲרָדָה Is. 21:4

חִשֻּׁק עין חִשּׁוּק | חָשֻׁק עין חָשׁוּק | חִשֻּׁר עין חִשּׁוּר

חַשְׁרָה*
נ׳ קִבּוּץ? חֲשֵׁכָה?

חַשְׁרַת־ 1 חַשְׁרַת־מַיִם עָבֵי שְׁחָקִים IISh. 22:12

חֲשַׁשׁ
ז׳ עֵשֶׂב יָבֵשׁ: 1, 2

חֲשַׁשׁ 1 תַּהֲרוּ חֲשַׁשׁ תֵּלְדוּ קַשׁ Is. 33:11
וַחֲשַׁשׁ 2 וַחֲשַׁשׁ לֶהָבָה יִרְפֶּה Is. 5:24

חֻשָׁתִי
ת׳ עין חוּשָׁתִי

חַת*
ז׳ מוֹרָא, פַּחַד: 1, 2

קרובים: אֵימָה / בֶּהָלָה / בְּעוּת / חִיל / חֲרָדָה / חִתָּה / חִתִּית / חִתַּת / יִרְאָה / מָגוֹר / מוֹרָא / פַּחַד

חַת 1 הֶעָשׂוּ לִבְלִי־חָת Job 41:25
וְחִתְּכֶם 2 וּמוֹרַאֲכֶם וְחִתְּכֶם יִהְיֶה
עַל כָּל־חַיַּת הָאָרֶץ Gen. 9:2

חֵת
שפ״ז – בנו השני של כנען בן חם, וכן כנוי לעם "בני חת" או "חתי", שישב באסיה הקטנה: 1–14

בְּנוֹת חֵת 12, 13; בְּנֵי חֵת 2–11

חֵת 1 אֶת־צִידֹן בְּכֹרוֹ וְאֶת־חֵת Gen. 10:15
2 וַיְדַבֵּר אֶל־בְּנֵי־חֵת לֵאמֹר Gen. 23:3
3 וַיַּעֲנוּ בְנֵי־חֵת אֶת־אַבְרָהָם Gen. 23:5
4 וַיִּשְׁתַּחוּ לְעַם־הָאָרֶץ לִבְנֵי־חֵת Gen. 23:7
5-11 בְּנֵי חֵת Gen. 23:10², 16, 18, 20; 25:10; 49:32
12 קַצְתִּי בְחַיַּי מִפְּנֵי בְּנוֹת חֵת Gen. 27:46
13 אִם־לֹקֵחַ יַעֲקֹב אִשָּׁה מִבְּנוֹת־חֵת Gen. 27:46
14 אֶת־צִידוֹן בְּכוֹרוֹ וְאֶת־חֵת ICh. 1:13

חַת, חַתָּה, חַתּוֹ – עין חתת

חתה
: חָתָה; מַחְתָּה

חָתָה
פ׳ גָּרַף: 1–4

חָתָה אֵשׁ 1, 3; חָתָה גֶּחָלִים 2

לַחְתּוֹת 1 חֶרֶשׂ לַחְתּוֹת אֵשׁ מִיָּקוּד Is. 30:14
חוֹתֶה 2 כִּי גֶחָלִים אַתָּה חֹתֶה עַל־רֹאשׁוֹ Prov. 25:22
הֲיַחְתֶּה 3 הֲיַחְתֶּה אִישׁ אֵשׁ בְּחֵיקוֹ Prov. 6:27
יַחְתְּךָ 4 גַּם־אֵל...יַחְתְּךָ...וְיִסָּחֲךָ מֵאֹהֶל Ps. 52:7

חִתָּה*
נ׳ פחד, מורא • קרובים: ראה חת

חִתַּת־ 1 וַיְהִי חִתַּת אֱלֹהִים עַל־הֶעָרִים Gen. 35:5

חִתּוּל
ז׳ תחבושת

חִתּוּל 1 לָתֵת רְפֻאוֹת לָשׂוּם חִתּוּל לְחָבְשָׁה Ezek. 30:21

חָתוּם
תו״ז א) סגור, סתום: 1–4, 9

ב) ספר שנחתם בחותם: 5–7

ג) שנרשם עליו שם החותם: 8, 10

מַעְיָן חָתוּם 4; (סֵפֶר) חָתוּם 5–7; עַל הֶחָתוּם 8, 10

חָתוּם 1 כָּמֻס עִמָּדִי חָתֻם בְּאוֹצְרֹתָי Deut. 32:34
2 לֹא אוּכַל כִּי חָתוּם הוּא Is. 29:11
3 חָתֻם בִּצְרוֹר פִּשְׁעִי Job 14:17
4 גַּל נָעוּל מַעְיָן חָתוּם S. of S. 4:12
הֶחָתוּם 5 כְּדִבְרֵי הַסֵּפֶר הֶחָתוּם Is. 29:11
6 אֶת־הֶחָתוּם...וְאֶת־הַגָּלוּי Jer. 32:11
7 וְאֵת הֶחָתוּם וְאֵת סֵפֶר הַגָּלוּי Jer. 32:14
8 וְעַל הֶחָתוּם שָׂרֵינוּ לְוִיֵּנוּ כֹּהֲנֵינוּ Neh. 10:1
וַחֲתוּמִים 9 כִּי־סְתֻמִים וַחֲתֻמִים הַדְּבָרִים Dan. 12:9
הַחֲתוּמִים 10 וְעַל הַחֲתוּמִים נְחֶמְיָה Neh. 10:2

חַתְחַת*
ז׳ מכשול ?

וְחַתְחַתִּים 1 גַּם מִגָּבֹהַּ יִרָאוּ וְחַתְחַתִּים בַּדֶּרֶךְ Eccl. 12:5

חִתִּי
ת׳ א) המתיחס על חת בן כנען: 1–11, 18–28

ב) משבעת עמי כנען: 12–17, 29–48

אֶרֶץ הַחִתִּים 43, 44; מַלְכֵי הַחִתִּים 45–47

הַחִתִּי 1 וְאֶת־הַחִתִּי וְאֶת־הַפְּרִזִּי Gen. 15:20
2 וַיַּעַן עֶפְרוֹן הַחִתִּי Gen. 23:10
3 עֶפְרֹן בֶּן־צֹחַר הַחִתִּי Gen. 25:9
4 אֶת־יְהוּדִית בַּת־בְּאֵרִי הַחִתִּי Gen. 26:34
5 וְאֶת־בָּשְׂמַת בַּת־אֵילֹן הַחִתִּי Gen. 26:34
6 אֶת־עָדָה בַּת־אֵילוֹן הַחִתִּי Gen. 36:2
7-9 עֶפְרֹ(וֹ)ן הַחִתִּי Gen. 49:29, 30; 50:13
10/1 אֶת־הַכְּנַעֲנִי וְאֶת־הַחִתִּי Ex. 23:28 • Josh. 3:10
12-17 הַחִתִּי (...) (וְ)הָאֱמֹרִי Deut. 7:1; 20:17
Josh. 9:1; 12:8 • Jud. 3:5 • IICh. 8:7
18 וַיֹּאמֶר אֶל־אֲחִימֶלֶךְ הַחִתִּי ISh. 26:6
19-28 אוּרִיָּה הַחִתִּי IISh. 11:3, 6, 17, 21, 24
12:9, 10; 23:39 • IK. 15:5 • ICh. 11:41
29 הַנּוֹתָר מִן־הָאֱמֹרִי הַחִתִּי IK. 9:20
30 כְּתֹעֲבֹתֵיהֶם לַכְּנַעֲנִי הַחִתִּי Ez. 9:1
31 אֶת־אֶרֶץ הַכְּנַעֲנִי הַחִתִּי Neh. 9:8
וְהַחִתִּי 32-34 הַכְּנַעֲנִי וְהַחִתִּי Ex. 3:8, 17; 13:5
35-37 וְהַחִתִּי וְהַפְּרִזִּי Ex. 23:23; 33:2; 34:11
38 וְהַחִתִּי וְהַיְבוּסִי וְהָאֱמֹרִי Num. 13:29
39 וְהָאֱמֹרִי וְהַחִתִּי וְהַפְּרִזִּי Josh. 11:3
40 וְהַכְּנַעֲנִי וְהַחִתִּי וְהַגִּרְגָּשִׁי Josh. 24:11
חִתִּית 41 אָבִיךְ הָאֱמֹרִי וְאִמֵּךְ חִתִּית Ezek. 16:3
42 אִמְּכֶן חִתִּית וַאֲבִיכֶן אֱמֹרִי Ezek. 16:45
הַחִתִּים 43 כֹּל אֶרֶץ הַחִתִּים Josh. 1:4
44 וַיֵּלֶךְ הָאִישׁ אֶרֶץ הַחִתִּים Jud. 1:26
45-46 לְכָל־מַלְכֵי הַחִתִּים IK. 10:29 • IICh. 1:17
47 שָׂכַר־עָלֵינוּ...אֶת־מַלְכֵי הַחִתִּים IIK. 7:6
חִתִּיּוֹת 48 אָהַב נָשִׁים...אֲדֹמִיֹּת צֵדְנִיֹּת חִתִּיֹּת IK. 11:1

חִתִּית
נ׳ חִתָּה, פַּחַד: 1–8 • קרובים: ראה חת

חִתִּית 1 אֲשֶׁר־נָתְנוּ חִתִּית בְּאֶרֶץ חַיִּים Ezek. 32:23
2 כִּי־חִתִּית גִּבּוֹרִים בְּאֶרֶץ חַיִּים Ezek. 32:27
חִתִּיתִי 3 חִתִּיתִי (כת׳ חתיתו) בְּאֶרֶץ חַיִּים Ezek. 32:32
חִתִּיתָם 4 אֲשֶׁר־נָתְנוּ חִתִּיתָם לְכָל־יוֹשְׁבֶיהָ Ezek. 26:17
5-7 חִתִּיתָם בְּאֶרֶץ חַיִּים Ezek. 32:24, 25, 26
בְּחִתִּיתָם 8 בְּחִתִּיתָם מִגְּבוּרָתָם בּוֹשִׁים Ezek. 32:30

(חתך) נֶחְתַּךְ
נפ׳ נגזר

נֶחְתַּךְ 1 שָׁבֻעִים שִׁבְעִים נֶחְתַּךְ עַל־עַמְּךָ Dan. 9:24

חתל
: חִתֵּל; הָחְתַּל; חִתּוּל; חֲתֻלָּה; ש״פ חֶתְלוֹן

חָתַל
פ׳ א) נכרך: 1

ב) [הָפ׳ הָחְתַּל] כנ״ל: 2

חֻתָּלְתְּ 1 וְהָחְתֵּל לֹא חֻתָּלְתְּ Ezek. 16:4
וְהָחְתֵּל 2 וְהָחְתֵּל לֹא חֻתָּלְתְּ Ezek. 16:4

חֲתֻלָּה
נ׳ מעטפה

חֲתֻלָּתוֹ 1 בְּשׂוּמִי עָנָן לְבֻשׁוֹ וַעֲרָפֶל חֲתֻלָּתוֹ Job 38:9

חֶתְלוֹן
מקום בגבול הצפוני של ארץ־ישראל: 1, 2

חֶתְלוֹן 1 הַדֶּרֶךְ חֶתְלֹן לְבוֹא צְדָדָה Ezek. 47:15
2 אֶל־יַד דֶּרֶךְ־חֶתְלֹן לְבוֹא־חֲמָת Ezek. 48:1

חתם
: חָתַם, נֶחְתַּם, חִתֵּם, הֶחְתִּים; חָתוּם, חוֹתָם, חוֹתֶמֶת; אר׳ חֲתַם

חָתַם
פ׳ א) כתב שמו או חותם לְאִשּׁוּר הכתוב: 1, 3, 4, 7–9, 12, [עין גם חָתוּם]

ב) סגר: 5, 6, 10, 11

ג) סים, השלים: 2

ד) [נפ׳ נֶחְתַּם] הושם חותם: 13, 14

ה) [פִּ׳ חִתֵּם] סתם: 15

ו) [הִפ׳ הֶחְתִּים] נסגר: 16

וְחָתוֹם 1 וְכָתוֹב בַּסֵּפֶר וְחָתוֹם וְהָעֵד עֵדִים Jer. 32:44
וְלַחְתֹּם 2 וְלַחְתֹּם חָזוֹן וְנָבִיא Dan. 9:24
חוֹתֵם 3 אַתָּה חוֹתֵם תָּכְנִית מָלֵא חָכְמָה Ezek. 28:12
וָאֶחְתֹּם 4 וָאֶכְתֹּב בַּסֵּפֶר וָאֶחְתֹּם... Jer. 32:10
יַחְתֹּם 5 וּבְעַד כּוֹכָבִים יַחְתֹּם Job 9:7
6 יִגְלֶה אֹזֶן אֲנָשִׁים וּבְמֹסָרָם יַחְתֹּם Job 33:16
7 בְּיַד־כָּל־אָדָם יַחְתּוֹם Job 37:7
וַיֶּחְתֹּם 8 וַיַּחְתֹּם בְּטַבַּעַת הַמֶּלֶךְ Es. 8:10
וַתַּחְתֹּם 9 וַתִּכְתֹּב סְפָרִים...וַתַּחְתֹּם בְּחֹתָמוֹ IK. 21:8
חֲתוֹם 10 צוֹר תְּעוּדָה חֲתוֹם תּוֹרָה בְּלִמֻּדָי Is. 8:16
וַחֲתֹם 11 סְתֹם הַדְּבָרִים וַחֲתֹם הַסֵּפֶר Dan. 12:4
וְחִתְמוּ 12 וְחִתְמוּ בְּטַבַּעַת הַמֶּלֶךְ Es. 8:8
וְנַחְתּוֹם 13 וְנַחְתּוֹם בְּטַבַּעַת הַמֶּלֶךְ Es. 8:8
וְנֶחְתָּם 14 וְנֶחְתָּם בְּטַבַּעַת הַמֶּלֶךְ Es. 3:12
חִתְּמוּ 15 יוֹמָם חִתְּמוּ־לָמוֹ לֹא־יָדְעוּ אוֹר Job 24:16
הֶחְתִּים 16 אוֹ־הֶחְתִּים בְּשָׂרוֹ מִזּוֹבוֹ Lev. 15:3

חֲתַם
פ׳ ארמית: חָתַם

וְחַתְמַהּ 1 וְחַתְמַהּ מַלְכָּא בְּעִזְקְתֵהּ... Dan. 6:18

חֹתָם עין חוֹתָם חֹתֶמֶת עין חוֹתֶמֶת

חתן
: הִתְחַתֵּן; חָתָן, חוֹתֵן, חוֹתֶנֶת, חֲתֻנָּה

(חתן) הִתְחַתֵּן
הת׳ א) נשא את בתו של מישהו לאשה: 1–3, 7, 10

ב) נעשה קרוב למישהו ע״י נישואין: 4–6, 8, 9, 11

הִתְחַתֵּן בְּ־ 1–7, 10; הִתְחַ׳ אֶת־ 8, 11; הִתְחַ׳ לְ־ 9

הִתְחַתֵּן 1 הֲנְקַלָּה בְעֵינֵיכֶם הִתְחַתֵּן בַּמֶּלֶךְ ISh. 18:23
לְהִתְחַתֵּן 2-3 לְהִתְחַתֵּן בַּמֶּלֶךְ ISh. 18:26, 27
וּלְהִתְחַתֵּן 4 וּלְהִתְחַתֵּן בְּעַמֵּי הַתֹּעֵבוֹת הָאֵלֶּה Ez. 9:14
וְהִתְחַתַּנְתֶּם 5 וְהִתְחַתַּנְתֶּם בָּהֶם וּבָאתֶם בָּהֶם Josh. 23:12
תִּתְחַתֵּן 6 וְלֹא תִתְחַתֵּן בָּם Deut. 7:3
7 בִּשְׁתַּיִם תִּתְחַתֵּן בִּי הַיּוֹם ISh. 18:21
וַיִּתְחַתֵּן 8 וַיִּתְחַתֵּן שְׁלֹמֹה אֶת־פַּרְעֹה IK. 3:1
9 וַיִּתְחַתֵּן לְאַחְאָב IICh. 18:1
הִתְחַתֵּן 10 וְעַתָּה הִתְחַתֵּן בַּמֶּלֶךְ ISh. 18:22
וְהִתְחַתְּנוּ 11 וְהִתְחַתְּנוּ אֹתָנוּ בְּנֹתֵיכֶם תִּתְּנוּ־לָנוּ
וְאֶת־בְּנֹתֵינוּ תִּקְחוּ לָכֶם Gen. 34:9

חָתָן ז׳ א) בעל בתו של מישהו: 1, 2, 9, 10, 15, 17—20
ב) מי שארש אשה ביום חתונתו: 3—8, 11, 12
ג) קרוב על־ידי נישואין: 16
– חָתָן וְכַלָּה 3—8; חֲתַן לְ־ 2, 9, 10, 13, 14; קוֹל חָתָן 4—7
– חֲתַן בֵּית־ 16; חֲתַן דָּמִים 13, 14; חֲתַן הַמֶּלֶךְ 17
– עֵינֵי חֲתָנָיו 20

חָתָן 1 עֹד מִי־לְךָ פֹה חָתָן וּבָנֶיךָ Gen. 19:12
2 מִי אָנֹכִי...כִּי־אֶהְיֶה חָתָן לַמֶּלֶךְ ISh. 18:18
3 וּמְשׂוֹשׂ חָתָן עַל־כַּלָּה Is. 62:5
4-7 קוֹל חָתָן וְקוֹל כַּלָּה Jer. 7:34; 16:9; 25:10; 33:11
8 יֵצֵא חָתָן מֵחֶדְרוֹ וְכַלָּה מֵחֻפָּתָהּ Joel 2:16
9 כִּי־חָתָן הוּא לִשְׁכַנְיָה Neh. 6:18
10 חָתָן לְסַנְבַלַּט הַחֹרֹנִי Neh. 13:28
כְּחָתָן 11 וְהוּא כְּחָתָן יֹצֵא מֵחֻפָּתוֹ Ps. 19:6
כֶּחָתָן 12 כֶּחָתָן יְכַהֵן פְּאֵר Is. 61:10
חֲתַן־ 13 כִּי חֲתַן־דָּמִים אַתָּה לִי Ex. 4:25
14 אָז אָמְרָה חֲתַן דָּמִים לַמּוּלֹת Ex. 4:26
15 שִׁמְשׁוֹן חֲתַן הַתִּמְנִי Jud. 15:6
16 כִּי חֲתַן בֵּית־אַחְאָב הוּא IIK. 8:27
וַחֲתַן־ 17 וּמִי...כְּדָוִד נֶאֱמָן וַחֲתַן הַמֶּלֶךְ ISh. 22:14
חֲתָנוֹ 18 וַיֹּאמֶר אֲבִי הַנַּעֲרָה אֶל־חֲתָנוֹ Jud. 19:5
חֲתָנָיו 19 וַיְדַבֵּר אֶל־חֲתָנָיו לֹקְחֵי בְנֹתָיו Gen. 19:14
20 וַיְהִי כִמְצַחֵק בְּעֵינֵי חֲתָנָיו Gen. 19:14

חֹתֵן עין חוֹתֵן **חֹתֶנֶת** עין חוֹתֶנֶת

חֲתֻנָּה נ׳ חגיגת הנשואין
חֲתֻנָּתוֹ 1 בְּיוֹם חֲתֻנָּתוֹ וּבְיוֹם שִׂמְחַת לִבּוֹ S.ofS. 3:11

חתף : חָתַף; חֶתֶף

חָתַף פ׳ חָטַף
יַחְתֹּף 1 הֵן יַחְתֹּף מִי יְשִׁיבֶנּוּ Job 9:12

חֶתֶף ז׳ שׁוֹד, חטיפה
כְּחֶתֶף 1 אַף־הִיא כְּחֶתֶף תֶּאֱרֹב Prov. 23:28

חתר : חָתַר; מַחְתֶּרֶת

חָתַר פ׳ א) חָפַר מתחת לבנין: 1—5, 7, 8
ב) הפעיל במים משוטים: 6

חָתַרְתִּי 1 וּבָעֶרֶב חָתַרְתִּי־לִי בַקִּיר בְּיָד Ezek. 12:7
חָתַר 2 חָתַר בַּחֹשֶׁךְ בָּתִּים Job 24:16
וָאֶחְתֹּר 3 וָאֶחְתֹּר בַּקִּיר וְהִנֵּה פֶּתַח אֶחָד Ezek. 8:8
יַחְתְּרוּ 4 בַּקִּיר יַחְתְּרוּ לְהוֹצִיא בוֹ Ezek. 12:12
5 אִם־יַחְתְּרוּ בִשְׁאוֹל Am. 9:2
וַיַּחְתְּרוּ 6 וַיַּחְתְּרוּ...לְהָשִׁיב אֶל־הַיַּבָּשָׁה Jon. 1:13
חֲתָר־ 7 בֶּן־אָדָם חֲתָר־נָא בַקִּיר Ezek. 8:8
8 לְעֵינֵיהֶם חֲתָר־לְךָ בַקִּיר Ezek. 12:5

חתת : חַת, נִחַת, חִתִּית, הֵחַת; חַת, חֵת, חִתָּה, חִתִּית, חַתְחַת, חֲתַת, מְחִתָּה; ש״פ חַת, חִתִּי, חֲתַת

חָתַת, חַת פ׳ א) נשבר, נבקע: 2, 15, 29—31, 34, 45, 47—49
ב) נבהל: 1,3—14, 16—28, 32, 33, 35—44, 46
ג) [נפ׳ נִחַת] פחד: 50
ד) [פ׳ חִתַּת] הבהיל: 51
ה) [כנ״ל] שבר: 52
ו) [הפ׳ הֵחַת] שבר: 53, 54
ז) [כנ״ל] הבהיל: 55—57 [יְחִיתַן=יְחִתֵּן?]

אַל (לֹא) תֵּחַת 18, 21, 27, 28, 39, 40; אַל תִּירָא(...)וְאַל תֵּחַת 19, 20, 22—25, 35—38; לֹא תִירָא וְלֹא תֵחַת 26

חַת 1 הֹבִישׁ בֵּל חַת מְרֹדָךְ Jer. 50:2
חַתָּה 2 בַּעֲבוּר הָאֲדָמָה חַתָּה Jer. 14:4
3 הֹבִישׁ מוֹאָב כִּי־חַתָּה Jer. 48:20
4 אֵיךְ חַתָּה הֵילִילוּ...מוֹאָב בּוֹשׁ Jer. 48:39
וָחָתָּה 5 הֹבִישָׁה הַמִּשְׂגָּב וָחָתָּה Jer. 48:1
חַתּוּ 6 וְיֹשְׁבֵיהֶן קִצְרֵי־יָד חַתּוּ וַיֵּבֹשׁוּ IIK. 19:26
7 וְיֹשְׁבֵיהֶן קִצְרֵי־יָד חַתּוּ וָבֹשׁוּ Is. 37:27
8 הֹבִשׁוּ חֲכָמִים חַתּוּ וַיִּלָּכֵדוּ Jer. 8:9
9 הֹבִישׁוּ עֲצַבֶּיהָ חַתּוּ גִלּוּלֶיהָ Jer. 50:2
10 חַתּוּ לֹא־עָנוּ עוֹד Job 32:15
וְחַתּוּ 11 וְחַתּוּ וָבֹשׁוּ מִכּוּשׁ מַבָּטָם Is. 20:5
12 וְחַתּוּ מִנֵּס שָׂרָיו Is. 31:9
13 וְחַתּוּ גִבּוֹרֶיךָ תֵּימָן Ob. 9
וָחָתּוּ 14 חֶרֶב אֶל־גִּבּוֹרֶיהָ וָחָתּוּ Jer. 50:36
חַתִּים 15 קֶשֶׁת גִּבֹּרִים חַתִּים ISh. 2:4
16 הֵמָּה חַתִּים נְסֹגִים אָחוֹר Jer. 46:5
אֵחַתָּה 17 יֵחַתּוּ הֵמָּה וְאַל־אֵחַתָּה אָנִי Jer. 17:18
תֵּחַת 18 אַל־תֵּחַת מִפְּנֵיהֶם Jer. 1:17
19-20 אַל־תִּירָא...וְאַל־תֵּחַת יִשְׂ׳ Jer. 30:10; 46:27
21 וְלֹא־תֵחַת מִפְּנֵיהֶם Ezek. 3:9
תֵּחָת 22-25 אַל־תִּירָא וְאַל־תֵּחָת Deut. 1:21
Josh. 8:1 • ICh. 22:13(12); 28:20
26 לֹא תִירָא וְלֹא תֵחָת Deut. 31:8
27 אַל־תַּעֲרֹץ וְאַל־תֵּחָת Josh. 1:9
28 וּמִפְּנֵיהֶם אַל־תֵּחָת Ezek. 2:6
יֵחַת 29 יֵחַת אֶפְרַיִם מֵעָם Is. 7:8
30 מִקּוֹל יְיָ יֵחַת אַשּׁוּר Is. 30:31
31 הָאֹמְרִים מִי־יֵחַת עָלֵינוּ Jer. 21:13
יֵחָת 32 מִקּוֹלָם לֹא יֵחָת וּמֵהֲמוֹנָם לֹא יַעֲנֶה Is. 31:4
33 יִשְׂחַק לְפַחַד וְלֹא יֵחָת Job 39:22
תֵחָת 34 וְצִדְקָתִי לֹא תֵחָת Is. 51:6
תֵּחַתּוּ 35-37 אַל־תִּירְאוּ וְאַל־תֵּחַתּוּ IICh. 20:15,17; 32:7
תֵּחָתּוּ 38 אַל־תִּירְאוּ וְאַל־תֵּחָתּוּ Josh. 10:25
39 וּמִגִּדֻּפֹתָם אַל־תֵּחָתּוּ Is. 51:7
40 וּמֵאֹתוֹת הַשָּׁמַיִם אַל־תֵּחָתּוּ Jer. 10:2
יֵחַתּוּ 41 יְיָ יֵחַתּוּ מְרִיבָו ISh. 2:10
42 כִּי־יֵחַתּוּ הַגּוֹיִם מֵהֵמָּה Jer. 10:2
43 יֵחַתּוּ הֵמָּה וְאַל־אֵחַתָּה אָנִי Jer. 17:18
44 וְלֹא־יִירְאוּ עוֹד וְלֹא־יֵחַתּוּ Jer. 23:4
45 וּבְרֶגַע שְׁאוֹל יֵחָתּוּ Job 21:13
וַיֵּחַתּוּ 46 וַיֵּחַתּוּ וַיִּרְאוּ מְאֹד ISh. 17:11
וָחֹתּוּ 47 רֹעוּ עַמִּים וָחֹתּוּ Is. 8:9
48/9 הִתְאַזְּרוּ וָחֹתּוּ הִתְאַזְּרוּ וָחֹתּוּ Is. 8:9
נִחַת 50 וּמִפְּנֵי שְׁמִי נִחַת הוּא Mal. 2:5
וְחִתַּתַּנִי 51 וְחִתַּתַּנִי בַחֲלֹמוֹת וּמֵחֶזְיֹנוֹת תְּבַעֲתַנִּי Job 7:14
חִתְּתָה 52 חִתְּתָה קַשְּׁתוֹתָם Jer. 51:56
וְהַחְתַּתִּי 53 וְהַחְתַּתִּי אֶת־עֵילָם Jer. 49:37
הַחִתֹּתָ 54 מַטֵּה שִׁכְמוֹ...הַחִתֹּתָ כְּיוֹם מִדְיָן Is. 9:3
אֲחִתְּךָ 55 אַל־תֵּחַת...פֶּן־אֲחִתְּךָ לִפְנֵיהֶם Jer. 1:17
יְחִתֵּנִי 56 וּבוּז־מִשְׁפָּחוֹת יְחִתֵּנִי Job 31:34
יְחִיתַן(?) 57 וְשֹׁד בְּהֵמוֹת יְחִיתַן Hab. 2:17

חֲתַת[1] נ׳ פחד, מורא
קרובים: ראה חַת
חֲתַת 1 תִּרְאוּ חֲתַת וַתִּירָאוּ Job 6:21

חֲתַת[2] שפ״ז – בן עָתְנִיאֵל בן קְנַז
חֲתַת 1 וּבְנֵי עָתְנִיאֵל חֲתַת ICh. 4:13

ט׳ זעירא

טָבְעוּ Lam. 2:9

מסורה מסורה מסורה
מסורה מסורה מסורה
מסורה מסורה
מסורה מסורה
מסורה ט מסורה
מסורה מסורה
מסורה מסורה
מסורה מסורה
מסורה מסורה
מסורה מסורה
מסורה מסורה מסורה
מסורה מסורה מסורה

טית״ן בתורה 1802

ט׳ רבתי

טוֹב Eccl. 7:1

שִׁבְטוֹ Job 9:34

טְאֵב פְּ׳ ארמית: טוב

טְאֵב 1 בֵּאדַיִן מַלְכָּא שַׂגִּיא טְאֵב עֲלוֹהִי Dan. 6:24

טאטא: טַאטֵא; מַטְאֲטֵא

טֵאטֵא פְּ׳ גרף [ובהשאלה] השמיד

וְטֵאטֵאתִיהָ 1 וְטֵאטֵאתִיהָ בְּמַטְאֲטֵא הַשְׁמֵד Is. 14:23

טָב ת׳ ארמית: טוב: 2,1

טָב 1 רֵאשֵׁהּ דִּי־דְהַב טָב Dan. 2:32

2 וּכְעַן הֵן עַל־מַלְכָּא טָב Ez. 5:17

טָבְאֵל שפ״ז – ממחברי מכתב־השטנה בימי נחמיה

טָבְאֵל 1 כָּתַב בִּשְׁלָם מִתְרְדָת טָבְאֵל Ez. 4:7

טָבְאַל שפ״ז – עין בֶּן־טָבְאַל

טְבוּל* ז׳ מין מצנפת(?)

טְבוּלִים 1 סְרוּחֵי טְבוּלִים בְּרָאשֵׁיהֶם Ezek. 23:15

טַבּוּר ז׳ [בצרוף: טַבּוּר הָאָרֶץ] מרכז, אמצע: 2,1

טַבּוּר־ 1 יוֹרְדִים מֵעִם טַבּוּר הָאָרֶץ Jud. 9:37

2 יֹשְׁבֵי עַל־טַבּוּר הָאָרֶץ Ezek. 38:12

טבח: טָבַח, טָבוּחַ; טֶבַח, טִבְחָה, טַבָּח, טַבָּחָה*, מַטְבֵּחַ; ש״פ טֶבַח, טִבְחַת

טָבַח פְּ׳ א) שחט בהמה למאכל: 1, 2, 6, 8–11

ב) [בהשאלה על בני־אדם] רצח, הרג: 3, 4, 5, 7

קרובים: אבד / הרג / זבח / רצח / שחט

טָבַח טֶבַח 1, 9, 11; טָבַח טִבְחָתוֹ 6

טְבֹחַ 1 לְמַעַן טְבֹחַ טֶבַח הוּחַדָּה Ezek. 21:15

לִטְבוֹחַ 2 כְּכֶבֶשׂ אַלּוּף יוּבַל לִטְבוֹחַ Jer. 11:19

3 כִּי־מָלְאוּ יְמֵיכֶם לִטְבוֹחַ Jer. 25:34

4 אוֹרִידֵם כְּכָרִים לִטְבוֹחַ Jer. 51:40

5 לִטְבוֹחַ יִשְׁרֵי־דָרֶךְ Ps. 37:14

טָבַחְתִּי 6 וְאֶת טִבְחָתִי אֲשֶׁר טָבַחְתִּי לְגֹזְזָי ISh. 25:11

טָבַחְתָּ 7 הָרַגְתָּ...טָבַחְתָּ לֹא חָמָלְתָּ Lam. 2:21

וּטְבָחוֹ 8 כִּי יִגְנֹב אִישׁ שׁוֹר אוֹ־שֶׂה וּטְבָחוֹ Ex. 21:37

טָבְחָה 9 טָבְחָה טִבְחָהּ מָסְכָה יֵינָהּ Prov. 9:2

טָבוּחַ 10 שׁוֹרְךָ טָבוּחַ לְעֵינֶיךָ Deut. 28:31

וּטְבֹחַ 11 וּטְבֹחַ טֶבַח וְהָכֵן Gen. 43:16

טֶבַח¹ ז׳ א) שחיטת בהמה למאכל: 1–3, 5, 6, 8, 9, 12

ב) [בהשאלה] הרג ואבדן: 4, 7, 10, 11

קרובים: אבדן / הֶרֶג / הֲרֵגָה / זבח / טִבְחָה / רֶצַח / שְׁחִיטָה

טֶבַח גָּדוֹל 4; בָּא אֶל טֶבַח 3; הוּבַל לַטֶּבַח 7; יָרַד לַטֶּבַח 10, 11; כָּרַע לַטֶּ׳ 8; נָתַן לַטֶּבַח 9

טֶבַח 1 וּטְבֹחַ טֶבַח וְהָכֵן Gen. 43:16

2 לְמַעַן טְבֹחַ טֶבַח הוּחַדָּה Ezek. 21:15

3 כְּשׁוֹר אֶל־טֶבַח יָבֹא Prov. 7:22

וְטֶבַח 4 וְטֶבַח גָּדוֹל בְּאֶרֶץ אֱדוֹם Is. 34:6

לְטֶבַח 5 חֶרֶב חֶרֶב פְּתוּחָה לְטֶבַח מְרוּטָה Ezek. 21:33

לְטָבַח 6 עֲשׂוּיָה לְבָרָק מְעֻטָּה לְטָבַח Ezek. 21:20

לַטֶּבַח 7 כַּשֶּׂה לַטֶּבַח יוּבָל Is. 53:7

8 וְכֻלְּכֶם לַטֶּבַח תִּכְרָעוּ Is. 65:12

לַטָּבַח 9 הֶחֱרִימָם נְתָנָם לַטָּבַח Is. 34:2

10 וּמִבְחַר בַּחוּרָיו יָרְדוּ לַטָּבַח Jer. 48:15

11 חִרְבוּ כָּל־פָּרֶיהָ יֵרְדוּ לַטָּבַח Jer. 50:27

טִבְחָהּ 12 טָבְחָה טִבְחָהּ מָסְכָה יֵינָהּ Prov. 9:2

טֶבַח² שפ״ז – בן נחור מפילגשו ראומה

טֶבַח 1 וַתֵּלֶד גַּם־הִוא אֶת־טֶבַח Gen. 22:24

טַבָּח¹ ז׳ א) מומחה לבשול: 2,1

ב) [רַב טַבָּחִים] שר ממונה על מיתת הרוגי מלכות, או משומרי ראש המלך: 3–32

רַב טַבָּחִים 3–26; שַׂר הַטַּבָּחִים 27–32

הַטַּבָּח 1 וַיָּרֶם הַטַּבָּח אֶת־הַשּׁוֹק ISh. 9:24

לַטַּבָּח 2 וַיֹּאמֶר שְׁמוּאֵל לַטַּבָּח ISh. 9:23

טַבָּחִים 3 בָּא נְבוּזַרְאֲדָן רַב־טַבָּחִים IIK. 25:8

4 חֵיל כַּשְׂדִּים אֲשֶׁר רַב־טַבָּחִים IIK. 25:10

5–26 רַב־טַבָּחִים IIK. 25:11, 12, 15, 18, 20

Jer. 39:9, 10, 11, 13; 40:1, 2, 5; 41:10; 43:6; 52:12

52:14, 15, 16, 19, 24, 26, 30

הַטַּבָּחִים 27/8 סְרִיס פַּרְעֹה שַׂר הַטַּבָּחִים Gen. 37:36; 39:1

29/30 בְּמִשְׁמַר בֵּית שַׂר הַטַּבָּחִים Gen. 40:3; 41:10

31 וַיִּפְקֹד שַׂר הַטַּבָּחִים אֶת־יוֹסֵף Gen. 40:4

32 נַעַר עִבְרִי עֶבֶד לְשַׂר הַטַּבָּחִים Gen. 41:12

טַבָּח² ז׳ ארמית: כמו בעברית; טַבָּחַיָּא = הַטַּבָּחִים

טַבָּחַיָּא 1 לְאַרְיוֹךְ רַב־טַבָּחַיָּא דִּי מַלְכָּא Dan. 2:14

טַבָּחָה* נ׳ מומחית לבשול

וּלְטַבָּחוֹת 1 בְּנוֹתֵיכֶם יִקָּח לְרַקָּחוֹת וּלְטַבָּחוֹת ISh. 8:13

טִבְחָה נ׳ טֶבַח: 1–3 • צֹאן (לְ)טִבְחָה 1, 2

טִבְחָה 1 נֶחְשַׁבְנוּ כְּצֹאן טִבְחָה Ps. 44:23

לְטִבְחָה 2 הַתִּקֵם כְּצֹאן לְטִבְחָה Jer. 12:3

טִבְחָתִי 3 וְאֶת טִבְחָתִי אֲשֶׁר טָבַחְתִּי לְגֹזְזָי ISh. 25:11

טִבְחַת עיר בארם צובא, נקראת גם בֶּטַח

וּמִטִּבְחַת 1 וּמִטִּבְחַת וּמִכּוּן עָרֵי הֲדַדְעֶזֶר ICh. 18:8

טָבְיָה עין טוֹבִיָּה

טבל: טָבַל, נִטְבַּל; טְבוּל(?); ש״פ טְבַלְיָהוּ

טָבַל פְּ׳ א) שקע בנוזלים: 1–15

ב) [נפ׳ נִטְבַּל] שוקע בנוזלים: 16

וְטָבַלְתְּ 1 וְטָבַלְתְּ פִּתֵּךְ בַּחֹמֶץ Ruth 2:14

וְטָבַל 2 וְטָבַל הַכֹּהֵן אֶת־אֶצְבָּעוֹ בַּדָּם Lev. 4:6

3 וְטָבַל הַכֹּהֵן אֶצְבָּעוֹ מִן־הַדָּם Lev. 4:17

4/5 וְטָבַל א(וֹ)תָם...בְּדַם הַצִּפֹּר Lev. 14:6, 51

6 וְטָבַל הַכֹּהֵן אֶת־אֶצְבָּעוֹ הַיְמָנִית Lev. 14:16

7 וְטָבַל בַּמַּיִם אִישׁ טָהוֹר Num. 19:18

וּטְבַלְתֶּם 8 וּטְבַלְתֶּם בַּדָּם אֲשֶׁר־בַּסַּף Ex. 12:22

וְטֹבֵל 9 וְטֹבֵל בַּשֶּׁמֶן רַגְלוֹ Deut. 33:24

תִּטְבְּלֵנִי 10 אָז בַּשַּׁחַת תִּטְבְּלֵנִי Job 9:31

וַיִּטְבֹּל 11 וַיִּטְבֹּל אֶצְבָּעוֹ בַּדָּם Lev. 9:9

12 וַיִּטְבֹּל אוֹתָהּ בְּיַעְרַת הַדְּבָשׁ ISh. 14:27

13 וַיֵּרֶד וַיִּטְבֹּל בַּיַּרְדֵּן IIK. 5:14

14 וַיִּקַּח הַמִּכְבֵּר וַיִּטְבֹּל בַּמַּיִם IIK. 8:15

וַיִּטְבְּלוּ 15 וַיִּטְבְּלוּ אֶת־הַכֻּתֹּנֶת בַּדָּם Gen. 37:31

נִטְבְּלוּ 16 וְרַגְלֵי הַכֹּהֲ׳...נִטְבְּלוּ בִּקְצֵה הַמָּיִם Josh. 3:15

טְבַלְיָהוּ שפ״ז – לוי, ראש מחלקת שוערים בימי דוד

טְבַלְיָהוּ 1 חִלְקִיָּהוּ הַשֵּׁנִי טְבַלְיָהוּ הַשְּׁלִשִׁי ICh. 26:11

טבע: טָבַע, טֻבַּע, הָטְבַּע; טַבַּעַת; ש״פ טַבָּעוֹת

טָבַע פְּ׳ א) שקע, צלל: 1–5; נתקע: 6

ב) [פֻּ׳ טֻבַּע] שוקע: 7

ג) [הָפ׳ הָטְבַּע] שוקע [בהשאלה]: 8–10

טָבַעְתִּי 1 טָבַעְתִּי בִּיוֵן מְצוּלָה Ps. 69:3

טָבְעוּ 2 טָבְעוּ גוֹיִם בְּשַׁחַת עָשׂוּ Ps. 9:16

3 טָבְעוּ בָאָרֶץ שְׁעָרֶיהָ Lam. 2:9

אֶטְבָּעָה 4 הַצִּילֵנִי מִטִּיט וְאַל־אֶטְבָּעָה Ps. 69:15

וַיִּטְבַּע 5 וַיִּטְבַּע יִרְמְיָהוּ בַּטִּיט Jer. 38:6

וַתִּטְבַּע 6 וַתִּטְבַּע הָאֶבֶן בְּמִצְחוֹ ISh. 17:49

טֻבְּעוּ 7 וּמִבְחַר שָׁלִשָׁיו טֻבְּעוּ בְיַם־סוּף Ex. 15:4

הָטְבְּעוּ 8 הָטְבְּעוּ בַבֹּץ רַגְלֶךָ נָסֹגוּ אָחוֹר Jer. 38:22

הָטְבָּעוּ 9 בְּטֶרֶם הָרִים הָטְבָּעוּ Prov. 8:25

10 עַל־מָה אֲדָנֶיהָ הָטְבָּעוּ Job 38:6

טַבָּעוֹת שפ״ז – אבי משפחת נתינים שעלו עם זרובבל: 2,1

טַבָּעוֹת 1/2 בְּנֵי־חֲשׂ(וּ)פָא בְּנֵי טַבָּעוֹת Ez. 2:43 • Neh. 7:46

טַבַּעַת נ׳ א) עגול מתכת לתכשיט ליד: 1, 2, 25

ב) עגול המשמש גם לחתימה: 5–11

ג) עגול לחבור חלקים: 3, 4, 12–24, 26–49

קרובים: אֶצְעָדָה / חָח / חֲרוּזִים / כּוּמָז / לְחָשִׁים / נֶזֶם / נְטִיפָה / עָגִיל / עֶכֶס / צָמִיד / צְעָדָה / רָבִיד / שַׂהֲרוֹן

טַבַּעַת הָאֵפוֹד 43, 44; טַבַּעַת הַמֶּלֶךְ 5–8; טַבַּעַת זָהָב 30–38, 40–42; טַבַּעַת נְחֹשֶׁת 39

טַבַּעַת 1 טַבַּעַת עָגִיל וְכוּמָז Num. 31:50

וְטַבַּעַת 2 חָח וָנֶזֶם וְטַבַּעַת וְכוּמָז Ex. 35:22

הַטַּבַּעַת 3/4 אֶל־הַטַּבַּעַת הָאֶחָת Ex. 26:24; 36:29

בְּטַבַּעַת־ 5 נִכְתָּב וְנֶחְתָּם בְּטַבַּעַת הַמֶּלֶךְ Es. 3:12

6–8 בְּטַבַּעַת הַמֶּלֶךְ Es. 8:8², 10

טַבַּעְתּוֹ 9 וַיָּסַר פַּרְעֹה אֶת־טַבַּעְתּוֹ מֵעַל יָדוֹ Gen. 41:42

10/1 וַיָּסַר הַמֶּלֶךְ אֶת־טַבַּעְתּוֹ Es. 3:10; 8:2

טַבְּעֹת 12–15 שְׁתֵּי טַבְּע(וֹ)ת עַל־צַלְעוֹ Ex. 25:12²; 37:3²

16 וַיִּצֹק אַרְבַּע טַבְּעֹת Ex. 38:5

הַטַּבָּעוֹת 17 וְנָתַתָּ אֶת־הַטַּבָּעֹת עַל... הַפֵּאֹת Ex. 25:26

18 לְעֻמַּת הַמִּסְגֶּרֶת תִּהְיֶיןָ הַטַּבָּעֹת Ex. 25:27

19 שְׁתֵּי הַטַּבָּעוֹת Ex. 28:23

20–22 שְׁתֵּי הַטַּבָּעֹת Ex. 28:24; 39:16, 17

23 וַיִּתֵּן אֶת־הַטַּבָּעֹת עַל...הַפֵּאֹת Ex. 37:13

24 לְעֻמַּת הַמִּסְגֶּרֶת הָיוּ הַטַּבָּעֹת Ex. 37:14

25 הַטַּבָּעוֹת וְנִזְמֵי הָאָף Is. 3:21

בַּטַּבָּעוֹת 26 וְהֵבֵאתָ אֶת־הַבַּדִּים בַּטַּבָּעֹת Ex. 25:14

27–29 בַּטַּבָּעֹת Ex. 27:7; 37:5; 38:7

טַבְּעוֹת־ 30 וְיָצַקְתָּ לּוֹ אַרְבַּע טַבְּעֹת זָהָב Ex. 25:12

31–38 טַבְּעֹת זָהָב Ex. 25:26; 30:4; 37:3, 13, 27; 39:16, 19, 20

39 אַרְבַּע טַבְּעֹת נְחֹשֶׁת Ex. 27:4

40–42 שְׁתֵּי טַבְּעוֹת זָהָב Ex. 28:23, 26, 27

43/4 וַיִּרְכְּסוּ...אֶל־טַבְּעֹת הָאֵפֹד Ex. 28:28; 39:21

בְּטַבְּעֹת־ 45 בְּטַבְּעֹת הָאָרֹן יִהְיוּ הַבַּדִּים Ex. 25:15

מִטַּבְּעֹתָיו 46 וַיִּרְכְּסוּ אֶת־הַחֹשֶׁן מִטַּבְּעֹתָיו Ex. 39:21

47 וְיִרְכְּסוּ אֶת־הַחֹשֶׁן מִטַּבְּעֹתָו Ex. 28:28

טַבְּעֹתֵיהֶם 48 טַבְּעֹתֵיהֶם תַּעֲשֶׂה זָהָב Ex. 26:29

טַבְּעֹתָם 49 וְאֶת־טַבְּעֹתָם עָשָׂה זָהָב Ex. 36:34

טַבְרִמֹּן שפ״ז – מלך ארם, אבי בן־הדד הראשון

טַבְרִמֹּן 1 וַיִּשְׁלָחֵם...אֶל־בֶּן־הֲדַד בֶּן־טַבְרִמֹּן IK. 15:18

טֵבֵת שם החודש העשירי מניסן

טֵבֵת 1 בַּחֹדֶשׁ הָעֲשִׂירִי הוּא־חֹדֶשׁ טֵבֵת Es. 2:16

טַבָּת עיר בנחלת אפרים (?)

טַבָּת 1 עַד שְׂפַת־אָבֵל מְחוֹלָה עַל־טַבָּת Jud. 7:22

טָהוֹר ת׳ א) נקי, שאין בו סיגים: 1–27, 57

ב) שאינו טמא, נקי מטומאה: 28–47, 49–53, 60–72, 74, 81, 83, 88–92

ג) מותר באכילה: 48, 58, 59, 73, 78–80, 84–87, 94
ד) נקי מחטא, תמים: 54–56, 75–77, 82, 93, 95
– טָהוֹר וְטָמֵא 56, 60–62, 64, 67–69, 71–74; אִישׁ טָהוֹר 45, 46; בִּלְתִּי טָהוֹר 50; דּוֹר טָ׳ 55; זָהָב טָהוֹר 1–27; כְּלִי טָ׳ 52; כֶּתֶם טָ׳ 57; לֹא טָהוֹר 51, 58; לֵב טָהוֹר 54; מָקוֹם טָ׳ 30, 31, 33, 47; עוֹף טָ׳ 48, 59, 73; צָנִיף טָהוֹר 53, 65; שֻׁלְחָן טָהוֹר 63, 66
– טְהָר־יָדַיִם 77; טְהָר־לֵב 76; טְהוֹר עֵינַיִם 75;
– בְּהֵמָה טְהוֹרָה 84–87; מְנוֹרָה טְהוֹרָה 88–90; מִנְחָה טְהוֹרָה 81; צִפּוֹר טְהוֹרָה 80, 94
– מַיִם טְהוֹרִים 91; אֲמָרוֹת טְהוֹרוֹת 95

טָהוֹר 1-3 וְצִפִּיתָ אֹתוֹ זָהָב טָהוֹר Ex.25:11,24; 30:3
4 וְעָשִׂיתָ כַפֹּרֶת זָהָב טָהוֹר Ex.25:17
5 זָהָב טָהוֹר תַּעֲשֶׂה אֹתָם Ex.25:29
6 וְעָשִׂיתָ מְנֹרַת זָהָב טָהוֹר Ex.25:31
7-27 זָהָב טָהוֹר Ex.25:36,38,39 28:14,22,36; 37:2,6,11,16,17,22,23,24,26; 39:15· 39:25,30 • ICh.28:17 • IICh.3:4; 9:17
28 רֹקַח...מְמֻלָּח טָהוֹר קֹדֶשׁ Ex.30:35
29 וְאֶת־קְטֹרֶת הַסַּמִּים טָהוֹר Ex.37:29
30/1 וְהוֹצִיא...אֶל־מָקוֹם טָהוֹר Lev.4:12; 6:4
32 כָּל־טָהוֹר יֹאכַל בָּשָׂר Lev.7:19
33 תֹּאכְלוּ בְּמָקוֹם טָהוֹר Lev.10:14
34 אַךְ מַעְיָן וּבוֹר...יִהְיֶה טָהוֹר Lev.11:36
35 זֵרוּעַ אֲשֶׁר יִזָּרֵעַ טָהוֹר הוּא Lev.11:37
36-41 טָהוֹר הוּא Lev.13:13,17,37,39,40,41
42 וְהָאִישׁ אֲשֶׁר־הוּא טָהוֹר Num.9:13
43 כָּל־טָהוֹר בְּבֵיתְךָ יֹאכַל אֹתוֹ Num.18:11
44 כָּל־טָהוֹר בְּבֵיתְךָ יֹאכְלֶנּוּ Num.18:13
45/6 אִישׁ טָהוֹר Num.19:9,18
47 וְהִנִּיחַ...לַמַּחֲנֶה בְּמָקוֹם טָהוֹר Num.19:9
48 כָּל־עוֹף טָהוֹר תֹּאכֵלוּ Deut.14:20
49 לֹא־יִהְיֶה טָהוֹר מִקְּרֵה־לָיְלָה Deut.23:11
50 מִקְרֶה הוּא בִּלְתִּי טָהוֹר הוּא ISh.20:26
51 כִּי־לֹא טָהוֹר ISh.20:26
52 יָבִיאוּ...בִּכְלִי טָהוֹר בֵּית יְיָ Is.66:20
53 יָשִׂימוּ צָנִיף טָהוֹר עַל־רֹאשׁוֹ Zech.3:5
54 לֵב טָהוֹר בְּרָא־לִי אֱלֹהִים Ps.51:12
55 דּוֹר טָהוֹר בְּעֵינָיו Prov.30:12
56 מִי־יִתֵּן טָהוֹר מִטָּמֵא Job14:4
57 בְּכֶתֶם טָהוֹר לֹא תְסֻלֶּה Job28:19
58 לְכֹל לֹא טָהוֹר לְהַקְדִּישׁ לַיְיָ IICh.30:17
הַטָּהוֹר 59 וַיִּקַּח...וּמִכֹּל הָעוֹף הַטָּהֹר Gen.8:20
60/1 (וּ)בֵין הַטָּמֵא וּבֵין הַטָּהוֹר Lev.10:10; 11:47
62 בְּיוֹם הַטָּמֵא וּבְיוֹם הַטָּהֹר Lev.14:57
63 עַל הַשֻּׁלְחָן הַטָּהֹר לִפְנֵי יְיָ Lev.24:6
64 וְהִזָּה הַטָּהֹר עַל־הַטָּמֵא Num.19:19
65 וַיָּשִׂימוּ הַצָּנִיף הַטָּהוֹר עַל־רֹאשׁוֹ Zech.3:5
66 ...לֶחֶם עַל־הַשֻּׁלְחָן הַטָּהוֹר IICh.13:11
וְהַטָּהוֹר 67 הַטָּמֵא וְהַטָּהוֹר יֹאכְלֶנּוּ Deut.12:15
68/9 הַטָּמֵא וְהַטָּהוֹר יַחְדָּו Deut.12:22; 15:22
בַּטָּהוֹר 70 וְכִי־יָרֹק הַזָּב בַּטָּהוֹר Lev.15:8
לְטָהוֹר 71 וּבֵין־הַטָּמֵא לְטָהוֹר לֹא הוֹדִיעוּ Ezek.22:26
72 וּבֵין־טָמֵא לְטָהוֹר יוֹדִיעֻם Ezek.44:23
לַטָּהוֹר 73 וּבֵין־הָעוֹף הַטָּמֵא לַטָּהֹר Lev.20:25
וְלַטָּהוֹר 74 מִקְרֶה אֶחָד...וְלַטָּהוֹר וְלַטָּמֵא Eccl.9:2
טְהוֹר־ 75 טְהוֹר עֵינַיִם מֵרְאוֹת רָע Hab.1:13
טְהָר־ 76 אֹהֵב טְהָר (כת׳ טהור)־לֵב Prov.22:11
וּטְהָר־ 77 וּטְהָר־יָדַיִם יֹסִיף אֹמֶץ Job17:9
טְהוֹרָה 78 וּמִן־הַבְּהֵמָה אֲשֶׁר לֹא טְהֹרָה Gen.7:2
79 וּמִן־הַבְּהֵמָה אֲשֶׁר אֵינֶנָּה טְהֹרָה Gen.7:8

טְהוֹרָה (המשך) 80 כָּל־צִפּוֹר טְהֹרָה תֹּאכֵלוּ Deut.14:11
81 מֻגָּשׁ לִשְׁמִי וּמִנְחָה טְהוֹרָה Mal.1:11
82 יִרְאַת יְיָ טְהוֹרָה עוֹמֶדֶת לָעַד Ps.19:10
וּטְהוֹרָה 83 וְאִם־לֹא נִטְמְאָה...וּטְהֹרָה הִוא Num.5:28
הַטְּהוֹרָה 84 מִכֹּל הַבְּהֵמָה הַטְּהוֹרָה תִּקַּח Gen.7:2
85-87 הַבְּהֵמָה הַטְּה(וֹ)רָה Gen.7:8; 8:20 • Lev.20:25
88-90 הַמְּנֹרָה הַטְּהֹרָה Ex.31:8; 39:37 • Lev.24:4
טְהוֹרִים 91 וְזָרַקְתִּי עֲלֵיכֶם מַיִם טְהוֹרִים Ezek.36:25
92 הַכֹּהֲנִים וְהַלְוִיִּם...כֻּלָּם טְהוֹרִים Ez.6:20
וּטְהוֹרִים 93 וּטְהֹרִים אִמְרֵי נֹעַם Prov.15:26
טְהוֹרוֹת 94 שְׁתֵּי־צִפֳּרִים חַיּוֹת טְהֹרוֹת Lev.14:4
95 אִמְרוֹת יְיָ אֲמָרוֹת טְהֹרוֹת Ps.12:7

טהר טָהֵר
: טָהֵר, טָהַר, טֹהַר, הִטַּהֵר; טָהוֹר, טֹהַר, טָהֳרָה
פ׳ א) היה נקי וטהור, פסקה טומאתו: 2–31, 33, 34
ב) היה נקי מחטא: 1, 32
ג) [פ׳ טִהַר] נִקָּה מטומאה: 35, 37–40, 42–65, 67–72
ד) [כנ״ל] זִקֵּק מסיגים: 66
ה) [כנ״ל] נִקָּה מחטא: 36, 41, 73
ו) [פ׳ טֹהַר] נוּקָה מטומאה: 74
ז) [הת׳ הִטַּהֵר] התנקה מטומאה: 75–94

טָהַרְתִּי 1 זִכִּיתִי לִבִּי טָהַרְתִּי מֵחַטָּאתִי Prov.20:9
וְטָהָרְתִּי 2 הֲלֹא־אֶרְחַץ בָּהֶם וְטָהָרְתִּי IIK.5:12
טָהַרְתְּ 3 יַעַן טִהַרְתִּיךְ וְלֹא טָהַרְתְּ Ezek.24:13
וְטָהֵר 4-5 וְטָמֵא עַד־הָעֶרֶב וְטָהֵר Lev.11:32; 17:15
6-7 וְכִבֶּס בְּגָדָיו וְטָהֵר Lev.13:6,34
8 וְכֻבַּס שֵׁנִית וְטָהֵר Lev.13:58
9/10 וְרָחַץ בַּמַּיִם וְטָהֵר Lev.14:8 • Num.19:19
11 וְרָחַץ אֶת־בְּשָׂרוֹ בַּמַּיִם וְטָהֵר Lev.14:9
12 וְכִפֶּר עָלָיו הַכֹּהֵן וְטָהֵר Lev.14:20
13 וְכִפֶּר עַל־הַבַּיִת וְטָהֵר Lev.14:53
14 וְרָחַץ בְּשָׂרוֹ בְּמַיִם חַיִּים וְטָהֵר Lev.15:13
15 וּבָא הַשֶּׁמֶשׁ וְטָהֵר Lev.22:7
16 תַּעֲבִירוּ בָאֵשׁ וְטָהֵר Num.31:23
טָהֲרָה 17 וְאִם־טָהֲרָה מִזּוֹבָהּ Lev.15:28
וְטָהֲרָה 18 וְטָהֲרָה מִמְּקֹר דָּמֶיהָ Lev.12:7
וְטָהֵרָה 19 וְכִפֶּר עָלֶיהָ הַכֹּהֵן וְטָהֵרָה Lev.12:8
וּטְהַרְתֶּם 20 וְכִבַּסְתֶּם בִּגְדֵיכֶם...וּטְהַרְתֶּם Num.31:24
21 וְזָרַקְתִּי...מַיִם טְהוֹרִים וּטְהַרְתֶּם Ezek.36:25
וְאֶטְהָר 22 תְּחַטְּאֵנִי בְאֵזוֹב וְאֶטְהָר Ps.51:9
תִטְהֲרִי 23 לֹא תִטְהֲרִי אַחֲרֵי מָתַי עֹד Jer.13:27
24 מִטֻּמְאָתֵךְ לֹא תִטְהֲרִי־עוֹד Ezek.24:13
יִטְהַר 25 וְכִי־יִטְהַר הַזָּב מִזּוֹבוֹ Lev.15:13
26 אִם מֵעֹשֵׂהוּ יִטְהַר־גָּבֶר Job4:17
יִטְהָר 27 לֹא יֹאכַל עַד אֲשֶׁר יִטְהָר Lev.22:4
28 וּבַיּוֹם הַשְּׁבִיעִי יִטְהָר Num.19:12
29 וְאִם־לֹא יִתְחַטָּא... לֹא יִטְהָר Num.19:12
וַיִּטְהָר 30 וַיָּשָׁב בְּשָׂרוֹ...וַיִּטְהָר IIK.5:14
תִּטְהָר 31 וְסָפְרָה לָּהּ...וְאַחַר תִּטְהָר Lev.15:28
תִּטְהָרוּ 32 לִפְנֵי יְיָ תִּטְהָרוּ Lev.16:30
וּטְהָר 33 וְיָשֹׁב בְּשָׂרְךָ לְךָ וּטְהָר IIK.5:10
34 וְאַף כִּי־אָמַר אֵלֶיךָ רְחַץ וּטְהָר IIK.5:13
טַהֵר 35 לְמַעַן טַהֵר אֶת־הָאָרֶץ Ezek.39:12
לְטַהֵר 36 יְכַפֵּר עֲלֵיכֶם לְטַהֵר אֶתְכֶם Lev.16:30
37 וַיָּבֹאוּ...לְטַהֵר בֵּית יְיָ IICh.29:15
38 וַיָּבֹאוּ...לִפְנִימָה בֵית־יְיָ לְטַהֵר IICh.29:16
39 הֵחֵל לְטַהֵר אֶת־יְהוּדָה וִירוּשָׁלִַם IICh.34:3
40 לְטַהֵר הָאָרֶץ וְהַבָּיִת IICh.34:8
טַהֲרִי 41 בְּיוֹם טַהֲרִי אֶתְכֶם מִכֹּל עֲוֹנוֹתֵיכֶם Ezek.36:33
לְטַהֲרוֹ 42 לְטַהֲרוֹ אוֹ לְטַמְּאוֹ Lev.13:59
לְטַהֲרָהּ 43 מְקַבְּרִים...עַל־פְּנֵי הָאָרֶץ לְטַהֲרָהּ Ezek.39:14
לְטַהֲרָם 44 וְכֹה־תַעֲשֶׂה לָהֶם לְטַהֲרָם Num.8:7
45 וַיְכַפֵּר עֲלֵיהֶם אַהֲרֹן לְטַהֲרָם Num.8:21

וְטִהַרְתִּי 46 וְטִהַרְתִּי אוֹתָם וְהָיוּ לִי לְעָם Ezek.37:23
טִהַרְתִּיךְ 47 יַעַן טִהַרְתִּיךְ וְלֹא טָהַרְתְּ Ezek.24:13
וְטִהַרְתִּים 48 וְטִהַרְתִּים מִכָּל־עֲוֹנָם Jer.33:8
49 וְטִהַרְתִּים מִכָּל־נֵכָר Neh.13:30
וְטִהַרְתָּ 50/1 וְטִהַרְתָּ אֹתָם Num.8:6,15
וְטִהַר 52 וְטִהַר אֶת־הַנָּגַע Lev.13:13
53 וְטִהַר הַכֹּהֵן אֶת־הַנֶּגַע Lev.13:17
54 וְטִהַר אֹתוֹ הַכֹּהֵן Lev.13:34
55 וְטִהַר הַכֹּהֵן אֶת־הַבַּיִת Lev.14:48
56 וְטִהַר אֶת־בְּנֵי־לֵוִי וְזִקַּק אֹתָם Mal.3:3
וְטִהֲרוֹ 57-60 וְטִהֲרוֹ הַכֹּהֵן Lev.13:6,23,28,37
61 וְהִזָּה עַל־הַמִּטַּהֵר...וְטִהֲרוֹ Lev.14:7
62 וְטִהֲרוֹ וְקִדְּשׁוֹ מִטֻּמְאֹת בְּנֵי יִשְׂ׳ Lev.16:19
טִהַרְנוּ 63 טִהַרְנוּ אֶת־כָּל־בֵּית יְיָ IICh.29:18
וְטִהֲרוּ 64 וְטִהֲרוּ הָאָרֶץ Ezek.39:16
65 יְכַפְּרוּ אֶת־הַמִּזְבֵּחַ וְטִהֲרוּ אֹתוֹ Ezek.43:26
וּמְטַהֵר 66 וְיָשַׁב מְצָרֵף וּמְטַהֵר כֶּסֶף Mal.3:3
הַמְטַהֵר 67 וְהֶעֱמִיד הַכֹּהֵן הַמְטַהֵר Lev.14:11
אֲטַהֵר 68 מִכֹּל טֻמְאוֹתֵיכֶם...אֲטַהֵר אֶתְכֶם Ezek.36:25
וַיְטַהֵר 69 וַיְטַהֵר אֶת־יְהוּדָה וְאֶת־יְרוּשָׁלִָם IICh.34:5
וַתְּטַהֲרֵם 70 וְרוּחַ עָבְרָה וַתְּטַהֲרֵם Job37:21
וַיְטַהֲרוּ 71 וַיְטַהֲרוּ אֶת־הָעָם Neh.12:30
72 וָאֹמְרָה וַיְטַהֲרוּ הַלְּשָׁכוֹת Neh.13:9
טַהֲרֵנִי 73 כַּבְּסֵנִי מֵעֲוֹנִי וּמֵחַטָּאתִי טַהֲרֵנִי Ps.51:4
מְטֹהָרָה 74 אֶרֶץ לֹא מְטֹהָרָה הִיא Ezek.22:24
הִטַּהַרְנוּ 75 אֲשֶׁר לֹא־הִטַּהַרְנוּ מִמֶּנּוּ Josh.22:17
הִטַּהֲרוּ 76 כִּי הִטַּהֲרוּ הַכֹּהֲנִים וְהַלְוִיִּם Ez.6:20
הִטֶּהָרוּ 77 מַרְבִּית הָעָם...לֹא הִטֶּהָרוּ IICh.30:18
וְהִטֶּהָרוּ 78 וְכִבְּסוּ בִגְדֵיהֶם וְהִטֶּהָרוּ Num.8:7
הַמִּטַּהֵר 79 וְהִזָּה עַל הַמִּטַּהֵר מִן־הַצָּרַעַת Lev.14:7
80 וְכִבֶּס הַמִּטַּהֵר אֶת־בְּגָדָיו Lev.14:8
81 וְהֶעֱמִיד...אֵת הָאִישׁ הַמִּטַּהֵר Lev.14:11
82-85 עַל...אֹזֶן(־)הַמִּטַּהֵר Lev.14:14,17,25,28
86/7 יִתֵּן עַל־רֹאשׁ הַמִּטַּהֵר Lev.14:18,29
88 וְכִפֶּר עַל־הַמִּטַּהֵר מִטֻּמְאָתוֹ Lev.14:19
89 וְכִפֶּר הַכֹּהֵן עַל־הַמִּטַּהֵר Lev.14:31
לַמִּטַּהֵר 90 וְלָקַח לַמִּטַּהֵר שְׁתֵּי־צִפֳּרִים Lev.14:4
מִטַּהֲרִים 91 אֲשֶׁר יִהְיוּ מִטַּהֲרִים וּבָאִים Neh.13:22
וְהַמִּטַּהֲרִים 92 הַמִּתְקַדְּשִׁים וְהַמִּטַּהֲרִים אֶל... Is.66:17
וַיִּטַּהֲרוּ 93 וַיִּטַּהֲרוּ הַכֹּהֲנִים וְהַלְוִיִּם Neh.12:30
וְהִטַּהֲרוּ 94 וְהִטַּהֲרוּ וְהַחֲלִיפוּ שִׂמְלֹתֵיכֶם Gen.35:2

טֹהַר
ז׳ זֹהַר, בהירות: 1–4 • יְמֵי טָהֳרָה 3, 4
לְטֹהַר 1 וּכְעֶצֶם הַשָּׁמַיִם לָטֹהַר Ex.24:10
מִטְּהָרוֹ 2 הִשְׁבַּתָּ מִטְּהָרוֹ וְכִסְאוֹ...מִגַּרְתָּה Ps.89:45
טָהֳרָהּ 3 עַד־מְלֹאת יְמֵי טָהֳרָהּ Lev.12:4
4 וּבִמְלֹאת יְמֵי טָהֳרָהּ Lev.12:6

טָהֳרָה
נ׳ הִנָּקוּת מטומאה: 1–13
דְּמֵי טָהֳרָה 1, 2; יוֹם טָ׳ 7, 8; מִשְׁמֶרֶת טָ׳ 3; טָהֳרַת הַקֹּדֶשׁ 4, 5
טָהֳרָה 1 וּשְׁלֹשֶׁת יָמִים תֵּשֵׁב בִּדְמֵי טָהֳרָה Lev.12:4
2 וְשֵׁשֶׁת יָמִים תֵּשֵׁב עַל־דְּמֵי טָהֳרָה Lev.12:5
הַטָּהֳרָה 3 מִשְׁמֶרֶת אֱלֹהֵיהֶם וּמִשְׁמֶרֶת הַטָּהֳרָה Neh.12:45
טָהֳרַת־ 4 וְעַל־טָהֳרַת לְכָל־קֹדֶשׁ ICh.23:28
כְּטָהֳרַת־ 5 וְלֹא כְּטָהֳרַת הַקֹּדֶשׁ IICh.30:19
טָהֳרָתוֹ 6 וְאִם־פָּשֹׂה יִפְשֶׂה...אַחֲרֵי טָהֳרָתוֹ Lev.13:35
7 תּוֹרַת הַמְּצֹרָע בְּיוֹם טָהֳרָתוֹ Lev.14:2
8 וְגִלַּח רֹאשׁוֹ בְּיוֹם טָהֳרָתוֹ Num.6:9
9 וְאַחֲרֵי טָהֳרָתוֹ...יִסְפְּרוּ־לוֹ Ezek.44:26
בְּטָהֳרָתוֹ 10 אֲשֶׁר לֹא־תַשִּׂיג יָדוֹ בְּטָהֳרָתוֹ Lev.14:32
לְטָהֳרָתוֹ 11 אַחֲרֵי הֵרָאֹתוֹ אֶל־הַכֹּהֵן לְטָהֳרָתוֹ Lev.13:7
12 וְהֵבִיא...בַּיּוֹם הַשְּׁמִינִי לְטָהֳרָתוֹ Lev.14:23
13 וְסָפַר לוֹ שִׁבְעַת יָמִים לְטָהֳרָתוֹ Lev.15:13

טוב : טוֹב, הֵטִיב; טוֹב, טוֹבָה; ש״פ טוֹבִיָּה, מְהֵיטַבְאֵל

טוֹב¹ פָּ׳ [מקור, עבר; הוה–עיין טוֹב²; עתיד – עיין יטב]

א) היה מרוצה, שָׂמֵחַ: 1–7, 9–18

ב) היה נעים: 8, 19, 20

ג) [הִפ׳ הֵטִיב] גָּרַם טובה: 21–28

[ועיין עוד יטב–הֵיטִיב] • טוֹב לִבּוֹ 1, 2, 4

כְּטוֹב 1 וַיְהִי כְּטוֹב (כת׳ טוב) לִבָּם וַיֹּאמְרוּ Jud. 16:25
2 רְאוּ־נָא כְּטוֹב לֵב־אַמְנוֹן בַּיַּיִן IISh. 13:28
3 כְּטוֹב לְאַרְצוֹ הֵטִיבוּ מַצֵּבוֹת Hosh. 10:1
4 כְּטוֹב לֵב־הַמֶּלֶךְ בַּיָּיִן Es. 1:10
לְטוֹב 5 לְטוֹב לָנוּ כָּל־הַיָּמִים Deut. 6:24
6 לִשְׁמֹר...לְטוֹב לָךְ Deut. 10:13
7 לְטוֹב לָהֶם וְלִבְנֵיהֶם Jer. 32:39
טוֹב (עבר) 8 וַיַּרְא מְנֻחָה כִּי טוֹב Gen. 49:15
9 כִּי־טוֹב לָנוּ בְּמִצְרָיִם Num. 11:18
10 כִּי אֲהֵבְךָ...כִּי־טוֹב לוֹ עִמָּךְ Deut. 15:16
11 טוֹב לִי עֹד אֲנִי־שָׁם IISh. 14:32
12 וְעָשָׂה מִשְׁפָּט וּצְדָקָה אָז טוֹב לוֹ Jer. 22:15
13 דָּן דִּין־עָנִי וְאֶבְיוֹן אָז טוֹב Jer. 22:16
14 כִּי טוֹב לִי אָז מֵעָתָּה Hosh. 2:9
וְטוֹב 15 לְמַעַן תִּחְיוּן וְטוֹב לָכֶם Deut. 5:30
16 וּבִעַרְתָּ דַם־הַנָּקִי...וְטוֹב לָךְ Deut. 19:13
17 וְנִגֵּן בְּיָדוֹ וְטוֹב לָךְ ISh. 16:16
18 וְרָוַח לְשָׁאוּל וְטוֹב לוֹ ISh. 16:23
טָבוּ 19 מַה־טֹּבוּ אֹהָלֶיךָ יַעֲקֹב Num. 24:5
20 מַה־טֹּבוּ דֹדַיִךְ מִיַּיִן S.ofS. 4:10
הֱטִיבֹתָ 21 הֱטִיבֹתָ כִּי הָיָה עִם־לְבָבֶךָ IK. 8:18
22 יַעַן אֲשֶׁר־הֱטִיבֹתָ לַעֲשׂוֹת IIK. 10:30
23 הֱטִיבוֹתָ כִּי הָיָה עִם־לְבָבֶךָ IICh. 6:8
וְהֵטַבְנוּ 24–25 וְהֵטַבְנוּ לָךְ Num. 10:29, 32
הֵטִיבוּ 26 כְּטוֹב לְאַרְצוֹ הֵטִיבוּ מַצֵּבוֹת Hosh. 10:1
וּמֵטִיב 27 יְפֵה קוֹל וּמֵטִב נַגֵּן Ezek. 33:32
28 טוֹב־אַתָּה וּמֵטִיב Ps. 119:68

טוֹב² תו״ז א) ת׳ נעים, מועיל: 1-105, 274-276, 280, 283, 285-288, 290, 293, 296, 298-319, 321, 323-327, 329, 331-339, 341, 345, 346, 354-359, 367-370, 381-480, 484-495

ב) ז׳ דבר רצוי, צדקה, טובה: 106-178, 277, 278, 289, 291, 292, 294, 295, 297, 320, 322, 328, 330, 340, 342-344, 347-353, 360-366, 374-380, 481-483

ג) תה״פ מוטב, רצוי ש־: 179-269, 279, 281, 282, 284, 371-373

ד) [מלת־קריאה] ניחא, הן: 270-273

– טוֹב וָחֶסֶד 142; טוֹב וָרָע 13-16, 106-110, 113, 115-117, 122,128, 132-134, 145, 146, 166,169,174,178, 317, 340, 341, 369, 374, 375, 378, 434, 468; הַטּוֹב וְהַיָּשָׁר 294, 333, 334, 337; הַחַיִּים וְהַטּוֹב 297; בָּחוּר וָטוֹב 288; חָכְמָה וָטוֹב 289; רַךְ וָטוֹב 286

– טוֹב לֵב 280, 285, 477, 479; טוֹב מַרְאֶה 478; טוֹב עַיִן 84; טוֹב רֹאִי 275; טוֹב תֹּאַר 31

– אוֹצָר טוֹב 296; אֵין טוֹב 189, 243-245, 261; אִישׁ טוֹב 28, 82; בַּל טוֹב 234; בִּרְכַּת (בִּרְכוֹת) טוֹב 141, 164; דֶּבֶק טוֹב 42; דָּבָר (לֹא) טוֹב 12, 17, 21, 29, 30, 32, 33, 39, 41, 55, 79, 98, 298, 299, 318, 325, 326; דְּבַשׁ טוֹב 85; דֶּרֶךְ לֹא טוֹב 43, 54, 83; הָהָר הַטּוֹב 293; זֶבֶד טוֹב 10; זָהָב טוֹב 8, 101, 102; חֵן טוֹב 233; חֶסֶד טוֹב 58,59,68; יְיָ (הַ)טּוֹב 50, 53,61-67, 71, 72, 100, 103, 104; יוֹם טוֹב 23, 93-95; יַיִן הַטּוֹב 331; כֶּרֶם טוֹב 35; כֶּתֶם טוֹב 332; לֹא טוֹב 26, 34, 83, 129, 179, 224/5, 228/9, 236, 238; לֵב טוֹב 24, 92; לֶקַח טוֹב 76; מַה־טּוֹב 135,170,186,213,218,220; מוֹשָׁב טוֹב 36; מוֹתוֹ טוֹב 200,201; מַעְגַּל טוֹב 73; מַרְאֶה טוֹב 96; מִרְעֶה טוֹב 47,290,327; נָוֶה טוֹב 48; נַחַת טוֹב 46; סַחַר טוֹב 75, 86; עֵץ טוֹב 9, 37, 38; פְּרִי טוֹב 77; צֵל טוֹב 49; קָנֶה טוֹב 324; שָׂדֶה טוֹב 45; שֵׂכֶל טוֹב 69,74,80,105; שָׂכָר טוֹב 89; שֵׁם טוֹב 56,57; שֶׁמֶן טוֹב 320, 321, 329

– טוֹב בְּעֵינָיו 184, 190-192, 194, 195, 198, 199, 202, 276, 291, 300-314, 355, 356, 359, 367

– אֲדָמָה טוֹבָה 420, 421; אַדֶּרֶת טוֹבָה 388; אֶרֶץ ט׳ 384-387, 410-419; בְּשׂוֹרָה ט׳ 395; דֶּרֶךְ ט׳ 392, 423, 425, 433; חֶלְקָה טוֹבָה 396, 427; יָד טוֹבָה 429-431; נְחֹשֶׁת טוֹבָה 406; עֵצָה ט׳ 394, 424; רוּחַ ט׳ 397,432; רְעוּת ט׳ 428; שֵׂיבָה ט׳ 381-383, 408; שְׁמוּעָה טוֹבָה 391, 399, 400; תְּנוּבָה ט׳ 422

– טוֹבַת חֵן 439; ט׳ מַרְאֶה 435, 436, 438, 440-442, 486; טוֹבַת שֶׂכֶל 437

– אַחִים טוֹבִים 474; אֲנָשִׁים טוֹבִים 445; בַּחוּרִים ט׳ 471; בָּתִּים ט׳ 444; גְּדָיִים ט׳ 443; דְּבָרִים ט׳ 446-448, 452, 464, 465, 469; דּוֹדִים ט׳ 457; זֵיתִים ט׳ 470; חֻקִּים (לֹא) טוֹבִים 450, 463; יָמִים טוֹבִים 461; מוֹעֲדִים ט׳ 453; מַחֲמַדִּים ט׳ 473; מִשְׁפָּטִים טוֹבִים 454; שְׁמָנִים ט׳ 458

– בָּנוֹת טוֹבוֹת 480; עָרִים ט׳ 489; פָּרוֹת ט׳ 491; שִׁבֳּלִים טוֹבוֹת 487, 488, 490, 492; שָׁנִים ט׳ 493; תְּאֵנִים טוֹבוֹת 484, 485, 494, 495

– אָהַב טוֹב 133; אָכַל טוֹב 124, 157; בִּשֵּׂר טוֹב 123,277; גָּמַל טוֹב 166; דִּבֶּר טוֹב 110, 112, 114/5, 119, 175, 177; דָּרַשׁ טוֹב 132, 176; הֶרְאָהוּ טוֹב 136; הִתְנַבֵּא טוֹב 120, 121, 178; זָנַח טוֹב 130; חָסֵר טוֹב 143; חָרַשׁ טוֹב 159; לָקַח טוֹב 131; מִלֵּא טוֹב 151, 168; מָנַע טוֹב 149, 153; מָצָא טוֹב 160-163; נָחַל טוֹב 165; עָשָׂה טוֹב 129,137-140,145, 146, 171, 173, 210; פָּתַר טוֹב 181; קִוָּה טוֹב 169; רָאָה טוֹב 144,167,172; רָדַף טוֹב 148; שָׂבַע טוֹב 150; שָׁחַר טוֹב 155; שִׁלֵּם טוֹב 158; שָׂנֵא טוֹב 134

– דִּבֶּר טוֹבוֹת 481, 482, 483

טוֹב (א) 1 וַיַּרְא אֱלֹהִים אֶת־הָאוֹר כִּי־טוֹב Gen. 1:4
2–6 וַיַּרְא אֱלֹ׳ כִּי־טוֹב Gen. 1:10, 12, 18, 21, 25
7 וַיַּרְא אֱלֹהִים...וְהִנֵּה־טוֹב מְאֹד Gen. 1:31
8 וּזֲהַב הָאָרֶץ הַהִוא טוֹב Gen. 2:12
9 כִּי טוֹב הָעֵץ לְמַאֲכָל Gen. 3:6
10 זְבָדַנִי אֱלֹהִים אֹתִי זֶבֶד טוֹב Gen. 30:20
11 וַתֵּרֶא אֹתוֹ כִּי־טוֹב הוּא Ex. 2:2
12 לֹא־טוֹב הַדָּבָר אֲשֶׁר אַתָּה עֹשֶׂה Ex. 18:17
13 וְלֹא־יָמִיר אֹתוֹ טוֹב בְּרָע... Lev. 27:10
14/5 בֵּין טוֹב וּבֵין רָע Lev. 27:12, 14
16 לֹא יְבַקֵּר בֵּין־טוֹב לָרַע Lev. 27:33
17 טוֹב־הַדָּבָר אֲשֶׁר־דִּבַּרְתָּ Deut. 1:14
18 הֲטוֹב טוֹב אַתָּה מִבָּלָק Jud. 11:25
19 הֲלוֹא אָנֹכִי טוֹב לָךְ... ISh. 1:8
20 וְאֵין אִישׁ מִבְּנֵי יִשְׂרָאֵל טוֹב מִמֶּנּוּ ISh. 9:2
21 וַיֹּאמֶר שָׁאוּל לְנַעֲרוֹ טוֹב דְּבָרְךָ ISh. 9:10
22 אֶחְקֹר אֶת־אָבִי...וְהִנֵּה־טוֹב אֶל־דָּוִד ISh. 20:12
23 כִּי־עַל־יוֹם טוֹב בָּאנוּ° ISh. 25:8
24 וְלֵב נָבָל טוֹב עָלָיו ISh. 25:36
25 לֹא־טוֹב הַדָּבָר הַזֶּה... ISh. 26:16
26 וּבְעֵינֵי הַסְּרָנִים לֹא־טוֹב אָתָּה ISh. 29:6
27 טוֹב אַתָּה בְּעֵינַי כְּמַלְאַךְ אֱלֹהִים ISh. 29:9
28 אִישׁ־טוֹב זֶה וְאֶל־בְּשׂוֹרָה טוֹבָה יָבוֹא IISh. 18:27
29 טוֹב הַדָּבָר כַּאֲשֶׁר דִּבֶּר אֲדֹנִי IK. 2:38
30 טוֹב הַדָּבָר שָׁמָעְתִּי IK. 2:42
31 וְגַם־הוּא טוֹב־תֹּאַר מְאֹד IK. 1:6

טוֹב (א) (המשך) 32 יַעַן נִמְצָא־בוֹ דָּבָר טוֹב IK. 14:13
33 וַיֹּאמְרוּ טוֹב הַדָּבָר IK. 18:24
34 כִּי־לֹא־טוֹב אָנֹכִי מֵאֲבֹתָי IK. 19:4
35 וְאֶתְּנָה...כֶּרֶם טוֹב מִמֶּנּוּ IK. 21:2
36 הִנֵּה־נָא מוֹשַׁב הָעִיר טוֹב IIK. 2:19
37 וְכָל־עֵץ טוֹב תַּפִּילוּ IIK. 3:19
38 וְכָל־עֵץ־טוֹב יַפִּילוּ IIK. 3:25
39 טוֹב דְּבַר־יְיָ אֲשֶׁר דִּבַּרְתָּ IIK. 20:19
40 אִמְרוּ צַדִּיק כִּי־טוֹב Is. 3:10
41 טוֹב דְּבַר־יְיָ אֲשֶׁר דִּבַּרְתָּ Is. 39:8
42 אֹמֵר לַדֶּבֶק טוֹב הוּא Is. 41:7
43 הַהֹלְכִים הַדֶּרֶךְ לֹא־טוֹב Is. 65:2
44 כִּי־טוֹב יְיָ כִּי־לְעוֹלָם חַסְדּוֹ Jer. 33:11
45 אֶל־שָׂדֶה טּוֹב...הִיא שְׁתוּלָה Ezek. 17:8
46 כָּל־נֵתַח טוֹב יָרֵךְ וְכָתֵף Ezek. 24:4
47 בְּמִרְעֶה־טּוֹב אֶרְעֶה אֹתָם Ezek. 34:14
48 בְּנָוֶה טּוֹב וּמִרְעֶה שָׁמֵן Ezek. 34:14
49 תַּחַת אַלּוֹן...כִּי טוֹב צִלָּהּ Hosh. 4:13
50 טוֹב יְיָ לְמָעוֹז בְּיוֹם צָרָה Nah. 1:7
51 כָּל־עֹשֵׂה רָע טוֹב בְּעֵינֵי יְיָ Mal. 2:17
52 טוֹב־וְיָשָׁר יְיָ Ps. 25:8
53 טַעֲמוּ וּרְאוּ כִּי־טוֹב יְיָ Ps. 34:9
54 יִתְיַצֵּב עַל־דֶּרֶךְ לֹא־טוֹב Ps. 36:5
55 רָחַשׁ לִבִּי דָּבָר טוֹב Ps. 45:2
56 וַאֲקַוֶּה שִׁמְךָ כִי־טוֹב Ps. 52:11
57 אוֹדֶה שִּׁמְךָ יְיָ כִּי־טוֹב Ps. 54:8
58 כִּי־טוֹב חַסְדְּךָ מֵחַיִּים Ps. 63:4
59 עֲנֵנִי יְיָ כִּי־טוֹב חַסְדֶּךָ Ps. 69:17
60 אַךְ טוֹב לְיִשְׂרָאֵל אֱלֹהִים Ps. 73:1
61 כִּי־אַתָּה אֲדֹנָי טוֹב וְסַלָּח Ps. 86:5
62 כִּי־טוֹב יְיָ לְעוֹלָם חַסְדּוֹ Ps. 100:5
63–7 הוֹדוּ לַיְיָ כִּי־טוֹב Ps. 106:1; 107:1; 118:1, 29; 136:1
68 כִּי־טוֹב חַסְדְּךָ הַצִּילֵנִי Ps. 109:21
69 שֵׂכֶל טוֹב לְכָל־עֹשֵׂיהֶם Ps. 111:10
70 טוֹב־אַתָּה וּמֵטִיב Ps. 119:68
71 הַלְלוּיָהּ כִּי־טוֹב יְיָ Ps. 135:3
72 טוֹב יְיָ לַכֹּל Ps. 145:9
73 אָז תָּבִין...כָּל־מַעְגַּל־טוֹב Prov. 2:9
74 וּמְצָא־חֵן וְשֵׂכֶל־טוֹב בְּעֵינֵי אֱלֹ׳... Prov. 3:4
75 כִּי טוֹב סַחְרָהּ מִסְּחַר־כָּסֶף Prov. 3:14
76 כִּי לֶקַח טוֹב נָתַתִּי לָכֶם Prov. 4:2
77 טוֹב פִּרְיִי מֵחָרוּץ וּמִפָּז Prov. 8:19
78 טוֹב יָפִיק רָצוֹן מֵיְיָ Prov. 12:2
79 וְדָבָר טוֹב יְשַׂמְּחֶנָּה Prov. 12:25
80 שֵׂכֶל־טוֹב יִתֶּן־חֵן Prov. 13:15
81 טוֹב יַנְחִיל בְּנֵי־בָנִים Prov. 13:22
82 וּמֵעָלָיו אִישׁ טוֹב Prov. 14:14
83 וְהוֹלִיכוֹ בְּדֶרֶךְ לֹא־טוֹב Prov. 16:29
84 טוֹב־עַיִן הוּא יְבֹרָךְ Prov. 22:9
85 אֱכָל־בְּנִי דְבַשׁ כִּי־טוֹב Prov. 24:13
86 טָעֲמָה כִּי־טוֹב סַחְרָהּ Prov. 31:18
87 טוֹב יְיָ לְקֹוָו לְנֶפֶשׁ תִּדְרְשֶׁנּוּ Lam. 3:25
88 טוֹב וְיָחִיל וְדוּמָם לִתְשׁוּעַת יְיָ Lam. 3:26
89 אֲשֶׁר יֵשׁ־לָהֶם שָׂכָר טוֹב בַּעֲמָלָם Eccl. 4:9
90 טוֹב לִפְנֵי הָאֱלֹהִים יִמָּלֵט מִמֶּנָּה Eccl. 7:26
91 לְכֶלֶב חַי הוּא טוֹב מִן־הָאַרְיֵה הַמֵּת Eccl. 9:4
92 וּשְׁתֵה בְלֶב־טוֹב יֵינֶךָ Eccl. 9:7
93/4 (וּ)מִשְׁתֶּה וְיוֹם טוֹב Es. 8:17; 9:19
95 וּמֵאֵבֶל לְיוֹם טוֹב Es. 9:22
96 נִרְאָה מַרְאֵיהֶם טוֹב Dan. 1:15
97 בְּהַלֵּל וּבְהוֹדֹת לַיְיָ כִּי טוֹב Ez. 3:11
98 לֹא־טוֹב הַדָּבָר אֲשֶׁר־אַתֶּם עֹשִׂים Neh. 5:9
99 אִם־עֲלֵיכֶם טוֹב וּמִן־יְיָ... ICh. 13:2

טוב (א) (המשך)

100 הוֹדוּ לַייָ כִּי טוב ICh.16:34
101/2 וַיְחַפֵּהוּ זָהָב טוב IICh.3:5,8
103/4 (וּבְהַלֵּל) (וְהוֹדוֹת) לַייָ כִּי טוב IICh.5:13; 7:3
105 הַמַּשְׂכִּילִים שֵׂכֶל־טוב לַייָ IICh.30:22

טוב (ב)

106/7 (וְ/וּמֵ) עֵץ הַדַּעַת טוב וָרָע Gen.2:9,17
108 וִהְיִיתֶם כֵּאלֹהִים יֹדְעֵי טוב וָרָע Gen.3:5
109 לָדַעַת טוב וָרָע Gen.3:22
110 לֹא נוּכַל דַּבֵּר...רַע אוֹ־טוב Gen.24:50
111 וְכַאֲשֶׁר עָשִׂינוּ עִמְּךָ רַק־טוב Gen.26:29
112 כִּי־יְיָ דִּבֶּר־טוב עַל־יִשְׂרָאֵל Num.10:29
113 אֲשֶׁר לֹא־יָדְעוּ הַיּוֹם טוב וָרָע Deut.1:39
114 וַיְדַבֵּר יְהוֹנָתָן בְּדָוִד טוב ISh.19:4
115 וְלֹא־דִבֶּר...לְמֵרָע וְעַד־טוב IISh.13:22
116 הַאֵדַע בֵּין־טוב לְרָע IISh.19:36
117 לְהָבִין בֵּין־טוב לְרָע IK.3:9
118 דִּבְרֵי הַנְּבִיאִים...טוב אֶל־הַמֶּלֶךְ IK.22:13
119 ...וְדִבַּרְתָּ טוב IK.22:13
120/1 ל(וֹ)א־יִתְנַבֵּא עָלַי טוב IK.22:8,18
122 הָאֹמְרִים לָרַע טוב וְלַטּוֹב רָע Is.5:20
123 מְבַשֵּׂר טוב מַשְׁמִיעַ יְשׁוּעָה Is.52:7
124 שִׁמְעוּ שָׁמוֹעַ אֵלַי וְאִכְלוּ־טוב Is.55:2
125/6 קַוֵּה לְשָׁלוֹם וְאֵין טוב Jer.8:15; 14:19
127 וְלֹא יִרְאֶה כִּי־יָבוֹא טוב Jer.17:6
128 אִם־טוב וְאִם רָע Jer.42:6
129 לֹא־טוב עָשָׂה בְּתוֹךְ עַמָּיו Ezek.18:18
130 זָנַח יִשְׂרָאֵל טוב Hosh.8:3
131 כָּל־תִּשָּׂא עָוֹן וְקַח־טוב Hosh.14:3
132 דִּרְשׁוּ־טוב וְאַל־רָע Am.5:14
133 שִׂנְאוּ־רָע וְאֶהֱבוּ טוב Am.5:15
134 שֹׂנְאֵי טוב וְאֹהֲבֵי רָע° Mic.3:2
135 הִגִּיד לְךָ אָדָם מַה־טוב Mic.6:8
136 רַבִּים אֹמְרִים מִי־יַרְאֵנוּ טוב Ps.4:7
137-140 אֵין עֹשֵׂה־טוב Ps.14:1,3; 53:2,4
141 כִּי־תְקַדְּמֶנּוּ בִּרְכוֹת טוב Ps.21:4
142 אַךְ טוב וָחֶסֶד יִרְדְּפוּנִי Ps.23:6
143 לֹא־יַחְסְרוּ כָל־טוב Ps.34:11
144 אֹהֵב יָמִים לִרְאוֹת טוב Ps.34:13
145/6 סוּר מֵרָע וַעֲשֵׂה־טוב Ps.34:15; 37:27
147 בְּטַח בַּייָ וַעֲשֵׂה־טוב Ps.37:3
148 יִשְׂטְנוּנִי תַּחַת רָדְפִי־°טוב Ps.38:21
149 לֹא יִמְנַע־טוב לַהֹלְכִים בְּתָמִים Ps.84:12
150 תִּפְתַּח יָדְךָ יִשְׂבְּעוּן טוב Ps.104:28
151 וְנֶפֶשׁ רְעֵבָה מִלֵּא־טוב Ps.107:9
152 לְמַעַן...אֲבַקְשָׁה טוב לָךְ Ps.122:9
153 אַל־תִּמְנַע־טוב מִבְּעָלָיו Prov.3:27
154 תַּאֲוַת צַדִּיקִים אַךְ־טוב Prov.11:23
155 שֹׁחֵר טוב יְבַקֵּשׁ רָצוֹן Prov.11:27
156 מִפְּרִי פִי־אִישׁ יִשְׂבַּע־טוב Prov.12:14
157 מִפְּרִי פִי־אִישׁ יֹאכַל טוב Prov.13:2
158 וְאֶת־צַדִּיקִים יְשַׁלֶּם־טוב Prov.13:21
159 וְחֶסֶד וֶאֱמֶת חֹרְשֵׁי טוב Prov.14:22
160 מַשְׂכִּיל עַל־דָּבָר יִמְצָא־טוב Prov.16:20
161 עִקֶּשׁ־לֵב לֹא יִמְצָא־טוב Prov.17:20
162 מָצָא אִשָּׁה מָצָא טוב Prov.18:22
163 שֹׁמֵר תְּבוּנָה לִמְצֹא־טוב Prov.19:8
164 וַעֲלֵיהֶם תָּבוֹא בִרְכַּת־טוב Prov.24:25
165 וּתְמִימִים יִנְחֲלוּ־טוב Prov.28:10
166 גְּמָלַתְהוּ טוב וְלֹא־רָע Prov.31:12
167 לֹא־תָשׁוּב עֵינִי לִרְאוֹת טוב Job 7:7
168 וְהוּא מִלֵּא בָתֵּיהֶם טוב Job 22:18
169 כִּי טוב קִוִּיתִי וַיָּבֹא רָע Job 30:26
170 נֵדְעָה בֵינֵינוּ מַה־טוב Job 34:4

טוב (ב) (המשך)

171 וְלַעֲשׂוֹת טוב בְּחַיָּיו Eccl.3:12
172 וְרָאָה טוב בְּכָל־עֲמָלוֹ Eccl.3:13
173 אֲשֶׁר יַעֲשֶׂה־טוב וְלֹא יֶחֱטָא Eccl.7:20
174 אִם־טוב וְאִם־רָע Eccl.12:14
175 אֲשֶׁר דִּבֶּר־טוב עַל־הַמֶּלֶךְ Es.7:9
176 דֹּרֵשׁ טוב לְעַמּוֹ Es.10:3
177 וְדִבַּרְתָּ טוב IICh.18:12
178 לֹא־יִתְנַבֵּא עָלַי טוב...לְרָע IICh.18:17

טוב (ג)

179 לֹא־טוב הֱיוֹת הָאָדָם לְבַדּוֹ Gen.2:18
180 טוב תִּתִּי אֹתָהּ לָךְ... Gen.29:19
181 וַיַּרְא שַׂר־הָאֹפִים כִּי טוב פָּתָר Gen.40:16
182 טוב לָנוּ עֲבֹד אֶת־מִצְרַיִם Ex.14:12
183 הֲלוֹא טוב לָנוּ שׁוּב מִצְרָיְמָה Num.14:3
184 וַיַּרְא בִּלְעָם כִּי טוב בְּעֵינֵי יְיָ Num.24:1
185 הֲלוֹא טוב עֹלְלוֹת אֶפְרַיִם... Jud.8:2
186 מַה־טוב לָכֶם... Jud.9:2
187 הִנֵּה שְׁמֹעַ מִזֶּבַח טוב ISh.15:22
188 וְכִי מַעֲשָׂיו טוב־לְךָ מְאֹד ISh.19:4
189 אֵין־לִי טוב כִּי הִמָּלֵט ISh.27:1
190 כָּל־אֲשֶׁר־טוב בְּעֵינֵי יִשְׂרָאֵל IISh.3:19
191 בְּעֵינֵי כָל־הָעָם טוב IISh.3:36
192 יַעֲשֶׂה־לִּי כַּאֲשֶׁר טוב בְּעֵינָיו IISh.15:26
193 טוב כִּי־תִהְיֶה־לָּנוּ מֵעִיר לַעְזוֹר° IISh.18:3
194 וַעֲשֵׂה־לוֹ אֵת אֲשֶׁר־טוב בְּעֵינֶיךָ IISh.19:38
195 אִם טוב בְּעֵינֶיךָ אֶתְּנָה־לְךָ כֶסֶף IK.21:2
196 הֲלֹא טוב אֲמָנָה° וּפַרְפַּר IIK.5:12
197 יָד וָשֵׁם טוב מִבָּנִים וּמִבָּנוֹת Is.56:5
198 אִם־טוב בְּעֵינֶיךָ לָבוֹא Jer.40:4
199 אַל־טוב...בְּעֵינֶיךָ לָלֶכֶת שָׁמָּה Jer.40:4
200/1 טוב מוֹתִי מֵחַיָּי Jon.4:3,8
202 אִם־טוב בְּעֵינֵיכֶם הָבוּ שְׂכָרִי Zech.11:12
203 טוב־מְעַט לַצַּדִּיק Ps.37:16
204 קִרֲבַת אֱלֹהִים לִי־טוב Ps.73:28
205 טוב־יוֹם בַּחֲצֵרֶיךָ מֵאָלֶף Ps.84:11
206 טוב לְהֹדוֹת לַייָ Ps.92:2
207 טוב־אִישׁ חוֹנֵן וּמַלְוֶה Ps.112:5
208/9 טוב לַחֲסוֹת בַּייָ Ps.118:8,9
210 טוב עָשִׂיתָ עִם עַבְדְּךָ Ps.119:65
211 טוב־לִי כִי־עֻנֵּיתִי Ps.119:71
212 טוב־לִי תוֹרַת־פִּיךָ Ps.119:72
213 הִנֵּה מַה־טוב וּמַה־נָּעִים... Ps.133:1
214 הַלְלוּיָהּ כִּי־טוב זַמְּרָה אֱלֹהִים Ps.147:1
215 טוב נִקְלֶה וְעֶבֶד לוֹ Prov.12:9
216 טוב־מְעַט בְּיִרְאַת יְיָ מֵאוֹצָר... Prov.15:16
217 טוב אֲרֻחַת יָרָק וְאַהֲבָה־שָׁם° Prov.15:17
218 וְדָבָר בְּעִתּוֹ מַה־טוב Prov.15:23
219 טוב מְעַט בִּצְדָקָה Prov.16:8
220 קְנֹה־חָכְמָה מַה־טוב מֵחָרוּץ Prov.16:16
221 טוב שְׁפַל־רוּחַ אֶת־עֲנָוִים° Prov.16:19
222 טוב אֶרֶךְ אַפַּיִם מִגִּבּוֹר Prov.16:32
223 טוב פַּת חֲרֵבָה וְשַׁלְוָה־בָהּ Prov.17:1
224 גַּם עֲנוֹשׁ לַצַּדִּיק לֹא־טוב Prov.17:26
225 שְׂאֵת פְּנֵי־רָשָׁע לֹא־טוב Prov.18:5
226/7 טוב(־)רָשׁ הוֹלֵךְ בְּתֻמּוֹ Prov.19:1; 28:6
228 גַּם בְּלֹא־דַעַת נֶפֶשׁ לֹא־טוב Prov.19:2
229 וּמֹאזְנֵי מִרְמָה לֹא־טוב Prov.20:23
230/1 טוב (לָ)שֶׁבֶת עַל־פִּנַּת־גָּג Prov.21:9; 25:24
232 טוב שֶׁבֶת בְּאֶרֶץ־מִדְבָּר Prov.21:19
233 מִכֶּסֶף וּמִזָּהָב חֵן טוב Prov.22:1
234 הַכֵּר־פָּנִים בְּמִשְׁפָּט בַּל־טוב Prov.24:23
235 כִּי טוב אֲמָר־לְךָ עֲלֵה הֵנָּה Prov.25:7
236 אָכֹל דְּבַשׁ הַרְבּוֹת לֹא־טוב Prov.25:27

טוב (ג) (המשך)

237 טוב שָׁכֵן קָרוֹב מֵאָח רָחוֹק Prov.27:10
238 הַכֵּר־פָּנִים לֹא־טוב Prov.28:21
239 טוב בִּתִּי כִּי תֵצְאִי עִם־נַעֲרוֹתָיו Ruth 2:22
240 טוב לַגֶּבֶר כִּי־יִשָּׂא עֹל Lam.3:27
241 אֵי־זֶה טוב לִבְנֵי הָאָדָם Eccl.2:3
242 וְהֶרְאָה אֶת־נַפְשׁוֹ טוב בַּעֲמָלוֹ Eccl.2:24
243 אֵין־טוב בָּאָדָם שֶׁיֹּאכַל וְשָׁתָה Eccl.2:24
244 אֵין טוב בָּם כִּי אִם־לִשְׂמוֹחַ Eccl.3:12
245 כִּי אֵין טוב מֵאֲשֶׁר יִשְׂמַח הָאָדָם Eccl.3:22
246 טוב מְלֹא כַף נָחַת... Eccl.4:6
247 טוב יֶלֶד מִסְכֵּן וְחָכָם... Eccl.4:13
248 טוב אֲשֶׁר לֹא־תִדֹּר... Eccl.5:4
249 טוב אֲשֶׁר־יָפֶה לֶאֱכוֹל... Eccl.5:17
250 טוב מִמֶּנּוּ הַנָּפֶל Eccl.6:3
251 טוב מַרְאֵה עֵינַיִם מֵהֲלָךְ־נָפֶשׁ Eccl.6:9
252 מַה־טוב לָאָדָם בַּחַיִּים Eccl.6:12
253 טוב שֵׁם מִשֶּׁמֶן טוב Eccl.7:1
254 טוב לָלֶכֶת אֶל־בֵּית־אֵבֶל... Eccl.7:2
255 טוב כַּעַס מִשְּׂחוֹק Eccl.7:3
256 טוב לִשְׁמֹעַ גַּעֲרַת חָכָם Eccl.7:5
257 טוב אֶרֶךְ רוּחַ מִגְּבַהּ רוּחַ Eccl.7:8
258 טוב אַחֲרִית דָּבָר מֵרֵאשִׁיתוֹ Eccl.7:8
259 טוב אֲשֶׁר תֶּאֱחֹז בָּזֶה... Eccl.7:18
260 יִהְיֶה־טוב לְיִרְאֵי הָאֱלֹהִים Eccl.8:12
261 אֲשֶׁר אֵין־טוב לָאָדָם... Eccl.8:15
262-8 (וְ)אִם־עַל־הַמֶּלֶךְ טוב Es.1:19
3:9; 5:4,8; 7:3; 8:5; 9:13 • Neh.2:5,7
269 דִּבְרֵי הַנְּבִאִים...טוב אֶל־הַמֶּלֶךְ IICh.18:12

טוב (ד)

270 אִם־כֹּה יֹאמַר טוב... ISh.20:7
271 טוב אֲנִי אֶכְרֹת אִתְּךָ בְּרִית IISh.3:13
272 טוב אָנֹכִי אֲדַבֵּר עָלֶיךָ IK.2:18
273 אִם־יִגְאָלֵךְ טוב יִגְאָל Ruth 3:13

וְטוֹב

274 נֶחְמָד לְמַרְאֶה וְטוֹב לְמַאֲכָל Gen.2:9
275 עִם־יְפֵה עֵינַיִם וְטוֹב רֹאִי ISh.16:12
276 וְטוֹב בְּעֵינַי צֵאתְךָ וּבֹאֲךָ ISh.29:6
277 אִישׁ חַיִל אַתָּה וְטוֹב תְּבַשֵּׂר IK.1:42
278 מִבְחַר וְטוֹב־לְבָנוֹן Ezek.31:16
279 אַשְׁרֶיךָ וְטוֹב לָךְ Ps.128:2
280 וְטוֹב־לֵב מִשְׁתֶּה תָמִיד Prov.15:15
281 וְטוֹב־רָשׁ מֵאִישׁ כָּזָב Prov.19:22
282 וְטוֹב מִשְּׁנֵיהֶם...אֲשֶׁר־עֲדֶן לֹא הָיָה Eccl.4:3
283 וְטוֹב לֹא־יִהְיֶה לָרָשָׁע Eccl.8:13
284 וְטוֹב לַעֵינַיִם לִרְאוֹת אֶת־הַשָּׁמֶשׁ Eccl.11:7
285 שָׂמֵחַ וְטוֹב לֵב Es.5:9

וָטוֹב

286 וַיִּקַּח בֶּן־בָּקָר רַךְ וָטוֹב Gen.18:7
287 וְהַנַּעַר שְׁמוּאֵל הֹלֵךְ וְגָדֵל וָטוֹב ISh.2:26
288 וְלוֹ־הָיָה בֵן...בָּחוּר וָטוֹב ISh.9:2
289 הוֹסַפְתָּ חָכְמָה וָטוֹב IK.10:7
290 וַיִּמְצְאוּ מִרְעֶה שָׁמֵן וָטוֹב ICh.4:40

הַטּוֹב

291 עֲשִׂי־לָהּ הַטּוֹב בְּעֵינָיִךְ Gen.16:6
292 הַטּוֹב הַהוּא אֲשֶׁר יֵיטִיב יְיָ עִמָּנוּ Num.10:32
293 הָהָר הַטּוֹב הַזֶּה וְהַלְּבָנֹן Deut.3:25
294 כִּי תַעֲשֶׂה הַטּוֹב וְהַיָּשָׁר Deut.12:28
295 וְשָׂמַחְתָּ בְכָל־הַטּוֹב... Deut.26:11
296 יִפְתַּח יְיָ לְךָ אֶת־אוֹצָרוֹ הַטּוֹב Deut.28:12
297 אֶת־הַחַיִּים וְאֶת־הַטּוֹב Deut.30:15
298 לֹא־נָפַל...מִכֹּל הַדָּבָר הַטּוֹב Josh.21:43
299 בָּא...כָּל־הַדָּבָר הַטּוֹב Josh.23:25
300 עֲשֵׂה...כְּכָל־הַטּוֹב בְּעֵינֶיךָ Jud.10:15
301-314 הַטּוֹב בְּעֵינָיו (בְּעֵינֶיךָ וכד׳) Jud.19:24
ISh.1:23; 3:18; 11:10; 14:36, 40 • IISh.10:12; 19:19,28,39; 24:22 • IIK.10:5 • ICh.19:13; 21:23

הַטּוֹב (המשך)
315 וַיַּחְמֹל...וְעַל־כָּל־הַטּוֹב ISh.15:9
316 וּנְתָנָהּ לְרֵעֲךָ הַטּוֹב מִמֶּךָּ ISh.15:28
317 לִשְׁמֹעַ הַטּוֹב וְהָרָע IISh.14:17
318 לֹא־נָפַל...מִכֹּל דְּבָרוֹ הַטּוֹב IK.8:56
319 הַטּוֹב וְהַיָּשָׁר מִבְּנֵי אֲדֹנֵיכֶם IIK.10:3
320/1 וַיַּרְאֵם...וְאֵת שֶׁמֶן הַטּוֹב IIK.20:13 • Is.39:2
322 וְחַטֹּאותֵיכֶם מָנְעוּ הַטּוֹב מִכֶּם Jer.5:25
323 וְשַׁאֲלוּ...אֵי־זֶה דֶרֶךְ הַטּוֹב Jer.6:16
324 וְקָנֶה הַטּוֹב מֵאֶרֶץ מֶרְחָק Jer.6:20
325 וַהֲקִמֹתִי...אֶת־דְּבָרִי הַטּוֹב Jer.29:10
326 וַהֲקִמֹתִי אֶת־הַדָּבָר הַטּוֹב Jer.33:14
327 הַמִּרְעֶה הַטּוֹב תִּרְעוּ Ezek.34:18
328 גַּם־יְיָ יִתֵּן הַטּוֹב Ps.85:13
329 כַּשֶּׁמֶן הַטּוֹב עַל־הָרֹאשׁ Ps.133:2
330 אֶת־הַטּוֹב נְקַבֵּל מֵאֵת הָאֱלֹהִים Job 2:10
331 וְחִכֵּךְ כְּיֵין הַטּוֹב... S.ofS.7:10
332 אֵיכָה...יִשְׁנֶא הַכֶּתֶם הַטּוֹב Lam.4:1
333/4 וַיַּעַשׂ(...)הַטּוֹב וְהַיָּשָׁר IICh.14:1; 31:20
335 וִיהִי יְיָ עִם־הַטּוֹב IICh.19:11
336 יְיָ הַטּוֹב יְכַפֵּר בְּעַד IICh.30:18
וְהַטּוֹב 337 וְעָשִׂיתָ הַיָּשָׁר וְהַטּוֹב בְּעֵינֵי יְיָ Deut.6:18
338/9 וְהַטּוֹב בְּעֵינֶיךָ עָשִׂיתִי IIK.20:3 • Is.38:3
340 מִפִּי עֶלְיוֹן לֹא תֵצֵא הָרָעוֹת וְהַטּוֹב Lam.3:38
בְּטוֹב 341 וְלֹא־יָמִיר אֹתוֹ...אוֹ־רַע בְּטוֹב Lev.27:10
342 נַפְשׁוֹ בְּטוֹב תָּלִין Ps.25:13
343 אֲנַסְּכָה בְשִׂמְחָה וּרְאֵה בְטוֹב Eccl.2:1
344 בְּיוֹם טוֹבָה הֱיֵה בְטוֹב Eccl.7:14
בַּטּוֹב 345 אַרְצִי לְפָנֶיךָ בַּטּוֹב בְּעֵינֶיךָ שֵׁב Gen.20:15
346 עִמְּךָ יֵשֵׁב...בַּטּוֹב לוֹ Deut.23:17
347/8 מָאוֹס בָּרָע וּבָחוֹר בַּטּוֹב Is.7:15,16
349 וְלֹא־יִרְאֶה בַטּוֹב... Jer.29:32
350 הַמַּשְׂבִּיעַ בַּטּוֹב עֶדְיֵךְ Ps.103:5
351 יְכַלּוּ° בַטּוֹב יְמֵיהֶם Job 21:13
352 יְכַלּוּ יְמֵיהֶם בַּטּוֹב Job 36:11
353 וַחֲסִידֶיךָ יִשְׂמְחוּ בַטּוֹב IICh.6:41
כַּטּוֹב 354 וַעֲשׂוּ לָהֶן כַּטּוֹב בְּעֵינֵיכֶם Gen.19:8
355 כַּטּוֹב וְכַיָּשָׁר בְּעֵינֶיךָ לַעֲשׂוֹת Josh.9:25
356 עֲשׂוּ־לִי כַּטּוֹב וְכַיָּשָׁר בְּעֵינֵיכֶם Jer.26:14
357 מִקְרֶה אֶחָד...כַּטּוֹב כַּחֹטֶא Eccl.9:2
358 לַעֲשׂוֹת בּוֹ כַּטּוֹב בְּעֵינֶיךָ Es.3:11
359 כִּתְבוּ...כַּטּוֹב בְּעֵינֵיכֶם Es.8:8
לְטוֹב 360 יָשׁוּב יְיָ לָשׂוּשׂ עָלֶיךָ לְטוֹב Deut.30:9
361 אִם־לֹא שֵׁרִיתִיךָ° לְטוֹב Jer.15:11
362 כִּי־חָלָה לְטוֹב יוֹשֶׁבֶת מָרוֹת Mic.1:12
363 עֲרֹב עַבְדְּךָ לְטוֹב Ps.119:122
364 לָתֵת לְטוֹב לִפְנֵי הָאֱלֹהִים Eccl.2:26
365 וַיְשַׁנֶּהָ...לְטוֹב בֵּית הַנָּשִׁים Es.2:9
366 אִם־תִּהְיֶה לְטוֹב לְהָעָם הַזֶּה IICh.10:7
לַטּוֹב 367 לַטּוֹב בְּעֵינֵיהֶם תִּהְיֶינָה לְנָשִׁים Num.36:6
368 מִקְרֶה אֶחָד...לַטּוֹב וְלַטָּהוֹר וְלַטָּמֵא Eccl.9:2
וְלַטּוֹב 369 הָאֹמְרִים לָרַע טוֹב וְלַטּוֹב רָע Is.5:20
הֲטוֹב 370 הֲטוֹב טוֹב אַתָּה מִבָּלָק Jud.11:25
371 הֲטוֹב הֱיוֹתְךָ כֹהֵן לְבֵית... Jud.18:19
372 הֲטוֹב לְךָ כִּי־תַעֲשֹׁק Job 10:3
373 הֲטוֹב כִּי־יַחְקֹר אֶתְכֶם Job 13:9
מִטּוֹב 374 פֶּן־תְּדַבֵּר...מִטּוֹב עַד־רָע Gen.31:24
375 מִדַּבֵּר...מִטּוֹב עַד־רָע Gen.31:29
376 עוֹד תְּפוּצֶנָה עָרַי מִטּוֹב Zech.1:17
377 הֶחֱשֵׁיתִי מִטּוֹב וּכְאֵבִי נֶעְכָּר Ps.39:3
378 אָהַבְתָּ רָּע מִטּוֹב Ps.52:5
שֶׁטּוֹב 379 כִּי לְאָדָם שֶׁטּוֹב לְפָנָיו נָתַן... Eccl.2:26
טוֹבָם 380 טוֹבָם כְּחֵדֶק יָשָׁר מִמְּסוּכָה Mic.7:4

טוֹבָה 381 וְאַתָּה...תִּקָּבֵר בְּשֵׂיבָה טוֹבָה Gen.15:15
382/83 בְּשֵׂיבָה טוֹבָה Gen.25:8 • Jud.8:32
384 ...אֶל־אֶרֶץ טוֹבָה וּרְחָבָה Ex.3:8
385 טוֹבָה הָאָרֶץ מְאֹד מְאֹד Num.14:7
386 וַיֹּאמְרוּ טוֹבָה הָאָרֶץ Deut.1:25
387 מְבִיאֲךָ אֶל־אֶרֶץ טוֹבָה Deut.8:7
388 אַדֶּרֶת שִׁנְעָר אַחַת טוֹבָה Josh.7:21
389 אֲחוֹתָהּ הַקְּטַנָּה טוֹבָה מִמֶּנָּה Jud.15:2
390 ...וְהִנֵּה טוֹבָה מְאֹד Jud.18:9
391 כִּי לוֹא־טוֹבָה הַשְּׁמֻעָה ISh.2:24
392 וְשִׁלְּחוֹ בְּדֶרֶךְ טוֹבָה ISh.24:19
393 לֹא־טוֹבָה הָעֵצָה אֲשֶׁר־יָעַץ אֲחִית׳ IISh.17:7
394 טוֹבָה עֲצַת חוּשַׁי הָאַרְכִּי מֵעֲ׳ אֲחִית׳ IISh.17:14
395 וְאֶל־בְּשׂוֹרָה טוֹבָה יָבוֹא IISh.18:27
396 וְכָל־חֶלְקָה טוֹבָה...וּמִלְאוּהָ IIK.3:25
397 רוּחֲךָ טוֹבָה תַּנְחֵנִי בְּאֶ׳ מִישׁוֹר Ps.143:10
398 כִּי־טוֹבָה חָכְמָה מִפְּנִינִים Prov.8:11
399 שְׁמוּעָה טוֹבָה תְּדַשֶּׁן־עָצֶם Prov.15:30
400 וּשְׁמוּעָה טוֹבָה מֵאֶרֶץ מֶרְחָק Prov.25:25
401 טוֹבָה תּוֹכַחַת מְגֻלָּה... Prov.27:5
402 אֲשֶׁר־הִיא טוֹבָה לָךְ מִשִּׁבְעָה בָּנִים Ruth 4:15
403 טוֹבָה חָכְמָה עִם־נַחֲלָה Eccl.7:11
404 טוֹבָה חָכְמָה מִגְּבוּרָה Eccl.9:16
405 טוֹבָה חָכְמָה מִכְּלֵי קְרָב Eccl.9:18
406 וּכְלֵי נְחֹשֶׁת מֻצְהָב טוֹבָה Ez.8:27
407 יַד אֱלֹהַי אֲשֶׁר־הִיא טוֹבָה עָלָי Neh.2:18
408 וַיָּמָת בְּשֵׂיבָה טוֹבָה ICh.29:28
וְטוֹבָה 409 וְאִם־מָצָאתִי חֵן...וְטוֹבָה אֲנִי בְּעֵינָיו Es.8:5
הַטּוֹבָה 410 אִם־יִרְאֶה...אֵת הָאָרֶץ הַטּוֹבָה Deut.1:35
416-411 הָאָרֶץ הַטּוֹבָה Deut.3:25; 4:21,22; 9:6 Josh.23:16 • ICh.28:8
419-417 הָאָרֶץ הַטֹּבָה Deut.6:18; 8:10; 11:17
421-420 הָאֲדָמָה הַטּוֹבָה הַזֹּאת Josh.23:13,15
422 וְאֶת־תְּנוּבָתִי הַטּוֹבָה Jud.9:11
423 בְּדֶרֶךְ הַטּוֹבָה וְהַיְשָׁרָה ISh.12:23
424 לְהָפֵר אֶת־עֲצַת אֲחִיתֹפֶל הַטּוֹבָה IISh.17:14
425 כִּי תוֹרֵם אֶת־הַדֶּרֶךְ הַטּוֹבָה IK.8:36
426 מֵעַל הָאֲדָמָה הַטּוֹבָה הַזֹּאת IK.14:15
427 הַחֶלְקָה הַטּוֹבָה תַּכְאִבוּ בָּאֲבָנִים IIK.3:19
428 ...לִרְעוּתָהּ הַטּוֹבָה מִמֶּנָּה Es.1:19
429 כְּיַד־אֱלֹהָיו הַטּוֹבָה עָלָיו Ez.7:9
430 כְּיַד־אֱלֹהֵינוּ הַטּוֹבָה עָלֵינוּ Ez.8:18
431 כְּיַד־אֱלֹהַי הַטּוֹבָה עָלָי Neh.2:8
432 וְרוּחֲךָ הַטּוֹבָה נָתַתָּ לְהַשְׂכִּילָם Neh.9:20
433 כִּי תוֹרֵם אֶל־הַדֶּרֶךְ הַטּוֹבָה IICh.6:27
הֲטוֹבָה 434 הֲטוֹבָה הִוא אִם־רָעָה Num.13:19
טוֹבַת־ 435 וְהַנַּעֲרָ טֹבַת מַרְאֶה מְאֹד Gen.24:16
436 כִּי־טוֹבַת מַרְאֶה הוּא Gen.26:7
437 וְהָאִשָּׁה טוֹבַת־שֶׂכֶל ISh.25:3
438 וְהָאִשָּׁה טוֹבַת מַרְאֶה מְאֹד IISh.11:2
439 זוֹנָה טוֹבַת חֵן בַּעֲלַת כְּשָׁפִים Nah.3:4
440 כִּי־טוֹבַת מַרְאֶה הִיא Es.1:11
441 נַעֲרָה־בְתוּלָה טוֹבַת מַרְאֶה Es.2:3
וְטוֹבַת 442 יְפַת־תֹּאַר וְטוֹבַת מַרְאֶה Es.2:7
טוֹבִים 443 וְקַח...שְׁנֵי גְּדָיֵי עִזִּים טֹבִים Gen.27:9
444 וּבָתִּים טֹבִים תִּבְנֶה וְיָשָׁבְתָּ Deut.8:12
445 וְהָאֲנָשִׁים טֹבִים לָנוּ מְאֹד ISh.25:15
446 רְאֵה דְבָרֶיךָ טוֹבִים וּנְכֹחִים IISh.15:3
447/8 וְדִבַּרְתָּ...דְּבָרִים טוֹבִים IK.12:7 • IICh.10:7
449 וַנִּשְׂבַּע־לֶחֶם וַנִּהְיֶה טוֹבִים Jer.44:17
450 נָתַתִּי לָהֶם חֻקִּים לֹא טוֹבִים Ezek.20:25
451 וּמַעַלְלֵיכֶם אֲשֶׁר לֹא־טוֹבִים Ezek.36:31

טוֹבִים (המשך)
452 דְּבָרִים טוֹבִים דְּבָרִים נִחֻמִים Zech.1:13
453 לְשָׂשׂוֹן...וּלְמֹעֲדִים טוֹבִים Zech.8:19
454 כִּי מִשְׁפָּטֶיךָ טוֹבִים Ps.119:39
455 לְמַעַן תֵּלֵךְ בְּדֶרֶךְ טוֹבִים Prov.2:20
456 שַׁחוּ רָעִים לִפְנֵי טוֹבִים Prov.14:19
457 כִּי־טוֹבִים דֹּדֶיךָ מִיָּיִן S.ofS.1:2
458 לְרֵיחַ שְׁמָנֶיךָ טוֹבִים S.ofS.1:3
459 טוֹבִים הָיוּ חַלְלֵי־חֶרֶב... Lam.4:9
460 טוֹבִים הַשְּׁנַיִם מִן־הָאֶחָד Eccl.4:9
461 שֶׁהַיָּמִים הָרִאשֹׁ׳ הָיוּ טוֹבִים מֵאֵלֶּה Eccl.7:10
462 וְאִם־שְׁנֵיהֶם כְּאֶחָד טוֹבִים Eccl.11:6
463 חֻקִּים וּמִצְוֹת טוֹבִים Neh.9:13
464/5 דְּבָרִים טוֹבִים IICh.12:12; 19:3
וְטֹבִים 466 צַדִּקִים וְטֹבִים מִמֶּנּוּ IK.2:32
467 גְּדֹלִים וְטוֹבִים מֵאֵין יוֹשֵׁב Is.5:9
468 עֵינֵי יְיָ צֹפוֹת רָעִים וְטוֹבִים Prov.15:3
הַטּוֹבִים 469 מִכֹּל הַדְּבָרִים הַטּוֹבִים Josh.23:14
470 וְזֵיתֵיכֶם הַטּוֹבִים יִקָּח ISh.8:14
471 וְאֶת־בַּחוּרֵיכֶם הַטּוֹבִים...יִקָּח ISh.8:16
472 וְנָשֶׁיךָ וּבָנֶיךָ הַטּוֹבִים לִי־הֵם IK.20:3
473 וּמַחֲמַדַּי הַטֹּבִים הֲבֵאתֶם Joel 4:5
474 אֶת־אַחֶיךָ...הַטּוֹבִים מִמְּךָ הָרָגְתָּ IICh.21:13
הֲטוֹבִים 475 הֲטוֹבִים מִן־הַמַּמְלָכוֹת הָאֵלֶּה Am.6:2
לַטּוֹבִים 476 הֵיטִיבָה יְיָ לַטּוֹבִים וְלִישָׁרִים Ps.125:4
וְטוֹבֵי־ 477 שְׂמֵחִים וְטוֹבֵי לֵב עַל כָּל־הַטּוֹבָה IK.8:66
478 וְטוֹבֵי מַרְאֶה וּמַשְׂכִּילִים Dan.1:4
479 שְׂמֵחִים וְטוֹבֵי לֵב עַל־הַטּוֹבָה IICh.7:10
טוֹבֹת 480 אֶת־בְּנוֹת הָאָדָם כִּי טֹבֹת הֵנָּה Gen.6:2
481/2 וַיְדַבֵּר אִתּוֹ טֹבוֹת IIK.25:28 • Jer.52:32
483 כִּי יְדַבְּרוּ אֵלֶיךָ טוֹבוֹת Jer.12:6
484 תְּאֵנִים טֹבוֹת מְאֹד Jer.24:2
485 הַתְּאֵנִים הַטֹּבוֹת טֹבוֹת מְאֹד Jer.24:3
486 נְעָרוֹת בְּתוּלוֹת טוֹבוֹת מַרְאֶה Es.2:2
וְטֹבוֹת 487 שֶׁבַע שִׁבֳּלִים...בְּרִיאוֹת וְטֹבוֹת Gen.41:5
488 שֶׁבַע שִׁבֳּלִים...מְלֵאֹת וְטֹבוֹת Gen.41:22
489 עָרִים גְּדֹלֹת וְטֹבֹת Deut.6:10
הַטּוֹבוֹת 490 אֵת שֶׁבַע הַשִּׁבֳּלִים הַטֹּבוֹת Gen.41:24
491 שֶׁבַע פָּרֹת הַטֹּבֹת שֶׁבַע שָׁנִים Gen.41:26
492 וְשֶׁבַע הַשִּׁבֳּ׳ הַטֹּבֹת שֶׁבַע שָׁנִים Gen.41:26
493 הַשָּׁנִים הַטֹּבוֹת הַבָּאֹת הָאֵלֶּה Gen.41:35
494 הַתְּאֵנִים הַטֹּבוֹת טֹבוֹת מְאֹד Jer.24:3
495 כַּתְּאֵנִים הַטֹּבוֹת הָאֵלֶּה Jer.24:5

טוֹב[2] חֶבֶל אֶרֶץ בְּעֵבֶר הַיַּרְדֵּן הַמִּזְרָחִי: 1–4
אִישׁ טוֹב 3, 4; אֶרֶץ טוֹב 1, 2
טוֹב 1 וַיִּבְרַח...וַיֵּשֶׁב בְּאֶרֶץ טוֹב Jud.11:3
2 לָקַחַת אֶת־יִפְתָּח מֵאֶרֶץ טוֹב Jud.11:5
3 וְאִישׁ טוֹב שְׁנֵים־עָשָׂר אֶלֶף אִישׁ IISh.10:6
4 וְאִישׁ־טוֹב וּמַעֲכָה לְבַדָּם בַּשָּׂדֶה IISh.10:8

טוֹב אֲדוֹנִיָּה שפ״ז – לוי שליחו של המלך יהושפט
וְטוֹב אֲדוֹנִיָּה 1 ...וְטוֹבִיָּהוּ וְטוֹב אֲדוֹנִיָּה הַלְוִיִּם IICh.17:8

טוּב ז׳ א) דברים טובים, עושר, ברכה: 1–9, 12–14, 16, 18, 20–27, 29–32
ב) חן, נעימות: 10, 11, 15, 17, 19, 28
טוּב גָּדוֹל 25; ט׳ רַב 26; כָּל ט׳ 20,7,4,3,1; רַב־ט׳ 24,2
טוּב אֲדֹנָיו 4; ט׳ הָאָרֶץ 12,8; ט׳ בֵּית 14; ט׳ דַּמֶּשֶׂק 7;
טוּב טַעַם 11; ט׳ יְיָ 9, 13; ט׳ יְרוּשָׁלִָם 15;
טוּב לֵב 19; ט׳ לֵבָב 17; ט׳ (אֶרֶץ) מִצְרַיִם 5, 6, 18;
טוּב צַדִּיקִים 16; טוּב צַוָּארָהּ 10
טוּב 1 וּבָתִּים מְלֵאִים כָּל־טוּב Deut.6:11
2 וְרַב־טוּב לְבֵית יִשְׂרָאֵל Is.63:7
3 וַיִּירְשׁוּ בָּתִּים מְלֵאִים־כָּל־טוּב Neh.9:25

טוּב־ 4 וְכָל־טוּב אֲדֹנָיו בְּיָדוֹ Gen.24:10
5 וְאֶתְּנָה לָכֶם אֶת־טוּב אֶרֶץ מִצְ׳ Gen.45:18
6 כִּי־טוּב כָּל־אֶרֶץ מִצְ׳ לָכֶם הוּא Gen.45:20
7 וַיִּקַּח מִנְחָה בְיָדוֹ וְכָל־טוּב דַּמֶּשֶׂק... IIK.8:9
8 טוּב הָאָרֶץ תֹּאכֵלוּ Is.1:19
9 וְנָהֲרוּ אֶל־טוּב יְיָ Jer.31:12(11)
10 וַאֲנִי עָבַרְתִּי עַל־טוּב צַוָּארָהּ Hosh.10:11
11 טוּב טַעַם וָדַעַת לַמְּדֵנִי Ps.119:66
12 וַאֲכַלְתֶּם אֶת־טוּב הָאָרֶץ Ez.9:12
בְּטוּב־ 13 לִרְאוֹת בְּטוּב־יְיָ בְּאֶרֶץ חַיִּים Ps.27:13
14 נִשְׂבְּעָה בְּטוּב בֵּיתֶךָ קְדֹשׁ הֵיכָלֶךָ Ps.65:5
15 וּרְאֵה בְּטוּב יְרוּשָׁלָםִ Ps.128:5
16 בְּטוּב צַדִּיקִים תַּעֲלֹץ קִרְיָה Prov.11:10
וּבְטוּב־ 17 בְּשִׂמְחָה וּבְטוּב לֵבָב Deut.28:47
מִטּוּב־ 18 נֹשְׂאִים מִטּוּב מִצְרָיִם Gen.45:23
19 עֲבָדַי יָרֹנּוּ מִטּוּב לֵב Is.65:14
טוּבִי 20 אֲנִי אַעֲבִיר כָּל־טוּבִי עַל פָּנֶיךָ Ex.33:19
21 וְעַמִּי אֶת־טוּבִי יִשְׂבָּעוּ Jer.31:14(13)
טוּבְךָ 22 זְכָר־לִי־אַתָּה לְמַעַן טוּבְךָ יְיָ Ps.25:7
23 מָה רַב טוּבְךָ אֲשֶׁר־צָפַנְתָּ לִּירֵאֶיךָ Ps.31:20
24 זֵכֶר רַב־טוּבְךָ יַבִּיעוּ Ps.145:7
בְּטוּבְךָ 25 וַיִּתְעַדְּנוּ בְּטוּבְךָ הַגָּדוֹל Neh.9:25
וּבְטוּבְךָ 26 וּבְטוּבְךָ הָרָב אֲשֶׁר־נָתַתָּ לָהֶם Neh.9:35
טוּבוֹ 27 וּפָחֲדוּ אֶל־יְיָ וְאֶל־טוּבוֹ Hosh.3:5
28 מַה־טּוּבוֹ וּמַה־יָּפְיוֹ Zech.9:17
29 אֵין־שָׂרִיד...עַל־כֵּן לֹא־יָחִיל טוּבוֹ Job2:21
טוּבָהּ 30 לֶאֱכֹל אֶת־פִּרְיָהּ וְאֶת־טוּבָהּ Neh.9:36
וְטוּבָהּ 31 וָאָבִיא אֶתְכֶם...לֶאֱכֹל פִּרְיָהּ וְטוּבָהּ Jer.2:7
טוּבָם 32 הֵן לֹא בְיָדָם טוּבָם Job21:16

טוֹבָה נ׳ א) מעשה טוב, חסד: 1–8, 10–13, 21, 23–25, 27, 29, 30–35, 37, 39
ב) אושר, הצלחה: 14–19, 22, 55–62
ג) נדיבות, רחמים: 9, 20, 26, 28, 36, 38, 40–54
– טוֹבָה וְרָעָה 1, 2, 6, 8, 10–13, 43–45, 48; יוֹם טוֹבָה 18; שְׁנַת טוֹבָה 58; טוֹבַת בְּחִירָיו 56
– אָבַד טוֹבָה 19; בִּקֵּשׁ טוֹבָה 20; גָּמַל ט׳ 25; דִּבֶּר ט׳ 9,26,28,36; דָּרַשׁ ט׳ 60,61; הֵבִיא ט׳ 31; הֵשִׁיב ט׳ 7; נָשָׂה ט׳ 16; עָשָׂה ט׳ 2,4,21,24,27,29,37; רָאָה ט׳ 14,17,22; שִׁלֵּם ט׳ 1,5,8; שָׁמַע הַטּוֹבָה 32

טוֹבָה 1 לָמָּה שִׁלַּמְתֶּם רָעָה תַּחַת טוֹבָה Gen.44:4
2 לַעֲשׂוֹת טוֹבָה אוֹ רָעָה Num.24:13
3 וְאִם־טוֹבָה עֲשִׂיתֶם עִם־יְרֻבַּעַל Jud.9:16
4 אֵת אֲשֶׁר־עָשִׂיתָה אִתִּי טוֹבָה ISh.24:18
5 וַיְיָ יְשַׁלֶּמְךָ טוֹבָה תַּחַת הַיּוֹם הַזֶּה ISh.24:19
6 וַיָּשֶׁב־לִי רָעָה תַּחַת טוֹבָה ISh.25:21
7 וְהֵשִׁיב יְיָ לִי טוֹבָה תַּחַת קִלְלָתוֹ IISh.16:12
8 הַיְשֻׁלַּם תַּחַת־טוֹבָה רָעָה Jer.18:20
9 עָמְדִי...לְדַבֵּר עֲלֵיהֶם טוֹבָה Jer.18:20
10-13 רָעָה תַּחַת טוֹבָה Ps.35:12
38:21; 109:5 • Prov.17:13
14 בָּרְחוּ לֹא־רָאוּ טוֹבָה Job9:25
15 בָּהֶם תְּבוֹאַתְךָ טוֹבָה Job22:21
16 וַתִּזְנַח מִשָּׁלוֹם נַפְשִׁי נָשִׁיתִי טוֹבָה Lam.3:17
17 וְלִרְאוֹת טוֹבָה בְּכָל־עֲמָלוֹ Eccl.5:17
18 בְּיוֹם טוֹבָה הֱיֵה בְטוֹב Eccl.7:14
19 וְחוֹטֶא אֶחָד יְאַבֵּד טוֹבָה הַרְבֵּה Eccl.9:18
20 בָּא אָדָם לְבַקֵּשׁ טוֹבָה לִבְ־י׳ Neh.2:10
21 כִּי־עָשָׂה טוֹבָה בְּיִשְׂרָאֵל IICh.24:16
וְטוֹבָה 22 וְאִלּוּ חָיָה...וְטוֹבָה לֹא רָאָה Eccl.6:6
הַטּוֹבָה 23 וַיִּחַדְּ יִתְרוֹ עַל כָּל־הַטּוֹבָה Ex.18:9
24 כְּכָל־הַטּוֹבָה אֲשֶׁר עָשָׂה Jud.8:35

הַטּוֹבָה (המשך)
25 כִּי אַתָּה גְּמַלְתַּנִי הַטּוֹבָה ISh.24:17
26 כְּכֹל אֲשֶׁר־דִּבֶּר אֶת־הַטּוֹבָה עָלֶיךָ ISh.25:30
27 אֶעֱשֶׂה אִתְּכֶם הַטּוֹבָה הַזֹּאת IISh.2:6
28 וַתְּדַבֵּר אֶל־עַבְדְּךָ אֶת־הַטּוֹבָה הַזֹּאת IISh.7:28
29 עַל כָּל־הַטּוֹבָה אֲשֶׁר עָשָׂה יְיָ IK.8:66
30 וְנִחַמְתִּי עַל־הַטּוֹבָה Jer.18:10
31/2 אֶת־כָּל־הַטּוֹבָה Jer.32:42; 33:9
33 וּפָחֲדוּ וְרָגְזוּ עַל כָּל־הַטּוֹבָה Jer.33:9
34 בִּרְבוֹת הַטּוֹבָה רַבּוּ אוֹכְלֶיהָ Eccl.5:10
35 וְנַפְשׁוֹ לֹא־תִשְׂבַּע מִן־הַטּוֹבָה Eccl.6:3
36 וַתְּדַבֵּר עַל־עַבְדְּךָ הַטּוֹבָה הַזֹּאת ICh.17:26
37 עַל־הַטּוֹבָה אֲשֶׁר עָשָׂה יְיָ IICh.7:10
בְּטוֹבָה 38 וְזֶה יָמוּת...וְלֹא־אָכַל בַּטּוֹבָה Job21:25
לְטוֹבָה 39 אֱלֹהִים חֲשָׁבָהּ לְטֹבָה Gen.50:20
40 וְהוֹתִרְךָ יְיָ לְטוֹבָה Deut.28:11
41 וְהוֹתִירְךָ יְיָ אֱלֹהֶיךָ...לְטֹבָה Deut.30:9
42 אַל־תִּתְפַּלֵּל...לְטוֹבָה Jer.14:11
43-45 לְרָעָה וְלֹא לְטוֹבָה Jer.21:10; 39:16; 44:2
46 אַכִּיר אֶת־גָּלוּת יְהוּדָה...לְטוֹבָה Jer.24:5
47 וְשַׂמְתִּי עֵינִי עֲלֵיהֶם לְטוֹבָה Jer.24:6
48 וְשַׂמְתִּי עֵינִי...לְרָעָה וְלֹא לְטוֹבָה Am.9:4
49 עֲשֵׂה עִמִּי אוֹת לְטוֹבָה Ps.86:17
50 יַד־אֱלֹהֵינוּ עַל...מְבַקְשָׁיו לְטוֹבָה Ez.8:22
51/2 זָכְרָה־לִּי אֱלֹהַי לְטוֹבָה Neh.5:19; 13:31
53 אֵינֶנּוּ מִתְנַבֵּא עָלַי לְטוֹבָה IICh.18:7
לַטּוֹבָה 54 וַיְחַזְּקוּ יְדֵיהֶם לַטּוֹבָה Neh.2:18
מִטּוֹבָה 55 עָמֵל וּמְחַסֵּר אֶת־נַפְשִׁי מִטּוֹבָה Eccl.4:8
בְּטוֹבַת־ 56 לִרְאוֹת בְּטוֹבַת בְּחִירֶיךָ Ps.106:5
טוֹבָתִי 57 טוֹבָתִי בַּל־עָלֶיךָ Ps.16:2
טוֹבָתֶךָ 58 עִטַּרְתָּ שְׁנַת טוֹבָתֶךָ Ps.65:12
בְּטוֹבָתְךָ 59 תָּכִין בְּטוֹבָתְךָ לֶעָנִי אֱלֹהִים Ps.68:11
וְטֹבָתָם 60 לֹא־תִדְרֹשׁ שְׁלֹמָם וְטֹבָתָם Deut.23:7
61 וְלֹא־תִדְרְשׁוּ שְׁלֹמָם וְטוֹבָתָם Ez.9:12
טוֹבֹתָיו 62 גַּם טוֹבֹתָיו הָיוּ אֹמְרִים לְפָנַי Neh.6:19

טוֹבִיָּה שפ״ז א) כהן בימי זכריה הנביא: 1, 17
ב) אבי משפחה שעלתה בימי זרובבל: 3,2
ג) עבד עמוני, יריבו של נחמיה: 4–16
בֵּית טוֹבִיָּה 6; בְּנֵי טוֹבִיָּה 2, 3
טוֹבִיָּה 1 וּמֵאֵת טוֹבִיָּה וּמֵאֵת יְדַעְיָה Zech.6:10
2/3 בְּנֵי־דְלָיָה בְנֵי־טוֹבִיָּה Ez.2:60 • Neh.7:62
4 אִגְּרֹתֵיהֶם הוֹלְכוֹת עַל־טוֹבִיָּה Neh.6:17
5 אִגְּרוֹת שָׁלַח טוֹבִיָּה לְיָרְאֵנִי Neh.6:19
6 וָאַשְׁלִיכָה אֶת־כָּל־כְּלֵי בֵית־טוֹבִיָּה Neh.13:8
וְטוֹבִיָּה 7 סַנְבַלַּט...וְטוֹבִיָּה הָעֶבֶד הָעַמֹּנִי Neh.2:10
8 סַנְבַלַּט...וְטֹבִיָּה הָעֶבֶד הָעַמֹּנִי Neh.2:19
9 וְטוֹבִיָּה הָעַמֹּנִי אֶצְלוֹ Neh.3:35
10 וַיְהִי כַּאֲשֶׁר שָׁמַע סַנְבַלַּט וְטוֹבִיָּה Neh.4:1
11 כַּאֲשֶׁר נִשְׁמַע לְסַנְבַלַּט וְטוֹבִיָּה Neh.6:1
12 וְטוֹבִיָּה וְסַנְבַלַּט שְׂכָרוֹ Neh.6:12
לְטוֹבִיָּה 13 זָכְרָה אֱלֹהַי לְטוֹבִיָּה וּלְסַנְבַלַּט Neh.6:14
14 וַאֲשֶׁר לְטוֹבִיָּה בָּאוֹת אֲלֵיהֶם Neh.6:17
15 אֶלְיָשִׁיב הַכֹּהֵן...קָרוֹב לְטוֹבִיָּה Neh.13:4
16 בָרָעָה אֲשֶׁר עָשָׂה...לְטוֹבִיָּה Neh.13:7
וּלְטוֹבִיָּה 17 וְהָעֲטָרֹת...לְחֵלֶם וּלְטוֹבִיָּה Zech.6:14

טוֹבִיָּהוּ שפ״ז – לוי בימי יהושפט
וְטוֹבִיָּהוּ 1 וְעִמָּהֶם הַלְוִיִּם...וַאֲדֹנִיָּהוּ וְטוֹבִיָּהוּ IICh.17:8

טוה : טָוָה; מַטְוֶה
טָוָה פ׳ שזר, עשה חוטים: 2,1
טָווּ 1 וְכָל־אִשָּׁה חַכְמַת־לֵב בְּיָדֶיהָ טָווּ Ex.35:25
2 וְכָל־הַנָּשִׁים...טָווּ אֶת־הָעִזִּים Ex.35:26

טוח : טָח, נָטוֹחַ; טִיחַ
(טוח) טָח פ׳ א) כסה בטיח: 1–9
ב) [נפ׳ נָטוֹחַ] כוסה בטיח: 10, 11
טָח בַּיִת 2, 11; טָח קִיר 1, 4, 7; טָח תָּפֵל 4–6, 8, 9
לָטוּחַ 1 לָטוּחַ קִירוֹת הַבָּתִּים ICh.29:4
וְטָח 2 וְעָפָר אַחֵר יִקַּח וְטָח אֶת־הַבָּיִת Lev.14:42
טַחְתֶּם 3 אַיֵּה הַטִּיחַ אֲשֶׁר טַחְתֶּם Ezek.13:12
4 אֶת־הַקִּיר אֲשֶׁר־טַחְתֶּם תָּפֵל Ezek.13:14
טָחוּ 5 וּנְבִיאֶיהָ טָחוּ לָהֶם תָּפֵל Ezek.22:28
טָחִים 6 וְהִנָּם טָחִים אֹתוֹ תָּפֵל Ezek.13:10
הַטָּחִים 7 אֵין הַקִּיר וְאֵין הַטָּחִים אֹתוֹ Ezek.13:15
וּבַטָּחִים 8 וּבַטָּחִים אֹתוֹ תָּפֵל Ezek.13:15
טָחֵי־ 9 אֱמֹר אֶל־טָחֵי תָפֵל וְיִפֹּל Ezek.13:11
הַטּוֹחַ 10 וְאַחֲרֵי הַקְצוֹת..וְאַחֲרֵי הִטּוֹחַ Lev.14:43
11 אַחֲרֵי הִטֹּחַ אֶת־הַבָּיִת Lev.14:48

טוֹחֵן ז׳ – עין טָחַן

טוֹטָפוֹת נ״ר תכשיט למצח, תפילין של ראש: 1–3
לְטוֹטָפֹת 1 וְהָיוּ לְטֹטָפֹת בֵּין עֵינֶיךָ Deut.6:8
2 וְהָיוּ לְטוֹטָפֹת בֵּין עֵינֵיכֶם Deut.11:18
וּלְטוֹטָפוֹת 3 וְהָיָה...וּלְטוֹטָפֹת בֵּין עֵינֶיךָ Ex.13:16

טול : הֵטִיל, הוּטַל [עין גם טִלְטֵל]
(טול) הֵטִיל הפ׳ א) השליך, זרק: 1–9
ב) [הפ׳ הוּטַל] הושלך: 10–13
קרובים: הִפִּיל (נפל)/הִשְׁלִיךְ/זָרַק/טִלְטֵל/יָרָה/שָׁלַח
הֵטִיל(אָדָם) 1,2,4,8; הֵטִיל חֲנִית 6,5; הֵטִיל כֵּלִים 7; הֵטִיל רוּחַ 3; הוּטַל(אָדָם) 10; הוּטַל גּוֹרָל 11
וְהֵטַלְתִּי 1 וְהֵטַלְתִּי אֶתְכֶם מֵעַל הָאָרֶץ הַזֹּאת Jer.16:13
2 וְהֵטַלְתִּי אֹתְךָ...עַל הָאָרֶץ אַחֶרֶת Jer.22:26
הֵטִיל 3 וַיְיָ הֵטִיל רוּחַ־גְּדוֹלָה אֶל־הַיָּם Jon.1:4
אֲטִילֶךָ 4 עַל־פְּנֵי הַשָּׂדֶה אֲטִילֶךָ Ezek.32:4
וַיָּטֶל 5 וַיָּטֶל שָׁאוּל אֶת־הַחֲנִית ISh.18:11
6 וַיָּטֶל שָׁאוּל אֶת־הַחֲנִית עָלָיו ISh.20:33
וַיָּטִלוּ 7 וַיָּטִלוּ אֶת־הַכֵּלִים...אֶל־הַיָּם Jon.1:5
וַיְטִלֻהוּ 8 וַיִּשְׂאוּ אֶת־יוֹנָה וַיְטִלֻהוּ אֶל־הַיָּם Jon.1:15
וַהֲטִילֻנִי 9 שָׂאוּנִי וַהֲטִילֻנִי אֶל־הַיָּם Jon.1:12
הוּטְלוּ 10 הוּטְלוּ...וְהֻשְׁלְכוּ עַל־הָאָרֶץ Jer.22:28
יוּטַל 11 בַּחֵיק יוּטַל אֶת־הַגּוֹרָל Prov.16:33
יוּטָל 12 כִּי־יִפֹּל לֹא־יוּטָל Ps.37:24
13 הֲגַם אֶל־מַרְאָיו יֻטָל Job41:1

טוּר[1] ז׳ שורה, קו ישר: 1–26
טוּרֵי אֶבֶן 24; ט׳ גָּזִית 25; ט׳ עַמּוּדִים 26
טוּר 1/2 טוּר אֹדֶם פִּטְדָה וּבָרֶקֶת Ex.28:17; 39:10
וְטוּר 3/4 וְטוּר כְּרֻתֹת אֲרָזִים IK.6:36; 7:12
5 וְטוּר סָבִיב בָּהֶם Ezek.46:23
הַטּוּר 6/7 הַטּוּר הָאֶחָד Ex.28:17; 39:10
8 חֲמִשָּׁה עָשָׂר הַטּוּר IK.7:3
וְהַטּוּר 9/10 וְהַטּוּר הַשֵּׁנִי Ex.28:18; 39:11
11/2 וְהַטּוּר הַשְּׁלִישִׁי Ex.28:19; 39:12
13/4 וְהַטּוּר הָרְבִיעִי Ex.28:20; 39:13
טוּרִים 15 וּמִלֵּאתָ...אַרְבָּעָה טוּרִים אָבֶן Ex.28:17
16 וּשְׁקֻפִים שְׁלֹשָׁה טוּרִים IK.7:4
17 שְׁלֹשָׁה טוּרִים גָּזִית IK.7:12
18 וּשְׁנֵי טוּרִים סָבִיב IK.7:18
19 וְהָרִמּוֹנִים מָאתַיִם טֻרִים סָבִיב IK.7:20
20/1 שְׁנֵי טוּרִים IK.7:24,42
22/3 שְׁנַיִם טוּרִים IICh.4:3,13
טוּרֵי־ 24 וַיְמַלְאוּ־בוֹ אַרְבָּעָה טוּרֵי אָבֶן Ex.39:10
25 וַיִּבֶן...שְׁלֹשָׁה טוּרֵי גָזִית IK.6:36
26 עַל אַרְבָּעָה טוּרֵי עַמּוּדֵי אֲרָזִים IK.7:2

טוּר² ז׳ ארמית: כמו בעברית, 1, 2

לְטוּר 1 וְאַבְנָא...הֲוָת לְטוּר רַב Dan. 2:35

מִטּוּרָא 2 דִּי מִטּוּרָא אִתְגְּזֶרֶת אֶבֶן Dan. 2:45

טוֹרֵד ת׳ עין טרד

(טוש) טָשׁ פ׳ עף

יָטוּשׂ 1 כְּנֶשֶׁר יָטוּשׂ עֲלֵי־אֹכֶל Job 9:26

טְוָת תה״פ ארמית: בצום, בלי אוכל

טְוָת 1 אֲזַל מַלְכָּא...וּבָת טְוָת Dan. 6:19

טַח פ׳ [עבר קל מן טחח] נסתם, נאטם

טַח 1 כִּי טַח מֵרְאוֹת עֵינֵיהֶם Is. 44:18

(טחה) טַחֲוָה פ׳ ירה חצים בקשת

כִּמְטַחֲוֵי־ 1 הַרְחֵק כִּמְטַחֲוֵי קֶשֶׁת Gen. 21:16

טְחוֹן ז׳ אבן ריחים(?)

טְחוֹן 1 בַּחוּרִים טְחוֹן נָשָׂאוּ Lam. 5:13

טְחֹרִים ז״ר [קרי, הכתיב עפ״ר עפלים]

תפיחה של ורידי החלחולת: 1—8

טְחֹרִים 1 וַיִּשָּׂתְרוּ לָהֶם טְחֹרִים (כת׳ עפלים) ISh. 5:9

בַּטְּחֹרִים 2 וַיַּךְ אֹתָם בַּטְּחֹרִים (כת׳ בעפלים) ISh. 5:6

3 וְהָאֲנָשִׁים...הֻכּוּ בַּטְּחֹרִים (כת׳ בעפלים) ISh. 5:12

וּבַטְּחוֹרִים 4 בִּשְׁחִין מִצְרַיִם וּבַטְּחוֹרִים (כת׳ ובעפלים) Deut. 28:27

טְחֹרֵי־ 5 וְאֵלֶּה טְחֹרֵי הַזָּהָב ISh. 6:17

6 חֲמִשָּׁה טְחֹרֵי (כת׳ עפלי) זָהָב ISh. 6:4

טְחֹרֵיכֶם 7 צַלְמֵי טְחֹרֵיכֶם (כת׳ עפליכם) ISh. 6:5

טְחֹרֵיהֶם 8 וְאֵת צַלְמֵי טְחֹרֵיהֶם ISh. 6:11

טֻחוֹת נ״ר עוף? כליות? 1, 2

בַּטֻּחוֹת 1 הֵן־אֱמֶת חָפַצְתָּ בַטֻּחוֹת Ps. 51:8

2 מִי שָׁת בַּטֻּחוֹת חָכְמָה Job 38:36

טחח : טַח; טֻחוֹת?

טחן : טָחַן; טְחוֹן, טַחֲנָה

קרובים: הֵדַק / (דקק) / כָּתַשׁ / כָּתַת / שָׁחַק

טָחַן פ׳ א) שחק בריחים לקמח: 1—3, 5, 6, 8

ב) [בהשאלה] לחץ, דכא: 7

ג) [הַטֹּחֲנוֹת] כנוי לשנים: 4

טָחוֹן 1 וָאֶכֹּת אֹתוֹ טָחוֹן הֵיטֵב Deut. 9:21

וְטָחֲנוּ 2 וְטָחֲנוּ בָרֵחַיִם אוֹ דָכוּ בַּמְּדֹכָה Num. 11:8

טוֹחֵן 3 וַיְהִי טוֹחֵן בְּבֵית הָאֲסוּרִים° Jud. 16:21

הַטֹּחֲנוֹת 4 וּבָטְלוּ הַטֹּחֲנוֹת כִּי מִעֵטוּ Eccl. 12:3

וַיִּטְחַן 5 וַיִּטְחַן עַד אֲשֶׁר־דָּק Ex. 32:20

תִּטְחַן 6 תִּטְחַן לְאַחֵר אִשְׁתִּי Job 31:10

תִּטְחָנוּ 7 תְּדַכְּאוּ עַמִּי וּפְנֵי עֲנִיִּים תִּטְחָנוּ Is. 3:15

וְטַחֲנִי 8 קְחִי רֵחַיִם וְטַחֲנִי קָמַח Is. 47:2

טַחֲנָה ז׳ ריחים

הַטַּחֲנָה 1 וְסֻגְּרוּ...בִּשְׁפַל קוֹל הַטַּחֲנָה Eccl. 12:4

טְחֹרִים עין טְחוֹרִים

טִיחַ ז׳ תערובת טיט עם מלט או עם סיד לבנין

טִיחַ 1 אַיֵּה הַטִּיחַ אֲשֶׁר טַחְתֶּם Ezek. 13:12

טִיט ז׳ חומר מעורב במים, בוץ: 1—13

קרובים: בֹּץ / חֹמֶר / יָוֵן / רֶפֶשׁ

רֶפֶשׁ וָטִיט 4; טִיט חוּצוֹת 8—12; טִיט הַיָּוֵן 13

טִיט 1 וּכְמוֹ יוֹצֵר יִרְמָס־טִיט Is. 41:25

2 וּבַבּוֹר אֵין־מַיִם כִּי אִם־טִיט Jer. 38:6

3 יִרְפַּד חָרוּץ עֲלֵי־טִיט Job 41:22

וָטִיט 4 וַיִּגְרְשׁוּ מֵימָיו רֶפֶשׁ וָטִיט Is. 57:20

בַּטִּיט 5 וַיִּטְבַּע יִרְמְיָהוּ בַּטִּיט Jer. 38:6

6 בֹּאִי בַטִּיט וְרִמְסִי בַחֹמֶר Nah. 3:14

מִטִּיט 7 הַצִּילֵנִי מִטִּיט וְאַל־אֶטְבָּעָה Ps. 69:15

בְּטִיט־ 8 כְּגִבֹּרִים בּוֹסִים בְּטִיט חוּצוֹת Zech. 10:5

כְּטִיט־ 9 כְּטִיט־חוּצוֹת אֲדִקֵּם אֶרְקָעֵם IISh. 22:43

10 תִּהְיֶה לְמִרְמָס כְּטִיט חוּצוֹת Mic. 7:10

11 וַתִּצְבָּר...וְחָרוּץ כְּטִיט חוּצוֹת Zech. 9:3

12 כְּטִיט חוּצוֹת אֲרִיקֵם Ps. 18:43

מִטִּיט־ 13 וַיַּעֲלֵנִי מִבּוֹר שָׁאוֹן מִטִּיט הַיָּוֵן Ps. 40:3

טִינָא ז׳ ארמית: טיט: 1, 2

טִינָא 1/2 פַּרְזְלָא מְעָרַב בַּחֲסַף טִינָא Dan. 2:41, 43

טִירָה* נ׳ א) מחנה אוהלים מוקף גדר או חומה: 2, 4—7

ב) קיר, חומה: 1, 3

טִירַת־ 1 נִבְנֶה עָלֶיהָ טִירַת כָּסֶף S.ofS. 8:9

טִירָתָם 2 תְּהִי־טִירָתָם נְשַׁמָּה Ps. 69:26

הַטִּירוֹת 3 מִתַּחַת הַטִּירוֹת סָבִיב Ezek. 46:23

טִירֹתָם 4 וְאֵת כָּל־טִירֹתָם שָׂרְפוּ בָּאֵשׁ Num. 31:10

וּבְטִירֹתָם 5 וְאֵלֶּה שְׁמֹתָם בְּחַצְרֵיהֶם וּבְטִירֹתָם Gen. 25:16

לְטִירוֹתָם 6 וְאֵלֶּה מוֹשְׁבוֹתָם לְטִירוֹתָם בִּגְבוּלָם ICh. 6:39

טִירוֹתֵיהֶם 7 וְיָשְׁבוּ טִירוֹתֵיהֶם בָּךְ Ezek. 25:4

טַל¹ ז׳ רסיסי לילה: 1—31

קרובים: אֶגֶל / כְּפוֹר / עֲרָפֶל / רְסִיס

טַל וּמָטָר 3,4; שִׁכְבַת טַל 15,16; טַל אוֹרֹת 25; טַל חֶרְמוֹן 27; טַל יַלְדוּת 26; טַל הַשָּׁמַיִם 28, 29

טַל 1 אִם טַל יִהְיֶה עַל־הַגִּזָּה לְבַדָּהּ Jud. 6:37

2 וַיִּמֶץ טַל מִן־הַגִּזָּה Jud. 6:38

3 אַל־טַל וְאַל־מָטָר עֲלֵיכֶם IISh. 1:21

4 אִם־יִהְיֶה הַשָּׁנִים הָאֵלֶּה טַל וּמָטָר IK. 17:1

5 כְּעָב טַל בְּחֹם קָצִיר Is. 18:4

טָל 6 אַף־שָׁמָיו יַעַרְפוּ־טָל Deut. 33:28

7 וְעַל־כָּל־הָאָרֶץ יִהְיֶה־טָּל Jud. 6:39

8 וְעַל־כָּל־הָאָרֶץ הָיָה טָל Jud. 6:40

9 וּשְׁחָקִים יִרְעֲפוּ־טָל Prov. 3:20

10 מִי־הוֹלִיד אֶגְלֵי־טָל Job 38:28

11 שֶׁרֹּאשִׁי נִמְלָא־טָל...רְסִיסֵי לָיְלָה S.ofS. 5:2

וְטַל 12 וְטַל יָלִין בִּקְצִירִי Job 29:19

הַטַּל 13 וּבְרֶדֶת הַטַּל עַל־הַמַּחֲנֶה Num. 11:9

14 כַּאֲשֶׁר יִפֹּל הַטַּל עַל־הָאֲדָמָה IISh. 17:12

הַטָּל 15 וּבַבֹּקֶר הָיְתָה שִׁכְבַת הַטָּל Ex. 16:13

16 וַתַּעַל שִׁכְבַת הַטָּל Ex. 16:14

כְּטַל 17 כְּטַל מֵאֵת יְיָ כִּרְבִיבִים עֲלֵי־עֵשֶׂב Mic. 5:6

כַּטַּל 18 תִּזַּל כַּטַּל אִמְרָתִי Deut. 32:2

19 אֶהְיֶה כַטַּל לְיִשְׂרָאֵל Hosh. 14:6

וּכְטַל 20 וּכְטַל עַל־עֵשֶׂב רְצוֹנוֹ Prov. 19:12

וְכַטַּל 21/2 כַּעֲנַן־בֹּקֶר וְכַטַּל מַשְׁכִּים הֹלֵךְ Hosh. 6:4; 13:3

מִטָּל 23 מִמֶּגֶד שָׁמַיִם מִטָּל Deut. 33:13

24 עֲלֵיכֶם כָּלְאוּ שָׁמַיִם מִטָּל Hag. 1:10

טַל־ 25 כִּי טַל אוֹרֹת טַלֶּךָ Is. 26:19

26 מֵרֶחֶם מִשְׁחָר לְךָ טַל יַלְדֻתֶיךָ Ps. 110:3

כְּטַל־ 27 כְּטַל־חֶרְמוֹן שֶׁיֹּרֵד עַל־הַרְרֵי צִיּוֹן Ps. 133:3

מִטַּל־ 28 מִטַּל הַשָּׁמַיִם וּמִשְׁמַנֵּי הָאָרֶץ Gen. 27:28

וּמִטַּל־ 29 וּמִטַּל הַשָּׁמַיִם מֵעָל Gen. 27:39

טַלֶּךָ 30 כִּי טַל אוֹרֹת טַלֶּךָ Is. 26:19

טַלָּם 31 וְהַשָּׁמַיִם יִתְּנוּ טַלָּם Zech. 8:12

טַל² ז׳ ארמית: כמו בעברית: 1—5 • טַל שְׁמַיָּא 1—5

וּבְטַל־ 1-2 וּבְטַל שְׁמַיָּא יִצְטַבַּע Dan. 4:12, 20

וּמִטַּל־ 3 וּמִטַּל שְׁמַיָּא לָךְ מְצַבְּעִין Dan. 4:22

5-4 וּמִטַּל שְׁמַיָּא גִּשְׁמֵהּ יִצְטַבַּע Dan. 4:30; 5:21

טלא : טָלוּא, מְטֻלָּא

(טלא) טָלוּא א) עשוי כתמים כעין טְלָאִים: 1—5, 7

ב) מכוסה בגדים מנומרים: 6

ג) [פ׳ מְטֻלָּא] שתוקן בטלאי על הקרע: 8

שֶׂה טָלוּא 1; תְּיָשִׁים טְלֻאִים 5; בָּמוֹת טְלֻאוֹת 6; עִזִּים טְלֻאוֹת 7; נְעָלוֹת מְטֻלָּאוֹת 8

וְטָלוּא 1 הָסֵר מִשָּׁם כָּל־שֶׂה נָקֹד וְטָלוּא Gen. 30:32

2 וְטָלוּא וְנָקֹד בָּעִזִּים Gen. 30:32

3 כֹּל אֲשֶׁר־אֵינֶנּוּ נָקֹד וְטָלוּא בָּעִזִּים Gen. 30:33

וּטְלֻאִים 4 עֲקֻדִּים נְקֻדִּים וּטְלֻאִים Gen. 30:39

וְהַטְּלֻאִים 5 הַתְּיָשִׁים הָעֲקֻדִּים וְהַטְּלֻאִים Gen. 30:35

טְלֻאוֹת 6 וַתַּעֲשִׂי־לָךְ בָּמוֹת טְלֻאוֹת Ezek. 16:16

וְהַטְּלֻאֹת 7 כָּל־הָעִזִּים הַנְּקֻדּוֹת וְהַטְּלֻאֹת Gen. 30:35

וּמְטֻלָּאוֹת 8 וּנְעָלוֹת בָּלוֹת וּמְטֻלָּאוֹת בְּרַגְלֵיהֶם Josh. 9:5

טְלָאִים¹ ז״ר – עין טָלֶה

טְלָאִים² שם מקום, עין טֶלֶם²

בַּטְּלָאִים 1 וַיְשַׁמַּע...וַיִּפְקְדֵם בַּטְּלָאִים ISh. 15:4

טָלֶה ז׳ כבש צעיר: 1—3 • טְלֵה חָלָב 2

וְטָלֶה 1 זְאֵב וְטָלֶה יִרְעוּ כְאֶחָד Is. 65:25

טְלֵה־ 2 וַיִּקַּח שְׁמוּאֵל טְלֵה חָלָב אֶחָד ISh. 7:9

טְלָאִים 3 כְּרֹעֶה...בִּזְרֹעוֹ יְקַבֵּץ טְלָאִים Is. 40:11

טָלוּא ת׳ עין טלא

טלטל : טִלְטֵל; טַלְטֵלָה

טִלְטֵל פ׳ הטיל, זרק

מְטַלְטֶלְךָ 1 הִנֵּה יְיָ מְטַלְטֶלְךָ טַלְטֵלָה גָּבֶר Is. 22:17

טַלְטֵלָה נ׳ טלטול, זריקה

טַלְטֵלָה 1 הִנֵּה יְיָ מְטַלְטֶלְךָ טַלְטֵלָה גָּבֶר Is. 22:17

טלל : טִלֵּל; טַל; אר׳ הַטְלֵל

טִלֵּל¹ פ׳ סכך, התקין גג

וִיטַלְלֶנּוּ 1 הוּא יִבְנֶנּוּ וִיטַלְלֶנּוּ Neh. 3:15

(טלל)² הַטְלֵל הפ׳ ארמית חסה בצל

תַּטְלֵל 1 תְּחֹתוֹהִי תַּטְלֵל חֵיוַת בָּרָא Dan. 4:9

טֶלֶם¹ שפ״ז – משוערי בית־המקדש

וָטֶלֶם 1 וּמִן־הַשֹּׁעֲרִים שַׁלֻּם וָטֶלֶם וְאוּרִי Ez. 10:24

טֶלֶם² מקום באזור באר־שבע

וָטֶלֶם 1 זִיף וָטֶלֶם וּבְעָלוֹת Josh. 15:24

טַלְמוֹן שפ״ז–אבי משפחת שוערים שעלו עם זרובבל: 1-5

טַלְמוֹן 1/2 בְּנֵי־טַלְמוֹן בְּנֵי־עַקּוּב Ez. 2:42 • Neh. 7:45

3 וְהַשּׁוֹעֲרִים עַקּוּב טַלְמוֹן... Neh. 11:19

4 מְשֻׁלָּם טַלְמוֹן עַקּוּב Neh. 12:25

וְטַלְמֹן 5 וְהַשֹּׁעֲרִים שַׁלּוּם וְעַקּוּב וְטַלְמֹן ICh. 9:17

טמא : טָמֵא, נִטְמָא, טִמֵּא, הִטַּמָּא, הֻטַּמָּא; טָמֵא, טְמֵאָה, טֻמְאָה

טָמֵא פ׳ א) היה לא־טהור (גם בהשאלה): 1—78

ב) [נפ׳ נִטְמָא] נעשה טמא: 79—96

ג) [פ׳ טִמֵּא] גרם טומאה, חלל: 97—114, 120, 121, 126—146

ד) [כנ״ל] קבע כי הוא טמא: 115—119, 122—125

ה) [פ׳ טֻמָּא] חֻלַּל: 147

ו) [הת׳ הִטַּמָּא] טמא את עצמו, התגאל: 148—162

ז) [הת׳ הֻטַּמָּא] נעשה טמא: 163

טָמְאָה 1 בַּעֲבוּר טָמְאָה תְּחַבֵּל Mic. 2:10

לְטָמְאָה 2—5 לְטָמְאָה־בָהּ Lev. 15:32; 18:20, 23; 22:8

6 אַל־תְּבַקְשׁוּ לְטָמְאָה בָהֶם Lev. 19:31

7 וְעָשְׂתָה גִלּוּלִים עָלֶיהָ לְטָמְאָה Ezek. 22:3

8 וְאֶל־מֵת אָדָם לֹא יָבוֹא לְטָמְאָה Ezek. 44:25

טָמֵאת 9 וּבְגִלּוּלַיִךְ אֲשֶׁר־עָשִׂית טָמֵאת Ezek. 22:4

טָמֵא 10 וְהוּא טָמֵא וְאָשֵׁם Lev. 5:2

11 כִּי טָמֵא נִזְרוֹ Num. 6:12

וְטָמֵא 12—28 וְטָמֵא עַד־הָעָרֶב Lev. 11:25, 28, 40²

15:5, 6, 7, 8, 10, 11, 16, 17, 21, 22, 27 • Num. 19:8, 10

וְטָמֵא (המשך) 29/30 וְטָמֵא עַד־הָעֶרֶב וְטָהֵר Lev.11:32; 17:15
31/2 וְטָמֵא שִׁבְעַת יָמִים Lev.15:24 • Num.19:11
33 וְטָמֵא הַכֹּהֵן עַד־הָעָרֶב Num.19:7
וְטָמְאָה 34 וְטָמְאָה שִׁבְעַת יָמִים Lev.12:2
35 וְטָמְאָה שְׁבֻעַיִם כְּנִדָּתָהּ Lev.12:5
36 וְטָמְאָה עַד־הָעָרֶב Lev.22:6
וְטָמְאוּ 37 וְטָמְאוּ עַד־הָעָרֶב Lev.15:18
יִטְמָא 38 לְכֹל טֻמְאָתוֹ אֲשֶׁר יִטְמָא בָּהּ Lev.5:3
39–46 יִטְמָא עַד־הָעָרֶב Lev.11:24,27
11:31,39; 14:46; 15:10,19,23
47 כָּל־הַנֹּגֵעַ בָּהֶם יִטְמָא Lev.11:26
48 יִגַּע בְּכָל־שֶׁרֶץ אֲשֶׁר יִטְמָא־לוֹ Lev.22:5
49 אוֹ בְאָדָם אֲשֶׁר יִטְמָא־לוֹ Lev.22:5
50–71 יִטְמָא Lev.11:32,33,34²,35,36; 13:14,46; 14:36
15:4²,9,20²,24,27 • Num.19:14,16,20,21,22 • Hag.2:13
הֲיִטְמָא 72 אִם־יִגַּע טְמֵא־נֶפֶשׁ...הֲיִטְמָא Hag.2:13
תִּטְמָא 73 כִּימֵי נִדַּת דְּוֹתָהּ תִּטְמָא Lev.12:2
74 וְהַנֶּפֶשׁ הַנֹּגַעַת תִּטְמָא עַד־הָעָרֶב Num.19:22
וַתִּטְמָא 75–76 וַתִּטְמָא הָאָרֶץ Lev.18:25,27
77 וַיְטַמְּאוּ אוֹתָהּ...וַתִּטְמָא בָם Ezek.23:17
וַיִּטְמְאוּ 78 וַיִּטְמְאוּ בְמַעֲשֵׂיהֶם וַיִּזְנוּ Ps.106:39
נִטְמֵאתִי 79 אֵיךְ תֹּאמְרִי לֹא נִטְמֵאתִי Jer.2:23
נִטְמֵאת 80 וְאַתְּ כִּי שָׂטִית...וְכִי נִטְמֵאת Num.5:20
81 עַל אֲשֶׁר־נִטְמֵאת בְּגִלּוּלֵיהֶם Ezek.23:30
נִטְמָא 82/3 נִטְמָא יִשְׂרָאֵל Hosh.5:3; 6:10
נִטְמְאָה 84 אִם־נִטְמְאָה וַתִּמְעֹל מַעַל Num.5:27
85 וְאִם־לֹא נִטְמְאָה הָאִשָּׁה Num.5:28
נִטְמָאָה 86 וְנִסְתְּרָה וְהִיא נִטְמָאָה Num.5:13
87 וְקִנֵּא אֶת־אִשְׁתּוֹ וְהִוא נִטְמָאָה Num.5:14
88 וְקִנֵּא אֶת־אִשְׁתּוֹ וְהִיא לֹא נִטְמָאָה Num.5:14
89 בְּכָל־גִּלּוּלֵיהֶם נִטְמָאָה Ezek.23:7
90 וָאֵרֶא כִּי נִטְמָאָה Ezek.23:13
וְנִטְמָאָה 91 אֲשֶׁר תִּשְׂטֶה אִשָּׁה...וְנִטְמָאָה Num.5:29
נִטְמֵאתֶם 92 עֲלִילוֹתֵיכֶם אֲשֶׁר נִטְמֵאתֶם בָּם Ezek.20:43
וְנִטְמֵתֶם 93 וְלֹא תִטַּמְּאוּ בָּהֶם וְנִטְמֵתֶם בָּם Lev.11:43
נִטְמְאוּ 94 כִּי בְכָל־אֵלֶּה נִטְמְאוּ הַגּוֹיִם Lev.18:24
נִטְמְאִים 95 הַבְּדֶרֶךְ אֲבוֹתֵיכֶם אַתֶּם נִטְמְאִים Ezek.20:30
96 אַתֶּם נִטְמְאִים לְכָל־גִּלּוּלֵיכֶם Ezek.20:31
טַמֵּא 97 טַמֵּא יְטַמְּאֶנּוּ הַכֹּהֵן Lev.13:44
98 לְמַעַן טַמֵּא אֶת־מִקְדָּשִׁי Lev.20:3
לְטַמֵּא 99 אֲשֶׁר־הִבְדַּלְתִּי לָכֶם לְטַמֵּא Lev.20:25
לְטַמְּאוֹ 100 לְטַהֲרוֹ אוֹ לְטַמְּאוֹ Lev.13:59
101 שָׂמוּ שִׁקּוּצֵיהֶם בַּבַּיִת...לְטַמְּאוֹ Jer.7:30
102 וַיָּשִׂימוּ שִׁקּוּצֵיהֶם בַּבַּיִת...לְטַמְּאוֹ Jer.32:34
בְּטַמַּאֲכֶם 103 וְלֹא־תָקִיא...בְּטַמַּאֲכֶם אֹתָהּ Lev.18:28
בְּטַמְּאָם 104 בְּטַמְּאָם אֶת־מִשְׁכָּנִי Lev.15:31
טִמֵּאת 105 יַעַן אֶת־מִקְדָּשִׁי טִמֵּאת Ezek.5:11
טִמֵּא 106 כִּי טִמֵּא אֶת־דִּינָה בִתּוֹ Gen.34:5
107 אֲשֶׁר טִמֵּא אֵת דִּינָה אֲחֹתָם Gen.34:13
108/9 אֶת־מִשְׁכַּן יְיָ טִמֵּא Num.19:13,20
110 וְאֶת־הַבָּמוֹת...טִמֵּא הַמֶּלֶךְ IIK.23:13
111/2 (וְ)אֶת־אֵשֶׁת רֵעֵהוּ לֹא טִמֵּא Ezek.18:6,15
113 וְאֶת־אֵשֶׁת רֵעֵהוּ טִמֵּא Ezek.18:11
114 וְאִישׁ אֶת־כַּלָּתוֹ טִמֵּא בְזִמָּה Ezek.22:11
וְטִמֵּא 115 וְרָאָהוּ הַכֹּהֵן וְטִמֵּא אֹתוֹ Lev.13:3
116/7 וְטִמֵּא הַכֹּהֵן אֹתוֹ Lev.13:22,27
118/9 וְטִמֵּא אֹתוֹ הַכֹּהֵן Lev.13:25,30
120 וְטִמֵּא רֹאשׁ נִזְרוֹ Num.6:9
121 וְטִמֵּא אֶת־הַתֹּפֶת IIK.23:10
וְטִמְּאוֹ 122–124 וְטִמְּאוֹ הַכֹּהֵן Lev.13:8,11,20
125 וְרָאָה...אֶת־הַבָּשָׂר הַחַי וְטִמְּאוֹ Lev.13:15
טִמֵּאתֶם 126 וְאִישׁ אֶת־אֵשֶׁת רֵעֵהוּ טִמֵּאתֶם Ezek.33:26

וְטִמֵּאתֶם 127 וְטִמֵּאתֶם אֶת־צִפּוּי פְּסִילֵי כַסְפֶּךָ Is.30:22
טִמְּאוּ 128 וַיָּבֹזּוּ הָעִיר אֲשֶׁר טִמְּאוּ אֲחוֹתָם Gen.34:27
129 טִמְּאוּ אֶת־מִקְדָּשִׁי בַּיּוֹם הַהוּא Ezek.23:38
130 טִמְּאוּ אֶת־הֵיכַל קָדְשֶׁךָ Ps.79:1
וְטִמְּאוּ 131 וְטִמְּאוּ אֶת־שֵׁם קָדְשִׁי Ezek.43:8
טִמְּאוּהָ 132 וּבְגִלּוּלֵיהֶם טִמְּאוּהָ Ezek.36:18
וָאֲטַמֵּא 133 וָאֲטַמֵּא אוֹתָם בְּמַתְּנוֹתָם Ezek.20:26
תְּטַמֵּא 134 וְלֹא תְטַמֵּא אֶת־הָאָרֶץ Num.35:34
135 וְלֹא תְטַמֵּא אֶת־אַדְמָתְךָ Deut.21:23
וַיְטַמֵּא 136 וַיְטַמֵּא אֶת־הַבָּמוֹת IIK.23:8
יְטַמְּאֶנּוּ 137 טַמֵּא יְטַמְּאֶנּוּ הַכֹּהֵן Lev.13:44
וַיְטַמְּאֵהוּ 138 וַיִּשְׂרֹף עַל־הַמִּזְבֵּחַ וַיְטַמְּאֵהוּ IIK.23:16
תְּטַמְּאוּ 139 וְלֹא תְטַמְּאוּ אֶת־נַפְשֹׁתֵיכֶם Lev.12:44
וַתְּטַמְּאוּ 140 וַתָּבֹאוּ וַתְּטַמְּאוּ אֶת־אַרְצִי Jer.2:7
יְטַמְּאוּ 141 וְלֹא יְטַמְּאוּ אֶת־מַחֲנֵיהֶם Num.5:3
142 וְלֹא יְטַמְּאוּ עוֹד...שֵׁם קָדְשִׁי Ezek.43:7
וַיְטַמְּאוּ 143 וַיְטַמְּאוּ אוֹתָהּ בְּתַזְנוּתָם Ezek.23:17
144 וַיְטַמְּאוּ אוֹתָהּ בְּדַרְכָּם Ezek.36:17
145 וַיְטַמְּאוּ אֶת־בֵּית יְיָ IICh.36:14
טַמְּאוּ 146 טַמְּאוּ אֶת־הַבַּיִת Ezek.9:7
מְטֻמָּאָה 147 הִנֵּה נַפְשִׁי לֹא מְטֻמָּאָה Ezek.4:14
יִטַּמָּא 148 לְנֶפֶשׁ לֹא־יִטַּמָּא בְּעַמָּיו Lev.21:1
149 וְלַאֲחֹתוֹ הַבְּתוּלָה...לָהּ יִטַּמָּא Lev.21:3
150 לֹא יִטַּמָּא בַּעַל בְּעַמָּיו Lev.21:4
151 לְאָבִיו וּלְאִמּוֹ לֹא יִטַּמָּא Lev.21:11
152 לֹא־יִטַּמָּא לָהֶם בְּמֹתָם Num.6:7
תִּטַּמְּאוּ 153/4 וְלֹא תִטַּמְּאוּ בָּהֶם Lev.11:43; 18:30
155 אַל־תִּטַּמְּאוּ בְּכָל־אֵלֶּה Lev.18:24
תִּטַּמָּאוּ 156 וּלְאֵלֶּה תִּטַּמָּאוּ... Lev.11:24
157 וּבְגִלּוּלֵי מִצְרַיִם אַל־תִּטַּמָּאוּ Ezek.20:7
158 וּבְגִלּוּלֵיהֶם אַל־תִּטַּמָּאוּ Ezek.20:18
יִטַּמְּאוּ 159 וְלֹא־יִטַּמְּאוּ עוֹד בְּכָל־פִּשְׁעֵיהֶם Ezek.14:11
160 וְלֹא יִטַּמְּאוּ עוֹד בְּגִלּוּלֵיהֶם Ezek.37:23
יִטַּמָּאוּ 161 כִּי אִם־לְאָב וּלְאֵם...יִטַּמָּאוּ Ezek.44:25
162 כְּלֶחֶם אוֹנִים...כָּל־אֹכְלָיו יִטַּמָּאוּ Hosh.9:4
הֻטַּמָּאָה 163 אַחֲרֵי אֲשֶׁר הֻטַּמָּאָה Deut.24:4

טָמֵא ת' לא טהור (גם בהשאלה): 1—87

– טָמֵא טָמֵא 25; טָמֵא וְטָהוֹר 37,43,45–48,50–53,56,58,74; עָרֵל וְטָמֵא 42; דָּבָר טָמֵא 1; לֶחֶם ט' 36; מָקוֹם ט' 26–28; שֶׁקֶץ ט' 5; שֶׁרֶץ ט' 2; טְמֵא נֶפֶשׁ 59, 62; טְמֵא שְׂפָתַיִם 60, 61
– אֲדָמָה טְמֵאָה 71; אֶרֶץ ט' 70; בְּהֵמָה ט' 64,65,69, 72–74; חַיָּה ט' 63; טְמֵאַת הַנִּדָּה 76; ט' הַשֵּׁם 75

טָמֵא 1 נֶפֶשׁ אֲשֶׁר תִּגַּע בְּכָל־דָּבָר טָמֵא Lev.5:2
2 אוֹ בְּנִבְלַת שֶׁרֶץ טָמֵא Lev.5:2
3 וְהַבָּשָׂר אֲשֶׁר־יִגַּע בְּכָל־טָמֵא Lev.7:19
4 וְנֶפֶשׁ כִּי־תִגַּע בְּכָל־טָמֵא Lev.7:21
5 אוֹ בְּכָל־שֶׁקֶץ טָמֵא Lev.7:21
6–24 טָמֵא הוּא (לָכֶם) Lev.11:4,5,7,38; 13:11
13:15,36,44,46,51,55; 14:44; 15:2 • Num.19:15,20
Deut.14:8,10,19 • Hag.2:14
25 וְטָמֵא טָמֵא יִקְרָא Lev.13:45
26–28 אֶל־מָקוֹם טָמֵא Lev.14:40,41,45
29 טָמֵא יִהְיֶה כְּטֻמְאַת נִדָּתָהּ Lev.15:26
30 וְכָל־זָב וְכֹל טָמֵא לָנָפֶשׁ Num.5:2
31 אִישׁ אִישׁ כִּי־יִהְיֶה־טָמֵא לָנֶפֶשׁ Num.9:10
32 טָמֵא יִהְיֶה עוֹד טֻמְאָתוֹ בוֹ Num.19:13
33 וְאַל־תֹּאכְלִי כָּל־טָמֵא Jud.13:4
34 לֹא־יַעַבְרֶנּוּ טָמֵא וְהוּא־לָמוֹ Is.35:8
35 סוּרוּ סוּרוּ...טָמֵא אַל־תִּגָּעוּ Is.52:11
36 כָּכָה יֹאכְלוּ בְ־יִ אֶת־לַחְמָם טָמֵא Ezek.4:13
37 וּבֵין־טָמֵא לְטָהוֹר יוֹדִיעֻם Ezek.44:23

טָמֵא (המשך) 38 וּבְאַשּׁוּר טָמֵא יֹאכֵלוּ Hosh.9:3
39 סוּרוּ טָמֵא קָרְאוּ לָמוֹ Lam.4:15
40 וְלֹא־יָבוֹא טָמֵא לְכָל־דָּבָר IICh.23:19
וְטָמֵא 41 וְטָמֵא טָמֵא יִקְרָא Lev.13:45
42 לֹא יוֹסִיף יָבֹא־בָךְ...עָרֵל וְטָמֵא Is.52:1
הַטָּמֵא 43 וּבֵין הַטָּמֵא וּבֵין הַטָּהוֹר Lev.10:10
44 וְזֶה לָכֶם הַטָּמֵא בַּשֶּׁרֶץ Lev.11:29
45 בֵּין הַטָּמֵא וּבֵין הַטָּהֹר Lev.11:47
46 בְּיוֹם הַטָּמֵא וּבְיוֹם הַטָּהֹר Lev.14:57
47 וּבֵין־הָעוֹף הַטָּמֵא לַטָּהֹר Lev.20:25
48 וְהִזָּה הַטָּהֹר עַל־הַטָּמֵא Num.19:19
49 וְכֹל אֲשֶׁר־יִגַּע־בּוֹ הַטָּמֵא יִטְמָא Num.19:22
50 הַטָּמֵא וְהַטָּהוֹר יֹאכְלֶנּוּ Deut.12:15
51/2 הַטָּמֵא וְהַטָּהוֹר יַחְדָּו Deut.12:22; 15:22
53 וּבֵין־הַטָּמֵא לְטָהוֹר לֹא הוֹדִיעוּ Ezek.22:26
בְּטָמֵא 54 וְלֹא־בִעַרְתִּי מִמֶּנּוּ בְּטָמֵא Deut.26:14
לַטָּמֵא 55 וְלָקְחוּ לַטָּמֵא מֵעֲפַר...הַחַטָּאת Num.19:17
וְלַטָּמֵא 56 מִקְרֶה אֶחָד...וְלַטָּהוֹר וְלַטָּמֵא Eccl.9:2
כַּטָּמֵא 57 וַנְּהִי כַטָּמֵא כֻּלָּנוּ Is.64:5
מִטָּמֵא 58 מִי־יִתֵּן טָהוֹר מִטָּמֵא לֹא אֶחָד Job 14:4
טְמֵא־ 59 וְהַנֹּגֵעַ בְּכָל־טְמֵא־נֶפֶשׁ Lev.22:4
60 אִישׁ טְמֵא־שְׂפָתַיִם אָנֹכִי Is.6:5
61 וּבְתוֹךְ עַם־טְמֵא שְׂפָתַיִם אָנֹכִי יֹשֵׁב Is.6:5
62 אִם־יִגַּע טְמֵא־נֶפֶשׁ בְּכָל־אֵלֶּה Hag.2:13
טְמֵאָה 63 אוֹ בְּנִבְלַת חַיָּה טְמֵאָה Lev.5:2
64 אוֹ בְּנִבְלַת בְּהֵמָה טְמֵאָה Lev.5:2
65 בְּטֻמְאַת אָדָם אוֹ בִּבְהֵמָה טְמֵאָה Lev.7:21
66 טְמֵאָה הוּא לָכֶם Lev.11:6
67 כִּימֵי נִדָּתָהּ תִּהְיֶה טְמֵאָה הִוא Lev.15:25
68 וּלְאִישׁ אֲשֶׁר יִשְׁכַּב עִם־טְמֵאָה Lev.15:33
69 וְאִם כָּל־בְּהֵמָה טְמֵאָה Lev.27:11
70 וְאַךְ אִם־טְמֵאָה אֶרֶץ אֲחֻזַּתְכֶם Josh.22:19
71 עַל־אֲדָמָה טְמֵאָה תָּמוּת Am.7:17
הַטְּמֵאָה 72 וְאִם בַּבְּהֵמָה הַטְּמֵאָה וּפָדָה... Lev.27:27
73 בְּכוֹר־הַבְּהֵמָה הַטְּמֵאָה תִּפְדֶּה Num.18:15
לַטְּמֵאָה 74 בֵּין־הַבְּהֵמָה הַטְּהֹרָה לַטְּמֵאָה Lev.20:25
טְמֵאַת־ 75 טְמֵאַת הַשֵּׁם רַבַּת הַמְּהוּמָה Ezek.22:5
76 טְמֵאַת־הַנִּדָּה עִנּוּ־בָךְ Ezek.22:10
טְמֵאִים 77–80 טְמֵאִים הֵם לָכֶם Lev.11:8,26,27 • Deut.14:7
81 טְמֵאִים הֵמָּה לָכֶם Lev.11:28
82 תַּנּוּר וְכִירַיִם יֻתָּץ טְמֵאִים הֵם Lev.11:35
83 אֲשֶׁר הָיוּ טְמֵאִים לְנֶפֶשׁ אָדָם Num.9:6
84 אֲנַחְנוּ טְמֵאִים לְנֶפֶשׁ אָדָם Num.9:7
וּטְמֵאִים 85 וּטְמֵאִים יִהְיוּ לָכֶם Lev.11:35
הַטְּמֵאִים 86 אֵלֶּה הַטְּמֵאִים לָכֶם בְּכָל־הַשָּׁרֶץ Lev.11:31
87 וְהָיוּ...כִּמְקוֹם הַתֹּפֶת הַטְּמֵאִים Jer.19:13

טֻמְאָה נ' זוהמה, חוסר טהרה (גם בהשאלה): 1—36

רוּחַ הַטֻּמְאָה 4; טֻמְאַת אָדָם 6, 7; ט' גּוֹיִם 10; ט' נִדָּה 8, 9; זוֹב טֻמְאָתוֹ 23,22; נִדַּת טֻמְאָתָהּ 24

טֻמְאָה 1 וְאִם־לֹא שָׂטִית טֻמְאָה תַּחַת אִישֵׁךְ Num.5:19
2 וְאַל־תֹּאכְלִי כָּל־טֻמְאָה Jud.13:7
3 וְכָל־טֻמְאָה אַל־תֹּאכַל Jud.13:14
הַטֻּמְאָה 4 וְאֶת־רוּחַ הַטֻּמְאָה אַעֲבִיר מִן־הָאָרֶץ Zech.13:2
5 וַיּוֹצִיאוּ אֶת כָּל־הַטֻּמְאָה IICh.29:16
בְּטֻמְאַת־ 6 אוֹ כִי יִגַּע בְּטֻמְאַת אָדָם Lev.5:3
7 בְּטֻמְאַת אָדָם אוֹ בִּבְהֵמָה טְמֵאָה Lev.7:21
כְּטֻמְאַת־ 8 טָמֵא יִהְיֶה כְּטֻמְאַת נִדָּתָהּ Lev.15:26
9 כְּטֻמְאַת הַנִּדָּה הָיְתָה דַרְכָּם Ezek.36:17
מִטֻּמְאַת־ 10 וְכֹל הַנִּבְדָּל מִטֻּמְאַת גּוֹיֵי־הָאָרֶץ Ez.6:21
טֻמְאָתֵךְ 11 וַהֲתִמֹּתִי טֻמְאָתֵךְ מִמֵּךְ Ezek.22:15
בְּטֻמְאָתֵךְ 12 בְּטֻמְאָתֵךְ זִמָּה Ezek.24:13
מִטֻּמְאָתֵךְ 13 מִטֻּמְאָתֵךְ לֹא תִטְהֲרִי־עוֹד Ezek.24:13

טֻמְאָתוֹ 14 לְכֹל טֻמְאָתוֹ אֲשֶׁר יִטְמָא בָּהּ Lev.5:3
15 וְזֹאת תִּהְיֶה טֻמְאָתוֹ בְּזוֹבוֹ Lev.15:3
16 טֻמְאָתוֹ הִוא Lev.15:3
17 אֲשֶׁר יִטְמָא־לוֹ לְכֹל טֻמְאָתוֹ Lev.22:5
18 טָמֵא יִהְיֶה עוֹד טֻמְאָתוֹ בוֹ Num.19:13
וְטֻמְאָתוֹ 19-20 וְטֻמְאָתוֹ עָלָיו Lev.7:20; 22:3
מִטֻּמְאָתוֹ 21 וְכִפֶּר עַל־הַמִּטַּהֵר מִטֻּמְאָתוֹ· Lev.14:19
טֻמְאָתָהּ 22 כָּל־יְמֵי זוֹב טֻמְאָתָהּ Lev.15:25
23 וְכִפֶּר עָלֶיהָ...מִזּוֹב טֻמְאָתָהּ Lev.15:30
24 וְאֶל־אִשָּׁה בְּנִדַּת טֻמְאָתָהּ לֹא תִקְרַב Lev.18:19
25 וְנִתְּכָה בְתוֹכָהּ טֻמְאָתָהּ Ezek.24:11
26 טֻמְאָתָהּ בְּשׁוּלֶיהָ Lam.1:9
מִטֻּמְאָתָהּ 27 וְהִיא מִתְקַדֶּשֶׁת מִטֻּמְאָתָהּ IISh.11:4
בְּטֻמְאָתָם 28 וְלֹא יָמֻתוּ בְּטֻמְאָתָם Lev.15:31
29 מִלְאוּהָ מִפֶּה אֶל־פֶּה בְּטֻמְאָתָם Ez.9:11
כְּטֻמְאָתָם 30 כְּטֻמְאָתָם...עָשִׂיתִי אֹתָם Ezek.39:24
מִטֻּמְאָתָם 31 וְהִזַּרְתֶּם אֶת־בְּ״י מִטֻּמְאָתָם Lev.15:31
מִטֻּמְאוֹת־ 32 מִטֻּמְאֹת בְּנֵי יִשְׂרָאֵל וּמִפִּשְׁעֵיהֶם Lev.16:16
33 וְטִהֲרוֹ וְקִדְּשׁוֹ מִטֻּמְאֹת בְּ״י Lev.16:19
טֻמְאוֹתֵיכֶם 34 מִכֹּל טֻמְאוֹתֵיכֶם...אֲטַהֵר אֶתְכֶם Ezek.36:25
35 וְהוֹשַׁעְתִּי אֶתְכֶם מִכֹּל טֻמְאוֹתֵיכֶם Ezek.36:29
טֻמְאֹתָם 36 הַשֹּׁכֵן אִתָּם בְּתוֹךְ טֻמְאֹתָם Lev.16:16

(טמה) נִטְמָה נפ׳ נִטמטם

נִטְמִינוּ 1 נֶחְשַׁבְנוּ כַבְּהֵמָה נִטְמִינוּ בְּעֵינֵיכֶם Job 18:3

טמן : טָמַן, טָמוּן, נִטְמַן, הִטְמִין; מַטְמוֹן

טָמַן

פ׳ א) הסתיר, הצפין: 1–28
ב) [נפ׳ נִטְמַן] נסתר: 29
ג) [הפ׳ הִטְמִין] הסתיר, הֶחְבִּיא: 30–31

קרובים: הֶחְבִּיא (חבא)/הִסְתִּיר (סתר)/הִצְפִּין(צפן)

לִטְמוֹן 1 יְסַפְּרוּ לִטְמוֹן מוֹקְשִׁים Ps.64:6
2 אִם־כִּסִּיתִי...לִטְמוֹן בְּחֻבִּי עֲוֹנִי Job 31:33
לְטָמְנוֹ 3 אֲשֶׁר צִוִּיתִיךָ לְטָמְנוֹ־שָׁם Jer.13:6
טָמַנְתִּי 4 לָאֲבָנִים הָאֵלֶּה אֲשֶׁר טָמָנְתִּי Jer.43:10
טְמַנְתִּיו 5 מִן־הַמָּקוֹם אֲשֶׁר־טְמַנְתִּיו שָׁמָּה Jer.13:7
וּטְמַנְתָּם 6 וּטְמַנְתָּם בַּמֶּלֶט בַּמַּלְבֵּן Jer.43:9
טָמַן 7 וְרִשְׁתּוֹ אֲשֶׁר־טָמַן תִּלְכְּדוֹ Ps.35:8
8-9 טָמַן עָצֵל יָדוֹ בַּצַּלָּחַת Prov.19:24; 26:15
טָמְנוּ 10 וּפַחִים טָמְנוּ לְרַגְלָי Jer.18:22
11 תּוֹצִיאֵנִי מֵרֶשֶׁת זוּ טָמְנוּ לִי Ps.31:5
12 כִּי־חִנָּם טָמְנוּ־לִי שַׁחַת רִשְׁתָּם Ps.35:7
13 טָמְנוּ־גֵאִים פַּח־לִי Ps.140:6
14 בְּאֹרַח־זוּ אֲהַלֵּךְ טָמְנוּ פַח לִי Ps.142:4
טָמָנוּ 15 בְּרֶשֶׁת־זוּ טָמָנוּ נִלְכְּדָה רַגְלָם Ps.9:16
טָמוּן 16 אוֹ כְנֵפֶל טָמוּן לֹא אֶהְיֶה Job 3:16
17 טָמוּן בָּאָרֶץ חַבְלוֹ Job 18:10
18 כָּל־חֹשֶׁךְ טָמוּן לִצְפּוּנָיו Job 20:26
בַּטָּמוּן 19 פְּנֵיהֶם חֲבֹשׁ בַּטָּמוּן Job 40:13
טְמוּנָה 20 וְהִנֵּה טְמוּנָה בְּאָהֳלוֹ Josh.7:22
טְמוּנִים 21 וְהִנָּם טְמֻנִים בָּאָרֶץ בְּתוֹךְ הָאָהֳלִי Josh.7:21
טְמוּנֵי־ 22 וּשְׂפֻנֵי טְמוּנֵי חוֹל Deut.33:19
וָאֶטְמְנֵהוּ 23 וָאֵלֵךְ וָאֶטְמְנֵהוּ בִּפְרָת Jer.13:5
וַיִּטְמֹן 24 וַיִּטְמֹן אֹתָם יַעֲקֹב תַּחַת הָאֵלָה Gen.35:4
וַיִּטְמְנֵהוּ 25 וַיַּךְ אֶת־הַמִּצְרִי וַיִּטְמְנֵהוּ בַּחוֹל Ex.2:12
וַתִּטְמְנֵם 26 וַתִּטְמְנֵם בְּפִשְׁתֵּי הָעֵץ Josh.2:6
וָאֶטְמְנֵהוּ 27 וְטָמְנֵהוּ שָׁם בִּנְקִיק הַסָּלַע Jer.13:4
טָמְנֵם 28 טָמְנֵם בֶּעָפָר יָחַד Job 40:13
וְהִטָּמֵן 29 בּוֹא בַצּוּר וְהִטָּמֵן בֶּעָפָר Is.2:10
וַיַּטְמִנוּ 30-31 ...וַיֵּלְכוּ וַיַּטְמִנוּ IIK.7:8[2]

טֶנֶא

ז׳ סַל: 1–4

הַטֶּנֶא 1 וְלָקַח הַכֹּהֵן הַטֶּנֶא מִיָּדֶךָ Deut.26:4
בַּטֶּנֶא 2 וְלָקַחְתָּ...וְשַׂמְתָּ בַטֶּנֶא Deut.26:2
טַנְאֲךָ 3 בָּרוּךְ טַנְאֲךָ וּמִשְׁאַרְתֶּךָ Deut.28:5
4 אָרוּר טַנְאֲךָ וּמִשְׁאַרְתֶּךָ Deut.28:17

טִנֵּף

פ׳ לכלך • קרובים: גֵּאַל / זִהֵם

אֲטַנְּפֵם 1 רָחַצְתִּי אֶת־רַגְלַי אֵיכָכָה אֲטַנְּפֵם S.ofS.5:3

(טעה) הִטְעָה הפ׳ החטיא, הכשיל

הִטְעוּ 1 יַעַן וּבְיַעַן הִטְעוּ אֶת־עַמִּי Ezek.13:10

טעם : טָעַם, טַעַם; אר׳ טְעֵם, טְעֵם

טָעַם

פ׳ א) אכל או שתה קצת (גם בהשאלה): 1-6, 10, 11
ב) חש טַעַם: 7–9

טָעֹם 1 טָעֹם טָעַמְתִּי...מְעַט דְּבַשׁ ISh.14:43
טָעַמְתִּי 2 כִּי טָעַמְתִּי מְעַט דְּבַשׁ ISh.14:29
3 טָעֹם טָעַמְתִּי...מְעַט דְּבַשׁ ISh.14:43
טָעַם 4 וְלֹא־טָעַם כָּל־הָעָם לָחֶם ISh.14:24
טָעֲמָה 5 טָעֲמָה כִּי־טוֹב סַחְרָהּ Prov.31:18
אֶטְעַם 6 אֶטְעַם־לֶחֶם אוֹ כָל־מְאוּמָה IISh.3:35
יִטְעַם 7 אִם־יִטְעַם עַבְדְּךָ אֶת־אֲשֶׁר אֹכַל IISh.19:36
8 וְחֵךְ אֹכֶל יִטְעַם־לוֹ Job 12:11
9 וְחֵךְ יִטְעַם לֶאֱכֹל Job 34:3
יִטְעֲמוּ 10 אַל־יִטְעֲמוּ מְאוּמָה אַל־יִרְעוּ... Jon.3:7
טַעֲמוּ 11 טַעֲמוּ וּרְאוּ כִּי־טוֹב יְיָ Ps.34:9

טַעַם

ז׳ א) בחינת האוכל בחֵך: 2, 6, 9, 11, 13
ב) [בהשאלה] שֵׂכֶל: 1, 3–5, 8, 10, 12
ג) [מַטְעָם] בפקודת: 7

טַעַם זְקֵנִים 5; טוּב טַעַם 1; מְשִׁיבֵי ט׳ 4; סָרַת טַעַם 3 • עָמַד טַעְמוֹ 11; שִׁנָּה טַעְמוֹ 10, 12

טַעַם 1 טוּב טַעַם וָדַעַת לַמְּדֵנִי Ps.119:66
2 אִם־יֶשׁ־טַעַם בְּרִיר חַלָּמוּת Job 6:6
טָעַם 3 אִשָּׁה יָפָה וְסָרַת טָעַם Prov.11:22
4 חָכָם...מִשִּׁבְעָה מְשִׁיבֵי טָעַם Prov.26:16
וְטַעַם־ 5 וְטַעַם זְקֵנִים יִקָּח Job 12:20
כְּטַעַם־ 6 וְהָיָה טַעְמוֹ כְּטַעַם לְשַׁד הַשָּׁמֶן Num.11:8
מִטַּעַם־ 7 וַיֹּאמֶר בְּנִינְוֵה מִטַּעַם הַמֶּלֶךְ וּגְדֹלָיו Jon.3:7
טַעְמֵךְ 8 וּבָרוּךְ טַעְמֵךְ וּבְרוּכָה אָתְּ ISh.25:33
טַעְמוֹ 9 וְהָיָה טַעְמוֹ כְּטַעַם לְשַׁד הַשָּׁמֶן Num.11:8
10 וַיְשַׁנּוֹ אֶת־טַעְמוֹ בְּעֵינֵיהֶם ISh.21:14
11 עַל־כֵּן עָמַד טַעְמוֹ בּוֹ Jer.48:11
12 בְּשַׁנּוֹתוֹ אֶת־טַעְמוֹ Ps.34:1
וְטַעְמוֹ 13 וְטַעְמוֹ כְּצַפִּיחִת בִּדְבָשׁ Ex.16:31

טְעֵם

פ׳ ארמית האכיל: 1–3

יְטַעֲמוּן 1-2 (וְ)עִשְׂבָּא כְתוֹרִין לָךְ יְטַעֲמוּן Dan.4:22,29
יְטַעֲמוּנֵּהּ 3 עִשְׂבָּא כְתוֹרִין יְטַעֲמוּנֵּהּ Dan.5:21

טְעֵם

ז׳ ארמית א) כמו בעברית ״טַעַם״ (א): 26
ב) נימוק, שׂכל: 20–23
ג) פקודה, צו: 1, 3, 4, 6–19, 24, 25, 27–30
ד) תשומת לב, עיון: 2, 5

בְּעֵל טְעֵם 20-22; טְעֵם חַמְרָא 26; שָׂם טְעֵם 1-19

טְעֵם 1 אַנְתְּ° מַלְכָּא שָׂמְתְּ טְעֵם Dan.3:10
2 לָא־שָׂמוּ עֲלָךְ° מַלְכָּא טְעֵם Dan.3:12
3 וּמִנִּי שִׂים טְעֵם דִּי כָל־עַם... Dan.3:29
4-19 שִׂים (שִׂימוּ, שָׂם וְכד׳) טְעֵם Dan.4:3; 6:14,27 Ez.4:19,21; 5:3,9,13,17; 6:1,3,8,11,12; 7:13,21
20-22 רְחוּם בְּעֵל־טְעֵם Ez.4:8,9,17
וּטְעֵם 23 הֲתִיב עֵטָא וּטְעֵם לְאַרְיוֹךְ Dan.2:14
טַעַם־ 24 וּבְנוֹ...מִן־טַעַם אֱלָהּ יִשְׂרָאֵל Ez.6:14
25 כָּל־דִּי מִן־טַעַם אֱלָהּ שְׁמַיָּא Ez.7:23
בִּטְעֵם־ 26 בֵּלְשַׁאצַּר אֲמַר בִּטְעֵם חַמְרָא Dan.5:2
וּמִטְּעֵם־ 27 וּמִטְּעֵם כּוֹרֶשׁ וְדָרְיָוֶשׁ Ez.6:14
טַעְמָא 28 אִלֵּין יָהֲבִין לְהוֹן טַעְמָא Dan.6:3
29 עַד מִנִּי טַעְמָא יִתְּשָׂם Ez.4:21
30 עַד־טַעְמָא לְדָרְיָוֶשׁ יְהָךְ Ez.5:5

טען : טָעַן, טעַן

טָעַן

פ׳ א) העמיס משׂא: 1
ב) [פֻּ׳ בינוני: מְטֹעָן] דקוּר: 2

טַעֲנוּ 1 טַעֲנוּ אֶת־בְּעִירְכֶם Gen.45:17
מְטֹעֲנֵי־ 2 לְבֻשׁ הֲרֻגִים מְטֹעֲנֵי חָרֶב Is.14:19

טַף

ז״ר ילדים קטנים: 1–42

קרובים: בֵּן / בַּת / וָלָד / זֶרַע / יוֹנֵק / יֶלֶד / עוּל / עוֹלָל / צֶאֱצָאִים / צְפִיעוֹת / תּוֹלָדוֹת

טַף וְנָשִׁים 1, 2, 4, 28, 36, 37, 40, 41; נָשִׁים וָטַף 3, 5, 9, 11–16, 21, 22, 29, 32, 39; לְפִי הַטָּף 10

טַף 1 מִנַּעַר וְעַד־זָקֵן טַף וְנָשִׁים Es.3:13
2 אֶת־כָּל־חֵיל עַם...טַף וְנָשִׁים Es.8:11
וְטַף 3 וְנָשִׁים וְטַף וְסָרִסִים Jer.41:16
4 זָקֵן בָּחוּר וּבְתוּלָה וְטַף וְנָשִׁים Ezek.9:6
וָטָף 5 אֲנָשִׁים וְנָשִׁים וָטָף Jer.40:7
הַטַּף 6 וְכֹל הַטַּף בַּנָּשִׁים...הַחֲיוּ לָכֶם Num.31:18
7 אֶת־הַטַּף וְאֶת־הַמִּקְנֶה Jud.18:21
8 וְכָל־אֲנָשָׁיו וְכָל־הַטַּף אֲשֶׁר־אִתּוֹ IISh.15:22
9 וְאֶת־הַנָּשִׁים וְאֶת־הַטַּף Jer.43:6
הַטָּף 10 וַיְכַלְכֵּל...לֶחֶם לְפִי הַטָּף Gen.47:12
וְהַטַּף 11 רַק הַנָּשִׁים וְהַטַּף וְהַבְּהֵמָה Deut.20:14
12 הָאֲנָשִׁים וְהַנָּשִׁים וְהַטַּף Deut.31:12
13 כָּל־קְהַל יִשְׂרָאֵל וְהַנָּשִׁים וְהַטַּף Josh.8:35
וְהַטָּף 14/5 כָּל עִיר מְתִם (וְ)הַנָּשִׁים וְהַטָּף Deut.2:34; 3:6
16 וְהִכִּיתֶם...וְהַנָּשִׁים וְהַטָּף Jud.21:10
בַּטָּף 17 וְעַתָּה הִרְגוּ כָל־זָכָר בַּטָּף Num.31:17
מִטָּף 18 הַגְּבָרִים לְבַד מִטָּף Ex.12:37
טַפֵּנוּ 19 גַּם־אֲנַחְנוּ גַם־אַתָּה גַּם־טַפֵּנוּ Gen.43:8
20 וְיָשַׁב טַפֵּנוּ בְּעָרֵי הַמִּבְצָר Num.32:17
21 טַפֵּנוּ נָשֵׁינוּ מִקְנֵנוּ וְכָל־בְּהֶמְתֵּנוּ Num.32:26
וְטַפֵּנוּ 22 נָשֵׁינוּ וְטַפֵּנוּ יִהְיוּ לָבַז Num.14:3
לְטַפֵּנוּ 23 גִּדְרֹת צֹאן...וְעָרִים לְטַפֵּנוּ Num.32:16
וּלְטַפֵּנוּ 24 לָנוּ וּלְטַפֵּנוּ וּלְכָל־רְכוּשֵׁנוּ Ez.8:21
טַפְּכֶם 25 אֲכַלְכֵּל אֶתְכֶם וְאֶת־טַפְּכֶם Gen.50:21
26 אֲשַׁלַּח אֶתְכֶם וְאֶת־טַפְּכֶם Ex.10:10
27 גַּם־טַפְּכֶם יֵלֵךְ עִמָּכֶם Ex.10:24
28 טַפְּכֶם נְשֵׁיכֶם וְגֵרְךָ Deut.29:10
29 נְשֵׁיכֶם טַפְּכֶם וּמִקְנֵיכֶם Josh.1:14
וְטַפְּכֶם 30/1 וְטַפְּכֶם אֲשֶׁר אֲמַרְתֶּם לָבַז יִהְיֶה Num.14:31 • Deut.1:39
32 רַק נְשֵׁיכֶם וְטַפְּכֶם וּמִקְנֵכֶם Deut.3:19
לְטַפְּכֶם 33 עֲגָלוֹת לְטַפְּכֶם וְלִנְשֵׁיכֶם Gen.45:19
34 וְלֶאֱכֹל לְטַפְּכֶם Gen.47:24
35 בְּנוּ־לָכֶם עָרִים לְטַפְּכֶם Num.32:24
טַפָּם 36 וְאֶת־כָּל־טַפָּם וְאֶת־נְשֵׁיהֶם Gen.34:29
37 וְאֶת־טַפָּם וְאֶת־נְשֵׁיהֶם Gen.46:5
38 רַק טַפָּם וְצֹאנָם וּבְקָרָם Gen.50:8
39 וַיִּשְׁבּוּ...אֶת־נְשֵׁי מִדְיָן וְאֶת־טַפָּם Num.31:9
40/1 טַפָּם נְשֵׁיהֶם וּבְנֵיהֶם IICh.20:13; 31:18
וְטַפָּם 42 וּנְשֵׁיהֶם וּבְנֵיהֶם וְטַפָּם Num.16:27

טִפּוּחִים ז״ר טִפּוּל

טִפּוּחִים 1 אִם־תֹּאכַלְנָה נָשִׁים...עֹלְלֵי טִפֻּחִים Lam.2:20

טפח : טִפַּח; טִפּוּחִים, טֶפַח, טֹפַח, מִטְפַּחַת

טִפַּח

פ׳ א) טִפֵּל, גדל: 1 ב) בנה, יסד: 2

טִפַּחְתִּי 1 אֲשֶׁר־טִפַּחְתִּי וְרִבִּיתִי Lam.2:22
טִפְּחָה 2 יָדִי יָסְדָה אֶרֶץ וִימִינִי טִפְּחָה שָׁמָיִם Is.48:13

טֶפַח, טֹפַח ז׳ א) רוחב כף היד, מדת אורך: 1—8
ב) [טְפָחוֹת] הקורה העליונה בבנין: 9
טֶפַח 1/2 וְעָבְיוֹ טֶפַח IK.7:26 • IICh.4:5
טֹפַח 3 וְעָשִׂיתָ לּוֹ מִסְגֶּרֶת טֹפַח סָבִיב Ex.25:25
4 וַיַּעַשׂ לוֹ מִסְגֶּרֶת טֹפַח סָבִיב Ex.37:12
5 וְהַשְׁפַתַּיִם טֹפַח אֶחָד Ezek.40:43
וְטֹפַח 6 שֵׁשׁ־אַמּוֹת בָּאַמָּה וָטֹפַח Ezek.40:5
וָטֹפַח 7 אַמָּה אַמָּה וָטֹפַח Ezek.43:13
טְפָחוֹת 8 הִנֵּה טְפָחוֹת נָתַתָּה יָמַי Ps.39:6
הַטְּפָחוֹת 9 וּמִמַּסָּד עַד־הַטְּפָחוֹת IK.7:9

טָפַל פ׳ הדביק (בהשאלה): 1—3
טָפְלוּ 1 טָפְלוּ עָלַי שֶׁקֶר זֵדִים Ps.119:69
טֹפְלֵי 2 וְאוּלָם אַתֶּם טֹפְלֵי־שָׁקֶר Job 13:4
וַתִּטְפֹּל 3 וַתִּטְפֹּל עַל־עֲוֹנִי Job 14:17

טִפְסָר ז׳ פקיד גבוה בימי קדם: 1, 2
טִפְסָר 1 פִּקְדוּ עָלֶיהָ טִפְסָר Jer.51:27
וְטַפְסְרַיִךְ 2 מִנְּזָרַיִךְ כָּאַרְבֶּה וְטַפְסְרַיִךְ כְּגוֹב גֹּבָי Nah.3:17

טפף : טָפַף; טַף

טָפַף פ׳ התנועע, הלך בעגולים
וְטָפֹף 1 הָלוֹךְ וְטָפֹף תֵּלַכְנָה... Is.3:16

טְפַר* נ׳ ארמית: צִפֹּרן: 1, 2
וְטִפְרַהּ 1 וְטִפְרַהּ (כת׳ וטפריה) דִּי־נְחָשׁ Dan.7:19
וְטִפְרוֹהִי 2 וְטִפְרוֹהִי כְצִפְּרִין Dan.4:30

טפשׁ פ׳ התכסה שומן (בהשאלה)
טָפַשׁ 1 טָפַשׁ כַּחֵלֶב לִבָּם Ps.119:70

טָפַת שפ״נ – בת המלך שלמה
טָפַת 1 טָפַת בַּת־שְׁלֹמֹה הָיְתָה לּוֹ לְאִשָּׁה IK.4:11

טרד : טוֹרֵד; ש״פ מַטְרֵד; אר׳ טְרַד, טְרִיד

טָרַד פ׳ גרש, דחה: 1, 2 • דֶּלֶף טוֹרֵד 1, 2
טֹרֵד 1 וְדֶלֶף טֹרֵד מִדְיְנֵי אִשָּׁה Prov.19:13
2 דֶּלֶף טוֹרֵד בְּיוֹם סַגְרִיר Prov.27:15

טְרַד פ׳ ארמית: גרש, שלח; טְרִיד = מגורש: 1—4
טָרְדִין 1 וְלָךְ טָרְדִין מִן־אֲנָשָׁא Dan.4:22
2 וּמִן־אֲנָשָׁא לָךְ טָרְדִין Dan.4:29
טְרִיד 3 וּמִן אֲנָשָׁא טְרִיד Dan.4:30
4 וּמִן־בְּנֵי אֲנָשָׁא טְרִיד Dan.5:21

טרום (רות ג 14) כך כתיב – קרי טֶרֶם

טרח : הִטְרִיחַ; טֹרַח

(טרח) הִטְרִיחַ הִפ׳ הכביד
יַטְרִיחַ 1 אַף־בְּרִי יַטְרִיחַ עָב Job 37:11

טֹרַח ז׳ מעמסה, נטל: 1, 2
לְטֹרַח 1 הָיוּ עָלַי לָטֹרַח נִלְאֵיתִי נְשֹׂא Is.1:14
טָרְחֲכֶם 2 טָרְחֲכֶם וּמַשַּׂאֲכֶם וְרִיבְכֶם Deut.1:12

טָרִי* ת׳ לח, זב: 1, 2
טְרִיָּה 1 וַיִּמְצָא לְחִי־חֲמוֹר טְרִיָּה Jud.15:15
2 פֶּצַע וְחַבּוּרָה וּמַכָּה טְרִיָּה Is.1:6

טֶרֶם תה״פ א) עדיין לא [לפני פועל בעתיד]: 1—12, 16
ב) כנ״ל [לפני פועל בעבר]: 13, 14
ג) [הֲטֶרֶם] האם עדין לא?: 15
ד) [בְּטֶרֶם] [לפני עתיד או עבר] לפני ש־: 17—47, 53—55
ה) [כנ״ל] [לפני שם או שם פעולה] לפני, קודם ל־: 48—50
ו) [בְּטֶרֶם לֹא] לִפְנֵי שֶׁ־: 51, 52
ז) [מִטֶּרֶם] מלפני: 56
טֶרֶם (א) 1 וְכֹל שִׂיחַ הַשָּׂדֶה טֶרֶם יִהְיֶה בָאָרֶץ Gen.2:5
2 וְכָל־עֵשֶׂב הַשָּׂדֶה טֶרֶם יִצְמָח Gen.2:5
3 טֶרֶם יִשְׁכָּבוּ וְאַנְשֵׁי הָעִיר...נָסַבּוּ Gen.19:4
4 טֶרֶם אֲכַלֶּה לְדַבֵּר אֶל־לִבִּי Gen.24:45
5 כִּי טֶרֶם תִּירְאוּן מִפְּנֵי יְיָ אֱלֹהִים Ex.9:30
6 וַיִּשָּׂא הָעָם אֶת־בְּצֵקוֹ טֶרֶם יֶחְמָץ Ex.12:34
7 הַבָּשָׂר עוֹדֶנּוּ...טֶרֶם יִכָּרֵת Num.11:33
8 וְהֵמָּה טֶרֶם יִשְׁכָּבוּן Josh.2:8
9 וַיָּלִנוּ שָׁם טֶרֶם יַעֲבֹרוּ Josh.3:1
10 וְנֵר אֱלֹהִים טֶרֶם יִכְבֶּה ISh.3:3
11 וְהָיָה טֶרֶם יִקְרָאוּ וַאֲנִי אֶעֱנֶה Is.65:24
12 טֶרֶם אֶעֱנֶה אֲנִי שֹׁגֵג Ps.119:67
טֶרֶם (ב) 13 וַיְהִי־הוּא טֶרֶם כִּלָּה לְדַבֵּר Gen.24:15
14 וּשְׁמוּאֵל טֶרֶם יָדַע אֶת־יְיָ ISh.3:7
הֲטֶרֶם 15 הֲטֶרֶם תֵּדַע כִּי אָבְדָה מִצְרָיִם Ex.10:7
וְטֶרֶם 16 וְטֶרֶם יִגָּלֶה אֵלָיו ISh.3:7
בְּטֶרֶם (ד) 17 תְּבָרֶכְךָ נַפְשִׁי בְּטֶרֶם אָמוּת Gen.27:4
18 וָאֹכַל מִכֹּל בְּטֶרֶם תָּבוֹא Gen.27:33
19 בְּטֶרֶם תָּבוֹא שְׁנַת הָרָעָב Gen.41:50
20 בְּטֶרֶם אֶצָּרְךָ* בַבֶּטֶן יְדַעְתִּיךָ Jer.1:5
21 בְּטֶרֶם הָרִים יֻלָּדוּ Ps.90:2
22 בְּטֶרֶם הָרִים הָטְבָּעוּ Prov.8:25
23 בְּטֶרֶם (כת׳ בטרום) יַכִּיר אִישׁ Ruth 3:14
24-47 בְּטֶרֶם Gen.45:28 • Ex.1:19
Lev. 14:36 • Deut. 31:21 • Jud. 14:18 • ISh. 2:15; 9:13 • IIK. 2:9; 6:32 • Is. 7:16; 8:4; 42:9; 48:5; 66:7[2] • Jer. 13:16; 38:10; 47:1 • Ezek. 16:57 • Ps. 39:14; 58:10 • Prov. 18:13; 30:7 • Job 10:21
בְּטֶרֶם (ה) 48 בְּטֶרֶם בֹּקֶר אֵינֶנּוּ Is.17:14
49 כְּבִכּוּרָה בְּטֶרֶם קַיִץ Is.28:4
50 בְּטֶרֶם לֶדֶת חֹק כְּמֹץ עָבַר יוֹם Zep.2:2
51/2 בְּטֶרֶם לֹא־יָבוֹא עֲלֵיכֶם... Zep.2:2[2]
וּבְטֶרֶם (ד) 53 וּבְטֶרֶם יִקְרַב אֲלֵיהֶם וַיִּתְנַכְּלוּ... Gen.37:18
54 וּבְטֶרֶם תֵּצֵא מֵרֶחֶם הִקְדַּשְׁתִּיךָ Jer.1:5
55 וּבְטֶרֶם יִתְנַגְּפוּ רַגְלֵיכֶם Jer.13:16
מִטֶּרֶם 56 מִטֶּרֶם שׂוּם־אֶבֶן אֶל־אֶבֶן Hag.2:15

טרף : טָרַף, נִטְרַף, טֹרַף, הִטְרִיף; טָרָף, טֶרֶף, טְרֵפָה

טָרַף פָ׳ א) דרס, המית: 1—20
ב) [נִפ׳ נִטְרַף] נדרס, הומת: 21, 22
ג) [פֻּ׳ טֹרַף] נטרף, נדרס: 23, 24
ד) [הִפ׳ הִטְרִיף] המציא טֶרף, האכיל: 25
טָרַף אַפּוֹ 7, 20; טָ׳ זְרוֹעַ 9; טָ׳ טֶרֶף 5, 6, 11, 15; טָרַף נַפְשׁוֹ 14; טָ׳ קָדְקֹד 9; הַטְרִיפוּ לֶחֶם 25
טֹרַף 1 טָרֹף טֹרַף יוֹסֵף Gen.37:33
2 וָאֹמַר אַךְ טָרֹף טֹרָף Gen.44:28
3 אִם־טָרֹף יִטָּרֵף יְבִאֵהוּ עֵד Ex.22:12
לִטְרוֹף 4 דִּמְיֹנוֹ כְּאַרְיֵה יִכְסוֹף לִטְרֹף Ps.17:12
לִטְרָף־ 5/6 וַיִּלְמַד לִטְרָף־טֶרֶף אָדָם אָכָל Ezek.19:3,6
טָרַף 7 אַפּוֹ טָרַף וַיִּשְׂטְמֵנִי Job 16:9
טָרָף 8 כִּי הוּא טָרָף וְיִרְפָּאֵנוּ Hosh.6:1
וְטָרַף 9 וְטָרַף זְרוֹעַ אַף־קָדְקֹד Deut.33:20
10 אִם־עָבַר וְרָמַס וְטָרַף וְאֵין מַצִּיל Mic.5:7
טוֹרֵף 11 כַּאֲרִי שׁוֹאֵג טֹרֵף טָרֶף Ezek.22:25
12 אַרְיֵה טֹרֵף בְּדֵי גֹרוֹתָיו Neh.2:13
13 אַרְיֵה טֹרֵף וְשֹׁאֵג Ps.22:14
14 טֹרֵף נַפְשׁוֹ בְּאַפּוֹ Job 18:4
טוֹרְפֵי 15 כִּזְאֵבִים טֹרְפֵי טָרֶף Ezek.22:27
אֶטְרֹף 16 אֲנִי אֲנִי אֶטְרֹף וְאֵלֵךְ Hosh.5:14
17 פֶּן־אֶטְרֹף וְאֵין מַצִּיל Ps.50:22
יִטְרֹף 18 פֶּן־יִטְרֹף כְּאַרְיֵה נַפְשִׁי Ps.7:3
יִטְרָף 19 בִּנְיָמִין זְאֵב יִטְרָף Gen.49:27
וַיִּטְרֹף 20 וַיִּטְרֹף לָעַד אַפּוֹ Am.1:11
יִטָּרֵף 21 אִם־טָרֹף יִטָּרֵף יְבִאֵהוּ עֵד Ex.22:12
22 כָּל־הַיּוֹצֵא מֵהֵנָּה יִטָּרֵף Jer.5:6
טֹרַף 23 טָרֹף טֹרַף יוֹסֵף Gen.37:33
טֹרָף 24 וָאֹמַר אַךְ טָרֹף טֹרָף Gen.44:28
הַטְרִיפֵנִי 25 הַטְרִיפֵנִי לֶחֶם חֻקִּי Prov.30:8

טָרָף ז׳ עלה בודד: 1, 2
טָרָף 1 וְהִנֵּה עֲלֵה־זַיִת טָרָף בְּפִיהָ Gen.8:11
טַרְפֵּי־ 2 כָּל־טַרְפֵּי צִמְחָהּ תִּיבָשׁ Ezek.17:9

טֶרֶף ז׳ א) בעל־חיים שנדרס ונטרף: 1—5, 8, 10—22
ב) [בהשאלה] מזון, אוכל: 6, 7, 9
הַרְרֵי טֶרֶף 13; טוֹרְפֵי טֶרֶף 11
טֶרֶף 1 לֹא יִשְׁכַּב עַד־יֹאכַל טֶרֶף Num.23:24
2 וְיִנְהֹם וְיֹאחֵז טֶרֶף Is.5:29
3/4 וַיִּלְמַד לִטְרָף־טֶרֶף Ezek.19:3,6
5 וַיְמַלֵּא־טֶרֶף חֹרָיו Nah.2:13
6 וִיהִי טֶרֶף בְּבֵיתִי Mal.3:10
7 טֶרֶף נָתַן לִירֵאָיו Ps.111:5
8 שֶׁלֹּא נְתָנָנוּ טֶרֶף לְשִׁנֵּיהֶם Ps.124:6
9 וַתִּתֵּן טֶרֶף לְבֵיתָהּ Prov.31:15
טָרֶף 10 כַּאֲרִי שׁוֹאֵג טֹרֵף טָרֶף Ezek.22:25
11 כִּזְאֵבִים טֹרְפֵי טָרֶף Ezek.22:27
12 לֹא יָמִישׁ טָרֶף Nah.3:1
13 אַדִּיר מֵהַרְרֵי־טָרֶף Ps.76:5
14 לַיִשׁ אֹבֵד מִבְּלִי־טָרֶף Job 4:11
15 וּמִשִּׁנָּיו אַשְׁלִיךְ טָרֶף Job 29:17
16 הֲתָצוּד לְלָבִיא טָרֶף Job 38:39
וְטָרֶף 17 הֲיִשְׁאַג אַרְיֵה בַּיַּעַר וְטֶרֶף אֵין Am.3:4
לַטָּרֶף 18 הַכְּפִירִים שֹׁאֲגִים לַטָּרֶף Ps.104:21
19 הֵן פְּרָאִים...מְשַׁחֲרֵי לַטָּרֶף Job 24:5
מִטֶּרֶף 20 גּוּר אַרְיֵה...מִטֶּרֶף בְּנִי עָלִיתָ Gen.49:9
טַרְפֵּךְ 21 וְהִכְרַתִּי מֵאֶרֶץ טַרְפֵּךְ Nah.2:14
טַרְפּוֹ 22 כַּאֲשֶׁר יֶהְגֶּה הָאַרְיֵה...עַל־טַרְפּוֹ Is.31:4

טְרֵפָה נ׳ בעל־חיים שנדרס: 1—9
נְבֵלָה וּטְרֵפָה 3, 5—8
טְרֵפָה 1 טְרֵפָה לֹא־הֵבֵאתִי אֵלֶיךָ Gen.31:39
2 וּבָשָׂר בַּשָּׂדֶה טְרֵפָה לֹא תֹאכֵלוּ Ex.22:30
3 וְחֵלֶב נְבֵלָה וְחֵלֶב טְרֵפָה Lev.7:24
4 וַיְמַלֵּא־טֶרֶף חֹרָיו וּמְעֹנֹתָיו טְרֵפָה Nah.2:13
וּטְרֵפָה 5 אֲשֶׁר תֹּאכַל נְבֵלָה וּטְרֵפָה Lev.17:15
6 נְבֵלָה וּטְרֵפָה לֹא יֹאכַל Lev.22:8
7 וּנְבֵלָה וּטְרֵפָה לֹא־אָכַלְתִּי Ezek.4:14
8 כָּל־נְבֵלָה וּטְרֵפָה מִן־הָעוֹף Ezek.44:31
הַטְּרֵפָה 9 הַטְּרֵפָה לֹא יְשַׁלֵּם Ex.22:12

טַרְפְּלָיֵא שפ״ז – מעמי האשורים שהושבו בשומרון
טַרְפְּלָיֵא 1 טַרְפְּלָיֵא אֲפָרְסָיֵא אַרְכְּוָיֵא* Ez.4:9

י׳ זעירא

פִּינְחָס		Num. 25:11
תֶּשִׁי		Deut. 32:18

י׳ רבתי

יִגְדַּל		Num. 14:17

כתיב י׳ בראש תבה – קרי ו׳

יבאו	וּבָאוּ	Jud. 6:5
יחנני	וְחַנַּנִי	IISh. 12:22
יפצחו	וּפִצְחוּ	Is. 49:13
יאבדו	וְאָבָדוּ	Jer. 6:21
ישית	וְשִׁית	Jer. 12:6 • Job 10:20

and: Jer. 17:13; 21:9; 48:18 • Ezek. 45:5 • Nah. 3:3 • Zech. 14:6 • Ps. 41:3 • Prov. 18:17; 20:4 • Job 6:29 • Dan. 11:12 • Ez. 10:29 • ICh. 4:7; 7:34

כתיב י׳ באמצע תבה–קרי ו׳

גיים	גּוֹיִם	Gen. 25:23
יעיש	יְעוּשׁ	Gen. 36:5, 14
		ICh. 7:10
האסירים	הָאֲסוּרִים	Jud. 16:21, 25

חמיטל	חֲמוּטַל	IIK. 24:18
הכליא	הַכְּלוּא	Jer. 37:4; 52:31
שבית	שְׁבוּת	Jer. 49:39
		Ezek. 16:53^{2}; 39:25 • Job 42:10
ושבית	וּשְׁבוּת	Ezek. 16:53
עניים	עֲנָוִים	Ps. 9:13; 10:12
		Prov. 14:21; 16:19
לידיתון	לִידוּתוּן	Ps. 39:1
ישיב	יָשׁוּב	Ps. 73:10 • ICh. 7:1
ידיתון	יְדוּתוּן	Ps. 77:1
		Neh. 11:17
ולעניים	וְלַעֲנָוִים	Prov. 3:34
חירם	חוּרָם	ICh. 14:1
		IICh. 4:11; 9:10

כתיב י׳ בסוף תבה – קרי ו׳

דדי	דֹּדוֹ	IISh. 23:9
במי	בְּמוֹ	Is. 25:10
ילדתני	יְלִדְתָּנוּ	Jer. 2:27
תצאי	תֵּצְאוּ	Jer. 6:25
תלכי	תֵּלֵכוּ	Jer. 6:25

יודי״ן בתורה 31 522

שאי	שְׂאוּ	Jer. 13:20
וראי	וּרְאוּ	Jer. 13:20

and: Jer. 23:18; 48:20^{2}; 50:11^{2} • Ps. 17:11 • Job 6:29; 33:21, 28^{2} • Ez. 10:3; 35, 44 • IICh. 9:29; 34:9

י׳ יתרה באמצע תבה

ובחטאתיו	וּבְחַטָּאתוֹ	IK. 16:26
רגליו	רַגְלוֹ	Ps. 105:18
דבריו	דְּבָרוֹ	Ps. 105:28
		Dan. 9:12

שפתיו	שְׂפָתוֹ	Prov. 16:27
עיניו	עֵינוֹ	Eccl. 4:8

י׳ חסרה בראש תבה

עשה	יַעֲשֶׂה	ISh. 20:2
עבר	יַעֲבֹר	Is. 28:15

י׳ חסרה בסוף תבה

ישב	יוֹשְׁבֵי	Jud. 1:27
בנית	בָּנִיתִי	IK. 8:48
מעל	מֵעָלֵי	IK. 20:41
יד	יָדֵי	IIK. 12:12
אלה	אֱלֹהֵי	IIK. 17:31
הוציא	הוֹצִיאִי	Jer. 7:22
ועשית	וְעָשִׂיתִי	Ezek. 16:59
ידעת	יָדַעְתִּי	Ps. 140:13
על	עָלֵי	Job 7:1
וצפו	וְצָפוּי	Job 15:22
ידעת	יָדַעְתִּי	Job 42:2
ראש	רָאשֵׁי	Neh. 12:46

י׳ יתרה בראש תבה

יצאו	צֵאוּ	Jer. 50:8
יעמדו	עָמְדוּ	Ezek. 47:10

י׳ יתרה בסוף תבה

ואתי	וְאַתְּ	Jud. 17:2
ותבאתי	וַתָּבֹאת	ISh. 25:34
נשאי	נֹשֵׂא	IISh. 23:37
אתי	אַתְּ	IK. 14:2
		IIK. 4:16; 8:1
לכי	לָךְ	IIK. 4:2
שכניכי	שְׁכֵנָיִךְ	IIK. 4:3
נשיכי	נִשְׁיֵךְ	IIK. 4:7
בניכי	וּבָנַיִךְ	IIK. 4:7
אתי הלכתי	אַתְּ הָלֶכֶת	IIK. 4:23
בני	בֶּן	IIK. 23:10
למדתי	לִמַּדְתְּ	Jer. 2:33

and: Jer. 3:4; 4:19, 36; 10:17; 22:23^{2}; 31:20; 46:11; 51:13 • Ezek. 16:13^{2}, 18, 22, 31^{2}, 43^{2}, 47, 51; 27:3; 36:13 • Prov. 8:25; 28:16 • Hosh. 9:16 • S.ofS. 2:13 • Ruth 3:3, 4; 4:5 • Lam. 4:21

יָאַב
פָּ׳ רצה, תאב • קרובים: ראה אָבָה

יָאַבְתִּי 1 כִּי לְמִצְוֹתֶיךָ יָאָבְתִּי Ps. 119:131

יָאָה
פָּ׳ היה ראוי

יָאָתָה 1 מִי לֹא יִרָאֲךָ...כִּי לְךָ יָאָתָה Jer. 10:7

יְאוֹר
א) שמו המצרי של נהר נילוס העובר בארץ מצרים מדרום לצפון: רוב המקראות
ב) נהר: 49, 50
ג) תעלה, מחלה: 51
ד) כנוי לנהר חידקל: 28–31

– מִזְרַע יְאוֹר 3; מֵימֵי יְאוֹר 17, 24, 30, 31; מְצוּלוֹת יְאוֹר 6; סְבִיבוֹת י׳ 23; קְצִיר י׳ 4; שְׂפַת הַיְאוֹר 11-14, 28, 29

– דְּגַת יְאוֹרִים 58, 60, 61; יְאוֹרֵי מָצוֹר 54, 56, 57; יְאוֹרֵי מִצְרַיִם 55

יְאוֹר 1-2 עָרוֹת עַל־יְאוֹר עַל־פִּי יְאוֹר Is. 19:7
3 וְכֹל מִזְרַע יְאוֹר יִבַשׁ Is. 19:7
4 קְצִיר יְאוֹר תְּבוּאָתָהּ Is. 23:3
5 יְאֹר לִי וַאֲנִי עֲשִׂיתִי Ezek. 29:9
6 וְהֹבִישׁוּ כֹּל מְצוּלוֹת יְאֹר Zech. 10:11
הַיְאוֹר 7 וְהִנֵּה עֹמֵד עַל־הַיְאֹר Gen. 41:1
8/9 וְהִנֵּה מִן־הַיְאֹר עֹלֹת... Gen. 41:2, 18
10 וְהִנֵּה...עֹלוֹת אַחֲרֵיהֶן מִן־הַיְאֹר Gen. 41:3
11 וַתַּעֲמֹדְנָה...עַל־שְׂפַת הַיְאֹר Gen. 41:3
12-14 עַל־שְׂפַת הַיְאֹר Gen. 41:17 • Ex. 2:3; 7:15
15 וַתֵּרֶד בַּת-פַּרְעֹה לִרְחֹץ עַל-הַיְאֹר Ex. 2:5
16 וְנַעֲרֹתֶיהָ הֹלְכֹת עַל־יַד הַיְאֹר Ex. 2:5
17 וְלָקַחְתָּ מִמֵּימֵי הַיְאֹר Ex. 4:9
18 הַמַּיִם אֲשֶׁר תִּקַּח מִן־הַיְאֹר Ex. 4:9
19 וּבָאַשׁ הַיְאֹר Ex. 7:18
20-21 לִשְׁתּוֹת מַיִם מִן־הַיְאֹר Ex. 7:18, 21
22 וַיִּבְאַשׁ הַיְאֹר Ex. 7:21
23 וַיַּחְפְּרוּ...סְבִיבֹת הַיְאֹר Ex. 7:24
24 לֹא יָכְלוּ לִשְׁתֹּת מִמֵּימֵי הַיְאֹר Ex. 7:24
25 אַחֲרֵי הַכּוֹת־יְיָ אֶת־הַיְאֹר Ex. 7:25
26 וְשָׁרַץ הַיְאֹר צְפַרְדְּעִים Ex. 7:28
27 וּמַטְּךָ אֲשֶׁר הִכִּיתָ בּוֹ אֶת־הַיְאֹר Ex. 17:5
28 עֹמְדִים אֶחָד הֵנָּה לִשְׂפַת הַיְאֹר Dan. 12:5
29 וְאֶחָד הֵנָּה לִשְׂפַת הַיְאֹר Dan. 12:5
30-31 אֲשֶׁר מִמַּעַל לְמֵימֵי הַיְאֹר Dan. 12:6, 7
הַיְאֹרָה 32 כָּל־הַבֵּן הַיִּלּוֹד הַיְאֹרָה תַּשְׁלִיכֻהוּ Ex. 1:22
בַּיְאוֹר 33 מַכֶּה...עַל־הַמַּיִם אֲשֶׁר בַּיְאֹר Ex. 7:17
34 וְהַדָּגָה אֲשֶׁר־בַּיְאֹר תָּמוּת Ex. 7:18
35-36 הַמַּיִם אֲשֶׁר בַּיְאֹר Ex. 7:20^{2}
37 וְהַדָּגָה אֲשֶׁר־בַּיְאֹר מֵתָה Ex. 7:21
38-39 רַק בַּיְאֹר תִּשָּׁאַרְנָה Ex. 8:5, 7
40 כָּל־מַשְׁלִיכֵי בַיְאוֹר חַכָּה Is. 19:8
כַּיְאוֹר 41 עִבְרִי אַרְצֵךְ כַּיְאֹר Is. 23:10
42 מִי־זֶה כַּיְאֹר יַעֲלֶה Jer. 46:7
43 מִצְרַיִם כַּיְאֹר יַעֲלֶה Jer. 46:8
44 וְעָלְתָה כַיְאֹר כֻּלָּהּ Am. 9:5
כָּאֹר (כַּיְאוֹר) 45 וְעָלְתָה כָאֹר כֻּלָּהּ Am. 8:8
כִּיאוֹר 46 וְנִגְרְשָׁה וְנִשְׁקְעָה° כִּיאוֹר מִצְרָיִם Am. 8:8
47 וְשָׁקְעָה כִּיאֹר מִצְרָיִם Am. 9:5
יְאוֹרִי 48 לִי יְאֹרִי וַאֲנִי עֲשִׂיתִנִי Ezek. 29:3
יְאוֹרִים 49 מְקוֹם-נְהָרִים יְאֹרִים רַחֲבֵי יָדָיִם Is. 33:21
50 וְנָתַתִּי יְאֹרִים חָרָבָה Ezek. 30:12
51 בַּצּוּרוֹת יְאֹרִים בִּקֵּעַ Job 28:10
הַיְאוֹרִים 52 עַל־הַנְּהָרֹת עַל־הַיְאֹרִים Ex. 8:1
בַּיְאוֹרִים 53 הַיֹּשְׁבָה בַּיְאֹרִים מַיִם סָבִיב לָהּ Nah. 3:8
יְאוֹרֵי־ 54 וְאַחְרִב...כֹּל יְאֹרֵי מָצוֹר IIK. 19:24
55 אֲשֶׁר בִּקְצֵה יְאֹרֵי מִצְרָיִם Is. 7:18
56 דָּלְלוּ וְחָרְבוּ יְאֹרֵי מָצוֹר Is. 19:6
57 וְאַחְרִב...כֹּל יְאֹרֵי מָצוֹר Is. 37:25
יְאוֹרֶיךָ 58 וְהִדְבַּקְתִּי דְגַת יְאֹרֶיךָ Ezek. 29:4
59 וְהַעֲלִיתִיךָ מִתּוֹךְ יְאֹרֶיךָ Ezek. 29:4
60 דְּגַת יְאֹרֶיךָ בְּקַשְׂקְשֹׂתֶיךָ Ezek. 29:4
61 אוֹתְךָ וְאֵת כָּל־דְּגַת יְאֹרֶיךָ Ezek. 29:5
62 הִנְנִי אֵלֶיךָ וְאֶל־יְאֹרֶיךָ Ezek. 29:10
יְאוֹרָיו 63 הַתַּנִּים הַגָּדוֹל הָרֹבֵץ בְּתוֹךְ יְאֹרָיו Ezek. 29:3
יְאוֹרֵיהֶם 64 עַל־נַהֲרֹתָם עַל־יְאֹרֵיהֶם Ex. 7:19
65 וַיַּהֲפֹךְ לְדָם יְאֹרֵיהֶם Ps. 78:44

יַאֲזַנְיָה
שפ״ז א) ראש משפחת הרֵכבים: 1 [עין גם יְזַנְיָהוּ]
ב) בן עזור, משרי יהויקים: 2

יַאֲזַנְיָה 1 וָאֶקַּח אֶת־יַאֲזַנְיָה בֶן־יִרְמְיָהוּ Jer. 35:3
2 וָאֶרְאֶה...אֶת־יַאֲזַנְיָה בֶן־עַזֻּר Ezek. 11:1

יַאֲזַנְיָהוּ
שפ״ז א) משרי החֲיָלים בימי צדקיהו: 1
ב) מזקני בית ישראל: 2

וְיַאֲזַנְיָהוּ 1 וְיַאֲזַנְיָהוּ בֶּן־הַמַּעֲכָתִי IIK. 25:23
2 וְיַאֲזַנְיָהוּ בֶן־שָׁפָן עֹמֵד בְּתוֹכָם Ezek. 8:11

יָאִיר
שפ״ז א) בן מנשה בן יוסף: 1–7, 11, 12
ב) שופט בישראל, גלעדי: 8, 9
ג) אבי מָרְדְּכַי: 10

חַוֹּת יָאִיר 1, 3–7

יָאִיר 1 וַיִּקְרָא אֶתְהֶן חַוֹּת יָאִיר Num. 32:41
2 יָאִיר בֶּן-מְנַשֶּׁה לָקַח...חֶבֶל אַרְגֹּב Deut. 3:14
3 וַיִּקְרָא אֹתָם...חַוֹּת יָאִיר Deut. 3:14
4-7 חַוֹּת יָאִיר Josh. 13:30 • Jud. 10:4 • IK. 4:13 • ICh. 2:23
8 וַיָּקָם אַחֲרָיו יָאִיר הַגִּלְעָדִי Jud. 10:3
9 וַיָּמָת יָאִיר וַיִּקָּבֵר בְּקָמוֹן Jud. 10:5
10 וּשְׁמוֹ מָרְדֳּכַי בֶּן יָאִיר בֶּן-שִׁמְעִי Es. 2:5
11 וּשְׂגוּב הוֹלִיד אֶת־יָאִיר ICh. 2:22
וְיָאִיר 12 וְיָאִיר בֶּן־מְנַשֶּׁה הָלַךְ וַיִּלְכֹּד... Num. 32:41

יָאִרִי
ת׳ המתיַחס על בית יאיר

הַיָּאִרִי 1 וְגַם עִירָא הַיָּאִרִי הָיָה כֹהֵן לְדָוִד IISh. 20:26

יאל
: א) נוֹאַל; ב) הוֹאִיל

(יאל)1 נוֹאַל
נפ׳ נפתָּה, נסכל: 1–4

נוֹאַלְנוּ 1 אֲשֶׁר נוֹאַלְנוּ וַאֲשֶׁר חָטָאנוּ Num. 12:11
נוֹאֲלוּ 2 נוֹאֲלוּ שָׂרֵי צֹעַן Is. 19:13
3 נוֹאֲלוּ כִּי לֹא יָדְעוּ דֶּרֶךְ יְיָ Jer. 5:4
וְנוֹאָלוּ 4 חֶרֶב אֶל־הַבַּדִּים וְנֹאָלוּ Jer. 50:36

(יאל²) הוֹאִיל הפ׳ נטה, רצה [עין גם אָלָה 6]: 1–19

הוֹאַלְתִּי 1-2 הוֹאַלְתִּי לְדַבֵּר אֶל־אֲדֹנָי Gen. 18:27,31
הוֹאַלְתָּ 3 הוֹאַלְתָּ לְבָרֵךְ אֶת־בֵּית עַבְדְּךָ ICh. 17:27
הוֹאִיל 4 הוֹאִיל מֹשֶׁה בֵּאֵר אֶת־הַתּוֹרָה Deut. 1:5
5 כִּי הוֹאִיל יְיָ לַעֲשׂוֹת אֶתְכֶם... ISh. 12:22
6 כִּי הוֹאִיל הָלַךְ אַחֲרֵי־צָו Hosh. 5:11
הוֹאַלְנוּ 7 וְלוּ הוֹאַלְנוּ וַנֵּשֶׁב בְּעֵבֶר הַיַּרְדֵּן Josh. 7:7
וְיֹאֵל 8 וְיֹאֵל אֱלוֹהַ וִידַכְּאֵנִי Job 6:9
וַיּוֹאֶל 9-12 וַיּוֹאֶל מֹשֶׁה לָשֶׁבֶת... Ex. 2:21
Josh. 17:12 • Jud. 1:27,35
13 וַיּוֹאֶל הַלֵּוִי לָשֶׁבֶת אֶת־הָאִישׁ Jud. 17:11
14 וַיֹּאֶל לָלֶכֶת כִּי לֹא־נִסָּה...בָּאֵלֶּה ISh. 17:39
הוֹאֵל 15 הוֹאֵל וּבָרֵךְ אֶת־בֵּית עַבְדְּךָ IISh. 7:29
16 הוֹאֵל קַח כִּכָּרָיִם IIK. 5:23
הוֹאֶל־ 17 הוֹאֶל־נָא וְלִין וְיִיטַב לִבֶּךָ Jud. 19:6
18 הוֹאֶל נָא וְלֵךְ אֶת־עֲבָדֶיךָ IIK. 6:3
הוֹאִילוּ 19 וְעַתָּה הוֹאִילוּ פְנוּ־בִי Job 6:28

יְאֹר עין יְאוֹר — **יֹאָשׁ** עין יוֹאָשׁ

יאש : נוֹאָשׁ, נוֹאָשׁ, יֵאֵשׁ

(יאש) נוֹאָשׁ נפ׳ א) חדל לקוות: 1–5
ב) [פ׳ יֵאֵשׁ] אכזב: 6

וְנוֹאַשׁ 1 וְנוֹאַשׁ מִמֶּנִּי שָׁאוּל לְבַקְשֵׁנִי עוֹד ISh. 27:1
נוֹאָשׁ 2 יָגַעַתְּ לֹא אָמַרְתְּ נוֹאָשׁ Is. 57:10
3 וַתֹּאמְרִי נוֹאָשׁ לוֹא כִּי־אָהַבְתִּי... Jer. 2:25
4 וְאָמְרוּ נוֹאָשׁ... Jer. 18:12
5 וּלְרוּחַ אִמְרֵי נוֹאָשׁ Job 6:26
לְיַאֵשׁ 6 וְסַבּוֹתִי אֲנִי לְיַאֵשׁ אֶת־לִבִּי Eccl. 2:20

יֹאשִׁיָּה שפ״ז – מן הכהנים בימי זכריה
יֹאשִׁיָּה 1 וּבָאתָ בֵּית יֹאשִׁיָּה בֶן־צְפַנְיָה Zech. 6:10

יֹאשִׁיָּהוּ שפ״ז – בן אמון, מלך יהודה: 1–52
בֶּן יֹאשִׁיָּהוּ 8, 9, 12–14, 16–24, 26; דִּבְרֵי י׳ 7, 30; יְמֵי יֹאשִׁיָּהוּ 25

יֹאשִׁיָּהוּ 1 בֵּן נוֹלָד לְבֵית־דָּוִד יֹאשִׁיָּהוּ שְׁמוֹ IK. 13:2
2/3 וַיַּמְלִיכוּ...אֶת־יֹאשִׁיָּהוּ בְנוֹ תַּחְתָּיו
IIK. 21:24 • IICh. 33:25
4 וַיִּמְלֹךְ יֹאשִׁיָּהוּ בְנוֹ תַּחְתָּיו IIK. 21:26
5/6 בֶּן־שְׁמֹנֶה שָׁנָה יֹאשִׁיָּהוּ... IIK. 22:1 • IICh. 34:1
7 וְיֶתֶר דִּבְרֵי יֹאשִׁיָּהוּ... IIK. 23:28
8/9 יְהוֹאָחָז בֶּן־יֹאשִׁיָּהוּ IIK. 23:30 • IICh. 36:1
10 וַיַּמְלֵךְ...אֶת־אֶלְיָקִים בֶּן־יֹאשִׁיָּהוּ IIK. 23:34
11 בִּימֵי יֹאשִׁיָּהוּ בֶן־אָמוֹן מ׳ יְהוּדָה Jer. 1:2
12/3 בִּימֵי יְהוֹיָקִים בֶּן־יֹאשִׁיָּהוּ Jer. 1:3; 35:1
14 לְצִדְקִיָּהוּ בֶן־יֹאשִׁיָּהוּ מ׳ יְהוּדָה Jer. 1:3
15 וַיֹּאמֶר יְיָ אֵלַי בִּימֵי יֹאשִׁיָּהוּ הַמֶּלֶךְ Jer. 3:6
16 שַׁלֻּם בֶּן־יֹאשִׁיָּהוּ מֶלֶךְ יְהוּדָה Jer. 22:11
17-23 (לִ׳)יְהוֹיָקִים בֶּן־יֹאשִׁיָּהוּ Jer. 22:18
25:1; 26:1; 36:1,9; 45:1; 46:2
24 מַמְלֶכֶת יְהוֹיָקִים בֶּן־יֹאושִׁיָּהוּ Jer. 27:1
25 מִימֵי יֹאשִׁיָּהוּ וְעַד הַיּוֹם הַזֶּה Jer. 36:2
26 וַיִּמְלָךְ־מֶלֶךְ צִדְקִיָּהוּ בֶּן־יֹאשִׁיָּהוּ Jer. 37:1
27 בִּימֵי יֹאשִׁיָּהוּ בֶן־אָמוֹן מ׳ יְהוּדָה Zep. 1:1
28 וּבְנֵי יֹאשִׁיָּהוּ הַבְּכוֹר יוֹחָנָן... ICh. 3:15
29 בִּשְׁמוֹנֶה עֶשְׂרֵה..לְמַלְכוּת יֹאשִׁיָּהוּ IICh. 35:19
30 וְיֶתֶר דִּבְרֵי יֹאשִׁיָּהוּ וַחֲסָדָיו IICh. 35:26
31-51 יֹאשִׁיָּהוּ IIK. 22:3; 23:16,19,23,24,29,34
Jer. 22:11 • ICh. 3:14 • IICh. 34:33; 35:1,7; 35:16, 18, 20², 22, 23, 24, 25²
לְיֹאשִׁיָּהוּ 52 לְיֹאשִׁיָּהוּ בֶן־אָמוֹן מֶלֶךְ יְהוּדָה Jer. 25:3

יְאָתוֹ (בראשית לד 22) – עין אות

יְאָתְרַי שפ״ז – בן גרשום בן לוי [עין גם אֶתְנִי]
יְאָתְרַי 1 ...זֶרַח בְּנוֹ יְאָתְרַי בְּנוֹ ICh. 6:6

יבב פ׳ בכה
קרובים: בָּכָה / הֵילִיל / הִתְיַפֵּחַ / יִלֵּל / נֶאֱנַח / נֶאֱנַק / נָהָה / סָפַד / קוֹנֵן
וַתְּיַבֵּב 1 בְּעַד הַחַלּוֹן נִשְׁקְפָה וַתְּיַבֵּב Jud. 5:28

יְבוּל ז׳ תבואה: 1–13
קרובים: פְּרִי / תְּבוּאָה / תְּנוּבָה
יְבוּל הָאָרֶץ 2; יְבוּל בֵּיתוֹ 3

יְבוּל 1 וְאֵין יְבוּל בַּגְּפָנִים Hab. 3:17
יְבוּל־ 2 וַיַּשְׁחִיתוּ אֶת־יְבוּל הָאָרֶץ Jud. 6:4
3 יִגֶל יְבוּל בֵּיתוֹ Job 20:28
יְבוּלָהּ 4 וְנָתְנָה הָאָרֶץ יְבוּלָהּ Lev. 26:4
5 וְלֹא־תִתֵּן אַרְצְכֶם אֶת־יְבוּלָהּ Lev. 26:20
6 וְהָאֲדָמָה לֹא תִתֵּן אֶת־יְבוּלָהּ Deut. 11:17
7/8 וְהָאָרֶץ תִּתֵּן (אֶת) יְבוּלָהּ Ezek. 34:27
Zech. 8:12
9 וְהָאָרֶץ כָּלְאָה יְבוּלָהּ Hag. 1:10
10 אֶרֶץ נָתְנָה יְבוּלָהּ Ps. 67:7
11 וְאַרְצֵנוּ תִּתֵּן יְבוּלָהּ Ps. 85:13
וִיבֻלָהּ 12 וַתֹּאכַל אֶרֶץ וִיבֻלָהּ Deut. 32:22
יְבוּלָם 13 וַיִּתֵּן לֶחָסִיל יְבוּלָם Ps. 78:46

יְבוּל (תהלים אז 3) – עין נבל

יְבוּס שמה הקדום של ירושלים: 1–4
יְבוּס 1 עַד־נֹכַח יְבוּס הִיא יְרוּשָׁלִָם Jud. 19:10
2 הֵם עִם־יְבוּס וְהַיּוֹם רַד מְאֹד Jud. 19:11
3 וַיֵּלֶךְ דָּוִיד...יְרוּשָׁלִַם הִיא יְבוּס ICh. 11:4
4 וַיֹּאמְרוּ יֹשְׁבֵי יְבוּס לְדָוִיד ICh. 11:5

יְבוּסִי ת׳ מעמי כנען: 1–41
כֶּתֶף הַיְבוּסִי 6,5; מַכֵּה יְבוּסִי 2,1

יְבוּסִי 1 כָּל־מַכֵּה יְבֻסִי וְיִגַּע בַּצִּנּוֹר IISh. 5:8
2 כָּל־מַכֵּה יְבוּסִי בָּרִאשׁוֹנָה ICh. 11:6
הַיְבוּסִי 3 וְאֶת־הַיְבוּסִי וְאֶת־הָאֱמֹרִי Gen. 10:16
4 וְאֶת־הַגִּרְגָּשִׁי וְאֶת־הַיְבוּסִי Gen. 15:21
5/6 אֶל־כֶּתֶף הַיְבוּסִי Josh. 15:8; 18:16
7 וְאֶת־הַיְבוּסִי יוֹשְׁבֵי יְרוּשָׁלִַם. Josh. 15:63
8 וַיֵּשֶׁב הַיְבוּסִי אֶת־בְּנֵי יְהוּדָה Josh. 15:63
9 וְאֶת־הַיְבוּסִי יֹשֵׁב יְר׳ לֹא הוֹרִישׁוּ Jud. 1:21
10 וַיֵּשֶׁב הַיְבוּסִי אֶת־בְּנֵי בִנְיָמִן Jud. 1:21
11 וְנָסוּרָה אֶל־עִיר הַיְבוּסִי Jud. 19:11
12 וַיֵּלֶךְ...אֶל־הַיְבֻסִי יוֹשֵׁב הָאָרֶץ IISh. 5:6
13 עִם־גֹּרֶן הָאֲרַוְנָה° הַיְבֻסִי IISh. 24:16
14 בְּגֹרֶן אֲרַוְנָה° הַיְבֻסִי IISh. 24:18
15 הַחִתִּי הַפְּרִזִּי הַיְבוּסִי... Ez. 9:1
16 וְאֶת־הַיְבוּסִי וְאֶת־הָאֱמֹרִי ICh. 1:14
17 וְשָׁם הַיְבוּסִי יֹשְׁבֵי הָאָרֶץ ICh. 11:4
18 עִם־גֹּרֶן אָרְנָן הַיְבוּסִי ICh. 21:15
19 בְּגֹרֶן אָרְנָן הַיְבֻסִי ICh. 21:18
20/1 בְּגֹרֶן אָרְנָן הַיְבוּסִי ICh. 21:28 • IICh. 3:1
וְהַיְבוּסִי 22-25 וְהַחִוִּי וְהַיְבוּסִי Ex. 3:8,17; 13:5; 34:11
26-27 הַחִוִּי וְהַיְבוּסִי Ex. 23:23; 33:2
28 וְהַחִתִּי וְהַיְבוּסִי וְהָאֱמֹרִי Num. 13:29
29 וְהַיְבוּסִי הִיא יְרוּשָׁלִַם Josh. 18:28
30-40 וְהַיְבוּסִי Deut. 7:1; 20:17 • Josh. 3:10
9:1; 11:3; 12:8; 24:11 • Jud. 3:5 • IK. 9:20
Neh. 9:8 • IICh. 8:7
כִּיבוּסִי 41 כְּאַלֻּף בִּיהוּדָה וְעֶקְרוֹן כִּיבוּסִי Zech. 9:7

יַבּוֹק עין יַבֹּק

יְבָזּוּם (צפניה ב9) – עין בזז

יִבְחָר שפ״ז – מבני דוד: 1–3
וְיִבְחָר 1 וְיִבְחָר וֶאֱלִישׁוּעַ וְנֶפֶג וְיָפִיעַ IISh. 5:15
2 וְיִבְחָר וֶאֱלִישָׁמָע וֶאֱלִיפָלֶט ICh. 3:6
3 וְיִבְחָר וֶאֱלִישׁוּעַ וְאֶלְפָּלֶט ICh. 14:5

יָבִין שפ״ז – שמות של שנים ממלכי חצור: 1–8
יַד יָבִין 2; שַׂר צְבָא יָבִין 3

יָבִין 1 וַיְהִי כִּשְׁמֹעַ יָבִין מֶלֶךְ־חָצוֹר Josh. 11:1
2 וַיִּמְכְּרֵם יְיָ בְּיַד יָבִין מֶלֶךְ־כְּנָעַן Jud. 4:2
3 אֶת־סִיסְרָא שַׂר־צְבָא יָבִין Jud. 4:7
4 כִּי שָׁלוֹם בֵּין יָבִין מֶלֶךְ־חָצוֹר... Jud. 4:17
5-7 יָבִין מֶלֶךְ־כְּנָעַן Jud. 4:23,24²
כְּיָבִין 8 כְּסִיסְרָא כְיָבִין בְּנַחַל קִישׁוֹן Ps. 83:10

יַבִּיעַ (תהלים יט3) – עין נבע

יָבִישׁ עין יָבֵשׁ

יבל : הוֹבִיל, הוּבַל; ארמית: הֵיבֵל; יָבָל, יוּבַל, יְבוּל, יוֹבֵל, מַבּוּל(?), תֵּבֵל(?); ש״פ יוּבַל, יָבָל, תּוּבַל

(יבל) הוֹבִיל הפ׳ א) הוליך, הביא: 1–7
ב) [הָפ׳ הוּבַל] הובא, הונהג: 8–18
הוֹבִיל מִנְחָה 6; הוֹ׳ שַׁי 4, 5; הוֹבִילוּהוּ רַגְלָיו 7

אוֹבִילֵם 1 וּבְתַחֲנוּנִים אוֹבִילֵם Jer. 31:9(8)
יוֹבִלֵנִי 2 מִי יוֹבִלֵנִי עִיר מָצוֹר Ps. 60:11
3 מִי יֹבִלֵנִי עִיר מִבְצָר Ps. 108:11
יוֹבִילוּ 4 לְךָ יוֹבִילוּ מְלָכִים שָׁי Ps. 68:30
5 יוֹבִילוּ שַׁי לַמּוֹרָא Ps. 76:12
יוֹבִלוּן 6 עֲתָרַי בַּת־פּוּצַי יוֹבִלוּן מִנְחָתִי Zep. 3:10
יֹבִלוּהָ 7 יֹבִלוּהָ רַגְלֶיהָ מֵרָחוֹק לָגוּר Is. 23:7
אוּבָל 8 מִבֶּטֶן לַקֶּבֶר אוּבָל Job 10:19
יוּבַל 9 בָּעֵת הַהִיא יוּבַל־שַׁי לַייָ צְבָאוֹת Is. 18:7
10 כַּשֶּׂה לַטֶּבַח יוּבָל Is. 53:7
11 וַאֲנִי כְּכֶבֶשׂ אַלּוּף יוּבַל לִטְבוֹחַ Jer. 11:19
יוּבָל 12 גַּם־אוֹתוֹ לְאַשּׁוּר יוּבָל Hosh. 10:6
13 וְשֶׁמֶן לְמִצְרַיִם יוּבָל Hosh. 12:2
14 וְהוּא לִקְבָרוֹת יוּבָל Job 21:32
תּוּבַל 15 לִרְקָמוֹת תּוּבַל לַמֶּלֶךְ Ps. 45:15
תּוּבָלוּן 16 בְשִׂמְחָה תֵצֵאוּ וּבְשָׁלוֹם תּוּבָלוּן Is. 55:12
יוּבָלוּ 17 לְיוֹם עֲבָרוֹת יוּבָלוּ Job 21:30
תּוּבַלְנָה 18 תּוּבַלְנָה בִּשְׂמָחֹת וָגִיל Ps. 45:16

(יבל) הֵיבֵל הפ׳ ארמית הביא: 1–3
וְהֵיבֵל 1 וְהֵיבֵל הִמּוֹ לְהֵיכְלָא דִּי־בָבֶל Ez. 5:14
2 הַנְפֵּק מִן־הֵיכְלָא...וְהֵיבֵל לְבָבֶל Ez. 6:5
וּלְהֵיבָלָה 3 וּלְהֵיבָלָה כְּסַף וּדְהַב... Ez. 7:15

יָבָל¹* ז׳ פֶּלֶג, נחל: 1, 2 • קרובים: ראה נַחַל
יִבְלֵי־ 1 פְּלָגִים יִבְלֵי־מָיִם Is. 30:25
2 כַּעֲרָבִים עַל־יִבְלֵי־מָיִם Is. 44:4

יָבָל² שפ״ז – בן למך אבי נח
יָבָל 1 וַתֵּלֶד עָדָה אֶת־יָבָל Gen. 4:20

יֹבֵל עין יוֹבֵל

יִבְלְעָם עיר בנחלת מנשה שנתנה ללויים, נקראת גם בִּלְעָם [עין בִּלְעָם²]: 1–3
יִבְלְעָם 1 וְאֶת־יוֹשְׁבֵי יִבְלְעָם וְאֶת־בְּנוֹתֶיהָ Jud. 1:27
2 בְּמַעֲלֵה־גוּר אֲשֶׁר אֶת־יִבְלְעָם IIK. 9:27
וְיִבְלְעָם 3 וְיִבְלְעָם וּבְנוֹתֶיהָ Josh. 17:11

יַבֶּלֶת נ׳ גִּדּוּל בְּעוֹר • קרובים: ראה נֶגַע
יַבֶּלֶת 1 אוֹ־חָרוּץ אוֹ־יַבֶּלֶת Lev. 22:22

יבם
יְבֵם; יָבָם, יְבָמָה

יִבֵּם
פִּ׳ נשא את אשת אחיו שמת: 1–3

יַבְּמִי 1 לֹא אָבָה יַבְּמִי Deut. 25:7
וְיִבְּמָהּ 2 וּלְקָחָהּ לוֹ לְאִשָּׁה וְיִבְּמָהּ Deut. 25:5
וְיַבֵּם 3 בֹּא אֶל־אֵשֶׁת אָחִיךָ וְיַבֵּם אֹתָהּ Gen. 38:8

יָבָם
ז׳ בעל אחות, גיס: 1, 2

יְבָמִי 1 מֵאֵן יְבָמִי לְהָקִים לְאָחִיו שֵׁם בְּיִשְׂ׳ Deut. 25:7
יְבָמָהּ 2 יְבָמָהּ יָבֹא עָלֶיהָ...וְיִבְּמָהּ Deut. 25:5

יְבָמָה
נ׳ אשת אח, גיסה: 1–5

יְבִמְתֵּךְ 1 הִנֵּה שָׁבָה יְבִמְתֵּךְ אֶל־עַמָּהּ Ruth 1:15
2 שׁוּבִי אַחֲרֵי יְבִמְתֵּךְ Ruth 1:15
יְבִמְתּוֹ 3 וְאִם־לֹא יַחְפֹּץ...לָקַחַת אֶת־יְבִמְתּוֹ Deut. 25:7
4 וְעָלְתָה יְבִמְתּוֹ הַשַּׁעְרָה Deut. 25:7
5 וְנִגְּשָׁה יְבִמְתּוֹ אֵלָיו Deut. 25:9

יַבְנְאֵל
א) עיר בשפלת יהודה: 1
ב) עיר בנחלת נפתלי: 2

יַבְנְאֵל 1 וְעָבַר הַר־הַבַּעֲלָה וְיָצָא יַבְנְאֵל Josh. 15:11
וְיַבְנְאֵל 2 וַיְהִי גְבוּלָם מֵחֵלֶף...וְיַבְנְאֵל Josh. 19:33

יַבְנֶה
עיר בארץ פלשתים

יַבְנֵה 1 אֶת־חוֹמַת גַּת וְאֵת חוֹמַת יַבְנֵה IICh. 26:6

יִבְנִיָּה
שפ״ז – איש מבני בנימין: 1, 2

יִבְנִיָּה 1 שְׁפַטְיָה בֶּן־רְעוּאֵל בֶּן־יִבְנִיָּה ICh. 9:8
וְיִבְנִיָּה 2 וְיִבְנִיָּה בֶּן־יְרֹחָם ICh. 9:8

יַבֹּק
נהר בעבר הירדן המזרחי, נשפך לירדן: 1–7

יַבֹּק 1 וַיַּעֲבֹר אֵת מַעֲבַר יַבֹּק Gen. 32:23
2 מֵאַרְנֹן עַד־יַבֹּק עַד־בְּנֵי עַמּוֹן Num. 21:24
3 כָּל־יַד נַחַל יַבֹּק וְעָרֵי הָהָר Deut. 2:37
4–5 וְעַד יַבֹּק הַנַּחַל גְּבוּל בְּנֵי עַמּוֹן Deut. 3:16 Josh. 12:2
הַיַּבֹּק 6–7 מֵאַרְנוֹן וְעַד־הַיַּבֹּק Jud. 11:13, 22

יְבֶרֶכְיָהוּ
שפ״ז – איש בימי ישעיהו

יְבֶרֶכְיָהוּ 1 וְאָעִידָה...וְאֶת־זְכַרְיָהוּ בֶּן יְבֶרֶכְיָהוּ Is. 8:2

יבשׁ
: יָבֵשׁ, יִבֵּשׁ, הוֹבִישׁ; יָבֵשׁ, יַבָּשָׁה, יַבֶּשֶׁת; אר׳ יַבֶּשְׁתָּא

יָבֵשׁ
פָּ׳ א) חָרֵב, התנדפה לחותו [גם בהשאלה]: 1–42
ב) [פִּ׳ יִבֵּשׁ] הוציא הלחות: 43–45
ג) [הִפ׳ הוֹבִישׁ] יִבֵּשׁ, החריב [גם בהשאלה]: 46–53, 55, 59–61
ד) [כנ״ל] חָרֵב, התיבש: 54, 56–58

– יָבֵשׁ חָצִיר 7–9, 12; יָ׳ כֹּחוֹ 11; יָ׳ לִבּוֹ 30; יָ׳ נָהָר 14, 15; יָ׳ נַחַל 31; יָ׳ עוֹרוֹ 13; יָ׳ עֵשֶׂב 28; יָ׳ קִיקָיוֹן 32; יָ׳ קָצִיר 3; יָבֵשׁ שָׁרְשׁוֹ 10, 40
– יָבְשָׁה הָאָרֶץ 19; יָ׳ זְרוֹעוֹ 2; יָ׳ יָדוֹ 39;
– יָבְשׁוּ אֲפִיקֵי מַיִם 22; יָ׳ הַמַּיִם 4, 24, 41; יָ׳ נָאוֹת 20; יָ׳ עֵצִים 23; יָבְשׁוּ עַצְמוֹתָיו 21
– יִבֵּשׁ גֹּרֶם 45; יִבֵּשׁ שַׁלְהֶבֶת 44
– הוֹבִישׁ אֲגַמִּים 60; הוֹ׳ דָּגָן 56; הוֹ׳ מַיִם 49, 50, 52; הוֹ׳ מְקוֹרוֹ 47; הוֹ׳ נָהָר 48, 61; הוֹ׳ עֵץ 46; הוֹבִישׁ עֵשֶׂב 59; הוֹ׳ פְּרִי 53; הוֹבִישׁ שָׂשׂוֹן 55; הוֹבִישָׁה גֶּפֶן 57; הוֹבִישׁוּ מְצוּלוֹת 58

יָבֵשׁ 1 כְּגַעַת בָּהּ רוּחַ הַקָּדִים תִּיבַשׁ יָבֹשׁ Ezek. 17:10
2 זְרֹעוֹ יָבוֹשׁ תִּיבָשׁ Zech. 11:17
בִּיבֹשׁ 3 בִּיבֹשׁ קְצִירָהּ תִּשָּׁבַרְנָה Is. 27:11
יְבֹשֶׁת 4 יָצוֹא וָשׁוֹב עַד יְבֹשֶׁת הַמַּיִם Gen. 8:7

יָבֵשׁ 5 לֶחֶם צֵידָם יָבֵשׁ הָיָה נִקֻּדִים Josh. 9:5
6 וְעַתָּה הִנֵּה יָבֵשׁ וְהָיָה נִקֻּדִים Josh. 9:12
7 כִּי־יָבֵשׁ חָצִיר כָּלָה דֶשֶׁא Is. 15:6
8–9 יָבֵשׁ חָצִיר נָבֵל צִיץ Is. 40:7, 8
10 שָׁרְשָׁם יָבֵשׁ פְּרִי בַל־יַעֲשׂוּן Hosh. 9:16
11 יָבֵשׁ כַּחֶרֶשׂ כֹּחִי Ps. 22:16
12 כַּחֲצִיר גַּגּוֹת שֶׁקַּדְמַת שָׁלַף יָבֵשׁ Ps. 129:6
13 צָפַד עוֹרָם...יָבֵשׁ הָיָה כָעֵץ Lam. 4:8
וְיָבֵשׁ 14/5 וְנָהָר יֶחֱרַב וְיָבֵשׁ Is. 19:5 • Job 14:11
16 וְאֶת־פִּרְיָהּ יְקוֹסֵס וְיָבֵשׁ Ezek. 17:9
17 וְאָבְלוּ...וְיָבֵשׁ רֹאשׁ הַכַּרְמֶל Am. 1:2
18 לָעֶרֶב יְמוֹלֵל וְיָבֵשׁ Ps. 90:6
יָבְשָׁה 19 וּבַחֹדֶשׁ הַשֵּׁנִי...יָבְשָׁה הָאָרֶץ Gen. 8:14
יָבְשׁוּ 20 אָבְלָה הָאָרֶץ יָבְשׁוּ נְאוֹת מִדְבָּר Jer. 23:10
21 יָבְשׁוּ עַצְמוֹתֵינוּ וְאָבְדָה תִקְוָתֵנוּ Ezek. 37:11
22 כִּי יָבְשׁוּ אֲפִיקֵי מָיִם Joel 1:20
יָבֵשׁוּ 23 כָּל־עֲצֵי הַשָּׂדֶה יָבֵשׁוּ Joel 1:12
וְיָבֵשׁוּ 24 חֹרֶב אֶל־מֵימֶיהָ וְיָבֵשׁוּ Jer. 50:38
25 הִתְפָּרְקוּ וְיָבֵשׁוּ Ezek. 19:12
אִיבָשׁ 26 וַאֲנִי כָּעֵשֶׂב אִיבָשׁ Ps. 102:12
יִיבַשׁ 27 וְכֹל מִזְרַע יְאוֹר יִיבַשׁ נִדַּף וְאֵינֶנּוּ Is. 19:7
יִיבָשׁ 28 וְעֵשֶׂב כָּל־הַשָּׂדֶה יִיבָשׁ Jer. 12:4
29 וְלִפְנֵי כָל־חָצִיר יִיבָשׁ Job 8:12
וַיִּבַשׁ 30 הוּכָּה כָעֵשֶׂב וַיִּבַשׁ לִבִּי Ps. 102:5
31 וַיְהִי מִקֵּץ יָמִים וַיִּיבַשׁ הַנָּחַל IK. 17:7
וַיִּיבָשׁ 32 וַתַּךְ אֶת־הַקִּיקָיוֹן וַיִּיבָשׁ Jon. 4:7
וְיֵבוֹשׁ 33 וְיֵבוֹשׁ מְקוֹרוֹ וְיֶחֱרַב מַעְיָנוֹ Hosh. 13:15
תִּיבַשׁ 34 כְּגַעַת בָּהּ רוּחַ הַקָּדִים תִּיבַשׁ יָבֹשׁ Ezek. 17:10
תִּיבָשׁ 35 כָּל־טַרְפֵּי צִמְחָהּ תִּיבָשׁ Ezek. 17:9
36 עַל־עֲרֻגֹת צִמְחָהּ תִּיבָשׁ Ezek. 17:10
37 אֲשֶׁר־לֹא־תַמְטִיר עָלֶיהָ תִּיבָשׁ Am. 4:7
38 זְרֹעוֹ יָבוֹשׁ תִּיבָשׁ Zech. 11:17
וַתִּיבַשׁ 39 וַתִּיבַשׁ יָדוֹ אֲשֶׁר־שָׁלַח עָלָיו IK. 13:4
יִבָשׁוּ 40 מִתַּחַת שָׁרָשָׁיו יִבָשׁוּ Job 18:16
וְיִבָשׁוּ 41 הֵן יַעְצֹר בַּמַּיִם וְיִבָשׁוּ Job 12:15
וַיִּבָשׁוּ 42 וְגַם נָשַׁף בָּהֶם וַיִּבָשׁוּ Is. 40:24
וַ(י)יַבְּשֵׁהוּ 43 גּוֹעֵר בַּיָּם וַיַּבְּשֵׁהוּ Nah. 1:4
תְּיַבֵּשׁ 44 יְנַקְתּוֹ תְּיַבֵּשׁ שַׁלְהָבֶת Job 15:30
תְּיַבֶּשׁ־ 45 וְרוּחַ נְכֵאָה תְּיַבֶּשׁ־גָּרֶם Prov. 17:22
הוֹבַשְׁתִּי 46 כִּי אֲנִי יְיָ...הוֹבַשְׁתִּי עֵץ לַח Ezek. 17:24
וְהוֹבַשְׁתִּי 47 וְהוֹבַשְׁתִּי אֶת־מְקוֹרָהּ Jer. 51:36
הוֹבַשְׁתָּ 48 אַתָּה הוֹבַשְׁתָּ נַהֲרוֹת אֵיתָן Ps. 74:15
הוֹבִישׁ 49 הוֹבִישׁ יְיָ אֶת־מֵי יַם־סוּף מִפְּנֵיכֶם Josh. 2:10
50 הוֹבִישׁ...אֶת־מֵי הַיַּרְדֵּן מִפְּנֵיכֶם Josh. 4:23
51 ...אֲשֶׁר־הוֹבִישׁ מִפָּנֵינוּ Josh. 4:23
52 אֲשֶׁר־הוֹבִישׁ יְיָ אֶת־מֵי הַיַּרְדֵּן Josh. 5:1
53 וְרוּחַ הַקָּדִים הוֹבִישׁ פִּרְיָהּ Ezek. 19:12
54 הוֹבִישׁ תִּירוֹשׁ אֻמְלַל יִצְהָר Joel 1:10
55 כִּי־הֹבִישׁ שָׂשׂוֹן מִן־בְּנֵי אָדָם Joel 1:12
56 נָשַׁמּוּ אֹצָרוֹת...כִּי הֹבִישׁ דָּגָן Joel 1:17
הוֹבִישָׁה 57 הַגֶּפֶן הוֹבִישָׁה וְהַתְּאֵנָה אֻמְלָלָה Joel 1:12
וְהוֹבִישׁוּ 58 וְהֹבִישׁוּ כֹּל מְצוּלוֹת יְאֹר Zech. 10:11
אוֹבִישׁ 59 אַחֲרִיב הָרִים...וְכָל־עֶשְׂבָּם אוֹבִישׁ Is. 42:15
60 וַאֲגַמִּים אוֹבִישׁ Is. 42:15
61 לַצּוּלָה חֳרָבִי וְנַהֲרֹתַיִךְ אוֹבִישׁ Is. 44:27

יָבֵשׁ[1]
ת׳ חָרֵב, שאינו לח (גם בהשאלה): 1–9
קרובים: דַּל / חָרֵב / חָרֵר / נוֹבֵל / צוֹמֵק / צָחִיחַ
עֵץ יָבֵשׁ 1–3; קַשׁ יָבֵשׁ 4, 5; נֶפֶשׁ יְבֵשָׁה 6; עֲנָבִים יְבֵשִׁים 7; עֲצָמוֹת יְבֵשׁוֹת 8, 9

יָבֵשׁ 1 הֵן אֲנִי עֵץ יָבֵשׁ Is. 56:3
2 וְהִפְרַחְתִּי עֵץ יָבֵשׁ Ezek. 17:24
(המשך) 3 כָּל־עֵץ־לַח וְכָל־עֵץ יָבֵשׁ Ezek. 21:3
4 אֻכְּלוּ כְּקַשׁ יָבֵשׁ מָלֵא Nah. 1:10
5 וְאֶת־קַשׁ יָבֵשׁ תִּרְדֹּף Job 13:25
יְבֵשָׁה 6 וְעַתָּה נַפְשֵׁנוּ יְבֵשָׁה אֵין כֹּל Num. 11:6
וִיבֵשִׁים 7 וַעֲנָבִים לַחִים וִיבֵשִׁים לֹא יֹאכֵל Num. 6:3
יְבֵשׁוֹת 8 עֲצָמוֹת...וְהִנֵּה יְבֵשׁוֹת מְאֹד Ezek. 37:2
הַיְבֵשׁוֹת 9 הָעֲצָמוֹת הַיְבֵשׁוֹת שִׁמְעוּ דְּבַר־יְיָ Ezek. 37:4

יָבֵשׁ[2]
עיר בגלעד [נקראת גם יָבֵשׁ גִּלְעָד]: 1–21
יָבֵשׁ גִּלְעָד 1–5, 9, 12–16, 21; אַנְשֵׁי יָבֵשׁ 6, 8, 10–11,13–14; בַּעֲלֵי יָ׳ 15; זִקְנֵי יָ׳ 7; יוֹשְׁבֵי יָבֵשׁ 1–3, 12; נְשֵׁי יָבֵשׁ 4

יָבֵשׁ 1 אֵין שָׁם אִישׁ מִיּוֹשְׁבֵי יָבֵשׁ גִּלְעָד Jud. 21:9
2–3 (מִ)יּוֹשְׁבֵי יָבֵשׁ גִּלְעָד Jud. 21:10, 12
4 אֲשֶׁר חִיּוּ מִנְּשֵׁי יָבֵשׁ גִּלְעָד Jud. 21:14
5 וַיַּעַל...הָעַמּוֹנִי וַיִּחַן עַל־יָבֵישׁ גִּלְעָד ISh. 11:1
6 וַיֹּאמְרוּ כָּל־אַנְשֵׁי יָבֵישׁ ISh. 11:1
7 וַיֹּאמְרוּ אֵלָיו זִקְנֵי יָבֵישׁ ISh. 11:3
8 וַיְסַפְּרוּ־לוֹ אֶת־דִּבְרֵי אַנְשֵׁי יָבֵישׁ ISh. 11:5
9 כֹּה תֹאמְרוּן לְאִישׁ יָבֵישׁ גִּלְעָד ISh. 11:9
10 וַיַּגִּידוּ לְאַנְשֵׁי יָבֵישׁ וַיִּשְׂמָחוּ ISh. 11:9
11 וַיֹּאמְרוּ אַנְשֵׁי יָבֵישׁ ISh. 11:10
12 וַיִּשְׁמְעוּ אֵלָיו יֹשְׁבֵי יָבֵישׁ גִּלְעָד ISh. 31:11
13 אַנְשֵׁי יָבֵישׁ גִּלְעָד אֲשֶׁר קָבְרוּ... IISh. 2:4
14 וַיִּשְׁלַח דָּוִד...אֶל־אַנְשֵׁי יָבֵישׁ גִּלְעָד IISh. 2:5
15 וַיִּקַּח...מֵאֵת בַּעֲלֵי יָבֵישׁ גִּלְעָד IISh. 21:12
16 וַיִּשְׁמְעוּ כֹּל יָבֵישׁ גִּלְעָד ICh. 10:11
יָבֵשָׁה 17 וַיָּבֹאוּ יָבֵשָׁה וַיִּשְׂרְפוּ אֹתָם שָׁם ISh. 31:12
18 וַיְבִיאוּם יָבֵישָׁה וַיִּקְבְּרוּ... ICh. 10:12
בְּיָבֵשׁ 19 וַיִּקְבְּרוּ...תַּחַת הָאֵלָה בְּיָבֵשׁ ICh. 10:12
בְּיָבֵשָׁה 20 וַיִּקְבְּרוּ תַחַת־הָאֶשֶׁל בְּיָבֵשָׁה ISh. 31:13
מִיָּבֵישׁ 21 לֹא בָא־אִישׁ...מִיָּבֵישׁ גִּלְעָד Jud. 21:8

יָבֵשׁ[3]
שפ״ז – אבי שַׁלּוּם מלך ישראל: 1–3

יָבֵשׁ 1 וַיִּקְשֹׁר עָלָיו שַׁלֻּם בֶּן־יָבֵשׁ IIK. 15:10
2 שַׁלּוּם בֶּן־יָבֵישׁ מָלַךְ... IIK. 15:13
3 וַיַּךְ אֶת־שַׁלּוּם בֶּן־יָבֵישׁ... IIK. 15:14

יָבֵשׁ גִּלְעָד
– עין יָבֵשׁ[2]

יַבָּשָׁה
נ׳ אדמה יבשה: 1–14
קרובים: אֲדָמָה / אֶרֶץ / חָרָבָה / יַבֶּשֶׁת

יַבָּשָׁה 1 כִּי אֶצָּק...וְנֹזְלִים עַל־יַבָּשָׁה Is. 44:3
הַיַּבָּשָׁה 2 יִקָּווּ הַמַּיִם...וְתֵרָאֶה הַיַּבָּשָׁה Gen. 1:9
3 וְלָקַחְתָּ מִמֵּימֵי הַיְאֹר וְשָׁפַכְתָּ הַיַּבָּשָׁה Ex. 4:9
4 אֲשֶׁר־עָשָׂה אֶת־הַיָּם וְאֶת־הַיַּבָּשָׁה Jon. 1:9
5 וַיַּחְתְּרוּ...לְהָשִׁיב אֶל־הַיַּבָּשָׁה Jon. 1:13
6 וַיָּקֵא אֶת־יוֹנָה אֶל־הַיַּבָּשָׁה Jon. 2:11
בַּיַּבָּשָׁה 7–8 וַיָּבֹאוּ...בְּתוֹךְ הַיָּם בַּיַּבָּשָׁה Ex. 14:16, 22
9–10 בְּנֵי־יִ׳ הָלְכוּ בַיַּבָּשָׁה בְּתוֹךְ הַיָּם Ex. 14:29; 15:19
11 בַּיַּבָּשָׁה עָבַר יִשְׂרָאֵל אֶת־הַיַּרְדֵּן Josh. 4:22
12 וַיַּעַבְרוּ בְתוֹךְ־הַיָּם בַּיַּבָּשָׁה Neh. 9:11
לַיַּבָּשָׁה 13 וַיִּקְרָא אֱלֹהִים לַיַּבָּשָׁה אֶרֶץ Gen. 1:10
לְיַבָּשָׁה 14 הָפַךְ יָם לְיַבָּשָׁה Ps. 66:6

יִבְשָׂם
שפ״ז – ראש בית־אב לגבורי דוד

וְיִבְשָׂם 1 וּבְנֵי תוֹלָע...וְיִבְשָׂם וּשְׁמוּאֵל ICh. 7:2

יַבֶּשֶׁת
נ׳ יַבָּשָׁה: 1, 2

וְיַבֶּשֶׁת 1 אֲשֶׁר־לוֹ הַיָּם...וְיַבֶּשֶׁת יָדָיו יָצָרוּ Ps. 95:5
בַּיַּבָּשֶׁת 2 ...וְהָיוּ לְדָם בַּיַּבָּשֶׁת Ex. 4:9

יַבֶּשְׁתָּא
נ׳ ארמית: היבשת

יַבֶּשְׁתָּא 1 לָא־אִיתַי אֱנָשׁ עַל־יַבֶּשְׁתָּא Dan. 2:10

יִגְאָל
שפ״ז א) מן המרגלים למטה יששכר: 1
ב) מגבורי דוד: 2, 3

יִגְאָל 1 לְמַטֵּה יִשָּׂשכָר יִגְאָל בֶּן־יוֹסֵף Num. 13:7
2 יִגְאָל בֶּן־נָתָן מִצֹּבָה IISh. 23:36
וְיִגְאָל 3 וּבְנֵי שְׁמַעְיָה חַטּוּשׁ וְיִגְאָל... ICh. 3:22

יָגֵב*
ז׳ שדה תבואה
וִיגֵבִים 1 וַיִּתֵּן לָהֶם כְּרָמִים וִיגֵבִים Jer. 39:10

יגב
עיין יוגב

יָגְבְּהָה
עיר בנחלת גד: 1, 2
וְיָגְבְּהָה 1 וְאֶת־יַעְזֵר וְיָגְבְּהָה Num. 32:35
2 וַיַּעַל...מִקֶּדֶם לְנֹבַח וְיָגְבְּהָה Jud. 8:11

יִגְדַּלְיָהוּ
שפ״ז – נביא כהן
יִגְדַּלְיָהוּ 1 בְּנֵי חָנָן בֶּן־יִגְדַּלְיָהוּ אִישׁ הָאֱלֹ׳ Jer. 35:4

יגה
: נוּגֶה, יָגָה, הוֹגָה; יָגוֹן, תּוּגָה

(יגה) נוּגֶה
נפ׳ בינוני א) עצוב: 1, 2
ב) [פ׳ יָגָה] (וַיַּגֶּה=וַיְיַגֶּה) העציב, ענה: 3
ג) [הפ׳ הוֹגָה] דכא, לחץ: 4–8

נוּגֵי־ 1 נוּגֵי־מִמּוֹעֵד אָסַפְתִּי מִמֵּךְ הָיוּ Zep. 3:18
נוּגוֹת 2 בְּתוּלֹתֶיהָ נוּגוֹת וְהִיא מַר לָהּ Lam. 1:4
וַיַּגֶּה 3 לֹא עִנָּה מִלִּבּוֹ וַיַּגֶּה בְּנֵי־אִישׁ Lam. 3:33
הוֹגָה 4 אֲשֶׁר הוֹגָה יְיָ בְּיוֹם חֲרוֹן אַפּוֹ Lam. 1:12
5 כִּי אִם־הוֹגָה וְרִחַם כְּרֹב חֲסָדָיו Lam. 3:32
הוֹגָהּ 6 כִּי־יְיָ הוֹגָהּ עַל־רֹב פְּשָׁעֶיהָ Lam. 1:5
מוֹגַיִךְ 7 וְשַׂמְתִּיהָ בְּיַד־מוֹגַיִךְ Is. 51:23
תּוֹגְיוּן 8 עַד־אָנָה תּוֹגְיוּן נַפְשִׁי Job 19:2

יֶגֶה
(איוב יח5), יֶגְיֵהּ (ש״ב כב29) – עין נגה

יָגוּדוּ
(תהלים צד21) – עין גדד

יָגוֹן
ז׳ עֶצֶב, צער: 1–14 • קרובים: ראה אֵבֶל
– יָגוֹן וַאֲנָחָה 1, 2; מִיָּגוֹן לְשִׂמְחָה 13; עָמָל וְיָגוֹן 6;
צָרָה וְיָ׳ 9; רָעָה וְיָ׳ 8; שִׁכָּרוֹן וְיָגוֹן 7
– יָסַף יָגוֹן 4; מָצָא יָ׳ 9; נָס יָ׳ 1, 2; רָאָה יָ׳ 6

יָגוֹן 1/2 (וְ)נָסוּ יָגוֹן וַאֲנָחָה Is. 35:10; 51:11
3 מַבְלִיגִיתִי עֲלֵי יָגוֹן Jer. 8:18
4 כִּי־יָסַף יְיָ יָגוֹן עַל־מַכְאֹבִי Jer. 45:3
5 יָגוֹן בִּלְבָבִי יוֹמָם Ps. 13:3
וְיָגוֹן 6 לִרְאוֹת עָמָל וְיָגוֹן Jer. 20:18
7 שִׁכָּרוֹן וְיָגוֹן תִּמָּלֵאִי Ezek. 23:33
8 וַיָּשֹׁחוּ מֵעֹצֶר רָעָה וְיָגוֹן Ps. 107:39
9 צָרָה וְיָגוֹן אֶמְצָא Ps. 116:3
בְּיָגוֹן 10 וְהוֹרַדְתֶּם...שֵׂיבָתִי בְּיָגוֹן שְׁאוֹלָה Gen. 42:38
11 וְהוֹרִידוּ עֲבָדֶיךָ...בְּיָגוֹן שְׁאֹלָה Gen. 44:31
12 כִּי כָלוּ בְיָגוֹן חַיַּי Ps. 31:11
מִיָּגוֹן 13 נֶהְפַּךְ לָהֶם מִיָּגוֹן לְשִׂמְחָה Es. 9:22
מִיגוֹנָם 14 וְנִחַמְתִּים וְשִׂמַּחְתִּים מִיגוֹנָם Jer. 31:12

יָגוּר
ישוב בנחלת יהודה
וְיָגוּר 1 קַבְצְאֵל וְעֵדֶר וְיָגוּר Josh. 15:21

יְגוֹרֵם
(משלי כא7) – עין גרר

יָגִיעַ*
ת׳ יָגֵעַ, עָיֵף
יְגִיעֵי־ 1 וְשָׁם יָנוּחוּ יְגִיעֵי כֹחַ Job 3:17

יְגִיעַ
ז׳ א) עָמָל, מאמץ: 1, 4–6, 13, 16
ב) פרי העמל: 2, 3, 7–12, 14, 15
קרובים: יֶגַע / מַאֲמָץ / סֵבֶל / עָמָל; גְּמוּל / פְּרִי / שָׂכָר
יְגִיעַ אָבוֹת 3; יְגִיעַ כַּפַּיִם 1, 4–6; יְ׳ מִצְרַיִם 2

יְגִיעַ־ 1 אֶת־עָנְיִי וְאֶת־יְגִיעַ כַּפַּי רָאָה אֱלֹ׳ Gen. 31:42
2 יְגִיעַ מִצְרַיִם וּסְחַר־כּוּשׁ Is. 45:14
3 אֶת־יְגִיעַ אֲבוֹתֵינוּ מִנְּעוּרֵינוּ Jer. 3:24
4 וָאֶקְרָא חֹרֶב...וְעַל כָּל־יְגִיעַ כַּפָּיִם Hag. 1:11
5 יְגִיעַ כַּפֶּיךָ כִּי תֹאכֵל אַשְׁרֶיךָ Ps. 128:2
6 הֲטוֹב לְךָ...כִּי־תִמְאַס יְגִיעַ כַּפֶּיךָ Job 10:3
יְגִיעֲךָ 7 פְּרִי אַדְמָתְךָ וְכָל־יְגִיעֲךָ Deut. 28:33
יְגִיעֶךָ 8 וְתַעֲזֹב אֵלָיו יְגִיעֶךָ Job 39:11
יְגִיעֵךְ 9 וְלָקְחוּ כָּל־יְגִיעֵךְ Ezek. 23:29
יְגִיעוֹ 10 וִיבֹזּוּ זָרִים יְגִיעוֹ Ps. 109:11
וּמִיגִיעוֹ 11 יְנַעֵר אֱלֹהִים...מִבֵּיתוֹ וּמִיגִיעוֹ Neh. 5:13
יְגִיעָהּ 12 וְאֶת־כָּל־יְגִיעָהּ וְאֶת־כָּל־יְקָרָהּ Jer. 20:5
13 לְרִיק יְגִיעָהּ בְּלִי־פָחַד Job 39:16
וִיגִיעֲכֶם 14 וִיגִיעֲכֶם בְּלוֹא לְשָׂבְעָה Is. 55:2
וִיגִיעָם 15 וַיִּתֵּן...יְבוּלָם וִיגִיעָם לָאַרְבֶּה Ps. 78:46
יְגִיעַי 16 כָּל־יְגִיעַי לֹא יִמְצְאוּ־לִי עָוֹן Hosh. 12:9

יְגִיעָה*
נ׳ עמל
יְגִיעַת 1 וְלַהַג הַרְבֵּה יְגִעַת בָּשָׂר Eccl. 12:12

יָגְלִי
שפ״ז – אבי נשיא בני דן
יָגְלִי 1 וּלְמַטֵּה...דָן נָשִׂיא בֻּקִּי בֶּן־יָגְלִי Num. 34:22

יֻגָּן
(ישעיה לא5) – עין גנן

יגע
: יָגַע, יָגֵעַ, יְגַע, הוֹגִיעַ; יָגָע, יְגִיעַ, יָגִיעַ

יָגַע
פָּ׳ א) עמל, טרח: 1, 5–10, 13, 14, 18, 19
ב) עָיֵף: 2–4, 11, 12, 15–17, 20
ג) [פ׳ יִגַּע] הלאה: 21, 22
ד) [הפ׳ הוֹגִיעַ] הלאה, הטריח: 23–26

יָגַעְתִּי 1 וַאֲנִי אָמַרְתִּי לְרִיק יָגַעְתִּי Is. 49:4
2 יָגַעְתִּי בְּאַנְחָתִי וּמְנוּחָה לֹא מָצָאתִי Jer. 45:3
3 יָגַעְתִּי בְּאַנְחָתִי... Ps. 6:7
4 יָגַעְתִּי בְקָרְאִי נִחַר גְּרוֹנִי Ps. 69:4
יָגַעְתָּ 5 אֶרֶץ אֲשֶׁר לֹא־יָגַעְתָּ בָּהּ Josh. 24:13
6 כִּי־יָגַעְתָּ בִּי יִשְׂרָאֵל Is. 43:22
יָגַעַתְּ 7 בַּאֲשֶׁר יָגַעַתְּ מִנְּעוּרָיִךְ Is. 47:12
8 בְּרֹב דַּרְכֵּךְ יָגַעַתְּ Is. 57:10
9 תִּירוֹשֵׁךְ אֲשֶׁר יָגַעַתְּ בּוֹ Is. 62:8
יָגָעַתְּ 10 כֵּן הָיוּ־לָךְ אֲשֶׁר יָגָעַתְּ Is. 47:15
יָגְעָה 11 וַיַּךְ בַּפְּלִשְׁתִּים עַד כִּי־יָגְעָה יָדוֹ IISh. 23:10
יָגַעְנוּ 12 יָגַעְנוּ וְלֹא הוּנַח־לָנוּ Lam. 5:5
אִיגָע 13 לָמָּה־זֶּה הֶבֶל אִיגָע Job 9:29
תִּיגַע 14 אַל־תִּיגַע לְהַעֲשִׁיר Prov. 23:4
יִיגָע 15 לֹא יִיעַף וְלֹא יִיגָע Is. 40:28
יִגְעוּ 16 לֹא יִגְעוּ לָרִיק Is. 65:23
יִיגָעוּ 17 יָרוּצוּ וְלֹא יִיגָעוּ יֵלְכוּ וְלֹא יִיעָפוּ Is. 40:31
וְיִגְעוּ 18 וְיִגְעוּ עַמִּים בְּדֵי־רִיק Jer. 51:58
19 וְיִיגְעוּ עַמִּים בְּדֵי־אֵשׁ Hab. 2:13
וְיִגָעוּ 20 וְיִעֲפוּ נְעָרִים וְיִגָעוּ Is. 40:30
תְּיַגַּע 21 אַל־תְּיַגַּע שָׁמָּה אֶת־כָּל־הָעָם Josh. 7:3
תְּיַגְּעֶנּוּ 22 עֲמַל הַכְּסִילִים תְּיַגְּעֶנּוּ Eccl. 10:15
הוֹגַעְתִּיךָ 23 וְלֹא הוֹגַעְתִּיךָ בִּלְבוֹנָה Is. 43:23
הוֹגַעְתַּנִי 24 הֶעֱבַדְתַּנִי...הוֹגַעְתַּנִי בַּעֲוֹנֹתֶיךָ Is. 43:24
הוֹגַעְנוּהוּ 25 וַאֲמַרְתֶּם בַּמָּה הוֹגַעְנוּ Mal. 2:17
הוֹגַעְתֶּם 26 הוֹגַעְתֶּם יְיָ בְּדִבְרֵיכֶם Mal. 2:17

יָגֵעַ
ת׳ עָיֵף [גם בהשאלה]: 1–3 • קרובים: לֵאֶה / עָיֵף
עָיֵף וְיָגֵעַ 2; דְּבָרִים יְגֵעִים 3

יָגֵעַ 1 וְהוּא יָגֵעַ וּרְפֵה יָדַיִם IISh. 17:2
וְיָגֵעַ 2 וְאַתָּה עָיֵף וְיָגֵעַ Deut. 25:18
יְגֵעִים 3 כָּל־הַדְּבָרִים יְגֵעִים Eccl. 1:8

יְגָע
ז׳ עמל, פרי עמל
יְגָע 1 מֵשִׁיב יָגָע וְלֹא יִבְלָע Job 20:18

יָגֹר
פָּ׳ פחד, ירא: 1–7 • קרובים: ראה חָרֵד
יָגֹרְתִּי 1 כִּי יָגֹרְתִּי מִפְּנֵי הָאַף וְהַחֵמָה Deut. 9:19
2 הַעֲבֵר חֶרְפָּתִי אֲשֶׁר יָגֹרְתִּי Ps. 119:39
3 וַאֲשֶׁר יָגֹרְתִּי יָבֹא לִי Job 3:25
4 יָגֹרְתִּי כָל־עַצְּבֹתָי Job 9:28
יָגֹרְתָּ 5 אֲשֶׁר יָגֹרְתָּ מִפְּנֵיהֶם Deut. 28:60
יָגוֹר 6-7 אֲשֶׁר־אַתָּה יָגוֹר מִפְּנֵיהֶם Jer. 22:25; 39:17

יָגֹר
(ויקרא יא7), יְגֹרֵהוּ (חבקוק א16) – עין גָּרַר

יְגַר
ז׳ ארמית: גַּל
יְגַר 1 וַיִּקְרָא־לוֹ לָבָן יְגַר שָׂהֲדוּתָא Gen. 31:47

יָד
נ׳ א) כל אחת משתי הגפים העליונות באדם: רוב המקראות
ב) חלק בולט בכלי לאחיזה, משענת: 1599, 1600, 1603, 1604, 1606, 1609–1617
ג) חֵלֶק, מָנָה: 1598, 1601, 1602, 1605, 1607, 1608
ד) צד: 99, 113, 114, 138 [עין עוד אֶל־יַד, עַל־יַד]
ה) מקום מיוחד: 47, 1344–1347, 1349, 1350, 1360–1362, 1364
ו) מצבת זכרון: 16, 139
ז) [בְּיַד־] כפשוטו: בְּיַד שֶׁל־: 200, 209, 263, 264, 275, 277, 278, 294, 350, 351, 379, 403, 404, 410, 411, 414, 415, 419, 459–462, 467, 483, 486
ח) [בְּיַד־] (בהשאלה) ברשות־, באמצעות־, על־ידי־: 201–208, 210–262, 265–274, 276, 279–293, 295–349, 352–378, 380–402, 405–409, 412, 413, 416–418, 420–458, 463–466, 468–482, 484, 485, 487, 488
ט) [כְּיַד־] (בהשאלה): לפי יכלתו של: 489–496
י) [לְיַד־] אצל, סמוך אל־: 497–502
יא) [מִיַּד־] כפשוטו: 508, 519, 552, 577, 578, 598, 610
יב) [מִיַּד־] (בהשאלה) מרשותו של־, מִפְּנֵי־, מִן־: 503–507, 509–518, 520–551, 553–576, 579–597, 599–609, 611–618
יג) [אֶל־יַד] סמוך אל־, לרשות־: 138, 156, 157, 166–169
יד) [אֶל־יַד] כפשוטו: 161, 162
טו) [עַל־יַד] אצל, סמוך אל־: 91, 97, 102, 137, 154, 160, 171
טז) [עַל־יַד] ברשותו של־: 133, 142, 143, 150, 151, 170, 173, 175, 177–184
יז) [עַל־יַד] כפשוטו: 152, 159
יח) [עַל־יְדֵי] כפשוטו: 1373, 1385
יט) [עַל־יְדֵי־] באמצעות־, ב־: 1375, 1383, 1386, 1389, 1391, 1396, 1398, 1400, 1404, 1405, 1407–1414
כ) [בִּידֵי־] על־ידי־: 1419, 1420
כא) [מִידֵי־] מִפְּנֵי־, מִן־: 1422–1425
– יָד רָשָׁם 22; יָד בְּיָד 69; יָד לְיָד 29, 30; יָד לְפֶה 32; יָד גְּדוֹלָה 49; יָד חֲזָקָה 50, 53–65, 78–82, 766, 781, 838, 897, 996; יָד נְטוּיָה 52, 74, 1025–1029, 1087; יָד רָמָה 66–68, 1215; יָד שְׁלוּחָה 24
– אֶבֶן יָד 11; אֲזָלַת יָד 14; אֶפֶס יָד 40; בֹּהֶן יָד 976–980, 1269, 1273; חֹזֶק יָד 2–4; חֶזְקַת הַיָּד 51; מַקֵּל יָד 27; מַשָּׂא יָד 42; מַעֲשֵׂה יָד 997; מִשְׁלַח יָד 773, 813, 815–817, 1235; מַתְּנַת יָד 998; מַתַּת יָד 1044, 1045; נִדְבַת יָד 772; עַל־יָד 31; עֵץ יָד 12; קִצְרֵי יָד 19, 20; שֶׁבֶר יָד 10; תַּבְנִית

יָד 25, 155; תִּגְרַת יָד 792; תְּרוּמַת יָד 812, 1234, 1236; תְּשׂוּמֶת יָד 9

– יַד אָבִיו 90; יַד אֶבְיוֹן 194; יַד אַבְשָׁלוֹם 139; יַד אָדָם 155; יַד אֲדֹנָיו 161; יַד אַהֲרֹן 94; יַד אֲחִיקָם 153; יַד אִישׁ 483; יַד אֱלֹהִים 132, 174, 176, 185, 198; יַד אֱלוֹהַּ 164; יַד אֲרָם 148; יַד אִשָּׁה 459, 508, 519; יַד בֵּיתוֹ 103; יַד בָּנָיו 94, 189; יַד בְּנוֹתָיו 460; יַד גִּבּוֹר 414; יַד גְּבִרְתּוֹ 162; יַד הַגֵּר 95; יַד דָּוִד 277; יַד הַלֵּוִי 112; יַד זְרֻבָּבֶל 403; יַד חָרוּצִים 163, 197; יַד יְהוּדָה 144-147; יַד יְיָ 92, 98, 101, 104, 115-131, 186, 192, 193, 195, 379, 411, 417; יַד יוֹאָב 140, 187, 294; יַד יוֹסֵף 88; יַד הַיּוֹצֵר 350, 351; יַד יָמִין 89, 105, 106, 152, 160, 410, 462, 578; יַד יַעֲקֹב 200; יַד (בְּנֵי) יִשְׂרָאֵל 108, 109; יַד הַכֹּהֵן 461; יַד כֹּל 188, 263; יַד כְּסִיל 415; יַד מִדְיָן 110; יַד הַמֶּלֶךְ 141; יַד הַמִּצְרִי 467, 486, 552, 598; יַד מִצְרַיִם 93; יַד מֹשֶׁה 209-238; יַד הַנּוֹדֵר 96; יַד הַסְּגָנִים 199; יַד הָעֵדִים 100; יַד הָעוֹשִׂים 150, 151; יַד (הָ)עָם 172, 190, 191, 275; יַד עָמֵל 165; יַד עָנִי 194; יַד פְּלִשְׁתִּים 134, 135; יַד פַּרְעֹה 87, 149; יַד צַנְתְּרוֹת 404; יַד רֵעֵהוּ 158, 159; יַד רְשָׁעִים 196; יַד שָׁאוּל 136, 278; יַד שִׁכּוֹר 419; יַד שְׂמֹאל 107, 264, 577; יַד הַשַּׁעַר 114; יַד הַשָּׂרִים 199

– אֶל־יַד 156, 157, 166-169; עַל־יַד 88, 91, 97, 102, 133, 137, 142, 143, 150-152, 154, 159, 160, 170, 171, 173, 175, 177-184; תַּחַת־יַד 87, 93, 144-147

– בְּיַד 200-488; כְּיַד הַמֶּלֶךְ 489-491; כְּיַד אֱלֹהָיו 493, 495, 496; כְּיַד יְיָ 492, 494; לְיַד 497-502; מִיַּד 503-618

– חַיַּת יָדוֹ 919; כֹּחַ יָדוֹ 647; לְאֵל יָדוֹ 620, 801, 819, 1216, 1281; מֶמְשֶׁלֶת יָדוֹ 1040; מַעֲשֵׂה יָדוֹ 785, 810, 818, 820; סוֹחֲרֵי יָדוֹ 921; סְחוֹרַת יָדוֹ 920; עַל־יָדוֹ 1012, 1019, 1020, 1069-1080, 1288-1295; עֹצֶם יָ׳ 629, 804; צֹאן יָדוֹ 1054; צֵל יָדוֹ 652, 1037; תַּחַת יָדוֹ 87, 634, 712, 775, 776, 826, 962, 1085, 1282

– יָדַיִם גְּדוּדוֹת 1354; יָ׳ כְּבֵדִים(!) 1415; יָדַיִם רָפוֹת 1352, 1368; אֵין יָדַיִם 1353; אַצִּילוֹת יָ׳ 1461; אַצִּילֵי יָדַיִם 1366; חִבּוּק יָ׳ 1356, 1357; טֹהַר יָדַיִם 1358; כַּפּוֹת יָ׳ 1370, 1444; רַחֲבֵי יָ׳ 1362, 1364; רַחֲבַת יָדַיִם 1344, 1346, 1347, 1360, 1361; רְפֵה יָדַיִם 1348; רִפְיוֹן יָדַיִם 1363; שִׁפְלוּת יָדַיִם 1359

– יְדֵי אֲבִיר יַעֲקֹב 1422; יְדֵי אָדָם 1394, 1399, 1417; יְ׳ אֲחוֹתוֹ 1373; יְ׳ אֵלִיָּהוּ 1385; יְ׳ אַנְשֵׁי הַמִּלְחָמָה 1392; יְ׳ זְרֻבָּבֶל 1397; יְ׳ הַמֶּלֶךְ 1387; יְ׳ מְרֵעִים 1390; יְ׳ מֹשֶׁה 1415; יְ׳ נָשִׁים 1403; יְ׳ הָעָם 1393, 1406, 1418; יְ׳ עֵשָׂו 1371, 1421; יְדֵי צוֹרֵף 1416; יְ׳ רָשָׁע 1395, 1423

– מַעֲשֵׂה(י) יְדֵי אָדָם 1376-1381; מַעֲשֵׂה יְדֵי אָמָּן 1401; מַעֲשֵׂה יְדֵי חָרָשׁ 1382, 1388; מַעֲשֵׂה יְדֵי יוֹצֵר 1402

– עַל־יְדֵי 1373, 1375, 1383, 1385—1387, 1389, 1391, 1396, 1398, 1400, 1404, 1405, 1407-1414

– יָדָיו רָב לוֹ 1479; אֶצְבְּעוֹת יָדָיו 1489; אַצִּילוֹת יָ׳ 1461; אַרְבּוֹת יָ׳ 1504; בְּהוֹנוֹת יָ׳ 1482, 1569; בֹּר יָדָיו 1426, 1427, 1435; גְּמוּל יָדָיו 1495; זְרוֹעֵי יָדָיו 1473; כֹּחַ יָ׳ 1586; כַּפּוֹת יָ׳ 1444, 1486; מֹעַל יָדָיו 1590; מַעֲשֵׂה(י) יָ׳ 1430, 1433, 1448-1457, 1490, 1494, 1496-1502, 1536-1539, 1544-1547, 1571-1579; עִצְּבוֹן יָדָיו 1533; פֹּעַל יָ׳ 1431, 1480; פְּרִי יָדָיו 1526; תַּחַת יָ׳ 1522

– הִגִּיעָה יָדוֹ 974; הוֹרִישָׁה יָ׳ 627; הוֹשִׁיעָה יָ׳ 632, 637, 702, 703, 778; הָיְתָה יָ׳ 15, 47, 92, 98, 100, 104, 134, 135, 153, 185, 192, 195, 198, 199, 633, 667, 693, 694, 795, 807, 808, 1217; הִנְחֲתָה יָ׳ 800; הֵנִידָה יָ׳ 196; הֶעֱשִׁירָה יָ׳ 197; הִשִּׂיגָה יָ׳ 95, 96, 975, 981-989; חָזְקָה יָ׳ 193; יִסְּדָה יָ׳ 649; כָּבְדָה יָ׳ 103, 115, 132, 688, 829; מָטָה יָ׳ 993; מָצְאָה יָ׳ 136, 646, 648, 690, 777, 791, 805, 821, 822, 992; מָשְׁלָה יָ׳ 163; נָגְעָה יָ׳ 6, 41, 164, 1006; נִגְּרָה יָ׳ 684; נִדְּחָה יָ׳ 999; נִחֲתָה יָ׳ 830; סָרָה יָ׳ 1004; עַזָּה יָ׳ 110, 796, 1002; עָלְתָה יָ׳ 1050; קָצְרָה יָ׳ 186; קָשְׁתָה יָ׳ 1003; רָמָה יָ׳ 789, 1215

– אָסַף יָדוֹ 823; בֵּרָא יָד 48; הָדָה יָדוֹ 1031; הוֹדִיעַ יָדוֹ 666; הֶחֱזִיק יָ׳ 918; הִטָּה יָ׳ 654-665, 1035; הֵנִיחַ יָ׳ 834, 835, 961; הֵנִיעַ יָ׳ 1049; הֵנִיף יָ׳ 21, 682, 689, 1033; הָפַךְ יָ׳ 782, 809, 1065; הִצִּיב יָ׳ 16, 1082; הֵקֵל יָ׳ 1005; הֵרִים יָ׳ 17, 18, 619, 789, 950, 960, 995; הִרְכִּיב יָדוֹ 783, 1023; הִרְפָּה יָ׳ 824, 836; הֵשִׁיב יָ׳ 645, 671, 680, 683, 685, 757, 788, 794, 947, 1001, 1008, 1011, 1042, 1043, 1064; הִשִּׂיג יָדוֹ 1007; הִשְׁמִיט יָ׳ 814; הִתִּיר יָ׳ 1058; חָזָה יָדוֹ 23; חִזֵּק יָ׳ 1009; טָמַן יָ׳ 1056, 1057; כָּתַב יָ׳ 1036; מָחָא יָ׳ 26; מִלֵּא יָ׳ 94, 111, 112, 189, 990, 991, 1084, 1268, 1270-1272, 1274; מָשַׁךְ יָ׳ 1046; נוֹפֵף יָ׳ 1030; נָטָה יָ׳ 625, 654-665, 687, 758-764, 955-959, 1025-1029, 1034, 1035, 1060; נָשָׂא יָ׳ 623, 628, 630, 650, 668, 669, 672-678, 806, 828, 1055, 1277; נָתַן יָ׳ 1, 22, 35, 44, 45, 624, 825, 1041; סָמַךְ יָ׳ 966-973, 1047, 1051; פָּתַח יָ׳ 770, 771, 797, 832; קָפַץ יָ׳ 769; שָׁלַח יָ׳ 34, 36-39, 43, 46, 107, 622, 626, 635/6, 638/9, 642, 755, 779, 802, 803, 831, 833, 929-943, 963-965, 1010, 1067, 1068, 1267, 1283-1285; שָׂם יָ׳ 28, 33, 752, 753, 774, 945; שָׁמַר יָ׳ 1038; שָׁת יָ׳ 951, 1059; תָּמַךְ יָדוֹ 90

– בִּצְּעוּ יָדָיו 1515; בִּשְּׁלוּ יָדָיו 1403; חָזְקוּ יָדָיו 1384, 1395, 1459, 1467, 1540, 1548, 1549; יִסְּדוּ יָ׳ 1397, 1515; יָצְרוּ יָ׳ 1510; כּוֹנְנוּ יָ׳ 1447, 1463; מֵאֲנוּ יָדָיו 1511; מִלֵּא יָ׳ 1542; נִבְהֲלוּ יָ׳ 1418; נָטוּ יָ׳ 1432; נָטְפוּ יָ׳ 1446; עָשׂוּ יָ׳ 1441, 1463; רָפְאוּ יָ׳ 1516; רָפוּ יָ׳ 1369, 1468, 1488, 1506, 1535, 1552, 1589; שָׁפְכוּ יָדָיו 1534

– הָפַךְ יָדָיו 1491; הֵרִיץ יָ׳ 1509; הִרְפָּה יָ׳ 1458; חָבַק יָ׳ 1513; חִזֵּק יָ׳ 1390, 1445, 1484, 1587, 1588; לִמֵּד יָ׳ 1428, 1436, 1440; מִלֵּא יָ׳ 1507; מָצָא יָ׳ 1581; נָשָׂא יָ׳ 1438, 1476, 1551; סָמַךְ יָ׳ 1477, 1478, 1481, 1554-1564, 1591; פֵּרַשׂ יָדָיו 1439, 1503; רָחַץ יָ׳ 1565-1568; רִפָּה יָ׳ 1392; שָׁטַף יָ׳ 1514; שִׂכֵּל יָ׳ 1472; שָׁלַח יָ׳ 1464, 1508; שִׁלַּח יָ׳ 1525, 1529; שָׂם יָדָיו 1387, 1492

יָד	1	וַיְהִי בְלִדְתָּהּ וַיִּתֶּן־יָד	Gen. 38:28
	2	כִּי בְּחֹזֶק יָד הוֹצִיא יְיָ	Ex. 13:3
	3-4	בְּחֹזֶק יָד הוֹצִיאָנוּ יְיָ	Ex. 13:14, 16
	5	כִּי־יָד עַל־כֵּס יָהּ	Ex. 17:16
	6	לֹא־תִגַּע בּוֹ יָד	Ex. 19:13
	7-8	יָד תַּחַת יָד רֶגֶל תַּחַת רָגֶל	Ex. 21:24
	9	אוֹ־בִתְשׂוּמֶת יָד אוֹ בְגָזֵל	Lev. 5:21
	10	שֶׁבֶר רָגֶל אוֹ שֶׁבֶר יָד	Lev. 21:19
	11	וְאִם בְּאֶבֶן יָד...הִכָּהוּ	Num. 35:17
	12	אוֹ בִּכְלִי עֵץ־יָד...הִכָּהוּ	Num. 35:18
	13	יָד בְּיָד רֶגֶל בְּרָגֶל	Deut. 19:21
יָד (המשך)	14	כִּי יִרְאֶה כִּי־אָזְלַת יָד	Deut. 32:36
	15	אִם־יָד תִּהְיֶה־בּוֹ	Josh. 2:19
	16	וְהִנֵּה מַצִּיב לוֹ יָד	ISh. 15:12
	17	וַיָּרֶם יָד בַּמֶּלֶךְ	IK. 11:26
	18	אֲשֶׁר־הֵרִים יָד בַּמֶּלֶךְ	IK. 11:27
	19/20	וְיֹשְׁבֵיהֶן קִצְרֵי־יָד	IIK. 19:26 • Is. 37:27
	21	שְׂאוּ־נֵס...הָנִיפוּ יָד	Is. 13:2
	22	וְנָתַתִּי לָהֶם בְּבֵיתִי...יָד וָשֵׁם	Is. 56:5
	23	אָהַבְתְּ מִשְׁכָּבָם יָד חָזִית	Is. 57:8
	24	וָאֶרְאֶה וְהִנֵּה־יָד שְׁלוּחָה אֵלָי	Ezek. 2:9
	25	וַיִּשְׁלַח תַּבְנִית יָד וַיִּקָּחֵנִי	Ezek. 8:3
	26	יַעַן מַחְאֲךָ יָד וְרַקְעֲךָ בְּרָגֶל	Ezek. 25:6
	27	בְּנֶשֶׁק ..וּבְמַקֵּל יָד וּבְרֹמַח	Ezek. 39:9
	28	יָשִׂימוּ יָד עַל־פֶּה	Mic. 7:16
	29-30	יָד לְיָד לֹא־יִנָּקֶה	Prov. 11:21; 16:5
	31	וְקֹבֵץ עַל־יָד יַרְבֶּה	Prov. 13:11
	32	וְאִם־זַמּוֹתָ יָד לְפֶה	Prov. 30:32
	33	וְשִׂימוּ יָד עַל־פֶּה	Job 21:5
	34	אַךְ לֹא־בְעִי יִשְׁלַח־יָד	Job 30:24
	35	מִצְרַיִם נָתַנּוּ יָד	Lam. 5:6
	36-37	לִשְׁלֹחַ יָד בַּמֶּלֶךְ	Es. 2:21; 6:2
	38	לִשְׁלֹחַ יָד בְּמָרְדֳּכַי לְבַדּוֹ	Es. 3:6
	39	לִשְׁלֹחַ יָד בִּמְבַקְשֵׁי רָעָתָם	Es. 9:2
	40	וּבְאֶפֶס יָד יִשָּׁבֵר	Dan. 8:25
	41	וְהִנֵּה־יָד נָגְעָה בִּי	Dan. 10:10
	42	וְנִטֹּשׁ...וּמַשָּׁא כָל־יָד	Neh. 10:32
	43	אִם־תִּשְׁנוּ יָד אֶשְׁלַח בָּכֶם	Neh. 13:21
	44	נָתְנוּ יָד תַּחַת שְׁלֹמֹה הַמֶּלֶךְ	ICh. 29:24
	45	תְּנוּ־יָד לַיְיָ וּבֹאוּ לְמִקְדָּשׁוֹ	IICh. 30:8
וְיָד	46	וְיָד אַל־תִּשְׁלְחוּ בוֹ	Gen. 37:22
	47	וְיָד תִּהְיֶה לְךָ מִחוּץ לַמַּחֲנֶה	Deut. 23:13
	48	וְיָד בָּרֵא בְּרֹאשׁ דֶּרֶךְ־עִיר בָּרֵא	Ezek. 21:24
הַיָּד	49	אֶת־הַיָּד הַגְּדֹלָה אֲשֶׁר עָשָׂה יְיָ	Ex. 14:31
	50	וּלְכֹל הַיָּד הַחֲזָקָה...אֲשֶׁר עָשָׂה	Deut. 34:12
	51	כִּי כֹה אָמַר יְיָ אֵלַי בְּחֶזְקַת הַיָּד	Is. 8:11
	52	הַיָּד הַנְּטוּיָה עַל־כָּל־הַגּוֹיִם	Is. 14:26
וְהַיָּד	53	וְהַיָּד הַחֲזָקָה וְהַזְּרֹעַ הַנְּטוּיָה	Deut. 7:19
בְּיָד	54	וְלֹא בְּיָד חֲזָקָה	Ex. 3:19
	55	כִּי בְיָד חֲזָקָה יְשַׁלְּחֵם	Ex. 6:1
	56-65	בְּיָד חֲזָקָה	Ex. 13:9 • Deut. 5:15; 6:21 7:8; 9:26; 26:8 • Ezek. 20:33, 34 • Ps. 136:12 Dan. 9:15
	66	וּבְנֵי יִשְׂרָאֵל יֹצְאִים בְּיָד רָמָה	Ex. 14:8
	67	וְהַנֶּפֶשׁ אֲשֶׁר־תַּעֲשֶׂה בְּיָד רָמָה	Num. 15:30
	68	יָצְאוּ בְנֵי־יִשְׂרָאֵל בְּיָד רָמָה	Num. 33:3
	69	יָד בְּיָד רֶגֶל בְּרָגֶל	Deut. 19:21
	70	וְדָוִד מְנַגֵּן בְּיָד	ISh. 19:9
	71	אֲשֶׁר נְתָנְךָ יְיָ הַיּוֹם בְּיָד	ISh. 26:23
	72	כִּי־לֹא בְיָד יִקָּחוּ	IISh. 23:6
	73	כְּזֶרֶם...הִנִּיחַ לָאָרֶץ בְּיָד	Is. 28:2
	74	בְּיָד נְטוּיָה וּבִזְרוֹעַ חֲזָקָה	Jer. 21:5
	75	וּבָעֶרֶב חָתַרְתִּי־לִי בַקִּיר בְּיָד	Ezek. 12:7
	76	וְיָסִירוּ אַבִּיר לֹא בְיָד	Job 34:20
	77	לְמַעַן תִּתָּם בְּיָד	IICh. 25:20
וּבְיָד	78	וּבְיָד חֲזָקָה יְגָרְשֵׁם מֵאַרְצוֹ	Ex. 6:1
	79-82	וּבְיָד חֲזָקָה	Ex. 32:11 Num. 20:20 • Deut. 4:34 • Jer. 32:21
לְיָד	83-84	יָד לְיָד לֹא־יִנָּקֶה	Prov. 11:21; 16:5
מִיָּד	85	שִׁלַּחְתָּ אֶת־אִישׁ חֶרְמִי מִיָּד	IK. 20:42
	86	הִנָּצֵל כִּצְבִי מִיָּד	Prov. 6:5
יַד־	87	וְיִצְבְּרוּ־בָר תַּחַת יַד־פַּרְעֹה	Gen. 41:35
	88	וַיִּתֵּן אֹתָהּ עַל־יַד יוֹסֵף	Gen. 41:42

יד־ (המשך)

89 יָשֶׁת...יַד־יְמִינוֹ עַל־רֹאשׁ אֶפְ׳ Gen.48:17
90 וַיִּתְמֹךְ יַד־אָבִיו Gen.48:17
91 וְנַעֲרֹתֶיהָ הֹלְכֹת עַל־יַד הַיְאֹר Ex.2:5
92 הִנֵּה יַד־יְיָ הוֹיָה בְּמִקְנְךָ Ex.9:3
93 הִצִּיל...מִתַּחַת יַד־מִצְרָיִם Ex.18:10
94 וּמִלֵּאתָ יַד־אַהֲרֹן וְיַד־בָּנָיו Ex.29:9
95 וְכִי תַשִּׂיג יַד גֵּר וְתוֹשָׁב עִמָּךְ Lev.25:47
96 עַל־פִּי אֲשֶׁר תַּשִּׂיג יַד הַנֹּדֵר Lev.27:8
97 עַל־הַיָּם וְעַל יַד הַיַּרְדֵּן Num.13:29
98 וְגַם יַד־יְיָ הָיְתָה בָּם לְהֻמָּם Deut.2:15
99 כָּל־יַד נַחַל יַבֹּק וְעָרֵי הָהָר Deut.2:37
100 יַד הָעֵדִים תִּהְיֶה־בּוֹ בָרִאשֹׁנָה Deut.17:7
101 אֶת־יַד יְיָ כִּי חֲזָקָה הִיא Josh.4:24
102 כֹּל אֲשֶׁר־עַל־יַד אַשְׁדּוֹד Josh.15:46
103 וַתִּכְבַּד יַד בֵּית־יוֹסֵף Jud.1:35
104 יַד־יְיָ הָיְתָה־בָּם לְרָעָה Jud.2:15
105/6 אִטֵּר יַד־יְמִינוֹ Jud.3:15; 20:16
107 וַיִּשְׁלַח אֵהוּד אֶת־יַד שְׂמֹאלוֹ Jud.3:21
108 וַתִּכָּנַע...תַּחַת יַד יִשְׂרָאֵל Jud.3:30
109 וַתֵּלֶךְ יַד בְּ״י הָלוֹךְ וְקָשָׁה Jud.4:24
110 וַתָּעָז יַד־מִדְיָן עַל־יִשְׂרָאֵל Jud.6:2
111 וַיְמַלֵּא אֶת־יַד אַחַד מִבָּנָיו Jud.17:5
112 וַיְמַלֵּא מִיכָה אֶת־יַד הַלֵּוִי Jud.17:12
113 יֹשֵׁב...יַד (כת׳ יך) דֶּרֶךְ מְצַפֶּה ISh.4:13
114 וַיִּפֹּל...אֲחֹרַנִּית בְּעַד יַד הַשַּׁעַר ISh.4:18
115 וַתִּכְבַּד יַד־יְיָ אֶל־הָאַשְׁדּוֹדִים ISh.5:6
116-131 יַד יְיָ ISh.5:9; 7:13; 12:15 • IK.3:15
Is.19:16; 25:10; 41:20; 59:1; 66:14 • Ezek.1:3
3:22; 8:1; 37:1; 40:1 • Job 12:9 • Ruth 1:13
132 כָּבְדָה מְאֹד יַד הָאֱלֹהִים שָׁם ISh.5:11
133 וַיִּטֹּשׁ...עַל־יַד שׁוֹמֵר הַכֵּלִים ISh.17:22
134-135 וּתְהִי־בוֹ יַד־פְּלִשְׁתִּים ISh.18:17,21
136 כִּי לֹא תִמְצָאֲךָ יַד־שָׁאוּל ISh.23:17
137 וְעָמַד עַל־יַד דֶּרֶךְ הַשָּׁעַר IISh.15:2
138 וַיַּעֲמֹד הַמֶּלֶךְ אֶל־יַד הַשַּׁעַר IISh.18:4
139 וַיִּקָּרֵא לָהּ יַד אַבְשָׁלוֹם IISh.18:18
140 וַתֹּחֶז יַד־יוֹאָב בִּזְקַן עֲמָשָׂא IISh.20:9
141 וַתָּשָׁב יַד־הַמֶּלֶךְ אֵלָיו IK.13:6
142/3 וְהִפְקִיד עַל־יַד שָׂרֵי הָרָצִים IK.14:27 • IICh.12:10
144-7 פָּשַׁע (וַיִּפְשַׁע) אֱדוֹם מִתַּחַת יַד־יְהוּדָה IIK.8:20,22 • IICh.21:8,10
148 וַיֵּצְאוּ מִתַּחַת יַד־אֲרָם IIK.13:5
149 הַמַּעֲלֶה...מִתַּחַת יַד פַּרְעֹה IIK.17:7
150 וְיִתְּנֻהָ עַל־יַד עֹשֵׂי הַמְּלָאכָה IIK.22:5
151 וַיִּתְּנֻהוּ עַל־יַד עֹשֵׂי הַמְּלָאכָה IIK.22:9
152 חוֹתָם עַל־יַד יְמִינִי Jer.22:24
153 יַד אֲחִיקָם...הָיְתָה אֶת־יִרְמְיָהוּ Jer.26:24
154 צָפוֹנָה עַל־יַד נְהַר־פְּרָת Jer.46:6
155 תַּבְנִית יַד־אָדָם Ezek.10:8
156 צְפוֹנָה אֶל־יַד דֶּרֶךְ־חֶתְלֹן Ezek.48:1
157 צָפוֹנָה אֶל־יַד חֲמָת Ezek.48:1
158 וְהֶחֱזִיקוּ אִישׁ יַד רֵעֵהוּ Zech.14:13
159 וְעָלְתָה יָדוֹ עַל־יַד רֵעֵהוּ Zech.14:13
160 יְיָ צִלְּךָ עַל־יַד־יְמִינֶךָ Ps.121:5
161 כְּעֵינֵי עֲבָדִים אֶל־יַד אֲדוֹנֵיהֶם Ps.123:2
162 כְּעֵינֵי שִׁפְחָה אֶל־יַד גְּבִרְתָּהּ Ps.123:2
163 יַד־חָרוּצִים תִּמְשׁוֹל Prov.12:24
164 כִּי יַד־אֱלוֹהַּ נָגְעָה בִּי Job 19:21
165 כָּל־יַד עָמֵל תְּבֹאֶנּוּ Job 20:22
166 וְיִקְבְּצוּ...אֶל־יַד הֵגֶא... Es.2:3
167-169 אֶל־יַד... Es.2:8², 14
170 וְנָתוֹן...עַל־יַד אִישׁ מִשָּׂרֵי הַמֶּלֶךְ Es.6:9
171 הָיִיתִי עַל־יַד הַנָּהָר הַגָּדוֹל Dan.10:4
172 וּכְכַלּוֹת נַפֵּץ יַד־עַם־קֹדֶשׁ Dan.12:7
173 וַיּוֹצִיאֵם...עַל־יַד מִתְרְדָת Ez.1:8
174 יַד־אֱלֹ׳ עַל־כָּל־מְבַקְשָׁיו לְטוֹבָה Ez.8:22
175 נִשְׁקָל...עַל־יַד מְרֵמוֹת Ez.8:33
176 יַד אֱלֹהַי אֲשֶׁר־הִיא טוֹבָה עָלַי Neh.2:18
177 עַל יַד־אָסָף ICh.25:2
178-184 עַל־יַד... ICh.26:28; 29:8
IICh.21:16; 26:11; 34:10,17
185 גַּם בִּיהוּדָה הָיְתָה יַד הָאֱלֹהִים IICh.30:12

הֲיַד־

186 הֲיַד יְיָ תִּקְצָר Num.11:23
187 הֲיַד יוֹאָב אִתָּךְ בְּכָל־זֹאת IISh.14:19

וְיַד־

188 יָדוֹ בַכֹּל וְיַד כֹּל בּוֹ Gen.16:12
189 וּמִלֵּאתָ יַד־אַהֲרֹן וְיַד־בָּנָיו Ex.29:9
190/1 וְיַד כָּל־הָעָם בָּאַחֲרֹנָה Deut.13:10; 17:7
192 וְיַד יְיָ הָיְתָה אֶל־אֵלִיָּהוּ IK.18:46
193 וְיַד־יְיָ עָלַי חָזָקָה Ezek.3:14
194 וְיַד־עָנִי וְאֶבְיוֹן לֹא הֶחֱזִיקָה Ezek.16:49
195 וְיַד־יְיָ הָיְתָה אֵלַי בָּעֶרֶב Ezek.33:22
196 וְיַד רְשָׁעִים אַל־תְּנִדֵנִי Ps.36:12
197 וְיַד חָרוּצִים תַּעֲשִׁיר Prov.10:4
198 וְיַד אֱלֹהֵינוּ הָיְתָה עָלֵינוּ Ez.8:31
199 וְיַד הַשָּׂרִים וְהַסְּגָנִים הָיְתָה בַּמַּעַל Ez.9:2

בְּיַד־

200 וַתִּתֵּן...בְּיַד־יַעֲקֹב בְּנָהּ Gen.27:17
201 וַיָּסַר...וַיִּתֵּן בְּיַד־בָּנָיו Gen.30:35
202 וַיִּתֵּן בְּיַד־עֲבָדָיו עֵדֶר עֵדֶר Gen.32:16
203 וַיִּשְׁלַח...בְּיַד רֵעֵהוּ הָעֲדֻלָּמִי Gen.38:20
204 וַיַּעֲזֹב כָּל־אֲשֶׁר־לוֹ בְּיַד יוֹסֵף Gen.39:6
205 וַיִּתֵּן...בְּיַד־יוֹסֵף...כָּל הָאֲסִירִם Gen.39:22
206 שְׁלַח־נָא בְּיַד־תִּשְׁלָח Ex.4:13
207 כַּאֲשֶׁר דִּבֶּר יְיָ בְּיַד־מֹשֶׁה Ex.9:35
208 מִי־יִתֵּן מוּתֵנוּ בְיַד־יְיָ Ex.16:3
209 וּשְׁנֵי לֻחֹת הָעֵדֻת בְּיַד־מֹשֶׁה Ex.34:29
210-238 בְּיַד מֹשֶׁה Ex.35:29 • Lev.8:36
10:11; 26:46 • Num.4:37, 45, 49; 9:23; 10:13;
15:23; 17:5; 27:23; 33:1; 36:13 • Josh.14:2; 20:2;
21:2,8; 22:9 • Jud.3:4 • IK.8:53,56 • Ps.77:21 •
Neh.8:14; 9:14; 10:30 • IICh.33:8; 34:14; 35:6
239-42 בְּיַד אִיתָמָר Ex.38:21 • Num.4:28,33; 7:8
243 וְשִׁלַּח בְּיַד־אִישׁ עִתִּי Lev.16:21
244 וְהָיָה מִמְכָּרוֹ בְּיַד הַקֹּנֶה אֹתוֹ Lev.25:28
245 וְנִתַּתֶּם בְּיַד־אוֹיֵב Lev.26:25
246/7 לָתֵת אֹתָנוּ בְּיַד הָאֱמֹ׳ Deut.1:27 • Josh.7:7
248 וְנָתְנוּ אֹתוֹ בְּיַד גֹּאֵל הַדָּם Deut.19:12
249 וַיִּתֵּן יְיָ גַּם־אוֹתָהּ בְּיַד יִשְׂרָאֵל Josh.10:30
250-254 בְּיַד יִשְׂרָאֵל Josh.10:32; 11:8
Jud.11:21 • ISh.14:12,37
255 וְלֹא יָמוּת בְּיַד גֹּאֵל הַדָּם Josh.20:9
256 וַיִּתְּנֵם בְּיַד שֹׁסִים וַיָּשֹׁסּוּ אוֹתָם Jud.2:14
257 וַיִּמְכְּרֵם בְּיַד אוֹיְבֵיהֶם Jud.2:14
258 וְלֹא נְתָנָם בְּיַד יְהוֹשֻׁעַ Jud.2:23
259 וַיִּמְכְּרֵם בְּיַד כּוּשַׁן רִשְׁעָתַיִם Jud.3:8
260 וַיִּמְכְּרֵם יְיָ בְּיַד יָבִין Jud.4:2
261 בְּיַד אִשָּׁה יִמְכֹּר יְיָ אֶת־סִיסְרָא Jud.4:9
262 וַיִּתְּנֵם יְיָ בְּיַד־מִדְיָן Jud.6:1
263 וַיִּתֵּן שׁוֹפָרוֹת בְּיַד־כֻּלָּם Jud.7:16
264 וַיַּחֲזִיקוּ בְיַד־שְׂמֹאולָם בַּלַּפִּדִים Jud.7:20
265 וַיִּמְכְּרֵם בְּיַד פְּלִשְׁתִּים Jud.10:7
266-270 בְּיַד פְּלִשְׁתִּים Jud.13:1; 15:12
ISh.18:25; 28:19²
271 אַתָּה נָתַתָּ בְיַד־עַבְדְּךָ...הַתְּשׁוּעָה Jud.15:18

בְּיַד־ (המשך)

272 וְנָפַלְתִּי בְּיַד הָעֲרֵלִים Jud.15:18
273 וַיְשַׁלַּח...בְּיַד הַמַּלְאָכִים ISh.11:7
274 וַיִּמְכֹּר אֹתָם בְּיַד סִיסְרָא ISh.12:9
275 וְלֹא נִמְצָא...בְּיַד כָּל־הָעָם ISh.13:22
276 וַיִּשְׁלַח בְּיַד־דָּוִד בְּנוֹ אֶל־שָׁאוּל ISh.16:20
277 וְחֶרֶב אֵין בְּיַד־דָּוִד ISh.17:50
278 וְהַחֲנִית בְּיַד שָׁאוּל ISh.18:10
279 הֲיַסְגִּרוּ...אֹתִי...בְּיַד שָׁאוּל ISh.23:12
280 וְלָנוּ הַסְגִּירוֹ בְּיַד הַמֶּלֶךְ ISh.23:20
281 אֶסָּפֶה יוֹם־אֶחָד בְּיַד שָׁאוּל ISh.27:1
282 וְלֹא־עָנָנִי עוֹד גַּם בְּיַד הַנְּבִיאִים ISh.28:15
283 וְאִם־תַּסְגִּרֵנִי בְּיַד־אֲדֹנִי ISh.30:15
284 וְלֹא הִמְצִיתִךָ בְּיַד דָּוִד IISh.3:8
285 בְּיַד דָּוִד עַבְדִּי הוֹשִׁיעַ אֶת־עַמִּי IISh.3:18
286 וַיִּשְׁלַח דָּוִד לְנַחֲמוֹ בְּיַד עֲבָדָיו IISh.10:2
287 וְאֵת יֶתֶר הָעָם נָתַן בְּיַד אַבְשַׁי IISh.10:10
288 וַיִּשְׁלַח בְּיַד אוּרִיָּה IISh.11:14
289 וַיִּשְׁלַח בְּיַד נָתָן הַנָּבִיא IISh.12:25
290 וַיִּתֵּן יְיָ אֶת־הַמְּלוּכָה בְּיַד אַבְשָׁלוֹם IISh.16:8
291 וַיְשַׁלַּח דָּוִד...הַשְּׁלִשִׁית בְּיַד־יוֹאָב IISh.18:2
292 וְהַשְּׁלִשִׁית בְּיַד אֲבִישַׁי בֶּן־צְרוּיָה IISh.18:2
293 וְהַשְּׁלִשִׁית בְּיַד אִתַּי הַגִּתִּי IISh.18:2
294 ...בַּחֶרֶב אֲשֶׁר בְּיַד־יוֹאָב IISh.20:10
295 וַיִּתְּנֵם בְּיַד הַגִּבְעֹנִים IISh.21:9
296 וַיִּפְּלוּ בְיַד־דָּוִד IISh.21:22
297 נִפְּלָה־נָּא בְיַד־יְיָ IISh.24:14
298 וַיִּשְׁלַח...בְּיַד בְּנָיָהוּ IK.2:25
299 וְהַמַּמְלָכָה נָכוֹנָה בְּיַד שְׁלֹמֹה IK.2:46
300 אֲשֶׁר דִּבֶּר יְיָ בְּיַד אֲחִיָּה IK.12:15
301 אֲשֶׁר דִּבֶּר בְּיַד־עַבְדּוֹ אֲחִיָּה הַנָּבִ׳ IK.14:18
302 וַיִּקַּח...וַיִּתְּנֵם בְּיַד עֲבָדָיו IK.15:18
303 דִּבֶּר בְּיַד עַבְדּוֹ אֲחִיָּה הַשִּׁילֹנִי IK.15:29
304 וְגַם בְּיַד יֵהוּא...דְבַר־יְיָ הָיָה IK.16:7
305 אֲשֶׁר דִּבֶּר...בְּיַד יֵהוּא הַנָּבִיא IK.16:12
306 אֲשֶׁר דִּבֶּר בְּיַד יְהוֹשֻׁעַ IK.16:34
307 אֲשֶׁר דִּבֶּר בְּיַד אֵלִיָּהוּ IK.17:16
308 כִּי־אַתָּה נֹתֵן...בְּיַד אַחְאָב IK.18:9
309 עֲלֵה וְיִתֵּן אֲדֹנָי בְּיַד הַמֶּלֶךְ IK.22:6
310-328 בְּיַד (הַ)מֶּלֶךְ IK.22:12,15
IIK.18:30; 19:10 • Is.36:15; 37:10 • Jer.20:4,
21:10; 32:3,4,36; 34:2; 37:17; 38:23 • Ezek.30:25
• IICh.18:5,11; 28:5²
329/30 לָתֵת אוֹתָם בְּיַד־מוֹאָב IIK.3:10,13
331/2 אֲשֶׁר דִּבֶּר בְּיַד(־)עַבְדּוֹ אֵלִי׳ IIK.9:36;10:10
333 וַיִּתְּנֵם בְּיַד חֲזָאֵל IIK.13:3
334 אֲשֶׁר דִּבֶּר בְּיַד עַבְדּוֹ יוֹנָה IIK.14:25
335 וַיּוֹשִׁיעֵם בְּיַד יָרָבְעָם IIK.14:27
336 וַיָּעַד...בְּיַד כָּל־נְבִיאֵי׳ כָל־חֹזֶה IIK.17:13
337 שָׁלַחְתִּי אֲלֵיכֶם בְּיַד עֲבָדַי IIK.17:13
338 וַיִּתְּנֵם בְּיַד־שֹׁסִים IIK.17:20
339 כַּאֲשֶׁר דִּבֶּר בְּיַד כָּל־עֲבָדָיו IIK.17:23
340 בְּיַד מַלְאָכֶיךָ חֵרַפְתָּ אֲדֹנָי IIK.19:23
341 וַיְדַבֵּר יְיָ בְּיַד עֲבָדָיו הַנְּבִיאִים IIK.21:10
342 וּנְתַתִּים בְּיַד אֹיְבֵיהֶם IIK.21:14
343 אֲשֶׁר דִּבֶּר בְּיַד עֲבָדָיו הַנְּבִיאִים IIK.24:2
344 וְסִכַּרְתִּי...בְּיַד אֲדֹנִים קָשֶׁה Is.19:4
345 בָּעֵת הַהִיא דִּבֶּר יְיָ בְּיַד יְשַׁעְיָהוּ Is.20:2
346 בְּיַד עֲבָדֶיךָ חֵרַפְתָּ אֲדֹנָי Is.37:24
347 וְשַׂמְתִּיהָ בְּיַד מוֹגַיִךְ Is.51:23
348 עֲטֶרֶת תִּפְאֶרֶת בְּיַד־יְיָ Is.62:3
349 וַתְּמוּגֵנוּ בְּיַד־עֲוֹנֵנוּ Is.64:6
350-351 (כַּ/כּ)חֹמֶר בְּיַד הַיּוֹצֵר Jer.18:4,6

בְּיַד־ (המשך)

352 אֶתֵּן בְּיַד אֹיְבֵיהֶם Jer. 20:5
353 בְּיַד נְבוּכַדְרֶאצַּר מֶלֶךְ־בָּבֶל Jer. 21:7
354 וּנְתַתִּיךָ בְּיַד מְבַקְשֵׁי נַפְשֶׁךָ Jer. 22:25
355 לְבִלְתִּי תֶּת־אֹתוֹ בְיַד־הָעָם Jer. 26:24
356 וְשִׁלַּחְתָּם...בְּיַד מַלְאָכִים Jer. 27:3
357 נָתַתִּי...בְּיַד נְבוּכַדְנֶאצַּר Jer. 27:6
358 בְּיַד אֶלְעָשָׂה...אֲשֶׁר שָׁלַח צִדְקִיָּה Jer. 29:3
359 הִנְנִי נֹתֵן אֹתָם בְּיַד נְבוּכַדְרֶאצַּר Jer. 29:21
360-362 נִתְּנָה בְּיַד הַכַּשְׂדִּים Jer. 32:24, 25, 43
363 הִנְנִי נֹתֵן...בְּיַד הַכַּשְׂדִּים Jer. 32:28
364 וְנָתַתִּי אוֹתָם בְּיַד אֹיְבֵיהֶם Jer. 34:20
365 וְאֶת־צִדְקִיָּהוּ...אֶתֵּן בְּיַד אֹיְבֵיהֶם Jer. 34:21
366 אֲשֶׁר דִּבֶּר בְּיַד יִרְמְיָהוּ Jer. 37:2
367 תִּנָּתֵן...בְּיַד חֵיל מֶלֶךְ־בָּבֶל Jer. 38:3
368 אֶתֶּנְךָ בְּיַד הָאֲנָשִׁים הָאֵלֶּה Jer. 38:16
369 וְנִתְּנָה...בְּיַד הַכַּשְׂדִּים Jer. 38:18
370 וַיְצַו...בְּיַד נְבוּזַרְאֲדָן Jer. 39:11
371 וְלֹא תִנָּתֵן בְּיַד הָאֲנָשִׁים Jer. 39:17
372 אֲשֶׁר הִכָּה בְּיַד־גְּדַלְיָהוּ Jer. 41:9
373 לְמַעַן תֵּת אֹתָנוּ בְיַד־הַכַּשְׂדִּים Jer. 43:3
374 הִנְנִי נֹתֵן אֶת־פַּרְעֹה...בְּיַד אֹיְבָיו Jer. 44:30
375 בְּיַד נְבוּכַדְרֶאצַּר מֶלֶךְ בָּבֶל Jer. 44:30
376 נִתְּנָה בְּיַד עַם־צָפוֹן Jer. 46:24
377 וּנְתַתִּים בְּיַד מְבַקְשֵׁי נַפְשָׁם Jer. 46:26
378 הַדָּבָר...בְּיַד יִרְמְיָהוּ הַנָּבִיא Jer. 50:1
379 כּוֹס־זָהָב בָּבֶל בְּיַד־יְיָ Jer. 51:7
380 וּנְתַתִּיו בְּיַד־הַזָּרִים לָבַז Ezek. 7:21
381 וְנָתַתִּי אֶתְכֶם בְּיַד־זָרִים Ezek. 11:9
382 לָתֵת אוֹתָהּ בְּיַד־הוֹרֵג Ezek. 21:16
383 וּנְתַתִּיךָ בְּיַד אֲנָשִׁים בֹּעֲרִים Ezek. 21:36
384 לָכֵן נְתַתִּיהָ בְּיַד־מְאַהֲבֶיהָ Ezek. 23:9
385 בְּיַד בְּנֵי אַשּׁוּר Ezek. 23:9
386 הִנְנִי נֹתְנָךְ בְּיַד אֲשֶׁר שָׂנֵאת Ezek. 23:28
387 בְּיַד אֲשֶׁר־נָקְעָה נַפְשֵׁךְ מֵהֶם Ezek. 23:28
388 וְנָתַתִּי...בְּיַד עַמִּי יִשְׂרָאֵל Ezek. 25:14
389 וְאַתָּה אָדָם וְלֹא אֵל בְּיַד מְחַלְלֶיךָ Ezek. 28:9
390 תָּמוּת בְּיַד זָרִים Ezek. 28:10
391 וְהִשְׁבַּתִּי...בְּיַד נְבוּכַדְרֶאצַּר Ezek. 30:10
392 וּמָכַרְתִּי אֶת־הָאָרֶץ בְּיַד־רָעִים Ezek. 30:12
393 ...אֶרֶץ וּמְלֹאָהּ בְּיַד־זָרִים Ezek. 30:12
394 וְאֶתְּנֵהוּ בְּיַד אֵיל גּוֹיִם Ezek. 31:11
395 עֵץ יוֹסֵף אֲשֶׁר בְּיַד־אֶפְרַיִם Ezek. 37:19
396 אֲשֶׁר־דִּבַּרְתִּי...בְּיַד עֲבָדַי Ezek. 38:17
397 וָאֶתְּנֵם בְּיַד צָרֵיהֶם Ezek. 39:23
398 וּמָכַרְתִּי...בְּיַד בְּנֵי יְהוּדָה Joel 4:8
399-402 דְּבַר־יְיָ בְּיַד־חַגַּי Hag. 1:1, 3; 2:1, 10
403 אֶת־הָאֶבֶן הַבְּדִיל בְּיַד זְרֻבָּבֶל Zech. 4:10
404 בְּיַד שְׁנֵי צַנְתְּרוֹת הַזָּהָב Zech. 4:12
405 אֲשֶׁר קָרָא יְיָ בְּיַד הַנְּבִיאִים Zech. 7:7
406 אֲשֶׁר שָׁלַח...בְּיַד הַנְּבִיאִים Zech. 7:12
407 מַמְצִיא...אִישׁ בְּיַד־רֵעֵהוּ Zech. 11:6
408 מַשָּׂא דְבַר־יְיָ...בְּיַד מַלְאָכִי Mal. 1:1
409 וְלֹא הִסְגַּרְתַּנִי בְּיַד אוֹיֵב Ps. 31:9
410 אָחַזְתָּ בְּיַד יְמִינִי Ps. 73:23
411 כִּי כוֹס בְּיַד־יְיָ Ps. 75:9
412 וַיִּתֵּן...וְתִפְאַרְתּוֹ בְיַד־צָר Ps. 78:61
413 וַיִּתְּנֵם בְּיַד־גּוֹיִם Ps. 106:41
414 כְּחִצִּים בְּיַד־גִּבּוֹר Ps. 127:4
415 לָמָּה־זֶּה מְחִיר בְּיַד־כְּסִיל Prov. 17:16
416 מָוֶת וְחַיִּים בְּיַד־לָשׁוֹן Prov. 18:21
417 לֶב־מֶלֶךְ בְּיַד־יְיָ Prov. 21:1
418 שֹׁלֵחַ דְּבָרִים בְּיַד־כְּסִיל Prov. 26:6

בְּיַד־ (המשך)

419 חוֹחַ עָלָה בְיַד־שִׁכּוֹר Prov. 26:9
420 וַיְשַׁלְּחֵם בְּיַד־פִּשְׁעָם Job 8:4
421 וְלֹא־יַחֲזִיק בְּיַד־מְרֵעִים Job 8:20
422 אֶרֶץ נִתְּנָה בְיַד־רָשָׁע Job 9:24
423 אוֹרֶה אֶתְכֶם בְּיַד־אֵל Job 27:11
424 בְּיַד־כָּל־אָדָם יַחְתּוֹם Job 37:7
425 בִּנְפֹל עַמָּהּ בְּיַד־צָר Lam. 1:7
426 הִסְגִּיר בְּיַד־אוֹיֵב חוֹמֹת אַרְמְנוֹתֶיהָ Lam. 2:7
427 אֲשֶׁר הַצַּדִּיקִים...בְּיַד הָאֱלֹהִים Eccl. 9:1
428 בִּדְבַר הַמֶּ׳ אֲשֶׁר בְּיַד הַסָּרִיסִים Es. 1:12
429 אֶת־מַאֲמַר הַמֶּ׳...בְּיַד הַסָּרִיסִים Es. 1:15
430 וְנִשְׁלוֹחַ סְפָרִים בְּיַד הָרָצִים Es. 3:13
431 וַיִּשְׁלַח סְפָרִים בְּיַד הָרָצִים Es. 8:10
432 נָתַן לְפָנֵינוּ בְּיַד עֲבָדָיו הַנְּבִיאִים Dan. 9:10
433 נִתַּנּוּ...בְּיַד מַלְכֵי הָאֲרָצוֹת Ez. 9:7
434 אֲשֶׁר צִוִּיתָ בְּיַד עֲבָדֶיךָ Ez. 9:11
435 וַתִּתְּנֵם בְּיַד צָרֵיהֶם Neh. 9:27
436 וַתַּעַזְבֵם בְּיַד אֹיְבֵיהֶם Neh. 9:28
437 וַתָּעַד בָּם בְּרוּחֲךָ בְּיַד־נְבִיאֶיךָ Neh. 9:30
438 וַתִּתְּנֵם בְּיַד עַמֵּי הָאֲרָצֹת Neh. 9:30
439 בְּהַגְלוֹת יְיָ...בְּיַד נְבֻכַדְנֶאצַּר ICh. 5:41
440 כִּדְבַר־יְיָ בְּיַד־שְׁמוּאֵל ICh. 11:3
441 לְהֹדוֹת לַייָ בְּיַד־אָסָף וְאֶחָיו ICh. 16:7
442 יֶתֶר הָעָם נָתַן בְּיַד אַבְשַׁי ICh. 19:11
443 וַיִּפְּלוּ בְיַד־דָּוִיד ICh. 20:8
444 אֶפְּלָה־נָּא בְיַד־יְיָ ICh. 21:13
445 כְּמִשְׁפָּטָם בְּיַד אַהֲרֹן אֲבִיהֶם ICh. 24:19
446 וּלְכָל־מְלָאכָה בְּיַד חָרָשִׁים ICh. 29:5
447 וַיִּשְׁלַח־לוֹ חוּרָם בְּיַד־עֲבָדָיו IICh. 8:18
448 אֲשֶׁר דִּבֶּר בְּיַד אֲחִיָּהוּ IICh. 10:15
449 עָזַבְתִּי אֶתְכֶם בְּיַד־שִׁישָׁק IICh. 12:5
450 וְלֹא תִתַּךְ חֲמָתִי...בְּיַד־שִׁישָׁק IICh. 12:7
451 לְהִתְחַזֵּק...בְּיַד בְּנֵי דָוִיד IICh. 13:8
452 וַיָּשֶׂם..פְּקֻדֹּת בֵּית יְיָ בְּיַד הַכֹּהֲנ׳ IICh. 23:18
453 אֶל־פְּקֻדַּת הַמֶּלֶךְ בְּיַד הַלְוִיִּם IICh. 24:11
454 ...בְּיַד יְעִיאֵל הַסּוֹפֵר IICh. 26:11
455/6 כִּי בְיַד־יְיָ הַמִּצְוָה בְּיַד נְבִיאָיו IICh. 29:25
457 כֹּל אֲשֶׁר־נִתַּן בְּיַד עֲבָדֶיךָ IICh. 34:16
458 וַיִּשְׁלַח...עֲלֵיהֶם בְּיַד מַלְאָכָיו IICh. 36:15

וּבְיַד־

459 וַיַּחֲזִיקוּ...בְּיָדוֹ וּבְיַד־אִשְׁתּוֹ Gen. 19:16
460 וּבְיַד שְׁתֵּי בְנֹתָיו Gen. 19:16
461 וּבְיַד הַכֹּהֵן יִהְיוּ מֵי הַמָּרִים Num. 5:18
462 וַיַּחֲזִיקוּ...וּבְיַד־יְמִינָם הַשּׁוֹפָרוֹת Jud. 7:20
463 וַיִּמְכְּרֵם...וּבְיַד בְּנֵי עַמּוֹן Jud. 10:7
464 וַיִּמְכֹּר אֹתָם...וּבְיַד־פְּלִשְׁתִּים ISh. 12:9
465 וּבְיַד מֶלֶךְ מוֹאָב ISh. 12:9
466 וַיִּפְּלוּ בְיַד־דָּוִד וּבְיַד עֲבָדָיו IISh. 21:22
467 וּבְיַד הַמִּצְרִי חֲנִית IISh. 23:21
468 וּבְיַד אָדָם אַל־אֶפֹּלָה IISh. 24:14
469 וַיִּתְּנֵם...וּבְיַד בֶּן־הֲדַד IIK. 13:3
470-3 וּבְיַד מְבַקְשֵׁי נַפְשָׁם Jer. 19:7; 21:7; 34:20, 21
474 אֶתֵּן...וּבְיַד אֹיְבֵיהֶם Jer. 21:7
475 וּבְיַד אֲשֶׁר־אַתָּה יָגוֹר מִפְּנֵיהֶם Jer. 22:25
476-478 וּבְיַד נְבוּכַדְרֶאצַּר מֶלֶךְ־בָּבֶל Jer. 22:25; 32:28; 46:26
479 וּנְתַתִּיךָ...וּבְיַד הַכַּשְׂדִּים Jer. 22:25
480 וּבְיַד חֵיל מֶלֶךְ בָּבֶל Jer. 34:21
481 וּבְיַד מְבַקְשֵׁי נַפְשׁוֹ Jer. 44:30
482 וּנְתַתִּים...וּבְיַד עֲבָדָיו Jer. 46:26
483 וּבְיַד הָאִישׁ קְנֵה הַמִּדָּה Ezek. 40:5
484 וּבְיַד הַנְּבִיאִים אֲדַמֶּה Hosh. 12:11
485 מַמְצִיא...בְּיַד־רֵעֵהוּ וּבְיַד מַלְכּוֹ Zech. 11:6

וּבְיַד־ (המשך)

486 וּבְיַד הַמִּצְרִי חֲנִית ICh. 11:23
487 וַיִּפְּלוּ...וּבְיַד־עֲבָדָיו ICh. 20:8
488 וּבְיַד־אָדָם אַל־אֶפֹּל ICh. 21:13

כְּיַד־

489 אֲשֶׁר נָתַן־לָהּ כְּיַד הַמֶּלֶךְ IK. 10:13
490 וְיֵין מַלְכוּת רָב כְּיַד הַמֶּלֶךְ Es. 1:7
491 וַיִּתֵּן מַשְׂאֵת כְּיַד הַמֶּלֶךְ Es. 2:18
492 וַיִּתֶּן...כְּיַד יְיָ אֱלֹהָיו עָלָיו Ez. 7:6
493 כְּיַד־אֱלֹהָיו הַטּוֹבָה עָלָיו Ez. 7:9
494 הִתְחַזַּקְתִּי כְּיַד־יְיָ אֱלֹהַי עָלַי Ez. 7:28
495 כְּיַד אֱלֹהֵינוּ הַטּוֹבָה עָלֵינוּ Ez. 8:18
496 כְּיַד־אֱלֹהַי הַטּוֹבָה עָלָי Neh. 2:8

לְיַד־

497 וְעָמַדְתִּי לְיַד־אָבִי בַּשָּׂדֶה ISh. 19:3
498 פָּרְשׂוּ רֶשֶׁת לְיַד־מַעְגָּל Ps. 140:6
499 לְיַד־שְׁעָרִים לְפִי־קָרֶת Prov. 8:3
500 לְיַד הַמֶּלֶךְ לְכָל־דָּבָר לָעָם Neh. 11:24
501 הָרִאשֹׁנִים לְיַד הַמֶּלֶךְ ICh. 18:17
502 מַעֲמָדָם לְיַד בְּנֵי־אַהֲרֹן ICh. 23:28

מִיַּד־

503 מִיַּד כָּל־חַיָּה אֶדְרְשֶׁנּוּ Gen. 9:5
504 מִיַּד אִישׁ אָחִיו אֶדְרֹשׁ Gen. 9:5
505/6 הַצִּילֵנִי נָא מִיַּד אָחִי מִיַּד עֵשָׂו Gen. 32:11
507 וַיִּקֶן...מִיַּד בְּנֵי־חֲמוֹר Gen. 33:19
508 לָקַחַת הָעֵרָבוֹן מִיַּד הָאִשָּׁה Gen. 38:20
509 וַיִּקְנֵהוּ...מִיַּד הַיִּשְׁמְעֵאלִים Gen. 39:1
510 אֲשֶׁר לָקַחְתִּי מִיַּד הָאֱמֹרִי Gen. 48:22
511 אִישׁ מִצְרִי הִצִּילָנוּ מִיַּד הָרֹעִים Ex. 2:19
512 וָאֵרֵד לְהַצִּילוֹ מִיַּד מִצְרַיִם Ex. 3:8
513-517 מִיַּד מִצְרָיִם Ex. 14:30; 18:9, 10 Jud. 6:9 • ISh. 10:18
518 אוֹ קָנֹה מִיַּד עֲמִיתֶךָ Lev. 25:14
519 וְלָקַח הַכֹּהֵן מִיַּד הָאִשָּׁה Num. 5:25
520 וְצִים מִיַּד כִּתִּים... Num. 24:24
521 וְהִצִּילוּ...מִיַּד גֹּאֵל הַדָּם Num. 35:25
522 וַנִּקַּח...מִיַּד שְׁנֵי מַלְכֵי הָאֱמֹרִי Deut. 3:8
523 וַיִּפְדְּךָ מִבֵּית עֲבָדִים מִיַּד פַּרְעֹה Deut. 7:8
524 לְהַצִּיל אֶת־אִישָׁהּ מִיַּד מַכֵּהוּ Deut. 25:11
525 וַיַּצֵּל אוֹתָם מִיַּד בְּנֵי יִשְׂרָאֵל Josh. 9:26
526 אָז הִצַּלְתֶּם אֶת־בְּנֵי יִשְׂ׳ מִיַּד יְיָ Josh. 22:31
527 וַיּוֹשִׁיעוּם מִיַּד שֹׁסֵיהֶם Jud. 2:16
528 וְהוֹשִׁיעָם מִיַּד אֹיְבֵיהֶם Jud. 2:18
529 כִּי הוֹשַׁעְתָּנוּ מִיַּד מִדְיָן Jud. 8:22
530 הַמַּצִּיל אוֹתָם מִיַּד כָּל־אֹיְבֵיהֶם Jud. 8:34
531 וַיַּצֵּל אֶתְכֶם מִיַּד מִדְיָן Jud. 9:17
532 יָחֵל לְהוֹשִׁיעַ...מִיַּד פְּלִשְׁתִּים Jud. 13:5
533-539 מִיַּד פְּלִשְׁתִּים ISh. 7:3, 8, 14; 9:16 IISh. 3:18; 8:1 • ICh. 18:1
540 מִי יַצִּילֵנוּ מִיַּד הָאֱלֹהִים... ISh. 4:8
541 וְלֹא־לָקַחְתָּ מִיַּד־אִישׁ מְאוּמָה ISh. 12:4
542 וְעַתָּה הַצִּילֵנוּ מִיַּד אֹיְבֵינוּ ISh. 12:10
543 וַיַּצֵּל אֶתְכֶם מִיַּד אֹיְבֵיהֶם ISh. 12:11
544 וַיַּצֵּל אֶת־יִשְׂרָאֵל מִיַּד שֹׁסֵהוּ ISh. 14:48
545 יְיָ אֲשֶׁר הִצִּלַנִי מִיַּד הָאֲרִי ISh. 17:37
546 הוּא יַצִּילֵנִי מִיַּד הַפְּלִשְׁתִּי ISh. 17:37
547 וּבִקֵּשׁ יְיָ מִיַּד אֹיְבֵי דָוִד ISh. 20:16
548 רָב אֶת־רִיב חֶרְפָּתִי מִיַּד נָבָל ISh. 25:39
549 וְאָנֹכִי הִצַּלְתִּיךָ מִיַּד שָׁאוּל IISh. 12:7
550 כִּי־שְׁפָטוֹ יְיָ מִיַּד אֹיְבָיו IISh. 18:19
551 מִיַּד כָּל־הַקָּמִים עָלֶיךָ IISh. 18:31
552 וַיִּגְזֹל אֶת־הַחֲנִית מִיַּד הַמִּצְרִי IISh. 23:21
553 מִיַּד בִּנְךָ אֶקְרָעֶנָּה IK. 11:12
554 הִנְנִי קֹרֵעַ אֶת־הַמַּמְלָכָה מִיַּד שְׁלֹמֹה IK. 11:31
555 וְלָקַחְתִּי הַמְּלוּכָה מִיַּד בְּנוֹ IK. 11:35
556 מַחְשִׁים מִקַּחַת אֹתָהּ מִיַּד מֶ׳ אֲרָם IK. 22:3

מִיַּד- (המשך)

557 וְנִקַּמְתִּי דְּמֵי עֲבָדַי...מִיַּד אִיזָבֶל IIK.9:7
558 וַיִּקַּח אֶת־הֶעָרִים מִיַּד בֶּן־הֲדַד IIK.13:25
559 אֲשֶׁר לָקַח מִיַּד יְהוֹאָחָז IIK.13:25
560 יַצִּיל אֶתְכֶם מִיַּד כָּל־אֹיְבֵיכֶם IIK.17:39
561 הַהַצֵּל הִצִּילוּ...מִיַּד מֶלֶךְ אַשּׁוּר IIK.18:33
562 וַיִּקַּח...מִיַּד הַמַּלְאָכִים IIK.19:14
563 הַהִצִּילוּ...מִיַּד מֶלֶךְ אַשּׁוּר Is.36:18
564 וַיִּקַּח...מִיַּד הַמַּלְאָכִים Is.37:14
565 כִּי לָקְחָה מִיַּד יְיָ כִּפְלַיִם Is.40:2
566 לֹא־יַצִּילוּ...מִיַּד לֶהָבָה Is.47:14
567 אֲשֶׁר שָׁתִית מִיַּד יְיָ אֶת־כּוֹס חֲמָתוֹ Is.51:17
568 וְהִצַּלְתִּיךָ מִיַּד רָעִים Jer.15:21
569 כִּי הִצִּיל...מִיַּד מְרֵעִים Jer.20:13
570 וְהַצִּילוּ גָזוּל מִיַּד עוֹשֵׁק Jer.21:12
571 וְהַצִּילוּ גָזוּל מִיַּד עָשׁוֹק Jer.22:3
572 וָאֶקַּח אֶת־הַכּוֹס מִיַּד יְיָ Jer.25:17
573 וּגְאָלוֹ מִיַּד חָזָק מִמֶּנּוּ Jer.31:11(10)
574 לֹא יִמָּלֵט מִיַּד הַכַּשְׂדִּים Jer.32:4
575 וְדָמוֹ מִיַּד־הַצֹּפֶה אֶדְרֹשׁ Ezek.33:6
576 וְהִצַּלְתִּים מִיַּד הָעֹבְדִים בָּהֶם Ezek.34:27
577 וְהִכֵּיתִי קַשְׁתְּךָ מִיַּד שְׂמֹאולֶךָ Ezek.39:3
578 וְחִצֶּיךָ מִיַּד יְמִינְךָ אַפִּיל Ezek.39:3
579 מִיַּד שְׁאוֹל אֶפְדֵּם Hosh.13:14
580 הַצִּילָה...מִיַּד־כֶּלֶב יְחִידָתִי Ps.22:21
581 הַצִּילֵנִי מִיַּד אוֹיְבַי Ps.31:16
582 יִפְדֶּה נַפְשִׁי מִיַּד שְׁאוֹל Ps.49:16
583 פַּלְּטֵנִי מִיַּד רָשָׁע Ps.71:4
584 פַּלְּטוּ...מִיַּד רְשָׁעִים הַצִּילוּ Ps.82:4
585 יְמַלֵּט נַפְשׁוֹ מִיַּד־שְׁאוֹל Ps.89:49
586 מִיַּד רְשָׁעִים יַצִּילֵם Ps.97:10
587 וַיּוֹשִׁיעֵם מִיַּד שׂוֹנֵא Ps.106:10
588 וַיִּגְאָלֵם מִיַּד אוֹיֵב Ps.106:10
589 אֲשֶׁר גְּאָלָם מִיַּד־צָר Ps.107:2
590/1 וְהַצִּילֵנִי(...)מִיַּד בְּנֵי־נֵכָר Ps.144:7,11
592 הִנָּצֵל...וּכְצִפּוֹר מִיַּד יָקוּשׁ Prov.6:5
593 וּמַלְּטוּנִי מִיַּד־צָר Job6:23
594 בְּיוֹם־קְנוֹתְךָ הַשָּׂדֶה מִיַּד נָעֳמִי Ruth4:5
595 עֵדִים אַתֶּם...כִּי קָנִיתִי...מִיַּד נָעֳמִי Ruth4:9
596 כִּי מִיַּד הָאֱלֹהִים הִיא Eccl.2:24
597 וְיוֹשִׁיעוּם מִיַּד צָרֵיהֶם Neh.9:27
598 וַיִּגְזֹל אֶת־הַחֲנִית מִיַּד הַמִּצְרִי ICh.11:23
599 בִּכְתָב מִיַּד יְיָ עָלַי הִשְׂכִּיל ICh.28:19
600 בָּאִגְּרוֹת מִיַּד הַמֶּלֶךְ וְשָׂרָיו IICh.30:6
601 זֹרְקִים אֶת־הַדָּם מִיַּד הַלְוִיִּם IICh.30:16
602 פְּקִידִים מִיַּד כָּנַנְיָהוּ... IICh.31:13
603 וַיּוֹשַׁע יְיָ...מִיַּד סַנְחֵרִיב IICh.32:22
604 אָסְפוּ...מִיַּד מְנַשֶּׁה וְאֶפְרַיִם IICh.34:9

וּמִיַּד-

605 וּמִיַּד הָאָדָם...אֶדְרֹשׁ... Gen.9:5
606 מִיַּד מִצְרַיִם וּמִיַּד פַּרְעֹה Ex.18:10
607 וּמִיַּד בֶּן־נֵכָר לֹא תַקְרִיבוּ Lev.22:25
608 וָאַצִּל...וּמִיַּד כָּל־לֹחֲצֵיכֶם Jud.6:9
609 וָאַצִּיל...וּמִיַּד כָּל־הַמַּמְלָכוֹת ISh.10:18
610 וּמִיַּד־מִי לָקַחְתִּי כֹפֶר ISh.12:3
611 הִצִּלַנִי מִיַּד הָאֲרִי וּמִיַּד הַדֹּב ISh.17:37
612 הוֹשִׁיעַ...וּמִיַּד כָּל־אֹיְבֵיהֶם IISh.3:18
613 מִכַּף כָּל־אֹיְבָיו וּמִיַּד שָׁאוּל Ps.18:1
614 וַיֹּשַׁע...וּמִיַּד חָזָק אֶבְיוֹן Job5:15
615 וּמִיַּד עָרִיצִים תִּפְדּוּנִי Job6:23
616 וּמִיַּד עֹשְׁקֵיהֶם כֹּחַ... Eccl.4:1
617 לְהַצִּיל עַמּוֹ מִיָּדִי וּמִיַּד אֲבוֹתָי IICh.32:15
618 וַיּוֹשַׁע...מִיַּד סַנְחֵרִיב...וּמִיַּד־כֹּל IICh.32:22

יָדִי

619 הֲרִמֹתִי יָדִי אֶל־יְיָ Gen.14:22

יָדִי (המשך)

620 יֶשׁ־לְאֵל יָדִי לַעֲשׂוֹת...רָע Gen.31:29
621 תְּנָה אֹתוֹ עַל־יָדִי Gen.42:37
622 וְשָׁלַחְתִּי אֶת־יָדִי וְהִכֵּיתִי Ex.3:20
623 אֲשֶׁר נָשָׂאתִי אֶת־יָדִי Ex.6:8
624 וְנָתַתִּי אֶת־יָדִי בְּמִצְרָיִם Ex.7:4
625 בִּנְטֹתִי אֶת־יָדִי עַל־מִצְרָיִם Ex.7:5
626 כִּי עַתָּה שָׁלַחְתִּי אֶת־יָדִי Ex.9:15
627 אָרִיק חַרְבִּי תּוֹרִישֵׁמוֹ יָדִי Ex.15:9
628 אֲשֶׁר נָשָׂאתִי אֶת־יָדִי Num.14:30
629 כֹּחִי וְעֹצֶם יָדִי עָשָׂה לִי...הַחַיִל Deut.8:17
630 כִּי־אֶשָּׂא אֶל־שָׁמַיִם יָדִי Deut.32:40
631 וְתֹאחֵז בְּמִשְׁפָּט יָדִי Deut.32:41
632 פֶּן־יִתְפָּאֵר...יָדִי הוֹשִׁיעָה לִּי Jud.7:2
633 אַל־תְּהִי יָדִי בּוֹ ISh.18:17
634 אֵין־לֶחֶם חֹל אֶל־תַּחַת יָדִי ISh.21:5
635 חָלִילָה לִּי מֵיְיָ...לִשְׁלֹחַ יָדִי בּוֹ ISh.24:6
636 לֹא־אֶשְׁלַח יָדִי בַּאדֹנִי ISh.24:10
637 מִבֹּוא בְדָמִים וְהוֹשֵׁעַ יָדִי לִי ISh.25:33
638 חָלִילָה...מִשְּׁלֹחַ יָדִי בִּמְשִׁיחַ יְיָ ISh.26:11
639 וְלֹא אָבִיתִי לִשְׁלֹחַ יָדִי בִּמְשִׁיחַ יְיָ ISh.26:23
640 וְהִנֵּה יָדִי עִמָּךְ לְהָסֵב אֵלֶיךָ... IISh.3:12
641 רְאוּ חֶלְקַת יוֹאָב אֶל־יָדִי IISh.14:30
642 לֹא־אֶשְׁלַח יָדִי אֶל־בֶּן־הַמֶּלֶךְ IISh.18:12
643 וְהִתְפַּלֵּל בַּעֲדִי וְתָשֹׁב יָדִי אֵלָי IK.13:6
644 וְהוּא נִשְׁעָן עַל־יָדִי IIK.5:18
645 וְאָשִׁיבָה יָדִי עָלַיִךְ Is.1:25
646 מָצְאָה יָדִי לְמַמְלְכֹת הָאֱלִיל Is.10:10
647 בְּכֹחַ יָדִי עָשִׂיתִי Is.10:13
648 וַתִּמְצָא כַקֵּן יָדִי לְחֵיל הָעַמִּים Is.10:14
649 אַף־יָדִי יָסְדָה אֶרֶץ Is.48:13
650 הִנֵּה אֶשָּׂא אֶל־גּוֹיִם יָדִי Is.49:22
651 הֲקָצוֹר קָצְרָה יָדִי מִפְּדוּת Is.50:2
652 וּבְצֵל יָדִי כִּסִּיתִיךָ Is.51:16
653 וְאֶת־כָּל־אֵלֶּה יָדִי עָשָׂתָה Is.66:2
654 כִּי־אַטֶּה אֶת־יָדִי עַל־יֹשְׁבֵי הָאָ׳ Jer.6:12
655-665 וְאַט (נָטִיתִי, נוֹטֶה וכו׳) יָדִי עַל־
Jer.15:6; 51:25 • Ezek.6:14; 14:9,13; 16:27
25:7,13,16; 35:3 • Zep.1:4
666 אוֹדִיעֵם אֶת־יָדִי וְאֶת־גְּבוּרָתִי Jer.16:21
667 וְהָיְתָה יָדִי אֶל־הַנְּבִיאִים Ezek.13:9
668 וָאֶשָּׂא יָדִי לְזֶרַע בֵּית יַעֲקֹב Ezek.20:5
669 וָאֶשָּׂא יָדִי לָהֶם לֵאמֹר Ezek.20:5
670 בַּיּוֹם הַהוּא נָשָׂאתִי יָדִי לָהֶם Ezek.20:6
671 וַהֲשִׁבֹתִי אֶת־יָדִי וָאַעַשׂ Ezek.20:22
672-678 נָשָׂאתִי (אֶת) יָדִי Ezek.20:15
20:23,28,42; 36:7; 44:12; 47:14
679 וְאֶת־יָדִי אֲשֶׁר־שַׂמְתִּי בָהֶם Ezek.39:21
680 וַהֲשִׁיבוֹתִי יָדִי עַל־עֶקְרוֹן Am.1:8
681 מִשָּׁם יָדִי תִקָּחֵם Am.9:2
682 הִנְנִי מֵנִיף אֶת־יָדִי עֲלֵיהֶם Zech.2:13
683 וַהֲשִׁבֹתִי יָדִי עַל־הַצֹּעֲרִים Zech.13:7
684 יָדִי לַיְלָה נִגְּרָה וְלֹא תָפוּג Ps.77:3
685 וְעַל־צָרֵיהֶם אָשִׁיב יָדִי Ps.81:15
686 אֲשֶׁר יָדִי תִּכּוֹן עִמּוֹ Ps.89:22
687 נָטִיתִי יָדִי וְאֵין מַקְשִׁיב Prov.1:24
688 יָדִי כָּבְדָה עַל־אַנְחָתִי Job23:2
689 אִם־הֲנִיפוֹתִי עַל־יָתוֹם יָדִי Job31:21
690 וְכִי־כַבִּיר מָצְאָה יָדִי Job31:25
691 וַתִּשַּׁק יָדִי לְפִי Job31:27
692 יָדִי שַׂמְתִּי לְמוֹ־פִי Job40:4

וְיָדִי

693-694 וְיָדִי לֹא־תִהְיֶה־בָּךְ ISh.24:13, 14

בְּיָדִי

695 וְכֹל אֲשֶׁר־יֶשׁ־לוֹ נָתַן בְּיָדִי Gen.39:8

בְּיָדִי (המשך)

696 וְכוֹס פַּרְעֹה בְּיָדִי Gen.40:11
697 אָנֹכִי מַכֶּה בַּמַּטֶּה אֲשֶׁר בְּיָדִי Ex.7:17
698 וּמַטֵּה הָאֱלֹהִים בְּיָדִי Ex.17:9
699 אִם־נָתֹן תִּתֵּן...בְּיָדִי Num.21:2
700 לוּ יֶשׁ־חֶרֶב בְּיָדִי... Num.22:29
701 וָאַעַל הָהָרָה וּשְׁנֵי הַלֻּחֹת בְּיָדִי Deut.10:3
702 אִם־יֶשְׁךָ מוֹשִׁיעַ בְּיָדִי Jud.6:36
703 כִּי־תוֹשִׁיעַ בְּיָדִי אֶת־יִשְׂרָאֵל Jud.6:37
704 בְּתֵת יְיָ אֶת־זֶבַח...בְּיָדִי Jud.8:7
705 וּמִי יִתֵּן אֶת־הָעָם הַזֶּה בְּיָדִי Jud.9:29
706 אִם־נָתוֹן תִּתֵּן...בְּיָדִי Jud.11:30
707 וַיִּתְּנֵם יְיָ בְּיָדִי Jud.12:3
708 הִנֵּה נִמְצָא בְיָדִי רֶבַע שֶׁקֶל כָּסֶף ISh.9:8
709 לֹא מְצָאתֶם בְּיָדִי מְאוּמָה ISh.12:5
710 בִּקְצֵה הַמַּטֶּה אֲשֶׁר־בְּיָדִי ISh.14:43
711 הַיּוֹם הַזֶּה יְסַגֶּרְךָ יְיָ בְּיָדִי ISh.17:46
712 מַה־יֵּשׁ תַּחַת־יָדְךָ...תְּנָה בְיָדִי ISh.21:4
713 וְגַם־כַּלַי לֹא־לָקַחְתִּי בְיָדִי ISh.21:9
714 נִכַּר אֹתוֹ אֱלֹהִים בְּיָדִי ISh.23:7
715 אֲשֶׁר־נְתָנְךָ יְיָ הַיּוֹם בְּיָדִי ISh.24:10
716 רְאֵה אֶת־כְּנַף מְעִילְךָ בְּיָדִי ISh.24:11
717 כִּי אֵין בְּיָדִי רָעָה וָפֶשַׁע ISh.24:11
718 מֶה עָשִׂיתִי וּמַה־בְּיָדִי רָעָה ISh.26:18
719 וַיַּעַשׂ יְיָ לוֹ כַּאֲשֶׁר דִּבֶּר בְּיָדִי ISh.28:17
720 הַאֶעֱלֶה...הֲתִתְּנֵם בְּיָדִי IISh.5:19
721 כֵּן־אַתֶּם בְּיָדִי בֵּית יִשְׂרָאֵל Jer.18:6
722 וְהָיוּ אֶחָד בְּיָדִי Ezek.37:19
723 וְקַשְׁתִּי בְּיָדִי תַחֲלִיף Job 29:20
724 הַאֶעֱלֶה...וּנְתַתָּם בְּיָדִי ICh.14:10
725 פָּרַץ הָאֱלֹהִים אֶת־אוֹיְבַי בְּיָדִי ICh.14:11
726 נָתַן בְּיָדִי אֵת יֹשְׁבֵי הָאָרֶץ ICh.22:18(17)

לְיָדִי

727 מִי־הוּא לְיָדִי יִתָּקֵעַ Job 17:3

מִיָּדִי

728 שֶׁבַע כְּבָשֹׂת תִּקַּח מִיָּדִי Gen.21:30
729 טְרֵפָה...מִיָּדִי תְּבַקְשֶׁנָּה Gen.31:39
730 וְלָקַחְתָּ מִנְחָתִי מִיָּדִי Gen.33:10
731 אָנֹכִי אֶעֶרְבֶנּוּ מִיָּדִי תְּבַקְשֶׁנּוּ Gen.43:9
732/3 וְאֵין מִיָּדִי מַצִּיל Deut.32:39 • Is.43:13
734 הִקְדַּשְׁתִּי...מִיָּדִי לִבְנִי Jud.17:3
735 כִּי־הִצִּילוּ אֶת־שֹׁמְרוֹן מִיָּדִי IIK.18:34
736-748 הִצִּילוּ (יַצִּיל, מַצִּיל וכו׳) מִיָּדִי
IIK.18:35[2] • Is.36:19, 20[2] • Hosh.2:12 • IICh. 32:13, 14[2], 15[2], 17[2]
749 מִיָּדִי הָיְתָה־זֹּאת לָכֶם Is.50:11
750 קַח אֶת־כּוֹס הַיַּיִן...מִיָּדִי Jer.25:15

יָדְךָ

751 אַל־תִּשְׁלַח יָדְךָ אֶל־הַנַּעַר Gen.22:12
752/3 שִׂים־נָא יָדְךָ תַּחַת יְרֵכִי Gen.24:2; 47:29
754 יָדְךָ בְּעֹרֶף אֹיְבֶיךָ Gen.49:8
755 שְׁלַח יָדְךָ וֶאֱחֹז בִּזְנָבוֹ Ex.4:4
756 הָבֵא־נָא יָדְךָ בְּחֵיקֶךָ Ex.4:6
757 הָשֵׁב יָדְךָ אֶל־חֵיקֶךָ Ex.4:7
758 וּנְטֵה־יָדְךָ עַל־מֵימֵי מִצְרַיִם Ex.7:19
759 נְטֵה אֶת־יָדְךָ בְּמַטֶּךָ עַל־הַנְּהָרֹת Ex.8:1
760-764 נְטֵה (אֶת־) יָדְךָ עַל... Ex.9:22
10:12,21; 14:16,26
765 וְהָיָה לְךָ לְאוֹת עַל־יָדְךָ Ex.13:9
766 אֶת־גָּדְלְךָ וְאֶת־יָדְךָ הַחֲזָקָה Deut.3:24
767 יָדְךָ תִּהְיֶה־בּוֹ בָרִאשׁוֹנָה Deut.13:10
768 בְּכָל־מַעֲשֵׂה יָדְךָ אֲשֶׁר תַּעֲשֶׂה Deut.14:29
769 וְלֹא תִקְפֹּץ אֶת־יָדְךָ מֵאָחִיךָ Deut.15:7
770 כִּי־פָתֹחַ תִּפְתַּח אֶת־יָדְךָ לוֹ Deut.15:8
771 פָּתֹחַ תִּפְתַּח אֶת־יָדְךָ לְאָחִיךָ Deut.15:11
772 מִסַּת נִדְבַת יָדְךָ אֲשֶׁר תִּתֵּן Deut.16:10

יָדְךָ (המשך)

773 בְּכֹל־מִשְׁלַח יָדְךָ אֲשֶׁר תַּעֲשֶׂה Deut. 28:20
774 שִׂים־יָדְךָ עַל־פִּיךָ Jud. 18:19
775 וְעַתָּה מַה־יֵּשׁ תַּחַת־יָדְךָ ISh. 21:4
776 וְאִין יֶשׁ־פֹּה תַחַת־יָדְךָ חֲנִית ISh. 21:9
777 תְּנָה־נָּא אֵת אֲשֶׁר תִּמְצָא יָדְךָ ISh. 25:8
778 מִבּוֹא בְדָמִים וְהוֹשֵׁעַ יָדְךָ לָךְ ISh. 25:26
779 אֵיךְ לֹא יָרֵאתָ לִשְׁלֹחַ יָדְךָ IISh. 1:14
780 תְּהִי נָא יָדְךָ בִּי וּבְבֵית אָבִי IISh. 24:17
781 וְאֶת־יָדְךָ הַחֲזָקָה וּזְרֹעֲךָ הַנְּטוּיָה IK. 8:42
782 וַיֹּאמֶר לְרַכָּבוֹ הֲפֹךְ יָדְךָ IK. 22:34
783 הַרְכֵּב יָדְךָ עַל־הַקֶּשֶׁת IIK. 13:16
784 רָמָה יָדְךָ בַּל־יֶחֱזָיוּן Is. 26:11
785 וּמַעֲשֵׂה יָדְךָ כֻּלָּנוּ Is. 64:7
786 הָשֵׁב יָדְךָ כְּבוֹצֵר עַל־סַלְסִלּוֹת Jer. 6:9
787 מִפְּנֵי יָדְךָ בָּדָד יָשַׁבְתִּי Jer. 15:17
788 לְהָשִׁיב יָדְךָ עַל־חֳרָבוֹת Ezek. 38:12
789 תָּרֹם יָדְךָ עַל־צָרֶיךָ Mic. 5:8
790 מִמְתִים־יָדְךָ יְיָ Ps. 17:14
791 תִּמְצָא יָדְךָ לְכָל־אֹיְבֶיךָ Ps. 21:9
792 מִתִּגְרַת יָדְךָ אֲנִי כָלִיתִי Ps. 39:11
793 אַתָּה יָדְךָ גּוֹיִם הוֹרַשְׁתָּ Ps. 44:3
794 לָמָּה תָשִׁיב יָדְךָ וִימִינֶךָ Ps. 74:11
795 תְּהִי־יָדְךָ עַל־אִישׁ יְמִינֶךָ Ps. 80:18
796 תָּעֹז יָדְךָ תָּרוּם יְמִינֶךָ Ps. 89:14
797 תִּפְתַּח יָדְךָ יִשְׂבְּעוּן טוֹב Ps. 104:28
798 וְיֵדְעוּ כִּי־יָדְךָ זֹּאת Ps. 109:27
799 תְּהִי־יָדְךָ לְעָזְרֵנִי Ps. 119:173
800 גַּם־שָׁם יָדְךָ תַנְחֵנִי Ps. 139:10
801 בִּהְיוֹת לְאֵל יָדְךָ (כת׳ ידיך) לַעֲשׂוֹת Prov. 3:27
802-803 שְׁלַח־נָא יָדְךָ וְגַע... Job 1:11; 2:5
804 בְּעֹצֶם יָדְךָ תִשְׂטְמֵנִי Job 30:21
805 כֹּל אֲשֶׁר תִּמְצָא יָדְךָ לַעֲשׂוֹת... Eccl. 9:10
806 אֲשֶׁר־נָשָׂאתָ אֶת־יָדְךָ לָתֵת לָהֶם Neh. 9:15
807 וְהָיְתָה יָדְךָ עִמִּי ICh. 4:10
808 תְּהִי נָא יָדְךָ בִּי וּבְבֵית אָבִי ICh. 21:17
809 וַיֹּאמֶר לָרַכָּב הֲפֹךְ יָדְךָ (כת׳ ידיך) IICh. 18:33

יָדֶךָ

810 יְיָ אֱלֹהֶיךָ בֵּרַכְךָ בְּכֹל מַעֲשֵׂה יָדֶךָ Deut. 2:7
811 וּקְשַׁרְתָּם לְאוֹת עַל־יָדֶךָ Deut. 6:8
812 וְנִדְבֹתֶיךָ וּתְרוּמַת יָדֶךָ Deut. 12:17
813 וְשָׂמַחְתָּ...בְּכֹל מִשְׁלַח יָדֶךָ Deut. 12:18
814 וַאֲשֶׁר...לְךָ אֶת־אָחִיךָ תַּשְׁמֵט יָדֶךָ Deut. 15:3
815-817 וּבְכֹל מִשְׁלַח יָדֶךָ Deut. 15:10; 23:21; 28:8
818 וּלְבָרֵךְ אֵת כָּל־מַעֲשֵׂה יָדֶךָ Deut. 28:12
819 וְאֵין לְאֵל יָדֶךָ Deut. 28:32
820 וְהוֹתִירְךָ...בְּכֹל מַעֲשֵׂה יָדֶךָ Deut. 30:9
821 וְעָשִׂיתָ לּוֹ כַּאֲשֶׁר תִּמְצָא יָדֶךָ Jud. 9:33
822 עֲשֵׂה לְךָ אֲשֶׁר תִּמְצָא יָדֶךָ ISh. 10:7
823 וַיֹּאמֶר שָׁאוּל אֶל הַכֹּהֵן אֱסֹף יָדֶךָ ISh. 14:19
824 רַב עַתָּה הֶרֶף יָדֶךָ IISh. 24:16
825 וַיֹּאמֶר...תְּנָה אֶת־יָדֶךָ IIK. 10:15
826 וְהַמַּכְשֵׁלָה הַזֹּאת תַּחַת יָדֶךָ Is. 3:6
827 מִן־הָאזִקִּים אֲשֶׁר עַל־יָדֶךָ Jer. 40:4
828 קוּמָה יְיָ אֵל נְשָׂא יָדֶךָ Ps. 10:12
829 יוֹמָם וָלַיְלָה תִּכְבַּד עָלַי יָדֶךָ Ps. 32:4
830 וַתִּנְחַת עָלַי יָדֶךָ Ps. 38:3
831 עַל אַף אֹיְבַי תִּשְׁלַח יָדֶךָ Ps. 138:7
832 פּוֹתֵחַ אֶת־יָדֶךָ וּמַשְׂבִּיעַ... Ps. 145:16
833 רַק אֵלָיו אַל־תִּשְׁלַח יָדֶךָ Job 1:12
834 וְגַם־מִזֶּה אַל־תַּנַּח אֶת־יָדֶךָ Eccl. 7:18
835 וְלָעֶרֶב אַל־תַּנַּח יָדֶךָ Eccl. 11:6
836 רַב עַתָּה הֶרֶף יָדֶךָ ICh. 21:15

יָדְכָה

837 וְהָיָה לְאוֹת עַל־יָדְכָה Ex. 13:16

וְיָדְךָ

838 וְיָדְךָ הַחֲזָקָה וּזְרוֹעֲךָ הַנְּטוּיָה IICh. 6:32

בְּיָדְךָ

839 וּמַטְּךָ...קַח בְּיָדְךָ וְהָלָכְתָּ Ex. 17:5
840 כִּי בְיָדְךָ נָתַתִּי אֹתוֹ Num. 21:34
841-848 נָתַתִּי (תִּתֵּן וכו׳) בְיָדְךָ Deut. 2:24, 30
3:2 • Josh. 6:2, 18; 8:1; 10:8 • IK. 20:13
849 וְלֹא־יִדְבַּק בְּיָדְךָ מְאוּמָה Deut. 13:18
850 וְצַרְתָּ הַכֶּסֶף בְּיָדְךָ וְהָלַכְתָּ Deut. 14:25
851 נְטֵה בַּכִּידוֹן אֲשֶׁר־בְּיָדְךָ אֶל־הָעַי Josh. 8:18
852 אֲשֶׁר סִגְּרַנִי יְיָ בְּיָדְךָ ISh. 24:18
853 וְקָמָה בְּיָדְךָ מַמְלֶכֶת יִשְׂרָאֵל ISh. 24:20
854 וְקַח מִשְׁעַנְתִּי בְיָדְךָ IIK. 4:29
855 קַח בְּיָדְךָ מִנְחָה וָלֵךְ IIK. 8:8
856 קָחֶנָּה בְּיָדְךָ וָלֵךְ Jer. 36:14
857 קַח בְּיָדְךָ מִזֶּה שְׁלֹשִׁים אֲנָשִׁים Jer. 38:10
858 קַח בְּיָדְךָ אֲבָנִים גְּדֹלוֹת Jer. 43:9
859 אֲשֶׁר־תִּכְתֹּב עֲלֵיהֶם בְּיָדְךָ... Ezek. 37:20
860 בְּיָדְךָ אַפְקִיד רוּחִי Ps. 31:6
861 בְּיָדְךָ עִתֹּתָי הַצִּילֵנִי Ps. 31:16
862 אִם־אָוֶן בְּיָדְךָ הַרְחִיקֵהוּ Job 11:14

בְּיָדֶךָ

863 אֲשֶׁר־מִגֵּן צָרֶיךָ בְּיָדֶךָ Gen. 14:20
864 וּמַטְּךָ אֲשֶׁר בְּיָדֶךָ Gen. 38:18
865 וַיֹּאמֶר אֵלָיו יְיָ מַזֶּה בְיָדֶךָ Ex. 4:2
866 וְאֶת־הַמַּטֶּה הַזֶּה תִּקַּח בְּיָדֶךָ Ex. 4:17
867 כָּל־הַמֹּפְתִים אֲשֶׁר שַׂמְתִּי בְיָדֶךָ Ex. 4:21
868 וְהַמַּטֶּה...תִּקַּח בְּיָדֶךָ Ex. 7:15
869 וְנָתַן מַלְכֵיהֶם בְּיָדֶךָ Deut. 7:24
870 וּנְתָנָהּ יְיָ אֱלֹהֶיךָ בְּיָדֶךָ Deut. 20:13
871-883 נָתַן (נְתָנוֹ, נְתַתִּיהוּ וכד׳) בְּיָדֶךָ
Deut. 21:10 • Jud. 4:7, 14; 7:7, 9; 20:28 • ISh. 23:4;
24:5 • IISh. 5:19 • IK. 20:28 • Ps. 10:14
ICh. 14:10 • IICh. 16:8
884 וְקָטַפְתָּ מְלִילֹת בְּיָדֶךָ Deut. 23:26
885 כָּל־קְדֹשָׁיו בְּיָדֶךָ Deut. 33:3
886 וְעַתָּה הִנְנוּ בְיָדֶךָ Josh. 9:25
887/8 הֲכַף זֶבַח וְצַלְמֻנָּע עַתָּה בְּיָדֶךָ Jud. 8:6, 15
889 עֶגְלַת בָּקָר תִּקַּח בְּיָדֶךָ ISh. 16:2
890 סִגַּר...אֶת־אוֹיִבְךָ בְּיָדֶךָ ISh. 26:8
891 וְקַח פַּךְ הַשֶּׁמֶן הַזֶּה בְּיָדֶךָ IIK. 9:1
892 קְרָאתִיךָ בְצֶדֶק וְאַחְזֵק בְּיָדֶךָ Is. 42:6
893 וְהָיוּ לַאֲחָדִים בְּיָדֶךָ Ezek. 37:17
894 הִנֵּה כָל־אֲשֶׁר־לוֹ בְּיָדֶךָ Job 1:12
895 הִנּוֹ בְיָדֶךָ אַךְ אֶת־נַפְשׁוֹ שְׁמֹר Job 2:6

וּבְיָדְךָ

896 וַתְּדַבֵּר בְּפִיךָ וּבְיָדְךָ מִלֵּאתָ IK. 8:24
897 בְּכֹחֲךָ הַגָּדוֹל וּבְיָדְךָ הַחֲזָקָה Neh. 1:10
898/9 וּבְיָדְךָ כֹּחַ וּגְבוּרָה ICh. 29:12 • IICh. 20:6
900 וּבְיָדְךָ לְגַדֵּל וּלְחַזֵּק לַכֹּל ICh. 29:12
901 וַתְּדַבֵּר בְּפִיךָ וּבְיָדְךָ מִלֵּאתָ IICh. 6:15

מִיָּדְךָ

902 לָקַחַת־הַכּוֹס מִיָּדְךָ לִשְׁתּוֹת Jer. 25:28
903-905 וְדָמוֹ מִיָּדְךָ אֲבַקֵּשׁ Ezek. 3:18, 20; 33:8
906 וְהֵמָּה מִיָּדְךָ נִגְזָרוּ Ps. 88:6
907 וְאֵין מִיָּדְךָ מַצִּיל Job 10:7
908 אוֹ מַה־מִיָּדְךָ יִקָּח Job 35:7
909 מִיָּדְךָ הוּא וּלְךָ הַכֹּל ICh. 29:16

מִיָּדֶךָ

910 לָקַחַת אֶת־דְּמֵי אָחִיךָ מִיָּדֶךָ Gen. 4:11
911 וְלָקַח הַכֹּהֵן הַטֶּנֶא מִיָּדֶךָ Deut. 26:4
912 וְיָרֵב אֶת־רִיבִי וְיִשְׁפְּטֵנִי מִיָּדֶךָ ISh. 24:15
913 וַיִּקְרַע יְיָ אֶת־הַמַּמְלָכָה מִיָּדֶךָ ISh. 28:17
914 וְהִכְרַתִּי כְשָׁפִים מִיָּדֶךָ Mic. 5:11
915 נִמְלַט חֵיל מֶלֶךְ־אֲרָם מִיָּדֶךָ IICh. 16:7
916 לֹא־הִצִּילוּ אֶת־עַמָּם מִיָּדֶךָ IICh. 25:15

וּמִיָּדְךָ

917 מִמְּךָ הַכֹּל וּמִיָּדְךָ נָתַנּוּ לָךְ ICh. 29:14

יָדֵךְ

918 וְהַחֲזִיקִי אֶת־יָדֵךְ בּוֹ Gen. 21:18

יָדֵךְ (המשך)

919 חַיַּת יָדֵךְ מָצָאת Is. 57:10
920 אִיִּים רַבִּים סְחֹרַת יָדֵךְ Ezek. 27:15
921 עֲרַב...הֵמָּה סֹחֲרֵי יָדֵךְ Ezek. 27:21

בְּיָדֵךְ

922 הִנֵּה שִׁפְחָתֵךְ בְּיָדֵךְ Gen. 16:6
923 וְלָקַחַתְּ בְּיָדֵךְ עֲשָׂרָה לֶחֶם IK. 14:3
924 לִקְחִי־נָא לִי פַּת־לֶחֶם בְּיָדֵךְ IK. 17:11
925 קָצַפְתִּי עַל־עַמִּי...וָאֶתְּנֵם בְּיָדֵךְ Is. 47:6
926 וְנָתַתִּי כוֹסָהּ בְּיָדֵךְ Ezek. 23:31

מִיָּדֵךְ

927 הָבִיאִי הַבִּרְיָה...וְאֶבְרֶה מִיָּדֵךְ IISh. 13:10
928 לָקַחְתִּי מִיָּדֵךְ אֶת־כּוֹס הַתַּרְעֵלָה Is. 51:22

יָדוֹ

929 פֶּן־יִשְׁלַח יָדוֹ וְלָקַח... Gen. 3:22
930-943 וַיִּשְׁלַח (שָׁלַח וכד׳)...יָדוֹ Gen. 8:9
22:10 • Ex. 4:4 • Jud. 15:15 • ISh. 17:49 • IISh.
15:5; 24:16 • IK. 13:4 • IIK. 6:7 • Jer. 1:9 • Ezek.
10:7 • S.of S. 5:4 • ICh. 13:9, 10
944 יָדוֹ בַכֹּל וְיַד כֹּל בּוֹ Gen. 16:12
945 וַיָּשֶׂם הָעֶבֶד אֶת־יָדוֹ תַּחַת יֶרֶךְ... Gen. 24:9
946 וַתִּקְשֹׁר עַל־יָדוֹ שָׁנִי Gen. 38:28
947 וַיְהִי כְּמֵשִׁיב יָדוֹ וְהִנֵּה יָצָא אָחִיו Gen. 38:29
948 אֲשֶׁר עַל־יָדוֹ הַשָּׁנִי Gen. 38:30
949 וַיָּסַר פַּרְעֹה אֶת־טַבַּעְתּוֹ מֵעַל יָדוֹ Gen. 41:42
950 לֹא־יָרִים אִישׁ אֶת־יָדוֹ Gen. 41:44
951 וְיוֹסֵף יָשִׁית יָדוֹ עַל־עֵינֶיךָ Gen. 46:4
952 וַיָּבֵא יָדוֹ בְּחֵיקוֹ וַיּוֹצִאָהּ Ex. 4:6
953 וְהִנֵּה יָדוֹ מְצֹרַעַת כַּשָּׁלֶג Ex. 4:6
954 וַיָּשֶׁב יָדוֹ אֶל־חֵיקוֹ Ex. 4:7
955-956 וַיֵּט אַהֲרֹן אֶת־יָדוֹ Ex. 8:2, 13
957-959 וַיֵּט מֹשֶׁה אֶת־יָדוֹ Ex. 10:22; 14:21, 27
960 כַּאֲשֶׁר יָרִים מֹשֶׁה יָדוֹ וְגָבַר יִשְׂרָאֵל Ex. 17:11
961 וְכַאֲשֶׁר יָנִיחַ יָדוֹ וְגָבַר עֲמָלֵק Ex. 17:11
962 וְכִי־יַכֶּה...וּמֵת תַּחַת יָדוֹ Ex. 21:20
963/4 שָׁלַח יָדוֹ בִּמְלֶאכֶת רֵעֵהוּ Ex. 22:7, 10
965 וְאֶל־אֲצִילֵי בְּ־י לֹא שָׁלַח יָדוֹ Ex. 24:11
966 וְסָמַךְ יָדוֹ עַל רֹאשׁ הָעֹלָה Lev. 1:4
967-973 וְסָמַךְ (אֶת־) יָדוֹ עַל רֹאשׁ־ Lev. 3:2
3:8, 13; 4:4, 24, 29, 33
974 וְאִם־לֹא תַגִּיעַ יָדוֹ דֵּי שֶׂה Lev. 5:7
975 וְאִם־לֹא תַשִּׂיג יָדוֹ לִשְׁתֵּי תֹרִים Lev. 5:11
976-980 בֹּהֶן יָדוֹ הַיְמָנִית Lev. 8:23; 14:14, 17, 25, 28
981 וְאִם־דַּל הוּא וְאֵין יָדוֹ מַשֶּׂגֶת Lev. 14:21
982-983 אֲשֶׁר(־) תַּשִּׂיג יָדוֹ Lev. 14:22, 31
984-989 תַּשִּׂיג (הִשִּׂיגָה וכד׳) יָדוֹ Lev. 14:30, 32
25:26, 49 • Num. 6:21 • Ezek. 46:7
990 וַאֲשֶׁר יְמַלֵּא אֶת־יָדוֹ לְכַהֵן Lev. 16:32
991 וּמִלֵּא אֶת־יָדוֹ לִלְבֹּשׁ... Lev. 21:10
992 וְאִם לֹא מָצְאָה יָדוֹ... Lev. 25:28
993 וּמָטָה יָדוֹ עִמָּךְ Lev. 25:35
994 ...אִישׁ עַל־יָדוֹ לְדִגְלֵיהֶם Num. 2:17
995 וַיָּרֶם מֹשֶׁה אֶת־יָדוֹ וַיַּךְ Num. 20:11
996 אֶת־יָדוֹ הַחֲזָקָה וּזְרֹעוֹ הַנְּטוּיָה Deut. 11:2
997 שָׁמוֹט כָּל־בַּעַל מַשֵּׁה יָדוֹ Deut. 15:2
998 אִישׁ כְּמַתְּנַת יָדוֹ כְּבִרְכַּת יְיָ Deut. 16:17
999 וְנִדְּחָה יָדוֹ בַגַּרְזֶן Deut. 19:5
1000 וַיָּרוּצוּ כִּנְטוֹת יָדוֹ Josh. 8:19
1001 לֹא־הֵשִׁיב יָדוֹ אֲשֶׁר נָטָה Josh. 8:26
1002 וַתָּעָז יָדוֹ עַל כּוּשַׁן Jud. 3:10
1003 כִּי־קָשְׁתָה יָדוֹ עָלֵינוּ ISh. 5:7
1004 לָמָּה לֹא־תָסוּר יָדוֹ מִכֶּם ISh. 6:3
1005 אוּלַי יָקֵל אֶת־יָדוֹ מֵעֲלֵיכֶם ISh. 6:5
1006 כִּי לֹא יָדוֹ נָגְעָה בָּנוּ ISh. 6:9
1007 וְאֵין־מַשִּׂיג יָדוֹ אֶל־פִּיו ISh. 14:26

יָדוֹ (המשך)
1008 וַיָּשֶׁב יָדוֹ אֶל־פִּיו ISh. 14:27
1009 וַיְחַזֵּק אֶת־יָדוֹ בֵּאלֹהִים ISh. 23:16
1010 מִי שָׁלַח יָדוֹ בִּמְשִׁיחַ יְיָ וְנִקָּה ISh. 26:9
1011 בְּלֶכְתּוֹ לְהָשִׁיב יָדוֹ בִּנְהַר פְּרָת° IISh. 8:3
1012 וְכָל־עֲבָדָיו עֹבְרִים עַל־יָדוֹ IISh. 15:18
1013 נָשָׂא יָדוֹ בַּמֶּלֶךְ בְּדָוִד IISh. 20:21
1014 וַיַּךְ בַּפְּלִשְׁתִּים עַד כִּי־יָגְעָה יָדוֹ IISh. 23:10
1015 וַתִּדְבַּק יָדוֹ אֶל־הַחֶרֶב IISh. 23:10
1016 וַתִּיבַשׁ יָדוֹ אֲשֶׁר שָׁלַח עָלָיו IK. 13:4
1017 הֶחָפֵץ יְמַלֵּא אֶת־יָדוֹ IK. 13:33
1018 וְהֵנִיף יָדוֹ אֶל־הַמָּקוֹם... IIK. 5:11
1019 הַשָּׁלִישׁ אֲשֶׁר לַמֶּלֶךְ נִשְׁעָן עַל־יָדוֹ IIK. 7:2
1020 אֶת־הַשָּׁלִישׁ אֲשֶׁר־נִשְׁעָן עַל־יָדוֹ IIK. 7:17
1021 וְיֵהוּא מִלֵּא יָדוֹ בַקֶּשֶׁת IIK. 9:24
1022 וַיִּתֵּן יָדוֹ וַיַּעֲלֵהוּ אֵלָיו IIK. 10:15
1023 הַרְכֵּב יָדְךָ...וַיַּרְכֵּב יָדוֹ IIK. 13:16
1024 וַיֵּט יָדוֹ עָלָיו וַיַּכֵּהוּ Is. 5:25
1025-29 וְעוֹד יָדוֹ נְטוּיָה Is. 5:25; 9:11, 16, 20; 10:4
1030 יְנֹפֵף יָדוֹ הַר בַּת־צִיּוֹן Is. 10:32
1031 וְעַל מְאוּרַת צִפְעוֹנִי גָּמוּל יָדוֹ הָדָה Is. 11:8
1032 יוֹסִיף אֲדֹנָי שֵׁנִית יָדוֹ Is. 11:11
1033 וְהֵנִיף יָדוֹ עַל־הַנָּהָר Is. 11:15
1034 יָדוֹ נָטָה עַל־הַיָּם Is. 23:11
1035 וַיְיָ יַטֶּה יָדוֹ וְכָשַׁל עוֹזֵר Is. 31:3
1036 וְזֶה יִכְתֹּב יָדוֹ לַיְיָ Is. 44:5
1037 בְּצֵל יָדוֹ הֶחְבִּיאָנִי Is. 49:2
1038 וְשֹׁמֵר יָדוֹ מֵעֲשׂוֹת כָּל־רָע Is. 56:2
1039 רָעוּ אִישׁ אֶת־יָדוֹ Jer. 6:3
1040 מַמְלְכוֹת אֶרֶץ מֶמְשֶׁלֶת יָדוֹ Jer. 34:1
1041 וְהִנֵּה נָתַן יָדוֹ וְכָל־אֵלֶּה עָשָׂה Ezek. 17:18
1042 מֵעָוֶל יָשִׁיב יָדוֹ Ezek. 18:8
1043 מֵעָנִי הֵשִׁיב יָדוֹ Ezek. 18:17
1044 וְלַכְּבָשִׂים מִנְחָה מַתַּת יָדוֹ Ezek. 46:5
1045 וְלַכְּבָשִׂים מַתַּת יָדוֹ Ezek. 46:11
1046 מָשַׁךְ יָדוֹ אֶת־לֹצְצִים Hosh. 7:5
1047 וְסָמַךְ יָדוֹ עַל־הַקִּיר Am. 5:19
1048 וְיֵט יָדוֹ עַל־צָפוֹן Zep. 2:13
1049 כֹּל עוֹבֵר עָלֶיהָ יִשְׁרֹק יָנִיעַ יָדוֹ Zep. 2:15
1050 וְעָלְתָה יָדוֹ עַל־יַד רֵעֵהוּ Zech. 14:13
1051 כִּי־יְיָ סוֹמֵךְ יָדוֹ Ps. 37:24
1052 לֹא־זָכְרוּ אֶת־יָדוֹ Ps. 78:42
1053 וְשַׂמְתִּי בַיָּם יָדוֹ Ps. 89:26
1054 וַאֲנַחְנוּ עַם מַרְעִיתוֹ וְצֹאן יָדוֹ Ps. 95:7
1055 וַיִּשָּׂא יָדוֹ לָהֶם... Ps. 106:26
1056/7 טָמַן עָצֵל יָדוֹ בַּצַּלָּחַת Prov. 19:24; 26:15
1058 יַתֵּר יָדוֹ וִיבַצְּעֵנִי Job 6:9
1059 יָשֵׁת יָדוֹ עַל־שְׁנֵינוּ Job 9:33
1060 כִּי־נָטָה אֶל־אֵל יָדוֹ Job 15:25
1061 חֹלְלָה יָדוֹ נָחָשׁ בָּרִחַ Job 26:13
1062 בַּחַלָּמִישׁ שָׁלַח יָדוֹ Job 28:9
1063 יָדוֹ פָּרַשׂ צָר עַל כָּל־מַחֲמַדֶּיהָ Lam. 1:10
1064 לֹא־הֵשִׁיב יָדוֹ מִבַּלֵּעַ Lam. 2:8
1065 אַךְ בִּי יָשֻׁב יַהֲפֹךְ יָדוֹ Lam. 3:3
1066 וַיָּסַר הַמֶּלֶךְ אֶת־טַבַּעְתּוֹ מֵעַל יָדוֹ Es. 3:10
1067 עַל אֲשֶׁר־שָׁלַח יָדוֹ בַּיְּהוּדִים° Es. 8:7
1068 וְיִשְׁלַח יָדוֹ בַּאֲרָצוֹת Dan. 11:42
1069 וְעַל־יָדוֹ בָנוּ אַנְשֵׁי יְרֵחוֹ Neh. 3:2
1070-1080 (וְ)עַל־יָדוֹ Neh. 3:2, 8², 10, 12, 17, 19
IICh. 17:15, 16, 18; 31:15
1081 בְּאַחַת יָדוֹ עֹשֶׂה בַמְּלָאכָה Neh. 4:11
1082 בְּלֶכְתּוֹ לְהַצִּיב יָדוֹ בִּנְהַר פְּרָת ICh. 18:3
1083 וּמִי מִתְנַדֵּב לְמַלֹּאות יָדוֹ ICh. 29:5
1084 כָּל־הַבָּא לְמַלֵּא יָדוֹ בְּפַר IICh. 13:9
1085 אָז תִּפְשַׁע לִבְנָה מִתַּחַת יָדוֹ IICh. 21:10

וְיָדוֹ
1086 וְיָדוֹ אֹחֶזֶת בַּעֲקֵב עֵשָׂו Gen. 25:26
1087 וְיָדוֹ הַנְּטוּיָה וּמִי יְשִׁיבֶנָּה Is. 14:27
1088 וְיָדוֹ חִלְּקַתָּה לָהֶם בַּקָּו Is. 34:17

בְּיָדוֹ
1089 וַיַּחֲזִיקוּ הָאֲנָשִׁים בְּיָדוֹ Gen. 19:16
1090 וַיִּקַּח בְּיָדוֹ אֶת־הָאֵשׁ Gen. 22:6
1091 וְכָל־טוּב אֲדֹנָיו בְּיָדוֹ Gen. 24:10
1092 וַיִּקַּח מִן־הַבָּא בְיָדוֹ מִנְחָה Gen. 32:14
1093 יְיָ מַצְלִיחַ בְּיָדוֹ Gen. 39:3
1094 וְכָל־יֶשׁ־לוֹ נָתַן בְּיָדוֹ Gen. 39:4
1095 אֵין...רֹאֶה...מְאוּמָה בְּיָדוֹ Gen. 39:23
1096 וְנָתַתָּ כוֹס־פַּרְעֹה בְּיָדוֹ Gen. 40:13
1097/8 אֲשֶׁר(־)נִמְצָא הַגָּבִיעַ בְּיָדוֹ Gen. 44:16, 17
1099 וַיִּקַּח מֹשֶׁה אֶת־מַטֵּה הָאֱלֹ׳ בְּיָדוֹ Ex. 4:20
1100 וְגֹנֵב אִישׁ וּמְכָרוֹ וְנִמְצָא בְיָדוֹ Ex. 21:16
1101 אִם־הִמָּצֵא תִמָּצֵא בְיָדוֹ הַגְּנֵבָה Ex. 22:3
1102 וּשְׁנֵי לֻחֹת הָעֵדֻת בְּיָדוֹ Ex. 32:15
1103 וַיִּקַּח בְּיָדוֹ שְׁנֵי לֻחֹת אֲבָנִים Ex. 34:4
1104-1106 וְחַרְבּוֹ שְׁלוּפָה בְּיָדוֹ Num. 22:23
Josh. 5:13 • ICh. 21:16
1107 וְחַרְבּוֹ שְׁלֻפָה בְּיָדוֹ Num. 22:31
1108 וַיָּקָם...וַיִּקַּח רֹמַח בְּיָדוֹ Num. 25:7
1109 וַחֲצֹצְרוֹת הַתְּרוּעָה בְּיָדוֹ Num. 31:6
1110 אוֹ בְאֵיבָה הִכָּהוּ בְיָדוֹ Num. 35:21
1111 וַיֵּט יְהוֹשֻׁעַ בַּכִּידוֹן אֲשֶׁר־בְּיָדוֹ Josh. 8:18
1112 וְלֹא־יַסְגִּרוּ אֶת־הָרֹצֵחַ בְּיָדוֹ Josh. 20:5
1113 הִנֵּה נָתַתִּי אֶת־הָאָרֶץ בְּיָדוֹ Jud. 1:2
1114-1121 וַיִּתֵּן (נָתַן וְכוּ׳) בְּיָדוֹ Jud. 3:10
7:14; 11:32 • ISh. 23:14 • Ezek. 30:24
Dan. 1:2; 11:11 • IICh. 36:17
1122 וַיִּשְׁלְחוּ בְנֵי יִשׂ׳ בְּיָדוֹ מִנְחָה Jud. 3:15
1123 אֶת־קְצֵה הַמִּשְׁעֶנֶת אֲשֶׁר בְּיָדוֹ Jud. 6:21
1124 וַיִּקַּח...אֶת־הַקַּרְדֻּמּוֹת בְּיָדוֹ Jud. 9:48
1125 וַיְשַׁסְּעֵהוּ...וּמְאוּמָה אֵין בְּיָדוֹ Jud. 14:6
1126 וַיֹּאמֶר אֶל־הַנַּעַר הַמַּחֲזִיק בְּיָדוֹ Jud. 16:26
1127 וְהַמַּזְלֵג שְׁלֹשׁ הַשִּׁנַּיִם בְּיָדוֹ ISh. 2:13
1128 אֶת־קְצֵה הַמַּטֶּה אֲשֶׁר בְּיָדוֹ ISh. 14:27
1129 וַיַּגִּשׁוּ...אִישׁ שׁוֹרוֹ בְיָדוֹ ISh. 14:34
1130 וְנִגֵּן בְּיָדוֹ וְטוֹב לָךְ ISh. 16:16
1131 וְלָקַח דָּוִד אֶת־הַכִּנּוֹר וְנִגֵּן בְּיָדוֹ ISh. 16:23
1132/3 וַיִּקַּח מַקְלוֹ בְּיָדוֹ וְקַלְעוֹ בְיָדוֹ ISh. 17:40
1134 וְרֹאשׁ הַפְּלִשְׁתִּי בְּיָדוֹ ISh. 17:57
1135 וְדָוִד מְנַגֵּן בְּיָדוֹ כְּיוֹם בְּיוֹם ISh. 18:10
1136 וְהוּא בְּבֵיתוֹ יוֹשֵׁב וַחֲנִיתוֹ בְּיָדוֹ ISh. 19:9
1137 וְשָׁאוּל יוֹשֵׁב...וַחֲנִיתוֹ בְיָדוֹ ISh. 22:6
1138 אֵפוֹד יָרַד בְּיָדוֹ ISh. 23:6
1139 הֲיַסְגִּרֻנִי בַעֲלֵי קְעִילָה בְיָדוֹ ISh. 23:11
1140 וַיִּקַּח בְּיָדוֹ עֶשֶׂר כִּכְּרֵי־כֶסֶף IIK. 5:5
1141 וַיִּקַּח מִנְחָה בְיָדוֹ IIK. 8:9
1142-1143 אִישׁ (וְ)כֵלָיו בְּיָדוֹ IIK. 11:8, 11
1144 כַּאֲשֶׁר חָזְקָה הַמַּמְלָכָה בְּיָדוֹ IIK. 14:5
1145 לְהַחֲזִיק הַמַּמְלָכָה בְּיָדוֹ IIK. 15:19
1146 וּמֶמְשַׁלְתְּךָ אֶתֵּן בְּיָדוֹ Is. 22:21
1147 וְחֵפֶץ יְיָ בְּיָדוֹ יִצְלָח Is. 53:10
1148 עַד־תֻּמִּי אֹתָם בְּיָדוֹ Jer. 27:8
1149 וַיִּקַּח בָּרוּךְ...אֶת־הַמְּגִלָּה בְּיָדוֹ Jer. 36:14
1150 וַיִּקַּח...אֶת־הָאֲנָשִׁים בְּיָדוֹ Jer. 38:11
1151 וְאִישׁ מִקְטַרְתּוֹ בְּיָדוֹ Ezek. 8:11
1152 וְאִישׁ כְּלִי מַשְׁחֵתוֹ בְּיָדוֹ Ezek. 9:1
1153 וְאִישׁ כְּלִי מַפָּצוֹ בְּיָדוֹ Ezek. 9:2
1154 וּפְתִיל־פִּשְׁתִּים בְּיָדוֹ Ezek. 40:3

בְּיָדוֹ (המשך)
1155 בְּצֵאת־הָאִישׁ קָדִים וְקָו בְּיָדוֹ Ezek. 47:3
1156 כְּנַעַן בְּיָדוֹ מֹאזְנֵי מִרְמָה Hosh. 12:8
1157 וְאִישׁ מִשְׁעַנְתּוֹ בְּיָדוֹ Zech. 8:4
1158 יְיָ לֹא־יַעַזְבֶנּוּ בְיָדוֹ Ps. 37:33
1159 אֲשֶׁר בְּיָדוֹ מֶחְקְרֵי־אָרֶץ Ps. 95:4
1160 צְרוֹר הַכֶּסֶף לָקַח בְּיָדוֹ Prov. 7:20
1161 לַאֲשֶׁר הֵבִיא אֱלוֹהַּ בְּיָדוֹ Job 12:6
1162 אֲשֶׁר בְּיָדוֹ נֶפֶשׁ כָּל־חָי Job 12:10
1163 כִּי־נָכוֹן בְּיָדוֹ יוֹם־חֹשֶׁךְ Job 15:23
1164 נִשְׂקַד עֹל פְּשָׁעַי בְּיָדוֹ Lam. 1:14
1165 וְהוֹלִיד בֵּן וְאֵין בְּיָדוֹ מְאוּמָה Eccl. 5:13
1166 לֹא־יִשָּׂא בַעֲמָלוֹ שֶׁיֹּלֵךְ בְּיָדוֹ Eccl. 5:14
1167 שַׁרְבִיט הַזָּהָב אֲשֶׁר בְּיָדוֹ Es. 5:2
1168 וְהִצְלִיחַ מִרְמָה בְּיָדוֹ Dan. 8:25
1169 וַיַּעֲמֹד בְּאֶרֶץ־הַצְּבִי וְכָלָה בְיָדוֹ Dan. 11:16
1170 וְאִגֶּרֶת פְּתוּחָה בְּיָדוֹ Neh. 6:5
1171 וַיָּכֶן יְיָ אֶת־הַמַּמְלָכָה בְּיָדוֹ IICh. 17:5
1172 וְהִקִּיפוּ...אִישׁ וְכֵלָיו בְּיָדוֹ IICh. 23:7
1173 וְאִישׁ שִׁלְחוֹ בְיָדוֹ IICh. 23:10

וּבְיָדוֹ
1174 וּבְיָדוֹ הָיוּ כְּלֵי־כֶסֶף IISh. 8:10
1175 אֲשֶׁר דִּבֶּר בְּפִיו...וּבְיָדוֹ מִלֵּא IK. 8:15
1176 וַיָּעָף אֵלַי...וּבְיָדוֹ רִצְפָּה Is. 6:6
1177 תָּפֹשׂ תִּתָּפֵשׂ וּבְיָדוֹ תִּנָּתֵן Jer. 34:3
1178 וְהִנֵּה אֲדֹנָי נִצָּב...וּבְיָדוֹ אֲנָךְ Am. 7:7
1179 וּבְיָדוֹ חֶבֶל מִדָּה Zech. 2:5
1180 וּבְיָדוֹ מִקְטֶרֶת לְהַקְטִיר IICh. 26:19

לְיָדוֹ
1181 וְהָאֱלֹהִים אִנָּה לְיָדוֹ Ex. 21:13

מִיָּדוֹ
1182 וַיִּקַּח אֶת־כָּל־אַרְצוֹ מִיָּדוֹ Num. 21:26
1183 וָאַצִּל אֶתְכֶם מִיָּדוֹ Josh. 24:10
1184 וַיַּשְׁלֵךְ הַלְּחִי מִיָּדוֹ Jud. 15:17
1185 וְנוֹאַשׁ מִמֶּנִּי...וְנִמְלַטְתִּי מִיָּדוֹ ISh. 27:1
1186 וְלֹא־אֶקַּח...כָּל־הַמַּמְלָכָה מִיָּדוֹ IK. 11:34
1187 חָשַׂךְ אֲדֹנִי...מִקַּחַת מִיָּדוֹ... IIK. 5:20
1188 לֹא יוּכַל לְהַצִּיל אֶתְכֶם מִיָּדוֹ IIK. 18:29
1189 יְיָ אֱלֹהֵינוּ הוֹשִׁיעֵנוּ נָא מִיָּדוֹ IIK. 19:19
1190 יְיָ אֱלֹהֵינוּ הוֹשִׁיעֵנוּ מִיָּדוֹ Is. 37:20
1191 וְאַתָּה לֹא תִמָּלֵט מִיָּדוֹ Jer. 34:3
1192 וּלְהַצִּיל אֶתְכֶם מִיָּדוֹ Jer. 42:11
1193 וְהִפַּלְתִּי אֶת־הַחֶרֶב מִיָּדוֹ Ezek. 30:22
1194 קַרְנַיִם מִיָּדוֹ לוֹ Hab. 3:4
1195 מִיָּדוֹ בָּרוּחַ יִבְרָח Job 27:22
1196 וְאֵין מַצִּיל מִיָּדוֹ Dan. 8:4
1197 וְלֹא־הָיָה מַצִּיל לָאַיִל מִיָּדוֹ Dan. 8:7
1198 וְאֵלֶּה יִמָּלְטוּ מִיָּדוֹ Dan. 11:41

יָדָהּ
1199 וַתֹּרֶד כַּדָּהּ עַל־יָדָהּ Gen. 24:18
1200 וְאִם־לֹא תִמְצָא יָדָהּ דֵּי שֶׂה Lev. 12:8
1201 וְשָׁלְחָה יָדָהּ וְהֶחֱזִיקָה בִּמְבֻשָׁיו Deut. 25:11
1202 יָדָהּ לַיָּתֵד תִּשְׁלַחְנָה Jud. 5:26
1203 וַתָּשֶׂם יָדָהּ עַל־רֹאשָׁהּ IISh. 13:19
1204 הָרִיעוּ עָלֶיהָ סָבִיב נָתְנָה יָדָהּ Jer. 50:15

בְּיָדָהּ
1205 וַיַּעֲזֹב בִּגְדוֹ בְּיָדָהּ Gen. 39:12
1206 כִּי־עָזַב בִּגְדוֹ בְּיָדָהּ Gen. 39:13
1207 וַתִּקַּח...אֶת־הַתֹּף בְּיָדָהּ Ex. 15:20
1208/9 וְכָתַב לָהּ...וְנָתַן בְּיָדָהּ Deut. 24:1, 3
1210 וַתָּשֶׂם אֶת־הַמַּקֶּבֶת בְּיָדָהּ Jud. 4:21
1211 וְאֵין מַחֲזִיק בְּיָדָהּ Is. 51:18

מִיָּדָהּ
1212 וַיִּקַּח דָּוִד מִיָּדָהּ ISh. 25:35
1213 אֲשֶׁר אֶרְאֶה וְאָכַלְתִּי מִיָּדָהּ IISh. 13:5
1214 וַתְּלַבֵּב...וְאֶבְרֶה מִיָּדָהּ IISh. 13:6

יָדֵנוּ
1215 פֶּן־יֹאמְרוּ יָדֵנוּ רָמָה Deut. 32:27
1216 וְאֵין לְאֵל יָדֵנוּ Neh. 5:5

וְיָדֵנוּ
1217 וְיָדֵנוּ אַל־תְּהִי־בוֹ Gen. 37:27

בְּיָדֵנוּ	1218	וַנָּשֶׁב אֹתוֹ בְּיָדֵנוּ	Gen. 43:21
	1219	וְכֶסֶף אַחֵר הוֹרַדְנוּ בְיָדֵנוּ	Gen. 43:22
	1220	גַּם־אַתָּה תִּתֵּן בְּיָדֵנוּ זְבָחִים	Ex. 10:25
	1221	אַנְשֵׁי הַמִּלְחָמָה אֲשֶׁר בְּיָדֵנוּ	Num. 31:49
	1222	וַיִּתֵּן יְיָ אֱלֹהֵינוּ בְּיָדֵנוּ...אֶת־עוֹג	Deut. 3:3
	1223	נָתַן יְיָ בְּיָדֵנוּ אֶת־כָּל־הָאָרֶץ	Josh. 2:24
	1224-1228	נָתַן (וַיִּתֵּן וכד׳) בְּיָדֵנוּ	Jud. 16:23, 24 • ISh. 14:10; 17:47; 30:23
	1229	לֹא תִנָּבֵא...וְלֹא תָמוּת בְּיָדֵנוּ	Jer. 11:21
מִיָּדֵנוּ	1230	לֹא־לָקַח מִיָּדֵנוּ עֹלָה וּמִנְחָה	Jud. 13:23
יֶדְכֶם	1231	מִלְאוּ יֶדְכֶם הַיּוֹם לַייָ	Ex. 32:29
	1232	שִׁבְעַת יָמִים יְמַלֵּא אֶת־יֶדְכֶם	Lev. 8:33
	1233	וּקְשַׁרְתֶּם אֹתָם לְאוֹת עַל־יֶדְכֶם	Deut. 11:18
	1234	וְאֵת תְּרוּמַת יֶדְכֶם	Deut. 12:6
	1235	וּשְׂמַחְתֶּם בְּכֹל מִשְׁלַח יֶדְכֶם	Deut. 12:7
	1236	מַעְשְׂרֹתֵיכֶם וּתְרֻמַת יֶדְכֶם	Deut. 12:11
	1237	עַתָּה מִלֵּאתֶם יֶדְכֶם לַייָ	IICh. 29:31
בְּיֶדְכֶם	1238	בְּיֶדְכֶם נִתָּנוּ	Gen. 9:2
	1239	וְכֶסֶף מִשְׁנֶה קְחוּ בְיֶדְכֶם	Gen. 43:12
	1240	וְאֶת־הַכֶּסֶף תָּשִׁיבוּ בְיֶדְכֶם	Gen. 43:12
	1241	נַעֲלֵיכֶם בְּרַגְ׳ וּמַקֶּלְכֶם בְּיֶדְכֶם	Ex. 12:11
	1242	אֶתֵּן בְּיֶדְכֶם אֵת יֹשְׁבֵי הָאָרֶץ	Ex. 23:31
	1243-1252	נָתַן (וְאֶתֵּן וכד׳) בְּיֶדְכֶם	Josh. 8:7; 10:19; 24:8, 11 • Jud. 3:28; 7:15; 8:3; 18:10 • IIK. 3:18 • IICh. 28:9
	1253	קְחוּ בְיֶדְכֶם צֵידָה לַדָּרֶךְ	Josh. 9:11
	1254	כְּלֵי הַמִּלְחָמָה אֲשֶׁר בְּיֶדְכֶם	Jer. 21:4
	1255	וַאֲנִי הִנְנִי בְיֶדְכֶם	Jer. 26:14
	1256	הִנֵּה־הוּא בְּיֶדְכֶם	Jer. 38:5
	1257	עֲלוּ וְהַצְלִיחוּ וְיִנָּתְנוּ בְּיֶדְכֶם	IICh. 18:14
מִיֶּדְכֶם	1258	אֲבַקֵּשׁ אֶת־דָּמוֹ מִיֶּדְכֶם	IISh. 4:11
	1259	מִי־בִקֵּשׁ זֹאת מִיֶּדְכֶם	Is. 1:12
	1260	מִיֶּדְכֶם הָיְתָה זֹּאת	Mal. 1:9
	1261	וּמִנְחָה לֹא־אֶרְצֶה מִיֶּדְכֶם	Mal. 1:10
	1262	הַאֶרְצֶה־אוֹתָהּ מִיֶּדְכֶם	Mal. 1:13
	1263	וְלָקַחַת רָצוֹן מִיֶּדְכֶם	Mal. 2:13
בְּיֶדְכֶן	1264	וְלֹא־יִהְיוּ עוֹד בְּיֶדְכֶן לִמְצוּדָה	Ezek. 13:21
מִיֶּדְכֶן	1265/6	וְהִצַּלְתִּי אֶת־עַמִּי מִיֶּדְכֶן	Ezek. 13:21, 23
יָדָם	1267	וַיִּשְׁלְחוּ הָאֲנָשִׁים אֶת־יָדָם	Gen. 19:10
	1268	וּמִלֵּאתָ אֶת־יָדָם	Ex. 28:41
	1269	וְעַל־בֹּהֶן יָדָם הַיְמָנִית	Ex. 29:20
	1270	וּלְמַלֵּא־בָם אֶת־יָדָם	Ex. 29:29
	1271	לְמַלֵּא אֶת־יָדָם לְקַדֵּשׁ אֹתָם	Ex. 29:33
	1272	שִׁבְעַת יָמִים תְּמַלֵּא יָדָם	Ex. 29:35
	1273	וְעַל־בֹּהֶן יָדָם הַיְמָנִית	Lev. 8:24
	1274	אֲשֶׁר־מִלֵּא יָדָם לְכַהֵן	Num. 3:3
	1275	כִּי גַם־יָדָם עִם־דָּוִד	ISh. 22:17
	1276	וְלֹא אָבוּ...לִשְׁלֹחַ אֶת־יָדָם	ISh. 22:17
	1277	אֲשֶׁר־נָשְׂאוּ אֶת־יָדָם בַּאדֹנִי	IISh. 18:28
	1278	יִתְּנוּ אֶת־הַכֶּסֶף עַל־יָדָם	IIK. 12:16
	1279	הַכֶּסֶף הַנִּתָּן עַל־יָדָם	IIK. 22:7
	1280	אֱדוֹם וּמוֹאָב מִשְׁלוֹחַ יָדָם	Is. 11:14
	1281	יַעֲשׂוּהָ כִּי יֶשׁ־לְאֵל יָדָם	Mic. 2:1
	1282	וַיִּכָּנְעוּ תַּחַת יָדָם	Ps. 106:42
	1283-5	וּבַבִּזָּה לֹא שָׁלְחוּ אֶת־יָדָם	Es. 9:10, 15, 16
	1286	וָאֶשְׁקֲלָה עַל־יָדָם כֶּסֶף...	Ez. 8:26
	1287	וַיִּתְּנוּ יָדָם לְהוֹצִיא נְשֵׁיהֶם	Ez. 10:19
	1288-1293	וְעַל־יָדָם הֶחֱזִיק...	Neh. 3:4^3, 7, 9, 10
	1294-1295	וְעַל־יָדָם	Neh. 3:5; 13:13; 26:13
בְּיָדָם	1296	כָּל־אֱלֹהֵי הַנֵּכָר אֲשֶׁר בְּיָדָם	Gen. 35:4
	1297	וּמִשְׁנֶה־כֶּסֶף לָקְחוּ בְיָדָם	Gen. 43:15
	1298	אֶת־הַמִּנְחָה אֲשֶׁר־בְּיָדָם	Gen. 43:26
בְּיָדָם (המשך)	1299	לָתֶת־חֶרֶב בְּיָדָם לְהָרְגֵנוּ	Ex. 5:21
	1300	וַיֵּלְכוּ...וּקְסָמִים בְּיָדָם	Num. 22:7
	1301	וַיִּקְחוּ בְיָדָם מִפְּרִי הָאָרֶץ	Deut. 1:25
	1302	אֵת כָּל־אֹיְבֵיהֶם נָתַן יְיָ בְּיָדָם	Josh. 21:42
	1303-1310	וַיִּתֵּן (נָתַן וכד׳) בְּיָדָם	Jud. 1:4; 7:2 • Jer. 38:19 • Ezek. 16:39 • Neh. 9:24 • ICh. 5:20 • IICh. 13:16; 24:24
	1311	הַמְלַקְקִים בְּיָדָם אֶל־פִּיהֶם	Jud. 7:6
	1312	וַיִּקְחוּ אֶת־צֵדָה הָעָם בְּיָדָם	Jud. 7:8
	1313	וְנָפוֹץ הַכַּדִּים אֲשֶׁר בְּיָדָם	Jud. 7:19
	1314	אָסֹר נֶאֱסָרְךָ וּנְתַנּוּךָ בְיָדָם	Jud. 15:13
	1315	וַיַּעֲלוּ הַכֶּסֶף בְּיָדָם	Jud. 16:18
	1316	וַיְשַׁנּוֹ אֶת־טַעְמוֹ...וַיִּתְהֹלֵל בְּיָדָם	ISh. 21:14
	1317	וּשְׁלַחְתֶּם בְּיָדָם אֵלַי כָּל־דָּבָר	IISh. 15:36
	1318	וּלְמַלְכֵי אֲרָם בְּיָדָם יֹצִאוּ	IK. 10:29
	1319	יָשִׂימוּ בְיָדָם וְלָקָחוּ	IK. 20:6
	1320	וּמַטֶּה־הוּא בְיָדָם זַעְמִי	Is. 10:5
	1321	בְּיוֹם הֶחֱזִיקִי בְיָדָם	Jer. 31:32(31)
	1322	וּמִנְחָה וּלְבוֹנָה בְּיָדָם	Jer. 41:5
	1323	וְחֶרֶב פִּיפִיּוֹת בְּיָדָם	Ps. 149:6
	1324	הֵן לֹא בְיָדָם טוּבָם	Job 21:16
	1325	שָׂרִים בְּיָדָם נִתְלוּ	Lam. 5:12
	1326	עָשׂוּ מִלְחָמָה...וַיִּפְּלוּ בְּיָדָם	ICh. 5:10
	1327	וּמַלְכֵי אֲרָם בְּיָדָם יוֹצִיאוּ	IICh. 1:17
	1328	בְּהַלֵּל דָּוִיד בְּיָדָם	IICh. 7:6
	1329	וַתַּעַל אֲרוּכָה לַמְּלָאכָה בְּיָדָם	IICh. 24:13
מִיָּדָם	1330	וַיִּשְׁמַע רְאוּבֵן וַיַּצִּלֵהוּ מִיָּדָם	Gen. 37:21
	1331	לְמַעַן הַצִּיל אֹתוֹ מִיָּדָם	Gen. 37:22
	1332	וְלָקַחְתָּ אֹתָם מִיָּדָם	Ex. 29:25
	1333	וַיִּקַּח מִיָּדָם וַיָּצַר אֹתוֹ בַּחֶרֶט	Ex. 32:4
	1334	וָאוֹשִׁיעָה אֶתְכֶם מִיָּדָם	Jud. 10:12
	1335	וְלֹא־הוֹשַׁעְתֶּם אוֹתִי מִיָּדָם	Jud. 12:2
	1336	וְנָתְנוּ לְךָ...וְלָקַחְתָּ מִיָּדָם	ISh. 10:4
	1337	וַיָּבֹא אֶל־הָעֹפֶל וַיִּקַּח מִיָּדָם	IIK. 5:24
	1338/9	וְאַתָּה לֹא־תִמָּלֵט מִיָּדָם	Jer. 38:18, 23
	1340	וְדָרַשְׁתִּי אֶת־צֹאנִי מִיָּדָם	Ezek. 34:10
	1341	וְלֹא אַצִּיל מִיָּדָם	Zech. 11:6
	1342	פֹּרֵק אֵין מִיָּדָם	Lam. 5:8
	1343	וַיִּזְרְקוּ הַכֹּהֲנִים מִיָּדָם	IICh. 35:11
יָדַיִם	1344	וְהָאָרֶץ הִנֵּה רַחֲבַת־יָדַיִם	Gen. 34:21
	1345	וְלֹא־הָיָה בָהֶם יָדַיִם לָנוּס	Josh. 8:20
	1346/7	וְהָאָ׳ רַחֲבַת יָדַיִם	Jud. 18:10 • ICh. 4:40
	1348	וְהוּא יָגֵעַ וּרְפֵה יָדַיִם	IISh. 17:2
	1349/50	וַיָּשִׂ(י)מוּ לָהּ יָדַיִם	IIK. 11:16 • IICh. 23:15
	1351	כָּל־יָדַיִם תִּרְפֶּינָה	Is. 13:7
	1352	חַזְּקוּ יָדַיִם רָפוֹת	Is. 35:3
	1353	וּפָעָלְךָ אֵין־יָדַיִם לוֹ	Is. 45:9
	1354	עַל כָּל־יָדַיִם גְּדֻדֹת	Jer. 48:37
	1355	וְנָמֵס כָּל־לֵב וְרָפוּ כָל־יָדַיִם	Ezek. 21:12
	1356/7	מְעַט חִבֻּק יָדַיִם לִשְׁכָּב	Prov. 6:10; 24:33
	1358	וּטְהָר־יָדַיִם יֹסִיף אֹמֶץ	Job 17:9
	1359	וּבְשִׁפְלוּת יָדַיִם יִדְלֹף הַבָּיִת	Eccl. 10:18
	1360	וְהָעִיר רַחֲבַת יָדַיִם וּגְדוֹלָה	Neh. 7:4
יָדָיִם	1361	כַּדּוּר אֶל־אֶרֶץ רַחֲבַת יָדָיִם	Is. 22:18
	1362	נְהָרִים יְאֹרִים רַחֲבֵי יָדָיִם	Is. 33:21
	1363	לֹא־הִפְנוּ...מֵרִפְיוֹן יָדָיִם	Jer. 47:3
	1364	זֶה הַיָּם גָּדוֹל וּרְחַב יָדָיִם	Ps. 104:25
	1365	וְלֹא־חָלוּ בָהּ יָדָיִם	Lam. 4:6
יָדֵי=(יָדַיִם)	1366	כְּסָתוֹת עַל כָּל־אַצִּילֵי יָדַי	Ezek. 13:18
וְיָדַיִם	1367	וְיָדַיִם שֹׁפְכוֹת דָּם־נָקִי	Prov. 6:17
	1368	וְיָדַיִם רָפוֹת תְּחַזֵּק	Job 4:3
הַיָּדַיִם	1369	כָּל־הַיָּדַיִם תִּרְפֶּינָה	Ezek. 7:17
הַיָּדָיִם	1370	וְהָרַגְלַיִם וְכַפּוֹת הַיָּדָיִם	IIK. 9:35
וְהַיָּדָיִם	1371	הַקֹּל קוֹל יַעֲ׳ וְהַיָּדַיִם יְדֵי עֵשָׂו	Gen. 27:22
בְּיָדַיִם	1372	שְׂמָמִית בְּיָדַיִם תְּתַפֵּשׂ	Prov. 30:28
יְדֵי־	1373	וְאֶת־הַצְּמִדִים עַל־יְדֵי אֲחֹתוֹ	Gen. 24:30
	1374	...וְהַיָּדַיִם יְדֵי עֵשָׂו	Gen. 27:22
	1375	מִמִּדְבַּר־צִן עַל־יְדֵי אֱדוֹם	Num. 34:3
	1376-1381	מַעֲשֵׂה יְדֵי (הָ)אָדָם	Deut. 4:28 • IIK. 19:18 • Is. 37:19 • Ps. 115:4; 135:15 • IICh. 32:19
	1382	יַעֲשֶׂה פֶסֶל...מַעֲשֵׂה יְדֵי חָרָשׁ	Deut. 27:15
	1383	הֶעָרִים אֲשֶׁר עַל־יְדֵי אַרְנוֹן	Jud. 11:26
	1384	וְחָזְקוּ יְדֵי כָּל־אֲשֶׁר אִתָּךְ	IISh. 16:21
	1385	יָצַק מַיִם עַל־יְדֵי אֵלִיָּהוּ	IIK. 3:11
	1386	עַל־יְדֵי׳ עֹשֵׂי הַמְּלָאכָה	IIK. 12:12
	1387	וַיָּשֶׂם אֱלִישָׁע יָדָיו עַל־יְדֵי הַמֶּלֶךְ	IIK. 13:16
	1388	מַעֲשֵׂה יְדֵי־חָרָשׁ בַּמַּעֲצָד	Jer. 10:3
	1389	וְהַגִּרֵם עַל־יְדֵי־חֶרֶב	Jer. 18:21
	1390	וְחִזְּקוּ יְדֵי מְרֵעִים	Jer. 23:14
	1391	תַּעֲבֹרְנָה הַצֹּאן עַל־יְדֵי מוֹנֶה	Jer. 33:13
	1392	מְרַפֵּא אֶת־יְדֵי אַנְשֵׁי הַמִּלְחָמָה	Jer. 38:4
	1393	וְאֵת יְדֵי כָל־הָעָם	Jer. 38:4
	1394	וּדְמוּת יְדֵי אָדָם תַּחַת כַּנְפֵיהֶם	Ezek. 10:21
	1395	וּלְחַזֵּק יְדֵי רָשָׁע	Ezek. 13:22
	1396	וַתַּגֵּר אֶת־בְּ׳ עַל־יְדֵי חָרֶב	Ezek. 35:5
	1397	יְדֵי זְרֻבָּבֶל יִסְּדוּ הַבַּיִת	Zech. 4:9
	1398	יַגִּירֻהוּ עַל־יְדֵי־חָרֶב	Ps. 63:11
	1399	וּגְמוּל יְדֵי־אָדָם יָשִׁיב לוֹ	Prov. 12:14
	1400	וְעַל־יְדֵי רְשָׁעִים יִרְטֵנִי	Job 16:11
	1401	כְּמוֹ חֲלָאִים מַעֲשֵׂה יְדֵי אָמָּן	S. of S. 7:2
	1402	לְנִבְלֵי־חֶרֶשׂ מַעֲשֵׂה יְדֵי יוֹצֵר	Lam. 4:2
	1403	יְדֵי נָשִׁים רַחֲמָנִיּוֹת בִּשְּׁלוּ...	Lam. 4:10
	1404	עַל־יְדֵי עֹשֵׂי הַמְּלָאכָה	Es. 3:9
	1405	לְהַלֵּל אֶת־יְיָ עַל־יְדֵי דָוִיד	Ez. 3:10
	1406	מְרַפִּים יְדֵי עַם־יְהוּדָה	Ez. 4:4
	1407	הֶעֱמִיד דָּוִיד עַל־יְדֵי־שִׁיר	ICh. 6:16
	1408	וְעַל־יְדֵי בְנֵי־מְנַשֶּׁה	ICh. 7:29
	1409-1410	עַל(־)יְדֵי הַמֶּלֶךְ	ICh. 25:2, 6
	1411-1412	עַל־יְדֵי אֲבִיהֶם	ICh. 25:3, 6
	1413	וּבְשִׁיר עַל יְדֵי דָוִיד	ICh. 23:18
	1414	וְעַל־יְדֵי כְּלֵי דָוִיד מֶלֶךְ יִשְׂ׳	IICh. 29:27
וִידֵי־	1415	וִידֵי מֹשֶׁה כְּבֵדִים	Ex. 17:12
	1416	מַעֲשֵׂה חָרָשׁ וִידֵי צוֹרֵף	Jer. 10:9
	1417	וִידֵי(כת׳ וידו) אָדָם מִתַּחַת כַּנְפֵיהֶם	Ezek. 1:8
	1418	וִידֵי עַם־הָאָרֶץ תִּבָּהַלְנָה	Ezek. 7:27
בִּידֵי־	1419	נִשְׁמְטוּ בִידֵי־סֶלַע שֹׁפְטֵיהֶם	Ps. 141:6
	1420	נְתָנַנִי...בִּידֵי לֹא־אוּכַל קוּם	Lam. 1:14
כִּידֵי־	1421	כִּידֵי עֵשָׂו אָחִיו שְׂעִרֹת	Gen. 27:23
מִידֵי־	1422	וַיָּפֹזּוּ...מִידֵי אֲבִיר יַעֲקֹב	Gen. 49:24
	1423	שָׁמְרֵנִי יְיָ מִידֵי רָשָׁע	Ps. 140:5
	1424	שָׁמְרֵנִי מִידֵי־פַח יָקְשׁוּ לִי	Ps. 141:9
	1425	וּבְמִלְחָמָה מִידֵי חָרֶב	Job 5:20
יָדַי	1426/7	כְּבֹר יָדַי יָשִׁיב לִי	IISh. 22:21 • Ps. 18:21
	1428	מְלַמֵּד יָדַי לַמִּלְחָמָה	IISh. 22:35
	1429	וּמַעֲשֵׂה יָדַי אַשּׁוּר	Is. 19:25
	1430	יְלָדָיו מַעֲשֵׂה יָדַי בְּקִרְבּוֹ	Is. 29:23
	1431	וְעַל־פֹּעַל יָדַי תְּצַוֻּנִי	Is. 45:11
	1432	אֲנִי יָדַי נָטוּ שָׁמַיִם	Is. 45:12
	1433	מַעֲשֵׂה יָדַי לְהִתְפָּאֵר	Is. 60:21
	1434	פֵּרַשְׂתִּי יָדַי...אֶל־עַם סוֹרֵר	Is. 65:2
	1435	כְּבֹר יָדַי לְנֶגֶד עֵינָיו	Ps. 18:25
	1436	מְלַמֵּד יָדַי לַמִּלְחָמָה	Ps. 18:35
	1437	...כָּאֲרִי יָדַי וְרַגְלָי	Ps. 22:17

יָדִי (המשך)
1438 בְּנָשְׂאִי יָדַי אֶל־דְּבִיר קָדְשֶׁךָ Ps.28:2
1439 פֵּרַשְׂתִּי יָדַי אֵלֶיךָ Ps.143:6
1440 הַמְלַמֵּד יָדַי לַקְרָב Ps.144:1
1441 בְּכָל־מַעֲשַׂי שֶׁעָשׂוּ יָדַי Eccl.2:11
יָדָי 1442 וּשְׁנֵי לוּחֹת הַבְּרִית עַל שְׁתֵּי יָדָי Deut.9:15
1443 וָאַשְׁלִכֵם מֵעַל שְׁתֵּי יָדָי Deut.9:17
1444 וַתְּנִיעֵנִי עַל־בִּרְכַּי וְכַפּוֹת יָדָי Dan.10:10
1445 וְעַתָּה חַזֵּק אֶת־יָדָי Neh.6:9
וְיָדַי 1446 וְיָדַי נָטְפוּ־מוֹר S.ofS.5:5
יָדֶיךָ 1447 מִקְּדָשׁ אֲדֹנָי כּוֹנְנוּ יָדֶיךָ Ex.15:17
1448 וּבְכֹל מַעֲשֵׂה יָדֶיךָ Deut.16:15
1449-1457 (ו/ב/כ) מַעֲשֵׂה(י) יָדֶיךָ Deut.24:19
Mic.5:12 • Ps.8:7; 92:5; 102:26; 138:8; 143:5
Job 14:15 • Eccl.5:5
1458 אַל־תֶּרֶף יָדֶיךָ מֵעֲבָדֶיךָ Josh.10:6
1459 וְאַחַר תֶּחֱזַקְנָה יָדֶיךָ Jud.7:11
1460 יָדֶךָ לֹא־אֲסֻרוֹת IISh.3:34
1461 שִׂים נָא...תַּחַת אַצִּלוֹת יָדֶיךָ Jer.38:12
1462 מָה הַמַּכּוֹת הָאֵלֶּה בֵּין יָדֶיךָ Zech.13:6
1463 יָדֶיךָ עָשׂוּנִי וַיְכוֹנְנוּנִי Ps.119:73
1464 שְׁלַח יָדֶיךָ מִמָּרוֹם פְּצֵנִי Ps.144:7
1465 יָדֶיךָ עִצְּבוּנִי וַיַּעֲשׂוּנִי Job 10:8
יָדַיִךְ 1466 וָאֶתְּנָה צְמִידִים עַל־יָדַיִךְ Ezek.16:11
1467 אִם־תֶּחֱזַקְנָה יָדַיִךְ Ezek.22:14
יָדָיִךְ 1468 צִיּוֹן אַל־יִרְפּוּ יָדָיִךְ Zep.3:16
וְיָדַיִךְ 1469 תֵּצְאִי וְיָדַיִךְ עַל־רֹאשֵׁךְ Jer.2:37
יָדָיו 1470 הִלְבִּישָׁה עַל־יָדָיו Gen.27:16
1471 כִּי־הָיוּ יָדָיו כִּידֵי עֵשָׂו Gen.27:23
1472 שִׂכֵּל אֶת־יָדָיו Gen.48:14
1473 וַיָּפֹזּוּ זְרֹעֵי יָדָיו Gen.49:24
1474 וַיְהִי יָדָיו אֱמוּנָה עַד בֹּא הַשָּׁמֶשׁ Ex.17:12
1475 יָדָיו תְּבִיאֶינָה אֵת אִשֵּׁי יְיָ Lev.7:30
1476 וַיִּשָּׂא אַהֲרֹן אֶת־יָדָו אֶל־הָעָם Lev.9:22
1477 וְסָמַךְ אַהֲרֹן אֶת־שְׁתֵּי יָדָו Lev.16:21
1478 וַיִּסְמֹךְ אֶת־יָדָיו עָלָיו Num.27:23
1479 יָדָיו רָב לוֹ וְעֵזֶר מִצָּרָיו תִּהְיֶה Deut.33:7
1480 וּפֹעַל יָדָיו תִּרְצֶה Deut.33:11
1481 כִּי־סָמַךְ מֹשֶׁה אֶת־יָדָיו עָלָיו Deut.34:9
1482 וַיְקַצְּצוּ אֶת־בְּהֹנוֹת יָדָיו Jud.1:6
1483 וְאִם־כִּגְמוּל יָדָיו עֲשִׂיתֶם Jud.9:16
1484 אֲשֶׁר־חִזְּקוּ אֶת־יָדָיו Jud.9:24
1485 וַיִּמַּסּוּ אֱסוּרָיו מֵעַל יָדָיו Jud.15:14
1486 וּשְׁתֵּי כַּפּוֹת יָדָיו כְּרֻתוֹת ISh.5:4
1487 וַיַּעַל יוֹנָתָן עַל־יָדָיו וְעַל־רַגְלָיו ISh.14:13
1488 וַיִּרְפּוּ יָדָיו וְכָל־יִשְׂרָאֵל נִבְהָלוּ IISh.4:1
1489 וְאֶצְבְּעֹת יָדָיו...שֵׁשׁ וָשֵׁשׁ IISh.21:20
1490 לְהַכְעִיסוֹ בְּמַעֲשֵׂה יָדָיו IK.16:7
1491 וַיַּהֲפֹךְ יְהוֹרָם יָדָיו וַיָּנָס IIK.9:23
1492 וַיָּשֶׂם אֱלִישָׁע יָדָיו עַל־יְדֵי הַמֶּלֶךְ IIK.13:16
1493 וַיִּתֵּן...לִהְיוֹת יָדָיו אִתּוֹ IIK.15:19
1494 לְמַעֲשֵׂה יָדָיו יִשְׁתַּחֲווּ Is.2:8
1495 כִּי־גְמוּל יָדָיו יֵעָשֶׂה לּוֹ Is.3:11
1496 וּמַעֲשֵׂה יָדָיו לֹא רָאוּ Is.5:12
1497-1502 (ו)מַעֲשֵׂה(י) יָדָיו Is.17:8
Ps.19:2; 28:5; 111:7 • Job 1:10; 34:19
1503 וּפֵרַשׂ יָדָיו בְּקִרְבּוֹ Is.25:11
1504 וְהִשְׁפִּיל...עִם אָרְבּוֹת יָדָיו Is.25:11
1505 יָדָיו עַל־חֲלָצָיו כַּיּוֹלֵדָה Jer.30:6
1506 שָׁמַע...וְרָפוּ יָדָיו Jer.50:43
1507 וְטִהֲרוּ אֹתוֹ וּמִלְאוּ יָדָו Ezek.43:26
1508 שָׁלַח יָדָיו בִּשְׁלֹמָיו Ps.55:21
1509 כּוּשׁ תָּרִיץ יָדָיו לֵאלֹהִים Ps.68:32

יָדָיו (המשך)
1510 וְיַבֶּשֶׁת יָדָיו יָצָרוּ Ps.95:5
1511 כִּי־מֵאֲנוּ יָדָיו לַעֲשׂוֹת Prov.21:25
1512 יָדָיו גְּלִילֵי זָהָב S.ofS.5:14
1513 הַכְּסִיל חֹבֵק אֶת־יָדָיו Eccl.4:5
וְיָדָיו 1514 וְיָדָיו לֹא־שָׁטַף בַּמָּיִם Lev.15:11
1515 יְדֵי זְרֻבָּבֶל יִסְּדוּ...וְיָדָיו תְּבַצַּעְנָה Zech.4:9
1516 יִמְחַץ וְיָדָו תִּרְפֶּינָה Job 5:18
1517 וְיָדָיו תָּשֵׁבְנָה אוֹנוֹ Job 20:10
בְּיָדָיו 1518 וְאַהֲרֹן וְחוּר תָּמְכוּ בְיָדָיו Ex.17:12
וּבְיָדָיו 1519 אֲשֶׁר דִּבֶּר בְּפִיו...וּבְיָדָיו מִלֵּא IICh.10:4
מִיָּדָיו 1520 וַיַּשְׁלֵךְ מִיָּדָו אֶת־הַלֻּחֹת Ex.32:19
יָדֵיהוּ 1521 רוֹם יָדֵיהוּ נָשָׂא Hab.3:10
יָדֶיהָ 1522 שׁוּבִי...וְהִתְעַנִּי תַּחַת יָדֶיהָ Gen.16:9
1523 וּשְׁנֵי צְמִידִים עַל־יָדֶיהָ Gen.24:22
1524 וְהַצְּמִידִים עַל־יָדֶיהָ Gen.24:47
1525 יָדֶיהָ שִׁלְּחָה בַכִּישׁוֹר Prov.31:19
1526 תְּנוּ־לָהּ מִפְּרִי יָדֶיהָ Prov.31:31
1527 וַחֲרָמִים לִבָּהּ אֲסוּרִים יָדֶיהָ Eccl.7:26
וְיָדֶיהָ 1528 נֹפֶלֶת...וְיָדֶיהָ עַל־הַסַּף Jud.19:27
1529 וְיָדֶיהָ שִׁלְּחָה לָאֶבְיוֹן Prov.31:20
בְּיָדֶיהָ 1530 וְכָל־אִשָּׁה...בְּיָדֶיהָ טָווּ Ex.35:25
1531 וְאִוֶּלֶת בְּיָדֶיהָ תֶהֶרְסֶנּוּ Prov.14:1
1532 פֵּרְשָׂה צִיּוֹן בְּיָדֶיהָ Lam.1:17
יָדֵינוּ 1533 מִמַּעֲשֵׂנוּ וּמֵעִצְּבוֹן יָדֵינוּ Gen.5:29
1534 יָדֵינוּ לֹא שָׁפְכוּ° אֶת־הַדָּם הַזֶּה Deut.21:7
1535 שָׁמַעְנוּ אֶת־שָׁמְעוֹ רָפוּ יָדֵינוּ Jer.6:24
1536 וְלֹא נֹאמַר עוֹד אֱלֹהֵינוּ לְמַעֲשֵׂה יָדֵינוּ Hosh.14:4
1537 וּמַעֲשֵׂה יָדֵינוּ כּוֹנְנָה עָלֵינוּ Ps.90:17
1538 וּמַעֲשֵׂה יָדֵינוּ כּוֹנְנֵהוּ Ps.90:17
יְדֵיכֶם 1539 לְהַכְעִיסוֹ בְּמַעֲשֵׂה יְדֵיכֶם Deut.31:29
1540 וְעַתָּה תֶּחֱזַקְנָה יְדֵיכֶם IISh.2:7
1541 הָאֲנָשִׁים...אֲנִי מֵבִיא עַל־יְדֵיכֶם IIK.10:24
1542 יְדֵיכֶם דָּמִים מָלֵאוּ Is.1:15
1543 אֲשֶׁר עָשׂוּ לָכֶם יְדֵיכֶם חֵטְא Is.31:7
1544 וְלֹא־תַכְעִיסוּ אוֹתִי בְּמַעֲשֵׂה יְדֵיכֶם Jer.25:6
1545-1547 (בְּ־)מַעֲשֵׂה(י) יְדֵיכֶם Jer.25:7
44:8 • Hag.2:17
1548-1549 תֶּחֱזַקְנָה יְדֵיכֶם Zech.8:9,13
1550 חֲמַס יְדֵיכֶם תְּפַלֵּסוּן Ps.58:3
1551 שְׂאוּ־יְדֵכֶם קֹדֶשׁ Ps.134:2
1552 חִזְקוּ וְאַל־יִרְפּוּ יְדֵיכֶם IICh.15:7
וּבִידֵיכֶם 1553 וַתְּדַבֵּרְנָה...וּבִידֵיכֶם מִלֵּאתֶם Jer.44:25
יְדֵיהֶם 1554/5 וְסָמַךְ אַהֲרֹן...אֶת־יְדֵיהֶם Ex.29:10, 19
1556-1564 וְסָמְכוּ (וַיִּסְמְכוּ וכד׳) אֶת־יְדֵיהֶם
Ex.29:15 • Lev.4:15; 8:14, 18, 22; 24:14 • Num.
8:10, 12 • IICh.29:23
1565/6 וְרָחֲצוּ...אֶת־יְדֵיהֶם וְאֶת־רַגְלֵיהֶם
Ex.30:19; 40:31
1567 וְרָחֲצוּ יְדֵיהֶם וְרַגְלֵיהֶם Ex.30:21
1568 יִרְחֲצוּ אֶת־יְדֵיהֶם עַל־הָעֶגְלָה Deut.21:6
1569 בְּהֹנוֹת יְדֵיהֶם וְרַגְלֵיהֶם מְקֻצָּצִים Jud.1:7
1570 וַיְקַצְּצוּ אֶת־יְדֵיהֶם וְאֶת־רַגְלֵיהֶם IISh.4:12
1571 לְמַעַן הַכְעִיסֵנִי בְּכֹל מַעֲשֵׂה יְדֵיהֶם IISh.22:17
1572-1579 (וּ/בְ/לְ/כְ/וּכְ) מַעֲשֵׂה(י) יְדֵיהֶם
Is.65:22 • Jer.1:16; 25:14; 32:30 • Hag.2:14 • Ps.
28:4 • Lam.3:64 • IICh.34:25
1580 וְהַכֹּהֲנִים יִרְדּוּ עַל־יְדֵיהֶם Jer.5:31
1581 וְלֹא־מָצְאוּ כָל־אַנְשֵׁי־חַיִל יְדֵיהֶם Ps.76:6
1582 יְדֵיהֶם וְלֹא יְמִישׁוּן Ps.115:7
1583 לֹא־יִשְׁלְחוּ...בְּעַוְלָתָה יְדֵיהֶם Ps.125:3
1584 וְהָאֲתֹנוֹת רֹעוֹת עַל־יְדֵיהֶם Job 1:14
1585 וְלֹא־תַעֲשֶׂינָה יְדֵיהֶם תּוּשִׁיָּה Job 5:12

יְדֵיהֶם (המשך)
1586 גַּם־כֹּחַ יְדֵיהֶם לָמָּה לִּי Job 30:2
1587 לְחַזֵּק יְדֵיהֶם בִּמְלֶאכֶת בֵּית הָא׳ Ez.6:22
1588 וַיְחַזְּקוּ יְדֵיהֶם לַטּוֹבָה Neh.2:18
1589 יִרְפּוּ יְדֵיהֶם מִן־הַמְּלָאכָה Neh.6:9
1590 וַיַּעֲנוּ...אָמֵן אָמֵן בְּמֹעַל יְדֵיהֶם Neh.8:6
1591 וַיִּסְמְכוּ יְדֵיהֶם עֲלֵיהֶם IICh.29:23
וִידֵיהֶם 1592 וְגַבֵּיהֶם וִידֵיהֶם וְכַנְפֵיהֶם Ezek.10:12
בִּידֵיהֶם 1593 אֲשֶׁר־בִּידֵיהֶם זִמָּה Ps.26:10
1594 חִזְּקוּ בִידֵיהֶם בִּכְלֵי־כֶסֶף Ez.1:6
יְדֵיהֶן 1595 וַיִּתְּנוּ צְמִידִים אֶל־יְדֵיהֶן Ezek.23:42
בִּידֵיהֶן 1596 כִּי נִאֵפוּ וְדָם בִּידֵיהֶן Ezek.23:37
1597 כִּי נֹאֲפֹת הֵנָּה וְדָם בִּידֵיהֶן Ezek.23:45
יָדוֹת 1598 וַתֵּרֶב...מִמַּשְׂאֹת כֻּלָּם חָמֵשׁ יָדוֹת Gen.43:34
1599/600 שְׁתֵּי יָדוֹת לַקֶּרֶשׁ הָאֶחָד Ex.26:17; 36:22
1601 עֶשֶׂר־יָדוֹת לִי בַמֶּלֶךְ IISh.19:44
1602 עֶשֶׂר יָדוֹת עַל כָּל־הַחַרְטֻמִּים Dan.1:20
וְיָדוֹת 1603 וְיָדֹת מִזֶּה וּמִזֶּה אֶל־מְקוֹם הַשָּׁבֶת IK.10:19
1604 וְיָדוֹת מִזֶּה וּמִזֶּה עַל־מְקוֹם... IICh.9:18
הַיָּדוֹת 1605 וְאַרְבַּע הַיָּדֹת יִהְיֶה לָכֶם Gen.47:24
1606 וּשְׁנַיִם אֲרָיוֹת עֹמְדִים אֵצֶל הַיָּדוֹת IK.10:19
1607 וּשְׁתֵּי הַיָּדוֹת בָּכֶם...וְשָׁמְרוּ IIK.11:7
1608 וְתֵשַׁע הַיָּדוֹת בֶּעָרִים Neh.11:1
1609 אֲרָיוֹת עֹמְדִים אֵצֶל הַיָּדוֹת IICh.9:18
וִידוֹת־ 1610 וִידוֹת הָאוֹפַנִּים בַּמְּכוֹנָה IK.7:32
יְדֹתָיו 1611/2 שְׁנֵי אֲדָנִים...לִשְׁתֵּי יְדֹתָיו Ex.26:19; 36:24
1613/4 וּשְׁנֵי אֲדָנִים...לִשְׁתֵּי יְדֹתָיו Ex.26:19; 36:24
יְדֹתֶיהָ 1615 וְעַל רֹאשׁ הַמְּכֹנָה יְדֹתֶיהָ IK.7:35
1616 וַיְפַתַּח עַל־הַלֻּחֹת יְדֹתֶיהָ IK.7:36
יְדוֹתָם 1617 יְדוֹתָם וְגַבֵּיהֶם וְחִשֻּׁקֵיהֶם IK.7:33

יַד² נ׳ ארמית, כמו בעברית; יְדָא = הַיָּד: 1—17
יַד אֱנָשׁ 1; פַּס יְדָא 4
יַד־ 1 נְפַקָה° אֶצְבְּעָן דִּי יַד־אֱנָשׁ Dan.5:5
2 דִּי שֵׁיזִב...מִן־יַד אַרְיָוָתָא Dan.6:28
בְּיַד־ 3 יְהַב הִמּוֹ בְּיַד נְבוּכַדְנֶצַּר Ez.5:12
יְדָא 4 וּמַלְכָּא חָזֵה פַּס יְדָה דִּי כָתְבָה Dan.5:5
5 מִן־קֳדָמוֹהִי שְׁלִיחַ פַּסָּא דִי־יְדָא Dan.5:24
יְדַי 6 אֱלָהּ דִּי יְשֵׁיזְבִנְכוֹן מִן־יְדָי Dan.3:15
יְדָךְ 7 וּמִן־יְדָךְ מַלְכָּא יְשֵׁיזִב Dan.3:17
בִּידָךְ 8 חֵיוַת בָּרָא...יְהַב בִּידָךְ Dan.2:38
9 בְּדָת אֱלָהָךְ דִּי בִידָךְ Ez.7:14
10 כְּחָכְמַת אֱלָהָךְ דִּי־בִידָךְ Ez.7:25
יְדֵהּ 11 דִּי יִשְׁלַח יְדֵהּ לְהַשְׁנָיָה Ez.6:12
בִּידֵהּ 12 וְלָא אִיתַי דִּי־יְמַחֵא בִידֵהּ Dan.4:32
13 וְלֵאלָהָא דִּי־נִשְׁמְתָךְ בִּידֵהּ Dan.5:23
14 וְיִתְיַהֲבוּן בִּידֵהּ עַד־עִדָּן... Dan.7:25
בִּידְהֹם 15 מִתְעַבְדָא וּמַצְלַח בִּידְהֹם Ez.5:8
בִּידַיִן 16 הִתְגְּזֶרֶת אֶבֶן דִּי־לָא בִידַיִן Dan.2:34
17 אִתְגְּזֶרֶת אֶבֶן דִּי־לָא בִידַיִן Dan.2:45

יַד אַבְשָׁלוֹם המצבה שהקים אבשלום
יַד אַב׳ 1 וַיִּקָּרֵא לָהּ יַד אַבְשָׁלֹם IISh.18:18

(יְדָא) מְהוֹדָא הפ׳ בינוני ארמית: מוֹדָה: 2,1
מְהוֹדֵא 1 לָךְ...מְהוֹדֵא וּמְשַׁבַּח אֲנָה Dan.2:23
וּמוֹדֵא 2 וּמְצַלֵּא וּמוֹדֵא קֳדָם אֱלָהֵהּ Dan.6:11

יִדְאֲלָה עיר בנחלת זבולון
וְיִדְאֲלָה 1 וְקַטָּת...וְיִדְאֲלָה וּבֵית לָחֶם Josh.19:15

יִדְבָּשׁ שפ״ז – מצאצאי יהודה
וְיִדְבָּשׁ 1 יִזְרְעֶאל וְיִשְׁמָא וְיִדְבָּשׁ ICh.4:3

ידד : יָדִיד, יְדִידוּת, יְדִידֹת; ש״פ יְדִידָה, יְדִידְיָה

ידה : א) יָדָה, יַדָּה
ב) הִתְוַדָּה, הוֹדָה; הֻיְדוֹת, יָד(?), תּוֹדָה
ש״פ יְהוּדָה, יָדוֹ, יַדַּי, יְדָיָה, יְדוּתוּן, יְדִיתוּן

ידה1 פ׳ א) ירה, השליך: 1
ב) [פ׳ יַדָּה] כנ״ל: 2–6 [יַדּוּ=יַיַדּוּ]
קרובים: ראה זָרַק (ב)
יָדָה אֶבֶן 6; יָדָה גּוֹרָל 3–5; יַדּוֹת קַרְנוֹת 2
יָדוּ 1 כָּל־דֹּרְכֵי קֶשֶׁת יְדוּ אֵלֶיהָ Jer. 50:14
לְיַדּוֹת 2 לְיַדּוֹת אֶת־קַרְנוֹת הַגּוֹיִם Zech. 2:4
יַדּוּ 3 וְאֶל־עַמִּי יַדּוּ גוֹרָל Joel 4:3
4 וְעַל־יְרוּשָׁלִַם יַדּוּ גוֹרָל Ob. 11
5 וְעַל־נִכְבַּדֶּיהָ יַדּוּ גוֹרָל Nah. 3:10
וַיַּדּוּ 6 צָמְתוּ בַבּוֹר חַיָּי וַיַּדּוּ־אֶבֶן בִּי Lam. 3:53

(ידה)2 **הִתְוַדָּה** הת׳ א) גלה את חטאיו, שפך לבו: 1–11
ב) [הפ׳ הוֹדָה] הלל, שבח: רוב המקראות 12–111
ג) [כנ״ל] התודה, ספר חטאיו: 36, 42
– הִתְוַדָּה 1, 8, 10; הִתְוַ׳ עַל־ 7, 11; הִתְוַ׳ (אֶת־) 2–6; הִתְוַדָּה לְ־ 9
– הוֹדָה (אֶת־) 20, 32–35, 38–41, 43–68, 71–75, 77, 83–93, 95; הוֹדָה לְ־ 12–19, 21–31, 36, 37, 42, 69–70, 76, 78–82, 94, 96–111
וּכְהִתְוַדֹּתוֹ 1 וּכְהִתְפַּלֵּל עֶזְרָא וּכְהִתְוַדֹּתוֹ Ez. 10:1
וְהִתְוַדָּה 2 וְהִתְוַדָּה אֲשֶׁר חָטָא עָלֶיהָ Lev. 5:5
3 וְהִתְוַדָּה עָלָיו אֶת־כָּל־עֲוֹנֹת בְּ־י Lev. 16:21
וְהִתְוַדּוּ 4 וְהִתְוַדּוּ אֶת־עֲוֹנָם Lev. 26:40
5 וְהִתְוַדּוּ אֶת־חַטָּאתָם Num. 5:7
וּמִתְוַדֶּה 6 וּמִתְפַּלֵּל וּמִתְוַדֶּה חַטָּאתִי Dan. 9:20
7 וּמִתְוַדֶּה עַל־חַטֹּאות בְּנֵי־יִשְׂרָאֵל Neh. 1:6
מִתְוַדִּים 8 מִתְוַדִּים וּמִשְׁתַּחֲוִים לַיְיָ אֱלֹהֵיהֶם Neh. 9:3
וּמִתְוַדִּים 9 וּמִתְוַדִּים לַיְיָ אֱלֹהֵי אֲבוֹתֵיהֶם IICh. 30:22
וָאֶתְוַדֶּה 10 וָאֶתְפַּלְלָה לַיְיָ אֱלֹהַי וָאֶתְוַדֶּה Dan. 9:4
וַיִּתְוַדּוּ 11 וַיִּתְוַדּוּ עַל־חַטֹּאתֵיהֶם Neh. 9:2
הוֹדוֹת 12 הַנִּבָּא עַל־הוֹדוֹת וְהַלֵּל לַיְיָ ICh. 25:3
וְהוֹדוֹת 13 וְשִׁיר־תְּהִלָּה וְהֹדוֹת לֵאלֹהִים Neh. 12:46
14 וְהוֹדוֹת לַיְיָ כִּי טוֹב IICh. 7:3
וּבְהוֹדוֹת 15 בְּהַלֵּל וּבְהוֹדֹת לַיְיָ כִּי טוֹב Ez. 3:11
לְהוֹדוֹת 16 טוֹב לְהֹדוֹת לַיְיָ וּלְזַמֵּר Ps. 92:2
17 לְהוֹדוֹת לְשֵׁם קָדְשֶׁךָ לְהִשְׁתַּבֵּחַ Ps. 106:47
18 חֲצוֹת־לַיְלָה אָקוּם לְהוֹדוֹת לָךְ Ps. 119:62
19 שֶׁשָּׁם עָלוּ...לְהֹדוֹת לְשֵׁם יְיָ Ps. 122:4
20 לְהוֹדוֹת אֶת־שְׁמֶךָ Ps. 142:8
21 לְהַלֵּל לְהוֹדוֹת בְּמִצְוַת דָּוִיד Neh. 12:24
22 אָז נָתַן דָּוִיד בָּרֹאשׁ לְהֹדוֹת לַיְיָ ICh. 16:7
23 לְהֹדוֹת לְשֵׁם קָדְשֶׁךָ לְהִשְׁתַּבֵּחַ ICh. 16:35
24/5 לְהֹדוֹת לַיְיָ כִּי לְעוֹלָם חַסְדּוֹ ICh. 16:41
IICh. 7:6
26 וְלַעֲמֹד...לְהֹדוֹת וּלְהַלֵּל לַיְיָ ICh. 23:30
וּלְהוֹדוֹת 27 וּלְהַזְכִּיר וּלְהוֹדוֹת וּלְהַלֵּל לַיְיָ ICh. 16:4
28 קוֹל־אֶחָד לְהַלֵּל וּלְהֹדוֹת לַיְיָ IICh. 5:13
29 לְשָׁרֵת וּלְהֹדוֹת וּלְהַלֵּל IICh. 31:2
הוֹדִינוּ 30/1 הוֹדִינוּ לְּךָ אֱלֹהִים הוֹדִינוּ Ps. 75:2
וְהוֹדוּ 32 וְשָׁבוּ אֵלֶיךָ וְהוֹדוּ אֶת־שְׁמֶךָ IK. 8:33
33–35 וְהוֹדוּ אֶת־שְׁמֶךָ IK. 8:35 • IICh. 6:24,26
וּמוֹדֶה 36 וּמוֹדֶה וְעֹזֵב יְרֻחָם Prov. 28:13
מוֹדִים 37 מוֹדִים אֲנַחְנוּ לָךְ וּמְהַלְלִים ICh. 29:13
אוֹדֶה 38 הַפַּעַם אוֹדֶה אֶת־יְיָ Gen. 29:35
39 אוֹדֶה שִׁמְךָ כִּי עָשִׂיתָ פֶּלֶא Is. 25:1
40 אוֹדֶה יְיָ כְּצִדְקוֹ Ps. 7:18
41 אוֹדֶה יְיָ בְּכָל־לִבִּי Ps. 9:2
אוֹדֶה (המשך) 42 אָמַרְתִּי אוֹדֶה עֲלֵי פְשָׁעַי לַיְיָ Ps. 32:5
43 אוֹדֶה שִּׁמְךָ יְיָ כִּי־טוֹב Ps. 54:8
44 אוֹדֶה יְיָ מְאֹד בְּפִי Ps. 109:30
45 אוֹדֶה יְיָ בְּכָל־לֵבָב Ps. 111:1
46 אָבֹא־בָם אוֹדֶה יָהּ Ps. 118:19
וְאוֹדֶה 47 וְאוֹדֶה אֶת־שְׁמֶךָ עַל־חַסְדְּךָ Ps. 138:2
אוֹדְךָ 48 עַל־כֵּן אוֹדְךָ יְיָ בַּגּוֹיִם IISh. 22:50
49 אוֹדְךָ יְיָ כִּי אָנַפְתָּ בִּי Is. 12:1
50 עַל־כֵּן אוֹדְךָ בַגּוֹיִם יְיָ Ps. 18:50
51 אוֹדְךָ בְּקָהָל רָב Ps. 35:18
52 אוֹדְךָ לְעוֹלָם כִּי עָשִׂיתָ Ps. 52:11
53 אוֹדְךָ בָעַמִּים אֲדֹנָי Ps. 57:10
54 גַּם־אֲנִי אוֹדְךָ בִכְלִי־נֶבֶל Ps. 71:22
55 אוֹדְךָ אֲדֹנָי אֱלֹהַי בְּכָל־לְבָבִי Ps. 86:12
56 אוֹדְךָ בָעַמִּים יְיָ Ps. 108:4
57 אוֹדְךָ כִּי עֲנִיתָנִי Ps. 118:21
58 אוֹדְךָ בְּיֹשֶׁר לֵבָב Ps. 119:7
59 אוֹדְךָ בְכָל־לִבִּי Ps. 138:1
60 אוֹדְךָ עַל כִּי נוֹרָאוֹת נִפְלֵיתִי Ps. 139:14
אוֹדֶךָּ 61 יְיָ אֱלֹהַי לְעוֹלָם אוֹדֶךָּ Ps. 30:13
62 וְגַם־אֲנִי אוֹדֶךָּ Job 40:14
וְאוֹדְךָ 63 וְאוֹדְךָ בְכִנּוֹר אֱלֹהִים אֱלֹהָי Ps. 43:4
וְאוֹדֶךָּ 64 אֵלִי אַתָּה וְאוֹדֶךָּ Ps. 118:28
אוֹדֶנּוּ 65–67 הוֹחִ(י)לִי לֵאלֹ׳ כִּי־עוֹד אוֹדֶנּוּ Ps. 42:6
42:12; 43:5
אֲהוֹדֶנּוּ 68 וַיַּעֲלֹז לִבִּי וּמִשִּׁירִי אֲהוֹדֶנּוּ Ps. 28:7
יוֹדֶה 69 בִּשְׁאוֹל מִי יוֹדֶה־לָּךְ Ps. 6:6
יְהוֹדֶה 70 רֹאשׁ הַתְּחִלָּה יְהוֹדֶה לַתְּפִלָּה Neh. 11:17
יוֹדֶךָ 71 חַי חַי הוּא יוֹדֶךָ Is. 38:19
הֲיוֹדְךָ 72 הֲיוֹדְךָ עָפָר הֲיַגִּיד אֲמִתֶּךָ Ps. 30:10
תּוֹדֶךָּ 73 כִּי לֹא שְׁאוֹל תּוֹדֶךָּ Is. 38:18
74 כִּי־חֲמַת אָדָם תּוֹדֶךָּ Ps. 76:11
נוֹדֶה 75 וְשִׁמְךָ לְעוֹלָם נוֹדֶה Ps. 44:9
76 נוֹדֶה לְּךָ לְעוֹלָם Ps. 79:13
יוֹדוּ 77 יוֹדוּ שִׁמְךָ גָּדוֹל וְנוֹרָא Ps. 99:3
78–81 יוֹדוּ לַיְיָ חַסְדּוֹ Ps. 107:8,15,21,31
82 אַךְ צַדִּיקִים יוֹדוּ לִשְׁמֶךָ Ps. 140:14
וְיוֹדוּ 83 וְיוֹדוּ שָׁמַיִם פִּלְאֲךָ יְיָ Ps. 89:6
יוֹדוּךָ 84 יְהוּדָה אַתָּה יוֹדוּךָ אַחֶיךָ Gen. 49:8
85/6 יוֹדוּךָ עַמִּים אֱלֹהִים Ps. 67:4,6
87/8 יוֹדוּךָ עַמִּים כֻּלָּם Ps. 67:4,6
89 אִם־רְפָאִים יָקוּמוּ יוֹדוּךָ Ps. 88:11
90 יוֹדוּךָ יְיָ כָּל־מַלְכֵי־אָרֶץ Ps. 138:4
91 יוֹדוּךָ יְיָ כָּל־מַעֲשֶׂיךָ Ps. 145:10
יְהוֹדוּךָ 92 עַל־כֵּן עַמִּים יְהוֹדֻךָ Ps. 45:18
וְיוֹדֻךָ 93 וְיוֹדְךָ כִּי־תֵיטִיב לָךְ Ps. 49:19
הוֹדוּ 94 הוֹדוּ לַיְיָ קִרְאוּ בִשְׁמוֹ Is. 12:4
95 הוֹדוּ אֶת־יְיָ צְבָאוֹת כִּי־טוֹב Jer. 33:11
96 הוֹדוּ לַיְיָ בְּכִנּוֹר Ps. 33:2
97 הוֹדוּ לוֹ בָּרְכוּ שְׁמוֹ Ps. 100:4
98 הוֹדוּ לַיְיָ קִרְאוּ בִּשְׁמוֹ Ps. 105:1
99–104 הוֹדוּ לַיְיָ כִּי־טוֹב Ps. 106:1
107:1; 118:1,29; 136:1 • ICh. 16:34
105 הוֹדוּ לֵאלֹהֵי הָאֱלֹהִים Ps. 136:2
106 הוֹדוּ לַאֲדֹנֵי הָאֲדֹנִים Ps. 136:3
107 הוֹדוּ לְאֵל הַשָּׁמָיִם Ps. 136:26
108 הוֹדוּ לַיְיָ קִרְאוּ בִשְׁמוֹ ICh. 16:8
109 הוֹדוּ לַיְיָ כִּי לְעוֹלָם חַסְדּוֹ IICh. 20:21
וְהוֹדוּ 110/1 וְהוֹדוּ לְזֵכֶר קָדְשׁוֹ Ps. 30:5; 97:12

יִדּוֹ שפ״ז – שַׂר משבט מנשה בצבא דוד
יִדּוֹ 1 יִדּוֹ בֶּן־זְכַרְיָהוּ ICh. 27:21

יָדוֹן שפ״ז – מאנשי גבעון, ממחזיקי חומת ירושלים בימי נחמיה
וְיָדוֹן 1 הֶחֱזִיק...וְיָדוֹן הַמֵּרֹנֹתִי Neh. 3:7

יַדּוּעַ שפ״ז – א) לוי שהיה חתום על האמנה: 1
ב) לוי שעלה עם זרובבל: 2, 3
יַדּוּעַ 1 מְשֵׁיזַבְאֵל צָדוֹק יַדּוּעַ Neh. 10:22
2 וְיוֹנָתָן הוֹלִיד אֶת־יַדּוּעַ Neh. 12:11
וְיַדּוּעַ 3 יוֹיָדָע וְיוֹחָנָן וְיַדּוּעַ Neh. 12:22

יְדוּתוּן שפ״ז – לוי בימי דוד, מראשי המנצחים בנגינות [עין גם יְדִיתוּן]: 1–16
יְדוּתוּן 1 לַמְנַצֵּחַ עַל יְדוּתוּן מִזְמוֹר לְדָוִד Ps. 62:1
2 לַמְנַצֵּחַ עַל יְדוּתוּן (כת׳ ידיתון) Ps. 77:1
3 בֶּן־גָּלָל בֶּן־יְדוּתוּן (כת׳ ידיתון) Neh. 11:17
4 וְעֹבַדְיָה...בֶּן־גָּלָל בֶּן־יְדוּתוּן ICh. 9:16
5 וּבְנֵי יְדוּתוּן לַשָּׁעַר ICh. 16:42
6 בְּנֵי יְדוּתוּן גְּדַלְיָהוּ וּצְרִי ICh. 25:3
7 עַל יְדֵי אֲבִיהֶם יְדוּתוּן בַּכִּנּוֹר ICh. 25:3
8 וּמִן־בְּנֵי יְדוּתוּן שְׁמַעְיָה וְעֻזִּיאֵל IICh. 29:14
וִידוּתוּן 9–10 וְעִמָּהֶם הֵימָן וִידוּתוּן ICh. 16:41,42
11 לִבְנֵי אָסָף וְהֵימָן וִידוּתוּן ICh. 25:1
12 אָסָף וִידוּתוּן וְהֵימָן ICh. 25:6
13 וְהֵימָן וִידִתוּן חוֹזֵה הַמֶּלֶךְ IICh. 35:15
לִידוּתוּן 14 לַמְנַצֵּחַ לִידוּתוּן (כת׳ ידיתון) Ps. 39:1
15 לִידוּתוּן בְּנֵי יְדוּתוּן גְּדַלְיָהוּ.. ICh. 25:3
16 לְאָסָף לְהֵימָן לִידִתוּן IICh. 5:12

יָדַח (ש״ב יד 14) – עין נָדַח (2)

יִדַּחוּ (ירמיה כג 12) – עין דָּחָה (8)

יַדַּי שפ״ז – מעולי בבל בימי עזרא
יַדַּי 1 מִבְּנֵי נְבוֹ...יַדַּי (כת׳ ידו) וְיוֹאֵל Ez. 10:43

יְדִיד* ז׳ אהוב, חביב: 1–7 • קרובים: ראה חָבֵר
יְדִיד־ 1 יְדִיד יְיָ יִשְׁכֹּן לָבֶטַח עָלָיו Deut. 33:12
לִידִידִי 2 אָשִׁירָה נָּא לִידִידִי שִׁירַת דּוֹדִי Is. 5:1
3 כֶּרֶם הָיָה לִידִידִי Is. 5:1
4 מֶה לִידִידִי בְּבֵיתִי Jer. 11:15
לִידִידוֹ 5 כֵּן יִתֵּן לִידִידוֹ שֵׁנָא Ps. 127:2
יְדִידֶיךָ 6–7 לְמַעַן יֵחָלְצוּן יְדִידֶיךָ Ps. 60:7; 108:7

יְדִידָה שפ״ז – אם המלך יאשיהו
יְדִידָה 1 וְשֵׁם אִמּוֹ יְדִידָה בַת־עֲדָיָה IIK. 22:1

יְדִדוּת נ׳ מחמד
יְדִדוּת־ 1 נָתַתִּי אֶת־יְדִדוּת נַפְשִׁי בְּכַף־אֹיְבֶיהָ Jer. 12:7

יְדִידוֹת נ״ר אהבה, חבה: 1, 2 • קרובים: ראה אַהֲבָה
יְדִידֹת 1 מַשְׂכִּיל שִׁיר יְדִידֹת Ps. 45:1
2 מַה־יְּדִידוֹת מִשְׁכְּנוֹתֶיךָ Ps. 84:2

יְדִידְיָה שפ״ז – השם שנתן נתן הנביא לשלמה
יְדִידְיָה 1 וַיִּקְרָא אֶת־שְׁמוֹ יְדִידְיָה IISh. 12:25

יְדָיָה שפ״ז א) מעולי בבל בימי נחמיה: 1
ב) מבני שמעון: 2
יְדָיָה 1 הֶחֱזִיק יְדָיָה בֶּן־חֲרוּמַף Neh. 3:10
2 וְזִיזָא...בֶּן־אַלּוֹן בֶּן־יְדָיָה ICh. 4:37

יְדִיעֲאֵל שפ״ז א) מבני בנימין: 1, 2, 5
ב) מבני אסף: 4
ג) מגבורי דוד: 3, 6
יְדִיעֲאֵל 1 וּבְנֵי יְדִיעֲאֵל בִּלְהָן ICh. 7:10
2 כָּל־אֵלֶּה בְּנֵי יְדִיעֲאֵל ICh. 7:11

יְדִיעֲאֵל (המשך)
3 יְדִיעֲאֵל בֶּן־שִׁמְרִי ICh. 11:45
4 זְכַרְיָהוּ הַבְּכוֹר יְדִיעֲאֵל הַשֵּׁנִי ICh. 26:2

וִידִיעֲאֵל
5 בֶּלַע וָבֶכֶר וִידִיעֲאֵל שְׁלֹשָׁה ICh. 7:6
6 עַדְנַח וְיוֹזָבָד וִידִיעֲאֵל ICh. 12:20(21)

יְדִיתוּן
שפ״ז – הוא יְדוּתוּן

יְדִיתוּן
1 וְעֹבֵד אֱדֹם בֶּן־יְדִיתוּן ICh. 16:38

יִדְלָף
שפ״ז – בן נחור אחי אברהם

יִדְלָף
1 וְאֶת־פִּלְדָּשׁ וְאֶת־יִדְלָף Gen. 22:22

ידע
: יָדַע, יָדוּעַ, נוֹדַע, יִדַּע (יוֹדַע), הִתְוַדַּע, הוֹדִיעַ, הוֹדַע; דֵּעַ, דֵּעָה, דַּעַת, יִדְּעוֹנִי, מַדּוּעַ, מוֹדָע, מוֹדַעַת, מוּדַעַת, מַדָּע; ש״פ יָדָע, יְדַעְיָה, יַדּוּעַ, יְדִיעֲאֵל, יְהוֹיָדָע, יוֹיָדָע, דְּעוּאֵל, אֲבִידָע, אֶלְיָדָע, שְׁמִידָע; אר׳ יְדַע, הוֹדַע; מַנְדַּע

יָדַע
פָּ׳ א) הכיר, תפשׂ בחוש או בשׂכל: רוב המקראות
ב) היה בקי בדבר: 25, 83, 520, 523, 524, 529, 565, 577, 582
ג) העריך, הכיר לטובה: 81, 82, 160-163, 242-244, 270, 507, 509-517, 633, 634
ד) דאג, התענין: 34, 60, 86, 568
ה) [בהשאלה] בָּעַל אשה: 65, 260, 326, 327, 697, 698, 703, 778; התעַלל: 735
ו) [כנ״ל] הָרַס: 705
ז) [נפ׳ נוֹדַע] נִגלה, קִבל ידיעה: 822, 828-830, 837, 858, 861
ח) [כנ״ל] התגלה: 823-826, 832, 835, 836-842, 844, 848, 850-856
ט) [כנ״ל] נִרְאָה, הוּכּר: 827, 831, 833, 834, 843, 845-847, 849, 857, 859, 860, 862
י) [פִּ׳ יִדַּע] קָבַע: 863
יא) [פוֹ׳ יוֹדַע] קבע יַעד: 864
יב) [פְּ׳ יֻדַּע] רק בינוני מְיֻדָּע – עין באות מ׳
יג) [הת׳ הִתְוַדַּע] גִלה זהות עצמו: 865, 866
יד) [הִפ׳ הוֹדִיעַ] סִפר, השמיע: 867-912, 914-937
טו) [כנ״ל] (בהשאלה) ענש, יִסר: 913
טז) [הָפ׳ הוֹדַע] נודע: 938-940

– יָדַע, יָדַע (אֶת־) – רוב המקראות 1-821; יָדַע לְ־ 179; נוֹדַע, נוֹדַע לְ־, אֶל־ – רוב המקראות 822-861; הִתְוַדַּע אֶל־ 865, 866; הוֹדִיעַ 891-909, 912, 914-921, 923-937; הוֹדִיעַ לְ־ 871, 877, 881, 885, 887, 890, 910, 911, 922
– יָדַע לֵבָב 647, 648; יָ׳ לָשׁוֹן 651; יָ׳ נֶפֶשׁ 346, 541; (לֹא) יָדַע נַפְשׁוֹ 86, 611; יָדַע סֵפֶר 273; יָ׳ רָצוֹן 786; (לֹא) יָ׳ שָׂבְעָה 412; (לֹא) יָ׳ שָׁלֵו 276; יָדַע שָׁלוֹם 274; יָדְעָה אִישׁ 329, 330, 400, 403, 404, 569, 570
– יוֹדֵעַ וָעֵד 566; לֹא יוֹדֵעַ 534; מִי יוֹדֵעַ 527, 533, 539, 548, 549, 551, 552, 558; יוֹדֵעַ בִּינָה 561, 591; י׳ דַּעַת 543, 563, 594; י׳ דָּת וָדִין 589; י׳ יָם 582, 592; י׳ (מְ)נַגֵּן 523, 524; י׳ נֶהִי 585; י׳ עִתִּים 588; יוֹדֵעַ צֶדֶק 583; י׳ שֵׂכֶל 560; י׳ שְׁמוֹ 584, 586; יוֹדְעֵי תְרוּעָה 587
– יְדוּעַ חֹלִי 601; אֲנָשִׁים יְדוּעִים 602, 603
– מוּדַעַת זֹאת 940

יָדוֹעַ
1 יָדֹעַ תֵּדַע כִּי־גֵר יִהְיֶה זַרְעֲךָ Gen. 15:13
2 יָדוֹעַ תֵּדְעוּ כִּי לֹא יוֹסִיף יְיָ Josh. 23:13
3 יָדֹעַ יָדַע אָבִיךָ כִּי־מָצָאתִי חֵן ISh. 20:3
4 אִם־יָדֹעַ אֵדַע כִּי־כָלְתָה הָרָעָה ISh. 20:9
5-7 יָדֹעַ תֵּדַע כִּי... ISh. 28:1 • IK. 2:37,42

יָדוֹעַ (המשך)
8-10 יָדֹעַ תֵּדְעוּ... Jer. 26:15; 42:19,22
11 יָדֹעַ תֵּדַע פְּנֵי צֹאנֶךָ Prov. 27:23

הֲיָדוֹעַ
12 הֲיָדוֹעַ נֵדַע כִּי יֹאמַר... Gen. 43:7
13 הֲיָדֹעַ לֹא נֵדַע כִּי כָל־נֵבֶל... Jer. 13:12
14 הֲיָדֹעַ תֵּדַע כִּי בַּעֲלִיס...שָׁלַח Jer. 40:14

וְיָדוֹעַ
15 הַשְׂכֵּל וְיָדֹעַ אוֹתִי Jer. 9:23

דַּעַת
16 לְמַעַן דַּעַת כָּל־עַמֵּי הָאָרֶץ Josh. 4:24
17 לְמַעַן דַּעַת דֹּרוֹת בְּנֵי־יִשְׂרָאֵל Jud. 3:2
18-20 לְמַעַן דַּעַת IK. 8:60 • Ezek. 38:16 • Mic. 6:5
21 בְּמִרְמָה מֵאֲנוּ דַעַת־אוֹתִי Jer. 9:5

לָדַעַת
22 כְּאַחַד מִמֶּנּוּ לָדַעַת טוֹב וָרָע Gen. 3:22
23 לָדַעַת הַהִצְלִיחַ יְיָ דַּרְכּוֹ Gen. 24:21
24 לָדַעַת כִּי אֲנִי יְיָ מְקַדִּשְׁכֶם Ex. 31:13
25 לָדַעַת לַעֲשֹׂת אֶת־כָּל־מְלֶאכֶת Ex. 36:1
26 אַתָּה הָרְאֵתָ לָדַעַת Deut. 4:35
27 לָדַעַת אֶת־אֲשֶׁר בִּלְבָבְךָ Deut. 8:2
28 לָדַעַת הֲיִשְׁכֶם אֹהֲבִים אֶת־יְיָ Deut. 13:4
29 וְלֹא־נָתַן יְיָ לָכֶם לֵב לָדַעַת Deut. 29:3
30 לָדַעַת לָעוּת אֶת־יָעֵף דָּבָר Is. 50:4
31 וְנָתַתִּי לָהֶם לֵב לָדַעַת אֹתִי Jer. 24:7
32 לָדַעַת חָכְמָה וּמוּסָר Prov. 1:2
33 וְהַקְשִׁיבוּ לָדַעַת בִּינָה Prov. 4:1
34 לָדַעַת אֶת־שְׁלוֹם אֶסְתֵּר Es. 2:11
35 לָדַעַת מַה־זֶּה וְעַל־מַה־זֶּה Es. 4:5
36-53 לָדַעַת Jud. 3:4
IISh. 14:20 • Ezek. 20:12, 20 • Hosh. 6:3 • Mic. 3:1 • Hab. 2:14 • Ps. 67:3; 73:16 • Job 37:7 • Eccl. 1:17; 7:25; 8:16, 17 • Dan. 2:3 • ICh. 12:32(33) • IICh. 13:5; 32:31

לָדָעַת
54 וּלְבַב נִמְהָרִים יָבִין לָדָעַת Is. 32:4

וְלָדַעַת
55 וְלָדַעַת אֶת־מוֹצָאֲךָ וְאֶת־מוֹבָאֶךָ° IISh. 3:25
56 וְלָדַעַת אֵת כָּל־אֲשֶׁר אַתָּה עֹשֶׂה IISh. 3:25
57 וְלָדַעַת כִּי־שִׁמְךָ נִקְרָא... IK. 8:43
58 וְלָדַעַת רֶשַׁע כֶּסֶל Eccl. 7:25
59 וְלָדַעַת כִּי־שִׁמְךָ נִקְרָא... IICh. 6:33

לְדֵעָה
60 וַתֵּתַצַּב...לְדֵעָה מַה־יֵּעָשֶׂה לוֹ Ex. 2:4

דַּעְתִּי
61 מַמְרִים...מִיּוֹם דַּעְתִּי אֶתְכֶם Deut. 9:24

מִדַּעְתִּי
62 מִדַּעְתִּי כִּי קָשֶׁה אָתָּה Is. 48:4

דַּעְתְּךָ
63 עַל־דַּעְתְּךָ כִּי־לֹא אֶרְשָׁע Job 10:7

לְדַעְתּוֹ
64 לְדַעְתּוֹ מָאוֹס בָּרָע וּבָחוֹר בַּטּוֹב Is. 7:15

לְדַעְתָּהּ
65 וְלֹא־יָסַף עוֹד לְדַעְתָּהּ Gen. 38:26

יָדַעְתִּי
66 לֹא יָדַעְתִּי הֲשֹׁמֵר אָחִי אָנֹכִי Gen. 4:9
67 יָדַעְתִּי כִּי אִשָּׁה יְפַת־מַרְאֶה אָתְּ Gen. 12:11
68 יָדַעְתִּי כִּי בְתָם־לְבָבְךָ... Gen. 20:6
69 לֹא יָדַעְתִּי מִי עָשָׂה אֶת־הַדָּבָר Gen. 21:26
70 עַתָּה יָדַעְתִּי כִּי־יְרֵא אֱל׳ אַתָּה Gen. 22:12
71 לֹא יָדַעְתִּי יוֹם מוֹתִי Gen. 27:2
72/3 וַיֹּאמֶר יָדַעְתִּי בְנִי יָדַעְתִּי Gen. 48:19
74 כִּי יָדַעְתִּי אֶת־מַכְאֹבָיו Ex. 3:7
75 לֹא יָדַעְתִּי אֶת־יְיָ Ex. 5:2
76 עַם לֹא־יָדַעְתִּי יַעַבְדֻנִי IISh. 22:44
77 עַתָּה זֶה יָדַעְתִּי כִּי אִישׁ אֱל׳ אָתָּה IK. 17:24
78-79 גַּם־אֲנִי יָדַעְתִּי הֶחֱשׁוּ IIK. 2:3,5
80 הִנֵּה לֹא־יָדַעְתִּי דַּבֵּר Jer. 1:6
81 אֲנִי יָדַעְתִּי אֶפְרַיִם Hosh. 5:3
82 רַק אֶתְכֶם יָדַעְתִּי מִכֹּל מִשְׁפְּחוֹת הָאֲ׳ Am. 3:2
83 שְׂפַת לֹא־יָדַעְתִּי אֶשְׁמָע Ps. 81:6
84 יָדַעְתִּי° כִּי־יַעֲשֶׂה יְיָ דִּין עָנִי Ps. 140:13
85 יָדַעְתִּי° כִּי־כֹל תּוּכָל Job 42:2
86 לֹא יָדַעְתִּי נַפְשִׁי S.ofS. 6:12
87-148 יָדַעְתִּי Ex. 3:19; 4:14; 9:30; 18:11
Num. 22:6, 34 • Deut. 3:19; 31:21, 27, 29

יָדַעְתִּי (המשך)
Josh. 2:4, 5, 9 • Jud. 17:13 • ISh. 17:28; 20:30; 22:22; 24:21; 25:11; 29:9 • IISh. 1:10; 18:29; 19:7, 23 • IIK. 4:9; 5:15; 8:12 • Is. 29:12; 48:8 • Jer. 10:23; 11:19; 29:11; 48:30 • Am. 5:12 • Jon. 4:2 • Ps. 18:44; 20:7; 35:11, 15; 41:12; 50:11; 56:10; 71:15; 119:75, 152; 135:5 • Job 9:2, 28; 10:13; 13:2, 18; 19:25; 21:27; 23:3; 29:16; 30:23; 32:22 • Eccl. 1:17; 3:12, 14 • IICh. 2:7; 25:16

יָדָעְתִּי
149 אָכֵן יֵשׁ יְיָ...וְאָנֹכִי לֹא יָדָעְתִּי Gen. 28:16
150 חֵי נַפְשְׁךָ הַמֶּלֶךְ אִם־יָדָעְתִּי ISh. 17:55
151/2 וְשִׁבְתְּךָ וְצֵאתְךָ...יָדָעְתִּי IIK. 19:27 • Is. 37:28
153 וְאֵין צוּר בַּל־יָדָעְתִּי Is. 44:8
154 הֵשִׂירוּ וְלֹא יָדָעְתִּי Hosh. 8:4
155 הֲלָמוּנִי בַּל־יָדָעְתִּי Prov. 23:35

וְיָדַעְתִּי
156 וְיָדַעְתִּי כִּי־תוֹשִׁיעַ בְּיָדִי Jud. 6:37
157 וְיָדַעְתִּי אֵת מִסְפַּר הָעָם IISh. 24:2

וְיָדַעְתִּי
158 וְיָדַעְתִּי גַם־אָנִי שֶׁמִּקְרֶה אֶחָד... Eccl. 2:14
159 וְיָדַעְתִּי אֱלֹהַי כִּי אַתָּה בֹּחֵן לֵבָב ICh. 29:17

יְדַעְתִּיךָ
160 וְאַתָּה אָמַרְתָּ יְדַעְתִּיךָ בְשֵׁם Ex. 33:12
161 בְּטֶרֶם אֶצָּרְךָ° בַבֶּטֶן יְדַעְתִּיךָ Jer. 1:5
162 אֲנִי יְדַעְתִּיךָ בַּמִּדְבָּר Hosh. 13:5

יְדַעְתִּיו
163 כִּי יְדַעְתִּיו לְמַעַן אֲשֶׁר יְצַוֶּה Gen. 18:19

יְדַעְתִּיהָ
164 וּמַעֲלוֹת רוּחֲכֶם אֲנִי יְדַעְתִּיהָ Ezek. 11:5

יְדַעְתִּים
165 שְׁלֹשָׁה...וְאַרְבָּעָ° לֹא יְדַעְתִּים Prov. 30:18

יְדַעְתִּין
166 פֶּן־תֹּאמַר הִנֵּה יְדַעְתִּין Is. 48:7

יָדַעְתָּ
167 אַתָּה יָדַעְתָּ אֶת־עֲבֹדָתִי Gen. 30:26
168 אַתָּה יָדַעְתָּ אֵת אֲשֶׁר עֲבַדְתִּיךָ Gen. 30:29
169 וְאִם־יָדַעְתָּ וְיֶשׁ־בָּם אַנְשֵׁי־חַיִל Gen. 47:6
170 אַתָּה יָדַעְתָּ אֶת־הָעָם Ex. 32:22
171 כִּי עַל־כֵּן יָדַעְתָּ חֲנֹתֵנוּ בַּמִּדְבָּר Num. 10:31
172 אֲשֶׁר יָדַעְתָּ כִּי־הֵם זִקְנֵי הָעָם Num. 11:16
173 אַתָּה יָדַעְתָּ אֵת כָּל־הַתְּלָאָה Num. 20:14
174 וְכָל־מַדְוֵי מִצְ׳ הָרָעִים אֲשֶׁר יָדַעְתָּ Deut. 7:15
175 אֶת־הַמָּן אֲשֶׁר לֹא־יָדַעְתָּ... Deut. 8:3
176 אֲשֶׁר אַתָּה יָדַעְתָּ וְאַתָּה שָׁמַעְתָּ Deut. 9:2
177 הֲלוֹא יָדַעְתָּ אִם־לֹא שָׁמַעְתָּ Is. 40:28
178 גַּם לֹא־שָׁמַעְתָּ גַּם לֹא יָדַעְתָּ Is. 48:8
179 אַתָּה יָדַעְתָּ לְאִוַּלְתִּי... Ps. 69:6
180 מַה־יָּדַעְתָּ וְלֹא נֵדָע Job 15:9
181-213 יָדַעְתָּ Deut. 13:7; 28:36, 64 • Josh. 14:6
Jud. 15:11 • ISh. 28:9 • IISh. 1:5; 3:25; 7:20; 17:8 • IK. 2:5, 44; 5:17, 20; 8:39 • IIK. 4:1 • Jer. 15:15; 18:23 • Zech. 4:5, 13 • Ps. 31:8; 69:20; 139:2, 4; 142:4 • Prov. 14:7 • Job 20:4; 34:33; 38:4, 18, 21 • Neh. 9:10 • IICh. 6:30

יָדַעְתָּה
214 הֲלוֹא יָדַעְתָּה כִּי־מָרָה תִהְיֶה IISh. 2:26

יָדָעְתָּ
215 עַם אֲשֶׁר לֹא יָדָעְתָּ Deut. 28:33
216 וְעַתָּה אֲדֹנִי הַמֶּלֶךְ לֹא יָדָעְתָּ IK. 1:18
217 וְהַעֲבַרְתִּי...בְּאֶרֶץ לֹא יָדָעְתָּ Jer. 15:14
218 בָּאָרֶץ אֲשֶׁר לֹא־יָדָעְתָּ Jer. 17:4
219 לֹא הִתְאַוֵּיתִי אַתָּה יָדָעְתָּ Jer. 17:16
220 וָאֹמַר אֲדֹנָי יְיָ אַתָּה יָדָעְתָּ Ezek. 37:3
221 יְיָ אַתָּה יָדָעְתָּ Ps. 40:10
222 וְאַתָּה אֶת־עַבְדְּךָ יָדָעְתָּ ICh. 17:18

וְיָדַעְתָּ
223 וְיָדַעְתָּ הַיּוֹם וַהֲשֵׁבֹתָ אֶל־לְבָבֶךָ Deut. 4:39
224 וְיָדַעְתָּ כִּי־יְיָ אֱלֹהֶיךָ הוּא הָאֱלֹהִים Deut. 7:9
225 וְיָדַעְתָּ עִם־לְבָבֶךָ Deut. 8:5
226 וְיָדַעְתָּ...כִּי...הוּא־הָעֹבֵר לְפָנֶיךָ Deut. 9:3
227-230 וְיָדַעְתָּ כִּי־אֲנִי יְיָ IK. 20:13
Ezek. 25:7; 35:4, 12
231-236 וְיָדַעְתָּ Deut. 9:6
IK. 2:9 • Zech. 4:9 • Job 5:24, 25; 39:2

הֲיָדַעְתָּ 237/8 הֲיָדַעְתָּ כִּי הַיּוֹם יְיָ לֹקֵחַ IIK.2:3,5
239 הֲיָדַעְתָּ חֻקּוֹת שָׁמָיִם Job 38:33
240 הֲיָדַעְתָּ עֵת לֶדֶת יַעֲלֵי־סָלַע Job 39:1
241 הֲיָדַעְתָּ לָמָּה־בָּאתִי אֵלֶיךָ Dan.10:20
יְדַעְתָּנִי 242 אֲכַנְּךָ וְלֹא יְדַעְתָּנִי Is.45:4
243 אֲאַזֶּרְךָ וְלֹא יְדַעְתָּנִי Is.45:5
244 וְאַתָּה יְיָ יְדַעְתָּנִי תִּרְאֵנִי Jer.12:3
יְדַעְתּוֹ 245 וְאִם־לֹא קָרוֹב אָחִיךָ..וְלֹא יְדַעְתּוֹ Deut.22:2
יְדַעְתָּם 246 אֵל׳ אֲחֵרִים אֲשֶׁר לֹא־יְדַעְתָּם Deut.13:3
247 וּנְצֻרוֹת וְלֹא יְדַעְתָּם Is.48:6
248 וּבְצֻרוֹת וְלֹא יְדַעְתָּם Jer.33:3
249 אֲרָצוֹת אֲשֶׁר לֹא־יְדַעְתָּם Ezek.32:9
יָדַעַתְּ 250 אַתְּ יָדַעַתְּ כִּי־לִי הָיְתָה הַמְּלוּכָה IK.2:15
251 אֲשֶׁר לֹא יָדַעַתְּ תְּמוֹל שִׁלְשׁוֹם Ruth 2:11
יָדָ֑עַתְּ 252 יָקֹשְׁתִּי לָךְ...וְאַתְּ לֹא יָדָעַתְּ Jer.50:24
וְיָדַעַתְּ 253 וְיָדַעַתְּ כִּי־אֲנִי יְיָ Is.49:23
254 וְיָדַעַתְּ כִּי אֲנִי יְיָ מוֹשִׁיעֵךְ Is.60:16
255/6 וְיָדַעַתְּ כִּי־אֲנִי יְיָ Ezek.16:62; 22:16
257 וְאֵרַשְׂתִּיךְ...וְיָדַעַתְּ אֶת־יְיָ Hosh.2:22
258 וְיָדַעַתְּ כִּי־יְיָ צְבָאוֹת שְׁלָחַנִי Zech.2:15
259 וְיָדַעַתְּ אֶת־הַמָּקוֹם אֲשֶׁר יִשְׁכַּב־שָׁם Ruth 3:4
יָדַע 260 וְהָאָדָם יָדַע אֶת־חַוָּה אִשְׁתּוֹ Gen.4:1
261/2 וְלֹא־יָדַע בְּשִׁכְבָהּ וּבְקֻ(ו)מָהּ Gen.19:33,35
263 וְלֹא־יָדַע יַעֲקֹב כִּי רָחֵל גְּנָבָתַם Gen.31:32
264 כִּי לֹא יָדַע כִּי כַלָּתוֹ הִוא Gen.38:16
265 וְלֹא־יָדַע אִתּוֹ מְאוּמָה Gen.39:6
266 אֲדֹנִי לֹא־יָדַע אִתִּי מַה בַּבָּיִת Gen.39:8
267 ...אֲשֶׁר לֹא־יָדַע אֶת־יוֹסֵף Ex.1:8
268 וּמֹשֶׁה לֹא־יָדַע כִּי קָרַן עוֹר פָּנָיו Ex.34:29
269 וְלֹא־יָדַע אִישׁ אֶת־קְבֻרָתוֹ Deut.34:6
270 וּשְׁמוּאֵל טֶרֶם יָדַע אֶת־יְיָ ISh.3:7
271 אֵת כָּל־הָרָעָה אֲשֶׁר יָדַע לְבָבְךָ IK.2:44
272 יָדַע שׁוֹר קֹנֵהוּ וַחֲמוֹר אֵבוּס בְּעָלָיו Is.1:3
273 עַל אֲשֶׁר לֹא־יָדַע סֵפֶר Is.29:12
274 כָּל דֹּרֵךְ בָּהּ לֹא יָדַע שָׁלוֹם Is.59:8
275 אֲשֶׁר לֹא־יָדַע בֵּין־יְמִינוֹ לִשְׂמֹאלוֹ Jon.4:11
276 כִּי לֹא־יָדַע שָׁלֵו בְּבִטְנוֹ Job 20:20
277-313 יָדַע Lev.5:3,4,17,18
Deut.2:7 • Josh.8:14 • Jud.13:16,21; 16:20 • ISh. 3:13; 14:3; 20:3,39; 22:15 • IISh.11:16; 14:22; 19:21 • Is.1:3 • Ps.73:11; 91:14; 103:14; 104:19 • Prov.7:23; 9:18 • Job 11:11; 12:9; 15:23; 18:21; 22:13; 23:10; 28:13,23; 35:15 • Eccl.4:13; 7:22; 10:15 • Es.4:1
יָדָ֑ע 314 וְהוּא עֵד אוֹ רָאָה אוֹ יָדָע Lev.5:1
315 וְאֶת־בָּנָו לֹא יָדָע Deut.33:9
316 וַיְשִׁבוּ אֹתוֹ...וְדָוִד לֹא יָדָע IISh.3:26
317 וַאדֹנֵינוּ דָוִד לֹא יָדָע IK.1:11
318 וְאָבִי דָוִד לֹא יָדָע IK.2:32
319 וַתְּלַהֲטֵהוּ מִסָּבִיב וְלֹא יָדָע Is.42:25
320 וְאִישׁ לֹא יָדָע Jer.41:4
321-322 וְהוּא לֹא יָדָע Hosh.7:9[2]
323 גַּם־שֶׁמֶשׁ לֹא־רָאָה וְלֹא יָדָע Eccl.6:5
יְדָעוֹ 324 אֲשֶׁר יְדָעוֹ יְיָ פָּנִים אֶל־פָּנִים Deut.34:10
325 נָתִיב לֹא־יְדָעוֹ עָיִט Job 28:7
יְדָעָהּ 326 בְּתוּלָה וְאִישׁ לֹא יְדָעָהּ Gen.24:16
327 וְהַנַּעֲרָה יָפָה...וְהַמֶּלֶךְ לֹא יְדָעָהּ IK.1:4
יְדָעָנוּ 328 כִּי אַבְרָהָם לֹא יְדָעָנוּ Is.63:16
יָדְעָה 329 וְהִיא לֹא־יָדְעָה אִישׁ Jud.11:39
330 לֹא־יָדְעָה אִישׁ לְמִשְׁכַּב זָכָר Jud.21:12
331 גַּם־חֲסִידָה...יָדְעָה מוֹעֲדֶיהָ Jer.8:7
332 וְהִיא לֹא יָדְעָה כִּי אָנֹכִי נָתַתִּי לָהּ Hosh.2:10

333 פְּתַיּוּת וּבַל־יָדְעָה מָּה Prov.9:13
יָדַעְנוּ 334 לֹא יָדַעְנוּ מִי־שָׂם כַּסְפֵּנוּ Gen.43:22
335/6 לֹא יָדַעְנוּ מֶה־הָיָה לוֹ Ex.32:1,23
337 יָדַעְנוּ כִּי־בְתוֹכֵנוּ יְיָ Josh.22:31
338 יָדַעְנוּ יְיָ רִשְׁעֵנוּ... Jer.14:20
339 כִּי־תֹאמַר הֵן לֹא־יָדַעְנוּ זֶה Prov.24:12
יָדָ֑עְנוּ 340 הַיְדַעְתֶּם...וַיֹּאמְרוּ יָדָעְנוּ Gen.29:5
וְיָדַעְנוּ 341 וְיָדַעְנוּ כִּי לֹא יָדוֹ נָגְעָה ISh.6:9
יְדַעֲנוּךָ 342 לִי יִזְעָקוּ אֱלֹהַי יְדַעֲנוּךָ יִשְׂרָאֵל Hosh.8:2
יְדַעֲנוּם 343 פְּשָׁעֵינוּ אִתָּנוּ וַעֲוֹנֹתֵינוּ יְדַעֲנוּם Is.59:12
יְדַעְתֶּם 344 הֲלוֹא יְדַעְתֶּם כִּי־נַחֵשׁ יְנַחֵשׁ Gen.44:15
345 יְדַעְתֶּם כִּי שְׁנַיִם יָלְדָה־לִּי Gen.44:27
346 וְאַתֶּם יְדַעְתֶּם אֶת־נֶפֶשׁ הַגֵּר Ex.23:9
347/8 אֵל׳ אֲחֵר׳ אֲשֶׁר לֹא־יְדַעְתֶּם Deut.11:28; 13:14
349 אַתֶּם יְדַעְתֶּם אֵת אֲשֶׁר־יָשַׁבְנוּ Deut.29:15
350 הֲלוֹא יְדַעְתֶּם אֵת אֲשֶׁר־יֹרוּ IISh.11:20
351 יְדַעְתֶּם אֶת־הָאִישׁ וְאֶת־שִׂיחוֹ IIK.9:11
352 אֱלֹהִים אֲחֵרִים אֲשֶׁר לֹא־יְדַעְתֶּם Jer.7:9
353 עַל־הָאָרֶץ אֲשֶׁר לֹא יְדַעְתֶּם Jer.16:13
354 הֲלֹא יְדַעְתֶּם מָה־אֵלֶּה Ezek.17:12
הַיְדַעְתֶּם 355 הַיְדַעְתֶּם אֶת־לָבָן בֶּן־נָחוֹר Gen.29:5
356 הַיְדַעְתֶּם כִּי־יֵשׁ...אֵפוֹד Jud.18:14
357 הַיְדַעְתֶּם כִּי־לָנוּ רָמֹת גִּלְעָד IK.22:3
וִידַעְתֶּם 358 וִידַעְתֶּם כִּי אֲנִי יְיָ אֱלֹהֵיכֶם Ex.6:7
359-386 וִידַעְתֶּם כִּי־אֲנִי יְיָ Ex.10:2; 16:12
IK.20:28 • Ezek.6:7,13; 7:4,9; 11:10,12; 12:20; 13:9,14; 14:8; 15:7; 17:21; 20:38,42,44; 22:22; 23:49; 24:24; 25:5; 35:9; 36:11; 37:6,13,14 • Joel 4:17
387 עֶרֶב וִידַעְתֶּם כִּי יְיָ הוֹצִיא אֶתְכֶם Ex.16:6
388 וִידַעְתֶּם אֶת־תְּנוּאָתִי Num.14:34
389 וִידַעְתֶּם כִּי נִאֲצוּ הָאֲנָשִׁים Num.16:30
390 וִידַעְתֶּם...כִּי לֹא אֶת־בְּנֵיכֶם... Deut.11:2
391 וִידַעְתֶּם בְּכָל־לְבַבְכֶם Josh.23:14
392 וִידַעְתֶּם כִּי לֹא חִנָּם עָשִׂיתִי Ezek.14:23
393 וִידַעְתֶּם כִּי בְקֶרֶב יִשְׂרָאֵל אָנִי Joel 2:27
394/5 וִידַעְתֶּם כִּי־יְיָ...שְׁלָחַנִי(־ח) Zech.2:13; 6:15
396 וִידַעְתֶּם כִּי שִׁלַּחְתִּי אֲלֵיכֶם Mal.2:4
יְדַעְתֶּן 397 וְאַתֵּנָה יְדַעְתֶּן כִּי בְּכָל־כֹּחִי עָבַדְתִּי Gen.31:6
וִידַעְתֶּן 398-399 וִידַעְתֶּן כִּי־אֲנִי יְיָ Ezek.13:21,23
יָדְעוּ 400 אֲשֶׁר לֹא־יָדְעוּ אִישׁ Gen.19:8
401 וְהֵם לֹא יָדְעוּ כִּי שֹׁמֵעַ יוֹסֵף Gen.42:23
402 כִּי לֹא יָדְעוּ מַה־הוּא Ex.16:15
403/4 אֲשֶׁר לֹא־יָדְעוּ מִשְׁכַּב זָכָר Num.31:18,35
405 אֲשֶׁר לֹא־יָדְעוּ הַיּוֹם טוֹב וָרָע Deut.1:39
406 אֲשֶׁר לֹא־יָדְעוּ וַאֲשֶׁר לֹא־רָאוּ Deut.11:2
407 אֲשֶׁר לֹא־יָדְעוּ יִשְׁמְעוּ וְלָמְדוּ Deut.31:13
408 וַאֲשֶׁר יָדְעוּ אֵת כָּל־מַעֲשֵׂה יְיָ Josh.24:31
409 אֲשֶׁר לֹא־יָדְעוּ אֶת־יְיָ Jud.2:10
410 לֹא־יָדְעוּ אֵת כָּל־מִלְחֲמוֹת כְּנָעַן Jud.3:1
411 וְאָבִיו וְאִמּוֹ לֹא יָדְעוּ Jud.14:4
412 וְהַכְּלָבִים...לֹא יָדְעוּ שָׂבְעָה Is.56:11
413 וְהֵמָּה רֹעִים לֹא יָדְעוּ הָבִין Is.56:11
414-438 יָדְעוּ Jud.20:34 • ISh.2:12; 20:39
22:17 • IISh.15:11 • IIK.7:12; 17:26 • Is.42:16; 44:18; 45:20 • Jer.5:4,5; 8:7; 9:15 • Hosh.11:3 • Am.3:10 • Jon.1:10 • Mic.4:12 • Ps.14:4; 53:5; 82:5; 95:10 • Prov.4:19 • Job 24:16 • Neh.2:16
יָדָ֑עוּ 439 וַיָּבֹא וַיְפַלַּח...כִּי־לֹא יָדָעוּ IIK.4:39
440 וְהוֹלַכְתִּי עִוְרִים בְּדֶרֶךְ לֹא יָדָעוּ Is.42:16
441 צֹפָו עִוְרִים כֻּלָּם לֹא יָדָעוּ Is.56:10
442 דֶּרֶךְ שָׁלוֹם לֹא יָדָעוּ Is.59:8
443 כִּי אֱוִיל עַמִּי אוֹתִי לֹא יָדָעוּ Jer.4:22

יָדָעוּ (המשך) 444 וּלְהֵיטִיב לֹא יָדָעוּ Jer.4:22
445 גַּם־הַכְלִים לֹא יָדָעוּ Jer.6:15
446 וְהַכְלֵם לֹא יָדָעוּ Jer.8:12
447 וְאֹתִי לֹא־יָדְעוּ נְאֻם־יְיָ Jer.9:2
448 סְחָרוּ אֶל־אֶרֶץ וְלֹא יָדָעוּ Jer.14:18
449 וְהָשְׁלְכוּ עַל־הָאָ׳ אֲשֶׁר לֹא־יָדָעוּ Jer.22:28
450 וְאֶת־יְיָ לֹא יָדָעוּ Hosh.5:4
451 הַמַּעְתִּיק הָרִים וְלֹא יָדָעוּ Job 9:5
יָדְעוּן 452 וְלֹא יָדְעוּן אֲבֹתֶיךָ Deut.8:3
453 אֲשֶׁר לֹא־יָדְעוּן אֲבֹתֶיךָ Deut.8:16
וְיָדְעוּ 454-6 וְיָדְעוּ מִצְרַיִם כִּי־אֲנִי יְיָ Ex.7:5; 14:4,18
457 וְיָדְעוּ כִּי אֲנִי יְיָ אֱלֹהֵיהֶם Ex.29:46
458 וְיָדְעוּ אֶת־הָאָרֶץ אֲשֶׁר מְאַסְתֶּם Num.14:31
459 וְיָדְעוּ הָעָם כֻּלּוֹ Is.9:8
460 וְיָדְעוּ מִצְרַיִם אֶת־יְיָ Is.19:21
461 וְיָדְעוּ תֹעֵי־רוּחַ בִּינָה Is.29:24
462 וְיָדְעוּ כָל־בָּשָׂר כִּי אֲנִי...מוֹשִׁיעֵךְ Is.49:26
463 וְיָדְעוּ כִּי־שְׁמִי יְיָ Jer.16:21
464 וְיָדְעוּ כָּל־שְׁאֵרִית יְהוּדָה Jer.44:28
465/6 וְיָדְעוּ כִּי נָבִיא הָיָה בְתוֹכָם Ezek.2:5; 33:33
467-504 וְיָדְעוּ...כִּי־אֲנִי יְיָ Ezek.5:13
6:10,14; 7:27; 12:15,16; 17:24; 21:10; 24:27; 25:11,17; 26:6; 28:22,23,24,26; 29:6,9,16,21; 30:8,19,25,26; 32:15; 33:29; 34:27,30; 35:15; 36:23,36,38; 37:28; 38:23; 39:6,7,22,28
505 וְיָדְעוּ אֶת־נִקְמָתִי Ezek.25:14
506 וְיָדְעוּ הַגּוֹיִם כִּי בַעֲוֹנָם גָּלוּ Ezek.39:23
יְדָעוּנִי 507 וְתֹפְשֵׂי הַתּוֹרָה לֹא יְדָעוּנִי Jer.2:8
יְדָעוּךָ 508 וְגוֹי לֹא־יְדָעוּךָ אֵלֶיךָ יָרוּצוּ Is.55:5
509 עַל־הַגּוֹיִם אֲשֶׁר לֹא־יְדָעוּךָ Jer.10:25
510 אֶל־הַגּוֹיִם אֲשֶׁר לֹא־יְדָעוּךָ Ps.79:6
יְדָעֻהוּ 511 וְלֶאֱלוֹהַּ אֲשֶׁר לֹא־יְדָעֻהוּ אֲבֹתָיו Dan.11:38
יְדָעוּם 512 אֱלֹהִים אֲשֶׁר לֹא־יְדָעוּם Deut.29:25
513 לַשֵּׁדִים...אֱלֹהִים לֹא יְדָעוּם Deut.32:17
514 אֲשֶׁר־לְפָנִים לֹא יְדָעוּם Jud.3:2
515 לֵאלֹהִים אֲחֵרִים אֲשֶׁר לֹא־יְדָעוּם Jer.19:4
516 אֲשֶׁר לֹא יְדָעוּם הֵמָּה... Jer.44:3
517 עַל כָּל־הַגּוֹיִם אֲשֶׁר לֹא־יְדָעוּם Zech.7:14
518 וּמִשְׁפָּטִים בַּל־יְדָעוּם Ps.147:20
יוֹדֵעַ 519 יֹדֵעַ אֱלֹהִים כִּי בְּיוֹם אֲכָלְכֶם Gen.3:5
520 אִישׁ יֹדֵעַ צַיִד אִישׁ שָׂדֶה Gen.25:27
521 אֲדֹנִי יֹדֵעַ כִּי־הַיְלָדִים רַכִּים Gen.33:13
522 אֵל אֱלֹהִים יְיָ הוּא יֹדֵעַ Josh.22:22
523 יְבַקְשׁוּ אִישׁ יֹדֵעַ מְנַגֵּן בַּכִּנּוֹר ISh.16:16
524 יֹדֵעַ נַגֵּן וְגִבּוֹר חַיִל ISh.16:18
525 וְגַם־שָׁאוּל אָבִי יֹדֵעַ כֵּן ISh.23:17
526 וְאֵין רֹאֶה וְאֵין יוֹדֵעַ וְאֵין מֵקִיץ ISh.26:12
527 מִי יוֹדֵעַ וְחַנַּנִי יְיָ IISh.12:22
528 יֹדֵעַ כָּל־יִשְׂרָאֵל כִּי־גִבּוֹר אָבִיךָ IISh.17:10
529 אֵין בָּנוּ אִישׁ יֹדֵעַ לִכְרָת־עֵצִים IK.5:20
530 אֲשֶׁר־יִתְּנוּ אֹתוֹ אֶל־יוֹדֵעַ סֵפֶר Is.29:11
531 מִי יוֹדֵעַ יָשׁוּב וְנִחָם Joel 2:14
532 כִּי יוֹדֵעַ אָנִי כִּי בְשֶׁלִּי הַסַּעַר Jon.1:12
533 מִי־יוֹדֵעַ יָשׁוּב וְנִחַם הָאֱלֹהִים Jon.3:9
534 וְלֹא־יוֹדֵעַ עַוָּל בֹּשֶׁת Zep.3:5
535 כִּי־יוֹדֵעַ יְיָ דֶּרֶךְ צַדִּיקִים Ps.1:6
536 יוֹדֵעַ יְיָ יְמֵי תְמִימִם Ps.37:18
537 כִּי־הוּא יֹדֵעַ תַּעֲלֻמוֹת לֵב Ps.44:22
538 וְלֹא־אִתָּנוּ יֹדֵעַ עַד־מָה Ps.74:9
539 מִי־יוֹדֵעַ עֹז אַפֶּךָ Ps.90:11
540 יְיָ יֹדֵעַ מַחְשְׁבוֹת אָדָם Ps.94:11
541 יוֹדֵעַ צַדִּיק נֶפֶשׁ בְּהֶמְתּוֹ Prov.12:10

יוֹדֵעַ (המשך)	542	לֵב יוֹדֵעַ מָרַּת נַפְשׁוֹ	Prov.14:10
	543	חוֹשֵׂךְ אֲמָרָיו יוֹדֵעַ דָּעַת	Prov.17:27
	544	וּפִיד שְׁנֵיהֶם מִי יוֹדֵעַ	Prov.24:22
	545	וּבְאָדָם מֵבִין יֹדֵעַ כֵּן יַאֲרִיךְ	Prov.28:2
	546	יֹדֵעַ צַדִּיק דִּין דַּלִּים	Prov.29:7
	547	כִּי יוֹדֵעַ כָּל־שַׁעַר עַמִּי	Ruth3:11
	548	וּמִי יוֹדֵעַ הֶחָכָם יִהְיֶה אוֹ סָכָל	Eccl.2:19
	549	מִי יוֹדֵעַ רוּחַ בְּנֵי הָאָדָם	Eccl.3:21
	550	מַה־לֶּעָנִי יוֹדֵעַ לַהֲלֹךְ נֶגֶד הַחַיִּים	Eccl.6:8
	551	כִּי מִי־יוֹדֵעַ מַה־טּוֹב לָאָדָם	Eccl.6:12
	552	וּמִי יוֹדֵעַ פֵּשֶׁר דָּבָר	Eccl.8:1
	553	כִּי־אֵינֶנּוּ יֹדֵעַ מַה־שֶּׁיִּהְיֶה	Eccl.8:7
	554	כִּי גַּם־יוֹדֵעַ אָנִי אֲשֶׁר יִהְיֶה־טּוֹב	Eccl.8:12
	555	גַּם־אַהֲבָה...אֵין יוֹדֵעַ הָאָדָם	Eccl.9:1
	556	אֵינְךָ יוֹדֵעַ מַה־דֶּרֶךְ הָרוּחַ	Eccl.11:5
	557	כִּי אֵינְךָ יוֹדֵעַ אֵי זֶה יִכְשָׁר	Eccl.11:6
	558	וּמִי יוֹדֵעַ אִם־לְעֵת כָּזֹאת	Es.4:14
	559	וּשְׁאָר הָעָם...כֹּל יוֹדֵעַ מֵבִין	Neh.10:29
	560	בֵּן חָכָם יוֹדֵעַ שֵׂכֶל וּבִינָה	IICh.2:11
	561	אִישׁ־חָכָם יוֹדֵעַ בִּינָה	IICh.2:12
	562	יוֹדֵעַ לַעֲשׂוֹת בַּזָּהָב־וּבַכֶּסֶף	IICh.2:13
וְיֹדֵעַ	563	וְיֹדֵעַ דַּעַת עֶלְיוֹן	Num.24:16
	564	טוֹב יְיָ...וְיֹדֵעַ חֹסֵי בוֹ	Nah.1:7
	565	וְיֹדֵעַ לְפַתֵּחַ פִּתּוּחִים	IICh.2:6
הַיּוֹדֵעַ	566	וְאָנֹכִי הַיּוֹדֵעַ (כת׳ הוידע) וָעֵד	Jer.29:23
יֹדְעוֹ	567	כָּל־יוֹדְעוֹ מֵאִתְּמוֹל שִׁלְשֹׁם	ISh.10:11
יֹדְעֵנוּ	568	מִי רֹאֵנוּ וּמִי יֹדְעֵנוּ	Is.29:15
יֹדַעַת	569	וְכָל־אִשָּׁה יֹדַעַת אִישׁ	Num.31:17
	570	וְכָל־אִשָּׁה יֹדַעַת מִשְׁכַּב זָכָר	Jud.21:11
	571	וְנַפְשִׁי יֹדַעַת מְאֹד	Ps.139:14
יֹדְעִים	572	אֵינָם יֹדְעִים אֶת־מִשְׁפַּט אֱלֹהֵי הָאָ׳	IIK.17:26
	573	כִּי־אֵינָם יוֹדְעִים לַעֲשׂוֹת רָע	Eccl.4:17
	574	כִּי הַחַיִּים יוֹדְעִים שֶׁיָּמֻתוּ	Eccl.9:5
	575	וְהַמֵּתִים אֵינָם יוֹדְעִים מְאוּמָה	Eccl.9:5
	576	כָּל־עַבְדֵי הַמֶּלֶךְ...יֹדְעִים	Es.4:11
	577	אֲשֶׁר עֲבָדֶיךָ יוֹדְעִים לִכְרוֹת	IICh.2:7
וְיֹדְעִים	578	וְיֹדְעִים הַאֲזִינוּ לִי	Job34:2
הַיֹּדְעִים	579	הַיֹּדְעִים כִּי־מְקַטְּרוֹת נְשֵׁיהֶם	Jer.44:15
לַיֹּדְעִים	580	וְגַם לֹא לַיֹּדְעִים חֵן	Eccl.9:11
יֹדְעֵי־	581	כֵּאלֹהִים יֹדְעֵי טוֹב וָרָע	Gen.3:5
	582	אַנְשֵׁי אֳנִיּוֹת יֹדְעֵי הַיָּם	IK.9:27
	583	שִׁמְעוּ אֵלַי יֹדְעֵי צֶדֶק	Is.51:7
	584	כָּל־סְבִיבָיו וְכֹל יֹדְעֵי שְׁמוֹ	Jer.48:17
	585	וּמִסְפֵּד אֶל־יוֹדְעֵי נֶהִי	Am.5:16
	586	וְיִבְטְחוּ בְךָ יוֹדְעֵי שְׁמֶךָ	Ps.9:11
	587	אַשְׁרֵי הָעָם יֹדְעֵי תְרוּעָה	Ps.89:16
	588	וַיֹּאמֶר הַמֶּ׳ לַחֲכָמִים יֹדְעֵי הָעִתִּים	Es.1:13
	589	דְּבַר הַמֶּ׳ לִפְנֵי כָּל־יֹדְעֵי דָּת וָדִין	Es.1:13
	590	וְעַם יֹדְעֵי אֱלֹהָיו יַחֲזִקוּ וְעָשׂוּ	Dan.11:32
	591	יוֹדְעֵי בִינָה לַעִתִּים	ICh.12:32(33)
	592	וַיִּשְׁלַח־לוֹ...וַעֲבָדִים יוֹדְעֵי יָם	IICh.8:18
וְיוֹדְעֵי־	593	יְרֵאֶיךָ וְיֹדְעֵי (כת׳ וידעו) עֵדֹתֶיךָ	Ps.119:79
	594	וְיֹדְעֵי דַעַת וּמְבִינֵי מַדָּע	Dan.1:4
וְיֹדְעַי	595	וְיֹדְעַי אַךְ־זָרוּ מִמֶּנִּי	Job19:13
לְיֹדְעָי	596	אַזְכִּיר רַהַב וּבָבֶל לְיֹדְעָי	Ps.87:4
יוֹדְעֶיךָ	597	כָּל־יוֹדְעֶיךָ בָּעַמִּים שָׁמְמוּ עָלֶיךָ	Ezek.28:19
לְיֹדְעֶיךָ	598	מְשֹׁךְ חַסְדְּךָ לְיֹדְעֶיךָ	Ps.36:11
יֹדְעָיו	599	וַיָּבֹאוּ...וְכָל־יֹדְעָיו לְפָנִים	Job42:11
וְיֹדְעָיו	600	וְיֹדְעָו לֹא־חָזוּ יָמָיו	Job24:1
וִידוּעַ־	601	אִישׁ מַכְאֹבוֹת וִידוּעַ חֹלִי	Is.53:3
וִידֻעִים	602	אֲנָשִׁים חֲכָמִים וּנְבֹנִים וִידֻעִים	Deut.1:13
	603	אֲנָשִׁים חֲכָמִים וִידֻעִים	Deut.1:15

אֵדַע	604	בַּמָּה אֵדַע כִּי אִירָשֶׁנָּה	Gen.15:8
	605	וּבָהּ אֵדַע כִּי־עָשִׂיתָ חֶסֶד	Gen.24:14
	606	בְּזֹאת אֵדַע כִּי כֵנִים אַתֶּם	Gen.42:33
	607	אִם־יָדֹעַ אֵדַע כִּי־כָלְתָה הָרָעָה	ISh.20:9
	608	עַד אֲשֶׁר אֵדַע מַה־יַּעֲשֶׂה־לִּי אֱלֹ׳	ISh.22:3
	609	לֹא אֵדַע צֵאת וָבֹא	IK.3:7
	610	וְלֹא אֵדַע שְׁכוֹל	Is.47:8
	611	תָּם־אָנִי לֹא־אֵדַע נַפְשִׁי	Job9:21
אֵדָע	612	יִשָּׂאֲךָ עַל־אֲשֶׁר לֹא־אֵדָע	IK.18:12
	613	כִּי־פְשָׁעַי אֲנִי אֵדָע	Ps.51:5
	614	וַאֲנִי־בַעַר וְלֹא אֵדָע	Ps.73:22
	615	רָע לֹא אֵדָע	Ps.101:4
	616	וְדַעַת קְדֹשִׁים אֵדָע	Prov.30:3
	617	נִפְלָאוֹת מִמֶּנִּי וְלֹא אֵדָע	Job42:3
הַאֵדַע	618	הַאֵדַע בֵּין־טוֹב לְרָע	IISh.19:36
וָאֵדַע	619	וָאֵדַע כִּי־לֹא אֵבוֹשׁ	Is.50:7
	620	וָאֵדַע כִּי דְבַר־יְיָ הוּא	Jer.32:8
	621	וָאֵדַע כִּי כְרוּבִים הֵמָּה	Ezek.10:20
אֵדְעָה	622	אֵדְעָה מֶה־חָדֵל אָנִי	Ps.39:5
	623	אֵדְעָה מִלִּים יַעֲנֵנִי	Job23:5
אֵדָעָה	624	וְאִם־לֹא אֵדָעָה	Gen.18:21
וְאֵדְעָה	625	וְאֵדְעָה כִּי לֹא מְרַגְּלִים אַתֶּם	Gen.42:34
	626	וְאֵדְעָה מָה אֶעֱשֶׂה־לָּךְ	Ex.33:5
	627	וְאֵדְעָה מַה־יֹּסֵף יְיָ דַּבֵּר עִמִּי	Num.22:19
	628	הֲבִינֵנִי וְאֵדְעָה עֵדֹתֶיךָ	Ps.119:125
	629	וְאֵדְעָה (כת׳ ואדע) כִּי אֵין זוּלָתְךָ	Ruth4:4
	630	וְהָבִיאוּ אֵלַי וְאֵדְעָה אֶת־מִסְפָּרָם	ICh.21:2
וָאֵדְעָה	631	וָאֵדְעָה כִּי־מְנָיוֹת הַלְוִיִּם לֹא נִתָּנָה	Neh.13:10
וָאֵדָעָה	632	וַייָ הוֹדִיעַנִי וָאֵדָעָה	Jer.11:18
וְאֵדָעֲךָ	633	הוֹדִעֵנִי נָא אֶת־דְּרָכֶךָ וְאֵדָעֲךָ	Ex.33:13
	634	מָצָאתָ חֵן בְּעֵינַי וָאֵדָעֲךָ בְּשֵׁם	Ex.33:17
תֵּדַע	635	יָדֹעַ תֵּדַע כִּי־גֵר יִהְיֶה זַרְעֲךָ	Gen.15:13
	636	בְּזֹאת תֵּדַע כִּי אֲנִי יְיָ	Ex.7:17
	637	לְמַעַן תֵּדַע כִּי־אֵין כַּייָ אֱלֹהֵינוּ	Ex.8:6
	638	לְמַעַן תֵּדַע כִּי אֲנִי יְיָ בְּקֶרֶב הָאָ׳	Ex.8:18
	639	בַּעֲבוּר תֵּדַע כִּי אֵין כָּמֹנִי בְּכָל־הָאָ׳	Ex.9:14
	640	לְמַעַן תֵּדַע כִּי לַייָ הָאָרֶץ	Ex.9:29
	641	הֲטֶרֶם תֵּדַע כִּי אָבְדָה מִצְרָיִם	Ex.10:7
	642	אֲשֶׁר־תֵּדַע כִּי־לֹא־עֵץ מַאֲכָל הוּא	Deut.20:20
	643	יָדֹעַ תֵּדַע כִּי אִתִּי תֵּצֵא	ISh.28:1
	644	אַתָּה תֵדַע אֵת אֲשֶׁר־יַעֲשֶׂה עַבְדֶּךָ	ISh.28:2
	645/6	יָדֹעַ תֵּדַע כִּי מוֹת תָּמוּת	IK.2:37,42
	647/8	אֲשֶׁר תֵּדַע אֶת־לְבָבוֹ	IK.8:39 • IICh.6:30
	649	לְמַעַן תֵּדַע כִּי אֲנִי יְיָ	Is.45:3
	650	הֵן גּוֹי לֹא־תֵדַע תִּקְרָא	Is.55:5
	651	גּוֹי לֹא־תֵדַע לְשֹׁנוֹ	Jer.5:15
	652	הֲיָדֹעַ תֵּדַע כִּי בַּעֲלִיס...שָׁלַח	Jer.40:14
	653	כִּי לֹא־תֵדַע מַה־יֵּלֶד יוֹם	Prov.27:1
	654	יָדֹעַ תֵּדַע פְּנֵי צֹאנֶךָ	Prov.27:23
	655	כִּי לֹא תֵדַע מַה־יִּהְיֶה רָעָה...	Eccl.11:2
	656	לֹא תֵדַע אֶת־מַעֲשֵׂה הָאֱלֹהִים	Eccl.11:5
תֵּדָע	657	עִנִּינוּ נַפְשֵׁנוּ וְלֹא תֵדָע	Is.58:3
	658	בְּשֶׁבֶת עַמִּי יִשְׂ׳ לָבֶטַח תֵּדָע	Ezek.38:14
	659	וֵאלֹהִים זוּלָתִי לֹא תֵדָע	Hosh.13:4
	660	נָעוּ מַעְגְּלֹתֶיהָ לֹא תֵדָע	Prov.5:6
	661	וּמַה־שֶּׁם־בְּנוֹ כִּי תֵדָע	Prov.30:4
	662	עֲמֻקָּה מִשְּׁאוֹל מַה תֵּדָע	Job11:8
	663	מִי־שָׂם מְמַדֶּיהָ כִּי תֵדָע	Job38:5
הֲתֵדַע	664	הֲתֵדַע בְּשׂוּם־אֱלוֹהַּ עֲלֵיהֶם	Job37:15
	665	הֲתֵדַע עַל־מִפְלְשֵׂי־עָב	Job37:16
וְתֵדַע	666	וְתֵדַע וּבָחַנְתָּ אֶת־דַּרְכָּם	Jer.6:27
	667	וְתֵדַע וְתַשְׂכֵּל מִן־מֹצָא דָבָר	Dan.9:25

וַתֵּדָע	668	יְיָ חֲקַרְתַּנִי וַתֵּדָע	Ps.139:1
וַתֵּדָעֵהוּ	669	יְיָ מָה־אָדָם וַתֵּדָעֵהוּ	Ps.144:3
תֵּדְעִי	670	וּבָא עָלַיִךְ רָעָה לֹא תֵדְעִי שַׁחְרָהּ	Is.47:11
	671	אִם־לֹא תֵדְעִי לָךְ הַיָּפָה בַּנָּשִׁים	S.ofS.1:8
תֵּדָעִי	672	וְתָבֹא...שֹׁאָה לֹא תֵדָעִי	Is.47:11
תֵּדְעִין	673	עַד אֲשֶׁר תֵּדְעִין אֵיךְ יִפֹּל דָּבָר	Ruth3:18
יֵדַע	674	אַל־יֵדַע־זֹאת יְהוֹנָתָן	ISh.20:3
	675	אִישׁ אַל־יֵדַע מְאוּמָה	ISh.21:3
	676	בְּטֶרֶם יֵדַע הַנַּעַר מָאוֹס בָּרָע	Is.7:16
	677	בְּטֶרֶם יֵדַע הַנַּעַר קְרֹא אָבִי וְאִמִּי	Is.8:4
	678	לָכֵן יֵדַע עַמִּי שְׁמִי	Is.52:6
	679	וְאִישׁ אַל־יֵדַע אֵיפֹה אַתֶּם	Jer.36:19
	680	אִישׁ אַל־יֵדַע בַּדְּבָרִים־הָאֵלֶּה	Jer.38:24
	681	יִצְבֹּר וְלֹא־יֵדַע מִי־אֹסְפָם	Ps.39:7
	682	וְלֹא־יֵדַע כִּי־חֶסֶר יְבֹאֶנּוּ	Prov.28:22
	683	שׁוֹמֵר מִצְוָה לֹא יֵדַע דָּבָר רָע	Eccl.8:5
	684	וְעֵת וּמִשְׁפָּט יֵדַע לֵב חָכָם	Eccl.8:5
	685	כִּי גַּם לֹא־יֵדַע הָאָדָם אֶת־עִתּוֹ	Eccl.9:12
	686	לֹא־יֵדַע הָאָדָם מַה־שֶּׁיִּהְיֶה	Eccl.10:14
יֵדָע	687	יְיָ הוּא יֹדֵעַ וְיִשְׂרָאֵל הוּא יֵדָע	Josh.22:22
	688	אֵלְכָה נָּא...וְאִישׁ לֹא יֵדָע	Jer.40:15
	689	תְּבוֹאֵהוּ שׁוֹאָה לֹא יֵדָע	Ps.35:8
	690	אִישׁ־בַּעַר לֹא יֵדָע	Ps.92:7
	691	וְנֹצֵר נַפְשְׁךָ הוּא יֵדָע	Prov.24:12
	692	יִכְבְּדוּ בָנָיו וְלֹא יֵדָע	Job14:21
יְיֵדָע	693	וְגָבֹהַּ מִמֶּרְחָק יְיֵדָע	Ps.138:6
וְיֵדַע	694	וְיֵדַע כִּי יֵשׁ נָבִיא בְּיִשְׂרָאֵל	IIK.5:8
	695	וְיֵדַע אֱלוֹהַּ תֻּמָּתִי	Job31:6
וְיֵדָע	696	יְשַׁלֵּם אֵלָיו וְיֵדָע	Job21:19
וַיֵּדַע	697	וַיֵּדַע קַיִן אֶת־אִשְׁתּוֹ	Gen.4:17
	698	וַיֵּדַע אָדָם עוֹד אֶת־אִשְׁתּוֹ	Gen.4:25
	699	וַיֵּדַע נֹחַ כִּי־קַלּוּ הַמַּיִם	Gen.8:11
	700	וַיֵּדַע אֵת אֲשֶׁר־עָשָׂה לוֹ בְּנוֹ	Gen.9:24
	701	וַיֵּדַע אוֹנָן כִּי לֹּא לוֹ יִהְיֶה הַזָּרַע	Gen.38:9
	702	וַיַּרְא אֱלֹהִים...וַיֵּדַע אֱלֹהִים	Ex.2:25
	703	וַיֵּדַע אֶלְקָנָה אֶת־חַנָּה אִשְׁתּוֹ	ISh.1:19
	704	וַיֵּדַע כָּל־יִשְׂ׳...כִּי־נֶאֱמָן שְׁמוּאֵל	ISh.3:20
	705	וַיֵּדַע אַלְמְנוֹתָיו וְעָרֵיהֶם הֶחֱרִיב	Ezek.19:7
	714-706	וַיֵּדַע	ISh.18:28; 20:33; 23:9; 26:4; 28:14
			IISh.5:12; 14:1 • ICh.14:2 • IICh.33:13
יֵדָעֶנּוּ	715	...וֶאֱנֻשׁ הוּא מִי יֵדָעֶנּוּ	Jer.17:9
וְיֵדָעֵם	716	מִי חָכָם וְיָבֵן אֵלֶּה נָבוֹן וְיֵדָעֵם	Hosh.14:10
נֵדַע	717	הֲיָדוֹעַ נֵדַע כִּי יֹאמַר	Gen.43:7
	718	לֹא־נֵדַע מַה־נַּעֲבֹד אֶת־יְיָ	Ex.10:26
	719	אֵיכָה נֵדַע אֶת־הַדָּבָר	Deut.18:21
	720	הֲיָדֹעַ לֹא נֵדַע כִּי כָל־נֵבֶל...	Jer.13:12
	721	וַאֲנַחְנוּ לֹא נֵדַע מַה־נַּעֲשֶׂה	IICh.20:12
נֵדָע	722	כִּי־תְמוֹל אֲנַחְנוּ וְלֹא נֵדָע	Job8:9
	723	מַה־יָּדַעְתָּ וְלֹא נֵדָע	Job15:9
	724	הֶן־אֵל שַׂגִּיא וְלֹא נֵדָע	Job36:26
	725	עֹשֶׂה גְדֹלוֹת וְלֹא נֵדָע	Job37:5
נֵדְעָה	726	נֵדְעָה בֵינֵינוּ מַה־טּוֹב	Job34:4
וְנֵדְעָה	727	הוֹצִיאֵם אֵלֵינוּ וְנֵדְעָה אֹתָם	Gen.19:5
	728	וְנֵדְעָה הֲתַצְלִיחַ דַּרְכֵּנוּ	Jud.18:5
	729	וְנָשִׂימָה לִבֵּנוּ וְנֵדְעָה אַחֲרִיתָן	Is.41:22
	730	וְנֵדְעָה כִּי אֱלֹהִים אַתֶּם	Is.41:23
	731	וְנֵדְעָה נִרְדְּפָה לָדַעַת אֶת־יְיָ	Hosh.6:3
	732	וְנֵדְעָה בְּשֶׁלְּמִי הָרָעָה הַזֹּאת לָנוּ	Jon.1:7
וְנֵדָעָה	733	וְתָבוֹאָה עֲצַת קְדוֹשׁ יִשְׂ׳ וְנֵדָעָה	Is.5:19
	734	מִי־הִגִּיד מֵרֹאשׁ וְנֵדָעָה	Is.41:26
וְנֵדָעֶנּוּ	735	הוֹצֵא אֶת־הָאִישׁ...וְנֵדָעֶנּוּ	Jud.19:22
וַנֵּדָעֵם	736	אֲשֶׁר שָׁמַעְנוּ וַנֵּדָעֵם	Ps.78:3

תֵּדְעוּ 737 לְמַעַן תֵּדְעוּ כִּי אֲנִי יְיָ Deut.29:5
738 לְמַעַן אֲשֶׁר־תֵּדְעוּ אֶת־הַדֶּרֶךְ... Josh.3:4
739 יָדוֹעַ תֵּדְעוּ כִּי לֹא יוֹסִיף יְיָ... Josh.23:13
740 הֲלוֹא תֵדְעוּ כִּי־שַׂר וְגָדוֹל נָפַל... IISh.3:38
741 הֲלוֹא תֵדְעוּ הֲלוֹא תִשְׁמָעוּ Is.40:21
742 לְמַעַן תֵּדְעוּ וְתַאֲמִינוּ Is.43:10
743 אַךְ יָדֹעַ תֵּדְעוּ כִּי אִם־מְמִתִים... Jer.26:15
744 יָדֹעַ תֵּדְעוּ כִּי־הַעִדֹתִי בָכֶם Jer.42:19
745 וְעַתָּה יָדֹעַ תֵּדְעוּ כִּי בַּחֶרֶב.. Jer.42:22
746 לְמַעַן תֵּדְעוּ כִּי...יָקוּמוּ דְבָרַי Jer.44:29
747 הֲלֹא תֵדְעוּ מֶה עָשִׂיתִי IICh.32:13
תֵּדָעוּ 748 וּרְאוּ רָאוֹ וְאַל־תֵּדָעוּ Is.6:9
תֵּדְעוּן 749 לְמַעַן תֵּדְעוּן אֲשֶׁר יַפְלֶה יְיָ Ex.11:7
750 בְּזֹאת תֵּדְעוּן כִּי־יְיָ שְׁלָחַנִי Num.16:28
751 בְּזֹאת תֵּדְעוּן כִּי אֵל חַי בְּקִרְבְּכֶם Josh.3:10
752 לְמַעַן תֵּדְעוּן שַׁדּוּן· Job 19:29
תֵּדָעוּהָ 753 הִנְנִי עֹשֶׂה חֲדָשָׁה...הֲלוֹא תֵדָעוּהָ Is.43:19
יֵדְעוּ 754 לְמַעַן יֵדְעוּ דֹרֹתֵיכֶם ... Lev.23:43
755 וְלֹא יֵדְעוּ כִּי־אַתְּ אֵשֶׁת יָרָבְעָם IK.14:2
756 בַּל־יִרְאוּ וּבַל־יֵדְעוּ Is.44:9
757 לְמַעַן יֵדְעוּ מִמִּזְרַח שֶׁמֶשׁ... Is.45:6
758 כִּי כוּלָּם יֵדְעוּ אוֹתִי Jer.31:34(33)
759 לְמַעַן אֲשֶׁר יֵדְעוּ אֲשֶׁר אֲנִי יְיָ Ezek.20:26
760 בָּאוּ יְמֵי הַשִּׁלֻּם יֵדְעוּ יִשְׂרָאֵל Hosh.9:7
761 יֵדְעוּ גוֹיִם אֱנוֹשׁ הֵמָּה Ps.9:21
762 לְמַעַן יֵדְעוּ דּוֹר אַחֲרוֹן Ps.78:6
763 צָרֵינוּ לֹא יֵדְעוּ וְלֹא יִרְאוּ.. Neh.4:5
764 אֲשֶׁר יֵדְעוּ אִישׁ נִגְעוֹ IICh.6:29
765 לְמַעַן יֵדְעוּ כָל־עַמֵּי הָאָרֶץ IICh.6:33
וְיֵדְעוּ 766 וְיֵדְעוּ כָּל־הָאָרֶץ כִּי יֵשׁ אֱלֹהִים ISh.17:46
767 וְיֵדְעוּ כָּל־הַקָּהָל הַזֶּה ISh.17:47
768 וְיֵדְעוּ הָעָם הַזֶּה כִּי־אַתָּה יְיָ הָאֱל׳ IK.18:37
769/70 וְיֵדְעוּ כָּל־מַמְלְכוֹת הָא׳ IIK.19:19 • Is.37:20
771 וְיֵדְעוּ מַה־יָּעַץ יְיָ צְבָאוֹת Is.19:12
772 לְמַעַן יִרְאוּ וְיֵדְעוּ וְיָשִׂימוּ... Is.41:20
773 וְיֵדְעוּ כִּי־אֱלֹהִים מֹשֵׁל בְּיַעֲקֹב Ps.59:14
774 וְיֵדְעוּ כִּי־אַתָּה שִׁמְךָ יְיָ Ps.83:19
775 וְיֵדְעוּ כִּי־יָדְךָ זֹּאת Ps.109:27
776 וְיֵדְעוּ עֲבוֹדָתִי וַעֲבֹדַת מַמְלְכוֹת.. IICh.12:8
וַיֵּדְעוּ 777 וַיֵּדְעוּ כִּי עֵירֻמִּם הֵם Gen.3:7
778 וַיֵּדְעוּ אוֹתָהּ וַיִּתְעַלְּלוּ־בָהּ Jud.19:25
779 וַיֵּדְעוּ כִּי אֲרוֹן יְיָ בָּא ISh.4:6
780 וַיֵּדְעוּ כָל־הָעָם וְכָל־יִשְׂרָאֵל... IISh.3:37
781 וַיֵּדְעוּ כֵן עֲנִיֵּי הַצֹּאן Zech.11:11
782 וַיֵּדְעוּ כִּי מֵאֵת אֱלֹהֵינוּ נֶעֶשְׂתָה Neh.6:16
יֵדְעוּן 783 אֲשֶׁר יֵדְעוּן כִּי כַּאֲשֶׁר הָיִיתִי... Josh.3:7
784 אֲשֶׁר יֵדְעוּן אִישׁ נֶגַע לְבָבוֹ IK.8:38
785 לְמַעַן יֵדְעוּן כָּל־עַמֵּי הָאָרֶץ IK.8:43
786 שִׂפְתֵי צַדִּיק יֵדְעוּן רָצוֹן Prov.10:32
דַּע 787 דַּע כִּי־מוֹת תָּמוּת Gen.20:7
788 דַּע כִּי־כָלְתָה הָרָעָה ISh.20:7
789 דַּע וּרְאֵה כִּי אֵין בְּיָדִי רָעָה ISh.24:12(11)
790 עַתָּה דַּע וּרְאֵה מָה־אָשִׁיב IISh.24:13
791 דַּע שְׂאֵתִי עָלֶיךָ חֶרְפָּה Jer.15:15
792 שְׁמָעֶנָּה וְאַתָּה דַע־לָךְ Job 5:27
793 דַּע אֶת־אֱלֹהֵי אָבִיךָ וְעָבְדֵהוּ ICh.28:9
דְּעֶה 794 כֵּן דְּעֶה חָכְמָה לְנַפְשֶׁךָ Prov.24:14
וְדַע 795 וְדַע וּרְאֵה אֵת אֲשֶׁר־תַּעֲשֶׂה IK.20:22
796 חָקְרֵנִי אֵל וְדַע לְבָבִי Ps.139:23
797 בְּחָנֵנִי וְדַע שַׂרְעַפָּי Ps.139:23
798 וְדַע כִּי־יַשֶּׁה לְךָ אֱלוֹהַּ מֵעֲוֺנֶךָ Job 11:6
וְדָע 799 וְדָע כִּי...יְבִיאֲךָ הָאֱל׳ בַּמִּשְׁפָּט Eccl.11:9

דָעֵהוּ 800 בְּכָל־דְּרָכֶיךָ דָעֵהוּ Prov.3:6
דְּעִי 801 וְעַתָּה דְּעִי וּרְאִי מַה־תַּעֲשִׂי ISh.25:17
802 רְאִי...דְּעִי מֶה עָשִׂית Jer.2:23
803 אַךְ דְּעִי עֲוֺנֵךְ כִּי בַּיְיָ... פָּשָׁעַתְּ Jer.3:13
וּדְעִי 804 וּדְעִי וּרְאִי כִּי־רַע וָמָר... Jer.2:19
805 וּדְעִי עֵדָה אֶת־אֲשֶׁר־בָּם Jer.6:18
דְּעוּ 806 וְעַתָּה דְּעוּ מַה־תַּעֲשׂוּ Jud.18:14
807 דְּעוּ־נָא וּרְאוּ כִּי רָעָה זֶה מְבַקֵּשׁ IK.20:7
808 כִּי אַךְ־דְּעוּ־נָא וּרְאוּ IIK.5:7
809 דְּעוּ אֵפוֹא כִּי לֹא יִפֹּל מִדְּבַר IIK.10:10
810 דְּעוּ אֶת־יְיָ Jer.31:34(33)
811 דְּעוּ כִּי־יְיָ הוּא אֱלֹהִים Ps.100:3
812 דְּעוּ־אֵפוֹ כִּי־אֱלוֹהַּ עִוְּתָנִי Job 19:6
וּדְעוּ 813 חֲטָאתֶם לַיְיָ וּדְעוּ חַטַּאתְכֶם Num.32:23
814 וּדְעוּ וּרְאוּ כִּי־רָעַתְכֶם רַבָּה ISh.12:17
815 וּדְעוּ וּרְאוּ בַּמָּה הָיְתָה הַחַטָּאת ISh.14:38
816 וּדְעוּ וּרְאוּ אֶת־מְקוֹמוֹ ISh.23:22
817 וּרְאוּ וּדְעוּ מִכֹּל הַמַּחֲבֹאִים ISh.23:23
818 וּדְעוּ קְרוֹבִים גְּבֻרָתִי Is.33:13
819 וּדְעוּ וּבַקְשׁוּ בִרְחוֹבוֹתֶיהָ Jer.5:1
820 וּדְעוּ כִּי־הִפְלָה יְיָ חָסִיד לוֹ Ps.4:4
821 הַרְפּוּ וּדְעוּ כִּי־אָנֹכִי אֱלֹהִים Ps.46:11
הִוָּדְעִי 822 וְאַחֲרֵי הִוָּדְעִי סָפַקְתִּי Jer.31:19(18)
נוֹדַעְתִּי 823 וּשְׁמִי יְיָ לֹא נוֹדַעְתִּי לָהֶם Ex.6:3
824 אֲשֶׁר נוֹדַעְתִּי אֲלֵיהֶם לְעֵינֵיהֶם Ezek.20:9
וְנוֹדַעְתִּי 825 וְנוֹדַעְתִּי בָם כַּאֲשֶׁר אֶשְׁפְּטֵךְ Ezek.35:11
826 וְנוֹדַעְתִּי לְעֵינֵי גּוֹיִם רַבִּים Ezek.38:23
נוֹדַע 827 וְלֹא נוֹדַע כִּי־בָאוּ אֶל־קִרְבֶּנָה Gen.41:21
828 אָכֵן נוֹדַע הַדָּבָר Ex.2:14
829 אוֹ נוֹדַע כִּי שׁוֹר נַגָּח הוּא Ex.21:36
830 לֹא נוֹדַע מִי הִכָּהוּ Deut.21:1
831 וַיְנַתֵּק...וְלֹא נוֹדַע כֹּחוֹ Jud.16:9
832 וַיִּשְׁמַע שָׁאוּל כִּי נוֹדַע דָּוִד ISh.22:6
833 וַתִּשְׁטַח...וְלֹא נוֹדַע דָּבָר IISh.17:19
834 וְלֹא־נוֹדַע מְקוֹמוֹ אַיָּם Nah.3:17
835 נוֹדַע יְיָ מִשְׁפָּט עָשָׂה Ps.9:17
836 אֱל׳ בְּאַרְמְנוֹתֶיהָ נוֹדַע לְמִשְׂגָּב Ps.48:4
837 שָׁמְעוּ אוֹיְבֵינוּ כִּי־נוֹדַע לָנוּ Neh.4:9
וְנוֹדַע 838 וְנוֹדַע לָכֶם לָמָּה לֹא־תָסוּר יָדוֹ ISh.6:3
839 וְנוֹדַע יְיָ לְמִצְרַיִם Is.19:21
840 וְנוֹדַע בַּגּוֹיִם זַרְעָם Is.61:9
וְנוֹדְעָה 841 וְנוֹדְעָה הַחַטָּאת אֲשֶׁר חָטְאוּ Lev.4:14
842 וְנוֹדְעָה יַד־יְיָ אֶת־עֲבָדָיו Is.66:14
נֹדָעוּ 843 וְעִקְּבוֹתֶיךָ לֹא נֹדָעוּ Ps.77:20
נוֹדָע 844 נוֹדָע בִּיהוּדָה אֱלֹהִים Ps.76:2
845 נוֹדָע בַּשְּׁעָרִים בַּעְלָהּ Prov.31:23
וְנוֹדָע 846 וְנוֹדָע אֲשֶׁר־הוּא אָדָם Eccl.6:10
וָאִוָּדַע 847 וָאִוָּדַע לָהֶם בְּאֶרֶץ מִצְרָיִם Ezek.20:5
תִּוָּדְעִי 848 אַל־תִּוָּדְעִי לָאִישׁ עַד כַּלֹּתוֹ... Ruth 3:3
יִוָּדַע 849 וְלֹא־יִוָּדַע הַשָּׂבָע בָּאָרֶץ Gen.41:31
850 וּבַמֶּה יִוָּדַע אֵפוֹא... Ex.33:16
851 הַיּוֹם יִוָּדַע כִּי־אַתָּה אֱלֹהִים בְּיִשׂ׳ IK.18:36
852 יִוָּדַע הַנָּבִיא אֲשֶׁר־שְׁלָחוֹ יְיָ Jer.28:9
853 לֹא לְמַעַנְכֶם...יִוָּדַע לָכֶם Ezek.36:32
854 וְהָיָה יוֹם־אֶחָד הוּא יִוָּדַע לַיְיָ Zech.14:7
855 יִוָּדַע כְּמֵבִיא לְמָעְלָה בִּסְבָךְ־עֵץ Ps.74:5
856 יִוָּדַע בַּגּוֹיִם· לְעֵינֵינוּ נִקְמַת... Ps.79:10
857 אֱוִיל בַּיּוֹם יִוָּדַע כַּעְסוֹ Prov.12:16
858 אַל־יִוָּדַע כִּי־בָאָה הָאִשָּׁה הַגֹּרֶן Ruth 3:14
יִוָּדֵעַ 859 וּמְעַקֵּשׁ דְּרָכָיו יִוָּדֵעַ Prov.10:9
הֲיִוָּדַע 860 הֲיִוָּדַע בַּחֹשֶׁךְ פִּלְאֶךָ Ps.88:13
וַיִּוָּדַע 861 וַיִּוָּדַע הַדָּבָר לְמָרְדֳּכַי Es.2:22

תִּוָּדֵעַ 862 וּבְקֶרֶב כְּסִילִים תִּוָּדֵעַ Prov.14:33
יִדַּעְתָּה 863 יִדַּעְתָּה הַשַּׁחַר· מְקֹמוֹ Job 38:12
יוֹדַעְתִּי 864 וְאֶת־הַנְּעָרִים יוֹדַעְתִּי אֶל־מְקוֹם ISh.21:3
בְּהִתְוַדַּע 865 בְּהִתְוַדַּע יוֹסֵף אֶל־אֶחָיו Gen.45:1
אֶתְוַדָּע 866 בַּמַּרְאָה אֵלָיו אֶתְוַדָּע Num.12:6
הוֹדִיעַ 867 אַחֲרֵי הוֹדִיעַ אֱלֹהִים אוֹתְךָ... Gen.41:39
לְהוֹדִיעַ 868 לְהוֹדִיעַ אֶת־עַבְדֶּךָ IISh.7:21
869 לְהוֹדִיעַ שִׁמְךָ לְצָרֶיךָ Is.64:1
870 וַיּוֹשִׁיעֵם...לְהוֹדִיעַ אֶת־גְּבוּרָתוֹ Ps.106:8
871 לְהוֹדִיעַ לִבְנֵי הָאָדָם גְּבוּרֹתָיו Ps.145:12
872 לְהֹדִיעַ אֶת־כָּל־הַגְּדֻלּוֹת ICh.17:19
הוֹדִיעֲךָ 873 לְמַעַן הוֹדִיעֲךָ כִּי לֹא עַל־הַלֶּחֶם Deut.8:3
לְהוֹדִיעֵנִי 874 וָאֶקְרָאֶה לְךָ לְהוֹדִיעֵנִי מָה אֶעֱשֶׂה ISh.28:15
לְהוֹדִיעֲךָ 875 לְהוֹדִיעֲךָ קֹשְׁטְ אִמְרֵי אֱמֶת Prov.22:21
לְהוֹדִיעָם 876 סוֹד יְיָ...וּבְרִיתוֹ לְהוֹדִיעָם Ps.25:14
877 אֲשֶׁר צִוָּה...לְהוֹדִיעָם לִבְנֵיהֶם Ps.78:5
הוֹדַעְתִּי 878 וְאֶת־מִשְׁפָּטַי הוֹדַעְתִּי אוֹתָם Ezek.20:11
879 בְּשִׁבְטֵי יִשְׂרָאֵל הוֹדַעְתִּי נֶאֱמָנָה Hosh.5:9
וְהוֹדַעְתִּי 880 וְהוֹדַעְתִּי אֶת־חֻקֵּי הָאֱלֹהִים Ex.18:16
881 וְהוֹדַעְתִּי לְךָ אֵת אֲשֶׁר תַּעֲשֶׂה ISh.10:8
הוֹדַעְתִּיךָ 882 הוֹדַעְתִּיךָ הַיּוֹם אַף־אָתָּה Prov.22:19
הוֹדַעְתָּ 883 וְלֹא הוֹדַעְתָּ אֶת־עַבְדְּךָ· IK.1:27
884 הוֹדַעְתָּ בָעַמִּים עֻזֶּךָ Ps.77:15
885 וְאֶת־שַׁבַּת קָדְשְׁךָ הוֹדַעְתָּ לָהֶם Neh.9:14
הוֹדָעְתָּ 886 וְתֻשִׁיָּה לָרֹב הוֹדָעְתָּ Job 26:3
וְהוֹדַעְתָּ 887 וְהוֹדַעְתָּ לָהֶם אֶת־הַדֶּרֶךְ Ex.18:20
הוֹדַעְתַּנִי 888 לֹא הוֹדַעְתַּנִי אֵת אֲשֶׁר־תִּשְׁלַח Ex.33:12
וְהוֹדַעְתָּהּ 889 וְהוֹדַעְתָּהּ אֵת כָּל־תּוֹעֲבוֹתֶיהָ Ezek.22:2
וְהוֹדַעְתָּם 890 וְהוֹדַעְתָּם לְבָנֶיךָ וְלִבְנֵי בָנֶיךָ Deut.4:9
הוֹדִיעַ 891 הוֹדִיעַ יְיָ יְשׁוּעָתוֹ Ps.98:2
הוֹדִיעַנִי 892 וַיְיָ הוֹדִיעַנִי וָאֵדָעָה Jer.11:18
וְהוֹדַעְתֶּם 893 וְהוֹדַעְתֶּם אֶת־בְּנֵיכֶם לֵאמֹר Josh.4:22
הוֹדִיעוּ 894 וּבֵין־הַטָּמֵא לְטָהוֹר לֹא הוֹדִיעוּ Ezek.22:26
895 הֵבִינוּ בַּדְּבָ׳ אֲשֶׁר הוֹדִיעוּ לָהֶם Neh.8:12
מוֹדִיעֲךָ 896 הִנְנִי מוֹדִיעֲךָ אֵת אֲשֶׁר־יִהְיֶה... Dan.8:19
מוֹדִיעָם 897 לָכֵן הִנְנִי מוֹדִיעָם... Jer.16:21
מוֹדִיעִים 898 מוֹדִיעִים לֶחֳדָשִׁים מֵאֲשֶׁר יָבֹאוּ Is.47:13
וּמוֹדִיעִים 899 וְהַמְשׁוֹרְרִים...וּמוֹדִיעִים לְהַלֵּל IICh.23:13
אוֹדִיעַ 900 שֵׁם קָדְשִׁי אוֹדִיעַ בְּתוֹךְ עַמִּי יִשׂ׳ Ezek.39:7
901 אוֹדִיעַ אֱמוּנָתְךָ בְּפִי Ps.89:2
אוֹדִיעָה 902 וְעַתָּה אוֹדִיעָה־נָּא אֶתְכֶם... Is.5:5
903 אוֹדִיעָה דְבָרַי אֶתְכֶם Prov.1:23
אוֹדִיעֲךָ 904 וְאָנֹכִי אוֹדִיעֲךָ אֵת אֲשֶׁר־תַּעֲשֶׂה ISh.16:3
905 חַטָּאתִי אוֹדִיעֲךָ Ps.32:5
אוֹדִיעֵם 906 אוֹדִיעֵם אֶת־יָדִי וְאֶת־גְּבוּרָתִי Jer.16:21
תּוֹדִיעַ 907 בְּקֶרֶב שָׁנִים תּוֹדִיעַ Hab.3:2
תּוֹדִיעֵנִי 908 תּוֹדִיעֵנִי אֹרַח חַיִּים Ps.16:11
909 וּבְסָתֻם חָכְמָה תוֹדִיעֵנִי Ps.51:8
יוֹדִיעַ 910 אָב לְבָנִים יוֹדִיעַ אֶל־אֲמִתֶּךָ Is.38:19
911 יוֹדִיעַ דְּרָכָיו לְמֹשֶׁה Ps.103:7
וְיֹדַע 912 בֹּקֶר וְיֹדַע יְיָ אֶת־אֲשֶׁר־לוֹ Num.16:5
וַיֹּדַע 913 וַיֹּדַע בָּהֶם אֵת אַנְשֵׁי סֻכּוֹת Jud.8:16
יוֹדִיעֶנּוּ 914 וְאִישׁ עֲצָתוֹ יוֹדִיעֶנּוּ Is.40:13
915 וְדֶרֶךְ תְּבוּנוֹת יוֹדִיעֶנּוּ Is.40:14
וְנוֹדִיעָה 916 וְנוֹדִיעָה אֶתְכֶם דָּבָר ISh.14:12
יֹדִיעוּ 917 וְרֹב שָׁנִים יֹדִיעוּ חָכְמָה Job 32:7
יוֹדִיעֻם 918 וּבֵין־טָמֵא לְטָהוֹר יוֹדִיעֻם Ezek.44:23
הוֹדַע 919 הוֹדַע אֶת־יְרוּשׁ׳ אֶת־תּוֹעֲבֹתֶיהָ Ezek.16:2
920 הוֹדַע אוֹתָם וּכְתֹב לְעֵינֵיהֶם Ezek.43:11
921 לִמְנוֹת יָמֵינוּ כֵּן הוֹדַע Ps.90:12
922 הוֹדַע לְצַדִּיק וְיוֹסֶף לֶקַח Prov.9:9
הוֹדִיעֵנִי 923 הוֹדִעֵנִי־נָא אֶת־דְּרָכֶךָ Ex.33:13

הוֹדִיעֵנִי (המשך) 924 דְּרָכֶיךָ יְיָ הוֹדִיעֵנִי Ps.25:4
925 הוֹדִיעֵנִי יְיָ קִצִּי Ps.39:5
926 הוֹדִיעֵנִי דֶּרֶךְ־זוּ אֵלֵךְ Ps.143:8
927 הוֹדִיעֵנִי עַל מַה־תְּרִיבֵנִי Job 10:2
928 פִּשְׁעִי וְחַטָּאתִי הֹדִיעֵנִי Job 13:23
וְהוֹדִיעֵנִי 929 וְאֶשְׁאָלְךָ וְהוֹדִיעֵנִי Job 38:3
930-931 אֶשְׁאָלְךָ וְהוֹדִיעֵנִי Job 40:7; 42:4
הוֹדִיעֵנוּ 932 הוֹדִיעֵנוּ מַה־נֹּאמַר לוֹ Job 37:19
הוֹדִיעֵם 933 אֶת־תּוֹעֲבֹת אֲבוֹתָם הוֹדִיעֵם Ezek.20:4
הוֹדִיעוּ 934-6 הוֹדִיעוּ בָעַמִּים עֲלִילֹ(ו)תָיו Is.12:4; Ps.105:1 • ICh.16:8
הוֹדִיעֻנוּ 937 הוֹדִעֻנוּ בַּמֶּה נְשַׁלְּחֶנּוּ ISh.6:2
הוֹדַע 938/9 אוֹ־הוֹדַע אֵלָיו חַטָּאתוֹ Lev.4:23,28
מוּדַעַת 940 מוּדַעַת (כת׳ מידעת) זֹאת בְּכָל־הָאָ׳ Is.12:5

יְדַע
פ׳ ארמית א) כמו בעברית: ידע: 1–22
ב) [הַפ׳ הוֹדַע] הודיע: 23–47
יָדְעֵי בִינָה 10; יָדְעֵי דָתָא 9; יְדִיעַ לֶהֱוֵא לְ־11–14

יָדְעַת 1 דִּי אֲנָה יִדְעֵת דִּי רוּחַ... בָּךְ Dan.4:6
יְדַעְתָּ 2 כָּל־קֳבֵל דִּי כָל־דְּנָה יְדַעְתָּ Dan.5:22
יְדַע 3 עַד דִּי־יְדַע דִּי־שַׁלִּיט אֱלָהָא... Dan.5:21
4 וְדָנִיֵּאל כְּדִי יְדַע דִּי רְשִׁים כְּתָבָא Dan.6:11
יָדַע 5 מִן־יַצִּיב יָדַע אֲנָה... Dan.2:8
6 הוּא...יָדַע מָה בַחֲשׁוֹכָא Dan.2:22
7 וְדִי לָא יָדַע תְּהוֹדְעוּן Ez.7:25
יָדְעִין 8 וְלָא־שָׁמְעִין וְלָא יָדְעִין Dan.5:23
יָדְעֵי־ 9 לְכָל־יָדְעֵי דָּתֵי אֱלָהָךְ Ez.7:25
לְיָדְעֵי־ 10 יָהֵב...וּמַנְדְּעָא לְיָדְעֵי בִינָה Dan.2:21
יְדִיעַ 11 יְדִיעַ לֶהֱוֵא־לָךְ מַלְכָּא Dan.3:18
12-14 יְדִיעַ לֶהֱוֵא לְמַלְכָּא Ez.4:12,13; 5:8
וְאִנְדַּע 15 וְאִנְדַּע דִּי פִשְׁרַהּ תְּהַחֲוֻנַּנִי Dan.2:9
תִּנְדַּע 16 וְרַעְיוֹנֵי לִבְבָךְ תִּנְדַּע Dan.2:30
17/8 עַד דִּי־תִנְדַּע דִּי־שַׁלִּיט עִלָּאָה Dan.4:22,9
19 מִן־דִּי תִנְדַּע דִּי שַׁלִּטִן שְׁמַיָּא Dan.4:23
וְתִנְדַּע 20 וְתִנְדַּע דִּי קִרְיְתָא דָךְ... Ez.4:15
יִנְדְּעוּן 21 עַד־דִּבְרַת דִּי יִנְדְּעוּן חַיַּיָּא... Dan.4:14
דַּע 22 דַּע מַלְכָּא דִּי־דָת לְמָדַי וּפָרַס Dan.6:16
לְהוֹדָעָה 23 כְּתָבָא לְמִקְרֵא וּפִשְׁרֵא לְהוֹדָעָה Dan.5:8
לְהוֹדָעֻתַנִי 24 הַאִיתָךְ כָּהֵל לְהוֹדָעֻתַנִי חֶלְמָא Dan.2:26
25 לָא־יָכְלִין פִּשְׁרָא לְהוֹדָעוּתַנִי Dan.4:15
26 דִּי...יִקְרוֹן וּפִשְׁרֵהּ לְהוֹדָעֻתַנִי Dan.5:15
27 כְּתָבָא...וּפִשְׁרֵהּ לְהוֹדָעֻתַנִי Dan.5:16
לְהוֹדָעוּתָךְ 28 שְׁמָהָתְהֹם שְׁאֵלְנָא...לְהוֹדָעוּתָךְ Ez.5:10
וְהוֹדַעְנָא 29 עַל־דְּנָה שְׁלַחְנָא וְהוֹדַעְנָא לְמַלְכָּא Ez.4:14
הוֹדַעְתַּנִי 30 וּכְעַן הוֹדַעְתַּנִי דִּי־בְעֵינָא מִנָּךְ Dan.2:23
הוֹדַעְתֶּנָא 31 דִּי־מִלַּת מַלְכָּא הוֹדַעְתֶּנָא Dan.2:23
הוֹדַע 32 מִלְּתָא הוֹדַע אַרְיוֹךְ לְדָנִיֵּאל Dan.2:15
33 וְלַחֲנַנְיָה...חַבְרוֹהִי מִלְּתָא הוֹדַע Dan.2:17
34 אֱלָהּ רַב הוֹדַע לְמַלְכָּא... Dan.2:45
וְהוֹדַע 35 וְהוֹדַע לְמַלְכָּא...מָה דִּי לֶהֱוֵא Dan.2:28
הוֹדְעָךְ 36 וְגָלֵא רָזַיָּא הוֹדְעָךְ מָה־דִי לֶהֱוֵא Dan.2:29
מְהוֹדְעִין 37 וּפִשְׁרֵהּ לָא־מְהוֹדְעִין לִי Dan.4:4
38 מְהוֹדְעִין אֲנַחְנָה לְמַלְכָּא Ez.4:16
39 וּלְכֹם מְהוֹדְעִין דִּי כָל־כָּהֲנַיָּא... Ez.7:24
אֲהוֹדְעִנֵּהּ 40 כְּתָבָא אֶקְרֵא...וּפִשְׁרָא אֲהוֹדְעִנֵּהּ Dan.5:17
יְהוֹדַע 41 דִּי פִשְׁרָא לְמַלְכָּא יְהוֹדַע Dan.2:25
יְהוֹדְעִנַּנִי 42 וּפְשַׁר מִלַּיָּא יְהוֹדְעִנַּנִי Dan.7:16
תְּהוֹדְעוּן 43 וְדִי לָא יָדַע תְּהוֹדְעוּן Ez.7:25
תְהוֹדְעֻנַּנִי 44 הֵן לָא תְהוֹדְעֻנַּנִי חֶלְמָא Dan.2:5
45 דִּי הֵן־חֶלְמָא לָא תְהוֹדְעֻנַּנִי Dan.2:9
יְהוֹדְעוּן 46 דִּי פִשְׁרָא לְמַלְכָּא יְהוֹדְעוּן Dan.2:30
יְהוֹדְעִנַּנִי 47 דִּי־פְשַׁר חֶלְמָא יְהוֹדְעִנַּנִי Dan.4:3

יָדָע
שפ״ז — איש משבט יהודה: 1, 2
יָדָע 1 וּבְנֵי יָדָע אֲחִי שַׁמַּי... ICh.2:32
וְיָדָע 2 וַיִּהְיוּ בְנֵי־אוֹנָם שַׁמַּי וְיָדָע ICh.2:28

יִדְּעֹנִי
ז׳ [בצרוף עם אוב] קוסם, מכשף: 1–11
קרובים: ראה כִּשֵּׁף
יִדְּעֹנִי 1 כִּי־יִהְיֶה בָהֶם אוֹב אוֹ יִדְּעֹנִי Lev.20:27
וְיִדְּעֹנִי 2 וְשֹׁאֵל אוֹב וְיִדְּעֹנִי Deut.18:11
3 וְנִחֵשׁ וְכִשֵּׁף וְעָשָׂה אוֹב וְיִדְּעוֹנִי IICh.33:6
הַיִּדְּעוֹנִי 4 אֶת־הָאֹבוֹת וְאֶת־הַיִּדְּעֹנִי ISh.28:9
וְיִדְּעֹנִים 5 וְעוֹנֵן וְנִחֵשׁ וְעָשָׂה אוֹב וְיִדְּעֹנִים IIK.21:6
הַיִּדְּעֹנִים 6 אַל־תִּפְנוּ אֶל־הָאֹבֹת וְאֶל־הַיִּדְּעֹנִים Lev.19:31
7 תִּפְנֶה אֶל־הָאֹבֹת וְאֶל־הַיִּדְּעֹנִים Lev.20:6
8 הֵסִיר הָאֹבוֹת וְאֶת־הַיִּדְּעֹנִים ISh.28:3
9 אֶת־הָאֹבוֹת וְאֶת־הַיִּדְּעֹנִים...בִּעֵר IIK.23:24
10 דִּרְשׁוּ אֶל־הָאֹבוֹת וְאֶל־הַיִּדְּעֹנִים Is.8:19
11 וְאֶל־הָאֹבוֹת וְאֶל־הַיִּדְּעֹנִים Is.19:3

יְדַעְיָה
שפ״ז א) כהן בימי דוד: 2–10
ב) כהן בימי זכריה הנביא: 1, 11
יְדַעְיָה 1 מֵחֶלְדַּי וּמֵאֵת טוֹבִיָּה וּמֵאֵת יְדַעְיָה Zech.6:10
2 הַכֹּהֲנִים בְּנֵי יְדַעְיָה לְבֵית יֵשׁוּעַ Ez.2:36
3 מִן הַכֹּהֲנִים יְדַעְיָה בֶן יוֹיָרִיב Neh.11:10
4-7 יְדַעְיָה Neh.7:39; 12:6,7 • ICh.9:10
לִידַעְיָה 8 וּלְיוֹיָרִיב מַתְּנָי לִידַעְיָה עֻזִּי Neh.12:19
9-10 לִידַעְיָה Neh.12:21 • ICh.24:7
וְלִידַעְיָה 11 לְחֵלֶם וּלְטוֹבִיָּה וְלִידַעְיָה Zech.6:14

יֶהְדְּפֶנּוּ
(איוב לב 13) — עין נדף

יְדָתוּן
שפ״ז — עין ידותון

יָהּ
ז׳ מתארי אלהי ישראל: 1–24
זִמְרָת יָהּ 1-3; חֲסִין יָהּ 9; כֵּס יָהּ 4; מַעַלְלֵי יָהּ 8; מַעֲשֵׂי יָהּ 16; שִׁבְטֵי יָהּ 19
[עין עוד צרופי ״הַלְלוּיָהּ״ בערך הִלֵּל׳ 74–97]
יָהּ 1-3 עָזִּי וְזִמְרָת יָהּ Ex.15:2 • Is.12:2; Ps.118:14
4 כִּי־יָד עַל־כֵּס יָהּ Ex.17:16
5-6 לֹא־אֶרְאֶה יָהּ יָהּ בְּאֶרֶץ הַחַיִּים Is.38:11
7 וְאַף־סוֹרְרִים לִשְׁכֹּן יָהּ אֱלֹהִים Ps.68:19
8 אֶזְכּוֹר מַעַלְלֵי־יָהּ Ps.77:12
9 מִי־כָמוֹךָ חֲסִין יָהּ Ps.89:9
10 וַיֹּאמְרוּ לֹא יִרְאֶה־יָּהּ Ps.94:7
11 אַשְׁרֵי הַגֶּבֶר אֲשֶׁר־תְּיַסְּרֶנּוּ יָּהּ Ps.94:12
12 וְעַם נִבְרָא יְהַלֶּל־יָהּ Ps.102:19
13 לֹא־הַמֵּתִים יְהַלְלוּ־יָהּ Ps.115:17
14 וַאֲנַחְנוּ נְבָרֵךְ יָהּ Ps.115:18
15 מִן־הַמֵּצַר קָרָאתִי יָּהּ Ps.118:5
16 ...וַאֲסַפֵּר מַעֲשֵׂי יָהּ Ps.118:17
17 יַסֹּר יִסְּרַנִּי יָּהּ וְלַמָּוֶת לֹא נְתָנָנִי Ps.118:18
18 אָבֹא־בָם אוֹדֶה יָהּ Ps.118:19
19 שֶׁשָּׁם עָלוּ שְׁבָטִים שִׁבְטֵי־יָהּ Ps.122:4
20 אִם־עֲוֹנוֹת תִּשְׁמָר־יָהּ Ps.130:3
21 כִּי־יַעֲקֹב בָּחַר לוֹ יָהּ Ps.135:4
22 כֹּל הַנְּשָׁמָה תְּהַלֵּל יָהּ Ps.150:6
בְּיָהּ 23 כִּי בְּיָהּ יְיָ צוּר עוֹלָמִים Is.26:4
24 בְּיָהּ שְׁמוֹ וְעִלְזוּ לְפָנָיו Ps.68:5

יהב
: הַב, הָבָה, הָבִי, הָבוּ; יְהָב; אר׳ יְהַב, אִתְיְהֵב

יְהָב*
ז׳ נטל (ובהשאלה) תקוה
יְהָבְךָ 1 הַשְׁלֵךְ עַל־יְיָ יְהָבְךָ Ps.55:23

יְהַב
פ׳ ארמית א) נתן: 1–21
ב) [אִתפ׳ אִתְיְהֵב] נִתַּן: 22–28
יְהַבְתְּ 1 דִּי חָכְמְתָא וּגְבוּרְתָא יְהַבְתְּ לִי Dan.2:23
יְהַב 2 מַלְכוּתָא חִסְנָא...יְהַב־לָךְ Dan.2:37
3 חֵיוַת בָּרָא...יְהַב בִּידָךְ Dan.2:38
4 וּמַתְּנָן רַבְרְבָן שַׂגִּיאָן יְהַב־לֵהּ Dan.2:48
5 מַלְכוּתָא...יְהַב לִנְבֻכַדְנֶצַּר Dan.5:18
6 וּמִן־רְבוּתָא דִּי יְהַב־לֵהּ Dan.5:19
7 יְהַב הִמּוֹ בְּיַד נְבוּכַדְנֶצַּר Ez.5:12
8 יְהַב אֻשַּׁיָּא דִּי־בֵית אֱלָהָא Ez.5:16
וִיהַבוּ 9 וִיהַבוּ גֶשְׁמְהוֹן דִּי לָא־יִפְלְחוּן Dan.3:28
יָהֵב 10 יָהֵב חָכְמְתָא לְחַכִּימִין Dan.2:21
יָהֲבִין 11 אִלֵּין יָהֲבִין לְהוֹן טַעְמָא Dan.6:3
יְהִיב 12 וּלְבַב אֱנָשׁ יְהִיב לַהּ Dan.7:4
13 וְשָׁלְטָן יְהִיב לַהּ Dan.7:6
14 וְלֵהּ יְהִב שָׁלְטָן וִיקָר Dan.7:14
15 וְדִינָא יְהִב לְקַדִּישֵׁי עֶלְיוֹנִין Dan.7:22
יְהִיבַת 16 וְאַרְכָה בְחַיִּין יְהִיבַת לְהוֹן Dan.7:12
17 וּמַלְכוּתָא...יְהִיבַת לְעַם קַדִּישֵׁי... Dan.7:27
וִיהִיבַת 18 וִיהִיבַת לְמָדַי וּפָרָס Dan.5:28
19 וִיהִיבַת לִיקֵדַת אֶשָּׁא Dan.7:11
וִיהִיבוּ 20 וִיהִיבוּ לְשֵׁשְׁבַּצַּר שְׁמֵהּ Ez.5:14
הַב 21 וּנְבָזְבְּיָתָךְ לְאָחֳרָן הַב Dan.5:17
מִתְיְהֵב 22 וּמִדָּה בְלוֹ וַהֲלָךְ מִתְיְהֵב לְהוֹן Ez.4:20
23 לֶהֱוֵא מִתְיְהֵב לְהֹם יוֹם בְּיוֹם Ez.6:9
מִתְיַהֲבָא 24 תֶּהֱוֵא מִתְיַהֲבָא לְגֻבְרַיָּא אִלֵּךְ Ez.6:8
מִתְיַהֲבִין 25 וּמָאנַיָּא דִּי־מִתְיַהֲבִין לָךְ Ez.7:19
יִתְיְהִב 26 וּלְבַב חֵיוָא יִתְיְהִב לֵהּ Dan.4:13
תִּתְיְהִב 27 וְנִפְקְתָא מִן־בֵּית מַלְכָּא תִּתְיְהִב Ez.6:4
וְיִתְיַהֲבוּן 28 וְיִתְיַהֲבוּן בִּידֵהּ עַד־עִדָּן וְעִדָּנִין Dan.7:25

יהד
: מִתְיַהֲדִים; ש״פ יְהוּדָה, יְהוּד, יְהֻדִי

(יהד) הִתְיַהֵד
הת׳ התגייר, היה ליהודי (התחזה כיהודי?)
מִתְיַהֲדִים 1 וְרַבִּים מֵעַמֵּי הָאָרֶץ מִתְיַהֲדִים Es.8:17

יָהְדַּי*
שפ״ז — מזרע כלב בן יפונה
יָהְדָּי 1 וּבְנֵי יָהְדַּי רֶגֶם וְיוֹתָם... ICh.2:47

יֵהוּא
שפ״ז — א) בן נמשי מלך ישראל: 4–42, 46–53, 57
ב) בן חנני, נביא בימי בעשא: 1–3, 44, 45
ג) איש מזרע שמעון: 55
ד) איש מבנימין שבאו אל דוד: 56
ה) איש מזרע יַרְחָע עבד מצרי: 43, 54
בֵּית יֵהוּא 42; בֶּן יְ׳ 14; דִּבְרֵי יֵהוּא 12, 45; מִנְהַג יֵהוּא 11; שִׁפְעַת יֵהוּא 10

יֵהוּא 1 וַיְהִי דְבַר־יְיָ אֶל־יֵהוּא בֶן־חֲנָנִי IK.16:1
2 בְּיַד יֵהוּא בֶן־חֲנָנִי הַנָּבִיא IK.16:7
3 בְּיַד יֵהוּא הַנָּבִיא IK.16:12
4 וְאֵת יֵהוּא בֶן־נִמְשִׁי תִּמְשַׁח לְמֶלֶךְ IK.19:16
5 הַנִּמְלָט מֵחֶרֶב חֲזָאֵל יָמִית יֵהוּא IK.19:17
6 יֵהוּא בֶן־יְהוֹשָׁפָט בֶּן־נִמְשִׁי IIK.9:2
7 וַיֹּאמֶר יֵהוּא אֶל־מִי מִכֻּלָּנוּ IIK.9:5
8 וַיִּתְקְעוּ...וַיֹּאמְרוּ מָלַךְ יֵהוּא IIK.9:13
9 וַיִּתְקַשֵּׁר יֵהוּא בֶּן־יְהוֹשָׁפָט IIK.9:14
10 וַיַּרְא אֶת־שִׁפְעַת יֵהוּא בְּבֹאוֹ IIK.9:17
11 וְהַמִּנְהָג כְּמִנְהַג יֵהוּא בֶן־נִמְשִׁי IIK.9:20
12 וְיֶתֶר דִּבְרֵי יֵהוּא... IIK.10:34
13 מָלַךְ יְהוֹאָחָז בֶּן־יֵהוּא IIK.13:1
14 אֶל־יְהוֹאָשׁ בֶּן־יְהוֹאָחָז בֶּן־יֵהוּא IIK.14:8
15-41 יֵהוּא IIK.9:15,16,18,19,21,22^2,27,30
10:1,5,11,18^2,20,21,23,25,28,29,30,35,36; 15:12;
22:7,8,9
42 וּפָקַדְתִּי...עַל־בֵּית יֵהוּא Hosh.1:4
43 וְעוֹבֵד הוֹלִיד אֶת־יֵהוּא ICh.2:38
44 וַיֵּצֵא אֶל־פָּנָיו יֵהוּא בֶן־חֲנָנִי הַחֹזֶה IICh.19:2
45 כְּתוּבִים בְּדִבְרֵי יֵהוּא בֶן־חֲנָנִי IICh.20:34
46 אֶל־יוֹאָשׁ בֶּן־יְהוֹאָחָז בֶּן־יֵהוּא IICh.25:17
וְיֵהוּא 47 וְיֵהוּא יָצָא אֶל־עַבְדֵי אֲדֹנָיו IIK.9:11

וְיֵהוּא (המשך)
48 וְיֵהוּא מִלֵּא יָדוֹ בַקֶּשֶׁת IIK.9:24
49 וְיֵהוּא בָּא בַשַּׁעַר IIK.9:31
50-53 וְיֵהוּא IIK.10:13,19,24,31
54 וְיֵהוּא הוֹלִיד אֶת־עֲזַרְיָה ICh.2:38
55 וְיוֹאֵל וְיֵהוּא בֶּן־יוֹשִׁבְיָה ICh.4:35
56 וּבְרָכָה וְיֵהוּא הָעַנְּתֹתִי ICh.12:3
לְיֵהוּא 57 בִּשְׁנַת־שֶׁבַע לְיֵהוּא מָלַךְ יְהוֹאָשׁ IIK.12:2

יְהוּא (קהלת יא3) – עין הָוָה

יְהוֹאָחָז שפ״ז [עין גם יוֹאָחָז]
א) בן יהוא מלך ישראל: 1–13, 20
ב) בן יהורם, מלך יהודה, הוא אֲחַזְיָהוּ: 18, 19
ג) בן יאשיהו, מלך יהודה, הוא שַׁלּוּם: 14–17
בֶּן יְהוֹאָחָז 6, 9–13, 19; דִּבְרֵי י׳ 4; יַד י׳ 8; יְמֵי יְהוֹאָחָז 7

יְהוֹאָחָז 1 וַיִּמְלֹךְ יְהוֹאָחָז בְּנוֹ תַּחְתָּיו IIK.10:35
2 מָלַךְ יְהוֹאָחָז בֶּן־יֵהוּא IIK.13:1
3 וַיְחַל יְהוֹאָחָז אֶת־פְּנֵי יְיָ IIK.13:4
4 וְיֶתֶר דִּבְרֵי יְהוֹאָחָז... IIK.13:8
5 וַיִּשְׁכַּב יְהוֹאָחָז עִם־אֲבֹתָיו IIK.13:9
6 מָלַךְ יְהוֹאָשׁ בֶּן־יְהוֹאָחָז IIK.13:10
7 לָחַץ אֶת־יִשְׂרָאֵל כֹּל יְמֵי יְהוֹאָחָז IIK.13:22
8 אֲשֶׁר לָקַח מִיַּד יְהוֹאָחָז אָבִיו IIK.13:25
9-13 (יְה)וֹאָשׁ בֶּן־יְהוֹ׳ IIK.13:25;14:8,17;25:17,25
14 וַיִּקַּח...אֶת־יְהוֹאָחָז בֶּן־יֹאשִׁיָּהוּ IIK.23:30
15 בֶּן־עֶשְׂרִים...יְהוֹאָחָז בְּמָלְכוֹ IIK.23:31
16 וְאֶת־יְהוֹאָחָז לָקַח וַיָּבֹא מִצְרַיִם IIK.23:34
17 וַיִּקְחוּ...אֶת־יְהוֹאָחָז בֶּן־יֹאשִׁיָּהוּ IICh.36:1
18 וְלֹא נִשְׁאַר־לוֹ בֵן כִּי אִם־יְהוֹאָחָז IICh.21:17
19 אֲמַצְיָהוּ...בֶּן־יוֹאָשׁ בֶּן־יְהוֹאָחָז IICh.25:23
לִיהוֹאָחָז 20 כִּי לֹא הִשְׁאִיר לִיהוֹאָחָז IIK.13:7

יְהוֹאָשׁ שפ״ז א) בן אחזיהו מלך יהודה: 1–7
ב) בן יהואחז מלך ישראל [עין גם יוֹאָשׁ]: 8–11
בֶּן יְהוֹאָשׁ 9; דִּבְרֵי י׳ 10; מוֹת י׳ 11

יְהוֹאָשׁ 1 בֶּן־שֶׁבַע שָׁנִים יְהוֹאָשׁ בְּמָלְכוֹ IIK.12:1
2 בִּשְׁנַת־שֶׁבַע לְיֵהוּא מָלַךְ יְהוֹאָשׁ IIK.12:2
3 וַיַּעַשׂ יְהוֹאָשׁ הַיָּשָׁר בְּעֵינֵי יְיָ IIK.12:3
4 וַיֹּאמֶר יְהוֹאָשׁ אֶל־הַכֹּהֲנִים IIK.12:5
5 וַיְהִי בִּשְׁנַת...לַמֶּלֶךְ יְהוֹאָשׁ IIK.12:7
6 וַיִּקְרָא הַמֶּלֶךְ יְהוֹאָשׁ לִיהוֹיָדָע IIK.12:8
7 וַיִּקַּח יְהוֹאָשׁ...אֵת כָּל־הַקֳּדָשִׁים IIK.12:19
8 מָלַךְ יְהוֹאָשׁ בֶּן־יְהוֹאָחָז עַל־יִשְׂרָאֵל IIK.13:10
9 וְאֵת אֲמַצְיָהוּ...בֶּן־יְהוֹאָשׁ IIK.14:13
10 וְיֶתֶר דִּבְרֵי יְהוֹאָשׁ... IIK.14:15
11 וַיְחִי...אַחֲרֵי מוֹת יְהוֹאָשׁ IIK.14:17
12-16 יְהוֹאָשׁ IIK.14:8,9,11,13,16

יְהוּד[1] עיר בנחלת דן
וִיהֻד 1 וִיהֻד וּבְנֵי־בְרַק וְגַת־רִמּוֹן Josh.19:45

יְהוּד[2] ארמית: יְהוּדָה (הארץ): 1–7
יְהוּד 1-3 דִּי מִן בְּנֵי גָלוּתָא דִּי יְהוּד Dan.2:25;5:13;6:14
4 דִּי הַיְתִי מַלְכָּא אַבִי מִן־יְהוּד Dan.5:13
5 לְבַקָּרָא עַל־יְהוּד וְלִירוּשְׁלֶם Ez.7:14
בִּיהוּד 6 דִּי בִיהוּד וּבִירוּשְׁלֶם Ez.5:1
לִיהוּד 7 דִּי־אֱזַלְנָא לִיהוּד מְדִינְתָּא Ez.5:8

יְהוּדָה[1] שפ״ז א) בנו הרביעי של יעקב מלאה: 1–36, 667–670, 756, 757
ב) כנוי לשבט המתיחס עליו וכן לנחלתו ולכל ארץ מלכי בית דוד, כולל שמעון ובנימין: 37–666, 671–755, 758–800
– יְהוּדָה וִירוּשָׁלַיִם 381, 409, 410, 481, 494, 502, 543, 547, 567, 570, 586, 599, 625, 628–630, 640, 641, 650, 655–657, 659, 660, 662, 664–666, 688, 689, 691–692, 697, 710, 712–718, 753, 754, 763–766, 799; יְהוּדָה וְיִשְׂרָאֵל 184, 189, 192, 194, 195, 372, 496, 504, 561, 671–684, 752, 755, 769; יְהוּדָה וְאֶרֶץ יִשְׂרָאֵל 530; יְהוּדָה וּבִנְיָמִן 584, 587, 593, 601, 603, 605, 612–614, 643, 699, 704, 719, 720, 768

– אַדְמַת יְהוּדָה 416; אָהֳלֵי י׳ 565; אָזְנֵי י׳ 505; אִישׁ י׳ 109, 112–140; אַלּוּפֵי י׳ 563, 564; אַלְפֵי י׳ 142, 549; אַנְשֵׁי י׳ 148, 191, 587; אֲפִיקֵי י׳ 544; אֶרֶץ י׳ 94, 141, 145, 405, 408, 419, 497, 506–513, 546, 558, 579, 591, 600, 602, 605, 613, 618; אֵשֶׁת י׳ 7; בְּכוֹר י׳ 6, 19; בֵּית י׳ 149–183, 418, 601, 622; בָּמוֹת י׳ 547; בֶּן י׳ 18, 22, 24; בְּנֵי י׳ 10, 14–16, 20, 21, 47–90; בְּנוֹת י׳ 571, 572; בַּת י׳ 581–583; גְּאוֹן י׳ 475; גְּבוּל י׳ 533, 534; גָּלוּת י׳ 485, 493, 495; הַר י׳ 97, 99, 100, 647; הָרֵי י׳ 634; זִקְנֵי י׳ 146, 186, 381, 528; חַטַּאת י׳ 479, 525; חֹרֵי י׳ 491, 492, 592, 598; יַד י׳ 368, 369, 632, 633; יֹשְׁבֵי י׳ 586; מִדְבַּר י׳ 105, 575; מַחְלְקוֹת י׳ 593; מַחֲנֵה י׳ 91, 92; מַטֵּה י׳ 37–46; מֵי י׳ 464; מֶלֶךְ י׳ 198–346; מַלְכוּת י׳ 604; מַלְכֵי י׳ 143, 348–362, 371, 382, 385–404; מִנְחַת י׳ 570; מָסַךְ י׳ 417; מִשְׁפַּחַת (־חוֹת) י׳ 17, 96, 110; נֶגֶב י׳ 144, 190; נְפוּצוֹת י׳ 413; סְבִיבוֹת י׳ 620; עִיר י׳ 645; עַם י׳ 187, 486, 487, 585; עֵץ י׳ 531; עֲצַת י׳ 481; עָרֵי י׳ 147, 196, 377, 383, 384, 420–463; פַּחַת י׳ 552–555; פִּשְׁעֵי י׳ 545; צוֹרְרֵי י׳ 414; צָרֵי י׳ 584; קְהַל י׳ 652; קוֹל י׳ 93; שְׁאֵרִית י׳ 515–522; שְׁבוּת י׳ 500, 543; שֵׁבֶט י׳ 95, 197, 374, 577; שִׂמְחַת י׳ 596; שַׁעַר י׳ 535; שָׂרֵי י׳ 484, 488, 494, 502, 526, 538, 576, 594, 595, 606, 637, 639

יְהוּדָה (א) 1 עַל־כֵּן קָרְאָה שְׁמוֹ יְהוּדָה Gen.29:35
2 וַיֹּאמֶר יְהוּדָה אֶל־אֶחָיו Gen.37:26
3 וַיֵּרֶד יְהוּדָה מֵאֵת אֶחָיו Gen.38:1
4 וַיַּרְא־שָׁם יְהוּדָה בַּת־אִישׁ כְּנַעֲנִי Gen.38:2
5 וַיִּקַּח יְהוּדָה אִשָּׁה לְעֵר בְּכוֹרוֹ Gen.38:6
6 וַיְהִי עֵר בְּכוֹר יְהוּדָה רַע Gen.38:7
7 וַתָּמָת בַּת־שׁוּעַ אֵשֶׁת־יְהוּדָה Gen.38:12
8 וַיֹּאמֶר יְהוּדָה מַה נֹּאמַר לַאדֹנִי Gen.44:16
9 וַיִּגַּשׁ אֵלָיו יְהוּדָה וַיֹּאמֶר Gen.44:18
10 וּבְנֵי יְהוּדָה עֵר וְאוֹנָן Gen.46:12
11 וְאֶת־יְהוּדָה שָׁלַח לְפָנָיו Gen.46:28
12 יְהוּדָה אַתָּה יוֹדוּךָ אַחֶיךָ Gen.49:8
13 גּוּר אַרְיֵה יְהוּדָה Gen.49:9
14/5 בְּנֵי יְהוּדָה עֵר וְאוֹנָן Num.26:19 • ICh.2:3
16 וַיִּהְיוּ בְנֵי־יְהוּדָה לְמִשְׁפְּחֹתָם Num.26:20
17 אֵלֶּה מִשְׁפְּחֹת יְהוּדָה לִפְקֻדֵיהֶם Num.26:22
18 מִבְּנֵי־זֶרַח בֶּן־יְהוּדָה Neh.11:24
19 וַיְהִי עֵר בְּכוֹר יְהוּדָה רַע בְּעֵינֵי יְיָ ICh.2:3
20 כָּל־בְּנֵי יְהוּדָה חֲמִשָּׁה ICh.2:4
21 בְּנֵי יְהוּדָה פֶּרֶץ חֶצְרוֹן ICh.4:1
22 בְּנֵי שֵׁלָה בֶן־יְהוּדָה ICh.4:21
23 כִּי יְהוּדָה גָּבַר בְּאֶחָיו ICh.5:2
24 בֶּן־בָּנִי מִן־בְּנֵי פֶרֶץ בֶּן־יְהוּדָה ICh.9:4
25-36 יְהוּדָה (א) Gen.38:8,11,12,15,20; 38:22,23,24,26; 43:3,8,14

יְהוּדָה(ב) 37/8 בְּצַלְאֵל...לְמַטֵּה יְהוּדָה Ex.31:2;35:30
39-46 (לְ / וּמְ)מַטֵּה יְהוּדָה Ex.38:22
Num.1:27; 7:12; 13:6; 34:19 • Josh.7:1,18; 21:4
47 לִבְנֵי יְהוּדָה...לְמִשְׁפְּחֹתָם Num.1:26
48-90 (וּבְ / לִבְ / מִ)בְּנֵי יְהוּדָה Num.2:3; 10:14

יְהוּדָה (המשך) Josh.14:6; 15:1,12,13,30,21,63[2]; 18:11,14; 19:1,9[2]; 21:9 • Jud.1:8,9,16 • IISh.1:18 • Jer.7:30; 32:30,32; 50:4,33 • Hosh.2:2 • Ob.12 • Joel 4:6,8,19 • Dan.1:6 • Neh.11:4[2],25; 13:16 • ICh.2:10; 4:27; 6:50; 9:3; 12:24(25) • IICh.13:12; 25:12; 28:10

91 דֶּגֶל מַחֲנֵה יְהוּדָה לְצִבְאֹתָם Num.2:3
92 כָּל־הַפְּקֻדִים לְמַחֲנֵה יְהוּדָה Num.2:9
93 שְׁמַע יְיָ קוֹל יְהוּדָה Deut.33:7
94 וְאֵת כָּל־אֶרֶץ יְהוּדָה Deut.34:2
95 וַיִּלָּכֵד שֵׁבֶט יְהוּדָה Josh.7:16
96 וַיַּקְרֵב אֶת־מִשְׁפַּחַת יְהוּדָה Josh.7:17
97 מִן־עֲנָב וּמִכֹּל הַר יְהוּדָה Josh.11:21
98 יְהוּדָה יַעֲמֹד עַל־גְּבוּלוֹ מִנֶּגֶב Josh.18:5
99-100 הִיא חֶבְרוֹן בְּהַר יְהוּדָה Josh.20:7; 21:11
101 וַיֹּאמֶר יְיָ יְהוּדָה יַעֲלֶה Jud.1:2
102 וַיֹּאמֶר יְהוּדָה לְשִׁמְעוֹן אָחִיו Jud.1:3
103 וַיַּעַל יְהוּדָה...וַיַּכּוּם בְּבֶזֶק Jud.1:4
104 וַיֵּלֶךְ יְהוּדָה אֶל־הַכְּנַעֲנִי Jud.1:10
105 מִדְבַּר יְהוּדָה אֲשֶׁר בְּנֶגֶב עֲרָד Jud.1:16
106 וַיֵּלֶךְ יְהוּדָה אֶת־שִׁמְעוֹן אָחִיו Jud.1:17
107 וַיִּלְכֹּד יְהוּדָה אֶת־עַזָּה Jud.1:18
108 וַיְהִי יְיָ אֶת־יְהוּדָה וַיֹּרֶשׁ... Jud.1:19
109 וַיֹּאמְרוּ אִישׁ יְהוּדָה לָמָה עֲלִיתֶם Jud.15:10
110 וַיְהִי־נַעַר...מִמִּשְׁפַּחַת יְהוּדָה Jud.17:7
111 וַיֹּאמֶר יְיָ יְהוּדָה בַתְּחִלָּה Jud.20:18
112 וְאִישׁ יְהוּדָה שְׁלֹשִׁים אָלֶף ISh.11:8
113-140 (וְ / בְּ / לְ) אִישׁ יְהוּדָה ISh.15:4
IISh.19:15,17,42,43,44[2]; 20:2,4; 24:9 • IIK.23:2 • Is.5:3,7 • Jer.4:3,4; 11:2,9; 17:25; 18:11; 32:32; 35:13; 36:31; 44:26,27 • Dan.9:7
IICh.13:15; 20:27; 34:30
141 לֵךְ וּבָאתָ־לְּךָ אֶרֶץ יְהוּדָה ISh.22:5
142 וְחִפַּשְׂתִּי אֹתוֹ בְּכֹל אַלְפֵי יְהוּדָה ISh.23:23
143 לָכֵן הָיְתָה צִקְלַג לְמַלְכֵי יְהוּדָה ISh.27:6
144 וַיֹּאמֶר דָּוִד עַל־נֶגֶב יְהוּדָה ISh.27:10
145 מֵאֶרֶץ פְּלִשְׁתִּים וּמֵאֶרֶץ־יְהוּדָה ISh.30:16
146 וַיְשַׁלַּח מֵהַשָּׁלָל לְזִקְנֵי יְהוּדָה ISh.30:26
147 הַאֶעֱלֶה בְּאַחַת עָרֵי יְהוּדָה IISh.2:1
148 וַיָּבֹאוּ אַנְשֵׁי יְהוּדָה וַיִּמְשְׁחוּ־שָׁם IISh.2:4
149 אֶת־דָּוִד לְמֶלֶךְ עַל־בֵּית יְהוּדָה IISh.2:4
150-183 (וּ / וּבְ / לְ) בֵית יְהוּדָה IISh.2:7,10,11
IK.12:21,23 • IIK.19:30 • Is.37:31 • Jer.3:18; 5:11; 11:10,17; 12:14; 13:11; 31:27(26),31(30); 33:14; 36:3 • Ezek.4:6; 8:17; 25:3,8,12 • Hosh.1:7; 5:12,14 • Zech.8:13,15,19; 10:3,6; 12:4 • Neh.4:10 • ICh.28:4 • IICh.22:10
184 וּלְהָקִים...עַל־יִשְׂרָאֵל וְעַל־יְהוּדָה IISh.3:10
185 בְּחֶבְרוֹן מָלַךְ עַל־יְהוּדָה IISh.5:5
186 דַּבְּרוּ אֶל־זִקְנֵי יְהוּדָה לֵאמֹר IISh.19:12
187 וַיַּעֲבֹר...וְכָל־עַם יְהוּדָה IISh.19:41
188 וַיֵּלֶךְ עֲמָשָׂא לְהַזְעִיק אֶת־יְהוּדָה IISh.20:5
189 לֵךְ מְנֵה אֶת־יִשְׂרָאֵל וְאֶת־יְהוּדָה IISh.24:1
190 וַיֵּצְאוּ אֶל־נֶגֶב יְהוּדָה בְּאֵר שָׁבַע IISh.24:7
191 וַיִּקְרָא...וּלְכָל־אַנְשֵׁי יְהוּדָה IK.1:9
192 נָגִיד עַל־יִשְׂרָאֵל וְעַל־יְהוּדָה IK.1:35
193 וְאֶת־עֲמָשָׂא...שַׂר־צְבָא יְהוּדָה IK.2:32
194 יְהוּדָה וְיִשְׂרָאֵל רַבִּים כַּחוֹל IK.4:20
195 וַיֵּשֶׁב יְהוּדָה וְיִשְׂרָאֵל לָבֶטַח IK.5:5
196 וּב״י הַיֹּשְׁבִים בְּעָרֵי יְהוּדָה IK.12:17
197 זוּלָתִי שֵׁבֶט יְהוּדָה לְבַדּוֹ IK.12:20
198 רְחַבְעָם בֶּן־שְׁלֹמֹה מֶלֶךְ יְהוּדָה IK.12:23

יְהוּדָה (המשך)

199-346 מֶלֶךְ יְהוּדָה IK. 12:27^2; 15:9, 17, 25; 15:28, 33; 16:8, 10, 15, 23, 29; 22:2, 10, 29, 52 • IIK. 1:17; 3:1, 7, 9, 14; 8:16^2 25, 29; 9:16, 21; 27; 10:13; 12:19; 13:1, 10, 12; 14:1, 9, 11, 13, 15, 17, 23; 15:1, 8, 13, 17, 23, 27, 32; 16:1; 17:1; 18:1, 14^2, 16; 19:10; 21:11; 22:16, 18; 24:12; 25:22, 27^2 • Is. 7:1; 37:10; 38:9 • Jer. 1:2, 3^2; 15:4; 21:7, 11; 22:1, 2; 6, 11, 18, 24; 24:1, 8; 25:1, 3; 26:1, 18, 19; 27:1, 3, 12, 18, 20, 21; 28:1, 4; 29:3; 32:1^2, 3, 4; 34:2, 4, 6, 21; 35:1; 36:1, 9, 28, 29, 30, 32; 37:7; 38:22; 39:1, 4; 44:30; 45:1; 46:2; 49:34; 51:59; 52:31^2 • Am. 1:1 • Zep. 1:1 • Zech. 14:5 • Prov. 25:1 • Es. 2:6 • Dan. 1:1, 2 • ICh. 4:41; 5:17 • IICh. 11:3; 16:1, 7; 18:3, 9, 28; 19:1; 20:35; 21:12; 22:1, 6; 25:17, 18, 21, 23, 25; 30:24; 32:8, 9, 23; 34:24, 26; 35:21

347 וַיַּעַשׂ יְהוּדָה הָרַע בְּעֵינֵי יְיָ IK. 14:22

348-362 דִּבְרֵי הַיָּמִים לְמַלְכֵי יְהוּדָה IK. 14:29; 15:7, 23; 22:46 • IIK. 8:23; 12:20; 14:18; 15:6, 36; 16:19; 20:20; 21:17, 25; 23:28; 24:5

363 וּבִשְׁנַת...מָלַךְ אֲבִיָּם עַל־יְהוּדָה IK. 15:1
364 וַיַּעַל בַּעְשָׁא...עַל־יְהוּדָה IK. 15:17
365 וְהַמֶּלֶךְ...הִשְׁמִיעַ אֶת־כָּל־יְהוּדָה IK. 15:22
366 וִיהוֹשָׁפָט...מָלַךְ עַל־יְהוּדָה IK. 22:41
367 וְלֹא־אָבָה יְיָ לְהַשְׁחִית אֶת־יְהוּדָה IIK. 8:19
368 פָּשַׁע אֱדוֹם מִתַּחַת יַד־יְהוּדָה IIK. 8:20
369 וַיִּפְשַׁע אֱדוֹם מִתַּחַת יַד־יְהוּדָה IIK. 8:22
370 וּבִשְׁנַת...מָלַךְ אֲחַזְיָה עַל־יְהוּדָה IIK. 9:29
371 אֲשֶׁר־הִקְדִּישׁוּ...מַלְכֵי יְהוּדָה IIK. 12:19
372 וַיִּנָּגֶף יְהוּדָה לִפְנֵי יִשְׂרָאֵל IIK. 14:12
373 וַיִּקְחוּ כָּל־עַם יְהוּדָה אֶת־עֲזַרְיָה IIK. 14:21
374 לֹא נִשְׁאַר רַק שֵׁבֶט יְהוּדָה לְבַדּוֹ IIK. 17:18
375 גַּם־יְהוּדָה לֹא שָׁמַר אֶת־מִצְוֹת יְיָ IIK. 17:19
376 לֹא־הָיָה כָמֹהוּ בְּכֹל מַלְכֵי יְהוּדָה IIK. 18:5
377 עָלָה...עַל כָּל־עָרֵי יְהוּדָה IIK. 18:13
378 וַיַּחֲטִא גַם־אֶת־יְהוּדָה בְּגִלּוּלָיו IIK. 21:11
379 אֲשֶׁר הֶחֱטִיא אֶת־יְהוּדָה IIK. 21:16
380 דִּרְשׁוּ...וּבְעַד כָּל־יְהוּדָה IIK. 22:13
381 כָּל־זִקְנֵי יְהוּדָה וִירוּשָׁלָם IIK. 23:1
382 הַכְּמָרִים אֲשֶׁר נָתְנוּ מַלְכֵי יְהוּדָה IIK. 23:5
383 וַיְקַטֵּר בַּבָּמוֹת בְּעָרֵי יְהוּדָה IIK. 23:5
384 כָּל־הַכֹּהֲנִים מֵעָרֵי יְהוּדָה IIK. 23:8

385-404 (לְ/וּ) מַלְכֵי יְהוּדָה IIK. 23:11, 12; 23:22; 24:5 • Is. 1:1 • Jer. 1:18; 8:1; 17:19, 20; 19:3, 4, 13; 20:5; 33:4; 44:9 • Hosh. 1:1 • Mic. 1:1 • IICh. 25:26; 32:32; 34:11

405 בְּאֶרֶץ יְהוּדָה וּבִירוּשָׁלָם IIK. 23:24
406 גַּם אֶת־יְהוּדָה אָסִיר מֵעַל פָּנַי IIK. 23:27
407 וַיִּגֶל יְהוּדָה מֵעַל אַדְמָתוֹ IIK. 25:21
408 וְהָעָם הַנִּשְׁאָר בְּאֶרֶץ יְהוּדָה... IIK. 25:22
409/10 חָזָה(...)עַל־יְהוּדָה וִירוּשָׁלָם Is. 1:1; 2:1
411 לְמִיּוֹם סוּר־אֶפְרַיִם מֵעַל יְהוּדָה Is. 7:17
412 יַחְדָּו הֵמָּה עַל־יְהוּדָה Is. 9:20
413 וּנְפֻצוֹת יְהוּדָה יְקַבֵּץ Is. 11:12
414 וְצֹרְרֵי יְהוּדָה יִכָּרֵתוּ Is. 11:13
415 אֶפְרַיִם לֹא־יְקַנֵּא אֶת־יְהוּדָה Is. 11:13
416 וְהָיְתָה אַדְמַת יְהוּדָה לְמִצ׳ לְחָגָּא Is. 19:17
417 וַיְגַל אֵת מָסַךְ יְהוּדָה Is. 22:8
418 לְאָב לְיוֹשֵׁב יְרו׳ וּלְבֵית יְהוּדָה Is. 22:21
419 יוּשַׁר הַשִּׁיר־הַזֶּה בְּאֶרֶץ יְהוּדָה Is. 26:1
420 עָלָה...עַל כָּל־עָרֵי יְהוּדָה Is. 36:1
421 אִמְרִי לְעָרֵי יְהוּדָה הִנֵּה אֱלֹהֵיכֶם Is. 40:9

יְהוּדָה (המשך)

422-463 (וּבְ / לְ / וּלְ / מֵ) עָרֵי יְהוּדָה Is. 44:26; Jer. 1:15; 4:16; 7:17, 34; 9:10; 10:22; 11:6, 12; 17:26; 25:18; 26:2; 32:44; 33:10, 13; 34:7, 22; 36:9; 40:5; 44:2, 6, 17, 21 • Zech. 1:12 • Ps. 69:36 • Lam. 5:11 • Neh. 11:3, 20 • IICh. 10:17; 14:4; 17:2, 7, 9, 13; 19:5; 20:4; 23:2; 24:5; 25:13; 31:1, 6

464 וּמִמֵּי יְהוּדָה יָצָאוּ Is. 48:1
465/6 מִס׳ עָרֶיךָ הָיוּ אֱלֹהֶיךָ יְהוּדָה Jer. 2:28; 11:13
467/8 בָּגוֹדָה אֲחוֹתָהּ יְהוּדָה Jer. 3:7, 10
469 בָּגְדָה יְהוּדָה אֲחוֹתָהּ Jer. 3:8
470 צִדְּקָה נַפְשָׁהּ...מִבֹּגֵדָה יְהוּדָה Jer. 3:11
471-473 שִׁמְעוּ...כָּל־יְהוּדָה Jer. 7:2; 44:24, 26
474 עַל־מִצְרַיִם וְעַל־יְהוּדָה Jer. 9:25
475 כָּכָה אַשְׁחִית אֶת־גְּאוֹן יְהוּדָה Jer. 13:9
476 הָגְלָת יְהוּדָה כֻּלָּהּ Jer. 13:19
477 אָבְלָה יְהוּדָה וּשְׁעָרֶיהָ אֻמְלְלוּ Jer. 14:2
478 הֲמָאֹס מָאַסְתָּ אֶת־יְהוּדָה... Jer. 14:19
479 חַטַּאת יְהוּדָה כְּתוּבָה בְּעֵט בַּרְזֶל Jer. 17:1
480 מַלְכֵי יְהוּדָה וְכָל־יְהוּדָה Jer. 17:20
481 וּבַקֹּתִי אֶת־עֲצַת יְהוּדָה וִירוּשָׁלַם Jer. 19:7
482 וְאֶת־כָּל־יְהוּדָה אֶתֵּן בְּיַד... Jer. 20:4
483 בְּיָמָיו תִּוָּשַׁע יְהוּדָה Jer. 23:6
484 וְאֶת־שָׂרֵי יְהוּדָה וְאֶת־הֶחָרָשׁ Jer. 24:1
485 אַכִּיר אֶת־גָּלוּת יְהוּדָה...לְטוֹבָה Jer. 24:5
486-487 עַל־כָּל־עַם יְהוּדָה Jer. 25:1, 2
488 וַיִּשְׁמְעוּ שָׂרֵי יְהוּדָה Jer. 26:10
489 וַיֹּאמֶר אֶל־כָּל־עַם יְהוּדָה Jer. 26:18
490 הֶהָמֵת הֱמִתֻהוּ חִזְקִ׳ וְכָל יְהוּדָה Jer. 26:19
491/2 וְאֵת כָּל־חֹרֵי יְהוּדָה Jer. 27:20; 39:6
493 וְאֶת־כָּל־גָּלוּת יְהוּדָה Jer. 28:4
494 אַחֲרֵי־צֵאת...שָׂרֵי יְהוּדָה וִירוּשׁ׳ Jer. 29:2
495 לְכֹל גָּלוּת יְהוּדָה Jer. 29:22
496 אֶל־יִשְׂרָאֵל וְאֶל־יְהוּדָה Jer. 30:4
497 בְּאֶרֶץ יְהוּדָה וּבְעָרָיו Jer. 31:23(22)
498 יְהוּדָה וְכָל־עָרָיו יַחְדָּו Jer. 31:24(23)
499 לְמַעַן הַחֲטִי׳ אֶת־יְהוּדָה Jer. 32:35
500 וַהֲשִׁבֹתִי אֶת־שְׁבוּת יְהוּדָה Jer. 33:7
501 בַּיָּמִים הָהֵם תִּוָּשַׁע יְהוּדָה Jer. 33:16
502 שָׂרֵי יְהוּדָה וְשָׂרֵי יְרוּשָׁלַם Jer. 34:19
503 הִנְנִי מֵבִיא אֶל־יְהוּדָה... Jer. 35:17
504 עַל־יִשְׂרָאֵל וְעַל־יְהוּדָה Jer. 36:2
505 וְגַם בְּאָזְנֵי כָל־יְהוּדָה Jer. 36:6
506 אֲשֶׁר הִמְלִיךְ...בְּאֶרֶץ יְהוּדָה Jer. 37:1

507-513 (בְּ/לְ) אֶרֶץ יְהוּדָה Jer. 39:10; 40:12; 43:4, 5; 44:9, 14, 28

514 וְנִפְצוּ כָּל־יְהוּדָה הַנִּקְבָּצִים Jer. 40:15
515 וְאָבְדָה שְׁאֵרִית יְהוּדָה Jer. 40:15

516-522 (לִ) שְׁאֵרִית יְהוּדָה Jer. 42:15, 19; 43:5; 44:12, 14, 28 • Zep. 2:7

523 לְהַכְרִית לָכֶם...מִתּוֹךְ יְהוּדָה Jer. 44:7
524 וּלְהַכְרִית אֶת־כָּל־יְהוּדָה Jer. 44:11
525 יְבֻקַּשׁ...וְאֶת־חַטֹּאת יְהוּדָה Jer. 50:20
526 וְגַם אֶת־כָּל־שָׂרֵי יְהוּדָה שָׁחַט Jer. 52:10
527 וַיִּגֶל יְהוּדָה מֵעַל אַדְמָתוֹ Jer. 52:27
528 וְזִקְנֵי יְהוּדָה יוֹשְׁבִים לְפָנָי Ezek. 8:1
529 וְאֶת־יְהוּדָה בִירוּשָׁלַם בְּצוּרָה Ezek. 21:25
530 יְהוּדָה וְאֶרֶץ יִשְׂ׳ הֵמָּה רֹכְלָיִךְ Ezek. 27:17
531 וְנָתַתִּי...אֶת־עֵץ־יְהוּדָה Ezek. 37:19
532 מִפְּאַת קָדִים...יְהוּדָה אֶחָד Ezek. 48:7
533 וְעַל גְּבוּל יְהוּדָה מִפְּאַת קָדִים Ezek. 48:8
534 בֵּין גְּבוּל יְהוּדָה Ezek. 48:22
535 שַׁעַר יְהוּדָה אֶחָד Ezek. 48:31

יְהוּדָה (המשך)

536 אַל־יֶאְשַׁם יְהוּדָה Hosh. 4:15
537 כָּשַׁל גַּם־יְהוּדָה עִמָּם Hosh. 5:5
538 הָיוּ שָׂרֵי יְהוּדָה כְּמַסִּיגֵי גְּבוּל Hosh. 5:10
539 מָה אֶעֱשֶׂה־לְּךָ יְהוּדָה Hosh. 6:4
540 גַּם־יְהוּדָה שָׁת קָצִיר לָךְ Hosh. 6:11
541 אַרְכִּיב אֶפְרַיִם יַחֲרוֹשׁ יְהוּדָה Hosh. 10:11
542 וְרִיב לַיְיָ עִם־יְהוּדָה Hosh. 12:3
543 אֶת־שְׁבוּת יְהוּדָה וִירוּשָׁלָם Joel 4:1
544 וְכָל־אֲפִיקֵי יְהוּדָה יֵלְכוּ מָיִם Joel 4:18
545 עַל־שְׁלֹשָׁה פִּשְׁעֵי יְהוּדָה Am. 2:4
546 לֵךְ בְּרַח־לְךָ אֶל־אֶרֶץ יְהוּדָה Am. 7:12
547 וּמִי בָּמוֹת יְהוּדָה הֲלוֹא יְרוּשָׁלָם Mic. 1:5
548 כִּי־בָאָה עַד־יְהוּדָה Mic. 1:9
549 צָעִיר לִהְיוֹת בְּאַלְפֵי יְהוּדָה Mic. 5:1
550 חָגִּי יְהוּדָה חַגַּיִךְ Nah. 2:1
551 וְנָטִיתִי יָדִי עַל־יְהוּדָה Zep. 1:4
552-555 זְרֻבָּבֶל(...)פַּחַת יְהוּדָה Hag. 1:1, 14; 2:2, 21
556/7 אֲשֶׁר(־)זֵרוּ אֶת־יְהוּדָה Zech. 2:2, 4
558 הַנֹּשְׂאִים קֶרֶן אֶל־אֶרֶץ יְהוּדָה Zech. 2:4
559 וְנָחַל יְיָ אֶת־יְהוּדָה חֶלְקוֹ Zech. 2:16
560 כִּי־דָרַכְתִּי לִי יְהוּדָה קֶשֶׁת Zech. 9:13
561 בֵּין יְהוּדָה וּבֵין יִשְׂרָאֵל Zech. 11:14
562 וְגַם עַל־יְהוּדָה יִהְיֶה בַמָּצוֹר Zech. 12:2
563 וְאָמְרוּ אַלֻּפֵי יְהוּדָה בְּלִבָּם Zech. 12:5
564 אָשִׂים אֶת־אַלֻּפֵי יְהוּדָה כְּכִיּוֹר אֵשׁ Zech. 12:6
565 וְהוֹשִׁיעַ יְיָ אֶת־אָהֳלֵי יְהוּדָה Zech. 12:7
566 לְמַעַן לֹא־תִגְדַּל...עַל־יְהוּדָה Zech. 12:7
567 וְגַם־יְהוּדָה תִּלָּחֵם בִּירוּשָׁלָם Zech. 14:14
568/9 בָּגְדָה יְהוּדָה...חִלֵּל יְהוּדָה קֹדֶשׁ Mal. 2:11
570 וְעָרְבָה לַיְיָ מִנְחַת יְהוּדָה וִירוּשׁ׳ Mal. 3:4
571/2 תָּגֵלְנָה בְּנוֹת יְהוּדָה Ps. 48:12; 97:8
573/4 יְהוּדָה מְחֹקְקִי Ps. 60:9; 108:9
575 בִּהְיוֹתוֹ בְּמִדְבַּר יְהוּדָה Ps. 63:1
576 שָׂרֵי יְהוּדָה רִגְמָתָם Ps. 68:28
577 וַיִּבְחַר אֶת־שֵׁבֶט יְהוּדָה Ps. 78:68
578 הָיְתָה יְהוּדָה לְקָדְשׁוֹ Ps. 114:2
579 לָשׁוּב אֶל־אֶרֶץ יְהוּדָה Ruth 1:7
580 גָּלְתָה יְהוּדָה מֵעֹנִי Lam. 1:3
581 גַּת דָּרַךְ...לִבְתוּלַת בַּת־יְהוּדָה Lam. 1:15
582/3 בַּת־יְהוּדָה (בְּבַת־) Lam. 2:2, 5
584 וַיִּשְׁמְעוּ צָרֵי יְהוּדָה וּבִנְיָמִן Ez. 4:1
585 מְרַפִּים יְדֵי עַם־יְהוּדָה Ez. 4:4
586 עַל־יֹשְׁבֵי יְהוּדָה וִירוּשָׁלָם Ez. 4:6
587 וַיִּקָּבְצוּ כָל־אַנְשֵׁי יְהוּדָה וּבִנְיָמִן Ez. 10:9
588 אֲשֶׁר תִּשְׁלָחֵנִי אֶל־יְהוּדָה Neh. 2:5
589 עַד אֲשֶׁר־אָבוֹא אֶל־יְהוּדָה Neh. 2:7
590 וַיֹּאמֶר יְהוּדָה כָּשַׁל כֹּחַ הַסַּבָּל Neh. 4:4
591 לִהְיוֹת פֶּחָם בְּאֶרֶץ יְהוּדָה Neh. 5:14
592 מַרְבִּים חֹרֵי יְהוּדָה אִגְּרֹתֵיהֶם Neh. 6:17
593 ...מַחְלְקוֹת יְהוּדָה לְבִנְיָמִין Neh. 11:36
594 וָאַעֲלֶה אֶת־שָׂרֵי יְהוּדָה Neh. 12:31
595 הוֹשַׁעְיָה וַחֲצִי שָׂרֵי יְהוּדָה Neh. 12:32
596 כִּי שִׂמְחַת יְהוּדָה עַל־הַכֹּהֲנִים Neh. 12:44
597 וְכָל־יְהוּדָה הֵבִיאוּ מַעְשַׂר הַדָּגָן Neh. 13:12
598 וָאָרִיבָה אֵת חֹרֵי יְהוּדָה Neh. 13:17
599 בְּהַגְלוֹת יְיָ אֶת־יְהוּדָה וִירוּשָׁלָם ICh. 5:41
600 אֶת־חֶבְרוֹן בְּאֶרֶץ יְהוּדָה ICh. 6:40
601 וַיַּקְהֵל אֶת־בֵּית יְהוּדָה וּבִנְיָמִן ICh. 11:1
602 וְלֹא נִרְאוּ...לְפָנִים בְּאֶרֶץ יְהוּדָה IICh. 9:11
603 וַיְהִי־לוֹ יְהוּדָה וּבִנְיָמִן IICh. 11:12
604 וַיְחַזְּקוּ אֶת־מַלְכוּת יְהוּדָה IICh. 11:17
605 לְכָל־אַרְצוֹת יְהוּדָה וּבִנְיָמִן IICh. 11:23

יהודה (המשך)
606 בָּא אֶל־רְחַבְעָם וְשָׂרֵי יְהוּדָה IICh. 12:5
607 וַיִּמְלֹךְ אֲבִיָּה עַל־יְהוּדָה IICh. 13:1
608 וַיִּהְיוּ לִפְנֵי יְהוּדָה IICh. 13:13
609 וַיִּפְנוּ יְהוּדָה...וַיִּצְעֲקוּ לַיְיָ IICh. 13:14
610 וַיָּנוּסוּ בְנֵי יִשְׂרָאֵל מִפְּנֵי יְהוּדָה IICh. 13:16
611 וַיִּגֹּף...לִפְנֵי אָסָא וְלִפְנֵי יְהוּדָה IICh. 14:11
612 שְׁמָעוּנִי אָסָא וְכָל־יְהוּדָה וּבִנְיָמִן IICh. 15:2
613 וַיַּעֲבֵר...מִכָּל־אֶרֶץ יְהוּדָה וּבִנְ׳ IICh. 15:8
614 וַיִּקְבֹּץ אֶת־כָּל־יְהוּדָה וּבִנְיָמִן IICh. 15:9
615 וַיִּשְׂמְחוּ כָל־יְהוּדָה IICh. 15:15
616 עָלָה בַּעְשָׁא מֶלֶךְ־יִשְׂ׳ עַל־יְהוּדָה IICh. 16:1
617 וְאָסָא...לָקַח אֶת־כָּל־יְהוּדָה IICh. 16:6
618 וַיִּתֵּן נְצִיבִים בְּאֶרֶץ יְהוּדָה IICh. 17:2
619 וַיִּתְּנוּ כָל־יְהוּדָה מִנְחָה לִיהוֹשָׁפָט IICh. 17:5
620 ...אֲשֶׁר סְבִיבוֹת יְהוּדָה IICh. 17:10
621 בְּעָרֵי הַמִּבְצָר בְּכָל־יְהוּדָה IICh. 17:19
622 וּזְבַדְיָהוּ...הַנָּגִיד לְבֵית יְהוּדָה IICh. 19:11
623 וַיִּקְרָא־צוֹם עַל־כָּל־יְהוּדָה IICh. 20:3
624 וַיִּקָּבְצוּ יְהוּדָה לְבַקֵּשׁ מֵיְיָ IICh. 20:4
625 וַיַּעֲמֹד...בִּקְהַל יְהוּדָה וִירוּשָׁלַםִ IICh. 20:5
626 וְכָל־יְהוּדָה עֹמְדִים לִפְנֵי יְיָ IICh. 20:13
627 הַקְשִׁיבוּ כָל־יְהוּדָה... IICh. 20:15
628 הִתְיַצְּבוּ...יְהוּדָה וִירוּשָׁלַםִ IICh. 20:17
629 וְכָל־יְהוּדָה וְיֹשְׁבֵי יְרוּשָׁלַםִ IICh. 20:18
630 שְׁמָעוּנִי יְהוּדָה וְיֹשְׁבֵי יְרוּשָׁלַםִ IICh. 20:20
631 וַיִּמְלֹךְ יְהוֹשָׁפָט עַל־יְהוּדָה IICh. 20:31
632 פָּשַׁע אֱדוֹם מִתַּחַת יַד־יְהוּדָה IICh. 21:8
633 וַיִּפְשַׁע אֱדוֹם מִתַּחַת יַד־יְהוּדָה IICh. 21:10
634 גַּם־הוּא עָשָׂה בָמוֹת בְּהָרֵי יְהוּדָה IICh. 21:11
635 וַיַּדַּח אֶת־יְהוּדָה IICh. 21:11
636 וַתַּזְנֶה אֶת־יְהוּדָה IICh. 21:13
637 וַיִּמְצָא אֶת־שָׂרֵי יְהוּדָה IICh. 22:8
638 וַיַּעֲשׂוּ הַלְוִיִּם וְכָל־יְהוּדָה IICh. 23:8
639 בָּאוּ שָׂרֵי יְהוּדָה וַיִּשְׁתַּחֲווּ לַמֶּלֶךְ IICh. 24:17
640 וַיְהִי־קֶצֶף עַל־יְהוּדָה וִירוּשָׁ׳ IICh. 24:18
641 וַיָּבֹאוּ אֶל־יְהוּדָה וִירוּשָׁלַםִ IICh. 24:23
642 וַיִּקְבֹּץ אֲמַצְיָהוּ אֶת־יְהוּדָה IICh. 25:5
643 וַיַּעֲמִידֵם...לְכָל־יְהוּדָה וּבִנְיָמִן IICh. 25:5
644 וַיִּנָּגֶף יְהוּדָה לִפְנֵי יִשְׂרָאֵל IICh. 25:22
645 וַיִּקְבְּרוּ אֹתוֹ...בְּעִיר יְהוּדָה IICh. 25:28
646 וַיִּקְחוּ כָּל־עַם יְהוּדָה אֶת־עֻזִּיָּהוּ IICh. 26:1
647 וְעָרִים בָּנָה בְּהַר יְהוּדָה IICh. 27:4
648 הִנֵּה בַּחֲמַת יְיָ...עַל־יְהוּדָה IICh. 28:9
649 כִּי־הִכְנִיעַ יְיָ אֶת־יְהוּדָה IICh. 28:19
650 וַיְהִי קֶצֶף יְיָ עַל־יְהוּדָה וִירוּשָׁ׳ IICh. 29:8
651 וְעַל־הַמִּקְדָּשׁ וְעַל־יְהוּדָה IICh. 29:21
652 וַיִּשְׂמְחוּ כָּל־קְהַל יְהוּדָה IICh. 30:25
653 ...מִכָּל־יְהוּדָה וּבִנְיָמִן IICh. 31:1
654 וַיַּעַשׂ כָּזֹאת יְחִזְקִ׳ בְּכָל־יְהוּדָה IICh. 31:20
655 וְעַל־כָּל־יְהוּדָה אֲשֶׁר בִּירוּשָׁ׳ IICh. 32:9
656 ...קֶצֶף וְעַל־יְהוּדָה וִירוּשָׁלָםִ IICh. 32:25
657 כָל־יְהוּדָה וְיֹשְׁבֵי יְרוּשָׁלַםִ IICh. 32:33
658 וַיֶּתַע מְנַשֶּׁה אֶת־יְהוּדָה IICh. 33:9
659 הֵחֵל לְטַהֵר אֶת־יְהוּדָה וִירוּשָׁלַםִ IICh. 34:3
660 וַיְטַהֵר אֶת־יְהוּדָה וְאֶת־יְרוּשָׁלָםִ IICh. 34:5
661 וּמִכָּל־יְהוּדָה וּבִנְיָמִן IICh. 34:9
662 אֶת־כָּל־זִקְנֵי יְהוּדָה וִירוּשָׁלָםִ IICh. 34:29
663 וְכָל־יְהוּדָה וְיִשְׂרָאֵל הַנִּמְצָא IICh. 35:18
664 וְכָל־יְהוּדָה וִירוּשָׁלַםִ מִתְאַבְּלִים IICh. 35:24
665/6 וַיַּמְלֵךְ...עַל־יְהוּדָה וִירוּשָׁלָםִ IICh. 36:4, 10
וִיהוּדָה(א) 667 ...וְשִׁמְעוֹן וְלֵוִי וִיהוּדָה Gen. 35:23
668/9 שִׁמְעוֹן לֵוִי וִיהוּדָה Ex. 1:2 • ICh. 2:1
670 שִׁמְעוֹן וְלֵוִי וִיהוּדָה... Deut. 27:12
וִיהוּדָה(ב) 671 וַיָּקֻמוּ אַנְשֵׁי יִשְׂרָאֵל וִיהוּדָה ISh. 17:52
684-672 (וְ)יִשְׂרָאֵל וִיהוּדָה ISh. 18:16
IISh. 5:5; 11:11; 12:8 • Jer. 30:3; 51:5 • Ezek. 9:9 •
IICh. 27:7; 35:27; 30:1, 6; 31:6; 36:8
685 וִיהוּדָה בָּא הַגִּלְגָּלָה... IISh. 19:16
686 בְּקַנֹּאתוֹ לִבְנֵי יִשְׂרָאֵל וִיהוּדָה IISh. 21:2
687 וְנָפַלְתָּה אַתָּה וִיהוּדָה עִמָּךְ IIK. 14:10
688 מֵבִיא רָעָה עַל־יְרוּשָׁלַםִ וִיהוּדָה IIK. 21:12
689 כִּי כָשְׁלָה יְרוּשָׁלַםִ וִיהוּדָה נָפָל Is. 3:8
690 וִיהוּדָה לֹא־יָצֹר אֶת־אֶפְרָיִם Is. 11:13
691 בְּתוֹךְ כָּל־גָּלוּת יְרוּשָׁלַםִ וִיהוּדָה Jer. 40:1
692 הָיְתָה בִירוּשָׁלַםִ וִיהוּדָה Jer. 52:3
693 וַיַּרְא...וִיהוּדָה אֶת־מְזֹרוֹ Hosh. 5:13
694 וִיהוּדָה הִרְבָּה עָרִים בְּצֻרוֹת Hosh. 8:14
695 וִיהוּדָה עֹד רָד עִם־אֵל Hosh. 12:1
696 וִיהוּדָה לְעוֹלָם תֵּשֵׁב Joel 4:20
697 וַיָּשׁוּבוּ לִירוּשָׁלַםִ וִיהוּדָה Ez. 2:1
698 וִיהוּדָה הָגְלוּ לְבָבֶל בְּמַעֲלָם ICh. 9:1
699 וַיָּבֹאוּ מִן־בְּנֵי בִנְיָמִן וִיהוּדָה ICh. 12:16(17)
700 וִיהוּדָה אַרְבַּע מֵאוֹת וְשִׁבְעִים אָלֶף
ICh. 21:5
701 נִגַּף...לִפְנֵי אֲבִיָּה וִיהוּדָה IICh. 13:15
702 וִיהוּדָה בָּא עַל־הַמִּצְפֶּה לַמִּדְבָּר IICh. 20:24
703 וְנָפַלְתָּ אַתָּה וִיהוּדָה עִמָּךְ IICh. 25:19
בִּיהוּדָה(ב) 704 לְהִלָּחֵם גַּם־בִּיהוּדָה וּבְבִנְיָמִין Jud. 10:9
705 וַיַּעֲלוּ פְלִשְׁתִּים וַיַּחֲנוּ בִּיהוּדָה Jud. 15:9
706 וַיַּחֲנוּ בְּקִרְיַת יְעָרִים בִּיהוּדָה Jud. 18:12
707 הִנֵּה אֲנַחְנוּ פֹה בִּיהוּדָה יְרֵאִים ISh. 23:3
708 וַיַּעַשׂ...כֶּחָג אֲשֶׁר בִּיהוּדָה IK. 12:32
709 וּרְחַבְעָם בֶּן־שְׁלֹמֹה מָלַךְ בִּיהוּדָה IK. 14:21
710 הַגִּידוּ בִיהוּדָה וּבִירוּשָׁ׳ הַשְׁמִיעוּ Jer. 4:5
711 נוֹדָע בִּיהוּדָה אֱלֹהִים Ps. 76:2
712 ...בִּירוּשָׁלַםִ אֲשֶׁר בִּיהוּדָה Ez. 1:2
713/4 (בִּ־ / לִי־) יְרוּשָׁלַםִ אֲשֶׁר בִּיהוּדָה
Ez. 1:3 • IICh. 36:23
715 וְלָתֶת־לָנוּ גָדֵר בִּיהוּדָה וּבִירוּשָׁ׳ Ez. 9:9
718-716 בִּיהוּדָה (וִי־ / וּבִ־) יְרוּשָׁלַםִ Ez. 10:7
IICh. 2:6; 24:9
719/20 בִּיהוּדָה וּבְבִנְיָמִין (וּבִ־) IICh. 11:3, 10
750-721 בִּיהוּדָה IIK. 15:37; 23:26; 24:2, 3
Is. 7:6; 8:8 • Jer. 5:20; 22:30 • Am. 2:5 • Zech. 9:7 •
Neh. 6:7, 18; 13:15 • ICh. 28:4 • IICh. 11:5; 12:12;
14:5; 17:9, 12; 21:3, 17; 23:2; 25:10; 28:6, 17, 19;
30:12, 25; 32:1; 33:14
וּבִיהוּדָה 751 וּפָגַע...וּבִיהוּדָה הַיַּרְדֵּן... Josh. 19:34
752 וַיָּעַד יְיָ בְּיִשְׂרָאֵל וּבִיהוּדָה IIK. 17:13
753 עַל־אַף יְיָ הָיְתָה בִירוּ׳ וּבִיהוּדָה IIK. 24:20
754 בִּירוּשָׁלַםִ וּבִיהוּדָה קֹדֶשׁ לַיְיָ Zech. 14:21
755 הַנִּשְׁאָר בְּיִשְׂרָאֵל וּבִיהוּדָה IICh. 34:21
לִיהוּדָה(א) 756 וַיֻּגַּד לִיהוּדָה לֵאמֹר Gen. 38:24
757 אֲשֶׁר־יָלְדָה תָמָר לִיהוּדָה Ruth 4:12
לִיהוּדָה(ב) 758 לִיהוּדָה נַחְשׁוֹן בֶּן־עַמִּינָדָב Num. 1:7
759 וְזֹאת לִיהוּדָה וַיֹּאמַר... Deut. 33:7
760 וַיֵּאָסְפוּ שֹׂכֹה אֲשֶׁר לִיהוּדָה ISh. 17:1
761 פָּשַׁטְנוּ...וְעַל־אֲשֶׁר לִיהוּדָה ISh. 30:14
762 הֲרֹאשׁ כֶּלֶב אָנֹכִי אֲשֶׁר לִיהוּדָה IISh. 3:8
766-763 לִיהוּדָה וְלִירוּשָׁלַםִ IIK. 18:22
Is. 36:7 • IICh. 11:14; 32:12
767 לִיהוּדָה וְלִבְנֵי יִשְׂרָאֵל חֲבֵרָו Ezek. 37:16
768 רָאשֵׁי הָאָבוֹת לִיהוּדָה וּבִנְיָמִן Ez. 1:5
769 עַל־סֵפֶר הַמְּלָכִים לִיהוּדָה וְיִשְׂ׳ IICh. 16:11
לִיהוּדָה (המשך) 787-770 לִיהוּדָה IK. 19:3 • IIK. 14:11, 22, 28
Jer. 40:11 • Ez. 1:8 • ICh. 13:6; 27:18 • IICh. 12:4;
14:3, 6; 17:14; 20:22; 25:21; 26:2; 28:18, 25; 33:16
מִיהוּדָה(ב) 788 לֹא־יָסוּר שֵׁבֶט מִיהוּדָה Gen. 49:10
789 שְׁלֹשֶׁת אֲלָפִים אִישׁ מִיהוּדָה Jud. 15:11
790 וְהִנֵּה אִישׁ אֱלֹהִים בָּא מִיהוּדָה IK. 13:1
798-791 מִיהוּדָה IK. 13:12, 14, 21
IIK. 23:17 • Neh. 1:2 • IICh. 14:7; 17:6; 24:6
וּמִיהוּדָה 799 הָאָדוֹן...מֵסִיר מִירוּ׳ וּמִיהוּדָה Is. 3:1
800 וְהוֹצֵאתִי...וּמִיהוּדָה יוֹרֵשׁ הָרַי Is. 65:9

יְהוּדָה² שפ״ז – אנשים שונים בימי עזרא ונחמיה: 1–6

יְהוּדָה 1 קַדְמִיאֵל וּבָנָיו בְּנֵי־יְהוּדָה כְּאֶחָד Ez. 3:9
2 פְּתַחְיָה יְהוּדָה וֶאֱלִיעֶזֶר Ez. 10:23
3 קַדְמִיאֵל שֵׁרֵבְיָה יְהוּדָה מַתַּנְיָה Neh. 12:8
4 יְהוּדָה וּבִנְיָמִן וּשְׁמַעְיָה וְיִרְמְיָה Neh. 12:34
וִיהוּדָה 5 וִיהוּדָה בֶן־הַסְּנוּאָה עַל־הָעִיר... Neh. 11:9
6 מָעַי נְתַנְאֵל וִיהוּדָה חֲנָנִי Neh. 12:36

יְהוּדִי¹ ת׳ א) מבני יהודה או מתושבי יהודה: 1,10–21, 76

ב) [אחרי גלות עשרת השבטים] שם כולל לכל אחד מבני ישראל, עברי: 2–9, 22–75

יְהוּדִי 1 וְהֶחֱזִיקוּ בִּכְנַף אִישׁ יְהוּדִי Zech. 8:23
2 אִישׁ יְהוּדִי הָיָה בְּשׁוּשַׁן הַבִּירָה Es. 2:5
3 כִּי־הִגִּיד לָהֶם אֲשֶׁר־הוּא יְהוּדִי Es. 3:4
הַיְּהוּדִי 4-6 מָרְדֳּכַי הַיְּהוּדִי Es. 5:13; 9:31; 10:3
7 וַעֲשֵׂה־כֵן לְמָרְדֳּכַי הַיְּהוּדִי Es. 6:10
8 לְאֶסְתֵּר הַמַּלְכָּה וּלְמָרְדֳּכַי הַיְּהוּדִי Es. 8:7
9 וַתִּכְתֹּב אֶסְתֵּר...וּמָרְדֳּכַי הַיְּהוּדִי Es. 9:29
בִּיהוּדִי 10 לְבִלְתִּי עֲבָד־בָּם בִּיהוּדִי אָחִיהוּ Jer. 34:9
יְהוּדִים 11 וּטְמַנְתָּם...לְעֵינֵי אֲנָשִׁים יְהוּדִים Jer. 43:9
12 זֶה הָעָם...יְהוּדִים שְׁלֹשֶׁת אֲלָפִים Jer. 52:28
13 הֶגְלָה...יְהוּדִים נֶפֶשׁ שְׁבַע מֵאוֹת Jer. 52:30
הַיְּהוּדִים 14 וַיְנַשֵּׁל אֶת־הַיְּהוּדִים מֵאֵילוֹת IIK. 16:6
15 וְאֶת־הַיְּהוּדִים וְאֶת־הַכַּשְׂדִּים IIK. 25:25
16 וְאָתֵּן...לְעֵינֵי כָּל־הַיְּהוּדִים Jer. 32:12
17 אֲנִי דֹאֵג אֶת־הַיְּהוּדִים Jer. 38:19
18 וְגַם כָּל־הַיְּהוּדִים אֲשֶׁר־בְּמוֹאָב Jer. 40:11
19 וַיָּשֻׁבוּ כָל־הַיְּהוּדִים... Jer. 40:12
20 כָּל־הַיְּהוּדִים אֲשֶׁר־הָיוּ אִתּוֹ Jer. 41:3
21 הַדָּבָר...אֶל כָּל־הַיְּהוּדִים Jer. 44:1
22 לְהַשְׁמִיד אֶת־כָּל־הַיְּהוּדִים Es. 3:6
23-24 צֹרֵר הַיְּהוּדִים Es. 3:10; 9:11
25 אִם מִזֶּרַע הַיְּהוּדִים מָרְדֳּכַי Es. 6:13
26 הָמָן צֹרֵר הַיְּהוּדִים (כת׳ היהודיים) Es. 8:1
27 וְלִהְיוֹת הַיְּהוּדִים (כת׳ היהודיים)
עֲתִידִים° Es. 8:13
28 כִּי־נָפַל פַּחַד־הַיְּהוּדִים עֲלֵיהֶם Es. 8:17
29 שִׂבְּרוּ אֹיְבֵי הַיְּהוּדִים לִשְׁלוֹט בָּהֶם Es. 9:1
30 וַיִּקָּהֲלוּ הַיְּהוּדִים (כת׳ היהודיים) Es. 9:15
31 כִּי הָמָן...צֹרֵר כָּל־הַיְּהוּדִים Es. 9:24
32 חָשַׁב עַל־הַיְּהוּדִים לְאַבְּדָם Es. 9:24
33 וַיַּלְעֵג עַל־הַיְּהוּדִים Neh. 3:33
34 מָה הַיְּהוּדִים הָאֲמֵלָלִים עֹשִׂים Neh. 3:34
60-35 הַיְּהוּדִים Es. 3:13; 4:13, 16
8:3, 5, 8, 9²; 9:1, 2, 3, 5, 6, 12, 16, 19, 20, 22, 23, 25, 27, 28,
30 • Neh. 1:2; 4:6; 13:23
61 צַעֲקַת הָעָם...אֶל־אֲחֵיהֶם הַיְּהוּדִים Neh. 5:1
62 אֲנַחְנוּ קָנִינוּ אֶת־אַחֵינוּ הַיְּהוּדִים Neh. 5:8
וְהַיְּהוּדִים 63 וְהַיְּהוּדִים (כת׳ והיהודיים)...בְּשׁוּשָׁן Es. 9:18
64 וְהַיְּהוּדִים וְהַסְּגָנִים מֵאָה...אִישׁ Neh. 5:17
65 אַתָּה וְהַיְּהוּדִים חֹשְׁבִים לִמְרוֹד Neh. 6:6

בַּיְּהוּדִים 66 בַּיְּהוּדִים (כת׳ ביהודיים) לְאַבְּדָם Es. 4:7
67 שָׁלַח יָדוֹ בַּיְּהוּדִים (כת׳ ביהודיים) Es. 8:7
לַיְּהוּדִים 68 אֵבֶל גָּדוֹל לַיְּהוּדִים Es. 4:3
69 רֶוַח וְהַצָּלָה יַעֲמוֹד לַיְּהוּדִים Es. 4:14
70 אֲשֶׁר נָתַן הַמֶּלֶךְ לַיְּהוּדִים... Es. 8:11
71 לַיְּהוּדִים הָיְתָה אוֹרָה Es. 8:16
72 שִׂמְחָה וְשָׂשׂוֹן לַיְּהוּדִים Es. 8:17
73 יִנָּתֵן גַּם־מָחָר לַיְּהוּדִים Es. 9:13
74 מִשְׁנֶה לַמֶּלֶךְ...וְגָדוֹל לַיְּהוּדִים Es. 10:3
וְלַיְּהוּדִים 75 וְלַיְּהוּדִים וְלַכֹּהֲנִים...לֹא הִגַּדְתִּי Neh. 2:16
הַיְּהוּדִיָּה 76 וְאִשְׁתּוֹ הַיְהֻדִיָּה יָלְדָה... ICh. 4:18

יְהוּדִי[2] שפ״ז – מעבדי המלך יהויקים: 1–4

יְהוּדִי 1 וַיִּשְׁלְחוּ...אֶת־יְהוּדִי בֶּן־נְתַנְיָהוּ Jer. 36:14
2 וַיִּשְׁלַח הַמֶּלֶךְ אֶת־יְהוּדִי לָקַחַת Jer. 36:21
3 וַיִּקְרָאֶהָ יְהוּדִי בְּאָזְנֵי הַמֶּלֶךְ Jer. 36:21
4 וַיְהִי כִּקְרוֹא יְהוּדִי... Jer. 36:23

יְהוּדַי* ת׳ ארמית: יהודי [בריבוי: יְהוּדָאִין, יְהוּדָיֵא]: 1-9

יְהוּדָאִין 1 אִיתַי גֻּבְרִין יְהוּדָאִין... Dan. 3:12
יְהוּדָיֵא 2 וַאֲכַלוּ קַרְצֵיהוֹן דִּי יְהוּדָיֵא Dan. 3:8
3 דִּי יְהוּדָיֵא...אֲתוֹ לִירוּשְׁלֶם Ez. 4:12
4 אֲזַלוּ...לִירוּשְׁלֶם עַל־יְהוּדָיֵא Ez. 4:23
5 וְהִתְנַבִּי...עַל־יְהוּדָיֵא דִּי בִיהוּד Ez. 5:1
6 וְעֵין אֱלָהֲהֹם הֲוָת עַל־שָׂבֵי יְהוּדָיֵא Ez. 5:5
7-9 (וְ / וּלְ)שָׂבֵי יְהוּדָיֵא Ez. 6:7, 8, 14

יְהוּדִית[1] נ׳ שפת עם יהודה, עברית: 1–6

יְהוּדִית 1 וְאַל־תְּדַבֵּר עִמָּנוּ יְהוּדִית IIK. 18:26
2-4 וַיִּקְרָא(־רְאוּ) בְקוֹל־גָּדוֹל יְהוּדִית IIK. 18:28
Is. 36:13 • IICh. 32:18
5 וְאַל־תְּדַבֵּר אֵלֵינוּ יְהוּדִית Is. 36:11
6 וְאֵינָם מַכִּירִים לְדַבֵּר יְהוּדִית Neh. 13:24

יְהוּדִית[2] שפ״נ – בת בארי החתי, אשת עשו

יְהוּדִית 1 וַיִּקַּח אִשָּׁה אֶת־יְהוּדִית... Gen. 26:34

יְהוָֹה

שם בורא העולם, אלהי ישראל, שאין הגייתו מפורשת. הנקוד שאול מן השם ״אֲדֹנָי״, כן גם קריאתו לפי המסורת [הכתיב בספרנו יְיָ]: 1–6639

– יְיָ יְיָ 2048; יְיָ אֱלֹהִים 1-34, 6182, 6634; יְיָ אֱלֹהֵי־ 51, 630-643, 987-994, 1059, 1060, 1273-1373, 1635-1638, 2268, 2275-2278, 2422, 2424, 2948, 3210-3213, 3493-3495, 3497-3500, 3597-3611, 3631, 3822, 3823, 3842-3850, 3865, 6018, 6028, 6029; יְיָ אֱלֹהַי 2302-2332; יְיָ אֱלֹהֶיךָ 647-885, 1920-1927, 1933/4, 2340-2343, 2348-2352, 2354, 2421, 2423, 2871; יְיָ אֱלֹהַיִךְ 3581-3585; יְיָ אֱלֹהָיו 1972, 2206-2231, 6639; יְיָ אֱלֹהֵינוּ 1746-1820, 2336-2338; יְיָ אֱלֹהֵיכֶם 1377-1411, 1664-1743, 2279, 2280, 2344, 2346; יְיָ אֱלֹהֵיהֶם 1640-1663, 1952-1959; יְיָ צְבָאוֹת 2585-2822, 3492, 5935-5938, 6030, 6031, 6138-6143, 6622

– אַדְמַת יְיָ 3550; אַהֲבַת יְיָ 2339, 3202, 3647, 3840; אֹהֶל יְיָ 2950-2952; אוֹהֲבֵי יְיָ 3738; אוֹיְבֵי יְיָ 2932, 2936, 3721; אוּלָם יְיָ 3855, 3867; אוֹצַר יְיָ 2498; אוֹר יְיָ 3524; אָזְנֵי יְיָ 2171, 2177, 2866; אֲחֻזַּת יְיָ 2517; אַחֲרֵי יְיָ 2189, 2274, 2300, 2506-2515, 3650, 3877; אֶל־פִּי יְיָ 2503, 2504; אִמְרוֹת יְיָ 3680; אִמְרֵי יְיָ 2539; אִמְרַת יְיָ 2946, 3685, 3751; אֱמֶת יְיָ 3765; אֲנִי יְיָ 1376-1559, 1952—1959, 3631; אָנֹכִי יְיָ 1920-1925, 3566, 3567; אַף יְיָ 1062, 2176, 2181, 2183, 2232-2267; אֲרוֹן יְיָ 2459, 2461-2494; אָרְחוֹת יְיָ 3700; אֶרֶץ יְיָ 3648; אֵשׁ יְיָ 2173-2175; אִשֵּׁי יְיָ 2053-2066; אַשְׁמַת יְיָ 3866; בְּחִיר יְיָ 2942; בֵּית יְיָ 1933/4, 2421, 2499, 2581, 2583, 2823, 2834, 2937, 2954, 2956—3195; בָּרוּךְ יְיָ 644, 645; בְּרוּכֵי יְיָ 3592; בְּרִית יְיָ 2137-2167, 2333, 2423, 2424, 2460, 3196, 3197, 3617; בִּרְכַּת יְיָ 985, 2348/א, 2429, 3778, 3804; גְּאוּלֵי יְיָ 3589, 3754; גְּאוֹן יְיָ 3551; גֵּאוּת יְיָ 3553; גְּבוּרוֹת יְיָ 3752; גַּן יְיָ 294, 3570; גַּעֲרַת יְיָ 2944; דְּבַר יְיָ 296-530, 2832, 3712; דִּבְרֵי יְיָ 1272, 1935—1951; דּוֹרְשֵׁי יְיָ 3716; דֶּרֶךְ יְיָ 2545, 3496, 3563, 3595, 3596, 3805; דַּרְכֵי יְיָ 2945, 3651, 3684, 3782, 3856; הֵיכַל יְיָ 2584, 2833, 3490, 3502-3520; הַר יְיָ 628, 2136, 3522, 3523, 3555, 3696; זֶבַח יְיָ 3661; זְעוּם יְיָ 3812; זַעַף יְיָ 3659; זְרוֹעַ יְיָ 3571, 3575; חַג יְיָ 1744, 2101, 2582, 3649; חֶדְוַת יְיָ 3829; חַי יְיָ 2873—2909; חַלְלֵי יְיָ 3593, 3628; חֵלֶק יְיָ 2425; חֶמְלַת יְיָ 624; חֲמַת יְיָ 3501, 3573, 3612, 3876, 3879; חֶסֶד יְיָ 3713, 3747; חַסְדֵי יְיָ 3590, 3756, 3816; חֵפֶץ יְיָ 3576; חַצְרוֹת יְיָ 3727; חֶרֶב יְיָ 3834; טוּב יְיָ 3630, 3704; יַד יְיָ 1639, 1880, 2178, 2301, 2495, 2536, 2544, 2835-2865; יְדִיד יְיָ 2426; יָהּ יְיָ 3552; יוֹם יְיָ 3533-3549; יְכֹלֶת יְיָ 2184, 2345; יְמִין יְיָ 3660, 3766-3768; יְרֵא יְיָ 3568, 3701, 3776, 3777, 3806; יִרְאֵי יְיָ 3669-3676, 3694; יִרְאַת יְיָ 3531, 3532, 3557, 3691, 3717, 3761, 3785-3800; יְשׁוּעַת יְיָ 1868, 3861; כְּבוֹד יְיָ 1881-1914, 3642; כֹּהֵן יְיָ 2872; כֹּהֲנֵי יְיָ 2912-2916, 3588; כְּהֻנַּת יְיָ 2505; כְּלֵי יְיָ 3574; כִּסֵּא יְיָ 3594, 3839; כַּפֵּי יְיָ 3831; לִמּוּדֵי יְיָ 3577; לִפְנֵי יְיָ 52-286; מְאֵרַת יְיָ 3803; מִבַּלְעֲדֵי יְיָ 2947, 3491, 3561, 3686; מְבַקְשֵׁי יְיָ 3569, 3750, 3813, 3832; מְהוּמַת יְיָ 3666; מוּסַר יְיָ 2346, 3801; מוֹעֲדֵי יְיָ 2096-2099, 3820; מִזְבַּח יְיָ 2094, 2349—2352, 2518—2532, 3209; מַחֲנֵה יְיָ 3830; מַחֲנוֹת יְיָ 3869; מַחְשְׁבוֹת יְיָ 3640, 3655; מַטַּע יְיָ 3587; מַלְאַךְ יְיָ 533-589; מַלְאֲכוּת יְיָ 3663; מְלֶאכֶת יְיָ 3632, 3837; מַלְוֵה יְיָ 3808; מִלְחֲמוֹת יְיָ 2203, 2910, 2928; מַלְכוּת יְיָ 3838; מַמְלֶכֶת יְיָ 3852; מִנְחַת יְיָ 2827; מַעֲשֵׂה יְיָ 2050, 2347, 2542, 2543, 3639; מַעֲשֵׂי יְיָ 3755, 3759; מִפְּנֵי יְיָ 2547; מִפְעֲלוֹת יְיָ 3723; מִצְוַת יְיָ 2516, 2871, 3690; מִצְוֹת יְיָ 2067-2089; מִקְדַּשׁ יְיָ 2538, 3646, 3836; מַשָּׂא יְיָ 3621-3626; מִשְׁחַת יְיָ 2092; מְשִׁיחַ יְיָ 2917-2927; מִשְׁכַּן יְיָ 2093, 2191-2200; מִשְׁמֶרֶת יְיָ 2091, 2134, 2135, 2949, 3853, 3863; מְשַׂנְאֵי יְיָ 3726; מִשְׁפַּט יְיָ 3613; מִשְׁפְּטֵי יְיָ 3692; מְשָׁרְתֵי יְיָ 3652, 3653; נְאֻם יְיָ 629, 2187, 2831, 3217-3487; נְבִיאֵי יְיָ 3206—3208; נֶגֶד יְיָ 2868, 3807; נַחֲלַת יְיָ 2931, 2939-2941; נֹכַח יְיָ 2580; נֹעַם יְיָ 3703; נִקְמַת יְיָ 2273, 3636-3638; נֵר יְיָ 3810; נִשְׁמַת יְיָ 3556; סוֹד יְיָ 3618, 3702; סַעֲרַת יְיָ 3619, 3620; סֵפֶר יְיָ 3558; עֶבֶד יְיָ 2430—2447, 2540, 2541, 3565, 3682, 3683; עַבְדֵי יְיָ 3488, 3578, 3762, 3763, 3779; עֲבוֹדַת יְיָ 2130, 2535, 3878; עֶבְרַת יְיָ 3643, 3662; עֵדוּת יְיָ 3688; עֵדֶר יְיָ 3615; עֲדַת יְיָ 2269-2272; עוֹזְבֵי יְיָ 3591; עוֹלוֹת יְיָ 3864; עֹז יְיָ 3656; עֶזְרַת יְיָ 2550, 2551; עֵין יְיָ 3715; עֵינֵי יְיָ 49, 888-984, 3718; עִיר יְיָ 3586; עַל־פִּי יְיָ 1915, 2102, 2104-2126; עַם יְיָ 2179, 2201, 2549, 2829, 2933, 2935, 3215, 3645; עֲנַן יְיָ 2052, 2168; עֲצֵי יְיָ 3748; עֲצַת יְיָ 3633/4, 3714, 3809; פְּדוּיֵי יְיָ 3559, 3560; פַּחַד יְיָ 2867, 3525-3527, 3854, 3858, 3860; פִּי יְיָ 2188, 2204/5, 2279-2298; פְּנֵי יְיָ 596-623, 1932, 1972, 2399, 3719; פֹּעַל יְיָ 3529; פְּעֻלּוֹת יְיָ 3705; פְּקוּדֵי יְיָ 3689; צְבָא יְיָ 2496/7; צִבְאוֹת יְיָ 1864; צִדְקוֹת יְיָ 2548, 2870, 3658; צִדְקַת יְיָ 2428; צֶמַח יְיָ 3528; קְדוֹשׁ יְיָ 3579, 3753; קֹדֶשׁ יְיָ 2095, 3668; קָדְשֵׁי יְיָ 2090; קְהַל יְיָ 2190, 2202, 2413-2420; קְוֵי יְיָ 3564, 3720; קוֹל יְיָ 1879, 2336, 2344, 2354-2398; קִנְאַת יְיָ 3492; קֶצֶף יְיָ 3635, 3874; קָרְבַּן יְיָ 2131-2133; רוּחַ יְיָ 2546, 2553, 2555-2579; רִיב יְיָ 3657; שְׁבוּעַת יְיָ 1931, 2943, 2953; שַׁבְּתוֹת יְיָ 2100; שׂוֹנְאֵי יְיָ 3859; שִׁיר יְיָ 3780, 3841, 3868; שֻׁלְחַן יְיָ 3667; שֵׁם יְיָ 43, 291-293, 590, 626, 1926/7, 1973-2047, 2103; שְׁמֵי יְיָ 3819; שִׂנְאַת יְיָ 2299; שַׁעַר יְיָ 3629; תְּהִלּוֹת יְיָ 3580, 3590א, 3725; תְּהִלַּת יְיָ 3784; תּוֹעֲבַת יְיָ 2340-2343, 2353, 2400-2412, 3802; תּוֹרַת יְיָ 1866, 3489, 3530, 3554, 3614, 3654, 3677, 3687, 3773, 3821, 3825, 3833, 3835, 3851, 3857, 3870-3873; תְּמוּנַת יְיָ 2182; תַּרְדֵּמַת יְיָ 2930; תְּרוּמַת יְיָ 1960-1971; תְּשׁוּעַת יְיָ 3818

קֹדֶשׁ לַיְיָ 6124-6131

יְיָ 1 בְּיוֹם עֲשׂוֹת יְיָ אֱלֹהִים אֶרֶץ וְשָׁמָיִם Gen. 2:4
2 כִּי לֹא הִמְטִיר יְיָ אֱלֹהִים... Gen. 2:5
3 וַיִּיצֶר יְיָ אֱלֹהִים אֶת־הָאָדָם Gen. 2:7
4 וַיִּטַּע יְיָ אֱלֹהִים גַּן בְּעֵדֶן Gen. 2:8
5 וַיִּשְׁמְעוּ אֶת־קוֹל יְיָ אֱלֹהִים Gen. 3:8
6-34 יְיָ אֱלֹהִים Gen. 2:9, 15, 16, 18, 19
2:21, 22; 3:1, 8, 9, 13, 14, 21, 22, 23 • Ex. 9:30 • IISh. 7:22, 25 • IIK. 19:19 • Jon. 4:6 • Ps. 72:18; 84:12 • ICh. 17:16, 17; 28:20 • IICh. 1:9; 6:41², 42
35 וַתֹּאמֶר קָנִיתִי אִישׁ אֶת־יְיָ Gen. 4:1
36 וַיִּשַׁע יְיָ אֶל־הֶבֶל וְאֶל־מִנְחָתוֹ Gen. 4:4
37/8 וַיֹּאמֶר יְיָ אֶל־קָיִן (קָיִן) Gen. 4:6, 9
39 וַיֹּאמֶר קַיִן אֶל־יְיָ Gen. 4:13
40 וַיֹּאמֶר לוֹ יְיָ לָכֵן כָּל־הֹרֵג קַיִן Gen. 4:15
41 וַיָּשֶׂם יְיָ לְקַיִן אוֹת Gen. 4:15
42 וַיֵּצֵא קַיִן מִלִּפְנֵי יְיָ Gen. 4:16
43 אָז הוּחַל לִקְרֹא בְּשֵׁם יְיָ Gen. 4:26
44 מִן־הָאֲדָמָה אֲשֶׁר אֵרְרָהּ יְיָ Gen. 5:29
45 וַיֹּאמֶר יְיָ לֹא־יָדוֹן רוּחִי בָאָדָם Gen. 6:3
46 וַיַּרְא יְיָ כִּי רַבָּה רָעַת הָאָדָם Gen. 6:5
47 וַיִּנָּחֶם יְיָ כִּי־עָשָׂה אֶת־הָאָדָם Gen. 6:6
48 וַיֹּאמֶר יְיָ אֶמְחֶה אֶת־הָאָדָם Gen. 6:7
49 וְנֹחַ מָצָא חֵן בְּעֵינֵי יְיָ Gen. 6:8
50 וַיֹּאמֶר יְיָ לְנֹחַ בֹּא...אֶל־הַתֵּבָה Gen. 7:1
51 בָּרוּךְ יְיָ אֱלֹהֵי שֵׁם Gen. 9:26
52 הוּא־הָיָה גִבֹּר־צַיִד לִפְנֵי יְיָ Gen. 10:9
53-286 (מִ־) לִפְנֵי יְיָ Gen. 10:9; 18:22; 27:7
Ex. 6:12, 30; 16:9, 33; 27:21; 28:12, 29, 30², 35, 38; 29:11, 23, 24, 25, 26, 42; 30:8, 16; 34:34; 40:23, 25 • Lev. 1:3, 4, 11; 3:1, 7, 12; 4:4², 6, 7, 15², 17, 18, 24; 5:26; 6:7, 18; 7:30; 8:26, 27, 29; 9:2, 4, 5, 21, 24; 10:1, 2²; 10:15, 17, 19; 12:7; 14:11, 12, 16, 18, 23, 24, 27, 29, 31; 15:14, 15, 30; 16:1, 7, 10, 12, 13, 18, 30; 19:22; 23:11, 20, 28; 23:40; 24:3, 4, 6, 8 • Num. 3:4²; 5:16, 18, 25, 30; 6:16, 20; 7:3; 8:10, 11, 21; 10:9; 14:37; 15:15, 25, 28; 16:7, 16, 17; 17:3, 5, 11, 22, 24; 18:19; 20:3, 9; 26:61; 27:5, 21; 31:50, 54; 32:20, 21, 22², 27, 29, 32 • Deut. 1:45; 4:10; 9:18, 25; 12:7, 12, 18²; 14:26; 15:20; 16:11; 18:7; 19:17; 24:4, 13; 26:5, 10², 13; 27:7; 29:9, 14 • Josh. 4:13; 6:6, 8, 26; 7:23; 18:6, 8, 10; 19:51 • Jud. 11:11; 20:23, 26² • ISh. 1:12, 15, 19; 6:20; 7:6; 10:19, 25; 11:15²; 12:7; 21:7, 8; 23:18; 26:19 • IISh. 5:3; 6:5, 14, 16, 17, 21²; 7:18; 21:9 • IK. 2:45; 8:59, 62, 64, 65; 9:25; 19:11²; 22:21 • IIK. 16:14; 19:14, 15; 23:3 • Is. 23:18; 37:14

יְיָ (המשך)

Jer. 36:7, 9 • Ezek. 41:22; 43:24; 44:3; 46:3, 9 • Jon. 1:3^2, 10 • Ps. 95:6; 96:13; 97:5; 98:9; 102:1; 116:9 • Dan. 9:20 • ICh. 11:3; 16:33; 17:16; 22:18(17); 23:13, 31; 29:22 • IICh. 1:6; 7:4; 14:12; 18:20; 19:2; 20:13, 18; 27:6; 31:20; 33:23; 34:31

287 וַיֹּאמֶר יְיָ אֶל־אַבְרָם Gen. 12:1

288 וַיֵּלֶךְ אַבְ׳ כַּאֲשֶׁר דִּבֶּר אֵלָיו יְיָ Gen. 12:4

289/90 וַיֵּרָא יְיָ אֶל־אַבְרָם Gen. 12:7; 17:1

291/2 וַיִּקְרָא בְּשֵׁם יְיָ Gen. 12:8; 26:25

293 וַיִּקְרָא שָׁם אַבְרָם בְּשֵׁם יְיָ Gen. 13:4

294 כְּגַן־יְיָ כְּאֶרֶץ מִצְרַיִם Gen. 13:10

295 הֲרִמֹתִי יָדִי אֶל־יְיָ אֵל עֶלְיוֹן Gen. 14:22

296 הָיָה דְבַר־יְיָ אֶל־אַבְרָם... Gen. 15:1

297-530 (וּ/בִּ/כִּ/מִ/) דְּבַר יְיָ Gen. 15:4

Ex. 9:20, 21 • Num. 15:31 • Deut. 5:5 • Josh. 8:8, 27 • ISh. 3:7; 15:10, 13, 23, 26 • IISh. 7:4; 12:9; 24:11 • IK. 2:27; 6:11; 12:24^2; 13:1, 2, 5, 9, 17, 18, 20, 26, 32; 14:18; 15:29; 16:1, 7, 12, 34; 17:2, 5, 8, 16, 24; 18:1, 31; 19:9; 20:35; 21:17, 28; 22:5, 19, 38 • IIK. 1:17; 3:12; 4:44; 7:1, 16; 9:26, 36; 10:10, 17; 15:12; 20:4, 16, 19; 23:16; 24:2 • Is. 1:10; 2:3; 28:13, 14; 38:4; 39:5, 8; 66:5 • Jer. 1:2, 4, 11, 13; 2:1, 4, 31; 6:10; 7:2; 8:9; 9:19; 13:2, 3, 8; 14:1; 16:1; 17:15, 20; 18:5; 19:3; 20:8; 21:11; 22:2, 29; 24:4; 25:3; 27:18; 28:12; 29:20, 30; 31:10(9); 32:6, 8^2, 26; 33:1, 19, 23; 34:4, 12; 35:12; 36:27; 37:6; 39:15; 42:7, 15; 43:8; 44:24, 26; 46:1; 47:1; 49:34 • Ezek. 1:3; 3:16; 6:1, 3; 7:1; 11:14; 12:1, 8, 17, 21, 26; 13:1, 2; 14:2, 12; 15:1; 16:1, 35; 17:1, 11; 18:1; 20:2; 21:1, 3, 6, 13, 23; 22:1, 17, 23; 23:1; 24:1, 15, 20; 25:1, 3; 26:1; 27:1: 28:1, 11, 20; 29:1, 17; 30:1, 20; 31:1; 32:1, 17; 33:1, 23; 34:1, 7, 9; 35:1; 36:1, 4, 16; 37:4, 15; 38:1 • Hosh. 1:1; 4:1 • Joel 1:1 • Am. 7:16; 8:12 • Jon. 1:1; 3:1, 3 • Mic. 1:1; 4:2 • Zep. 1:1; 2:5 • Hag. 1:1, 3; 2:1, 10, 20 • Zech. 1:1, 7; 4:6, 8; 6:9; 7:1, 4, 8; 8:1, 18; 9:1; 11:11; 12:1 • Mal. 1:1 • Ps. 33:4, 6 • Dan. 9:2 • Ez. 1:1 • ICh. 10:13; 11:3, 10; 15:15; 22:8(7) • IICh. 11:2; 12:7; 18:4, 18; 19:11; 30:12; 34:21; 35:6; 36:21, 22

531 אֲנִי יְיָ אֲשֶׁר הוֹצֵאתִיךָ... Gen. 15:7

532 כָּרַת יְיָ אֶת־אַבְרָם בְּרִית Gen. 15:18

533 וַיִּמְצָאָהּ מַלְאַךְ יְיָ Gen. 16:7

534-589 (וּ)מַלְאַךְ יְיָ Gen. 16:9, 10, 11

22:11, 15 • Ex. 3:2 • Num. 22:22, 23, 24, 25; 22:26, 27, 31, 32, 34, 35 • Jud. 2:1, 4; 5:23; 6:11, 12, 21^2, 22^2; 13:3, 13, 15, 16^2, 17, 18, 20, 21^2 • IISh. 24:16 • IK. 19:7 • IIK. 1:3, 15; 19:35 • Is. 37:36 • Hag. 1:13 • Zech. 1:11, 12; 3:1, 5, 6; 12:8 • Ps. 34:8; 35:5, 6 • ICh. 21:12, 15, 16, 18, 30

590 וַתִּקְרָא שֵׁם־יְיָ הַדֹּבֵר אֵלֶיהָ Gen. 16:13

591-593 וַיֵּרָא אֵלָיו יְיָ Gen. 18:1; 26:2, 24

594 וַיֹּאמֶר יְיָ אֶל־אַבְרָהָם Gen. 18:13

595 וְשָׁמְרוּ דֶּרֶךְ יְיָ לַעֲשׂוֹת צְדָקָה Gen. 18:19

596 כִּי־גָדְלָה צַעֲקָתָם אֶת־פְּנֵי יְיָ Gen. 19:13

597-623 (מִ)פְּנֵי יְיָ Gen. 19:27 • Ex. 32:11

34:24 • Deut. 16:16^2; 31:11 • ISh. 1:22; 2:17, 18; 13:12; 26:20 • IISh. 21:1 • IK. 13:6^2 • IIK. 13:4 • Jer. 4:26; 23:9; 26:19 • Zech. 7:2; 8:21, 22 • Ps. 34:17 • Job 1:12; 2:7 • Lam. 4:16 • Dan. 9:13 • IICh. 33:12

624 בְּחֶמְלַת יְיָ עָלָיו Gen. 19:16

625 גָּפְרִית וָאֵשׁ מֵאֵת יְיָ Gen. 19:24

יְיָ (המשך)

626 וַיִּקְרָא־שָׁם בְּשֵׁם יְיָ אֵל עוֹלָם Gen. 21:33

627 וַיִּקְרָא אַבְרָהָם...יְיָ יִרְאֶה Gen. 22:14

628 יֵאָמֵר הַיּוֹם בְּהַר יְיָ יֵרָאֶה Gen. 22:14

629 בִּי נִשְׁבַּעְתִּי נְאֻם־יְיָ Gen. 22:16

630-634 יְיָ אֱלֹהֵי הַשָּׁמַיִם Gen. 24:7

Jon. 1:9 • Ez. 1:2 • Neh. 1:5 • IICh. 36:23

635-643 יְיָ אֱלֹהֵי(...)אַבְרָהָם Gen. 24:12, 27, 24:42, 48; 26:24; 28:13; 31:42 • IK. 18:36 • ICh. 29:18

644 וַיֹּאמֶר בּוֹא בְּרוּךְ יְיָ... Gen. 24:31

645 בְּרוּךְ יְיָ Gen. 26:29

646 יְיָ אֲשֶׁר הִתְהַלַּכְתִּי לְפָנָיו Gen. 24:40

647-885 יְיָ אֱלֹהֶיךָ Gen. 27:20

Ex. 20:12; 34:24 • Deut. 1:21, 31; 2:7^2, 30; 4:3, 10, 19, 21, 23, 24, 25, 29, 30, 31, 40; 5:11, 12; 5:13, 15^2, 16^2; 6:2, 5, 10, 13, 15^2; 7:1, 2, 6, 9, 12; 7:16, 18, 19^2, 20, 21, 22, 23, 25; 8:2, 5, 6, 7, 10, 11, 14, 18, 19; 9:3, 4, 5, 6, 7; 10:9, 12^3, 20, 22; 11:1, 12^2, 29; 12:7, 9, 15, 18, 20, 21, 27^2, 28, 29; 13:6, 11, 13, 19; 14:23^2, 24^2, 25, 26, 29; 15:4, 5, 6, 7, 10, 14, 15, 18, 20; 16:1, 5, 7, 10, 11, 15, 16, 17, 18, 20; 16:21, 22; 17:1, 2^2, 8, 12, 14, 15; 18:5, 9, 18:12, 13, 14, 15, 16; 19:1^2, 2, 3, 8, 9, 10, 14; 20:1, 13, 20:14, 16, 17; 21:1, 5, 10, 23; 22:5; 23:6^3, 15, 19, 21, 22; 24:4, 9, 13, 18, 19; 25:15, 16, 19^2; 26:1, 2^2, 4, 5; 26:10^2, 11, 13, 16; 27:2, 3, 6, 7, 10; 28:1^2, 2, 8, 9; 28:13, 15, 45, 47, 52, 53, 58; 29:11; 30:1, 2, 3^2, 4, 5; 30:6^2, 7, 9, 10^2, 16^2, 20; 31:3, 6, 11 • Josh. 1:9, 17; 9:9, 24 • ISh. 12:19; 13:13; 25:29 • IISh. 14:11; 18:28; 24:3, 23 • IK. 2:3; 10:9; 13:6, 21; 17:12; 18:10 • IIK. 19:4^2 • Is. 7:11; 37:4^2; 41:13; 43:3; 48:17; 55:5 • Jer. 40:2; 42:2, 3, 5 • Hosh. 12:10; 13:4; 14:2 • Am. 9:15 • ICh. 11:2; 22:11(10), 12(11) • IICh. 9:8; 16:7

886 אָכֵן יֵשׁ יְיָ בַּמָּקוֹם הַזֶּה Gen. 28:16

887 וְהָיָה יְיָ לִי לֵאלֹהִים Gen. 28:21

888 וַיְהִי עֵר...רַע בְּעֵינֵי יְיָ Gen. 38:7

889-984 (בְּ־)עֵינֵי יְיָ Gen. 38:10

Lev. 10:19 • Num. 24:1; 32:13 • Deut. 4:25; 6:18; 9:18; 11:12; 12:25, 28; 13:19; 17:2; 21:9; 31:29 • Jud. 2:11; 3:7, 12^2; 4:1; 6:1; 10:6; 13:1 • ISh. 12:17; 15:19; 26:24 • IISh. 11:27; 15:25 • IK. 11:6; 14:22; 15:5, 11, 26, 34; 16:19, 25, 30; 21:20, 25; 22:43, 53 • IIK. 3:2, 18; 8:18, 27; 12:3; 13:2, 11; 14:3, 24; 15:3, 9, 18, 24, 28, 34; 16:2; 17:2, 17; 18:3; 21:2, 6, 16, 20; 22:2; 23:32, 37; 24:9, 19 • Is. 49:5 • Jer. 52:2 • Zech. 4:10 • Mal. 2:17 • Ps. 34:16; 116:15 • Prov. 5:21; 15:3; 22:12 • ICh. 2:3 • IICh. 14:1; 20:32; 21:6; 22:4; 24:2; 25:2; 26:4; 27:2; 28:1; 29:2, 6; 33:2, 6, 22; 34:2; 36:5, 9, 12

985 וַיְהִי בִּרְכַּת יְיָ בְּכָל־אֲשֶׁר־יֶשׁ לוֹ Gen. 39:5

986 לִישׁוּעָתְךָ קִוִּיתִי יְיָ Gen. 49:18

987-994 יְיָ אֱלֹהֵי אֲבֹ(וֹ)תֵיכֶם Ex. 3:15, 16 Deut. 1:11; 4:1 • Josh. 18:3 • IICh. 13:18; 25:9; 29:5

995-1058 וַיֹּאמֶר יְיָ אֶל־מֹשֶׁה Ex. 4:4, 19, 21

6:1; 7:1, 14, 19, 26 • 8:1, 12, 16; 9:1, 8, 13, 22; 10:1, 12; 10:21; 11:1, 9; 12:43; 14:15, 26; 16:4, 28; 17:5, 14; 19:9, 10, 21; 20:22; 24:12; 30:34; 31:12; 32:9, 33; 33:5, 17; 34:1, 27 • Lev. 16:2; 21:1 • Num. 3:40; 7:4, 11; 11:16, 23; 12:14; 14:11; 15:35, 37; 17:25; 20:12, 23; 21:8, 34; 25:4; 26:1; 27:6, 12, 18; 31:25 • Deut. 31:14, 16

1059/60 יְיָ אֱלֹהֵי אֲבֹ(וֹ)תָם Ex. 4:5 • Jud. 2:12

1061 הֲלֹא אָנֹכִי יְיָ Ex. 4:11

יְיָ (המשך)

1062 וַיִּחַר־אַף יְיָ בְּמֹשֶׁה וַיֹּאמֶר Ex. 4:14

1063-1271 כֹּה(־)אָמַר יְיָ Ex. 4:22; 5:1; 7:17

7:26; 8:16; 9:1, 13; 10:3; 11:4; 32:27 • Josh. 7:13; 24:2 • Jud. 6:8 • ISh. 2:27; 10:18 • IISh. 7:5; 12:2, 11; 24:12 • IK. 11:31; 12:24; 13:2, 21; 14:7; 17:14; 20:13, 14, 28, 42; 21:19^2; 22:11 • IIK. 1:4; 1:6, 16; 2:21; 3:16, 17; 4:43; 7:1; 9:3, 6, 12; 19:6, 20, 32; 20:1, 5; 21:12; 22:15, 16, 18 • Is. 29:22; 31:4; 37:6, 21, 33; 38:1, 5; 43:1, 14, 16; 44:2, 6; 45:1, 11; 45:14, 18; 48:17; 49:7, 8, 25; 50:1; 52:3; 56:1, 4; 65:8; 66:1, 12 • Jer. 2:2, 5; 4:3, 27; 6:16, 21, 22; 8:4; 9:22; 10:2, 18; 11:3, 11, 21; 12:14; 13:1, 9, 12, 13; 14:10, 15; 15:2, 19; 16:3, 5; 17:5, 19, 21; 18:11, 13; 19:1; 20:4; 21:4; 21:8, 12; 22:1, 3, 6, 11, 18, 30; 23:2, 38; 24:5, 8; 25:15; 26:2, 4, 16; 27:2, 16; 28:11, 13, 16, 31, 32; 29:10, 16, 31, 32; 30:2, 5, 12, 18; 31:2(1), 7(6), 15(14); 31:16(15), 35(34), 37(36); 32:3, 28, 36, 42; 33:2, 4; 33:10, 17, 20, 25; 34:2, 4, 13, 17; 35:13; 36:29, 30; 37:7, 9; 38:2, 3; 42:9; 44:30; 45:2, 4; 47:2; 48:40; 49;1, 12, 28; 51:1, 36 • Ezek. 11:5; 21:8; 30:6 • Am. 1:3, 6, 9, 11, 13; 2:1 ,4 ,6; 3:12; 5:16; 7:17 • Mic. 2:3; 3:5 • Nah. 1:12 • Zech. 1:16; 8:3; 11:4 • ICh. 17:4; 21:10, 11 • IICh. 11:4; 12:5; 18:10; 20:15; 21:12; 34:24

1272 אֵת כָּל־דִּבְרֵי יְיָ אֲשֶׁר שְׁלָחוֹ Ex. 4:28

1273-1373 יְיָ אֱלֹהֵי יִשְׂרָאֵל Ex. 5:1

32:27; 34:23 • Josh. 7:13; 10:40, 42; 13:14, 33; 14:14; 24:2, 23 • Jud. 4:6; 5:5; 6:8; 11:21, 23; 21:3 • ISh. 2:30; 10:18; 14:41; 20:12; 23:10, 11; 25:32, 34 • IISh. 12:7 • IK. 1:48; 8:15, 17, 20, 23, 25; 11:9, 31; 14:7, 13; 15:30; 16:13; 16:26, 33; 17:1, 14; 22:54 • IIK. 9:6; 10:31; 14:25; 19:15, 20; 21:12; 22:15, 18 • Is. 17:6; 21:17; 24:15; 37:21 • Jer. 11:3; 13:12; 21:4; 23:2; 24:5; 25:15; 30:2; 32:36; 33:4; 34:2, 13; 35:13; 37:7; 42:9; 45:2 • Ezek. 44:2 • Mal. 2:16 • Ps. 41:14; 106:48 • Ruth 2:12 • Ez. 1:3; 7:6; 9:15 • ICh. 15:12, 14; 16:36; 23:25; 24:19; 28:4; 29:10 • IICh. 2:11; 6:4, 7, 10; 6:14, 16, 17; 11:16; 13:5; 15:4; 33:16, 18; 34:23, 26; 36:13

1374 וַיֹּאמֶר אֵלָיו אֲנִי יְיָ Ex. 6:2

1375 וּשְׁמִי יְיָ לֹא נוֹדַעְתִּי לָהֶם Ex. 6:3

1376 אֱמֹר לִבְנֵי יִשְׂרָאֵל אֲנִי יְיָ Ex. 6:6

1377-1411 (וַ)אֲנִי יְיָ אֱלֹהֵיכֶם Ex. 6:7; 16:12

Lev. 11:44; 18:2, 4, 30; 19:2, 3, 4, 10, 25, 31, 34, 36; 20:7, 24; 23:22, 43; 24:22; 25:17, 38, 55; 26:1, 13 • Num. 10:10; 15:41^2 • Deut. 29:5 • Jud. 6:10 • Ezek. 20:5, 7, 19, 20 • Joel 2:27; 4:17

1412-1559 (וַ)אֲנִי יְיָ Ex. 6:8, 29; 7:5, 17

8:18; 10:2; 12:12; 14:4, 18; 15:26; 31:13 • Lev. 11:45; 18:5, 6, 21; 19:12, 14, 16, 18, 28, 30, 32, 37; 20:8, 26; 21:8, 12, 15, 23; 22:2, 3, 8, 9, 16, 30, 31, 32, 33; 26:2, 45 • Num. 3:13, 41, 45; 14:35; 35:34 • IK. 20:13; 28 • Is. 27:3; 41:4, 17; 42:6, 8; 43:15; 45:3, 5, 6, 7, 8, 18, 19, 21; 49:23, 26; 60:16, 22; 61:8 • Jer. 9:23; 17:10; 24:7 • Ezek. 5:13, 15, 17; 6:7, 10, 13, 14; 7:4, 9, 27; 11:10, 12; 12:15, 16, 20, 25; 13:14, 21, 23; 14:4, 7, 8, 9; 15:7; 16:62; 17:21, 24^2; 20:12, 26, 38, 42, 44; 21:4, 10, 22, 37; 22:14, 16, 22; 24:14, 27; 25:5, 7, 11, 17; 26:6, 14; 28:22, 23, 26; 29:6, 9, 21; 30:8, 12, 19, 25, 26; 32:15; 33:29; 34:24, 27, 30; 35:4, 9, 12, 15; 36:11, 23, 36^2, 38; 37:6, 13, 14, 28; 38:23; 39:6, 7 • Mal. 3:6

יְיָ (המשך)

1634-1560 וַיְדַבֵּר יְיָ אֶל-מֹשֶׁה לֵּאמֹר Ex. 6:10, 29
13:1; 14:1; 16:11; 25:1; 30:11, 17, 22; 31:1; 32:7;
40:1 • Lev. 4:1; 5:14, 20; 6:1, 12, 17; 7:22, 28; 8:1;
12:1; 14:1; 16:1; 17:1; 18:1; 19:1; 20:1; 21:16; 22:1,
17, 26; 23:1, 9, 23, 26, 33; 24:1, 13; 25:1; 27:1 • Num.
1:48; 2:1; 3:5, 11, 44; 4:21; 5:1, 5, 11; 6:1, 22; 8:1, 5,
23; 9:9; 10:1; 13:1; 15:1, 17; 16:23; 17:1, 9, 16;
18:25; 20:7; 25:10, 16; 26:52; 28:1; 31:1; 34:1, 16;
35:9 • Deut. 32:48
1638-1635 יְיָ אֱלֹהֵי הָעִבְרִים Ex. 7:16; 9:1, 13; 10:3
1639 הִנֵּה יַד-יְיָ הוֹיָה בְּמִקְנְךָ Ex. 9:3
1663-1640 יְיָ אֱלֹהֵיהֶם Ex. 10:7
Jud. 3:7; 8:34 • ISh. 12:9 • IK. 9:9 • IIK. 17:9, 16,
19; 18:12 • Jer. 3:21; 22:9; 30:9; 43:1²; 50:4 •
Hosh. 3:5; 7:10 • Zep. 2:7 • Hag. 1:12² • Zech. 9:16
• Neh. 9:3, 4 • IICh. 34:33
1743-1664 יְיָ אֱלֹהֵיכֶם Ex. 10:8; 23:25
Lev. 23:28, 40 • Num. 10:9 • Deut. 1:10, 30; 3:18, 20,
21, 22; 4:2, 23, 34; 5:29, 30; 6:1, 16, 17; 10:17; 11:2,
13, 22, 25, 27, 28, 31; 12:5, 7, 10, 11, 12; 13:4², 5, 6;
20:4; 29:9; 31:12, 13, 26 • Josh. 1:11, 13, 15; 2:11;
3:3, 9; 4:5, 23², 24; 8:7, 19; 22:3, 4, 5; 23:3², 5, 10,
11, 13², 14, 15², 16 • ISh. 10:19; 12:14 • IIK. 17:39 •
Jer. 26:13; 42:4, 13, 20, 21 • Joel 2:13, 26 • Zech.
6:15 • Neh. 9:5 • ICh. 22:18(17); 28:8; 29:20 •
IICh. 30:8, 9; 35:3
1744 כִּי חַג-יְיָ לָנוּ Ex. 10:9
1745 יְהִי כֵן יְיָ עִמָּכֶם כַּאֲשֶׁר אֲשַׁלַּח Ex. 10:10
1820-1746 יְיָ אֱלֹהֵינוּ Ex. 10:26 • Deut. 1:6
1:19, 20, 25, 41; 2:29, 33, 36, 37; 3:3; 5:2, 21, 24²;
6:20; 24, 25; 29:14, 17 • Josh. 18:6; 22:19, 29;
24:17, 24 • Jud. 11:24 • ISh. 7:8 • IK. 8:57, 59, 61,
65 • IIK. 18:22; 19:19 • Is. 26:13; 36:7; 37:20 • Jer.
3:22; 5:19, 24; 8:14; 14:22; 26:16; 31:6(5); 37:3;
42:6², 20²; 43:2; 50:28; 51:10 • Mic. 4:5; 7:17 • Ps.
20:8; 94:23; 99:5, 8, 9²; 105:7; 106:47; 122:9; 123:2
• Dan. 9:10, 13, 14 • Ez. 9:8 • Neh. 10:35 • ICh.
13:2; 15:13; 16:14; 29:16 • IICh. 2:3; 13:10, 11;
14:6, 10²; 19:7; 29:6; 32:8, 11
1863-1821 כַּאֲשֶׁר צִוָּה יְיָ אֶת-מֹשֶׁה Ex. 12:28
12:50; 16:34; 39:1, 5, 7, 21, 26, 29, 31; 40:19, 21, 23;
40:25, 27, 29, 32 • Lev. 8:9, 13, 17, 21, 29; 9:10;
16:34; 24:23 • Num. 1:19; 2:33; 3:51; 8:3, 22;
15:36; 26:4; 27:11; 31:7, 31, 41, 47; 36:10 • Deut.
34:9 • Josh. 11:15², 20; 14:5
1864 יָצְאוּ כָּל-צִבְאוֹת יְיָ מֵאֶרֶץ מִצְ׳ Ex. 12:41
1865 בַּעֲבוּר זֶה עָשָׂה יְיָ לִי... Ex. 13:8
1866 לְמַעַן תִּהְיֶה תּוֹרַת יְיָ בְּפִיךָ Ex. 13:9
1867 כִּי בְּיָד חֲזָקָה הוֹצִאֲךָ יְיָ Ex. 13:9
1868 הִתְיַצְּבוּ וּרְאוּ אֶת-יְשׁוּעַת יְיָ Ex. 14:13
1869 יְיָ יִלָּחֵם לָכֶם וְאַתֶּם תַּחֲרִשׁוּן Ex. 14:14
1870 וַיּוֹשַׁע יְיָ בַּיּוֹם הַהוּא... Ex. 14:30
1871 וַיַּרְא...אֲשֶׁר עָשָׂה יְיָ בְּמִצְרַיִם Ex. 14:31
1872 וַיִּירְאוּ הָעָם אֶת-יְיָ Ex. 14:31
1873/4 יְיָ אִישׁ מִלְחָמָה יְיָ שְׁמוֹ Ex. 15:3
1875 יְמִינְךָ יְיָ נֶאְדָּרִי בַּכֹּחַ Ex. 15:6
1876 יְמִינְךָ יְיָ תִּרְעַץ אוֹיֵב Ex. 15:6
1877 מִי-כָמֹכָה בָּאֵלִם יְיָ Ex. 15:11
1878 יְיָ יִמְלֹךְ לְעֹלָם וָעֶד Ex. 15:18
1879 שָׁמוֹעַ...תִּשְׁמַע לְקוֹל יְיָ אֱלֹהֶיךָ Ex. 15:26
1880 מִי-יִתֵּן מוּתֵנוּ בְיַד-יְיָ Ex. 16:3
1881 וּבֹקֶר וּרְאִיתֶם אֶת-כְּבוֹד יְיָ Ex. 16:7
1914-1882 כְּבוֹד(-)יְיָ Ex. 16:10; 24:16, 17; 40:34, 35

יְיָ (המשך)

Lev. 9:6, 23 • Num. 14:10, 21; 16:19; 17:7; 20:6 •
IK. 8:11 • Is. 35:2; 40:5; 58:8; 60:1 • Ezek. 1:28;
3:23; 10:4², 18; 11:23; 43:4, 5; 44:4 • Hab. 2:14 •
Ps. 104:31; 138:5 • IICh. 5:14; 7:1, 2, 3
1915 וַיִּסְעוּ...לְמַסְעֵיהֶם עַל-פִּי יְיָ Ex. 17:1
1916 בָּרוּךְ יְיָ אֲשֶׁר הִצִּיל אֶתְכֶם Ex. 18:10
1917 כִּי-גָדוֹל יְיָ מִכָּל-הָאֱלֹהִים Ex. 18:11
1918/9 כֹּל אֲשֶׁר-דִּבֶּר יְיָ נַעֲשֶׂה Ex. 19:8; 24:7
1925-1920 אָנֹכִי יְיָ אֱלֹהֶיךָ Ex. 20:2, 5
Deut. 5:6, 9 • Is. 51:15 • Ps. 81:11
1926/7 לֹא תִשָּׂא אֶת-שֵׁם יְיָ אֱלֹהֶיךָ לַשָּׁוְא
Ex. 2:7 • Deut. 5:11
1928/9 כִּי שֵׁשֶׁת(-)יָמִים עָשָׂה יְיָ Ex. 20:11; 31:17
1930 עַל-כֵּן בֵּרַךְ יְיָ אֶת-יוֹם הַשַּׁבָּת Ex. 20:11
1931 שְׁבֻעַת יְיָ תִּהְיֶה בֵּין שְׁנֵיהֶם Ex. 22:10
1932 יֵרָאֶה...אֶל-פְּנֵי הָאָדֹן יְיָ Ex. 23:17
1933/4 תָּבִיא בֵּית יְיָ אֱלֹהֶיךָ Ex. 23:19; 34:26
1935 וַיְסַפֵּר לָעָם אֵת כָּל-דִּבְרֵי יְיָ Ex. 24:3
1951-1936 דִּבְרֵי יְיָ Ex. 24:4
Num. 11:24 • Josh. 3:9 • ISh. 8:10; 15:1 • Jer. 23:9;
36:4, 6, 10, 11; 37:2; 43:1 • Ezek. 11:25 • Am. 8:11 •
IICh. 11:4; 29:15
1959-1952 אֲנִי יְיָ אֱלֹהֵיהֶם Ex. 29:46²
Lev. 26:44 • Ezek. 28:26; 34:30; 39:22, 28
Zech. 10:6
1960 כֹּל הָעֹבֵר...יִתֵּן תְּרוּמַת יְיָ Ex. 30:14
1971-1961 תְּרוּמַת יְיָ Ex. 30:15; 35:5, 21, 24
Num. 18:26, 28², 29; 31:29, 41 • IICh. 31:14
1972 וַיְחַל מֹשֶׁה אֶת-פְּנֵי יְיָ אֱלֹהָיו Ex. 32:11
1973 וְקָרָאתִי בְשֵׁם יְיָ לְפָנֶיךָ Ex. 33:19
2047-1974 (בְּ / לְ) שֵׁם יְיָ Ex. 34:5
Deut. 18:5, 7, 22; 21:5; 28:10; 32:3 • Josh. 9:9 • ISh.
17:45; 20:42 • IISh. 6:2, 18 • IK. 3:2; 5:17, 19; 8:17,
20; 10:1; 18:24, 32; 22:16 • IIK. 2:24; 5:11 • Is.
24:15; 30:27; 48:1; 50:10; 56:6; 59:19; 60:9 • Jer.
3:17; 11:21; 26:9, 16, 20; 44:16 • Joel 2:26; 3:5 •
Am. 6:10 • Mic. 4:5; 5:3 • Zep. 3:9, 12 • Zech. 13:3
• Ps. 7:18; 20:8; 102:16, 22; 113:1, 2, 3; 116:13, 17;
118:10, 11, 12, 26; 122:4; 124:8; 129:8; 135:1;
148:5, 13 • Prov. 18:10 • Job 1:21 • ICh. 16:2;
21:19; 22:7(6), 19(18) • IICh. 1:18; 2:3; 6:7, 10;
18:15; 33:18
2048/9 יְיָ יְיָ אֵל רַחוּם וְחַנּוּן Ex. 34:6
2050 וְרָאָה כָל-הָעָם...אֶת-מַעֲשֵׂה-יְיָ Ex. 34:10
2051 כִּי יְיָ קַנָּא שְׁמוֹ Ex. 34:14
2052 כִּי עֲנַן יְיָ עַל-הַמִּשְׁכָּן Ex. 40:38
2053 קֹדֶשׁ קָדָשִׁים מֵאִשֵּׁי יְיָ Lev. 2:3
2066-2054 (מֵ)אִשֵּׁי יְיָ Lev. 2:10; 4:35; 5:12
6:11; 7:30, 35; 10:12, 13; 21:6, 21; 24:9 • Deut. 18:1
Josh. 13:14
2070-2067 מִכָּל(-)מִצְוֹת יְיָ Lev. 4:2, 13, 22; 5:17
2089-2071 (מִ)מִּצְוֹת יְיָ Lev. 4:27 • Num. 15:39
Deut. 4:2; 6:17; 8:6; 10:13; 11:27, 28; 28:9, 13 • Jud.
2:17; 3:4 • IK. 18:18 • IIK. 17:16, 19 • Ez. 7:11 •
Neh. 10:30 • ICh. 28:8 • IICh. 24:20
2090 וְחָטְאָה בִּשְׁגָגָה מִקָּדְשֵׁי יְיָ Lev. 5:15
2091 וּשְׁמַרְתֶּם אֶת-מִשְׁמֶרֶת יְיָ Lev. 8:35
2092 כִּי-שֶׁמֶן מִשְׁחַת יְיָ עֲלֵיכֶם Lev. 10:7
2093 לְהַקְרִיב...לִפְנֵי מִשְׁכַּן יְיָ Lev. 17:4
2094 וְזָרַק...עַל-מִזְבַּח יְיָ Lev. 17:6
2095 כִּי אֶת-קֹדֶשׁ יְיָ חִלֵּל Lev. 19:8
2099-2096 מוֹעֲדֵי יְיָ Lev. 23:2, 4, 37, 44

יְיָ (המשך)

2100 מִלְּבַד שַׁבְּתֹת יְיָ Lev. 23:38
2101 תָּחֹגּוּ אֶת-חַג-יְיָ Lev. 23:39
2102 לִפְרֹשׁ לָהֶם עַל-פִּי יְיָ Lev. 24:12
2103 וְנֹקֵב שֵׁם-יְיָ מוֹת יוּמָת Lev. 24:16
2126-2104 (וְ)עַל-פִּי יְיָ Num. 3:16, 39, 51
4:37, 41, 45, 49; 9:18², 20², 23³; 10:13; 13:3; 33:2, 38;
36:5 • Deut. 34:5 • Josh. 19:50; 22:9 • IIK. 24:3
2127 יְבָרֶכְךָ יְיָ וְיִשְׁמְרֶךָ Num. 6:24
2128 יָאֵר יְיָ פָּנָיו אֵלֶיךָ וִיחֻנֶּךָּ Num. 6:25
2129 יִשָּׂא יְיָ פָּנָיו אֵלֶיךָ Num. 6:26
2130 לַעֲבֹד אֶת-עֲבֹדַת יְיָ Num. 8:11
2131 לְבִלְתִּי הַקְרִיב אֶת-קָרְבַּן יְיָ Num. 9:7
2132/3 קָרְבַּן יְיָ Num. 9:13; 31:50
2134/5 אֶת-מִשְׁמֶרֶת יְיָ Num. 9:19, 23
2136 וַיִּסְעוּ מֵהַר יְיָ דֶּרֶךְ שְׁלֹשֶׁת יָמִים Num. 10:33
2167-2137 (וַ / לַ)אֲרוֹן בְּרִית-יְיָ Num. 10:33; 14:44
Deut. 10:8; 31:9, 25, 26 • Josh. 3:3; 4:7, 18; 6:8;
8:33; 23:16 • ISh. 4:3, 4, 5; 20:8 • IK. 6:19; 8:1, 6 •
Jer. 3:16 • ICh. 15:25, 26, 28, 29; 16:37; 17:1
22:19; 28:2, 18 • IICh. 5:2, 7
2168 וַעֲנַן יְיָ עֲלֵיהֶם יוֹמָם Num. 10:34
2169 קוּמָה יְיָ וְיָפֻצוּ אֹיְבֶיךָ Num. 10:35
2170 שׁוּבָה יְיָ רִבְבוֹת אַלְפֵי יִשְׂרָאֵל Num. 10:36
2171 וַיְהִי...כְּמִתְאֹנְנִים רַע בְּאָזְנֵי יְיָ Num. 11:1
2172 וַיִּשְׁמַע יְיָ וַיִּחַר אַפּוֹ Num. 11:1
2173 וַתִּבְעַר-בָּם אֵשׁ יְיָ Num. 11:1
2174/5 אֵשׁ יְיָ Num. 11:3 • IK. 18:38
2176 וַיִּחַר-אַף יְיָ מְאֹד Num. 11:10
2177 כִּי בְּכִיתֶם בְּאָזְנֵי יְיָ Num. 11:18
2178 הֲיַד יְיָ תִּקְצָר Num. 11:23
2179 וּמִי יִתֵּן כָּל-עַם יְיָ נְבִיאִים Num. 11:29
2180 וְרוּחַ נָסַע מֵאֵת יְיָ Num. 11:31
2181 וְאַף יְיָ חָרָה בָעָם Num. 11:33
2182 וּתְמֻנַת יְיָ יַבִּיט Num. 12:8
2183 וַיִּחַר-אַף יְיָ בָּם וַיֵּלַךְ Num. 12:9
2184 מִבִּלְתִּי יְכֹלֶת יְיָ לְהָבִיא... Num. 14:16
2185 יְיָ אֶרֶךְ אַפַּיִם וְרַב-חֶסֶד Num. 14:18
2186 וַיֹּאמֶר יְיָ סָלַחְתִּי כִּדְבָרֶךָ Num. 14:20
2187 אֱמֹר אֲלֵהֶם חַי-אָנִי נְאֻם-יְיָ Num. 14:28
2188 אַתֶּם עֹבְרִים אֶת-פִּי יְיָ Num. 14:41
2189 כִּי-עַל-כֵּן שַׁבְתֶּם מֵאַחֲרֵי יְיָ Num. 14:43
2190 וּמַדּוּעַ תִּתְנַשְּׂאוּ עַל-קְהַל יְיָ Num. 16:3
2191 לַעֲבֹד אֶת עֲבֹדַת מִשְׁכַּן יְיָ Num. 16:9
2200-2192 מִשְׁכַּן יְיָ Num. 17:28; 19:13; 31:30, 47
Josh. 22:19 • ICh. 16:39; 21:29 • IICh. 1:5; 29:6
2201 אַתֶּם הֲמִתֶּם אֶת-עַם יְיָ Num. 17:6
2202 וְלָמָה הֲבֵאתֶם אֶת-קְהַל יְיָ Num. 20:4
2203 יֵאָמַר בְּסֵפֶר מִלְחֲמֹת יְיָ Num. 21:14
2204/5 לַעֲבֹר אֶת-פִּי יְיָ Num. 22:18; 24:13
2231-2206 יְיָ אֱלֹהָיו Num. 23:21
Deut. 17:19; 18:7 • IK. 5:17; 11:4; 15:3, 4 • IIK.
5:11; 16:2 • Jer. 7:28 • Jon. 2:2 • Mic. 5:3 • Ps.
33:12; 146:5 • Ez. 7:6 • IICh. 14:1, 10; 15:9; 27:6;
28:5; 31:20; 36:5, 12, 23; 33:12; 34:8
2232 וַיִּחַר-אַף יְיָ בְּיִשְׂרָאֵל Num. 25:3
2267-2233 אַף יְיָ Num. 25:4; 32:10, 13, 14
Deut. 6:15; 7:4; 11:17; 29:19, 26 • Josh. 7:1; 23:16 •
Jud. 2:14, 20; 3:8; 10:7 • IISh. 6:7; 24:1 • IIK. 13:3;
24:20 • Is. 5:25 • Jer. 4:8; 12:13; 23:20; 25:37;
30:24; 51:45; 52:3 • Zep. 2:2², 3 • Ps. 106:40 •
Lam. 2:22 • ICh. 13:10
IICh. 12:12; 25:15; 28:11

יְיָ (המשך)

2268 יְיָ אֱלֹהֵי הָרוּחֹת לְכָל בָּשָׂר Num. 27:16
2269 וְלֹא תִהְיֶה עֲדַת יְיָ כַּצֹּאן Num. 27:17
2270-2272 עֲדַת יְיָ Num. 31:16 • Josh. 22:16, 17
2273 לָתֵת נִקְמַת־יְיָ בְּמִדְיָן Num. 31:3
2274 כִּי מִלְאוּ אַחֲרֵי יְיָ Num. 32:13
2275-2278 יְיָ אֱלֹהֵי Deut. 1:21; 6:3; 12:1; 27:3
2279/80 וַתַּמְרוּ אֶת־פִּי יְיָ אֱלֹהֵיכֶם Deut. 1:26; 9:23
2281-2298 פִּי יְיָ Deut. 1:43; 8:3; 9:23
Josh. 9:14; 21:3 • ISh. 12:14, 15; 15:24 • IK. 13:21, 26 • Is. 1:20; 40:5; 58:14; 62:2 • Jer. 9:11; 23:16 • Mic. 4:4 • IICh. 36:12
2299 בְּשִׂנְאַת יְיָ אֹתָנוּ הוֹצִיאָנוּ Deut. 1:27
2300 יַעַן אֲשֶׁר מִלֵּא אַחֲרֵי יְיָ Deut. 1:36
2301 וְגַם יַד־יְיָ הָיְתָה בָּם Deut. 2:15
2302-2332 יְיָ אֱלֹהַי Deut. 4:5; 18:16
Josh. 14:8, 9 • IK. 3:7; 5:18, 19; 8:28; 17:20, 21 • Is. 25:1 • Jer. 31:18(17) • Jon. 2:7 • Hab. 1:12 • Zech. 13:9; 14:5 • Ps. 7:2, 4; 13:4; 18:29; 30:3, 13; 35:24; 40:6; 104:1; 109:26 • Dan. 9:20 • Ez. 9:5 • ICh. 21:17; 22:7(6) • IICh. 6:19
2333 פֶּן־תִּשְׁכְּחוּ אֶת־בְּרִית יְיָ אֱלֹ׳ Deut. 4:23
2334/5 כִּי יְיָ הוּא הָאֱלֹהִים Deut. 4:35, 39
2336 לִשְׁמֹעַ אֶת־קוֹל יְיָ אֱלֹהֵינוּ Deut. 5:22
2337/8 שְׁמַע יִשְׂרָאֵל יְיָ אֱלֹהֵינוּ יְיָ אֶחָד Deut. 6:4
2339 כִּי מֵאַהֲבַת יְיָ אֶתְכֶם Deut. 7:8
2340-2343 תּוֹעֲבַת יְיָ אֱלֹהֶיךָ (הוּא) Deut. 7:25
17:1; 22:5; 25:16
2344 לֹא תִשְׁמְעוּן בְּקוֹל יְיָ אֱלֹהֵיכֶם Deut. 8:20
2345 מִבִּלְתִּי יְכֹלֶת יְיָ לַהֲבִיאָם Deut. 9:28
2346 מוּסַר יְיָ אֱלֹהֵיכֶם Deut. 11:2
2347 אֵת כָּל־מַעֲשֵׂה יְיָ הַגָּדֹל Deut. 11:7
2348/א כְּבִרְכַּת יְיָ אֱלֹהֶיךָ Deut. 12:15; 16:17
2349-2352 מִזְבַּח יְיָ אֱלֹהֶיךָ Deut. 12:27
16:21; 26:4; 27:6
2353 כָּל־תּוֹעֲבַת יְיָ אֲשֶׁר שָׂנֵא Deut. 12:31
2354 כִּי תִשְׁמַע בְּקוֹל יְיָ אֱלֹהֶיךָ Deut. 13:19
2355-2398 (בְּ/לְ/מִקְּ) קוֹל יְיָ Deut. 15:5; 18:16
26:14; 27:10; 28:1, 2, 15, 45; 30:8, 10 • Josh. 5:6; 30:10 • ISh. 12:15; 15:1, 19, 20; 28:18 • IK. 20:36 • IIK. 18:12 • Is. 30:31; 66:6 • Jer. 3:25; 7:28; 26:13; 38:20; 42:6², 13, 21; 43:4, 7; 44:23 • Mic. 6:9 • Hag. 1:12 • Zech. 6:15 • Ps. 29:3; 29:4², 5, 7, 8, 9; 106:25 • Dan. 9:10
2399 וְלֹא יֵרָאֶה אֶת־פְּנֵי יְיָ רֵיקָם Deut. 16:16
2400-2412 תּוֹעֲבַת Deut. 18:12; 22:5; 23:19; 27:15
Prov. 11:1, 20; 12:22; 15:8, 9, 26; 16:5; 17:15; 20:10, 23
2413 לֹא־יָבֹא...בִּקְהַל יְיָ Deut. 23:2
2414-2420 (בְּ־)קְהַל יְיָ Deut. 23:3², 4², 9
Mic. 2:5 • ICh. 28:8
2421 לֹא־תָבִיא...בֵּית יְיָ אֱלֹהֶיךָ Deut. 23:19
2422 וַנִּצְעַק אֶל־יְיָ אֱלֹהֵי אֲבֹתֵינוּ Deut. 26:7
2423 לְעָבְרְךָ בִּבְרִית יְיָ אֱלֹהֶיךָ Deut. 29:11
2424 עָזְבוּ אֶת בְּרִית יְיָ אֱלֹהֵי אֲבֹתָם Deut. 29:24
2425 כִּי חֵלֶק יְיָ עַמּוֹ Deut. 32:9
2426 יְדִיד יְיָ יִשְׁכֹּן לָבֶטַח עָלָיו Deut. 33:12
2427 מְבֹרֶכֶת יְיָ אַרְצוֹ Deut. 33:13
2428 צִדְקַת יְיָ עָשָׂה Deut. 33:21
2429 שְׂבַע רָצוֹן וּמָלֵא בִּרְכַּת יְיָ Deut. 33:23
2430 וַיָּמָת שָׁם מֹשֶׁה עֶבֶד־יְיָ Deut. 34:5
2431-2447 מֹשֶׁה עֶבֶד(־)יְיָ Josh. 1:1, 13, 15
8:31, 33; 11:12; 12:6²; 13:8; 14:7; 18:7; 22:2, 4, 5 • IIK. 18:12 • IICh. 1:3; 24:6

יְיָ (המשך)

2448-2458 וַיֹּאמֶר יְיָ אֶל־יְהוֹשֻׁעַ Josh. 1:1; 3:7
4:1, 15; 5:9; 6:2; 7:10; 8:1, 18; 10:8; 11:6
2459 אֲרוֹן יְיָ אֲדוֹן כָּל־הָאָרֶץ Josh. 3:13
2460 נֹשְׂאֵי הָאָרוֹן בְּרִית־יְיָ Josh. 3:17
2461-2494 (וְ/בַּ/לַ) אֲרוֹן יְיָ Josh. 4:11
6:1, 6, 7, 11, 12, 13²; 7:6 • ISh. 4:6; 5:3, 4; 6:2, 8, 11; 6:15, 18, 19, 21; 7:1² • IISh. 6:9, 10, 11, 13, 15, 16, 17 • IK. 8:4 • ICh. 15:2, 3, 12, 14; 16:4 • IICh. 8:11
2495 לְמַעַן דַּעַת...אֶת־יַד יְיָ Josh. 4:24
2496/7 שַׂר־צְבָא(־)יְיָ Josh. 5:14, 15
2498 וְכֹל כֶּסֶף...אוֹצַר יְיָ יָבוֹא Josh. 6:19
2499 נָתְנוּ אוֹצַר בֵּית־יְיָ Josh. 6:24
2500 כִּי עָבַר אֶת־בְּרִית יְיָ Josh. 7:15
2501 חֹטְבֵי עֵצִים...וּלְמִזְבַּח יְיָ Josh. 9:27
2502 כִּי־מֵאֵת יְיָ הָיְתָה... Josh. 11:20
2503 נָתַן חֵלֶק...אֶל־פִּי יְיָ לִיהוֹשֻׁעַ Josh. 15:13
2504 אֶל־פִּי יְיָ Josh. 17:4
2505 כִּי־כְהֻנַּת יְיָ נַחֲלָתוֹ Josh. 18:7
2506 לָשׁוּב הַיּוֹם מֵאַחֲרֵי יְיָ Josh. 22:16
2507-2515 מֵאַחֲרֵי יְיָ Josh. 22:18, 23, 29
ISh. 12:20 • IIK. 17:21 • Hosh. 1:2 • Zep. 1:6
IICh. 25:27; 34:33
2516 מִשְׁמֶרֶת מִצְוַת יְיָ אֱלֹהֵיכֶם Josh. 22:3
2517 עִבְרוּ...אֶל־אֶרֶץ אֲחֻזַּת יְיָ Josh. 22:19
2518-2532 מִזְבַּח יְיָ Josh. 22:19, 28, 29
IK. 8:22, 54 • IIK. 23:9 • Mal. 2:13 • Neh. 10:35 • IICh. 6:12; 8:12; 15:8; 29:19, 21; 33:16; 35:16
2533 אֵל אֱלֹהִים יְיָ Josh. 22:22
2534 אֵל אֱלֹהִים יְיָ הוּא יֹדֵעַ Josh. 22:22
2535 לַעֲבֹד אֶת־עֲבֹדַת יְיָ Josh. 22:27
2536 אָז הִצַּלְתֶּם אֶת־בְּ״י מִיַּד יְיָ Josh. 22:31
2537 עֵד הוּא...כִּי יְיָ הָאֱלֹהִים Josh. 22:34
2538 תַּחַת הָאַלָּה אֲשֶׁר בְּמִקְדַּשׁ יְיָ Josh. 24:26
2539 הִיא שָׁמְעָה אֵת כָּל־אִמְרֵי יְיָ Josh. 24:27
2540/1 יְהוֹשֻׁעַ בִּן־נוּן עֶבֶד יְיָ Josh. 24:29
Jud. 2:8
2542 יָדְעוּ אֵת כָּל־מַעֲשֵׂה יְיָ Josh. 24:31
2543 רָאוּ אֵת כָּל־מַעֲשֵׂה יְיָ הַגָּדוֹל Jud. 2:7
2544 יַד־יְיָ הָיְתָה־בָּם לְרָעָה Jud. 2:15
2545 הֲשֹׁמְרִים הֵם אֶת־דֶּרֶךְ יְיָ Jud. 2:22
2546 וַתְּהִי עָלָיו רוּחַ יְיָ וַיִּשְׁפֹּט אֶת־יִשׂ׳ Jud. 3:10
2547 הָרִים נָזְלוּ מִפְּנֵי יְיָ Jud. 5:5
2548 שָׁם יְתַנּוּ צִדְקוֹת יְיָ Jud. 5:11
2549 אָז יָרְדוּ לַשְּׁעָרִים עַם־יְיָ Jud. 5:11
2550 כִּי לֹא־בָאוּ לְעֶזְרַת יְיָ Jud. 5:23
2551 לְעֶזְרַת יְיָ בַּגִּבּוֹרִים Jud. 5:23
2552 כֵּן יֹאבְדוּ כָל־אוֹיְבֶיךָ יְיָ Jud. 5:31
2553 וְרוּחַ יְיָ לָבְשָׁה אֶת־גִּדְעוֹן Jud. 6:34
2554 חַי־יְיָ לוּ הַחֲיִתֶם אוֹתָם... Jud. 8:19
2555 וַתְּהִי עַל־יִפְתָּח רוּחַ יְיָ Jud. 11:29
2556-2579 (וְ)רוּחַ יְיָ Jud. 13:25; 14:6, 19
15:14 • ISh. 10:6; 16:13, 14; 19:9 • IISh. 23:2 • IK. 18:12; 22:24 • IIK. 2:16 • Is. 11:2; 40:7, 13; 59:19; 63:14 • Ezek. 11:5; 37:1 • Hosh. 13:15 • Mic. 2:7; 3:8 • IICh. 18:23; 20:14
2580 נֹכַח יְיָ דַּרְכְּכֶם Jud. 18:6
2581 וְאֶת־בֵּית יְיָ אֲנִי הֹלֵךְ Jud. 19:18
2582 הִנֵּה חַג־יְיָ בְּשִׁלוֹ Jud. 21:19
2583 מִדֵּי עֲלֹתָהּ בְּבֵית יְיָ ISh. 1:7
2584 עַל־הַכִּסֵּא עַל־מְזוּזַת הֵיכַל יְיָ ISh. 1:9
2585-2822 יְיָ צְבָאוֹת ISh. 1:11; 4:4; 15:2; 17:45
IISh. 6:2, 18; 7:8, 26, 27 • IK. 18:15 שמואל־ב

יְיָ (המשך)

IIK. 3:14; 19:31 (קרי ולא כתיב !)
Is. 1:9; 1:24; 3:1, 15; 5:7, 9, 16, ←; 6:3, 5; 8:13, 18; 9:6, 12, 18; 10:16, 23, 24, 26, 33; 13:4, 13; 14:22, 23, 24, 27; 17:3; 18:7; 19:4, 12, 16, 17, 25; 21:10; 22:12, 14², 15, 25²; 23:9; 24:23; 25:6; 28:5, 22, 29; 29:6; 31:4, 5; 37:16, 32; 39:5; 44:6; 45:13; 47:4; 48:2; 51:15; 54:5 • Jer. 2:19; 6:6, 9; 7:3, 21; 8:3; 9:6, 14, 16; 10:16; 11:22; 16:9; 19:3, 11, 15; 23:15, 16, 36; 25:8, 27, 28, 29, 32; 26:18; 27:4, 19, 21; 28:2, 14; 29:4, 8, 17, 21, 25; 30:8; 31:23(22), 35(34); 32:14, 15, 18; 33:11, 12; 35:13, 18, 19; 39:16; 42:15, 18; 43:10; 44:2, 11, 25; 46:10², 18, 25; 48:1, 15; 49:5, 7, 26, 35; 50:18, 25, 31, 33, 34; 51:14, 19, 33, 57, 58 • Am. 9:5 • Mic. 4:4 • Nah. 2:14; 3:5 • Hab. 2:13 • Zep. 2:9, 10 • Hag. 1:2, 5, 7, 9, 14; 2:4, 6, 7, 8, 9², 11, 23² • Zech. 1:3³, 4, 6, 12, 14; 1:16, 17; 2:12, 13, 15; 3:7, 9, 10; 4:6, 9; 5:4; 6:12, 15; 7:3, 4, 9, 12², 13; 8:1, 2, 3, 4, 6², 7, 9², 11, 14², 18; 8:19, 20, 21, 22, 23; 9:15; 10:3; 13:2, 7; 14:16, 17, 21 • Mal. 1:4, 6, 8, 9, 10, 11, 13, 14; 2:2, 4, 7, 8, 16; 3:1, 5, 7, 10, 11, 12, 14, 17, 19, 21 • Ps. 24:10; 46:8, 12; 48:9; 69:7; 84:2, 4, 13 • ICh. 17:7,
2823 וַתְּבִאֵהוּ בֵית־יְיָ שִׁלוֹ ISh. 1:24
2824 כִּי אֵל דֵּעוֹת יְיָ ISh. 2:3
2825 יְיָ מֵמִית וּמְחַיֶּה ISh. 2:6
2826 יְיָ מוֹרִישׁ וּמַעֲשִׁיר ISh. 2:7
2827 כִּי נִאֲצוּ...אֵת מִנְחַת יְיָ ISh. 2:17
2828 וַיִּגְדַּל הַנַּעַר שְׁמוּאֵל עִם־יְיָ ISh. 2:21
2829 ...אָנֹכִי שֹׁמֵעַ מַעֲבִרִים עַם־יְיָ ISh. 2:24
2830 גַּם עִם־יְיָ וְגַם עִם־אֲנָשִׁים ISh. 2:26
2831 וְעַתָּה נְאֻם־יְיָ חָלִילָה לִּי ISh. 2:30
2832 וּדְבַר יְיָ...יָקָר בַּיָּמִים הָהֵם ISh. 3:1
2833 וּשְׁמוּאֵל שֹׁכֵב בְּהֵיכַל יְיָ ISh. 3:3
2834 וַיִּפְתַּח אֶת־דַּלְתוֹת בֵּית־יְיָ ISh. 3:15
2835 וַתִּכְבַּד יַד יְיָ אֶל־הָאַשְׁדּוֹדִים ISh. 5:6
2836-2865 (וְ/בְּ/מִ)יַּד יְיָ ISh. 5:9; 7:13; 12:15
IISh. 24:14 • IK. 18:46 • IIK. 3:15 • Is. 25:10; 40:2; 41:20; 51:17; 59:1; 62:3; 66:14 • Jer. 25:17; 51:7 • Ezek. 1:3; 3:14, 22; 33:22; 37:1; 40:1 • Ps. 75:9 • Prov. 21:1 • Job 12:9 • Ruth 1:13 • Ez. 7:6, 28 • ICh. 21:13; 28:19 • IICh. 29:25
2866 וַיִּשְׁמַע...וַיְדַבְּרֵם בְּאָזְנֵי יְיָ ISh. 8:21
2867 וַיִּפֹּל פַּחַד־יְיָ עַל־הָעָם ISh. 11:7
2868 עֲנוּ בִי נֶגֶד יְיָ וְנֶגֶד מְשִׁיחוֹ ISh. 12:3
2869 עֵד יְיָ בָּכֶם וְעֵד מְשִׁיחוֹ ISh. 12:5
2870 אֵת כָּל־צִדְקוֹת יְיָ... ISh. 12:7
2871 מִצְוַת יְיָ אֱלֹהֶיךָ ISh. 13:13
2872 בֶּן־עֵלִי כֹּהֵן יְיָ בְּשִׁלוֹ ISh. 14:3
2873 חַי יְיָ הַמּוֹשִׁיעַ אֶת־יִשְׂרָאֵל ISh. 14:39
2874-2909 חַי־יְיָ ISh. 14:45; 19:6; 20:3, 21
25:26; 26:10, 16; 28:10; 29:6 • IISh. 4:9; 12:5; 14:11; 15:21; 22:47 • IK. 1:29; 2:24; 22:14 • IIK. 2:2, 4, 6; 4:30; 5:16, 20 • Jer. 4:2; 5:2; 12:16; 16:14, 15; 23:7, 8; 38:16 • Hosh. 4:15 • Zep. 2:9 • Ps. 18:47 • Ruth 3:13 • IICh. 18:13
2910 וְהִלָּחֵם מִלְחֲמוֹת יְיָ ISh. 18:17
2911 וְלֹא־תַעֲשֶׂה עִמָּדִי חֶסֶד יְיָ ISh. 20:14
2912 סֹבּוּ וְהָמִיתוּ כֹּהֲנֵי יְיָ ISh. 22:17
2913-2916 (בְּ/כֹּ)הֲנֵי יְיָ ISh. 22:17, 21
Is. 61:6 • IICh. 13:9
2917 אִם־אֶעֱשֶׂה...לִמְשִׁיחַ יְיָ ISh. 24:7
2918-2927 (בִּ)מְשִׁיחַ יְיָ ISh. 24:7, 11; 26:9, 11
26:16, 23 • IISh. 1:14, 16; 19:22 • Lam. 4:20

יְיָ (המשך)

2928 כִּי־מִלְחֲמוֹת יְיָ אֲדֹנִי נִלְחָם ISh. 25:28
2929 בָּרוּךְ יְיָ אֲשֶׁר רָב אֶת־רִיב... ISh. 25:39
2930 תַּרְדֵּמַת יְיָ נָפְלָה עֲלֵיהֶם ISh. 26:12
2931 מֵהִסְתַּפֵּחַ בְּנַחֲלַת יְיָ ISh. 26:19
2932 בְּרָכָה מִשְּׁלַל אֹיְבֵי יְיָ ISh. 30:26
2933 וְעַל־עַם יְיָ וְעַל־בֵּית יִשְׂרָאֵל IISh. 1:12
2934 נָקִי אָנֹכִי...מֵעִם יְיָ IISh. 3:28
2935 לְצַוֺּת אֹתִי נָגִיד עַל־עַם יְיָ IISh. 6:21
2936 נִאֵץ נִאַצְתָּ אֶת־אֹיְבֵי יְיָ IISh. 12:14
2937 וַיָּבֹא בֵית־יְיָ וַיִּשְׁתָּחוּ IISh. 12:20
2938 וַיִּקְרָא אֶת־שְׁמוֹ יְדִידְיָהּ בַּעֲבוּר IISh. 12:25
2939 לָמָּה תְבַלַּע נַחֲלַת יְיָ IISh. 20:19
2940/1 נַחֲלַת יְיָ IISh. 21:3 • Ps. 127:3
2942 בְּגִבְעַת שָׁאוּל בְּחִיר יְיָ IISh. 21:6
2943 עַל־שְׁבֻעַת יְיָ אֲשֶׁר בֵּינֹתָם IISh. 21:7
2944 בְּגַעֲרַת יְיָ מִנִּשְׁמַת רוּחַ אַפּוֹ IISh. 22:16
2945 כִּי שָׁמַרְתִּי דַּרְכֵי יְיָ IISh. 22:22
2946 אִמְרַת יְיָ צְרוּפָה IISh. 22:31
2947 כִּי מִי־אֵל מִבַּלְעֲדֵי יְיָ IISh. 22:32
2948 יְיָ אֱלֹהֵי אֲדֹנִי הַמֶּלֶךְ IK. 1:36
2949 וְשָׁמַרְתָּ אֶת־מִשְׁמֶרֶת יְיָ אֱלֹהֶיךָ IK. 2:3
2950 וַיָּנָס יוֹאָב אֶל־אֹהֶל יְיָ IK. 2:28
2951/2 אֹהֶל יְיָ IK. 2:29, 30
2953 לֹא שָׁמַרְתָּ אֵת שְׁבֻעַת יְיָ IK. 2:43
2954 לִבְנוֹת אֶת־בֵּיתוֹ וְאֶת־בֵּית יְיָ IK. 3:1
2955 בָּרוּךְ יְיָ הַיּוֹם IK. 5:21
2956 בַּשָּׁנָה הָרְבִיעִת יֻסַּד בֵּית יְיָ IK. 6:37
2957-3195 (בְּבֵ/לְבֵ/מִ) בֵּית יְיָ IK. 7:12, 40, 45
7:48, 51^{2}; 8:10, 11, 63, 64; 9:1, 10, 15; 10:5, 12; 12:27; 14:26, 28; 15:15, 18 • IIK. 11:3, 4^{2}, 7, 10, 13, 15, 18, 19; 12:5^{2}, 10^{2}, 11, 12^{2}, 13, 14^{2}, 15, 17, 19; 14:14; 15:35; 16:8, 14, 18; 18:15; 19:1, 14; 20:5, 8; 21:4, 5; 22:3, 4, 5^{2}, 8, 9; 23:2^{2}, 6, 7, 11, 12, 24; 24:13; 25:9, 13^{2}, 16 • Is. 2:2; 37:1, 14; 38:20, 22; 66:20 • Jer. 7:2; 17:26; 19:14; 20:1, 2; 26:2^{2}, 7, 9, 10; 27:16, 18; 27:21; 28:1, 3, 5, 6; 29:26; 33:11; 35:2, 4; 36:5, 6, 8; 36:10^{2}; 38:14; 41:5; 51:51; 52:13, 17^{2}, 20 • Ezek. 8:14, 16; 10:19; 11:1; 44:4, 5 • Hosh. 8:1; 9:4 • Joel 1:9, 14; 4:18 • Mic. 4:1 • Hag. 1:2 • Zech. 8:9; 11:13; 14:20, 21 • Ps. 23:6; 27:4; 92:14; 116:19; 118:26; 122:1, 9; 134:1; 135:2 • Lam. 2:7 • Ez. 1:3, 5, 7; 2:68; 3:8, 11; 7:27; 8:29 • Neh. 10:36 • ICh. 6:16, 17; 9:23; 22:1(21:31), 11(10), 14(13); 23:4, 24, 28, 32; 24:19; 25:6; 26:12, 22, 27; 28:12, 13^{2}, 20; 29:8 • IICh. 3:1; 4:16; 5:1, 13; 7:2^{2}, 7, 11^{2}; 8:1, 16^{2}; 9:4, 11; 12:9, 11; 16:2; 20:5, 28; 23:5, 6, 12, 14, 18^{2}, 19, 20; 24:4, 7, 8, 12^{3}; 14^{2}, 18, 21; 26:19, 21; 27:3; 28:21, 24; 29:3, 5, 15, 16^{2}, 17, 18, 20, 25, 31, 35; 30:1, 15; 31:10, 11, 16; 33:4, 5, 15^{2}; 34:8, 10^{2}, 14, 15, 17, 30^{2}; 35:2; 36:7, 10, 14, 18
3196/7 אֲשֶׁר שָׁם בְּרִית יְיָ IK. 8:21 • IICh. 6:11
3198 בָּרוּךְ יְיָ אֲשֶׁר־נָתַן מְנוּחָה IK. 8:56
3199-3201 יְיָ הוּא הָאֱלֹהִים IK. 8:60; 18:39^{2}
3202 בְּאַהֲבַת יְיָ אֶת־יִשְׂרָאֵל IK. 10:9
3203 כִּי־הָיְתָה סִבָּה מֵעִם יְיָ IK. 12:15
3204/5 ...שָׁלֵם עִם־יְיָ IK. 15:3, 4
3206 בְּהַכְרִית אִיזֶבֶל אֵת נְבִיאֵי יְיָ IK. 18:4
3207 בַּהֲרֹג אִיזֶבֶל אֵת נְבִיאֵי יְיָ IK. 18:13
3208 וָאַחְבִּא מִנְּבִיאֵי יְיָ מֵאָה אִישׁ IK. 18:13
3209 וַיְרַפֵּא אֶת־מִזְבַּח יְיָ הֶהָרוּס IK. 18:30
3210-3212 יְיָ אֱלֹהֵי אַבְרָהָם יִצְחָק וְיִשְׂ׳ IK. 18:36
ICh. 29:18; 30:6

יְיָ (המשך)

3213 אַיֵּה יְיָ אֱלֹהֵי אֵלִיָּהוּ IIK. 2:14
3214 הִנֵּה זֹאת הָרָעָה מֵאֵת יְיָ IIK. 6:33
3215 מְשַׁחְתִּיךָ לְמֶלֶךְ אֶל־עַם יְיָ IIK. 9:6
3216 וְנִקַּמְתִּי...וּדְמֵי כָּל־עַבְדֵי יְיָ IIK. 9:7
3217-3487 נְאֻם יְיָ IIK. 9:26^{2}; 19:33; 22:19
Is. 14:22^{2}, 23; 17:3, 6; 22:25; 30:1; 31:9; 37:34; 41:14; 43:10, 12; 49:18; 52:5^{2}; 54:17; 55:8; 59:20; 66:2, 17, 22 • Jer. 1:8, 15, 19; 2:3, 9, 12, 19, 29; 3:1, 10, 12^{2}, 13; 3:14, 16, 20; 4:1, 9, 17; 5:9, 11, 15, 18, 22, 29; 6:12; 7:11, 13, 19, 30, 32; 8:1, 3, 13, 17; 9:2, 5, 8, 21, 23, 24; 12:17; 13:11, 14, 25; 15:3, 6, 9, 20; 16:5, 11, 14, 16; 17:24; 18:6; 19:6, 12; 21:7, 10, 13, 14; 22:5, 16, 24; 23:1, 2, 4, 5, 7, 11, 12, 23, 24^{2}, 28, 29, 30, 31, 32^{2}; 23:33; 25:7, 9, 12, 29, 31; 27:8, 11, 15, 22; 28:4; 29:9, 11, 14^{2}, 19^{2}, 23, 32; 30:3, 8, 10, 11, 17, 21; 31:1; (30:25), 14(13), 16(15), 17(16), 20(19), 27(26); 31:28(27), 31(30), 32(31), 33(32), 34(33), 36(35); 31:37(36), 38(37); 32:5, 30, 44; 33:14; 34:5, 17, 22; 35:13; 39:17, 18; 42:11; 44:29; 45:5; 46:5, 23, 26, 28; 48:12, 25, 30, 35, 38, 43, 44, 47; 49:2, 6, 13, 16; 49:26, 30, 31, 32, 37, 38, 39; 50:4, 10, 20, 21, 30; 50:35, 40; 51:24, 25, 26, 39, 48, 52, 53 • Ezek. 13:6, 7; 16:58; 37:14 • Hosh. 2:15, 18, 23; 11:11 • Joel 2:12 • Am. 2:11, 16; 3:10, 15; 4:3, 6, 8, 9, 10, 11; 6:8, 14; 9:7, 8, 12, 13 • Ob. 4, 8 • Mic. 4:6; 5:9 • Nah. 2:14; 3:5 • Zep. 1:2, 3, 10, 13, 17; 2:4^{2}, 9; 3:8 • Zech. 1:3, 4, 16; 2:9, 10^{2}, 14; 3:9, 10, 17; 5:4; 8:6, 11, 17; 10:12; 11:6; 12:1, 4; 13:2, 7, 8 • Hag. 1:9, 13; 2:4^{3}, 8, 9, 14, 17, 23^{3} • Mal. 1:2 • Ps. 110:1 • IICh. 34:27
3488 פֶּן־יֶשׁ־פֹּה עִמָּכֶם מֵעַבְדֵי יְיָ IIK. 10:23
3489 לָלֶכֶת בְּתוֹרַת יְיָ אֱלֹהֵי יִשְׂרָאֵל IIK. 10:31
3490 אֶת־דַּלְתוֹת הֵיכַל יְיָ IIK. 18:16
3491 עַתָּה הֲמִבַּלְעֲדֵי יְיָ עָלִיתִי IIK. 18:25
3492 קִנְאַת יְיָ צְבָאוֹת° תַּעֲשֶׂה־זֹּאת IIK. 19:31
3493-3495 יְיָ אֱלֹהֵי דָּוִ(י)ד אָבִיךָ IIK. 20:5
Is. 38:5 • IICh. 21:12
3496 וְלֹא־הָלַךְ בְּדֶרֶךְ יְיָ IIK. 21:22
3497-3500 יְיָ אֱלֹהֵי אֲבוֹתָיו IIK. 21:22
IICh. 21:10; 29:25; 30:19
3501 כִּי־גְדוֹלָה חֲמַת יְיָ IIK. 22:13
3502 וַיְצַו...לְהוֹצִיא מֵהֵיכַל יְיָ IIK. 23:4
3503-3520 (וּ־/בְּ־/מֵ־) הֵיכַל יְיָ IIK. 24:13
Jer. 7:4^{3}; 24:1 • Ezek. 8:16^{2} • Hag. 2:15, 18 • Zech. 6:12, 13, 14, 15 • Ez. 3:6, 10 • IICh. 26:16; 27:2; 29:16
3521 וְעֹזְבֵי יְיָ יִכְלוּ Is. 1:28
3522/3 לְכוּ וְנַעֲלֶה אֶל־הַר־יְיָ Is. 2:3 • Mic. 4:2
3524 לְכוּ וְנֵלְכָה בְּאוֹר יְיָ Is. 2:5
3525-3527 מִפְּנֵי פַּחַד יְיָ Is. 2:10, 19, 21
3528 יִהְיֶה צֶמַח יְיָ לִצְבִי וּלְכָבוֹד Is. 4:2
3529 וְאֵת פֹּעַל יְיָ לֹא יַבִּיטוּ Is. 5:12
3530 מָאֲסוּ אֵת תּוֹרַת יְיָ צְבָאוֹת Is. 5:24
3531 רוּחַ דַּעַת וְיִרְאַת יְיָ Is. 11:2
3532 וַהֲרִיחוֹ בְּיִרְאַת יְיָ Is. 11:3
3533 הֵילִילוּ כִּי קָרוֹב יוֹם יְיָ Is. 13:6
3534-3549 (בְּ־/מִ־) יוֹם יי Is. 13:9
Ezek. 13:5; 48:35 • Joel 1:15; 2:1, 11; 3:4; 4:14 • Am. 5:18^{2}, 20 • Ob. 15 • Zep. 1:7, 14^{2} Mal. 3:23
3550 וְהִתְנַחֲלוּם...עַל אַדְמַת יְיָ Is. 14:2
3551 בִּגְאוֹן יְיָ צָהֲלוּ מִיָּם Is. 24:14
3552 כִּי בְּיָהּ יְיָ צוּר עוֹלָמִים Is. 26:4

יְיָ (המשך)

3553 וּבַל־יִרְאֶה גֵּאוּת יְיָ Is. 26:10
3554 לֹא־אָבוּ שְׁמוֹעַ תּוֹרַת יְיָ Is. 30:9
3555 לָבוֹא בְהַר־יְיָ אֶל־צוּר יִשְׂרָאֵל Is. 30:29
3556 נִשְׁמַת יְיָ כְּנַחַל גָּפְרִית Is. 30:33
3557 יִרְאַת יְיָ הִיא אוֹצָרוֹ Is. 33:6
3558 דִּרְשׁוּ מֵעַל־סֵפֶר יְיָ וּקְרָאוּ Is. 34:16
3559-60 וּפְדוּיֵי יְיָ יְשֻׁבוּן Is. 35:10; 51:11
3561 הֲמִבַּלְעֲדֵי יְיָ עָלִיתִי עַל־הָאָרֶץ Is. 36:10
3562 וְזֶה לְּךָ הָאוֹת מֵאֵת יְיָ Is. 38:7
3563 קוֹל קוֹרֵא בַּמִּדְבָּר פַּנּוּ דֶּרֶךְ יְיָ Is. 40:3
3564 וְקוֹיֵ יְיָ יַחֲלִיפוּ כֹחַ Is. 40:31
3565 מִי עִוֵּר כִּמְשֻׁלָּם וְעִוֵּר כְּעֶבֶד יְיָ Is. 42:19
3566 אָנֹכִי אָנֹכִי יְיָ Is. 43:11
3567 אָנֹכִי יְיָ עֹשֶׂה כֹּל Is. 44:24
3568 מִי בָכֶם יְרֵא יְיָ Is. 50:10
3569 רֹדְפֵי צֶדֶק מְבַקְשֵׁי יְיָ Is. 51:1
3570 מִדְבָּרָהּ כְּעֵדֶן וְעַרְבָתָהּ כְּגַן־יְיָ Is. 51:3
3571 לִבְשִׁי־עֹז זְרוֹעַ יְיָ Is. 51:9
3572 וַתִּשְׁכַּח יְיָ עֹשֶׂךָ Is. 51:13
3573 הַמְלֵאִים חֲמַת־יְיָ גַּעֲרַת אֱלֹהָיִךְ Is. 51:20
3574 הִבָּרוּ נֹשְׂאֵי כְּלֵי יְיָ Is. 52:11
3575 וּזְרוֹעַ יְיָ עַל־מִי נִגְלָתָה Is. 53:1
3576 וְחֵפֶץ יְיָ בְּיָדוֹ יִצְלָח Is. 53:10
3577 וְכָל־בָּנַיִךְ לִמּוּדֵי יְיָ Is. 54:13
3578 זֹאת נַחֲלַת עַבְדֵי יְיָ Is. 54:17
3579 וְקָרָאתָ...לִקְדוֹשׁ יְיָ מְכֻבָּד Is. 58:13
3580 וּתְהִלֹּת יְיָ יְבַשֵּׂרוּ Is. 60:6
3581-3585 יְיָ אֱלֹהָיִךְ Is. 60:9
Jer. 2:17, 19 • Mic. 7:10 • Zep. 3:17
3586 וְקָרְאוּ לָךְ עִיר יְיָ צִיּוֹן Is. 60:14
3587 מַטַּע יְיָ לְהִתְפָּאֵר Is. 61:3
3588 וְאַתֶּם כֹּהֲנֵי יְיָ תִּקָּרֵאוּ Is. 61:6
3589 עַם הַקֹּדֶשׁ גְּאוּלֵי יְיָ Is. 62:12
3590א חַסְדֵי יְיָ אַזְכִּיר תְּהִלֹּת יְיָ Is. 63:7
3591 וְאַתֶּם עֹזְבֵי יְיָ Is. 65:11
3592 כִּי זֶרַע בְּרוּכֵי יְיָ הֵמָּה Is. 65:23
3593 וְרַבּוּ חַלְלֵי יְיָ Is. 66:16
3594 יִקְרְאוּ לִירוּשָׁלַםִ כִּסֵּא יְיָ Jer. 3:17
3595/6 דֶּרֶךְ יְיָ מִשְׁפַּט אֱלֹהֵיהֶם Jer. 5:4, 5
3597-3611 יְיָ אֱלֹהֵי (הַ)צְּבָאוֹת Jer. 5:14, 15, 16
35:17; 38:17; 44:7 • Am. 3:13; 4:13; 5:14, 15, 16, 27; 6:8, 14 • Ps. 89:9
3612 וְאֵת חֲמַת יְיָ מָלֵאתִי Jer. 6:11
3613 לֹא יָדְעוּ אֵת מִשְׁפַּט יְיָ Jer. 8:7
3614 חֲכָמִים אֲנַחְנוּ וְתוֹרַת יְיָ אִתָּנוּ Jer. 8:8
3615 כִּי נִשְׁבָּה עֵדֶר יְיָ Jer. 13:17
3616 רְפָאֵנִי יְיָ וְאֵרָפֵא Jer. 17:14
3617 עָזְבוּ אֶת־בְּרִית יְיָ Jer. 22:9
3618 כִּי מִי עָמַד בְּסוֹד יְיָ Jer. 23:18
3619/20 סַעֲרַת יְיָ חֵמָה יָצְאָה Jer. 23:19; 30:23
3621 וְכִי־יִשְׁאָלְךָ...מַה־מַּשָּׂא יְיָ Jer. 23:33
3622-3626 מַשָּׂא יְיָ Jer. 23:34, 36, 38^{3}
3627 הִרְאַנִי יְיָ...שְׁנֵי דּוּדָאֵי תְאֵנִים Jer. 24:1
3628 וְהָיוּ חַלְלֵי יְיָ בַּיּוֹם הַהוּא Jer. 25:33
3629 בְּפֶתַח שַׁעַר־יְיָ הֶחָדָשׁ Jer. 26:10
3630 וְנָהֲרוּ אֶל־טוּב יְיָ Jer. 31:12(11)
3631 אֲנִי יְיָ אֱלֹהֵי כָּל־בָּשָׂר Jer. 32:27
3632 אָרוּר עֹשֶׂה מְלֶאכֶת יְיָ רְמִיָּה Jer. 48:10
3633/4 לָכֵן שִׁמְעוּ עֲצַת־יְיָ Jer. 49:20; 50:45
3635 מִקֶּצֶף יְיָ לֹא תֵשֵׁב Jer. 50:13
3636/7 כִּי(־)נִקְמַת יְיָ הִיא Jer. 50:15; 51:11
3638 נִקְמַת יְיָ אֱלֹהֵינוּ Jer. 50:28

יְיָ (המשך)

3639 וְנְסַפְּרָה... מַעֲשֵׂה יְיָ אֱלֹהֵינוּ Jer. 51:10
3640 קָמָה עַל־בָּבֶל מַחְשְׁבוֹת יְיָ Jer. 51:29
3641 אֵל גְּמֻלוֹת יְיָ שַׁלֵּם יְשַׁלֵּם Jer. 51:56
3642 בָּרוּךְ כְּבוֹד־יְיָ מִמְּקוֹמוֹ Ezek. 3:12
3643 בְּיוֹם עֶבְרַת יְיָ Ezek. 7:19
3644 רַחֲקוּ מֵעַל יְיָ Ezek. 11:15
3645 עַם־יְיָ אֵלֶּה וּמֵאַרְצוֹ יָצָאוּ Ezek. 36:20
3646 וְהָיָה מִקְדַּשׁ יְיָ בְּתוֹכוֹ Ezek. 48:10
3647 כְּאַהֲבַת יְיָ אֶת־בְּנֵי יִשְׂרָאֵל Hosh. 3:1
3648 לֹא יֵשְׁבוּ בְּאֶרֶץ יְיָ Hosh. 9:3
3649 ...לְיוֹם מוֹעֵד וּלְיוֹם חַג־יְיָ Hosh. 9:5
3650 אַחֲרֵי יְיָ יֵלְכוּ כְּאַרְיֵה יִשְׁאָג Hosh. 11:10
3651 כִּי־יְשָׁרִים דַּרְכֵי יְיָ Hosh. 14:10
3652/3 הַכֹּהֲנִים מְשָׁרְתֵי יְיָ Joel 1:9; 2:17
3654 עַל־מָאֳסָם אֶת־תּוֹרַת יְיָ Am. 2:4
3655 וְהֵמָּה לֹא יָדְעוּ מַחְשְׁבוֹת יְיָ Mic. 4:12
3656 וְעָמַד וְרָעָה בְּעֹז יְיָ Mic. 5:3
3657 שִׁמְעוּ הָרִים אֶת־רִיב יְיָ Mic. 6:2
3658 לְמַעַן דַּעַת צִדְקוֹת יְיָ Mic. 6:5
3659 זַעַף יְיָ אֶשָּׂא כִּי חָטָאתִי לוֹ Mic. 7:9
3660 תִּסּוֹב עָלֶיךָ כּוֹס יְמִין יְיָ Hab. 2:16
3661 וְהָיָה בְּיוֹם זֶבַח יְיָ Zep. 1:8
3662 בְּיוֹם עֶבְרַת יְיָ Zep. 1:18
3663 וַיֹּאמֶר חַגַּי...בְּמַלְאֲכוּת יְיָ לָעָם Hag. 1:13
3664 וְהָיָה יְיָ לְמֶלֶךְ עַל-כָּל-הָאָרֶץ Zech. 14:9
3665 יִהְיֶה יְיָ אֶחָד וּשְׁמוֹ אֶחָד Zech. 14:9
3666 תִּהְיֶה מְהוּמַת־יְיָ רַבָּה בָּהֶם Zech. 14:13
3667 שֻׁלְחַן יְיָ נִבְזֶה הוּא Mal. 1:7
3668 כִּי חִלֵּל יְהוּדָה קֹדֶשׁ יְיָ Mal. 2:11
3669 אָז נִדְבְּרוּ יִרְאֵי יְיָ אִישׁ אֶל-רֵעֵהוּ Mal. 3:16
3670-3676 (לְ־)יִרְאֵי יְיָ Mal. 3:16
Ps. 15:4; 22:24; 115:11, 13; 118:4; 135:20
3677 כִּי אִם־בְּתוֹרַת יְיָ חֶפְצוֹ Ps. 1:2
3678/9 יְיָ אֲדֹנֵינוּ מָה־אַדִּיר שִׁמְךָ Ps. 8:2, 10
3680 אִמֲרוֹת יְיָ אֲמָרוֹת טְהֹרוֹת Ps. 12:7
3681 שִׁוִּיתִי יְיָ לְנֶגְדִּי תָמִיד Ps. 16:8
3682/3 לַמְנַצֵּחַ לְעֶבֶד(־)יְיָ לְדָוִד Ps. 18:1; 36:1
3684 כִּי־שָׁמַרְתִּי דַּרְכֵי יְיָ Ps. 18:22
3685 אִמְרַת־יְיָ צְרוּפָה Ps. 18:31
3686 כִּי מִי אֱלוֹהַּ מִבַּלְעֲדֵי יְיָ Ps. 18:32
3687 תּוֹרַת יְיָ תְּמִימָה מְשִׁיבַת נָפֶשׁ Ps. 19:8
3688 עֵדוּת יְיָ נֶאֱמָנָה Ps. 19:8
3689 פִּקּוּדֵי יְיָ יְשָׁרִים מְשַׂמְּחֵי־לֵב Ps. 19:9
3690 מִצְוַת יְיָ בָּרָה מְאִירַת עֵינָיִם Ps. 19:9
3691 יִרְאַת-יְיָ טְהוֹרָה עוֹמֶדֶת לָעַד Ps. 19:10
3692 מִשְׁפְּטֵי־יְיָ אֱמֶת צָדְקוּ יַחְדָּו Ps. 19:10
3693 יְיָ צוּרִי וְגֹאֲלִי Ps. 19:15
3694 יִרְאֵי יְיָ הַלְלוּהוּ Ps. 22:24
3695 יְיָ רֹעִי לֹא אֶחְסָר Ps. 23:1
3696 מִי־יַעֲלֶה בְהַר־יְיָ Ps. 24:3
3697 יִשָּׂא בְרָכָה מֵאֵת יְיָ Ps. 24:5
3698 מִי זֶה מֶ׳ הַכָּבוֹד יְיָ עִזּוּז וְגִבּוֹר Ps. 24:8
3699 יְיָ גִּבּוֹר מִלְחָמָה Ps. 24:8
3700 כָּל־אָרְחוֹת יְיָ חֶסֶד וֶאֱמֶת Ps. 25:10
3701 מִי־זֶה הָאִישׁ יְרֵא יְיָ Ps. 25:12
3702 סוֹד יְיָ לִירֵאָיו Ps. 25:14
3703 לַחֲזוֹת בְּנֹעַם יְיָ Ps. 27:4
3704 לִרְאוֹת בְּטוּב־יְיָ Ps. 27:13
3705 כִּי לֹא יָבִינוּ אֶל־פְּעֻלֹּת יְיָ Ps. 28:5
3706-9 בָּרוּךְ יְיָ Ps. 28:6; 31:22; 89:53; 124:6
3710 יְיָ עֹז לְעַמּוֹ יִתֵּן Ps. 29:11
3711 יְיָ יְבָרֵךְ אֶת־עַמּוֹ בַשָּׁלוֹם Ps. 29:11

יְיָ (המשך)

3712 כִּי־יָשָׁר דְּבַר־יְיָ Ps. 33:4
3713 חֶסֶד יְיָ מָלְאָה הָאָרֶץ Ps. 33:5
3714 עֲצַת יְיָ לְעוֹלָם תַּעֲמֹד Ps. 33:11
3715 הִנֵּה עֵין יְיָ אֶל־יְרֵאָיו Ps. 33:18
3716 וְדֹרְשֵׁי יְיָ לֹא-יַחְסְרוּ כָל-טוֹב Ps. 34:11
3717 יִרְאַת יְיָ אֲלַמֶּדְכֶם Ps. 34:12
3718 עֵינֵי יְיָ אֶל־צַדִּיקִים Ps. 34:16
3719 פְּנֵי יְיָ בְּעֹשֵׂי רָע Ps. 34:17
3720 וְקֹוֵי יְיָ הֵמָּה יִירְשׁוּ־אָרֶץ Ps. 37:9
3721 וְאֹיְבֵי יְיָ כִּיקַר כָּרִים Ps. 37:20
3722 יְיָ יִשְׁמְרֵהוּ וִיחַיֵּהוּ Ps. 41:3
3723 לְכוּ־חֲזוּ מִפְעֲלוֹת יְיָ Ps. 46:9
3724 אֵל אֱלֹהִים יְיָ דִּבֶּר Ps. 50:1
3725 מְסַפְּרִים תְּהִלּוֹת יְיָ Ps. 78:4
3726 מְשַׂנְאֵי יְיָ יְכַחֲשׁוּ־לוֹ Ps. 81:16
3727 נִכְסְפָה...נַפְשִׁי לְחַצְרוֹת יְיָ Ps. 84:3
3728 חַסְדֵי יְיָ עוֹלָם אָשִׁירָה Ps. 89:2
3729 מַה־גָּדְלוּ מַעֲשֶׂיךָ יְיָ Ps. 92:6
3730 וְאַתָּה מָרוֹם לְעֹלָם יְיָ Ps. 92:9
3731 יְיָ מָלָךְ גֵּאוּת לָבֵשׁ Ps. 93:1
3732 לָבֵשׁ יְיָ עֹז הִתְאַזָּר Ps. 93:1
3733 אַדִּיר בַּמָּרוֹם יְיָ Ps. 93:4
3734 יְיָ לְאֹרֶךְ יָמִים Ps. 93:5
3735 אֵל־נְקָמוֹת יְיָ...הוֹפִיעַ Ps. 94:1
3736 כִּי אֵל גָּדוֹל יְיָ Ps. 94:3
3737 נִבְרְכָה לִפְנֵי־יְיָ עֹשֵׂנוּ Ps. 95:6
3738 אֹהֲבֵי יְיָ שִׂנְאוּ רָע Ps. 97:10
3739 הָרִיעוּ לִפְנֵי הַמֶּלֶךְ יְיָ Ps. 98:6
3740 דְּעוּ כִּי־יְיָ הוּא אֱלֹהִים Ps. 100:3
3741-3745 בָּרְכִי נַפְשִׁי אֶת־יְיָ Ps. 103:1
103:2, 22; 104:1, 35
3746 רַחוּם וְחַנּוּן יְיָ Ps. 103:8
3747 וְחֶסֶד יְיָ מֵעוֹלָם וְעַד־עוֹלָם Ps. 103:17
3748 יִשְׂבְּעוּ עֲצֵי יְיָ Ps. 104:16
3749 מָה־רַבּוּ מַעֲשֶׂיךָ יְיָ Ps. 104:24
3750 יִשְׂמַח לֵב מְבַקְשֵׁי יְיָ Ps. 105:3
3751 אִמְרַת יְיָ צְרָפָתְהוּ Ps. 105:19
3752 מִי יְמַלֵּל גְּבוּרוֹת יְיָ Ps. 106:2
3753 וַיְקַנְאוּ...לְאַהֲרֹן קְדוֹשׁ יְיָ Ps. 106:16
3754 יֹאמְרוּ גְּאוּלֵי יְיָ Ps. 107:2
3755 הֵמָּה רָאוּ מַעֲשֵׂי יְיָ Ps. 107:24
3756 מִי־חָכָם...וְיִתְבּוֹנְנוּ חַסְדֵי יְיָ Ps. 107:43
3757 יִהְיוּ נֶגֶד־יְיָ תָּמִיד Ps. 109:15
3758 זֹאת פְּעֻלַּת שֹׂטְנַי מֵאֵת יְיָ Ps. 109:20
3759 גְּדֹלִים מַעֲשֵׂי יְיָ Ps. 111:2
3760 חַנּוּן וְרַחוּם יְיָ Ps. 111:4
3761 רֵאשִׁית חָכְמָה יִרְאַת יְיָ Ps. 111:10
3762/3 הַלְלוּ עַבְדֵי יְיָ Ps. 113:1; 135:1
3764 חַנּוּן יְיָ וְצַדִּיק Ps. 116:5
3765 וֶאֱמֶת־יְיָ לְעוֹלָם Ps. 117:2
3766/7 יְמִין יְיָ עֹשָׂה חָיִל Ps. 118:15, 16
3768 יְמִין יְיָ רוֹמֵמָה Ps. 118:16
3769 מֵאֵת יְיָ הָיְתָה זֹּאת Ps. 118:23
3770 זֶה־הַיּוֹם עָשָׂה יְיָ נָגִילָה... Ps. 118:24
3771 אָנָּא יְיָ הוֹשִׁיעָה נָּא Ps. 118:25
3772 אָנָּא יְיָ הַצְלִיחָה נָּא Ps. 118:25
3773 אַשְׁרֵי...הַהֹלְכִים בְּתוֹרַת יְיָ Ps. 119:1
3774 בָּרוּךְ אַתָּה יְיָ Ps. 119:12
3775 עֶזְרִי מֵעִם יְיָ עֹשֵׂה שָׁמַיִם וָאָרֶץ Ps. 121:2
3776 אַשְׁרֵי כָּל־יְרֵא יְיָ Ps. 128:1
3777 הִנֵּה כִי-כֵן יְבֹרַךְ גָּבֶר יְרֵא יְיָ Ps. 128:4
3778 בִּרְכַּת יְיָ אֲלֵיכֶם Ps. 129:8

יְיָ (המשך)

3779 כָּל־עַבְדֵי יְיָ Ps. 134:1
3780 אֵיךְ נָשִׁיר אֶת־שִׁיר יְיָ... Ps. 137:4
3781 יוֹדוּךָ יְיָ כָּל־מַלְכֵי־אָרֶץ Ps. 138:4
3782 וְיָשִׁירוּ בְּדַרְכֵי יְיָ Ps. 138:5
3783 חַנּוּן וְרַחוּם יְיָ Ps. 145:8
3784 תְּהִלַּת יְיָ יְדַבֶּר־פִּי Ps. 145:21
3785 יִרְאַת יְיָ רֵאשִׁית דָּעַת Prov. 1:7
3786-3800 (וְ/בְּ/וּבְ)יִרְאַת יְיָ Prov. 1:29; 2:5
8:13; 9:10; 10:27; 14:26, 27; 15:16, 33; 16:6; 19:23;
22:4; 23:17; 31:30 • IICh. 19:9
3801 מוּסַר יְיָ בְּנִי אַל־תִּמְאָס Prov. 3:11
3802 כִּי תוֹעֲבַת יְיָ נָלוֹז Prov. 3:32
3803 מְאֵרַת יְיָ בְּבֵית רָשָׁע Prov. 3:33
3804 בִּרְכַּת יְיָ הִיא תַעֲשִׁיר Prov. 10:22
3805 מָעוֹז לַתֹּם דֶּרֶךְ יְיָ Prov. 10:29
3806 הוֹלֵךְ בְּיָשְׁרוֹ יְרֵא יְיָ Prov. 14:2
3807 שְׁאוֹל וַאֲבַדּוֹן נֶגֶד יְיָ Prov. 15:11
3808 מַלְוֵה יְיָ חוֹנֵן דָּל Prov. 19:17
3809 וַעֲצַת יְיָ הִיא תָקוּם Prov. 19:21
3810 נֵר יְיָ נִשְׁמַת אָדָם Prov. 20:27
3811 וְאֵין עֵצָה לְנֶגֶד יְיָ Prov. 21:30
3812 זְעוּם יְיָ יִפָּל-שָׁם Prov. 22:14
3813 וּמְבַקְשֵׁי יְיָ יָבִינוּ כֹל Prov. 28:5
3814 יְיָ נָתַן וַייָ לָקָח Job 1:21
3815 וַיֹּאמֶר לַקּוֹצְרִים יְיָ עִמָּכֶם Ruth 2:4
3816 חַסְדֵי יְיָ כִּי לֹא־תָמְנוּ Lam. 3:22
3817 טוֹב יְיָ לְקֹוָו Lam. 3:25
3818 טוֹב וְיָחִיל וְדוּמָם לִתְשׁוּעַת יְיָ Lam. 3:26
3819 וְתַשְׁמִידֵם מִתַּחַת שְׁמֵי יְיָ Lam. 3:66
3820 וּלְכָל־מוֹעֲדֵי יְיָ הַמְקֻדָּשִׁים Ez. 3:5
3821 לִדְרוֹשׁ אֶת־תּוֹרַת יְיָ Ez. 7:10
3822/3 יְיָ אֱלֹהֵי אֲבֹתֵינוּ Ez. 7:27 • IICh. 20:6
3824 וַיְבָרֶךְ עֶזְרָא אֶת־יְיָ הָאֱלֹהִים Neh. 8:6
3825 בְּסֵפֶר תּוֹרַת יְיָ אֱלֹהֵיהֶם Neh. 9:3
3826-3828 יְיָ הָאֱלֹהִים Neh. 9:7
ICh. 22:1(21:31) • IICh. 32:16
3829 כִּי־חֶדְוַת יְיָ הִיא מָעֻזְּכֶם Neh. 8:10
3830 וַאֲבֹתֵיהֶם עַל־מַחֲנֵה יְיָ ICh. 9:19
3831 לְהָסֵב...אֵלָיו כְּפִי יְיָ ICh. 12:23(24)
3832 יִשְׂמַח לֵב מְבַקְשֵׁי יְיָ ICh. 16:10
3833 וּלְכָל־הַכָּתוּב בְּתוֹרַת יְיָ ICh. 16:40
3834 חֶרֶב יְיָ וְדֶבֶר בָּאָרֶץ ICh. 21:12
3835 וְלִשְׁמוֹר אֶת-תּוֹרַת יְיָ אֱלֹהֶיךָ ICh. 22:12
3836 וּבְנוּ אֶת-מִקְדַּשׁ יְיָ הָאֱלֹהִים ICh. 22:19(18)
3837 לְכֹל מְלֶאכֶת יְיָ ICh. 26:30
3838 לָשֶׁבֶת עַל־כִּסֵּא מַלְכוּת יְיָ ICh. 28:5
3839 וַיֵּשֶׁב שְׁלֹמֹה עַל־כִּסֵּא יְיָ ICh. 29:23
3840 בְּאַהֲבַת יְיָ אֶת־עַמּוֹ IICh. 2:10
3841 וְהַלְוִיִּם בִּכְלֵי־שִׁיר יְיָ IICh. 7:6
3842-3850 יְיָ אֱלֹהֵי אֲב(וֹ)תֵיהֶם IICh. 7:22
13:16; 14:3; 15:12; 19:4; 24:18, 24; 34:33; 36:15
3851 וּבְחֶזְקָתוֹ עָזַב אֶת־תּוֹרַת יְיָ IICh. 12:1
3852 לְהִתְחַזֵּק לִפְנֵי מַמְלֶכֶת יְיָ IICh. 13:8
3853 מִשְׁמֶרֶת יְיָ אֱלֹהֵינוּ IICh. 13:11
3854 כִּי־הָיָה פַחַד־יְיָ עֲלֵיהֶם IICh. 14:13
3855 אֲשֶׁר לִפְנֵי אוּלָם יְיָ IICh. 15:8
3856 וַיִּגְבַּהּ לִבּוֹ בְּדַרְכֵי יְיָ IICh. 17:6
3857 וְעִמָּהֶם סֵפֶר תּוֹרַת יְיָ IICh. 17:9
3858 וַיְהִי פַּחַד יְיָ עַל כָּל-מַמְלְכוֹת... IICh. 17:10
3859 הֲלָרָשָׁע לַעְזֹר וּלְשֹׂנְאֵי יְיָ תֶּאֱהָב IICh. 19:2
3860 יְהִי פַחַד־יְיָ עֲלֵיכֶם IICh. 19:7
3861 וּרְאוּ אֶת־יְשׁוּעַת יְיָ עִמָּכֶם IICh. 20:17

יְיָ (המשך)

3862 נִלְחַם יְיָ עִם אוֹיְבֵי יִשְׂרָאֵל IICh. 20:29
3863 וְכָל־הָעָם יִשְׁמְרוּ מִשְׁמֶרֶת יְיָ IICh. 23:6
3864 לְהַעֲלוֹת עֹלוֹת יְיָ IICh. 23:18
3865 בְּעָזְבָם אֶת־יְיָ אֱלֹהֵי אֲבוֹתָם IICh. 28:6
3866 כִּי לְאַשְׁמַת יְיָ עָלֵינוּ... IICh. 28:13
3867 וּבְיוֹם שְׁמוֹנָה לַחֹדֶשׁ בָּאוּ לְאוּלָם יְיָ IICh. 29:17
3868 הֵחֵל שִׁיר־יְיָ וְהַחֲצֹצְרוֹת IICh. 29:27
3869 לְשָׁרֵת...בְּשַׁעֲרֵי מַחֲנוֹת יְיָ IICh. 31:2
3870 כַּכָּתוּב בְּתוֹרַת יְיָ IICh. 31:3
3873-3871 (בְּ)תוֹרַת יְיָ IICh. 31:4; 34:14; 35:26
3874 וְלֹא־בָא עֲלֵיהֶם קֶצֶף יְיָ IICh. 32:26
3875 כִּי יְיָ הוּא הָאֱלֹהִים IICh. 33:13
3876 כִּי־גְדוֹלָה חֲמַת־יְיָ IICh. 34:21
3877 לָלֶכֶת אַחֲרֵי יְיָ IICh. 34:31
3878 וַתִּכּוֹן כָּל־עֲבוֹדַת יְיָ IICh. 35:16
3879 עַד עֲלוֹת חֲמַת־יְיָ בְּעַמּוֹ IICh. 36:16
5920-3880 יְיָ Gen. 7:5, 16; 8:21^{2}; 11:5
6,8,9^{2},26; 12:17; 16:2,5,11; 18:19,20,26,33; 19:13, 14; 20:18; 21:1; 24:3, 21, 27, 44, 51; 25:21, 22, 23; 26:12, 22, 28; 27:27; 28:13; 29:31, 32, 33, 35; 30:24; 30:27, 30; 31:3, 49; 32:10; 38:7; 39:2, 3^{2}, 5, 21, 23^{2} • Ex. 3:4, 7; 4:1, 2, 6, 10, 11, 24, 27, 30, 31; 5:2^{2}, 21, 22; 6:13, 26, 28; 7:6, 8, 10, 13, 20, 22, 25; 8:4, 8, 9, 11, 15, 20, 25, 26, 27; 9:4, 5^{2}, 6, 12^{2}, 23, 27, 28, 29, 33, 35; 10:11, 19, 20, 24, 26, 27; 11:3, 7, 10; 12:1, 23^{2}, 25, 31, 51; 13:3, 5, 11, 14, 15, 16; 14:8, 10, 21, 24, 25, 27; 15:16, 17, 19, 25; 16:6, 7, 8^{3}, 15, 16, 23, 29, 32; 17:2, 4, 7^{2}; 18:1, 8^{2}, 9; 19:3, 7, 8^{2}, 9, 11, 18, 20^{2}, 21, 22^{2}, 23, 24^{2}; 20:7; 24:1, 2, 3, 7, 8; 32:11, 14, 30, 31, 35; 33:1, 7, 11, 12, 21; 34:4, 5, 6, 28, 32; 35:1, 4, 10, 29, 30; 36:1^{2}, 2, 5; 38:22; 39:32, 42, 43; 40:16 • Lev. 1:1; 7:36, 38; 8:4, 5, 34, 36; 9:4, 6, 7; 10:3, 6, 8, 11, 15; 11:1; 13:1; 14:33; 15:1; 17:2; 26:46 • Num. 1:1, 54; 2:34; 3:1, 14, 42; 4:1, 17, 49; 5:4, 21^{2}; 8:4, 20; 9:1, 5, 8; 10:29^{2}, 32; 11:2, 11, 18, 20, 25, 29, 33; 12:2^{2}, 4, 5, 6, 13; 14:3, 8, 13, 14^{2}, 26, 40, 42, 43; 15:22, 23^{2}, 30; 16:3, 5, 7, 11, 15, 20, 28, 29, 30^{2}, 35; 17:5, 26; 18:1, 8, 20; 19:1, 2; 20:13, 16, 27; 21:3, 6, 7, 16; 22:8, 13, 19, 28, 31; 23:3, 5, 8, 12, 16, 17, 26; 24:6, 11, 13; 26:9, 65; 27:3, 15, 22, 23, 34; 30:1, 2, 17; 31:21; 32:4, 7, 9, 31; 33:4^{2}, 50; 34:13, 29; 35:1; 36:2, 6, 13 • Deut. 1:3, 8, 34, 37, 42, 45; 2:1, 2, 9, 12, 14, 17, 21, 31; 3:2, 20, 21, 23, 26^{2}; 4:3, 10, 12, 14, 15, 20, 27^{2}; 5:3, 4, 5, 11, 19, 25^{2}; 6:12, 18, 19, 21, 22, 24; 7:7, 8, 15; 8:1, 20; 9:3, 4^{2}, 5, 7, 8^{2}, 9, 10^{2}, 11, 12, 13, 16, 19^{2}, 20, 22, 23, 24, 25, 26; 10:1, 4^{2}, 5, 8, 9, 10^{2}, 11, 15; 11·4, 9, 17, 21, 23; 12:14, 21, 26; 13:18; 14:2; 15:4, 9, 20; 16:2, 15; 17:10; 18:2, 6, 17, 21, 22; 21:8; 24:15; 26:3, 7, 8, 10, 17; 28:7, 8, 9, 11^{2}, 12, 13, 20, 21, 22, 24, 25, 27, 28, 35, 36, 37, 48, 49, 59, 61, 63^{2}, 64, 65, 68.69; 29:1, 3, 19^{2}, 20, 21, 22, 23, 27; 30:9, 20; 31:3, 4, 5, 7, 15, 27; 32:6, 12, 19, 27, 36; 33:2, 7, 11; 34:1, 4, 10, 11 • Josh. 1:15; 2:9, 10, 14, 24; 3:5; 4:8, 10, 14; 5:1, 2, 6^{2}; 6:16, 27; 7:14^{3}, 25, 26; 10:10, 12, 14^{2}, 25, 30, 32; 11:8, 9, 15, 23; 13:1; 14:2, 5, 6, 10^{2}, 12^{3}; 17:4, 14; 20:1; 21:2, 8, 41, 42^{2}, 43; 22:23, 25^{2}, 31; 23:1, 9, 15; 24:7. 14^{2}, 15^{2}, 16, 18^{2}, 19, 20, 21, 22, 31 • Jud. 1:2, 4, 19; 2:7, 10, 12, 13, 15^{2}, 16, 18^{3}, 23; 3:1, 9^{2}, 10, 12, 15^{2}, 28; 4:2, 3, 9, 14^{2}, 15; 5:2, 4, 9, 13; 6:1, 6, 7, 8, 12, 13^{3}, 14, 16, 23, 25, 27;

יְיָ (המשך)

7:2, 4, 5, 7, 9, 15, 22; 8:7, 23; 10:6, 10, 11, 15, 16; 11:9, 10, 27, 32, 35, 36^{2}; 12:3; 13:1, 8, 23, 24; 15:18; 16:20, 28; 17:13; 20:1, 18, 23, 28, 35; 21:5^{2}, 8, 15 • ISh. 1:6, 10, 19, 23, 26, 27; 2:10^{2}, 11, 12, 20, 21, 25; 3:1, 4, 6, 7, 8^{2}, 9, 10, 11, 18, 21; 4:3; 6:19, 20; 7:3^{2}, 4, 5, 9^{2}, 10, 12; 8:6, 7, 18, 22; 10:1, 17, 22, 24; 11:13; 12:6, 8^{2}, 10^{2}, 11, 13, 14, 16, 17, 18^{3}, 20, 22^{2}, 24; 13:13, 14^{3}; 14:6, 10, 12, 23; 15:1, 11, 16, 17, 18, 20, 22, 26, 28, 33; 16:1, 2, 4, 6, 7, 8, 9, 10, 12, 14; 17:37, 46, 47; 18:12, 28; 19:5; 20:13^{2}, 15, 16, 22, 23, 42; 23:2, 4, 11, 12; 24:5, 11, 13^{2}, 16, 19; 25:26, 28, 30, 31, 38, 39; 26:10, 19, 23; 28:6, 17^{2}, 18, 19^{2}; 30:23 • IISh. 2:1, 6; 3:9, 18, 39; 4:8; 5:2, 12, 19, 20, 24, 25; 6:8, 9, 11, 12; 7:3, 11^{2}, 24; 8:6, 14; 12:1, 13, 15, 22; 15:8^{2}, 31; 16:8^{2}, 10, 11, 12^{2}, 18; 17:14; 18:19, 31; 21:1; 22:1, 2, 4, 7, 14, 19, 21, 25, 29, 42, 50; 23:10, 12, 17; 24:10^{2}, 15, 16, 17, 19, 23, 25 • IK. 1:37; 2:4, 32, 33, 44; 3:3, 5; 5:17, 19; 8:9, 12, 18, 20^{2}, 44, 54, 66; 9:2, 3, 8, 9; 11:2, 6, 9, 10, 11, 14; 12:15; 13:3, 26; 14:11, 14, 15^{2}, 21, 24; 17:14, 20, 21, 22; 18:3, 12, 21, 37^{2}; 19:4, 11^{3}, 12, 15; 21:23, 26; 22:8, 12, 14, 15, 17, 19, 20, 21, 23, 28 • IIK. 2:1, 2, 3, 4, 5, 6; 3:10, 11, 13; 4:1, 33; 5:1, 18^{2}; 6:17^{2}, 18, 20^{2}, 27; 7:2, 19; 8:1, 8, 10, 13, 19; 10:10, 30, 32; 11:17; 13:4, 5, 23; 14:6, 26, 27; 15:5, 37; 16:3; 17:8, 11^{2}, 12, 13, 15, 18, 20, 23, 25^{2}, 28, 32, 33, 34^{2}, 35, 36, 41; 18:6, 7, 25, 30^{2}, 32, 35; 19:16^{2}, 17, 21; 20:2, 3, 8, 9, 11, 17; 21:2, 4, 7, 9, 10; 22:13, 18; 23:25, 26, 27; 24:2, 4, 13 • Is. 1:2, 4, 11, 18; 2:11, 17; 3:8, 13, 14, 16; 4:5; 6:12; 7:3, 10, 12, 17, 18; 8:1, 3, 5, 11, 18; 9:10, 13; 10:20; 11:9, 15; 12:1, 2, 5; 13:5; 14:1, 3, 5, 32; 16:13, 14; 18:4; 19:1, 14, 20, 21^{2}, 22^{2}; 20:2, 3; 22:17, 25; 23:11, 17; 24:1, 3, 15, 21; 25:8, 9; 26:8, 11, 12, 15, 16, 17, 21; 27:1, 12; 28:21; 29:10; 30:18^{2}, 26, 30, 32; 31:1; 32:6; 33:2, 5, 10, 21, 22^{3}; 36:10, 15^{2}, 18, 20; 37:15, 17^{2}, 18, 20, 22; 38:2, 3, 7, 20; 39:6; 40:28; 41:21; 42:5, 13, 21, 24; 44:23^{2}, 24; 48:14, 20, 22; 49:1, 4, 5, 7, 13, 14; 51:3, 13, 22; 52:8, 9, 10, 12; 54:1, 6, 8, 10; 55:6, 7; 56:3^{2}, 6; 57:19; 58:11, 13, 14; 59:15, 21^{2}; 60:2, 19; 61:1, 9; 62:4, 6, 8, 9, 11; 63:7, 16, 17; 64:7, 8, 11; 65:7, 25; 66:5, 9, 15, 16, 20, 21, 23 • Jer. 1:7, 9^{2}, 12, 14; 2:6, 8, 37; 3:6, 11; 5:3; 6:15, 30; 7:1, 29; 8:9, 12; 9:12; 10:1, 6, 21, 23, 24; 11:1, 5, 6, 9, 16; 12:1, 3; 13:5, 6, 15; 14:7, 9, 11, 14, 20; 15:1, 11, 15; 16:10, 19, 21; 17:5, 7, 13^{2}; 18:1, 19, 23; 19:14; 20:3, 7, 13, 16; 21:1, 2^{2}; 22:8; 23:17, 35^{2}, 37^{2}; 24:3; 25:4, 5, 17, 30, 36; 26:1, 8, 12, 13, 15, 19^{2}; 27:1, 13; 28:6^{2}, 9, 15, 16; 29:7, 15, 22, 26, 32; 30:1, 3, 4; 31:3(2), 7(6), 11(10); 31:22(21), 23(22), 34(33); 32:1, 16; 33:2^{2}, 11, 13, 16, 24; 34:1, 8, 12; 35:1; 36:1, 7, 26; 37:17; 38:21; 40:1, 3; 42:4, 5, 19; 44:21, 22, 26; 45:3; 46:13, 15; 47:4; 48:8, 26, 42; 49:2, 14, 18; 50:1, 5, 7, 25, 29; 51:10, 11, 12, 50, 55, 62 • Ezek. 4:13; 8:12^{2}; 9:4, 9^{2}; 20:1; 23:36; 33:30; 40:46; 44:2, 5; 45:4; 48:35 • Hosh. 1:2^{2}, 4; 2:22; 3:1, 5; 4:10, 16; 5:4, 6; 6:1, 3; 8:13; 9:14; 10:3, 12; 12:6, 14; 14:3 • Joel 1:14, 19; 2:17, 18, 19, 21; 3:5^{2}; 4:8, 11 • Am. 1:2, 5, 15; 2:3; 3:1; 5:4, 6, 8, 17, 27; 6:11; 7:3^{2}, 6, 8, 15^{2}; 8:2, 7, 11; 9:6 • Ob. 1, 18 • Jon. 1:14^{2}, 16, 19; 2:1, 3, 8, 11; 4:2^{2}, 2, 4, 10 • Mic. 1:3, 12; 3:4, 11^{2}; 4:7, 10; 5:6; 6:1, 6, 7, 8; 7:8 • Nah. 1:2^{3}, 3^{2}, 7, 9, 11, 14; 2:3 • Hab. 1:2, 12; 2:2; 3:2^{2}, 8 • Zep. 1:6, 7, 12; 2:3, 11; 3:5, 15^{2}, 20 •

יְיָ (המשך)

Hag. 1:8, 12, 14 • Zech. 1:2, 10, 13, 17; 2:3, 15, 16, 3:2^{3}; 7:7; 10:1, 5; 11:5, 13, 15; 12:7, 8; 14:3, 12, 18 • Mal. 1:2, 4, 5, 13; 2:12, 14, 17; 3:13, 16 • Ps. 1:6; 2:2, 7, 11; 3:2, 4, 5, 6, 8; 4:4^{2}, 6, 7, 9; 5:2, 4, 7, 9, 13; 6:2, 3^{2}, 4, 5, 9, 10^{2}; 7:7, 9^{2}, 18; 8:2, 10; 9:2, 10, 11, 14, 17, 20, 21; 10:1, 3, 12, 16, 17; 11:4^{2}, 5, 7; 12:2, 4, 6, 8; 13:2; 14:2, 4, 6, 7; 15:1; 16:5, 7; 17:1, 13, 14; 18:1, 2, 3, 4, 7, 14, 16, 19, 21, 25, 42, 50; 19:15; 20:2, 6, 7, 10; 21:2, 10, 14; 22:9, 20, 27, 28; 23:1; 24:5, 8^{2}; 25:1, 4, 6, 7, 8, 11, 15; 26:1, 6, 8, 12; 27:1^{2}, 4, 7, 8, 11, 14^{2}; 28:1, 7, 8; 29:3, 5, 8, 10, 11^{2}; 30:2, 4, 8, 9, 11^{2}; 31:2, 6, 7, 10, 15, 18, 24^{2}; 32:2; 33:10, 12, 13, 22; 34:2, 5, 9, 10, 19, 20, 23; 35:1, 10, 22, 24, 27; 36:6, 7; 37:4, 5, 17, 18, 24, 28, 33, 34, 40; 38:2, 16, 22; 39:5, 13; 40:2, 5, 6, 10, 12, 14^{2}, 17; 41:2, 3, 4, 5, 11; 42:9; 47:3, 6; 48:2; 54:8; 55:23; 58:7; 59:4, 9; 68:17; 69:14, 17, 34; 70:2, 6; 71:1; 74:18; 78:21; 79:5; 83:17, 19; 84:12; 85:2, 8, 9, 13; 86:1, 6, 11, 17; 87:2, 6; 88:10, 14, 15; 89:6, 16, 47, 52; 90:13; 91:9; 92:5, 6, 9, 10, 16; 93:1, 3, 4, 5; 94:3, 5, 11, 14, 17, 18, 22; 96:4, 10; 97:1, 8, 9; 98:2; 99:1, 2, 6; 100:2, 5; 101:1, 8; 102:2, 13, 17, 20, 23; 103:1, 2, 6, 13, 19, 20, 21, 22^{2}; 104:1, 24, 31, 35; 105:4; 106:4, 34; 107:6, 13, 19, 28; 108:4; 109:14, 20, 27, 30; 110:2, 4; 111:1; 112:1; 113:4; 115:1, 12, 14; 116:1, 4, 6, 7, 16; 117:1; 118:6, 7, 24, 25^{2}, 27; 119:31, 33, 41, 52, 55, 57, 64, 65, 75, 89, 107, 108, 137, 145, 149, 151, 156, 159, 166, 169, 174; 120:1, 2; 121:5^{2}, 7, 8; 123:3; 124:1, 2; 125:4, 5; 126:1, 2, 3, 4; 127:1^{2}; 128:5; 129:4; 130:1, 5, 7^{2}; 131:1, 3; 132:1, 8, 11, 13; 133:3; 134:1, 2, 3; 135:3, 5, 6, 13^{2}, 14, 19^{2}, 20^{2}, 21; 137:7; 138:4, 6, 8; 139:1, 4, 21; 140:2, 5, 7, 9, 13; 141:1, 3; 142:2^{2}, 6; 143:1, 7, 9, 11; 144:1, 3, 5; 145:3, 9, 10, 14, 17, 18, 20; 146:1, 2, 7, 8^{3}, 9, 10; 147:2, 6, 11, 12; 148:1, 7; 149:4 • Prov. 2:6; 3:5, 7, 9, 12, 19, 26; 6:16; 8:22; 10:3; 15:25, 29; 16:2, 3, 4, 7; 17:3; 19:3; 20:12; 21:2; 22:2, 23; 24:18, 21; 28:25; 29:13; 30:9 • Job 1:6, 7^{2}, 8, 9, 12; 2:1^{2}, 2^{2}, 3, 4, 6; 38:1; 40:1, 3, 6; 42:1, 7^{2}, 9^{2}, 10, 11 • Ruth 1:6, 8, 9, 17, 21; 2:12; 4:11, 12, 13, 14 • Lam. 1:5, 9, 11, 12, 17, 18, 20; 2:6, 8, 17, 20; 3:24, 40, 50, 55, 59, 61, 64; 4:11; 5:1, 19, 21 • Dan. 9:8, 14 • Ez. 1:1; 3:10; 6:22 • Neh. 5:13; 8:1, 14; 9:6 • ICh. 5:41; 9:20; 11:14; 13:6, 11. 14; 14:2, 10; 15:2; 16:11, 25, 31; 17:10, 19, 20, 22, 23, 26, 27; 18:6, 13; 21:3, 9, 14, 15, 26, 27, 28; 22:11(10), 12(11), 13(12), 16(15); 27:23; 28:5, 9, 10; 29:10, 11^{2}, 25 • IICh. 5:10; 6:1, 8, 10^{2}; 7:10, 12, 21; 10:15; 12:6, 7, 13, 14; 13:20; 14:5, 10, 11; 15:2, 15; 16:8, 9, 12; 17:3, 5; 18:7, 11, 16, 18, 19, 20, 22, 27; 19:8, 11; 20:4, 22, 26, 27, 37; 21:7, 14, 16, 18; 22:7, 9; 23:3; 24:19, 20, 22; 25:4, 7; 26:5, 20; 28:3, 19; 29:8, 11; 30:9, 18, 20; 31:8, 10; 32:21, 22, 24; 33:2, 4, 9, 10, 11; 34:21; 36:22

הַיְיָ
5921 הַיְיָ אֵין בְּצִיּוֹן אִם מַלְכָּהּ אֵין בָּהּ Jer. 8:19

וַיְיָ
5922 וַיְיָ אָמַר אֶל־אַבְרָם Gen. 13:14
5923 וַיְיָ אָמָר הַמְכַסֶּה אֲנִי מֵאַבְרָ׳ Gen. 18:17
5924 וַיְיָ הִמְטִיר עַל־סְדֹם Gen. 19:24
5925 וַיְיָ פָּקַד אֶת־שָׂרָה Gen. 21:1
5926 וַיְיָ בֵּרַךְ אֶת־אַבְרָהָם בַּכֹּל Gen. 24:1
5927 וַיְיָ בֵּרַךְ אֶת־אֲדֹנִי מְאֹד Gen. 24:35
5928 וַיְיָ הִצְלִיחַ דַּרְכִּי Gen. 24:56

וַיָי (המשך)

5929 וַיָי הִכָּה כָל־בְּכוֹר בְּאֶרֶץ מִצ׳ Ex. 12:29
5930 וַיִּגְדַּל שְׁמוּאֵל וַיָי הָיָה עִמּוֹ ISh. 3:19
5931 הָאָדָם...וַיָי יִרְאֶה לַלֵּבָב ISh. 16:7
5932 וַיָי אֱלֹהֵי צְבָאוֹת עִמּוֹ IISh. 5:10
5933 וַיָי יַעֲשֶׂה הַטּוֹב בְּעֵינָיו IISh. 10:12
5934 וַיָי אֱלֹהִים אֱמֶת Jer. 10:10
5935-38 וַיָי צְבָאוֹת Jer. 11:17, 20; 20:12 • ICh. 11:9
5939/40 וַיָי שָׁמַיִם עָשָׂה Ps. 96:5 • ICh. 16:26
5941 דָּחֹה דְחִיתַנִי לִנְפֹּל וַיָי עֲזָרָנִי Ps. 118:13
5942 יְיָ נָתַן וַיָי לָקָח Job 1:21
5943 וַיָי הַטּוֹב בְּעֵינָיו יַעֲשֶׂה ICh. 19:13
5944-6016 וַיָי Ex. 9:23; 10:13; 12:36; 13:21; 14:9
Num. 30:6, 9, 13 • Deut. 4:21; 17:16; 26:18; 31:2, 8; 32:30 • Josh. 10:11 • Jud. 1:22 • ISh. 1:5; 9:15, 17; 15:35; 16:18; 17:37; 18:14; 24:20; 26:23; 28:16 • IISh. 7:1; 12:24; 17:14; 22:29 • IK. 5:26; 14:5; 22:23 • IIK. 4:27; 9:25; 10:10 • Is. 3:17; 31:3; 53:6, 10; 58:9 • Jer. 11:18; 14:10; 20:11; 47:7 • Ezek. 13:6; 22:28; 35:10 • Joel 2:11; 4:16^2, 21 • Am. 3:6 • Jon. 1:4 • Mic. 2:13 • Hab. 2:20 • Zech. 9:14 • Ps. 9:8; 27:10; 34:7, 18; 55:17; 125:2 • Prov. 16:9; 25:22 • Job 42:10, 12 • Ruth 1:21 • ICh. 14:17 • IICh. 18:22, 31; 20:17; 24:24

בַּיָי
6017 וְהֶאֱמִן בַּיָי וַיַּחְשְׁבֶהָ לּוֹ צְדָקָה Gen. 15:6
6018 וְאַשְׁבִּיעֲךָ בַּיָי אֱלֹהֵי הַשָּׁמַיִם Gen. 24:3
6019 וַיַּאֲמִינוּ בַּיָי וּבְמֹשֶׁה עַבְדּוֹ Ex. 14:31
6020 כִּי תֶחֱטָא וּמָעֲלָה מַעַל בַּיָי Lev. 5:21
6021 לִמְעֹל מַעַל בַּיָי Num. 5:6
6022 אַךְ בַּיָי אַל־תִּמְרֹדוּ Num. 14:9
6023 חָטָאנוּ כִּי־דִבַּרְנוּ בַיָי וָבָךְ Num. 21:7
6024 לִמְסָר־מַעַל בַּיָי Num. 31:16
6025 וַאדֹנִי צֻוָּה בַיָי לָתֵת... Num. 36:2
6026 מִי כָמוֹךָ עַם נוֹשַׁע בַּיָי Deut. 33:29
6027 וְעַתָּה הִשָּׁבְעוּ־נָא לִי בַּיָי Josh. 2:12
6028 נִשְׁבְּעוּ לָהֶם בַּיָי אֱלֹהֵי יִשְׂרָאֵל Josh. 9:18
6029 נִשְׁבַּעְנוּ לָהֶם בַּיָי אֱלֹהֵי יִשְׂרָאֵל Josh. 9:19
6030/1 בַּיָי צְבָאוֹת Jer. 27:18 • Zech. 12:5
6032 יִשְׂרָאֵל נוֹשַׁע בַּיָי Is. 45:17
6033 בָּרוּךְ הַגֶּבֶר אֲשֶׁר יִבְטַח בַּיָי Jer. 17:7
6034 בְּטַח בַּיָי וַעֲשֵׂה־טוֹב Ps. 37:3
6035 יִשְׂרָאֵל בְּטַח בַּיָי Ps. 115:9
6036-6105 בַּיָי Josh. 22:16, 18, 22, 25, 27
29, 31 • Jud. 1:1; 20:23, 27; 21:7 • ISh. 2:1; 10:22; 22:10; 23:2, 4; 24:22; 28:6, 10; 30:8 • IISh. 2:1; 5:19, 23; 19:8 • IK. 2:8, 23, 42 • IIK. 18:6 • Is. 26:4; 29:19; 41:16; 45:24, 25; 59:13; 61:10 • Jer. 5:12; 50:24 • Hosh. 5:7 • Mic. 7:7 • Hab. 3:18 • Zep. 3:2; 10:7, 12 • Ps. 11:1; 21:8; 32:10, 11; 33:1; 34:3; 35:9; 40:4; 56:11; 64:11; 97:12; 104:34; 112:7; 115:10, 11; 118:8, 9; 125:1 • Prov. 16:20; 22:19; 29:25 • ICh. 10:13, 14 • IICh. 12:2; 28:19, 22; 34:26

וּבַיָי
6106 וּבַיָי אַל־תִּמְרֹדוּ Josh. 22:19
6107 וּבַיָי בָּטַחְתִּי לֹא אֶמְעָד Ps. 26:1

כַּיָי
6108 אֵין־קָדוֹשׁ כַּיָי ISh. 2:2

לַיָי
6109 וַיָּבֵא קַיִן...מִנְחָה לַיָי Gen. 4:3
6110 וַיִּבֶן נֹחַ מִזְבֵּחַ לַיָי Gen. 8:20
6111-3 וַיִּבֶן(־)שָׁם מִזְבֵּחַ לַיָי Gen. 12:7, 8; 13:18
6114 ...רָעִים וְחַטָּאִים לַיָי מְאֹד Gen. 13:13
6115 וַיִּקֹּד הָאִישׁ וַיִּשְׁתַּחוּ לַיָי Gen. 24:26
6116 וַיֶּעְתַּר יִצְחָק לַיָי Gen. 25:21
6117 פֶּסַח הוּא לַיָי Ex. 12:11
6118 וְחַגֹּתֶם אֹתוֹ חַג לַיָי Ex. 12:14

לַיָי (המשך)
6119 לֵיל שִׁמֻּרִים הוּא לַיָי Ex. 12:42
6120 וּבַיּוֹם הַשְּׁבִיעִי חַג לַיָי Ex. 13:6
6121 אָשִׁירָה לַיָי כִּי־גָאֹה גָּאָה Ex. 15:1
6122 שִׁירוּ לַיָי כִּי־גָאֹה גָּאָה Ex. 15:21
6123 מִלְחָמָה לַיָי בַּעֲמָלֵק Ex. 17:16
6124-6131 קֹדֶשׁ לַיָי Ex. 28:36
31:15; 39:30 • Is. 23:18 • Jer. 31:40(39)
Ezek. 48:14 • Zech. 14:20, 21
6132 וַיֹּאמֶר מִי לַיָי אֵלָי Ex. 32:26
6133 שַׁבַּת שַׁבָּתוֹן לַיָי Ex. 35:2
6134 אָנֹכִי לַיָי אָנֹכִי אָשִׁירָה Jud. 5:3
6135 וַאֲמַרְתֶּם לַיָי וּלְגִדְעוֹן Jud. 7:18
6136 וַיִּקְרְאוּ חֶרֶב לַיָי וּלְגִדְעוֹן Jud. 7:20
6137 וַיִּדַּר יִפְתָּח נֶדֶר לַיָי Jud. 11:30
6138-6143 לַיָי צְבָאוֹת ISh. 1:3
Is. 2:12; 18:7; 19:18, 20 • Mal. 2:12
6144 כִּי אֵין לַיָי מַעְצוֹר לְהוֹשִׁיעַ ISh. 14:6
6145 בְּרוּכִים אַתֶּם לַיָי ISh. 23:21
6146/7 קִנֵּאתִי לַיָי אֱלֹהֵי צְבָאוֹת IK. 19:10, 14
6148 חֵץ־תְּשׁוּעָה לַיָי IIK. 13:17
6149 שִׁירוּ לַיָי שִׁיר חָדָשׁ Is. 42:10
6150 קֹדֶשׁ יִשְׂרָאֵל לַיָי Jer. 2:3
6151 שִׁירוּ לַיָי הַלְלוּ אֶת־יְיָ Jer. 20:13
6152 וְהָיְתָה לַיָי הַמְּלוּכָה Ob. 21
6153 וְעָרְבָה לַיָי מִנְחַת יְהוּדָה Mal. 3:4
6154 אָשִׁירָה לַיָי כִּי גָמַל עָלָי Ps. 13:6
6155 כִּי לַיָי הַמְּלוּכָה Ps. 22:29
6156 לַיָי הָאָרֶץ וּמְלוֹאָהּ Ps. 24:1
6157 הָבוּ לַיָי בְּנֵי אֵלִים Ps. 29:1
6158-6165 הָבוּ לַיָי Ps. 29:1, 2; 96:7^2, 8
ICh. 16:28^2, 29
6166 גַּדְּלוּ לַיָי אִתִּי וּנְרוֹמְמָה שְׁמוֹ Ps. 34:4
6167 דּוֹם לַיָי וְהִתְחוֹלֵל לוֹ Ps. 37:7
6168 לְכוּ נְרַנְּנָה לַיָי Ps. 95:1
6169-71 שִׁירוּ לַיָי שִׁיר חָדָשׁ Ps. 96:1; 98:1; 149:1
6172 שִׁירוּ לַיָי כָּל־הָאָרֶץ Ps. 96:1
6173-8 הוֹדוּ לַיָי כִּי־טוֹב Ps. 106:1; 107:1
118:1, 29; 136:1 • ICh. 16:34
6179 הַשָּׁמַיִם שָׁמַיִם לַיָי Ps. 115:16
6180 זֶה־הַשַּׁעַר לַיָי Ps. 118:20
6181 עֵת לַעֲשׂוֹת לַיָי הֵפֵרוּ תּוֹרָתֶךָ Ps. 119:126
6182 לֹא לְאָדָם הַבִּירָה כִּי לַיָי אֱלֹ׳ ICh. 29:1
6183-6608 לַיָי Gen. 24:48, 52
Ex. 5:17; 8:4, 25; 9:29; 12:27, 42, 48; 13:12^2, 15; 15:1; 16:23, 25; 22:19; 24:5; 29:18^2, 25, 28, 41; 30:10, 12, 13, 20, 37; 32:5, 29; 35:5, 22, 29 • Lev. 1:2, 9, 13, 14, 17; 2:1, 2, 8, 9, 11^2, 12, 14, 16; 3:3, 5, 6; 3:9, 11, 14, 16; 4:3, 31; 5:6, 7, 15, 19, 25; 6:8, 13, 14, 15; 7:5, 11, 14, 20, 21, 25, 29^2, 35, 38; 8:21, 28; 16:8, 9; 17:4, 5^2, 6, 9; 19:5, 21, 24; 22:3, 15, 18, 21, 22^2, 24; 22:27, 29; 23:3, 5, 6, 8, 12, 13, 16, 17, 18^2, 20, 25, 27, 34, 36, 37, 38, 41; 24:7; 25:2, 4; 27:2, 9^2, 11, 14, 16, 21, 22, 23, 26^2, 28^2, 30^2, 32 • Num. 5:8; 6:2, 5, 6, 8, 12, 14, 17, 21; 8:12, 13; 9:10, 14; 15:3^2, 4, 7, 8, 10, 13, 14, 19, 21, 24, 25; 18:6, 12, 13, 15, 17, 19, 24; 21:2; 25:4; 28:3, 6, 7, 8, 11, 13, 15, 16, 19, 24, 26, 27; 29:2, 6, 8, 12, 13, 36, 39; 30:3, 4; 31:28, 37, 38, 39, 40, 52; 32:23 • Deut. 1:41; 12:11; 15:2 • Josh. 6:17, 19; 8:31; 10:12 • Jud. 2:5; 6:24; 11:31; 13:16, 19; 17:2, 3 • ISh. 1:3, 11, 21, 28^3; 2:8, 20, 25; 3:20; 6:14, 15, 17; 7:6, 9, 17; 12:23; 14:33, 34; 35^2; 15:13, 22, 25, 31; 16:2, 5; 17:47 • IISh. 2:5; 8:11; 12:13; 15:7; 21:6;

לַיָי (המשך)
22:1; 23:16; 24:18, 21, 25 • IK. 2:27; 6:1, 2; 8:63; 9:25; 18:22; 22:7 • IIK. 3:11; 5:17; 6:33; 10:16; 11:17; 23:23 • Is. 8:17; 12:4; 19:19^2, 21; 27:13; 34:2, 6^2, 8; 42:12; 44:5^2; 55:13; 58:5; 61:2; 66:20 • Jer. 4:4; 5:10; 7:2; 8:14; 12:12; 25:31; 31:38(37); 40:3; 44:23; 47:6; 50:7, 14; 51:6 • Ezek. 30:3; 42:13; 43:24; 45:1, 23; 46:4, 12, 13, 14; 48:9 • Hosh. 4:1; 9:4; 12:3 • Jon. 1:16; 2:10 • Mic. 4:13; 6:2 • Zep. 1:5, 17 • Zech. 9:1; 14:1, 7 • Mal. 3:3 • Ps. 3:9; 7:1; 9:12; 16:2; 18:1; 27:6; 29:2; 30:5; 31:25; 32:5; 33:2, 20; 69:32; 89:7^2, 19; 91:2; 92:2; 96:2, 9; 98:4, 5; 100:1; 104:33; 105:1; 107:8, 15, 21, 31; 115:15, 16; 116:12, 14, 18; 118:20; 132:2, 5; 140:7; 147:7 • Prov. 16:11; 20:22; 21:3 • Ruth 2:20; 3:10 • Ez. 3:3; 3:5, 6, 11^2; 8:28, 35 • Neh. 8:6 • ICh. 11:18; 16:7, 8, 23, 29, 36, 40, 41; 18:11; 21:18, 22, 24, 26; 22:5(4); 23:5, 30, 31; 25:3, 7, 9; 29:5, 9, 20, 21^2, 22 • IICh. 2:11; 5:13^2; 7:3, 6; 8:12; 11:14; 13:10, 11, 14; 15:11, 14; 17:16; 18:6; 19:6, 10; 20:3, 18^2, 21^2; 23:16; 24:9; 26:17, 18; 28:9; 29:30, 31, 32; 30:8, 17, 21^2, 22, 23; 35:1, 3, 12

הֲלַיָי 6609 הֲלַיָי תִּגְמְלוּ־זֹאת Deut. 32:6
וְלַיָי 6610 סוּס מוּכָן...וְלַיָי הַתְּשׁוּעָה Prov. 21:31
מֵיָי 6611 הֲיִפָּלֵא מֵיָי דָּבָר Gen. 18:14
6612 וַיֹּאמְרוּ מֵיָי יָצָא הַדָּבָר Gen. 24:50
6613 וִהְיִיתֶם נְקִיִּם מֵיָי וּמִיִּשְׂרָאֵל Num. 32:22
6614 לֹא יָדְעוּ כִּי מֵיָי הִיא Jud. 14:4
6615 ...כִּי מֵיָי שְׁאִלְתִּיו ISh. 1:20
6616-8 חָלִילָה לִּי מֵיָי ISh. 24:6; 26:11 • IK. 21:3
6619 כִּי מֵיָי הָיְתָה־לּוֹ IK. 2:15
6620 הַמַּעֲמִיקִים מֵיָי לַסְתִּר עֵצָה Is. 29:15
6621 נִסְתְּרָה דַרְכִּי מֵיָי Is. 40:27
6622 לֹא אַלְמָן יִשְׂרָאֵל...מֵיָי צְבָאוֹת Jer. 51:5
6623 שַׁאֲלוּ מֵיָי מָטָר בְּעֵת מַלְקוֹשׁ Zech. 10:1
6624 יִירְאוּ מֵיָי כָּל־הָאָרֶץ Ps. 33:8
6625 מֵיָי מִצְעֲדֵי־גֶבֶר כּוֹנָנוּ Ps. 37:23
6626 וּתְשׁוּעַת צַדִּיקִים מֵיָי Ps. 37:39
6627/8 וַיָּפֶק רָצוֹן מֵיָי Prov. 8:35; 18:22
6629 טוֹב יָפִיק רָצוֹן מֵיָי Prov. 12:2
6630 מֵיָי מִצְעֲדֵי־גָבֶר... Prov. 20:24
6631 לֹא־מָצְאוּ חָזוֹן מֵיָי Lam. 2:9
6632 אָבַד נִצְחִי וְתוֹחַלְתִּי מֵיָי Lam. 3:18
6633 וַיִּקָּבְצוּ יְהוּדָה לְבַקֵּשׁ מֵיָי IICh. 20:4
6634 וְלֹא־לְךָ לְכָבוֹד מֵיָי אֱלֹהִים IICh. 26:18
וּמֵיָי 6635 וּמֵיָי מַעֲנֵה לָשׁוֹן Prov. 16:1
6636 וּמֵיָי כָּל־מִשְׁפָּטוֹ Prov. 16:33
6637 וּמֵיָי אִשָּׁה מַשְׂכָּלֶת Prov. 19:14
6638 וּמֵיָי מִשְׁפַּט־אִישׁ Prov. 29:26
שֶׁיָי 6639 אַשְׁרֵי הָעָם שֶׁיָי אֱלֹהָיו Ps. 144:15

יְהוָה יִרְאֶה
השם שקרא אברהם להר המוריה

יְיָ יִרְאֶה 1 וַיִּקְרָא...שֵׁם הַמָּקוֹם הַהוּא יְיָ יִרְאֶה
אֲשֶׁר יֵאָמֵר הַיּוֹם בְּהַר יְיָ יֵרָאֶה Gen. 22:14

יְהוָה נִסִּי
שם המזבח שבנה משה לזכר הנצחון על עמלק

יְיָ נִסִּי 1 וַיִּבֶן מֹשֶׁה מִזְבֵּחַ וַיִּקְרָא שְׁמוֹ יְיָ נִסִּי Ex. 17:15

יְהוָה צִדְקֵנוּ
כנוי למלך המשיח ולציון בפי ירמיהו: 2,1

יְיָ צִדְקֵנוּ 1 וְזֶה־שְּׁמוֹ אֲשֶׁר־יִקְרְאוֹ יְיָ צִדְקֵנוּ Jer. 23:6
2 וְזֶה אֲשֶׁר יִקְרָא־לָהּ יְיָ צִדְקֵנוּ Jer. 33:16

יְהוָה שָׁלוֹם
שם המזבח שבנה גדעון

יְיָ שָׁלוֹם 1 וַיִּבֶן...מִזְבֵּחַ לַיָי וַיִּקְרָא־לוֹ יְיָ שָׁלוֹם Jud. 6:24

יְהוָה שָׁמָּה כנוי לירושלים לעתיד לבוא בפי יחזקאל

יְיָ שָׁמָּה 1 וְשֵׁם־הָעִיר מִיּוֹם יְיָ שָׁמָּה Ezek. 48:35

יְהוֹזָבָד שפ״ז א) לוי בימי דוד: 1
ב) משרי הצבא של המלך יהושפט: 2
ג) מרוצחי יואש בן אחזיה מלך יהודה: 3,4

יְהוֹזָבָד 1 שְׁמַעְיָה הַבְּכוֹר יְהוֹזָבָד הַשֵּׁנִי ICh. 26:4
2 וְעַל־יָדוֹ יְהוֹזָבָד IICh. 17:18
וִיהוֹזָבָד 3 וְיוֹזָכָר...וִיהוֹזָבָד בֶּן־שֹׁמֵר IIK. 12:22
4 זָבָד וִיהוֹזָבָד בֶּן־שִׁמְרִית IICh. 24:26

יְהוֹחָנָן שפ״ז א) משרי העם בימי עזרא: 1
ב) שמות אנשים שונים: 2–9

יְהוֹחָנָן 1 אֶל־לִשְׁכַּת יְהוֹחָנָן בֶּן־אֶלְיָשִׁיב Ez. 10:6
2 וּמִבְּנֵי בֵּבָי יְהוֹחָנָן חֲנַנְיָה זַבַּי Ez. 10:28
3 לְעֶזְרָא מְשֻׁלָּם לַאֲמַרְיָה יְהוֹחָנָן Neh. 12:13
4 עֵילָם הַחֲמִישִׁי יְהוֹחָנָן הַשִּׁשִּׁי ICh. 26:3
5 וְעַל־יָדוֹ יְהוֹחָנָן הַשָּׂר IICh. 17:15
6 וּלְיִשְׁמָעֵאל בֶּן־יְהוֹחָנָן IICh. 23:1
7 עֲזַרְיָהוּ בֶן־יְהוֹחָנָן IICh. 28:12
וִיהוֹחָנָן 8 וִיהוֹחָנָן בְּנוֹ לָקַח אֶת־בַּת־מְשֻׁלָּם Neh. 6:18
9 וִיהוֹחָנָן וּמַלְכִּיָּה וְעֵילָם וָעָזֶר Neh. 12:42

יְהוֹיָדָע שפ״ז א) אבי בְּנָיָהוּ שר צבא דוד: 1–20,35,48
ב) כהן גדול, בעל יהושבע אחות אחזיהו מלך יהודה: 21–33,36–47,49–52
ג) כהן גדול בבית שני: 34

יְהוֹיָדָע הַכֹּהֵן 22–33, 45, 47,51; אֵשֶׁת יְהוֹיָדָע 36; בֶּן יְהוֹיָדָע 45; בְּנֵי יְהוֹיָדָע 47

יְהוֹיָדָע 1–20 (ו־/ וְל־) בְּנָיָה(וּ) בֶּן־יְהוֹיָדָע IISh. 8:18
20:23; 23:20, 22 • IK. 1:8, 26, 32, 36, 38, 44; 2:25;
2:29, 34, 35, 46; 4:4 • ICh. 11:22, 24; 18:17; 27:5
21 וּבַשָּׁנָה הַשְּׁבִיעִית שָׁלַח יְהוֹיָדָע IIK. 11:4
22 וַיַּעֲשׂוּ...כְּכֹל אֲשֶׁר־צִוָּה יְהוֹיָדָע הַכֹּהֵן IIK. 11:9
23–33 יְהוֹיָדָע הַכֹּהֵן IIK. 11:9, 15, 17
12:3, 10 • Jer. 29:26 • IICh. 23:1, 8², 9, 14
34 וּמִבְּנֵי יְהוֹיָדָע בֶּן־אֶלְיָשִׁיב Neh. 13:28
35 וְאַחֲרֵי אֲחִיתֹפֶל יְהוֹיָדָע בֶּן־בְּנָיָהוּ ICh. 27:34
36 יְהוֹשַׁבְעַת...אֵשֶׁת יְהוֹיָדָע הַכֹּהֵן IICh. 22:11
37 וַיִּמְשָׁחֻהוּ יְהוֹיָדָע וּבָנָיו IICh. 23:11
38 וַיִּכְרֹת יְהוֹיָדָע בְּרִית... IICh. 23:16
39 וַיָּשֶׂם יְהוֹיָדָע פְּקֻדֹּת בֵּית יְיָ IICh. 23:18
40–41 כֹּל(־)יְמֵי יְהוֹיָדָע IICh. 24:2, 14
42 וַיִּשָּׂא־לוֹ יְהוֹיָדָע נָשִׁים שְׁתָּיִם IICh. 24:3
43 וַיִּזְקַן יְהוֹיָדָע וַיִּשְׂבַּע יָמִים IICh. 24:15
44 וְאַחֲרֵי מוֹת יְהוֹיָדָע... IICh. 24:17
45 אֶת־זְכַרְיָה בֶּן־יְהוֹיָדָע הַכֹּהֵן IICh. 24:20
46 אֲשֶׁר עָשָׂה יְהוֹיָדָע אָבִיו עִמּוֹ IICh. 24:22
47 בִּדְמֵי בְּנֵי יְהוֹיָדָע הַכֹּהֵן IICh. 24:25
וִיהוֹיָדָע 48 וִיהוֹיָדָע הַנָּגִיד לְאַהֲרֹן ICh. 12:28
49 וַיִּתְּנֵהוּ הַמֶּלֶךְ וִיהוֹיָדָע... IICh. 24:12
50 הֵבִיאוּ לִפְנֵי הַמֶּלֶךְ וִיהוֹיָדָע IICh. 24:14
לִיהוֹיָדָע 51 וַיִּקְרָא...לִיהוֹיָדָע הַכֹּהֵן IIK. 12:8
52 וַיִּקְרָא הַמֶּלֶךְ לִיהוֹיָדָע הָרֹאשׁ IICh. 24:6

יְהוֹיָכִין שפ״ז – בן יהויקים, מלך יהודה, בימיו גלות ראשונה לבבל: 1–10

גָּלוּת יְהוֹיָכִין 5, 7; רֹאשׁ יְהוֹיָכִין 8

יְהוֹיָכִין 1 וַיִּמְלֹךְ יְהוֹיָכִין בְּנוֹ תַּחְתָּיו IIK. 24:6
2 בֶּן־שְׁמֹנֶה עֶשְׂרֵה...יְהוֹיָכִין בְּמָלְכוֹ IIK. 24:8
3 וַיֵּצֵא יְהוֹיָכִין...עַל־מֶלֶךְ בָּבֶל IIK. 24:12
4 וַיֶּגֶל אֶת־יְהוֹיָכִין בָּבֶלָה IIK. 24:15
יְהוֹיָכִין (המשך) 5 לִגְלוּת יְהוֹיָכִין מֶלֶךְ־יְהוּדָה IIK. 25:27
6 נָשָׂא...אֶת־רֹאשׁ יְהוֹיָכִין IIK. 25:27
7 לְגָלוּת יְהוֹיָכִן מֶלֶךְ־יְהוּדָה Jer. 52:31
8 נָשָׂא...אֶת־רֹאשׁ יְהוֹיָכִין Jer. 52:31
9 וַיִּמְלֹךְ יְהוֹיָכִין בְּנוֹ תַּחְתָּיו IICh. 36:8
10 בֶּן־שְׁמוֹנֶה שָׁנִים יְהוֹיָכִין בְּמָלְכוֹ IICh. 36:9

יְהוֹיָקִים שפ״ז–בן יאשיהו, מלך יהודה [גם אֶלְיָקִים]: 1–37

בֶּן יְהוֹיָקִים 14–15,21,22,27; דִּבְרֵי יְהוֹ׳ 7,8; מַלְכוּת יְהוֹיָקִים 29; מַמְלְכוּת יְהוֹ׳ 16; מַמְלֶכֶת יְהוֹ׳ 20

יְהוֹיָקִים 1–2 וַיַּסֵּב אֶת־שְׁמוֹ יְהוֹיָ׳ IIK. 23:34 • IICh. 36:4
3 וְהַכֶּסֶף וְהַזָּהָב נָתַן יְהוֹיָקִים לְפַרְעֹה IIK. 23:35
4–5 בֶּן־עֶשְׂרִים...יְהוֹיָקִים בְּמָלְכוֹ IIK. 23:36
IICh. 36:5
6 וַיְהִי־לוֹ יְהוֹיָקִים עֶבֶד שָׁלֹשׁ שָׁנִים IIK. 24:1
7–8 וְיֶתֶר דִּבְרֵי יְהוֹיָקִים. IIK. 24:5 • IICh. 36:8
9 וַיִּשְׁכַּב יְהוֹיָקִים עִם־אֲבֹתָיו IIK. 24:6
10 כְּכֹל אֲשֶׁר־עָשָׂה יְהוֹיָקִים IIK. 24:19
11–12 בִּימֵי־יְהוֹיָקִים בֶּן־יֹאשִׁיָּהוּ Jer. 1:3; 35:1
13 אָמַר יְיָ אֶל־יְהוֹיָקִים בֶּן־יֹאשִׁיָּהוּ Jer. 22:18
14 כָּנְיָהוּ בֶּן־יְהוֹיָקִים מֶלֶךְ יְהוּדָה Jer. 22:24
15 אֶת־יְכָנְיָהוּ בֶן־יְהוֹיָקִים מֶלֶךְ־יְהוּדָה Jer. 24:1
16 בְּרֵאשִׁית מַמְלְכוּת יְהוֹיָקִים Jer. 26:1
17–19 הַמֶּלֶךְ יְהוֹיָקִים Jer. 26:21, 22, 23
20 בְּרֵאשִׁית מַמְלֶכֶת יְהוֹיָקִם Jer. 27:1
21 בַּגְלוֹתוֹ אֶת־יְכָנְיָה בֶן־יְהוֹיָקִים Jer. 27:20
22 וְאֶת־יְכָנְיָה בֶן־יְהוֹיָקִים...אֲנִי מֵשִׁיב Jer. 28:4
23–26 יְהוֹיָקִים מֶלֶךְ יְהוּדָה Jer. 36:28, 29, 30, 32
27 כָּנְיָהוּ בֶּן־יְהוֹיָקִים Jer. 37:1
28 כְּכֹל אֲשֶׁר־עָשָׂה יְהוֹיָקִם Jer. 52:2
29 בִּשְׁנַת שָׁלוֹשׁ לְמַלְכוּת יְהוֹיָקִים Dan. 1:1
30 וַיִּתֵּן אֲדֹנָי בְּיָדוֹ אֶת־יְהוֹיָקִים Dan. 1:2
31 הַשֵּׁנִי יְהוֹיָקִים הַשְּׁלִשִׁי צִדְקִיָּהוּ ICh. 3:15
32 וּבְנֵי יְהוֹיָקִים יְכָנְיָה בְנוֹ... ICh. 3:16
לִיהוֹיָקִים 33–36 בַּשָּׁנָה הָרְבִעִית לִיהוֹיָקִים Jer. 25:1
36:1; 45:1; 46:2
37 וַיְהִי בַשָּׁנָה הַחֲמִשִׁית לִיהוֹיָקִים Jer. 36:9

יְהוֹיָרִיב שפ״ז – מן הכהנים בימי שאול ודוד: 1,2

וִיהוֹיָרִיב 1 וּמִן־הַכֹּהֲנִים יְדַעְיָה וִיהוֹיָרִיב ICh. 9:10
לִיהוֹיָרִיב 2 וַיֵּצֵא הַגּוֹרָל הָרִאשׁוֹן לִיהוֹיָרִיב ICh. 24:7

יְהוּכַל שפ״ז – משרי המלך צדקיהו [נקרא גם יוּכַל]

יְהוּכַל 1 וַיִּשְׁלַח...אֶת־יְהוּכַל בֶּן־שֶׁלֶמְיָה Jer. 37:3

יְהוֹנָדָב שפ״ז א) בן שמעה אחי דוד: 1
ב) בן רֵכָב, אבי בית הָרֵכָבִים: 2–8

בְּנֵי יְהוֹנָדָב 6; דִּבְרֵי יְהוֹ׳ 5; מִצְוַת יְהוֹ׳ 7; קוֹל יְהוֹנָדָב 4

יְהוֹנָדָב 1 וַיֹּאמֶר לוֹ יְהוֹנָדָב שְׁכַב עַל מִשְׁכָּבְךָ IISh. 13:5
2 וַיִּמְצָא אֶת־יְהוֹ׳ בֶן־רֵכָב לִקְרָאתוֹ IIK. 10:15
3 וַיֹּאמֶר יְהוֹנָדָב יֵשׁ וָיֵשׁ IIK. 10:15
4 וַנִּשְׁמַע בְּקוֹל יְהוֹנָדָב...אָבִינוּ Jer. 35:8
5 הוּקַם אֶת־דִּבְרֵי יְהוֹנָדָב בֶּן־רֵכָב Jer. 35:14
6 כִּי הֵקִימוּ בְּנֵי יְהוֹנָדָב Jer. 35:16
7 שְׁמַעְתֶּם עַל־מִצְוַת יְהוֹנָדָב Jer. 35:18
וִיהוֹנָדָב 8 וַיָּבֹא יֵהוּא וִיהוֹנָדָב...בֵּית הַבָּעַל IIK. 10:23

יְהוֹנָתָן שפ״ז א) בן שאול המלך: 1–51, 58–61, 65–71, 76, 79–82
ב) קרוב משפחה לדוד: 52, 62, 77
ג) בן אביתר הכהן: 72–75
ד) מגבורי דוד: 53
ה) סופר המלך צדקיהו: 54–56
ו) שמות אנשים שונים: 57, 63, 64, 78

אֲחִי יְהוֹנָתָן 11; בֶּן יְהוֹ׳ 14, 15; בֵּית יְהוֹ׳ 54, 55; נֶפֶשׁ יְהוֹ׳ 2; עַצְמוֹת יְהוֹ׳ 50, 51; קוֹל יְהוֹ׳ 5; קֶשֶׁת יְהוֹנָתָן 9

יְהוֹנָתָן 1 וַיֹּאמֶר יְהוֹנָתָן אֶל־הַנַּעַר נֹשֵׂא כֵלָיו Sh. 14:6
2 וְנֶפֶשׁ יְהוֹנָתָן נִקְשְׁרָה בְּנֶפֶשׁ דָּוִד Sh. 18:1
3 וַיֶּאֱהָבֵהוּ יְהוֹנָתָן כְּנַפְשׁוֹ Sh. 18:1
4 וַיִּכְרֹת יְהוֹנָתָן וְדָוִד בְּרִית Sh. 18:3
5 וַיִּשְׁמַע שָׁאוּל בְּקוֹל יְהוֹנָתָן Sh. 19:6
6 וַיַּכּוּ פְלִשְׁתִּים אֶת־יְהוֹנָתָן Sh. 31:2
7–8 עַל־שָׁאוּל וְעַל־יְהוֹנָתָן בְּנוֹ ISh. 1:12, 17
9 קֶשֶׁת יְהוֹנָתָן לֹא נָשׂוֹג אָחוֹר ISh. 1:22
10 יְהוֹנָתָן עַל־בָּמוֹתֶיךָ חָלָל ISh. 1:25
11 צַר־לִי עָלֶיךָ אָחִי יְהוֹנָתָן ISh. 1:26
12–13 (ו)אֶעֱשֶׂה...חֶסֶד בַּעֲבוּר יְהוֹנָתָן ISh. 9:1, 7
14–15 מְפִיבֹשֶׁת בֶּן־יְהוֹנָתָן ISh. 9:6; 21:7
16–49 יְהוֹנָתָן Sh. 14:8; 18:4; 19:2, 4, 7³
20:1, 3, 4, 5, 9, 10, 11, 12, 16, 17, 18, 25, 27, 28; 20:32,
33, 34, 35, 37², 38², 39, 40, 42; 21:7; 23:16
50–51 וְאֶת־עַצְמוֹת יְהוֹנָתָן בְּנוֹ IISh. 21:12, 13
52 וַיַּכֵּהוּ יְהוֹנָתָן בֶּן־שִׁמְעָה אֲחִי דָוִד IISh. 21:21
53 בְּנֵי יָשֵׁן יְהוֹנָתָן IISh. 23:32
54–55 בֵּית יְהוֹנָתָן הַסֹּפֵר Jer. 37:15, 20
56 לְבִלְתִּי הֲשִׁבֵנִי בֵּית יְהוֹנָתָן Jer. 38:26
57 לְבִלְגָּה שַׁמּוּעַ לִשְׁמַעְיָה יְהוֹנָתָן Neh. 12:18
58–59 וְשָׁאוּל הוֹלִיד אֶת־יְהוֹנָתָן ICh. 8:33; 9:39
60–61 וּבֶן־יְהוֹנָתָן מְרִיב בָּעַל ICh. 8:34; 9:40
62 וַיַּכֵּהוּ יְהוֹנָתָן בֶּן־שִׁמְעָא אֲחִי דָוִיד ICh. 20:7
63 וְעַל־הָאֹצָרוֹת...יְהוֹנָתָן בֶּן־עֻזִּיָּהוּ ICh. 27:25
וִיהוֹנָתָן 64 וִיהוֹנָתָן בֶּן־גֵּרְשֹׁם בֶּן־מְנַשֶּׁה Jud. 18:30
65 וִיהוֹנָתָן בֶּן־שָׁאוּל חָפֵץ בְּדָוִד ISh. 19:1
66 וִיהוֹנָתָן בָּא הָעִיר ISh. 21:1
67 וִיהוֹנָתָן הָלַךְ לְבֵיתוֹ ISh. 23:18
68 וְגַם שָׁאוּל וִיהוֹנָתָן בְּנוֹ מֵתוּ IISh. 1:4
69 כִּי־מֵת שָׁאוּל וִיהוֹנָתָן בְּנוֹ IISh. 1:5
70 שָׁאוּל וִיהוֹנָתָן הַנֶּאֱהָבִים וְהַנְּעִימִם IISh. 1:23
71 בְּבֹא שְׁמֻעַת שָׁאוּל וִיהוֹנָתָן IISh. 4:4
72 וַאֲחִימַעַץ...וִיהוֹנָתָן בֶּן־אֶבְיָתָר IISh. 15:27
73 אֲחִימַעַץ לְצָדוֹק וִיהוֹנָתָן לְאֶבְיָתָר IISh. 15:36
74 וִיהוֹנָתָן וַאֲחִימַעַץ ... בְּעֵין־רֹגֵל IISh. 17:17
75 אַיֵּה אֲחִימַעַץ וִיהוֹנָתָן IISh. 17:20
76 אֶת־עַצְמוֹת שָׁאוּל וִיהוֹנָתָן בְּנוֹ IISh. 21:14
77 וִיהוֹנָתָן דּוֹד־דָּוִיד יוֹעֵץ ICh. 27:32
78 הַלְוִיִּם...וִיהוֹנָתָן וַאֲדֹנִיָּהוּ... IICh. 17:8
בִּיהוֹנָתָן 79 וַיִּחַר־אַף שָׁאוּל בִּיהוֹנָתָן ISh. 20:30
לִיהוֹנָתָן 80 כֹּה־יַעֲשֶׂה יְיָ לִיהוֹנָתָן וְכֹה יֹסִיף ISh. 20:13
81 עוֹד בֵּן לִיהוֹנָתָן נְכֵה רַגְלָיִם IISh. 9:3
וְלִיהוֹנָתָן 82 וְלִיהוֹנָתָן בֶּן־שָׁאוּל בֵּן נְכֵה רַגְלָיִם IISh. 4:4

יְהוֹסֵף שפ״ז – שנוי נוסח של יוסף, עין יוֹסֵף

בִּיהוֹסֵף 1 עֵדוּת בִּיהוֹסֵף שָׂמוֹ Ps. 81:6

יְהוֹעַדָּה שפ״ז – מזרע יהונתן בן שאול: 1,2

יְהוֹעַדָּה 1 וְאָחָז הוֹלִיד אֶת־יְהוֹעַדָּה ICh. 8:36
2 וִיהוֹעַדָּה הוֹלִיד אֶת־עָלֶמֶת ICh. 8:36

יְהוֹעַדָּן שפ״נ – אם אמציה מלך יהודה: 1, 2

יְהוֹעַדָּן 1 וְשֵׁם אִמּוֹ יְהוֹעַדָּן (כ׳ יהועדין) IIK. 14:2
2 וְשֵׁם אִמּוֹ יְהוֹעַדָּן מִירוּשָׁלָיִם IICh. 25:1

יְהוֹצָדָק
שפ״ז – אבי יהושע הכהן הגדול: 1–8

יְהוֹצָדָק 6-1 יְהוֹשֻׁעַ בֶּן־יְהוֹצָדָק הַכֹּהֵן הַגָּדוֹל Hag. 1:1
1:12, 14; 2:2, 4 • Zech. 6:11
7 וּשְׂרָיָה הוֹלִיד אֶת־יְהוֹצָדָק ICh. 5:40
וִיהוֹצָדָק 8 וִיהוֹצָדָק הָלַךְ בְּהַגְלוֹת יְיָ... ICh. 5:41

יְהוֹרָם
שפ״ז א) בן יהושפט, מלך יהודה: 1,2,5–8, 15–19, 22–24, 26, 28, 29
ב) בן אחאב, מלך ישראל: 3, 4, 9–14, 20, 21, 25
ג) כהן בימי יהושפט: 27

יְהוֹרָם 2-1 וַיִּמְלֹךְ יְהוֹרָם בְּנוֹ תַּחְתָּיו IK. 22:51
IICh. 21:1
3 וַיִּמְלֹךְ יְהוֹרָם תַּחְתָּיו IIK. 1:17
4 וַיֵּצֵא הַמֶּלֶךְ יְהוֹרָם...מִשֹּׁמְרוֹן IIK. 3:6
5 יְהוֹרָם בֶּן־יְהוֹשָׁפָט מֶלֶךְ יְהוּדָה IIK. 8:16
7-6 (וַ)אֲחַזְיָהוּ בֶן־יְהוֹרָם מֶ׳ יְהוּדָה IIK. 8:25, 29
8 וַיָּשָׁב יְהוֹרָם הַמֶּלֶךְ לְהִתְרַפֵּא IIK. 9:15
14-9 יְהוֹרָם (בֶּן־אַחְאָב) IIK. 9:17, 21², 22, 23, 24
18-15 יְהוֹרָם IICh. 21:4, 5, 9, 16
19 וַיַּמְלִיכוּ... אֲחַזְיָהוּ בֶן־יְהוֹרָם IICh. 22:1
20 וַיֵּלֶךְ אֶת־יְהוֹרָם בֶּן־אַחְאָב IICh. 22:5
21 יָרַד לִרְאוֹת אֶת־יְהוֹרָם IICh. 22:6
22 וַעֲזַרְיָהוּ בֶן־יְהוֹרָם IICh. 22:6
23 וּבְבֹאוֹ יָצָא עִם־יְהוֹרָם אֶל־יֵהוּא IICh. 22:7
24 יְהוֹשַׁבְעַת בַּת־הַמֶּלֶךְ יְהוֹרָם IICh. 22:11
וִיהוֹרָם 25 וִיהוֹרָם בֶּן־אַחְאָב מָלַךְ עַל יִשְׂרָאֵל IIK. 3:1
26 אֲשֶׁר־הִקְדִּישׁוּ יְהוֹשָׁפָט וִיהוֹרָם IIK. 12:19
27 וְעִמָּהֶם אֱלִישָׁמָע וִיהוֹרָם הַכֹּהֲנִים IICh. 17:8
לִיהוֹרָם 28 בִּשְׁנַת שְׁתַּיִם לִיהוֹרָם בֶּן־יְהוֹשָׁפָט IIK. 1:17
29 וְאֶת־הַמַּמְלָכָה נָתַן לִיהוֹרָם IICh. 21:3

יְהוֹשֶׁבַע
שפ״נ – אחות אחזיהו מלך יהודה

יְהוֹשֶׁבַע 1 וַתִּקַּח יְהוֹשֶׁבַע...אֶת־יוֹאָשׁ IIK. 11:2

יְהוֹשַׁבְעַת
שפ״נ – היא יְהוֹשֶׁבַע: 1, 2

יְהוֹשַׁבְעַת 1 וַתִּקַּח יְהוֹשַׁבְעַת...אֶת־יוֹאָשׁ IICh. 22:11
2 וַתַּסְתִּירֵהוּ יְהוֹשַׁבְעַת בַּת־הַמֶּלֶךְ IICh. 22:11

יְהוֹשֻׁעַ
שפ״ז [פעמיים בכתיב מלא: יהושוע – מס׳ 13, 180]
א) בן־נון, משרת משה מנעוריו, מנהיג ישראל בכניסתם לארץ כנען: 1–183, 186, 196–211, 215–218
ב) איש מבית־שמש בימי דוד: 184, 185
ג) שר ירושלים בימי יאשיהו מלך יהודה: 187
ד) בן־יהוצדק, כהן גדול בימי שיבת ציון: 188–195, 212–214

אָזְנֵי יְהוֹשֻׁעַ 4; יַד יְהֹ׳ 183, 186; יְמֵי יְהֹ׳ 179; מוֹת יְהֹ׳ 177; רֹאשׁ יְהוֹשֻׁעַ 195; רוּחַ יְהֹ׳ 190; שְׂדֵה יְהוֹשֻׁעַ 184, 185; שַׁעַר יְהוֹשֻׁעַ 187

יְהוֹשֻׁעַ 1 וַיֹּאמֶר מֹשֶׁה אֶל־יְהוֹשֻׁעַ Ex. 17:9
2 וַיַּעַשׂ יְהוֹשֻׁעַ כַּאֲשֶׁר אָמַר־לוֹ מֹשֶׁה Ex. 17:10
3 וַיַּחֲלֹשׁ יְהוֹשֻׁעַ אֶת־עֲמָלֵק Ex. 17:13
4 כְּתֹב...וְשִׂים בְּאָזְנֵי יְהוֹשֻׁעַ Ex. 17:14
5 וַיִּשְׁמַע יְהוֹשֻׁעַ אֶת־קוֹל הָעָם Ex. 32:17
6 וּמְשָׁרְתוֹ יְהוֹשֻׁעַ בִּן־נוּן Ex. 33:11
7 וַיַּעַן יְהוֹשֻׁעַ בִּן־נוּן מְשָׁרֵת מֹשֶׁה Num. 11:28
8 וַיִּקְרָא מֹשֶׁה לְהוֹשֵׁעַ בִּן־נוּן יְהוֹשֻׁעַ Num. 13:16
9 קַח־לְךָ אֶת־יְהוֹשֻׁעַ בִּן־נוּן Num. 27:18
10 וַיִּקַּח אֶת־יְהוֹשֻׁעַ וַיַּעֲמִדֵהוּ... Num. 27:22
11 וַיְצַו...וְאֵת יְהוֹשֻׁעַ בִּן־נוּן Num. 32:28

יְהוֹשֻׁעַ (המשך) 12 יְהוֹשֻׁעַ בִּן־נוּן הָעֹמֵד לְפָנֶיךָ Deut. 1:38
13 וְאֶת־יְהוֹשׁוּעַ צִוֵּיתִי... Deut. 3:21
14 וְצַו אֶת־יְהוֹשֻׁעַ וְחַזְּקֵהוּ Deut. 3:28
15 יְהוֹשֻׁעַ הוּא עֹבֵר לְפָנֶיךָ Deut. 31:3
16 קְרָא אֶת־יְהוֹשֻׁעַ וְהִתְיַצְּבוּ Deut. 31:14
17 וַיְצַו אֶת־יְהוֹשֻׁעַ בִּן־נוּן Deut. 31:23
28-18 וַיֹּאמֶר יְיָ אֶל־יְהוֹשֻׁעַ Josh. 1:1; 3:7
4:1, 15; 5:9; 6:2; 7:10; 8:1, 18; 10:8; 11:6
29 וַיִּשְׁלַח יְהוֹשֻׁעַ...אֲנָשִׁים מְרַגְּלִים Josh. 2:1
30 הַדָּבָר אֲשֶׁר־צִוָּה יְיָ אֶת־יְהוֹשֻׁעַ Josh. 4:10
31 כְּכֹל אֲשֶׁר־צִוָּה מֹשֶׁה אֶת־יְהוֹשֻׁעַ Josh. 4:10
32 בַּיּוֹם הַהוּא גִּדַּל יְיָ אֶת־יְהוֹשֻׁעַ Josh. 4:14
33 וַיְהִי יְיָ אֶת־יְהוֹשֻׁעַ Josh. 6:27
34 אָז יִבְנֶה יְהוֹשֻׁעַ מִזְבֵּחַ לַייָ Josh. 8:30
35 וַיָּמָת יְהוֹשֻׁעַ בִּן־נוּן עֶבֶד יְיָ Josh. 24:29
36 וַיַּעֲבֹד יִשְׂ׳ אֶת־יְיָ כֹּל יְמֵי יְהוֹשֻׁעַ Josh. 24:31
37 אֲשֶׁר הֶאֱרִיכוּ יָמִים אַחֲרֵי יְהוֹשֻׁעַ Josh. 24:31
176-38 יְהוֹשֻׁעַ Josh. 1:10, 12, 16; 2:23, 24
3:1, 5, 6, 9, 10; 4:4, 5, 8², 9, 17, 20; 5:2, 3, 4, 7, 13², 14, 15²; 6:6, 8, 10, 12, 16, 22, 25², 26; 7:2, 3, 6, 7, 16, 19, 20, 22, 23, 24, 25; 8:3², 9², 10, 13, 15, 16, 18, 23, 27, 28, 29, 35; 9:2, 3, 6, 8², 15, 22, 24, 27; 10:1, 4, 6, 7, 9, 12, 15, 18, 20, 21, 22, 24², 25, 26, 27, 28, 29, 31, 33, 34, 36, 38, 40, 41, 42, 43; 11:7, 9, 10, 12, 13, 15², 16, 18, 21², 23²; 12:7²; 14:6, 13; 17:4, 14, 15, 17; 18:3, 8, 9, 10²; 20:1; 21:1; 22:1, 6, 7²; 23:2; 24:1, 2, 19, 21, 22, 24, 25, 26, 27, 28
177 וַיְהִי אַחֲרֵי מוֹת יְהוֹשֻׁעַ Jud. 1:1
178 וַיְשַׁלַּח יְהוֹשֻׁעַ אֶת־הָעָם Jud. 2:6
179 וַיַּעַבְדוּ...כֹּל יְמֵי יְהוֹשֻׁעַ Jud. 2:7
180 הֶאֱרִיכוּ יָמִים אַחֲרֵי יְהוֹשׁוּעַ Jud. 2:7
181 וַיָּמָת יְהוֹשֻׁעַ בִּן־נוּן עֶבֶד יְיָ Jud. 2:8
182 מִן־הַגּוֹיִם אֲשֶׁר־עָזַב יְהוֹשֻׁעַ Jud. 2:21
183 וְלֹא נְתָנָם בְּיַד יְהוֹשֻׁעַ Jud. 2:23
184 אֶל־שְׂדֵה יְהוֹשֻׁעַ בֵּית הַשִּׁמְשִׁי ISh. 6:14
185 בִּשְׂדֵה יְהוֹשֻׁעַ בֵּית הַשִּׁמְשִׁי ISh. 6:18
186 אֲשֶׁר דִּבֶּר בְּיַד יְהוֹשֻׁעַ בִּן־נוּן IK. 16:34
187 פֶּתַח שַׁעַר יְהוֹשֻׁעַ שַׂר־הָעִיר IIK. 23:8
9/188 וְאֶל־יְהוֹשֻׁעַ בֶּן־יְהוֹצָדָק Hag. 1:1; 2:2
190 וַיָּעַר...וְאֶת־רוּחַ יְהוֹשֻׁעַ בֶּן־יְהוֹ׳ Hag. 1:14
191 וַחֲזַק יְהוֹשֻׁעַ בֶּן־יְהוֹצָדָק Hag. 2:4
192 וַיַּרְאֵנִי אֶת־יְהוֹשֻׁעַ הַכֹּהֵן הַגָּדוֹל Zech. 3:1
193 שְׁמַע־נָא יְהוֹשֻׁעַ הַכֹּהֵן הַגָּדוֹל Zech. 3:8
194 הָאֶבֶן אֲשֶׁר נָתַתִּי לִפְנֵי יְהוֹשֻׁעַ Zech. 3:9
195 וְשַׂמְתָּ בְּרֹאשׁ יְהוֹשֻׁעַ בֶּן־יְהוֹצָדָק Zech. 6:11
196 נוֹן בְּנוֹ יְהוֹשֻׁעַ בְּנוֹ ICh. 7:27
וִיהוֹשֻׁעַ 197 וַיָּקָם מֹשֶׁה וִיהוֹשֻׁעַ מְשָׁרְתוֹ Ex. 24:13
198 וִיהוֹשֻׁעַ בִּן־נוּן...מִן־הַתָּרִים Num. 14:6
205-199 וִיהוֹשֻׁעַ בִּן־נוּן Num. 14:30, 38
26:65; 32:12; 34:17 • Josh. 14:1; 19:51
206 וַיֵּלֶךְ מֹשֶׁה וִיהוֹשֻׁעַ וַיִּתְיַצְּבוּ... Deut. 31:14
207 וִיהוֹשֻׁעַ...מָלֵא רוּחַ חָכְמָה Deut. 34:9
208 וִיהוֹשֻׁעַ וְכָל־יִשְׂרָאֵל רָאוּ... Josh. 8:21
209 וִיהוֹשֻׁעַ לֹא־הֵשִׁיב יָדוֹ Josh. 8:26
1/210 וִיהוֹשֻׁעַ זָקֵן בָּא בַּיָּמִים Josh. 13:1; 23:1
212 וִיהוֹשֻׁעַ בֶּן־יְהוֹצָדָק הַכֹּהֵן Hag. 1:12
213 וִיהוֹשֻׁעַ הָיָה לָבֻשׁ בְּגָדִים צוֹאִים Zech. 3:3
בִּיהוֹשֻׁעַ 214 וַיָּעַד מַלְאַךְ יְיָ בִּיהוֹשֻׁעַ לֵאמֹר Zech. 3:6
לִיהוֹשֻׁעַ 215 וַיִּקְרָא מֹשֶׁה לִיהוֹשֻׁעַ וַיֹּאמֶר Deut. 31:7
216 וַיֻּגַּד לִיהוֹשֻׁעַ לֵאמֹר Josh. 10:17
217 ...אֶל־פִּי יְיָ לִיהוֹשֻׁעַ Josh. 15:13
218 וַיִּתְּנוּ בְ־י׳ נַחֲלָה לִיהוֹשֻׁעַ Josh. 19:49

יְהוֹשָׁפָט
שפ״ז א) בן אחילוד, מזכיר המלכים דוד ושלמה: 1, 66–68
ב) בן פָּרוּחַ, מנציבי המלך שלמה: 2
ג) בן אסא, מלך יהודה: 3–12, 15–65, 69–82
ד) אבי יהוא מלך ישראל: 13, 14

בֶּן יְהוֹשָׁפָט 12–14, 19; בְּנֵי יְהוֹשָׁפָט 16–17; דִּבְרֵי יְהוֹשָׁפָט 8, 9; דַּרְכֵי יְהֹ׳ 18; מַלְכוּת יְהוֹשָׁפָט 15

יְהוֹשָׁפָט 1 יְהוֹשָׁפָט בֶּן־אֲחִילוּד הַמַּזְכִּיר IK. 4:3
2 יְהוֹשָׁפָט בֶּן־פָּרוּחַ בְּיִשָּׂשכָר IK. 4:17
3/4 וַיִּמְלֹךְ יְהוֹשָׁפָט בְּנוֹ IK. 15:24 • IICh. 17:1
5 וַיֵּרֶד יְהוֹשָׁפָט מֶלֶךְ יְהוּדָה IK. 22:2
6 יְהוֹשָׁפָט בֶּן־שְׁלֹשִׁים...בְּמָלְכוֹ IK. 22:42
7 וַיַּשְׁלֵם יְהוֹשָׁפָט עִם־מֶלֶךְ יִשְׂרָאֵל IK. 22:45
9-8 וְיֶתֶר דִּבְרֵי יְהוֹשָׁפָט IK. 22:46 • IICh. 20:34
10 יְהוֹשָׁפָט עָשָׂה אֳנִיּוֹת תַּרְשִׁישׁ IK. 22:49
11 לוּלֵי פְּנֵי־יְהוֹשָׁפָט...אֲנִי נֹשֵׂא IIK. 3:14
12 מֶלֶךְ יְהוֹרָם בֶּן־יְהוֹשָׁפָט IIK. 8:16
13/4 יֵהוּא בֶן־יְהוֹשָׁפָט בֶּן־נִמְשִׁי IIK. 9:2, 14
15 וַתִּשְׁקֹט מַלְכוּת יְהוֹשָׁפָט IICh. 20:30
16 וְלוֹ־אַחִים בְּנֵי יְהוֹשָׁפָט IICh. 21:2
17 בְּנֵי יְהוֹשָׁפָט מֶלֶךְ יִשְׂרָאֵל IICh. 21:2
18 לֹא־הָלַכְתָּ בְּדַרְכֵי יְהוֹשָׁפָט IICh. 21:12
19 כִּי אָמְרוּ בֶּן־יְהוֹשָׁפָט הוּא IICh. 22:9
65-20 יְהוֹשָׁפָט IK. 22:4², 7, 8², 18, 30 22:32², 46,
50², 51 • IIK. 1:17; 3:7, 11, 12; 12:19 • ICh. 3:10
• IICh. 17:3, 10, 12; 18:3, 4, 6, 7², 17, 29, 31²; 19:1, 2, 4, 8; 20:1, 3, 5, 15, 18, 20, 25, 31, 35, 37; 21:1
וִיהוֹשָׁפָט 68-66 וִיהוֹשָׁפָט בֶּן־אֲחִילוּד (הַ)מַּזְכִּיר
IISh. 8:16; 20:24 • ICh. 18:15
73-69 וִיהוֹשָׁפָט מֶלֶךְ־יְהוּדָה IK. 22:10, 29
IIK. 8:16; 18:9, 28
74 וִיהוֹשָׁפָט בֶּן־אָסָא מָלַךְ... IK. 22:41
75 מֶלֶךְ יִשְׂרָאֵל וִיהוֹשָׁפָט וּמֶלֶךְ אֱדוֹם IIK. 3:12
76 וַיָּשֻׁבוּ...וִיהוֹשָׁפָט בְּרֹאשָׁם IICh. 20:27
לִיהוֹשָׁפָט 77/8 לִיהוֹשָׁפָט מֶלֶךְ יְהוּדָה IK. 22:52 • IIK. 3:1
79 וַיִּתְּנוּ כָל־יְהוּדָה מִנְחָה לִיהוֹשָׁפָט IICh. 17:5
80 מְבִיאִים לִיהוֹשָׁפָט מִנְחָה IICh. 17:11
81 וַיְהִי לִיהוֹשָׁפָט עֹשֶׁר וְכָבוֹד לָרֹב IICh. 18:1
82 וַיָּבֹאוּ וַיַּגִּידוּ לִיהוֹשָׁפָט לֵאמֹר IICh. 20:2

עֵמֶק־יְהוֹשָׁפָט
– עין עֵמֶק

יָהִיר
ת׳ מתהדר, מתפאר: 2,1 • גֶּבֶר יָהִיר 1; זֵד יָהִיר 2

יָהִיר 1 גֶּבֶר יָהִיר וְלֹא יִנְוֶה Hab. 2:5
2 זֵד יָהִיר לֵץ שְׁמוֹ Prov. 21:24

יַהֵל
(ישעיה יג 20) – עין אָהַל

יָהֵל
(איוב לא26) – עין הָלַל¹

יְהַלֶּלְאֵל
שפ״ז א) מבני כָלֵב למטה יהודה: 1
ב) מן הלוים בימי חזקיהו: 2

יְהַלֶּלְאֵל 1 וּבְנֵי יְהַלֶּלְאֵל זִיף וְזִיפָה... ICh. 4:16
2 קִישׁ...וַעֲזַרְיָהוּ בֶּן־יְהַלֶּלְאֵל IICh. 29:12

יַהֲלֹם
ז׳ אבן יקרה, מאבני החושן: 1–3

וְיַהֲלֹם 2-1 נֹפֶךְ סַפִּיר וְיַהֲלֹם Ex. 28:18; 39:11
3 אֹדֶם פִּטְדָה וְיַהֲלֹם Ezek. 28:13

יַהַץ
עיר בארץ מואב בנחלת ראובן: 1–4

יַהַץ 1 וַתִּזְעַק...עַד־יַהַץ נִשְׁמַע קוֹלָם Is. 15:4
2 עַד־אֶלְעָלֵה עַד־יַהַץ נָתְנוּ קוֹלָם Jer. 48:34
יַהְצָה 3 וַיָּבֹא יַהְצָה וַיִּלָּחֶם בְּיִשְׂרָאֵל Num. 21:23
4 וַיֵּצֵא סִיחֹן...לַמִּלְחָמָה יָהְצָה Deut. 2:32

יַהְצָה היא יַהַץ: 1–4

יַהְצָה 1 אֶל־חוֹלוֹן וְאֶל־יַהְצָה וְאֶל־מֵיפָעַת Jer. 48:21
2 וְאֶת־יַהְצָה וְאֶת־מִגְרָשֶׁיהָ ICh. 6:63
וְיַהְצָה 3 וְיַהְצָה וּקְדֵמֹת וּמֵפָעַת Josh. 13:18
בְּיָהְצָה 4 וַיַּחֲנוּ בְּיָהְצָה וַיִּלָּחֶם עִם־יִשְׂרָאֵל Jud. 11:20

יְהָתְלוּ (ירמיה ט 4) – עין תלל

יוֹאָב שפ״ז א) בן צרויה, שר צבא דוד: 1–29, 33–130, 132–145
ב) איש מזרע יהודה: 32
ג) אבי משפחת עולים בימי זרובבל: 30,31,131

אֲחִי יוֹאָב 1, 17, 27, 33-35; אֵם י׳ 15; אַנְשֵׁי י׳ 21; בֵּית י׳ 8; בְּנֵי י׳ 31; חֶלְקַת י׳ 13; יַד י׳ 12,16; יְמִין יוֹאָב 23; כְּלֵי י׳ 18, 28, 36; נַעֲרֵי יוֹאָב 25; רֹאשׁ יוֹאָב 7, 29; שְׁלוֹם יוֹאָב 9

יוֹאָב 1 אֲבִישַׁי בֶּן־צְרוּיָה אֲחִי יוֹאָב ISh. 26:6
2 וַיֹּאמֶר אַבְנֵר אֶל־יוֹאָב יָקוּמוּ נָא IISh. 2:14
3 וַיֹּאמֶר יוֹאָב יָקֻמוּ IISh. 2:14
4 בְּנֵי צְרוּיָה יוֹאָב וַאֲבִישַׁי וַעֲשָׂהאֵל IISh. 2:18
5 וְאֵיךְ אֶשָּׂא פָנַי אֶל־יוֹאָב אָחִיךָ IISh. 2:22
6 וַיִּרְדְּפוּ יוֹאָב וַאֲבִישַׁי אַחֲרֵי אַבְנֵר IISh. 2:24
7 יָחֻלוּ עַל־רֹאשׁ יוֹאָב IISh. 3:29
8 וְאַל־יִכָּרֵת מִבֵּית יוֹאָב זָב וּמְצֹרָע IISh. 3:29
9 וַיִּשְׁאַל דָּוִד לִשְׁלוֹם יוֹאָב IISh. 11:7
10 וַאדֹנִי יוֹאָב וְעַבְדֵי אֲדֹנִי...חֹנִים IISh. 11:11
11 וַיִּכְתֹּב דָּוִד סֵפֶר אֶל־יוֹאָב IISh. 11:14
12 הֲיַד יוֹאָב אִתָּךְ בְּכָל־זֹאת IISh. 14:19
13 רְאוּ חֶלְקַת יוֹאָב אֶל־יָדִי IISh. 14:30
14 וְאֶת־עֲמָשָׂא שָׂם אַבְשָׁלֹם תַּחַת יוֹאָב IISh. 17:25
15 אֲחוֹת צְרוּיָה אֵם יוֹאָב IISh. 17:25
16 וַיְשַׁלַּח דָּוִד...הַשְּׁלִשִׁית בְּיַד־יוֹאָב IISh. 18:2
17 וְהַשְּׁלִשִׁת בְּיַד אֲבִישַׁי...אֲחִי יוֹאָב IISh. 18:2
18 וַיָּסֹבּוּ...נֹשְׂאֵי כְּלֵי יוֹאָב IISh. 18:15
19 לִשְׁלֹחַ אֶת־עֶבֶד הַמֶּלֶךְ יוֹאָב IISh. 18:29
20 שַׂר־צָבָא תִּהְיֶה...תַּחַת יוֹאָב IISh. 19:14
21 וַיֵּצְאוּ אַחֲרָיו אַנְשֵׁי יוֹאָב IISh. 20:7
22 וַיֹּאמֶר יוֹאָב לַעֲמָשָׂא הֲשָׁלוֹם אַתָּה IISh. 20:9
23 וַתֹּחֶז יַד־יְמִין יוֹאָב בִּזְקַן עֲמָשָׂא IISh. 20:9
24 לֹא־נִשְׁמַר בַּחֶרֶב אֲשֶׁר בְּיַד־יוֹאָב IISh. 20:10
25 וְאִישׁ עָמַד עָלָיו מִנַּעֲרֵי יוֹאָב... IISh. 20:11
26 וַאֲבִישַׁי אֲחִי יוֹאָב בֶּן־צְרוּיָה IISh. 23:18
27 עֲשָׂהאֵל אֲחִי־יוֹאָב בַּשְּׁלֹשִׁים IISh. 23:37
28 נֹשֵׂא כְּלֵי יוֹאָב בֶּן־צְרֻיָה IISh. 23:37
29 וְשָׁבוּ דְמֵיהֶם בְּרֹאשׁ יוֹאָב IK. 2:33
30 לִבְנֵי יֵשׁוּעַ יוֹאָב Ez. 2:6
31 מִבְּנֵי יוֹאָב עֹבַדְיָה בֶּן־יְחִיאֵל Ez. 8:9
32 וּשְׂרָיָה הוֹלִיד אֶת־יוֹאָב ICh. 4:14
33 וְאַבְשַׁי אֲחִי־יוֹאָב...רֹאשׁ הַשְּׁלוֹשָׁה ICh. 11:20
34-35 עֲשָׂהאֵל אֲחִי יוֹאָב ICh. 11:26; 27:7
36 נֹשֵׂא כְּלֵי יוֹאָב בֶּן־צְרוּיָה ICh. 11:39
37-123 יוֹאָב IISh. 2:26, 27, 28, 32
3:24, 26, 27, 31; 10:7, 9, 13, 14; 11:1, 6², 16, 17, 18, 22, 25, 26, 27; 14:1, 2, 3, 19, 20, 21, 22², 23; 14:29, 31, 32, 33; 18:5, 11, 12, 14, 16², 20, 21, 22²; 19:6; 20:11, 13, 15, 16, 17, 20, 21, 22; 24:2, 3, 4², 9 • IK. 1:7, 41; 2:5, 28³, 29, 30, 31; 11:15, 16, 21 • Ps. 60:2 • ICh. 11:6; 19:8, 10, 14, 15; 20:1²; 21:2, 3, 4², 5, 6; 27:24, 34

וְיוֹאָב 124 וְיוֹאָב...וְעַבְדֵי דָוִד יָצְאוּ IISh. 2:13
125 וְיוֹאָב שָׁב מֵאַחֲרֵי אַבְנֵר IISh. 2:30
126 עַבְדֵי דָוִד וְיוֹאָב בָּא מֵהַגְּדוּד IISh. 3:22
127 וְיוֹאָב וְכָל־הַצָּבָא...בָּאוּ IISh. 3:23
וְיוֹאָב 128 וְיוֹאָב וַאֲבִישַׁי אָחִיו הָרְגוּ לְאַבְנֵר IISh. 3:30

(המשך)
129/30 וְיוֹאָב...עַל־הַצָּבָא IISh. 8:16 • IICh. 26:28
131 לִבְנֵי יֵשׁוּעַ וְיוֹאָב Neh. 7:11
132-8 וְיוֹאָב IISh. 20:8, 10, 22, 23 • ICh. 2:16; 11:8; 18:15
בְּיוֹאָב 139 מִי אֲשֶׁר חָפֵץ בְּיוֹאָב IISh. 20:11
לְיוֹאָב 140 וַיַּגִּדוּ לְיוֹאָב לֵאמֹר IISh. 3:23
141 וַיַּרְא אִישׁ אֶחָד וַיַּגֵּד לְיוֹאָב IISh. 18:10
142 וַיִּשְׁתַּחוּ כוּשִׁי לְיוֹאָב וַיָּרֹץ IISh. 18:21
143 וַיֻּגַּד לְיוֹאָב הִנֵּה הַמֶּלֶךְ בֹּכֶה IISh. 19:2
וּלְיוֹאָב 144 וַיִּקְרָא...וּלְיֹאָב שַׂר הַצָּבָא IK. 1:19
145 וְשָׁאֲלִי...וּלְיוֹאָב בֶּן־צְרוּיָה IK. 2:22

יוֹאָח שפ״ז א) לוי, מזרע גרשון 1,2
ב) מבני עובד אדום: 3
ג) בן אסף, מזכיר למלך חזקיהו: 5–10
ד) בן יואחז, מזכיר למלך יאשיהו: 4

יוֹאָח 1 יוֹאָח בְּנוֹ עִדּוֹ בְנוֹ... ICh. 6:6
2 יוֹאָח בֶּן־זִמָּה וְעֵדֶן בֶּן־יוֹאָח IICh. 29:12
3 יוֹאָח הַשְּׁלִשִׁי וְשָׂכָר הָרְבִיעִי ICh. 26:4
4 וְאֶת יוֹאָח בֶּן־יוֹאָחָז הַמַּזְכִּיר IICh. 34:8
וְיוֹאָח 5-8 וְיוֹאָח בֶּן־אָסָף הַמַּזְכִּיר IIK. 18:18, 37; Is. 36:3, 22
10/9 וַיֹּאמֶר אֶל׳...וְיוֹאָח אֶל־רַבְשָׁקֵה IIK. 18:26; Is. 36:11

יוֹאָחָז שפ״ז א) הוא יהואחז, מלך ישראל: 1
ב) בן יאשיהו מלך יהודה, נקרא גם יְהוֹאָחָז, גם שַׁלּוּם: 3,4
ג) אבי יואח מזכיר יאשיהו: 2

יוֹאָחָז 1 בִּשְׁנַת שְׁתַּיִם לְיוֹאָשׁ בֶּן יוֹאָחָז IIK. 14:1
2 וְאֵת יוֹאָח בֶּן־יוֹאָחָז הַמַּזְכִּיר IICh. 34:8
3 בֶּן־שָׁלוֹשׁ...יוֹאָחָז בְּמָלְכוֹ IICh. 36:2
4 וְאֶת־יוֹאָחָז אָחִיו לָקַח נְכוֹ IICh. 36:4

יוֹאֵל שפ״ז א) בנו הבכור של שמואל הנביא: 1, 6, 10
ב) בן פתואל, נביא ביהודה: 2
ג) לוי מזרע קהת: 7, 19
ד) איש מזרע ראובן: 3, 4
ה) איש מזרע שמעון: 14
ו) איש מזרע גד: 5
ז) איש מזרע יששכר: 15
ח) איש מזרע מנשה: 11
ט) מגבורי דוד: 8
י) לוי מבני גרשון: 9, 16–18
יא) מעולי הגולה בימי עזרא ונחמיה: 12,13

יוֹאֵל 1 וַיְהִי שֵׁם־בְּנוֹ הַבְּכוֹר יוֹאֵל ISh. 8:2
2 דְּבַר־יְיָ...אֶל־יוֹאֵל בֶּן־פְּתוּאֵל Joel 1:1
3 בְּנֵי יוֹאֵל שְׁמַעְיָה בְנוֹ... ICh. 5:4
4 וּבֶלַע...בֶּן־שֶׁמַע בֶּן־יוֹאֵל ICh. 5:8
5 יוֹאֵל הָרֹאשׁ וְשָׁפָם הַמִּשְׁנֶה ICh. 5:12
6 הֵימָן...בֶּן־יוֹאֵל בֶּן־שְׁמוּאֵל ICh. 6:18
7 בֶּן־אֶלְקָנָה בֶּן־יוֹאֵל בֶּן־עֲזַרְיָה ICh. 6:21
8 יוֹאֵל אֲחִי נָתָן... ICh. 11:38
9 לִבְנֵי גֵרְשׁוֹם יוֹאֵל הַשָּׂר וְאֶחָיו ICh. 15:7
10 וַיַּעֲמִידוּ...אֵת הֵימָן בֶּן־יוֹאֵל ICh. 15:17
11 לַחֲצִי שֵׁבֶט מְנַשֶּׁה יוֹאֵל בֶּן־פְּדָיָהוּ ICh. 27:20
וְיוֹאֵל 12 ...יַדַּי וְיוֹאֵל בְּנָיָה Ez. 10:43
13 וְיוֹאֵל בֶּן־זִכְרִי פָּקִיד עֲלֵיהֶם Neh. 11:9
14 וְיוֹאֵל וְיֵהוּא בֶּן־יוֹשִׁבְיָה ICh. 4:35
15 וּבְנֵי יִזְרַחְיָה מִיכָאֵל...וְיוֹאֵל ICh. 7:3
16 וְלַלְוִיִּם לְאוּרִיאֵל עֲשָׂיָה וְיוֹאֵל ICh. 15:11
17 הָרֹאשׁ יְחִיאֵל וְזֵתָם וְיוֹאֵל ICh. 23:8
18 בְּנֵי יְחִיאֵלִי זֵתָם וְיוֹאֵל אָחִיו ICh. 26:22
19 וְיוֹאֵל בֶּן־עֲזַרְיָהוּ מִן־בְּנֵי הַקְּהָתִי IICh. 29:12

יוֹאָר (במדבר כב 6) – עין ארר

יוֹאָשׁ שפ״ז א) אבי גדעון השופט: 1–8, 44
ב) בן אחאב מלך ישראל: 9, 10
ג) מגבורי דוד: 43
ד) מבני שלה בן יהודה: 42
ה) בן אחזיהו מלך יהודה: 11–15, 21–26, 31–36, 45, 46
ו) בן יהואחז מלך ישראל: 16–20, 27–30, 37–41, 47

בֶּן־יוֹאָשׁ 1–4, 7, 21–24, 26–30; דִּבְרֵי יוֹאָשׁ 13,14; לֵב יוֹאָשׁ 34; מוֹת יוֹאָשׁ 41; קֶבֶר יוֹאָשׁ 8

יוֹאָשׁ 1-4 גִּדְעוֹן בֶּן־יוֹאָשׁ Jud. 6:29; 7:14; 8:13, 32
5 וַיֹּאמְרוּ אַנְשֵׁי הָעִיר אֶל־יוֹאָשׁ Jud. 6:30
6 וַיֹּאמֶר יוֹאָשׁ לְכֹל אֲשֶׁר־עָמְדוּ Jud. 6:31
7 וַיֵּלֶךְ יְרֻבַּעַל בֶּן־יוֹאָשׁ Jud. 8:29
8 וַיִּקָּבֵר בְּקֶבֶר יוֹאָשׁ אָבִיו Jud. 8:32
9/10 וְאֶל־יוֹאָשׁ בֶּן־הַמֶּלֶךְ IK. 22:26 • IICh. 18:25
11/2 ...אֶת־יוֹאָשׁ בֶּן־אֲחַזְיָה IIK. 11:2 • IICh. 22:11
13/4 וְיֶתֶר דִּבְרֵי יוֹאָשׁ... IIK. 12:20; 13:12
15 וַיִּקְשְׁרוּ־קֶשֶׁר וַיַּכּוּ אֶת־יוֹאָשׁ IIK. 12:21
16 וַיִּמְלֹךְ יוֹאָשׁ בְּנוֹ תַּחְתָּיו... IIK. 13:9
17 וַיִּשְׁכַּב יוֹאָשׁ עִם־אֲבֹתָיו IIK. 13:13
18 ...וַיִּקָּבֵר יוֹאָשׁ בְּשֹׁמְרוֹן... IIK. 13:13
19 וַיֵּרֶד אֵלָיו יוֹאָשׁ מֶלֶךְ־יִשְׂרָאֵל IIK. 13:14
20 שָׁלֹשׁ פְּעָמִים הִכָּהוּ יוֹאָשׁ IIK. 13:25
21-24 אֲמַצְיָ בֶּן־יוֹאָשׁ IIK. 14:1,17 • IICh. 25:23,25
25 כְּכֹל אֲשֶׁר־עָשָׂה יוֹאָשׁ אָבִיו IIK. 14:3
26 בִּשְׁנַת...לַאֲמַצְיָהוּ בֶן־יוֹאָשׁ IIK. 14:23
27-28 יָרָבְעָם בֶּן־יוֹאָשׁ IIK. 14:23, 27
29-30 וּבִימֵי יָרָבְעָם בֶּן־יוֹאָשׁ Hosh. 1:1 • Am. 1:1
31 ...אֲחַזְיָהוּ בְנוֹ יוֹאָשׁ בְּנוֹ ICh. 3:11
32 בֶּן־שֶׁבַע שָׁנִים יֹאָשׁ בְּמָלְכוֹ IICh. 24:1
33 וַיַּעַשׂ יוֹאָשׁ הַיָּשָׁר בְּעֵינֵי יְיָ IICh. 24:2
34 הָיָה עִם־לֵב יוֹאָשׁ לְחַדֵּשׁ... IICh. 24:4
35 וְלֹא־זָכַר יוֹאָשׁ הַמֶּלֶךְ הַחֶסֶד IICh. 24:22
36 וְאֶת־יוֹאָשׁ עָשׂוּ שְׁפָטִים IICh. 24:24
37 וַיִּשְׁלַח אֶל־יוֹאָשׁ בֶּן־יְהוֹאָחָז IICh. 25:17
38 וַיִּשְׁלַח יוֹאָשׁ...אֶל־אֲמַצְיָהוּ IICh. 25:18
39 וַיַּעַל יוֹאָשׁ...וַיִּתְרָאוּ פָנִים IICh. 25:21
40 וְאֵת אֲמַצְיָהוּ...תָּפַשׂ יוֹאָשׁ IICh. 25:23
41 וַיְחִי...אַחֲרֵי מוֹת יוֹאָשׁ IICh. 25:25
וְיוֹאָשׁ 42 וְיוֹאָשׁ וְשָׂרָף אֲשֶׁר־בָּעֲלוּ לְמוֹאָב ICh. 4:22
43 הָרֹאשׁ אֲחִיעֶזֶר וְיוֹאָשׁ... ICh. 12:3
לְיוֹאָשׁ 44 אֲשֶׁר לְיוֹאָשׁ אֲבִי הָעֶזְרִי Jud. 6:11
45 בִּשְׁנַת...לְיוֹאָשׁ בֶּן־אֲחַזְיָהוּ IIK. 13:1
46 בִּשְׁנַת...לְיוֹאָשׁ מֶלֶךְ יְהוּדָה IIK. 13:10
47 בִּשְׁנַת שְׁתַּיִם לְיוֹאָשׁ בֶּן־יוֹאָחָז IIK. 14:1

יוֹב שפ״ז – מבני יששכר [אולי הוא יָשׁוּב (במדבר כו 24)]

וְיוֹב 1 תּוֹלָע וּפֻוָּה וְיוֹב וְשִׁמְרֹן Gen. 46:13

יוֹבָב שפ״ז א) בן יקטן בן עבר: 1,2
ב) מלך אדום: 3–6
ג) מלך מדון: 7
ד) אנשים מבנימין: 8, 9

יוֹבָב 1-2 וְאֶת־חֲוִילָה וְאֶת־יוֹבָב Gen. 10:29 • ICh. 1:23
3-4 וַיִּמְלֹךְ...יוֹבָב בֶּן־זֶרַח מִבָּצְרָה Gen. 36:33 • ICh. 1:44
5-6 וַיָּמָת יוֹבָב וַיִּמְלֹךְ תַּחְתָּיו חֻשָׁם Gen. 36:34 • ICh. 1:45
7 וַיִּשְׁלַח אֶל־יוֹבָב מֶלֶךְ מָדוֹן Josh. 11:1
8 וַיּוֹלֶד...אֶת־יוֹבָב וְאֶת־צִבְיָא ICh. 8:9
וְיוֹבָב 9 וְיִשְׁמְרַי...וְיוֹבָב בְּנֵי אֶלְפָּעַל ICh. 8:18

יוּבַל[1] ז׳ פלג, אפיק מים

יוּבַל 1 וְעַל־יוּבַל יְשַׁלַּח שָׁרָשָׁיו Jer. 17:8

יוּבַל*[2] שפ״ז – בן למך, אבי כל תופש כנור ועוגב

יוּבָל 1 וְשֵׁם אָחִיו יוּבָל...תֹּפֵשׂ כִּנּוֹר... Gen. 4:21

יוֹבֵל ז׳ א) איל, שקרניו שמשו לשופר־תרועה: 24–27
ב) כנוי לשופר: 4
ג) שנת החמשים: 1–3, 5–23

קֶרֶן הַיֹּבֵל 18; שְׁנַת הַיֹּבֵל 5, 7–14, 16; שׁוֹפְרוֹת יוֹבְלִים 24–27

יוֹבֵל 1 יוֹבֵל הִוא תִּהְיֶה לָכֶם Lev. 25:10
2 יוֹבֵל הִוא שְׁנַת הַחֲמִשִּׁים שָׁנָה Lev. 25:11
3 כִּי יוֹבֵל הִוא קֹדֶשׁ תִּהְיֶה לָכֶם Lev. 25:12
הַיֹּבֵל 4 בִּמְשֹׁךְ הַיֹּבֵל הֵמָּה יַעֲלוּ בָהָר Ex. 19:13
5 בִּשְׁנַת הַיּוֹבֵל הַזֹּאת תָּשֻׁבוּ... Lev. 25:13
6 בְּמִסְפַּר שָׁנִים אַחַר הַיּוֹבֵל תִּקְנֶה Lev. 25:15
7 וְהָיָה מִמְכָּרוֹ...עַד שְׁנַת הַיּוֹבֵל Lev. 25:28
8 עַד־שְׁנַת הַיֹּבֵל יַעֲבֹד עִמָּךְ Lev. 25:40
9-12 עַד שְׁנַת הַיֹּבֵל Lev. 25:50, 52; 27:18, 23
13 וְיָצָא בִּשְׁנַת הַיֹּבֵל Lev. 25:54
14 אִם־מִשְּׁנַת הַיֹּבֵל יַקְדִּישׁ שָׂדֵהוּ Lev. 27:17
15 וְאִם־אַחַר הַיֹּבֵל יַקְדִּישׁ שָׂדֵהוּ Lev. 27:18
16 בִּשְׁנַת הַיּוֹבֵל יָשׁוּב הַשָּׂדֶה Lev. 27:24
17 וְאִם־יִהְיֶה הַיֹּבֵל לִבְנֵי יִשְׂרָאֵל Num. 36:4
18 וְהָיָה בִּמְשֹׁךְ בְּקֶרֶן הַיּוֹבֵל Josh. 6:5
בַּיּוֹבֵל 19 וְיָצָא בַּיֹּבֵל וְשָׁב לַאֲחֻזָּתוֹ Lev. 25:28
20 וְאִם לֹא־יִגָּאֵל...לֹא יֵצֵא בַּיֹּבֵל Lev. 25:30
21 וְיָצָא...וְעִיר אֲחֻזָּתוֹ בַּיֹּבֵל Lev. 25:33
22 וְהָיָה הַשָּׂדֶה בְּצֵאתוֹ בַיֹּבֵל Lev. 27:21
וּבַיּוֹבֵל 23 גְּאֻלָּה תִּהְיֶה־לּוֹ וּבַיֹּבֵל יֵצֵא Lev. 25:31
יוֹבְלִים 24 יִשְׂאוּ שִׁבְעָה שׁוֹפְרוֹת יוֹבְלִים Josh. 6:6
הַיּוֹבְלִים 25-26 שִׁבְעָה שׁוֹפְרוֹת הַיּוֹבְלִים Josh. 6:4, 8
27 נֹשְׂאִים שִׁבְעָה שׁוֹפְרוֹת הַיֹּבְלִים Josh. 6:13

יוֹגֵב* ז׳ אִכָּר

וּלְיוֹגְבִים 1 לְכֹרְמִים וּלְיֹגְבִים Jer. 52:16

יוֹדֵעַ ז׳ – עין יָדַע

יוֹזָבָד שפ״ז א) מגבורי דוד: 6
ב) שני ראשי אלפים בימי דוד: 7,8
ג) לויים בימי חזקיהו ויאשיהו: 9, 10
ד) לויים וכהנים בימי עזרא ונחמיה: 1–5

יוֹזָבָד 1 וְעִמָּהֶם יוֹזָבָד בֶּן־יֵשׁוּעַ Ez. 8:33
2 וּמִן־הַלְוִיִּם יוֹזָבָד וְשִׁמְעִי Ez. 10:23
3 נְתַנְאֵל יוֹזָבָד וְאֶלְעָשָׂה Ez. 10:22
4 יוֹזָבָד חָנָן פְּלָאיָה וְהַלְוִיִּם Neh. 8:7
וְיוֹזָבָד 5 וְשַׁבְּתַי וְיוֹזָבָד עַל־הַמְּלָאכָה... Neh. 11:16
6 וְיוֹחָנָן וְיוֹזָבָד הַגְּדֵרָתִי ICh. 12:4(5)
7 עַדְנַח וְיוֹזָבָד וִידִיעֲאֵל ICh. 12:20(21)
8 וּמִיכָאֵל וְיוֹזָבָד ICh. 12:20(21)
9 וְיוֹזָבָד וֶאֱלִיאֵל וְיִסְמַכְיָהוּ IICh. 31:13
10 וִיעִיאֵל וְיוֹזָבָד שָׂרֵי הַלְוִיִּם IICh. 35:9

יוֹזָכָר שפ״ז – מן המכים את המלך יואש, הוא זָבָד (ד)

וְיוֹזָכָר 1 וְיוֹזָכָר בֶּן־שִׁמְעָת...הִכֻּהוּ IIK. 12:22

יוֹחָא שפ״ז א) מזרע בנימין: 1
ב) מגבורי דוד: 2

וְיוֹחָא 1 וּמִיכָאֵל וְיִשְׁפָּה וְיוֹחָא ICh. 8:16
2 יְדִיעֲאֵל...וְיוֹחָא אָחִיו הַתִּיצִי ICh. 11:45

יוּחַל (ישעיה סו 8) – עין (חיל)1

יוֹחָנָן שפ״ז א) בן קָרֵחַ, משרי החילים ליהודה: 1-9,15-20
ב) בכור יאשיהו מלך יהודה: 12
ג) אנשים שונים: 10, 11, 13, 14, 21–24

יוֹחָנָן 1-8 יוֹחָנָן בֶּן־קָרֵחַ Jer. 40:16; 41:11, 13, 14, 16; 42:8; 43:4, 5

יוֹחָנָן (המשך) 9 וְיִשְׁמָעֵאל...נִמְלַט...מִפְּנֵי יוֹחָנָן Jer. 41:15
10 וּמִבְּנֵי עַזְגָּד יוֹחָנָן בֶּן־הַקָּטָן Ez. 8:12
11 וְעַד־יְמֵי יוֹחָנָן בֶּן־אֶלְיָשִׁיב Neh. 12:23
12 וּבְנֵי יֹאשִׁיָּהוּ הַבְּכוֹר יוֹחָנָן... ICh. 3:15
13 וַעֲזַרְיָה הוֹלִיד אֶת־יוֹחָנָן ICh. 5:35
14 יוֹחָנָן הַשְּׁמִינִי אֶלְזָבָד הַתְּשִׁיעִי ICh. 12:12(13)
וְיוֹחָנָן 15-19 וְיוֹחָנָן בֶּן־קָרֵחַ IIK. 25:23; Jer. 40:13, 15; 42:1; 43:2
20 וְיוֹחָנָן וְיוֹנָתָן בְּנֵי־קָרֵחַ Jer. 40:8
21 הַלְוִיִּם...יוֹיָדָע וְיוֹחָנָן Neh. 12:22
22 וַעְקוּב וְיוֹחָנָן וּדְלָיָה ICh. 3:24
23 וְיוֹחָנָן הוֹלִיד אֶת־עֲזַרְיָה ICh. 5:36
24 וְיִרְמְיָה וְיַחֲזִיאֵל וְיוֹחָנָן ICh. 12:4(5)

יוֹטָה עין יֻטָּה

יוֹיָדָע שפ״ז א) מבוני חומת ירושלים: 1
ב) כהן בבית שני: 2–5

יוֹיָדָע 1 הֶחֱזִיקוּ יוֹיָדָע בֶּן־פָּסֵחַ וּמְשֻׁלָּם Neh. 3:6
2 הוֹלִיד...וְאֶלְיָשִׁיב אֶת־יוֹיָדָע Neh. 12:10
3 הַלְוִיִּם בִּימֵי אֶלְיָשִׁיב יוֹיָדָע... Neh. 12:22
4 וּמִבְּנֵי יוֹיָדָע בֶּן־אֶלְיָשִׁיב Neh. 13:28
וְיוֹיָדָע 5 וְיוֹיָדָע הוֹלִיד אֶת־יוֹנָתָן Neh. 12:11

יוֹיָכִין שפ״ז – הוא יְהוֹיָכִין מלך יהודה

יוֹיָכִין 1 הַשָּׁנָה הַחֲמִישִׁית לְגָלוּת הַמֶּ׳ יוֹיָכִין Ezek. 1:2

יוֹיָקִים שפ״ז – כהן גדול בבית שני: 1–4

יוֹיָקִים 1 וְיֵשׁוּעַ הוֹלִיד אֶת־יוֹיָקִים Neh. 12:10
2 וּבִימֵי יוֹיָקִים הָיוּ כֹהֲנִים Neh. 12:12
3 אֵלֶּה בִּימֵי יוֹיָקִים בֶּן־יֵשׁוּעַ Neh. 12:26
וְיוֹיָקִים 4 וְיוֹיָקִים הוֹלִיד אֶת־אֶלְיָשִׁיב Neh. 12:10

יוֹיָרִיב שפ״ז – א) איש מזרע יהודה: 1, 5
ב) כהן בימי עזרא ונחמיה: 2, 3, 4

יוֹיָרִיב 1 עֲדָיָה בֶן־יוֹיָרִיב בֶּן־זְכַרְיָה... Neh. 11:5
2 מִן־הַכֹּהֲנִים יְדַעְיָה בֶן־יוֹיָרִיב Neh. 11:10
וְיוֹיָרִיב 3 שְׁמַעְיָה וְיוֹיָרִיב יְדַעְיָה Neh. 12:6
וּלְיוֹיָרִיב 4 וּלְיוֹיָרִיב וּלְאֶלְנָתָן מְבִינִים Ez. 8:16
5 וּלְיוֹיָרִיב מַתְּנַי... Neh. 12:19

יוֹכֶבֶד שפ״נ אשת עמרם, אֵם משה ואהרן: 1,2

יוֹכֶבֶד 1 וַיִּקַּח עַמְרָם אֶת־יוֹכֶבֶד דֹּדָתוֹ Ex. 6:20
2 וְשֵׁם אֵשֶׁת עַמְרָם יוֹכֶבֶד בַּת־לֵוִי Num. 26:59

יוּכַל שפ״ז – איש בימי ירמיה, הוא יְהוּכַל

וְיוּכַל 1 וַיִּשְׁמַע...וְיוּכַל בֶּן־שֶׁלֶמְיָהוּ Jer. 38:1

יוּכְלוּ (יחזקאל מב 5) – עין אָכַל (מס׳ 646)

יוֹלֵדָה נ׳ אשה שילדה, אֵם, הוֹרָה: 1–17

קרובים: אֵם / הוֹרָה / יוֹלֵדָה / תְּחוֹלֵל (?)

חֶבְלֵי יוֹלֵדָה 2; צִירֵי יוֹלֵדָה 1

יוֹלֵדָה 1 צִירִים אֲחָזוּנִי כְּצִירֵי יוֹלֵדָה Is. 21:3
2 חֶבְלֵי יוֹלֵדָה יָבֹאוּ לוֹ Hosh. 13:13
3 עַד־עֵת יוֹלֵדָה יָלָדָה Mic. 5:2
כַּיּוֹלֵדָה 4 כַּיּוֹלֵדָה יְחִילוּן Is. 13:8
5 כַּיּוֹלֵדָה אֶפְעֶה Is. 42:14
6-9 חִיל כַּיּוֹלֵדָה Jer. 6:24; 22:23; 50:43 • Ps. 48:7
10 יָדָיו עַל־חֲלָצָיו כַּיּוֹלֵדָה Jer. 30:6
11 צָרָה וַחֲבָלִים אֲחָזַתָּה כַּיּוֹלֵדָה Jer. 49:24
12 הֶחֱזִיקֵךְ חִיל כַּיּוֹלֵדָה Mic. 4:9
13 חוּלִי וָגֹחִי בַּת־צִיּוֹן כַּיּוֹלֵדָה Mic. 4:10
יוֹלַדְתֶּךָ 14 יִשְׂמַח־אָבִיךָ וְאִמֶּךָ וְתָגֵל יוֹלַדְתֶּךָ Prov. 23:25
לְיוֹלַדְתּוֹ 15 כַּעַס לְאָבִיו...וּמֶמֶר לְיוֹלַדְתּוֹ Prov. 17:25
לְיוֹלַדְתָּהּ 16 בָּרָה הִיא לְיוֹלַדְתָּהּ S.ofS. 6:9
יוֹלַדְתְּכֶם 17 בּוֹשָׁה אִמְּכֶם מְאֹד חָפְרָה יוֹלַדְתְּכֶם Jer. 50:12

יוֹם[1] ז׳ א) [במובן מצומצם] הזמן מזריחת השמש ועד שקיעתה: 1, 9–17, 59–83, 86, 87, 95–102, 109–114, 117–121, 123, 125, 127–136, 142-150, 156,157, 159-164, 167, 168, 171-178 ועוד הרבה מקראות

ב) [במובן מורחב] יממה, הזמן מֵעֶרב ועד הֶערב למחרת: 2–8, 18–58, 84, 85, 88–94, 103–108, 115, 116, 122, 124, 126, 137–141, 151–155, 158, 165, 166, 169, 170 ועוד הרבה מקראות

ג) [הַיּוֹם] יום זה: 179, 200–395, 480, 582–584, 589, 599, 606, 618, 621, 629–631

ד) [כְּהַיּוֹם, כַּיּוֹם] ביום זה, בזמן זה: 638–645, 1037–1044

ה) [יָמִים] משך זמן רב, שנה(?): 1458, 1632, 1702

קרובים: זְמַן / חֹדֶשׁ / יֶרַח / מוֹעֵד / עִדָּן / עוֹנָה / עֵת / רֶגַע / שָׁבוּעַ / שָׁנָה / שָׁעָה / תּוֹר

– יוֹם וָלַיְלָה 9–17, 67, 123, 135, 164, 168, 176, 177, 482, 515, 602, 610, 678, 892, 989, 990, 996, 1103, 1104, 1128; לַיְלָה וָיוֹם 171, 172, 175,637,1067,1074

– יוֹם יוֹם 68, 69, 86, 87, 109, 110, 127–134; יוֹם וָיוֹם 150, 174; יוֹם בְּיוֹם 156, 159–162, 651, 1035, 1079; יוֹם לְיוֹם 125; יוֹם בְּיוֹמוֹ 70-83, 1430-1440, 1442-1444; כָּל יוֹם 124,139–141; כָּל יוֹם וָיוֹם 149,173; מִיּוֹם אֶל(לְ־) יוֹם 101, 163, 1075, 1101, 1107, 1108

– יוֹם אֶחָד 2, 59–66, 1068, 1077, 1078; יוֹם אַחֲרוֹן 1069, 1073; יוֹם אָנוּשׁ 167; יוֹם גָּדוֹל 1172; יוֹם טוֹב 104, 169, 170, 1076; יוֹם מַר 1036; יוֹם רָע 1070; יוֹם הַשְּׁבִיעִי 8, 84, 165, 166; יוֹם הַשִּׁשִּׁי 7; יוֹם תָּמִים 1034

– הַיּוֹם הַבָּא 614; יוֹם (הַ)הוּא 121,122; הַיּוֹם הַהוּא 482, 612, 617, 624, 635, 646–648; הַיּוֹם הַזֶּה 483–514, 634, 636, 1084, 1085; זֶה הַיּוֹם 580, 592, 615, 621; כָּל הַיּוֹם 180, 482, 515, 534–579; (לְ)מִן הַיּוֹם 481, 516–532; עַד הַיּוֹם 200, 201, 480, 581, 606, 629–631; עַד הַיּוֹם הַזֶּה 396–478; בְּעוֹד הַיּוֹם 589; בְּעֶצֶם הַיּוֹם (הַזֶּה) 181–198

– בְּיוֹם אֶחָד 653–660; בַּיּוֹם הָאַחֵר 988; בַּיּוֹם הַהוּא 682, 684–890; בַּיּוֹם הַזֶּה 681, 965–969

– כְּהַיּוֹם 644, 645; כְּהַיּוֹם הַזֶּה 638–643; כַּיּוֹם 1037–1044; כַּיּוֹם הַזֶּה 1045–1065

– יוֹם אוֹר 1280; י׳ אָחִיו 1281; י׳ אֵידוֹ 1168,1258-1263, 1401; יוֹם אַף יְיָ 1183, 1286; יוֹם אַפּוֹ 1296-1300; יוֹם אַשְׁמָתוֹ 1217; י׳ אֶתְמוֹל 1385; י׳ בּוֹאוֹ 1184; יוֹם הַבִּכּוּרִים 1371; יוֹם בְּשׂוֹרָה 1143; יוֹם גְּאוֹנָיו 1269; יוֹם הַגֶּשֶׁם 1265; י׳ הֻלֶּדֶת 1114, 1266, 1267; יוֹם הֶרֶג 1244; יוֹם הָרֵגָה 1391; יוֹם זֶבַח 1284; יוֹם־זִבְחוֹ 1222; יוֹם זַעַם 1270; יוֹם חַגּוֹ 1396; יוֹם הַחֹדֶשׁ 1235, 1376, 1377; יוֹם חֵילוֹ 1295; יוֹם חֲרוֹן אַפּוֹ 1310, 1372; יוֹם חֹשֶׁךְ 1186; יוֹם חֹשֶׁךְ וַאֲפֵלָה 1174, 1180; יוֹם חֲתֻנָּתוֹ 1309; יוֹם הַטָּהוֹר 1367; יוֹם טָהֳרָתוֹ 1220, 1225; יוֹם טוֹבָה 1312; י׳ הַטָּמֵא 1221,1367; י׳ יִזְרְעֶאל 1172; יוֹם יְיָ 1146–1159, 1268, 1416; יוֹם יְרוּשָׁלִָם 1185; יוֹם יְשׁוּעָה 1373; יוֹם הַכֶּסֶא 1398; יוֹם (הַ)כִּפֻּרִים 1126, 1127, 1223; יוֹם מְבוּסָה 1160; יוֹם הַמַּגֵּפָה 1228; יוֹם מִדְיָן 1381; יוֹם מְהוּמָה 1160; יוֹם מוֹעֵד 1387, 1388, 1392, 1404; יוֹם הַמָּוֶת 1191, 1313; יוֹם מוֹתוֹ 1113,1133–1140; יוֹם מָחָר

1162, 1198, 1307; יוֹם הַמָּחֳרָת 1128; יוֹם מִלְחָמָה
1276,1277,1400,1403; יוֹם מִלְחֶמֶת 1233; י׳ מַלְכֵּנוּ
1173; יוֹם מַסָּה 1386; יוֹם הַמַּעֲשֶׂה 1234;
יוֹם מַפַּלְתּוֹ 1169, 1271, 1272; יוֹם מִצְרַיִם 1382;
יוֹם מִשְׁתֶּה 1187, 1188; יוֹם נַחֲלָה 1242; יוֹם
נִטְעוֹ 1241; יוֹם נָכְרוֹ 1282; יוֹם נָקָם 1161,
1164, 1190, 1303; יוֹם נְקָמָה 1167; יוֹם נֶשֶׁק 1302;
יוֹם סַגְרִיר 1308; יוֹם סוּפָה 1278; יוֹם עֶבְרָה 1177,
1285, 1304; יוֹם עֲבָרוֹת 1402; יוֹם עָנָן 1170; יוֹם
עָנָן וַעֲרָפֶל 1175, 1181, 1274; יוֹם פְּקֻדָּה 1390;
יוֹם פְּקֻדִּי 1279,1365; י׳ פִּשְׁעוֹ 1273; י׳ צוֹם 1245,
1264; יוֹם צָרָה 1144, 1145, 1247–1253; יוֹם צָרָה
וּמְצוּקָה 1178; יוֹם צָרָתוֹ 1199, 1290, 1292; יוֹם
קָדִים 1243; יוֹם קֹדֶשׁ 1246, 1380; י׳ הַקָּהָל 1230-
1232; יוֹם קְטַנּוֹת 1395; יוֹם קָצִיר 1305; יוֹם
קְרָב 1384,1403; יוֹם קָרְבָּנוֹ 1218; יוֹם קָרָה 1283,
1306; יוֹם רָעָה 1165, 1254–1257, 1379, 1399;
יוֹם רָצוֹן 1189; יוֹם הַשַּׁבָּת 1115–1123, 1202–1215,
1370, 1375, 1397; יוֹם שׁוֹאָה וּמְשׁוֹאָה 1179;
יוֹם שׁוֹפָר וּתְרוּעָה 1182; יוֹם הַשֶּׁלֶג 1239, 1240;
יוֹם שִׂמְחָתוֹ 1309, 1369, 1378; יוֹם תּוֹכֵחָה 1275

– אוֹרְרֵי יוֹם 146; גְּנֻבְתִי יוֹם 67; דְּבַר יוֹם 70-83,
157; דֶּרֶךְ יוֹם 95, 96, 106; (כְּ)דָת הַיּוֹם 622;
(כְּ)חֹם הַיּוֹם 199, 586, 590; חֲנוֹת הַיּוֹם 584;
כִּמְרִירֵי יוֹם 145; לִפְנֵי יוֹם 108; מַחֲצִית הַיּוֹם
623; (לְ)מָחֳרַת הַיּוֹם 628; נְטוֹת הַיּוֹם 582; נְכוֹן
הַיּוֹם 616; עוֹלַת יוֹם 156; עֶרֶב יוֹם 142; קְשֵׁה
יוֹם 147; רְבִיעִית הַיּוֹם 627; רוּחַ הַיּוֹם 178

– יוֹמַיִם 1450; לֶחֶם יוֹמַיִם 1449

– יָמִים אֲחָדִים 1459, 1870, 1921; יָמִים עַל יָמִים
1717, 1718; יָ׳ אֲחֵרִים 1453, 1454; יָ׳ מִסְפָּר 1592;
יָ׳ קַדְמוֹנִים 1869; יָ׳ רִאשֹׁנִים 1923, 1924, 1927;
יָ׳ רַבִּים 1457, 1464, 1589, 1591, 1598–1617, 1721,
1928, 1932, 1943, 1947

– אֹהֵב יָמִים 1680; אֹרֶךְ יָמִים 1678,1679,1683-1688,
2219; חֹדֶשׁ יָ׳ 1460, 1596, 1597; יֶרַח יָ׳ 1623, 1643;
מְלֹא יָ׳ 1652; מִסְפַּר יָ׳ 1651; לְקֵץ יָ׳ 1714;
מִקֵּץ יָ׳ 1452, 1637, 1640; קְצַר יָ׳ 1693; רֹב יָ׳ 1647,
1677; שְׂבַע יָ׳ 1463, 1697, 1716; שִׁבְעַת יָ׳ 1462,
1497–1573; שְׁלֹשֶׁת יָ׳ 1461, 1466–1495; שְׁנָתַיִם יָ׳
1496, 1636, 1638, 1671, 1672; שֵׁשֶׁת יָ׳ 1574–1588

– הַיָּמִים הָרִאשֹׁנִים 1868, 1923, 1924; בַּיָּ׳ הָאֵלֶּה
1918, 1919; בַּיָּמִים הָהֵם 1871, 1874–1904;
בַּיָּמִים הָהֵמָּה 1910–1917

– מִיָּמִים יָמִימָה 1949 — 1953

– אַחֲרִית הַיָּמִים 1771, 1775–1786; בְּשֶׁכְּבָר הַיָּ׳
1848; דִּבְרֵי הַיָּ׳ 1802–1836, 1851, 1852, 1857;
זֶבַח הַיָּ׳ 1789, 1790, 1795; כָּל הַיָּ׳ 1725–1770;
לְמִקְצָת הַיָּ׳ 1854; מוֹעֵד הַיָּ׳ 1793; מִסְפַּר
הַיָּ׳ 1774, 1797–1800, 2073, 2074, 2077, 2213, 2228;
קֵץ הַיָּמִין 1858; רֹב הַיָּמִים 1849; שִׁבְעַת הַיָּ׳
1722,1772,1787,1838,1843–1846 תְּקוּפוֹת הַיָּ׳ 1788

– יְמֵי אֲבוֹתָיו 2119,2184,2190; יְ׳ אֲבִיָּהוּ 2139; יְ׳ אֵבֶל
2008,2051; יְ׳ אַבְרָהָם 2088-2090; יְ׳ אָדָם 1957/8;
יְ׳ אָחָז 2111; יְ׳ אֲחַשְׁוֵרוֹשׁ 2129; יְ׳ אֱלוֹהַּ 2168;
יְ׳ אֶלְיָשִׁיב 2131; יְ׳ אַמְרָפֶל 2087; יְ׳ אֱנוֹשׁ 2170;
יְ׳ אָסָא 2105; יְ׳ אֵסַר חַדֹּן 2183; יְ׳ בְּחוּרוֹת 2127,
2128; יְ׳ בִּכּוּרִים 2024; יְ׳ בְּכִי 2047; יְ׳ בְּכִית
2017; יְ׳ בְּנוֹ 2104; יְ׳ הַבְּעָלִים 2061; יְ׳ הַגִּבְעָה
2160, 2179; יְ׳ גֶּבֶר 2167; יְ׳ גִּדְעוֹן 2096; יְ׳ דָּוִד
2050, 2099, 2100, 2133; יְ׳ דָּרְשׁוֹ 2150; יְ׳ הֶבְלוֹ
2077, 2126; יְ׳ הִיא 2181; יְ׳ זְכַרְיָהוּ 2140;
יְ׳ זְרֻבָּבֶל 2134, 2148; יְ׳ הֶחָג 2059; יְ׳ חִזְקִיָּהוּ
2116; יְ׳ חַיָּיו 1955, 1956, 2025–2046, 2073–2075,
2077, 2078; יְ׳ הַחֲנוּטִים 2016; יְ׳ חָרְפִּי 2124;
יְ׳ חֹשֶׁךְ 2079; יְ׳ טָהֳרָה 2019, 2020; יְ׳ יֹאשִׁיָּהוּ
2112, 2114, 2115, 2178; יְ׳ יְהוֹיָקִים 2113, 2117;
יְ׳ יוֹיָקִים 2132, 2146; יְ׳ יוֹתָם 2120, 2137;
יְ׳ יְחִזְקִיָּהוּ 2135, 2136; יְ׳ יָעֵל 2095; יְ׳ יַעֲקֹב
2014; יְ׳ יִצְחָק 2009; יְ׳ יָרָבְעָם 2141–2143;
יְ׳ יֵשׁוּעַ 2130, 2185; יְ׳ יִשְׂרָאֵל 2015; יְ׳ מְגוּרָיו
2093; יְ׳ מוֹעֵד 2161; יְ׳ מִלּוּאִים 2018; יְמֵי
מֶלֶךְ 2065, 2155; יְ׳ מְלָכִים 2186; יְ׳ הַמַּעֲשֶׂה
2060; יְ׳ מָצוֹר 2054, 2055; יְ׳ מְרוּקִים 2081;
יְ׳ מִשְׁתֶּה 2048,2069,2082; יְ׳ נִדָּה 2151,2152; יְ׳ נִזְרוֹ
2022, 2023; יְ׳ נְחֶמְיָה 2147; יְ׳ נְעוּרִים 2056–2058,
2118, 2159; יְ׳ עַבְדּוֹ 2068; יְ׳ עוֹלָם 2052, 2162,
2163, 2165, 2180; יְ׳ עֻזִּיָּהוּ 2107–2110; יְ׳ עֲלוּמִים
2066, 2171; יְ׳ עַמִּי 2053; יְ׳ עָנְיִי 2070–2072;
יְ׳ הָעֵץ 2053; יְ׳ הַפּוּרִים 2083, 2086; יְ׳ פְּלִשְׁתִּים
2097; יְ׳ הַפְּקֻדָּה 2062; יְ׳ צֵאתוֹ 2164; יְ׳ קֶדֶם
2121,2158,2173-2177,2189; יְ׳ קָצִיר 2091,2092,2101;
יְ׳ רָע 2122, 2182; יְ׳ רְעָבוֹן 2144; יְ׳ הָרָעָה 2080;
יְ׳ שָׁאוּל 2098, 2138, 2149; יְ׳ (הַ)שֹּׁפְטִים 2172;
יְ׳ שָׂכִיר 2153, 2169; יְ׳ שְׁלֹמֹה 2102, 2103, 2187;
יְ׳ שַׁמְגַּר 2094; יְ׳ שְׁמוּאֵל 2188; יְ׳ הַשָּׁמַיִם 2154,
2166; יְ׳ שְׁנוֹתָיו 2067; יְ׳ שָׁנָה 2123; יְ׳ שְׁנֵי... 2007,
2010–2013, 2049; יְ׳ שָׁנָיו 2076; יְ׳ שְׁפֹט 2125;
יְמֵי שֵׁת 1959; יְ׳ תְּמִימִים 2064; יְ׳ תֶּרַח 2006

– כָּל יְמֵי־ 1958–2005

– יְמוֹת עוֹלָם 2191; יְמוֹת עֲנִיתָנוּ 2192

– דְּמֵי יָמָיו 2193; חֲצִי יָ׳ 2205, 2247; כָּל יָ׳ 2216-
2217, 2236–2245, 2270, 2271; מִדַּת יָ׳ 2194;
מִסְפַּר יָמָיו 2213, 2228

– אָבַד יוֹם 144; בָּא יוֹמוֹ 1421–1424, 1445, 1446;
וַיְהִי הַיּוֹם 585, 587, 593–598; חָנָה הַיּוֹם 584;
יֶלֶד יוֹם 143; נָטָה הַיּוֹם 582; נָכוֹן הַיּוֹם 616;
קָרוֹב יוֹם 117,118; רַד הַיּוֹם 632; רָפָה הַיּוֹם 583

– אָרְכוּ הַיָּמִים 1840; בָּאוּ יָמִים 1631, 1644–1645,
1653–1670, 2062, 2063; דִּבְרוּ יָמִים 1696; הֶאֱרִיךְ
יָ׳ 1618–1622, 1624–1628, 1649, 1692, 1698; הוֹסִיף
יָ׳ 1691; הִרְבָּה יָ׳ 1695; מָלְאוּ הַיָּמִים 1773, 1794,
1850, 2016, 2018–2020, 2023, 2055, 2201, 2221, 2268,
2275; נָפְלוּ הַיָּ׳ 1859; קָרְבוּ הַיָּ׳ 1841; קִיֵּם יָמִים
2083; שְׂבַע יָמִים 1715–1716, 1719

– הֶאֱרִיכוּ יָמָיו 2212, 2214, 2215, 2218; כָּלוּ יָמָיו
2202; נִמְשְׁכוּ יָמָיו 2269; עָבְרוּ יָמָיו 2017; קַלּוּ
יָמָיו 2207; קָרְבוּ יָמָיו (לָמוּת) 2015, 2050, 2220;
רַבּוּ יָמָיו 2085, 2226, 2278; שָׁלְמוּ יָמָיו 2051;

– הִקְצִיר יָמָיו 2066; כִּלָּה יָמָיו 1842, 2288–2290;
מִלֵּא יָמָיו 2246; קִצַּר יָמָיו 2204

– בָּא בַּיָּמִים 1872, 1873, 1905–1909

יוֹם

1 וַיִּקְרָא אֱלֹהִים לָאוֹר יוֹם — Gen. 1:5
2 וַיְהִי־עֶרֶב וַיְהִי־בֹקֶר יוֹם אֶחָד — Gen. 1:5
3 וַיְהִי־עֶרֶב וַיְהִי־בֹקֶר יוֹם שֵׁנִי — Gen. 1:8
4 וַיְהִי־עֶרֶב וַיְהִי־בֹקֶר יוֹם שְׁלִישִׁי — Gen. 1:13
5 וַיְהִי־עֶרֶב וַיְהִי־בֹקֶר יוֹם רְבִיעִי — Gen. 1:19
6 וַיְהִי־עֶרֶב וַיְהִי־בֹקֶר יוֹם חֲמִישִׁי — Gen. 1:23
7 וַיְהִי־עֶרֶב וַיְהִי־בֹקֶר יוֹם הַשִּׁשִּׁי — Gen. 1:31

יוֹם (המשך)

8 וַיְבָרֶךְ אֱלֹהִים אֶת־יוֹם הַשְּׁבִיעִי — Gen. 2:3
9-17 אַרְבָּעִים יוֹם וְאַרְבָּ׳ לָיְלָה — Gen. 7:4, 12
Ex. 24:18; 34:28 • Deut. 9:9, 11, 18; 10:10 • IK. 19:8
18-36 (בְּ- עַד-) שִׁבְעָה עָשָׂר (אַרְבָּעָה עָשָׂר וכד׳) יוֹם לַחֹדֶשׁ — Gen. 7:11; 8:4, 14
Ex. 12:6, 18; 16:1 • Lev. 23:6, 34, 39 • Num. 23:34; 28:16, 17; 29:12; 33:3 • Josh. 5:10 • IK. 12:32, 33 • Ezek. 45:21, 25
37 וַיְהִי הַמַּבּוּל אַרְבָּעִים יוֹם... — Gen. 7:17
38-39 חֲמִשִּׁים וּמְאַת יוֹם — Gen. 7:24; 8:3
40-58 אַרְבָּעִים (שְׁלֹשִׁים, שִׁבְעִים וכד׳) יוֹם
Gen. 8:6; 50:3[2] • Lev. 12:4, 5; 23:16 • Num. 11:19; 13:25; 14:34; 20:29 • Deut. 34:8 • ISh. 17:16 • IISh. 24:8 • Ezek. 4:6 • Jon. 3:4 • Es. 1:4; 4:11 • Dan. 10:13 • Neh. 2:15
59 לָמָה אֶשְׁכַּל גַּם־שְׁנֵיכֶם יוֹם אֶחָד — Gen. 27:45
60-66 יוֹם אֶחָד — Gen. 33:13
Num. 11:19 • ISh. 9:15; 27:1 • Is. 9:13 • Jon. 3:4 • Zech. 14:7
67 גְּנֻבְתִי יוֹם וּגְנֻבְתִי לָיְלָה — Gen. 31:39
68/9 וַיְהִי כְּדַבְּרָהּ אֶל־יוֹסֵף יוֹם יוֹם — Gen. 39:10
70 כַּלּוּ מַעֲשֵׂיכֶם דְּבַר־יוֹם בְּיוֹמוֹ — Ex. 5:13
71-83 (לִ)דְבַר יוֹם בְּיוֹמוֹ — Ex. 5:19; 16:4
Lev. 23:37 • IK. 8:59 • IIK. 25:30 • Jer. 52:34 • Dan. 1:5 • Ez. 3:4 • Neh. 11:23; 12:47 • ICh. 16:37 • IICh. 8:14; 31:16
84 מִיּוֹם הָרִאשֹׁן עַד־יוֹם הַשְּׁבִעִי — Ex. 12:15
85 עַד יוֹם הָאֶחָד וְעֶשְׂרִים לַחֹדֶשׁ — Ex. 12:18
86-87 עַל אֲשֶׁר־יִלְקְטוּ יוֹם יוֹם — Ex. 16:5
88 אַךְ אִם־יוֹם אוֹ יוֹמַיִם יַעֲמֹד — Ex. 21:21
89 וְהַנּוֹתָר עַד־יוֹם הַשְּׁלִישִׁי — Lev. 19:6
90 בְּיוֹם עַשְׁתֵּי עָשָׂר יוֹם — Num. 7:72
91 בְּיוֹם שְׁנֵים־עָשָׂר יוֹם — Num. 7:78
92-94 בְּאַרְבָּעָה(־)עָשָׂר יוֹם — Num. 9:3, 5, 11
95/6 וּכְדֶרֶךְ יוֹם כֹּה כְּדֶרֶךְ יוֹם כֹּה — Num. 11:31
97-100 יוֹם לַשָּׁנָה יוֹם לַשָּׁנָה — Num. 14:34
Ezek. 4:6
101 וְאִם־הַחֲרֵשׁ...מִיּוֹם אֶל־יוֹם — Num. 30:15
102 אַחַד עָשָׂר יוֹם מֵחֹרֵב — Deut. 1:2
103 יוֹם אֲשֶׁר עָמַדְתָּ לִפְנֵי יְיָ אֱלֹהֶיךָ — Deut. 4:10
104 כִּי־עַל־יוֹם טוֹב בָּאנוּ° — ISh. 25:8
105 אַרְבָּעָה עָשָׂר יוֹם — IK. 8:65
106 וְהוּא־הָלַךְ בַּמִּדְבָּר דֶּרֶךְ יוֹם — IK. 19:4
107 כִּי יוֹם לַייָ צְבָאוֹת... — Is. 2:12
108 וְלִפְנֵי־יוֹם וְלֹא שְׁמַעְתָּם — Is. 48:7
109-110 וְאוֹתִי יוֹם יוֹם יִדְרֹשׁוּן — Is. 58:2
111 וָאֶשְׁלַח...יוֹם הַשְׁכֵּם וְשָׁלֹחַ — Jer. 7:25
112 יוֹם אֲשֶׁר־יְלָדַתְנִי אִמִּי — Jer. 20:14
113 יֶשׁ־יוֹם קָרְאוּ נֹצְרִים — Jer. 31:6(5)
114 עַד־יוֹם אֲשֶׁר־נִלְכְּדָה יְרוּשָׁלָםִ — Jer. 38:28
115/6 שְׁלֹשׁ־מֵאוֹת וְתִשְׁעִים יוֹם — Ezek. 4:5, 9
117/8 כִּי־קָרוֹב יוֹם וְקָרוֹב יוֹם לַייָ — Ezek. 30:3
119 יוֹם לִבְנוֹת גְּדֵרָיִךְ — Mic. 7:11
120 יוֹם הַהוּא יִרְחַק־חֹק — Mic. 7:11
121 יוֹם הוּא וְעָדֶיךָ יָבוֹא — Mic. 7:12
122 הִנֵּה יוֹם־בָּא לַייָ — Zech. 14:1
123 לֹא־יוֹם וְלֹא־לָיְלָה — Zech. 14:7
124 וְאֵל זֹעֵם בְּכָל־יוֹם — Ps. 7:12
125 יוֹם לְיוֹם יַבִּיעַ אֹמֶר — Ps. 19:3
126 יוֹם אִירָא אֲנִי אֵלֶיךָ אֶבְטָח — Ps. 56:4
127/8 לְשַׁלְּמִי נְדָרַי יוֹם יוֹם — Ps. 61:9
129-134 יוֹם יוֹם — Ps. 68:20 • Prov. 8:30, 34

יוֹם (המשך)

135 לְךָ יוֹם אַף־לְךָ לָיְלָה Ps. 74:16
136 יוֹם אֲשֶׁר־פָּדָם מִנִּי־צָר Ps. 78:42
137 כִּי טוֹב־יוֹם בַּחֲצֵרֶיךָ Ps. 84:11
138 יוֹם־צָעַקְתִּי בַלַּיְלָה נֶגְדֶּךָ Ps. 88:2
139 קְרָאתִיךָ יְיָ בְּכָל־יוֹם Ps. 88:10
140 כָּל־יוֹם יָגוּרוּ מִלְחָמוֹת Ps. 140:3
141 בְּכָל־יוֹם אֲבָרְכֶךָּ Ps. 145:2
142 בְּנֶשֶׁף־בְּעֶרֶב יוֹם Prov. 7:9
143 כִּי לֹא־תֵדַע מַה־יֵּלֶד יוֹם Prov. 27:1
144 יֹאבַד יוֹם אִוָּלֶד בּוֹ Job 3:3
145 יְבַעֲתֻהוּ כִּמְרִירֵי יוֹם Job 3:5
146 יִקְּבֻהוּ אֹרְרֵי־יוֹם Job 3:8
147 אִם־לֹא בָכִיתִי לִקְשֵׁה־יוֹם Job 30:25
148 הֵבֵאתָ יוֹם־קָרָאתָ... Lam. 1:21
149 וּבְכָל־יוֹם וָיוֹם מָרְדֳּכַי מִתְהַלֵּךְ Es. 2:11
150 וַיְהִי כְּאָמְרָם° אֵלָיו יוֹם וָיוֹם Es. 3:4
151/2 בִּשְׁלוֹשָׁה עָשָׂר יוֹם בּוֹ Es. 3:12; 9:1
153/4 אֵת יוֹם אַרְבָּעָה עָשָׂר Es. 9:19, 21
155 וְאֵת יוֹם־חֲמִשָּׁה עָשָׂר בּוֹ Es. 9:21
156 וְעֹלַת יוֹם בְּיוֹם בְּמִסְפָּר Ez. 3:4
157 כְּמִשְׁפַּט דְּבַר־יוֹם בְּיוֹמוֹ Ez. 3:4
158 עַד יוֹם אֶחָד לַחֹדֶשׁ הָרִאשׁוֹן Ez. 10:17
159 וַיִּקְרָא בְּסֵפֶר...יוֹם בְּיוֹם Neh. 8:18
162-160 יוֹם ICh. 12:22(23) • IICh. 8:13; 30:21
163 בַּשְּׂרוּ מִיּוֹם אֶל־יוֹם יְשׁוּעָתוֹ ICh. 16:23

וְיוֹם

164 וְיוֹם וָלַיְלָה לֹא יִשְׁבֹּתוּ Gen. 8:22
165/6 וְיוֹם הַשְּׁבִיעִי שַׁבָּת לַיְיָ אֱלֹהֶיךָ Ex. 20:10
Deut. 5:14
167 וְיוֹם אָנוּשׁ לֹא הִתְאַוֵּיתִי Jer. 17:16
168 וְיוֹם לַיְלָה הֶחְשִׁיךְ Am. 5:8
169/70 שִׂמְחָה..(וְ)מִשְׁתֶּה וְיוֹם טוֹב Es. 8:17; 9:19

וָיוֹם

171 לִהְיוֹת עֵינֶךָ פְתֻחֹת...לַיְלָה וָיוֹם IK. 8:29
172 לַיְלָה וָיוֹם אֶצְּרֶנָּה Is. 27:3
173 וּבְכָל־יוֹם וָיוֹם מָרְדֳּכַי מִתְהַלֵּךְ Es. 2:11
174 וַיְהִי כְּאָמְרָם° אֵלָיו יוֹם וָיוֹם Es. 3:4
175 שְׁלֹשֶׁת יָמִים לַיְלָה וָיוֹם Es. 4:16

הַיּוֹם

176 לְהַבְדִּיל בֵּין הַיּוֹם וּבֵין הַלָּיְלָה Gen. 1:14
177 הַמָּאוֹר הַגָּדֹל לְמֶמְשֶׁלֶת הַיּוֹם Gen. 1:16
178 מִתְהַלֵּךְ בַּגָּן לְרוּחַ הַיּוֹם Gen. 3:8
179 הֵן גֵּרַשְׁתָּ אֹתִי הַיּוֹם Gen. 4:14
180 רַק רַע כָּל־הַיּוֹם Gen. 6:5
181 בְּעֶצֶם הַיּוֹם הַזֶּה בָּא נֹחַ Gen. 7:13
198-182 (בְּ/עַד) עֶצֶם הַיּוֹם הַזֶּה Gen. 17:23
17:26 • Ex. 12:17, 41, 51 • Lev. 23:14, 21, 28, 29, 30 • Deut. 32:48 • Josh. 5:11; 10:27 • Ezek. 2:3 24:2²; 40:1
199 יֹשֵׁב פֶּתַח־הָאֹהֶל כְּחֹם הַיּוֹם Gen. 18:1
200 הוּא אֲבִי־מוֹאָב עַד־הַיּוֹם Gen. 19:37
201 הוּא אֲבִי בְנֵי־עַמּוֹן עַד־הַיּוֹם Gen. 19:38
202 לֹא שָׁמַעְתִּי בִּלְתִּי הַיּוֹם Gen. 21:26
203 אֲשֶׁר יֵאָמֵר הַיּוֹם בְּהַר יְיָ יֵרָאֶה Gen. 22:14
204 הַקְרֵה־נָא לְפָנַי הַיּוֹם Gen. 24:12
395-205 הַיּוֹם Gen. 24:42; 30:32; 31:43, 48
40:7; 41:9; 42:13, 32; 47:23 • Ex. 2:18; 5:14; 13:4; 14:13²; 16:25³; 19:10; 32:29²; 34:11 • Lev. 9:4; 10:19² • Deut. 1:10, 39; 2:18, 25; 4:4, 8, 26, 39, 40; 5:1, 3; 6:6; 7:11; 8:1, 11, 19; 9:1, 3; 10:13; 11:2, 8, 13, 26, 27, 28, 32; 12:8; 13:19; 15:5, 15; 19:9; 20:3; 26:3, 17, 18; 27:1, 4, 10; 28:1, 13, 14, 15; 29:9, 11, 12, 14², 17; 30:2, 8, 11, 15, 16, 18, 19; 31:2, 21, 27; 32:46 • Josh. 5:9; 14:10, 11; 22:16², 18², 29, 31; 23:14; 24:15 • Jud. 9:18; 11:27; 21:3, 6 • ISh. 4:3, 16; 9:9, 12², 19,

הַיּוֹם (המשך)

20; 10:2, 19; 11:13; 12:17; 14:28, 30, 33, 38; 15:28; 18:21; 20:27; 21:6; 22:15; 24:11, 19; 25:10; 26:8, 19, 23; 27:10; 30:13 • IISh. 3:8², 39; 6:20²; 11:12; 14:22; 16:3; 18:31; 19:6², 7³, 21, 23³, 36 • IK. 1:25; 1:48; 2:24; 5:21; 8:28; 12:7; 13:11; 18:15, 36; 20:13 • IIK. 2:3, 5; 4:23; 6:28, 31; 10:27 • Is. 10:32; 38:19 Jer. 1:10, 18; 34:15; 40:4; 42:19, 21; 47:4 • Zech. 9:12 • Ps. 2:7; 95:7; 119:91 • Prov. 7:14; 22:19 • Ruth 2:19²; 3:18; 4:9, 10, 14 • Es. 5:4 • Neh. 1:6, 11; 8:9, 10, 11; 9:36 • ICh. 29:5 • IICh. 35:21
396 שֵׁם־הָעִיר בְּאֵר שֶׁבַע עַד הַיּוֹם הַזֶּה Gen. 26:33
478-397 (וְ)עַד(־)הַיּוֹם הַזֶּה Gen. 32:33
47:26; 48:15 • Ex. 10:6 • Num. 22:30 • Deut. 2:22; 3:14; 10:8; 11:4; 29:3; 34:6 • Josh. 4:9; 5:9; 6:25; 7:26²; 8:28, 29; 9:27; 13:13; 14:14; 15:13; 16:10; 22:3, 17; 23:8, 9 • Jud. 1:21, 26; 6:24; 10:4; 15:19; 18:12; 19:30 • ISh. 5:5; 6:18; 8:8; 12:2; 27:6; 29:3, 6, 8; 30:25 • IISh. 4:3; 6:8; 7:6; 18:18 • IK. 8:8; 9:13, 21; 10:12; 12:19 • IIK. 2:22; 8:22; 14:7; 16:6; 17:23, 34, 41; 20:17; 21:15 • Is. 39:6 • Jer. 3:25; 7:25; 11:7; 25:3; 32:20, 31; 35:14; 36:2; 44:10 • Ezek. 20:29 • Ez. 9:7 • Neh. 9:32 • ICh. 4:41, 43; 5:26; 13:11; 17:5 • IICh. 5:9; 8:8; 10:19; 21:10
479 הֵן עוֹד הַיּוֹם גָּדוֹל Gen. 29:7
480 מַצֶּבֶת קְבֻרַת־רָחֵל עַד־הַיּוֹם Gen. 35:20
481 לְמִן־הַיּוֹם הִוָּסְדָה וְעַד־עָתָּה Ex. 9:18
482 כָּל־הַיּוֹם הַהוּא וְכָל־הַלָּיְלָה Ex. 10:13
483 וְהָיָה הַיּוֹם הַזֶּה לָכֶם לְזִכָּרוֹן Ex. 12:14
514-484 הַיּוֹם הַזֶּה Ex. 12:17; 13:3
Deut. 5:21; 26:16; 27:9 • Josh. 3:7; 22:22 • Jud. 9:19; 10:15; 12:3 • ISh. 12:5; 14:45; 17:10, 46²; 24:11, 20; 25:32, 33; 26:21, 24; 28:18 • IISh. 3:38; 4:8; 16:12; 18:20 • IK. 1:30 • IIK. 7:9; 19:3 • Is. 37:3 • Jer. 44:2
515 כָּל־הַיּוֹם הַהוּא וְכָל־הַלָּיְלָה Num. 11:32
516 מִן־הַיּוֹם אֲשֶׁר צִוָּה יְיָ וָהָלְאָה Num. 15:23
517 לְמִן־הַיּוֹם אֲשֶׁר בָּרָא אֱלֹהִים Deut. 4:32
532-518 (לְ/וּל)מִן הַיּוֹם Deut. 9:7
IISh. 7:11; 19:25 • IK. 8:16 • IIK. 21:15 • Jer. 7:25 • Ezek. 39:22 • Hag. 2:15, 18², 19 • Dan. 10:12 • Neh. 4:10 • ICh. 17:5 • IICh. 6:5
533 וָאֶתְנַפַּל...אֶת־אַרְבָּעִים הַיּוֹם... Deut. 9:25
534 וְעֵינֶיךָ רֹאוֹת וְכָלוֹת...כָּל־הַיּוֹם Deut. 28:32
579-535 (הַכָּל־)כָּל־הַיּוֹם Deut. 33:12
Jud. 9:45 • ISh. 19:24; 28:20 • Is. 28:24; 51:13; 52:5; 62:6; 65:2, 5 • Jer. 20:7, 8 • Hosh. 12:2 • Ps. 25:5; 32:3; 35:28; 37:26; 38:7, 13; 42:4, 11; 44:9, 16, 23; 52:3; 56:2, 3, 6; 71:8, 15, 24; 72:15; 73:14; 74:22; 86:3; 88:18; 89:17; 102:9; 119:97 • Prov. 21:26; 23:17 • Lam. 1:13; 3:3, 14, 62
580 כִּי זֶה הַיּוֹם אֲשֶׁר נָתַן יְיָ... Jud. 4:14
581 לֹא־נָפְלָה לוֹ עַד־הַיּוֹם הַהוּא Jud. 18:1
582 וְהִתְמַהְמְהוּ עַד־נְטוֹת הַיּוֹם Jud. 19:8
583 הִנֵּה נָא רָפָה הַיּוֹם לַעֲרוֹב Jud. 19:9
584 הִנֵּה חֲנוֹת הַיּוֹם לִין פֹּה Jud. 19:9
585 וַיְהִי הַיּוֹם וַיִּזְבַּח אֶלְקָנָה ISh. 1:4
586 וַיַּכּוּ אֶת־עַמּוֹן עַד־חֹם הַיּוֹם ISh. 11:11
587 וַיְהִי הַיּוֹם וַיֹּאמֶר יוֹנָתָן... ISh. 14:1
588 הִנֵּה הַיּוֹם אֲשֶׁר־אָמַר יְיָ ISh. 24:5
589 לְהַבְרוֹת...לֶחֶם בְּעוֹד הַיּוֹם IISh. 3:35

הַיּוֹם (המשך)

590 וַיָּבֹאוּ כְּחֹם הַיּוֹם... IISh. 4:5
591 הַיּוֹם אֲשֶׁר־בָּא בְשָׁלוֹם IISh. 19:25
592 יַכְרִית אֶת־בֵּית יָרָבְעָם זֶה הַיּוֹם IK. 14:14
593 וַיְהִי הַיּוֹם וַיַּעֲבֹר אֱלִישָׁע... IIK. 4:8
598-594 וַיְהִי הַיּוֹם IIK. 4:11, 18 • Job 1:6, 13; 2:1
599 אוֹי לָנוּ כִּי־פָנָה הַיּוֹם Jer. 6:4
600 אָרוּר הַיּוֹם אֲשֶׁר יֻלַּדְתִּי בּוֹ Jer. 20:14
601 הוֹי כִּי גָדוֹל הַיּוֹם הַהוּא Jer. 30:7
602 אֶת־בְּרִיתִי הַיּוֹם וְאֶת־בְּרִיתִי הַלָּיְלָה Jer. 33:20
603 בָּא הָעֵת קָרוֹב הַיּוֹם Ezek. 7:7
604 הִנֵּה הַיּוֹם הִנֵּה בָאָה Ezek. 7:10
605 בָּא הָעֵת הִגִּיעַ הַיּוֹם Ezek. 7:12
606 אַתֶּם נִטְמְאִים...עַד־הַיּוֹם Ezek. 20:31
607 כְּתָב־לְךָ אֶת־שֵׁם הַיּוֹם Ezek. 24:2
608 וּבִתְחַפְנְחֵס חָשַׂךְ הַיּוֹם Ezek. 30:18
609 הוּא הַיּוֹם אֲשֶׁר דִּבַּרְתִּי Ezek. 39:8
610 וְכָשַׁלְתָּ הַיּוֹם וְכָשַׁל...לָיְלָה Hosh. 4:5
611 וְקָדַר עֲלֵיהֶם הַיּוֹם Mic. 3:6
612 יוֹם עֶבְרָה הַיּוֹם הַהוּא Zep. 1:15
613 כִּי־הִנֵּה הַיּוֹם בָּא בֹּעֵר כַּתַּנּוּר... Mal. 3:19
614 וְלִהַט אֹתָם הַיּוֹם הַבָּא Mal. 3:19
615 זֶה־הַיּוֹם עָשָׂה יְיָ נָגִילָה... Ps. 118:24
616 הוֹלֵךְ וָאוֹר עַד־נְכוֹן הַיּוֹם Prov. 4:18
617 הַיּוֹם הַהוּא יְהִי חֹשֶׁךְ Job 3:4
618 גַּם־הַיּוֹם מְרִי שִׂחִי Job 23:2
619/20 שֶׁיָּפוּחַ הַיּוֹם וְנָסוּ הַצְּלָלִים S.ofS. 2:17; 4:6
621 אַךְ זֶה הַיּוֹם שֶׁקִּוִּינֻהוּ Lam. 2:16
622 לַעֲשׂוֹת כְּדָת הַיּוֹם Es. 9:13
623 מִן־הָאוֹר עַד־מַחֲצִית הַיּוֹם Neh. 8:3
624 מִימֵי יֵשׁוּעַ...עַד־הַיּוֹם הַהוּא Neh. 8:17
625 יוֹם בְּיוֹם מִן־הַיּוֹם הָרִאשׁוֹן Neh. 5:18
626 עַד הַיּוֹם הָאַחֲרוֹן Neh. 8:18
627 וַיִּקְרְאוּ בְּסֵפֶר...רְבִעִית הַיּוֹם Neh. 9:3
628 וַיַּעֲלוּ...לְמָחֳרַת הַיּוֹם הַהוּא ICh. 29:21
629 עַד־הַיּוֹם מוּסַד בֵּית־יְיָ IICh. 8:16
630 קָרְאוּ...עֵמֶק בְּרָכָה עַד־הַיּוֹם IICh. 20:26
631 וַיֹּאמְרוּ...בְּקִינוֹתֵיהֶם..עַד־הַיּוֹם IICh. 35:25

וְהַיּוֹם

632 וְהַיּוֹם רַד מְאֹד Jud. 19:11
633 וְהַיּוֹם אֲנִיעֲךָ° עִמָּנוּ לָלֶכֶת IISh. 15:20
634 וְהַיּוֹם הַזֶּה לֹא תְבַשֵּׂר IISh. 18:20
635 וְהַיּוֹם הַהוּא...יוֹם נְקָמָה Jer. 46:10
636 וְהַיּוֹם הַזֶּה תֹּאמַרְנָה... Es. 1:18
637 הַלַּיְלָה מִשְׁמָר וְהַיּוֹם מְלָאכָה Neh. 4:16

כְּהַיּוֹם

638 וַיְהִי כְּהַיּוֹם הַזֶּה וַיָּבֹא... Gen. 39:11
643-639 כְּהַיּוֹם הַזֶּה Deut. 6:24
Jer. 44:22 • Ez. 9:7, 15 • Neh. 9:10
644 כִּי־אֹתוֹ כְהַיּוֹם תִּמְצְאוּן ISh. 9:13
645 הָשִׁיבוּ נָא לָהֶם כְּהַיּוֹם שְׂדֹתֵיהֶם Neh. 5:11

מֵהַיּוֹם

646/7 מֵהַיּוֹם הַהוּא וָמָעְלָה ISh. 16:13; 30:25
648 מֵהַיּוֹם הַהוּא וָהָלְאָה ISh. 18:9

בְּיוֹם

649 לֹא תִשְׁחֲטוּ בְּיוֹם אֶחָד Lev. 22:28
650 בְּיוֹם אֶחָד יָמוּתוּ שְׁנֵיהֶם ISh. 2:34
651 וְדָוִד מְנַגֵּן בְּיָדוֹ כְּיוֹם בְּיוֹם ISh. 18:10
652 וּבִשַּׂרְתָּ בְּיוֹם אַחֵר IISh. 18:20
653 מֵאָה־אֶלֶף רַגְלִי בְּיוֹם אֶחָד IK. 20:29
660-654 בְּיוֹם אֶחָד Is. 10:17; 47:9; 66:8
Zech. 3:9 • Es. 3:13; 8:12 • IICh. 28:6
661 בְּיוֹם אֶחָד לַחֹדֶשׁ Hag. 1:1
662 בְּיוֹם עֶשְׂרִים וְאַרְבָּעָה לַחֹדֶשׁ Hag. 1:15
663 בְּיוֹם עֶשְׂרִים...לְעַשְׁתֵּי־עָשָׂר חֹדֶשׁ Zech. 1:7
664 בְּיוֹם אַרְבָּעָה עָשָׂר לְחֹדֶשׁ אֲדָר Es. 9:15

בַּיּוֹם (המשך)

665 בְּיוֹם־שְׁלוֹשָׁה עָשָׂר לְחֹדֶשׁ אֲדָר Es. 9:17
666 בְּיוֹם אֶחָד לַחֹדֶשׁ הָעֲשִׂירִי Ez. 10:16
667 בְּיוֹם אֶחָד לַחֹדֶשׁ הַשְּׁבִיעִי Neh. 8:2
668 וְעֹלַת־יוֹם בְּיוֹם בְּמִסְפָּר Ez. 3:4
669-672 (לְ)יוֹם בְּיוֹם Neh. 8:18
ICh. 12:22(23) • IICh. 8:13; 24:11; 30:21

וּבְיוֹם

673/4 וּבְיוֹם עֶשְׂרִים/ וְאַרְבָּעָה Dan. 10:4 • Neh. 9:1
675 וּבְיוֹם עֶשְׂרִים וּשְׁלֹשָׁה IICh. 7:10
676 וּבְיוֹם שְׁמוֹנָה לַחֹדֶשׁ בָּאוּ IICh. 29:17
677 וּבְיוֹם שִׁשָּׁה עָשָׂר...כִּלּוּ IICh. 29:17

בַּיּוֹם

678 וְלִמְשֹׁל בַּיּוֹם וּבַלַּיְלָה Gen. 1:18
679 וַיְכַל אֱלֹהִים בַּיּוֹם הַשְּׁבִיעִי Gen. 2:2
680 וַיִּשְׁבֹּת בַּיּוֹם הַשְּׁבִיעִי Gen. 2:2
681 בַּיּוֹם הַזֶּה נִבְקְעוּ כָּל־מַעְיְנֹת Gen. 7:11
682 בַּיּוֹם הַהוּא כָּרַת יְיָ...בְּרִית Gen. 15:18
683 בַּיּוֹם הַשְּׁלִישִׁי וַיִּשָּׂא...עֵינָיו Gen. 22:4
684 וַיְהִי בַּיּוֹם הַהוּא וַיָּבֹאוּ... Gen. 26:32
685-890 בַּיּוֹם הַהוּא Gen. 30:35; 33:16; 48:20
Ex. 5:6; 8:18; 13:8; 14:30; 32:28 • Lev. 22:30; 27:23
• Num. 6:11; 9:6^2; 32:10 • Deut. 21:23; 27:11;
31:17^2, 18, 22 • Josh. 4:14; 6:15; 8:25; 9:27; 10:28,
35^2; 14:9, 12^2; 24:25 • Jud. 3:30; 4:23; 5:1; 6:32;
20:15, 21, 26, 35, 46 • ISh. 3:2, 12; 4:12; 6:15, 16; 7:6,
10; 8:18^2; 9:24; 10:9; 12:18; 14:18, 23, 24, 31, 37;
18:2; 20:26; 21:8, 11; 22:18, 22; 27:6; 31:6 • IISh.
2:17; 3:37; 5:8; 6:9; 11:12; 18:7, 8; 19:3^2, 4; 23:10;
24:18 • IK. 8:64; 13:3; 16:16; 22:25, 35 • IIK. 3:6 •
Is. 2:11, 17, 20; 3:7, 18; 4:1, 2; 5:30; 7:18, 20, 21, 23;
10:20, 27; 11:10, 11; 12:1, 4; 17:4, 7, 9; 19:16, 18, 19,
21, 23, 24; 20:6; 22:8, 12, 20, 25; 23:15; 24:21; 25:9;
26:1; 27:1, 2, 12, 13; 28:5; 29:18; 30:23; 31:7; 52:6 •
Jer. 4:9; 25:33; 30:8; 39:10, 16, 17; 48:41; 49:22, 26;
50:30 • Ezek. 20:6; 23:38, 39; 24:26, 27; 29:21; 30:9;
38:10, 14, 18, 19; 39:11; 45:22 • Hosh. 1:5; 2:18, 20,
23 • Joel 4:18 • Am. 2:16; 8:3, 9, 13; 9:11 • Ob. 8 •
Mic. 2:4; 4:6; 5:9 • Zep. 1:9, 10; 3:11, 16 • Hag. 2:23
• Zech. 2:15; 3:10; 6:10; 9:16; 11:11; 12:3, 4, 6, 8^2, 9,
11; 13:1, 2, 4; 14:4, 6, 8, 9, 13, 20, 21 • Ps. 146:4 • Es.
5:9; 8:1; 9:11 • Neh. 12:43, 44; 13:1 • ICh. 13:12;
16:7; 29:22 • IICh. 15:11; 18:24, 34; 35:16
891 וַיֻּגַּד לְלָבָן בַּיּוֹם הַשְּׁלִישִׁי Gen. 31:22
892 הָיִיתִי בַיּוֹם אֲכָלַנִי חֹרֶב Gen. 31:40
893 בַיּוֹם הַשְּׁלִישִׁי בִּהְיוֹתָם כֹּאֲבִים Gen. 34:25
894-918 בַּיּוֹם הַשְּׁלִישִׁי Gen. 40:20; 42:18
Ex. 19:11, 16 • Lev. 7:17, 18; 19:7 • Num. 7:24;
19:12^2, 19; 31:19 • Josh. 9:17 • Jud. 20:30 • ISh.
30:1 • IISh. 1:2 • IK. 3:18; 12:12^2 • IIK. 20:5, 8 •
Hosh. 6:2 • Es. 5:1 • IICh. 10:12^2
919-926 בַּיּוֹם הַשֵּׁנִי Ex. 2:13
Num. 7:18 • Josh. 6:14; 10:32 • Jud. 20:24, 25
Jer. 41:4 • Es. 7:2
927-935 בַּיּוֹם הָרִאשׁוֹן Ex. 12:15
Lev. 23:7, 35, 39, 40 • Num. 7:12; 28:18 • Deut. 16:4
• Jud. 20:22
936-9 בַּיּוֹם הַשִּׁשִּׁי Ex. 16:5, 22, 29 • Num. 7:42
940-964 בַּיּוֹם הַשְּׁבִיעִי Ex. 16:27, 29, 30 20:11;
24:16 • Lev. 13:5, 6, 27, 32, 34, 51; 14:9, 39; 23:8
• Num. 6:9; 7:48; 19:19; 31:24 • Josh. 6:15 • Jud.
14:15, 17, 18 • IISh. 12:18 • IK. 20:29 • Es. 1:10
965 בַּיּוֹם הַזֶּה בָּאוּ מִדְבַּר סִינָי Ex. 19:1
966-969 בַּיּוֹם הַזֶּה Lev. 8:34; 16:30
Josh. 7:25 • ISh. 11:13

בַּיּוֹם (המשך)

970-978 בַּיּוֹם הַשְּׁמִינִי Ex. 22:29 • Lev. 9:1;
14:23; 23:36 • Num. 7:54; 29:35 • IK. 8:66
• Ezek. 43:27 • IICh. 7:9
979/80 בַּיּוֹם הָרְבִיעִי Num. 7:30 • Jud. 19:5
981/82 בַּיּוֹם הַחֲמִישִׁי Num. 7:36 • Jud. 19:8
983 בַּיּוֹם הַתְּשִׁיעִי Num. 7:60
984 בַּיּוֹם הָעֲשִׂירִי Num. 7:66
985 וְהָיָה בַּיּוֹם אֲשֶׁר תַּעַבְרוּ... Deut. 27:2
986 הָאִישׁ אֲשֶׁר־בָּא בַיּוֹם אֵלָי Jud. 13:10
987 בַּיּוֹם אֲשֶׁר־יָצָא...מִירוּשָׁלִַם IISh. 19:20
988 וָאֹמַר אֵלֶיהָ בַּיּוֹם הָאַחֵר IIK. 6:29
989 בַּבֹּקֶר יַעֲבֹר בַּיּוֹם וּבַלָּיְלָה Is. 28:19
990 לַחֹרֶב בַּיּוֹם וְלַקֶּרַח בַּלָּיְלָה Jer. 36:30
991 בַּיּוֹם אֲשֶׁר אֲנִי עֹשֶׂה Mal. 3:21
992 שֶׁבַע בַּיּוֹם הִלַּלְתִּיךָ Ps. 119:164
993 אֶת־הַשֶּׁמֶשׁ לְמֶמְשֶׁלֶת בַּיּוֹם Ps. 136:8
994 אֱוִיל בַּיּוֹם יִוָּדַע כַּעְסוֹ Prov. 12:16
995 מַה־נַּעֲשֶׂה...בַּיּוֹם שֶׁיְּדֻבַּר־בָּהּ S.ofS. 8:8
996 כִּי גַם בַּיּוֹם וּבַלַּיְלָה... Eccl. 8:16
997 בַּיּוֹם שֶׁיָּזֻעוּ שֹׁמְרֵי הַבַּיִת Eccl. 12:3
998 בַּיּוֹם אֲשֶׁר שִׂבְּרוּ אֹיְבֵי הַיְּהוּדִים Es. 9:1
999 הֲיִזְבָּחוּ הַיְכַלּוּ בַיּוֹם Neh. 3:34

וּבַיּוֹם

1000 וּבַיּוֹם הָרִאשׁוֹן מִקְרָא־קֹדֶשׁ Ex. 12:16
1001 וּבַיּוֹם הַשְּׁבִיעִי מִקְרָא־קֹדֶשׁ Ex. 12:16
1002 וּבַיּוֹם הַשְּׁבִיעִי חַג לַייָ Ex. 13:6
1003-1016 וּבַיּוֹם הַשְּׁבִיעִי Ex. 23:12
31:15, 17; 34:21; 35:2 • Lev. 23:3 • Num. 19:12^2;
19:19; 28:25; 29:32; 31:19 • Deut. 16:8 • Josh. 6:4
1017-1023 וּבַיּוֹם הַשְּׁמִינִי Lev. 12:3; 14:10
15:14, 29; 23:39 • Num. 6:10 • Neh. 8:18
1024-1026 וּבַיּוֹם הַשֵּׁנִי Num. 29:17
Ezek. 43:22 • Neh. 8:13
1027 וּבַיּוֹם הַשְּׁלִישִׁי Num. 29:20
1028-1030 וּבַיּוֹם הָרְבִיעִי Num. 29:23
Ez. 8:33 • IICh. 20:26
1031 וּבַיּוֹם הַחֲמִישִׁי Num. 29:26
1032 וּבַיּוֹם הַשִּׁשִּׁי Num. 29:29
1033 וּבַיּוֹם הַזֶּה לֹא אֲמִיתֶךָ IK. 2:26

כְּיוֹם

1034 וְלֹא־אָץ לָבוֹא כְּיוֹם תָּמִים Josh. 10:13
1035 וְדָוִד מְנַגֵּן בְּיָדוֹ כְּיוֹם בְּיוֹם ISh. 18:10
1036 וְאַחֲרִיתָהּ כְּיוֹם מָר Am. 8:10

כַּיּוֹם (א)

1037 מִכְרָה כַיּוֹם אֶת־בְּכֹרָתְךָ לִי Gen. 25:31
1038 הִשָּׁבְעָה לִּי כַּיּוֹם Gen. 25:33
1039 קַטֵּר יַקְטִירוּן כַּיּוֹם הַחֵלֶב ISh. 2:16
1040 וְאַתָּה עֲמֹד כַּיּוֹם וְאַשְׁמִיעֲךָ... ISh. 9:27
1041 יִשָּׁבַע־לִי כַיּוֹם הַמֶּלֶךְ IK. 1:51
1042 דְּרָשׁ־נָא כַיּוֹם אֶת־דְּבַר יְיָ IK. 22:5
1043 לֹא־תָצוּמוּ כַיּוֹם Is. 58:4
1044 דְּרָשׁ־נָא כַיּוֹם אֶת־דְּבַר יְיָ IICh. 18:4

כַּיּוֹם (ב)

1045 לְמַעַן עֲשֹׂה כַּיּוֹם הַזֶּה... Gen. 50:20
1046 לְמַעַן תִּתּוֹ בְיָדְךָ כַּיּוֹם הַזֶּה Deut. 2:30
1047 לִהְיוֹת לוֹ לְעַם נַחֲלָה כַּיּוֹם Deut. 4:20
1048-1065 כַּיּוֹם הַזֶּה Deut. 4:38; 8:18; 10:15
29:27 • ISh. 22:8, 13 • IK. 3:6; 8:24, 61 • Jer. 11:5;
25:18; 32:20; 44:6, 23 • Dan. 9:7, 15 • ICh. 28:7 •
IICh. 6:15
1066 וְלֹא הָיָה כַּיּוֹם הַהוּא לְפָנָיו Josh. 10:14
1067 וְלַיְלָה כַּיּוֹם יָאִיר Ps. 139:12

לְיוֹם

1068 וַיְהִי לֶחֶם־שְׁלֹמֹה לְיוֹם אֶחָד IK. 5:2
1069 וּתְהִי לְיוֹם אַחֲרוֹן לָעַד... Is. 30:8
1070 הַמְנַדִּים לְיוֹם רָע Am. 6:3
1071 יוֹם לְיוֹם יַבִּיעַ אֹמֶר Ps. 19:3

לְיוֹם (המשך)

1072 בַּשְּׂרוּ מִיּוֹם־לְיוֹם יְשׁוּעָתוֹ Ps. 96:2
1073 וַתִּשְׂחַק לְיוֹם אַחֲרוֹן Prov. 31:25
1074 לַיְלָה לְיוֹם יָשִׂימוּ Job 17:12
1075 מִיּוֹם לְיוֹם וּמֵחֹדֶשׁ לְחֹדֶשׁ Es. 3:7
1076 ...וּמֵאֵבֶל לְיוֹם טוֹב Es. 9:22
1077 וְהַמְּלָאכָה לֹא־לְיוֹם אֶחָד Ez. 10:13
1078 וַאֲשֶׁר הָיָה נַעֲשֶׂה לְיוֹם אֶחָד Neh. 5:18
1079 כֹּה עָשׂוּ לְיוֹם בְּיוֹם IICh. 24:11

לַיּוֹם (א)

1080 וְהָיוּ נְכֹנִים לַיּוֹם הַשְּׁלִישִׁי Ex. 19:11
1081 הֵילִילוּ הָהּ לַיּוֹם Ezek. 30:2
1082 אֲהָהּ לַיּוֹם כִּי קָרוֹב Joel 1:15
1083 וְהָיוּ לִי...לַיּוֹם אֲשֶׁר אֲנִי עֹשֶׂה Mal. 3:17
1084/5 וְלִהְיוֹת...עֲתִדִים לַיּוֹם הַזֶּה Es. 3:14; 8:13

לַיּוֹם (ב)

1086 וּפַר חַטָּאת תַּעֲשֶׂה לַיּוֹם... Ex. 29:36
1087 כְּבָשִׂים...שְׁנַיִם לַיּוֹם תָּמִיד Ex. 29:38
1088/9 נָשִׂיא אֶחָד לַיּוֹם Num. 7:11^2
1090 וְנָתֹן לוֹ כִכַּר־לֶחֶם לַיּוֹם Jer. 37:21
1091 ...עֶשְׂרִים שֶׁקֶל לַיּוֹם Ezek. 4:10
1092-1099 לַיּוֹם Num. 28:3, 24
Ezek. 43:25; 45:23^2; 46:13 • ICh. 26:17^2

מִיּוֹם

1100 מִיּוֹם הָרִאשֹׁן עַד־יוֹם הַשְּׁבִעִי Ex. 12:15
1101 וְאִם־הַחֲרֵשׁ...מִיּוֹם אֶל־יוֹם Num. 30:15
1102 מִיּוֹם אֲשֶׁר הָיִיתִי לְפָנֶיךָ ISh. 29:8
1103/4 מִיּוֹם עַד־לַיְלָה תַּשְׁלִימֵנִי Is. 38:12, 13
1105 גַּם־מִיּוֹם אֲנִי הוּא... Is. 43:13
1106 מִיּוֹם עֶשְׂרִים וְאַרְבָּעָה לַתְּשִׁיעִי Hag. 2:18
1107 בַּשְּׂרוּ מִיּוֹם־לְיוֹם יְשׁוּעָתוֹ Ps. 96:2
1108 מִיּוֹם לְיוֹם וּמֵחֹדֶשׁ לְחֹדֶשׁ Es. 3:7
1109 מִיּוֹם אֶחָד לַחֹדֶשׁ הַשְּׁבִיעִי Ez. 3:6
1110 גַּם מִיּוֹם אֲשֶׁר־צִוָּה אֹתִי... Neh. 5:14
1111 בַּשְּׂרוּ מִיּוֹם־אֶל־יוֹם יְשׁוּעָתוֹ ICh. 16:23

וּמִיּוֹם

1112 וּמִיּוֹם הַשְּׁמִינִי וָהָלְאָה יֵרָצֶה Lev. 22:27

יוֹם־

1113 לֹא יָדַעְתִּי יוֹם מוֹתִי Gen. 27:2
1114 ...יוֹם הֻלֶּדֶת אֶת־פַּרְעֹה Gen. 40:20
1115 זָכוֹר אֶת־יוֹם הַשַּׁבָּת לְקַדְּשׁוֹ Ex. 20:8
1116-1123 יוֹם הַשַּׁבָּת Ex. 20:11 • Deut. 5:12
5:15 • Jer. 17:22, 24, 27 • Neh. 13:17, 22
1124 וְלֹא יִסְעוּ עַד־יוֹם הֵעָלֹתוֹ Ex. 40:37
1125 עַד יוֹם מְלֹאת יְמֵי מִלֻּאֵיכֶם Lev. 8:33
1126 יוֹם הַכִּפֻּרִים הוּא Lev. 23:27
1127 כִּי יוֹם כִּפֻּרִים הוּא Lev. 23:28
1128 וְכָל־הַלַּיְלָה וְכֹל יוֹם הַמָּחֳרָת Num. 11:32
1129 יוֹם תְּרוּעָה יִהְיֶה לָכֶם Num. 29:1
1130 לְמַעַן תִּזְכֹּר אֶת־יוֹם צֵאתְךָ Deut. 16:3
1131 כִּי קָרוֹב יוֹם אֵידָם Deut. 32:35
1132 עַד יוֹם אָמְרִי אֲלֵיכֶם הָרִיעוּ Josh. 6:10
1133 מִן־הַבֶּטֶן עַד־יוֹם מוֹתוֹ Jud. 13:7
1134-1140 יוֹם מוֹתוֹ (מוֹתָהּ וכו׳) ISh. 15:35
IISh. 6:23; 20:3 • IIK. 15:5 • Jer. 52:11, 34
IICh. 26:21
1141 עַד־יוֹם גְּלוֹת הָאָרֶץ Jud. 18:30
1142 עַד יוֹם תֵּת־יְיָ גֶּשֶׁם IK. 17:14
1143 הַיּוֹם הַזֶּה יוֹם־בְּשֹׂרָה הוּא IIK. 7:9
1144/5 יוֹם־צָרָה וְתוֹכֵחָה וּנְאָצָה IIK. 19:3
Is. 37:3
1146 הֵילִילוּ כִּי קָרוֹב יוֹם יְיָ Is. 13:6
1147-1159 יוֹם יְיָ Is. 13:9 • Joel 1:15
2:1, 11; 3:4; 4:14 • Am. 5:18, 20 • Ob. 15 • Zep. 1:7,
14^2 • Mal. 3:23
1160 כִּי יוֹם מְהוּמָה וּמְבוּסָה... Is. 22:5
1161 כִּי יוֹם נָקָם לַייָ Is. 34:8
1162 וְהָיָה כָזֶה יוֹם מָחָר Is. 56:12

יוֹם- (המשך)
1163 יוֹם עַנּוֹת אָדָם נַפְשׁוֹ Is. 58:5
1164 כִּי יוֹם נָקָם בְּלִבִּי Is. 63:4
1165 הָבִיא עֲלֵיהֶם יוֹם רָעָה Jer. 17:18
1166 עַד יוֹם פָּקְדִי אֹתָם Jer. 27:22
1167 וְהַיּוֹם הַהוּא...יוֹם נְקָמָה Jer. 46:10
1168 כִּי יוֹם אֵידָם בָּא עֲלֵיהֶם Jer. 46:21
1169 יֶחֶרְדוּ הָאִיִּן יוֹם מַפַּלְתֵּךְ Ezek. 26:18
1170 יוֹם עָנָן עֵת גּוֹיִם יִהְיֶה Ezek. 30:3
1171 וְהָיָה לָהֶם לְשֵׁם יוֹם הִכָּבְדִי Ezek. 39:13
1172 כִּי גָדוֹל יוֹם יִזְרְעֶאל Hosh. 2:2
1173 יוֹם מַלְכֵּנוּ הֶחֱלוּ שָׂרִים... Hosh. 7:5
1174/5 יוֹם חֹשֶׁךְ וַאֲפֵלָה יוֹם עָנָן וַעֲרָפֶל Joel 2:2
1176 יוֹם מְצַפֶּיךָ פְּקֻדָּתְךָ בָאָה Mic. 7:4
1177 יוֹם עֶבְרָה הַיּוֹם הַהוּא Zep. 1:15
1178 יוֹם צָרָה וּמְצוּקָה Zep. 1:15
1179 יוֹם שֹׁאָה וּמְשׁוֹאָה Zep. 1:15
1180 יוֹם חֹשֶׁךְ וַאֲפֵלָה Zep. 1:15
1181 יוֹם עָנָן וַעֲרָפֶל Zep. 1:15
1182 יוֹם שׁוֹפָר וּתְרוּעָה Zep. 1:16
1183 לֹא־יָבוֹא עֲלֵיכֶם יוֹם אַף־יְיָ Zep. 2:2
1184 וּמִי מְכַלְכֵּל אֶת־יוֹם בּוֹאוֹ Mal. 3:2
1185 זְכֹר יְיָ...אֵת יוֹם יְרוּשָׁלָם Ps. 137:7
1186 כִּי־נָכוֹן בְּיָדוֹ יוֹם־חֹשֶׁךְ Job 15:23
1187/8 יוֹם מִשְׁתֶּה וְשִׂמְחָה Es. 9:17, 18
וְיוֹם- 1189 ...צוֹם וְיוֹם רָצוֹן לַייָ Is. 58:5
1190 שְׁנַת־רָצוֹן...וְיוֹם נָקָם לֵאלֹהֵינוּ Jer. 17:18
1191 טוֹב...וְיוֹם הַמָּוֶת מִיּוֹם הִוָּלְדוֹ Eccl. 7:1
בְּיוֹם- 1192 בְּיוֹם עֲשׂוֹת יְיָ...אֶרֶץ וְשָׁמָיִם Gen. 2:4
1193 בְּיוֹם אֲכָלְךָ מִמֶּנּוּ מוֹת תָּמוּת Gen. 2:17
1194 בְּיוֹם אֲכָלְכֶם...וְנִפְקְחוּ עֵינֵיכֶם Gen. 3:5
1195 בְּיוֹם בְּרֹא אֱלֹהִים אָדָם Gen. 5:1
1196 ...שְׁמָם אָדָם בְּיוֹם הִבָּרְאָם Gen. 5:2
1197 ...בְּיוֹם הִגָּמֵל אֶת־יִצְחָק Gen. 21:8
1198 וְעָנְתָה־בִּי צִדְקָתִי בְּיוֹם מָחָר Gen. 30:33
1199 לָאֵל הָעֹנֶה אֹתִי בְּיוֹם צָרָתִי Gen. 35:3
1200 וַיְהִי בְּיוֹם דִּבֶּר יְיָ אֶל־מֹשֶׁה Ex. 6:28
1201 כִּי בְּיוֹם רְאֹתְךָ פָנַי תָּמוּת Ex. 10:28
1202 הָעֹשֶׂה מְלָאכָה בְּיוֹם הַשַּׁבָּת Ex. 31:15
1215-1203 בְּיוֹם הַשַּׁבָּת Ex. 35:3
Lev. 24:8² • Num. 15:32 • Jer. 17:21, 22, 24; 17:27 •
Ezek. 46:4, 12 • Neh. 10:32; 13:15, 19
1216 בְּיוֹם־הַחֹדֶשׁ הָרִאשׁוֹן Ex. 40:2
1217 יִתְּנֶנּוּ בְּיוֹם אַשְׁמָתוֹ Lev. 5:24
1218 בְּיוֹם קָרְבָּנוֹ יֵאָכֵל Lev. 7:15
1219 בְּיוֹם הִקְרִיב אֹתָם לְכַהֵן לַייָ Lev. 7:35
1220 תּוֹרַת הַמְּצֹרָע בְּיוֹם טָהֳרָתוֹ Lev. 14:2
1221 לְהוֹרֹת בְּיוֹם הַטָּמֵא... Lev. 14:57
1222 בְּיוֹם זִבְחֲכֶם יֵאָכֵל וּמִמָּחֳרָת Lev. 19:6
1223 בֶּעָשׂוֹר לַחֹדֶשׁ בְּיוֹם הַכִּפֻּרִים Lev. 25:9
1224 בְּיוֹם דִּבֶּר יְיָ אֶת־מֹשֶׁה... Num. 3:1
1225 וְגִלַּח רֹאשׁוֹ בְּיוֹם טָהֳרָתוֹ Num. 6:9
1226 בְּיוֹם עַשְׁתֵּי עָשָׂר יוֹם Num. 7:72
1227 בְּיוֹם שְׁנֵים־עָשָׂר יוֹם Num. 7:78
1228 כָּזְבִּי...הַמֻּכָּה בְיוֹם־הַמַּגֵּפָה Num. 25:18
1229 בְּיוֹם דִּבֶּר יְיָ אֲלֵיכֶם בְּחֹרֵב Deut. 4:15
1230/1 אֲשֶׁר דִּבֶּר...בְּיוֹם הַקָּהָל Deut. 9:10; 10:4
1232 כְּכֹל אֲשֶׁר־שָׁאַלְתָּ...בְּיוֹם Deut. 18:16
1233 וְהָיָה בְּיוֹם מִלְחֶמֶת... ISh. 13:22
1234 אֲשֶׁר־נִסְתַּרְתָּ שָׁם בְּיוֹם הַמַּעֲשֶׂה ISh. 20:19
1235 וְלֹא־אָכַל בְּיוֹם־הַחֹדֶשׁ ISh. 20:34
1236/7 בְּיוֹם הִצִּיל יְיָ אֹתוֹ IISh. 22:1 • Ps. 18:1
1238 יְקַדְּמֻנִי בְיוֹם אֵידִי IISh. 22:19

בְּיוֹם- (המשך)
1239/40 וְהִכָּה...בְּיוֹם הַשָּׁלֶג IISh. 23:20 • ICh. 11:22
1241 בְּיוֹם נִטְעֵךְ תְּשַׂגְשֵׂגִי Is. 17:11
1242 נֵד קָצִיר בְּיוֹם נַחֲלָה Is. 17:11
1243 הָגָה בְּרוּחוֹ הַקָּשָׁה בְּיוֹם קָדִים Is. 27:8
1244 בְּיוֹם הֶרֶג רָב בִּנְפֹל מִגְדָּלִים Is. 30:25
1245 בְּיוֹם צֹמְכֶם תִּמְצְאוּ־חֵפֶץ Is. 58:3
1246 עֲשׂוֹת חֲפָצֶךָ בְּיוֹם קָדְשִׁי Is. 58:13
1253-1247 בְּיוֹם צָרָה Jer. 16:19 • Ob. 14
Nah. 1:7 • Ps. 20:2; 50:15 • Prov. 24:10; 25:19
1254-7 בְּיוֹם רָעָה Jer. 17:17; 51:2 • Ps. 27:5; 41:2
1263-1258 בְּיוֹם אֵידָם (אֵידוֹ וכד׳) Jer. 18:17
Ob. 13³ • Ps. 18:19 • Prov. 27:10
1264 וְקָרָאתָ...בֵּית יְיָ בְּיוֹם צוֹם Jer. 36:6
1265 אֲשֶׁר יִהְיֶה בֶעָנָן בְּיוֹם הַגֶּשֶׁם Ezek. 1:28
1266 וּמוֹלְדוֹתַיִךְ בְּיוֹם הוּלֶּדֶת אֹתָךְ Ezek. 16:4
1267 וַתֻּשְׁלְכִי... בְּיוֹם הֻלֶּדֶת אֹתָךְ Ezek. 16:5
1268 לַעֲמֹד בַּמִּלְחָמָה בְּיוֹם יְיָ Ezek. 13:5
1269 לִשְׁמוּעָה בְּפִיךְ בְּיוֹם גְּאוֹנָיִךְ Ezek. 16:56
1270 לֹא גֻשְׁמָהּ בְּיוֹם זָעַם Ezek. 22:24
1271 יִפְּלוּ בְּלֵב יַמִּים בְּיוֹם מַפַּלְתֵּךְ Ezek. 27:27
1272 וְחָרְדוּ...בְּיוֹם מַפַּלְתֶּךָ Ezek. 32:10
1273 ...לֹא תַצִּילֶנּוּ בְּיוֹם פִּשְׁעוֹ Ezek. 33:12
1274 ...בְּיוֹם עָנָן וַעֲרָפֶל Ezek. 34:12
1275 לְשַׁמָּה תִהְיֶה בְּיוֹם תּוֹכֵחָה Hosh. 5:9
1276 כְּשֹׁד שַׁלְמַן...בְּיוֹם מִלְחָמָה Hosh. 10:14
1277 בִּתְרוּעָה בְּיוֹם מִלְחָמָה Am. 1:14
1278 בְּסַעַר בְּיוֹם סוּפָה Am. 1:14
1279 כִּי בְּיוֹם פָּקְדִי פִשְׁעֵי־יִשְׂרָאֵל Am. 3:14
1280 וְהַחֲשַׁכְתִּי לָאָרֶץ בְּיוֹם אוֹר Am. 8:9
1281/2 בְּיוֹם־אָחִיךָ בְּיוֹם נָכְרוֹ Ob. 12
1283 הַחוֹנִים בַּגְּדֵרוֹת בְּיוֹם קָרָה Nah. 3:17
1284 וְהָיָה בְּיוֹם זֶבַח יְיָ... Zep. 1:8
1285 לְהַצִּילָם בְּיוֹם עֶבְרַת יְיָ Zep. 1:18
1286 אוּלַי תִּסָּתְרוּ בְּיוֹם אַף־יְיָ Zep. 2:3
1287 בְּיוֹם יֻסַּד בֵּית־יְיָ צְבָאוֹת Zech. 8:9
1288 יָשׁוּבוּ אוֹיְבַי אָחוֹר בְּיוֹם אֶקְרָא Ps. 56:10
1289 וּמָנוֹס בְּיוֹם צַר־לִי Ps. 59:17
1290 בְּיוֹם צָרָתִי אֲדֹנָי דָּרָשְׁתִּי Ps. 77:3
1291 הָפְכוּ בְּיוֹם קְרָב Ps. 78:9
1292 בְּיוֹם צָרָתִי אֶקְרָאֶךָּ Ps. 86:7
1293 אַל־תַּסְתֵּר פָּנֶיךָ...בְּיוֹם צַר־לִי Ps. 102:3
1294 בְּיוֹם אֶקְרָא מַהֵר עֲנֵנִי Ps. 102:3
1295 עַמְּךָ נְדָבֹת בְּיוֹם חֵילֶךָ Ps. 110:3
1300-1296 בְּיוֹם אַפּוֹ (אַפֶּךָ וכד׳) Ps. 110:5
Job 20:28 • Lam. 2:1, 21, 22
1301 בְּיוֹם קָרָאתִי וַתַּעֲנֵנִי Ps. 138:3
1302 סַכֹּתָה לְרֹאשִׁי בְּיוֹם נָשֶׁק Ps. 140:8
1303 וְלֹא־יַחְמוֹל בְּיוֹם נָקָם Prov. 6:34
1304 לֹא־יוֹעִיל הוֹן בְּיוֹם עֶבְרָה Prov. 11:4
1305 כְּצִנַּת־שֶׁלֶג בְּיוֹם קָצִיר Prov. 25:13
1306 מַעֲדֶה־בֶּגֶד בְּיוֹם קָרָה Prov. 25:20
1307 אַל־תִּתְהַלֵּל בְּיוֹם מָחָר Prov. 27:1
1308 דֶּלֶף טוֹרֵד בְּיוֹם סַגְרִיר Prov. 27:15
1309 בְּיוֹם חֲתֻנָּתוֹ וּבְיוֹם שִׂמְחַת לִבּוֹ S.ofS. 3:11
1310 אֲשֶׁר הוֹגָה יְיָ בְּיוֹם חֲרוֹן אַפּוֹ Lam. 1:12
1311 קָרַבְתָּ בְּיוֹם אֶקְרָאֶךָּ Lam. 3:57
1312 בְּיוֹם טוֹבָה הֱיֵה בְטוֹב Eccl. 7:14
1313 וְאֵין שִׁלְטוֹן בְּיוֹם הַמָּוֶת Eccl. 8:8
1314 לְעֶת־יוֹם בְּיוֹם יָבֹאוּ ICh. 12:22(23)
1364-1315 בְּיוֹם... Lev. 6:13; 7:16, 36, 38
23:12 • Num. 3:13; 6:13; 7:1, 10, 84; 8:17; 30:6, 8, 9;
30:13, 15 • Deut. 21:16 • Josh. 9:12; 10:12; 14:11 •

בְּיוֹם- (המשך)
ISh. 21:7 • IISh. 21:12 • IK. 2:8; 2:37, 42 • Is.
11:16; 14:3; 30:26 • Jer. 7:22; 11:4, 7; 31:32(31);
34:13 • Ezek. 20:5; 24:25; 28:13; 31:15; 36:33;
38:18; 33:12²; 34:12; 43:18 • Ob. 11², 12 • Nah. 2:4
• Zech. 14:3 • Ps. 20:10 • Ruth 4:5
וּבְיוֹם- 1365 וּבְיוֹם פָּקְדִי וּפָקַדְתִּי עֲלֵהֶם Ex. 32:34
1366 וּבְיוֹם הֵרָאוֹת בּוֹ בָּשָׂר חַי Lev. 13:14
1367 בְּיוֹם הַטָּמֵא וּבְיוֹם הַטָּהֹר Lev. 14:57
1368 וּבְיוֹם הָקִים אֶת־הַמִּשְׁכָּן Num. 9:15
1369 וּבְיוֹם שִׂמְחַתְכֶם וּבְמוֹעֲדֵיכֶם Num. 10:10
1370 וּבְיוֹם הַשַּׁבָּת שְׁנֵי־כְבָשִׂים Num. 28:9
1371 וּבְיוֹם הַבִּכּוּרִים בְּהַקְרִיבְכֶם Num. 28:26
1372 בְּעֶבְרַת יְיָ...וּבְיוֹם חֲרוֹן אַפּוֹ Is. 13:13
1373 וּבְיוֹם יְשׁוּעָה עֲזַרְתִּיךָ Is. 49:8
1374 וּבְיוֹם בֹּאוֹ אֶל־הַקֹּדֶשׁ... Ezek. 44:27
1375 ...וּבְיוֹם הַשַּׁבָּת יִפָּתֵחַ Ezek. 46:1
1376 וּבְיוֹם הַחֹדֶשׁ יִפָּתֵחַ Ezek. 46:1
1377 וּבְיוֹם הַחֹדֶשׁ פַּר בֶּן־בָּקָר Ezek. 46:6
1378 בְּיוֹם חֲתֻנָּתוֹ וּבְיוֹם שִׂמְחַת לִבּוֹ S.ofS. 3:11
1379 וּבְיוֹם רָעָה רְאֵה Eccl. 7:14
1380 בַּשַּׁבָּת וּבְיוֹם קֹדֶשׁ Neh. 10:32
כְּיוֹם- 1381 הַחִתֹּתָ כְּיוֹם מִדְיָן Is. 9:3
1382 וְהָיְתָה חַלְחָלָה בָהֶם כְּיוֹם מִצְ׳ Ezek. 30:9
1383 וְהִצַּגְתִּיהָ כְּיוֹם הִוָּלְדָהּ Hosh. 2:5
1384 כְּיוֹם הִלָּחֲמוֹ בְּיוֹם קְרָב Zech. 14:3
1385 כְּיוֹם אֶתְמוֹל כִּי יַעֲבֹר Ps. 90:4
1386 כְּיוֹם מַסָּה בַּמִּדְבָּר Ps. 95:8
1387 קוֹל נָתְנוּ בְּבֵית־יְיָ כְּיוֹם מוֹעֵד Lam. 2:7
1388 תִּקְרָא כְיוֹם מוֹעֵד מְגוּרַי מִסָּבִיב Lam. 2:22
וּכְיוֹם- 1389 וּכְיוֹם עֲלוֹתָהּ מֵאֶרֶץ־מִצְרָיִם Hosh. 2:17
לְיוֹם- 1390 וּמַה־תַּעֲשׂוּ לְיוֹם פְּקֻדָּה Is. 10:3
1391 וְהַקְדִּשֵׁם לְיוֹם הֲרֵגָה Jer. 12:3
1392 מַה־תַּעֲשׂוּ לְיוֹם מוֹעֵד... Hosh. 9:5
1393 אֲשֶׁר אָנוּחַ לְיוֹם צָרָה Hab. 3:16
1394 חַכּוּ־לִי...לְיוֹם קוּמִי לְעַד Zep. 3:8
1395 כִּי מִי בַז לְיוֹם קְטַנּוֹת Zech. 4:10
1396 תִּקְעוּ...בַּכֵּסֶה לְיוֹם חַגֵּנוּ Ps. 81:4
1397 מִזְמוֹר שִׁיר לְיוֹם הַשַּׁבָּת Ps. 92:1
1398 לְיוֹם הַכֵּסֶא יָבֹא בֵיתוֹ Prov. 7:20
1399 וְגַם־רָשָׁע לְיוֹם רָעָה Prov. 16:4
1400 סוּס מוּכָן לְיוֹם מִלְחָמָה Prov. 21:31
1401 כִּי לְיוֹם אֵיד יֵחָשֶׂךְ רָע Job 21:30
1402 לְיוֹם עֲבָרוֹת יוּבָלוּ Job 21:30
1403 לְיוֹם קְרָב וּמִלְחָמָה Job 38:23
וּלְיוֹם- 1404 לְיוֹם מוֹעֵד וּלְיוֹם חַג־יְיָ Hosh. 9:5
מִיּוֹם- 1405 מִיּוֹם הֱיוֹתָם עַל־הָאֲדָמָה Ex. 10:6
1406 מִיּוֹם הֲבִיאֲכֶם...עֹמֶר הַתְּנוּפָה Lev. 23:15
1407 ...מִיּוֹם דַּעְתִּי אֶתְכֶם Deut. 9:24
1408 וַיְהִי מִיּוֹם שֶׁבֶת הָאָרוֹן... ISh. 7:2
1409 מִיּוֹם הַעֲלֹתִי אוֹתָם מִמִּצְרַיִם ISh. 8:8
1410 מִיּוֹם נָפְלוֹ עַד־הַיּוֹם הַזֶּה ISh. 29:3
1411 מִיּוֹם בֹּאֲךָ אֵלַי עַד־הַיּוֹם הַזֶּה ISh. 29:6
1412 מִיּוֹם עַנֹּתוֹ אֵת תָּמָר אֲחֹתוֹ IISh. 13:32
1413 מִיּוֹם עָזְבָה אֶת־הָאָרֶץ IIK. 8:6
1414 מִיּוֹם דִּבַּרְתִּי אֵלֶיךָ... Jer. 36:2
1415 תָּמִים אַתָּה...מִיּוֹם הִבָּרְאָךְ Ezek. 28:15
1416 וְשֵׁם־הָעִיר מִיּוֹם יְיָ שָׁמָּה Ezek. 48:35
1417 טוֹב...וְיוֹם הַמָּוֶת מִיּוֹם הִוָּלְדוֹ Eccl. 7:1
לְמִיּוֹם- 1418 לְמִיּוֹם עֲלוֹת בּ״י מֵאֶרֶץ מִצְ׳ Jud. 19:30
1419 לְמִיּוֹם הַעֲלֹתִי אֶת־בּ״י מִמִּצְרַיִם IISh. 7:6
1420 לְמִיּוֹם סוּר־אֶפְרַיִם מֵעַל יְהוּדָה Is. 7:17
יוֹמְךָ 1421 כִּי בָּא יוֹמְךָ עֵת פְּקַדְתִּיךָ Jer. 50:31

יוֹמוֹ 1422 אוֹ־יוֹמוֹ יָבוֹא וָמֵת ISh. 26:10
1423 אֲשֶׁר־בָּא יוֹמוֹ בְּעֵת עֲוֹן קֵץ Ezek. 21:30
1424 כִּי־רָאָה כִּי־יָבֹא יוֹמוֹ Ps. 37:13
1425 וְעָשׂוּ מִשְׁתֶּה בֵּית אִישׁ יוֹמוֹ Job 1:4
1426 וַיְקַלֵּל אֶת־יוֹמוֹ Job 3:1
1427 עַד־יִרְצֶה כְּשָׂכִיר יוֹמוֹ Job 14:6
1428 בְּלֹא־יוֹמוֹ תִּמָּלֵא Job 15:32
1429 עַל־יוֹמוֹ נָשַׁמּוּ אַחֲרֹנִים Job 18:20
בְּיוֹמוֹ 1430-1440 דְּבַר־יוֹם בְּיוֹמוֹ Ex. 5:13, 19
16:4 • Lev. 23:37 • IK. 8:59 • IIK. 25:30 • Jer.
52:34 • Dan. 1:5 • Ez. 3:4 • Neh. 11:23; 12:47
1441 בְּיוֹמוֹ תִתֵּן שְׂכָרוֹ Deut. 24:15
1442-4 לִדְבַר יוֹם בְּיוֹמוֹ ICh.16:37 • IICh.8:14; 31:16
יוֹמָם 1445 כִּי־בָא יוֹמָם עֵת פְּקֻדָּתָם Jer. 50:27
1446 אֲשֶׁר־בָּא יוֹמָם בְּעֵת עֲוֹן קֵץ Ezek. 21:34
יוֹמַיִם 1447 אַךְ אִם־יוֹם אוֹ יוֹמַיִם יַעֲמֹד Ex. 21:21
1448 אוֹ־יֹמַיִם אוֹ־חֹדֶשׁ אוֹ־יָמִים Num. 9:22
יוֹמָיִם 1449 ...בַּיּוֹם הַשִּׁשִּׁי לֶחֶם יוֹמָיִם Ex. 16:29
1450 לֹא יוֹם אֶחָד...וְלֹא יוֹמָיִם Num. 11:19
מִיֹּמָיִם 1451 יְחַיֵּנוּ מִיֹּמָיִם בַּיּוֹם הַשְּׁלִישִׁי יְקִמֵנוּ Hosh. 6:2
יָמִים 1452 וַיְהִי מִקֵּץ יָמִים וַיָּבֵא קַיִן מִפְּרִי... Gen. 4:3
1453 וַיָּחֶל עוֹד שִׁבְעַת יָמִים אֲחֵרִים Gen. 8:10
1454 וַיִּיָּחֶל עוֹד שִׁבְעַת יָמִים אֲחֵרִים Gen. 8:12
1455 וּבֶן־שְׁמֹנַת יָמִים יִמּוֹל Gen. 17:12
1456 וַיָּמָל אַבְרָהָם...בֶּן־שְׁמֹנַת יָמִים Gen. 21:4
1457 וַיָּגָר...בְּאֶרֶץ פְּלִשְׁ׳ יָמִים רַבִּים Gen. 21:34
1458 תֵּשֵׁב...אִתָּנוּ יָמִים אוֹ עָשׂוֹר Gen. 24:55
1459 וְיָשַׁבְתָּ עִמּוֹ יָמִים אֲחָדִים Gen. 27:44
1460 וַיֵּשֶׁב עִמּוֹ חֹדֶשׁ יָמִים Gen. 29:14
1461 וַיָּשֶׂם דֶּרֶךְ שְׁלֹשֶׁת יָמִים... Gen. 30:36
1462 וַיִּרְדֹּף...דֶּרֶךְ שִׁבְעַת יָמִים Gen. 31:23
1463 וַיָּמָת...זָקֵן וּשְׂבַע יָמִים Gen. 35:29
1464 וַיִּתְאַבֵּל עַל־בְּנוֹ יָמִים רַבִּים Gen. 37:34
1465 וַיִּהְיוּ יָמִים בְּמִשְׁמָר Gen. 40:4
1466 שְׁלֹשֶׁת הַשָּׂרִגִים שְׁלֹשֶׁת יָמִים הֵם Gen. 40:12
1467/8 בְּעוֹד שְׁלֹשֶׁת יָמִים... Gen. 40:13, 19
1469-1495 (לִ)שְׁלֹשֶׁת יָמִים Gen. 40:18
42:17 • Ex. 3:18; 5:3; 8:23; 10:22, 23; 15:22; 19:15
• Lev. 12:4 • Num. 10:33²; 33:8 • Josh. 1:11; 2:16,
22; 3:2; 9:16 • Jud. 14:14; 19:4 • IISh. 20:4;
24:13 • Am. 4:4 • Jon. 3:3 • Es. 4:16 • ICh. 21:12 •
IICh. 10:5
1496 וַיְהִי מִקֵּץ שְׁנָתַיִם יָמִים Gen. 41:1
1497 וַיַּעַשׂ לְאָבִיו אֵבֶל שִׁבְעַת יָמִים Gen. 50:10
1498 וַיִּמָּלֵא שִׁבְעַת יָמִים... Ex. 7:25
1499 שִׁבְעַת יָמִים מַצּוֹת תֹּאכֵלוּ Ex. 12:15
1500 שִׁבְעַת יָמִים שְׂאֹר לֹא יִמָּצֵא Ex. 12:19
1501-1573 שִׁבְעַת יָמִים Ex. 13:6; 22:29
23:15; 29:30, 35, 37; 34:18 • Lev. 8:33², 35; 12:2;
13:4, 5, 21, 26, 31, 33, 50, 54; 14:8, 38; 15:13, 19;
15:24, 28; 22:27; 23:6, 8, 34, 36, 39, 40, 41, 42 • Num.
12:14², 15; 19:11, 14, 16; 28:17, 24; 29:12; 31:19 •
Deut. 16:3, 4, 13, 15 • ISh. 10:8; 11:3; 13:8; 31:13 •
IK. 8:65; 16:15; 20:29 • IIK. 3:9 • Ezek. 3:15, 16;
43:25, 26; 44:26 • Job 2:13 • Es. 1:5 • Ez. 6:22 •
Neh. 8:18 • ICh. 10:12 • IICh. 7:8, 9²; 30:21, 23²;
35:17
1574 שֵׁשֶׁת יָמִים תִּלְקְטֻהוּ Ex. 16:26
1575/6 שֵׁשֶׁת יָמִים תַּעֲבֹד Ex. 2:9; 34:21
1577 כִּי שֵׁשֶׁת־יָמִים עָשָׂה יְיָ... Ex. 20:11
1578-1588 (וְ)שֵׁשֶׁת יָמִים Ex. 23:12; 24:16

יָמִים (המשך) 31:15, 17; 35:2 • Lev. 12:5; 23:3 • Deut. 5:13; 16:8
• Josh. 6:3, 14
1589 כִּי־יָזוּב זוֹב דָּמָהּ יָמִים רַבִּים Lev. 15:25
1590 יָמִים תִּהְיֶה גְאֻלָּתוֹ Lev. 25:29
1591 וּבְהַאֲרִיךְ הֶעָנָן...יָמִים רַבִּים Num. 9:19
1592 וְיֵשׁ אֲשֶׁר יִהְיֶה הֶעָנָן יָמִים מִסְפָּר Num. 9:20
1593 אוֹ־יֹמַיִם אוֹ־חֹדֶשׁ אוֹ־יָמִים Num. 9:22
1594/5 וְלֹא חֲמִשָּׁה יָמִים וְלֹא עֶשֶׂ׳ יָמִים Num. 11:19
1596 עַד חֹדֶשׁ יָמִים... Num. 11:20
1597 ...וַאֲכַלְתֶּם חֹדֶשׁ יָמִים Num. 11:21
1598 וַנֵּשֶׁב בְּמִצְרַיִם יָמִים רַבִּים Num. 20:15
1599-1617 יָמִים רַבִּים Deut. 1:46; 2:1 20:19
• Josh. 11:18; 22:3; 24:7 • IISh. 14:2 • IK. 2:38;
3:11; 18:1 • Jer. 13:6; 32:14; 35:7; 37:16 • Hosh.
3:3, 4 • Es. 1:4 • ICh. 7:22 • IICh. 1:11
1618 לֹא־תַאֲרִיכֻן יָמִים עָלֶיהָ Deut. 4:26
1619 וּלְמַעַן תַּאֲרִיךְ יָמִים עַל הָאֲדָמָה Deut. 4:40
1620 וְהַאֲרַכְתֶּם יָמִים בָּאָרֶץ Deut. 5:30
1621 וּלְמַעַן תַּאֲרִיכוּ יָמִים Deut. 11:9
1622 לְמַעַן יַאֲרִיךְ יָמִים עַל מַמְלַכְתּוֹ Deut. 17:20
1623 וּבָכְתָה אֶת־אָבִיהָ...יֶרַח יָמִים Deut. 21:13
1624 לְמַעַן יִיטַב לָךְ וְהַאֲרַכְתָּ יָמִים Deut. 22:7
1625 לֹא־תַאֲרִיכֻן יָמִים עַל־הָאֲדָמָה Deut. 30:18
1626 וּבַדָּבָר הַזֶּה תַּאֲרִיכוּ יָמִים Deut. 32:47
1627 הֶאֱרִיכוּ יָמִים אַחֲרֵי יְהוֹשֻׁעַ Josh. 24:31
1628 הֶאֱרִיכוּ יָמִים אַחֲרֵי יְהוֹשׁוּעַ Jud. 2:7
1629 לְתַנּוֹת...אַרְבַּעַת יָמִים בַּשָּׁנָה Jud. 11:40
1630 וַתְּהִי־שָׁם יָמִים אַרְבָּעָה חֳדָשִׁים Jud. 19:2
1631 הִנֵּה יָמִים בָּאִים ISh. 2:31
1632 יָמִים וְאַרְבָּעָה חֳדָשִׁים ISh. 27:7
1633 זֶה יָמִים אוֹ־זֶה שָׁנִים ISh. 29:3
1634 שְׁלֹשָׁה יָמִים וּשְׁלֹשָׁה לֵילוֹת ISh. 30:12
1635 וַיֵּשֶׁב דָּוִד בְּצִקְלָג יָמִים שְׁנָיִם IISh. 1:1
1636 וַיְהִי לִשְׁנָתַיִם יָמִים IISh. 13:23
1637 וְהָיָה מִקֵּץ יָמִים לַיָּמִים... IISh. 14:26
1638 וַיֵּשֶׁב אַבְשָׁלוֹם בִּירוּ׳ שְׁנָתַיִם יָמִים IISh.14:28
1639 לְכוּ־עֹד שְׁלֹשָׁה יָמִים IK. 12:5
1640 וַיְהִי מִקֵּץ יָמִים וַיִּיבַשׁ הַנָּחַל IK. 17:7
1641 וַתֹּאכַל הִיא־וָהוּא׳ וּבֵיתָהּ יָמִים IK. 17:15
1642 וַיְבַקְשׁוּ שְׁלֹשָׁה־יָמִים... IIK. 2:17
1643 וַיִּמְלֹךְ יֶרַח־יָמִים בְּשֹׁמְרוֹן IIK. 15:13
1644/5 הִנֵּה יָמִים בָּאִים... IIK. 20:17 • Is. 39:6
1646 יָמִים אֲשֶׁר לֹא־בָאוּ לְמִיּוֹם... Is. 7:17
1647 וּמֵרֹב יָמִים יִפָּקֵדוּ Is. 24:22
1648 יָמִים עַל־שָׁנָה תִּרְגַּזְנָה Is. 32:10
1649 יִרְאֶה זֶרַע יַאֲרִיךְ יָמִים Is. 53:10
1650 לֹא יִהְיֶה...עוּל יָמִים וְזָקֵן Is. 65:20
1651 וְעַמִּי שְׁכֵחוּנִי יָמִים אֵין מִסְפָּר Jer. 2:32
1652 זָקֵן עִם־מְלֵא יָמִים Jer. 6:11
1653-1670 הִנֵּה יָמִים בָּאִים... Jer. 7:32
9:24; 16:14; 19:6; 23:5, 7; 30:3; 31:27, 31, 38; 33:14;
48:12; 49:2; 51:47, 52 • Am. 4:2; 8:11; 9:13
1671/2 בְּעוֹד שְׁנָתַיִם יָמִים Jer. 28:3, 11
1673 מִקֵּץ עֲשֶׂרֶת יָמִים Jer. 42:7
1674 לְמִסְפַּר יָמִים שְׁלֹשׁ־מֵאוֹת Ezek. 4:5
1675 חָג שְׁבֻעוֹת יָמִים מַצּוֹת יֵאָכֵל Ezek. 45:21
1676 שְׁלֹשָׁה יָמִים וּשְׁלֹשָׁה לֵילוֹת Jon. 2:1
1677 וְאִישׁ מִשְׁעַנְתּוֹ בְּיָדוֹ מֵרֹב יָמִים Zech. 8:4
1678 ...אֹרֶךְ יָמִים עוֹלָם וָעֶד Ps. 21:5
1679 וְשַׁבְתִּי בְּבֵית יְיָ לְאֹרֶךְ יָמִים Ps. 23:6
1680 אֹהֵב יָמִים לִרְאוֹת טוֹב Ps. 34:13
1681 יָמִים עַל־יְמֵי־מֶלֶךְ תּוֹסִיף Ps. 61:7

יָמִים (המשך) 1682 חִשַּׁבְתִּי יָמִים מִקֶּדֶם... Ps. 77:6
1683 אֹרֶךְ יָמִים אַשְׂבִּיעֵהוּ Ps. 91:16
1684-1688 (וְ / לְ) אֹרֶךְ יָמִים Ps. 93:5
Prov. 3:2, 16 • Job 12:12 • Lam. 5:20
1689 כֻּלָּם יִכָּתֵבוּ יָמִים יֻצָּרוּ Ps. 139:16
1690 זָכַרְתִּי יָמִים מִקֶּדֶם Ps. 143:5
1691 יִרְאַת יְיָ תּוֹסִיף יָמִים Prov. 10:27
1692 שֹׂנֵא׳ בֶצַע יַאֲרִיךְ יָמִים Prov. 28:16
1693 קְצַר יָמִים וּשְׂבַע־רֹגֶז Job 14:1
1694 כַּבִּיר מֵאָבִיךָ יָמִים Job 15:10
1695 וְכַחוֹל אַרְבֶּה יָמִים Job 29:18
1696 אָמַרְתִּי יָמִים יְדַבֵּרוּ Job 32:7
1697 וַיָּמָת אִיּוֹב זָקֵן וּשְׂבַע יָמִים Job 42:17
1698 וְלֹא־יַאֲרִיךְ יָמִים כַּצֵּל Eccl. 8:13
1699 נַס־נָא אֶת־עֲבָדֶיךָ יָמִים עֲשָׂרָה Dan. 1:12
1700/1 יָמִים עֲשָׂרָה Dan. 1:14, 15
1702 נִהְיֵיתִי וְנֶחֱלֵיתִי יָמִים Dan. 8:27
1703/4 שְׁלֹשָׁה(־שֶׁת) שָׁבֻעִים יָמִים Dan. 10:2, 3
1705 בִּשְׁבִי וּבְבִזָּה יָמִים Dan. 11:33
1706 יָמִים אֶלֶף מָאתַיִם וְתִשְׁעִים Dan. 12:11
1707-1711 יָמִים שְׁלֹשָׁה Ez. 8:15, 32
Neh. 2:11 • ICh. 12:39(40) • IICh. 20:25
1712 יָשַׁבְתִּי וָאֶבְכֶּה וָאֶתְאַבְּלָה יָמִים Neh. 1:4
1713 וּבֵין עֲשֶׂרֶת יָמִים בְּכָל־יַיִן לְהַרְבֵּה Neh.5:18
1714 וּלְקֵץ יָמִים נִשְׁאַלְתִּי מִן־הַמֶּלֶךְ Neh. 13:6
1715 וְדָוִיד זָקֵן וְשָׂבַע יָמִים ICh. 23:1
1716 וַיָּמָת...שְׂבַע יָמִים עֹשֶׁר וְכָבוֹד ICh. 29:28
1717/8 יֵצְאוּ מֵעֶיךָ יָמִים עַל־יָמִים ICh. 21:15
1719 וַיִּזְקַן יְהוֹיָדָע וַיִּשְׂבַּע יָמִים IICh. 24:15
1720 וּשְׁלֹשָׁה חֳדָשִׁים וַעֲשֶׂרֶת יָמִים IICh. 36:9
וְיָמִים 1721 וְיָמִים רַבִּים לְיִשְׂרָאֵל IICh. 15:3
הַיָּמִים 1722 וַיְהִי לְשִׁבְעַת הַיָּמִים Gen. 7:10
1723 וַיְהִי כִּי־אָרְכוּ־לוֹ שָׁם הַיָּמִים Gen. 26:8
1724 וַיִּרְבּוּ הַיָּמִים וַתָּמָת בַּת־שׁוּעַ Gen. 38:12
1725 וְחָטָאתִי לְךָ כָּל־הַיָּמִים Gen. 43:9
1726-1770 כָּל־הַיָּמִים Gen. 44:32
Deut. 4:10, 40; 5:26; 6:24; 11:1; 12:1; 14:23; 18:5;
19:9; 28:29, 33; 31:13 • Josh. 4:24 • Jud. 16:16 •
ISh. 1:28; 2:32, 35; 18:29; 20:31; 23:14; 27:11; 28:2
• IISh. 13:37; 19:14 • IK. 5:15; 8:40; 9:3; 11:36, 39;
12:7; 14:30 • IIK. 8:19; 13:3; 17:37 • Jer.
31:36(35); 32:39; 33:18; 35:19 • Job 1:5 • IICh.
6:31; 7:16; 10:7; 12:15; 21:7
1771 יִקְרָא אֶתְכֶם בְּאַחֲרִית הַיָּמִים Gen. 49:1
1772 מַצּוֹת יֵאָכֵל אֵת שִׁבְעַת הַיָּמִים Ex. 13:7
1773 עַד־מְלֹאת הַיָּמִם Num. 6:5
1774 בְּמִסְפַּר הַיָּמִים אֲשֶׁר־תַּרְתֶּם Num. 14:34
1775 יַעֲשֶׂה...בְּאַחֲרִית הַיָּמִים Num. 24:14
1776-1786 בְּאַחֲרִית הַיָּמִים Deut. 4:30; 31:29
Is. 2:2 • Jer. 23:20; 30:24; 48:47; 49:39 • Ezek.
38:16 • Hosh. 3:5 • Mic. 4:1 • Dan. 10:14
1787 וַתֵּבְךְּ עָלָיו שִׁבְעַת הַיָּמִים Jud. 14:17
1788 וַיְהִי לִתְקֻפוֹת הַיָּמִים וַתַּהַר חַנָּה ISh. 1:20
1789/90 לִזְבֹּחַ (לַיְיָ) אֶת־זֶבַח הַיָּמִים ISh. 1:21; 2:19
1791 וַיִּרְבּוּ הַיָּמִים וַיִּהְיוּ עֶשְׂרִים שָׁנָה ISh. 7:2
1792 הָאֲבֹדוֹת לְךָ הַיּוֹם שְׁלֹשֶׁת הַיָּמִים ISh. 9:20
1793 וְאַתָּה לֹא־בָאתָ לְמוֹעֵד הַיָּמִים ISh. 13:11
1794 וְלֹא־מָלְאוּ הַיָּמִים ISh. 18:26
1795 כִּי־זֶבַח הַיָּמִים שָׁם ISh. 20:6
1796 וַיְהִי כַּעֲשֶׂרֶת הַיָּמִים ISh. 25:38
1797 וַיְהִי מִסְפַּר הַיָּמִים אֲשֶׁר־יָשַׁב... ISh. 27:7
1798-1800 מִסְפַּר הַיָּמִים IISh. 2:11 • Ezek. 4:4, 9

הַיָּמִים (המשך)

1801 כִּי לֹא־נִבְנָה...עַד הַיָּמִים הָהֵם IK. 3:2
1836-1802 עַל־סֵפֶר דִּבְרֵי הַיָּמִים IK. 14:19
14:29; 15:7, 23, 31; 16:5, 14, 20, 27; 22:39, 46 • IIK. 1:18; 8:23; 10:34; 12:20; 13:8, 12; 14:15, 18, 28; 15:6, 11, 15, 21, 26, 31, 36; 16:19; 20:20; 21:17, 25; 23:28; 24:5 • Es. 10:2 • Neh. 12:23
1837 כִּי עַד־הַיָּמִים הָהֵמָּה... IIK. 18:4
1838 שִׁבְעָתַיִם כְּאוֹר שִׁבְעַת הַיָּמִים Is. 30:26
1839 אַחֲרֵי הַיָּמִים הָהֵם Jer. 31:33(32)
1840 יַאַרְכוּ הַיָּמִים וְאָבַד כָּל־חָזוֹן Ezek. 12:23
1841 קָרְבוּ הַיָּמִים וּדְבַר כָּל־חָזוֹן Ezek. 12:23
1842 וִיכַלּוּ אֶת־הַיָּמִים Ezek. 43:27
1846-1843 (לְ)שִׁבְעַת הַיָּמִים Ezek. 45:23, 25
ICh. 9:25 • IICh. 30:22
1847 כִּי לִפְנֵי הַיָּמִים הָהֵם Zech. 8:10
1848 בְּשֶׁכְּבָר הַיָּמִים הַבָּאִים...נִשְׁכָּח Eccl. 2:16
1849 כִּי־בְרֹב הַיָּמִים תִּמְצָאֶנּוּ Eccl. 11:1
1850 וּבִמְלוֹאת הַיָּמִים הָאֵלֶּה... Es. 1:5
1851 וַיִּכָּתֵב בְּסֵפֶר דִּבְרֵי הַיָּמִים Es. 2:23
1852 אֶת־סֵפֶר הַזִּכְרֹנוֹת דִּבְרֵי הַיָּמִים Es. 6:1
1853 עֹשִׂים אֶת־שְׁנֵי הַיָּמִים הָאֵלֶּה Es. 9:27
1854 וּלְמִקְצָת הַיָּמִים אֲשֶׁר־אָמַר... Dan. 1:18
1855 אֲשֶׁר לֹא־יָבוֹא לִשְׁלֹשֶׁת הַיָּמִים Ez. 10:8
1856 וַיִּקָּבְצוּ...לִשְׁלֹשֶׁת הַיָּמִים Ez. 10:9
1857 בְּמִסְפַּר דִּבְרֵי הַיָּמִים לַמֶּ׳ דָּוִיד ICh. 27:24

הַיָּמִין 1858 וְתַעֲמֹד לְגֹרָלְךָ לְקֵץ הַיָּמִין Dan. 12:13

וְהַיָּמִים 1859 וְהַיָּמִים הָרִאשֹׁנִים יִפְּלוּ Num. 6:12
1860 וְהַיָּמִים יְמֵי בִּכּוּרֵי עֲנָבִים Num. 13:20
1861 וְהַיָּמִים אֲשֶׁר הָלַכְנוּ מִקָּדֵשׁ בַּרְנֵעַ Deut. 2:14
1862 וְהַיָּמִים אֲשֶׁר מָלַךְ דָּוִד... IK. 2:11
1866-1863 וְהַיָּמִים אֲשֶׁר מָלַךְ IK. 11:42; 14:20
IIK. 10:36 • IICh. 29:27
1867 וְהַיָּמִים הָאֵלֶּה נִזְכָּרִים וְנַעֲשִׂים Es. 9:28

שֶׁהַיָּמִים 1868 שֶׁהַיָּמִים הָרִאשֹׁנִים...טוֹבִים Eccl. 7:10

בְּיָמִים 1869 דִּבַּרְתִּי בְּיָמִים קַדְמוֹנִים Ezek. 38:17

וּבְיָמִים 1870 וּבְיָמִים אֲחָדִים יִשָּׁבֵר Dan. 11:20

בַּיָּמִים 1871 הַנְּפִלִים הָיוּ בָאָרֶץ בַּיָּמִים הָהֵם Gen. 6:4
1872 זְקֵנִים בָּאִים בַּיָּמִים Gen. 18:11
1873 וְאַבְרָהָם זָקֵן בָּא בַּיָּמִים Gen. 24:1
1874 וַיְהִי בַּיָּמִים הָהֵם וַיִּגְדַּל מֹשֶׁה Ex. 2:11
1875 וַיְהִי בַיָּמִים הָרַבִּים הָהֵם Ex. 2:23
1876 אֲשֶׁר יִהְיֶה בַּיָּמִים הָהֵם Deut. 17:9
1904-1877 בַּיָּמִים הָהֵם Deut. 19:17; 26:3
Josh. 20:6 • Jud. 17:6; 18:1; 19:1; 20:27, 28; 21:25 • ISh. 3:1; 28:1 • IISh. 16:23 • IIK. 10:32; 15:37; 20:1 • Is. 38:1 • Jer. 31:29(28); 33:15, 16; 50:4, 20 • Ezek. 38:17 • Zech. 8:6 • Es. 1:2; 2:21 • Dan. 10:2 • Neh. 6:17 • IICh. 32:24
1905/6 וִיהוֹשֻׁעַ זָקֵן בָּא בַּיָּמִים Josh. 13:1; 23:1
1907 אַתָּה זָקַנְתָּה בָּאתָ בַיָּמִים Josh. 13:1
1908 אֲנִי זָקַנְתִּי בָּאתִי בַּיָּמִים Josh. 23:2
1909 וְהַמֶּלֶךְ דָּוִד זָקֵן בָּא בַּיָּמִים IK. 1:1
1910 בַּיָּמִים הָהֵמָּה...לֹא־יֹאמְרוּ עוֹד Jer. 3:16
1917-1911 בַּיָּמִים הָהֵמָּה Jer. 3:18; 5:18
Joel 3:2; 4:1 • Zech. 8:23 • Neh. 13:15, 23
1918 הַשֹּׁמְעִים בַּיָּמִים הָאֵלֶּה אֶת־הַדְּבָ׳ Zech. 8:9
1919 כֵּן שַׁבְתִּי זָמַמְתִּי בַּיָּמִים הָאֵלֶּה Zech. 8:15

וּבַיָּמִים 1920 וּבַיָּמִים הָהֵם...הַדָּנִי מְבַקֶּשׁ־לוֹ Jud. 18:1

כְּיָמִים 1921 וַיִּהְיוּ בְעֵינָיו כְּיָמִים אֲחָדִים Gen. 29:20

כַּיָּמִים 1922 כַּיָּמִים אֲשֶׁר יְשַׁבְתֶּם... Deut. 1:46
1923 עָמַדְתִּי בָהָר כַּיָּמִים הָרִאשֹׁנִים Deut. 10:10

כַּיָּמִים (המשך)

1924 וְעַתָּה לֹא כַיָּמִים הָרִאשֹׁנִים אֲנִי Zech. 8:11
1925 כַּיָּמִים אֲשֶׁר־נָחוּ בָהֶם הַיְּהוּדִים Es. 9:22

לְיָמִים 1926 כִּי לְיָמִים עוֹד שִׁבְעָה... Gen. 7:4
1927 שְׁאַל־נָא לְיָמִים רִאשֹׁנִים... Deut. 4:32
1928 לְיָמִים רַבִּים וּלְעִתִּים רְחוֹקוֹת Ezek. 12:27
1929 צְעִירִים מִמֶּנִּי לְיָמִים Job 30:1
1930 כִּי זְקֵנִים־הֵמָּה מִמֶּנּוּ לְיָמִים Job 32:4
1931 צָעִיר אֲנִי לְיָמִים Job 32:6
1932 סְתֹם הֶחָזוֹן כִּי לְיָמִים רַבִּים Dan. 8:26
1933 אַשְׁרֵי הַמְחַכֶּה וְיַגִּיעַ לְיָמִים Dan. 12:12
1934 וַיְהִי לְיָמִים מִיָּמִים וּכְעֵת צֵאת IICh. 21:19
1935 הַקֵּץ לְיָמִים שְׁנַיִם... IICh. 21:19
1936 וַיְקַדְּשׁוּ...בֵּית יְיָ לְיָמִים שְׁמוֹנָה IICh. 29:17

וּלְיָמִים 1937 וּלְמוֹעֲדִים וּלְיָמִים וְשָׁנִים Gen. 1:14

לַיָּמִים 1938 אֶתֶּן־לְךָ עֲשֶׂרֶת כֶּסֶף לַיָּמִים Jud. 17:10
1939 מִקֵּץ יָמִים לַיָּמִים אֲשֶׁר יְגַלֵּחַ IISh. 14:26
1940 לַיָּמִים אֲשֶׁר אֲנִי עֹשֶׂה אוֹתָךְ Ezek. 22:14
1941 כִּי־עוֹד חָזוֹן לַיָּמִים Dan. 10:14
1942 קָרְאוּ לַיָּמִים הָאֵלֶּה פוּרִים Es. 9:26

מִיָּמִים 1943 וַיְהִי מִיָּמִים רַבִּים אַחֲרֵי... Josh. 23:1
1944 וַיְהִי מִיָּמִים וַיִּלָּחֲמוּ בְנֵי־עַמּוֹן Jud. 11:4
1945 וַיָּשָׁב מִיָּמִים לְקַחְתָּהּ Jud. 14:8
1946 וַיְהִי מִיָּמִים בִּימֵי קְצִיר־חִטִּים Jud. 15:1
1947 מִיָּמִים רַבִּים תִּפָּקֵד Ezek. 38:8
1948 וַיְהִי לְיָמִים מִיָּמִים... IICh. 21:19

מִיָּמִים יָמִימָה 1949 לְמוֹעֲדָהּ מִיָּמִים יָמִימָה Ex. 13:10
1950 מִיָּמִים יָמִימָה תֵּלַכְנָה בְּנוֹת יִשְׂ׳ Jud. 11:40
1951 הִנֵּה חַג־יְיָ בְּשִׁלוֹ מִיָּמִים יָמִימָה Jud. 21:19
1952 וְעָלָה הָאִישׁ...מִיָּמִים יָמִימָה ISh. 1:3
1953 וְהַעַלְתָה לוֹ מִיָּמִים יָמִימָה ISh. 2:19

וּלְמִיָּמִים 1954 וּלְמִיָּמִים אֲשֶׁר צִוִּיתִי... ICh. 17:10

יְמֵי־ 1955 וְעָפָר תֹּאכַל כָּל־יְמֵי חַיֶּיךָ Gen. 3:14
1956 בְּעִצָּבוֹן תֹּאכֲלֶנָּה כֹּל יְמֵי־חַיֶּיךָ Gen. 3:17
1957 וַיִּהְיוּ יְמֵי־אָדָם אַחֲרֵי הוֹלִידוֹ Gen. 5:4
1958 וַיִּהְיוּ כָּל־יְמֵי אָדָם אֲשֶׁר־חַי Gen. 5:5
1959 וַיִּהְיוּ כָּל־יְמֵי־שֵׁת Gen. 5:8
1960-6 וַיִּהְיוּ כָּל־יְמֵי Gen. 5:11, 14, 17, 20, 23, 27, 31
1967 עֹד כָּל־יְמֵי הָאָרֶץ... Gen. 8:22
2005-1968 (וְכָל־)כָּל־יְמֵי... Gen. 9:29
Lev. 13:46; 14:46; 15:25, 26; 26:34, 35 • Num. 6:4; 6:5, 6, 8; 9:18 • Josh. 3:15; 24:31[2] • Jud. 2:7[2], 18; 18:31 • ISh. 7:13; 14:52; 22:4; 25:7, 15, 16 • IK. 5:5; 11:25 • IIK. 13:22; 23:22 • Is. 63:9 • Prov. 15:15 • Job 14:14; 15:20 • Eccl. 9:9 • Ez. 4:5 • IICh. 24:2, 14; 36:21
2006 וַיִּהְיוּ יְמֵי־תֶרַח Gen. 11:32
2007 וְאֵלֶּה יְמֵי שְׁנֵי־חַיֵּי אַבְרָהָם Gen. 25:7
2008 יִקְרְבוּ יְמֵי אֵבֶל אָבִי Gen. 27:41
2009 וַיִּהְיוּ יְמֵי יִצְחָק... Gen. 35:28
2010 כַּמָּה יְמֵי שְׁנֵי חַיֶּיךָ Gen. 47:8
2011 יְמֵי שְׁנֵי מְגוּרַי...וּמְאַת שָׁנָה Gen. 47:9
2012 מְעַט וְרָעִים הָיוּ יְמֵי שְׁנֵי חַיַּי Gen. 47:9
2013 יְמֵי שְׁנֵי חַיֵּי אֲבֹתַי Gen. 47:9
2014 וַיְהִי יְמֵי־יַעֲקֹב שְׁנֵי חַיָּיו Gen. 47:28
2015 וַיִּקְרְבוּ יְמֵי־יִשְׂרָאֵל לָמוּת Gen. 47:29
2016 כִּי כֵּן יִמְלְאוּ יְמֵי הַחֲנֻטִים Gen. 50:3
2017 וַיַּעַבְרוּ יְמֵי בְכִיתוֹ Gen. 50:4
2018 עַד יוֹם מְלֹאת יְמֵי מִלֻּאֵיכֶם Lev. 8:33
2019 עַד־מְלֹאת יְמֵי טָהֳרָהּ Lev. 12:4
2020 וּבִמְלֹאת יְמֵי טָהֳרָהּ Lev. 12:6
2021 יְמֵי שֶׁבַע שַׁבְּתֹת הַשָּׁנִים Lev. 25:8
2022 וְהִזִּיר לַיְיָ אֶת־יְמֵי נִזְרוֹ Num. 6:12

יְמֵי־ (המשך)

2023 בְּיוֹם מְלֹאת יְמֵי נִזְרוֹ Num. 6:13
2024 וְהַיָּמִים יְמֵי בִּכּוּרֵי עֲנָבִים Num. 13:20
2025 וּפֶן־יָסוּרוּ...כֹּל יְמֵי חַיֶּיךָ Deut. 4:9
2026-46 כָּל־יְמֵי חַיֶּיךָ (חַיַּי, חַיָּיו וכו׳) Deut. 6:2
16:3; 17:19 • Josh. 1:5; 4:14 • ISh. 1:11; 7:15 • IK. 5:1; 11:34; 15:5, 6 • IIK. 25:29, 30 • Is. 38:20 • Jer. 52:33, 34 • Ps. 23:6; 27:4; 128:5 • Prov. 31:12 • Eccl. 9:9
2047 וַיִּתְּמוּ יְמֵי בְכִי אֵבֶל מֹשֶׁה Deut. 34:8
2048 שִׁבְעַת יְמֵי הַמִּשְׁתֶּה Jud. 14:12
2049 כַּמָּה יְמֵי שְׁנֵי חַיַּי... IISh. 19:35
2050 וַיִּקְרְבוּ יְמֵי־דָוִד לָמוּת IK. 2:1
2051 וְשָׁלְמוּ יְמֵי אֶבְלֵךְ Is. 60:20
2052 וַיִּזְכֹּר יְמֵי־עוֹלָם Is. 63:11
2053 כִּי כִימֵי הָעֵץ יְמֵי עַמִּי Is. 65:22
2054 עַד־כַּלּוֹתְךָ יְמֵי מְצוּרֶךָ Ezek. 4:8
2055 כִּמְלֹאת יְמֵי הַמָּצוֹר Ezek. 5:2
2056/7 לֹא־זָכַרְתְּ° אֶת־יְמֵי נְעוּרָיִךְ Ezek. 16:22, 43
2058 לִזְכֹּר אֶת־יְמֵי נְעוּרֶיהָ Ezek. 23:19
2059 וְשִׁבְעַת יְמֵי־הֶחָג יַעֲשֶׂה עוֹלָה Ezek. 45:23
2060 יִהְיֶה סָגוּר שֵׁשֶׁת יְמֵי הַמַּעֲשֶׂה Ezek. 46:1
2061 וּפָקַדְתִּי עָלֶיהָ אֶת־יְמֵי הַבְּעָלִים Hosh. 2:15
2062 בָּאוּ יְמֵי הַפְּקֻדָּה Hosh. 9:7
2063 בָּאוּ יְמֵי הַשִּׁלֻּם Hosh. 9:7
2064 יוֹדֵעַ יְיָ יְמֵי תְמִימִם Ps. 37:18
2065 יָמִים עַל־יְמֵי־מֶלֶךְ תּוֹסִיף Ps. 61:7
2066 הִקְצַרְתָּ יְמֵי עֲלוּמָיו Ps. 89:46
2067 יְמֵי־שְׁנוֹתֵינוּ בָהֶם שִׁבְעִים שָׁנָה Ps. 90:10
2068 כַּמָּה יְמֵי עַבְדֶּךָ Ps. 119:84
2069 וַיְהִי כִּי הִקִּיפוּ יְמֵי הַמִּשְׁתֶּה Job 1:5
2070 יֹאחֲזוּנִי יְמֵי־עֹנִי Job 30:16
2071 קִדְּמֻנִי יְמֵי־עֹנִי Job 30:27
2072 זָכְרָה יְרוּשָׁלַ͏ִם יְמֵי עָנְיָהּ וּמְרוּדֶיהָ Lam. 1:7
2073 אֲשֶׁר יַעֲשׂוּ...מִסְפַּר יְמֵי חַיֵּיהֶם Eccl. 2:3
2074 וְלִרְאוֹת טוֹבָה...מִסְפַּר יְמֵי־חַיָּו Eccl. 5:17
2075 לֹא הַרְבֵּה יִזְכֹּר אֶת־יְמֵי חַיָּיו Eccl. 5:19
2076 וְרַב שֶׁיִּהְיוּ יְמֵי־שָׁנָיו... Eccl. 6:3
2077 מִסְפַּר יְמֵי־חַיֵּי הֶבְלוֹ Eccl. 6:12
2078 וְהוּא יִלְוֶנּוּ בַעֲמָלוֹ יְמֵי חַיָּיו Eccl. 8:15
2079 וְיִזְכֹּר אֶת־יְמֵי הַחֹשֶׁךְ Eccl. 11:8
2080 עַד אֲשֶׁר לֹא־יָבֹאוּ יְמֵי הָרָעָה Eccl. 12:1
2081 כִּי כֵּן יִמְלְאוּ יְמֵי מְרוּקֵיהֶן Es. 2:12
2082 לַעֲשׂוֹת אוֹתָם יְמֵי מִשְׁתֶּה וְשִׂמְחָה Es. 9:22
2083 לְקַיֵּם אֶת־יְמֵי הַפֻּרִים הָאֵלֶּה Es. 9:31
2084 וְעַד־יְמֵי יוֹחָנָן בֶּן־אֶלְיָשִׁיב Neh. 12:23

וִימֵי־ 2085 יִרְבּוּ יְמֵיכֶם וִימֵי בְנֵיכֶם Deut. 11:21
2086 וִימֵי הַפּוּרִים הָאֵלֶּה לֹא יַעַבְרוּ Es. 9:28

בִּימֵי־ 2087 וַיְהִי בִּימֵי אַמְרָפֶל... Gen. 14:1
2088 אֲשֶׁר הָיָה בִּימֵי אַבְרָהָם Gen. 26:1
2089/90 בִּימֵי אַבְרָהָם אָבִיו Gen. 26:15, 18
2091/2 בִּימֵי קְצִיר־חִטִּים Gen. 30:14 • Jud. 15:1
2093 חַיֵּי אֲבֹתַי בִּימֵי מְגוּרֵיהֶם Gen. 47:9
2094 בִּימֵי שַׁמְגַּר בֶּן־עֲנָת Jud. 5:6
2095 בִּימֵי יָעֵל חָדְלוּ אֳרָחוֹת Jud. 5:6
2096 וַתִּשְׁקֹט הָאָרֶץ...בִּימֵי גִדְעוֹן Jud. 8:28
2097 וַיִּשְׁפֹּט...בִּימֵי פְלִשְׁתִּים Jud. 15:20
2098 וְהָאִישׁ בִּימֵי שָׁאוּל זָקֵן ISh. 17:12
2100-2099 בִּימֵי דָוִד IISh. 21:1 • ICh. 7:2
2101 בִּימֵי קָצִיר בָּרִאשֹׁנִים IISh. 21:9
2102/3 בִּימֵי שְׁלֹמֹה... IK. 10:21 • IICh. 9:20
2104 בִּימֵי בְנוֹ אָבִיא הָרָעָה IK. 21:29
2105 אֲשֶׁר נִשְׁאַר בִּימֵי אָסָא IK. 22:47

בִּימֵי־ (המשך)
2106 בִּימֵי פֶּקַח...בָּא תִּגְלַת פִּלְאֶסֶר IIK. 15:29
2110-2107 בִּימֵי עֻזִּיָּה(וּ)... Is. 1:1 • Hosh. 1:1 • Am. 1:1 • Zech. 14:5
2111 וַיְהִי בִּימֵי אָחָז...עָלָה רְצִין Is. 7:1
2112 הָיָה דְבַר־יְיָ אֵלָיו בִּימֵי יֹאשִׁיָּהוּ Jer. 1:2
2113 וַיְהִי בִּימֵי יְהוֹיָקִים Jer. 1:3
2114/5 בִּימֵי יֹאשִׁיָּהוּ Jer. 3:6 • Zep. 1:1
2116 בִּימֵי חִזְקִיָּהוּ Jer. 26:18
2117 הַדָּבָר אֲשֶׁר־הָיָה...בִּימֵי יְהוֹיָקִים Jer. 35:1
2118 בְּרִיתִי אוֹתָךְ בִּימֵי נְעוּרָיִךְ Ezek. 16:60
2119 וְאִם בִּימֵי אֲבֹתֵיכֶם Joel 1:2
2120 דְּבַר־יְיָ...בִּימֵי יוֹתָם אָחָז... Mic. 1:1
2121 פֹּעַל פָּעַלְתָּ בִימֵיהֶם בִּימֵי קֶדֶם Ps. 44:2
2122 לָמָּה אִירָא בִּימֵי רָע Ps. 49:6
2123 אַל־יִחַדְּ בִּימֵי שָׁנָה Job 3:6
2124 כַּאֲשֶׁר הָיִיתִי בִּימֵי חָרְפִּי Job 29:4
2125 וַיְהִי בִּימֵי שְׁפֹט הַשֹּׁפְטִים Ruth 1:1
2126 אֶת־הַכֹּל רָאִיתִי בִּימֵי הֶבְלִי Eccl. 7:15
2127 וִיטִיבְךָ לִבְּךָ בִּימֵי בְחוּרוֹתֶךָ Eccl. 11:9
2128 וּזְכֹר אֶת־בּוֹרְאֶיךָ בִּימֵי בְּחוּרֹתֶיךָ Eccl. 12:1
2129 וַיְהִי בִּימֵי אֲחַשְׁוֵרוֹשׁ Es. 1:1
2130 וַאֲחֵיהֶם בִּימֵי יֵשׁוּעַ Neh. 12:7
2131 הַלְוִיִּם בִּימֵי אֶלְיָשִׁיב... Neh. 12:22
2132 אֵלֶּה בִּימֵי יוֹיָקִים בֶּן־יֵשׁוּעַ Neh. 12:26
2133 כִּי־בִימֵי דָוִיד וְאָסָף מִקֶּדֶם Neh. 12:46
2134 בִּימֵי זְרֻבָּבֶל וּבִימֵי נְחֶמְיָה Neh. 12:47
2135/6 בִּימֵי יְחִזְקִיָּהוּ ICh. 4:41 • IICh. 32:26
2137 כֻּלָּם הִתְיַחְשׂוּ בִּימֵי יוֹתָם... ICh. 5:17
2138 כִּי־לֹא דְרַשְׁנֻהוּ בִּימֵי שָׁאוּל ICh. 13:3
2139 וְלֹא־עָצַר כֹּחַ...עוֹד בִּימֵי אֲבִיָּהוּ IICh. 13:20
2140 וַיְהִי לִדְרֹשׁ אֱלֹהִים בִּימֵי זְכַרְיָהוּ IICh. 26:5

וּבִימֵי
2143-2141 ...וּבִימֵי יָרָבְעָם Hosh. 1:1 • Am. 1:1 • ICh. 5:17
2144 וּבִימֵי רְעָבוֹן יִשְׂבָּעוּ Ps. 37:19
2145 וּבִימֵי אַרְתַּחְשַׁשְׂתָּא כָּתַב בִּשְׁלָם Ez. 4:7
2146 וּבִימֵי יוֹיָקִים הָיוּ כֹהֲנִים Neh. 12:12
2147 וּבִימֵי נְחֶמְיָה הַפֶּחָה וְעֶזְרָא Neh. 12:26
2148 בִּימֵי זְרֻבָּבֶל וּבִימֵי נְחֶמְיָה Neh. 12:47
2149 וּבִימֵי שָׁאוּל עָשׂוּ מִלְחָמָה ICh. 5:10
2150 וּבִימֵי דָּרְשׁוֹ אֶת־יְיָ... IICh. 26:5

כִּימֵי־
2151 כִּימֵי נִדַּת דְּוֹתָהּ תִּטְמָא Lev. 12:2
2152 כִּימֵי נִדָּתָהּ תִּהְיֶה Lev. 15:25
2153 כִּימֵי שָׂכִיר יִהְיֶה עִמּוֹ Lev. 25:50
2154 כִּימֵי הַשָּׁמַיִם עַל־הָאָרֶץ Deut. 11:21
2155 וְנִשְׁכַּחַת צֹר...כִּימֵי מֶלֶךְ אֶחָד Is. 23:15
2156 כִּימֵי קֶדֶם דֹּרוֹת עוֹלָמִים Is. 51:9
2157 כִּי כִימֵי הָעֵץ יְמֵי עַמִּי Is. 65:22
2158 וְאַחֲרֵי־כֵן תִּשְׁכֹּן כִּימֵי־קֶדֶם Jer. 46:26
2159 וְעָנְתָה שָּׁמָּה כִּימֵי נְעוּרֶיהָ Hosh. 2:17
2160 הֶעְמִיקוּ שִׁחֵתוּ כִּימֵי הַגִּבְעָה Hosh. 9:9
2161 אוֹשִׁיבְךָ בָאֳהָלִים כִּימֵי מוֹעֵד Hosh. 12:10
2162 וּבְנִיתִיהָ כִּימֵי עוֹלָם Am. 9:11
2163 יִרְעוּ בָשָׁן וְגִלְעָד כִּימֵי עוֹלָם Mic. 7:14
2164 כִּימֵי צֵאתְךָ מֵאֶרֶץ מִצְרָיִם Mic. 7:15
2165 כִּימֵי עוֹלָם וּכְשָׁנִים קַדְמֹנִיּוֹת Mal. 3:4
2166 וְכִסְאוֹ כִּימֵי שָׁמָיִם Ps. 89:30
2167 אִם־שְׁנוֹתֶיךָ כִּימֵי גָבֶר Job 10:5
2168 כִּימֵי אֱלוֹהַ יִשְׁמְרֵנִי Job 29:2

וְכִימֵי־
2169 וְכִימֵי שָׂכִיר יָמָיו Job 7:1

הֲכִימֵי־
2170 הֲכִימֵי אֱנוֹשׁ יָמֶיךָ Job 10:5

לִימֵי־
2171 יָשׁוּב לִימֵי עֲלוּמָיו Job 33:25

מִימֵי־
2172 כִּי לֹא נַעֲשָׂה...מִימֵי הַשֹּׁפְטִים IIK. 23:22

מִימֵי־ (המשך)
2173 מִימֵי־קֶדֶם קַדְמָתָהּ Is. 23:7
2177-2174 מִימֵי קֶדֶם Is. 37:26 • Mic. 7:20 • Lam. 1:7; 2:17
2178 מִימֵי יֹאשִׁיָּהוּ וְעַד הַיּוֹם הַזֶּה Jer. 36:2
2179 מִימֵי הַגִּבְעָה חָטָאתָ יִשְׂרָאֵל Hosh. 10:9
2180 וּמוֹצָאֹתָיו מִקֶּדֶם מִימֵי עוֹלָם Mic. 5:1
2181 וְנִינְוֵה כִבְרֵכַת־מַיִם מִימֵי הִיא Nah. 2:9
2182 לְהַשְׁקִיט לוֹ מִימֵי רָע Ps. 94:13
2183 וְלוֹ˚ אֲנַחְנוּ זֹבְחִים מִימֵי אֵסַר חַדֹּן Ez. 4:2
2184 מִימֵי אֲבֹתֵינוּ אֲנַחְנוּ בְּאַשְׁמָה Ez. 9:7
2185 כִּי לֹא־עָשׂוּ מִימֵי יֵשׁוּעַ בִּן־נוּן Neh. 8:17
2186 מִימֵי מַלְכֵי אַשּׁוּר עַד הַיּוֹם הַזֶּה Neh. 9:32
2187 מִימֵי שְׁלֹמֹה...לֹא כָזֹאת בִּירוּשָׁ' IICh. 30:26
2188 וְלֹא־נַעֲשָׂה...מִימֵי שְׁמוּאֵל IICh. 35:18

לְמִימֵי־
2189 לְמִימֵי קֶדֶם וִיצַרְתִּיהָ IIK. 19:25
2190 לְמִימֵי אֲבֹתֵיכֶם סַרְתֶּם מֵחֻקַּי Mal. 3:7

יְמוֹת־
2191 זְכֹר יְמוֹת עוֹלָם Deut. 32:7

כִּימוֹת־
2192 שַׂמְּחֵנוּ כִּימוֹת עִנִּיתָנוּ Ps. 90:15

יָמַי
2193 בִּדְמִי יָמַי אֵלֵכָה בְּשַׁעֲרֵי שְׁאוֹל Is. 38:10
2194 וּמִדַּת יָמַי מַה־הִיא Ps. 39:5
2195 הִנֵּה טְפָחוֹת נָתַתָּה יָמַי Ps. 39:6
2196 יָמַי כְּצֵל נָטוּי Ps. 102:12
2197 יָמַי קַלּוּ מִנִּי־אָרֶג Job 7:6
2198 הֲלֹא־מְעַט יָמַי וַחֲדָל˚ Job 10:20
2199 רוּחִי חֻבָּלָה יָמַי נִזְעָכוּ Job 17:1
2200 יָמַי עָבְרוּ זִמֹּתַי נִתְּקוּ Job 17:11

יָמָי
2201 הָבָה אֶת־אִשְׁתִּי כִּי מָלְאוּ יָמָי Gen. 29:21
2202 וַיִּכְלוּ בְּבֹשֶׁת יָמָי Jer. 20:18
2203 כִּי־כָלוּ בְעָשָׁן יָמָי Ps. 102:4
2204 עִנָּה בַדֶּרֶךְ כֹּחִי˚ קִצַּר יָמָי Ps. 102:24
2205 אַל־תַּעֲלֵנִי בַּחֲצִי יָמָי Ps. 102:25
2206 חֲדַל מִמֶּנִּי כִּי־הֶבֶל יָמָי Job 7:16

וְיָמַי
2207 וְיָמַי קַלּוּ מִנִּי־רָץ Job 9:25

בְּיָמָי
2208 אִם־שָׁלוֹם וֶאֱמֶת יִהְיֶה בְיָמָי IIK. 20:19
2209 כִּי יִהְיֶה שָׁלוֹם וֶאֱמֶת בְּיָמָי Is. 39:8

וּבְיָמַי
2210 הִטָּה אָזְנוֹ לִי וּבְיָמַי אֶקְרָא Ps. 116:2

מִיָּמָי
2211 לֹא־יֶחֱרַף לְבָבִי מִיָּמָי Job 27:6

יָמֶיךָ
2212 לְמַעַן יַאֲרִכוּן יָמֶיךָ Ex. 20:12
2213 אֶת־מִסְפַּר יָמֶיךָ אֲמַלֵּא Ex. 23:26
2214/5 (וּ)לְמַעַן / יַאֲר(י)כֻן יָמֶיךָ Deut. 5:16; 6:2
2216 כָּל־יָמֶיךָ עַל־אַדְמָתֶךָ Deut. 12:19
2217 לֹא־תִדְרֹשׁ שְׁלֹמָם...כָּל־יָמֶיךָ Deut. 23:7
2218 לְמַעַן יַאֲרִיכוּ יָמֶיךָ Deut. 25:15
2219 כִּי הוּא חַיֶּיךָ וְאֹרֶךְ יָמֶיךָ Deut. 30:20
2220 הֵן קָרְבוּ יָמֶיךָ לָמוּת Deut. 31:14
2221 כִּי יִמְלְאוּ יָמֶיךָ וְשָׁכַבְתָּ... IISh. 7:12
2222 גַּם־עֹשֶׁר גַּם־כָּבוֹד...כָּל־יָמֶיךָ IK. 3:13
2223 וְהַאַרַכְתִּי אֶת־יָמֶיךָ IK. 3:14
2224 וְהֹסַפְתִּי עַל־יָמֶיךָ IIK. 20:6
2225 הִנְנִי יוֹסִף עַל־יָמֶיךָ Is. 38:5
2226 כִּי־בִי יִרְבּוּ יָמֶיךָ Prov. 9:11
2227 הֲכִימֵי אֱנוֹשׁ יָמֶיךָ Job 10:5
2228 וּמִסְפַּר יָמֶיךָ רַבִּים Job 38:21
2229 וְהָיָה כִּי־מָלְאוּ יָמֶיךָ ICh. 17:11

בְּיָמֶיךָ
2230 אַךְ־בְּיָמֶיךָ לֹא אֶעֱשֶׂנָּה IK. 11:12

וּכְיָמֶיךָ
2231 ...וּכְיָמֶיךָ דָּבְאֶךָ Deut. 33:25

מִיָּמֶיךָ
2232 וְרָעָה לֹא־תִמָּצֵא בְךָ מִיָּמֶיךָ ISh. 25:28

הֲמִיָּמֶיךָ
2233 הֲמִיָּמֶיךָ צִוִּיתָ בֹּקֶר Job 38:12

יָמָיִךְ
2234 וַתַּקְרִיבִי יָמַיִךְ...עַד־שְׁנוֹתָיִךְ Ezek. 22:4

יָמָיו
2235 וְהָיוּ יָמָיו מֵאָה וְעֶשְׂרִים שָׁנָה Gen. 6:3
2236 לֹא־יוּכַל לְשַׁלְּחָהּ כָּל־יָמָיו Deut. 22:19
2245-2237 כָּל־יָמָיו Deut. 22:29 • IK. 15:14 • IIK. 12:3; 15:18 • Eccl. 2:23; 5:16 • IICh. 15:17; 18:7; 34:33

יָמָיו (המשך)
2246 וְזָקֵן אֲשֶׁר לֹא־יְמַלֵּא אֶת־יָמָיו Is. 65:20
2247 בַּחֲצִי יָמָו יַעַזְבֶנּוּ Jer. 17:11
2248 אֱנוֹשׁ כֶּחָצִיר יָמָיו Ps. 103:15
2249 יִהְיוּ־יָמָיו מְעַטִּים Ps. 109:8
2250 יָמָיו כְּצֵל עוֹבֵר Ps. 144:4
2251 וְכִימֵי שָׂכִיר יָמָיו Job 7:1
2252 אִם־חֲרוּצִים יָמָיו Job 14:5
2253 וְיֹדְעָו לֹא־חָזוּ יָמָיו Job 24:1

בְּיָמָיו
2254/5 בְּיָמָיו נִפְלְגָה הָאָרֶץ Gen. 10:25 • ICh. 1:19
2256 בְּיָמָיו בָּנָה חִיאֵל...אֶת־יְרִיחֹה IK. 16:34
2257 לֹא־אָבִי˚ הָרָעָה בְּיָמָיו IK. 21:29
2258 בְּיָמָיו פָּשַׁע אֱדוֹם IIK. 8:20
2259 בְּיָמָיו עָלָה פַרְעֹה נְכֹה IIK. 23:29
2260 בְּיָמָיו עָלָה נְבֻכַדְנֶאצַּר IIK. 24:1
2261 גֶּבֶר לֹא־יִצְלַח בְּיָמָיו Jer. 22:30
2262 בְּיָמָיו תִּוָּשַׁע יְהוּדָה Jer. 23:6
2263 יִפְרַח־בְּיָמָיו צַדִּיק Ps. 72:7
2264 וְשָׁלוֹם...אֶתֵּן עַל־יִשְׂ' בְּיָמָיו ICh. 22:9(8)
2265 בְּיָמָיו שָׁקְטָה הָאָרֶץ עֶשֶׂר שָׁנִים IICh. 13:23
2266 בְּיָמָיו פָּשַׁע אֱדוֹם IICh. 21:8

מִיָּמָיו
2267 וְלֹא־עֲצָבוֹ אָבִיו מִיָּמָיו IK. 1:6

יָמֶיהָ
2268 וַיִּמְלְאוּ יָמֶיהָ לָלֶדֶת Gen. 25:24

וְיָמֶיהָ
2269 וְיָמֶיהָ לֹא יִמָּשֵׁכוּ Is. 13:22

יָמֵינוּ
2270 לְבִלְתִּי שְׁתוֹת־יַיִן כָּל־יָמֵינוּ Jer. 35:8
2271 כָל־יָמֵינוּ פָּנוּ בְעֶבְרָתֶךָ Ps. 90:9
2272 לִמְנוֹת יָמֵינוּ כֵּן הוֹדַע Ps. 90:12
2273 וּנְרַנְּנָה וְנִשְׂמְחָה בְּכָל־יָמֵינוּ Ps. 90:14
2274 כִּי צֵל יָמֵינוּ עֲלֵי־אָרֶץ Job 8:9
2275 קָרַב קִצֵּנוּ מָלְאוּ יָמֵינוּ Lam. 4:18
2276 חַדֵּשׁ יָמֵינוּ כְּקֶדֶם Lam. 5:21
2277 כַּצֵּל יָמֵינוּ עַל־הָאָרֶץ ICh. 29:15

יְמֵיכֶם
2278 לְמַעַן יִרְבּוּ יְמֵיכֶם Deut. 11:21
2279 כִּי־מָלְאוּ יְמֵיכֶם לִטְבוֹחַ Jer. 25:34
2280 בָּאֳהָלִים תֵּשְׁבוּ כָּל־יְמֵיכֶם Jer. 35:7

בִּימֵיכֶם
2281 כִּי בִימֵיכֶם בֵּית הַמֶּרִי Ezek. 12:25
2282 הֶהָיְתָה זֹּאת בִּימֵיכֶם Joel 1:2
2283 כִּי־פֹעַל פֹּעֵל בִּימֵיכֶם Hab. 1:5

וּבִימֵיכֶם
2284 לְעֵינֵיכֶם וּבִימֵיכֶם Jer. 16:9

יְמֵיהֶם
2285/6 וּמִלְחָמָה הָיְתָה...כָּל־יְמֵיהֶם IK. 15:16, 32
2287 ...לֹא־יֶחֱצוּ יְמֵיהֶם Ps. 55:24
2288 וַיְכַל־בַּהֶבֶל יְמֵיהֶם Ps. 78:33
2289 יְכַלּוּ˚ בַטּוֹב יְמֵיהֶם Job 21:13
2290 יְכַלּוּ יְמֵיהֶם בַּטּוֹב Job 36:11

בִּימֵיהֶם
2291 פֹּעַל־פָּעַלְתָּ בִימֵיהֶם Ps. 44:2

יוֹם[2]

ז' ארמית: כמו בעברית; רבוי: יוֹמִין;
יוֹמַיָּא = הימים; יוֹמַת = יְמוֹת־: 1—16
אַחֲרִית יוֹמַיָּא 9; עַתִּיק יוֹמִין (יוֹמַיָּא) 8, 11, 12;
קְצָת יוֹמַיָּא 10

יוֹם
1 עַד יוֹם תְּלָתָה לִירַח אֲדָר Ez. 6:15
2 לֶהֱוֵא מִתְיְהֵב לְהֹם יוֹם בְּיוֹם Ez. 6:9

בְּיוֹם
3 לֶהֱוֵא מִתְיְהֵב לְהֹם יוֹם בְּיוֹם Ez. 6:9

בְּיוֹמָא
5-4 וְזִמְנִין תְּלָתָה בְיוֹמָא הוּא בָּרֵךְ Dan. 6:11, 14

יוֹמִין
7-6 עַד־יוֹמִין תְּלָתִין Dan. 6:8, 13
8 וְעַתִּיק יוֹמִין יְתִב Dan. 7:9

יוֹמַיָּא
9 מָה דִּי לֶהֱוֵא בְּאַחֲרִית יוֹמַיָּא Dan. 2:28
10 וְלִקְצָת יוֹמַיָּא...עַיְנַי לִשְׁמַיָּא נִטְלֵת Dan. 4:31
11 וְעַד־עַתִּיק יוֹמַיָּא מְטָה Dan. 7:13
12 עַד דִּי־אֲתָה עַתִּיק יוֹמַיָּא Dan. 7:22

יוֹמָת־
14-13 מִן־יוֹמָת עָלְמָא Ez. 4:15, 19

וּבְיוֹמֵי־ 15 וּבְיוֹמֵי אֲבוּךְ...הִשְׁתְּכַחַת בֵּהּ Dan. 5:11
וּבְיוֹמֵיהוֹן 16 וּבְיוֹמֵיהוֹן דִּי מַלְכַיָּא אִנּוּן Dan. 2:44

יוֹמָם

תה״פ בשעות היום, באור היום: 1—51

יוֹמָם וָלַיְלָה 2, 5—22; לַיְלָה וְיוֹמָם 48—50; לַיְלָה...יוֹמָם 25, 27

יוֹמָם 1 וַיְיָ הֹלֵךְ לִפְנֵיהֶם יוֹמָם בְּעַמּוּד עָנָן Ex. 13:21
2 לָלֶכֶת יוֹמָם וָלָיְלָה Ex. 13:21
3 לֹא־יָמִישׁ עַמּוּד הֶעָנָן יוֹמָם Ex. 13:22
4 כִּי עֲנַן יְיָ עַל־הַמִּשְׁכָּן יוֹמָם Ex. 40:38
5 יוֹמָם וָלַיְלָה שִׁבְעַת יָמִים Lev. 8:35
22-6 יוֹמָם וָלָיְלָה Num. 9:21
Josh. 1:8 • IK. 8:59 • Is. 60:11 • Jer. 8:23; 16:13; 33:20, 25 • Ps. 1:2; 32:4; 42:4; 55:11 • Lam. 2:18 • Neh. 1:6; 4:3 • ICh. 9:33 • IICh. 6:20
23 וַעֲנַן יְיָ עֲלֵיהֶם יוֹמָם Num. 10:34
24 ...אַתָּה הֹלֵךְ לִפְנֵיהֶם יוֹמָם Num. 14:14
25 בָּאֵשׁ לַיְלָה...וּבֶעָנָן יוֹמָם Deut. 1:33
26 יָרֵא...מֵעֲשׂוֹת יוֹמָם וַיַּעַשׂ לָיְלָה Jud. 6:27
27 חוֹמָה...גַּם־לַיְלָה גַּם־יוֹמָם ISh. 25:16
28 וְלֹא־נָתְנָה...לָנוּחַ עֲלֵיהֶם יוֹמָם IISh. 21:10
29 עָנָן יוֹמָם וְעָשָׁן...לָיְלָה Is. 4:5
30 וְסֻכָּה תִּהְיֶה לְצֵל־יוֹמָם מֵחֹרֶב Is. 4:6
31 עַל־מִצְפֶּה...עֹמֵד תָּמִיד יוֹמָם Is. 21:8
32 לֹא־יִהְיֶה...עוֹד הַשֶּׁמֶשׁ לְאוֹר יוֹמָם Is. 60:19
47-33 יוֹמָם Jer. 15:9; 31:35(34)
Ezek. 12:3, 4, 7; 30:16 • Ps. 13:3; 22:3; 42:9; 78:14; 91:5; 121:6 • Job 5:14; 24:16 • Neh. 9:12
וְיוֹמָם 48 וּפָחַדְתָּ לַיְלָה וְיוֹמָם Deut. 28:66
49 לַיְלָה וְיוֹמָם לֹא תִכְבֶּה Is. 34:10
50 תֵּרַדְנָה עֵינַי דִּמְעָה לַיְלָה וְיוֹמָם Jer. 14:17
בְּיוֹמָם 51 הֶעָנָן לֹא־סָר מֵעֲלֵיהֶם בְּיוֹמָם Neh. 9:19

יָוָן

שפ״ז א) בן יפת בן נח: 1, 7, 8, 11
ב) כנוי לעם ולארץ של ההֶלֶנִים: 2-6, 9, 10

בְּנֵי יָוָן 1, 7; מֶלֶךְ יָוָן 4; מַלְכוּת י׳ 6; שַׂר יָוָן 5

יָוָן 1 וּבְנֵי יָוָן אֱלִישָׁה וְתַרְשִׁישׁ Gen. 10:4
2 יָוָן תֻּבַל וָמֶשֶׁךְ הֵמָּה רֹכְלָיִךְ Ezek. 27:13
3 וְעוֹרַרְתִּי בָנַיִךְ צִיּוֹן עַל־בָּנַיִךְ יָוָן Zech. 9:13
4 וְהַצָּפִיר הַשָּׂעִיר מֶלֶךְ יָוָן Dan. 8:21
5 וְהִנֵּה שַׂר־יָוָן בָּא Dan. 10:20
6 יָעִיר הַכֹּל אֵת מַלְכוּת יָוָן Dan. 11:2
7 וּבְנֵי יָוָן אֱלִישָׁה וְתַרְשִׁישָׁה ICh. 1:7
וְיָוָן 9-8 בְּנֵי יֶפֶת גֹּמֶר...וְיָוָן Gen. 10:2 • ICh. 1:5
10 מֹשְׁכֵי קֶשֶׁת תֻּבַל וְיָוָן Is. 66:19
11 וְדָן וְיָוָן מְאוּזָּל בְּעִזְבוֹנַיִךְ Ezek. 27:19

יָוֵן

ז׳ טיט, רפש: 1, 2

יְוֵן מְצוּלָה 2; טִיט הַיָּוֵן 1

הַיָּוֵן 1 מִבּוֹר שָׁאוֹן מִטִּיט הַיָּוֵן Ps. 40:3
בִּיוֵן־ 2 טָבַעְתִּי בִּיוֵן מְצוּלָה וְאֵין מָעֳמָד Ps. 69:3

יוֹנָדָב

שפ״ז א) בן שמעה, רע אמנון בן דוד: 1—3
ב) בן רכב, אבי בית הרכבים: 4—7

יוֹנָדָב 2-1 יוֹנָדָב בֶּן־שִׁמְעָה אֲחִי דָוִד IISh. 13:3, 32
3 וַיֹּאמֶר יוֹנָדָב אֶל־הַמֶּלֶךְ IISh. 13:35
4 יוֹנָדָב בֶּן־רֵכָב אָבִינוּ צִוָּה עָלֵינוּ Jer. 35:6
5 כְּכֹל אֲשֶׁר־צִוָּנוּ יוֹנָדָב אָבִינוּ Jer. 35:10
וְיוֹנָדָב 6 וְיוֹנָדָב אִישׁ חָכָם מְאֹד IISh. 13:3
לְיוֹנָדָב 7 לֹא־יִכָּרֵת אִישׁ לְיוֹנָדָב Jer. 35:19

יוֹנָה[1]

נ׳ א) עוף טהור מבוית (Columba): 1—22
ב) כנוי חבה לאשה אהובה: 23—25

קרובים: גּוֹזָל / תּוֹר; עין גם עוף / צִפּוֹר

יוֹנָה פוֹתָה 20; יוֹנַת אֵלֶם 22; בֶּן־יוֹנָה 8; בְּנֵי יוֹנָה 1—7, 15, 16; כַּנְפֵי יוֹנָה 9; קוֹל יוֹנִים 26; יוֹנֵי הַגֵּאָיוֹת 32

יוֹנָה 7-1 (לִ)שְׁנֵי בְנֵי(־)יוֹנָה Lev. 5:7, 11
12:8; 4:22; 15:14, 29 • Num. 6:10
8 וּבֶן־יוֹנָה אוֹ־תֹר לְחַטָּאת Lev. 12:6
9 כַּנְפֵי יוֹנָה נֶחְפָּה בַכֶּסֶף Ps. 68:14
הַיּוֹנָה 10 וַיְשַׁלַּח אֶת־הַיּוֹנָה מֵאִתּוֹ Gen. 8:8
11 וְלֹא־מָצְאָה הַיּוֹנָה מָנוֹחַ Gen. 8:9
12 וַיֹּסֶף שַׁלַּח אֶת־הַיּוֹנָה Gen. 8:10
13 וַתָּבֹא אֵלָיו הַיּוֹנָה לְעֵת עֶרֶב Gen. 8:11
14 וַיְשַׁלַּח אֶת־הַיּוֹנָה Gen. 8:12
16-15 אוֹ מִן־בְּנֵי הַיּוֹנָה Lev. 1:14; 14:30
כַּיּוֹנָה 17 כֵּן אֲצַפְצֵף אֶהְגֶּה כַּיּוֹנָה Is. 38:14
18 מִי־יִתֶּן־לִּי אֵבֶר כַּיּוֹנָה Ps. 55:7
כְּיוֹנָה 19 כְּיוֹנָה תְּקַנֵּן בְּעֶבְרֵי פִי־פָחַת Jer. 48:28
20 כְּיוֹנָה פוֹתָה אֵין לֵב Hosh. 7:11
וּכְיוֹנָה 21 יֶחֶרְדוּ...וּכְיוֹנָה מֵאֶרֶץ אַשּׁוּר Hosh. 11:11
יוֹנַת־ 22 לַמְנַצֵּחַ עַל־יוֹנַת אֵלֶם רְחֹקִים Ps. 56:1
יוֹנָתִי 23 יוֹנָתִי בְּחַגְוֵי הַסֶּלַע S.ofS. 2:14
24 אֲחֹתִי רַעְיָתִי יוֹנָתִי תַמָּתִי S.ofS. 5:2
25 אַחַת הִיא יוֹנָתִי תַמָּתִי S.ofS. 6:9
יוֹנִים 26 וְאַמְהֹתֶיהָ מְנַהֲגוֹת כְּקוֹל יוֹנִים Nah. 2:8
28-27 הִנָּךְ יָפָה עֵינַיִךְ יוֹנִים S.ofS. 1:15; 4:1
כְּיוֹנִים 29 עֵינָיו כְּיוֹנִים עַל־אֲפִיקֵי מָיִם S.ofS. 5:12
וְכַיּוֹנִים 30 וְכַיּוֹנִים הָגֹה נֶהְגֶּה Is. 59:11
31 וְכַיּוֹנִים אֶל־אֲרֻבֹּתֵיהֶם Is. 60:8
כְּיוֹנֵי־ 32 כְּיוֹנֵי הַגֵּאָיוֹת כֻּלָּם הֹמוֹת Ezek. 7:16

יוֹנָה[2]

ת״נ לוחצת, מדכאת: 1—4 [עין ינה]

חֶרֶב הַיּוֹנָה 2, 3; חֲרוֹן הַיּוֹנָה 1; הָעִיר הַיּוֹנָה 4

הַיּוֹנָה 1 מִפְּנֵי חֲרוֹן הַיּוֹנָה וּמִפְּנֵי חֲרוֹן אַפּוֹ Jer. 25:38
3-2 מִפְּנֵי חֶרֶב הַיּוֹנָה Jer. 46:16; 50:16
4 הוֹי מֹרְאָה וְנִגְאָלָה הָעִיר הַיּוֹנָה Zep. 3:1

יוֹנָה[3]

שפ״ז – בן־אֲמִתַּי, נביא ישראל: 1-19 • רֹאשׁ יוֹנָה 6

יוֹנָה 1 יוֹנָה בֶן־אֲמִתַּי הַנָּבִיא IIK. 14:25
2 וַיְהִי דְּבַר־יְיָ אֶל־יוֹנָה בֶן־אֲמִתַּי Jon. 1:1
3 וַיָּקָם יוֹנָה לִבְרֹחַ תַּרְשִׁישָׁה Jon. 1:3
4 וַיְהִי דְבַר־יְיָ אֶל־יוֹנָה שֵׁנִית Jon. 3:1
5 וַיָּקָם יוֹנָה וַיֵּלֶךְ אֶל־נִינְוֵה Jon. 3:3
6 וַתַּךְ הַשֶּׁמֶשׁ עַל־רֹאשׁ יוֹנָה Jon. 4:8
17-7 יוֹנָה Jon. 1:7, 15; 2:1[2], 2, 11; 3:4; 4:1, 5, 6, 9
וְיוֹנָה 18 וְיוֹנָה יָרַד אֶל־יַרְכְּתֵי הַסְּפִינָה Jon. 1:5
לְיוֹנָה 19 וַיַּעַל מֵעַל לְיוֹנָה Jon. 4:6

יְוָנִי*

ת׳ המתיחס על יָוָן • בְּנֵי הַיְּוָנִים 1

הַיְּוָנִים 1 וּבְנֵי יְהוּדָה...מְכַרְתֶּם לִבְנֵי הַיְּוָנִים Joel 4:6

יוֹנֵק

ז׳ תינוק המוצץ חלב אמו: 1—10

קרובים: וָלָד / יֶלֶד / עוּל / עוֹלֵל

עוֹלֵל וְיוֹנֵק 2, 3, 6, 7, 10; לְשׁוֹן יוֹנֵק 5

[עין גם ינק]

יוֹנֵק 1 יוֹנֵק עִם־אִישׁ שֵׂיבָה Deut. 32:25
3-2 מֵעֹ(וֹ)לֵל וְעַד־יוֹנֵק ISh. 15:3; 22:19
4 וְשִׁעֲשַׁע יוֹנֵק עַל־חֻר פָּתֶן Is. 11:8
5 דָּבַק לְשׁוֹן יוֹנֵק אֶל־חִכּוֹ Lam. 4:4
וְיוֹנֵק 6 אִישׁ־וְאִשָּׁה עוֹלֵל וְיוֹנֵק Jer. 44:7
7 בֵּעָטֵף עוֹלֵל וְיוֹנֵק Lam. 2:11
הַיּוֹנֵק 8 כַּאֲשֶׁר יִשָּׂא הָאֹמֵן אֶת־הַיֹּנֵק Num. 11:12
כַּיּוֹנֵק 9 וַיַּעַל כַּיּוֹנֵק לְפָנָיו Is. 53:2
וְיֹנְקִים 10 מִפִּי עוֹלְלִים וְיֹנְקִים יִסַּדְתָּ עֹז Ps. 8:3

יוֹנֶקֶת*

נ׳ ענף רך: 1—6 • רֹאשׁ יוֹנְקוֹתָיו 4

יוֹנַקְתּוֹ 1 וְעַל־גַּנָּתוֹ יֹנַקְתּוֹ תֵצֵא Job 8:16
2 יֹנַקְתּוֹ תְּיַבֵּשׁ שַׁלְהָבֶת Job 15:30
וְיוֹנַקְתּוֹ 3 וְיֹנַקְתּוֹ לֹא תֶחְדָּל Job 14:7
יוֹנְקוֹתָיו 4 מֵרֹאשׁ יְנִיקוֹתָיו רַךְ אֶקְטֹף Ezek. 17:22
5 יֵלְכוּ יֹנְקוֹתָיו וִיהִי כַזַּיִת הוֹדוֹ Hosh. 14:7
יוֹנְקוֹתֶיהָ 6 תְּשַׁלַּח קְצִירֶהָ...וְאֶל־נָהָר יוֹנְקוֹתֶיהָ Ps. 80:12

יוֹנָתָן

שפ״ז א) בן המלך שאול, רע דוד, הוא יְהוֹנָתָן: 1—23, 33—37, 41, 42
ב) בן אביתר, כהן המלך דוד: 24, 25
ג) אנשים שונים: 26—32, 38—40

יוֹנָתָן 1 וְאֶלֶף הָיוּ עִם־יוֹנָתָן ISh. 13:2
2 וַיַּךְ יוֹנָתָן אֵת נְצִיב פְּלִשְׁתִּים ISh. 13:3
3 אֲשֶׁר אֶת־שָׁאוּל וְאֶת־יוֹנָתָן ISh. 13:22
23-4 יוֹנָתָן ISh. 14:1, 3, 4, 12[2], 13[2], 14, 17
14:29, 41, 42[2], 43[2], 44, 45, 49; 19:1 • ICh. 10:2
24 וְהִנֵּה יוֹנָתָן בֶּן־אֶבְיָתָר הַכֹּהֵן בָּא IK. 1:42
25 וַיַּעַן יוֹנָתָן וַיֹּאמֶר לַאֲדֹנִיָּהוּ IK. 1:43
26 וּמִבְּנֵי עָדִין עֶבֶד בֶּן־יוֹנָתָן Ez. 8:6
27 אַךְ יוֹנָתָן בֶּן־עֲשָׂהאֵל...עֲזָרֻם Ez. 10:15
28 וְיוֹיָדָע הוֹלִיד אֶת־יוֹנָתָן Neh. 12:11
29 לִמְלִיכוּ° יוֹנָתָן לִשְׁבַנְיָה יוֹסֵף Neh. 12:14
30 וּמִבְּנֵי הַכֹּהֲנִים...זְכַרְיָה בֶן־יוֹנָתָן Neh. 12:35
31 וּבְנֵי יוֹנָתָן פֶּלֶת וְזָזָא ICh. 2:33
32 יוֹנָתָן בֶּן־שָׁגֵה הַהֲרָרִי ICh. 11:34
הַיוֹנָתָן 33 וַיֹּאמֶר הָעָם...הֲיוֹנָתָן יָמוּת ISh. 14:45
וְיוֹנָתָן 34 וְשָׁאוּל וְיוֹנָתָן בְּנוֹ וְהָעָם ISh. 13:16
35 אֲשֶׁר עִם־שָׁאוּל וְיוֹנָתָן ISh. 14:21
36 וְיוֹנָתָן לֹא־שָׁמַע בְּהַשְׁבִּיעַ אָבִיו ISh. 14:27
37 וַאֲנִי וְיוֹנָתָן בְּנִי נִהְיֶה לְעֵבֶר אֶחָד ISh. 14:40
38 וְיוֹחָנָן וְיוֹנָתָן בְּנֵי־קָרֵחַ Jer. 40:8
39 וְיוֹנָתָן הוֹלִיד אֶת־יַדּוּעַ Neh. 12:11
40 וּבְנֵי יָדָע...יֶתֶר וְיוֹנָתָן ICh. 2:32
בְּיוֹנָתָן 41 כִּי אִם־יֶשְׁנוֹ בְּיוֹנָתָן בְּנִי ISh. 14:39
וּלְיוֹנָתָן 42 וַתִּמָּצֵא לְשָׁאוּל וּלְיוֹנָתָן בְּנוֹ ISh. 13:22

יוֹסֵף

שפ״ז א) בן יעקב ורחל: 1—154, 192—207, 209
ב) בני השבטים שהתיחסו על יוסף (אפרים ומנשה): 155—188, 210
ג) אבי יִגְאָל, מתרי הארץ, למטה יששכר: 189
ד) מן המשוררים, מבני אסף, בימי דוד: 208
ה) מן העולים בימי עזרא ונחמיה: 190, 191

אֲדֹנֵי יוֹסֵף 14; אֹהֶל יוֹסֵף 187; אֲחִי י׳ 19; אַחֵי י׳ 18, 20, 31; בֵּית י׳ 21—23, 172—181; בְּכוֹר י׳ 49; בֶּן י׳ 44—47, 189; בְּנֵי י׳ 34, 155—170; בִּרְכֵּי י׳ 38; דְּבַר י׳ 24; דִּבְרֵי י׳ 32; יַד י׳ 12, 15; כְּתֹנֶת י׳ 10; מַטֵּה י׳ 171; עֵץ י׳ 182; עַצְמוֹת י׳ 43, 50; רֹאשׁ יוֹסֵף 36, 48; שְׁאֵרִית י׳ 185; שֶׁבֶר י׳ 186; שֵׁם יוֹסֵף 16; שַׁעַר יוֹסֵף 184

יוֹסֵף 1 וַתִּקְרָא אֶת־שְׁמוֹ יוֹסֵף Gen. 30:24
2 וַיְהִי כַּאֲשֶׁר יָלְדָה רָחֵל אֶת־יוֹסֵף Gen. 30:25
3 וְאֶת־רָחֵל וְאֶת־יוֹסֵף אַחֲרֹנִים Gen. 33:2
4 וְאַחַר נִגַּשׁ יוֹסֵף וְרָחֵל Gen. 33:7
5 בְּנֵי רָחֵל יוֹסֵף וּבִנְיָמִן Gen. 35:24
6 יוֹסֵף בֶּן־שְׁבַע־עֶשְׂרֵה שָׁנָה... Gen. 37:2
7 וַיָּבֵא יוֹסֵף אֶת־דִּבָּתָם רָעָה Gen. 37:2

יוֹסֵף (המשך)

8 וְיִשְׂרָ׳ אָהַב אֶת־יוֹסֵף מִכָּל־בָּנָיו Gen. 37:3
9 וַיַּחֲלֹם יוֹסֵף חֲלוֹם וַיַּגֵּד לְאֶחָיו Gen. 37:5
10 וַיִּקְחוּ אֶת־כְּתֹנֶת יוֹסֵף Gen. 37:31
11 טָרֹף טֹרַף יוֹסֵף Gen. 37:33
12 וַיַּעֲזֹב כָּל־אֲשֶׁר־לוֹ בְּיַד יוֹסֵף Gen. 39:6
13 יוֹסֵף יְפֵה־תֹאַר וִיפֵה מַרְאֶה Gen. 39:6
14 וַיִּקַּח אֲדֹנֵי יוֹסֵף אֹתוֹ... Gen. 39:20
15 וַיִּתֵּן שַׂר בֵּית־הַסֹּהַר בְּיַד־יוֹסֵף Gen. 39:22
16 וַיִּקְרָא פַרְ׳ שֵׁם־יוֹסֵף צָפְנַת פַּעְנֵחַ Gen. 41:45
17 וַיֵּצֵא יוֹסֵף עַל־אֶרֶץ מִצְרָיִם Gen. 41:45
18 וַיֵּרְדוּ אֲחֵי־יוֹסֵף עֲשָׂרָה... Gen. 42:3
19 וְאֶת־בִּנְ׳ אֲחִי־יוֹסֵף לֹא־שָׁלַח Gen. 42:4
20 וַיָּבֹאוּ אֲחֵי יוֹסֵף וַיִּשְׁתַּחֲווּ־לוֹ Gen. 42:6
21 וַיִּירְאוּ...כִּי הוּבְאוּ בֵּית יוֹסֵף Gen. 43:18
22-23 בֵּית יוֹסֵף Gen. 43:19; 50:8
24 וַיַּעַשׂ כִּדְבַר יוֹסֵף אֲשֶׁר דִּבֵּר Gen. 44:2
25 וַיָּבֹא יְהוּדָה וְאֶחָיו בֵּיתָה יוֹסֵף Gen. 44:14
26 וְלֹא־יָכֹל יוֹסֵף לְהִתְאַפֵּק... Gen. 45:1
27 בְּהִתְוַדַּע יוֹסֵף אֶל־אֶחָיו Gen. 45:1
28 אֲנִי יוֹסֵף הַעוֹד אָבִי חָי Gen. 45:3
29 אֲנִי יוֹסֵף אֲחִיכֶם Gen. 45:4
30 כֹּה אָמַר בִּנְךָ יוֹסֵף Gen. 45:9
31 וְהַקֹּל נִשְׁמַע...בָּאוּ אֲחֵי יוֹסֵף Gen. 45:16
32 וַיְדַבְּרוּ...אֵת כָּל־דִּבְרֵי יוֹסֵף Gen. 45:27
33 עוֹד־יוֹסֵף בְּנִי חָי Gen. 45:28
34 וּבְנֵי יוֹסֵף...נֶפֶשׁ שְׁנָיִם Gen. 46:27
35 בֵּן פֹּרָת יוֹסֵף Gen. 49:22
36 תִּהְיֶיןָ לְרֹאשׁ יוֹסֵף Gen. 49:26
37 וַיֹּאמְרוּ לוּ יִשְׂטְמֵנוּ יוֹסֵף Gen. 50:15
38 בְּנֵי מָכִיר...יֻלְּדוּ עַל־בִּרְכֵּי יוֹסֵף Gen. 50:23
39 וַיַּשְׁבַּע יוֹסֵף אֶת־בְּ־י לֵאמֹר Gen. 50:25
40 וַיָּמָת יוֹסֵף בֶּן־מֵאָה וָעֶשֶׂר שָׁנִים Gen. 50:26
41 וַיָּמָת יוֹסֵף וְכָל־אֶחָיו Ex. 1:6
42 וַיָּקָם...אֲשֶׁר לֹא־יָדַע אֶת־יוֹסֵף Ex. 1:8
43 וַיִּקַּח מֹשֶׁה אֶת־עַצְמוֹת יוֹסֵף עִמּוֹ Ex. 13:19
44 לְמִשְׁפְּחֹת מְנַשֶּׁה בֶן־יוֹסֵף Num. 27:1
45-47 מְנַשֶּׁה בֶּן־יוֹסֵף Num. 32:33; 36:12 Josh. 17:2
48 תָּבוֹאתָה לְרֹאשׁ יוֹסֵף Deut. 33:16
49 כִּי־הוּא בְּכוֹר יוֹסֵף Josh. 17:1
50 וְאֶת־עַצְמוֹת יוֹסֵף...קָבְרוּ בִשְׁכֶם Josh. 24:32
51-154 יוֹסֵף Gen. 37:13, 17, 23², 28², 29
39:2, 4, 5, 7, 10, 21; 40:3, 4, 6, 8, 12, 16, 18, 22, 23; 41:14, 15, 16, 17, 25, 39, 41, 42, 44, 46, 49, 51, 54, 55, 56, 57; 42:7, 8, 9, 14, 18, 23, 25, 36; 43:15, 16, 17, 24, 25, 26, 30; 44:15; 45:3, 4, 17, 21, 26, 27; 46:19, 28, 29, 30, 31; 47:1, 5, 7, 11, 12, 14², 15, 16, 17², 20, 23, 26; 48:2, 3, 8, 9, 11, 12, 13, 15, 17, 18, 21; 50:1, 2, 4, 7, 14, 16, 17, 19, 22², 23, 24 • Ps. 105:17 • ICh. 2:2
155 לִבְנֵי יוֹסֵף לְאֶפְרַיִם Num. 1:10
156-170 (לִ)בְנֵי יוֹסֵף Num. 1:32
26:28, 37; 34:23; 36:1, 5 • Josh. 14:4; 16:1, 4; 17:14, 16; 18:11; 24:32 • ICh. 5:1; 7:29
171 לְמַטֵּה יוֹסֵף לְמַטֵּה מְנַשֶּׁה Num. 13:11
172 וַיֹּאמֶר יְהוֹשֻׁעַ אֶל־בֵּית יוֹסֵף Josh. 17:17
173 וּבֵית יוֹסֵף יַעַמְדוּ עַל־גְּבוּלָם Josh. 18:5
174-181 (וּ)בֵית יוֹסֵף Jud. 1:22, 23, 35 • IISh. 19:21
IK. 11:28 • Am. 5:6 • Ob. 18 • Zech. 10:6
182 הִנֵּה אֲנִי לֹקֵחַ אֶת־עֵץ יוֹסֵף.. Ezek. 37:19
183 שִׁבְטֵי יִשְׂרָאֵל יוֹסֵף חֲבָלִים Ezek. 47:13
184 שַׁעַר יוֹסֵף אֶחָד Ezek. 48:32
185 אוּלַי יֶחֱנַן יְיָ...שְׁאֵרִית יוֹסֵף Am. 5:15

יוֹסֵף (המשך)

186 וְלֹא נֶחְלוּ עַל־שֵׁבֶר יוֹסֵף Am. 6:6
187 וַיִּמְאַס בְּאֹהֶל יוֹסֵף Ps. 78:67
188 נֹהֵג כַּצֹּאן יוֹסֵף Ps. 80:2
189 לְמַטֵּה יִשָּׂשכָר יִגְאָל בֶּן־יוֹסֵף Num. 13:7
190 שַׁלּוּם אֲמַרְיָה יוֹסֵף Ez. 10:42
191 לִמְלִיכוּ° יוֹנָתָן לִשְׁבַנְיָה יוֹסֵף Neh. 12:14

וְיוֹסֵף
192 וְיוֹסֵף הוּרַד מִצְרָיְמָה Gen. 39:1
193 וְיוֹסֵף בֶּן־שְׁלֹשִׁים שָׁנָה... Gen. 41:46
194 וְיוֹסֵף הוּא הַשַּׁלִּיט עַל־הָאָרֶץ Gen. 42:6
195-199 וְיוֹסֵף Gen. 44:4; 46:4
Ex. 1:5 • Deut. 27:12 • Ps. 77:16
200 לִבְנֵי אָסָף זַכּוּר וְיוֹסֵף... ICh. 25:2

לְיוֹסֵף
201 וַיְסַפֵּר...אֶת־חֲלֹמוֹ לְיוֹסֵף Gen. 40:9
202 וַיִּוָּלֵד לְיוֹסֵף בְּאֶרֶץ מִצְרַיִם Gen. 46:20
203 וַיִּקְרָא לִבְנוֹ לְיוֹסֵף Gen. 47:29
204 וַיֹּאמֶר לְיוֹסֵף הִנֵּה אָבִיךָ חֹלֶה Gen. 48:1
205 כֹּה־תֹאמְרוּ לְיוֹסֵף... Gen. 50:17
206 וּכְתוֹב עָלָיו לְיוֹסֵף עֵץ אֶפְרַיִם Ezek. 37:16
207 וְהַבְּכֹרָה לְיוֹסֵף ICh. 5:2
208 לְאָסָף לְיוֹסֵף גְּדַלְיָהוּ הַשֵּׁנִי ICh. 25:9

וּלְיוֹסֵף
209 וּלְיוֹסֵף יֻלַּד שְׁנֵי בָנִים Gen. 41:50
210 וּלְיוֹסֵף אָמַר מְבֹרֶכֶת יְיָ אַרְצוֹ Deut. 33:13

יוֹסִפְיָה
שפ״ז – מאבות העולים בימי עזרא

יוֹסִפְיָה 1 וּמִבְּנֵי שְׁלוֹמִית בֶּן־יוֹסִפְיָה Ez. 8:10

יוֹעֵאלָה
שפ״ז – מגבורי דוד בצקלג

וְיוֹעֵאלָה 1 וְיוֹעֵאלָה וּזְבַדְיָה...מִן־הַגְּדוֹר ICh. 12:8

יוֹעֵד
שפ״ז – איש מזרע בנימין

יוֹעֵד 1 סַלֻּא בֶּן־מְשֻׁלָּם בֶּן־יוֹעֵד Neh. 11:7

יוֹעֶזֶר
שפ״ז – מגבורי דוד בצקלג

וְיוֹעֶזֶר 1 וַעֲזַרְאֵל וְיוֹעֶזֶר וְיָשָׁבְעָם הַקָּרְחִים ICh. 12:7

יוֹעֵם
(איכה ד1) – עין עמם

יוֹעֵץ
ז׳ נותן עצות: 1–17 [עין גם יָעַץ]

יוֹעֵץ דָּוִד 4; יוֹעֲצֵי אֶרֶץ 13; י׳ פַּרְעֹה 12; יוֹעֵץ שָׁלוֹם 14

יוֹעֵץ 1 וּזְכַרְיָהוּ בְנוֹ יוֹעֵץ בְּשֶׂכֶל ICh. 26:14
2 וִיהוֹנָתָן דּוֹד־דָּוִיד יוֹעֵץ ICh. 27:32
3 וַאֲחִיתֹפֶל יוֹעֵץ לַמֶּלֶךְ ICh. 27:33
יוֹעֵץ־ 4 אֶת־אֲחִיתֹפֶל...יוֹעֵץ דָּוִד IISh. 15:12
וְיוֹעֵץ 5 וְיוֹעֵץ וַחֲכַם חֲרָשִׁים Is. 3:3
הַלְיוֹעֵץ 6 הַלְיוֹעֵץ לַמֶּלֶךְ נְתַנּוּךָ IICh. 25:16
יוֹעֲצֵךְ 7 הַמֶּלֶךְ אֵין בָּךְ אִם־יוֹעֲצֵךְ אָבָד Mic. 4:9
יוֹעֲצִים 8 וּבְרֹב יוֹעֲצִים תָּקוּם Prov. 15:22
9 מוֹלִיךְ יוֹעֲצִים שׁוֹלָל Job 12:17
10 וְסֹכְרִים עֲלֵיהֶם יוֹעֲצִים Ez. 4:5
11 כִּי הֵמָּה הָיוּ־לוֹ יוֹעֲצִים IICh. 22:4
יוֹעֲצֵי־ 12 חַכְמֵי יֹעֲצֵי פַרְעֹה עֵצָה נִבְעָרָה Is. 19:11
וְיוֹעֲצֵי־ 13 עִם־מְלָכִים וְיֹעֲצֵי אָרֶץ Job 3:14
וּלְיוֹעֲצֵי־ 14 וּלְיֹעֲצֵי שָׁלוֹם שִׂמְחָה Prov. 12:20
וְיוֹעֲצַיִךְ 15 שֹׁפְטַיִךְ כְּבָרִאשֹׁנָה וְיֹעֲצַיִךְ כְּבַתְּחִלָּה Is. 1:26
וְיוֹעֲצָיו 16 הִטָּה־חֶסֶד לִפְנֵי הַמֶּלֶךְ וְיוֹעֲצָיו Ez. 7:28
17 הַהֵרִימוּ הַמֶּלֶךְ וְיֹעֲצָיו וְשָׂרָיו Ez. 8:25

יוֹעָשׁ
שפ״ז א) שר אוצרות השמן לדוד: 1
ב) מבני בנימין: 2

יוֹעָשׁ 1 וְעַל־אֹצְרוֹת הַשֶּׁמֶן יוֹעָשׁ ICh. 27:28
וְיוֹעָשׁ 2 וּבְנֵי בֶכֶר זְמִירָה וְיוֹעָשׁ ICh. 7:8

יוֹצָדָק
שפ״ז – אבי יהושע הכהן הגדול בימי זרובבל, הוא יְהוֹצָדָק: 1, 2

יוֹצָדָק 1 יֵשׁוּעַ בֶּן־יוֹצָדָק וְאֶחָיו Ez. 3:2; 10:18
2-4 (וְ)יֵשׁוּעַ בֶּן־יוֹצָדָק Ez. 3:8; 5:2 • Neh. 12:26

יוֹצֵק
(ויקרא כא10) – עין יצק

יוֹצֵר
ז׳ א) קדר, עושה כלי חרס: 1–12, 15–23
ב) מתיך כסף: 13, 14

יוֹצֵר חֶרֶשׂ 3; בֵּית הַיּוֹצֵר 7, 8; יַד הַי׳ 9, 11; יְדֵי יוֹצֵר 5; כְּלִי י׳ 1, 4, 12; עֵינֵי הַי׳ 10; נֵבֶל יוֹצְרִים 21; יוֹצְרֵי פֶסֶל 23

יוֹצֵר 1 מִשְׁכָּב וְסַפּוֹת וּכְלִי יוֹצֵר IISh. 17:28
2 וּכְמוֹ יוֹצֵר יִרְמָס־טִיט Is. 41:25
3 וְקָנִיתָ בַקְבֻּק יוֹצֵר חָרֶשׂ Jer. 19:1
4 כִּכְלִי יוֹצֵר תְּנַפְּצֵם Ps. 2:9
5 לְנִבְלֵי־חֶרֶשׂ מַעֲשֵׂה יְדֵי יוֹצֵר Lam. 4:2
הַיּוֹצֵר 6 אִם־כְּחֹמֶר הַיֹּצֵר יֵחָשֵׁב Is. 29:16
7 קוּם וְיָרַדְתָּ בֵּית הַיּוֹצֵר Jer. 18:2
8 וָאֵרֵד בֵּית הַיּוֹצֵר Jer. 18:3
9 הוּא עֹשֶׂה בַּחֹמֶר בְּיַד הַיּוֹצֵר Jer. 18:4
10 כַּאֲשֶׁר יָשַׁר בְּעֵינֵי הַיּוֹצֵר לַעֲשׂוֹת Jer. 18:4
11 הִנֵּה כַחֹמֶר בְּיַד הַיּוֹצֵר... Jer. 18:6
12 כַּאֲשֶׁר יִשְׁבֹּר אֶת־כְּלִי הַיּוֹצֵר Jer. 19:11
13 הַשְׁלִיכֵהוּ אֶל־הַיּוֹצֵר אֶדֶר הַיְקָר Zech. 11:13
14 וָאַשְׁלִיךְ אֹתוֹ בֵּית יְיָ אֶל־הַיּוֹצֵר Zech. 11:13
הַכַּיּוֹצֵר 15 הֲכַיּוֹצֵר הַזֶּה לֹא־אוּכַל לַעֲשׂוֹת Jer. 18:6
יוֹצְרוֹ 16 הוֹי רָב אֶת־יֹצְרוֹ Is. 45:9
17 מָה־הוֹעִיל פֶּסֶל כִּי פְסָלוֹ יֹצְרוֹ Hab. 2:18
לְיוֹצְרוֹ 18 וְיֵצֶר אָמַר לְיֹצְרוֹ לֹא הֵבִין Is. 29:16
19 הֲיֹאמַר חֹמֶר לְיֹצְרוֹ מַה־תַּעֲשֶׂה Is. 45:9
יוֹצְרֵנוּ 20 אֲנַחְנוּ הַחֹמֶר וְאַתָּה יֹצְרֵנוּ Is. 64:7
יוֹצְרִים 21 וּשְׁבָרָהּ כְּשֵׁבֶר נֵבֶל יוֹצְרִים Is. 30:14
הַיּוֹצְרִים 22 הֵמָּה הַיּוֹצְרִים וְיֹשְׁבֵי נְטָעִים ICh. 4:23
יוֹצְרֵי־ 23 יֹצְרֵי־פֶסֶל כֻּלָּם תֹּהוּ Is. 44:9

יוֹקִים
שפ״ז – מצאצאי יהודה בן יעקב

וְיוֹקִים 1 וְיוֹקִים וְאַנְשֵׁי כֹזֵבָא וְיוֹאָשׁ ICh. 4:22

יוֹקֵשׁ
ז׳ עין יקש

יוֹרֶה
שפ״ז – גשם: 1, 2

קרובים: גֶּשֶׁם / דֶּלֶף / זַרְזִיף / מַבּוּל / מוֹרֶה / מָטָר / מַלְקוֹשׁ / רְבִיבִים / שְׂעִירִים

יוֹרֶה 1 וְנָתַתִּי...בְּעִתּוֹ יוֹרֶה וּמַלְקוֹשׁ Deut. 11:14
2 גֶּשֶׁם יוֹרֶה (כת׳ וירה) וּמַלְקוֹשׁ בְּעִתּוֹ Jer. 5:24

יוֹרָה
שפ״ז – מן העולים בימי זרובבל

יוֹרָה 1 בְּנֵי יוֹרָה מֵאָה וּשְׁנֵים עָשָׂר Ez. 2:18

יוֹרַי
שפ״ז – מבני גד

וְיוֹרַי 1 וְשֶׁבַע וְיוֹרַי וְיַעְכָּן ICh. 5:13

יוֹרָם
שפ״ז א) בן תֹּעִי מלך חמת: 1
ב) בן יהושפט, מלך יהודה: 2–4, 12, 13
ג) בן אחאב מלך ישראל: 5–11, 14, 15, 16
ד) מן הכהנים בימי יהושפט: 17

יוֹרָם 1 וַיִּשְׁלַח תֹּעִי אֶת־יוֹרָם־בְּנוֹ IISh. 8:10
2 וַיַּעֲבֹר יוֹרָם צָעִירָה IIK. 8:21
3 וְיֶתֶר דִּבְרֵי יוֹרָם...הֲלֹא־הֵם כְּתוּבִים IIK. 8:23
4 וַיִּשְׁכַּב יוֹרָם עִם־אֲבֹתָיו IIK. 8:24
5 וַיֵּלֶךְ אֶת־יוֹרָם בֶּן־אַחְאָב לַמִּלְחָמָה IIK. 8:28
6 וַיַּכּוּ אֲרַמִּים אֶת־יוֹרָם IIK. 8:28
7 וַיָּשָׁב יוֹרָם הַמֶּלֶךְ לְהִתְרַפֵּא IIK. 8:29

יוֹרָם (המשך)
9-8 יָרַד לִרְאוֹת אֶת־יוֹרָם IIK. 8:29; 9:16
10 וַיִּתְקַשֵּׁר יֵהוּא...אֶל־יוֹרָם IIK. 9:14
11 כִּי יוֹרָם שֹׁכֵב שָׁמָּה IIK. 9:16
12 יְהוֹשֶׁבַע בַּת־הַמֶּלֶךְ־יוֹרָם IIK. 11:2
13 יוֹרָם בְּנוֹ אֲחַזְיָהוּ בְנוֹ ICh. 3:11
14 וַיַּכּוּ הָרַמִּים אֶת־יוֹרָם IICh. 22:5
15 וּמֵאֱלֹהִים הָיְתָה...לָבוֹא אֶל־יוֹרָם IICh. 22:7

וְיוֹרָם
16 וְיוֹרָם הָיָה שֹׁמֵר בְּרָמֹת גִּלְעָד IIK. 9:14
17 וִישַׁעְיָהוּ בְנוֹ וְיֹרָם בְּנוֹ ICh. 26:25

לְיוֹרָם
20-18 לְיוֹרָם בֶּן־אַחְאָב IIK. 8:16, 25; 9:29

יוֹרֵשׁ
ז' עין יָרַשׁ

יוֹשֵׁב
ז' תּוֹשָׁב, מי שדר בקביעות במקום מסוים: כל [עין עוד יָשַׁב] המקראות

– מֵאֵין יוֹשֵׁב 1-12, 15; מִבְּלִי יוֹשֵׁב 13, 14

– יוֹשֵׁב הָאִי 37; י' הָאָרֶץ 22-28, 30, 38, 45-47; י' הָהָר 31; י' הַר הַלְּבָנוֹן 34; י' יְרוּשָׁלַיִם 33, 35, 40-42, 48, 49; י' מוֹאָב 39; י' הַנֶּגֶב 29, 31; י' צִיּוֹן 36; י' צְפַת 32; י' קֶדֶם 44; י' שֹׁמְרוֹן 43; יוֹשֵׁב הַשְּׁפֵלָה 31

– יוֹשֶׁבֶת בַּת בָּבֶל 62; י' בַּת דִּיבוֹן 54; י' בַּת מִצְרַיִם 53; י' לָכִישׁ 60; י' (בַּ)מָּצוֹר 51; י' מָרוֹת 59; י' מָרֵשָׁה 61; י' הָעֵמֶק 52; י' עֲרוֹעֵר 55; י' צַאֲנָן 58; יוֹשֶׁבֶת צִיּוֹן 50, 56; י' שָׁפִיר 57

– יוֹשְׁבֵי אִי 121, 122; י' אִיִּים 150, 232; יוֹשְׁבֵי (הָ)אָרֶץ 65, 69-91, 96, 105-107, 124, 233; י' אֲרָצוֹת 174; י' בָּבֶל 148, 234; י' בָּהּ 123, 134, 152, 158-161, 171, 216-218, 220/1; י' בֵיתֶךָ 146, 169; י' גֵּבִים 118; י' הַגִּבְעָה 242; י' גִבְעוֹן 97, 99, 204; י' דְּבִיר 101; י' דוֹר 104; י' הָהָר 98, 100; י' חָדֶל 130; י' חֶלֶד 165; י' חֳרָבוֹת 153; י' חֹשֶׁךְ 131, 170; י' יָבֵשׁ 243, 244; י' יְהוּדָה 172; י' יַעְבֵּץ 173; י' יְרוּשָׁלַיִם 102, 109-116, 133, 135-145, 172, 205-215, 222, 223, 231, 235, 238-241; י' כְּנָעַן 67; י' לֵב קָמָי 149; י' לָבֶטַח 154; י' הַמַּכְתֵּשׁ 162; י' מִצְרַיִם 151; י' מָרוֹם 125; י' הָעַי 94, 95; י' סֶלַע 132; י' הָעִיר 92, 93, 147; י' הָעֵמֶק 103; י' עָרִים 219; י' פְּלֶשֶׁת 66; י' צוֹר 168; י' בְּצִלּוֹ 157; י' צַלְמָוֶת 170; י' קְצָוֹת 166; י' שַׁעַר 167; י' תֵּבֵל 119, 126-129; י' תֵּימָא 120

יוֹשֵׁב
1 בָּתִּים...גְּדֹלִים וְטוֹבִים מֵאֵין יוֹשֵׁב Is. 5:9
12-2 (וּ)מֵאֵין יוֹשֵׁב Is. 6:11 • Jer. 4:7; 26:9
33:10; 44:22; 46:19; 48:9; 21:29, 37 • Zep. 2:5; 3:6
13 עָרָיו נִצְּתָה מִבְּלִי יֹשֵׁב Jer. 2:15
14 אֶתֵּן שְׁמָמָה מִבְּלִי יוֹשֵׁב Jer. 9:10
15 אֶתֵּן שְׁמָמָה מֵאֵין יֹשֵׁב Jer. 34:22
16 וְהִנָּם חָרְבָּה...וְאֵין בָּהֶם יוֹשֵׁב Jer. 44:2
17 לְבִלְתִּי הֱיוֹת בּוֹ יוֹשֵׁב Jer. 51:62
18 וְהִכְרַתִּי יוֹשֵׁב מִבִּקְעַת אָוֶן Am. 1:5
19 וְהִכְרַתִּי יוֹשֵׁב מֵאַשְׁדּוֹד Am. 1:8
20 וְאָבַל כָּל־יוֹשֵׁב בָּהּ Am. 8:8

מִיּוֹשֵׁב
21 כִּי עַתָּה תֵּצְרִי מִיּוֹשֵׁב Is. 49:19

יוֹשֵׁב־
22 וַיַּרְא יוֹשֵׁב הָאָרֶץ הַכְּנַעֲנִי Gen. 50:11
28-23 יוֹשֵׁב הָאָרֶץ Num. 14:14
Jud. 11:21 • IISh. 5:6 • Is. 24:17 • Jer. 47:2 •
Ezek. 7:7
29 מֶלֶךְ־עֲרָד יֹשֵׁב הַנֶּגֶב Num. 21:1
30 וְאֶת־הָאֱמֹרִי יֹשֵׁב הָאָרֶץ Josh. 24:18
31 יוֹשֵׁב הָהָר וְהַנֶּגֶב וְהַשְּׁפֵלָה Jud. 1:9
32 וַיַּכּוּ אֶת־הַכְּנַעֲנִי יוֹשֵׁב צְפַת Jud. 1:17

יוֹשֵׁב־ (המשך)
33 וְאֶת־הַיְבוּסִי יֹשֵׁב יְרוּשָׁלָםִ Jud. 1:21
34 וְכָל־הַכְּנַעֲנִי...יֹשֵׁב הַר הַלְּבָנוֹן Jud. 3:3
35 יוֹשֵׁב יְרוּשָׁלַםִ וְאִישׁ יְהוּדָה Is. 5:3
36 אַל־תִּירָא עַמִּי יֹשֵׁב צִיּוֹן Is. 10:24
37 וְאָמַר יֹשֵׁב הָאִי הַזֶּה Is. 20:6
38 לִפְקֹד עֲוֺן יֹשֵׁב־הָאָרֶץ עָלָיו Is. 26:21
39 פַּחַד וָפַחַת...עָלֶיךָ יוֹשֵׁב מוֹאָב Jer. 48:43
40 וְתִפְאֶרֶת יֹשֵׁב יְרוּשָׁלָםִ Zech. 12:7
41 יָגֵן יְיָ בְּעַד יוֹשֵׁב יְרוּשָׁלַםִ Zech. 12:8
42 עַל־בֵּית דָּוִיד וְעַל יוֹשֵׁב יְרוּשָׁלַםִ Zech. 12:10

וְיוֹשֵׁב־
43 וְיָדְעוּ...אֶפְרַיִם וְיוֹשֵׁב שֹׁמְרוֹן Is. 9:8
44 יִשְׁמַע אֵל וְיַעֲנֵם וְיֹשֵׁב קֶדֶם Ps. 55:20

בְּיוֹשֵׁב־
45 לְהַבְאִישֵׁנִי בְּיֹשֵׁב הָאָרֶץ Gen. 34:30

לְיוֹשֵׁב־
46/7 פֶּן־תִּכְרֹת בְּרִית לְיוֹשֵׁב הָאָ' Ex. 34:12, 15
48 לְפַח וּלְמוֹקֵשׁ לְיוֹשֵׁב יְרוּשָׁלָםִ Is. 8:14
49 וְהָיָה לְאָב לְיוֹשֵׁב יְרוּשָׁלַםִ Is. 22:21

יוֹשֶׁבֶת־
50 צַהֲלִי וָרֹנִּי יוֹשֶׁבֶת צִיּוֹן Is. 12:6
51 אִסְפִּי...יוֹשֶׁבֶת(כ' יושבתי) בַּמָּצוֹר Jer. 10:17
52 יֹשֶׁבֶת הָעֵמֶק צוּר הַמִּישֹׁר Jer. 21:13
53 כְּלֵי גוֹלָה עֲשִׂי לָךְ יוֹשֶׁבֶת בַּת-מִצְ' Jer. 46:19
54 רְדִי מִכָּבוֹד...יֹשֶׁבֶת בַּת־דִּיבוֹן Jer. 48:18
55 עִמְדִי וְצַפִּי יוֹשֶׁבֶת עֲרוֹעֵר Jer. 48:19
56 חֲמָסִי...תֹּאמַר יֹשֶׁבֶת צִיּוֹן Jer. 51:35
57 עִבְרִי לָכֶם יוֹשֶׁבֶת שָׁפִיר Mic. 1:11
58 לֹא יָצְאָה יוֹשֶׁבֶת צַאֲנָן Mic. 1:11
59 כִּי־חָלָה לְטוֹב יוֹשֶׁבֶת מָרוֹת Mic. 1:12
60 רְתֹם הַמֶּרְכָּבָה לָרֶכֶשׁ יוֹשֶׁבֶת לָכִישׁ Mic. 1:13
61 עֹד הַיֹּרֵשׁ אָבִי לָךְ יוֹשֶׁבֶת מָרֵשָׁה Mic. 1:15
62 צִיּוֹן הִמָּלְטִי יוֹשֶׁבֶת בַּת־בָּבֶל Zech. 2:11

הַיּוֹשְׁבִים
63 קְנֵה נֶגֶד הַיֹּשְׁבִים וְנֶגֶד זִקְנֵי עַמִּי Ruth 4:4

יוֹשְׁבֵי־
64 וְאֵת כָּל־יֹשְׁבֵי הֶעָרִים Gen. 19:25
65 בְּנֵי־שֵׂעִיר הַחֹרִי יֹשְׁבֵי הָאָרֶץ Gen. 36:20
66 חִיל אָחַז יֹשְׁבֵי פְּלָשֶׁת Ex. 15:14
67 נָמֹגוּ כֹּל יֹשְׁבֵי כְנָעַן Ex. 15:15
68 כִּי אֶתֵּן בְּיֶדְכֶם אֵת יֹשְׁבֵי הָאָרֶץ Ex. 23:31
91-69 יֹשְׁבֵי הָאָרֶץ Num. 32:17; 33:52
33:55 • Josh. 2:9, 24; 7:9; 9:24; 13:21 • Jud. 1:33 •
Jer. 1:14; 6:12; 13:13; 25:29, 30 • Hosh. 4:1 • Joel
1:14; 2:1 • Zep. 1:18 • Zech. 11:6 • Ps. 33:14 • Neh.
9:24 • ICh. 11:4; 22:18(17)
IICh. 20:7
92 וַיַּדִּיחוּ אֶת־יֹשְׁבֵי עִירָם Deut. 13:14
93 הַכֵּה תַכֶּה אֶת־יֹשְׁבֵי הָעִיר Deut. 13:16
94 לַהֲרֹג אֶת־כָּל־יֹשְׁבֵי הָעַי Josh. 8:24
95 הֶחֱרִים אֵת כָּל־יֹשְׁבֵי הָעָי Josh. 8:26
96 זְקֵינֵינוּ וְכָל־יֹשְׁבֵי אַרְצֵנוּ Josh. 9:11
97 וְכִי הִשְׁלִימוּ יֹשְׁבֵי גִבְעוֹן Josh. 10:1
98 כָּל־מַלְכֵי הָאֱמֹרִי יֹשְׁבֵי הָהָר Josh. 10:6
99 בִּלְתִּי הַחִוִּי יֹשְׁבֵי גִבְעוֹן Josh. 11:19
100 כָּל־יֹשְׁבֵי הָהָר מִן־הַלְּבָנוֹן Josh. 13:6
101 וַיַּעַל מִשָּׁם אֶל־יֹשְׁבֵי דְּבִר Josh. 15:15
102 וְאֶת־הַיְבוּסִי יוֹשְׁבֵי יְרוּשָׁלַםִ Josh. 15:63
103 כִּי לֹא לְהוֹרִישׁ אֶת־יֹשְׁבֵי הָעֵמֶק Jud. 1:19
104 וְאֶת־יֹשְׁבֵי (כ' ישב) דוֹר Jud. 1:27
107-105 יוֹשְׁבֵי הָאָרֶץ Jud. 1:32
Jer. 10:18 • Joel 1:2
108 יֹשְׁבֵי עַל־מִדִּין וְהֹלְכֵי עַל־דֶּרֶךְ Jud. 5:10
116-109 (וְכָל־)יוֹשְׁבֵי יְרוּשָׁלַםִ IIK. 23:2
Jer. 8:1; 18:11; 25:2; 35:17 • Zep. 1:4
IICh. 22:1; 34:32
117 יֹשְׁבֵי בְּאֶרֶץ צַלְמָוֶת Is. 9:1
118 יֹשְׁבֵי הַגֵּבִים הֵעִיזוּ Is. 10:31

יוֹשְׁבֵי־ (המשך)
119 כָּל־יֹשְׁבֵי תֵבֵל וְשֹׁכְנֵי אָרֶץ Is. 18:3
120 יֹשְׁבֵי אֶרֶץ תֵּימָא Is. 21:14
121 דֹּמּוּ יֹשְׁבֵי אִי Is. 23:2
122 הֵילִילוּ יֹשְׁבֵי אִי Is. 23:6
123 אָכְלָה אָרֶץ וַיֶּאְשְׁמוּ יֹשְׁבֵי בָהּ Is. 24:6
124 עַל־כֵּן חָרוּ יֹשְׁבֵי אֶרֶץ Is. 24:6
125 כִּי הֵשַׁח יֹשְׁבֵי מָרוֹם Is. 26:5
126 צֶדֶק לָמְדוּ יֹשְׁבֵי תֵבֵל Is. 26:9
129-127 יֹשְׁבֵי תֵבֵל Is. 26:18
Ps. 33:8 • Lam. 4:12
130 לֹא־אַבִּיט...עִם־יוֹשְׁבֵי חָדֶל Is. 38:11
131 לְהוֹצִיא...מִבֵּית כֶּלֶא יֹשְׁבֵי חֹשֶׁךְ Is. 42:7
132 יָרֹנּוּ יֹשְׁבֵי סֶלַע Is. 42:11
133 אֶל־אִישׁ יְהוּדָה וְעַל יֹשְׁבֵי יְרוּשָׁ' Jer. 11:2
134 מֵרָעַת יֹשְׁבֵי־בָהּ Jer. 12:4
145-135 יֹשְׁבֵי יְרוּשָׁלָםִ (־ל) Jer. 13:13; 17:20
36:31; 42:18 • Ezek. 11:15; 15:6 • Zech. 12:5 •
Neh. 7:3 • IICh. 21:11, 13; 32:22
146 וְאַתָּה פַשְׁחוּר וְכֹל יֹשְׁבֵי בֵיתֶךָ Jer. 20:6
147 וְהִכֵּיתִי אֶת־יוֹשְׁבֵי הָעִיר הַזֹּאת Jer. 21:6
148 וְאֶל־יֹשְׁבֵי בָבֶל וְאֶל־שָׂרֶיהָ Jer. 50:35
149 עַל־בָּבֶל וְאֶל־יֹשְׁבֵי לֵב קָמָי Jer. 51:1
150 כֹּל יֹשְׁבֵי הָאִיִּים שָׁמְמוּ עָלַיִךְ Ezek. 27:35
151 וְיָדְעוּ כָּל־יֹשְׁבֵי מִצְרַיִם... Ezek. 29:6
152 בְּהַכּוֹתִי אֶת־כָּל־יוֹשְׁבֵי בָהּ Ezek. 32:15
153 יֹשְׁבֵי הֶחֳרָבוֹת הָאֵלֶּה Ezek. 33:24
154 אָבוֹא הַשֹּׁקְטִים יֹשְׁבֵי לָבֶטַח Ezek. 38:11
155 יֹשְׁבֵי עַל־טַבּוּר הָאָרֶץ Ezek. 38:12
156 וְיָצְאוּ יֹשְׁבֵי עָרֵי יִשְׂרָאֵל Ezek. 39:9
157 יָשֻׁבוּ יֹשְׁבֵי בְצִלּוֹ Hosh. 14:8
158 וְאָבְלוּ כָּל־יוֹשְׁבֵי בָהּ Am. 9:5
159 וְתֵבֵל וְכָל־יוֹשְׁבֵי בָהּ Nah. 1:5
160/1 קִרְיָה וְכָל־יֹשְׁבֵי בָהּ Hab. 2:8, 17
162 הֵילִילוּ יֹשְׁבֵי הַמַּכְתֵּשׁ Zep. 1:11
163 הוֹי יֹשְׁבֵי חֶבֶל הַיָּם Zep. 2:5
164 וְהָלְכוּ יוֹשְׁבֵי אַחַת אֶל־אַחַת Zech. 8:21
165 הַאֲזִינוּ כָּל־יֹשְׁבֵי חָלֶד Ps. 49:2
166 וַיִּירְאוּ יֹשְׁבֵי קְצָוֹת מֵאוֹתֹתֶיךָ Ps. 65:9
167 יָשִׂיחוּ בִי יֹשְׁבֵי שָׁעַר Ps. 69:13
168 פְּלֶשֶׁת עִם־יֹשְׁבֵי צוֹר Ps. 83:8
169 אַשְׁרֵי יוֹשְׁבֵי בֵיתֶךָ Ps. 84:5
170 יֹשְׁבֵי חֹשֶׁךְ וְצַלְמָוֶת Ps. 107:10
171 מֵרָעַת יֹשְׁבֵי בָהּ Ps. 107:34
172 שִׂטְנָה עַל־יֹשְׁבֵי יְהוּדָה וִירוּשָׁלָםִ Ez. 4:6
173 סוֹפְרִים יֹשְׁבֵי (כ' ישבו) יַעְבֵּץ ICh. 2:55
174 עַל כָּל־יֹשְׁבֵי הָאֲרָצוֹת IICh. 15:5
192-175 יֹשְׁבֵי... Josh. 17:7, 11
Jud. 1:31, 33^{2}; 10:18; 11:8 • ISh. 23:5; 31:11 • Jer.
48:28; 49:8, 20, 30; 51:12, 35 • Ezek. 27:8
ICh. 11:5 • IICh. 20:23
203-193 יוֹשְׁבֵי... Jud. 1:11, 27^{2}, 30^{2}, 31
21:10 • ISh. 6:21 • Jer. 50:21, 24 • ICh. 8:13

וְיוֹשְׁבֵי־
204 וְיֹשְׁבֵי גִבְעוֹן שָׁמְעוּ Josh. 9:3
215-205 וְיֹשְׁבֵי יְרוּשָׁלָםִ Jer. 4:4; 11:12 17:25; 19:3
32:32 • IICh. 20:15, 18, 20; 32:33; 33:9; 34:30
218-216 עִיר וְיֹשְׁבֵי בָהּ Jer. 8:16; 46:8; 47:2
219 עַמִּים וְיֹשְׁבֵי עָרִים רַבּוֹת Zech. 8:20
220/1 תֵּבֵל וְיֹשְׁבֵי בָהּ Ps. 24:1; 98:7
222/3 וְיוֹשְׁבֵי יְרוּשָׁלָםִ IICh. 32:26; 35:18
229-224 וְיֹשְׁבֵי... Josh. 17:11^{3}
Jud. 1:33 • Neh. 3:13 • ICh. 4:23

בְּיוֹשְׁבֵי־
230 וּכְכַלּוֹתָם בְּיוֹשְׁבֵי שֵׂעִיר IICh. 20:23

וּבְיוֹשְׁבֵי־ 231 בְּאִישׁ יְהוּדָה וּבְיֹשְׁבֵי יְרוּשָׁלִָם Jer. 11:9

232 וּבְיֹשְׁבֵי הָאִיִּים לָבֶטַח Ezek. 39:6

לְיוֹשְׁבֵי־ 233 לֹא־תִכְרְתוּ בְרִית לְיוֹשְׁבֵי הָאָרֶץ Jud. 2:2

234 וְהִרְגִּיז לְיֹשְׁבֵי בָבֶל Jer. 50:34

235 לְיוֹשְׁבֵי יְרוּשָׁלִַם אֶל־אַדְמַת יִשׂ׳ Ezek. 12:19

236 רָאשֵׁי אָבוֹת לְיוֹשְׁבֵי גֶבַע ICh. 8:6

237 רָאשֵׁי הָאָבוֹת לְיוֹשְׁבֵי אַיָּלוֹן ICh. 8:13

238 וַיֹּאמֶר לָעָם לְיוֹשְׁבֵי יְרוּשָׁלִַם IICh. 31:4

וּלְיוֹשְׁבֵי־ 239 לְאִישׁ יְהוּדָה וּלְיוֹשְׁבֵי יְרוּשָׁלִָם Jer. 35:13

240 לְבֵית דָּוִיד וּלְיֹשְׁבֵי יְרוּשָׁלִָם Zech. 13:1

241 לְאִישׁ יְהוּדָה וּלְיוֹשְׁבֵי יְרוּשָׁלִַם Dan. 9:7

מִיּוֹשְׁבֵי־ 242 לְבַד מִיֹּשְׁבֵי הַגִּבְעָה הִתְפָּקְדוּ Jud. 20:15

243 וְהִנֵּה אֵין־שָׁם אִישׁ מִיּוֹשְׁבֵי יָבֵשׁ Jud. 21:9

244 וַיִּמְצְאוּ מִיּוֹשְׁבֵי יָבִישׁ גִּלְעָד Jud. 21:12

יוֹשְׁבָיו 645 אֶל־הַמָּקוֹם הַזֶּה וְעַל־יֹשְׁבָיו IIK. 22:16

248-246 עַל־הַמָּקוֹם הַזֶּה וְעַל־יֹשְׁבָיו IIK. 22:19
IICh. 34:27, 28

249 עַל־הַמָּקוֹם הַזֶּה וְעַל־יוֹשְׁבָיו IICh. 34:24

וּלְיוֹשְׁבָיו 250 ...לַמָּקוֹם הַזֶּה...וּלְיוֹשְׁבָיו Jer. 19:12

יוֹשְׁבֶיהָ 251 וַתָּקִא הָאָרֶץ אֶת־יֹשְׁבֶיהָ Lev. 18:25

252 וּקְרָאתֶם דְּרוֹר בָּא׳ לְכָל־יֹשְׁבֶיהָ Lev. 25:10

253 אֶרֶץ אֹכֶלֶת יוֹשְׁבֶיהָ הִוא Num. 13:32

254 אֹרוּ אָרוֹר יֹשְׁבֶיהָ Jud. 5:23

255 וְעִוָּה פָנֶיהָ וְהֵפִיץ יֹשְׁבֶיהָ Is. 24:1

256 וְהָאָרֶץ חָנְפָה תַּחַת יֹשְׁבֶיהָ Is. 24:5

257 עַל־הָאָרֶץ הַזֹּאת וְעַל־יֹשְׁבֶיהָ Jer. 25:9

258 וְאֶל־הָעִיר הַזֹּאת וְאֶל־יֹשְׁבֶיהָ Jer. 26:15

259 אֲשֶׁר־נָתְנוּ חִתִּיתָם לְכָל־יוֹשְׁבֶיהָ Ezek. 26:17

260 וְהָיְתָה הָאָרֶץ לִשְׁמָמָה עַל־יֹשְׁבֶיהָ Mic. 7:13

261 נְמֹגִים אֶרֶץ וְכָל־יֹשְׁבֶיהָ Ps. 75:4

וְיֹשְׁבֶיהָ 262 וְיֹשְׁבֶיהָ כַּחֲגָבִים Is. 40:22

263 וְיֹשְׁבֶיהָ כְּמוֹ־כֵן יְמוּתוּן Is. 51:6

264 הָיוּ־לִי כֻלָּם כִּסְדֹם וְי׳ כַּעֲמֹרָה Jer. 23:14

265 הָעִיר הַהֻלָּלָה...הִיא וְיֹשְׁבֶיהָ Ezek. 26:17

266 וְיֹשְׁבֶיהָ דִּבְּרוּ־שָׁקֶר Mic. 6:12

267 ...אֹתְךָ לְשַׁמָּה וְיֹשְׁבֶיהָ לִשְׁרֵקָה Mic. 6:16

וְיֹשְׁבֵיהֶם 268 הַיָּם וּמְלֹאוֹ אִיִּים וְיֹשְׁבֵיהֶם Is. 42:10

וְיֹשְׁבֵיהֶן 269/70 וְיֹשְׁבֵיהֶן קִצְרֵי־יָד IIK. 19:26 • Is. 37:27

יוֹשְׁבוֹת־ 271 הֵנָּה יֹשְׁבוֹת הָאָרֶץ אֲשֶׁר מֵעוֹלָם ISh. 27:8

יוֹשַׁב־חֶסֶד שפ״ז – איש מצאצאי זרובבל

יוֹשַׁב חֶסֶד 1 וּבֶרֶכְיָה וַחֲסַדְיָה יוּשַׁב־חֶסֶד ICh. 3:20

יוֹשִׁבְיָה שפ״ז – איש מזרע שמעון

יוֹשִׁבְיָה 1 וְיוֹאֵל וְיֵהוּא בֶּן־יוֹשִׁבְיָה ICh. 4:35

יוֹשָׁה שפ״ז – איש מזרע שמעון

וְיוֹשָׁה 1 וּמְשׁוֹבָב וְיַמְלֵךְ וְיוֹשָׁה בֶּן־אֲמַצְיָה ICh. 4:34

יוֹשַׁוְיָה שפ״ז – מגבורי דוד

וְיוֹשַׁוְיָה 1 וִירִיבַי וְיוֹשַׁוְיָה בְּנֵי אֶלְנָעַם ICh. 11:46

יוֹשָׁפָט שפ״ז – מגבורי דוד: 1, 2

וְיוֹשָׁפָט 1 חָנָן...וְיוֹשָׁפָט הַמִּתְנִי ICh. 11:43

2 וּשְׁבַנְיָהוּ וְיוֹשָׁפָט וּנְתַנְאֵל ICh. 15:24

יוֹתָם שפ״ז א) בן גדעון השופט: 1–3, 23

ב) בן עוזיהו מלך יהודה: 4–20, 22, 24

ג) מזרע חצרון נכד יהודה: 21

בֶּן יוֹתָם 11, 14; דִּבְרֵי י׳ 7, 8; קִלְלַת יוֹתָם 3

יוֹתָם 1 וַיִּוָּתֵר יוֹתָם בֶּן־יְרֻבַּעַל הַקָּטֹן Jud. 9:5

2 וַיָּנָס יוֹתָם וַיִּבְרַח וַיֵּלֶךְ בְּאֵרָה Jud. 9:21

3 וַתָּבֹא...קִלְלַת יוֹתָם בֶּן־יְרֻבָּעַל Jud. 9:57

4/5 וַיִּמְלֹךְ יוֹתָם בְּנוֹ תַּחְתָּיו IIK. 15:7 • IICh. 26:23

יוֹתָם (המשך) 6 בִּשְׁנַת...מָלַךְ יוֹתָם בֶּן־עֻזִּיָּהוּ IIK. 15:32

7/8 וְיֶתֶר דִּבְרֵי יוֹתָם IIK. 15:36 • IICh. 27:7

9/10 וַיִּשְׁכַּב יוֹתָם עִם־אֲב׳ IIK. 15:38 • IICh. 27:9

11 בִּשְׁנַת...מָלַךְ אָחָז בֶּן־יוֹתָם IIK. 16:1

12/3 בִּימֵי עֻזִּיָּהוּ יוֹתָם אָחָז Is. 1:1 • Hosh. 1:1

14 וַיְהִי בִּימֵי אָחָז בֶּן־יוֹתָם Is. 7:1

15 בִּימֵי יוֹתָם אָחָז יְחִזְקִיָּה Mic. 1:1

16 עֲזַרְיָה בְנוֹ יוֹתָם בְּנוֹ ICh. 3:12

17 בִּימֵי יוֹתָם מֶלֶךְ־יְהוּדָה ICh. 5:17

18 בֶּן־עֶשְׂרִים...יוֹתָם בְּמָלְכוֹ IICh. 27:1

19 וַיִּתְחַזֵּק יוֹתָם כִּי הֵכִין דְּרָכָיו IICh. 27:6

וְיוֹתָם 20 וְיוֹתָם בֶּן־הַמֶּלֶךְ עַל־הַבַּיִת IIK. 15:5

21 וּבְנֵי יָהְדַּי רֶגֶם וְיוֹתָם וָגֵישָׁן ICh. 2:47

22 וְיוֹתָם בְּנוֹ עַל־בֵּית הַמֶּלֶךְ IICh. 26:21

לְיוֹתָם 23 וַיַּגִּדוּ לְיוֹתָם וַיֵּלֶךְ וַיַּעֲמֹד Jud. 9:7

24 בִּשְׁנַת עֶשְׂרִים לְיוֹתָם בֶּן־עֻזִּיָּה IIK. 15:30

יוֹתֵר תה״פ א) רב מן־, עודף על־: 1–8

ב) ז׳ [״הַיּוֹתֵר״ בינוני מן יָתַר] השאר: 9

יוֹתֵר מִן 2, 5, 8; יוֹתֵר לְ־ 2, 3, 6; יוֹתֵר שֶׁ־ 7

יוֹתֵר 1 וְלָמָּה חָכַמְתִּי אֲנִי אָז יֹתֵר Eccl. 2:15

2 מַה־יּוֹתֵר לֶחָכָם מִן־הַכְּסִיל Eccl. 6:8

3 מַה־יֹּתֵר לָאָדָם Eccl. 6:11

4 וְאַל־תִּתְחַכַּם יוֹתֵר Eccl. 7:16

5 לְמִי יַחְפֹּץ הַמֶּ׳ לַעֲשׂוֹת יְקָר יוֹתֵר מִמֶּנִּי Es. 6:6

וְיוֹתֵר 6 טוֹבָה חָכְמָה...וְיֹתֵר לְרֹאֵי הַשָּׁמֶשׁ Eccl. 7:11

7 וְיֹתֵר שֶׁהָיָה קֹהֶלֶת חָכָם... Eccl. 12:9

8 וְיֹתֵר מֵהֵמָּה בְּנִי הִזָּהֵר Eccl. 12:12

הַיּוֹתֵר 9 וְאֶת־הַיּוֹתֵר הֶחֱרַמְנוּ ISh. 15:15

יֹתֶרֶת נ׳ הקרום המכסה את הכבד: 1–11

יֹתֶרֶת 1–3 וְאֵת יֹתֶרֶת הַכָּבֵד Ex. 29:22 • Lev. 8:16, 25

וְיֹתֶרֶת 4 וְהַכְּלָיֹת וְיֹתֶרֶת הַכָּבֵד Lev. 9:19

הַיֹּתֶרֶת 5–10 וְאֵת הַיֹּתֶרֶת עַל־הַכָּבֵד Ex. 29:13
Lev. 3:4, 10, 15; 4:9; 7:4

11 וְאֶת־הַיֹּתֶרֶת מִן־הַכָּבֵד Lev. 9:10

יַז, יַזְ, יַז – עין נזה

(יזב) פ׳ ארמית – עין שֵׁיזִיב

יָזַח (שמות כח28) – עין זחח

יְזִיאֵל שפ״ז – מאנשי דוד בצקלג

וִיזִיאֵל 1 וִיזִיאֵל (כת׳ ויזואל) וָפֶלֶט בְּנֵי עַזְמָוֶת ICh. 12:3

יִזִּיָּה שפ״ז – איש בימי נחמיה

וְיִזִּיָּה 1 מִבְּנֵי פַרְעֹשׁ רַמְיָה וְיִזִּיָּה Ez. 10:25

יָזִיז שפ״ז – ממונה על הצאן למלך דוד

יָזִיז 1 וְעַל־הַצֹּאן יָזִיז הַהַגְרִי ICh. 27:31

יַזִּיר (במדבר ו3) – עין נזר

יַזֵּל (במדבר כד7) – עין נזל

יִזְלִיאָה שפ״ז – מצאצאי בנימין

וְיִזְלִיאָה 1 וְיִשְׁמְרַי וְיִזְלִיאָה וְיוֹבָב בְּנֵי אֶלְפָּעַל ICh. 8:18

יָזֹמּוּ (בראשית יא6) – עין זמם

יְזַנְיָה שפ״ז – שר־חיל בימי צדקיהו

וִיזַנְיָה 1 וִיזַנְיָה בֶּן־הוֹשַׁעְיָה Jer. 42:1

יְזַנְיָהוּ שפ״ז – משרי החילים בימי צדקיהו, הוא יַאֲזַנְיָהוּ(א)

וִיזַנְיָהוּ 1 וִיזַנְיָהוּ בֶּן־הַמַּעֲכָתִי Jer. 40:8

יֶזַע* ז׳ זֵעָה

בַּיָּזַע 1 לֹא יַחְגְּרוּ בַּיָּזַע Ez. 44:18

יָזֹקּוּ (איוב כח1) – עין זָקַק

יִזְרָח ת׳ המתיחס על בית זֶרַח(?), משרי המלך דוד

הַיִּזְרָח 1 הַשַּׂר שַׁמְהוּת הַיִּזְרָח ICh. 27:8

יִזְרַחְיָה שפ״ז א) איש מזרע יששכר: 1, 2

ב) פקיד בימי נחמיה: 3

יִזְרַחְיָה 1 וּבְנֵי עֻזִּי יִזְרַחְיָה ICh. 7:3

2 וּבְנֵי יִזְרַחְיָה מִיכָאֵל וְעֹבַדְיָה... ICh. 7:3

וְיִזְרַחְיָה 3 הַמְשֹׁרְרִים וְיִזְרַחְיָה הַפָּקִיד Neh. 12:42

יִזְרְעֶאל[1] שפ״ז א) איש מזרע יהודה: 2

ב) שם בנו של הושע הנביא, לפי צו ה׳: 1

יִזְרְעֶאל 1 וַיֹּאמֶר יְיָ אֵלָיו קְרָא שְׁמוֹ יִזְרְעֶאל Hosh. 1:4

2 וְאֵלֶּה אֲבִי עֵיטָם יִזְרְעֶאל וְיִשְׁמָא ICh. 4:3

יִזְרְעֶאל[2] א) עיר בנחלת יששכר ועל שמה כל העמק – ״עמק יזרעאל״: 1–20, 22–34

ב) עיר בנחלת יהודה: 21

דְּמֵי יִזְרְעֶאל 10; חֵל י׳ 5; חֵלֶק י׳ 6–8; יוֹם י׳ 12; עֵמֶק יִזְרְעֶאל 1, 2, 11; שָׂרֵי י׳ 9

יִזְרְעֶאל 1 וְלַאֲשֶׁר בְּעֵמֶק יִזְרְעֶאל Josh. 17:16

2 וַיַּעַבְרוּ וַיַּחֲנוּ בְּעֵמֶק יִזְרְעֶאל Jud. 6:33

3 וּפְלִשְׁתִּים עָלוּ יִזְרְעֶאל ISh. 29:11

4 וַיַּמְלִכֵהוּ...וְאֶל־הָאֲשׁוּרִי וְאֶל־יִזְרְעֶאל IISh. 2:9

5 יֹאכְלוּ אֶת־אִיזֶבֶל בְּחֵל יִזְרְעֶאל IK. 21:23

6 יֹאכְלוּ הַכְּלָבִים בְּחֵלֶק יִזְרְעֶאל IIK. 9:10

7–8 בְּחֵלֶק יִזְרְעֶאל IIK. 9:36, 37

9 וַיִּשְׁלַח...אֶל־שָׂרֵי יִזְרְעֶאל הַזְּקֵנִים IIK. 10:1

10 וּפָקַדְתִּי אֶת־דְּמֵי יִזְרְעֶאל Hosh. 1:4

11 וְשָׁבַרְתִּי...בְּעֵמֶק יִזְרְעֶאל Hosh. 1:5

12 כִּי גָדוֹל יוֹם יִזְרְעֶאל Hosh. 2:2

13 וְהֵם יַעֲנוּ אֶת־יִזְרְעֶאל Hosh. 2:24

יִזְרְעֶאלָה 14 וַיְהִי גְּבוּלָם יִזְרְעֶאלָה הַכְּסֻלֹּת Josh. 19:18

15 וַיִּרְכַּב אַחְאָב וַיֵּלֶךְ יִזְרְעֶאלָה IK. 18:45

16 וַיָּרָץ...עַד־בֹּאֲכָה יִזְרְעֶאלָה IK. 18:46

17 וַיִּרְכַּב יֵהוּא וַיֵּלֶךְ יִזְרְעֶאלָה IIK. 9:16

18 וַיָּבוֹא יֵהוּא יִזְרְעֶאלָה IIK. 9:30

19 וּבֹאוּ אֵלַי כָּעֵת מָחָר יִזְרְעֶאלָה IIK. 10:6

20 וַיִּשְׁלְחוּ אֵלָיו יִזְרְעֶאלָה IIK. 10:7

וְיִזְרְעֶאל 21 וְיִזְרְעֶאל וְיָקְדְעָם וְזָנוֹחַ Josh. 15:56

בְּיִזְרְעֶאל 22 וְיִשְׂרָאֵל חֹנִים בַּעַיִן אֲשֶׁר בְּיִזְרְעֶאל ISh. 29:1

23 לְנָבוֹת הַיִּזְרְעֵאלִי אֲשֶׁר בְּיִזְרְעֶאל IK. 21:1

26-24 (...)לְהִתְרַפֵּא בְיִזְרְעֶאל IIK. 8:29; 9:15
IICh. 22:6

27/8 לִרְאוֹת...בְּיִזְרְעֶאל IIK. 8:29 • IICh. 22:6

29 לָלֶכֶת לְהַגִּיד° בְּיִזְרְעֶאל IIK. 9:15

30 וְהַצֹּפֶה עֹמֵד עַל־הַמִּגְדָּל בְּיִזְרְעֶאל IIK. 9:17

31 הַנִּשְׁאָרִים לְבֵית־אַחְאָב בְּיִזְרְעֶאל IIK. 10:11

לְיִזְרְעֶאל 32 וְכָל־בֵּית שְׁאָן...מִתַּחַת לְיִזְרְעֶאל IK. 4:12

מִיִּזְרְעֶאל 33 וְאֶת־אֲחִינֹעַם לָקַח דָּוִד מִיִּזְרְעֶאל ISh. 25:43

34 בְּבֹא שְׁמֻעַת שָׁאוּל וִיהוֹנָתָן מִיִּזְרְעֶאל IISh. 4:4

יִזְרְעֵאלִי ת׳ תושב העיר יזרעאל: 1–13

הַיִּזְרְעֵאלִי 1 כֶּרֶם הָיָה לְנָבוֹת הַיִּזְרְעֵאלִי IK. 21:1

8-2 נָבוֹת הַיִּזְרְעֵאלִי IK. 21:4, 6
21:7, 15, 16 • IIK. 9:21, 25

הַיִּזְרְעֵאלִית 9 אֲחִינֹעַם הַיִּזְרְעֵאלִית וַאֲבִיגַיִל ISh. 27:3

13-10 (וַ)אֲחִינֹעַם הַיִּזְרְעֵאלִית ISh. 30:3
IISh. 2:2; 3:2 • ICh. 3:1

יחבה (כתיב) – עין חָבָה

יחד : (יָחַד) תֵּחַד, יִחֵד; יַחַד, יַחְדָּו

יָחַד פָּ׳ א) התחבר: 1, 2
ב) [פִּ׳ יִחֵד] אחד וכוון: 3

תֵּחַד 1 בִּקְהָלָם אַל־תֵּחַד כְּבֹדִי Gen. 49:6
2 לֹא־תֵחַד אִתָּם בִּקְבוּרָה Is. 14:20
יַחֵד 3 יַחֵד לְבָבִי לְיִרְאָה שְׁמֶךָ Ps. 86:11

יַחַד תה״פ – זה עם זה: 1–45

יַחַד 1 בְּהִתְאַסֵּף...יַחַד שִׁבְטֵי יִשְׂרָאֵל Deut. 33:5
2 לְהַשְׁמִיד אֹתִי וְאֶת־בְּנִי יַחַד IISh. 14:16
3 כָּל־קְצִינַיִךְ נָדְדוּ יַחַד Is. 22:3
4 וּצְדָקָה תַצְמִיחַ יַחַד Is. 45:8
5 וְאֶל־עַל יִקְרָאֻהוּ יַחַד לֹא יְרוֹמֵם Hosh. 11:7
6 יַחַד נִכְמְרוּ נִחוּמָי Hosh. 11:8
7 קַבֵּץ אֲקַבֵּץ שְׁאֵרִית יִשְׂרָאֵל יַחַד Mic. 2:12
8 בְּהִוָּסְדָם יַחַד עָלַי Ps. 31:14
9 הַיֹּצֵר יַחַד לִבָּם Ps. 33:15
10 יֵבשׁוּ וְיַחְפְּרוּ יַחַד Ps. 40:15
11 יַחַד עָלַי יִתְלַחֲשׁוּ כָּל־שֹׂנְאָי Ps. 41:8
12 יַחַד עָשִׁיר וְאֶבְיוֹן Ps. 49:3
13 יַחַד כְּסִיל וָבַעַר יֹאבֵדוּ Ps. 49:11
14 יַחַד הָרִים יְרַנֵּנוּ Ps. 98:8
15 יִפְּלוּ בְמַכְמֹרָיו רְשָׁעִים יַחַד Ps. 141:10
16 יַחַד אֲסִירִים שַׁאֲנָנוּ Job 3:18
17 יַחַד סָבִיב וַתְּבַלְּעֵנִי Job 10:8
18 יַחַד עָלַי יִתְמַלָּאוּן Job 16:10
19 אִם־יַחַד עַל־עָפָר נָחַת Job 17:16
20 יַחַד יָבֹאוּ גְדוּדָיו Job 19:12
21 יַחַד עַל־עָפָר יִשְׁכָּבוּ Job 21:26
22 יַחַד חֻבְּאוּ עֲנִיֵּ°־אָרֶץ Job 24:4
23 בְּרָן־יַחַד כּוֹכְבֵי בֹקֶר Job 38:7
24 כִּי אֲנַחְנוּ יַחַד נִבְנֶה לַיְיָ Ez. 4:3
יָחַד 25 וְלֹא נִשְׁאֲרוּ־בָם שְׁנַיִם יָחַד ISh. 11:11
26 תְּנוּ־לִי אִישׁ וְנִלָּחֲמָה יָחַד ISh. 17:10
27 וַיַּרְא אֲרָם...וַיֵּאָסְפוּ יָחַד IISh. 10:15
28 וַיֹּקִיעֻם...וַיִּפְּלוּ שְׁבַעְתָּם° יָחַד IISh. 21:9
29 אֶפְשְׂעָה בָהּ אֲצִיתֶנָּה יָחַד Is. 27:4
30 אֶשֹּׁם וְאֶשְׁאַף יָחַד Is. 42:14
31 הַזְכִּירֵנִי נִשָּׁפְטָה יָחַד Is. 43:26
32 יִפְחֲדוּ יֵבשׁוּ יָחַד Is. 44:11
33 מִי־יָרִיב אִתִּי נַעַמְדָה יָחַד Is. 50:8
34 וְרוֹזְנִים נוֹסְדוּ־יָחַד Ps. 2:2
35 הֵמָּה מֵהֶבֶל יָחַד Ps. 62:10
36 וְעַתָּ° פִּתּוּחֶיהָ יָחַד Ps. 74:6
37 אָמְרוּ בְלִבָּם נִינָם יָחַד Ps. 74:8
38 הִקִּיפוּ עָלַי יָחַד Ps. 88:18
39 מַה-טּוֹב...שֶׁבֶת אַחִים גַּם-יָחַד Ps. 133:1
40 בְּמֹאזְנַיִם יִשְׂאוּ־יָחַד Job 6:2
41 יִגְוַע כָּל־בָּשָׂר יָחַד Job 34:15
42 וְעַל־גּוֹי וְעַל־אָדָם יָחַד Job 34:29
43 טָמְנֵם בֶּעָפָר יָחַד Job 40:13
וְיַחַד 44 וְיַחַד תְּלָמֶיהָ יִבְכָּיוּן Job 31:38
לְיָחַד 45 יִהְיֶה־לִּי עֲלֵיכֶם לֵבָב לְיָחַד ICh. 12:17(18)

יַחַד, יָחַד (משלי כז 17) – עין חדד

יִחַדְ (שמות יח 9; איוב ג 6) – עין חדה

יַחְדָּו תה״פ יחד, זה עם זה: 1–95 [יַחְדָּיו 90–92]

יַחְדָּו 1 וְלֹא נָשָׂא אֹתָם הָאָרֶץ לָשֶׁבֶת יַחְדָּו Gen. 13:6
2 וְלֹא יָכְלוּ לָשֶׁבֶת יַחְדָּו Gen. 13:6
3-4 וַיֵּלְכוּ שְׁנֵיהֶם יַחְדָּו Gen. 22:6, 8

יַחְדָּו (המשך) 5 וַיֵּלְכוּ יַחְדָּו אֶל־בְּאֵר שָׁבַע Gen. 22:19
6 כִּי־הָיָה רְכוּשָׁם רָב מִשֶּׁבֶת יַחְדָּו Gen. 36:7
7 וַיַּעֲנוּ כָל־הָעָם יַחְדָּו Ex. 19:8
8 הַטָּמֵא וְהַטָּהוֹר יַחְדָּו יֹאכְלֶנּוּ Deut. 12:22
9 תֹּאכֲלֶנּוּ הַטָּמֵא וְהַטָּהוֹר יַחְדָּו Deut. 15:22
10 לֹא-תַחֲרֹשׁ בְּשׁוֹר-וּבַחֲמֹר יַחְדָּו Deut. 22:10
11 לֹא תִלְבַּשׁ...צֶמֶר וּפִשְׁתִּים יַחְדָּו Deut. 22:11
12 כִּי־יֵשְׁבוּ אַחִים יַחְדָּו Deut. 25:5
13 כִּי־יִנָּצוּ אֲנָשִׁים יַחְדָּו Deut. 25:11
14 יְנַגַּח יַחְדָּו אַפְסֵי־אָרֶץ Deut. 33:17
15 כְּחֵלֶק...וּכְחֵלֶק... יַחְדָּו יַחֲלֹקוּ ISh. 30:24
16 וְשֶׁבֶר פֹּשְׁעִים וְחַטָּאִים יַחְדָּו Is. 1:28
17 וּבָעֲרוּ שְׁנֵיהֶם יַחְדָּו וְאֵין מְכַבֶּה Is. 1:31
18 יַחְדָּו הֵמָּה עַל־יְהוּדָה Is. 9:20
19 הֲלֹא שָׂרַי יַחְדָּו מְלָכִים Is. 10:8
20 וְעֵגֶל וּכְפִיר וּמְרִיא יַחְדָּו Is. 11:6
21 יַחְדָּו יִרְבְּצוּ יַלְדֵיהֶן Is. 11:7
22 יֵעָזְבוּ יַחְדָּו לְעֵיט הָרִים Is. 18:6
23 וְרָאוּ כָל־בָּשָׂר יַחְדָּו Is. 40:5
24/5 בְּרוֹשׁ...וּתְאַשּׁוּר יַחְדָּו Is. 41:19; 60:13
26 לְמַעַן יִרְאוּ...וְיַשְׂכִּילוּ יַחְדָּו Is. 41:20
27 וְנִשְׁתָּעָה וְנִרְאֶ° יַחְדָּו Is. 41:23
28 יַחְדָּו יִשְׁכְּבוּ בַּל־יָקוּמוּ Is. 43:17
29 אַף יִוָּעֲצוּ יַחְדָּו Is. 45:21
30 נָשְׂאוּ קוֹל יַחְדָּו יְרַנֵּנוּ Is. 52:8
31 פִּצְחוּ רַנְּנוּ יַחְדָּו חָרְבוֹת יְרוּשָׁלָם Is. 52:9
32 וְכָשְׁלוּ בָם אָבוֹת וּבָנִים יַחְדָּו Jer. 6:21
33 הָרָה וְיֹלֶדֶת יַחְדָּו Jer. 31:8(7)
34 וּבַחֻרִים וּזְקֵנִים יַחְדָּו Jer. 31:13(12)
35 כֹּהֲנָיו וְשָׂרָיו יַחְדָּו (כת׳ יחד) Jer. 48:7
36/7 וּבְנֵי־יְהוּדָה יַחְדָּו Jer. 50:4, 33
38 יַחְדָּו כַּכְּפִרִים יִשְׁאָגוּ Jer. 51:38
39 הֲיֵלְכוּ שְׁנַיִם יַחְדָּו בִּלְתִּי אִם־נוֹעָדוּ Am. 3:3
40 בְּשָׁלוֹם יַחְדָּו אֶשְׁכְּבָה וְאִישָׁן Ps. 4:9
41 הַכֹּל סָר יַחְדָּו נֶאֱלָחוּ Ps. 14:3
42 מִשְׁפְּטֵי־יְיָ אֱמֶת צָדְקוּ יַחְדָּו Ps. 19:10
43 וּנְרוֹמְמָה שְׁמוֹ יַחְדָּו Ps. 34:4
44 יֵבשׁוּ וְיַחְפְּרוּ יַחְדָּו Ps. 35:26
45 כֻּלּוֹ סָג יַחְדָּו נֶאֱלָחוּ Ps. 53:4
46 אֲשֶׁר יַחְדָּו נַמְתִּיק סוֹד Ps. 55:15
47 וְשֹׁמְרֵי נַפְשִׁי נוֹעֲצוּ יַחְדָּו Ps. 71:10
48 כִּי נוֹעֲצוּ לֵב יַחְדָּו Ps. 83:6
49 כְּעִיר שֶׁחֻבְּרָה־לָּהּ יַחְדָּו Ps. 122:3
50 יִכֹּנוּ יַחְדָּו עַל־שְׂפָתֶיךָ Prov. 22:18
51 וַיִּוָּעֲדוּ יַחְדָּו לָבוֹא לָנוּד־לוֹ Job 2:11
52 כִּי יַחְדָּו בֹּקֶר לָמוֹ צַלְמָוֶת Job 24:17
53-89 יַחְדָּו Josh. 9:2; 11:5
Jud. 6:33; 19:6 • ISh. 31:6 • IISh. 2:13, 16; 12:3 • IK. 3:18 • Is. 11:14; 22:3; 41:1; 43:9; 45:16, 20; 46:2; 48:13; 65:7; 66:17 • Jer. 3:18; 5:5; 6:11, 12; 13:14; 31:24(23); 41:1 • Hosh. 2:2 • Am. 1:15 • Zech. 10:4 • Ps. 37:38; 48:5; 102:23 • Lam. 2:8 • Neh. 4:2; 6:2, 7 • ICh. 10:6
יַחְדָּיו 90 יַחְדָּיו נָפְלוּ שְׁנֵיהֶם Jer. 46:12
91 הִפְנוּ נָסוּ יַחְדָּיו לֹא עָמָדוּ Jer. 46:21
92 כֹּהֲנָיו וְשָׂרָיו יַחְדָּיו Jer. 49:3
וְיַחְדָּו 93 וְיַחְדָּו יִהְיוּ תַמִּים עַל־רֹאשׁוֹ Ex. 26:24
94 וְיַחְדָּו יִהְיוּ תַמִּים אֶל־רֹאשׁוֹ Ex. 36:29
95 וְיַחְדָּו כֻּלָּם יִכְלָיוּן Is. 31:3

יַחְדּוֹ שפ״ז – מבני גד

יַחְדּוֹ 1 בֶּן יְשִׁישַׁי בֶּן יַחְדּוֹ (כת׳ יחדי) בֶּן-בּוּז IICh. 5:14

יַחְדִּיאֵל שפ״ז – מראשי בית אבות חצי שבט המנשה

וְיַחְדִּיאֵל 1 ...וְיִרְמְיָה וְהוֹדַוְיָה וְיַחְדִּיאֵל ICh. 5:24

יֶחְדְּיָהוּ שפ״ז א) מראשי הלויים: 1
ב) פקיד על האתונות למלך דוד: 2

יֶחְדְּיָהוּ 1 לִבְנֵי שׁוּבָאֵל יֶחְדְּיָהוּ ICh. 24:20
2 וְעַל־הָאֲתֹנוֹת יֶחְדְּיָהוּ הַמֵּרֹנֹתִי ICh. 27:30

יחואל (כת׳) – עין יְחִיאֵל

יַחֲזִיאֵל שפ״ז א) מגבורי דוד בצקלג: 4
ב) כהן בימי דוד: 5
ג) לוי בימי דוד: 2, 3
ד) לוי מבני אסף בימי יהושפט: 6
ה) איש בימי עזרא: 1

יַחֲזִיאֵל 1 מִבְּנֵי שְׁכַנְיָה בֶּן־יַחֲזִיאֵל Ez. 8:5
2-3 יַחֲזִיאֵל הַשְּׁלִישִׁי ICh. 23:19; 24:23
וְיַחֲזִיאֵל 4 וְיִרְמְיָה וְיַחֲזִיאֵל וְיוֹחָנָן ICh. 12:4(5)
5 וּבְנָיָהוּ וְיַחֲזִיאֵל הַכֹּהֲנִים ICh. 16:6
6 וְיַחֲזִיאֵל בֶּן־זְכַרְיָהוּ IICh. 20:14

יַחְזְיָה שפ״ז – בן תִּקְוָה, איש בימי עזרא

וְיַחְזְיָה 1 וְיַחְזְיָה בֶן תִּקְוָה עָמְדוּ עַל־זֹאת Ez. 10:15

יְחֶזְקֵאל שפ״ז א) בן בוזי הכהן, הנביא: 1, 2
ב) כהן בימי דוד: 3

יְחֶזְקֵאל 1 דְּבַר-יְיָ אֶל-יְחֶזְקֵאל בֶּן-בּוּזִי הַכֹּהֵן Ezek. 1:3
2 וְהָיָה יְחֶזְקֵאל לָכֶם לְמוֹפֵת Ezek. 24:24
לִיחֶזְקֵאל 3 לִיחֶזְקֵאל הָעֶשְׂרִים ICh. 24:16

יְחִזְקִיָּה שפ״ז א) בן אחז, מלך יהודה, הוא חִזְקִיָּהוּ: 1,2
ב) מעולי הגולה: 3

יְחִזְקִיָּה 1 בִּימֵי עֻזִּיָּהוּ יוֹתָם אָחָז יְחִזְקִיָּה... Hosh. 1:1
2 בִּימֵי יוֹתָם אָחָז יְחִזְקִיָּה מַלְכֵי יְהוּדָה Mic. 1:1
לִיחִזְקִיָּה 3 בְּנֵי־אָטֵר לִיחִזְקִיָּה תִּשְׁעִים וּשְׁמֹנָה Ez. 2:16

יְחִזְקִיָּהוּ שפ״ז א) הוא חִזְקִיָּהוּ מלך יהודה: 1–38, 40, 41
ב) בן־שַׁלּוּם, מבני אפרים בימי אחז: 39
אֱלֹהֵי יְחִזְקִיָּהוּ 5; בֶּן יְחִזְקִיָּהוּ 3; יְמֵי יְחִ׳ 4

יְחִזְקִיָּהוּ 1 וַיֹּאמֶר יְחִזְקִיָּהוּ נָקֵל לַצֵּל לִנְטוֹת IIK. 20:10
2 בִּימֵי עֻזִּיָּהוּ יוֹתָם אָחָז יְחִזְקִיָּהוּ Is. 1:1
3 בִּגְלַל מְנַשֶּׁה בֶן־יְחִזְקִיָּהוּ Jer. 15:4
4 בִּימֵי יְחִזְקִיָּהוּ מֶלֶךְ־יְהוּדָה ICh. 4:41
5 לֹא-יַצִּיל אֱלֹ׳ יְחִזְקִיָּהוּ עַמּוֹ מִיָּדִי IICh. 32:17
6 יְחִזְקִיָּהוּ סָתַם אֶת-מוֹצָא...גִיחוֹן IICh. 32:30
7-38 יְחִזְקִיָּהוּ IICh. 28:27; 29:1, 20, 30, 31
29:36; 30:1, 18, 20, 22; 31:2, 8, 9, 11, 13, 20; 32:2, 8; 32:9, 11, 12, 16, 20, 22, 24, 25, 26^2, 30, 32, 33; 33:3
וִיחִזְקִיָּהוּ 39 וַיָּקֻמוּ...וִיחִזְקִיָּהוּ בֶן־שַׁלֻּם IICh. 28:12
לִיחִזְקִיָּהוּ 40 וּמִגְדָּנוֹת לִיחִזְקִיָּהוּ מֶלֶךְ יְהוּדָה IICh. 32:23
41 וַיְהִי לִיחִזְקִיָּהוּ עֹשֶׁר וְכָבוֹד IICh. 32:27

יַחְזֵרָה שפ״ז – כהן בימי נחמיה, הוא אַחְזַי (Neh. 11:13)

יַחְזֵרָה 1 וּמַעְשַׂי בֶּן עֲדִיאֵל בֶּן יַחְזֵרָה ICh. 9:12

יְחִיאֵל שפ״ז – שמות לויים שונים
ואנשים אחרים מימי דוד ואילך: 1–14

יְחִיאֵל 1 מִבְּנֵי יוֹאָב עֹבַדְיָה בֶּן־יְחִיאֵל Ez. 8:9
2 שְׁכַנְיָה בֶן־יְחִיאֵל מִבְּנֵי עֵילָם° Ez. 10:2
3 בְּנֵי לַעְדָּן הָרֹאשׁ יְחִיאֵל... ICh. 23:8
4 עַל־יַד יְחִיאֵל הַגֵּרְשֻׁנִּי ICh. 29:8
5 וּמִן־בְּנֵי הֵימָן יְחִיאֵל (כת׳ יחואל) IICh. 29:14
וִיחִיאֵל 6 וּשְׁמַעְיָה וִיחִיאֵל וְעֻזִּיָּה Ez. 10:21
7 מַתַּנְיָה זְכַרְיָה וִיחִיאֵל וְעַבְדִּי Ez. 10:26

ויחיאל (המשך) 10-8 ושמירמות ויחיאל IChr. 15:18, 20; 16:5
11 ויחיאל בן־חכמוני עם־בני המ׳ ICh. 27:32
12 בני יהושפט עזריה ויחיאל IICh. 21:2
13 ויחיאל ועזזיהו ונחת IICh. 31:13
14 וזכריהו ויחיאל נגידי בית האל׳ IICh. 35:8

יחיאלי ת׳ המתיחס על בית יחיאל: 2,1
יחיאלי 1 ללעדן הגרשני יחיאלי ICh. 26:21
2 בני יחיאלי זתם ויואל אחיו ICh. 26:22

יחיד תו״ז א) אחד, שאין עוד זולתו: 1, 2, 4—8
ב) בודד: 3, 9
אבל יחיד 1,2; בן יחיד 6—8; רך ויחיד 4
יחיד 1 אבל יחיד עשי־לך Jer. 6:26
2 ושמתיה כאבל יחיד Am. 8:10
3 כי־יחיד ועני אני Ps. 25:16
ויחיד 4 רך ויחיד לפני אמי Prov. 4:3
היחיד 5 כמספד על־היחיד Zech. 12:10
יחידך 7-6 את־בנך את־יחידך Gen. 22:2, 12
יחידך 8 את־בנך את־יחידך Gen. 22:16
יחידים 9 מושיב יחידים ביתה Ps. 68:7

יחידה ת״נ א) שאין עוד זולתה: 1
ב) כנוי מליצי לנפש: 3,2
יחידה 1 ורק היא יחידה Jud. 11:34
יחידתי 2 הצילה...מיד־כלב יחידתי Ps. 22:21
3 השיבה...מכפירים יחידתי Ps. 35:17

יחיה שפ״ז — לוי מן השוערים בימי דוד
ויחיה 1 ועבד אדם ויחיה שערים לארון ICh. 15:24

יחיל ת׳ מקוה, מלא צפיה [עין גם (חיל)3 חל גם יחל]
ויחיל 1 טוב ויחיל ודומם לתשועת יי Lam. 3:26

יחיתן (חבקוק ב17) — עין חתת

יחל : נוחל, יחל, הוחיל; יחיל, תוחלת; ש״פ יחלאל
יחל פ׳ א) קוה, צפה: 1—24
ב) [נפ׳ נוחל] חכה: 25, 26
ג) [הפ׳ הוחיל] חכה, קוה: 27—40
קרובים: חכה / חל (חיל)3 / כתר / צפה / קוה
יחלתי 1 כי למשפטך יחלתי Ps. 119:43
5-2 לדברך יחלתי Ps. 119:74, 81, 114, 147
יחלתני 6 זכר־דבר...על אשר יחלתני Ps. 119:49
יחלנו 7 יהי־חסדך...כאשר יחלנו לך Ps. 33:22
ויחלו 8 ויחלו לקים דבר Ezek. 13:6
9 ויחלו כמטר לי Job 29:23
ויחלו 10 לי־שמעו ויחלו Job 29:21
מיחל 11 כלו עיני מיחל לאלהי Ps. 69:4
המיחלים 12 חזקו...כל־המיחלים ליי Ps. 31:25
13 רוצה יי...המיחלים לחסדו Ps. 147:11
למיחלים 14 הנה עין יי...למיחלים לחסדו Ps. 33:18
איחל 15 ואני תמיד איחל Ps. 71:14
16 מה־כחי כי־איחל Job 6:11
17 הן־יקטלני לו° איחל Job 13:15
18 כל־ימי צבאי איחל Job 14:14
ואיחלה 19 ואיחלה לאור ויבא אפל Job 30:26
ייחל 20 ולא ייחל לבני אדם Lam. 5:6
ייחלו 21 ולתורתו איים ייחלו Is. 42:4
ייחלון 22 ואל־זרעי ייחלון Is. 51:5
יחל 24-23 יחל ישראל אל־יי Ps. 130:7; 131:3
נוחלה 25 ותרא כי נוחלה אבדה תקותה Ezek. 19:5
וייחל 26 וייחל עוד שבעת ימים Gen. 8:12
הוחלתי 27 הן הוחלתי לדבריכם Job 32:11
הוחלתי 28 כי־לך יי הוחלתי Ps. 38:16
29 קויתי יי...ולדברו הוחלתי Ps. 130:5
והוחלתי 30 והוחלתי כי־לא ידברו Job 32:16
אוחיל 31 מה אוחיל ליי עוד IIK. 6:33
32 על־כן אוחיל Lam. 3:21
33 על־כן אוחיל לו Lam. 3:24
אוחילה 34 לא־כן אחילה לפניך IISh. 18:14
35 אוחילה לאלהי ישעי Mic. 7:7
תוחל 36 שבעת ימים תוחל עד־בואי אליך ISh. 10:8
ויוחל 37 ויוחל (כת׳ וייחל) שבעת ימים למועד ISh. 13:8
הוחילי 38 הוחילי לאלהים כי־עוד אודנו Ps. 42:6
40-39 הוחילי לא׳ כי־עוד אודנו Ps. 42:12; 43:5

יחל (במדבר ל3), **יחל** (ישעיה מח11) — עין חלל1

יחלאל שפ״ז — בן זבולון: 1, 2
ויחלאל 1 ובני זבלון סרד ואלון ויחלאל Gen. 46:14
ליחלאל 2 ליחלאל משפחת היחלאלי Num. 26:26

יחלאלי ת׳ המתיחס על בית יחלאל
היחלאלי 1 ליחלאל משפחת היחלאלי Num. 26:26

יחם (קהלת ד11) — עין חמם

יחם פ׳ א) התחמם בתאוה מינית: 1, 2
ב) [פ׳ יחם] חמם בתאוה מינית: 3—6
ויחמו 1 ויחמו הצאן אל־המקלות Gen. 30:39
ויחמנה 2 ויחמנה בבאן לשתות Gen. 30:38
יחם 3 והיה בכל־יחם הצאן Gen. 30:41
4 ויהי בעת יחם הצאן Gen. 31:10
ליחמנה 5 ליחמנה במקלות Gen. 30:41
יחמתני 6 ובחטא יחמתני אמי Ps. 51:7

יחמור ז׳ בהמה טהורה ממשפחת נבובי הקרנים: 1, 2
ויחמור 1 איל וצבי ויחמור Deut. 14:5
2 לבד מאיל וצבי ויחמור IK. 5:3

יחמי שפ״ז — בן תולע בן יששכר
ויחמי 1 ובני תולע...ויריאל ויחמי ICh. 7:2

יחמתני (תהלים נא7) — עין יחם

יחן (דברים כח50), **יחנך** (בראשית מג29) — עין חנן

יחף ת׳ חשוף רגלים: 1—5 • ערום ויחף 2—4
יחף 1 והוא הלך יחף IISh. 15:30
ויחף 2 ויעש כן הלך ערום ויחף Is. 20:2
3 כאשר הלך...ערום ויחף Is. 20:3
4 כן ינהג...ערום ויחף וחשופי שת Is. 20:4
מיחף 5 מנעי רגלך מיחף Jer. 2:25

יחצאל, יחציאל שפ״ז — בן נפתלי: 1—3
יחצאל 1 ובני נפתלי יחצאל וגוני Gen. 46:24
יחציאל 2 בני נפתלי יחציאל וגוני ICh. 7:13
ליחצאל 3 ליחצאל משפחת היחצאלי Num. 26:48

יחצאלי ת׳ המתיחס על בית יחצאל
היחצאלי 1 ליחצאל משפחת היחצאלי Num. 26:48

יחרו (יחזקאל כד10) — עין חרר

יחש : התיחש; יחש
(יחש) התיחש הת׳ השתייך למשפחה: 1—20
התיחש 1 ועמו התיחש לזכרים מאה וחמשים Ez. 8:3
2 התיחש הכהנים לבית אבותיהם IICh. 31:17
3 ולכל־התיחש בלוים IICh. 31:19
בהתיחש 4 ואחיו...בהתיחש לתלדותם ICh. 5:7
להתיחש 5 ואקבצה את־החרים...להתיחש Neh. 7:5
6 ולא להתיחש לבכרה ICh. 5:1
7 הלא־הם כתובים...להתיחש IICh. 12:15
ולהתיחש 8 ולהתיחש בכל־טפם...לכל־קהל IICh. 31:18
התיחשם 9 ואחיהם...התיחשם לכל ICh. 7:5
10 המה בחצריהם התיחשם ICh. 9:22
11 מלבד התיחשם לזכרים IICh. 31:16
והתיחשם 12 ואלה ראשי אבתיהם והתיחשם Ez. 8:1
13 זאת מושבתם והתיחשם להם ICh. 4:33
14 והתיחשם עשרים ושנים אלף... ICh. 7:7
15 והתיחשם לתלדותם ICh. 7:9
16 והתיחשם בצבא במלחמה ICh. 7:40
התיחשו 17 כלם התיחשו בימי יותם ICh. 5:17
18 וכל־ישראל התיחשו... ICh. 9:1
המתיחשים 20-19 אלה בקשו כתבם המתיחשים
Ez. 2:62 • Neh. 7:64

יחש ז׳ תולדות איש
היחש 1 ואמצא ספר היחש העולים Neh. 7:5

יחת שפ״ז א) מבני יהודה: 8,1 ב) לויים שונים: 2—7
יחת 1 וראיה בן־שובל הוליד את־יחת ICh. 4:2
2 לגרשום לבני בנו יחת בנו ICh. 6:5
3 בן־יחת בן־גרשם בן־לוי ICh. 6:28
4 ובני שמעי יחת זינא ICh. 23:10
5 ויהי־יחת הראש וזיזה השני ICh. 23:11
6 יחת ועבדיהו הלוים IICh. 34:12
יחת 7 לבני שלמות יחת ICh. 24:22
ויחת 8 ויחת הוליד את־אחומי ICh. 4:2

יחת (ישעיה ח9) — עין חתת

יחת (ירמיה כא13) — עין נחת

יטב : יטב, היטיב; היטב, מיטב; אר׳ יטב;
ש״פ יטבתה, מהיטבאל

יטב פ׳ א) [רק בעתיד: ייטב; עבר ובינוני — לפי טוב] ייטב — יהיה טוב: 1—43
ב) [הפ׳ היטיב] עשה טוב או טובה: 44—101
[עין גם טוב]
— ייטב לו 1—11,14,15,22—24,41; יי׳ לב (לבב) 16, 19—21, 36, 37; יי׳ לפניו 17, 38, 39; יי׳ בעיניו 12, 13, 18, 25—35, 40, 42, 43
— היטיב את־ 45, 48, 50, 51, 56—58, 61, 68—69, 81, 83—86, 89—90, 92, 94, 97—101; היטיב ל־ 62—64, 75, 79, 87, 95 היטיב עם־ 44, 71, 72, 78, 93
— היטיב גהה 84; ה׳ דעת 89; ה׳ דרך 100,92,76; היטיב חסדו 61; ה׳ לבו 88,68; ה׳ לכת 70; ה׳ מעללים 101; ה׳ נגן 99,96,66; ה׳ נרות 58; היטיב פנים 83; ה׳ צעד 69; היטיב ראש 90; היטיב שאת 73; היטיב שם 85
ייטב 1 למען ייטב־לי בעבורך Gen. 12:13
2 כאשר ייטב לך Gen. 40:14
3 אשר ייטב לך ולבניך אחריך Deut. 4:40
10-4 (ו)למען ייטב לך (לך, לכם וכד׳)
Deut. 5:16, 26; 6:18; 12:25, 28; 22:7 • Jer. 7:23
11 ושמרת לעשות אשר ייטב לך Deut. 6:3
12 ועשית לו כאשר יטב בעיניך ISh. 24:4
13 אשר־ייטב בעיניכם אעשה IISh. 18:4
14 למען אשר ייטב־לנו Jer. 42:6
15 אבקש־לך מנוח אשר ייטב־לך Ruth 3:1
16 כי־ברע פנים ייטב לב Eccl. 7:3
17 ואם ייטב עבדך לפניך Neh. 2:5
הייטב 18 הייטב בעיני יי Lev. 10:19
וייטב 19 הואל־נא ולין וייטב לבך Jud. 19:6
20 לין פה וייטב לבבך Jud. 19:9
21 קום אכל־לחם ויטב לבך IK. 21:7
22 ועבדו את־מלך בבל ויטב לכם IIK. 25:24

23 וְיִיטַב־לָךְ וּתְחִי נַפְשֶׁךָ Jer. 38:20
24 וְעִבְדוּ אֶת־מֶ׳ בָּבֶל וְיִיטַב לָכֶם Jer. 40:9
וַיִּיטַב 25 וַיִּיטַב הַדָּבָר בְּעֵינֵי פַרְעֹה Gen. 41:37
Gen. 45:16 • Lev. 10:20 • Deut. 1:23 • Josh. 22:30, 33 • ISh. 18:5 • IISh. 3:36 • IK. 3:10 • Es. 1:21; 2:4

36 וַיִּיטַב לֵב הַכֹּהֵן Jud. 18:20
37 וַיֹּאכַל בֹּעַז וַיֵּשְׁתְּ וַיִּיטַב לִבּוֹ Ruth 3:7
38 וַיִּיטַב הַדָּבָר לִפְנֵי הָמָן Es. 5:14
39 וַיִּיטַב לִפְנֵי־הַמֶּלֶךְ וַיִּשְׁלָחֵנִי Neh. 2:6
תִּיטַב 40 וְהַנַּעֲרָה אֲשֶׁר תִּיטַב בְּעֵינֵי הַמֶּלֶךְ Es. 2:4
וְתִיטַב 41 וְתִיטַב לַיְיָ מִשּׁוֹר פָּר Ps. 69:32
וַתִּיטַב 42 וַתִּיטַב הַנַּעֲרָה בְעֵינָיו Es. 2:9
וַיִּיטְבוּ 43 וַיִּיטְבוּ דִבְרֵיהֶם בְּעֵינֵי חֲמוֹר Gen. 34:18
הֵיטֵב 44 הֵיטֵב אֵיטִיב עִמָּךְ Gen. 32:12
45 אִם־הֵיטֵיב תֵּיטִיבוּ אֶת־דַּרְכֵיכֶם Jer. 7:5
46 וְגַם הֵיטֵיב אֵין אוֹתָם Jer. 10:5
לְהֵיטִיב 47 כִּי תִשָּׁבַע...לְהָרַע אוֹ לְהֵיטִיב Lev. 5:4
48 כַּאֲשֶׁר־שָׂשׂ...לְהֵיטִיב אֶתְכֶם Deut. 28:63
49 גַּם־אַתֶּם תּוּכְלוּ לְהֵיטִיב Jer. 13:23
50 אֲשֶׁר אָמַרְתִּי לְהֵיטִיב אוֹתוֹ Jer. 18:10
51 וְשַׂשְׂתִּי עֲלֵיהֶם לְהֵטִיב אוֹתָם Jer. 32:41
52 עַל־הָרַע כַּפַּיִם לְהֵיטִיב Mic. 7:3
53 לְהֵיטִיב אֶת־יְרוּשָׁלַם Zech. 8:15
54 חָדַל לְהַשְׂכִּיל לְהֵיטִיב Ps. 36:4
וּלְהֵיטִיב 55 וּלְהֵיטִיב לֹא יָדָעוּ Jer. 4:22
לְהֵיטִיבִי 56 לֹא אָשׁוּב...לְהֵיטִיבִי אוֹתָם Jer. 32:40
לְהֵיטִבְךָ 57 לְמַעַן עַנֹּתְךָ..לְהֵיטִבְךָ בְּאַחֲרִיתֶךָ Deut. 8:16
בְּהֵיטִיבוֹ 58 בְּהֵיטִיבוֹ אֶת־הַנֵּרֹת יַקְטִירֶנָּה Ex. 30:7
וְהֵיטִבֹתִי 59 וְהֵיטִבֹתִי מֵרִאשֹׁתֵיכֶם Ezek. 36:11
הֵיטַבְתָּ 60 וַיֹּאמֶר יְיָ אֵלַי הֵיטַבְתָּ לִרְאוֹת Jer. 1:12
הֵיטַבְתְּ 61 הֵיטַבְתְּ חַסְדֵּךְ הָאַחֲרוֹן מִן־הָרִאשׁוֹן Ruth 3:10
הֵיטִיב 62 וּלְאַבְרָם הֵיטִיב בַּעֲבוּרָהּ Gen. 12:16
63 אַחֲרֵי אֲשֶׁר־הֵיטִיב לָכֶם Josh. 24:20
וְהֵיטִב 64 וְהֵיטִב יְיָ לַאדֹנִי וְזָכַרְתָּ ISh. 25:31
מֵיטִיב 65 רְאוּ־נָא לִי אִישׁ מֵיטִיב לְנַגֵּן ISh. 16:17
66 וְהִנְּךָ לָהֶם...יְפֵה קוֹל וּמֵטִב נַגֵּן Ezek. 33:32
וּמֵיטִיב 67 טוֹב־אַתָּה וּמֵטִיב Ps. 119:68
מֵיטִיבִים 68 הֵמָּה מֵיטִיבִים אֶת־לִבָּם Jud. 19:22
מֵיטִיבֵי־ 69 שְׁלֹשָׁה הֵמָּה מֵיטִיבֵי צָעַד Prov. 30:29
70 וְאַרְבָּעָה מֵיטְבֵי לָכֶת Prov. 30:29
אֵיטִיב 71 הֵיטֵב אֵיטִיב עִמָּךְ Gen. 32:12
וְאֵיטִיבָה 72 שׁוּב לְאַרְצְךָ...וְאֵיטִיבָה עִמָּךְ Gen. 32:10
תֵּיטִיב 73 הֲלוֹא אִם־תֵּיטִיב שְׂאֵת Gen. 4:7
74 וְאִם לֹא תֵיטִיב לַפֶּתַח חַטָּאת רֹבֵץ Gen. 4:7
75 וְיוֹדֻךָ כִּי־תֵיטִיב לָךְ Ps. 49:19
תֵּיטִבִי 76 מַה־תֵּיטִבִי דַּרְכֵּךְ לְבַקֵּשׁ אַהֲבָה Jer. 2:33
הֲתֵיטְבִי 77 הֲתֵיטְבִי מִנֹּא אָמוֹן Nah. 3:8
יֵיטִיב 78 אֲשֶׁר יֵיטִיב יְיָ עִמָּנוּ Num. 10:32
79 עַתָּה יָדַעְתִּי כִּי־יֵיטִיב יְיָ לִי Jud. 17:13
80 בְּכֹל אֲשֶׁר־יֵיטִיב אֶת־יִשְׂרָאֵל ISh. 2:32
81 כִּי־יֵיטִב אֶל־אָבִי אֶת־הָרָעָה ISh. 20:13
82 לֹא־יֵיטִיב יְיָ וְלֹא יָרֵעַ Zep. 1:12
83 לֵב שָׂמֵחַ יֵיטִב פָּנִים Prov. 15:13
84 לֵב שָׂמֵחַ יֵיטִיב גֵּהָה Prov. 17:22
יֵיטֵב 85 יֵיטֵב אֱלֹהִים° אֶת־שֵׁם שְׁלֹמֹה מִשְּׁמֶךָ IK. 1:47
יְיֵטִיב 86 וְאַלְמָנָה לֹא יְיֵטִיב Job 24:21
וַיֵּיטֶב 87 וַיֵּיטֶב אֱלֹהִים לַמְיַלְּדֹת Ex. 1:20
וִיטִיבְךָ 88 וִיטִיבְךָ לִבְּךָ בִּימֵי בְחוּרוֹתֶךָ Eccl. 11:9
תֵּיטִיב 89 לְשׁוֹן חֲכָמִים תֵּיטִיב דָּעַת Prov. 15:2
וַתֵּיטֶב 90 וַתֵּיטֶב אֶת־רֹאשָׁהּ IIK. 9:30

תֵּיטִיבוּ 91 אַף־תֵּיטִיבוּ וְתָרֵעוּ Is. 41:23
92 אִם־הֵיטֵיב תֵּיטִיבוּ אֶת־דַּרְכֵיכֶם Jer. 7:5
יֵיטִיבוּ 93 הֲלוֹא דְבָרַי יֵיטִיבוּ עִם הַיָּשָׁר הוֹלֵךְ Mic. 2:7
הֵיטִיבָה 94 הֵיטִיבָה בִרְצוֹנְךָ אֶת־צִיּוֹן Ps. 51:20
95 הֵיטִיבָה יְיָ לַטּוֹבִים Ps. 125:4
הֵיטִיבִי 96 הֵיטִיבִי נַגֵּן הַרְבִּי־שִׁיר Is. 23:16
הֵיטִיבוּ 97/8 הֵיטִיבוּ דַרְכֵיכֶם וּמַעַלְלֵיכֶם Jer. 7:3; 26:13
99 הֵיטִיבוּ נַגֵּן בִּתְרוּעָה Ps. 33:3
וְהֵיטִיבוּ 100 וְהֵיטִיבוּ דַרְכֵיכֶם וּמַעַלְלֵיכֶם Jer. 18:11
101 שֻׁבוּ־נָא...וְהֵיטִיבוּ מַעַלְלֵיכֶם Jer. 35:15

יְטַב

פ׳ ארמית כמו בעברית: יטב [עין גם טְאֵב, טָב]

יֵיטַב 1 וּמָה דִי עֲלָךְ°...יֵיטַב...לְמֶעְבַּד Ez. 7:18

יָטְבָה

עיר בנחלת נפתלי

יָטְבָה 1 מְשֻׁלֶּמֶת בַּת־חָרוּץ מִן יָטְבָה IIK. 21:19

יָטְבָתָה

מתחנות בני ישראל במסעיהם ממצרים במדבר: 1–3

יָטְבָתָה 1 ...וּמִן־הַגֻּדְגֹּדָה יָטְבָתָה Deut. 10:7
בְּיָטְבָתָה 2 וַיִּסְעוּ מֵחֹר הַגִּדְגָּד וַיַּחֲנוּ בְּיָטְבָתָה Num. 33:33
מִיָּטְבָתָה 3 וַיִּסְעוּ מִיָּטְבָתָה וַיַּחֲנוּ בְּעַבְרֹנָה Num. 33:34

יֻטָּה

עיר בנחלת יהודה: 2,1

יֻטָּה 1 וְאֶת־יֻטָּה וְאֶת־מִגְרָשֶׁהָ Josh. 21:16
וְיוּטָּה 2 מָעוֹן כַּרְמֶל וָזִיף וְיוּטָּה Josh. 15:55

יְטוּר

שפ״ז – בן ישמעאל: 1–3

יְטוּר 1-2 יְטוּר נָפִישׁ וָקֵדְמָה Gen. 25:15 • ICh. 1:31
וִיטוּר 3 וִיטוּר וְנָפִישׁ וְנוֹדָב ICh. 5:19

יָטַל

(איוב מא 1) – עין (טול) הֵטִיל

יַיִן

ז׳ עסיס ענבים שתסס: 1–141

קרובים: סֹבֶא / עָסִיס / שֵׁכָר / תִּירוֹשׁ

– יַיִן וְשֵׁכָר 3,(5),7,8,16, 62–64, 87,106,110, 112,113; יַיִן הָרֶקַח 116; יַיִן תַּרְעֵלָה 22; לֶחֶם וָיַיִן 77, 78
– אוֹצְרוֹת הַיַּיִן 97; בֵּית הַיַּיִן 99; גֶּפֶן הַיּ׳ 82, 84; הֲלוּמֵי יַיִן 42; חֹמֶץ יַיִן 5; כּוֹס יַיִן 88; מִזְרְקֵי יַיִן 21; מִשְׁתֵּה יַיִן 92–95; נֹאד יַיִן 6, 10, 83; נֵבֶל יַיִן 9, 11, 38, 39; סוֹבְאֵי יַיִן 49; שׁוֹתֵי יַיִן 46
– יֵין חֶלְבּוֹן 127; יֵין חֲמָסִים 124; יֵין הַטּוֹב 130; יֵין לְבָנוֹן 129; יֵין מַלְכוּת 125; יֵין מִשְׁתֶּה 126, 128, 131; יֵין נְסִיכָם 122; יֵין עֲנוּשִׁים 123

יַיִן 1 לְכָה נַשְׁקֶה אֶת־אָבִינוּ יַיִן Gen. 19:32
2 וַיָּבֵא לוֹ יַיִן וַיֵּשְׁתְּ Gen. 27:25
3 יַיִן וְשֵׁכָר אַל־תֵּשְׁתְּ Lev. 10:9
4 וְנִסְכֹּה יַיִן רְבִיעִת הַהִין Lev. 23:13
5 חֹמֶץ יַיִן וְחֹמֶץ שֵׁכָר לֹא יִשְׁתֶּה Num. 6:3
6 וְנֹאדוֹת יַיִן בָּלִים וּמְבֻקָּעִים... Josh. 9:4
7 הִשָּׁמְרִי נָא וְאַל־תִּשְׁתִּי יַיִן וְשֵׁכָר Jud. 13:4
8 וְעַתָּה אַל־תִּשְׁתִּי יַיִן וְשֵׁכָר Jud. 13:7
9 וְאֵיפָה אַחַת קֶמַח וְנֵבֶל יַיִן ISh. 1:24
10 וְנֹאד יַיִן וּגְדִי עִזִּים אֶחָד ISh. 16:20
11 מָאתַיִם לֶחֶם וּשְׁנַיִם נִבְלֵי־יַיִן ISh. 25:18
12 מְאַחֲרֵי בַנֶּשֶׁף יַיִן יַדְלִיקֵם Is. 5:11
13 יַיִן בַּיְקָבִים לֹא־יִדְרֹךְ הַדֹּרֵךְ Is. 16:10
14 שָׁכְרוּ וְלֹא־יַיִן Is. 29:9
15 וּלְכוּ שִׁבְרוּ...יַיִן וְחָלָב Is. 55:1
16 אֶקְחָה־יַיִן וְנִסְבְּאָה שֵׁכָר Is. 56:12
17 וָאֶתֵּן לִפְנֵי...גְּבִעִים מְלֵאִים יַיִן Jer. 35:5
18 אִסְפוּ יַיִן וְקַיִץ וְשֶׁמֶן Jer. 40:10
19 וַיַּאַסְפוּ יַיִן וָקַיִץ הַרְבֵּה מְאֹד Jer. 40:12
20 לֹא־יִסְּכוּ לַיְיָ יַיִן Hosh. 9:4
21 הַשֹּׁתִים בְּמִזְרְקֵי יַיִן Am. 6:6

יַיִן (המשך) 22 הִשְׁקִיתָנוּ יַיִן תַּרְעֵלָה Ps. 60:5
23 אֹהֵב יַיִן־וָשֶׁמֶן לֹא יַעֲשִׁיר Prov. 21:17
24 אַל־תֵּרֶא יַיִן כִּי יִתְאַדָּם Prov. 23:31
25 וּבֵין עֲשֶׂרֶת יָמִים בְּכָל־יַיִן לְהַרְבֵּה Neh. 5:18
26 וְאַף־יַיִן עֲנָבִים וּתְאֵנִים Neh. 13:15
27-34 יַיִן Gen. 19:33, 34
Jer. 35:6, 8, 14 • Job 1:13, 18 • Neh. 2:1
יָיִן 35 וַתַּשְׁקֶיןָ...אֶת־אֲבִיהֶן יָיִן Ex. 19:35
36 וְנֶסֶךְ רְבִיעִת הַהִין יָיִן Ex. 29:40
37 וּרְבִיעִת הַהִין לַכֶּבֶשׂ יָיִן Num. 28:14
38 וְאֶחָד נֹשֵׂא נֵבֶל־יָיִן ISh. 10:3
39 וּמֵאָה קַיִץ וְנֵבֶל יָיִן IISh. 16:1
40 הוֹי גִּבּוֹרִים לִשְׁתּוֹת יָיִן Is. 5:22
41 בַּשִּׁיר לֹא יִשְׁתּוּ־יָיִן Is. 24:9
42 עַל־רֹאשׁ גֵּיא־שְׁמָנִים הֲלוּמֵי יָיִן Is. 28:1
43-44 כָּל־נֵבֶל יִמָּלֵא יָיִן Jer. 13:12[2]
45 וּכְגֶבֶר עֲבָרוֹ יָיִן Jer. 23:9
46 וְהֵילִילוּ כָּל־שֹׁתֵי יָיִן Joel 1:5
47 וְשָׁתוּ הָמוּ כְּמוֹ־יָיִן Zech. 9:15
48 וְשָׂמַח לִבָּם כְּמוֹ־יָיִן Zech. 10:7
49 אַל־תְּהִי בְסֹבְאֵי־יָיִן Prov. 23:20
50 אַל לַמְלָכִים שְׁתוֹ־יָיִן Prov. 31:4
51-57 יָיִן Num. 6:20 • Is. 22:13
Jer. 35:2, 5, 6 • Am. 2:12 • Mic. 6:15
וְיַיִן 58 וְיַיִן לַנֶּסֶךְ רְבִיעִית הַהִין Num. 15:5
59 וְיַיִן לַנֶּסֶךְ שְׁלִשִׁית הַהִין Num. 15:7
60 וְיַיִן תַּקְרִיב לַנָּסֶךְ Num. 15:10
61 וְיַיִן לֹא־תִשְׁתֶּה וְלֹא תֶאֱגֹר Deut. 28:39
62 וְיַיִן וְשֵׁכָר לֹא שְׁתִיתֶם Deut. 29:5
63-64 וְיַיִן וְשֵׁכָר Jud. 13:14 • ISh. 1:15
65 וְיַיִן מִיקָבִים הִשְׁבַּתִּי Jer. 48:33
66 וְיַיִן לֹא־יִשְׁתּוּ כָּל־כֹּהֵן Ezek. 44:21
67 זְנוּת וְיַיִן וְתִירוֹשׁ יִקַּח־לֵב Hosh. 4:11
68 וְיַיִן חָמַר מָלֵא מֶסֶךְ Ps. 75:9
69 וְיַיִן יְשַׂמַּח לְבַב־אֱנוֹשׁ Ps. 104:15
70 תְּנוּ...וְיַיִן לְמָרֵי נָפֶשׁ Prov. 31:6
71 וְיַיִן יְשַׂמַּח חַיִּים Eccl. 10:19
72 דְּבֵלִים וְצִמּוּקִים וְיַיִן וְשֶׁמֶן ICh. 12:40(41)
73 וְיַיִן בַּתִּים עֶשְׂרִים אָלֶף IICh. 2:9
וָיַיִן 74 וְגַם לֶחֶם וָיַיִן יֶשׁ־לִי Jud. 19:19
75 וְהָיָה כִנּוֹר...וָיַיִן מִשְׁתֵּיהֶם Is. 5:12
76 וּבָשָׂר וָיַיִן לֹא־בָא אֶל־פִּי Dan. 10:3
77 וַיִּקְחוּ מֵהֶם בְּלֶחֶם וָיַיִן Neh. 5:15
וָיָיִן 78 וּמַלְכִּי־צֶדֶק...הוֹצִיא לֶחֶם וָיָיִן Gen. 14:18
79 לְאִמֹּתָם יֹאמְרוּ אַיֵּה דָּגָן וָיָיִן Lam. 2:12
80 וְאֹצְרוֹת מַאֲכָל וְשֶׁמֶן וָיָיִן IICh. 11:11
הַיַּיִן 81 וַיֵּשְׁתְּ מִן הַיַּיִן וַיִּשְׁכָּר Gen. 9:21
82 מִכֹּל אֲשֶׁר יֵעָשֶׂה מִגֶּפֶן הַיַּיִן Num. 6:4
83 וְאֵלֶּה נֹאדוֹת הַיַּיִן אֲשֶׁר מִלֵּאנוּ Josh. 9:13
84 מִכֹּל אֲשֶׁר־יֵצֵא מִגֶּפֶן הַיַּיִן Jud. 13:14
85 וַיְהִי בַבֹּקֶר בְּצֵאת הַיַּיִן מִנָּבָל ISh. 25:37
86 צְוָחָה עַל־הַיַּיִן בַּחוּצוֹת Is. 24:11
87 נִבְלְעוּ מִן־הַיַּיִן תָּעוּ מִן־הַשֵּׁכָר Is. 28:7
88 קַח אֶת־כּוֹס הַיַּיִן הַחֵמָה Jer. 25:15
89 וְאַף כִּי־הַיַּיִן בֹּגֵד Hab. 2:5
90 וְנָגַע...וְאֶל־הַנָּזִיד וְאֶל־הַיַּיִן Hag. 2:12
91 לֵץ הַיַּיִן הֹמֶה שֵׁכָר Prov. 20:1
92/3 וַיֹּאמֶר הַמֶּלֶךְ...בְּמִשְׁתֵּה הַיַּיִן Es. 5:6; 7:2
94 קָם בַּחֲמָתוֹ מִמִּשְׁתֵּה הַיַּיִן Es. 7:7
95 שָׁב...אֶל־בֵּית מִשְׁתֵּה הַיַּיִן Es. 7:8
96 וָאֶשָּׂא אֶת־הַיַּיִן וָאֶתְּנָה לַמֶּלֶךְ Neh. 2:1
97 וְעַל שֶׁבַּכְּרָמִים לְאֹצְרוֹת הַיַּיִן ICh. 27:27

הַיָּיִן 98 לַמְאַחֲרִים עַל־הַיָּיִן Prov. 23:30
99 הֱבִיאַנִי אֶל־בֵּית הַיָּיִן S.ofS. 2:4
וְהַיַּיִן 100 וְהַיַּיִן לִשְׁתּוֹת הַיָּעֵף IISh. 16:2
101 וְעַל־הַסֹּלֶת וְהַיַּיִן וְהַשֶּׁמֶן ICh. 9:29
102 הַחִטִּים וְהַשְּׂעֹרִים הַשֶּׁמֶן וְהַיַּיִן IICh. 2:14
בְּיַיִן 103 וּשְׁתוּ בְּיַיִן מָסָכְתִּי Prov. 9:5
בַּיַּיִן 104 כִּבֵּס בַּיַּיִן לְבֻשׁוֹ וּבְדַם־עֲנָ׳ סוּתֹה Gen. 49:11
105 כְּטוֹב לֵב־אַמְנוֹן בַּיַּיִן IISh. 13:28
106 בַּיַּיִן שָׁגוּ וּבַשֵּׁכָר תָּעוּ Is. 28:7
107 וְהַיַּלְדָּה מָכְרוּ בַיַּיִן וַיִּשְׁתּוּ Joel 4:3
108 לִמְשׁוֹךְ בַּיַּיִן אֶת־בְּשָׂרִי Eccl. 2:3
בַּיָּיִן 109 כְּטוֹב לֵב־הַמֶּלֶךְ בַּיָּיִן Es. 1:10
וּבַיַּיִן 110 בַּבָּקָר וּבַצֹּאן וּבַיַּיִן וּבַשֵּׁכָר Deut. 14:26
כְּיַיִן 111 הִנֵּה בִטְנִי כְּיַיִן לֹא יִפָּתֵחַ Job 32:19
לַיַּיִן 112 אַטִּף לְךָ לַיַּיִן וְלַשֵּׁכָר Mic. 2:11
מִיַּיִן 113 מִיַּיִן וְשֵׁכָר יַזִּיר Num. 6:3
114 נַזְכִּירָה דֹדֶיךָ מִיַּיִן S.ofS. 1:4
115 מַה־טֹּבוּ דֹדַיִךְ מִיַּיִן S.ofS. 4:10
116 אַשְׁקְךָ מִיַּיִן הָרֶקַח S.ofS. 8:2
מִיָּיִן 117 חַכְלִילִי עֵינַיִם מִיָּיִן Gen. 49:12
118 וּשְׁכֻרַת וְלֹא מִיָּיִן Is. 51:21
119 הֶחֱלוּ שָׂרִים חֲמַת מִיָּיִן Hosh. 7:5
120 כְּגִבּוֹר מִתְרוֹנֵן מִיָּיִן Ps. 78:65
121 כִּי־טוֹבִים דֹּדֶיךָ מִיָּיִן S.ofS. 1:2
יֵין־ 122 יִשְׁתּוּ יֵין נְסִיכָם Deut. 32:38
וְיֵין־ 123 וְיֵין עֲנוּשִׁים יִשְׁתּוּ Am. 2:8
124 וְיֵין חֲמָסִים יִשְׁתּוּ Prov. 4:17
125 וְיֵין מַלְכוּת רָב כְּיַד הַמֶּלֶךְ Es. 1:7
126 אֶת־פַּת־בָּגָם וְיֵין מִשְׁתֵּיהֶם Dan. 1:16
בְּיֵין־ 127 בְּיֵין חֶלְבּוֹן וְצֶמֶר צָחַר Ezek. 27:18
וּבְיֵין־ 128 בְּפַת־בַּג הַמֶּלֶךְ וּבְיֵין מִשְׁתָּיו Dan. 1:8
כְּיֵין־ 129 זִכְרוֹ כְּיֵין לְבָנוֹן Hosh. 14:8
130 וְחִכֵּךְ כְּיֵין הַטּוֹב S.ofS. 7:10
וּמִיֵּין־ 131 מִפַּת־בַּג הַמֶּלֶךְ וּמִיֵּין מִשְׁתָּיו Dan. 1:5
יֵינִי 132 שָׁתִיתִי יֵינִי עִם־חֲלָבִי S.ofS. 5:1
יֵינֶךָ 133 וּשְׁתֵה בְלֶב־טוֹב יֵינֶךָ Eccl. 9:7
יֵינֵךְ 134 הָסִירִי אֶת־יֵינֵךְ מֵעָלָיִךְ ISh. 1:14
מִיֵּינוֹ 135 וַיִּיקֶץ נֹחַ מִיֵּינוֹ Gen. 9:24
יֵינָהּ 136 טָבְחָה טִבְחָהּ מָסְכָה יֵינָהּ Prov. 9:2
מִיֵּינָהּ 137 מִיֵּינָהּ שָׁתוּ גוֹיִם Jer. 51:7
יֵינָם 138 חֲמַת תַּנִּינִם יֵינָם Deut. 32:33
139 וְלֹא תִשְׁתּוּ אֶת־יֵינָם Am. 5:11
140 וְנָטְעוּ כְרָמִים וְשָׁתוּ אֶת־יֵינָם Am. 9:14
141 וְלֹא יִשְׁתּוּ אֶת־יֵינָם Zep. 1:13

יַךְ (Ex. 2:12 • Hosh. 6:1) — עין נכה

יכח : נוֹכַח, הוֹכִיחַ, הוּכַח, הִתְוַכַּח; מוֹכִיחַ, תּוֹכֵחָה, תּוֹכַחַת

(יכח) נוֹכַח נפ׳ א) נשפט, טען בדין: 1–3
ב) [הפ׳ הוֹכִיחַ] יסר, הטיף מוסר: 4–12, 16–18, 22–36, 42–46, 48–51, 54–57
ג) [כנ״ל] דן, שפט: 13, 19–21, 37–41, 47, 52, 53
ד) [כנ״ל] יעד, קבע: 14, 15
ה) [הָפ׳ הוּכַח] יֻסַּר, נענש: 58
ו) [הת׳ הִתְוַכַּח] נשפט עם־: 59
– נוֹכַח אֶת־ 1; נוֹכַח עִם־ 2
– הוֹכִיחַ אֶת־ 7, 13, 16, 28, 32–38, 41, 44, 45, 51–53, 56; הוֹכִיחַ לְ־ (אֶל־) 5, 9–11, 14, 15, 19–21, 27, 29, 46, 57; הוֹכִיחַ עַל־ 49, 50, 54; הוֹכִיחַ בְּ־ 42; הוֹכִיחַ מִן־ 6; הִתְוַכַּח עִם־ 59

וְנֹכָחַת 1 וְאֵת־כֹּל וְנֹכָחַת Gen. 20:16
נוֹכָח 2 שָׁם יָשָׁר נוֹכָח עִמּוֹ Job 23zu
וְנִוָּכְחָה 3 לְכוּ־נָא וְנִוָּכְחָה יֹאמַר יְיָ Is. 1:18f
הוֹכֵחַ 4 הוֹכֵחַ תּוֹכִיחַ אֶת־עֲמִיתֶךָ Lev. 19:17
5 לֹא־יֶאֱהַב לֵץ הוֹכֵחַ לוֹ Prov. 15:12
6 וּמַה־יּוֹכִיחַ הוֹכֵחַ מִכֶּם Job 6:25
7 הוֹכֵחַ יוֹכִיחַ אֶתְכֶם Job 13:10
8 הוֹכֵחַ בְּדָבָר לֹא יִסְכּוֹן Job 15:3
וְהוֹכֵחַ 9 וְהוֹכֵחַ אֶל־אֵל אֶחְפָּץ Job 13:3
וְהוֹכִיחַ 10 וְהוֹכִיחַ לְנָבוֹן יָבִין דָּעַת Prov. 19:25
לְהוֹכִיחַ 11 וְצוּר לְהוֹכִיחַ יְסַדְתּוֹ Hab. 1:12
הַלְהוֹכַח 12 הַלְהוֹכַח מִלִּים תַּחְשֹׁבוּ Job 6:26
וְהֹכַחְתִּיו 13 וְהֹכַחְתִּיו בְּשֵׁבֶט אֲנָשִׁים IISh. 7:14
הוֹכַחְתָּ 14 אֹתָהּ הֹכַחְתָּ לְעַבְדְּךָ לְיִצְחָק Gen. 24:14
הוֹכִיחַ 15 הָאִשָּׁה אֲשֶׁר־הֹכִיחַ יְיָ לְבֶן־אֲדֹנִי Gen. 24:44
וְהוֹכִיחַ 16 וְהוֹכִחַ אַבְרָהָם אֶת־אֲבִימֶלֶךְ Gen. 21:25
17/8 וְהוֹכִיחַ בַּדְּבָרִ׳ אֲשֶׁר שָׁמַע IIK. 19:4 • Is. 37.4
19 וְהוֹכִיחַ לְעַמִּים רַבִּים Is. 2:4
20 וְהוֹכִיחַ בְּמִישׁוֹר לְעַנְוֵי־אָרֶץ Is. 11:4
21 וְהוֹכִיחַ לְגוֹיִם עֲצֻמִים עַד־רָחוֹק Mic. 4:3
מוֹכִיחַ 22 וְלֹא־תִהְיֶה לָהֶם לְאִישׁ מוֹכִיחַ Ezek. 3:26
23 שָׂנְאוּ בַשַּׁעַר מוֹכִיחַ Am. 5:10
24 מוֹכִיחַ חָכָם עַל־אֹזֶן שֹׁמָעַת Prov. 25:12
25 מוֹכִיחַ אָדָם אַחֲרַי חֵן יִמְצָא Prov. 28:23
26 לֹא יֵשׁ־בֵּינֵינוּ מוֹכִיחַ Job 9:33
27 וְהִנֵּה אֵין לְאִיּוֹב מוֹכִיחַ Job 32:12
28 מוֹכִיחַ אֱלוֹהַּ יַעֲנֶנָּה Job 40:2
וּמוֹכִיחַ 29 וּמוֹכִיחַ לְרָשָׁע מוּמוֹ Prov. 9:7
וְלַמּוֹכִיחַ 30 וְלַמּוֹכִיחַ בַּשַּׁעַר יְקֹשׁוּן Is. 29:21
וְלַמּוֹכִיחִים 31 וְלַמּוֹכִיחִים יִנְעָם Prov. 24:25
אוֹכִיחַ 32 אַךְ־דְּרָכַי אֶל־פָּנָיו אוֹכִיחַ Job 13:15
אוֹכִיחֲךָ 33 אוֹכִיחֲךָ וְאֶעֶרְכָה לְעֵינֶיךָ Ps. 50:21
אוֹכִיחֶךָ 34 לֹא עַל־זְבָחֶיךָ אוֹכִיחֶךָ Ps. 50:8
תּוֹכִיחַ 35 הוֹכֵחַ תּוֹכִיחַ אֶת־עֲמִיתֶךָ Lev. 19:17
תּוֹכַח 36 אַל־תּוֹכַח לֵץ פֶּן־יִשְׂנָאֶךָּ Prov. 9:8
תוֹכִיחֵנִי 37 אַל־בְּאַפְּךָ תוֹכִיחֵנִי Ps. 6:2
38 אַל־בְּקֶצְפְּךָ תוֹכִיחֵנִי Ps. 38:2
יוֹכִיחַ 39 וְלֹא לְמִשְׁמַע אָזְנָיו יוֹכִיחַ Is. 11:3
40 הֲיֹסֵר גּוֹיִם הֲלֹא יוֹכִיחַ Ps. 94:10
41 אֵת אֲשֶׁר־יֶאֱהַב יְיָ יוֹכִיחַ Prov. 3:12
42 פֶּן־יוֹכִיחַ בְּךָ וְנִכְזָבְתָּ Prov. 30:6
43 וּמַה־יּוֹכִיחַ הוֹכֵחַ מִכֶּם Job 6:25
44 הוֹכֵחַ יוֹכִיחַ אֶתְכֶם Job 13:10
יוֹכַח 45 אַךְ אִישׁ אַל־יָרֵב וְאַל־יוֹכַח אִישׁ Hosh. 4:4
וְיוֹכַח 46 וְיוֹכַח לְגֶבֶר עִם־אֱלוֹהַּ Job 16:21
47 יֵרֶא אֱלֹהֵי אֲבוֹתֵינוּ וְיוֹכַח ICh. 12:17(18)
וַיּוֹכַח 48 רָאָה אֱלֹהִים וַיּוֹכַח אָמֶשׁ Gen. 31:42
49-50 וַיּוֹכַח עֲלֵיהֶם מְלָכִים Ps. 105:14 ICh. 16:21
וְיוֹכִיחֵנִי 51 יֶהֶלְמֵנִי צַדִּיק חֶסֶד וְיוֹכִיחֵנִי Ps. 141:5
יֹכִיחֶךָ 52 הֲמִיִּרְאָתְךָ יֹכִיחֶךָ... Job 22:4
יוֹכִחֶנּוּ 53 אַשְׁרֵי אֱנוֹשׁ יוֹכִחֶנּוּ אֱלוֹהַּ Job 5:17
וְתוֹכִיחוּ 54 וְתוֹכִיחוּ עָלַי חֶרְפָּתִי Job 19:5
וְיוֹכִיחוּ 55 וְיוֹכִיחוּ בֵּין שְׁנֵינוּ Gen. 31:37
תּוֹכִחֻךְ 56 תְּיַסְּרֵךְ רָעָתֵךְ וּמְשֻׁבוֹתַיִךְ תּוֹכִחֻךְ Jer. 2:19
הוֹכַח 57 הוֹכַח לְחָכָם וְיֶאֱהָבֶךָּ Prov. 9:8
וְהוּכַח 58 וְהוּכַח בְּמַכְאוֹב עַל־מִשְׁכָּבוֹ Job 33:19
יִתְוַכָּח 59 וְעִם־יִשְׂרָאֵל יִתְוַכָּח Mic. 6:2

יָכִין

שפ״ז א) בן שמעון (בדה״א ד24: יָרִיב): 4, 5, 7
ב) כנוי לעמוד הימני שהקים שלמה באולם ההיכל: 1, 3
ג) כהן בימי נחמיה: 2, 6, 8

יָכִין 1 וַיָּקֶם...וַיִּקְרָא אֶת־שְׁמוֹ יָכִין IK. 7:21
2 יְדַעְיָה בֶן־יוֹיָרִיב יָכִין Neh. 11:10
3 וַיִּקְרָא שֵׁם־הַיְמָנִי° יָכִין IICh. 3:17
וְיָכִין 4 וּבְנֵי שִׁמְעוֹן יְמוּאֵל...וְיָכִין וְצֹחַר Gen. 46:10
5 וּבְנֵי שִׁמְעוֹן יְמוּאֵל...וְיָכִין וְצֹחַר Ex. 6:15
6 יְדַעְיָה וִיהוֹיָרִיב וְיָכִין ICh. 9:10
לְיָכִין 7 לְיָכִין מִשְׁפַּחַת הַיָּכִינִי Num. 26:12
8 לְיָכִין אֶחָד וְעֶשְׂרִים... ICh. 24:17

יָכִינִי

ת׳ המתיחס על בית יָכִין (א)

הַיָּכִינִי 1 לְיָכִין מִשְׁפַּחַת הַיָּכִינִי Num. 26:12

יכל יָכֹל

: יָכֹל; יְכֹלֶת; אר׳ יְכִל; ש״פ יְכָלְיָה, יְהוּכַל, יוּכַל
פ׳ א) עצר כּוֹחַ, היה באפשרותו: רוב המקראות
ב) גָּבַר על־: עין להלן יָכֹל אֶת־, יָכֹל לוֹ
יָכֹל אֶת־ 10, 89, 113; יָכֹל לוֹ (לָהּ) 1, 12, 50, 52, 57, 81, 84, 108, 172–174, 181, 182

יָכוֹל 1 כִּי־יָכוֹל נוּכַל לָהּ Num. 13:30
2 גַּם עָשֹׂה תַעֲשֶׂה וְגַם יָכֹל תּוּכָל ISh. 26:25
הֲיָכוֹל 3 הֲיָכֹל אוּכַל דַּבֵּר מְאוּמָה Num. 22:38
4 הֲיָכוֹל יָכְלוּ...לְהַצִּיל אֶת־אַרְצָם IICh. 32:13
יְכֹלֶת 5 מִבִּלְתִּי יְכֹלֶת יְיָ לְהָבִיא... Num. 14:16
6 מִבְּלִי יְכֹלֶת יְיָ לַהֲבִיאָם... Deut. 9:28
יָכֹלְתִּי 7 נִפְתַּלְתִּי עִם־אֲחֹתִי גַּם־יָכֹלְתִּי Gen. 30:8
8 וּמַה־יָּכֹלְתִּי עֲשׂוֹת כָּכֶם Jud. 8:3
9 הִשִּׂיגוּנִי עֲוֺנֹתַי וְלֹא־יָכֹלְתִּי לִרְאוֹת Ps. 40:13
יְכָלְתִּיו 10 פֶּן־יֹאמַר אֹיְבִי יְכָלְתִּיו Ps. 13z5
וְיָכָלְתָּ 11 וְצִוְּךָ אֱלֹהִים וְיָכָלְתָּ עֲמֹד Ex. 18:23
יָכוֹל 12 וַיַּרְא כִּי לֹא יָכֹל לוֹ Gen. 32:25
13 וְלֹא־יָכֹל יוֹסֵף לְהִתְאַפֵּק Gen. 45:1
14 וְלֹא־יָכֹל מֹשֶׁה לָבוֹא Ex. 40:35
15 וְעֵינָיו קָמָה וְלֹא יָכוֹל לִרְאוֹת ISh. 4:15
16 וְלֹא־יָכֹל עוֹד לְהָשִׁיב...דָּבָר IISh. 3:11
17 כִּי לֹא יָכֹל לִבְנוֹת בַּיִת IK. 5:17
18 וְלֹא יָכֹל לַהֲשִׁיבָהּ אֵלָיו IK. 13:4
19 וַאֲחִיָּהוּ לֹא־יָכֹל לִרְאוֹת IK. 14:4
20 וְלֹא יָכֹל לְהִלָּחֵם עָלֶיהָ Is. 7:1
21 וְלֹא־יָכֹל דָּוִיד לָלֶכֶת לְפָנָיו ICh. 21:30
22 לֹא יָכוֹל לְהָכִיל אֶת־הָעֹלָה IICh. 7:7
23 אֲשֶׁר יָכוֹל לְהַצִּיל אֶת־עַמּוֹ IICh. 32:14
יָכְלָה 24 וְלֹא יָכְלָה...לָשֵׂאת אֹתָם Gen. 36:7
25 וְלֹא־יָכְלָה עוֹד הַצְּפִינוֹ Ex. 2:3
יָכְלוּ 26 וְלֹא יָכְלוּ לָשֶׁבֶת יַחְדָּו Gen. x3:6
27 וְלֹא יָכְלוּ דַּבְּרוֹ לְשָׁלֹם Gen. 37:4
28 וְלֹא־יָכְלוּ אֶחָיו לַעֲנוֹת אֹתוֹ Gen. 45:3
29 וְלֹא־יָכְלוּ מִצְרַיִם לִשְׁתּוֹת Ex. 7:21
30 כִּי לֹא יָכְלוּ לִשְׁתֹּת מִמֵּימֵי הַיְאֹר Ex. 7:24
31 וְלֹא־יָכְלוּ הַחַרְטֻמִּים לַעֲמֹד Ex. 9:11
32 וְלֹא יָכְלוּ לְהִתְמַהְמֵהַּ Ex. 12:39
33 וְלֹא יָכְלוּ לִשְׁתֹּת מַיִם מִמָּרָה Ex. 15:23
34 וְלֹא־יָכְלוּ לַעֲשֹׂת־הַפֶּסַח Num. 9:6
35 לֹא־יָכְלוּ (כ׳ יוכלו)...לְהוֹרִישָׁם Josh. 15:63
36–48 (ו)לֹא יָכְלוּ...לְ... Josh. 17:12
Jud. 2:14; 14:14 • IK. 8:11; 9:21 • IIK. 4:40; 16:5 •
Ez. 2:59 • Neh. 7:61 • IICh. 5:14; 7:2; 29:34; 30:3
49 לֹא יָכְלוּ מַלֵּט מַשָּׂא Is. 46:2
50 הִשִּׁיאוּךָ יָכְלוּ לְךָ אַנְשֵׁי שְׁלֹמֶךָ Ob. 7
51 דֹּחוּ וְלֹא־יָכְלוּ קוּם Ps. 36:13
52 גַּם לֹא־יָכְלוּ־לִי Ps. 129:2
53 הֲיָכוֹל יָכְלוּ..לְהַצִּיל אֶת־אַרְצָם IICh. 32:13
יָכֹלוּ 54 וַיַּעֲשׂוּ־כֵן...וְלֹא יָכֹלוּ Ex. 8:14
55 ...וַיִּקַּח...לְהַבְקִיעַ...וְלֹא יָכֹלוּ IIK. 3:26
56 וַיַּחְתְּרוּ הָאֲנָשִׁים...וְלֹא יָכֹלוּ Jon. 1:13
וְיָכְלוּ 57 הִסִּיתוּךָ וְיָכְלוּ לְךָ אַנְשֵׁי שְׁלֹמֶךָ Jer. 38:22
אוּכַל 58 לֹא אוּכַל לְהִמָּלֵט הָהָרָה Gen. 19:19
59 כִּי לֹא אוּכַל לַעֲשׂוֹת דָּבָר Gen. 19:22

60־72 לֹא־אוּכַל...ל Gen. 31:35
Num. 22:18; 24:13 • Jud. 11:35 • ISh. 17:39 • IK. 13:16; 20:9 • Jer. 18:6; 36:5 • Ezek. 47:5 • Ruth 4:6² • Neh. 6:3

73 לֹא־אוּכַל אָנֹכִי לְבַדִּי לָשֵׂאת.. Num. 11:14
74 אוּלַי אוּכַל נַכֶּה־בּוֹ Num. 22:6
75 אוּלַי אוּכַל לְהִלָּחֶם בּוֹ Num. 22:11
76 הַאֻמְנָם לֹא אוּכַל כַּבְּדֶךָ Num. 22:37
77 הֲיָכֹל אוּכַל דַּבֵּר מְאוּמָה Num. 22:38
78 לֹא־אוּכַל לְבַדִּי שְׂאֵת אֶתְכֶם Deut. 1:9
79 אֵיכָה אוּכַל לְהוֹרִישָׁם Deut. 7:17
80 לֹא־אוּכַל עוֹד לָצֵאת וְלָבוֹא Deut. 31:2
81 וְאִם־אֲנִי אוּכַל־לוֹ ISh. 17:9
82 לֹא אוּכַל אָוֶן וַעֲצָרָה Is. 1:13
83 לֹא אוּכַל כִּי חָתוּם הוּא Is. 29:11
84 נִשְׂגְּבָה לֹא־אוּכַל לָהּ Ps. 139:6
85 נְתָנַנִי אֲדֹנָי בִּידֵי לֹא־אוּכַל קוּם Lam. 1:14
86 כִּי אֵיכָכָה אוּכַל וְרָאִיתִי בָּרָעָה... Es. 8:6
87 וְאֵיכָכָה אוּכַל וְרָאִיתִי בְּאָבְדַן... Es. 8:6

אוּכָל
88 וְנִלְאֵיתִי כַּלְכֵל וְלֹא אוּכָל Jer. 20:9
89 גְּבַהּ־עֵינַיִם...אֹתוֹ לֹא אוּכָל Ps. 101:5
90 וּמִשְּׂאֵתוֹ לֹא אוּכָל Job 31:23

הַאוּכַל
91 הַאוּכַל לַהֲשִׁיבוֹ עוֹד IISh. 12:23

תּוּכַל
92 אִם־תּוּכַל לִסְפֹּר אֹתָם Gen. 15:5
93 לֹא־תוּכַל עֲשֹׂהוּ לְבַדֶּךָ Ex. 18:18
94 לֹא תוּכַל לִרְאֹת אֶת־פָּנָי Ex. 33:20
95 לֹא תוּכַל כַּלֹּתָם מַהֵר Deut. 7:22
96 לֹא־תוּכַל לֶאֱכֹל בִּשְׁעָרֶיךָ Deut. 12:17
97 כִּי לֹא תוּכַל שְׂאֵתוֹ Deut. 14:24
98 לֹא תוּכַל לִזְבֹּחַ אֶת־הַפָּסַח Deut. 16:5
99־104 לֹא תוּכַל לְ... Deut. 17:15
22:3; 28:27, 35 • Josh. 7:13 • ISh. 17:33
105/6 אִם־תּוּכַל לָתֶת לְךָ IIK. 18:23 • Is. 36:8
107 אִם־תּוּכַל הֲשִׁיבֵנִי Job 33:5
108 לֹא־תוּכַל לוֹ כִּי־נָפוֹל תִּפּוֹל Es. 6:13

תּוּכָל
109 וְגַם יָכֹל תּוּכָל ISh. 26:25
110/1 תְּפַתֶּה וְגַם־תּוּכָל IK. 22:22 • IICh. 18:21
112 וְהַבִּיט אֶל־עָמָל לֹא תוּכָל Hab. 1:13
113 יָדַעְתָּ° כִּי־כֹל תּוּכָל Job 42:2

וַתּוּכָל
114 כִּי־שָׂרִיתָ עִם־אֱלֹהִים..וַתּוּכָל Gen. 32:28
115 פִּתִּיתַנִי...חֲזַקְתַּנִי וַתּוּכָל Jer. 20:7

תּוּכְלִי
116 ...הֹוָה לֹא תוּכְלִי כַּפְּרָהּ Is. 47:11
117 אוּלַי תּוּכְלִי הוֹעִיל Is. 47:12

וַתּוּכָל
118 וַתַּעֲשִׂי הָרָעוֹת וַתּוּכָל Jer. 3:5

יוּכַל
119 אִם־יוּכַל אִישׁ לִמְנוֹת Gen. 13:16
120 לֹא־יוּכַל הַנַּעַר לַעֲזֹב Gen. 44:22
121 לֹא יוּכַל לִרְאוֹת Gen. 48:10
122־139 לֹא יוּכַל...לְ... Ex. 10:5; 19:23
Deut. 21:16; 22:19; 24:4 • ISh. 3:2 • IIK. 18:29 • Is. 36:14 • Jer. 14:9; 19:11 • Ezek. 7:19; 33:12 • Hosh. 5:13 • Zep. 1:18 • Eccl. 1:8; 8:17² • IICh. 32:15

140 לֹא יוּכַל שַׁלְּחָהּ כָּל־יָמָיו Deut. 22:29
141 מִי יוּכַל לַעֲמֹד לִפְנֵי יְיָ ISh. 6:20
142 אִם־יוּכַל לְהִלָּחֵם אִתִּי ISh. 17:9
143 כִּי מִי יוּכַל לִשְׁפֹּט אֶת־עַמְּךָ IK. 3:9
144 אֵין הַמֶּלֶךְ יוּכַל אֶתְכֶם דָּבָר Jer. 38:5
145 וְלֹא־יוּכַל יְיָ עוֹד לָשֵׂאת Jer. 44:22
146 הֲגַם־לֶחֶם יוּכַל תֵּת Ps. 78:20
147 מְעֻוָּת לֹא־יוּכַל לִתְקֹן Eccl. 1:15
148 וְחֶסְרוֹן לֹא־יוּכַל לְהִמָּנוֹת Eccl. 1:15
149 וְלֹא־יוּכַל לָדִין עִם שֶׁתַּקִּיף° מִמֶּנּוּ Eccl. 6:10

יוּכַל (המשך)
150 מִי יוּכַל לְתַקֵּן אֵת אֲשֶׁר עִוְּתוֹ Eccl. 7:13
151 וְהֵיךְ יוּכַל עֶבֶד אֲדֹנִי זֶה... Dan. 10:17
152 ...כִּי יוּכַל אֱלֹהֵיכֶם לְהַצִּיל IICh. 32:14

יוּכָל
153 וּבָא...לְהִתְפַּלֵּל וְלֹא יוּכָל Is. 16:12
154/5 הַשְׁקֵט לֹא יוּכָל Is. 57:20 • Jer. 49:23
156 וְנֶחְבָּה לֹא־יוּכָל Jer. 49:10
157 וַעְצֹר בְּמִלִּין מִי יוּכָל Job 4:2

הֲיוּכַל
158 הֲיוּכַל...לַעֲרֹךְ שֻׁלְחָן בַּמִּדְבָּר Ps. 78:19

וַיֻּכָל
159 וַיָּשַׂר אֶל־מַלְאָךְ וַיֻּכָל Hosh. 12:5

תּוּכַל
160 וּנְכֹחָה לֹא־תוּכַל לָבוֹא Is. 59:14
161 לֹא־תוּכַל הָאָרֶץ לְהָכִיל Am. 7:10
162 וְתַחַת אַרְבַּע לֹא־תוּכַל שְׂאֵת Prov. 30:21

נוּכַל
163 לֹא נוּכַל דַּבֵּר...רַע אוֹ־טוֹב Gen. 24:50
164 לֹא נוּכַל עַד אֲשֶׁר יֵאָסְפוּ... Gen. 29:8
165 לֹא נוּכַל לַעֲשׂוֹת הַדָּבָר הַזֶּה Gen. 34:14
166־171 לֹא נוּכַל לְ... Gen. 44:26² • Num. 13:31
Josh. 9:19 • Jud. 21:18 • Neh. 4:4
172 כִּי־יָכוֹל נוּכַל לָהּ Num. 13:30
173 וּבַמֶּה נוּכַל לוֹ וַאֲסַרְנֻהוּ Jud. 16:5

וְנוּכְלָה
174 אוּלַי יְפֻתֶּה וְנוּכְלָה לוֹ Jer. 20:10

תוּכְלוּ
175 לֹא תוּכְלוּ לַעֲבֹד אֶת־יְיָ Josh. 24:19
176 וְאִם־לֹא תוּכְלוּ לְהַגִּיד לִי Jud. 14:13
177 גַּם־אַתֶּם תּוּכְלוּ לְהֵיטִיב Jer. 13:23

יוּכְלוּ
178 וְלֹא יָכְלוּ בְּנֵי יִשְׂרָאֵל לָקוּם... Josh. 7:12
179 כִּי לֹא יוּכְלוּ לְהֵרָאוֹת IISh. 17:17
180 כְּלָבִים אִלְּמִים לֹא יוּכְלוּ לִנְבֹּחַ Is. 56:10
181/2 וְנִלְחֲמוּ...וְלֹא־יוּכְלוּ לָךְ Jer. 1:19; 15:20
183 ...וְלֹא יוּכְלוּ לְהַקְשִׁיב Jer. 6:10
184 אֲשֶׁר לֹא־יוּכְלוּ לָצֵאת מִמֶּנָּה Jer. 11:11
185 עַד־מָתַי לֹא יוּכְלוּ נִקָּיֹן Hosh. 8:5
186 אֶמְחָצֵם וְלֹא־יֻכְלוּ קוּם Ps. 18:39
187 לֹא יוּכְלוּ לְכַבּוֹת אֶת־הָאַהֲבָה S.ofS. 8:7
188 בְּלֹא יוּכְלוּ יִגְּעוּ בִּלְבֻשֵׁיהֶם Lam. 4:14

יוּכָלוּ
189 וַיִּתְגָּעֲשׁוּ וְלֹא יוּכָלוּ Jer. 5:22
190 רֹדְפַי יִכָּשְׁלוּ וְלֹא יֻכָלוּ Jer. 20:11
191 חָשְׁבוּ מְזִמָּה בַּל־יוּכָלוּ Ps. 21:12

יוּכְלוּן
192 לֹא יוּכְלוּן הַמִּצְרִים לֶאֱכֹל Gen. 43:32
193 מַלֵּא...כַּאֲשֶׁר יוּכְלוּן שְׂאֵת Gen. 44:1

יְכִל
פ׳ ארמית כמו בעברית: יָכֹל: 1־12

יְכֵלְתָּ
1 דִּי יְכֵלְתָּ לְמִגְלֵא רָזָא דְנָה Dan. 2:47

הֲיִכִל
2 הֲיִכִל לְשֵׁיזָבוּתָךְ מִן־אַרְיָוָתָא Dan. 6:21

יָכִל
3 אִיתַי אֱלָהָנָא...יָכִל לְשֵׁיזָבוּתַנָא Dan. 3:17
4 וְדִי מַהְלְכִין בְּגֵוָה יָכִל לְהַשְׁפָּלָה Dan. 4:34

וְיָכְלָה
5 עָבְדָא קְרָב...וְיָכְלָה לְהֹן Dan. 7:21

יָכְלִין
6 לָא חַכִּימִין...יָכְלִין לְהַחֲוָיָה Dan. 2:27
7 לָא־יָכְלִין פִּשְׁרָא לְהוֹדָעוּתַנִי Dan. 4:15
8 וְכָל־עִלָּה...לָא־יָכְלִין לְהַשְׁכָּחָה Dan. 6:5

תִּכֻּל
9 דִּי תִכֻּל (כ׳ תוכל) פִּשְׁרִין לְמִפְשַׁר Dan. 5:16
10 הֵן תִּכֻּל (כ׳ תוכל) כְּתָבָא לְמִקְרֵא Dan. 5:16

יִכֻּל
11 דִּי־יִכֻּל לְהַצָּלָה כִּדְנָה Dan. 3:29

יוּכַל
12 דִּי מִלַּת מַלְכָּא יוּכַל לְהַחֲוָיָה Dan. 2:10

יִכֶל
(Job 33:21) – עין כלה

יְכָלְיָה, יְכָלְיָהוּ
שפ־נ – אם עזיה מלך יהודה: 2,1

יְכָלְיָהוּ
1 וְשֵׁם אִמּוֹ יְכָלְיָהוּ מִירוּשָׁלָם IIK. 15:2
2 וְשֵׁם אִמּוֹ יְכָלְיָה (כת׳ יכיליה) IICh. 26:3

יְכָנְיָה
שפ־ז – שם אחר ליהוֹיָכִין מלך יהודה: 1–6

יְכָנְיָה
1 יְכָנְיָה (כת׳ יכוניה) בֶּן יְהוֹיָקִים Jer. 27:20
2 וְאֶת־יְכָנְיָה...אֲנִי מֵשִׁיב Jer. 28:4
3 אַחֲרֵי־צֵאת יְכָנְיָה הַמֶּלֶךְ Jer. 29:2
4־5 יְכָנְיָה Es. 2:6 • ICh. 3:16
6 וּבְנֵי יְכָנְיָה אַסִּר שְׁאַלְתִּיאֵל בְּנוֹ ICh. 3:17

יְכָנְיָהוּ
שפ״ז – הוּא יְהוֹיָכִין הוּא יְכָנְיָה

יְכָנְיָהוּ
1 אַחֲרֵי הַגְלוֹת...אֶת־יְכָנְיָהוּ... Jer. 24:1

יְכַת
(Is. 24:12) – עין כתת

ילד
: יָלַד, נוֹלַד, יִלֵּד, יֻלַּד, הִתְיַלֵּד, הוֹלִיד, הֻלֶּדֶת; יֶלֶד, יִלּוֹד, יָלוּד, יָלִיד, וָלָד, יַלְדָּה, יַלְדוּת, יוֹלֵדָה, מוֹלִיד, מוֹלֶדֶת, תּוֹלְדוֹת־; ש״פ מוֹלִיד, מוֹלָדָה, תּוֹלָד, אֶלְתּוֹלָד

יָלַד
פ׳ א) הביא לעולם פרי בטן, הוליד: 28, 29, 36–54, 57, 58, 120–125 [ביחוד:]
ב) [יָלְדָה] המליטה אשה ילד: רוב המקראות 4־213
ג) [כנ״ל] המליטה נקבה בבעלי־החיים: 3, 20, 55, 97, 112, 116, 117, 214 [עין גם יוֹלֵדָה, יָלוּד]
ד) [בהשאלה] יצר, גרם: 1, 2, 59, 110, 208
ה) [נפ׳ נוֹלַד] יצא מֵרֶחם אמו (גם בהשאלה): 215־252
ו) [פִּ׳ יִלֵּד] עזר ליולדת ללדת: 253–262
ז) [פֻּ׳ יֻלַּד] נולד: 263–289
ח) [הת׳ הִתְיַלֵּד] התיחש על בית־: 290
ט) [הִפ׳ הוֹלִיד] נתן הריון לאשה: 292–400, 402, 403–405, 407–465
י) [כנ״ל] יצר, גרם: 291, 401, 406
יא) [הָפ׳ הֻלַּד; מקור־נסמך: הֻלֶּדֶת] הוּלַּד: 466־468

יוֹם הֻלֶּדֶת 466–468

וְיָלַד
1 הָרֹה עָמָל וְיָלֹד אָוֶן Job 15:35

לֶדֶת
2 בְּטֶרֶם לֶדֶת חֹק כְּמוֹץ עָבַר־יוֹם Zep. 2:2
3 הֲיָדַעְתָּ עֵת לֶדֶת יַעֲלֵי־סָלַע Job 39:1

בְּלֶדֶת
4 בְּלֶדֶת־הָגָר אֶת־יִשְׁמָעֵאל Gen. 16:16
5 בֶּן־שִׁשִּׁים שָׁנָה בְּלֶדֶת אֹתָם Gen. 25:26

לָלֶדֶת
6 וַתֹּסֶף לָלֶדֶת אֶת־אָחִיו Gen. 4:2
7 וַיִּמְלְאוּ יָמֶיהָ לָלֶדֶת Gen. 25:24
8 כְּמוֹ הָרָה תַּקְרִיב לָלֶדֶת Is. 26:17
9 עֵת לָלֶדֶת וְעֵת לָמוּת Eccl. 3:2

לַלַת (ללדת)
10 וְכַלָּתוֹ...הָרָה לָלַת ISh. 4:19

מִלֶּדֶת
11 הִנֵּה־נָא עֲצָרַנִי יְיָ מִלֶּדֶת Gen. 16:2
12 וַתַּעֲמֹד מִלֶּדֶת Gen. 29:35
13 וַתֵּרֶא לֵאָה כִּי עָמְדָה מִלֶּדֶת Gen. 30:9

לְלִדְתִּי
14 וַיְהִי בַּיּוֹם הַשְּׁלִישִׁי לְלִדְתִּי IK. 3:18

לִדְתָּהּ
15 וַיְהִי בְּעֵת לִדְתָּהּ...תְאוֹמִים Gen. 38:27

בְּלִדְתָּהּ
16 וַתֵּלֶד רָחֵל וַתְּקַשׁ בְּלִדְתָּהּ Gen. 35:16
17 וַיְהִי בְהַקְשֹׁתָהּ בְּלִדְתָּהּ Gen. 35:17
18 וְהָיָה בִכְזִיב בְּלִדְתָּהּ אֹתוֹ Gen. 38:5
19 וַיְהִי בְלִדְתָּהּ וַיִּתֶּן־יָד Gen. 38:28

לִדְתָּנָה
20 וְיָדַעְתָּ עֵת לִדְתָּנָה Job 39:2

יָלַדְתִּי
21 כִּי־יָלַדְתִּי בֵן לִזְקֻנָיו Gen. 21:7
22 כִּי־יָלַדְתִּי לוֹ שְׁלֹשָׁה בָנִים Gen. 29:34
23 כִּי־יָלַדְתִּי לוֹ שִׁשָּׁה בָנִים Gen. 30:20
24 לֹא־חַלְתִּי וְלֹא־יָלַדְתִּי Is. 23:4
25 וְגַם יָלַדְתִּי בָנִים Ruth 1:12
26 לֵאמֹר כִּי יָלַדְתִּי בְּעֹצֶב ICh. 4:9

יָלָדְתִּי
27 וְהִנֵּה־לֹא־הָיָה בְנִי אֲשֶׁר יָלָדְתִּי IK. 3:21

יְלִדְתִּיךָ
28 בְּנִי־אַתָּה אֲנִי הַיּוֹם יְלִדְתִּיךָ Ps. 2:7

יְלִדְתִּיהוּ
29 הֶאָנֹכִי הָרִיתִי...אִם...יְלִדְתִּיהוּ Num. 11:12

יָלַדְתְּ
30 הִנֵּה־נָא אַתְּ עֲקָרָה וְלֹא יָלַדְתְּ Jud. 13:3
31 וְאֶת־בְּנוֹתַיִךְ אֲשֶׁר יָלַדְתְּ לִי Ezek. 16:20

יָלָדְתְּ
32 אַל־תִּירְאִי כִּי־בֵן יָלָדְתְּ ISh. 4:20

וְיָלַדְתְּ
33 ...וְהָרִית וְיָלַדְתְּ בֵּן Jud. 13:3

יְלִדְתִּנִי
34 אוֹי־לִי אִמִּי כִּי יְלִדְתִּנִי Jer. 15:10

יְלִדְתָּנוּ
35 וְלָאֶבֶן אַתְּ יְלִדְתָּנוּ (כת׳ ילדתני) Jer. 2:27

יָלַד
36 וְעִירָד יָלַד אֶת־מְחוּיָאֵל Gen. 4:18
37 וּמְחִיָּיאֵל יָלַד אֶת־מְתוּשָׁאֵל Gen. 4:18

יָלַד (המשך) 38 וּמְתוּשָׁאֵל יָלַד אֶת־לָמֶךְ Gen. 4:18
52-39 יָלַד אֶת... Gen. 10:18, 13, 15
10:24^2, 26; 22:23; 25:3 • ICh. 1:10, 11, 13, 18^2, 20
53 מִי יָלַד־לִי אֶת־אֵלֶּה Is. 49:21
54 יָלַד שֶׁבֶר וְאֶת־תִּרְחֲנָה ICh. 2:48
יָלָד 55 קֹרֵא דָגַר וְלֹא יָלָד Jer. 17:11
וְיָלַד 56 וְהָרָה עָמָל וְיָלַד שָׁקֶר Ps. 7:15
יְלָדְךָ 57 צוּר יְלָדְךָ תֶּשִׁי... Deut. 32:18
יְלָדֶךָ 58 שְׁמַע לְאָבִיךָ זֶה יְלָדֶךָ Prov. 23:22
יְלָדוֹ 59 וּכְפֹר שָׁמַיִם מִי יְלָדוֹ Job 38:29
יָלְדָה 60 וְצִלָּה...יָלְדָה אֶת־תּוּבַל קַיִן Gen. 4:22
61 וְשָׂרַי אֵשֶׁת אַבְרָם לֹא יָלְדָה לוֹ Gen. 16:1
94-62 יָלְדָה (ל...) Gen. 16:15; 19:38
21:3, 9; 22:20, 23; 24:24, 47; 25:12; 30:1, 21, 25;
34:1; 36:4, 5; 41:50; 44:27; 46:15, 20 • Num. 26:59
• Jud. 8:31 • IISh. 12:15; 21:8^2 • IK. 1:6 • Ruth
4:12 • ICh. 1:32; 2:4, 17, 46; 4:18; 7:14, 18
95 עַד־עֲקָרָה יָלְדָה שִׁבְעָה ISh. 2:5
96 כִּי־חָלָה גַּם־יָלְדָה צִיּוֹן Is. 66:8
97 גַּם־אַיֶּלֶת בַּשָּׂדֶה יָלְדָה וְעָזוֹב Jer. 14:5
יָלָדָה 98 וְאִשְׁתּוֹ עֲקָרָה וְלֹא יָלָדָה Jud. 13:2
99 אֵין־מְנַהֵל לָהּ מִכָּל־בָּנִים יָלָדָה Is. 51:18
100 רָנִּי עֲקָרָה לֹא יָלָדָה Is. 54:1
101 בְּטֶרֶם תָּחִיל יָלָדָה Is. 66:7
102 עַד־עֵת יוֹלֵדָה יָלָדָה Mic. 5:2
103 בְּנֵי מְנַשֶּׁה אַשְׂרִיאֵל אֲשֶׁר יָלָדָה ICh. 7:14
וְיָלְדָה 104 וְיָלְדָה־לוֹ בָנִים אוֹ בָנוֹת Ex. 21:4
105 אִשָּׁה כִּי תַזְרִיעַ וְיָלְדָה זָכָר Lev. 12:2
יְלָדַתְנִי 106 יוֹם אֲשֶׁר־יְלָדַתְנִי אִמִּי... Jer. 20:14
יְלָדַתְךָ 107 וְאֶת־אִמְּךָ אֲשֶׁר יְלָדַתְךָ Jer. 22:26
108 שָׁמָּה חִבְּלָה יְלָדַתְךָ S.ofS. 8:5
יְלָדַתּוּ 109 כַּלָּתֵךְ אֲשֶׁר־אֲהֵבַתֶךְ יְלָ, תּוּ Ruth 4:15
יָלַדְנוּ 110 הָרִינוּ חַלְנוּ כְּמוֹ יָלַדְנוּ רוּחַ Is. 26:18
יָלְדוּ 111 וְגַם אֶת־בְּנֵיהֶן אֲשֶׁר יָלְדוּ־לִי Ezek. 23:37
112 יָלְדוּ כֹּל חַיַּת הַשָּׂדֶה Ezek. 31:6
יָלָדוּ 113 אוֹ לִבְנֵיהֶן אֲשֶׁר יָלָדוּ Gen. 31:43
114 כִּי־בָנִים זָרִים יָלָדוּ Hosh. 5:7
וְיָלְדוּ 115 יָבֹאוּ...אֶל־בְּנוֹת הָא׳/וְיָלְדוּ לָהֶם Gen. 6:4
116 וְיָלְדוּ כָל־הַצֹּאן נְקֻדִּים... Gen. 31:8
117 וְיָלְדוּ כָל־הַצֹּאן עֲקֻדִּים Gen. 31:8
118 וְיָלְדוּ־לוֹ בָנִים הָאֲהוּבָה וְהַשְּׂנ׳ Deut. 21:15
וְיָלָדוּ 119 בְּטֶרֶם תָּבוֹא אֲלֵהֶן...וְיָלָדוּ Ex. 1:19
יֹלֵד 120 שַׁאֲלוּ־נָא וּרְאוּ אִם־יֹלֵד זָכָר Jer. 30:6
121 יֹלֵד כְּסִיל לְתוּגָה לוֹ Prov. 17:21
וְיוֹלֵד 122 וְיוֹלֵד (כת׳ יולד) חָכָם יִשְׂמַח־בּוֹ Prov. 23:24
וְהַיֹּלְדָהּ 123 וְהַיֹּלְדָהּ וּמַחֲזִקָהּ בָּעִתִּים Dan. 11:6
יֹלְדָיו 124 וְאָמְרוּ אֵלָיו אָבִיו וְאִמּוֹ יֹלְדָיו Zech. 13:3
125 וּדְקָרֻהוּ אָבִיהוּ וְאִמּוֹ יֹלְדָיו Zech. 13:3
יֹלֶדֶת 126 שָׂרָה אִשְׁתְּךָ יֹלֶדֶת לְךָ בֵּן Gen. 17:19
127 אֻמְלְלָה יֹלֶדֶת הַשִּׁבְעָה Jer. 15:9
וְיֹלֶדֶת 128 הִנֵּה הָעַלְמָה הָרָה וְיֹלֶדֶת בֵּן Is. 7:14
129 הָרָה וְיֹלֶדֶת יַחְדָּו Jer. 31:8(7)
הַיֹּלֶדֶת 130 תּוֹרַת הַיֹּלֶדֶת לַזָּכָר אוֹ לַנְּקֵבָה Lev. 12:7
וְיֹלַדְתְּ 133-131 הִנָּךְ הָרָה וְיֹלַדְתְּ בֵּן Gen. 16:11
Jud. 13:5, 7
הַיֹּלְדוֹת 134 וְעַל־אִמֹּתָם הַיֹּלְדוֹת אוֹתָם Jer. 16:3
אֵלֵד 135 הַאַף אֻמְנָם אֵלֵד וַאֲנִי זָקַנְתִּי Gen. 18:13
וָאֵלֵד 136 וָאֵלֵד עִמָּהּ בַּבָּיִת IK. 3:17
תֵּלְדִי 137 בְּעֶצֶב תֵּלְדִי בָנִים Gen. 3:16
יֵלֶד 138 כִּי לֹא־תֵדַע מַה־יֵּלֶד יוֹם Prov. 27:1
תֵּלֵד 139 הֲבַת־תִּשְׁעִים שָׁנָה תֵּלֵד Gen. 17:17
140 אֲשֶׁר תֵּלֵד לְךָ שָׂרָה לַמּוֹעֵד Gen. 17:21

תֵּלֵד (המשך) 141 וְאִם־נְקֵבָה תֵלֵד וְטָמְאָה שְׁבֻעַיִם Lev. 12:5
142 וְהָיָה הַבְּכוֹר אֲשֶׁר תֵּלֵד Deut. 25:6
143 וּבְבָנֶיהָ אֲשֶׁר תֵּלֵד Deut. 28:57
144 רֹעֶה עֲקָרָה לֹא תֵלֵד Job 24:21
וְתֵלֵד 145 הִנֵּה אֲמָתִי...וְתֵלֵד עַל בִּרְכַּי Gen. 30:3
וַתֵּלֶד 146 וַתַּהַר וַתֵּלֶד אֶת־קַיִן Gen. 4:1
147 וַתַּהַר וַתֵּלֶד אֶת־חֲנוֹךְ Gen. 4:17
148 וַתֵּלֶד עָדָה אֶת־יָבָל Gen. 4:20
149 וַתֵּלֶד בֵּן וַתִּקְרָא אֶת־שְׁמוֹ שֵׁת Gen. 4:25
150 וַתֵּלֶד הָגָר לְאַבְרָם בֵּן Gen. 16:15
151 וַתֵּלֶד הַבְּכִירָה בֵּן Gen. 19:37
152 וַתַּהַר וַתֵּלֶד שָׂרָה לְאַבְרָהָם בֵּן Gen. 21:2
153 וַתֵּלֶד גַּם־הִוא אֶת־טֶבַח Gen. 22:24
154 וַתֵּלֶד שָׂרָה...בֵן לַאדֹנִי Gen. 24:36
155 וַתֵּלֶד לוֹ אֶת־זִמְרָן Gen. 25:2
156 וַתַּהַר לֵאָה וַתֵּלֶד בֵּן Gen. 29:32
173-157 וַתַּהַר (...) וַתֵּלֶד... Gen. 29:33
29:34, 35; 30:5, 17, 23 • Ex. 2:2; 38:3, 4 • ISh. 1:20;
2:21 • IIK. 4:17 • Is. 8:3 • Hosh. 1:3, 6, 8 • ICh. 7:23
174 וַתֵּלֶד בִּלְהָה...בֵּן שֵׁנִי לְיַעֲקֹב Gen. 30:7
175 וַתֵּלֶד זִלְפָּה...לְיַעֲקֹב בֵּן Gen. 30:10
207-176 וַתֵּלֶד (ל...) Gen. 30:12, 19
35:16; 36:4, 12, 14; 38:5; 46:18, 25 • Ex. 2:22; 6:20,
23, 25; 26:59 • Jud. 11:2; 13:24 • ISh. 4:19 • IISh.
11:27; 12:24 • IK. 3:18; 11:20 • Ruth 4:13 • ICh.
2:19, 21, 24, 29, 35, 49; 4:6; 7:16 • IICh. 11:19, 20

תֵּלְדוּ 208 תַּהֲרוּ חֲשַׁשׁ תֵּלְדוּ קַשׁ Is. 33:11
יֵלְדוּ 209 וְלֹא יֵלְדוּ לַבֶּהָלָה Is. 25:23
וַיֵּלֵדוּ 210 וַיִּרְפָּא אֱלֹ׳...וְאַמְהֹתָיו וַיֵּלֵדוּ Gen. 20:17
יֵלֵדוּן 211 גַּם כִּי יֵלֵדוּן וְהֵמַתִּי מַחֲמַדֵּי בִטְנָם Hosh. 9:16
וְתֵלַדְנָה 212 וְתֵלַדְנָה בָּנִים וּבָנוֹת Jer. 29:6
וַתֵּלַדְנָה 213 וַתֵּלַדְנָה בָּנִים וּבָנוֹת Ezek. 23:4
214 וַתֵּלַדְןָ הַצֹּאן עֲקֻדִּים Gen. 30:39
בְּהִוָּלֶד 215 בְּהִוָּלֶד לוֹ אֵת יִצְחָק בְּנוֹ Gen. 21:5
הִוָּלְדוֹ 216 טוֹב...וְיוֹם הַמָּוֶת מִיּוֹם הִוָּלְדוֹ Eccl. 7:1
הִוָּלְדָהּ 217 וְהִצַּגְתִּיהָ כְּיוֹם הִוָּלְדָהּ Hosh. 2:5
נוֹלַד 218 כִּי גַם בְּמַלְכוּתוֹ נוֹלַד רָשׁ Eccl. 4:14
219 שְׁלוֹשָׁה נוֹלַד לוֹ מִבַּת־שׁוּעַ ICh. 2:3
220 וּבְנֵי חֶצְרוֹן אֲשֶׁר נוֹלַד־לוֹ ICh. 2:9
221 בְּנֵי דָוִיד אֲשֶׁר נוֹלַד־לוֹ בְּחֶבְרוֹן ICh. 3:1
222 שִׁשָּׁה נוֹלַד־לוֹ בְחֶבְרוֹן ICh. 3:4
223 וְגַם־הוּא נוֹלַד לְהָרָפָא ICh. 20:6
224 וּלְשְׁמַעְיָה בְנוֹ נוֹלַד בָּנִים ICh. 26:6
נוֹלְדוּ 225 וְאֵלֶּה נוֹלְדוּ־לוֹ בִּירוּשָׁלָיִם ICh. 3:5
226 אֵל נוֹלְדוּ לְהָרָפָא בְּגַת ICh. 20:8
נוֹלָד 227 הִנֵּה־בֵן נוֹלָד לְבֵית־דָּוִד IK. 13:2
228 וְיַגִּידוּ צִדְקָתוֹ לְעַם נוֹלָד Ps. 22:32
229 הִנֵּה־בֵן נוֹלָד לָךְ ICh. 22:9(8)
הַנּוֹלַד־ 230 ...אֶת־שֵׁם־בְּנוֹ הַנּוֹלַד־לוֹ Gen. 21:3
וְהַנּוֹלָד 231 לְהוֹצִיא כָל־נָשִׁים וְהַנּוֹלָד מֵהֶם Ez. 10:3
הַנּוֹלָדִים 232 שְׁנֵי־בָנֶיךָ הַנּוֹלָדִים לְךָ Gen. 48:5
233 וַהֲרָגוּם אַנְשֵׁי־גַת הַנּוֹלָדִים בָּאָרֶץ ICh. 7:21
אִוָּלֶד 234 יֹאבַד יוֹם אִוָּלֶד בּוֹ Job 3:2
תִּוָּלֵד 235 הֲרִאישׁוֹן אָדָם תִּוָּלֵד Job 15:7
236 יָדַעְתָּ כִּי־אָז תִּוָּלֵד Job 38:21
יִוָּלֵד 237 הַלְּבֶן מֵאָה־שָׁנָה יִוָּלֵד Gen. 17:17
238 שׁוֹר אוֹ־כֶשֶׂב אוֹ־עֵז כִּי יִוָּלֵד Lev. 22:27
239 כָּל־הַבְּכוֹר אֲשֶׁר יִוָּלֵד Deut. 15:19
240 וְאָח לְצָרָה יִוָּלֵד Prov. 17:17
241 וְעַיִר פֶּרֶא אָדָם יִוָּלֵד Job 11:12
יִוָּלֵד 242 אִם־יִוָּלֵד גּוֹי פַּעַם אֶחָת Is. 66:8

וַיִּוָּלֵד 243 וַיִּוָּלֵד לַחֲנוֹךְ אֶת־עִירָד Gen. 4:18
244 וַיִּוָּלֵד לְיוֹסֵף...אֶת־מְנַשֶּׁה... Gen. 46:20
245 וַיִּוָּלֵד לְאַהֲרֹן אֶת־נָדָב Num. 26:60
יִוָּלְדוּ 246 בָּנִים אֲשֶׁר־יִוָּלְדוּ לָהֶם Deut. 23:9
יִוָּלֵדוּ 247 דּוֹר אַחֲרוֹן בָּנִים יִוָּלֵדוּ Ps. 78:6
וַיִּוָּלְדוּ 248 וַיִּוָּלְדוּ לָהֶם בָּנִים אַחַר הַמַּבּוּל Gen. 10:1
249 וַיִּוָּלְדוּ (כת׳ וילדו) לְדָוִד בָּנִים בְּחֶבְ׳ IISh. 3:2
250 וַיִּוָּלְדוּ עוֹד לְדָוִד בָּנִים וּבָנוֹת IISh. 5:13
251 וַיִּוָּלְדוּ לְאַבְשָׁלוֹם שְׁלוֹשָׁה בָנִים IISh. 14:27
252 וַיִּוָּלְדוּ לוֹ שִׁבְעָה בָנִים Job 1:2
בְּיַלֶּדְכֶן 253 בְּיַלֶּדְכֶן אֶת־הָעִבְרִיּוֹת Ex. 1:16
הַמְיַלֶּדֶת 254 וַתֹּאמֶר לָהּ הַמְיַלֶּדֶת Gen. 35:17
255 וַתִּקַּח הַמְיַלֶּדֶת וַתִּקְשֹׁר Gen. 38:28
256 בְּטֶרֶם תָּבוֹא...הַמְיַלֶּדֶת וְיָלָדוּ Ex. 1:19
הַמְיַלְּדֹת 257 וַתִּירֶאןָ הַמְיַלְּדֹת אֶת־הָאֱלֹהִים Ex. 1:17
258 וַתֹּאמַרְןָ הַמְיַלְּדֹת אֶל־פַּרְעֹה Ex. 1:19
259 וַיְהִי כִּי־יָרְאוּ הַמְיַלְּדֹת אֶת־הָאֱל׳ Ex. 1:21
לַמְיַלְּדֹת 260 וַיֹּאמֶר... לַמְיַלְּדֹת הָעִבְרִיֹּת Ex. 1:15
261 וַיִּקְרָא מֶלֶךְ־מִצְרַיִם לַמְיַלְּדֹת Ex. 1:18
262 וַיֵּיטֶב אֱלֹהִים לַמְיַלְּדֹת Ex. 1:20
יֻלַּדְתִּי 263 אָרוּר הַיּוֹם אֲשֶׁר יֻלַּדְתִּי בּוֹ Jer. 20:14
יֻלַּד 264 וּלְשֵׁת גַּם־הוּא יֻלַּד־בֵּן Gen. 4:26
265 וּלְשֵׁם יֻלַּד גַּם־הוּא Gen. 10:21
266 וּלְעֵבֶר יֻלַּד שְׁנֵי בָנִים Gen. 10:25
267 אֲשֶׁר יֻלַּד־לוֹ בְּפַדַּן אֲרָם Gen. 35:26
268 בְּנֵי רָחֵל אֲשֶׁר יֻלַּד לְיַעֲקֹב Gen. 46:22
269 וּבְנֵי יוֹסֵף אֲשֶׁר־יֻלַּד־לוֹ בְמִצְ׳ Gen. 46:27
270 בְּשֵׁם דָּן...אֲשֶׁר יוּלַּד לְיִשְׂרָאֵל Jud. 18:29
271 וְגַם־הוּא יֻלַּד לְהָרָפָה IISh. 21:20
272 כִּי־יֶלֶד יֻלַּד־לָנוּ בֵּן נִתַּן־לָנוּ Is. 9:5
273 יֻלַּד־לְךָ בֵּן זָכָר Jer. 20:15
275-274 זֶה יֻלַּד־שָׁם Ps. 87:4, 6
276 וּלְצִיּוֹן יֵאָמַר אִישׁ וְאִישׁ יֻלַּד־בָּהּ Ps. 87:5
277 יֻלַּד־בֵּן לְנָעֳמִי Ruth 4:17
278 וּלְעֵבֶר יֻלַּד שְׁנֵי בָנִים ICh. 1:19
יֻלַּד 279 וּלְיוֹסֵף יֻלַּד שְׁנֵי בָנִים Gen. 41:50
280 כִּי־אָדָם לְעָמָל יוּלָּד Job 5:7
הַיּוּלָּד 281 מַה־נַּעֲשֶׂה לַנַּעַר הַיּוּלָּד Jud. 13:8
יֻלְּדָה 282 אֲשֶׁר יֻלְּדָה לִבְתוּאֵל Gen. 24:15
יֻלַּדְתֶּם 283 אֲשֶׁר לֹא יֻלַּדְתֶּם שָׁם Jer. 22:26
יֻלְּדוּ 284 וּבָנוֹת יֻלְּדוּ לָהֶם Gen. 6:1
285 אֲשֶׁר יֻלְּדוּ־לוֹ בְּאֶרֶץ כְּנָעַן Gen. 36:5
286 יֻלְּדוּ עַל־בִּרְכֵּי יוֹסֵף Gen. 50:23
287 אֵלֶּה יֻלְּדוּ לְדָוִד בְּחֶבְרוֹן IISh. 3:5
288 אֵלֶּה יֻלְּדוּ לְהָרָפָה בְּגַת IISh. 21:22
יֻלָּדוּ 289 בְּטֶרֶם הָרִים יֻלָּדוּ Ps. 90:2
וַיִּתְיַלְדוּ 290 וַיִּתְיַלְדוּ עַל־מִשְׁפְּחֹתָם Num. 1:18
וְהוֹלִיד 291 הָרוֹ עָמָל וְהוֹלִיד אָוֶן Is. 59:4
הוֹלַדְתָּ 292 וּמוֹלַדְתְּךָ אֲשֶׁר־הוֹלַדְתָּ Gen. 48:6
הוֹלִידוֹ 293 אַחֲרֵי הוֹלִידוֹ אֶת־שֵׁת Gen. 5:4
294 אַחֲרֵי הוֹלִידוֹ אֶת־אֱנוֹשׁ Gen. 5:7
309-295 אַחֲרֵי הוֹלִידוֹ אֶת... Gen. 5:10, 13
5:16, 19, 22, 26, 30; 11:11, 13, 15, 17, 19, 21, 23, 25
הוֹלִיד 310 תֶּרַח הוֹלִיד אֶת־אַבְרָם Gen. 11:27
311 וְהָרָן הוֹלִיד אֶת־לוֹט Gen. 11:27
312 אַבְרָהָם הוֹלִיד אֶת־יִצְחָק Gen. 25:19
399-313 (וְ)...הוֹלִיד אֶת... Num. 26:29, 58
Ruth 4:18, 19^2, 20^2, 21^2, 22^2 • Neh. 12:10^2, 11^2 • ICh.
2:10^2, 11^2, 12^2, 13, 18, 20^2, 22, 36^2, 37^2, 38^2; 2:39^2, 40^2,
41^2, 44^2, 46; 4:2^2, 8, 11, 12, 14^2; 5:30^2; 5:31^2, 32, 33^2,
34^2, 35^2, 36, 37, 38^2, 39^2, 40^2; 7:32; 8:1, 11, 32, 33^2, 34,
36^3, 37; 9:38, 39^3, 40, 42^2, 43

הוֹלִיד (המשך) 400 וְהִנֵּה הוֹלִיד בֵּן Ezek. 18:14
401 אוֹ מִי־הוֹלִיד אֶגְלֵי־טָל Job 38:28
402 וְשַׁחֲרַיִם הוֹלִיד בִּשְׂדֵה מוֹאָב ICh. 8:8
וְהוֹלִיד 403 וְהוֹלִיד בֵּן־פָּרִיץ שֹׁפֵךְ דָּם Ezek. 18:10
404 וְהוֹלִיד בֵּן וְאֵין בְּיָדוֹ מְאוּמָה Eccl. 5:13
405 וְהוֹלִיד אֶת־עֻזָּא ICh. 8:7
וְהוֹלִידָהּ 406 הִרְוָה...וְהוֹלִידָהּ וְהִצְמִיחָהּ Is. 55:10
הוֹלִידוּ 407 אֲשֶׁר הוֹלִידוּ בְּאַרְצְכֶם Lev. 25:45
408 אֲשֶׁר הוֹלִדוּ בָנִים בְּתוֹכְכֶם Ezek. 47:22
וְהוֹלִידוּ 409 וְהוֹלִידוּ בָּנִים וּבָנוֹת Jer. 29:6
הַמּוֹלִיד 410 אִם־אֲנִי הַמּוֹלִיד וְעָצָרְתִּי Is. 66:9
הַמּוֹלִדִים 411 וְעַל־אֲבוֹתָם הַמּוֹלִדִים אוֹתָם Jer. 16:3
אוֹלִיד 412 הַאֲנִי אַשְׁבִּיר וְלֹא אוֹלִיד Is. 66:9
תוֹלִיד 413 כִּי־תוֹלִיד בָּנִים וּבְנֵי בָנִים Deut. 4:25
414 בָּנִים וּבָנוֹת תּוֹלִיד Deut. 28:41
415 וּמִבָּנֶיךָ...אֲשֶׁר תּוֹלִיד יִקָּח IIK. 20:18
416 וּמִבָּנֶיךָ...אֲשֶׁר תּוֹלִיד יִקָּחוּ Is. 39:7
417 הוֹי אֹמֵר לְאָב מַה־תּוֹלִיד Is. 45:10
יוֹלִיד 418 שְׁנֵים־עָשָׂר נְשִׂיאִם יוֹלִיד Gen. 17:20
419 אִם־יוֹלִיד אִישׁ מֵאָה Eccl. 6:3
וַיּוֹלֶד 420 וַיּוֹלֶד בִּדְמוּתוֹ כְּצַלְמוֹ Gen. 5:3
421-439 וַיּוֹלֶד בָּנִים וּבָנוֹת Gen. 5:4, 7, 9, 5:10, 13, 16, 19, 22, 26, 30; 11:11, 13, 15, 17, 19, 21, 23, 25 IICh. 24:3
440 וַיּוֹלֶד אֶת־אֱנוֹשׁ Gen. 5:6
441 וַיּוֹלֶד אֶת־קֵינָן Gen. 5:9
442-456 וַיּוֹלֶד אֶת... Gen. 5:12, 15, 18, 5:21, 25, 32; 11:10, 12, 14, 16, 18, 20, 22, 24, 26
457 וַיְחִי לֶמֶךְ...וַיּוֹלֶד בֵּן Gen. 5:28
458 וַיּוֹלֶד נֹחַ שְׁלֹשָׁה בָנִים Gen. 6:10
459 וַיּוֹלֶד גִּלְעָד אֶת־יִפְתָּח Jud. 11:1
460 וַיּוֹלֶד אַבְרָהָם אֶת־יִצְחָק ICh. 1:34
461 וַיּוֹלֶד עֲזַרְיָה אֶת־אֲמַרְיָה ICh. 5:37
462 וַיּוֹלֶד מִן־חֹדֶשׁ אִשְׁתּוֹ... ICh. 8:9
463 וַיּוֹלֶד דָּוִיד עוֹד בָּנִים וּבָנוֹת ICh. 14:3
464 וַיּוֹלֶד עֶשְׂרִים וּשְׁמוֹנָה בָנִים IICh. 11:21
465 וַיּוֹלֶד עֶשְׂרִים וּשְׁנַיִם בָּנִים IICh. 13:21
הֻלֶּדֶת 466 יוֹם הֻלֶּדֶת אֶת־פַּרְעֹה Gen. 40:20
467 וּמוֹלְדוֹתַיִךְ בְּיוֹם הוּלֶּדֶת אוֹתָךְ Ezek. 16:4
468 וַתֻּשְׁלְכִי...בְּיוֹם הֻלֶּדֶת אֹתָךְ Ezek. 16:5

יֶלֶד
ז׳ פרי בטן האשה בגילוי השונים עד הבגרות:
א) תינוק: 4–6, 8–13, 30–37, 41
ב) נער עד גיל הבגרות: 1, 3, 14–29, 38, 40
ג) עלם, בחור: 2, 7, 39, 42
ד) [יְלָדִים] בנים ובנות: 43–45, 48–53, 61, 66, 68–76, 78–84, 87, 88
ה) [כנ״ל] בנים זכרים: 46, 47, 54, 55, 62–64, 67
ו) [כנ״ל] בחורים, צעירים: 56–58, 59, 60, 65
ז) [כנ״ל] ולדות של בעלי־חיים: 77, 85, 86

קרובים: בָּחוּר / בֵּן / וָלָד / יוֹנֵק / יָלוּד / יִלּוֹד / נַעַר / עֲוִיל / עוּל / עוֹלֵל / עֶלֶם / פִּרְחָח

– יֶלֶד זְקֻנִים 42; יֶלֶד חָכָם 2; יֶ׳ מִסְכֵּן 2; יֶלֶד רַךְ 52; יֶלֶד שַׁעֲשֻׁעִים 41
– אֵם הַיֶּלֶד 32; בְּשַׂר הַיֶּלֶד 38; מוֹת הַיֶּלֶד 30; נֶפֶשׁ הַיֶּלֶד 15, 16
– מַרְאֵה הַיְלָדִים 63; עֲצַת הַיְלָדִים 59, 60; שֹׁחֲטֵי הַיְלָדִים 61
– יַלְדֵי זְנוּנִים 70; יַ׳ נָכְרִים 71; יַ׳ הָעִבְרִים 72; יַלְדֵי פֶשַׁע 69

יֶלֶד 1 כִּי־יֶלֶד יֻלַּד־לָנוּ בֵּן נִתַּן־לָנוּ Is. 9:5
2 טוֹב יֶלֶד מִסְכֵּן וְחָכָם Eccl. 4:13
וְיֶלֶד 3 אִישׁ הָרַגְתִּי לְפִצְעִי וְיֶלֶד לְחַבֻּרָתִי Gen. 4:23
הַיֶּלֶד 4 וַיִּגְדַּל הַיֶּלֶד וַיִּגָּמַל Gen. 21:8
5 שָׂם עַל־שִׁכְמָהּ וְאֶת־הַיֶּלֶד Gen. 21:14
6 וַתַּשְׁלֵךְ אֶת־הַיֶּלֶד Gen. 21:15
7 הַיֶּלֶד אֵינֶנּוּ וַאֲנִי אָנָה אֲנִי־בָא Gen. 37:30
8 וַתָּשֶׂם בָּהּ אֶת־הַיֶּלֶד Ex. 2:3
9 וַתִּפְתַּח וַתִּרְאֵהוּ אֶת־הַיֶּלֶד Ex. 2:6
10 הֵילִיכִי אֶת־הַיֶּלֶד הַזֶּה Ex. 2:9
11 וַתִּקַּח הָאִשָּׁה הַיֶּלֶד וַתְּנִיקֵהוּ Ex. 2:9
12 וַיִּגְדַּל הַיֶּלֶד וַתְּבִאֵהוּ לְבַת־פַּרְעֹה Ex. 2:10
13 גִּזְרוּ אֶת־הַיֶּלֶד הַחַי IK. 3:25
14 וַיִּתְמֹדֵד עַל־הַיֶּלֶד שָׁלֹשׁ פְּעָמִים IK. 17:21
15 תָּשָׁב־נָא נֶפֶשׁ־הַיֶּלֶד הַזֶּה IK. 17:21
16 וַתָּשָׁב נֶפֶשׁ־הַיֶּלֶד עַל־קִרְבּוֹ IK. 17:22
17 וַיִּתְּנוּ הַיֶּלֶד בַּזּוֹנָה Joel 4:3
18-29 הַיֶּלֶד IISh. 12:15, 18[3], 19, 21[2], 22 IK. 17:23 • IIK. 4:34 • Ruth 4:16 • Eccl. 4:15
הַיָּלֶד 30 אַל־אֶרְאֶה בְּמוֹת הַיָּלֶד Gen. 21:16
31 וְתֵינִק לָךְ אֶת־הַיָּלֶד Ex. 2:7
32 וַתִּקְרָא אֶת־אֵם הַיָּלֶד Ex. 2:8
33 וַיְהִי בַּיּוֹם הַשְּׁבִיעִי וַיָּמָת הַיָּלֶד IISh. 12:18
34 וַיָּבֶן דָּוִד כִּי מֵת הַיָּלֶד IISh. 12:19
35 וְחַנַּנִי יְיָ וְחַי הַיָּלֶד IISh. 12:22
36 בְּבֹאָה רַגְלַיִךְ הָעִירָה וּמֵת הַיָּלֶד IK. 14:12
37 וַיִּגְדַּל הַיָּלֶד IIK. 4:18
38 וַיָּחָם בְּשַׂר הַיָּלֶד IIK. 4:34
בַּיֶּלֶד 39 אַל־תֶּחֶטְאוּ בַיֶּלֶד Gen. 42:22
לַיֶּלֶד 40 הֲשָׁלוֹם לְאִישֵׁךְ הֲשָׁלוֹם לַיָּלֶד IIK. 4:26
יֶלֶד־ 41 הֲבֵן...אִם יֶלֶד שַׁעֲשֻׁעִים Jer. 31:20(19)
וְיֶלֶד־ 42 וְיֶלֶד זְקֻנִים קָטָן Gen. 44:20
יְלָדִים 43/4 לִפְנִנָּה יְלָדִים וּלְחַנָּה אֵין יְלָדִים ISh. 1:2
45 וַתְּבַקַּעְנָה מֵהֶם אַרְבָּעִים וּשְׁנֵי יְלָדִים IIK. 2:24
46 יְלָדִים וִילָדוֹת מְשַׂחֲקִים Zech. 8:5
47 יְלָדִים אֲשֶׁר אֵין בָּהֶם כָּל־מְאוּם Dan. 1:4
וִילָדִים 48 אֲנָשִׁים וְנָשִׁים וִילָדִים Ez. 10:1
הַיְלָדִים 49 וַיַּחַץ אֶת־הַיְלָדִים עַל־לֵאָה... Gen. 33:1
50 וַיַּרְא אֶת־הַנָּשִׁים וְאֶת־הַיְלָדִים Gen. 33:5
51 הַיְלָדִים אֲשֶׁר חָנַן אֱ׳ אֶת־עַבְדֶּךָ Gen. 33:5
52 אֲדֹנִי יֹדֵעַ כִּי־הַיְלָדִים רַכִּים Gen. 33:13
53 לְרֶגֶל הַמְּלָאכָה...וּלְרֶגֶל הַיְלָדִים Gen. 33:14
54/5 וַתְּחַיֶּיןָ אֶת־הַיְלָדִים Ex. 1:17, 18
56/7 וַיִּוָּעַץ אֶת־הַיְלָדִים IK. 12:8 • IICh. 10:8
58 וַיְדַבְּרוּ אֵלָיו הַיְלָדִים IK. 12:10
59/60 וַיְדַבֵּר...כַּעֲצַת הַיְלָדִים IK. 12:14 • IICh. 10:14
61 שֹׁחֲטֵי הַיְלָדִים בַּנְּחָלִים Is. 57:5
62 מִן־הַיְלָדִים אֲשֶׁר כְּגִילְכֶם Dan. 1:10
63 וּמַרְאֵה הַיְלָדִים הָאֹכְלִים Dan. 1:13
64 מִן־כָּל־הַיְלָדִים הָאֹכְלִים Dan. 1:15
65 וַיְדַבְּרוּ אִתּוֹ הַיְלָדִים IICh. 10:10
וְהַיְלָדִים 66 אָנֹכִי וְהַיְלָדִים אֲשֶׁר נָתַן־לִי יְיָ Is. 8:18
67 וְהַיְלָדִים הָאֵלֶּה אַרְבַּעְתָּם Dan. 1:17
68 וְגַם הַנָּשִׁים וְהַיְלָדִים שָׂמֵחוּ Neh. 12:43
יַלְדֵי־ 69 יַלְדֵי־פֶשַׁע זֶרַע שָׁקֶר Is. 57:4
וְיַלְדֵי־ 70 אֵשֶׁת זְנוּנִים וְיַלְדֵי זְנוּנִים Hosh. 1:2
וּבְיַלְדֵי־ 71 וּבְיַלְדֵי נָכְרִים יַשְׂפִּיקוּ Is. 2:6
מִיַּלְדֵי־ 72 מִיַּלְדֵי הָעִבְרִים זֶה Ex. 2:6
יְלָדַי 73 תְּנָה אֶת־נָשַׁי וְאֶת־יְלָדַי Gen. 30:26
74 לָקַחַת אֶת־שְׁנֵי יְלָדַי לוֹ לַעֲבָדִים IIK. 4:1
יְלָדָיו 75 וְאֶת־אַחַד עָשָׂר יְלָדָיו Gen. 32:23
76 בִרְאֹתוֹ יְלָדָיו מַעֲשֵׂה יָדַי Is. 29:23

77 כִּי־יְלָדָו אֶל־אֵל יְשַׁוֵּעוּ Job 38:41
יְלָדֶיהָ 78 וְנָגְפוּ אִשָּׁה הָרָה וְיָצְאוּ יְלָדֶיהָ Ex. 21:22
79 וַתִּשָּׁאֵר...מִשְּׁנֵי יְלָדֶיהָ וּמֵאִישָׁהּ Ruth 1:5
וִילָדֶיהָ 80 וְאֶת־לֵאָה וִילָדֶיהָ אַחֲרֹנִים Gen. 33:2
81 וַתִּגַּשׁ גַּם־לֵאָה וִילָדֶיהָ Gen. 33:7
82 הָאִשָּׁה וִילָדֶיהָ תִּהְיֶה לַאדֹנֶיהָ Ex. 21:4
וְיַלְדֵיהֶם 83 כַּצֹּאן עֲוִילֵיהֶם וְיַלְדֵיהֶם יְרַקֵּדוּן Job 21:11
יַלְדֵיהֶן 84 וְאֶת־יַלְדֵיהֶן רִאשֹׁנָה Gen. 33:2
85 יַחְדָּו יִרְבְּצוּ יַלְדֵיהֶן Is. 11:7
86 תִּכְרַעְנָה יַלְדֵיהֶן תְּפַלַּחְנָה Job 39:3
87 יְדֵי נָשִׁים רַחֲמָנִיּוֹת בִּשְּׁלוּ יַלְדֵיהֶן Lam. 4:10
וְיַלְדֵיהֶן 88 וַתִּגַּשְׁןָ הַשְּׁפָחוֹת הֵנָּה וְיַלְדֵיהֶן Gen. 33:6

יַלְדָּה
נ׳ א) בת קטנה: 2, 3
ב) נערה, בתולה: 1

קרובים: בַּת / בְּתוּלָה / נַעֲרָה / עַלְמָה

הַיַּלְדָּה 1 קַח־לִי אֶת־הַיַּלְדָּה הַזֹּאת לְאִשָּׁה Gen. 34:4
וְהַיַּלְדָּה 2 וְהַיַּלְדָּה מָכְרוּ בַיַּיִן וַיִּשְׁתּוּ Joel 4:3
וִילָדוֹת 3 וּרְחֹבוֹת הָעִיר יִמָּלְאוּ יְלָדִים וִילָדוֹת Zech. 8:5

יַלְדוּת
נ׳ גיל הנעורים: 1–3 • טַל יַלְדוּת 2

הַיַּלְדוּת 1 כִּי־הַיַּלְדוּת וְהַשַּׁחֲרוּת הָבֶל Eccl. 11:10
יַלְדֻתֶךָ 2 מֵרֶחֶם מִשְׁחָר לְךָ טַל יַלְדֻתֶךָ Ps. 110:3
בְּיַלְדוּתֶךָ 3 שְׂמַח בָּחוּר בְּיַלְדוּתֶךָ Eccl. 11:9

יִלּוֹד
ת׳ נולד: 1–5

הַיִּלּוֹד 1 כָּל־הַבֵּן הַיִּלּוֹד הַיְאֹרָה תַּשְׁלִיכֻהוּ Ex. 1:22
2 גַּם הַבֵּן הַיִּלּוֹד לְךָ מוֹת יָמוּת IISh. 12:14
הַיִּלּוֹדִים 3 וְכָל־הָעָם הַיִּלֹּדִים בַּמִּדְבָּר Josh. 5:5
4 הַיִּלֹּדִים לוֹ בִּירוּשָׁלָםִ IISh. 5:14
5 עַל־הַבָּנִים...הַיִּלּוֹדִים בַּמָּקוֹם הַזֶּה Jer. 16:3

יָלוּד
תו״א א) ילד: 1, 2, 6 ב) שנולד: 3–5
קרובים: ראה יֶלֶד • יְלוּד אִשָּׁה 3–5

הַיָּלוּד 1-2 תְּנוּ־לָהּ אֶת־הַיָּלוּד הַחַי IK. 3:26, 27
יְלוּד־ 3 אָדָם יְלוּד אִשָּׁה קְצַר יָמִים וּשְׂבַע־רֹגֶז Job 14:1
4 וְכִי־יִצְדַּק יְלוּד אִשָּׁה Job 15:14
5 וּמַה־יִּזְכֶּה יְלוּד אִשָּׁה Job 25:4
הַיְּלוּדִים 6 שְׁמוֹת הַיְּלוּדִים אֲשֶׁר־הָיוּ־לוֹ... ICh. 14:4

יָלוֹן
שפ״ז – איש מצאצאי כָּלֵב בן יפונה

וְיָלוֹן 1 וּבֶן־עֶזְרָה יֶתֶר...וְיָלוֹן ICh. 4:17

יָלִיד*
ז׳ א) ילוד, בן: 8–13
ב) [יְלִיד בַּיִת] בן שנולד לשפחה בבית אדוניה: 1–7

יְלִיד בַּיִת 1–7; יְלִידֵי הָעֲנָק 8–10; יְ׳ הָרְפָאִים 13; יְלִידֵי הָרָפָה 11, 12

יְלִיד־ 1-2 יְלִיד בָּיִת וּמִקְנַת־כֶּסֶף Gen. 17:12, 27
3 יְלִיד בֵּיתְךָ וּמִקְנַת כַּסְפֶּךָ Gen. 17:13
4 הַעֶבֶד יִשְׂרָאֵל אִם־יְלִיד בַּיִת הוּא Jer. 2:14
וִילִיד־ 5 קִנְיַן כַּסְפּוֹ...וִילִיד בֵּיתוֹ Lev. 22:11
יְלִידֵי־ 6 וַיָּרֶק אֶת־חֲנִיכָיו יְלִידֵי בֵיתוֹ Gen. 14:14
7 וְאֵת כָּל־יְלִידֵי בֵיתוֹ... Gen. 17:23
8 וְשָׁם אֲחִימַן...יְלִידֵי הָעֲנָק Num. 13:22
9 וְגַם־יְלִדֵי הָעֲנָק רָאִינוּ שָׁם Num. 13:28
10 אֶת־שֵׁשַׁי...יְלִידֵי הָעֲנָק Josh. 15:14
בִּילִידֵי־ 11 וְיִשְׁבִּי בְּנֹב אֲשֶׁר בִּילִידֵי הָרָפָה IISh. 21:16
12 אֶת־סַף אֲשֶׁר בִּילִדֵי הָרָפָה IISh. 21:18
מִילִידֵי־ 13 אֶת־סִפַּי מִילִדֵי הָרְפָאִים ICh. 20:4

ילך
פ׳ – עין הלך

ילל : הֵילִיל, הֵילֵל (?); יְלֵל, יְלָלָה

(ילל) הֵילִיל הפ׳ זעק, ספד מרה: 1–27

קרובים: אָנָה / אָנַח / אָנַק / בָּכָה / התיפח (יפח) / נָהָה / סָפַד / צָוַח / צָעַק / קוֹנֵן

וְהֵילִיל 1 וְהֵילִל כֹּל יוֹשֵׁב הָאָרֶץ Jer. 47:2
אֵילִיל 2 עַל־כֵּן עַל־מוֹאָב אֵילִיל Jer. 48:31
וְאֵילִילָה 3 עַל־זֹאת אֶסְפְּדָה וְאֵילִילָה Mic. 1:8
יְיֵלִיל 4 עַל־נְבוֹ...מוֹאָב יְיֵלִיל Is. 15:2
5 כֻּלֹּה יְיֵלִיל יֹרֵד בַּבֶּכִי Is. 15:3
6 לָכֵן יְיֵלִיל מוֹאָב Is. 16:7
7 לְמוֹאָב כֻּלֹּה יְיֵלִיל Is. 16:7
תְּיֵלִילוּ 8 וּמִשֵּׁבֶר רוּחַ תְּיֵלִילוּ Is. 65:14
יְיֵלִילוּ 9 יְיֵלִילוּ עַל־מִשְׁכְּבוֹתָם Hosh. 7:14
יְהֵילִילוּ 10 מֹשְׁלָו יְהֵילִילוּ Is. 52:5
הֵילֵל 11 הֵילֵל בְּרוֹשׁ כִּי־נָפַל אֶרֶז Zech. 11:2
וְהֵילֵל 12 זְעַק וְהֵילֵל בֶּן־אָדָם Ezek. 21:17
הֵילִילִי 13 הֵילִילִי שַׁעַר זַעֲקִי־עִיר Is. 14:31
14 הֵילִילִי...צְעַקְנָה בְּנוֹת רַבָּה Jer. 49:3
הֵילִילוּ 15 הֵילִילוּ כִּי קָרוֹב יוֹם יְיָ Is. 13:6
17-16 הֵילִילוּ אֳנִיּוֹת תַּרְשִׁישׁ Is. 23:1, 14
18 הֵילִילוּ יֹשְׁבֵי אִי Is. 23:6
19 הֵילִילוּ הָרֹעִים וְזַעֲקוּ Jer. 25:34
20 הֹבִישׁ מוֹאָב...הֵילִילוּ (כ׳ הילילי) Jer. 48:20
21 אֵיךְ חַתָּה הֵילִילוּ Jer. 48:39
22 פִּתְאֹם נָפְלָה...הֵילִילוּ עָלֶיהָ Jer. 51:8
23 הֵילִילוּ הָהּ לַיּוֹם Ezek. 30:2
24 הֹבִישׁוּ אִכָּרִים הֵילִילוּ כֹּרְמִים Joel 1:11
25 ...הֵילִילוּ מְשָׁרְתֵי מִזְבֵּחַ Joel 1:13
26 הֵילִילוּ יֹשְׁבֵי הַמַּכְתֵּשׁ Zep. 1:11
27 הֵילִילוּ אַלּוֹנֵי בָשָׁן Zech. 11:2

יְלֵל ז׳ זעקה, אנחה • קרובים: ראה יְלָלָה

יְלֵל־ 1...וּבְתֹהוּ יְלֵל יְשִׁמֹן Deut. 32:10

יְלָלָה נ׳ זעקה מרה, בְּכִי: 1–5

קרובים: אֲנָחָה / אֲנָקָה / בְּכִי / בְּכִית / יְלֵל / מִסְפֵּד / נְהִי / צְוָחָה / צְעָקָה / קִינָה / שַׁוְעָה

יִלְלַת אַדִּירִים 3; יִלְלַת הָרֹעִים 2

וִילָלָה 1 קוֹל צְעָקָה...וִילָלָה מִן־הַמִּשְׁנֶה Zep. 1:10
יִלְלַת־ 2 קוֹל יִלְלַת הָרֹעִים... Zech. 11:3
וִילְלַת־ 3 וִילְלַת אַדִּירֵי הַצֹּאן Jer. 25:36
יִלְלָתָהּ 4 עַד אֶגְלַיִם יִלְלָתָהּ Is. 15:8
5 וּבְאֵר אֵילִים יִלְלָתָהּ Is. 15:8

יָלַע (משלי כ25) – עין לעע

יַלֶּפֶת נ׳ ממיני הצרעת בעור: 1, 2

יַלֶּפֶת 2-1 אוֹ גָרָב אוֹ יַלֶּפֶת Lev. 21:20; 22:22

יֶלֶק ז׳ אחד מגלגולי הארבה: 1–9 • קרובים: ראה אַרְבֶּה

יֶלֶק 1 יֶלֶק פָּשַׁט וַיָּעֹף Nah. 3:16
וְיֶלֶק 2 וְיֶלֶק וְאֵין מִסְפָּר Ps. 105:34
הַיָּלֶק 3 וְיֶתֶר הַיֶּלֶק אָכַל הֶחָסִיל Joel 1:4
4 הָאַרְבֶּה הַיֶּלֶק וְהֶחָסִיל וְהַגָּזָם Joel 2:25
הַיָּלֶק 5 וְיֶתֶר הָאַרְבֶּה אָכַל הַיָּלֶק Joel 1:4
כַּיֶּלֶק 6 כִּי אִם־מִלֵּאתִיךְ אָדָם כַּיֶּלֶק Jer. 51:14
7 הִתְכַּבֵּד כַּיֶּלֶק הִתְכַּבְּדִי כָּאַרְבֶּה Nah. 3:15
כַּיָּלֶק 8 תַּכְרִיתֵךְ חֶרֶב תֹּאכְלֵךְ כַּיָּלֶק Nah. 3:15
כְּיֶלֶק 9 הַעֲלוּ־סוּס כְּיֶלֶק סָמָר Jer. 51:27

יִלְק (שופטים ז5) – עין לקק

יַלְקוּט ז׳ תרמיל, שק קטן

קרובים: אַמְתַּחַת / חָרִיט / כִּיס / צְרוֹר / שַׂק

וּבַיַּלְקוּט 1 בִּכְלִי הָרֹעִים אֲשֶׁר לוֹ וּבַיַּלְקוּט ISh. 17:40

יָם ז׳ א) מקוה מים טבעי גדול מאוד: 2, 3, 17, 19–145, 148–152, 154–200, 202–234, 242–249, 253–270, 272, 274–297, 362–392

ב) [בהשאלה] צד מערב: 1, 4–16, 18, 146, 147, 153, 235–241, 250–252, 298–361

ג) כנוי לכיור הגדול שבנה שלמה במקדש: 112–124, 201, 268, 271, 273

קרובים: אֲגַם / בְּרֵכָה / תְּהוֹם

– הַיָּם הָאַחֲרוֹן 99, 101, 159, 174; הַיָּם הַגָּדוֹל 12, 96, 97, 102, 103, 148–152, 182, 195, 196; יָם נִגְרָשׁ 226; הַיָּם הַקַּדְמוֹנִי 154, 158, 173

– אַחֲרִית יָם 43; אִיֵּי הַיָּם 128, 130, 191; אֳנִיּוֹת הַיָּם 142; אֲפִיקֵי יָם 17; בָּמֳתֵי יָם 46; גַּאֲוַת הַיָּם 178; גְּבוּל יָם 12–15; גַּלֵּי הַיָּם 132; דְּגֵי הַיָּם 59, 94, 144, 157, 169, 170, 175, 187; דְּגַת הַיָּם 57, 58; דֶּרֶךְ יָם 18, 126, 146, 212, 224; הֲמוֹן יָם 27; חֶבֶל הַיָּם 171, 172; חוֹבְלֵי הַיָּם 143; חוֹל הַיָּם 61, 62, 127, 136, 156; חוֹף הַיָּם 98, 103, 137, 139; חֵיל יָם 32; יוֹדְעֵי יָם 52, 125; יוֹרְדֵי הַיָּם 131, 183; כֶּתֶף יָם 256; לֶב־יָם 2, 44, 45; לְשׁוֹן יָם 105, 266, 269; מְבוֹאוֹת יָם 29; מִדְבַּר יָם 21; מֵי הַיָּם 93, 160, 161, 176, 281, 282; מִנִּי יָם 47, 48; מָעוֹז הַיָּם 23, 129; מַעֲמַקֵּי יָם 26; מְצוּלוֹת יָם 31, 36; מִשְׁבְּרֵי יָם 41; נִבְכֵי יָם 50; נַהֲמַת יָם 19; נְשִׂיאֵי הַיָּם 141; עֵבֶר הַיָּם 100, 135; עוֹבֵר יָם 22; פְּאַת יָם 4–11; קִדְמַת הַיָּם 145; קְצֵה יָם (55), 255, 263, 264; קַרְקַע הַיָּם 162; רוּחַ יָם 1, 147; שְׂפַת הַיָּם 60, 92, 104, 107–109, 194; שָׁרְשֵׁי הַיָּם 189

– יַם יַעְזֵר 270; יָם יָפוֹ(א) 272, 274; יָם כִּנְּרוֹת 262; יָם כִּנֶּרֶת 256, 263; יָם הַמֶּלַח 253, 255, 257, 264–266; יָם מִצְרַיִם 269; יָם הָעֲרָבָה 258–261, 267; יָם הַנְּחֹשֶׁת 268, 271, 273; יַם־סוּף 275–297, 299; יָם פְּלִשְׁתִּים 254

– אָרְחוֹת יַמִּים 376; חוֹל יַמִּים 368, 381, 382; חוֹף יַמִּים 364, 366; לֵב יַמִּים 369–374, 378; לְבַב יַמִּים 375; שְׁאוֹן יַ׳ 379; שֶׁפַע יַמִּים 365

– מֵעֵבֶר לַיָּם 230, 234; מִיָּם עַד יָם 30, 34, 37; יָמָּה 298–361

יָם 1 וַיַּהֲפֹךְ יְיָ רוּחַ־יָם Ex. 10:19
2 קָפְאוּ תְהֹמֹת בְּלֶב־יָם Ex. 15:8
3 נָשַׁפְתָּ בְרוּחֲךָ כִּסָּמוֹ יָם Ex. 15:10
4 וְרֹחַב הֶחָצֵר לִפְאַת־יָם Ex. 27:12
5-11 (וּפ־/לִפְ־/מ) פְּאַת־יָם Ex. 38:12
Num. 35:5 • Josh. 18:14[2] • Ezek. 45:7, 20[2]
12 וּגְבוּל יָם...לָכֶם הַיָּם הַגָּדוֹל Num. 34:6
13-15 (וּ/מ) גְּבוּל יָם Num. 34:6
Josh. 15:12 • Ezek. 47:7
16 יָם וְדָרוֹם יְרָשָׁה Deut. 33:23
17 וַיֵּרָאוּ אֲפִקֵי יָם IISh. 22:16
18 עֲלֵה־נָא הַבֵּט דֶּרֶךְ־יָם IK. 18:43
19 וְיִנְהֹם עָלָיו...כְּנַהֲמַת־יָם Is. 5:30
20 שְׁלֻחוֹתֶיהָ נִטְּשׁוּ עָבְרוּ יָם Is. 16:8
21 מַשָּׂא מִדְבַּר־יָם Is. 21:1
22 סֹחֵר צִידוֹן עֹבֵר יָם מִלְאוּךְ Is. 23:2
23 כִּי־אָמַר יָם מָעוֹז הַיָּם Is. 23:4
24 הֵן בְּגַעֲרָתִי אַחֲרִיב יָם Is. 50:2
25 הַמַּחֲרֶבֶת יָם מֵי תְּהוֹם רַבָּה Is. 51:10
26 מַעֲמַקֵּי־יָם דֶּרֶךְ לַעֲבֹר גְּאוּלִים Is. 51:10
27 כִּי־יֵהָפֵךְ עָלַיִךְ הֲמוֹן יָם Is. 60:5
28 נְטִישֹׁתַיִךְ עָבְרוּ יָם Jer. 48:32

יָם (המשך) 29 הַיֹּשֶׁבֶת° עַל־מְבוֹאֹת יָם Ezek. 27:3
30 וְנָעוּ מִיָּם עַד־יָם Am. 8:12
31 וְתַשְׁלִיךְ בִּמְצֻלוֹת יָם כָּל־חַטֹּאתָם Mic. 7:19
32 אֲשֶׁר־חֵיל יָם מִיָּם חוֹמָתָהּ Nah. 3:8
33 כַּמַּיִם יְכַסּוּ עַל־יָם Hab. 2:14
34 וּמָשְׁלוֹ מִיָּם עַד־יָם Zech. 9:10
35 הָפַךְ יָם לְיַבָּשָׁה Ps. 66:6
36 אָשִׁיב מִמְּצֻלוֹת יָם Ps. 68:23
37 וְיֵרְדְּ מִיָּם עַד־יָם Ps. 72:8
38 אַתָּה פוֹרַרְתָּ בְעָזְּךָ יָם Ps. 74:13
39 בָּקַע יָם וַיַּעֲבִירֵם Ps. 788:13
40 תְּשַׁלַּח קְצִירֶהָ עַד־יָם Ps. 80:12
41 אַדִּירִים מִשְׁבְּרֵי־יָם Ps. 93:4
42 וַיַּמְרוּ עַל־יָם בְּיַם־סוּף Ps. 106:7
43 אֶשְׁכְּנָה בְּאַחֲרִית יָם Ps. 139:9
44 וְהָיִיתָ כְּשֹׁכֵב בְּלֶב־יָם Prov. 23:34
45 דֶּרֶךְ־אֳנִיָּה בְלֶב־יָם Prov. 30:19
46 וְדוֹרֵךְ עַל־בָּמֳתֵי יָם Job 9:8
47 וּרְחָבָה מִנִּי־יָם Job 11:9
48 אָזְלוּ־מַיִם מִנִּי־יָם Job 14:11
49 וַיָּסֶךְ בִּדְלָתַיִם יָם Job 38:8
50 הֲבָאתָ עַד־נִבְכֵי־יָם Job 38:16
51 יָם יָשִׂים כַּמֶּרְקָחָה Job 41:23
52 אֳנִיּוֹת° וַעֲבָדִים יוֹדְעֵי יָם IICh. 8:18
הֲיָם 53 הֲיָם־אָנִי אִם־תַּנִּין Job 7:12
וְיָם 54 וְיָם מִיָּם וְהַר הָהָר Mic. 7:12
55 כָּל־קַצְוֵי־אֶרֶץ וְיָם רְחֹקִים Ps. 65:6
56 וְיָם אָמַר אֵין עִמָּדִי Job 28:14
הַיָּם 57 וְיִרְדּוּ בִדְגַת הַיָּם Gen. 1:26
58 וּרְדוּ בִּדְגַת הַיָּם Gen. 1:28
59 וּבְכָל־דְּגֵי הַיָּם בְּיֶדְכֶם נִתָּנוּ Gen. 9:2
60 וְכַחוֹל אֲשֶׁר עַל־שְׂפַת הַיָּם Gen. 22:17
61 וְשַׂמְתִּי אֶת־זַרְעֲךָ כְּחוֹל הַיָּם Gen. 32:12
62 וַיִּצְבֹּר יוֹסֵף בָּר כְּחוֹל הַיָּם Gen. 41:49
63 בֵּין מִגְדֹּל וּבֵין הַיָּם... Ex. 14:2
64 נֹכְחוֹ תַחֲנוּ עַל־הַיָּם Ex. 14:2
65-90 (עַל־, בְּתוֹךְ־, אֶל־, תּוֹךְ, אֶת־) הַיָּם
Ex. 14:9, 16[2], 21[2], 22, 23, 26, 27[2], 29; 15:19; 20:11 • Num. 13:29; 33:8 • Josh. 5:1; 24:7 • Is. 10:26; 23:11 • Ezek. 26:5; 27:32 • Jon. 1:4, 5, 9, 15 • Hag. 2:6
91 וַיָּשָׁב הַיָּם לִפְנוֹת בֹּקֶר לְאֵיתָנוֹ Ex. 14:27
92 וַיַּרְא...מֵת עַל־שְׂפַת הַיָּם Ex. 14:30
93 וַיָּשֶׁב יְיָ עֲלֵהֶם אֶת־מֵי הַיָּם Ex. 15:19
94 אִם אֶת־כָּל־דְּגֵי הַיָּם יֵאָסֵף לָהֶם Num. 11:22
95 וַיָּגָז שַׂלְוִים מִן־הַיָּם Num. 11:31
96 וְהָיָה לָכֶם הַיָּם הַגָּדוֹל וּגְבוּל Num. 34:6
97 מִן־הַיָּם הַגָּדֹל תְּתָאוּ לָכֶם Num. 34:7
98 וּבַשְּׁפֵלָה וּבַנֶּגֶב וּבְחוֹף הַיָּם Deut. 1:7
99 וְעַד הַיָּם הָאַחֲרוֹן יִהְיֶה גְּבֻלְכֶם Deut. 11:24
100 מִי יַעֲבָר־לָנוּ אֶל־עֵבֶר הַיָּם Deut. 30:13
101 עַד הַיָּם הָאַחֲרוֹן Deut. 34:2
102 וְעַד־הַיָּם הַגָּדוֹל מְבוֹא הַשָּׁמֶשׁ Josh. 1:4
103 וּבְכֹל חוֹף הַיָּם הַגָּדוֹל Josh. 9:1
104 כַּחוֹל אֲשֶׁר עַל־שְׂפַת־הַיָּם לָרֹב Josh. 11:4
105 לִפְאַת צָפוֹנָה מִלְּשׁוֹן הַיָּם Josh. 15:5
106 וַיְהִי הַיָּם גְּבוּלוֹ Josh. 17:10
107-109 כַּחוֹל שֶׁ(אֲשֶׁר) עַל־שְׂפַת הַיָּם (לָרֹב)
Jud. 7:12 • ISh. 13:5 • IK. 5:9
110/1 כַּחוֹל אֲשֶׁר־עַל־הַיָּם לָרֹב IISh. 17:11
IK. 4:20
112 וַיַּעַשׂ אֶת־הַיָּם מוּצָק IK. 7:23

הַיָּם (המשך)

113 מַקִּפִים אֶת־הַיָּם סָבִיב IK.7:24
114-124 הַיָּם IK.7:39,44² • IIK.16:17
25:16 • Jer.27:19; 52:20 • IICh.4:2,3,10,15
125 אַנְשֵׁי אֳנִיּוֹת יֹדְעֵי הַיָּם IK.9:27
126 דֶּרֶךְ הַיָּם עֵבֶר הַיַּרְדֵּן Is.8:23
127 כִּי אִם־יִהְיֶה...כְּחוֹל הַיָּם Is.10:22
128 ...וּמֵחֲמָת וּמֵאִיֵּי הַיָּם Is.11:11
129 כִּי־אָמַר יָם מָעוֹז הַיָּם Is.23:4
130 בָּאֻרִים כַּבְּדוּ יְיָ בְּאִיֵּי הַיָּם Is.24:15
131 יוֹרְדֵי הַיָּם וּמְלֹאוֹ Is.42:10
132 וְצִדְקָתְךָ כְּגַלֵּי הַיָּם Is.48:18
133/4 רֹגַע הַיָּם וַיֶּהֱמוּ גַּלָּיו Is.51:15
Jer.31:35(34)
135 מַלְכֵי הָאִי אֲשֶׁר בְּעֵבֶר הַיָּם Jer.25:22
136 ...וְלֹא יִמַּד חוֹל הַיָּם Jer.33:22
137 אֶל־אַשְׁקְלוֹן וְאֶל־חוֹף הַיָּם Jer.47:7
138 עָלָה עַל־בָּבֶל הַיָּם... Jer.51:42
139 וְהַאֲבַדְתִּי אֶת־שְׁאֵרִית חוֹף הַיָּם Ezek.25:16
140 כְּהַעֲלוֹת הַיָּם לְגַלָּיו Ezek.26:3
141 וְיָרְדוּ...כֹּל נְשִׂיאֵי הַיָּם Ezek.26:16
142 כָּל־אֳנִיּוֹת הַיָּם וּמַלָּחֵיהֶם Ezek.27:9
143 מַלָּחִים כֹּל חֹבְלֵי הַיָּם Ezek.27:29
144 וְרָעֲשׁוּ מִפָּנַי דְּגֵי הַיָּם Ezek.38:20
145 גֵּי הָעֹבְרִים קִדְמַת הַיָּם Ezek.39:11
146 ...פְּאַת דֶּרֶךְ־הַיָּם Ezek.41:12
147 סָבַב אֶל־רוּחַ הַיָּם Ezek.42:19
148 כִּדְגַת הַיָּם הַגָּדוֹל Ezek.47:10
149-152 הַיָּם הַגָּדוֹל Ezek.47:15,19,20; 48:28
153 וְהָיָה גְבוּל מִן־הַיָּם... Ezek.47:17
154 מִגְּבוּל עַל־הַיָּם הַקַּדְמוֹנִי Ezek.47:18
155 וְהָיוּ־לוֹ פְאַת־קָדִים הַיָּם Ezek.48:1
156 כְּחוֹל הַיָּם אֲשֶׁר לֹא־יִמַּד Hosh.2:1
157 וְגַם־דְּגֵי הַיָּם יֵאָסֵפוּ Hosh.4:3
158 וְהִדַּחְתִּיו...אֶל־הַיָּם הַקַּדְמֹנִי Joel 2:20
159 וְסֹפוֹ אֶל־הַיָּם הָאַחֲרוֹן Joel 2:20
160/1 הַקּ(וֹ)רֵא לְמֵי־הַיָּם וַיִּשְׁפְּכֵם Am.5:8; 9:6
162 וְאִם־יִסָּתְרוּ...בְּקַרְקַע הַיָּם Am.9:3
163 מַה־נַּעֲשֶׂה...וְיִשְׁתֹּק הַיָּם מֵעָלֵינוּ Jon.1:11
164 כִּי הַיָּם הוֹלֵךְ וְסֹעֵר Jon.1:11
165 שָׂאוּנִי וַהֲטִילֻנִי אֶל־הַיָּם Jon.1:12
166 וְיִשְׁתֹּק הַיָּם מֵעֲלֵיכֶם Jon.1:12
167 כִּי הַיָּם הוֹלֵךְ וְסֹעֵר עֲלֵיכֶם Jon.1:13
168 וַיַּעֲמֹד הַיָּם מִזַּעְפּוֹ Jon.1:15
169 וַתַּעֲשֶׂה אָדָם כִּדְגֵי הַיָּם Hab.1:14
170 אָסֵף עוֹף־הַשָּׁמַיִם וּדְגֵי הַיָּם Zep.1:3
171 הוֹי יֹשְׁבֵי חֶבֶל הַיָּם Zep.2:5
172 וְהָיְתָה חֶבֶל הַיָּם נְוֹת כְּרֹת רֹעִים Zep.2:6
173 וְחֶצְיָם אֶל־הַיָּם הַקַּדְמוֹנִי Zech.14:8
174 וְחֶצְיָם אֶל־הַיָּם הָאַחֲרוֹן Zech.14:8
175 צִפּוֹר שָׁמַיִם וּדְגֵי הַיָּם Ps.8:9
176 כֹּנֵס כַּנֵּד מֵי הַיָּם Ps.33:7
177 וְאֶת־אוֹיְבֵיהֶם כִּסָּה הַיָּם Ps.78:53
178 אַתָּה מוֹשֵׁל בְּגֵאוּת הַיָּם Ps.89:10
179 אֲשֶׁר־לוֹ הַיָּם וְהוּא עָשָׂהוּ Ps.95:5
180/1 יִרְעַם הַיָּם וּמְלֹאוֹ Ps.96:11; 98:7
182 זֶה הַיָּם גָּדוֹל וּרְחַב יָדָיִם Ps.104:25
183 יוֹרְדֵי הַיָּם בָּאֳנִיּוֹת Ps.107:23
184 הַיָּם רָאָה וַיָּנֹס Ps.114:3
185 מַה־לְּךָ הַיָּם כִּי תָנוּס Ps.114:5
186 אֶת־הַיָּם וְאֶת־כָּל־אֲשֶׁר־בָּם Ps.146:6
187 וִיסַפְּרוּ לְךָ דְּגֵי הַיָּם Job 12:8
188 בְּכֹחוֹ רָגַע הַיָּם Job 26:12

הַיָּם (המשך)

189 וְשָׁרְשֵׁי הַיָּם כִּסָּה Job 36:30
190 כָּל־הַנְּחָלִים הֹלְכִים אֶל־הַיָּם Eccl.1:7
191 מַס עַל־הָאָרֶץ וְאִיֵּי הַיָּם Es.10:1
192 וַיַּעַבְרוּ בְתוֹךְ־הַיָּם בַּיַּבָּשָׁה Neh.9:11
193 יִרְעַם הַיָּם וּמְלוֹאוֹ ICh.16:32
וְהַיָּם
194 וְאֶל־אֵילוֹת עַל־שְׂפַת הַיָּם IICh.8:17
195 וְהַיָּם הַגָּדוֹל° וּגְבוּל Josh.15:47
196 וְהַיָּם הַגָּדוֹל מְבוֹא הַשָּׁמֶשׁ Josh.23:4
197 וְהַיָּם עֲלֵיהֶם מִלְמָעְלָה IK.7:25
198 וְהַיָּם אֵינֶנּוּ מָלֵא Eccl.1:7
199 וְהַיָּם בָּקַעְתָּ לִפְנֵיהֶם Neh.9:11
200 וְהַיָּם עֲלֵיהֶם מִלְמָעְלָה IICh.4:4
201 וְהַיָּם לְרָחְצָה לַכֹּהֲנִים IICh.4:6
מֵהַיָּם
202 וְנִשְּׁתוּ מַיִם מֵהַיָּם Is.19:5
בַּיָּם
203 הַבָּאִים אַחֲרֵיהֶם בַּיָּם Ex.14:28
204/5 סוּס וְרֹכְבוֹ רָמָה בַיָּם Ex.15:1,21
206 מַרְכְּבֹת פַּרְעֹה וְחֵילוֹ יָרָה בַיָּם Ex.15:4
207 כִּי בָא סוּס פַּרְעֹה...בַּיָּם Ex.15:19
208 וַאֲנִי אֲשִׂימֵם דֹּבְרוֹת בַּיָּם IK.5:23
209 כִּי אֳנִי תַרְשִׁישׁ לַמֶּלֶךְ בַּיָּם IK.10:22
210 הַשֹּׁלֵחַ בַּיָּם צִירִים Is.18:2
211 וְהָרַג אֶת־הַתַּנִּין אֲשֶׁר בַּיָּם Is.27:1
212 הַנּוֹתֵן בַּיָּם דָּרֶךְ Is.43:16
213 וּכְכַרְמֶל בַּיָּם יָבוֹא Jer.46:18
214 נָמֹגוּ בַּיָּם דְּאָגָה Jer.49:23
215 אֲשֶׁר הָיְתָה חֲזָקָה בַיָּם Ezek.26:17
216 וְנִבְהֲלוּ הָאִיִּים אֲשֶׁר־בַּיָּם Ezek.26:18
217 וַיְהִי סַעַר־גָּדוֹל בַּיָּם Jon.1:4
218 גּוֹעֵר בַּיָּם וַיַּבְּשֵׁהוּ Nah.1:4
219 אִם־בַּיָּם עֶבְרָתֶךָ Hab.3:8
220 דָּרַכְתָּ בַיָּם סוּסֶיךָ Hab.3:15
221 וְהִכָּה בַיָּם חֵילָהּ Zech.9:4
222 וְעָבַר בַּיָּם צָרָה Zech.10:11
223 וְהִכָּה בַיָּם גַּלִּים Zech.10:11
224 בַּיָּם דַּרְכֶּךָ וּשְׁבִילְךָ° בְּמַיִם רַבִּים Ps.77:20
225 וְשַׂמְתִּי בַיָּם יָדוֹ Ps.89:26
כַּיָּם
226 וְהָרְשָׁעִים כַּיָּם נִגְרָשׁ Is.57:20
227/8 קוֹלָם כַּיָּם יֶהֱמֶה Jer.6:23; 50:42
229 כִּי־גָדוֹל כַּיָּם שִׁבְרֵךְ Lam.2:13
לַיָּם
230 וְלֹא־מֵעֵבֶר לַיָּם הוּא Deut.30:13
231 כִּי־מָלְאָה...כַּמַּיִם לַיָּם מְכַסִּים Is.11:9
232 אֲשֶׁר־שַׂמְתִּי חוֹל גְּבוּל לַיָּם Jer.5:22
233 בְּשׂוּמוֹ לַיָּם חֻקּוֹ Prov.8:29
234 בָּא עָלֶיךָ...מֵעֵבֶר לַיָּם מֵאֲרָם IICh.20:2
מִיָּם
235 בֵּית־אֵל מִיָּם וְהָעַי מִקֶּדֶם Gen.12:8
236/7 וּבֵין הָעַי מִיָּם לָעָי Josh.8:9,12
238 וְאֶת־עֲקֵבוֹ מִיָּם לָעִיר Josh.8:13
239 וּבְנָפוֹת דּוֹר מִיָּם Josh.11:2
240 וּבְאָשֵׁר פָּגַע מִיָּם Josh.19:34
241 הִנֵּה־עָב־קְטַנָּה...עֹלָה מִיָּם IK.18:44
242 בִּגְאוֹן יְיָ צָהֲלוּ מִיָּם Is.24:14
243 אַיֵּה הַמַּעֲלֵם מִיָּם Is.63:11
244 וְיֶחֶרְדוּ בָנִים מִיָּם Hosh.11:10
245 וְנָעוּ מִיָּם עַד־יָם Am.8:12
246 וְיָם מִיָּם וְהַר הָהָר Mic.7:12
247 אֲשֶׁר־חֵיל יָם מִיָּם חוֹמָתָהּ Nah.3:8
248 וּמָשְׁלוֹ מִיָּם עַד־יָם Zech.9:10
249 וְיֵרְדְּ מִיָּם עַד־יָם Ps.72:8
וּמִיָּם
250 הַכְּנַעֲנִי מִמִּזְרָח וּמִיָּם Josh.11:3
251 וְהִנֵּה־אֵלֶּה מִצָּפוֹן וּמִיָּם Is.49:12
252 מִמִּזְרָח וּמִמַּעֲרָב מִצָּפוֹן וּמִיָּם Ps.107:3
יָם(־)
253 הוּא יָם הַמֶּלַח Gen.14:3

יָם (המשך)

254 וְעַד־יָם פְּלִשְׁתִּים Ex.23:31
255 מִקְצֵה יָם־הַמֶּלַח קֵדְמָה Num.34:3
256 עַל־כֶּתֶף יָם־כִּנֶּרֶת קֵדְמָה Num.34:11
257 וְהָיוּ תוֹצְאֹתָיו יָם הַמֶּלַח Num.34:12
258-260 יָם הָעֲרָבָה Deut.17 • Josh.3:17; 12:3
261 וְעַד יָם הָעֲרָבָה Deut.4:49
262 וְהָעֲרָבָה עַד־יָם כִּנְרוֹת מִזְרָחָה Josh.12:3
263 עַד־קְצֵה יָם־כִּנֶּרֶת Josh.13:27
264 מִקְצֵה יָם הַמֶּלַח Josh.15:2
265 וּגְבוּל קֵדְמָה יָם הַמֶּלַח Josh.15:5
266 אֶל־לְשׁוֹן יָם־הַמֶּלַח צָפוֹנָה Josh.18:19
267 מִלְּבוֹא חֲמָת עַד־יָם הָעֲרָבָה IIK.14:25
268 יָם הַנְּחֹשֶׁת אֲשֶׁר־בְּבֵית יְיָ IIK.25:13
269 וְהֶחֱרִים יְיָ אֵת לְשׁוֹן יָם־מִצְ׳ Is.11:15
270 עַד יָם יַעְזֵר נָגָעוּ Jer.48:32
271 יָם הַנְּחֹשֶׁת אֲשֶׁר בְּבֵית־יְיָ Jer.52:17
272 מִן־הַלְּבָנוֹן אֶל־יָם יָפוֹא Ez.3:7
273 אֶת־יָם הַנְּחֹשֶׁת ICh.18:8
274 רַפְסֹדוֹת עַל־יָם יָפוֹ IICh.2:15
יַם־סוּף
275 דֶּרֶךְ הַמִּדְבָּר יַם־סוּף Ex.13:18
276-279 דֶּרֶךְ יַם־סוּף Num.14:25; 21:4
Deut.1:40; 2:1
280 וַיַּחֲנוּ עַל־יַם־סוּף Num.33:10
281 אֲשֶׁר הֵצִיף אֶת־מֵי יַם־סוּף Deut.11:4
282 הוֹבִישׁ יְיָ אֶת־מֵי יַם־סוּף Josh.2:10
283 וַיִּרְדְּפוּ מִצְרַיִם...יַם־סוּף Josh.24:6
284 וַיֵּלֶךְ יִשׂ׳ בַּמִּדְבָּר עַד־יַם־סוּף Jud.11:16
285 עַל־שְׂפַת יַם־סוּף בְּאֶרֶץ אֱדוֹם IK.9:26
286-288 יַם־סוּף Ps.106:22; 136:13 • Neh.9:9
בְּיַם־סוּף
289 וּמִבְחַר שָׁלִשָׁיו טֻבְּעוּ בְיַם־סוּף Ex.15:4
290-3 בְּיַם־סוּף Jer.49:21 • Ps.106:7,9; 136:15
לְיַם־סוּף
294 כַּאֲשֶׁר עָשָׂה יְיָ אֱלֹ׳ לְיַם־סוּף Josh.4:23
מִיַּם־סוּף
295 וַיַּסַּע מֹשֶׁה אֶת־יִשְׂרָ׳ מִיַּם־סוּף Ex.15:22
296 מִיַּם־סוּף וְעַד־יָם פְּלִשְׁתִּים Ex.23:31
297 וַיִּסְעוּ מִיַּם־סוּף Num.33:11
יָמָּה
298 וּפָרַצְתָּ יָמָּה וָקֵדְמָה Gen.28:14
299 וַיִּתְקָעֵהוּ יָמָּה סּוּף Ex.10:19
300/1 וּלְיַרְכְּתֵי הַמִּשְׁכָּן יָמָּה Ex.26:22; 36:27
302/3 לַיַּרְכָתַיִם יָמָּה Ex.26:27; 36:32
304 מַחֲנֵה אֶפְרַיִם לְצִבְאֹתָם יָמָּה Num.2:18
305 אַחֲרֵי הַמִּשְׁכָּן יַחֲנוּ יָמָּה Num.3:23
306 יָמָּה וְצָפֹנָה וְתֵימָנָה וּמִזְרָחָה Deut.3:27
307/8 בְּעֵבֶר הַיַּרְדֵּן יָמָּה Josh.5:1; 12:7
309-328 יָמָּה Josh.15:4,8,10,11; 16:3²,8
18:12,15; 19:34; 22:7 • IK.5:23; 7:25 • Is.11:14 •
Ezek.45:7; 46:19; 48:18 • Dan.8:4 • ICh.9:24 •
IICh.4:4
329-343 (וּ) פְּאַת־יָמָּה Ezek.48:2,3
48:4,5,6,7²,8,16,23,24,25,26,27,34
344 וְעֶשְׂרִים אֶלֶף עַל־גְּבוּל יָמָּה Ezek.48:21
וְיָמָּה
345 וְיָמָּה רֹחַב עֲשֶׂרֶת אֲלָפִים Ezek.48:10
346 וְיָמָּה חֲמִשִּׁים וּמָאתָיִם Ezek.48:17
347 וְיָמָּה עַל־פְּנֵי חֲמִשָּׁה וְעֶשְׂ׳ אֶלֶף Ezek.48:21
וָיָמָּה
348 צָפֹנָה וָנֶגְבָּה וָקֵדְמָה וָיָמָּה Gen.13:14
349 מֵעֶקְרוֹן וָיָמָּה Josh.15:46
350 וְנִבְקַע...מֶחֶצְיוֹ מִזְרָחָה וָיָמָּה Zech.14:4
הַיָּמָּה
351 וְהָיוּ תוֹצְאֹתָיו הַיָּמָּה Num.34:5
352 וּגְבוּל יָם הַיָּמָּה הַגָּדוֹל וּגְבוּל Josh.15:12
353 וְיָצָא הַגְּבוּל הַיָּמָּה Josh.16:6
354-360 הַיָּמָּה Josh.16:8; 17:9
19:26,29; 24:6 • Ezek.47:8²
לַיָּמָּה
361 וְעָלָה גְבוּלָם לַיָּמָּה Josh.19:11

יַמָּה 362 וְהֶחֱרַבְתִּי אֶת־יַמָּהּ Jer. 51:36
יַמִּים 363 וּלְמִקְוֵה הַמַּיִם קָרָא יַמִּים Gen. 1:10
364 זְבוּלֻן לְחוֹף יַמִּים יִשְׁכֹּן Gen. 49:13
365 כִּי שֶׁפַע יַמִּים יִינָקוּ Deut. 33:19
366 אָשֵׁר יָשַׁב לְחוֹף יַמִּים Jud. 5:17
367 כַּהֲמוֹת יַמִּים יֶהֱמָיוּן Is. 17:12
368 עָצְמוּ־לִי אַלְמְנוֹתָו מֵחוֹל יַמִּים Jer. 15:8
369 בְּלֵב יַמִּים גְּבוּלָיִךְ Ezek. 27:4
370 וַתִּכְבְּדִי מְאֹד בְּלֵב יַמִּים Ezek. 27:25
371 רוּחַ הַקָּדִים שְׁבָרֵךְ בְּלֵב יַמִּים Ezek. 27:26
372 יִפְּלוּ בְּלֵב יַמִּים בְּיוֹם מַפַּלְתֵּךְ Ezek. 27:27
373 מוֹשַׁב אֱלֹהִים יָשַׁבְתִּי בְּלֵב יַמִּים Ezek. 28:2
374 וָמַתָּה מְמוֹתֵי חָלָל בְּלֵב יַמִּים Ezek. 28:8
375 וַתַּשְׁלִיכֵנִי מְצוּלָה בִּלְבַב יַמִּים Jon. 2:4
376 עֹבֵר אָרְחוֹת יַמִּים Ps. 8:9
377 כִּי הוּא עַל־יַמִּים יְסָדָהּ Ps. 24:2
378 וּבְמוֹט הָרִים בְּלֵב יַמִּים Ps. 46:3
379 מַשְׁבִּיחַ שְׁאוֹן יַמִּים Ps. 65:8
380 יַמִּים וְכָל־רֹמֵשׂ בָּם Ps. 69:35
381 וּכְחוֹל יַמִּים עוֹף כָּנָף Ps. 78:27
382 כִּי־עַתָּה מֵחוֹל יַמִּים יִכְבָּד Job 6:3
383 בֵּין יַמִּים לְהַר צְבִי־קֹדֶשׁ Dan. 11:45
הַיַּמִּים 384 הַיַּמִּים וְכָל־אֲשֶׁר בָּהֶם Neh. 9:6
בַּיַּמִּים 385 וּמִלְאוּ אֶת־הַמַּיִם בַּיַּמִּים Gen. 1:22
386-387 בַּיַּמִּים וּבַנְּחָלִים Lev. 11:9, 10
388 וְאַתָּה כַּתַּנִּים בַּיַּמִּים Ezek. 32:2
389 בַּיַּמִּים וְכָל־תְּהֹמוֹת Ps. 135:6
מִיַּמִּים 390 אֵיךְ אָבַדְתְּ נוֹשֶׁבֶת מִיַּמִּים Ezek. 26:17
391 בְּצֵאת עִזְבוֹנַיִךְ מִיַּמִּים Ezek. 27:33
392 עֵת נִשְׁבֶּרֶת מִיַּמִּים Ezek. 27:34

יֵם*
ז׳ מעין מים חמים (?) פֶּרֶד (?)
הַיֵּמִם 1 אֲשֶׁר מָצָא אֶת־הַיֵּמִם בַּמִּדְבָּר Gen. 36:24

יַמָּא
ז׳ ארמית: הים: 1, 2
יַמָּא 1 וְאַרְבַּע חֵיוָן...סָלְקָן מִן־יַמָּא Dan. 7:3
לְיַמָּא 2 אַרְבַּע רוּחֵי שְׁמַיָּא מְגִיחָן לְיַמָּא רַבָּא Dan. 7:2

יִמְּדוּ
(ירמיה לא36) – עין מדד

יְמוּאֵל
שפ״ז – מבני שמעון: 1, 2
יְמוּאֵל 1 וּבְנֵי שִׁמְעוֹן יְמוּאֵל וְיָמִין Gen. 46:10
2 וּבְנֵי שִׁמְעוֹן יְמוּאֵל וְיָמִין Ex. 6:15

יְמוֹת, יָמִים, יָמִימָה – עין יום

יַמַּח
(תהלים קט13) – עין מחה

יְמִימָה
שפ״נ – מבנות איוב
יְמִימָה 1 וַיִּקְרָא שֵׁם־הָאַחַת יְמִימָה Job 42:14

יָמִין[1]
זו״נ א) הצד המנוגד למקום הלב בגוף: 1–21, 23–41, 43, 45–47, 55–56, 61–63, 66–68, 73, 74, 85, 87, 95–97, 99–107, 112, 117–119, 122, 127–131, 134, 138, 139
ב) היד שבצד הנ״ל: 48–54, 64, 65, 69–72, 75–84, 86, 88–94, 98, 108–111, 113–116, 120, 121, 123–126, 132, 133, 135–137
ג) כנוי לצד דרום: 22, 31, 42, 44, 57–60
– יָמִין וּשְׂמֹאל 1–15, 18, 20, 32, 36, 38–41, 57, 73, 104, 116, 119–123, 130, 131, 138, 139
– יַד יָמִין 43, 62, 63, 74, 87, 98–101, 134; יֶרֶךְ יָמִין 102, 103; עֵין יָמִין 16, 106, 107; שׁוֹק יָמִין 24–30
– יְמִין אֶבְיוֹן 56; יְמִין הַגֹּלָה 61; י׳ יי 45, 49–51; י׳ הַיְשִׁימוֹן 42, 58; י׳ יִשְׂרָאֵל 57; י׳ מֹשֶׁה 55; י׳ עֶלְיוֹן 47; י׳ צִדְקוֹ 54; י׳ צָרָיו 48; י׳ שָׁקֶר 52,53
– אִישׁ יְמִינוֹ 85; יֵשַׁע יְמִינוֹ 108; שֶׁמֶן יְמִינוֹ 113

יָמִין 1 וְאֶפְנֶה עַל־יָמִין אוֹ עַל־שְׂמֹאל Gen. 24:49
2 לֹא נִטֶּה יָמִין וּשְׂמֹאול Num. 20:17
3 אֵין־דֶּרֶךְ לִנְטוֹת יָמִין וּשְׂמֹאול Num. 22:26
4-15 (סר, נָטָה וכד׳) יָמִין וּשְׂמֹא(ו)ל Deut. 2:27 • 5:29; 17:11, 20; 28:14 • Josh. 1:7; 23:6 • ISh. 6:12 • IIK. 22:2 • Is. 54:3 • Prov. 4:27 • IICh. 34:2
16 בִּנְקוֹר לָכֶם כָּל־עֵין יָמִין ISh. 11:2
17 וַיִּגְזֹר עַל־יָמִין וְרָעֵב Is. 9:19
18 וְאָכְלוּ עַל־יָמִין וְעַל־שְׂמֹאול Zech. 12:6
19 הַבֵּיט יָמִין וּרְאֵה Ps. 142:5
20 שְׂמֹאול...יַעְטֹף יָמִין וְלֹא אֶרְאֶה Job 23:9
21 עַל־יָמִין פִּרְחַח יָקוּמוּ Job 30:12
וְיָמִין 22 צָפוֹן וְיָמִין אַתָּה בְרָאתָם Ps. 89:13
הַיָּמִין 23 וְאִם־הַיָּמִין וְאַשְׂמְאִילָה Gen. 13:9
24 וְאֵת שׁוֹק הַיָּמִין Ex. 29:22
25-30 (כ׳) שׁוֹק הַיָּמִין Lev. 7:32, 33; 8:25, 26 • 9:21 • Num. 18:18
31 וְהָלַךְ הַגְּבוּל אֶל־הַיָּמִין Josh. 17:7
32 לָלֶכֶת עַל־הַיָּמִין וְעַל־הַשְּׂמֹאול IISh. 2:19
33 וּפְנֵי אַרְיֵה אֶל־הַיָּמִין לְאַרְבַּעְתָּם Ezek. 1:10
לַיָּמִין 34 וַתֵּלֶכֶת לַיָּמִין מֵעַל לַחוֹמָה Neh. 12:31
מִיָּמִין 35 עַל־כֶּתֶף הַבַּיִת מִיָּמִין IK. 7:39
36 חָמֵשׁ מִיָּמִין וְחָמֵשׁ מִשְּׂמֹאל IK. 7:49
37 אֵצֶל הַמִּזְבֵּחַ מִיָּמִין (כת׳ בימין) IIK. 12:10
38 אֶחָד מִיָּמִין וְאֶחָד מֵהַשְּׂמֹאול IICh. 3:17
39-40 חֲמִשָּׁה מִיָּמִין וַחֲמִשָּׁה מִשְּׂמֹאול IICh. 4:6, 8
41 חָמֵשׁ מִיָּמִין וְחָמֵשׁ מִשְּׂמֹאול IICh. 4:7
יְמִין־ 42 בָּעֲרָבָה אֶל יְמִין הַיְשִׁימוֹן ISh. 23:24
43 וַתֹּחֶז יַד־יְמִין יוֹאָב בִּזְקַן עֲמָשָׂא IISh. 20:9
44 וַיַּחֲנוּ בַעֲרוֹעֵר יְמִין הָעִיר IISh. 24:5
45 תִּסּוֹב עָלֶיךָ כּוֹס יְמִין יְיָ Hab. 2:16
46 עַל־יְמִין הַמְּנוֹרָה וְעַל־שְׂמֹאולָהּ Zech. 4:11
47 שְׁנוֹת יְמִין עֶלְיוֹן Ps. 77:11
48 הֲרִימוֹתָ יְמִין צָרָיו Ps. 89:43
49-50 יְמִין יְיָ עֹשָׂה חָיִל Ps. 118:15, 16
51 יְמִין יְיָ רוֹמֵמָה Ps. 118:16
52-53 וִימִינָם יְמִין שָׁקֶר Ps. 144:8, 11
בִּימִין־ 54 אַף־תְּמַכְתִּיךָ בִּימִין צִדְקִי Is. 41:10
לִימִין־ 55 מוֹלִיךְ לִימִין מֹשֶׁה זְרוֹעַ תִּפְאַרְתּוֹ Is. 63:12
56 כִּי־יַעֲמֹד לִימִין אֶבְיוֹן Ps. 109:31
מִימִין־ 57 מְנַשֶּׁה בִשְׂמֹאלוֹ מִימִין יִשְׂרָאֵל Gen. 48:13
58 אֲשֶׁר מִימִין הַיְשִׁימוֹן ISh. 23:19
59 אֲשֶׁר מִימִין לְהַר־הַמַּשְׁחִית IIK. 23:13
60 וְהַכְּרֻבִים עֹמְדִים מִימִין לַבַּיִת Ezek. 10:3
61 אֶחָד מִימִין הַגֻּלָּה Zech. 4:3
יְמִינִי 62 חוֹתָם עַל־יַד יְמִינִי Jer. 22:24
63 אָחַזְתָּ בְּיַד יְמִינִי Ps. 73:23
64 אִם־אֶשְׁכָּחֵךְ יְרוּשׁ׳ תִּשְׁכַּח יְמִינִי Ps. 137:5
וִימִינִי 65 וִימִינִי טִפְּחָה שָׁמָיִם Is. 48:13
בִּימִינִי 66 וְלֹא יֹאמַר הֲלוֹא־שֶׁקֶר בִּימִינִי Is. 44:20
לִימִינִי 67 נְאֻם יְיָ לַאדֹנִי שֵׁב לִימִינִי Ps. 110:1
מִימִינִי 68 כִּי מִימִינִי בַּל־אֶמּוֹט Ps. 16:8
יְמִינְךָ 69 שִׂים יְמִינְךָ עַל־רֹאשׁוֹ Gen. 48:18
70 יְמִינְךָ יְיָ נֶאְדָּרִי בַּכֹּחַ Ex. 15:6
71 יְמִינְךָ יְיָ תִּרְעַץ אוֹיֵב Ex. 15:6
72 נָטִיתָ יְמִינְךָ תִּבְלָעֵמוֹ אָרֶץ Ex. 15:12
73 נְטֵה לְךָ עַל־יְמִינְךָ אוֹ עַל־שְׂמֹאלֶךָ IISh. 2:21
74 וְחִצֶּיךָ מִיַּד יְמִינְךָ אַפִּיל Ezek. 39:3
75 יְמִינְךָ תִּמְצָא שֹׂנְאֶיךָ Ps. 21:9
76 כִּי־יְמִינְךָ וּזְרוֹעֲךָ וְאוֹר פָּנֶיךָ Ps. 44:4
77-78 הוֹשִׁיעָה יְמִינְךָ וַעֲנֵנִי° Ps. 60:7; 108:7
79 אֲדֹנָי עַל־יְמִינְךָ Ps. 110:5
יְמִינֶךָ 80 אֲנִי יְיָ אֱלֹהֶיךָ מַחֲזִיק יְמִינֶךָ Is. 41:13
81 וְתוֹרְךָ נוֹרָאוֹת יְמִינֶךָ Ps. 45:5
82 צֶדֶק מָלְאָה יְמִינֶךָ Ps. 48:11
83 בִּי תָּמְכָה יְמִינֶךָ Ps. 63:9
84 וְכַנָּה אֲשֶׁר־נָטְעָה יְמִינֶךָ Ps. 80:16
85 תְּהִי־יָדְךָ עַל אִישׁ יְמִינֶךָ Ps. 80:18
86 תָּעֹז יָדְךָ תָּרוּם יְמִינֶךָ Ps. 89:14
87 יְיָ צִלְּךָ עַל־יַד יְמִינֶךָ Ps. 121:5
88 תִּשְׁלַח יָדֶךָ וְתוֹשִׁיעֵנִי יְמִינֶךָ Ps. 138:7
89 יָדְךָ תַנְחֵנִי וְתֹאחֲזֵנִי יְמִינֶךָ Ps. 139:10
90 כִּי־תוֹשִׁעַ לְךָ יְמִינֶךָ Job 40:14
וִימִינְךָ 91 וִימִינְךָ תִסְעָדֵנִי Ps. 18:36
וִימִינֶךָ 92 לָמָּה תָשִׁיב יָדְךָ וִימִינֶךָ Ps. 74:11
בִּימִינְךָ 93 נְעִמוֹת בִּימִינְךָ נֶצַח Ps. 16:11
בִּימִינֶךָ 94 ...מִמִּתְקוֹמְמִים בִּימִינֶךָ Ps. 17:7
לִימִינְךָ 95 נִצְּבָה שֵׁגַל לִימִינְךָ Ps. 45:10
מִימִינֶךָ 96 יִפֹּל מִצִּדְּךָ אֶלֶף וּרְבָבָה מִימִינֶךָ Ps. 91:7
מִימִינֵךְ 97 וַאֲחוֹתֵךְ...הַיּוֹשֶׁבֶת מִימִינֵךְ Ezek. 16:46
יְמִינוֹ 98 וַיִּשְׁלַח יִשְׂרָאֵל אֶת־יְמִינוֹ Gen. 48:14
99 כִּי־יָשִׁית אָבִיו יַד־יְמִינוֹ Gen. 48:17
100-101 אִטֵּר יַד־יְמִינוֹ Jud. 3:15; 20:16
102 וַיַּחְגֹּר אוֹתָהּ...עַל יֶרֶךְ יְמִינוֹ Jud. 3:16
103 וַיִּקַּח אֶת־הַחֶרֶב מֵעַל יֶרֶךְ יְמִינוֹ Jud. 3:21
104 אֲשֶׁר לֹא־יָדַע בֵּין־יְמִינוֹ לִשְׂמֹאלוֹ Jon. 4:11
105 וְהַשָּׂטָן עֹמֵד עַל־יְמִינוֹ לְשִׂטְנוֹ Zech. 3:1
106 חֶרֶב עַל־זְרוֹעוֹ וְעַל־עֵין יְמִינוֹ Zech. 11:17
107 וְעֵין יְמִינוֹ כָּהֹה תִכְהֶה Zech. 11:17
108 יַעֲנֵהוּ...בִּגְבוּרוֹת יֵשַׁע יְמִינוֹ Ps. 20:7
109 הַר־זֶה קָנְתָה יְמִינוֹ Ps. 78:54
110 וְשַׂמְתִּי בַיָּם יָדוֹ וּבַנְּהָרוֹת יְמִינוֹ Ps. 89:26
111 הוֹשִׁיעָה־לּוֹ יְמִינוֹ וּזְרוֹעַ קָדְשׁוֹ Ps. 98:1
112 וְשָׂטָן יַעֲמֹד עַל־יְמִינוֹ Ps. 109:6
113 וְשֶׁמֶן יְמִינוֹ יִקְרָא Prov. 27:16
114 הֵשִׁיב אָחוֹר יְמִינוֹ מִפְּנֵי אוֹיֵב Lam. 2:3
115 נִצָּב יְמִינוֹ כְּצָר Lam. 2:4
116 וַיָּרֶם יְמִינוֹ וּשְׂמֹאלוֹ אֶל־הַשָּׁמַיִם Dan. 12:7
117 וַיַּעֲמֹד אֶצְלוֹ מַתִּתְיָה...עַל־יְמִינוֹ Neh. 8:4
118 וְאָחִיו אָסָף הָעֹמֵד עַל־יְמִינוֹ ICh. 6:24
119 עֹמְדִים עַל־יְמִינוֹ וּשְׂמֹאלוֹ IICh. 18:18
וִימִינוֹ 120 שְׂמֹאלוֹ תַּחַת לְרֹאשִׁי וִימִינוֹ תְּחַבְּ׳ S.ofS. 2:6
121 שְׂמֹאלוֹ תַּחַת רֹאשִׁי וִימִינוֹ תְּחַבְּקֵנִי S.ofS. 8:3
בִּימִינוֹ 122 אֶפְרַיִם בִּימִינוֹ מִשְּׂמֹאל יִשְׂרָאֵל Gen. 48:13
123 אֶחָד בִּימִינוֹ וְאֶחָד בִּשְׂמֹאלוֹ Jud. 16:29
124 אֲשֶׁר הֶחֱזַקְתִּי בִימִינוֹ Is. 45:1
125 נִשְׁבַּע יְיָ בִּימִינוֹ וּבִזְרוֹעַ עֻזּוֹ Is. 62:8
126 בִּימִינוֹ הָיָה הַקֶּסֶם יְרוּשָׁלַם Ezek. 21:27
לִימִינוֹ 127 וַיָּשֶׂם כִּסֵּא...וַתֵּשֶׁב לִימִינוֹ IK. 2:19
128 לֵב חָכָם לִימִינוֹ וְלֵב כְּסִיל לִשְׂמֹ׳ Eccl. 10:2
מִימִינוֹ 129 מִימִינוֹ אֵשׁ דָּת לָמוֹ Deut. 33:2
130 וְכָל־הַגִּבֹּרִים מִימִינוֹ וּמִשְּׂמֹאלוֹ IISh. 16:6
131 עֹמֵד עָלָיו מִימִינוֹ וּמִשְּׂמֹאלוֹ IK. 22:19
וִימִינָהּ 132 יָדָהּ...וִימִינָהּ לְהַלְמוּת עֲמֵלִים Jud. 5:26
בִּימִינָהּ 133 אֹרֶךְ יָמִים בִּימִינָהּ Prov. 3:16
יְמִינָם 134 וּבְיַד־יְמִינָם הַשּׁוֹפָרוֹת Jud. 7:20
וִימִינָם 135 וִימִינָם מָלְאָה שֹּׁחַד Ps. 26:10
136/7 וִימִינָם יְמִין שָׁקֶר Ps. 144:8, 11
מִימִינָם 138/9 וְהַמַּיִם...מִימִינָם וּמִשְּׂמֹאלָם Ex. 14:22, 29

יָמִין[2]
שפ״ז א) בן שמעון בן יעקב: 2–4
ב) מצאצאי יהודה: 5
ג) מן המבינים את העם לתורה בימי עזרא: 1
יָמִין 1 יָמִין עַקּוּב שַׁבְּתַי Neh. 8:7

וְיָמִין 3-2 וּבְנֵי...יְמוּאֵל וְיָמִין Gen.46:10 • Ex.6:15
4 וַיִּהְיוּ בְנֵי־רָם...מַעַץ וְיָמִין וָעֵקֶר IChr.2:27
5 בְּנֵי שִׁמְעוֹן נְמוּאֵל וְיָמִין ICh.4:24
לְיָמִין 6 לְיָמִין מִשְׁפַּחַת הַיָּמִינִי Num.26:12

יָמִינִי
ת׳ המתיחס על בית יָמִין
הַיָּמִינִי 1 לְיָמִין מִשְׁפַּחַת הַיָּמִינִי Num.26:12

יְמִינִי
ת׳ משבט בנימין: 1–13
אִישׁ יְמִינִי 2, 6; בֶּן־יְמִינִי 4,7, 9–13; בְּנֵי יְמִינִי 1
יְמִינִי 1 וְאַנְשֵׁי הַמָּקוֹם בְּנֵי יְמִינִי Jud.19:16
2 בֶּן־אִישׁ יְמִינִי גִּבּוֹר חָיִל ISh.9:1
3 וַיַּעֲבֹר בְּאֶרֶץ־יְמִינִי וְלֹא מָצָאוּ ISh.9:4
4 הֲלוֹא בֶן־יְמִינִי אָנֹכִי ISh.9:21
5 שִׁמְעוּ־נָא בְּנֵי יְמִינִי ISh.22:7
6 שֶׁבַע בֶּן־בִּכְרִי אִישׁ יְמִינִי IISh.20:1
7 עַל־דִּבְרֵי כוּשׁ בֶּן־יְמִינִי Ps.7:1
8 מָרְדֳּכַי...בֶּן־קִישׁ אִישׁ יְמִינִי Es.2:5
הַיְמִינִי 9 אֵהוּד בֶּן־גֵּרָא בֶּן־הַיְמִינִי Jud.3:15
10 וְאַף כִּי־עַתָּה בֶּן־הַיְמִינִי IISh.16:11
11/2 שִׁמְעִי בֶּן־גֵּרָא בֶּן־הַיְמִינִי IISh.19:17 • IK.2:8
לַבֶּן יְמִינִי 13 אֲבִיעֶזֶר הָעַנְּתֹתִי לַבֶּן יְמִינִי (כת׳ לבנימיני) ICh.27:12

יַמַּךְ
(קהלת י18) – עין מכך

יִמַּל
(איוב יח16), יְמֹלָלוּ (תהלים לז2) – עין מלל

יִמְלָא, יִמְלָה
שפ״ז – אבי הנביא מיכיהו: 1–4
יִמְלָה 2-1 מִיכָיְהוּ בֶּן־יִמְלָה IK.22:8,9
יִמְלָא 4-3 מִיכָיְהוּ בֶּן־יִמְלָא IICh.18:7,8

יַמְלֵךְ
שפ״ז – ראש בית אב לבני שמעון
וְיַמְלֵךְ 1 וּמְשׁוֹבָב וְיַמְלֵךְ וְיוֹשָׁה בֶּן־אֲמַצְיָה ICh.4:34

יְמִם
עין יֵמִ־

ימן
: הֵימִין; יָמִין, יְמִינִי, יְמָנִי, תֵּימָן; ש״פ יָמִין, יִמְנָה, בִּנְיָמִין, תֵּימָן

(ימן) הֵימִין
הפ׳ פָּנָה לצד ימין: 1–5
לְהֵימִין 1 אִם־אִשׁ לְהֵמִין וּלְהַשְׂמִיל IISh.14:19
מַיְמִינִים 2 מַיְמִינִים וּמַשְׂמִאלִים בָּאֲבָנִים ICh.12:2
וְאֵימִנָה 3 אִם־הַשְּׂמֹאל וְאֵימִנָה Gen.13:9
תַאֲמִינוּ 4 כִּי תַאֲמִינוּ וְכִי תַשְׂמְאִילוּ Is.30:21
הֵימִינִי 5 הִתְאַחֲדִי הֵימִינִי הָשִׂימִי הַשְׂמִילִי Ezek.21:21

יִמְנָה
שפ״ז א) בן אָשֵׁר בן יעקב: 1, 2, 4, 5
ב) אבי לוי בימי חזקיהו: 3
יִמְנָה 1 וּבְנֵי אָשֵׁר יִמְנָה וְיִשְׁוָה Gen.46:17
2 בְּנֵי אָשֵׁר יִמְנָה וְיִשְׁוָה ICh.7:30
3 וְקוֹרֵא בֶן־יִמְנָה הַלֵּוִי הַשּׁוֹעֵר IICh.31:14
הַיִּמְנָה 4 לְיִמְנָה מִשְׁפַּחַת הַיִּמְנָה Num.26:44
לְיִמְנָה 5 לְיִמְנָה מִשְׁפַּחַת הַיִּמְנָה Num.26:44

יְמָנִי
ת׳ שמצד ימין: 1–33
עַמּוּד יְמָנִי 1; צַד יְמָנִי 2; שֵׁם הַיְמָנִי 3; אֹזֶן יְמָנִית 4, 9, 20–24; אֶצְבַּע יְמָנִית 25, 26; יָד יְמָנִית 5, 6, 10–14; כָּתֵף יְמָנִית 27–33; רֶגֶל יְמָנִית 7, 8, 15–19
הַיְמָנִי 1 וַיָּקֶם אֶת־הָעַמּוּד הַיְמָנִי IK.7:21
2 וְשָׁכַבְתָּ עַל־צִדְּךָ הַיְמָנִי (כת׳ הימיני) Ezek.4:6
3 וַיִּקְרָא שֵׁם־הַיְמָנִי (כת׳ הימיני) יָכִין IICh.3:17
הַיְמָנִית 4 וְעַל־תְּנוּךְ אֹזֶן בָּנָיו הַיְמָנִית Ex.29:20
5/6 וְעַל־בֹּהֶן יָדָם הַיְמָנִית Ex.29:20 • Lev.8:24
7/8 וְעַל־בֹּהֶן רַגְלָם הַיְמָנִית Ex.29:20 • Lev.8:24
9 עַל־תְּנוּךְ אֹזֶן־אַהֲרֹן הַיְמָנִית Lev.8:23

הַיְמָנִית (המשך) 19-10 וְעַל בֹּהֶן יָדוֹ הַיְמָנִית...רַגְלוֹ הַיְמָנִית Lev.8:23; 14:14,17,25,28
20 עַל־תְּנוּךְ אָזְנָם הַיְמָנִית Lev.8:24
24-21 עַל־תְּנוּךְ אֹזֶן הַמִּטַּהֵר הַיְמָנִית Lev.14:14,17,25,28
25 וְטָבַל הַכֹּהֵן אֶת־אֶצְבָּעוֹ הַיְמָנִית Lev.14:16
26 וְהִזָּה הַכֹּהֵן בְּאֶצְבָּעוֹ הַיְמָנִית Lev.14:27
27 אֶל־כֶּתֶף הַבַּיִת הַיְמָנִית IK.6:8
31-28 מִכֶּתֶף הַבַּיִת הַיְמָנִית IK.7:39
IIK.11:11 • Ezek.47:1 • IICh.23:10
32 מְפַכִּים מִן־הַכָּתֵף הַיְמָנִית Ezek.47:2
33 וְאֶת־הַיָּם נָתַן מִכֶּתֶף הַיְמָנִית IICh.4:10

יִמְנָע
שפ״ז – ראש בית אב לבני אשר
וְיִמְנָע 1 צוֹפַח וְיִמְנָע וְשֵׁלֶשׁ וְעָמָל ICh.7:35

יִמַּס
(ש״ב יז10) – עין מסס

(ימר) הֵימִיר
הפ׳ א) החליף: 1
ב) [הת׳ הִתְיַמֵּר] התהלל(?): 2
הַהֵימִיר 1 הַהֵימִיר גּוֹי אֱלֹהִים... Jer.2:11
תִּתְיַמָּרוּ 2 חֵיל גּוֹיִם תֹּאכֵלוּ וּבִכְבוֹדָם תִּתְיַמָּרוּ Is.61:6

יִמְרָה
שפ״ז – בן צופח, מבני אשר
וְיִמְרָה 1 וְשׁוּעָל וּבֵרִי וְיִמְרָה ICh.7:36

יָמֵשׁ
(שמות י21) – עין משש

יַמְשֵׁנִי
(ש״ב כב17) – עין משה

יִנְאָץ
(קהלת יב5) – עין נצץ

ינה
: יָנָה, הוֹנָה; יוֹנָה²

יָנָה
פָּ׳ א) לחץ, דכא: 1 [עין גם יוֹנָה²]
ב) [הִפ׳ הוֹנָה] לחץ, עשק: 2–15
נִינָם 1 אָמְרוּ בְלִבָּם נִינָם יָחַד Ps.74:8
לְהוֹנֹתָם 2 וְלֹא יִקַּח...לְהוֹנֹתָם מֵאֲחֻזָּתָם Ezek.46:18
הוֹנָה 3 עָנִי וְאֶבְיוֹן הוֹנָה Ezek.18:12
4 וְאִישׁ לֹא הוֹנָה Ezek.18:16
הוֹנוּ 5 יָתוֹם וְאַלְמָנָה הוֹנוּ בָךְ Ezek.22:7
6 וְעָנִי וְאֶבְיוֹן הוֹנוּ Ezek.22:29
מוֹנַיִךְ 7 וְהַאֲכַלְתִּי אֶת־מוֹנַיִךְ אֶת־בְּשָׂרָם Is.49:26
תוֹנֶה 8 וְגֵר לֹא־תוֹנֶה וְלֹא תִלְחָצֶנּוּ Ex.22:20
תּוֹנֶנּוּ 9 עִמְּךָ יֵשֵׁב...לֹא תּוֹנֶנּוּ Deut.23:17
יוֹנֶה 10 וְאִישׁ לֹא יוֹנֶה Ezek.18:7
תוֹנוּ 11 וְכִי־יָגוּר אִתְּךָ גֵּר...לֹא תוֹנוּ אֹתוֹ Lev.19:33
12 אַל־תּוֹנוּ אִישׁ אֶת־אָחִיו Lev.25:14
13 וְלֹא תוֹנוּ אִישׁ אֶת־עֲמִיתוֹ Lev.25:17
14 וְגֵר יָתוֹם וְאַלְמָנָה אַל־תֹּנוּ Jer.22:3
יוֹנוּ 15 וְלֹא־יוֹנוּ עוֹד נְשִׂיאַי אֶת־עַמִּי Ezek.45:8

יָנוֹחַ
א) עיר בגבול אפרים ומנשה: 2, 3
ב) עיר בנחלת אָשֵׁר: 1
יָנוֹחַ 1 וַיִּקַּח אֶת־עִיּוֹן...וְאֶת־יָנוֹחַ IIK.15:29
יָנוֹחָה 2 וְעָבַר אוֹתוֹ מִמִּזְרַח יָנוֹחָה Josh.16:6
מִיָּנוֹחָה 3 וְיָרַד מִיָּנוֹחָה עֲטָרוֹת וְנַעֲרָתָה Josh.16:7

יָנוּם
עיר באזור יהודה
וְיָנוּם 1 וְיָנוּם (כת׳ וינים) וּבֵית־תַּפּוּחַ Josh.15:53

יִנּוֹן
(תהלים עב17) – עין נון

יְנִיקָה
נ׳ ענף רך, חוטר
יְנִיקוֹתָיו 1 רֹאשׁ יְנִיקוֹתָיו קָטָף Ezek.14:4

ינק
: יָנַק, הֵינִיק; יוֹנֵק, יוֹנֶקֶת, יְנִיקָה, מֵינֶקֶת

יָנַק
פָּ׳ א) מצץ חלב שדים (גם בהשאלה): 1–9
ב) [הִפ׳ הֵינִיק] זָן בחלב שדים
(גם בהשאלה): 10–24
[עין גם יוֹנֵק]

וְיָנַקְתְּ 1 וְיָנַקְתְּ חֲלֵב גּוֹיִם Is.60:16
וִינַקְתֶּם 2 וּכְנַחַל שׁוֹטֵף כְּבוֹד גּוֹיִם וִינַקְתֶּם Is.66:12
יוֹנֵק 3 מִי יִתֶּנְךָ כְּאָח לִי יוֹנֵק שְׁדֵי אִמִּי S.ofS.8:1
וְיֹנְקֵי 4 אִסְפוּ עוֹלָלִים וְיֹנְקֵי שָׁדָיִם Joel2:16
אִינָק 5 וּמַה־שָּׁדַיִם כִּי אִינָק Job3:12
תִּינָקִי 6 וְשֹׁד מְלָכִים תִּינָקִי Is.60:16
יִינָק 7 רֹאשׁ־פְּתָנִים יִינָק Job20:16
תִּינְקוּ 8 לְמַעַן תִּינְקוּ וּשְׂבַעְתֶּם Is.66:11
יִינָקוּ 9 כִּי שֶׁפַע יַמִּים יִינָקוּ Deut.33:19
לְהֵינִיק 10 וָאָקֻם בַּבֹּקֶר לְהֵינִיק אֶת־בְּנִי IK.3:21
הֵינִיקָה 11 הֵינִיקָה בָנִים שָׂרָה Gen.21:7
הֵינִיקוּ 12 גַּם תַּנִּים חָלְצוּ שַׁד הֵינִיקוּ גּוּרֵיהֶן Lam.4:3
מֵינֶקֶת 13 וַתָּמָת דְּבֹרָה מֵינֶקֶת רִבְקָה Gen.35:8
14 אִשָּׁה מֵינֶקֶת מִן־הָעִבְרִיֹּת Ex.2:7
מֵינִקְתּוֹ 15 וַתִּגְנֹב...אֹתוֹ וְאֶת־מֵינִקְתּוֹ IIK.11:2
16 אֹתוֹ וְאֶת־מֵינִקְתּוֹ בַּחֲדַר הַמִּטּוֹת IICh.22:11
מֵנִקְתָּהּ 17 רִבְקָה אֲחֹתָם וְאֶת־מֵנִקְתָּהּ Gen.24:59
מֵינִיקוֹת 18 גְּמַלִּים מֵינִיקוֹת וּבְנֵיהֶם Gen.32:15
מֵינִיקֹתַיִךְ 19 מְלָכִים...וְשָׂרוֹתֵיהֶם מֵינִיקֹתַיִךְ Is.49:23
וַיֵּנִקֵהוּ 20 וַיֵּנִקֵהוּ דְבַשׁ מִסֶּלַע Deut.32:13
וְתֵינִק 21 וְתֵינִק לָךְ אֶת־הַיָּלֶד Ex.2:7
וַתֵּינֶק 22 וַתֵּינֶק אֶת־בְּנָהּ עַד־גָמְלָהּ אֹתוֹ ISh.1:23
וַתְּנִיקֵהוּ 23 וַתִּקַּח הָאִשָּׁה הַיֶּלֶד וַתְּנִיקֵהוּ Ex.2:9
וְהֵינִקִהוּ 24 הֵילִיכִי אֶת־הַיֶּלֶד...וְהֵינִקִהוּ לִי Ex.2:9

יַנְשׁוּף, יַנְשׁוֹף
ז׳ עוף מדורסי לילה: 1–3
וְיַנְשׁוֹף 1 וְיַנְשׁוֹף וְעֹרֵב יִשְׁכְּנוּ בָהּ Is.34:11
הַיַּנְשׁוּף 2 וְאֶת־הַשָּׁלָךְ וְאֶת־הַיַּנְשׁוּף Lev.11:17
3 וְאֶת־הַיַּנְשׁוּף וְהַתִּנְשָׁמֶת Deut.14:16

יִסַּג
(מיכה ב6) – עין נסג

יסד
: יָסַד, נוֹסַד, יִסֵּד, יֻסַּד, הוּסַד; יְסוֹד, יְסֻד, יְסוּדָה, מוּסָד, מוּסָדָה, מַסָּד

יָסַד
פָּ׳ א) עשה בסיס, הניח יסוד: 1–19
ב) [נִפ׳ נוֹסַד] הוקם על בסיס: 20, 23
ג) [כנ״ל בהשאלה] נועד, התקהל: 21, 22
ד) [פִּ׳ יִסֵּד] הקים בסיס: 24, 26, 27, 30–33
ה) [כנ״ל בהשאלה] קבע, ערך: 25, 28, 29
ו) [פֻּ׳ יֻסַּד] נוסד, הוקם: 34–39
ז) [הָפ׳ הוּסַד] נוסד: 40–42
לִיסֹד 1 הֵחֵלּוּ הָעֲרֵמוֹת לִיסוֹד IICh.31:7
וְלִיסֹד 2 לִנְטֹעַ שָׁמַיִם וְלִיסֹד אָרֶץ Is.51:16
בְּיָסְדִי 3 אֵיפֹה הָיִיתָ בְּיָסְדִי־אָרֶץ Job38:4
בְּיָסְדוֹ 4 רָאוּ אֶת־הַבַּיִת הָרִאשׁוֹן בְּיָסְדוֹ Ez.3:12
וִיסַדְתִּיךְ 5 וִיסַדְתִּיךְ בַּסַּפִּירִים Is.54:11
יָסַדְתָּ 6 לְפָנִים הָאָרֶץ יָסַדְתָּ Ps.102:26
7 אֶל־מְקוֹם זֶה יָסַדְתָּ לָהֶם Ps.104:8
יְסַדְתּוֹ 8 וְצוּר לְהוֹכִיחַ יְסַדְתּוֹ Hab.1:12
יְסַדְתָּם 9 תֵּבֵל וּמְלֹאָהּ אַתָּה יְסַדְתָּם Ps.89:12
10 כִּי לְעוֹלָם יְסַדְתָּם Ps.119:152
יָסַד 11 יָסַד־אֶרֶץ עַל־מְכוֹנֶיהָ Ps.104:5
12 יי בְּחָכְמָה יָסַד־אָרֶץ Prov.3:19
יְסָדָהּ 13 אַשּׁוּר יְסָדָהּ לְצִיִּים Is.23:13
14 וַאֲגֻדָּתוֹ עַל־אֶרֶץ יְסָדָהּ Am.9:6
15 כִּי הוּא עַל־יַמִּים יְסָדָהּ Ps.24:2
16 כְּאֶרֶץ יְסָדָהּ לְעוֹלָם Ps.78:69
יָסְדָה 17 אַף־יָדִי יָסְדָה אֶרֶץ Is.48:13
וְיֹסֵד 18/9 נֹטֶה שָׁמַיִם וְיֹסֵד אָרֶץ Is.51:13 • Zech.12:1
הִוָּסְדָה 20 לְמִן־הַיּוֹם הִוָּסְדָה וְעַד־עָתָּה Ex.9:18
בְּהִוָּסְדָם 21 בְּהִוָּסְדָם יַחַד עָלַי Ps.31:14
נוֹסְדוּ 22 וְרוֹזְנִים נוֹסְדוּ־יָחַד עַל־יי Ps.2:2
תִּוָּסֵד 23 וְלֵאמֹר...וְהֵיכָל תִּוָּסֵד Is.44:28

לְיַסֵּד 24 אֲבָנִים גְּדֹלֹת לְיַסֵּד הַבָּיִת IK.5:31
יִסַּדְתָּ 25 מִפִּי עוֹלְלִים וְיֹנְקִים יִסַּדְתָּ עֹז Ps.8:3
יִסַּד 26 כִּי יְיָ יִסַּד צִיּוֹן Is.14:32
27 הִנְנִי יִסַּד בְּצִיּוֹן אָבֶן Is.28:16
28 כֵן יִסַּד הַמֶּלֶךְ עַל כָּל־רַב בֵּיתוֹ Es.1:8
29 הֵמָּה יִסַּד דָּוִיד וּשְׁמוּאֵל הָרֹאֶה ICh.9:22
יִסְּדָהּ 30 בַּאֲבִירָם בְּכֹרוֹ יִסְּדָהּ... IK.16:34
יִסְּדוּ 31 יְדֵי זְרֻבָּבֶל יִסְּדוּ הַבַּיִת Zech.4:9
וְיִסְּדוּ 32 וְיִסְּדוּ הַבֹּנִים אֶת־הֵיכַל יְיָ Ez.3:10
יְיַסְּדֶנָּה 33 בִּבְכֹרוֹ יְיַסְּדֶנָּה וּבִצְעִירוֹ יַצִּיב... Josh.6:26
יֻסַּד 34 בַּשָּׁנָה הָרְבִיעִית יֻסַּד בֵּית יְיָ IK.6:37
35 לְמִן־הַיּוֹם אֲשֶׁר־יֻסַּד הֵיכַל־יְיָ Hag.2:18
36 בְּיוֹם יֻסַּד בֵּית־יְיָ צְבָאוֹת Zech.8:9
יֻסָּד 37 וְהֵיכַל יְיָ לֹא יֻסָּד Ez.3:6
וּמְיֻסָּד 38 וּמְיֻסָּד אֲבָנִים יְקָרוֹת IK.7:10
מְיֻסָּדִים 39 מְיֻסָּדִים עַל־אַדְנֵי־פָז S.ofS.5:15
הוּסַד 40 בְּהַלֵּל לַייָ עַל הוּסַד בֵּית־יְיָ Ez.3:11
41 הוּסַד שְׁלֹמֹה לִבְנוֹת אֶת־בֵּית הָאֱלֹ' IICh.3:3
מוּסָּד 42 פִּנַּת יִקְרַת מוּסָד מוּסָּד Is.28:16

יְסוֹד
ז' הנחת יסוד
יְסֻד 1 בְּאֶחָד לַחֹדֶשׁ...יְסֻד הַמַּעֲלָה מִבָּבֶל Ez.7:9

יְסוֹד
ז' בסיס לבנין [גם בהשאלה]: 1—20
יְסוֹד בֵּית הָאֱלֹהִים 14; יְסוֹד הַמִּזְבֵּחַ 4—12;
יְסוֹד עוֹלָם 13; שַׁעַר הַיְסוֹד 3
יְסוֹד 1 עָרוֹת יְסוֹד עַד־צַוָּאר Hab.3:13
הַיְסוֹד 2 עָרוּ עָרוּ עַד הַיְסוֹד בָּהּ Ps.137:7
3 וְהַשְּׁלִשִׁית בְּשַׁעַר הַיְסוֹד IICh.23:5
יְסוֹד־ 4 תִּשְׁפֹּךְ אֶל־יְסוֹד הַמִּזְבֵּחַ Ex.29:12
5—7 יִשְׁפֹּךְ אֶל־יְסוֹד מִזְבַּח הָעֹלָה Lev.4:7,18,25
8—12 אֶל־יְסוֹד הַמִּזְבֵּחַ Lev.4:30,34; 5:9; 8:15; 9:9
13 וְצַדִּיק יְסוֹד עוֹלָם Prov.10:25
וִיסוֹד־ 14 וִיסוֹד בֵּית הָאֱלֹהִים IICh.24:27
יְסֹדוֹ 15 וְהִגַּעְתִּיהוּ אֶל־הָאָ' וְנִגְלָה יְסֹדוֹ Ezek.13:14
יְסוֹדָם 16 שֹׁכְנֵי בָתֵּי־חֹמֶר אֲשֶׁר בֶּעָפָר יְסוֹדָם Job4:19
17 נָהָר יוּצַק יְסוֹדָם Job22:16
וִיסֹדֶיהָ 18 וְהִגַּרְתִּי לַגַּי אֲבָנֶיהָ וִיסֹדֶיהָ אֲגַלֶּה Mic.1:6
יְסוֹדוֹתֶיהָ 19 וְלָקְחוּ הֲמוֹנָהּ וְנֶהֶרְסוּ יְסוֹדוֹתֶיהָ Ezek.30:4
20 וַיַּצֶּת־אֵשׁ...וַתֹּאכַל יְסוֹדֹתֶיהָ Lam.4:11

יְסוּדָה
נ' יסוד
יְסוּדָתוֹ 1 מִזְמוֹר שִׁיר יְסוּדָתוֹ בְּהַרְרֵי־קֹדֶשׁ Ps.87:1

יִסּוֹר
ז' מוכיח, רב
יִסּוֹר 1 הֲרֹב עִם־שַׁדַּי יִסּוֹר Job40:2

יִסַּח
(משלי טו 25) – עין נסח

יָסַךְ
פ' סָךְ, משח [עין גם סוך]
יִיסָךְ 1 עַל־בְּשַׂר אָדָם לֹא יִיסָךְ Ex.30:32

יָסֵךְ
(תהלים צא4) – עין סכך

יֻסַּךְ
(שמות כה29) – נסך

יִסְכָּה
שפ"נ – בת הרן אחי אברהם
יִסְכָּה 1 אֲבִי־מִלְכָּה וַאֲבִי יִסְכָּה Gen.11:29

יִסְמַכְיָהוּ
שפ"ז – לוי בימי חזקיהו
וְיִסְמַכְיָהוּ 1 וְיוֹזָבָד וֶאֱלִיאֵל וְיִסְמַכְיָהוּ IICh.31:13

יסף
: יָסַף, נוֹסַף, הוֹסִיף; ש"פ יוֹסֵף, יְהוֹסֵף, יוֹסִפְיָה; אר' הוֹסַף

יָסַף
פ' א) המשיך: 1, 2, 7—10, 12, 18, 19, 23—28, 30, 32
ב) הגדיל, נתן עוד: 3—6, 11, 13—17, 20—22, 29, 31
ג) [נפ' נוֹסַף] צֵרַף, סִפַּח: 33—38
ד) [הפ' הוֹסִיף – לפני פועל] המשיך עוד:
48, 50—55, 58—65, 68, 69, 71—73, 75—77, 80,
83, 84, 87—91, 93, 94, 104—112, 121, 122,
124, 126, 131, 141—166, 168—173, 177—180,
182—184, 186—193, 195, 196, 198, 199, 201—211
ה) [כנ"ל – במשפט שמני] נתן עוד, הרבה:
39—47, 49, 56, 57, 66, 67, 70, 74, 78, 79, 81, 82, 85,
86, 92, 95—103, 113—120, 123, 125, 127—130,
132—140, 167, 174—176, 181, 185, 194, 197, 200, 212
ו) [הפ' הוֹסִיף] רק בינוני: מוֹסִף (באות מ')

וְיָסַפְתִּי 1 וְיָסַפְתִּי לְיַסְּרָה אֶתְכֶם Lev.26:18
2 וְיָסַפְתִּי עֲלֵיכֶם מַכָּה Lev.26:21
יָסַפְתָּ 3 יָסַפְתָּ לַגּוֹי יְיָ Is.26:15
4 יָסַפְתָּ לַגּוֹי נִכְבָּדְתָּ Is.26:15
5 יָסַפְתָּ עַל־הַשְּׁמוּעָה אֲשֶׁר שָׁמָעְתִּי IICh.9:6
וְיָסַפְתָּ 6 וְיָסַפְתָּ לְךָ עוֹד שָׁלֹשׁ עָרִים Deut.19:9
יָסַף 7 וְלֹא־יָסַף עוֹד לְדַעְתָּהּ Gen.38:26
8 וְלֹא־יָסַף עוֹד מַלְאַךְ יְיָ לְהֵרָאֹה Jud.13:21
9 וְלֹא־יָסַף שְׁמוּאֵל לִרְאוֹת אֶת־שָׁאוּל ISh.15:35
10 וְלֹא־יָסַף (כת' יוסף) עוֹד לְבַקְשׁוֹ ISh.27:4
11 כִּי־יָסַף יְיָ יָגוֹן עַל־מַכְאֹבִי Jer.45:3
יָסָף 12 דִּבֶּר יְיָ...קוֹל גָּדוֹל וְלֹא יָסָף Deut.5:19
וְיָסַף 13/4 וְיָסַף חֲמִשִׁיתוֹ עָלָיו Lev.22:14; 27:27
15 וְיָסַף חֲמִישִׁתוֹ עַל־עֶרְכֶּךָ Lev.27:13
16/7 וְיָסַף חֲמִשִׁית כֶּסֶף־עֶרְכְּךָ Lev.27:15,19
18 וְיָסַף עוֹד לְהַנִּיחוֹ בַּמִּדְבָּר Num.32:15
יָסְפָה 19 וְלֹא־יָסְפָה שׁוּב־אֵלָיו עוֹד Gen.8:12
וְיָסְפָה 20/1 וְיָסְפָה...שֹׁרֶשׁ לְמָטָּה IIK.19:30 • Is.37:31
יָסַפְנוּ 22 יָסַפְנוּ עַל־כָּל־חַטֹּאתֵינוּ רָעָה ISh.12:19
יָסְפוּ 23 וְלֹא יָסְפוּ לָשֵׂאת רֹאשָׁם Jud.8:28
24 וְלֹא־יָסְפוּ עוֹד לָבוֹא בִּגְבוּל יִשְׂרָאֵל ISh.7:13
25 וְלֹא־יָסְפוּ עוֹד לְהִלָּחֵם IISh.2:28
26 וְלֹא־יָסְפוּ עוֹד...לָבוֹא בְּאֶרֶץ יִשְׂ' IIK.6:23
יָסָפוּ 27 וַיִּתְנַבְּאוּ וְלֹא יָסָפוּ Num.11:25
וְיָסְפוּ 28 וְיָסְפוּ הַשֹּׁטְרִים לְדַבֵּר אֶל־הָעָם Deut.20:8
29 וְיָסְפוּ עֲנָוִים בַּייָ שִׂמְחָה Is.29:19
יוֹסִף 30 הִנְנִי יוֹסִף לְהַפְלִיא אֶת־הָעָם־הַזֶּה Is.29:14
31 הִנְנִי יוֹסִף עַל־יָמֶיךָ חֲמֵשׁ עֶשְׂרֵה שָׁ' Is.38:5
יֹסְפִים 32 אִם יֹסְפִים אֲנַחְנוּ לִשְׁמֹעַ... Deut.5:22
נוֹסַף 33 וְעוֹד נוֹסַף עֲלֵיהֶם דְּבָרִים רַבִּים Jer.36:32
וְנוֹסַף 34 וְנוֹסַף גַּם־הוּא עַל־שֹׂנְאֵינוּ Ex.1:10
35 וְנוֹסַף עַל נַחֲלַת הַמַּטֶּה Num.36:3
וְנוֹסְפָה 36 וְנוֹסְפָה נַחֲלָתָן עַל נַחֲלַת הַמַּטֶּה Num.36:4
וְנוֹסָף 37 יֵשׁ מְפַזֵּר וְנוֹסָף עוֹד Prov.11:24
נוֹסָפוֹת 38 כִּי־אָשִׁית עַל־דִּימוֹן נוֹסָפוֹת Is.15:9
לְהוֹסִיף 39 לְהוֹסִיף לָכֶם תְּבוּאָתוֹ Lev.19:25
40 עָלָיו אֵין לְהוֹסִיף Eccl.3:14
41 לְהוֹסִיף עַל־אַשְׁמַת יִשְׂרָאֵל Ez.10:10
42 לְהֹסִיף עַל־חַטֹּאתֵנוּ IICh.28:13
וְהוֹסַפְתִּי 43 וְהֹסַפְתִּי עַל־יָמֶיךָ חֲמֵשׁ עֶשְׂרֵה שָׁנָה IIK.20:6
44 וְהוֹסַפְתִּי עַל־כָּל־תְּהִלָּתֶךָ Ps.71:14
45 הִגְדַּלְתִּי וְהוֹסַפְתִּי חָכְמָה Eccl.1:16
46 וְגָדַלְתִּי וְהוֹסַפְתִּי מִכֹּל שֶׁהָיָה Eccl.2:9
הוֹסַפְתָּ 47 הוֹסַפְתָּ חָכְמָה וָטוֹב אֶל־הַשְּׁמוּעָה IK.10:7
הוֹסִיף 48 וְלֹא הֹסִיף עוֹד...לָצֵאת מֵאַרְצוֹ IIK.24:7
מוֹסִיפִים 49 וְאַתֶּם מוֹסִיפִים חָרוֹן עַל־יִשְׂרָאֵל Neh.13:18
אוֹסִף 50 לֹא אֹסִף לְקַלֵּל...אֶת־הָאֲדָמָה Gen.8:21
51 וְלֹא אֹסִף עוֹד לְהַכּוֹת Gen.8:21
52 לֹא־אֹסִף עוֹד רְאוֹת פָּנֶיךָ Ex.10:29
53 לֹא אוֹסִיף לִהְיוֹת עִמָּכֶם Josh.7:12
54 לֹא אוֹסִיף לְהוֹרִישׁ אִישׁ Jud.2:21

אוֹסִיף (המשך) 55 לֹא־אוֹסִיף לְהוֹשִׁיעַ אֶתְכֶם Jud.10:13
56/7 וַאֲנִי אֹסִיף עַל־עֻלְּכֶם IK.12:11,14
58 וְלֹא אֹסִיף לְהָנִיד רֶגֶל יִשְׂרָאֵל IIK.21:8
59 כִּי לֹא אוֹסִיף עוֹד אֲרַחֵם Hosh.1:6
60/1 לֹא־אוֹסִיף עוֹד עֲבוֹר לוֹ Am.7:8; 8:2
62 אַךְ אוֹסִיף לְהַבִּיט אֶל־הֵיכַל קָדְשֶׁךָ Jon.2:5
63 אוֹסִיף אֲבַקְשֶׁנּוּ עוֹד Prov.23:35
64 אִם־עָוֶל פָּעַלְתִּי לֹא אֹסִיף Job34:32
65 אַחַת דִּבַּרְתִּי...וּשְׁתַּיִם וְלֹא אוֹסִיף Job40:5
66 וַאֲנִי אֹסִיף עַל־עֻלְּכֶם IICh.10:11
67 אַכְבִּיד...עֻלְּכֶם וַאֲנִי אֹסִיף עָלָיו IICh.10:14
68 וְלֹא אוֹסִיף לְהָסִיר אֶת־רֶגֶל יִשְׂר' IICh.33:8
אֹסֵף 69 לֹא אֹסֵף לִשְׁמֹעַ אֶת־קוֹל יְיָ Deut.18:16
70 וְרָעָב אֹסֵף עֲלֵיכֶם Ezek.5:16
71 לֹא אוֹסֵף אַהֲבָתָם Hosh.9:15
הַאוֹסִיף 72 הַאוֹסִיף לָגֶשֶׁת לַמִּלְחָמָה Jud.20:23
73 הַאוֹסִף עוֹד לָצֵאת לַמִּלְחָמָה Jud.20:28
וְאֹסִפָה 74 וְאִם־מְעָט וְאֹסִפָה לְּךָ כָּהֵנָּה וְכָהֵנָּה IISh.12:8
תּוֹסִיף 75 לֹא־תֹסִיף עוֹד לִרְאֹתָהּ Deut.28:68
76 וְלֹא־תוֹסִף עוֹד לְשַׁכְּלָם Ezek.36:12
77 וּבֵית־אֵל לֹא־תוֹסִיף עוֹד לְהִנָּבֵא Am.7:13
78 יָמִים עַל־יְמֵי־מֶלֶךְ תּוֹסִיף Ps.61:7
79 כִּי אִם־תַּצִּיל וְעוֹד תּוֹסִף Prov.19:19
80 עַד־פֹּה תָבוֹא וְלֹא תֹסִיף Job38:11
81 וַעֲלֵיהֶם תּוֹסִיף ICh.22:14(13)
תֹסֵף 82 לֹא־תֹסֵף עָלָיו וְלֹא תִגְרַע מִמֶּנּוּ Deut.13:1
תֹּסֶף 83 אַל־תֹּסֶף רְאוֹת פָּנַי Ex.10:28
84 אַל־תּוֹסֶף דַּבֵּר אֵלַי עוֹד Deut.3:26
תּוֹסְףְּ 85 אַל־תּוֹסְףְּ עַל־דְּבָרָיו... Prov.30:6
תּוֹסַף 86 זְכֹר מִלְחָמָה אַל־תּוֹסַף Job40:32
תוֹסִיפִי 87 לֹא־תוֹסִיפִי עוֹד לַעֲלוֹז Is.23:12
88/9 לֹא תוֹסִיפִי יִקְרְאוּ־לָךְ... Is.47:1,5
90 לֹא־תוֹסִיפִי לִשְׁתּוֹתָהּ עוֹד Is.51:22
91 וְלֹא־תוֹסִפִי לְגָבְהָה עוֹד Zep.3:11
יֹסִיף 92 אַרְבָּעִים יַכֶּנּוּ לֹא יֹסִיף Deut.25:3
93 פֶּן־יֹסִיף לְהַכֹּתוֹ עַל־אֵלֶּה Deut.25:3
94 כִּי לֹא יוֹסִיף...לְהוֹרִישׁ... Josh.23:13
95 כֹּה יַעֲשֶׂה־לְּךָ אֱלֹהִים וְכֹה יוֹסִיף ISh.3:17
96 כֹּה־יַעֲשֶׂה אֱלֹהִים וְכֹה יוֹסִף ISh.14:44
97 כֹּה־יַעֲשֶׂה יְיָ לִיהוֹנָתָן וְכֹה יֹסִיף ISh.20:13
98 כֹּה־יַעֲשֶׂה אֱלֹהִים...וְכֹה יֹסִיף ISh.25:22
99 כֹּה־יַעֲשֶׂה אֱלֹ' לְאַבְנֵר וְכֹה יֹסִיף לוֹ IISh.3:9
100-103 כֹּה יַעֲשֶׂה־לִּי אֱלֹהִים וְכֹה יֹסִיף
IISh.3:35; 19:14 • IK.2:23; 6:31
104 וּמַה יּוֹסִיף דָּוִד עוֹד לְדַבֵּר אֵלֶיךָ IISh.7:20
105 וְלֹא־יֹסִיף עוֹד לָגַעַת בָּךְ IISh.14:10
106 לֹא־יוֹסִיף עוֹד...לְהִשָּׁעֵן Is.10:20
107 יוֹסִיף אֲדֹנָי שֵׁנִית יָדוֹ... Is.11:11
108 כִּי לֹא יוֹסִיף יָבֹא־בָךְ עוֹד... Is.52:1
109 כִּי לֹא יוֹסִיף עוֹד לַעֲבָר־בָּךְ... Nah.2:1
110 בַּל־יוֹסִיף עוֹד לַעֲרֹץ אֱנוֹשׁ Ps.10:18
111 וַאֲשֶׁר שָׁכַב לֹא־יוֹסִיף לָקוּם Ps.41:9
112 וְלֹא־יֹסִיף לִרְצוֹת עוֹד Ps.77:8
113 מַה־יִּתֵּן לְךָ וּמַה־יֹּסִיף לָךְ Ps.120:3
114 וְלֹא־יוֹסִף עֶצֶב עִמָּהּ Prov.10:22
115 וּמֶתֶק שְׂפָתַיִם יֹסִיף לֶקַח Prov.16:21
116 וְעַל־שְׂפָתָיו יֹסִיף לֶקַח Prov.16:23
117 הוֹן יֹסִיף רֵעִים רַבִּים Prov.19:4
118 וּטְהָר־יָדַיִם יֹסִיף אֹמֶץ Job17:9
119 כִּי יֹסִיף עַל־חַטָּאתוֹ פֶשַׁע Job34:37
120 כֹּה־יַעֲשֶׂה יְיָ לִי וְכֹה יֹסִיף Ruth1:17
121 לֹא יוֹסִיף לְהַבִּיטָם Lam.4:16

יוסיף (המשך) 122 לֹא יוֹסִיף לְהַגְלוֹתֵךְ Lam.4:22
123 וְיוֹסִיף דַּעַת יוֹסִיף מַכְאוֹב Eccl.1:18
124 מַה־יּוֹסִיף עוֹד דָּוִיד אֵלֶיךָ IChr.17:18
יֹסֵף 125 יֹסֵף יְיָ לִי בֵּן אַחֵר Gen.30:24
126 רַק אַל־יֹסֵף פַּרְעֹה הָתֵל Ex.8:25
127 וְאֶת־חֲמִשִׁתוֹ יוֹסֵף עָלָיו Lev.5:16
128 וַחֲמִשִׁתָיו יֹסֵף עָלָיו Lev.5:24
129 חֲמִשִׁתוֹ יֹסֵף עָלָיו Lev.27:31
130 וַחֲמִישִׁתוֹ יֹסֵף עָלָיו Num.5:7
131 וְאֵדְעָה מַה־יֹּסֵף יְיָ דַּבֵּר עִמִּי Num.22:19
132 יֹסֵף עֲלֵיכֶם כָּכֶם אֶלֶף פְּעָמִים Deut.1:11
133 אֲשֶׁר תִּתְנַחֲלוּ...יוֹסֵף חֲבָלִים Ezek.47:13
134 לֹא נִהְיָה...וְאַחֲרָיו לֹא יוֹסֵף Joel 2:2
135 יֹסֵף יְיָ עֲלֵיכֶם...וְעַל־בְּנֵיכֶם Ps.115:14
136 יוֹסֵף יְיָ עַל־עַמּוֹ...מֵאָה פְעָמִים IChr.21:3
וְיוֹסִיף 137 וְיוֹסִיף דַּעַת יוֹסִיף מַכְאוֹב Eccl.1:18
וְיוֹסֵף 138 וְיוֹסֵף...כָּהֵם וְכָהֵם מֵאָה פְעָמִים IISh.24:3
וְיוֹסֶף 139 יִשְׁמַע חָכָם וְיוֹסֶף לֶקַח Prov.1:5
140 הוֹדַע לְצַדִּיק וְיוֹסֶף לֶקַח Prov.9:9
וַיֹּסֶף 141 וַיֹּסֶף שַׁלַּח אֶת־הַיּוֹנָה Gen.8:10
142 וַיֹּסֶף עוֹד לְדַבֵּר אֵלָיו Gen.18:29
143 וַיֹּסֶף אַבְרָהָם וַיִּקַּח אִשָּׁה Gen.25:1
144 וַיַּרְא פַּרְעֹה...וַיֹּסֶף לַחֲטֹא Ex.9:34
145 וַיֹּסֶף עוֹד בָּלָק שְׁלֹחַ שָׂרִים Num.22:15
146 וַתִּלָּחֵץ...וַיֹּסֶף לְהַכֹּתָהּ Num.22:25
147 וַיּוֹסֶף מַלְאַךְ־יְיָ עֲבוֹר Num.22:26
148 וַיֹּסֶף עוֹד גַּעַל לְדַבֵּר Jud.9:37
149 וַיּוֹסֶף עוֹד יִפְתָּח וַיִּשְׁלַח Jud.11:14
150 וַיֹּסֶף יְיָ קְרֹא עוֹד שְׁמוּאֵל ISh.3:6
151 וַיֹּסֶף יְיָ קְרֹא־שְׁמוּאֵל בַּשְּׁלִשִׁית ISh.3:8
152 וַיֹּסֶף יְיָ לְהֵרָאֹה בְשִׁלֹה ISh.3:21
153 וַיֹּסֶף הַנַּעַר לַעֲנוֹת אֶת־שָׁאוּל ISh.9:8
154 וַיֹּסֶף שָׁאוּל וַיִּשְׁלַח מַלְאָ׳ שְׁלִשִׁים ISh.19:21
155 וַיּוֹסֶף יְהוֹנָתָן לְהַשְׁבִּיעַ ISh.20:17
156 וַיּוֹסֶף עוֹד דָּוִד לִשְׁאוֹל בַּיְיָ ISh.23:4
157 וַיֹּסֶף עוֹד אַבְנֵ׳ לֵאמֹר אֶל־עֲשָׂהאֵל IISh.2:22
158 וַיֹּסֶף עוֹד דָּוִד אֶת־כָּל־בָּחוּר IISh.6:1
159 וַיֹּסֶף עוֹד אֲחִימַעַץ...וַיֹּאמֶר IISh.18:22
160 וַיֹּסֶף אַף־יְיָ לַחֲרוֹת בְּיִשְׂרָאֵל IISh.24:1
161 וַיּוֹסֶף אַחְאָב לַעֲשׂוֹת לְהַכְעִיס IK.16:33
162 וַיּוֹסֶף יְיָ דַּבֵּר אֶל־אָחָז לֵאמֹר Is.7:10
163 וַיֹּסֶף יְיָ דַּבֵּר אֵלַי עוֹד לֵאמֹר Is.8:5
164/5 וַיֹּסֶף אִיּוֹב שְׂאֵת מְשָׁלוֹ Job 27:1; 29:1
166 וַיֹּסֶף אֱלִיהוּא וַיֹּאמַר Job 36:1
167 וַיֹּסֶף יְיָ...כָּל־אֲשֶׁר לְאִיּוֹב לְמִשְׁנֶה Job 42:10
168 וַיֹּסֶף וַיִּגַּע־בִּי...וַיְחַזְּקֵנִי Dan.10:18
169 וַיּוֹסֶף לִמְעוֹל בַּיְיָ IICh.28:22
וַיֹּאסֶף 170 וַיֹּאסֶף שָׁאוּל לֵרֹא מִפְּנֵי דָוִד עוֹד ISh.18:29
תֹּסִף 171 ...וְכָמֹהוּ לֹא תֹסִף Ex.11:6
172 וְנָפְלָה וְלֹא תֹסִיף קוּם Is.24:20
173 נָפְלָה לֹא־תוֹסִיף קוּם Am.5:2
174 יִרְאַת יְיָ תּוֹסִיף יָמִים Prov.10:27
175 וּבוֹגְדִים בְּאָדָם תּוֹסִף Prov.23:28
176 עַיִן שְׁזָפַתּוּ וְלֹא תוֹסִיף Job 20:9
תֹּסֵף 177 לֹא־תֹסֵף תֵּת־כֹּחָהּ לָךְ Gen.4:12
וַתֹּסֶף 178 וַתֹּסֶף לָלֶדֶת אֶת־אָחִיו Gen.4:2
179 וַתֹּסֶף עוֹד וַתֵּלֶד בֵּן Gen.38:5
180 וַתּוֹסֶף הַמִּלְחָמָה לִהְיוֹת ISh.19:8
181 וַתּוֹסֶף אֶל־תַּזְנוּתֶיהָ Ezek.23:14
182 וַתּוֹסֶף אֶסְתֵּר וַתְּדַבֵּר Es.8:3
תֹּסִיפוּ 183 לֹא תֹסִפוּ לִרְאֹתָם עוֹד Ex.14:13
184 לֹא תֹסִפוּ עַל־הַדָּבָר Deut.4:2
185 עַל מֶה תֻכּוּ עוֹד תּוֹסִיפוּ סָרָה Is.1:5
186 לֹא תוֹסִיפוּ הָבִיא מִנְחַת־שָׁוְא Is.1:13
תֹּסִפוּן 187 לֹא תֹסִפוּן לִרְאוֹת פָּנָי Gen.44:23
188 וְלֹא תֹסִפוּן לַעֲמֹד Ex.9:28
189 לֹא תֹסִפוּן לָשׁוּב...עוֹד Deut.17:16
תֹאסִפוּן 190 לֹא תֹאסִפוּן לָתֵת תֶּבֶן לָעָם Ex.5:7
יֹסִיפוּ 191 וְלֹא־יוֹסִפוּ לַעֲשׂוֹת כַּדָּבָר... Deut.13:12
192 וְלֹא־יֹסִפוּ לַעֲשׂוֹת עוֹד Deut.19:20
193 וְלֹא־יֹסִיפוּ בְנֵי־עַוְלָה לְעַנּוֹתוֹ IISh.7:10
194 כֹּה־יַעֲשׂוּן לִי אֱלֹהִים וְכֹה יוֹסִפוּ IK.20:10
195 וְלֹא־יוֹסִיפוּ לְדַאֲבָה עוֹד Jer.31:12(11)
196 וְעַתָּה יוֹסִפוּ לַחֲטֹא Hosh.13:2
197 כִּי אֹרֶךְ יָמִים...יוֹסִיפוּ לָךְ Prov.3:2
198 אָמְרוּ בַּגּוֹיִם לֹא יוֹסִפוּ לָגוּר Lam.4:15
199 וְלֹא־יוֹסִיפוּ בְנֵי־עַוְלָה לְבַלֹּתוֹ IChr.17:9
וְיוֹסִיפוּ 200 וְיוֹסִיפוּ לְךָ שְׁנוֹת חַיִּים Prov.9:11
וַיּוֹסִפוּ 201/2 וַיּוֹסִפוּ עוֹד שְׂנֹא אֹתוֹ Gen.37:5,8
203/4 וַיֹּסִפוּ בְּ׳׳יְ לַעֲשׂוֹת הָרַע Jud.3:12; 4:1
205/6 וַיֹּסִיפוּ בְּ׳׳יְ לַעֲשׂוֹת הָרַע Jud.10:6; 13:1
207 וַיֹּסִפוּ לַעֲרֹךְ מִלְחָמָה Jud.20:22
208 וַיֹּסִפוּ כָל־הָעָם לִבְכּוֹת עָלָיו IISh.3:34
209 וַיֹּסִפוּ עוֹד פְּלִשְׁתִּים לַעֲלוֹת IISh.5:22
210 וַיּוֹסִיפוּ עוֹד לַחֲטֹא־לוֹ Ps.78:17
211 וַיֹּסִיפוּ עוֹד פְּל׳ וַיִּפְשְׁטוּ בָּעֵמֶק IChr.14:13
יוֹסִפוּן 212 כֹּה־יַעֲשׂוּן אֱלֹהִים וְכֹה יוֹסִפוּן IK.19:2

(יסף) הוּסַף הפ׳ ארמית, נוסף

הוּסְפַת 1 וּרְבוּ יַתִּירָא הוּסְפַת לִי Dan.4:33

יסר

: יָסַר, נוֹסַר, יִסֵּר, הֵיסִיר, נִוַּסֵּר; יָסֹר, יִסּוּר, מוּסָר, מוֹסֵר, מוֹסֵרָה

יָסַר

פ׳ א) ענש, הוכיח: 1–3
ב) [נפ׳ נוֹסַר] קבל מוסר: 4–8
ג) [פ׳ יִסֵּר] ענש, הוכיח: 9–11, 13–40
ד) [כנ״ל] אסר, חזק: 12
ה) [נת׳ נִוַּסֵּר] קבל מוסר, נענש: 41
ו) [הפ׳ הֵיסִיר] הוכיח: 42

יוֹסֵר 1 יֹסֵר לֵץ לֹקֵחַ לוֹ קָלוֹן Prov.9:7
הֲיֹסֵר 2 הֲיֹסֵר גּוֹיִם הֲלֹא יוֹכִיחַ Ps.94:10
וְאֶסֳּרֵם 3 בְּאַוָּתִי וְאֶסֳּרֵם Hosh.10:10
וָאִוָּסֵר 4 יִסַּרְתַּנִי וָאִוָּסֵר Jer.31:18(17)
יִוָּסֶר 5 בִּדְבָרִים לֹא־יִוָּסֶר עָבֶד Prov.29:19
תִוָּסְרוּ 6 וְאִם־בְּאֵלֶּה לֹא תִוָּסְרוּ לִי Lev.26:23
הִוָּסְרִי 7 הִוָּסְרִי יְרוּשָׁלַםִ פֶּן־תֵּקַע נַפְשִׁי Jer.6:8
הִוָּסְרוּ 8 הִוָּסְרוּ שֹׁפְטֵי אָרֶץ Ps.2:10
יַסֹּר 9 יַסֹּר יִסְּרַנִּי יָּהּ וְלַמָּוֶת לֹא נְתָנָנִי Ps.118:18
לְיַסְּרָה 10 וְיָסַפְתִּי לְיַסְּרָה אֶתְכֶם Lev.26:18
לְיַסְּרֶךָּ 11 הִשְׁמִיעֲךָ אֶת־קֹלוֹ לְיַסְּרֶךָּ Deut.4:36
יִסַּרְתִּי 12 וַאֲנִי יִסַּרְתִּי חִזַּקְתִּי זְרוֹעֹתָם Hosh.7:15
וְיִסַּרְתִּי 13 וְיִסַּרְתִּי אֶתְכֶם אַף־אָנִי Lev.26:28
וְיִסַּרְתִּיךָ 14/5 וְיִסַּרְתִּיךָ לַמִּשְׁפָּט Jer.30:11; 46:28
יִסַּרְתָּ 16 עַל־עָוֹן יִסַּרְתָּ אִישׁ Ps.39:12
17 הִנֵּה יִסַּרְתָּ רַבִּים Job 4:3
יִסַּרְתַּנִי 18 יִסַּרְתַּנִי וָאִוָּסֵר כְּעֵגֶל לֹא לֻמָּד Jer.31:18(17)
יִסַּר 19/20 אָבִי יִסַּר אֶתְכֶם בַּשּׁוֹטִים IK.12:11,14
21/2 אָבִי יִסַּר אֶתְכֶם בַּשּׁוֹטִים IICh.10:11,14
יִסְּרַנִּי 23 יַסֹּר יִסְּרַנִּי יָּהּ וְלַמָּוֶת לֹא נְתָנָנִי Ps.118:18
וְיִסְּרֵנִי 24 וְיִסְּרֵנִי מִלֶּכֶת בְּדֶרֶךְ הָעָם־הַזֶּה Is.8:11
וְיִסְּרוֹ 25 וְיִסְּרוֹ לַמִּשְׁפָּט אֱלֹהָיו יוֹרֶנּוּ Is.28:26
יִסְּרַתּוּ 26 מַשָּׂא אֲשֶׁר־יִסְּרַתּוּ אִמּוֹ Prov.31:1
וְיִסְּרוּ 27 וְיִסְּרוּ אֹתוֹ וְלֹא יִשְׁמַע אֲלֵיהֶם Deut.21:18
28 וְלָקְחוּ...אֶת־הָאִישׁ וְיִסְּרוּ אֹתוֹ Deut.22:18
יִסְּרוּנִי 29 אַף־לֵילוֹת יִסְּרוּנִי כִלְיוֹתָי Ps.16:7
מְיַסְּרֶךָּ 30 יְיָ אֱלֹהֶיךָ מְיַסְּרֶךָּ Deut.8:5
אֲיַסֵּר 31/2 וַאֲנִי אֲיַסֵּר אֶתְכֶם בָּעַקְרַבִּים IK.12:11,14
תְיַסְּרֵנִי 33 וְאַל־בַּחֲמָתְךָ תְיַסְּרֵנִי Ps.6:2
34 אַל־בְּקֶצְפְּךָ...וּבַחֲמָתְךָ תְיַסְּרֵנִי Ps.38:2
תְּיַסְּרֶנּוּ 35 אַשְׁרֵי הַגֶּבֶר אֲשֶׁר־תְּיַסְּרֶנּוּ יָּהּ Ps.94:12
יְיַסֵּר 36 כַּאֲשֶׁר יְיַסֵּר אִישׁ אֶת־בְּנוֹ Deut.8:5
תְּיַסְּרֵךְ 37 תְּיַסְּרֵךְ רָעָתֵךְ וּמְשֻׁבוֹתַיִךְ תּוֹכִחֻךְ Jer.2:19
יַסֵּר 38 יַסֵּר בִּנְךָ כִּי־יֵשׁ תִּקְוָה Prov.19:18
39 יַסֵּר בִּנְךָ וִינִיחֶךָ Prov.29:17
יַסְּרֵנִי 40 יַסְּרֵנִי יְיָ אַךְ בְּמִשְׁפָּט Jer.10:24
וְנִוַּסְּרוּ 41 וְנִוַּסְּרוּ כָּל־הַנָּשִׁים Ezek.23:48
אַיְסִרֵם 42 אַיְסִרֵם כְּשֵׁמַע לַעֲדָתָם Hosh.7:12

יָסַר

ז׳ מוכיח, מורה (?)

יָסַר 1 יָסַר בַּמַּשָּׂא כִּי מֵבִין הוּא IChr.15:22

יַעְבֵּץ[1]

עיר בנחלת יהודה

יַעְבֵּץ 1 וּמִשְׁפְּחוֹת סֹפְרִים יֹשְׁבֵי׳ יַעְבֵּץ IChr.2:55

יַעְבֵּץ[2]

שפ״ז – איש מצאצאי יהודה: 1–3

יַעְבֵּץ 1 וַיְהִי יַעְבֵּץ נִכְבָּד מֵאֶחָיו IChr.4:9
2 וְאִמּוֹ קָרְאָה שְׁמוֹ יַעְבֵּץ IChr.4:9
3 וַיִּקְרָא יַעְבֵּץ לֵאלֹהֵי יִשְׂרָאֵל IChr.4:10

יעד

: יָעַד, נוֹעַד, הוֹעִיד, הוּעַד; מוֹעֵד, מוֹעָד, מוֹעֲדָה, עֵדָה; ש״פ מוֹעַדְיָה, מַעַדְיָה, מַעַדְיָ, נוֹעַדְיָה

יָעַד

פ׳ א) קבע: 1–5
ב) [נפ׳ נוֹעַד] קבע זמן לפגישה, נפגש במועד: 6–24
ג) [הפ׳ הוֹעִיד] הזמין לדין: 25–27
ד) [הפ׳ הוּעַד] הוכן, כּוּן: 28,29

יְעָדוֹ 1 וַיּוֹחֶר׳ מִן־הַמּוֹעֵד אֲשֶׁר יְעָדוֹ IISh.20:5
יְעָדָהּ 2 רָעָה בְּעֵינֵי אֲדֹנֶיהָ אֲשֶׁר־לוֹ׳ יְעָדָהּ Ex.21:8
3 וְאֶל־חוֹף הַיָּם שָׁם יְעָדָהּ Jer.47:7
4 שִׁמְעוּ מַטֶּה וּמִי יְעָדָהּ Mic.6:9
יִיעָדֶנָּה 5 וְאִם־לִבְנוֹ יִיעָדֶנָּה Ex.21:9
וְנוֹעַדְתִּי 6 וְנוֹעַדְתִּי לְךָ שָׁם Ex.25:22
7 וְנֹעַדְתִּי שָׁמָּה לִבְנֵי יִשְׂרָאֵל Ex.29:43
נוֹעֲדוּ 8 כִּי־הִנֵּה הַמְּלָכִים נוֹעֲדוּ Ps.48:5
נוֹעָדוּ 9 הֲיֵלְכוּ שְׁנַיִם...בִּלְתִּי אִם־נוֹעָדוּ Am.3:3
וְנוֹעֲדוּ 10 וְנוֹעֲדוּ אֵלֶיךָ כָּל־הָעֵדָה Num.10:3
11 וְנוֹעֲדוּ אֵלֶיךָ הַנְּשִׂיאִים Num.10:4
הַנּוֹעָדִים 12 לְכָל־הָעֵדָה...הַנּוֹעָדִים עָלָי Num.14:35
13 וְכָל־עֲדָתְךָ הַנֹּעָדִים עַל־יְיָ Num.16:11
14 הַנּוֹעָדִים עַל־יְיָ בַּעֲדַת קֹרַח Num.27:3
15/6 וְכָל־עֲדַת יִשׂ׳ הַנּוֹעָדִים עָלָיו IK.8:5 • IICh.5:6
אִוָּעֵד 17/8 אֲשֶׁר אִוָּעֵד לָכֶם שָׁמָּה Ex.29:42 • Num.17:19
19/20 אֲשֶׁר אִוָּעֵד לְךָ שָׁמָּה Ex.30:6,36
נִוָּעֵד 21 נִוָּעֵד אֶל־בֵּית הָאֱלֹהִים Neh.6:10
וְנִוָּעֲדָה 22 לְכָה וְנִוָּעֲדָה יַחְדָּו Neh.6:2
וַיִּוָּעֲדוּ 23 וַיִּוָּעֲדוּ כֹּל הַמְּלָכִים הָאֵלֶּה Josh.11:5
24 וַיִּוָּעֲדוּ יַחְדָּו לָבוֹא לָנוּד־לוֹ Job 2:11
יוֹעִידֵנִי 25 וְאִם־לְמִשְׁפָּט מִי יוֹעִידֵנִי Job 9:19
יוֹעִדֶנִּי 26 כִּי מִי כָמוֹנִי וּמִי יֹעִדֶנִּי Jer.49:19
27 כִּי מִי כָמוֹנִי וּמִי יוֹעִדֶנִּי Jer.50:44
מוּעָדִים 28 מוּעָדִים לִפְנֵי הֵיכַל יְיָ Jer.24:1
מֻעָדוֹת 29 אָנָה פָּנַיִךְ מֻעָדוֹת Ezek.21:21

יֶעְדּוֹ

שפ״ז – נביא שכתב תולדות שלמה, אולי הוא עדו

יֶעְדּוֹ 1 וּבַחֲזוֹת יֶעְדּוֹ (כת׳ יעדי) הַחֹזֶה IICh.9:29

יעה : יָעָה; יָעֶה; ש״פ יְעוּאֵל, יְעִיאֵל

יָעָה פ׳ טאטא, גרף

וְיָעָה 1 וְיָעָה בָרָד מַחְסֵה כָזָב Is.28:17

יָעֶה* ז׳ כלי-נקוי, כעין מחתה: 1–9

הַיָּעִים 1-5 וְאֶת־הַיָּעִים וְאֶת־הַמִּזְרָקוֹת Ex.38:3 Num.4:14 • IK.7:40,45 • IIK.4:11

6-7 וְאֶת־הַיָּעִים וְאֶת־הַמְזַמְּרוֹת IIK.25:14 Jer.52:18

8 וְאֶת־הַיָּעִים וְאֶת־הַמִּזְלָגוֹת IICh.4:16

וְיָעָיו 9 וְיָעָיו וּמִזְרְקֹתָיו וּמִזְלְגֹתָיו Ex.27:3

יְעוּאֵל שפ״ז – איש מבני זרח, מעולי בבל

יְעוּאֵל 1 וּמִן־בְּנֵי זֶרַח יְעוּאֵל... ICh.9:6

יְעוּץ שפ״ז – ראש בית אב מבני בנימין

יְעוּץ 1 וְאֶת־יְעוּץ וְאֶת־שָׂכְיָה... ICh.8:10

יְעוּר שפ״ז כתיב – עין יָעִיר

יְעוּשׁ שפ״ז א) בן עשו מאהליבמה: 1–3, 7

ב) מבני בנימין: 4–6, 8, 9

יְעוּשׁ 1 וְאָהֳלִיבָמָה יָלְדָה אֶת־יְעוּשׁ (כת׳ יעיש) Gen.36:5

2 וַתֵּלֶד לְעֵשָׂו אֶת־יְעוּשׁ (כת׳ יעיש) Gen.36:14

3 אַלּוּף יְעוּשׁ אַלּוּף יַעְלָם Gen.36:18

4 וּבְנֵי בִלְהָן יְעוּשׁ (כת׳ יעיש) וּבִנְיָמִן ICh.7:10

5 אוּלָם בְּכֹרוֹ יְעוּשׁ הַשֵּׁנִי ICh.8:39

6 אֶת־יְעוּשׁ וְאֶת־שְׁמַרְיָה וְאֶת־זָהַם IICh.11:19

וִיעוּשׁ 7 אֱלִיפַז רְעוּאֵל וִיעוּשׁ וְיַעְלָם ICh.1:35

8 וּבְנֵי שִׁמְעִי יַחַת זִינָא וִיעוּשׁ ICh.23:10

9 וִיעוּשׁ וּבְרִיעָה לֹא־הִרְבּוּ בָנִים ICh.23:11

יעז פ׳ – עין ערך נוֹעָז

יַעֲזִיאֵל שפ״ז – לוי שוער בימי דוד, נקרא גם עֲזִיאֵל

וְיַעֲזִיאֵל 1 זְכַרְיָהוּ בֵּן וְיַעֲזִיאֵל וּשְׁמִירָמוֹת ICh.15:18

יַעֲזִיָּהוּ שפ״ז – מן הלויים בימי דוד: 1, 2

יַעֲזִיָּהוּ 1 בְּנֵי יַעֲזִיָּהוּ בְנוֹ ICh.24:26

לְיַעֲזִיָּהוּ 2 בְּנֵי מְרָרִי לְיַעֲזִיָּהוּ בְנוֹ וְשֹׁהַם ICh.24:27

יַעְזֵר עיר בדרום הגלעד: 1–13

בְּכִי יַעְזֵר 8, 9; יָם יַעְזֵר 10

יַעְזֵר 1 וַיִּשְׁלַח מֹשֶׁה לְרַגֵּל אֶת־יַעְזֵר Num.21:32

2 וַיִּרְאוּ אֶת־אֶרֶץ יַעְזֵר Num.32:1

3 וְאֶת־יַעְזֵר וְיָגְבְּהָה Num.32:35

4 יַעְזֵר וְכָל־עָרֵי הַגִּלְעָד Josh.13:25

5 אֶת־יַעְזֵר וְאֶת־מִגְרָשֶׁהָ Josh.21:37

6 בְּתוֹךְ־הַנַּחַל הַגָּד וְאֶל־יַעְזֵר IISh.24:5

7 עַד־יַעְזֵר נָגָעוּ Is.16:8

8 עַל־כֵּן אֶבְכֶּה בִּבְכִי יַעְזֵר Is.16:9

9 מִבְּכִי יַעְזֵר אֶבְכֶּה־לָּךְ Jer.48:32

10 עַד יָם יַעְזֵר נָגָעוּ Jer.48:32

11 וְאֶת־יַעְזֵיר וְאֶת־מִגְרָשֶׁיהָ ICh.6:66

וְיַעְזֵר 12 עֲטָרוֹת וְדִיבֹן וְיַעְזֵר וְנִמְרָה Num.32:3

בְּיַעְזֵיר 13 גִּבּוֹרֵי חַיִל בְּיַעְזֵיר גִּלְעָד ICh.26:31

יָעַט פ׳ עטה, עטף

יְעָטָנִי 1 מְעִיל צְדָקָה יְעָטָנִי Is.61:10

יעט פ׳ ארמית: א) יעץ: 2,1

ב) [אתפ׳ אִתְיָעַט] התיעץ: 3

יָעֲטוֹהִי 1 וְשִׁבְעַת יָעֲטוֹהִי שְׁלִיחַ לְבַקָּרָה Ez.7:14

וְיָעֲטוֹהִי 2 דִּי־מַלְכָּא וְיָעֲטוֹהִי הִתְנַדַּבוּ Ez.7:15

אִתְיָעַטוּ 3 אִתְיָעַטוּ כֹּל סָרְכֵי מַלְכוּתָא Dan.6:8

יְעִיאֵל שפ״ז א) מצאצאי ראובן: 3

ב) לוי בימי דוד: 5

ג) לוויים שונים: 1, 2, 4, 6–13

יְעִיאֵל 1 אֱלִיפֶלֶט יְעִיאֵל וּשְׁמַעְיָה Ez.8:13

2 מִבְּנֵי נְבוֹ יְעִיאֵל מַתִּתְיָה Ez.10:43

3 הָרֹאשׁ יְעִיאֵל וּזְכַרְיָהוּ ICh.5:7

4 אֲבִי־גִבְעוֹן יְעִיאֵל (כת׳ יעואל) ICh.9:35

5 יְעִיאֵל וּשְׁמִירָמוֹת וִיחִיאֵל ICh.16:5

6 וְיַחֲזִיאֵל...בֶּן־בְּנָיָה בֶּן־יְעִיאֵל IICh.20:14

7 בְּיַד יְעִיאֵל (כת׳ יעואל) הַסּוֹפֵר IICh.26:11

וִיעִיאֵל 8 שָׁמָע וִיעִיאֵל (כ׳ ויעואל) בְּנֵי חוֹתָם ICh.11:44

9-11 וְעֹבֵד אֱדֹם וִיעִיאֵל ICh.15:18,21; 16:5

12 שִׁמְרִי וִיעִיאֵל (כת׳ ויעואל) IICh.29:13

13 וִיעִיאֵל וְיוֹזָבָד שָׂרֵי הַלְוִיִּם IICh.35:9

יָעִיר שפ״ז – אבי אלחנן מגבורי דוד

[בש״ב – יַעְרֵי אֹרְגִים]

יָעִיר 1 וַיַּךְ אֶלְחָנָן בֶּן־יָעִיר (כת׳ יעור) אֶת־לַחְמִי ICh.20:5

יְעִישׁ (בראשית לו 5 כת׳) – עין יְעוּשׁ

יַעְכָּן שפ״ז – איש מצאצאי גד

וְיַעְכָּן 1 וְשֶׁבַע וְיוֹרַי וְיַעְכָּן וְזִיעַ ICh.5:13

(יעל) הוֹעִיל הפ׳ הביא תועלת, הצליח: 1–23

וְהוֹעִיל 1 וְהוֹעֵיל לֹא־יוֹעִילוּ לָעָם־הַזֶּה Jer.23:32

הוֹעִיל 2 וּפֶסֶל נָסָךְ לְבִלְתִּי הוֹעִיל Is.44:10

3 אוּלַי תּוּכְלִי הוֹעִיל Is.47:12

4 הִנֵּה אַתֶּם בֹּטְחִים...לְבִלְתִּי הוֹעִיל Jer.7:8

לְהוֹעִיל 5 לֹא לְעֵזֶר וְלֹא לְהוֹעִיל Is.30:5

6 אֲנִי יְיָ־אֱלֹהֶיךָ מְלַמֶּדְךָ לְהוֹעִיל Is.48:17

הוֹעִיל 7 מָה־הוֹעִיל פֶּסֶל כִּי פְסָלוֹ יֹצְרוֹ Hab.2:18

מוֹעִיל 8 הֶבֶל וְאֵין־בָּם מוֹעִיל Jer.16:19

אוֹעִיל 9 מַה־יִּסְכָּן־לָךְ מָה־אֹעִיל מֵחַטָּאתִי Job35:3

יוֹעִיל 10 וְעַמִּי הֵמִיר כְּבוֹדוֹ בְּלוֹא יוֹעִיל Jer.2:11

11 לֹא־יוֹעִיל הוֹן בְּיוֹם עֶבְרָה Prov.11:4

12 וּמִלִּים לֹא־יוֹעִיל בָּם Job15:3

נוֹעִיל 13 וּמַה־נּוֹעִיל כִּי נִפְגַּע־בּוֹ Job21:15

יוֹעִילוּ 14 אֲשֶׁר לֹא־יוֹעִילוּ וְלֹא יַצִּילוּ ISh.12:21

15-16 עַל־עַם לֹא־יוֹעִילוּ Is.30:5,6

17 וַחֲמוּדֵיהֶם בַּל־יוֹעִילוּ Is.44:9

18 וְאַחֲרֵי לֹא־יוֹעִלוּ הָלָכוּ Jer.2:8

19 נֶחֱלוּ לֹא יוֹעִלוּ Jer.12:13

20 וְהוֹעֵיל לֹא־יוֹעִילוּ לָעָם־הַזֶּה Jer.23:32

21 לֹא־יוֹעִילוּ אוֹצְרוֹת רֶשַׁע Prov.10:2

22 לְהַוָּתִי יֹעִילוּ לֹא עֹזֵר לָמוֹ Job30:13

יוֹעִילוּךְ 23 וְאֶת־מַעֲשַׂיִךְ וְלֹא יוֹעִילוּךְ Is.57:12

יָעֵל*1 ז׳ בעל-חיים מדברי מסוג עז הבר: 1, 2

לַיְּעֵלִים 1 הָרִים הַגְּבֹהִים לַיְּעֵלִים Ps.104:18

יַעֲלֵי־ 2 הֲיָדַעְתָּ עֵת לֶדֶת יַעֲלֵי־סָלַע Job39:1

יָעֵל2 שפ״נ – אשת חבר הקיני שהמיתה את סיסרא: 1–6

יָעֵל 1-2 יָעֵל אֵשֶׁת חֶבֶר הַקֵּינִי Jud.4:17; 5:24

3 וַתֵּצֵא יָעֵל לִקְרַאת סִיסְרָא Jud.4:18

4 וַתִּקַּח יָעֵל...אֶת־יְתַד הָאֹהֶל Jud.4:21

5 וַתֵּצֵא יָעֵל לִקְרָאתוֹ וַתֹּאמֶר לוֹ Jud.4:22

6 בִּימֵי יָעֵל חָדְלוּ אֳרָחוֹת Jud.5:6

יַעֲלָה*1 נ׳ נקבת היעל [רק בצרוף: יַעֲלַת־חֵן]

וְיַעֲלַת 1 אַיֶּלֶת אֲהָבִים וְיַעֲלַת־חֵן Prov.5:19

יַעֲלָה2, יַעֲלָא שפ״ז – מן הנתינים בימי עזרא ונחמיה: 2,1

יַעֲלָה 1 בְּנֵי־יַעֲלָה בְנֵי־דַרְקוֹן... Ez.2:56

יַעֲלָא 2 בְּנֵי־יַעֲלָא בְנֵי־דַרְקוֹן... Neh.7:58

יַעְלָם שפ״ז – בן עשו מאהליבמה אשתו: 1–4

יַעְלָם 1-2 אֶת־יְעוּשׁ״ וְאֶת־יַעְלָם Gen.36:5,14

3 אַלּוּף יְעוּשׁ אַלּוּף יַעְלָם Gen.36:18

וְיַעְלָם 4 אֱלִיפַז רְעוּאֵל וִיעוּשׁ וְיַעְלָם ICh.1:35

יַעַן מלת סיבה

א) [לפני פועל בעבר] משום ש־, מפני ש־: 1–23

ב) [לפני מקור נטוי] משום, מפני: 24–50

ג) [לפני שם] בשל, בגלל: 51–53

ד) [יַעַן אֲשֶׁר] משום ש־, מפני ש־: 54–86

ה) [יַעַן כִּי] כנ״ל: 87–93

ו) [יַעַן בְּיַעַן, יַעַן וּבְיַעַן] [בהדגשה] משום ש־: 94–96

יַעַן (א) 1 יַעַן לֹא־הֶאֱמַנְתֶּם בִּי לְהַקְדִּישֵׁנִי Num.20:12

2 יַעַן מָאַסְתָּ אֶת־דְּבַר יְיָ ISh.15:23

3 יַעַן נִמְצָא־בוֹ דָּבָר טוֹב IK.14:13

4 יַעַן שִׁלַּחְתָּ אֶת־אִישׁ חֶרְמִי מִיָּד IK.20:42

5/6 יַעַן רַךְ־לְבָבְךָ וַתִּכָּנַע IIK.22:19 • IICh.34:27

7-23 יַעַן... Is.61:1; 65:12; 66:4 Jer. 35:17 • Ezek. 5:11; 20:16, 24; 23:35; 24:13; 28:2; 29:9; 34:21; 36:2, 6, 13 • Hosh. 8:1 • Prov. 1:24

יַעַן (ב) 24 יַעַן הִתְמַכֶּרְךָ לַעֲשׂוֹת הָרַע IK.21:20

25/6 יַעַן הִתְרַגֶּזְךָ אֵלַי IIK.19:28 • Is.37:29

27 יַעַן מָאָסְכֶם בַּדָּבָר הַזֶּה Is.30:12

28 יַעַן דַּבֶּרְכֶם אֶת־הַדָּבָר הַזֶּה Jer.5:14

29 יַעַן עֲשׂוֹתְכֶם אֶת־כָּל־הַמַּעֲשִׂים Jer.7:13

30-50 יַעַן... Jer. 23:38; 48:7 • Ezek. 5:7; 13:8, 22; 15:8; 16:36; 21:29; 22:19; 25:3, 6, 8, 12, 15; 28:6; 29:6; 34:8; 35:5, 10 • Am. 5:11

יַעַן (ג) 51 יַעַן כָּל־תּוֹעֲבֹתָיִךְ Ezek.5:9

52 יַעַן מֶה נְאֻם יְיָ צְבָאוֹת Hag.1:9

53 יַעַן בֵּיתִי אֲשֶׁר־הוּא חָרֵב Hag.1:9

יַעַן אֲשֶׁר 54 יַעַן אֲשֶׁר עָשִׂיתָ אֶת־הַדָּבָר הַזֶּה Gen.22:16

55/6 יַעַן אֲשֶׁר מִלֵּא אַחֲרֵי Deut.11:36 • Josh.14:14

57 יַעַן אֲשֶׁר עָבְרוּ...אֶת־בְּרִיתִי Jud.2:20

58 יַעַן אֲשֶׁר לֹא־הָלְכוּ עִמִּי ISh.30:22

59-86 יַעַן אֲשֶׁר IK.3:11; 8:18; 11:11,33; 14:7,15; 16:2; 20:28, 36 • IIK. 1:16; 10:30; 21:11, 15 • Jer. 19:4; 25:8; 29:23, 25, 31; 35:18 • Ezek. 12:12; 16:43; 21:9; 26:2; 31:10; 44:12 • Ps. 109:16 • IICh. 1:11; 6:8

יַעַן כִּי 87 יַעַן כִּי־מְאַסְתֶּם אֶת־יְיָ Num.11:20

88 יַעַן כִּי מָרִיתָ פִּי יְיָ IK.13:21

89 יַעַן כִּי־נִכְנַע מִפָּנַי לֹא אָבִיא הָרָעָה IK.21:29

90 יַעַן כִּי גָבְהוּ בְּנוֹת צִיּוֹן Is.3:16

91-93 יַעַן כִּי... Is.7:5; 8:6; 29:13

יַעַן בְּיַעַן 94 יַעַן בְּיַעַן שַׁמּוֹת וְשָׁאֹף אֶתְכֶם Ezek.36:3

יַעַן וּבְיַעַן 95 יַעַן וּבְיַעַן בְּמִשְׁפָּטַי מָאָסוּ Lev.26:43

96 יַעַן וּבְיַעַן הִטְעוּ אֶת־עַמִּי Ezek.13:10

יַעַן2 עין דָּן יַעַן

יָעֵן* ז׳ עוף-מדבר גדול (Struthio)

כַּיְעֵנִים 1 בַּת עַמִּי לְאַכְזָר כַּיְעֵנִים (כת׳ כי ענים) בַּמִּדְבָּר Lam.4:3

יַעֲנָה נ׳ נקבת היען – עין בַּת־יַעֲנָה

יַעְנַי שפ״ז – איש מבני גד

וְיַעְנַי 1 וְיַעְנַי וְשָׁפָט בַּבָּשָׁן ICh.5:12

יְעָרוּ (ישעיה טו 5) – עין עור

יעף : יָעַף, יָעֵף; מוּעָף(?), תּוֹעָפוֹת

יָעַף
פ׳ א) עָיֵף, נלאה [עין גם עוף]: 1—12
ב) [הָפ׳ מוּעָף] עיף: 13

וְיָעֵפוּ — 1 וּלְאֻמִּים בְּדֵי־אֵשׁ וְיָעֵפוּ Jer.51:58
2 כָּכָה תִּשְׁקַע בָּבֶל...וְיָעֵפוּ Jer.51:64
יִיעַף — 3 לֹא יִיעַף וְלֹא יִיגָע Is.40:28
וַיָּעַף — 4 וְהוּא־נִרְדָּם וַיָּעַף וַיָּמֹת Jud.4:21
5 אָרוּר הָאִישׁ אֲשֶׁר־יֹאכַל...וַיָּעַף הָעָם ISh.14:28
6 וַיָּעַף הָעָם מְאֹד ISh.14:31
7 וַיִּלָּחֲמוּ אֶת־פְּלִשְׁתִּים וַיָּעַף דָּוִד IISh.21:15
וַיִּיעָף — 8 לֹא־שָׁתָה מַיִם וַיִּיעָף Is.44:12
יִיעָפוּ — 9 וּלְאֻמִּים בְּדֵי־רִיק יִעָפוּ Hab.2:13
10 יָרוּצוּ וְלֹא יִיגָעוּ יֵלְכוּ וְלֹא יִיעָפוּ Is.40:31
11 כָּל־מְבַקְשֶׁיהָ לֹא יִיעָפוּ Jer.2:24
וְיִעֲפוּ — 12 וְיִעֲפוּ נְעָרִים וְיִגָעוּ... Is.40:30
מוּעָף — 13 כִּי לֹא מוּעָף לַאֲשֶׁר מוּצָק לָהּ Is.8:23

יָעֵף
ת׳ יָגֵעַ, נלאה: 1—4

יָעֵף — 1 לָדַעַת לָעוּת אֶת־יָעֵף דָּבָר Is.50:4
הַיָּעֵף — 2 וְהַיַּיִן לִשְׁתּוֹת הַיָּעֵף בַּמִּדְבָּר IISh.16:2
לַיָּעֵף — 3 נֹתֵן לַיָּעֵף כֹּחַ Is.40:29
הַיְּעֵפִים — 4 נִתֵּן לַאֲנָשֶׁיךָ הַיְּעֵפִים לָחֶם Jud.8:15

יְעָף
ז׳ טיסה

בִּיעָף — 1 גַּבְרִיאֵל...מֻעָף בִּיעָף נֹגֵעַ אֵלַי Dan.9:21

יעץ : יָעַץ, יָעוּץ, נוֹעַץ, הִתְיָעֵץ; יוֹעֵץ, עֵצָה, מוֹעֵצָה; ש״פ יְעוּץ

יָעַץ
פ׳ א) נתן עצה, הציע: 1—42
ב) [נִפ׳ נוֹעַץ] חשב דרכו, התיעץ: 43—64
ג) [הת׳ הִתְיָעֵץ] בחן דבר עם אחרים: 65
[עין גם ערך יוֹעֵץ]

– יָעַץ בְּלִיַּעַל 30; יָעַץ בֹּשֶׁת 4; יָ׳ זִמּוֹת 19; יָ׳ נְדִיבוֹת 20; יָעַץ עֵצָה 6, 7, 13—15, 24—26, 34, 35, 40, 42; יָעַץ פֶּלֶא 27
– יָעַץ אֶת־ 24—26, 33, 37—40; יָעַץ אֶל־ 13, 15; יָעַץ עַל־ 9—12, 14, 28, 34, 36
– נוֹעַץ אֶת־ 52—54, 57; נוֹעַץ אֶל־ 56, 58; נוֹעַץ עִם־ 51, 61
– הִתְיָעֵץ עַל־ 65

יָעַצְתִּי — 1 כִּי יָעַצְתִּי הֵאָסֹף יֵאָסֵף עָלֶיךָ IISh.17:11
2 וְכָזֹאת וְכָזֹאת יָעַצְתִּי אָנִי IISh.17:15
3 וְכַאֲשֶׁר יָעַצְתִּי הִיא תָקוּם Is.14:24
יָעַצְתָּ — 4 יָעַצְתָּ בֹּשֶׁת לְבֵיתֶךָ Hab.2:10
5 מַה־יָּעַצְתָּ לְלֹא חָכְמָה Job 26:3
יָעַץ — 6 וַעֲצַת אֲחִיתֹפֶל אֲשֶׁר יָעַץ IISh.16:23
7 לֹא־טוֹבָה הָעֵצָה אֲשֶׁר־יָעַץ אֲחִיתֹפֶל IISh.17:7
8 כָּזֹאת וְכָזֹאת יָעַץ אֲחִיתֹפֶל IISh.17:15
9 כִּי־כָכָה יָעַץ עֲלֵיכֶם אֲחִיתֹפֶל IISh.17:21
10 יַעַן כִּי־יָעַץ עָלֶיךָ אֲרָם רָעָה Is.7:5
11 מַה־יָּעַץ יְיָ צְבָאוֹת עַל־מִצְרָיִם Is.19:12
12 מִי יָעַץ זֹאת עַל־צֹר הַמַּעֲטִירָה Is.23:8
13 עֲצַת־יְיָ אֲשֶׁר יָעַץ אֶל־אֱדוֹם Jer.49:20
14 כִּי־יָעַץ עֲלֵיכֶם...עֵצָה Jer.49:30
15 עֲצַת־יְיָ אֲשֶׁר יָעַץ אֶל־בָּבֶל Jer.50:45
16 זְכָר־נָא מַה־יָּעַץ בָּלָק Mic.6:5
17 כִּי־יָעַץ אֱלֹהִים לְהַשְׁחִיתֶךָ IICh.25:16
יָעָץ — 18 כִּי־יְיָ צְבָאוֹת יָעָץ וּמִי יָפֵר Is.14:27
19 הוּא זִמּוֹת יָעָץ לְחַבֵּל עֲנִיִּים° Is.32:7
20 וְנָדִיב נְדִיבוֹת יָעָץ Is.32:8
יְעָצָנִי — 21 אֲבָרֵךְ אֶת־יְיָ אֲשֶׁר יְעָצָנִי Ps.16:7
יְעָצָהּ — 22 יְיָ צְבָאוֹת יְעָצָהּ Is.23:9
יָעֲצוּ — 23 אַךְ מִשְּׂאֵתוֹ יָעֲצוּ לְהַדִּיחַ Ps.62:5
יְעָצֻהוּ — 24-26 וַיַּעֲזֹב אֶת־עֲצַת הַזְּקֵנִים אֲשֶׁר יְעָצֻהוּ IK.12:8,13 • IICh.10:8
יוֹעֵץ — 27 וַיִּקְרָא שְׁמוֹ פֶּלֶא יוֹעֵץ Is.9:5
28 אֲשֶׁר־הוּא יוֹעֵץ עָלָיו Is.19:17
29 וָאֵרֶא...וּמֵאֵלֶּה וְאֵין יוֹעֵץ Is.41:28
30 חֹשֵׁב עַל־יְיָ רָעָה יֹעֵץ בְּלִיָּעַל Nah.1:11
31/2 וּתְשׁוּעָה בְּרֹב יוֹעֵץ Prov.11:14; 24:6
יוֹעַצְתּוֹ — 33 אִמּוֹ הָיְתָה יוֹעַצְתּוֹ לְהַרְשִׁיעַ IICh.22:3
הַיְּעוּצָה — 34 הָעֵצָה הַיְּעוּצָה עַל־כָּל־הָאָרֶץ Is.14:26
וְהַיֹּעֲצִים — 35 וְהַיֹּעֲצִים עֲצַת־רָע בָּעִיר הַזֹּאת Ezek.11:2
אִיעֲצָה — 36 אִיעֲצָה עָלֶיךָ עֵינִי Ps.32:8
אִיעָצְךָ — 37 עַתָּה שְׁמַע בְּקֹלִי אִיעָצְךָ Ex.18:19
38 אִיעָצְךָ אֲשֶׁר יַעֲשֶׂה הָעָם הַזֶּה Num.24:14
39 וְכִי אִיעָצְךָ לֹא תִשְׁמַע אֵלָי Jer.38:15
אִיעָצֵךְ — 40 וְעַתָּה לְכִי אִיעָצֵךְ נָא עֵצָה IK.1:12
עֻצוּ — 41 שִׂימוּ לָכֶם עָלֶיהָ עֻצוּ וְדַבֵּרוּ Jud.19:30
42 עֻצוּ עֵצָה וְתֻפָר Is.8:10
נוֹעָץ — 43 אֶת־מִי נוֹעָץ וַיְבִינֵהוּ Is.40:14
נוֹעֲצוּ — 44 וְשֹׁמְרֵי נַפְשִׁי נוֹעֲצוּ יַחְדָּו Ps.71:10
45 כִּי נוֹעֲצוּ לֵב יַחְדָּו Ps.83:6
נוֹעָצִים — 46/7 אֵיךְ אַתֶּם נוֹעָצִים IK.12:6 • IICh.10:6
48/9 מָה אַתֶּם נוֹעָצִים IK.12:9 • IICh.10:9
50 וְאֶת־נוֹעָצִים חָכְמָה Prov.13:10
וַיִּוָּעַץ — 51 וַיִּוָּעַץ דָּוִיד עִם־שָׂרֵי הָאֲלָפִים ICh.13:1
וַיִּוָּעַץ — 52 וַיִּוָּעַץ הַמֶּלֶךְ רְחַבְעָם אֶת־הַזְּקֵנִים IK.12:6
53/4 וַיִּוָּעַץ אֶת־הַיְלָדִים IK.12:8 • IICh.10:8
55 וַיִּוָּעַץ הַמֶּלֶךְ וַיַּעַשׂ שְׁנֵי עֶגְלֵי זָהָב IK.12:28
56 וַיִּוָּעַץ אֶל־עֲבָדָיו לֵאמֹר IIK.6:8
57 וַיִּוָּעַץ הַמֶּלֶךְ רְחַבְעָם אֶת־הַזְּקֵנִים IICh.10:6
58 וַיִּוָּעַץ אֶל־הָעָם IICh.20:21
59 וַיִּוָּעַץ אֲמַצְיָהוּ מֶלֶךְ יְהוּדָה IICh.25:17
60 וַיִּוָּעַץ הַמֶּ׳ וְשָׂרָיו...לַעֲשׂוֹת הַפֶּסַח IICh.30:2
61 וַיִּוָּעַץ עִם־שָׂרָיו וְגִבֹּרָיו לִסְתּוֹם... IICh.32:3
וְנִוָּעֲצָה — 62 וְעַתָּה לְכָה וְנִוָּעֲצָה יַחְדָּו Neh.6:7
יִוָּעֲצוּ — 63 הַגִּידוּ וְהַגִּישׁוּ אַף יִוָּעֲצוּ יַחְדָּו Is.45:21
וַיִּוָּעֲצוּ — 64 וַיִּוָּעֲצוּ כָּל־הַקָּהָל לַעֲשׂוֹת IICh.30:23
וְיִתְיָעֲצוּ — 65 יַעֲרִימוּ סוֹד וְיִתְיָעֲצוּ עַל־צְפוּנֶיךָ Ps.83:4

יַעֲקֹב
שפ״ז [יַעֲקוֹב – מס׳ 62, 135, 137, 138, 139]
א) בן יצחק ורבקה: 1—60, 62, 143, 148, 172—289, 301—309, 318, 323—347
ב) על שמו כנוי לעם ישראל: 61, 63—142, 144—147, 149—171, 290—300, 310—317, 319—322, 348—350

אֲבִיר יַעֲקֹב 54, 126, 127, 167, 168; אֹהֶל יַ׳ 18; אָהֳלֵי יַ׳ 135; אֱלוֹהַּ יַ׳ 166; אֱלֹהֵי יַ׳ 57—60, 69—80; אִם יַ׳ 9; אַף יַ׳ 17; אֵשֶׁת יַ׳ 50; בֵּית יַ׳ 51, 61, 81—99; בְּכוֹר יַ׳ 43, 49; בְּנֵי יַ׳ 24, 26, 28—40; בַּת יַ׳ 23, 25, 27; גְּאוֹן יַ׳ 144, 147, 155, 162; זֶרַע יַ׳ 121, 137, 159; חֵלֶק יַ׳ 129, 139; יְמֵי יַ׳ 53; יֶרֶךְ יַ׳ 19, 22, 55; יְשׁוּעוֹת יַ׳ 161; כְּבוֹד יַ׳ 102; מֶלֶךְ יַ׳ 110; מִשְׁכְּנוֹת יַ׳ 165; נְאוֹת יַ׳ 171; נַחֲלַת יַ׳ 128; עֲוֹן יַ׳ 104; עֵין יַ׳ 68; עֲפַר יַ׳ 64; פֶּשַׁע יַ׳ 149; קְדוֹשׁ יַ׳ 106; קְהִלַּת יַ׳ 67; קוֹל יַ׳ 6; רָאשֵׁי יַ׳ 152; רוּחַ יַ׳ 46; שְׁאָר יַ׳ 100; שְׁאֵרִית יַ׳ 153, 154; שְׁבוּת יַ׳ 140, 164; שִׁבְטֵי יַ׳ 125; שֵׁמַע יַ׳ 14; תּוֹלְדוֹת יַ׳ 45; תּוֹלַעַת יַעֲקֹב 109

יַעֲקֹב — 1 וַיִּקְרָא שְׁמוֹ יַעֲקֹב Gen.25:26
2 וְרִבְקָה אֹהֶבֶת אֶת־יַעֲקֹב Gen.25:28
3 וַיָּזֶד יַעֲקֹב נָזִיד Gen.25:29
4 וַיֹּאמֶר עֵשָׂו אֶל־יַעֲקֹב הַלְעִיטֵנִי נָא Gen.25:30

יַעֲקֹב (המשך)
5 וַתִּתֵּן...בְּיַד יַעֲקֹב בְּנָהּ Gen.27:17
6 הַקֹּל קוֹל יַעֲקֹב וְהַיָּדַיִם... Gen.27:22
7 הֲכִי קָרָא שְׁמוֹ יַעֲקֹב... Gen.27:36
8 וַיִּשְׂטֹם עֵשָׂו אֶת־יַעֲקֹב Gen.27:41
9 אֲחִי רִבְקָה אֵם יַעֲקֹב וְעֵשָׂו Gen.28:5
10 כִּי־בֵרַךְ יִצְחָק אֶת־יַעֲקֹב Gen.28:6
11 וַיֵּצֵא יַעֲקֹב מִבְּאֵר שָׁבַע Gen.28:10
12 וַיִּשַּׁק יַעֲקֹב לְרָחֵל Gen.29:11
13 וַיַּגֵּד יַעֲקֹב לְרָחֵל Gen.29:12
14 כִּשְׁמֹעַ לָבָן אֶת־שֵׁמַע יַעֲקֹב Gen.29:13
15 וַיֶּאֱהַב יַעֲקֹב אֶת־רָחֵל Gen.29:18
16 וַיַּעֲבֹד יַעֲקֹב בְּרָחֵל שֶׁבַע שָׁנִים Gen.29:20
17 וַיִּחַר־אַף יַעֲקֹב בְּרָחֵל Gen.30:2
18 וַיָּבֹא לָבָן בְּאֹהֶל יַעֲקֹב Gen.31:33
19 וַתֵּקַע כַּף־יֶרֶךְ יַעֲקֹב Gen.32:26
20 מַה־שְּׁמֶךָ וַיֹּאמֶר יַעֲקֹב Gen.32:27
21 לֹא יַעֲקֹב יֵאָמֵר עוֹד שִׁמְךָ Gen.32:28
22 כִּי נָגַע בְּכַף־יֶרֶךְ יַעֲקֹב Gen.32:33
23 וַתִּדְבַּק נַפְשׁוֹ בְּדִינָה בַּת־יַעֲקֹב Gen.34:3
24 וּבְנֵי יַעֲקֹב בָּאוּ מִן־הַשָּׂדֶה Gen.34:7
25 לִשְׁכַּב אֶת־בַּת יַעֲקֹב Gen.34:7
26 וַיַּעֲנוּ בְנֵי־יַעֲקֹב אֶת־שְׁכֶם Gen.34:13
27 כִּי חָפֵץ בְּבַת־יַעֲקֹב Gen.34:19
28 וַיִּקְחוּ...בְנֵי־יַעֲקֹב...אִישׁ חַרְבּוֹ Gen.34:25
29-40 בְּנֵי יַעֲקֹב Gen.34:27; 35:5,22,26 • 46:26; 49:2 • IK.18:31 • IIK.17:34 • Mal.3:6 • Ps.77:16; 105:6 • ICh.16:13
41 וַיֹּאמֶר־לוֹ אֱלֹהִים שִׁמְךָ יַעֲקֹב Gen.35:10
42 לֹא יִקָּרֵא שִׁמְךָ עוֹד יַעֲקֹב Gen.35:10
43 בְּנֵי לֵאָה בְּכוֹר יַעֲקֹב רְאוּבֵן Gen.35:23
44 וַיֵּשֶׁב יַעֲקֹב בְּאֶרֶץ מְגוּרֵי אָבִיו Gen.37:1
45 אֵלֶּה תֹּלְדוֹת יַעֲקֹב Gen.37:2
46 וַתְּחִי רוּחַ יַעֲקֹב אֲבִיהֶם Gen.45:27
47/8 יַעֲקֹב יַעֲקֹב וַיֹּאמֶר הִנֵּנִי Gen.46:2
49 בְּכֹר יַעֲקֹב רְאוּבֵן Gen.46:8
50 בְּנֵי רָחֵל אֵשֶׁת יַעֲקֹב Gen.46:19
51 כָּל־הַנֶּפֶשׁ לְבֵית־יַעֲקֹב...שִׁבְעִים Gen.46:27
52 וַיְחִי יַעֲקֹב בְּאֶרֶץ מִצְרַיִם Gen.47:28
53 וַיְהִי יְמֵי־יַעֲקֹב שְׁנֵי חַיָּיו... Gen.47:28
54 מִידֵי אֲבִיר יַעֲקֹב Gen.49:24
55 כָּל־נֶפֶשׁ יֹצְאֵי יֶרֶךְ־יַעֲקֹב Ex.1:5
56 אֶת־אַבְרָהָם אֶת־יִצְחָק וְאֶת־יַעֲקֹב Ex.2:24
57-59 אֱלֹהֵי אַבְרָהָם...וֵאלֹ׳ יַעֲקֹב Ex.3:6,15; 4:5
60 אֶל־אַבְרָהָם אֶל־יִצְחָק וְאֶל־יַעֲקֹב Ex.6:3
61 כֹּה תֹאמַר לְבֵית יַעֲקֹב Ex.19:3
62 וְזָכַרְתִּי אֶת־בְּרִיתִי יַעֲקוֹב Lev.26:42
63 לְכָה אָרָה־לִּי יַעֲקֹב Num.23:7
64 מִי מָנָה עֲפַר יַעֲקֹב Num.23:10
65 מַה־טֹּבוּ אֹהָלֶיךָ יַעֲקֹב Num.24:5
66 יַעֲקֹב חֶבֶל נַחֲלָתוֹ Deut.32:9
67 מוֹרָשָׁה קְהִלַּת יַעֲקֹב Deut.33:4
68 וַיִּשְׁכֹּן יִשְׂ׳ בֶּטַח בָּדָד עֵין יַעֲקֹב Deut.33:28
69 וּנְאֻם...מְשִׁיחַ אֱלֹהֵי יַעֲקֹב IISh.23:1
70-80 (לֵא־)אֱלֹהֵי יַעֲקֹב Is.2:3 • Mic.4:2 • Ps.20:2; 46:8,12; 75:10; 76:7; 81:2,5; 84:9; 94:7
81 בֵּית יַעֲקֹב לְכוּ וְנֵלְכָה בְּאוֹר יְיָ Is.2:5
82 כִּי נָטַשְׁתָּה עַמְּךָ בֵּית יַעֲקֹב Is.2:6
83-99 (בְּבֵ׳ וּלְבֵ׳ מִ׳) בֵּית יַעֲקֹב Is.8:17 • 10:20; 14:1; 29:22; 46:3; 48:1; 58:1 • Jer.2:4; 5:20 • Ezek.20:5 • Am.3:13; 9:8 • Ob.17,18 יחזק׳ • Mic.2:7; 3:9 • Ps.114:1
100 שְׁאָר יָשׁוּב שְׁאָר יַעֲקֹב Is.10:21

יַעֲקֹב (המשך)

101 כִּי יְרַחֵם יְיָ אֶת־יַעֲקֹב Is.14:1
102 בַּיּוֹם הַהוּא יִדַּל כְּבוֹד יַעֲקֹב Is.17:4
103 הַבָּאִים יַשְׁרֵשׁ יַעֲקֹב Is.27:6
104 בְּזֹאת יְכֻפַּר עֲוֹן־יַעֲקֹב Is.27:9
105 לֹא עַתָּה יֵבוֹשׁ יַעֲקֹב Is.29:22
106 וְהִקְדִּישׁוּ אֶת־קְדוֹשׁ יַעֲקֹב Is.29:23
107 לָמָּה תֹאמַר יַעֲקֹב וּתְדַבֵּר יִשְׂ׳ Is.40:27
108 עַבְדִּי יַעֲקֹב אֲשֶׁר בְּחַרְתִּיךָ Is.41:8
109 אַל־תִּירְאִי תּוֹלַעַת יַעֲקֹב Is.41:14
110 הַגִּישׁוּ... יֹאמַר מֶלֶךְ יַעֲקֹב Is.41:21
111 מִי־נָתַן לִמְשִׁסָּה° יַעֲקֹב Is.42:24
112 בֹּרַאֲךָ יַעֲקֹב וְיֹצֶרְךָ יִשְׂרָאֵל Is.43:1
113 וְלֹא־אֹתִי קָרָאתָ יַעֲקֹב Is.43:22
114 וְאֶתְּנָה לַחֵרֶם יַעֲקֹב Is.43:28
115 וְעַתָּה שְׁמַע יַעֲקֹב עַבְדִּי Is.44:1
116 אַל־תִּירָא עַבְדִּי יַעֲקֹב Is.44:2
117 וְזֶה יִקְרָא בְשֵׁם־יַעֲקֹב Is.44:5
118 זְכָר־אֵלֶּה יַעֲקֹב Is.44:21
119 כִּי־גָאַל יְיָ יַעֲקֹב Is.44:23
120 לְמַעַן עַבְדִּי יַעֲקֹב וְיִשְׂ׳ בְּחִירִי Is.45:4
121 לֹא אָמַרְתִּי לְזֶרַע יַעֲקֹב תֹּהוּ בַקְּשׁוּנִי Is.45:19
122 שְׁמַע אֵלַי יַעֲקֹב וְיִשְׂרָאֵל מְקֹרָאִי Is.48:12
123 גָּאַל יְיָ עַבְדּוֹ יַעֲקֹב Is.48:20
124 לְשׁוֹבֵב יַעֲקֹב אֵלָיו Is.49:5
125 לְהָקִים אֶת־שִׁבְטֵי יַעֲקֹב Is.49:6
126/7 וְגֹאֲלֵךְ אֲבִיר יַעֲקֹב Is.49:26; 60:16
128 וְהַאֲכַלְתִּיךָ נַחֲלַת יַעֲקֹב אָבִיךָ Is.58:14
129 לֹא כְאֵלֶּה חֵלֶק יַעֲקֹב Jer.10:16
130 כִּי־אָכְלוּ אֶת־יַעֲקֹב Jer.10:25
131-3 אַל־תִּירָא עַבְדִּי יַעֲקֹב Jer.30:10; 46:27,28
134 וְשָׁב יַעֲקֹב וְשָׁקַט וְשַׁאֲנַן Jer.30:10
135 הִנְנִי־שָׁב שְׁבוּת אָהֳלֵי יַעֲקוֹב Jer.30:18
136 כִּי־פָדָה יְיָ אֶת־יַעֲקֹב Jer.31:11(10)
137 גַּם־זֶרַע יַעֲקוֹב וְדָוִד עַבְדִּי Jer.33:26
138 וְשָׁב יַעֲקוֹב וְשָׁקַט וְשַׁאֲנָן Jer.46:27
139 לֹא־כְאֵלֶּה חֵלֶק יַעֲקוֹב Jer.51:19
140 עַתָּה אָשִׁיב אֶת־שְׁבוּת° יַעֲקֹב Ezek.39:25
141 יַחֲרוֹשׁ יְהוּדָה יְשַׂדֶּד־לוֹ יַעֲקֹב Hosh.10:11
142 וְלִפְקֹד עַל־יַעֲקֹב כִּדְרָכָיו Hosh.12:3
143 וַיִּבְרַח יַעֲקֹב שְׂדֵה אֲרָם Hosh.12:13
144 מְתָאֵב אָנֹכִי אֶת־גְּאוֹן יַעֲקֹב Am.6:8
145/6 מִי יָקוּם יַעֲקֹב כִּי קָטֹן הוּא Am.7:2,5
147 נִשְׁבַּע יְיָ בִּגְאוֹן יַעֲקֹב Am.8:7
148 מֵחֲמַס אָחִיךָ יַעֲקֹב תְּכַסְּךָ בוּשָׁה Ob.10
149 בְּפֶשַׁע יַעֲקֹב כָּל־זֹאת Mic.1:5
150 מִי־פֶשַׁע יַעֲקֹב הֲלוֹא שֹׁמְרוֹן Mic.1:5
151 אָסֹף אֶאֱסֹף יַעֲקֹב כֻּלָּךְ Mic.2:12
152 שִׁמְעוּ־נָא רָאשֵׁי יַעֲקֹב Mic.3:1
153 וְהָיָה שְׁאֵרִית יַעֲקֹב...כְּטַל מֵאֵת יְיָ Mic.5:6
154 וְהָיָה שְׁאֵרִית יַעֲקֹב...כְּאַרְיֵה... Mic.5:7
155 כִּי־שָׁב יְיָ אֶת־גְּאוֹן יַעֲקֹב Nah.2:3
156 יַכְרֵת יְיָ...עֵר וְעֹנֶה מֵאָהֳלֵי יַעֲקֹב Mal.2:12
157/8 יָגֵל יַעֲקֹב יִשְׂמַח יִשְׂרָאֵל Ps.14:7; 53:7
159 כָּל־זֶרַע יַעֲקֹב כַּבְּדוּהוּ Ps.22:24
160 מְבַקְשֵׁי פָנֶיךָ יַעֲקֹב Ps.24:6
161 צַוֵּה יְשׁוּעוֹת יַעֲקֹב Ps.44:5
162 אֶת־גְּאוֹן יַעֲקֹב אֲשֶׁר־אָהֵב Ps.47:5
163 כִּי־אָכַל אֶת־יַעֲקֹב Ps.79:7
164 רָצִיתָ יְיָ...שַׁבְתָּ שְׁבוּת° יַעֲקֹב Ps.85:2
165 אֹהֵב יְיָ...מִכֹּל מִשְׁכְּנוֹת יַעֲקֹב Ps.87:2
166 חוּלִי אָרֶץ מִלִּפְנֵי אֱלוֹהַּ יַעֲקֹב Ps.114:7

יַעֲקֹב (המשך)

167 נִשְׁבַּע לַייָ נָדַר לַאֲבִיר יַעֲקֹב Ps.132:2
168 מִשְׁכָּנוֹת לַאֲבִיר יַעֲקֹב Ps.132:5
169 כִּי־יַעֲקֹב בָּחַר לוֹ יָהּ Ps.135:4
170 אַשְׁרֵי שֶׁאֵל יַעֲקֹב בְּעֶזְרוֹ Ps.146:5
171 בִּלַּע...אֵת כָּל־נְאוֹת יַעֲקֹב Lam.2:2
172-275 יַעֲקֹב Gen.25:31,33; 27:6,11; 27:15,19,21,22,30^2,41,46; 28:1,7,16,18,20; 29:1,4, 10^2, 11, 21, 28; 30:1, 4, 16, 25, 31, 36, 37; 40, 41; 31:1,2,3,4,11,17,20,22,24,25,29,31,32,36,43,45, 46,53,54; 32:3,4,5,7,8,10,21,25,30,31; 33:1,10,18; 34:5, 6, 30; 35:1, 2, 4^2; 16, 9, 14, 15, 20, 27; 36:6; 37:34; 42:1^2, 4, 29, 36; 45:25; 46:5^2, 6, 8; 47:7^2, 8, 9, 10^2; 48:3; 49:1,33 • Ex.1:1 • Josh.24:4,32 • ISh.12:8 • Mal.1:2

וְיַעֲקֹב

276 וְיַעֲקֹב אִישׁ תָּם יֹשֵׁב אֹהָלִים Gen.25:27
277 וְיַעֲקֹב נָתַן לְעֵשָׂו לֶחֶם Gen.25:34
278 וְיַעֲקֹב רֹעֶה אֶת־צֹאן לָבָן Gen.30:36
279 וְיַעֲקֹב תָּקַע אֶת־אָהֳלוֹ בָּהָר Gen.31:25
280 וְיַעֲקֹב קָרָא לוֹ גַּלְעֵד Gen.31:47
281 וְיַעֲקֹב הָלַךְ לְדַרְכּוֹ Gen.32:1
282 וְיַעֲקֹב נָסַע סֻכֹּתָה Gen.33:17
283 וְיַעֲקֹב שָׁמַע כִּי טִמֵּא אֶת־דִּינָה Gen.34:5
284 וַיִּקְבְּרוּ אֹתוֹ עֵשָׂו וְיַעֲקֹב בָּנָיו Gen.35:29
285 אֱלֹהֵי אַבְרָהָם יִצְחָק וְיַעֲקֹב Ex.3:16
286 וְיַעֲקֹב וּבָנָיו יָרְדוּ מִצְרָיִם Josh.24:4
287 בְּרִיתוֹ אֶת־אַבְרָהָם יִצְחָק וְיַעֲקֹב IIK.13:23
288 אֶל־זֶרַע אַבְרָהָם יִשְׂחָק וְיַעֲקֹב Jer.33:26
289 וְיַעֲקֹב גָּר בְּאֶרֶץ־חָם Ps.105:23

בְּיַעֲקֹב

290 אֲחַלְּקֵם בְּיַעֲקֹב וַאֲפִיצֵם בְּיִשְׂ׳ Gen.49:7
291 לֹא־הִבִּיט אָוֶן בְּיַעֲקֹב Num.23:21
292 כִּי לֹא־נַחַשׁ בְּיַעֲקֹב Num.23:23
293 דָּבָר שָׁלַח אֲדֹנָי בְּיַעֲקֹב Is.9:7
294 וּבָא לְצִ׳ גּוֹאֵל וּלְשָׁבֵי פֶשַׁע בְּיַעֲקֹב Is.59:20
295 וְיֵדְעוּ כִּי־אֱלֹהִים מֹשֵׁל בְּיַעֲקֹב Ps.59:14
296 וַיָּקֶם עֵדוּת בְּיַעֲקֹב Ps.78:5
297 וְאֵשׁ נִשְּׂקָה בְיַעֲקֹב Ps.78:21
298 לִרְעוֹת בְּיַעֲקֹב עַמּוֹ Ps.78:71
299 מִשְׁפָּט וּצְדָקָה בְּיַעֲקֹב...עָשִׂיתָ Ps.99:4
300 וַיִּבְעַר בְּיַעֲקֹב כְּאֵשׁ לֶהָבָה Lam.2:3

לְיַעֲקֹב

301 וַיִּמְכֹּר אֶת־בְּכֹרָתוֹ לְיַעֲקֹב Gen.25:33
302 וַתִּקְרָא לְיַעֲקֹב בְּנָהּ הַקָּטָן Gen.27:42
303-5 וַיֹּאמֶר לָבָן לְיַעֲקֹב Gen.29:15; 31:26,51
306 וַתֵּרֶא רָחֵל כִּי לֹא יָלְדָה לְיַעֲקֹב Gen.30:1
307 וַתַּהַר בִּלְהָה וַתֵּלֶד לְיַעֲקֹב בֵּן Gen.30:5
308-9 וַתֵּלֶד...בֵּן שֵׁנִי לְיַעֲקֹב Gen.30:7,12
310 כָּעֵת יֵאָמֵר לְיַעֲקֹב וּלְיִשְׂרָאֵל Num.23:23
311 יוֹרוּ מִשְׁפָּטֶיךָ לְיַעֲקֹב Deut.33:10
312 וְעֵת־צָרָה הִיא לְיַעֲקֹב Jer.30:7
313 רָנּוּ לְיַעֲקֹב שִׂמְחָה Jer.31:7(6)
314/5 נָתַתִּי לְעַבְדִּי לְיַעֲקֹב Ezek.28:25; 37:25
316 לְהַגִּיד לְיַעֲקֹב פִּשְׁעוֹ Mic.3:8
317 תִּתֵּן אֱמֶת לְיַעֲקֹב חֶסֶד לְאַבְרָהָם Mic.7:20
318 הֲלוֹא־אָח עֵשָׂו לְיַעֲקֹב Mal.1:2
319/20 וַיַּעֲמִידֶהָ לְיַעֲקֹב לְחֹק Ps.105:10; ICh.16:17
321 מַגִּיד דְּבָרָו לְיַעֲקֹב Ps.147:19
322 צִוָּה יְיָ לְיַעֲקֹב סְבִיבָיו צָרָיו Lam.1:17
323-336 לְיַעֲקֹב Gen.30:9,10,17,19; 30:42; 31:36; 32:19; 34:1; 46:15,18,22,25,26; 48:2

וּלְיַעֲקֹב

337-347 לְאַבְרָהָם לְיִצְחָק וּלְיַעֲקֹב Gen.50:24; Ex.6:8; 33:1 • Num.32:11 • Deut.1:8; 6:10; 9:5, 27; 29:12; 30:20; 34:4

מִיַּעֲקֹב

348 דָּרַךְ כּוֹכָב מִיַּעֲקֹב Num.24:17
349 וְיֵרְדְּ מִיַּעֲקֹב... Num.24:19
350 וְהוֹצֵאתִי מִיַּעֲקֹב זֶרַע Is.65:9

יַעֲקֹבָה

שפ״ז – איש מצאצאי שמעון

וְיַעֲקֹבָה
1 וֶאֱלְיוֹעֵינַי וְיַעֲקֹבָה וִישׁוֹחָיָה ICh.4:36

יַעֲקָן

שפ״ז – מבני שֵׂעִיר החורי, בקצור גם עֲקָן (בראשית לו 27)

יַעֲקָן
1 בְּנֵי־אֵצֶר בִּלְהָן וְזַעֲוָן יַעֲקָן ICh.1:42

יַעַר[1]

ז׳ מקום עצים: 1–58

– יַעַר אֶפְרַיִם 49; י׳ הַבָּצִיר 48; י׳ חֶרֶת 39; י׳ כַּרְמִלּוֹ 45, 46; י׳ הַלְּבָנוֹן 40–44; י׳ הַנֶּגֶב 50; יַעַר הַשָּׂדֶה 47

– בַּהֲמוֹת יַעַר 4; בֵּית יַעַר 22, 41–44; בָּמוֹת י׳ 8, 9; חַיְתוֹ י׳ 10, 13; סִבְכֵי י׳ 18, 19; עֵץ הַי׳ 20, 53; עֲצֵי י׳ 2, 7, 12, 21, 24, 25; שְׂדֵי יַעַר 14

– אַרְיֵה מִיַּעַר 36; חֲזִיר מִיַּעַר 38

יַעַר

1 כִּי־יַעַר הוּא וּבֵרֵאתוֹ Josh.17:18
2 כְּנוֹעַ עֲצֵי־יַעַר מִפְּנֵי־רוּחַ Is.7:2
3 יַעַר וְכָל־עֵץ בּוֹ Is.44:23
4 וְהָיָה...כְּאַרְיֵה בְּבַהֲמוֹת יַעַר Mic.5:7
5 שֹׁכְנִי לְבָדָד יַעַר בְּתוֹךְ כַּרְמֶל Mic.7:14
6 לְהַשְׁקוֹת מֵהֶם יַעַר צוֹמֵחַ עֵצִים Eccl.2:6

יָעַר

7 וַיְאַמֶּץ־לוֹ בַּעֲצֵי־יָעַר Is.44:14
8/9 וְהַר הַבַּיִת לְבָמוֹת יָעַר Jer.26:18 • Mic.3:12
10 כִּי־לִי כָל־חַיְתוֹ־יָעַר Ps.50:10
11 כְּאֵשׁ תִּבְעַר־יָעַר Ps.83:15
12 אָז יְרַנְּנוּ כָּל־עֲצֵי־יָעַר Ps.96:12
13 בּוֹ־תִרְמֹשׂ כָּל־חַיְתוֹ־יָעַר Ps.104:20
14 מְצָאנוּהָ בִּשְׂדֵי־יָעַר Ps.132:6

הַיַּעַר

15 וַיָּבֹא הָעָם אֶל־הַיַּעַר ISh.14:26
16 וַיֶּרֶב הַיַּעַר לֶאֱכֹל בָּעָם IISh.18:8
17 וַתֵּצֶאנָה שְׁתַּיִם דֻּבִּים מִן־הַיַּעַר IIK.2:24
18 וַתִּצַּת בְּסִבְכֵי הַיַּעַר Is.9:17
19 וְנִקַּף סִבְכֵי הַיַּעַר בַּבַּרְזֶל Is.10:34
20 כַּאֲשֶׁר עֵץ־הַגֶּפֶן בְּעֵץ הַיַּעַר Ezek.15:6
21 כְּתַפּוּחַ בַּעֲצֵי הַיַּעַר כֵּן דּוֹדִי S.ofS.2:3

הַיָּעַר

22 וַתַּבֵּט...אֶל־נֶשֶׁק בֵּית הַיָּעַר Is.22:8
23 וּבָרַד בְּרֶדֶת הַיָּעַר Is.32:19
24 עֵץ־הַגֶּפֶן...אֲשֶׁר הָיָה בַּעֲצֵי הַיָּעַר Ezek.15:2
25 אָז יְרַנְּנוּ עֲצֵי הַיָּעַר ICh.16:33

בַּיַּעַר

26 וַאֲשֶׁר יָבֹא אֶת־רֵעֵהוּ בַיַּעַר Deut.19:5
27 וַיַּשְׁלִיכוּ אֹתוֹ בַיַּעַר IISh.18:17
28 בַּיַּעַר בַּעְרַב תָּלִינוּ אֹרְחוֹת דְּדָנִים Is.21:13
29 הֲיִשְׁאַג אַרְיֵה בַּיַּעַר וְטֶרֶף אֵין לוֹ Am.3:4

בַּיָּעַר

30 וְכָל־הָאָרֶץ בָּאוּ בַיָּעַר ISh.14:25
31 אֵתָיוּ לֶאֱכֹל כָּל־חַיְתוֹ בַּיָּעַר Is.56:9
32 הָיְתָה־לִּי נַחֲלָתִי כְּאַרְיֵה בַיָּעַר Jer.12:8

לְיַעַר

33 וַהֲשִׁמֹּתִי...וְשַׂמְתִּים לְיַעַר Hosh.2:14

לַיַּעַר

34-35 וְהַכַּרְמֶל לַיַּעַר יֵחָשֵׁב Is.29:17; 32:15

מִיַּעַר

36 עַל־כֵּן הִכָּם אַרְיֵה מִיַּעַר Jer.5:6
37 כִּי־עֵץ מִיַּעַר כְּרָתוֹ Jer.10:3

מִיָּעַר

38 יְכַרְסְמֶנָּה חֲזִיר מִיָּעַר Ps.80:14

יַעַר־

39 וַיֵּלֶךְ דָּוִד וַיָּבֹא יַעַר חָרֶת ISh.22:5
40 וַיִּבֶן אֶת־בֵּיתוֹ יַעַר הַלְּבָנוֹן IK.7:2
41 וַיִּתְּנֵם הַמֶּלֶךְ בֵּית יַעַר הַלְּבָנוֹן IK.10:17
42-44 (בְּ)בֵית יַעַר הַלְּבָנוֹן IK.10:21 • IICh.9:16,20
45 מְלוֹן קִצֹּה יַעַר כַּרְמִלּוֹ IIK.19:23
46 וְאָבוֹא מְרוֹם קִצּוֹ יַעַר כַּרְמִלּוֹ Is.37:24
47 וְהִנָּבֵא אֶל־יַעַר הַשָּׂדֶה נֶגֶב Ezek.21:2
48 כִּי יָרַד יַעַר הַבָּצִיר° Zech.11:2

בְּיַעַר־ 49 וַתְּהִי הַמִּלְחָמָה בְּיַעַר אֶפְרָיִם IISh. 18:6
לְיַעַר־ 50 וְאָמַרְתָּ לְיַעַר הַנֶּגֶב Ezek. 21:3
הַיַּעְרָה 51 עֲלֵה לְךָ הַיַּעְרָה וּבֵרֵאתָ לְךָ שָׁם Josh. 17:15
יַעְרוֹ 52 וּכְבוֹד יַעְרוֹ וְכַרְמִלּוֹ Is. 10:18
53 וּשְׁאָר עֵץ יַעְרוֹ מִסְפָּר יִהְיוּ Is. 10:19
יַעְרָהּ 54 כָּרְתוּ יַעְרָהּ...כִּי לֹא יֵחָקֵר Jer. 46:23
בְּיַעְרָהּ 55 וְהִצַּתִּי אֵשׁ בְּיַעְרָהּ Jer. 21:14
הַיְּעָרִים 56 וְלֹא יַחְטְבוּ מִן־הַיְּעָרִים Ezek. 39:10
בַּיְּעָרִים 57 וְיָשְׁנוּ בַּיְּעָרִים (כת׳ ביעורים) Ezek. 34:25
יְעָרוֹת 58 יְחוֹלֵל אַיָּלוֹת וַיֶּחֱשֹׂף יְעָרוֹת Ps. 29:9

יַעַר*2 ז׳ חלת־דבש, עין יַעְרָה1
יַעְרִי 1 אָכַלְתִּי יַעְרִי עִם־דִּבְשִׁי S.ofS. 5:1

יַעְרָה1 נ׳ חלת דבש
בְּיַעְרַת־ 1 וַיִּטְבֹּל אוֹתָהּ בְּיַעְרַת הַדְּבָשׁ ISh. 14:27

יַעְרָה2 שפ״ז – איש מבני יהונתן בן שאול: 1, 2
יַעְרָה 1 וְאָחָז הוֹלִיד אֶת־יַעְרָה ICh. 9:42
וְיַעְרָה 2 וְיַעְרָה הוֹלִיד אֶת־עָלֶמֶת ICh. 9:42

יַעְרֵי אֹרְגִים שפ״ז – נוסח אחר לשם יָעִיר
יַעְרֵי אֹרְגִים 1 וַיַּךְ אֶלְחָנָן בֶּן־יַעְרֵי אֹרְגִים IISh. 21:19

(הַר) יְעָרִים ישוב בנחלת יהודה, הוא כְּסָלוֹן
עין גם הַר (מס׳ 196)
יְעָרִים 1 וְעָבַר אֶל־כֶּתֶף הַר־יְעָרִים Josh. 15:10

יַעֲרֶשְׁיָה שפ״ז – ראש בית אב לבני בנימין
וְיַעֲרֶשְׁיָה 1 וְיַעֲרֶשְׁיָה וְאֵלִיָּה וְזִכְרִי בְּנֵי יְרֹחָם ICh. 8:27

יַעֲשַׂי* שפ״ז – בן בָּנִי, מנושאי נשים נכריות בימי עזרא
וְיַעֲשָׂי 1 מַתַּנְיָה מַתְּנַי וְיַעֲשָׂי (כת׳ ויעשו) Ez. 10:37

יַעֲשִׂיאֵל שפ״ז א) בן אבנר, שר משבט בנימין בימי דוד: 1
ב) מגבורי דוד: 2
יַעֲשִׂיאֵל 1 לְבִנְיָמִן יַעֲשִׂיאֵל בֶּן־אַבְנֵר ICh. 27:21
וְיַעֲשִׂיאֵל 2 אֱלִיאֵל וְעוֹבֵד וְיַעֲשִׂיאֵל ICh. 11:47

יִפְדְיָה שפ״ז – איש מבנימין
וְיִפְדְיָה 1 וְיִפְדְיָה וּפְנוּאֵל* בְּנֵי שָׁשָׁק ICh. 8:25

יפה : יָפֶה, יָפָה, הִתְיַפָּה, יְפֵהפֶה; יָפֶה, יְפֵה־פִיָּה, יֳפִי; ש״פ יָפוֹ (?)

יָפָה פ׳ א) היה נאה ונחמד: 1–5
ב) [פ׳ יִפָּה] קשט: 6
ג) [הת׳ הִתְיַפָּה] התקשט: 7
יָפִית 1 מַה־יָּפִית וּמַה־נָּעַמְתְּ אַהֲבָה... S.ofS. 7:7
יָפוּ 2 מַה־יָּפוּ דֹדַיִךְ אֲחֹתִי כַלָּה S.ofS. 4:10
3 מַה־יָּפוּ פְעָמַיִךְ בַּנְּעָלִים S.ofS. 7:2
וַתִּיפִי 4 וַתִּיפִי בִּמְאֹד מְאֹד Ezek. 16:13
וַיִּיף 5 וַיִּיף בְּגָדְלוֹ בְּאֹרֶךְ דָּלִיּוֹתָיו Ezek. 31:7
יְיַפֵּהוּ 6 בְּכֶסֶף וּבְזָהָב יְיַפֵּהוּ Jer. 10:4
תִּתְיַפִּי 7 לַשָּׁוְא תִּתְיַפִּי מָאֲסוּ בָךְ עֹגְבִים Jer. 4:30

יָפֶה ת׳ א) נאה, הדור: 1, 3, 6–42
ב) תה״פ – היטב: 2, 4, 5
קרובים: הָדוּר / טוֹב / יְפֵהפִיָּה / נֶאְדָּר / נָאוֶה / נֶחְמָד
– יְפֵה מַרְאֶה 8; יְפֵה נוֹף 12; יְ׳ עֵינַיִם 7; יְ׳ עָנָף 10; יְ׳ פְּרִי תֹאַר 9; יְ׳ קוֹל 11; יְפֵה תֹאַר 6
– יְפַת מַרְאֶה 32, 34, 40, 41; יְפַת תֹּאַר 42,35,34,31

יָפֶה 1 וּכְאַבְשָׁלוֹם לֹא־הָיָה אִישׁ יָפֶה לְהַלֵּל IISh. 14:25
2 יָפֶה עֲשִׂיתִיו בְּרֹב דָּלִיּוֹתָיו Ezek. 31:9
3 הִנְּךָ יָפֶה דוֹדִי אַף־נָעִים S.ofS. 1:16
4 אֶת־הַכֹּל עָשָׂה יָפֶה בְעִתּוֹ Eccl. 3:11
5 טוֹב אֲשֶׁר־יָפֶה לֶאֱכוֹל Eccl. 5:17
יְפֵה־ 6 וַיְהִי יוֹסֵף יְפֵה־תֹאַר Gen. 39:6
7 אַדְמוֹנִי עִם־יְפֵה עֵינַיִם וְטוֹב רֹאִי ISh. 16:12
8 וְאַדְמֹנִי עִם־יְפֵה מַרְאֶה ISh. 17:42
9 זַיִת רַעֲנָן יְפֵה פְרִי־תֹאַר Jer. 11:16
10 יְפֵה עָנָף וְחֹרֶשׁ מֵצַל Ezek. 31:3
11 יְפֵה קוֹל וּמֵטִב נַגֵּן Ezek. 33:32
12 יְפֵה נוֹף מְשׂוֹשׂ כָּל־הָאָרֶץ Ps. 48:3
וִיפֵה־ 13 יְפֵה־תֹאַר וִיפֵה מַרְאֶה Gen. 39:6
יָפָה 14 וַיִּרְאוּ...כִּי־יָפָה הִוא מְאֹד Gen. 12:14
15 וּלְאַבְשָׁלוֹם...אָחוֹת יָפָה IISh. 13:1
16 וַיְבַקְשׁוּ נַעֲרָה יָפָה בְּכֹל גְּבוּל יִשְׂרָאֵל IK. 1:3
17 וְהַנַּעֲרָה יָפָה עַד־מְאֹד IK. 1:4
18 אִשָּׁה יָפָה וְסָרַת טָעַם Prov. 11:22
19-20 הִנָּךְ יָפָה רַעְיָתִי S.ofS. 1:15; 4:1
21-22 הִנָּךְ יָפָה עֵינַיִךְ יוֹנִים S.ofS. 1:15; 4:1
23 כֻּלָּךְ יָפָה רַעְיָתִי וּמוּם אֵין בָּךְ S.ofS. 4:7
24 יָפָה אַתְּ רַעְיָתִי כְּתִרְצָה S.ofS. 6:4
25 יָפָה כַלְּבָנָה בָּרָה כַּחַמָּה S.ofS. 6:10
הַיָּפָה 26 אִם־לֹא תֵדְעִי לָךְ הַיָּפָה בַּנָּשִׁים S.ofS. 1:8
27 מַה־דּוֹדֵךְ מִדּוֹד הַיָּפָה בַּנָּשִׁים S.ofS. 5:9
28 אָנָה הָלַךְ דּוֹדֵךְ הַיָּפָה בַּנָּשִׁים S.ofS. 6:1
יְפַת־ 29 כִּי אִשָּׁה יְפַת־מַרְאֶה אָתְּ Gen. 12:11
30 וְרָחֵל הָיְתָה יְפַת־תֹּאַר Gen. 29:17
31 וְרָאִיתָ בַּשִּׁבְיָה אֵשֶׁת יְפַת־תֹּאַר Deut. 21:11
32 הִיא הָיְתָה אִשָּׁה יְפַת מַרְאֶה IISh. 14:27
33 יְפַת־תֹּאַר וְטוֹבַת מַרְאֶה Es. 2:7
וִיפַת־ 34 יְפַת־תֹּאַר וִיפַת מַרְאֶה Gen. 29:17
35 טוֹבַת־שֶׂכֶל וִיפַת תֹּאַר ISh. 25:3
יָפָתִי 36-37 קוּמִי לָךְ רַעְיָתִי יָפָתִי S.ofS. 2:10, 13
יָפוֹת 38 וְלֹא נִמְצָא נָשִׁים יָפוֹת כִּבְנוֹת... Job 42:15
הַיָּפוֹת 39 תִּתְעַלַּפְנָה הַבְּתוּלֹת הַיָּפוֹת Am. 8:13
יְפוֹת־ 40 יְפוֹת מַרְאֶה וּבְרִיאֹת בָּשָׂר Gen. 41:2
41 יְפֹת הַמַּרְאֶה וְהַבְּרִיאֹת Gen. 41:4
וִיפֹת־ 42 בְּרִיאוֹת בָּשָׂר וִיפֹת תֹּאַר Gen. 41:18

יְפֵה־פִיָּה ת״נ יָפָה מאוד
יְפֵה־פִיָּה 1 עֶגְלָה יְפֵה־פִיָּה מִצְרָיִם Jer. 46:20

יָפוֹ, יָפוֹא עיר נמל לחוף הים התיכון במערב א״י: 1–4
יָם יָפוֹ 3, 4; מוּל יָפוֹ 1
יָפוֹ 1 עִם־הַגְּבוּל מוּל יָפוֹ Josh. 19:46
2 וַיֵּרֶד יָפוֹ וַיִּמְצָא אָנִיָּה Jon. 1:3
(יָפוֹא) 3 מִן־הַלְּבָנוֹן אֶל־יָם יָפוֹא Ez. 3:7
4 וּנְבִיאֵם לְךָ רַפְסֹדוֹת עַל־יָם יָפוֹ IICh. 2:15

יפח : הִתְיַפֵּחַ; יָפֵחַ(?)

(יפח) הִתְיַפֵּחַ הת׳ בכה בכי מר
קרובים: ראה יָלַל
תִּתְיַפֵּחַ 1 קוֹל בַּת־צִיּוֹן תִּתְיַפֵּחַ תְּפָרֵשׂ כַּפֶּיהָ Jer. 4:31

יָפֵחַ ת׳ מביע, משמיע [עין עוד פוח]
וִיפֵחַ 1 עֵדֵי־שֶׁקֶר וִיפֵחַ חָמָס Ps. 27:12

יֳפִי*, יְפִי ז׳ חן, נוי: 1–19
קרובים: הָדָר / הֲדָרָה / הוֹד / חִן / חֶמֶד / חֶמְדָּה / חֵן / יִפְעָה / פְּאֵר / צְבִי / שֶׁפֶר / תִּפְאֶרֶת
כְּלִיל יֹפִי 3; כְּלִילַת יֹפִי 2, 4; מִכְלַל יֹפִי 5; יְפִי חָכְמָתוֹ 7

יֹפִי 1 כִּי־תַחַת יֹפִי Is. 3:24
2 אַתְּ אָמַרְתְּ אֲנִי כְּלִילַת יֹפִי Ezek. 27:3
3 מָלֵא חָכְמָה וּכְלִיל יֹפִי Ezek. 28:12
4 כְּלִילַת יֹפִי מָשׂוֹשׂ לְכָל־הָאָרֶץ Lam. 2:15
5 מִצִּיּוֹן מִכְלַל־יֹפִי אֱלֹהִים הוֹפִיעַ Ps. 50:2
הַיֹּפִי 6 שֶׁקֶר הַחֵן וְהֶבֶל הַיֹּפִי Prov. 31:30
יְפִי־ 7 וְהֵרִיקוּ חַרְבוֹתָם עַל־יְפִי חָכְמָתֶךָ Ezek. 28:7
בְּיָפְיֶךָ 8 גָּבַהּ לִבְּךָ בְּיָפְיֶךָ Ezek. 28:17
יָפְיֵךְ 9 וַתְּתַעֲבִי אֶת־יָפְיֵךְ Ezek. 16:25
10 בֹּנַיִךְ כָּלְלוּ יָפְיֵךְ Ezek. 27:4
11 הֵמָּה כָּלְלוּ יָפְיֵךְ Ezek. 27:11
12 וְיִתְאָו הַמֶּלֶךְ יָפְיֵךְ Ps. 45:12
בְּיָפְיֵךְ 13 וַיֵּצֵא לָךְ שֵׁם בַּגּוֹיִם בְּיָפְיֵךְ Ezek. 16:14
14 וַתִּבְטְחִי בְיָפְיֵךְ וַתִּזְנִי עַל־שְׁמֵךְ Ezek. 16:15
יָפְיוֹ 15 מַה־טּוּבוֹ וּמַה־יָּפְיוֹ Zech. 9:17
בְּיָפְיוֹ 16 מֶלֶךְ בְּיָפְיוֹ תֶּחֱזֶינָה עֵינֶיךָ Is. 33:17
17 כָּל־עֵץ...לֹא־דָמָה אֵלָיו בְּיָפְיוֹ Ezek. 31:8
יָפְיָהּ 18 אַל־תַּחְמֹד יָפְיָהּ בִּלְבָבֶךָ Prov. 6:25
19 לְהַרְאוֹת...אֶת־יָפְיָהּ Es. 1:11

יָפִיעַ1 שפ״ז א) מלך לכיש: 1
ב) בן־דוד מאחת מפילגשיו: 2–4
יָפִיעַ 1 וַיִּשְׁלַח...וְאֶל־יָפִיעַ מֶלֶךְ־לָכִישׁ Josh. 10:3
וְיָפִיעַ 2 וְיִבְחָר וֶאֱלִישׁוּעַ וְנֶפֶג וְיָפִיעַ IISh. 5:15
3-4 וְנֹגַהּ וְנֶפֶג וְיָפִיעַ ICh. 3:7; 14:6

יָפִיעַ2 עיר בנחלת זבולון
יָפִיעַ 1 וְיָצָא אֶל־הַדָּבְרַת וְעָלָה יָפִיעַ Josh. 19:12

יָפְיָפָה פ׳ היה יָפֶה
יָפְיָפִיתָ 1 יָפְיָפִיתָ מִבְּנֵי אָדָם Ps. 45:3

יַפְלֵט שפ״ז – בן חֶבֶר משבט אשר: 1–3
יַפְלֵט 1 וְחֶבֶר הוֹלִיד אֶת־יַפְלֵט ICh. 7:32
2 וּבְנֵי יַפְלֵט פָּסַךְ וּבִמְהָל וְעַשְׁוָת ICh. 7:33
3 אֵלֶּה בְּנֵי יַפְלֵט ICh. 7:33

יַפְלֵטִי ת׳ המתיחס על בית יַפְלֵט
הַיַּפְלֵטִי 1 וְיָרַד יָמָּה אֶל־גְּבוּל הַיַּפְלֵטִי Josh. 16:3

יְפֻנֶּה שפ״ז א) אבי כָּלֵב למטה יהודה: 1–15
ב) בן יֶתֶר משבט אשר: 16
יְפֻנֶּה 1-2 לְמַטֵּה יְהוּדָה כָּלֵב בֶּן־יְפֻנֶּה Num. 13:6; 34:19
3-15 (וְ/ וּלְ) כָּלֵב בֶּן יְפֻנֶּה Num. 14:6, 30
14:38; 26:65; 32:12 • Deut. 1:36 • Josh. 14:6, 13, 14
15:13; 21:12 • ICh. 4:15; 6:41
16 וּבְנֵי יֶתֶר יְפֻנֶּה וּפִסְפָּה וַאֲרָא ICh. 7:38

יפע : הוֹפִיעַ; יִפְעָה; ש״פ יָפִיעַ, מֵיפַעַת

(יפע) הוֹפִיעַ הפ׳ הִתְגַּלָּה, זָרַח: 1–8
הוֹפָעְתָּ 1 וְעַל־עֲצַת רְשָׁעִים הוֹפָעְתָּ Job 10:3
הוֹפִיעַ 2 וְזָרַח...הוֹפִיעַ מֵהַר פָּארָן Deut. 33:2
3 מִצִּיּוֹן מִכְלַל־יֹפִי אֱלֹהִים הוֹפִיעַ Ps. 50:2
וְהוֹפִיעַ 4 וְהוֹפִיעַ אוֹר עֲנָנוֹ Job 37:15
תּוֹפַע 5 וְאַל־תּוֹפַע עָלָיו נְהָרָה Job 3:4
וַתֹּפַע 6 וַתֹּפַע כְּמוֹ־אֹפֶל Job 10:22
הוֹפִיעַ 7 אֵל־נְקָמוֹת יְיָ אֵל נְקָמוֹת הוֹפִיעַ Ps. 94:1
הוֹפִיעָה 8 יֹשֵׁב הַכְּרוּבִים הוֹפִיעָה Ps. 80:2

יִפְעָה* נ׳ יֹפִי: 1, 2 • קרובים: ראה יֹפִי
יִפְעָתֶךָ 1 וְהֵרִיקוּ חַרְבוֹתָם...וְחִלְּלוּ יִפְעָתֶךָ Ezek. 28:7
2 שִׁחַתָּ חָכְמָתְךָ עַל־יִפְעָתֶךָ Ezek. 28:17

יֶפֶת

שפ״ז – הצעיר בשלושת בני נח: 1–11

אֲחִי יֶפֶת 3; בְּנֵי יֶפֶת 1, 2

יָפֶת 1-2 בְּנֵי יֶפֶת גֹּמֶר וּמָגוֹג Gen. 10:2 • ICh. 1:5
3 אֲחִי יֶפֶת הַגָּדוֹל Gen. 10:21
יָפֶת 4-5 אֶת־שֵׁם אֶת־חָם וְאֶת־יָפֶת Gen. 5:32; 6:10
וָיֶפֶת 6 וְשֵׁם־וְחָם וָיֶפֶת בְּנֵי־נֹחַ Gen. 7:13
7 וַיִּקַּח שֵׁם וָיֶפֶת אֶת־הַשִּׂמְלָה Gen. 9:23
וָיָפֶת 8 וַיִּהְיוּ בְנֵי־נֹחַ...שֵׁם וְחָם וָיָפֶת Gen. 9:18
9 בְּנֵי־נֹחַ שֵׁם חָם וָיָפֶת Gen. 10:1
10 נֹחַ שֵׁם חָם וָיָפֶת ICh. 1:4
לְיֶפֶת 11 יַפְתְּ אֱלֹהִים לְיֶפֶת Gen. 9:27

יַפְתְּ

(בראשית ט 27) – עין פתה

יִפְתָּח[1]

שפ״ז – בן גלעד, שופט ישראל: 1–29

בַּת יִפְתָּח 11; דִּבְרֵי י׳ 8; מַלְאֲכֵי יִפְתָּח 6

יִפְתָּח 1 וַיּוֹלֶד גִּלְעָד אֶת־יִפְתָּח Jud. 11:1
2 וַיְגָרְשׁוּ אֶת־יִפְתָּח Jud. 11:2
3 וַיִּבְרַח יִפְתָּח מִפְּנֵי אֶחָיו Jud. 11:3
4 וַיִּתְלַקְּטוּ אֶל־יִפְתָּח אֲנָשִׁים רֵיקִים Jud. 11:3
5 וַיִּשְׁלַח יִפְתָּח מַלְאָכִים Jud. 11:12
6 וַיֹּאמֶר...אֶל־מַלְאֲכֵי יִפְתָּח Jud. 11:13
7 וַיֹּאמֶר לוֹ כֹּה אָמַר יִפְתָּח Jud. 11:15
8 וְלֹא שָׁמַע...אֶל־דִּבְרֵי יִפְתָּח Jud. 11:28
9 וַתְּהִי עַל־יִפְתָּח רוּחַ יְיָ Jud. 11:29
10 וַיִּדַּר יִפְתָּח נֶדֶר לַייָ Jud. 11:30
11 לְתַנּוֹת לְבַת־יִפְתָּח הַגִּלְעָדִי Jud. 11:40
12 וַיִּשְׁפֹּט יִפְתָּח אֶת־יִשְׂרָ׳ שֵׁשׁ שָׁנִים Jud. 12:7
13 וַיָּמָת יִפְתָּח הַגִּלְעָדִי Jud. 12:7
14-26 יִפְתָּח Jud. 11:5, 7, 8, 9
11:10, 11², 14, 32, 34; 12:2, 4, 11
וְיִפְתָּח 27 וְיִפְתָּח הַגִּלְעָדִי הָיָה גִּבּוֹר־חַיִל Jud. 11:1
לְיִפְתָּח 28 וַיֹּאמְרוּ לְיִפְתָּח לְכָה וְהָיִיתָה לָנוּ לְקָצִין Jud. 11:6
29 וַיֹּאמְרוּ לְיִפְתָּח מַדּוּעַ עָבַרְתָּ Jud. 12:1

יִפְתָּח[2]

עיר בשפלת יהודה

וְיִפְתָּח 1 וְיִפְתָּח וְאַשְׁנָה וּנְצִיב Josh. 15:43

יִפְתַּח־אֵל

עין גֵּי יִפְתַּח־אֵל

יצא

: יָצָא, הוֹצִיא, הוּצָא; אר׳ יְצָא; יָצִיא, צֵאָה, צוֹאָה, צֶאֱצָא, מוֹצָא, מוֹצָאָה, תּוֹצָאָה

יָצָא

פ׳ א) עבר מתוך מקום אל מחוצה לו, או עבר ממקום אל מקום אחר: רוב המקראות

ב) פָּרַץ, נולד, צָמח: 64, 189, 255, 261, 266, 304, 323, 431, 452, 481–483, 501, 687, 688, 694–696

ג) נגאל, שוחרר: 24, 63, 95, 96, 113, 114, 149, 152, 165–168, 213–215, 394, 395, 433–435, 438, 439, 550, 630, 780, 781

ד) חלף, כלה: 14, 16, 495

ה) נפטר מחוב: 489

ו) [הפ׳ הוֹצִיא] העביר מן־ אל מקום אחר, [ובהשאלה] גאל, שחרר: רוב המקראות 786–1062

ז) [כנ״ל] העלה, הצמיח: 809, 840, 858, 920, 968, 990, 1010–1013, 1015

ח) [כנ״ל] גרש, סִלק: 802, 811, 812

ט) [כנ״ל] שִׁלם כתמורה ל־: 1036

י) [הָפ׳ הוּצָא] הָעבר מן־ אל־: 1063–1067

– יָצָא אַחֲרֵי־ 98, 127, 232, 233, 268, 298, 660, 748; יָצָא אֶל־ 6, 7, 25, 34, (42), 86, 92, 106, 135, (137), 158, 160, 161, 163, 171–187, 217 (ועוד כ־30 מקראות); יָצָא אֶת־ 43, 224, 272; יָצָא בְּ־ 211, 409; יָצָא בְּקֶרֶב 134; יָצָא לִפְנֵי 23, 54, 59, 122, 129, 157, 188, 408, 441, 557, 778; יָצָא לִקְרַאת 94, 234, 274, 297, 299, 310, 339, 396, 500, 518–530, 656, 657, 659, 684, 704, 705, 708, 712, 761; יָצָא מֵאֵת 77, 201, 203, 507; יָצָא מִלִּפְנֵי 154, 496, 504, 508, 546, 691; יָצָא מִן־ 17–19, 21, 22, 27–29, 35, 36, 40, 44, 45, 49, 53, 62, 64, 71–75, 78–83, 89–90א, 95, 96 [ועוד כ־150 מקראות!]; יָצָא מֵעַל־ 548, 706, 711; יָצָא מֵעִם 167, 212, 277, 397, 510–515, 545, 553, 554; יָצָא מִתּוֹךְ־ 771, 775, 776; יָצָא מִתַּחַת־ 713; יָצָא עַל־ 67, 503, 547

– יָצָא וּבָא (יוֹצֵא וָבָא) 10, 30, 39, 46, 50–52, 65, (87), 294, 305, 313, 334, 335, 423–425, 543, 682, 689, 698

– יָצָא אוֹר 469; יָ׳ הַגְּבוּל 169, 170, 173–187, 532, 539; יָ׳ גּוֹרָל 118–120, 531–538; יָצָא דָבָר 110, 144, 153, 156, 446, 490, 491; יָ׳ הָדָר 556; יָ׳ חוֹצֵץ 552; יָ׳ חֵץ 196; יָ׳ יִשְׁעוֹ 140; יָ׳ לִבּוֹ 505; יָ׳ מָדוֹן 495; יָ׳ מִשְׁפָּטוֹ 477; יָ׳ צִדְקוֹ 462; יָ׳ קָו 147, 191; יָ׳ קֶצֶף 116; יָ׳ רֶשֶׁף 494; יָ׳ שֵׁם 549, 558, 559; יָצָא הַשֶּׁמֶשׁ 26, 66, 109

– יָצְאָה אֵשׁ 145, 201, 202, 631, 635, 636, 645, 651, 654, 655, 665; יָ׳ חֵמָה 642, 643; יָ׳ חֲנֻפָּה 203; יָ׳ חֶרֶב 646; יָ׳ יוֹנֶקֶת 649; יָ׳ נַפְשׁוֹ 15, 210; יָ׳ הַצְּפִירָה 206; יָ׳ רוּחוֹ 648; יָ׳ שְׁאֵרִית 637, 638; יָ׳ רָעָה 340; יָ׳ שִׁכְבַת זֶרַע 632–634; יָצְאָה תּוֹרָה 639—641

– יָצְאוּ כוֹכָבִים 12; יָ׳ מַיִם 703; יָ׳ מֵעַיִם 255, 694; יָצְאוּ עֵינַיִם 148

– יוֹצֵא יְרֵכוֹ 378–380; יוֹצֵא צָבָא 279–293, 314, 383–386, 388

– יוֹצְאֵי הַשַּׁבָּת 381, 382, 387

– יָצָא בַגּוֹלָה 197, 245; יָצָא בְּמָחוֹל 107; יָצָא בַּמִּלְחָמָה 427; יָצָא בַּצָּבָא 370, 444

– יָצָא לַמִּלְחָמָה 31, 32, 410, 411, 413–416, 492, 540, 541; יָצָא לַצָּבָא 368, 369

– הוֹצִיא אֶל־ 786, 798, 807, 814, 887–891, 906, 907, 910–912, 931, 932 (ועוד כ־20 מקראות!); הוֹצִיא לִפְנֵי 810; הוֹצִיא לִקְרַאת־ 967; הוֹצִיא מִן־ 787–796, 800, 801, 804, 805, 808, 809, 815–828, 834, 836–838, 841–844, 846–848 (ועוד כ־80 מקראות!); הוֹצִיא מֵעַל־ 1052; הוֹצִיא מֵעִם 966

– הוֹצִיא וְהֵבִיא 922, 925;

– הוֹצִיא אוֹר 962, 973, 992; הוֹצִיא אֵשׁ 941; הוֹ׳ דִבָּה 803, 916, 934, 1023; הוֹ׳ דָבָר 810; הוֹ׳ דָם 960; הוֹצִיא חֶמְאָה 959; הוֹ׳ חֶרֶב 834, 844; הוֹ׳ מִלִּים 863, 1019; הוֹ׳ מִשְׁפָּט 955, 956; הוֹ׳ צֶדֶק (צְדָקָה) 881, 894; הוֹצִיא רוּחַ 958, 971, 972; הוֹצִיא רִיב 961; הוֹ׳ שֵׁם רָע 877, 892

– הוֹצִיא אֶל הוֹרֵג 807; הוֹצִיא לַמֶּרְחָב 969

יָצָא 1 וַיֵּצֵא יָצוֹא וָשׁוֹב עַד יְבֹשֶׁת הַמַּיִם Gen. 8:7
2 וַיְהִי אַךְ יָצֹא יָצָא יַעֲקֹב Gen. 27:30
3 וְאִם־יָצֹא יֵצֵא הָרֹצֵחַ Num. 35:26
4 שִׁמְעִי בֶן־גֵּרָא יֹצֵא יָצוֹא וּמְקַלֵּל IISh. 16:5

יָצֹא (המשך) 5 יָצֹא אֵצֵא גַּם־אֲנִי עִמָּכֶם IISh. 18:2
6 אֵלַי יֵצֵא יָצוֹא וְעָמַד וְקָרָא IIK. 5:11
7 אִם־יָצֹא תֵצֵא אֶל־שָׂרֵי מֶלֶךְ־בָּבֶל Jer. 38:17
צֵאת 8 לְעֵת עֶרֶב לְעֵת צֵאת הַשֹּׁאֲבֹת Gen. 24:11
9 לְעֵת צֵאת הַמְּלָאכִים IISh. 11:1
10 לֹא אֵדַע צֵאת וָבֹא IK. 3:7
11 אַחֲרֵי צֵאת יְכָנְיָה הַמֶּלֶךְ Jer. 29:2
12 עַד צֵאת הַכּוֹכָבִים Neh. 4:15
13 לְעֵת צֵאת הַמְּלָכִים ICh. 20:1
14 וּכְעֵת צֵאת הַקֵּץ לְיָמִים שְׁנַיִם IICh. 21:19
בְּצֵאת 15 וַיְהִי בְּצֵאת נַפְשָׁהּ כִּי מֵתָה Gen. 35:18
16 וְחַג הָאָסִף בְּצֵאת הַשָּׁנָה Ex. 23:16
17 וַיְהִי בַבֹּקֶר בְּצֵאת הַיַּיִן מִנָּבָל ISh. 25:37
18 בְּצֵאת הַכֹּהֲנִים מִן־הַקֹּדֶשׁ IK. 8:10
19 בְּצֵאת עִזְבוֹנַיִךְ מִיַּמִּים Ezek. 27:33
20 בְּצֵאת־הָאִישׁ קָדִים וְקָו בְּיָדוֹ Ezek. 47:3
21 בְּצֵאת יִשְׂרָאֵל מִמִּצְרָיִם Ps. 114:1
22 בְּצֵאת הַכֹּהֲנִים מִן־הַקֹּדֶשׁ IICh. 5:11
23 בְּצֵאת לִפְנֵי הֶחָלוּץ וְאֹמְרִים... IICh. 20:21
כְּצֵאת 24 לֹא תֵצֵא כְּצֵאת הָעֲבָדִים Ex. 21:7
25 וְהָיָה כְּצֵאת מֹשֶׁה אֶל־הָאֹהֶל Ex. 33:8
26 וְאֹהֲבָיו כְּצֵאת הַשֶּׁמֶשׁ בִּגְבֻרָתוֹ Jud. 5:31
לְצֵאת 27-29 לְצֵאת בְּנֵי־יִשְׂרָאֵל מֵאֶרֶץ־מִצְרָיִם Ex. 19:1 • Num. 33:38 • IK. 6:1
לָצֵאת 30 לֹא־אוּכַל עוֹד לָצֵאת וְלָבוֹא Deut. 31:2
31 וַיֵּאָסְפוּ...לָצֵאת לַמִּלְחָמָה Jud. 20:14
32 הַאוֹסִף עוֹד לָצֵאת לַמִּלְחָמָה Jud. 20:28
33 וּלְשָׁאוּל הֻגַּד...וַיֶּחְדַּל לָצֵאת ISh. 21:13
34 וַתְּכַל...לָצֵאת אֶל־אַבְשָׁלוֹם IISh. 13:39
35 וְלֹא־הֹסִיף עוֹד...לָצֵאת מֵאַרְצוֹ IIK. 24:7
36 לֹא־יוּכְלוּ לָצֵאת מִמֶּנָּה Jer. 11:11
37 וְאִם־מָאֵן אַתָּה לָצֵאת Jer. 38:21
38 וְגַם־הוּא נִדְחַף לָצֵאת IICh. 26:20
וְלָצֵאת 39 לַמִּלְחָמָה וְלָצֵאת וְלָבוֹא Josh. 14:11
בְּצֵאתִי 40 ...עָשָׂה יְיָ לִי בְּצֵאתִי מִמִּצְרָיִם Ex. 13:8
41 כִּתְמוֹל שִׁלְשֹׁם בְּצֵאתִי ISh. 21:6
42 בְּצֵאתִי שַׁעַר עֲלֵי־קָרֶת Job 29:7
כְּצֵאתִי 43 כְּצֵאתִי אֶת־הָעִיר אֶפְרֹשׂ אֶת־כַּפַּי Ex. 9:29
צֵאתְךָ 44 אֶת־יוֹם צֵאתְךָ מֵאֶרֶץ מִצְרַיִם Deut. 16:3
45 מוֹעֵד צֵאתְךָ מִמִּצְרָיִם Deut. 16:6
46 צֵאתְךָ וּבֹאֲךָ אִתִּי בַּמַּחֲנֶה ISh. 29:6
47 וְהָיָה בְּיוֹם צֵאתְךָ וְעָבַרְתָּ IK. 2:37
48 בְּיוֹם צֵאתְךָ וְהָלַכְתָּ אָנֶה וָאָנָה IK. 2:42
49 כִּימֵי צֵאתְךָ מֵאֶרֶץ מִצְרָיִם Mic. 7:15
50 יְיָ יִשְׁמָר־צֵאתְךָ וּבוֹאֶךָ Ps. 121:8
וְצֵאתְךָ 51 וְשִׁבְתְּךָ וְצֵאתְךָ וּבֹאֲךָ יָדָעְתִּי IIK. 19:27
52 וְשִׁבְתְּךָ וְצֵאתְךָ וּבוֹאֲךָ יָדָעְתִּי Is. 37:28
בְּצֵאתְךָ 53 יְיָ בְּצֵאתְךָ מִשֵּׂעִיר Jud. 5:4
54 אֱלֹהִים בְּצֵאתְךָ לִפְנֵי עַמֶּךָ Ps. 68:8
בְּצֵאתֶךָ 55 וּבָרוּךְ אַתָּה בְּצֵאתֶךָ Deut. 28:6
56 וְאָרוּר אַתָּה בְּצֵאתֶךָ Deut. 28:19
57 שְׂמַח זְבוּלֻן בְּצֵאתֶךָ Deut. 33:18
מִצֵּאתֵךְ 58 וְנִבְהֲלוּ הָאִיִּים...בַּיָּם מִצֵּאתֵךְ Ezek. 26:18
צֵאתוֹ 59 וּבְבֹא מֹשֶׁה לִפְנֵי יְיָ...עַד־צֵאתוֹ Ex. 34:34
60 בְּבֹאוֹ לְכַפֵּר בַּקֹּדֶשׁ עַד־צֵאתוֹ Lev. 16:17
61 וְסָגַר אֶת־הַשַּׁעַר אַחֲרֵי צֵאתוֹ Ezek. 46:12
בְּצֵאתוֹ 62 וְאַבְרָם בֶּן־חָמֵשׁ...בְּצֵאתוֹ מֵחָרָן Gen. 12:4
63 וְהָיָה הַשָּׂדֶה בְּצֵאתוֹ בַיֹּבֵל קֹדֶשׁ Lev. 27:21
64 אֲשֶׁר בְּצֵאתוֹ מֵרֶחֶם אִמּוֹ Num. 12:12
65 וִהְיוּ אֶת־הַמֶּלֶךְ בְּצֵאתוֹ וּבְבֹאוֹ IIK. 11:8
66 חָשַׁךְ הַשֶּׁמֶשׁ בְּצֵאתוֹ Is. 13:10
67 בְּצֵאתוֹ עַל־אֶרֶץ מִצְרָיִם Ps. 81:6

וּבְצֵאתוֹ 68 בְּבֹאוֹ אֶל־הַקֹּדֶשׁ...וּבְצֵאתוֹ Ex.28:35
69 וִהְיוּ אֶת־הַמֶּלֶךְ בְּבֹאוֹ וּבְצֵאתוֹ IICh.23:7
צֵאתֵנוּ 70 בְּיוֹם צֵאתֵנוּ לָלֶכֶת אֲלֵיכֶם Josh.9:12
בְּצֵאתְכֶם 71-75 בְּצֵאתְכֶם מִמִּצְרָיִם(־רַ) Deut.23:5
24:9; 25:17 • Josh.2:10 • Hag.2:5
צֵאתָם 76 וַיְהִי מִדֵּי צֵאתָם שָׂכַל דָּוִד ISh.18:30
בְּצֵאתָם 77 וַיִּפְגְּעוּ...בְּצֵאתָם מֵאֵת־פַּרְעֹה Ex.5:20
78-82 בְּצֵאתָם מִמִּצְרָיִם(־רַ) Deut.4:45,46
Josh.5:4,5 • IICh.5:10
83 אֲשֶׁר כָּרַת...בְּצֵאתָם מֵאֶרֶץ מִצְרָיִם IK.8:9
84 וַיֵּרוֹמּוּ מִן־הָאָרֶץ לְעֵינַי בְּצֵאתָם Ezek.10:19
85 שָׂמַח מִצְרַיִם בְּצֵאתָם Ps.105:38
וּבְצֵאתָם 86 וּבְצֵאתָם אֶל־הֶחָצֵר הַחִיצוֹנָה Ezek.44:19
87 בְּבוֹאָם יָבוֹא וּבְצֵאתָם יֵצֵאוּ Ezek.46:10
88 וּבְצֵאתָם עָמַד יְהוֹשָׁפָט וַיֹּאמֶר IICh.20:20
לְצֵאתָם 89 לְצֵאתָם מֵאֶרֶץ מִצְרָיִם Ex.16:1
90/א לְצֵאתָם מֵאֶרֶץ מִצְרַיִם Num.1:1; 9:1
יָצָאתִי 91 הִנֵּה אָנֹכִי יָצָאתִי לְשָׂטָן Num.22:32
92 יָצָאתִי הַשָּׂדֶה וְהִנֵּה חַלְלֵי־חֶרֶב Jer.14:18
93 לָמָּה זֶּה מֵרֶחֶם יָצָאתִי Jer.20:18
94 עַל־כֵּן יָצָאתִי לִקְרָאתֶךָ Prov.7:15
95 עָרֹם יָצָאתִי (כת׳ יצתי) מִבֶּטֶן אִמִּי Job 1:21
96 מִבֶּטֶן יָצָאתִי וְאֶגְוָע Job 3:11
97 עַתָּה יָצָאתִי לְהַשְׂכִּילְךָ בִינָה Dan.9:22
וְיָצָאתִי 98 וְיָצָאתִי אַחֲרָיו וְהִכִּתִיו ISh.17:35
יָצָאת 99 אֶל־הָאָרֶץ אֲשֶׁר־יָצָאתָ מִשָּׁם Gen.24:5
100 כִּי־בוֹ יָצָאתָ מִמִּצְרָיִם Ex.23:15
101 כִּי בְּחֹדֶשׁ הָאָבִיב יָצָאתָ מִמִּצ׳ Ex.34:18
102 לְמִן־הַיּוֹם אֲשֶׁר־יָצָאתָ מֵאֶרֶץ מִצ׳ Deut.9:7
103 כִּי בְחִפָּזוֹן יָצָאתָ מֵאֶרֶץ מִצְרַיִם Deut.16:3
104 יָצָאתָ לְיֵשַׁע עַמֶּךָ Hab.3:13
וְיָצָאתָ 105 וְיָצָאתָ שָׁמָּה חוּץ Deut.23:13
106 וְיָצָאתָ אֶל־גֵּיא בֶן־הִנֹּם Jer.19:2
וְיָצָאת 107 וְיָצָאת בִּמְחוֹל מְשַׂחֲקִים Jer.31:4(3)
יָצָא 108 מִן־הָאָרֶץ הַהִוא יָצָא אַשּׁוּר Gen.10:11
109 הַשֶּׁמֶשׁ יָצָא עַל־הָאָרֶץ Gen.19:23
110 מֵיְיָ יָצָא הַדָּבָר Gen.24:50
111 וְאַחֲרֵי־כֵן יָצָא אָחִיו Gen.25:26
112 וַיְהִי אַךְ יָצֹא יָצָא יַעֲקֹב... Gen.27:30
113 לֵאמֹר זֶה יָצָא רִאשֹׁנָה Gen.38:28
114 וְהִנֵּה יָצָא אָחִיו Gen.38:29
115 וְאַחַר יָצָא אָחִיו Gen.38:30
116 כִּי־יָצָא הַקֶּצֶף מִלִּפְנֵי יְיָ Num.17:11
117 הִנֵּה עַם יָצָא מִמִּצְרַיִם Num.22:5
118 לְיִשָּׂשכָר יָצָא הַגּוֹרָל הָרְבִיעִי Josh.19:17
119-120 יָצָא הַגּוֹרָל Josh.19:32,40
121 וְהוּא יָצָא וַעֲבָדָיו בָּאוּ Jud.3:24
122 הֲלֹא יְיָ יָצָא לְפָנֶיךָ Jud.4:14
123 עֲשֵׂה לִי כַּאֲשֶׁר יָצָא מִפִּיךָ Jud.11:36
124 מֵהָאֹכֵל יָצָא מַאֲכָל Jud.14:14
125 וּמֵעַז יָצָא מָתוֹק Jud.14:14
126 כִּי־יָצָא שָׁאוּל לְבַקֵּשׁ אֶת־נַפְשׁוֹ ISh.23:15
127 אַחֲרֵי מִי יָצָא מֶלֶךְ יִשְׂרָאֵל ISh.24:14
128 כִּי־יָצָא מֶלֶךְ יִשְׂרָאֵל לְבַקֵּשׁ... ISh.26:20
129 כִּי אָז יָצָא יְיָ לְפָנֶיךָ IISh.5:24
130 הִנֵּה בְנִי אֲשֶׁר־יָצָא מִמֵּעַי IISh.16:11
131 בַּיּוֹם אֲשֶׁר־יָצָא...מִירוּשָׁלַםִ IISh.19:20
132 וְהוּא יָצָא וַתִּפֹּל IISh.20:8
133 וְיָרָבְעָם יָצָא מִירוּשָׁלָםִ IK.11:29
134 עַבְדְּךָ יָצָא בְקֶרֶב־הַמִּלְחָמָה IK.20:39
135 וְיֵהוּא יָצָא אֶל־עַבְדֵי אֲדֹנָיו IIK.9:11
136 הִנֵּה יָצָא לְהִלָּחֵם אִתָּךְ IIK.19:9

יָצָא (המשך) 137 וַיְהִי יְשַׁעְיָהוּ לֹא יָצָא חָצֵר הַתִּיכֹנָה IIK.20:4
138 לֵאמֹר יָצָא לְהִלָּחֵם אִתָּךְ Is.37:9
139 יָצָא מִפִּי צְדָקָה דָּבָר וְלֹא יָשׁוּב Is.45:23
140 קָרוֹב צִדְקִי יָצָא יִשְׁעִי Is.51:5
141 וּמַשְׁחִית גּוֹיִם נָסַע יָצָא מִמְּקֹמוֹ Jer.4:7
142 אֲשֶׁר יָצָא מִן־הַמָּקוֹם הַזֶּה Jer.22:11
143 וְחֵיל פַּרְעֹה יָצָא מִמִּצְרָיִם Jer.37:5
144 כָּל־הַדָּבָר אֲשֶׁר־יָצָא מִפִּינוּ Jer.44:17
145 כִּי־אֵשׁ יָצָא מֵחֶשְׁבּוֹן Jer.48:45
146 מִמֵּךְ יָצָא חֹשֵׁב עַל־יְיָ רָעָה Nah.1:11
147 בְּכָל־הָאָרֶץ יָצָא קַוָּם Ps.19:5
148 יָצָא מֵחֵלֶב עֵינֵמוֹ Ps.73:7
149 כְּצִיץ יָצָא וַיִּמָּל Job 14:2
150 מִבֶּטֶן מִי יָצָא הַקָּרַח Job 31:29
151 כִּי־מִבֵּית הָסוּרִים יָצָא לִמְלֹךְ Eccl.4:14
152 כַּאֲשֶׁר יָצָא מִבֶּטֶן אִמּוֹ Eccl.5:14
153 הַדָּבָר יָצָא מִפִּי הַמֶּלֶךְ Es.7:8
154 וּמָרְדֳּכַי יָצָא מִלִּפְנֵי הַמֶּלֶךְ Es.8:15
155 וּמִן־הָאַחַת מֵהֶם יָצָא קֶרֶן־אַחַת Dan.8:9
156 בִּתְחִלַּת תַּחֲנוּנֶיךָ יָצָא דָבָר Dan.9:23
157 כִּי־יָצָא הָאֱלֹהִים לְפָנֶיךָ ICh.14:15
158 וּבְבֹאוֹ יָצָא עִם־יְהוֹרָם אֶל־יֵהוּא IICh.22:7
וְיָצָא 159 וְיָצָא הָעָם וְלָקְטוּ דְבַר־יוֹם בְּיוֹמוֹ Ex.16:4
160 וְיָצָא וְדִבֶּר אֶל־בְּנֵי יִשְׂרָאֵל Ex.34:34
161 וְיָצָא הַכֹּהֵן אֶל־מִחוּץ לַמַּחֲנֶה Lev.14:3
162 וְיָצָא הַכֹּהֵן מִן־הַבַּיִת Lev.14:38
163 וְיָצָא אֶל־הַמִּזְבֵּחַ אֲשֶׁר לִפְנֵי־יְיָ Lev.16:18
164 וְיָצָא וְעָשָׂה אֶת־עֹלָתוֹ Lev.16:24
165 וְיָצָא בַּיֹּבֵל וְשָׁב לַאֲחֻזָּתוֹ Lev.25:28
166 וְיָצָא מִמְכַּר־בַּיִת...בַּיֹּבֵל Lev.25:33
167 וְיָצָא מֵעִמָּךְ הוּא וּבָנָיו עִמּוֹ Lev.25:41
168 וְיָצָא בִּשְׁנַת הַיֹּבֵל הוּא וּבָנָיו עִמּוֹ Lev.25:54
169 וְיָצָא חֲצַר־אַדָּר וְעָבַר עַצְמֹנָה Num.34:4
170 וְיָצָא הַגְּבֻל זִפְרֹנָה Num.34:9
171 וְיָצָא אֶל־מִחוּץ לַמַּחֲנֶה Deut.23:11
172 וְיָצָא אֶל־מִנֶּגֶב לְמַעֲלֵה עַקְרַבִּים Josh.15:3
173 וְעָבַר עַצְמוֹנָה וְיָצָא נַחַל מִצְרַיִם Josh.15:4
174 וְיָצָא אֶל־עָרֵי הַר־עֶפְרוֹן Josh.15:9
175-187 וְיָצָא (הַגְּבוּל) (אֶל)... Josh.15:11[2]
16:2,6,7; 18:15[2], 17[2]; 19:12,13,27,34
188 וְיָצָא לְפָנֵינוּ וְנִלְחַם אֶת־מִלְחֲמֹתֵינוּ ISh.8:20
189 וְיָצָא חֹטֶר מִגֵּזַע יִשָׁי Is.11:1
190 וְיָצָא מֵהֶם תּוֹדָה וְקוֹל מְשַׂחֲקִים Jer.30:19
191 וְיָצָא עוֹד קָוֵה הַמִּדָּה נֶגְדּוֹ Jer.31:39(38)
192 וְיָצָא מִשָּׁם בְּשָׁלוֹם Jer.43:12
193 וְיָצָא כְמוֹשׁ בַּגּוֹלָה Jer.48:7
194 וּבָא הַנָּשִׂיא...וְהִשְׁתַּחֲוָה...וְיָצָא Ezek.46:2
195 וְיָצָא וְסָגַר אֶת־הַשַּׁעַר Ezek.46:12
196 וְיָצָא כַבָּרָק חִצּוֹ Zech.9:14
197 וְיָצָא חֲצִי הָעִיר בַּגּוֹלָה Zech.14:2
198 וְיָצָא יְיָ וְנִלְחַם בַּגּוֹיִם הָהֵם Zech.14:3
199 וְיָצָא וְנִלְחַם עִמּוֹ Dan.11:11
200 וְיָצָא בְּחֵמָא גְדֹלָה לְהַשְׁמִיד Dan.11:44
יָצְאָה 201 וְאֵשׁ יָצְאָה מֵאֵת יְיָ Num.16:35
202 כִּי־אֵשׁ יָצְאָה מֵחֶשְׁבּוֹן Num.21:28
203 מֵאֵת...יָצְאָה חֲנֻפָּה לְכָל־הָאָרֶץ Jer.23:15
204/5 סַעֲרַת יְיָ חֵמָה יָצְאָה Jer.23:19; 30:23
206 יָצְאָה הַצְּפִרָה צָץ הַמַּטֶּה Ezek.7:10
207 וְחֶלְאָתָהּ לֹא יָצְאָה מִמֶּנָּה Ezek.24:6
208 לֹא יָצְאָה יוֹשֶׁבֶת צַאֲנָן Mic.1:11
209 וְנִשְׁמַת־מִי יָצְאָה מִמֶּךָּ Job 26:4
210 נַפְשִׁי יָצְאָה בְדַבְּרוֹ S.ofS.5:6

211 כִּי־יָצְאָה בִי יַד־יְיָ Ruth 1:13
יָצָאָה 212 מֵעִם יְיָ צְבָאוֹת יָצָאָה Is.28:29
וְיָצְאָה 213 וְיָצְאָה אִשְׁתּוֹ עִמּוֹ Ex.21:3
214 וְיָצְאָה חִנָּם אֵין כָּסֶף Ex.21:11
215 וְיָצְאָה מִבֵּיתוֹ וְהָלְכָה Deut.24:2
יָצָאנוּ 216 לָמָּה זֶּה יָצָאנוּ מִמִּצְרָיִם Num.11:20
וְיָצָאנוּ 217 וְאִם־אֵין מוֹשִׁיעַ אֹתָנוּ וְיָצָאנוּ אֵלֶיךָ ISh.11:3
יְצָאתֶם 218 יְצָאתֶם מִמִּצְרַיִם מִבֵּית עֲבָדִים Ex.13:3
219 לֹא כְאֶ׳ מִצְ׳...אֲשֶׁר יְצָאתֶם מִשָּׁם Deut.11:10
וִיצָאתֶם 220 וִיצָאתֶם מִן־הַכְּרָמִים Jud.21:21
221 וִיצָאתֶם וּפִשְׁתֶּם כְּעֶגְלֵי מַרְבֵּק Mal.3:20
יָצְאוּ 222 כָּל־הַחַיָּה...יָצְאוּ מִן־הַתֵּבָה Gen.8:19
223 אֲשֶׁר יָצְאוּ מִשָּׁם פְּלִשְׁתִּים Gen.10:14
224 הֵם יָצְאוּ אֶת־הָעִיר Gen.44:4
225 יָצְאוּ כָּל־צִבְאוֹת יְיָ מֵאֶרֶץ מִצְ׳ Ex.12:41
226 יָצְאוּ מִן־הָעָם לִלְקֹט Ex.16:27
227 וְלֹא יָצְאוּ הָאֹהֱלָה Num.11:26
228 יָצְאוּ נִצָּבִים פֶּתַח אָהֳלֵיהֶם Num.16:27
229 יָצְאוּ מֵאֶרֶץ מִצְרַיִם לְצִבְאֹתָם Num.33:1
230 יָצְאוּ בְנֵי־יִשְׂרָאֵל בְּיָד רָמָה Num.33:3
231 יָצְאוּ אֲנָשִׁים בְּנֵי־בְלִיַּעַל Deut.13:14
232 כַּאֲשֶׁר יָצְאוּ הָרֹדְפִים אַחֲרֵיהֶם Josh.2:7
233 ...אֲשֶׁר לֹא־יָצְאוּ אַחֲרֵי יִשְׂרָאֵל Josh.8:17
234 וְאֵלֶּה יָצְאוּ מִן־הָעִיר לִקְרָאתָם Josh.8:22
235 בְּכֹל אֲשֶׁר יָצְאוּ יַד־יְיָ הָיְתָה־בָּם Jud.2:15
236 וְיוֹאָב...וְעַבְדֵי דָוִד יָצְאוּ IISh.2:13
237 וְכָל־הָעָם יָצְאוּ לְמֵאוֹת וְלַאֲלָפִים IISh.18:4
238 אֲנָשִׁים יָצְאוּ מִשֹּׁמְרוֹן IK.20:17
239 וְאֵלֶּה יָצְאוּ מִן־הָעִיר IK.20:19
240 וּנְעָרִים קְטַנִּים יָצְאוּ מִן־הָעִיר IIK.2:23
241 וַאֲרָם יָצְאוּ גְדוּדִים IIK.5:2
242 מִן־הַיּוֹם אֲשֶׁר יָצְאוּ אֲבוֹתָם מִמִּצ׳ IIK.21:15
243 וּמִפִּי יָצְאוּ וְאַשְׁמִיעֵם Is.48:3
244 לְמִן־הַיּוֹם אֲשֶׁר יָצְאוּ..מֵאֶרֶץ מִצ׳ Jer.7:25
245 אֲשֶׁר לֹא־יָצְאוּ אִתְּכֶם בַּגּוֹלָה Jer.29:16
246 וְהַלְּבָנִים יָצְאוּ אֶל־אַחֲרֵיהֶם Zech.6:6
247 וְהַבְּרֻדִּים יָצְאוּ אֶל־אֶרֶץ הַתֵּימָן Zech.6:6
248 וְהָאֲמֻצִּים יָצְאוּ וַיְבַקְשׁוּ לָלֶכֶת Zech.6:7
249 יָצְאוּ בְּפָעֳלָם מְשַׁחֲרֵי לַטָּרֶף Job 24:5
250 יָצְאוּ וְלֹא־שָׁבוּ לָמוֹ Job 39:4
251 הָרָצִים יָצְאוּ דְחוּפִים וּמְבֹהָלִים Es.3:15
252 הָרָצִים..יָצְאוּ מְבֹהָלִים וּדְחוּפִים Es.8:14
253 אֲשֶׁר יָצְאוּ מִשָּׁם פְּלִשְׁתִּים ICh.1:12
254 מֵאֵלֶּה יָצְאוּ הַצָּרְעָתִי וְהָאֶשְׁתָּאֻלִי ICh.2:53
255 יָצְאוּ מֵעָיו עִם־חָלְיוֹ IICh.21:19
256 וּכְכַלּוֹת כָּל־זֹאת יָצְאוּ כָל־יִשְׂ׳ IICh.31:1
יָצָאוּ 257 הַשַּׁעַר לִסְגּוֹר...וְהָאֲנָשִׁים יָצָאוּ Josh.2:5
258 וַיִּלָּכֵד יוֹנָתָן וְשָׁאוּל וְהָעָם יָצָאוּ ISh.14:41
259 אִם־לְשָׁלוֹם יָצָאוּ תִּפְשׂוּם חַיִּים IK.20:18
260 וְאִם לְמִלְחָמָה יָצָאוּ חַיִּים תִּפְשׂוּם IK.20:18
261 וּמִמֵּי יְהוּדָה יָצָאוּ Is.48:1
262 כִּי מֵרָעָה אֶל־רָעָה יָצָאוּ Jer.9:2
263 מֵהָאֵשׁ יָצָאוּ וְהָאֵשׁ תֹּאכְלֵם Ezek.15:7
264 עַם־יְיָ אֵלֶּה וּמֵאַרְצוֹ יָצָאוּ Ezek.36:20
וְיָצְאוּ 265 וְהִכִּיתָ בַצּוּר וְיָצְאוּ מִמֶּנּוּ מַיִם Ex.17:6
266 וְנָגְפוּ אִשָּׁה הָרָה וְיָצְאוּ יְלָדֶיהָ Ex.21:22
267 וְיָצְאוּ זְקֵנֶיךָ וְשֹׁפְטֶיךָ וּמָדְדוּ.. Deut.21:2
268 וְיָצְאוּ אַחֲרֵינוּ עַד־הַתִּיקֵנוּ אוֹתָם Josh.8:6
269 וְיָצְאוּ וְרָאוּ בְּפִגְרֵי הָאֲנָשִׁים Is.66:24
270 וְיָצְאוּ וְהִכּוּ בָעִיר Ezek.9:7
271 וְיָצְאוּ יֹשְׁבֵי עָרֵי יִשְׂרָאֵל וּבִעֲרוּ Ezek.39:9
יְצָאֻנִי 272 בָּנַי יְצָאֻנִי וְאֵינָם Jer.10:20

יוֹצֵא	273	וְנָהָר יֹצֵא מֵעֵדֶן לְהַשְׁקוֹת...	Gen. 2:10
	274	הִנֵּה־הוּא יֹצֵא לִקְרָאתֶךָ	Ex. 4:14
	275	הִנֵּה יֹצֵא הַמַּיְמָה	Ex. 7:15
	276	הִנֵּה יוֹצֵא הַמָּיְמָה	Ex. 8:16
	277	הִנֵּה אָנֹכִי יוֹצֵא מֵעִמָּךְ	Ex. 8:25
	278	כַּחֲצֹת הַלַּיְלָה אֲנִי יוֹצֵא בְּתוֹךְ מִצ׳	Ex. 11:4
	279-293	כָּל־יֹצֵא צָבָא (בְּיִשְׂרָאֵל)	Num. 1:3
			1:20, 22, 24, 26, 28, 30, 32, 34, 36, 38, 40, 42, 45; 26:2
	294	אֵין יוֹצֵא וְאֵין בָּא	Josh. 6:1
	295	וַיִּרְאוּ...אִישׁ יוֹצֵא מִן־הָעִיר	Jud. 1:24
	296	וְהִנֵּה הָעָם יֹצֵא מִן־הָעִיר	Jud. 9:43
	297	וְהִנֵּה שְׁמוּאֵל יֹצֵא לִקְרָאתָם	ISh. 9:14
	298	אֲשֶׁר אֵינֶנּוּ יֹצֵא אַחֲרֵי שָׁאוּל	ISh. 11:7
	299	דָּוִד יֹצֵא לִקְרַאת הַפְּלִשְׁתִּי	ISh. 17:55
	300	כִּי־הוּא יוֹצֵא וָבָא לִפְנֵיהֶם	ISh. 18:16
	301	וְהִנֵּה מִשָּׁם אִישׁ יוֹצֵא	IISh. 16:5
	302	יֹצֵא יָצוֹא וּמְקַלֵּל	IISh. 16:5
	303	בַיְיָ נִשְׁבַּעְתִּי כִּי־אֵינְךָ יוֹצֵא	IISh. 19:8
	304	וְעַד הָאֵזוֹב אֲשֶׁר יֹצֵא בַּקִּיר	IK. 5:13
	305	לְבִלְתִּי תֵּת יֹצֵא וָבָא לְאָסָא	IK. 15:17
	306/7	הִנֵּה יְיָ יֹצֵא מִמְּקוֹמוֹ	Is. 26:21 • Mic. 1:3
	308	וּמִן־הָאֵשׁ יוֹצֵא בָרָק	Ezek. 1:13
	309	וְהִנֵּה הַמַּלְאָךְ הַדֹּבֵר בִּי יֹצֵא	Zech. 2:7
	310	וּמַלְאָךְ אַחֵר יֹצֵא לִקְרָאתוֹ	Zech. 2:7
	311	וְהוּא כְּחָתָן יֹצֵא מֵחֻפָּתוֹ	Ps. 19:6
	312	וַאֲנִי יוֹצֵא וְהִנֵּה שַׂר־יָוָן בָּא	Dan. 10:20
	313	לְבִלְתִּי תֵּת יוֹצֵא וָבָא לְאָסָא	IICh. 16:1
	314	אֶלֶף בָּחוּר יוֹצֵא צָבָא	IICh. 25:5
וְיוֹצֵא	315	וְיִרְמְיָהוּ בָּא וְיֹצֵא בְּתוֹךְ הָעָם	Jer. 37:4
הַיּוֹצֵא	316	הַיֹּצֵא מִגְּבֻל הָאֱמֹרִי	Num. 21:13
	317	הִנֵּה הָעָם הַיֹּצֵא מִמִּצְרַיִם	Num. 22:11
	318	כְּכָל־הַיֹּצֵא מִפִּיו יַעֲשֶׂה	Num. 30:3
	319	הַיֹּצֵא הַשָּׂדֶה שָׁנָה שָׁנָה	Deut. 14:22
	320	כָּל־הָעָם הַיֹּצֵא מִמִּצְרַיִם	Josh. 5:4
	321	הַיּוֹצֵא אֲשֶׁר יֵצֵא מִדַּלְתֵי בֵיתִי	Jud. 11:31
	322	וְהַחַיִל הַיֹּצֵא אֶל־הַמַּעֲרָכָה	ISh. 17:20
	323	כִּי אִם־בִּנְךָ הַיֹּצֵא מֵחֲלָצֶיךָ	IK. 8:19
	324	כָּל־הַיּוֹצֵא מֵהֵנָּה יִטָּרֵף	Jer. 5:6
	325	חֵיל פַּרְעֹה הַיֹּצֵא לָכֶם לְעֶזְרָה	Jer. 37:7
	326	מָה הַדָּבָר הַיּוֹצֵא מֵאֵת יְיָ	Ezek. 33:30
	327	וְהַמִּגְדָּל הַיּוֹצֵא מִבֵּית הַמֶּלֶךְ	Neh. 3:25
	328	עַד נֶגֶד...וְהַמִּגְדָּל הַיּוֹצֵא	Neh. 3:26
	329	מִנֶּגֶד הַמִּגְדָּל הַגָּדוֹל הַיּוֹצֵא	Neh. 3:27
	330	כִּי בִנְךָ הַיּוֹצֵא מֵחֲלָצֶיךָ...	IICh. 6:9
וְהַיּוֹצֵא	331	וְהַיֹּצֵא מִפִּיכֶם תַּעֲשׂוּ	Num. 32:24
	332	וְהַיּוֹצֵא וְנָפַל עַל־הַכַּשְׂדִּים	Jer. 21:9
	333	וְהַיֹּצֵא אֶל־הַכַּשְׂדִּים וְחָיָה־	Jer. 38:2
לַיּוֹצֵא	334	אֵין שָׁלוֹם לַיּוֹצֵא וְלַבָּא	IICh. 15:5
וְלַיּוֹצֵא	335	וְלַיּוֹצֵא וְלַבָּא אֵין־שָׁלוֹם	Zech. 8:10
שֶׁיּוֹצָא(שֶׁיּוֹצְאָה)	336	כִּשְׁגָגָה שֶׁיֹּצָא מִלִּפְנֵי הַשַּׁלִּיט	Eccl. 10:5
יוֹצֵאת	337/8	וְהִנֵּה רִבְקָה יֹצֵאת	Gen. 24:15, 45
	339	וְהִנֵּה בִתּוֹ יֹצֵאת לִקְרָאתוֹ	Jud. 11:34
	340	הִנֵּה רָעָה יֹצֵאת מִגּוֹי אֶל־גּוֹי	Jer. 25:32
	341	אֵין פֶּרֶץ וְאֵין יוֹצֵאת	Ps. 144:14
הַיּוֹצֵאת	342	וְהָיָה הָעַלְמָה הַיֹּצֵאת לִשְׁאֹב	Gen. 24:43
	343	וּבְשִׁלְיָתָהּ הַיּוֹצֵת מִבֵּין רַגְלֶיהָ	Deut. 28:57
	344	הָעִיר הַיֹּצֵאת אֶלֶף תַּשְׁאִיר מֵאָה	Am. 5:3
	345	הָאָלָה הַיּוֹצֵאת עַל־פְּנֵי כָל־הָאָרֶץ	Zech. 5:3
	346	וּרְאֵה מָה הַיּוֹצֵאת הַזֹּאת	Zech. 5:5
	347	זֹאת הָאֵיפָה הַיּוֹצֵאת	Zech. 5:6
וְהַיּוֹצֵאת	348	וְהַיּוֹצֵאת מֵאָה תַּשְׁאִיר עֲשָׂרָה	Am. 5:3
	349	הַבָּאָה וְהַיֹּצֵאת חֹדֶשׁ בְּחֹדֶשׁ	ICh. 27:1
יוֹצְאִים	350	הַיּוֹם אַתֶּם יֹצְאִים בְּחֹדֶשׁ הָאָבִיב	Ex. 13:4
	351	וּבְנֵי־יִשְׂרָאֵל יֹצְאִים בְּיָד רָמָה	Ex. 14:8
	352/3	קָנִים יֹצְאִים מִצִּדֶּיהָ	Ex. 25:32; 37:18
	354	עֲיָנֹת...יֹצְאִים בַּבִּקְעָה וּבָהָר	Deut. 8:7
	355	וְהִנֵּה־הוּא וְהָעָם...יֹצְאִים אֵלֶיךָ	Jud. 9:33
	356	הִנֵּה עִבְרִים יֹצְאִים מִן־הַחֹרִים	ISh. 14:11
	357	בָּנִים וּבָנוֹת הִנָּם יוֹצְאִים אֲלֵיכֶם	Ezek. 14:22
	358	מַיִם יֹצְאִים מִתַּחַת מִפְתַּן הַבַּיִת	Ezek. 47:1
	359	הַמַּיִם...יוֹצְאִים אֶל־הַגְּלִילָה	Ezek. 47:8
	360	מֵימָיו מִן־הַמִּקְדָּשׁ...יוֹצְאִים	Ezek. 47:12
	361	יֹצְאִים אֶל־אֶרֶץ צָפוֹן	Zech. 6:6
הַיּוֹצְאִים	362	בְנֵי־נֹחַ הַיֹּצְאִים מִן־הַתֵּבָה	Gen. 9:18
	363-365	לְשֵׁשֶׁת הַקָּנִים הַיֹּצְאִים מִן־הַמְּנֹרָה	Ex. 25:33, 35; 37:19
	366	לְשֵׁשֶׁת הַקָּנִים הַיֹּצְאִים מִמֶּנָּה	Ex. 37:21
	367	הַיֹּצְאִים מֵאֶרֶץ מִצְרָיִם	Num. 26:4
	368-369	הַיֹּצְאִים לַצָּבָא	Num. 31:27, 28
	370	חֵלֶק הַיֹּצְאִים בַּצָּבָא	Num. 31:36
	371	כַּפְתֹּרִים הַיֹּצְאִים מִכַּפְתּוֹר	Deut. 2:23
	372	כִּי־מֻלִים הָיוּ כָּל־הָעָם הַיֹּצְאִים	Josh. 5:5
	373	אַנְשֵׁי הַמִּלְחָמָה הַיֹּצְאִים מִמִּצְרַיִם	Josh. 5:6
	374	רְאֵה הַיּוֹצְאִים אֶל־אֶרֶץ צָפוֹן	Zech. 6:8
יוֹצְאֵי־	375	מִכֹּל יֹצְאֵי הַתֵּבָה	Gen. 9:10
	376-377	כָּל־יֹצְאֵי שַׁעַר עִירוֹ	Gen. 34:24²
	378	כָּל־הַנֶּפֶשׁ...יֹצְאֵי יְרֵכוֹ	Gen. 46:26
	379	כָּל־נֶפֶשׁ יֹצְאֵי יֶרֶךְ־יַעֲקֹב	Ex. 1:5
	380	שִׁבְעִים בָּנִים יֹצְאֵי יְרֵכוֹ	Jud. 8:30
	381	כֹּל יֹצְאֵי הַשַּׁבָּת	IIK. 11:7
	382	בָּאֵי הַשַּׁבָּת עִם יֹצְאֵי הַשַּׁבָּת	IIK. 11:9
	383	אַרְבָּעִים וְאַרְבָּעָה אֶ׳...יֹצְאֵי צָבָא	ICh. 5:18
	384	שִׁבְעָה־עָשָׂר אֶלֶף...יֹצְאֵי צָבָא	ICh. 7:11
	385	יוֹצְאֵי צָבָא עֹרְכֵי מִלְחָמָה	ICh. 12:33(34)
	386	יוֹצְאֵי צָבָא לַעֲרֹךְ מִלְחָמָה	ICh. 12:36(37)
	387	בָּאֵי הַשַּׁבָּת עִם יוֹצְאֵי הַשַּׁבָּת	IICh. 23:8
	388	יוֹצְאֵי צָבָא לִגְדוּד	IICh. 26:11
יוֹצְאוֹת	389	יֹצְאֹת לִשְׁאֹב מָיִם	Gen. 24:13
	390	נְעָרוֹת יֹצְאוֹת לִשְׁאֹב מָיִם	ISh. 9:11
	391	וְהִנֵּה שְׁתַּיִם נָשִׁים יוֹצְאוֹת	Zech. 5:9
	392	יֹצְאוֹת מִבֵּין שְׁנֵי הֶהָרִים	Zech. 6:1
	393	אַרְבַּע רוּחוֹת הַשָּׁמַיִם יוֹצְאוֹת	Zech. 6:5
אֵצֵא	394	וְאַחֲרֵי־כֵן אֵצֵא	Ex. 11:8
	395	לֹא אֵצֵא חָפְשִׁי	Ex. 21:5
	396	פֶּן־בַּחֶרֶב אֵצֵא לִקְרָאתֶךָ	Num. 20:18
	397	כִּי־יֹאמַר אֵלֶיךָ לֹא אֵצֵא מֵעִמָּךְ	Deut. 15:16
	398	אֵצֵא כְּפַעַם בְּפַעַם וְאִנָּעֵר	Jud. 16:20
	399	וַאֲנִי אֵצֵא וְעָמַדְתִּי לְיַד־אָבִי	ISh. 19:3
	400	יָצֹא אֵצֵא גַּם־אֲנִי עִמָּכֶם	IISh. 18:2
	401	אֵצֵא וְהָיִיתִי רוּחַ שֶׁקֶר	IK. 22:22
	402	כָּלֻא וְלֹא אֵצֵא	Ps. 88:9
	403	בְּחָנַנִי כַּזָּהָב אֵצֵא	Job 23:10
	404	וָאֶדֹּם לֹא־אֵצֵא פָתַח	Job 31:34
	405	גָּדַר בַּעֲדִי וְלֹא אֵצֵא	Lam. 3:7
	406	אֵצֵא וְהָיִיתִי לְרוּחַ שֶׁקֶר	IICh. 18:21
וָאֵצֵא	407	וָאָקוּם וָאֵצֵא אֶל־הַבִּקְעָה	Ezek. 3:23
וְאֵצְאָה	408	וְאֵצְאָה לִפְנֵי הָעָם־הַזֶּה וְאָבוֹאָה	IICh. 1:10
וָאֵצְאָה	409	וָאֵצְאָה בְשַׁעַר־הַגַּיְא לַיְלָה	Neh. 2:13
תֵּצֵא	410	כִּי־תֵצֵא לַמִּלְחָמָה עַל אֹיְבֶךָ	Deut. 20:1
	411	כִּי־תֵצֵא לַמִּלְחָמָה עַל־אֹיְבֶיךָ	Deut. 21:10
	412	כִּי תֵצֵא מַחֲנֶה עַל־אֹיְבֶיךָ	Deut. 23:10
	413	בְּדֶרֶךְ אֶחָד תֵּצֵא אֵלָיו	Deut. 28:25
	414	כִּי אִתִּי תֵּצֵא בַמַּחֲנֶה	ISh. 28:1
	415	וַיֹּאמֶר הָעָם לֹא תֵצֵא	IISh. 18:3
תֵּצֵא (המשך)	416	לֹא־תֵצֵא עוֹד אִתָּנוּ לַמִּלְחָמָה	IISh. 21:17
	417	וְלֹא־תֵצֵא מִשָּׁם אָנֶה וָאָנָה	IK. 2:36
	418	וּבְטֶרֶם תֵּצֵא מֵרֶחֶם הִקְדַּשְׁתִּיךָ	Jer. 1:5
	419	אִם־יָצֹא תֵצֵא אֶל־שָׂרֵי מֶ׳־בָבֶל	Jer. 38:17
	420	וְאִם לֹא־תֵצֵא אֶל־שָׂרֵי מֶ׳ בָּבֶל	Jer. 38:18
	421	וְלֹא תֵצֵא בְּתוֹכָם	Ezek. 3:25
	422	וְאַתָּה תֵּצֵא בָעֶרֶב לְעֵינֵיהֶם	Ezek. 12:4
	423-425	וְלֹא־תֵצֵא(...)בְּצִבְאוֹתֵינוּ	Ps. 44:10; 60:12; 108:12
	426	אַל־תֵּצֵא לָרִב מַהֵר	Prov. 25:8
	427	אָז תֵּצֵא בַמִּלְחָמָה	ICh. 14:15
תֵּצְאִי	428	גַּם מֵאֵת זֶה תֵּצְאִי וְיָדַיִךְ עַל־רֹאשֵׁךְ	Jer. 2:37
	429	עַתָּה תֵצְאִי מִקִּרְיָה...	Mic. 4:10
	430	טוֹב בִּתִּי כִּי תֵצְאִי עִם־נַעֲרוֹתָיו	Ruth 2:22
יֵצֵא	431	כִּי־אִם אֲשֶׁר יֵצֵא מִמֵּעֶיךָ	Gen. 15:4
	432	אַל־יֵצֵא אִישׁ מִמְּקֹמוֹ	Ex. 16:29
	433	וּבַשְּׁבִעִת יֵצֵא לַחָפְשִׁי חִנָּם	Ex. 21:2
	434	אִם־בְּגַפּוֹ יָבֹא בְּגַפּוֹ יֵצֵא	Ex. 21:3
	435	וְהוּא יֵצֵא בְגַפּוֹ	Ex. 21:4
	436	כָּל־מְבַקֵּשׁ יְיָ יֵצֵא אֶל־אֹהֶל מוֹעֵד	Ex. 33:7
	437	וּמִן־הַמִּקְדָּשׁ לֹא יֵצֵא	Lev. 21:12
	438	לֹא יֵצֵא בַּיֹּבֵל	Lev. 25:30
	439	גְּאֻלָּה תִּהְיֶה־לּוֹ וּבַיֹּבֵל יֵצֵא	Lev. 25:31
	440	עַד אֲשֶׁר־יֵצֵא מֵאַפְּכֶם	Num. 11:20
	441	אֲשֶׁר־יֵצֵא לִפְנֵיהֶם וַאֲשֶׁר יָבֹא	Num. 27:17
	442	אֶל אֲשֶׁר־יֵצֵא לוֹ שָׁמָּה הַגּוֹרָל	Num. 33:54
	443	וְאִם־יָצֹא יֵצֵא הָרֹצֵחַ	Num. 35:26
	444	לֹא יֵצֵא בַּצָּבָא	Deut. 24:5
	445	אֲשֶׁר־יֵצֵא מִדַּלְתֵי בֵיתֵךְ הַחוּצָה	Josh. 2:19
	446	וְלֹא־יֵצֵא מִפִּיכֶם דָּבָר	Josh. 6:10
	447	אֲשֶׁר יֵצֵא מִדַּלְתֵי בֵיתִי לִקְרָאתִי	Jud. 11:31
	448	מִכֹּל אֲשֶׁר־יֵצֵא מִגֶּפֶן הַיַּיִן	Jud. 13:14
	449	אַל־תַּרְבּוּ...יֵצֵא עָתָק מִפִּיכֶם	ISh. 2:3
	450	יֵצֵא־נָא אָבִי וְאִמִּי אִתְּכֶם	ISh. 22:3
	451	מֵרְשָׁעִים יֵצֵא רֶשַׁע	ISh. 24:14
	452	אֲשֶׁר יֵצֵא מִמֵּעֶיךָ	IISh. 7:12
	453	כִּי־יֵצֵא עַמְּךָ לַמִּלְחָמָה עַל־אֹיְבוֹ	IK. 8:44
	454	אֵלַי יֵצֵא יָצוֹא וְעָמַד וְקָרָא	IIK. 5:11
	455	אַל־יֵצֵא פָלִיט מִן־הָעִיר	IIK. 9:15
	456	בֹּאוּ הַכּוּם אִישׁ אַל־יֵצֵא	IIK. 10:25
	457	וּלְכֹל אֲשֶׁר־יֵצֵא עַל־הַבַּיִת לְחָזְקָה	IIK. 12:13
	458	בְּכֹל אֲשֶׁר־יֵצֵא יַשְׂכִּיל	IIK. 18:7
	459	כִּי־מִשֹּׁרֶשׁ נָחָשׁ יֵצֵא צֶפַע	Is. 14:29
	460	יְיָ כַּגִּבּוֹר יֵצֵא	Is. 42:13
	461	כֵּן יִהְיֶה דְבָרִי אֲשֶׁר יֵצֵא מִפִּי	Is. 55:11
	462	עַד־יֵצֵא כַנֹּגַהּ צִדְקָהּ	Is. 62:1
	463	וּמֹשְׁלוֹ מִקִּרְבּוֹ יֵצֵא	Jer. 30:21
	464	מִדֶּרֶךְ...הַשַּׁעַר יָבוֹא וּמִדַּרְכּוֹ יֵצֵא	Ezek. 44:3
	465	דֶּרֶךְ...הַשַּׁעַר יָבוֹא וּבְדַרְכּוֹ יֵצֵא	Ezek. 46:8
	466	וּבְבוֹא...יֵצֵא דֶּרֶךְ־שַׁעַר נֶגֶב	Ezek. 46:9
	467	וְהַבָּא...יֵצֵא דֶּרֶךְ שַׁעַר צָפוֹנָה	Ezek. 46:9
	468	כִּי נִכְחוֹ יֵצֵא (כת׳ יצאו)	Ezek. 46:9
	469	וּמִשְׁפָּטֶיךָ אוֹר יֵצֵא	Hosh. 6:5
	470	יֵצֵא חָתָן מֵחֶדְרוֹ	Joel 2:16
	471	וּמַעְיָן מִבֵּית יְיָ יֵצֵא	Joel 4:18
	472	מִמְּךָ לִי יֵצֵא לִהְיוֹת מוֹשֵׁל בְּיִשְׂרָאֵל	Mic. 5:1
	473	וְלֹא־יֵצֵא לָנֶצַח מִשְׁפָּט	Hab. 1:4
	474	עַל־כֵּן יֵצֵא מִשְׁפָּט מְעֻקָּל	Hab. 1:4
	475	מִמֶּנּוּ מִשְׁפָּטוֹ וּשְׂאֵתוֹ יֵצֵא	Hab. 1:7
	476	מִמֶּנּוּ יֵצֵא כָל־נוֹגֵשׂ יַחְדָּו	Zech. 10:4
	477	מִלְּפָנֶיךָ מִשְׁפָּטִי יֵצֵא	Ps. 17:2
	478	יֵצֵא לַחוּץ יְדַבֵּר	Ps. 41:7

יָצָא (המשך)

479 יֵצֵא אָדָם לְפָעֳלוֹ Ps. 104:23
480 בְּהִשָּׁפְטוֹ יֵצֵא רָשָׁע Ps. 109:7
481 כִּי לֹא־יֵצֵא מֵעָפָר אָוֶן Job 5:6
482 אֶרֶץ מִמֶּנָּה יֵצֵא־לָחֶם Job 28:5
483 תַּחַת חִטָּה יֵצֵא חוֹחַ Job 31:40
484 וְהֶגֶה מִפִּיו יֵצֵא Job 37:2
485 בְּגִיחוֹ מֵרֶחֶם יֵצֵא Job 38:8
486 יֵצֵא לִקְרַאת־נָשֶׁק Job 39:21
487 מִנְּחִירָיו יֵצֵא עָשָׁן Job 41:12
488 וְלַהַב מִפִּיו יֵצֵא Job 41:13
489 כִּי־יְרֵא אֱלֹהִים יֵצֵא אֶת־כֻּלָּם Eccl. 7:18
490 יֵצֵא דְבַר הַמַּל׳ עַל־כָּל־הַנָּשִׁים Es. 1:17
491 יֵצֵא דְבַר־מַלְכוּת מִלְּפָנָיו Es. 1:19
492 יֵצֵא עִמְּךָ לַמִּלְחָמָה עַל־אֹיְבָיו IICh. 6:34

וְיֵצֵא
493 וְהַנָּשִׂיא...יִשָּׂא בָּעֲלָטָה וְיֵצֵא Ezek. 12:12
494 וְיֵצֵא רֶשֶׁף לְרַגְלָיו Hab. 3:5
495 גָּרֵשׁ לֵץ וְיֵצֵא מָדוֹן Prov. 22:10

וַיֵּצֵא
496 וַיֵּצֵא קַיִן מִלִּפְנֵי יְיָ Gen. 4:16
497 וַיֵּצֵא יָצוֹא וָשׁוֹב Gen. 8:7
498 וַיֵּצֵא נֹחַ וּבָנָיו וְאִשְׁתּוֹ Gen. 8:18
499 וַיֵּצֵא מֶלֶךְ־סְדֹם וּמֶלֶךְ עֲמֹרָה Gen. 14:8
500 וַיֵּצֵא מֶלֶךְ־סְדֹם לִקְרָאתוֹ Gen. 14:17
501 וַיֵּצֵא הָרִאשׁוֹן אַדְמוֹנִי Gen. 25:25
502 וַיֵּצֵא יַעֲקֹב מִבְּאֵר שָׁבַע Gen. 28:10
503 וַיֵּצֵא יוֹסֵף עַל־אֶרֶץ מִצְרָיִם Gen. 41:45
504 וַיֵּצֵא יוֹסֵף מִלִּפְנֵי פַרְעֹה Gen. 41:46
505 וַיֵּצֵא לִבָּם וַיֶּחֶרְדוּ Gen. 42:28
506 וַיִּרְחַץ פָּנָיו וַיֵּצֵא Gen. 43:31
507 וַיֵּצֵא הָאֶחָד מֵאִתִּי Gen. 44:28
508 וַיְבָרֶךְ...וַיֵּצֵא מִלִּפְנֵי פַרְעֹה Gen. 47:10
509 וַיִּגְדַּל מֹשֶׁה וַיֵּצֵא אֶל־אֶחָיו Ex. 2:11
510 וַיֵּצֵא מֹשֶׁה וְאַהֲרֹן מֵעִם פַּרְעֹה Ex. 8:8
511-5 וַיֵּצֵא..מֵעִם פַּרְעֹה Ex. 8:26; 9:33; 10:6, 18; 11:8
516 וַיֵּצֵא מֹשֶׁה לִקְרַאת חֹתְנוֹ Ex. 18:7
517 וָאַשְׁלִכֵהוּ בָאֵשׁ וַיֵּצֵא הָעֵגֶל הַזֶּה Ex. 32:24
518 וַיֵּצֵא אֱדוֹם לִקְרָאתוֹ בְּעַם כָּבֵד Num. 20:20
519-530 וַיֵּצֵא...לִקְרַאת (לִקְרָאתוֹ וכו׳)
Num. 21:23, 33; 22:36 • Deut. 1:44; 2:32; 3:1; 29:6 • Jud. 20:25 • ISh. 4:1; 13:10 • Jer. 41:6 • IICh. 35:20
531 וַיֵּצֵא הַגּוֹרָל לִבְנֵי יוֹסֵף Josh. 16:1
532 וַיֵּצֵא גְּבוּל גּוֹרָלָם בֵּין בְּנֵי יְהוּדָה Josh. 18:11
533-538 וַיֵּצֵא הַגּוֹרָל Josh. 19:1, 24; 21:4
ICh. 24:7; 25:9; 26:14
539 וַיֵּצֵא גְבוּל בְּנֵי־דָן מֵהֶם Josh. 19:47
540 וַיֵּצֵא לַמִּלְחָמָה וַיִּתֵּן יְיָ בְּיָדוֹ Jud. 3:10
541 וַיֵּצֵא אִישׁ יִשְׂרָאֵל לַמִּלְחָמָה Jud. 20:20
542 וַיֵּצֵא דָוִד ISh. 18:5
543 וַיֵּצֵא וַיָּבֹא לִפְנֵי הָעָם ISh. 18:13
544 וַיֵּצֵא דָוִד וַיִּלָּחֶם בַּפְּלִשְׁתִּים ISh. 19:8
545 וַיֵּצֵא יוֹאָב מֵעִם דָּוִד IISh. 3:26
546 וַיֵּצֵא מִלְּפָנָיו מְצֹרָע כַּשָּׁלֶג IIK. 5:27
547 וַיֵּצֵא יְהוֹיָכִין...עַל־מֶלֶךְ בָּבֶל IIK. 24:12
548 וַיֵּצֵא כְּבוֹד יְיָ מֵעַל מִפְתַּן הַבָּיִת Ezek. 10:18
549 וַיֵּצֵא לָךְ שֵׁם בַּגּוֹיִם בְּיָפְיֵךְ Ezek. 16:14
550 וַיֵּצֵא מִצָּרָה צַדִּיק Prov. 12:13
551 וַיֵּצֵא לַצֹּרֵף כֶּלִי Prov. 25:4
552 מֶלֶךְ אֵין לָאַרְבֶּה וַיֵּצֵא חֹצֵץ כֻּלּוֹ Prov. 30:27
553/4 וַיֵּצֵא הַשָּׂטָן מֵעִם פְּנֵי יְיָ Job 1:12; 2:7
555 שָׁלַף וַיֵּצֵא מִגֵּוָה Job 20:25
556 וַיֵּצֵא מִבַּת־צִיּוֹן כָּל־הֲדָרָהּ Lam. 1:6
557 וַיִּשְׁמַע דָּוִיד וַיֵּצֵא לִפְנֵיהֶם ICh. 14:8
558 וַיֵּצֵא שֵׁם־דָּוִיד בְּכָל־הָאֲרָצוֹת ICh. 14:17

וַיֵּצֵא (המשך)

559 וַיֵּצֵא שְׁמוֹ עַד־לְמֵרָחוֹק IICh. 26:15
560 וַיֵּצֵא לִפְנֵי הַצָּבָא הַבָּא לְשֹׁמְרוֹן IICh. 28:9
561-629 וַיֵּצֵא (מִן־, אֶל־, לְ־ וכד׳) Gen. 19:6
19:14; 24:63; 31:33; 34:6; 39:12, 15 • Ex. 2:13 • Lev. 24:10 • Num. 11:24 • Jud. 3:22, 23; 9:35, 39, 42; 19:23, 27 • ISh. 13:17, 23; 17:4; 20:35; 24:9 • IISh. 2:12; 11:8, 13; 15:16, 17; 18:6; 24:4, 20 • IK. 2:46; 9:12; 12:25; 19:13; 20:21, 33; 22:21 • IIK. 2:21; 3:6; 4:18, 39; 6:15; 7:16; 9:21, 24; 10:9; 18:18; 19:35 • Is. 36:3; 37:36 • Jer. 37:12; 38:8; 39:4 • Ezek. 10:7 • Jon. 4:5 • Zech. 5:5 • Es. 4:1, 6; 5:9 • ICh. 12:17(18); 21:4, 21 • IICh. 14:8, 9; 15:2; 18:20; 19:2, 4; 26:6

תֵּצֵא
630 לֹא תֵצֵא כְּצֵאת הָעֲבָדִים Ex. 21:7
631 כִּי־תֵצֵא אֵשׁ וּמָצְאָה קֹצִים Ex. 22:5
632-4 תֵּצֵא מִמֶּנּוּ שִׁכְבַת־זֶרַע Lev. 15:16, 32; 22:4
635 תֵּצֵא אֵשׁ מִן־הָאָטָד וְתֹאכַל... Jud. 9:15
636 תֵּצֵא אֵשׁ מֵאֲבִימֶלֶךְ וְתֹאכַל... Jud. 9:20
637/8 מִירוּשָׁ׳ תֵּצֵא שְׁאֵרִית IIK. 19:31 • Is. 37:32
639/40 כִּי מִצִּיּוֹן תֵּצֵא תוֹרָה Is. 2:3 • Mic. 4:2
641 כִּי תוֹרָה מֵאִתִּי תֵצֵא Is. 51:4
642/3 פֶּן־תֵּצֵא כָאֵשׁ חֲמָתִי Jer. 4:4; 21:12
644 תְּנוּ־צִיץ לְמוֹאָב כִּי נָצֹא תֵּצֵא Jer. 48:9
645 מִמֶּנּוּ תֵצֵא־אֵשׁ אֶל־כָּל־בֵּית יִשְׂ׳ Ezek. 5:4
646 לָכֵן תֵּצֵא חַרְבִּי מִתַּעְרָהּ Ezek. 21:9
647 וְלֹא־תֵצֵא מִמֶּנָּה רַבַּת חֶלְאָתָהּ Ezek. 24:12
648 תֵּצֵא רוּחוֹ יָשֻׁב לְאַדְמָתוֹ Ps. 146:4
649 וְעַל־גַּנָּתוֹ יוֹנַקְתּוֹ תֵצֵא Job 8:16
650 מִפִּי עֶלְיוֹן לֹא תֵצֵא הָרָעוֹת וְהַטּוֹב Lam. 3:38

וְתֵצֵא
651 וְתֵצֵא אֵשׁ מִבַּעֲלֵי שְׁכֶם Jud. 9:20

וַתֵּצֵא
652 וַתֵּצֵא לֵאָה לִקְרָאתוֹ וַתֹּאמֶר Gen. 30:16
653 וַתֵּצֵא דִינָה...לִרְאוֹת בִּבְנוֹת הָאָ׳ Gen. 34:1
654/5 וַתֵּצֵא אֵשׁ מִלִּפְנֵי יְיָ וַתֹּאכַל Lev. 9:24; 10:2
656 וַתֵּצֵא יָעֵל לִקְרַאת סִיסְרָא Jud. 4:18
657 וַתֵּצֵא יָעֵל לִקְרָאתוֹ וַתֹּאמֶר לוֹ Jud. 4:22
658 וַתֵּצֵא הַחֲנִית מֵאַחֲרָיו IISh. 2:23
659 וַתֵּצֵא מִיכַל...לִקְרַאת דָּוִד IISh. 6:20
660 וַתֵּצֵא אַחֲרָיו מַשְׂאַת הַמֶּלֶךְ IISh. 11:8
661 וַתֵּצֵא מֶרְכָּבָה מִמִּצְרַיִם IK. 10:29
662 וַתִּסְגֹּר בַּעֲדוֹ וַתֵּצֵא IIK. 4:21
663 וַתִּשָּׂא אֶת־בְּנָהּ וַתֵּצֵא IIK. 4:37
664 וַתֵּצֵא לִצְעֹק אֶל־הַמֶּלֶךְ IIK. 8:3
665 וַתֵּצֵא אֵשׁ מִמַּטֵּה בַדֶּיהָ Ezek. 19:14
666 וַתֵּצֵא מִן־הַמָּקוֹם Ruth 1:7

נֵצֵא
667 מָחָר נֵצֵא אֲלֵיכֶם ISh. 11:10
668 וְהָיָה כִּי־יֹאמְרוּ אֵלַיִךְ אָנָה נֵצֵא Jer. 15:2
669 לְכָה דוֹדִי נֵצֵא הַשָּׂדֶה S.of S. 7:12

וְנֵצֵא
670 לְכָה וְנֵצֵא הַשָּׂדֶה ISh. 20:11
671 וְנֵצֵא אֶל־מֶלֶךְ יִשְׂרָאֵל IK. 20:31

תֵּצְאוּ
672 חֵי פַרְעֹה אִם־תֵּצְאוּ מִזֶּה Gen. 42:15
673 וְאַתֶּם לֹא תֵצְאוּ...מִפֶּתַח־בֵּיתוֹ Ex. 12:22
674/5 וּמִפֶּתַח אֹהֶל מוֹעֵד לֹא תֵצְאוּ Lev. 8:33; 10:7
676 לָמָּה תֵצְאוּ לַעֲרֹךְ מִלְחָמָה ISh. 17:8
677 אַל תֵּצְאוּ (כת׳ תצאי) הַשָּׂדֶה Jer. 6:25

תֵּצֵאוּ
678 כִּי לֹא בְחִפָּזוֹן תֵּצֵאוּ Is. 52:12
679 כִּי־בְשִׂמְחָה תֵצֵאוּ Is. 55:12

תֵּצֶאנָה
680 וּפְרָצִים תֵּצֶאנָה אִשָּׁה נֶגְדָּהּ Am. 4:3

יֵצְאוּ
681 וְאַחֲרֵי־כֵן יֵצְאוּ בִּרְכֻשׁ גָּדוֹל Gen. 15:14
682 עַל־פִּיו יֵצְאוּ וְעַל־פִּיו יָבֹאוּ Num. 27:21
683 בְּדֶרֶךְ אֶחָד יֵצְאוּ אֵלֶיךָ Deut. 28:7
684 וְהָיָה כִּי־יֵצְאוּ לִקְרָאתֵנוּ Josh. 8:5
685 אִם־יֵצְאוּ בְנוֹת־שִׁילוֹ לָחוּל Jud. 21:21

יֵצְאוּ (המשך)

686 כִּי־יֵצְאוּ מִן־הָעִיר וְנִתְפְּשֵׂם חַיִּים IIK. 7:12
687/8 וּמִבָּנֶיךָ אֲשֶׁר יֵצְאוּ מִמְּךָ IIK. 20:18 • Is. 39:7
689 אֲשֶׁר יָבֹאוּ בוֹ...וַאֲשֶׁר יֵצְאוּ בוֹ Jer. 17:19
690 מֵאֶרֶץ אֶחָד יֵצְאוּ שְׁנֵיהֶם Ezek. 21:24
691 יֵצְאוּ מַלְאָכִים מִלְּפָנַי בַּצִּים Ezek. 30:9
692 וְלֹא־יֵצְאוּ מֵהַקֹּדֶשׁ אֶל־הֶחָצֵר Ezek. 42:14
693 יֵצְאוּ מַיִם־חַיִּים מִירוּשָׁלַםִ Zech. 14:8
694 עַד־יֵצְאוּ מֵעֶיךָ מִן־הַחֹלִי IICh. 21:15

יֵצֵאוּ
695 וּמְלָכִים מִמְּךָ יֵצֵאוּ Gen. 17:6
696 וּמְלָכִים מֵחֲלָצֶיךָ יֵצֵאוּ Gen. 35:11
697 מְהָרְסַיִךְ וּמַחֲרִבַיִךְ מִמֵּךְ יֵצֵאוּ Is. 49:17
698 בְּבוֹאָם יָבוֹא וּבְצֵאתָם יֵצֵאוּ Ezek. 46:10

וְיֵצְאוּ
699 עֲלוּ הַסּוּסִים...וְיֵצְאוּ הַגִּבּוֹרִים Jer. 46:9

וְיֵצֵאוּ
700 שַׁלַּח מֵעַל־פָּנַי וְיֵצֵאוּ Jer. 15:1

וַיֵּצְאוּ
701 וַיֵּצְאוּ אִתָּם מֵאוּר כַּשְׂדִּים Gen. 11:31
702 וַיֵּצְאוּ לָלֶכֶת אַרְצָה כְּנַעַן Gen. 12:5
703 וַיֵּצְאוּ מַיִם רַבִּים Num. 20:11
704 וַיֵּצְאוּ מֹשֶׁה וְאֶלְעָזָר...לִקְרָאתָם Num. 31:13
705 וַיֵּצְאוּ...לִקְרַאת יִשְׂ׳ לַמִּלְחָמָה Josh. 8:14
706 וַיֵּצְאוּ מֵעָלָיו כָּל־הָעֹמְדִים Jud. 3:19
707 וַיֵּצְאוּ מִמֶּנּוּ מַיִם וַיֵּשְׁתְּ Jud. 15:19
708 וַיֵּצְאוּ בְנֵי־בִנְיָמִן לִקְרָאתָם Jud. 20:31
709 וַיֵּצְאוּ כְּאִישׁ אֶחָד ISh. 11:7
710 וַיֵּצְאוּ לִקְרַאת דָּוִד וְלִקְרַאת הָעָם ISh. 30:21
711 ...וַיֵּצְאוּ כָּל־אִישׁ מֵעָלָיו IISh. 13:9
712 וַיֵּצְאוּ לִקְרַאת יֵהוּא... IIK. 9:21
713 וַיֵּצְאוּ מִתַּחַת יַד־אֲרָם IIK. 13:5
714-746 וַיֵּצְאוּ (מִן־, אֶל־, לְ־ וכד׳) Ex. 5:10
15:22; 35:20 • Lev. 9:23 • Num. 12:4, 5 • Josh. 11:4 • Jud. 9:27; 11:3; 20:1, 21; 21:24 • ISh. 7:11; 9:26; 18:30; 20:11; 23:13 • IISh. 10:8; 11:17, 23; 20:7²; 24:7 • IK. 20:16, 17 • IIK. 2:3; 7:12 • Jer. 39:4; 52:7 • Mic. 2:13 • Neh. 8:16 • ICh. 19:9 • IICh. 20:20

וַיֵּצֵאוּ
747 וַיִּקְחוּ אֶת־דִּינָה וַיֵּצֵאוּ Gen. 34:26

וַתֵּצֶאןָ
748 וַתֵּצֶאןָ כָל־הַנָּשִׁים אַחֲרֶיהָ... Ex. 15:20

וַתֵּצֶאנָה
749 וַתֵּצֶאנָה הַנָּשִׁים מִכָּל־עָרֵי יִשְׂרָאֵל ISh. 18:6
750 וַתֵּצֶאנָה שְׁתַּיִם דֻּבִּים מִן־הַיַּעַר IIK. 2:24

צֵא
751 צֵא מִן־הַתֵּבָה אַתָּה וְאִשְׁתְּךָ Gen. 8:16
752 קוּם צֵא מִן־הָאָרֶץ Gen. 31:13
753 צֵא אַתָּה וְכָל־הָעָם Ex. 11:8
754 צֵא־נָא עַתָּה וְהִלָּחֶם בּוֹ Jud. 9:38
755/6 צֵא צֵא אִישׁ הַדָּמִים IISh. 16:7
757 וְעַתָּה קוּם צֵא וְדַבֵּר IISh. 19:8
758 כֹּה־אָמַר הַמֶּלֶךְ צֵא IK. 2:30
759 צֵא וְעָמַדְתָּ בָהָר לִפְנֵי יְיָ IK. 19:11
760 צֵא וַעֲשֵׂה־כֵן IK. 22:22
761 צֵא־נָא לִקְרַאת אָחָז Is. 7:3
762 תִּזְרֵם כְּמוֹ דָוָה צֵא תֹּאמַר לוֹ Is. 30:22
763 קוּם צֵא אֶל־הַבִּקְעָה Ezek. 3:22
764 צֵא וַעֲשֵׂה־כֵן IICh. 18:21
765 צֵא מִן־הַמִּקְדָּשׁ כִּי מָעַלְתָּ IICh. 26:18

וְצֵא
766 שָׂא־נָא כֵלֶיךָ...וְצֵא הַשָּׂדֶה Gen. 27:3
767 וְצֵא הִלָּחֵם בַּעֲמָלֵק Ex. 17:9

וָצֵאָה
768 רַבֶּה צְבָאֲךָ וָצֵאָה Jud. 9:29

צְאִי
769 צְאִי־לָךְ בְּעִקְבֵי הַצֹּאן S.of S. 1:8

צְאוּ
770 קוּמוּ צְּאוּ מִן־הַמָּקוֹם הַזֶּה Gen. 19:14
771 קוּמוּ צְּאוּ מִתּוֹךְ עַמִּי Ex. 12:31
772 צְאוּ שְׁלָשְׁתְּכֶם אֶל־אֹהֶל מוֹעֵד Num. 12:4
773 צְאוּ מִבָּבֶל בִּרְחוּ מִכַּשְׂדִּים Is. 48:20
774 סוּרוּ סוּרוּ צְאוּ מִשָּׁם Is. 52:11
775 צְאוּ מִתּוֹכָהּ Is. 52:11

צאו 776 צְאוּ מִתּוֹכָהּ עַמִּי Jer. 51:45
(המשך) 777 צְאוּ הָהָר וְהָבִיאוּ עֲלֵי־זַיִת Neh. 8:15
778 מָחָר צְאוּ לִפְנֵיהֶם IICh. 20:17
779 צְאוּ לְעָרֵי יְהוּדָה וְקִבְצוּ IICh. 24:5
צֵאוּ 780 לֵאמֹר לַאֲסוּרִים צֵאוּ Is. 49:9
781 נֻדוּ...וּמֵאֶרֶץ כַּשְׂדִּים צֵאוּ (כ׳ יצאו) Jer. 50:8
782 צְאוּ וְיָצְאוּ וְהִכּוּ בָעִיר Ezek. 9:7
וּצְאוּ 783/4 עֲשׂוּ אִתִּי בְרָכָה וּצְאוּ IIK. 18:31 • Is. 36:16
צְאֶינָה 785 צְאֶינָה וּרְאֶינָה בְּנוֹת צִיּוֹן S.of S. 3:11
הוֹצִיא 786 לְבִלְתִּי הוֹצִיא אֶל־הֶחָצֵר Ezek. 46:20
הוֹצִיאִי 787 בְּיוֹם הוֹצִיאִי° אוֹתָם מֵאֶרֶץ מִצְ׳ Jer. 7:22
788 בְּיוֹם הוֹצִיאִי־אוֹתָם מֵאֶרֶץ־מִצְ׳ Jer. 11:4
789 בְּיוֹם הוֹצִאִי אוֹתָם מֵאֶרֶץ מִצְ׳ Jer. 34:13
בְּהוֹצִיאִי 790 בְּהוֹצִיאִי אֶתְכֶם מֵאֶרֶץ מִצְרָיִם Ex. 16:32
791 בְּהוֹצִיאִי אוֹתָם מֵאֶרֶץ מִצְרָיִם Lev. 23:43
792 בְּהוֹצִיאִי אֶתְכֶם מִן־הָעַמִּים Ezek. 20:41
בְּהוֹצִיאֲךָ 793 בְּהוֹצִיאֲךָ אֶת־הָעָם מִמִּצְרַיִם Ex. 3:12
794 בְּהוֹצִיאֲךָ אֶת־אֲבֹתֵינוּ מִמִּצְרַיִם IK. 8:53
בְּהוֹצִיאוֹ 795/6 בְּהוֹצִיאוֹ אֹתָם מֵאֶ׳ מִצְ׳ Deut. 29:24 • IK. 8:21
וּבְהוֹצִיאָם 797 וּבְהוֹצִיאָם אֶת־הַכֶּסֶף IICh. 34:14
כְּהוֹצִיאָם 798 וַיְהִי כְהוֹצִיאָם אֹתָם הַחוּצָה Gen. 19:17
799 וַיְהִי כְּהוֹצִיאָם אֶת־הַמְּלָכִים Josh. 10:24
לְהוֹצִיא 800 לְהוֹצִיא אֶת־בְּ״י מֵאֶרֶץ מִצְרָיִם Ex. 6:13
801 לְהוֹצִיא אֶת־בְּ״י מִמִּצְרָיִם Ex. 6:27
802 וַיַּעֲשׂוּ־כֵן...לְהוֹצִיא אֶת־הַכִּנִּים Ex. 8:14
803 לְהוֹצִיא דִבָּה עַל־הָאָרֶץ Num. 14:36
804 לְהוֹצִיא מֵהֵיכַל יְיָ אֵת כָּל־הַכֵּלִים IIK. 23:4
805 לְהוֹצִיא מִמַּסְגֵּר אַסִּיר Is. 42:7
806 בַּקִּיר יַחְתְּרוּ לְהוֹצִיא בוֹ Ezek. 12:12
807 לְהוֹצִיא אֶל־הֹרֵג בָּנָיו Hosh. 9:13
808 לְהוֹצִיא עֲצָמִים מִן־הַבַּיִת Am. 6:10
809 לְהוֹצִיא לֶחֶם מִן־הָאָרֶץ Ps. 104:14
810 אַל־יְמַהֵר לְהוֹצִיא דָבָר לִפְנֵי הָאֱלֹ׳ Eccl. 5:1
811 לְהוֹצִיא כָל־נָשִׁים וְהַנּוֹלָד מֵהֶם Ez. 10:3
812 וַיִּתְּנוּ יָדָם לְהוֹצִיא נְשֵׁיהֶם Ez. 10:19
813 לְהוֹצִיא לְנַחַל־קִדְרוֹן חוּצָה IICh. 29:16
לְהוֹצִאֵהוּ 814 לְהוֹצִאֵהוּ אֶל־הַבָּיִת Jer. 39:14
לְהוֹצִיאָנוּ 815 מַה־זֹּאת עָשִׂיתָ לָּנוּ לְהוֹצִיאָנוּ מִמִּ׳ Ex. 14:11
לְהוֹצִיאָם 816-819 לְהוֹצִיאָם מֵאֶרֶץ מִצְרָיִם Ex. 12:42
Jer. 31:32(31) • Ezek. 20:6, 9
הוֹצֵאתִי 820 הוֹצֵאתִי אֶת־צִבְאוֹתֵיכֶם מֵאֶ׳ מִצְ׳ Ex. 12:17
821-824 הוֹצֵאתִי א(וֹ)תָם מֵאֶרֶץ מִצְרָיִם
Ex. 29:46 • Lev. 25:42, 55; 26:45
825-828 הוֹצֵאתִי אֶתְכֶם מֵאֶרֶץ מִצְרָיִם
Lev. 19:36; 25:38; 26:13 • Num. 15:41
829 וְאַחַר הוֹצֵאתִי אֶתְכֶם Josh. 24:5
830 מִן־הַיּוֹם אֲשֶׁר הוֹצֵאתִי אֶת־עַמִּי IK. 8:16
831 כֵּלַי הוֹצֵאתִי כִּכְלֵי גוֹלָה יוֹמָם Ezek. 12:7
832 בָּעֲלָטָה הוֹצֵאתִי עַל־כָּתֵף Ezek. 12:7
833 אֲשֶׁר־הוֹצֵאתִי אוֹתָם לְעֵינֵיהֶם Ezek. 20:22
834 אֲנִי יְיָ הוֹצֵאתִי חַרְבִּי מִתַּעְרָהּ Ezek. 21:10
835 מִן־הַיּוֹם אֲשֶׁר הוֹצֵאתִי אֶת־עַמִּי IICh. 6:5
וְהוֹצֵאתִי 836 וְהוֹצֵאתִי אֶתְכֶם מִתַּחַת סִבְלֹת מִצְ׳ Ex. 6:6
837 וְהוֹצֵאתִי אֶת־צִבְאֹתַי...מֵאֶרֶץ מִצְ׳ Ex. 7:4
838 וְהוֹצֵאתִי אֶת־בְּ״י מִתּוֹכָם Ex. 7:5
839 וְהֹצֵאתִי אֶת־מִנְחָתִי Jud. 6:18
840 וְהוֹצֵאתִי מִיַּעֲקֹב זֶרַע Is. 65:9
841 וְהֹצֵאתִי אֶת־בִּלְעוֹ מִפִּיו Jer. 51:44
842 וְהוֹצֵאתִי אֶתְכֶם מִתּוֹכָהּ Ezek. 11:9
843 וְהוֹצֵאתִי אֶתְכֶם מִן־הָעַמִּים Ezek. 20:34
844 וְהוֹצֵאתִי חַרְבִּי מִתַּעְרָהּ Ezek. 21:8
845 וְהוֹצֵאתִי אוֹתְךָ וְאֶת־כָּל־חֵילֶךָ Ezek. 38:4

הוֹצֵאתִיךָ 846 אֲשֶׁר הוֹצֵאתִיךָ מֵאוּר כַּשְׂדִּים Gen. 15:7
847/8 הוֹצֵאתִיךָ מֵאֶרֶץ מִצְ׳ Ex. 20:2 • Deut. 5:6
הוֹצֵאתִיהָ 849 הוֹצֵאתִיהָ...וּבָאָה אֶל־בֵּית הַגַּנָּב Zech. 5:4
הוֹצֵאתִים 850 אֲשֶׁר הוֹצֵאתִים לְעֵינֵיהֶם Ezek. 20:14
וְהוֹצֵאתִים 851 וְהוֹצֵאתִים מִן־הָעַמִּים Ezek. 34:13
הוֹצֵאתָ 852 הוֹצֵאתָ מֵאֶרֶץ מִצְ׳ בְּכֹחַ גָּדוֹל Ex. 32:11
853 שִׁחֵת עַמְּךָ אֲשֶׁר הוֹצֵאתָ מִמִּצְ׳ Deut. 9:12
854 אֲשֶׁר־הוֹצֵאתָ מִמִּצְ׳ בְּיָד חֲזָקָה Deut. 9:26
855 אֲשֶׁר הוֹצֵאתָ בְּכֹחֲךָ הַגָּדֹל Deut. 9:29
856 אֲשֶׁר הוֹצֵאתָ מִמִּצְרַיִם מִתּוֹךְ כּוּר... IK. 8:51
857 אֲשֶׁר הוֹצֵאתָ אֶת־עַמְּךָ מֵאֶרֶץ מִצְ׳ Dan. 9:15
858 וּמַיִם מִסֶּלַע הוֹצֵאתָ לָהֶם לִצְמָאָם Neh. 9:15
וְהוֹצֵאתָ 859 וְהוֹצֵאתָ לָהֶם מַיִם מִן־הַסֶּלַע Num. 20:8
860 וְהוֹצֵאתָ אֶת־הָאִישׁ הַהוּא Deut. 17:5
861 וְהוֹצֵאתָ כֵלֶיךָ כִּכְלֵי גוֹלָה Ezek. 12:4
862 חֲתָר־לְךָ בַקִּיר וְהוֹצֵאתָ בּוֹ Ezek. 12:5
וְהֹצֵאתָ 863 וְהֹצֵאתָ מִפִּיךָ מִלִּין Job 15:13
הֹצֵאתָנִי 864 וְלָמָּה מֵרֶחֶם הֹצֵאתָנִי Job 10:18
וְהוֹצֵאתַנִי 865 וְהוֹצֵאתַנִי מִן־הַבַּיִת הַזֶּה Gen. 40:14
866 וְהוֹצֵאתַנִי מִן־הַמַּחֲנֶה IICh. 18:33
הוֹצֵאתָנוּ 867 הָאָרֶץ אֲשֶׁר הוֹצֵאתָנוּ מִשָּׁם Deut. 9:28
וְהוֹצֵאתוֹ 868 וְהוֹצֵאתוֹ מֵאוּר כַּשְׂדִּים Neh. 9:7
וְהוֹצֵאת 869 עֲשִׂי־לִי...בָרִאשֹׁנָה וְהוֹצֵאת לִי IK. 17:13
הוֹצִיא 870 וּמַלְכִּי־צֶדֶק...הוֹצִיא לֶחֶם וָיָיִן Gen. 14:18
871 הוֹצִיא יְיָ אֶת־בְּ״י מֵאֶרֶץ מִצְרַיִם Ex. 12:51
872 בְּחֹזֶק יָד הוֹצִיא יְיָ אֶתְכֶם מִזֶּה Ex. 13:3
873 כִּי יְיָ הוֹצִיא אֶתְכֶם מֵאֶרֶץ מִצְ׳ Ex. 16:6
874 כִּי־הוֹצִיא יְיָ אֶת־יִשְׂרָאֵל מִמִּצְ׳ Ex. 18:1
875 וְאוֹתָנוּ הוֹצִיא מִשָּׁם... Deut. 6:23
876 הוֹצִיא יְיָ אֶתְכֶם בְּיָד חֲזָקָה Deut. 7:8
877 כִּי הוֹצִיא שֵׁם רָע עַל בְּתוּלַת יִשְׂ׳ Deut. 22:19
878 וּשְׁלַל הָעִיר הוֹצִיא הַרְבֵּה מְאֹד IISh. 12:30
879 וְאֶת־הָעָם אֲשֶׁר־בָּהּ הוֹצִיא... IISh. 12:31
880 אֲשֶׁר הוֹצִיא אֶת־אֲבֹתָם מֵאֶרֶץ מִצְ׳ IK. 9:9
881 הוֹצִיא יְיָ אֶת־צִדְקֹתֵינוּ Jer. 51:10
882 וְאֶתְכֶם הוֹצִיא מִתּוֹכָהּ Ezek. 11:7
883 וְהַמֶּ׳ כּוֹרֶשׁ הוֹצִיא אֶת־כְּלֵי בֵית־יְיָ Ez. 1:7
884 אֲשֶׁר הוֹצִיא נְבוּכַדְנֶצַּר מִירוּשָׁלִַם Ez. 1:7
885 וּשְׁלַל הָעִיר הוֹצִיא הַרְבֵּה מְאֹד ICh. 20:2
886 וְאֶת־הָעָם אֲשֶׁר־בָּהּ הוֹצִיא ICh. 20:3
וְהוֹצִיא 887 וְהוֹצִיא...הַפָּר אֶל־מִחוּץ לַמַּחֲנֶה Lev. 4:12
888-890 וְהוֹצִיא...אֶל־מִחוּץ לַמַּחֲנֶה
Lev. 4:21; 6:4 • Num. 19:3
891 וְהוֹצִיא אֶל־מִחוּץ לָעִיר Lev. 14:45
892 וְהוֹצִא עָלֶיהָ שֵׁם רָע Deut. 22:14
893 וְהוֹצִיא אֶת־הָאֶבֶן הָרֹאשָׁה Zech. 4:7
894 וְהוֹצִיא כָאוֹר צִדְקֶךָ Ps. 37:6
וְהוֹצִיאַנִי 895 וְהוֹצִיאַנִי דֶּרֶךְ הַשַּׁעַר Ezek. 42:15
הוֹצִיאֲךָ 896 בְּיָד חֲזָקָה הוֹצִאֲךָ יְיָ מִמִּצְרָיִם Ex. 13:9
897 אֲשֶׁר הוֹצִיאֲךָ מֵאֶרֶץ מִצְרַיִם Deut. 6:12
898 אֲשֶׁר הוֹצִאֲךָ יְיָ אֱלֹהֶיךָ Deut. 7:19
899 הוֹצִיאֲךָ יְיָ אֱלֹהֶיךָ מִמִּצְ׳ לָיְלָה Deut. 16:1
הוֹצִיאָנוּ 900/1 בְּחֹזֶק יָד הוֹצִיאָנוּ יְיָ מִמִּצְ׳ Ex. 13:14, 16
902 בְּשִׂנְאַת יְיָ אֹתָנוּ הוֹצִיאָנוּ מֵאֶ׳ מִצְ׳ Deut. 1:27
הוֹצִיאָם 903 בְּרָעָה הוֹצִיאָם לַהֲרֹג אֹתָם Ex. 32:12
904 הוֹצִיאָם לַהֲמִתָם בַּמִּדְבָּר Deut. 9:28
905 אֲשֶׁר הוֹצִיאָם מֵאֶרֶץ מִצְרַיִם IICh. 7:22
הוֹצֵאתֶם 906 הוֹצֵאתֶם אֹתָנוּ אֶל־הַמִּדְבָּר הַזֶּה Ex. 16:3
וְהוֹצֵאתֶם 907 וְהוֹצֵאתֶם אֶת־שְׁנֵיהֶם אֶל־שַׁעַר Deut. 22:24
הוֹצִיאוּ 908 הַבָּצֵק אֲשֶׁר הוֹצִיאוּ מִמִּצְרַיִם Ex. 12:39
909 וְאֵת כָּל־מִשְׁפְּחוֹתֶיהָ הוֹצִיאוּ Josh. 6:23

וְהוֹצִיאוּ 910 וְהוֹצִיאוּ אֹתוֹ אֶל־זִקְנֵי עִירוֹ Deut. 21:19
911 וְהוֹצִיאוּ אֶת־בְּתוּלֵי הַנַּעֲרָ Deut. 22:15
912 וְהוֹצִיאוּ אֶת־הַנַּעֲרָ אֶל־פֶּתַח Deut. 22:21
מוֹצֵא 913 מוֹצֵא־רוּחַ מֵאוֹצְרוֹתָיו Ps. 135:7
מוֹצִיא 914 מוֹצִיא אֲסִירִים בַּכּוֹשָׁרוֹת Ps. 68:7
וּמוֹצִיא 915 וּמוֹצִיא כְלִי לְמַעֲשֵׂהוּ Is. 54:16
916 וּמוֹצִא דִבָּה הוּא כְסִיל Prov. 10:18
הַמּוֹצִיא 917 הַמּוֹצִיא אֶתְכֶם מִתַּחַת סִבְלוֹת מִצְ׳ Ex. 6:7
918/9 הַמּוֹצִיא אֶתְכֶם מֵאֶרֶץ מִצְרָיִם
Lev. 22:33 • Deut. 13:6
920 הַמּוֹצִיא לְךָ מַיִם מִצּוּר הַחַלָּמִישׁ Deut. 8:15
921 הַמּוֹצִיא אוֹתָם מֵאֶרֶץ מִצְרָיִם Jud. 2:12
922 הָיִיתָה הַמּוֹצִיא (כת׳ מוציא) וְהַמֵּבִי... IISh. 5:2
923 הַמּוֹצִיא בְמִסְפָּר צְבָאָם Is. 40:26
924 הַמּוֹצִיא רֶכֶב־וָסוּס Is. 43:17
925 אַתָּה הַמּוֹצִיא וְהַמֵּבִיא אֶת־יִשְׂרָ׳ ICh. 11:2
וּמוֹצִיאִי 926 וּמוֹצִיאִי מֵאֹיְבָי וּמִקָּמַי תְּרוֹמְמֵנִי IISh. 22:49
הַמּוֹצִיאֲךָ 927/8 הַמּוֹצִיאֲךָ מֵאֶרֶץ מִצְרַיִם Deut. 8:14; 13:11
מוֹצִיאוֹ 929 אֵל מוֹצִיאוֹ מִמִּצְרַיִם Num. 24:8
מוֹצִיאָם 930 אֵל מוֹצִיאָם מִמִּצְרָיִם Num. 23:22
מוֹצִאִים 931 וְאֶת־בָּנַיִךְ מוֹצִאִים אֶל־הַכַּשְׂדִּים Jer. 38:23
932 וּדְבָרַי הָיוּ מוֹצִיאִים לוֹ Neh. 6:19
וּמוֹצִיאִים 933 וּמוֹצִיאִים סוּסִים מִמִּצְ׳ לִשְׁלֹמֹה IICh. 9:28
מוֹצִאֵי־ 934 וַיָּמֻתוּ...מוֹצִאֵי דִבַּת־הָאָ׳ רָעָה Num. 14:37
אוֹצִיא 935 וְכִי אוֹצִיא אֶת־בְּ״י מִמִּצְרָיִם Ex. 3:11
936 מֵאֶרֶץ מְגוּרֵיהֶם אוֹצִיא אוֹתָם Ezek. 20:38
אוֹצִיאָה 937 אוֹצִיאָה־נָּא אֶתְהֶן אֲלֵיכֶם Gen. 19:8
938 אוֹצִיאָה־נָּא אוֹתָם וְעַנּוּ אוֹתָם Jud. 19:24
וָאוֹצִיא 939 וָאוֹצִיא אֶת־אֲבוֹתֵיכֶם מִמִּצְרַיִם Josh. 24:6
940 וָאוֹצִיא אֶתְכֶם מִבֵּית עֲבָדִים Jud. 6:8
941 וָאוֹצִא־אֵשׁ מִתּוֹכְךָ Ezek. 28:18
וָאוֹצִיאֵם 942 וָאוֹצִיאֵם מֵאֶרֶץ מִצְרָיִם Ezek. 20:10
תּוֹצִיא 943 לֹא־תוֹצִיא מִן־הַבַּיִת...חוּצָה Ex. 12:46
944 תּוֹצִיא אֶת־כָּל־מַעְשַׂר תְּבוּאָתְךָ Deut. 14:28
945 זֶרַע רַב תּוֹצִיא הַשָּׂדֶה Deut. 28:38
946 וְאִם־תּוֹצִיא יָקָר מִזּוֹלֵל Jer. 15:19
947 עַל־כָּתֵף תִּשָּׂא בָּעֲלָטָה תוֹצִיא Ezek. 12:6
948 בְּצִדְקָתְךָ תּוֹצִיא מִצָּרָה נַפְשִׁי Ps. 143:11
הֲתֹצִיא 949 הֲתֹצִיא מַזָּרוֹת בְּעִתּוֹ Job 38:32
וַתֹּצֵא 950 וַתֹּצֵא אֶת־עַמְּךָ...מֵאֶרֶץ מִצְרַיִם Jer. 32:21
תּוֹצִיאֵנִי 951 תּוֹצִיאֵנִי מֵרֶשֶׁת זוּ טָמְנוּ לִי Ps. 31:5
וַתּוֹצִיאֵנוּ 952 בָּאנוּ־בָאֵשׁ...וַתּוֹצִיאֵנוּ לָרְוָיָה Ps. 66:12
יוֹצִיא 953 יוֹצִיא אֶל־מִחוּץ לַמַּחֲנֶה Lev. 16:27
954 יוֹצִיא אֵלֶיךָ אֶת־הָעֲבוֹט הַחוּצָה Deut. 24:11
955 מִשְׁפָּט לַגּוֹיִם יוֹצִיא Is. 42:1
956 לֶאֱמֶת יוֹצִיא מִשְׁפָּט Is. 42:3
957 כִּי הוּא־יוֹצִיא מֵרֶשֶׁת רַגְלָי Ps. 25:15
958 כָּל־רוּחוֹ יוֹצִיא כְסִיל Prov. 29:11
959 כִּי מִיץ חָלָב יוֹצִיא חֶמְאָה Prov. 30:33
960 וּמִיץ־אַף יוֹצִיא דָם Prov. 30:33
961 וּמִיץ אַפַּיִם יוֹצִיא רִיב Prov. 30:33
962 וְתַעֲלֻמָהּ יֹצִא אוֹר Job 28:11
וַיּוֹצֵא 963 וַיּוֹצֵא אֹתוֹ הַחוּצָה וַיֹּאמֶר Gen. 15:5
964 וַיּוֹצֵא הָעֶבֶד כְּלֵי־כֶסֶף Gen. 24:53
965 וַיּוֹצֵא אֲלֵהֶם אֶת־שִׁמְעוֹן Gen. 43:23
966 וַיּוֹצֵא יוֹסֵף אֹתָם מֵעִם בִּרְכָּיו Gen. 48:12
967 וַיּוֹצֵא מֹשֶׁה אֶת־הָעָם לִקְרַאת... Ex. 19:17
968 וַיֹּצֵא פֶרַח וַיָּצֵץ צִיץ Num. 17:23
969 וַיֹּצֵא לַמֶּרְחָב אֹתִי IISh. 22:20
970 וַיֹּצֵא לָהֶם הַמַּלְבּוּשׁ IIK. 10:22
971/2 וַיּוֹצֵא רוּחַ מֵאֹצְרֹתָיו Jer. 10:13; 51:16
973 וַיֹּצֵא לָאוֹר צַלְמָוֶת Job 12:22

וַיּוֹצֵא (המשך) 974-982 וַיֹּצֵא Num.17:24
Jud.19:25 • IISh.10:16; 13:18 • IIK.15:20; 23:6 •
Jer.20:3; 52:31 • IICh.16:2
983-987 וַיּוֹצֵא Jud.6:19 • IIK.24:13
Jer.50:25 • Ps.136:11 • IICh.23:14
וַיּוֹצִיא 988 וַיּוֹצֵא אֶתְכֶם מִכּוּר הַבַּרְזֶל מִמִּ׳ Deut.4:20
989 וַיּוֹצִא אֶת־בֶּן־הַמֶּלֶךְ IIK.11:12
990 וַיּוֹצִא נוֹזְלִים מִסָּלַע Ps.78:16
991 וַיּוֹצִא עַמּוֹ בְשָׂשׂוֹן Ps.105:43
יוֹצִיאֵנִי 992 יוֹצִיאֵנִי לָאוֹר אֶרְאֶה בְּצִדְקָתוֹ Mic.7:9
וַיּוֹצִאֵנִי 993 וַיּוֹצִאֵנִי בְרוּחַ יְיָ וַיְנִיחֵנִי... Ezek.37:1
994/5 וַיּוֹצִאֵנִי אֶל־הֶחָצֵר הַחִיצוֹנָה Ezek.42:1; 46:21
996 וַיּוֹצִאֵנִי דֶּרֶךְ־שַׁעַר צָפוֹנָה Ezek.47:2
997 וַיּוֹצִיאֵנִי לַמֶּרְחָב יְחַלְּצֵנִי Ps.18:20
וַיּוֹצִאֲךָ 998 וַיּוֹצִאֲךָ בְּפָנָיו בְּכֹחוֹ הַגָּדֹל Deut.4:37
999 וַיֹּצִאֲךָ יְיָ אֱלֹהֶיךָ מִשָּׁם בְּיָד חֲזָקָה Deut.5:15
וַיּוֹצִאָהּ 1000 וַיּוֹצִאָהּ וְהִנֵּה יָדוֹ מְצֹרַעַת כַּשָּׁלֶג Ex.4:6
1001 וַיּוֹצִאָהּ מֵחֵיקוֹ וְהִנֵּה־שָׁבָה כִּבְשָׂרוֹ Ex.4:7
וַיֹּצִאֵנוּ 1002 וַיִּשְׁלַח מַלְאָךְ וַיֹּצִאֵנוּ מִמִּצְרָיִם Num.20:16
1003 וַיֹּצִיאֵנוּ יְיָ מִמִּצְ׳ בְּיָד חֲזָקָה Deut.6:21
1004 וַיּוֹצִאֵנוּ יְיָ מִמִּצְ׳ בְּיָד חֲזָקָה Deut.26:8
יוֹצִיאֵם 1005 וַאֲשֶׁר יוֹצִיאֵם וַאֲשֶׁר יְבִיאֵם Num.27:17
1006 יוֹצִיאֵם מֵחֹשֶׁךְ וְצַלְמָוֶת Ps.107:14
1007 וּמִמְּצוּקֹתֵיהֶם יוֹצִיאֵם Ps.107:28
וַיּוֹצִיאֵם 1008 וַיּוֹצִיאֵם בְּכֶסֶף וְזָהָב Ps.105:37
1009 וַיּוֹצִיאֵם כּוֹרֶשׁ...עַל־יַד מִתְרְדָת Ez.1:8
תּוֹצֵא 1010 תּוֹצֵא הָאָרֶץ נֶפֶשׁ חַיָּה לְמִינָהּ Gen.1:24
תּוֹצִיא 1011 כִּי כָאָרֶץ תּוֹצִיא צִמְחָהּ Is.61:11
1012 וְעַל אֲשֶׁר תּוֹצִיא הָאֲדָמָה Hag.1:11
וַתּוֹצֵא 1013 וַתּוֹצֵא הָאָרֶץ דֶּשֶׁא עֵשֶׂב... Gen.1:12
1014 וַתּוֹצֵא וַתִּתֶּן־לָהּ אֵת אֲשֶׁר־הוֹתִרָה Ruth2:18
נוֹצִיא 1015 הֲמִן־הַסֶּלַע הַזֶּה נוֹצִיא לָכֶם מָיִם Num.20:10
תּוֹצִיאוּ 1016 וְיָשָׁן מִפְּנֵי חָדָשׁ תּוֹצִיאוּ Lev.26:10
1017 וְלֹא־תוֹצִיאוּ מַשָּׂא מִבָּתֵּיכֶם Jer.17:22
יוֹצִיאוּ 1018 וּלְמַלְכֵי אֲרָם בְּיָדָם יֹצִאוּ IK.10:29
1019 וּמִלִּבָּם יוֹצִאוּ מִלִּים Job8:10
1020 וּמַלְכֵי אֲרָם בְּיָדָם יוֹצִיאוּ IICh.1:17
1021 יוֹצִיאוּ (כת׳ ויוציאו) אֶת־עַצְמוֹת... Jer.8:1
וַיּוֹצִיאוּ 1022 וַיּוֹצִיאוּ אֶת־הַמְקַלֵּל אֶל־מִחוּץ... Lev.24:23
1023 וַיֹּצִיאוּ דִּבַּת הָאָרֶץ...אֶל־בְּ״י Num.13:32
1024 וַיֹּצִיאוּ אֹתוֹ...אֶל־מִחוּץ לַמַּחֲנֶה Num.15:36
1025 וַיֹּצִיאוּ אֶת־רָחָב וְאֶת־אָבִיהָ Josh.6:23
1026 וַיֹּצִיאוּ אֵלָיו אֶת־חֲמֵשֶׁת הַמְּלָכִים Josh.10:23
1027 וַיּוֹצִיאוּ אֶת־אֲבוֹתֵיכֶם מִמִּצְרַיִם ISh.12:8
1028 וַיֹּצִאוּ אֶת־מַצְּבוֹת בֵּית־הַבַּעַל IIK.10:26
1029 וַיּוֹצִיאוּ אֶת־אוּרִיָּהוּ מִמִּצְרַיִם Jer.26:23
1030 וַיִּשְׁלְחוּ...וַיּוֹצִיאוּ אֶת־אֲרָם ICh.19:16
1031 וַיַּעֲלוּ וַיּוֹצִיאוּ מִמִּצְרַיִם מֶרְכָּבָה IICh.1:17
1032 וַיּוֹצִיאוּ אֶת־בֶּן־הַמֶּלֶךְ IICh.23:11
1033 וַיּוֹצִיאוּ אֵת כָּל־הַטֻּמְאָה IICh.29:16
וַיֹּצִאֻהוּ 1034 וַיֹּצִאֻהוּ וַיַּנִּחֻהוּ מִחוּץ לָעִיר Gen.19:16
1035 וַיֹּצִיאֻהוּ מִחוּץ לָעִיר IK.21:13
1036 וַיּוֹצִיאֻהוּ לְחָרָשֵׁי הָעֵץ IIK.12:12
יוֹצִיאוּם 1037 בְּמִסְפָּר יְבִיאוּם וּבְמִסְ׳ יוֹצִיאוּם ICh.9:28
הוֹצֵא 1038 הוֹצֵא מִן־הַמָּקוֹם Gen.19:12
1039 הוֹצֵא אֶת־הַמְקַלֵּל אֶל־מִחוּץ... Lev.24:14
1040 הוֹצֵא אֶת־בִּנְךָ וְיָמֹת Jud.6:30
1041 הוֹצֵא אֶת־הָאִישׁ...וְנֵדָעֶנּוּ Jud.19:22
1042 הוֹצֵא לְבוּשׁ לְכֹל עֹבְדֵי הַבָּעַל IIK.10:22
וְהוֹצֵא 1043 וְהוֹצֵא אֶת־עַמִּי בְ״י מִמִּצְרָיִם Ex.3:10
הַיְצֵא 1044 כָּל־הַחַיָּה הַיְצֵא (כ׳ הוצא) אִתָּךְ Gen.8:17

הוֹצִיא 1045 הוֹצִיא עַם־עִוֵּר וְעֵינַיִם יֵשׁ Is.43:8
הוֹצִיאָה 1046 הוֹצִיאָה מִמַּסְגֵּר נַפְשִׁי... Ps.142:8
הוֹצִיאֵנִי 1047 מִמְּצוּקוֹתַי הוֹצִיאֵנִי Ps.25:17
וְהוֹצִיאֵנִי 1048 הֲפֹךְ יָדְךָ׳ וְהוֹצִיאֵנִי מִן־הַמַּחֲנֶה IK.22:34
הוֹצִיאָהּ 1049 לִנְתָחֶיהָ לִנְתָחֶיהָ הוֹצִיאָהּ Ezek.24:6
הוֹצִיאֵם 1050 הוֹצִיאֵם אֵלֵינוּ וְנֵדְעָה אֹתָם Gen.19:5
הוֹצִיאִי 1051 הוֹצִיאִי הָאֲנָשִׁים הַבָּאִים אֵלַיִךְ Josh.2:3
הוֹצִיאוּ 1052 הוֹצִיאוּ כָל־אִישׁ מֵעָלָי Gen.45:1
1053 הוֹצִיאוּ אֶת־בְּ״י מֵאֶרֶץ מִצְרָיִם Ex.6:26
1054 הוֹצִיאוּ כָל־אִישׁ מֵעָלָי IISh.13:9
1055 הוֹצִיאוּ אֹתָהּ אֶל־מִבֵּית לַשְּׂדֵרֹת IIK.11:15
וְהוֹצִיאוּ 1056 בֹּאוּ...וְהוֹצִיאוּ מִשָּׁם אֶת־הָאִשָּׁה Josh.6:22
1057 וְהוֹצִיאוּ אֵלַי אֶת־חֲמֵשֶׁת הַמְּלָכִים Josh.10:22
1058 וְהוֹצִיאוּ אֶת־הַנִּדָּה מִן־הַקֹּדֶשׁ IICh.29:5
וְהוֹצִיאֻהוּ 1059 וְהוֹצִיאֻהוּ וְסִקְלֻהוּ וְיָמֹת IK.21:10
הוֹצִיאוּהָ 1060 וַיֹּאמֶר יְהוּדָה הוֹצִיאוּהָ וְתִשָּׂרֵף Gen.38:24
1061 הוֹצִיאוּהָ עַד־קְצֵה הָאָרֶץ Is.48:20
1062 הוֹצִיאוּהָ אֶל־מִבֵּית הַשְּׂדֵרוֹת IICh.23:14
הוּצָאָה 1063 וְהִיא מֵעַמִּים הוּצָאָה Ezek.38:8
מוּצֵאת 1064 הִוא מוּצֵאת וְהִיא שָׁלְחָה אֶל־חָמִיהָ Gen.38:25
הַמּוּצָאִים 1065 הַמּוּצָאִים בָּנִים וּבָנוֹת Ezek.14:22
1066 וּבָאוּ הַיָּמָּה אֶל־הַיָּמָּה הַמּוּצָאִים Ezek.47:8
מוּצָאוֹת 1067 מוּצָאוֹת אֶל־שָׂרֵי מֶלֶךְ בָּבֶל Jer.38:22

יְצָא
ארמית — עין שֵׁיצִיא

יצב
: נִצַּב, הִתְיַצֵּב, הִצִּיב, הֻצַּב; אר׳ יַצֵּב; אר׳ יַצִּיב

(יצב) נִצַּב נפ׳ א) עמד: 1-44 [עין עוד נִצָּב באות נ׳]
ב) [הת׳ הִתְיַצֵּב] עמד הכן: 45-92
[עין עוד להלן בצרופים]
ג) [הִפ׳ הִצִּיב] העמיד, הקים: 93-113
ד) [הָפ׳ הֻצַּב] הוקם: 114-116

– נִצַּב בְּ־ 27, 28; נִצַּב לִקְרַאת 1, 16, 35; נִצַּב עַל־ 2, 3, 9-13, 17, 18, 20, 21, 23-25, 30, 31, 34, 39, 41-44; נִצַּב עִם־ 33
– הִתְיַצֵּב בְּ־ 49, 74, 75, 78, 91; הִתְ׳ בִּפְנֵי־ 55, 57; הִתְ׳ בְּתוֹךְ 66, 68; הִתְ׳ לְנֶגֶד 72; הִתְ׳ לִפְנֵי 56, 58, 61-63, 76, 83, 84, 87; הִתְ׳ עַל־ 45-47, 50, 51, 53, 59, 79, 80; הִתְיַצֵּב עִם־ 52, 60, 64
– הִצִּיב גְּבוּלֹת 96, 102, 103; הִצִּיב גַּל 111; הִצִּ׳ דֶּלֶת 97, 101; הִצִּ׳ דָּרְבָן 94; הִצִּ׳ יָד 93, 99; הִצִּ׳ מִזְבֵּחַ 108; הִצִּ׳ מַיִם 109; הִצִּ׳ מַצֵּבָה 107, 112; הִצִּיב מַשְׁחִית 98; הִצִּ׳ צִיּוּנִים 113
– אֵלוֹן מֻצָּב 116; סֻלָּם מֻצָּב 115

וְנִצַּבְתָּ 1 וְנִצַּבְתָּ לִקְרָאתוֹ עַל־שְׂפַת הַיְאֹר Ex.7:15
2 הִנֵּה מָקוֹם אִתִּי וְנִצַּבְתָּ עַל־הַצּוּר Ex.33:21
3 וְנִצַּבְתָּ לִי שָׁם עַל־רֹאשׁ הָהָר Ex.34:2
נִצְּבָה 4 נִצְּבָה שֵׁגַל לִימִינְךָ בְּכֶתֶם אוֹפִיר Ps.45:10
נִצָּבָה 5 וְהִנֵּה קָמָה אֲלֻמָּתִי וְגַם־נִצָּבָה Gen.37:7
6 בֵּית נְתִיבוֹת נִצָּבָה Prov.8:2
נִצְּבוּ 7 נִצְּבוּ כְמוֹ־נֵד נֹזְלִים Ex.15:8
וְנִצְּבוּ 8 וְנִצְּבוּ אִישׁ פֶּתַח אָהֳלוֹ Ex.33:8
נִצָּב 9-10 אָנֹכִי נִצָּב עַל־עֵין הַמָּיִם Gen.24:13,43
11 וְהִנֵּה יְיָ נִצָּב עָלָיו וַיֹּאמַר Gen.28:13
12 מָחָר אָנֹכִי נִצָּב עַל־רֹאשׁ הַגִּבְעָה Ex.17:9
13 וְכָל־הָעָם נִצָּב עָלֶיךָ Ex.18:14
14/5 מַלְאַךְ יְיָ נִצָּב בַּדֶּרֶךְ Num.22:23,31
16 כִּי אַתָּה נִצָּב לִקְרָאתִי בַּדָּרֶךְ Num.22:34
17 וְהִנֵּה נִצָּב עַל־עֹלָתוֹ Num.23:6
18 וְהִנּוֹ נִצָּב עַל־עֹלָתוֹ Num.23:17

נִצָּב (המשך) 19 וְהַכֹּהֵן נִצָּב פֶּתַח הַשַּׁעַר Jud.18:17
20 וּשְׁמוּאֵל עֹמֵד נִצָּב עֲלֵיהֶם ISh.19:20
21 וְהוּא נִצָּב עַל עַבְדֵי שָׁאוּל ISh.22:9
22 נִצָּב לָרִיב יְיָ וְעֹמֵד לָדִין עַמִּים Is.3:13
23 וְעַל־מִשְׁמַרְתִּי אָנֹכִי נִצָּב... Is.21:8
24 וְהִנֵּה אֲדֹנָי נִצָּב עַל־חוֹמַת אֲנָךְ Am.7:7
25 רָאִיתִי אֶת־אֲדֹנָי נִצָּב עַל־הַמִּזְבֵּחַ Am.9:1
26 אַךְ־כָּל־הֶבֶל כָּל־אָדָם נִצָּב Ps.39:6
27 אֱלֹהִים נִצָּב בַּעֲדַת־אֵל Ps.82:1
28 לְעוֹלָם יְיָ דְּבָרְךָ נִצָּב בַּשָּׁמָיִם Ps.119:89
29 דָּרַךְ קַשְׁתּוֹ כְּאוֹיֵב נִצָּב יְמִינוֹ כְּצָר Lam.2:4
הַנִּצָּב 30 לְנַעֲרוֹ הַנִּצָּב עַל־הַקּוֹצְרִים Ruth2:5
31 הַנַּעַר הַנִּצָּב עַל־הַקּוֹצְרִים Ruth2:6
הַנִּצָּבָה 32 הַנִּצָּבָה לֹא יְכַלְכֵּל Zech.11:16
הַנִּצֶּבֶת 33 אֲנִי הָאִשָּׁה הַנִּצֶּבֶת עִמְּכָה בָּזֶה ISh.1:26
נִצָּבִים 34 וְהִנֵּה שְׁלֹשָׁה אֲנָשִׁים נִצָּבִים עָלָיו Gen.18:2
35 וַיִּפְגְּעוּ...נִצָּבִים לִקְרָאתָם Ex.5:20
36 יָצְאוּ נִצָּבִים פֶּתַח אָהֳלֵיהֶם Num.16:27
37 אַתֶּם נִצָּבִים הַיּוֹם כֻּלְּכֶם Deut.29:9
38 נִצָּבִים פֶּתַח הַשָּׁעַר Jud.18:16
39 וְכָל־עֲבָדָיו נִצָּבִים עָלָיו ISh.22:6
40 וְכָל־עֲבָדָיו נִצָּבִים קְרֻעֵי בְגָדִים IISh.13:31
הַנִּצָּבִים 41 ...לְהִתְאַפֵּק לְכֹל הַנִּצָּבִים עָלָיו Gen.45:1
42 וַיֹּאמֶר שָׁאוּל לַעֲבָדָיו הַנִּצָּבִים עָלָיו ISh.22:7
43 וַיֹּאמֶר הַמֶּ׳ לָרָצִים הַנִּצָּבִים עָלָיו ISh.22:17
הַנִּצָּבוֹת 44 וַתְּדַבֵּרְנָה הַנִּצָּבוֹת עָלֶיהָ ISh.4:20
לְהִתְיַצֵּב 45-47 לְהִתְיַצֵּב עַל־יְיָ Job1:6; 2:1[2]
48 וְאֵין עִמְּךָ לְהִתְיַצֵּב IICh.20:6
מֵהִתְיַצֵּב 49 נִשְׁמַדְנוּ מֵהִתְיַצֵּב בְּכָל־גְּבֻל יִשְׂ׳ IISh.21:5
50 יוֹצְאוֹת מֵהִתְיַצֵּב עַל־אֲדוֹן כָּל־הָאָ׳ Zech.6:5
הִתְיַצְּבוּ 51 הִתְיַצְּבוּ עָלָיו מִכָּל־גְּבוּלָם IICh.11:13
וְהִתְיַצְּבוּ 52 וְהִתְיַצְּבוּ שָׁם עִמָּךְ Num.11:16
וְאֶתְיַצְּבָה 53 וְאֶתְיַצְּבָה עַל־מָצוֹר Hab.2:1
תִּתְיַצֵּב 54 וְאַתָּה תִּתְיַצֵּב מִנֶּגֶד IISh.18:13
יִתְיַצֵּב 55 לֹא־יִתְיַצֵּב אִישׁ בְּפָנֶיךָ Deut.7:24
56 מִי יִתְיַצֵּב לִפְנֵי בְּנֵי־עֲנָק Deut.9:2
57 לֹא־יִתְיַצֵּב אִישׁ בִּפְנֵיכֶם Deut.11:25
58 לֹא־יִתְיַצֵּב אִישׁ לְפָנֶיךָ Josh.1:5
59 יִתְיַצֵּב עַל־דֶּרֶךְ לֹא־טוֹב Ps.36:5
60 מִי־יִתְיַצֵּב לִי עִם־פֹּעֲלֵי אָוֶן Ps.94:16
61 בַּל־יִתְיַצֵּב לִפְנֵי חֲשֻׁכִּים Prov.22:29
יִתְיַצָּב 62 לִפְנֵי־מְלָכִים יִתְיַצָּב Prov.22:29
63 וּמִי הוּא לְפָנַי יִתְיַצָּב Job41:2
וַיִּתְיַצֵּב 64 וַיֵּרֶד יְיָ בֶּעָנָן וַיִּתְיַצֵּב עִמּוֹ שָׁם Ex.34:5
65 וַיִּתְיַצֵּב מַלְאַךְ יְיָ בַּדֶּרֶךְ לְשָׂטָן Num.22:22
66 וַיִּתְיַצֵּב בְּתוֹךְ הָעָם ISh.10:23
67 וַיִּגַּשׁ...וַיִּתְיַצֵּב אַרְבָּעִים יוֹם ISh.17:16
68 וַיִּתְיַצֵּב בְּתוֹךְ־הַחֶלְקָה וַיַּצִּילֶהָ IISh.23:12
וַיִּתְיַצַּב 69 וַיָּבֹא יְיָ וַיִּתְיַצַּב וַיִּקְרָא ISh.3:10
וַתֵּתַצַּב 70 וַתֵּתַצַּב אֲחֹתוֹ מֵרָחֹק Ex.2:4
יִתְיַצְּבוּ 71 יִתְיַצְּבוּ מַלְכֵי־אֶרֶץ Ps.2:2
72 לֹא יִתְיַצְּבוּ הוֹלְלִים לְנֶגֶד עֵינֶיךָ Ps.5:6
וְיִתְיַצְּבוּ 73 וְיִתְיַצְּבוּ כְּמוֹ לְבוּשׁ Job38:14
וַיִּתְיַצְּבוּ 74 וַיִּתְיַצְּבוּ בְּתַחְתִּית הָהָר Ex.19:17
75 וַיִּתְיַצְּבוּ בְּאֹהֶל מוֹעֵד Deut.31:14
76 וַיִּתְיַצְּבוּ לִפְנֵי הָאֱלֹהִים Josh.24:1
77 וַיִּתְיַצְּבוּ פִּנּוֹת כָּל־הָעָם Jud.20:2
78 וַיִּתְיַצְּבוּ בְתוֹךְ־הַחֶלְקָה וַיַּצִּילוּהָ ICh.11:14
הִתְיַצֵּב 79 הִתְיַצֵּב עַל־עֹלָתֶךָ וְאֵלְכָה Num.23:3
80 הִתְיַצֵּב כֹּה עַל־עֹלָתֶךָ Num.23:15
81 סֹב הִתְיַצֵּב כֹּה וַיִּסֹּב וַיַּעֲמֹד IISh.18:30
82 אִמְרוּ הִתְיַצֵּב וְהָכֵן לָךְ Jer.46:14

וְהִתְיַצֵּב 83/4 הַשְׁכֵּם...וְהִתְיַצֵּב לִפְנֵי פַרְעֹה Ex. 8:6; 9:13
הִתְיַצְּבָה 85 עֶרְכָה לְפָנַי הִתְיַצָּבָה Job 33:5
הִתְיַצְּבוּ 86 הִתְיַצְּבוּ וּרְאוּ אֶת־יְשׁוּעַת יְיָ Ex. 14:13
87 הִתְיַצְּבוּ לִפְנֵי יְיָ לְשִׁבְטֵיכֶם ISh. 10:19
88 הִתְיַצְּבוּ וְאִשָּׁפְטָה אִתְּכֶם... ISh. 12:7
89 גַּם־עַתָּה הִתְיַצְּבוּ וּרְאוּ... ISh. 12:16
90 הִתְיַצְּבוּ עִמְדוּ וּרְאוּ אֶת־יְשׁוּעַת IICh. 20:17
וְהִתְיַצְּבוּ 91 וְהִתְיַצְּבוּ בְּאֹהֶל מוֹעֵד Deut. 31:14
92 וַעֲלוּ הַפָּרָשׁ׳ וְהִתְיַצְּבוּ בְּכוֹבָעִים Jer. 46:4
לְהַצִּיב 93 בְּלֶכְתּוֹ לְהַצִּיב יָדוֹ בִּנְהַר־פְּרָת ICh. 18:3
וּלְהַצִּיב 94 וְלַקַּרְדֻּמִּים וּלְהַצִּיב הַדָּרְבָן ISh. 13:21
הִצַּבְתָּ 95 שֶׁבַע כְּבָשֹׂת...אֲשֶׁר הִצַּבְתָּ לְבַדָּנָה Gen. 21:29
96 אַתָּה הִצַּבְתָּ כָּל־גְּבוּלוֹת אָרֶץ Ps. 74:17
הִצִּיב 97 וּבִשְׂגוּב° צְעִירוֹ הִצִּיב דְּלָתֶיהָ IK. 16:34
הִצִּיבוּ 98 הִצִּיבוּ מַשְׁחִית אֲנָשִׁים יִלְכֹּדוּ Jer. 5:26
מַצִּיב 99 וְהִנֵּה מַצִּיב לוֹ יָד ISh. 15:12
וַתַּצִּיבֵנִי 100 וַתַּצִּיבֵנִי לְפָנֶיךָ לְעוֹלָם Ps. 41:13
יַצִּיב 101 וּבִצְעִירוֹ יַצִּיב דְּלָתֶיהָ Josh. 6:26
יַצֵּב 102 יַצֵּב גְּבֻלֹת עַמִּים Deut. 32:8
וְיַצֵּב 103 וְיַצֵּב גְּבוּל אַלְמָנָה Prov. 15:25
וַיַּצֵּב 104 וַיַּצֵּב אַבְ׳ אֶת־שֶׁבַע כִּבְשֹׂת הַצֹּאן Gen. 21:28
105/6 וַיַּצֵּב יַעֲקֹב מַצֵּבָה Gen. 35:14, 20
107 וַיַּצֶּב־לוֹ בְחַיָּו אֶת־מַצֶּבֶת... IISh. 18:18
וַיַּצֶּב־ 108 וַיַּצֶּב־שָׁם מִזְבֵּחַ... Gen. 33:20
109 וַיַּצֶּב־מַיִם כְּמוֹ־נֵד Ps. 78:13
וַיַּצִּיבֵנִי 110 וַיַּצִּיבֵנִי כַּמַּטָּרָא לַחֵץ Lam. 3:12
וַיַּצִּבוּ 111 וַיַּצִּבוּ עָלָיו גַל־אֲבָנִים IISh. 18:17
112 וַיַּצִּבוּ לָהֶם מַצֵּבוֹת וַאֲשֵׁרִים IIK. 17:10
הַצִּיבִי 113 הַצִּיבִי לָךְ צִיֻּנִים Jer. 31:21(20)
וְהֻצַּב 114 וְהֻצַּב גֻּלְּתָה הֹעֲלָתָה Nah. 2:8
מֻצָּב 115 וְהִנֵּה סֻלָּם מֻצָּב אַרְצָה Gen. 28:12
116 עִם־אֵלוֹן מֻצָּב אֲשֶׁר בִּשְׁכֶם Jud. 9:6

יְצַב פ׳ ארמית: חזק, קיים דבר
לְיַצָּבָא 1 צְבִית לְיַצָּבָא עַל־חֵיוְתָא רְבִיעָיְתָא Dan. 7:19

(יצג) הִצִּיג הפ׳ א) העמיד, הקים: 1–15
ב) [הפ׳ הֻצַּג] הֻעמד: 16
הִצִּיג כַּף רַגְלוֹ 1; הַצִּ׳ מַקְלוֹת 9; הַצִּ׳ מִשְׁפָּט 15
הַצֵּג 1 לֹא־נִסְּתָה כַף־רַגְלָהּ הַצֵּג עַל־הָאָ׳ Deut. 28:56
וְהִצַּגְתִּיו 2 הֲבִיאֹתִיו אֵלֶיךָ וְהִצַּגְתִּיו לְפָנֶיךָ Gen. 43:9
וְהִצַּגְתִּיהָ 3 וְהִצַּגְתִּיהָ כְּיוֹם הִוָּלְדָהּ Hosh. 2:5
הִצִּיגַנִי 4 אֲכָלַנִי°...הִצִּיגַנִי (כ׳ הציגנו) כְּלִי רִיק Jer. 51:34
וְהִצִּיגַנִי 5 וְהִצִּיגַנִי לִמְשֹׁל עַמִּים Job 17:6
מַצִּיג 6 אָנֹכִי מַצִּיג אֶת־גִּזַּת הַצֶּמֶר בַּגֹּרֶן Jud. 6:37
אַצִּיגָה־ 7 אַצִּיגָה־נָּא עִמְּךָ מִן־הָעָם Gen. 33:15
תַּצִּיג 8 אֲשֶׁר־יָלֹק...תַּצִּיג אוֹתוֹ לְבָד Jud. 7:5
וַיַּצֵּג 9 וַיַּצֵּג אֶת־הַמַּקְלוֹת...בָּרְהָטִים Gen. 30:38
10 וַיַּצֵּג אוֹתוֹ בְעִירוֹ בְּעָפְרָה Jud. 8:27
וַיַּצִּגֵם 11 לָקַח...וַיַּצִּגֵם לִפְנֵי פַרְעֹה Gen. 47:2
וַיַּצִּיגוּ 12 וַיַּצִּיגוּ אֹתוֹ אֵצֶל דָּגוֹן ISh. 5:2
13 וַיַּצִּגוּ אֹתוֹ בִּמְקוֹמוֹ IISh. 6:17
14 וַיַּצִּיגוּ אֹתוֹ בְּתוֹךְ הָאֹהֶל ICh. 16:1
וְהַצִּיגוּ 15 וְהַצִּיגוּ בַשַּׁעַר מִשְׁפָּט Am. 5:15
יֻצָּג 16 רַק צֹאנְכֶם וּבְקַרְכֶם יֻצָּג Ex. 10:24

יִצְהָר¹ ז׳ שמן זך: 1–23
– יִצְהָר וְתִירוֹשׁ 1, 3–11, 13–23
– בְּנֵי יִצְהָר 12; זֵית יִצְהָר 2; חֵלֶב יִצְהָר 1
יִצְהָר 1 כֹּל חֵלֶב יִצְהָר וְכָל־חֵלֶב תִּירוֹשׁ Num. 18:12
2 אֶרֶץ זֵית יִצְהָר וּדְבַשׁ IIK. 18:32
3 עַל־דָּגָן וְעַל־תִּירֹשׁ וְעַל־יִצְהָר Jer. 31:12(11)
4 הוֹבִישׁ תִּירוֹשׁ אֻמְלַל יִצְהָר Joel 1:10
וְיִצְהָר 5 דָּגָן תִּירוֹשׁ וְיִצְהָר Deut. 28:51
6 וְהֵשִׁיקוּ הַיְקָבִים תִּירוֹשׁ וְיִצְהָר Joel 2:24
7–9 (וְ)תִירוֹשׁ וְיִצְהָר Neh. 10:38 • IICh. 31:5; 32:28
הַיִּצְהָר 10 וְאֶת־הַתִּירוֹשׁ וְאֶת־הַיִּצְהָר Hosh. 2:24
11 וְעַל־הַתִּירוֹשׁ וְעַל־הַיִּצְהָר Hag. 1:11
12 אֵלֶּה שְׁנֵי בְנֵי־הַיִּצְהָר Zech. 4:14
וְהַיִּצְהָר 13 הַדָּגָן וְהַתִּירוֹשׁ וְהַיִּצְהָר Hosh. 2:10
14 אֶת־הַדָּגָן וְהַתִּירוֹשׁ וְהַיִּצְהָר Joel 2:13
15–18 (וְ)הַדָּגָן וְהַתִּירוֹשׁ וְהַיִּצְהָר Neh. 5:11
10:40; 13:5, 12
וְיִצְהָרֶךָ 19 וּבֵרַךְ...דְּגָנְךָ וְתִירֹשְׁךָ וְיִצְהָרֶךָ Deut. 7:13
20 וְאָסַפְתָּ דְגָנֶךָ וְתִירֹשְׁךָ וְיִצְהָרֶךָ Deut. 11:14
21–23 דְּגָנְךָ (וְ)תִירֹשְׁךָ וְיִצְהָרֶךָ Deut. 12:17; 14:23; 18:4

יִצְהָר² שפ״ז – אבי קרח: 1–9
בֶּן־יִצְהָר 2, 5; בְּנֵי יִצְהָר 1, 6
יִצְהָר 1 וּבְנֵי יִצְהָר קֹרַח וָנֶפֶג וְזִכְרִי Ex. 6:21
2 וַיִּקַּח קֹרַח בֶּן־יִצְהָר בֶּן־קְהָת Num. 16:1
3–4 (וּ)בְנֵי קְהָת עַמְרָם יִצְהָר ICh. 5:28; 23:12
5 בֶּן־יִצְהָר בֶּן־קְהָת בֶּן־לֵוִי ICh. 6:23
6 בְּנֵי יִצְהָר שְׁלֹמִית הָרֹאשׁ ICh. 23:18
וְיִצְהָר 7–8 וּבְנֵי קְהָת עַמְרָם וְיִצְהָר Ex. 6:18 • ICh. 6:3
9 עַמְרָם וְיִצְהָר חֶבְרוֹן וְעֻזִּיאֵל Num. 3:19

יִצְהָרִי ת׳ המתיחס על יִצְהָר: 1–4
הַיִּצְהָרִי 1 וְלִקְהָת...וּמִשְׁפַּחַת הַיִּצְהָרִי Num. 3:27
לַיִּצְהָרִי 2 לַיִּצְהָרִי שְׁלֹמוֹת... ICh. 24:22
3 לָעַמְרָמִי לַיִּצְהָרִי לַחֶבְרוֹנִי ICh. 26:23
4 לַיִּצְהָרִי כְּנַנְיָהוּ וּבָנָיו ICh. 26:29

יָצוּעַ* ז׳ רפידה, משטח למטה: 1–5 [עין גם יָצִיעַ]
יְצוּעֵי אָבִיו 2; עֶרֶשׂ יְצוּעָיו 4
יְצוּעִי 1 אָז חִלַּלְתָּ יְצוּעִי עָלָה Gen. 49:4
יְצוּעֵי־ 2 וּבְחַלְּלוֹ יְצוּעֵי אָבִיו ICh. 5:1
יְצוּעָי 3 אִם־זְכַרְתִּיךָ עַל־יְצוּעָי Ps. 63:7
4 אִם־אֶעֱלֶה עַל־עֶרֶשׂ יְצוּעָי Ps. 132:3
5 בַּחֹשֶׁךְ רִפַּדְתִּי יְצוּעָי Job 17:13

יָצוּק ת׳ עין יָצַק

יְצֻקָה* נ׳ דפוס למסכה ממתכת
בִּיצֻקָתוֹ 1 הַפְּקָעִים יְצֻקִים בִּיצֻקָתוֹ IK. 7:24

יְצוּרִים* ז״ר אברי הגוף
וִיצֻרַי 1 וִיצֻרַי כַּצֵּל כֻּלָּם Job 17:7

יִצְחָק שפ״ז – בן אברהם, השני בשלושת האבות של עם ישראל: 1–108
– אַבְרָהָם יִצְחָק וְיַעֲקֹב (וְיִשְׂרָאֵל) 15, 19–28, 90–101
– אֱלֹהֵי יִצְחָק 15, 20–22; בְּנֵי י׳ 31; עַבְדֵי י׳ 9, 11, 12; פַּחַד יִצְחָק 16, 17; פְּנֵי י׳ 13; רוֹעֵי יִצְחָק 10; תּוֹלְדוֹת יִצְחָק 7
יִצְחָק 1 וְקָרָאתָ אֶת־שְׁמוֹ יִצְחָק Gen. 17:19
2 וְאֶת־בְּרִיתִי אָקִים אֶת־יִצְחָק Gen. 17:21
3 וַיִּקְרָא אַבְ׳ אֶת־שֶׁם־בְּנוֹ..יִצְחָק Gen. 21:3
4 וַיָּמָל אַבְרָהָם אֶת־יִצְחָק בְּנוֹ Gen. 21:4
5 קַח־נָא אֶת־בִּנְךָ...אֶת־יִצְחָק Gen. 22:2
6 וַיַּעֲקֹד אֶת־יִצְחָק בְּנוֹ Gen. 22:9
7 אֵלֶּה תּוֹלְדֹת יִצְחָק בֶּן־אַבְרָהָם Gen. 25:19
8 אַבְרָהָם הוֹלִיד אֶת־יִצְחָק Gen. 25:19
9 וַיַּחְפְּרוּ עַבְדֵי־יִצְחָק בַּנָּחַל Gen. 26:19
יִצְחָק (המשך) 10 וַיָּרִיבוּ רֹעֵי גְרָר עִם־רֹעֵי יִצְחָק Gen. 26:20
11 וַיִּכְרוּ־שָׁם עַבְדֵי־יִצְחָק בְּאֵר Gen. 26:25
12 וַיָּבֹאוּ עַבְדֵי יִצְחָק וַיַּגִּדוּ לוֹ... Gen. 26:32
13 יָצֹא יָצָא יַעֲקֹב מֵאֵת פְּנֵי יִצְחָק Gen. 27:30
14 כִּי רָעוֹת...בְּעֵינֵי יִצְחָק אָבִיו Gen. 28:8
15 אֱלֹהֵי אַבְרָהָם...וֵאלֹהֵי יִצְחָק Gen. 28:13
16 ...אֱלֹהֵי אַבְרָ׳ וּפַחַד יִצְחָק... Gen. 31:42
17 וַיִּשָּׁבַע יַעֲקֹב בְּפַחַד אָבִיו יִצְחָק Gen. 31:53
18 וֵאלֹהֵי אָבִי יִצְחָק Gen. 32:9
19 אֶת־אַבְרָ׳ אֶת־יִצְחָק וְאֶת־יַעֲקֹב Ex. 2:24
20–22 אֱלֹהֵי אַבְרָהָם אֱלֹהֵי יִצְחָק
וֵאלֹהֵי יַעֲקֹב Ex. 3:6, 15; 4:5
23 אֱלֹהֵי אַבְרָהָם יִצְחָק וְיַעֲקֹב Ex. 3:16
24 אֶל־אַבְרָהָם אֶל־יִצְחָק וְאֶל־יַעֲקֹב Ex. 6:3
25–27 יְיָ אֱלֹהֵי אַבְרָהָם יִצְחָק וְיִשְׂרָאֵל
IK. 18:36 • ICh. 29:18 • IICh. 30:6
28 בְּרִיתוֹ אֶת־אַבְרָהָם יִצְחָק וְיַעֲקֹב IIK. 13:23
29 בְּנֵי אַבְרָהָם יִצְחָק וְיִשְׁמָעֵאל ICh. 1:28
30 וַיּוֹלֶד אַבְרָהָם אֶת־יִצְחָק ICh. 1:34
31 בְּנֵי יִצְחָק עֵשָׂו וְיִשְׂרָאֵל ICh. 1:34
32–81 יִצְחָק Gen. 21:5, 8, 10
22:3, 6, 7; 24:63, 64, 67²; 25:6, 9, 11², 20, 21, 28; 26:1, 6; 26:8, 9, 12, 16, 17, 18, 27, 31; 27:1, 5, 20, 21, 22, 26; 27:30, 32, 33, 37, 39, 46; 28:1, 5, 6; 31:18; 35:27, 28, 29; 46:1; , 49:31 • Lev. 26:42
Josh. 24:3
וְיִצְחָק 82 וְיִצְחָק בָּא מִבּוֹא בְּאֵר לַחַי רֹאִי Gen. 24:62
83 וְיִצְחָק בֶּן־שִׁשִּׁים שָׁנָה... Gen. 25:26
84 אֲשֶׁר־גָּר־שָׁם אַבְרָהָם וְיִצְחָק Gen. 35:27
85 הִתְהַלְּכוּ אֲבֹתַי...אַבְרָ׳ וְיִצְחָק Gen. 48:15
86 שְׁמִי וְשֵׁם אֲבֹתַי אַבְרָהָם וְיִצְחָק Gen. 48:16
בְּיִצְחָק 87 כִּי בְיִצְחָק יִקָּרֵא לְךָ זָרַע Gen. 21:12
לְיִצְחָק 88 וְלָקַחְתָּ אִשָּׁה לִבְנִי לְיִצְחָק Gen. 24:4
89 אֹתָהּ הֹכַחְתָּ לְעַבְדְּךָ לְיִצְחָק Gen. 24:14
90–100 לְאַבְרָהָם לְיִצְחָק וּלְיַעֲקֹב Gen. 50:24
Ex. 6:8; 33:1 • Num. 32:11 • Deut. 1:8; 6:10; 9:5, 27; 29:12; 30:20; 34:4
101 לְאַבְרָהָם לְיִצְחָק וּלְיִשְׂרָאֵל Ex. 32:13
102 אֲשֶׁר כָּרַת...וּשְׁבוּעָתוֹ לְיִצְחָק ICh. 16:16
103–107 לְיִצְחָק Gen. 24:66
25:5; 26:9, 35 • Josh. 24:4
וּלְיִצְחָק 108 אֲשֶׁר נָתַתִּי לְאַבְרָהָם וּלְיִצְחָק Gen. 35:12

יצחר כת׳ – קרי צֹחַר

יָצִיא* ז׳ יוצא, צאצא
וּמִיצִיאֵי־ 1 וּמִיצִיאֵי (כת׳ ומיצאו) מֵעָיו
שָׁם הִפִּילֻהוּ בֶחָרֶב IICh. 32:21

יַצִּיב ת׳ ארמית א) נכון, נאמן: 4,2
ב) אמת: 5,3
ג) [מִן יַצִּיב] אל נכון: 1
יַצִּיב 1 מִן־יַצִּיב יָדַע אֲנָה... Dan. 2:8
וְיַצִּיב 2 וְיַצִּיב חֶלְמָא וּמְהֵימַן פִּשְׁרֵהּ Dan. 2:45
יַצִּיבָא 3 עָנַיִן וְאָמְרִין...יַצִּיבָא מַלְכָּא Dan. 3:24
4 יַצִּיבָא מִלְּתָא...דִּי־לָא תֶעְדֵּא Dan. 6:13
וְיַצִּיבָא 5 וְיַצִּיבָא אֶבְעֵא־מִנֵּהּ עַל־כָּל־דְּנָה Dan. 7:16

יָצִיעַ נ׳ כעין גזוזטרה בקיר: 1–3
יָצִיעַ 1 עַל קִיר הַבַּיִת יָצִיעַ (כת׳ יצוע) סָבִיב IK. 6:5
הַיָּצִיעַ 2 הַיָּצִיעַ (כת׳ היצוע) הַתַּחְתֹּנָה חָמֵשׁ בָּאַמָּה IK. 6:6
3 וַיִּבֶן אֶת־הַיָּצִיעַ (כת׳ היצוע) עַל־כָּל־הַבַּיִת
IK. 6:10

יצע : הִצִּיעַ, הֻצַּע; יָצוּעַ, יָצִיעַ, מַצָּע

(יצע) הִצִּיעַ הִפ׳ א) שָׁטַח, רִפֵּד: 1, 2

ב) [הָפ׳ הֻצַּע] רֻפַּד: 3, 4

וְאַצִּיעָה 1 אִם־אֶסַּק...וְאַצִּיעָה שְׁאוֹל הִנֶּךָּ Ps. 139:8

יַצִּיעַ 2 וְשַׂק וָאֵפֶר יַצִּיעַ Is. 58:5

יֻצַּע 3 תַּחְתֶּיךָ יֻצַּע רִמָּה Is. 14:11

יֻצַּע 4 שַׂק וָאֵפֶר יֻצַּע לָרַבִּים Es. 4:3

יָצֻף (בראשית לא49) – עין צפה

יצק : יָצַק, יָצוּק, הוֹצִיק, הִצִּיק, הוּצַק, מוּצָק; יְצוּקָה, מוּצָק, מוּצֶקֶת

יָצַק פָ׳ א) העביר נוזל מכלי אל כלי או אל מקום אחר (גם בהשאלה): 5-13, 16, 18, 25-30, 35-43

ב) הִתִּיךְ: 1-4, 14-15, 17, 19-24, 31-34

ג) [הִפ׳ הוֹצִיק] יָצַק: 44

ד) [כנ״ל] הִצִּיג: 45, 46

ה) [הָפ׳ בינוני מוּצָק] חזק, קשה: 50, 51

ו) [הָפ׳ הוּצַק] הֻתַּךְ (גם בהשאלה): 47-49, 52, 53

ז) [כנ״ל] הוּעבר נוזל: 54, 55

– יָצַק דָּם 9-10, 38; יָצַק זָהָב (כֶּסֶף) 31-34; יָ׳ מַיִם 26, 41-43; יָ׳ (נוֹזְלִים) 39, 40; יָ׳ רוּחַ 25; יָצַק שֶׁמֶן 5-8, 12, 13, 18, 27-30, 35-37

– הוּצַק חֵן 47; הוּצַק שֶׁמֶן 54; יָם מוּצָק 48, 52; רְאִי מוּצָק 51

בְּצֶקֶת 1 בְּצֶקֶת עָפָר לַמּוּצָק Job 38:38

לָצֶקֶת 2 לָצֶקֶת אֵת אַדְנֵי הַקֹּדֶשׁ Ex. 38:27

וְיָצַקְתָּ 3 וְיָצַקְתָּ לּוֹ אַרְבַּע טַבְּעֹת זָהָב Ex. 25:12

4 וְיָצַקְתָּ לָהֶם חֲמִשָּׁה אַדְנֵי נְחֹשֶׁת Ex. 26:37

5 וְיָצַקְתָּ עַל־רֹאשׁוֹ וּמָשַׁחְתָּ אֹתוֹ Ex. 29:7

6 וְיָצַקְתָּ עָלֶיהָ שָׁמֶן Lev. 2:6

7 וְיָצַקְתָּ עַל־רֹאשׁוֹ IIK. 9:3

וְיָצַקְתְּ 8 וְיָצַקְתְּ עַל כָּל־הַכֵּלִים הָאֵלֶּה IIK. 4:4

יָצַק 9-10 הַדָּם יָצַק אֶל־יְסוֹד הַמִּזְבֵּחַ Lev. 8:15; 9:9

11 אֲשֶׁר־יָצַק מַיִם עַל־יְדֵי אֵלִיָּהוּ IIK. 3:11

וְיָצַק 12 וְיָצַק עָלֶיהָ שֶׁמֶן Lev. 2:1

13 וְיָצַק עַל־כַּף הַכֹּהֵן הַשְּׂמָאלִית Lev. 14:15

יְצָקָם 14/5 בְּכִכַּר הַיַּרְדֵּן יְצָקָם הַמֶּ׳ IK. 7:46 IICh. 4:17

יָצוּק 16 דְּבַר־בְּלִיַּעַל יָצוּק בּוֹ Ps. 41:9

17 וְאֶבֶן יָצוּק נְחוּשָׁה Job 28:2

18 וְצוּר יָצוּק עִמָּדִי פַּלְגֵי־שָׁמֶן Job 29:6

19 יָצוּק עָלָיו בַּל־יִמּוֹט Job 41:15

20 לִבּוֹ יָצוּק כְּמוֹ־אָבֶן Job 41:16

וְיָצוּק 21 וְיָצוּק כְּפֶלַח תַּחְתִּית Job 41:16

יְצוּקִים 22 הַפְּקָעִים יְצֻקִים בִּיצֻקָתוֹ IK. 7:24

23 הַבָּקָר יְצוּקִים בְּמֻצַקְתּוֹ IICh. 4:3

יְצוּקוֹת 24 מִתַּחַת לַכִּיֹּר הַכְּתֵפוֹת יְצֻקוֹת IK. 7:30

אֶצֹּק 25 אֶצֹּק רוּחִי עַל־זַרְעֶךָ Is. 44:3

אֶצָּק־ 26 כִּי אֶצָּק־מַיִם עַל־צָמֵא Is. 44:3

יִצֹק 27 וּמִן־הַשֶּׁמֶן יִצֹק הַכֹּהֵן עַל־כַּף... Lev. 14:26

יִצֹק 28 לֹא־יִצֹק עָלָיו שֶׁמֶן Num. 5:15

וַיִּצֹק 29 וַיִּצֹק שֶׁמֶן עַל־רֹאשָׁהּ Gen. 28:18

30 וַיִּצֹק עָלֶיהָ שָׁמֶן Gen. 35:14

31 וַיִּצֹק לָהֶם אַרְבָּעָה אַדְנֵי־כָסֶף Ex. 36:36

32/3 וַיִּצֹק לוֹ אַרְבַּע טַבְּעֹת זָהָב Ex. 37:3, 13

34 וַיִּצֹק אַרְבַּע טַבָּעֹת בְּאַר׳ הַקְּצָוֹת Ex. 38:5

35 וַיִּצֹק מִשֶּׁמֶן הַמִּשְׁחָה עַל רֹאשׁ אַהֲרֹן Lev. 8:12

36 וַיִּצֹק עַל־רֹאשׁוֹ ISh. 10:1

37 וַיִּצֹק הַשֶּׁמֶן אֶל־רֹאשׁוֹ IIK. 9:6

וַיִּצֶק 38 וַיִּצֶק דַּם־הַמַּכָּה אֶל־חֵיק הָרָכֶב IK. 22:35

וַתִּצֹק 39 וַתִּקַּח אֶת־הַמַּשְׂרֵת וַתִּצֹק לְפָנָיו IISh. 13:9

וַיִּצְקוּ 40 וַיִּצְקוּ לַאֲנָשִׁים לֶאֱכוֹל IIK. 4:40

וְיִצְקוּ 41 וְיִצְקוּ עַל־הָעֹלָה וְעַל־הָעֵצִים IK. 18:34

יְצֹק 42 שְׁפֹת הַסִּיר שְׁפֹת וְגַם־יְצֹק בּוֹ מָיִם Ezek. 24:3

צַק 43 צַק לָעָם וְיֹאכֵלוּ IIK. 4:41

מוֹצָקֶת 44 הֵם מַגִּישִׁים...וְהִיא מוֹצָקֶת (כ׳ מיצקת) IIK. 4:5

וַיַּצִּקוּ 45 וַיַּצִּקוּ אֶת־אֲרוֹן הָאֱלֹהִים IISh. 15:24

וַיַּצִּקֻם 46 וַיִּקָּחוּם...וַיַּצִּקֻם לִפְנֵי יְיָ Josh. 7:23

הוּצַק 47 הוּצַק חֵן בְּשְׂפְתוֹתֶיךָ Ps. 45:3

מוּצָק 48 וַיַּעַשׂ אֶת־הַיָּם מוּצָק IK. 7:23

49 יְדוֹתָם וְגַבֵּיהֶם...הַכֹּל מוּצָק IK. 7:33

50 וְהָיִיתָ מֻצָק וְלֹא תִירָא Job 11:15

51 חֲזָקִים כִּרְאִי מוּצָק Job 37:18

52 וַיַּעַשׂ אֶת־הַיָּם מוּצָק IICh. 4:2

מוּצַק־ 53 וּשְׁתֵּי כֹתָרוֹת...מֻצַק נְחֹשֶׁת IK. 7:16

יוּצַק 54 יוּצַק עַל־רֹאשׁוֹ שֶׁמֶן הַמִּשְׁחָה Lev. 21:10

55 נָהָר יוּצַק יְסוֹדָם Job 22:16

יצר : יָצַר, נוֹצַר, יֻצַּר, הוּצַר; יוֹצֵר, יְצוּרִים, יֵצֶר; ש״פ יֵצֶר, יִצְרִי

יָצַר פָ׳ א) ברא: 1-4, 7, 8, 10—16, 19-22, 24-36

ב) עשׂה, עצב: 9, 37 [עין גם יוֹצֵר]

ג) חשב, זמם: 5, 6, 17, 18, 23

ד) [נפ׳ נוֹצַר] נברא: 38

ה) [פֻ׳ יֻצַּר] נוצר: 39

ו) [הָפ׳ הוּצַר] נוצר, נעשה: 40

קרובים: בָּרָא / חוֹלֵל (חול) / עָשָׂה / קָנָה

יָצַרְתִּי 1 עַם־זוּ יָצַרְתִּי לִי Is. 43:21

2 יָצַרְתִּי אַף אֶעֱשֶׂנָּה Is. 46:11

יְצַרְתִּיךָ 3 יְצַרְתִּיךָ עֶבֶד־לִי אַתָּה Is. 44:21

יְצַרְתִּיו 4 יְצַרְתִּיו אַף־עֲשִׂיתִיו Is. 43:7

וִיצַרְתִּיהָ 5 לְמִימֵי קֶדֶם וִיצַרְתִּיהָ IIK. 19:25

6 מִימֵי קֶדֶם וִיצַרְתִּיהָ Is. 37:26

יָצַרְתָּ 7 לִוְיָתָן זֶה יָצַרְתָּ לְשַׂחֶק־בּוֹ Ps. 104:26

יְצַרְתָּם 8 קַיִץ וָחֹרֶף אַתָּה יְצַרְתָּם Ps. 74:17

יָצַר 9 מִי־יָצַר אֵל וּפֶסֶל נָסָךְ Is. 44:10

יָצָר 10 וַיָּשֶׂם שָׁם אֶת־הָאָדָם אֲשֶׁר יָצָר Gen. 2:8

יְצָרָהּ 11 לֹא־תֹהוּ בְרָאָהּ לָשֶׁבֶת יְצָרָהּ Is. 45:18

יָצָרוּ 12 וְיַבֶּשֶׁת יָדָיו יָצָרוּ Ps. 95:5

יוֹצֵר 13 יוֹצֵר אוֹר וּבוֹרֵא חֹשֶׁךְ Is. 45:7

14 יֹצֵר הָאָרֶץ וְעֹשָׂהּ הוּא כוֹנְנָהּ Is. 45:18

15-16 כִּי־יוֹצֵר הַכֹּל הוּא Jer. 10:16; 51:19

17 הִנֵּה אָנֹכִי יוֹצֵר עֲלֵיכֶם רָעָה Jer. 18:11

18 יְיָ יוֹצֵר אוֹתָהּ לַהֲכִינָהּ Jer. 33:2

19 כִּי הִנֵּה יוֹצֵר הָרִים וּבֹרֵא רוּחַ Am. 4:13

20 וְהִנֵּה יוֹצֵר גֹּבַי Am. 7:1

21 כִּי־בָטַח יֹצֵר יִצְרוֹ עָלָיו Hab. 2:18

22 אִם־יֹצֵר עַיִן הֲלֹא יַבִּיט Ps. 94:9

23 יֹצֵר עָמָל עֲלֵי־חֹק Ps. 94:20

הַיּוֹצֵר 24 הַיֹּצֵר יַחַד לִבָּם Ps. 33:15

וְיוֹצֵר 25 וְיֹצֵר רוּחַ־אָדָם בְּקִרְבּוֹ Zech. 12:1

יוֹצְרִי 26 יְיָ יֹצְרִי מִבֶּטֶן לְעֶבֶד לוֹ Is. 49:5

וְיוֹצֶרְךָ 27 בֹּרַאֲךָ יַעֲקֹב וְיֹצֶרְךָ יִשְׂרָאֵל Is. 43:1

28 יְיָ עֹשֶׂךָ וְיֹצֶרְךָ מִבֶּטֶן יַעְזְרֶךָּ Is. 44:2

29 יְיָ גֹּאֲלֶךָ וְיֹצֶרְךָ מִבָּטֶן Is. 44:24

וְיוֹצְרוֹ 30 וְיֹצְרוֹ לֹא יְחֻנֶּנּוּ Is. 27:11

31 יְיָ קְדוֹשׁ יִשְׂרָאֵל וְיֹצְרוֹ Is. 45:11

וְיוֹצְרָהּ 32 וְיֹצְרָהּ מֵרָחוֹק לֹא רְאִיתֶם Is. 22:11

אֶצָּרְךָ 33 בְּטֶרֶם אֶצָּרְךָ (כ׳ אצורך)...יְדַעְתִּיךָ Jer. 1:5

וְאֶצָּרְךָ 34 וְאֶצָּרְךָ וְאֶתֶּנְךָ לִבְרִית עָם Is. 49:8

וַיִּיצֶר 35 וַיִּיצֶר יְיָ אֱלֹהִים אֶת־הָאָדָם Gen. 2:7

36 וַיִּצֶר יְיָ אֱלֹהִים מִן־הָאֲדָמָה Gen. 2:19

יִצְּרֵהוּ 37 וּפָעַל בַּפֶּחָם וּבַמַּקָּבוֹת יִצְּרֵהוּ Is. 44:12

נוֹצַר 38 לְפָנַי לֹא־נוֹצַר אֵל Is. 43:10

יֻצָּרוּ 39 וְעַל־סִפְרְךָ..יִכָּתֵבוּ יָמִים יֻצָּרוּ Ps. 139:16

יוּצַר 40 כָּל־כְּלִי יוּצַר עָלַיִךְ לֹא יִצְלָח Is. 54:17

יֻצַר (ישעיה יא 13) – עין צרר

יִצֹּר (משלי ג 1) – עין נצר

יֵצֶר[1] ז׳ א) יצוּר, מעשה היוֹצר: 2, 8

ב) מחשבה: 1, 3-7, 9

יֵצֶר לֵב 4; יֵצֶר מַחֲשָׁבוֹת 3, 5; יֵצֶר סָמוּךְ 1

יֵצֶר 1 יֵצֶר סָמוּךְ תִּצֹּר שָׁלוֹם Is. 26:3

וְיֵצֶר 2 וְיֵצֶר אָמַר לְיֹצְרוֹ לֹא הֵבִין Is. 29:16

יֵצֶר־ 3 וְכָל־יֵצֶר מַחְשְׁבֹת לִבּוֹ רַק רַע Gen. 6:5

4 כִּי יֵצֶר לֵב הָאָדָם רַע מִנְּעֻרָיו Gen. 8:21

5 וְכָל־יֵצֶר מַחֲשָׁבוֹת מֵבִין ICh. 28:9

לְיֵצֶר־ 6 לְיֵצֶר מַחְשְׁבוֹת לְבַב עַמֶּךָ ICh. 29:18

יִצְרוֹ 7 כִּי יָדַעְתִּי אֶת־יִצְרוֹ Deut. 31:21

8 כִּי־בָטַח יֹצֵר יִצְרוֹ עָלָיו Hab. 2:18

יִצְרֵנוּ 9 כִּי־הוּא יָדַע יִצְרֵנוּ Ps. 103:14

יֵצֶר[2] שפ״ז – מבני נפתלי בן יעקב: 1—3

וְיֵצֶר 1 וּבְנֵי נַפְתָּלִי יַחְצְאֵל וְגוּנִי וְיֵצֶר Gen. 46:24

2 בְּנֵי נַפְתָּלִי יַחְצִיאֵל וְגוּנִי וְיֵצֶר... ICh. 7:13

לְיֵצֶר 3 לְיֵצֶר מִשְׁפַּחַת הַיִּצְרִי Num. 26:49

יִצְרִי[1] ת׳ המתיַחס על בית יֵצֶר[2]

הַיִּצְרִי 1 לְיֵצֶר מִשְׁפַּחַת הַיִּצְרִי Num. 26:49

יִצְרִי[2] שפ״ז – לוי מבני ידותון, אולי הוא צְרִי

לַיִּצְרִי 1 הָרְבִיעִי לַיִּצְרִי בָּנָיו וְאֶחָיו ICh. 25:11

יצת : יָצַת, נִצַּת, הִצִּית

יָצַת פָ׳ א) בער, דלק: 1-4

ב) [נפ׳ נִצַּת] נשׂרף (גם בהשאלה): 5-12

ג) [הִפ׳ הִצִּית] הבעיר, שׂרף: 13-30

נִצְּתָה חֲמָתוֹ 5,7; הִצִּית (בְּ)אֵשׁ: 13-19,22,23,25-30

וַתִּצַּת 1 וַתִּצַּת בְּסִבְכֵי הַיַּעַר Is. 9:17

יִצַּתּוּ 2 קוֹצִים כְּסוּחִים בָּאֵשׁ יִצַּתּוּ Is. 33:12

3 וּשְׁעָרֶיהָ הַגְּבֹהִים בָּאֵשׁ יִצַּתּוּ Jer. 51:58

תִּצַּתְנָה 4 וּבְנֹתֶיהָ בָּאֵשׁ תִּצַּתְנָה Jer. 49:2

נִצְּתָה 5 חֲמַת יְיָ אֲשֶׁר־הִיא נִצְּתָה בָנוּ IIK. 22:13

6 נִצְּתָה כַמִּדְבָּר מִבְּלִי עֹבֵר Jer. 9:11

וְנִצְּתָה 7 וְנִצְּתָה חֲמָתִי בַּמָּקוֹם הַזֶּה IIK. 22:17

8 וְנִצְּתָה מֵאֵין יוֹשֵׁב Jer. 46:19

נִצְּתוּ 9 עָרָיו נִצְּתָה מִבְּלִי יֹשֵׁב Jer. 2:15

10 כִּי נִצְּתוּ מִבְּלִי־אִישׁ עֹבֵר Jer. 9:9

11-12 וּשְׁעָרֶיהָ נִצְּתוּ בָאֵשׁ Neh. 1:3; 2:17

וְהִצַּתִּי 13 וְהִצַּתִּי אֵשׁ בִּשְׁעָרֶיהָ Jer. 17:27

14 וְהִצַּתִּי אֵשׁ בְּיַעְרָהּ Jer. 21:14

15 וְהִצַּתִּי אֵשׁ בְּבָתֵּי אֱלֹהֵי מִצְרַיִם Jer. 43:12

16-18 וְהִצַּתִּי אֵשׁ בְּ... Jer. 49:27; 50:32 • Am. 1:14

הִצִּית 19 הִצִּית אֵשׁ עָלֶיהָ Jer. 11:16

הִצִּיתוּ 20 לָמָּה הִצִּיתוּ עֲבָדֶיךָ אֶת־הַחֶלְקָה IISh. 14:31

21 הִצִּיתוּ מִשְׁכְּנֹתֶיהָ נִשְׁבְּרוּ בְרִיחֶיהָ Jer. 51:30

וְהִצִּיתוּ 22 וְהִצִּיתוּ אֶת־הָעִיר הַזֹּאת בָּאֵשׁ Jer. 32:29

מַצִּית 23 הִנְנִי מַצִּית־בְּךָ אֵשׁ Ezek. 21:3

אֲצִיתֶנָּה 24 אֶפְשְׂעָה בָהּ אֲצִיתֶנָּה יָּחַד Is. 27:4

וַיַּצֶּת־ 25 וַיַּצֶּת־אֵשׁ בְּצִיּוֹן Lam. 4:11

תַּצִּיתוּ 26 תַּצִּיתוּ אֶת־הָעִיר בָּאֵשׁ Josh. 8:8

וַיַּצִּיתוּ 27 וַיַּצִּיתוּ אֶת־הָעִיר בָּאֵשׁ Josh. 8:19

28 וַיַּצִּיתוּ עֲלֵיהֶם אֶת־הַצְּרִיחַ בָּאֵשׁ Jud. 9:49

29 וַיַּצִּתוּ...אֶת־הַחֶלְקָה בָּאֵשׁ IISh. 14:30

וְהִצִּיתוּהָ 30 לְכוּ וְהַצִּיתוּהָ (כת׳ והוצתיה) בָאֵשׁ IISh. 14:30

יֶקֶב ז׳ בּוֹר חצוב לקליטת עסיס הענבים: 1—15
גֹּרֶן וְיֶקֶב 3, 8-6; תְּבוּאַת יֶקֶב 2; יִקְבֵי הַמֶּלֶךְ 14
דָּרַךְ יֶקֶב 9; הֵשִׁיקוּ יְקָבִים 10

יָקֶב 1 וְגַם־יֶקֶב חָצֵב בּוֹ Is. 5:2
יָקֶב 2 כִּתְבוּאַת גֹּרֶן וְכִתְבוּאַת יָקֶב Num. 18:30
וָיֶקֶב 3 גֹּרֶן וָיֶקֶב לֹא יִרְעֵם Hosh. 9:2
הַיֶּקֶב 4 בָּא אֶל־הַיֶּקֶב לַחְשֹׂף חֲמִשִּׁים פּוּרָה Hag. 2:16
הַיָּקֶב 5 וְכַמְלֵאָה מִן־הַיָּקֶב Num. 18:27
6 הֲמִן־הַגֹּרֶן אוֹ מִן־הַיָּקֶב IIK. 6:27
וּמִיִּקְבֶךָ 7 מִצֹּאנְךָ וּמִגָּרְנְךָ וּמִיִּקְבֶךָ Deut. 15:14
8 בְּאָסְפְּךָ מִגָּרְנְךָ וּמִיִּקְבֶךָ Deut. 16:13
יְקָבִים 9 יְקָבִים דָּרְכוּ וַיִּצְמָאוּ Job 24:11
הַיְקָבִים 10 וְהֵשִׁיקוּ הַיְקָבִים תִּירוֹשׁ וְיִצְהָר Joel 2:24
11 כִּי־מָלְאָה גַּת הֵשִׁיקוּ הַיְקָבִים Joel 4:13
בַּיְקָבִים 12 יַיִן בַּיְקָבִים לֹא־יִדְרֹךְ הַדֹּרֵךְ Is. 16:10
מִיְקָבִים 13 וְיַיִן מִיְקָבִים הִשְׁבַּתִּי Jer. 48:33
יִקְבֵי־ 14 יָסוֹב...עַד יִקְבֵי הַמֶּלֶךְ Zech. 14:10
יְקָבֶיךָ 15 וְתִירוֹשׁ יְקָבֶיךָ יִפְרֹצוּ Prov. 3:10

יֹקֶב (מ״ב יב 10) – עין נקב

יֶקֶב־זְאֵב מקום ששם נהרג זְאֵב שַׂר מדין לפני חיל גדעון
בְּיֶקֶב זְאֵב 1 וְאֶת־זְאֵב הָרְגוּ בְיֶקֶב־זְאֵב Jud. 7:25

יְקַבְצְאֵל עיר בנגב בנחלת יהודה
וּבִיקַבְצְאֵל 1 וּבְדִיבֹן...וּבִיקַבְצְאֵל וַחֲצֵרֶיהָ Neh. 11:25

יקד : יָקַד, הוּקַד; יְקוֹד, יָקוּד, מוֹקֵד, מוֹקְדָה; אר׳ יְקַד, יְקֵדָה; ש״פ יָקְדְעָם

יָקַד פָּ׳ א) דלק, בער: 1-3
ב) [הָפ׳ הוּקַד] הֻבְעַר: 4-8
יָקֶדֶת 1 אֵשׁ יֹקֶדֶת כָּל־הַיּוֹם Is. 25:5
יֵקַד 2 יֵקַד יְקֹד כִּיקוֹד אֵשׁ Is. 10:16
וַתִּיקַד 3 וַתִּיקַד עַד־שְׁאוֹל תַּחְתִּית Deut. 32:22
תּוּקַד 4 וְאֵשׁ הַמִּזְבֵּחַ תּוּקַד בּוֹ Lev. 6:2
5 וְהָאֵשׁ עַל־הַמִּזְבֵּחַ תּוּקַד בּוֹ Lev. 6:5
6 אֵשׁ תָּמִיד תּוּקַד עַל־הַמִּזְבֵּחַ Lev. 6:6
תּוּקָד 7 אֵשׁ קָדְחָה בְאַפִּי עֲלֵיכֶם תּוּקָד Jer. 15:14
8 כִּי־אֵשׁ...עַד־עוֹלָם תּוּקָד Jer. 17:4

יְקַד פָּ׳ ארמית, כמו בעברית: יקד: 1-8; יָקִדְתָּא = בּוֹעֶרֶת
יָקִדְתָּא 1-7 אַתּוּן נוּרָא יָקִדְתָּא Dan. 3:6,11,15,17,21,23,26
8 לְאַתּוּן נוּרָא יָקִדְתָּא Dan. 3:20

יְקֵדָה נ׳ ארמית: יקוד
לִיקֵדַת־ 1 וִיהִיבַת לִיקֵדַת אֶשָּׁא Dan. 7:11

יָקְדְעָם עיר בנחלת יהודה
וְיָקְדְעָם 1 וְיִזְרְעֶאל וְיָקְדְעָם וְזָנוֹחַ Josh. 15:56

יָקֶה שפ״ז – אבי אָגוּר, ממשל המשלים
יָקֶה 1 דִּבְרֵי אָגוּר בִּן־יָקֶה... Prov. 30:1

יְקָהָה* נ׳ משמעת (?): 1, 2
יִקְּהַת־ 1 ...וְלוֹ יִקְּהַת עַמִּים Gen. 49:10
לִיקֲּהַת 2 עַיִן...וְתָבוּז לִיקֲּהַת אֵם Prov. 30:17

יְקוֹד ז׳ בְּעֵרָה, מדורה: 1, 2
יְקוֹד 1 יֵקַד יְקֹד כִּיקוֹד אֵשׁ Is. 10:16
כִּיקוֹד־ 2 יֵקַד יְקֹד כִּיקוֹד אֵשׁ Is. 10:16

יָקוּד ז׳ תַּנּוּר, כִּירַיִם (?)
מִיָּקוּד 1 לַחְתּוֹת אֵשׁ מִיָּקוּד Is. 30:14

יָקוֹט מלה סתומה: חור בסלע(?) עתיד מן קוט(?)
1 יָקוֹט כִּסְלוֹ וּבֵית עַכָּבִישׁ מִבְטַחוֹ Job 8:14

יְקוּם ז׳ עולם החי: 1–3
הַיְקוּם 1 וּמָחִיתִי אֶת־כָּל־הַיְקוּם Gen. 7:4
2 וַיִּמַח אֶת־כָּל־הַיְקוּם Gen. 7:23
3 וְאֵת כָּל־הַיְקוּם אֲשֶׁר בְּרַגְלֵיהֶם Deut. 11:6

יָקוֹשׁ, יָקוּשׁ ז׳ צַיָּד, פּוֹרֵשׂ רשת: 1-4
יַד יָקוּשׁ 3; פַּח יָקוֹשׁ (יָקוּשׁ) 1, 2; שַׁךְ יְקוּשִׁים 4
יָקוֹשׁ 1 נָבִיא פַּח יָקוֹשׁ עַל־כָּל־דְּרָכָיו Hosh. 9:8
יָקוּשׁ 2 כִּי הוּא יַצִּילְךָ מִפַּח יָקוּשׁ Ps. 91:3
3 הִנָּצֵל...וּכְצִפּוֹר מִיַּד יָקוּשׁ Prov. 6:5
יְקוּשִׁים 4 יָשׁוּר כְּשַׁךְ יְקוּשִׁים Jer. 5:26

יְקוּתִיאֵל שפ״ז – אבי זָנוֹחַ משבט יהודה
יְקוּתִיאֵל 1 וְאֶת־יְקוּתִיאֵל אֲבִי זָנוֹחַ ICh. 4:18

יֻקַּח (בראשית יח4) – עין לָקַח

יָקְטָן שפ״ז – מבני עֵבֶר מצאצאי שֵׁם: 1–6
יָקְטָן 1-2 וְשֵׁם אָחִיו יָקְטָן Gen. 10:25 • ICh. 1:19
3-4 כָּל־אֵלֶּה בְּנֵי יָקְטָן Gen. 10:29 • ICh. 1:23
וְיָקְטָן 5-6 וְיָקְטָן יָלַד אֶת־אַלְמוֹדָד Gen. 10:26
ICh. 1:20

יָקִים שפ״ז א) מצאצאי בנימין: 1
ב) מן הכהנים בימי דוד: 2
וְיָקִים 1 וְיָקִים וְזִכְרִי וְזַבְדִּי ICh. 8:19
לְיָקִים 2 לְיָקִים שְׁנֵים עָשָׂר ICh. 24:12

יַקִּיר1 ת׳ יקר, חביב
יַקִּיר 1 הֲבֵן יַקִּיר לִי אֶפְרַיִם Jer. 31:20(19)

יַקִּיר2 ת׳ ארמית א) כָּבֵד, קשה: 1
ב) חשוב, נכבד: 2
יַקִּירָה 1 וּמִלְּתָא דִי־מַלְכָּה שָׁאֵל יַקִּירָה Dan. 2:11
וְיַקִּירָא 2 דִּי הַגְלִי אָסְנַפַּר רַבָּא וְיַקִּירָא Ez. 4:10

יָקִם (יהושע י 13), **יֻקַּם** (בראשית ד15) – עין נָקַם

יְקַמְיָה שפ״ז א) מצאצאי יַרְחָע עבד מצרי: 1
ב) בן יכניה מלך יהודה: 2, 3
יְקַמְיָה 1 וְשַׁלּוּם הוֹלִיד אֶת־יְקַמְיָה ICh. 2:41
2 יְקַמְיָה הוֹשָׁמָע וּנְדַבְיָה ICh. 3:18
וִיקַמְיָה 3 וִיקַמְיָה הֹלִיד אֶת־אֱלִישָׁמָע ICh. 2:41

יְקַמְעָם שפ״ז – מצאצאי אליעזר בן משה: 1, 2
יְקַמְעָם 1 יַחֲזִיאֵל הַשְּׁלִישִׁי יְקַמְעָם הָרְבִיעִי ICh. 24:23
וִיקַמְעָם 2 יַחֲזִיאֵל הַשְּׁלִישִׁי וִיקַמְעָם הָרְבִיעִי ICh. 23:19

יָקְמְעָם עיר לויים בנחלת אפרים: 1, 2
יָקְמְעָם 1 וְאֶת־יָקְמְעָם וְאֶת־מִגְרָשֶׁהָ ICh. 6:53
לְיָקְמְעָם 2 ...עַד מֵעֵבֶר לְיָקְמְעָם IK. 4:12

יָקְנְעָם עיר לויים בנחלת זבולון: 1–3
יָקְנְעָם 1 מֶלֶךְ־יָקְנְעָם לַכַּרְמֶל אֶחָד Josh. 12:22
2 אֶל־הַנַּחַל אֲשֶׁר עַל־פְּנֵי יָקְנְעָם Josh. 19:11
3 אֶת־יָקְנְעָם וְאֶת־מִגְרָשָׁהּ Josh. 21:34

יקע : יָקַע, הוֹקִיעַ, הוּקַע

יָקַע פָּ׳ א) נעקר ממקומו (גם בהשאלה): 1-4
ב) [הָפ׳ הוֹקִיעַ] תלה: 5-7
ג) [הָפ׳ הוּקַע] נתלה: 8
יָקְעָה כַּף יְרֵכוֹ 2; יָקְעָה נַפְשׁוֹ 1, 3, 4
תֵּקַע 1 פֶּן־תֵּקַע נַפְשִׁי מִמֵּךְ Jer. 6:8
וַתֵּקַע 2 וַתֵּקַע כַּף־יֶרֶךְ יַעֲקֹב Gen. 32:25
3 וַתִּטְמָא בָם וַתֵּקַע נַפְשָׁהּ מֵהֶם Ezek. 23:17
4 וַתֵּקַע נַפְשִׁי מֵעָלֶיהָ... Ezek. 23:18
וְהוֹקַעֲנוּם 5 וְהוֹקַעֲנוּם לַיי בְּגִבְעַת שָׁאוּל IISh. 21:6
וַיֹּקִיעֻם 6 וַיֹּקִיעֻם בָּהָר לִפְנֵי יְיָ IISh. 21:9
וְהוֹקַע 7 וְהוֹקַע אוֹתָם לַיי נֶגֶד הַשָּׁמֶשׁ Num. 25:4
הַמּוּקָעִים 8 וַיַּאַסְפוּ אֶת־עַצְמוֹת הַמּוּקָעִים IISh 21:13

יָקַץ פָּ׳ [רק בעתיד פָּעַל; בעבר, בינוני וצווי – מן (קוץ) הֵקִיץ] התעורר: 1–11
וָאִיקָץ 1 וַתָּבֹאנָה אֶל־קִרְבֶּנָה...וָאִיקָץ Gen. 41:21
וְיִקָץ 2 אוּלַי יָשֵׁן הוּא וְיִקָץ IK. 18:27
וַיִּיקֶץ 3 וַיִּיקֶץ נֹחַ מִיֵּינוֹ Gen. 9:24
וַיִּיקַץ 4 וַיִּיקַץ יַעֲקֹב מִשְּׁנָתוֹ Gen. 28:16
5 וַתֹּאכַלְנָה...וַיִּיקַץ פַּרְעֹה Gen. 41:4
6 וַיִּיקַץ פַּרְעֹה וְהִנֵּה חֲלוֹם Gen. 41:7
7 וַיִּיקַץ מִשְּׁנָתוֹ וַיִּסַּע אֶת־הַיָּתֵד Jud. 16:14
8 וַיִּקַץ מִשְּׁנָתוֹ וַיֹּאמֶר Jud. 16:20
9 וַיִּקַץ שְׁלֹמֹה וְהִנֵּה חֲלוֹם IK. 3:15
10 וַיִּקַץ כְּיָשֵׁן אֲדֹנָי Ps. 78:65
וְיִקְצוּ 11 יָקוּמוּ נֹשְׁכֶיךָ וְיִקְצוּ מְזַעְזְעֶיךָ Hab. 2:7

יקר : יָקַר, הוֹקִיר; יָקָר, יַקִּיר, יְקָר; ארמית: יַקִּיר, יְקָר

יָקַר פָּ׳ א) היה נכבד ויקר: 1-9
ב) [הָפ׳ הוֹקִיר] הֶחְשִׁיב: 10, 11
יָקַר דָּמוֹ 7; יָקְרָה נַפְשׁוֹ 3, 8, 9; יָקְרוּ רֵעָיו 4;
הוֹקִיר אֱנוֹשׁ 10; הוֹקִיר רַגְלוֹ 11
יָקַרְתִּי 1 אֶדֶר הַיְקָר אֲשֶׁר יָקַרְתִּי מֵעֲלֵיהֶם Zech. 11:13
יָקַרְתָּ 2 מֵאֲשֶׁר יָקַרְתָּ בְעֵינַי נִכְבַּדְתָּ Is. 43:4
יָקְרָה 3 תַּחַת אֲשֶׁר יָקְרָה נַפְשִׁי בְּעֵינֶיךָ ISh. 26:21
יָקְרוּ 4 וְלִי מַה־יָּקְרוּ רֵעֶיךָ אֵל Ps. 139:17
וַיִּיקַר 5 וַיִּיקַר שְׁמוֹ מְאֹד ISh. 18:30
וְיֵקַר 6 וְיֵקַר פִּדְיוֹן נַפְשָׁם Ps. 49:9
7 וְיֵיקַר דָּמָם בְּעֵינָיו Ps. 72:14
תִּיקַר 8 תִּיקַר־נָא נַפְשִׁי...בְּעֵינֶיךָ IIK. 1:13
9 וְעַתָּה תִּיקַר נַפְשִׁי בְּעֵינֶיךָ IIK. 1:14
אוֹקִיר 10 אוֹקִיר אֱנוֹשׁ מִפָּז Is. 13:12
הוֹקַר 11 הֹקַר רַגְלְךָ מִבֵּית רֵעֶךָ Prov. 25:17

יָקָר ת׳ א) רב־ערך, נכבד: 2-30, 36
ב) כָּבֵד: 31-34
ג) נדיר, בלתי מצוי: 1, 35(?)
– יָקָר מִזּוֹלֵל 2; אָדָם יָקָר 6; דָּבָר יָקָר 1; הוֹן יָקָר 5, 7; חֶסֶד יְ׳ 3; יָרֵחַ יָ׳ 9; שֹׁהַם יָקָר 8
– יְקַר כָּרִים 12; יְקַר רוּחַ 11
– אֶבֶן יְקָרָה 13-26, 31-34; חָכְמָה יְקָרָה 27; נֶפֶשׁ יְקָרָה 28; פִּנַּת יִקְרַת 29; בָּנִים יְקָרִים 30;
אוֹר יְקָרוֹת 35
יָקָר 1 וּדְבַר יְיָ הָיָה יָקָר בַּיָּמִים הָהֵם ISh. 3:1
2 וְאִם־תּוֹצִיא יָקָר מִזּוֹלֵל Jer. 15:18
3 מַה־יָּקָר חַסְדְּךָ אֱלֹהִים Ps. 36:8
4 יָקָר בְּעֵינֵי יְיָ הַמָּוְתָה לַחֲסִידָיו Ps. 116:15
5 כָּל־הוֹן יָקָר נִמְצָא Prov. 1:13
6 וְהוֹן־אָדָם יָקָר חָרוּץ Prov. 12:27
7 כָּל־הוֹן יָקָר וְנָעִים Prov. 24:4
8 בְּשֹׁהַם יָקָר וְסַפִּיר Job 28:16
9 אוֹר כִּי יָהֵל וְיָרֵחַ יָקָר הֹלֵךְ Job 31:26
10 יָקָר מֵחָכְמָה מִכָּבוֹד סִכְלוּת מְעָט Eccl. 10:1
יְקַר־ 11 יְקַר (כת׳ וקר)־רוּחַ אִישׁ תְּבוּנָה Prov. 17:27
כִּיקַר־ 12 כִּיקַר כָּרִים כָּלוּ בֶעָשָׁן כָּלוּ Ps. 37:20

יְקָרָה 13 אֶת־עֲטֶרֶת־מַלְכָּם...וְאֶבֶן יְקָרָה IISh. 12:30
14 וְזָהָב רַב־מְאֹד וְאֶבֶן יְקָרָה IK. 10:2
15 וּבְשָׂמִים הַרְבֵּה מְאֹד וְאֶבֶן יְקָרָה IK. 10:10
16-26 (וְ)אֶבֶן יְקָרָה IK. 10:11
Ezek. 27:22; 28:13 • Dan. 11:38 • ICh. 20:2; 29:2 •
IICh. 3:6; 9:1, 9, 10; 32:27
27 חָכְמָה...יְקָרָה הִיא מִפְּנִינִים Prov. 3:15
28 וְאֵשֶׁת אִישׁ נֶפֶשׁ יְקָרָה תָצוּד Prov. 6:26
יִקְרַת 29 אֶבֶן בֹּחַן פִּנַּת יִקְרַת... Is. 28:16
הַיְקָרִים 30 בְּנֵי צִיּוֹן הַיְקָרִים הַמְסֻלָּאִים בַּפָּז Lam. 4:2
יְקָרוֹת 31 אֲבָנִים יְקָרוֹת לְיַסֵּד הַבָּיִת IK. 5:31
32 כָּל־אֵלֶּה אֲבָנִים יְקָרֹת IK. 7:9
33-34 אֲבָנִים יְקָרוֹת IK. 7:10, 11
35 לֹא־יִהְיֶה אוֹר יְקָרוֹת וְקִפָּאוֹן Zech. 14:6
בְּיִקְּרוֹתֶיךָ 36 בְּנוֹת מְלָכִים בְּיִקְּרוֹתֶיךָ Ps. 45:10

יְקָר1
ז׳ א) כבוד, פאר: 1, 3-6, 8-16
ב) דבר רב־ערך: 2, 7, 17

יְקָר וּגְדֻלָּה 4; יְקָר תִּפְאֶרֶת 6; שָׂשׂוֹן וִיקָר 8; אֶדֶר יְקָר 9; כְּלִי יְקָר 1; נָתַן יְקָר 3; עָשָׂה יְקָר 5

יְקָר 1 וּכְלִי יְקָר שִׂפְתֵי־דָעַת Prov. 20:15
2 וְכָל־יְקָר רָאֲתָה עֵינוֹ Job 28:10
3 וְכָל־הַנָּשִׁים יִתְּנוּ יְקָר לְבַעְלֵיהֶן Es. 1:20
4 מַה־נַּעֲשָׂה יְקָר וּגְדוּלָּה לְמָרְדֳּכַי Es. 6:3
5 לְמִי יַחְפֹּץ הַמֶּלֶךְ לַעֲשׂוֹת יְקָר Es. 6:6
יְקָר־ 6 וְאֶת־יְקָר תִּפְאֶרֶת גְּדוּלָּתוֹ Es. 1:4
וִיקָר 7 חֹסֶן וִיקָר יִקָּחוּ Ezek. 22:25
8 אוֹרָה וְשִׂמְחָה וְשָׂשֹׂן וִיקָר Es. 8:16
הַיְקָר 9 אֶדֶר הַיְקָר אֲשֶׁר יָקַרְתִּי מֵעֲלֵיהֶם Zech. 11:13
בִּיקָר 10 וְאָדָם בִּיקָר בַּל־יָלִין Ps. 49:13
11 אָדָם בִּיקָר וְלֹא יָבִין Ps. 49:21
בִּיקָרוֹ 12-16 אֲשֶׁר הַמֶּלֶךְ חָפֵץ בִּיקָרוֹ Es. 6:6, 7, 9², 11
יְקָרָהּ 17 וְאֶת־כָּל־יְגִיעָהּ וְאֶת־כָּל־יְקָרָהּ Jer. 20:5

יְקָר2
ז׳ ארמית: כבוד, גדולה: 1–7

וִיקָר־ 1 מַתְּנָן וּנְבִזְבָּה וִיקָר שַׂגִּיא Dan. 2:6
2 וְלֵהּ יְהִב שָׁלְטָן וִיקָר וּמַלְכוּ Dan. 7:14
וְלִיקָר־ 3 בִּתְקַף חִסְנִי וְלִיקָר הַדְרִי Dan. 4:27
וְלִיקַר־ 4 וְלִיקַר מַלְכוּתִי הַדְרִי Dan. 4:33
וִיקָרָא 5 חִסְנָא וְתָקְפָּא וִיקָרָא Dan. 2:37
6 מַלְכוּתָא וּרְבוּתָא וִיקָרָא וְהַדְרָא Dan. 5:18
וִיקָרֵהּ 7 הָנְחַת...וִיקָרֵהּ הֶעְדִּיו מִנֵּהּ Dan. 5:20

יקשׁ
: יָקֹשׁ, יוֹקֵשׁ, נוֹקֵשׁ; יָקוּשׁ, יָקוֹשׁ, מוֹקֵשׁ; ש״פ יָקְשָׁן

יָקֹשׁ
פָּ׳ א) טמן פח ללכוד: 1-5
ב) [נפ׳ נוֹקַשׁ] נלכד: 6-10

יָקֹשְׁתִּי 1 יָקֹשְׁתִּי לָךְ וְגַם־נִלְכַּדְתְּ בָּבֶל Jer. 50:24
יָקְשׁוּ 2 שָׁמְרֵנִי מִידֵי פַח יָקְשׁוּ לִי Ps. 141:9
יוֹקְשִׁים 3 כְּצִפּוֹר נִמְלְטָה מִפַּח יוֹקְשִׁים Ps. 124:7
יוּקָשִׁים 4 כָּהֵם יוּקָשִׁים בְּנֵי הָאָדָם Eccl. 9:12
יְקֹשׁוּן 5 וְלַמּוֹכִיחַ בַּשַּׁעַר יְקֹשׁוּן Is. 29:21
נוֹקַשְׁתָּ 6 נוֹקַשְׁתָּ בְאִמְרֵי־פִיךָ Prov. 6:2
נוֹקֵשׁ 7 בְּפֹעַל כַּפָּיו נוֹקֵשׁ רָשָׁע Ps. 9:17
וְנוֹקְשׁוּ 8/9 וְנִשְׁבְּרוּ וְנוֹקְשׁוּ וְנִלְכָּדוּ Is. 8:15; 28:13
תִּוָּקֵשׁ 10 לֹא־תַחְמֹד...פֶּן תִּוָּקֵשׁ בּוֹ Deut. 7:25

יָקְשָׁן
שפ״ז – בן אברהם וקטורה: 1–4

יָקְשָׁן 1 אֶת־זִמְרָן וְאֶת־יָקְשָׁן וְאֶת־מְדָן Gen. 25:2
2 וּבְנֵי יָקְשָׁן שְׁבָא וּדְדָן ICh. 1:32
וְיָקְשָׁן 3 וְיָקְשָׁן יָלַד אֶת־שְׁבָא וְאֶת־דְּדָן Gen. 25:3
4 אֶת־זִמְרָן וְיָקְשָׁן וּמְדָן... ICh. 1:32

יָקְתְאֵל
א) עיר בשפלת יהודה: 1
ב) השם שקרא אמציה מלך יהודה לעיר סלע באדום: 2

יָקְתְאֵל 1 וַיִּקְרָא אֶת־שְׁמָהּ יָקְתְאֵל IIK. 14:7
וְיָקְתְאֵל 2 וְדִלְעָן וְהַמִּצְפֶּה וְיָקְתְאֵל Josh. 15:38

ירא
: יָרֵא, נוֹרָא, יָרֵא; יָרֵא, יִרְאָה, מוֹרָא, נוֹרָא; ש״פ יִרְאוֹן, יְרִיָּיה

יָרֵא1
פָּ׳ א) פחד: רוב המקראות
ב) חרד לכבוד־, שמע בקול־: 3-16, 18, 22, 40, 41, 43, 47, 52, 54, 58-63, 65, 69-74, 77, 79-82, 107-109, 192-196, 214-217, 229, 233, 240-243, 276-287 [עין עוד יָרֵא ת׳]
ג) [נפ׳ הַנּוֹרָא] היה איום לזולתו: 288
[ועין עוד ערך נוֹרָא באות נ׳]
ד) [פִּ׳ יֵרֵא] הפחיד: 289-293

קרובים: ראה חָרֵד

יָרֵא, יָרֵא אֶת־ רוב המקראות 1-287; יָרֵא מִלִּפְנֵי 7, 173, 236, 274; יָרֵא מִן־ 22, 24-28, 31, 35, 58, 87, 110, 111, 113-115, 135-137, 140-143, 163, 176, 200, 201, 203, 235, 239; יָרֵא מִפְּנֵי 2, 38, 48, 54, 55, 65, 83-85, 121, 123, 124, 174, 202, 205, 229, 230

יְרֹא 1 וְהִשְׁבִּיתוּ...לְבִלְתִּי יְרֹא אֶת־יְיָ Josh. 22:25
לֵרֹא 2 וַיֹּאסֶף שָׁאוּל לֵרֹא מִפְּנֵי דָוִד עוֹד ISh. 18:29
לְיִרְאָה 3 יִלְמְדוּן לְיִרְאָה אֹתִי כָּל־הַיָּמִים Deut. 4:10
4 מִי יִתֵּן וְהָיָה לְבָבָם...לְיִרְאָה אֹתִי Deut. 5:26
5 וַיְצַוֵּנוּ...לְיִרְאָה אֶת־יְיָ אֱלֹהֵינוּ Deut. 6:24
6-9 לְיִרְאָה אֶת־יְיָ Deut. 10:12; 14:23; 17:19; 31:13
10 לְיִרְאָה אֶת־הַשֵּׁם הַנִּכְבָּד וְהַנּוֹרָא Deut. 28:58
11 לְיִרְאָה אֹתְךָ כְּעַמְּךָ יִשְׂרָאֵל IK. 8:43
12 לְיִרְאָה אוֹתִי כָּל־הַיָּמִים Jer. 32:39
13 יַחֵד לְבָבִי לְיִרְאָה שְׁמֶךָ Ps. 86:11
14 הַחֲפֵצִים לְיִרְאָה אֶת־שְׁמֶךָ Neh. 1:11
וּלְיִרְאָה 15 לָלֶכֶת בִּדְרָכָיו וּלְיִרְאָה אֹתוֹ Deut. 8:6
16 וּלְיִרְאָה אֹתְךָ כְּעַמְּךָ יִשְׂרָאֵל IICh. 6:33
מִירִאָתוֹ 17 וְלֹא־יָכֹל עוֹד לְהָשִׁיב...מִירִאָתוֹ אֹתוֹ IISh. 3:11
יִרְאָתָם 18 וַתְּהִי יִרְאָתָם אֹתִי מִצְוַת אֲנָשִׁים Is. 29:13
יָרֵאתִי 19 כִּי יָרֵאתִי כִּי אָמַרְתִּי פֶּן־תִּגְזֹל Gen. 31:31
20 כִּי יָרֵאתִי אֶת־הָעָם וָאֶשְׁמַע ISh. 15:24
21 שָׁמַעְתִּי שִׁמְעֲךָ יָרֵאתִי Hab. 3:2
22 וּמִמִּשְׁפָּטֶיךָ יָרֵאתִי Ps. 119:120
יָרֵאתָ 23 אֵיךְ לֹא יָרֵאתָ לִשְׁלֹחַ יָדְךָ... IISh. 1:14
וְיָרֵאתָ 24-28 וְיָרֵאתָ (מ/מֵ)אֱלֹהֶיךָ Lev. 19:14, 32; 25:17, 36, 43
יָרֵא (עבר) 29 כִּי יָרֵא לָשֶׁבֶת בְּצוֹעַר Gen. 19:30
30 כִּי יָרֵא לֵאמֹר אִשְׁתִּי פֶּן־... Gen. 26:7
31 כִּי יָרֵא מֵהַבִּיט אֶל־הָאֱלֹהִים Ex. 3:6
32 אֲשֶׁר קָרְךָ בַּדֶּרֶךְ...וְלֹא יָרֵא אֱלֹ׳ Deut. 25:18
33 וַיְהִי כַּאֲשֶׁר יָרֵא אֶת־בֵּית אָבִיו... Jud. 6:27
34 וְלֹא־שָׁלַף הַנַּעַר חַרְבּוֹ כִּי יָרֵא Jud. 8:20
35 וּשְׁמוּאֵל יָרֵא מֵהַגִּיד אֶת־הַמַּרְאָה ISh. 3:15
36 כִּי־יָרֵא הָעָם אֶת־הַשְּׁבֻעָה ISh. 14:26
37 וְלֹא אָבָה...כִּי יָרֵא מְאֹד ISh. 31:4
38 וַאֲדֹנִיָּהוּ יָרֵא מִפְּנֵי שְׁלֹמֹה IK. 1:50
39 אֲדֹנִיָּהוּ יָרֵא אֶת־הַמֶּלֶךְ שְׁלֹמֹה IK. 1:51
40 הֲלֹא יָרֵא אֶת־יְיָ וַיְחַל אֶת־פְּנֵי יְיָ Jer. 26:19
41 הַחִנָּם יָרֵא אִיּוֹב אֱלֹהִים Job 1:9
42 וְלֹא אָבָה...כִּי יָרֵא מְאֹד ICh. 10:4
יָרְאָה 43 וְלֹא יָרְאָה בֹּגֵדָה יְהוּדָה Jer. 3:8
44 אֶרֶץ יָרְאָה וְשָׁקָטָה Ps. 76:9
יָרֵאָה 45 וַתְּכַחֵשׁ...לֹא צָחַקְתִּי כִּי יָרֵאָה Gen. 18:15

יְרֵאנוּ 46 כִּי לֹא־יָרֵאנוּ אֶת־יְיָ Hosh. 10:3
יְרֵאתֶם 47 וּמַדּוּעַ לֹא יְרֵאתֶם לְדַבֵּר בְּעַבְדִּי Num. 12:8
48 כִּי יְרֵאתֶם מִפְּנֵי הָאֵשׁ Deut. 5:5
49 חֶרֶב יְרֵאתֶם וְחֶרֶב אָבִיא עֲלֵיכֶם Ezek. 11:8
יְרָאתֶם 50 לְמַעַן יְרָאתֶם אֶת־יְיָ אֱלֹהֵיכֶם Josh. 4:24
יָרְאוּ 51 כִּי־יָרְאוּ הַמְיַלְּדֹת אֶת־הָאֱלֹהִים Ex. 1:21
52 וַיִּרְאוּ אֹתוֹ כַּאֲשֶׁר יָרְאוּ אֶת־מֹשֶׁה Josh. 4:14
53 לֹא יָרְאוּ אֶת־יְיָ IIK. 17:25
54 כִּי יָרְאוּ מִפְּנֵי כַשְׂדִּים IIK. 25:26
55 מִפְּנֵי הַכַּשְׂדִּים כִּי יָרְאוּ מִפְּנֵיהֶם Jer. 41:18
56 לֹא דֻכְּאוּ...וְלֹא יָרְאוּ Jer. 44:10
57 וְלֹא יָרְאוּ אֱלֹהִים Ps. 55:20
וְיָרְאוּ 58 וְרָאוּ כָּל...הָאָרֶץ...וְיָרְאוּ מִמֶּךָּ Deut. 28:10
59 וְיָרְאוּ אֶת־יְיָ אֱלֹהֵיכֶם וְשָׁמְרוּ Deut. 31:12
יְרֵאוּנִי 60 ...וּמַטֵּי־גֵר וְלֹא יְרֵאוּנִי Mal. 3:5
יְרֵאוּךָ 61 חָבֵר אָנִי לְכָל־אֲשֶׁר יְרֵאוּךָ Ps. 119:63
יְרֵאוּהוּ 62 לָכֵן יְרֵאוּהוּ אֲנָשִׁים Job 37:24
יָרֵא (הוה) 63 כִּי־יָרֵא אָנֹכִי אֹתוֹ Gen. 32:11
64 אֶת־הָאֱלֹהִים אֲנִי יָרֵא Gen. 42:18
65 הָעַמִּים אֲשֶׁר־אַתָּה יָרֵא מִפְּנֵיהֶם Deut. 7:19
66 מִי־יָרֵא וְחָרֵד יָשֹׁב וְיִצְפֹּר... Jud. 7:3
67 וְאִם־יָרֵא אַתָּה לָרֶדֶת... Jud. 7:10
68 וְעֹבַדְיָהוּ הָיָה יָרֵא אֶת־יְיָ מְאֹד IK. 18:3
69 וְעַבְדְּךָ יָרֵא אֶת־יְיָ מִנְּעֻרָי IK. 18:12
70 כִּי עַבְדְּךָ הָיָה יָרֵא אֶת־יְיָ IIK. 4:1
71 וְאֶת־יְיָ אֱלֹהֵי הַשָּׁמַיִם אֲנִי יָרֵא Jon. 1:9
72 אַשְׁרֵי־אִישׁ יָרֵא אֶת־יְיָ Ps. 112:1
73 אֲשֶׁר אֵינֶנּוּ יָרֵא מִלִּפְנֵי אֱלֹהִים Eccl. 8:13
74 הַנִּשְׁבָּע כַּאֲשֶׁר שְׁבוּעָה יָרֵא Eccl. 9:2
75 יָרֵא אֲנִי אֶת־אֲדֹנִי הַמֶּלֶךְ Dan. 1:10
וְיָרֵא 76 וְיָרֵא אֶת־הָאֱלֹהִים מֵרַבִּים Neh. 7:2
הַיָּרֵא 77 הַיָּרֵא אֶת־דְּבַר יְיָ מֵעַבְדֵי פַרְעֹה Ex. 9:20
יְרֵאִים 78 הִנֵּה אֲנַחְנוּ פֹה בִּיהוּדָה יְרֵאִים ISh. 23:3
79 וַיִּהְיוּ יְרֵאִים אֶת־יְיָ IIK. 17:32
80 אֶת־יְיָ הָיוּ יְרֵאִים IIK. 17:33
81 אֵינָם יְרֵאִים אֶת־יְיָ IIK. 17:34
82 וַיִּהְיוּ הַגּוֹיִם הָאֵלֶּה יְרֵאִים אֶת־יְיָ IIK. 17:41
83 אֲשֶׁר־אַתֶּם יְרֵאִים מִפָּנָיו Jer. 42:11
84 הַחֶרֶב אֲשֶׁר אַתֶּם יְרֵאִים מִמֶּנָּה Jer. 42:16
אִירָא 85 לֹא־אִירָא מֵרִבְבוֹת עָם Ps. 3:7
86 לֹא־אִירָא רָע כִּי־אַתָּה עִמָּדִי Ps. 23:4
87 יְיָ אוֹרִי וְיִשְׁעִי מִמִּי אִירָא Ps. 27:1
88 לָמָּה אִירָא בִּימֵי רָע Ps. 49:6
89 יוֹם אִירָא אֲנִי אֵלֶיךָ אֶבְטָח Ps. 56:4
90/91 בֵּאלֹהִים בָּטַחְתִּי לֹא אִירָא Ps. 56:5, 12
92 יְיָ לִי לֹא אִירָא Ps. 118:6
93 לְמַעַן שָׂכוּר הוּא לְמַעַן־אִירָא Neh. 6:13
וָאִירָא 94 וָאִירָא כִּי־עֵירֹם אָנֹכִי Gen. 3:10
95 עַל־כֵּן זָחַלְתִּי וָאִירָא Job 32:6
96 וָאִירָא הַרְבֵּה מְאֹד Neh. 2:2
אִירָאֶנּוּ 97 אֲדַבְּרָה וְלֹא אִירָאֶנּוּ Job 9:35
תִּירָא 98 אַל־תִּירָא אַבְרָם אָנֹכִי מָגֵן לָךְ Gen. 15:1
99 אַל־תִּירָא כִּי־אִתְּךָ אָנֹכִי Gen. 26:24
100 אַל־תִּירָא מֵרְדָה מִצְרַיְמָה Gen. 46:3
101/2 אַל־תִּירָא אֹתוֹ Num. 21:34 • Deut. 3:2
103-106 אַל־תִּירָא וְאַל־תֵּחָת Deut. 1:21
Josh. 8:1 • ICh. 22:13(12); 28:20
107 לְמַעַן תִּירָא אֶת־יְיָ אֱלֹהֶיךָ Deut. 6:2
108/9 אֶת־יְיָ אֱלֹהֶיךָ תִּירָא Deut. 6:13; 10:20
110/1 לֹא תִירָא מֵהֶם Deut. 7:18; 20:1
112 לֹא תִירָא וְלֹא תֵחָת Deut. 31:8
113 אַל־תִּירָא מֵהֶם Josh. 10:8

תִּירָא (המשך)
114/5 אַל־תִּירָא מִפְּנֵיהֶם Josh. 11:6 • Jer. 1:8
116 סוּרָה אֵלַי אַל־תִּירָא Jud. 4:18
117 שָׁלוֹם לְךָ אַל תִּירָא לֹא תָּמוּת Jud. 6:23
118 שְׁבָה אִתִּי אַל־תִּירָא ISh. 22:23
119 אַל־תִּירָא כִּי לֹא תִמְצָאֲךָ יַד... ISh. 23:17
120 אַל־תִּירָא כִּי...אֶעֱשֶׂה עִמְּךָ חֶסֶד IISh. 9:7
121 רֵד אוֹתוֹ אַל־תִּירָא מִפָּנָיו IIK. 1:15
122 אַל־תִּירָא כִּי רַבִּים אֲשֶׁר אִתָּנוּ IIK. 6:16
123/4 אַל־תִּירָא מִפְּנֵי הַדְּבָ׳ IIK. 19:6 • Is. 37:6
125 אַל־תִּירָא וּלְבָבְךָ אַל־יֵרַךְ Is. 7:4
126 אַל־תִּירָא עַמִּי יֹשֵׁב צִיּוֹן מֵאַשּׁוּר Is. 10:24
127 אַל־תִּירָא כִּי עִמְּךָ־אָנִי Is. 41:10
128 אַל־תִּירָא אֲנִי עֲזַרְתִּיךָ Is. 41:13
129 אַל־תִּירָא כִּי גְאַלְתִּיךָ Is. 43:1
130 אַל־תִּירָא כִּי־אִתְּךָ אָנִי Is. 43:5
131-134 אַל־תִּירָא עַבְדִּי יַעֲקֹב Is. 44:2
Jer. 30:10; 46:27, 28
135 אַל־תִּירָא מֵהֶם Ezek. 2:6
136/7 (וּ)מִדִּבְרֵיהֶם אַל־תִּירָא Ezek. 2:6²
138 לֹא־תִירָא אוֹתָם וְלֹא תֵחַת Ezek. 3:9
139 אַל־תִּירָא כִּי־יַעֲשִׁר אִישׁ Ps. 49:17
140 לֹא־תִירָא מִפַּחַד לָיְלָה Ps. 91:5
141 אַל־תִּירָא מִפַּחַד פִּתְאֹם Prov. 3:25
142 וְלֹא־תִירָא מִשֹּׁד כִּי יָבוֹא Job 5:21
143 וּמֵחַיַּת הָאָרֶץ אַל־תִּירָא Job 5:22
144 וְהָיִיתָ מֻצָק וְלֹא תִירָא Job 11:15
145 אָמַרְתָּ אַל־תִּירָא Lam. 3:57
146 אַל־תִּירָא דָנִיֵּאל Dan. 10:12
147 אַל־תִּירָא אִישׁ־חֲמֻדוֹת שָׁלוֹם לָךְ Dan. 10:19
תִּירְאִי
148 אַל־תִּירְאִי כִּי־שָׁמַע אֱלֹהִים Gen. 21:17
149 אַל־תִּירְאִי כִּי־גַם־זֶה לָךְ בֵּן Gen. 35:17
150 אַל־תִּירְאִי כִּי־בֵן יָלָדְתְּ ISh. 4:20
151 אַל־תִּירְאִי כִּי מָה רָאִית ISh. 28:13
152 אַל־תִּירְאִי בֹּאִי עֲשִׂי כִדְבָרֵךְ IK. 17:13
153 אַל־תִּירְאִי תּוֹלַעַת יַעֲקֹב Is. 41:14
154 אַל־תִּירְאִי כִּי־לֹא תֵבוֹשִׁי Is. 54:4
155 אַל־תִּירְאִי אֲדָמָה גִּילִי וּשְׂמָחִי Joel 2:21
156 אָמַרְתִּי אַךְ־תִּירְאִי אוֹתִי Zep. 3:7
157 יְיָ בְּקִרְבֵּךְ לֹא תִירְאִי רָע עוֹד Zep. 3:15
158 וְעַתָּה בִּתִּי אַל־תִּירְאִי Ruth 3:11
תִּירָאִי
159 הָרִימִי...קוֹלֵךְ...אַל־תִּירָאִי Is. 40:9
160 רַחֲקִי מֵעֹשֶׁק כִּי־לֹא תִירָאִי Is. 54:14
161 וְאוֹתִי לֹא תִירָאִי Is. 57:11
162 יֵאָמֵר לִירוּשָׁלַם אַל־תִּירָאִי Zep. 3:16
וַתִּירְאִי
163 מִי־אַתְּ וַתִּירְאִי מֵאֱנוֹשׁ יָמוּת Is. 51:12
164 וְאֶת־מִי דָּאַגְתְּ וַתִּירְאִי כִּי תְכַזֵּבִי Is. 57:11
יִירָא
165 אַרְיֵה שָׁאָג מִי לֹא יִירָא Am. 3:8
166 אִם־תַּחֲנֶה...לֹא־יִירָא לִבִּי Ps. 27:3
167 מִשְּׁמוּעָה רָעָה לֹא יִירָא Ps. 112:7
168 סָמוּךְ לִבּוֹ לֹא יִירָא Ps. 112:8
וַיִּירָא
169 וַיִּירָא וַיֹּאמַר מַה־נּוֹרָא... Gen. 28:17
170 וַיִּירָא יַעֲקֹב מְאֹד וַיֵּצֶר לוֹ Gen. 32:7
171 וַיִּירָא מֹשֶׁה וַיֹּאמַר... Ex. 2:14
172 וַיִּירָא כָל־הָעָם מְאֹד אֶת־יְיָ ISh. 12:18
173 וַיִּרָא שָׁאוּל מִלִּפְנֵי דָוִד ISh. 18:12
174 וַיִּרָא מְאֹד מִפְּנֵי אָכִישׁ ISh. 21:13
175 וַיִּרָא וַיֶּחֱרַד לִבּוֹ מְאֹד ISh. 28:5
176 וַיִּרָא מְאֹד מִדִּבְרֵי שְׁמוּאֵל ISh. 28:20
177 וַיִּרָא דָוִד אֶת־יְיָ בַּיּוֹם הַהוּא IISh. 6:9
178 וַיִּשְׁמַע אוּרִיָּהוּ וַיִּרָא וַיִּבְרַח Jer. 26:21
179 וַיִּרָא דָוִיד אֶת־הָאֱלֹהִים ICh. 13:12
180 וַיִּרָא וַיִּתֵּן...אֶת־פָּנָיו לִדְרוֹשׁ לַיְיָ IICh. 20:3

וַיִּירָאֵנִי
181 וָאֶתְּנֵם־לוֹ מוֹרָא וַיִּירָאֵנִי Mal. 2:5
יְרָאֲךָ
182 מִי לֹא יִרָאֲךָ מֶלֶךְ הַגּוֹיִם Jer. 10:7
תִּירָא
183 לֹא־תִירָא לְבֵיתָהּ מִשָּׁלֶג Prov. 31:21
וְתִירָא
184 תֵּרֶא אַשְׁקְלוֹן וְתִירָא Zech. 9:5
נִירָא
185 נִירָא נָא אֶת־יְיָ אֱלֹהֵינוּ Jer. 5:24
186 עַל־כֵּן לֹא־נִירָא בְּהָמִיר אָרֶץ Ps. 46:3
וַנִּירָא
187 וַנִּירָא מְאֹד לְנַפְשֹׁתֵינוּ מִפְּנֵיכֶם Josh. 9:24
תִּירְאוּ
188 אַל־תִּירְאוּ אֶת־עַם הָאָרֶץ Num. 14:9
189 אַל־תִּירְאוּ וְאַל־תַּחְפְּזוּ Deut. 20:3
190 אַל־תִּירְאוּ וְאַל־תַּעַרְצוּ Deut. 31:6
191 אַל־תִּירְאוּ וְאַל־תֵּחָתּוּ Josh. 10:25
192 לֹא תִירְאוּ אֶת־אֱלֹהֵי הָאֱמֹרִי Jud. 6:10
193 אִם־תִּירְאוּ אֶת־יְיָ וַעֲבַדְתֶּם אֹתוֹ IISh.12:14
194-6 (וְ)לֹא תִירְאוּ אֱלֹ׳ אֲחֵרִים IIK. 17:35, 37, 38
197 אַל־תִּירְאוּ מֵעַבְדֵי הַכַּשְׂדִּים IIK. 25:24
198 וְאֶת־מוֹרָאוֹ לֹא־תִירְאוּ Is. 8:12
199 אַל־תִּירְאוּ חֶרְפַּת אֱנוֹשׁ Is. 51:7
200 אַל־תִּירְאוּ מֵהֶם כִּי־לֹא יָרֵעוּ Jer. 10:5
201 אַל־תִּירְאוּ מֵעֲבוֹד הַכַּשְׂדִּים Jer. 40:9
202 אַל־תִּירְאוּ מִפְּנֵי מֶלֶךְ בָּבֶל Jer. 42:11
203 אַל־תִּירְאוּ מִמֶּנּוּ Jer. 42:11
204 אַל־תִּירְאוּ בַּהֲמוֹת שָׂדַי Joel 2:22
205 אַל־תִּירְאוּ מִפְּנֵיהֶם Neh. 4:8
206-208 אַל־תִּירְאוּ וְאַל־תֵּחַתּוּ IICh.20:15,17;32:7
תִּירָאוּ
209 שָׁלוֹם לָכֶם אַל־תִּירָאוּ Gen. 43:23
210 וַיֹּאמֶר אֲלֵהֶם יוֹסֵף אַל־תִּירָאוּ Gen. 50:19
211 וְעַתָּה אַל־תִּירָאוּ Gen. 50:21
212 אַל־תִּירָאוּ הִתְיַצְּבוּ וּרְאוּ... Ex. 14:13
213 אַל־תִּירָאוּ כִּי לְבַעֲבוּר נַסּוֹת... Ex. 20:17
214 אִישׁ אִמּוֹ וְאָבִיו תִּירָאוּ Lev. 19:3
215/6 וּמִקְדָּשִׁי תִּירָאוּ Lev. 19:30; 26:2
217 אַחֲרֵי יְיָ...תֵּלֵכוּ וְאֹתוֹ תִירָאוּ Deut. 13:5
218 וַיֹּאמֶר שְׁמוּ׳ אֶל־הָעָם אַל־תִּירָאוּ ISh. 12:20
219 וַהֲמִתֶּם אֹתוֹ אַל־תִּירָאוּ IISh. 13:28
220 אֹתוֹ תִירָאוּ וְלוֹ תִשְׁתַּחֲווּ IIK. 17:36
221 כִּי אִם־אֶת־יְיָ אֱלֹהֵיכֶם תִּירָאוּ IIK. 17:39
222 אִמְרוּ...חִזְקוּ אַל־תִּירָאוּ Is. 35:4
223 הַאוֹתִי לֹא־תִירָאוּ נְאֻם־יְיָ Jer. 5:22
224 וְרוּחִי עֹמֶדֶת בְּתוֹכְכֶם אַל־תִּירָאוּ Hag.2:5
225 אַל־תִּירָאוּ תֶּחֱזַקְנָה יְדֵיכֶם Zech. 8:13
226 כֵּן שַׁבְתִּי...אַל־תִּירָאוּ Zech. 8:15
וְתִירְאוּ
227 יֵרַךְ לְבַבְכֶם וְתִירְאוּ בַּשְּׁמוּעָה Jer. 51:46
וַתִּירָאוּ
228 תִּרְאוּ חֲתַת וַתִּירָאוּ Job 6:21
תִּירְאוּן
229 יָדַעְתִּי כִּי טֶרֶם תִּירְאוּן מִפְּנֵי יְיָ Ex. 9:30
230 לֹא־תַעַרְצוּן וְלֹא־תִירְאוּן מֵהֶם Deut. 1:29
תִּירָאוּם
231 וַיְיָ אִתָּנוּ אַל־תִּירָאֻם Num. 14:9
232 לֹא תִּירָאוּם כִּי יְיָ...הַנִּלְחָם לָכֶם Deut. 3:22
יִירְאוּ
233 אֵיךְ יִירְאוּ אֶת־יְיָ IIK. 17:28
234 וְלֹא־יִירְאוּ עוֹד וְלֹא־יֵחַתּוּ Jer. 23:4
235 יִירְאוּ מֵיְיָ כָּל־הָאָרֶץ Ps. 33:8
236 לְיִרְאֵי הָאֱלֹ׳ אֲשֶׁר יִירְאוּ מִלְּפָנָיו Eccl. 8:12
יִירָאוּ
237 פִּתְאֹם יֹרֻהוּ וְלֹא יִירָאוּ Ps. 64:5
238 גַּם מִגָּבֹהַּ יִירָאוּ Eccl. 12:5
וְיִירְאוּ
239 וְיִירְאוּ מִכֶּם וְנִשְׁמַרְתֶּם מְאֹד Deut. 2:4
240 וְיִירְאוּ מִמַּעֲרָב אֶת־שֵׁם יְיָ Is. 59:19
241 אֶל־יְיָ...יִפְחָדוּ וְיִרְאוּ מִמֶּךָּ Mic. 7:17
242 וְיִירְאוּ אוֹתוֹ כָּל־אַפְסֵי־אָרֶץ Ps. 67:8
243 וְיִירְאוּ גוֹיִם אֶת־שֵׁם יְיָ Ps. 102:16
וְיִרָאוּ
244 וְכָל־הָעָם יִשְׁמְעוּ וְיִרָאוּ Deut. 17:13
245 וְהַנִּשְׁאָרִים יִשְׁמְעוּ וְיִרָאוּ Deut. 19:20
246 וְכָל־יִשְׂרָאֵל יִשְׁמְעוּ וְיִרָאוּ Deut. 21:21
247 רָאוּ אִיִּים וְיִירָאוּ Is. 41:5

248 יִרְאוּ רַבִּים וְיִירָאוּ Ps. 40:4
249 וְיִרְאוּ צַדִּיקִים וְיִירָאוּ Ps. 52:8
וַיִּירְאוּ
250 וַיִּירְאוּ הָאֲנָשִׁים מְאֹד Gen. 20:8
251 וַיִּירְאוּ...כִּי הוּבְאוּ בֵּית יוֹסֵף Gen. 43:18
252 וַיִּירְאוּ מְאֹד וַיִּצְעֲקוּ בְ״ אֶל־יְיָ Ex. 14:10
253 וַיַּרְא...וַיִּירְאוּ הָעָם אֶת־יְיָ Ex. 14:31
254 וַיִּירְאוּ מִגֶּשֶׁת אֵלָיו Ex. 34:30
255 וַיִּרְאוּ אֹתוֹ כַּאֲשֶׁר יָרְאוּ אֶת־מֹשֶׁה Josh. 4:14
256 וַיִּירְאוּ מְאֹד כִּי עִיר גְּדוֹלָה גִּבְעוֹן Josh. 10:2
257 וַיִּרְאוּ הַפְּלִשְׁתִּים כִּי אָמְרוּ... ISh. 4:7
258 וַיִּשְׁמְעוּ בְ״ וַיִּרְאוּ מִפְּנֵי פְלִשְׁתִּים ISh. 7:7
259 וַיִּשְׁמַע...וַיֵּחַתּוּ וַיִּרְאוּ מְאֹד ISh. 17:11
260 וַיָּנֻסוּ מִפָּנָיו וַיִּירְאוּ מְאֹד ISh. 17:24
261 וַיִּרְאוּ אֲרָם לְהוֹשִׁיעַ עוֹד IISh. 10:19
262 וַיִּרְאוּ עַבְדֵי דָוִד לְהַגִּיד לוֹ IISh. 12:18
263 וַיִּשְׁמְעוּ...וַיִּרְאוּ מִפְּנֵי הַמֶּלֶךְ IK. 3:28
264 וַיִּרְאוּ מְאֹד מְאֹד וַיֹּאמְרוּ IIK. 10:4
265 וַיִּירְאוּ אֱלֹהִים אֲחֵרִים IIK. 17:7
266 וַיִּירְאוּ הַמַּלָּחִים וַיִּזְעֲקוּ Jon. 1:5
267/8 וַיִּירְאוּ הָאֲנָשִׁים יִרְאָה גְדוֹלָה Jon. 1:10, 16
269 וַיִּירְאוּ הָעָם מִפְּנֵי יְיָ Hag. 1:12
270 וַיִּירְאוּ כָּל־אָדָם Ps. 64:10
271 וַיִּירְאוּ יֹשְׁבֵי קְצָוֹת מֵאוֹתֹתֶיךָ Ps. 65:9
272 וַיִּרְאוּ כָּל־הַגּוֹיִם אֲשֶׁר סְבִיבֹתֵינוּ Neh. 6:16
וַיִּירָאוּ
273 וַיִּרְאוּ...הֵמָּה וַאֲבִיהֶם וַיִּירָאוּ Gen. 42:35
שֶׁיִּרְאוּ
274 וְהָאֱלֹהִים עָשָׂה שֶׁיִּרְאוּ מִלְּפָנָיו Eccl. 3:14
וְיִרָאוּן
275 וְכָל־יִשְׂרָאֵל יִשְׁמְעוּ וְיִרָאוּן Deut. 13:12
יִירָאוּךָ
276 לְמַעַן יִרָאוּךָ כָּל־הַיָּמִים IK. 8:40
277 קִרְיַת גּוֹיִם עָרִיצִים יִירָאוּךָ Is. 25:3
278 יִירָאוּךָ עִם־שָׁמֶשׁ Ps. 72:5
279 לְמַעַן יִירָאוּךָ לָלֶכֶת בִּדְרָכֶיךָ IICh. 6:31
וַתִּירֶאןָ
280 וַתִּירֶאןָ הַמְיַלְּדֹת אֶת־הָאֱלֹהִים Ex. 1:17
יְרָא
281 יְרָא אֶת־יְיָ וְסוּר מֵרָע Prov. 3:7
282 יְרָא אֶת־יְיָ בְּנִי וָמֶלֶךְ Prov. 24:21
283/4 אֶת־הָאֱלֹהִים יְרָא Eccl. 5:6; 12:13
יְראוּ
285 וְעַתָּה יְראוּ אֶת־יְיָ Josh. 24:14
286 אַךְ יְראוּ אֶת־יְיָ ISh. 12:24
287 יְראוּ אֶת־יְיָ קְדֹשָׁיו... Ps. 34:10
תִּוָּרֵא
288 כִּי־עִמְּךָ הַסְּלִיחָה לְמַעַן תִּוָּרֵא Ps. 130:4
לְיָרְאֵנִי
289 אִגְּרוֹת שָׁלַח טוֹבִיָּה לְיָרְאֵנִי Neh. 6:19
לְיָרְאָם
290 וַיִּקְרְאוּ בְקוֹל...לְיָרְאָם וּלְבַהֲלָם IICh. 32:18
יֵרְאֻנִי
291 כִּי יֵרְאֻנִי הָעָם IISh. 14:15
מְיָרְאִים
292 כִּי כֻלָּם מְיָרְאִים אוֹתָנוּ לֵאמֹר... Neh. 6:9
293 אֲשֶׁר הָיוּ מְיָרְאִים אוֹתִי Neh. 6:14

יָרֵא²
ת׳ א) מפחד: 2
ב) [בהשאלה] שומר מצוות ה׳, אדוק באמונתו: 1, 3-43
– יְרֵא אֱלֹהִים 3, 9-11, 13, 15; יְרֵא יְיָ 4-8; יְרֵא מִצְוָה 12; יִרְאַת יְיָ 14
– יִרְאֵי אֱלֹהִים 15, 21, 27; יִרְאֵי יְיָ 16, 18, 19, 22-26; יִרְאֵי שְׁמוֹ 17, 20; רְצוֹן יְרֵאָיו 37
יָרֵא
1 חָכָם יָרֵא וְסָר מֵרָע Prov. 14:16
הַיָּרֵא
2 מִי־הָאִישׁ הַיָּרֵא וְרַךְ הַלֵּבָב Deut. 20:8
יְרֵא־
3 עַתָּה יָדַעְתִּי כִּי־יְרֵא אֱלֹ׳ אַתָּה Gen. 22:12
4 מִי בָכֶם יְרֵא יְיָ Is. 50:10
5 מִי־זֶה הָאִישׁ יְרֵא יְיָ Ps. 25:12
6 אַשְׁרֵי כָּל־יְרֵא יְיָ Ps. 128:1
7 הִנֵּה כִּי־כֵן יְבֹרַךְ גָּבֶר יְרֵא יְיָ Ps. 128:4
8 הוֹלֵךְ בְּיָשְׁרוֹ יְרֵא יְיָ Prov. 14:2
9-10 יְרֵא אֱלֹהִים וְסָר מֵרָע Job 1:8; 2:3
11 כִּי־יְרֵא אֱלֹהִים יֵצֵא אֶת־כֻּלָּם Eccl. 7:18

וִירֵא־ 12 וִירֵא מִצְוָה הוּא יְשֻׁלָּם Prov. 13:13
13 וִירֵא אֱלֹהִים וְסָר מֵרָע Job 1:1
יִרְאַת־ 14 אִשָּׁה יִרְאַת־יְיָ הִיא תִתְהַלָּל Prov. 31:30
יִרְאֵי־ 15 אַנְשֵׁי־חַיִל יִרְאֵי אֱלֹהִים Ex. 18:21
16 אָז נִדְבְּרוּ יִרְאֵי יְיָ אִישׁ אֶל־רֵעֵהוּ Mal. 3:16
17 וְזָרְחָה לָכֶם יִרְאֵי שְׁמִי שֶׁמֶשׁ צְדָקָה Mal. 3:20
18 וְאֶת־יִרְאֵי יְיָ יְכַבֵּד Ps. 15:4
19 יִרְאֵי יְיָ הַלְלוּהוּ Ps. 22:24
20 נָתַתָּ יְרֻשַּׁת יִרְאֵי שְׁמֶךָ Ps. 61:6
21 שִׁמְעוּ וַאֲסַפְּרָה כָּל־יִרְאֵי אֱלֹ׳ Ps. 66:16
22 יִרְאֵי יְיָ בִּטְחוּ בַיְיָ Ps. 115:11
23 יִרְאֵי יְיָ הַקְּטַנִּים עִם־הַגְּדֹלִים Ps. 115:13
24 יֹאמְרוּ־נָא יִרְאֵי יְיָ Ps. 108:4
25 יִרְאֵי יְיָ בָּרְכוּ אֶת־יְיָ Ps. 135:20
לְיִרְאֵי 26 לְיִרְאֵי יְיָ וּלְחֹשְׁבֵי שְׁמוֹ Mal. 3:16
27 אֲשֶׁר יִהְיֶה־טּוֹב לְיִרְאֵי הָאֱלֹהִים Eccl. 8:12
יְרֵאֶיךָ 28 יְרֵאֶיךָ יִרְאוּנִי וְיִשְׂמָחוּ Ps. 119:74
29 יָשׁוּבוּ לִי יְרֵאֶיךָ וְיֹדְעֵי עֵדֹתֶיךָ Ps. 119:79
לִירֵאֶיךָ 30 מָה רַב טוּבְךָ...צָפַנְתָּ לִּירֵאֶיךָ Ps. 31:20
31 נָתַתָּה לִּירֵאֶיךָ נֵּס לְהִתְנוֹסֵס Ps. 60:6
יְרֵאָיו 32 נְדָרַי אֲשַׁלֵּם נֶגֶד יְרֵאָיו Ps. 22:26
33 הִנֵּה עֵין יְיָ אֶל־יְרֵאָיו Ps. 33:18
34 גָּבַר חַסְדּוֹ עַל־יְרֵאָיו Ps. 103:11
35 כְּרַחֵם...רִחַם יְיָ עַל־יְרֵאָיו Ps. 103:13
36 וְחֶסֶד יְיָ מֵעוֹלָם וְעַד־עוֹ׳ עַל־יְרֵאָיו Ps. 103:17
37 רְצוֹן־יְרֵאָיו יַעֲשֶׂה Ps. 145:19
38 רוֹצֶה יְיָ אֶת־יְרֵאָיו Ps. 147:11
לִירֵאָיו 39 סוֹד יְיָ לִירֵאָיו Ps. 25:14
40 חֹנֶה מַלְאַךְ־יְיָ סָבִיב לִירֵאָיו Ps. 34:8
41 כִּי־אֵין מַחְסוֹר לִירֵאָיו Ps. 34:10
42 אַךְ קָרוֹב לִירֵאָיו יִשְׁעוֹ Ps. 85:10
43 טֶרֶף נָתַן לִירֵאָיו Ps. 111:5

יִרְאָה נ׳ א) פחד: 1-5, 10

ב) חרדת כבוד: 6-9, 11-45

קרובים: ראה חֲרָדָה

יִרְאָה גְּדוֹלָה 2, 3; יִרְאַת אֱלֹהִים 8, 9, 25, 33; יִרְאַת יְיָ 11-24,26,27,29-32,34,35; יִרְאַת שַׁדַּי 28; יִרְאַת שָׁמִיר וָשַׁיִת 10

יִרְאָה 1 וְנָתַתִּי יִרְאָה בְּאֶרֶץ מִצְרָיִם Ezek. 30:13
2 וַיִּירְאוּ הָאֲנָשִׁים יִרְאָה גְדוֹלָה Jon. 1:10
3 וַיִּירְאוּ הָאֲנָשִׁים יִרְאָה גְדוֹלָה אֶת־יְיָ Jon. 1:16
4 יִרְאָה וָרַעַד יָבֹא בִי Ps. 55:6
5 אַף־אַתָּה תָּפֵר יִרְאָה Job 15:4
וְיִרְאָה 6 וְגֹבַהּ לָהֶם וְיִרְאָה לָהֶם Ezek. 1:18
בְּיִרְאָה 7 עִבְדוּ אֶת־יְיָ בְּיִרְאָה Ps. 2:11
יִרְאַת־ 8 רַק אֵין־יִרְאַת אֱלֹ׳ בַּמָּקוֹם הַזֶּה Gen. 20:11
9 צַדִּיק מוֹשֵׁל יִרְאַת אֱלֹהִים IISh. 23:3
10 לֹא־תָבוֹא שָׁמָּה יִרְאַת שָׁמִיר וָשָׁיִת Is. 7:25
11 יִרְאַת יְיָ הִיא אוֹצָרוֹ Is. 33:6
12 יִרְאַת יְיָ טְהוֹרָה עוֹמֶדֶת לָעַד Ps. 19:10
13 יִרְאַת יְיָ אֲלַמֶּדְכֶם Ps. 34:12
14 רֵאשִׁית חָכְמָה יִרְאַת יְיָ Ps. 111:10
15 יִרְאַת יְיָ רֵאשִׁית דָּעַת Prov. 1:7
16 אָז תָּבִין יִרְאַת יְיָ Prov. 2:5
17 יִרְאַת יְיָ שְׂנֹאת רָע Prov. 8:13
18 תְּחִלַּת חָכְמָה יִרְאַת יְיָ Prov. 9:10
19 יִרְאַת יְיָ תּוֹסִיף יָמִים Prov. 10:27
20 יִרְאַת יְיָ מְקוֹר חַיִּים Prov. 14:27
21 יִרְאַת יְיָ מוּסַר חָכְמָה Prov. 15:33
22 יִרְאַת יְיָ לְחַיִּים Prov. 19:23

יִרְאַת (המשך) 23 עֵקֶב עֲנָוָה יִרְאַת יְיָ Prov. 22:4
24 הֵן יִרְאַת אֲדֹנָי הִיא חָכְמָה Job 28:28
25 לֹא־עָשִׂיתִי כֵן מִפְּנֵי יִרְאַת אֱלֹהִים Neh. 5:15
וְיִרְאַת־ 26 רוּחַ דַּעַת וְיִרְאַת יְיָ Is. 11:2
27 וְיִרְאַת יְיָ לֹא בָחָרוּ Prov. 1:29
28 וְיִרְאַת שַׁדַּי יַעֲזוֹב Job 6:14
בְּיִרְאַת־ 29 וַהֲרִיחוֹ בְּיִרְאַת יְיָ Is. 11:3
30 בְּיִרְאַת יְיָ מִבְטַח־עֹז Prov. 14:26
31 טוֹב־מְעַט בְּיִרְאַת יְיָ Prov. 15:16
32 כִּי אִם־בְּיִרְאַת־יְיָ כָּל־הַיּוֹם Prov. 23:17
33 הֲלוֹא בְּיִרְאַת אֱלֹהֵינוּ תֵּלֵכוּ Neh. 5:9
34 כֹּה תַעֲשׂוּן בְּיִרְאַת יְיָ IICh. 19:9
וּבְיִרְאַת־ 35 וּבְיִרְאַת יְיָ סוּר מֵרָע Prov. 16:6
יִרְאָתִי 36 וְאֶת־יִרְאָתִי אֶתֵּן בִּלְבָבָם Jer. 32:40
יִרְאָתְךָ 37 הֲלֹא יִרְאָתְךָ כִּסְלָתֶךָ Job 4:6
וְיִרְאָתְךָ 38 פַּחְדְּךָ וְיִרְאָתְךָ עַל־פְּנֵי הָעַמִּים Deut. 2:25
בְּיִרְאָתֶךָ 39 אֶשְׁתַּחֲוֶה אֶל־הֵיכַל...בְּיִרְאָתֶךָ Ps. 5:8
וּכְיִרְאָתְךָ 40 מִי־יוֹדֵעַ...וּכְיִרְאָתְךָ עֶבְרָתֶךָ Ps. 90:11
לְיִרְאָתֶךָ 41 הָקֵם...אִמְרָתֶךָ אֲשֶׁר לְיִרְאָתֶךָ Ps. 119:38
מִיִּרְאָתֶךָ 42 תַּקְשִׁיחַ לִבֵּנוּ מִיִּרְאָתֶךָ Is. 63:17
הֲמִיִּרְאָתְךָ 43 הֲמִיִּרְאָתְךָ יֹכִיחֶךָ Job 22:4
יִרְאָתוֹ 44 וּבַעֲבוּר תִּהְיֶה יִרְאָתוֹ עַל־פְּנֵיכֶם Ex. 20:17

יִרְאוֹן עיר כנענית בנחלת נפתלי

וְיִרְאוֹן 1 וְיִרְאוֹן וּמִגְדַּל־אֵל Josh. 19:38

יִרְאִיָּה שפ״ז – פקיד צדקיהו מלך יהודה: 1, 2

יִרְאִיָּה 1 וּשְׁמוֹ יִרְאִיָּה בֶּן־שֶׁלֶמְיָה Jer. 37:13
2 וַיִּתְפֹּשׂ יִרְאִיָּה בְּיִרְמְיָהוּ Jer. 37:14

יָרֵב שפ״ז – כנוי למלך אשור בפי הושע: 1, 2

יָרֵב 1 וַיִּשְׁלַח אֶל־מֶלֶךְ יָרֵב Hosh. 5:13
2 מִנְחָה לְמֶלֶךְ יָרֵב Hosh. 10:6

יִרֶב (בראשית א22) – עין רבה

יָרֶב (שופטים ו 31) – עין ריב

יְרֻבַּעַל שפ״ז – כנוי לגדעון השופט: 1–14

בֵּית יְרֻבַּעַל 4; בֶּן יְ׳ 5, 8, 11, 14; בְּנֵי יְ׳ 6, 7, 13

יְרֻבַּעַל 1 וַיִּקְרָא־לוֹ בַיּוֹם־הַהוּא יְרֻבַּעַל Jud. 6:32
2 וַיַּשְׁכֵּם יְרֻבַּעַל הוּא גִדְעוֹן Jud. 7:1
3 וַיֵּלֶךְ יְרֻבַּעַל בֶּן־יוֹאָשׁ וַיֵּשֶׁב בְּבֵיתוֹ Jud. 8:29
4 עִם־בֵּית יְרֻבַּעַל גִּדְעוֹן Jud. 8:35
5 וַיֵּלֶךְ אֲבִימֶלֶךְ בֶּן־יְרֻבַּעַל שְׁכֶמָה Jud. 9:1
6 שִׁבְעִים אִישׁ כֹּל בְּנֵי יְרֻבַּעַל Jud. 9:2
7 וַיַּהֲרֹג אֶת־אֶחָיו בְּנֵי־יְרֻבַּעַל Jud. 9:5
8 וַיִּוָּתֵר יוֹתָם בֶּן־יְרֻבַּעַל הַקָּטֹן Jud. 9:5
9 וְאִם־טוֹבָה עֲשִׂיתֶם עִם־יְרֻבַּעַל Jud. 9:16
10 וְאִם...עֲשִׂיתֶם עִם־יְרֻבַּעַל Jud. 9:19
11 הֲלֹא בֶן־יְרֻבַּעַל וּזְבֻל פְּקִידוֹ Jud. 9:28
12 וַיִּשְׁלַח יְיָ אֶת־יְרֻבַּעַל וְאֶת־בְּדָן ISh. 12:11
יְרֻבָּעַל 13 חֲמַס שִׁבְעִים בְּנֵי־יְרֻבָּעַל Jud. 9:24
14 קִלְלַת יוֹתָם בֶּן־יְרֻבָּעַל Jud. 9:57

יָרָבְעָם שפ״ז א) בן־נבט, הראשון למלכי ישראל: 1-77, 90–92, 94–101, 103, 104

ב) בן־יואש, מלך ישראל: 78–89, 93, 102

אֵשֶׁת יָרָבְעָם 9-13; בֵּית יְ׳ 7, 14-24, 86; בֶּן יְ׳ 8, 38, 83; דִּבְרֵי יְ׳ 37, 81; דֶּרֶךְ יְ׳ 39-43; חַטֹּאת יָרָבְעָם 25-36; יְמֵי יָרָבְעָם 84, 85, 89

יָרָבְעָם (א) 1 וְהָאִישׁ יָרָבְעָם גִּבּוֹר חָיִל IK. 11:28
2 וַיְבַקֵּשׁ שְׁלֹמֹה לְהָמִית אֶת־יָרָבְעָם IK. 11:40
3 וַיָּקָם יָרָבְעָם וַיִּבְרַח מִצְרַיִם IK. 11:40

יָרָבְעָם (המשך) 4 וַיְהִי כִּשְׁמֹעַ יָרָבְעָם בֶּן־נְבָט... IK. 12:2
5 וַיֵּשֶׁב יָרָבְעָם בְּמִצְרָיִם IK. 12:2
6 וַיָּבֹא° יָרָבְעָם וְכָל־קְהַל יִשְׂרָאֵל IK. 12:3
7 וַיְהִי...לְחַטַּאת בֵּית יָרָבְעָם IK. 13:34
8 בָּעֵת הַהִיא חָלָה אֲבִיָּה בֶן־יָרָבְעָם IK. 14:1
9 וְלֹא יֵדְעוּ כִּי־אַתְּ° אֵשֶׁת יָרָבְעָם IK. 14:2
13-10 אֵשֶׁת יָרָבְעָם IK. 14:4, 5, 6, 17
14 הִנְנִי מֵבִיא רָעָה אֶל־בֵּית יָרָבְעָם IK. 14:10
24-15 (כְּבֵ/בֵּ)בֵּית יָרָבְעָם IK. 14:10, 13, 14
15:29; 16:3, 7; 21:22 • IIK. 9:9; 13:11; 14:24
36-25 (בְּ/מֵ) חַטֹּאות יָרָבְעָם IK.14:16;15:30;16:31
• IIK. 3:3; 10:31; 13:2, 6; 15:9, 18, 24, 28; 17:22
37 וְיֶתֶר דִּבְרֵי יָרָבְעָם אֲשֶׁר נִלְחַם IK. 14:19
38 וְנָדָב בֶּן־יָרָבְעָם מָלַךְ עַל־יִשְׂרָאֵל IK. 15:25
43-39 (וּ)בְּדֶרֶךְ יָרָבְעָם IK. 15:34;16:2,19,26;22:53
44 רַק חַטָּאֵי יָרָבְעָם בֶּן־נְבָט... IIK. 10:29
77-45 יָרָבְעָם (בֶּן־נְבָט) IK. 12:12, 15, 20, 25, 26, 32
13:4, 33; 14:2, 20, 30; 15:1, 6, 7 • IIK. 17:21²; 23:15 • IICh. 9:29; 10:2², 3, 12, 15; 11:4, 14; 13:1, 2, 4, 6, 8, 15, 19, 20
78 וַיִּמְלֹךְ יָרָבְעָם בְּנוֹ תַּחְתָּיו IIK. 14:16
79 בִּשְׁנַת...מָלַךְ יָרָבְעָם בֶּן־יוֹאָשׁ IIK. 14:23
80 וַיּוֹשִׁיעֵם בְּיַד יָרָבְעָם בֶּן־יוֹאָשׁ IIK. 14:27
81 וְיֶתֶר דִּבְרֵי יָרָבְעָם... IIK. 14:28
82 וַיִּשְׁכַּב יָרָבְעָם עִם־אֲבֹתָיו IIK. 14:29
83 בִּשְׁנַת...מָלַךְ זְכַרְיָהוּ בֶן־יָרָבְעָם IIK. 15:8
84/5 וּבִימֵי יָרָבְעָם בֶּן־יוֹאָשׁ Hosh. 1:1 • Am. 1:1
86 וְקַמְתִּי עַל־בֵּית יָרָבְעָם בֶּחָרֶב Am. 7:9
87 וַיִּשְׁלַח אֲמַצְיָה...אֶל־יָרָבְעָם Am. 7:10
88 בַּחֶרֶב יָמוּת יָרָבְעָם Am. 7:11
89 וּבִימֵי יָרָבְעָם מֶלֶךְ־יִשְׂרָאֵל ICh. 5:17
וְיָרָבְעָם 90 וְיָרָבְעָם בֶּן־נְבָט אֶפְרָתִי IK. 11:26
91 וְיָרָבְעָם יָצָא מִירוּשָׁלָםִ IK. 11:29
92 וְיָרָבְעָם עֹמֵד עַל־הַמִּזְבֵּחַ לְהַקְטִיר IK. 13:1
93 וְיָרָבְעָם יָשַׁב עַל־כִּסְאוֹ IIK. 13:13
94 וּמִלְחֲמוֹת רְחַבְעָם וְיָרָבְעָם IICh. 12:15
95 וְיָרָבְעָם עָרַךְ עִמּוֹ מִלְחָמָה IICh. 13:3
96 וְיָרָבְעָם הֵסֵב אֶת־הַמַּאֲרָב IICh. 13:13
לְיָרָבְעָם 97 וַיֹּאמֶר לְיָרָבְעָם קַח־לְךָ... IK. 11:31
98 לְכִי אִמְרִי לְיָרָבְעָם כֹּה־אָמַר יְיָ IK. 14:7
99 וְהִכְרַתִּי לְיָרָבְעָם מַשְׁתִּין בְּקִיר IK. 14:10
100 הַמֵּת לְיָרָבְעָם בָּעִיר IK. 14:11
101 זֶה לְבַדּוֹ יָבֹא לְיָרָבְעָם אֶל־קָבֶר IK. 14:13
102 בִּשְׁנַת...לְיָרָבְעָם מֶלֶךְ יִשְׂרָאֵל IIK. 15:1
103 וּבִשְׁנַת עֶשְׂרִים לְיָרָבְעָם... IK. 15:9
104 לֹא־הִשְׁאִיר כָּל־נְשָׁמָה לְיָרָבְעָם IK. 15:29

יְרֻבֶּשֶׁת שפ״ז – כנוי נוסף לירובעל הוא גדעון

יְרֻבֶּשֶׁת 1 מִי־הִכָּה אֶת־אֲבִימֶלֶךְ בֶּן־יְרֻבֶּשֶׁת IISh. 11:21

ירד : יָרַד, הוֹרִיד, הוּרַד; מוֹרָד; ש״פ יֶרֶד, יַרְדֵּן

יָרַד פ׳ א) עבר (אדם או דומם) ממקום למקום נמוך, בא לְמַטָּה: רוב המקראות 1-306

ב) [בהשאלה] נפל, נהרס: 4, 24, 236, 248

ג) שקע: 61, 83

ד) [הפ׳ הוֹרִיד] העביר למטה, השפיל (גם בהשאלה): 307-373

ה) [הפ׳ הוּרַד] הֻעֲבַר למטה, הושפל: 374-379

יָרַד אֵפוֹד 41; יָרַד בּוֹר 2; יְ׳ גָּאוֹן 77; יָרַד הַגְּבוּל 63-75; יְ׳ גֶשֶׁם 183; יְ׳ הֲדָרוֹ 76; יְ׳ זָקָן 119; יָרַד חֲמָסוֹ 184; יְ׳ טַל 9, 120; יְ׳ הַיּוֹם 47, 61; יָרַד יַעַר 56; יְ׳ מָטָר 186; יָרַד מֵרַאֲשֹׁתָיו 53

יָרַד עַמּוּד עָנָן 175; יְ׳ רָע 55; יְ׳ שְׁאוֹל(ה) 22, 94, 97, 104, 115, 156, 256; יָרַד שַׁחַת 20, 21
– יָרְדָה אֵשׁ 8, 79, 82, 245, 246; יָרְדָה עֵינוֹ דִּמְעָה 240, 278, 280; יָרְדָה עֵינוֹ מַיִם 121, 239; יָרְדָה הַשֶּׁמֶשׁ 80, 81, 83
– יָרְדוּ מַיִם 128, 130, 131; יָרְדוּ עֵינָיו מַיִם 99
– יוֹרְדֵי בוֹר 134, 135, 137–148, 152; יְ׳ דוּמָה 151; יוֹרְדֵי יָם 136, 150; יוֹרְדֵי עָפָר 149

יָרֹד 1 יָרֹד יָרַדְנוּ בַּתְּחִלָּה לִשְׁבָּר־אֹכֶל Gen. 43:20
מִיָּרְדִי 2 חִיִּיתַנִי מִיָּרְדִי־(כת׳ מיורדי)בוֹר Ps. 30:4
מֵרְדָה 3 אַל־תִּירָא מֵרְדָה מִצְרַיְמָה Gen. 46:3
רֶדֶת 4 עַד רֶדֶת חֹמֹתֶיךָ הַגְּבֹהֹת Deut. 28:52
בְּרֶדֶת 5 וַיְהִי בְּרֶדֶת מֹשֶׁה מֵהַר סִינַי Ex. 34:29
6 אֲשֶׁר דִּבֶּר בְּרֶדֶת הַמֶּלֶךְ אֵלָיו IIK. 7:17
7 וּבָרַד בְּרֶדֶת הַיָּעַר Is. 32:19
8 וְכֹל בְּ־יְ רֹאִים בְּרֶדֶת הָאֵשׁ IICh. 7:3
וּבְרֶדֶת 9 וּבְרֶדֶת הַטַּל עַל־הַמַּחֲנֶה Num. 11:9
לָרֶדֶת 10 וַנֹּאמֶר לֹא נוּכַל לָרֶדֶת Gen. 44:26
11 כִּי־בֹשֵׁשׁ מֹשֶׁה לָרֶדֶת מִן־הָהָר Ex. 32:1
12 כִּי־לֹא נְתָנוֹ לָרֶדֶת לָעֵמֶק Jud. 1:34
13 וְאִם־יָרֵא אַתָּה לָרֶדֶת Jud. 7:10
14 וַיְשַׁמַּע שָׁאוּל...לָרֶדֶת קְעִילָה ISh. 23:8
15 לְכָל־אַוַּת נַפְשְׁךָ הַמֶּלֶךְ לָרֶדֶת רֵד ISh. 23:20
16 לָרֶדֶת לִקְרַאת אֲדֹנִי הַמֶּלֶךְ IISh. 19:21
17 וַיָּקָם אַחְאָב לָרֶדֶת אֶל־כֶּרֶם נָבוֹת IK. 21:16
18 הַהֹלְכִים לָרֶדֶת מִצְרַיִם Is. 30:2
19 וְלֹא אוּכַל לָרֶדֶת Neh. 6:3
מֵרֶדֶת 20 פְּדָעֵהוּ מֵרֶדֶת שַׁחַת Job 33:24
בְּרִדְתִּי 21 מַה־בֶּצַע בְּדָמִי בְּרִדְתִּי אֶל שָׁחַת Ps. 30:10
רִדְתּוֹ 22 בְּיוֹם רִדְתּוֹ שְׁאֹלָה... Ezek. 31:15
בְּרִדְתּוֹ 23 בְּרִדְתּוֹ מִן־הָהָר Ex. 34:29
רִדְתָּהּ 24 וּבָנִיתָ מָצוֹר...עַד רִדְתָּהּ Deut. 20:20
יָרַדְתִּי 25 לְקִצְבֵי הָרִים יָרַדְתִּי Jon. 2:7
26 אֶל־גִּנַּת אֱגוֹז יָרַדְתִּי S.ofS. 6:11
וְיָרַדְתִּי 27 וְיָרַדְתִּי וְדִבַּרְתִּי עִמְּךָ שָׁם Num. 11:17
28 וְאֵלְכָה וְיָרַדְתִּי עַל־הֶהָרִים Jud. 11:37
29 כַּאֲשֶׁר אַרְפֶּהָ וְיָרַדְתִּי אֲלֵיכֶם Neh. 6:3
יָרַדְתָּ 30 לָמָּה־זֶּה יָרַדְתָּ וְעַל־מִי נָטַשְׁתָּ... ISh. 17:28
31 מַדּוּעַ לֹא־יָרַדְתָּ אֶל־בֵּיתֶךָ IISh. 11:10
32 לוּא־קָרַעְתָּ שָׁמַיִם יָרַדְתָּ Is. 63:19
33 יָרַדְתָּ מִפָּנֶיךָ הָרִים נָזֹלּוּ Is. 64:2
34 וְעַל הַר־סִינַי יָרַדְתָּ Neh. 9:13
יָרָדְתָּ 35 לְמַעַן רְאוֹת הַמִּלְחָמָה יָרָדְתָּ ISh. 17:28
וְיָרַדְתָּ 36 תֶּחֱזַקְנָה יָדֶיךָ וְיָרַדְתָּ בַּמַּחֲנֶה Jud. 7:11
37 וְיָרַדְתָּ לְפָנַי הַגִּלְגָּל ISh. 10:8
38 קוּם וְיָרַדְתָּ בֵּית הַיּוֹצֵר Jer. 18:2
וְיָרַדְתְּ 39 וְרָחַצְתְּ...וְיָרַדְתְּ (כת׳ וירדתי) הַגֹּרֶן Ruth 3:3
יָרַד 40 מִפְּנֵי אֲשֶׁר יָרַד עָלָיו יְיָ Ex. 19:18
41 וַיְהִי בִּבְרֹחַ...אֵפוֹד יָרַד בְּיָדוֹ ISh. 23:6
42 וַיִּשְׁכַּב אוּרִיָּה וְלֹא יָרַד אֶל־בֵּיתוֹ IISh. 11:9
43 לֹא־יָרַד אוּרִיָּה אֶל־בֵּיתוֹ IISh. 11:10
44 וּמְפִבֹשֶׁת...יָרַד לִקְרַאת הַמֶּלֶךְ IISh. 19:25
45 וּבַרְזִלַּי הַגִּלְעָדִי יָרַד מֵרֹגְלִים IISh. 19:32
46 וְהוּא יָרַד וְהִכָּה אֶת־הָאֲרִי־ IISh. 23:20
47 כִּי יָרַד הַיּוֹם וַיִּזְבַּח שׁוֹר... IK. 1:25
48 וְהוּא־יָרַד לִקְרָאתִי הַיַּרְדֵּן IK. 2:8
49 בְּכֶרֶם נָבוֹת...יָרַד שָׁם לְרִשְׁתּוֹ IK. 21:18
50-51 ...יָרַד לִרְאוֹת אֶת־יוֹרָם IIK. 8:29; 9:16
52 מִצְרַיִם יָרַד־עַמִּי בָרִאשֹׁנָה Is. 52:4
53 הַשְׁפִּילוּ...כִּי יָרַד מַרְאֲשׁוֹתֵיכֶם Jer. 13:18
54 וְיוֹנָה יָרַד אֶל־יַרְכְּתֵי הַסְּפִינָה Jon. 1:5
55 כִּי־יָרַד רָע מֵאֵת יְיָ לְשַׁעַר יְרוּשָׁ׳ Mic. 1:12

יָרַד (המשך) 56 כִּי יָרַד יַעַר הַבָּצִיר־ Zech. 11:2
57 דּוֹדִי יָרַד לְגַנּוֹ לַעֲרֻגוֹת הַבֹּשֶׂם S.ofS. 6:2
58 וְהוּא יָרַד וְהִכָּה אֶת־הָאֲרִי ICh. 11:22
59 יָרַד לִרְאוֹת אֶת־יְהוֹרָם IICh. 22:6
יָרָד 60 וְאֶל־בֵּיתוֹ לֹא יָרָד IISh. 11:13
רַד 61 הֵם עִם־יְבוּס וְהַיּוֹם רַד מְאֹד Jud. 19:11
וְיָרַד 62 וְיָרַד עֲלֵהֶם הַבָּרָד וָמֵתוּ Ex. 9:19
63 וְיָרַד הַגְּבֻל מִשְּׁפָם הָרִבְלָה Num. 34:11
64 וְיָרַד הַגְּבֻל וּמָחָה עַל־כֶּתֶף Num. 34:11
65-68 וְיָרַד הַגְּבוּל Num. 34:12 • Josh. 17:9; 18:13, 16
69 וְיָרַד בֵּית־שֶׁמֶשׁ וְעָבַר תִּמְנָה Josh. 15:10
70 וְיָרַד יָמָּה אֶל־גְּבוּל הַיַּפְלֵטִי Josh. 16:3
71 וְיָרַד מִיָּנוֹחָה עֲטָרוֹת וְנַעֲרָתָה Josh. 16:7
72 וְיָרַד גֵּי הִנֹּם אֶל־כֶּתֶף הַיְבוּסִי Josh. 18:16
73 וְיָרַד עֵין רֹגֵל Josh. 18:16
74 וְיָצָא...וְיָרַד אֶבֶן בֹּהַן... Josh. 18:17
75 וְעָבַר...וְיָרַד הָעֲרָבָתָה Josh. 18:18
76 וְיָרַד הֲדָרָהּ וַהֲמוֹנָהּ וּשְׁאוֹנָהּ Is. 5:14
77 וְיָרַד גְּאוֹן עֻזָּהּ Ezek. 30:6
78 וְיָרַד וְדָרַךְ עַל־בָּמֳתֵי־אָרֶץ Mic. 1:3
יָרְדָה 79 הִנֵּה יָרְדָה אֵשׁ מִן־הַשָּׁמַיִם IIK. 1:14
80/1 יָרְדָה בְּמַעֲלוֹת אָחָז IIK. 20:11 • Is. 38:8
82 וְהָאֵשׁ יָרְדָה מֵהַשָּׁמַיִם וַתֹּאכַל... IICh. 7:1
יָרָדָה 83 וַתָּשָׁב...בַּמַּעֲלוֹת אֲשֶׁר יָרָדָה Is. 38:8
יָרַדְנוּ 84 יָרֹד יָרַדְנוּ בַּתְּחִלָּה לִשְׁבָּר־אֹכֶל Gen. 43:20
85 וַיֹּאמְרוּ לוֹ לֶאֱסָרְךָ יָרַדְנוּ Jud. 15:12
וְיָרַדְנוּ 86 אִם־יֵשׁ אָחִינוּ הַקָּטֹן אִתָּנוּ וְיָרַדְנוּ Gen. 44:26
יָרְדוּ 87 יָרְדוּ בִמְצוֹלֹת כְּמוֹ־אָבֶן Ex. 15:5
88 בְּשִׁבְעִים נֶפֶשׁ יָרְדוּ אֲבֹתֶיךָ מִצְ׳ Deut. 10:22
89 וְיַעֲקֹב וּבָנָיו יָרְדוּ מִצְרָיִם Josh. 24:4
90 וְאַחַר יָרְדוּ בְּנֵי יְהוּדָה לְהִלָּחֵם Jud. 1:9
91 אָז יָרְדוּ לַשְּׁעָרִים עַם־יְיָ Jud. 5:11
92 מִנִּי מָכִיר יָרְדוּ מְחֹקְקִים Jud. 5:14
93 וּמִבְחַר בַּחוּרָיו יָרְדוּ לַטָּבַח Jer. 48:15
94 גַּם־הֵם אִתּוֹ יָרְדוּ שְׁאֹלָה Ezek. 31:17
95 יָרְדוּ שָׁכְבוּ הָעֲרֵלִים Ezek. 32:21
96 יָרְדוּ עֲרֵלִים אֶל־אֶ׳ תַּחְתִּיּוֹת Ezek. 32:24
97 יָרְדוּ־שְׁאוֹל בִּכְלֵי־מִלְחַמְתָּם Ezek. 32:27
98 אֲשֶׁר־יָרְדוּ אֶת־חֲלָלִים Ezek. 32:30
99 פַּלְגֵי־מַיִם יָרְדוּ עֵינָי Ps. 119:136
100/1 וְהֵם יָרְדוּ חַדְרֵי־בָטֶן Prov. 18:8; 26:22
102 כִּי יָרְדוּ לָקַחַת אֶת־מִקְנֵיהֶם ICh. 7:21
וְיָרְדוּ 103 וְיָרְדוּ כָל־עֲבָדֶיךָ אֵלֶּה אֵלַי Ex. 11:8
104 וְיָרְדוּ חַיִּים שְׁאֹלָה Num. 16:30
105 וְיָרְדוּ רְאֵמִים עִמָּם Is. 34:7
106 וְיָרְדוּ מֵעַל כִּסְאוֹתָם Ezek. 26:16
107 וְיָרְדוּ מֵאֳנִיּוֹתֵיהֶם Ezek. 27:29
108 וְיָרְדוּ עַל־הָעֲרָבָה וּבָאוּ הַיָּמָּה Ezek. 47:8
109 וְיָרְדוּ סוּסִים וְרֹכְבֵיהֶם Hag. 2:22
יוֹרֵד 110 הִנֵּה־עָם יוֹרֵד מֵרָאשֵׁי הֶהָרִים Jud. 9:36
111 וְהִנֵּה אָנֹכִי יֹרֵד אֵלֶיךָ... ISh. 10:8
112 וְהִנֵּה הַמַּלְאָךְ יֹרֵד אֵלָיו IIK. 6:33
113 כֻּלֹּה יְיֵלִיל יֹרֵד בַּבֶּכִי Is. 15:3
114 כַּשֶּׁמֶן הַטּוֹב...יֹרֵד עַל־הַזָּקָן Ps. 133:2
115 כֵּן יוֹרֵד שְׁאוֹל לֹא יַעֲלֶה Job 7:9
הַיֹּרֵד 116 הַנַּחַל הַיֹּרֵד מִן־הָהָר Deut. 9:21
117 כְּחֵלֶק הַיֹּרֵד (כת׳ הורד) בַּמִּלְחָמָה ISh. 30:24
118 בֵּית מִלֹּא הַיֹּרֵד סִלָּא IIK. 12:21
שֶׁיֹּרֵד 119 זְקַן־אַהֲרֹן שֶׁיֹּרֵד עַל...מִדּוֹתָיו Ps. 133:2
120 כְּטַל...שֶׁיֹּרֵד עַל־הַרְרֵי צִיּוֹן Ps. 133:3
יֹרְדָה 121 עֵינִי עֵינִי יֹרְדָה מַּיִם Lam. 1:16
הַיֹּרֶדֶת 122 הַיֹּרֶדֶת הִיא לְמַטָּה לָאָרֶץ Eccl. 3:21

וְיֹרֶדֶת 123 רֹכֶבֶת...וְיֹרֶדֶת בְּסֵתֶר הָהָר ISh. 25:20
יֹרְדִים 124 עָם יוֹרְדִים מֵעִם טַבּוּר הָאָרֶץ Jud. 9:37
125 הֵמָּה יֹרְדִים בִּקְצֵה הָעִיר ISh. 9:27
126 חֶבֶל נְבִאִים יֹרְדִים מֵהַבָּמָה ISh. 10:5
127 דָּוִד וַאֲנָשָׁיו יֹרְדִים לִקְרָאתָהּ ISh. 25:20
128 וְהַמַּיִם יֹרְדִים מִתַּחַת Ezek. 47:1
וְיֹרְדִים 129 מַלְאֲכֵי אֱלֹ׳ עֹלִים וְיֹרְדִים בּוֹ Gen. 28:12
הַיֹּרְדִים 130/1 הַמַּיִם הַיֹּרְדִים מִלְמָעְלָה Josh. 3:13, 16
132 הוֹי הַיֹּרְדִים מִצְרַיִם לְעֶזְרָה Is. 31:1
וְהַיֹּרְדִים 133 וְהַיֹּרְדִים עַל יָם הָעֲרָבָה Josh. 3:16
יוֹרְדֵי־ 134 יוֹרְדֵי אֶל־אַבְנֵי־בוֹר Is. 14:19
135 לֹא־יְשַׂבְּרוּ יוֹרְדֵי־בוֹר Is. 38:18
136 שִׁירוּ...יוֹרְדֵי הַיָּם וּמְלֹאוֹ Is. 42:10
137 וְהוֹרַדְתִּיךְ אֶת־יוֹרְדֵי בוֹר Ezek. 26:20
138 וְהוֹשַׁבְתִּיךְ...אֶת־יוֹרְדֵי בוֹר Ezek. 26:20
139 אֶרֶץ תַּחְתִּית...יוֹרְדֵי בוֹר Ezek. 31:14
140-146 יוֹרְדֵי בוֹר Ezek. 31:16; 32:18
32:24, 25, 30 • Ps. 28:1; 88:5
147/8 יֹרְדֵי בוֹר Ezek. 32:29 • Ps. 143:7
149 לְפָנָיו יִכְרְעוּ כָּל־יוֹרְדֵי עָפָר Ps. 22:30
150 יוֹרְדֵי הַיָּם בָּאֳנִיּוֹת Ps. 107:23
151 וְלֹא כָּל־יֹרְדֵי דוּמָה Ps. 115:17
כְּיוֹרְדֵי־ 152 נִבְלָעֵם...וּתְמִימִים כְּיוֹרְדֵי בוֹר Prov. 1:12
יֹרְדוֹת 153 רַגְלֶיהָ יֹרְדוֹת מָוֶת... Prov. 5:5
154 יֹרְדוֹת אֶל־חַדְרֵי מָוֶת Prov. 7:27
הַיּוֹרְדוֹת 155 הַמַּעֲלוֹת הַיּוֹרְדוֹת מֵעִיר דָּוִיד Neh. 3:15
אֵרֵד 156 כִּי־אֵרֵד אֶל־בְּנִי אָבֵל שְׁאֹלָה Gen. 37:35
157 אָנֹכִי אֵרֵד עִמְּךָ מִצְרַיְמָה Gen. 46:4
158 וַיֹּאמֶר אֲבִישַׁי אֲנִי אֵרֵד עִמָּךְ ISh. 26:6
וָאֵרֵד 159 וָאֵרֵד לְהַצִּילוֹ מִיַּד מִצְרַיִם Ex. 3:8
160/1 וָאֵפֶן וָאֵרֵד מִן־הָהָר Deut. 9:15; 10:5
162 וָאֵרֵד בֵּית הַיּוֹצֵר Jer. 18:3
הַאֵרֵד 163 הַאֵרֵד אַחֲרֵי פְלִשְׁתִּים ISh. 14:37
אֵרְדָה־ 164 אֵרְדָה־נָּא וְאֶרְאֶה... Gen. 18:21
תֵּרֵד 165 אַל־תֵּרֵד מִצְרָיְמָה Gen. 26:2
166 וְאַתָּה תֵרֵד מַטָּה מָּטָּה Deut. 28:43
167 וְשִׁלַּשְׁתָּ תֵּרֵד מְאֹד וּבָאתָ ISh. 20:19
168-170 הַמִּטָּה...לֹא־תֵרֵד מִמֶּנָּה IIK. 1:4, 6, 16
וְתֵרֵד 171 יְיָ הַט־שָׁמֶיךָ וְתֵרֵד Ps. 144:5
יֵרֵד 172 לֹא־יֵרֵד בְּנִי עִמָּכֶם Gen. 42:38
173 אִם־לֹא יֵרֵד אֲחִיכֶם...אִתְּכֶם Gen. 44:23
174 יֵרֵד יְיָ לְעֵינֵי...הָעָם עַל־הַר סִינָי Ex. 19:11
175 יֵרֵד עַמּוּד הֶעָנָן וְעָמַד Ex. 33:9
176 וּבְרֶדֶת הַטַּל...יֵרֵד הַמָּן עָלָיו Num. 11:9
177 מִן־הַשָּׁמַיִם יֵרֵד עָלֶיךָ Deut. 28:24
178 וַיֹּאמֶר יְיָ יֵרֵד ISh. 23:11
179 מִי־יֵרֵד אִתִּי אֶל־שָׁאוּל ISh. 26:6
180 אוֹ בַמִּלְחָמָה יֵרֵד וְנִסְפָּה ISh. 26:10
181 וְלֹא־יֵרֵד עִמָּנוּ בַּמִּלְחָמָה ISh. 29:4
182 יֵרֵד יְיָ...לִצְבֹּא עַל־הַר־צִיּוֹן Is. 31:4
183 כַּאֲשֶׁר יֵרֵד הַגֶּשֶׁם...מִן־הַשָּׁמַיִם Is. 55:10
184 וְעַל קָדְקֳדוֹ חֲמָסוֹ יֵרֵד Ps. 7:17
185 לֹא־יֵרֵד אַחֲרָיו כְּבוֹדוֹ Ps. 49:18
186 יֵרֵד כְּמָטָר עַל־גֵּז Ps. 72:6
הֲיֵרֵד 187 הֲיֵרֵד שָׁאוּל כַּאֲשֶׁר שָׁמַע עַבְדְּךָ ISh. 23:11
וְיֵרֵד 188 בְּרוּ־לָכֶם אִישׁ וְיֵרֵד אֵלָי ISh. 17:8
וַיֵּרֶד 189 וַיֵּרֶד יְיָ לִרְאֹת אֶת־הָעִיר Gen. 11:5
190 וַיֵּרֶד אַבְרָם מִצְרַיְמָה לָגוּר שָׁם Gen. 12:10
191 וַיֵּרֶד הָעַיִט עַל־הַפְּגָרִים Gen. 15:11
192 וַיֵּרֶד יְהוּדָה מֵאֵת אֶחָיו Gen. 38:1
193 וַיֵּרֶד מֹשֶׁה מִן־הָהָר Ex. 19:14
194 וַיֵּרֶד יְיָ עַל־הַר סִינַי Ex. 19:20

וַיֵּרֶד (המשך) 195 וַיֵּרֶד מֹשֶׁה אֶל־הָעָם Ex. 19:25
196 וַיִּפֶן וַיֵּרֶד מֹשֶׁה מִן־הָהָר Ex. 32:15
197 וַיֵּרֶד יְיָ בֶּעָנָן וַיִּתְיַצֵּב עִמּוֹ שָׁם Ex. 34:5
198 וַיֵּרֶד מֵעֲשֹׂת הַחַטָּאת... Lev. 9:22
199 וַיֵּרֶד יְיָ בֶּעָנָן וַיְדַבֵּר אֵלָיו Num. 11:25
200 וַיֵּרֶד יְיָ בְּעַמּוּד עָנָן Num. 12:5
201 וַיֵּרֶד הָעֲמָלֵקִי וְהַכְּנַעֲנִי Num. 14:45
202 וַיֵּרֶד מֹשֶׁה וְאֶלְעָזָר מִן־הָהָר Num. 20:28
203 אֲרַמִּי אֹבֵד אָבִי וַיֵּרֶד מִצְרַיְמָה Deut. 26:5
204–230 וַיֵּרֶד Jud. 4:14, 15; 7:11; 14:1, 5
14:7, 10, 19; 15:8 • ISh. 15:12; 23:25; 25:1; 26:2 •
IISh. 5:17; 19:17; 21:15; 23:21 • IK. 1:38; 22:2 •
IIK. 1:15; 5:14; 13:14 • Jer. 36:12 • Jon. 1:3[2] • ICh.
11:23 • IICh. 18:2

וַיֵּרַד 231/2 וַיֵּט שָׁמַיִם וַיֵּרַד IISh. 22:10 • Ps. 18:10
233 מִי עָלָה־שָׁמַיִם וַיֵּרַד Prov. 30:4
תֵּרֵד 234 חַרְבִּי הִנֵּה עַל־אֱדוֹם תֵּרֵד Is. 34:5
235 כַּבְּהֵמָה בַּבִּקְעָה תֵרֵד Is. 63:14
236 וּמַצְּבוֹת עֻזֵּךְ לָאָרֶץ תֵּרֵד Ezek. 26:11
תֵּרֵד 237–238 תֵּרֵד אֵשׁ מִן־הַשָּׁמַיִם IIK. 1:10, 12
תֵּרַד 239 פַּלְגֵי־מַיִם תֵּרַד עֵינִי Lam. 3:48
וְתֵרַד 240 וְדָמֹעַ תִּדְמַע וְתֵרַד עֵינִי דִּמְעָה Jer. 13:17
וַתֵּרֶד 241 וַתֵּרֶד הָעַיְנָה וַתְּמַלֵּא כַדָּהּ Gen. 24:16
242 וַתֵּרֶד הָעַיְנָה וַתִּשְׁאָב Gen. 24:45
243 וַתֵּרֶד בַּת־פַּרְ׳ לִרְחֹץ עַל־הַיְאֹר Ex. 2:5
244 וַתְּמַהֵר וַתֵּרֶד מֵעַל הַחֲמוֹר ISh. 25:23
245 וַתֵּרֶד אֵשׁ מִן־הַשָּׁמַיִם IIK. 1:10
246 וַתֵּרֶד אֵשׁ־אֱלֹהִים מִן־הַשָּׁמַיִם IIK. 1:12
247 וַתֵּרֶד הַגֹּרֶן וַתַּעַשׂ כְּכֹל אֲשֶׁר צִוַּתָּה Ruth 3:6
248 וַתֵּרֶד פְּלָאִים אֵין מְנַחֵם לָהּ Lam. 1:9
נֵרֵד 249 וְאִם־אֵינְךָ מְשַׁלֵּחַ לֹא נֵרֵד Gen. 43:5
וַנֵּרֶד 250 וַנֵּרֶד לִשְׁלוֹם בְּנֵי־הַמֶּלֶךְ IIK. 10:13
נֵרְדָה 251 הָבָה נֵרְדָה וְנָבְלָה שָׁם שְׂפָתָם Gen. 11:7
252 נֵרְדָה וְנִשְׁבְּרָה לְךָ אֹכֶל Gen. 43:4
253 נֵרְדָה אַחֲרֵי פְלִשְׁתִּים לַיְלָה ISh. 14:36
יֵרְדוּ 254 עַתָּה יֵרְדוּ פְלִשְׁתִּים אֵלַי הַגִּלְגָּל ISh. 13:12
255 חִרְבוּ כָּל־פָּרֶיהָ יֵרְדוּ לַטָּבַח Jer. 50:27
256 יֵרְדוּ שְׁאוֹל חַיִּים Ps. 55:16
257 יַעֲלוּ הָרִים יֵרְדוּ בְקָעוֹת Ps. 104:8
258 יַעֲלוּ שָׁמַיִם יֵרְדוּ תְהוֹמוֹת Ps. 107:26
וַיֵּרְדוּ 259 וַיֵּרְדוּ אֲחֵי־יוֹסֵף עֲשָׂרָה Gen. 42:3
260 וַיָּקֻמוּ וַיֵּרְדוּ מִצְרַיִם Gen. 43:15
261 וַיֵּרְדוּ הֵם...חַיִּים שְׁאֹלָה Num. 16:33
262 וַיֵּרְדוּ אֲבֹתֵינוּ מִצְרַיְמָה Num. 20:15
263 וַיֵּרְדוּ מֵהָהָר וַיַּעַבְרוּ Josh. 2:23
264 וַיֵּרְדוּ עִמּוֹ בְ־יִ׳ מִן־הָהָר Jud. 3:27
265 וַיֵּרְדוּ אַחֲרָיו וַיִּלְכְּדוּ Jud. 3:28
266 וַיֵּרְדוּ...אֶל־סְעִיף סֶלַע Jud. 15:11
267 וַיֵּרְדוּ אֶחָיו וְכָל־בֵּית אָבִיהוּ Jud. 16:31
268 וַיֵּרְדוּ מֵהַבָּמָה הָעִיר ISh. 9:25
269 וַיֵּרְדוּ כָל־יִשְׂרָאֵל הַפְּלִשְׁתִּים ISh. 13:20
270 וַיִּשְׁמְעוּ...וַיֵּרְדוּ אֵלָיו שָׁמָּה ISh. 22:1
271 וְלוֹ בְאֵר בַּחֲצֵרוֹ וַיֵּרְדוּ שָׁם IISh. 17:18
272 וַיֵּרְדוּ שְׁלֹשָׁה°...וַיָּבֹאוּ אֶל־קָצִיר IISh. 23:13
273 וַיֵּרְדוּ בֵּית־אֵל IIK. 2:2
274 וַיֵּרְדוּ אֵלָיו מֶלֶךְ יִשְׂרָאֵל וִיהוֹשָׁפָט IIK. 3:12
275 וַיֵּרְדוּ אֵלָיו וַיִּתְפַּלֵּל אֱלִישָׁע IIK. 6:18
276 וַיֵּרְדוּ מִצִּלּוֹ כָּל־עַמֵּי הָאָרֶץ Ezek. 31:12
277 וַיֵּרְדוּ שְׁלוֹשָׁה...עַל־הַצֻּר ICh. 11:15
תֵּרַדְנָה 278 תֵּרַדְנָה עֵינַי דִּמְעָה לַיְלָה וְיוֹמָם Jer. 14:17
279 בַּדֵּי שְׁאֹל תֵּרַדְנָה Job 17:16
וְתֵרַדְנָה 280 וְתֵרַדְנָה עֵינֵינוּ דִּמְעָה Jer. 9:17

רֵד 281 רֵד הָעֵד בָּעָם פֶּן־יֶהֶרְסוּ... Ex. 19:21
282 לֶךְ־רֵד וְעָלִיתָ אַתָּה וְאַהֲרֹן Ex. 19:24
283 לֶךְ־רֵד כִּי שִׁחֵת עַמְּךָ Ex. 32:7
284 קוּם רֵד מַהֵר מִזֶּה Deut. 9:12
285 קוּם רֵד בַּמַּחֲנֶה Jud. 7:9
286 רֵד אַתָּה...אֶל־הַמַּחֲנֶה Jud. 7:10
287 קוּם רֵד קְעִילָה ISh. 23:4
288 לְכָל־אַוַּת נַפְשְׁךָ...לָרֶדֶת רֵד ISh. 23:20
289 רֵד לְבֵיתְךָ וּרְחַץ רַגְלֶיךָ IISh. 11:8
290 קוּם רֵד לִקְרַאת אַחְאָב IK. 21:18
291 רֵד אוֹתוֹ אַל־תִּירָא מִפָּנָיו IIK. 1:15
292 רֵד בֵּית־מֶלֶךְ יְהוּדָה Jer. 22:1
וָרֵד 293 אֱמֹר אֶל־אַחְאָב אֱסֹר וָרֵד IK. 18:44
רְדָה 294 רְדָה אֵלַי אַל־תַּעֲמֹד Gen. 45:9
295 רְדָה וְהָשְׁכְּבָה אֶת־עֲרֵלִים Ezek. 32:19
רֵדָה 296 הַמֶּלֶךְ דִּבֶּר רֵדָה IIK. 1:9
297 כֹּה־אָמַר הַמֶּלֶךְ מְהֵרָה רֵדָה IIK. 1:11
רְדִי 298 רְדִי וּשְׁבִי עַל־עָפָר Is. 47:1
299 רְדִי מִכָּבוֹד וּשְׁבִי בַצָּמָא Jer. 48:18
רְדוּ 300 רְדוּ־שָׁמָּה וְשִׁבְרוּ־לָנוּ מִשָּׁם Gen. 42:2
301 רְדוּ לִקְרַאת מִדְיָן... Jud. 7:24
302 רְדוּ הַעֲלוּ אֹתוֹ אֲלֵיכֶם ISh. 6:21
303 לְכוּ סֻרוּ רְדוּ מִתּוֹךְ עֲמָלֵקִי ISh. 15:6
304 בֹּאוּ רְדוּ כִּי־מָלְאָה גַּת Joel 4:13
305 מָחָר רְדוּ עֲלֵיהֶם IICh. 20:16
וּרְדוּ 306 עִבְרוּ...וּרְדוּ גַת־פְּלִשְׁתִּים Am. 6:2
לְהוֹרִיד 307 הוֹלְכִים לְהוֹרִיד מִצְרָיְמָה Gen. 37:25
בְּהוֹרִדִי 308 בְּהוֹרִדִי אֹתוֹ שְׁאֹלָה Ezek. 31:16
וְהוֹרַדְתִּי 309 וְהוֹרַדְתִּי בָרִיחִים כֻּלָּם Is. 43:14
310 וְהוֹרַדְתִּי הַגֶּשֶׁם בְּעִתּוֹ Ezek. 34:26
וְהוֹרַדְתִּיךְ 311 וְהוֹרַדְתִּיךְ אֶת־יוֹרְדֵי בוֹר Ezek. 26:20
וְהוֹרַדְתִּים 312 וְהוֹרַדְתִּים אֶל־עֵמֶק יְהוֹשָׁפָט Joel 4:2
וְהוֹרַדְתָּ 313 וְהוֹרַדְתָּ אֶת־שֵׂיבָתוֹ בְּדָם שְׁאוֹל IK. 2:9
הוֹרַדְתֵּנוּ 314 תִּקְשְׁרִי בַּחַלּוֹן אֲשֶׁר הוֹרַדְתֵּנוּ בוֹ Josh. 2:18
הוֹרִיד 315 וְאֶת־הַיָּם הוֹרִיד מֵעַל הַבָּקָר IIK. 16:17
וְהוּרִד 316 וְהוֹרִד מִמֵּךְ עֻזֵּךְ Am. 3:11
הוֹרַדְנוּ 317 וְכֶסֶף אַחֵר הוֹרַדְנוּ בְיָדֵנוּ Gen. 43:22
וְהוֹרַדְתֶּם 318 וְהוֹרַדְתֶּם...שֵׂיבָתִי...שְׁאוֹלָה Gen. 42:38
319 וְהוֹרַדְתֶּם אֶת־שֵׂיבָתִי שְׁאֹלָה Gen. 44:29
320 וְהוֹרַדְתֶּם אֶת־אָבִי הֵנָּה Gen. 45:13
321 וְהוֹרַדְתֶּם אֹתוֹ אֶל־גִּחוֹן IK. 1:33
הוֹרִידוּ 322 וְהַלְוִיִּם הוֹרִידוּ אֶת־אֲרוֹן יְיָ ISh. 6:15
323 הוֹרִידוּ לָאָרֶץ רֹאשָׁן בְּתוּלֹת יְרוּ׳ Lam. 2:10
וְהוֹרִידוּ 324 וְהוֹרִידוּ עֲבָדֶיךָ אֶת־שֵׂיבַת.. Gen. 44:31
325 וְהוֹרִדוּ אֵת פָּרֹכֶת הַמָּסָךְ Num. 4:5
326 וְהוֹרִדוּ זִקְנֵי הָעִיר אֶת־הָעֶגְלָה Deut. 21:4
הוֹרִדֻהוּ 327 אֲשֶׁר הוֹרִדֻהוּ שָׁמָּה Gen. 39:1
מוֹרִיד 328 מוֹרִיד שְׁאוֹל וַיָּעַל ISh. 2:6
וּמוֹרִיד 329 וּמֹרִיד עַמִּים תַּחְתֵּנִי IISh. 22:48
וְאוֹרִיד 330 וְאוֹרִיד כַּאבִּיר יוֹשְׁבִים Is. 10:13
331 וְאוֹרִיד לָאָרֶץ נִצְחָם Is. 63:6
אוֹרִידְךָ 332 כִּי־תַגְבִּיהַּ כַּנֶּשֶׁר קִנֶּךָ...אוֹרִידְךָ Jer. 49:16
333 אִם־תַּגְבִּיהַּ כַּנֶּשֶׁר...מִשָּׁם אוֹרִידְךָ Ob. 4
וְאוֹרִדְךָ 334 וְאוֹרִדְךָ אֶל־הַגְּדוּד הַזֶּה ISh. 30:15
אוֹרִידֵם 335 אוֹרִידֵם כְּכָרִים לִטְבוֹחַ Jer. 51:40
336 כְּעוֹף הַשָּׁמַיִם אוֹרִידֵם Hosh. 7:12
337 וְאִם־יַעֲלוּ הַשָּׁמַיִם מִשָּׁם אוֹרִידֵם Am. 9:2
תּוֹרֵד 338 וְלֹא־תוֹרֵד שֵׂיבָתוֹ בְּשָׁלֹם שְׁאֹל IK. 2:6
הֲתוֹרִדֵנִי 339 הֲתוֹרִדֵנִי אֶל־הַגְּדוּד הַזֶּה ISh. 30:15
תּוֹרִדֵם 340 וְאַתָּה אֱלֹ׳ תּוֹרִדֵם לִבְאֵר שַׁחַת Ps. 55:24
וַיּוֹרֶד 341 וַיּוֹרֶד אֶת־הָעָם אֶל־הַמָּיִם Jud. 7:5
342 וַיּוֹרֶד רִירוֹ אֶל־זְקָנוֹ ISh. 21:14

וַיּוֹרֶד (המשך) 343 וַיּוֹרֶד לָכֶם גֶּשֶׁם מוֹרֶה Joel 2:23
344 וַיּוֹרֶד כַּנְּהָרוֹת מָיִם Ps. 78:16
345 וַיֹּרֶד עֹז מִבְטֶחָה Prov. 21:22
346 וַיּוֹרֶד אֶת־הַמֶּלֶךְ מִבֵּית יְיָ IICh. 23:20
יוֹרִדֵנִי 347 אֹמֵר בְּלִבּוֹ מִי יוֹרִדֵנִי אָרֶץ Ob. 3
וַיֹּרִדֵהוּ 348 וַיֹּרִדֵהוּ וְהִנֵּה נְטֻשִׁים עַל־פְּנֵי... ISh. 30:16
349 וַיֹּרִדֵהוּ מִן־הָעֲלִיָּה הַבַּיְתָה IK. 17:23
וַיּוֹרִדֵם 350 וַיּוֹרִדֵם אֵלִיָּהוּ אֶל־נַחַל קִישׁוֹן IK. 18:40
וַתֹּרֶד 351 וַתְּמַהֵר וַתֹּרֶד כַּדָּהּ עַל־יָדָהּ Gen. 24:18
352 וַתְּמַהֵר וַתּוֹרֶד כַּדָּהּ מֵעָלֶיהָ Gen. 24:46
353 וַתֹּרֶד מִיכַל אֶת־דָּוִד בְּעַד הַחַלּוֹן ISh. 19:12
וַתּוֹרִדֵם 354 וַתּוֹרִדֵם בַּחֶבֶל בְּעַד הַחַלּוֹן Josh. 2:15
יוֹרִידוּ 355 וּבִנְסֹעַ הַמִּשְׁכָּן יוֹרִידוּ אֹתוֹ Num. 1:51
356 עֲבָדַי יֹרִדוּ מִן־הַלְּבָנוֹן יָמָּה IK. 5:23
וַיּוֹרִדוּ 357 וַיּוֹרִדוּ אִישׁ אֶת־אַמְתַּחְתּוֹ Gen. 44:11
358 וַיִּקְחוּ...וַיּוֹרִדוּ אֵלֵינוּ Deut. 1:25
359 וַיּוֹרִידוּ אֶת־נִבְלָתוֹ מִן־הָעֵץ Josh. 8:29
360 וַיּוֹרִידוּ אוֹתוֹ עַזָּתָה Jud. 16:21
361 וַיֹּרִידוּ אֶת־הַמֶּלֶךְ מִבֵּית יְיָ IIK. 11:19
יוֹרִדוּךָ 362 לַשַּׁחַת יוֹרִדוּךָ וָמַתָּה Ezek. 28:8
וַיֹּרִדֻהוּ 363 וַיֹּרִדֻהוּ מֵעַל הַמִּזְבֵּחַ IK. 1:53
וַיֹּרִדוּם 364 וַיֹּרִדוּם מֵעַל הָעֵצִים Josh. 10:27
הוֹרֵד 365 וְעַתָּה הוֹרֵד עֶדְיְךָ מֵעָלֶיךָ Ex. 33:5
366 הוֹרֵד אוֹתָם אֶל־הַמַּיִם Jud. 7:4
367 בְּאַף עַמִּים הוֹרֵד אֱלֹהִים Ps. 56:8
וְהוֹרִדֵהוּ 368 נְהֵה עַל־הֲמוֹן מִצְ׳ וְהוֹרִדֵהוּ Ezek. 32:18
וְהוֹרִידֵמוֹ 369 הֲנִיעֵמוֹ בְחֵילְךָ וְהוֹרִידֵמוֹ Ps. 59:12
הוֹרִידוּ 370 הוֹרִידוּ אֶת־אֲחִיכֶם Gen. 43:7
וְהוֹרִידוּ 371 קְחוּ...וְהוֹרִידוּ לָאִישׁ מִנְחָה Gen. 43:11
הוֹרִדֻהוּ 372 וַתֹּאמֶר...הוֹרִדֻהוּ אֵלָי Gen. 44:21
הוֹרִידִי 373 הוֹרִידִי כַנַּחַל דִּמְעָה Lam. 2:18
וְהוּרַדְתָּ 374 וְהוּרַדְתָּ...אֶל־אֶרֶץ תַּחְתִּית Ezek. 31:18
הוּרַד 375 וְיוֹסֵף הוּרַד מִצְרָיְמָה Gen. 39:1
376 הוּרַד שְׁאוֹל גְּאוֹנֵךְ Is. 14:11
וְהוּרַד 377 וְהוּרַד הַמִּשְׁכָּן וְנָסְעוּ בְנֵי־גֵרְשׁוֹן Num. 10:17
378 וְהוּרַד גְּאוֹן אַשּׁוּר Zech. 10:11
תּוּרָד 379 אַךְ אֶל־שְׁאוֹל תּוּרָד Is. 14:15

יֶרֶד

שפ־ז א) מצאצאי שת, אבי חנוך: 1–4, 6, 7
ב) מזרע כָּלֵב בן יפֻנה: 5

יֶרֶד 1 וַיְחִי מַהֲלַ׳ אַחֲרֵי הוֹלִידוֹ אֶת־יֶרֶד Gen. 5:16
2 וַיְחִי יֶרֶד...וַיּוֹלֶד אֶת־חֲנוֹךְ Gen. 5:18
3 וַיְחִי־יֶרֶד אַחֲרֵי הוֹלִידוֹ אֶת־חֲ׳ Gen. 5:19
4 וַיִּהְיוּ כָּל־יְמֵי־יֶרֶד Gen. 5:20
5 וְאִשְׁתּוֹ...יָלְדָה אֶת־יֶרֶד אֲבִי גְדוֹר ICh. 4:18
יָרֶד 6 וַיְחִי מַהֲלַלְאֵל...וַיּוֹלֶד אֶת־יָרֶד Gen. 5:15
7 קֵינָן מַהֲלַלְאֵל יָרֶד ICh. 1:2

יָרַד

(שופטים ה13) – עין רדה

יַרְדֵּן

הארוך בנהרי ארץ־ישראל [תמיד בידוע: "הַיַּרְדֵּן", להוציא מס׳ 1, 2; וכן במוקף אל יריחו – "יַרְדֵּן יְרֵחוֹ", חלק הנהר שליד יריחו מס׳ 3–9, 172–177]

– יַרְדֵּן יְרֵחוֹ 3–9, 172–177; אֶרֶץ יַרְדֵּן 1; גְּאוֹן הַיַּרְדֵּן 82–84, 86; גְּלִילוֹת הַיַּ׳ 66, 67; דֶּרֶךְ הַיַּ׳ 49; כִּכַּר הַיַּ׳ 10, 11, 75, 76; מֵי הַיַּ׳ 51–53, 56, 57, 59, 60; מִזְרַח הַיַּ׳ 89; מַעְבְּרוֹת הַיַּ׳ 70–72; עֵבֶר הַיַּ׳ 13, 14, 17, 19–43, 47, 48, 81; עַל־יַד הַיַּ׳ 15; עַל־פְּנֵי הַיַּ׳ 77, 78; קְצֵה הַיַּ׳ 61–63; שְׂפַת הַיַּרְדֵּן 80; מֵעֵבֶר לַיַּרְדֵּן 163–176

יַרְדֵּן 1 עַל־כֵּן אֶזְכָּרְךָ מֵאֶרֶץ יַרְדֵּן Ps. 42:7
2 יִבְטַח כִּי־יָגִיחַ יַרְדֵּן אֶל־פִּיהוּ Job 40:23

יַרְדֵּן־ 3-9 עַל(־)יַרְדֵּן יְרֵחוֹ Num. 26:3, 63
31:12; 33:48, 50; 35:1; 36:13

הַיַּרְדֵּן 10-11 אֶת(־)כָּל־כִּכַּר הַיַּרְדֵּן Gen. 13:10, 11
12 בְמַקְלִי עָבַרְתִּי אֶת־הַיַּרְדֵּן Gen. 32:10
13-14 אֲשֶׁר בְּעֵבֶר הַיַּרְדֵּן Gen. 50:10, 11
15 עַל־הַיָּם וְעַל יַד הַיַּרְדֵּן Num. 13:29
16 אַל־תַּעֲבִרֵנוּ אֶת־הַיַּרְדֵּן Num. 32:5
17 מֵעֵבֶר הַיַּרְדֵּן מִזְרָחָה Num. 32:19
18 וַיַּחֲנוּ עַל־הַיַּרְדֵּן Num. 33:49
19-43 ...בְּעֵבֶר הַיַּרְדֵּן Deut. 1:1, 5
3:8, 20, 25; 4:41, 46, 47; 11:30 • Josh. 1:14, 15; 2:10; 5:1; 7:7; 9:1, 10; 12:1, 7; 13:8; 22:4, 7; 24:8 • Jud. 5:17; 10:8 • ISh. 31:7

44 עַד אֲשֶׁר־אֶעֱבֹר אֶת־הַיַּרְדֵּן Deut. 2:29
45/6 לֹא תַעֲבֹר אֶת-הַיַּרְדֵּן הַזֶּה Deut. 3:27; 31:2
47/8 עֵבֶר הַיַּרְדֵּן מִזְרָחָה Deut. 4:49 • Josh. 13:27
49 רָדְפוּ אַחֲרֵיהֶם דֶּרֶךְ הַיַּרְדֵּן Josh. 2:7
50 וַיִּסְעוּ...וַיָּבֹאוּ עַד־הַיַּרְדֵּן Josh. 3:1
51 כְּבֹאֲכֶם עַד־קְצֵה מֵי הַיַּרְדֵּן Josh. 3:8
52 כְּנוֹחַ כַּפּוֹת רַגְלֵי...בְּמֵי הַיַּרְדֵּן Josh. 3:13
53 מֵי הַיַּרְדֵּן יִכָּרֵתוּן Josh. 3:13
54 בִּנְסֹעַ הָעָם...לַעֲבֹר אֶת־הַיַּרְדֵּן Josh. 3:14
55 אֲשֶׁר נִכְרְתוּ מֵימֵי הַיַּרְדֵּן... Josh. 4:7
56 בְּעָבְרוֹ בַּיַּרְדֵּן נִכְרְתוּ מֵי הַיַּרְדֵּן Josh. 4:7
57 וַיָּשֻׁבוּ מֵי־הַיַּרְדֵּן לִמְקוֹמָם Josh. 4:18
58 בַּיַּבָּשָׁה עָבַר יִשְׂרָאֵל אֶת־הַיַּרְדֵּן Josh. 4:22
59-60 הוֹבִישׁ...אֶת־מֵי הַיַּרְדֵּן Josh. 4:23; 5:1
61 קֵדְמָה יָם הַמֶּלַח עַד-קְצֵה הַיַּרְדֵּן Josh. 15:5
62 מִלְּשׁוֹן הַיָּם מִקְצֵה הַיַּרְדֵּן Josh. 15:5
63 אֶל־קְצֵה הַיַּרְדֵּן נֶגְבָּה Josh. 18:19
64 וְהָיוּ תֹּצְאוֹת גְּבוּלָם הַיַּרְדֵּן Josh. 19:22
65 וּבִיהוּדָה הַיַּרְדֵּן מִזְרַח הַשָּׁמֶשׁ Josh. 19:34
66-67 אֶל־גְּלִילוֹת הַיַּרְדֵּן Josh. 22:10, 11
68 וַיִּבְנוּ...מִזְבֵּחַ עַל־הַיַּרְדֵּן Josh. 22:10
69 וּגְבוּל נָתַן־יְיָ...אֶת־הַיַּרְדֵּן Josh. 22:25
70-72 מַעְבְּרוֹת הַיַּרְדֵּן Jud. 3:28; 12:5, 6
73 וְצָלְחוּ הַיַּרְדֵּן לִפְנֵי הַמֶּלֶךְ IISh. 19:18
74 לְשַׁלְּחוֹ אֶת־הַיַּרְדֵּן (כת׳ בירדן) IISh. 19:32
75/6 בְּכִכַּר הַיַּרְדֵּן יְצָקָם IK. 7:46 • IICh. 4:17
77/8 בְּנַחַל כְּרִית אֲשֶׁר עַל-פְּנֵי הַיַּרְדֵּן IK. 17:3, 5
79 וּשְׁנֵיהֶם עָמְדוּ עַל־הַיַּרְדֵּן IIK. 2:7
80 וַיָּשָׁב וַיַּעֲמֹד עַל־שְׂפַת הַיַּרְדֵּן IIK. 2:13
81 דֶּרֶךְ הַיָּם עֵבֶר הַיַּרְדֵּן גְּלִיל הַגּוֹיִם Is. 8:23
82 וְאֵיךְ תַּעֲשֶׂה בִּגְאוֹן הַיַּרְדֵּן Jer. 12:5
83/4 כְּאַרְיֵה יַעֲלֶה מִגְּאוֹן הַיַּרְדֵּן Jer. 49:19; 50:44
85 ...וּמִבֵּין אֶרֶץ יִשְׂרָאֵל הַיַּרְדֵּן Ezek. 47:18
86 כִּי שֻׁדַּד גְּאוֹן הַיַּרְדֵּן Zech. 11:3
87 הַיַּרְדֵּן יִסֹּב לְאָחוֹר Ps. 114:3
88 הַיַּרְדֵּן תִּסֹּב לְאָחוֹר Ps. 114:5
89 וּמֵעֵבֶר...לְמִזְרַח הַיַּרְדֵּן ICh. 6:63
90-153 הַיַּרְדֵּן Num. 32:21, 29; 33:51
35:10 • Deut. 4:21, 22, 26; 9:1; 11:31; 12:10; 27:2, 4, 12; 30:18; 31:13; 32:47 • Josh. 1:2, 11; 3:15, 17^{2}; 4:1, 3, 5; 8, 9, 10, 16, 17, 19, 20; 7:7; 13:23, 27; 16:7; 18:12; 19:33; 23:4; 24:11 • Jud. $7:24^{2}$; 10:9; 11:13, 22 • ISh. 13:7 • IISh. 2:29; 10:17; $17:22^{2}$, 24; $19:16^{2}$, 32, 37, 40, 42; 20:2; 24:5 • IK. 2:8 • IIK. 6:2; 7:15; 10:33 • ICh. 12:15(16); 19:17

וְהַיַּרְדֵּן 154 וְהָעֲרָבָה וְהַיַּרְדֵּן וּגְבֻל Deut. 3:17
155 וְהַיַּרְדֵּן מָלֵא עַל־כָּל־גְּדוֹתָיו Josh. 3:15
156 וְהַיַּרְדֵּן יִגְבֹּל־אֹתוֹ לִפְאַת... Josh. 18:20

בַּיַּרְדֵּן 157 כְּבֹאֲכֶם...בַּיַּרְדֵּן תַּעֲמֹדוּ Josh. 3:8

בַּיַּרְדֵּן (המשך) 158 ...עֹבֵר לִפְנֵיכֶם בַּיַּרְדֵּן Josh. 3:11
159 בְּעָבְרוֹ בַּיַּרְדֵּן נִכְרְתוּ מֵי הַיַּרְדֵּן Josh. 4:7
160 נָפַל לִפְנֵי הַמֶּלֶךְ בְּעָבְרוֹ בַּיַּרְדֵּן IISh. 19:19
161 וְרָחַצְתָּ שֶׁבַע־פְּעָמִים בַּיַּרְדֵּן IIK. 5:10
162 וַיִּטְבֹּל בַּיַּרְדֵּן שֶׁבַע פְּעָמִים IIK. 5:14

לַיַּרְדֵּן 163-168 מֵעֵבֶר לַיַּרְדֵּן Num. 32:19, 32; 35:14
Josh. 14:3; 17:5; 18:7

169 הֵבִיאוּ...מֵעֵבֶר לַיַּרְדֵּן Jud. 7:25
170 וּמֵעֵבֶר לַיַּרְדֵּן ICh. 12:37(38)
171 מֵעֵבֶר לַיַּרְדֵּן מַעֲרָבָה ICh. 26:30

לְיַרְדֵּן־ 172/3 מֵעֵבֶר לְיַרְדֵּן יְרֵחוֹ Num. 22:1; 34:15
174 מֵעֵבֶר לְיַרְדֵּן יְרִיחוֹ Josh. 13:32
175 וּמֵעֵבֶר לְיַרְדֵּן יְרִיחוֹ Josh. 20:8
176 וּמֵעֵבֶר לְיַרְדֵּן יְרֵחוֹ ICh. 6:63

מִיַּרְדֵּן־ 177 מִיַּרְדֵּן יְרִיחוֹ לְמֵי יְרִיחוֹ Josh. 16:1

הַיַּרְדֵּנָה 178 וְיָרַד הַגְּבוּל הַיַּרְדֵּנָה Num. 34:12
179 וַיָּבֹא גִדְעוֹן הַיַּרְדֵּנָה Jud. 8:4
180 כִּי־יְיָ שְׁלָחַנִי הַיַּרְדֵּנָה IIK. 2:6
181 וַיָּבֹאוּ הַיַּרְדֵּנָה וַיִּגְזְרוּ הָעֵצִים IIK. 6:4

ירה

: א) יָרָה, נוֹרָה, הוֹרָה

ב) הוֹרָה; מוֹרֶה[1], תּוֹרָה; ש״פ יְרוּאֵל, מוֹרִיָּה?

ג) הוֹרָה; יוֹרֶה, מוֹרֶה[2]

יָרָה[1]

פָּ׳ א) קלע חצים למטרה: 1-4, 8, 9, 11-15

ב) זרק, הטיל: 5-7, 10

ג) [נפ׳ נוֹרָה, יִיָּרֶה] נהרג על-ידי פגיעת חץ: 16

ד) [הִפ׳ הוֹרָה] ירה: 18-31

ה) [כנ״ל] השליך: 17

– יָרָה אֶבֶן־פִּנָּה 10; יָרָה גּוֹרָל 6; יָרָה חֵץ 2,8,9; יָרָה מַצֵּבָה 5

– הוֹרָה חֵץ 18, 23-25, 27

יָרֹה 1 סָקוֹל יִסָּקֵל אוֹ־יָרֹה יִיָּרֶה Ex. 19:13
לִירוֹא 2 לִירוֹא בַּחִצִּים וּבָאֲבָנִים גְּדֹלוֹת IICh. 26:15
לִירוֹת 3 לִירוֹת בְּמוֹ־אֹפֶל לְיִשְׁרֵי־לֵב Ps. 11:2
4 לִירוֹת בַּמִּסְתָּרִים תָּם Ps. 64:5
יָרִיתִי 5 וְהִנֵּה הַמַּצֵּבָה אֲשֶׁר יָרִיתִי Gen. 31:51
וְיָרִיתִי 6 וְיָרִיתִי לָכֶם גּוֹרָל פֹּה... Josh. 18:6
יָרָה 7 מַרְכְּבֹת פַּרְעֹה וְחֵילוֹ יָרָה בַיָּם Ex. 15:4
8 וְהוּא־יָרָה הַחֵצִי לְהַעֲבִרוֹ ISh. 20:36
9 הַחֵצִי אֲשֶׁר יָרָה יְהוֹנָתָן ISh. 20:37
10 אוֹ מִי־יָרָה אֶבֶן פִּנָּתָהּ Job 38:6
הַיֹּרֶה 11 כְּמִתְלַהְלֵהַּ הַיֹּרֶה זִקִּים Prov. 26:18
הַיּוֹרִים 12 וַיָּחֶל מִן־הַיּוֹרִים ICh. 10:3
13 וַיֹּרוּ הַיֹּרִים לַמֶּלֶךְ יֹאשִׁיָּהוּ IICh. 35:23
וַנִּירָם 14 וַנִּירָם אָבַד חֶשְׁבּוֹן עַד־דִּיבֹן Num. 21:30
יְרֵה 15 וַיֹּאמֶר אֱלִישָׁע יְרֵה וַיּוֹר IIK. 13:17
יִיָּרֶה 16 סָקֹל יִסָּקֵל אוֹ־יָרֹה יִיָּרֶה Ex. 19:13
הֹרָנִי 17 הֹרָנִי לַחֹמֶר וָאֶתְמַשֵּׁל כֶּעָפָר וָאֵפֶר Job 30:19
מוֹרֶה 18 אֶת־הַחִצִּים אֲשֶׁר אָנֹכִי מוֹרֶה ISh. 20:36
הַמּוֹרִים 19 וַיִּמְצָאֻהוּ הַמּוֹרִים אֲנָשִׁים בַּקָּשֶׁת ISh. 31:3
20 וַיֹּרְאוּ° הַמּוֹרִים (כ׳ המוראים) אֶל-עֲבָ׳ IISh. 11:24
21 וַיִּמְצָאֻהוּ הַמּוֹרִים בַּקָּשֶׁת ICh. 10:3
מֵהַמּוֹרִים 22 וַיָּחֶל מְאֹד מֵהַמּוֹרִים ISh. 31:3
אוֹרֶה 23 שְׁלֹשֶׁת הַחִצִּים צִדָּה אוֹרֶה ISh. 20:20
יוֹרֶה 24/5 וְלֹא־יוֹרֶה שָׁם חֵץ IIK. 19:32 • Is. 37:33
וַיּוֹר 26 וַיֹּאמֶר אֱלִישָׁע יְרֵה וַיּוֹר IIK. 13:17
וַיֹּרֵם 27 וַיֹּרֵם אֱלֹהִים חֵץ פִּתְאוֹם... Ps. 64:8
יֹרוּ 28 ...אֵת אֲשֶׁר־יֹרוּ מֵעַל הַחוֹמָה IISh. 11:20
וַיֹּרוּ 29 וַיֹּרוּ(כ׳ ויראו) הַמּוֹרְאִים אֶל-עֲבָדֶיךָ IISh. 11:24
30 וַיֹּרוּ הַיֹּרִים לַמֶּלֶךְ יֹאשִׁיָּהוּ IICh. 35:23
יֹרֻהוּ 31 פִּתְאֹם יֹרֻהוּ וְלֹא יִירָאוּ Ps. 64:5

(ירה)[2] הוֹרָה

הִפ׳ א) הראה, הדריך: 1, 7, 20-22, 25, 27, 33, 35, 44—46

ב) לִמד, הקנה דעת: רוב המקראות

ג) רָמַז: 14

לְהוֹרֹת 1 שָׁלַח...לְהוֹרֹת לְפָנָיו גֹּשְׁנָה Gen. 46:28
2 לְהוֹרֹת בְּיוֹם הַטָּמֵא וּבְי׳ הַטָּהֹר Lev. 14:57
וּלְהוֹרֹת 3 וּלְהוֹרֹת נָתַן בְּלִבּוֹ... Ex. 35:34
4 וּלְהוֹרֹת אֶת־בְּ״יִ אֵת כָּל־הַחֻקִּים Lev. 10:11
לְהוֹרֹתָם 5 וְהַתּוֹרָה...אֲשֶׁר כָּתַבְתִּי לְהוֹרֹתָם Ex. 24:12
וְהוֹרֵיתִי 6 וְהוֹרֵיתִי אֶתְכֶם אֵת אֲשֶׁר תַּעֲשׂוּן Ex. 4:15
7 וְהוֹרֵיתִי אֶתְכֶם בְּדֶרֶךְ הַטּוֹבָה ISh. 12:23
הֹרֵתִיךָ 8 בְּדֶרֶךְ חָכְמָה הֹרֵתִיךָ Prov. 4:11
וְהוֹרֵיתִיךָ 9 וְהוֹרֵיתִיךָ אֲשֶׁר תְּדַבֵּר Ex. 4:12
הוֹרֵתָנִי 10 לֹא־סָרְתִּי כִּי־אַתָּה הוֹרֵתָנִי Ps. 119:102
הוֹרָהוּ 11 אֲשֶׁר הוֹרָהוּ יְהוֹיָדָע הַכֹּהֵן IIK. 12:3
מוֹרֶה 12 וַיְהִי מוֹרֶה אֹתָם אֵיךְ יִירְאוּ אֶת-יְיָ IIK. 17:28
13 וְנָבִיא מוֹרֶה־שֶּׁקֶר הוּא הַזָּנָב Is. 9:14
14 קֹרֵץ בְּעֵינָו...מֹרֶה בְּאֶצְבְּעֹתָיו Prov. 6:13
15 מִי כָמֹהוּ מוֹרֶה Job 36:22
16 וּלְלֹא כֹּהֵן מוֹרֶה IICh. 15:3
וּמוֹרֶה 17 מַסֵּכָה וּמוֹרֶה שָּׁקֶר Hab. 2:18
אוֹרֶה 18 אוֹרֶה אֶתְכֶם בְּיַד־אֵל Job 27:11
וְאוֹרְךָ 19 אַשְׂכִּילְךָ וְאוֹרְךָ בְּדֶרֶךְ־זוּ תֵלֵךְ Ps. 32:8
תּוֹרֵם 20 תּוֹרֵם אֶת־הַדֶּרֶךְ אֲשֶׁר יֵלְכוּ בָהּ IK. 8:36
21 תוֹרֵם אֶל־הַדֶּרֶךְ אֲשֶׁר יֵלְכוּ בָהּ IICh. 6:27
יוֹרֶה 22 אֶת־מִי יוֹרֶה דֵעָה Is. 28:9
23 הוּא יוֹרֶה...וְכָל-רוּחַ אֵין בְּקִרְבּוֹ Hab. 2:19
24 עַל־כֵּן יוֹרֶה חַטָּאִים בַּדָּרֶךְ Ps. 25:8
וְיוֹרֶה 25 עַד־יָבוֹא וְיֹרֶה צֶדֶק לָכֶם Hosh. 10:12
וַיֹּרֵנִי 26 וַיֹּרֵנִי וַיֹּאמֶר לִי יִתְמָךְ־דְּבָרַי לִבֶּךָ Prov. 4:4
וַיּוֹרֵהוּ 27 וַיּוֹרֵהוּ יְיָ עֵץ וַיַּשְׁלֵךְ אֶל־הַמַּיִם Ex. 15:25
וְיוֹרֵנוּ 28 יָבוֹא־נָא...וְיוֹרֵנוּ מַה־נַּעֲשֶׂה... Jud. 13:8
29/30 וְיֹרֵנוּ מִדְּרָכָיו Is. 2:3 • Mic. 4:2
יוֹרֶנּוּ 31 וְיִסְּרוֹ לַמִּשְׁפָּט אֱלֹהָיו יוֹרֶנּוּ Is. 28:26
32 יוֹרֶנּוּ בְּדֶרֶךְ יִבְחָר Ps. 25:12
וְיֹרֵם 33 וְיֹרֵם אֶת־מִשְׁפַּט אֱלֹהֵי הָאָרֶץ IIK. 17:27
וְתוֹרְךָ 34 וְתוֹרְךָ נוֹרָאוֹת יְמִינֶךָ Ps. 45:5
וְתֹרֶךָּ 35 שְׁאַל־נָא בְהֵמוֹת וְתֹרֶךָּ Job 12:7
36 אוֹ שִׂיחַ לָאָרֶץ וְתֹרֶךָּ Job 12:8
יוֹרוּ 37 כְּכֹל אֲשֶׁר-יוֹרוּ אֶתְכֶם הַכֹּהֲנִים Deut. 24:8
38 יוֹרוּ מִשְׁפָּטֶיךָ לְיַעֲקֹב Deut. 33:10
39 וְאֶת־עַמִּי יוֹרוּ בֵּין קֹדֶשׁ לְחֹל Ezek. 44:23
40 וְכֹהֲנֶיהָ בִּמְחִיר יוֹרוּ Mic. 3:11
יוֹרוּךָ 41 וְשָׁמַרְתָּ לַעֲשׂוֹת כְּכֹל אֲשֶׁר יוֹרוּךָ Deut. 17:10
42 עַל־פִּי הַתּוֹרָה אֲשֶׁר יוֹרוּךָ Deut. 17:11
43 הֲלֹא־הֵם יוֹרוּךָ יֹאמְרוּ לָךְ Job 8:10
הוֹרֵנִי 44/5 הוֹרֵנִי יְיָ דַּרְכֶּךָ Ps. 27:11; 86:11
46 הוֹרֵנִי יְיָ דֶּרֶךְ חֻקֶּיךָ Ps. 119:33
47 בִּלְעֲדֵי אֶחֱזֶה אַתָּה הֹרֵנִי Job 34:32
הוֹרוּנִי 48 הוֹרוּנִי וַאֲנִי אַחֲרִישׁ Job 6:24

(ירה)[3] הוֹרָה

הִפ׳ הרוה, השקה: 1, 2

יוֹרֶה 1 בְּמַלְקוֹשׁ יוֹרֶה אָרֶץ Hosh. 6:3
(יוֹרֶא) 2 וּמַרְוֶה גַּם־הוּא יוֹרֶא Prov. 11:25

יְרוּאֵל

שם מדבר בנחלת יהודה

יְרוּאֵל 1 בְּסוֹף הַנַּחַל פְּנֵי מִדְבַּר יְרוּאֵל IICh. 20:16

יָרוֹחַ

שפ״ז מצאצאי שבט גד

יָרוֹחַ 1 בְּנֵי אֲבִיחַיִל בֶּן-חוּרִי בֶּן-יָרוֹחַ ICh. 5:14

יָרוֹן

(משלי כט6) – עין רנן

יָרוֹק ז׳ יֶרֶק

יָרוֹק 1 וְאַחַר כָּל־יָרוֹק יִדְרוֹשׁ Job 39:8

יְרוּשָׁא, יְרוּשָׁה שפ״נ – אמו של יותם מלך יהודה: 2,1

יְרוּשָׁא 1 וְשֵׁם אִמּוֹ יְרוּשָׁא בַּת־צָדוֹק IIK. 15:33

יְרוּשָׁה 2 וְשֵׁם אִמּוֹ יְרוּשָׁה בַּת־צָדוֹק IICh. 27:1

יְרוּשָׁלַםִ בירת ממלכת יהודה: 1-700

[הכתיב תמיד בלא יו״ד אחרי הל׳

פרט לארבעה מקראות: 346, 614, 633, 640]

– יְהוּדָה וִירוּשָׁלַםִ (25), 27, 49, 54, 57, 63, 68, 95, 216, 223-228, 345, 347, 354-376, 381, 566, 578-580, 596-598, 600, 603, 610, 636; יִשְׂרָאֵל וִירוּשָׁלַםִ 378, 565; צִיּוֹן וִירוּשָׁלַםִ 262, 352, 386, 551, 553, 564, 576; שׁוֹמְרוֹן וִירוּשָׁלַםִ 377

– יְרוּשָׁלַםִ הַבְּנוּיָה 112; יְ׳ חֳרֵבָה 123; יְ׳ עִיר הָאֱמֶת 103; יְ׳ עִיר הַקֹּדֶשׁ 31, 391

– אָזְנֵי יְרוּשָׁלַםִ 40; אֱלֹהֵי יְ׳ 273; אַרְמְנוֹת יְ׳ 56, 249; בּוֹנֵה יְ׳ 115; בְּנוֹת יְ׳ 117, 118, 265-269; בְּנֵי יְ׳ 95; (הַ)בַּת יְ׳ 119, 214, 215, 251-254; בְּתוֹכֵכִי יְ׳ 258; בְּתוּלוֹת יְ׳ 270; בָּתֵּי יְ׳ 22, 26, 58, 89; גְּאוֹן יְ׳ 50; גִּבְעַת יְ׳ 218; גָּלוּת יְ׳ 88; גְּלוּת יְ׳ 38; דְּמֵי יְ׳ 24; זִקְנֵי יְ׳ 364; חוֹמוֹת יְ׳ 23, (33), 87, 90, 125, 257; חוֹמַת יְ׳ 15, 19, 121, 124, 128, 132, 211, 274; חוּצוֹת יְ׳ 41, 43-48, 225-228; חָרְבוֹת יְ׳ 120, 221; טוּב יְ׳ 261; יוֹם יְ׳ 264; יוֹשֵׁב יְ׳ 9, 25, 27, 106, 107, 217; יוֹשְׁבֵי יְ׳ 6, 21, 49, 57, 62, 70-86, 127, 223, 224, 229-243; לֵב יְ׳ 29; לְמַעַן יְ׳ 16, 17, 32; מְבַשֶּׂרֶת יְ׳ 219; מֶלֶךְ יְ׳ 1-5; מְסִבֵּי יְ׳ 216; מְצוֹר יְ׳ 91; נְבִיאֵי יְ׳ 59, 60; נֶגֶב יְ׳ 256; סְבִיבוֹת יְ׳ 54, 111, 129; סְבִיבֵי יְ׳ 64, 65; עַם יְ׳ 133; פֶּלֶךְ יְ׳ 271, 272; פְּנֵי יְ׳ 108; צֹאן יְ׳ 94; צְוָחַת יְ׳ 52; רְחוֹבוֹת יְ׳ 255; שְׁאֵרִית יְ׳ 61; שׁוֹכֵן יְ׳ 262; שְׁלוֹם יְ׳ 260; שִׂמְחַת יְ׳ 130; שַׁעַר יְ׳ 250; שַׁעֲרֵי יְ׳ 39, 55, 126, 131, 244-247; שָׂרֵי יְרוּשָׁלַםִ 68, 347; בְּתוֹכֵכִי יְרוּשָׁלַםִ 258

– מִחוּץ לִירוּשָׁלַםִ 569, 570, 591

יְרוּשָׁלַםִ 1-2 אֲדֹנִי־צֶדֶק מֶלֶךְ יְרוּשָׁלַםִ Josh. 10:1, 13
3-5 מֶלֶךְ יְרוּשָׁלַםִ Josh. 10:5, 23; 12:10
6 וְאֶת־הַיְבוּסִי יוֹשְׁבֵי יְרוּשָׁלַםִ Josh. 15:63
7 וְהַיְבוּסִי הִיא יְרוּשָׁלַםִ Josh. 18:28
8 וַיְבִיאֻהוּ יְרוּשָׁלַםִ וַיָּמָת שָׁם Jud. 1:7
9 וְאֶת־הַיְבוּסִי יֹשֵׁב יְרוּשָׁלַםִ Jud. 1:21
10 וַיֵּלֶךְ הַמֶּלֶךְ וַאֲנָשָׁיו יְרוּשָׁלַםִ IISh. 5:6
11 אִם־יָשׁוֹב יְשִׁיבֵנִי יְיָ יְרוּשָׁלַםִ IISh. 15:8
12 וַיָּבֹא דָוִד אֶל־בֵּיתוֹ יְרוּשָׁלַםִ IISh. 20:3
13 וְיוֹאָב שָׁב יְרוּשָׁלַםִ אֶל־הַמֶּלֶךְ IISh. 20:22
14 וַיִּשְׁלַח יָדוֹ הַמַּלְאָךְ יְרוּשָׁלַםִ IISh. 24:16
15 וְאֶת־חוֹמַת יְרוּשָׁלַםִ סָבִיב IK. 3:1
16 וּלְמַעַן יְרוּשָׁלַםִ אֲשֶׁר בָּחָרְתִּי IK. 11:13
17 וּלְמַעַן יְרוּשָׁלַםִ הָעִיר אֲשֶׁר בָּחַרְתִּי IK. 11:32
18/9 וַיָּבֹאו יְרוּשָׁלַםִ וַיִּפְרֹץ בְּחוֹמַת יְרוּ׳ IIK. 14:13
20 לֹא תִנָּתֵן יְרוּשָׁלַםִ בְּיַד מֶלֶךְ אַשּׁוּר IIK. 19:10
21 וְכָל־יֹשְׁבֵי יְרוּשָׁלַםִ אִתּוֹ IIK. 23:2
22 וְאֵת כָּל־בָּתֵּי יְרוּשָׁלַםִ...שָׂרַף בָּאֵשׁ IIK. 25:9
23 וְאֶת־חוֹמֹת יְרוּשָׁלַםִ סָבִיב IIK. 25:10
24 וְאֶת־דְּמֵי יְרוּשָׁלַםִ יָדִיחַ מִקִּרְבָּהּ Is. 4:4
25 יוֹשֵׁב יְרוּשָׁלַםִ וְאִישׁ יְהוּדָה Is. 5:3
26 וְאֶת־בָּתֵּי יְרוּשָׁלַםִ סְפַרְתֶּם Is. 22:10
27 לְיוֹשֵׁב יְרוּשָׁלַםִ וּלְבֵית יְהוּדָה Is. 22:21
28 עֵינֶיךָ תִרְאֶינָה יְרוּשָׁלַםִ Is. 33:20
29 דַּבְּרוּ עַל־לֵב יְרוּשָׁלַםִ וְקִרְאוּ אֵלֶיהָ Is. 40:2
30 הִתְעוֹרְרִי הִתְעוֹרְרִי קוּמִי יְרוּשָׁ׳ Is. 51:17

יְרוּשָׁלַםִ (המשך)
31 עוּרִי עוּרִי...יְרוּשָׁלַםִ עִיר הַקֹּדֶשׁ Is. 52:1
32 וּלְמַעַן יְרוּשָׁלַםִ לֹא אֶשְׁקוֹט Is. 62:1
33 עַל־חוֹמֹתַיִךְ יְרוּשָׁלַםִ הִפְקַדְתִּי... Is. 62:6
34 יָשִׂים אֶת־יְרוּשָׁלַםִ תְּהִלָּה בָּאָרֶץ Is. 62:7
35 כִּי הִנְנִי בוֹרֵא אֶת־יְרוּשָׁלַםִ גִּילָה Is. 65:18
36 שִׂמְחוּ אֶת־יְרוּשָׁלַםִ וְגִילוּ בָהּ Is. 66:10
37 עַל הַר קָדְשִׁי יְרוּשָׁלַםִ Is. 66:20
38 עַד־גְּלוֹת יְרוּשָׁלַםִ... Jer. 1:3
39 וְנָתְנוּ אִישׁ כִּסְאוֹ...שַׁעֲרֵי יְרוּשָׁלַםִ Jer. 1:15
40 הָלֹךְ וְקָרָאתָ בְאָזְנֵי יְרוּשָׁלַםִ Jer. 2:2
41 שׁוֹטְטוּ בְּחוּצוֹת יְרוּשָׁלַםִ Jer. 5:1
42 הָעִזוּ בְּנֵי בִנְיָמִן מִקֶּרֶב יְרוּשָׁלַםִ Jer. 6:1
43-45 וּבְחֻצוֹת יְרוּשָׁלַםִ Jer. 11:6; 33:10; 44:21
46-48 (בְּ/מֵ)חֻצוֹת יְרוּשָׁלַםִ Jer. 7:34; 11:13; 14:16
49 עָרֵי יְהוּדָה וְיֹשְׁבֵי יְרוּשָׁלַםִ Jer. 11:12
50 אַשְׁחִית...וְאֶת־גְּאוֹן יְרוּשָׁלַםִ הָרָב Jer. 13:9
51 אוֹי לָךְ יְרוּשָׁלַםִ לֹא תִטְהֲרִי Jer. 13:27
52 וְצִוְחַת יְרוּשָׁלַםִ עָלָתָה Jer. 14:2
53 כִּי מִי־יַחְמֹל עָלַיִךְ יְרוּשָׁלַםִ Jer. 15:5
54 מֵעָרֵי־יְהוּ׳ וּמִסְּבִיבוֹת יְרוּשָׁלַםִ Jer. 17:26
55 וּבָא בְּשַׁעֲרֵי יְרוּשָׁלַםִ בְּיוֹם הַשַּׁבָּת Jer. 17:27
56 וְאָכְלָה אַרְמְנוֹת יְרוּשָׁלַםִ Jer. 17:27
57 אֶל־אִישׁ יְהוּ׳ וְעַל־יוֹשְׁבֵי יְרוּשָׁלַםִ Jer. 18:11
58 וְהָיוּ בָּתֵּי יְרוּשָׁלַםִ...כִּמְקוֹם הַתֹּפֶת Jer. 19:13
59 וּבִנְבִאֵי יְרוּשָׁלַםִ רָאִיתִי שַׁעֲרוּרָה Jer. 23:14
60 מֵאֵת נְבִיאֵי יְרוּשָׁלַםִ יָצְאָה חֲנֻפָּה Jer. 23:15
61 וְאֵת שְׁאֵרִית יְרוּשָׁלַםִ Jer. 24:8
62 וְאֶל כָּל־יֹשְׁבֵי יְרוּשָׁלַםִ Jer. 25:2
63 אֶת־יְרוּשָׁלַםִ וְאֶת־עָרֵי יְהוּדָה Jer. 25:18
64/5 וּבִסְבִיבֵי יְרוּשָׁלַםִ Jer. 32:44; 33:13
66/7 נִלְחָמִים עַל־יְרוּשָׁלַםִ Jer. 34:1, 7
68 שָׂרֵי יְהוּדָה וְשָׂרֵי יְרוּשָׁלַםִ Jer. 34:19
69 וַנֹּאמֶר בֹּאוּ וְנָבוֹא יְרוּשָׁלַםִ Jer. 35:11
70-86 (וְ/לְ) י(וֹ)שְׁבֵי יְרוּשָׁלַםִ Jer. 35:17
36:31; 42:18 • Ezek. 11:15; 12:19 • Zech. 12:5 • Dan. 9:7 • IICh. 20:15, 18, 20; 21:11, 13; 22:1; 31:4; 32:22; 34:30, 32
87 וְאֶת־חֹמוֹת יְרוּשָׁלַםִ נָתָצוּ Jer. 39:8
88 בְּתוֹךְ כָּל־גָּלוּת יְרוּשָׁלַםִ וִיהוּדָה Jer. 40:1
89 כָּל־בָּתֵּי יְרוּשָׁלַםִ...שָׂרַף בָּאֵשׁ Jer. 52:13
90 כָּל־חֹמוֹת יְרוּשָׁלַםִ סָבִיב נָתְצוּ Jer. 52:14
91 וְאֶל־מְצוֹר יְרוּשָׁלַםִ תָּכִין פָּנֶיךָ Ezek. 4:7
92 יְרוּשָׁלַםִ בְּתוֹךְ הַגּוֹיִם שַׂמְתִּיהָ Ezek. 5:5
93 אָמְרָה צֹּר עַל־יְרוּשָׁלַםִ הֶאָח Ezek. 26:2
94 כְּצֹאן יְרוּשָׁלַםִ בְּמוֹעֲדֶיהָ Ezek. 36:38
95 וּבְנֵי יְהוּדָה וּבְנֵי יְרוּשָׁלַםִ מְכַרְתֶּם Joel 4:6
96 וְהָיְתָה יְרוּשָׁלַםִ קֹדֶשׁ Joel 4:17
97 וְעַל־יְרוּשָׁלַםִ יַדּוּ גוֹרָל Ob. 11
98 וְגָלֻת יְרוּשָׁלַםִ אֲשֶׁר בִּסְפָרַד Ob. 20
99 אֲחַפֵּשׂ אֶת־יְרוּשָׁלַםִ בַּנֵּרוֹת Zech. 1:12
100 עַד־מָתַי...לֹא־תְרַחֵם אֶת־יְרוּשָׁלַםִ Zech. 1:12
101 פְּרָזוֹת תֵּשֵׁב יְרוּשָׁלַםִ Zech. 2:8
102 בִּהְיוֹת יְרוּשָׁלַםִ יֹשֶׁבֶת וּשְׁלֵוָה Zech. 7:7
103 וְנִקְרְאָה יְרוּשָׁלַםִ עִיר הָאֱמֶת Zech. 8:3
104 וְיָשְׁבָה יְרוּשָׁלַםִ עוֹד תַּחְתֶּיהָ Zech. 12:6
105 וְתִפְאֶרֶת יֹשֵׁב יְרוּשָׁלַםִ Zech. 12:7
106-107 י(וֹ)שֵׁב יְרוּשָׁלַםִ Zech. 12:8, 10
108 אֲשֶׁר עַל־פְּנֵי יְרוּשָׁלַםִ מִקֶּדֶם Zech. 14:4
109 וְיָשְׁבָה יְרוּשָׁלַםִ לָבֶטַח Zech. 14:11
110 שָׂמוּ אֶת־יְרוּשָׁלַםִ לְעִיִּים Ps. 79:1
111 שָׁפְכוּ...כַּמַּיִם סְבִיבוֹת יְרוּשָׁלַםִ Ps. 79:3
112 יְרוּשָׁלַםִ הַבְּנוּיָה Ps. 122:3

יְרוּשָׁלַםִ (המשך)
113 יְרוּשָׁלַםִ הָרִים סָבִיב לָהּ Ps. 125:2
114 אִם־לֹא אַעֲלֶה אֶת־יְרוּשָׁלַםִ Ps. 137:6
115 בּוֹנֵה יְרוּשָׁלַםִ יְיָ Ps. 147:2
116 שַׁבְּחִי יְרוּשָׁלַםִ אֶת־יְיָ Ps. 147:12
117/8 הִשְׁבַּעְתִּי אֶתְכֶם בְּנוֹת יְרוּשָׁלַםִ S.ofS. 2:7; 3:5
119 מָה אֲדַמֶּה־לָּךְ הַבַּת יְרוּשָׁלַםִ Lam. 2:13
120 ...לְחָרְבוֹת יְרוּשָׁלַםִ שִׁבְעִים שָׁנָה Dan. 9:2
121 וְחוֹמַת יְרוּשָׁלַםִ מְפֹרָצֶת Neh. 1:3
122 וָאֱהִי שֹׂבֵר בְּחוֹמֹת יְרוּשָׁלַםִ Neh. 2:13
123 אַתֶּם רֹאִים...אֲשֶׁר יְרוּשָׁלַםִ חֲרֵבָה Neh. 2:17
124 לְכוּ וְנִבְנֶה אֶת־חוֹמַת יְרוּשָׁלַםִ Neh. 2:17
125 עָלְתָה אֲרוּכָה לְחֹמוֹת יְרוּשָׁלַםִ Neh. 4:1
126 לֹא יִפָּתְחוּ שַׁעֲרֵי יְרוּשָׁלַםִ Neh. 7:3
127 וְהַעֲמֵיד מִשְׁמְרוֹת יֹשְׁבֵי יְרוּשָׁלַםִ Neh. 7:3
128 וּבַחֲנֻכַּת חוֹמַת יְרוּשָׁלַםִ Neh. 12:27
129 וּמִן־הַכִּכָּר סְבִיבוֹת יְרוּשָׁלַםִ Neh. 12:28
130 וַתִּשָּׁמַע שִׂמְחַת יְרוּשָׁלַםִ מֵרָחוֹק Neh. 12:43
131 כַּאֲשֶׁר צָלְלוּ שַׁעֲרֵי יְרוּשָׁלַםִ Neh. 13:19
132 וַיִּפְרֹץ בְּחוֹמַת יְרוּשָׁלַםִ IICh. 25:23
133 וַיִּקְרְאוּ...עַל־עַם יְרוּשָׁלַםִ IICh. 32:18
134-204 יְרוּשָׁלַםִ IISh. 19:26
IK. 3:15; 12:21, 28 • IIK. 16:5; 18:17; 35; 21:12, 13², 16; 23:13, 27, 30; 24:4, 14; 25:1 • Is. 3:8; 7:1; 36:20; 37:10; 64:9 • Jer. 4:14, 16; 6:6, 8; 8:5; 9:10; 27:3: 37:5; 39:1; 44:2; 52:4 • Ezek. 13:16; 14:22; 16:2; 17:12; 21:7, 27; 24:2 • Zech. 2:6; 8:15; 12:2, 3; 14:2, 17 • Lam. 1:7, 8, 17 • Dan. 1:1; 9:16², 25 • Ez. 3:8; 7:8, 9; 10:9 • Neh. 3:8 • ICh. 11:4 • IICh. 1:13; 11:1, 16; 12:5, 9; 13:15; 15:10; 20:27, 28; 25:23; 30:13; 33:13; 25:24

יְרוּשָׁלָםִ 205 אֶל־כֶּתֶף הַיְבוּסִי...הִיא יְרוּשָׁלָםִ Josh. 15:8
206 עַד־נֹכַח יְבוּס הִיא יְרוּשָׁלָםִ Jud. 19:10
207 וַיִּקַּח...וַיְבִאֵהוּ יְרוּשָׁלָםִ ISh. 17:54
208 וַיִּקַּח דָּוִד...וַיְבִיאֵם יְרוּשָׁלָםִ IISh. 8:7
209 וַיָּשֶׁב...אֶת־אֲרוֹן הָאֱל׳ יְרוּשָׁלָםִ IISh. 15:29
210 מִן־הַיַּרְדֵּן וְעַד־יְרוּשָׁלָםִ IISh. 20:2
211 לִבְנוֹת...וְאֵת חוֹמַת יְרוּשָׁלָםִ IK. 9:15
212 בָּהָר אֲשֶׁר עַל־פְּנֵי יְרוּשָׁלָםִ IK. 11:7
213 וּלְהַעֲמִיד אֶת־יְרוּשָׁלָםִ IK. 15:4
214/5 אַחֲרֶיךָ רֹאשׁ הֵנִיעָה בַּת יְרוּשָׁלָםִ IIK. 19:21 Is. 37:22
216 בְּעָרֵי יְהוּדָה וּמְסִבֵּי יְרוּשָׁלָםִ IIK. 23:5
217 לְפַח וּלְמוֹקֵשׁ לְיוֹשֵׁב יְרוּשָׁלָםִ Is. 8:14
218 הַר בַּת־צִיּוֹן גִּבְעַת יְרוּשָׁלָםִ Is. 10:32
219 הָרִימִי...מְבַשֶּׂרֶת יְרוּשָׁלָםִ Is. 40:9
220 קוּמִי שְׁבִי יְרוּשָׁלָםִ Is. 52:2
221 פִּצְחוּ רַנְּנוּ יַחְדָּו חָרְבוֹת יְרוּשָׁלָםִ Is. 52:9
222 כִּי־נִחַם יְיָ עַמּוֹ גָּאַל יְרוּשָׁלָםִ Is. 52:9
223/4 אִישׁ יְהוּדָה וְיֹשְׁבֵי יְרוּשָׁלָםִ Jer. 4:4; 17:25
225-228 בְּעָרֵי יְהוּדָה וּבְחֻצוֹת יְרוּשָׁלָםִ Jer. 7:17; 44:6, 9, 17
229-243 (וְ/בְּ/וּבְ/לְ) י(וֹ)שְׁבֵי יְרוּשָׁלָםִ Jer. 8:1 11:2, 9; 13:13; 17:20; 19:3; 32:32; 35:13 • Ezek. 15:6 • Zep. 1:4 • Zech. 13:1 • IICh. 32:26, 33; 33:9; 38:18
244-247 (בְּ/לְ) שַׁעֲרֵי יְרוּשָׁלָםִ Jer. 17:19, 21 22:19 • Lam. 4:12
248 וְחַקּוֹתָ עָלֶיהָ עִיר אֶת־יְרוּשָׁלָםִ Ezek. 4:1
249 וְאָכְלָה אַרְמְנוֹת יְרוּשָׁלָםִ Am. 2:5
250 כִּי־יָרַד רָע...לְשַׁעַר יְרוּשָׁלָםִ Mic. 1:12
251 מַמְלֶכֶת לְבַת־יְרוּשָׁלָםִ Mic. 4:8
252-254 בַּת יְרוּשָׁלָםִ Zep. 3:14 • Zech. 9:9 Lam. 2:15
255 עֹד יֵשְׁבוּ...בִּרְחֹבוֹת יְרוּשָׁלָםִ Zech. 8:4

יְרוּשָׁלִָם (המשך)
256 מִגֶּבַע לְרִמּוֹן נֶגֶב יְרוּשָׁלִָם Zech. 14:10
257 תִּבְנֶה חוֹמוֹת יְרוּשָׁלִָם Ps. 51:20
258 בְּתוֹכֵכִי יְרוּשָׁלִָם Ps. 116:19
259 עֹמְדוֹת...בִּשְׁעָרַיִךְ יְרוּשָׁלִָם Ps. 122:2
260 שַׁאֲלוּ שְׁלוֹם יְרוּשָׁלִָם Ps. 122:6
261 וּרְאֵה בְּטוּב יְרוּשָׁלִָם Ps. 128:5
262 בָּרוּךְ יְיָ מִצִּיּוֹן שֹׁכֵן יְרוּשָׁלִָם Ps. 135:21
263 אִם־אֶשְׁכָּחֵךְ יְרוּשָׁלִָם... Ps. 137:5
264 זְכֹר...אֵת־יוֹם יְרוּשָׁלִָם Ps. 137:7
265-268 בְּנוֹת יְרוּשָׁלִָם S.ofS. 1:5; 5:8, 16; 8:4
269 אַהֲבָה מִבְּנוֹת יְרוּשָׁלִָם S.ofS. 3:10
270 הוֹרִידוּ...רֹאשָׁן בְּתוּלֹת יְרוּשָׁלִָם Lam. 2:10
271/2 שַׂר חֲצִי פֶּלֶךְ יְרוּשָׁלִָם Neh. 3:9, 12
273 וַיְדַבְּרוּ אֶל־אֱלֹהֵי יְרוּשָׁלִָם IICh. 32:19
274 וַיְנַתְּצוּ אֵת חוֹמַת יְרוּשָׁלִָם IICh. 36:19
275-344 יְרוּשָׁלִָם IISh. 10:14; 12:31; 14:23
15:37; 16:15; 17:20; 19:35; 24:8 • IK. 8:1; 12:18;
14:25 • IIK. 12:18, 19; 14:2; 18:17; 23:20; 24:10;
25:8 • Is. 31:5 • Jer. 32:2; 37:5, 11; 38:28²; 44:13;
51:35 • Ezek. 9:4, 8; 14:21; 22:19 • Mic. 1:5, 9 •
Zech. 1:16; 8:3, 8; 12:2, 9; 14:12, 16 • Ps. 68:30 •
Eccl. 1:16 • Ez. 3:1; 7:7; 8:31, 32; 10:37 • Neh. 1:2;
2:11; 4:16; 7:2; 12:29 • ICh. 15:3; 18:7; 28:1;
19:15; 20:3; 21:4, 16 • IICh. 2:15; 5:2; 10:18;
12:2, 4; 14:14; 19:8; 23:2; 26:3; 32:2; 34:5, 9

וִירוּשָׁלִַם 345 וּבַקֹּתִי אֶת־עֲצַת יְהוּ׳ וִירוּשָׁלִַם Jer. 19:7
346 וִ י ר וּ שָׁ לַ יִ ם עִיִּים תִּהְיֶה Jer. 26:18
347 שָׂרֵי יְהוּדָה וִירוּשָׁלִַם Jer. 29:2
348 וִירוּשָׁלִַם תִּשְׁכּוֹן לָבֶטַח Jer. 33:16
349 וִירוּשָׁלִַם תַּעֲלֶה עַל־לְבַבְכֶם Jer. 51:50
350 וִירוּשָׁלִַם אָהֳלִיבָה Ezek. 23:4
351 וִירוּשָׁלִַם לְדוֹר וָדוֹר Joel 4:20
352 בֹּנֶה צִיּוֹן בְּדָמִים וִירוּשָׁלִַם בְּעַוְלָה Mic. 3:10
353 וִירוּשָׁלִַם עִיִּין תִּהְיֶה Mic. 3:12
354 וַיַּעֲבִירוּ קוֹל בִּיהוּדָה וִירוּשָׁלִַם Ez. 10:7
355 וַיַּעֲמֹד...בִּקְהַל יְהוּדָה וִירוּשָׁלִַם IICh. 20:5
356-363 יְהוּדָה וִירוּשָׁלִַם IICh. 20:17, 27
24:18, 23; 28:10; 34:3; 35:24; 36:4

וִירוּשָׁלָֽם 364 כָּל־זִקְנֵי יְהוּדָה וִירוּשָׁלִַם IIK. 23:1
365-376 יְהוּדָה וִירוּשָׁלִַם Is. 1:1; 2:1
Jer. 27:20, 21 • Joel 4:1 • Mal. 3:4 • Ez. 4:6 • ICh.
5:41 • IICh. 29:8; 32:25; 34:29; 36:10
377 אֲשֶׁר חָזָה עַל־שֹׁמְרוֹן וִירוּשָׁלִַם Mic. 1:1
378 אֲשֶׁר זֵרוּ...אֶת־יִשְׂרָאֵל וִירוּשָׁלִָם Zech. 2:2

בִּירוּשָׁלִַם 379/80 יֹשֵׁב הַיְבוּסִי...בִּירוּשָׁלִַם Josh. 15:63
Jud. 1:21
381 וַיִּלָּחֲמוּ בְנֵי־יְהוּדָה בִּירוּשָׁלִַם Jud. 1:8
382 וּמְפִיבֹשֶׁת יֹשֵׁב בִּירוּשָׁלִַם IISh. 9:13
383 וַיִּקָּבֵר בִּירוּשָׁלִַם...בְּעִיר דָּוִד IIK. 14:20
384 בִּירוּשָׁלִַם אָשִׂים אֶת־שְׁמִי IIK. 21:4
385 עַל־אַף יְיָ...בִּירוּשָׁלִַם וּבִיהוּדָה IIK. 24:20
386 הַנִּשְׁאָר בְּצִיּוֹן וְהַנּוֹתָר בִּירוּשָׁלִַם Is. 4:3
387 וְגַלְתִּי בִירוּשָׁלִַם וְשַׂשְׂתִּי בְעַמִּי Is. 65:19
388 יִגְדַּל הַמִּסְפֵּד בִּירוּשָׁלִַם Zech. 12:11
389/90 בִּירוּשָׁלִַם אֲשֶׁר בִּי׳ Ez. 1:2 • IICh. 36:23
391 לָשֶׁבֶת בִּירוּשָׁלִַם עִיר הַקֹּדֶשׁ Neh. 11:1
392 וַיִּשְׁכֹּן בִּירוּשָׁלִַם עַד־לְעוֹלָם ICh. 23:25
393 וַיִּבֶן עֻזִּיָּהוּ מִגְדָּלִים בִּירוּשָׁלִַם IICh. 26:9
394 וַיַּעַשׂ בִּירוּשָׁלִַם חִשְּׁבֹנוֹת IICh. 26:15
395 בִּירוּשָׁלִַם יִהְיֶה־שְׁמִי לְעוֹלָם IICh. 33:4
396-440 בִּירוּשָׁלִָם IISh. 11:12 14:28; 15:14;
16:3 • IK. 2:36, 38; 9:19; 10:27; 11:36, 42;

בִּירוּשָׁלִַם (המשך)
12:27; 14:21 • IIK. 14:19; 22:14 • Jer. 29:25; 34:8;
52:3 • Ezek. 4:16; 12:10; 21:25 • Zech.
14:21 • Neh. 6:7; 11:22 • ICh. 8:32; 9:38 • IICh.
1:15; 3:1; 6:6; 8:6; 9:1, 27, 30; 12:7, 13²; 13:2; 20:31;
19:8; 25:27; 28:27; 30:21; 32:9; 34:22, 32; 35:1

בִּירוּשָׁלָֽם 441 שְׁמוֹת הַיִּלֹּדִים לוֹ בִּירוּשָׁלִָם IISh. 5:14
442 וְדָוִד יוֹשֵׁב בִּירוּשָׁלִָם IISh. 11:1
443 וְכִלְכַּלְתִּי אֹתְךָ...בִּירוּשָׁלִָם IISh. 19:34
444 וַיַּנְחֵם...וְעִם־הַמֶּלֶךְ בִּירוּשָׁלִָם IK. 10:26
445-482 מָלַךְ בִּירוּשׁ׳ IK. 15:2, 10; 22:42 • IIK.
8:17, 26; 12:2; 14:2; 15:2, 33; 16:2; 18:2; 21:1, 19;
22:1; 23:31, 36; 24:8, 18 • Jer. 52:1 • Eccl. 1:1 •
ICh. 3:4 • IICh. 21:5, 20; 22:2; 24:1; 25:1; 26:3;
27:1, 8; 28:1; 29:1; 33:1, 21; 34:1; 36:2, 5, 9, 11
483 נָתַן לוֹ יְיָ אֱלֹהָיו נִיר בִּירוּשָׁלִָם IK. 15:4
484 אֶל־מִזְבַּח יְיָ בִּירוּשָׁלִָם IIK. 23:9
485 כָּל־הַכָּתוּב לַחַיִּים בִּירוּשָׁלִָם Is. 4:3
486 בְּהַר הַקֹּדֶשׁ בִּירוּשָׁלִָם Is. 27:13
487 כִּי־עָם בְּצִיּוֹן יֵשֵׁב בִּירוּשָׁלִָם Is. 30:19
488 וְתַנּוּר לוֹ בִּירוּשָׁלִָם Is. 31:9
489-490 וּבָחַר עוֹד בִּירוּשָׁלִָם Zech. 1:17; 2:16
491 וְיִגְעַר יְיָ בְּךָ הַבֹּחֵר בִּירוּשָׁלִָם Zech. 3:2
492 וְגַם־יְהוּדָה תִּלָּחֵם בִּירוּשָׁלִָם Zech. 14:14
493 לְסַפֵּר...וּתְהִלָּתוֹ בִּירוּשָׁלִָם Ps. 102:22
494 מִזְבְּחוֹת בְּכָל־פִּנָּה בִּירוּשָׁלִָם IICh. 28:24
495 וַתְּהִי שִׂמְחָה גְדוֹלָה בִּירוּשָׁלִָם IICh. 30:26
496 מִימֵי שְׁלֹמֹה לֹא כָזֹאת בִּירוּשָׁלִָם IICh. 30:26
497-546 בִּירוּשָׁלִָם IIK. 18:22; 23:23, 33
Is. 28:14 • Jer. 15:4; 34:6; 35:11; 36:9; 52:12 •
Zech. 8:22; 12:6 • Eccl. 1:12; 2:7, 9 • Dan. 9:12 •
Ez. 1:3, 4, 5; 2:68; 7:27; 8:29 • Neh. 2:20; 4:2; 11:1,
2, 3, 6; 13:6 • ICh. 3:5; 5:36; 6:17; 8:28; 9:34; 14:3,
4; 20:1 • IICh. 1:4, 14; 9:25; 11:5; 17:13; 19:4; 30:1,
2, 5; 30:14; 32:10; 36:1, 3, 14

וּבִירוּשָׁלִַם 547 וּבִירוּשָׁלִַם מָלַךְ שְׁלֹשִׁים וְשָׁלֹשׁ שָׁנָה IISh. 5:5
548/9 וּבִירוּשָׁלִַם...בָּחַרְתִּי IIK. 21:7 • IICh. 33:7
550 בְּאֶרֶץ יְהוּדָה וּבִירוּשָׁלִַם IIK. 23:24
551 בְּהַר צִיּוֹן וּבִירוּשָׁלִַם Is. 24:23
552 וּבִירוּשָׁלִַם תְּנֻחָמוּ Is. 66:13
553 בְּהַר־צִיּוֹן וּבִירוּשָׁלִַם תִּהְיֶה פְלֵיטָה Joel 3:5
554-563 וּבִירוּשָׁלִַם IK. 2:11
Jer. 4:5; 27:18 • Neh. 8:15; 11:4; 13:16 • ICh. 9:3;
29:27 • IICh. 2:6; 24:9

וּבִירוּשָׁלָֽם 564 בְּהַר צִיּוֹן וּבִירוּשָׁלִָם Is. 10:12
565 וְתוֹעֵבָה נֶעֶשְׂתָה בְיִשׂ׳ וּבִירוּשָׁלִָם Mal. 2:11
566 וְלָתֶת־לָנוּ גָדֵר בִּיהוּדָה וּבִירוּשָׁלִָם Ez. 9:9
567 בְּהַר בֵּית־יְיָ וּבִירוּשָׁלִָם IICh. 33:15

כִּירוּשָׁלָֽם 568 יָפָה...כְּתִרְצָה נָאוָה כִּירוּשָׁלִָם S.ofS. 6:4

לִירוּשָׁלִַם 569 וַיִּשְׂרְפֵם מִחוּץ לִירוּשָׁלִַם IIK. 23:4
570 וַיֹּצֵא אֶת־הָאֲשֵׁ׳...מִחוּץ לִירוּשָׁלִַם IIK. 23:6
571 כֵּן אֶעֱשֶׂה לִירוּשָׁלִַם וְלַעֲצַבֶּיהָ Is. 10:11
572 הָאֹמֵר לִירוּשָׁלִַם תּוּשָׁב Is. 44:26
573 וְלֵאמֹר לִירוּשָׁלִַם תִּבָּנֶה Is. 44:28
574 יִקְרְאוּ לִירוּשָׁלִַם כִּסֵּא יְיָ Jer. 3:17
575 יֵאָמֵר לִירוּשָׁלִַם אַל־תִּירָאִי Zep. 3:16
576 קִנֵּאתִי לִירוּשָׁלִַם וּלְצִיּוֹן... Zech. 1:14
577 שַׁבְתִּי לִירוּשָׁלִַם בְּרַחֲמִים Zech. 1:16
578 וְיַעַל לִירוּשָׁלִַם אֲשֶׁר בִּיהוּדָה Ez. 1:3
579/80 לִירוּשָׁלִַם (וּ/לִ)יהוּדָה Ez. 2:1 • Neh. 7:6
581 לָבוֹאָם אֶל־בֵּית הָאֱלֹ׳ לִירוּשָׁלִַם Ez. 3:8
582 לְהָבִיא לִירוּשָׁלִַם לְבֵית אֱלֹהֵינוּ Ez. 8:30
583 כֹּה־אָמַר אֲדֹנָי יְיָ לִירוּשָׁלִַם Ezek. 16:3
584 וַיִּשְׁלַח הָאֱלֹ׳ מַלְאָךְ לִירוּשָׁלִַם ICh. 21:15
585 מְבִיאִים מִנְחָה לַיְיָ לִירוּשָׁלִַם IICh. 32:23

לִירוּשָׁלָֽם 586 כָּל־הַגּוֹיִם לְשֵׁם יְיָ לִירוּשָׁלִָם Jer. 3:17
587 הֶעָלוֹת...מִבָּבֶל לִירוּשָׁלִָם Ez. 1:11
588 נֹתֵן אֶל־לִבִּי לַעֲשׂוֹת לִירוּשָׁלִָם Neh. 2:12
589 בִּקְשׁוּ...לַהֲבִיאָם לִירוּשָׁלִָם Neh. 12:27
590 וָאָבוֹא לִירוּשָׁלִָם Neh. 13:7
591 וַיָּלִינוּ...מִחוּץ לִירוּשָׁלִָם Neh. 13:20
592-595 לִירוּשָׁלִָם IICh. 19:1; 30:3, 11; 34:7

וְלִירוּשָׁלִַם 596 וַיֹּאמֶר לִיהוּדָה וְלִירוּשָׁלִַם... IIK. 18:22
597/8 לִיהוּ׳ וְלִירוּשָׁלִַם Is. 36:7 • IICh. 32:12
599 וְלִירוּשָׁלִַם מְבַשֵּׂר אֶתֵּן Is. 41:27
600 כֹּה אָמַר יְיָ לְאִישׁ יְהוּ׳ וְלִירוּשָׁלִַם Jer. 4:3
601/2 לָעָם(־)הַזֶּה וְלִירוּשָׁלִַם Jer. 4:10, 11

וְלִירוּשָׁלָֽם 603 וַיֵּלְכוּ לִיהוּדָה וְלִירוּשָׁלִָם IICh. 11:14

מִירוּשָׁלִַם 604 וַיִּקַּח...פִּלַגְשִׁים וְנָשִׁים מִירוּשָׁלִַם IISh. 5:13
605 מָאתַיִם אִישׁ מִירוּשָׁלִַם IISh. 15:11
606 וַיֵּצְאוּ מִירוּשָׁלִַם לִרְדֹּף אַחֲרֵי שֶׁבַע IISh. 20:7
607 כִּי־הָלַךְ שִׁמְעִי מִירוּשָׁלִַם גַּת IK. 2:41
608 כִּי מִירוּשָׁלִַם תֵּצֵא שְׁאֵרִית IIK. 19:31
609 הוֹלִיךְ גּוֹלָה מִירוּשָׁלִַם בָּבֶלָה IIK. 24:15
610 מֵסִיר מִירוּשָׁלִַם וּמִיהוּדָה Is. 3:1
611 אֲשֶׁר־הִגְלֵיתִי מִירוּשָׁלִַם בָּבֶלָה Jer. 29:4
612 וְהִכְרַתִּי...וְסוּס מִירוּשָׁלִַם Zech. 9:10
613 יֵצְאוּ מַיִם־חַיִּים מִירוּשָׁלִַם Zech. 14:8
614 אֲשֶׁר הָגְלָה מִ י ר וּ שָׁ לַ יִ ם Es. 2:6
615-624 מִירוּשָׁלִַם Is. 10:10
37:32 • Jer. 24:1; 27:20; 29:1, 20; 37:12; 52:29
Ezek. 33:21 • Ez. 1:7

מִירוּשָׁלָֽם 625 בַּיּוֹם אֲשֶׁר־יָצָא...מִירוּשָׁלִָם IISh. 19:20
626 וְיָרָבְעָם יָצָא מִירוּשָׁלִָם IK. 11:29
627 וְשֵׁם אִמּוֹ יְכָלְיָהוּ מִירוּשָׁלִָם IIK. 15:2
628 וְשֵׁם אִמּוֹ נְחֻשְׁתָּא...מִירוּשָׁלִָם IIK. 24:8
629/30 וּדְבַר־יְיָ מִירוּשָׁלִָם Is. 2:4 • Mic. 4:2
631 אֲשֶׁר שָׁלַח יִרְמְיָה הַנָּבִיא מִירוּשָׁלִָם Jer. 29:1
632 אַחֲרֵי צֵאת...מִירוּשָׁלִָם Jer. 29:2
633 וְשֵׁם אִמּוֹ יְהוֹעַדָּן מִ י ר וּ שָׁ לָ יִ ם IICh. 25:1

וּמִירוּשָׁלִַם 634/5 וּמִירוּשָׁלִַם יִתֵּן קוֹלוֹ Joel 4:16 • Am. 1:2
636 לְהָבִיא מִיהוּדָה וּמִירוּשָׁלִָם IICh. 24:6

יְרוּשָׁלְַמָה 637 וַתָּבֹא יְרוּשָׁלְַמָה בְּחַיִל כָּבֵד IK. 10:2
638 וַיִּשְׁלַח...מִלָּכִישׁ יְרוּשָׁלְַמָה Is. 36:2
639 תָּבֵא אֹתִי יְרוּשָׁלְַמָה בְּמַרְאוֹת אֱלֹהִים
Ezek. 8:3
640 שָׁלַח...עֲבָדָיו יְ ר וּ שָׁ לַ יְ מָ ה IICh. 32:9

יְרוּשָׁלָֽמָה 641 וַיַּרְכִּבוּ אֹתוֹ עֲבָדָיו יְרוּשָׁלָֽמָה IIK. 9:28

יְרוּשְׁלֶם שְׁמָהּ הָארמי של ירושלים: 1—26

יְרוּשְׁלֶם 1 וְכַוִּין פְּתִיחָן לֵהּ...נֶגֶד יְרוּשְׁלֶם Dan. 6:11
2 כְּתַבוּ אִגְּרָה חֲדָה עַל־יְרוּשְׁלֶם Ez. 4:8
3 וּמַלְכִין תַּקִּיפִין הֲווֹ עַל־יְרוּשְׁלֶם Ez. 4:20
4 הַשְׁלֵם קֳדָם אֱלָהּ יְרוּשְׁלֶם Ez. 7:19

בִּירוּשְׁלֶם 5 מִן־הֵיכְלָא דִּי בִירוּשְׁלֶם Dan. 5:2
6 דִּי־בֵית אֱלָהָא דִּי בִירוּשְׁלֶם Dan. 5:3
7-19 דִּי בִירוּשְׁלֶם Ez. 4:24
5:2, 14, 15, 16; 6:5², 9, 12, 18; 7:15, 16, 17
20 לְמִבְנֵא בֵּית־אֱלָהָא דֵךְ בִּירוּשְׁלֶם Ez. 5:17
21 בֵּית־אֱלָהָא בִירוּשְׁלֶם...יִתְבְּנֵא Ez. 6:3

וּבִירוּשְׁלֶם 22 עַל־יְהוּדָיֵא דִּי בִיהוּד וּבִירוּשְׁלֶם Ez. 5:1

לִירוּשְׁלֶם 23 יְהוּדָיֵא...עֲלֵינָא אֲתוֹ לִירוּשְׁלֶם Ez. 4:12
24 אֲזַלוּ בִבְהִילוּ לִירוּשְׁלֶם Ez. 4:23
25 דִּי כָל־מִתְנַדַּב...לִמְהָךְ לִירוּשְׁלֶם Ez. 7:13

וְלִירוּשְׁלֶם 26 שְׁלִיחַ לְבַקָּרָא עַל־יְהוּד וְלִירוּשְׁלֶם Ez. 7:14

יָרֵחַ
ז׳ לְבָנָה, ״הַמָּאוֹר הַקָּטָן״: 1–27

קרובים: לְבָנָה / סַהַר

– שֶׁמֶשׁ וְיָרֵחַ 8, 9, 12–14, 19, 20–22, 24–27; יָרֵחַ וְכוֹכָבִים 1, 3, 19, 20, 22

– בְּלִי יָרֵחַ 5; נֹגַהּ יָרֵחַ 18

יָרֵחַ 1 חֻקֹּת יָרֵחַ וְכוֹכָבִים...לָיְלָה — Jer. 31:35(34)
2 שֶׁמֶשׁ יָרֵחַ עָמַד זְבֻלָה — Hab. 3:11
3 יָרֵחַ וְכוֹכָבִים אֲשֶׁר כּוֹנָנְתָּה — Ps. 8:4
4 וְלִפְנֵי יָרֵחַ דּוֹר דּוֹרִים — Ps. 72:5
5 וְרֹב שָׁלוֹם עַד־בְּלִי יָרֵחַ — Ps. 72:7
6 עָשָׂה יָרֵחַ לְמוֹעֲדִים — Ps. 104:19
7 הֵן עַד־יָרֵחַ וְלֹא יַאֲהִיל — Job 25:5
וְיָרֵחַ 8 שֶׁמֶשׁ...דּוֹם וְיָרֵחַ בְּעֵמֶק אַיָּלוֹן — Josh. 10:12
9 וַיִּדֹּם הַשֶּׁמֶשׁ וְיָרֵחַ עָמָד — Josh. 10:13
10 וְיָרֵחַ לֹא־יַגִּיהַּ אוֹרוֹ — Is. 13:10
11 וְיָרֵחַ לֹא־יָאִיר אוֹרוֹ — Ezek. 32:7
12-13 שֶׁמֶשׁ וְיָרֵחַ קָדָרוּ — Joel 2:10; 4:15
14 ...לֹא־יַכֶּכָּה וְיָרֵחַ בַּלָּיְלָה — Ps. 121:6
15 הַלְלוּהוּ שֶׁמֶשׁ וְיָרֵחַ — Ps. 148:3
16 וְיָרֵחַ יָקָר הֹלֵךְ — Job 31:26
הַיָּרֵחַ 17 אֶת־הַשֶּׁמֶשׁ וְאֶת־הַיָּרֵחַ — Deut. 4:19
18 וּלְנֹגַהּ הַיָּרֵחַ לֹא־יָאִיר לָךְ — Is. 60:19
19 הַיָּרֵחַ וְכוֹכ׳ לְמֶמְשְׁלוֹת בַּלָּיְלָה — Ps. 136:9
וְהַיָּרֵחַ 20 הַשֶּׁמֶשׁ וְהַיָּרֵחַ וְאַחַד עָשָׂר כּוֹכָבִים — Gen. 37:9
21 הַשֶּׁמֶשׁ יֵהָפֵךְ לְחֹשֶׁךְ וְהַיָּרֵחַ לְדָם — Joel 3:4
22 הַשֶּׁמֶשׁ וְהָאוֹר וְהַיָּרֵחַ וְהַכּוֹכָבִים — Eccl. 12:2
כְּיָרֵחַ 23 כְּיָרֵחַ יִכּוֹן עוֹלָם — Ps. 69:38
לַיָּרֵחַ 24 וַיִּשְׁתַּחוּ לָהֶם וְלַשֶּׁמֶשׁ אוֹ לַיָּרֵחַ — Deut. 17:3
וְלַיָּרֵחַ 25 לַשֶּׁמֶשׁ וְלַיָּרֵחַ וְלַמַּזָּלוֹת — IIK. 23:5
26 וּשְׁטָחוּם לַשֶּׁמֶשׁ וְלַיָּרֵחַ — Jer. 8:2
וִירֵחֵךְ 27 לֹא־יָבוֹא עוֹד שִׁמְשֵׁךְ וִירֵחֵךְ לֹא יֵאָסֵף — Is. 60:20

יֶרַח[1]
ז׳ מחזור הירח, חודש: 1–12 • קרובים: ראה חֹדֶשׁ

– יֶרַח אֶחָד 1; יֶרַח הָאֵתָנִים 6; יֶרַח בּוּל 5; יֶרַח יָמִים 2, 3

– גֶּרֶשׁ יְרָחִים 8; מִסְפַּר יְרָחִים 9

– יַרְחֵי קֶדֶם 12; יַרְחֵי שָׁוְא 11

בְּיֶרַח 1 וָאַכְחִד...שְׁלֹשֶׁת הָרֹעִים בְּיֶרַח אֶחָד — Zech. 11:8
יֶרַח־ 2 וּבָכְתָה אֶת־אָבִיהָ...יֶרַח יָמִים — Deut. 21:13
3 וַיִּמְלֹךְ יֶרַח־יָמִים בְּשֹׁמְרוֹן — IIK. 15:13
בְּיֶרַח 4 ...יֻסַּד בֵּית יְיָ בְּיֶרַח זִו — IK. 6:37
5 בְּיֶרַח בּוּל הוּא הַחֹדֶשׁ הַשְּׁמִינִי — IK. 6:38
6 וַיִּקָּהֲלוּ...בְּיֶרַח הָאֵתָנִים בֶּחָג — IK. 8:2
יְרָחִים 7 וַתִּצְפְּנֵהוּ שְׁלֹשָׁה יְרָחִים — Ex. 2:2
8 וּמִמֶּגֶד גֶּרֶשׁ יְרָחִים — Deut. 33:14
9 בְּמִסְפַּר יְרָחִים אַל־יָבֹא — Job 3:6
10 תִּסְפֹּר יְרָחִים תְּמַלֶּאנָה — Job 39:2
יַרְחֵי־ 11 כֵּן הָנְחַלְתִּי לִי יַרְחֵי־שָׁוְא — Job 7:3
כְּיַרְחֵי־ 12 מִי־יִתְּנֵנִי כְיַרְחֵי־קֶדֶם — Job 29:2

יֶרַח[2]
שפ״ז – מבני יָקְטָן בן עֵבֶר: 1, 2

יָרַח 1 וְאֶת־חֲצַרְמָוֶת וְאֶת־יָרַח — Gen. 10:26
2 וְאֶת־חֲצַרְמָוֶת וְאֶת־יָרַח — ICh. 1:20

יְרַח
ז׳ ארמית: יֶרַח, חודש: 1, 2

לִירַח 1 עַד יוֹם תְּלָתָה לִירַח אֲדָר — Ez. 6:15
יַרְחִין 2 לִקְצָת יַרְחִין תְּרֵי־עֲשַׂר — Dan. 4:26

יָרַח
(ש״א כו 19) – עין ריח

יְרֵחוֹ
[כך בתורה, בנביאים אחרונים ובכתובים; בנביאים ראשונים – יְרִיחוֹ (להוציא מ״ב כה 5]

עיר סמוכה לשפך הירדן לים המלח, עיר התמרים: 1–21

יְרֵחוֹ עִיר הַתְּמָרִים 20; אַנְשֵׁי י׳ 19; בְּנֵי י׳ 17–18; בִּקְעַת י׳ 13; יַרְדֵּן י׳ 1–10; עַל־פְּנֵי י׳ 11, 12; עַרְבוֹת יְרֵחוֹ 14–16

יְרֵחוֹ 1-3 (וּ)מֵעֵבֶר לְיַרְדֵּן יְרֵחוֹ — Num. 22:1; 34:15 • ICh. 6:63
4-10 עַל(־)יַרְדֵּן יְרֵחוֹ — Num. 26:3, 63; 31:12; 33:48, 50; 35:1; 36:13
11-12 אֲשֶׁר עַל־פְּנֵי יְרֵחוֹ — Deut. 32:49; 34:1
13 בִּקְעַת יְרֵחוֹ עִיר הַתְּמָרִים — Deut. 34:3
14-16 בְּעַרְבוֹת יְרֵחוֹ — IIK. 25:5 • Jer. 39:5; 52:8
17/18 בְּנֵי יְרֵחוֹ שְׁלֹשׁ מֵאוֹת — Ez. 2:34 • Neh. 7:36
19 וְעַל־יָדוֹ בָנוּ אַנְשֵׁי יְרֵחוֹ — Neh. 3:2
20 וַיְבִיאוּם יְרֵחוֹ עִיר־הַתְּמָרִים — IICh. 28:15
בִּירֵחוֹ 21 וַיֹּאמֶר הַמֶּלֶךְ שְׁבוּ בִירֵחוֹ — ICh. 19:5

יְרֹחָם
שפ״ז א) סבו של שמואל הנביא: 1

ב) אנשים שונים מבני בנימין ועוד: 2–10

יְרֹחָם 1 וּשְׁמוֹ אֶלְקָנָה בֶּן־יְרֹחָם... — ISh. 1:1
2 וַעֲדָיָה בֶּן־יְרֹחָם בֶּן־פְּלַלְיָה — Neh. 11:12
3 אֱלִיאָב בְּנוֹ יְרֹחָם בְּנוֹ אֶלְקָנָה בְנוֹ — ICh. 6:12
4 בֶּן־אֶלְקָנָה בֶּן־יְרֹחָם בֶּן־אֱלִיאֵל — ICh. 6:19
5 וְאֵלִיָּה וְזִכְרִי בְּנֵי יְרֹחָם — ICh. 8:27
6 וְיִבְנְיָה בֶּן־יְרֹחָם — ICh. 9:8
7 וַעֲדָיָה בֶּן־יְרֹחָם בֶּן־פַּשְׁחוּר — ICh. 9:12
8 וְיוֹעֵאלָה וּזְבַדְיָה בְּנֵי יְרֹחָם — ICh. 12:7(8)
9 לְדָן עֲזַרְאֵל בֶּן־יְרֹחָם — ICh. 27:22
10 לַעֲזַרְיָהוּ בֶן־יְרֹחָם — IICh. 23:1

יְרַחְמְאֵל
שפ״ז א) בן חצרון בן פרץ משבט יהודה: 2–6, 8

ב) לוי בימי דוד: 7

ג) בן המלך יהויקים: 1

יְרַחְמְאֵל 1 אֶת־יְרַחְמְאֵל בֶּן־הַמֶּלֶךְ — Jer. 36:26
2 וּבְנֵי חֶצְרוֹן...אֶת־יְרַחְמְאֵל וְאֶת־רָם — ICh. 2:9
3 וַיִּהְיוּ בְנֵי־יְרַחְמְאֵל בְּכוֹר חֶצְרוֹן — ICh. 2:25
4 וַיִּהְיוּ בְנֵי־רָם בְּכוֹר יְרַחְמְאֵל — ICh. 2:27
5 אֵלֶּה הָיוּ בְּנֵי יְרַחְמְאֵל — ICh. 2:33
6 וּבְנֵי כָלֵב אֲחִי יְרַחְמְאֵל — ICh. 2:42
7 לְקִישׁ בְּנֵי־קִישׁ יְרַחְמְאֵל — ICh. 24:29
לִירַחְמְאֵל 8 וַתְּהִי אִשָּׁה אַחֶרֶת לִירַחְמְאֵל — ICh. 2:26

יְרַחְמְאֵלִי
ת׳ המתייחס על בית יְרַחְמְאֵל(א): 1, 2

הַיְּרַחְמְאֵלִי 1 עַל־נֶגֶב יְהוּדָה וְעַל־נֶגֶב הַיְּרַחְמְאֵלִי — ISh. 27:10
2 וְלַאֲשֶׁר בְּעָרֵי הַיְּרַחְמְאֵלִי — ISh. 30:29

יַרְחָע
שפ״ז – עבד מצרי שנשא את בת שֵׁשָׁן: 1, 2

יַרְחָע 1 וּלְשֵׁשָׁן עֶבֶד מִצְרִי וּשְׁמוֹ יַרְחָע — ICh. 2:34
לְיַרְחָע 2 וַיִּתֵּן שֵׁשָׁן אֶת־בִּתּוֹ לְיַרְחָע עַבְדּוֹ — ICh. 2:35

ירט
: יָרַט

יָרַט
פ׳ א) סטה, פנה: 1

ב) (?)הפיל: 2 [ואולי עתיד מן רטה]

יָרַט 1 כִּי־יָרַט הַדֶּרֶךְ לְנֶגְדִּי — Num. 22:32
יִרְטֵנִי(?) 2 וְעַל־יְדֵי רְשָׁעִים יִרְטֵנִי — Job 16:11

יְרִיאֵל
שפ״ז – איש מזרע יששכר

וִירִיאֵל 1 וּבְנֵי תוֹלָע עֻזִּי וּרְפָיָה וִירִיאֵל — ICh. 7:2

יָרִיב[1]
ז׳ שונא, מתנגד: 1–3

יְרִיבֵךְ 1 וְאֶת־יְרִיבֵךְ אָנֹכִי אָרִיב — Is. 49:25
יְרִיבַי 2 רִיבָה יְיָ אֶת־יְרִיבַי — Ps. 35:1
יְרִיבָי 3 וּשְׁמַע לְקוֹל יְרִיבָי — Jer. 18:19

יָרִיב[2]
שפ״ז – א) מבני שמעון, הוא יָכִין: 1

ב) כהן בימי עזרא: 2

ג) מראשי העם בימי עזרא: 3

יָרִיב 1 בְּנֵי שִׁמְעוֹן...יָרִיב זֶרַח שָׁאוּל — ICh. 4:24
וְיָרִיב 2 מַעֲשֵׂיָה וֶאֱלִיעֶזֶר וְיָרִיב וּגְדַלְיָה — Ez. 10:18
וּלְיָרִיב 3 לֶאֱלִיעֶזֶר...וּלְיָרִיב...רָאשִׁים — Ez. 8:16

יְרִיבַי
שפ״ז – מגבורי החילים של דוד

וִירִיבַי 1 וִירִיבַי וְיוֹשַׁוְיָה בְּנֵי אֶלְנָעַם — ICh. 11:46

יְרִיָּה, יְרִיָּהוּ
שפ״ז – ראש לבני חברון: 1–3

יְרִיָּה 1 לַחֶבְרוֹנִי יְרִיָּה הָרֹאשׁ — ICh. 26:31
יְרִיָּהוּ 2 יְרִיָּהוּ הָרֹאשׁ אֲמַרְיָה הַשֵּׁנִי — ICh. 23:19
3 וּבְנֵי יְרִיָּהוּ אֲמַרְיָהוּ הַשֵּׁנִי — ICh. 24:23

יְרִיחוֹ
היא יְרֵחוֹ, עיר התמרים [עין שם]: 1–37

בַּעֲלֵי יְרִיחוֹ 22; יַרְדֵּן י׳ 14–16, 19; כָּתֵף י׳ 17; מִזְרַח י׳ 6; מֵי י׳ 16; מֶלֶךְ י׳ 2, 3, 11–13; נֶגֶד י׳ 4; עַרְבוֹת יְרִיחוֹ 5, 7

יְרִיחוֹ 1 רְאוּ אֶת־הָאָרֶץ וְאֶת־יְרִיחוֹ — Josh. 2:1
2 וַיֵּאָמַר לְמֶלֶךְ יְרִיחוֹ לֵאמֹר — Josh. 2:2
3 וַיִּשְׁלַח מֶלֶךְ יְרִיחוֹ אֶל־רָחָב — Josh. 2:3
4 וְהָעָם עָבְרוּ נֶגֶד יְרִיחוֹ — Josh. 3:16
5 עָבְרוּ...אֶל עַרְבוֹת יְרִיחוֹ — Josh. 4:13
6 בִּקְצֵה מִזְרַח יְרִיחוֹ — Josh. 4:19
7 וַיַּעֲשׂוּ אֶת־הַפֶּסַח...בְּעַרְבוֹת יְרִיחוֹ — Josh. 5:10
8 נָתַתִּי בְיָדְךָ אֶת־יְרִיחוֹ וְאֶת־מַלְכָּהּ — Josh. 6:2
9 הַמַּלְאָכִים...לְרַגֵּל אֶת־יְרִיחוֹ — Josh. 6:25
10 אֲשֶׁר יָקוּם וּבָנָה...אֶת־יְרִיחוֹ — Josh. 6:26
11/2 כַּאֲשֶׁר עָשָׂה לְמֶלֶךְ יְרִיחוֹ — Josh. 10:28, 30
13 מֶלֶךְ יְרִיחוֹ אֶחָד — Josh. 12:9
14 מֵעֵבֶר לְיַרְדֵּן יְרִיחוֹ מִזְרָחָה — Josh. 13:32
15/6 מִיַּרְדֵּן יְרִיחוֹ לְמֵי יְרִיחוֹ מִזְרָחָה — Josh. 16:1
17 וְעָלָה הַגְּבוּל אֶל־כֶּתֶף יְרִיחוֹ — Josh. 18:12
18 יְרִיחוֹ וּבֵית־חָגְלָה וְעֵמֶק קְצִיץ — Josh. 18:21
19 וּמֵעֵבֶר לְיַרְדֵּן יְרִיחוֹ מִזְרָחָה — Josh. 20:8
20/1 וַתַּעַבְרוּ אֶת־הַיַּרְ׳ וַתָּבֹאוּ...יְרִיחוֹ — Josh. 24:11
22 וַיִּלָּחֲמוּ בָכֶם בַּעֲלֵי־יְרִיחוֹ — Josh. 24:11
23 בְּיָמָיו בָּנָה חִיאֵל...אֶת־יְרִיחֹה — IK. 16:34
24 שֵׁב־נָא פֹה כִּי יְיָ שְׁלָחַנִי יְרִיחוֹ — IIK. 2:4
25 וַיָּבֹאוּ יְרִיחוֹ — IIK. 2:4
וִירִיחוֹ 26 וִירִיחוֹ סֹגֶרֶת וּמְסֻגֶּרֶת — Josh. 6:1
בִּירִיחוֹ 27 וַיְהִי בִּהְיוֹת יְהוֹשֻׁעַ בִּירִיחוֹ — Josh. 5:13
28 וּפָגַע בִּירִיחוֹ וְיָצָא הַיַּרְדֵּן — Josh. 16:7
29 וַיֹּאמֶר הַמֶּלֶךְ שְׁבוּ בִירֵחוֹ — IISh. 10:5
30/1 בְנֵי־הַנְּבִיאִים אֲשֶׁר־בִּירִיחוֹ — IIK. 2:5, 15
32 וַיָּשֻׁבוּ אֵלָיו וְהוּא יֹשֵׁב בִּירִיחוֹ — IIK. 2:18
לִירִיחוֹ 33 כַּאֲשֶׁר עָשִׂיתָ לִירִיחוֹ וּלְמַלְכָּהּ — Josh. 8:2
34 אֲשֶׁר עָשָׂה יְהוֹשֻׁעַ לִירִיחוֹ וְלָעָי — Josh. 9:3
35 כַּאֲשֶׁר עָשָׂה לִירִיחוֹ וּלְמַלְכָּהּ — Josh. 10:1
מִירִיחוֹ 36 וַיִּשְׁלַח יְהוֹשֻׁעַ אֲנָשִׁים מִירִיחוֹ הָעַי — Josh. 7:2
37 עֹלֶה מִירִיחוֹ בָּהָר בֵּית־אֵל — Josh. 16:1

יְרִימוֹת
שפ״ז – שמות של אנשים שונים: 1–7

יְרִימוֹת 1 לְנַפְתָּלִי יְרִימוֹת בֶּן־עַזְרִיאֵל ICh. 27:19
2 אֶת־מָחֲלַת בַּת־יְרִימוֹת בֶּן־דָּוִד IICh. 11:18
וִירִימוֹת 3 וּבְנֵי בֶלַע אֶצְבּוֹן...וִירִימוֹת ICh. 7:7
4 אֶלְעוּזַי וִירִימוֹת וּבְעַלְיָה ICh. 12:5(6)
5 וּבְנֵי מוּשִׁי מַחְלִי וָעֵדֶר וִירִימוֹת ICh. 24:30
6 בְּנֵי הֵימָן...עֻזִּיאֵל שְׁבוּאֵל וִירִימוֹת ICh. 25:4
7 וַעֲשָׂהאֵל וִירִימוֹת וְיוֹזָבָד IICh. 31:13

יְרִיעָה
נ׳ מסך, וילון עשוי בד: 1–54

קרובים: חֻפָּה / כְּסוּי / כְּסוּת / כַּפֹּרֶת / לוֹט / מָסָךְ / מַעֲטֶה / מַרְבַד / פָּרֹכֶת / קֶלַע

– אֹרֶךְ יְרִיעָה 1-4; חֲצִי י׳ 19; קְצֵה י׳ 14, 15; שְׂפַת יְרִיעָה 9-13, 17, 18, 20
– יְרִיעוֹת הָאֹהֶל 45, 50; י׳ אֶרֶץ 48; י׳ הַמִּשְׁכָּן 47; י׳ עִזִּים 44; יְרִיעוֹת שְׁלֹמֹה 51

הַיְרִיעָה 1-4 אֹרֶךְ הַיְרִיעָה הָאַחַת Ex. 26:2, 8; 36:9, 15
5-8 הַיְרִיעָה הָאֶחָת Ex. 26:2, 8; 36:9, 15
9-11 עַל שְׂפַת הַיְרִיעָה הָאֶחָת Ex. 26:4, 10; 36:11
12-13 בִּשְׂפַת הַיְרִיעָה הַקִּיצוֹנָה Ex. 26:4; 36:11
14-15 בִּקְצֵה הַיְרִיעָה Ex. 26:5; 36:12
16 וְכָפַלְתָּ אֶת־הַיְרִיעָה הַשִּׁשִּׁית Ex. 26:9
17-18 עַל(־)שְׂפַת הַיְרִיעָה Ex. 26:10; 36:17
19 חֲצִי הַיְרִיעָה הָעֹדֶפֶת Ex. 26:12
20 עַל שְׂפַת הַיְרִיעָה הַקִּיצֹנָה Ex. 36:17
21 וַאֲרוֹן הָאֱלֹהִים יֹשֵׁב בְּתוֹךְ הַיְרִיעָה IISh. 7:2
בַּיְרִיעָה 22-23 בַּיְרִיעָה הָאֶחָת Ex. 26:5; 36:12
כַּיְרִיעָה 24 נוֹטֶה שָׁמַיִם כַּיְרִיעָה Ps. 104:2
יְרִיעֹת 25 וְאֶת־הַמִּשְׁכָּן תַּעֲשֶׂה עֶשֶׂר יְרִיעֹת Ex. 26:1
26 וְחָמֵשׁ יְרִיעֹת חֹבְרֹת אִשָּׁה אֶל... Ex. 26:3
27-32 יְרִיעֹת Ex. 26:7, 8; 36:8, 10, 14, 15
33 וַאֲרוֹן בְּרִית־יְיָ תַּחַת יְרִיעוֹת ICh. 17:1
הַיְרִיעוֹת 34/5 מִדָּה אַחַת לְכָל־הַיְרִיעֹת Ex. 26:2; 36:9
36 וַיְחַבֵּר אֶת־הַיְרִיעֹת אַחַת אֶל־אֶחָת Ex. 36:13
37-43 הַיְרִיעֹת Ex. 26:3, 6, 9²; 36:10, 16²
יְרִיעֹת־ 44 וְעָשִׂיתָ יְרִיעֹת עִזִּים לְאֹהֶל Ex. 26:7
45 ...בָּאֹרֶךְ יְרִיעֹת הָאֹהֶל Ex. 26:13
46 וַיַּעַשׂ יְרִיעֹת עִזִּים לְאֹהֶל Ex. 36:14
47 וְנָשְׂאוּ אֶת־יְרִיעֹת הַמִּשְׁכָּן Num. 4:25
48 יִרְגְּזוּן יְרִיעוֹת אֶרֶץ מִדְיָן Hab. 3:7
וִירִיעוֹת־ 49 וִירִיעוֹת מִשְׁכְּנוֹתַיִךְ יַטּוּ Is. 54:2
בִּירִיעֹת־ 50 וְסֶרַח הָעֹדֵף בִּירִיעֹת הָאֹהֶל Ex. 26:12
כִּירִיעוֹת־ 51 כְּאָהֳלֵי קֵדָר כִּירִיעוֹת שְׁלֹמֹה S.ofS. 1:5
יְרִיעֹתָי 52 שֻׁדְּדוּ אֹהָלַי רֶגַע יְרִיעֹתָי Jer. 4:20
53 אֵין־נֹטֶה...וּמֵקִים יְרִיעוֹתָי Jer. 10:20
יְרִיעוֹתֵיהֶם 54 יְרִיעוֹתֵיהֶם וְכָל־כְּלֵיהֶם Jer. 49:29

יְרִיעוֹת
שפ״ז – בת כָּלֵב

יְרִיעוֹת 1 ...אֶת־עֲזוּבָה אִשָּׁה וְאֶת־יְרִיעוֹת ICh. 2:18

יָרֵךְ
נ׳ א) החלק העליון של הרגל עד הברך באדם: 1-4, 6-11, 17, 18, 20-28, 31, 33, 34
ב) כנ״ל בבהמה: 5
ג) צד או חלק תחתון בבנין או בכלי: 12-16, 19, 29, 30, 32

קרובים: אַרְכֻּבָּא / בֶּרֶךְ / זְרוֹעַ / חֲלָצַיִם / מָתְנַיִם / עָצֶה / קַרְסֹל / רֶגֶל / שׁוֹק

– כַּף הַיָּרֵךְ 7, 9, 10, 23; יֶרֶךְ אַבְרָהָם 8; י׳ יָמִין 17, 18; יֶרֶךְ יַעֲקֹב 9–11; יֶרֶךְ הַמִּזְבֵּחַ 19; יֶרֶךְ הַמִּשְׁכָּן 12–16
– חַמּוּקֵי יָרֵךְ 34; יוֹצְאֵי יְרֵכוֹ 25, 27
– שׁוֹק עַל יָרֵךְ 2; סָפַק עַל (אֶל) יָרֵךְ 3, 4

יָרֵךְ 1 לַצְבּוֹת בֶּטֶן וְלַנְפִּל יָרֵךְ Num. 5:22
2 וַיַּךְ אוֹתָם שׁוֹק עַל־יָרֵךְ Jud. 15:8
3 סָפַקְתִּי עַל־יָרֵךְ Jer. 31:19(18)
4 לָכֵן סְפֹק אֶל־יָרֵךְ Ezek. 21:17
5 כָּל־נֵתַח טוֹב יָרֵךְ וְכָתֵף Ezek. 24:4
6 חֲגוֹר־חַרְבְּךָ עַל־יָרֵךְ גִּבּוֹר Ps. 45:4
הַיָּרֵךְ 7 אֲשֶׁר עַל־כַּף הַיָּרֵךְ Gen. 32:32
יֶרֶךְ־ 8 וַיָּשֶׂם...יָדוֹ תַּחַת יֶרֶךְ אַבְרָהָם Gen. 24:9
9 וַתֵּקַע כַּף־יֶרֶךְ יַעֲקֹב Gen. 32:25
10 כִּי נָגַע בְּכַף־יֶרֶךְ יַעֲקֹב Gen. 32:32
11 כָּל־נֶפֶשׁ יֹצְאֵי יֶרֶךְ־יַעֲקֹב Ex. 1:5
12 עַל יֶרֶךְ הַמִּשְׁכָּן צָפֹנָה Ex. 40:22
13-16 עַל יֶרֶךְ הַמִּשְׁכָּן Ex. 40:24
Lev. 1:11 • Num. 3:29, 35
17 וַיַּחְגֹּר אוֹתָהּ...עַל יֶרֶךְ יְמִינוֹ Jud. 3:16
18 וַיִּקַּח אֶת־הַחֶרֶב מֵעַל יֶרֶךְ יְמִינוֹ Jud. 3:21
19 עַל־יֶרֶךְ הַמִּזְבֵּחַ צָפוֹנָה IIK. 16:14
יְרֵכִי 20/1 שִׂים־נָא יָדְךָ תַּחַת יְרֵכִי Gen. 24:2; 47:29
יְרֵכֵךְ 22 בְּתֵת יְיָ אֶת־יְרֵכֵךְ נֹפֶלֶת Num. 5:21
יְרֵכוֹ 23 וַיִּגַּע בְּכַף־יְרֵכוֹ Gen. 32:25
24 וְהוּא צֹלֵעַ עַל־יְרֵכוֹ Gen. 32:31
25 כָּל־הַנֶּפֶשׁ...יֹצְאֵי יְרֵכוֹ Gen. 46:26
26 שִׂימוּ אִישׁ־חַרְבּוֹ עַל־יְרֵכוֹ Ex. 32:27
27 שִׁבְעִים בָּנִים יֹצְאֵי יְרֵכוֹ Jud. 8:30
28 אִישׁ חַרְבּוֹ עַל־יְרֵכוֹ S.ofS. 3:8
יְרֵכָהּ 29-30 מִקְשָׁה...יְרֵכָהּ וְקָנָהּ Ex. 25:31; 37:17
31 וְצָבְתָה בִטְנָהּ וְנָפְלָה יְרֵכָהּ Num. 5:27
32 עַד־יְרֵכָהּ עַד־פִּרְחָהּ מִקְשָׁה הוּא Num. 8:4
יְרֵכַיִם 33 מִמָּתְנַיִם וְעַד־יְרֵכַיִם יִהְיוּ Ex. 28:42
יְרֵכַיִךְ 34 חַמּוּקֵי יְרֵכַיִךְ כְּמוֹ חֲלָאִים S.ofS. 7:2

יָרֵךְ
(דברים כג 3) – עיין רכך

יַרְכָה*
נ׳ קצה, הצד האחורי: 1–28

יַרְכְּתֵי אֶרֶץ 23-26; י׳ בוֹר 9, 17; י׳ בַּיִת 18, 19, 22; י׳ הַר 7, 14; י׳ לְבָנוֹן 8, 10; י׳ מְעָרָה 15; יַרְכְּתֵי הַמִּשְׁכָּן 20, 21; יַרְכְּתֵי סְפִינָה 12; יַרְכְּתֵי צָפוֹן 11, 13, 16, 27, 28

וְיַרְכָתוֹ 1 וְיַרְכָתוֹ עַל־צִידֹן Gen. 49:13
בַּיַּרְכָתַיִם 2 מָקוֹם בַּיַּרְכָתַיִם (כת׳ בירכתם) יָמָּה Ezek. 46:19
בַּיַּרְכָתָיִם 3-4 לִמְקֻצְעֹת הַמִּשְׁכָּן בַּיַּרְכָתָיִם Ex. 26:23; 36:28
לַיַּרְכָתַיִם 5-6 לַיַּרְכָתַיִם יָמָּה Ex. 26:27; 36:32
יַרְכְּתֵי־ 7 עַד־יַרְכְּתֵי הַר־אֶפְרָיִם Jud. 19:18
8 מְרוֹם הָרִים יַרְכְּתֵי לְבָנוֹן IIK. 19:23
9 אֶל־שְׁאוֹל תּוּרָד אֶל־יַרְכְּתֵי־בוֹר Is. 14:15
10 מְרוֹם הָרִים יַרְכְּתֵי לְבָנוֹן Is. 37:24
11 בֵּית תּוֹגַרְמָה יַרְכְּתֵי צָפוֹן Ezek. 38:6
12 וְיוֹנָה יָרַד אֶל־יַרְכְּתֵי הַסְּפִינָה Jon. 1:5
13 הַר־צִיּוֹן יַרְכְּתֵי צָפוֹן Ps. 48:3
בְּיַרְכְּתֵי־ 14 גָּר בְּיַרְכְּתֵי הַר־אֶפְרַיִם Jud. 19:1
15 בְּיַרְכְּתֵי הַמְּעָרָה יֹשְׁבִים ISh. 24:4
16 וְאֵשֵׁב בְּהַר־מוֹעֵד בְּיַרְכְּתֵי צָפוֹן Is. 14:13
17 נִתְּנוּ קִבְרֹתֶיהָ בְּיַרְכְּתֵי־בוֹר Ezek. 32:23
18 וְאָמַר לַאֲשֶׁר בְּיַרְכְּתֵי הַבַּיִת Am. 6:10
19 אֶשְׁתְּךָ כְּגֶפֶן פֹּרִיָּה בְּיַרְכְּתֵי בֵיתֶךָ Ps. 128:3
וּלְיַרְכְּתֵי־ 20/1 וּלְיַרְכְּתֵי הַמִּשְׁכָּן יָמָּה Ex. 26:22; 36:27
מִיַּרְכְּתֵי־ 22 וַיִּבֶן...מִיַּרְכְּתֵי (כת׳ מירכותי) הַבַּיִת IK. 6:16
23 וְגוֹי גָּדוֹל יֵעוֹר מִיַּרְכְּתֵי־אָרֶץ Jer. 6:22
24 וְסַעַר גָּדוֹל יֵעוֹר מִיַּרְכְּתֵי־אָרֶץ Jer. 25:32
25 וְקִבַּצְתִּים מִיַּרְכְּתֵי־אָרֶץ Jer. 31:8(7)
מִיַּרְכְּתֵי־ (המשך) 26 וּמְלָכִים רַבִּים יֵעֹרוּ מִיַּרְכְּתֵי־אָרֶץ Jer. 50:41
27 וּבָאתָ מִמְּקוֹמְךָ מִיַּרְכְּתֵי צָפוֹן Ezek. 38:15
28 וְהַעֲלִיתִיךָ מִיַּרְכְּתֵי צָפוֹן Ezek. 39:2

יַרְכָה*
נ׳ ארמית: יָרֵךְ

וְיַרְכָתַהּ 1 מְעוֹהִי וְיַרְכָתֵהּ דִּי נְחָשׁ Dan. 2:32

יַרְמוּת
א) עיר בשפלת יהודה: 1–5, 7
ב) עיר לוויים בנחלת יששכר: 6

יַרְמוּת 1-4 מֶלֶךְ־יַרְמוּת Josh. 10:3, 5, 23; 12:11
5 יַרְמוּת וַעֲדֻלָּם שׂוֹכֹה וַעֲזֵקָה Josh. 15:35
6 אֶת־יַרְמוּת וְאֶת־מִגְרָשֶׁהָ Josh. 21:29
וּבְיַרְמוּת 7 וּבְעֵין רִמּוֹן וּבְצָרְעָה וּבְיַרְמוּת Neh. 11:29

יְרֵמוֹת
שפ״ז – שמות אנשים שונים: 1–6
[עין יְרִימוֹת]

וִירֵמוֹת 1 וּמִבְּנֵי עֵילָם...וִירֵמוֹת וְאֵלִיָּה Ez. 10:26
2 וּמִבְּנֵי זַתּוּא...מַתַּנְיָה וִירֵמוֹת Ez. 10:27
3 וּבְנֵי בֶכֶר...וִירֵמוֹת וַאֲבִיָּה ICh. 7:8
4 וְאַחְיוֹ שָׁשַׁק וִירֵמוֹת ICh. 8:14
5 בְּנֵי מוּשִׁי מַחְלִי וְעֵדֶר וִירֵמוֹת ICh. 23:23
לִירֵמוֹת 6 לַחֲמִשָּׁה עָשָׂר לִירֵמוֹת ICh. 25:22

יְרֵמַי
שפ״ז – מעולי הגולה בימי עזרא, שנשא אשה נכריה

יְרֵמַי 1 יְרֵמַי מְנַשֶּׁה שִׁמְעִי Ez. 10:33

יִרְמְיָה
שפ״ז א) הוא ירמיהו הנביא בן חלקיהו: 1–10
ב) אנשים שונים: 11–17

יִרְמְיָה הַנָּבִיא 2-8; פִּי י׳ 10; צַוַּאר יִרְמְיָה 7, 8

יִרְמְיָה 1 הָיָה הַדָּבָר הַזֶּה אֶל־יִרְמְיָה Jer. 27:1
2-6 יִרְמְיָה הַנָּבִיא Jer. 28:5, 6, 11; 29:1 • Dan. 9:2
7-8 מֵעַל צַוַּאר יִרְמְיָה הַנָּבִיא Jer. 28:10, 12
9 וַיְהִי דְבַר־יְיָ אֶל־יִרְמְיָה Jer. 28:12
10 לִכְלוֹת דְּבַר־יְיָ מִפִּי יִרְמְיָה Ez. 1:1
11 שְׂרָיָה עֲזַרְיָה יִרְמְיָה Neh. 10:3
12 שְׂרָיָה יִרְמְיָה עֶזְרָא Neh. 12:1
13 יִרְמְיָה הַחֲמִשִׁי ICh. 12:11
וְיִרְמְיָה 14 יְהוּדָה וּבִנְיָמִן וּשְׁמַעְיָה וְיִרְמְיָה Neh. 12:34
15 וְיִרְמְיָה וְהוֹדַוְיָה וְיַחְדִּיאֵל ICh. 5:24
16 וְיִרְמְיָה וְיַחֲזִיאֵל וְיוֹחָנָן ICh. 12:5
לְיִרְמְיָה 17 לִשְׂרָיָה מְרָיָה לְיִרְמְיָה חֲנַנְיָה Neh. 12:12

יִרְמְיָהוּ
שפ״ז א) הנביא, הוא ירמיה: 1–114, 120–127
ב) אנשים שונים: 115–119

בֶּן יִרְמְיָהוּ 118; בַּת י׳ 115–117; דִּבְרֵי י׳ 1, 42, 56, 60; פִּי יִרְמְיָהוּ 55, 57–59, 62, 63

יִרְמְיָהוּ(א) 1 דִּבְרֵי יִרְמְיָהוּ בֶּן־חִלְקִיָּהוּ Jer. 1:1
2-3 מָה־אַתָּה רֹאֶה יִרְמְיָהוּ Jer. 1:11; 24:3
4-14 הַדָּבָר אֲשֶׁר(־)הָיָה אֶל־יִרְמְיָהוּ Jer. 7:1
11:1; 18:1; 21:1; 30:1; 32:1; 34:1, 8; 35:1; 40:1; 44:1
15-18 הָיָה דְבַר־יְיָ אֶל־יִרְמְיָהוּ Jer. 14:1
46:1; 47:1; 49:34
19 וְנַחְשְׁבָה עַל־יִרְמְיָהוּ מַחֲשָׁבוֹת Jer. 18:18
20 וַיָּבֹא יִרְמְיָהוּ מֵהַתֹּפֶת Jer. 19:14
21 וַיִּשְׁמַע פַּשְׁחוּר...אֶת־יִרְמְיָהוּ נִבָּא... Jer. 20:1
22-40 יִרְמְיָהוּ הַנָּבִיא Jer. 20:2
25:2; 29:29; 34:6; 36:8, 26; 37:2, 3, 13; 38:10, 14; 42:2, 4; 43:6; 45:1; 46:13; 50:1; 51:59 • IICh. 36:12
41 נִבָּא יִרְמְיָהוּ עַל־כָּל־הַגּוֹיִם Jer. 25:13
42 מִתְנַבֵּא...כְּכֹל דִּבְרֵי יִרְמְיָהוּ Jer. 26:20
43-53 וַיְהִי דְבַר־יְיָ אֶל־יִרְמְיָהוּ Jer. 29:30; 32:26;
33:1, 19, 23; 34:12; 35:12; 36:27; 37:6; 42:7; 43:8
54 וַיִּקְרָא יִרְמְיָהוּ אֶת־בָּרוּךְ בֶּן־נֵרִיָּה Jer. 36:4

יִרְמְיָהוּ (המשך) 55 וַיִּכְתֹּב בָּרוּךְ מִפִּי יִרְמְיָהוּ Jer. 36:4
56 וַיִּקְרָא...אֶת־דִּבְרֵי יִרְמְיָהוּ Jer. 36:10
57 אֲשֶׁר כָּתַב בָּרוּךְ מִפִּי יִרְמְיָהוּ Jer. 36:27
58 וַיִּכְתֹּב עָלֶיהָ מִפִּי יִרְמְיָהוּ Jer. 36:32
59 בְּכָתְבוֹ...עַל־סֵפֶר מִפִּי יִרְמְיָהוּ Jer. 45:1
60 עַד־הֵנָּה דִּבְרֵי יִרְמְיָהוּ Jer. 51:64
61 וַיְקוֹנֵן יִרְמְיָהוּ עַל־יֹאשִׁיָּהוּ IICh. 35:25
62 לְמַלֹּאות דְּבַר־יְיָ בְּפִי יִרְמְיָהוּ IICh. 36:21
63 לִכְלוֹת דְּבַר־יְיָ בְּפִי יִרְמְיָהוּ IICh. 36:22
114-64 יִרְמְיָהוּ Jer. 20:3[2]; 21:3; 25:1
26:7, 9, 12, 24; 32:6; 35:18; 36:1, 5; 37:12, 14, 15, 16[2], 17, 18, 21[2]; 38:1, 6[3], 7, 11, 12, 13[2], 14, 15, 16, 17, 19, 20, 24, 27, 28; 39:11, 14, 15; 40:6; 42:5; 43:1, 2; 44:15, 20, 24; 51:60, 61

יִרְמְיָהוּ(ג) 117-115 חֲמוּטַל בַּת־יִרְמְיָהוּ מִלִּבְנָה IIK. 23:31
24:18 • Jer. 52:1
118 וָאֶקַּח אֶת־יַאֲזַנְיָה בֶן־יִרְמְיָהוּ Jer. 35:3
119 יִרְמְיָהוּ הָעֲשִׂירִי ICh. 12:13(14)
וְיִרְמְיָהוּ 120 וְיִרְמְיָהוּ הַנָּבִיא הָיָה כָּלוּא Jer. 32:2
121 לֵךְ הִסָּתֵר אַתָּה וְיִרְמְיָהוּ Jer. 36:19
122 וְיִרְמְיָהוּ לָקַח מְגִלָּה אַחֶרֶת Jer. 36:32
123 וְיִרְמְיָהוּ בָּא וְיֹצֵא בְּתוֹךְ הָעָם Jer. 37:4
בְּיִרְמְיָהוּ 124 לָמָּה לֹא גָעַרְתָּ בְּיִרְמְיָהוּ Jer. 29:27
125 וַיִּתְפֹּשׂ יִרְאִיָּיה בְּיִרְמְיָהוּ Jer. 37:14
לְיִרְמְיָהוּ 126 כָּל־אֲשֶׁר עָשׂוּ לְיִרְמְיָהוּ הַנָּבִיא Jer. 38:9
127 וַיִּקַּח רַב־טַבָּחִים לְיִרְמְיָהוּ Jer. 40:2

יָרַע
פ' חרד, רגז
יָרְעָה 1 נַפְשׁוֹ יָרְעָה לּוֹ Is. 15:4

יֵרַע
(איוב כ26) – עין רעה

יֵרַע
(בראשית כא12) – עין רעע

יֵרָע
(ירמיה טו12) – עין רעע

יְרֹעָע
(ישעיה טז10) – עין (רוע)

יִרְפְּאֵל
עיר בנחלת בנימין
וְיִרְפְּאֵל 1 וְרֶקֶם וְיִרְפְּאֵל וְתַרְאֲלָה Josh. 18:27

יָרַק
פ' רקק, פלט רוק: 1-3
יָרֹק 1 וְאָבִיהָ יָרֹק יָרַק בְּפָנֶיהָ Num. 12:14
יָרַק 2 וְאָבִיהָ יָרֹק יָרַק בְּפָנֶיהָ Num. 12:14
וְיָרְקָה 3 וְחָלְצָה נַעֲלוֹ...וְיָרְקָה בְּפָנָיו Deut. 25:9

יָרָק
ז' פרי אדמה: 1-5
אֲרֻחַת יָרָק 2; גַּן יָרָק 1, 3; יָרָק דֶּשֶׁא 4, 5
יָרָק 1 וִיהִי לִי לְגַן־יָרָק IK. 21:2
2 טוֹב אֲרֻחַת יָרָק וְאַהֲבָה־שָׁם Prov. 15:17
הַיָּרָק 3 וְהִשְׁקִיתָ בְרַגְלְךָ כְּגַן הַיָּרָק Deut. 11:10
וִירַק־ 4-5 הָיוּ עֵשֶׂב שָׂדֶה וִירַק דֶּשֶׁא IIK. 19:26
Is. 37:27

יֶרֶק
ז' שם כולל לעשבים ולשאר צמחים ירוקים: 1-6
יֶרֶק דֶּשֶׁא 6; יֶרֶק עֵשֶׂב 3; יֶרֶק הַשָּׂדֶה 4
יֶרֶק 1 וְלֹא־נוֹתַר כָּל־יֶרֶק בָּעֵץ Ex. 10:15
2 כָּלָה דֶשֶׁא יֶרֶק לֹא הָיָה Is. 15:6
יֶרֶק־ 3 אֶת־כָּל־יֶרֶק עֵשֶׂב לְאָכְלָה Gen. 1:30
4 כִּלְחֹךְ הַשּׁוֹר אֵת יֶרֶק הַשָּׂדֶה Num. 22:4
כְּיֶרֶק־ 5 כְּיֶרֶק עֵשֶׂב נָתַתִּי לָכֶם אֶת־כֹּל Gen. 9:3
וּכְיֶרֶק־ 6 וּכְיֶרֶק דֶּשֶׁא יִבּוֹלוּן Ps. 37:2

יָרֹק
(ויקרא טו8) – עין רקק

יֵרָקוֹן
ז' צבע ירוק (צהוב בימינו!) בצמח או בעור הפנים מחמת מחלה: 1-6
יֵרָקוֹן 1 שִׁדָּפוֹן יֵרָקוֹן אַרְבֶּה חָסִיל IK. 8:37
וְיֵרָקוֹן 2 שִׁדָּפוֹן וְיֵרָקוֹן אַרְבֶּה וְחָסִיל IICh. 6:28
וּבַיֵּרָקוֹן 3 וּבַחֶרֶב וּבַשִּׁדָּפוֹן וּבַיֵּרָקוֹן Deut. 28:22
4 הִכֵּיתִי אֶתְכֶם בַּשִּׁדָּפוֹן וּבַיֵּרָקוֹן Am. 4:9
5 הִכֵּיתִי אֶתְכֶם בַּשִּׁדָּפוֹן וּבַיֵּרָקוֹן Hag. 2:17
לְיֵרָקוֹן 6 וְנֶהֶפְכוּ כָל־פָּנִים לְיֵרָקוֹן Jer. 30:6

יַרְקוֹן
נהר בשפלת החוף בארץ ישראל
הַיַּרְקוֹן 1 וּמֵי הַיַּרְקוֹן וְהָרַקּוֹן Josh. 19:46

יָרְקְעָם
מקום בנחלת יהודה
יָרְקְעָם 1 וְשֶׁמַע הוֹלִיד אֶת־רַחַם אֲבִי יָרְקְעָם ICh. 2:44

יְרַקְרַק
ת' ירוק קצת, ירוק חיור: 1-3
יְרַקְרַק 1 וְהָיָה הַנֶּגַע יְרַקְרַק אוֹ אֲדַמְדָּם Lev. 13:49
בִּירַקְרַק 2 וְאֶבְרוֹתֶיהָ בִּירַקְרַק חָרוּץ Ps. 68:14
יְרַקְרַקֹּת 3 יְרַקְרַקֹּת אוֹ אֲדַמְדַּמֹּת Lev. 14:37

ירשׁ
: יָרַשׁ, נוֹרַשׁ, יֵרַשׁ, הוֹרִישׁ; יוֹרֵשׁ, יְרֵשָׁה, יְרֻשָּׁה, מוֹרָשׁ, מוֹרָשָׁה, תִּירוֹשׁ; ש"פ יְרוּשָׁא

יָרַשׁ
פ' א) נחל, העביר לרשותו: 1-160
ב) [נפ' נוֹרַשׁ] נדלדל: 161-164
ג) [פ' יֵרַשׁ] גרש: 165
ד) [הפ' הוֹרִישׁ] הנחיל, נתן ירושה: 217, 225-228
ה) [כנ"ל] גרש: 166-209, 211-216, 218-224, 229-231
ו) [כנ"ל] דלדל, עשה לרש: 210
קרוב: נָחַל • יוֹרֵשׁ עֶצֶר 93

הַלְיָרְשֵׁנוּ 1 הַלְיָרְשֵׁנוּ קְרָאתֶם לָנוּ הֲלֹא Jud. 14:15
לָרֶשֶׁת 2 אֶתְּנֶנָּה לָכֶם לָרֶשֶׁת אֹתָהּ Lev. 20:24
3 וְהִתְנַחַלְתֶּם אֹתָם...לָרֶשֶׁת אֲחֻזָּה Lev. 25:46
4 נָתַתִּי אֶת־הָאָרֶץ לָרֶשֶׁת אֹתָהּ Num. 33:53
5 הָחֵל רָשׁ לָרֶשֶׁת אֶת־אַרְצוֹ Deut. 2:31
6 לָבֹא לָרֶשֶׁת גּוֹיִם גְּדֹלִים Deut. 9:1
7 לָרֶשֶׁת אֶת־הָאָרֶץ הַזֹּאת Deut. 9:4
8 אַתָּה בָא לָרֶשֶׁת אֶת־אַרְצָם Deut. 9:5
14-9 לָרֶשֶׁת אֶת־הָאָרֶץ Deut. 11:31
Josh. 1:11; 18:3 • Jud. 2:6; 18:9 • Neh. 9:15
15 אַתָּה בָא־שָׁמָּה לָרֶשֶׁת אוֹתָם Deut. 12:29
16 אֶת־הַר שֵׂעִיר לָרֶשֶׁת אוֹתוֹ Josh. 24:4
17 לָרֶשֶׁת אֶת־אֶרֶץ הָאֱמֹרִי Am. 2:10
18 הַהוֹלֵךְ...לָרֶשֶׁת מִשְׁכָּנוֹת לֹא־לוֹ Hab. 1:6
19 וִירוֹמִמְךָ לָרֶשֶׁת אָרֶץ Ps. 37:34
לָרָשֶׁת 20 אֲשֶׁר־אָמַרְתָּ...לָבוֹא לָרָשֶׁת Neh. 9:23
לְרִשְׁתְּךָ 21 לְרִשְׁתְּךָ אֶת־אֶרֶץ מְגֻרֶיךָ Gen. 28:4
לְרִשְׁתּוֹ 22 לָרֶדֶת אֶל־כֶּרֶם נָבוֹת...לְרִשְׁתּוֹ IK. 21:16
23 אֲשֶׁר־יָרַד שָׁם לְרִשְׁתּוֹ IK. 21:18
לְרִשְׁתָּהּ 24 לָתֶת לְךָ אֶת־הָאָ' הַזֹּאת לְרִשְׁתָּהּ Gen. 15:7
49-25 (הָ/בָ)אָרֶץ...לְרִשְׁתָּהּ Deut. 3:18
4:5, 14, 26; 5:28; 6:1; 7:1; 9:6; 11:8, 10, 11, 29; 12:1; 19:2, 14; 21:1; 23:21; 28:21, 63; 30:16, 18; 31:13; 32:47 • Josh. 1:11 • Ez. 9:11
50/1 נֹתֵן־לְךָ נַחֲלָה לְרִשְׁתָּהּ Deut. 15:4; 25:19
52 וְהָאָ' נִשְׁאֲרָה הַרְבֵּה־מְאֹד לְרִשְׁתָּהּ Josh. 13:1
יָרָשְׁתָּ 53 הֲרָצַחְתָּ וְגַם־יָרָשְׁתָּ IK. 21:19
וְיָרַשְׁתָּ 54 וּבָאתָ וְיָרַשְׁתָּ אֶת־הָאָרֶץ Deut. 6:18
55 וְיָרַשְׁתָּ אֹתָם וְיָשַׁבְתָּ בְּאַרְצָם Deut. 12:29
56 לְמַעַן תִּחְיֶה וְיָרַשְׁתָּ אֶת־הָאָרֶץ Deut. 16:20
וִירִשְׁתָּהּ 57/8 וִירִשְׁתָּהּ וְיָשַׁבְתָּה בָּהּ Deut. 17:14; 26:1
59 וֶהֱבִיאֲךָ...אֶל־הָאָרֶץ...וִירִשְׁתָּהּ Deut. 30:5
וִירִשְׁתָּם 60 וִירִשְׁתָּם וְיָשַׁבְתָּ בְעָרֵיהֶם Deut. 19:1
61 יַשְׁמִיד אֶת־הַגּוֹיִם...וִירִשְׁתָּם Deut. 31:3
יָרַשׁ 62 מַדּוּעַ יָרַשׁ מַלְכָּם אֶת־גָּד Jer. 49:1
וְיָרַשׁ 63 וּנְתַתֶּם אֶת־נַחֲלָתוֹ...וְיָרַשׁ אֹתָהּ Num. 27:11
64 וְיָרַשׁ יִשְׂרָאֵל אֶת־יֹרְשָׁיו Jer. 49:2
יָרַשְׁנוּ 65 וְאֶת־הָאָרֶץ הַזֹּאת יָרַשְׁנוּ Deut. 3:12
וְיָרַשְׁנוּ 66 עָלֹה נַעֲלֶה וְיָרַשְׁנוּ אֹתָהּ Num. 13:30
וִירַשְׁנוּהָ 67 הָאֲרָצוֹת לִי תִהְיֶינָה וִירַשְׁנוּהָ Ezek. 35:10
וִירִשְׁתֶּם 70-68 וִירִשְׁתֶּם אֶת־הָאָרֶץ Deut. 4:1; 8:1; 11:8
71 וִירִשְׁתֶּם אֶת־הָאָרֶץ הַטּוֹבָה Deut. 4:22
72 וִירִשְׁתֶּם גּוֹיִם גְּדֹלִים Deut. 11:23
73 וִירִשְׁתֶּם אֹתָהּ וִישַׁבְתֶּם בָּהּ Deut. 11:31
74 וְשַׁבְתֶּם לְאֶרֶץ...וִירִשְׁתֶּם אוֹתָהּ Josh. 1:15
75 וִירִשְׁתֶּם אֶת־אַרְצָם Josh. 23:5
יָרְשׁוּ 76 אֶל־הָאָרֶץ אֲשֶׁר־יָרְשׁוּ אֲבֹתֶיךָ Deut. 30:5,
77 לַמִּצְעָר יָרְשׁוּ עַם־קָדְשֶׁךָ Is. 63:18
78 כִּי לֹא בְחַרְבָּם יָרְשׁוּ אָרֶץ Ps. 44:4
וְיָרְשׁוּ 79 וְיָרְשׁוּ גַם־הֵם אֶת־הָאָרֶץ Deut. 3:20
80 וְיָרְשׁוּ גַם־הֵמָּה אֶת־הָאָרֶץ Josh. 1:15
81 בַּל־יָקֻמוּ וְיָרְשׁוּ אָרֶץ Is. 14:21
82 וְיָרְשׁוּ אֶת־בָּתֵּיהֶם Ezek. 7:24
83 וְיָרְשׁוּ בֵּית יַעֲקֹב אֵת מוֹרָשֵׁיהֶם Ob. 17
84 וְיָרְשׁוּ הַנֶּגֶב אֶת־הַר עֵשָׂו Ob. 19
85 וְיָרְשׁוּ אֶת־שְׂדֵה אֶפְרַיִם Ob. 19
וִירֵשׁוּךָ 86 וְהוֹלַכְתִּי...אֶת־עַמִּי יִשְׂ' וִירֵשׁוּךָ Ezek. 36:12
וִירֵשׁוּהָ 87 וִירֵשׁוּהָ קָאַת וְקִפּוֹד Is. 34:11
88 וִירֵשׁוּהָ בְחִירַי Is. 65:9
89 וַהֲשִׁבֹתִים אֶל־הָאָרֶץ...וִירֵשׁוּהָ Jer. 30:3
90 וְיָשְׁבוּ שָׁם וִירֵשׁוּהָ Ps. 69:36
יוֹרֵשׁ 91 וְהִנֵּה בֶן־בֵּיתִי יוֹרֵשׁ אֹתִי Gen. 15:3
92 הַגּוֹיִם...אֲשֶׁר אַתָּה יוֹרֵשׁ אוֹתָם Deut. 18:14
93 וְאֵין־מַכְלִים דָּבָר בָּאָ' יוֹרֵשׁ עֶצֶר Jud. 18:7
94 וּמִיהוּדָה יוֹרֵשׁ הָרָי Is. 65:9
95 אִם־יוֹרֵשׁ אֵין לוֹ Jer. 49:1
הַיּוֹרֵשׁ 96 וְנַשְׁמִידָה גַּם אֶת־הַיּוֹרֵשׁ IISh. 14:7
97 עֹד הַיֹּרֵשׁ אָבִי° לָךְ Mic. 1:15
יֹרֶשֶׁת 98 וְכָל־בַּת יֹרֶשֶׁת נַחֲלָה Num. 36:8
יֹרְשִׁים 99 הַגּוֹיִם אֲשֶׁר אַתֶּם יֹרְשִׁים אֹתָם Deut. 12:2
לְיוֹרְשִׁים 100 לָכֵן אֶתֵּן...שְׂדוֹתֵיהֶם לְיוֹרְשִׁים Jer. 8:10
יֹרְשָׁיו 101 וְיָרַשׁ יִשְׂרָאֵל אֶת־יֹרְשָׁיו Jer. 49:2
אִירָשֶׁנָּה 102 בַּמָּה אֵדַע כִּי אִירָשֶׁנָּה Gen. 15:8
תִּירָשׁ 103 אֵת אֲשֶׁר יוֹרִישְׁךָ..אוֹתוֹ תִירָשׁ Jud. 11:24
תִּירָשֶׁנּוּ 104 יְיָ...הוֹרִישׁ...וְאַתָּה תִּירָשֶׁנּוּ Jud. 11:23
יִירַשׁ 105 כִּי לֹא יִירַשׁ...עִם־בְּנִי Gen. 21:10
106 וְזַרְעוֹ יִירַשׁ אָרֶץ Ps. 25:13
יִירָשׁ 107 וְזַרְעֵךְ גּוֹיִם יִירָשׁ Is. 54:3
וְיִרַשׁ 108 וְיִרַשׁ זַרְעֲךָ אֵת שַׁעַר אֹיְבָיו Gen. 22:17
109 וְיִירַשׁ זַרְעֵךְ אֵת שַׁעַר שֹׂנְאָיו Gen. 24:60
110 יִנְחַל־אֶרֶץ וְיִירַשׁ הַר קָדְשִׁי Is. 57:13
וַיִּירַשׁ 111 וַיִּירַשׁ אֶת־אַרְצוֹ מֵאַרְנֹן... Num. 21:24
112 וַיִּירַשׁ יִשְׂ' אֵת כָּל־אֶרֶץ הָאֱמֹרִי Jud. 11:21
113 אֶחָד הָיָה אַבְרָ' וַיִּירַשׁ אֶת־הָאָ' Ezek. 33:24
יִירָשְׁךָ 114 לֹא יִירָשְׁךָ זֶה כִּי־אִם... Gen. 15:4
יִירָשֶׁךָ 115 אֲשֶׁר יֵצֵא מִמֵּעֶיךָ הוּא יִירָשֶׁךָ Gen. 15:4
יִירָשֵׁם 116 קִמּוֹשׁ יִירָשֵׁם חוֹחַ בְּאָהֳלֵיהֶם Hosh. 9:6
תִּירַשׁ 117 וְשִׁפְחָה כִּי־תִירַשׁ גְּבִרְתָּהּ Prov. 30:23
נִירָשׁ 118 כָּל־אֲשֶׁר הוֹרִישׁ יְיָ...אוֹתוֹ נִירָשׁ Jud. 11:24
נִירְשָׁה 119 נִירְשָׁה־לָּנוּ אֵת נְאוֹת אֱלֹהִים Ps. 83:13
תִּירְשׁוּ 120 אַתֶּם תִּירְשׁוּ אֶת־אַדְמָתָם Lev. 20:24
121 לְמַעַן תִּירְשׁוּ אֶת־הָאָרֶץ הַטּוֹבָה ICh. 28:8
תִּירָשׁוּ 122 וְדָם תִּשְׁפֹּכוּ וְהָאָרֶץ תִּירָשׁוּ Ezek. 33:25

123 עֲשִׂיתֶן תּוֹעֵבָה...וְהָאָ' תִּירָשׁוּ Ezek. 33:26
תִּירָשׁוּן 124 בָּאָרֶץ אֲשֶׁר תִּירָשׁוּן Deut. 5:30(33)
וַתִּירְשׁוּ 125 וַתִּירְשׁוּ אֶת־אַרְצָם Josh. 24:8
יִירְשׁוּ 126 יִירְשׁוּ בְּ״י אִישׁ נַחֲלַת אֲבֹתָיו Num. 36:8
127 וְעַמֵּךְ...לְעוֹלָם יִירְשׁוּ אָרֶץ Is. 60:21
128 לְמַעַן יִירְשׁוּ אֶת־שְׁאֵרִית אֱדוֹם Am. 9:12
129 וְגָלֻת...יִרְשׁוּ אֵת עָרֵי הַנֶּגֶב Ob. 20
130 וְקוֵֹי יְיָ הֵמָּה יִירְשׁוּ־אָרֶץ Ps. 37:9
131 וַעֲנָוִים יִירְשׁוּ־אָרֶץ Ps. 37:11
132 כִּי מְבֹרָכָיו יִירְשׁוּ אָרֶץ Ps. 37:22
133 צַדִּיקִים יִירְשׁוּ־אָרֶץ Ps. 37:29
יִירָשׁוּ 134 לָכֵן בְּאַרְצָם מִשְׁנֶה יִירָשׁוּ Is. 61:7
135 וַעֲמַל לְאֻמִּים יִירָשׁוּ Ps. 105:44
וְיִירְשׁוּ 136 וְיָבֹאוּ וְיִירְשׁוּ אֶת־הָאָרֶץ Deut. 10:11
וַיִּירְשׁוּ 137/8 וַיִּירְשׁוּ אֶת־אַרְצוֹ Num. 21:35 • Deut. 4:47
139 הִכּוּ בְּיִשְׂרָאֵל וַיִּרְשׁוּ אֶת־אַרְצָם Josh. 12:1
140 וַיִּרְשׁוּ אוֹתָהּ וַיֵּשְׁבוּ בָהּ Josh. 19:47
141 וַיִּירְשׁוּ אֶת־עִיר הַתְּמָרִים Jud. 3:13
142 וַיִּירְשׁוּ אֵת כָּל־גְּבוּל הָאֱמֹרִי Jud. 11:22
143 וַיִּרְשׁוּ אֶת־שֹׁמְרוֹן וַיֵּשְׁבוּ בְּעָרֶיהָ IIK. 17:24
144 וַיָּבֹאוּ וַיִּרְשׁוּ אֹתָהּ Jer. 32:23
145 וַיִּירְשׁוּ אֶת־אֶרֶץ סִיחוֹן Neh. 9:22
146 וַיָּבֹאוּ הַבָּנִים וַיִּירְשׁוּ אֶת־הָאָרֶץ Neh. 9:24
147 וַיִּירְשׁוּ בָּתִּים מְלֵאִים כָּל־טוּב Neh. 9:25
יִירָשׁוּהָ 148 וְלָהֶם אֶתְּנֶנָּה וְהֵם יִירָשׁוּהָ Deut. 1:39
149 עַד־עוֹלָם יִירָשׁוּהָ Is. 34:17
וַיִּרָשׁוּהָ 150 וַיִּרָשׁוּהָ וַיֵּשְׁבוּ בָהּ Josh. 21:41
יִירָשׁוּם 151 וּבְנֵי עֵשָׂו יִירָשׁוּם וַיַּשְׁמִידוּם Deut. 2:12
וַיִּירָשֻׁם 152-153 וַיִּירָשֻׁם וַיֵּשְׁבוּ תַחְתָּם Deut. 2:21, 22
רֵשׁ 154 עֲלֵה רֵשׁ כַּאֲשֶׁר דִּבֶּר יְיָ Deut. 1:21
155 קוּם רֵשׁ אֶת־כֶּרֶם נָבוֹת IK. 21:15
רָשׁ 156 וְאֶת־אַרְצוֹ הָחֵל רָשׁ Deut. 2:24
157 הָחֵל רָשׁ לָרֶשֶׁת אֶת־אַרְצוֹ Deut. 2:31
יְרָשָׁה 158 יָם וְדָרוֹם יְרָשָׁה Deut. 33:23
וּרְשׁוּ 159 בֹּאוּ וּרְשׁוּ אֶת־הָאָרֶץ Deut. 1:8
160 עֲלוּ וּרְשׁוּ אֶת־הָאָרֶץ Deut. 9:23
אִוָּרֵשׁ 161 וּפֶן־אִוָּרֵשׁ וְגָנַבְתִּי Prov. 30:9
תִּוָּרֵשׁ 162 פֶּן־תִּוָּרֵשׁ אַתָּה וּבֵיתְךָ Gen. 45:11
163 אַל־תֶּאֱהַב שֵׁנָה פֶּן־תִּוָּרֵשׁ Prov. 20:13
יִוָּרֵשׁ 164 כִּי־סֹבֵא וְזוֹלֵל יִוָּרֵשׁ Prov. 23:21
יְיָרֵשׁ 165 כָּל־עֵצְךָ...יְיָרֵשׁ הַצְּלָצַל Deut. 28:42
וְהוֹרֵשׁ 166 וְהוֹרֵשׁ יוֹרִישׁ מִפְּנֵיכֶם... Josh. 3:10
167/8 וְהוֹרֵשׁ לֹא הוֹרִישׁוֹ Josh. 17:13 • Jud. 1:28
לְהוֹרִישׁ 169 לְהוֹרִישׁ גּוֹיִם גְּדֹלִים...מִפָּנֶיךָ Deut. 4:38
170 וְלֹא יָכְלוּ...לְהוֹרִישׁ אֶת־הֶעָרִים Josh. 17:12
171 לֹא יוֹסִיף...לְהוֹרִישׁ...מִלִּפְנֵיכֶם Josh. 23:13
172 לֹא לְהוֹרִישׁ אֶת־יֹשְׁבֵי הָעֵמֶק Jud. 1:19
173 לֹא אוֹסִיף לְהוֹרִישׁ אִישׁ מִפְּנֵיהֶם Jud. 2:21
הוֹרִישׁוֹ 174 עַד הוֹרִישׁוֹ אֶת־אֹיְבָיו Num. 32:21
הוֹרִישָׁם 175 וַיַּנַּח...לְבִלְתִּי הוֹרִישָׁם מַהֵר Jud. 2:23
לְהוֹרִישָׁם 176 אֵיכָה אוּכַל לְהוֹרִישָׁם Deut. 7:17
177 לֹא־יָכְלוּ בְנֵי־יְהוּדָה לְהוֹרִישָׁם Josh. 15:63
וְהוֹרַשְׁתִּים 178 אוּלַי יְיָ אוֹתִי וְהוֹרַשְׁתִּים Josh. 14:12
הוֹרַשְׁתָּ 179 אַתָּה יָדְךָ גּוֹיִם הוֹרַשְׁתָּ וַתִּטָּעֵם Ps. 44:3
180 הוֹרַשְׁתָּ אֶת־יֹשְׁבֵי הָאָרֶץ הַזֹּאת IICh. 20:7
הוֹרַשְׁתָּנוּ 181 לְגָרְשֵׁנוּ מִיְּרֻשָּׁתְךָ אֲשֶׁר הוֹרַשְׁתָּנוּ IICh. 20:11
וְהוֹרַשְׁתָּם 182 וְהוֹרַשְׁתָּם וְהַאֲבַדְתָּם מַהֵר Deut. 9:3
הוֹרִישׁ 183 וְלֹא הוֹרִישׁ מְנַשֶּׁה אֶת־בֵּית־שְׁאָן Jud. 1:27
184 וְאֶפְרַיִם לֹא הוֹרִישׁ אֶת־הַכְּנַעֲנִי Jud. 1:29
185-187 ...לֹא הוֹרִישׁ אֶת... Jud. 1:30, 31, 33
188 הוֹרִישׁ אֶת־הָאֱמֹרִי מִפְּנֵי עַמּוֹ Jud. 11:23
189 וְאֵת כָּל־אֲשֶׁר הוֹרִישׁ יְיָ... Jud. 11:24

190-196 הוֹרִישׁ...יְיָ מִפְּנֵי בְּנֵי יִשְׂרָאֵל IK. 14:24
21:26 • IIK. 16:3; 17:8; 21:2 • IICh. 28:3; 33:2
וְהוֹרִישׁ 197 וְהוֹרִישׁ...מִלִּפְנֵיכֶם Deut. 11:23
198 וְהוֹרִישׁ אֹתָם מִלִּפְנֵיכֶם Josh. 23:5
הוֹרֵשׁ 199/200 וְהוֹרֵשׁ לֹא הוֹרִישׁוֹ Josh. 17:13 • Jud. 1:28
201 וַיֵּשֶׁב...כִּי לֹא הוֹרִישׁוֹ Jud. 1:32
וְהוֹרַשְׁתֶּם 202 וְהוֹרַשְׁתֶּם אֶת־כָּל־יֹשְׁבֵי הָאָרֶץ Num. 33:52
203 וְהוֹרַשְׁתֶּם...הָאָרֶץ וִישַׁבְתֶּם בָּהּ Num. 33:53
204 וְהוֹרַשְׁתֶּם אֶת־הָעִיר Josh. 8:7
205 וְהוֹרַשְׁתֶּם לִבְנֵיכֶם עַד־עוֹלָם Ez. 9:12
הוֹרִישׁוּ 206 וְלֹא הוֹרִישׁוּ בְּ״י אֶת־הַגְּשׁוּרִי Josh. 13:13
207 וְלֹא הוֹרִישׁוּ אֶת־הַכְּנַעֲנִי Josh. 16:10
208 וְאֶת־הַיְבוּסִי...לֹא הוֹרִישׁוּ Jud. 1:21
מוֹרִישׁ 209 יְיָ אֱלֹהֶיךָ מוֹרִישׁ אוֹתָם מִפָּנֶיךָ Deut. 18:12
210 יְיָ מוֹרִישׁ וּמַעֲשִׁיר ISh. 2:7
מוֹרִישָׁם 211 יְיָ מוֹרִישָׁם מִפָּנֶיךָ Deut. 9:4
212 יְיָ אֱלֹהֶיךָ מוֹרִישָׁם מִפָּנֶיךָ Deut. 9:5
אוֹרִישׁ 213 כִּי־אוֹרִישׁ גּוֹיִם מִפָּנֶיךָ Ex. 34:24
וְאוֹרִשֶׁנּוּ 214 אַכֶּנּוּ בַדֶּבֶר וְאוֹרִשֶׁנּוּ Num. 14:12
אוֹרִישֵׁם 215 אָנֹכִי אוֹרִישֵׁם מִפְּנֵי בְּנֵי יִשְׂרָאֵל Josh. 13:6
תוֹרִישׁ 216 כִּי־תוֹרִישׁ אֶת־הַכְּנַעֲנִי Josh. 17:18
וְתוֹרִישֵׁנִי 217 וְתוֹרִישֵׁנִי עֲוֺנוֹת נְעוּרָי Job 13:26
יוֹרִישׁ 218 וְהוֹרֵשׁ יוֹרִישׁ מִפְּנֵיכֶם Josh. 3:10
וַיּוֹרֶשׁ 219 וַיּוֹרֶשׁ (כת' ויירש) אֶת־הָאֱמֹרִי Num. 21:32
220 וַיּוֹרֶשׁ אֶת־הָאֱמֹרִי אֲשֶׁר־בָּהּ Num. 32:39
221 וַיֹּרֶשׁ מִשָּׁם...אֶת־שְׁלוֹשָׁה בְּנֵי הָעֲנָק Josh. 15:14
222 וַיּוֹרֶשׁ יְיָ מִפְּנֵיכֶם גּוֹיִם גְּדֹלִים Josh. 23:9
223 וַיֹּרֶשׁ אֶת־הָהָר Jud. 1:19
224 וַיּוֹרֶשׁ מִשָּׁם אֶת־שְׁלֹשָׁה בְּנֵי הָעֲנָק Jud. 1:20
יוֹרִישְׁךָ 225 אֵת אֲשֶׁר יוֹרִישְׁךָ כְּמוֹשׁ אֱלֹהֶיךָ... Jud. 11:24
יֹרִשֶׁנּוּ 226 מִבִּטְנוֹ יֹרִשֶׁנּוּ אֵל Job 20:15
יוֹרִשֶׁנָּה 227 וַהֲבִיאֹתִיו...וְזַרְעוֹ יוֹרִשֶׁנָּה Num. 14:24
228 הִנֵּה אֲדֹנָי יוֹרִשֶׁנָּה Zech. 9:4
וַיֹּרִשֵׁם 229 וַיַּכֵּם מֹשֶׁה וַיֹּרִשֵׁם Josh. 13:12
תּוֹרִישֵׁמוֹ 230 אָרִיק חַרְבִּי תּוֹרִישֵׁמוֹ יָדִי Ex. 15:9
תוֹרִישׁוּ 231 וְאִם־לֹא תוֹרִישׁוּ...מִפְּנֵיכֶם Num. 33:55

יְרֵשָׁה נ' אחוזת נחלה: 1, 2

יְרֵשָׁה 1 וְהָיָה אֱדוֹם יְרֵשָׁה Num. 24:18
2 וְהָיָה יְרֵשָׁה שֵׂעִיר אֹיְבָיו Num. 24:18

יְרֻשָּׁה נ' אחוזת נחלה: 1-14

קרובים: אֲחֻזָּה / חֶבֶל / חֵלֶק / יְרֵשָׁה / מוֹרָשׁ / מוֹרָשָׁה / נַחֲלָה

אֶרֶץ יְרֻשָּׁה 12, 14; מִשְׁפַּט הַיְרֻשָּׁה 8; יְרֻשַּׁת יְרֵאִים 10; יְרֻשַּׁת פְּלֵטָה 9

יְרֻשָּׁה 1 כִּי־יְרֻשָּׁה לְעֵשָׂו נָתַתִּי אֶת־הַר שֵׂעִיר Deut. 2:5
2 לֹא־אֶתֵּן לְךָ מֵאַרְצוֹ יְרֻשָּׁה Deut. 2:9
3 לִבְנֵי־לוֹט נָתַתִּי אֶת־עָר יְרֻשָּׁה Deut. 2:9
4 לֹא־אֶתֵּן מֵאֶרֶץ בְּנֵי־עַמּוֹן לְךָ יְרֻשָּׁה Deut. 2:19
5 לִבְנֵי־לוֹט נְתַתִּיהָ יְרֻשָּׁה Deut. 2:19
6 יְרֻשָּׁה לָראוּבֵנִי וְלַגָּדִי Josh. 12:6
7 לְשִׁבְטֵי יִשְׂרָאֵל יְרֻשָּׁה כְּמַחְלְקֹתָם Josh. 12:7
הַיְרֻשָּׁה 8 כִּי לְךָ מִשְׁפַּט הַיְרֻשָּׁה Jer. 32:8
יְרֻשַּׁת־ 9 וַיֹּאמְרוּ יְרֻשַּׁת פְּלֵיטָה לְבִנְיָמִן Jud. 21:17
10 נָתַתָּ יְרֻשַּׁת יִרְאֵי שְׁמֶךָ Ps. 61:6
מִיְּרֻשָּׁתְךָ 11 לְגָרְשֵׁנוּ מִיְּרֻשָּׁתְךָ אֲשֶׁר הוֹרַשְׁתָּנוּ IICh. 20:11
יְרֻשָּׁתוֹ 12 כַּאֲשֶׁר עָשָׂה יִשְׂרָאֵל לְאֶרֶץ יְרֻשָּׁתוֹ Deut. 2:12
לִירֻשָּׁתוֹ 13 וְשַׁבְתֶּם אִישׁ לִירֻשָּׁתוֹ Deut. 3:20
יְרֻשַּׁתְכֶם 14 וְשַׁבְתֶּם לְאֶרֶץ יְרֻשַּׁתְכֶם Josh. 1:15

יֵשׁ

ז' ותה"פ א) דבר קָיָם, רכוש: 19
ב) נמצא, הפך מן "אַיִן": רוב המקראות 1-129
ג) [יֶשְׁךָ, יֶשְׁכֶם] אתה נכון, אתם נכונים: 130-132, 137, 138
ד) [יֶשְׁנוֹ] הוא נִמְצָא: 133-136

יֵשׁ וָיֵשׁ 12; אֵין יֵשׁ 85; אִין יֵשׁ 76; לֹא יֵשׁ 21; לוּ יֵשׁ 24,73; מַה יֵּשׁ 6, 79, 80; יֵשׁ אֲשֶׁר 110,111,123-125; יֵשׁ אֶת־ (מישהו) 8, 9; יֵשׁ לְאֵל יָדוֹ 63, 83; יֵשׁ אֶת לְבָבוֹ 98; יֵשׁ (אֶת) נַפְשׁוֹ 2,11

יֵשׁ 1 אוּלַי יֵשׁ חֲמִשִּׁים צַדִּיקִם... Gen. 18:24
2 אִם־יֵשׁ אֶת־נַפְשְׁכֶם לִקְבֹּר... Gen. 23:8
3 אָכֵן יֵשׁ יְיָ בַּמָּקוֹם הַזֶּה Gen. 28:16
4 אִם־יֵשׁ אָחִינוּ הַקָּטֹן אִתָּנוּ Gen. 44:26
5 וְיֵדְעוּ...כִּי יֵשׁ אֱלֹהִים לְיִשְׂרָאֵל ISh. 17:46
6 וְעַתָּה מַה־יֵּשׁ תַּחַת־יָדְךָ ISh. 21:4
7 כִּי־אִם־לֶחֶם קֹדֶשׁ יֵשׁ ISh. 21:5
8 הִנֵּה־נָא יֵשׁ־אֶת־עֲבָדֶיךָ IIK. 2:16
9 יֵשׁ אוֹתוֹ דְּבַר־יְיָ IIK. 3:12
10 וְיֵדַע כִּי יֵשׁ נָבִיא בְּיִשְׂרָאֵל IIK. 5:8
11 אִם־יֵשׁ נַפְשְׁכֶם אַל־יֵצֵא... IIK. 9:15
12 יֵשׁ וָיֵשׁ תְּנָה אֶת־יָדֶךָ IIK. 10:15
13 הוֹצִיא עַם־עִוֵּר וְעֵינַיִם יֵשׁ Is. 43:8
14 אִם־יֵשׁ עֹשֶׂה מִשְׁפָּט Jer. 5:1
15 וְאִם־יֵשׁ דְּבַר־יְיָ אִתָּם Jer. 27:18
16 כִּי יֵשׁ שָׂכָר לִפְעֻלָּתֵךְ Jer. 31:16(15)
17 וַיֹּאמֶר יִרְמְיָהוּ יֵשׁ Jer. 37:17
18 אַךְ יֵשׁ־אֱלֹהִים שֹׁפְטִים בָּאָרֶץ Ps. 58:12
19 לְהַנְחִיל אֹהֲבַי יֵשׁ Prov. 8:21
20 כִּי אִם־יֵשׁ אַחֲרִית... Prov. 23:18
21 לֹא יֵשׁ־בֵּינֵינוּ מוֹכִיחַ Job 9:33
22 וּבָטַחְתָּ כִּי־יֵשׁ תִּקְוָה Job 11:18
23 כִּי יֵשׁ לָעֵץ תִּקְוָה Job 14:7
24 לוּ יֵשׁ נַפְשְׁכֶם תַּחַת נַפְשִׁי Job 16:4
25 כִּי יֵשׁ לַכֶּסֶף מוֹצָא Job 28:1
26 אִם־יֵשׁ עָלָיו מַלְאָךְ מֵלִיץ Job 33:23
27 יֵשׁ גֹּאֵל קָרוֹב מִמֶּנִּי Ruth 3:12
28 אִם־יֵשׁ מַכְאוֹב כְּמַכְאֹבִי Lam. 1:12
29 אוּלַי יֵשׁ תִּקְוָה Lam. 3:29
30 יֵשׁ דָּבָר שֶׁיֹּאמַר רְאֵה־זֶה חָדָשׁ הוּא Eccl. 1:10
31 כִּי־יֵשׁ אָדָם שֶׁעֲמָלוֹ בְּחָכְמָה Eccl. 2:21
32 יֵשׁ אֶחָד וְאֵין שֵׁנִי Eccl. 4:8
33 יֵשׁ צַדִּיקִים אֲשֶׁר מַגִּיעַ אֲלֵהֶם Eccl. 8:14
34 אֶל כָּל־הַחַיִּים יֵשׁ בִּטָּחוֹן Eccl. 9:4
35 יֵשׁ רָעָה רָאִיתִי תַּחַת הַשָּׁמֶשׁ Eccl. 10:5
36 יֵשׁ־מִקְוֶה לְיִשְׂרָאֵל עַל־זֹאת Ez. 10:2
37 כִּי יֵשׁ שָׂכָר לִפְעֻלַּתְכֶם IICh. 15:6
38 כִּי מֵעַתָּה יֵשׁ עִמְּךָ מִלְחָמוֹת IICh. 16:9
39 יֵשׁ לַיְיָ לָתֶת לְךָ הַרְבֵּה מִזֶּה IICh. 25:9
40-62 יֵשׁ Deut. 29:17[2] • Jud. 18:14
19:19 • ISh. 9:12 • IK. 17:12; 18:10 • Jer. 41:8 •
Jon. 4:11 • Prov. 11:24; 12:18; 13:7; 14:12; 16:25;
19:18; 20:15 • Eccl. 4:9; 5:12; 6:1, 11; 7:15; 8:6, 14
יֶשׁ־ 63 יֶשׁ־לְאֵל יָדִי לַעֲשׂוֹת Gen. 31:29
64 יֶשׁ־לִי רָב אָחִי Gen. 33:9
65 כִּי חַנַּנִי אֱלֹהִים וְכִי יֶשׁ־לִי־כֹל Gen. 33:11
66 וְכָל־יֶשׁ־לוֹ נָתַן בְּיָדוֹ Gen. 39:4
67 וְכֹל אֲשֶׁר־יֶשׁ־לוֹ נָתַן בְּיָדִי Gen. 39:8
68 הִפְקִיד...וְעַל כָּל־אֲשֶׁר יֶשׁ־לוֹ Gen. 39:5
69 בִּרְכַּת יְיָ בְּכָל־אֲשֶׁר יֶשׁ־לוֹ Gen. 39:5
70/1 כִּי יֶשׁ־שֶׁבֶר בְּמִצְרָיִם Gen. 42:1, 2
72 יֶשׁ־לָנוּ אָב זָקֵן Gen. 44:20

יֵשׁ־ (המשך)

73 לוּ יֶשׁ־חֶרֶב בְּיָדִי... Num. 22:29
74 וְגַם לֶחֶם וָיַיִן יֶשׁ־לִי וְלַאֲמָתֶךָ Jud. 19:19
75 וְאִם־יֶשׁ־בִּי עָוֺן הֲמִיתֵנִי ISh. 20:8
76 וְאִין יֶשׁ־פֹּה תַחַת־יָדְךָ חֲנִית ISh. 21:9
77 הֲכִי יֶשׁ־עוֹד אֲשֶׁר נוֹתַר... IISh. 9:1
78 וְאִם־יֶשׁ־בִּי עָוֺן וֶהֱמִתָנִי IISh. 14:32
79 וּמַה־יֶּשׁ־לִי עוֹד צְדָקָה IISh. 19:29
80 מַה־יֶּשׁ־לָךְ בַּבָּיִת IIK. 4:2
81 פֶּן־יֶשׁ־פֹּה עִמָּכֶם מֵעַבְדֵי יְיָ IIK. 10:23
82 כִּי יֶשׁ־יוֹם קָרְאוּ נֹצְרִים Jer. 31:6(5)
83 יַעֲשׂוּהָ...כִּי יֶשׁ־לְאֵל יָדָם Mic. 2:1
84 אִם־יֶשׁ־עָוֶל בְּכַפָּי Ps. 7:4
85 אַף אֵין־יֶשׁ־רוּחַ בְּפִיהֶם Ps. 135:17
86 אִם־יֶשׁ־טַעַם בְּרִיר חַלָּמוּת Job 6:6
87 אִם־יֵשׁ־מִלִּין הֲשִׁיבֵנִי Job 33:32
88 כִּי אָמַרְתִּי יֶשׁ־לִי תִקְוָה Ruth 1:12
89 יֶשׁ־לִי סְגֻלָּה זָהָב וָכָסֶף ICh. 29:3
90 כִּי יֶשׁ־כֹּחַ בֵּאלֹהִים לַעְזוֹר IICh. 25:8

הֲיֵשׁ 91 הֲיֵשׁ בֵּית־אָבִיךָ מָקוֹם Gen. 24:23
92 הֲיֵשׁ לָכֶם אָח Gen. 43:7
93 הֲיֵשׁ־לָכֶם אָב אוֹ־אָח Gen. 44:19
94 הֲיֵשׁ יְיָ בְּקִרְבֵּנוּ אִם־אָיִן Ex. 17:7
95 הֲיֵשׁ־פֹּה אִישׁ וְאָמַרְתְּ אָיִן Jud. 4:20
96 הֲיֵשׁ בָּזֶה הָרֹאֶה ISh. 9:11
97 הֲיֵשׁ לְדַבֶּר־לָךְ אֶל־הַמֶּלֶךְ IIK. 4:13
98 הֲיֵשׁ אֶת־לְבָבְךָ יָשָׁר IIK. 10:15
99 הֲיֵשׁ אֱלוֹהַּ מִבַּלְעָדַי Is. 44:8
100 הֲיֵשׁ בְּהַבְלֵי הַגּוֹיִם מַגְשִׁמִים Jer. 14:22
101 עַד־מָתַי הֲיֵשׁ בְּלֵב הַנְּבִאִים Jer. 23:26
102 הֲיֵשׁ דָּבָר מֵאֵת יְיָ Jer. 37:17
103/4 הֲיֵשׁ מַשְׂכִּיל דֹּרֵשׁ אֶת־אֱלֹ׳ Ps. 14:2; 53:3
105 קְרָא־נָא הֲיֵשׁ עוֹנֶךָּ Job 5:1
106 הֲיֵשׁ־בִּלְשׁוֹנִי עַוְלָה Job 6:30
107 הֲיֵשׁ מִסְפָּר לִגְדוּדָיו Job 25:3
108 הֲיֵשׁ לַמָּטָר אָב Job 38:28

הֲיֶשׁ־ 109 הֲיֶשׁ־בָּהּ עֵץ אִם־אַיִן Num. 13:20

וְיֵשׁ 110/1 וְיֵשׁ אֲשֶׁר יִהְיֶה הֶעָנָן... Num. 9:20, 21
112 וְיֵשׁ יְיָ עִמָּנוּ וְלָמָּה מְצָאַתְנוּ Jud. 6:13
113 וְיֵשׁ־תִּקְוָה לְאַחֲרִיתֵךְ Jer. 36:17(16)
114 וְיֵשׁ בְּעֶדְרוֹ זָכָר Mal. 1:14
115 יָדַע־אֵל וְיֵשׁ דֵּעָה בְעֶלְיוֹן Ps. 73:11
116 אַל־תֹּאמַר...לֵךְ וָשׁוּב...וְיֵשׁ אִתָּךְ Prov. 3:28
117 וְיֵשׁ נִסְפֶּה בְּלֹא מִשְׁפָּט Prov. 13:23
118 וְיֵשׁ אֹהֵב דָּבֵק מֵאָח Prov. 18:24
119 וְיֵשׁ אַחֲרִית וְתִקְוָתְךָ לֹא תִכָּרֵת Prov. 24:14
120 וְיֵשׁ רָשָׁע מַאֲרִיךְ בְּרָעָתוֹ Eccl. 7:15
121 וְיֵשׁ רְשָׁעִים שֶׁמַּגִּיעַ אֲלֵהֶם... Eccl. 8:14
122 וְיֵשׁ־מֵהֶם נָשִׁים וַיָּשִׂימוּ בָּנִים Ez. 10:44
123-125 וְיֵשׁ אֲשֶׁר אֹמְרִים... Neh. 5:2, 3, 4
126 וְיֵשׁ מִבְּנֹתֵינוּ נִכְבָּשׁוֹת Neh. 5:5

וְיֶשׁ־ 127 וְיֶשׁ־בָּם אַנְשֵׁי־חַיִל Gen. 47:6
וָיֵשׁ 128 יֵשׁ וָיֵשׁ תְּנָה אֶת־יָדֶךָ IIK. 10:15
שֶׁיֵּשׁ 129 שֶׁיֵּשׁ יִתְרוֹן לַחָכְמָה... Eccl. 2:13
יֶשְׁךָ 130 אִם־יֶשְׁךָ־נָּא מַצְלִיחַ דַּרְכִּי Gen. 24:42
131 אִם־יֶשְׁךָ מְשַׁלֵּחַ אֶת־אָחִינוּ Gen. 43:4
132 אִם־יֶשְׁךָ מוֹשִׁיעַ בְּיָדִי Jud. 6:36
יֶשְׁנוֹ 133 אֶת־אֲשֶׁר יֶשְׁנוֹ פֹּה עִמָּנוּ Deut. 29:14
134 כִּי אִם־יֶשְׁנוֹ בְּיוֹנָתָן בְּנִי ISh. 14;39
135 וְהָיָה אִם־יֶשְׁנוֹ בָאָרֶץ ISh. 23:23
136 יֶשְׁנוֹ עַם־אֶחָד מְפֻזָּר וּמְפֹרָד Es. 3:8
יֶשְׁכֶם 137 אִם־יֶשְׁכֶם עֹשִׂים חֶסֶד Gen. 24:49
הֲיִשְׁכֶם 138 הֲיִשְׁכֶם אֹהֲבִים אֶת־יְיָ Deut. 13:4

ישב

ישב : יָשַׁב, נוֹשַׁב, יִשֵּׁב, הוֹשִׁיב, הוּשַׁב; יוֹשֵׁב, מוֹשָׁב, תּוֹשָׁב, שֶׁבֶת(?), שִׁיבָה; ש״פ יֶשֶׁבְאָב, יָשָׁבְעָם

יָשַׁב פָּ׳ א) נשען ונח בגופו על מושב כלשהו [ובהשאלה שָׁכַן, דר, שהה במקום: 1-766 [עין עוד יוֹשֵׁב ז׳]
ב) [נפ׳ נוֹשַׁב] אוכלס, השתכנו בו בני אדם: 767-774
ג) [פִּ׳ יִשֵּׁב] השכין: 775
ד) [הפ׳ הוֹשִׁיב] גרם שישבו: 776-813
ה) [הָפ׳ הוּשַׁב] התנחל, התישבו בו: 814, 815

קרובים: גָּר / דָּר / הִתְגּוֹרֵר / הִתְנַחֵל / נֶאֱחַז / נָח / שָׁכַן

– שֶׁבֶת אַחִים 7; מְאַחֲרֵי שֶׁבֶת 6; מְכוֹן שִׁבְתּוֹ 63-69, 79; מָכוֹן לְשִׁבְתּוֹ 75-77; מְקוֹם שִׁבְתּוֹ 60, 62; מְרוֹם שִׁבְתּוֹ 78

– יָשַׁב בְּ־, יָשַׁב עַל־, רוב המקראות 1-766; יָשַׁב אֶל־ 264, 377, 429; יָשַׁב אֶת־ (אִתּוֹ) 19, 20, 157, 381, 422, 443, 494, 624, 654, 735, 740; יָשַׁב אֵצֶל 108, 356, 432; יָשַׁב בֵּין 100, 502, 683; יָשַׁב בְּקֶרֶב 173, 223, 241, 369, 370, 491, 619, 814; יָשַׁב בְּתוֹךְ 61, 222, 257, 260, 275, 353, 359; יָשַׁב (מִ)חוּץ 74, 133; יָשַׁב לְ־ 101, 113, 118, 128, 132, 153, 245, 465, 612, 622, 732, 745; יָשַׁב לִפְנֵי־ 379, 380, 391, 437, 490, 511, 512, 671, 675, 684; יָשַׁב מִימִין־ 363; יָ׳ מִמּוּל 237; יָשַׁב נֶגֶד־ 27; יָשַׁב עִם (עִמָּדִי) 1, 31, 80, 95, 102, 136, 442, 447, 471-473, 505, 506, 516, 676, 733, 738, 739, 751; יָ׳ רֹאשׁ 450; יָ׳ תַּחַת־ 150, 151, 348, 677-680, 682, 753

– אֶרֶץ נוֹשֶׁבֶת 767, 772; חֳרָבוֹת נוֹשָׁבוֹת 773; עָרִים נוֹשָׁבוֹת (769), 774;

– הוֹשִׁיב אִשָּׁה 786, 789-791, 804, 805

יָשַׁב 1 יָשַׁב־אֵשֵׁב עִם־הַמֶּלֶךְ לֶאֱכוֹל ISh. 20:5
שׁוֹב 2 אִם־שׁוֹב תֵּשְׁבוּ בָּאָרֶץ הַזֹּאת Jer. 42:10
שֶׁבֶת 3 רַב־לָכֶם שֶׁבֶת בָּהָר הַזֶּה Deut. 1:6
4 מִיּוֹם שֶׁבֶת הָאָרוֹן בְּקִרְיַת יְעָרִים ISh. 7:2
5 וַתַּגִּשׁוּן שֶׁבֶת חָמָס Am. 6:3
6 מַשְׁכִּימֵי קוּם מְאַחֲרֵי־שֶׁבֶת Ps. 127:2
7 מַה־טּוֹב...שֶׁבֶת אַחִים גַּם־יָחַד Ps. 133:1
8 טוֹב שֶׁבֶת בְּאֶרֶץ־מִדְבָּר Prov. 21:19
9 טוֹב שֶׁבֶת עַל־פִּנַּת־גָּג Prov. 25:24
שָׁבֶת 10 קָרָאתִי לָזֹאת רַהַב הֵם שָׁבֶת Is. 30:7
בְּשֶׁבֶת 11 בְּשֶׁבֶת יִשְׂרָאֵל בְּחֶשְׁבּוֹן Jud. 11:26
12 בְּשֶׁבֶת עַמִּי יִשְׂרָאֵל לָבֶטַח Ezek. 38:14
כְּשֶׁבֶת 13 כְּשֶׁבֶת הַמֶּ׳ אֲחַשְׁ׳ עַל כִּסֵּא מַלְכוּתוֹ Es. 1:2
לְשֶׁבֶת 14 לְשֶׁבֶת אַבְרָם בְּאֶרֶץ כְּנָעַן Gen. 16:3
15 וְאֶשֶׁד...אֲשֶׁר נָטָה לְשֶׁבֶת עָר Num. 21:15
לָשֶׁבֶת 16 וְלֹא־נָשָׂא אֹתָם הָאָ׳ לָשֶׁבֶת יַחְדָּו... Gen. 13:6
17 וְלֹא יָכְלוּ לָשֶׁבֶת יַחְדָּו Gen. 13:6
18 כִּי יָרֵא לָשֶׁבֶת בְּצוֹעַר Gen. 19:30
19 יֵאֹתוּ הָאֲנָשִׁים לָשֶׁבֶת אִתָּנוּ Gen. 34:22
20 וַיּוֹאֶל מֹשֶׁה לָשֶׁבֶת אֶת־הָאִישׁ Ex. 2:21
21 אֲשֶׁר אֲנִי מֵבִיא...לָשֶׁבֶת בָּהּ Lev. 20:22
22 לָשׁוּב לָשֶׁבֶת בָּאָרֶץ Num. 35:32
23 אֲשֶׁר יְיָ...נֹתֵן לְךָ לָשֶׁבֶת שָׁם Deut. 13:13
24 לָשֶׁבֶת עַל־הָאֲדָמָה אֲשֶׁר נִשְׁבַּע Deut. 30:20
25 כְּתִפְאֶרֶת אָדָם לָשֶׁבֶת בָּיִת Is. 44:13
26 לֹא־תֹהוּ בְרָאָהּ לָשֶׁבֶת יְצָרָהּ Is. 45:18
27 אֵין...אוּר לָשֶׁבֶת נֶגְדּוֹ Is. 47:14
28 הֶעְמִיקוּ לָשֶׁבֶת יֹשְׁבֵי דְּדָן Jer. 49:8
29 הֶעְמִיקוּ לָשֶׁבֶת יֹשְׁבֵי חָצוֹר Jer. 49:30
30 הַעֵת...לָשֶׁבֶת בְּבָתֵּיכֶם סְפוּנִים Hag. 1:4
31 עֵינַי בְּנֶאֶמְנֵי־אֶרֶץ לָשֶׁבֶת עִמָּדִי Ps. 101:6
32 טוֹב לָשֶׁבֶת עַל־פִּנַּת־גָּג Prov. 21:9
33 לְהָבִיא...לָשֶׁבֶת בִּירוּשָׁלִַם Neh. 11:1
34 הַמִּתְנַדְּבִים לָשֶׁבֶת בִּירוּשָׁלִָם Neh. 11:2
35-46 לָשֶׁבֶת Josh. 14:4; 17:12; Jud. 1:27, 35; 17:11; 18:1 • IIK. 6:2 • Jer. 16:8; 43:4; 44:14 • ICh. 28:5 • IICh. 2:2
לָשָׁבֶת 47 וְנָתְנוּ לַלְוִיִּם...עָרִים לָשָׁבֶת Num. 35:2
48 וְהָיוּ הֶעָרִים לָהֶם לָשָׁבֶת Num. 35:3
49 לָתֶת־לָנוּ עָרִים לָשָׁבֶת Josh. 21:2
50 וַיִּמְתָּחֵם כָּאֹהֶל לָשָׁבֶת Is. 40:22
51 מְשֹׁבֵב נְתִיבוֹת לָשָׁבֶת Is. 58:12
52 מִי כַּיְיָ אֱלֹהֵינוּ הַמַּגְבִּיהִי לָשָׁבֶת Ps. 113:5
53 לֹא אַתָּה תִּבְנֶה־לִּי הַבַּיִת לָשָׁבֶת ICh. 17:4
מִשֶּׁבֶת 54 כִּי...רְכוּשָׁם רָב מִשֶּׁבֶת יַחְדָּו Gen. 36:7
55 וַיְגָרֶשׁ זְבֻל...מִשֶּׁבֶת בִּשְׁכֶם Jud. 9:41
שִׁבְתִּי 56 שִׁבְתִּי בְּבֵית־יְיָ כָּל־יְמֵי חַיַּי Ps. 27:4
57 אַתָּה יָדַעְתָּ שִׁבְתִּי וְקוּמִי Ps. 139:2
בְּשִׁבְתִּי 58 בְּשִׁבְתִּי בִגְשׁוּר בַּאֲרָם IISh. 15:8
לְשִׁבְתִּי 59 הַאַתָּה תִּבְנֶה־לִּי בַיִת לְשִׁבְתִּי IISh. 7:5
שִׁבְתְּךָ 60 אֶל־מְקוֹם שִׁבְתְּךָ אֶל־הַשָּׁמַיִם IK. 8:30
61 שִׁבְתְּךָ בְּתוֹךְ מִרְמָה Jer. 9:5
62 מִמְּקוֹם שִׁבְתְּךָ מִן־הַשָּׁמַיִם IICh. 6:21
שִׁבְתֶּךָ 63 וְשָׁמַעְתָּ מִן־הַשָּׁמַיִם מִמְּכוֹן שִׁבְתֶּךָ IICh. 6:39
64/5 תִּשְׁמַע הַשָּׁמַיִם מְכוֹן שִׁבְתֶּךָ IK. 8:39, 43
66 וְשָׁמַעְתָּ הַשָּׁמַיִם מְכוֹן שִׁבְתֶּךָ IK. 8:49
67/8 תִּשְׁמַע מִן־הַשָּׁמַ׳ מְכוֹן שִׁבְתֶּךָ IICh.6:30,33
69 תִּשְׁמַע מִן־הַשָּׁמַיִם מִמְּכוֹן שִׁבְתֶּךָ IICh. 6:33
וְשִׁבְתְּךָ 70 וְשִׁבְתְּךָ וְצֵאתְךָ וּבֹאֲךָ יָדָעְתִּי IIK. 19:27
וְשִׁבְתְּךָ 71 וְשִׁבְתְּךָ וְצֵאתְךָ וּבוֹאֲךָ יָדָעְתִּי Is. 37:28
בְּשִׁבְתְּךָ 72/3 בְּשִׁבְתְּךָ בְּבֵיתֶךָ וּבְלֶכְתְּךָ... Deut.6:7;11:19
74 וְהָיָה בְּשִׁבְתְּךָ חוּץ וְחָפַרְתָּה בָהּ Deut. 23:14
לְשִׁבְתְּךָ 75 מָכוֹן לְשִׁבְתְּךָ פָּעַלְתָּ יְיָ Ex. 15:17
76 מָכוֹן לְשִׁבְתְּךָ עוֹלָמִים IK. 8:13
77 וּמָכוֹן לְשִׁבְתְּךָ עוֹלָמִים IICh. 6:2
שִׁבְתּוֹ 78 שֹׁכְנִי בְחַגְוֵי־סֶלַע מְרוֹם שִׁבְתּוֹ Ob. 3
79 מִמְּכוֹן־שִׁבְתּוֹ הִשְׁגִּיחַ Ps. 33:14
בְּשִׁבְתּוֹ 80 בְּשִׁבְתּוֹ עִם־זִקְנֵי־אָרֶץ Prov. 31:23
כְשִׁבְתּוֹ 81 וְהָיָה כְשִׁבְתּוֹ עַל כִּסֵּא מַמְלַכְתּוֹ Deut. 17:18
82 וַיְהִי בְמָלְכוֹ כְּשִׁבְתּוֹ עַל־כִּסְאוֹ IK. 16:11
לְשִׁבְתּוֹ 83 הָהָר חָמַד אֱלֹהִים לְשִׁבְתּוֹ Ps. 68:17
שִׁבְתָּהּ 84 זֶה שִׁבְתָּהּ הַבַּיִת מְעָט Ruth 2:7
בְּשִׁבְתֵּנוּ 85 בְּשִׁבְתֵּנוּ עַל־סִיר הַבָּשָׂר Ex. 16:3
לְשִׁבְתֵּנוּ 86 וּלְבִלְתִּי בְּנוֹת בָּתִּים לְשִׁבְתֵּנוּ Jer. 35:9
בְּשִׁבְתְּכֶם 87 לֹא־שָׁבְתָה...בְּשִׁבְתְּכֶם עָלֶיהָ Lev. 26:35
שִׁבְתָּם 88 וַיְהִי בִּתְחִלַּת שִׁבְתָּם שָׁם IIK. 17:25
89 שִׁבְתָּם וְקִימָתָם הַבִּיטָה Lam. 3:63
בְּשִׁבְתָּם 90 בְּשִׁבְתָּם עַל־אַדְמָתָם לָבֶטַח Ezek. 39:26
יָשַׁבְתִּי 91 כִּי לֹא יָשַׁבְתִּי בְּבַיִת...עַד הַיּוֹם IISh. 7:6
92 לֹא־יָשַׁבְתִּי בְסוֹד־מְשַׂחֲקִים Jer. 15:17
93 מִפְּנֵי יָדְךָ בָּדָד יָשָׁבְתִּי Jer. 15:17
94 מוֹשַׁב אֱלֹהִים יָשַׁבְתִּי בְּלֵב יַמִּים Ezek. 28:2
95 לֹא־יָשַׁבְתִּי עִם־מְתֵי־שָׁוְא Ps. 26:4
96 יָשַׁבְתִּי וָאֶבְכֶּה וָאֶתְאַבְּלָה יָמִים Neh. 1:4
97 כִּי לֹא יָשַׁבְתִּי בְּבַיִת...עַד הַיּוֹם ICh. 17:5
וְיָשַׁבְתִּי 98 בְּצִלּוֹ חִמַּדְתִּי וְיָשַׁבְתִּי... S.ofS. 2:3
וְשַׁבְתִּי(=וְיָשַׁבְתִּי) 99 וְשַׁבְתִּי בְּבֵית יְיָ לְאֹרֶךְ יָמִים Ps. 23:6
יָשַׁבְתָּ 100 לָמָּה יָשַׁבְתָּ בֵּין הַמִּשְׁפְּתַיִם Jud. 5:16
101 יָשַׁבְתָּ לְכִסֵּא שׁוֹפֵט צֶדֶק Ps. 9:5
וְיָשַׁבְתָּ 102 וְיָשַׁבְתָּ עִמּוֹ יָמִים אֲחָדִים Gen. 27:44
103 וְיָשַׁבְתָּ בְאֶרֶץ־גֹּשֶׁן Gen. 45:10
104 וְיָרַשְׁתָּ אֹתָם וְיָשַׁבְתָּ בְּאַרְצָם Deut. 12:29
105 וִירִשְׁתָּם וְיָשַׁבְתָּ בְעָרֵיהֶם Deut. 19:1
106 וִירִשְׁתָּהּ וְיָשַׁבְתָּ בָּהּ Deut. 26:1
107 וְיָשַׁבְתָּ בַסֵּתֶר וְנַחְבֵּאתָ ISh. 19:2

וְיָשַׁבְתָּה (המשך)
108 וְיָשַׁבְתָּ אֵצֶל הָאֶבֶן הָאָזֶל ISh. 20:19
109 בְּנֵה־לְךָ בַיִת בִּירוּשָׁלִַם וְיָשַׁבְתָּ שָׁם IK. 2:36
110 קוּם לֵךְ צָרְפַתָה...וְיָשַׁבְתָּ שָׁם IK. 17:9
וְיָשַׁבְתָּה 111 וִירִשְׁתָּהּ וְיָשַׁבְתָּה בָּהּ Deut. 17:14
וְיָשָׁבְתָּ 112 וּבָתִּים טֹבִים תִּבְנֶה וְיָשָׁבְתָּ Deut. 8:12
יָשַׁבְתְּ 113 עַל־דְּרָכִים יָשַׁבְתְּ לָהֶם Jer. 3:2
וְיָשַׁבְתְּ 114 וְיָשַׁבְתְּ עַל־מִטָּה כְבוּדָּה Ezek. 23:41
יָשַׁב 115 אַבְרָם יָשַׁב בְּאֶרֶץ־כְּנָעַן Gen. 13:12
116 וְלוֹט יָשַׁב בְּעָרֵי הַכִּכָּר Gen. 13:12
117 הֶעָרִים אֲשֶׁר־יָשַׁב בָּהֵן לוֹט Gen. 19:29
118 אָשֵׁר יָשַׁב לְחוֹף יַמִּים Jud. 5:17
119 אֲשֶׁר־יָשַׁב דָּוִד בִּשְׂדֵה פְלִשְׁתִּים ISh. 27:7
120 אֲשֶׁר יָשַׁב בִּשְׂדֵה פְלִשְׁתִּים ISh. 27:11
121 וַיְהִי כִּי־יָשַׁב הַמֶּלֶךְ בְּבֵיתוֹ IISh. 7:1
122 וְגַם יָשַׁב שְׁלֹמֹה עַל כִּסֵּא הַמְּלוּכָה IK. 1:46
123 וּשְׁלֹמֹה יָשַׁב עַל־כִּסֵּא דָּוִד IK. 2:12
124 שֵׁשֶׁת חֳדָשִׁים יָשַׁב־שָׁם יוֹאָב IK. 11:16
125 וְיָרָבְעָם יָשַׁב עַל־כִּסְאוֹ IIK. 13:13
126 וְלֹא־יָשַׁב אָדָם שָׁם Jer. 2:6
127 אֱלֹהִים יָשַׁב עַל־כִּסֵּא קָדְשׁוֹ Ps. 47:9
128 וְלַמִּזְרָח יָשַׁב עַד־לְבוֹא מִדְבָּרָה ICh. 5:9
129 וַיְהִי כַּאֲשֶׁר יָשַׁב דָּוִיד בְּבֵיתוֹ ICh. 17:1
יָשָׁב 130 וְעַמּוֹ בְּעָרָיו יָשָׁב Jer. 49:1
131 וּבְמוֹשַׁב לֵצִים לֹא יָשָׁב Ps. 1:1
132 יְיָ לַמַּבּוּל יָשָׁב Ps. 29:10
וְיָשַׁב 133 וְיָשַׁב מִחוּץ לְאָהֳלוֹ שִׁבְעַת יָמִים Lev. 14:8
134 וְיָשַׁב טַפֵּנוּ בְּעָרֵי הַמִּבְצָר Num. 32:17
135 וְיָשַׁב בָּהּ עַד־מוֹת הַכֹּהֵן Num. 35:25
136 וְנָתְנוּ־לוֹ מָקוֹם וְיָשַׁב עִמָּם Josh. 20:4
137 וְיָשַׁב בָּעִיר הַהִיא עַד־עָמְדוֹ... Josh. 20:6
138 וְיָשַׁב שָׁם עַד־עוֹלָם ISh. 1:22
139 וּבָא וְיָשַׁב עַל־כִּסְאִי IK. 1:35
140 וְיָשַׁב עָלָיו בֶּאֱמֶת בְּאֹהֶל דָּוִד Is. 16:5
141 וְיָשַׁב עַמִּי בִּנְוֵה שָׁלוֹם Is. 32:18
142 וַעֲבָדָהּ וְיָשַׁב בָּהּ Jer. 27:11
143 וְיָשַׁב וּמָשַׁל עַל־כִּסְאוֹ Zech. 6:13
144 וְיָשַׁב מַמְזֵר בְּאַשְׁדּוֹד Zech. 9:6
145 וְיָשַׁב מְצָרֵף וּמְטַהֵר כֶּסֶף Mal. 3:3
יָשְׁבָה 146 אֵיכָה יָשְׁבָה בָדָד הָעִיר רַבָּתִי עָם Lam. 1:1
147 הִיא יָשְׁבָה בַגּוֹיִם לֹא מָצְאָה מָנוֹחַ Lam. 1:3
וְיָשְׁבָה 148 וְיָשְׁבָה בְּבֵיתֶךָ וּבָכְתָה Deut. 21:13
149 וְיָשְׁבָה הָעִיר הַזֹּאת לְעוֹלָם Jer. 17:25
150 וְיָשְׁבָה יְרוּשָׁלִַם עוֹד תַּחְתֶּיהָ Zech. 12:6
151 וְרָאֲמָה וְיָשְׁבָה תַחְתֶּיהָ Zech. 14:10
152 וְיָשְׁבָה יְרוּשָׁלִַם לָבֶטַח Zech. 14:11
153 וְיָשְׁבָה לְפֶתַח בֵּיתָהּ עַל־כִּסֵּא... Prov. 9:14
יָשַׁבְנוּ 154 אֵת אֲשֶׁר־יָשַׁבְנוּ בְּאֶרֶץ מִצְרָיִם Deut. 29:15
155 וְאִם־יָשַׁבְנוּ פֹה וָמָתְנוּ IIK. 7:4
156 עַל־נַהֲרוֹת בָּבֶל שָׁם יָשַׁבְנוּ... Ps. 137:1
וְיָשַׁבְנוּ 157 וְיָשַׁבְנוּ אִתְּכֶם וְהָיִינוּ לְעַם אֶחָד Gen. 34:16
יְשַׁבְתֶּם 158 אֶרֶץ־מִצְרַיִם אֲשֶׁר יְשַׁבְתֶּם־בָּהּ Lev. 18:3
159 וַתֵּשְׁבוּ...כַּיָּמִים אֲשֶׁר יְשַׁבְתֶּם Deut. 1:46
וִישַׁבְתֶּם 160 וִישַׁבְתֶּם עַל־הָאָרֶץ לָבֶטַח Lev. 25:18
161 וִישַׁבְתֶּם לָבֶטַח עָלֶיהָ Lev. 25:19
162 וִישַׁבְתֶּם לָבֶטַח בְּאַרְצְכֶם Lev. 26:5
163 וְהוֹרַשְׁתֶּם אֶת־הָאָ׳ וִישַׁבְתֶּם־בָּהּ Num. 33:53
164 וִירִשְׁתֶּם אֹתָהּ וִישַׁבְתֶּם־בָּהּ Deut. 11:31
165 וַעֲבַרְתֶּם...וִישַׁבְתֶּם בָּאָרֶץ Deut. 12:10
166 וְהֵנִיחַ לָכֶם...וִישַׁבְתֶּם־בֶּטַח Deut. 12:10
167 וִישַׁבְתֶּם בָּאָרֶץ אֲשֶׁר נָתַתִּי Ezek. 36:28
יָשְׁבוּ 168 וּמוֹשַׁב בְּנֵי י׳ אֲשֶׁר יָשְׁבוּ בְּמִצְרָיִם Ex. 12:40
169 הָאֵמִים לְפָנִים יָשְׁבוּ בָהּ Deut. 2:10

יָשְׁבוּ (המשך)
170 וּבְשֵׂעִיר יָשְׁבוּ הַחֹרִים לְפָנִים Deut. 2:12
171 רְפָאִים יָשְׁבוּ־בָהּ לְפָנִים Deut. 2:20
172 בְּעֵבֶר הַנָּהָר יָשְׁבוּ...מֵעוֹלָם Josh. 24:2
173 וּבְנֵי יִשְׂרָאֵל יָשְׁבוּ בְּקֶרֶב הַכְּנַעֲנִי Jud. 3:5
174 וּמָאתַיִם יָשְׁבוּ עַל־הַכֵּלִים ISh. 25:13
175 חָדְלוּ...לְהִלָּחֵם יָשְׁבוּ בַּמְּצָדוֹת Jer. 51:30
176 יָשְׁבוּ בְצִלּוֹ בְּתוֹךְ גּוֹיִם Ezek. 31:17
177 אֲשֶׁר יָשְׁבוּ־בָהּ אֲבוֹתֵיכֶם Ezek. 37:25
178 חַיָּתְךָ יָשְׁבוּ־בָהּ Ps. 68:11
179 גַּם יָשְׁבוּ שָׂרִים בִּי נִדְבָּרוּ Ps. 119:23
180 כִּי שָׁמָּה יָשְׁבוּ כִסְאוֹת לְמִשְׁפָּט Ps. 122:5
181 וְלֹא יָשְׁבוּ בִּנְתִיבֹתָיו Job 24:13
182 וְהַמֶּלֶךְ וְהָמָן יָשְׁבוּ לִשְׁתּוֹת Es. 3:15
183-198 יָשְׁבוּ Neh. 11:3[2], 4, 25; 13:16
ICh. 4:23; 5:11, 23; 7:29; 8:28, 29, 32; 9:3, 34, 35, 38
יָשָׁבוּ 199 וְהַנֶּהֱרָסוֹת בְּצוּרוֹת יָשָׁבוּ Ezek. 36:35
וְיָשְׁבוּ 200/1 וְיָשְׁבוּ עַל־אַדְמָתָם Jer. 23:8 • Ezek. 28:25
202 וְיָשְׁבוּ בָהּ יְהוּדָה וְכָל־עָרָיו Jer. 31:24(23)
203 וְיָשְׁבוּ בָהּ בְּנוֹת יַעֲנָה Jer. 50:39
204 וְיָשְׁבוּ עָלֶיהָ לָבֶטַח Ezek. 28:36
205 וְנָטְעוּ כְרָמִים וְיָשְׁבוּ לָבֶטַח Ezek. 28:36
206 וְיָשְׁבוּ בַמִּדְבָּר לָבֶטַח Ezek. 34:25
207 וְיָשְׁבוּ לָבֶטַח וְאֵין מַחֲרִיד Ezek. 34:28
208 וְיָשְׁבוּ עַל־הָאָ׳ אֲשֶׁר נָתַתִּי... Ezek. 37:25
209 וְיָשְׁבוּ־עָלֶיהָ הֵמָּה וּבְנֵיהֶם Ezek. 37:25
210 וְיָשְׁבוּ לָבֶטַח כֻּלָּם Ezek. 38:8
211 וְיָשְׁבוּ אִישׁ תַּחַת גַּפְנוֹ Mic. 4:4
212 וְיָשְׁבוּ בָהּ וְחֵרֶם לֹא יִהְיֶה־עוֹד Zech. 14:11
213 וְיָשְׁבוּ שָׁם וִירֵשׁוּהָ Ps. 69:36
וְיָשָׁבוּ 214 וּבָנוּ בָתִּים וְיָשָׁבוּ Is. 65:21
215 וּבָנוּ עָרִים נְשַׁמּוֹת וְיָשָׁבוּ Am. 9:14
216 וְעָמַד וְרָעָה בְּעֹז יְיָ...וְיָשָׁבוּ Mic. 5:3
יֹשֵׁב 217 אֲבִי יֹשֵׁב אֹהֶל וּמִקְנֶה Gen. 4:20
218 וְהַכְּנַעֲנִי וְהַפְּרִזִּי אָז יֹשֵׁב בָּאָרֶץ Gen. 13:7
219 וְהוּא יֹשֵׁב בִּסְדֹם Gen. 14:12
220 וְהוּא יֹשֵׁב פֶּתַח־הָאֹהֶל Gen. 18:1
221 וְלוֹט יֹשֵׁב בְּשַׁעַר־סְדֹם Gen. 19:1
222 וְעֶפְרוֹן יֹשֵׁב בְּתוֹךְ בְּנֵי־חֵת Gen. 23:10
223 אֲשֶׁר אָנֹכִי יוֹשֵׁב בְּקִרְבּוֹ Gen. 24:3
224 אֲשֶׁר אָנֹכִי יֹשֵׁב בְּאַרְצוֹ Gen. 24:37
225 וְהוּא יוֹשֵׁב בְּאֶרֶץ הַנֶּגֶב Gen. 24:62
226 וְיַעֲקֹב אִישׁ תָּם יֹשֵׁב אֹהָלִים Gen. 25:27
227 מַדּוּעַ אַתָּה יוֹשֵׁב לְבַדֶּךָ Ex. 18:14
228 וּמָה הָאָרֶץ אֲשֶׁר־הוּא יֹשֵׁב בָּהּ... Num. 13:19
229 הֶעָרִים אֲשֶׁר־הוּא יוֹשֵׁב בָּהֵנָּה Num. 13:19
230 עֲמָלֵק יוֹשֵׁב בְּאֶרֶץ הַנֶּגֶב Num. 13:29
231 וְהַיְבוּסִי וְהָאֱמֹרִי יוֹשֵׁב בָּהָר Num. 13:29
232 וְהַכְּנַעֲנִי יוֹשֵׁב עַל־הַיָּם... Num. 13:29
233 וְהָעֲמָלֵקִי וְהַכְּנַעֲנִי יוֹשֵׁב בָּעֵמֶק Num. 14:25
234-236 לְסִיחֹן...אֲשֶׁר יוֹשֵׁב בְּחֶשְׁבּוֹן
Num. 21:34 • Deut. 1:4; 3:2
237 וְהוּא יֹשֵׁב מִמֻּלִי Num. 22:5
238 מֶלֶךְ עֲרָד וְהוּא־יֹשֵׁב בַּנֶּגֶב Num. 33:40
239 וְאֵת עוֹג...אֲשֶׁר יוֹשֵׁב בְּעַשְׁתָּרֹת... Deut. 1:4
240 מֶלֶךְ הָאֱמֹרִי אֲשֶׁר יוֹשֵׁב בְּחֶשְׁבּוֹן Deut. 4:46
241 אוּלַי בְּקִרְבִּי אַתָּה יוֹשֵׁב Josh. 9:7
242 וְהוּא יֹשֵׁב בַּעֲלִיַּת הַמְּקֵרָה Jud. 3:20
243 וְהוּא יוֹשֵׁב בַּחֲרֹשֶׁת הַגּוֹיִם Jud. 4:2
244 וְהוּא־יֹשֵׁב בְּשָׁמִיר בְּהַר אֶפְרָיִם Jud. 10:1
245 וְהָאֹרֵב יֹשֵׁב לָהּ בַּחֶדֶר Jud. 16:9
246 וְהָאֹרֵב יֹשֵׁב בֶּחָדֶר Jud. 16:12
247 וְעֵלִי הַכֹּהֵן יֹשֵׁב עַל־הַכִּסֵּא... ISh. 1:9

יוֹשֵׁב (המשך)
248-251 יְיָ (צְבָאוֹת)...יֹשֵׁב הַכְּרֻבִים ISh. 4:4
IISh. 6:2 • IIK. 19:15 • Is. 37:16
252 יֹשֵׁב בַּשֶּׁבֶת תַּחְכְּמֹנִי... IISh. 23:8
253 אֲשֶׁר נָתַן הַיּוֹם יֹשֵׁב עַל־כִּסְאִי IK. 1:48
254 וַתִּתֶּן־לוֹ בֵן יֹשֵׁב עַל־כִּסְאוֹ IK. 3:6
255 יֹשֵׁב עַל־כִּסֵּא יִשְׂרָאֵל IK. 8:25
256 יֹשֵׁב עַל־כִּסֵּא רָם וְנִשָּׂא Is. 6:1
257 וּבְתוֹךְ עַם־טְמֵא שְׂפָתַיִם אָנֹכִי יֹשֵׁב Is. 6:5
258 וְאֵין־יוֹשֵׁב בָּהֵן אִישׁ Jer. 4:29
259 אִישׁ יֹשֵׁב עַל־כִּסֵּא דָוִד Jer. 22:30
260 אִישׁ יוֹשֵׁב בְּתוֹךְ־הָעָם הַזֶּה Jer. 29:32
261 אִישׁ יֹשֵׁב עַל־כִּסֵּא בֵית־יִשְׂרָאֵל Jer. 33:17
262 אֶל־גּוֹי שְׁלֵיו יוֹשֵׁב לָבֶטַח Jer. 49:31
263 וְלֹא יִהְיֶה יוֹשֵׁב בָּהּ Jer. 50:3
264 וְאֶל־עַקְרַבִּים אַתָּה יוֹשֵׁב Ezek. 2:6
265 וְהַנֶּגֶב וְהַשְּׁפֵלָה יֹשֵׁב Zech. 7:7
266 יוֹשֵׁב בַּשָּׁמַיִם יִשְׂחָק Ps. 2:4
267 זַמְּרוּ לַיְיָ יֹשֵׁב צִיּוֹן Ps. 9:12
268 וְכִכְפִיר יֹשֵׁב בְּמִסְתָּרִים Ps. 17:12
269 קָדוֹשׁ יוֹשֵׁב תְּהִלּוֹת יִשְׂרָאֵל Ps. 22:4
270 יֹשֵׁב הַכְּרוּבִים הוֹפִיעָה Ps. 80:2
271 יֹשֵׁב בְּסֵתֶר עֶלְיוֹן Ps. 91:1
272 יְיָ מָלָךְ...יֹשֵׁב כְּרוּבִים Ps. 99:1
273 וְהוּא־יוֹשֵׁב לָבֶטַח אִתָּךְ Prov. 3:29
274 מֶלֶךְ יוֹשֵׁב עַל־כִּסֵּא־דִין Prov. 20:8
275 וְהוּא יֹשֵׁב בְּתוֹךְ־הָאֵפֶר Job 2:8
276 וַאֲנִי יֹשֵׁב מְשׁוֹמֵם Ez. 9:4
277 יְיָ יוֹשֵׁב הַכְּרוּבִים ICh. 13:6
278 יוֹשֵׁב עַל־כִּסֵּא יִשְׂרָאֵל IICh. 6:16
279-296 יוֹשֵׁב ISh. 14:2; 22:6 • IISh. 7:2
11:1; 16:3; 18:24; 19:9 • Jer. 36:22, 30; 38:7 • Ezek.
8:1 • Hosh. 4:3 • Es. 2:21; 5:1, 13 • ICh. 5:8; 17:1 •
IICh. 18:18
297-314 יֹשֵׁב ISh. 4:13; 19:9; 26:3 • IISh. 7:2
9:13 • IK. 13:11, 14, 25; 17:19; 22:19 • IIK. 1:9;
2:18; 6:32 • Jer. 40:10 • Ezek. 12:2 • Ps. 69:26 • Es.
2:19 • ICh. 20:1
הַיֹּשֵׁב 315 הַיֹּשֵׁב בְּחַצְצֹן תָּמָר Gen. 14:7
316 מִבְּכוֹר פַּרְעֹה הַיֹּשֵׁב עַל־כִּסְאוֹ Ex. 11:5
317 מִבְּכֹר פַּרְעֹה הַיֹּשֵׁב עַל־כִּסְאוֹ Ex. 12:29
318 וְאֶת־הָעָם הַיֹּשֵׁב עָלֶיהָ Num. 13:18
319 כִּי־עַז הָעָם הַיֹּשֵׁב בָּאָרֶץ Num. 13:28
320 וְהַכְּנַעֲנִי הַיֹּשֵׁב בָּהָר הַהוּא Num. 14:45
321–328 הַיֹּשֵׁב בְּ... Deut. 1:44
11:30 • Josh. 17:16 • IK. 9:16; 15:18 • Is. 33:24 •
Jer. 21:9; 38:2
329-337 הַיּוֹשֵׁב בְּ... Josh. 12:2, 4
16:10; 24:8 • Jud. 1:10, 29 • Jer. 29:16
ICh. 9:16 • IICh. 16:2
338 כְּחֵלֶק וּכְחֵלֶק הַיֹּשֵׁב עַל־הַכֵּלִים ISh. 30:24
339 הַיֹּשֵׁב עַל־חוּג הָאָרֶץ Is. 40:22
340 הַיֹּשֵׁב עַל־כִּסֵּא דָוִד Jer. 22:2
341 הַמֶּלֶךְ הַיּוֹשֵׁב אֶל־כִּסֵּא דָוִד Jer. 29:16
342 הַיּוֹשֵׁב בְּשַׁעַר הַמֶּלֶךְ Es. 6:10
הַיֹּשְׁבִי 343 נָשָׂאתִי אֶת־עֵינַי הַיֹּשְׁבִי בַּשָּׁמָיִם Ps. 123:1
וְהַיֹּשֵׁב 344 וְהַיֹּשֵׁב עַל־הַכְּלִי Lev. 15:6
לַיּוֹשֵׁב 345 וּלְרוּחַ מִשְׁפָּט לַיּוֹשֵׁב עַל־הַמִּשְׁפָּט Is. 28:6
הַיֹּשְׁבָה 346 הַיֹּשְׁבָה בַּיְאֹרִים מַיִם סָבִיב לָהּ Nah. 3:8
יוֹשֶׁבֶת 347 הַכְּלִי אֲשֶׁר־הוּא יֹשֶׁבֶת־עָלָיו Lev. 15:23
348 וְהִיא יוֹשֶׁבֶת תַּחַת־תֹּמֶר דְּבוֹרָה Jud. 4:5
349 וַיָּבֹא...וְהִיא יוֹשֶׁבֶת בַּשָּׂדֶה Jud. 13:9
350 יוֹשֶׁבֶת לָבֶטַח כְּמִשְׁפַּט צִדֹנִים Jud. 18:7

יוֹשֶׁבֶת (המשך)

351 וְהִיא יֹשֶׁבֶת בִּירוּשָׁלַםִ בַּמִּשְׁנֶה IIK. 22:14
352 וְהִנֵּה כָל־הָאָרֶץ יֹשֶׁבֶת וְשֹׁקָטֶת Zech. 1:11
353 אִשָּׁה אַחַת יוֹשֶׁבֶת בְּתוֹךְ הָאֵיפָה Zech. 5:7
354 בִּהְיוֹת יְרוּשָׁלַםִ יֹשֶׁבֶת וּשְׁלֵוָה Zech. 7:7
355 בַּת־אֱדוֹם יוֹשֶׁבֶת(כ׳ יושבתי) בְּאֶ׳ עוּץ Lam. 4:21
356 וְהַשֵּׁגַל יוֹשֶׁבֶת אֶצְלוֹ Neh. 2:6
357 וְהִיא יוֹשֶׁבֶת בִּירוּשָׁלַםִ בַּמִּשְׁנֶה IICh. 34:22

יוֹשָׁבֶת

358 וּבַחוֹמָה הִיא יוֹשָׁבֶת Josh. 2:15
359 בְּתוֹךְ עַמִּי אָנֹכִי יֹשָׁבֶת IIK. 4:13

יֹשַׁבְתְּ

360 יֹשַׁבְתְּ (כ׳ ישבתי) בַּלְּבָנוֹן Jer. 22:23

הַיּוֹשֶׁבֶת

361 עֲדִינָה הַיּוֹשֶׁבֶת לָבֶטַח Is. 47:8
362 הַיּוֹשֶׁבֶת עַל־שְׂמֹאולֵךְ Ezek. 16:46
363 הַיּוֹשֶׁבֶת מִימִינֵךְ Ezek. 16:46
364 הַיֹּשֶׁבֶת(כ׳ הישבתי) עַל־מְבוֹאֹת Ezek. 27:3
365 הָעִיר הָעַלִּיזָה הַיּוֹשֶׁבֶת לָבֶטַח Zep. 2:15
366 הַיּוֹשֶׁבֶת בַּגַּנִּים... S.ofS. 8:13

יֹשְׁבִים

367/8 הָאָ׳ אֲשֶׁר אַתֶּם יֹשְׁבִים... Num. 33:55; 35:34
369 וּבְקִרְבּוֹ הֵם יֹשְׁבִים Josh. 9:16
370 וְאַתֶּם בְּקִרְבֵּנוּ יֹשְׁבִים Josh. 9:22
371 אֲשֶׁר בְּנֵי־רְאוּבֵן...יֹשְׁבִים בָּהּ Josh. 22:33
372 אֲשֶׁר אַתֶּם יֹשְׁבִים בְּאַרְצָם Josh. 24:15
373 אֲשֶׁר אַתֶּם יוֹשְׁבִים בְּאַרְצָם Jud. 6:10
374 וְהָעָם...יֹשְׁבִים בְּגֶבַע בִּנְיָמִן ISh. 13:16
375 בְּיַרְכְּתֵי הַמְּעָרָה יֹשְׁבִים ISh. 24:4
376 וְיִשְׂרָאֵל וִיהוּדָה יֹשְׁבִים בַּסֻּכּוֹת IISh. 11:11
377 הֵם יֹשְׁבִים אֶל־הַשֻּׁלְחָן IK. 13:20
378 יֹשְׁבִים אִישׁ עַל־כִּסְאוֹ IK. 22:10
379 וּבְנֵי הַנְּבִיאִים יֹשְׁבִים לְפָנָיו IIK. 4:38
380 אֲשֶׁר אֲנַחְנוּ יֹשְׁבִים שָׁם לְפָנֶיךָ IIK. 6:1
381 וְהַזְּקֵנִים יֹשְׁבִים אִתּוֹ IIK. 6:32
382 מָה אֲנַחְנוּ יֹשְׁבִים פֹּה עַד־מָתְנוּ IIK. 7:3
383 וַיָּבֹא וְהִנֵּה שָׂרֵי הַחַיִל יֹשְׁבִים IIK. 9:5
384 בְּעָרֵיהֶם אֲשֶׁר הֵם יֹשְׁבִים שָׁם IIK. 17:29
385 וְאוֹרִיד כַּאבִּיר יוֹשְׁבִים Is. 10:13
386 עַל־מָה אֲנַחְנוּ יֹשְׁבִים Jer. 8:14
387 יֹשְׁבִים עַל־כִּסֵּא דָוִד Jer. 17:25
388 מְלָכִים יֹשְׁבִים לְדָוִד עַל־כִּסְאוֹ Jer. 22:4
389 וְהִנֵּה־שָׁם כָּל־הַשָּׂרִים יוֹשְׁבִים Jer. 36:12
390 הֵמָּה יוֹשְׁבִים שָׁם Ezek. 3:15
391 וְזִקְנֵי יְהוּדָה יוֹשְׁבִים לְפָנָי Ezek. 8:1
392 בֵּית יִשְׂ׳ יֹשְׁבִים עַל־אַדְמָתָם Ezek. 36:17
393 כֻּלָּם יֹשְׁבִים בְּאֵין חוֹמָה Ezek. 38:11
394 וְהַנְּתִינִים הָיוּ יֹשְׁבִים בָּעֹפֶל Neh. 3:26
395 וְהַנְּתִינִים יֹשְׁבִים בָּעֹפֶל Neh. 11:21
396 ...יוֹשְׁבִים אִישׁ עַל־כִּסְאוֹ IICh. 18:9

וְיוֹשְׁבִים

397 וְיֹשְׁבִים בַּגֹּרֶן פֶּתַח שַׁעַר שֹׁמְרוֹן IICh. 18:9
398 וְיֹשְׁבִים בְּמָצוֹר בִּירוּשָׁלָםִ IICh. 32:10

הַיֹּשְׁבִים

399 וְשָׁמְמוּ עָלֶיהָ...הַיֹּשְׁבִים בָּהּ Lev. 26:32
400-403 בְּנֵי(־)עֵשָׂו הַיֹּשְׁבִים בְּשֵׂעִיר Deut. 2:4, 8, 29
404-421 הַיֹּשְׁבִים בְּ... Deut. 2:22, 23, 29
IK. 12:17; 21:11 • Jer. 9:25; 44:1², 15, 26 • Ezek. 12:19 • Am. 3:12 • Es. 9:19 • Neh. 11:6 • IICh. 10:17; 19:10; 26:7; 31:6

422 וְאֶל־הַחֹרִים...הַיֹּשְׁבִים אֶת־נָבוֹת IK. 21:8
423 עַל־הָאֲנָשִׁים הַיֹּשְׁבִים עַל־הַחֹמָה IIK. 18:27
424 עַל־הָאֲנָשִׁים הַיֹּשְׁבִים עַל־הַחוֹמָה Is. 36:12
425 הַיֹּשְׁבִים בַּקְּבָרִים וּבַנְּצוּרִים יָלִינוּ Is. 65:4
426 הַיֹּשְׁבִים לְדָוִד עַל־כִּסְאוֹ Jer. 13:13
427 הַיֹּשְׁבִים בַּחֲצַר הַמַּטָּרָה Jer. 32:12
428 וּפָקַדְתִּי עַל הַיּוֹשְׁבִים בְּאֶ׳ מִצְ׳ Jer. 44:13
429 הַיֹּשְׁבִים אֶל־נְהַר־כְּבָר Ezek. 3:15
430 אַתָּה וְרֵעֶיךָ הַיֹּשְׁבִים לְפָנֶיךָ Zech. 3:8

הַיּוֹשְׁבִים (המשך)

431 הַיֹּשְׁבִים רִאשֹׁנָה בַּמַּלְכוּת Es. 1:14
432 הַיְּהוּדִים הַיֹּשְׁבִים אֶצְלָם Neh. 4:6
433 כִּי מִן־חָם הַיֹּשְׁבִים שָׁם לְפָנִים ICh. 4:40

וְהַיֹּשְׁבִים

434 וְהַיֹּשְׁבִים בְּאֶרֶץ מִצְרָיִם Jer. 24:8
435 וְהַיּוֹשְׁבִים הָרִאשֹׁנִים...בְּעָרֵיהֶם ICh. 9:2
436 וְהַגֵּרִים...וְהַיּוֹשְׁבִים בִּיהוּדָה IICh. 30:25

לַיֹּשְׁבִים

437 כִּי לַיֹּשְׁבִים לִפְנֵי יְיָ יִהְיֶה סַחְרָהּ Is. 23:18

יֹשְׁבֹת

438 יֹשְׁבֹת בְּבַיִת אֶחָד IK. 3:17
439 וְהִנֵּה־שָׁם הַנָּשִׁים יֹשְׁבוֹת... Ezek. 8:14
440 עֵינָיו...יֹשְׁבוֹת עַל־מִלֵּאת S.ofS. 5:12

אֵשֵׁב

441 אָנֹכִי אֵשֵׁב עַד־שׁוּבֶךָ Jud. 6:18
442 יָשֹׁב־אֵשֵׁב עִם־הַמֶּלֶךְ לֶאֱכוֹל ISh. 20:5
443 לוֹ׳ אֶהְיֶה וְאִתּוֹ אֵשֵׁב IISh. 16:18
444 לֹא אֵשֵׁב אַלְמָנָה וְלֹא אֵדַע שְׁכוֹל Is. 47:8
445 כִּי שָׁם אֵשֵׁב לִשְׁפֹּט... Joel 4:12
446 כִּי־אֵשֵׁב בַּחֹשֶׁךְ יְיָ אוֹר לִי Mic. 7:8
447 וְעִם־רְשָׁעִים לֹא אֵשֵׁב Ps. 26:5
448 פֹּה אֵשֵׁב כִּי אִוִּתִיהָ Ps. 132:14

וְאֵשֵׁב

449 וְאֵשֵׁב בְּהַר־מוֹעֵד Is. 14:13
450 אֶבְחַר דַּרְכָּם וְאֵשֵׁב רֹאשׁ Job 29:25

וָאֵשֵׁב

451 וָאֵשֵׁב בָּהָר אַרְבָּעִים יוֹם... Deut. 9:9
452 וָאֵשֵׁב עַל־כִּסֵּא יִשְׂרָאֵל IK. 8:20
453 וָאֵשֵׁב (כ׳ ואשר) הֵמָּה יוֹשְׁבִים שָׁם Ezek. 3:15
454 וָאֵשֵׁב שָׁם שִׁבְעַת יָמִים... Ezek. 3:15
455 וָאֵשֵׁב עַל־כִּסֵּא יִשְׂרָאֵל IICh. 6:10

וְאֵשְׁבָה

456 יִתְּנוּ־לִי מָקוֹם...וְאֵשְׁבָה שָּׁם ISh. 27:5

וְאֵשֵׁבָה

457 צַר־לִי הַמָּקוֹם גְּשָׁה־לִּי וְאֵשֵׁבָה Is. 49:20

וָאֵשְׁבָה

458 קָרַעְתִּי אֶת־בִּגְדִי...וָאֵשְׁבָה מְשׁוֹמֵם Ez. 9:3

תֵּשֵׁב

459 בַּיִת תִּבְנֶה וְלֹא־תֵשֵׁב בּוֹ Deut. 28:30
460 לֹא תֵשֵׁב בַּמְּצוּדָה ISh. 22:5
461 תֵּשֵׁב בְּאָחִיךָ תְדַבֵּר Ps. 50:20
462 וְאַתָּה יְיָ לְעוֹלָם תֵּשֵׁב Ps. 102:13
463 כִּי־תֵשֵׁב לִלְחוֹם אֶת־מוֹשֵׁל Prov. 23:1
464 אַתָּה יְיָ לְעוֹלָם תֵּשֵׁב Lam. 5:19

תֵּשְׁבִי

465 יָמִים רַבִּים תֵּשְׁבִי לִי Hosh. 3:3

תֵּשֵׁבִי

466 לְמַעַן לֹא תֵשֵׁבִי Ezek. 26:20

יֵשֵׁב

467 בָּדָד יֵשֵׁב מִחוּץ לַמַּחֲנֶה מוֹשָׁבוֹ Lev. 13:46
468 וְכָל־הַכְּלִי אֲשֶׁר־יֵשֵׁב עָלָיו יִטְמָא Lev. 15:4
469 אֲשֶׁר־יֵשֵׁב עָלָיו הַזָּב Lev. 15:6
470 כִּי בְעִיר מִקְלָטוֹ יֵשֵׁב Num. 35:28
471 עִמְּךָ יֵשֵׁב בְּקִרְבְּךָ Deut. 23:17
472 לֹא־יֵשֵׁב אֲרוֹן אֱלֹהֵי יִשְׂרָאֵל עִמָּנוּ ISh. 5:7
473 וְלָמָּה יֵשֵׁב עַבְדְּךָ...עִמָּךְ ISh. 27:5
474-476 וְהוּא יֵשֵׁב עַל־כִּסְאִי IK. 1:13, 17, 24
477 וְהוּא יֵשֵׁב עַל־כִּסְאִי תַּחְתָּי IK. 1:30
478/9 מִי יֵשֵׁב עַל־כִּסֵּא...אַחֲרָיו IK. 1:20, 27
480 הַאֻמְנָם יֵשֵׁב אֱלֹהִים עַל־הָאָרֶץ IK. 8:27
481 כִּי־עַם בְּצִיּוֹן יֵשֵׁב בִּירוּשָׁלָםִ Is. 30:19
482 לֹא יִבְנוּ וְאַחֵר יֵשֵׁב Is. 65:22
483 וְאַרְמוֹן עַל־מִשְׁפָּטוֹ יֵשֵׁב Jer. 30:18
484-486 לֹא־יֵשֵׁב שָׁם אִישׁ Jer. 49:18, 33; 50:40
487 לֹא־יֵשֵׁב בָּהֵן כָּל־אִישׁ Jer. 51:43
488 וַיְיָ לְעוֹלָם יֵשֵׁב Ps. 9:8
489 יֵשֵׁב בְּמַאְרַב חֲצֵרִים Ps. 10:8
490 יֵשֵׁב עוֹלָם לִפְנֵי אֱלֹהִים Ps. 61:8
491 לֹא־יֵשֵׁב בְּקֶרֶב בֵּיתִי עֹשֵׂה רְמִיָּה Ps. 101:7
492 לֹא־יִמּוֹט לְעוֹלָם יֵשֵׁב Ps. 125:1
493 יֵשֵׁב בָּדָד וְיִדֹּם Lam. 3:28
494 הַאֻמְנָם יֵשֵׁב אֱלֹהִים אֶת־הָאָדָם IICh. 6:18

יֵשֶׁב

495 יֵשֶׁב־נָא עַבְדְּךָ תַּחַת הַנַּעַר Gen. 44:33
496 וּבֵיתוֹ אֲשֶׁר־יֵשֶׁב שָׁם... IK. 7:8
497 הוּא יֵשֶׁב־בּוֹ לֶאֱכָל־׳ לֶחֶם Ezek. 44:3
498 וּנְשׂוּא פָנִים יֵשֶׁב בָּהּ Job 22:8

וַיֵּשֶׁב

499 וַיֵּשֶׁב בְּאֶרֶץ־נוֹד קִדְמַת־עֵדֶן Gen. 4:16
500 וַיָּבֹא וַיֵּשֶׁב בְּאֵלֹנֵי מַמְרֵא Gen. 13:18
501 וַיֵּשֶׁב בָּהָר וּשְׁתֵּי בְנֹתָיו עִמּוֹ Gen. 19:30
502 וַיֵּשֶׁב בֵּין־קָדֵשׁ וּבֵין שׁוּר Gen. 20:1
503 וַיֵּשֶׁב בַּמִּדְבָּר וַיְהִי רֹבֶה קַשָּׁת Gen. 21:20
504 וַיֵּשֶׁב אַבְרָהָם בִּבְאֵר שָׁבַע Gen. 22:19
505 וַיֵּשֶׁב יִצְחָק עִם־בְּאֵר לַחַי רֹאִי Gen. 25:11
506 וַיֵּשֶׁב עִמּוֹ חֹדֶשׁ יָמִים Gen. 29:14
507 וַיִּקְחוּ־אֶבֶן...וַיֵּשֶׁב עָלֶיהָ Ex. 17:12
508 וַיֵּשֶׁב מֹשֶׁה לִשְׁפֹּט אֶת־הָעָם Ex. 18:13
509 וַיֵּשֶׁב הָעָם לֶאֱכֹל וְשָׁתוֹ Ex. 32:6
510 וַיֵּשֶׁב אֲרוֹן יְיָ בֵּית עֹבֵד IISh. 6:11
511/2 וַיָּבֹא...וַיֵּשֶׁב לִפְנֵי יְיָ IISh. 7:18 • ICh. 17:16
513 וַיֵּשֶׁב יְהוּדָה וְיִשְׂרָאֵל לָבֶטַח IK. 5:5
514 וַיֵּשֶׁב עַל־כִּסֵּא הַמְּלָכִים IIK. 11:19
515 וַיֵּשֶׁב יְיָ מֶלֶךְ לְעוֹלָם Ps. 29:10
516 וַיֵּשֶׁב אֲרוֹן הָאֱ׳ עִם־בֵּית עֹבֵד ICh. 13:14
517 וַיֵּשֶׁב שְׁלֹמֹה עַל־כִּסֵּא יְיָ ICh. 29:23
518-593 וַיֵּשֶׁב Gen. 19:30; 21:21; 26:6, 17; 36:8 37:1; 47:27; 48:2; 50:22 • Ex. 2:15² • Num. 20:1; 21:25, 31; 25:1; 32:40 • Josh. 13:13; 15:63; 16:10; 19:50 • Jud. 1:16, 21, 29, 30, 32, 33; 6:11; 8:29; 9:21, 41; 11:3, 17; 15:8; 19:4, 15 • ISh. 20:24, 25²; 23:14², 18, 25; 24:1; 27:3; 28:23 • IISh. 1:1; 5:9; 11:12; 14:28; 19:9 • IK. 2:19, 38; 12:2, 25; 15:21; 17:5; 19:4 • IIK. 4:20; 15:5; 17:28; 19:36 • Is. 37:37 • Jer. 37:16, 21; 38:13, 28; 39:14; 40:6 • Jon. 3:6; 4:5² • Ruth 4:1 • IICh. 11:5, 7; 19:4; 26:21

וַיֵּשַׁב

594 סוּרָה שְׁבָה־פֹּה...וַיָּסַר וַיֵּשַׁב Ruth 4:1

תֵּשֶׁב

595 תֵּשֶׁב הַנַּעֲרָ אִתָּנוּ יָמִים... Gen. 24:55
596 וּשְׁלֹשִׁים יוֹם...תֵּשֵׁב בִּדְמֵי טָהֳרָה Lev. 12:4
597 וְשִׁשִּׁים יוֹם...תֵּשֵׁב עַל־דְּמֵי טָהֳרָה Lev. 12:5
598 וְכֹל אֲשֶׁר־תֵּשֵׁב עָלָיו יִטְמָא Lev. 15:20
599 בְּכָל־כְּלִי אֲשֶׁר־תֵּשֵׁב עָלָיו Lev. 15:22
600 וְכָל־הַכְּלִי אֲשֶׁר תֵּשֵׁב עָלָיו Lev. 15:26
601 וְנִקָּתָה לָאָרֶץ תֵּשֵׁב Is. 3:26
602 לֹא־תֵשֵׁב לָנֶצַח Is. 13:20
603 וּצְדָקָה בַּכַּרְמֶל תֵּשֵׁב Is. 32:16
604 חֲצֵרִים תֵּשֵׁב קֵדָר Is. 42:11
605 אֶרֶץ מְלֵחָה וְלֹא תֵשֵׁב Jer. 17:6
606 מִקֶּצֶף יְיָ לֹא תֵשֵׁב Jer. 50:13
607 וְלֹא־תֵשֵׁב עוֹד לָנֶצַח Jer. 50:39
608 וְלֹא תֵשֵׁב אַרְבָּעִים שָׁנָה Ezek. 29:11
609 וִיהוּדָה לְעוֹלָם תֵּשֵׁב Joel 4:20
610 פְּרָזוֹת תֵּשֵׁב יְרוּשָׁלַםִ מֵרֹב אָדָם Zech. 2:8
611 וְאַשְׁקְלוֹן לֹא תֵשֵׁב Zech. 9:5
612 לֹא־תֵשֵׁב אִשָּׁה לִי בְּבֵית דָּוִיד IICh. 8:11

וַתֵּשֶׁב

613 וַתֵּלֶךְ וַתֵּשֶׁב לָהּ מִנֶּגֶד Gen. 21:16
614 וַתֵּשֶׁב מִנֶּגֶד וַתִּשָּׂא אֶת־קֹלָהּ... Gen. 21:16
615 וַתְּשִׂמֵם בְּכַר...וַתֵּשֶׁב עֲלֵיהֶם Gen. 31:34
616 וַתֵּלֶךְ תָּמָר וַתֵּשֶׁב בֵּית אָבִיהָ Gen. 38:11
617 וַתֵּשֶׁב בְּפֶתַח עֵינַיִם Gen. 38:14
618 וַתֵּשֶׁב בְּאֵיתָן קַשְׁתּוֹ Gen. 49:24
619 וַתֵּשֶׁב בְּקֶרֶב יִשְׂ׳ עַד־הַיּוֹם הַזֶּה Josh. 6:25
620 וַתֵּשֶׁב הָאִשָּׁה וַתֵּינֶק אֶת־בְּנָהּ ISh. 1:23
621 וַתֵּשֶׁב תָּמָר וְשֹׁמֵמָה בֵּית אַבְשָׁ׳ IISh. 13:20
622 וַיָּשֶׂם כִּסֵּא...וַתֵּשֶׁב לִימִינוֹ IK. 2:19
623 וַתֵּשֶׁב מִצַּד הַקֹּצְרִים Ruth 2:14
624 וַתֵּשֶׁב אֶת־חֲמוֹתָהּ Ruth 2:23

נֵשֵׁב

625 לֹא נֵשֵׁב בָּאָרֶץ הַזֹּאת Jer. 42:13
626 אֶרֶץ מִצְרַיִם נָבוֹא...וְשָׁם נֵשֵׁב Jer. 42:14

וַנֵּשֶׁב 627 וַנֵּשֶׁב בְּמִצְרַיִם יָמִים רַבִּים Num. 20:15
628 וַנֵּשֶׁב בַּגָּיְא מוּל בֵּית פְּעוֹר Deut. 3:29
629 וְלוּ הוֹאַלְנוּ וַנֵּשֶׁב בְּעֵבֶר הַיַּרְדֵּן Josh. 7:7
630 וַנֵּשֶׁב בְּאֹהָלִים וַנִּשְׁמַע וַנַּעַשׂ Jer. 35:10
631 וַנֵּשֶׁב בִּירוּשָׁלָםִ Jer. 35:11
632 וָאֵשֵׁב שָׁם יָמִים שְׁלֹשָׁה Ez. 8:32
תֵּשְׁבוּ 633 בַּעֲבוּר תֵּשְׁבוּ בְּאֶרֶץ גֹּשֶׁן Gen. 46:34
634 וּפֶתַח אֹהֶל מוֹעֵד תֵּשְׁבוּ Lev. 8:35
635 בַּסֻּכֹּת תֵּשְׁבוּ שִׁבְעַת יָמִים Lev. 23:42
636 הַאַחֵיכֶם...וְאַתֶּם תֵּשְׁבוּ פֹה Num. 32:6
637 כִּי בָּאֳהָלִים תֵּשְׁבוּ כָּל־יְמֵיכֶם Jer. 35:7
638 אִם־שׁוֹב תֵּשְׁבוּ בָּאָרֶץ הַזֹּאת Jer. 42:10
639 בָּתֵּי גָזִית בְּנִיתֶם וְלֹא־תֵשְׁבוּ בָם Am. 5:11
תֵּשֵׁבוּ 640 וְאִתָּנוּ תֵּשֵׁבוּ וְהָאָרֶץ...לִפְנֵיכֶם Gen. 34:10
וַתֵּשְׁבוּ 641 וַתֵּשְׁבוּ בְקָדֵשׁ יָמִים רַבִּים Deut. 1:46
642 וַתֵּשְׁבוּ בַמִּדְבָּר יָמִים רַבִּים Josh. 24:7
643 וְעָרִים...לֹא־בְנִיתֶם וַתֵּשְׁבוּ בָּהֶם Josh. 24:13
644 וַיַּצֵּל אֶתְכֶם...וַתֵּשְׁבוּ בֶּטַח ISh. 12:11
יֵשְׁבוּ 645 יֵשְׁבוּ־נָא עֲבָדֶיךָ בְּאֶרֶץ גֹּשֶׁן Gen. 47:4
646 יֵשְׁבוּ בְּאֶרֶץ גֹּשֶׁן Gen. 47:6
647 לֹא יֵשְׁבוּ בְּאַרְצְךָ Ex. 23:33
648 כָּל־הָאֶזְרָח בְּיִשׂ׳ יֵשְׁבוּ בַּסֻּכֹּת Lev. 23:42
649 רַק נְשֵׁיכֶם...יֵשְׁבוּ בְּעָרֵיכֶם Deut. 3:19
650 כִּי־יֵשְׁבוּ אַחִים יַחְדָּו Deut. 25:5
651 נְשֵׁיכֶם טַפְּכֶם...יֵשְׁבוּ בָּאָרֶץ... Josh. 1:14
652 בְּנֵי רְבִעִים יֵשְׁבוּ לְךָ עַל־כִּסֵּא יִשׂ׳ IIK. 10:30
653 בְּנֵי רְבִיעִים יֵשְׁבוּ לְךָ עַל־כִּסֵּא יִשׂ׳ IIK. 15:12
654 לָכֵן יֵשְׁבוּ צִיִּים אֶת־אִיִּים Jer. 50:39
655 וּבְצִלּוֹ יֵשְׁבוּ כֹּל גּוֹיִם רַבִּים Ezek. 31:6
656 יָמִים רַבִּים יֵשְׁבוּ בְּ״יִ אֵין מֶלֶךְ... Hosh. 3:4
657 לֹא יֵשְׁבוּ בְּאֶרֶץ יְיָ... Hosh. 9:3
658 עֹד יֵשְׁבוּ...בִּרְחֹבוֹת יְרוּשָׁלָםִ Zech. 8:4
659 עֲדֵי־עַד יֵשְׁבוּ לְכִסֵּא־לָךְ Ps. 132:12
660 יֵשְׁבוּ יְשָׁרִים אֶת־פָּנֶיךָ Ps. 140:14
661 וַיִּשְׁכּוֹן...בָּתִּים לֹא־יֵשְׁבוּ לָמוֹ Job 15:28
662 יֵשְׁבוּ בַסֻּכָּה לְמוֹ־אָרֶב Job 38:40
663 יֵשְׁבוּ לָאָרֶץ יִדְּמוּ זִקְנֵי בַת־צִיּוֹן Lam. 2:10
664 אֲשֶׁר יֵשְׁבוּ בְ״יִ בַּסֻּכּוֹת בֶּחָג Neh. 8:14
יֵשֵׁבוּ 665 עַל־הָאָרֶץ יֵשֵׁבוּ Ezek. 26:16
666 וּבָנוּ בָתִּים וְלֹא יֵשֵׁבוּ Zep. 1:13
667 וַעֲשִׁירִים בַּשֵּׁפֶל יֵשֵׁבוּ Eccl. 10:6
וְיֵשְׁבוּ 668 וְיֵשְׁבוּ בָאָרֶץ וְיִסְחֲרוּ אֹתָהּ Gen. 34:21
669 אַךְ נֵאוֹתָה לָהֶם וְיֵשְׁבוּ אִתָּנוּ Gen. 34:23
670 ...וְיֵלְכוּ וְיֵשְׁבוּ שָׁם IIK. 17:27
671 וְיָבוֹאוּ אֵלֶיךָ...וְיֵשְׁבוּ לְפָנֶיךָ עַמִּי Ezek. 33:31
וַיֵּשְׁבוּ 672 וַיִּמְצְאוּ בִקְעָה...וַיֵּשְׁבוּ שָׁם Gen. 11:2
673 וַיָּבֹאוּ עַד־חָרָן וַיֵּשְׁבוּ שָׁם Gen. 11:31
674 וַיֵּשְׁבוּ לֶאֱכָל־לֶחֶם Gen. 37:25
675 וַיֵּשְׁבוּ לְפָנָיו הַבְּכֹר כִּבְכֹרָתוֹ Gen. 43:33
676 וַיֵּשְׁבוּ שָׂרֵי־מוֹאָב עִם־בִּלְעָם Num. 22:8
677 וַיַּשְׁמִידוּם מִפְּנֵיהֶם וַיֵּשְׁבוּ תַחְתָּם Deut. 2:12
678/9 וַיִּירָשֻׁם וַיֵּשְׁבוּ תַחְתָּם Deut. 2:21, 22
680 הִשְׁמִידָם וַיֵּשְׁבוּ תַחְתָּם Deut. 2:23
681 וַיֵּשְׁבוּ שָׁם שְׁלֹשֶׁת יָמִים Josh. 2:22
682 וַיֵּשְׁבוּ תַחְתָּם בַּמַּחֲנֶה עַד־חֲיוֹתָם Josh. 5:8
683 וַיֵּשְׁבוּ בֵּין בֵּית־אֵל וּבֵין הָעַי Josh. 8:9
684 וַיִּבְכּוּ וַיֵּשְׁבוּ שָׁם לִפְנֵי יְיָ Jud. 20:26
685–724 וַיֵּשְׁבוּ Josh. 19:47; 21:41
Jud. 18:28; 19:6; 20:47; 21:2, 23 • ISh. 19:18; 22:4; 31:7 • IISh. 2:3, 13; 15:29 • IK. 11:24; 21:13; 22:1 • IIK. 13:5; 16:6; 17:24 • Jer. 26:10; 39:3; 41:17 • Ezek. 14:1; 20:1 • Job 2:13 • Ruth 1:4 • Ez. 2:70; 10:9, 16 • Neh. 7:73; 8:17; 11:1 • ICh. 4:28, 41, 43; 5:10, 16, 22; 10:7 • IICh. 20:8; 28:18

וַיֵּשֵׁבוּ 725 וַיֹּאמֶר שְׁבוּ־פֹה וַיֵּשֵׁבוּ Ruth 4:2
שֵׁב 726 בַּטּוֹב בְּעֵינֶיךָ שֵׁב Gen. 20:15
727 שֵׁב בָּזֶה גַּם־הַיּוֹם IISh. 11:12
728-730 שֵׁב־נָא פֹה... IIK. 2:2, 4, 6
731 שֵׁב נָא וּקְרָאֶנָּה בְּאָזְנֵינוּ Jer. 36:15
732 נְאֻם יְיָ לַאדֹנִי שֵׁב לִימִינִי Ps. 110:1
וְשֵׁב 733 שׁוּב וְשֵׁב עִם־הַמֶּלֶךְ IISh. 15:19
734 הִכָּבֵד וְשֵׁב בְּבֵיתֶךָ IIK. 14:10
735 וְשֵׁב אִתּוֹ בְּתוֹךְ הָעָם Jer. 40:5
וְשֶׁב־ 736 קוּם עֲלֵה בֵית־אֵל וְשֶׁב־שָׁם Gen. 35:1
שְׁבָה 737 קוּם־נָא שְׁבָה וְאָכְלָה... Gen. 27:19
738 וַיֹּאמֶר לָבָן...שְׁבָה עִמָּדִי Gen. 29:19
739 שְׁבָה עִמָּדִי וֶהְיֵה־לִי לְאָב Jud. 17:10
740 שְׁבָה אִתִּי אַל־תִּירָא ISh. 22:23
741 סוּרָה שְׁבָה־פֹּה פְּלֹנִי אַלְמֹנִי Ruth 4:1
742 עַתָּה שְׁבָה בְּבֵיתֶךָ IICh. 25:19
שְׁבִי 743 שְׁבִי אַלְמָנָה בֵית אָבִיךְ Gen. 38:11
744 שְׁבִי עַד־גָּמְלֵךְ אֹתוֹ ISh. 1:23
745 שְׁבִי־לָאָרֶץ אֵין־כִּסֵּא... Is. 47:1
746 שְׁבִי דוּמָם וּבֹאִי בַחֹשֶׁךְ Is. 47:5
747 קוּמִי שְּׁבִי יְרוּשָׁלָםִ Is. 52:2
748 שְׁבִי בִתִּי עַד אֲשֶׁר תֵּדְעִין Ruth 3:18
וּשְׁבִי 749 רְדִי וּשְׁבִי עַל־עָפָר... Is. 47:1
750 רְדִי...וּשְׁבִי (כת׳ ישבי) בַצָּמָא Jer. 48:18
שְׁבוּ 751 שְׁבוּ־לָכֶם פֹּה עִם־הַחֲמוֹר Gen. 22:5
752 שְׁבוּ וּסְחָרוּהָ וְהֵאָחֲזוּ בָּהּ Gen. 34:10
753 שְׁבוּ אִישׁ תַּחְתָּיו Ex. 16:29
754 שְׁבוּ־לָנוּ בָזֶה Ex. 24:14
755 שְׁבוּ נָא בָזֶה גַּם־אַתֶּם הַלָּיְלָה Num. 22:19
756 שְׁבוּ בִירֵחוֹ עַד־יְצַמַּח זְקַנְכֶם IISh. 10:5
757 שְׁבוּ בָאָרֶץ וְעִבְדוּ אֶת־מֶלֶךְ בָּבֶל IIK. 25:24
758 שְׁבוּ בָאָרֶץ וְעִבְדוּ אֶת־מ׳ בָּבֶל Jer. 40:9
759 וַיֹּאמֶר שְׁבוּ־פֹה וַיֵּשֵׁבוּ Ruth 4:2
760 שְׁבוּ בִירֵחוֹ עַד אֲשֶׁר־יְצַמַּח ICh. 19:5
שֵׁבוּ 761 אֱמֹר לַמֶּ׳ וְלַגְּבִירָה הַשְׁפִּילוּ שֵׁבוּ Jer. 13:18
וּשְׁבוּ 762 שׁוּבוּ־נָא...וּשְׁבוּ עַל־הָאֲדָמָה Jer. 25:5
763 שֻׁבוּ־נָא...וּשְׁבוּ אֶל־הָאֲדָמָה Jer. 35:15
764 וּשְׁבוּ בְּעָרֵיכֶם אֲשֶׁר־תְּפַשְׂתֶּם Jer. 40:10
וְשֵׁבוּ 765/6 בְּנוּ בָתִּים וְשֵׁבוּ Jer. 29:5, 28
נוֹשָׁבָה 767 שְׁמָמָה אֶרֶץ לוֹא נוֹשָׁבָה Jer. 6:8
נוֹשָׁבוּ 768 עָרִים לֹא נוֹשָׁבוּ (כת׳ נושבה) Jer. 22:6
769 כֶּעָרִים אֲשֶׁר לֹא־נוֹשָׁבוּ Ezek. 26:19
וְנוֹשְׁבוּ 770 וְנוֹשְׁבוּ הֶעָרִים וְהֶחֳרָבוֹת תִּבָּנֶינָה Ezek. 36:10
נוֹשֶׁבֶת 771 אֵיךְ אָבַדְתְּ נוֹשֶׁבֶת מִיַּמִּים Ezek. 26:17
נוֹשָׁבֶת 772 עַד־בֹּאָם אֶל־אֶרֶץ נוֹשָׁבֶת Ex. 16:35
נוֹשָׁבוֹת 773 לְהָשִׁיב...עַל־חֳרָבוֹת נוֹשָׁבוֹת Ezek. 38:12
הַנּוֹשָׁבוֹת 774 וְהֶעָרִים הַנּוֹשָׁבוֹת תֶּחֱרַבְנָה Ezek. 12:20
וְיָשְׁבוּ 775 וְיָשְׁבוּ טִירוֹתֵיהֶם בָּךְ Ezek. 25:4
לְהוֹשִׁיב 776 לְהוֹשִׁיב עִם־נְדִיבִים ISh. 2:8
777 לְהֹשִׁיב נָשִׁים נָכְרִיּוֹת Neh. 13:27
לְהוֹשִׁיבִי 778 לְהוֹשִׁיבִי עִם־נְדִיבִים Ps. 113:8
הוֹשַׁבְתִּי 779 כִּי בַסֻּכּוֹת הוֹשַׁבְתִּי אֶת־בְּ״יִ Lev. 23:43
וְהוֹשַׁבְתִּי 780 וְהוֹשַׁבְתִּי אֶתְכֶם כְּקַדְמוֹתֵיכֶם Ezek. 36:11
781 וְהוֹשַׁבְתִּי אֶת־הֶעָרִים וְנִבְנוּ Ezek. 36:33
וְהוֹשַׁבְתִּיךְ 782 וְהוֹשַׁבְתִּיךְ בְּאֶרֶץ תַּחְתִּיּוֹת Ezek. 26:20
וְהֹשַׁבְתִּים 783 וְהֹשַׁבְתִּים לָבֶטַח Jer. 32:37
784 וְהוֹשַׁבְתִּים עַל־בָּתֵּיהֶם Hosh. 11:11
וְהוֹשְׁבוֹתִים 785 וְהוֹשְׁבוֹתִים כִּי רִחַמְתִּים Zech. 10:6
הֹשִׁיב 786 הֹשִׁיב נָשִׁים נָכְרִיּוֹת Ez. 10:14
הוֹשִׁיבַנִי 787 הוֹשִׁיבַנִי בְמַחֲשַׁכִּים כְּמֵתֵי עוֹלָם Ps. 143:3

788 בְּמַחֲשַׁכִּים הוֹשִׁיבַנִי כְּמֵתֵי עוֹלָם Lam. 3:6
הוֹשִׁיבוּ 789 אֲשֶׁר הֹשִׁיבוּ נָשִׁים נָכְרִיּוֹת Ez. 10:18
790 הֹשִׁיבוּ נָשִׁים אַשְׁדֳּדִיּוֹת° Neh. 13:23
הַהֹשִׁיבוּ 791 הַהֹשִׁיבוּ נָשִׁים נָכְרִיּוֹת Ez. 10:17
מוֹשִׁיב 792 אֱלֹהִים מוֹשִׁיב יְחִידִים בַּיְתָה Ps. 68:7
מוֹשִׁיבִי 793 מוֹשִׁיבִי עֲקֶרֶת הַבַּיִת Ps. 113:9
אוֹשִׁיבְךָ 794 עֹד אוֹשִׁיבְךָ בָאֳהָלִים Hosh. 12:10
וַתֹּשֶׁב 795 הִגְלִית וַתֹּשֶׁב בְּעָרֵי שֹׁמְרוֹן IIK. 17:26
תּוֹשִׁיבֵנִי 796 אַתָּה יְיָ לְבָדָד לָבֶטַח תּוֹשִׁיבֵנִי Ps. 4:9
וַיּוֹשֵׁב 797 וַיּוֹשֵׁב יוֹסֵף אֶת־אָבִיו Gen. 47:11
וַיֹּשֶׁב 798 וַיֹּשֶׁב אוֹתָם בַּחְלַח וּבְחָבוֹר IIK. 17:6
799 וַיֹּשֶׁב בְּעָרֵי שֹׁמְרוֹן תַּחַת בְּ״יִ IIK. 17:24
800 וַיּוֹשֶׁב שָׁם רְעֵבִים Ps. 107:36
801 וַיּוֹשֶׁב שָׁם אֶת־בְּנֵי יִשְׂרָאֵל IICh. 8:2
וַיּוֹשִׁיבֵנִי 802 וַיּוֹשִׁיבֵנִי (כ׳ ויושיביני) עַל־כִּסֵּא דָּוִד IK. 2:24
וַיֹּשִׁיבֵם 803 וַיֹּשִׁיבֵם לָנֶצַח וַיִּגְבָּהוּ Job 36:7
וַנֹּשֶׁב 804 וַנֹּשֶׁב נָשִׁים נָכְרִיּוֹת Ez. 10:2
וַתֹּשִׁיבוּ 805 וַתֹּשִׁיבוּ נָשִׁים נָכְרִיּוֹת Ez. 10:10
יוֹשִׁיבוּ 806 וְעָרִים נְשַׁמּוֹת יוֹשִׁיבוּ Is. 54:3
וַיּוֹשִׁיבוּ 807 וַיּוֹשִׁיבוּ... עַל כִּסֵּא הַמַּמְלָכָה IICh. 23:20
וַיֹּשִׁבוּם 808 וַיּוֹצִיאוּ...וַיֹּשִׁבוּם בַּמָּקוֹם הַזֶּה ISh. 12:8
809 וַיֹּשִׁיבֻם בְּנַחַל הַבְּשׂוֹר ISh. 30:21
הוֹשֵׁב 810 בְּמֵיטַב הָאָרֶץ הוֹשֵׁב אֶת־אָבִיךָ Gen. 47:6
וְהוֹשִׁיבוּ 811/2 וְהוֹשִׁיבוּ אֶת־נָבוֹת בְּרֹאשׁ הָעָם IK. 21:9, 12
813 וְהוֹשִׁיבוּ שְׁנַיִם אֲנָשִׁים...נֶגְדּוֹ IK. 21:10
וְהוּשַׁבְתֶּם 814 וְהוּשַׁבְתֶּם לְבַדְּכֶם בְּקֶרֶב הָאָרֶץ Is. 5:8
תּוּשָׁב 815 הָאֹמֵר לִירוּשָׁלַםִ תּוּשָׁב Is. 44:26

יֹשֵׁב בַּשֶּׁבֶת
שפ״ז – נוסח אחר לשם יָשָׁבְעָם (דה״א יא11) ראש השלישים מגבורי דוד

יֹשֵׁב בַּשֶּׁבֶת 1 יֹשֵׁב בַּשֶּׁבֶת תַּחְכְּמֹנִי רֹאשׁ הַשָּׁלִשִׁי IISh. 23:8

יֶשֶׁבְאָב
שפ״ז – מראשי משמרות הכהונה לדוד

לְיֶשֶׁבְאָב 1 לְיֶשֶׁבְאָב אַרְבָּעָה עָשָׂר ICh. 24:13

יִשְׁבָּח
שפ״ז – איש משבט יהודה, מזרע כָּלֵב בן יפונה

יִשְׁבָּח 1 וְאֶת־יִשְׁבָּח אֲבִי אֶשְׁתְּמֹעַ ICh. 4:17

יִשְׁבִּי
שפ״ז – גבור פלשתי

וְיִשְׁבִּי 1 וְיִשְׁבִּי (כת׳ וישבו) בְּנֹב אֲשֶׁר בִּילִידֵי הָרָפָה IISh. 21:16

יָשֻׁבִי לֶחֶם*
שפ״ז – איש מבני יהודה

וְיָשֻׁבִי ל׳ 1 וְיוֹאָשׁ וְשָׂרָף...וְיָשֻׁבִי לָחֶם ICh. 4:22

יָשָׁבְעָם
שפ״ז א) ראש השלישים לדוד, הוא יֹשֵׁב בַּשֶּׁבֶת:1 ב) שמות שנים מפקודי דוד: 2, 3

יָשָׁבְעָם 1 יָשָׁבְעָם בֶּן־חַכְמוֹנִי רֹאשׁ הַשָּׁלִישִׁים ICh. 11:11
2 יָשָׁבְעָם בֶּן־זַבְדִּיאֵל ICh. 27:2
וְיָשָׁבְעָם 3 וְיוֹעֶזֶר וְיָשָׁבְעָם הַקָּרְחִים ICh. 12:6(7)

יִשְׁבָּק
שפ״ז – בן אברהם מקטורה: 1, 2

יִשְׁבָּק 1 וְאֶת־יִשְׁבָּק וְאֶת־שׁוּחַ Gen. 25:2
וְיִשְׁבָּק 2 וּמְדָן וּמִדְיָן וְיִשְׁבָּק וְשׁוּחַ ICh. 1:32

יָשְׁבְּקָשָׁה
שפ״ז – מבני הֵימָן, ראש משמר לויים: 2,1

יָשְׁבְּקָשָׁה 1 יָשְׁבְּקָשָׁה מַלּוֹתִי הוֹתִיר מַחֲזִיאוֹת ICh. 25:4
לְיָשְׁבְּקָשָׁה 2 לְשִׁבְעָה עָשָׂר לְיָשְׁבְּקָשָׁה... ICh. 25:24

יָשְׁדֵם
(משלי יא3) – עין שדד

ישה
: יֵשׁ, תּוּשִׁיָּה; ש״פ יוֹשָׁה, יִשְׁוָה, יִשְׁוִי, יוֹשַׁוְיָה, יִשַׁי(?), יְשִׁיָּה, יִשִּׁיָּהוּ

יַשֶּׁה
(דברים טו2) – עין נשה

יָשׁוּב שפ״ז א) בן יששכר: 1, 3
ב) בן בני, בימי עזרא: 2

יָשׁוּב 1 וּמִבְּנֵי בָּנִי...יָשׁוּב וּשְׁאָל וְרָמוֹת° Ez. 10:29
2 תּוֹלָע וּפוּאָה יָשׁוּב (כת׳ ישיב) וְשִׁמְרוֹן ICh. 7:1
לְיָשׁוּב 3 לְיָשׁוּב מִשְׁפַּחַת הַיָּשֻׁבִי Num. 26:24

יָשׁוּבִי ת׳ המתיחס על בית יָשׁוּב (א)

הַיָּשֻׁבִי 1 לְיָשׁוּב מִשְׁפַּחַת הַיָּשֻׁבִי Num. 26:24

יָשׁוּד (תהלים צא6) – עין שדד

יִשְׁוָה שפ״ז – מבני אשר: 1, 2

וְיִשְׁוָה 1 וּבְנֵי אָשֵׁר יִמְנָה וְיִשְׁוָה... Gen. 46:17
2 בְּנֵי אָשֵׁר יִמְנָה וְיִשְׁוָה... ICh. 7:30

יְשׁוֹחָיָה שפ״ז – איש מזרע שמעון

וִישׁוֹחָיָה 1 וְאֶלְיוֹעֵינַי וְיַעֲקֹבָה וִישׁוֹחָיָה ICh. 4:36

יִשְׁוִי¹ שפ״ז א) בן אשר: 1, 2, 4
ב) מבני המלך שאול: 3

וְיִשְׁוִי 1 וְיִשְׁוִי וּבְרִיעָה וְשֶׂרַח אֲחֹתָם Gen. 46:17
2 וְיִשְׁוִי וּבְרִיעָה וְשֶׂרַח אֲחוֹתָם ICh. 7:30
3 וַיִּהְיוּ בְּנֵי שָׁאוּל יוֹנָתָן וְיִשְׁוִי ISh. 14:49
לְיִשְׁוִי 4 לְיִשְׁוִי מִשְׁפַּחַת הַיִּשְׁוִי Num. 26:44

יִשְׁוִי² ת׳ המתיחס על בית יִשְׁוִי

הַיִּשְׁוִי 1 לְיִשְׁוִי מִשְׁפַּחַת הַיִּשְׁוִי Num. 26:44

יֵשׁוּעַ¹ שפ״ז א) קצור שמו של יהושע בן נון: 14
ב) בן יוצדק, הכהן הגדול בימי זרובבל ועזרא: 5, 6, 20–22, 24
ג) כהן בימי חזקיה: 27
ד) אנשים שונים: 1–4, 7–13, 15–19, 23, 25, 26, 28

יֵשׁוּעַ בִּן־נוּן 14; בֵּית יֵשׁוּעַ 3, 12; בֶּן יֵ׳ 8, 19; בְּנֵי יֵשׁוּעַ 2, 4, 11, 13; יְמֵי יֵשׁוּעַ 14, 17

יֵשׁוּעַ 1 אֲשֶׁר בָּאוּ עִם־זְרֻבָּבֶל יֵשׁוּעַ נְחֶמְיָה Ez. 2:2
2 לִבְנֵי יֵשׁוּעַ יוֹאָב... Ez. 2:6
3 בְּנֵי יְדַעְיָה לְבֵית יֵשׁוּעַ Ez. 2:36
4 הַלְוִיִּם בְּנֵי־יֵשׁוּעַ וְקַדְמִיאֵל Ez. 2:40
5-6 יֵשׁוּעַ בֶּן־יוֹצָדָק וְאֶחָיו Ez. 3:2; 10:18
7 וַיַּעֲמֹד יֵשׁוּעַ בָּנָיו וְאֶחָיו Ez. 3:9
8 וְעִמָּהֶם יוֹזָבָד בֶּן־יֵשׁוּעַ Ez. 8:33
9 וַיְחַזֵּק עַל־יָדוֹ עֵזֶר בֶּן־יֵשׁוּעַ Neh. 3:19
10 הַבָּאִים עִם־זְרֻבָּבֶל יֵשׁוּעַ נְחֶמְיָה Neh. 7:7
11 לִבְנֵי יֵשׁוּעַ וְיוֹאָב... Neh. 7:11
12 הַכֹּהֲנִים בְּנֵי יְדַעְיָה לְבֵית יֵשׁוּעַ Neh. 7:39
13 הַלְוִיִּם בְּנֵי־יֵשׁוּעַ לְקַדְמִיאֵל Neh. 7:43
14 לֹא־עָשׂוּ מִימֵי יֵשׁוּעַ בִּן־נוּן Neh. 8:17
15 הַלְוִיִּם יֵשׁוּעַ וּבָנִי קַדְמִיאֵל Neh. 9:4
16 וַיֹּאמְרוּ הַלְוִיִּם יֵשׁוּעַ וְקַדְמִיאֵל בָּנִי Neh. 9:5
17 רָאשֵׁי הַכֹּהֲנִים וַאֲחֵיהֶם בִּימֵי יֵשׁוּעַ Neh. 12:7
18 וְהַלְוִיִּם יֵשׁוּעַ בִּנּוּי קַדְמִיאֵל Neh. 12:8
19 אֵלֶּה בִּימֵי יוֹיָקִים בֶּן־יֵשׁוּעַ Neh. 12:26
וְיֵשׁוּעַ 20 זְרֻבָּבֶל...וְיֵשׁוּעַ בֶּן־יוֹצָדָק Ez. 3:8
21 וַיֹּאמֶר לָהֶם זְרֻבָּבֶל וְיֵשׁוּעַ Ez. 4:3
22 זְרֻבָּבֶל...וְיֵשׁוּעַ בַּר־יוֹצָדָק Ez. 5:2
23 וְיֵשׁוּעַ וּבָנִי וְשֵׁרֵבְיָה Neh. 8:7
24 אֲשֶׁר עָלוּ עִם־זְרֻבָּבֶל...וְיֵשׁוּעַ Neh. 12:1
25 וְיֵשׁוּעַ הוֹלִיד אֶת־יוֹיָקִים Neh. 12:10
26 וְרָאשֵׁי הַלְוִיִּם...וְיֵשׁוּעַ בֶּן־קַדְמִיאֵל Neh. 12:24
27 וְעַל־יָדוֹ...וְיֵשׁוּעַ וּשְׁמַעְיָהוּ... IICh. 31:15
לְיֵשׁוּעַ 28 לְיֵשׁוּעַ הַתְּשִׁעִי לִשְׁכַנְיָהוּ הָעֲשִׂרִי ICh. 24:11

יֵשׁוּעַ² עיר בנגב יהודה

וּבְיֵשׁוּעַ 1 וּבְיֵשׁוּעַ וּבְמֹלָדָה וּבְבֵית־פָּלֶט Neh. 11:26

יְשׁוּעָה נ׳ א) עזרה, הצלה: רוב המקראות 1–75
ב) אושר, ברכה: 3, 8, 10, 12, 37, 65, 67, 71–73

קרובים: אשר / בְּרָכָה / גְּאֻלָּה / הַצָּלָה / יֵשַׁע / מוֹשָׁעוֹת / מַחְסֶה / מִפְלָט / מִקְלָט / מִשְׁעָן / מַשְׁעֵנָה / עֵזֶר / עֶזְרָה / רֶוַח / רְוָחָה / תְּשׁוּעָה

– יְשׁוּעָה גְדוֹלָה 9; רִנָּה וִישׁוּעָה 8; יוֹם יְשׁוּעָה 2, 57; כּוֹבַע יְשׁוּעָה 4; מַעַיְנֵי הַיְשׁוּעָה 10
– יְשׁוּעַת יְיָ 20, 24; יְשׁוּעַת אֱלֹהִים 21, 23
– אוֹהֲבֵי יְשׁוּעָתִי 41; אֵל יְשׁוּעָתִי 25; אֱלֹהֵי י׳ 29; עֹז יְשׁוּעָתִי 31; צוּר יְשׁוּעָתִי 30, 54
– יְשׁוּעוֹת יַעֲקֹב 74; י׳ יִשְׂרָאֵל 75; י׳ פָּנָיו 71–73; חֹסֶן יְשׁוּעוֹת 65; כּוֹס יְשׁוּעוֹת 67; מִגְדּוֹל י׳ 68; מַגְדִּיל י׳ 69; מָעוֹז יְשׁוּעוֹת 70; פּוֹעֵל יְשׁוּעוֹת 66

יְשׁוּעָה 1 יְשׁוּעָה יָשִׁית חוֹמוֹת וָחֵל Is. 26:1
2 וּבְיוֹם יְשׁוּעָה עֲזַרְתִּיךָ Is. 49:8
3 מְבַשֵּׂר טוֹב מַשְׁמִיעַ יְשׁוּעָה Is. 52:7
4 וְכוֹבַע יְשׁוּעָה בְּרֹאשׁוֹ Is. 59:17
5 וְקָרָאת יְשׁוּעָה חוֹמֹתַיִךְ Is. 60:18
6 מַרְכְּבֹתֶיךָ יְשׁוּעָה Hab. 3:18
7 רָחוֹק מֵרְשָׁעִים יְשׁוּעָה Ps. 119:155
וִישׁוּעָה 8 קוֹל רִנָּה וִישׁוּעָה בְּאָהֳלֵי צַדִּיקִים Ps. 118:15
הַיְשׁוּעָה 9 עָשָׂה הַיְשׁוּעָה הַגְּדוֹלָה הַזֹּאת ISh. 14:45
10 וּשְׁאַבְתֶּם־מַיִם...מִמַּעַיְנֵי הַיְשׁוּעָה Is. 12:3
11 לַיְיָ הַיְשׁוּעָה עַל־עַמְּךָ בִרְכָתֶךָ Ps. 3:9
בִּישׁוּעָה 12 יְפָאֵר עֲנָוִים בִּישׁוּעָה Ps. 149:4
לִישׁוּעָה 13-15 וַיְהִי־לִי לִישׁוּעָה Ex. 15:2
Is. 12:2 • Ps. 118:14
16 וְהָיְתָה לִּי לִישׁוּעָה IISh. 10:11
17 נְקַוֶּה...לִישׁוּעָה רָחֲקָה מִמֶּנּוּ Is. 59:11
18 וַתְּהִי־לִי לִישׁוּעָה Ps. 118:21
19 גַּם־הוּא־לִי לִישׁוּעָה Job 13:16
יְשׁוּעַת־ 20 הִתְיַצְּבוּ וּרְאוּ אֶת־יְשׁוּעַת יְיָ Ex. 14:13
21 וְרָאוּ...אֵת יְשׁוּעַת אֱלֹהֵינוּ Is. 52:10
22 מִי־יִתֵּן מִצִּיּוֹן יְשׁוּעַת יִשְׂרָאֵל Ps. 14:7
23 רָאוּ...אֵת יְשׁוּעַת אֱלֹהֵינוּ Ps. 98:3
24 הִתְיַצְּבוּ עִמְדוּ וּרְאוּ אֶת־יְשׁוּעַת יְיָ IICh. 20:17
יְשׁוּעָתִי 25 הִנֵּה אֵל יְשׁוּעָתִי אֶבְטַח וְלֹא אֶפְחָד Is. 12:2
26 לִהְיוֹת יְשׁוּעָתִי עַד־קְצֵה הָאָרֶץ Is. 49:6
27 כִּי־קְרוֹבָה יְשׁוּעָתִי לָבוֹא Is. 56:1
28 אַךְ אֶל־אֱלֹהִים...מִמֶּנּוּ יְשׁוּעָתִי Ps. 62:2
29 יְיָ אֱלֹהֵי יְשׁוּעָתִי Ps. 89:2
30 אֵלִי וְצוּר יְשׁוּעָתִי Ps. 89:27
31 יְיָ אֲדֹנָי עֹז יְשׁוּעָתִי Ps. 140:8
32 וּכְעָב עָבְרָה יְשֻׁעָתִי Job 30:15
וִישׁוּעָתִי 33 וִישׁוּעָתִי לְעוֹלָם תִּהְיֶה Is. 51:6
34 וִישׁוּעָתִי לְדוֹר דּוֹרִים Is. 51:8
35-36 אַךְ־הוּא צוּרִי וִישׁוּעָתִי Ps. 62:3, 7
בִּישׁוּעָתִי 37 אַשְׂבִּיעֵהוּ וְאַרְאֵהוּ בִּישׁוּעָתִי Ps. 91:16
מִישׁוּעָתִי 38 רָחוֹק מִישׁוּעָתִי דִּבְרֵי שַׁאֲגָתִי Ps. 22:2
יְשׁוּעָתְךָ 39 יְשׁוּעָתְךָ אֱלֹהִים תְּשַׂגְּבֵנִי Ps. 69:30
יְשׁוּעָתֶךָ 40 לָדַעַת...בְּכָל־גּוֹיִם יְשׁוּעָתֶךָ Ps. 67:3
41 וְיֹאמְרוּ תָמִיד...אֹהֲבֵי יְשׁוּעָתֶךָ Ps. 70:5
בִּישׁוּעָתֶךָ 42 כִּי שָׂמַחְתִּי בִּישׁוּעָתֶךָ ISh. 2:1
43 אָגִילָה בִּישׁוּעָתֶךָ Ps. 9:15
44 יָגֵל לִבִּי בִּישׁוּעָתֶךָ Ps. 13:6
45 נְרַנְּנָה בִּישׁוּעָתֶךָ Ps. 20:6
46 גָּדוֹל כְּבוֹדוֹ בִּישׁוּעָתֶךָ Ps. 21:6
47 זָכְרֵנִי...פָּקְדֵנִי בִּישׁוּעָתֶךָ Ps. 106:4
וּבִישׁוּעָתְךָ 48 וּבִישׁוּעָתְךָ מַה יָּגֶל° מְאֹד Ps. 21:2
לִישׁוּעָתְךָ 49 לִישׁוּעָתְךָ קִוִּיתִי יְיָ Gen. 49:18
50 שִׂבַּרְתִּי לִישׁוּעָתְךָ יְיָ Ps. 119:166
51 תָּאַבְתִּי לִישׁוּעָתְךָ יְיָ Ps. 119:174
לִישׁוּעָתֶךָ 52 עֵינַי כָּלוּ לִישׁוּעָתֶךָ Ps. 119:123
יְשֻׁעָתֵךְ 53 אֱמֹר לְנַפְשִׁי יְשֻׁעָתֵךְ אָנִי Ps. 35:3
יְשֻׁעָתוֹ 54 וַיְנַבֵּל צוּר יְשֻׁעָתוֹ Deut. 32:15
55 בַּשְּׂרוּ מִיּוֹם־לְיוֹם יְשׁוּעָתוֹ Ps. 96:2
56 הוֹדִיעַ יְיָ יְשׁוּעָתוֹ Ps. 98:2
57 בַּשְּׂרוּ מִיּוֹם אֶל־יוֹם יְשׁוּעָתוֹ ICh. 16:23
בִּישׁוּעָתוֹ 58 נָגִילָה וְנִשְׂמְחָה בִּישׁוּעָתוֹ Is. 25:9
59 וְנַפְשִׁי תָּגִיל בַּיְיָ תָּשִׂישׂ בִּישׁוּעָתוֹ Ps. 35:9
60 וְלֹא בָטְחוּ בִּישׁוּעָתוֹ Ps. 78:22
וִישׁוּעָתָהּ 61 וִישׁוּעָתָהּ כְּלַפִּיד יִבְעָר Is. 62:1
יְשׁוּעָתֵנוּ 62 אַף־יְשׁוּעָתֵנוּ בְּעֵת צָרָה Is. 33:2
63 יַעֲמָס לָנוּ הָאֵל יְשׁוּעָתֵנוּ Ps. 68:20
יְשׁוּעוֹת 64 יְשׁוּעֹת בַּל־נַעֲשֶׂה אֶרֶץ Is. 26:18
65 חֹסֶן יְשׁוּעֹת חָכְמַת וָדָעַת Is. 33:6
66 פֹּעֵל יְשׁוּעוֹת בְּקֶרֶב הָאָרֶץ Ps. 74:12
67 כּוֹס־יְשׁוּעוֹת אֶשָּׂא Ps. 116:13
יְשׁוּעוֹת־ 68 מִגְדּוֹל° יְשׁוּעוֹת מַלְכּוֹ IISh. 22:51
69 מַגְדִּל יְשׁוּעוֹת מַלְכּוֹ Ps. 18:51
70 וּמָעוֹז יְשׁוּעוֹת מְשִׁיחוֹ הוּא Ps. 28:8
71 הוֹחִלִי לֵאלֹהִים...יְשׁוּעוֹת פָּנָיו Ps. 42:6
72-73 יְשׁוּעֹת פָּנַי וֵאלֹהָי Ps. 42:12; 43:5
74 צַוֵּה יְשׁוּעוֹת יַעֲקֹב Ps. 44:5
75 מִי־יִתֵּן מִצִּיּוֹן יְשֻׁעוֹת יִשְׂרָאֵל Ps. 53:7

יְשׁוּעָתָה נ׳ צורה מליצית-עתיקה של "יְשׁוּעָה": 1–3

יְשׁוּעָתָה 1 נְדַרְתִּי אֲשַׁלֵּמָה יְשׁוּעָתָה לַיְיָ Jon. 2:10
2 אֵין יְשׁוּעָתָה לּוֹ בֵאלֹהִים Ps. 3:3
לִישֻׁעָתָה 3 וּלְכָה לִישֻׁעָתָה לָּנוּ Ps. 80:3

יֶשַׁח* מלח סתומה(?) – [אולי מן שחה – כפף]

וְיֶשְׁחֲךָ 1 תֹּאכַל וְלֹא תִשְׂבָּע וְיֶשְׁחֲךָ בְּקִרְבֶּךָ Mic. 6:14

יָשַׁח (תהלים י10) – עין שחה

יִשְׂחָק שפ״ז – נוסח אחר לשם יִצְחָק: 1–4

בֵּית יִשְׂחָק 3; בָּמוֹת יִשְׂחָק 2

יִשְׂחָק 1 אֶת־זֶרַע אַבְרָהָם יִשְׂחָק וְיַעֲקֹב Jer. 33:26
2 וְנָשַׁמּוּ בָּמוֹת יִשְׂחָק Am. 7:9
3 וְלֹא תַטִּיף עַל־בֵּית יִשְׂחָק Am. 7:16
לְיִשְׂחָק 4 אֲשֶׁר כָּרַת...וּשְׁבוּעָתוֹ לְיִשְׂחָק Ps. 105:9

(ישט) הוֹשִׁיט הפ׳ שלח: 1–3

יוֹשִׁיט 1 יוֹשִׁיט־לוֹ הַמֶּלֶךְ אֶת־שַׁרְבִיט הַזָּהָב Es. 4:11
וַיּוֹשֶׁט 2-3 וַיּוֹשֶׁט...לְאֶסְתֵּר אֶת־שַׁרְבִיט הַזָּהָב Es. 5:2; 8:4

יָשַׁט (משלי ז25) – עין שטה

יִשַׁי שפ״ז – אבי דוד המלך: 1–41

אֲבִי יִשַׁי 16; בֶּן־יִשַׁי 5–14, 17, 30, 31, 33, 36–38; בְּנֵי יִשַׁי 4; גֶּזַע יִשַׁי 32; שֹׁרֶשׁ יִשַׁי 15

יִשַׁי 1-2 יִשַׁי בֵּית(־)הַלַּחְמִי ISh. 16:1; 17:58
3 וַיְקַדֵּשׁ אֶת־יִשַׁי וְאֶת־בָּנָיו ISh. 16:5
4 וַיֵּלְכוּ שְׁלֹשֶׁת בְּנֵי־יִשַׁי הַגְּדֹלִים ISh. 17:13
5 מַדּוּעַ לֹא־בָא בֶן־יִשַׁי...אֶל־הַלָּחֶם ISh. 20:27
6 כִּי־בֹחֵר אַתָּה לְבֶן־יִשַׁי ISh. 20:30
7-10 בֶּן־יִשַׁי ISh. 20:31; 22:7, 8, 9
11 ...וְלֹא נַחֲלָה־לָנוּ בְּבֶן־יִשַׁי IISh. 20:1
12 נְאֻם דָּוִד בֶּן־יִשַׁי... IISh. 23:1

יִשַׁי (המשך) 13/4 וְלֹא־נַחֲלָה בְּבֶן־יִשַׁי IK. 12:16 • IICh. 10:16
15 שֹׁרֶשׁ יִשַׁי אֲשֶׁר עֹמֵד לְנֵס עַמִּים Is. 11:10
16 הוּא אֲבִי־יִשַׁי אֲבִי דָוִד Ruth 4:17
17 וְעִמְּךָ בֶן־יִשַׁי שָׁלוֹם ICh. 12:18(19)
18–27 יִשַׁי ISh. 16:8, 9, 10², 11², 20, 22; 17:12, 17
יִשָׁי 28 וַיִּשְׁלַח שָׁאוּל מַלְאָכִים אֶל־יִשָׁי ISh. 16:19
29 וַיִּשָּׂא וַיֵּלֶךְ כַּאֲשֶׁר צִוָּהוּ יִשָׁי ISh. 17:20
30 לָמָּה קְשַׁרְתֶּם עָלַי אַתָּה וּבֶן־יִשָׁי ISh. 22:13
31 וַיַּעַן...מִי דָוִד וּמִי בֶן־יִשָׁי ISh. 25:10
32 וְיָצָא חֹטֶר מִגֵּזַע יִשָׁי Is. 11:1
33 כָּלּוּ תְפִלּוֹת דָּוִד בֶּן־יִשָׁי Ps. 72:20
34 וְעֹבֵד הוֹלִיד אֶת־יִשָׁי Ruth 4:22
35 וְעוֹבֵד הוֹלִיד אֶת־יִשָׁי ICh. 2:12
36 וַיַּסֵּב...לְדָוִיד בֶּן־יִשָׁי ICh. 10:14
37 וְדָוִיד בֶּן־יִשַׁי מָלַךְ עַל־כָּל־יִשְׂרָ' ICh. 29:26
38 אֲבִיהַיִל בַּת־אֱלִיאָב בֶּן־יִשָׁי IICh. 11:18
וְיִשַׁי 39 וְיִשַׁי הוֹלִיד אֶת־דָּוִד Ruth 4:22
לְיִשַׁי 40 וְקָרָאתָ לְיִשַׁי בַּזָּבַח ISh. 16:3
41 רָאִיתִי בֵּן לְיִשַׁי בֵּית הַלַּחְמִי ISh. 16:18

יַשִּׁיא (מ״ב יח29, תהלים פט23) – עין נשא

יִשִּׁיָּה שפ״ז – שמות אנשים שונים: 1–6
יִשִּׁיָּה 1 וּבְנֵי חָרִם אֱלִיעֶזֶר יִשִּׁיָּה Ez. 10:31
2 וּבְנֵי יִזְרַחְיָה...וְיוֹאֵל יִשִּׁיָּה ICh. 7:3
3 לִבְנֵי רְחַבְיָהוּ הָרֹאשׁ יִשִּׁיָּה ICh. 24:21
4 אֲחִי מִיכָה יִשִּׁיָּה ICh. 24:25
5 לִבְנֵי יִשִּׁיָּה זְכַרְיָהוּ ICh. 24:25
וְיִשִּׁיָּה 6 מִיכָה הָרֹאשׁ וְיִשִּׁיָּה הַשֵּׁנִי ICh. 23:20

יִשִּׁיָּהוּ שפ״ז – מגבורי דוד שבאו אליו בצקלג
וְיִשִּׁיָּהוּ 1 אֶלְקָנָה וְיִשִּׁיָּהוּ...הַקָּרְחִים ICh. 12:6(7)

יַשִּׁים (ירמיה מט20) – עין שמם

יְשִׁימוֹן ז׳ מקום שממה: 1–13
קרובים: בָּתָה / מִדְבָּר / עֲרָבָה / צִיָּה / שְׁמָמָה / תַּלְאוּבוֹת
יְשִׁימוֹן דֶּרֶךְ 13; יְלֵל יְשִׁימוֹן 1; יְמִין הַיְ׳ 6, 7; פְּנֵי הַיְשִׁימוֹן 2–5
יְשִׁימֹן 1 בְּאֶרֶץ מִדְבָּר וּבְתֹהוּ יְלֵל יְשִׁמֹן Deut. 32:10
הַיְשִׁימוֹן 2 וְנִשְׁקָפָה עַל־פְּנֵי הַיְשִׁימֹן Num. 21:20
3–5 עַל־פְּנֵי הַיְשִׁימֹן Num. 23:28 • ISh. 26:1, 3
6 אֲשֶׁר מִימִין הַיְשִׁימוֹן ISh. 23:19
7 בָּעֲרָבָה אֶל יְמִין הַיְשִׁימוֹן ISh. 23:24
בִּישִׁימוֹן 8 בַּמִּדְבָּר דֶּרֶךְ בִּישִׁמוֹן נְהָרוֹת Is. 43:19
9 בַּמִּדְבָּר מַיִם נְהָרוֹת בִּישִׁימֹן Is. 43:20
10 אֱלֹהִים...בְּצַעְדְּךָ בִישִׁימוֹן Ps. 68:8
11 יַעֲצִיבוּהוּ בִּישִׁימוֹן Ps. 78:40
12 וַיְנַסּוּ־אֵל בִּישִׁימוֹן Ps. 106:14
13 תָּעוּ בַמִּדְבָּר בִּישִׁימוֹן דָּרֶךְ Ps. 107:4

יְשִׁימוֹת (תהלים נה16) כת׳–קרי יַשִּׁיא מָוֶת (עין נשא, מות)

יְשִׁימוֹת – עין בית הַיְשִׁימוֹת

יְשִׂימִאֵל שפ״ז – איש מצאצאי שמעון
וִישִׂימִאֵל 1 וַעֲדִיאֵל וִישִׂימִאֵל וּבְנָיָה ICh. 4:36

יַשִּׁיק (ישעיה מד15) – עין נשק

יָשִׁישׁ ז׳ זקן, בא בימים [עין גם יָשֵׁשׁ]: 1–4
יָשִׁישׁ 1 גַּם־שָׂב גַּם־יָשִׁישׁ בָּנוּ Job 15:10
יְשִׁישִׁים 2 צָעִיר אֲנִי לְיָמִים וְאַתֶּם יְשִׁישִׁים Job 32:6
וִישִׁישִׁים 3 וִישִׁישִׁים קָמוּ עָמָדוּ Job 29:8
בִּישִׁישִׁים 4 בִּישִׁישִׁים חָכְמָה וְאֹרֶךְ יָמִים תְּבוּנָה Job 12:12

יְשִׁישַׁי שפ״ז – איש מצאצאי גד
יְשִׁישַׁי 1 בֶּן־מִיכָאֵל בֶּן־יְשִׁישַׁי ICh. 5:14

יִשַּׁךְ (דברים כג20) **יִשֹּׁךְ** (קהלת י11) – עין נשך

יִשְּׁכֶנּוּ (קהלת י8) – עין נשך

יֵשֶׁל (איוב כז8) – עין שלה

יִשַּׁל (דברים כח40) – עין נשל

יְשָׁלוּךְ (חבקוק ב8) – עין שלל

יִשְׁלָיוּ (איוב יב6) – עין שלה

ישם : תֵּשַׁם, תֶּאְשַׁמְנָה; יְשִׁימוֹן

יָשַׁם פ׳ [רק בעתיד] חָרַב, היה לשממה: 1–4
קרובים: חָרַב / שָׁמֵם
תֵּשַׁם 1 לְמַעַן תֵּשַׁם אַרְצָהּ מִמְּלֹאָהּ Ezek. 12:19
תֵּשָׁם 2 ...וְהָאֲדָמָה לֹא תֵשָׁם Gen. 47:19
וַתֵּשַׁם 3 וַתֵּשַׁם אֶרֶץ וּמְלֹאָהּ מִקּוֹל שַׁאֲגָתוֹ Ezek. 19:7
תִּישַׁמְנָה 4 הֶעָרִים תֶּחֱרַבְנָה וְהַבָּמוֹת תִּישָׁמְנָה Ezek. 6:6

יִשְׁמָא שפ״ז – איש מצאצאי יהודה
וְיִשְׁמָא 1 וְאֵלֶּה אֲבִי עֵיטָם יִזְרְעֶאל וְיִשְׁמָא... ICh. 4:3

יִשְׁמָעֵאל שפ״ז א) בן אברהם מהגר: 1–13, 35, 36, 38–40, 44, 47
ב) בן נתניה, רוצח גדליה בן אחיקם: 14–33, 41–43
ג) איש מזרע בנימין: 45, 46
ד) אבי זבדיה הנגיד בימי יהושפט: 37
ה) מן השרים שבאו בברית עם יהוידע: 48
ו) כהן שנשא אשה נכריה בימי עזרא: 34
בְּכוֹר יִשְׁמָעֵאל 8, 35; בֶּן יְ׳ 37; בְּנֵי יְ׳ 7, 9, 36; בַּת יִשְׁמָעֵאל 12,13; חַיֵּי יִשְׁמָעֵאל 10
יִשְׁמָעֵאל 1 וְקָרָאת שְׁמוֹ יִשְׁמָעֵאל Gen. 16:11
2 וַיִּקְרָא אַבְרָם שֶׁם־בְּנוֹ...יִשְׁמָעֵאל Gen. 16:15
3 בְּלֶדֶת־הָגָר אֶת־יִשְׁמָעֵאל Gen. 16:16
4 לוּ יִשְׁמָעֵאל יִחְיֶה לְפָנֶיךָ Gen. 17:18
5 וַיִּקַּח אַבְרָהָם אֶת־יִשְׁמָעֵאל בְּנוֹ Gen. 17:23
6 וְאֵלֶּה תֹּלְדֹת יִשְׁמָעֵאל Gen. 25:12
7 וְאֵלֶּה שְׁמוֹת בְּנֵי יִשְׁמָעֵאל Gen. 25:13
8 בְּכֹר יִשְׁמָעֵאל נְבָיֹת... Gen. 25:13
9 אֵלֶּה הֵם בְּנֵי יִשְׁמָעֵאל Gen. 25:16
10 וְאֵלֶּה שְׁנֵי חַיֵּי יִשְׁמָעֵאל... Gen. 25:17
11 וַיֵּלֶךְ עֵשָׂו אֶל־יִשְׁמָעֵאל Gen. 28:9
12 וַיִּקַּח אֶת־מָחֲלַת בַּת־יִשְׁמָעֵאל Gen. 28:9
13 וְאֶת־בָּשְׂמַת בַּת־יִשְׁמָעֵאל Gen. 36:3
14 יִשְׁמָעֵאל בֶּן־נְתַנְיָה...מִזֶּרַע הַמְּלוּכָה IIK. 25:25
15 שָׁלַח אֶת־יִשְׁמָעֵאל...לְהַכֹּתְךָ נֶפֶשׁ Jer. 40:14
16 וַיָּקָם יִשְׁמָעֵאל...וַיַּכּוּ אֶת־גְּדַלְיָהוּ Jer. 41:2
17–33 יִשְׁמָעֵאל (בֶּן־נְתַנְיָה) Jer. 40:15, 16
41:1, 3, 6, 7, 8, 9², 10², 11, 12, 13, 14, 16, 18
34 אֱלְיוֹעֵינַי מַעֲשֵׂיָה יִשְׁמָעֵאל Ez. 10:22
35 בְּכוֹר יִשְׁמָעֵאל נְבָיוֹת ICh. 1:29
36 אֵלֶּה הֵם בְּנֵי יִשְׁמָעֵאל ICh. 1:31
37 וּזְבַדְיָהוּ בֶן־יִשְׁמָעֵאל הַנָּגִיד IICh. 19:11
וְיִשְׁמָעֵאל 38 וְיִשְׁמָעֵאל בְּנוֹ בֶּן־שְׁלֹשׁ עֶשְׂרֵה Gen. 17:25
39 נִמּוֹל אַבְרָהָם וְיִשְׁמָעֵאל בְּנוֹ Gen. 17:26
40 וַיִּקְבְּרוּ אֹתוֹ יִצְחָק וְיִשְׁמָעֵאל Gen. 25:9
41 וַיָּבֹאוּ...וְיִשְׁמָעֵאל בֶּן־נְתַנְיָה IIK. 25:23
42 וַיָּבֹאוּ...וְיִשְׁמָעֵאל בֶּן־נְתַנְיָהוּ Jer. 40:8
43 וְיִשְׁמָעֵאל בֶּן־נְתַנְיָה נִמְלַט Jer. 41:15
44 בְּנֵי אַבְרָהָם יִצְחָק וְיִשְׁמָעֵאל ICh. 1:28
45–46 וְיִשְׁמָעֵאל וּשְׁעַרְיָה וְעֹבַדְיָה ICh. 8:38; 9:44
וּלְיִשְׁמָעֵאל 47 וּלְיִשְׁמָעֵאל שְׁמַעְתִּיךָ Gen. 17:20
48 וַיִּקַּח...וּלְיִשְׁמָעֵאל בֶּן־יְהוֹחָנָן IICh. 23:1

יִשְׁמְעֵאלִי ת׳ המתיחס על צאצאי יִשְׁמָעֵאל בן אברהם: 1–8
הַיִּשְׁמְעֵאלִי 1 וַאֲבִי עֲמָשָׂא יֶתֶר הַיִּשְׁמְעֵאלִי ICh. 2:17
2 וְעַל־הַגְּמַלִּים אוֹבִיל הַיִּשְׁמְעֵלִי ICh. 27:30
יִשְׁמְעֵאלִים 3 וְהִנֵּה אֹרְחַת יִשְׁמְעֵאלִים בָּאָה Gen. 37:25
4 כִּי יִשְׁמְעֵאלִים הֵם Jud. 8:24
וְיִשְׁמְעֵאלִים 5 אָהֳלֵי אֱדוֹם וְיִשְׁמְעֵאלִים Ps. 83:7
הַיִּשְׁמְעֵאלִים 6 וַיִּקְנֵהוּ...מִיַּד הַיִּשְׁמְעֵאלִים Gen. 39:1
לַיִּשְׁמְעֵאלִים 7 לְכוּ וְנִמְכְּרֶנּוּ לַיִּשְׁמְעֵאלִים Gen. 37:27
8 וַיִּמְכְּרוּ אֶת־יוֹסֵף לַיִּשְׁמְעֵאלִים Gen. 37:28

יִשְׁמַעְיָה שפ״ז – מגבורי בנימין שבאו אל־דוד לצקלג
וְיִשְׁמַעְיָה 1 וְיִשְׁמַעְיָה הַגִּבְעוֹנִי גִּבּוֹר בַּשְּׁלֹשִׁים ICh. 12:4

יִשְׁמַעְיָהוּ שפ״ז – נגיד שבט זבולון בימי דוד
יִשְׁמַעְיָהוּ 1 לִזְבוּלֻן יִשְׁמַעְיָהוּ בֶּן־עֹבַדְיָהוּ ICh. 27:19

יִשְׁמְרַי שפ״ז – איש מצאצאי בנימין
וְיִשְׁמְרַי 1 וְיִשְׁמְרַי וְיִזְלִיאָה וְיוֹבָב בְּנֵי אֶלְפָּעַל ICh. 8:18

ישן : א) יָשֵׁן, יָשֵׁן ב) יָשָׁן; יָשָׁן; ש״פ יְשָׁנָה

יָשֵׁן¹ פ׳ א) נם, נרדם: 1–24
ב) [פ׳ יְשֵׁן] הרדים: 25
קרובים: הָזָה / נָם / נִרְדַּם / שָׁכַב
שִׂפְתֵי יְשֵׁנִים 13; יְשֵׁנֵי אַדְמַת עָפָר 14
לִישׁוֹן 1 וְהַשָּׂבָע...אֵינֶנּוּ מַנִּיחַ לוֹ לִישׁוֹן Eccl. 5:11
יָשַׁנְתִּי 2 יָשַׁנְתִּי אָז יָנוּחַ לִי Job 3:13
וְיָשְׁנוּ 3–4 וְיָשְׁנוּ שְׁנַת־עוֹלָם וְלֹא יָקִיצוּ Jer. 51:39, 57
5 וְיָשְׁבוּ בַמִּדְבָּר...וְיָשְׁנוּ בַּיְּעָרִים° Ezek. 34:25
יָשֵׁן 6 וְהִנֵּה שָׁאוּל שֹׁכֵב יָשֵׁן בַּמַּעְגָּל ISh. 26:7
7 אוּלַי יָשֵׁן הוּא וְיִקָץ IK. 18:27
8 כָּל־הַלַּיְלָה יָשֵׁן אֹפֵהֶם Hosh. 7:6
כְּיָשֵׁן 9 וַיִּקַץ כְּיָשֵׁן אֲדֹנָי Ps. 78:65
יְשֵׁנָה 10 וַתִּקַּח אֶת־בְּנִי...וַאֲמָתְךָ יְשֵׁנָה IK. 3:20
11 אֲנִי יְשֵׁנָה וְלִבִּי עֵר S.ofS. 5:2
יְשֵׁנִים 12 וְאֵין מֵקִיץ כִּי כֻלָּם יְשֵׁנִים ISh. 26:12
13 דּוֹבֵב שִׂפְתֵי יְשֵׁנִים S.ofS. 7:10
מִיְּשֵׁנֵי־ 14 וְרַבִּים מִיְּשֵׁנֵי אַדְמַת־עָפָר יָקִיצוּ Dan. 12:2
אִישַׁן 15 הָאִירָה עֵינַי פֶּן־אִישַׁן הַמָּוֶת Ps. 13:4
וְאִישָׁן 16 בְּשָׁלוֹם יַחְדָּו אֶשְׁכְּבָה וְאִישָׁן Ps. 4:9
וָאִישָׁנָה 17 אֲנִי שָׁכַבְתִּי וָאִישָׁנָה Ps. 3:6
תִישַׁן 18 עוּרָה לָמָּה תִישַׁן אֲדֹנָי Ps. 44:24
יִישָׁן 19 ...לֹא יָנוּם וְלֹא יִישָׁן Is. 5:27
20 הִנֵּה לֹא־יָנוּם וְלֹא יִישָׁן Ps. 121:4
וַיִּישַׁן 21 וַיִּשְׁכַּב וַיִּישַׁן תַּחַת רֹתֶם אֶחָד IK. 19:5
וַיִּישָׁן 22 וַיַּפֵּל...תַּרְדֵּמָה עַל־הָאָדָם וַיִּישָׁן Gen. 2:21
23 וַיִּישָׁן וַיַּחֲלֹם שֵׁנִית... Gen. 41:5
יִישְׁנוּ 24 כִּי לֹא יִשְׁנוּ אִם־לֹא יָרֵעוּ Prov. 4:16
וַתְּיַשְּׁנֵהוּ 25 וַתְּיַשְּׁנֵהוּ עַל־בִּרְכֶּיהָ Jud. 16:19

(ישן)2 נוֹשַׁן נפ׳ נעשה יָשָׁן: 1–3

נוֹשַׁנְתֶּם 1 כִּי־תוֹלִיד...וְנוֹשַׁנְתֶּם בָּאָרֶץ Deut. 4:25
נוֹשָׁן 2 וַאֲכַלְתֶּם יָשָׁן נוֹשָׁן Lev. 26:10
נוֹשֶׁנֶת 3 צָרַעַת נוֹשֶׁנֶת הִוא בְּעוֹר בְּשָׂרוֹ Lev. 13:11

יָשָׁן ת׳ עתיק, שאינו חדש: 1–8
יָשָׁן נוֹשָׁן 3; חָדָשׁ וְיָשָׁן 4, 8; הַבְּרֵכָה הַיְשָׁנָה 5; שַׁעַר הַיְשָׁנָה 6, 7; חֲדָשִׁים גַּם יְשָׁנִים 8

יָשָׁן 1 וַאֲכַלְתֶּם מִן־הַתְּבוּאָה יָשָׁן Lev. 25:22
2 עַד־בּוֹא תְּבוּאָתָהּ תֹּאכְלוּ יָשָׁן Lev. 25:22
3 וַאֲכַלְתֶּם יָשָׁן נוֹשָׁן Lev. 26:10
וְיָשָׁן 4 וְיָשָׁן מִפְּנֵי חָדָשׁ תּוֹצִיאוּ Lev. 26:10
הַיְשָׁנָה 5 לְמֵי הַבְּרֵכָה הַיְשָׁנָה Is. 22:11
6 וְאֵת שַׁעַר הַיְשָׁנָה הֶחֱזִיקוּ Neh. 3:6
7 וְעַל־שַׁעַר הַיְשָׁנָה Neh. 12:39
יְשָׁנִים 8 כָּל־מְגָדִים חֲדָשִׁים גַּם־יְשָׁנִים S.ofS. 7:14

יָשֵׁן1 ת׳ – עין יָשֵׁן פ׳

יָשֵׁן2 שפ־ז – אבי אחד מגבורי דוד
יָשֵׁן 1 בְּנֵי יָשֵׁן יְהוֹנָתָן IISh. 23:32

יְשֵׁנָא (קהלת ח1) – עין שנה

יְשָׁנָה עיר בהר אפרים על גבול ישראל ויהודה
יְשָׁנָה 1 וְאֶת־יְשָׁנָה וְאֶת־בְּנוֹתֶיהָ IICh. 13:19

יִשְׁנוּ (משלי ד16) – עין ישן

יְשַׁסּוּ (ישעיה יג 16) – עין שסס

ישע: הוֹשִׁיעַ, נוֹשַׁע; יֵשַׁע, יְשׁוּעָה, מוֹשָׁעוֹת, תְּשׁוּעָה; ש־פ יְהוֹשֻׁעַ, יֵשׁוּעַ, יִשְׁעִי, יְשַׁעְיָה, יְשַׁעְיָהוּ; אֲבִישׁוּעַ, אֱלִישׁוּעַ, מַלְכִּישׁוּעַ

(ישע) הוֹשִׁיעַ הפ׳ א) הציל: 1–184
ב) [נפ׳ נוֹשַׁע] נצל: 185–205

קרובים: א) גָּאַל / הִצִּיל (נצל) / חִלֵּץ / מִלֵּט / פָּדָה / פִּלֵּט
ב) נגאל / נחלץ / נמלט / נעזר / נצל

– הוֹשִׁיעַ (אֶת) רוב המקראות 1–184; הוֹשִׁיעַ (אֶת) מִן־ 7, 15, 28, 29, 36, 37, 39, 41, 43, 48, 56, 88, 110, 120, 129, 130, 152, 153, 169, 173, 178, 180, 181; הוֹשִׁיעַ לְ־ 1–3, 9, 17, 45–47, 52, 56, 103, 109, 142–144, 148, 149, 164, 165
– נוֹשַׁע בְּ־ 185, 186, 189; נוֹשַׁע מִן־ 188, 191, 192, 196

וְהוֹשֵׁעַ 1 מִבּוֹא בְדָמִים וְהוֹשֵׁעַ יָדְךָ לָךְ ISh. 25:26
2 מִבּוֹא בְדָמִים וְהוֹשֵׁעַ יָדִי לִי ISh. 25:33
3 וְהוֹשֵׁעַ לֹא־יוֹשִׁיעוּ לָהֶם Jer. 11:12
לְהוֹשִׁיעַ 4 לְהִלָּחֵם לָכֶם...לְהוֹשִׁיעַ אֶתְכֶם Deut. 20:4
5 וַיָּקָם...לְהוֹשִׁיעַ אֶת־יִשְׂרָאֵל Jud. 10:1
6 לֹא־אוֹסִיף לְהוֹשִׁיעַ אֶתְכֶם Jud. 10:13
7 לְהוֹשִׁיעַ אֶת־יִשְׂרָאֵל מִיַּד פְּלִשְׁתִּים Jud. 13:5
8 אֵין לַיְיָ מַעְצוֹר לְהוֹשִׁיעַ ISh. 14:6
9 וְהָלַכְתִּי לְהוֹשִׁיעַ לָךְ IISh. 10:11
10 וַיִּרְאוּ אֲרָם לְהוֹשִׁיעַ עוֹד... IISh. 10:19
11 אֲנִי מְדַבֵּר בִּצְדָקָה רַב לְהוֹשִׁיעַ Is. 63:1
12 כְּגִבּוֹר לֹא־יוּכַל לְהוֹשִׁיעַ Jer. 14:9
13 כִּי־אִתְּכֶם אֲנִי לְהוֹשִׁיעַ אֶתְכֶם Jer. 42:11
14 לְהוֹשִׁיעַ כָּל־עַנְוֵי־אֶרֶץ Ps. 76:10
15 לְהוֹשִׁיעַ מִשֹּׁפְטֵי נַפְשׁוֹ Ps. 109:31
16 וְלֹא־אָבָה אֲרָם לְהוֹשִׁיעַ ICh. 19:19
וּלְהוֹשִׁיעַ 17 וּלְהוֹשִׁיעַ אֲדֹנִי לוֹ ISh. 25:31
מֵהוֹשִׁיעַ 18 לֹא־קָצְרָה יַד־יְיָ מֵהוֹשִׁיעַ Is. 59:1
לְהוֹשִׁיעֵנִי 19 יְיָ לְהוֹשִׁיעֵנִי Is. 38:20
20 לְבֵית מְצוּדוֹת לְהוֹשִׁיעֵנִי Ps. 31:3
21 לָבוֹא תָּמִיד צִוִּיתָ לְהוֹשִׁיעֵנִי Ps. 71:3
לְהוֹשִׁיעֲךָ 22 אִתְּךָ אֲנִי לְהוֹשִׁיעֲךָ וּלְהַצִּילֶךָ Jer. 15:20
לְהוֹשִׁיעֶךָ 23 כִּי־אִתְּךָ אֲנִי נְאֻם־יְיָ לְהוֹשִׁיעֶךָ Jer. 30:11
לְהוֹשִׁיעָהּ 24 וְגַנּוֹתִי אֶל־הָעִיר הַזֹּאת לְהוֹשִׁיעָהּ IIK. 19:34
25 וְגַנּוֹתִי עַל־הָעִיר הַזֹּאת לְהוֹשִׁיעָהּ Is. 37:35
וְהוֹשַׁעְתִּי 26 אָנֹכִי הִגַּדְתִּי וְהוֹשַׁעְתִּי וְהִשְׁמַעְתִּי Is. 43:12
27 וְהוֹשַׁעְתִּי לְצֹאנִי וְלֹא־תִהְיֶה...לָבַז Ezek. 34:22
28 וְהוֹשַׁעְתִּי אֶתְכֶם מִכֹּל טֻמְאוֹתֵי׳ Ezek. 36:29
29 וְהוֹשַׁעְתִּי אֹתָם מִכֹּל מוֹשְׁבֹתֵי׳ Ezek. 37:23
30 וְהוֹשַׁעְתִּי אֶת־הַצֹּלֵעָה... Zep. 3:19
וְהוֹשַׁעְתִּיךָ 31 וְאִם־בְּנֵי עַמּוֹן יֶחֶזְקוּ...וְהוֹשַׁעְתִּיךָ ICh. 19:12
וְהוֹשַׁעְתִּים 32 וְהוֹשַׁעְתִּים בַּיְיָ אֱלֹהֵיהֶם Hosh. 1:7
הוֹשַׁעְתָּ 33 הוֹשַׁעְתָּ זְרוֹעַ לֹא־עֹז Job 26:2
וְהוֹשַׁעְתָּ 34 וְהוֹשַׁעְתָּ אֶת־יִשׂ׳ מִכַּף־מִדְיָן Jud. 6:14
35 וְהִכִּיתָ...וְהוֹשַׁעְתָּ אֶת־קְעִילָה ISh. 23:2
הוֹשַׁעְתָּנוּ 36 כִּי הוֹשַׁעְתָּנוּ מִיַּד מִדְיָן Jud. 8:22
37 כִּי הוֹשַׁעְתָּנוּ מִצָּרֵינוּ Ps. 44:8
הוֹשִׁיעַ 38 כִּי הוֹשִׁיעַ יְיָ מְשִׁיחוֹ Ps. 20:7
וְהוֹשִׁיעַ 39 וְהוֹשִׁיעַ אֶת־עַמִּי מִיַּד פְּלִשְׁתִּים ISh. 9:16
40 וְהוֹשִׁיעַ יְיָ אֶת־אָהֳלֵי יְהוּדָה Zech. 12:7
הוֹשִׁיעוֹ 41 וּמִכָּל־צָרוֹתָיו הוֹשִׁיעוֹ Ps. 34:7
הוֹשִׁיעָם 42 וּמַלְאַךְ פָּנָיו הוֹשִׁיעָם Is. 63:9
וְהוֹשִׁיעָם 43 וְהוֹשִׁיעָם מִיַּד אֹיְבֵיהֶם Jud. 2:18
44 וְהוֹשִׁיעָם יְיָ אֱלֹהֵיהֶם בַּיּוֹם הַהוּא Zech. 9:16
הוֹשִׁיעָה 45 פֶּן־יִתְפָּאֵר...יָדִי הוֹשִׁיעָה לִּי Jud. 7:2
46 וּזְרוֹעָם לֹא־הוֹשִׁיעָה לָּמוֹ Ps. 44:4
47 הוֹשִׁיעָה־לּוֹ יְמִינוֹ וּזְרוֹעַ קָדְשׁוֹ Ps. 98:1
הוֹשַׁעְתֶּם 48 וְלֹא־הוֹשַׁעְתֶּם אוֹתִי מִיָּדָם Jud. 12:2
מוֹשִׁיעַ 49 צָעֲקָה הַנַּעֲרָ...וְאֵין מוֹשִׁיעַ לָהּ Deut. 22:27
50 וְהָיִיתָ אַךְ עָשׁוּק...וְאֵין מוֹשִׁיעַ Deut. 28:29
51 נְתֻנוֹת לְאֹיְבֶיךָ וְאֵין לְךָ מוֹשִׁיעַ Deut. 28:31
52 וַיָּקֶם יְיָ מוֹשִׁיעַ לִבְנֵי יִשְׂרָאֵל Jud. 3:9
53 וַיָּקֶם יְיָ לָהֶם מוֹשִׁיעַ Jud. 3:15
54 אִם־יֶשְׁךָ מוֹשִׁיעַ בְּיָדִי אֶת־יִשׂ׳ Jud. 6:36
55 וָאֶרְאֶה כִּי־אֵינְךָ מוֹשִׁיעַ Jud. 12:3
56 מוֹשִׁיעַ לָכֶם מִכָּל־רָעוֹתֵיכֶם ISh. 10:19
57 וְאִם־אֵין מוֹשִׁיעַ אֹתָנוּ... ISh. 11:3
58 יִשְׁעוּ וְאֵין מֹשִׁיעַ IISh. 22:42
59 וַיִּתֵּן יְיָ לְיִשְׂרָאֵל מוֹשִׁיעַ IIK. 13:5
60 וְיִשְׁלַח לָהֶם מוֹשִׁיעַ וָרָב Is. 19:20
61 וְאֵין מִבַּלְעָדַי מוֹשִׁיעַ Is. 43:11
62 אֵל מִסְתַּתֵּר אֱלֹהֵי יִשׂ׳ מוֹשִׁיעַ Is. 45:15
63 הִנְנִי מוֹשִׁיעַ אֶת־עַמִּי מֵאֶרֶץ מִזְרָח Zech. 8:7
64 מָגִנִּי עַל־אֱלֹהִים מוֹשִׁיעַ יִשְׁרֵי־לֵב Ps. 7:11
65 מוֹשִׁיעַ חוֹסִים מִמִּתְקוֹמְמִים Ps. 17:7
66 יְשַׁוְּעוּ וְאֵין־מוֹשִׁיעַ Ps. 18:42
וּמוֹשִׁיעַ 67 אֵל צַדִּיק וּמוֹשִׁיעַ אַיִן זוּלָתִי Is. 45:21
68 וּמוֹשִׁיעַ אַיִן בִּלְתִּי Hosh. 13:4
הַמּוֹשִׁיעַ 69 חַי־יְיָ הַמּוֹשִׁיעַ אֶת־יִשְׂרָאֵל ISh. 14:39
לְמוֹשִׁיעַ 70 וַיְהִי לָהֶם לְמוֹשִׁיעַ Is. 63:8
מֹשִׁעִי 71 מֹשִׁעִי מֵחָמָס תֹּשִׁעֵנִי IISh. 22:3
מוֹשִׁיעֲךָ 72/3 כִּי הִנְנִי מוֹשִׁיעֲךָ מֵרָחוֹק Jer. 30:10; 46:27
מוֹשִׁיעֶךָ 74 קְדוֹשׁ יִשְׂרָאֵל מוֹשִׁיעֶךָ Is. 43:3
מוֹשִׁיעֵךְ 75 אִישׁ לְעֶבְרוֹ תָּעוּ אֵין מוֹשִׁיעֵךְ Is. 47:15
76-77 כִּי אֲנִי יְיָ מוֹשִׁיעֵךְ Is. 49:26; 60:16
מוֹשִׁיעוֹ 78 מִקְוֵה יִשְׂרָאֵל מוֹשִׁיעוֹ בְּעֵת צָרָה Jer. 14:8
מוֹשִׁיעָם 79 שָׁכְחוּ אֵל מוֹשִׁיעָם Ps. 106:21
מוֹשִׁיעִים 80 וְעָלוּ מוֹשִׁעִים בְּהַר צִיּוֹן Ob. 21
81 תִּתֵּן לָהֶם מוֹשִׁיעִים וְיוֹשִׁיעוּם Neh. 9:27
אוֹשִׁיעַ 82 בַּמָּה אוֹשִׁיעַ אֶת־יִשְׂרָאֵל Jud. 6:15
83 בִּשְׁלֹשׁ מֵאוֹת...אוֹשִׁיעַ אֶתְכֶם Jud. 7:7
84 וְאֶת־בָּנַיִךְ אָנֹכִי אוֹשִׁיעַ Is. 49:25
85 כֵּן אוֹשִׁיעַ אֶתְכֶם Zech. 8:13
86 וְאֶת־בֵּית יוֹסֵף אוֹשִׁיעַ Zech. 10:6
הוֹשִׁיעַ(=אוֹשִׁיעַ) 87 בְּיַד דָּ׳ עַבְדִּי הוֹשִׁיעַ אֶת־עַמִּי IISh. 3:18
וָאוֹשִׁיעָה 88 וָאוֹשִׁיעָה אֶתְכֶם מִיָּדָם Jud. 10:12
אוֹשִׁיעֵךְ 89 אַל־יוֹשִׁעֵךְ יְיָ מֵאַיִן אוֹשִׁיעֵךְ IIK. 6:27
אוֹשִׁיעֵם 90 וְלֹא אוֹשִׁיעֵם בְּקֶשֶׁת וּבְחֶרֶב Hosh. 1:7
תּוֹשִׁיעַ 91 כִּי תוֹשִׁיעַ בְּיָדִי אֶת־יִשְׂרָאֵל Jud. 6:37
92 וְאֶת־עַם עָנִי תּוֹשִׁיעַ IISh. 22:28
93 אֶזְעַק אֵלֶיךָ חָמָס וְלֹא תוֹשִׁיעַ Hab. 1:2
94 כִּי־אַתָּה עַם־עָנִי תוֹשִׁיעַ Ps. 18:28
95 אָדָם וּבְהֵמָה תוֹשִׁיעַ יְיָ Ps. 36:7
וְתוֹשִׁיעַ 96 וְנִזְעַק אֵלֶיךָ...וְתִשְׁמַע וְתוֹשִׁיעַ IICh. 20:9
תֹּשִׁעֵנִי 97 מֹשִׁעִי מֵחָמָס תֹּשִׁעֵנִי IISh. 22:3
תּוֹשִׁיעֵנוּ 98 אַל־תּוֹשִׁיעֵנוּ הַיּוֹם הַזֶּה Josh. 22:22
יוֹשִׁיעַ 99 וּמִתְפַּלְלִים אֶל־אֵל לֹא יוֹשִׁיעַ Is. 45:20
100 יְיָ אֱלֹהַיִךְ בְּקִרְבֵּךְ גִּבּוֹר יוֹשִׁיעַ Zep. 3:17
101 וְאֶת־דַּכְּאֵי־רוּחַ יוֹשִׁיעַ Ps. 34:19
102 כִּי אֱלֹהִים יוֹשִׁיעַ צִיּוֹן Ps. 69:36
103 יוֹשִׁיעַ לִבְנֵי אֶבְיוֹן וִידַכֵּא עוֹשֵׁק Ps. 72:4
104 וְנַפְשׁוֹת אֶבְיוֹנִים יוֹשִׁיעַ Ps. 72:13
105 וְשַׁח עֵינַיִם יוֹשִׁעַ Job 22:29
106 בְּצִפִּיָּתֵנוּ צִפִּינוּ אֶל־גּוֹי לֹא יוֹשִׁעַ Lam. 4:17
יְהוֹשִׁיעַ 107 לֹא בְּחֶרֶב וּבַחֲנִית יְהוֹשִׁיעַ יְיָ ISh. 17:47
108 דַּלּוֹתִי וְלִי יְהוֹשִׁיעַ Ps. 116:6
וְיֹשַׁע 109 קַוֵּה לַיְיָ וְיֹשַׁע לָךְ Prov. 20:22
וַיּוֹשַׁע 110 וַיּוֹשַׁע יְיָ...אֶת־יִשְׂרָאֵל מִיַּד מִצְ׳ Ex. 14:30
111 וַיּוֹשַׁע גַּם־הוּא אֶת־יִשְׂרָאֵל Jud. 3:31
112 וַיּוֹשַׁע יְיָ בַּיּוֹם הַהוּא אֶת־יִשְׂרָאֵל ISh. 14:23
113 וַיֹּשַׁע דָּוִד אֵת יֹשְׁבֵי קְעִילָה ISh. 23:5
114 וַיֹּשַׁע יְיָ אֶת־דָּוִד בְּכֹל אֲשֶׁר הָלָךְ IISh. 8:6
115 וַיּוֹשַׁע יְיָ אֶת־דָּ׳ בְּכֹל אֲשֶׁר הָלָךְ IISh. 8:14
116 וַיֹּשַׁע מֵחֶרֶב מִפִּיהֶם Job 5:15
117 וַיּוֹשַׁע יְיָ תְּשׁוּעָה גְדוֹלָה ICh. 11:14
118 וַיּוֹשַׁע יְיָ לְדָוִיד בְּכֹל אֲשֶׁר הָלָךְ ICh. 18:6
119 וַיּוֹשַׁע יְיָ אֶת־דָּ׳ בְּכֹל אֲשֶׁר הָלָךְ ICh. 18:13
120 וַיּוֹשַׁע יְיָ אֶת־יְחִזְקִיָּהוּ...מִיַּד... IICh. 32:22
יוֹשִׁיעֵנִי 121 אֲנִי אֶל־אֱלֹהִים אֶקְרָא וַיְיָ יוֹשִׁיעֵנִי Ps. 55:17
וְיוֹשִׁיעֵנִי 122 יִשְׁלַח מִשָּׁמַיִם וְיוֹשִׁיעֵנִי Ps. 57:4
וְיוֹשִׁיעֲךָ 123 וְיוֹשִׁיעֲךָ בְּכָל־עָרֶיךָ Hosh. 13:10
יוֹשִׁעֵךְ 124 אַל־יוֹשִׁעֵךְ יְיָ מֵאַיִן אוֹשִׁיעֵךְ IIK. 6:27
יוֹשִׁיעֶנּוּ 125 מִצָּרָתוֹ לֹא יוֹשִׁיעֶנּוּ Is. 46:7
יֹשִׁעֵנוּ 126 מַה־יֹּשִׁעֵנוּ זֶה ISh. 10:27
127 יְיָ מַלְכֵּנוּ הוּא יוֹשִׁיעֵנוּ Is. 33:22
128 אַשּׁוּר לֹא יוֹשִׁיעֵנוּ Hosh. 14:4
וְיֹשִׁעֵנוּ 129 וְיָבֹא...וְיֹשִׁעֵנוּ מִכַּף אֹיְבֵינוּ ISh. 4:3
130 וְיֹשִׁעֵנוּ מִיַּד פְּלִשְׁתִּים ISh. 7:8
131 אֱלֹהֵינוּ זֶה קִוִּינוּ לוֹ וְיוֹשִׁיעֵנוּ Is. 25:9
וְיֹשַׁעֲכֶם 132 הִנֵּה אֱלֹהֵיכֶם...יָבוֹא וְיֹשַׁעֲכֶם Is. 35:4
יוֹשִׁיעֵם 133/4 מִמְּצֻקוֹתֵיהֶם יוֹשִׁיעֵם Ps. 107:13, 19
וְיוֹשִׁיעֵם 135 יְפַלְּטֵם מֵרְשָׁעִים וְיוֹשִׁיעֵם Ps. 37:40
136 וְאֶת־שַׁוְעָתָם יִשְׁמַע וְיוֹשִׁיעֵם Ps. 145:19
וַיּוֹשִׁיעֵם 137 וַיָּקֶם יְיָ מוֹשִׁיעַ לִבְ־יִ׳ וַיּוֹשִׁיעֵם Jud. 3:9
138 וַיּוֹשִׁיעֵם בְּיַד יָרָבְעָם בֶּן־יוֹאָשׁ IIK. 14:27
139 וַיּוֹשִׁיעֵם לְמַעַן שְׁמוֹ Ps. 106:8
140 וַיּוֹשִׁיעֵם מִיַּד שׂוֹנֵא Ps. 106:10
וַיּוֹשִׁעָן 141 וַיָּקָם מֹשֶׁה וַיּוֹשִׁעָן Ex. 2:17
תּוֹשִׁעַ 142 כִּי־תוֹשִׁעַ לְךָ יְמִינֶךָ Job 40:14
וַתּוֹשַׁע 143 וַתּוֹשַׁע לוֹ זְרֹעוֹ Is. 59:16
144 וַתּוֹשַׁע לִי זְרֹעִי Is. 63:5

תּוֹשִׁיעֵנִי 145 וְחַרְבִּי לֹא תוֹשִׁיעֵנִי Ps. 44:7
וְתוֹשִׁיעֵנִי 146 וְתוֹשִׁיעֵנִי יְמִינֶךָ Ps. 138:7
תּוֹשִׁיעוּן 147 אִם־אַתֶּם תּוֹשִׁיעוּן אוֹתוֹ Jud. 6:31
יוֹשִׁיעוּ 148 יוֹשִׁיעוּ לָכֶם בְּעֵת צָרַתְכֶם Jud. 10:14
149 לֹא־יוֹשִׁיעוּ לָהֶם בְּעֵת רָעָתָם Jer. 11:12
יוֹשִׁיעוּךָ 150 יָקוּמוּ אִם־יוֹשִׁיעוּךָ בְּעֵת רָעָתֶךָ Jer. 2:28
וְיוֹשִׁיעוּךָ 151 יַעַמְדוּ־נָא וְיוֹשִׁיעוּךָ הֹבְרֵי שָׁמַיִם Is. 47:13
וְיוֹשִׁיעוּם 152 וְיוֹשִׁיעוּם מִיַּד צָרֵיהֶם Neh. 9:27
וַיּוֹשִׁיעוּם 153 וַיּוֹשִׁיעוּם מִיַּד שֹׁסֵיהֶם Jud. 2:16
הוֹשַׁע 154 הוֹשַׁע יְיָ אֶת־עַמְּךָ Jer. 31:7(6)
155 הוֹשַׁע עַבְדְּךָ אַתָּה אֱלֹהַי Ps. 86:2
הוֹשִׁיעָה 156 וַתֹּאמֶר הוֹשִׁעָה הַמֶּלֶךְ IISh. 14:7
157 צָעֲקָה...הוֹשִׁיעָה אֲדֹנִי הַמֶּלֶךְ IIK. 6:26
158 הוֹשִׁיעָה יְיָ כִּי־גָמַר חָסִיד Ps. 12:2
159 יְיָ הוֹשִׁיעָה הַמֶּלֶךְ יַעֲנֵנוּ Ps. 20:10
160 הוֹשִׁיעָה אֶת־עַמֶּךָ Ps. 28:9
161/2 הוֹשִׁיעָה יְמִינְךָ וַעֲנֵנִי* Ps. 60:7; 108:7
163 אָנָּא יְיָ הוֹשִׁיעָה נָּא Ps. 118:25
וְהוֹשִׁיעָה 164 עֲלֵה...וְהוֹשִׁיעָה לָּנוּ וְעָזְרֵנוּ Josh. 10:6
165 וְהוֹשִׁיעָה לְבֶן־אֲמָתֶךָ Ps. 86:16
הוֹשִׁיעֵנִי 166 רְפָאֵנִי...הוֹשִׁיעֵנִי וְאִוָּשֵׁעָה Jer. 17:14
167 קוּמָה יְיָ הוֹשִׁיעֵנִי אֱלֹהַי Ps. 3:8
168 הוֹשִׁיעֵנִי לְמַעַן חַסְדֶּךָ Ps. 6:5
169 הוֹשִׁיעֵנִי מִכָּל־רֹדְפַי וְהַצִּילֵנִי Ps. 7:2
170 הוֹשִׁיעֵנִי מִפִּי אַרְיֵה Ps. 22:22
171 הוֹשִׁיעֵנִי בְחַסְדֶּךָ Ps. 31:17
172 אֱלֹהִים בְּשִׁמְךָ הוֹשִׁיעֵנִי Ps. 54:3
173 וּמֵאַנְשֵׁי דָמִים הוֹשִׁיעֵנִי Ps. 59:3
174 הוֹשִׁיעֵנִי...כִּי בָאוּ מַיִם עַד־נָפֶשׁ Ps. 69:2
175 עָזְרֵנִי יְיָ...הוֹשִׁיעֵנִי כְחַסְדֶּךָ Ps. 109:26
176 לְךָ־אֲנִי הוֹשִׁיעֵנִי Ps. 119:94
177 קְרָאתִיךָ הוֹשִׁיעֵנִי Ps. 119:146
וְהוֹשִׁיעֵנִי 178 וְהוֹשִׁעֵנִי מִכַּף מֶלֶךְ־אֲרָם IIK. 16:7
179 הַטֵּה־אֵלַי אָזְנְךָ וְהוֹשִׁיעֵנִי Ps. 71:2
הוֹשִׁיעֵנוּ 180 יְיָ אֱלֹהֵינוּ הוֹשִׁיעֵנוּ נָא מִיָּדוֹ IIK. 19:19
181 יְיָ אֱלֹהֵינוּ הוֹשִׁיעֵנוּ מִיָּדוֹ Is. 37:20
182 הוֹשִׁיעֵנוּ יְיָ אֱלֹהֵינוּ וְקַבְּצֵנוּ Ps. 106:47
183 הוֹשִׁיעֵנוּ אֱלֹהֵי יִשְׁעֵנוּ ICh. 16:35
וְהוֹשִׁיעֵנוּ 184 וּבְעֵת...יֹאמְרוּ קוּמָה וְהוֹשִׁיעֵנוּ Jer. 2:27
נוֹשַׁע 185 מִי כָמוֹךָ עַם נוֹשַׁע בַּיְיָ Deut. 33:29
186 יִשְׂ׳ נוֹשַׁע בַּיְיָ תְּשׁוּעַת עוֹלָמִים Is. 45:17
נוֹשָׁעְנוּ 187 עָבַר קָצִיר...וַאֲנַחְנוּ לוֹא נוֹשָׁעְנוּ Jer. 8:20
וְנוֹשַׁעְתֶּם 188 וְנִזְכַּרְתֶּם...וְנוֹשַׁעְתֶּם מֵאֹיְבֵיכֶם Num. 10:9
נוֹשָׁע 189 אֵין־הַמֶּלֶךְ נוֹשָׁע בְּרָב־חָיִל Ps. 33:16
וְנוֹשָׁע 190 צַדִּיק וְנוֹשָׁע הוּא Zech. 9:9
אִוָּשֵׁעַ 191 מְהֻלָּל אֶקְרָא יְיָ וּמֵאֹיְבַי אִוָּשֵׁעַ IISh. 22:4
192 מְהֻלָּל אֶקְרָא יְיָ וּמִן־אֹיְבַי אִוָּשֵׁעַ Ps. 18:4
וְאִוָּשֵׁעָה 193 רְפָאֵנִי...הוֹשִׁיעֵנִי וְאִוָּשֵׁעָה Jer. 17:14
194 סְעָדֵנִי וְאִוָּשֵׁעָה Ps. 119:117
תִּוָּשֵׁעִי 195 כַּבְּסִי מֵרָעָה...לְמַעַן תִּוָּשֵׁעִי Jer. 4:14
יִוָּשֵׁעַ 196 וְעֵת־צָרָה...וּמִמֶּנָּה יִוָּשֵׁעַ Jer. 30:7
197 הוֹלֵךְ תָּמִים יִוָּשֵׁעַ Prov. 28:18
תִּוָּשַׁע 198 בְּיָמָיו תִּוָּשַׁע יְהוּדָה Jer. 23:6
199 בַּיָּמִים הָהֵם תִּוָּשַׁע יְהוּדָה Jer. 33:16
וְנִוָּשֵׁעַ 200 ...בָּהֶם עוֹלָם וְנִוָּשֵׁעַ Is. 64:4
וְנִוָּשֵׁעָה 201-203 (וְ)הָאֵר פָּנֶיךָ וְנִוָּשֵׁעָה Ps. 80:4, 8, 20
תִּוָּשֵׁעוּן 204 בְּשׁוּבָה וָנַחַת תִּוָּשֵׁעוּן Is. 30:15
וְהִוָּשְׁעוּ 205 פְּנוּ...וְהִוָּשְׁעוּ כָּל־אַפְסֵי־אָרֶץ Is. 45:22

יֶשַׁע, יֵשַׁע

ז׳ ישועה: 1–36 • קרובים: ראה יְשׁוּעָה

– יֵשַׁע יְמִינוֹ 8; ־ עִמּוֹ 10; בִּגְדֵי יֶשַׁע 2

– אֱלֹהֵי יִשְׁעִי 15, 16, 18–20, 28, 30, 32–34, 36; אֱמֶת י׳ 26; מָגֵן י׳ 23, 24; צוּר י׳ 35; קֶרֶן י׳ 11, 17; שְׂשׂוֹן יִשְׁעִי 25

יֶשַׁע 1 תִּפְתַּח־אֶרֶץ וְיִפְרוּ־יֶשַׁע Is. 45:8
2 כִּי הִלְבִּישַׁנִי בִּגְדֵי־יֶשַׁע Is. 61:10
3 וְכֹהֲנֶיהָ אַלְבִּישׁ יֶשַׁע Ps. 132:16
4 וְקֹדְרִים שָׂגְבוּ יֶשַׁע Job 5:11
מִיֶּשַׁע 5 יִרְחֲקוּ בָנָיו מִיֶּשַׁע Job 5:4
בְּיֵשַׁע 6 אָשִׁית בְּיֵשַׁע יָפִיחַ לוֹ Ps. 12:6
לְיֵשַׁע 7 לְיֵשַׁע אֶת־מְשִׁיחֶךָ Hab. 3:13
יֵשַׁע־ 8 יַעֲנֵהוּ...בִּגְבֻרוֹת יֵשַׁע יְמִינוֹ Ps. 20:7
9 אַרְאֶנּוּ בְּיֵשַׁע אֱלֹהִים Ps. 50:23
לְיֵשַׁע־ 10 יָצָאתָ לְיֵשַׁע עַמֶּךָ Hab. 3:13
יִשְׁעִי 11 מָגִנִּי וְקֶרֶן יִשְׁעִי IISh. 22:3
12 וְיָרֻם אֱלֹהֵי צוּר יִשְׁעִי IISh. 22:47
13 כִּי־כָל־יִשְׁעִי וְכָל־חֵפֶץ IISh. 23:5
14 קָרוֹב צִדְקִי יָצָא יִשְׁעִי Is. 51:5
15 אוֹחִילָה לֵאלֹהֵי יִשְׁעִי Mic. 7:7
16 אָגִילָה בֵּאלֹהֵי יִשְׁעִי Hab. 3:18
17 מָגִנִּי וְקֶרֶן־יִשְׁעִי מִשְׂגַּבִּי Ps. 18:3
18 וְיָרוּם אֱלוֹהֵי יִשְׁעִי Ps. 18:47
19 כִּי־אַתָּה אֱלֹהֵי יִשְׁעִי Ps. 25:5
20 אַל־תִּטְּשֵׁנִי...אֱלֹהֵי יִשְׁעִי Ps. 27:9
21 עַל־אֱלֹהִים יִשְׁעִי וּכְבוֹדִי Ps. 62:8
וְיִשְׁעִי 22 יְיָ אוֹרִי וְיִשְׁעִי מִמִּי אִירָא Ps. 27:1
יִשְׁעֶךָ 23/4 וַתִּתֶּן־לִי מָגֵן יִשְׁעֶךָ IISh. 22:36 • Ps. 18:36
25 הָשִׁיבָה לִּי שְׂשׂוֹן יִשְׁעֶךָ Ps. 51:14
26 עֲנֵנִי בֶּאֱמֶת יִשְׁעֶךָ Ps. 69:14
וְיֶשְׁעֲךָ 27 ...יְיָ חַסְדֶּךָ וְיֶשְׁעֲךָ תִּתֶּן־לָנוּ Ps. 85:8
יִשְׁעֵךְ 28 כִּי שָׁכַחַתְּ אֱלֹהֵי יִשְׁעֵךְ Is. 17:10
29 הִנֵּה יִשְׁעֵךְ בָּא Is. 62:11
יִשְׁעוֹ 30 יִשָּׂא בְרָכָה...מֵאֱלֹהֵי יִשְׁעוֹ Ps. 24:5
31 אַךְ קָרוֹב לִירֵאָיו יִשְׁעוֹ Ps. 85:10
יִשְׁעֵנוּ 32 בְּצֶדֶק תַּעֲנֵנוּ אֱלֹהֵי יִשְׁעֵנוּ Ps. 65:6
33 עָזְרֵנוּ אֱלֹהֵי יִשְׁעֵנוּ Ps. 69:9
34 שׁוּבֵנוּ אֱלֹהֵי יִשְׁעֵנוּ Ps. 85:5
35 נָרִיעָה לְצוּר יִשְׁעֵנוּ Ps. 95:1
36 הוֹשִׁיעֵנוּ אֱלֹהֵי יִשְׁעֵנוּ ICh. 16:35

יִשְׁעִי

שפ״ז א) שני אנשים משבט יהודה: 1–3
ב) איש משבט שמעון: 4
ג) איש משבט מנשה: 5

בְּנֵי יִשְׁעִי 2–4

יִשְׁעִי 1 וּבְנֵי אַפַּיִם יִשְׁעִי ICh. 2:31
2 וּבְנֵי יִשְׁעִי שֵׁשָׁן ICh. 2:31
3 וּבְנֵי יִשְׁעִי זוֹחֵת וּבֶן־זוֹחֵת ICh. 4:20
4 וּפְלַטְיָה...בְּנֵי יִשְׁעִי בְּרֹאשָׁם ICh. 4:42
וְיִשְׁעִי 5 וְעֵפֶר וְיִשְׁעִי וֶאֱלִיאֵל ICh. 5:24

יְשַׁעְיָה

שפ״ז א) איש מבני עילם: 1
ב) איש מבית לוי: 2
ג) איש מבנימין: 3
ד) איש מבית זרובבל: 4

יְשַׁעְיָה 1 וּמִבְּנֵי עֵילָם יְשַׁעְיָה בֶּן־עֲתַלְיָה Ez. 8:7
2 וְאִתּוֹ יְשַׁעְיָה מִבְּנֵי מְרָרִי Ez. 8:19
3 בֶּן־אִיתִיאֵל בֶּן־יְשַׁעְיָה Neh. 11:7
וִישַׁעְיָה 4 וּבֶן־חֲנַנְיָה פְּלַטְיָה וִישַׁעְיָה ICh. 3:21

יְשַׁעְיָהוּ

שפ״ז א) בן אמוץ, הנביא: 1–32, 35
ב) ראש משמר לויים, מנגן בימי דוד: 33
ג) מצאצאי אליעזר בן משה: 34

חֲזוֹן יְשַׁעְיָהוּ 3, 32

יְשַׁעְיָהוּ 1 וַיִּשְׁלַח...אֶל־יְשַׁעְיָהוּ הַנָּבִיא בֶּן־אָמוֹץ IIK. 19:2
2 וַיָּבֹאוּ עַבְדֵי...חִזְקִיָּהוּ אֶל־יְשַׁעְיָהוּ IIK. 19:5
3 חֲזוֹן יְשַׁעְיָהוּ בֶן־אָמוֹץ Is. 1:1
4-5 אֲשֶׁר חָזָה יְשַׁעְיָהוּ בֶּן־אָמוֹץ Is. 2:1; 13:1
6-29 יְשַׁעְיָהוּ (בֶּן־אָמוֹץ) IIK. 19:6, 20; 20:1, 4, 7, 8, 9, 11, 14, 16, 19 • Is. 7:3; 20:2, 3; 37:2, 5; 37:6, 21; 38:1, 4, 21; 39:3, 5, 8
30 הַשְּׁמִינִי יְשַׁעְיָהוּ... ICh. 25:15
31 כָּתַב יְשַׁעְיָהוּ בֶן־אָמוֹץ הַנָּבִיא IICh. 26:22
32 בַּחֲזוֹן יְשַׁעְיָהוּ בֶן־אָמוֹץ הַנָּבִיא IICh. 32:32
וִישַׁעְיָהוּ 33 בְּנֵי יְדוּתוּן גְּדַלְיָהוּ וּצְרִי וִישַׁעְיָהוּ ICh. 25:3
34 רְחַבְיָהוּ בְנוֹ וִישַׁעְיָהוּ בְנוֹ ICh. 26:25
35 וַיִּתְפַּלֵּל יְחִזְקִיָּהוּ הַמֶּלֶךְ וִישַׁעְיָהוּ IICh. 32:20

יָשְׁפֵה

ז׳ אבן יקרה: 1–3 • קרובים: ראה אֹדֶם

וְיָשְׁפֵה 1 תַּרְשִׁישׁ וְשֹׁהַם וְיָשְׁפֵה Ex. 28:20
2-3 תַּרְשִׁישׁ שֹׁהַם וְיָשְׁפֵה Ex. 39:13 • Ezek. 28:13

יִשְׁפָּה

שפ״ז – איש מבני בנימין

וְיִשְׁפָּה 1 וּמִיכָאֵל וְיִשְׁפָּה וְיוֹחָא בְּנֵי בְרִיעָה ICh. 8:16

יִשְׁפָּן

שפ״ז – ראש בית אב לבנימין

וְיִשְׁפָּן 1 וְיִשְׁפָּן וָעֵבֶר וֶאֱלִיאֵל ICh. 8:22

יִשַּׁק

(בראשית מא40) – עין נשק

יַשְׁקְ, וַיַּשְׁקְ

(בראשית כט10) – עין שקה

יַשְׁקוּ

(יואל ב9) – עין שקק

ישר

: יָשַׁר, יִשַּׁר, יָשָׁר, הֵישִׁיר; יָשָׁר, יֹשֶׁר, יְשָׁרָה, מִישׁוֹר, מֵישָׁרִים; ש״פ יְשֻׁרוּן, יֵשֶׁר, שָׁרוֹן

יָשַׁר

פ׳ א) התקדם במכוון: 13
ב) נראה לו, היה רצוי לו: 1–12
ג) [פ׳ יִשַּׁר] הסיר עקמומית (גם בהשאלה): 14–22
ד) [פ׳ יַשַּׁר] היה ישר: 23
ה) [הפ׳ הֵישִׁיר] יִשֵּׁר, עשה שיהא מכוון: 24, 25

יָשַׁר בְּעֵינָיו 1–4, 6–12; יָשְׁרָה נַפְשׁוֹ 5; יַשֵּׁר אוֹרְחוֹתָיו 15, 18; יַשֵּׁר דַּרְכּוֹ 17, 21; יַשֵּׁר הַדּוּרִים 16; יַשֵּׁר מְסִלָּה 22; הֵישִׁיר דַּרְכּוֹ 25

יָשַׁר 1 כַּאֲשֶׁר יָשַׁר בְּעֵינֵי הַיּוֹצֵר לַעֲשׂוֹת Jer. 18:4
2 וּנְתַתִּיהָ לַאֲשֶׁר יָשַׁר בְּעֵינָי Jer. 27:5
3 כִּי־יָשַׁר הַדָּבָר בְּעֵינֵי כָל־הָעָם ICh. 13:4
יָשְׁרָה 4 אוֹתָהּ קַח־לִי כִּי־הִיא יָשְׁרָה בְעֵינָי Jud. 14:3
5 הִנֵּה עֻפְּלָה לֹא־יָשְׁרָה נַפְשׁוֹ בּוֹ Hab. 2:4
יָשְׁרוּ 6 וְלֹא יָשְׁרוּ בְּעֵינָיו IK. 9:12
יִישַׁר 7 אוּלַי יִישַׁר בְּעֵינֵי הָאֱלֹהִים Num. 23:27
וַיִּישַׁר 8 וַיִּשַׁר הַדָּבָר בְּעֵינָיו ISh. 18:20
9 וַיִּשַׁר הַדָּבָר בְּעֵינֵי דָוִד לְהִתְחַתֵּן ISh. 18:26
10 וַיִּישַׁר הַדָּבָר בְּעֵינֵי אַבְשָׁלֹם IISh. 17:4
11 וַיִּישַׁר הַדָּבָר בְּעֵינֵי הַמֶּלֶךְ IICh. 30:4
וַתִּישַׁר 12 וַתִּישַׁר בְּעֵינֵי שִׁמְשׁוֹן Jud. 14:7
וַיִּשַּׁרְנָה 13 וַיִּשַּׁרְנָה הַפָּרוֹת בַּדֶּרֶךְ ISh. 6:12
יִשָּׁרְתִּי 14 כָּל־פִּקּוּדֵי כֹל יִשָּׁרְתִּי Ps. 119:128
הַמְיַשְּׁרִים 15 לִקְרֹא לְעֹבְרֵי־דָרֶךְ הַמְיַשְּׁרִים אֹרְחוֹתָם Prov. 9:15

אִשֵּׁר 16 אֵלֵךְ וַהֲדוּרִים אֲיַשֵּׁר (כת׳ אושר) Is. 45:2
17 וְכָל־דְּרָכָיו אֲיַשֵּׁר Is. 45:13
יְיַשֵּׁר 18 וְהוּא יְיַשֵּׁר אֹרְחֹתֶיךָ Prov. 3:6
יְיַשֶּׁר־ 19 וְאִישׁ תְּבוּנָה יְיַשֶּׁר־לָכֶת Prov. 15:21
(וַיְיַשְּׁרֵם) 20 וַיַּשְּׁרֵם (כת׳ ויישרם) לְמַטָּה IICh. 32:30
תְּיַשֵּׁר 21 צִדְקַת תָּמִים תְּיַשֵּׁר דַּרְכּוֹ Prov. 11:5
יַשְּׁרוּ 22 יַשְּׁרוּ בָּעֲרָבָה מְסִלָּה לֵאלֹהֵינוּ Is. 40:3
מְיֻשָּׁר 23 וְצִפָּה זָהָב מְיֻשָּׁר עַל־הַמְּחֻקֶּה IK. 6:35
יַיְשִׁירוּ 24 וְעַפְעַפֶּיךָ יַיְשִׁירוּ נֶגְדֶּךָ Prov. 4:25
הַיְשַׁר 25 הַיְשַׁר (כת׳ הושר) לְפָנַי דַּרְכֶּךָ Ps. 5:9

יָשָׁר

ת׳ לא עקום [ובהשאלה] טוב, רצוי, תמים: 1–118

קרובים: בַּר / חָסִיד / טוֹב / נֶאֱמָן / נָבָר / נָקִי / צַדִּיק / רָצוּי / תָּם / תָּמִים

– הַיָּשָׁר וְהַטּוֹב 30; אֱמֶת וְיָשָׁר 22; זַךְ וְיָשָׁר 28; הַטּוֹב וְהַיָּשָׁר 67–71; צַדִּיק וְיָשָׁר 19; תָּם וְיָשָׁר 25–27

– יָשָׁר בְּעֵינָיו 2, 11, 15, 30–52, 54, 55, 57–63, 65, 66, 68, 70, 71; יְשַׁר דֶּרֶךְ 72, 111; יְשַׁר (יִשְׁרֵי) לֵב 109, 110, 112–117

– דָּבָר יָשָׁר 8; דֶּרֶךְ יָ׳ 5, 12, 13, 78; לֵב יָשָׁר 3; סֵפֶר הַיָּשָׁר 53, 56; פֹּעַל יָשָׁר 14, 16

– דֶּרֶךְ יְשָׁרָה 24, 72, 74–76; רֶגֶל יְשָׁרָה 73

– אֹהֶל יְשָׁרִים 92; אֹרַח יְ׳ 94; בִּרְכַּת יְ׳ 89; דּוֹבֵר יְ׳ 95; דּוֹר יְ׳ 83; מוֹת יְ׳ 77; מְסִלַּת יְ׳ 96; סוֹד יְ׳ 82; פִּי יְ׳ 90; צִדְקַת יְ׳ 88; תֻּמַּת יְ׳ 87; תְּפִלַּת יְשָׁרִים 93

– מִשְׁפָּטִים יְשָׁרִים 101; כְּנָפַיִם יְשָׁרוֹת 118

יָשָׁר 1 חַי־יְיָ כִּי־יָשָׁר אַתָּה ISh. 29:6
2 כִּי־אָז יָשָׁר בְּעֵינֶיךָ IISh. 19:7
3 הֲיֵשׁ אֶת־לְבָבְךָ יָשָׁר IIK. 10:15
4 יָשָׁר מַעְגַּל צַדִּיק תְּפַלֵּס Is. 26:7
5 אוֹלִיכֵם...בְּדֶרֶךְ יָשָׁר Jer. 31:9(8)
6 טוֹבָם כְּחֵדֶק יָשָׁר מִמְּסוּכָה Mic. 7:4
7 יָשָׁר יֶחֱזוּ פָנֵימוֹ Ps. 11:7
8 כִּי־יָשָׁר דְּבַר־יְיָ Ps. 33:4
9 שְׁמָר־תָּם וּרְאֵה יָשָׁר Ps. 37:37
10 לְהַגִּיד כִּי־יָשָׁר יְיָ Ps. 92:16
11 דֶּרֶךְ אֱוִיל יָשָׁר בְּעֵינָיו Prov. 12:15
12/3 יֵשׁ דֶּרֶךְ יָשָׁר לִפְנֵי־אִישׁ Prov. 14:12; 16:25
14 אִם־זַךְ וְאִם־יָשָׁר פָּעֳלוֹ Prov. 20:11
15 כָּל־דֶּרֶךְ אִישׁ יָשָׁר בְּעֵינָיו Prov. 21:2
16 וְזַךְ יָשָׁר פָּעֳלוֹ Prov. 21:8
17 שָׁם יָשָׁר נוֹכָח עִמּוֹ Job 23:7
18 עָשָׂה הָאֱלֹהִים אֶת־הָאָדָם יָשָׁר Eccl. 7:29
וְיָשָׁר 19 אֵל אֱמוּנָה...צַדִּיק וְיָשָׁר הוּא Deut. 32:4
20 אָבַד חָסִיד...וְיָשָׁר בָּאָדָם אָיִן Mic. 7:2
21 טוֹב־וְיָשָׁר יְיָ Ps. 25:8
22 עֲשׂוּיִם בֶּאֱמֶת וְיָשָׁר Ps. 111:8
23 צַדִּיק אַתָּה יְיָ וְיָשָׁר מִשְׁפָּטֶיךָ Ps. 119:137
24 וְיָשָׁר הוּא יָבִין° דַּרְכּוֹ° Prov. 21:29
25 תָּם וְיָשָׁר וִירֵא אֱלֹהִים Job 1:1
26/7 אִישׁ תָּם וְיָשָׁר יְרֵא אֱלֹהִים Job 1:8; 2:3
28 אִם־זַךְ וְיָשָׁר אָתָּה Job 8:6
29 חָטָאתִי וְיָשָׁר הֶעֱוֵיתִי Job 33:27
הַיָּשָׁר 30 וְעָשִׂיתָ הַיָּשָׁר וְהַטּוֹב בְּעֵינֵי יְיָ Deut. 6:18
31 לֹא תַעֲשׂוּן...אִישׁ כָּל הַיָּשָׁר בְּעֵינָיו Deut. 12:8
32 כִּי תַעֲשֶׂה הַיָּשָׁר בְּעֵינֵי יְיָ Deut. 12:25
33–52 עָשָׂה (לַעֲשׂוֹת, תַּעֲשֶׂה, וַיַּעַשׂ וכד׳) הַיָּשָׁר בְּעֵינֵי יְיָ Deut. 13:19; 21:9
IK. 15:5, 11; 22:43 • IIK. 12:3; 14:3; 15:3, 34; 16:2; 18:3; 22:2 • IICh. 20:32; 24:2; 25:2; 26:4; 27:2; 28:1; 29:2; 34:2
53 הֲלֹא־הִיא כְתוּבָה עַל־סֵפֶר הַיָּשָׁר Josh. 10:13
54/5 אִישׁ הַיָּשָׁר בְּעֵינָיו יַעֲשֶׂה Jud. 17:6; 21:25
56 הִנֵּה כְתוּבָה עַל־סֵפֶר הַיָּשָׁר IISh. 1:18
57 לַעֲשׂוֹת הַיָּשָׁר בְּעֵינַי IK. 11:33
58 וְעָשִׂיתָ הַיָּשָׁר בְּעֵינַי IK. 11:38
59 לַעֲשׂוֹת רַק הַיָּשָׁר בְּעֵינָי IK. 14:8
60 הֱטִיבֹתָ לַעֲשׂוֹת הַיָּשָׁר בְּעֵינַי IIK. 10:30
61 וַתַּעֲשׂוּ אֶת־הַיָּשָׁר בְּעֵינַי Jer. 34:15
62 אֶל־טוֹב וְאֶל־הַיָּשָׁר בְּעֵינֶיךָ לָלֶכֶת Jer. 40:4
63 אוֹ אֶל־כָּל־הַיָּשָׁר בְּעֵינֶיךָ לָלֶכֶת Jer. 40:5
64 הֲלוֹא דְבָרַי יֵיטִיבוּ עִם הַיָּשָׁר הוֹלֵךְ Mic. 2:7
וְהַיָּשָׁר 65 וְהַיָּשָׁר בְּעֵינָיו תַּעֲשֶׂה Ex. 15:26
66 הַטּוֹב וְהַיָּשָׁר בְּעֵינֵי יְיָ אֱלֹהֶיךָ Deut. 12:28
67 וּרְאִיתֶם הַטּוֹב וְהַיָּשָׁר מִבְּנֵי אֲדֹנֵיכֶם IIK. 10:3
68 וַיַּעַשׂ אָסָא הַטּוֹב וְהַיָּשָׁר בְּעֵינֵי יְיָ IICh. 14:1
69 וַיַּעַשׂ הַטּוֹב וְהַיָּשָׁר וְהָאֱמֶת IICh. 31:20
וְכַיָּשָׁר 70 כַּטּוֹב וְכַיָּשָׁר בְּעֵינֶיךָ לַעֲשׂוֹת לָנוּ Josh. 9:25
71 עֲשׂוּ לִי כַּטּוֹב וְכַיָּשָׁר בְּעֵינֵיכֶם Jer. 26:14
יְשַׁר־ 72 וְתוֹעֲבַת רָשָׁע יְשַׁר־דָּרֶךְ Prov. 29:27
יְשָׁרָה 73 וְרַגְלֵיהֶם רֶגֶל יְשָׁרָה Ezek. 1:7
74 וַיַּדְרִיכֵם בְּדֶרֶךְ יְשָׁרָה Ps. 107:7
75 לְבַקֵּשׁ מִמֶּנּוּ דֶּרֶךְ יְשָׁרָה Ez. 8:21
וְהַיְשָׁרָה 76 וְהוֹרֵיתִי...בְּדֶרֶךְ הַטּוֹבָה וְהַיְשָׁרָה ISh. 12:23
יְשָׁרִים 77 תָּמֹת נַפְשִׁי מוֹת יְשָׁרִים Num. 23:10
78 כִּי־יְשָׁרִים דַּרְכֵי יְיָ Hosh. 14:10
79 פִּקּוּדֵי יְיָ יְשָׁרִים מְשַׂמְּחֵי־לֵב Ps. 19:9
80 וַיִּרְדּוּ בָם יְשָׁרִים לַבֹּקֶר Ps. 49:15
81 יִרְאוּ יְשָׁרִים וְיִשְׂמָחוּ Ps. 107:42
82 אוֹדֶה...בְּסוֹד יְשָׁרִים וְעֵדָה Ps. 111:1
83 דּוֹר יְשָׁרִים יְבֹרָךְ Ps. 112:2
84 יֵשְׁבוּ יְשָׁרִים אֶת־פָּנֶיךָ Ps. 140:14
85 כִּי־יְשָׁרִים יִשְׁכְּנוּ־אָרֶץ. Prov. 2:21
86 וְאֶת־יְשָׁרִים סוֹדוֹ Prov. 3:32
87 תֻּמַּת יְשָׁרִים תַּנְחֵם Prov. 11:3
88 צִדְקַת יְשָׁרִים תַּצִּילֵם Prov. 11:6
89 בְּבִרְכַּת יְשָׁרִים תָּרוּם קָרֶת Prov. 11:11
90 וּפִי יְשָׁרִים יַצִּילֵם Prov. 12:6
91 וּבֵין יְשָׁרִים רָצוֹן Prov. 14:9
92 וְאֹהֶל יְשָׁרִים יַפְרִיחַ Prov. 14:11
93 וּתְפִלַּת יְשָׁרִים רְצוֹנוֹ Prov. 15:8
94 וְאֹרַח יְשָׁרִים סְלֻלָה Prov. 15:19
95 וְדֹבֵר יְשָׁרִים יֶאֱהָב Prov. 16:13
96 מְסִלַּת יְשָׁרִים סוּר מֵרָע Prov. 16:17
97 וְתַחַת יְשָׁרִים בּוֹגֵד Prov. 21:18
98 מַשְׁגֶּה יְשָׁרִים בְּדֶרֶךְ רָע Prov. 28:10
99 וְאֵיפֹה יְשָׁרִים נִכְחָדוּ Job 4:8
100 יָשֹׁמּוּ יְשָׁרִים עַל־זֹאת Job 17:8
101 מִשְׁפָּטִים יְשָׁרִים וְתוֹרוֹת אֱמֶת Neh. 9:13
וִישָׁרִים 102 וִישָׁרִים לְמֹצְאֵי דָעַת Prov. 8:9
103 וִישָׁרִים יְבַקְשׁוּ נַפְשׁוֹ Prov. 29:10
104 וִישָׁרִים עִמּוֹ וְעָשָׂה Dan. 11:17
לַיְשָׁרִים 105 לַיְשָׁרִים נָאוָה תְהִלָּה Ps. 33:1
106 זָרַח בַּחֹשֶׁךְ אוֹר לַיְשָׁרִים Ps. 112:4
107 יִצְפֹּן לַיְשָׁרִים תּוּשִׁיָּה Prov. 2:7
וְלִישָׁרִים 108 הֵיטִיבָה...וְלִישָׁרִים בְּלִבּוֹתָם Ps. 125:4
יִשְׁרֵי־ 109 מוֹשִׁיעַ יִשְׁרֵי־לֵב Ps. 7:11
110 וְהַרְנִינוּ כָּל־יִשְׁרֵי־לֵב Ps. 32:11
111 לִטְבוֹחַ יִשְׁרֵי־דָרֶךְ Ps. 37:14
112 וְיִתְהַלְלוּ כָּל־יִשְׁרֵי־לֵב Ps. 64:11
113 וְאַחֲרָיו כָּל־יִשְׁרֵי־לֵב Ps. 94:15
114 כִּי הַלְוִיִּם יִשְׁרֵי לֵבָב לְהִתְקַדֵּשׁ IICh. 29:34
לְיִשְׁרֵי־ 115 לִירוֹת בְּמוֹ־אֹפֶל לְיִשְׁרֵי־לֵב Ps. 11:2
116 וְצִדְקָתְךָ לְיִשְׁרֵי־לֵב Ps. 36:11
וּלְיִשְׁרֵי־ 117 וּלְיִשְׁרֵי־לֵב שִׂמְחָה Ps. 97:11
יְשָׁרוֹת 118 כַּנְפֵיהֶם יְשָׁרוֹת אִשָּׁה אֶל־אֲחוֹתָהּ Ezek. 1:23

יֹשֶׁר

ז׳ תּוֹם, צדקה: 1–14

קרובים: אֱמֶת / בֹּר¹ / יְשָׁרָה / מֵישָׁרִים / נְכֹחָה / צֶדֶק / צְדָקָה / תֹּם / תֻּמָּה

תֹּם וָיֹשֶׁר 5, 6; יֹשֶׁר לֵב 8; יֹשֶׁר לֵבָב 10–12; אִמְרֵי יֹשֶׁר 4; אָרְחוֹת יֹשֶׁר 1; מַעְגְּלֵי יֹשֶׁר 2

יֹשֶׁר 1 הַעֹזְבִים אָרְחוֹת יֹשֶׁר Prov. 2:13
2 הִדְרַכְתִּיךָ בְּמַעְגְּלֵי־יֹשֶׁר Prov. 4:11
3 לְהַכּוֹת נְדִיבִים עֲלֵי־יֹשֶׁר Prov. 17:26
4 מַה־נִּמְרְצוּ אִמְרֵי־יֹשֶׁר Job 6:25
וָיֹשֶׁר 5 תֹּם וָיֹשֶׁר יִצְּרוּנִי Ps. 125:21
וּבְיֹשֶׁר 6 הָלַךְ דָּוִד...בְּתָם־לֵבָב וּבְיֹשֶׁר IK. 9:4
מִיֹּשֶׁר 7 וְחוֹשֵׂךְ מִיֹּשֶׁר אַךְ־לְמַחְסוֹר Prov. 11:24
יֹשֶׁר־ 8 יֹשֶׁר־לִבִּי אֲמָרָי Job 33:3
9 וְכָתוּב יֹשֶׁר דִּבְרֵי אֱמֶת Eccl. 12:10
בְּיֹשֶׁר־ 10 אוֹדְךָ בְּיֹשֶׁר לֵבָב Ps. 119:7
11 אֲנִי בְּיֹשֶׁר לְבָבִי הִתְנַדַּבְתִּי ICh. 29:17
וּבְיֹשֶׁר־ 12 לֹא בְצִדְקָתְךָ וּבְיֹשֶׁר לְבָבְךָ Deut. 9:5
יָשְׁרוֹ 13 לְהַגִּיד לְאָדָם יָשְׁרוֹ Job 33:23
בְּיָשְׁרוֹ 14 הוֹלֵךְ בְּיָשְׁרוֹ יְרֵא יְיָ Prov. 14:2

יֵשֶׁר

שפ״ז – בן כָּלֵב מאשתו עזובה

יֵשֶׁר 1 וְאֵלֶּה בָנֶיהָ יֵשֶׁר וְשׁוֹבָב וְאַרְדּוֹן ICh. 2:18

יָשֹׁר

(איוב לג 27) – עין שור

יִשְׂרָאֵל

שפ״ז א) שם כבוד שנתן יי ליעקב לאחר שנאבק עם איש האלהים: 1, 3–34, 38–40, 2266, 2422, 2474

ב) כנוי לשבטי בני יעקב ולעם כולו וכן לארץ (״אֶרֶץ יִשְׂרָאֵל״): כל יתר המקראות

– אַבְרָהָם (יִצְחָק) וְיִשְׂרָאֵל 2275, 2283, 2292, 2297, 2474; יְהוּדָה וְיִשְׂרָאֵל 2271, 2285, 2293–2296; יַעֲקֹב...יִשְׂרָאֵל 2276–2282, 2300, 2418, 2420, 2477; יִצְחָק עֵשָׂו וְיִשְׂרָאֵל 2291

– אֲבִיר יִשְׂרָאֵל 1483; אֶבֶן יִ׳ 36; אַדְמַת יִ׳ 1577, 1582–1597; אוֹיְבֵי יִ׳ 1693; אוֹר יִ׳ 1514; אוֹרֵב יִ׳ 1222; אִישׁ יִ׳ 898, 899, 914, 915, 927–970; אֵל יִ׳ 1643; אֱלֹהַּ יִ׳ 1660–1662; אֱלֹהֵי יִ׳ 3, 700, 701, 726, 731, 888, 924, 925, 971–1160; אַלְפֵי יִ׳ 876, 877, 887, 903, 1171, 1172, 1173; אֱמוּנֵי יִ׳ 1268; אַנְשֵׁי יִ׳ 1225, 1227, 1237, 1246, 1254–1258; אֶרֶץ יִ׳ 1238, 1443, 1444, 1446, 1605, 1617, 1619, 1678, 1688, 1696; אַרְצוֹת יִ׳ 1674; אִשֵּׁי יִ׳ 1223; בּוֹרֵא יִ׳ 1523; בַּחוּרֵי יִ׳ 1265, 1644; בֵּית יִ׳ 723, 732–874; בְּכוֹר יִ׳ 878, 901, 1668; בֵּן יִ׳ 1664, 1669, 1671, 1672; בְּנוֹת יִ׳ 911, 1179, 1261; בְּנֵי יִ׳ 2, 9, 14, 18, 21, 22, 39–666, 722, 727, 728; בְּתוּלַת יִ׳ 910, 1550, 1553, 1630; בָּתֵּי יִ׳ 1513; גְּאוֹן יִ׳ 1621, 1622, 1636; גְּבוּל יִ׳ 1226, 1229–1236, 1579, 1580; גִּבּוֹרֵי יִ׳ 1655; גְּדוּד יִ׳ 1695; גּוֹאֵל יִ׳ 1530; הֲמוֹן יִ׳ 1263, 1447, 1448;

יִשְׂרָאֵל (המשך)

הַר י׳ 1166, 1168; הָרֵי י׳ 1561-1576; זְמִירוֹת י׳ 1271; זִקְנֵי י׳ 667-698; זֶרַע י׳ 1477, 1526, 1554, 1555, 1640, 1666, 1675; חוּקְקֵי י׳ 1176; חַטַּאת י׳ 1623; חַלְלֵי י׳ 1560; חֶמְדַּת י׳ 1228; חֻקּוֹת י׳ 1476; יַד י׳ 1162, 1163, 1165, 1175, 1239, 1240; יְמֵי י׳ 25; יְמִין י׳ 31; יְשׁוּעַת י׳ 1638, 1641; כְּבוֹד י׳ 1633; כִּסֵּא י׳ 1273, 1274, 1280, 1282, 1283, 1450, 1451, 1689, 1690; לַחַץ י׳ 1452; מְזָרֵה י׳ 1552; מַחֲנֵה י׳ 716, 717, 922, 923, 1177, 1252, 1259, 1442; מַטּוֹת י׳ 902, 1170; מֶלֶךְ י׳ 1248, 1253, 1264, 1308-1434; מַלְכֵי י׳ 1290-1307, 1437, 1449, 1453-1472; מַמְלְכוּת י׳ 1241; מַמְלֶכֶת י׳ 1249; מִנְחַת י׳ 1224; מַעַרְכוֹת י׳ 1243-1245; מַעֲשֵׂה י׳ 1692; מִקְדְּשֵׁי י׳ 1632; מְקוֹר י׳ 1642; מִקְנֵה י׳ 703, 704; מְרוֹם י׳ 1601, 1602, 1608; מְשׁוּבָה י׳ 1534-1537; מַשְׁקֵה י׳ 1618; מְתֵי י׳ 1522; נְבִיאֵי י׳ 1598, 1599, 1614; נִדְחֵי י׳ 1517, 1531, 1654; נַחֲלַת י׳ 1183; נְצוּרֵי י׳ 1529; נֵצַח י׳ 1242; נֵר י׳ 1270; נְשִׂיא י׳ 1603; נְשִׂיאֵי י׳ 879-886; עֲדַת י׳ 705-715; עוֹכֵר י׳ 1438, 1667; עֲוֹן י׳ 1558; עַם י׳ 1266, 1436, 1658, 1659; עַמָּא י׳ 1663; עַמִּי י׳ 1600, 1604, 1609, 1610, 1612, 1613, 1615, 1631; עֲמַל י׳ 1178; עֲנִי י׳ 1474; עָרֵי י׳ 1247, 1435, 1473, 1616, 1691; פְּלֵיטַת י׳ 1484; פְּקֻדַּת י׳ 1684; פִּשְׁעֵי י׳ 1627-1629; צְבָא י׳ 1276, 1694; צִבְאוֹת י׳ 1275; הַצְּבִי י׳ 1260 • צוּר י׳ 1272, 1520; קְדוֹשׁ י׳ 1479, 1485-1512; קְהַל י׳ 875, 917, 926, 1277-1279, 1281, 1284-1289; קוֹל י׳ 890; בְּקֶרֶב י׳ 1625; קֶרֶן י׳ 1657; קֶשֶׁת י׳ 1620; רֹבַע י׳ 893; רֶגֶל י׳ 1480, 1697; רוֹעֵה י׳ 1645; רוֹעֵי י׳ 1606, 1607; רֶכֶב י׳ 1440, 1441; שְׁאָר י׳ 1515; שְׁאֵרִית י׳ 1539, 1551, 1578, 1581, 1634, 1637, 1699; שְׁבוּת י׳ 1556; שִׁבְטֵי י׳ 35, 37, 725, 918, 921, 1169, 1174, 1180, 1182, 1184-1221; שׁוֹמֵר י׳ 1649; שׁוֹפֵט י׳ 1635; שׁוֹפְטֵי י׳ 897, 1677; שֵׁם י׳ 1475, 1527, 1646; שְׁמַע יִשְׂרָאֵל 904; שָׂרֵי י׳ 1680-1683; שֵׁרִית י׳ 1673; תְּהִלּוֹת י׳ 1639; תִּפְאֶרֶת יִשְׂרָאֵל 1656; תְּשׁוּעַת יִשְׂרָאֵל 1538

– אֵם בְּיִשְׂרָאֵל 2315; עִיר וְאֵם בְּיִשְׂרָאֵל 2327;

– אַךְ טוֹב לְיִשְׂרָאֵל 2442; חֹק לְיִשְׂרָאֵל 2443-2445; נַחֲלָה לְי׳ 2428, 2447, 2448; עֵדוּת לְיִשְׂרָאֵל 2446; שָׁלוֹם עַל יִשְׂרָאֵל 1650, 1651

יִשְׂרָאֵל

1 לֹא יַעֲקֹב...כִּי אִם־יִשְׂרָאֵל — Gen. 32:28
2 לֹא־יֹאכְלוּ בְּ״יִ אֶת־גִּיד הַנָּשֶׁה — Gen. 32:32
3 וַיִּקְרָא־לוֹ אֵל אֱלֹהֵי יִשְׂרָאֵל — Gen. 33:20
4 ...כִּי אִם־יִשְׂרָאֵל יִהְיֶה שְׁמֶךָ — Gen. 35:10
5 וַיִּקְרָא אֶת־שְׁמוֹ יִשְׂרָאֵל — Gen. 35:10
6 וַיִּסַּע יִשְׂרָאֵל וַיֵּט אָהֳלֹה... — Gen. 35:21
7 וַיְהִי בִּשְׁכֹּן יִשְׂרָאֵל בָּאָ׳ הַהִוא — Gen. 35:22
8 וַיִּשְׁמַע יִשְׂרָאֵל — Gen. 35:22
9 לִפְנֵי מְלָךְ־מֶלֶךְ לִבְנֵי יִשְׂרָאֵל — Gen. 36:31
10-13 וַיֹּאמֶר יִשְׂרָאֵל אֶל־יוֹסֵף — Gen. 37:13
46:30; 48:11, 21
14 וַיָּבֹאוּ בְּנֵי יִשְׂרָאֵל לִשְׁבֹּר... — Gen. 42:5
15 וַיֹּאמֶר יִשְׂרָאֵל לָמָה הֲרֵעֹתֶם לִי — Gen. 43:6
16 וַיֹּאמֶר יְהוּדָה אֶל־יִשְׂרָאֵל אָבִיו — Gen. 43:8
17 וַיֹּאמֶר אֲלֵהֶם יִשְׂרָאֵל אֲבִיהֶם — Gen. 43:11
18 וַיַּעֲשׂוּ־כֵן בְּנֵי יִשְׂרָאֵל — Gen. 45:21
19 וַיֹּאמֶר יִשְׂרָ׳ רַב עוֹד־יוֹסֵף בְּנִי — Gen. 45:28
20 וַיִּסַּע יִשְׂרָאֵל וְכָל־אֲשֶׁר־לוֹ — Gen. 46:1
21 וַיִּשְׂאוּ בְּ״יִ אֶת־יַעֲקֹב אֲבִיהֶם — Gen. 46:5
22 וְאֵלֶּה שְׁמוֹת בְּנֵי־יִשְׂרָאֵל — Gen. 46:8

יִשְׂרָאֵל (המשך)

23 וַיַּעַל לִקְרַאת־יִשְׂרָאֵל אָבִיו — Gen. 46:29
24 וַיֵּשֶׁב יִשְׂרָאֵל בְּאֶרֶץ מִצְרַיִם — Gen. 47:27
25 וַיִּקְרְבוּ יְמֵי־יִשְׂרָאֵל לָמוּת — Gen. 47:29
26 וַיִּשְׁתַּחוּ יִשְׂרָ׳ עַל־רֹאשׁ הַמִּטָּה — Gen. 47:31
27 וַיִּתְחַזֵּק יִשְׂרָ׳ וַיֵּשֶׁב עַל־הַמִּטָּה — Gen. 48:2
28 וַיַּרְא יִשְׂרָאֵל אֶת־בְּנֵי יוֹסֵף — Gen. 48:8
29 וְעֵינֵי יִשְׂרָאֵל כָּבְדוּ מִזֹּקֶן — Gen. 48:10
30 אֶפְרַיִם בִּימִינוֹ מִשְּׂמֹאל יִשְׂרָאֵל — Gen. 48:13
31 מְנַשֶּׁה בִשְׂמֹאלוֹ מִימִין יִשְׂרָאֵל — Gen. 48:13
32 וַיִּשְׁלַח יִשְׂרָאֵל אֶת־יְמִינוֹ — Gen. 48:14
33 בְּךָ יְבָרֵךְ יִשְׂרָאֵל לֵאמֹר — Gen. 48:20
34 וְשִׁמְעוּ אֶל־יִשְׂרָאֵל אֲבִיכֶם — Gen. 49:2
35 דָּן יָדִין עַמּוֹ כְּאַחַד שִׁבְטֵי יִשְׂ׳ — Gen. 49:16
36 מִשָּׁם רֹעֶה אֶבֶן יִשְׂרָאֵל — Gen. 49:24
37 שִׁבְטֵי יִשְׂרָאֵל שְׁנֵים עָשָׂר — Gen. 49:28
38 וַיַּחַנְטוּ הָרֹפְאִים אֶת־יִשְׂרָאֵל — Gen. 50:2
39 וַיַּשְׁבַּע יוֹסֵף אֶת־בְּנֵי יִשְׂרָאֵל — Gen. 50:25
40 וְאֵלֶּה שְׁמוֹת בְּנֵי יִשְׂרָאֵל — Ex. 1:1
41 וּבְנֵי יִשְׂרָאֵל פָּרוּ וַיִּשְׁרְצוּ... — Ex. 1:7
42 הִנֵּה עַם בְּ״יִ רַב וְעָצוּם מִמֶּנּוּ — Ex. 1:9
43-666 (בִּבְ/לִבְ/מִ)בְּנֵי יִשְׂרָאֵל — Ex. 1:12, 13

2:23, 25; 3:9, 10, 11, 13, 14, 15; 4:29, 31; 5:14, 15, 19; 6:5, 6, 9, 11, 12, 13^2, 26, 27; 7:2, 4, 5; 9:4, 6, 26, 35; 10:20, 23; 11:7, 10; 12:27, 28, 31, 35, 37, 40, 42, 50, 51; 13:2, 18, 19; 14:2, 3, 8^2, 10^2, 15, 16, 22, 29; 15:19; 16:1, 2, 3, 6, 9, 10, 12, 15, 17, 35; 17:1, 7; 19:1, 3, 6; 24:5, 11, 17; 20:22(19); 25:2, 22; 27:20, 21; 28:1, 9, 11; 28:12, 21, 29, 30, 38; 29:28^2, 43, 45; 30:12, 16^2, 31; 31:13; 32:20; 33:5, 6; 34:30, 32, 34, 35; 35:1, 4, 20; 35:29, 30; 36:3; 39:6, 7, 14, 32, 42; 40:36 • Lev. 1:2; 4:2; 7:23, 29, 34^2, 36, 38; 9:3; 10:11, 14; 11:2; 12:2; 15:2, 31; 16:5, 16, 19, 21, 34; 17:2, 5, 10, 12, 13, 14; 18:2; 19:2; 20:2^2; 21:24; 22:2, 3, 15, 18, 32; 23:2, 10, 24, 34, 43, 44; 24:2, 8, 10, 15, 23^2; 25:2, 33, 46, 55; 26:46^2; 27:2, 34 • Num. 1:2, 45, 49, 52, 53, 54; 2:2, 32, 33, 34; 3:8, 9, 12^2; 3:38, 40, 41^2, 42, 45, 46, 50; 5:2, 4^2, 6; 5:9, 12; 6:2, 23, 27; 8:6, 9, 10, 11, 14, 16^2, 17, 18; 8:19^5, 20^2; 9:2, 4, 5, 7, 10, 17^2, 18, 19, 22; 10:12, 28; 11:4; 13:2, 3, 24, 26, 32; 14:2, 5, 7, 10, 18, 27, 39; 15:2, 18, 25, 26, 29, 32, 38; 16:2; 17:3, 5, 6, 17, 20; 17:21, 24, 27; 18:5, 6, 8, 11, 19, 20, 22, 23, 24^2, 26; 18:28, 32; 19:2, 9, 10; 20:1, 12, 13, 19, 22, 24; 21:10; 22:1, 3; 25:6^2, 8, 11^2, 13; 26:2, 4, 6, 51, 62^2, 63, 64; 27:8, 11, 12, 20, 21; 28:2; 30:1, 2; 31:2, 9, 12, 16, 30; 31:42, 47, 54; 32:7, 9, 17, 18, 28; 33:1, 3, 5, 38, 40; 33:51; 34:2, 13, 29; 35:2, 8, 10, 15, 34; 36:1, 2, 3, 4, 5; 36:7^2, 8^2, 9, 13 • Deut. 1:3; 3:18; 4:44, 45, 46; 10:6; 23:18; 24:7; 28:69; 31:19^2, 22, 23; 32:8, 49, 51^2, 52; 33:1; 34:8, 9 • Josh. 1:2; 2:2; 3:1, 9; 4:4, 5, 7, 8^2, 12; 4:21; 5:1^2, 2, 3, 6, 10, 12; 6:1; 7:1^2, 12, 23; 8:31, 32; 9:17, 18, 26; 10:4, 11, 12, 20, 21; 11:14, 19, 22; 12:1, 6; 12:7, 13; 13:6, 22; 14:1^2, 5; 17:13; 18:1, 2, 3, 10; 19:49, 51; 20:2, 9; 21:1, 3, 8, , 3922:9, 11^2, 12^2, 13, 31, 32, 33^2; 24:32 • Jud. 1:1; 2:4, 6, 11; 3:2, 5, 7, 8, 9^2, 12, 14; 3:15^2, 27; 4:1, 3^2, 5, 23, 24; 6:1, 2, 6, 7, 8; 8:28, 33, 34; 10:6, 8^2, 10, 11, 15, 17; 11:27, 33; 19:12, 30; 20:1, 3^2, 7; 20:13, 14, 18, 19, 23, 24, 25, 26, 27, 30, 32, 35; 21:5, 6; 21:18, 24 • ISh. 7:4, 6, 7^2, 8; 9:2; 10:18; 11:8; 14:18; 15:6; 17:53 • IISh. 7:6, 7; 21:2^3 • IK. 6:1, 13; 8:1, 39, 63; 9:20, 21, 22; 11:2; 12:17, 24, 33; 14:24; 18:20; 19:10, 14; 20:15, 27^2, 29; 21:26 • IIK. 8:12; 13:5; 16:3; 17:7, 8, 9, 22, 24; 18:4; 21:2, 9 • Is. 17:3, 9; 27:12; 31:6; 66:20 • Jer. 3:21; 16:14, 15;

יִשְׂרָאֵל (המשך)

23:7; 32:30^2, 32; 50:4, 33 • Ezek. 2:3; 4:13; 6:5; 35:5; 37:16, 21; 43:7; 44:9, 15; 47:22; 48:11 • Hosh. 2:1, 2; 3:1, 4, 5; 4:1 • Am. 2:11; 3:1, 12; 4:5; 9:7 • Joel 4:16 • Ob. 20 • Mic. 5:2 • Ps. 103:7; 148:14 • Dan. 1:3 • Ez. 3:1; 6:16, 21; 7:7 • Neh. 1:6^2; 2:10; 7:43; 8:14, 17; 9:1; 10:40; 13:2 • ICh. 1:43; 2:1; 6:49 • IICh. 5:2; 5:10; 6:11; 7:3; 8:2, 8, 9; 10:17, 18; 13:16, 18; 28:3, 8; 30:6, 21; 31:1, 5, 6; 33:2, 9; 34:33; 35:17

667 לֵךְ וְאָסַפְתָּ אֶת־זִקְנֵי יִשְׂרָאֵל — Ex. 3:16
668-698 (וְ/לְ/מִ)זִקְנֵי יִשְׂרָאֵל — Ex. 3:18; 12:21
17:5, 6; 18:12; 24:1, 9 • Lev. 9:1 • Num. 11:16, 30; 16:25 • Deut. 27:1; 31:9 • Josh. 7:6; 8:10; 24:1 • ISh. 4:3; 8:4 • IISh. 3:17; 5:3; 17:4, 15 • IK. 8:1, 3 • Ezek. 14:1; 20:1, 3 • ICh. 1:3; 15:25 • IICh. 5:2, 4
699 כֹּה אָמַר יְיָ בְּנִי בְכֹרִי יִשְׂרָאֵל — Ex. 4:22
700/1 כֹּה־אָמַר יְיָ אֱלֹהֵי יִשְׂרָאֵל — Ex. 5:1; 32:27
702 בְּנֵי רְאוּבֵן בְּכֹר יִשְׂרָאֵל — Ex. 6:14
703 וְהִפְלָה יְיָ בֵּין מִקְנֵה יִשְׂרָאֵל — Ex. 9:4
704 לֹא־מֵת מִמִּקְנֵה יִשְׂרָאֵל עַד־אֶחָד — Ex. 9:7
705 דַּבְּרוּ אֶל־כָּל־עֲדַת יִשְׂרָאֵל — Ex. 12:3
706-715 (מֵ)עֲדַת יִשְׂרָאֵל — Ex. 12:6, 19, 47
Lev. 4:13 • Num. 16:9; 32:4 • Josh. 22:18, 20
IK. 8:5 • IICh. 5:6
716 הַהֹלֵךְ לִפְנֵי מַחֲנֵה יִשְׂרָאֵל — Ex. 14:19
717 בֵּין מַחֲנֵה מִצְ׳ וּבֵין מַחֲנֵה יִשְׂרָאֵל — Ex. 14:20
718 אָנוּסָה מִפְּנֵי יִשְׂרָאֵל — Ex. 14:25
719 וַיּוֹשַׁע יְיָ בַּיּוֹם הַהוּא אֶת־יִשְׂרָאֵל — Ex. 14:30
720 וַיַּרְא יִשְׂרָאֵל אֶת־מִצְרַיִם מֵת — Ex. 14:30
721 וַיַּרְא יִשְׂרָאֵל אֶת־הַיָּד הַגְּדֹלָה — Ex. 14:31
722 אָז יָשִׁיר־מֹשֶׁה וּבְנֵי יִשְׂרָאֵל — Ex. 15:1
723 וַיִּקְרְאוּ בֵית־יִשְׂרָאֵל אֶת־שְׁמוֹ מָן — Ex. 16:31
724 כַּאֲשֶׁר יָרִים מֹשֶׁה יָדוֹ וְגָבַר יִשְׂרָאֵל — Ex. 17:11
725 לִשְׁנֵים עָשָׂר שִׁבְטֵי יִשְׂרָאֵל — Ex. 24:4
726 וַיִּרְאוּ אֵת אֱלֹהֵי יִשְׂרָאֵל — Ex. 24:10
727 וְשָׁמְרוּ בְנֵי־יִשְׂרָ׳ אֶת־הַשַּׁבָּת — Ex. 31:16
728 בֵּינִי וּבֵין בְּ״יִ אוֹת הִוא לְעֹלָם — Ex. 31:17
729-730 אֵלֶּה אֱלֹהֶיךָ יִשְׂרָאֵל — Ex. 32:4, 8
731 אֶת־פְּנֵי הָאָדֹן יְיָ אֱלֹהֵי יִשְׂרָאֵל — Ex. 34:23
732 לְעֵינֵי כָל־בֵּית־יִשְׂרָאֵל — Ex. 40:38
733 וַאֲחֵיכֶם כָּל־בֵּית יִשְׂרָאֵל יִבְכּוּ — Lev. 10:6
734-874 (בְּבֵ/לְבֵ/מִ)בֵּית יִשְׂרָאֵל — Lev. 17:3, 8
22:18 • Num. 20:29 • Josh. 21:43 • ISh. 7:2; 7:3 • IISh. 1:12; 6:5, 15; 12:8; 16:3 • IK. 12:21 • Is. 5:7; 14:2; 46:3; 63:7 • Jer. 2:4, 26; 3:18, 20; 5:11, 15; 9:15; 10:1; 11:10, 17; 13:11; 18:6^2; 23:8; 31:27(26); 31:31(30), 33(32); 33:14, 17; 48:13 • Ezek. 3:1, 4; 3:5, 7^2, 17; 4:3, 4, 5; 5:4; 6:11; 8:6, 10, 11, 12; 9:9; 11:5, 15; 12:6, 9, 10, 24, 27; 13:5, 9; 14:4, 5, 6, 7, 11; 17:2; 18:6, 15, 25, 29^2, 30, 31; 20:13, 27, 30, 31, 39, 40, 44; 22:18; 24:21; 25:3; 28:24, 25; 29:6, 16, 21; 33:7, 10; 33:11, 20; 34:30; 35:15; 36:10, 17, 21, 22, 32, 37; 37:11, 16; 39:12, 22, 23, 25, 29; 40:4; 43:7, 10; 44:6^2; 44:12, 22; 45:6, 8, 17^2 • Hosh. 1:4, 6; 5:1; 6:10; 12:1 • Am. 5:1, 3, 4, 25; 6:1, 14; 7:10; 9:9 • Mic. 1:5; 3:1, 9 • Zech. 8:13 • Ps. 98:3; 115:12; 135:19 • Ruth 4:11

875 וְכִפֶּר...וּבְעַד כָּל־קְהַל יִשְׂרָאֵל — Lev. 16:17
876-877 רָאשֵׁי אַלְפֵי יִשְׂרָאֵל — Num. 1:16; 10:4
878 וַיִּהְיוּ בְנֵי־רְאוּבֵן בְּכֹר יִשְׂרָאֵל — Num. 1:20
879 מֹשֶׁה וְאַהֲרֹן וּנְשִׂיאֵי יִשְׂרָאֵל — Num. 1:44

יִשְׂרָאֵל (המשך)

886-880 נְשִׂיאֵי יִשְׂרָאֵל Num. 4:46; 7:2, 48
Ezek. 19:1; 21:17; 22:6; 45:9
887 שׁוּבָה יְיָ רִבְבוֹת אַלְפֵי יִשְׂרָאֵל Num. 10:36
888 הַמְעַט...כִּי-הִבְדִּיל אֱלֹהֵי יִשְׂ׳ Num. 16:9
889 כֹּה אָמַר אָחִיךָ יִשְׂרָאֵל Num. 20:14
890 וַיִּשְׁמַע יְיָ בְּקוֹל יִשְׂרָאֵל Num. 21:3
891 אָז יָשִׁיר יִשְׂרָאֵל Num. 21:17
892 וּלְכָה זֹעֲמָה יִשְׂרָאֵל Num. 23:7
893 וּמִסְפָּר אֶת-רֹבַע יִשְׂרָאֵל Num. 23:10
894 טוֹב בְּעֵינֵי יְיָ לְבָרֵךְ אֶת-יִשְׂרָ׳ Num. 24:1
895 וַיַּרְא אֶת-יִשְׂרָאֵל שֹׁכֵן לִשְׁבָטָיו Num. 24:2
896 מַה-טֹּבוּ...מִשְׁכְּנֹתֶיךָ יִשְׂרָאֵל Num. 24:5
897 וַיֹּאמֶר מֹשֶׁה אֶל-שֹׁפְטֵי יִשְׂרָאֵל Num. 25:5
898 וַיָּבֹא אַחַר אִישׁ-יִשְׂ׳ אֶל-הַקֻּבָּה Num. 25:8
899 וַיִּדְקֹר אֶת-שְׁנֵיהֶם אֵת אִישׁ יִשְׂ׳ Num. 25:8
900 וְשֵׁם אִישׁ יִשְׂרָאֵל הַמֻּכֶּה Num. 25:14
901 רְאוּבֵן בְּכוֹר יִשְׂרָאֵל Num. 26:5
902 אֶלֶף לַמַּטֶּה...לְכֹל מַטּוֹת יִשְׂרָ׳ Num. 31:4
903 וַיִּמָּסְרוּ מֵאַלְפֵי יִשְׂרָאֵל Num. 31:5
904 שְׁמַע יִשְׂרָאֵל יְיָ אֱלֹהֵינוּ יְיָ אֶחָד Deut. 6:4
905 שְׁמַע יִשְׂרָאֵל אַתָּה עֹבֵר הַיּוֹם Deut. 9:1
906 וְעַתָּה יִשְׂרָ׳ מָה יְיָ אֱלֹהֶיךָ שֹׁאֵל Deut. 10:12
907 כַּפֵּר לְעַמְּךָ יִשְׂרָאֵל Deut. 21:8
908 דָּם נָקִי בְּקֶרֶב עַמְּךָ יִשְׂרָאֵל Deut. 21:8
909 וְכָל-יִשְׂרָאֵל יִשְׁמְעוּ וְיִרָאוּ Deut. 21:21
910 הוֹצִיא שֵׁם רָע עַל בְּתוּלַת יִשְׂ׳ Deut. 22:19
911 לֹא-תִהְיֶה קְדֵשָׁה מִבְּנוֹת יִשְׂרָ׳ Deut. 23:18
912 וּבָרֵךְ אֶת-עַמְּךָ אֶת-יִשְׂרָאֵל Deut. 26:15
913 הַסְכֵּת וּשְׁמַע יִשְׂרָאֵל Deut. 27:9
914 וְאָמְרוּ אֶל-כָּל-אִישׁ יִשְׂרָאֵל Deut. 27:14
915 כֹּל אִישׁ יִשְׂרָאֵל Deut. 29:9
916 וְהִבְדִּילוֹ יְיָ...מִכֹּל שִׁבְטֵי יִשְׂרָ׳ Deut. 29:20
917 וַיְדַבֵּר...בְּאָזְנֵי כָּל-קְהַל יִשְׂרָ׳ Deut. 31:30
918 בְּהִתְאַסֵּף...יַחַד שִׁבְטֵי יִשְׂרָאֵל Deut. 33:5
919 וַיִּשְׁכֹּן יִשְׂרָאֵל בֶּטַח Deut. 33:28
920 אַשְׁרֶיךָ יִשְׂרָאֵל מִי כָמוֹךָ Deut. 33:29
921 שְׁנֵי עָשָׂר אִישׁ מִשִּׁבְטֵי יִשְׂרָאֵל Josh. 3:12
922 וְשַׂמְתֶּם אֶת-מַחֲנֵה יִשְׂרָאֵל לְחֵרֶם Josh. 6:18
923 וַיַּנִּיחוּם מִחוּץ לְמַחֲנֵה יִשְׂרָאֵל Josh. 6:23
924/5 כֹּה אָמַר יְיָ אֱלֹהֵי יִשְׂרָאֵל Josh. 7:13; 24:2
926 נֶגֶד כָּל-קְהַל יִשְׂרָאֵל וְהַנָּשִׁים Josh. 8:35
927 וַיֹּאמְרוּ אֵלָיו וְאֶל-אִישׁ יִשְׂרָאֵל Josh. 9:6
970-928 (וְ/בְּ/לְ)אִישׁ יִשְׂרָאֵל Josh. 9:7; 10:24
Jud. 7:8, 14, 23; 8:22; 9:55; 20:11, 17, 20^{2}, 22, 33; 20:36, 38, 39^{2}, 41, 42, 48; 21:1 • ISh. 13:6; 14:22, 24; 17:2, 19, 24, 25 • IISh. 15:13; 16:15, 18; 17:14, 24; 19:42, 43, 44^{2}; 20:2; 23:9 • IK. 8:2 • ICh. 10:1, 7 • IICh. 5:3
971 נִשְׁבְּעוּ לָהֶם...בַּייָ אֱלֹהֵי יִשְׂרָאֵל Josh. 9:18
1160-972 (וֵא-/בֵּא-)אֱלֹהֵי יִשְׂרָאֵל Josh. 7:19, 20
8:30; 9:19; 10:40, 42; 13:14, 33; 14:14; 22:16, 24; 24:23 • Jud. 4:6; 5:3, 5; 6:8; 11:21, 23; 21:3 • ISh. 1:17; 2:30; 5:7, 8^{3}, 10, 11; 6:3, 5; 10:18; 14:41; 20:12; 23:10, 11; 25:32, 34 • IISh. 7:27; 12:7; 23:3 • IK. 1:30; 1:48; 8:15, 17, 20, 23, 25, 26; 11:9, 31; 14:7, 13; 15:30; 16:13, 26, 33; 17:1, 14; 22:54 • IIK. 9:6; 10:31; 14:25; 18:5; 19:15, 20; 21:12; 22:15, 18 • Is. 17:6; 21:10, 17:24:15; 29:23; 37:16, 21; 41:17; 41:17; 45:3, 15; 48:1, 2; 52:12 • Jer. 7:3, 21; 9:14; 11:3; 13:12; 16:9; 19:3, 15; 21:4; 23:2; 24:5; 25:15, 27; 27:4, 21; 28:2, 14; 29:4, 8, 21, 25; 30:2; 31:23(22); 32:14, 15, 36; 33:4; 34:2, 13; 35:13, 17, 18, 19; 37:7; 38:17; 39:16; 42:9; 42:15, 18; 43:10;

יִשְׂרָאֵל (המשך)

44:2, 7, 11, 25; 45:2; 46:25; 48:1; 50:18; 51:33 • Ezek. 8:4; 9:3; 10:19, 20; 11:22; 43:2; 44:2 • Zep. 2:9 • Mal. 2:16 • Ps. 41:14; 59:6; 68:9; 69:7; 72:18; 106:48 • Ruth 2:12 • Ez. 1:3; 3:2; 4:1,3; 6:21, 22; 7:6; 8:35; 9:4, 15 • ICh. 4:10; 5:26; 15:12, 14; 16:4, 36; 17:24; 22:6(5); 23:25; 24:19; 28:4; 29:10 • IICh. 2:11; 6:4, 7, 10, 14, 16, 17; 11:16; 13:5; 15:4, 13; 20:19; 29:7, 10; 30:1, 5; 32:17; 33:16, 18; 34:23, 26; 36:13
1161 וַיֹּאמֶר לְעֵינֵי יִשְׂרָאֵל Josh. 10:12
1162/3 וַיִּתֵּן יְיָ...בְּיַד יִשְׂרָאֵל Josh. 10:30, 32
1164 וַיַּעֲבֹר יְהוֹשֻׁעַ וְכָל-יִשְׂרָאֵל עִמּוֹ Josh. 10:31
1165 וַיִּתְּנֵם יְיָ בְּיַד-יִשְׂרָאֵל Josh. 11:8
1166 וְאֶת-הַר יִשְׂרָאֵל וּשְׁפֵלָתֹה Josh. 11:16
1167 לִקְרַאת הַמִּלְחָמָה אֶת-יִשְׂרָאֵל Josh. 11:20
1168 וַיַּכְרֵת...וּמִכֹּל הַר יִשְׂרָאֵל Josh. 11:21
1169 וַיִּתְּנָהּ יְהוֹשֻׁעַ לְשִׁבְטֵי יִשְׂ׳ יְרֻשָּׁה Josh. 12:7
1170 לְכֹל מַטּוֹת יִשְׂרָאֵל Josh. 22:14
1171 הֵמָּה לְאַלְפֵי יִשְׂרָאֵל Josh. 22:14
1172 וַיְדַבְּרוּ אֶת-רָאשֵׁי אַלְפֵי יִשְׂרָ׳ Josh. 22:21
1173 וְרָאשֵׁי אַלְפֵי יִשְׂרָאֵל אֲשֶׁר אִתּוֹ Josh. 22:30
1174 וַיֶּאֱסֹף יְהוֹשֻׁעַ אֶת-כָּל-שִׁבְטֵי יִשְׂ׳ Josh. 24:1
1175 וַתִּכָּנַע מוֹאָב...תַּחַת יַד יִשְׂרָ׳ Jud. 3:30
1176 לִבִּי לְחוֹקְקֵי יִשְׂרָאֵל Jud. 5:9
1177 וַיָּשָׁב אֶל-מַחֲנֵה יִשְׂרָאֵל Jud. 7:15
1178 וַתִּקְצַר נַפְשׁוֹ בַּעֲמַל יִשְׂרָאֵל Jud. 10:16
1179 תֵּלַכְנָה בְּנוֹת יִשְׂרָאֵל לְתַנּוֹת Jud. 11:40
1180 בְּתוֹךְ-שִׁבְטֵי יִשְׂרָאֵל Jud. 18:1
1181 וַיְשַׁלְּחֶהָ בְּכֹל גְּבוּל יִשְׂרָאֵל Jud. 19:29
1182 וַיִּתְיַצְּבוּ...כֹּל שִׁבְטֵי יִשְׂרָאֵל Jud. 20:2
1183 בְּכָל-שְׂדֵה נַחֲלַת יִשְׂרָאֵל Jud. 20:6
1184 לְכֹל שִׁבְטֵי יִשְׂרָאֵל Jud. 20:10
1221-1185 (בְּ/לְ)שִׁבְטֵי יִשְׂרָאֵל Jud. 20:12
21:5, 8, 15 • ISh. 2:28; 9:21; 10:20; 15:17 • IISh. 5:1; 7:7; 15:2, 10; 19:10; 20:14; 24:2 • IK. 8:16; 11:32; 14:21 • IIK. 21:7 • Ezek. 37:19; 47:13, 21, 22; 48:19, 29, 31 • Hosh. 5:9 • Zech. 9:1 • Ps. 78:55 • Ez. 6:17 • ICh. 27:16, 22; 29:6 • IICh. 6:5; 11:16; 12:13; 33:7
1222 וְאֹרֵב יִשְׂרָאֵל מֵגִיחַ מִמְּקֹמוֹ Jud. 20:33
1223 אֶת-כָּל-אִשֵּׁי יִשְׂרָאֵל ISh. 2:28
1224 מֵרֵאשִׁית כָּל-מִנְחַת יִשְׂרָאֵל ISh. 2:29
1225 וַיֵּצְאוּ אַנְשֵׁי יִשְׂרָאֵל מִן-הַמִּצְפָּה ISh. 7:11
1226 וְלֹא-יָסְפוּ...לָבוֹא בִּגְבוּל יִשְׂרָאֵל ISh. 7:13
1227 וַיֹּאמֶר שְׁמוּאֵל אֶל-אַנְשֵׁי יִשְׂרָאֵל ISh. 8:22
1228 וּלְמִי כָּל-חֶמְדַּת יִשְׂרָאֵל ISh. 9:20
1229 וְנִשְׁלְחָה מַלְאָכִים בְּכֹל גְּבוּל יִשְׂרָ׳ ISh. 11:3
1236-1230 גְּבוּל יִשְׂרָאֵל ISh. 11:7; 27:1 IISh. 21:5
• IIK. 10:32; 14:25 • Mal. 1:5 • ICh. 21:12
1237 וַיִּשְׂמַח...וְכָל-אַנְשֵׁי יִשְׂרָאֵל ISh. 11:15
1238 וְחָרָשׁ לֹא יִמָּצֵא בְּכֹל אֶרֶץ יִשְׂרָאֵל ISh. 13:19
1239 כִּי-נְתָנָם יְיָ בְּיַד יִשְׂרָאֵל ISh. 14:12
1240 הֲתִתְּנֵם בְּיַד יִשְׂרָאֵל ISh. 14:37
1241 קָרַע יְיָ אֶת-מַמְלְכוּת יִשְׂרָאֵל ISh. 15:28
1242 וְגַם נֵצַח יִשְׂרָאֵל לֹא יְשַׁקֵּר ISh. 15:29
1243 וַיִּקְרָא אֶל-מַעַרְכֹת יִשְׂרָאֵל ISh. 17:8
1244 אֲנִי חֵרַפְתִּי אֶת-מַעַרְכוֹת יִשְׂרָאֵל ISh. 17:10
1245 בְּשֵׁם...אֱלֹהֵי מַעַרְכוֹת יִשְׂרָאֵל ISh. 17:45
1246 וַיָּקֻמוּ אַנְשֵׁי יִשְׂרָאֵל וִיהוּדָה ISh. 17:52
1247 וַתֵּצֶאנָה הַנָּשִׁים מִכָּל-עָרֵי יִשְׂרָאֵל ISh. 18:6
1248 אַחֲרֵי מִי יָצָא מֶלֶךְ יִשְׂרָאֵל ISh. 24:14
1249 וְקָמָה בְּיָדְךָ מַמְלֶכֶת יִשְׂרָאֵל ISh. 24:21
1250 שְׁלֹשֶׁת-אֲלָפִים אִישׁ בְּחוּרֵי יִשְׂרָ׳ ISh. 26:2

יִשְׂרָאֵל (המשך)

1251 כִּי-יָצָא מֶלֶךְ יִשְׂרָאֵל לְבַקֵּשׁ... ISh. 26:20
1252 אֶת-מַחֲנֵה יִשְׂרָאֵל יִתֵּן...בְּיַד... ISh. 28:19
1253 עֶבֶד שָׁאוּל מֶלֶךְ יִשְׂרָאֵל ISh. 29:3
1254 וַיָּנֻסוּ אַנְשֵׁי יִשְׂרָ׳ מִפְּנֵי פְלִשְׁתִּים ISh. 31:1
1255-58 (וְ)אַנְשֵׁי יִשְׂרָ׳ ISh. $31:7^{2}$ • IISh. 2:17; 15:6
1259 מִמַּחֲנֵה יִשְׂרָאֵל נִמְלָטְתִּי IISh. 1:3
1260 הַצְּבִי יִשְׂרָ׳ עַל-בָּמוֹתֶיךָ חָלָל IISh. 1:19
1261 בְּנוֹת יִשְׂרָאֵל אֶל-שָׁאוּל בְּכֶינָה IISh. 1:24
1262 אֵת כָּל-אֲשֶׁר-טוֹב בְּעֵינֵי יִשְׂרָאֵל IISh. 3:19
1263 וַיְחַלֵּק...לְכָל-הֲמוֹן יִשְׂרָאֵל IISh. 6:19
1264 מַה-נִּכְבַּד הַיּוֹם מֶלֶךְ יִשְׂרָאֵל IISh. 6:20
1265 מִכֹּל בְּחוּרֵי יִשְׂרָאֵל (כת׳ בישראל) IISh. 10:9
1266 וְגַם חֲצִי עַם יִשְׂרָאֵל IISh. 19:41
1267 אִישׁ לְאֹהָלָיו יִשְׂרָאֵל IISh. 20:1
1268 אָנֹכִי שְׁלֻמֵי אֱמוּנֵי יִשְׂרָאֵל IISh. 20:19
1269 וְיוֹאָב אֶל כָּל-הַצָּבָא יִשְׂרָאֵל IISh. 20:23
1270 וְלֹא תְכַבֶּה אֶת-נֵר יִשְׂרָאֵל IISh. 21:17
1271 וּנְעִים זְמִרוֹת יִשְׂרָאֵל IISh. 23:1
1272 לִי דִבֶּר צוּר יִשְׂרָאֵל IISh. 23:3
1273/4 לֹא-יִכָּרֵת...מֵעַל כִּסֵּא יִשְׂרָאֵל IK. 2:4; 9:5
1275 אֲשֶׁר עָשָׂה לִשְׁנֵי-שָׂרֵי צִבְאוֹת יִשְׂרָ׳ IK. 2:5
1276 אֶת-אַבְנֵר...שַׂר-צְבָא יִשְׂרָאֵל IK. 2:32
1277/8 וַיְבָרֶךְ אֵת כָּל-קְהַל יִשְׂרָאֵל IK. 8:14, 55
1279 וְכָל-קְהַל יִשְׂרָאֵל עֹמֵד IK. 8:14
1280 וָאֵשֵׁב עַל-כִּסֵּא יִשְׂרָאֵל IK. 8:20
1281 וַיַּעֲמֹד...נֶגֶד כָּל-קְהַל יִשְׂרָאֵל IK. 8:22
1282 לֹא-יִכָּרֵת...יֹשֵׁב עַל-כִּסֵּא יִשְׂרָאֵ׳ IK. 8:25
1283 חָפֵץ בְּךָ לְתִתְּךָ עַל-כִּסֵּא יִשְׂרָאֵל IK. 10:9
1289-1284 קְהַל יִשְׂרָאֵל IK. 12:3 • ICh. 13:2
IICh. $6:3^{2}$, 12, 13
1307-1290 דִּבְרֵי הַיָּמִים לְמַלְכֵי יִשְׂרָאֵל
IK. 14:19; 15:31; 16:5, 14, 20, 27; 22:39 • IIK. 1:18; 10:34; 13:8, 12; 14:15, 28; 15:11, 15, 21, 26, 31
1308 לְיָרָבְעָם מֶלֶךְ יִשְׂרָאֵל. IK. 15:9
1434-1309 (וּ/בְּ/מִ)מֶּלֶךְ יִשְׂרָאֵל IK. 15:16
15:17, 19, 32; 20:2, 4, 7, 11, 13, 21, 22, 28, 31, 32, 40; 20:41, 43; 21:18; 22:2, 3, 4, 5, 6, 8, 9, 10, 18, 26, 29; $22:30^{2}$, 31, 32, 33, 34, 41, 45 • IIK. 3:4, 5, 9, 10, 11, 12, 13^{2}; 5:5, 6, 7, 8; 6:9, 10, 11, 12, 21, 26; 7:6; 8:16, 25, 26; 9:21; 13:14, 16, 18; 14:1, 8, 9, 11, 13; 17, 23; 15:1, 29, 32; 16:5, 7; 18:1, 9, 10; 21:3; 23:13; 24:13 • Is. 7:1; 44:6 • Jer. 41:9 • Hosh. 1:1; 10:15 • Am. 1:1; 7:10 • Zep. 3:15 • Prov. 1:1 • Ez. 3:10 • Neh. 13:26 • ICh. 5:17 • IICh. 8:11; 16:1, 3; 18:3, 4, 5, 7, 8, 9, 17, 19, 25, 28, 29, 30; 18:31, 32, 33, 34; 20:35; 21:2; 22:5; 25:17, 18, 21, 23, 25; 28:5, 19; 29:27; 30:26; 35:3, 4
1435 וַיִּשְׁלַח...עַל-עָרֵי יִשְׂרָאֵל IK. 15:20
1436 אָז יֵחָלֵק הָעָם יִשְׂרָאֵל לַחֵצִי IK. 16:21
1437 מִכֹּל מַלְכֵי יִשְׂרָאֵל אֲשֶׁר...לְפָנָיו IK. 16:33
1438 הַאַתָּה זֶה עֹכֵר יִשְׂרָאֵל IK. 18:17
1439 יִשְׂרָאֵל יִהְיֶה שְׁמֶךָ IK. 18:31
1440/1 אָבִי אָבִי רֶכֶב יִשְׂרָאֵל IIK. 2:12; 13:14
1442 וַיָּבֹאוּ אֶל-מַחֲנֵה יִשְׂרָאֵל IIK. 3:24
1443 וַיִּשְׁבּוּ מֵאֶרֶץ יִשְׂרָאֵל נַעֲרָה קְטַנָּה IIK. 5:2
1444 הַנַּעֲרָה אֲשֶׁר מֵאֶרֶץ יִשְׂרָאֵל IIK. 5:4
1445 הֲלֹא טוֹב...מִכֹּל מֵימֵי יִשְׂרָאֵל IIK. 5:12
1446 וְלֹא-יָסְפוּ...לָבוֹא בְּאֶרֶץ יִשְׂרָאֵל IIK. 6:23
1447 הִנָּם כְּכָל-הֲמוֹן יִשְׂרָאֵל IIK. 7:13
1448 הִנָּם כְּכָל-הֲמוֹן יִשְׂ׳ אֲשֶׁר-תָּמּוּ IIK. 7:13
1449 וַיֵּלֶךְ בְּדֶרֶךְ מַלְכֵי יִשְׂרָאֵל IIK. 8:18
1450/1 יֵשְׁבוּ לְךָ עַל-כִּסֵּא יִשְׂ׳ IIK. 10:30; 15:12

יִשְׂרָאֵל (המשך)

1452 כִּי רָאָה אֶת־לַחַץ יִשְׂרָאֵל IIK. 13:4
1453-1472 (בְּ/לְ)מַלְכֵי יִשְׂרָאֵל IIK. 13:13
14:16, 29; 16:3; 17:2, 8; 23:19, 22 • Mic. 1:14 •
ICh. 9:1 • IICh. 20:34; 21:6, 13; 27:7; 28:2, 27;
33:18; 35:18, 27; 36:8
1473 וַיָּשֶׁב אֶת־עָרֵי יִשְׂרָאֵל IIK. 13:25
1474 כִּי־רָאָה יְיָ אֶת־עֳנִי יִשְׂרָאֵל IIK. 14:26
1475 לִמְחוֹת אֶת־שֵׁם יִשְׂרָאֵל IIK. 14:27
1476 וַיֵּלְכוּ בְּחֻקּוֹת יִשְׂרָאֵל אֲשֶׁר עָשׂוּ IIK. 17:19
1477 וַיִּמְאַס יְיָ בְּכָל־זֶרַע יִשְׂרָאֵל IIK. 17:20
1478 אֲשֶׁר־שָׂם שְׁמוֹ יִשְׂרָאֵל IIK. 17:34
1479 עַל־קְדוֹשׁ יִשְׂרָאֵל IIK. 19:22
1480 לְהָנִיד רֶגֶל יִשְׂרָאֵל מִעַל הָאֲדָמָה IIK. 21:8
1481 יִשְׂרָאֵל לֹא יָדַע עַמִּי לֹא הִתְבּוֹנָן Is. 1:3
1482 נִאֲצוּ אֶת־קְדוֹשׁ יִשְׂרָאֵל Is. 1:4
1483 הָאָדוֹן יְיָ צְבָאוֹת אֲבִיר יִשְׂרָאֵל Is. 1:24
1484 לְגָאוֹן וּלְתִפְאֶרֶת לִפְלֵיטַת יִשְׂר׳ Is. 4:2
1485-1512 (וּ/בִּ/לִ/מִ)קְד(וֹ)שׁ יִשְׂרָאֵל Is. 5:19
5:24; 10:20; 12:6; 17:7; 29:19; 30:11, 12, 15; 31:1;
37:23; 41:14, 16, 20; 43:3, 14; 45:11; 47:4; 48:17;
49:7; 55:5; 60:9, 14 • Jer. 50:29; 51:5 • Ps. 71:22;
78:41; 89:19
1513 וּלְאֶבֶן נֶגֶף...לִשְׁנֵי בָתֵּי יִשְׂרָאֵל Is. 8:14
1514 וְהָיָה אוֹר־יִשְׂרָאֵל לְאֵשׁ... Is. 10:17
1515 לֹא־יוֹסִיף עוֹד שְׁאָר יִשְׂרָאֵל... Is. 10:20
1516 אִם־יִהְיֶה עַמְּךָ יִשְׂר׳ כְּחוֹל הַיָּם Is. 10:22
1517 וְאָסַף נִדְחֵי יִשְׂרָאֵל Is. 11:12
1518 בָּרוּךְ עַמִּי...וְנַחֲלָתִי יִשְׂרָאֵל Is. 19:25
1519 יַשְׁרֵשׁ יַעֲקֹב יָצִיץ וּפָרַח יִשְׂרָאֵל Is. 27:6
1520 לָבוֹא בְהַר־יְיָ אֶל־צוּר יִשְׂרָאֵל Is. 30:29
1521 וְאַתָּה יִשְׂרָאֵל עַבְדִּי Is. 41:8
1522 תּוֹלַעַת יַעֲקֹב מְתֵי יִשְׂרָאֵל Is. 41:14
1523 אֲנִי...בּוֹרֵא יִשְׂרָאֵל מַלְכְּכֶם Is. 43:15
1524 וּבְשֵׁם יִשְׂרָאֵל יְכַנֶּה Is. 44:5
1525 יִשְׂרָאֵל נוֹשַׁע בַּייָ Is. 45:17
1526 וְיִתְהַלְלוּ כָּל־זֶרַע יִשְׂרָאֵל Is. 45:25
1527 בֵּית־יַעֲקֹב הַנִּקְרָאִים בְּשֵׁם יִשׂ׳ Is. 48:1
1528 יִשְׂרָאֵל אֲשֶׁר־בְּךָ אֶתְפָּאָר Is. 49:3
1529 וּנְצוּרֵי יִשְׂרָאֵל לְהָשִׁיב Is. 49:6
1530 כֹּה אָמַר־יְיָ גֹּאֵל יִשְׂרָאֵל קְדוֹשׁוֹ Is. 49:7
1531 אֲדֹנָי יְיָ מְקַבֵּץ נִדְחֵי יִשְׂרָאֵל Is. 56:8
1532 קֹדֶשׁ יִשְׂרָאֵל לַייָ Jer. 2:3
1533 הַעֶבֶד יִשְׂרָאֵל אִם־יְלִיד בַּיִת Jer. 2:14
1534 אֲשֶׁר עָשְׂתָה מְשֻׁבָה יִשְׂרָאֵל Jer. 3:6
1535/6 מְשֻׁבָה יִשְׂרָאֵל Jer. 3:8, 11
1537 שׁוּבָה מְשֻׁבָה יִשְׂרָאֵל Jer. 3:12
1538 בַּייָ אֱלֹהֵינוּ תְּשׁוּעַת יִשְׂרָאֵל Jer. 3:23
1539 עוֹלֵל יְעוֹלְלוּ כַגֶּפֶן שְׁאֵרִית יִשְׂר׳ Jer. 6:9
1540 מִפְּנֵי רָעַת עַמִּי יִשְׂרָאֵל Jer. 7:12
1541 מִקְוֵה יִשְׂרָאֵל מוֹשִׁיעוֹ בְּעֵת צָרָה Jer. 14:8
1542 מִקְוֵה יִשְׂרָאֵל יְיָ Jer. 17:13
1543 שַׁעֲרֻרִת עָשְׂתָה...בְּתוּלַת יִשְׂר׳ Jer. 18:13
1544 וַיַּתְעוּ אֶת־עַמִּי אֶת־יִשְׂרָאֵל Jer. 23:13
1545 אֶת־שְׁבוּת עַמִּי יִשְׂרָאֵל וִיהוּדָה Jer. 30:3
1546/7 וְאַל־תֵּחַת יִשְׂרָאֵל Jer. 30:10; 46:27
1548 אֶהְיֶה...לְכֹל מִשְׁפְּחוֹת יִשְׂר׳ Jer. 31:1(30:25)
1549 הָלוֹךְ לְהַרְגִּיעוֹ יִשְׂרָאֵל Jer. 31:2(1)
1550 אֶבְנֵךְ וְנִבְנֵית בְּתוּלַת יִשְׂרָאֵל Jer. 31:4(3)
1551 הוֹשַׁע...אֵת שְׁאֵרִית יִשְׂרָאֵל Jer. 31:7(6)
1552 מְזָרֵה יִשְׂרָאֵל יְקַבְּצֶנּוּ Jer. 31:10(9)
1553 שׁוּבִי בְּתוּלַת יִשְׂרָאֵל Jer. 31:21(20)
1554 גַּם זֶרַע יִשְׂרָאֵל יִשְׁבְּתוּ... Jer. 31:36(35)
1555 אֶמְאַס בְּכָל־זֶרַע יִשְׂרָאֵל Jer. 31:37(36)

יִשְׂרָאֵל (המשך)

1556 וַהֲשִׁבֹתִי...וְאֶת שְׁבוּת יִשְׂרָאֵל Jer. 33:7
1557 שֶׂה פְזוּרָה יִשְׂרָאֵל Jer. 50:17
1558 יְבֻקַּשׁ אֶת־עֲוֹן יִשְׂרָאֵל וְאֵינֶנּוּ Jer. 50:20
1559 לֹא־אַלְמָן יִשְׂרָאֵל...מֵאֱלֹהָיו Jer. 51:5
1560 גַּם־בָּבֶל לִנְפֹּל חַלְלֵי יִשְׂרָאֵל Jer. 51:49
1561 שִׂים פָּנֶיךָ אֶל־הָרֵי יִשְׂרָאֵל Ezek. 6:2
1562-1576 (בְּ)הָרֵי יִשְׂרָאֵל Ezek. 6:3; 19:9; 33:28
34:13, 14; 35:12; 36:1², 4, 8; 37:22; 38:8; 39:2, 4, 17
1577 לְאַדְמַת יִשְׂרָאֵל קֵץ Ezek. 7:2
1578 אֵת כָּל־שְׁאֵרִית יִשְׂרָאֵל Ezek. 9:8
1579 עַל־גְּבוּל יִשְׂר׳ אֶשְׁפּוֹט אֶתְכֶם Ezek. 11:10
1580 אֶל־גְּבוּל יִשְׂר׳ אֶשְׁפֹּט אֶתְכֶם Ezek. 11:11
1581 כָּלָה אַתָּה עֹשֶׂה אֵת שְׁאֵרִית יִשׂ׳ Ezek. 11:13
1582 וְנָתַתִּי לָכֶם אֶת־אַדְמַת יִשְׂר׳ Ezek. 11:17
1583-1597 (וְ/לְ)אַדְמַת יִשְׂרָאֵל Ezek. 12:19, 22
13:9; 18:2; 20:38, 42; 21:7, 8; 25:3, 6; 33:24; 36:6;
37:12; 38:18, 19
1598 הַנִּבָּא אֶל־נְבִיאֵי יִשְׂרָאֵל Ezek. 13:2
1599 נְבִיאֵי יִשְׂרָאֵל הַנִּבְּאִים אֶל־יְרוּ׳ Ezek. 13:16
1600 וְהִשְׁמַדְתִּיו מִתּוֹךְ עַמִּי יִשְׂרָאֵל Ezek. 14:9
1601/2 בְּהַר מְרוֹם יִשְׂרָאֵל Ezek. 17:23; 20:40
1603 וְאַתָּה חָלָל רָשָׁע נְשִׂיא יִשְׂרָאֵל Ezek. 21:30
1604 וְנָתַתִּי...בְּיַד עַמִּי יִשְׂרָאֵל Ezek. 25:14
1605 יְהוּדָה וְאֶרֶץ יִשְׂר׳ הֵמָּה רֹכְלָיִךְ Ezek. 27:17
1606 הִנָּבֵא עַל־רוֹעֵי יִשְׂרָאֵל Ezek. 34:2
1607 הוֹי רֹעֵי יִשְׂרָאֵל Ezek. 34:2
1608 וּבְהָרֵי מְרוֹם־יִשׂ׳ יִהְיֶה נְוֵהֶם Ezek. 34:14
1609 וּפֶרְיְכֶם תִּשְׂאוּ לְעַמִּי יִשְׂרָאֵל Ezek. 36:8
1610 וְהוֹלַכְתִּי...אֶת־עַמִּי יִשְׂרָאֵל Ezek. 36:12
1611 אֲנִי יְיָ מְקַדֵּשׁ אֶת־יִשְׂרָאֵל Ezek. 37:28
1612 בְּשֶׁבֶת עַמִּי יִשְׂרָאֵל לָבֶטַח Ezek. 38:14
1613 וְעָלִיתָ עַל־עַמִּי יִשְׂרָאֵל כֶּעָנָן Ezek. 38:16
1614 בְּיַד עֲבָדַי נְבִיאֵי יִשְׂרָאֵל Ezek. 38:17
1615 אוֹדִיעַ בְּתוֹךְ עַמִּי יִשְׂרָאֵל Ezek. 39:7
1616 וְיָצְאוּ יֹשְׁבֵי עָרֵי יִשְׂרָאֵל... Ezek. 39:9
1617 הֱבִיאַנִי אֶל־אֶרֶץ יִשְׂרָאֵל Ezek. 40:2
1618 וְשֶׂה־אַחַת...מִמַּשְׁקֵה יִשְׂרָאֵל Ezek. 45:15
1619 וּמִבֵּין אֶרֶץ יִשְׂרָאֵל הַיַּרְדֵּן Ezek. 47:18
1620 וְשָׁבַרְתִּי אֶת־קֶשֶׁת יִשְׂרָאֵל Hosh. 1:5
1621/2 וְעָנָה גְאוֹן־יִשְׂרָאֵל בְּפָנָיו Hosh. 5:5; 7:10
1623 בָּמוֹת אָוֶן חַטַּאת יִשְׂרָאֵל Hosh. 10:8
1624 שׁוּבָה יִשְׂרָאֵל עַד יְיָ אֱלֹהֶיךָ Hosh. 14:2
1625 וִידַעְתֶּם כִּי בְקֶרֶב יִשְׂרָאֵל אָנִי Joel 2:27
1626 עַל־עַמִּי וְנַחֲלָתִי יִשְׂרָאֵל Joel 4:2
1627-1629 פִּשְׁעֵי יִשְׂרָאֵל Am. 2:6; 3:14 • Mic. 1:13
1630 לֹא־תוֹסִיף קוּם בְּתוּלַת יִשְׂרָאֵל Am. 5:2
1631 הִנְנִי שָׂם אֲנָךְ בְּקֶרֶב עַמִּי יִשְׂרָאֵל Am. 7:8
1632 וּמִקְדְּשֵׁי יִשְׂרָאֵל יֶחֱרָבוּ Am. 7:9
1633 עַד־עֲדֻלָּם יָבוֹא כְּבוֹד יִשְׂרָאֵל Mic. 1:15
1634 קַבֵּץ אֲקַבֵּץ שְׁאֵרִית יִשְׂרָאֵל Mic. 2:12
1635 בַּשֵּׁבֶט יַכּוּ...אֵת שֹׁפֵט יִשְׂרָאֵל Mic. 4:14
1636 שָׁב יְיָ אֶת־גְּאוֹן יַעֲקֹב כִּגְאוֹן יִשְׂר׳ Nah. 2:3
1637 שְׁאֵרִית יִשְׂרָאֵל לֹא־יַעֲשׂוּ עַוְלָה Zep. 3:13
1638 מִי יִתֵּן מִצִּיּוֹן יְשׁוּעַת יִשְׂרָאֵל Ps. 14:7
1639 וְאַתָּה קָדוֹשׁ יוֹשֵׁב תְּהִלּוֹת יִשְׂר׳ Ps. 22:4
1640 וְגוּרוּ מִמֶּנּוּ כָּל־זֶרַע יִשְׂרָאֵל Ps. 22:24
1641 מִי־יִתֵּן מִצִּיּוֹן יְשֻׁעוֹת יִשְׂרָאֵל Ps. 53:7
1642 אֲדֹנָי מִמְּקוֹר יִשְׂרָאֵל Ps. 68:27
1643 אֵל יִשְׂרָאֵל הוּא נֹתֵן עֹז... Ps. 68:36
1644 וּבַחוּרֵי יִשְׂרָאֵל הִכְרִיעַ Ps. 78:31
1645 רֹעֵה יִשְׂרָאֵל הַאֲזִינָה Ps. 80:2
1646 וְלֹא־יִזָּכֵר שֵׁם־יִשְׂרָאֵל עוֹד Ps. 83:5

יִשְׂרָאֵל (המשך)

1647 בְּצֵאת יִשְׂרָאֵל מִמִּצְרָיִם Ps. 114:1
1648 יִשְׂרָאֵל בְּטַח בַּייָ Ps. 115:9
1649 לֹא־יָנוּם וְלֹא יִישָׁן שׁוֹמֵר יִשְׂר׳ Ps. 121:4
1650/1 שָׁלוֹם עַל־יִשְׂרָאֵל Ps. 125:5; 128:6
1652/3 יַחֵל יִשְׂרָאֵל אֶל־יְיָ Ps. 130:7; 131:3
1654 נִדְחֵי יִשְׂרָאֵל יְכַנֵּס Ps. 147:2
1655 שִׁשִּׁים גִּבֹּרִים...מִגִּבֹּרֵי יִשְׂרָאֵל S.ofS. 3:7
1656 הִשְׁלִיךְ...תִּפְאֶרֶת יִשְׂרָאֵל Lam. 2:1
1657 גָּדַע...כֹּל קֶרֶן יִשְׂרָאֵל Lam. 2:3
1658/9 מִסְפַּר אַנְשֵׁי עַם יִשְׂר׳ Ez. 2:2 • Neh. 7:7
1660 בְּשֵׁם אֱלָהּ יִשְׂרָאֵל Ez. 5:1
1661/2 אֱלָהּ יִשְׂרָאֵל Ez. 6:14; 7:15
1663 כָּל־מִתְנַדֵּב...מִן־עַמָּא יִשְׂרָאֵל Ez. 7:13
1664 מִבְּנֵי מַחְלִי בֶּן־לֵוִי בֶּן־יִשְׂרָאֵל Ez. 8:18
1665 לְהוֹסִיף עַל־אַשְׁמַת יִשְׂרָאֵל Ez. 10:10
1666 וַיִּבָּדְלוּ זֶרַע יִשְׂרָאֵל... Neh. 9:2
1667 וּבְנֵי כַּרְמִי עָכָר עוֹכֵר יִשְׂרָאֵל ICh. 2:7
1668 וּבְנֵי רְאוּבֵן בְּכוֹר־יִשְׂרָאֵל ICh. 5:1
1669 נִתְּנָה בְּכֹרָתוֹ לִבְנֵי יוֹסֵף בֶּן־יִשְׂר׳ ICh. 5:1
1670 בְּנֵי רְאוּבֵן בְּכוֹר יִשְׂרָאֵל ICh. 5:3
1671 בֶּן־קְהָת בֶּן־לֵוִי בֶּן־יִשְׂרָאֵל ICh. 6:23
1672 בְּאֵלֶּה יָשְׁבוּ בְּנֵי יוֹסֵף בֶּן־יִשְׂרָאֵל ICh. 7:29
1673 כָּל־שֵׁרִית יִשְׂרָאֵל לֵב אֶחָד ICh. 12:38(39)
1674 נִשְׁלְחָה...בְּכֹל אַרְצוֹת יִשְׂרָאֵל ICh. 13:2
1675 זֶרַע יִשְׂרָאֵל עַבְדּוֹ ICh. 16:13
1676 וּמִי כְּעַמְּךָ יִשְׂרָאֵל גּוֹי אֶחָד ICh. 17:21
1677 דִּבַּרְתִּי אֶת־אַחַד שֹׁפְטֵי יִשְׂרָאֵל ICh. 17:6
1678 הַגֵּרִים אֲשֶׁר בְּאֶרֶץ יִשְׂרָאֵל ICh. 22:2(1)
1679 וַיְצַו דָּוִיד לְכָל־שָׂרֵי יִשְׂרָאֵל ICh. 22:17(16)
1680-1683 (מִ)שָּׂרֵי יִשְׂרָאֵל ICh. 23:2; 28:1
IICh. 12:6; 21:4
1684 עַל פְּקֻדַּת יִשְׂר׳ מֵעֵבֶר לַיַּרְדֵּן ICh. 26:30
1685 עַל־כִּסֵּא מַלְכוּת יְיָ עַל־יִשְׂרָאֵל ICh. 28:5
1686/7 לְעֵינֵי כָל־יִשְׂרָאֵל ICh. 28:8; 29:25
1688 הַגֵּיוֹרִים אֲשֶׁר בְּאֶרֶץ יִשְׂרָאֵל IICh. 2:16
1689 וָאֵשֵׁב עַל־כִּסֵּא יִשְׂרָאֵל IICh. 6:10
1690 לֹא־יִכָּרֵת...יוֹשֵׁב עַל־כִּסֵּא יִשְׂר׳ IICh. 6:16
1691 וַיִּשְׁלַח...אֶל־עָרֵי יִשְׂרָאֵל IICh. 16:4
1692 וְלֹא כְּמַעֲשֵׂה יִשְׂרָאֵל IICh. 17:4
1693 כִּי נִלְחַם יְיָ עִם אוֹיְבֵי יִשְׂרָאֵל IICh. 20:29
1694 אַל־יָבוֹא עִמְּךָ צְבָא יִשְׂרָאֵל IICh. 25:7
1695 אֲשֶׁר נָתַתִּי לִגְדוּד יִשְׂרָאֵל IICh. 25:9
1696 הַקָּהָל הַבָּאִים...מֵאֶרֶץ יִשְׂרָאֵל IICh. 30:25
1697 לְהָסִיר אֶת־רֶגֶל יִשְׂרָאֵל IICh. 33:8
1698 גִּדַּע בְּכָל־אֶרֶץ יִשְׂרָאֵל IICh. 34:7
1699 וּמִכֹּל שְׁאֵרִית יִשְׂרָאֵל IICh. 34:9
1700-2265 יִשְׂרָאֵל Ex. 5:2²; 11:7; 14:5
15:22; 17:8; 18:1, 8, 25; 19:2; 34:27 • Num. 10:29;
16:34; 20:21²; 21:1, 2, 21, 23², 24, 25², 31; 22:2;
25:1, 3; 32:14 • Deut. 1:1, 38; 2:12; 4:1; 5:1²; 6:3;
11:6; 13:12; 17:20; 18:1, 6; 20:3; 27:9; 29:1; 31:1, 7,
11²; 32:45; 33:21; 34:12 • Josh. 3:7, 17; 4:14, 22;
6:25; 7:8, 11, 13, 16, 24, 25; 8:14, 15, 17², 21, 24², 27,
33²; 9:2; 10:1, 10, 11, 15, 29; 10:34, 36, 38, 43; 11:5,
6, 13; 13:13; 14:10; 23:2; 24:31 • Jud. 1:28; 2:22;
3:1, 4, 10, 12, 13, 31; 4:4; 6:2, 3; 6:6, 14, 15, 36, 37;
7:2; 8:27, 35; 9:22; 10:1, 2, 3; 11:4, 5, 13, 15, 16, 17²,
19², 20², 21², 23, 25, 26; 12:7, 8, 9, 11², 13, 14; 13:5;
15:20; 16:31; 20:29, 34, 35 • ISh. 2:14, 22, 32; 3:20;
4:1², 2², 5, 10, 17, 18; 7:5, 7, 9, 10, 14³, 15, 16, 17;
9:16; 10:18; 11:2; 12:1; 13:1, 4², 5, 13, 20; 14:21, 23,
39, 40, 47, 48; 15:1, 17; 15:26, 30, 35; 16:1; 17:11,
21(נ״י), 25, 26; 18:16; 19:5

יִשְׂרָאֵל (המשך)

23:17; 24:3; 25:1, 30; 28:3, 4, 19 • IISh. 2:9, 10, 28; 3:10, 12, 18, 21, 37; 4:1; 5:2³, 3, 5, 12², 17; 6:21; 7:7, 8, 11, 24, 26; 8:15; 10:15, 17, 18, 19²; 11:1; 12:7, 12; 14:25; 15:6; 16:21, 22; 17:10, 11, 13, 26; 18:6, 7, 16, 17; 19:12, 23; 21:15, 21; 24:1, 4, 9, 25 • IK. 1:3, 20; 1:34, 35; 2:11, 15; 3:28; 4:1, 7; 5:27; 6:1, 13; 8:16², 8:30, 33, 34, 36, 38, 41, 43, 52, 56, 59, 62, 65; 9:5, 7²; 10:9; 11:16, 37, 38, 42; 12:1, 16³, 18, 19, 20², 28; 14:7, 13; 14:14, 15², 16², 18; 15:25, 26, 27, 30, 33, 34; 16:2²; 16:8, 13, 16², 17, 19, 23, 26, 29²; 18:18, 19; 19:16; 20:20, 26; 21:7, 22; 22:1, 17, 52², 53 • IIK. 3:1, 3; 3:6, 24, 27; 9:3, 6, 12, 14; 10:21, 29, 31, 36; 13:1, 2, 6; 13:10, 11, 22; 14:12, 24; 15:8, 9, 17, 18, 20, 23, 24, 27; 15:28; 17:1, 6, 21², 23²; 18:11; 23:15, 22, 27 • Is. 9:11; 19:24; 40:27; 43:1, 22; 44:21 • Jer. 4:1; 12:14; 30:4; 32:21; 36:2; 48:27; 49:2; 50:19 • Ezek. 13:4; 44:10 • Hosh. 4:15, 16; 5:3; 6:10; 8:2, 3, 8, 14; 9:1, 7, 10; 10:1, 6, 9; 11:1, 8; 12:13, 14; 13:9 • Am. 1:1; 4:12²; 7:15, 16; 8:2; 9:7, 14 • Mic. 6:2 • Zep. 3:14 • Zech. 2:2; 11:14; 12:1 • Mal. 1:1; 3:22 • Ps. 14:7; 25:22; 50:7; 53:7; 68:35; 81:9, 14; 105:23; 114:2; 118:2; 124:1; 129:1; 130:8; 135:4; 136:11, 14; 149:2 • Lam. 2:5 • Eccl. 1:12 • Dan. 9:7, 11, 20 • Ez. 2:70; 3:11; 6:17; 7:11; 8:25, 35; 9:1; 10:5 • Neh. 7:73; 8:1; 10:34; 11:3, 20; 12:47; 13:18, 26 • ICh. 6:34; 9:1, 2; 11:1, 2³, 3, 4, 10²; 12:32(33), 38(39); 13:5, 6, 8; 14:2², 8; 15:3, 28; 16:40; 17:5, 6, 7, 9, 10, 22; 18:14; 19:16, 17, 18, 19; 20:7; 21:1², 2, 4, 5, 7; 22:9(8), 10(9), 12(11), 13(12); 23:1; 26:29; 27:1, 23, 24; 28:4; 29:21, 23, 25, 26, 27, 30 • IICh. 1:2², 13; 2:3; 6:5, 6, 16, 21, 24, 25, 27, 29, 32; 6:33; 7:6, 8; 9:8, 30; 10:1, 3, 16³, 19; 11:1, 3, 13; 12:1; 13:4, 5, 12, 15; 17:1; 18:16; 20:7; 24:5, 9; 25:7, 22; 28:13, 23; 29:24²; 30:1, 5, 6; 31:1, 8; 35:3², 25

וְיִשְׂרָאֵל
2266 וְיִשְׂרָאֵל אָהַב אֶת־יוֹסֵף Gen. 37:3
2267 וְיִשְׂרָאֵל עֹשֶׂה חָיִל Num. 24:18
2268 וְיִשְׂרָאֵל הוּא יֵדָע Josh. 22:22
2269 וְיִשְׂרָאֵל עֹמְדִים אֶל־הָהָר מִזֶּה ISh. 17:3
2270 וְיִשְׂרָאֵל חֹנִים בַּעַיִן ISh. 29:1
2271 הָאָרוֹן וְיִשְׂרָאֵל וִיהוּדָה IISh. 11:11
2272 וְיִשְׂרָאֵל נָס אִישׁ לְאֹהָלָיו IISh. 19:9
2273 יְהוּדָה וְיִשְׂרָאֵל רַבִּים IK. 4:20
2274 וַיֵּשֶׁב יְהוּדָה וְיִשְׂרָאֵל לָבֶטַח IK. 5:5
2275 יְיָ אֱלֹהֵי אַבְרָהָם יִצְחָק וְיִשְׂרָאֵל IK. 18:36
2276 לִמְשִׁסָּה יַעֲקֹב וְיִשְׂרָ׳ לְבֹזְזִים Is. 42:24
2277 לַחֵרֶם יַעֲקֹב וְיִשְׂרָאֵל לְגִדּוּפִים Is. 43:28
2278 יַעֲקֹב עַבְדִּי וְיִשְׂרָאֵל בָּחַרְתִּי בוֹ Is. 44:1
2279 זְכָר־אֵלֶּה יַעֲקֹב וְיִשְׂרָאֵל Is. 44:21
2280 עַבְדִּי יַעֲקֹב וְיִשְׂרָאֵל בְּחִירִי Is. 45:4
2281 שְׁמַע אֵלַי יַעֲקֹב וְיִשְׂרָ׳ מְקֹרָאִי Is. 48:12
2282 לְשׁוֹבֵב יַעֲקֹב...וְיִשְׂרָ׳ לוֹ° יֵאָסֵף Is. 49:5
2283 אַבְרָ׳ לֹא יְדָעָנוּ וְיִשְׂ׳ לֹא יַכִּירָנוּ Is. 63:16
2284 וְיִשְׂרָאֵל שֵׁבֶט נַחֲלָתוֹ Jer. 10:16
2285 תִּוָּשַׁע יְהוּדָה וְיִשְׂרָ׳ יִשְׁכֹּן לָבֶטַח Jer. 23:6
2286 וְיִשְׂרָאֵל לֹא־נִכְחַד מִמֶּנִּי Hosh. 5:3
2287 וְיִשְׂרָאֵל וְאֶפְרַיִם יִכָּשְׁלוּ בַּעֲוֺנָם Hosh. 5:5
2288/9 וְיִשְׂרָ׳ גָּלֹה יִגְלֶה מֵעַל אַדְמָתוֹ Am. 7:11, 17
2290 וְיִשְׂרָאֵל לֹא־אָבָה לִי Ps. 81:12
2291 בְּנֵי יִצְחָק עֵשָׂו וְיִשְׂרָאֵל ICh. 1:34
2292 אַבְרָהָם יִצְחָק וְיִשְׂרָאֵל אֲבֹתֵינוּ ICh. 29:18
2293 סֵפֶר הַמְּלָכִים לִיהוּדָה וְיִשְׂרָאֵל IICh. 16:11
2294-6 מַלְכֵי יְהוּדָה וְיִשְׂ׳ IICh. 25:26; 28:26; 32:32
2297 יְיָ אֱלֹהֵי אַבְרָהָם יִצְחָק וְיִשְׂרָאֵל IICh. 30:6
2298 וְכָל־יְהוּדָה וְיִשְׂרָאֵל הַנִּמְצָא IICh. 35:18

בְּיִשְׂרָאֵל
2299 כִּי נְבָלָה עָשָׂה בְיִשְׂרָאֵל Gen. 34:7
2300 אֲחַלְּקֵם בְּיַעֲקֹב וַאֲפִיצֵם בְּיִ׳ Gen. 49:7
2301 וּמִן־הַגֵּר הַגָּר בְּיִשְׂרָאֵל Lev. 20:2
2302 מִבֵּית יִשְׂ׳ וּמִן־הַגֵּר בְּיִשְׂרָאֵל Lev. 22:18
2303 כָּל־הָאֶזְרָח בְּיִשְׂרָאֵל Lev. 23:42
2304-6 כָּל־יֹצֵא צָבָא בְּיִשְׂרָאֵל Num. 1:3, 45; 26:2
2307 הִקְדַּשְׁתִּי לִי כָל־בְּכוֹר בְּיִשְׂרָ׳ Num. 3:13
2308 וְלֹא־רָאָה עָמָל בְּיִשְׂרָאֵל Num. 23:21
2309 כִּי־עָשְׂתָה נְבָלָה בְּיִשְׂרָאֵל Deut. 22:21
2310 לְהָקִים לְאָחִיו שֵׁם בְּיִשְׂרָאֵל Deut. 25:7
2311 וְנִקְרָא שְׁמוֹ בְּיִשְׂרָאֵל... Deut. 25:10
2312 וְלֹא־קָם נָבִיא עוֹד בְּיִשְׂ׳ כְּמֹשֶׁה Deut. 34:10
2313 בִּפְרֹעַ פְּרָעוֹת בְּיִשְׂרָאֵל Jud. 5:2
2314 חָדְלוּ פְרָזוֹן בְּיִשְׂרָאֵל חָדֵלּוּ Jud. 5:7
2315 שַׁקַּמְתִּי אֵם בְּיִשְׂרָאֵל Jud. 5:7
2316 צִדְקֹת פִּרְזוֹנוֹ בְּיִשְׂרָאֵל Jud. 5:11
2317 וְלֹא־יַשְׁאִירוּ מִחְיָה בְּיִשְׂרָאֵל Jud. 6:4
2318 וַתְּהִי־חֹק בְּיִשְׂרָאֵל Jud. 11:39
2319-21 אֵין מֶלֶךְ בְּיִשְׂרָאֵל Jud. 17:6; 18:1; 21:25
2322 לְפָנִים בְּיִשְׂרָאֵל... ISh. 9:9
2323 הַיּוֹם עָשָׂה־יְיָ תְּשׁוּעָה בְּיִשְׂרָאֵל ISh. 11:13
2324 וּמִי כָמוֹךָ בְּיִשְׂרָאֵל ISh. 26:15
2325 שַׂר וְגָדוֹל נָפַל...בְּיִשְׂרָאֵל IISh. 3:38
2326 כִּי לֹא־יֵעָשֶׂה כֵן בְּיִשְׂרָאֵל IISh. 13:12
2327 לְהָמִית עִיר וְאֵם בְּיִשְׂרָאֵל IISh. 20:19
2328-30 הֲמִבְּלִי אֵין־אֱלֹהִים בְּיִשְׂרָאֵל IIK. 1:3, 6, 16
2331 וְיֵדַע כִּי יֵשׁ נָבִיא בְּיִשְׂרָאֵל IIK. 5:8
2332 אֵין אֱלֹהִים...כִּי אִם־בְּיִשְׂרָאֵל IIK. 5:15
2333-2335 וְהִכְרַתִּי...עָצוּר וְעָזוּב בְּיִשְׂרָאֵל IK. 14:10; 21:21 • IIK. 9:8
2336 דָּבָר שָׁלַח...וְנָפַל בְּיִשְׂרָאֵל Is. 9:7
2337 בְּיִשְׂרָאֵל גָּדוֹל שְׁמוֹ Ps. 76:2
2338 וְתוֹרָה שָׂם בְּיִשְׂרָאֵל Ps. 78:5
2339 וְזֹאת לְפָנִים בְּיִשְׂרָאֵל Ruth 4:7
2340 וְזֹאת הַתְּעוּדָה בְּיִשְׂרָאֵל Ruth 4:7
2341 וְיִקָּרֵא שְׁמוֹ בְּיִשְׂרָאֵל Ruth 4:14
2342 וּלְלַמֵּד בְּיִשְׂרָאֵל חֹק וּמִשְׁפָּט Ez. 7:10
2343 כִּי־עָשָׂה טוֹבָה בְּיִשְׂרָאֵל IICh. 24:16
2344-2417 בְּיִשְׂרָאֵל Num. 18:14, 21

21:1, 23; 23:23; 25:3; 32:13 • Deut. 17:4 • Josh. 7:15; 24:9 • Jud. 2:14, 20; 3:8; 5:8; 10:7; 14:4; 18:19; 19:1; 20:6, 10, 21, 31; 21:3 • ISh. 3:11; 7:10; 14:45; 17:25; 18:18; 27:12; 28:1; 31:1 • IISh. 6:1; 13:13; 19:23; 21:4; 24:1, 15 • IK. 11:25; 18:36; 19:18 • IIK. 1:1; 6:8, 12; 10:32; 13:3; 14:28; 17:13, 18 • Is. 8:18; 14:1 • Jer. 29:23 • Ezek. 12:23; 14:7; 18:3; 20:5; 39:7, 11; 44:28, 29; 45:8, 16 • Hosh. 13:1 • Mic. 5:1 • Mal. 2:11 • Ps. 78:21, 59 • ICh. 10:1; 12:40(41); 19:10; 21:14 • IICh. 7:18; 34:21; 34:33; 35:18

וּבְיִשְׂרָאֵל
2418 גָּאַל יְיָ יַעֲקֹב וּבְיִשְׂרָאֵל יִתְפָּאָר Is. 44:23
2419 אֹתוֹת וּמֹפְתִים...וּבְיִשְׂ׳ וּבָאָדָם Jer. 32:20
2420 בְּיַעֲקֹב עַמּוֹ וּבְיִשְׂרָאֵל נַחֲלָתוֹ Ps. 78:71

כְּיִשְׂרָאֵל
2421 וּמִי כְעַמְּךָ כְּיִשְׂרָאֵל גּוֹי אֶחָד IISh. 7:23

לְיִשְׂרָאֵל
2422 וַיֹּאמֶר אֱלֹהִים לְיִשְׂרָאֵל Gen. 46:2
2423 אֲשֶׁר־עָשָׂה יְיָ לְיִשְׂרָאֵל Ex. 18:9
2424 מִשְׁפָּטֶיךָ לְיַעֲקֹב וְתוֹרָתְךָ לְיִ׳ Deut. 33:10
2425 וַיִּהְיוּ לְיִשְׂרָאֵל בַּתָּוֶךְ Josh. 8:22
2426/7 כִּי יְיָ(...)נִלְחָם לְיִשְׂרָאֵל Josh. 10:14, 42
2428 וַיִּתְּנָהּ יְהוֹשֻׁעַ לְנַחֲלָה לְיִשְׂרָאֵל Josh. 11:23
2429 רַק הַפִּלֶהָ לְיִשְׂרָאֵל בְּנַחֲלָה Josh. 13:6

לְיִשְׂרָאֵל (המשך)
2430 אֵת אֲשֶׁר־עָשָׂה עֲמָלֵק לְיִשְׂרָאֵל ISh. 15:2
2431 וְיֵדְעוּ...כִּי יֵשׁ אֱלֹהִים לְיִשְׂרָאֵל ISh. 17:46
2432 וַיְשִׂמֶהָ לְחֹק וּלְמִשְׁפָּט לְיִשְׂרָאֵל ISh. 30:25
2433 וְשַׂמְתִּי מָקוֹם לְעַמִּי לְיִשְׂרָאֵל IISh. 7:10
2434 וַיְהִי שָׂטָן לְיִשְׂרָאֵל IK. 11:25
2435 וַיִּתֵּן יְיָ לְיִשְׂרָאֵל מוֹשִׁיעַ IIK. 13:5
2436 וְאֵין עֹזֵר לְיִשְׂרָאֵל IIK. 14:26
2437 וְנָתַתִּי...לְיִשְׂרָאֵל תִּפְאַרְתִּי Is. 46:13
2438 הֲמִדְבָּר הָיִיתִי לְיִשְׂרָאֵל Jer. 2:31
2439 כִּי־הָיִיתִי לְיִשְׂרָאֵל לְאָב Jer. 31:9(8)
2440 הֲבָנִים אֵין לְיִשְׂרָאֵל Jer. 49:1
2441 אֶהְיֶה כַטַּל לְיִשְׂרָאֵל Hosh. 14:6
2442 אַךְ טוֹב לְיִשְׂרָאֵל אֱלֹהִים Ps. 73:1
2443 כִּי חֹק לְיִשְׂרָאֵל הוּא Ps. 81:5
2444/5 לְיַעֲקֹב לְחֹק לְיִשְׂרָאֵל בְּרִית עוֹלָם Ps. 105:10 • ICh. 16:17
2446 שִׁבְטֵי־יָהּ עֵדוּת לְיִשְׂרָאֵל Ps. 122:4
2447 נַחֲלָה לְיִשְׂרָאֵל עַמּוֹ Ps. 135:12
2448 נַחֲלָה לְיִשְׂרָאֵל עַבְדּוֹ Ps. 136:22
2449 מַגִּיד...חֻקָּיו וּמִשְׁפָּטָיו לְיִשְׂרָ׳ Ps. 147:19
2450-2472 לְיִשְׂרָאֵל Josh. 21:41; 23:1; 24:31

Jud. 2:7, 10; 10:9; 18:29 • ISh. 7:14; 8:1 • Is. 11:16 • Hosh. 7:1 • Ez. 4:3; 5:11; 8:29; 10:2 • ICh. 17:24; 21:3; 22:1; (21:31) • IICh. 15:3; 19:8; 20:10; 23:2; 24:6

וּלְיִשְׂרָאֵל
2473 אֲשֶׁר עָשָׂה...לְמֹשֶׁה וּלְיִשְׂרָאֵל עַמּוֹ Ex. 18:1
2474 זְכֹר לְאַבְרָ׳ לְיִצְחָק וּלְיִשְׂרָאֵל Ex. 32:13
2475 יֵאָמֵר לְיַעֲקֹב וּלְיִשְׂרָאֵל Num. 23:23
2476 לְדָוִד עַבְדּוֹ וּלְיִשְׂרָאֵל עַמּוֹ IK. 8:66
2477 לְיַעֲקֹב פִּשְׁעוֹ וּלְיִשְׂרָאֵל חַטָּאתוֹ Mic. 3:8
2478 לְדָוִיד וְלִשְׁלֹמֹה וּלְיִשְׂרָאֵל עַמּוֹ IICh. 7:10

מִיִּשְׂרָאֵל
2479-2480 וְנִכְרְתָה הַנֶּפֶשׁ הַהִוא מִיִּשְׂרָאֵל Ex. 12:15 • Num. 19:13
2481 וַיָּמָת עַם־רָב מִיִּשְׂרָאֵל Num. 21:6
2482 ...מִיַּעֲקֹב וְקָם שֵׁבֶט מִיִּשְׂרָאֵל Num. 24:17
2483 וְיָשֹׁב חֲרוֹן אַף־יְיָ מִיִּשְׂרָאֵל Num. 25:4
2484/5 וּבִעַרְתָּ הָרָע מִיִּשְׂרָאֵל Deut. 17:12; 22:22
2486 וּבִעַרְתָּ דַם־הַנָּקִי מִיִּשְׂרָאֵל Deut. 19:13
2487 וְלֹא־יִמָּחֶה שְׁמוֹ מִיִּשְׂרָאֵל Deut. 25:6
2488 וּנְבַעֲרָה רָעָה מִיִּשְׂרָאֵל Jud. 20:13
2489 לְהִפָּקֵד...מִיִּשְׂרָאֵל שֵׁבֶט אֶחָד Jud. 21:3
2490 נִגְדַּע הַיּוֹם שֵׁבֶט אֶחָד מִיִּשְׂרָ׳ Jud. 21:6
2491 וְלֹא־יִמָּחֶה שֵׁבֶט מִיִּשְׂרָאֵל Jud. 21:17
2492 וַיִּפֹּל מִיִּשְׂרָאֵל שְׁלֹשִׁים אֶלֶף רַגְלִי ISh. 4:10
2493/4 גָּלָה כָבוֹד מִיִּשְׂרָאֵל ISh. 4:21, 22
2495 וַיַּבְדִּילוּ כָל־עֵרֶב מִיִּשְׂרָאֵל Neh. 13:3
2496-2510 מִיִּשְׂרָאֵל ISh. 13:2 • IIK. 10:28

Is. 9:13 • Hosh. 8:6 • Ez. 2:59; 7:28; 10:1 • Neh. 7:6 • ICh. 21:14 • IICh. 8:7; 13:17; 15:9, 17; 25:6; 30:25

2511 וִהְיִיתֶם נְקִיִּם מֵיְיָ וּמִיִּשְׂרָאֵל Num. 32:22
2512 וּמִיִּשְׂרָאֵל מִבְּנֵי פַרְעֹשׁ... Ez. 10:25

יְשַׂרְאֵלָה
שפ״ז – לוי מנצח בנגינות בימי דוד, הוא אֲשַׂרְאֵלָה

יְשַׂרְאֵלָה 1 הַשְּׁבִעִי יְשַׂרְאֵלָה... ICh. 25:14

יִשְׂרְאֵלִי
ת׳ שהוא מישראל, בן לעם ישראל: 1–5

הַיִּשְׂרְאֵלִי 1 בֶּן הַיִּשְׂרְאֵלִית וְאִישׁ הַיִּשְׂרְאֵלִי Lev. 24:10
2 בֶן־אִישׁ וּשְׁמוֹ יִתְרָא הַיִּשְׂרְאֵלִי IISh. 17:25
יִשְׂרְאֵלִית 3 בֶּן־אִשָּׁה יִשְׂרְאֵלִית Lev. 24:10
הַיִּשְׂרְאֵלִית 4 בֶּן הַיִּשְׂרְאֵלִית וְאִישׁ הַיִּשְׂרְאֵלִי Lev. 24:10
5 וַיִּקֹּב בֶּן־הָאִשָּׁה הַיִּשְׂרְאֵלִית Lev. 24:11

יְשָׁרָה
ג׳ תּוֹם, יוֹשֶׁר: 1, 2

הַיְשָׁרָה 1 וְאֵת כָּל־הַיְשָׁרָה יְעַקֵּשׁוּ Mic. 3:9
וּבְיִשְׁרַת־ 2 בֶּאֱמֶת וּבִצְדָקָה וּבְיִשְׁרַת לֵבָב IK. 3:6

יְשָׁרְהוּ
(איוב לז 3) – עין שרה

יְשֻׁרוּן
כנוי מליצי לעם ישראל: 1–4

יְשֻׁרוּן 1 וַיִּשְׁמַן יְשֻׁרוּן וַיִּבְעָט Deut. 32:15
2 אֵין כָּאֵל יְשֻׁרוּן Deut. 33:26
וִישֻׁרוּן 3 עַבְדִּי יַעֲקֹב וִישֻׁרוּן בָּחַרְתִּי בוֹ Is. 44:2
בִּישֻׁרוּן 4 וַיְהִי בִישֻׁרוּן מֶלֶךְ Deut. 33:5

יָשֵׁשׁ
ת׳ יְשִׁישׁ, זָקֵן – [עין עוד יָשִׁישׁ]

וְיָשֵׁשׁ 1 עַל־בָּחוּר וּבְתוּלָה זָקֵן וְיָשֵׁשׁ IICh. 36:17

יִשָּׂשכָר
שפ״ז א) בנו החמישי של יעקב מאשתו לֵאָה: 1–4, 33, 34

ב) בני השבט המתיחס על יששכר: 5–30, 32, 35–43

ג) מן השוערים בימי דוד: 31

אִישׁ יִשָּׂשכָר 21; בֵּית י׳ 22; בְּנֵי י׳ 2, 5, 14, 16, 18–20, 27, 29; גְּבוּל י׳ 24; מַטֵּה י׳ 7–13; מִשְׁפְּחוֹת יִשָּׂשכָר 17, 28; נְשִׂיא יִשָּׂשכָר 15; שַׁעַר יִשָּׂשכָר 25

יִשָּׂשכָר 1 נָתַן אֱלֹהִים שְׂכָרִי...וַתִּקְרָא שְׁמוֹ יִשָּׂשכָר Gen. 30:18
2 וּבְנֵי יִשָּׂשכָר תּוֹלָע וּפֻוָּה... Gen. 46:13
3 יִשָּׂשכָר חֲמֹר גָּרֶם... Gen. 49:14
4 יִשָּׂשכָר זְבוּלֻן וּבִנְיָמִן Ex. 1:3
5 לִבְנֵי יִשָּׂשכָר תּוֹלְדֹתָם Num. 1:28
6 פְּקֻדֵיהֶם לְמַטֵּה יִשָּׂשכָר... Num. 1:29
7–13 (ל׳/ו׳/ומ׳)מַטֵּה יִשָּׂשכָר Num. 2:5
10:15; 13:7 • Josh. 21:17, 28 • ICh. 6:47, 57
14 וְנָשִׂיא לִבְנֵי יִשָּׂשכָר נְתַנְאֵל Num. 2:5
15 בַּיּוֹם הַשֵּׁנִי הִקְרִיב...נְשִׂיא יִשָּׂשכָר Num. 7:18
16 בְּנֵי יִשָּׂשכָר לְמִשְׁפְּחֹתָם... Num. 26:23
17 אֵלֶּה מִשְׁפְּחֹת יִשָּׂשכָר Num. 26:25
18 וּלְמַטֵּה בְנֵי־יִשָּׂשכָר Num. 34:26
19 לִבְנֵי יִשָּׂשכָר לְמִשְׁפְּחוֹתָם Josh. 19:17
20 זֹאת נַחֲלַת מַטֵּה בְנֵי־יִשָּׂשכָר Josh. 19:23
21 תּוֹלָע בֶּן־פּוּאָה...אִישׁ יִשָּׂשכָר Jud. 10:1
22 בַּעְשָׁא בֶן־אֲחִיָּה לְבֵית יִשָּׂשכָר IK. 15:27
23 מִפְּאַת קָדִימָה...יִשָּׂשכָר אֶחָד Ezek. 48:25
24 וְעַל גְּבוּל יִשָּׂשכָר Ezek. 48:26
25 שַׁעַר יִשָּׂשכָר אֶחָד Ezek. 48:33
26 רְאוּבֵן...יִשָּׂשכָר וּזְבֻלוּן ICh. 2:1
27 וְלִבְנֵי יִשָּׂשכָר תּוֹלָע וּפוּאָה ICh. 7:1
28 וַאֲחֵיהֶם לְכֹל מִשְׁפְּחוֹת יִשָּׂשכָר ICh. 7:5
29 וּמִבְּנֵי יִשָּׂשכָר יוֹדְעֵי בִינָה לָעִתִּים ICh. 12:32(33)
30 עַד־יִשָּׂשכָר וּזְבֻלוּן וְנַפְתָּלִי ICh. 12:40(41)
31 עַמִּיאֵל הַשִּׁשִּׁי יִשָּׂשכָר הַשְּׁבִיעִי ICh. 26:5
32 יִשָּׂשכָר וּזְבֻלוּן לֹא הִטֶּהָרוּ IICh. 30:18
וְיִשָּׂשכָר 33 וְשִׁמְעוֹן...וְיִשָּׂשכָר וּזְבוּלֻן Gen. 35:23
34 וְיִשָּׂשכָר וְיוֹסֵף וּבִנְיָמִן Deut. 27:12
35 שְׂמַח...וְיִשָּׂשכָר בְּאֹהָלֶיךָ Deut. 33:18
36 וְיִשָּׂשכָר כֵּן בָּרָק בָּעֵמֶק שֻׁלַּח Jud. 5:15
בְּיִשָּׂשכָר 37 וַיְהִי לִמְנַשֶּׁה בְּיִשָּׂשכָר וּבְאָשֵׁר Josh. 17:11
38 וְשָׂרַי בְּיִשָּׂשכָר עִם־דְּבֹרָה Jud. 5:15
39 יְהוֹשָׁפָט בֶּן־פָּרוּחַ בְּיִשָּׂשכָר IK. 4:17
וּבְיִשָּׂשכָר 40 וּבְיִשָּׂשכָר מִמִּזְרָח Josh. 17:10
לְיִשָּׂשכָר 41 לְיִשָּׂשכָר נְתַנְאֵל בֶּן־צוּעָר Num. 1:8
42 לְיִשָּׂשכָר יָצָא הַגּוֹרָל הָרְבִיעִי Josh. 19:17
43 לְיִשָּׂשכָר עָמְרִי בֶּן־מִיכָאֵל ICh. 27:18

יִשְׁתּוֹמֵם
(תהלים קמג 4) – עין שמם

יִשְׁתַּחֲוֶה
(ש״ב טו 32) – עין שחה

יָת*
מלת־יחס, ארמית, כמו אֶת־; יָתְהוֹן = אותם

יָתְהוֹן 1 דִּי־מַנִּיתָ יָתְהוֹן עַל־עֲבִידַת... Dan. 3:12

יָתֵד
נ׳ (ז׳ – 2) קנה מחודד לשמושים שונים: 1–24

יְתַד תְּקוּעָה 7; יְתַד אֹהֶל 11; י׳ אֶרֶג 12; יִתְדוֹת הֶחָצֵר 14, 16, 18; יִתְדוֹת הַמִּשְׁכָּן 15, 17

יָתֵד 1 וּתְקַעְתִּיו יָתֵד בְּמָקוֹם נֶאֱמָן Is. 22:23
2 יָתֵד לִתְלוֹת עָלָיו כָּל־כֶּלִי Ezek. 15:3
3 מִמֶּנּוּ פִנָּה מִמֶּנּוּ יָתֵד Zech. 10:4
4 וְלָתֶת־לָנוּ יָתֵד בִּמְקוֹם קָדְשׁוֹ Ez. 9:8
וְיָתֵד 5 וְיָתֵד תִּהְיֶה לְךָ עַל־אֲזֵנֶךָ Deut. 23:14
הַיָּתֵד 6 וַתִּתְקַע אֶת־הַיָּתֵד בְּרַקָּתוֹ Jud. 4:21
7 הַיָּתֵד הַתְּקוּעָה בְּמָקוֹם נֶאֱמָן Is. 22:25
וְהַיָּתֵד 8 סִיסְרָא נֹפֵל מֵת וְהַיָּתֵד בְּרַקָּתוֹ Jud. 4:22
בַּיָּתֵד 9 וַתִּתְקַע בַּיָּתֵד Jud. 16:14
לַיָּתֵד 10 יָדָהּ לַיָּתֵד תִּשְׁלַחְנָה Jud. 5:26
יְתַד־ 11 וַתִּקַּח...אֶת־יְתַד הָאֹהֶל Jud. 4:21
הַיְתַד־ 12 וַיִּסַּע אֶת־הַיְתַד הָאֶרֶג Jud. 16:14
הַיְתֵדֹת 13 וְכָל־הַיְתֵדֹת לַמִּשְׁכָּן...נְחֹשֶׁת Ex. 38:20
יִתְדוֹת־ 14 וְכָל־יִתְדֹת הֶחָצֵר נְחֹשֶׁת Ex. 27:19
15 אֶת־יִתְדֹת הַמִּשְׁכָּן Ex. 35:18
16 וְאֶת־יִתְ׳ הֶחָצֵר וְאֶת־מֵיתְרֵיהֶם Ex. 35:18
17 וְאֵת כָּל־יִתְדֹת הַמִּשְׁכָּן Ex. 38:31
18 וְאֶת־כָּל־יִתְדֹת הֶחָצֵר סָבִיב Ex. 38:31
וִיתֵדֹתַיִךְ 19 הַאֲרִיכִי מֵיתָרַיִךְ וִיתֵדֹתַיִךְ חַזֵּקִי Is. 14:2
יְתֵדֹתָיו 20 וְכָל־יְתֵדֹתָיו...נְחֹשֶׁת Ex. 27:19
21 בַּל־יִסַּע יְתֵדֹתָיו לָנֶצַח Is. 33:20
וִיתֵדֹתֶיהָ 22 אֶת־מֵיתָרָיו וִיתֵדֹתֶיהָ Ex. 39:40
וִיתֵדֹתָם 23–24 וִיתֵדֹתָם וּמֵיתְרֵיהֶם Num. 3:37; 4:32

יָתוֹם
ז׳ מי שמתו הוריו: 1–42

– יָתוֹם וְאַלְמָנָה 1, 3, 4, 7–9, 13, 18–20, 23–30, 33; דַּל וְיָתוֹם 21; גֵּר יָתוֹם 2, 3; דִּין יָתוֹם 6; מִשְׁפַּט יָתוֹם 1–3; שֹׁד יָתוֹם 15

– אֲבִי יְתוֹמִים 33; זְרֹעוֹת י׳ 36; חֲמוֹר יְתוֹמִים 37; שְׂדֵי יְתוֹמִים 35

יָתוֹם 1 עֹשֶׂה מִשְׁפַּט יָתוֹם וְאַלְמָנָה Deut. 10:18
2 לֹא תַטֶּה מִשְׁפַּט גֵּר יָתוֹם Deut. 24:17
3 מַטֶּה מִשְׁפַּט גֵּר־יָתוֹם וְאַלְמָנָה Deut. 27:19
4 שִׁפְטוּ יָתוֹם רִיבוּ אַלְמָנָה Is. 1:17
5 יָתוֹם לֹא יִשְׁפֹּטוּ Is. 1:23
6 דִּין לֹא־דָנוּ דִּין יָתוֹם וְיַצְלִיחוּ Jer. 5:28
7 יָתוֹם וְאַלְמָנָה לֹא תַעֲשֹׁקוּ Jer. 7:6
8 וְגֵר יָתוֹם וְאַלְמָנָה אַל־תֹּנוּ Jer. 22:3
9 יָתוֹם וְאַלְמָנָה הוֹנוּ בָךְ Ezek. 22:7
10 אֲשֶׁר־בְּךָ יְרֻחַם יָתוֹם Hosh. 14:4
11 יָתוֹם אַתָּה הָיִיתָ עוֹזֵר Ps. 10:14
12 לִשְׁפֹּט יָתוֹם וָדָךְ Ps. 10:18
13 יָתוֹם וְאַלְמָנָה יְעוֹדֵד Ps. 146:9
14 אַף עַל־יָתוֹם תַּפִּילוּ Job 6:27
15 יִגְזְלוּ מִשֹּׁד יָתוֹם Job 24:9
16 וְלֹא־אָכַל יָתוֹם מִמֶּנָּה Job 31:17
17 אִם־הֲנִיפוֹתִי עַל־יָתוֹם יָדִי Job 31:21
וְיָתוֹם 18 כָּל־אַלְמָנָה וְיָתוֹם לֹא תְעַנּוּן Ex. 22:21
19 וְאַלְמָנָה וְיָתוֹם גֵּר וְעָנִי אַל־תַּעֲשֹׁקוּ Zech. 7:10
20 שְׂכַר־שָׂכִיר אַלְמָנָה וְיָתוֹם Mal. 3:5
21 שִׁפְטוּ־דַל וְיָתוֹם Ps. 82:3
22 וְיָתוֹם וְלֹא־עֹזֵר לוֹ Job 29:12
וְהַיָּתוֹם 23–25 וְהַגֵּר וְהַיָּתוֹם וְהָאַלְמָ׳ Deut. 14:29; 16:11, 14
לַיָּתוֹם 26–30 (ו)לַגֵּר לַיָּתוֹם וְלָאַלְמָנָה Deut. 24:19, 20, 21
26:12, 13
יְתוֹמִים 31 נְשֵׁיכֶם אַלְמָנוֹת וּבְנֵיכֶם יְתֹמִים Ex. 22:23
32 וְאֶת־יְתוֹמִים יָבֹזּוּ Is. 10:2
33 אֲבִי יְתוֹמִים וְדַיַּן אַלְמָנוֹת Ps. 68:6
34 בָנָיו יְתוֹמִים וְאִשְׁתּוֹ אַלְמָנָה Ps. 109:9
35 וּבִשְׂדֵי יְתוֹמִים אַל־תָּבֹא Prov. 23:10
36 וּזְרֹעוֹת יְתֹמִים יְדֻכָּא Job 22:9
37 חֲמוֹר יְתוֹמִים יִנְהָגוּ Job 24:3
38 יְתוֹמִים הָיִינוּ וְאֵין אָב Lam. 5:3
וִיתוֹמִים 39 אַלְמָנָה וְגֵר יַהֲרֹגוּ וִיתוֹמִים יְרַצֵּחוּ Ps. 94:6
יְתֹמֶיךָ 40 עָזְבָה יְתֹמֶיךָ אֲנִי אֲחַיֶּה Jer. 49:11
יְתֹמָיו 41 וְאֶת־יְתֹמָיו...לֹא יְרַחֵם Is. 9:16
לִיתוֹמָיו 42 וְאַל־יְהִי חוֹנֵן לִיתוֹמָיו Ps. 109:12

יְתוּר
מלה סתומה; עתיד מן ״תור״(?)

יְתוּר 1 יְתוּר הָרִים מִרְעֵהוּ Job 39:8

יְתִיב
פ׳ ארמית: א) יְשַׁב: 1–4 [יְתִב = יָשַׁב]

ב) [הפ׳ הוֹתֵב] הוֹשִׁיב: 5

יְתִב 1 כָּרְסָוָן רְמִיו וְעַתִּיק יוֹמִין יְתִב Dan. 7:9
2 דִּינָא יְתִב וְסִפְרִין פְּתִיחוּ Dan. 7:10
יָתְבִין 3 דִּי יָתְבִין בְּשָׁמְרָיִן Ez. 4:17
יִתִּב 4 וְדִינָא יִתִּב וְשָׁלְטָנֵהּ יְהַעְדּוֹן Dan. 7:26
וְהוֹתֵב 5 וְהוֹתֵב הִמּוֹ בְּקִרְיָה דִּי שָׁמְרָיִן Ez. 4:10

יַתִּיר1
ת׳ ארמית: יָתֵר, גָּדוֹל: 1–8

זִיוֵהּ יַתִּיר 1; חָכְמָה יַתִּירָה 5; רַבּוּ יַתִּירָא 3; רוּחַ יַתִּירָה 4, 6

יַתִּיר 1 צַלְמָא דִּכֵּן רַב וְזִיוֵהּ יַתִּיר Dan. 2:31
יַתִּירָה (א) 2 וְאַתּוּנָא אֵזֵה יַתִּירָא Dan. 3:22
3 וּרְבוּ יַתִּירָא הוּסְפַת לִי Dan. 4:33
4 רוּחַ יַתִּירָה וּמַנְדַּע וְשָׂכְלְתָנוּ Dan. 5:12
5 וְנַהִירוּ וְשָׂכְלְתָנוּ וְחָכְמָה יַתִּירָה Dan. 5:14
6 כָּל־קֳבֵל דִּי רוּחַ יַתִּירָא בֵּהּ Dan. 6:4
7 דְּחִילָה...וְתַקִּיפָא יַתִּירָא Dan. 7:7
8 דְּחִילָה יַתִּירָה Dan. 7:19

יַתִּר2
עיר לויים בנגב יהודה: 1–4

יַתִּיר 1 וְאֶת־יַתִּר וְאֶת־מִגְרָשֶׁהָ Josh. 21:14
2 וְאֶת־יַתִּר וְאֶת־אֶשְׁתְּמֹעַ ICh. 6:42
וְיַתִּיר 3 וּבָהָר שָׁמִיר וְיַתִּיר וְשׂוֹכֹה Josh. 15:48
בְּיַתִּיר 4 לַאֲשֶׁר בְּבֵית־אֵל...וְלַאֲשֶׁר בְּיַתִּר ISh. 30:27

יִתַּךְ, וַיִּתְּכוּ
(איוב ג 24) – עין נתך

יִתְלָה
עיר בנחלת דן

וְיִתְלָה 1 וְשַׁעַלַבִּין וְאַיָּלוֹן וְיִתְלָה Josh. 19:42

(יתם)
אֵיתָם (תהלים יט 14) – עין תמם

יִתֹּם
(מ״ב כב 4) – עין תמם

יִתְמָה
שפ״ז – איש מואבי, מגבורי דוד

וְיִתְמָה 1 אֱלִיאֵל...וְיִתְמָה הַמּוֹאָבִי ICh. 11:46

יִתַּמּוּ
(במדבר יד 35) – עין תמם

יִתֵּן, יִתְּנוּ
– עין נתן

יִתְנוּ
(הושע ח 10) – עין תנה

יַתְנִיאֵל
שפ״ז – לוי מזרע אסף

יַתְנִיאֵל 1 זְבַדְיָהוּ הַשְּׁלִישִׁי יַתְנִיאֵל הָרְבִיעִי ICh. 26:2

יִתְנָן עיר בנחלת יהודה

וְיִתְנָן 1 וְקֶדֶשׁ וְחָצוֹר וְיִתְנָן Josh. 15:23

יָתַע, וַיֶּתַע (דה״ב לג 9) – עין תעה

יִתְעַל (ירמיה נא3) – עין עלה

יִתַּץ (ויקרא יא35) – עין נתץ

יתר : נוֹתַר, הוֹתִיר; יוֹתֵר, יֶתֶר, יִתְרָה, יוֹתֶרֶת, יִתְרוֹן, מוֹתָר, מֵיתָר; ש״פ יָתֵר, יִתְרוֹ, יַתִּיר, יִתְרָן; ארמית: יַתִּיר

(יתר) נוֹתַר נפ׳ א) נשאר: 1-81
ב) [הפ׳ הותיר] השאיר: 82-105

נוֹתַר בְּ- 10, 11, 13, 14, 22, 23, 29, 30, 33, 34, 60-62, 75, 80, 81; נוֹתַר מִן- 4, 9, 24-28, 31, 38-41, 58, 59, 63, 72; נוֹתַר לְ- 7, 8, 35, 77; נוֹתַר אַחֲרֵי 17, 18; הוֹתִיר מִן- 87, 93, 96-98, 100-103; דַּי...וְהוֹתֵר 82

נוֹתַרְתִּי 1 אֲנִי נוֹתַרְתִּי נָבִיא לַיְיָ לְבַדִּי IK. 18:22
2 וַאֲנִי נוֹתַרְתִּי שָׁם אֵצֶל מַלְכֵי פָרָס Dan. 10:13
נוֹתַר 3 וְלֹא-נוֹתַר כָּל-יֶרֶק בָּעֵץ Ex. 10:15
4 וְלֹא-נוֹתַר מֵהֶם אִישׁ Num. 26:65
5 לֹא נוֹתַר כָּל-נְשָׁמָה Josh. 11:11
6 לֹא-נוֹתַר עֲנָקִים בְּאֶרֶץ בְּ״י Josh. 11:22
7 כִּי אִם-נוֹתַר לְנָבָל...מַשְׁתִּין בְּקִיר ISh. 25:34
8 הֲכִי יֶשׁ-עוֹד אֲשֶׁר נוֹתַר לְבֵית שָׁאוּל IISh. 9:1
9 וְלֹא-נוֹתַר מֵהֶם אֶחָד IISh. 13:30
10 וְלֹא-נוֹתַר בּוֹ...גַּם-אֶחָד IISh. 17:12
11 וְלֹא-נוֹתַר בָּהּ פָּרֶץ Neh. 6:1
נוֹתָר 12 אֶחָד מֵהֶם לֹא נוֹתָר Ps. 106:11
נוֹתְרָה 13 לֹא-נוֹתְרָה-בּוֹ נְשָׁמָה IK. 17:17
14 וְהִנֵּה נוֹתְרָה-בָּהּ פְּלֵטָה Ezek. 14:22
וְנוֹתְרָה 15 וְנוֹתְרָה בַת-צִיּוֹן כְּסֻכָּה בְכָרֶם Is. 1:8
נוֹתַרְתֶּם 16 עַד אִם-נוֹתַרְתֶּם כַּתֹּרֶן Is. 30:17
נוֹתְרוּ 17 אֲשֶׁר נֹתְרוּ אַחֲרֵיהֶם בָּאָרֶץ IK. 9:21
18 אֲשֶׁר נוֹתְרוּ אַחֲרֵיהֶם בָּאָרֶץ IICh. 8:8
הַנּוֹתָר 19 וְשָׂרַפְתָּ אֶת-הַנּוֹתָר בָּאֵשׁ Ex. 29:34
20 וְהָיָה כָּל-הַנּוֹתָר בְּבֵיתְךָ ISh. 2:36
21 כָּל-הָעָם הַנּוֹתָר מִן-הָאֱמֹרִי IK. 9:20
22 כָּל-הַנּוֹתָר בְּקֶרֶב הָאָרֶץ Is. 7:22
23 וַחֲמֵשֶׁת אֲלָפִים הַנּוֹתָר בָּרֹחַב Ezek. 48:15
24 וְהָיָה כָּל-הַנּוֹתָר מִכָּל-הַגּוֹיִם Zech. 14:16
25 כָּל-הָעָם הַנּוֹתָר מִן-הַחִתִּי IICh. 8:7
וְהַנּוֹתָר 26 וְהַנֹּתָר מִמֶּנּוּ עַד-בֹּקֶר Ex. 12:10
27 וְהַנּוֹתָר מִמֶּנּוּ יֵאָכֵל Lev. 7:16
28 וְהַנּוֹתָר מִבְּשַׂר הַזָּבַח Lev. 7:17
29 וְהַנּוֹתָר בַּבָּשָׂר וּבַלָּחֶם Lev. 8:32
30 וְהַנּוֹתָר בַּשֶּׁמֶן אֲשֶׁר עַל-כַּף הַכֹּהֵן Lev. 14:18
31 וְהַנּוֹתָר מִן-הַשֶּׁמֶן... Lev. 14:29
32 וְהַנּוֹתָר עַד-יוֹם הַשְּׁלִישִׁי... Lev. 19:6
33 הַנִּשְׁאָר בְּצִיּוֹן וְהַנּוֹתָר בִּירוּשָׁלַםִ Is. 4:3
34 וְהַנּוֹתָר בָּאֹרֶךְ...עֲשֶׂרֶת אֲלָפִים Ezek. 48:18
35 וְהַנּוֹתָר לַנָּשִׂיא מִזֶּה וּמִזֶּה... Ezek. 48:21
36 וְהַנּוֹתָר אֶת-הֶהָמוֹן הַזֶּה IICh. 31:10
בַּנּוֹתָר 37 וְאַתְּ וּבָנַיִךְ° תִּחְיִי בַּנּוֹתָר IIK. 4:7
הַנּוֹתֶרֶת 38 אֶת-הַמִּנְחָה הַנּוֹתֶרֶת מֵאִשֵּׁי יְיָ Lev. 10:12
וְהַנּוֹתֶרֶת 39-40 וְהַנּוֹתֶרֶת מִן-הַמִּנְחָה Lev. 2:3, 10
41 וְהַנּוֹתֶרֶת מִמֶּנָּה יֹאכְלוּ אַהֲרֹן וּבָנָיו Lev. 6:9
הַנּוֹתָרִים 42 וְאֶת-שְׁמוֹת הַשִּׁשָּׁה הַנּוֹתָרִים Ex. 28:10
43 אֶל-אַהֲרֹן וְאֶל...בָּנָיו הַנּוֹתָרִים Lev. 10:12
44 וַיִּקְצֹף עַל...בְּנֵי אַהֲרֹן הַנּוֹתָרִם Lev. 10:16

הַנּוֹתָרִים (המשך) 45-57 הַנּוֹתָרִים Josh. 17:2, 6; 21:5, 26; 34 • IK. 20:30² • Jer. 27:19 • Ezek. 34:18; 39:14 • ICh. 6:46, 55; 24:20
58 הַנּוֹתָרִים מִמִּשְׁפְּחוֹת הַלְוִיִּם Josh. 21:38(40)
59 הַנּוֹתָרִים מִכָּל מַחֲנֵה בְנֵי-קֶדֶם Jud. 8:10
60 הַנּוֹתָרִים בְּאוֹצְרוֹת בֵּית-יְיָ IK. 15:18
61/2 הַכֵּלִים הַנּוֹתָרִים (ב) בֵית-יְיָ Jer. 27:18, 21
63 לִבְנֵי מְרָרִי הַנּוֹתָרִים מִמַּטֵּה זְבֻלוּן ICh. 6:62
וְהַנּוֹתָרִים 64 וַיֵּלֶךְ דָּוִד...וְהַנּוֹתָרִים עָמְדוּ ISh. 30:9
לַנּוֹתָרִים 65 מַה-נַּעֲשֶׂה...לַנּוֹתָרִים לְנָשִׁים Jud. 21:7
66 מַה-נַּעֲשֶׂה לַנּוֹתָרִים לְנָשִׁים Jud. 21:16
הַנּוֹתָרֹת 67 רֹעֶה אֶת-צֹאן לָבָן הַנּוֹתָרֹת Gen. 30:36
68 וְחִשַּׁב...עַל-פִּי הַשָּׁנִים הַנּוֹתָרֹת Lev. 27:18
69 וְעַל כָּל-עָרֵי יְהוּדָה הַנּוֹתָרוֹת Jer. 34:7
וָאִוָּתֵר 70-71 וָאִוָּתֵר אֲנִי לְבַדִּי IK. 19:10, 14
יִוָּתֵר 72 וְאִם-יִוָּתֵר מִבְּשַׂר הַמִּלֻּאִים Ex. 29:34
73 וְנִשָּׂא...בָּבֶלָה לֹא-יִוָּתֵר דָּבָר IIK. 20:17
74 וְנִשָּׂא...בָּבֶל לֹא-יִוָּתֵר דָּבָר Is. 39:6
יִוָּתֶר 75 וְהַשְּׁלִשִׁית יִוָּתֶר בָּהּ Zech. 13:8
וַיִּוָּתֵר 76 וַיִּוָּתֵר יַעֲקֹב לְבַדּוֹ Gen. 32:24
77 וַיִּוָּתֵר הוּא לְבַדּוֹ לְאִמּוֹ Gen. 44:20
78 וַיִּוָּתֵר יוֹתָם...כִּי נֶחְבָּא Jud. 9:5
יִוָּתְרוּ 79 אִם-יִוָּתְרוּ עֲשָׂרָה אֲנָשִׁים בְּבַיִת Am. 6:9
80 וּתְמִימִים יִוָּתְרוּ בָהּ Prov. 2:21
וַיִּוָּתְרוּ 81 וַיִּוָּתְרוּ בִּבְ״י אֲשֶׁר לֹא-חָלְקוּ Josh. 18:2
וְהוֹתֵר 82 וְהַמְּלָאכָה הָיְתָה דַיָּם...וְהוֹתֵר Ex. 36:7
83 כִּי כֹה אָמַר יְיָ אָכוֹל וְהוֹתֵר IIK. 4:43
84 אָכוֹל וְשָׂבוֹעַ וְהוֹתֵר עַד-לָרוֹב IICh. 31:10
הוֹתִיר 85 לְבִלְתִּי הוֹתִיר לָכֶם שְׁאֵרִית Jer. 44:7
וְהוֹתַרְתִּי 86 וְהוֹתַרְתִּי בִּהְיוֹת לָכֶם פְּלִיטֵי חֶרֶב Ezek. 6:8
87 וְהוֹתַרְתִּי מֵהֶם אַנְשֵׁי מִסְפָּר Ezek. 12:16
הוֹתִיר 88 וַיֹּאכַל...אֲשֶׁר הוֹתִיר הַבָּרָד Ex. 10:15
89 לוּלֵי...הוֹתִיר לָנוּ שָׂרִיד כִּמְעָט Is. 1:9
וְהוֹתִרְךָ 90 וְהוֹתִרְךָ יְיָ לְטוֹבָה Deut. 28:11
91 וְהוֹתִירְךָ...בְּכֹל מַעֲשֵׂה יָדֶךָ Deut. 30:9
הוֹתִרָה 92 אֵת אֲשֶׁר-הוֹתִרָה מִשָּׂבְעָהּ Ruth 2:18
אוֹתִיר 93 וְלֹא-אוֹתִיר עוֹד מֵהֶם שָׁם Ezek. 39:28
תּוֹתַר 94 פַּחַז כַּמַּיִם אַל-תּוֹתַר Gen. 49:4
יוֹתִיר 95 וּבְיֶתֶר בָּנָיו אֲשֶׁר יוֹתִיר Deut. 28:54
יוֹתֵר 96 אִישׁ אַל-יוֹתֵר מִמֶּנּוּ עַד-בֹּקֶר Ex. 16:19
וַיּוֹתֵר 97/8 וַיּוֹתֵר מִמֶּנּוּ מֵאָה רָכֶב IISh. 8:4 • ICh. 18:4
וַתֹּתַר 99 וַתֹּאכַל וַתִּשְׂבַּע וַתֹּתַר Ruth 2:14
תוֹתִירוּ 100 וְלֹא-תוֹתִירוּ מִמֶּנּוּ עַד-בֹּקֶר Ex. 12:10
101 לֹא-תוֹתִירוּ מִמֶּנּוּ עַד-בֹּקֶר Lev. 22:30
102 וְהָיָה אֲשֶׁר תּוֹתִירוּ מֵהֶם לְשִׂכִּים Num. 33:55
וַיּוֹתִירוּ 103 וַיּוֹתִרוּ אֲנָשִׁים מִמֶּנּוּ עַד-בֹּקֶר Ex. 16:20
104 וַיֹּאכְלוּ וַיּוֹתִרוּ כִּדְבַר יְיָ IIK. 4:44
הוֹתֵר 105 כְּגֹדֶל זְרוֹעֲךָ הוֹתֵר בְּנֵי תְמוּתָה Ps. 79:11

יֶתֶר1 ז׳ שארית, מותר: 1-96
קרובים: יִתְרָה / מוֹתָר / שְׁאָר / שְׁאֵרִית

– יֶתֶר מְאֹד 3; שְׂפַת יֶתֶר 4

– יֶתֶר אוֹיְבִים 85; יֶ׳ אֶחָיו 79; יֶ׳ הָאָמוֹן 23; יֶ׳ הָאֱמֹרִי 90; יֶ׳ הָאַרְבֶּה 77; יֶ׳ בָּנָיו 83; יֶ׳ הַגָּזָם 24; יֶ׳ גּוֹיִם 80, 82; יֶ׳ הַגִּלְעָד 27; יֶ׳ הַדְּבָרִים 29, 32-73, 81; יֶ׳ הֶהָמוֹן 19; יֶ׳ הַזְּקֵנִים 22; יֶ׳ הַיֶּלֶק 78; יֶ׳ הַכֵּלִים 21; יֶ׳ הַמַּלְקוֹחַ 7; יֶ׳ הַמַּמְלָכוֹת 8; יֶ׳ הַנְּבִיאִים 86; יֶ׳ מְרֵעִים 75; יֶ׳ עֹז 5; יֶ׳ הָעָם 9-18, 30, 31; יֶ׳ הָעַמִּים 25; יֶ׳ הַפְּלֵטָה 6; יֶ׳ הַקָּדֵשׁ 74; יֶ׳ הָרְפָאִים 88, 89; יֶ׳ שְׂאֵת 5; יֶתֶר הַשְּׁבָטִים 76; יֶתֶר הַשֶּׁמֶן 91

יֶתֶר 1 וּמְשַׁלֵּם עַל-יֶתֶר עֹשֵׂה גַאֲוָה Ps. 31:24
2 וַתִּגְדַּל-יֶתֶר אֶל-הַנֶּגֶב Dan. 8:9
3 וְהָיָה כָזֶה יוֹם מָחָר גָּדוֹל יֶתֶר מְאֹד Is. 56:12
4 לֹא-נָאוָה לְנָבָל שְׂפַת יֶתֶר Prov. 17:7
יֶתֶר- 5 יֶתֶר שְׂאֵת וְיֶתֶר עָז Gen. 49:3
6 אֶת-יֶתֶר הַפְּלֵטָה הַנִּשְׁאֶרֶת לָכֶם Ex. 10:5
7 וַיְהִי הַמַּלְקוֹחַ יֶתֶר הַבָּז Num. 31:32
8 יֶתֶר מַמְלְכוּת סִיחוֹן Josh. 13:27
9 וְכֹל יֶתֶר הָעָם כָּרְעוּ עַל-בִּרְכֵיהֶם Jud. 7:6
10-18 יֶתֶר הָעָם IISh. 10:10; 12:28 • IIK. 25:11 • Jer. 39:9²; 52:15 • Neh. 4:8 4:13 • ICh. 19:11
19 וְאֵת יֶתֶר הֶהָמוֹן הֶגְלָה נְבוּזַרְאֲדָן IIK. 25:11
20 פֻּקַּדְתִּי יֶתֶר שְׁנוֹתָי Is. 38:10
21 וְעַל יֶתֶר הַכֵּלִים הַנּוֹתָרִים Jer. 27:19
22 אֶל-יֶתֶר זִקְנֵי הַגּוֹלָה Jer. 29:1
23 וְאֵת יֶתֶר הָאָמוֹן הֶגְלָה Jer. 52:15
24 יֶתֶר הַגָּזָם אָכַל הָאַרְבֶּה Joel 1:4
25 יְשָׁלּוּךָ כָּל-יֶתֶר עַמִּים Hab. 2:8
וְיֶתֶר- 26 יֶתֶר שְׂאֵת וְיֶתֶר עָז Gen. 49:3
27 וְיֶתֶר הַגִּלְעָד וְכָל-הַבָּשָׁן Deut. 3:13
28 וְיֶתֶר הָעָם שִׁלַּח אִישׁ לְאֹהָלָיו ISh. 13:2
29 וְיֶתֶר דִּבְרֵי שְׁלֹמֹה... IK. 11:41
30-31 וְיֶתֶר הָעָם IK. 12:23 • Zech. 14:2
32 וְיֶתֶר דִּבְרֵי יָרָבְעָם IK. 14:19
33-73 וְיֶתֶר...דִּבְרֵי... IK. 14:29; 15:7, 23, 31 16:5, 14, 20, 27; 22:39, 46 • IIK. 1:18; 8:23; 10:34; 12:20; 13:8, 12; 14:15, 18, 28; 15:6, 11, 15, 21; 15:26, 31, 36; 16:19; 20:20; 21:17, 25; 23:28; 24:5 • IICh. 13:22; 20:34; 25:26; 26:22; 27:7; 32:32; 33:18; 35:26; 36:8
74 וְיֶתֶר הַקָּדֵשׁ אֲשֶׁר נִשְׁאַר...בִּעֵר IK. 22:47
75 וְיֶתֶר מִרְעֵיכֶם תִּרְמְסוּ בְּרַגְלֵיכֶם Ezek. 34:18
76 וְיֶתֶר הַשְּׁבָטִים...בִּנְיָמִן אֶחָד Ezek. 48:23
77 וְיֶתֶר הָאַרְבֶּה אָכַל הַיָּלֶק Joel 1:4
78 וְיֶתֶר הַיֶּלֶק אָכַל הֶחָסִיל Joel 1:4
79 וְיֶתֶר אֶחָיו יְשׁוּבוּן עַל-בְּ״י Mic. 5:2
80 וְיֶתֶר גּוֹי יִנְחָלוּם Zep. 2:9
81 וְיֶתֶר דְּבָרָיו וְכָל-דְּרָכָיו IICh. 28:26
בְּיֶתֶר- 82 וּדְבַקְתֶּם בְּיֶתֶר הַגּוֹיִם הָאֵלֶּה Josh. 23:12
וּבְיֶתֶר- 83 ...וּבְיֶתֶר בָּנָיו אֲשֶׁר יוֹתִיר Deut. 28:54
וּלְיֶתֶר- 84 וְלַסְּגָנִים וּלְיֶתֶר עֹשֵׂה הַמְּלָאכָה Neh. 2:16
85 לְסַנְבַלַּט...וּלְיֶתֶר אֹיְבֵינוּ Neh. 6:1
86 לְנוֹעַדְיָה הַנְּבִיאָה וּלְיֶתֶר הַנְּבִיאִים Neh. 6:14
מִיֶּתֶר- 87 רַק-עוֹג...נִשְׁאַר מִיֶּתֶר הָרְפָאִים Deut. 3:11
88 וּגְבוּל עוֹג...מִיֶּתֶר הָרְפָאִים Josh. 12:4
89 הוּא נִשְׁאַר מִיֶּתֶר הָרְפָאִים Josh. 13:12
90 כִּי-אִם מִיֶּתֶר הָאֱמֹרִי IISh. 21:2
וּמִיֶּתֶר- 91 וּמִיֶּתֶר הַשֶּׁמֶן אֲשֶׁר עַל-כַּפּוֹ Lev. 14:17
וְיִתְרוֹ 92 וְיִתְרוֹ לְתוֹעֵבָה אֶעֱשֶׂה Is. 44:19
יִתְרָם 93 וְהִנִּיחוּ יִתְרָם לְעוֹלְלֵיהֶם Ps. 17:14
94 הֲלֹא-נִסַּע יִתְרָם בָּם Job 4:21
וְיִתְרָם 95 וְיִתְרָם תֹּאכַל חַיַּת הַשָּׂדֶה Ex. 23:11
96 וְיִתְרָם אָכְלָה אֵשׁ Job 22:20

יֶתֶר2 ז׳ חבל, מיתר: 1-6 • קרובים: ראה חֶבֶל

יֶתֶר 1 כּוֹנְנוּ חִצָּם עַל-יֶתֶר Ps. 11:2
יִתְרִי 2 כִּי יִתְרִי (כת׳ יתרו) פִּתַּח וַיְעַנֵּנִי Job 30:11
יִתְרָם 3 הֲלֹא-נִסַּע יִתְרָם בָּם Job 4:21
יְתָרִים 4 אִם-יַאַסְרֻנִי בְּשִׁבְעָה יְתָרִים לַחִים Jud. 16:7
5 יְתָרִים לַחִים אֲשֶׁר לֹא-חֹרָבוּ Jud. 16:8
הַיְתָרִים 6 וַיְנַתֵּק אֶת-הַיְתָרִים Jud. 16:9

יֶתֶר[3]

שפ״ז א) חותן משה, הוּא יִתְרוֹ: 1
ב) בכור גדעוֹן: 9
ג) אבי עֲמָשָׂא שׂר צבא דוד: 2–4
ד) איש משבט יהוּדה: 5–7
ה) איש משבט אָשר: 8

בֶּן יֶתֶר 3; בְּנֵי יֶתֶר 8

יֶתֶר 1 וַיֵּלֶךְ מֹשֶׁה וַיָּשָׁב אֶל־יֶתֶר חֹתְנוֹ Ex. 4:18
2 לְאַבְנֵר בֶּן־נֵר וְלַעֲמָשָׂא בֶן־יֶתֶר IK. 2:5
3 עֲמָשָׂא בֶן־יֶתֶר שַׂר־צְבָא יְהוּדָה IK. 2:32
4 וַאֲבִי עֲמָשָׂא יֶתֶר הַיִּשְׁמְעֵאלִי ICh. 2:17
5 וּבְנֵי יָדָע אֲחִי שַׁמַּי יֶתֶר וְיוֹנָתָן ICh. 2:32
6 וַיָּמָת יֶתֶר לֹא בָנִים ICh. 2:32
7 וּבֶן־עֶזְרָה יֶתֶר וּמֶרֶד ICh. 4:17
8 וּבְנֵי יֶתֶר יְפֻנֶּה וּפִסְפָּא וַאֲרָא ICh. 7:38
לְיֶתֶר 9 וַיֹּאמֶר לְיֶתֶר בְּכוֹרוֹ קוּם הֲרֹג Jud. 8:20

יַתֵּר
(איוב ו 9) – עין נתר

יָתֵר
(משלי יב26) – עין תור

יַתַּר
(איוב לז 1) – עין נתר

יִתְרָא
שפ״ז אבי עמשׂא, הוּא יֶתֶר (ג)

יִתְרָא 1 וַעֲמָשָׂא בֶן־אִישׁ וּשְׁמוֹ יִתְרָא הַיִּשְׂרְאֵלִי IISh.17:25

יִתְרָה
נ׳ שארית: 1, 2

יִתְרָה 1 עַל־כֵּן יִתְרָה עָשָׂה Is. 15:7
יִתְרַת־ 2 עַל־כֵּן יִתְרַת עָשָׂה אָבָדוּ Jer. 48:36

יִתְרוֹ
שפ״ז – כֹּהן מדין, חותן משה: 1–9

יִתְרוֹ 1 וּמֹשֶׁה הָיָה רֹעֶה אֶת־צֹאן יִתְרוֹ חֹתְנוֹ Ex. 3:1
2 וַיֹּאמֶר יִתְרוֹ לְמֹשֶׁה לֵךְ לְשָׁלוֹם Ex. 4:18
3 וַיִּשְׁמַע יִתְרוֹ כֹהֵן מִדְיָן חֹתֵן מֹשֶׁה Ex. 18:1
4-6 יִתְרוֹ חֹתֵן מֹשֶׁה Ex. 18:2, 5, 12
7 אֲנִי חֹתֶנְךָ יִתְרוֹ בָּא אֵלֶיךָ Ex. 18:6
8 וַיִּחַדְּ יִתְרוֹ עַל כָּל־הַטּוֹבָה Ex. 18:9
9 וַיֹּאמֶר יִתְרוֹ בָּרוּךְ יְיָ Ex. 18:10

יִתְרוֹן
ז׳ מַעֲלה, עדיפוּת: 1–10

יִתְרוֹן הָאוֹר 10; יִתְרוֹן אֶרֶץ 7; יִתְרוֹן דַּעַת 8; יִתְרוֹן הַכְשֵׁיר חָכְמָה 9

יִתְרוֹן 1 מַה־יִּתְרוֹן לָאָדָם בְּכָל־עֲמָלוֹ Eccl. 1:3
2 וְאֵין יִתְרוֹן תַּחַת הַשָּׁמֶשׁ Eccl. 2:11
3 שֶׁיֵּשׁ יִתְרוֹן לַחָכְמָה מִן־הַסִּכְלוּת Eccl. 2:13
4 מַה־יִּתְרוֹן הָעוֹשֶׂה... Eccl. 3:9
5 וּמַה־יִּתְרוֹן לוֹ שֶׁיַּעֲמֹל לָרוּחַ Eccl. 5:15
6 וְאֵין יִתְרוֹן לְבַעַל הַלָּשׁוֹן Eccl. 10:11
וְיִתְרוֹן־ 7 וְיִתְרוֹן אֶרֶץ בַּכֹּל הִיא Eccl. 5:8
8 וְיִתְרוֹן דַּעַת הַחָכְמָה תְּחַיֶּה בְעָלֶיהָ Eccl. 7:12
9 וְיִתְרוֹן הַכְשֵׁיר חָכְמָה Eccl. 10:10
כְּיִתְרוֹן־ 10 כִּיתְרוֹן הָאוֹר מִן־הַחֹשֶׁךְ Eccl. 2:13

יִתְרִי
ת׳ המתיַחס על יֶתֶר (ד או ה): 1–3

הַיִּתְרִי 1/2 עִירָא הַיִּתְרִי גָּרֵב הַיִּתְרִי IISh.23:38 • ICh.11:40
3 הַיִּתְרִי וְהַפּוּתִי וְהַשֻּׁמָתִי ICh. 2:53

יִתְרָן
א) מצאצאי שֵׂעיר החוֹרי: 1, 2
ב) איש משבט אָשר, הוּא יֶתֶר (ה): 3

וְיִתְרָן 1 חֶמְדָּן וְאֶשְׁבָּן וְיִתְרָן וּכְרָן Gen. 36:26
2 חַמְרָן וְאֶשְׁבָּן וְיִתְרָן וּכְרָן ICh. 1:41
3 וְשַׁמָּא וְשִׁלְשָׁה וְיִתְרָן וּבְאֵרָא ICh. 7:37

יִתְרְעָם
שפ״ז – בן דוד מאשתוֹ עֶגלה: 1, 2

יִתְרְעָם 1 וְהַשִּׁשִּׁי יִתְרְעָם לְעֶגְלָה אֵשֶׁת דָּוִד IISh. 3:5
2 הַשִּׁשִּׁי יִתְרְעָם לְעֶגְלָה אִשְׁתּוֹ ICh. 3:3

יֹתֶרֶת
נ׳ עין יוֹתֶרֶת

יִתֵּשׁם
(דברים כט27) – עין נתש

יְתֵת
שפ״ז – מאלוּפי עֵשָׂו: 1, 2

יְתֵת 1 אַלּוּף עַלְוָה אַלּוּף יְתֵת Gen. 36:40
2 אַלּוּף עַלְוָה° אַלּוּף יְתֵת ICh. 1:51

כ׳ זעירא	
וְלִבְכֹּתָהּ	Gen. 23:2
כ׳ רבתי	
כְּכֹחִי	Josh. 14:11
וְכַנָּה	Ps. 80:16

כתיב כ׳–קרי ב׳		
במלכן	בַּמַּלְבֵּן	IISh. 12:31
יכין	יָבִין	Prov. 21:29
ויכן	וַיִּבֶן	IICh. 33:16

כ

כפי״ן בתורה 11 960

כתיב ב׳–קרי כ׳		
בעלות	כַּעֲלוֹת	Josh. 4:18
		Jud. 19:25
בשמעכם	כְּשָׁמְעֲכֶם	Josh. 6:5
בשמעו	כְּשָׁמְעוֹ	ISh. 11:6
בחם	כְּחֹם	ISh. 11:9

בשמעך	כְּשָׁמְעֲךָ	IISh. 5:24
ויבו	וַיַּכּוּ	IIK. 3:24
יבלו	יְכַלּוּ	Job 21:13
באמרם	כְּאָמְרָם	Es. 3:4
וזבוד	וְזַכּוּר	Ez. 8:14
זבי	זַכַּי	Neh. 3:20

כְּ־ (כַּ־, כָּ־, כֶּ־, כִּ־, כֵּ־) אות־יחס בראש מִלים

[בנטיות כמלות־יחס רק בנוכחים ונסתרים: כָּכֶם, כָּהֶם, כָּהֵן, כָּהֵנָּה – להלן המקראות 1–20; בשאר הגופים – בצרוף עם ״מוֹ״: כָּמוֹנִי, כָּמוֹךָ וכו׳ – עין ערך כְּמוֹ]

כְּ בראש שמות או פעלים או מליות – במשמעים שונים. להלן המשמעים העקריים ומקראות אחדים להדגמה (פֵּרוט המקראות ליד כל ערך במקומו):

א) לציון דמיון לדבר או לענין, כמו: (א)

ב) לציון דמיון גמור או שויון בין דבר לדבר (על־ידי תוספת כ־ לשני הדברים הַמְּדֻמִּים), כזה כן זה: (ב)

ג) [לפני מספרים, מדות, זמן וכדומה] בְּערך, בְּקרוב: (ג)

ד) [לפני מקור נסמך] כאשר, בשעה שֶׁ־, אחרי שֶׁ־ וכד׳: (ד)

ה) בראש מִלים שונות כתארי־פועל שונים, כגון: כְּבָרִאשֹׁנָה, כְּבַתְּחִלָּה, כַּיּוֹם, כָּעֵת, כְּפִי – עין ליד כל ערך במקומו

(א) נַעֲשֶׂה אָדָם בְּצַלְמֵנוּ כִּדְמוּתֵנוּ — Gen. 1:26
וִהְיִיתֶם כֵּאלֹהִים יֹדְעֵי טוֹב וָרָע — Gen. 3:5
וְכָשְׁלוּ אִישׁ־בְּאָחִיו כְּמִפְּנֵי־חֶרֶב — Lev. 26:37
וּמִי כְעַמְּךָ יִשְׂרָאֵל גּוֹי אֶחָד בָּאָרֶץ — IISh. 7:23
מָחִיתִי כָעָב פְּשָׁעֶיךָ וְכֶעָנָן חַטֹּאותֶיךָ — Is. 44:22
וַתְּהִי בְּפִי כִּדְבַשׁ לְמָתוֹק — Ezek. 3:3
עֵינָיו כְּיוֹנִים עַל־אֲפִיקֵי מָיִם — S.ofS. 5:12

(ב) וְהָיָה כַצַּדִּיק כָּרָשָׁע — Gen. 18:25
מִשְׁפַּט אֶחָד יִהְיֶה לָכֶם כַּגֵּר כָּאֶזְרָח — Lev. 24:22
כְּעַמִּי כְעַמֶּךָ, כְּסוּסַי כְּסוּסֶיךָ — IK. 22:4
וְהָיָה כָעָם כַּכֹּהֵן, כַּעֶבֶד כַּאדֹנָיו — Is. 24:2

(ג) כַּחֲצֹת הַלַּיְלָה אֲנִי יוֹצֵא בְּתוֹךְ מִצְרָיִם — Ex. 11:4
כְּשֵׁשׁ־מֵאוֹת אֶלֶף רַגְלִי — Ex. 12:37
וַיִּטֹּשׁ עַל־הַמַּחֲנֶה כְּדֶרֶךְ יוֹם כֹּה
וּכְדֶרֶךְ יוֹם כֹּה — Num. 11:31
וְלֹא־אָץ לָבוֹא כְּיוֹם תָּמִים — Josh. 10:13
וַיֵּשְׁבוּ שָׁם כְּעֶשֶׂר שָׁנִים — Ruth 1:4
וַתַּחְבֹּט אֵת אֲשֶׁר־לִקֵּטָה וַיְהִי כְּאֵיפָה שְׂעֹרִים
Ruth 2:17

(ד) וַיְהִי כְּבוֹא אַבְרָם מִצְרָיְמָה וַיִּרְאוּ — Gen. 12:14
כִּשְׁמֹעַ עֵשָׂו אֶת־דִּבְרֵי אָבִיו וַיִּצְעַק צְעָקָה
Gen. 27:34
וַיְהִי כְּדַבְּרָהּ אֶל־יוֹסֵף יוֹם יוֹם — Gen. 39:10
כְּרָפְאִי לְיִשְׂרָאֵל וְנִגְלָה עֲוֹן אֶפְרַיִם — Hosh. 7:1
כַּעֲבוֹר סוּפָה וְאֵין רָשָׁע — Prov. 10:25

כָּכֶם 1 כָּכֶם כַּגֵּר יִהְיֶה לִפְנֵי יְיָ — Num. 15:15
2 יֹסֵף עֲלֵיכֶם כָּכֶם אֶלֶף פְּעָמִים — Deut. 1:11
3 יָנִיחַ יְיָ לַאֲחֵיכֶם כָּכֶם — Deut. 3:20
4 יָנִיחַ יְיָ לַאֲחֵיכֶם כָּכֶם — Josh. 1:15
5 מֶה־עָשִׂיתִי עַתָּה כָּכֶם — Jud. 8:2
6 וּמַה־יָּכֹלְתִּי עֲשׂוֹת כָּכֶם — Jud. 8:3
7 גַּם אָנֹכִי כָּכֶם אֲדַבֵּרָה — Job 16:4
8 כִּי כָכֶם נִדְרוֹשׁ לֵאלֹהֵיכֶם — Ez. 4:2
כָּהֶם 9 צִוָּה יְיָ אֹתָם לְבִלְתִּי עֲשׂוֹת כָּהֶם — IIK. 17:15
כָּהֵם 10 כָּהֵם יוּקָשִׁים בְּנֵי הָאָדָם — Eccl. 9:12
11 יוֹסֵף יְיָ עַל־עַמּוֹ כָּהֵם מֵאָה פְעָמִים
ICh. 21:3
12 וְלֹא־נִרְאוּ כָהֵם לְפָנִים — IICh. 9:11
כָּהֵם וְכָהֵם 13/4 וְיוֹסֵף...כָּהֵם וְכָהֵם מֵאָה פְּעָמִים — IISh. 24:3
כָּהֵמָּה 15 וְעוֹד...דְּבָרִים רַבִּים כָּהֵמָּה — Jer. 36:32
כָּהֵן 16 וַיִּרְאֶה וְלֹא יַעֲשֶׂה כָּהֵן — Ezek. 18:14
כָּהֵנָּה 17 לֹא־רָאִיתִי כָהֵנָּה...לָרֹעַ — Gen. 41:19
כָּהֵנָּה וְכָהֵנָּה 18/9 וְאֹסִפָה לְּךָ כָּהֵנָּה וְכָהֵנָּה — IISh. 12:8
וְכָהֵנָּה 20 וְכָהֵנָּה רַבּוֹת עִמּוֹ — Job 23:14

כאב : כָּאַב, הִכְאִיב; כְּאֵב, מַכְאוֹב

כָּאַב
פָּ׳ א) חש כְּאֵב, דאב: 1-4

ב) [הפ׳ הִכְאִיב] גרם כאב (גם בהשאלה): 5-8

קרובים: דָּאַב / דוה / חָלָה / חָלַשׁ / סָבַל

כָּאַב בְּשָׂרוֹ 4; כָּאַב לֵב 3; הִכְאִיב חֶלְקָה 8; קוֹץ מַכְאִיב 6

וְכוֹאֵב 1 וַאֲנִי עָנִי וְכוֹאֵב — Ps. 69:30
כּוֹאֲבִים 2 בַּיּוֹם הַשְּׁלִישִׁי בִּהְיוֹתָם כֹּאֲבִים — Gen. 34:25
יִכְאַב 3 גַּם־בִּשְׂחֹק יִכְאַב־לֵב — Prov. 14:13
יִכְאָב 4 אַךְ־בְּשָׂרוֹ עָלָיו יִכְאָב — Job 14:22
הִכְאַבְתִּיו 5 וַאֲנִי לֹא הִכְאַבְתִּיו — Ezek. 13:22
מַכְאִיב 6 סִלּוֹן מַמְאִיר וְקוֹץ מַכְאִב — Ezek. 28:24
יַכְאִיב 7 כִּי הוּא יַכְאִיב וְיֶחְבָּשׁ — Job 5:18
תַּכְאִיבוּ 8 וְכֹל הַחֶלְקָה הַטּוֹבָה תַּכְאִבוּ בָּאֲבָנִים — IIK. 3:19

כְּאֵב
ז׳ תחושה של חולה או של פצוע: 1–6

קרובים: ראה חֳלִי

כְּאֵב אָנוּשׁ 1; כְּאֵב לֵב 3; כְּאֵב נֶעְכָּר 6; גָּדַל הַכְּאֵב 2; נֶחְשַׂךְ כְּאֵב 5

וּכְאֵב 1 בְּיוֹם נַחֲלָה וּכְאֵב אָנוּשׁ — Is. 17:11
הַכְּאֵב 2 כִּי רָאוּ כִּי גָדַל הַכְּאֵב מְאֹד — Job 2:13
מִכְּאֵב־ 3 וְאַתֶּם תִּצְעֲקוּ מִכְּאֵב לֵב — Is. 65:14
כְּאֵבִי 4 לָמָּה הָיָה כְאֵבִי נֶצַח — Jer. 15:18
5 אִם־אֲדַבְּרָה לֹא־יֵחָשֵׂךְ כְּאֵבִי — Job 16:6
וּכְאֵבִי 6 הֶחֱשֵׁיתִי מִטּוֹב וּכְאֵבִי נֶעְכָּר — Ps. 39:3

כַּאבִּיר (ישעיה י 13) – עין אַבִּיר

כאה : נִכְאָה, נִכְאֶה, הִכְאָה; כָּאֶה (?)

(כאה) נִכְאָה
נפ׳ א) הֻכָּה, נדכא: 1, 2

ב) [הפ׳ הִכְאָה] הכאיב: 3

נִכְאֵה לֵבָב 2; הִכְאָה לֵב 3

וְנִכְאָה 1 וּבָאוּ בוֹ צִיִּים כִּתִּים וְנִכְאָה — Dan. 11:30
וְנִכְאֵה־ 2 וְנִכְאֵה לֵבָב לְמוֹתֵת — Ps. 109:16
הַכְאוֹת 3 יַעַן הַכְאוֹת לֵב־צַדִּיק שֶׁקֶר — Ezek. 13:22

כָּאֶה*
ת׳ נדכא (?) [עין גם חֵלְכָה]

כָּאִים 1 וְנָפַל בַּעֲצוּמָיו חֵל כָּאִים (כת׳ חלכאים)
Ps. 10:10

כָּאֹר (עמוס ח8) – עין יְאוֹר (45) כַּאֲשֶׁר – עין אֲשֶׁר

כבד : כָּבֵד, נִכְבַּד, כִּבֵּד, כֻּבַּד, הִתְכַּבֵּד, הִכְבִּיד; כָּבֵד, כֹּבֶד, כְּבֵדָה, כָּבוֹד, כְּבֵדוּת, נִכְבָּד

כָּבַד
פָּ׳ א) היה רב במשקל, עָצֵם (גם בהשאלה): 1-3, 5-7, 9, 11-22 [עין גם כָּבֵד]

ב) גאה, התנשא: 10

ג) לקה, נפגם: 4, 8

ד) [נפ׳ נִכְבַּד] היה גדול, היה חשוב: 23-52

ה) [פִּ׳ כִּבֵּד] נתן כבוד, החשיב: 53-58, 60-80, 82-90

ו) [כנ״ל] הקשה, חזק: 59, 81

ז) [פֻּ׳ כֻּבַּד] הוחשב: 91-93

ח) [הת׳ הִתְכַּבֵּד] כִּבֵּד עצמו: 94

ט) [כנ״ל] נעשה כבד ורב: 95, 96

י) [הפ׳ הִכְבִּיד] הקשה, הרבה: 97-113

– כָּבַד עַל־ 1,5,6,12,14,15,19,20; כָּבַד מִן־ 11,21; כָּבַד אֶל־ 17, 18

– כָּבַד לִבּוֹ 13; כָּבַד פִּשְׁעוֹ 1

– כָּבְדָה אָזְנוֹ 4; כָּ׳ חַטָּאתוֹ 2; כָּ׳ יָדוֹ 3, 5, 15-17; כָּבְדָה מִלְחָמָה 7, 18, 19; כָּ׳ עֲבוֹדָה 6, 14;

– כָּבְדוּ עֵינָיו 8

– נִכְבַּדֵּי אֶרֶץ 40, 41; נִכְבַּדֵּי מַיִם 42

– כַּבֵּד אָב (וָאֵם) 74, 85, 86; כַּבֵּד לִבּוֹ 59, 81

– הִכְבִּיד (אֶת־) 97–101, 103–108, 111–113; הִכְבִּיד עַל־ 102, 109, 110

– הִכְבִּיד אָזְנָיו 97, 108; הִכְ׳ לִבּוֹ 98, 100, 112, 113; הִכְבִּיד נְחָשְׁתּוֹ 107; הִכְבִּיד עַבְטִיט 110; הִכְבִּיד עֻלּוֹ 102-105, 111

וְכָבַד 1 וְכָבַד עָלֶיהָ פִּשְׁעָהּ וְנָפְלָה — Is. 24:20
כָּבְדָה 2 וְחַטָּאתָם כִּי כָבְדָה מְאֹד — Gen. 18:20
3 כָּבְדָה מְאֹד יַד הָאֱלֹהִים שָׁם — ISh. 5:11
4 וְלֹא־כָבְדָה אָזְנוֹ מִשְּׁמוֹעַ — Is. 59:1
5 יָדִי כָּבְדָה עַל־אַנְחָתִי — Job 23:2
6 כִּי־כָבְדָה הָעֲבֹדָה עַל־הָעָם הַזֶּה — Neh. 5:18
כָּבֵדָה 7 וְהַמִּלְחָמָה כָּבֵדָה — Jud. 20:34

כָּבְדוּ 8 וְעֵינֵי יִשְׂרָאֵל כָּבְדוּ מִזֹּקֶן Gen. 48:10
וַתִּכְבְּדִי 9 וַתִּמָּלְאִי וַתִּכְבְּדִי...בְּלֶב יַמִּים Ezek. 27:25
יִכְבַּד 10 לְמַעַן שְׁמִי יִכְבַּד יְיָ Is. 66:5
יִכְבָּד 11 כִּי־עַתָּה מֵחוֹל יַמִּים יִכְבָּד Job 6:3
12 וְאַכְפִּי עָלֶיךָ לֹא־יִכְבָּד Job 33:7
וַיִּכְבַּד 13 וַיִּכְבַּד לֵב פַּרְעֹה וְלֹא שִׁלַּח Ex. 9:7
תִּכְבַּד 14 תִּכְבַּד הָעֲבֹדָה עַל־הָאֲנָשִׁים Ex. 5:9
15 יוֹמָם וָלַיְלָה תִּכְבַּד עָלַי יָדֶךָ Ps. 32:4
וַתִּכְבַּד 16 וַתִּכְבַּד יַד בֵּית־יוֹסֵף Jud. 1:35
17 וַתִּכְבַּד יַד־יְיָ אֶל־הָאַשְׁדּוֹדִים ISh. 5:6
18 וַתִּכְבַּד הַמִּלְחָמָה אֶל־שָׁאוּל ISh. 31:3
19 וַתִּכְבַּד הַמִּלְחָמָה עַל־שָׁאוּל ICh. 10:3
נִכְבַּד 20 אַל־נָא נֵלֵךְ כֻּלָּנוּ וְלֹא נִכְבַּד עָלֶיךָ IISh. 3:25
יִכְבְּדוּ 21 כְּמַשָּׂא כָבֵד יִכְבְּדוּ מִמֶּנִּי Ps. 38:5
22 יִכְבְּדוּ בָנָיו וְלֹא יֵדָע Job 14:21
הִכָּבְדִי 23 וְהָיָה לָהֶם לְשֵׁם יוֹם הִכָּבְדִי Ezek. 39:13
בְּהִכָּבְדִי 24 בְּהִכָּבְדִי בְּפַרְעֹה בְּרִכְבּוֹ Ex. 14:18
וְנִכְבַּדְתִּי 25 הִנְנִי עָלַיִךְ...וְנִכְבַּדְתִּי בְּתוֹכֵךְ Ezek. 28:22
נִכְבַּדְתָּ 26 מֵאֲשֶׁר יָקַרְתָּ בְעֵינַי נִכְבַּדְתָּ Is. 43:4
נִכְבָּדְתָּ 27 יָסַפְתָּ לַגּוֹי נִכְבָּדְתָּ Is. 26:15
נִכְבַּד 28 מַה־נִּכְבַּד הַיּוֹם מֶלֶךְ יִשְׂרָאֵל IISh. 6:20
נִכְבָּד 29 וְהוּא נִכְבָּד מִכֹּל בֵּית אָבִיו Gen. 34:19
30 הִנֵּה־נָא אִישׁ־אֱלֹהִים...וְהָאִישׁ נִכְבָּד ISh. 9:6
31 מִן־הַשְּׁלֹשָׁה הֲכִי נִכְבָּד IISh. 23:19
32 מִן־הַשְּׁלֹשִׁים נִכְבָּד IISh. 23:23
33 וַיְהִי יַעְבֵּץ נִכְבָּד מֵאֶחָיו ICh. 4:9
34 מִן־הַשְּׁלוֹשָׁה בַשְּׁנַיִם נִכְבָּד ICh. 11:21
35 מִן־הַשְּׁלוֹשִׁים הִנּוֹ נִכְבָּד הוּא ICh. 11:25
וְנִכְבָּד 36 וְסָר אֶל־מִשְׁמַעְתֶּךָ וְנִכְבָּד בְּבֵיתֶךָ ISh. 22:14
37 לְיִרְאָה אֶת־הַשֵּׁם הַנִּכְבָּד וְהַנּוֹרָא Deut. 28:58
38 יִרְהֲבוּ הַנַּעַר בַּזָּקֵן וְהַנִּקְלֶה בַּנִּכְבָּד Is. 3:5
וְנִכְבָּדִים 39 שָׂרִים רַבִּים וְנִכְבָּדִים מֵאֵלֶּה Num. 22:15
נִכְבַּדֵּי־ 40 סֹחֲרֶיהָ שָׂרִים כִּנְעָנֶיהָ נִכְבַּדֵּי־אָרֶץ Is. 23:8
41 לְהָקֵל כָּל־נִכְבַּדֵּי־אָרֶץ Is. 23:9
42 בְּאֵין מַעְיָנוֹת נִכְבַּדֵּי־מָיִם Prov. 8:24
נִכְבַּדֶּיהָ 43 וְעַל־נִכְבַּדֶּיהָ יַדּוּ גוֹרָל Nah. 3:10
וְנִכְבְּדֵיהֶם 44 לֶאְסֹר מַלְכֵיהֶם...וְנִכְבְּדֵיהֶם בְּכַבְלֵי בַרְזֶל Ps. 149:8
נִכְבָּדוֹת 45 נִכְבָּדוֹת מְדֻבָּר בָּךְ עִיר הָאֱלֹהִים Ps. 87:3
אֶכָּבֵד 46 וְעַל־פְּנֵי כָל־הָעָם אֶכָּבֵד Lev. 7:3
וְאֶכָּבֵד 47 וְאֶכָּבֵד בְּעֵינֵי יְיָ Is. 49:5
אִכָּבֵדָה 48 וְעִם־הָאֲמָהוֹת...עִמָּם אִכָּבֵדָה IISh. 6:22
וְאִכָּבְדָה 49/50 וְאִכָּבְדָה בְּפַרְעֹה וּבְכָל־חֵילוֹ Ex. 14:4, 17
וְאֶכָּבְדָה 51 ...וְאֶרְצֶה־בּוֹ וְאֶכָּבְדָ° Hag. 1:8
הִכָּבֵד 52 הִכָּבֵד וְשֵׁב בְּבֵיתֶךָ IIK. 14:10
כַּבֵּד 53 כִּי־כַבֵּד אֲכַבֶּדְךָ מְאֹד Num. 22:17
54 אָמַרְתִּי כַּבֵּד אֲכַבֶּדְךָ Num. 24:11
כַּבְּדֶךָ 55 הַאֻמְנָם לֹא אוּכַל כַּבְּדֶךָ Num. 22:37
כִּבַּדְתָּנִי 56 וּזְבָחֶיךָ לֹא כִבַּדְתָּנִי Is. 43:23
וְכִבַּדְתּוֹ 57 וְכִבַּדְתּוֹ מֵעֲשׂוֹת דְּרָכֶיךָ Is. 58:13
וְכִבַּדְנוּךָ 58 כִּי־יָבֹא דְבָרְךָ° וְכִבַּדְנוּךָ Jud. 13:17
כִּבְּדוּ 59 כִּבְּדוּ מִצְרַיִם וּפַרְעֹה אֶת־לִבָּם ISh. 6:6
כִּבְּדוּנִי 60 בְּפִיו וּבִשְׂפָתָיו כִּבְּדוּנִי Is. 29:13
הַמְכַבֵּד 61/2 הַמְכַבֵּד דָּוִ(י)ד אֶת־אָבִיךָ IISh. 6:3 • ICh. 19:3
וּמְכַבְּדוֹ 63 וּמְכַבְּדוֹ חֹנֵן אֶבְיוֹן Prov. 14:31
מְכַבְּדַי 64 כִּי־מְכַבְּדַי אֲכַבֵּד וּבֹזַי יֵקָלּוּ ISh. 2:30
מְכַבְּדֶיהָ 65 כָּל־מְכַבְּדֶיהָ הִזִּילוּהָ Lam. 1:8
אֲכַבֵּד 66 כִּי־מְכַבְּדַי אֲכַבֵּד וּבֹזַי יֵקָלּוּ ISh. 2:30
67 לְפָאֵר...וּמְקוֹם רַגְלַי אֲכַבֵּד Is. 60:13
וַאֲכַבְּדָה 68 וַאֲכַבְּדָה שִׁמְךָ לְעוֹלָם Ps. 86:12
אֲכַבֶּדְךָ 69 כִּי־כַבֵּד אֲכַבֶּדְךָ מְאֹד Num. 22:17
70 אָמַרְתִּי כַּבֵּד אֲכַבֶּדְךָ Num. 24:11

וַאֲכַבְּדֵהוּ 71 אֲחַלְּצֵהוּ וַאֲכַבְּדֵהוּ Ps. 91:15
וַתְּכַבֵּד 72 וַתְּכַבֵּד אֶת־בָּנֶיךָ מִמֶּנִּי ISh. 2:29
וּתְכַבְּדֵנִי 73 אֲחַלֶּצְךָ וּתְכַבְּדֵנִי Ps. 50:15
יְכַבֵּד 74 בֵּן יְכַבֵּד אָב וְעֶבֶד אֲדֹנָיו Mal. 1:6
75 וְאֶת־יִרְאֵי יְיָ יְכַבֵּד Ps. 15:4
76 וְלֶאֱלֹהַּ מָעֻזִּים עַל־כַּנּוֹ יְכַבֵּד Dan. 11:38
77 וְלֶאֱלוֹהַּ...יְכַבֵּד בְּזָהָב וּבְכֶסֶף Dan. 11:38
יְכַבְּדָנְנִי 78 זֹבֵחַ תּוֹדָה יְכַבְּדָנְנִי Ps. 50:23
תְּכַבְּדֵנִי 79 תְּכַבְּדֵנִי חַיַּת הַשָּׂדֶה Is. 43:20
תְּכַבֵּדְךָ 80 תְּכַבֵּדְךָ כִּי תְחַבְּקֶנָּה Prov. 4:8
תְכַבְּדוּ 81 וְלָמָּה תְכַבְּדוּ אֶת־לְבַבְכֶם ISh. 6:6
יְכַבְּדוּ 82 אֲשֶׁר־בִּי יְכַבְּדוּ אֱלֹהִים וַאֲנָשִׁים Jud. 9:9
וִיכַבְּדוּ 83 יָבוֹאוּ וְיִשְׁתַּחֲווּ...וִיכַבְּדוּ לִשְׁמֶךָ Ps. 86:9
יְכַבְּדוּךָ 84 עַל־כֵּן יְכַבְּדוּךָ עַם־עָז Is. 25:3
כַּבֵּד 85/6 כַּבֵּד אֶת־אָבִיךָ וְאֶת־אִמֶּךָ Ex. 20:12 • Deut. 5:16
87 כַּבֵּד אֶת־יְיָ מֵהוֹנֶךָ Prov. 3:9
כַּבְּדֵנִי 88 כַּבְּדֵנִי נָא נֶגֶד זִקְנֵי־עַמִּי ISh. 15:30
כַּבְּדוּ 89 בָּאֻרִים כַּבְּדוּ יְיָ Is. 24:15
כַּבְּדוּהוּ 90 כָּל־זֶרַע יַעֲקֹב כַּבְּדוּהוּ Ps. 22:24
מְכֻבָּד 91 וְקָרָאתָ לַשַּׁבָּת עֹנֶג לִקְדוֹשׁ יְיָ מְכֻבָּד Is. 58:13
יְכֻבָּד 92 וְשׁוֹמֵר תּוֹכַחַת יְכֻבָּד Prov. 13:18
93 וְשֹׁמֵר אֲדֹנָיו יְכֻבָּד Prov. 27:18
מִמִּתְכַּבֵּד 94 טוֹב...מִמִּתְכַּבֵּד וַחֲסַר־לָחֶם Prov. 12:9
הִתְכַּבֵּד 95 הִתְכַּבֵּד כַּיֶּלֶק... Nah. 3:15
הִתְכַּבְּדִי 96 הִתְכַּבְּדִי כָּאַרְבֶּה Nah. 3:15
הַכְבֵּד 97 וְאָזְנָיו הַכְבֵּד וְעֵינָיו הָשַׁע Is. 6:10
וְהַכְבֵּד 98 וַיַּרְא...וְהַכְבֵּד אֶת־לִבּוֹ Ex. 8:11
לְהַכְבִּיד 99 וּנְשָׂאֲךָ לִבְּךָ לְהַכְבִּיד IICh. 25:19
הִכְבַּדְתִּי 100 כִּי־אֲנִי הִכְבַּדְתִּי אֶת־לִבּוֹ Ex. 10:1
וְהִכְבַּדְתִּים 101 וְהִכְבַּדְתִּים וְלֹא יִצְעָרוּ Jer. 30:19
הִכְבַּדְתְּ 102 עַל־זָקֵן הִכְבַּדְתְּ עֻלֵּךְ מְאֹד Is. 47:6
הִכְבִּיד 103/4 אָבִיךָ הִכְבִּיד אֶת־עֻלֵּנוּ IK. 12:10 • IICh. 10:10
105 אָבִי הִכְבִּיד אֶת־עֻלְּכֶם IK. 12:14
106 הָרִאשׁוֹן הֵקַל...וְהָאַחֲרוֹן הִכְבִּיד Is. 8:23
107 גָּדַר בַּעֲדִי...הִכְבִּיד נְחָשְׁתִּי Lam. 3:7
הִכְבִּידוּ 108 וְאָזְנֵיהֶם הִכְבִּידוּ מִשְּׁמוֹעַ Zech. 7:11
109 וְהַפַּחוֹת...הִכְבִּידוּ עַל־הָעָם Neh. 5:15
וּמַכְבִּיד 110 וּמַכְבִּיד עָלָיו עַבְטִיט Hab. 2:6
אַכְבִּיד 111 אַכְבִּיד אֶת־עֻלְּכֶם IICh. 10:14
וַיַּכְבֵּד 112 וַיַּכְבֵּד פַּרְעֹה אֶת־לִבּוֹ Ex. 8:28
113 וַיַּכְבֵּד לִבּוֹ הוּא וַעֲבָדָיו Ex. 9:34

כָּבֵד¹

ת׳ א) קשה: 1, 3-6, 8, 9, 16, 18, 31, 33-38, 40, 41
ב) רב, עצום: 2, 7, 10-15, 17, 19, 21, 23, 24, 26, 29
ג) רב במשקלו: 20, 22, 25, 27, 28, 30, 32, 39

– כְּבַד לָשׁוֹן 37, 40, 41; כְּבַד פֶּה 37

– אֵבֶל כָּבֵד 8; אִישׁ כָּבֵד 32; אַרְבֶּה כָּ׳ 14; בָּרָד כָּ׳ 12, 13; דָּבָר כָּ׳ 16; דֶּבֶר כָּ׳ 11; חַיִל כָּבֵד 21, 23, 24, 29; כַּעַס כָּ׳ 28; לֵב כָּ׳ 9; מַחֲנֶה כָּבֵד 7; מִקְנֶה כָּ׳ 15; מִסְפֵּד כָּ׳ 31; מַשָּׂא כָּ׳ 27; סֶלַע כָּ׳ 25; עַל כָּ׳ 22, 30, 34, 35; עַם כָּ׳ 19, 33; עָנָן כָּבֵד 17; עָרֹב כָּ׳ 10; רָעָב כָּבֵד 1, 3-6

– יָדַיִם כְּבֵדוֹת (כְּבֵדִים) 39

כָּבֵד 1 כִּי־כָבֵד הָרָעָב בָּאָרֶץ Gen. 12:10
2 וְאַבְרָם כָּבֵד מְאֹד בַּמִּקְנֶה Gen. 13:2
3 הָרָעָב...כִּי־כָבֵד הוּא מְאֹד Gen. 41:31
4 וְהָרָעָב כָּבֵד בָּאָרֶץ Gen. 43:1

כָּבֵד (המשך) 5/6 כִּי־כָבֵד הָרָעָב Gen. 47:4, 13
7 וַיְהִי הַמַּחֲנֶה כָּבֵד מְאֹד Gen. 50:9
8 אֵבֶל־כָּבֵד זֶה לְמִצְרָיִם Gen. 50:11
9 כָּבֵד לֵב פַּרְעֹה Ex. 7:14
10 וַיָּבֹא עָרֹב כָּבֵד בֵּיתָה פַרְעֹה Ex. 8:20
11 בַּסּוּסִים...דֶּבֶר כָּבֵד מְאֹד Ex. 9:3
12 הִנְנִי מַמְטִיר...בָּרָד כָּבֵד מְאֹד Ex. 9:18
13 וַיְהִי בָרָד...כָּבֵד מְאֹד... Ex. 9:24
14 וַיַּעַל הָאַרְבֶּה...כָּבֵד מְאֹד Ex. 10:14
15 וְצֹאן וּבָקָר מִקְנֶה כָּבֵד מְאֹד Ex. 12:38
16 כִּי־כָבֵד מִמְּךָ הַדָּבָר Ex. 18:18
17 וְעָנָן כָּבֵד עַל־הָהָר Ex. 19:16
18 לֹא־אוּכַל...כִּי כָבֵד מִמֶּנִּי Num. 11:14
19 וַיֵּצֵא...בְּעַם כָּבֵד וּבְיָד חֲזָקָה Num. 20:20
20 כִּי־כָבֵד עָלָיו וְגִלְּחוֹ IISh. 14:26
21 וַתָּבֹא יְרוּשָׁלְַמָה בְּחַיִל כָּבֵד מְאֹד IK. 10:2
22 אָבִי הֶעְמִיס עֲלֵיכֶם עֹל כָּבֵד IK. 12:11
23 סוּסִים וָרֶכֶב וְחַיִל כָּבֵד IIK. 6:14
24 וַיִּשְׁלַח...בְּחֵיל כָּבֵד יְרוּשָׁלִָם IIK. 18:17
25 כְּצֵל סֶלַע־כָּבֵד בְּאֶרֶץ עֲיֵפָה Is. 32:2
26 וַיִּשְׁלַח...יְרוּשָׁלַ͏ְמָה...בְּחֵיל כָּבֵד Is. 36:2
27 כְּמַשָּׂא כָבֵד יִכְבְּדוּ מִמֶּנִּי Ps. 38:5
28 וְכַעַס אֱוִיל כָּבֵד מִשְּׁנֵיהֶם Prov. 27:3
29 וַתָּבוֹא...בִּירוּשָׁ׳ בְּחַיִל כָּבֵד מְאֹד IICh. 9:1
30 אָבִי הֶעְמִיס עֲלֵיכֶם עֹל כָּבֵד IICh. 10:11
וְכָבֵד 31 מִסְפֵּד גָּדוֹל וְכָבֵד מְאֹד Gen. 50:10
32 כִּי־זָקֵן הָאִישׁ וְכָבֵד ISh. 4:18
הַכָּבֵד 33 לִשְׁפֹּט אֶת־עַמְּךָ הַכָּבֵד הַזֶּה IK. 3:9
34/5 וּמֵעֻלּוֹ הַכָּבֵד...עָלֵינוּ IK. 12:4 • IICh. 10:4
כֶּבֶד־ 36 הוֹי גּוֹי חֹטֵא עַם כֶּבֶד עָוֹן Is. 1:4
כְּבַד־ 37 כִּי כְבַד־פֶּה וּכְבַד לָשׁוֹן אָנֹכִי Ex. 4:10
וּכְבַד־ 38 כִּי כְבַד־פֶּה וּכְבַד לָשׁוֹן אָנֹכִי Ex. 4:10
כְּבֵדִים 39 וִידֵי מֹשֶׁה כְּבֵדִים Ex. 17:12
וְכִבְדֵי־ 40/1 עִמְקֵי שָׂפָה וְכִבְדֵי לָשׁוֹן Ezek. 3:5, 6

כָּבֵד²

ז׳ בַּלּוּט גָּדוֹל בְּגוּף – מֵאֶבְרֵי הָעִכּוּל: 1–14
קרובים: בֶּטֶן | כִּלְיָה | כָּרֵשׂ | לֵב | מֵעַיִם | קֵבָה | קֶרֶב
– יוֹתֶרֶת (עַל/מִן) הַכָּבֵד 1–11
– נִשְׁפַּךְ כְּבֵדוֹ 13; פִּלַּח כְּבֵדוֹ 14; רָאָה בַּכָּבֵד 12

הַכָּבֵד 1–6 וְאֵת הַיֹּתֶרֶת עַל־הַכָּבֵד Ex. 29:13
Lev. 3:4, 10, 15; 4:9; 7:4
7–9 וְאֵת יֹתֶרֶת הַכָּבֵד Ex. 29:22 • Lev. 8:16, 25
10 וְאֶת־הַיֹּתֶרֶת מִן־הַכָּבֵד Lev. 9:10
11 וְהַכְּלָיֹת וְיֹתֶרֶת הַכָּבֵד Lev. 9:19
בַּכָּבֵד 12 שָׁאַל בַּתְּרָפִים רָאָה בַּכָּבֵד Ezek. 21:26
כְּבֵדִי 13 נִשְׁפַּךְ לָאָרֶץ כְּבֵדִי Lam. 2:11
כְּבֵדוֹ 14 עַד יְפַלַּח חֵץ כְּבֵדוֹ Prov. 7:23

כָּבֵד

עַיֵּן כָּבוֹד

כֹּבֶד

ז׳ נֵטֶל, רוֹב, קוֹשִׁי: 1–4
כֹּבֶד אֶבֶן 2; כֹּ׳ מִלְחָמָה 1; כֹּ׳ מַשָּׂאָה 3; כֹּ׳ פֶּגֶר 4

כֹּבֶד־ 1 וּמִפְּנֵי כֹּבֶד מִלְחָמָה Is. 21:15
2 כֹּבֶד־אֶבֶן וְנֵטֶל הַחוֹל Prov. 27:3
וְכֹבֶד־ 3 בֹּעֵר אַפּוֹ וְכֹבֶד מַשָּׂאָה Is. 30:27
4 וְרֹב חָלָל וְכֹבֶד פָּגֶר Nah. 3:3

כְּבֻדָּה

א) ת׳ נקבה(?) – מְכֻבָּדָה, מְפֹאָרָה: 1
ב) ג׳ רְכוּשׁ, נְכָסִים: 2, 3

כְּבוּדָּה 1 וְיָשַׁבְתְּ עַל־מִטָּה כְבוּדָּה Ezek. 23:41
2 כָּל־כְּבוּדָּה בַת־מֶלֶךְ פְּנִימָה Ps. 45:14
הַכְּבוּדָּה 3 וְאֶת־הַמִּקְנֶה וְאֶת־הַכְּבוּדָּה Jud. 18:21

כְּבֵדוּת נ׳ קוֹשִׁי

בִּכְבֵדֻת 1 וַיָּסַר אֵת אֹפַן...וַיְנַהֲגֵהוּ בִּכְבֵדֻת Ex. 14:25

כבה : כָּבָה, כִּבָּה

כָּבָה פָּ׳ א) דעך, חדל לבעור: 1-14
ב) [פִּ׳ כִּבָּה] הפסיק הבערה: 15-24
קרובים: דָּעַךְ / הוּעַם (עמם) / כָּהָה / נִזְעַךְ / שָׁקַע

– כָּבָה נֵר 2, 3; כָּבְתָה אֵשׁ 4, 5, 8, 10, 13; כָּבְתָה זֶפֶת 7; כָּבְתָה חֵמָה 6, 9, 14; כָּבְתָה לַהֶבֶת 11, 12

– כִּבָּה אַהֲבָה 15; כִּבָּה אֵשׁ 18-21; כִּ׳ גַּחֶלֶת 17; כִּבָּה חֵמָה 19, 20; כִּבָּה נֵר 22, 24; כִּ׳ פִּשְׁתָּה 23; כִּבָּה שָׁמַיִם 16

כָּבוּ 1 דָּעֲכוּ כַּפִּשְׁתָּה כָבוּ Is. 43:17

יִכְבֶּה 2 וְנֵר אֱלֹהִים טֶרֶם יִכְבֶּה ISh. 3:3

3 לֹא־יִכְבֶּה בַלַּיְלָה° נֵרָהּ Prov. 31:18

תִכְבֶּה 4 וְהָאֵשׁ...תּוּקַד־בּוֹ לֹא תִכְבֶּה Lev. 6:5

5 אֵשׁ תָּמִיד תּוּקַד...לֹא תִכְבֶּה Lev. 6:6

6 וְנִצְּתָה חֲמָתִי...וְלֹא תִכְבֶּה IIK. 22:17

7 לְזֶפֶת...לַיְלָה וְיוֹמָם לֹא תִכְבֶּה Is. 34:10

8 וְאִשָּׁם לֹא תִכְבֶּה Is. 66:24

9 וַחֲמָתִי נִתֶּכֶת...וּבָעֲרָה וְלֹא תִכְבֶּה Jer. 7:20

10 וְאָכְלָה אַרְמְנוֹת יְרוּ׳ וְלֹא תִכְבֶּה Jer. 17:27

11 לֹא־תִכְבֶּה לַהֶבֶת שַׁלְהֶבֶת Ezek. 21:3

12 כִּי אֲנִי יְיָ בִּעַרְתִּיהָ לֹא תִכְבֶּה Ezek. 21:4

13 בְּאֶפֶס עֵצִים תִּכְבֶּה־אֵשׁ Prov. 26:20

14 וְתִתַּךְ חֲמָתִי...וְלֹא תִכְבֶּה IICh. 34:25

לְכַבּוֹת 15 מַיִם...לֹא יוּכְלוּ לְכַבּוֹת אֶת־הָאַהֲבָה S.ofS. 8:7

בְּכַבּוֹתְךָ 16 וְכִסֵּיתִי בְכַבּוֹתְךָ שָׁמַיִם Ezek. 32:7

וְכִבּוּ 17 וְכִבּוּ אֶת־גַּחַלְתִּי אֲשֶׁר נִשְׁאָרָה IISh. 14:7

מְכַבֶּה 18 וּבָעֲרוּ שְׁנֵיהֶם יַחְדָּו וְאֵין מְכַבֶּה Is. 1:31

19-20 וּבָעֲרָה וְאֵין מְכַבֶּה Jer. 4:4; 21:12

21 וְאָכְלָה וְאֵין־מְכַבֶּה לְבֵית־אֵל Am. 5:6

תְּכַבֶּה 22 וְלֹא תְכַבֶּה אֶת־נֵר יִשְׂרָאֵל IISh. 21:17

יְכַבֶּנָּה 23 וּפִשְׁתָּה כֵהָה לֹא יְכַבֶּנָּה Is. 42:3

וַיְכַבּוּ 24 וַיְכַבּוּ אֶת־הַנֵּרוֹת IICh. 29:7

כָּבוֹד ז׳ [נ׳–139] א) יְקָר, גּוֹדֶל, גדולה: רוב המקראות
ב) הוֹן, רכוּשׁ: 14, 51, 102, 103, 122, 176, 181, 193, 194 • קרובים: ראה הָדָר

– כָּבוֹד וְגֹדֶל 60, 172; כָּבוֹד וָעֹז 18, 19, 36, 170; כָּבוֹד וְתִפְאֶרֶת 64, 65; חֵן וְכָבוֹד 38; נְכָסִים וְכָבוֹד 47, 48; עֹשֶׁר וְכָבוֹד 39-45, 58; צְבִי וְכָבוֹד 68; צְדָקָה וְכָבוֹד 46

– אֵל הַכָּבוֹד 57; זִיז כָּבוֹד 193; חֵקֶר כָּבוֹד 31; כִּסֵּא כָבוֹד 2, 9, 13, 162; מֶלֶךְ הַכָּבוֹד 52-56; מַרְאֵה כָבוֹד 77; מַרְכְּבוֹת כָּבוֹד 161; מִשְׁכַּן כָּבוֹד 164; עֵינֵי כְבוֹדוֹ 173; שֵׁם כְּבוֹדוֹ 169, 182

– כְּבוֹד אֵל 112; כְּ׳ אֱלֹהִים 109, 121, 133, 134; כְּ׳ הַבַּיִת 111; כְּ׳ בְּנֵי יִשְׂרָאֵל 137; כְּ׳ גּוֹיִם 106; כְּ׳ הָדָר 135; כְּ׳ הוֹד 119; כְּ׳ יְיָ 74-99, 107, 118, 125-132; כְּבוֹד יַעֲקֹב 101; כְּ׳ יִשְׂרָאֵל 110; כְּ׳ הַלְּבָנוֹן 104, 105; כְּ׳ מוֹאָב 100; כְּ׳ מַלְכוּת 120, 122; כְּ׳ מְלָכִים 136; כְּ׳ עֹשֶׁר 123; כְּ׳ קֵדָר 102; כְּבוֹד שְׁמוֹ 113, 114, 116, 117, 124, 169, 182

– אוֹמֵר כָּבוֹד 20; גָּל כָּבוֹד 149; גָּלָה כָּבוֹד 3, 4, 179; דַּל כְּבוֹדוֹ 101; הָבוּ כָּבוֹד 18, 19, 36, 113, 114, 124; הִגִּיד כְּבוֹדוֹ 144; הֵמִיר כְּ׳ 178, 197; הִפְשִׁיט כְּ׳ 152; הֶרְאָה כְּ׳ 160; הִרְבָּה כָּבוֹד 35; הִתְעוֹפֵף כָּבוֹד 196; כָּלָה כָּבוֹד 102; מִלֵּא כָּבוֹד 15; מָצָא כָּבוֹד 46; נָחַל כָּבוֹד 26; נִקְלָה כָּבוֹד 100; נִרְאָה כָּבוֹד 189; נָתַן כָּבוֹד 5, 12, 17, 25, 33, 38, 47, 49, 145, 154, 155; עָזַב כָּבוֹד 194; עָשָׂה כָּבוֹד 50; שָׁאַל כָּבוֹד 48; שָׁכַן כָּבוֹד 24, 76; שָׂם כָּבוֹד 1, 11, 22; תָּמַךְ כָּבוֹד 34

כָּבוֹד 1 שִׂים־נָא כָבוֹד לַייָ אֱלֹהֵי יִשְׂרָאֵל Josh. 7:19

2 וְכִסֵּא כָבוֹד יַנְחִלֵם ISh. 2:8

3-4 גָּלָה כָבוֹד מִיִּשְׂרָאֵל ISh. 4:21, 22

5 וּנְתַתֶּם לֵאלֹהֵי יִשְׂרָאֵל כָּבוֹד ISh. 6:5

6 גַּם־עֹשֶׁר גַּם־כָּבוֹד...כָּל־יָמֶיךָ IK. 3:13

7 כִּי עַל־כָּל־כָּבוֹד חֻפָּה Is. 4:5

8 וְהָיְתָה מְנֻחָתוֹ כָּבוֹד Is. 11:10

9 וְהָיָה לְכִסֵּא כָבוֹד לְבֵית אָבִיו Is. 22:23

10 וְנֶגֶד זְקֵנָיו כָּבוֹד Is. 24:23

11 יָשִׂימוּ לַייָ כָּבוֹד Is. 42:12

12 תְּנוּ לַייָ אֱלֹהֵיכֶם כָּבוֹד Jer. 13:16

13 כִּסֵּא כָבוֹד מָרוֹם מֵרִאשׁוֹן Jer. 17:12

14 כָּבֹד מִכֹּל כְּלִי חֶמְדָּה Nah. 2:10

15 וּמִלֵּאתִי אֶת־הַבַּיִת הַזֶּה כָּבוֹד Hag. 2:7

16 אַחַר כָּבוֹד שְׁלָחַנִי אֶל־הַגּוֹיִם Zech. 2:12

17 אִם-לֹא תִשְׁמְעוּ...לָתֵת כָּבוֹד לִשְׁמִי Mal. 2:2

18-19 הָבוּ לַייָ כָּבוֹד וָעֹז Ps. 29:1; 96:7

20 וּבְהֵיכָלוֹ כֻּלּוֹ אֹמֵר כָּבוֹד Ps. 29:9

21 לְמַעַן יְזַמֶּרְךָ כָבוֹד Ps. 30:13

22 שִׂימוּ כָבוֹד תְּהִלָּתוֹ Ps. 66:2

23 וְאַחַר כָּבוֹד תִּקָּחֵנִי Ps. 73:24

24 לִשְׁכֹּן כָּבוֹד בְּאַרְצֵנוּ Ps. 85:10

25 לֹא לָנוּ...כִּי לְשִׁמְךָ תֵּן כָּבוֹד Ps. 115:1

26 כָּבוֹד חֲכָמִים יִנְחָלוּ Prov. 3:35

27 אֵשֶׁת־חֵן תִּתְמֹךְ כָּבוֹד Prov. 11:16

28-29 וְלִפְנֵי כָבוֹד עֲנָוָה Prov. 15:33; 18:12

30 כָּבוֹד לָאִישׁ שֶׁבֶת מֵרִיב Prov. 20:3

31 וְחֵקֶר כְּבֹדָם כָּבוֹד Prov. 25:27

32 כֵּן לֹא־נָאוֶה לִכְסִיל כָּבוֹד Prov. 26:1

33 כֵּן־נוֹתֵן לִכְסִיל כָּבוֹד Prov. 26:8

34 וּשְׁפַל־רוּחַ יִתְמֹךְ כָּבוֹד Prov. 29:23

35 עִם־אֱלוֹהַּ נֵכָר...יַרְבֶּה כָבוֹד Dan. 11:39

36 הָבוּ לַייָ כָּבוֹד וָעֹז ICh. 16:28

וְכָבוֹד 37 וְכָבוֹד וְהָדָר תְּעַטְּרֵהוּ Ps. 8:6

38 חֵן וְכָבוֹד יִתֵּן יְיָ Ps. 84:12

39 בִּשְׂמֹאולָהּ עֹשֶׁר וְכָבוֹד Prov. 3:16

40-45 עֹשֶׁר וְכָבוֹד Prov. 8:18
22:4 • ICh. 29:28 • IICh. 17:5; 18:1; 32:27

46 יִמְצָא חַיִּים צְדָקָה וְכָבוֹד Prov. 21:21

47 יִתֶּן-לוֹ הָאֱלֹ׳ עֹשֶׁר וּנְכָסִים וְכָבוֹד Eccl. 6:2

48 וְלֹא־שָׁאַלְתָּ עֹשֶׁר נְכָסִים וְכָבוֹד IICh. 1:11

49 וְעֹשֶׁר וּנְכָסִים וְכָבוֹד אֶתֶּן־לָךְ IICh. 1:12

50 וְכָבוֹד עָשׂוּ־לוֹ בְמוֹתוֹ IICh. 32:33

הַכָּבוֹד 51 עָשָׂה אֵת כָּל־הַכָּבֹד הַזֶּה Gen. 31:1

52 וְיָבוֹא מֶלֶךְ הַכָּבוֹד Ps. 24:7

53 מִי זֶה מֶלֶךְ הַכָּבוֹד Ps. 24:8

54 וְיָבֹא מֶלֶךְ הַכָּבוֹד Ps. 24:9

55 מִי הוּא זֶה מֶלֶךְ הַכָּבוֹד Ps. 24:10

56 יְיָ צְבָאוֹת הוּא מֶלֶךְ הַכָּבוֹד Ps. 24:10

57 אֵל־הַכָּבוֹד הִרְעִים Ps. 29:3

וְהַכָּבוֹד 58 וְהָעֹשֶׁר וְהַכָּבוֹד מִלְּפָנֶיךָ ICh. 29:12

בְּכָבוֹד 59 שָׁכְבוּ בְכָבוֹד אִישׁ בְּבֵיתוֹ Is. 14:18

60 אֶל־מִי דָמִיתָ...בְּכָבוֹד וּבְגֹדֶל Ezek. 31:18

61 קַרְנוֹ תָּרוּם בְּכָבוֹד Ps. 112:9

62 יַעְלְזוּ חֲסִידִים בְּכָבוֹד Ps. 149:5

כַּכָּבוֹד 63 כַּכָּבוֹד אֲשֶׁר רָאִיתִי עַל־נְהַר Ezek. 3:3

לְכָבוֹד 64-65 לְכָבוֹד וּלְתִפְאָרֶת Ex. 28:2, 40

66 מַה־יּוֹסִיף...לְכָבוֹד אֶת־עַבְדֶּךָ ICh. 17:18

67 וְלֹא־לְךָ לְכָבוֹד מֵיְיָ אֱלֹהִים IICh. 26:18

וּלְכָבוֹד 68 יִהְיֶה צֶמַח יְיָ לִצְבִי וּלְכָבוֹד Is. 4:2

69 וּלְכָבוֹד אֶהְיֶה בְתוֹכָהּ Zech. 2:9

מִכָּבוֹד 70 וְהִנֵּה מְנָעֲךָ יְיָ מִכָּבוֹד Num. 24:11

71 רְדִי מִכָּבוֹד וּשְׁבִי° בַצָּמָא Jer. 48:18

72 שָׂבַעְתָּ קָלוֹן מִכָּבוֹד Hab. 2:16

73 יָקָר...מִכָּבוֹד סִכְלוּת מְעָט Eccl. 10:1

כְּבוֹד־ 74 וּבֹקֶר וּרְאִיתֶם אֶת־כְּבוֹד יְיָ Ex. 16:7

75 וְהִנֵּה כְּבוֹד יְיָ נִרְאָה בֶּעָנָן Ex. 16:10

76 וַיִּשְׁכֹּן כְּבוֹד־יְיָ עַל־הַר סִינַי Ex. 24:16

77 וּמַרְאֵה כְּבוֹד יְיָ כְּאֵשׁ אֹכֶלֶת Ex. 24:17

78-99 כְּבוֹד יְיָ Lev. 9:6, 23
Num. 14:21; 16:19; 17:7; 20:6 • IK. 8:11 • Is. 35:2; 40:5; 58:8 • Ezek. 1:28; 3:23; 10:4², 18; 11:23; 43:5; 44:4 • Hab. 2:14; 138:5 • IICh. 5:14; 7:2

100 וְנִקְלָה כְּבוֹד מוֹאָב בְּכֹל הֶהָמוֹן Is. 16:14

101 יִדַּל כְּבוֹד יַעֲקֹב... Is. 17:4

102 וְכָלָה כָּל־כְּבוֹד קֵדָר Is. 21:16

103 וְתָלוּ עָלָיו כֹּל כְּבוֹד בֵּית-אָבִיו Is. 22:24

104 כְּבוֹד הַלְּבָנוֹן נִתַּן־לָהּ Is. 35:2

105 כְּבוֹד הַלְּבָנוֹן אֵלַיִךְ יָבוֹא Is. 60:13

106 וּכְנַחַל שׁוֹטֵף כְּבוֹד גּוֹיִם Is. 66:12

107 בָּרוּךְ כְּבוֹד־יְיָ מִמְּקוֹמוֹ Ezek. 3:12

108 וְהִנֵּה־שָׁם כְּבוֹד אֱלֹהֵי יִשְׂרָאֵל Ezek. 8:4

109 וְהִנֵּה כְּבוֹד אֱלֹהֵי יִשְׂרָאֵל בָּא... Ezek. 43:2

110 עַד־עֲדֻלָּם יָבוֹא כְּבוֹד יִשְׂרָאֵל Mic. 1:15

111 גָּדוֹל יִהְיֶה כְּבוֹד הַבַּיִת הַזֶּה... Hag. 2:9

112 הַשָּׁמַיִם מְסַפְּרִים כְּבוֹד־אֵל Ps. 19:2

113/4 הָבוּ לַייָ כְּבוֹד שְׁמוֹ Ps. 29:2; 96:8

115 כִּי־יִרְבֶּה כְּבוֹד בֵּיתוֹ Ps. 49:17

116 זַמְּרוּ כְבוֹד־שְׁמוֹ Ps. 66:2

117 עָזְרֵנוּ עַל־דְּבַר כְּבוֹד־שְׁמֶךָ Ps. 79:9

118 יְהִי כְבוֹד יְיָ לְעוֹלָם Ps. 104:31

119 הֲדַר כְּבוֹד הוֹדֶךָ...אָשִׂיחָה Ps. 145:5

120 כְּבוֹד מַלְכוּתְךָ יֹאמֵרוּ Ps. 145:11

121 כְּבֹד אֱלֹהִים הַסְתֵּר דָּבָר Prov. 25:2

122 בְּהַרְאֹתוֹ אֶת-עֹשֶׁר כְּבוֹד מַלְכוּתוֹ Es. 1:4

123 אֶת־כְּבוֹד עָשְׁרוֹ וְרֹב בָּנָיו Es. 5:11

124 הָבוּ לַייָ כְּבוֹד שְׁמוֹ ICh. 16:29

וּכְבוֹד־ 125-132 וּכְבוֹד יְיָ מָלֵא אֶת-הַמִּשְׁכָּן Ex. 40:34, 35
Num. 14:10 • Is. 60:1 • Ezek. 9:3; 43:4
IICh. 7:1, 3

133/4 וּכְבוֹד אֱלֹהֵי-יִשְׂ׳ עֲלֵיהֶם Ezek. 10:19; 11:22

135 וּכְבוֹד הֲדַר מַלְכוּתוֹ Ps. 145:12

136 וּכְבֹד מְלָכִים חֲקֹר דָּבָר Prov. 25:2

כִּכְבוֹד־ 137 כִּכְבוֹד בְּנֵי־יִשְׂרָאֵל יִהְיוּ Is. 17:3

כְּבוֹדִי 138 וְהִגַּדְתֶּם לְאָבִי אֶת-כָּל-כְּבוֹדִי Gen. 45:13

139 בִּקְהָלָם אַל־תֵּחַד כְּבֹדִי Gen. 49:6

140 וְהָיָה בַּעֲבֹר כְּבֹדִי Ex. 33:22

141 הָרֹאִים אֶת־כְּבֹדִי וְאֶת-אֹתֹתַי Num. 14:22

142 וּבָאוּ וְרָאוּ אֶת־כְּבוֹדִי Is. 66:18

143 לֹא-שָׁמְעוּ וְלֹא-רָאוּ אֶת-כְּבוֹדִי Is. 66:19

144 וְהִגִּידוּ אֶת־כְּבוֹדִי בַּגּוֹיִם Is. 66:19

145 וְנָתַתִּי אֶת־כְּבוֹדִי בַּגּוֹיִם Ezek. 39:21

146 וְאִם־אָב אָנִי אַיֵּה כְבוֹדִי Mal. 1:6

147 כְּבוֹדִי וּמֵרִים רֹאשִׁי Ps. 3:4

148 עַד־מֶה כְבוֹדִי לִכְלִמָּה Ps. 4:3

149 שָׂמַח לִבִּי וַיָּגֶל כְּבוֹדִי Ps. 16:9

150 עוּרָה כְבוֹדִי עוּרָה הַנֵּבֶל Ps. 57:9

151 אָשִׁירָה וַאֲזַמְּרָה אַף־כְּבוֹדִי Ps. 108:2

152 כְּבוֹדִי מֵעָלַי הִפְשִׁיט Job 19:9

153 כְּבוֹדִי חָדָשׁ עִמָּדִי Job 29:20

וּכְבוֹדִי 154/5 וּכְבוֹדִי לְאַחֵר לֹא־אֶתֵּן Is. 42:8; 48:11
156 וּכְבוֹדִי לֶעָפָר יַשְׁכֵּן Ps. 7:6
157 עַל־אֱלֹהִים יִשְׁעִי וּכְבוֹדִי Ps. 62:8
בִּכְבֹדִי 158 וְנֹעַדְתִּי שָׁמָּה...וְנִקְדַּשׁ בִּכְבֹדִי Ex. 29:43
וְלִכְבוֹדִי 159 הַנִּקְרָא בִשְׁמִי וְלִכְבוֹדִי בְּרָאתִיו Is. 43:7
כְּבֹדֶךָ 160 הַרְאֵנִי נָא אֶת־כְּבֹדֶךָ Ex. 33:18
161 וְשָׁמָּה מַרְכְּבוֹת כְּבוֹדֶךָ Is. 22:18
162 אַל־תְּנַבֵּל כִּסֵּא כְבוֹדֶךָ Jer. 14:21
163 וְקִיקָלוֹן עַל־כְּבוֹדֶךָ Hab. 2:16
164 וּמְקוֹם מִשְׁכַּן כְּבוֹדֶךָ Ps. 26:8
165/6 עַל כָּל־הָאָרֶץ כְּבוֹדֶךָ Ps. 57:6, 12
167 וְיִירְאוּ...אֶת־כְּבוֹדֶךָ Ps. 102:16
168 רוּמָה...וְעַל כָּל־הָאָרֶץ כְּבוֹדֶךָ Ps. 108:6
169 וִיבָרְכוּ שֵׁם כְּבֹדֶךָ Neh. 9:5
וּכְבוֹדֶךָ 170 לִרְאוֹת עֻזְּךָ וּכְבוֹדֶךָ Ps. 63:3
כְּבוֹדֵךְ 171 וְרָאוּ...וְכָל־מְלָכִים כְּבוֹדֵךְ Is. 62:2
כְּבוֹדוֹ 172 הֶרְאָנוּ...אֶת־כְּבֹדוֹ וְאֶת־גָּדְלוֹ Deut. 5:21
173 לַמְרוֹת עֵנֵי כְבוֹדוֹ Is. 3:8
174 מְלֹא כָל־הָאָרֶץ כְּבוֹדוֹ Is. 6:3
175 אֶת־מֶלֶךְ אַשּׁוּר וְאֶת־כָּל־כְּבוֹדוֹ Is. 8:7
176 וְתַחַת כְּבֹדוֹ יֵקַד יְקֹד... Is. 10:16
177 וְיִירְאוּ...וּמִמִּזְרַח...אֶת־כְּבוֹדוֹ Is. 59:19
178 וְעַמִּי הֵמִיר כְּבוֹדוֹ בְּלוֹא יוֹעִיל Jer. 2:11
179 עַל־כְּבוֹדוֹ כִּי־גָלָה מִמֶּנּוּ Hosh. 10:5
180 גָּדוֹל כְּבוֹדוֹ בִּישׁוּעָתֶךָ Ps. 21:6
181 לֹא־יֵרֵד אַחֲרָיו כְּבוֹדוֹ Ps. 49:18
182 וּבָרוּךְ שֵׁם כְּבוֹדוֹ לְעוֹלָם Ps. 72:19
183 וְיִמָּלֵא כְבוֹדוֹ אֶת־כֹּל־הָאָרֶץ Ps. 72:19
184 סַפְּרוּ בַגּוֹיִם כְּבוֹדוֹ Ps. 96:3
185 וְרָאוּ כָל־הָעַמִּים כְּבוֹדוֹ Ps. 97:6
186 עַל הַשָּׁמַיִם כְּבוֹדוֹ Ps. 113:4
187 סַפְּרוּ בַגּוֹיִם אֶת־כְּבוֹדוֹ ICh. 16:24
וּכְבוֹדוֹ 188 וּכְבוֹדוֹ מְתֵי רָעָב Is. 5:13
189 וּכְבוֹדוֹ עָלַיִךְ יֵרָאֶה Is. 60:2
בִּכְבוֹדוֹ 190 אֲשֶׁר רָאָה...בִּכְבוֹדוֹ הָרִאשׁוֹן Hag. 2:3
191 כִּי־בָנָה יְיָ צִיּוֹן נִרְאָה בִּכְבוֹדוֹ Ps. 102:17
מִכְּבוֹדוֹ 192 וְהָאָרֶץ הֵאִירָה מִכְּבֹדוֹ Ezek. 43:2
כְּבוֹדָהּ 193 תָּמֹצּוּ וְהִתְעַנַּגְתֶּם מִזִּיז כְּבוֹדָהּ Is. 66:11
כְּבוֹדְכֶם 194 וְאָנָה תַּעַזְבוּ כְבוֹדְכֶם Is. 10:3
כְּבוֹדָם 195 כְּבוֹדָם בְּקָלוֹן אָמִיר Hosh. 4:7
196 כָּעוֹף יִתְעוֹפֵף כְּבוֹדָם Hosh. 9:11
197 וַיָּמִירוּ אֶת־כְּבוֹדָם בְּתַבְנִית שׁוֹר Ps. 106:20
198 וְחֵקֶר כְּבֹדָם כָּבוֹד Prov. 25:27
וּבִכְבוֹדָם 199 וּבִכְבוֹדָם תִּתְיַמָּרוּ Is. 61:6

כְּבוּדָּה
עין כְּבֻדָּה

כָּבוּל
א) עיר כנענית בנחלת אָשֵׁר: 1
ב) חבל ארץ בגליל שמסר שלמה לחירם מלך צור: 2
כָּבוּל 1 וְיָצָא אֶל־כָּבוּל מִשְּׂמֹאל Josh. 19:27
2 וַיִּקְרָא לָהֶם אֶרֶץ כָּבוּל IK. 9:13

כַּבּוֹן
עיר בנחלת יהודה
וְכַבּוֹן 1 וְכַבּוֹן וְלַחְמָס וְכִתְלִישׁ Josh. 15:40

כַּבִּיר
ת׳ חזק, עצום [כְּאַבִּיר ישעיה י13 – עין אַבִּיר]
קרובים: ראה אַבִּיר
כַּבִּיר כֹּחַ 7; אֵל כַּבִּיר 6; לוֹא כַבִּיר 1; צַדִּיק כ׳ 5; רוּחַ כ׳ 2; מַיִם כַּבִּירִים 8, 9
כַּבִּיר 1 וּשְׁאָר מְעַט מִזְעָר לוֹא כַבִּיר Is. 16:14
2 וְרוּחַ כַּבִּיר אִמְרֵי־פִיךָ Job 8:2
3 כַּבִּיר מֵאָבִיךָ יָמִים Job 15:10
4 וְכִי־כַבִּיר מָצְאָה יָדִי Job 31:25
כַּבִּיר (המשך) 5 וְאִם־צַדִּיק כַּבִּיר תַּרְשִׁיעַ Job 34:17
6 הֶן־אֵל כַּבִּיר וְלֹא יִמְאָס Job 36:5
7 כַּבִּיר כֹּחַ לֵב Job 36:5
כַּבִּירִים 8 כִּשְׁאוֹן מַיִם כַּבִּירִים יִשָּׁאוּן Is. 17:12
9 כְּזֶרֶם מַיִם כַּבִּירִים שֹׁטְפִים Is. 28:2
10 יָרֹעַ כַּבִּירִים לֹא־חֵקֶר Job 34:24

כְּבִיר*
ז׳ מזרן, כר: 1, 2
כְּבִיר־ 1 וְאֵת כְּבִיר הָעִזִּים שָׂמָה מְרַאֲשֹׁתָיו ISh. 19:13
וּכְבִיר־ 2 וּכְבִיר הָעִזִּים מְרַאֲשֹׁתָיו ISh. 19:16

כֶּבֶל
ז׳ חֶבֶל, שלשלת: 1, 2 • כַּבְלֵי בַרְזֶל 2
בַּכֶּבֶל 1 עִנּוּ בַכֶּבֶל רַגְלוֹ Ps. 105:18
בְּכַבְלֵי־ 2 לֶאְסֹר...וְנִכְבְּדֵיהֶם בְּכַבְלֵי בַרְזֶל Ps. 149:8

כבס
: כִּבֵּס, כֻּבַּס, הֻכַּבֵּס; כּוֹבֵס

כִּבֵּס
פ׳ א) נקה בגד במים (גם בהשאלה): 1–44
ב) [פ׳ כֻּבַּס] נֻקָּה במים: 45, 46
ג) [הפ׳ הֻכַּבֵּס] התנקה: 47, 48
קרובים: הֵדִיחַ (דוח) / נִקָּה / רָחַץ / שָׁטַף
כִּבֵּס 1 כִּבֵּס בַּיַּיִן לְבֻשׁוֹ Gen. 49:11
2 וְאֶת־בְּגָדָיו לֹא כִבֵּס IISh. 19:25
וְכִבֶּס 3–4 וְכִבֶּס(...)בְּגָדָיו וְטָהֵר Lev. 13:6, 34
5 וְכִבֶּס הַמִּטַּהֵר אֶת־בְּגָדָיו Lev. 14:8
6–14 וְכִבֶּס (...) בְּגָדָיו Lev. 14:9
15:8, 11, 13, 27; 17:15; 19:7, 10, 19
וְכִבַּסְתֶּם 15 וְכִבַּסְתֶּם בִּגְדֵיכֶם...וּטְהַרְתֶּם Num. 31:24
וְכִבְּסוּ 16 וְקִדַּשְׁתָּם...וְכִבְּסוּ שִׂמְלֹתָם Ex. 19:10
17 וְכִבְּסוּ אֵת אֲשֶׁר־בּוֹ הַנָּגַע Lev. 13:54
18 וְכִבְּסוּ בִגְדֵיהֶם וְהִטֶּהָרוּ Num. 8:7
מְכַבְּסִים 19 כְּאֵשׁ מְצָרֵף וּכְבֹרִית מְכַבְּסִים Mal. 3:2
תְּכַבֵּס 20 הַבֶּגֶד...תְּכַבֵּס בְּמָקוֹם קָדֹשׁ Lev. 6:20
21 וְהַבֶּגֶד...אֲשֶׁר תְּכַבֵּס Lev. 13:58
תְּכַבְּסֵנִי 22 תְּכַבְּסֵנִי וּמִשֶּׁלֶג אַלְבִּין Ps. 51:9
תְּכַבְּסִי 23 אִם־תְּכַבְּסִי בַּנֶּתֶר... Jer. 2:22
יְכַבֵּס 24–27 יְכַבֵּס בְּגָדָיו וְטָמֵא עַד־הָעָרֶב Lev. 11:25, 28, 40[2]
28–39 יְכַבֵּס (...) בְּגָדָיו Lev. 14:47[2]
15:5, 6, 7, 10, 21, 22; 16:26, 28 • Num. 19:8, 21
40 וְאִם לֹא יְכַבֵּס וּבְשָׂרוֹ לֹא יִרְחָץ Lev. 17:16
וַיְכַבְּסוּ 41 וַיְקַדֵּשׁ אֶת־הָעָם וַיְכַבְּסוּ שִׂמְלֹתָם Ex. 19:14
42 וַיִּתְחַטְּאוּ הַלְוִיִּם וַיְכַבְּסוּ בִּגְדֵיהֶם Num. 8:21
כַּבְּסֵנִי 43 הֶרֶב° כַּבְּסֵנִי מֵעֲוֹנִי Ps. 51:4
כַּבְּסִי 44 כַּבְּסִי מֵרָעָה לִבֵּךְ יְרוּשָׁלַםִ Jer. 4:14
וְכֻבַּס 45 וְכֻבַּס שֵׁנִית וְטָהֵר Lev. 13:58
46 וְכֻבַּס בַּמַּיִם וְטָמֵא עַד־הָעָרֶב Lev. 15:17
הֻכַּבֵּס 47 אַחֲרֵי הֻכַּבֵּס אֶת־הַנֶּגַע Lev. 13:55
48 כֵּהָה הַנֶּגַע אַחֲרֵי הֻכַּבֵּס אֹתוֹ Lev. 13:56

כבר
: הִכְבִּיר; כַּבִּיר, כְּבָר, כְּבָרָה, כִּבְרָה, כְּבִיר, מַכְבֵּר, מִכְבָּר

(כבר) הִכְבִּיר
הפ׳ הרבה: 1, 2
יַכְבִּיר 1 בִּבְלִי־דַעַת מִלִּין יַכְבִּר Job 35:16
לְמַכְבִּיר 2 יִתֶּן־אֹכֶל לְמַכְבִּיר Job 36:31

כְּבָר¹
תה״פ – לפני כן, לפני זמן
א) [לפני פועל עבר]: 1, 2, 4–8
ב) [לפני בינוני]: 3
ג) [בְּשֶׁכְּבָר] במשך, עם חלוף: 9
כְּבָר 1 כְּבָר הָיָה לְעֹלָמִים אֲשֶׁר הָיָה מִלְּפָנֵנוּ Eccl. 1:10
2 אֵת אֲשֶׁר־כְּבָר עָשׂוּהוּ Eccl. 2:12
3 מַה־שֶּׁהָיָה כְּבָר הוּא Eccl. 3:15
כְּבָר (המשך) 4 וַאֲשֶׁר לִהְיוֹת כְּבָר הָיָה Eccl. 3:15
5 מַה־שֶּׁהָיָה כְּבָר נִקְרָא שְׁמוֹ Eccl. 6:10
6 גַּם־קִנְאָתָם כְּבָר אָבָדָה Eccl. 9:6
7 כִּי כְבָר רָצָה הָאֱלֹהִים אֶת־מַעֲשֶׂיךָ Eccl. 9:7
שֶׁכְּבָר 8 וְשַׁבֵּחַ אֲנִי אֶת־הַמֵּתִים שֶׁכְּבָר מֵתוּ Eccl. 4:2
בְּשֶׁכְּבָר 9 בְּשֶׁכְּבָר הַיָּמִים הַבָּאִים הַכֹּל נִשְׁכָּח Eccl. 2:16

כְּבָר²
שמו של נהר גדול בדרום בבל: 1–8
כְּבָר 1 בְּתוֹךְ־הַגּוֹלָה עַל־נְהַר־כְּבָר Ezek. 1:1
2 בְּאֶרֶץ כַּשְׂדִּים עַל־נְהַר־כְּבָר Ezek. 1:3
3–8 עַל (אֶל/בְּ) נְהַר כְּבָר Ezek. 3:15, 23
10:15, 20, 22; 43:3

כְּבָרָה
נ׳ נָפָה
בַּכְּבָרָה 1 וַהֲנִעוֹתִי...כַּאֲשֶׁר יִנּוֹעַ בַּכְּבָרָה Am. 9:9

כִּבְרָה*
נ׳ [רק בצרוף: כִּבְרַת אֶרֶץ] יחידת אורך של דרכים: 1–3
כִּבְרַת־ 1 וַיְהִי־עוֹד כִּבְרַת־הָאָרֶץ... Gen. 35:16
2 בְּעוֹד כִּבְרַת־אֶרֶץ...אֶפְרָתָה Gen. 48:7
3 וַיֵּלֶךְ מֵאִתּוֹ כִּבְרַת אָרֶץ IIK. 5:19

כֶּבֶשׂ
ז׳ בהמת־בית טהורה מן הצאן: 1–107
קרובים: אַיִל / גְּדִי / יָעֵל / כִּבְשָׂה / כַּבְשָׂה / כֶּשֶׂב / כִּשְׂבָּה / עֵז / עַתּוּד / צֹאן / תַּיִשׁ
– כֶּבֶשׂ אַלּוּף 33; כֶּבֶשׂ הָאָשָׁם 4, 5; כֶּבֶשׂ תָּמִים 6, 46, 47, 81
– גֵּז כְּבָשִׂים 107; דַּם כְּבָשִׂים 88; צֹאן כְּבָשִׂים 87
כֶּבֶשׂ 1 וְאִם־כֶּבֶשׂ יָבִיא קָרְבָּנוֹ Lev. 4:32
2 תָּבִיא כֶּבֶשׂ בֶּן־שְׁנָתוֹ לְעֹלָה Lev. 12:6
3 וְלָקַח כֶּבֶשׂ אֶחָד אָשָׁם Lev. 14:21
4–5 אֶת־כֶּבֶשׂ הָאָשָׁם Lev. 14:24, 25
6 כֶּבֶשׂ תָּמִים בֶּן־שְׁנָתוֹ לְעֹלָה Lev. 23:12
7–20 כֶּבֶשׂ(...) בֶּן־שְׁנָתוֹ Num. 6:12, 14
7:15, 21, 27, 33, 39, 45, 51, 57, 63, 69, 75, 81
21 וְגָר זְאֵב עִם־כֶּבֶשׂ Is. 11:6
וְכֶבֶשׂ 22 וְכֶבֶשׂ בֶּן־שְׁנָתוֹ תָּמִים Ezek. 46:13
וָכֶבֶשׂ 23 וְעֵגֶל וָכֶבֶשׂ בְּנֵי־שָׁנָה תְּמִימִם Lev. 9:3
הַכֶּבֶשׂ 24 אֶת־הַכֶּבֶשׂ הָאֶחָד תַּעֲשֶׂה בַבֹּקֶר Ex. 29:39
25–26 וְאֵת הַכֶּבֶשׂ הַשֵּׁנִי תַּעֲשֶׂה בֵּין הָעַרְבָּיִם
Ex. 29:39, 41
27–32 אֶת־הַכֶּבֶשׂ Lev. 14:12, 13
Num. 28:4[2], 8 • Ezek. 46:15
כְּכֶבֶשׂ 33 וַאֲנִי כְּכֶבֶשׂ אַלּוּף יוּבַל לִטְבוֹחַ Jer. 11:19
34 עַתָּה יִרְעֵם יְיָ כְּכֶבֶשׂ בַּמֶּרְחָב Hosh. 4:16
לַכֶּבֶשׂ 35 וְנֶסֶךְ ... לַכֶּבֶשׂ הָאֶחָד Ex. 29:40
36 וְיַיִן לַנֶּסֶךְ ... לַכֶּבֶשׂ הָאֶחָד Num. 15:5
37–43 לַכֶּבֶשׂ הָאֶחָד Num. 28:7, 13, 21, 29
29:4, 10, 15
44 וּרְבִיעִת הַהִין לַכֶּבֶשׂ יָיִן Num. 28:14
כְּבָשִׂים 45 כְּבָשִׂים בְּנֵי־שָׁנָה שְׁנַיִם לַיּוֹם Ex. 29:38
46 שְׁנֵי־כְבָשִׂים תְּמִימִם Lev. 14:10
47 שִׁבְעַת כְּבָשִׂים תְּמִימִם בְּנֵי שָׁנָה Lev. 23:18
48 וּשְׁנֵי כְבָשִׂים בְּנֵי שָׁנָה לְזֶבַח Lev. 23:19
49 וְהֵנִיף...עַל־שְׁנֵי כְּבָשִׂים Lev. 23:20
50–78 כְּבָשִׂים בְּנֵי שָׁנָה Num. 7:17, 23
7:29, 35, 41, 47, 53, 59, 65, 71, 77, 83, 87, 88; 28:3, 9;
28:11, 19, 27; 29:2, 8, 13, 17, 20, 23, 26, 29, 32, 36
79 לְאַרְבָּעָה עָשָׂר כְּבָשִׂים Num. 29:15
80 וְרָעוּ כְבָשִׂים כְּדָבְרָם Is. 5:17
81 שִׁשָּׁה כְבָשִׂים תְּמִימִם וְאַיִל תָּמִים Ezek. 46:4
82 וְשֵׁשֶׁת כְּבָשִׂים וָאַיִל תְּמִימִם יִהְיוּ Ezek. 46:6

כְּבָשִׂים (המשך) 83 כְּבָשִׂים לִלְבוּשֶׁךָ Prov. 27:26
84 כְּבָשִׂים שִׁבְעִים וְשִׁבְעָה Ez. 8:35
85 כְּבָשִׂים אֶלֶף וְנִסְכֵּיהֶם ICh. 29:21
86 אֵילִים מֵאָה כְּבָשִׂים מָאתָיִם IICh. 29:32
87 צֹאן כְּבָשִׂים וּבְנֵי־עִזִּים IICh. 35:7
וּכְבָשִׂים 88 וְדַם פָּרִים וּכְבָשִׂים...לֹא חָפָצְתִּי Is. 1:11
89 וְאֵילִים שִׁבְעָה וּכְבָשִׂים שִׁבְעָה IICh. 29:21
הַכְּבָשִׂים 90 מִן־הַכְּבָשִׂים וּמִן־הָעִזִּים תִּקָּחוּ Ex. 12:5
91-3 עִשָּׂרוֹן...לְשִׁבְעַת הַכְּבָשִׂים
Num. 28:21, 29; 29:10
94 וְעִשָּׂרוֹן אֶחָד..לְשִׁבְעַת הַכְּבָשִׂים Num. 29:4
95 וַיִּשְׁחֲטוּ הַכְּבָשִׂים וַיִּזְרְקוּ הַדָּם IICh. 29:22
בַּכְּבָשִׂים 96 אוֹ לַשֶּׂה בַכְּבָשִׂים אוֹ בָעִזִּים Num. 15:11
וְלַכְּבָשִׂים 97-102 לַפָּרִים לָאֵילִם וְלַכְּבָשִׂים
Num. 29:18, 21, 24, 27, 30, 33
103 לַפָּר לָאַיִל וְלַכְּבָשִׂים Num. 29:37
104-106 וְלַכְּבָשִׂים Ezek. 46:5, 7, 11
כְּבָשַׂי 107 וּמִגֵּז כְּבָשַׂי יִתְחַמָּם Job 31:20

כבש : כָּבַשׁ, נִכְבַּשׁ, כִּבֵּשׁ; כֶּבֶשׁ, כִּבְשָׁן(?)

כָּבַשׁ
פ׳ א) הכניע, שעבד: 1, 2, 4, 6, 7
ב) תפס ושלט: 8
ג) רמס, דרס: 3, 5
ד) [נפ׳ נִכְבַּשׁ] נכנע ונתפס: 9-12
ה) [כנ״ל] שועבד: 13
ו) [פ׳ כִּבֵּשׁ] הכניע: 14

– כָּבַשׁ אַבְנֵי קֶלַע 3; כָּבַשׁ (אֲנָשִׁים) 1, 2, 4, 6, 7; כָּבַשׁ אֶרֶץ 8
– נִכְבְּשָׁה אֶרֶץ 10-12; נִכְבָּשׁוֹת בָּנוֹת 13
– כִּבֵּשׁ גּוֹיִם 14

לִכְבּוֹשׁ 1 לִכְבּוֹשׁ אֶת־הַמַּלְכָּה עִמִּי בַּבָּיִת Es. 7:8
2 לִכְבֹּשׁ לַעֲבָדִים וְלִשְׁפָחוֹת לָכֶם IICh. 28:10
וְכָבְשׁוּ 3 וְאָכְלוּ וְכָבְשׁוּ אַבְנֵי־קֶלַע Zech. 9:15
כֹּבְשִׁים 4 אֲנַחְנוּ כֹבְשִׁים אֶת־בָּנֵינוּ...לַעֲבָדִים Neh. 5:5
יִכְבֹּשׁ 5 יִכְבֹּשׁ עֲוֺנֹתֵינוּ... Mic. 7:19
וַתִּכְבְּשׁוּ 6 וַתִּכְבְּשׁוּ אֹתָם...לַעֲבָדִים Jer. 34:16
וַיִּכְבְּשׁוּם 7 וַיִּכְבְּשׁוּם (כת׳ ויכבישום) לַעֲבָדִים Jer. 34:11
וְכִבְשֻׁהָ 8 וּמִלְאוּ אֶת־הָאָרֶץ וְכִבְשֻׁהָ Gen. 1:28
נִכְבְּשָׁה 9 וְהָאָרֶץ נִכְבְּשָׁה לִפְנֵיהֶם Josh. 18:1
וְנִכְבְּשָׁה 10 וְנִכְבְּשָׁה הָאָרֶץ לִפְנֵי יְיָ Num. 32:22
11 וְנִכְבְּשָׁה הָאָרֶץ לִפְנֵיכֶם Num. 32:29
12 וְנִכְבְּשָׁה הָאָרֶץ לִפְנֵי יְיָ ICh. 22:18(17)
נִכְבָּשׁוֹת 13 וְיֵשׁ מִבְּנֹתֵינוּ נִכְבָּשׁוֹת Neh. 5:5
כִּבֵּשׁ 14 מִכָּל־הַגּוֹיִם אֲשֶׁר כִּבֵּשׁ IISh. 8:11

כֶּבֶשׁ
ז׳ מדרגה
וְכֶבֶשׁ 1 וְכֶבֶשׁ בַּזָּהָב לַכִּסֵּא מָאֳחָזִים IICh. 9:18

כִּבְשָׂה
נ׳ נקבה בצאן [עין גם כַּבְשָׂה, כִּשְׂבָּה]
קרובים: ראה כֶּבֶשׂ
כִּבְשָׂה 1 כִּי אִם־כִּבְשָׂה אַחַת קְטַנָּה IISh. 12:3
הַכִּבְשָׂה 2 וְאֶת־הַכִּבְשָׂה יְשַׁלֵּם אַרְבַּעְתָּיִם IISh. 12:6
כִּבְשַׂת־ 3 וַיִּקַּח אֶת־כִּבְשַׂת הָאִישׁ הָרָאשׁ IISh. 12:4
כְּבָשֹׂת 4 מָה הֵנָּה שֶׁבַע כְּבָשֹׂת הָאֵלֶּה Gen. 21:29
5 אֶת־שֶׁבַע כְּבָשֹׂת תִּקַּח מִיָּדִי Gen. 21:30
כִּבְשֹׂת־ 6 וַיַּצֵּב...אֶת־שֶׁבַע כִּבְשֹׂת הַצֹּאן Gen. 21:28

כַּבְשָׂה
נ׳ נוסח אחר של כִּבְשָׂה: 1, 2
וְכַבְשָׂה 1-2 וְכַבְשָׂה אַחַת בַּת־שְׁנָתָהּ Lev. 14:10
Num. 6:14

כִּבְשָׁן
ז׳ תנור גדול לשריפת לבנים וכד׳: 1-4
קרובים: אָח² / כּוּר / מוֹקֵד / מַלְבֵּן / תַּנּוּר
עֶשֶׁן כִּבְשָׁן 4; פִּיחַ כִּבְשָׁן 1, 3; קִיטוֹר כִּבְשָׁן 2
כִּבְשָׁן 1 קְחוּ לָכֶם מְלֹא חָפְנֵיכֶם פִּיחַ כִּבְשָׁן Ex. 9:8
הַכִּבְשָׁן 2 עָלָה קִיטֹר הָאָ׳ כְּקִיטֹר הַכִּבְשָׁן Gen. 19:28
3 וַיִּקְחוּ אֶת־פִּיחַ הַכִּבְשָׁן Ex. 9:10
4 וַיַּעַל עֲשָׁנוֹ כְּעֶשֶׁן הַכִּבְשָׁן Ex. 19:18

כַּד
זו״נ [ז׳ – 14, 15; נ׳ – 1-3]
כלי־חרס לנוזלים או ליבש: 1-18
קרובים: בַּקְבֻּק / דּוּד / דְּלִי / חֵמֶת / טֶנֶא / כְּלִי / נֹאד / נֵבֶל / סִיר / סַל / צְלוֹחִית / צִנְצֶנֶת / צַפַּחַת
כַּד הַקֶּמַח 1, 2; כַּדִּים רֵיקִים 15
כַּד 1 כַּד הַקֶּמַח לֹא תִכְלָה IK. 17:14
2 כַּד הַקֶּמַח לֹא כָלָתָה IK. 17:16
3 וְתִשָּׁבֶר כַּד עַל־הַמַּבּוּעַ Eccl. 12:6
בַּכַּד 4 כִּי אִם־מְלֹא כַף־קֶמַח בַּכַּד IK. 17:12
כַּדֵּךְ 5 הַטִּי־נָא כַדֵּךְ וְאֶשְׁתֶּה Gen. 24:14
מִכַּדֵּךְ 6 הַגְמִיאִינִי־נָא מְעַט־מַיִם מִכַּדֵּךְ Gen. 24:17
7 הַשְׁקִינִי־נָא מְעַט־מַיִם מִכַּדֵּךְ Gen. 24:43
כַּדָּהּ 8 וַתְּמַלֵּא כַדָּהּ וַתָּעַל Gen. 24:16
9 וַתְּמַהֵר וַתֹּרֶד כַּדָּהּ עַל־יָדָהּ Gen. 24:18
10 וַתְּמַהֵר וַתְּעַר כַּדָּהּ אֶל־הַשֹּׁקֶת Gen. 24:20
11 וַתְּמַהֵר וַתּוֹרֶד כַּדָּהּ מֵעָלֶיהָ Gen. 24:46
וְכַדָּהּ 12-13 וְכַדָּהּ עַל־שִׁכְמָהּ Gen. 24:15, 45
כַּדִּים 14 מִלְאוּ אַרְבָּעָה כַדִּים מַיִם IK. 18:34
וְכַדִּים 15 שׁוֹפָרוֹת...וְכַדִּים רֵיקִים Jud. 7:16
הַכַּדִּים 16 וְלַפִּדִים בְּתוֹךְ הַכַּדִּים Jud. 7:16
17 וְנָפוֹץ הַכַּדִּים אֲשֶׁר בְּיָדָם Jud. 7:19
18 וַיִּתְקְעוּ...וַיִּשְׁבְּרוּ הַכַּדִּים Jud. 7:20

כִּדְבָה
נ׳ ארמית: כָּזָב
כִּדְבָה 1 וּמִלָּה כִדְבָה וּשְׁחִיתָה...לְמֵאמַר Dan. 2:9

כַּדּוּר
ז׳ עגול(?) – עין דוּר²: 1, 2
כַּדּוּר 1 כַּדּוּר אֶל־אֶרֶץ רַחֲבַת יָדָיִם Is. 22:18
2 וְחָנִיתִי כַדּוּר עָלָיִךְ Is. 29:3

כְּדַי
עין דַּי
כְּדִי
ארמית – עין דִּי

כַּדְכֹּד, כַּדְכֹּד
ז׳ אבן יקרה: 1, 2
כַּדְכֹּד 1 וְשַׂמְתִּי כַּדְכֹּד שִׁמְשֹׁתַיִךְ Is. 54:12
וְכַדְכֹּד 2 בְּנֹפֶךְ...וְרָאמֹת וְכַדְכֹּד Ezek. 27:16

כְּדָרְלָעֹמֶר
שפ״ז – מלך עילם: 1-5
כְּדָרְלָעֹמֶר 1-2 כְּדָרְלָעֹמֶר מֶלֶךְ עֵילָם Gen. 14:1, 9
3 ...עָבְדוּ אֶת־כְּדָרְלָעֹמֶר Gen. 14:4
4-5 כְּדָרְלָעֹמֶר Gen. 14:5, 17

כֹּה
תה־פ א) כֵּן, כָּךְ: רוב המקראות: 1-582
ב) פֹּה, כאן: 2, 6, 457, 458, 523, 544, 545
ג) עתה: 449, 463
כֹּה וָכֹה 544; כֹּה...וְכֹה 546-574; כֹּה לֶחָי 521; עַד כֹּה 2, 463; עַד כֹּה וְעַד כֹּה 526; זֶה בְּכֹה...וְזֶה בְּכֹה 581
כֹּה 1 כֹּה יִהְיֶה זַרְעֶךָ Gen. 15:5
2 וַאֲנִי וְהַנַּעַר נֵלְכָה עַד־כֹּה Gen. 22:5
3 כֹּה־דִבֶּר אֵלַי הָאִישׁ Gen. 24:30
4 אִם־כֹּה יֹאמַר נְקֻדִּים יִהְיֶה שְׂכָרֶךָ Gen. 31:8
5 וְאִם־כֹּה יֹאמַר עֲקֻדִּים...שְׂכָרֶךָ Gen. 31:8
6 שִׂים כֹּה נֶגֶד אַחַי וְאַחֶיךָ Gen. 31:37

כֹּה (המשך) 7 כֹּה תֹאמְרוּן לַאדֹנִי לְעֵשָׂו Gen. 32:5
8 כֹּה אָמַר עַבְדְּךָ יַעֲקֹב Gen. 32:5
9 כֹּה אָמַר בִּנְךָ יוֹסֵף Gen. 45:9
10 כֹּה־תֹאמְרוּ לְיוֹסֵף Gen. 50:17
11 כֹּה תֹאמַר לִבְנֵי יִשְׂרָאֵל Ex. 3:14
12-13 כֹּה תֹאמַר אֶל־בְּנֵי יִשְׂרָאֵל Ex. 3:15; 20:22
14-446 כֹּה אָמַר (אֲדֹנָי) Ex. 4:22
5:1; 7:17, 26; 8:16; 9:1, 13; 10:3; 11:4; 32:27 • Josh.
7:13; 24:2 • Jud. 6:8 • ISh. 2:27; 10:18; 15:2 • IISh.
7:5, 8; 12:7, 11; 24:12 • IK. 11:31; 12:24; 13:2, 21;
14:7; 17:14; 20:13, 14, 28, 42; 21:19²; 22:11 • IIK.
1:4, 6, 16; 2:21; 3:16, 17; 4:43; 7:1; 9:3, 6, 12; 19:6, 20,
32; 20:1, 5; 21:12; 22:15, 16, 18 • Is. 7:7; 8:11; 10:24;
18:4; 21:16; 22:15; 28:16; 29:22; 30:15; 31:4; 37:6,
21, 33; 38:1, 5; 43:1, 14, 16; 44:2, 6, 24; 45:1, 11, 14,
18; 48:17; 49:7, 8, 22, 25; 50:1; 52:3, 4; 56:1, 4; 65:8,
13; 66:1, 12 • Jer. 2:2, 5; 4:3, 27; 5:14; 6:6, 9, 16, 21,
22; 7:3, 20, 21; 8:4; 9:6, 14, 16, 22; 10:2, 18; 11:3, 11,
21, 22; 12:14; 13:1, 9, 12, 13; 14:10, 15; 15:2, 19;
16:3, 5, 9; 17:5, 19, 21; 18:11, 13; 19:1, 3, 11, 15; 20:4;
21:4, 8, 12; 22:1, 3, 6, 11, 18, 30; 23:2, 15, 16, 38; 24:5,
8; 25:8; 25:15, 27, 28, 32; 26:2, 4, 18; 27:2, 4, 16, 19,
21; 28:2; 28:11, 13, 14, 16; 29:4, 8, 10, 16, 17, 21, 25,
31, 32; 30:2, 5, 12, 18; 31:1(2), 6(7), 14(15), 15(16);
31:22(23), 34(35), 36(37); 32:3, 14, 15, 28, 36, 42;
33:2, 4, 10, 12, 17, 20, 25; 34:2², 4, 13, 17; 35:13, 17, 18,
19; 36:29, 30; 37:7, 9; 38:2, 3, 17; 39:16; 42:9, 15, 18;
43:10; 44:2, 7, 11, 25, 30; 45:2, 4; 47:2; 48:1, 40; 49:1,
7, 12, 28, 35; 50:18, 33; 51:1, 33, 36, 58 • Ezek. 2:4;
3:11, 27; 5:5, 7, 8; 6:3, 11; 7:2, 5; 11:5, 7, 16, 17; 12:10,
19, 23, 28; 13:3, 8, 13, 18, 20; 14:4, 6, 21; 15:6; 16:3,
36, 59; 17:3, 9, 19, 22; 20:3, 5, 27, 30, 39; 21:3, 8,
14, 29, 31, 33; 22:3, 19, 28; 23:22, 28, 32, 35, 46; 24:3,
6, 9, 21; 25:3, 6, 8, 12, 13, 15, 16; 26:3, 7, 15, 19;
27:3; 28:2, 6, 12, 22, 25; 29:3, 8, 13, 19; 30:2, 6, 10,
13, 22; 31:10, 15; 32:3, 11; 33:25, 27; 34:2, 10, 11,
17, 20; 35:3, 14; 36:2, 3, 4, 5, 6, 7, 13, 22, 33, 37;
37:5, 9, 12, 19, 21; 38:3, 10, 14, 17; 39:1, 17, 25;
43:18; 44:6, 9; 45:9, 18; 46:1, 16; 47:13 • Am. 1:3, 6,
9, 11, 13; 2:1, 4, 6; 3:11, 12; 5:3, 4, 16; 7:17 • Ob. 1 •
Mic. 2:3; 3:5 • Nah. 1:12 • Hag. 1:2, 5, 7; 2:6, 11 •
Zech. 1:3, 4, 14, 16, 17; 2:12; 3:7, 8, 21; 4:6, 7, 9, 19,
23; 6:12; 7:9; 8:2, 3, 4, 14, 20; 11:4 • Mal. 1:4 • ICh.
17:4, 7; 21:10, 11 • IICh. 11:4; 12:5; 18:10; 20:15;
21:12; 34:23, 24, 26

447 כֹּה אָמַר פַּרְעֹה Ex. 5:10
448 לָמָּה תַעֲשֶׂה כֹה לַעֲבָדֶיךָ Ex. 5:15
449 וְהִנֵּה לֹא־שָׁמַעְתָּ עַד־כֹּה Ex. 7:16
450 כֹּה תֹאמַר לְבֵית יַעֲקֹב Ex. 19:3
451 כֹּה תְבָרְכוּ אֶת־בְּנֵי יִשְׂרָאֵל Num. 6:23
452/3 כְּדֶרֶךְ יוֹם כֹּה וּכְדֶ׳ יוֹם כֹּה Num. 11:31
454 כֹּה אָמַר אָחִיךָ יִשְׂרָאֵל Num. 20:14
455 כֹּה אָמַר בָּלָק בֶּן־צִפּוֹר Num. 22:16
456 הַהַסְכֵּן הִסְכַּנְתִּי לַעֲשׂוֹת לְךָ כֹּה Num. 22:30
457 הִתְיַצֵּב כֹּה עַל־עֹלָתֶךָ Num. 23:15
458 וְאָנֹכִי אִקָּרֶה כֹּה Num. 23:15
459 כֹּה עָשׂוּ אֲבֹתֵיכֶם בְּשָׁלְחִי אֹתָם Num. 32:8
460 כִּי־אִם־כֹּה תַעֲשׂוּ לָהֶם... Deut. 7:5
461 כֹּה תַעֲשֶׂה שֵׁשֶׁת יָמִים Josh. 6:3
462 כֹּה עָשׂוּ שֵׁשֶׁת יָמִים Josh. 6:14
463 עַד אֲשֶׁר־עַד־כֹּה בֵּרְכַנִי יְיָ Josh. 17:14

כֹּה (המשך)

518-464 כֹּה אָמַר (אָמְרוּ, יֹאמְרוּ וכו׳) Josh. 22:16 • Jud. 11:15 • I Sh. 9:9; 11:9; 14:9, 10; 18:25; 20:7, 22 • II Sh. 7:8; 11:25; 15:26 • IK. 2:30; 5:25; 12:10; 20:3, 5; 22:27 • IIK. 1:11; 9:18, 19; 18:19, 29, 31; 19:3, 6, 10; 22:18 • Is. 21:6; 30:12; 36:4, 14, 16; 37:3, 6, 10; 42:5; 51:22; 57:15 • Jer. 21:3; 23:35, 37; 27:4; 37:7; 45:4 • Ezek. 33:27 • Am. 7:11 • Ez. 1:2 • ICh. 17:7 • IICh. 10:10²; 18:26; 24:20; 32:10; 34:26; 36:23

519 כֹּה יֵעָשֶׂה לִבְקָרוֹ — I Sh. 11:7

520 כֹּה יֵעָשֶׂה לָאִישׁ אֲשֶׁר יַכֶּנּוּ — I Sh. 17:27

521 וַאֲמַרְתֶּם כֹּה לֶחָי — I Sh. 25:6

522 כֹּה (כת׳ כי) יְקַלֵּל כִּי יְיָ אָמַר — II Sh. 16:10

523 סֹב הִתְיַצֵּב כֹּה — II Sh. 18:30

524 כֹּה־יִתֵּן שְׁלֹמֹה לְחִירָם — IK. 5:25

525 כֹּה תְדַבֵּר אֲלֵיהֶם — IK. 12:10

526/7 וַיְהִי עַד־כֹּה וְעַד־כֹּה — IK. 18:45

528 הִנֵּה־כֹה מַבָּטֵנוּ ... וְאֵיךְ... — Is. 20:6

529 כִּי כֹה יִהְיֶה בְּקֶרֶב הָאָרֶץ — Is. 24:13

530 כֹּה יֵעָשֶׂה לָהֶם — Jer. 5:13

531 דַּבֵּר כֹּה נְאֻם־יְיָ — Jer. 9:21

532 הֲלוֹא כֹה דְבָרִי כָּאֵשׁ — Jer. 23:29

533 וְהִנֵּה־כֹה עָשׂוּ בְּתוֹךְ בֵּיתִי — Ezek. 23:39

534 לָכֵן כֹּה אֶעֱשֶׂה־לְּךָ יִשְׂרָאֵל — Am. 4:12

537-535 כֹּה הִרְאַנִי אֲדֹנָי יְיָ — Am. 7:1, 4; 8:1

538 כֹּה הִרְאַנִי וְהִנֵּה אֲדֹנָי נִצָּב... — Am. 7:7

539 רְאֵה...לְמִי עוֹלַלְתָּ כֹּה — Lam. 2:20

540 הֲלוֹא כֹה עָשׂוּ אֲבֹתֵיכֶם — Neh. 13:18

541 כֹּה תַעֲשׂוּן בְּיִרְאַת יְיָ — IICh. 19:9

542 כֹּה תַעֲשׂוּן וְלֹא תֶאְשָׁמוּ — IICh. 19:10

543 כֹּה עָשׂוּ לְיוֹם בְּיוֹם — IICh. 24:11

כֹּה וָכֹה 544/5 וַיִּפֶן כֹּה וָכֹה וַיַּרְא... — Ex. 2:12

כֹּה...וְכֹה 546/7 כֹּה יַעֲשֶׂה־לְּךָ אֱלֹהִים וְכֹה יוֹסִיף — I Sh. 3:17

548/9 כֹּה־יַעֲשֶׂה אֱלֹהִים וְכֹה יוֹסִף — I Sh. 14:44

550/1 כֹּה־יַעֲשֶׂה יְיָ לִיהוֹנָתָן וְכֹה יֹסִיף — I Sh. 20:13

552-66 כֹּה יַעֲשֶׂה..אֱלֹהִים..וְכֹה יֹסִיף — I Sh. 25:22 • II Sh. 3:9, 35; 19:14 • IK. 2:23 • IIK. 6:31 • Ruth 1:17

567/8 כֹּה־עָשָׂה דָוִד וְכֹה מִשְׁפָּטוֹ — I Sh. 27:11

569/70 כֹּה־דִבֶּר יוֹאָב וְכֹה עָנָנִי — IK. 2:30

571/2 כֹּה־יַעֲשׂוּן אֱלֹהִים וְכֹה יוֹסִפוּן — IK. 19:2

573/4 כֹּה־יַעֲשׂוּן לִי אֱ׳ וְכֹה יוֹסִפוּ — IK. 20:10

וְכֹה 575 וְכֹה־תַעֲשֶׂה לָהֶם לְטַהֲרָם — Num. 8:7

576/7 שׁוּב אֶל־בָּלָק וְכֹה תְדַבֵּר — Num. 23:5, 16

578 וְכֹה־אָמַר שִׁמְעִי בְּקַלְלוֹ — II Sh. 16:7

579 וְכֹה אָמַר בְּלֶכְתּוֹ — II Sh. 19:1

580 וְכֹה תִדְבָּקִין עִם־נַעֲרֹתָי — Ruth 2:8

בְּכֹה 581/2 וַיֹּאמֶר זֶה בְּכֹה וְזֶה אֹמֵר בְּכֹה — IK. 22:20

כָּה

תה־ס ארמית: כֹּה, כָּאן

כָּה 1 עַד־כָּה סוֹפָא דִי־מִלְּתָא — Dan. 7:28

כהה : כָּהָה, כֵּהָה, כֵּהֶה, כֵּהָה

כָּהָה

פ׳ א) נחלש, רפה: 1-8

ב) [פ׳ כִּהָה] נוף: 9

ג) [כנ־ל] נחלש: 10

כָּהָה נֶגַע 7, 8; כָּהֲתָה עֵינוֹ 1, 2, 4-6; כִּהָה בְּ־ 9; כִּהֲתָה רוּחַ 10

כָּהֹה 1 וְעֵין יְמִינוֹ כָּהֹה תִכְהֶה — Zech. 11:17

כָּהֲתָה 2 לֹא־כָהֲתָה עֵינוֹ וְלֹא־נָס לֵחֹה — Deut. 34:7

יִכְהֶה 3 לֹא יִכְהֶה וְלֹא יָרוּץ — Is. 42:4

תִּכְהֶה 4 וְעֵין יְמִינוֹ כָּהֹה תִכְהֶה — Zech. 11:17

וַתֵּכַהּ 5 וַתֵּכַהּ מִכַּעַשׂ עֵינִי — Job 17:7

וַתִּכְהֶיןָ 6 וַתִּכְהֶיןָ עֵינָיו מֵרְאֹת — Gen. 27:1

כֵּהָה 7/8 וְהִנֵּה כֵּהָה הַנֶּגַע — Lev. 13:6, 56

כִּהָה 9 וְלֹא כִהָה בָּם — I Sh. 3:13

וְכִהֲתָה 10 וְרָפוּ כָל־יָדַיִם וְכִהֲתָה כָל־רוּחַ — Ezek. 21:12

כֵּהֶה*

ת׳ א) לא בהיר: 1-3, 6

ב) חלש: 4, 5, 7

בַּהֶרֶת כֵּהָה 1-3, 6; פִּשְׁתָּה כֵהָה 4; רוּחַ כֵּהָה 5; עֵינַיִם כֵּהוֹת 7

כֵּהָה 1/2 וּשְׁפָלָה אֵינֶנָּה...וְהִיא כֵהָה — Lev. 13:21, 26

3 לֹא־פָשְׂתָה בָעוֹר וְהוּא כֵהָה — Lev. 13:28

4 וּפִשְׁתָּה כֵהָה לֹא יְכַבֶּנָּה — Is. 42:3

5 מַעֲטֵה תְהִלָּה תַּחַת רוּחַ כֵּהָה — Is. 61:3

כֵּהוֹת 6 בֶּהָרֹת כֵּהוֹת לְבָנֹת — Lev. 13:39

7 וְעֵינָו הֵחֵלּוּ כֵהוֹת — I Sh. 3:2

כֵּהָה

נ׳ גהה, מרפא

כֵּהָה 1 אֵין־כֵּהָה לְשִׁבְרֶךָ — Nah. 3:19

כְּהַל

פ׳ ארמית יכול: 1-4

כָּהֵל 1 הַאִיתָךְ כָּהֵל לְהוֹדָעֻתַנִי חֶלְמָא — Dan. 2:26

2 חַכִּימֵי...לָא־יָכְלִין...וְאַנְתְּ כָּהֵל — Dan. 4:15

כָּהֲלִין 3 וְלָא־כָהֲלִין כְּתָבָא לְמִקְרָא — Dan. 5:8

4 וְלָא־כָהֲלִין פְּשַׁר מִלְּתָא לְהַחֲוָיָה — Dan. 8:15

כָּהֶם — עין ערך כְּ־

כהן : כִּהֵן; כֹּהֵן, כְּהֻנָּה; אר׳ כָּהֵן

כִּהֵן

פ׳ שרת בקודש: 1-23

לְכַהֵן 1 ...לְקַדֵּשׁ אֹתָם לְכַהֵן לִי — Ex. 29:1

2 וְאֶת־בָּנָיו אֲקַדֵּשׁ לְכַהֵן לִי — Ex. 29:44

4-3 לְכַהֵן לִי — Ex. 30:30 • Ezek. 44:13

7-5 בִּגְדֵי בָנָיו לְכַהֵן — Ex. 31:10; 35:19; 39:41

8 בְּיוֹם הִקְרִיב אֹתָם לְכַהֵן לַיְיָ — Lev. 7:35

9 לְכַהֵן תַּחַת אָבִיו — Lev. 16:32

10 אֲשֶׁר־מִלֵּא יָדָם לְכַהֵן — Num. 3:3

11 הַקְרֵב...אֶת־אַהֲרֹן...לְכַהֲנוֹ־לִי — Ex. 28:1

לְכַהֲנוֹ־ 12 לְקַדְּשׁוֹ לְכַהֲנוֹ־לִי — Ex. 28:3

13 לְאַהֲרֹן אָחִיךָ וּלְבָנָיו לְכַהֲנוֹ־לִי — Ex. 28:4

מִכַּהֵן 14 וְאֶמְאָסְךָ מִכַּהֵן לִי — Hosh. 4:6

15 כִּי־הִזְנִיחָם...מִכַּהֵן לַיְיָ — IICh. 11:14

כִּהֵן 16 הוּא אֲשֶׁר כִּהֵן בַּבַּיִת אֲשֶׁר־בָּנָה — ICh. 5:36

וְכִהֵן 17 וְקִדַּשְׁתָּ אֹתוֹ וְכִהֵן לִי — Ex. 40:13

וְכִהֲנוּ 18 וְקִדַּשְׁתָּ אֹתָם וְכִהֲנוּ־לִי — Ex. 28:41

19 וּמָשַׁחְתָּ אֹתָם...וְכִהֲנוּ לִי — Ex. 40:15

יְכַהֵן 20 כֶּחָתָן יְכַהֵן פְּאֵר — Is. 61:10

וַיְכַהֵן 21 וַיְכַהֵן...עַל־פְּנֵי אַהֲרֹן אֲבִיהֶם — Num. 3:4

22 וַיְכַהֵן אֶלְעָזָר בְּנוֹ תַּחְתָּיו — Deut. 10:6

וַיְכַהֲנוּ 23 וַיְכַהֲנוּ אֶלְעָזָר וְאִיתָמָר — ICh. 24:2

כֹּהֵן

ז׳ א) עובד עבודת הקודש בבית אלהים — מזרע אהרן ממטה לוי: רוב המקראות: 1-752

ב) עובד בפולחן לאל זר: 7, 8, 289-293, 404-407, 428, 429, 433-437, 439-442, 446, 452, 453, 462, 528, 716, 719-725, 733-737

ג) פקיד, שר, יועץ: 10, 12, 28

– כֹּהֵן וְנָבִיא 16, 17-21, 29, 401, 513-518, 657, 733, 743, 750-752; אָב וְכֹהֵן 428, 429; מֶלֶךְ וְכֹהֵן 37

– הַכֹּהֵן הַגָּדוֹל 283-285, 287, 355-364, 371-378, 387, 388, 392, 400; הַכֹּהֵן הַמָּשִׁיחַ 206, 396; כֹּהֵן (הַ)מִּשְׁנֶה 15, 23; כֹּהֵן נֶאֱמָן 9; (הַ)כֹּהֵן הָרֹאשׁ 13, 14, 33-35, 379, 394

– כֹּהֵן אוֹן 433-435; כֹּ׳ בֵּית אֵל 441; כֹּ׳ הַבַּעַל 439, 440; כֹּהֵן יְיָ 438; כֹּהֵן מִדְיָן 436, 437

– אִישׁ כֹּהֵן 3; בַּת כֹּ׳ 5, 6; יַד הַכֹּ׳ 253; כַּף הַכֹּ׳ 236, 237, 239, 241; לֵב כֹּהֵן 291; מִנְחַת כֹּ׳ 2; מְרִיבֵי כֹּ׳ 25; נַעַר הַכֹּ׳ 296, 297; עֵינֵי כֹּ׳ 231; שִׂפְתֵי כֹהֵן 27; תּוֹשַׁב כֹּהֵן 4

– אֶבְיָתָר הַכֹּהֵן 307-314; אַהֲרֹן הַכֹּהֵן 39-62, 379; אוּרִיָּה הַכֹּ׳ 348-354; אֲחִימֶלֶךְ הַכֹּ׳ 300, 301; אֶלְיָשִׁיב הַכֹּ׳ 387, 388, 390, 392; אֶלְעָזָר הַכֹּ׳ 254-282; בּוּזִי הַכֹּ׳ 370; חִלְקִיָּה הַכֹּ׳ 355-364; יְהוֹיָדָע הַכֹּ׳ 328-347, 707; יְהוֹשֻׁעַ הַכֹּ׳ 371-378; יְחֶזְקֵאל הַכֹּ׳ 370; עֶזְרָא הַכֹּ׳ 380-386; עֲזַרְיָה הַכֹּ׳ 393, 394; עֵלִי הַכֹּ׳ 294, 295; פִּינְחָס הַכֹּ׳ 288; פַּשְׁחוּר הַכֹּהֵן 365; צָדוֹק הַכֹּהֵן 315–327; שֶׁלֶמְיָה הַכֹּהֵן 391

– הַכֹּהֲנִים (וְ)הַלְוִיִּם 482-494, 533-551, 651, 652, 685, 688, 697-703, 714

– אַדְמַת הַכֹּהֲנִים 468, 469; בְּנֵי הַכֹּ׳ 532, 553, 555; גְּבוּל הַכֹּ׳ 525; זִקְנֵי הַכֹּ׳ 507-509; חֶבֶר כֹּ׳ 453; חֲצַר הַכֹּ׳ 558; כְּתֻנּוֹת כֹּ׳ 456-458; מַחְלְקוֹת הַכֹּ׳ 559; מִשְׁפַּט הַכֹּ׳ 495, 504; נֶפֶשׁ הַכֹּ׳ 522; עֵינֵי הַכֹּ׳ 520, 521; עִיר הַכֹּ׳ 506; עַצְמוֹת הַכֹּ׳ 466, 512; עָרֵי הַכֹּ׳ 561; פְּנֵי כֹּ׳ 455; רָאשֵׁי הַכֹּ׳ 554; רַגְלֵי הַכֹּ׳ 499-503; שָׂרֵי הַכֹּ׳ 552, 562; תְּרוּמַת הַכֹּהֲנִים 556

– כֹּהֲנֵי הַבָּמוֹת 719-725; כֹּ׳ דָגוֹן 716; כֹּהֲנֵי יְיָ 717, 718, 727-729

כֹּהֵן 1 וְהוּא כֹהֵן לְאֵל עֶלְיוֹן — Gen. 14:18

2 וְכָל־מִנְחַת כֹּהֵן כָּלִיל תִּהְיֶה — Lev. 6:16

3 וּבַת אִישׁ כֹּהֵן כִּי תֵחֵל לִזְנוֹת — Lev. 21:9

4 תּוֹשַׁב כֹּהֵן וְשָׂכִיר לֹא־יֹאכַל קֹדֶשׁ — Lev. 22:10

5 וּבַת־כֹּהֵן כִּי תִהְיֶה לְאִישׁ זָר — Lev. 22:12

6 וּבַת־כֹּהֵן כִּי תִהְיֶה אַלְמָנָה — Lev. 22:13

7 הֲטוֹב הֱיוֹתְךָ כֹהֵן לְבֵית אִישׁ אֶחָד — Jud. 18:19

8 אוֹ הֱיוֹתְךָ כֹהֵן לְשֵׁבֶט וּלְמִשְׁפָּחָה — Jud. 18:19

9 וַהֲקִימֹתִי לִי כֹּהֵן נֶאֱמָן — I Sh. 2:35

10 וְגַם עִירָא הַיָּאִרִי הָיָה כֹהֵן לְדָוִד — II Sh. 20:26

11 וַיְגָרֶשׁ...מִהְיוֹת כֹּהֵן לַיְיָ — IK. 2:27

12 וְזָבוּד בֶּן־נָתָן כֹּהֵן רֵעֶה הַמֶּלֶךְ — IK. 4:5

13/4 שְׂרָיָה כֹּהֵן הָרֹאשׁ — IIK. 25:18 • Jer. 52:24

15 וְאֶת־צְפַנְיָהוּ כֹּהֵן מִשְׁנֶה — IIK. 25:18

16 כֹּהֵן וְנָבִיא שָׁגוּ בַשֵּׁכָר — Is. 28:7

17 וּמִנָּבִיא וְעַד־כֹּהֵן כֻּלּוֹ עֹשֶׂה שָּׁקֶר — Jer. 6:13

18 מִנָּבִיא וְעַד־כֹּהֵן כֻּלֹּה עֹשֶׂה שָּׁקֶר — Jer. 8:10

19 גַּם־נָבִיא גַם־כֹּהֵן סָחֲרוּ אֶל־אֶרֶץ — Jer. 14:18

20 כִּי־גַם־נָבִיא גַם־כֹּהֵן חָנֵפוּ — Jer. 23:11

21 וְכִי־יִשְׁאָלְךָ...הַנָּבִיא אוֹ־כֹהֵן — Jer. 23:33

22 יְיָ נְתָנְךָ כֹהֵן תַּחַת יְהוֹיָדָע הַכֹּהֵן — Jer. 29:26

23 וְאֶת־צְפַנְיָה כֹּהֵן הַמִּשְׁנֶה — Jer. 52:24

24 וְיַיִן לֹא־יִשְׁתּוּ כָּל־כֹּהֵן — Ezek. 44:21

25 וְעַמְּךָ כִּמְרִיבֵי כֹהֵן — Hosh. 4:4

26 וְהָיָה כֹהֵן עַל־כִּסְאוֹ — Zech. 6:13

27 כִּי־שִׂפְתֵי כֹהֵן יִשְׁמְרוּ־דַעַת — Mal. 2:7

28 נִשְׁבַּע יְיָ...אַתָּה־כֹהֵן לְעוֹלָם — Ps. 110:4

29 אִם־יֵהָרֵג...כֹּהֵן וְנָבִיא — Lam. 2:20

30 עַד עֲמֹד כֹּהֵן לְאוּרִים וּלְתֻמִּים — Ez. 2:63

31 וְהָיָה כֹהֵן לְלֹא אֱלֹהִים — IICh. 13:9

32 וּלְלֹא כֹּהֵן מוֹרֶה וּלְלֹא תוֹרָה — IICh. 15:3

33 וְהִנֵּה אֲמַרְיָהוּ כֹהֵן הָרֹאשׁ עֲלֵיכֶם — IICh. 19:11

34 סוֹפֵר הַמֶּלֶךְ וּפְקִיד כֹּהֵן הָרֹאשׁ — IICh. 24:11

35 וַיִּפֶן אֵלָיו עֲזַרְיָהוּ כֹהֵן הָרֹאשׁ IICh. 26:20

וְכֹהֵן
36 וְכֹהֵן כִּי־יִקְנֶה נֶפֶשׁ Lev. 22:11
37 וַיִּנְאַץ בְּזַעַם־אַפּוֹ מֶלֶךְ וְכֹהֵן Lam. 2:6

הַכֹּהֵן
38 שִׁבְעַת יָמִים יִלְבָּשָׁם הַכֹּהֵן Ex. 29:30
39 וְאֶת בִּגְדֵי הַקֹּדֶשׁ לְאַהֲרֹן הַכֹּהֵן Ex. 31:10
40-62 (וְ/לְ) אַהֲרֹן הַכֹּהֵן Ex. 35:19
38:21; 39:41 • Lev. 1:7; 13:2; 21:21 • Num. 3:6; 3:32; 4:16, 28, 33; 7:8, 34 • Num. 17:2; 18:28; 25:7, 11; 26:1, 64; 33:38 • Josh. 21:4, 13 • Ez. 7:5
63 וְהִקְטִיר הַכֹּהֵן אֶת־הַכֹּל הַמִּזְבֵּחָה Lev. 1:9
64 וְעָרַךְ הַכֹּהֵן אֹתָם עַל־הָעֵצִים Lev. 1:12
65 וְהִקְרִיב הַכֹּהֵן אֶת־הַכֹּל Lev. 11:13
66 וְהִקְרִיבוֹ הַכֹּהֵן אֶל־הַמִּזְבֵּחַ Lev. 1:15
67-204 וְהִקְטִיר (וְהֵרִים, וְטָבַל, וְטִהַר, וְכִפֶּר וְכד׳) הַכֹּהֵן Lev. 1:17; 2:2, 9, 16
3:11, 16; 4:5, 6, 7, 10, 16, 17, 20, 25, 26, 30, 31^2, 34, 35^2; 5:6, 10, 12, 13, 18, 26; 6:3, 5; 7:5, 31; 12:8; 13:3^2, 4; 13:5^2, 6^2, 8^2, 10, 11, 13, 15, 17^2, 20^2, 21, 22, 23, 25^2, 26^2; 13:27^2, 28, 30^2, 32, 33, 34^2, 36^2, 37, 39, 43, 50, 54; 13:55, 56; 14:3^2, 4, 5, 11, 12, 14^2, 15, 16, 18, 19, 20^2; 14:23, 24^2, 25, 27, 28, 31, 36, 38, 39, 40, 44, 48; 15:15^2, 30^2; 16:32; 17:6; 19:22; 23:20; 27:12, 14, 18, 23 • Num. 5:16, 17, 18, 19, 21^2, 23, 25, 26, 30; 6:11, 16; 6:17, 19, 20; 15:25, 28; 19:6, 7^2 • Deut. 20:2; 26:4 Ezek. 45:19
205 וְהִקְרִיבָהּ אֶל־הַכֹּהֵן Lev. 2:8
206 אִם־הַכֹּהֵן הַמָּשִׁיחַ יֶחֱטָא Lev. 4:3
207 וְהֵבִיא אֹתָם אֶל־הַכֹּהֵן Lev. 5:8
208-228 אֶל־הַכֹּהֵן Lev. 5:12, 18, 25
12:6; 13:7^2, 9, 16, 19; 14:2; 15:14, 29; 17:5^2; 23:10 • Num. 5:15; 6:10 • Deut. 17:2; 26:3 • ISh. 14:19^2
229 הַכֹּהֵן הַמְחַטֵּא אֹתָהּ יֹאכְלֶנָּה Lev. 6:19
230 הַכֹּהֵן אֲשֶׁר יְכַפֶּר־בּוֹ לוֹ יִהְיֶה Lev. 7:7
231 לְכָל־מַרְאֵה עֵינֵי הַכֹּהֵן Lev. 13:12
232 וְאִם יִרְאֶנָּה הַכֹּהֵן וְהִנֵּה... Lev. 13:21
233 טָמֵא יְטַמְּאֶנּוּ הַכֹּהֵן Lev. 13:44
234 וְהָרְאָה אֶת־הַכֹּהֵן Lev. 13:49
235 וְאִם יִרְאֶה הַכֹּהֵן וְהִנֵּה... Lev. 13:53
236/7 עַל־כַּף הַכֹּהֵן הַשְּׂמָאלִית Lev. 14:15, 26
238 יִתֵּן הַכֹּהֵן עַל־תְּנוּךְ אֹזֶן... Lev. 14:17
239 וְהַנּוֹתָר בַּשֶּׁמֶן אֲשֶׁר עַל־כַּף הַכֹּהֵן Lev. 14:18
240 וּמִן־הַשֶּׁמֶן יַצִּק הַכֹּהֵן Lev. 14:26
241 מִן־הַשֶּׁמֶן אֲשֶׁר עַל־כַּף הַכֹּהֵן Lev. 14:29
242 יָבֹא הַכֹּהֵן לִרְאוֹת אֶת־הַנֶּגַע Lev. 14:36
243 וְאַחַר כֵּן יָבֹא הַכֹּהֵן לִרְאוֹת Lev. 14:36
244 וְאִם־בֹּא יָבֹא הַכֹּהֵן וְרָאָה Lev. 14:48
245 מִמָּחֳרַת הַשַּׁבָּת יְנִיפֶנּוּ הַכֹּהֵן Lev. 23:11
246 וְהֶעֱמִידוֹ לִפְנֵי הַכֹּהֵן Lev. 27:8
247 וְהֶעֱרִיךְ אֹתוֹ הַכֹּהֵן Lev. 27:8
248 אֲשֶׁר תַּשִּׂיג...יַעֲרִיכֶנּוּ הַכֹּהֵן Lev. 27:8
249 וְהֶעֱמִיד אֶת־הַבְּהֵמָה לִפְנֵי הַכֹּהֵן Lev. 27:11
250 כְּעֶרְכְּךָ הַכֹּהֵן כֵּן יִהְיֶה Lev. 27:12
251 כַּאֲשֶׁר יַעֲרִיךְ אֹתוֹ הַכֹּהֵן כֵּן יָקוּם Lev. 27:14
252 וּמִן־הֶעָפָר...יִקַּח הַכֹּהֵן Num. 5:17
253 וּבְיַד הַכֹּהֵן יִהְיוּ מֵי הַמָּרִים... Num. 5:18
254 וַיִּקַּח אֶלְעָזָר הַכֹּהֵן אֵת מַחְתּוֹת Num. 17:4
255-282 (וְ/לְ) אֶלְעָזָר הַכֹּהֵן Num. 19:3, 4
26:3, 63; 27:2, 19, 21, 22; 31:6, 12, 13, 21, 26, 29, 31; 31:41, 51, 54; 32:2, 28; 34:17 • Josh. 14:1; 17:4; 19:51; 21:1; 22:13, 31, 32
283/4 עַד־מוֹת הַכֹּהֵן הַגָּדֹל Num. 35:25, 28
285 וְאַחֲרֵי־מוֹת הַכֹּהֵן הַגָּדֹל Num. 35:28

הַכֹּהֵן (המשך)
286 לָשֶׁבֶת בָּאָרֶץ עַד־מוֹת הַכֹּהֵן Num. 35:32
287 עַד־מוֹת הַכֹּהֵן הַגָּדוֹל Josh. 20:6
288 פִּינְחָס הַכֹּהֵן וּנְשִׂיאֵי הָעֵדָה Josh. 22:30
289 וַיֹּאמֶר לָהֶם הַכֹּהֵן לְכוּ לְשָׁלוֹם Jud. 18:6
290 וַיֹּאמֶר אֲלֵיהֶם הַכֹּהֵן Jud. 18:18
291 וַיִּיטַב לֵב הַכֹּהֵן Jud. 18:20
292 אֶת־אֱלֹהַי...לְקַחְתֶּם וְאֶת־הַכֹּהֵן Jud. 18:24
293 וְאֶת־הַכֹּהֵן אֲשֶׁר הָיָה־לוֹ Jud. 18:27
294 וְעֵלִי הַכֹּהֵן יֹשֵׁב עַל־הַכִּסֵּא ISh. 1:9
295 מְשָׁרֵת אֶת־יְיָ אֶת־פְּנֵי עֵלִי הַכֹּהֵן ISh. 2:11
296/7 וּבָא נַעַר הַכֹּהֵן ISh. 2:13, 15
298 כֹּל אֲשֶׁר יַעֲלֶה הַמַּזְלֵג יִקַּח הַכֹּהֵן ISh. 2:14
299 וַיֹּאמֶר הַכֹּהֵן נִקְרְבָה הֲלֹם ISh. 14:36
300 וַיָּבֹא...אֶל־אֲחִימֶלֶךְ הַכֹּהֵן ISh. 21:2
301 וַיֹּאמֶר דָּוִד לַאֲחִימֶלֶךְ הַכֹּהֵן ISh. 21:3
302 וַיַּעַן הַכֹּהֵן אֶת־דָּוִד וַיֹּאמֶר ISh. 21:5
303 וַיַּעַן דָּוִד אֶת־הַכֹּהֵן וַיֹּאמֶר לוֹ ISh. 21:6
304 וַיִּתֶּן־לוֹ הַכֹּהֵן קֹדֶשׁ ISh. 21:7
305 וַיֹּאמֶר הַכֹּהֵן חֶרֶב גָּלְיָת הַפְּלִשְׁתִּי ISh. 21:10
306 אֶת־אֲחִימֶלֶךְ בֶּן־אֲחִיטוּב הַכֹּהֵן ISh. 22:11
307 וַיֹּאמֶר אֶל־אֶבְיָתָר הַכֹּהֵן ISh. 23:9
308-314 (וּלְ)אֶבְיָתָר הַכֹּהֵן ISh. 30:7
IK. 1:7, 19, 25, 42; 2:22, 26
315 וַיֹּאמֶר הַמֶּלֶךְ אֶל־צָדוֹק הַכֹּהֵן IISh. 15:27
316-327 (וְ־/וּלְ) צָדוֹק הַכֹּהֵן IK. 1:8, 26, 32
1:34, 38, 39, 44, 45; 2:35; 4:2 • ICh. 16:39; 24:6
328 כְּכֹל אֲשֶׁר־צִוָּה יְהוֹיָדָע הַכֹּהֵן IIK. 11:9
329-347 (יְהוֹיָדָע) הַכֹּהֵן IIK. 11:9, 10, 15^2, 18
12:3, 8, 10 • Jer. 29:26 • ICh. 27:5 • IICh. 22:11; 23:8^2, 9, 14^2; 24:2, 20, 25
348 וַיִּשְׁלַח...אֶל־אוּרִיָּה הַכֹּהֵן IIK. 16:10
349-354 אוּרִיָּה הַכֹּהֵן IIK. 16:11^2, 15, 16
Is. 8:2 • Ez. 8:33
355 עֲלֵה אֶל־חִלְקִיָּהוּ הַכֹּהֵן הַגָּדוֹל IIK. 22:4
356-364 חִלְקִיָּה(וּ) הַכֹּהֵן (הַגָּדוֹל) IIK. 22:8
22:10, 12, 14; 23:4, 24 • IICh. 34:9, 14, 18
365 וַיִּשְׁמַע פַּשְׁחוּר בֶּן־אִמֵּר הַכֹּהֵן Jer. 20:1
366-369 צְפַנְיָה (בֶּן־מַעֲשֵׂיָה) הַכֹּהֵן Jer. 21:1
29:25, 29; 37:3
370 ...אֶל־יְחֶזְקֵאל בֶּן־בּוּזִי הַכֹּהֵן Ezek. 1:3
371-378 (וִ)יהוֹשֻׁעַ...הַכֹּהֵן הַגָּדוֹל Hag. 1:1, 12, 14
2:2, 4 • Zech. 3:1, 8; 6:11
379 בֶּן־אַהֲרֹן הַכֹּהֵן הָרֹאשׁ Ez. 7:5
380 נָתַן...לְעֶזְרָא הַכֹּהֵן הַסֹּפֵר Ez. 7:11
381-386 (וְ)עֶזְרָא הַכֹּהֵן Ez. 10:10, 16
Neh. 7:65; 8:2, 9; 12:26
387 וַיָּקָם אֶלְיָשִׁיב הַכֹּהֵן הַגָּדוֹל Neh. 3:1
388 בֵּית אֶלְיָשִׁיב הַכֹּהֵן הַגָּדוֹל Neh. 3:20
389 וְהָיָה הַכֹּהֵן בֶּן־אַהֲרֹן עִם־הַלְוִיִּם Neh. 10:39
390 אֶלְיָשִׁיב הַכֹּהֵן נָתוּן בְּלִשְׁכַּת... Neh. 13:4
391 שֶׁלֶמְיָה הַכֹּהֵן וְצָדוֹק הַסּוֹפֵר Neh. 13:13
392 יוֹיָדָע בֶּן־אֶלְיָשִׁיב הַכֹּהֵן הַגָּדוֹל Neh. 13:28
393 וַיָּבֹא אַחֲרָיו עֲזַרְיָהוּ הַכֹּהֵן IICh. 26:17
394 עֲזַרְיָהוּ הַכֹּהֵן הָרֹאשׁ לְבֵית צָדוֹק IICh. 31:10

וְהַכֹּהֵן
395 וְהַכֹּהֵן יְכַפֵּר עָלָיו Lev. 5:16
396 וְהַכֹּהֵן הַמָּשִׁיחַ תַּחְתָּיו Lev. 6:15
397 וְהַכֹּהֵן הַמַּקְרִיב אֶת־עֹלַת אִישׁ Lev. 7:8
398 וְהַכֹּהֵן הַגָּדוֹל מֵאֶחָיו Lev. 21:10
399 וְהַכֹּהֵן נִצָּב פֶּתַח הַשַּׁעַר Jud. 18:17
400 וַיַּעַל סֹפֵר הַמֶּלֶךְ וְהַכֹּהֵן הַגָּדוֹל IIK. 12:11
401 וְהַנָּבִיא וְהַכֹּהֵן וְהָעָם Jer. 23:34

כַּכֹּהֵן
402/3 וְהָיָה כָעָם כַּכֹּהֵן Is. 24:2 • Hosh. 4:9

לְכֹהֵן
404 וַיְהִי־לוֹ לְכֹהֵן Jud. 7:5
405 וַיְהִי־לוֹ הַנַּעַר לְכֹהֵן Jud. 17:12
406 כִּי הָיָה־לִי הַלֵּוִי לְכֹהֵן Jud. 17:13
407 וַיִּשְׂכְּרֵנִי וָאֱהִי־לוֹ לְכֹהֵן Jud. 18:4
408 וּבָחֹר אֹתוֹ...לִי לְכֹהֵן ISh. 2:14
409 וַיִּמְשְׁחוּ...לְנָגִיד וּלְצָדוֹק לְכֹהֵן ICh. 29:22

לַכֹּהֵן
410 וְהָיְתָה לַכֹּהֵן כַּמִּנְחָה Lev. 5:13
411 וְנָתַן אֹתוֹ לַכֹּהֵן Lev. 5:16
412 אֲשֶׁר הִקְרִיב לַכֹּהֵן לוֹ יִהְיֶה Lev. 7:8
413 לַכֹּהֵן הַמַּקְרִיב אֹתָהּ לוֹ תִהְיֶה Lev. 7:9
414 לַכֹּהֵן הַזֹּרֵק...לוֹ יִהְיֶה Lev. 7:14
415 וְאֵת שׁוֹק הַיָּמִין...תְּרוּמָה לַכֹּהֵן Lev. 7:32
416 כַּחַטָּאת הָאָשָׁם הוּא לַכֹּהֵן Lev. 14:13
417 קֹדֶשׁ יִהְיוּ לַיְיָ לַכֹּהֵן Lev. 23:20
418 לַכֹּהֵן תִּהְיֶה אֲחֻזָּתוֹ Lev. 27:21
419 וְנָתַן לַכֹּהֵן הַזְּרֹעַ וְהַלְּחָיַיִם Deut. 18:3
420-427 לַכֹּהֵן Lev. 14:35; 22:14
Num. 5:8, 9, 10; 6:20 • ISh. 2:15 • Ezek. 44:30

וּלְכֹהֵן
428 וֶהְיֵה־לִי לְאָב וּלְכֹהֵן Jud. 17:10
429 וֶהְיֵה־לָנוּ לְאָב וּלְכֹהֵן Jud. 18:19

מִכֹּהֵן
430 כִּי לֹא־תֹאבַד תּוֹרָה מִכֹּהֵן Jer. 18:18
431 וְתוֹרָה תֹּאבַד מִכֹּהֵן Ezek. 7:26
432 אַלְמָנָה מִכֹּהֵן יִקָּחוּ Ezek. 44:22

כֹּהֵן־
433-435 בַּת־פּוֹטִי פֶרַע כֹּהֵן א(וֹ)ן
Gen. 41:45, 50; 46:20
436 יִתְרוֹ חֹתְנוֹ כֹּהֵן מִדְיָן Ex. 3:1
437 וַיִּשְׁמַע יִתְרוֹ כֹהֵן מִדְיָן Ex. 18:1
438 כֹּהֵן יְיָ בְּשִׁלֹה נֹשֵׂא אֵפוֹד ISh. 14:3
439/40 וְאֵת מַתָּן כֹּהֵן הַבַּעַל הָרְגוּ IIK. 11:18
IICh. 23:17
441 וַיִּשְׁלַח אֲמַצְיָה כֹּהֵן בֵּית־אֵל Am. 7:10

וּלְכֹהֵן־
442 וּלְכֹהֵן מִדְיָן שֶׁבַע בָּנוֹת Ex. 2:16

כֹּהֲנִים
443 מַמְלֶכֶת כֹּהֲנִים וְגוֹי קָדוֹשׁ Ex. 19:6
444/5 וְשִׁבְעָה כֹהֲנִים יִשְׂאוּ שִׁבְעָה שׁו׳ Josh. 6:4, 6
446 הָיוּ כֹהֲנִים לְשֵׁבֶט הַדָּנִי Jud. 18:30
447 וְשָׁם שְׁנֵי בְנֵי־עֵלִי...כֹּהֲנִים לַיְיָ ISh. 1:3
448 וְצָדוֹק...וַאֲחִימֶלֶךְ...כֹּהֲנִים IISh. 8:17
449 וּבְנֵי דָוִד כֹּהֲנִים הָיוּ IISh. 8:18
450/1 וְצָדוֹק וְאֶבְיָתָר כֹּהֲנִים IISh. 20:25 • IK. 4:4
452 וַיַּעַשׂ כֹּהֲנִים מִקְצוֹת הָעָם IK. 12:31
453 חֶבֶר כֹּהֲנִים דֶּרֶךְ יְרַצְּחוּ־שֶׁכְמָה Hosh. 6:9
454 מוֹלִיךְ כֹּהֲנִים שׁוֹלָל Job 12:19
455 פְּנֵי כֹהֲנִים לֹא נָשָׂאוּ Lam. 4:16
456-8 (וְ)כָתְנ(וֹ)ת כֹּהֲנִים Ez. 2:69 • Neh. 7:69, 71
459 הָיוּ כֹּהֲנִים רָאשֵׁי הָאָבוֹת Neh. 12:12
460 וְצָדוֹק...וַאֲבִימֶלֶךְ...כֹּהֲנִים ICh. 18:16
461 וְעִמָּהֶם כֹּהֲנִים לְמֵאָה וְעֶשְׂרִים IICh. 5:12
462 וַיַּעֲמֶד־לוֹ כֹּהֲנִים לַבָּמוֹת IICh. 11:15
463 וַתַּעֲשׂוּ לָכֶם כֹּהֲנִים כְּעַמֵּי הָאֲרָצוֹת IICh. 13:9
464 וְעִמּוֹ כֹּהֲנִים לַיְיָ שְׁמוֹנִים IICh. 26:17
465 וַיִּתְקַדְּשׁוּ כֹהֲנִים לָרֹב IICh. 30:24
466 וְעַצְמוֹת כֹּהֲנִים שָׂרַף... IICh. 34:5

וְכֹהֲנִים
467 וְכֹהֲנִים מְשָׁרְתִים לַיְיָ IICh. 13:10

הַכֹּהֲנִים
468 רַק אַדְמַת הַכֹּהֲנִים לֹא קָנָה Gen. 47:22
469 רַק אַדְמַת הַכֹּהֲנִים לְבַדָּם Gen. 47:26
470 הַכֹּהֲנִים הַנִּגָּשִׁים אֶל־יְיָ יִתְקַדָּשׁוּ Ex. 19:22
471-478 (וּבְ)בְנֵי אַהֲרֹן הַכֹּהֲנִים Lev. 1:5, 8, 11
2:2; 3:2 • Num. 3:3; 10:8 • Josh. 21:19
479 אוֹ אֶל־אַחַד מִבָּנָיו הַכֹּהֲנִים Lev. 13:2
480 וְעַל הַכֹּהֲנִים וְעַל־כָּל...הַקָּהָל Lev. 16:33
481 אֱמֹר אֶל־הַכֹּהֲנִים בְּנֵי אַהֲרֹן Lev. 21:1

הַכֹּהֲנִים (המשך) 482-494 הַכֹּהֲנִים הַלְוִיִּם Deut. 17:9, 18
24:8 • Josh. 8:33 • Ezek. 43:19 • Ez. 10:5 • Neh. 10:29, 35; 11:20 • ICh. 9:2 • IICh. 5:5; 23:18; 30:27
495 וְזֶה יִהְיֶה מִשְׁפַּט הַכֹּהֲנִים Deut. 18:3
496 וְעָמְדוּ...לִפְנֵי הַכֹּהֲנִים וְהַשֹּׁפְטִים Deut. 19:17
497 וְנִגְּשׁוּ הַכֹּהֲנִים בְּנֵי לֵוִי Deut. 21:5
498 וַיִּתְּנָהּ אֶל־הַכֹּהֲנִים בְּנֵי לֵוִי Deut. 31:9
499 וְהָיָה כְּנוֹחַ כַּפּוֹת רַגְלֵי הַכֹּהֲנִים Josh. 3:13
500-503 (וְ)רַגְלֵי הַכֹּהֲנִים Josh. 3:15; 4:3, 9, 18
504 וּמִשְׁפַּט הַכֹּהֲנִים אֶת־הָעָם.. ISh. 2:13
505 וְאֵת כָּל־בֵּית אָבִיו הַכֹּהֲנִים ISh. 22:11
506 וְאֵת נֹב עִיר־הַכֹּהֲנִים הִכָּה ISh. 22:19
507-509 (מִ)זִּקְנֵי הַכֹּהֲנִים IIK. 19:2
Is. 37:2 • Jer. 19:1
510 מִן־הַכֹּהֲנִים אֲשֶׁר בַּעֲנָתוֹת Jer. 1:1
511 הַכֹּהֲנִים לֹא אָמְרוּ אַיֵּה יְיָ Jer. 2:8
512 וְיוֹצִיאוּ...וְאֶת־עַצְמוֹת הַכֹּהֲנִים Jer. 8:1
513 וְאֶת־הַכֹּהֲנִים וְאֶת־הַנְּבִיאִים Jer. 13:13
514-516 הַכֹּהֲנִים...וְהַנְּבִ(י)אִים Jer. 26:7, 8, 11
517/8 (וְ)אֶל־הַכֹּהֲנִים וְאֶל־הַנְּבִי׳ Jer. 26:16; 29:1
519 וְאֶל־הַכֹּהֲנִים וְאֶל־כָּל־הָעָם Jer. 27:16
520/21 לְעֵינֵי הַכֹּהֲנִים Jer. 28:1, 5
522 וְרִוֵּיתִי נֶפֶשׁ הַכֹּהֲנִים דָּשֶׁן Jer. 31:14(13)
523 וְאֶת־הַלְוִיִּם הַכֹּהֲנִים מְשָׁרְתָי Jer. 33:21
524 הַכֹּהֲנִים אֲשֶׁר־קְרוֹבִים לַיְיָ Ezek. 42:13
525 וְהַלְוִיִּם לְעֻמַּת גְּבוּל הַכֹּהֲנִים Ezek. 48:13
526 אָבְלוּ הַכֹּהֲנִים מְשָׁרְתֵי יְיָ Joel 1:9
527 יִבְכּוּ הַכֹּהֲנִים מְשָׁרְתֵי יְיָ Joel 2:17
528 אֶת־שֵׁם הַכְּמָרִים עִם־הַכֹּהֲנִים Zep. 1:4
529 שְׁאַל־נָא אֶת־הַכֹּהֲנִים תּוֹרָה Hag. 2:11
530 אָמַר...לָכֶם הַכֹּהֲנִים בּוֹזֵי שְׁמִי Mal. 1:6
531 אֲלֵיכֶם הַמִּצְוָה הַזֹּאת הַכֹּהֲנִים Mal. 2:1
532 וּמִבְּנֵי הַכֹּהֲנִים בְּנֵי חֲבַיָּה Ez. 2:61
533 וַיֵּשְׁבוּ הַכֹּהֲנִים וְהַלְוִיִּם...בְּעָרֵיהֶם Ez. 2:70
534-551 הַכֹּהֲנִים וְהַלְוִיִּם Ez. 3:8; 6:20
7:7; 8:29, 30 • Neh. 7:73; 8:13; 11:3; 12:1, 30 • ICh. 13:2; 15:14; 28:13, 21 • IICh. 8:15; 24:5; 31:2, 4
552 וָאַבְדִּילָה מִשָּׂרֵי הַכֹּהֲנִים Ez. 8:24
553 וַיִּמָּצֵא מִבְּנֵי הַכֹּהֲנִים... Ez. 10:18
554 אֵלֶּה רָאשֵׁי הַכֹּהֲנִים וַאֲחֵיהֶם Neh. 12:7
555 וּמִבְּנֵי הַכֹּהֲנִים בַּחֲצֹצְרוֹת Neh. 12:35
556 מִצְוַת הַלְוִיִּם...וּתְרוּמַת הַכֹּהֲנִים Neh. 13:5
557 וּמִן־בְּנֵי הַכֹּהֲנִים רֹקְחֵי הַמִּרְקַחַת ICh. 9:30
558 וַיַּעַשׂ חֲצַר הַכֹּהֲנִים IICh. 4:9
559 וַיַּעֲמֵד...אֶת־מַחְלְקוֹת הַכֹּהֲנִים IICh. 8:14
560 לְהַלֵּל וּלְשָׁרֵת נֶגֶד הַכֹּהֲנִים... IICh. 8:14
561 בְּעָרֵי הַכֹּהֲנִים בֶּאֱמוּנָה IICh. 31:15
562 גַּם כָּל־שָׂרֵי הַכֹּהֲנִים וְהָעָם IICh. 36:14
563-649 הַכֹּהֲנִים Josh. 3:6, 8, 17; 4:16
4:17, 18; 6:6, 8, 9, 12, 13, 16 • IISh. 15:35²; 17:15; 19:12 • IK. 8:3, 4, 6, 10, 11 • IIK. 12:5; 12:6, 7, 9, 10; 23:8² • Jer. 4:9; 29:25 • Ezek. 42:14; 43:24, 27, 44:31; 46:2, 19, 20 • Hosh. 5:1 • Joel 1:13 • Hag. 2:12, 13 • Zech. 7:3, 5 • Ez. 2:36; 3:2, 10; 6:20 • Neh. 3:1, 22, 28; 5:12; 7:39, 63; 10:9; 11:10; 12:44 • ICh. 9:10; 15:11, 24; 16:6, 39 • IICh. 5:7; 11², 14; 7:2; 17:8; 23:6; 26:19², 20; 29:4, 16, 21, 22, 24, 34²; 30:3, 16; 31:9, 17, 19; 35:2, 10, 11, 14
וְהַכֹּהֲנִים 650 וְהַכֹּהֲנִים וְהָעָם אַל־יֶהֶרְסוּ לַעֲלֹת Ex. 19:24
651 וַיְדַבֵּר מֹשֶׁה וְהַכֹּהֲנִים הַלְוִיִּם Deut. 27:9
652 וְהַכֹּהֲנִים הַלְוִיִּם נֹשְׂאִים אֹתוֹ Josh. 3:3
653/4 וְהַכֹּהֲנִים נֹשְׂאֵי הָאָרוֹן(הַבְּרִית) Josh. 3:14; 4:10

וְהַכֹּהֲנִים (המשך) 655 וַיַּעֲבֹר אֲרוֹן־יְיָ וְהַכֹּהֲנִים לִפְנֵי... Josh. 4:11
656 וְהַכֹּהֲנִים יִתְקְעוּ בַּשּׁוֹפָרוֹת Josh. 6:4
657 וְהַכֹּהֲנִים וְהַנְּבִיאִים וְכָל־הָעָם IIK. 23:2
658-677 וְהַכֹּהֲנִים Jer. 5:31; 34:19
Ezek. 44:15 • Ez. 1:5; 9:1 • Neh. 10:40; 12:22, 41 • ICh. 23:2 • IICh. 7:6²; 11:13; 13:14; 19:8; 29:26; 30:15, 21, 25; 34:30; 35:18
בַּכֹּהֲנִים 678 כָּל־זָכָר בַּכֹּהֲנִים יֹאכַל אֹתָהּ Lev. 6:22
679 כָּל־זָכָר בַּכֹּהֲנִים יֹאכְלֶנּוּ Lev. 7:6
680 סֹב אַתָּה וּפְגַע בַּכֹּהֲנִים ISh. 22:18
681 וַיִּסֹּב...וַיִּפְגַּע־הוּא בַּכֹּהֲנִים ISh. 22:18
682 לָתֵת מָנוֹת לְכָל־זָכָר בַּכֹּהֲנִים IICh. 31:19
וּבַכֹּהֲנִים 683 וָאָבִינָה בָעָם וּבַכֹּהֲנִים Ez. 8:15
לַכֹּהֲנִים 684 כִּי חֹק לַכֹּהֲנִים מֵאֵת פַּרְעֹה Gen. 47:22
685 לֹא־יִהְיֶה לַכֹּהֲנִים הַלְוִיִּם...חֵלֶק Deut. 18:1
686 וַיִּקְרְאוּ... לַכֹּהֲנִים וְלַקֹּסְמִים ISh. 6:2
687 כֶּסֶף אָשָׁם...לַכֹּהֲנִים יִהְיוּ IIK. 12:17
688 וְגַם־מֵהֶם אֶקַּח לַכֹּהֲנִים לַלְוִיִּם Is. 66:21
689/90 לַכֹּהֲנִים שֹׁמְרֵי מִשְׁמֶרֶת Ezek. 40:45, 46
691 וְכָל־תְּרוּמַת כֹּל...לַכֹּהֲנִים יִהְיֶה Ezek. 44:30
692 לַכֹּהֲנִים מְשָׁרְתֵי הַמִּקְדָּשׁ יִהְיֶה Ezek. 45:4
693 תְּרוּמַת־הַקֹּדֶשׁ לַכֹּהֲנִים Ezek. 48:10
694 לַכֹּהֲנִים הַמְקֻדָּשׁ מִבְּנֵי צָדוֹק Ezek. 48:11
695 לַכֹּהֲנִים הַמְשָׁרְתִים בְּבֵית־אֱלֹ׳ Neh. 10:37
696 נָבִיא לַכֹּהֲנִים אֶל־לִשְׁכוֹת... Neh. 10:38
697 מְנָאוֹת הַתּוֹרָה לַכֹּהֲנִים וְלַלְוִיִּם Neh. 12:44
698-703 לַכֹּהֲנִים וְלַלְוִיִּם Neh. 13:30
ICh. 24:6, 31 • IICh. 23:4; 31:2; 35:8
704 וְהַיָּם לְרָחְצָה לַכֹּהֲנִים בּוֹ IICh. 4:6
705 כִּי לַכֹּהֲנִים בְּנֵי־אַהֲרֹן... IICh. 26:18
706 לַכֹּהֲנִים נָתְנוּ לַפְּסָחִים IICh. 35:8
וְלַכֹּהֲנִים 707 וַיִּקְרָא...לִיהוֹיָדָע הַכֹּהֵן וְלַכֹּהֲנִים IIK. 12:8
708 וְלַכֹּהֲנִים הַלְוִיִּם לֹא־יִכָּרֵת... Jer. 33:18
709 וְלַכֹּהֲנִים וְלַחֹרִים וְלַסְּגָנִים Neh. 2:16
710/1 הֵכִינוּ לָהֶם וְלַכֹּהֲנִים IICh. 35:14²
מֵהַכֹּהֲנִים 712 הֹלִיכוּ שָׁמָּה אֶחָד מֵהַכֹּהֲנִים IIK. 17:27
713 וַיָּבֹא אֶחָד מֵהַכֹּהֲנִים אֲשֶׁר הִגְלוּ... IIK. 17:28
714 וְרַבִּים מֵהַכֹּהֲנִים וְהַלְוִיִּם... Ez. 3:12
715 יִשְׁרֵי לֵבָב לְהִתְקַדֵּשׁ מֵהַכֹּהֲנִים IICh. 29:34
כֹּהֲנֵי־ 716 עַל־כֵּן לֹא־יִדְרְכוּ כֹּהֲנֵי דָגוֹן ISh. 5:5
717 סֹבּוּ וְהָמִיתוּ כֹּהֲנֵי יְיָ ISh. 22:17
718 כִּי הָרַג שָׁאוּל אֵת כֹּהֲנֵי יְיָ ISh. 22:21
719 וְהֶעֱמִיד...אֶת־כֹּהֲנֵי הַבָּמוֹת IK. 12:32
720-725 כֹּהֲנֵי (הַ)בָּמוֹת IK. 13:2, 33²
IIK. 17:32; 23:9, 20
726 אֶת־חִלְקִיָּהוּ...וְאֶת־כֹּהֲנֵי הַמִּשְׁנֶה IIK. 23:4
727 וְאַתֶּם כֹּהֲנֵי יְיָ תִּקָּרֵאוּ... Is. 61:6
728 הֲלֹא הִדַּחְתֶּם אֶת־כֹּהֲנֵי יְיָ IICh. 13:9
בְּכֹהֲנֵי־ 729 וְלֹא־אָבוּ...לִפְגֹּעַ בְּכֹהֲנֵי יְיָ ISh. 22:17
כֹּהֲנַי 730 כֹּהֲנַי וּזְקֵנַי בָּעִיר גָּוָעוּ Lam. 1:19
כֹּהֲנֶיךָ 731 כֹּהֲנֶיךָ יִלְבְּשׁוּ־צֶדֶק Ps. 132:9
732 כֹּהֲנֶיךָ יְיָ אֱלֹהִים יִלְבְּשׁוּ תְשׁוּעָה IICh. 6:41
כֹּהֲנָיו 733 כָּל־נְבִיאֵי הַבַּעַל...וְכָל־כֹּהֲנָיו IIK. 10:19
734 וְיָצָא כְמוֹשׁ בַּגּוֹלָה כֹּהֲנָיו וְשָׂרָיו Jer. 48:7
735 מַלְכָּם...יֵלֵךְ כֹּהֲנָיו וְשָׂרָיו יַחְדָּיו Jer. 49:3
736 כֹּהֲנָיו בַּחֶרֶב נָפָלוּ Ps. 78:64
וְכֹהֲנָיו 737 וְכָל־גְּדֹלָיו וּמְיֻדָּעָיו וְכֹהֲנָיו IIK. 10:11
738 וְהִנֵּה עִמָּנוּ בָרֹאשׁ הָאֱלֹ׳ וְכֹהֲנָיו IICh. 13:12
בְּכֹהֲנָיו 739 מֹשֶׁה וְאַהֲרֹן בְּכֹהֲנָיו Ps. 99:6
כֹּהֲנֶיהָ 740 כֹּהֲנֶיהָ חָמְסוּ תוֹרָתִי Ezek. 22:26
741 כֹּהֲנֶיהָ חִלְּלוּ־קֹדֶשׁ Zep. 3:4
742 כֹּהֲנֶיהָ נֶאֱנָחִים בְּתוּלֹתֶיהָ נוּגוֹת Lam. 1:4

743 מֵחַטֹּאת נְבִיאֶיהָ עֲוֹנוֹת כֹּהֲנֶיהָ Lam. 4:13
וְכֹהֲנֶיהָ 744 וְכֹהֲנֶיהָ בִּמְחִיר יוֹרוּ Mic. 3:11
745 וְכֹהֲנֶיהָ אַלְבִּישׁ יֶשַׁע Ps. 132:16
לְכֹהֲנֶיהָ 746 לְמַלְכֵי יְהוּדָה לְשָׂרֶיהָ לְכֹהֲנֶיהָ Jer. 1:18
כֹּהֲנֵינוּ 747 אֲנַחְנוּ מְלָכֵינוּ כֹהֲנֵינוּ... Ez. 9:7
748 מְלָכֵינוּ שָׂרֵינוּ כֹּהֲנֵינוּ וַאֲבֹתֵינוּ Neh. 9:34
749 וְעַל הַחֲתוּם שָׂרֵינוּ לְוִיֵּנוּ כֹּהֲנֵינוּ Neh. 10:1
וּלְכֹהֲנֵינוּ 750 לִשָׂרֵינוּ וּלְכֹהֲנֵינוּ וְלִנְבִיאֵינוּ Neh. 9:32
כֹּהֲנֵיהֶם 751 שָׂרֵיהֶם כֹּהֲנֵיהֶם וּנְבִיאֵיהֶם Jer. 32:32
וְכֹהֲנֵיהֶם 752 שָׂרֵיהֶם וְכֹהֲנֵיהֶם וּנְבִיאֵיהֶם Jer. 2:26

כָּהֵן* ז׳ ארמית: כָּהֵן; כָּהֲנָא = הכהן: 1—8
כָּהֲנָא 1 לְעֶזְרָא כָהֲנָא סָפַר דָּתָא Ez. 7:12
2 עֶזְרָא כָהֲנָא סָפַר דָּתָא Ez. 7:21
כָּהֲנַיָּא 3 כְּמֵאמַר כָּהֲנַיָּא דִי־בִירוּשְׁלֶם Ez. 6:9
4 וַעֲבַדוּ בְנֵי יִשְׂרָאֵל כָּהֲנַיָּא וְלֵוָיֵא... Ez. 6:16
5 כָּהֲנַיָּא בִּפְלֻגָּתְהוֹן וְלֵוָיֵא בְּמַחְלְקָתְהוֹן Ez. 6:18
6 דִּי כָל־כָּהֲנַיָּא וְלֵוָיֵא Ez. 7:24
וְכָהֲנַיָּא 7 עַמָּא וְכָהֲנַיָּא מִתְנַדְּבִין Ez. 7:16
וְכָהֲנוֹהִי 8 מִן־עַמָּא יִשְׂרָאֵל וְכָהֲנוֹהִי וְלֵוָיֵא Ez. 7:13

כֹּהֵן, כְּהֻנָּה עין ערך כ־

כְּהֻנָּה נ׳ תפקיד הכהן: 1—14
כְּהֻנַּת עוֹלָם 7, 9; בְּרִית כְּהֻנָּה 6, 7; גָּאֳלֵי כ׳ 5; עֲוֹן כְּהֻנָּה 10; אַחַת הַכְּהֻנּוֹת 14
כְּהֻנָּה 1 וְהָיְתָה לָהֶם כְּהֻנָּה לְחֻקַּת עוֹלָם Ex. 29:9
2 וּבִקַּשְׁתֶּם גַּם־כְּהֻנָּה Num. 16:10
הַכְּהֻנָּה 3-4 וַיְגֹאֲלוּ מִן־הַכְּהֻנָּה Ez. 2:62 • Neh. 7:64
5 זָכְרָה לָהֶם אֱלֹהָי עַל־גָּאֳלֵי הַכְּהֻנָּה Neh. 13:29
6 וּבְרִית הַכְּהֻנָּה וְהַלְוִיִּם Neh. 13:29
כְּהֻנַּת־ 7 וְהָיְתָה לּוֹ...בְּרִית כְּהֻנַּת עוֹלָם Num. 25:13
8 כִּי־כְהֻנַּת יְיָ נַחֲלָתוֹ Josh. 18:7
לִכְהֻנַּת־ 9 מָשְׁחָתָם לִכְהֻנַּת עוֹלָם לְדֹרֹתָם Ex. 40:15
כְּהֻנַּתְכֶם 10 תִּשְׂאוּ אֶת־עֲוֹן כְּהֻנַּתְכֶם Num. 18:1
11 תִּשְׁמְרוּ אֶת־כְּהֻנַּתְכֶם Num. 18:7
12 עֲבֹדַת מַתָּנָה אֶתֵּן אֶת־כְּהֻנַּתְכֶם Num. 18:7
כְּהֻנָּתָם 13 וְשָׁמְרוּ אֶת־כְּהֻנָּתָם Num. 3:10
הַכְּהֻנּוֹת 14 סְפָחֵנִי נָא אֶל־אַחַת הַכְּהֻנּוֹת ISh. 2:36

כּוּב ארץ שנזכרה בין עוזרי מצרים [אולי לוב?]
וְכוּב 1 כּוּשׁ...וְכָל־הָעֶרֶב וְכוּב Ezek. 30:5

כּוֹבֵס ז׳ מנקה בגדים: 1—3 [עין גם כָּבַס] • שְׂדֵה כוֹבֵס 1—3
כּוֹבֵס 1 אֲשֶׁר בִּמְסִלַּת שְׂדֵה כוֹבֵס IIK. 18:17
2 צֵא־נָא...אֶל־מְסִלַּת שְׂדֵה כוֹבֵס Is. 7:3
3 בִּמְסִלַּת שְׂדֵה כוֹבֵס Is. 36:2

כּוֹבַע ז׳ כסוי לראש: 1—6
מָגֵן וְכוֹבַע 1, 2, 5; כּוֹבַע יְשׁוּעָה 4; כּוֹבַע נְחֹשֶׁת 3
וְכוֹבַע 1 מָגֵן וְכוֹבַע תִּלּוּ־בָךְ Ezek. 27:10
וְכוֹבָע 2 כֻּלָּם מָגֵן וְכוֹבָע Ezek. 38:5
וְכוֹבַע־ 3 וְכוֹבַע נְחֹשֶׁת עַל־רֹאשׁוֹ ISh. 17:5
4 וְכוֹבַע יְשׁוּעָה בְּרֹאשׁוֹ Is. 59:17
וְכוֹבָעִים 5 מָגִנִּים וּרְמָחִים וְכוֹבָעִים IICh. 26:14
בְּכוֹבָעִים 6 וַעֲלוּ הַפָּרָשִׁים וְהִתְיַצְּבוּ בְּכוֹבָעִים Jer. 46:4

כוה : נִכְוָה; כְּוִיָּה, מִכְוָה

(כוה) נִכְוָה נפ׳ נצרב: 1,2
תִּכָּוֶה 1 כִּי־תֵלֵךְ בְּמוֹ־אֵשׁ לֹא תִכָּוֶה Is. 43:2
תִּכָּוֶינָה 2 ...עַל־הַגֶּחָלִים וְרַגְלָיו לֹא תִכָּוֶינָה Prov. 6:28

כַּוָּה*
ג׳ ארמית: חלון; כַּוִּין = חלונות

וְכַוִּין 1 וְכַוִּין פְּתִיחָן לַהּ בְּעִלִּיתֵהּ Dan. 6:11

כּוֹחַ
עין כֹּחַ

כְּוִיָּה
נ׳ צרבת־אש, מִכְוָה: 1, 2

כְּוִיָּה 1–2 כְּוִיָּה תַּחַת כְּוִיָּה Ex. 21:25

כּוֹכָב
ז׳ גוף שמימי מאיר: 1–37

– כּוֹכַב אֱלֹהִים 2; יָרֵחַ וְכוֹכָבִים 3, 7, 10, 11, 15, 19; צֵאת הַכּוֹכָבִים 18; רֹאשׁ כּוֹכָבִים 6

– כּוֹכְבֵי אוֹר 24; כֹּ׳ אֵל 35; כּוֹכְבֵי בֹקֶר 26; כּוֹכְבֵי נִשְׁפּוֹ 25; כּוֹכְבֵי הַשָּׁמַיִם 23, 27–34, 36

כּוֹכָב 1 דָּרַךְ כּוֹכָב מִיַּעֲקֹב Num. 24:17

כּוֹכַב־ 2 כּוֹכַב אֱלֹהֵיכֶם אֲשֶׁר עֲשִׂיתֶם לָכֶם Am. 5:26

כּוֹכָבִים 3 הַשֶּׁמֶשׁ וְהַיָּרֵחַ...עָשָׂר כּוֹכָבִים Gen. 37:9

4 וְאִם־בֵּין כּוֹכָבִים שִׂים קִנֶּךָ Ob. 4

5 וּבְעַד כּוֹכָבִים יַחְתֹּם Job 9:7

6 וּרְאֵה רֹאשׁ כּוֹכָבִים כִּי־רָמּוּ Job 22:12

וְכוֹכָבִים 7 וְיָרֵחַ וְכוֹכָבִים לְאוֹר לָיְלָה Jer. 31:35(34)

8–9 וְכוֹכָבִים אָסְפוּ נָגְהָם Joel 2:10; 4:15

10 יָרֵחַ וְכוֹכָבִים אֲשֶׁר כּוֹנָנְתָּה Ps. 8:4

11 הַיָּרֵחַ וְכוֹכָבִים...בַּלָּיְלָה Ps. 136:9

12 וְכוֹכָבִים לֹא־זַכּוּ בְעֵינָיו Job 25:5

הַכּוֹכָבִים 13 וְאֶת־הַמָּאוֹר...וְאֵת הַכּוֹכָבִים Gen. 1:16

14 הַבֶּט...הַשָּׁמַיְמָה וּסְפֹר הַכּוֹכָבִים Gen. 15:5

15 וְאֶת־הַיָּרֵחַ וְאֶת־הַכּוֹכָבִים Deut. 4:19

16 הַכּוֹכָבִים מִמְּסִלּוֹתָם נִלְחֲמוּ Ex. 5:2

17 וַתַּפֵּל...מִן־הַצָּבָא וּמִן־הַכּוֹכָבִים Dan. 8:10

18 מֵעֲלוֹת הַשַּׁחַר עַד צֵאת הַכּוֹכָבִים Neh. 4:15

וְהַכּוֹכָבִים 19 הַשֶּׁמֶשׁ...וְהַיָּרֵחַ וְהַכּוֹכָבִים Eccl. 12:2

בַּכּוֹכָבִים 20 הֹבְרֵי שָׁמַיִם הַחֹזִים בַּכּוֹכָבִים Is. 47:13

כַּכּוֹכָבִים 21 וּמַצְדִּיקֵי הָרַבִּים כַּכּוֹכָבִים Dan. 12:3

לַכּוֹכָבִים 22 מוֹנֶה מִסְפָּר לַכּוֹכָבִים Ps. 147:4

כּוֹכְבֵי־ 23 כּוֹכְבֵי הַשָּׁמַיִם וּכְסִילֵיהֶם Is. 13:10

24 הַלְלוּהוּ כָּל־כּוֹכְבֵי אוֹר Ps. 148:3

25 יֶחְשְׁכוּ כּוֹכְבֵי נִשְׁפּוֹ Job 3:9

26 בְּרָן־יַחַד כּוֹכְבֵי בֹקֶר Job 38:7

כְּכוֹכְבֵי־ 27 אַרְבֶּה אֶת־זַרְעֲךָ כְּכוֹכְבֵי הַשָּׁ׳ Gen. 22:17

28–33 כְּכוֹכְבֵי הַשָּׁמַיִם Gen. 26:4

Ex. 32:13 • Deut. 1:10; 10:22; 28:62 • ICh. 27:23

34 הִרְבִּיתָ כְּכֹכְבֵי הַשָּׁמָיִם Neh. 9:23

לְכוֹכְבֵי־ 35 מִמַּעַל לְכוֹכְבֵי־אֵל אָרִים כִּסְאִי Is. 14:3

מִכּוֹכְבֵי־ 36 הִרְבֵּית רֹכְלַיִךְ מִכּוֹכְבֵי הַשָּׁמָיִם Nah. 3:16

כּוֹכְבֵיהֶם 37 וְהִקְדַּרְתִּי אֶת־כֹּכְבֵיהֶם Ezek. 32:7

כול
: כָּל, הֵכִיל

(כול) כָּל
פָּ׳ א) מדד, קבע מדה: 1 [עין גם כלכל]

ב) [הִפ׳ הֵכִיל] החזיק בתוכו: 4–9, 11

ג) [כִּנ״ל] נשא, סבל: 2, 3, 10, 12

ד) [כִּנ״ל] עין אָכַל (מס׳ 807)

וְכָל 1 וְכָל בַּשָּׁלִשׁ עֲפַר הָאָרֶץ Is. 40:12

הָכִיל 2 וְאֵת חֲמַת יְיָ מָלֵאתִי נִלְאֵיתִי הָכִיל Jer. 6:11

לְהָכִיל 3 לִצְחֹק וּלְלַעַג מִרְבָּה לְהָכִיל Ezek. 23:32

4 לֹא־תוּכַל הָאָ׳ לְהָכִיל אֶת..דְּבָרָיו Am. 7:10

5 לֹא יָכוֹל לְהָכִיל אֶת־הָעֹלָה IICh. 7:7

מֵהָכִיל 6 קָטֹן מֵהָכִיל אֶת־הָעֹלָה IK. 8:64

יָכִיל 7 אַלְפַּיִם בַּת יָכִיל IK. 7:26

8 אַרְבָּעִים בַּת יָכִיל הַכִּיּוֹר הָאֶחָד IK. 7:38

9 מַחֲזִיק בַּתִּים שְׁלֹשֶׁת אֲלָפִים יָכִיל IICh. 4:5

יְכִילֶנּוּ 10 כִּי־גָדוֹל יוֹם־יְיָ...וּמִי יְכִילֶנּוּ Joel 2:11

יָכִלוּ 11 בֹּארֹת...אֲשֶׁר לֹא־יָכִלוּ הַמָּיִם Jer. 2:13

12 וְלֹא־יָכִלוּ גוֹיִם זַעְמוֹ Jer. 10:10

כּוּמָז
ז׳ מתכשיטי הנשים: 1, 2

וְכוּמָז 1 חָח וָנֶזֶם וְטַבַּעַת וְכוּמָז Ex. 35:22

2 טַבַּעַת עָגִיל וְכוּמָז Num. 31:50

כון
: נָכוֹן, כּוֹנֵן, כּוּנַן, הִתְכּוֹנֵן, הֵכִין, הוּכַן; כֵּן, כֵּן; כֵּן; מָכוֹן, מְכוֹנָה, מְכוּנָה, תְּכוּנָה; ש״פ כּוּן, יְהוֹיָכִין, יְכָנְיָה

(כון) נָכוֹן
נפ׳ א) התחזק, התבסס: 1, 2, 9, 10, 13–16, 18, 25, 30, 32, 33, 41–66

ב) היה ברור, התאמת: 4, 7, 8, 11, 12, 17, 20–24, 26, 34–37

ג) היה מוזמן: 3, 6, 19, 27–29, 31, 38–40, 67, 68

ד) [פִּ׳ כּוֹנֵן] חזק, יסד: 69–97

ה) [פֻּ׳ כּוֹנַן] חוזק, יוסד: 98, 99

ו) [הת׳ הִתְכּוֹנֵן, הִכּוֹנֵן] הוקם, נוסד: 100–103

ז) [הִפ׳ הֵכִין] הקים, חזק, ערך (גם בהשאלה): 104–211

ח) [הָפ׳ הוּכַן] הוקם, חווק: 212–217

– נָכוֹן הַדָּבָר 4, 7, 8; אֶל־נָכוֹן 11, 12; לֹא נָכוֹן 5; רוּחַ נָכוֹן 20; נְכוֹן הַיּוֹם 34; הֱיֵה נָכוֹן 6, 38, 39

– נָכוֹן כִּסְאוֹ 49; נָכוֹן לִבּוֹ 21–24, 26; נְכוֹנָה מַלְכוּתוֹ 41, 58; נְכוֹנָה תֵּבֵל 52, 53; נָכֹנוּ דְרָכָי 63, 64; נָכֹנוּ מַחְשְׁבוֹתֶיךָ 56, 66;

[ועוד נושאים שונים: 41–66]

– דָּבָר נְכוֹנָה 36, 37

– כּוֹנֵן אֶרֶץ 72; כּוֹנֵן אֲשׁוּרָיו 77; כּוֹנֵן חֵץ 82; כּוֹנֵן יְרוּשָׁלַיִם 86; [ועוד נושאים שונים: 69–97]

– תִּבָּנֶה וְתִכּוֹנֵן 101

– עָמַד הָכֵן 104

– הֵכִין דְּרָכָיו 148; הֵכִין לִבּוֹ (לְבָבוֹ) 130, 131, 138, 142, 147, 149, 161, 175, 204, 209; הֵכִין מִזְבֵּחַ 207; הֵכִין מִרְמָה 191; הֵכִין פָּנָיו 132, 174; הֵכִין פְּעָמָיו 197; הֵכִין צַעֲדוֹ 106, 182;

[ועוד נושאים רבים: 104–211]

נְכוֹנָה 1 וְהַמַּמְלָכָה נָכוֹנָה בְּיַד־שְׁלֹמֹה IK. 2:46

נָכֹנוּ 2 שָׁדַיִם נָכֹנוּ וּשְׂעָרֵךְ צִמֵּחַ Ezek. 16:7

3 נָכוֹנוּ לַלֵּצִים שְׁפָטִים Prov. 19:29

נָכוֹן 4 כִּי־נָכוֹן הַדָּבָר מֵעִם הָאֱלֹהִים Gen. 41:32

5 לֹא נָכוֹן לַעֲשׂוֹת כֵּן Ex. 8:22

6 וֶהְיֵה נָכוֹן לַבֹּקֶר Ex. 34:2

7–8 וְהִנֵּה אֱמֶת נָכוֹן הַדָּבָר Deut. 13:15; 17:4

9–10 הָעַמּוּדִים אֲשֶׁר הַבַּיִת נָכוֹן עֲלֵיהֶם Jud. 16:26, 29

11 וְשַׁבְתֶּם אֵלַי אֶל־נָכוֹן ISh. 23:23

12 וַיֵּדַע כִּי־בָא שָׁאוּל אֶל־נָכוֹן ISh. 26:4

13 כִּסְאֲךָ יִהְיֶה נָכוֹן עַד־עוֹלָם IISh. 7:16

14 וּבֵית עַבְדְּךָ דָוִד יִהְיֶה נָכוֹן לְפָנֶיךָ IISh. 7:26

15 וְכִסֵּא דָוִד יִהְיֶה נָכוֹן...עַד־עוֹלָם IK. 2:45

16 נָכוֹן יִהְיֶה הַר בֵּית־יְיָ בְּרֹאשׁ הֶהָרִים Is. 2:2

17 וְנֵדְעָה...כְּשַׁחַר נָכוֹן מֹצָאוֹ Hosh. 6:3

18 יִהְיֶה הַר בֵּית־יְיָ נָכוֹן בְּרֹאשׁ הֶהָרִים Mic. 4:1

19 כִּי־אֲנִי לְצֶלַע נָכוֹן Ps. 38:18

20 וְרוּחַ נָכוֹן חַדֵּשׁ בְּקִרְבִּי Ps. 51:12

21/2 נָכוֹן לִבִּי אֱלֹהִים Ps. 57:8; 108:2

23 נָכוֹן לִבִּי אָשִׁירָה וַאֲזַמֵּרָה Ps. 57:8

24 וְלִבָּם לֹא־נָכוֹן עִמּוֹ Ps. 78:37

25 נָכוֹן כִּסְאֲךָ מֵאָז מֵעוֹלָם אָתָּה Ps. 93:2

26 נָכוֹן לִבּוֹ בָּטֻחַ בַּיְיָ Ps. 112:7

27 נָכוֹן לְמוֹעֲדֵי רָגֶל Job 12:5

28 יָדַע כִּי־נָכוֹן בְּיָדוֹ יוֹם־חֹשֶׁךְ Job 15:23

29 וְאֵיד נָכוֹן לְצַלְעוֹ Job 18:12

30 זַרְעָם נָכוֹן לִפְנֵיהֶם עִמָּם Job 21:8

31 וְשִׁלְחוּ מָנוֹת לְאֵין נָכוֹן לוֹ Neh. 8:10

32 וְכִסְאוֹ יִהְיֶה נָכוֹן עַד־עוֹלָם ICh. 17:14

33 וּבֵית־דָּוִיד עַבְדְּךָ נָכוֹן לְפָנֶיךָ ICh. 17:24

נְכוֹן־ 34 הוֹלֵךְ וָאוֹר עַד־נְכוֹן הַיּוֹם Prov. 4:18

נְכוֹנָה 35 כִּי אֵין בְּפִיהוּ נְכוֹנָה Ps. 5:10

36/7 כִּי לֹא דִבַּרְתֶּם אֵלַי נְכוֹנָה Job 42:7, 8

נְכוֹנִים 38 וְהָיוּ נְכֹנִים לַיּוֹם הַשְּׁלִישִׁי Ex. 19:11

39 הֱיוּ נְכֹנִים לִשְׁלֹשֶׁת יָמִים Ex. 19:15

40 וִהְיִיתֶם כֻּלְּכֶם נְכֹנִים Josh. 8:4

תִּכּוֹן 41 לֹא תִכּוֹן אַתָּה וּמַלְכוּתֶךָ ISh. 20:31

יִכּוֹן 42 כְּיָרֵחַ יִכּוֹן עוֹלָם Ps. 89:38

43 דֹּבֵר שְׁקָרִים לֹא־יִכּוֹן לְנֶגֶד עֵינָי Ps. 101:7

44 וְזַרְעָם לְפָנֶיךָ יִכּוֹן Ps. 102:29

45 אִישׁ לָשׁוֹן בַּל־יִכּוֹן בָּאָרֶץ Ps. 140:12

46 לֹא־יִכּוֹן אָדָם בְּרֶשַׁע Prov. 12:3

47 כִּי בִצְדָקָה יִכּוֹן כִּסֵּא Prov. 16:12

48 מֶלֶךְ...כִּסְאוֹ לָעַד יִכּוֹן Prov. 29:14

וְיִכּוֹן 49 וְיִכּוֹן בַּצֶּדֶק כִּסְאוֹ Prov. 25:5

תִּכּוֹן 50 וַעֲדָתוֹ לְפָנַי תִּכּוֹן Jer. 30:20

51 אֲשֶׁר יָדִי תִּכּוֹן עִמּוֹ Ps. 89:22

52/3 אַף־תִּכּוֹן תֵּבֵל בַּל־תִּמּוֹט Ps. 93:1; 96:10

54 תִּכּוֹן תְּפִלָּתִי קְטֹרֶת לְפָנֶיךָ Ps. 141:2

55 שְׂפַת־אֱמֶת תִּכּוֹן לָעַד Prov. 12:19

56 מַחֲשָׁבוֹת בְּעֵצָה תִכּוֹן Prov. 20:18

57 אַף־תִּכּוֹן תֵּבֵל בַּל־תִּמּוֹט ICh. 16:30

וַתִּכֹּן 58 וַתִּכֹּן מַלְכֻתוֹ מְאֹד IK. 2:12

59 וַתִּכֹּן כָּל־מְלֶאכֶת שְׁלֹמֹה IICh. 8:16

60 וַתִּכּוֹן עֲבוֹדַת בֵּית־יְיָ IICh. 29:35

61 וַתִּכּוֹן הָעֲבוֹדָה IICh. 35:10

62 וַתִּכּוֹן כָּל־עֲבוֹדַת יְיָ בַּיּוֹם הַהוּא IICh. 35:16

יִכֹּנוּ 63 אַחֲלַי יִכֹּנוּ דְרָכָי לִשְׁמֹר חֻקֶּיךָ Ps. 119:5

64 פַּלֵּס...וְכָל־דְּרָכֶיךָ יִכֹּנוּ Prov. 4:26

65 יִכֹּנוּ יַחְדָּו עַל־שְׂפָתֶיךָ Prov. 22:18

וְיִכֹּנוּ 66 גֹּל אֶל־יְיָ מַעֲשֶׂיךָ וְיִכֹּנוּ מַחְשְׁבֹתֶיךָ Prov. 16:3

הִכּוֹן 67 הִכֹּן וְהָכֵן לְךָ אַתָּה וְכָל־קְהָלֶךָ Ezek. 38:7

68 הִכּוֹן לִקְרַאת־אֱלֹהֶיךָ יִשְׂרָאֵל Am. 4:12

וְכֹנַנְתִּי 69 וְכֹנַנְתִּי אֶת־כִּסֵּא מַמְלַכְתּוֹ עַד־עוֹלָ׳ IISh. 7:13

70 וְכֹנַנְתִּי אֶת־כִּסְאוֹ עַד־עוֹלָם ICh. 17:12

כּוֹנַנְתָּ 71 אַתָּה כּוֹנַנְתָּ מֵישָׁרִים Ps. 99:4

72 כּוֹנַנְתָּ אֶרֶץ וַתַּעֲמֹד Ps. 119:90

כּוֹנַנְתָּה 73 יָרֵחַ וְכוֹכָבִים אֲשֶׁר כּוֹנָנְתָּה Ps. 8:4

כּוֹנַנְתָּהּ 74 נַחֲלָתְךָ וְנִלְאָה אַתָּה כוֹנַנְתָּהּ Ps. 68:10

כּוֹנֵן 75 כַּאֲשֶׁר כּוֹנֵן לְהַשְׁחִית Is. 51:13

76 כּוֹנֵן לַמִּשְׁפָּט כִּסְאוֹ Ps. 9:8

77 וַיָּקֶם עַל־סֶלַע רַגְלַי כּוֹנֵן אֲשֻׁרָי Ps. 40:3

78 כּוֹנֵן שָׁמַיִם בִּתְבוּנָה Prov. 3:19

וְכוֹנֵן 79 בֹּנֶה עִיר בְּדָ׳ וְכוֹנֵן קִרְיָה בְּעַוְלָה Hab. 2:12

כּוֹנְנָהּ 80 יֹצֵר הָאָרֶץ וְעֹשָׂהּ הוּא כוֹנְנָהּ Is. 45:18

כּוֹנְנוּ 81 מִקְּדָשׁ אֲדֹנָי כּוֹנְנוּ יָדֶיךָ Ex. 15:17

כּוֹנְנוּ 82 כּוֹנְנוּ חִצָּם עַל־יֶתֶר Ps. 11:2

תְּכוֹנֵן 83 בְּמֵיתָרֶיךָ תְּכוֹנֵן עַל־פְּנֵיהֶם Ps. 21:13

וּתְכוֹנֵן 84 יִגְמָר־נָא רַע רְשָׁעִים וּתְכוֹנֵן צַדִּיק Ps. 7:10

וַתְּכוֹנֵן 85 וַתְּכוֹנֵן לְךָ אֶת־עַמְּךָ יִשְׂרָאֵל IISh. 7:24

יְכוֹנֵן 86 עַד־יְכוֹנֵן...אֶת־יְרוּשָׁלַםִ תְּהִלָּה Is. 62:7

וַיְכֹנְנֶךָ 87 הוּא עָשְׂךָ וַיְכֹנְנֶךָ Deut. 32:6

וַיְכֻנֶנּוּ 88 וַיְכֻנֶנּוּ בָּרֶחֶם אֶחָד Job 31:15

יְכוֹנְנֶהָ 89 עַל־יַמִּים יְסָדָהּ וְעַל־נְהָרוֹת יְכוֹנְנֶהָ Ps. 24:2

90 אֱלֹהִים יְכוֹנְנֶהָ עַד־עוֹלָם Ps. 48:9

91 וְהוּא יְכוֹנְנֶהָ עֶלְיוֹן Ps. 87:5

וַיְכוֹנְנֶהָ 92 קַשְׁתּוֹ דָרַךְ וַיְכוֹנְנֶהָ Ps. 7:13

וַיְכוֹנְנוּ 93 וַיְכוֹנְנוּ עִיר מוֹשָׁב Ps. 107:36

וַיְכוֹנְנוּנִי 94 יָדֶיךָ עָשׂוּנִי וַיְכוֹנְנוּנִי Ps. 119:73

וְכוֹנֵן 95 שְׁאַל־נָא...וְכוֹנֵן לְחֵקֶר אֲבוֹתָם Job 8:8

כּוֹנְנָה 96 וּמַעֲשֵׂה יָדֵינוּ כּוֹנְנָה עָלֵינוּ Ps. 90:17

כּוֹנְנֵהוּ 97 וּמַעֲשֵׂה יָדֵינוּ כּוֹנְנֵהוּ Ps. 90:17

כּוֹנְנוֹ 98 בְּיוֹם הִבָּרַאֲךָ כּוֹנָנוּ Ezek. 28:13
99 מֵיְ מִצְעֲדֵי־גֶבֶר כּוֹנָנוּ Ps. 37:23
תִּכּוֹנָנִי 100 בִּצְדָקָה תִּכּוֹנָנִי Is. 54:14
וְתִכּוֹנֵן 101 תִּבָּנֶה וְתִכּוֹנֵן עִיר סִיחוֹן Num. 21:27
יִתְכּוֹנָן 102 וּבִתְבוּנָה יִתְכּוֹנָן Prov. 24:3
וְיִכּוֹנָנוּ 103 בְּלִי־עָוֹן יְרוּצוּן וְיִכּוֹנָנוּ Ps. 59:5
הָכֵן 104 וַיַּעַמְדוּ...בְּתוֹךְ הַיַּרְדֵּן הָכֵן Josh. 3:17
הָכִין 105 הָכִין שְׁתֵּים־עֶשְׂרֵה אֲבָנִים Josh. 4:3
וְהָכִין 106 לֹא־לְאִישׁ הֲלֹךְ וְהָכִין אֶת־צַעֲדוֹ Jer. 10:23
107 תָּקְעוּ בַתָּקוֹעַ וְהָכִין הַכֹּל Ezek. 7:14
כְּהָכִין 108 וַיְהִי כְּהָכִין מַלְכוּת רְחַבְעָם IICh. 12:1
לְהָכִין 109 לְהָכִין אֹתָהּ וּלְסַעֲדָהּ בְּמִשְׁפָּט Is. 9:6
110 לְהָכִין פֶּסֶל לֹא יִמּוֹט Is. 40:20
111 לְהָכִין שַׁבַּת שַׁבָּת ICh. 9:32
112 לְהָכִין לְשָׁכוֹת בְּבֵית יְיָ IICh. 31:11
וּלְהָכִין 113 וּלְהָכִין לִי עֵצִים לָרֹב IICh. 2:8
הֲכִינוֹ 114 בְּאֵשׁ־פְּלָדוֹת הָרֶכֶב בְּיוֹם הֲכִינוֹ Nah. 2:4
בַּהֲכִינוֹ 115 בַּהֲכִינוֹ שָׁמַיִם שָׁם אָנִי Prov. 8:27
לַהֲכִינָהּ 116 יְיָ יוֹצֵר אוֹתָהּ לַהֲכִינָהּ Jer. 33:2
הֲכִינֹתִי 117 אֶל־הַמָּקוֹם אֲשֶׁר הֲכִנֹתִי Ex. 23:20
118 וְהַעֲלִיתֶם...אֶל־הֲכִינוֹתִי לוֹ ICh. 15:12
119 בְעָנְיִי הֲכִינוֹתִי לְבֵית־יְיָ ICh. 22:14(13)
120 וְעֵצִים וַאֲבָנִים הֲכִינוֹתִי ICh. 22:14(13)
121 וּבְכָל־כֹּחִי הֲכִינוֹתִי לְבֵית־אֱלֹ׳ ICh. 29:2
122 מִכָּל־הֲכִינוֹתִי לְבֵית הַקֹּדֶשׁ ICh. 29:3
123 וְלִבְנוֹת הַבִּירָה אֲשֶׁר־הֲכִינוֹתִי ICh. 29:19
וַהֲכִינֹתִי 124 וַהֲכִינֹתִי אֶת־מַמְלַכְתּוֹ IISh. 7:12
125/6 וַהֲכִינוֹתִי אֶת־מַלְכוּתוֹ ICh. 17:11; 28:7
127 וַהֲכִינוֹתִי כִּסֵּא מַלְכוּתוֹ ICh. 22:10(9)
וַהֲכִינוֹתִי 128 וַהֲכִינוֹתִי לִבְנוֹת ICh. 28:2
הֲכִינוֹתָ 129 אַתָּה הֲכִינוֹתָ מָאוֹר וָשָׁמֶשׁ Ps. 74:16
130 אִם־אַתָּה הֲכִינוֹתָ לִבֶּךָ Job 11:13
וַהֲכִינוֹתָ 131 וַהֲכִינוֹתָ לְבָבְךָ לִדְרֹשׁ הָאֱלֹהִים IICh. 19:3
וַהֲכִינֹתָה 132 וַהֲכִינֹתָה אֶת־פָּנֶיךָ אֵלֶיהָ Ezek. 4:3
הֵכִין 133 שְׁנֵים הֶעָשָׂר אִישׁ אֲשֶׁר הֵכִין מִבְּ׳ Josh. 4:4
134 כִּי עַתָּה הֵכִין יְיָ אֶת־מַמְלַכְתְּךָ ISh. 17:13
135 וּדְבִיר...מִפְּנִימָה הֵכִין IK. 6:19
136 כִּי־הֵכִין יְיָ זֶבַח Zep. 1:7
137 וְלוֹ הֵכִין כְּלֵי־מָוֶת Ps. 7:14
138 דּוֹר לֹא־הֵכִין לִבּוֹ Ps. 78:8
139 יְיָ בַּשָּׁמַיִם הֵכִין כִּסְאוֹ Ps. 103:19
140 עַל־הָעֵץ אֲשֶׁר־הֵכִין לוֹ Es. 6:4
141 עַל־הָעֵץ אֲשֶׁר־הֵכִין לְמָרְדֳּכָי Es. 7:10
142 כִּי עֶזְרָא הֵכִין לְבָבוֹ לִדְרוֹשׁ Ez. 7:10
143 אֶל־מְקוֹמוֹ אֲשֶׁר־הֵכִין לוֹ ICh. 15:3
144 וּבַרְזֶל לָרֹב...הֵכִין דָּוִיד ICh. 22:3(2)
145 אֲשֶׁר הֵכִין דָּוִיד אָבִי IICh. 2:6
146 אֲשֶׁר הֵכִין בִּמְקוֹם דָּוִיד IICh. 3:1
147 כִּי לֹא הֵכִין לִבּוֹ לִדְרוֹשׁ אֶת־יְיָ IICh. 12:14
148 כִּי הֵכִין דְּרָכָיו לִפְנֵי יְיָ אֱלֹהָיו IICh. 27:6
149 כָּל־לְבָבוֹ הֵכִין לִדְרוֹשׁ הָאֱלֹהִים IICh. 30:19
150 אֲשֶׁר הֵכִין יֹאשִׁיָּהוּ אֶת־הַבַּיִת IICh. 35:20
הַהֵכִין 151 עַל הַהֵכִין הָאֱלֹהִים לָעָם IICh. 29:36
בַּהֵכִין 152 ...בַּהֵכִין לוֹ דָּוִיד IICh. 1:4
הֱכִינַנִי 153 חַי־יְיָ אֲשֶׁר הֱכִינַנִי וַיּוֹשִׁיבֵנִי° IK. 2:24
הֱכִינוֹ 154/5 כִּי־הֱכִינוֹ יְיָ לְמֶלֶךְ עַל יִשְׂרָאֵל IISh. 5:12 • ICh. 14:2
הֱכִינָהּ 156 הֱכִינָהּ וְגַם־חֲקָרָהּ Job 28:27
הֱכִינוֹנוּ 157 כֹּל הֶהָמוֹן הַזֶּה אֲשֶׁר הֲכִינוֹנוּ ICh. 29:16
הֱכִנּוּ 158 וְאֵת כָּל־הַכֵּלִים...הֱכַנּוּ וְהִקְדָּשְׁנוּ IICh. 29:16
הֵכִינוּ 159 רֶשֶׁת הֵכִינוּ לִפְעָמַי Ps. 57:7
160 כִּי־הֵכִינוּ לָהֶם אֲחֵיהֶם ICh. 12:39(40)

הֵכִינוּ (המשך) 161 וְעוֹד הָעָם לֹא־הֵכִינוּ לְבָבָם IICh. 20:33
162/3 וְאַחַר הֵכִינוּ לָהֶם וְלַכֹּהֲנִים IICh. 35:14[2]
164 כִּי־אֲחֵיהֶם הַלְוִיִּם הֵכִינוּ לָהֶם IICh. 35:15
וְהֵכִינוּ 165 וְהֵכִינוּ אֵת אֲשֶׁר־יָבִיאוּ Ex. 16:5
מֵכִין 166/7 מֵכִין תֵּבֵל בְּחָכְמָתוֹ Jer. 10:12; 51:15
168 מֵכִין הָרִים בְּכֹחוֹ Ps. 65:7
הַמֵּכִין 169 הַמֵּכִין לָאָרֶץ מָטָר Ps. 147:8
אָכִין 170 עַד־עוֹלָם אָכִין זַרְעֶךָ Ps. 89:5
171 בָּרְחוֹב אָכִין מוֹשָׁבִי Job 29:7
אָכִינָה 172 אָכִינָה נָּא לוֹ ICh. 22:5(4)
תָּכִין 173 תָּכִין לְךָ הַדֶּרֶךְ Deut. 19:3
174 וְאֶל־מְצוֹר יְרוּשָׁלַם תָּכִין פָּנֶיךָ Ezek. 4:7
175 תָּכִין לִבָּם תַּקְשִׁיב אָזְנֶךָ Ps. 10:17
176 תָּכִין דְּגָנָם כִּי־כֵן תְּכִינֶהָ Ps. 65:10
177 תָּכִין בְּטוֹבָתְךָ לֶעָנִי אֱלֹהִים Ps. 68:11
178 שָׁמַיִם תָּכִן אֱמוּנָתְךָ בָהֶם Ps. 89:3
תְּכִינֶהָ 179 תָּכִין דְּגָנָם כִּי־כֵן תְּכִינֶהָ Ps. 65:10
יָכִין 180 וְלֹא יָכִין לְדַבֵּר כֵּן Jud. 12:6
181 אִם־יָכִין שְׁאֵר לְעַמּוֹ Ps. 78:20
182 וַיְיָ יָכִין צַעֲדוֹ Prov. 16:9
183 וְכַחֹמֶר יָכִין מַלְבּוּשׁ Job 27:16
184 יָכִין וְצַדִּיק יִלְבָּשׁ Job 27:17
185 מִי יָכִין לָעֹרֵב צֵידוֹ Job 38:41
וַיָּכֶן 186 וַיָּכֶן מָקוֹם לַאֲרוֹן הָאֱלֹהִים ICh. 15:1
187 וַיָּכֶן דָּוִיד לָרֹב ICh. 22:5(4)
188 וַיָּכֶן יְיָ אֶת־הַמַּמְלָכָה בְּיָדוֹ IICh. 17:5
189 וַיָּכֶן לָהֶם עֻזִּיָּהוּ לְכָל־הַצָּבָא IICh. 26:14
תָּכִין 190 תָּכִין בַּקַּיִץ לַחְמָהּ Prov. 6:8
191 וּבִטְנָם תָּכִין מִרְמָה Job 36:35
וַיָּכִינוּ 192 וַיָּכִינוּ אֶת־הַמִּנְחָה Gen. 43:25
193 וַיָּכִינוּ הָעֵצִים וְהָאֲבָנִים IK. 5:32
194 וַיָּכִינוּ בַקַּיִץ לַחְמָם Prov. 30:25
195 וַיָּכִינוּ הַמִּזְבֵּחַ עַל־מְכוֹנֹתָיו Ez. 3:3
196 וַיֹּאמֶר...לְהָכִין לְשָׁכוֹת...וַיָּכִינוּ IICh. 31:11
הָכֵן 197 פְּעָמַי הָכֵן בְּאִמְרָתֶךָ Ps. 119:133
198 הָכֵן בַּחוּץ מְלַאכְתֶּךָ Prov. 24:27
וְהָכֵן 199 וּטְבֹחַ טֶבַח וְהָכֵן Gen. 43:16
200/1 וְהָכֵן לִי בָּזֶה שִׁבְעָה פָרִים Num. 23:1, 9
202 הִתְיַצֵּב וְהָכֵן לָךְ Jer. r6:14
203 הִכֹּן וְהָכֵן לְךָ אַתָּה וְכָל־קְהָלֶךָ Ezek. 38:7
204 וְהָכֵן לְבָבָם אֵלֶיךָ ICh. 29:18
הָכִינוּ 205 הָכִינוּ לָכֶם צֵדָה Josh. 1:11
206 לְכוּ־נָא הָכִינוּ עוֹד ISh. 23:22
207 הָכִינוּ לְבָנָיו מַטְבֵּחַ Is. 14:21
208 הָקִימוּ שֹׁמְרִים הָכִינוּ הָאֹרְבִים Jer. 51:12
וְהָכִינוּ 209 וְהָכִינוּ לְבַבְכֶם אֶל־יְיָ ISh. 7:3
210 וְהָכִינוּ (כ׳ והכונו) לְבֵית־אֲבֹתֵיכֶם IICh. 35:4
211 וְהִתְקַדְּשׁוּ וְהָכִינוּ לַאֲחֵיכֶם IICh. 35:6
הוּכָן 212 גַּם־הוּא° לַמֶּלֶךְ הוּכָן Is. 30:33
וְהוּכַן 213 וְהוּכַן בַּחֶסֶד כִּסֵּא Is. 16:5
214 יְמַהֲרוּ חוֹמָתָהּ וְהֻכַן הַסֹּכֵךְ Nah. 2:6
215 וְהוּכַן וְהֻנִּיחָה שָּׁם עַל־מְכֻנָתָהּ Zech. 5:11
מוּכָן 216 סוּס מוּכָן לְיוֹם מִלְחָמָה Prov. 21:31
מוּכָנִים 217 מוּכָנִים בַּבַּיִת סָבִיב סָבִיב Ezek. 40:43

כּוּן
עיר בארם צובה שנכבשה על־ידי דוד
וּמִכּוּן 1 וּמִטִּבְחַת וּמִכּוּן עָרֵי הֲדַדְעָזֶר ICh. 18:8

כַּוָּן*
ז׳ חלת־פולחן לאליל השמש: 1, 2
כַּוָּנִים 1 לַעֲשׂוֹת כַּוָּנִים לִמְלֶכֶת הַשָּׁמַיִם Jer. 7:18
2 עָשִׂינוּ לָהּ כַּוָּנִים לְהַעֲצִבָהּ Jer. 44:19

כּוֹנַנְיָהוּ
כתיב – קרי כָּנַנְיָהוּ

כּוֹס[1]
נ׳ א) כלי קטן לשתיה: 1, 3–26, 28, 29
ב) [בהשאלה] גורל: 2, 27, 30

קרובים: אַגָּן / גָּבִיעַ / מִזְרָק / סֵפֶל

– כּוֹס אֲחוֹתוֹ 19, 21; כּוֹס זָהָב 18; כ׳ חֵמָה 12, 15, 17; כּוֹס יַיִן 17; כ׳ יְמִינוֹ 22; כ׳ יְשׁוּעוֹת 23; כּוֹס עֲמֻקָּה 19; כּוֹס פֶּרַח 11, 24; כּוֹס פַּרְעֹה 9, 10, 25; כּוֹס רְחָבָה 19; כּוֹס שַׁמָּה 20; כּוֹס תַּנְחוּמִים 16; כּוֹס הַתַּרְעֵלָה 13, 14

– קֻבַּעַת כּוֹס 13, 15; שְׂפַת כּוֹס 11, 24; מְנָת(...) כּוֹסוֹ 27, 30

– הִשְׁקָה כּוֹס 16; נָשָׂא כּוֹס 23; עָבְרָה כּוֹס 2; שָׁתָה כּוֹס 6, 7, 12

כּוֹס 1 כִּי כוֹס בְּיַד־יְיָ וְיַיִן חָמַר Ps. 75:9
2 גַּם־עָלַיִךְ תַּעֲבָר־כּוֹס Lam. 4:21
הַכּוֹס 3 וָאֶתֵּן אֶת־הַכּוֹס עַל־כַּף פַּרְעֹה Gen. 40:11
4 וַיִּתֵּן הַכּוֹס עַל־כַּף פַּרְעֹה Gen. 40:21
5 וָאֶקַּח אֶת־הַכּוֹס מִיַּד יְיָ Jer. 25:17
6 לָקַחַת הַכּוֹס מִיָּדְךָ לִשְׁתּוֹת Jer. 25:28
7 אֲשֶׁר־אֵין מִשְׁפָּטָם לִשְׁתּוֹת הַכּוֹס Jer. 49:12
בַּכּוֹס 8 כִּי־יִתֵּן בַּכִּיס (כ׳ בכיס) עֵינוֹ Prov. 23:31
כּוֹס־ 9 וָאֶשְׂחַט אֹתָם אֶל־כּוֹס פַּרְעֹה Gen. 40:11
10 וְנָתַתָּ כוֹס־פַּרְעֹה בְּיָדוֹ Gen. 40:13
11 כְּמַעֲשֵׂה שְׂפַת־כּוֹס פֶּרַח שׁוֹשָׁן IK. 7:26
12 אֲשֶׁר שָׁתִית מִיַּד יְיָ אֶת־כּוֹס חֲמָתוֹ Is. 51:17
13 אֶת־קֻבַּעַת כּוֹס הַתַּרְעֵלָה Is. 51:17
14 לָקַחְתִּי מִיָּדֵךְ אֶת־כּוֹס הַתַּרְעֵלָה Is. 51:22
15 אֶת־קֻבַּעַת כּוֹס חֲמָתִי Is. 51:22
16 וְלֹא־יַשְׁקוּ אוֹתָם כּוֹס תַּנְחוּמִים Jer. 16:7
17 אֶת־כּוֹס הַיַּיִן הַחֵמָה הַזֹּאת Jer. 25:15
18 כּוֹס־זָהָב בָּבֶל בְּיַד־יְיָ Jer. 51:7
19 כּוֹס אֲחוֹתֵךְ...הָעֲמֻקָּה וְהָרְחָבָה Ezek. 23:32
20 כּוֹס שַׁמָּה וּשְׁמָמָה Ezek. 23:33
21 כּוֹס אֲחוֹתֵךְ שֹׁמְרוֹן Ezek. 23:33
22 תִּסּוֹב עָלֶיךָ כּוֹס יְמִין יְיָ Hab. 2:16
23 כּוֹס יְשׁוּעוֹת אֶשָּׂא Ps. 116:13
24 כְּמַעֲשֵׂה שְׂפַת־כּוֹס פֶּרַח שׁוֹשַׁנָּה IICh. 4:5
וְכוֹס־ 25 וְכוֹס פַּרְעֹה בְּיָדִי Gen. 40:11
כּוֹסִי 26 דִּשַּׁנְתָּ בַשֶּׁמֶן רֹאשִׁי כּוֹסִי רְוָיָה Ps. 23:5
וְכוֹסִי 27 יְיָ מְנָת־חֶלְקִי וְכוֹסִי Ps. 16:5
וּמִכֹּסוֹ 28 מִפִּתּוֹ תֹאכַל וּמִכֹּסוֹ תִשְׁתֶּה IISh. 12:3
כּוֹסָהּ 29 וְנָתַתִּי כוֹסָהּ בְּיָדֵךְ Ezek. 23:31
כּוֹסָם 30 וְרוּחַ זִלְעָפוֹת מְנָת כּוֹסָם Ps. 11:6
וְכֹסוֹת 31 גְּבִעִים מְלֵאִים יַיִן וְכֹסוֹת Jer. 35:5

כּוֹס[2]
ז׳ עוף מסדרת דורסי לילה: 1–3
כּוֹס חֳרָבוֹת 3
הַכּוֹס 1 וְאֶת־הַכּוֹס וְאֶת־הַשָּׁלָךְ Lev. 11:17
2 אֶת־הַכּוֹס וְאֶת־הַיַּנְשׁוּף Deut. 14:16
כְּכוֹס 3 הָיִיתִי כְּכוֹס חֳרָבוֹת Ps. 102:7

כּוּר
ז׳ כלי להתיך בו מתכות: 1–9
קרובים: אָח[2] / כִּבְשָׁן / כִּירַיִם / מַצְרֵף / תַּנּוּר
כּוּר בַּרְזֶל 5, 8, 9; כּוּר עֹנִי 7
כּוּר 1 קְבֻצַת כֶּסֶף...אֶל־תּוֹךְ כּוּר Ezek. 22:20
2 כְּהִתּוּךְ כֶּסֶף בְּתוֹךְ כּוּר Ezek. 22:22
וְכוּר 3/4 מַצְרֵף לַכֶּסֶף וְכוּר לַזָּהָב Prov. 17:3; 27:21
כּוּר־ 5 מִמִּצְרַיִם מִתּוֹךְ כּוּר הַבַּרְזֶל IK. 8:51
6 בְּתוֹךְ כּוּר סִיגִים כֶּסֶף הָיוּ Ezek. 22:18
בְּכוּר־ 7 בְּחַרְתִּיךָ בְּכוּר עֹנִי Is. 48:10
מִכּוּר־ 8 וַיּוֹצִא אֶתְכֶם מִכּוּר הַבַּרְזֶל Deut. 4:20
9 מֵאֶרֶץ־מִצְרַיִם מִכּוּר הַבַּרְזֶל Jer. 11:4

כּוֹר* ז' ארמית: מדת היבש בת עשר איפות או שלוש סאים [במקרא בעברית תמיד כֹּר – עין כֹּר]
כּוֹרִין 1 וְעַד־חִנְטִין כּוֹרִין מְאָה Ez. 7:22

כּוֹר עָשָׁן [נוסח זה בספרים רבים במקום בּוֹר עָשָׁן (ש״א ל30)] – עין בּוֹר עָשָׁן

כּוֹרֵם* ז' אִכָּר, בעל כרם: 1–5
כּוֹרְמִים 1 הֹבִישׁוּ אִכָּרִים הֵילִילוּ כֹּרְמִים Joel 1:11
2 אִכָּרִים וְכֹרְמִים בֶּהָרִים וּבַכַּרְמֶל IICh. 26:10
לְכוֹרְמִים 3 הִשְׁאִיר...לְכֹרְמִים וּלְיֹגְבִים° IIK. 25:12
4 הִשְׁאִיר...לְכֹרְמִים וּלְיֹגְבִים Jer. 52:16
וְכוֹרְמֵיכֶם 5 וּבְנֵי נֵכָר אִכָּרֵיכֶם וְכֹרְמֵיכֶם Is. 61:5

כּוֹרֶשׁ שפ״ז – מלך פרס: 1–22
מִטְּעֵם כּוֹרֶשׁ 13; מַלְכוּת כּוֹרֶשׁ 1; רוּחַ כּוֹרֶשׁ 14,2
כּוֹרֶשׁ 1 וּבְמַלְכוּת כּוֹרֶשׁ פָּרְסָאָה° Dan. 6:29
2 הֵעִיר יְיָ אֶת־רוּחַ כֹּרֶשׁ Ez. 1:1
3 כֹּה אָמַר כֹּרֶשׁ מֶלֶךְ פָּרַס Ez. 1:2
4 וְהַמֶּלֶךְ כּוֹרֶשׁ הוֹצִיא אֶת־כְּלֵי בֵית־יְיָ Ez. 1:7
7-5 כּוֹרֶשׁ מֶלֶךְ(־)פָּרַס Ez. 1:8; 3:7; 4:5
8 צִוָּנוּ הַמֶּלֶךְ כּוֹרֶשׁ מֶלֶךְ־פָּרָס Ez. 4:3
10-9 כּוֹרֶשׁ מַלְכָּא שָׂם טְעֵם Ez. 5:13; 6:3
11 הַנְפֵּק הִמּוֹ כּוֹרֶשׁ מַלְכָּא Ez. 5:14
12 מִן־כּוֹרֶשׁ מַלְכָּא שִׂים טְעֵם Ez. 5:17
13 וּמִטְּעֵם כּוֹרֶשׁ וְדָרְיָוֶשׁ Ez. 6:14
14 הֵעִיר יְיָ אֶת־רוּחַ כּוֹרֶשׁ IICh. 36:22
15 כֹּה־אָמַר כּוֹרֶשׁ מֶלֶךְ פָּרַס IICh. 36:23
לְכוֹרֶשׁ 16 הָאֹמֵר לְכוֹרֶשׁ רֹעִי Is. 44:28
17 כֹּה־אָמַר יְיָ לִמְשִׁיחוֹ לְכוֹרֶשׁ Is. 45:1
18 עַד־שְׁנַת אַחַת לְכוֹרֶשׁ הַמֶּלֶךְ Dan. 1:21
21-19 לְכוֹרֶשׁ מֶלֶךְ פָּרָס Dan. 10:1 · Ez. 1:1 • IICh. 36:22
22 בִּשְׁנַת חֲדָה לְכוֹרֶשׁ מַלְכָּא Ez. 5:13; 6:3

כּוּשׁ שפ״ז א) בן חם, על שמו כנוי לארץ ולתושביה: 1–18, 20–30
ב) איש מבנימין מעבדי שאול: 19
– אֶרֶץ כּוּשׁ 1; בְּנֵי כ' 3,4; גְּבוּל כ' 13; גָּלוּת כ' 8; דִּבְרֵי כוּשׁ 19; מֶלֶךְ כּוּשׁ 5, 9; נַהֲרֵי כוּשׁ 6, 18; סְחַר כּוּשׁ 11; פִּטְדַת כּוּשׁ 22
– מֵהֹדּוּ וְעַד כּוּשׁ 23, 24
כּוּשׁ 1 הַסּוֹבֵב אֵת כָּל־אֶרֶץ כּוּשׁ Gen. 2:13
2 וּבְנֵי חָם כּוּשׁ וּמִצְרַיִם... Gen. 10:6
3/4 וּבְנֵי כוּשׁ סְבָא וַחֲוִילָה Gen. 10:7 • ICh. 1:9
5 וַיִּשְׁמַע אֶל־תִּרְהָקָה מֶלֶךְ־כּוּשׁ IIK. 19:9
6 אֲשֶׁר מֵעֵבֶר לְנַהֲרֵי־כוּשׁ Is. 18:1
7 אוֹת וּמוֹפֵת עַל־מִצְ׳ וְעַל־כּוּשׁ Is. 20:3
8 אֶת־שְׁבִי מִצְרַיִם וְאֶת־גָּלוּת כּוּשׁ Is. 20:4
9 וַיִּשְׁמַע עַל־תִּרְהָקָה מֶלֶךְ־כּוּשׁ Is. 37:9
10 נָתַתִּי...כּוּשׁ וּסְבָא תַּחְתֶּיךָ Is. 43:3
11 יְגִיעַ מִצְרַיִם וּסְחַר־כּוּשׁ וּסְבָאִים Is. 45:14
12 כּוּשׁ וּפוּט תֹּפְשֵׂי מָגֵן Jer. 46:9
13 מִמִּגְדֹּל סְוֵנֵה וְעַד־גְּבוּל כּוּשׁ Ezek. 29:10
14 כּוּשׁ וּפוּט וְלוּד...וְכוּב Ezek. 30:5
15 לְהַחֲרִיד אֶת־כּוּשׁ בֶּטַח Ezek. 30:9
16 פָּרַס כּוּשׁ וּפוּט אִתָּם Ezek. 38:5
17 כּוּשׁ עָצְמָה וּמִצְרַיִם וְאֵין קֵצֶה Nah. 3:9
18 מֵעֵבֶר לְנַהֲרֵי־כוּשׁ Zep. 3:10
19 עַל־דִּבְרֵי־כוּשׁ בֶּן־יְמִינִי Ps. 7:1
20 כּוּשׁ תָּרִיץ יָדָיו לֵאלֹהִים Ps. 68:32
21 הִנֵּה פְלֶשֶׁת וְצוֹר עִם־כּוּשׁ Ps. 87:4
22 לֹא־יַעַרְכֶנָּה פִּטְדַת־כּוּשׁ Job 28:19
23/4 מֵהֹדּוּ וְעַד־כּוּשׁ Es. 1:1; 8:9
25 בְּנֵי חָם כּוּשׁ וּמִצְרַיִם ICh. 1:8
וְכוּשׁ 26/7 וְכוּשׁ יָלַד אֶת־נִמְרֹ(וֹ)ד Gen. 10:8 • ICh. 1:10
בְּכוּשׁ 28 וְהָיְתָה חַלְחָלָה בְּכוּשׁ Ezek. 30:4
מִכּוּשׁ 29 וְחַתּוּ וָבֹשׁוּ מִכּוּשׁ מַבָּטָם Is. 20:5
וּמִכּוּשׁ 30 וּמִפַּתְרוֹס וּמִכּוּשׁ וּמֵעֵילָם Is. 11:11

כּוּשִׁי[1] ת' בן ארץ כוש: 1–24
כּוּשִׁי 1 וַיִּשְׁתַּחוּ כוּשִׁי לְיוֹאָב וַיָּרֹץ IISh. 18:21
2 הֲיַהֲפֹךְ כּוּשִׁי עוֹרוֹ וְנָמֵר חֲבַרְבֻּרֹתָיו Jer. 13:23
הַכּוּשִׁי 3 אָרֲצָה־נָּא גַם־אָנִי אַחֲרֵי הַכּוּשִׁי IISh. 18:22
7-4 הַכּוּשִׁי IISh. 18:23, 31, 32[2]
10-8 עֶבֶד־מֶלֶךְ הַכּוּשִׁי Jer. 38:7, 10, 12
11 וְאָמַרְתָּ לְעֶבֶד־מֶלֶךְ הַכּוּשִׁי Jer. 39:16
12 וַיֵּצֵא אֲלֵיהֶם זֶרַח הַכּוּשִׁי IICh. 14:8
לַכּוּשִׁי 13 וַיֹּאמֶר יוֹאָב לַכּוּשִׁי לֵךְ הַגֵּד לַמֶּלֶךְ IISh. 18:21
כּוּשִׁית 14 כִּי־אִשָּׁה כֻשִׁית לָקָח Num. 12:1
הַכּוּשִׁית 15 וַתְּדַבֵּר...עַל אֹדוֹת הָאִשָּׁה הַכֻּשִׁית Num. 12:1
כּוּשִׁיִּים 16 הֲלוֹא כִבְנֵי כֻשִׁיִּים אַתֶּם לִי בְּ״יִ Am. 9:7
כּוּשִׁים 17 גַּם־אַתֶּם כּוּשִׁים חַלְלֵי חַרְבִּי הֵמָּה Zep. 2:12
18 וְהָעַרְבִים אֲשֶׁר עַל־יַד כּוּשִׁים IICh. 21:16
וְכוּשִׁים 19 וְלֻבִים וְכֻשִׁים בְּמִצְעָדָיו Dan. 11:43
20 לוּבִים סֻכִּיִּים וְכוּשִׁים IICh. 12:3
הַכּוּשִׁים 21 וַיִּגֹּף יְיָ אֶת־הַכּוּשִׁים לִפְנֵי אָסָא IICh. 14:11
22 וַיָּנֻסוּ הַכֻּשִׁים IICh. 14:11
23 הֲלֹא הַכּוּשִׁים וְהַלּוּבִים הָיוּ לְחַיִל IICh. 16:8
מִכּוּשִׁים 24 וַיִּפֹּל מִכּוּשִׁים לְאֵין־לָהֶם מִחְיָה IICh. 14:12

כּוּשִׁי[2] שפ״ז א) מאבות יְהוּדִי, עבד המלך יְהוֹיָקִים: 1 ב) אבי הנביא צפניה: 2
כּוּשִׁי 1 יְהוּדִי...בֶּן־שֶׁלֶמְיָהוּ בֶּן־כּוּשִׁי Jer. 36:14
2 דְּבַר־יְיָ...הָיָה אֶל־צְפַנְיָה בֶּן־כּוּשִׁי Zep. 1:1

כּוּשָׁן* אֵזוֹר בארץ כוש (?)
כּוּשָׁן 1 תַּחַת אָוֶן רָאִיתִי אָהֳלֵי כוּשָׁן Hab. 3:7

כּוּשַׁן רִשְׁעָתַיִם שפ״ז מלך ארם נהרים בימי השופטים: 1-4
כּוּשַׁן רִשְׁ׳ 1 וַיִּמְכְּרֵם בְּיַד כּוּשַׁן רִשְׁעָתַיִם Jud. 3:8
2 וַיַּעַבְדוּ בְ״יִ אֶת־כּוּשַׁן רִשְׁעָתַיִם Jud. 3:8
3 וַיִּתֵּן יְיָ בְּיָדוֹ אֶת־כּוּשַׁן רִשְׁעָתַיִם Jud. 3:10
4 וַתָּעָז יָדוֹ עַל כּוּשַׁן רִשְׁעָתָיִם Jud. 3:10

כּוֹשָׁרוֹת נ״ר הצלחה? כבל?
בַּכּוֹשָׁרוֹת 1 מוֹצִיא אֲסִירִים בַּכּוֹשָׁרוֹת Ps. 68:7

כּוּת עיר או מחוז בצפון בבל
כּוּת 1 וְאַנְשֵׁי־כוּת עָשׂוּ אֶת־נֵרְגַל IIK. 17:30

כּוּתָה נוסח אחר של כות
וּמִכּוּתָה 1 וַיָּבֵא מֶלֶךְ־אַשּׁוּר מִבָּבֶל וּמִכּוּתָה... IIK. 17:24

כֹּתֶרֶת נ' גולת קשוט בראש עמוד בבנין: 1–24
קוֹמַת הַכֹּתֶרֶת 3, 4, 6, 8; גֻּלּוֹת הַכֹּתָרוֹת 18–22
וְכֹתֶרֶת 2-1 וְכֹתֶרֶת עָלָיו נְחֹשֶׁת IIK. 25:17 • Jer. 52:22
הַכּוֹתֶרֶת 3 חָמֵשׁ אַמּוֹת קוֹמַת הַכֹּתֶרֶת הָאֶחָת IK. 7:16
4 וְחָמֵשׁ אַמּוֹת קוֹמַת הַכֹּתֶרֶת הַשֵּׁנִית IK. 7:16
5 וְהָרִמּוֹנִים...עַל הַכֹּתֶרֶת הַשֵּׁנִית IK. 7:20
6 וְקוֹמַת הַכֹּתֶרֶת שָׁלֹשׁ אַמּוֹת ׳וּשְׂבָכָה IIK. 25:17
7 וְרִמֹּנִים עַל־הַכֹּתֶרֶת סָבִיב IIK. 25:17
8 וְקוֹמַת הַכֹּתֶרֶת הָאַחַת חָמֵשׁ אַמּוֹת Jer. 52:22
9 וְרִמּוֹנִים עַל־הַכּוֹתֶרֶת סָבִיב Jer. 52:22
לַכּוֹתֶרֶת 10 שִׁבְעָה לַכֹּתֶרֶת הָאֶחָת IK. 7:17
11 וְשִׁבְעָה לַכֹּתֶרֶת הַשֵּׁנִית IK. 7:17
12 וְכֵן עָשָׂה לַכֹּתֶרֶת הַשֵּׁנִית IK. 7:18
13 וּפִיהוּ מִבֵּית לַכֹּתֶרֶת וָמַעְלָה בָּאַמָּה IK. 7:31
כּוֹתָרוֹת 14 וּשְׁתֵּי כֹתָרֹת עָשָׂה IK. 7:16
וְכוֹתָרוֹת 15 וְכֹתָרֹת אֲשֶׁר עַל־רֹאשׁ הָעַמּוּדִים IK. 7:19
16 וְכֹתָרֹת עַל־שְׁנֵי הָעַמּוּדִים IK. 7:20
הַכּוֹתָרוֹת 17 לְכַסּוֹת אֶת־הַכֹּתָרֹת IK. 7:18
18 עַמֻּדִים שְׁנַיִם וְגֻלֹּת הַכֹּתָרֹת IK. 7:41
22-19 אֶת־שְׁתֵּי גֻּלּוֹת הַכֹּתָרֹת IK. 7:41, 42 · IICh. 4:12, 13
וְהַכּוֹתָרוֹת 23 וְהַכֹּתָרוֹת עַל־רֹאשׁ הָעַמּוּדִים IICh. 4:12
לַכּוֹתָרוֹת 24 לַכֹּתָרֹת אֲשֶׁר עַל־רֹאשׁ הָעַמּוּדִים IK. 7:17

כזב : כּוֹזֵב, נִכְזָב, כִּזֵּב, הִכְזִיב; כָּזָב, אַכְזָב; ש״פ כֹּזְבָא, כְּזָבִי, כְּזִיב

כָּזַב פ' א) שקר, מרמה: 1
ב) [נפ' נִכְזַב] התבדה: 2, 3
ג) [פ' כִּזֵּב] שקר, רמה: 4-15
ד) [הפ' הִכְזִיב] הוכיח כי שקר: 16
– אָדָם כּוֹזֵב 1; נִכְזַב 2; נִכְזְבָה תּוֹחַלְתּוֹ 3
– כִּזֵּב 5, 7, 10–14; כִּזֵּב בְּ־ 9; כִּזֵּב לְ־ 4, 6, 15; כִּזֵּב עַל־ 7, 8; הִכְזִיב אֶת־ 16
– כֹּזְבוּ מֵימָיו 14
כֹּזֵב 1 כָּל־הָאָדָם כֹּזֵב Ps. 116:11
וְנִכְזָבְתָּ 2 פֶּן־יוֹכִיחַ בְּךָ וְנִכְזָבְתָּ Prov. 30:6
נִכְזָבָה 3 הֵן־תֹּחַלְתּוֹ נִכְזָבָה Job 41:1
בְּכַזֶּבְכֶם 4 בְּכַזֶּבְכֶם לְעַמִּי שֹׁמְעֵי כָזָב Ezek. 13:19
כִּזֵּב 5 לוּ־אִישׁ הֹלֵךְ רוּחַ וָשֶׁקֶר כִּזֵּב Mic. 2:11
אֲכַזֵּב 6 אַחַת נִשְׁבַּעְתִּי...אִם־לְדָוִד אֲכַזֵּב Ps. 89:36
7 וְעַל־פְּנֵיכֶם אִם־אֲכַזֵּב Job 6:28
8 עַל־מִשְׁפָּטִי אֲכַזֵּב Job 34:6
תְּכַזֵּב 9 אַל־תְּכַזֵּב בְּשִׁפְחָתֶךָ IIK. 4:16
תְּכַזֵּבִי 10 וְאֶת־מִי דָּאַגְתְּ וַתִּירְאִי כִּי תְכַזֵּבִי Is. 57:11
יְכַזֵּב 11 וְיָפֵחַ לַקֵּץ וְלֹא יְכַזֵּב Hab. 2:3
12 עֵד אֱמוּנִים לֹא יְכַזֵּב Prov. 14:5
וִיכַזֵּב 13 לֹא אִישׁ אֵל וִיכַזֵּב Num. 23:19
יְכַזְּבוּ 14 וּכְמוֹצָא...אֲשֶׁר לֹא־יְכַזְּבוּ מֵימָיו Is. 58:11
15 וּבִלְשׁוֹנָם יְכַזְּבוּ־לוֹ Ps. 78:36
יַכְזִיבֵנִי 16 וְאִם־לֹא אֵפוֹ מִי יַכְזִיבֵנִי Job 24:25

כָּזָב ז' דבר שקר: 1–31
קרובים: ראה שֶׁקֶר
– אִישׁ כָּזָב 18; דְּבַר כָּזָב 19; דּוֹבְרֵי כָזָב 13, 15; מַחֲזֵה כָזָב 2; מִקְסַם כָּזָב 4; קֶסֶם כָּזָב 3; שֹׁמְעֵי כָזָב 7; שִׁטֵּי כָזָב 14
– לֶחֶם כְּזָבִים 30; עַד כְּזָבִים 29
– בִּקֵּשׁ כָּזָב 12; דִּבֵּר כָּזָב 11, 20–23; הֵפִיחַ כְּזָבִים 24–28; חָזָה כָּזָב 3, 5; קָסַם כָּזָב 6; רָצָה כָזָב 16
כָּזָב 1 כִּי שַׂמְנוּ כָזָב מַחְסֵנוּ Is. 28:15
2 וְיָעָה בָרָד מַחְסֵה כָזָב Is. 28:17
3 חָזוּ שָׁוְא וְקֶסֶם כָּזָב Ezek. 13:6
4 וּמִקְסַם כָּזָב אֲמַרְתֶּם Ezek. 13:7
5 יַעַן דַּבֶּרְכֶם שָׁוְא וַחֲזִיתֶם כָּזָב Ezek. 13:8
6 הַחֹזִים שָׁוְא וְהַקֹּסְמִים כָּזָב Ezek. 13:9
7 בְּכַזֶּבְכֶם לְעַמִּי שֹׁמְעֵי כָזָב Ezek. 13:19
8 בַּחֲזוֹת לָךְ שָׁוְא בִּקְסָם־לָךְ כָּזָב Ezek. 21:34
9 חֹזִים שָׁוְא וְקֹסְמִים לָהֶם כָּזָב Ezek. 22:28
10 כָּל־הַיּוֹם כָּזָב וָשֹׁד יַרְבֶּה Hosh. 12:2
11 וְלֹא־יְדַבְּרוּ כָזָב Zep. 3:13

כָּזָב (המשך)
12 תֶּאֱהָבוּן רִיק תְּבַקְשׁוּ כָזָב Ps. 4:3
13 תְּאַבֵּד דֹּבְרֵי כָזָב Ps. 5:7
14 וְלֹא פָנָה אֶל־רְהָבִים וְשָׂטֵי כָזָב Ps. 40:5
15 תָּעוּ מִבֶּטֶן דֹּבְרֵי כָזָב Ps. 58:4
16 יִרְצוּ־כָזָב בְּפִיו יְבָרֵכוּ Ps. 62:5
17 הֶבֶל בְּנֵי־אָדָם כָּזָב בְּנֵי אִישׁ Ps. 62:10
18 וְטוֹב־רָשׁ מֵאִישׁ כָּזָב Prov. 19:22
19 שָׁוְא וּדְבַר־כָּזָב הַרְחֵק מִמֶּנִּי Prov. 30:8
20 וְעַל־שֻׁלְחָן אֶחָד כָּזָב יְדַבֵּרוּ Dan. 11:27
כְּזָבִים 21-22 וַתְּדַבֵּר אֵלַי כְּזָבִים Jud. 16:10, 13
23 וְהֵמָּה דִּבְּרוּ עָלַי כְּזָבִים Hosh. 7:13
24 יָפִיחַ כְּזָבִים עֵד שָׁקֶר Prov. 6:19
25 וְיָפִיחַ כְּזָבִים עֵד־שָׁקֶר Prov. 14:5
26 וְיָפִחַ כְּזָבִים מִרְמָה Prov. 14:25
27 וְיָפִיחַ כְּזָבִים לֹא יִמָּלֵט Prov. 19:5
28 וְיָפִיחַ כְּזָבִים יֹאבֵד Prov. 19:9
29 עֵד־כְּזָבִים יֹאבֵד Prov. 21:28
30 אַל־תִּתְאָו...וְהוּא לֶחֶם כְּזָבִים Prov. 23:3
כִּזְבֵיהֶם 31 כִּזְבֵיהֶם אֲשֶׁר־הָלְכוּ...אַחֲרֵיהֶם Am. 2:4

כֹּזֵבָא
ישוב בנחלת יהודה
כֹּזֵבָא 1 וְיוֹקִים וְאַנְשֵׁי כֹזֵבָא וְיוֹאָשׁ ICh. 4:22

כָּזְבִּי
שפ״נ – בת צור נשיא מדין: 1, 2
כָּזְבִּי 1 הָאִשָּׁה הַמֻּכָּה...כָּזְבִּי בַת־צוּר Num. 25:15
2 וְעַל־דְּבַר כָּזְבִּי בַת־נְשִׂיא מִדְיָן Num. 25:18

כְּזִיב
עיר ביהודה, היא אַכְזִיב
בִּכְזִיב 1 וְהָיָה בִכְזִיב בְּלִדְתָּהּ אֹתוֹ Gen. 38:5

כֹּחַ[1]
ז׳ מאמץ, גבורה, עוז: 1-125
קרובים: און / אֱיָל / אֱיָלוּת / אֵל / אֹמֶץ / גְּבוּרָה / חֹזֶק / חָזְקָה / חֹסֶן / עֹז / עֱזוּז / עֹצֶם / עָצְמָה / תֹּקֶף
– כֹּחַ גָּדוֹל 44, 47, 50, 85, 88, 89, 93, 95, 97, 98, 111
– כֹּחַ אֲבָנִים 61; כֹּחַ אֲדֹנָי 59; כֹּחַ הָאֲכִילָה 66; כֹּחַ הַזְּרוֹעַ 65; כֹּחַ חַיִל 69; כֹּחַ יָדוֹ (יָדָיו) 62, 67; כֹּחַ לֵב 63; כֹּחַ מַעֲשָׂיו 60; כֹּחַ הַסַּבָּל 64; כֹּחַ שׁוֹר 68
– אֵין כֹּחַ 9, 39; אַמִּיץ כֹּחַ 5, 19; בְּכָל־כֹּחַ 70; בְּלֹא כֹחַ 25; גִּבֹּרֵי כֹחַ 15; גְּדָל־כֹּחַ 12; זְרוֹעַ כֹּחוֹ 104; חֲמַת כֹּחַ 108; יְגִיעֵי כֹחַ 18; כְּכָל־כֹּחִי 84; לְלֹא כֹחַ 21; מַאֲמַצֵּי כֹחַ 23; רַב־כֹּחַ 16; רָב־כֹּחַ 14, 20, 22, 105, 106; שַׂגִּיא כֹחַ 24
– אָכַל כֹּחוֹ 101,121; אִמֵּץ כֹּחַ 102,17,13; גִּדֵּל כֹּחוֹ 59; הֶחֱלִיף כֹּחַ 7,8; הִכְשִׁיל כֹּחוֹ 83; הֵעִיר כֹּחוֹ 110; הֶרְאָה כֹּחוֹ 72; זוּ כֹחוֹ 103; יָבֵשׁ כֹּחוֹ 76; כִּלָּה כֹחַ 79; כִּלָּה כֹּחוֹ 75; כָּשַׁל כֹּחַ 64, 77; מִלֵּא כֹּחַ 11; נוֹדַע כֹּחוֹ 99; נִשְׁאַר כֹּחַ 29; נָתַן כֹּחַ 6, 120; סָר כֹּחוֹ 74, 100; עֲזָבוֹ כֹּחוֹ 78; עָמַד בּוֹ כֹחַ 32; עָנָה כֹּחוֹ 80; עָצַם כֹּחוֹ 109; עָצַר כֹּחַ 42,38-36,31,30; צַר כֹּחוֹ 91; תַּם כֹּחוֹ 122
– כֹּחוֹ בְּמָתְנָיו 107; נָתַן כְּכֹחוֹ 125
כֹּחַ 1 הַנֹּתֵן לְךָ כֹּחַ לַעֲשׂוֹת חָיִל Deut. 8:18
2 גַּם־כֹּחַ לֹא־הָיָה בוֹ ISh. 28:20
3 וִיהִי בְךָ כֹּחַ כִּי תֵלֵךְ בַּדָּרֶךְ ISh. 28:22
4 עַד אֲשֶׁר אֵין־בָּהֶם כֹּחַ לִבְכּוֹת ISh. 30:4
5 מֵרֹב אוֹנִים וְאַמִּיץ כֹּחַ Is. 40:26
6 נֹתֵן לַיָּעֵף כֹּחַ... Is. 40:29
7 וְקוֹיֵ יְיָ יַחֲלִיפוּ כֹחַ Is. 40:31
8 וּלְאֻמִּים יַחֲלִיפוּ כֹחַ Is. 41:1
9 גַּם־רָעֵב וְאֵין כֹּחַ Is. 44:12
10 וְאִם־אֵין־בִּי כֹחַ לְהַצִּיל Is. 50:2

כֹּחַ (המשך)
11 מָלֵאתִי כֹחַ אֶת־רוּחַ יְיָ Mic. 3:8
12 יְיָ אֶרֶךְ אַפַּיִם וּגְדָל־כֹּחַ Nah. 1:3
13 חַזֵּק מָתְנַיִם אַמֵּץ כֹּחַ מְאֹד Nah. 2:2
14 גִּבּוֹר לֹא־יִנָּצֵל בְּרָב־כֹּחַ Ps. 33:16
15 גִּבֹּרֵי כֹחַ עֹשֵׂי דְבָרוֹ Ps. 103:20
16 גָּדוֹל אֲדוֹנֵינוּ וְרַב־כֹּחַ Ps. 147:5
17 וְאִישׁ־דַּעַת מְאַמֶּץ־כֹּחַ Prov. 24:5
18 וְשָׁם יָנוּחוּ יְגִיעֵי כֹחַ Job 3:17
19 חֲכַם לֵבָב וְאַמִּיץ כֹּחַ Job 9:4
20 הַבְּרָב־כֹּחַ יָרִיב עִמָּדִי Job 23:6
21 מֶה־עָזַרְתָּ לְלֹא־כֹחַ Job 26:2
22 בְּרָב־כֹּחַ יִתְחַפֵּשׂ לְבוּשִׁי Job 30:18
23 וְכֹל מַאֲמַצֵּי־כֹחַ Job 36:19
24 שַׁדַּי...שַׂגִּיא־כֹחַ וּמִשְׁפָּט Job 37:23
25 וַיֵּלְכוּ בְלֹא־כֹחַ לִפְנֵי רוֹדֵף Lam. 1:6
26 וּמִיַּד עֹשְׁקֵיהֶם כֹּחַ Eccl. 4:1
27 וַאֲשֶׁר כֹּחַ בָּהֶם לַעֲמֹד בְּהֵיכַל הַמֶּ׳ Dan. 1:4
28 וְלֹא־הָיָה כֹחַ בָּאַיִל לַעֲמֹד לְפָנָיו Dan. 8:7
29 וְלֹא נִשְׁאַר־בִּי כֹחַ Dan. 10:8
30-31 וְלֹא עָצַרְתִּי כֹּחַ Dan. 10:8, 16
32 לֹא־יַעֲמָד־בִּי כֹחַ Dan. 10:17
33 וְאֵין כֹּחַ לַעֲמֹד Dan. 11:15
34 וְאֵין כֹּחַ לַעֲמוֹד בַּחוּץ Ez. 10:13
35 וּבְיָדְךָ כֹּחַ וּגְבוּרָה... ICh 29:12
36 כִּי־נַעְצֹר כֹּחַ לְהִתְנַדֵּב ICh. 29:14
37 וּמִי יַעֲצָר־כֹּחַ לִבְנוֹת־לוֹ בַיִת IICh. 2:5
38 וְלֹא־עָצַר כֹּחַ יָרָבְעָם עוֹד IICh. 13:20
39 ...לַעְזֹר בֵּין רַב לְאֵין כֹּחַ IICh. 14:10
40 וּבְיָדְךָ כֹּחַ וּגְבוּרָה IICh. 20:6
41 אֵין בָּנוּ כֹּחַ לִפְנֵי הֶהָמוֹן IICh. 20:12
42 וְאֵין...לַעְצֹר כֹּחַ לְמַמְלָכָה IICh. 22:9
43 יֶשׁ־כֹּחַ בֵּאלֹהִים לַעְזוֹר וּלְהַכְשִׁיל IICh. 25:8
וְכֹחַ 44 עַם־רַב אַתָּה וְכֹחַ גָּדוֹל לָךְ Josh. 17:17
45-46 וְכֹחַ אַיִן לְלֵדָה IIK. 19:3 • Is. 37:3
בְּכֹחַ 47 בְּכֹחַ גָּדוֹל וּבְיָד חֲזָקָה Ex. 32:11
48 וַיֵּט בְּכֹחַ וַיִּפֹּל הַבַּיִת... Jud. 16:30
49 כִּי־לֹא בְכֹחַ יִגְבַּר־אִישׁ ISh. 2:9
50 בְּכֹחַ גָּדוֹל וּבִזְרוֹעַ נְטוּיָה IIK. 17:36
51 לֹא בְחַיִל וְלֹא בְכֹחַ Zech. 4:6
52 יַחְפְּרוּ בָעֵמֶק וְיָשִׂישׂ בְּכֹחַ Job 39:21
בַּכֹּחַ 53 יְמִינְךָ יְיָ נֶאְדָּרִי בַּכֹּחַ Ex. 15:6
54 הָרִימִי בַכֹּחַ קוֹלֵךְ Is. 40:9
55 קוֹל־יְיָ בַּכֹּחַ קוֹל יְיָ בֶּהָדָר Ps. 29:4
56 אִישׁ־חַיִל בַּכֹּחַ לַעֲבֹדָה ICh. 29:4
לְכֹחַ 57 אִם־לְכֹחַ אַמִּיץ הִנֵּה Job 9:19
מִכֹּחַ 58 עָמְדוּ מִכֹּחַ נִסִּים Jer. 48:45
כֹּחַ־ 59 וְעַתָּה יִגְדַּל־נָא כֹּחַ אֲדֹנָי Num. 14:17
60 כֹּחַ מַעֲשָׂיו הִגִּיד לְעַמּוֹ Ps. 111:6
61 אִם־כֹּחַ אֲבָנִים כֹּחִי Job 6:12
62 גַּם־כֹּחַ יְדֵיהֶם לָמָּה לִּי Job 30:2
63 הֶן־אֵל...כַּבִּיר כֹּחַ לֵב Job 36:5
64 כָּשַׁל כֹּחַ הַסַּבָּל וְהֶעָפָר הַרְבֵּה Neh. 4:4
65 וְלֹא־תַעְצֹר כּוֹחַ הַזְּרוֹעַ Dan. 11:6
66 וַיֵּלֶךְ בְּכֹחַ הָאֲכִילָה הַהִיא IK. 19:8
67 בְּכֹחַ יָדִי עָשִׂיתִי Is. 10:13
68 וְרָב־תְּבוּאוֹת בְּכֹחַ שׁוֹר Prov. 14:4
69 עוֹשֵׂי מִלְחָמָה בְּכֹחַ חָיִל IICh. 26:13
כֹּחִי 70 בְּכָל־כֹּחִי עָבַדְתִּי אֶת־אֲבִיכֶן Gen. 31:6
71 כֹּחִי וְרֵאשִׁית אוֹנִי Gen. 49:3
72 בַּעֲבוּר הַרְאֹתְךָ אֶת־כֹּחִי... Ex. 9:16
73 כֹּחִי וְעֹצֶם יָדִי עָשָׂה לִי אֶת־הַחַיִל Deut. 8:17
74 אִם־גֻּלַּחְתִּי וְסָר מִמֶּנִּי כֹחִי Jud. 16:17

כֹּחִי (המשך)
75 לְתֹהוּ וְהֶבֶל כֹּחִי כִלֵּיתִי Is. 49:4
76 יָבֵשׁ כַּחֶרֶשׂ כֹּחִי Ps. 22:16
77 כָּשַׁל בַּעֲוֹנִי כֹחִי Ps. 31:11
78 לִבִּי סְחַרְחַר עֲזָבַנִי כֹחִי Ps. 38:11
79 כִּכְלוֹת כֹּחִי אַל־תַּעַזְבֵנִי Ps. 71:9
80 עִנָּה בַדֶּרֶךְ כֹּחִי (כת׳ כחו) Ps. 102:24
81 מַה־כֹּחִי כִי אֲיַחֵל Job 6:11
82 אִם־כֹּחַ אֲבָנִים כֹּחִי Job 6:12
83 עָלוּ עַל־צַוָּארִי הִכְשִׁיל כֹּחִי Lam. 1:14
84 וּכְכָל־כֹּחִי הֲכִינוֹתִי לְבֵית־אֱלֹהַי ICh. 29:2
בְּכֹחִי 85 בְּכֹחִי הַגָּדוֹל וּבִזְרוֹעִי הַנְּטוּיָה Jer. 27:5
כְּכֹחִי 86 כְּכֹחִי אָז וּכְכֹחִי עָתָּה... Josh. 14:11
וּכְכֹחִי 87 כְּכֹחִי אָז וּכְכֹחִי עָתָּה Josh. 14:11
כֹּחֲךָ 88-89 בַּמֶּה כֹּחֲךָ גָדוֹל Jud. 16:6, 15
כֹּחֶךָ 90 פֶּן־יִשְׂבְּעוּ זָרִים כֹּחֶךָ Prov. 5:10
כֹּחֶכָה 91 הִתְרַפִּיתָ בְּיוֹם צָרָה צַר כֹּחֶכָה Prov. 24:10
בְּכֹחֲךָ 92 כִּי־הֶעֱלִיתָ בְכֹחֲךָ אֶת־הָעָם Num. 14:13
93 בְּכֹחֲךָ הַגָּדֹל וּבִזְרֹעֲךָ הַנְּטוּיָה Deut. 9:29
94 לֵךְ בְּכֹחֲךָ זֶה וְהוֹשַׁעְתָּ... Jud. 6:14
95 בְּכֹחֲךָ הַגָּדוֹל וּבִזְרֹעֲךָ הַנְּטוּיָה Jer. 32:17
96 כֹּל אֲשֶׁר תִּמְצָא...לַעֲשׂוֹת בְּכֹחֲךָ Eccl. 9:10
97 אֲשֶׁר פָּדִיתָ בְּכֹחֲךָ הַגָּדוֹל Neh. 1:10
כֹּחוֹ 98 בַּמֶּה כֹּחוֹ גָדוֹל וּבַמֶּה נוּכַל לוֹ Jud. 16:5
99 וַיְנַתֵּק...וְלֹא נוֹדַע כֹּחוֹ Jud. 16:9
100 וַיָּסַר כֹּחוֹ מֵעָלָיו Jud. 16:19
101 אָכְלוּ זָרִים כֹּחוֹ וְהוּא לֹא יָדָע Hosh. 7:9
102 וְחָזָק לֹא־יְאַמֵּץ כֹּחוֹ Am. 2:14
103 זוּ כֹחוֹ לֵאלֹהוֹ Hab. 1:11
104 וַיִּפְעָלֵהוּ בִּזְרוֹעַ כֹּחוֹ Is. 44:12
105 צֹעֶה בְּרֹב כֹּחוֹ Is. 63:1
106 הֲתִבְטַח־בּוֹ כִּי־רַב כֹּחוֹ Job 39:11
107 הִנֵּה־נָא כֹחוֹ בְמָתְנָיו Job 40:16
108 וַיָּרָץ אֵלָיו בַּחֲמַת כֹּחוֹ Dan. 8:6
109 וְעָצַם כֹּחוֹ וְלֹא בְכֹחוֹ Dan. 8:24
110 וְיָעֵר כֹּחוֹ וּלְבָבוֹ עַל־מֶלֶךְ הַנֶּגֶב Dan. 11:25
בְּכֹחוֹ 111 וַיּוֹצִאֲךָ בְּפָנָיו בְּכֹחוֹ הַגָּדֹל Deut. 4:37
112-113 עֹשֵׂה אֶרֶץ בְּכֹחוֹ Jer. 10:12; 51:15
114 מֵכִין הָרִים בְּכֹחוֹ Ps. 65:7
115 וּמָשַׁךְ אַבִּירִים בְּכֹחוֹ Job 24:22
116 בְּכֹחוֹ רָגַע הַיָּם Job 26:12
117 הֶן־אֵל יַשְׂגִּיב בְּכֹחוֹ Job 36:22
118 יַעֲמֹדְנָה וְלֹא בְכֹחוֹ Dan. 8:22
119 וְעָצַם כֹּחוֹ וְלֹא בְכֹחוֹ Dan. 8:24
כֹּחָהּ 120 לֹא־תֹסֵף תֵּת־כֹּחָהּ לָךְ Gen. 4:12
121 אִם־כֹּחָהּ אָכַלְתִּי בְלִי־כָסֶף Job 31:39
כֹּחֲכֶם 122 וְתַם לָרִיק כֹּחֲכֶם Lev. 26:20
וּמִכֹּחֲכֶם 123 הָבוּ לִי וּמִכֹּחֲכֶם שִׁחֲדוּ בַעֲדִי Job 6:22
כֹּחָם 124 תִּפְאֶרֶת בַּחוּרִים כֹּחָם Prov. 20:29
כְּכֹחָם 125 כְּכֹחָם נָתְנוּ לְאוֹצַר הַמְּלָאכָה Ez. 2:69

כֹּחַ[2]
ז׳ שרץ, יש סוברים כי הוא ״זִקִּית״
וְהַכֹּחַ 1 וְהָאֲנָקָה וְהַכֹּחַ וְהַלְּטָאָה Lev. 11:30

כחד
: נִכְחַד, כִּחֵד, הִכְחִיד

(כחד) נִכְחַד
נפ׳ א) נסתר, נעלם: 1-4, 10
ב) אָבַד, נשמד: 5-9, 11
ג) [פִּ׳ כִּחֵד] העלים, הכחיש: 12-26
ד) [הִפְ׳ הִכְחִיד] השמיד: 27-30, 32
ה) [כנ״ל] העלים: 31

נִכְחַד 3, 5-8; נִכְחַד מִן־ 1, 2, 4, 9, 10; כִּחֵד (אֶת־) 12, 13, 16, 17, 26; כִּחֵד מִן־ 14, 15, 18-25

נִכְחַד 1 וְיִשְׂרָאֵל לֹא־נִכְחַד מִמֶּנִּי Hosh. 5:3
2 לֹא־נִכְחַד עָצְמִי מִמֶּךָּ Ps. 139:15
3 אִם־לֹא נִכְחַד קִימָנוּ Job 22:20
נִכְחָדוּ 4 וְאַשְׁמוֹתַי מִמְּךָ לֹא־נִכְחָדוּ Ps. 69:6
5 וְאֵיפֹה יְשָׁרִים נִכְחָדוּ Job 4:7
וְהַנִּכְחֶדֶת 6 הַמֵּתָה תָמוּת וְהַנִּכְחֶדֶת תִּכָּחֵד Zech. 11:9
נִכְחָדוֹת 7 וַיִּשְׁכּוֹן עָרִים נִכְחָדוֹת Job 15:28
הַנִּכְחָדוֹת 8 הַנִּכְחָדוֹת לֹא־יִפְקֹד Zech. 11:16
וַתִּכָּחֵד 9 וָאַךְ אוֹתְךָ...וַתִּכָּחֵד מִן־הָאָרֶץ Ex. 9:15
יִכָּחֵד 10 וְכָל־דָּבָר לֹא־יִכָּחֵד מִן־הַמֶּלֶךְ II Sh. 18:13
תִּכָּחֵד 11 הַמֵּתָה תָמוּת וְהַנִּכְחֶדֶת תִּכָּחֵד Zech. 11:9
כִּחַדְתִּי 12 לֹא־כִחַדְתִּי חַסְדְּךָ וַאֲמִתְּךָ Ps. 40:11
13 כִּי־לֹא כִחַדְתִּי אִמְרֵי קָדוֹשׁ Job 6:10
כִּחֵד 14 וַיַּגֶּד־לוֹ...וְלֹא כִחֵד מִמֶּנּוּ I Sh. 3:18
כִּחֲדוּ 15 יַגִּידוּ וְלֹא כִחֲדוּ מֵאֲבוֹתָם Job 15:18
כִּחֵדוּ 16 הִגִּידוּ לֹא כִחֵדוּ Is. 3:9
אֲכַחֵד 17 אֲשֶׁר עִם־שַׁדַּי לֹא אֲכַחֵד Job 27:11
תְּכַחֵד 18 וְהַגֶּד־נָא לִי...אַל־תְּכַחֵד מִמֶּנִּי Josh. 7:19
19 אַל־נָא תְכַחֵד מִמֶּנִּי כֹּה יַעֲשֶׂה־לְּךָ I Sh. 3:17
20 אֱלֹהִים...אִם־תְּכַחֵד מִמֶּנִּי דָּבָר I Sh. 3:17
21 אַל־תְּכַחֵד מִמֶּנִּי דָּבָר Jer. 38:14
22 מַה־דִּבַּרְתָּ...אַל־תְּכַחֵד מִמֶּנּוּ Jer. 38:25
תְּכַחֲדִי 23 אַל־נָא תְכַחֲדִי מִמֶּנִּי דָּבָר II Sh. 14:18
נְכַחֵד 24 לֹא־נְכַחֵד מֵאֲדֹנִי Gen. 47:18
25 לֹא נְכַחֵד מִבְּנֵיהֶם לְדוֹר אַחֲרוֹן Ps. 78:4
תְּכַחֵדוּ 26 הַשְׁמִיעוּ אַל־תְּכַחֵדוּ Jer. 50:2
וּלְהַכְחִיד 27 וּלְהַכְחִיד וּלְהַשְׁמִיד מֵעַל פְּנֵי הָאֲדָ׳ IK. 13:34
וְהִכְחַדְתִּיו 28 וֶהֱבִיאֲךָ אֶל־הָאֱמֹרִי...וְהִכְחַדְתִּיו Ex. 23:23
וָאַכְחִד 29 וָאַכְחִד אֶת־שְׁלֹשֶׁת הָרֹעִים Zech. 11:8
וַיַּכְחֵד 30 וַיַּכְחֵד כָּל־גִּבּוֹר חַיִל II Ch. 32:21
יַכְחִידֶנָּה 31 ...רָעָה יַכְחִידֶנָּה תַּחַת לְשׁוֹנוֹ Job 20:12
וְנַכְחִידֵם 32 לְכוּ וְנַכְחִידֵם מִגּוֹי Ps. 83:5

כָּחַל
פָּ׳ צבע בְּכָחוֹל

כָּחַלְתְּ 1 כָּחַלְתְּ עֵינַיִךְ וְעָדִית עֶדִי Ezek. 23:40

כחש
: כָּחַשׁ, כִּחֵשׁ, הִתְכַּחֵשׁ; כַּחַשׁ, כֶּחָשׁ

כָּחַשׁ
פָּ׳ א) נרזָה: 1
ב) [נפ׳ נִכְחַשׁ] התחַנף: 2
ג) [פִּ׳ כִּחֵשׁ] שִׁקר, רִמה (גם בהשאלה): 3, 5, 6, 8, 9, 15, 17, 19—21
ד) [כנ״ל] כִּחד, כָּפַר: 4, 7, 10—14, 16—18
ה) [הת׳ הִתְכַּחֵשׁ] נכחש, התחַנף: 22

נִכְחַשׁ לְ־ 2; כִּחֵשׁ, כִּחֵשׁ לְ־ 3,5-8,13,16,17,19-21; כִּחֵשׁ בְּ־ 4, 10-12, 14, 15, 18; הִתְכַּחֵשׁ לְ־ 22

כָּחַשׁ 1 וּבְשָׂרִי כָּחַשׁ מִשָּׁמֶן Ps. 109:24
וְיִכָּחֲשׁוּ 2 וְיִכָּחֲשׁוּ אֹיְבֶיךָ לָךְ Deut. 33:29
כַּחֵשׁ 3 וְלֹא יִלְבְּשׁוּ אַדֶּרֶת שֵׂעָר לְמַעַן כַּחֵשׁ Zech. 13:4
וְכַחֵשׁ 4 פָּשֹׁעַ וְכַחֵשׁ בַּייָ Is. 59:13
5 אָלֹה וְכַחֵשׁ וְרָצֹחַ וְגָנֹב וְנָאֹף Hosh. 4:2
כִּחַשְׁתִּי 6 כִּי־כִחַשְׁתִּי לָאֵל מִמָּעַל Job 31:28
וְכִחַשְׁתִּי 7 וְכִחַשְׁתִּי וְאָמַרְתִּי מִי יְיָ Prov. 30:9
כִּחֵשׁ 8 גַּם־אֲנִי נָבִיא...כִּחֵשׁ לוֹ IK. 13:18
9 כִּחֵשׁ מַעֲשֵׂה־זַיִת Hab. 3:17
וְכִחֵשׁ 10 וְכִחֵשׁ בַּעֲמִיתוֹ בְּפִקָּדוֹן... Lev. 5:21
וְכִחֶשׁ 11 אוֹ־מָצָא אֲבֵדָה וְכִחֶשׁ בָּהּ Lev. 5:22
12 וְכִחֶשׁ בּוֹ לֹא רְאִיתִיךָ Job 8:18
כִּחֲשׁוּ 13 וְגַם גָּנְבוּ וְגַם כִּחֲשׁוּ... Josh. 7:11
14 כִּחֲשׁוּ בַּייָ וַיֹּאמְרוּ לוֹא־הוּא Jer. 5:12
יְכַחֶשׁ 15 וְתִירוֹשׁ יְכַחֶשׁ בָּהּ Hosh. 9:2
וַתְּכַחֵשׁ 16 וַתְּכַחֵשׁ שָׂרָה לֵאמֹר Gen. 18:15
תְּכַחֲשׁוּ 17 וְלֹא־תְכַחֲשׁוּ וְלֹא־תְשַׁקְּרוּ Lev. 19:11
תְּכַחֲשׁוּן 18 פֶּן־תְּכַחֲשׁוּן בֵּאלֹהֵיכֶם Josh. 24:27
יְכַחֲשׁוּ 19 בְּנֵי־נֵכָר יְכַחֲשׁוּ־לִי Ps. 18:45
20 בְּרֹב עֻזְּךָ יְכַחֲשׁוּ־לְךָ אֹיְבֶיךָ Ps. 66:3
21 מְשַׂנְאֵי יְיָ יְכַחֲשׁוּ־לוֹ Ps. 81:16
יִתְכַּחֲשׁוּ 22 בְּנֵי נֵכָר יִתְכַּחֲשׁוּ־לִי II Sh. 22:45

כַּחַשׁ
ז׳ שקר, כפירה: 1-6 • פְּרִי כַחַשׁ 2

כַּחַשׁ 1 כֻּלָּהּ כַּחַשׁ פֶּרֶק מְלֵאָה Nah. 3:1
כָחַשׁ 2 אֲכַלְתֶּם פְּרִי־כָחַשׁ Hosh. 10:13
בְּכַחַשׁ 3 סְבָבֻנִי בְכַחַשׁ אֶפְרַיִם Hosh. 12:1
וּמִכַּחַשׁ 4 וּמֵאָלָה וּמִכַּחַשׁ יְסַפֵּרוּ Ps. 59:13
כַּחֲשִׁי 5 וַיָּקָם בִּי כַחֲשִׁי בְּפָנַי יַעֲנֶה Job 16:8
וּבְכַחֲשֵׁיהֶם 6 בְּרָעָתָם יְשַׂמְּחוּ...וּבְכַחֲשֵׁיהֶם שָׂרִים Hosh. 7:3

כֶּחָשׁ*
ז׳ בּוגד, שקרן

כֶּחָשִׁים 1 עַם מְרִי הוּא בָּנִים כֶּחָשִׁים Is. 30:9

כִּי
מלת־חבּור במשמעים שונים: 1—4475
(במקראות רבים ההבחנה אינה חד־משמעית)

א) אֲשֶׁר, שֶׁ־: 1-829, 4259-4292, 4319-4322, 4330-4336, 4355-4367, 4373-4409
ב) מִפְּנֵי שֶׁ־, משום שֶׁ־: 830-3704
ג) כאשר, אִם: 3705-4005, 4410-4475
ד) כְּמוֹ, כְּ־: 4006-4009
ה) אלא, אבל: 4010-4084
ו) אף־על־פי ש־, אף אם: 4085-4097
ז) [כִּי אָז] רק אז: 4098-4107
ח) [כִּי אִם] אשר אִם: 4109-4137
ט) [כנ״ל במשפט שלילה או שבועה] אלא, רק: 4138-4258
י) [הֲכִי] כלום, האומנם: 4368-4370, 4372
יא) [אַף כִּי] אף־על־פי ש־: 4293-4318
יב) [לֹא־כִי] לא כן, לא זאת: 4350-4354
ועין עוד הצֵרופים להלן

– הֲכִי 4368-4372; כִּי אָז 4098-4107; כִּי אַיִן 4108; כִּי אִם 4109-4258; כִּי אָמְנָם 4259, 4260; כִּי טוֹב 1-6, 8, 1018-1030, 1070-1073; כִּי יַעַן 4261, 4262; כִּי כֵן 83, 1065, 1067 כִּי עַל כֵּן 4263-4272; כִּי עַתָּה 4273-4291

– אַךְ כִּי 4292; אַף כִּי 4293-4318; אֶפֶס כִּי 4319-4321; גַּם כִּי 4322-4329; הֲלֹא כִי 84, 85; יַעַן כִּי 4330-4336; לֹא כִּי 4337-4349; לֹא־כִי 4350-4354; עַד כִּי 4355-4359; עַל כִּי 4360-4363; עֵקֶב כִּי 4364, 4365; תַּחַת כִּי 4366, 4367

כִּי (א) 1 וַיַּרְא אֱלֹהִים אֶת־הָאוֹר כִּי־טוֹב Gen. 1:4
2-6 וַיַּרְא אֱלֹהִים כִּי־טוֹב Gen. 1:10, 12,18 , 21, 25
7 יֹדֵעַ אֱלֹ׳ כִּי בְּיוֹם אֲכָלְכֶם מִמֶּנּוּ Gen. 3:5
8 וַתֵּרֶא...כִּי טוֹב הָעֵץ לְמַאֲכָל Gen. 3:6
9 וַיֵּדְעוּ כִּי עֵירֻמִּם הֵם Gen. 3:7
10 מִי הִגִּיד לְךָ כִּי עֵירֹם אָתָּה Gen. 3:11
11 כִּי אִישׁ הָרַגְתִּי לְפִצְעִי Gen. 4:23
12 וַיִּרְאוּ...כִּי טֹבֹת הֵנָּה Gen. 6:2
13 כִּי רַבָּה רָעַת הָאָדָם בָּאָרֶץ Gen. 6:5
14 וַיִּנָּחֶם יְיָ כִּי־עָשָׂה אֶת־הָאָדָם Gen. 6:6
15 נִחַמְתִּי כִּי עֲשִׂיתִם Gen. 6:7
16 וַיֵּדַע נֹחַ כִּי־קַלּוּ הַמַּיִם Gen. 8:11
17 כִּי־יָפָה הִוא מְאֹד Gen. 12:14
18 לֹא־הִגַּדְתָּ לִּי כִּי אִשְׁתְּךָ הִוא Gen. 12:18
19 וַיַּרְא...כִּי כֻלָּהּ מַשְׁקֶה Gen. 13:10

כִּי־ (המשך) 20 וַיִּשְׁמַע אַבְרָם כִּי נִשְׁבָּה אָחִיו Gen. 14:14
21 זַעֲקַת סְדֹם וַעֲמֹרָה כִּי־רָבָּה Gen. 18:20
22 וְחַטָּאתָם כִּי כָבְדָה מְאֹד Gen. 18:20
23 דַּע כִּי־מוֹת תָּמוּת Gen. 20:7
24 כִּי־הֵבֵאתָ עָלַי...חֲטָאָה גְדֹלָה Gen. 20:9
25 מָה רָאִיתָ כִּי עָשִׂיתָ... Gen. 20:10
26 כִּי־יָלַדְתִּי בֵן לִזְקֻנָיו Gen. 21:7
27 כִּי אֶת־שֶׁבַע כְּבָשֹׂת תִּקַּח Gen. 21:30
28 לְעֵדָה כִּי חָפַרְתִּי אֶת־הַבְּאֵר Gen. 21:30
29 יָדַעְתִּי כִּי־יְרֵא אֱלֹהִים אַתָּה Gen. 22:12
30 כִּי־בָרֵךְ אֲבָרֶכְךָ Gen. 22:17
31 וּבָהּ אֵדַע כִּי־עָשִׂיתָ חֶסֶד Gen. 24:14
32 רָאוֹ רָאִינוּ כִּי־הָיָה יְיָ עִמָּךְ Gen. 26:28
33 וְלֹא־יָדַע...כִּי רָחֵל גְּנָבָתַם Gen. 31:32
34 מַה חַטָּאתִי כִּי דָלַקְתָּ אַחֲרָי Gen. 31:36
35 כִּי־מִשַּׁשְׁתָּ אֶת־כָּל־כֵּלַי Gen. 31:37
36 וַיַּרְא כִּי לֹא יָכֹל לוֹ Gen. 32:25
37 וַיִּרְאוּ אֶחָיו כִּי־אֹתוֹ אָהַב Gen. 37:4
38 מַה־בֶּצַע כִּי נַהֲרֹג אֶת־אָחִינוּ Gen. 37:26
39 וַיֵּדַע...כִּי לֹא לוֹ יִהְיֶה הַזָּרַע Gen. 38:9
40 רָאֲתָה כִּי־גָדַל שֵׁלָה Gen. 38:14
41 לֹא יָדַע כִּי כַלָּתוֹ הִוא Gen. 38:16
42 וַיַּרְא אֲדֹנָיו כִּי יְיָ אִתּוֹ Gen. 39:3
43 וַיְהִי כִּרְאוֹתָהּ כִּי־עָזַב בִּגְדוֹ Gen. 39:13
44 וַיְהִי כְשָׁמְעוֹ כִּי־הֲרִימֹתִי קוֹלִי Gen. 39:15
45 כִּי־גֻנֹּב גֻּנַּבְתִּי מֵאֶרֶץ הָעִבְרִים Gen. 40:15
46 וְלֹא נוֹדַע כִּי־בָאוּ אֶל־קִרְבֶּנָה Gen. 41:21
47/8 כִּי יֶשׁ־שֶׁבֶר בְּמִצְרָיִם Gen. 42:1, 2
49 חֵי פַרְעֹה כִּי מְרַגְּלִים אַתֶּם Gen. 42:16
50 וְהֵם לֹא יָדְעוּ כִּי שֹׁמֵעַ יוֹסֵף Gen. 42:23
51 בְּזֹאת אֵדַע כִּי כֵנִים אַתֶּם Gen. 42:33
52 הֲיָדוֹעַ נֵדַע כִּי יֹאמַר Gen. 43:7
53/4 שָׁמְעוּ כִּי־שָׁם יֹאכְלוּ לָחֶם Gen. 43:25
55 יְדַעְתֶּם כִּי־נַחֵשׁ יְנַחֵשׁ Gen. 44:15
56 כִּי שְׁנַיִם יָלְדָה־לִּי אִשְׁתִּי Gen. 44:27
57 כִּרְאוֹתוֹ כִּי־אֵין הַנַּעַר וָמֵת Gen. 44:31
58 וְאַל־יִחַר...כִּי־מְכַרְתֶּם אֹתִי Gen. 45:5
59 כִּי־פִי הַמְדַבֵּר אֲלֵיכֶם Gen. 45:12
60 אָרוּר אַפָּם כִּי עָז Gen. 49:7
61 וְעֶבְרָתָם כִּי קָשָׁתָה Gen. 49:7
62 וַיַּרְא מְנֻחָה כִּי טוֹב Gen. 49:15
63 וְאֶת־הָאָרֶץ כִּי נָעֵמָה Gen. 49:15
64 וַתֵּרֶא אֹתוֹ כִּי־טוֹב הוּא Ex. 2:2
65 וַיַּרְא כִּי אֵין אִישׁ וַיַּךְ אֶת־הַמִּצְרִי Ex. 2:12
66 אָשִׁירָה לַייָ כִּי־גָאֹה גָּאָה Ex. 15:1
67 שִׁירוּ לַייָ כִּי־גָאֹה גָּאָה Ex. 15:21
68 וִידַעְתֶּם כִּי יְיָ הוֹצִיא אֶתְכֶם Ex. 16:6
69 וְנַחְנוּ מָה כִּי תַלִּינוּ° עָלֵינוּ Ex. 16:7
70 וִידַעְתֶּם כִּי אֲנִי יְיָ אֱלֹהֵיכֶם Ex. 16:12
71 רְאוּ כִּי־יְיָ נָתַן לָכֶם הַשַּׁבָּת Ex. 16:29
72 כִּי־מָחֹה אֶמְחֶה אֶת־זֵכֶר עֲמָלֵק Ex. 17:14
73 כִּי־יָד עַל־כֵּס יָהּ Ex. 17:16
74 כִּי־הוֹצִיא יְיָ אֶת־יִשְׂרָאֵל Ex. 18:1
75 יָדַעְתִּי כִּי־גָדוֹל יְיָ מִכָּל־הָאֱלֹהִים Ex. 18:11
76 אוֹ נוֹדַע כִּי שׁוֹר נַגָּח הוּא Ex. 21:36
77 אֲשֶׁר יֹאמַר כִּי־הוּא זֶה Ex. 22:8
78 וַיַּרְא מֹשֶׁה אֶת־הָעָם כִּי פָרֻעַ הוּא Ex. 32:25
79 כִּי־פְרָעֹה אַהֲרֹן לְשִׁמְצָה Ex. 32:25
80 אֶת־מַעֲשֵׂה יְיָ כִּי־נוֹרָא הוּא Ex. 34:10
81 אִם־לֹא כִּי־צוּרָם מְכָרָם Deut. 32:30
82 מַה־לְּךָ כִּי נִזְעָקְתָּ Jud. 18:23
83 וַיִּרְאוּ אַנְשֵׁי־אַשְׁדּוֹד כִּי־כֵן I Sh. 5:7

כִּי (א)

84 הֲלוֹא כִּי־מְשָׁחֲךָ יְיָ... לְנָגִיד — ISh. 10:1
85 הֲלוֹא כִּי אָנֹכִי צִוִּיתִי אֶתְכֶם — IISh. 13:28
86 אוֹי לִי אִמִּי כִּי יְלִדְתִּנִי — Jer. 15:10
87-108 וִידַעְתֶּם כִּי־אֲנִי יְיָ (אֲדֹנָי) — Ezek. 6:7, 13; 7:4; 11:10, 12; 12:20; 13:9, 14; 14:8; 15:7; 17:21; 20:38, 42.44; 23:49; 24:24; 25:5; 35:9; 36:11; 37:6, 13, 14
109-138 וְיָדְעוּ(...) כִּי־אֲנִי יְיָ (אֲדֹנָי) — Ezek. 6:10, 14; 7:27; 12:15, 16; 24:27; 25:11, 17; 26:6; 28:22, 23, 24, 26; 29:9, 16, 21; 30:8, 19, 25, 26; 32:15; 33:29; 34:27, 30; 35:15; 36:38; 38:23; 39:6, 22, 28
139 לֹא תַאֲמִינוּ כִּי־יְסֻפָּר — Hab. 1:5
140 הֶאֱמַנְתִּי כִּי אֲדַבֵּר — Ps. 116:10
141 אוֹדְךָ כִּי עֲנִיתָנִי — Ps. 118:21
142 יְגִיעַ כַּפֶּיךָ כִּי תֹאכֵל אַשְׁרֶיךָ — Ps. 128:2
143 אַל־תֵּרֶא יַיִן כִּי יִתְאַדָּם — Prov. 23:31
144 מָה־אֱנוֹשׁ כִּי־יִזְכֶּה — Job 15:14
145-829 כִּי (א) — Gen. 15:8, 13; 16:4, 5; 28:6, 8; 29:12, 31, 32, 33[2]; 30:1, 9, 13, 30; 31:5, 6, 20; 31:22; 40:15, 16; 42:34[2]; 46:30; 48:17; 50:15, 17 • Ex. 3:4, 11, 12[2], 19; 4:5, 14; 6:7; 7:5, 17; 8:6, 11, 18; 9:14, 29, 30, 34; 10:2, 7, 10; 13:16; 14:4, 5[2], 18; 18:11; 29:46; 31:13; 32:1, 21, 22; 33:13, 16, 17; 34:29, 35 • Lev. 13:51 • Num. 11:12, 13, 18, 29; 14:13, 14, 22; 16:9, 11, 13[2], 28[2], 30; 20:29; 21:1; 22:22, 28, 29, 34, 36; 24:1; 32:15 • Deut. 3:19; 4:3, 26, 35, 39; 5:15, 21; 7:9; 8:5, 19; 9:2, 3, 6; 11:2, 7; 15:15, 16[2], 18; 16:1, 3, 19; 24:18, 22; 26:3; 30:18; 31:20, 21, 29; 32:36, 39 • Josh. 2:9; 8:14, 21; 9:16; 10:1; 14:12; 22:31, 34[2]; 23:13, 14; 24:22, 27 • Jud. 6:22, 37; 8:1, 6, 15; 9:28, 38, 47, 55; 11:12; 12:3; 13:16, 17, 21; 14:3, 4, 9; 15:2, 11; 16:18[2], 20; 17:13; 18:14; 20:3, 34, 36, 41 • ISh. 2:16; 3:5, 6, 8[2], 13[2], 20; 4:6; 6:9; 7:7; 10:14, 16; 11:5; 12:5, 10, 12, 17; 13:6[2], 11; 14:3, 22, 29, 39; 15:11, 24, 35; 17:26, 43, 46, 47[2], 51; 18:18, 28; 20:1, 3[2], 7; 20:9, 12, 13, 21, 30, 33; 21:16; 22:6, 8[2], 17, 21, 22[2]; 23:7, 9, 10, 13, 15, 17, 21; 25:4, 7, 39; 26:3, 4; 27:4; 28:1, 13, 14; 29:6[2], 8, 9; 31:5, 7 • IISh. 1:5, 10, 12; 3:9[2]; 4:1, 10; 5:12, 17; 7:11, 18; 8:9; 9:8; 10:3, 6, 9; 10:14, 15, 19; 11:16, 23, 26; 12:5, 18, 19[2]; 13:13, 39; 14:1, 22; 16:11, 21; 17:8, 10, 17, 23; 19:7, 8[2], 21, 23, 35; 20:12 • IK. 1:11, 13, 17, 30; 2:23, 24, 28, 29, 37; 2:41, 42; 3:10; 5:15, 20; 8:18, 43, 60; 11:21, 22, 28; 12:16, 20; 14:2; 16:18; 17:24; 18:9, 10, 15, 36, 37; 19:2; 20:5, 7, 13, 28, 31[2], 41; 21:15[2], 16, 29; 22:3, 14, 33 • IIK. 2:3, 5; 3:10, 13, 14, 21, 26; 4:1, 9, 39; 5:7[2]; 5:8[2], 15; 6:32; 7:12; 8:10, 13; 9:20; 10:10; 11:1; 12:11; 18:20, 32, 34, 35; 19:8, 19; 20:8, 9, 12; 25:23 • Is. 3:10; 10:13; 12:1, 4; 14:29; 16:12; 22:1, 9, 16; 29:11; 30:21; 31:1[2]; 36:5, 20; 37:8, 20; 38:22; 39:1, 8; 40:2[3]; 41:20, 23; 43:10; 45:3, 6, 23; 46:9; 48:4; 49:18, 19[2], 23, 26; 50:7; 52:6; 54:6; 57:11; 60:1, 9, 16; 61:9 • Jer. 2:5, 19, 35; 3:8; 4:18[2], 30[3]; 10:23; 12:11, 12; 13:12, 21; 16:21; 17:6, 8; 22:5, 15, 24; 24:7; 29:10; 30:7; 31:15(14), 16(15), 18(17), 19(18)[2], 20(19); 31:22(21), 25(24); 32:8; 37:18; 38:25; 40:7, 11, 14; 42:19, 20[2], 22; 44:29[2]; 46:18; 48:1; 49:13, 19; 50:11[3], 44 • Ezek. 2:5; 3:19, 21; 5:13; 7:9; 8:12; 10:20; 13:21, 23; 14:23; 16:62; 18:5, 18, 21; 19:5; 20:12, 20; 21:4, 12[2]; 22:16, 22; 23:13; 24:19; 25:3[3], 7; 29:6; 33:2, 6, 9, 33; 35:4, 12; 36:23, 36; 37:28; 39:7 • Hosh. 2:10; 10:5; 11:3 • Joel 1:5; 2:27; 4:17 • Am. 6:10 • Jon. 1:10, 12; 4:2 • Mic. 7:1 • Hab. 2:18 • Zech. 2:13, 15; 3:8[2]; 4:9; 6:15; 11:11 • Mal. 2:4; 3:14 • Ps. 4:4; 8:5[2]; 20:7; 25:6, 19; 34:9; 37:13; 41:12[2]; 42:6, 12; 43:5; 46:11; 49:17[2]; 52:11; 54:8; 56:10; 59:14; 62:12; 78:35, 39; 83:19; 85:9; 90:4; 91:14; 92:16; 94:11; 100:3; 103:14; 107:30; 109:27; 114:5; 116:1, 2; 118:10, 11, 12; 119:71, 75, 159; 120:5; 127:5; 135:3[2], 4, 5; 139:14; 141:6, 8 • Prov. 6:35; 7:23; 8:6; 9:18; 22:18; 23:13, 31; 31:18 • Job 3:12; 5:24, 25; 6:11[2], 20; 7:7, 12, 17; 9:16, 28; 10:3, 7, 9, 13; 11:6, 18; 12:2, 9; 13:9, 18; 15:23; 16:3; 19:6; 21:15[2]; 22:3[2], 12, 29; 23:10, 14; 27:8[2]; 29:12; 30:11, 23; 31:14, 25, 26; 32:5, 16; 36:9, 10, 13, 24; 38:21; 39:12, 14, 15; 40:23; 41:2; 42:2 • Ruth 1:6, 18; 2:22; 3:11, 12; 3:14; 4:4, 9 • Lam. 1:8, 9, 11, 20, 21[2]; 3:22, 27, 31; 4:12 • Eccl. 3:12, 22; 5:5; 9:4 • Es. 3:5 • Dan. 8:17; 9:19, 23 • Ez. 4:1 • Neh. 3:33, 36; 4:1[2], 9; 6:1; 9:10; 13:10 • ICh. 10:5, 7; 13:11; 14:2, 8; 17:16; 18:9; 19:3, 10, 15, 16, 19; 21:28; 29:14, 17 • IICh. 6:8, 33; 10:16; 12:7; 15:9; 20:25; 22:10; 24:11; 25:16, 32:2, 14; 33:13

כִּי (ב)

830 כִּי בוֹ שָׁבַת מִכָּל־מְלַאכְתּוֹ — Gen. 2:3
831 כִּי לֹא הִמְטִיר יְיָ אֱלֹהִים — Gen. 2:5
832 כִּי בְּיוֹם אֲכָלְךָ מִמֶּנּוּ מוֹת תָּמוּת — Gen. 2:17
833 כִּי מֵאִישׁ לֻקֳחָה־זֹּאת — Gen. 2:23
834 כִּי יֹדֵעַ אֱלֹהִים... — Gen. 3:5
835 וָאִירָא כִּי־עֵירֹם אָנֹכִי וָאֵחָבֵא — Gen. 3:10
836 כִּי עָשִׂיתָ זֹּאת אָרוּר אַתָּה — Gen. 3:14
837 כִּי שָׁמַעְתָּ לְקוֹל אִשְׁתֶּךָ — Gen. 3:17
838 כִּי מִמֶּנָּה לֻקָּחְתָּ — Gen. 3:19
839 כִּי־עָפָר אַתָּה... — Gen. 3:19
840 כִּי הִוא הָיְתָה אֵם כָּל־חָי — Gen. 3:20
841 כִּי שָׁת־לִי אֱלֹהִים זֶרַע אַחֵר — Gen. 4:25
842 תַּחַת הֶבֶל כִּי הֲרָגוֹ קָיִן — Gen. 4:25
843 כִּי־לָקַח אֹתוֹ אֱלֹהִים — Gen. 5:24
844 אֶמְחֶה אֶת־הָאָדָם...כִּי נִחַמְתִּי... — Gen. 6:7
845 כִּי־הִשְׁחִית כָּל־בָּשָׂר אֶת־דַּרְכּוֹ — Gen. 6:12
846 כִּי־מָלְאָה הָאָרֶץ חָמָס... — Gen. 6:13
847 כִּי־אֹתְךָ רָאִיתִי צַדִּיק לְפָנַי — Gen. 7:1
848 כִּי לְיָמִים עוֹד שִׁבְעָה... — Gen. 7:4
849 כִּי־מַיִם עַל־פְּנֵי כָל־הָאָרֶץ — Gen. 8:9
850 כִּי יֵצֶר לֵב הָאָדָם רַע מִנְּעֻרָיו — Gen. 8:21
851 כִּי בְּצֶלֶם אֱלֹהִים עָשָׂה אֶת־הָאָ׳ — Gen. 9:6
852 כִּי בְיָמָיו נִפְלְגָה הָאָרֶץ — Gen. 10:25
853 כִּי־שָׁם בָּלַל יְיָ שְׂפַת כָּל־הָאָ׳ — Gen. 11:9
854 כִּי־כָבֵד הָרָעָב בָּאָרֶץ — Gen. 12:10
855 כִּי אִשָּׁה יְפַת־מַרְאֶה אָתְּ — Gen. 12:11
856/7 כִּי־הָיָה רְכוּשָׁם רָב — Gen. 13:6; 36:7
858 כִּי־אֲנָשִׁים אַחִים אֲנָחְנוּ — Gen. 13:8
859 כִּי אֶת־כָּל־הָאָרֶץ...לְךָ אֶתְּנֶנָּה — Gen. 13:15
860 כִּי לְךָ אֶתְּנֶנָּה — Gen. 13:17
861 כִּי לֹא־שָׁלֵם עֲוֹן הָאֱמֹרִי — Gen. 15:16
862 כִּי־שָׁמַע יְיָ אֶל־עָנְיֵךְ — Gen. 16:11
863 כִּי אָמְרָה הֲגַם הֲלֹם רָאִיתִי — Gen. 16:13
864 כִּי אַב־הֲמוֹן גּוֹיִם נְתַתִּיךָ — Gen. 17:5
865 וַתְּכַחֵשׁ שָׂרָה...כִּי יָרֵאָה — Gen. 18:15
866 כִּי בְיִצְחָק יִקָּרֵא לְךָ זָרַע — Gen. 21:12
867 כִּי זַרְעֲךָ הוּא — Gen. 21:13
868 כִּי־לְגוֹי גָּדוֹל אֲשִׂימֶנּוּ — Gen. 21:18
869 כִּי הִתְעַשְּׂקוּ עִמּוֹ — Gen. 26:20
870 כִּי־עַתָּה הִרְחִיב יְיָ לָנוּ — Gen. 26:22
871 אַל־תִּירָא כִּי־אִתְּךָ אָנֹכִי — Gen. 26:24
872 כִּי בְמַקְלִי עָבַרְתִּי אֶת־הַיַּרְדֵּן — Gen. 32:10
873 כִּי־יָרֵא אָנֹכִי אֹתוֹ — Gen. 32:11
874 כִּי־אָמַר אֲכַפְּרָה פָנָיו — Gen. 32:20
875 שַׁלְּחֵנִי כִּי עָלָה הַשָּׁחַר — Gen. 32:27
876 כִּי־שָׂרִיתָ עִם־אֱלֹהִים — Gen. 32:28
877 רָאִיתִי אֱלֹ׳ פָּנִים אֶל־פָּנִים — Gen. 32:30
878 כִּי נָגַע בְּכַף־יֶרֶךְ יַעֲקֹב — Gen. 32:32
879 כִּי־אָחִינוּ בְשָׂרֵנוּ הוּא — Gen. 37:27
880 כִּי־נָכוֹן הַדָּבָר מֵעִם הָאֱלֹ׳ — Gen. 41:32
881 חָדַל לִסְפֹּר כִּי־אֵין מִסְפָּר — Gen. 41:49
882 כִּי־נַשַּׁנִי אֱלֹ׳ אֶת־כָּל־עֲמָלִי — Gen. 41:51
883 כִּי־הִפְרַנִי אֱלֹהִים — Gen. 41:52
884 כִּי־לְגוֹי גָּדוֹל אֲשִׂימְךָ שָׁם — Gen. 46:3
885 כִּי עָלִיתָ מִשְׁכְּבֵי אָבִיךָ — Gen. 49:4
886 כִּי בְאַפָּם הָרְגוּ אִישׁ — Gen. 49:6
887 כִּי כֵּן יִמְלְאוּ יְמֵי הַחֲנֻטִים — Gen. 50:3
888 כִּי הֲתַחַת אֱלֹהִים אָנִי — Gen. 50:19
889 כִּי מִן־הַמַּיִם מְשִׁיתִהוּ — Ex. 2:10
890 כִּי אָמַר גֵּר הָיִיתִי — Ex. 2:22
891 כִּי הַמָּקוֹם...אַדְמַת־קֹדֶשׁ — Ex. 3:5
892 כִּי־אֲנִי הִכְבַּדְתִּי אֶת־לִבּוֹ — Ex. 10:1
893 נֵלֵךְ...כִּי חַג־יְיָ לָנוּ — Ex. 10:9
894 כִּי־לִי כָּל־הָאָרֶץ — Ex. 19:5
895 כִּי אָנֹכִי יְיָ אֱלֹהֶיךָ אֵל קַנָּא — Ex. 20:5(4)
896 כִּי לֹא יְנַקֶּה יְיָ... — Ex. 20:7(6)
897 כִּי שֵׁשֶׁת־יָמִים עָשָׂה יְיָ — Ex. 20:11(10)
898 כִּי לְבַעֲבוּר נַסּוֹת אֶתְכֶם — Ex. 20:17(16)
899 כִּי מִן־הַשָּׁמַיִם דִּבַּרְתִּי — Ex. 20:19(18)
900/1 כִּי־גֵרִים הֱיִיתֶם בְּאֶ׳ מִצְרַ׳ — Ex. 22:20; 23:9
902 כִּי־חַנּוּן אָנִי — Ex. 22:26
903 כִּי לֹא־אַצְדִּיק רָשָׁע — Ex. 23:7
904 כִּי הַשֹּׁחַד יְעַוֵּר פִּקְחִים — Ex. 23:8
905 כִּי־בוֹ יָצָאתָ מִמִּצְרָיִם — Ex. 23:15
906 כִּי לֹא יִשָּׂא לְפִשְׁעֲכֶם — Ex. 23:21
907 כִּי שְׁמִי בְּקִרְבּוֹ — Ex. 23:21
908 כִּי־יֵלֵךְ מַלְאָכִי לְפָנֶיךָ — Ex. 23:23
909 כִּי אֶתֵּן בְּיֶדְכֶם אֵת יֹשְׁבֵי הָאָרֶץ — Ex. 23:31
910 כִּי לֹא־יִרְאַנִי הָאָדָם וָחָי — Ex. 33:20
911 כִּי עַם־קְשֵׁה־עֹרֶף הוּא — Ex. 34:9
912 כִּי יְיָ קַנָּא שְׁמוֹ — Ex. 34:14
913-918 כִּי אֲנִי יְיָ אֱלֹהֵיכֶם — Lev. 11:44; 20:7; 24:22; 25:17; 26:1 • Deut. 29:5
919-920 כִּי קָדוֹשׁ אָנִי — Lev. 11:44, 45
921 כִּי אֲנִי יְיָ הַמַּעֲלֶה אֶתְכֶם... — Lev. 11:45
922 כִּי־גֵרִים הֱיִיתֶם בְּאֶרֶץ מִצְרָיִם — Lev. 19:34
923 לֹא תִמָּכֵר...כִּי־לִי הָאָרֶץ — Lev. 25:23
924 כִּי־לִי בְנֵי יִשְׂרָאֵל עֲבָדִים — Lev. 25:55
925 כִּי לֹא עַל־הַלֶּחֶם לְבַדּוֹ יִחְיֶה הָאָ׳ — Deut. 8:3
926 כִּי הַדָּם הוּא הַנָּפֶשׁ — Deut. 12:23
927/8 כִּי עַם קָדוֹשׁ אַתָּה — Deut. 14:2, 21
929 כִּי הָאָדָם עֵץ הַשָּׂדֶה — Deut. 20:19
930 כִּי הוּא חַיֶּיךָ וְאֹרֶךְ יָמֶיךָ — Deut. 30:20
931 כִּי דַם־עֲבָדָיו יִקּוֹם — Deut. 32:43
932 כִּי לֹא־דָבָר רֵק הוּא מִכֶּם — Deut. 32:47
933 כִּי־הוּא חַיֵּיכֶם — Deut. 32:47
934 כִּי כֹה אָמַר יְיָ אֱלֹהֵי יִשְׂרָאֵל — Josh. 7:13
935 כִּי לְמַעַן הַשְׁמִידָם — Josh. 11:20
936 כִּי אֵל דֵּעוֹת יְיָ — ISh. 2:3
937 כִּי לֹא אֲשֶׁר יִרְאֶה הָאָדָם — ISh. 16:7
938 כִּי הָאָדָם יִרְאֶה לָעֵינַיִם... — ISh. 16:7
939 כִּי־לֹא־כֵן בֵּיתִי עִם־אֵל — IISh. 23:5
940 כִּי־כֵן קָרְבוּ אֵלַי... — IK. 2:7
941-994 כִּי (־) כֹה (־) אָמַר יְיָ (אֲדֹנָי) — IIK. 3:17; 4:43 • Is. 8:11; 18:4; 30:15; 31:4; 45:18; 49:25; 52:3, 4; 56:4; 66:12 • Jer. 4:3, 27; 6:6; 10:18; 16:3, 5, 9; 20:4; 22:6, 11; 24:8; 25:15; 27:19, 21; 28:14; 29:8, 10, 16; 30:5, 12; 31:6; 32:15, 42; 33:4, 7; 48:40

כִּי (ב) (המשך)

49:12; 51:33 • Ezek. 14:21; 16:59; 23:28, 46; 25:6; 26:7, 19; 29:13; 32:11 • Am. 5:3, 4 • Hag. 2:6 • Zech. 2:12; 8:14

995/6 כִּי מִצִּיּוֹן תֵּצֵא תוֹרָה Is. 2:3 • Mic. 4:2

997 כִּי עִמָּנוּ אֵל Is. 8:10

998 אָכוֹל וְשָׁתוֹ כִּי מָחָר נָמוּת Is. 22:13

999 כִּי־בְשִׂמְחָה תֵצֵאוּ Is. 55:12

1000 כִּי לֹא־אַלְמָן יִשְׂרָאֵל וִיהוּדָה Jer. 51:5

1001/2 כִּי רוּחַ הַחַיָּה בָּאוֹפַנִּים Ezek. 1:20, 21

1003 כִּי עוֹד חָזוֹן לַמּוֹעֵד Hab. 2:3

1004 כִּי־בֹא יָבֹא לֹא יְאַחֵר Hab. 2:3

1005 כִּי־אֶבֶן מִקִּיר תִּזְעָק Hab. 2:11

1006 כִּי מִי בַז לְיוֹם קְטַנּוֹת Zech. 4:10

1007 כִּי־אָדָם הִקְנַנִי מִנְּעוּרָי Zech. 13:5

1008 כִּי הוּא אָמַר וַיֶּהִי Ps. 33:9

1009 כִּי־עָלֶיךָ הֹרַגְנוּ כָל־הַיּוֹם Ps. 44:23

1010 כִּי שָׁחָה לֶעָפָר נַפְשֵׁנוּ Ps. 44:26

1011 תָּכִין דְּגָנָם כִּי כֵן תְּכִינֶהָ Ps. 65:10

1012 כִּי בָאוּ מַיִם עַד־נָפֶשׁ Ps. 69:2

1013 כִּי־הִנֵּה אֹיְבֶיךָ יְיָ Ps. 92:10

1014 כִּי־הִנֵּה אֹיְבֶיךָ יֹאבֵדוּ תהלים צב10

1015/6 כִּי־עֵת לְחֶנְנָהּ כִּי־בָא מוֹעֵד Ps. 102:14

1017 כִּי־רָצוּ עֲבָדֶיךָ אֶת־אֲבָנֶיהָ Ps. 102:15

1018-1030 הוֹדוּ לַיְיָ כִּי־טוֹב כִּי לְעוֹלָם חַסְדּוֹ Ps. 106:1; 107:1; 118:1, 29; 136:1 • ICh. 16:34

1031-1064 כִּי לְעוֹלָם חַסְדּוֹ Ps. 118:2, 3, 4 136:2, 3, 4, 5, 6, 7, 8, 9, 10, 11, 12, 13, 14, 15, 16, 17; 136:18, 19, 20, 21, 22, 23, 24, 25, 26 • Ez. 3:11 • IICh. 5:13; 7:3, 6; 20:21

1065 הִנֵּה כִי־כֵן יְבֹרַךְ גָּבֶר Ps. 128:4

1066 כִּי־עִמְּךָ הַסְּלִיחָה Ps. 130:4

1067 אָמְנָם יָדַעְתִּי כִי־כֵן Job 9:2

1068 כִּי לֹא־כֵן אָנֹכִי עִמָּדִי Job 9:35

1069 כִּי יֵשׁ לָעֵץ תִּקְוָה Job 14:7

1070 אֱכָל־בְּנִי דְבַשׁ כִּי טוֹב Prov. 24:13

1071 בְּהַלֵּל וּבְהוֹדֹת לַיְיָ כִּי טוֹב Ez. 3:11

1072 וּבְהַלֵּל לַיְיָ כִּי טוֹב IICh. 5:13

1073 וְהוֹדוֹת לַיְיָ כִּי טוֹב IICh. 7:3

1074-3704 כִּי (ב) Gen. 18:19; 19:13^2, 14

19:22, 30; 20:6, 7, 11, 18; 21:10, 16, 17, 31; 25:21, 28, 30; 26:3, 7^2, 9, 16; 27:20, 23; 28:11, 15; 29:2, 9, 21, 32, 34; 30:16, 20, 26; 31:12, 15, 16, 30, 31^2, 35^2; 33:11, 13; 34:5, 7, 14, 19; 35:7, 17, 18; 37:3, 17; 38:11, 14, 15, 16; 41:31, 57; 42:4, 5, 23, 38; 43:5, 10, 16, 30, 32^2;44:18, 26, 32, 34; 45:3, 5, 6, 11, 20, 26; 46:32, 34; 47:4^2, 13, 15, 20^2, 22; 48:14 • Ex. 1:19^2, 21; 3:6, 7; 4:1, 10, 19, 25, 31; 5:8, 11; 6:1; 7:24; 8:22; 9:2, 11, 14, 31, 32; 10:4, 11, 26, 28; 12:15, 17, 19, 30. 33, 39^2; 13:3, 9, 17, 19; 14:12, 13, 25; 15:23, 26; 16:3, 9, 15, 25; 18:3, 4, 11, 15, 18; 19:11, 23; 20:25; 21:21; 22:26; 23:33; 29:22, 28, 33, 34; 31:13, 14^2, 17; 32:1, 7, 23; 33:3^2; 34:18, 24; 40:35, 38 • Lev. 5:11; 7:25, 34; 8:33, 35; 9:4; 10:7, 12, 13^2, 14, 17; 11:42; 13:11, 28, 52; 14:13, 48; 16:2, 30; 17:11^2, 14^2; 18:10, 13, 24, 27, 29; 19:2, 8, 20; 20:3, 19, 23, 26; 21:6, 7, 8^2, 12, 15, 23^2; 22:6, 7, 9, 16, 20, 25; 23:28, 29, 43; 24:9; 25:12, 16, 23, 33, 34, 42; 26:44 • Num. 3:13; 5:15, 20; 6:7, 12; 7:9; 8:16, 17; 9:13; 10:29; 11:3, 14, 16, 18, 34; 12:1; 13:30, 31; 14:9, 40, 42, 43; 15:25, 26, 31, 34; 16:3, 34; 17:2, 3, 11, 18; 18:24, 31; 19:13, 20; 20:24; 21:5, 7, 13, 24, 26, 28, 34; 22:3, 6^2, 12, 13, 17, 32, 34; 23:9, 23; 24:22; 25:18; 26:62^2, 65;

כִּי (ב) (המשך)

27:3, 4; 30:6, 15; 32:11, 12, 19^2; 33:53; 34:14; 35:33, 34 • Deut. 1:17, 38, 42; 2:5^2, 7, 9, 19, 30; 3:2, 11, 22; 3:27, 28; 4:6, 7, 15, 24, 31; 5:5, 9, 11, 22, 23; 6:15; 7:4, 6, 7; 7:16, 21, 25, 26; 8:7, 18; 17:1; 9:6, 12, 19, 25; 10:17, 19; 11:10; 12:9, 12, 20; 14:27, 29, 31^2; 13:4, 6, 11; 14:24^3; 15:2, 4, 6, 10, 11; 18:5, 12, 14; 19:6^2; 20:1, 4, 19, 20; 21:5, 17, 23; 22:5, 19, 21, 26, 27; 23:6, 8^2, 15, 19, 22; 24:1, 4, 6, 15; 25:16; 27:20; 28:2, 9, 10, 13, 38, 39, 40, 41, 45, 57, 62; 29:15; 30:10, 11; 31:6, 7, 18, 21, 23, 27, 29^2; 32:4, 9, 20, 22, 28, 31, 32, 35, 36; 33:9, 19, 21; 34:9 • Josh. 1:6, 9, 11; 2:3, 5, 10, 11, 12; 2:15, 24; 3:4, 5, 7, 10; 4:24; 5:5, 6, 7^2, 15; 6:16, 17, 25; 7:3, 12, 15; 8:6; 9:9, 18, 24; 10:2, 4, 6, 8, 14, 19, 25, 42; 11:6, 10, 20; 14:3, 4, 9, 12; 15:19; 17:1^2, 6, 18^2; 18:7^2; 19:9; 20:5; 21:10; 23:3, 10; 24:17, 18, 19 • Jud. 1:15, 19^2; 32, 34; 2:17, 18; 3:22, 28; 4:3, 9, 12, 14, 17, 19; 5:23; 6:5, 16, 30, 31, 32; 7:9, 15; 8:5, 20^2, 21, 22, 24^2, 30; 9:2, 3, 5, 18; 11:2, 13, 16, 18; 12:4; 13:5^2, 7, 16, 22; 14:3, 4, 10, 17; 15:6; 16:17, 24; 17:13; 18:1, 9, 10, 26, 28; 20:6, 28, 36, 39, 41; 21:5, 15, 16, 18, 22^2 • ISh. 1:5, 6, 16, 20, 22; 2:1, 2, 8, 9, 17, 21, 24, 25, 30; 3:9, 10, 21; 4:7^2, 13, 18, 19, 20, 22; 5:7, 11; 6:4, 19^2; 7:17; 8:7; 9:7, 9, 12^2, 13^3, 16^2, 20, 24; 10:7, 24; 11:13; 12:19, 21^2, 22^2, 24; 13:11, 14, 19; 14:6, 10, 12, 18, 26, 29, 45; 15:11, 23, 24, 26, 29; 16:1, 7, 11, 12, 22; 17:25, 26, 28; 17:33, 36, 39^2, 42; 18:12, 16; 19:4; 20:6, 8, 17, 18, 22; 19:26^2, 29, 31^2, 34^2; 21:7, 9^2, 10; 22:15, 17, 23^2; 23:4, 7, 17, 21, 22, 27; 24:7, 11, 12, 18; 25:8, 17, 25, 28^2, 34; 26:9, 12^2, 15, 16, 18, 19, 20, 21; 27:8; 28:20, 21; 29:8; 30:6^2, 8, 12, 13, 24; 31:4 • IISh. 1:9^2, 10, 16, 21; 2:7, 26. 27; 3:18, 22, 25, 37, 38; 4:2; 5:19; 6:6; 7:3, 6, 22, 27, 29; 8:10; 9:7, 13; 10:5; 11:25; 12:12, 14, 18, 22; 13:2, 12, 15, 18, 22, 32^2, 39; 14:14, 15, 16, 17, 19, 26; 15:8, 14, 19, 21^2; 16:3, 8, 10, 11, 18; 17:10, 11, 21, 29; 18:3, 12, 16, 18, 19, 31; 19:3, 7^2, 21, 22, 23. 27^2, 29, 33, 43; 22:5, 8, 18, 20, 22, 23, 29, 30, 32; 23:5^3, 6; 24:10, 14 • IK. 1:25, 30^2, 42; 2:9, 15^2, 17, 20; 2:22, 26^2; 3:2, 4, 9, 26, 28; 5:4, 15^2, 17, 20; 6:6; 8:7, 11; 8:35^2, 36, 37, 39, 42, 46^2, 51, 53, 64^2; 9:22; 10:22; 11:9, 16, 31, 34; 12:1, 15, 24; 13:9, 17, 32; 14:4, 5, 11, 13; 15:4; 17:7, 14; 18:25, 27^2, 41; 19:4, 7, 10, 14, 20; 20:7, 22; 21:2, 6; 22:8, 34, 49 • IIK. 1:17; 2:2, 4, 6; 4:27; 5:1, 7, 17; 6:9, 16; 8:1, 12. 13. 18, 27, 29; 9:16, 25, 34; 10:19; 11:15; 12:16; 13:4^2, 7^2; 14:26; 15:16; 17:21; 18:4, 26, 29; 18:31, 36; 19:3, 8, 18, 31; 20:1, 12; 22:7, 13; 23:22; 24:7, 20; 25:26 • Is. 1:2, 20, 29, 30; 2:6^2, 12, 22; 3:1, 8^2, 9, 10, 11; 4:5; 5:7, 10, 24; 6:5^3; 7:8, 9, 16, 22, 24; 8:4, 23; 9:3, 4, 5, 16, 17; 10:8, 13, 22; 10:23, 25; 11:9; 12:2, 5, 6; 13:6, 10; 14:1, 20, 27, 29, 31, 32; 15:1^2, 5^2, 6^2, 8, 9^2; 16:4, 8, 9; 17:10; 18:5; 21:6, 15, 16, 17; 22:5, 25; 23:1, 4, 14, 18; 24:3, 5, 13, 18, 23; 25:1, 2, 4^2, 8; 26:3, 4, 5, 9, 12, 19, 21; 27:10, 11; 28:8, 10, 11, 15^2, 19, 20, 21, 22, 27^2, 28; 29:10, 16, 20, 23; 30:4, 9, 18, 19, 31, 33; 31:7; 32:6, 10, 13, 14; 33:5, 22; 34:2, 5, 6, 8, 16; 35:6; 36:11, 14, 16, 21; 37:3, 8, 19, 32; 38:1, 17, 18; 40:5, 7; 41:10^2, 13; 43:1, 3, 5, 20, 22; 44:17, 18, 21, 22, 23^2; 45:22; 47:1, 5; 48:2, 8, 11; 49:10, 13; 51:2, 3, 4, 6, 8; 52:1, 5, 8, 9, 12^2, 15; 53:8; 54:1, 3, 4^3, 5, 9, 10, 14^2; 55:5, 7, 8; 56:1, 7; 57:1, 8, 15, 16^2, 20; 58:14; 59:15, 16^2; 60:2, 5, 9, 10, 12, 20; 61:8, 10, 11; 62:4, 9; 63:4, 16^2; 64:6; 65:5, 8, 16, 17, 18, 20, 22, 23; 66:8, 15, 16, 22, 24 • Jer. 1:6; 1:8, 12, 15, 19; 2:10, 13, 20^2, 27, 28, 37; 3:12, 13, 14, 21, 22, 25; 4:6, 8, 13, 15, 17, 19, 20,

כִּי (ב) (המשך)

22, 31^2; 5:4, 5, 6, 10, 11, 26; 6:1, 4^2, 11, 12, 13, 15, 19, 25, 26, 30; 7:12, 16, 22, 29, 30, 34; 8:10, 12, 14^2, 17, 22; 9:1, 2, 3, 6, 9, 18^3, 19, 20, 23^2, 25; 10:2, 3^2, 5^2, 7^2, 14, 16, 21, 25; 11:7, 13, 14, 15, 19, 20, 23; 12:4; 13:11, 15, 17, 18; 14:4, 5^2, 6, 7, 12, 13, 17, 18, 20, 22; 15:5, 14, 16, 17, 20; 16:5, 17; 17:4, 13, 14; 18:15, 18, 20, 22^2; 19:15; 20:8^2, 10; 20:11, 12, 13; 21:2, 10; 22:10, 12, 17, 20, 21, 30; 23:10^2, 11, 12, 15, 18, 36; 24:7; 25:14, 29^2, 31, 34, 36, 38; 26:11, 15^2, 16; 27:10, 14, 15, 16; 28:4, 16; 29:7, 9, 11, 15, 32; 30:3, 10 11^2, 14, 17^2, 21; 31:6(5), 9(8), 11(10), 34(33); 32:4, 7, 8, 30^2, 31, 44; 33:11^3, 26; 34:3, 5, 7; 35:6, 14, 16; 36:7; 37:9, 15; 38:4, 5, 7, 9, 23, 27; 39:18; 40:3, 16; 41:8, 18^2; 42:2, 10, 11, 18; 44:15; 45:3, 5; 46:10, 12, 14, 15, 19, 21^2, 22, 23^2, 27, 28^2; 47:4; 48:5^2, 9, 18, 20^2, 26, 27, 34, 37, 38, 42, 44, 45, 46; 49:3^2, 8, 10, 13, 15, 19, 23, 30; 50:3, 9, 14, 15, 20, 24, 25, 27, 29, 31, 38, 44; 51:2, 5, 6, 9, 11^2, 12, 17, 19, 26, 29, 31, 48, 51^2, 55, 56^2, 62; 52:3 • Ezek. 2:5, 6^2, 7; 3:5, 7^2, 9, 20, 21; 3:26, 27; 5:6; 12:3; 7:4, 12, 13^2, 14, 19, 23; 8:17; 9:9; 10:11, 17; 11:16; 12:2, 6, 24, 25^2; 14:7, 23; 16:14; 17:24; 18:11, 32; 20:16, 40; 21:10, 17, 18, 26, 37; 23:8, 34, 37, 45; 24:7; 26:5, 14; 28:10; 29:5; 30:3, 9; 31:7, 14; 32:25, 26, 27, 32; 33:10, 31; 34:11; 35:6; 36:8, 9; 39:10, 23; 40:4; 41:7; 42:5, 6, 8, 13, 14; 44:2; 45:14; 46:9; 47:1, 5, 9, 12; 48:14 • Hosh. 1:2, 4, 6^2, 9; 2:2, 4, 6, 7^2, 9; 3:4; 4:1^2, 6, 10, 12, 13, 14, 16; 5:1^2, 3, 4, 7, 11, 14; 6:1, 6, 9; 7:1, 6, 13^2, 14; 8:6^2, 7, 9, 11; 9:1, 4, 6, 12, 15, 17; 10:3^2, 5, 13; 11:1, 5, 9, 10; 13:9, 13, 15; 14:1, 2, 5, 10 • Joel 1:6, 10, 11, 12, 13, 15, 17, 18, 19, 20; 2:1, 11^3, 13, 20, 21, 22^2, 23; 3:5; 4:1, 8, 12, 13^3, 14 • Am. 3:14; 4:5, 13; 5:5, 12, 13, 17; 6:11, 12, 14; 7:11, 13, 14; 9:8, 9 • Ob. 15, 16, 18 • Jon. 1:2, 10^2, 11, 12, 13, 14; 3:10; 4:2, 3 • Mic. 1:3, 7, 9^2, 12^2, 12^2, 13, 16; 2:1, 3, 10; 3:7; 4:4, 5, 9, 10, 12, 13; 5:3; 6:2, 4; 7:2, 4, 6, 9, 18 • Nah. 1:10, 14; 2:1, 3^2; 3:19 • Hab. 1:4, 5, 6, 16; 2:8, 14, 17, 18; 3:17 • Zep. 1:7^2, 11, 17. 18; 2:4, 7, 9, 10, 11, 14; 3:8^2, 13, 20 • Hag. 2:4, 23 • Zech. 2:10, 12, 13, 14, 17; 3:9; 5:3; 7:5; 8:10, 12, 17, 23; 9:1, 2, 5, 13, 17; 10:2^2, 3, 5, 6^2, 8; 11:2^2, 3^2, 6, 16; 13:3; 14:5 • Mal. 1:11^2, 14; 2:2, 7^2, 11, 16; 3:2, 6, 8, 12, 19, 21 • Ps. 1:6; 2:12; 3:6, 8; 4:9; 5:3, 5, 10, 11, 13: 6:3^2, 6, 9; 8:4; 9:5, 11, 13, 19; 10:3, 14; 11:2, 3, 7; 12:2^2; 13:6; 14:5, 6; 16:1, 8, 10; 17:6; 18:8, 18, 20, 22, 23, 28, 29, 30, 32; 21:4, 7, 8, 12, 13; 22:9, 10, 12^2, 17, 25, 29, 32; 23:4; 24:2; 25:5, 15, 16, 20, 21; 26:1, 3; 27:5, 10, 12; 28:5, 6; 30:2, 6; 31:4, 5, 10, 11, 14, 22; 32:4; 33:4, 21^2; 34:10; 35:7, 20; 36:3, 10; 37:2, 9, 13, 17, 20, 22, 24^2, 28, 37, 40; 38:3, 5, 8, 16, 17, 18, 19; 39:10, 13; 40:13; 41:5; 43:2; 44:4^3, 7, 8, 20, 22; 45:12; 47:3, 8, 10; 48:5, 15; 49:11, 16, 18, 19^2; 50:6, 10, 12; 51:5, 18; 52:11; 53:6^2; 54:5, 9; 55:4, 10, 13, 16, 19; 56:2, 3, 14; 57:2, 11; 58:11; 59:4, 8, 10, 17, 18; 60:4; 61:4, 6; 62:6, 13; 63:4, 8, 12; 66:10; 67:5; 69:8, 10, 17, 27, 34, 36; 71:3, 5, 10, 11, 15, 24^2; 72:12; 73:3, 4, 21, 27; 74:20; 75:3, 7, 8, 9; 76:11; 78:22; 79:7, 8; 81:5; 82:8; 83:3, 6; 84:11, 12; 86:1, 2, 3, 4, 5, 7, 10, 13, 17; 88:4; 89:3, 7, 18, 19; 90:4, 7, 9, 10; 91:3, 9, 11, 14; 92:5; 94:14, 15; 95:3, 7; 96:4, 5; 97:9; 98:1; 99:9; 100:5; 102:4, 5, 10, 11, 17, 20; 103:11, 14, 16; 105:38, 42; 106:33; 107:9, 11, 16; 108:5; 109:2, 22, 31; 112:6; 116:7, 8, 16; 117:2; 119:22, 32, 35, 39, 42, 43, 45, 50, 56, 66, 74, 77, 78; 119:83, 91, 93, 94, 98, 99, 100, 102, 111. 118. 131; 119:139, 152, 153, 155, 168, 171, 172, 173, 176;

כִּי (ב) (המשך)
122:5; 123:4; 125:3; 130:7; 132:13, 14; 133:3; 135:14; 137:3; 138:2, 4, 5, 6; 139:4, 13; 140:13; 141:5; 142:7², 8; 143:2, 3, 8², 10, 12; 147:1², 13; 148:5, 13; 149:4 • Prov. 1:9, 16, 17, 32; 2:6, 10, 18, 21; 3:2; 3:12, 14, 26, 32; 4:2, 3, 13, 16, 17, 22, 23; 5:3, 21; 6:3, 23, 26, 34; 7:5, 19, 26; 8:7, 11, 35; 9:11; 16:12, 26; 19:18; 20:16; 21:7, 25; 22:9, 18, 22, 23; 23:5, 7, 9, 11, 21, 27; 24:2, 6, 16, 20, 22; 25:7, 22; 26:25; 27:1, 13, 24; 29:19; 30:2, 33; 31:21 • Job 1:5, 8; 2:3, 13; 3:10, 24, 25; 5:2, 6, 7, 18, 23; 6:4, 10; 7:16, 21; 8:8, 9²; 9:18, 32; 10:6; 11:6, 11, 16; 13:16, 26; 15:5, 13, 25, 27, 31, 34; 16:22; 17:4; 18:8; 19:21, 28, 29; 20:5, 19, 20; 21:21, 28, 30; 22:2; 23:14, 17; 24:17²; 27:3, 8; 28:1, 24; 29:11; 30:26; 31:11; 31:12, 18, 23, 28, 29, 34; 32:1, 4, 16, 18, 22; 33:12; 33:13, 14, 32; 34:3, 5, 9, 11, 19, 21, 23, 31, 33², 37; 35:3, 15; 36:2, 18, 21, 27, 31; 37:6; 38:20, 40, 41; 39:11, 17; 40:20; 42:7, 8 • S.ofS. 1:2; 2:5, 11, 14; 8:6 • Ruth 1:6, 12², 13², 17, 20; 2:13; 3:9, 11; 3:17, 18; 4:6, 15 • Lam. 1:5, 10, 16, 18, 19, 20, 22; 2:13; 3:22, 28, 33; 4:15, 18; 5:16 • Eccl. 1:18; 2:10, 12, 16, 17², 21, 22, 23, 24, 25, 26; 3:14, 17, 19², 22²; 4:4, 10, 14², 16, 17; 5:1, 2, 3, 6², 7, 17, 19²; 6:2, 4, 8, 11, 12; 7:3, 6, 7, 9, 10, 12, 13, 18, 20, 22; 8:3, 6², 7², 12, 16; 8:17; 9:1, 3, 4, 5², 7, 9, 10, 11², 12; 10:4, 20; 11:1, 2, 6, 8, 9, 10; 12:3, 5, 13, 14 • Es. 1:8, 11, 13, 16, 17, 20; 2:7, 10, 12; 3:2, 4, 6; 4:2; 7:4², 7; 8:1, 6, 8, 17; 9:2, 3, 4²; 9:24; 10:3 • Dan. 8:11, 19, 26; 9:9, 11, 14, 16, 18, 19; 10:12, 14, 19; 11:4, 25, 27, 35, 36, 37; 12:7, 9 • Ez. 3:3, 13; 4:2, 3; 6:20, 22; 7:9, 10; 8:22²; 9:2, 6, 9, 10, 13, 15²; 10:1, 4, 6, 13 • Neh. 3:37; 5:18; 6:8, 9, 10, 12, 16, 18²; 7:2; 8:5, 9, 10²; 8:12, 17; 9:8, 10, 31, 33; 10:40; 11:23; 12:29, 43 44, 46; 13:2, 6, 13 • ICh. 1:19; 4:9, 14, 40, 41; 5:1, 2, 9, 20²; 5:22²; 6:39; 7:4, 21, 23; 9:26, 27, 28, 33; 10:4; 11:19; 12:18(19), 19(20), 21(22), 22(23), 39(40), 40(41); 13:3, 4, 9; 14:2, 15; 15:2, 13², 22; 16:25, 26, 33; 17:2, 5, 25, 27; 18:10; 19:2, 5, 6; 21:6, 8, 13, 18, 24, 30; 22:4(3), 8(7), 14(13), 18(17); 23:25, 27, 28; 24:5; 26:5, 6, 10; 27:23; 28:3, 4, 5, 6, 9, 10, 20; 29:1, 9, 11, 14, 15 • IICh. 1:3, 4, 9, 10; 2:4, 5, 7, 8; 4:18; 5:11, 14; 6:13, 18, 27, 28, 30, 36; 7:2, 7², 9; 8:9, 11², 14; 9:21; 10:1, 15; 11:4, 14², 17, 21, 22; 12:2, 8, 13, 14; 13:5, 11, 12, 18; 14:5², 6, 10, 12, 13²; 15:5, 6, 7, 9, 15; 16:9², 10, 12; 17:3, 4; 18:7², 13, 32, 33; 19:3, 6, 7; 20:9, 10, 12², 15, 26, 27, 29; 21:3, 6, 10; 22:1, 3, 4, 6²; 22:9, 11; 23:6, 8, 14; 24:7, 16, 20, 24², 25; 25:4, 7, 8², 16, 20²; 26:8, 10², 15, 18, 20, 21, 23; 27:6; 28:11, 13², 19², 21, 23, 27; 29:6, 11, 24, 25, 34, 36; 30:3², 5, 9², 17, 18³, 24, 26; 31:10, 18; 32:7, 15, 25, 29; 33:23; 34:21; 35:14, 15, 22, 23; 36:15

כִּי (ג)
3705 כִּי תַעֲבֹד אֶת־הָאֲדָמָה... Gen. 4:12
3706 כִּי שִׁבְעָתַיִם יֻקַּם־קָיִן Gen. 4:24
3707 וַיְהִי כִּי־הֵחֵל הָאָדָם לָרֹב... Gen. 6:1
3708 וְהָיָה כִּי־יִרְאוּ אֹתָךְ הַמִּצְרִים Gen. 12:12
3709 תִּנָּקֶה..כִּי תָבוֹא אֶל־מִשְׁפַּחְ׳ Gen. 24:41
3710 וַיְהִי כִּי־אָרְכוּ־לוֹ שָׁם הַיָּמִים Gen. 26:8
3711 וַיְהִי כִּי־זָקֵן יִצְחָק Gen. 27:1
3712 כִּי־תָבוֹא עַל־שְׂכָרִי Gen. 30:33
3713 כִּי נִסָּתֵר אִישׁ מֵרֵעֵהוּ Gen. 31:49
3714 כִּי יִפְגָּשְׁךָ עֵשָׂו אָחִי וּשְׁאֵלְךָ Gen. 32:17

כִּי (ג) (המשך)
3715 מַה־תִּתֶּן־לִי כִּי תָבוֹא אֵלָי Gen. 38:16
3716 וַיִּירְאוּ...כִּי הוּבְאוּ בֵּית יוֹסֵף Gen. 43:18
3717 וַיְהִי כִּי־בָאנוּ אֶל־הַמָּלוֹן Gen. 43:21
3718 וַיְהִי כִּי עָלִינוּ אֶל־עַבְדְּךָ אָבִי Gen. 44:24
3719 וְהָיָה כִּי־יִקְרָא לָכֶם פַּרְעֹה Gen. 46:33
3720 וְהָיָה כִּי־תִקְרֶאנָה מִלְחָמָה Ex. 1:10
3721 וְהָיָה כִּי תֵלֵכוּן לֹא תֵלְכוּ רֵיקָם Ex. 3:21
3722 כִּי יְדַבֵּר אֲלֵכֶם פַּרְעֹה לֵאמֹר... Ex. 7:9
3723 וְהָיָה כִּי־תָבֹאוּ אֶל־הָאָרֶץ Ex. 12:25
3724 וְהָיָה כִּי־יֹאמְרוּ אֲלֵיכֶם בְּנֵיכֶם Ex. 12:26
3725 וְהָיָה כִי־יְבִיאֲךָ יְיָ אֶל־אֶרֶץ... Ex. 13:5
3726 וְהָיָה כִּי־יְבִאֲךָ יְיָ אֶל־אֶרֶץ... Ex. 13:11
3727 וְהָיָה כִּי־יִשְׁאָלְךָ בִנְךָ מָחָר Ex. 13:14
3728 וַיְהִי כִּי־הִקְשָׁה פַרְעֹה לְשַׁלְּחֵנוּ Ex. 13:15
3729 כִּי בָא סוּס פַּרְעֹה...בַּיָּם Ex. 15:19
3730 כִּי־יִהְיֶה לָהֶם דָּבָר בָּא אֵלַי Ex. 18:16
3731 כִּי תִקְנֶה עֶבֶד עִבְרִי Ex. 21:2
3732 אוֹ כִּי־יִכְרֶה אִישׁ בֹּר Ex. 21:33
3733 כִּי יִגְנֹב־אִישׁ... Ex. 21:37
3734 כִּי יַבְעֶר־אִישׁ... Ex. 22:4
3735 כִּי־תֵצֵא אֵשׁ וּמָצְאָה קֹצִים Ex. 22:5
3736/7 כִּי־יִתֵּן אִישׁ אֶל־רֵעֵהוּ... Ex. 22:6, 9
3738 וְהָיָה כִּי־יִצְעַק אֵלַי וְשָׁמַעְתִּי Ex. 22:26
3739 כִּי תִפְגַּע שׁוֹר אֹיִבְךָ Ex. 23:4
3740 כִּי־תִרְאֶה חֲמוֹר שֹׂנַאֲךָ Ex. 23:5
3741 כִּי תַעֲבֹד אֶת־אֱלֹהֵיהֶם Ex. 23:33
3742 כִּי תִשָּׂא אֶת־רֹאשׁ בְּנֵי־יִשְׂרָאֵל Ex. 30:12
3743 אָדָם כִּי־יַקְרִיב מִכֶּם... Lev. 1:2
3744 וְנֶפֶשׁ כִּי־תַקְרִיב... Lev. 2:1
3745 נֶפֶשׁ כִּי־תֶחֱטָא בִשְׁגָגָה Lev. 4:2
3746 אוֹ כִי יִגַּע בְּטֻמְאַת אָדָם Lev. 5:3
3747 וְהָיָה כִי יֶאְשַׁם לְאַחַת מֵאֵלֶּה Lev. 5:5
3748 וְהָיָה כִּי־יֶחֱטָא וְאָשֵׁם Lev. 5:23
3749 כִּי־יִהְיֶה בְעוֹר־בְּשָׂרוֹ... Lev. 13:2
3750 אוֹ כִי יָשׁוּב הַבָּשָׂר הַחַי Lev. 13:16
3751 כִּי תָבֹאוּ אֶל־אֶרֶץ כְּנַעַן Lev. 14:34
3752/3 כִּי־תָבֹאוּ אֶל הָאָרֶץ Lev. 23:10; 25:2
3754 אָדָם כִּי־יָמוּת בְּאֹהֶל Num. 19:14
3755 כִּי שֵׁם יְיָ אֶקְרָא הָבוּ גֹדֶל לֵאל׳ Deut. 32:3
3756־4005 כִּי (ג) Lev. 5:1, 4, 15, 17, 21; 7:21; 12:2
13:9, 18, 24, 29, 38, 40, 47; 15:2, 16, 19, 25²; 19:20; 20:9, 27; 21:9, 18; 22:11, 12, 13, 14, 21, 27; 24:15, 17, 19; 25:25, 26, 29; 27:2, 14 • Num. 5:6, 12; 6:2; 9:10; 10:32; 15:2; 18:26; 27:8; 30:3, 4; 33:51; 35:10; 34:2 • Deut. 4:25, 29; 6:10, 20, 25; 7:1, 17; 11:29, 31; 12:20, 21, 25, 28, 29; 13:2, 7, 13, 19; 15:7, 12, 16; 16:15; 17:2, 8, 14; 18:9; 19:1, 9, 16; 20:1, 10, 19; 21:1, 21:10, 15; 9, 18; 22:6, 8², 13, 22, 23, 28; 23:10, 11, 22, 25, 26; 24:1, 3, 5, 7, 10, 19, 20, 21; 25:1, 5, 11; 26:1, 12; 29:18; 30:1, 9, 10; 31:21; 32:36, 40 • Josh. 4:6; 8:5, 18; 17:13, 15, 18; 22:28; 24:20 • Jud. 1:28; 6:7; 12:5; 15:3; 16:16; 21:22 • I Sh. 1:12; 10:7; 15:35; 17:48; 25:30; 28:22 • II Sh. 6:13; 7:1, 12; 19:26 • IK. 8:37³, 44 • IIK. 4:29; 7:12; 17:7 • Is. 1:12; 3:6; 8:21; 10:12; 16:12; 19:20; 25:10; 28:15, 18; 43:2²; 44:3; 54:6; 55:10; 58:7; 59:3, 12², 14, 19 • Jer. 2:26; 3:16; 5:19; 12:1, 5, 6²; 14:12; 15:2; 16:10; 25:28; 29:13; 32:5; 37:16; 38:15; 42:6; 43:3, 7; 44:14; 49:16; 51:53 • Ezek. 14:9, 13; 46:16 • Hosh. 4:14² • Mic. 5:4, 5; 7:8² • Hab. 3:8 • Zech. 8:6; 13:3 • Mal. 1:4 • Ps. 13:5; 31:18; 32:3; 42:5; 62:11; 69:18; 71:23; 77:12; 96:13²; 99:9; 102:1; 109:21 • Prov. 3:25; 4:8; 6:30²;

כִּי (ג) (המשך)
11:15; 23:1, 22; 24:12; 26:25; 30:4, 22², 23² • Job 1:5; 3:22; 5:21; 7:13; 22:6; 27:9; 31:22; 37:4, 20²; 38:5; 39:24; 40:14 • ICh. 17:11 • IICh. 6:24, 26², 36; 6:28², 34

כִּי (ד)
4006 כִּי גָבְהוּ שָׁמַיִם מֵאָרֶץ כֵּן גָּבְהוּ... Is. 55:9
4007 כִּי יִבְעַל בָּחוּר בְּתוּלָה יִבְעָלוּךְ Is. 62:5
4008 כִּי אַבְנֵי נֵזֶר מִתְנוֹסְסוֹת... Zech. 9:16
4009 כִּי בָּא הַחֲלוֹם בְּרֹב עִנְיָן... Eccl. 5:2

כִּי (ה)
4010 לֹא־תִקְרָא...שָׂרָי כִּי שָׂרָה שְׁמָהּ Gen. 17:15
4011 כִּי אֶל־אַרְצִי...תֵּלֵךְ Gen. 24:4
4012 כִּי־אֵרֵד אֶל־בְּנִי אָבֵל שְׁאֹלָה Gen. 37:35
4013 לֹא־אַתֶּם...כִּי הָאֱלֹהִים Gen. 45:8
4014 לֹא־כֵן אָבִי כִּי־זֶה הַבְּכֹר Gen. 48:18
4015 לֹא־עָלֵינוּ...כִּי עַל־יְיָ Ex. 16:8
4016 כִּי־סָקוֹל יִסָּקֵל... Ex. 19:13
4017 כִּי הָרֵס תְּהָרְסֵם Ex. 23:24
4018 כִּי אִישׁ בִּבְנוֹ וּבְאָחִיו Ex. 32:29
4019 כִּי אֶת־מִזְבְּחֹתָם תִּתֹּצוּן Ex. 34:13
4020 כִּי לֹא תִשְׁתַּחֲוֶה לְאֵל אַחֵר Ex. 34:14
4021 כִּי כָל־שְׂאֹר וְכָל־דְּבַשׁ Lev. 2:11
4022 כִּי עַל־כָּל־מוֹצָא פִי־יְיָ Deut. 8:3
4023 כִּי מִנֶּגֶד תִּרְאֶה אֶת־הָאָרֶץ Deut. 32:52
4024 לֹא לָנוּ...כִּי־לְשִׁמְךָ תֵּן כָּבוֹד Ps. 115:1
4025 לֹא־אָמוּת כִּי־אֶחְיֶה Ps. 118:17
4026־4084 כִּי (ד) Num. 35:28, 31; 36:7, 9
Deut. 2:9, 19; 4:22, 26, 32; 5:3; 7:8; 9:5; 13:10; 15:8; 20:17; 21:17, 23; 29:14; 30:14 • Josh. 22:27, 28 • I Sh. 6:3; 8:7; 10:19; 14:39, 44; 18:25; 27:1 • II Sh. 20:21 • IIK. 1:4, 6, 16; 6:12; 12:8, 15 • Is. 7:13; 10:7; 30:5; 62:4 • Jer. 1:7; 2:34; 18:12; 31:33(32), 34(33); 35:7; 39:18; 44:17; 49:12 • Ezek. 14:18 • Ruth 1:10; 1:16 • Es. 6:13 • Dan. 9:18 • ICh. 22:9(8); 29:1 • IICh. 6:9; 19:6; 20:15; 25:4; 35:21

כִּי (ו)
4085 וְלֹא נָחָם...כִּי קָרוֹב הוּא Ex. 13:17
4086-8 כִּי־מַעֲלֵה גֵרָה הוּא Lev. 11:4, 5 • Deut. 14:7
4089 כִּי־מַעֲלַת גֵּרָה הִוא Lev. 11:6
4090/1 כִּי־מַפְרִיס פַּרְסָה הוּא Lev. 11:7 • Deut. 14:8
4092 וְהִשִּׂיגוֹ כִּי־יִרְבֶּה הַדֶּרֶךְ Deut. 19:6
4093 ...כִּי רֶכֶב בַּרְזֶל לוֹ Josh. 17:18
4094 ...כִּי חָזָק הוּא Josh. 17:18
4095/6 מִי יָקוּם יַעֲקֹב כִּי קָטֹן הוּא Am. 7:2, 5
4097 וְסָלַחְתָּ לַעֲוֹנִי כִּי רַב־הוּא Ps. 25:11

כִּי אָז
4098 כִּי אָז יֶעְשַׁן אַף־יְיָ Deut. 29:19
4099 כִּי־אָז תַּצְלִיחַ אֶת־דְּרָכֶךָ Josh. 1:8
4100 כִּי אָז מֵהַבֹּקֶר נַעֲלָה הָעָם II Sh. 2:27
4101 כִּי אָז יָצָא יְיָ לְפָנֶיךָ II Sh. 5:24
4102 כִּי־אָז יָשָׁר בְּעֵינֶיךָ II Sh. 19:7
4103 כִּי אָז תֵּבֹשִׁי וְנִכְלַמְתְּ Jer. 22:22
4104 כִּי־אָז אֶהְפֹּךְ...שָׂפָה בְרוּרָה Zep. 3:9
4105 כִּי־אָז אָסִיר מִקִּרְבֵּךְ... Zep. 3:11
4106 כִּי־אָז תִּשָּׂא פָנֶיךָ מִמּוּם Job 11:15
4107 כִּי־אָז עַל־שַׁדַּי תִּתְעַנָּג Job 22:26

כִּי אַיִן
4108 וְעַתָּה כִּי־אַיִן פָּקַד אַפּוֹ Job 35:15

כִּי אִם (א)
4109 כִּי אִם־זְכַרְתַּנִי אִתְּךָ Gen. 40:14
4110 כִּי אִם תַּם־הַכֶּסֶף Gen. 47:18
4111 כִּי אִם־אֵינְךָ מְשַׁלֵּחַ Ex. 8:17
4112 כִּי אִם־צָעֹק יִצְעַק אֵלַי Ex. 22:22
4113 כִּי אִם־שָׁמוֹעַ תִּשְׁמַע בְּקֹלוֹ Ex. 23:22
4114 כִּי־אִם־כֹּה תַעֲשׂוּ לָהֶם Deut. 7:5
4115 כִּי אִם־שָׁמֹר תִּשְׁמְרוּן Deut. 11:22
4116 כִּי אִם־שׁוֹב תָּשׁוּבוּ Josh. 23:12
4117 כִּי אִם־יֶשְׁנוֹ בְּיוֹנָתָן בְּנִי I Sh. 14:39

כִּי אִם (א) (המשך)

4118 כִּי אִם־שָׁם אַדִּיר יְיָ לָנוּ Is. 33:21

4119 כִּי אִם לַבִּינָה תִקְרָא Prov. 2:3

4120 כִּי אִם־יֵשׁ אַחֲרִית Prov. 23:18

4121 כִּי אִם־שָׁנִים הַרְבֵּה יִחְיֶה הָאָדָם Eccl. 11:8

4122 כִּי אִם־הַחֲרֵשׁ תַּחֲרִישִׁי Es. 4:14

4137-4123 כִּי אִם (א) I Sh. 20:9

21:6; 25:34 • II Sh. 18:3 • IK. 20:6 • Is. 59:2 • Jer. 2:22; 7:5; 22:4; 26:15; 37:10 • Hosh. 9:12 • Am. 5:22 • Prov. 19:19 • Lam. 5:22

כִּי אִם (ב)

4138 לֹא..כִּי־אִם אֲשֶׁר יֵצֵא מִמֵּעֶיךָ Gen. 15:4

4139 אֵין זֶה כִּי אִם־בֵּית אֱלֹהִים Gen. 28:17

4140 לֹא אֲשַׁלֵּחֲךָ כִּי אִם־בֵּרַכְתָּנִי Gen. 32:26

4141 לֹא יַעֲקֹב...כִּי אִם־יִשְׂרָאֵל Gen. 32:28

4142 לֹא...כִּי אִם־יִשְׂרָאֵל...שְׁמֶךָ Gen. 35:10

4143 וְלֹא־יָדַע...כִּי אִם־הַלֶּחֶם Gen. 39:6

4144 וְלֹא־חָשַׂךְ...כִּי אִם־אוֹתָךְ Gen. 39:9

4145 אַל־תֹּאכְלוּ כִּי אִם־צְלִי־אֵשׁ Ex. 12:9

4146 לֹא־הָיוּ לוֹ בָּנִים כִּי אִם־בָּנוֹת Num. 26:33

4147 אֵין...כִּי אִם־כִּבְשָׂה אַחַת קְטַנָּה II Sh. 12:3

4148 אֵין־מַיִם כִּי אִם־טִיט Jer. 38:6

4149 מִי עִוֵּר כִּי אִם־עַבְדִּי Is. 42:19

4150 לֹא בְחַיִל...כִּי אִם־בְּרוּחִי Zech. 4:6

4258-4151 כִּי אִם (ב) Gen. 42:15

Lev. 21:2, 14; 22:6 • Num. 10:30; 14:30; 26:65; 35:33 • Deut. 10:12; 12:5, 14, 18; 16:6 • Josh. 14:4; 17:3; 23:8 • Jud. 15:7 • I Sh. 2:15; 8:19; 21:5, 7; 26:10; 30:17, 22 • II Sh. 3:13, 35; 5:6; 13:33; 19:29; 21:2 • IK. 8:19; 17:1, 12; 18:18; 21:15; 22:8, 18, 31 • IIK. 4:2, 24; 5:15, 17, 20; 7:10; 9:35; 10:23; 13:7; 14:6; 17:36, 39, 40; 19:18; 23:9, 23 • Is. 37:19; 55:10, 11; 65:6, 18 • Jer. 3:10; 7:23, 32; 9:23; 16:15; 19:6; 20:3; 22:17; 23:8; 31:30(29); 38:4; 44:14; 51:14 • Ezek. 12:23; 33:11; 36:22; 44:10, 22, 25 • Am. 3:7; 8:11 • Mic. 6:8 • Ps. 1:2, 4 • Prov. 18:2; 23:17 • Job 42:8 • Ruth 3:12, 18 • Lam. 3:32 • Eccl. 3:12; 5:10; 8:15 • Es. 2:14, 15; 5:12 • Dan. 5:21; 10:21 • Neh. 2:2, 12 • ICh. 2:34; 9:21; 15:2; 23:22 • IICh. 2:5; 18:17, 30; 21:17; 23:6

כִּי אָמְנָם

4259 כִּי־אָמְנָם לֹא־שֶׁקֶר מִלָּי Job 36:4

4260 כִּי אָמְנָם כִּי גֹאֵל אָנֹכִי Ruth 3:12

כִּי יַעַן

4261 כִּי יַעַן אֲשֶׁר עָשִׂיתָ... Gen. 22:16

4262 כִּי יַעַן בִּטְחֵךְ בְּמַעֲשַׂיִךְ Jer. 48:7

כִּי עַל כֵּן

4263 כִּי־עַל־כֵּן עֲבַרְתֶּם... Gen. 18:5

4264 כִּי־עַל־כֵּן בָּאוּ בְּצֵל קֹרָתִי Gen. 19:8

4265 כִּי עַל־כֵּן רָאִיתִי פָנֶיךָ Gen. 33:10

4266 כִּי־עַל־כֵּן לֹא־נְתַתִּיהָ Gen. 38:26

4267 כִּי עַל־כֵּן יָדַעְתָּ חֲנֹתֵנוּ Num. 10:31

4268 כִּי־עַל־כֵּן שַׁבְתֶּם מֵאַחֲרֵי יְיָ Num. 14:43

4269 כִּי עַל־כֵּן רָאִיתִי מַלְאַךְ יְיָ Jud. 6:22

4270 כִּי עַל־כֵּן° בֶּן־הַמֶּלֶךְ מֵת II Sh. 18:20

4271 כִּי עַל־כֵּן שָׁלַח אֵלֵינוּ בָּבֶל Jer. 29:28

4272 כִּי־עַל־כֵּן הוּא מְרַפֵּא... Jer. 38:4

כִּי עַתָּה

4273 כִּי עַתָּה יָדַעְתִּי... Gen. 22:12

4274 כִּי עַתָּה יֶאֱהָבַנִי אִישִׁי Gen. 29:32

4275 לוּלֵי...כִּי עַתָּה רֵיקָם שִׁלַּחְ׳ Gen. 31:42

4276 כִּי־עַתָּה שַׁבְנוּ זֶה פַעֲמָיִם Gen. 43:10

4277 כִּי עַתָּה שָׁלַחְתִּי אֶת־יָדִי Ex. 9:15

4278 לוּ יֶשׁ־חֶרֶב...כִּי עַתָּה הֲרַגְתִּיךְ Num. 22:29

4279 כִּי עַתָּה גַּם־אֹתְכָה הָרַגְתִּי Num. 22:33

4280 כִּי עַתָּה הֵכִין יְיָ אֶת־מַמְלַכְתְּךָ I Sh. 13:13

4281 כִּי־עַתָּה לֹא־רָבְתָה מַכָּה I Sh. 14:30

4282 כִּי־עַתָּה כָמֹנוּ עֲשָׂרָה אֲלָפִים... II Sh. 18:3

כִּי עַתָּה (המשך)

4283 כִּי־עַתָּה רָאִיתִי בְעֵינָי Zech. 9:8

4284 כִּי־עַתָּה שָׁכַבְתִּי וְאֶשְׁקוֹט Job 3:13

4285 כִּי עַתָּה תָּבוֹא אֵלֶיךָ וַתֵּלֶא Job 4:5

4286 כִּי־עַתָּה מֵחוֹל יַמִּים יִכְבָּד Job 6:3

4287 כִּי־עַתָּה הֱיִיתֶם לוֹ Job 6:21

4288 כִּי־עַתָּה יָעִיר עָלֶיךָ Job 8:6

4289 כִּי־עַתָּה אַחֲרִישׁ וְאֶגְוָע Job 13:19

4290 כִּי־עַתָּה צְעָדַי תִּסְפּוֹר Job 14:16

4291 כִּי עַתָּה שֻׁלַּחְתִּי אֵלֶיךָ Dan. 10:11

אַךְ כִּי

4292 אַךְ כִּי־הָעֵד תָּעִיד בָּהֶם I Sh. 8:9

אַף כִּי

4293 אַף כִּי־אָמַר אֱלֹ׳ לֹא תֹאכְלוּ Gen. 3:1

4294 וְאַף כִּי־אַחֲרֵי מוֹתִי Deut. 31:27

4295 אַף כִּי לוּא אָכֹל אָכַל הַיּוֹם הָעָם I Sh. 14:30

4296 וְאַף כִּי הַיּוֹם יִקְדַּשׁ בַּכֶּלִי I Sh. 21:6

4297 וְאַף כִּי־נֵלֵךְ קְעִלָה I Sh. 23:3

4298 אַף כִּי־אֲנָשִׁים רְשָׁעִים II Sh. 4:11

4299 וְאַף כִּי עַתָּה בֶּן־הַיְמִינִי II Sh. 16:11

4300 אַף כִּי־הַבַּיִת הַזֶּה IK. 8:27

4301 וְאַף כִּי־אָמַר אֵלֶיךָ רְחַץ וּטְהָר IIK. 5:13

4302 אַף כִּי־אַרְבַּעַת שְׁפָטַי הָרָעִים Ezek. 14:21

4303 אַף כִּי־אֵשׁ אֲכָלַתְהוּ Ezek. 15:5

4304 וְאַף כִּי תִשְׁלַחְנָה לַאֲנָשִׁים... Ezek. 23:40

4305 וְאַף כִּי־הַיַּיִן בֹּגֵד Hab. 2:5

4306 הֵן צַדִּיק..אַף כִּי־רָשָׁע וְחוֹטֵא Prov. 11:31

4318-4307 אַף כִּי־ Prov. 15:11; 17:7

19:7, 10; 21:27 • Job 9:14; 15:16; 25:6; 35:14 • Neh. 9:18 • IICh. 6:18; 32:15

אֶפֶס כִּי

4319 אֶפֶס כִּי־עַז הָעָם הַיֹּשֵׁב בָּאָרֶץ Num. 13:28

4320 אֶפֶס כִּי לֹא יִהְיֶה־בְּךָ אֶבְיוֹן Deut. 15:4

4321 אֶפֶס כִּי לֹא תִהְיֶה תִּפְאַרְתְּךָ... Jud. 4:9

גַּם כִּי

4322 וְגַם כִּי שִׁלְּחָם יְהוֹשֻׁעַ... Josh. 22:7

4323 גַּם כִּי־תַרְבּוּ תְפִלָּה אֵינֶנִּי שֹׁמֵעַ Is. 1:15

4324 גַּם כִּי־יִתְנוּ בַגּוֹיִם Hosh. 8:10

4325 גַּם כִּי יֵלֵדוּן וְהֵמַתִּי Hosh. 9:16

4326 גַּם כִּי־אֵלֵךְ בְּגֵיא...לֹא־אִירָא Ps. 23:4

4327 גַּם כִּי־יַזְקִין לֹא־יָסוּר מִמֶּנָּה Prov. 22:6

4328 גַּם כִּי־אָמַר אֵלַי... Ruth 2:21

4329 גַּם כִּי אֶזְעַק וַאֲשַׁוֵּעַ... Lam. 3:8

יַעַן כִּי

4330 יַעַן כִּי־מְאַסְתֶּם אֶת־יְיָ Num. 11:20

4331 יַעַן כִּי מָרִיתָ פִּי יְיָ IK. 13:21

4332 יַעַן כִּי־נִכְנַע מִפָּנַי IK. 21:29

4333 יַעַן כִּי גָבְהוּ בְּנוֹת צִיּוֹן Is. 3:16

4334 יַעַן כִּי־יָעַץ עָלֶיךָ אֲרָם רָעָה Is. 7:5

4335 יַעַן כִּי מָאַס הָעָם הַזֶּה Is. 8:6

4336 יַעַן כִּי נִגַּשׁ הָעָם הַזֶּה Is. 29:13

לֹא כִּי

4337 וַיֹּאמֶר לֹא כִּי צָחָקְתְּ Gen. 18:15

4338 וַיֹּאמְרוּ לֹא כִּי בָרְחוֹב נָלִין Gen. 19:2

4339 לֹא כִּי־עֶרְוַת הָאָ׳ בָּאתֶם לִרְאוֹת Gen. 42:12

4340 לֹא כִּי אֲנִי שַׂר־צְבָא־יְיָ Josh. 8:14

4341 לֹא כִּי אֶת־יְיָ נַעֲבֹד Josh. 24:21

4342 לֹא כִּי־אָסֹר נֶאֱסָרְךָ Jud. 15:13

4343 לֹא כִּי־מֶלֶךְ יִמְלֹךְ עָלֵינוּ I Sh. 12:12

4344 לֹא כִּי־קָנוֹ אֶקְנֶה מֵאוֹתְךָ בִּמְחִיר II Sh. 24:24

4345 לֹא כִּי פֹה אָמוּת IK. 2:30

4346 לֹא כִּי־שַׁלֵּחַ תְּשַׁלְּחֵנִי IK. 11:22

4347 לוֹא כִּי־אָהַבְתִּי זָרִים Jer. 2:25

4348 לֹא כִּי אֶרֶץ מִצְרַיִם נָבוֹא Jer. 42:14

4349 לֹא כִּי־קָנֹה אֶקְנֶה בְּכֶסֶף מָלֵא ICh. 21:24

לָא כִּי

4350 לֹא כִּי בְּנִי הַחַי וּבְנֵךְ הַמֵּת IK. 3:22

4351/2 לֹא כִּי בְּנֵךְ הַמֵּת וּבְנִי הֶחָי IK. 3:22, 23

4353 לֹא כִּי יָשׁוּב הַצֵּל אֲחֹרַנִּית IIK. 20:10

4354 לֹא־כִּי עַל־סוּס נָנוּס Is. 30:16

עַד כִּי

4355 עַד כִּי־גָדֵל מְאֹד Gen. 26:13

4356 עַד כִּי־חָדַל לִסְפֹּר Gen. 41:49

4357 עַד כִּי־יָבֹא שִׁילֹה Gen. 49:10

4358 עַד כִּי־יָגְעָה יָדוֹ II Sh. 23:10

4359 עַד כִּי־חָזָק IICh. 26:15

עַל כִּי

4360 עַל כִּי־אֵין אֱלֹהַי בְּקִרְבִּי... Deut. 31:17

4361 עַל כִּי־עָשׂוּ אֶת־הָרַע... Jud. 3:12

4362 עַל כִּי־דִבַּרְתִּי זַמֹּתִי Jer. 4:28

4363 עַל כִּי־יְיָ הֵעִיד בֵּינְךָ וּבֵין... Mal. 2:14

4363א אוֹדְךָ עַל כִּי נוֹרָאוֹת נִפְלֵיתִי Ps. 139:14

עֵקֶב כִּי

4364 עֵקֶב כִּי בְזִתָנִי II Sh. 12:10

4365 עֵקֶב כִּי־זֹאת אֶעֱשֶׂה־לָּךְ Am. 4:12

תַּחַת כִּי

4366 וְתַחַת כִּי אָהַב אֶת־אֲבֹתֶיךָ Deut. 4:37

4367 תַּחַת כִּי־שָׂנְאוּ דָעַת Prov. 1:29

הֲכִי

4368 הֲכִי קָרָא שְׁמוֹ יַעֲקֹב... Gen. 27:36

4369 הֲכִי־אָחִי אַתָּה וַעֲבַדְתַּנִי חִנָּם Gen. 29:15

4370 הֲכִי יֶשׁ־עוֹד אֲשֶׁר נוֹתַר... II Sh. 9:1

4371 מִן־הַשְּׁלֹשָׁה הֲכִי נִכְבָּד II Sh. 23:19

4372 הֲכִי־אָמַרְתִּי הָבוּ לִי Job 6:22

וְכִי (א)

4373 וְכִי תַאֲוָה־הוּא לָעֵינַיִם Gen. 3:6

4374 וְכִי בֶן־רִבְקָה הוּא Gen. 29:12

4375 כִּי־חַנַּנִי אֱלֹ׳ וְכִי יֶשׁ־לִי־כֹל Gen. 32:11

4376 וְכִי־הוּא מֹשֵׁל בְּכָל־אֶרֶ׳ מִצְ׳ Gen. 45:26

4377 וְכִי אוֹצִיא אֶת־בְּנֵי יִשְׂרָאֵל Ex. 3:11

4378 וְכִי רָאָה אֶת־עָנְיָם Ex. 4:31

4379 וְאַתְּ כִּי שָׂטִית...וְכִי נִטְמֵאת Num. 5:20

4380 וְכִי נָפְלָה אֵימַתְכֶם עָלֵינוּ Josh. 2:9

4381 וְכִי נָמֹגוּ...מִפְּנֵיכֶם Josh. 2:9

4382 וְכִי־עָשָׂה נְבָלָה בְּיִשְׂרָאֵל Josh. 7:15

4383 וְכִי עָלָה עֲשַׁן הָעִיר Josh. 8:21

4384 וְכִי הִשְׁלִימוּ יֹשְׁבֵי גִבְעוֹן Josh. 10:1

4385 וְכִי הִיא גְדוֹלָה מִן־הָעַי Josh. 10:2

4409-4386 וְכִי (א) Jud. 2:18; 6:30; 10:10

I Sh. 19:4; 22:17; 31:7 • II Sh. 5:12 • IK. 2:26; 11:21; 18:27 • Is. 30:21; 36:19; 65:16 • Jer. 40:7, 11; 44:19; 51:53 • Ezek. 11:16 • Mal. 3:14 • Job 31:25; 38:20 • Ruth 2:13 • ICh. 10:7; 29:14

וְכִי (ג)

4410 וְכִי־יָגוּר אִתְּךָ גֵּר Ex. 12:48

4411 וְכִי־יִמְכֹּר אִישׁ אֶת־בִּתּוֹ לְאָמָה Ex. 21:7

4412 וְכִי־יָזִד אִישׁ עַל־רֵעֵהוּ Ex. 21:14

4413 וְכִי־יְרִיבֻן אֲנָשִׁים Ex. 21:18

4414 וְכִי־יַכֶּה אִישׁ אֶת־עַבְדּוֹ Ex. 21:20

4415 וְכִי־יִנָּצוּ אֲנָשִׁים Ex. 21:22

4416 וְכִי־יַכֶּה אִישׁ אֶת־עֵין עַבְדּוֹ Ex. 21:26

4417 וְכִי־תָבֹאוּ אֶל־הָאָרֶץ Lev. 19:23

4418 וְכִי תֹאמְרוּ מַה־נֹּאכַל... Lev. 25:20

4419 וְכִי אֲדַבֵּר הֵמָּה לַמִּלְחָמָה Ps. 120:7

4475-4420 וְכִי(ב) Ex. 21:28, 33, 35; 22:13, 15

Lev. 2:4; 11:37, 38, 39; 13:31, 42; 15:8, 13; 19:5, 33; 25:35, 39, 47 • Num. 6:9; 9:14; 10:9; 15:8, 14, 22; 22:29; 25:14 • Deut. 14:24; 15:13, 21; 18:6, 21; 19:11; 21:22; 23:23 • Josh. 20:5 • I Sh. 24:20 • IIK. 4:29; 18:22 • Is. 8:19; 36:7 • Jer. 13:22; 14:12; 23:33; 38:15, 25 • Ezek. 46:12, 17 • Mic. 5:4, 5 • Zech. 7:6 • Mal. 1:8² • Job 7:17; 15:14; 31:14; 39:27

כִּי²

ז׳ כְּוִיָּה?

כִּי 1 כִּי־תַחַת יֹפִי Is. 3:24

כִּיד

ז׳ צרה, אסון

כִּידוֹ 1 יִרְאוּ עֵינָו כִּידוֹ Job 21:20

כִּידוֹד*

ז׳ ניצוץ אש

כִּידוֹדֵי־ 1 מִפִּיו...כִּידוֹדֵי אֵשׁ יִתְמַלָּטוּ Job 41:11

כִּידוֹן ז׳ רומח להטלה על האויב: 1–9

קרובים: חֲנִית / חֶרֶב / מַאֲכֶלֶת / קַיִן / רֹמַח / שֶׁלַח

כִּידוֹן נְחֹשֶׁת 9; רַעַשׁ כִּידוֹן 1

כִּידוֹן 1 וְיִשְׂחַק לְרַעַשׁ כִּידוֹן Job 41:21
וְכִידוֹן 2 קֶשֶׁת וְכִידוֹן יַחֲזִיקוּ Jer. 6:23
3 קֶשֶׁת וְכִידֹן יַחֲזִיקוּ Jer. 50:42
4 לַהַב חֲנִית וְכִידוֹן Job 39:23
בַּכִּידוֹן 5 נְטֵה בַּכִּידוֹן אֲשֶׁר־בְּיָדְךָ אֶל־הָעַי Josh. 8:18
6 וַיֵּט יְהוֹשֻׁעַ בַּכִּידוֹן...אֶל־הָעִיר Josh. 8:18
7 לֹא־הֵשִׁיב יָדוֹ אֲשֶׁר נָטָה בַּכִּידוֹן Josh. 8:26
וּבְכִידוֹן 8 אַתָּה בָּא אֵלַי בְּחֶרֶב...וּבְכִידוֹן I Sh. 17:45
וְכִידוֹן־ 9 וְכִידוֹן נְחֹשֶׁת בֵּין כְּתֵפָיו I Sh. 17:6

כִּידוֹר ז׳ התקפה? מָצוֹר?

לְכִּידוֹר 1 כְּמֶלֶךְ עָתִיד לַכִּידוֹר Job 15:24

כִּיּוּן ז׳ מאלילי עמי הקדם

כִּיּוּן 1 וְאֵת כִּיּוּן צַלְמֵיכֶם Am. 5:26

כִּיּוֹר ז׳ א) אגן לרחיצה: 1–16, 19–23
ב) סיר לגחלי אש: 18
ג) בימה קעורה בדמות כיור: 17

כִּיּוֹר אֵשׁ 18; כִּיּוֹר נְחֹשֶׁת 16, 17, 20

כִּיּוֹר 1 כִּיּוֹר אֶחָד עַל־הַמְּכוֹנָה הָאַחַת IK. 7:38
הַכִּיּוֹר 2-5 וְאֶת־הַכִּיֹּר וְאֶת־כַּנּוֹ Ex. 30:28
35:16; 39:39 • Lev. 8:11
6 וְאֶת־הַכִּיּוֹר וְאֶת־כַּנּוֹ Ex. 31:9
7 וַיַּעַשׂ אֵת הַכִּיּוֹר נְחֹשֶׁת Ex. 31:8
8 וְנָתַתָּ אֶת־הַכִּיֹּר בֵּין־... Ex. 40:7
9 וּמָשַׁחְתָּ אֶת־הַכִּיֹּר וְאֶת־כַּנּוֹ Ex. 40:11
10 וַיָּשֶׂם אֶת־הַכִּיֹּר בֵּין אֹהֶל־מוֹעֵד... Ex. 40:30
11 אַרְבָּעִים בַּת יָכִיל הַכִּיּוֹר הָאֶחָד IK. 7:38
12 אַרְבַּע בָּאַמָּה הַכִּיּוֹר הָאֶחָד IK. 7:38
13 וַיָּסַר מֵעֲלֵיהֶם אֶת־הַכִּיֹּר IIK. 16:17
בַּכִּיּוֹר 14 וְהִכָּה בַכִּיּוֹר אוֹ בַדּוּד אוֹ בַקַּלַּחַת I Sh. 2:14
לַכִּיֹּר 15 מִתַּחַת לַכִּיֹּר הַכְּתֵפֹת יְצֻקוֹת IK. 7:30
כִּיּוֹר־ 16 וְעָשִׂיתָ כִּיּוֹר נְחֹשֶׁת...לְרָחְצָה Ex. 30:18
17 כִּי־עָשָׂה שְׁלֹמֹה כִּיּוֹר נְחֹשֶׁת IICh. 6:13
כְּכִיּוֹר־ 18 אֲשֶׁם...כְּכִיּוֹר אֵשׁ בְּעֵצִים Zech. 12:6
כִּיּוֹרִים 19 וַיַּעַשׂ כִּיּוֹרִים עֲשָׂרָה IICh. 4:6
כִּיֹּרוֹת־ 20 וַיַּעַשׂ עֲשָׂרָה כִּיֹּרוֹת נְחֹשֶׁת IK. 7:38
הַכִּיּוֹרוֹת 21 אֶת־הַכִּיּוֹרוֹת וְאֶת־הַיָּעִים IK. 7:40
22 וְאֶת־הַכִּיֹּרֹת עֲשָׂרָה עַל־הַמְּכֹנוֹת IK. 7:43
23 וְאֶת־הַכִּיֹּרוֹת עָשָׂה עַל־הַמְּכֹנוֹת IICh. 4:14

כִּילַי ז׳ קמצן [עין גם כֵּלַי]

וּלְכִילַי 1 וּלְכִילַי לֹא יֵאָמֵר שׁוֹעַ Is. 32:5

כֵּילַף* ז׳ קרדום מיוחד

וְכֵילַפּוֹת 1 בְּכַשִּׁיל וְכֵילַפֹּת יַהֲלֹמוּן Ps. 74:6

כִּימָה נ׳ קבוצת כוכבי אור במזל שור: 1–3

כִּימָה 1 עֹשֵׂה כִימָה וּכְסִיל Am. 5:8
2 הַתְקַשֵּׁר מַעֲדַנּוֹת כִּימָה Job 38:31
וְכִימָה 3 עֹשֶׂה־עָשׁ כְּסִיל וְכִימָה Job 9:9

כִּיס ז׳ ארנק, שקיק לכסף: 1–5 • אַבְנֵי כִיס 2

כִּיס 1 כִּיס אֶחָד יִהְיֶה לְכֻלָּנוּ Prov. 1:14
2 מַעֲשֵׂהוּ כָּל־אַבְנֵי־כִיס Prov. 16:11
וּבְכִיס 3 בְּמֹאזְנֵי רֶשַׁע וּבְכִיס אַבְנֵי מִרְמָה Mic. 6:11
מִכִּיס 4 הַזָּלִים זָהָב מִכִּיס Is. 46:6
בְּכִיסְךָ 5 לֹא־יִהְיֶה לְךָ בְּכִיסְךָ אֶבֶן וָאָבֶן Deut. 25:13

כִּירַיִם ז״ר תנור לשפות עליו סירים לבשול

קרובים: ראה תַּנּוּר

וְכִירַיִם 1 תַּנּוּר וְכִירַיִם יֻתָּץ Lev. 11:35

כִּישׁוֹר ז׳ קָנֶה־טוויה

בַּכִּישׁוֹר 1 יָדֶיהָ שִׁלְּחָה בַכִּישׁוֹר Prov. 31:19

כָּכָה תה״פ כֹּה, כָּךְ: 1–37

כָּכָה 1 וְעָשִׂיתָ לְאַהֲרֹן וּלְבָנָיו כָּכָה Ex. 29:35
2 כָּכָה תַּעֲשֶׂה לַלְוִיִּם בְּמִשְׁמְרֹתָם Num. 8:26
3 וְאִם־כָּכָה אַתְּ־עֹשֶׂה לִּי Num. 11:15
4 כָּכָה יֵעָשֶׂה לַשּׁוֹר הָאֶחָד Num. 15:11
5 כָּכָה תַּעֲשׂוּ לָאֶחָד כְּמִסְפָּרָם Num. 15:12
6 כָּל־הָאֶזְרָח יַעֲשֶׂה־כָּכָה Num. 15:13
7-9 כָּכָה יֵעָשֶׂה לָאִישׁ Deut. 25:9 • Es. 6:9, 11
10-12 עַל־מֶה עָשָׂה יְיָ כָּכָה Deut. 29:23
IK. 9:8 • Jer. 22:8
13 כִּי כָכָה יַעֲשֶׂה יְיָ לְכָל־אֹיְבֵיכֶם Josh. 10:25
14 כָּכָה יַעֲשׂוּ לְכָל־יִשְׂרָאֵל הַבָּאִים I Sh. 2:14
15 לָמָּה כָּכָה רִמִּיתִנִי I Sh. 19:17
16 מַדּוּעַ אַתָּה כָּכָה דַּל II Sh. 13:4
17 כִּי־כָכָה יָעַץ עֲלֵיכֶם אֲחִיתֹפֶל II Sh. 17:21
18 מַדּוּעַ כָּכָה עָשִׂיתָ IK. 1:6
19 וְגַם־כָּכָה אָמַר הַמֶּלֶךְ IK. 1:48
20 כָּכָה אַשְׁחִית אֶת־גְּאוֹן יְהוּדָה Jer. 13:9
21 כָּכָה אֶשְׁבֹּר אֶת־הָעָם הַזֶּה Jer. 19:11
22 כָּכָה אֶשְׁבֹּר אֶת־עֹל נְבֻכַדְנֶאצַּר Jer. 28:11
23 כָּכָה תִּשְׁקַע בָּבֶל וְלֹא־תָקוּם Jer. 51:64
24 כָּכָה יֹאכְלוּ בְ־יְ׳ אֶת־לַחְמָם Ezek. 4:13
25 אֶל־מִי דָמִיתָ כָּכָה בְּכָבוֹד Ezek. 31:18
26 כָּכָה עָשָׂה לָכֶם בֵּית־אֵל Hosh. 10:15
27 כָּכָה יַעֲשֶׂה אִיּוֹב כָּל־הַיָּמִים Job 1:5
28 כָּכָה לֹא תֵדַע אֶת־מַעֲשֵׂה הָאֱלֹהִים Eccl. 11:5
29 וּמָה־רָאוּ עַל־כָּכָה Es. 9:26
30 כָּכָה יְנַעֵר הָאֱלֹהִים Neh. 5:13
31 בַּמֶּה עָשָׂה יְיָ כָּכָה IICh. 7:21
32/3 זֶה אֹמֵר כָּכָה וְזֶה אֹמֵר כָּכָה IICh. 18:19
וְכָכָה 34 וְכָכָה תֹּאכְלוּ אֹתוֹ... Ex. 12:11
35 וְכָכָה יִהְיֶה נָעוּר וָרֵק Neh. 5:13
שֶׁכָּכָה 36 אַשְׁרֵי הָעָם שֶׁכָּכָה לּוֹ Ps. 144:15
37 מַה־דּוֹדֵךְ מִדּוֹד שֶׁכָּכָה הִשְׁבַּעְתָּנוּ S.ofS. 5:9

כָּכֶם עין ערך כְּ־

כִּכָּר[1] נ׳ עמק מוקף הרים: 1–13

כִּכַּר הַיַּרְדֵּן 10–13; אַנְשֵׁי הַכִּכָּר 8; אֶרֶץ הַכִּ׳ 4; דֶּרֶךְ הַכִּכָּר 7; עָרֵי הַכִּכָּר 1, 5

הַכִּכָּר 1 וְלוֹט יָשַׁב בְּעָרֵי הַכִּכָּר Gen. 13:12
2 וְאַל־תַּעֲמֹד בְּכָל־הַכִּכָּר Gen. 19:17
3 אֶת־הֶעָרִים הָאֵל וְאֵת כָּל־הַכִּכָּר Gen. 19:25
4 וְעַל כָּל־פְּנֵי אֶרֶץ הַכִּכָּר Gen. 19:28
5 בְּשַׁחֵת אֱלֹהִים אֶת־עָרֵי הַכִּכָּר Gen. 19:29
6 וְאֶת־הַנֶּגֶב וְאֶת־הַכִּכָּר Deut. 34:3
7 וַיָּרָץ אֲחִימַעַץ דֶּרֶךְ הַכִּכָּר II Sh. 18:23
8 הַכֹּהֲנִים אַנְשֵׁי הַכִּכָּר Neh. 3:22
9 וּמִן־הַכִּכָּר סְבִיבוֹת יְרוּשָׁלִַם Neh. 12:28
כִּכַּר־ 10 וַיַּרְא אֶת־כָּל־כִּכַּר הַיַּרְדֵּן Gen. 13:10
11 וַיִּבְחַר־לוֹ לוֹט אֵת כָּל־כִּכַּר הַיַּרְדֵּן Gen.13:11
בְּכִכַּר־ 12/3 בְּכִכַּר הַיַּרְדֵּן יְצָקָם IK. 7:46 • IICh. 4:17

כִּכָּר[2] נ׳ א) משקל ומטבע קדום: 1–30, 37–53
ב) עגול לחם אפוי: 31–36, 54, 55

– כִּכָּר (כִּכַּר) זָהָב 1, 10, 12–19, 37, 38; כִּכַּר כֶּסֶף 11, 20–30; כִּכַּר לֶחֶם 31, 33–36; כִּכַּר עֹפֶרֶת 32

– כִּכָּרִים כֶּסֶף 40, 41; כִּכְּרֵי זָהָב 52, 53; כִּכְּרֵי כֶסֶף 51; כִּכְּרוֹת לֶחֶם 54, 55

כִּכָּר 1 כִּכָּר זָהָב טָהוֹר עָשָׂה אֹתָהּ Ex. 37:24
2 זְהַב הַתְּנוּפָה תֵּשַׁע וְעֶשְׂרִים כִּכָּר Ex. 38:24
3 וְכֶסֶף פְּקוּדֵי הָעֵדָה מְאַת כִּכָּר Ex. 38:25
4 כִּכָּר לָאָדֶן Ex. 38:27
5 וּנְחֹשֶׁת הַתְּנוּפָה שִׁבְעִים כִּכָּר Ex. 38:29
6 אַרְבַּע־מֵאוֹת וְעֶשְׂרִים כִּכָּר IK. 9:28
7 זָהָב מֵאָה כִכָּר Ez. 8:26
הַכִּכָּר 8 מְאַת אֲדָנִים לִמְאַת הַכִּכָּר Ex. 38:27
9 וּמַה־לַּעֲשׂוֹת לִמְאַת הַכִּכָּר IICh. 25:9
כִּכַּר־ 10 כִּכַּר זָהָב טָהוֹר יַעֲשֶׂה אֹתָהּ Ex. 25:39
11 וַיְהִי מְאַת כִּכַּר הַכֶּסֶף Ex. 38:27
12 וּמִשְׁקָלָהּ כִּכַּר זָהָב II Sh. 12:30
13-19 כִּכַּר זָהָב IK. 9:14; 10:10, 14
IIK. 18:14 • ICh. 20:2 • IICh. 8:18; 9:9
20 ...אוֹ כִכַּר־כֶּסֶף תִּשְׁקוֹל IK. 20:39
21-30 כִּכַּר־כֶּסֶף (כָּסֶף) IIK. 5:22
15:19; 18:14; 23:33 • Es. 3:9 • ICh. 19:6; 29:4
IICh. 25:6; 27:5; 36:3
31 וְנָתֹן לוֹ כִכַּר־לֶחֶם לַיּוֹם Jer. 37:21
32 וְהִנֵּה כִּכַּר עֹפֶרֶת נִשֵּׂאת Zech. 5:7
33 בְעַד־אִשָּׁה זוֹנָה עַד־כִּכַּר־לָחֶם Prov. 6:26
34 כִּכַּר־לֶחֶם וְאֶשְׁפָּר וַאֲשִׁישָׁה ICh. 16:3
וְכִכַּר־ 35 וְכִכַּר לֶחֶם אַחַת Ex. 29:23
36 לַאֲגוֹרַת כֶּסֶף וְכִכַּר־לָחֶם II Sh. 2:36
37/8 כִּכַּר־כֶּסֶף וְכִכַּר זָהָב IIK. 23:33 • IICh. 36:3
כִּכָּרָיִם 39 וַיֹּאמֶר נַעֲמָן הוֹאֵל קַח כִּכָּרָיִם IIK. 5:23
כִּכְּרַיִם 40 וַיִּפְרָץ־בּוֹ וַיָּצַר כִּכְּרַיִם כֶּסֶף IIK. 5:23
בְּכִכְּרַיִם 41 וַיִּקֶן אֶת־הָהָר...בְּכִכְּרַיִם כָּסֶף IK. 16:24
כִּכָּרִים 42 כֶּסֶף כִּכָּרִים שֵׁשׁ־מֵאוֹת... Ez. 8:26
43 זָהָב כִּכָּרִים מֵאָה־אָלֶף ICh. 22:14(13)
44 וְכֶסֶף אֶלֶף אֲלָפִים כִּכָּרִים ICh. 22:14(13)
45 זָהָב כִּכָּרִים חֲמֵשֶׁת־אֲלָפִים... ICh. 29:7
46 וְכֶסֶף כִּכָּרִים עֲשֶׂרֶת אֲלָפִים ICh. 29:7
47 וּנְחֹשֶׁת רִבּוֹ וּשְׁמוֹנַת אֲלָ׳ כִּכָּרִים ICh. 29:7
48 וּבַרְזֶל מֵאָה־אֶלֶף כִּכָּרִים ICh. 29:7
לְכִכָּרִים 49 וּכְלֵי־כֶסֶף מֵאָה לְכִכָּרִים Ez. 8:26
50 זָהָב טוֹב לְכִכָּרִים שֵׁשׁ מֵאוֹת IICh. 3:8
כִּכְּרֵי־ 51 וַיִּקַּח בְּיָדוֹ עֶשֶׂר כִּכְּרֵי־כֶסֶף IIK. 5:5
52 שְׁלֹשֶׁת אֲלָפִים כִּכְּרֵי זָהָב ICh. 29:4
53 וְשִׁשִּׁים וָשֵׁשׁ כִּכְּרֵי זָהָב IICh. 9:13
כִּכְּרוֹת־ 54 תְּנוּ־נָא כִּכְּרוֹת לֶחֶם Jud. 8:5
55 וְאֶחָד נֹשֵׂא שְׁלֹשֶׁת כִּכְּרוֹת לֶחֶם I Sh. 10:3

כַּכַּר* נ׳ ארמית, כמו בעברית: כִּכָּר[2]

כַּכְּרִין 1 עַד־כְּסַף כַּכְּרִין מְאָה Ez. 7:22

כֹּל[1] ז׳ [כָּל בנפרד, והרבה גם בנסמך; במוקף: כָּל־; בנטיה: כֻּלְּךָ, כֻּלּוֹ, כֻּלָּנוּ, כֻּלְּכֶם וכו׳]

א) הסך הכולל (בכמות, בהקף, באורך, בזמן וכד׳) – באדם, בבעלי־חיים, בדומם: רוב המקראות

ב) [במשפט שלילה] שום דבר, שום איש וכד׳: 5, 8, 11, 13, 25, 29, 103, 104, 124, 2120, 2124,

2125, 2330, 2331, 2335, 2361-2376 ועוד כ־50 מקראות

ג) [כֻּלּוֹ, כֻּלָּם וכו׳) בשלמותו, בכללו: 5195-5408
להלן מבחר צרופים שכיחים:

– כָּל־הָאָדָם 2516; כָּל־אִישׁ 2507, 3779, 3780; כָּל אֵלֶּה 1741, 1743, 1873, 1940, 2455, 2464, 2505, 2523, 2530, 2543-2560, 3840; כָּל־הָאָרֶץ 852, 938, 1658-1735, 2328, 2458, 2461, 3777, 4653, 4660, 4670; כֹּל (כָּל־) אֲשֶׁר 120, 122, 124, 127-180, 344, 345, 347-385, 1748-1872, 3665, 3674, 3680-3717; כָּל־בָּשָׂר 913-937, 2463, 4287/8, 4790-4792, 4816, 4827; כָּל־זֹאת 2447, 2510, 2513, 2561, 2563; כָּל־זֹה 2527; כָּל־זֶה 3847; כָּל־טוֹב 2512; כָּל־ (כֹּל) הַיּוֹם 462, 912, 2465-2504; כָּל־(כֹּל) יְמֵי־ 199, 200, 203-206, 208-222, 228, 862, 869-911; כָּל־הַיָּמִים 1881-1925, 2377, 2378, 2465-2504; כָּל־יִשְׂרָאֵל 2385, 2390, 2391, 2393-2446, 3787-3827, 4796-4804; כָּל־...כֻּלּוֹ 5226-5228; כָּל־מְלָאכָה 2362-2376, 2383, 2506, 3831, 3832, 3839, 5050, 5051; כָּל־נֶפֶשׁ 1926-1939; כֹּל (כָּל־) (הַ)נְּשָׁמָה 230, 2448, 2449, 2460; כָּל־הָעֵדָה (עֲדַת) 2130-2151, 2336-2358; כָּל־עוֹד 2456, 2522; כָּל־(הָ)עָם 2223-2327, 4806-4814; כָּל־עֻמַּת שֶׁ־ 2526; כָּל־הַקָּהָל 2531-2541; כָּל־שֶׁ־ 2528

– אֵין כֹּל 5,13,25; אֶל־כָּל־ 2152-2222; אֵת (אֶת־) כֹּל (כָּל־) 3, 848-851, 853-856, 858, 859, 861, 939, 943-1657; בִּכּוּרֵי כֹּל 19; גַּם כָּל־ 2223; הֶן־כֹּל 30; חֹסֶר כֹּל 10, 12; יַד כֹּל 2, 34; עֵינֵי כֹל 24; עַל כֹּל 32; פִּקּוּדֵי כֹל 23; רַב כֹּל 9; תְּמוּנַת כֹּל 6, 7; תְּרוּמַת כֹּל 20

– הַכֹּל 35-94; הַכֹּל כַּאֲשֶׁר לַכֹּל 51; הַכֹּל הֶבֶל 43-47; חָזוּת הַכֹּל 40; יוֹצֵר הַכֹּל 41, 42

– בְּכָל אֵלֶּה 4348, 4387, 4390, 4422; בְּכֹל (בְּכָל)־אֲשֶׁר 463, 464, 466, 475, 480-502, 542, 543, 545, 551, 555, 4295, 4419; בְּכָל־דּוֹר וָדוֹר 4404, 4416, 4423; בְּכָל־זֹאת 4366, 4377-4381, 4383, 4388, 4405, 4420, 4421, 4691; בְּכָל־זֶה 4692; בְּכָל־יוֹם 4407; בְּכָל־כֹּחוֹ 4294; בְּכָל לֵב (לִבּוֹ) 4372, 4375, 4384-4386, 4389, 4391, 4409-4415, 4417, 4425, 4426; בְּכָל־לְבָבוֹ 4350-4365, 4370, 4371, 4373, 4374, 4376, 4406, 4408, 4427-4431; בְּכָל־מְאֹדוֹ 4679, 4689; בְּכָל־נֶפֶשׁ (נַפְשׁוֹ) 4350-4365, 4370, 4371, 4375, 4376, 4386, 4427, 4431, 4693; בְּכָל־עֹז 4367; בְּכָל עֵת 4392—4403; בְּכָל־פֶּה 4382; בְּכָל־רָע 4418

– יָדוֹ בַכֹּל 2

– כְּכָל־הָאָדָם 4748; כְּכֹל (כְּכָל־)אֲשֶׁר 560-632, 645, 4749, 4750; כְּ׳־כֹּחוֹ 4772; כְּ׳־הַכָּתוּב 4742-4745

– לְכֹל (לְכָל־) אֲשֶׁר 648, 658-670, 732, 736, 4825; לְכָל־יִשְׂרָאֵל 4795-4804; לְכֹל לְרֹאשׁ 675; לְכָל־רוּחַ 4818-4821

– מִכָּל־הָאָדָם 5083; מִכָּל־אֵלֶּה 5071; מִכֹּל (מִכָּל־) אֲשֶׁר 749, 759-779, 5058, 5072, 5080, 5081; מִכָּל מִצְוֹת 5068-5070; מִכָּל־הָעַמִּים 5073-5078; מִכָּל־(הָ)עָם 5064, 5067, 5079, 5089-5091; מִכָּל־רָע 5061; מִכֹּל שֶׁ־ 788, 789

כֹּל (נפרד)
1 כִּירֶק עֵשֶׂב נָתַתִּי לָכֶם אֶת־כֹּל Gen. 9:3
2 יָדוֹ בַכֹּל וְיַד כֹּל בּוֹ Gen. 16:12
3 וְאֵת־כֹּל וְנֹכָחַת Gen. 20:16
4 כִּי־חַנַּנִי אֱלֹהִים וְכִי יֶשׁ־לִי־כֹל Gen. 33:11
5 וְעַתָּה נַפְשֵׁנוּ יְבֵשָׁה אֵין כֹּל Num. 11:6

כֹּל (המשך)
6-7 ...פֶּסֶל תְּמוּנַת כֹּל Deut. 4:23, 25
8 אֶרֶץ...לֹא־תֶחְסַר כֹּל בָּהּ Deut. 8:9
9 תַּחַת אֲשֶׁר לֹא־עָבַדְתָּ...מֵרֹב כֹּל Deut. 28:47
10 וּבְעֵירֹם וּבְחֹסֶר כֹּל Deut. 28:48
11 מִבְּלִי הִשְׁאִיר־לוֹ כֹּל Deut. 28:55
12 כִּי־תֹאכְלֵם בְּחֹסֶר־כֹּל בַּסָּתֶר Deut. 28:57
13 וְלָרָשׁ אֵין־כֹּל כִּי אִם־כִּבְשָׂה II Sh. 12:3
14 כֹּל שְׁלֹשִׁים וְשִׁבְעָה II Sh. 23:39
15 אֵין לְשִׁפְחָתְךָ כֹל בַּבַּיִת IIK. 4:2
16 אָנֹכִי יְיָ עֹשֶׂה כֹּל Is. 44:24
17 וְתַמּוּ כֹל בְּאֶרֶץ מִצְרַיִם יִפֹּלוּ Jer. 44:12
18 וּמִן־אָז חָדַלְנוּ...חָסַרְנוּ כֹל Jer. 44:18
19 וְרֵאשִׁית כָּל־בִּכּוּרֵי כֹל Ezek. 44:30
20 וְכָל־תְּרוּמַת כֹּל Ezek. 44:30
21 אָסֹף אָסֵף כֹּל מֵעַל פְּנֵי הָאֲדָמָה Zep. 1:2
22 כֹּל שַׁתָּה תַחַת־רַגְלָיו Ps. 8:7
23 כָּל־פִּקּוּדֵי כֹל יִשָּׁרְתִּי Ps. 119:128
24 עֵינֵי־כֹל אֵלֶיךָ יְשַׂבֵּרוּ Ps. 145:15
25 יֵשׁ מִתְעַשֵּׁר וְאֵין כֹּל Prov. 13:7
26 כֹּל פָּעַל יְיָ לַמַּעֲנֵהוּ Prov. 16:4
27 רַב מְחוֹלֵל־כֹּל Prov. 26:10
28 וּמְבַקְשֵׁי יְיָ יָבִינוּ כֹל Prov. 28:5
29 וְלֹא־יָשׁוּב מִפְּנֵי־כֹל Prov. 30:30
30 הֶן־כֹּל רָאֲתָה עֵינִי Job 13:1
31 יָדַעְתִּי° כִּי־כֹל תּוּכָל Job 42:2
32 כִּי עַל־כֹּל יִתְגַּדָּל Dan. 11:37
33 כִּי־כֹל בַּשָּׁמַיִם וּבָאָרֶץ ICh. 29:11
34 מִיַּד סַנְחֵרִיב...וּמִיַּד־כֹּל IICh. 32:22

הַכֹּל
35 וְשַׂמְתָּ הַכֹּל עַל כַּפֵּי אַהֲרֹן Ex. 29:24
36 וְהִקְטִיר הַכֹּהֵן אֶת־הַכֹּל... Lev. 1:6
37 לֹא־נָפַל דָּבָר...הַכֹּל בָּא Josh. 21:43
38 הַכֹּל בָּאוּ לָכֶם Josh. 23:14
39 גַּם אֶת־הַכֹּל יִקָּח II Sh. 19:31
40 וַתְּהִי לָכֶם חָזוּת הַכֹּל... Is. 29:11
41/2 כִּי־יוֹצֵר הַכֹּל הוּא Jer. 10:16; 51:19
43/4 הֲבֵל הֲבָלִים(...)הַכֹּל הָבֶל Eccl. 1:2; 12:8
45-47 הַכֹּל הֶבֶל וּרְעוּת רוּחַ Eccl. 1:14; 2:11, 17
48 הַכֹּל הָיָה מִן־הֶעָפָר Eccl. 3:20
49 אֶל־מָקוֹם אֶחָד הַכֹּל הוֹלֵךְ Eccl. 6:6
50 אֶת־הַכֹּל רָאִיתִי בִּימֵי הֶבְלִי Eccl. 7:15
51 הַכֹּל כַּאֲשֶׁר לַכֹּל מִקְרֶה אֶחָד Eccl. 9:2
52 וְהַכֶּסֶף יַעֲנֶה אֶת־הַכֹּל Eccl. 10:19
53 סוֹף דָּבָר הַכֹּל נִשְׁמָע Eccl. 12:13
54-93 הַכֹּל Lev. 1:13; 8:27
Deut. 2:36 • Josh. 11:19 • I Sh. 30:19 • II Sh. 17:3; 24:23 • IK. 6:18; 7:33; 14:26 • IIK. 24:16; 25:17 • Is. 65:8 • Jer. 52:22 • Ezek. 7:14 • Ps. 14:3; 49:18; 119:91 • Eccl. 2:16; 3:11, 19, 20; 9:1; 11:5 • Dan. 11:2 • Ez. 1:11; 2:42; 8:35 • ICh. 21:23; 28:19; 29:14, 16, 19 • IICh. 12:9; 28:6; 29:28; 31:5; 35:7; 36:17, 18

וְהַכֹּל
94 וְהַכֹּל שָׁב אֶל־הֶעָפָר Eccl. 3:20

בַּכֹּל
95 יָדוֹ בַכֹּל וְיַד כֹּל בּוֹ Gen. 16:12
96 וַיְיָ בֵּרַךְ אֶת־אַבְרָהָם בַּכֹּל Gen. 24:1
97 עֲרוּכָה בַכֹּל וּשְׁמֻרָה II Sh. 23:5
98 וּמַלְכוּתוֹ בַּכֹּל מָשָׁלָה Ps. 103:19
99 וְיִתְרוֹן אֶרֶץ בַּכֹּל הוּא° Eccl. 5:8
100 וַיְכַלּוּ בַכֹּל...עַד יוֹם אֶחָד Ez. 10:17
101 וְאַתָּה מוֹשֵׁל בַּכֹּל ICh. 29:12

כַּכֹּל
102 וְהֻמְּכוּ כַּכֹּל יִקָּפְצוּן Job 24:24

לַכֹּל
103/4 לֹא יִצְלַח לַכֹּל Jer. 13:7, 10
105 טוֹב יְיָ לַכֹּל Ps. 145:9

לַכֹּל (המשך)
106 לַכֹּל זְמָן וְעֵת לְכָל־חֵפֶץ Eccl. 3:1
107 וְרוּחַ אֶחָד לַכֹּל Eccl. 3:19
108 הַכֹּל כַּאֲשֶׁר לַכֹּל מִקְרֶה אֶחָד Eccl. 9:2
109 כִּי־מִקְרֶה אֶחָד לַכֹּל Eccl. 9:3
110 וְאָמַר לַכֹּל סָכָל הוּא Eccl. 10:3
111 בְּמִסְפָּר בְּמִשְׁקָל לַכֹּל Ez. 8:34
112 הִתְיַחְשָׂם לַכֹּל ICh. 7:5
113 וּבְיָדְךָ לְגַדֵּל וּלְחַזֵּק לַכֹּל ICh. 29:12

מִכֹּל
114 שְׁנַיִם מִכֹּל תָּבִיא אֶל־הַתֵּבָה Gen. 6:19
115 שְׁנַיִם מִכֹּל יָבֹאוּ אֵלֶיךָ Gen. 6:20
116 וַיִּתֶּן־לוֹ מַעֲשֵׂר מִכֹּל Gen. 14:20
117 וַיָּבֵא לִי וָאֹכַל מִכֹּל Gen. 27:33
118 עָקֹב הַלֵּב מִכֹּל וְאָנֻשׁ הוּא Jer. 17:9

כֹּל (נסמך)
119 בְּעִצָּבוֹן תֹּאכֲלֶנָּה כֹּל יְמֵי חַיֶּיךָ Gen. 3:17
120 כֹּל אֲשֶׁר־בָּאָרֶץ יִגְוָע Gen. 6:17
121 כֹּל צִפּוֹר כָּל־כָּנָף Gen. 7:14
122 כֹּל אֲשֶׁר נִשְׁמַת־רוּחַ חַ׳ בְּאַפָּיו Gen. 7:22
123 כֹּל רוֹמֵשׂ עַל־הָאָרֶץ Gen. 8:19
124 לֹא־יִבָּצֵר מֵהֶם כֹּל אֲשֶׁר יָזְמוּ Gen. 11:6
125 וְנִבְרְכוּ בְךָ כֹּל מִשְׁפְּחֹת הָאֲדָ׳ Gen. 12:3
126 וְנִבְרְכוּ־בוֹ כֹּל גּוֹיֵי הָאָרֶץ Gen. 18:18
127 כֹּל אֲשֶׁר תֹּאמַר אֵלֶיךָ שָׂרָה Gen. 21:12
128 כֹּל אֲשֶׁר־אֵינֶנּוּ נָקֹד וְטָלוּא Gen. 30:33
129-180 כֹּל אֲשֶׁר Gen. 30:35; 31:16
Ex. 18:24; 19:8; 23:22; 24:7; 35:22; 36:2 • Lev. 6:11, 20; 11:9, 12, 33; 22:20; 27:9, 32 • Num. 23:26; 30:10 • Deut. 12:14; 14:9 • Josh. 1:16; 2:19; 15:46 • Jud. 7:5; 13:14 • I Sh. 2:14; 9:6 • II Sh. 7:3; 9:9; 16:4; 21:14 • IK. 20:9 • IIK. 10:19; 24:7 • Is. 19:17; 63:7 • Ezek. 47:9 • Joel 3:5 • Zep. 3:7 • Ps. 115:3, 8 • 135:6, 18 • Job 37:12 • Ruth 2:11; 3:5, 11 • Eccl. 9:10 • Neh. 5:19 • ICh. 17:2; 28:12 • IICh. 34:16
181 כֹּל קְהַל עֲדַת־יִשְׂרָאֵל Ex. 12:6
182 כֹּל סוּס פַּרְעֹה רִכְבּוֹ וּפָרָשָׁיו Ex. 14:23
183 נָמֹגוּ כֹּל יֹשְׁבֵי כְנָעַן Ex. 15:15
184 כֹּל בְּכוֹר בָּנֶיךָ תִּפְדֶּה Ex. 34:20
185 כֹּל נְדִיב לִבּוֹ יְבִיאֶהָ Ex. 35:5
186-197 כֹּל יֹצֵא צָבָא Num. 1:20, 22
1:24, 26, 28, 30, 32, 34, 36, 38, 40, 42
198 כֹּל כְּלֵי הַמִּזְבֵּחַ Num. 4:14
199-200 כֹּל יְמֵי נִזְרוֹ Num. 6:5, 8
201 כֹּל עָרֵי הַמִּישֹׁר Deut. 3:10
202 כֹּל חֶבֶל הָאַרְגֹּב לְכָל־הַבָּשָׁן Deut. 3:13
203-205 כֹּל יְמֵי חַיֶּיךָ Deut. 4:9; 6:2; 16:3
206 לֹא־יִתְיַצֵּב...כֹּל יְמֵי חַיֶּיךָ Josh. 1:5
207 כֹּל גִּבּוֹרֵי הַחַיִל Josh. 1:14
208 וַיַּעֲבֹד...כֹּל יְמֵי יְהוֹשֻׁעַ Josh. 24:31
209-222 כֹּל יְמֵי... Jud. 2:7, 18
I Sh. 7:13, 15; 14:52 • IK. 5:5; 11:34; 15:5 • IIK. 13:22; 25:30 • Jer. 52:34 • Prov. 31:12 • Eccl. 9:9 • IICh. 24:14
223 נִלְחָם בָּעִיר כֹּל הַיּוֹם הַהוּא Jud. 9:45
224 הָלְכוּ...כֹּל הַלַּיְלָה הַהוּא II Sh. 2:29
225 מֵסִיר...כֹּל מִשְׁעַן־לֶחֶם Is. 3:1
226 וְתָלוּ עָלָיו כֹּל כְּבוֹד בֵּית־אָבִיו Is. 22:24
227 כֹּל כְּלֵי הַקָּטָן Is. 22:24
228 וּרְאֵה בְּטוּב יְרוּ׳ כֹּל יְמֵי חַיֶּיךָ Ps. 128:5
229 יֵבֹשׁוּ...כֹּל שֹׂנְאֵי צִיּוֹן Ps. 129:5
230 כֹּל הַנְּשָׁמָה תְּהַלֵּל יָהּ Ps. 150:6
231-342 כֹּל (נסמך) Gen. 22:18; 26:4 Ex. 9:6; 30:14; 35:22; 38:17 • Lev. 11:3, 20, 42; 26:34 • Num. 7:85; 8:16; 13:2; 14:2; 17:28; 18:12, 19 20:29; 31:19, 51 • Deut. 4:19, 30; 15:21; 17:1;

כֹּל (נס׳) (המשך)

25:16; 29:9 • Josh. 1:4; 3:15; 5:4; 6:3; 8:25; 11:5; 21:39(41); 22:16 • Jud. 8:10; 9:2; 16:27; 20:2 • ISh. 8:4; 14:38 • IISh. 16:8 • IK. 8:3 • IIK. 11:7; 12:5; 15:29; 19:24 • Is. 8:9; 14:9; 30:5, 32; 37:25; 41:11; 43:7; 45:24; 56:9; 59:8 • Jer. 18:16; 19:8; 20:10; 39:3; 47:2, 4; 49:17; 50:30 • Ezek. 17:23; 26:16; 27:29^{2}, 35; 31:6^{2}, 13; 45:16 • Joel 1:2, 14; 2:1; 4:9 • Am. 9:10 • Ob. 7 • Nah. 3:19 • Zep. 2:11, 15; 3:7, 8 • Hag. 1:14 • Zech. 10:11; 12:3 • Ps. 75:9; 87:7; 119:13 • S.ofS. 4:4 • Ruth 3:11 • Lam. 1:7; 2:3, 4; 3:34; 4:12 • Ez. 1:2; 7:6; 9:4 • Neh. 5:19; 10:29 • ICh. 3:9; 10:11; 26:28; 28:19; 29:16 • IICh. 5:4; 25:7; 26:12

וְכֹל (נס׳)

343 וְכֹל שִׂיחַ הַשָּׂדֶה טֶרֶם יִהְיֶה — Gen. 2:5

344 וְכֹל אֲשֶׁר יִקְרָא־לוֹ הָאָדָם — Gen. 2:19

345 וְכֹל אֲשֶׁר־רֹמֵשׂ עַל־הָאֲדָמָה — Gen. 7:8

346 וַיִּגְוַע כָּל־בָּשָׂר...וְכֹל הָאָדָם — Gen. 7:21

347 וְכֹל אֲשֶׁר־לְךָ בָּעִיר — Gen. 19:12

348 וְכֹל אֲשֶׁר־תִּתֶּן־לִי... — Gen. 28:22

349 וְכֹל אֲשֶׁר־אַתָּה רֹאֶה לִי הוּא — Gen. 31:43

350-385 וְכֹל אֲשֶׁר — Gen. 39:3, 8

Ex. 20:17; 35:21, 24 • Lev. 11:10, 32, 35; 15:11, 20^{2} • Num. 19:16,22;22:17;31:23 • Deut. 2:37;5:18; 8:13; 14:10; 20:14 • Josh. 2:19 • Jud. 7:4, 5 • ISh. 9:19; 25:6 • IISh. 18:32; 19:39 • IIK. 10:5 • Jer. 51:48 • Ezek. 12:14 • Ps. 1:3 • Job 2:4 • Eccl. 2:10 • Ez. 10:8, 14 • IICh. 15:13

386 וְכֹל זִקְנֵי אֶרֶץ־מִצְרָיִם — Gen. 50:7

387 וְכֹל בֵּית יוֹסֵף וְאֶחָיו — Gen. 50:8

388 וַיָּמָת יוֹסֵף...וְכֹל הַדּוֹר הַהוּא — Ex. 1:6

389/90 וְכֹל בְּכוֹר בְּהֵמָה — Ex. 11:5; 12:29

391 וְכֹל בְּכוֹר אָדָם בְּבָנֶיךָ תִּפְדֶּה — Ex. 13:13

392 הַהַגְרִיאִים וְכֹל שֶׁעִמָּהֶם — ICh. 5:20

393 וְכֹל הַהִקְדִּישׁ שְׁמוּאֵל הָרֹאֶה — ICh. 26:28

394-461 וְכֹל (נסמך) — Ex. 14:7; 18:12; 36:1

Lev. 11:23, 27, 42, 46 • Num. 3:31, 36; 5:2; 7:88; 11:32; 19:15, 31:18,19 • Deut. 12:11; 14:19; 21:6 • Josh. 6:19; 7:9; 9:5; 10:7; 11:14; 13:10, 11, 21; 24:31 • Jud. 2:7; 7:6; 9:51; 20:33; 14:22; 17:24 • IISh. 9:12 • IK. 10:21^{2} • IIK. 3:19; 23:22. • Is. 3:1; 7:25; 19:7 • Jer. 17:20; 23:17; 34:19; 39:4, 13; 48:17 • Ezek. 38:20; 42:11 • Hosh. 2:13 • Joel 4:4 • Mic. 6:16 • Hag. 1:12 • Zech. 9:1; 12:4 • Job 36:19 • Lam. 4:12 • Dan. 1:20 • Neh. 8:2; 10:34 • ICh. 4:27; 18:10 • IICh. 7:3; 9:20^{2}, 23; 31:5; 36:18

הֲכֹל (נס׳)

462 הֲכֹל הַיּוֹם יַחֲרֹשׁ הַחֹרֵשׁ לִזְרֹעַ — Is. 28:24

בְּכֹל (נס׳)

463 בְּכֹל אֲשֶׁר תִּרְמֹשׂ הָאֲדָמָה — Gen. 9:2

464 אֱל׳ עִמְּךָ בְּכֹל אֲשֶׁר־אַתָּה עֹשֶׂה — Gen. 21:22

465 בְּכֹל בָּאֵי שַׁעַר־עִירוֹ — Gen. 23:18

466 וּשְׁמַרְתִּיךָ בְּכֹל אֲשֶׁר־תֵּלֵךְ — Gen. 28:15

467 בְּכֹל נִפְלְאֹתַי אֲשֶׁר אֶעֱשֶׂה בְּקִרְבּוֹ — Ex. 3:20

468 וַיָּנַח בְּכֹל גְּבוּל מִצְרָיִם — Ex. 10:14

469 לֹא נִשְׁאַר...בְּכֹל גְּבוּל מִצְרָיִם — Ex. 10:19

470 בְּכֹל מוֹשְׁבֹתֵיכֶם תֹּאכְלוּ מַצּוֹת — Ex. 12:20

471 כְּלֵי הַמִּשְׁכָּן בְּכֹל עֲבֹדָתוֹ — Ex. 27:19

472 לֹא־תְבַעֲרוּ אֵשׁ בְּכֹל מֹשְׁבֹתֵיכֶם — Ex. 35:3

473 בְּכֹל מְלֶאכֶת הַקֹּדֶשׁ — Ex. 38:24

474 וּבְהֵעָלוֹת...בְּכֹל מַסְעֵיהֶם — Ex. 40:36

475 הַנֹּגֵעַ בְּכֹל אֲשֶׁר יִהְיֶה תַחְתָּיו — Lev. 15:10

476 יְיָ אֱלֹהֶיךָ בֵּרַכְךָ בְּכֹל מַעֲשֵׂה יָדֶךָ — Deut. 2:7

477 וּשְׂמַחְתֶּם בְּכֹל מִשְׁלַח יֶדְכֶם — Deut. 12:7

בְּכֹל (נס׳) (המשך)

478 וְשָׂמַחְתָּ...בְּכֹל מִשְׁלַח יָדֶךָ — Deut. 12:28

479 וְאָכַלְתָּ...בְּכֹל אַוַּת נַפְשֶׁךָ — Deut. 12:21

480 בְּכֹל אֲשֶׁר־תְּאַוֶּה נַפְשְׁךָ — Deut. 14:26

481-502 בְּכֹל אֲשֶׁר — Deut. 15:18; 21:17

Josh. 1:7, 9 • Jud. 2:15 • ISh. 2:32; 18:5 • IISh. 3:21; 7:7, 9; 8:6, 14 • IK. 2:26; 11:37 • IIK. 18:7 • Eccl. 9:3, 6 • ICh. 17:6, 8, 20; 18:6, 13

503-541 בְּכֹל (נסמך) — Lev. 3:17; 7:26; 23:3, 14, 31

Num. 14:11; 35:29 • Deut. 23:21; 24:19; 28:37; 30:9 • Jud. 19:29 • ISh. 11:3; 13:19; 23:23; 30:16 • IISh. 6:5 • IK. 1:3; 8:52 • IIK. 18:5; 22:17, 20 • Is. 16:14 • Jer. 44:8 • Ezek. 6:6, 13, 14; 21:29; 28:26; 44:5 • Am. 4:6 • Zep. 3:20 • Es. 3:8 • Neh. 10:38 • ICh. 12:38(37); 13:2 • IICh. 20:6; 34:25, 28

וּבְכֹל (נס׳)

542 וּבְכֹל אֲשֶׁר־אָמַרְתִּי...תִּשָּׁמֵרוּ — Ex. 23:13

543 וּבְכֹל אֲשֶׁר תִּרְמֹשׂ הָאֲדָמָה — Lev. 20:25

544 וּבְכֹל אֶרֶץ אֲחֻזַּתְכֶם — Lev. 25:24

545 וּבְכֹל אֲשֶׁר תִּשְׁאָלְךָ נַפְשֶׁךָ — Deut. 14:26

546/7 וּבְכֹל מִשְׁלַח יָדֶךָ — Deut. 15:10; 28:8

548 וּבְכֹל מַעֲשֵׂה יָדֶיךָ — Deut. 16:15

549 וּבְכֹל חוֹף הַיָּם הַגָּדוֹל — Josh. 9:1

550 וּבְכֹל הָעַמִּים אֲשֶׁר...בְּקִרְבָּם — Josh. 24:17

551 וּבְכֹל אֲשֶׁר־יִפְנֶה יַרְשִׁיעַ — ISh. 14:47

552 וּבְכֹל אֶרֶץ מֶמְשַׁלְתּוֹ — IK. 9:19

553א וּבְכֹל הַנַּעֲצוּצִים וּבְכֹל הַנַּהֲלֹלִים — Is. 7:19

554 וּבְכֹל שַׁעֲרֵי יְרוּשָׁלָםִ — Jer. 17:19

555 וּבְכֹל אֲשֶׁר־עָגְבָה...נִטְמָאָה — Ezek. 23:7

556 בָּאֲפִיקִים וּבְכֹל מוֹשְׁבֵי הָאָרֶץ — Ezek. 34:13

557 וּבְשִׁקּוּצֵיהֶם וּבְכֹל פִּשְׁעֵיהֶם — Ezek. 37:23

558 וּבְכֹל חֲמֻדוֹת מִצְרָיִם — Dan. 11:43

559 וּבְכֹל אֶרֶץ מֶמְשַׁלְתּוֹ — IICh. 8:6

כְּכֹל (נס׳)

560 כְּכֹל אֲשֶׁר צִוָּה אֹתוֹ אֱלֹהִים — Gen. 6:22

561 וַיַּעַשׂ נֹחַ כְּכֹל אֲשֶׁר־צִוָּהוּ יְיָ — Gen. 7:5

562 כְּכֹל אֲשֶׁר־יוּשַׁת עָלָיו — Ex. 21:30

563 כְּכֹל אֲשֶׁר אֲנִי מַרְאֶה אוֹתְךָ — Ex. 25:9

564 כְּכֹל אֲשֶׁר־צִוִּיתִי אֹתָכָה — Ex. 29:35

565-632 כְּכֹל אֲשֶׁר

Ex. 31:11; 39:32, 42; 40:16 • Num. 1:54; 2:34; 8:20; 9:5; 30:1 • Deut. 1:3; 1:30, 41; 4:34; 12:8; 17:10; 18:16; 24:8; 26:14; 30:2 • Josh. 1:17; 4:10; 10:32, 35, 37; 11:23; 21:42 • ISh. 25:30 • IISh. 3:36; 7:22; 9:11; 15:15 • IK. 5:20; 8:43, 56; 9:4; 21:26; 22:54 • IIK. 10:30; 11:9; 14:3; 15:3, 34; 16:11, 16; 18:3; 21:8; 23:32, 37; 24:3, 9, 19 • Jer. 11:4; 35:10, 18; 36:8; 50:21, 29; 52:2 • Ezek. 24:24 • Ruth 3:6 • Es. 4:17 • ICh. 6:34 • IICh. 6:33; 7:17; 23:8; 26:4; 27:2; 29:2

633 כְּכֹל הַתּוֹרָה הַזֹּאת אֲשֶׁר אָנֹכִי נֹתֵן — Deut. 4:8

634 לַעֲשׂוֹת כְּכֹל תּוֹעֲבֹתָם — Deut. 20:18

635 כְּכֹל אָלוֹת הַבְּרִית הַכְּתוּבָה — Deut. 29:20

636 וַיַּגִּדוּ לוֹ כְּכֹל הַדְּבָרִים הָאֵלֶּה — ISh. 25:12

637/8 כְּכֹל הַדְּבָרִים הָאֵלֶּה...כֵּן דִּבֶּר — IISh. 7:17 • ICh. 17:15

639 עָשׂוּ כְּכֹל הַתּוֹעֲבֹת הַגּוֹיִם — IK. 14:24

640 אֲשֶׁר־שָׁב...כְּכֹל תּוֹרַת מֹשֶׁה — IIK. 23:25

641 וַיִּנָּבֵא...כְּכֹל דִּבְרֵי יִרְמְיָהוּ — Jer. 26:20

642 כְּכֹל הַתּוֹעֵבוֹת אֲשֶׁר־עָשָׂה — Ezek. 18:24

643 כְּכֹל תֹּעֲבוֹת הַגּוֹיִם — IICh. 36:14

וּכְכֹל (נס׳)

644 וּכְכֹל הַחִזָּיוֹן הַזֶּה — IISh. 7:17

645 וּכְכֹל אֲשֶׁר יֹאמַר יְיָ אֱלֹהֵינוּ — Jer. 42:20

646 וּכְכֹל הֶחָזוֹן הַזֶּה כֵּן דִּבֶּר נָתָן — ICh. 17:15

לְכֹל (נס׳)

647 לְכֹל חַיַּת הָאָרֶץ — Gen. 9:10

648 כְּסוּת עֵינַיִם לְכֹל אֲשֶׁר אִתָּךְ — Gen. 20:16

649 לְכֹל בָּאֵי שַׁעַר־עִירוֹ — Gen. 23:10

650 לְהִתְאַפֵּק לְכֹל הַנִּצָּבִים עָלָיו — Gen. 45:1

651 וַיָּשֻׁבוּ הַמַּיִם...לְכֹל חֵיל פַּרְעֹה — Ex. 14:28

652 כֵּן תַּעֲשֶׂה לְכֹל קַרְשֵׁי הַמִּשְׁכָּן — Ex. 26:17

653 לְכֹל כְּלֵי הַמִּשְׁכָּן — Ex. 27:19

654 לְכֹל אֲשֶׁר־צִוָּה יְיָ — Ex. 36:1

655 כֵּן עָשָׂה לְכֹל קַרְשֵׁי הַמִּשְׁכָּן — Ex. 36:22

656 לְכֹל הָעֹבֵר עַל־הַפְּקֻדִים — Ex. 38:26

657 לְכֹל טֻמְאָתוֹ אֲשֶׁר יִטְמָא בָּהּ — Lev. 5:3

658 לְכֹל אֲשֶׁר יְבַטֵּא הָאָדָם בִּשְׁבֻעָה — Lev. 5:4

659-670 לְכֹל אֲשֶׁר — Lev. 13:51

Josh. 1:18; 22:2 • Jud. 6:31 • ISh. 8:7; 12:1 • IIK. 12:6 • Is. 8:12 • Jer. 35:8 • Ezek. 40:4 • Ps. 145:18 • Eccl. 4:16

671 מָגֵן הוּא לְכֹל הַחֹסִים בּוֹ — IISh. 22:31

672 אֲשֶׁר תִּהְיֶה...לְכֹל עַמְּךָ יִשְׂרָאֵל — IK. 8:38

673 וְזֵרִתִים לְכֹל הָרֻחוֹת הָאֵלֶּה — Jer. 49:36

674 מָגֵן הוּא לְכֹל הַחוֹסִים בּוֹ — Ps. 18:31

675 וְהַמִּתְנַשֵּׂא לְכֹל לְרֹאשׁ — ICh. 29:11

676-722 לְכֹל — Lev. 22:5

Num. 3:26; 18:4; 31:4 • Deut. 4:19; 28:25 • Josh. 20:9; 22:14 • Jud. 10:18; 11:8; 20:10 • IISh. 12:31 • IIK. 10:22; 19:15 • Is. 37:16 • Jer. 8:3; 15:4; 19:13^{2}; 24:9; 26:6; 29:18, 22; 30:25; 33:9; 34:17 • Ezek. 6:9, 13; 44:14 • Es. 1:18 • Ez. 1:5; 10:7 • Neh. 11:2 • ICh. 6:34; 7:5; 13:2; 20:3; 26:30; 27:1^{2}; 28:14 • IICh. 11:23; 19:11^{2}; 30:17; 32:13; 34:13

וּלְכֹל (נס׳)

723 וּלְכֹל רוֹמֵשׂ עַל־הָאָרֶץ — Gen. 1:30

724 וּלְכֹל חַיַּת הַשָּׂדֶה — Gen. 2:20

725 וּלְכֹל בְּ״י לֹא יֶחֱרַץ־כֶּלֶב לְשֹׁנוֹ — Ex. 11:7

726 לְכָל־מַשָּׂאָם וּלְכֹל עֲבֹדָתָם — Num. 4:27

727 לְכָל־כְּלֵיהֶם וּלְכֹל עֲבֹדָתָם — Num. 4:32

728 וְלִרְכֻשָׁם וּלְכֹל חַיָּתָם — Num. 35:3

729 וּלְכֹל הַיָּד הַחֲזָקָה — Deut. 34:12

730 וּלְכֹל הַמּוֹרָא הַגָּדוֹל — Deut. 34:12

731 הֲלוֹא לְךָ וּלְכֹל בֵּית אָבִיךָ — ISh. 9:20

732 וּלְכֹל אֲשֶׁר־יֵצֵא עַל־הַבַּיִת — IIK. 12:13

733/4 וּלְכֹל צְבָא הַשָּׁמָיִם — IIK. 23:4, 5

735 וּלְכֹל צְבָא הַשָּׁמַיִם — Jer. 8:2

736 וּלְכֹל אֲשֶׁר־שְׁלָחַנִי אֲלֵיכֶם — Jer. 42:21

737 לְבָבֶל וּלְכֹל יוֹשְׁבֵי כַשְׂדִּים — Jer. 51:24

738 וּלְכֹל חַיַּת הַשָּׂדֶה — Ezek. 39:17

739 וּלְכֹל אֲשֶׁר יֵעָשֶׂה בּוֹ — Ezek. 44:14

740 וּלְכֹל מַמְלְכוֹת כְּנָעַן — Ps. 135:11

741 וּלְכֹל מִתְנַדֵּב נְדָבָה לַיְיָ — Ez. 3:5

742 וּלְכֹל הַעֲלוֹת עֹלוֹת לַיְיָ — ICh. 23:31

743 וּלְכֹל נָשִׂיא לְכָל־יִשְׂרָאֵל — IICh. 1:2

744 לְכָל־הָאָדָם וּלְכֹל עַמְּךָ יִשְׂרָאֵל — IICh. 6:29

745 וּלְמִגְדָּנִים וּלְכֹל כְּלֵי חֶמְדָּה — IICh. 32:27

מִכֹּל (נס׳)

746 מִכֹּל עֵץ־הַגָּן אָכֹל תֹּאכֵל — Gen. 2:16

747 וְהַנָּחָשׁ הָיָה עָרוּם מִכֹּל חַיַּת הַשָּׂדֶה — Gen. 3:1

748 לֹא תֹאכְלוּ מִכֹּל עֵץ הַגָּן — Gen. 3:1

749 וַיִּקְחוּ...מִכֹּל אֲשֶׁר בָּחָרוּ — Gen. 6:2

750 מִכֹּל רֶמֶשׂ הָאֲדָמָה לְמִינֵהוּ — Gen. 6:20

751 מִכֹּל הַבְּהֵמָה הַטְּהוֹרָה — Gen. 7:2

752 מִכֹּל אֲשֶׁר בֶּחָרָבָה מֵתוּ — Gen. 7:22

753 וַיִּקַּח מִכֹּל הַבְּהֵמָה הַטְּהֹרָה — Gen. 8:20

754 מִכֹּל יֹצְאֵי הַתֵּבָה — Gen. 9:10

755 וּמִקְנַת־כֶּסֶף מִכֹּל בֶּן־נֵכָר — Gen. 17:12

756 מַה־מָּצָאתָ מִכֹּל כְּלֵי־בֵיתֶךָ — Gen. 31:37

מִכֹּל (נס׳) (המשך)

757 קָטֹנְתִּי מִכֹּל הַחֲסָדִים Gen. 32:10

758 וְהוּא נִכְבָּד מִכֹּל בֵּית אָבִיו Gen. 34:19

759 עַל־אַחַת מִכֹּל אֲשֶׁר־יַעֲשֶׂה... Lev. 5:22

760-779 מִכֹּל אֲשֶׁר Lev. 5:24, 26; 11:9 • Num. 6:4 • Deut. 14:9 • Josh. 8:35; 11:15 • Jud. 13:13, 14 • IISh. 14:19 • IK. 14:9, 22; 15:5; 16:25, 30 • IIK. 21:11 • Ezek. 16:54; 43:11 • Eccl. 6:2 • Es. 6:10

780 ...מֹשֶׁה עָנָו מְאֹד מִכֹּל הָאָדָם Num. 12:3

781/2 לְעַם סְגֻלָּה מִכֹּל הָעַמִּים Deut. 7:6; 14:2

783 וְנִשְׁמַרְתָּ מִכֹּל דָּבָר רָע Deut. 23:10

784 רַק אֶתְכֶם יָדַעְתִּי מִכֹּל מִשְׁפְּחוֹת... Am. 3:2

785 אֹהֵב יְיָ...מִכֹּל מִשְׁכְּנוֹת יַעֲקֹב Ps. 87:2

786 יִפְדֶּה אֶת־יִשְׂרָאֵל מִכֹּל עֲוֹנוֹתָיו Ps. 130:8

787 מְקֻטֶּרֶת...מִכֹּל אַבְקַת רוֹכֵל S.ofS. 3:6

788 מִכֹּל שֶׁהָיוּ לְפָנַי בִּירוּשָׁלָםִ Eccl. 2:7

789 מִכֹּל שֶׁהָיָה לְפָנַי בִּירוּשָׁלָםִ Eccl. 2:9

790-838 מִכֹּל Gen. 40:17 • Lev. 4:2 11:10, 21; 16:30; 18:26, 29 • Num. 18:28, 29 • Deut. 29:20 • Josh. 21:43; 23:14 • Jud. 8:10; 20:16; 18:30 • ISh. 23:23 • IISh. 10:9 • IK. 8:16, 53, 56; 10:23; 11:32; 14:21; 16:33 • IIK. 3:21; 5:12; 21:7 • Jer. 22:22; 23:3 • Ezek. 28:24; 31:5; 36:33; 37:23; 44:30; 48:19 • Mic. 7:16 • Nah. 2:10 • Zep. 3:11 • Zech. 8:23 • Ps. 25:22 • Lam. 3:51 • Dan. 11:2 • Neh. 9:2 • ICh. 28:4 • IICh. 6:5; 9:22; 11:16; 12:13; 33:7

וּמִכֹּל (נס׳)

839 מִכָּל־הַבְּהֵמָה וּמִכֹּל חַיַּת הַשָּׂדֶה Gen. 3:14

840 וּמִכֹּל הָעוֹף הַטָּהוֹר Gen. 8:20

841 וּמִכֹּל נֶפֶשׁ הַחַיָּה אֲשֶׁר בַּמָּיִם Lev. 11:10

842/3 וּמִכֹּל הַר יְהוּדָה וּמִכֹּל הַר יִשְׂ׳ Josh. 11:21

844 וַתֵּרֶב...וּמִכֹּל חָכְמַת מִצְרָיִם IK. 5:10

845 מֵאֶרֶץ צָפוֹן וּמִכֹּל הָאֲרָצוֹת Jer. 16:15

846 מֵאֶרֶץ צָפוֹנָה וּמִכֹּל הָאֲרָצוֹת Jer. 23:8

847 וּמִכֹּל שְׁאֵרִית יִשְׂרָאֵל IICh. 34:9

כָּל־

848 וְאֵת כָּל־נֶפֶשׁ הַחַיָּה Gen. 1:21

849 וְאֵת כָּל־עוֹף כָּנָף לְמִינֵהוּ Gen. 1:21

850 וְאֵת כָּל־רֶמֶשׂ הָאֲדָמָה Gen. 1:25

851 אֶת־כָּל־עֵשֶׂב זֹרֵעַ זֶרַע Gen. 1:29

852 אֲשֶׁר עַל־פְּנֵי־כָל־הָאָרֶץ Gen. 1:29

853 וְאֶת־כָּל־הָעֵץ Gen. 1:29

854 אֶת־כָּל־יֶרֶק עֵשֶׂב לְאָכְלָה Gen. 1:30

855 וַיַּרְא אֱלֹ׳ אֶת־כָּל־אֲשֶׁר עָשָׂה Gen. 1:31

856 וְהִשְׁקָה אֶת־כָּל־פְּנֵי הָאֲדָמָה Gen. 2:6

857 כָּל־עֵץ נֶחְמָד לְמַרְאֶה Gen. 2:9

858 הַסֹּבֵב אֵת כָּל־אֶרֶץ הַחֲוִילָה Gen. 2:11

859 הַסּוֹבֵב אֵת כָּל־אֶרֶץ כּוּשׁ Gen. 2:13

860 וַיִּצֶר יְיָ אֱלֹהִים...כָּל־חַיַּת הַשָּׂדֶה Gen. 2:19

861 וְאֵת כָּל־עוֹף הַשָּׁמַיִם Gen. 2:19

862 וְעָפָר תֹּאכַל כָּל־יְמֵי חַיֶּיךָ Gen. 3:14

863 כִּי הִוא הָיְתָה אֵם כָּל־חָי Gen. 3:20

864 וְהָיָה כָל־מֹצְאִי יַהַרְגֵנִי Gen. 4:14

865 לָכֵן כָּל־הֹרֵג קַיִן שִׁבְעָתַיִם יֻקָּם Gen. 4:15

866 לְבִלְתִּי הַכּוֹת־אֹתוֹ כָּל־מֹצְאוֹ Gen. 4:15

867 אֲבִי כָּל־תֹּפֵשׂ כִּנּוֹר וְעוּגָב Gen. 4:21

868 לֹטֵשׁ כָּל־חֹרֵשׁ נְחֹשֶׁת וּבַרְזֶל Gen. 4:22

869 וַיִּהְיוּ כָּל־יְמֵי אָדָם אֲשֶׁר־חַי... Gen. 5:5

870 וַיִּהְיוּ כָּל־יְמֵי־שֵׁת... Gen. 5:8

871-911 כָּל־יְמֵי... Gen. 5:11, 14 5:17, 20, 23, 27, 31; 8:22; 9:29 • Lev. 13:46; 14:46; 15:25, 26; 26:35 • Num. 6:5, 6; 9:18 • Deut. 17:19 • Josh. 4:14 • Jud. 18:31 • ISh. 1:11; 22:4; 25:7, 15, 16 • IK. 5:1; 11:25; 15:6 • /h25:29 • Is. 38:20; 63:9 • Jer. 52:33 • Ps. 23:6; 27:4 • Prov. 15:15 • Job 14:14; 15:20 • Eccl. 9:9 • Ez. 4:5 • IICh. 24:2; 36:21

כָּל־ (המשך)

912 וְכָל־יֵצֶר...רַק רַע כָּל־הַיּוֹם Gen. 6:5

913 כִּי־הִשְׁחִית כָּל־בָּשָׂר אֶת־דַּרְכּוֹ Gen. 6:12

914 קֵץ כָּל־בָּשָׂר בָּא לְפָנַי Gen. 6:13

915-937 ...כָּל־בָּשָׂר Gen. 6:17; 7:21 9:11, 15, 17 • Lev. 17:14^{3} • Deut. 5:23 • Is. 40:5; 49:26; 66:16, 23 • Jer. 32:27; 45:5 • Ezek. 21:4; 21:9, 10 • Joel 3:1 • Zech. 2:17 • Ps. 65:3; 145:21 • Job 34:15

938 לְחַיּוֹת זֶרַע עַל־פְּנֵי כָל־הָאָרֶץ Gen. 7:3

939 וּמָחִיתִי אֶת־כָּל־הַיְקוּם Gen. 7:4

940 כֹּל צִפּוֹר כָּל־כָּנָף Gen. 7:14

941 וַיְכֻסּוּ כָּל־הֶהָרִים הַגְּבֹהִים Gen. 7:19

942 אֲשֶׁר־תַּחַת כָּל־הַשָּׁמָיִם Gen. 7:19

943 וַיִּמַח אֶת־כָּל־הַיְקוּם Gen. 7:23

944 וַיִּזְכֹּר אֱלֹ׳ אֶת־נֹחַ וְאֵת כָּל־הַחַיָּה Gen. 8:1

945 וְאֶת־כָּל־הַבְּהֵמָה Gen. 8:1

946-1657 (וְ)אֶת־כָּל (אֵת כָּל־) Gen. 8:21 9:10; 12:5; 13:10, 11; 14:7, 11^{2}, 16; 15:10; 17:8, 23^{2}; 18:28; 19:25^{2}; 20:8; 24:66; 26:3, 4, 11; 27:37; 29:13, 22 ; 30:35; 31:1, 18^{2}, 34, 37; 32:20; 34:29^{2}; 35:4; 36:6^{3}; 39:22, 23; 41:8^{2}, 35, 48, 51^{2}; 42:29; 45:13, 27; 47:12, 14, 20; 50:15 • Ex. 1:14; 4:28^{2}, 29, 30; 7:27; 9:14, 25^{2}; 10:5, 12, 15^{2}; 11:10; 16:3, 23; 18:8; 19:7; 20:1; 23:27^{2}; 24:3^{2}, 4; 25:39; 29:12, 13, 18; 30:27, 28; 31:7, 8, 9; 35:13, 16; 36:1, 3, 4; 37:24; 38:3, 30, 31^{2}; 39:33, 36, 37, 39, 40, 43; 40:9, 10 • Lev. 3:3, 9, 14: 4:7, 8^{2}, 11, 12, 18, 19, 26, 30, 31, 34; 4:35; 6:8; 7:3; 8:11, 16, 21, 25, 36; 10:11; 11:15; 13:12, 13, 52; 14:8, 9^{2}, 45; 15:16; 16:21^{2}, 22; 18:27; 19:37^{2}; 20:5, 22^{2}, 23; 26:14, 15 • Num. 1:18, 50; 3:8, 42; 4:9, 10, 12, 14, 15, 26, 27; 5:30; 7:1^{2}; 11:12, 14, 22; 13:26; 14:36; 15:22; 15:39, 40; 16:10, 19, 28, 31, 32^{2}; 17:24; 18:29; 20:14; 21:23, 25, 26, 34, 35; 22:4; 25:4; 30:15^{2}; 31:9^{3}, 10^{2}, 11^{2}; 33:52^{4} • Deut. 1:18, 19; 2:33, 34^{2}; 3:2, 3, 4, 14; 4:6; 5:26, 28; 6:2, 19, 24, 25; 7:16; 8:2; 11:6, 7, 8, 22, 23, 32; 12:2, 28; 13:1, 17^{2}, 19; 14:14, 22, 28; 15:5; 17:19; 19:8, 9; 20:13; 26:12; 27:1, 3, 8; 28:1, 12, 15, 45, 58, 60; 29:26, 28; 30:7, 8; 31:12, 28; 32:44, 45, 46; 34:2^{2} • Josh. 2:18, 23; 6:23; 7:3; 8:1, 13, 24, 26, 34; 9:24^{2}; 10:28, 37, 39^{2}, 40^{2}, 41, 42; 11:11, 12^{2}, 14, 16^{2}, 17, 18; 21:41, 42; 23:6, 15; 24:1, 18, 27, 31; 30:32, 35, 37^{2} • Jud. 1:25; 2:7; 3:1; 4:13^{2}, 15^{2}; 7:8, 14; 9:3, 57; 10:8; 11:11, 20, 21^{2}, 22; 12:4; 13:23; 16:17, 18^{2}; 20:37, 44, 46 • ISh. 2:28; 3:18; 5:8, 11; 7:5, 16; 8:10, 21; 10:20, 25; 12:7, 20; 15:8;19:7; 22:11; 23:8; 28:4; 29:1; 30:20 • IISh. 2:30; 3:12, 21; 6:1, 11; 7:9, 21; 8:4, 9; 9:7; 10:7, 17; 11:1, 9, 18, 19; 12:29; 13:21, 27, 30, 32; 14:19; 16:6; 18:5 • • IK. 1:9; 2:44; 5:7, 22; 6:12, 22, 29; 7:1, 14, 40, 45, 47, 48; 8:1, 4, 54; 9:1, 9, 19; 10:3, 4, 13; 11:13, 34; 12:21; 13:11; 14:26; 15:12, 18, 20, 22, 29; 16:11, 12; 18:18, 36; 19:1; 20:1, 13, 15, 28; 22:17 • IIK. 3:6; 4:13; 6:24; 8:4, 6; 10:9, 11, 17, 18, 33; 11:1, 19; 12:10, 19^{2}; 14:14^{2}; 15:16; 17:16; 18:15; 19:4; 20:13^{2};21:24; 22:16; 23:2, 4, 8; 23:19, 20, 21, 24; 24:13^{2}, 14^{3}, 16; 25:9^{2}, 14 • Is. 8:7; 10:12; 23:17; 37:17, 18; 39:2; 66:2, 18, 20 • Jer. 3:7; 5:19; 7:10, 13, 15^{2}, 25, 27; 11:6, 8; 13:11^{2}, 13^{2}; 14:22; 16:10^{2}; 18:23; 19:15; 20:4, 5^{4}; 25:4, 9, 13^{2}, 15, 17, 19, 20^{3}; 25:22^{2}, 23. 24^{2}, 25^{3}, 26^{2}, 30; 26:2, 12, 15; 27:6, 20; 28:3, 4; 30:2; 32:23, 42^{2}; 33:9; 34:6, 8; 35:3^{2}, 15, 17, 18; 36:2, 3, 4, 11^{2}, 16^{2}, 17, 18, 20, 24, 28, 31, 32; 38:23; 39:6; 41:3, 9, 10^{2}, 11, 12, 13, 16; 43:1^{2}, 5, 6; 44:2, 4, 11, 17; 45:4, 24, 25, 28^{2}; 47:4; 51:60^{2}, 61; 52:10; 52:13^{2}, 14, 17, 18 • Ezek. 3:10; 5:10; 7:3, 8; 9:8; 11:18^{2}, 25; 12:16; 16:22, 30, 37^{2}; 17:21; 18:11, 13, 14; 18:19, 21, 31; 20:43; 22:2; 26:11; 27:5; 29:4, 5; 32:13, 15; 35:12; 38:4, 6; 39:11, 26; 43:11^{3}; 44:7 • Joel 4:2, 12 • Am. 3:2; 7:10 • Mic. 3:9 • Zep. 1:18; 2:11; 3:19 • Hag. 2:7, 17 • Zech. 8:10, 12, 17; 11:10; 12:6, 9; 14:2, 12 • Mal. 3:10 • Ps. 3:8; 33:13; 72:19; 132:1; 145:20^{2} • Prov. 6:31 • Job 2:11; 41:26 • S.ofS. 8:7 • Ruth 2:21 • Lam. 2:2 • Eccl. 1:14; 2:18; 4:1, 4^{2}, 15; 8:9, 17; 9:1^{2}, 4; 12:14 • Es. 2:3; 3:6, 13; 4:16; 8:11; 9:29 • Dan. 9:13 • Neh. 5:13; 9:32; 10:30; 13:8, 18, 27 • ICh. 12:16; 13:5; 15:3; 17:8; 17:10, 19^{2}; 18:4, 9; 19:8, 17; 23:2, 26; 28:1 • IICh. 4:16; 4:19; 5:1, 2, 5; 6:3; 7:11, 22; 8:4, 6^{3}; 9:2, 12; 14:13^{2}; 15:9; 16:4, 6; 18:16; 21:4, 17; 22:10; 23:10, 20; 24:23; 25:24; 29:16, 18^{4}, 19, 34; 30:14; 32:4, 5; 33:25; 34:24, 29; 34:30, 32, 33^{2}

1658 כִּי־מַיִם עַל־פְּנֵי כָל־הָאָרֶץ Gen. 8:9

1659-1735 כָּל־הָאָרֶץ Gen. 9:19 11:1, 4, 8, 9^{2}; 13:9, 15; 18:25; 19:31 • Ex. 10:15 • Num. 14:21 • Deut. 11:25; 34:1 • Josh. 2:3, 24; 3:11, 13; 10:40; 11:16, 23; 23:14 • Jud. 6:37, 39, 40 • ISh. 17:46; 30:16 • IISh. 18:8 • Is. 7:24; 10:14, 23; 13:5; 14:7, 26; 25:8; 28:22; 54:5 • Jer. 1:18; 4:20, 27; 8:16; 12:11; 25:11; 50:23; 51:7, 41, 49 • Ezek. 32:4; 35:14 • Mic. 4:13 • Hab. 2:20 • Zep. 1:18; 3:8 • Zech. 1:11; 4:14; 5:3; 6:5; 14:9, 10 • Ps. 33:8; 47:3, 8; 48:3; 57:6, 12; 66:1, 4; 83:19; 96:1, 9; 97:5, 9; 98:4; 100:1; 108:6 • Dan. 8:5 • ICh. 16:23, 30

1736 וּמוֹרַאֲכֶם...עַל כָּל־חַיַּת הָאָרֶץ Gen. 9:2

1737 וְעַל כָּל־עוֹף הַשָּׁמָיִם Gen. 9:2

1738-1740 וּבֵין כָּל־נֶפֶשׁ חַיָּה Gen. 9:12, 15, 16

1741 כָּל־אֵלֶּה בְּנֵי יָקְטָן Gen. 10:29

1742 וְאֶת־אִשְׁתּוֹ וְאֶת־כָּל־אֲשֶׁר־לוֹ Gen. 12:20

1743 כָּל־אֵלֶּה חָבְרוּ אֶל־עֵמֶק הַשִּׂדִּים Gen. 14:3

1744 כָּל־הָעָם מִקָּצֶה Gen. 19:4

1745 וְעַל כָּל־פְּנֵי אֶרֶץ הַכִּכָּר Gen. 19:28

1746 אֶל־כָּל הַמָּקוֹם אֲשֶׁר נָבוֹא Gen. 20:13

1747 כָּל־הַשֹּׁמֵעַ יִצְחַק־לִי Gen. 21:6

1748 וַיִּתֶּן־לוֹ אֶת־כָּל־אֲשֶׁר־לוֹ Gen. 24:36

1749-1872 כָּל־אֲשֶׁר Gen. 25:5; 31:1, 12 34:29; 35:2; 39:5, 6, 22; 41:56; 45:13 • Ex. 6:29; 7:2; 9:19, 25; 10:12; 18:1, 8, 14; 20:11; 25:22; 31:6; 34:32; 35:10; 38:22; 40:9 • Lev. 8:10; 14:36; 18:29 • Num. 1:50; 4:26; 15:23; 16:30; 18:13; 22:2 • Deut. 3:21; 5:24^{2}, 25; 12:11; 13:16; 18:18; 29:1, 8 • Josh. 1:16; 2:13; 6:21, 22, 23, 25; 7:15, 24; 9:9, 10; 22:2; 23:3 • Jud. 3:1; 9:25, 44; 11:24 • I Sh. 2:22; 3:12; 14:7; 15:3; 19:18; 25:21; 30:18, 19 • II Sh. 3:19, 25; 6:12; 11:22; 14:20; 16:21 • IK. 2:3^{2}; 10:2; 11:38; 19:1^{2} • IIK. 8:6; 15:16; 18:12; 20:13, 15, 17 • Is. 39:2, 4, 6 • Jer. 1:7^{2}, 17; 26:8; 31:37(36); 32:23; 38:9 • Ezek. 14:22, 23; 16:37^{2}; 40:4; 44:5; 47:9 • Ps. 146:6 • Prov. 17:8; 21:1 • Job 1:10, 12; 42:10 • Ruth 3:16; 4:9^{2} • Eccl. 1:13, 16; 3:14; 8:3 • Es. 2:13; 4:1, 7; 5:11; 6:13 • ICh. 10:11; 13:14 IICh. 9:1; 33:8

1873 כָּל־אֵלֶּה בְּנֵי קְטוּרָה Gen. 25:4

כָּל־ (המשך)

1874 וְנִבְרְכוּ בְךָ כָּל־מִשְׁפְּחֹת הָאֲדָ׳ Gen. 28:14
1875 כִּי כָל־הָעֹשֶׁר...לָנוּ הוּא Gen. 31:16
1876 אַחֲרֵי הוֹדִיעַ...אֶת־כָּל־זֹאת Gen. 41:39
1877 וְעַל־פִּיךָ יִשַּׁק כָּל־עַמִּי Gen. 41:40
1878 נָתַתִּי אֹתְךָ עַל כָּל־אֶרֶץ מִצְ׳ Gen. 41:41
1879 וְנָתוֹן אֹתוֹ עַל כָּל־אֶרֶץ מִצְ׳ Gen. 41:43
1880 וְהָרָעָב הָיָה עַל כָּל־פְּנֵי הָאָרֶץ Gen. 41:56
1881 וְחָטָאתִי לְךָ כָּל־הַיָּמִים Gen. 43:9
1882-1925 כָּל־הַיָּמִים Gen. 44:32
Deut. 4:10, 40; 6:24; 11:1; 12:1; 14:23; 18:5; 19:9; 28:29, 33; 31:13 • Josh. 4:24 • Jud. 16:16 • ISh. 1:28; 2:32, 35; 18:29; 20:31; 23:14; 27:11; 28:2 IISh. 13:37; 19:14 • IK. 5:15; 8:36, 40; 11:36, 39; 12:7; 14:30 • IIK. 8:19; 13:3; 17:37 • Jer. 31:36(35); 32:39 • IICh. 6:31; 7:16; 10:7; 12:15; 21:7

1926 כָּל־נֶפֶשׁ בָּנָיו וּבְנוֹתָיו Gen. 46:15
1927 כָּל־נֶפֶשׁ אַרְבָּעָה עָשָׂר Gen. 46:22
1928-1939 כָּל־(הַ) נֶּפֶשׁ Gen. 46:25
46:26^{2}, 27 • Ex. 1:5 • Lev. 7:27; 17:12; 23:29; 24:17 • Num. 31:35 • Jer. 52:30 • Ezek. 47:9
1940 כָּל־אֵלֶּה שִׁבְטֵי יִשְׂרָאֵל Gen. 49:28
1941 וְעַל כָּל־מִקְוֵה מֵימֵיהֶם Ex. 7:19
1942-2119 (וְ/כְּ/מֵ) עַל כָּל־ Ex. 9:9, 22
10:14; 18:9; 22:8^{2}; 24:8 • Lev. 2:2, 13, 16; 10:6; 11:37; 16:33; 21:11 • Num. 1:50; 8:7; 15:25; 16:22; 19:18 • Deut. 8:3; 9:18; 26:19; 28:1; 31:18 • Josh. 3:15; 4:18 • ISh. 11:2; 12:19; 15:9; 25:17 • IISh. 5:5; 8:15 • IK. 6:10; 8:66; 13:32; 14:23 • IIK. 4:4; 15:20; 17:10; 18:13; 23:26 • Is. 2:12^{2}; 2:13^{2}, 14^{2}, 15^{2}, 16^{2}; 4:5^{2}; 8:7^{2}; 14:26; 25:7^{2}, 8; 30:25^{2}; 32:13, 20; 34:2^{2}; 36:1 • Jer. 1:14, 15^{2}, 16; 2:20, 34; 3:6, 8; 9:3, 24, 25; 12:12, 14; 16:16^{2}, 17; 19:8, 15^{2}; 25:1, 2, 9, 13, 29; 26:2; 29:31; 30:20; 32:19, 32; 33:5, 9^{2}; 34:1, 7; 36:2; 44:2, 20; 45:5^{2}; 48:24, 37, 38; 49:17; 50:13 • Ezek. 9:4, 6; 13:18; 14:6; 16:15, 36, 43; 21:20; 32:16; 31; 33:29; 34:6^{2}; 44:13 • Hosh. 9:1, 8 • Am. 3:1; 8:10^{2} • Ob. 15 • Zep. 1:4, 8, 9 • Hag. 1:11 • Zech. 7:14 • Ps. 71:14; 89:8; 95:3; 96:4; 97:9; 99:2; 119:14; 145:9 • Prov. 10:12 • Job 41:26; 42:11 • Lam. 1:10, 22 • Eccl. 2:20; 3:17; 11:9; 12:14 • Es. 1:8, 16^{2}, 17; 3:1; 9:2, 26, 27 • Dan. 1:20; 9:14; 11:36, 37 • Ez. 1:6; 8:22^{2} • Neh. 9:5, 33 • ICh. 5:10; 9:29; 12:16; 14:17; 16:25; 26:26; 29:25, 30 • IICh. 15:5; 17:10; 20:3, 29; 32:9

2120 וְלֹא־נוֹתַר כָּל־יֶרֶק בָּעֵץ Ex. 10:15
2121 דַּבְּרוּ אֶל־כָּל־עֲדַת יִשְׂרָאֵל Ex. 12:3
2122 וְהִכֵּיתִי כָל־בְּכוֹר בְּאֶרֶץ מִצְ׳ Ex. 12:12
2123 כִּי כָּל־אֹכֵל חָמֵץ וְנִכְרְתָה הַנֶּפֶשׁ Ex. 12:15
2124 כָּל־מְלָאכָה לֹא־יֵעָשֶׂה בָהֶם Ex. 12:16
2125 כָּל־בֶּן־נֵכָר לֹא־יֹאכַל בּוֹ Ex. 12:43
2126 כָּל־עֲדַת יִשְׂרָאֵל יַעֲשׂוּ אֹתוֹ Ex. 12:47
2127 קַדֶּשׁ־לִי כָל־בְּכוֹר Ex. 13:2
2128 פֶּטֶר כָּל־רֶחֶם בִּבְנֵי יִשְׂרָאֵל Ex. 13:2
2129 וְהַעֲבַרְתָּ כָל־פֶּטֶר־רֶחֶם לַיְיָ Ex. 13:12
2130 וַיָּבֹאוּ כָּל־עֲדַת בְּנֵי יִשְׂרָאֵל Ex. 16:1
2131-2151 כָּל־עֲדַת (בְּנֵי) יִשְׂרָאֵל Ex. 16:2
16:9, 10; 17:1; 35:1, 4, 20 • Lev. 4:13; 19:2 • Num. 1:2; 8:9; 13:26; 14:7; 17:6; 25:6; 26:2; 27:20 • Josh. 18:1; 22:12, 18, 20
2152 וַיֹּאמֶר מֹשֶׁה וְאַהֲרֹן אֶל־כָּל־בְּ״יִ Ex. 16:6
2153-2222 (וְ)אֶל־כָּל־ Ex. 28:3

כָּל־ (המשך)

36:2 • Lev. 9:23; 17:2; 18:6; 20:16; 21:24; 22:18 • Num. 14:39; 15:33; 16:5 • Deut. 1:7; 5:19; 27:14; 31:9 • Josh. 7:23; 9:19; 10:24; 24:2, 27 • Jud. 2:4; 9:1 • I Sh. 7:3; 12:1; 19:1 • II Sh. 3:29, 31; 20:22, 23 • IK. 12:23; 16:13; 18:5^{2} • IIK. 10:9 • Jer. 18:18; 19:14; 25:2, 30; 26:8, 17, 18; 29:25; 35:17; 38:1; 40:5; 44:1, 24; 48:8; 50:37 • Ezek. 5:4; 6:11, 13; 7:12, 13, 14, 18; 16:25; 31:4; 41:17, 19 • Hag. 2:12 • Zech. 7:5 • Ps. 33:14, 15; 119:6 • Es. 1:22; 3:13; 9:20, 30 • Dan. 9:6

2223 וְגַם כָּל־הָעָם הַזֶּה...יָבֹא בְשָׁלוֹם Ex. 18:23

2224-2327 כָּל־הָעָם Ex. 19:8, 11, 16
24:3; 32:3; 33:8, 10^{2}; 34:10 • Lev. 19:24; 10:3 • Num. 11:11 • Deut. 13:10; 17:7; 20:11; 27:15, 16, 17, 18, 19, 20, 21, 22, 23, 24, 25, 26 • Josh. 4:11; 5:4, 5; 6:5; 7:3; 8:16; 10:21 • Jud. 9:49; 16:30; 20:8 • I Sh. 10:24^{2}; 11:4, 15; 12:18, 19; 13:22; 14:24, 34; 18:5; 30:6 • II Sh. 2:28; 3:32, 34, 35, 36, 37; 6:19; 15:24; 17:2, 3^{2}; 19:9, 10, 40; 20:12 • IK. 1:39, 40; 9:20; 18:21, 24, 30, 39 • IIK. 23:3; 25:26 • Jer. 26:9, 11, 12; 27:16; 28:5, 7, 11; 29:1, 16, 25; 36:9, 10; 38:4; 41:13, 14; 43:1; 44:20, 24 • Ruth 4:11 • Ez. 10:9 • Neh. 8:1, 3, 5^{3}, 6, 9, 12 • ICh. 13:4; 16:36, 43 • IICh. 8:7; 23:16, 17

2328 כִּי־לִי כָּל־הָאָרֶץ Ex. 19:5
2329 וְעָשִׂיתָ כָּל־מְלַאכְתֶּךָ Ex. 20:9
2330 לֹא־תַעֲשֶׂה כָל־מְלָאכָה Ex. 20:10
2331 כָּל־אַלְמָנָה וְיָתוֹם לֹא תְעַנּוּן Ex. 22:21
2332-2334 ...יֵרָאֶה כָּל־זְכוּרְךָ Ex. 23:17
34:23 • Deut. 16:16
2335 כָּל־חֵלֶב וְכָל־דָּם לֹא תֹאכֵלוּ Lev. 3:17
2336 וְאֵת כָּל־הָעֵדָה הַקְהֵל Lev. 8:3
2337-2358 כָּל־הָעֵדָה Lev. 9:5; 24:14, 16
Num. 3:7; 10:3; 14:1, 2, 10; 15:24, 35, 36; 16:3, 19; 20:1, 22, 27, 29; 27:19, 22; 31:27 • Josh. 9:18 • Jud. 21:13
2359 עַד כָּל־מַרְבֵּה רַגְלַיִם Lev. 11:42
2360 וּנְטַעְתֶּם כָּל־עֵץ מַאֲכָל Lev. 19:23
2361 כָּל־מוּם לֹא יִהְיֶה־בּוֹ Lev. 22:21
2362-2364 כָּל־מְלָאכָה לֹא תַעֲשׂוּ Lev. 23:3, 31
Num. 29:7
2365-2376 כָּל־מְלֶאכֶת עֲבֹדָה לֹא תַעֲשׂוּ
Lev. 23:7, 8, 21, 25, 35, 36 • Num. 28:18, 25; 26, 29:1, 12, 35
2377/8 כָּל־הַיּוֹם הַהוּא וְכָל־הַלַּיְלָה
Num. 11:32 • I Sh. 19:24
2379 כָּל־אֵלֶּה עָרִים בְּצֻרֹת Deut. 3:5
2380 כִּי לֹא רְאִיתֶם כָּל־תְּמוּנָה Deut. 4:15
2381/2 וַיִּקְרָא מֹשֶׁה אֶל־כָּל־יִשְׂ׳ Deut. 5:1; 29:1
2383 לֹא תַעֲשֶׂה כָל־מְלָאכָה Deut. 5:14
2384 וּבָתִּים מְלֵאִים כָּל־טוּב Deut. 6:11
2385 וַתִּבְלָעֵם...בְּקֶרֶב כָּל־יִשְׂרָאֵל Deut. 11:6
2386 לֹא תֹאכַל כָּל־תּוֹעֵבָה Deut. 14:3
2387 לֹא־תֹאכְלוּ כָל־נְבֵלָה Deut. 14:21
2388 לֹא־תִטַּע לְךָ אֲשֵׁרָה כָּל־עֵץ Deut. 16:21
2389 לֹא תְחַיֶּה כָּל־נְשָׁמָה Deut. 20:16
2390/1 וַיְדַבֵּר...אֶל־כָּל־יִשְׂרָאֵל Deut. 27:9; 31:1
2392 וְלֹא־יַעֲלֶה בָהּ כָּל־עֵשֶׂב Deut. 29:22
2393-2395 לְעֵינֵי כָּל־יִשְׂרָאֵל Deut. 31:7
34:12 • II Sh. 16:22
2396-2446 כָּל־יִשְׂרָאֵל Deut. 31:11^{2}
32:45 • Josh. 3:7; 4:14; 7:25; 8:24 • I Sh. 13:20;

כָּל־ (המשך)

14:40; 25:1; 28:3 • II Sh. 12:12; 16:21; 17:10, 11, 13; 19:12 • IK. 1:20; 3:28; 4:1, 7; 11:42; 12:1, 16, 18; 12:20^{2}; 14:13; 15:33; 16:16 • Mal. 3:22 • Ez. 3:35 • Neh. 13:26 • ICh. 11:1, 10; 12:39; 14:8; 18:14; 21:5; 28:4, 8; 29:23, 25, 26 • IICh. 9:30; 10:1, 16; 11:3; 29:24; 30:1; 31:1
2447 וְלֹא יְיָ פָּעַל כָּל־זֹאת Deut. 32:27
2448 לֹא נוֹתַר כָּל־נְשָׁמָה Josh. 11:11
2449 לֹא הִשְׁאִירוּ כָּל־נְשָׁמָה Josh. 11:14
2450 כֵּן יֹאבְדוּ כָל־אוֹיְבֶיךָ יְיָ Jud. 5:31
2451 וְאַל־תֹּאכְלִי כָּל־טָמֵא Jud. 13:4
2452 וְאַל־תֹּאכְלִי כָּל־טֻמְאָה Jud. 13:7
2453 אֵין־שָׁם מַחְסוֹר כָּל־דָּבָר Jud. 18:10
2454 אֵין מַחְסוֹר כָּל־דָּבָר Jud. 19:19
2455 כָּל־אֵלֶּה שֹׁלֵף חָרֶב Jud. 20:35
2456 עַד בְּהֵמָה עַד כָּל־הַנִּמְצָא Jud. 20:48
2457 כִּי־כָל־עוֹד נַפְשִׁי בִּי II Sh. 1:9
2458 אָנֹכִי הֹלֵךְ בְּדֶרֶךְ כָּל־הָאָרֶץ IK. 2:2
2459 וְיֶתֶר כָּל־דִּבְרֵי אָסָא... IK. 15:23
2460 לֹא־הִשְׁאִיר כָּל־נְשָׁמָה IK. 15:29
2461 מְלֹא כָל־הָאָרֶץ כְּבוֹדוֹ Is. 6:3
2462 וְעַד כָּל־כְּלֵי הַנְּבָלִים Is. 22:24
2463 כָּל־הַבָּשָׂר חָצִיר Is. 40:6
2464 אֲנִי יְיָ עֹשֶׂה כָל־אֵלֶּה Is. 45:7
2465 וַתְּפַחֵד תָּמִיד כָּל־הַיּוֹם Is. 51:13
2466-2504 כָּל־הַיּוֹם Is. 52:5; 62:6
65:2, 5 • Jer. 20:7, 8 • Hosh. 12:2 • Ps. 25:5; 32:3; 35:28; 37:26; 38:7, 13; 42:4, 11; 44:9, 16, 23; 52:3; 56:2, 3, 6; 71:8, 15, 24; 72:15; 73:14; 74:22; 86:3; 88:18; 89:17; 102:9; 119:97 • Prov. 21:26; 23:17 • Lam. 1:13; 3:3, 14, 62
2505 וַיִּהְיוּ כָל־אֵלֶּה נְאֻם יְיָ Is. 66:2
2506 לְבִלְתִּי עֲשׂוֹת־בָּהּ כָּל־מְלָאכָה Jer. 17:24
2507 לֹא־יֵשֵׁב בָּהֵן כָּל־אִישׁ Jer. 51:43
2508 וְעָשִׂיתִי בָךְ...יַעַן כָּל־תּוֹעֲבֹתָיִךְ Ezek. 5:9
2509 וְיַיִן לֹא־יִשְׁתּוּ כָּל־כֹּהֵן Ezek. 44:21
2510 בְּפֶשַׁע יַעֲקֹב כָּל־זֹאת Mic. 1:5
2511 יְשָׁלּוּךָ כָּל־יֶתֶר עַמִּים Hab. 2:8
2512 לֹא־יַחְסְרוּ כָל־טוֹב Ps. 34:11
2513 כָּל־זֹאת בָּאַתְנוּ וְלֹא שְׁכַחֲנוּךָ Ps. 44:18
2514 כָּל־הָעַמִּים תִּקְעוּ־כָף Ps. 47:2
2515 כָּל־הֵרַע אוֹיֵב בַּקֹּדֶשׁ Ps. 74:3
2516 כָּל־הָאָדָם כֹּזֵב Ps. 116:11
2517 הִגְדַּלְתָּ עַל־כָּל־שִׁמְךָ אִמְרָתֶךָ Ps. 138:2
2518 מַלְכוּתְךָ מַלְכוּת כָּל־עֹלָמִים Ps. 145:13
2519 לֹא יִנָּקֶה כָּל־הַנֹּגֵעַ בָּהּ Prov. 6:29
2520 לֹא־יִשָּׂא פְּנֵי כָל־כֹּפֶר Prov. 6:35
2521 לֹא־יְאֻנֶּה לַצַּדִּיק כָּל־אָוֶן Prov. 12:21
2522 כִּי־כָל־עוֹד נִשְׁמָתִי בִי Job 27:3
2523 הֶן־כָּל־אֵלֶּה יִפְעַל אֵל Job 33:29
2524 לֹא־יִרְאֶה כָּל־חַכְמֵי־לֵב Job 37:24
2525 וְאֵין כָּל־חָדָשׁ תַּחַת הַשָּׁמֶשׁ Eccl. 1:9
2526 כָּל־עֻמַּת שֶׁבָּא כֵּן יֵלֵךְ Eccl. 5:15
2527 כָּל־זֹה נִסִּיתִי בַחָכְמָה Eccl. 7:23
2528 כָּל־שֶׁבָּא הָבֶל Eccl. 11:8
2529 אֲשֶׁר אֵין־בָּהֶם כָּל־מאוּם Dan. 1:4
2530 וּכְכַלּוֹת...תִּכְלֶינָה כָל־אֵלֶּה Dan. 12:7
2531 כָּל־הַקָּהָל כְּאֶחָד אַרְבַּע רִבּוֹא Ez. 2:64
2532-2541 כָּל־הַקָּהָל Ez. 10:12 • Neh. 5:13 7:66;
8:17 • ICh. 13:4; 29:10, 20 • IICh. 23:3; 30:4, 23
2542 וְאַחֲרֵי כָּל־הַבָּא עָלֵינוּ... Ez. 9:13
2543 כָּל־אֵלֶּה נָשְׂאוּ נָשִׁים נָכְרִיּוֹת Ez. 10:44

כָּל־ (המשך)

2544 כָּל־אֵלֶּה בְּנֵי יָקְטָן ICh. 1:23
ICh. 1:33; 2:23; 7:8, 11; 8:38, 40; 9:9; 12:39; 25:5, 6; 26:8; 27:31 • IICh. 14:7; 21:2; 29:32

2561 וְאַחֲרֵי כָּל־זֹאת נְגָפוֹ יְיָ IICh. 21:18
2562 לְנַסּוֹתוֹ לָדַעַת כָּל־בִּלְבָבוֹ IICh. 32:31
2563 אַחֲרֵי כָּל־זֹאת אֲשֶׁר הֵכִין IICh. 35:20
3655-2564 כָּל־ Gen. 7:11; 8:17, 19^{2}; 9:3, 5; 10:21; 16:12; 17:10, 12, 23; 20:18; 25:18; 29:3, 8; 30:32; 31:8^{2}; 33:8, 13; 34:15, 22, 24^{3}, 25; 37:35; 41:30, 37, 55; 45:1, 20; 46:34; 47:15; 50:7 • Ex. 1:22; 4:19, 21; 7:20, 24; 8:13; 9:19; 10:6^{2}, 13; 11:5, 8; 12:19, 20, 29, 41, 48, 50; 13:15^{2}; 14:9, 20, 21; 15:20, 26^{2}; 16:22; 18:22; 19:12, 18; 22:18; 24:3; 25:2, 9; 27:17; 29:37; 30:13, 29; 31:6, 14, 15; 32:26; 33:7, 19; 34:10, 19, 32; 35:2, 21, 22, 24, 29, 35^{2}; 36:4, 8; 38:3, 16, 24; 39:32; 40:38 • Lev. 2:11^{2}; 3:16; 6:2, 11, 22; 7:6, 19, 23, 24; 10:6; 11:24, 26, 27, 31, 32; 13:58, 59; 15:4, 26; 16:17; 17:10, 14; 19:24; 21:18, 21; 22:3; 23:30, 38^{2}, 42; 24:14; 25:7; 27:11, 28^{2}, 29 • Num. 1:2, 3, 20, 22, 45^{2}, 46; 2:9, 16, 24, 31, 32; 3:12, 13^{3}, 15, 22, 28, 34, 39^{2}, 40; 3:41^{2}, 43, 45; 4:3, 16, 23, 27, 30, 35, 37, 39, 41, 43; 4:46, 47; 7:86, 87; 8:16, 17^{2}, 18; 11:29; 14:5, 22; 15:13; 16:29^{2}; 17:17, 21, 24; 18:3, 9; 18:10, 11, 13, 14, 15, 21; 19:13, 14; 21:8; 24:17; 26:2, 43, 62; 30:5, 6, 12, 13, 14; 31:7, 15, 17, 23, 52; 32:13, 21, 27, 29; 33:3, 4; 35:7, 15, 22, 30 • Deut. 2:14; 2:16, 25, 37; 3:4, 6, 18; 4:3, 16, 17^{2}, 18^{2}, 19; 5:8, 13; 5:20; 7:15; 8:1; 11:24; 12:2, 8, 19, 31; 14:11, 20; 15:2, 19; 17:7; 18:1, 12; 19:3; 20:14; 21:5, 21; 22:5, 19, 29; 23:7, 20; 25:16, 18; 26:2, 18; 27:21; 28:2, 10, 15, 32, 42, 45, 61; 29:19, 22, 23; 30:1; 31:30; 32:4, 33:3, 12 • Josh. 1:3, 18; 2:9, 24; 3:17; 4:1, 10; 5:1, 6, 8; 8:25, 35; 9:1; 10:6, 9; 11:10, 13; 12:24; 13:2, 4, 6, 12, 30; 15:32; 16:9; 20:9; 21:19, 26, 33, 37, 38; 22:12; 23:15 • Jud. 2:10; 3:19, 29; 4:16; 6:9, 13^{2}; 7:18, 21, 23, 24; 8:27, 34; 9:2, 3, 6, 14, 47, 49, 51; 16:2^{2}; 19:20, 25, 30; 20:1, 2, 11, 16, 17, 25, 26, 46, 48; 21:11 • ISh. 2:13, 23, 29, 36; 3:11, 20; 4:5, 13; 6:18; 7:2; 9:20; 10:9, 11, 18; 11:1, 2; 14:36, 52; 15:6, 11; 17:47; 22:2; 28:20; 30:22; 31:6, 12^{2} • IISh. 1:11; 2:23, 29, 32; 3:18, 19; 4:7; 5:1, 3, 8, 17; 8:14; 10:19; 13:9^{2}, 29, 33; 14:7; 15:2, 4, 11, 35, 36; 16:23; 17:4; 18:31; 19:6, 15, 29, 42, 43; 20:2, 12, 13; 22:1, 23; 23:5 • IK. 1:49; 2:15; 3:13; 4:11; 5:10, 14, 24; 6:7, 22; 7:9; 7:14, 51; 8:2, 14, 22, 37, 38^{2}, 39, 43, 55, 60; 9:8; 11:15; 11:16; 14:18, 23; 15:14, 16, 20, 32; 19:18; 20:6, 8; 22:22, 23 • IIK. 3:19; 4:3; 7:15; 9:7, 8; 10:19, 21; 11:18, 20; 12:3, 5, 14; 14:21; 15:18; 16:4, 15; 17:10, 13^{2}, 23, 39; 19:19; 21:12; 22:13; 23:1; 25:10, 16, 23 • Is. 1:5, 25; 2:2; 4:3; 7:22, 23; 9:4; 13:7, 15; 14:9, 18, 26; 15:2; 18:3; 19:8, 10; 21:2, 9, 16; 22:3^{2}; 23:9^{2}; 24:7, 10, 11; 26:12, 14, 15; 27:9^{2}; 28:8; 29:7, 8, 20; 30:18; 34:4; 37:20; 38:13, 15, 17; 40:4, 17; 43:9; 44:11; 45:22, 23^{2}, 25; 49:11; 51:3, 20; 52:10^{2}; 54:17; 55:1; 56:2, 6, 9; 57:5; 60:7, 14; 61:2, 9, 11; 62:5; 66:10^{2} • Jer. 2:3, 20, 24; 3:6, 13, 17; 4:29^{2}; 5:6; 7:2; 9:3, 25; 10:14^{2}; 51:17; 12:1, 4, 9; 13:12^{2}; 17:3, 13; 19:3; 21:14; 22:20, 22; 23:9; 27:7; 28:11, 14; 29:20; 30:6^{2}, 14, 16; 31:30(29); 32:12, 17, 27; 34:10; 35:7, 8; 36:6, 12, 14, 21, 23; 37:10, 21; 38:22, 27; 40:1, 4, 7; 40:11, 12, 15; 42:1, 2, 4, 8, 17; 44:15, 17, 24, 26^{2}, 27, 28; 48:17, 37; 50:7, 10, 14, 27, 29, 32; 51:3, 17; 52:14, 20, 23 • Ezek. 3:7; 5:14; 6:13^{2}; 7:17; 8:10; 12:19, 22, 23, 24, 28; 13:18; 15:3; 16:23, 31, 44; 17:9, 23^{2}, 24; 18:4, 22, 24; 20:26, 28, 40; 21:3^{2}, 12^{3}, 15; 23:23, 29, 48; 24:4; 27:9, 12, 18, 22; 28:3, 13, 18, 19; 29:6, 7^{2}, 18; 30:8; 31:6, 8, 9, 12, 13, 14^{2}, 16^{2}; 32:4, 8, 12; 33:13, 16; 34:21; 36:5, 10, 34; 37:11; 39:4, 13, 17, 21, 25; 43:11, 12; 44:9, 30, 31; 45:22; 47:12; 48:13, 20 • Hosh. 2:13; 4:3; 7:2, 6, 7; 9:4, 15^{2}; 12:9; 13:15; 14:3 • Joel 1:5, 12, 19; 2:6; 4:11 • Am. 2:8; 8:7, 8; 9:5 • Ob. 16 • Jon. 2:4 • Mic. 4:5; 5:10; 7:19 • Nah. 3:7, 10, 12 • Hab. 2:5^{2} • Zep. 1:11^{2}; 2:3, 14 • Hag. 2:4, 7, 14 • Zech. 5:3; 10:4; 12:3, 4, 14; 14:5, 14, 16, 19, 21^{2} • Mal. 2:17; 3:12, 19 • Ps. 2:12; 5:6, 12; 6:9, 11; 9:2, 15, 18; 10:4, 5; 12:4; 14:4; 16:3; 18:1, 23; 20:4, 6; 22:8, 15, 18, 24^{2}, 28^{2}, 30^{2}; 25:3, 10; 26:7; 31:24, 25; 32:6, 11; 33:6, 8; 34:21, 23; 35:10; 38:10; 39:6^{2}, 12; 40:17; 41:4, 8; 42:8; 45:9, 14; 49:2^{2}; 50:10, 11; 52:6; 56:6; 59:6^{2}; 63:12; 64:9, 10, 11; 65:6; 66:16; 67:8; 69:20; 70:5; 72:11^{2}, 17; 73:27, 28; 74:8, 17; 76:6, 10, 12; 78:38, 51; 80:13; 82:5; 83:12; 85:3, 4; 86:9; 87:7; 89:41, 42, 43; 89:48, 51; 90:9; 92:8, 10; 94:4, 15; 96:5, 12; 97:6, 7^{2}; 98:3; 101:8^{2}; 103:2, 21, 22; 104:11, 20; 105:16, 35, 36; 106:2, 46, 48; 107:18; 111:7; 115:17; 116:12; 117:1^{2}; 118:10; 119:86, 104, 118, 119, 128^{3}, 133, 160, 168, 172; 128:1; 134:1; 138:4; 140:3; 143:2, 12; 145:10; 148:2^{2}, 3 • Prov. 1:13, 17, 19, 25, 30; 2:9, 19; 3:9; 7:12, 26; 8:8, 16, 36; 13:16; 15:15; 16:2, 5, 11, 33; 19:7; 20:8, 27; 21:2; 24:4; 27:7; 29:11, 12; 30:4, 5; 31:5, 8, 21 • Job 8:12, 13; 9:28; 12:10^{2}; 13:27; 16:7; 19:19; 20:22, 26; 21:33; 28:21, 24; 33:11, 13; 36:25; 37:3, 7^{2}; 38:7; 39:8; 40:11, 12; 41:3; 42:11 • S.of S. 4:14^{2}; 7:14 • Ruth 1:19; 3:11; 4:7 • Lam. 1:2, 3, 4, 6, 8, 11, 12, 15, 18, 21, 22; 2:5, 15, 16, 19; 3:46, 60^{2}, 61; 4:1 • Eccl. 1:7, 8; 2:5, 23; 3:13; 5:16, 18; 6:7; 7:2; 12:4, 13 • Es. 1:13, 22; 2:15; 4:11^{2}; 9:24 • Dan. 1:15; 9:12; 11:17; 12:1, 10 • Ez. 1:11; 2:58; 8:34; 10:3, 8, 9 • Neh. 3:38; 4:10; 6:16^{2}; 7:60; 9:25; 10:32, 36^{2}, 38; 11:6, 18; 13:3, 20 • ICh. 2:4; 6:45; 10:7, 12; 11:3, 6; 12:39; 14:8; 16:26; 18:13; 25:7; 26:11; 28:1, 8, 9, 20; 29:17, 24, 30 • IICh. 2:13^{2}, 16; 4:18; 5:1, 3, 11; 6:12, 13, 28, 29^{2}, 33; 8:16; 13:9; 15:15, 17; 17:5; 18:7, 21; 20:15, 27; 22:1; 23:21; 24:7, 10; 26:1; 28:4; 30:19, 22, 25; 31:1; 32:7, 15^{2}, 21, 23, 33; 34:12, 33; 35:16, 25; 36:14, 23

וְכָל־

3656 וַיְכֻלּוּ הַשָּׁמַיִם וְהָאָ׳ וְכָל־צְבָאָם Gen. 2:1
3657 וְכָל־עֵשֶׂב הַשָּׂדֶה טֶרֶם יִצְמָח Gen. 2:5
3658 וְכָל־יֵצֶר מַחְשְׁבֹת לִבּוֹ רַק רַע Gen. 6:5
3659 בֹּא־אַתָּה וְכָל־בֵּיתְךָ אֶל־הַתֵּבָה Gen. 7:1
3660 וְכָל־הַחַיָּה לְמִינָהּ Gen. 7:14
3661 וְכָל־הַבְּהֵמָה לְמִינָהּ Gen. 7:14
3662 וְכָל־הָרֶמֶשׂ הָרֹמֵשׂ עַל־הָאָרֶץ Gen. 7:14
3663 וְכָל־הָעוֹף לְמִינֵהוּ Gen. 7:14
3664 כָּל־הָרֶמֶשׂ וְכָל־הָעוֹף Gen. 8:19
3665 הוּא וְאִשְׁתּוֹ וְכָל־אֲשֶׁר־לוֹ Gen. 13:1
3666 וְכָל־אַנְשֵׁי בֵיתוֹ יְלִיד בָּיִת Gen. 17:27
3667 אַתָּה וְכָל־אֲשֶׁר־לָךְ Gen. 20:7
3668 וְכָל־הָעֵץ אֲשֶׁר בַּשָּׂדֶה Gen. 23:17
3669 וְכָל־טוּב אֲדֹנָיו בְּיָדוֹ Gen. 24:10
3670 וְכָל הַבְּאֵרֹת אֲשֶׁר חָפְרוּ... Gen. 26:15
3671 וְכָל־שֶׂה־חוּם בַּכְּשָׂבִים Gen. 30:32
3672 וְכָל־חוּם בַּכְּשָׂבִים Gen. 30:35
3673 וְכָל־חוּם בְּצֹאן לָבָן Gen. 30:40
3674 וַיִּבְרַח הוּא וְכָל־אֲשֶׁר־לוֹ Gen. 31:21

וְכָל־ (המשך)

3675 מִקְנֵהֶם וְקִנְיָנָם וְכָל־בְּהֶמְתָּם Gen. 34:23
3676 הוּא וְכָל־הָעָם אֲשֶׁר־עִמּוֹ Gen. 35:6
3677 וַיָּקֻמוּ כָל־בָּנָיו וְכָל־בְּנֹתָיו Gen. 37:35
3678 וְכָל־יֶשׁ־לוֹ נָתַן בְּיָדוֹ Gen. 39:4
3679 וְכָל־הָאָרֶץ בָּאוּ מִצְרַיְמָה Gen. 41:7
3680 וְצֹאנְךָ וּבְקָרְךָ וְכָל־אֲשֶׁר־לָךְ Gen. 45:10
3717-3681 וְכָל־אֲשֶׁר Gen. 45:11; 46:1, 32; 47:1 • Num. 4:16; 16:33; 19:14 • Deut. 10:14 • Josh. 6:17, 24 • Jud. 7:18 • IK. 11:41; 14:29; 15:7, 23, 31; 16:14; 20:4; 22:39 • IIK. 8:23; 10:34; 12:20; 13:8, 12; 14:28; 15:6, 21, 26, 31, 36; 21:17; 23:28; 24:5 • Ps. 96:12 • Neh. 9:6^{2} • ICh. 16:32

3718 וְכָל־הַבַּת תְּחַיּוּן Ex. 1:22
3719 כָּל־הַיּוֹם הַהוּא וְכָל־הַלָּיְלָה Ex. 10:13
3720 וְכָל־הָעָם אֲשֶׁר־בְּרַגְלֶיךָ Ex. 11:8
3774-3721 וְכָל־הָעָם Ex. 18:14; 20:18; Num. 13:32 • Deut. 17:13 • Josh. 1:2; 5:5; 8:5, 11 • Jud. 7:1, 7; 9:34, 48; 20:26 • ISh. 13:7; 14:20 • IISh. 3:36, 37; 6:2; 12:31; 15:17, 23^{2}; 15:30; 16:6, 14, 15; 17:22; 18:4, 5; 20:15 • IK. 12:12; 20:8 • IIK. 23:2 • Jer. 26:7, 8, 16; 28:1 • Jer. 34:10; 36:9; 42:1; 43:4; 44:15 • Ruth 4:9 • Ez. 3:11 • ICh. 20:3; 28:21 • IICh. 7:4, 5; 10:12; 23:5, 6; 24:10; 29:36; 34:30

3775 וְכָל־הַדָּבָר הַקָּטֹן יִשְׁפְּטוּ־הֵם Ex. 18:22
3776 וְכָל־הַדָּבָר הַקָּטֹן יִשְׁפּוּטוּ הֵם Ex. 18:26
3777 וְכָל־הָאָרֶץ הַזֹּאת...אֶתֵּן... Ex. 32:13
3778 וַיַּרְא אַהֲרֹן וְכָל־בְּנֵי יִשְׂרָאֵל Ex. 34:30
3779 וְכָל־אִישׁ אֲשֶׁר הֵנִיף... Ex. 35:22
3780 וְכָל־אִישׁ אֲשֶׁר־נִמְצָא אִתּוֹ Ex. 35:23
3781 וְכָל־אִשָּׁה חַכְמַת־לֵב Ex. 35:25
3782 וְכָל־הַנָּשִׁים אֲשֶׁר נָשָׂא לִבָּן Ex. 35:26
3783 וְכָל־הַיְתֵדֹת לַמִּשְׁכָּן וְלֶחָצֵר Ex. 38:20
3784 כִּי כָל־שְׂאֹר וְכָל־דְּבַשׁ Lev. 2:11
3785 וְכָל־קָרְבַּן מִנְחָתְךָ בַּמֶּלַח תִּמְלָח Lev. 2:13
3786 וְכָל־דָּם לֹא תֹאכֵלוּ Lev. 3:17
3787 וְכָל־יִשְׂרָאֵל...נָסוּ לְקֹלָם Num. 16:34
3827-3788 וְכָל־יִשְׂרָאֵל Josh. 7:24; 8:15; 8:21, 33; 10:15, 29, 31, 34, 36, 38, 43 • ISh. 13:4; 17:11; 18:16 • IISh. 4:1; 18:17 • IK. 8:62; 65; 11:16; 15:27; 16:17 • IIK. 9:14 • Dan. 9:11 • Ez. 2:70; 8:25; 10:5 • Neh. 7:73; 12:47 • ICh. 9:1; 11:4; 13:6, 8; 15:28 • IICh. 7:6, 8; 10:3, 16; 12:1; 13:4, 15

3828 וְכָל־חַטָּאת...לֹא תֵאָכֵל Lev. 6:23
3829 וְכָל־דָּם לֹא תֹאכְלוּ Lev. 7:26
3830 וְכָל־אָדָם לֹא־יִהְיֶה בְּאֹהֶל מוֹעֵד Lev. 16:17
3831/2 וְכָל־מְלָאכָה לֹא תַעֲשׂוּ Lev. 16:29; 23:28
3833 וְכָל־זָר לֹא־יֹאכַל קֹדֶשׁ Lev. 22:10
3834 וְכָל־זָר לֹא־יֹאכַל בּוֹ Lev. 22:13
3835 וְכָל־מִשְׁרַת עֲנָבִים לֹא יִשְׁתֶּה Num. 6:3
3836 וְכָל־טְמְאָה אַל־תֹּאכַל Jud. 13:14
3837 כָּל־רֹאשׁ לָחֳלִי וְכָל־לֵבָב דַּוָּי Is. 1:5
3838 וְכָל־בָּנַיִךְ לִמּוּדֵי יְיָ Is. 54:13
3839 וְכָל־מְלָאכָה לֹא תַעֲשׂוּ Jer. 17:22
3840 וְכָל־אֵלֶּה עָשָׂה לֹא יִמָּלֵט Ezek. 17:18
3841 וְכָל־רוּחַ אֵין בְּקִרְבּוֹ Hab. 2:19
3842 וְכָל־חֲפָצֶיךָ לֹא יִשְׁווּ־בָהּ Prov. 3:15
3843 וְכָל־נְתִיבֹתֶיהָ שָׁלוֹם Prov. 3:17
3844 וְכָל־חֲפָצִים לֹא יִשְׁווּ־בָהּ Prov. 8:11
3845 וְכָל־שֹׁגֶה בּוֹ לֹא יֶחְכָּם Prov. 20:1
3846 וְכָל־דְּרָכָיו לֹא הִשְׂכִּילוּ Job 34:27

וְכָל־ (המשך)

3847 וְכָל־זֶה אֵינֶנּוּ שֹׁוֶה לִי Es. 5:13
3848 וְכָל־חַיּוֹת לֹא־יַעַמְדוּ לְפָנָיו Dan. 8:4
3849 וְכָל־מַלְכֵי יִשְׂ׳ לֹא עָשׂוּ כַּפֶּסַח IICh. 35:18
3850-4286 וְכָל־ Gen. 46:6, 7; 50:14

Ex. 1:6; 12:30, 44, 48; 13:12, 13, 15; 20:3; 22:9; 27:19^{2}; 34:19, 31; 35:10 • Lev. 6:16; 7:9^{2}, 10; 11:25, 11:33, 34; 41; 15:4, 9, 10, 12, 17^{2}, 19, 21, 22, 24, 26, 27; 17:15; 23:30; 27:25, 30, 32 • Num. 3:36^{2}; 5:2, 9; 8:20; 11:32; 14:23, 29; 16:6, 11, 16 • 18:12; 21:33; 23:6; 27:2, 21; 30:5, 12, 14; 31:13, 17, 20^{4}; 32:26; 36:8 • Deut. 2:32; 3:1, 7, 10, 13; 4:49; 5:14; 7:15; 12:17; 13:12; 14:6; 21:5, 21; 28:33, 61 • Josh. 3:1, 17; 5:1; 8:3, 14; 9:11; 10:2, 5, 7; 11:4, 7; 12:1; 13:2, 5, 9, 11, 16, 17, 21, 25, 30; 19:8; 23:4 • Jud. 3:3, 29; 6:33; 7:12; 8:12; 9:6; 16:31; 21:11 • I Sh. 1:21; 2:33; 5:5; 11:15; 14:25, 52; 15:9; 17:19; 18:22; 19:24; 22:1, 2^{2}, 6, 16; 28:20 • II Sh. 3:23; 6:5, 15; 13:31, 36; 15:16, 18, 22^{2}, 23, 24; 16:18; 17:14, 24; 18:13; 19:15, 41, 42; 20:7, 14; 23:5; 24:7 • IK. 1:41; 4:10, 12; 6:22; 7:5, 25; 8:5, 14, 63; 10:15, 24; 12:3; 15:23; 19:18; 22:10, 12, 19, 39 • IIK. 3:19^{3}, 21, 25^{3}; 5:15; 8:9, 21; 10:11, 19, 34; 11:14; 16:15^{2}; 20:20; 23:2^{2}; 24:14; 25:1, 4, 5 • Is. 5:28; 9:16; 13:7, 15; 18:6; 21:9; 29:7; 33:20; 34:1, 4, 12; 40:4, 6; 42:15; 44:23, 28; 45:12, 13; 46:3, 10; 54:12, 17; 55:12; 58:3, 6; 62:2, 6; 63:3; 64:10 • Jer. 2:4; 4:24, 25, 26; 9:3, 25; 10:20, 21; 17:20; 20:6^{2}; 26:19, 21; 28:6; 30:16^{2}; 31:24(23), 25(24), 40(39)^{2}; 34:1^{2}; 36:12, 24; 39:1, 3; 40:13; 41:11, 16; 43:2, 4, 5; 44:15; 48:37; 49:13, 26, 29; 50:30, 33; 51:47^{2}; 52:4, 7, 8 • Ezek. 7:17; 8:10; 10:12; 11:15; 12:10, 14; 16:57; 20:28; 21:3, 12; 23:23; 27:21, 27, 34; 29:18; 30:5; 31:15, 18; 32:20, 22, 24, 26, 29, 30, 31, 32; 35:8, 15; 37:16; 38:6, 7, 9, 13, 20^{2}; 39:4, 20; 43:11^{3}; 44:29, 30 • Hosh. 10:14 • Joel 4:18 • Am. 2:3; 8:10; 9:12, 13 • Mic. 1:7^{3}; 5:8 • Nah. 1:4, 5; 3:10 • Hab. 2:8, 17 • Zech. 5:3; 14:15 • Mal. 3:19 • Ps. 20:5; 33:4; 51:11; 69:35; 75:4, 11; 78:14; 88:8; 102:16; 103:1; 107:27, 42; 119:151; 135:6; 139:3; 148:7, 9^{2}, 10, 11^{2} • Prov. 3:17; 4:26; 5:21; 19:6; 20:3; 21:5 • Job 28:10; 31:4; 33:1; 34:21; 40:20; 42:11^{2} • Es. 1:20; 3:2; 5:14; 9:3; 10:2 • Ez. 1:4, 6; 3:8; 6:21 • Neh. 5:16; 9:6; 10:29, 32, 34; 13:12, 15, 16 • ICh. 4:33; 10:6; 12:32(33); 15:27; 22:15(14); 28:9; 29:2, 24 • IICh. 1:3; 4:4; 5:6; 6:3, 28; 9:14, 20; 15:2; 18:9, 11, 18; 19:10; 20:13, 18; 21:9; 23:8, 13; 24:23; 25:24; 26:20; 27:7; 28:14, 15, 26; 29:28, 29, 31; 30:2, 25; 32:9; 33:15, 19; 34:7, 30; 35:18, 24; 36:19^{2}

בְּכָל־

4287/8 וּבֵין כָּל־נֶפֶשׁ חַיָּה בְּכָל־בָּשָׂר Gen. 9:15,16
4289 וְאַל־תַּעֲמֹד בְּכָל־הַכִּכָּר Gen. 19:17
4290 אֲשֶׁר בְּכָל־גְּבֻלוֹ סָבִיב Gen. 23:17
4291 הַמֹּשֵׁל בְּכָל־אֲשֶׁר־לוֹ Gen. 24:2
4292 אֶעֱבֹר בְּכָל־צֹאנְךָ הַיּוֹם Gen. 30:32
4293 וְהָיָה בְּכָל־יַחֵם הַצֹּאן Gen. 30:41
4294 כִּי בְּכָל־כֹּחִי עָבַדְתִּי... Gen. 31:6
4295 בִּרְכַּת יְיָ בְּכָל־אֲשֶׁר יֶשׁ־לוֹ Gen. 39:5
4296 לֹא־רָאִיתִי...בְּכָל־אֶרֶץ מִצ׳ Gen. 41:19
4297-4314 בְּכָל־אֶרֶץ מִצְרַיִם(־רָ־)

Gen. 41:29, 44, 46; 45:8, 26 • Ex. 5:12; 7:19, 21; 8:12, 13; 9:9, 22, 24, 25; 10:15, 22; 11:6 • Jer. 44:26

4315 וַיְהִי רָעָב בְּכָל־הָאֲרָצוֹת Gen. 41:54
4316 כִּי־חָזַק הָרָעָב בְּכָל־הָאָרֶץ Gen. 41:57
4317-4338 בְּכָל־הָאָרֶץ Gen. 47:13

Ex. 9:14, 16; 34:10 • Josh. 6:27 • I Sh. 13:3 • IISh. 24:8 • IIK. 5:15; 17:5 • Is. 12:5 • Zep. 3:19 • Zech. 4:10; 5:6; 13:8 • Ps. 8:2, 10; 19:5; 45:17; 105:7 • Job 42:15 • ICh. 16:14 • IICh. 16:9

4339/40 וְשָׁפְטוּ אֶת־הָעָם בְּכָל־עֵת Ex. 18:22, 26
4341 בְּכָל־הַמָּקוֹם אֲשֶׁר אַזְכִּיר Ex. 20:21
4342 לַעֲשׂוֹת בְּכָל־מְלָאכָה Ex. 31:5
4343 וְגַם־אִישׁ אַל־יֵרָא בְּכָל־הָהָר Ex. 34:3
4344 אַל־תְּשַׁקְּצוּ...בְּכָל־הַשֶּׁרֶץ Lev. 11:43
4345 וְלֹא תְטַמְּאוּ...בְּכָל־הַשֶּׁרֶץ Lev. 11:44
4346 בְּכָל־קֹדֶשׁ לֹא־תִגָּע Lev. 12:4
4347 וְאַל־יָבֹא בְכָל־עֵת אֶל־הַקֹּדֶשׁ Lev. 16:2
4348 אַל־תִּטַּמְּאוּ בְּכָל־אֵלֶּה Lev. 18:24
4349 וְאַל־תִּגְּעוּ בְּכָל־אֲשֶׁר לָהֶם Num. 16:26
4350-4356 בְּכָל־לְבָבְךָ וּבְכָל־נַפְשְׁךָ (־שֶׁ)

Deut. 4:29; 6:5; 10:12; 26:16; 30:2, 6, 10

4357-4365 בְּכָל־לְבַבְכֶם (וּבְכָל־נַפְשְׁכֶם)

Deut. 11:13; 13:4 • Josh. 22:5; 23:14 • I Sh. 7:3; 12:20, 24 • Jer. 29:13 • Joel 2:12

4366 לֹא־יָדַע עַבְדְּךָ בְּכָל־זֹאת I Sh. 22:15
4367 וְדָוִד מְכַרְכֵּר בְּכָל־עֹז II Sh. 6:14
4368 בְּכֹל אֲשֶׁר־הִתְהַלַּכְתִּי בְּכָל־בְּ״יִ II Sh. 7:7
4369 הֲיַד יוֹאָב אִתָּךְ בְּכָל־זֹאת II Sh. 14:19
4370/1 בְּכָל־לְבָבָם וּבְכָל־נַפְשָׁם IK. 2:4; 8:48
4372 הַהֹלְכִים לְפָנֶיךָ בְּכָל־לִבָּם IK. 8:23
4373 וַאֲשֶׁר הָלַךְ אַחֲרַי בְּכָל־לְבָבוֹ IK. 14:8
4374 לֹא שָׁמַר לָלֶכֶת...בְּכָל־לְבָבוֹ IIK. 10:31
4375 בְּכָל־לֵב וּבְכָל־נֶפֶשׁ IIK. 23:3
4376 בְּכָל־לְבָבוֹ וּבְכָל־נַפְשׁוֹ IIK. 23:25
4377-4381 בְּכָל־זֹאת לֹא־שָׁב אַפּוֹ Is. 5:25

9:11, 16, 20; 10:4

4382 וַיֹּאכְלוּ אֶת־יִשְׂרָאֵל בְּכָל־פֶּה Is. 9:11
4383/4 וְגַם־בְּכָל־זֹאת לֹא־שָׁבָה אֵלַי בָּגוֹדָה
אֲחוֹתָהּ יְהוּדָה בְּכָל־לִבָּהּ Jer. 3:10
4385 כִּי־יָשֻׁבוּ אֵלַי בְּכָל־לִבָּם Jer. 24:7
4386 בְּכָל־לִבִּי וּבְכָל־נַפְשִׁי Jer. 32:41
4387 וַתִּרְגְּזִי־לִי בְּכָל־אֵלֶּה Ezek. 16:43
4388 וְלֹא בִקְשֻׁהוּ בְּכָל־זֹאת Hosh. 7:10
4389 שִׂמְחִי וְעָ׳זִי בְּכָל־לֵב Zep. 3:14
4390 אִם־יִגַּע טְמֵא־נֶפֶשׁ בְּכָל־אֵלֶּה Hag. 2:13
4391 אוֹדֶה יְיָ בְּכָל־לִבִּי Ps. 9:2
4392 יָחִילוּ דְרָכָו בְּכָל־עֵת Ps. 10:5
4393-4403 בְּכָל־עֵת Ps. 34:2; 62:9

106:3; 119:20 • Prov. 5:19; 6:14; 8:30; 17:17 • Job 27:10 • Eccl. 9:8 • Es. 5:13

4404 אַזְכִּירָה שִׁמְךָ בְּכָל־דֹּר וָדֹר Ps. 45:18
4405 בְּכָל־זֹאת חָטְאוּ־עוֹד Ps. 78:32
4406 אוֹדְךָ אֲדֹנָי אֱלֹהַי בְּכָל־לְבָבִי Ps. 86:12
4407 קְרָאתִיךָ יְיָ בְּכָל־יוֹם Ps. 88:10
4408 אוֹדֶה יְיָ בְּכָל־לֵבָב Ps. 111:1
4409 בְּכָל־לֵב יִדְרְשׁוּהוּ Ps. 119:2
4410-4412 בְּכָל־לֵב Ps. 119:34, 58, 69
4413 בְּכָל־לִבִּי דְרַשְׁתִּיךָ Ps. 119:10
4414 קָרָאתִי בְכָל־לֵב עֲנֵנִי יְיָ Ps. 119:145
4415 אוֹדְךָ בְכָל־לִבִּי Ps. 138:1
4416 וּמֶמְשַׁלְתְּךָ בְּכָל־דּוֹר וָדֹר Ps. 145:13
4417 בְּטַח אֶל־יְיָ בְּכָל־לִבֶּךָ Prov. 3:5
4418 כִּמְעַט הָיִיתִי בְכָל־רָע Prov. 5:14
4419 וְגַע בְּכָל־אֲשֶׁר־לוֹ Job 1:11
4420/1 בְּכָל־זֹאת לֹא־חָטָא אִיּוֹב Job 1:22; 2:10
4422 מִי לֹא־יָדַע בְּכָל־אֵלֶּה Job 12:9
4423 בְּכָל־דּוֹר וָדוֹר Es. 9:28
4424 מְשַׂחֲקִים לִפְנֵי הָאֱלֹהִים בְּכָל־עֹז ICh. 13:8
4425 הַהֹלְכִים לְפָנֶיךָ בְּכָל־לִבָּם IICh. 6:14
4426 וְשָׁבוּ אֵלֶיךָ בְּכָל־לִבָּם IICh. 6:38
4427 בְּכָל־לְבָבָם וּבְכָל־נַפְשָׁם IICh. 15:12
4428 כִּי בְכָל־לְבָבָם נִשְׁבָּעוּ IICh. 15:15
4429 אֲשֶׁר־דָּרַשׁ אֶת־יְיָ בְּכָל־לְבָבוֹ IICh. 22:9
4430 לִדְרֹשׁ לֵאלֹהָיו בְּכָל־לְבָבוֹ IICh. 31:21
4431 בְּכָל לְבָבוֹ וּבְכָל־נַפְשׁוֹ IICh. 34:31
4432-4652 בְּכָל־ Gen. 47:17

Ex. 13:7; 35:33; 40:38 • Lev. 5:2; 7:19, 21^{2}; 11:27; 11:31, 34; 13:48, 49, 53, 57; 15:22; 18:24; 22:4, 5; 23:21; 25:9 • Num. 12:7; 16:26; 18:31; 21:25; 35:23 • Deut. 1:31; 4:7; 5:30; 7:15; 10:12; 11:22; 12:13, 15^{2}, 20; 14:29; 15:10; 16:4, 15, 18; 18:6; 19:15; 22:6; 26:11; 28:20, 40, 52^{4}, 55, 64; 30:1 • Josh. 2:22; 17:16; 22:5; 24:3, 17 • Jud. 6:35; 7:24; 20:6, 12 • I Sh. 4:8; 5:11; 10:24; 11:7; 14:47; 22:14, 15, 22; 27:1 • II Sh. 8:14; 14:25; 15:10; 19:10; 20:14; 21:5; 24:2 • IK. 5:1; 4^{2}, 11; 8:58; 9:7; 15:3; 16:26; 18:20; 22:43 • IIK. 10:21, 32; 17:9, 11, 20, 22; 18:35; 21:21; 22:2 • Is. 11:9; 15:2; 19:14; 36:20; 40:2; 63:9; 65:25 • Jer. 7:23; 8:3; 10:7; 17:3; 24:9; 29:18; 30:11; 31:37(36); 40:11; 46:28 • Ezek. 5:11; 14:11; 16:24, 31, 47, 51; 17:21; 20:40, 43; 21:17; 23:7; 25:6; 31:12; 32:25; 34:6; 44:24; 45:1, 17 • Hosh. 13:10 • Am. 4:6; 5:16; 8:3; 9:9 • Nah. 2:11 • Ps. 6:7, 8; 7:12; 67:3; 77:13; 82:8; 90:14; 91:11; 96:3; 103:22; 105:2, 21, 31; 143:5; 145:2, 17^{2} • Prov. 3:6, 31; 14:23; 15:3; 18:1 • Eccl. 1:3; 2:11, 19, 22; 3:13, 17; 7:28 • Es. 1:16, 20; 2:3; 3:6, 14; 8:5, 11, 12, 13; 9:2, 4, 5, 20, 21, 27 • Dan. 1:4, 17^{2}, 20; 9:7 • Ez. 1:1 • Neh. 5:18; 8:15; 11:20; 12:33(34); 37(38) • ICh. 14:17; 16:9, 24; 17:6; 21:4, 12; 22:15(14); 28:21 • IICh. 7:20; 9:26; 11:13; 15:6; 17:2, 9, 19; 19:5; 28:24; 30:5, 6; 31:18, 19, 20; 32:14, 30; 33:14; 34:7; 36:22

וּבְכָל־

4653/4 וּבְכָל־הָאָרֶץ וּבְכָל־הָרֶמֶשׂ Gen. 1:26
4655 וּבְכָל־חַיָּה הָרֹמֶשֶׂת Gen. 1:28
4656 וּבְכָל־הַשֶּׁרֶץ הַשֹּׁרֵץ Gen. 7:21
4657 וּבְכָל־הָרֶמֶשׂ הָרֹמֵשׂ Gen. 8:17
4658 וּבְכָל־דְּגֵי הַיָּם Gen. 9:2
4659 וּבְכָל־חַיַּת הָאָרֶץ אִתְּכֶם Gen. 9:10
4660 וּבְכָל־אֶרֶץ מִצ׳ הָיָה לָחֶם Gen. 41:54
4661 וּבְכָל־עֲבֹדָה בַּשָּׂדֶה Ex. 1:14
4662 וּבְעַמְּךָ וּבְכָל־עֲבָדֶיךָ Ex. 7:29
4663 וּבְכָל־אֶרֶץ מִצ׳ תִּשָּׁחֵת הָאָרֶץ Ex. 8:20
4664 בַּחַרְטֻמִּים וּבְכָל־מִצְרָיִם Ex. 9:11
4665 וּבְכָל־אֱלֹהֵי מִצ׳ אֶעֱשֶׂה שְׁפָטִים Ex. 12:12
4666/7 וְאִכָּבְדָה בְּפַרְעֹה וּבְכָל־חֵילוֹ Ex. 14:4, 17
4668/9 וּבְדַעַת וּבְכָל־מְלָאכָה Ex. 31:3; 35:31
4670 בְּכָל־הָאָרֶץ וּבְכָל־הַגּוֹיִם Ex. 34:10
4671 וּבְכָל־בְּהֵמָה לֹא־תִתֵּן שְׁכָבְתְּךָ Lev. 18:23
4672-4677 בְּכָל־לְבָבְךָ וּבְכָל־נַפְשְׁךָ (־שֶׁ)

Deut. 4:29; 10:12; 26:16; 30:2, 6, 10

4678/9 וּבְכָל־נַפְשְׁךָ וּבְכָל־מְאֹדֶךָ Deut. 6:5
4680-4683 בְּכָל־לְבַבְכֶם וּבְכָל־נַפְשְׁכֶם

Deut. 11:13; 13:4 • Josh. 22:5; 23:14

4684-4686 בְּכָל־לְבָבָם וּבְכָל־נַפְשָׁם IK. 2:4
8:48 • IICh. 15:12
4687 בְּכָל־לֵב וּבְכָל־נֶפֶשׁ IIK. 23:3
4688/9 וּבְכָל־נַפְשׁוֹ וּבְכָל־מְאֹדוֹ IIK. 23:25
4690 בְּכָל־לִבִּי וּבְכָל־נַפְשִׁי Jer. 32:41
4691 וּבְכָל־זֹאת אֲנַחְנוּ כֹּרְתִים אֲמָנָה Neh. 10:1

וּבְכָל־ (המשך)

4692 וּבְכָל־זֶה לֹא הָיִיתִי בִּירוּשָׁלָםִ Neh. 13:6
4693 בְּכָל־לִבָּם וּבְכָל־נַפְשָׁם IICh. 6:38
4694 וּבְכָל־רְצוֹנָם בִּקְשֻׁהוּ IICh. 15:15
4695 בְּכָל־לְבָבוֹ וּבְכָל־נַפְשׁוֹ IICh. 34:31
4732-4696 וּבְכָל־ Num. 21:25
Deut. 6:22 • Josh. 12:5 • Jud. 7:22; 11:26; 14:3 • ISh. 14:15 • IISh. 17:12 • IIK. 20:13 • Is. 39:2; 49:2 • Jer. 10:7; 15:13; 33:12; 51:52 • Ezek. 5:11; 7:18; 27:22, 27; 31:12 • Am. 5:16, 17 • Mal. 1:11 • Ps. 135:9 • Prov. 4:7 • Job 31:12 • Es. 2:11; 4:3; 8:17^{2} • Neh. 9:10^{2} • ICh. 5:16; 29:2 • IICh. 11:12; 21:14; 28:25; 31:21

כְּכָל־

4733 כְּכָל־חֻקֹּתָיו וּכְכָל־מִשְׁפָּטָיו Num. 9:3
4734 כְּכָל־חֻקַּת הַפֶּסַח יַעֲשׂוּ אֹתוֹ Num. 9:12
4735 כְּכָל־הַיֹּצֵא מִפִּיו יַעֲשֶׂה Num. 30:3
4736 כְּכָל־הַדְּבָרִים אֲשֶׁר דִּבֶּר יְיָ Deut. 9:10
4737 כְּכָל־הַגּוֹיִם אֲשֶׁר סְבִיבֹתָי Deut. 17:14
4738 כְּכָל־אֶחָיו הַלְוִיִּם Deut. 18:7
4739 כְּכָל־מִצְוָתְךָ אֲשֶׁר צִוִּיתָנִי Deut. 26:13
4740 כְּכָל־הַמִּצְוָה אֲשֶׁר צִוִּיתִי Deut. 31:5
4741 לִשְׁמֹר לַעֲשׂוֹת כְּכָל־הַתּוֹרָה Josh. 1:7
4742 לַעֲשׂוֹת כְּכָל־הַכָּתוּב בּוֹ Josh. 1:8
4745-4743 כְּכָל־הַכָּתוּב Josh. 8:34
IIK. 22:13 • IICh. 34:21
4746 כְּכָל־הַטּוֹבָה אֲשֶׁר עָשָׂה Jud. 8:35
4747 עֲשֵׂה...כְּכָל־הַטּוֹב בְּעֵינֶיךָ Jud. 10:15
4748 וְחָלִיתִי וְהָיִיתִי כְּכָל־הָאָדָם Jud. 16:17
4749/50 כְּכָל־אֲשֶׁר־צִוָּה Es. 3:12; 8:9
4770-4751 כְּכָל־ Jud. 20:10 ISh. 8:5, 8, 20; 11:10; 25:9 • IK. 8:39 • IIK. 7:13^{2}; 17:13; 23:19 • Jer. 21:2; 37:12; 38:27; 42:5 • Ezek. 25:8 • Ps. 39:13 • Dan. 9:16 • ICh. 29:15 • IICh. 2:15; 6:30

וּכְכָל־

4771 כְּכָל־חֻקֹּתָיו וּכְכָל־מִשְׁפָּטָיו Num. 9:3
4772 וּכְכָל־כֹּחִי הֲכִינוֹתִי ICh. 29:2

לְכָל־

4773 וַיִּקְרָא...שֵׁמוֹת לְכָל־הַבְּהֵמָה Gen. 2:20
4774 וְנָשָׂאתִי לְכָל־הַמָּקוֹם בַּעֲבוּרָם Gen. 18:26
4775 וַיִּקְרָא לְכָל־עֲבָדָיו Gen. 20:8
4776 וַתִּשְׁאַב לְכָל־גְּמַלָּיו Gen. 24:20
4777 וַיַּעַשׂ מִשְׁתֶּה לְכָל־עֲבָדָיו Gen. 40:20
4778 וַיֹּאמֶר פַּרְעֹה לְכָל־מִצְרַיִם Gen. 41:55
4779 הַמַּשְׁבִּיר לְכָל־עַם הָאָרֶץ Gen. 42:6
4780 וּלְאָדוֹן לְכָל־בֵּיתוֹ Gen. 45:8
4781 לְאָדוֹן לְכָל־מִצְרָיִם Gen. 45:9
4782 וַיְנַשֵּׁק לְכָל־אֶחָיו Gen. 45:15
4783 וַיְצַו פַּרְעֹה לְכָל־עַמּוֹ Ex. 1:22
4784 אַךְ אֲשֶׁר יֵאָכֵל לְכָל־נֶפֶשׁ Ex. 12:16
4785 וַיִּקְרָא מֹשֶׁה לְכָל־זִקְנֵי יִשְׂרָאֵל Ex. 12:21
4786 לְכָל־בְּנֵי יִשְׂרָאֵל לְדֹרֹתָם Ex. 12:42
4787 לָתֵת לְכָל־הָעָם הַזֶּה Num. 11:13
4788 וְנִסְלַח לְכָל־עֲדַת בְּנֵי יִשְׂרָאֵל Num. 15:26
4789 כִּי לְכָל־הָעָם בִּשְׁגָגָה Num. 15:26
4790/1 אֱלֹ׳ הָרוּחֹת לְכָל־בָּשָׂר Num. 16:22, 27:16
4792 כָּל־פֶּטֶר רֶחֶם לְכָל־בָּשָׂר Num. 18:15
4793 הַנֹּגֵעַ בְּמֵת לְכָל־נֶפֶשׁ אָדָם Num. 19:11
4794 וְשִׁחַתֶּם לְכָל־הָעָם הַזֶּה Num. 32:15
4795 וַיִּקְרָא יְהוֹשֻׁעַ לְכָל־יִשְׂרָאֵל Josh. 23:2
4804-4796 לְכָל־יִשְׂרָאֵל ISh. 2:14, 22; 4:1; 19:5 • IISh. 15:6 • ICh. 29:21 • IICh. 1:2^{2}; 35:3
4805 לְכָל־אַוַּת נַפְשְׁךָ הַמֶּלֶךְ ISh. 23:20
4806 וַיְחַלֵּק לְכָל־הָעָם IISh. 6:19
4814-4807 לְכָל־הָעָם IISh. 19:3 • IK. 18:30; 20:10 • Mal. 2:9 • Neh. 8:9, 11, 13; 11:24

לְכָל־ (המשך)

4815 בֵּית־תְּפִלָּה יִקָּרֵא לְכָל־הָעַמִּים Is. 56:7
4816 וְהָיוּ דֵרָאוֹן לְכָל־בָּשָׂר Is. 66:24
4817 וְסָלַחְתִּי לְכָל־(כת׳ לכול) עֲוֹנוֹתֵ Jer. 33:8
4818 וְזֵרִתִים לְכָל־רוּחַ Jer. 49:32
4821-4819 לְכָל־רוּחַ Ezek. 5:10, 12; 17:21
4822 בְּכַפְּרִי־לָךְ לְכָל־אֲשֶׁר עָשִׂית Ezek. 16:63
4823/4 צְבִי הִיא לְכָל־הָאֲרָצוֹת Ezek. 20:6, 15
4825 יְנַקֵּשׁ נוֹשֶׁה לְכָל־אֲשֶׁר־לוֹ Ps. 109:11
4826 לְכָל־תִּכְלָה רָאִיתִי קֵץ Ps. 119:96
4827 נֹתֵן לֶחֶם לְכָל־בָּשָׂר Ps. 136:25
4828 סוֹמֵךְ יְיָ לְכָל־הַנֹּפְלִים Ps. 145:14
4829 וְזוֹקֵף לְכָל־הַכְּפוּפִים Ps. 145:14
4830 וּמַשְׂבִּיעַ לְכָל־חַי רָצוֹן Ps. 145:16
4831 קָרוֹב יְיָ לְכָל־קֹרְאָיו Ps. 145:18
4832 פֶּתִי יַאֲמִין לְכָל־דָּבָר Prov. 14:15
4833 וּבֵית מוֹעֵד לְכָל־חָי Job 30:23
4834 מָשׂוֹשׂ לְכָל־הָאָרֶץ Lam. 2:15
4835 הָיִיתִי שְּׂחֹק לְכָל־עַמִּי Lam. 3:14
4836 וְעֵת לְכָל־חֵפֶץ תַּחַת הַשָּׁמָיִם Eccl. 3:1
4837 כִּי־עֵת לְכָל־חֵפֶץ Eccl. 3:17
4838 וְאֵין קֵץ לְכָל־עֲמָלוֹ Eccl. 4:8
4840-4839 גָּלוּי לְכָל־הָעַמִּים Es. 3:14; 8:13
4841 וְדֹבֵר שָׁלוֹם לְכָל־זַרְעוֹ Es. 10:3
5003-4842 לְכָל־ Ex. 26:2; 27:3; 28:38; 35:24, 29; 36:7, 9 • Lev. 7:10, 24; 11:26, 42; 13:12; 14:54; 16:16, 21; 22:18; 25:10 • Num. 4:27, 31, 32; 4:33; 5:9; 10:25; 14:29, 35; 18:7, 8, 9, 11, 15 • Deut. 3:13, 21; 7:19; 17:3; 19:15; 20:15; 22:3; 23:19; 24:5; 28:26; 32:46; 34:11 • Josh. 9:21; 10:25; 21:40; 23:3 • ISh. 18:14; 20:6 • IISh. 6:19; 8:15; 13:23; 15:14; 19:21 • IK. 1:19, 25; 3:15; 6:38; 8:38; 9:11; 10:20, 29; 11:8, 28; 20:7 • IIK. 16:10; 17:16; 18:21; 19:11; 21:3, 5, 14; 25:6; 36:6; 37:11 • Jer. 1:15; 12:12; 15:10; 23:15; 25:31; 29:4, 26; 48:39 • Ezek. 12:14; 16:25, 33^{2}; 20:31; 22:4; 26:17; 34:5, 8; 38:21; 44:5, 9; 45:6 • Hab. 1:10 • Zech. 12:2, 3 • Ps. 21:9; 25:18; 59:9; 71:18; 86:5; 103:3^{2}, 6; 105:36; 111:2, 10; 116:14, 18; 119:63; 147:20; 148:14; 149:9 • Eccl. 4:16; 7:21; 8:6, 9 • Es. 1:3, 5; 2:18 • Dan. 9:16 • Ez. 6:20; 10:14 • ICh. 6:33; 13:1; 16:3; 18:14; 22:5(4); 22:17(16); 23:28; 26:32; 27:3; 28:14^{2}, 21^{4}; 29:1, 20 • IICh. 1:17; 6:29; 7:21; 8:15; 9:19; 11:23; 23:19; 25:5; 26:14; 28:15; 29:24; 31:16, 18, 19; 32:28; 33:3, 5, 8; 35:7, 13

וּלְכָל־

5004 וּלְכָל־חַיַּת הָאָרֶץ Gen. 1:30
5005 וּלְכָל־עוֹף הַשָּׁמַיִם Gen. 1:30
5006 וּלְכָל־בְּ״י הָיָה אוֹר בְּמוֹשְׁבֹתָם Ex. 10:23
5007 לִמְלֶאכֶת אֹהֶל מ׳ וּלְכָל־עֲבֹדָתוֹ Ex. 35:21
5008 וּלְכָל־נֶפֶשׁ הַשֹּׁרֶצֶת... Lev. 11:46
5009 לְכָל־נִדְרֵיהֶם וּלְכָל־נִדְבוֹתָם Lev. 22:18
5010/1 וּלְכָל־חַטָּאתָם וּלְכָל־אֲשָׁמָם Num. 18:9
5012 לְפַרְעֹה וּלְכָל־מִצְרָיִם Deut. 7:18
5013 לְפַרְעֹה...וּלְכָל־אַרְצוֹ Deut. 11:3
5014 לְכָל־עָוֹן וּלְכָל־חַטָּאת Deut. 19:15
5015 וּלְכָל־הַתּוֹרָה אֲשֶׁר־צִוָּה... IIK. 21:8
5016 וּלְכָל־בָּהֶן חַיֵּי רוּחִי Is. 38:16
5017 וּלְכָל־בְּשָׂרוֹ מַרְפֵּא Prov. 4:22
5018 וּלְכָל־תַּכְלִית הוּא חוֹקֵר Job 28:3
5019 וּלְכָל־הִתְיַחֵשׂ בַּלְוִיִּם IICh. 31:19
5049-5020 וּלְכָל־ Deut. 29:1^{2}; 34:11^{2} ISh. 1:4; 30:31 • IISh. 9:9; 17:16; 19:9 • IK. 1:9; 6:38; 8:50 • Jer. 20:4; 42:8 • Ezek. 44:5 • Es. 6:13 •

וּלְכָל־ (המשך)

Dan. 9:7 • Ez. 3:5; 7:28; 8:21 • Neh. 9:32 • ICh. 16:40; 23:29; 28:1, 12, 13^{2}; 29:5 • IICh. 28:23; 33:22

מִכָּל־

5050 וַיִּשְׁבֹּת...מִכָּל־מְלַאכְתּוֹ אֲשֶׁר עָשָׂה Gen. 2:2
5051 מִכָּל־מְלַאכְתּוֹ אֲשֶׁר־בָּרָא Gen. 2:3
5052 אָרוּר אַתָּה מִכָּל־הַבְּהֵמָה Gen. 3:14
5053 וּמִכָּל־הָחַי מִכָּל־בָּשָׂר Gen. 6:19
5054 קַח־לְךָ מִכָּל־מַאֲכָל Gen. 6:21
5055 שְׁנַיִם שְׁנַיִם מִכָּל־הַבָּשָׂר Gen. 7:15
5056 זָכָר וּנְקֵבָה מִכָּל־בָּשָׂר בָּאוּ Gen. 7:16
5057 כָּל־הַחַיָּה...מִכָּל־בָּשָׂר Gen. 8:17
5058 וְאִם־אֶקַּח מִכָּל־אֲשֶׁר־לָךְ Gen. 14:23
5059 אָהַב אֶת־יוֹסֵף מִכָּל־בָּנָיו Gen. 37:3
5060 כִּי־אֹתוֹ אָהַב...מִכָּל־אֶחָיו Gen. 37:4
5061 הַמַּלְאָךְ הַגֹּאֵל אֹתִי מִכָּל רָע Gen. 48:16
5062 וְלֹא יָמוּת מִכָּל־לִבְנֵי יִשְׂרָ׳ דָּבָר Ex. 9:4
5063 כִּי־גָדוֹל יְיָ מִכָּל־הָאֱלֹהִים Ex. 18:11
5064 וְאַתָּה תֶחֱזֶה מִכָּל־הָעָם Ex. 18:21
5065 וַיִּבְחַר מֹשֶׁה אַנְשֵׁי־חַיִל מִכָּל־יִשְׂ׳ Ex. 18:25
5066 וִהְיִיתֶם לִי סְגֻלָּה מִכָּל־הָעַמִּים Ex. 19:5
5067 וְנִפְלֵינוּ אֲנִי וְעַמְּךָ מִכָּל־הָעָם Ex. 33:16
5068 וְעָשׂוּ אַחַת מִכָּל־מִצְוֹת יְיָ Lev. 4:13
5070-5069 מִכָּל־מִצְוֹת יְיָ Lev. 4:22; 5:17
5071 לֹא תַקְרִיבוּ...מִכָּל־אֵלֶּה Lev. 22:25
5072 אֲשֶׁר יַחֲרִם...מִכָּל־אֲשֶׁר־לוֹ Lev. 27:28
5073 לֹא מֵרֻבְּכֶם מִכָּל־הָעַמִּים Deut. 7:7
5074-8 מִכָּל־הָעַמִּים Deut. 7:7, 14; 10:15; 30:3 • IK. 5:14
5079 מִשִּׁכְמוֹ וָמַעְלָה גָּבֹהַּ מִכָּל־הָעָם ISh. 9:2
5080 וְלֹא־נִפְקַד מִכָּל־אֲשֶׁר־לוֹ ISh. 25:21
5081 אִם־אַשְׁאִיר מִכָּל־אֲשֶׁר־לוֹ ISh. 25:22
5082 וְיַצִּלֵנִי מִכָּל־צָרָה ISh. 26:24
5083 וַיֶּחְכַּם מִכָּל־הָאָדָם IK. 5:11
5084 מִכָּל־מְלַמְּדַי הִשְׂכַּלְתִּי Ps. 119:99
5085 מִכָּל־מִשְׁמָר נְצֹר לִבֶּךָ Prov. 4:23
5086 לֹא־מָנַעְתִּי...לִבִּי מִכָּל־שִׂמְחָה Eccl. 2:10
5087 כִּי־לִבִּי שָׂמֵחַ מִכָּל־עֲמָלִי Eccl. 2:10
5088 וְזֶה־הָיָה חֶלְקִי מִכָּל־עֲמָלִי Eccl. 2:10
5089 וְדָתֵיהֶם שֹׁנוֹת מִכָּל־עָם Es. 3:8
5090/1 מִי־בָכֶם מִכָּל־עַמּוֹ... Ez. 1:3 • IICh. 36:23
5092 מִכָּל־הֲכִינוֹתִי לְבֵית הַקֹּדֶשׁ ICh. 29:3
5182-5093 מִכָּל־ Lev. 7:14; 11:2, 32, 34; 16:34; 22:3 • Num. 5:6; 18:29; 31:30 • Deut. 12:5; 12:10; 18:5, 6; 25:19; 28:14 • Josh. 21:42; 23:1 • Jud. 20:34; 21:5 • ISh. 2:28; 3:17, 19; 9:21; 10:19, 23; 14:39; 18:6; 24:3 • IISh. 4:9; 7:1, 11; 8:11; 19:8 • IK. 1:29; 5:4, 27; 13:11; 14:24 • Is. 51:18^{2}; 66:20 • Jer. 29:14; 32:37; 33:8; 40:12; 43:5; 49:5 • Ezek. 15:1; 18:21, 28, 30; 34:12; 36:24, 25, 29; 44:6 • Zep. 3:10 • Zech. 14:16 • Ps. 7:2; 31:12; 39:9; 54:9; 119:101; 121:7; 135:5 • Job 1:3 • S.of S. 4:10 • Lam. 1:2 • Es. 2:17^{2}; 4:13 • Ez. 1:4 • Neh. 4:6; 12:27; 13:30 • ICh. 18:11; 19:10; 22:9(8) • IICh. 2:4; 9:21; 11:13; 21, 23; 14:4; 15:8; 20:4; 23:2; 24:5; 31:1; 34:33

וּמִכָּל־

5183 וּמִכָּל־הָחַי מִכָּל־בָּשָׂר Gen. 6:19
5184 מִכֹּל הַחֲסָדִים וּמִכָּל־הָאֱמֶת Gen. 32:10
5185 בָּחַר־בִּי מֵאָבִיךָ וּמִכָּל־בֵּיתוֹ IISh. 6:21
5186 מִכָּל־הַגּוֹיִם וּמִכָּל־הַמְּקוֹמוֹת Jer. 29:14
5187 וּמִכָּל־עֲבָרָיו אָבִיא אֶת־אֵידָם Jer. 49:32
5188 וּמִכָּל־גִּלּוּלֵיכֶם אֲטַהֵר אֶתְכֶם Ezek. 36:25
5189 וּמִכָּל־מְגוּרוֹתַי הִצִּילָנִי Ps. 34:5
5190 וּמִכָּל־צָרוֹתָיו הוֹשִׁיעוֹ Ps. 34:7

וּמִכָּל (המשך) 5191 וּמִכָּל־צָרוֹתָם הִצִּילָם Ps. 34:18
5192 וּמִכָּל־בָּנַי...וַיִּבְחַר בִּשְׁלֹמֹה בְנִי ICh. 28:5
5193 מִמִּצְרַיִם...וּמִכָּל הָאֲרָצוֹת IICh. 9:28
5194 וּמִכָּל־יְהוּדָה וּבִנְיָמִן IICh. 34:9
כֻּלָּךְ ז׳ 5195 אָסֹף אֶאֱסֹף יַעֲקֹב כֻּלָּךְ Mic. 2:12
כֻּלָּךְ נ׳ 5196 כִּי־עָלִית כֻּלָּךְ לַגַּגּוֹת Is. 22:1
5197 כֻּלָּךְ יָפָה רַעְיָתִי S.of S. 4:7
כֻּלֵּךְ 5198 אַל־תִּשְׂמְחִי פְלֶשֶׁת כֻּלֵּךְ Is. 14:29
5199 נָמוֹג פְּלֶשֶׁת כֻּלֵּךְ Is. 14:31
כֻּלּוֹ 5200 כֻּלּוֹ כְּאַדֶּרֶת שֵׂעָר Gen. 25:25
5201 וְשָׁלִשִׁם עַל־כֻּלּוֹ Ex. 14:7
5202 וְהַר סִינַי עָשַׁן כֻּלּוֹ Ex. 19:18
5203 כֻּלּוֹ הָפַךְ לָבָן Lev. 13:13
5204 שָׂרַיִךְ סוֹרְרִים...כֻּלּוֹ אֹהֵב שֹׁחַד Is. 1:23
5205 וְיָדְעוּ הָעָם כֻּלּוֹ Is. 9:8
5206 כִּי כֻלּוֹ חָנֵף וּמֵרַע Is. 9:16
5207 מִקְּטַנָּם וְעַד־גְּדוֹלָם כֻּלּוֹ בּוֹצֵעַ... Jer. 6:13
5208 וּמִנָּבִיא וְעַד־כֹּהֵן כֻּלּוֹ עֹשֶׂה שָּׁקֶר Jer. 6:13
5209 וְאֹתִי אַתֶּם קֹבְעִים הַגּוֹי כֻּלּוֹ Mal. 3:9
5210 וּבְהֵיכָלוֹ כֻּלּוֹ אֹמֵר כָּבוֹד Ps. 29:9
5211 כֻּלּוֹ סָג יַחְדָּו נֶאֱלָחוּ Ps. 53:4
5212 וְהִנֵּה עָלָה כֻלּוֹ קִמְּשֹׂנִים Prov. 24:31
5213 וַיֵּצֵא חֹצֵץ כֻּלּוֹ Prov. 30:27
5214 כֻּלּוֹ שַׁלְאֲנַן וְשָׁלֵיו Job 21:23
כֻּלֹּה 5215 וַיַּמְלִכֵהוּ...וְעַל־יִשְׂרָאֵל כֻּלֹּה IISh. 2:9
5216 וּבִרְחֹבֹתֶיהָ כֻּלֹּה יְיֵלִיל Is. 15:3
5217 לְמוֹאָב כֻּלֹּה יְיֵלִיל Is. 16:7
5218 נְטַעְתִּיךְ שֹׂרֵק כֻּלֹּה זֶרַע אֱמֶת Jer. 2:21
5219 כֻּלֹּה שָׁב בִּמְרוּצָתָם° Jer. 8:6
5220 מִקָּטֹן וְעַד־גָּדוֹל כֻּלֹּה בֹּצֵעַ בָּצַע Jer. 8:10
5221 מִנָּבִיא וְעַד־כֹּהֵן כֻּלֹּה עֹשֶׂה שָּׁקֶר Jer. 8:10
5222 כֻּלֹּה מְקַלְלַוְנִי Jer. 15:10
5223 כֻּלֹּה לֹעֵג לִי Jer. 20:7
5224 וּלְמוֹאָב כֻּלֹּה אֶזְעָק Jer. 48:31
5225 וּבִרְחֹבֹתֶיהָ כֻּלֹּה מִסְפֵּד Jer. 48:38
5226 וְכָל־בֵּית יִשְׂרָאֵל כֻּלֹּה Ezek. 11:15
5227/8 כָּל־בֵּית יִשְׂרָאֵל כֻּלֹּה Ezek. 20:40; 36:10
5229 מַעֲשֵׂה חָרָשִׁים כֻּלֹּה Hosh. 13:2
5230 לֹא יוֹסִיף...בְּלִיַּעַל כֻּלֹּה נִכְרָת Nah. 2:1
5231 כֻּלֹּה לְחָמָס יָבוֹא Hab. 1:9
5232 כֻּלֹּה בְּחַכָּה הֵעֲלָה Hab. 1:15
וְכֻלּוֹ 5233 וְכֻלּוֹ לֹא תִרְאֶה Num. 23:13
5234 חִכּוֹ מַמְתַקִּים וְכֻלּוֹ מַחֲמַדִּים S.of S. 5:16
כֻּלָּהּ 5235 כִּי כֻלָּהּ מַשְׁקֶה Gen. 13:10
5236/7 כֻּלָּהּ מִקְשָׁה אַחַת Ex. 25:36; 37:22
5238 שָׁמַעְתָּ חֲזֵה כֻּלָּהּ Is. 48:6
5239 כֻּלָּהּ עֹשֶׁק בְּקִרְבָּהּ Jer. 6:6
5240 הָגְלָת יְהוּדָה כֻּלָּהּ Jer. 13:19
5241 וְהָיְתָה שְׁמָמָה כֻּלָּהּ Jer. 50:13
5242 וְהִנָּבֵא עָלָיו וְעַל־מִצְרַיִם כֻּלָּהּ Ezek. 29:2
5243 הַר־שֵׂעִיר וְכָל־אֱדוֹם כֻּלָּהּ Ezek. 35:15
5244 וְעָלְתָה כָאֹר כֻּלָּהּ Am. 8:8
5245 וְעָלְתָה כַיְאֹר כֻּלָּהּ Am. 9:5
5246 כֻּלָּהּ כַּחַשׁ פֶּרֶק מְלֵאָה Nah. 3:1
5247 וְהִנֵּה מְנוֹרַת זָהָב כֻּלָּהּ Zech. 4:2
5248 הֵן יְיָ יָדַעְתָּ כֻלָּהּ Ps. 139:4
5249 וּמִי שָׂם תֵּבֵל כֻּלָּהּ Job 34:13
5250 הַגֵּד אִם־יָדַעְתָּ כֻלָּהּ Job 38:18
(כֻּלָּא) 5251 ...וְעַל־אֱדוֹם כֻּלָּא Ezek. 36:5
כֻּלָּנוּ 5252 כֻּלָּנוּ בְּנֵי אִישׁ־אֶחָד נָחְנוּ Gen. 42:11
5253 כִּי אָמְרוּ כֻּלָּנוּ מֵתִים Ex. 12:33
5254 אָבַדְנוּ כֻּלָּנוּ אָבָדְנוּ Num. 17:27

כֻּלָּנוּ (המשך) 5255 אֵלֶּה פֹה הַיּוֹם כֻּלָּנוּ חַיִּים Deut. 5:3
5256 אַל־נָא נֵלֵךְ כֻּלָּנוּ IISh. 13:25
5257 וַיְיָ הִפְגִּיעַ בּוֹ אֵת עֲוֹן כֻּלָּנוּ Is. 53:6
5258 כֻּלָּנוּ כַּצֹּאן תָּעִינוּ Is. 53:6
5259 נֶהֱמֶה כַדֻּבִּים כֻּלָּנוּ Is. 59:11
5260 וַנְּהִי כַטָּמֵא כֻּלָּנוּ Is. 64:5
5261 וַנָּבֶל כֶּעָלֶה כֻּלָּנוּ Is. 64:5
5262 וּמַעֲשֵׂה יָדְךָ כֻּלָּנוּ Is. 64:7
5263 הֵן הַבֶּט־נָא עַמְּךָ כֻלָּנוּ Is. 64:8
5264 וַנָּשָׁב כֻּלָּנוּ אֶל־הַחוֹמָה Neh. 4:9
וְכֻלָּנוּ 5265 וְכֻלָּנוּ הַיּוֹם מֵתִים IISh. 19:7
לְכֻלָּנוּ 5266 הֲלוֹא אָב אֶחָד לְכֻלָּנוּ Mal. 2:10
5267 כִּיס אֶחָד יִהְיֶה לְכֻלָּנוּ Prov. 1:14
מִכֻּלָּנוּ 5268 וַיֹּאמֶר יֵהוּא אֶל־מִי מִכֻּלָּנוּ IIK. 9:5
כֻּלְּכֶם 5269 וַתִּקְרְבוּן אֵלַי כֻּלְּכֶם Deut. 1:22
5270 חַיִּים כֻּלְּכֶם הַיּוֹם Deut. 4:4
5271 אַתֶּם נִצָּבִים הַיּוֹם כֻּלְּכֶם Deut. 29:9
5272 וִהְיִיתֶם כֻּלְּכֶם נְכֹנִים Josh. 8:4
5273 הִנֵּה כֻלְּכֶם בְּנֵי יִשְׂרָאֵל Jud. 20:7
5274 כִּי קְשַׁרְתֶּם כֻּלְּכֶם עָלַי ISh. 22:8
5275 הִקָּבְצוּ כֻלְּכֶם וּשְׁמָעוּ Is. 48:14
5276 הֵן כֻּלְּכֶם קֹדְחֵי אֵשׁ Is. 50:11
5277 כֻּלְּכֶם פְּשַׁעְתֶּם בִּי Jer. 2:29
5278 יַעַן הֱיוֹת כֻּלְּכֶם לְסִגִים Ezek. 22:19
5279 תְּהוֹתְתוּ עַל־אִישׁ תְּרָצְּחוּ כֻלְּכֶם Ps. 62:4
5280 אֱלֹהִים אַתֶּם וּבְנֵי עֶלְיוֹן כֻּלְּכֶם Ps. 82:6
5281 רֹפְאֵי אֱלִל כֻּלְּכֶם Job 13:4
5282 מְנַחֲמֵי עָמָל כֻּלְּכֶם Job 16:2
5283 הֶן־אַתֶּם כֻּלְּכֶם חֲזִיתֶם Job 27:12
וְכֻלְּכֶם 5284 וְכֻלְּכֶם לַטֶּבַח תִּכְרָעוּ Is. 65:12
לְכֻלְּכֶם 5285 גַּם־לְכֻלְּכֶם יִתֵּן בֶּן־יִשַׁי שָׂדוֹת ISh. 22:7
5286 לְכֻלְּכֶם יָשִׂים שָׂרֵי אֲלָפִים ISh. 22:7
כֻּלָּם 5287 וַתֵּרֶב מַשְׂאַת בִּנְיָ׳ מִמַּשְׂאֹת כֻּלָּם Gen. 43:34
5288 כֻּלָּם אֲנָשִׁים רָאשֵׁי ב״י הֵמָּה Num. 13:3
5289 כִּי כָל־הָעֵדָה כֻּלָּם קְדֹשִׁים Num. 16:3
5290 וַיִּפְּלוּ כֻלָּם לְפִי־חֶרֶב Josh. 8:24
5291 אָנֹכִי נֹתֵן אֶת־כֻּלָּם חֲלָלִים Josh. 11:6
5292 וַיִּתֵּן שׁוֹפָרוֹת בְּיַד־כֻּלָּם Jud. 7:16
5293 וַיָּבֹאוּ כֻלָּם אֶל־הַמֶּלֶךְ ISh. 22:11
5294 כִּי כֻלָּם יְשֵׁנִים ISh. 26:12
5295-5297 שִׁמְעוּ עַמִּים כֻּלָּם IK. 22:28
Mic. 1:2 • IICh. 18:27
5298 וְהִנֵּה כֻלָּם פְּגָרִים מֵתִים IIK. 19:35
5299 וּבָאוּ וְנָחוּ כֻלָּם בְּנַחֲלֵי הַבַּתּוֹת Is. 7:19
5300 כֻּלָּם יַעֲנוּ וְיֹאמְרוּ Is. 14:10
5301 כָּל־מַלְכֵי גוֹיִם כֻּלָּם... Is. 14:18
5302 וְיַחְדָּו כֻּלָּם יִכְלָיוּן Is. 31:3
5303 וְאֶת־כֻּלָּם יִשָּׂא־רוּחַ Is. 57:13
5304 וְעַמֵּךְ כֻּלָּם צַדִּיקִים Is. 60:21
5305 וְכָל־צָרַיִךְ כֻּלָּם בַּשְּׁבִי יֵלֵכוּ Jer. 30:16
5306 כְּיוֹנֵי הַגֵּאָיוֹת כֻּלָּם הֹמוֹת Ezek. 7:16
5307/8 בַּחוּרֵי חֶמֶד כֻּלָּם Ezek. 23:6, 12
5309 אֵלֶּה כֻלָּם עָלָיו מָשָׁל יִשָּׂאוּ Hab. 2:6
5310 לִקְרֹא כֻלָּם בְּשֵׁם יְיָ Zep. 3:9
5311/2 יוֹדוּךָ עַמִּים כֻּלָּם Ps. 67:4, 6
5313 כֻּלָּם בְּחָכְמָה עָשִׂיתָ Ps. 104:24
5314 כֻּלָּם אֵלֶיךָ יְשַׂבֵּרוּן Ps. 104:27
5315 וְאוּלָם כֻּלָּם תָּשֻׁבוּ וּבֹאוּ נָא Job 17:10
5316 כִּי־מַעֲשֵׂה יָדָיו כֻּלָּם Job 34:19
5317 כֻּלָּם אֲחֻזֵי חֶרֶב מְלֻמְּדֵי מִלְחָמָה S.of S. 3:8
5318 שֶׁמִּקְרֶה אֶחָד יִקְרֶה אֶת־כֻּלָּם Eccl. 2:14
5319 כִּי־יְרֵא אֱלֹהִים יֵצֵא אֶת־כֻּלָּם Eccl. 7:18

כֻּלָּם (המשך) 5320 וְהַלְוִיִּם כְּאֶחָד כֻּלָּם טְהוֹרִים Ez. 6:20
5321-5386 כֻּלָּם Is. 37:36; 41:29; 42:22
43:14; 44:9, 11; 45:16; 49:18[2]; 50:9; 56:10[2], 11;
60:4, 6 • Jer. 5:16; 6:28[2]; 9:1; 10:9; 23:14 • Ezek.
14:5; 22:18; 23:7, 15, 23[2]; 31:14 • 32:12, 22, 23, 24,
25, 26, 30; 38:4[2], 5, 8, 11, 15; 39:18, 23 • Hosh. 7:4,
7 • Am. 9:1 • Mic. 3:7; 7:2 • Nah. 2:11 • Ps. 8:8;
139:16 • Prov. 8:9; 22:2 • Joel 1:5; 17:7 • Eccl.
9:11 • Ez. 8:20 • Neh. 4:2; 6:9; 9:6 • ICh. 2:6;
5:17; 7:3; 9:22; 12:22; 21:3
כּוּלָּם 5387 כִּי כוּלָּם יֵדְעוּ אוֹתִי Jer. 31:34(33)
כֻּלָּהֶם 5388 וּבְלִיַּעַל כְּקוֹץ מֻנָד כֻּלָּהֶם IISh. 23:6
וְכֻלָּם 5389 וְכֻלָּם כַּבֶּגֶד יִבְלוּ Ps. 102:27
5390 רָאשֵׁי הָאָבוֹת...וְכֻלָּם בְּשֵׁמוֹת Ez. 10:16
5391 וַיַּשְׁלִיכוּם...וְכֻלָּם נִבְקָעוּ IICh. 25:12
בְּכֻלָּם 5392 כִּי אִם־שָׁנִים הַרְבֵּה יִחְיֶה הָאָדָם
בְּכֻלָּם יִשְׂמָח Eccl. 11:8
לְכֻלָּם 5393 הֵן עַם אֶחָד וְשָׂפָה אַחַת לְכֻלָּם Gen. 11:6
5394 לְכֻלָּם נָתַן לָאִישׁ חֲלִפוֹת Gen. 45:22
5395 כִּי־מַגֵּפָה אַחַת לְכֻלָּם וּלְסַרְנֵיכֶם ISh. 6:4
5396 לְכֻלָּם בְּשֵׁם יִקְרָא Is. 40:26
5397 וּמֶלֶךְ אֶחָד יִהְיֶה לְכֻלָּם לְמֶלֶךְ Ezek. 37:22
5398 וְרוֹעֶה אֶחָד יִהְיֶה לְכֻלָּם Ezek. 37:24
5399 וַאֲנִי מוּסָר לְכֻלָּם Hosh. 5:2
5400 לְכֻלָּם שֵׁמוֹת יִקְרָא Ps. 147:4
5401 וְהַלְוִיִּם הַמְשֹׁרְרִים לְכֻלָּם IICh. 5:12
מִכֻּלָּם 5402 וְלֹא נִמְצָא מִכֻּלָּם כְּדָנִיֵּאל Dan. 1:19
וּמִכֻּלָּם 5403 וּמִכֻּלָּם יַצִּילֶנּוּ יְיָ Ps. 34:20
שֶׁכֻּלָּם נ׳ 5404/5 שֶׁכֻּלָּם מַתְאִימוֹת S.of S. 4:2; 6:6
כֻּלָּנָה 5406 עָלַי הָיוּ כֻלָּנָה Gen. 42:36
5407 וְאַתְּ עָלִית עַל־כֻּלָּנָה Prov. 31:29
לְכֻלָּהְנָה 5408 קֶצֶב אֶחָד לְכֻלָּהְנָה IK. 7:37

כֹּל[2]

ארמית, כמו בעברית; כֹּלָּא = הַכֹּל: 1—103
כָּל־קֳבֵל דִּי 18—32; כָּל־קֳבֵל דְּנָה 33—39

כֹּל (נסמך) 1 אֱדַיִן עָלִּין׳ כֹּל חַכִּימֵי מַלְכָּא Dan. 5:8
2 כֹּל עַמְמַיָּא...הֲווֹ זָיְעִין° Dan. 5:19
3 אִתְיָעַטוּ כֹּל סָרְכֵי מַלְכוּתָא... Dan. 6:8
וְכֹל 4-5 וְכֹל שִׁלְטֹנֵי מְדִינָתָא Dan. 3:2, 3
6-9 וְכֹל זְנֵי זְמָרָא Dan. 3:5, 7, 10, 15
10 וְכֹל עַמְמַיָּא...לֵהּ יִפְלְחוּן Dan. 7:14
11 וְכֹל שָׁלְטָנַיָּא לֵהּ יִפְלְחוּן Dan. 7:27
12 וְכֹל כְּסַף וּדְהַב דִּי תְהַשְׁכַּח Ez. 7:16
בְּכֹל 13 וְשַׁלִּיטִין בְּכֹל עֲבַר נַהֲרָה Ez. 4:20
14 דִּי תְהַשְׁכַּח בְּכֹל מְדִינַת בָּבֶל Ez. 7:16
לְכֹל 15 לְהוֹבָדָה לְכֹל חַכִּימֵי בָבֶל Dan. 2:12
16 לְהַנְעָלָה קָדָמַי לְכֹל חַכִּימֵי בָבֶל Dan. 4:3
17 שִׂים טְעֵם לְכֹל גֻּבְרַיָּא Ez. 7:21
כָּל־ 18 כָּל־קֳבֵל דִּי חֲזַיְתוֹן Dan. 2:8
19-32 כָּל־קֳבֵל דִּי Dan. 2:10, 40, 41, 45
3:29; 4:15; 5:12, 22; 6:4, 5, 11, 23 • Ez. 4:14; 7:14
33 כָּל־קֳבֵל דְּנָה מַלְכָּא בְּנַס... Dan. 2:12
34-39 כָּל־קֳבֵל דְּנָה Dan. 2:24
3:7, 8, 22; 6:10 • Ez. 7:17
40 כָּל־מֶלֶךְ רַב וְשַׁלִּיט Dan. 2:10
41 בְּחָכְמָה...מִן־כָּל־חַיַּיָּא Dan. 2:30
42 וּמְלָאת כָּל־אַרְעָא Dan. 2:35
43 וּכְפַרְזְלָא דִּי־מְרָעַע כָּל־אִלֵּין Dan. 2:40
44 תַּדִּק וְתָסֵף כָּל־אִלֵּין מַלְכְוָתָא Dan. 2:44
45 וְהַשְׁלְטֵהּ עַל כָּל־מְדִינַת בָּבֶל Dan. 2:48
46 וְרַב סִגְנִין עַל כָּל־חַכִּימֵי בָבֶל Dan. 2:48

כָּל־ (המשך)
47 דִּי כָל־דִּי־יִבְעֵא בָעוּ Dan. 6:8
48 וְהִיא מְשַׁנְּיָה מִן־כָּל־חֵיוָתָא Dan. 7:7
49 וְיַצִּיבָא...עַל־כָּל־דְּנָה Dan. 7:16
50 דִּי תִשְׁנֵא מִן־כָּל־מַלְכְוָתָא Dan. 7:23
51 דִּי כָל־דִּי יִשְׁאֲלֶנְכוֹן עֶזְרָא Ez. 7:21
52 כָּל־דִּי מִן־טַעַם אֱלָהּ שְׁמַיָּא Ez. 7:23
53-74 כָּל־ Dan. 3:7², 10, 29
4:8, 9, 15, 34; 5:7; 6:4, 6, 8, 13², 16; 7:23, 27 • Ez. 6:11, 12, 17; 7:13, 24

וְכָל־
75 וְכָל־אֲתַר לָא־הִשְׁתְּכַח לְהוֹן Dan. 2:35
76 וְכָל־רָז לָא־אָנֵס לָךְ Dan. 4:6
77 וְכָל־דָּיְרֵי° אַרְעָא כְּלָה חֲשִׁיבִין Dan. 4:32
78 נִשְׁמְתָךְ בִּידֵהּ וְכָל־אֹרְחָתָךְ לֵהּ Dan. 5:23
79 וְכָל־עִלָּה וּשְׁחִיתָה...לְהַשְׁכָּחָה Dan. 6:5
80 וְכָל־שָׁלוּ וּשְׁחִיתָה לָא הִשְׁתְּכַחַת Dan. 6:5
81 וְכָל־חֲבָל לָא־הִשְׁתְּכַח בֵּהּ Dan. 6:24
82 וְכָל־גַּרְמֵיהוֹן הַדִּקוּ Dan. 6:25
83 וְכָל־דִּי־לָא לֶהֱוֵא עָבֵד... Ez. 7:26

בְּכָל־
84 דִּי תִשְׁלַט בְּכָל־אַרְעָא Dan. 2:39
85/6 דִּי־דָיְרִין° בְּכָל־אַרְעָא Dan. 3:31; 6:26
87 דִּי לֶהֱוֺן בְּכָל־מַלְכוּתָא Dan. 6:2
88 דִּי בְּכָל־שָׁלְטָן מַלְכוּתִי Dan. 6:27

וּבְכָל־
89 וּבְכָל־דִּי דָיְרִין° בְּנֵי־אֲנָשָׁא Dan. 2:38

לְכָל־
90 לָא שְׁאֵל לְכָל־חַרְטֹם וְאָשַׁף Dan. 2:10
91 דִּי לָא־יִפְלְחוּן...לְכָל־אֱלָהּ Dan. 3:28
92/3 לְכָל־עַמְמַיָּא אֻמַיָּא וְלִשָּׁנַיָּא Dan. 3:31; 6:26
94 וַחֲזוֹתֵהּ לְכָל־אַרְעָא Dan. 4:17
95 דִּי לֶהֱוֺן דָּיְנִין° לְכָל־עַמָּה Ez. 7:25
96 לְכָל־יָדְעֵי דָּתֵי אֱלָהָךְ Ez. 7:25

כֹּלָּא
97 דִּי פַרְזְלָא מְהַדֵּק וְחָשֵׁל כֹּלָּא Dan. 2:40
98 כֹּלָּא מְטָא עַל־נְבוּכַדְנֶצַּר Dan. 4:25
99 לְדָרְיָוֶשׁ מַלְכָּא שְׁלָמָא כֹלָּא Ez. 5:7

לְכֹלָּא
100-101 וּמָזוֹן לְכֹלָּא־בֵהּ Dan. 4:9, 18

בְּכָלְּהוֹן
102 יְהַב בִּידָךְ וְהַשְׁלְטָךְ בְּכָלְּהוֹן Dan. 2:38

כָּלְּהֵן
103 דִּי־הֲוָת שָׁנְיָה מִן־כָּלְּהֵן (כ׳ כלהון) Dan. 7:19

כָּל
פ׳ (ישעיה מ12) — עין כול

כלא
: כָּלָא, כָּלוּא, נִכְלָא, כִּלָּא; כֶּלֶא, כְּלוּא, כִּלְאַיִם, כְּלִיא, מִכְלָה, מִכְלָאוֹת

כָּלָא
פ׳ א) עצר, מנע: 1-3, 5, 6, 10-13
ב) אסר, שם בכלא: 4, 7-9, 14
ג) [נפ׳ נִכְלָא] נעצר: 15-17
ד) [פ׳ כִּלָּא] עצר, הפסיק: 18

קרובים: אסר / בָּלַם / הֵנִיא (נוא) / חסם / מָנַע / עצר

כָּלָא רַגְלָיו 2; כָּלָא רוּחַ 1; כָּלָא רַחֲמָיו 11; כָּלָא שְׂפָתָיו 10; נִכְלָא גֶּשֶׁם 15; נִכְלָא הָעָם 16; נִכְלְאוּ מַיִם 17; כַּלֵּא פֶּשַׁע 18

לִכְלוֹא 1 ...שַׁלִּיט...לִכְלוֹא אֶת־הָרוּחַ Eccl. 8:8
כָּלָאתִי 2 מִכָּל־אֹרַח רָע כָּלָאתִי רַגְלָי Ps. 119:101
כְּלִתַנִי 3 אֲשֶׁר כְּלִתַנִי...מִבּוֹא בְדָמִים I Sh. 25:33
כְּלָאוֹ 4 אֲשֶׁר כְּלָאוֹ צִדְקִיָּהוּ לֵאמֹר Jer. 32:3
כָּלְאָה 5 וְהָאָרֶץ כָּלְאָה יְבוּלָהּ Hag. 1:10
כָּלְאוּ 6 עֲלֵיכֶם כָּלְאוּ שָׁמַיִם מִטָּל Hag. 1:10
כָּלוּ 7 וְאֶת־בְּנֵיהֶם כָּלוּ בַבָּיִת I Sh. 6:10
כָּלוּא 8 הָיָה כָלוּא בַּחֲצַר הַמַּטָּרָה Jer. 32:2
כָּלֻא 9 כָּלֻא וְלֹא אֵצֵא Ps. 88:9
אֶכְלָא 10 הִנֵּה שְׂפָתַי לֹא אֶכְלָא Ps. 40:10
תִכְלָא 11 לֹא־תִכְלָא רַחֲמֶיךָ מִמֶּנִּי Ps. 40:12
תִּכְלָאִי 12 אֹמַר לַצָּפוֹן...וּלְתֵימָן אַל־תִּכְלָאִי Is. 43:6
יִכְלֶה 13 אֶת־קִבְרוֹ לֹא־יִכְלֶה מִמְּךָ Gen. 23:6
כְּלָאֵם 14 אֲדֹנִי מֹשֶׁה כְּלָאֵם Num. 11:28
וַיִּכָּלֵא 15 וַיִּכָּלֵא הַגֶּשֶׁם מִן־הַשָּׁמָיִם Gen. 8:2
16 וַיִּכָּלֵא הָעָם מֵהָבִיא Ex. 36:6
וַיִּכָּלְאוּ 17 וָאֶמְנַע...וַיִּכָּלְאוּ מַיִם רַבִּים Ezek. 31:15
לְכַלֵּא 18 לְכַלֵּא הַפֶּשַׁע וּלְהָתֵם חַטָּאת° Dan. 9:24

כֶּלֶא
ז׳ מַעֲצָר, סוֹהַר: 1-10

קרובים: אֵסוּר / בּוֹר / מַהְפֶּכֶת / מַטָּרָה / מַסְגֵּר, מִשְׁמָר / סֹהַר / שְׁבִי / שִׁבְיָה

בִּגְדֵי כֶלֶא 8, 9; בֵּית כֶּלֶא 1-7; בָּתֵּי כְלָאִים 10

כֶּלֶא 1 וַיַּעַצְרֵהוּ...וַיַּאַסְרֵהוּ בֵּית כֶּלֶא IIK. 17:4
2 נָשָׂא...אֶת־רֹאשׁ יְהוֹיָכִין...מִבֵּית כֶּלֶא IIK. 25:27
3 לְהוֹצִיא...מִבֵּית כֶּלֶא יֹשְׁבֵי חֹשֶׁךְ Is. 42:7
הַכֶּלֶא 4 שִׂימוּ אֶת־זֶה בֵּית הַכֶּלֶא IK. 22:27
5 כִּי־אֹתוֹ עָשׂוּ לְבֵית הַכֶּלֶא Jer. 37:15
6 כִּי־נְתַתֶּם אוֹתִי אֶל־בֵּית הַכֶּלֶא Jer. 37:18
7 שִׂימוּ זֶה בֵּית הַכֶּלֶא IICh. 18:26
כִּלְאוֹ 8/9 וְשִׁנָּא(ה) אֵת בִּגְדֵי כִלְאוֹ IIK. 25:29 • Jer. 52:33
כְלָאִים 10 וּבְבָתֵּי כְלָאִים הָחְבָּאוּ Is. 42:22

כִּלְאָב
שפ״ז בנו השני של דוד מאשתו אביגיל [בדה״א שמו דָּנִיֵּאל, עין דָּנִיֵּאל מס׳ 49]

כִלְאָב 1 וּמִשְׁנֵהוּ כִלְאָב לַאֲבִיגַיִל II Sh. 3:3

כִּלְאַיִם
ז״ז הרכבת מינים שונים זה בזה:
א) [בבהמות, כגון: שור ואתון]: 1
ב) [בבגדים, כגון: צמר ופשתים]: 2
ג) [בזריעת צמחים, כגון: דגן וקטניות]: 3, 4

כִּלְאַיִם 1 בְּהֶמְתְּךָ לֹא־תַרְבִּיעַ כִּלְאַיִם Lev. 19:19
2 וּבֶגֶד כִּלְאַיִם...לֹא יַעֲלֶה עָלֶיךָ Lev. 19:19
כִּלְאָיִם 3 שָׂדְךָ לֹא־תִזְרַע כִּלְאָיִם Lev. 19:19
4 לֹא־תִזְרַע כַּרְמְךָ כִּלְאָיִם Deut. 22:9

כֶּלֶב
ז׳ א) חית־הבית הקדומה (Canis familiaris): רוב המקראות
ב) כנוי גנאי לחסר ערך, נקלה: 3, 4, 8, 10-12, 32
ג) כנוי לזונה: 2

כֶּלֶב אִלֵּם 18; כֶּלֶב חַי 16; כֶּלֶב מֵת 3, 10, 11; כֶּלֶב עַז־נֶפֶשׁ 30

אָזְנֵי כֶלֶב 7; יַד כֶּ׳ 6; מְחִיר כֶּ׳ 2; עוֹרֵף כֶּ׳ 5; רֹאשׁ כֶּלֶב 4

– כַּלְבֵי צֹאן 31; לְשׁוֹן כְּלָבִים 32

– כְּלָבִים אָכְלוּ 20-22, 25, 27, 28; כְּ׳ לָקְקוּ 9, 23, 24, 26; סְבָבוּהוּ כְּלָבִים 19

כֶּלֶב 1 וּלְכֹל בְּ״י לֹא יֶחֱרַץ־כֶּלֶב לְשֹׁנוֹ Ex. 11:7
2 אֶתְנַן זוֹנָה וּמְחִיר כֶּלֶב Deut. 23:19
3 אַתָּה רֹדֵף אַחֲרֵי כֶּלֶב מֵת I Sh. 24:15
4 הֲרֹאשׁ כֶּלֶב אָנֹכִי אֲשֶׁר לִיהוּדָה II Sh. 3:8
5 זוֹבֵחַ הַשֶּׂה עֹרֵף כֶּלֶב Is. 66:3
6 הַצִּילָה...מִיַּד־כֶּלֶב יְחִידָתִי Ps. 22:21
כָּלֶב 7 מַחֲזִיק בְּאָזְנֵי־כָלֶב... Prov. 26:17
הֲכֶלֶב 8 הֲכֶלֶב אָנֹכִי כִּי־אַתָּה בָא־אֵלַי I Sh. 17:43
הַכֶּלֶב 9 כַּאֲשֶׁר יָלֹק הַכֶּלֶב Jud. 7:5
10 כִּי פָנִיתָ אֶל־הַכֶּלֶב הַמֵּת II Sh. 9:8
11 לָמָּה יְקַלֵּל הַכֶּלֶב הַמֵּת הַזֶּה II Sh. 16:9
12 כִּי מָה עַבְדְּךָ הַכֶּלֶב... IIK. 8:13
כְּכֶלֶב 13 כְּכֶלֶב שָׁב עַל־קֵאוֹ Prov. 26:11
כַּכָּלֶב 14/5 יֶהֱמוּ כַכָּלֶב וִיסוֹבְבוּ עִיר Ps. 59:7, 15
לְכֶלֶב 16 לְכֶלֶב חַי הוּא טוֹב מִן־הָאַרְיֵה הַמֵּת Eccl. 9:4
לַכֶּלֶב 17 לַכֶּלֶב תַּשְׁלִכוּן אֹתוֹ Ex. 22:30
כְּלָבִים 18 כֻּלָּם כְּלָבִים אִלְּמִים Is. 56:10
19 כִּי־סְבָבוּנִי כְּלָבִים Ps. 22:17
הַכְּלָבִים 20-22 הַמֵּת...יֹאכְלוּ הַכְּלָבִים IK. 14:11; 16:4; 21:24
23 בִּמְקוֹם אֲשֶׁר לָקְקוּ הַכְּלָבִים IK. 21:19
24 יָלֹקּוּ הַכְּלָבִים אֶת־דָּמְךָ IK. 21:19
25 הַכְּלָבִים יֹאכְלוּ אֶת־אִיזֶבֶל IK. 21:23
26 וַיָּלֹקּוּ הַכְּלָבִים אֶת־דָּמוֹ IK. 22:38
27 וְאֶת־אִיזֶבֶל יֹאכְלוּ הַכְּלָבִים IIK. 9:10
28 יֹאכְלוּ הַכְּלָבִים אֶת־בְּשַׂר אִיזָבֶל IIK. 9:36
29 וְאֶת־הַכְּלָבִים לִסְחֹב... Jer. 15:3
וְהַכְּלָבִים 30 וְהַכְּלָבִים עַזֵּי־נֶפֶשׁ לֹא יָדְעוּ שָׂבְעָה Is. 56:11
כַּלְבֵי־ 31 לָשִׁית עִם־כַּלְבֵי צֹאנִי Job 30:1
כְּלָבֶיךָ 32 תִּמְחַץ רַגְלְךָ בְּדָם לְשׁוֹן כְּלָבֶיךָ Ps. 68:24

כָּלֵב¹
שפ״ז א) בן יְפֻנֶּה הקנזי, מתרי הארץ משבט יהודה: 1-12, 17, 19-34
ב) בן חצרון, מצאצאי יהודה, נקרא גם כְּלוּבַי 13-16, 18

אֲחִי כָלֵב 10-12; בְּנֵי כָלֵב 14, 18, 19; בַּת כָּלֵב 17; פִּילֶגֶשׁ כָּלֵב 15, 16

כָּלֵב 1/2 לְמַטֵּה יְהוּדָה כָּלֵב בֶּן־יְפֻנֶּה Num. 13:6; 34:19
3 וַיַּהַס כָּלֵב אֶת־הָעָם אֶל־מֹשֶׁה Num. 13:30
4 וְעַבְדִּי כָלֵב..וַהֲבִיאֹתִיו אֶל־הָאָ׳ Num. 14:24
5-9 כָּלֵב בֶּן־יְפֻנֶּה Num. 14:30
26:65; 32:12 • Deut. 1:36 • Josh. 14:6
10 עָתְנִיאֵל בֶּן־קְנַז אֲחִי כָלֵב Josh. 15:17
11/2 אֲחִי כָלֵב הַקָּטֹן מִמֶּנּוּ Jud. 1:13; 3:9
13 וַיִּקַּח־לוֹ כָלֵב אֶת־אֶפְרָת ICh. 2:19
14 וּבְנֵי כָלֵב אֲחִי יְרַחְמְאֵל ICh. 2:42
15 וְעֵיפָה פִּילֶגֶשׁ כָּלֵב יָלְדָה ICh. 2:46
16 פִּלֶגֶשׁ כָּלֵב מַעֲכָה ICh. 2:48
17 וּבַת־כָּלֵב עַכְסָה ICh. 2:49
18 אֵלֶּה הָיוּ בְּנֵי כָלֵב בֶּן־חוּר ICh. 2:50
19 וּבְנֵי כָּלֵב בֶּן־יְפֻנֶּה... ICh. 4:15
20-25 כָּלֵב Josh. 15:14, 16, 18 • Jud. 1:12, 14, 15
וְכָלֵב 26/7 וִיהוֹשֻׁעַ בִּן־נוּן וְכָלֵב בֶּן־יְפֻנֶּה Num. 14:6, 38
28 וְכָלֵב בֶּן־חֶצְרוֹן הוֹלִיד... ICh. 2:18
לְכָלֵב 29 וַיִּתֵּן אֶת־חֶבְרוֹן לְכָלֵב בֶּן־יְפֻנֶּה Josh. 14:13
30 הָיְתָה־חֶבְרוֹן לְכָלֵב בֶּן־יְפֻנֶּה Josh. 14:14
31 נָתְנוּ לְכָלֵב בֶּן־יְפֻנֶּה בַּאֲחֻזָּתוֹ Josh. 21:12
32 וַיִּתְּנוּ לְכָלֵב אֶת־חֶבְרוֹן Jud. 1:20
33 נָתְנוּ לְכָלֵב בֶּן־יְפֻנֶּה ICh. 6:41
וּלְכָלֵב 34 וּלְכָלֵב בֶּן־יְפֻנֶּה נָתַן חֵלֶק... Josh. 15:13

כָּלֵב²
אזור בנגב יהודה שהיה שיך לבית כָּלֵב¹

כָּלֵב 1 אֲנַחְנוּ פָּשַׁטְנוּ...וְעַל־נֶגֶב כָּלֵב I Sh. 30:14
בְּכָלֵב 2 וְאַחַר מוֹת־חֶצְרוֹן בְּכָלֵב אֶפְרָתָה ICh. 2:24

כָּלִבִּי
ת׳ המתיחס על בית כָּלֵב¹

כָלִבִּי 1 וְהָאִישׁ קָשֶׁה...וְהוּא כָלִבִּי (כת׳ כלבו) I Sh. 25:3

כלה
: כָּלָה, כִּלָּה, כֻּלָּה; כָּלֶה, כָּלָה; כְּלִי, כִּלְיָה?, כִּלָּיוֹן, מִכְלָה?, תַּכְלִית, תִּכְלָה; תִּכְלָה?
ש״פ כְּלוּהַי, כִּלְיוֹן

כָּלָה
פ׳ א) גמר, תם: 1, 2, 5-9, 12, 15-17, 20, 21, 24-27, 31, 32, 50, 63, 64 [עין גם כָּלָה]
ב) אפס, אזל: 4, 13, 14, 19, 22, 28-30, 46, 47, 49, 56

ג) אבד, נשמד: 3,10,11, 18, 23, 33-45, 48, 51-55, 57-62
ד) [פִּ׳ כִּלָּה] גמר, השלים: 65-86,88,89,92-96,98-106,
113, 114, 120-122, 125, 127-136, 138, 139, 142,
148-155, 161, 170-174, 176-192, 195-199, 204
ה) [כנ״ל] השמיד, אִבֵּד: 87, 90, 91, 97, 107-112,
115-119, 123, 124, 126, 137, 140, 141, 143-147,
149, 156, 157-160, 162-169, 175, 193, 194, 200-203
ו) [פֻּ׳ כֻּלָּה, כֻּלָּה] נגמר, הסתַּיֵּם: 205, 206

קרובים: ראה אָבַד

– כָּלָה אַפּוֹ 24; כָּלָה הַבַּיִת 9, 12; כָּ׳ בָצִיר 15, 16; כָּ׳ בְשָׂרוֹ 3, 48; כָּ׳ דָבָר 5, 8; כָּ׳ דֶשֶׁא 13; כָּ׳ זַעַם 20, 21; כָּ׳ כָבוֹד 22; כָּ׳ כֹחוֹ 4; כָּ׳ לֵץ 23; כָּ׳ עָנָן 19; כָּ׳ קַיִץ 17; כָּלָה שְׁאֵרוֹ 18; כָּ׳ שֹׁד 14

– כָּלְתָה מְלָאכָה 2, 6; כָּלְתָה נַפְשׁוֹ 28, 29; כָּלְתָה רוּחוֹ 30; כָּלְתָה הָרָעָה 25-27, 31

– כָּלוּ חַיָּיו 37; כָּלוּ יָמָיו 41, 57; כָּ׳ כִלְיוֹתָיו 44; כָּלוּ מַיִם 56; כָּלוּ עֵינָיו 36, 40, 42, 43, 45, 60-62; כָּלוּ רַחֲמָיו 46

– הָחֵל וְכַלֵּה 68; עַד כַּלֵּה 65-67; עַד לְכַלֵּה 69,70

– כִּלָּה אַפּוֹ 88, 89, 121; כִּלָּה חֲמָתוֹ 92, 120, 122, 135; כִּלָּה יָמָיו 194; כִּלָּה עֵינָיו 87, 160, 163; כִּלָּה רָעָה 133; כִּלָּה שָׁנָיו 147

כְּלוֹת 1 עַד־כְּלוֹת קְצִיר־הַשְּׂעֹרִים Ruth 2:23
2 עַד־כְּלוֹת הַמְּלָאכָה IICh. 29:34
בִּכְלוֹת 3 בִּכְלוֹת בְּשָׂרְךָ וּשְׁאֵרֶךָ Prov. 5:11
כִּכְלוֹת 4 כִּכְלוֹת כֹּחִי אַל־תַּעַזְבֵנִי Ps. 71:9
לִכְלוֹת 5 לִכְלוֹת דְּבַר־יְיָ מִפִּי יִרְמְיָה Ez. 1:1
6 עַד־לִכְלוֹת כָּל־מְלֶאכֶת ICh. 28:20
7 הַכֹּל עַד לִכְלוֹת הָעֹלָה IICh. 29:28
8 לִכְלוֹת דְּבַר־יְיָ בְּפִי יִרְמְיָהוּ IICh. 36:22
כְּלוֹתוֹ 9 עַד־הַיּוֹם מוּסַד בֵּית־יְיָ וְעַד־כְּלֹתוֹ IICh. 8:16
כְּלוֹתָם 10 וְתַמּוּ..בַּחֶרֶב וּבָרָעָב עַד־כְּלוֹתָם Jer. 44:27
כָּלִיתִי 11 מִתִּגְרַת יָדְךָ אֲנִי כָלִיתִי Ps. 39:11
כָּלָה 12 כָּלָה הַבַּיִת לְכָל־דְּבָרָיו IK. 6:38
13 כָּלָה דֶשֶׁא יֶרֶק לֹא הָיָה Is. 15:6
14 כִּי־אָפֵס הַמֵּץ כָּלָה שֹׁד Is. 16:4
15 כְּעוֹלֵלֹת אִם־כָּלָה בָצִיר Is. 24:13
16 כָּלָה בָצִיר אֹסֶף בְּלִי יָבוֹא Is. 32:10
17 עָבַר קָצִיר כָּלָה קָיִץ Jer. 8:20
18 כָּלָה שְׁאֵרִי וּלְבָבִי Ps. 73:26
19 כָּלָה עָנָן וַיֵּלַךְ Job 7:9
20 וְהִצְלִיחַ עַד־כָּלָה זַעַם Dan. 11:36
וְכָלָה 21 וְכָלָה זַעַם וְאַפִּי עַל־תַּבְלִיתָם Is. 10:25
22 וְכָלָה כָּל־כְּבוֹד קֵדָר Is. 21:16
23 כִּי־אָפֵס עָרִיץ וְכָלָה לֵץ Is. 29:20
24 וְכָלָה אַפִּי וַהֲנִחֹתִי חֲמָתִי בָּם Ezek. 5:13
כָּלְתָה 25 דַּע כִּי־כָלְתָה הָרָעָה מֵעִמּוֹ ISh. 20:7
26 כִּי־כָלְתָה הָרָעָה מֵעִם אָבִי ISh. 20:9
27 כִּי־כָלְתָה הָרָעָה אֶל־אֲדֹנֵינוּ ISh. 25:17
28 נִכְסְפָה וְגַם־כָּלְתָה נַפְשִׁי Ps. 84:3
29 כָּלְתָה לִתְשׁוּעָתְךָ נַפְשִׁי Ps. 119:81
30 מַהֵר עֲנֵנִי יְיָ כָּלְתָה רוּחִי Ps. 143:7
31 כִּי־כָלְתָה אֵלָיו הָרָעָה מֵאֵת הַמֶּלֶךְ Es. 7:7
כָּלָתָה 32 כַּד הַקֶּמַח לֹא כָלָתָה IK. 17:16
כָּלִינוּ 33 כִּי־כָלִינוּ בְאַפֶּךָ וּבַחֲמָתְךָ נִבְהָלְנוּ Ps. 90:7
כְלִיתֶם 34 וְאַתֶּם בְּנֵי־יַעֲקֹב לֹא כְלִיתֶם Mal. 3:6
וּכְלִיתֶם 35 וְנָפְלָה וּכְלִיתֶם בְּתוֹכָהּ Ezek. 13:14
כָּלוּ 36 כָּלוּ עֵינֵיהֶם כִּי־אֵין עֵשֶׂב Jer. 14:6
37 כִּי כָלוּ בְיָגוֹן חַיַּי Ps. 31:11
38-39 כִּיקַר כָּרִים כָּלוּ בֶעָשָׁן כָּלוּ Ps. 37:20
40 כָּלוּ עֵינַי מְיַחֵל לֵאלֹהָי Ps. 69:4
41 כִּי־כָלוּ בְעָשָׁן יָמָי Ps. 102:4
42 כָּלוּ עֵינַי לְאִמְרָתֶךָ Ps. 119:82
43 עֵינַי כָּלוּ לִישׁוּעָתֶךָ Ps. 119:123
44 כָּלוּ כִלְיֹתַי בְּחֵקִי Job 19:27
45 כָּלוּ בַדְּמָעוֹת עֵינַי Lam. 2:11
46 כִּי לֹא־כָלוּ רַחֲמָיו Lam. 3:22
יִכְלֶה 47 וְשֵׁבֶט עֶבְרָתוֹ יִכְלֶה Prov. 22:8
יִכֶל 48 יִכֶל בְּשָׂרוֹ מֵרֹאִי Job 33:21
תִכְלָה 49 כַּד הַקֶּמַח לֹא תִכְלָה IK. 17:14
וַתֵּכֶל 50 וַתֵּכֶל כָּל־עֲבֹדַת מִשְׁכַּן אֹהֶל מוֹ׳ Ex. 39:32
יִכְלוּ 51 וְעֹזְבֵי יְיָ יִכְלוּ Is. 1:28
52 וּבַחֶרֶב וּבָרָעָב יִכְלוּ Jer. 16:4
53 בַּדֶּבֶר...וּבָרָעָב יִכְלוּ בְתוֹכֵךְ Ezek. 5:12
54 יֵבֹשׁוּ יִכְלוּ שֹׂטְנֵי נַפְשִׁי Ps. 71:13
55 וּמֵרוּחַ אַפּוֹ יִכְלוּ Job 4:9
וַיִּכְלוּ 56 וַיִּכְלוּ הַמַּיִם מִן־הַחֵמֶת Gen. 21:15
57 וַיִּכְלוּ בְּבֹשֶׁת יָמָי Jer. 20:18
58 וַיִּכְלוּ בְּאֶפֶס תִּקְוָה Job 7:6
יִכְלָיוּן 59 וְיַחְדָּו כֻּלָּם יִכְלָיוּן Is. 31:3
תִּכְלֶינָה 60 וְעֵינֵי רְשָׁעִים תִּכְלֶינָה Job 11:20
61 וְעֵינֵי בָנָיו תִּכְלֶנָה Job 17:5
62 עוֹדֵינוּ° תִּכְלֶינָה עֵינֵינוּ אֶל־עֶזְרָתֵנוּ Lam. 4:17
63 וּכְכַלּוֹת נַפֵּץ...תִּכְלֶינָה כָל־אֵלֶּה Dan. 12:7
וַתִּכְלֶינָה 64 וַתִּכְלֶינָה שֶׁבַע שְׁנֵי הַשָּׂבָע Gen. 41:53
כַּלֵּה 65 וְהִכִּיתָ אֶת־אֲרָם...עַד־כַּלֵּה IIK. 13:17
66 אָז הִכִּיתָ אֶת־אֲרָם עַד־כַּלֵּה IIK. 13:19
67 הֲלֹא תֶאֱנַף־בָּנוּ עַד־כַּלֵּה Ez. 9:14
וְכַלֵּה 68 אָקִים אֶל־עֵלִי...הָחֵל וְכַלֵּה ISh. 3:12
לְכַלֵּה 69 וַיַּשְׁלִיכוּ לָאָרוֹן עַד־לְכַלֵּה IICh. 24:10
70 וַיְנַתְּצוּ אֶת־הַבָּמוֹת...עַד־לְכַלֵּה IICh. 31:1
לְכַלֵּא(?) 71 לְכַלֵּא הַפֶּשַׁע וּלְהָתֵם° חַטָּאת° Dan. 9:24
כַּלּוֹת 72 וַיְהִי בְּיוֹם כַּלּוֹת מֹשֶׁה לְהָקִים Num. 7:1
כְּכַלּוֹת 73 וְהָיָה כְּכַלֹּת הַשֹּׁטְרִים לְדַבֵּר Deut. 20:9
74 וַיְהִי כְּכַלּוֹת מֹשֶׁה לִכְתֹּב Deut. 31:24
75 וַיְהִי כְּכַלּוֹת יִשְׂרָאֵל לַהֲרֹג... Josh. 8:24
76 וַיְהִי כְּכַלּוֹת יְהוֹשֻׁעַ וּבְ״יִ לְהַכֹּתָם Josh. 10:20
77-81 וַיְהִי כְּכַלּוֹת ISh. 24:17
IK. 8:54; 9:1 • Jer. 26:8; 43:1
וּכְכַלּוֹת 82 וּכְכַלּוֹת נַפֵּץ יַד־עַם־קֹדֶשׁ Dan. 12:7
83 וּכְכַלּוֹת אֵלֶּה נִגְּשׁוּ אֵלַי הַשָּׂרִים Ez. 9:1
84 וּכְכַלּוֹת שְׁלֹמֹה לְהִתְפַּלֵּל IICh. 7:1
85 וּכְכַלּוֹת לְהַעֲלוֹת כָּרְעוּ... IICh. 29:29
86 וּכְכַלּוֹת כָּל־זֹאת יָצְאוּ כָל־יִשְׂרָאֵל IICh. 31:1
לְכַלּוֹת 87 לְכַלּוֹת אֶת־עֵינֶיךָ וְלַאֲדִיב... ISh. 2:33
88 לְכַלּוֹת אַפִּי בָּהֶם Ezek. 20:8
89 לְכַלּוֹת אַפִּי בָּם בַּמִּדְבָּר Ezek. 20:21
כַּלּוֹתִי 90-91 עַד כַּלּוֹתִי אוֹתָם Jer. 9:15; 49:37
בְּכַלּוֹתִי 92 בְּכַלּוֹתִי חֲמָתִי בָּם Ezek. 5:13
כַּלּוֹתְךָ 93 עַד־כַּלּוֹתְךָ יְמֵי מְצוּרֶךָ Ezek. 4:8
בְּכַלּוֹתְךָ 94 בְּכַלּוֹתְךָ מֵחַטֵּא תַּקְרִיב... Ezek. 43:23
כְּכַלּוֹתְךָ 95 כְּכַלּוֹתְךָ...לְדַבֵּר אֶל־הַמֶּלֶךְ IISh. 11:19
96 וְהָיָה כְּכַלֹּתְךָ לִקְרֹא אֶת־הַסֵּפֶר Jer. 51:63
כַּלֹּתוֹ 97 עַד כַּלֹּתוֹ אֹתְךָ מֵעַל הָאֲדָמָה Deut. 28:21
98 עַד כַּלֹּתוֹ לִבְנוֹת אֶת־בֵּיתוֹ IK. 3:1
99 עַד כַּלֹּתוֹ לֶאֱכֹל וְלִשְׁתּוֹת Ruth 3:3
כְּכַלֹּתוֹ 100 כְּכַלֹּתוֹ לְדַבֵּר אִתּוֹ בְּהַר סִינַי Ex. 31:18
101 וַיְהִי כְּכַלֹּתוֹ לְדַבֵּר Num. 16:31
102-106 וַיְהִי כְּכַלֹּתוֹ... Jud. 15:17
ISh. 13:10; 18:1 • IISh. 13:36 • IIK. 10:25
כַּלֹּתָם 107 לֹא תוּכַל כַּלֹּתָם מַהֵר Deut. 7:22
108 וְנִלְחַמְתָּ בוֹ עַד כַּלּוֹתָם אֹתָם ISh. 15:18
109 וְלֹא אָשׁוּב עַד־כַּלּוֹתָם IISh. 22:38
110 בְּאֵלֶּה תְּנַגַּח אֶת־אֲרָם עַד־כַּלֹּתָם IK. 22:11
111 וְלֹא־אָשׁוּב עַד־כַּלּוֹתָם Ps. 18:38
112 תְּנַגַּח אֶת־אֲרָם עַד־כַּלּוֹתָם IICh. 18:10
וּכְכַלּוֹתָם 113 וּכְכַלּוֹתָם בְּיוֹשְׁבֵי שֵׂעִיר... IICh. 20:23
114 וּכְכַלּוֹתָם הֵבִיאוּ לִפְנֵי הַמֶּלֶךְ... IICh. 24:14
לְכַלֹּתָם 115 לֹא־מְאַסְתִּים...לְכַלֹּתָם Lev. 26:44
116 לִשְׁפֹּךְ חֲמָתִי עֲלֵיהֶם...לְכַלּוֹתָם Ezek. 20:13
וּלְכַלֹּתָם 117 וּלְכַלֹּתָם מֵעַל פְּנֵי הָאֲדָמָה Ex. 32:12
כִלִּיתִי 118 וְלֹא־כִלִּיתִי אֶת־בְּ״יִ בְּקִנְאָתִי Num. 25:11
כִלֵּיתִי 119 לְתֹהוּ וְהֶבֶל כֹּחִי כִלֵּיתִי Is. 49:4
וְכִלֵּיתִי 120 וְכִלֵּיתִי חֲמָתִי בָּם Ezek. 6:12
121 וְכִלֵּיתִי אַפִּי בָּךְ Ezek. 7:8
122 וְכִלֵּיתִי אֶת־חֲמָתִי בַּקִּיר Ezek. 13:15
וְכִלִּיתִיךָ 123 רֶגַע אֶחָד אֶעֱלֶה...וְכִלִּיתִיךָ Ex. 33:5
כִּלִּיתִים 124 בְּאֵשׁ עֶבְרָתִי כִּלִּיתִים Ezek. 22:31
וְכִלִּיתָ 125 וְכִלִּיתָ אֶת־אֵלֶּה וְשָׁכַבְתָּ... Ezek. 4:6
כִּלִּיתָם 126 כִּלִּיתָם מֵאֲנוּ קַחַת מוּסָר Jer. 5:3
כִּלָּה 127 כַּאֲשֶׁר כִּלָּה לְדַבֵּר אֶל־אַבְרָ׳ Gen. 18:33
128 וַיְהִי־הוּא טֶרֶם כִּלָּה לְדַבֵּר Gen. 24:15
129 כַּאֲשֶׁר כִּלָּה יִצְחָק לְבָרֵךְ Gen. 27:30
130 בַּגָּדוֹל הֵחֵל וּבַקָּטֹן כִּלָּה Gen. 44:12
131 וַיְהִי כַּאֲשֶׁר כִּלָּה לְהַקְרִיב Jud. 3:18
132 וְהָיָה אִם־כִּלָּה לֶאֱכוֹל... Am. 7:2
133 קֹרֵץ שְׂפָתָיו כִּלָּה רָעָה Prov. 16:30
134 כִּי־אִם־כִּלָּה הַדָּבָר הַיּוֹם Ruth 3:18
135 כִּלָּה יְיָ אֶת־חֲמָתוֹ Lam. 4:11
136 הֵחֵל לִמְנוֹת וְלֹא כִלָּה ICh. 27:24
וְכִלָּה 137 וְכִלָּה הָרָעָב אֶת־הָאָרֶץ Gen. 41:30
138 וְכִלָּה מִכַּפֵּר אֶת־הַקֹּדֶשׁ Lev. 16:20
139 וְכִלָּה אַהֲרֹן־וּבָנָיו לְכַסֹּת Num. 4:15
140 וְהֵרַע לָכֶם וְכִלָּה אֶתְכֶם Josh. 24:20
141 שָׁם יִרְעֶה...וְכִלָּה סְעִפֶיהָ Is. 27:10
142 וְכִלָּה אֶת־מִדּוֹת הַבַּיִת Ezek. 42:15
כִּלָּנוּ 143 הָאִישׁ אֲשֶׁר כִּלָּנוּ וַאֲשֶׁר דִּמָּה לָנוּ IISh. 21:5
כִּלָּם 144 אֲשֶׁר־טִפַּחְתִּי וְרִבִּיתִי אֹיְבִי כִלָּם Lam. 2:22
וְכִלְּתָה 145 וְחָלָה חֶרֶב בְּעָרָיו וְכִלְּתָה בַדָּיו Hosh. 11:6
וְכִלַּתּוּ 146 וְלָנָה בְּתוֹךְ בֵּיתוֹ וְכִלַּתּוּ Zech. 5:4
כִּלִּינוּ 147 כִּלִּינוּ שָׁנֵינוּ כְמוֹ־הֶגֶה Ps. 90:9
כִּלִּיתֶם 148 מַדּוּעַ לֹא כִלִּיתֶם חָקְכֶם Ex. 5:14
כִּלּוּ 149 עַד אִם־כִּלּוּ לִשְׁתֹּת Gen. 24:19
150 כַּאֲשֶׁר כִּלּוּ הַגְּמַלִּים לִשְׁתּוֹת Gen. 24:22
151 וַיְהִי כַּאֲשֶׁר כִּלּוּ לֶאֱכֹל Gen. 43:2
152 וְהֵם כִּלּוּ לֶאֱכֹל IK. 1:41
153 עַד אִם־כִּלּוּ אֵת כָּל־הַקָּצִיר Ruth 2:21
154 וּבְיוֹם שִׁשָּׁה עָשָׂר...כִּלּוּ IICh. 29:17
155 וּבַחֹדֶשׁ הַשְּׁבִיעִי כִּלּוּ IICh. 31:7
כִּלּוּנִי 156 כִּמְעַט כִּלּוּנִי בָאָרֶץ Ps. 119:87
כִּלּוּם 157 מִן־בְּנֵיהֶם...אֲשֶׁר לֹא־כִלּוּם IICh. 8:8
מְכַלֶּה 158 כִּי בַחֶרֶב...אָנֹכִי מְכַלֶּה אוֹתָם Jer. 14:12
159 תָּם וְרָשָׁע הוּא מְכַלֶּה Job 9:22
מְכַלּוֹת 160 מְכַלּוֹת עֵינַיִם וּמְדִיבֹת נָפֶשׁ Lev. 26:16
אֲכַלֶּה 161 טֶרֶם אֲכַלֶּה לְדַבֵּר אֶל־לִבִּי Gen. 24:45
162 חִצַּי אֲכַלֶּה־בָּם Deut. 32:23
163 וְעֵינֵי אַלְמָנָה אֲכַלֶּה Job 31:16
וַאֲכַלֶּה 164/5 וַאֲכַלֶּה אֹתָם כְּרָגַע Num. 16:21; 17:10
וָאֲכַל 166 וָאֲכַל אוֹתָם בְּאַפִּי Ezek. 43:8
אֲכֶלְךָ 167 פֶּן־אֲכֶלְךָ בַּדָּרֶךְ Ex. 33:3
וַאֲכַלֵּם 168 וְיִחַר־אַפִּי בָהֶם וַאֲכַלֵּם Ex. 32:10
וָאֲכַלֵּם 169 וָאֲכַלֵּם וָאֶמְחָצֵם וְלֹא יְקוּמוּן IISh. 22:39

תְּכַלֶּה 170 לֹא תְכַלֶּה פְּאַת שָׂדְךָ לִקְצֹר Lev. 19:9
171 לֹא־תְכַלֶּה פְּאַת שָׂדְךָ בְּקֻצְרֶךָ Lev. 23:22
172 כִּי תְכַלֶּה לַעְשֵׂר אֶת־כָּל־מַעְשַׂר Deut. 26:12
וּתְכַל 173 וּתְכַל תְּלוּנֹּתָם מֵעָלַי Num. 17:25
תְּכַלֶּנָּה 174 וְאֶל־אַמָּה תְּכַלֶּנָּה מִלְמַעְלָה Gen. 6:16
יְכַלֶּה 175 מִנֶּפֶשׁ וְעַד־בָּשָׂר יְכַלֶּה Is. 10:18
וַיְכַל 176 וַיְכַל אֱלֹהִים בַּיּוֹם הַשְּׁבִיעִי מְלַאכְתּוֹ Gen. 2:2
177 וַיְכַל לְדַבֵּר אִתּוֹ Gen. 17:22
178 וַיְכַל יַעֲקֹב לְצַוֹּת אֶת־בָּנָיו Gen. 49:33
179 וַיְכַל מֹשֶׁה מִדַּבֵּר אִתָּם Ex. 34:33
180 וַיְכַל מֹשֶׁה אֶת־הַמְּלָאכָה Ex. 40:33
181 וַיְכַל מֹשֶׁה לְדַבֵּר...אֶל־כָּל־יִשְׂרָאֵל Deut. 32:45
182 וַיְכַל מֵהִתְנַבּוֹת וַיָּבֹא הַבָּמָה ISh. 10:13
183 וַיְכַל דָּוִד מֵהַעֲלוֹת הָעוֹלָה IISh. 6:18
184 וַיְכַל אֶת־כָּל־בֵּיתוֹ IK. 7:1
185 וַיְכַל חִירָם לַעֲשׂוֹת...הַמְּלָאכָה IK. 7:40
186 וַיְכַל־בַּהֶבֶל יְמֵיהֶם Ps. 78:33
187 וַיְכַל דָּוִיד מֵהַעֲלוֹת הָעֹלָה ICh. 16:2
188 וַיְכַל חוּרָם לַעֲשׂוֹת...הַמְּלָאכָה IICh. 4:11
189 וַיְכַל שְׁלֹמֹה אֶת־בֵּית יְיָ IICh. 7:11
וַיְכַלֵּהוּ 190 וַיִּבֶן אֶת־הַבַּיִת וַיְכַלֵּהוּ IK. 6:9
191 וַיִּבֶן שְׁלֹמֹה אֶת־הַבַּיִת וַיְכַלֵּהוּ IK. 6:14
וַתְּכַל 192 וַתְּכַל לְהַשְׁקֹתוֹ וַתֹּאמֶר... Gen. 24:19
193 וַתְּכַל דָּוִד הַמֶּלֶךְ לָצֵאת... IISh. 13:39
יְכַלּוּ 194 יְכַלּוּ יְמֵיהֶם בַּטּוֹב Job 36:11
הַיְכַלּוּ 195 הֲיִזְבָּחוּ הַיְכַלּוּ בַיּוֹם Neh. 3:34
וִיכַלּוּ 196 וִיכַלּוּ אֶת־הַיָּמִים Ezek. 43:27
וַיְכַלּוּ 197 וַיְכַלּוּ לִנְחֹל אֶת־הָאָרֶץ Josh. 19:49
198 וַיְכַלּוּ מֵחַלֵּק אֶת־הָאָרֶץ Josh. 19:51
199 וַיְכַלּוּ בַכֹּל אֲנָשִׁים הַהֹשִׁיבוּ נָשִׁים Ez. 10:17
וַיְכַלֻּהוּ 200 אָכְלוּ אֶת־יַעֲקֹב וַאֲכָלֻהוּ וַיְכַלֻּהוּ Jer. 10:25
כַּלֵּה 201/2 כַּלֵּה בְחֵמָה כַּלֵּה וְאֵינֵמוֹ Ps. 59:14
203 מִקֶּרֶב חֵיקְךָ° כַלֵּה Ps. 74:11
כַּלּוּ 204 כַּלּוּ מַעֲשֵׂיכֶם דְּבַר־יוֹם בְּיוֹמוֹ Ex. 5:13
כָּלּוּ 205 כָּלּוּ תְפִלּוֹת דָּוִד בֶּן־יִשָׁי Ps. 72:20
וַיְכֻלּוּ 206 וַיְכֻלּוּ הַשָּׁמַיִם וְהָאָרֶץ Gen. 2:1

כָּלֶה
ת׳ אובד, נחלש

וְכָלוֹת 1 וְעֵינֶיךָ רֹאוֹת וְכָלוֹת אֲלֵיהֶם Deut. 28:32

כָּלָה
א) תה״פ כליל, בשלמות, לגמרי: 1, 2, 21, 22
ב) נ׳ החלטה נמרצת, גזר־דין: 3–5, 16
ג) נ׳ כליון, כְּלָיָה: 6–15, 17–20

כָּלָה וְנֶחֱרָצָה 4, 5, 16; עָשָׂה כָלָה 1, 4, 6–15, 17–19

כָּלָה 1 הַכְּצַעֲקָתָהּ הַבָּאָה אֵלַי עָשׂוּ כָּלָה Gen. 18:21
2 כְּשַׁלְּחוֹ כָּלָה גָּרֵשׁ יְגָרֵשׁ אֶתְכֶם Ex. 11:1
3 כִּי־כָלָה הִיא מֵעִם אָבִיו ISh. 20:33
4 כִּי כָלָה וְנֶחֱרָצָה אֲדֹנָי...עֹשֶׂה Is. 10:23
5 כִּי־כָלָה וְנֶחֱרָצָה שָׁמַעְתִּי Is. 28:22
6 לֹא־אֶעֱשֶׂה אִתְּכֶם כָּלָה Jer. 5:18
7-8 כִּי אֶעֱשֶׂה כָלָה בְּכָל־הַגּוֹיִם Jer. 30:11; 46:28
9 אַךְ אֹתְךָ לֹא־אֶעֱשֶׂה כָלָה Jer. 30:11
10 וְאֹתְךָ לֹא־אֶעֱשֶׂה כָלָה Jer. 46:28
11 כָּלָה אַתָּה עֹשֶׂה אֵת שְׁאֵרִית יִשְׂ׳ Ezek. 11:13
12 וְלֹא־עָשִׂיתִי אוֹתָם כָּלָה בַּמִּדְבָּר Ezek. 20:17
13 וּבְשֶׁטֶף עֹבֵר כָּלָה יַעֲשֶׂה מְקוֹמָהּ Nah. 1:8
14 כָּלָה הוּא עֹשֶׂה Nah. 1:9
15 כִּי־כָלָה אַךְ־נִבְהָלָה יַעֲשֶׂה Zep. 1:18
16 וְעַד־כָּלָה וְנֶחֱרָצָה Dan. 9:27
17 לֹא־עֲשִׂיתָם כָּלָה וְלֹא עֲזַבְתָּם Neh. 9:31
וְכָלָה 18 שְׁמָמָה תִהְיֶה...וְכָלָה לֹא אֶעֱשֶׂה Jer. 4:27
19 עֲלוּ...וְשַׁחֵתוּ וְכָלָה אַל־תַּעֲשׂוּ Jer. 5:10
20 וַיַּעֲמֹד בְּאֶרֶץ־הַצְּבִי וְכָלָה בְיָדוֹ Dan. 11:16
לְכָלָה 21 וְאַבְנֵי אֶלְגָּבִישׁ בְּחֵמָה לְכָלָה Ezek. 13:13
22 וְלֹא לְהַשְׁחִית לְכָלָה IICh. 12:12

כַּלָּה
נ׳ א) ארוסה: 1–6, 14–16
ב) כנוי לאשה אהובה: 8–13
ג) אשת הבן: 7, 17–34

חָתָן וְכַלָּה 1, 3–6, 14; אֲחֹתִי כַלָּה 9, 10, 12, 13; עֶרְוַת כַּלָּה 17; קוֹל כַּלָּה 3–6

כַּלָּה 1 וּמְשׂוֹשׂ חָתָן עַל־כַּלָּה יָשִׂישׂ Is. 62:5
2 הֲתִשְׁכַּח...כַּלָּה קִשֻּׁרֶיהָ Jer. 2:32
3-6 קוֹל חָתָן וְקוֹל׳ Jer. 7:34; 16:9; 25:10; 33:11
7 בַּת קָמָה בְאִמָּהּ כַּלָּה בַּחֲמֹתָהּ Mic. 7:6
8 אִתִּי מִלְּבָנוֹן כַּלָּה S.ofS. 4:8
9 לִבַּבְתִּנִי אֲחֹתִי כַלָּה S.ofS. 4:9
10 מַה־יָּפוּ דֹדַיִךְ אֲחֹתִי כַלָּה S.ofS. 4:10
11 נֹפֶת תִּטֹּפְנָה שִׂפְתוֹתַיִךְ כַּלָּה S.ofS. 4:11
12 גַּן נָעוּל אֲחֹתִי כַלָּה S.ofS. 4:12
13 בָּאתִי לְגַנִּי אֲחֹתִי כַלָּה S.ofS. 5:1
וְכַלָּה 14 יֵצֵא חָתָן מֵחֶדְרוֹ וְכַלָּה מֵחֻפָּתָהּ Joel 2:16
כַּכַּלָּה 15 כַּעֲדִי תִלְבָּשִׁי וּתְקַשְּׁרִים כַּכַּלָּה Is. 49:18
וְכַכַּלָּה 16 וְכַכַּלָּה תַּעְדֶּה כֵלֶיהָ Is. 61:10
כַּלָּתְךָ 17 עֶרְוַת כַּלָּתְךָ לֹא תְגַלֵּה Lev. 18:15
כַּלָּתֶךָ 18 זָנְתָה תָּמָר כַּלָּתֶךָ Gen. 38:24
כַּלָּתֵךְ 19 כִּי כַלָּתֵךְ אֲשֶׁר־אֲהֵבַתֶךְ יְלָדַתּוּ Ruth 4:15
כַּלָּתוֹ 20 וְאֵת שָׂרַי כַּלָּתוֹ אֵשֶׁת אַבְרָם בְּנוֹ Gen. 11:31
21 וַיֹּאמֶר יְהוּדָה לְתָמָר כַּלָּתוֹ Gen. 38:11
22 כִּי לֹא יָדַע כִּי כַלָּתוֹ הִוא Gen. 38:16
23 וְאִישׁ אֲשֶׁר יִשְׁכַּב אֶת־כַּלָּתוֹ Lev. 20:12
24 וְאִישׁ אֶת־כַּלָּתוֹ טִמֵּא Ezek. 22:11
25 וְתָמָר כַּלָּתוֹ יָלְדָה לּוֹ ICh. 2:4
וְכַלָּתוֹ 26 וְכַלָּתוֹ אֵשֶׁת־פִּינְחָס הָרָה לָלַת ISh. 4:19
כַּלָּתָהּ 27 וְרוּת הַמּוֹאֲבִיָּה כַלָּתָהּ עִמָּהּ Ruth 1:22
28 וַתֹּאמֶר נָעֳמִי אֶל־רוּת כַּלָּתָהּ Ruth 2:22
לְכַלָּתָהּ 29 וַתֹּאמֶר נָעֳמִי לְכַלָּתָהּ Ruth 2:20
כַּלֹּתֶיהָ 30 וַתֵּצֵא...וּשְׁתֵּי כַלֹּתֶיהָ עִמָּהּ Ruth 1:7
31 וַתֹּאמֶר נָעֳמִי לִשְׁתֵּי כַלֹּתֶיהָ Ruth 1:8
וְכַלֹּתֶיהָ 32 וַתָּקָם הִיא וְכַלֹּתֶיהָ וַתָּשָׁב Ruth 1:6
כַּלּוֹתֵיכֶם 33 וְעַל־כַּלּוֹתֵיכֶם כִּי תְנָאַפְנָה Hosh. 4:14
וְכַלּוֹתֵיכֶם 34 תִּזְנֶינָה בְּנוֹתֵיכֶ׳ וְכַלּוֹתֵיכֶם תְּנָאַפְ׳ Hosh. 4:13

כָּלוּ
(ש״א 10 1) – עין כָּלָא (7)

כָּלוּ
(תהלים עב 20) – עין כָּלָה (205)

כְּלוּא
ז׳ כֶּלֶא, סהַר: 1, 2

הַכְּלוּא 1 וְלֹא־נָתְנוּ אֹתוֹ בֵּית הַכְּלוּא (כת׳ הכליא) Jer. 37:4
2 וַיֹּצֵא אֹתוֹ מִבֵּית הַכְּלוּא (כ׳ הכליא) Jer. 52:31

כְּלוּב[1]
ז׳ א) סל נצרים: 1, 2
ב) תבה לשמירת צפרים: 3

קרובים: טֶנֶא / סַל / תֵּבָה

כְּלוּב קַיִץ: 1, 2

כְּלוּב־ 1 כֹּה הִרְאַנִי...וְהִנֵּה כְּלוּב קָיִץ Am. 8:1
2 וָאֹמַר כְּלוּב קָיִץ Am. 8:2
כִּכְלוּב 3 כִּכְלוּב מָלֵא עוֹף כֵּן בָּתֵּיהֶם... Jer. 5:27

כְּלוּב[2]
שפ״ז א) אבי פקיד בימי דוד למלאכת השדה: 1
ב) איש מזרע יהודה: 2

כְּלוּב 1 עֶזְרִי בֶּן־כְּלוּב ICh. 27:26
וּכְלוּב 2 וּכְלוּב אֲחִי־שׁוּחָה הוֹלִיד... ICh. 4:11

כְּלוּבָי*
שפ״ז – הוא כָּלֵב

כְּלוּבָי 1 וּבְנֵי חֶצְרוֹן...וְאֶת־רָם וְאֶת־כְּלוּבָי ICh. 2:9

כְּלוּהוּ
שפ״ז – מבני בָנִי שנשאו נשים נכריות בימי עזרא

כְּלוּהוּ 1 בְּנָיָה בֵדְיָה כְּלוּהוּ (כת׳ כלוהי) Ez. 10:35

כְּלוּלוֹת
נ״ר אֵרוּסֵי כלה וחתן

כְּלוּלֹתָיִךְ 1 חֶסֶד נְעוּרַיִךְ אַהֲבַת כְּלוּלֹתָיִךְ Jer. 2:2

כֶּלַח[1]
ז׳ זקנה? כליון?: 1, 2

כָּלַח 1 עָלֵימוֹ אָבַד כָּלַח Job 30:2
בְּכֶלַח 2 תָּבוֹא בְכֶלַח אֱלֵי־קָבֶר Job 5:26

כֶּלַח*[2]
עיר בצפון אשור: 1, 2

כָּלַח 1 וַיִּבֶן..וְאֶת־רְחֹבֹת עִיר וְאֶת־כָּלַח Gen. 10:11
2 וְאֶת־רֶסֶן בֵּין נִינְוֵה וּבֵין כָּלַח Gen. 10:12

כָּל־חֹזֶה
שפ״ז – שר פלך בימי נחמיה: 1, 2

כָּל־חֹזֶה 1 בֶּן־כָּל־חֹזֶה שַׂר־פֶּלֶךְ הַמִּצְפָּה Neh. 3:15
2 וּמַעֲשֵׂיָה בֶן־בָּרוּךְ בֶּן־כָּל־חֹזֶה Neh. 11:5

כְּלִי
ז׳ א) חפץ או מכשיר שנועד לשמוש מסוים: 1–34
ב) בגד, לבוש: 46

– כְּלִי אוֹבֵד 28; כְּלִי אַחֵר 9; כְּלִי טָהוֹר 22; כְּלִי פָּתוּחַ 4

– כְּלִי הַבָּקָר 69; כְּלִי בַרְזֶל 47; כְּלִי גֶבֶר 46; כְּלִי זָהָב 30, 44, 48; כ׳ חֶמְדָּה 53, 54, 70; כְּלִי חֶרֶשׂ 32, 40, 41, 57, 58, 63, 67; כְּלִי יוֹצֵר 49, 59, 71; כְּלִי יְקָר 61; כְּלִי כֶסֶף 48; כְּלִי מַעֲשֶׂה 45; כְּלִי מַפָּץ 52; כ׳ מַשְׁחֵת 51; כְּלִי נְחֹשֶׁת 62; כְּלִי־נֶבֶל 68; כ׳ עוֹר 33–39; כ׳ עֵץ 31, 42, 43; כְּלִי פָז 56; כְּלִי רוֹעֶה (רֹעִים) 55, 66; כְּלִי רֵיק 50

– כֵּלִים אֲחֵרִים 77; כ׳ רֵיקִים 76; כֵּלִים מִכֵּלִים שׁוֹנִים 82; כֶּסֶף הַכֵּלִים 86; נוֹשֵׂא כֵלִים 74, 275–290; שׁוֹמֵר הַכֵּלִים 90

– כְּלֵי הָאַגָּנוֹת 243; כְּלֵי אֹהֶל 133, 138; כְּלֵי בֵית הָאֱלֹהִים 180, 184, 199–201; כְּלֵי בֵית יְיָ 166–169, 245; כְּלֵי בֵית טוֹבִיָּה 183; כ׳ בֵית יַעַר 160, 197; כְּלֵי בֵיתוֹ 124; כְּלֵי הַבָּקָר 222; כְּלֵי גוֹלָה 170, 174; כְּלֵי דָוִד 202; כְּלֵי זָהָב 149–152, 206–213, 229; כ׳ זַעַם 171, 223; כְּלֵי חֶמְדָּה 181, 203, 204; כְּלֵי חֲמוּדוֹת 227; כְּלֵי חָמָס 125; כְּלֵי יוֹאָב 156, 157, 187; כְּלֵי יְיָ 164; כְּלֵי כֶסֶף 123, 126–131, 194, 230; כְּלֵי מָוֶת 179; כְּלֵי הַמִּזְבֵּחַ 134–136; כְּלֵי מַחֲמַדִּים 205; כְּלֵי מִלְחָמָה 145–148, 153, 155, 165, 172, 228; כ׳ הַמִּקְדָּשׁ 182; כְּלֵי הַמִּשְׁכָּן 132; כ׳ מִשְׁמֶרֶת 143; כ׳ מַשְׁקֶה 159, 196; כְּלֵי נְחֹשֶׁת 161, 173, 190, 216–220; כְּלֵי נְבָלִים 163; כְּלֵי הַנְּעָרִים 154; כְּלֵי עֲבוֹדָה 137, 142, 185, 191–193; כְּלֵי צָבָא 189; כְּלֵי הַקֹּדֶשׁ 141, 144, 158, 186, 195, 214, 215, 226; כְּלֵי הַקָּטָן 162; כְּלֵי קְרָב 244; כְּלֵי רֶכֶב 221; כְּלֵי שִׁיר 178, 225, 231, 232, 234, 235, 238, 240; כְּלֵי שֶׁמֶן 139; כְּלֵי שָׁרֵת 198; כְּלֵי תִפְאַרְתּ 175–177

כְּלִי
1 כלי אשר־יעשה מלאכה בהם Lev. 11:32
2 וכל־משקה...בכל־כלי יטמא Lev. 11:34
3 וכל־הנגע בכל־כלי Lev. 15:22
4 וכל כלי פתוח...טמא הוא Num. 19:15
5 או־השליך עליו כל־כלי Num. 35:22
6 אם־כלי אין חפץ בו Jer. 22:28
7 ומוציא כלי למעשהו Is. 54:16
8 כל־כלי יוצר עליך לא יצלח Is. 54:17
9 ושב ויעשהו כלי אחר Jer. 18:4

כֶּלִי
10 ונתן עליו מים חיים אל־כלי Num. 19:17
11 ותאמר...הגישה אלי עוד כלי IIK. 4:6
12 ויאמר אליה אין עוד כלי IIK. 4:6
13 ולא־הורק מכלי אל־כלי Jer. 48:11
14 יתד לתלות עליו כל־כלי Ezek. 15:3
15 הגו סיגים...ויצא לצרף כלי Prov. 25:4

הַכְּלִי
16 וכל־הכלי אשר־ישב עליו Lev. 15:4
17 על־הכלי אשר־ישב עליו הזב Lev. 15:6
18 על־הכלי אשר־הוא ישבת־עליו Lev. 15:23
19 וכל־הכלי אשר תשב עליו Lev. 15:26
20 ונשחת הכלי אשר הוא עשה Jer. 18:4

הַכֶּלִי
21 וישלח דוד את־ידו אל־הכלי ISh. 17:49

בִּכְלִי
22 כאשר יביאו...בכלי טהור בית יי Is. 66:20
23 ונתתה אותם בכלי אחד Ezek. 4:9

בַּכְּלִי
24 קחי־נא לי מעט־מים בכלי IK. 17:10

בַּכֶּלִי
25 ואף כי היום יקדש בכלי ISh. 21:6

כִּכְלִי
26/7 ככלי אין־חפץ בו Jer. 48:38 • Hosh. 8:8
28 הייתי ככלי אבד Ps. 31:13

מִכְּלִי
29 ולא־הורק מכלי אל־כלי Jer. 48:11

כְּלִי־
30 חח ונזם...כל־כלי זהב Ex. 35:22
31 מכל־כלי־עץ או בגד או־עור Lev. 11:32
32 כלי־חרש אשר־יפל...אל־תוכו Lev. 11:33
35-33 או בכל־כלי־עור Lev. 13:49, 53, 57
39-36 כלי (ה)עור Lev. 13:52, 58, 59; 31:20
41-40 ושחט...אל־כלי־חרש Lev. 14:5, 50
42 וכל־כלי־עץ ישטף במים Lev. 15:12
43 וכל־כלי־עץ תתחטאו Num. 31:20
44 כלי־זהב אצעדה וצמיד Num. 31:50
45 ויקח משה...כל כלי מעשה Num. 31:51
46 לא־יהיה כלי־גבר על־אשה Deut. 22:5
47 והגרזן כל־כלי ברזל לא־נשמע IK. 6:7
48 כל־כלי זהב וכלי־כסף IIK. 12:14
49 כאשר ישבר את־כלי היוצר Jer. 19:11
50 הציגני כלי ריק Jer. 51:34
51 ואיש כלי משחתו בידו Ezek. 9:1
52 ואיש כלי מפצו בידו Ezek. 9:2
53 אוצר כל־כלי חמדה Hosh. 13:15
54 כבד מכל כלי חמדה Nah. 2:10
55 קח־לך כלי רעה אולי Zech. 11:15
56 ותמורתה כלי־פז Job 28:17

וּכְלִי־
57 וכלי־חרש אשר תבשל־בו Lev. 6:21
58 וכלי־חרש אשר־יגע בו הזב Lev. 15:12
59 משכב וספות וכלי יוצר IISh. 17:28
60 כל־כלי זהב וכלי־כסף IIK. 12:14
61 וכלי יקר שפתי־דעת Prov. 20:15

בִּכְלִי־
62 ואם־בכלי נחשת בשלה Lev. 6:21
63 מים קדשים בכלי־חרש Num. 5:17
64 ואם־בכלי ברזל הכהו Num. 35:16
65 או בכלי עץ־יד...הכהו Num. 35:18
66 וישם אתם בכלי הרעים ISh. 17:40
67 ונתתם בכלי־חרש Jer. 32:14
68 גם־אני אודך בכלי־נבל Ps. 71:22

וּבִכְלִי־
69 ובכלי הבקר בשלם הבשר IK. 19:21

כִּכְלִי־
70 ונפלתם ככלי חמדה Jer. 25:34
71 ככלי יוצר תנפצם Ps. 2:9

כֶּלְיְךָ
72 ואל־כליך לא תתן Deut. 23:25

כֵּלִים
73 כי־יתן...כסף או־כלים לשמר Ex. 22:6
74 ויהי־לו נשא כלים ISh. 16:21
75 לכי שאלי־לך כלים מן־החוץ... IIK. 4:3
76 כלים רקים אל־תמעיטי IIK. 4:3
77 כלים אחרים אלף Ez. 1:10
78 כל־כלים לזהב ולכסף Ez. 1:11
79 כלים לבית־יי כלי שרת IICh. 24:14

וְכֵלִים
80 ויבא...כסף וזהב וכלים IK. 15:15
81 כל־הדרך מלאה בגדים וכלים IIK. 7:15
82 וכלים מכלים שונים Es. 1:7
83 ויבא...כסף וזהב וכלים IICh. 15:18

הַכֵּלִים
84 את כל־הכלים האלה Ex. 25:39
85 הכלים אשר על־השלחן Ex. 37:16
86 כל כסף הכלים אלפים... Num. 7:85
87 על־האהל ועל־כל־הכלים Num. 19:18
88 הנה־הוא נחבא אל־הכלים ISh. 10:22
89 ויטש דוד את־הכלים מעליו ISh. 17:22
90 על־יד שומר הכלים ISh. 17:22
91 ומאתים ישבו על־הכלים ISh. 25:13
92 וכחלק הישב על־הכלים ISh. 30:24
93 ואת כל־הכלים האלה° IK. 7:45
94 וינח שלמה את־כל־הכלים IK. 7:47
95 הכלים אשר ישחטו...העולה בם Ezek. 40:42
96 ויטלו את־הכלים אשר באניה Jon. 1:5
97 וצמת והלכת אל־הכלים Ruth 2:9
116-98 הכלים IK. 7:48, 51
IIK. 4:4, 6; 14:14; 23:4, 25:16 • Jer. 27:18, 19, 21; 52:20 • Dan. 1:2 • Ez. 8:25 • ICh. 9:29 • IICh. 4:18, 19; 5:1; 25:24; 29:19

וְהַכֵּלִים
117 אתם קדש ליי והכלים קדש Ez. 8:28
118 משקל הכסף והזהב והכלים Ez. 8:30
119 נשקל הכסף והזהב והכלים Ez. 8:33
120 את־המנחה הלבונה והכלים Neh. 13:5

בַּכֵּלִים
121 בכלים אשר עשיתי להלל ICh. 23:5

מִכֵּלִים
122 וכלים מכלים שונים Es. 1:7

כְּלֵי־
123 ויוצא העבד כלי־כסף... Gen. 24:53
124 מה־מצאת מכל כלי־ביתך Gen. 31:37
125 כלי חמס מכרתיהם Gen. 49:5
126 ושאלה...כלי־כסף וכלי זהב Ex. 3:22
131-127 כלי־כסף וכלי זהב Ex. 11:2
12:35 • IISh. 8:10 • IK. 10:25 • IICh. 9:24
132 לכל כלי המשכן בכל עבדתו Ex. 27:19
133 ואת כל־כלי האהל Ex. 31:7
134 ויעש את־כל־כלי המזבח Ex. 38:3
135/6 כלי המזבח Ex. 38:30 • Num. 4:14
137 ואת כל־כלי עבדת המשכן Ex. 39:40
138 ושמרו את־כל־כלי אהל מועד Num. 3:8
139 ואת כל־כלי שמנה Num. 4:9
140 ולקחו את־כל־כלי השרת Num. 4:12
141 ואת־כל־כלי הקדש Num. 4:15
142 ואת־כל־כלי עבדתם Num. 4:26
143 את־כלי משמרת משאם Num. 4:32
144 אל־כלי הקדש ואל־המזבח Num. 18:3
145 ותחגרו איש את־כלי מלחמתו Deut. 1:41
146 חגור כלי מלחמה Jud. 18:11
147 חגורים כלי מלחמתם Jud. 18:16
148 החגור כלי המלחמה Jud. 18:17
149 ונתתם אתו...ואת כלי הזהב ISh. 6:8
150-2 כלי (ה)זהב ISh.6:15 • IIK.24:13 • ICh.18:10

כְּלֵי־ (המשך)
153 ולעשות כלי־מלחמתו ISh. 8:12
154 ויהיו כלי־הנערים קדש ISh. 21:6
155 ויאבדו כלי מלחמה IISh. 1:27
156 עשרה נערים נשאי כלי יואב IISh. 18:15
157 נשא כלי יואב בן־צרויה IISh. 23:37
158 ואת־כל־כלי הקדש IK. 8:4
159 וכל כלי משקה המלך שלמה זהב IK. 10:21
160 וכל כלי בית־יער הלבנון זהב סגור IK. 10:21
161 ואת כל־כלי הנחשת IIK. 25:14
162 ותלו עליו...כל כלי הקטן Is. 22:24
163 ועד כל־כלי הנבלים Is. 22:24
164 הברו נשאי כלי יי Is. 52:11
165 הנני מסב את־כלי המלחמה Jer. 21:4
166 כלי בית־יי מושבים מבבלה Jer. 27:16
167 אני משיב...כל־כלי בית יי Jer. 28:3
168/9 כלי בית־יי Jer. 28:6 • Ez. 1:7
170 כלי גולה עשי לך...בת מצרים Jer. 46:19
171 ויוצא את־כלי זעמו Jer. 50:25
172 מפץ־אתה לי כלי מלחמה Jer. 51:20
173 ואת כל־כלי הנחשת Jer. 52:18
174 עשה לך כלי גולה Ezek. 12:3
175 ותקחי כלי תפארתך Ezek. 16:17
176/7 ולקחו כלי תפארתך Ezek. 16:39; 23:26
178 כדויד חשבו להם כלי־שיר Am. 6:5
179 ולו הכין כלי־מות Ps. 7:14
180 ומקצת כלי בית־האלהים Dan. 1:2
181 עם־כלי חמדתם כסף וזהב Dan. 11:8
182 ושם כלי המקדש והכהנים Neh. 10:40
183 את־כל־כלי בית טוביה Neh. 13:8
184 ואשיבה שם כלי בית האלהים Neh. 13:9
185 ומהם על־כלי העבדה ICh. 9:28
186 על־הכלים ועל כל־כלי הקדש ICh. 9:29
187 נשא כלי יואב בן־צרויה ICh. 11:39
188 ערכי מלחמה בכל־כלי מלחמה ICh. 12:33(34)
189 בכל כלי צבא מלחמה ICh. 12:37(38)
190 ואת־העמודים ואת כלי הנחשת ICh. 18:8
191 ולכל־כלי עבודת בית־יי ICh. 28:13
192/3 לכל־כלי עבודה ועבודה ICh. 28:14²
194 לכל־כלי הכסף במשקל ICh. 28:14
195 כל־כלי הקדש אשר באהל IICh. 5:5
196 וכל כלי משקה המלך IICh. 9:20
197 וכל כלי בית־יער הלבנון זהב IICh. 9:20
198 כלים לבית־יי כלי שרת IICh. 24:14
201-199 כלי בית(־)האלהים IICh. 28:24²; 36:18
202 ועל־ידי כלי דויד IICh. 29:27
203 ולמגנים ולכל כלי חמדה IICh. 32:27
204 עם־כלי חמדת בית־יי IICh. 36:10
205 וכל־כלי מחמדיה להשחית IICh. 36:19

וּכְלֵי־
206 כלי־כסף וכלי זהב ובגדים Gen. 24:53
213-207 וכלי זהב Ex. 3:22; 11:2; 12:35
IISh. 8:10 • IK. 10:25 • IICh. 9:24; 24:14
214 וכלי הקדש אשר ישרתו בהם Num. 3:31
215 וכלי הקדש וחצצרות התרועה Num. 31:6
216 וכלי נחשת וברזל Josh. 6:19
220-217 וכלי (ה)נחשת Josh. 6:24
IISh. 8:10 • Ezek. 27:13 • Ez. 8:27
221 כלי־מלחמתו וכלי רכבו ISh. 8:12
222 והמרגים וכלי הבקר לעצים IISh. 24:22
223 יי וכלי זעמו לחבל כל־הארץ Is. 13:5
224 וכלי־כסף מאה לככרים Ez. 8:26
225 חצצרות...וכלי שיר האלהים ICh. 16:42

226 וּכְלֵי קֹדֶשׁ הָאֱלֹהִים IChr. 22:19(18)
227 וּרְכוּשׁ וּפְגָרִים וּכְלֵי חֲמֻדוֹת IICh. 20:25
בִּכְלֵי־ 228 יָרְדוּ־שְׁאוֹל בִּכְלֵי מִלְחַמְתָּם Ezek. 32:27
229 וְהַשְׁקוֹת בִּכְלֵי זָהָב Es. 1:7
230 בִּכְלֵי־כֶסֶף בַּזָּהָב בָּרְכוּשׁ Ez. 1:6
231 בִּכְלֵי־שִׁיר דָּוִיד אִישׁ הָאֱלֹהִים Neh. 12:36
232 בִּכְלֵי־שִׁיר נְבָלִים וְכִנֹּרוֹת ICh. 15:16
233 וִיעִיאֵל בִּכְלֵי נְבָלִים וּבְכִנֹּרוֹת ICh. 16:5
234 וְהַלְוִיִּם בִּכְלֵי־שִׁיר יְיָ IICh. 7:6
235 וְהַמְשׁוֹרְרִים בִּכְלֵי הַשִּׁיר IICh. 23:13
236 וַיַּעַמְדוּ הַלְוִיִּם בִּכְלֵי דָוִיד IICh. 29:26
237 וְהַכֹּהֲנִים בִּכְלֵי עֹז לַייָ IICh. 30:21
238 וְהַלְוִיִּם כָּל־מֵבִין בִּכְלֵי־שִׁיר IICh. 34:12
וּבִכְלֵי־ 239 וּבִכְלֵי־גֹמֶא עַל־פְּנֵי־מַיִם Is. 18:2
240 וּבִמְצִלְתַּיִם וּבִכְלֵי הַשִּׁיר IICh. 5:13
כִּכְלֵי־ 241 וְהוֹצֵאתָ כֵלֶיךָ כִּכְלֵי גוֹלָה Ezek. 12:4
242 כֵּלַי הוֹצֵאתִי כִּכְלֵי גוֹלָה Ezek. 12:7
מִכְּלֵי־ 243 מִכְּלֵי הָאַגָּנוֹת...כְּלֵי הַנְּבָלִים Is. 22:24
244 טוֹבָה חָכְמָה מִכְּלֵי קְרָב Eccl. 9:18
וּמִכְּלֵי־ 245 וּמִכְּלֵי בֵּית יְיָ הֵבִיא...לְבָבֶל IICh. 36:7
כֵּלַי 246 כִּי־מִשַּׁשְׁתָּ אֶת־כָּל־כֵּלַי Gen. 31:37
247 וְגַם־כֵּלַי לֹא־לָקַחְתִּי בְיָדִי ISh. 21:9
248 כֵּלַי הוֹצֵאתִי כִּכְלֵי גוֹלָה Ezek. 12:7
כֵּלֶיךָ 249 שָׂא־נָא כֵלֶיךָ תֶּלְיְךָ וְקַשְׁתֶּךָ Gen. 27:3
250 וְהוֹצֵאתָ כֵלֶיךָ כִּכְלֵי גוֹלָה Ezek. 12:4
כֵּלָיו 251 וְאֵת תַּבְנִית כָּל־כֵּלָיו Ex. 25:9
252 לְכָל־כֵּלָיו תַּעֲשֶׂה נְחֹשֶׁת Ex. 27:3
253 וְאֶת־הַשֻּׁלְחָן וְאֶת־כָּל־כֵּלָיו Ex. 30:27
254/5 וְאֶת־מִזְבַּח...וְאֶת־כָּל־כֵּלָיו Ex. 30:28; 31:9
256-270 וְאֶת־כָּל־כֵּלָיו Ex. 35:13, 16
39:33, 36, 39; 40:9, 10 • Lev. 8:11 • Num. 1:50; 4:14;
7:1^{2} • ICh. 23:26 • IICh. 29:18^{2}
271 וְאֶת־הַשֻּׁלְחָן וְאֶת־כֵּלָיו Ex. 31:8
272 כָּל־כֵּלָיו עָשָׂה נְחֹשֶׁת Ex. 38:3
273 וְעַל כָּל־כֵּלָיו וְעַל כָּל־אֲשֶׁר־לוֹ Num. 1:50
274 וְכָל־כֵּלָיו וְכֹל עֲבֹדָתוֹ Num. 3:36
275 וַיִּקְרָא...אֶל־הַנַּעַר נֹשֵׂא כֵלָיו Jud. 9:54
276-290 (וְ/לְ)נֹשֵׂא כֵלָיו ISh. 14:1, 6, 7, 12
14:13^{2}, 14, 17; 31:4^{2}, 5, 6 • ICh. 10:4^{2}, 5
291 וְאֶת־כֵּלָיו שָׂם בְּאָהֳלוֹ ISh. 17:54
292 וַיִּתֵּן יְהוֹנָתָן אֶת־כֵּלָיו אֶל־הַנַּעַר ISh. 20:40
293 וַיַּפְשִׁטוּ אֶת־כֵּלָיו ISh. 31:9
294 וַיָּשִׂימוּ אֶת־כֵּלָיו בֵּית עַשְׁתָּרוֹת ISh. 31:10
295 וַיַּרְאֵם...וְאֵת בֵּית כֵּלָיו IIK. 20:13
296 לְמִכְמָשׂ יַפְקִיד כֵּלָיו Is. 10:28
297 וְכֵלַי כֵּלָיו רָעִים Is. 32:7
298 וַיַּרְאֵם...וְאֵת כָּל־בֵּית כֵּלָיו Is. 39:2
299 וַיִּשְׂאוּ אֶת־רֹאשׁוֹ וְאֶת־כֵּלָיו ICh. 10:9
300 וַיָּשִׂימוּ אֶת־כֵּלָיו בֵּית אֱלֹהֵיהֶם ICh. 10:10
וְכֵלָיו 301-3 אִישׁ וְכֵלָיו בְּיָדוֹ IIK. 11:8, 11 • IICh. 23:7
304 וְקִדַּשְׁתִּי...אִישׁ וְכֵלָיו Jer. 22:7
305 וְכֵלָיו יָרִיקוּ וְנִבְלֵיהֶם יְנַפֵּצוּ Jer. 48:12
וּבְכֵלָיו 306 וְכָל־אֲשֶׁר־בּוֹ בְּקֹדֶשׁ וּבְכֵלָיו Num. 4:16
כֵּלֶיהָ 307 וְאֶת־הַמְּנֹרָה וְאֶת־כֵּלֶיהָ Ex. 30:27
308-311 וְאֶת(־)כָּל־כֵּלֶיהָ Ex. 31:8
37:24; 39:37 • Num. 4:10
312 וְאֶת־מְנֹרַת הַמָּאוֹר וְאֶת־כֵּלֶיהָ Ex. 35:14
313 וְכַכַּלָּה תַּעְדֶּה כֵלֶיהָ Is. 61:10
מִכֵּלֵינוּ 314 כִּי הַלֶּחֶם אָזַל מִכֵּלֵינוּ ISh. 9:7
כְּלֵיכֶם 315 וְעֵינְכֶם אַל־תָּחֹס עַל־כְּלֵיכֶם Gen. 45:20
בִּכְלֵיכֶם 316 קְחוּ מִזִּמְרַת הָאָרֶץ בִּכְלֵיכֶם Gen. 43:11
317 אִסְפוּ יַיִן...וְשִׂמוּ בִּכְלֵיכֶם Jer. 40:10

כְּלֵיהֶם 318 וַיְמַלְאוּ אֶת־כְּלֵיהֶם בָּר Gen. 42:25
319 וּמֵיתְרֵיהֶם לְכָל־כְּלֵיהֶם Num. 4:32
320 וּמְרַק° פִּגֻּלִים כְּלֵיהֶם Is. 65:4
321 שָׁבוּ כְלֵיהֶם רֵיקָם Jer. 14:3
322 יְרִיעוֹתֵיהֶם וְכָל־כְּלֵיהֶם Jer. 49:29
323 וְאֶת־הַמִּזְלָגוֹת וְאֶת־כָּל־כְּלֵיהֶם IICh. 4:16
בִּכְלֵיהֶם 324 וְגַם גָּנְבוּ...וְגַם שָׂמוּ בִכְלֵיהֶם Josh. 7:11

כֵּלַי
ז׳ כִּילַי, קַמְצָן [עיין גם כִּילַי]

כֵּלַי 1 וְכֵלַי כֵּלָיו רָעִים Is. 32:7

כְּלִיא
כתיב – קרי כְּלוּא

כִּלְיָה*
נ׳ א) אֵבֶר בְּגוּף לְהַפְרָשַׁת הַשֶּׁתֶן (בְּאָדָם וּבְבַעֲלֵי־הַחַיִּים): 5-20, 22, 24, 25, 30
ב) [בהשאלה] מרכז המחשבה, מצפון: 1-4, 23, 26-29, 31
ג) כִּנּוּי לַחֵלֶק הַפְּנִימִי שֶׁל גַּרְגַּר חִטָּה: 21
– כְּלָיוֹת וָלֵב 1-4, 23; כִּלְיוֹת אֵילִים 22; כִּלְיוֹת חִטָּה 21
– בּוֹחֵן כְּלָיוֹת 1, 2; רוֹאֶה כְלָיוֹת 3; יִסְּרוּהוּ כִלְיוֹתָיו 26; כָּלוּ כִלְיֹתָיו 25; עָלְזוּ כִלְיוֹתָיו 28; פִּלַּח כִּלְיוֹתָיו 24; קָנָה כִלְיוֹתָיו 27

כְּלָיוֹת 1 שֹׁפֵט צֶדֶק בֹּחֵן כְּלָיוֹת וָלֵב Jer. 11:20
2 אֲנִי יְיָ חֹקֵר לֵב בֹּחֵן כְּלָיוֹת Jer. 17:10
3 בֹּחֵן צַדִּיק רֹאֶה כְלָיוֹת וָלֵב Jer. 20:12
וּכְלָיוֹת 4 וּבֹחֵן לִבּוֹת וּכְלָיוֹת אֱלֹהִים צַדִּיק Ps. 7:10
הַכְּלָיֹת 5-11 וְאֵת שְׁתֵּי הַכְּלָיֹת וְאֶת־הַחֵלֶב
Ex. 29:13, 22 • Lev. 3:4, 10, 15; 4:9; 7:4
12 וְאֶת־הַיֹּתֶרֶת...עַל־הַכְּלָיוֹת Lev. 3:4
13-19 הַכְּלָ ת Lev.3:10,15;4:9;7:4;8:16,25;9:10
וְהַכְּלָיֹת 20 וְהַמְכַסֶּה וְהַכְּלָיֹת וְיֹתֶרֶת הַכָּבֵד Lev. 9:19
כִּלְיוֹת־ 21 עִם־חֵלֶב כִּלְיוֹת חִטָּה Deut. 32:14
22 הֻדַּשְׁנָה...מֵחֵלֶב כִּלְיוֹת אֵילִים Is. 34:6
כִלְיוֹתַי 23 צָרְפָה° כִלְיוֹתַי וְלִבִּי Ps. 26:2
24 יְפַלַּח כִּלְיוֹתַי וְלֹא יַחְמֹל Job 16:13
25 כָּלוּ כִלְיֹתַי בְּחֵקִי Job 19:27
כִּלְיוֹתָי 26 אַף־לֵילוֹת יִסְּרוּנִי כִלְיוֹתָי Ps. 16:7
27 כִּי־אַתָּה קָנִיתָ כִלְיֹתָי Ps. 139:13
28 וְתַעְלֹזְנָה כִלְיוֹתָי... Prov. 23:16
וְכִלְיוֹתַי 29 יִתְחַמֵּץ לְבָבִי וְכִלְיוֹתַי אֶשְׁתּוֹנָן Ps. 73:21
בְּכִלְיוֹתָי 30 הֵבִיא בְּכִלְיוֹתָי בְּנֵי אַשְׁפָּתוֹ Lam. 3:13
מִכִּלְיוֹתֵיהֶם 31 ...בְּפִיהֶם וְרָחוֹק מִכִּלְיוֹתֵיהֶם Jer. 12:2

כִּלָּיוֹן
ז׳ כְּלָיָה, אבדון: 1, 2
כִּלָּיוֹן חָרוּץ 1; כִּלְיוֹן עֵינַיִם 2

כִּלָּיוֹן 1 כִּלָּיוֹן חָרוּץ שׁוֹטֵף צְדָקָה Is. 10:22
וְכִלְיוֹן 2 וְכִלְיוֹן עֵינַיִם וְדַאֲבוֹן נָפֶשׁ Deut. 28:65

כִּלְיוֹן
שפ״ז – בן אלימלך איש נעמי: 1–3

וְכִלְיוֹן 1 וְשֵׁם שְׁנֵי־בָנָיו מַחְלוֹן וְכִלְיוֹן אֶפְרָתִים Ruth 1:2
2 וַיָּמֻתוּ גַם־שְׁנֵיהֶם מַחְלוֹן וְכִלְיוֹן Ruth 1:5
לְכִלְיוֹן 3 וְאֵת כָּל־אֲשֶׁר לְכִלְיוֹן וּמַחְלוֹן Ruth 4:9

כָּלִיל
א) תה״פ בשלמות: 1, 3–5
ב) ת׳ מושלם: 6, 9–11, 13–15
ג) ז׳ כינוי לקרבן עולה הנשרף כולו: 2, 7, 8
ד) ז׳ כָּלִיל, הכול: 12
כְּלִיל יֹפִי 13–15; כְּ׳ הָעִיר 12; כְּ׳ תְּכֵלֶת 9–11

כָּלִיל 1 חָק־עוֹלָם לַייָ כָּלִיל תָּקְטָר Lev. 6:15
2 כָּלִיל תִּהְיֶה לֹא תֵאָכֵל Lev. 6:16
3 וְשָׂרַפְתָּ...וְאֶת־כָּל־שְׁלָלָהּ כָּלִיל Deut. 13:17
4 וַיַּעֲלֵהוּ° עוֹלָה כָּלִיל לַייָ ISh. 7:9
5 וְהָאֱלִילִים כָּלִיל יַחֲלֹף Is. 2:18
6 כִּי כָּלִיל הוּא בַּהֲדָרִי Ezek. 16:14
וְכָלִיל 7 יָשִׂימוּ...וְכָלִיל עַל־מִזְבְּחֶךָ Deut. 33:10
8 זִבְחֵי־צֶדֶק עוֹלָה וְכָלִיל Ps. 51:21
כְּלִיל־ 9-11 כְּלִיל תְּכֵלֶת Ex. 28:31; 39:22 • Num. 4:6
12 וְהִנֵּה עָלָה כְלִיל־הָעִיר הַשָּׁמָיְמָה Jud. 20:40
וּכְלִיל־ 13 מָלֵא חָכְמָה וּכְלִיל יֹפִי Ezek. 28:12
כְּלִילַת־ 14 אַתְּ אָמַרְתְּ אֲנִי כְּלִילַת יֹפִי Ezek. 27:3
15 כְּלִילַת יֹפִי מָשׂוֹשׂ לְכָל־הָאָרֶץ Lam. 2:15

כַּלְכֹּל
שפ״ז – חכם ממטה יהודה בימי שלמה: 1, 2

וְכַלְכֹּל 1 וְהֵימָן וְכַלְכֹּל וְדַרְדַּע בְּנֵי מָחוֹל IK. 5:11
2 וּבְנֵי זֶרַח...וְהֵימָן וְכַלְכֹּל וָדָרַע ICh. 2:6

כִּלְכֵּל
פ׳ א) זָן, פרנס: 2-12, 14, 16-19, 21
ב) הכיל, סבל: 1, 13, 18, 22-24
ג) [בהשאלה] ערך, סדר: 17
ד) [פ׳ כָּלְכַּל] צֻיַּד במזון: 25

כַּלְכֵּל 1 וְנִלְאֵיתִי כַּלְכֵל וְלֹא אוּכָל Jer. 20:9
לְכַלְכֵּל 2 חֹדֶשׁ...עַל־הָאֶחָד° לְכַלְכֵּל IK. 4:7
וּלְכַלְכֵּל 3 לְמֵשִׁיב נֶפֶשׁ וּלְכַלְכֵּל אֶת־שֵׂיבָתֵךְ Ruth 4:15
לְכַלְכֶּלְךָ 4 וְאֶת־הָעֹרְבִים צִוִּיתִי לְכַלְכֶּלְךָ שָׁם IK. 17:4
לְכַלְכְּלֶךָ 5 צִוִּיתִי שָׁם אִשָּׁה אַלְמָנָה לְכַלְכְּלֶךָ IK. 17:9
וְכִלְכַּלְתִּי 6 וְכִלְכַּלְתִּי אֹתְךָ שָׁם Gen. 45:11
7 וְכִלְכַּלְתִּי אֹתְךָ עִמָּדִי בִּירוּשָׁלִָם IISh. 19:34
כִּלְכַּלְתָּם 8 כִּלְכַּלְתָּם בַּמִּדְבָּר לֹא חָסֵרוּ Neh. 9:21
כִּלְכֵּל 9 וְהוּא־כִלְכֵּל אֶת־הַמֶּלֶךְ IISh. 19:33
וְכִלְכְּלָם 10 וַיַּחְבִּיאֵם...וְכִלְכְּלָם לֶחֶם וָמָיִם IK. 18:4
וְכִלְכְּלוּ 11 וְכִלְכְּלוּ אֶת־הַמֶּלֶךְ וְאֶת־בֵּיתוֹ IK. 4:7
12 וְכִלְכְּלוּ הַנִּצָּבִים הָאֵלֶּה אֶת־הַמֶּלֶךְ IK. 5:7
מְכַלְכֵּל 13 וּמִי מְכַלְכֵּל אֶת־יוֹם בּוֹאוֹ Mal. 3:2
אֲכַלְכֵּל 14 אָנֹכִי אֲכַלְכֵּל אֶתְכֶם Gen. 50:21
וָאֲכַלְכְּלֵם 15 וָאַחְבִּא...וָאֲכַלְכְּלֵם לֶחֶם וָמָיִם IK. 18:13
יְכַלְכֵּל 16 הַנִּצָּבָה לֹא יְכַלְכֵּל Zech. 11:16
17 יְכַלְכֵּל דְּבָרָיו בְּמִשְׁפָּט Ps. 112:5
18 רוּחַ־אִישׁ יְכַלְכֵּל מַחֲלֵהוּ Prov. 18:14
וַיְכַלְכֵּל 19 וַיְכַלְכֵּל יוֹסֵף אֶת־אָבִיו Gen. 47:12
יְכַלְכְּלֶךָ 20 הַשְׁלֵךְ עַל־יְיָ יְהָבְךָ וְהוּא יְכַלְכְּלֶךָ Ps. 55:23
וַיְכַלְכְּלֵם 21 וַיִּתְּנֵם בֵּית־מִשְׁמֶרֶת וַיְכַלְכְּלֵם IISh. 20:3
יְכַלְכְּלוּךָ 22 הַשָּׁמַיִם וּשְׁמֵי הַשָּׁמַיִם לֹא יְכַלְכְּלוּךָ IK. 8:27
23 שָׁמַיִם וּשְׁמֵי הַשָּׁמַיִם לֹא יְכַלְכְּלוּךָ IICh. 6:18
יְכַלְכְּלֻהוּ 24 הַשָּׁמַיִם וּשְׁמֵי הַשָּׁמַיִם לֹא יְכַלְכְּלֻהוּ IICh. 2:5
וְכָלְכְּלוּ 25 וּבְנֵי יִשְׂרָאֵל הָתְפָּקְדוּ וְכָלְכְּלוּ IK. 20:27

כלל
: כָּלַל; כָּלִיל, כֹּל; כַּלָּה, כְּלוּלוֹת, מִכְלָל, מִכְלוֹל, מַכְלוּל; ש״פ כְּלָל; אר׳ שַׁכְלֵל

כָּלַל
פ׳ השלים, שכלל: 1, 2

כָּלְלוּ 1 בֹּנַיִךְ כָּלְלוּ יָפְיֵךְ Ezek. 27:4
2 הֵמָּה כָּלְלוּ יָפְיֵךְ Ezek. 27:11

כְּלָל
שפ״ז – איש בימי עזרא שנשׂא אשה נכריה

וּכְלָל 1 וּמִבְּנֵי פַּחַת מוֹאָב עַדְנָא וּכְלָל Ez. 6:30

כלם
: נִכְלַם, הִכְלִים, הָכְלַם; כְּלִמָּה, כְּלִמּוּת

(כלם) נִכְלַם
נפ׳ א) התבייש: 1-26
ב) [הפ׳ הִכְלִים] בִּיֵּשׁ, עלב: 27-36
ג) [הפ׳ הָכְלַם] בֻּיַּשׁ, העלב: 37, 38
בּוֹשׁ וְנִכְלַם 2, 3, 5, 6, 9, 19, 21, 23, 26; בּוֹשׁ וְהָכְלַם 38

הִכָּלֵם 1 וּמֵצַח אִשָּׁה זוֹנָה הָיָה לָךְ מֵאַנְתְּ הִכָּלֵם Jer. 3:3
וְהִכָּלֵם 2 בּוֹשׁ לֹא־יֵבֹשׁוּ וְהִכָּלֵם לֹא יָדָעוּ Jer. 8:12

נִכְלַמְתִּי 3 בֹּשְׁתִּי וְגַם־נִכְלַמְתִּי Jer. 31:19(18)
נִכְלָמְתִּי 4 עַל־כֵּן לֹא נִכְלָמְתִּי Is. 50:7
וְנִכְלַמְתִּי 5 בֹּשְׁתִּי וְנִכְלַמְתִּי לְהָרִים אֱלֹהַי פָּנַי Ez. 9:6
וְנִכְלַמְתְּ 6 תֵּבֹשִׁי וְנִכְלַמְתְּ מִכֹּל רָעָתֵךְ Jer. 22:22
7 וְנִכְלַמְתְּ מִכֹּל אֲשֶׁר עָשִׂית Ezek. 16:54
8 וְזָכַרְתְּ אֶת־דְּרָכַיִךְ וְנִכְלַמְתְּ Ezek. 16:61
נִכְלְמוּ 9 בּוֹשׁוּ וְגַם־נִכְלְמוּ כֻּלָּם Is. 45:16
10 וְאִם־נִכְלְמוּ מִכֹּל אֲשֶׁר־עָשׂוּ Ezek. 43:11
11 וְהַכֹּהֲנִים וְהַלְוִיִּם נִכְלְמוּ וַיִּתְקַדְּשׁוּ IICh. 30:15
נִכְלָם 12 אַל־יָשֹׁב דַּךְ נִכְלָם Ps. 74:21
נִכְלָמִים 13/4 הָיוּ הָאֲנָשִׁים נִכְלָמִים IISh. 10:5 • ICh. 19:5
הַנִּכְלָמִים 15 כַּאֲשֶׁר יִתְגַּנֵּב הָעָם הַנִּכְלָמִים IISh. 19:4
הַנִּכְלָמוֹת 16 הַנִּכְלָמוֹת מִדַּרְכֵּךְ זִמָּה Ezek. 16:27
תִּכָּלְמִי 17 וְאַל־תִּכָּלְמִי כִּי לֹא תַחְפִּירִי Is. 54:4
תִּכָּלֵם 18 הֲלֹא תִכָּלֵם שִׁבְעַת יָמִים Num. 12:14
תִכָּלְמוּ 19 לֹא־תֵבֹשׁוּ וְלֹא־תִכָּלְמוּ Is. 45:17
יִכָּלְמוּ 20 אַל־יִכָּלְמוּ בִי מְבַקְשֶׁיךָ Ps. 69:7
וְיִכָּלְמוּ 21 יֵבֹשׁוּ וְיִכָּלְמוּ כֹּל הַנֶּחֱרִים בָּךְ Is. 41:11
22 הַגֵּד...וְיִכָּלְמוּ מֵעֲוֺנוֹתֵיהֶם Ezek. 43:10
23 יֵבֹשׁוּ וְיִכָּלְמוּ מְבַקְשֵׁי נַפְשִׁי Ps. 35:4
24/5 יִסֹּגוּ...וְיִכָּלְמוּ חֲפֵצֵי רָעָתִי Ps. 40:15; 70:3
וְהִכָּלְמוּ 26 בּוֹשׁוּ וְהִכָּלְמוּ מִדַּרְכֵיכֶם Ezek. 36:32
הַכְלִים 27 גַּם־הַכְלִים לֹא יָדָעוּ Jer. 6:15
בְּהַכְלִים 28 מַה תַּעֲשֶׂה...בְּהַכְלִים אֹתְךָ רֵעֶךָ Prov. 25:8
הִכְלִמוֹ 29 כִּי הִכְלִמוֹ אָבִיו ISh. 20:34
הֶכְלַמְנוּם 30 לֹא הֶכְלַמְנוּם וְלֹא־נִפְקַד לָהֶם ISh. 25:7
מַכְלִים 31 וְאֵין־מַכְלִים דָּבָר בָּאָרֶץ Jud. 18:7
32 וַתִּלְעַג וְאֵין מַכְלִם Job 11:3
וַתַּכְלִימֵנוּ 33 אַף־זָנַחְתָּ וַתַּכְלִימֵנוּ Ps. 44:10
יַכְלִים 34 וְרֹעֶה זוֹלְלִים יַכְלִים אָבִיו Prov. 28:7
תַּכְלִימוּנִי 35 זֶה עֶשֶׂר פְּעָמִים תַּכְלִימוּנִי Job 19:3
תַכְלִימוּהָ 36 בֵּין הָעֳמָרִים תְּלַקֵּט וְלֹא תַכְלִימוּהָ Ruth 2:15
הָכְלַמְנוּ 37 וְלֹא הָכְלַמְנוּ וְלֹא־פָקַדְנוּ מְאוּמָה ISh. 25:15
וְהָכְלְמוּ 38 בֹּשׁוּ וְהָכְלְמוּ וְחָפוּ רֹאשָׁם Jer. 14:3

כִּלְמַד מקום שנזכר יחד עם אשור

כִּלְמַד 1 אַשּׁוּר כִּלְמַד רֹכַלְתֵּךְ Ezek. 27:23

כְּלִמָּה נ' חרפה, בושה: 1–30

קרובים: ראה חֶרְפָּה

– בֹּשֶׁת וּכְלִמָּה 5, 22; חֶרְפָּה וּכְלִמָּה 6, 17; מוּסַר כְּלִמָּה 16; כְּלִמַּת הַגּוֹיִם 12–14; כְּלִמַּת עוֹלָם 11; כְּלִמּוֹת וָרֹק 30

– כִּסְּתָה כְלִמָּה 1, 2, 22; לָבַשׁ כְּלִמָּה 3, 5; נָשָׂא כְלִמָּה 12, 13, 18–20, 23–28; נָסַג כְּלִמּוֹת 29; עָטָה כְלִמָּה 6

כְּלִמָּה 1 בֹּשְׁנוּ...כִּסְּתָה כְלִמָּה פָּנֵינוּ Jer. 51:51
2 כִּסְּתָה כְלִמָּה פָנָי Ps. 69:8
3 יִלְבְּשׁוּ שׂוֹטְנַי כְּלִמָּה Ps. 109:29
וּכְלִמָּה 4 תַּחַת בָּשְׁתְּכֶם...וּכְלִמָּה יָרֹנּוּ חֶלְקָם Is. 61:7
5 יִלְבְּשׁוּ־בֹשֶׁת וּכְלִמָּה Ps. 35:26
6 יַעֲטוּ חֶרְפָּה וּכְלִמָּה Ps. 71:13
7 אִוֶּלֶת הִיא־לוֹ וּכְלִמָּה Prov. 18:13
בַּכְּלִמָּה 8 יַחְדָּו הָלְכוּ בַכְּלִמָּה חָרָשֵׁי צִירִים Is. 45:16
לִכְלִמָּה 9 וְהֶחָסוּת בְּצֵל־מִצְרַיִם לִכְלִמָּה Is. 30:3
10 עַד־מֶה כְבוֹדִי לִכְלִמָּה Ps. 4:3
כְּלִמַּת־ 11 כְּלִמַּת עוֹלָם לֹא תִשָּׁכֵחַ Jer. 20:11
12 וְלֹא־יִשְׂאוּ עוֹד כְּלִמַּת הַגּוֹיִם Ezek. 34:29
13 יַעַן כְּלִמַּת גּוֹיִם נְשָׂאתֶם Ezek. 36:6
14 וְלֹא־אַשְׁמִיעַ...עוֹד כְּלִמַּת הַגּוֹיִם Ezek. 36:15
כְּלִמָּתִי 15 כָּל־הַיּוֹם כְּלִמָּתִי נֶגְדִּי Ps. 44:16
16 מוּסַר כְּלִמָּתִי אֶשְׁמָע Job 20:3
וּכְלִמָּתִי 17 אַתָּה יָדַעְתָּ חֶרְפָּתִי...וּכְלִמָּתִי Ps. 69:20
כְּלִמָּתֵךְ 18 גַּם־אַתְּ שְׂאִי כְלִמָּתֵךְ אֲשֶׁר פִּלַּלְתְּ Ezek. 16:52
19 וְגַם־אַתְּ בּוֹשִׁי וּשְׂאִי כְלִמָּתֵךְ Ezek. 16:52
20 לְמַעַן תִּשְׂאִי כְלִמָּתֵךְ Ezek. 16:54
21 וְלֹא יִהְיֶה־לָּךְ...מִפְּנֵי כְּלִמָּתֵךְ Ezek. 16:63
כְּלִמָּתֵנוּ 22 נִשְׁכְּבָה בְּבָשְׁתֵּנוּ וּתְכַסֵּנוּ כְּלִמָּתֵנוּ Jer. 3:25
כְּלִמָּתָם 23–25 וַיִּשְׂאוּ כְלִמָּתָם אֶת־יוֹרְדֵי בוֹר Ezek. 32:24, 25, 30
26 הֵמָּה כְּלִמָּתָם יִשָּׂאוּ Ezek. 36:7
27 וְנָשׂוּ אֶת־כְּלִמָּתָם Ezek. 39:26
28 וְנָשְׂאוּ כְּלִמָּתָם וְתוֹעֲבוֹתָם Ezek. 44:13
כְּלִמּוֹת 29 אַל־תַּטִּפוּ...לֹא יִסַּג כְּלִמּוֹת Mic. 2:6
מִכְּלִמּוֹת 30 פָּנַי לֹא הִסְתַּרְתִּי מִכְּלִמּוֹת וָרֹק Is. 50:6

כְּלִמּוּת נ' כְּלִמָּה, חרפה

וּכְלִמּוּת־ 1 וּכְלִמּוּת עוֹלָם אֲשֶׁר לֹא תִשָּׁכֵחַ Jer. 23:40

כַּלְנֵה עיר בצפון־מערב ארם־נהרים: 1, 2

כַּלְנֵה 1 עִבְרוּ כַלְנֵה וּרְאוּ Am. 6:2
וְכַלְנֵה 2 בָּבֶל וְאֶרֶךְ וְאַכַּד וְכַלְנֵה Gen. 10:10

כַּלְנוֹ היא כַּלְנֵה

כַּלְנוֹ 1 הֲלֹא כְּכַרְכְּמִישׁ כַּלְנוֹ Is. 10:9

כְּלִתְנִי (ש"א כה33) – עין כלא

כָּמַהּ פ' נכסף, השתוקק

כָּמַהּ 1 צָמְאָה לְךָ נַפְשִׁי כָּמַהּ לְךָ בְשָׂרִי Ps. 63:2

כַּמָּה, כַּמֶּה א) מלת־שאלה על מספרו או על שיעורו של דבר: 1, 2, 5, 7, 9, 10

ב) מספר מסוים של דברים: 11–13
ג) עד מה, עד מתי: 3, 4, 6, 8

כַּמָּה 1 כַּמָּה יְמֵי שְׁנֵי חַיֶּיךָ Gen. 47:8
2 כַּמָּה יְמֵי שְׁנֵי חַיַּי כִּי־אֶעֱלֶה IISh. 19:35
3 אֲדֹנָי כַּמָּה תִּרְאֶה Ps. 35:17
4 כַּמָּה יַמְרוּהוּ בַמִּדְבָּר Ps. 78:40
5 כַּמָּה יְמֵי־עַבְדֶּךָ Ps. 119:84
6 כַּמָּה לֹא־תִשְׁעֶה מִמֶּנִּי Job 7:19
7 כַּמָּה לִי עֲוֺנוֹת וְחַטָּאוֹת Job 13:23
8 כַּמָּה נֵר־רְשָׁעִים יִדְעָךְ Job 21:17
כַּמָּה...וְכַמָּה 9–10 כַּמָּה־רָחְבָּהּ וְכַמָּה אָרְכָּהּ Zech. 2:6
כַּמֶּה 11 עַד כַּמֶּה פְעָמִים אֲנִי מַשְׁבִּעֶךָ IK. 22:16
12 כַּאֲשֶׁר עָשִׂיתִי זֶה כַּמֶּה שָׁנִים Zech. 7:3
13 עַד כַּמֶּה פְעָמִים אֲנִי מַשְׁבִּעֶךָ IICh. 18:15

כְּמָה ארמית, כמו בעברית כַּמָּה(ג): 1, 2

כְּמָה 1 אָתוֹהִי כְּמָה רַבְרְבִין Dan. 3:33
2 וְתִמְהוֹהִי כְּמָה תַקִּיפִין Dan. 3:33

כִּמְהָם שפ"ז – בן ברזלי הגלעדי: 1–3

כִּמְהָם 1 וְהִנֵּה עַבְדְּךָ כִמְהָם יַעֲבֹר IISh. 19:38
2 וַיֹּאמֶר הַמֶּלֶךְ אִתִּי יַעֲבֹר כִּמְהָם IISh. 19:39
3 וַיֵּשְׁבוּ בְּגֵרוּת כִּמְהָם (כ' כמוהם) Jer. 41:17

כִּמְהָן שפ"ז – הוא כִּמְהָם

וְכִמְהָן 1 וַיַּעֲבֹר הַמֶּלֶךְ...וְכִמְהָן עָבַר עִמּוֹ IISh. 19:41

כְּמוֹ מ"י א) כְּ־, דומה ל־: 1–3, 5–9, 12–14, 16–54, 56

ב) כאשר, בשעה ש־: 5, 10, 15
ג) כאלו: 4, 11
ד) [כָּמוֹנִי, כָּמוֹךָ...] כמו אני, כמו אתה... 57–140

– כְּמוֹ אַכְזָב 9; כְּמוֹ אֵלֶּה 16; כְּמוֹ כֵן 7; סֵפֶר כְּמוֹ 11

– כָּמוֹנִי כָּמוֹךָ 62, 63, 73; אֵין כָּמוֹנִי 58; מִי כָמוֹנִי 65, 67, 68, 72; כָּמוֹךָ כְּמוֹהֶם 138; אֵין כָּמוֹךָ 83, 87, 91, 92, 97, 100, 101; מִי כָמוֹךָ 80, 82, 94, 96, 98, 103, 104; כָּמוֹהוּ כְּאַיִן 120; אֵין כָּמוֹהוּ 114, (117), 121, 122; מִי כָמוֹהוּ 123; אֵין כָּמוֹהָ 130

כְּמוֹ 1 יָרְדוּ בִמְצוֹלֹת כְּמוֹ־אָבֶן Ex. 15:5
2 נִצְּבוּ כְמוֹ־נֵד נֹזְלִים Ex. 15:8
3 כְּמוֹ הָרָה תַּקְרִיב לָלֶדֶת Is. 26:17
4 הָרִינוּ חַלְנוּ כְּמוֹ יָלַדְנוּ רוּחַ Is. 26:18
5 תִּזְרֵם כְּמוֹ דָוָה Is. 30:22
6 וְיָבֹא סְגָנִים כְּמוֹ־חֹמֶר Is. 41:25
7 וְיֹשְׁבֶיהָ כְּמוֹ־כֵן יְמוּתוּן Is. 51:6
8 חֲבָלִים יֹאחֱזוּךְ כְּמוֹ אֵשֶׁת לֵדָה Jer. 13:21
9 הָיוֹ תִהְיֶה לִי כְּמוֹ אַכְזָב Jer. 15:18
10 וְרָבוּ כְּמוֹ רָבוּ Zech. 10:8
11 אִם־אָמַרְתִּי אֲסַפְּרָה כְמוֹ Ps. 73:15
12 וַיַּצֶּב־מַיִם כְּמוֹ־נֵד Ps. 78:13
13 וַיִּבֶן כְּמוֹ־רָמִים מִקְדָּשׁוֹ Ps. 78:69
14 בִּפְרֹחַ רְשָׁעִים כְּמוֹ עֵשֶׂב Ps. 92:8
15 כִּי כְּמוֹ־שָׁעַר בְּנַפְשׁוֹ כֶּן־הוּא Prov. 23:7
16 וְאֶת־מִי אֵין כְּמוֹ־אֵלֶּה Job 12:3
17 לִבּוֹ יָצוּק כְּמוֹ־אָבֶן Job 41:16
18 מִי־זֹאת הַנִּשְׁקָפָה כְּמוֹ־שָׁחַר S. of S. 6:10
19–54 כְּמוֹ Jer. 50:26 • Ezek. 16:57 • Hosh. 7:4; 8:12; 13:7 • Hab. 3:14 • Zech. 9:15; 10:2, 7; Ps. 29:6²; 58:5, 8, 9, 10²; 61:7; 63:6; 79:5 88:6; 89:47; 90:9; 140:4; 141:7 • Job 6:15; 10:22²; 14:9; 19:22; 28:5; 31:37; 38:14; 40:17 • S. of S. 7:2 • Lam. 4:6 • Neh. 9:11
וּכְמוֹ 55 וּכְמוֹ הַשַּׁחַר עָלָה וַיָּאִיצוּ... Gen. 19:15
56 וּכְמוֹ יוֹצֵר יִרְמָס־טִיט Is. 41:25
כָּמֹנִי 57 כִּי־נַחֵשׁ יְנַחֵשׁ אִישׁ אֲשֶׁר כָּמֹנִי Gen. 44:15
58 כִּי אֵין כָּמֹנִי בְּכָל־הָאָרֶץ Ex. 9:14
59 נָבִיא מִקִּרְבְּךָ מֵאַחֶיךָ כָּמֹנִי Deut. 18:15
60 מַהֲרוּ עֲשׂוּ כָמוֹנִי Jud. 9:48
61 אֶל־הַכֶּלֶב הַמֵּת אֲשֶׁר כָּמוֹנִי IISh. 9:8
62 כָּמוֹנִי כָמוֹךָ כְּעַמִּי כְעַמֶּךָ IK. 22:4
63 כָּמֹנִי כָמוֹךָ כְּעַמִּי כְּעַמֶּךָ IIK. 3:7
64 חַי חַי הוּא יוֹדֶךָ כָּמוֹנִי הַיּוֹם Is. 38:19
65 וּמִי כָמוֹנִי יִקְרָא וְיַגִּידֶהָ Is. 44:7
66 וְאֵין עוֹד אֱלֹהִים וְאֶפֶס כָּמוֹנִי Is. 46:9
67–68 כִּי מִי כָמוֹנִי Jer. 49:19; 50:44
69 כִּי־לֹא־אִישׁ כָּמֹנִי אֶעֱנֶנּוּ Job 9:32
70 הֵבֵאתָ יוֹם־קָרָאתָ וְיִהְיוּ כָמוֹנִי Lam. 1:21
71 הַאִישׁ כָּמוֹנִי יִבְרָח Neh. 6:11
72 וּמִי כָמוֹנִי אֲשֶׁר־יָבוֹא אֶל־הַהֵיכָל Neh. 6:11
73 כָּמוֹנִי כָמוֹךָ וּכְעַמְּךָ עַמִּי IICh. 18:3
כָּמוֹךָ 74 אֵין־נָבוֹן וְחָכָם כָּמוֹךָ Gen. 41:39
75 כִּי כָמוֹךָ כְּפַרְעֹה Gen. 44:18
76 וְאָהַבְתָּ לְרֵעֲךָ כָּמוֹךָ Lev. 19:18
77 וְאָהַבְתָּ לוֹ כָּמוֹךָ Lev. 19:34
78 לְמַעַן יָנוּחַ עַבְדְּךָ וַאֲמָתְךָ כָּמוֹךָ Deut. 5:14
79 נָבִיא...מִקֶּרֶב אֲחֵיהֶם כָּמוֹךָ Deut. 18:18
80 מִי כָמוֹךָ עַם נוֹשַׁע בַּיי Deut. 33:29
81 כָּמוֹךָ כְמוֹהֶם אֶחָד כְּתֹאַר... Jud. 8:18
82 וּמִי כָמוֹךָ בְּיִשְׂרָאֵל ISh. 26:15
83 כִּי־אֵין כָּמוֹךָ IISh. 7:22
84 אֲשֶׁר כָּמוֹךָ לֹא־הָיָה לְפָנֶיךָ IK. 3:12
85 וְאַחֲרֶיךָ לֹא־יָקוּם כָּמוֹךָ IK. 3:12

כָּמוֹךָ (המשך)

86 לֹא־הָיָה כָמוֹךָ אִישׁ בַּמְּלָכִים IK. 3:13
87 אֵין־כָּמוֹךָ אֱלֹהִים בַּשָּׁמַיִם IK. 8:23
88 גַּם־אֲנִי נָבִיא כָּמוֹךָ IK. 13:18
89 כָּמוֹנִי כָמוֹךָ כְּעַמִּי כְעַמֶּךָ IK. 22:4
90 כָּמֹנִי כָמוֹךָ כְּעַמִּי כְּעַמֶּךָ IIK. 3:7
91 מֵאֵין כָּמוֹךָ יְיָ Jer. 10:6
92 וּבְכָל־מַלְכוּתָם מֵאֵין כָּמוֹךָ Jer. 10:7
93 מִי־אֵל כָּמוֹךָ Mic. 7:18
94 יְיָ מִי כָמוֹךָ Ps. 35:10
95 דִּמִּיתָ הֱיוֹת־אֶהְיֶה כָמוֹךָ Ps. 50:21
96 אֱלֹהִים מִי כָמוֹךָ Ps. 71:19
97 אֵין־כָּמוֹךָ בָאֱלֹהִים אֲדֹנָי Ps. 86:8
98 מִי־כָמוֹךָ חֲסִין יָהּ Ps. 89:9
99 לְאִישׁ־כָּמוֹךָ רִשְׁעֶךָ Job 35:8
100 אֵין כָּמוֹךָ וְאֵין אֱלֹהִים זוּלָתֶךָ ICh. 17:20
101 אֵין־כָּמוֹךָ אֱלֹהִים IICh. 6:14
102 כָּמוֹנִי כָמוֹךָ וּכְעַמְּךָ עַמִּי IICh. 18:3

כָּמֹכָה 103 מִי־כָמֹכָה בָּאֵלִם יְיָ Ex. 15:11
104 מִי כָּמֹכָה נֶאְדָּר בַּקֹּדֶשׁ Ex. 15:11

כָּמֹהוּ 105/6 אֲשֶׁר לֹא־הָיָה כָמֹהוּ Ex. 9:18, 24
107 לְפָנָיו לֹא־הָיָה כֵן אַרְבֶּה כָּמֹהוּ Ex. 10:14
108 אֲשֶׁר כָּמֹהוּ לֹא נִהְיָתָה Ex. 11:6
109 וּבְמַתְכֻּנְתּוֹ לֹא תַעֲשׂוּ כָּמֹהוּ Ex, 30:32
110 אִישׁ אֲשֶׁר יִרְקַח כָּמֹהוּ Ex. 30:33
111 וּתְהִי אַחֲרִיתִי כָּמֹהוּ Num. 23:10
112 אוֹ הֲנִשְׁמַע כָּמֹהוּ Deut. 4:32
113 וְהָיִיתָ חֵרֶם כָּמֹהוּ Deut. 7:26
114 כִּי אֵין כָּמֹהוּ בְּכָל־הָעָם ISh. 10:24
115 וְאַחֲרָיו לֹא־הָיָה כָמֹהוּ IIK. 18:5
116 וְאַחֲרָיו לֹא־קָם כָּמֹהוּ IIK. 23:25
117 גָּדוֹל הַיּוֹם הַהוּא מֵאַיִן כָּמֹהוּ Jer. 30:7
118 אֲשֶׁר לֹא־אֶעֱשֶׂה כָמֹהוּ עוֹד Ezek. 5:9
119 כָּמֹהוּ לֹא נִהְיָה מִן־הָעוֹלָם Joel 2:2
120 הֲלוֹא כָמֹהוּ כְּאַיִן בְּעֵינֵיכֶם Hag. 2:3
121/2 כִּי אֵין כָּמֹהוּ בָּאָרֶץ Job 1:8; 2:3
123 מִי כָמֹהוּ מוֹרֶה Job 36:22
124 וּבְקוֹל כָּמֹהוּ תַרְעֵם Job 40:9
125 לֹא הָיָה מֶלֶךְ כָּמֹהוּ Neh. 13:26
126 וְלֹא־נַעֲשָׂה פֶסַח כָּמֹהוּ IICh. 35:18

וְכָמֹהוּ 127 וְכָמֹהוּ לֹא תֹסִף Ex. 11:6
128 וְכָמֹהוּ לֹא־הָיָה לְפָנָיו מֶלֶךְ IIK. 23:25

כָּמוֹהָ 129 אִישׁ אֲשֶׁר־יַעֲשֶׂה כָמוֹהָ Ex. 30:38
130 וַיֹּאמֶר דָּוִד אֵין כָּמוֹהָ ISh. 21:10
131 כָל־הַגֹּנֵב מִזֶּה כָּמוֹהָ נִקָּה Zech. 5:3
132 וְכָל־הַנִּשְׁבָּע מִזֶּה כָּמוֹהָ נִקָּה Zech. 5:3

כָּמוֹנוּ 133 נֵאוֹת לָכֶם אִם תִּהְיוּ כָמֹנוּ Gen. 34:15
134 אֲשֶׁר שָׁמַע...מְדַבֵּר...כָּמֹנוּ Deut. 5:23
135 כִּי־עַתָּה כָמֹנוּ עֲשָׂרָה אֲלָפִים IISh. 18:3
136 גַּם אַתָּה חֻלֵּיתָ כָמוֹנוּ Is. 14:10

כְּמוֹכֶם 137 גַּם־לִי לֵבָב כְּמוֹכֶם Job 12:3

כְּמוֹהֶם 138 כָּמוֹךָ כְמוֹהֶם אֶחָד כְּתֹאַר בְּנֵי... Jud. 8:18
139/40 כְּמוֹהֶם יִהְיוּ עֹשֵׂיהֶם Ps. 115:8; 135:18

כַּמֹּן

ז׳ צמח תבלין (Cuminum): 1–3

קֶצַח וְכַמֹּן 2, 3

כַּמֹּן 1 וְאוֹפַן עֲגָלָה עַל־כַּמֹּן יוּסָּב Is. 28:27
וְכַמֹּן 2 וְהֵפִיץ קֶצַח וְכַמֹּן יִזְרֹק Is. 28:25
3 בַּמַּטֶּה יֵחָבֶט קֶצַח וְכַמֹּן בַּשָּׁבֶט Is. 28:27

כָּמֻס

ת׳ טמון, גנוז

כָּמֻס 1 כָּמֻס עִמָּדִי חָתוּם בְּאוֹצְרֹתָי Deut. 32:34

כְּמוֹשׁ

שפ״ז – אליל מואב ועמון: 1–8 • עַם כְּמוֹשׁ 4,1

כְּמוֹשׁ 1 אוֹי־לְךָ מוֹאָב אָבַדְתָּ עַם־כְּמוֹשׁ Num. 21:29
2 אֵת אֲשֶׁר יוֹרִישְׁךָ כְּמוֹשׁ אֱלֹהֶיךָ Jud. 11:24
3 וְיָצָא כְמוֹשׁ (כת׳ כמיש) בַּגּוֹלָה Jer. 48:7
4 אוֹי־לְךָ מוֹאָב אָבַד עַם־כְּמוֹשׁ Jer. 48:46

לִכְמוֹשׁ 5 בָּמָה לִכְמוֹשׁ שִׁקֻּץ מוֹאָב IK. 11:7
6 וַיִּשְׁתַּחֲווּ...לִכְמוֹשׁ אֱלֹהֵי מוֹאָב IK. 11:33

וְלִכְמוֹשׁ 7 לְעַשְׁתֹּרֶת...וְלִכְמוֹשׁ שִׁקֻּץ מוֹאָב IIK. 23:13

מִכְּמוֹשׁ 8 וּבֹשׁ מוֹאָב מִכְּמוֹשׁ Jer. 48:13

כִּמְטַחֲוֵי

(בראשית כא16) – עין טחוה

כמר

: נִכְמַר; כֹּמֶר, כִּמְרִיר; מִכְמָר, מִכְמֹרֶת

(כמר) נִכְמַר

נפ׳ א) התחמם: 1–3

ב) נצרב: 4

נִכְמַר עוֹרוֹ 4; נִכְמְרוּ נִחוּמָיו 3; נִכְמְרוּ רַחֲמָיו 2,1

נִכְמְרוּ 1 כִּי־נִכְמְרוּ רַחֲמָיו אֶל־אָחִיו Gen. 43:30
2 כִּי־נִכְמְרוּ רַחֲמֶיהָ עַל־בְּנָהּ IK. 3:26
3 יַחַד נִכְמְרוּ נִחוּמָי Hosh. 11:8

נִכְמָרוּ 4 עוֹרֵנוּ כְּתַנּוּר נִכְמָרוּ Lam. 5:10

כֹּמֶר*

ז׳ כהן לבעל: 1–3 • שֵׁם הַכְּמָרִים 2

הַכְּמָרִים 1 וְהִשְׁבִּית אֶת־הַכְּמָרִים IIK. 23:5
2 וְהִכְרַתִּי...אֶת־שֵׁם הַכְּמָרִים Zep. 1:4
3 וּכְמָרָיו עָלָיו יָגִילוּ Hosh. 10:5

כִּמְרִיר*

ז׳ חשכה? חום לוהט?

כִּמְרִירֵי־ 1 יְבַעֲתֻהוּ כִּמְרִירֵי יוֹם Job 3:5

כֵּן[1]

תה״פ א) כך, ככה: רוב המקראות

ב) נכונה, אמת: 23, 83, 85, 89, 95, 96, 98

ג) פה, עתה: 108

אַחַר כֵּן 114-116; אַחֲרֵי כֵן 117-163; מֵאַחֲרֵי כֵן 164-166; אִם כֵּן 167, 168; וּבְכֵן 564, 565; כִּי כֵן 90, 92, 102,103, 105; הִנֵּה כִי כֵן 103; וַיְהִי כֵן 1-6; כְּ... כֵּן 88, 99, 111, 112; כֵּן... כַּאֲשֶׁר 8, 16; כַּאֲשֶׁר...כֵּן 11, 17, 19, 24-75; כְּכֹל אֲשֶׁר...כֵּן 7, 76-82; כָּל־עֻמַּת...כֵּן 107; כְּמוֹ...כֵּן 112; כְּמוֹת...כֵּן 106; כֵּן...וְכֵן 531; לֹא כֵן 169-187; עַד כֵּן 108; עַל כֵּן 188-333; כִּי עַל כֵּן 334-342

[לָכֵן – עין באות ל׳]

כֵּן 1-6 וַיְהִי־כֵן Gen. 1:7, 9, 11, 15, 24, 30
7 כְּכֹל אֲשֶׁר צִוָּה...כֵּן עָשָׂה Gen. 6:22
8 כֵּן תַּעֲשֶׂה כַּאֲשֶׁר דִּבַּרְתָּ Gen. 18:5
9 לֹא־יֵעָשֶׂה כֵן בִּמְקוֹמֵנוּ Gen. 29:26
10 וַיַּעַשׂ יַעֲקֹב כֵּן Gen. 29:28
11 וַיְהִי כַּאֲשֶׁר פָּתַר־לָנוּ כֵּן הָיָה Gen. 41:13
12 וַיַּעֲשׂוּ־כֵן Gen. 42:20
13 וַיַּעַשׂ לָהֶם כֵּן Gen. 42:25
14 וַיַּעֲשׂוּ־כֵן בְּנֵי יִשְׂרָאֵל Gen. 45:21
15 כִּי כֵּן יִמְלְאוּ יְמֵי הַחֲנֻטִים Gen. 50:3
16 וַיַּעֲשׂוּ בָנָיו לוֹ כֵּן כַּאֲשֶׁר צִוָּם Gen. 50:12
17 וְכַאֲשֶׁר יְעַנּוּ אֹתוֹ כֵּן יִרְבֶּה Ex. 1:12
18 וַיְדַבֵּר מֹשֶׁה כֵּן אֶל־בְּנֵי יִשְׂרָאֵל Ex. 6:9
19 כַּאֲשֶׁר צִוָּה יְיָ אֹתָם כֵּן עָשׂוּ Ex. 7:6
20 יְהִי כֵן יְיָ עִמָּכֶם Ex. 10:10
21 לְפָנָיו לֹא־הָיָה כֵן אַרְבֶּה כָּמֹהוּ Ex. 10:14
22 וְאַחֲרָיו לֹא יִהְיֶה־כֵּן Ex. 10:14
23 וַיֹּאמֶר מֹשֶׁה כֵּן דִּבַּרְתָּ... Ex. 10:29
24-25 כַּאֲשֶׁר צִוָּה יְיָ...כֵּן עָשׂוּ Ex. 12:28, 50
26-75 כַּאֲשֶׁר...כֵּן... Ex. 27:8; 39:43

כֵּן (המשך)

Lev. 4:20; 24:19, 20; 27:14 • Num. 2:17; 5:4; 14:28; 15:14; 17:26 • Deut. 12:22; 22:26; 28:63 • Josh. 10:1, 39; 11:15; 14:5; 23:15 • Jud. 1:7; 7:17; 15:11 • ISh. 15:33 • IISh. 16:19, 23 • IK. 1:37; 2:38 • Is. 10:11; 14:24; 29:8; 31:4; 52:14; 55:11; 65:8; 66:22 • Jer. 5:19; 13:11; 19:12; 31:27; 32:42; 39:12; 42:18 • Ezek. 12:11; 15:6; 20:36; • Hosh. 11:2 • Am. 3:12 • Zech. 8:13 • Ps. 48:9 • Prov. 24:29

76-82 כְּכֹל אֲשֶׁר...כֵּן... Ex. 39:32, 42; 40:16

Num. 1:54; 2:34; 9:5 • Josh. 1:17

83 כֵּן בְּנוֹת צְלָפְחָד דֹּבְרֹת Num. 27:7
84 וְאַף לַאֲמָתְךָ תַּעֲשֶׂה־כֵּן Deut. 15:17
85 כֵּן בָּאוּ אֵלַי הָאֲנָשִׁים Josh. 2:4
86 וְיִשָּׂשכָר כֵּן בָּרָק Jud. 5:15
87 כֵּן יֹאבְדוּ כָל־אוֹיְבֶיךָ יְיָ Jud. 5:31
88 כִּדְבָרְךָ כֵּן נַעֲשֶׂה Jud. 11:10
89 וְלֹא יָכִין לְדַבֵּר כֵּן Jud. 12:6
90 כִּי כֵּן יַעֲשׂוּ הַבַּחוּרִים Jud. 14:10
91 וְלֹא־מָצְאוּ לָהֶם כֵּן Jud. 21:11
92 וַיִּרְאוּ אַנְשֵׁי־אַשְׁדּוֹד כִּי־כֵן ISh. 5:7
93 וְגַם שָׁאוּל אָבִי יֹדֵעַ כֵּן ISh. 23:17
94 כִּי כֵּן אֶעֱשֶׂה הַיּוֹם הַזֶּה IK. 1:30
95 אָמֵן כֵּן יֹאמַר יְיָ IK. 1:36
96 כֵּן מִשְׁפָּטֶךָ אַתָּה חָרָצְתָּ IK. 20:40
97 אַל־יֹאמַר הַמֶּלֶךְ כֵּן IK. 22:8
98 וְעַמִּי אָהֲבוּ כֵן Jer. 5:31
99 כְּשִׁמְךָ אֱלֹהִים כֵּן תְּהִלָּתְךָ Ps. 48:11
100 כֵּן בַּקֹּדֶשׁ חֲזִיתִךָ Ps. 63:3
101 כֵּן אֲבָרֶכְךָ בְחַיָּי Ps. 63:5
102 תָּכִין דְּגָנָם כִּי־כֵן תְּכִינֶהָ Ps. 65:10
103 הִנֵּה כִי־כֵן יְבֹרַךְ גָּבֶר Ps. 128:4
104 וּבְאָדָם מֵבִין יֹדֵעַ כֵּן יַאֲרִיךְ Prov. 28:2
105 אָמְנָם יָדַעְתִּי כִי־כֵן Job 9:2
106 כְּמוֹת זֶה כֵּן מוֹת זֶה Eccl. 3:19
107 כָּל־עֻמַּת שֶׁבָּא כֵּן יֵלֵךְ Eccl. 5:15
108 וְלַיְּהוּדִים...עַד־כֵּן לֹא הִגַּדְתִּי Neh. 2:16

כֶּן־ 109/10 כְדִבְרֵיכֶם כֶּן־הוּא Gen. 44:10 • Josh. 2:21
111 כִּי כִשְׁמוֹ כֶּן־הוּא ISh. 25:25
112 כְּמוֹ שָׁעַר־בְּנַפְשׁוֹ כֶּן הוּא Prov. 23:7
113 הִנֵּה־זֹאת חֲקַרְנוּהָ כֶּן־הִיא Job 5:27

אַחַר כֵּן 114 אַחַר כֵּן תָּבוֹא גִּבְעַת הָאֱלֹהִים ISh. 10:5

וְאַחַר כֵּן 115 וְאַחַר כֵּן יָבֹא הַכֹּהֵן Lev. 14:36
116 וְאַחַר כֵּן תָּבוֹא אֵלֶיהָ Deut. 21:13

אַחֲרֵי־כֵן 117 וְגַם אַחֲרֵי־כֵן אֲשֶׁר יָבֹאוּ... Gen. 6:4
118 מִפְּנֵי הָרָעָב הַהוּא אַחֲרֵי־כֵן Gen. 41:31
119 אַחֲרֵי־כֵן יְשַׁלַּח אֶתְכֶם Ex. 11:1
120 וַיַּכֵּם יְהוֹשֻׁעַ אַחֲרֵי־כֵן Josh. 10:26
121 וַיְהִי אַחֲרֵי־כֵן וַיֶּאֱהַב אִשָּׁה Jud. 16:4

וְאַחֲרֵי־כֵן 122 וְאַחֲרֵי־כֵן יֵצְאוּ בִּרְכֻשׁ גָּדוֹל Gen. 15:14
123 וְאַחֲרֵי־כֵן קָבַר אַבְרָהָם... Gen. 23:19
124-163 (וְ)אַחֲרֵי־כֵן Gen. 25:26

32:21(20); 45:15 • Ex. 3:20; 11:8; 34:32 • Lev. 16:26, 28 • Num. 4:15; 8:15, 22; 9:17 • Josh. 8:34 • ISh. 9:13; 24:6(5), 9(8) • IISh. 2:1; 8:1; 10:1; 13:1; 21:14, 18; 24:10 • IIK. 6:24 • Is. 1:26 • Jer. 16:16; 21:7; 34:11; 46:26; 49:6 • Joel 3:1 • Job 3:1 • Ez. 3:5 • ICh. 18:1; 19:1; 20:4 • IICh. 20:1, 35; 24:4; 33:14

מֵאַחֲרֵי־כֵן 164 וַיִּשְׁמַע דָּוִד מֵאַחֲרֵי כֵן IISh. 3:28
165 וַיְהִי מֵאַחֲרֵי כֵן וַיַּעַשׂ לוֹ אַבְשָׁלוֹם IISh. 15:1
166 וַיִּנַּשֵּׂא לְעֵינֵי...הַגּוֹיִם מֵאַחֲרֵי־כֵן IICh. 32:23

אִם־כֵּן 167 אִם־כֵּן לָמָּה זֶּה אָנֹכִי Gen. 25:22
168 אִם־כֵּן אֵפוֹא זֹאת עֲשׂוּ Gen. 43:11
לֹא כֵן 169 לֹא־כֵן אָבִי כִּי־זֶה הַבְּכֹר Gen. 48:18
170 לֹא כֵן לְכוּ־נָא הַגְּבָרִים Ex. 10:11
171 לֹא־כֵן עַבְדִּי מֹשֶׁה Num. 12:7
172 לֹא כֵּן נָתַן לְךָ יְיָ אֱלֹהֶיךָ Deut. 18:14
173 לֹא־כֵן אֹחִילָה לְפָנֶיךָ II Sh. 18:14
174 לֹא כֵן הַדָּבָר II Sh. 20:21
175-187 (וְ)לֹא כֵן II Sh. 23:5
IIK. 7:9; 17:9 • Is. 10:7²; 16:6 • Jer. 8:6; 23:10; 48:30² • Ps. 1:4 • Prov. 15:7 • Job 9:35
עַל־כֵּן 188 עַל־כֵּן יַעֲזָב־אִישׁ אֶת־אָבִיו... Gen. 2:24
189 עַל־כֵּן יֵאָמַר כְּנִמְרֹד גִּבּוֹר צַיִד Gen. 10:9
190 עַל־כֵּן קָרָא שְׁמָהּ בָּבֶל Gen. 11:9
191 עַל־כֵּן קָרָא לַבְּאֵר... Gen. 16:14
192 עַל־כֵּן לֹא־יֹאכְלוּ בְנֵי־יִשְׂ׳ Gen. 32:32
193 עַל־כֵּן בָּאָה אֵלֵינוּ הַצָּרָה Gen. 42:21
194 עַל־כֵּן בֵּרַךְ יְיָ אֶת־יוֹם הַשַּׁבָּת Ex. 20:11
195 עַל־כֵּן אוֹדְךָ יְיָ בַּגּוֹיִם II Sh. 22:50
196 עַל־כֵּן מְשַׁכְתִּיךְ חָסֶד Jer. 31:3(2)
197 עַל־כֵּן לֹא יָקֻמוּ רְשָׁעִים Ps. 1:5
198 עַל־כֵּן אוֹדְךָ בַגּוֹיִם יְיָ Ps. 18:50
199-332 עַל כֵּן Gen. 19:22; 20:6; 21:31
25:30; 29:34; 31:48; 26:33; 29:35; 30:6; 33:17; 47:22; 50:11 • Ex. 5:8, 17; 13:15; 15:23; 16:29 • Lev. 17:12 • Num. 18:24; 21:14, 27 • Deut. 5:15; 10:9; 15:11, 15; 19:7; 24:18, 22 • Josh. 7:26; 14:14 • Jud. 15:19; 18:12 • ISh. 5:5; 10:12; 19:24; 20:29; 23:28; 28:18 • IISh. 5:8, 20; 7:22, 27 • IK. 9:9; 20:23 • Is. 5:25; 9:16; 13:7, 13; 15:4, 7; 16:9, 11; 17:10; 21:3; 22:4; 24:6², 15; 25:3; 27:11; 30:16²; 50:7²; 57:10; 59:9 • Jer. 5:6, 27; 10:21; 12:8; 20:11; 31:20(19); 44:23; 48:11, 31, 36²; 51:7 • Ezek. 7:20; 22:4; 31:5; 41:7; 42:6; 44:12 • Hosh. 4:3, 13; 6:5; 13:6 • Am. 3:2 • Jon. 4:2 • Hab. 1:4², 15, 16 • Hag. 1:10 • Zech. 10:2 • Ps. 25:8; 42:7; 45:3, 8, 18; 46:3; 110:7; 119:104; 119:127, 128, 129 • Prov. 6:15; 7:15 • Job 6:3; 9:22; 17:4; 20:21; 22:10; 23:15; 32:6; 34:27; 42:6 • S.of S. 1:3 • Lam. 1:8; 3:21, 24 • Eccl. 5:1; 8:11 • Es. 9:19, 26² • Neh. 6:6 • ICh. 11:7; 14:11; 17:25 • IICh. 7:22; 16:7; 20:26
הַעַל־כֵּן 333 הַעַל־כֵּן יָרִיק חֶרְמוֹ Hab. 1:17
כִּי(־)עַל־כֵּן 334 כִּי־עַל־כֵּן עֲבַרְתֶּם Gen. 18:5
335 כִּי־עַל־כֵּן בָּאוּ בְּצֵל קֹרָתִי Gen. 19:8
336 כִּי עַל־כֵּן רָאִיתִי פָנֶיךָ... Gen. 33:10
337 כִּי־עַל־כֵּן לֹא־נְתַתִּיהָ לְשֵׁלָה Gen. 38:26
338 כִּי עַל־כֵּן יָדַעְתָּ חֲנֹתֵנוּ Num. 10:31
339 כִּי־עַל־כֵּן שַׁבְתֶּם מֵאַחֲרֵי יְיָ Num. 14:43
340 כִּי־עַל־כֵּן רָאִיתִי מַלְאַךְ יְיָ Jud. 6:22
340א כִּי־עַל כֵּן (לא כתיב) בֶּן־הַמֶּלֶךְ מֵת II Sh. 18:20
341 כִּי עַל־כֵּן שָׁלַח אֵלֵינוּ Jer. 29:28
342 כִּי עַל־כֵּן הוּא מְרַפֵּא אֶת־יְדֵי Jer. 38:4
343-529 כֵּן Ex. 7:10, 11, 20, 22; 8:3, 13
8:14, 20, 22; 14:4; 16:17; 17:6; 22:29; 23:11; 25:33; 26:17, 24; 36:11, 22, 29; 37:19 • Lev. 8:35; 10:13; 27:12; 5:4; 6:21; 8:3, 4, 20, 22; 9:14, 16; 15:20; 18:28; 32:23, 31; 36:5, 10 • Deut. 3:21; 4:5; 7:19; 8:20; 12:4; 30, 31; 20:15 • Josh. 4:8; 5:15; 9:26; 10:23; 21:40 • Jud. 2:17; 6:20, 38, 40; 21:23 • ISh. 1:7; 6:10; 8:8; 9:13; 26:24; 30:23 • IISh. 3:9; 5:25; 7:17; 9:11, 13:12, 18, 35; 14:17; 16:10 • IK. 2:7; 10:12, 20; 12:32; 13:9; 14:4; 20:25; 22:12, 22 • IIK. 2:10; 7:20; 15:12; 16:11; 18:21 • Is. 20:2, 4; 26:17;
31:5; 36:6; 38:13, 14; 47:15; 52:15; 54:9; 55:9; 61:11; 63:14; 66:13 • Jer. 2:26; 3:20; 5:27; 6:7; 14:10; 18:6; 24:5, 8; 28:6; 33:22; 34:5; 38:12; 42:5, 20 • Ezek. 1:28; 11:5; 12:7; 22:20, 22; 23:44; 33:10; 34:12; 35:15; 36:38; 42:11 • Hosh. 4:7 • Joel 2:4 • Am. 4:5; 5:14 • Hag. 2:14 • Zech. 1:6; 7:13; 8:15; 11:11 • Ps. 42:2; 48:6; 61:9; 83:16; 90:12; 103:15; 123:2; 127:2, 4; 147:20 • Prov. 1:19; 6:29; 10:26; 11:19; 24:14; 26:1, 2, 8, 19; 27:8, 19; 30:20 • Job 7:3, 9; 8:13 • S.of S. 2:2, 3 • Eccl. 7:6; 8:10 • Es. 1:8, 13; 2:4, 12; 3:2; 4:16; 6:10; 7:5; 9:14 • Ez. 10:12, 16 • Neh. 5:12, 15; 6:13; 8:17 • ICh. 13:4; 17:15 • IICh. 1:12²; 8:14; 9:19; 18:7, 11, 21; 32:17
וְכֵן 530 וְכֵן לֹא יֵעָשֶׂה Gen. 34:7
531 כֵּן יִרְבֶּה וְכֵן יִפְרֹץ Ex. 1:12
532 כְּכֹל אֲשֶׁר אֲנִי מַרְאֶה...וְכֵן תַּעֲשׂוּ Ex. 25:9
533 וְכֵן הָיִינוּ בְּעֵינֵיהֶם Num. 13:33
534 מִמֶּנִּי תִרְאוּ וְכֵן תַּעֲשׂוּ Jud. 7:17
535 אִם־שְׁלֵמִים וְכֵן רַבִּים Nah. 1:12
536 וְכֵן נָגֹזּוּ וְעָבָר Nah. 1:12
537-563 וְכֵן Ex. 26:4; 27:11
Lev. 16:16 • Num. 2:34 • Deut. 22:3³ • Josh. 11:15 • ISh. 1:7 • IISh. 12:31; 20:18 • IK. 6:26, 33; 7:18; 10:29; 11:8 • Ezek. 40:16; 41:7; 45:20 • Hag. 2:14² • Zech. 14:15 • ICh. 20:3; 23:30 • IICh. 1:17; 32:31; 35:12
וּבְכֵן 564 וּבְכֵן רָאִיתִי רְשָׁעִים קְבֻרִים Eccl. 8:10
565 וּבְכֵן אָבוֹא אֶל־הַמֶּלֶךְ...לֹא־כַדָּת Es. 4:16

כֵּן²
ת׳ נכון, ישר: 1–5
כֵּנִים 1 כֵּנִים אֲנַחְנוּ לֹא־הָיוּ עֲבָדֶיךָ מְרַגְּלִים Gen. 42:11
2 אִם־כֵּנִים אַתֶּם אֲחִיכֶם...יֵאָסֵר Gen. 42:19
3 כֵּנִים אֲנָחְנוּ לֹא הָיִינוּ מְרַגְּלִים Gen. 42:31
4 בְּזֹאת אֵדַע כִּי כֵנִים אַתֶּם Gen. 42:33
5 לֹא מְרַגְּלִים אַתֶּם כִּי כֵנִים אַתֶּם Gen. 42:34

כֵּן³
ז׳ א) בסיס, יסוד: 1–3, 6–13, 17
ב) [בהשאלה] מעמד, כהונה: 4, 5, 14–16
הֵשִׁיב עַל כַּנּוֹ 4, 5
כֵּן 1 וְעַל־הַשְּׁלַבִּים כֵּן מִמָּעַל IK. 7:29
2 וּפִיהָ עָגֹל מַעֲשֵׂה־כֵן IK. 7:31
כֵּן־ 3 בַּל־יְחַזְּקוּ כֵן־תָּרְנָם Is. 33:23
כַּנִּי 4 אֹתִי הֵשִׁיב עַל־כַּנִּי Gen. 41:13
כַּנֶּךָ 5 וַהֲשִׁיבְךָ עַל־כַּנֶּךָ Gen. 40:13
כַּנּוֹ 6-12 (וְ)אֶת־הַכִּיֹּר (...)וְאֶת־כַּנּוֹ Ex. 30:28
31:9; 35:16; 38:8; 39:39; 40:11 • Lev. 8:11
13 וְעָמַד מִנֵּצֶר שָׁרָשֶׁיהָ כַּנּוֹ Dan. 11:7
14-15 וְעָמַד עַל־כַּנּוֹ Dan. 11:20, 21
16 וְלֶאֱלֹהַּ מָעֻזִּים עַל־כַּנּוֹ יְכַבֵּד Dan. 11:38
וְכַנּוֹ 17 כִּיּוֹר נְחֹשֶׁת וְכַנּוֹ נְחֹשֶׁת Ex. 30:18

כֵּן⁴
ז׳ חרק מוצץ דם: 1–7
כֵּן 1 וְיֹשְׁבֶיהָ כְּמוֹ־כֵן יְמוּתוּן Is. 51:6
כִּנִּים 2 כָּל־עֲפַר הָאָרֶץ הָיָה כִנִּים Ex. 8:13
3 וַיָּבֹא עָרֹב כִּנִּים בְּכָל־גְּבוּלָם Ps. 105:31
הַכִּנִּים 4 וַיַּעֲשׂוּ־כֵן...לְהוֹצִיא אֶת־הַכִּנִּים Ex. 8:14
לְכִנִּם 5 וְהָיָה לְכִנִּם בְּכָל־אֶרֶץ מִצְרָיִם Ex. 8:12
הַכִּנָּם 6/7 וַתְּהִי הַכִּנָּם בָּאָדָם וּבַבְּהֵמָה Ex. 8:13, 14

כֵּן⁵
ארמית — כמו בעברית: כֵּן¹: 1–7
כֵּן 1 כֵּן אֲמַר חֵיוְתָא רְבִיעָיְתָא Dan. 7:23
וְכֵן 2/3 וְכֵן אֲמַר־לֵהּ Dan. 2:24, 25
4 קָרֵא בְחַיִל וְכֵן אָמַר Dan. 4:11
5 הַרְגִּשׁוּ...וְכֵן אָמְרִין לֵהּ Dan. 6:7
6 אֲתָה עֲלֵיהוֹן...וְכֵן אָמְרִין לְהֹם Ez. 5:3
7 וְכֵן־כְּתִיב בְּגַוַּהּ דִּכְרוֹנָה Ez. 6:2

כִּנָּה
פ׳ קרא בשם: 1–4
אֲכַנֶּה 1 וְאֶל־אָדָם לֹא אֲכַנֶּה Job 32:21
2 כִּי לֹא יָדַעְתִּי אֲכַנֶּה Job 32:22
אֲכַנְּךָ 3 אֲכַנְּךָ וְלֹא יְדַעְתָּנִי Is. 45:4
יְכַנֶּה 4 וּבְשֵׁם יִשְׂרָאֵל יְכַנֶּה Is. 44:5

כַּנָּה
נ׳ נטע
וְכַנָּה 1 וְכַנָּה אֲשֶׁר־נָטְעָה יְמִינֶךָ Ps. 80:16

כַּנֵּה
שם מקום, מקוצר מן כַּלְנֵה
וְכַנֵּה 1 חָרָן וְכַנֵּה וָעֶדֶן רֹכְלֵי שְׁבָא Ezek. 27:23

כְּנָוָן
ארמית רבוי מן כְּנָת – עין כְּנָת

כִּנּוֹר
ז׳ כְּלִי נגינה (בעל מיתרים?): 1–42
קרובים: חָלִיל / מְצִלְתַּיִם / מַשְׁרוֹקִית* / נֵבֶל / עוּגָב / סוּמְפּוֹנְיָה / פְּסַנְתֵּרִין / קֶרֶן* / קַתְרוֹס / שַׂבְּכָא / תֹּף
כִּנּוֹר וָנֵבֶל 2, 5, 7, 8, 10, 27–32, 34, 35, 37–41; כִּנּוֹר וְעוּגָב 1; תֹּף וְכִנּוֹר 9, 11, 23, 36; מְשׂוֹשׂ כִּנּוֹר 4; קוֹל כִּנּוֹר 26
כִּנּוֹר 1 אֲבִי כָּל־תֹּפֵשׂ כִּנּוֹר וְעוּגָב Gen. 4:21
2 כִּנּוֹר וָנֶבֶל תֹּף וְחָלִיל Is. 5:12
3 קְחִי כִנּוֹר סֹבִּי עִיר Is. 23:16
4 שָׁבַת מְשׂוֹשׂ כִּנּוֹר Is. 24:8
5 כִּנּוֹר נָעִים עִם־נָבֶל Ps. 81:3
וְכִנּוֹר 6 נֵבֶל וְתֹף וְחָלִיל וְכִנּוֹר I Sh. 10:5
7/8 עוּרָה הַנֵּבֶל וְכִנּוֹר Ps. 57:9; 108:3
9 בְּתֹף וְכִנּוֹר יְזַמְּרוּ־לוֹ Ps. 149:3
10 הַלְלוּהוּ בְּנֵבֶל וְכִנּוֹר Ps. 150:3
11 יִשְׂאוּ כְּתֹף וְכִנּוֹר Job 21:12
הַכִּנּוֹר 12 וְלָקַח דָּוִד אֶת־הַכִּנּוֹר וְנִגֵּן בְּיָדוֹ I Sh. 16:23
בַּכִּנּוֹר 13 אִישׁ יֹדֵעַ מְנַגֵּן בַּכִּנּוֹר I Sh. 16:16
14 עַל־יְדֵי אֲבִיהֶם יְדוּתוּן בַּכִּנּוֹר ICh. 25:3
בְּכִנּוֹר 15 הוֹדוּ לַייָ בְּכִנּוֹר Ps. 33:2
16 וְאוֹדְךָ בְכִנּוֹר אֱלֹהִים אֱלֹהָי Ps. 43:4
17 אֶפְתַּח בְּכִנּוֹר חִידָתִי Ps. 49:5
18 אֲזַמְּרָה לְךָ בְכִנּוֹר קְדוֹשׁ יִשְׂרָאֵל Ps. 71:22
19 עֲלֵי־עָשׂוֹר...עֲלֵי הִגָּיוֹן בְּכִנּוֹר Ps. 92:4
20 זַמְּרוּ לַייָ בְּכִנּוֹר Ps. 98:5
21 בְּכִנּוֹר וְקוֹל זִמְרָה Ps. 98:5
22 זַמְּרוּ לֵאלֹהֵינוּ בְכִנּוֹר Ps. 147:7
וּבְכִנּוֹר 23 בְּשִׂמְחָה וּבְשִׁרִים בְּתֹף וּבְכִנּוֹר Gen. 31:27
כַּכִּנּוֹר 24 מֵעַי לְמוֹאָב כַּכִּנּוֹר יֶהֱמוּ Is. 16:11
כִּנֹּרִי 25 וַיְהִי לְאֵבֶל כִּנֹּרִי Job 30:31
כִּנּוֹרַיִךְ 26 וְקוֹל כִּנּוֹרַיִךְ לֹא יִשָּׁמַע עוֹד Ezek. 26:13
וְכִנֹּרוֹת 27-28 וְכִנֹּרוֹת וּנְבָלִים ... IK. 10:12 • IICh. 9:11
29 נְבָלִים וְכִנֹּרוֹת וּמְצִלְתָּיִם ICh. 15:16
30 מַשְׁמִעִים בִּנְבָלִים וְכִנֹּרוֹת ICh. 15:28
31 בִּמְצִלְתַּיִם נְבָלִים וְכִנֹּרוֹת ICh. 25:6
32 בִּמְצִלְתַּיִם וּבִנְבָלִים וְכִנֹּרוֹת IICh. 5:12
בְּכִנֹּרוֹת 33 בְּכִנֹּרוֹת עַל־הַשְּׁמִינִית לְנַצֵּחַ ICh. 15:21
34 בְּכִנֹּרוֹת בִּנְבָלִים וּבִמְצִלְתָּיִם ICh. 25:1
וּבְכִנֹּרוֹת 35 וּבְכִנֹּרוֹת וּנְבָלִים וּבְתֻפִּים II Sh. 6:5
36 יָנִיחַ יְיָ עָלָיו בְּתֻפִּים וּבְכִנֹּרוֹת Is. 30:32
37 מְצִלְתַּיִם נְבָלִים וּבְכִנֹּרוֹת Neh. 12:27
38 וּבְכִנֹּרוֹת וּבִנְבָלִים וּבְתֻפִּים ICh. 13:8
39 בִּכְלֵי נְבָלִים וּבְכִנֹּרוֹת ICh. 16:5
40 בִּנְבָלִים וּבְכִנֹּרוֹת וּבַחֲצֹצְרוֹת IICh. 20:28
41 בִּמְצִלְתַּיִם בִּנְבָלִים וּבְכִנֹּרוֹת IICh. 29:25
כִּנּוֹרוֹתֵינוּ 42 עַל־עֲרָבִים...תָּלִינוּ כִּנֹּרוֹתֵינוּ Ps. 137:2

כְּנוֹת ז״ר (עזרא ד7) – עין כְּנָת

כָּנְיָהוּ שפ״ז – הוּא יהוֹיָכין מלך יהודה: 1–3

כָּנְיָהוּ 1-2 כָּנְיָהוּ בֶּן־יְהוֹיָקִים Jer. 22:24; 37:1

3 הַעֶצֶב נִבְזֶה נָפוּץ...כָּנְיָהוּ Jer. 22:28

כַּנְּלֹתְךָ פּעל סתוּם – ״כְּכַלֹּתְךָ״(?)

כַּנְּלֹתְךָ 1 כַּנְּלֹתְךָ לִבְגֹּד יִבְגְּדוּ־בָךְ Is. 33:1

כְּנָם ז׳ שם קבוּצי מן כֵּן⁴ – עין כֵּן⁴

כְּנֵמָא תה״פ ארמית: כּנאמר, לאמר: 1–4

כְּנֵמָא 1 כְּתַבוּ אִגְּרָה...לְאַרְתַּחְשַׁשְׂתָּא...כְּנֵמָא Ez. 4:8

2 אֱדַיִן כְּנֵמָא אֲמַרְנָא לְהֹם Ez. 5:4

3 דִּי־שְׁלַח...כְּנֵמָא אָסְפַּרְנָא עֲבַדוּ Ez. 6:13

וּכְנֵמָא 4 וּכְנֵמָא פִתְגָמָא הֲתִיבוּנָא לְמֵמַר Ez. 5:11

כנן : כֵּן³, כֵּן⁴, כַּנָּה; ש״פ כְּנָנִי, כְּנַנְיָה(וּ), כָּנַנְיָהוּ

כְּנָנִי שפ״ז – לוי מעולי הגולה בימי עזרא

כְּנָנִי 1 וַיָּקָם...שֵׁרֵבְיָה בָּנִי כְנָנִי Neh. 9:4

כְּנַנְיָה שפ״ז – שׂר הלוים המשוררים בימי דוד

וּכְנַנְיָה 1 וּכְנַנְיָה הַשַּׂר הַמַּשָּׂא הַמְשֹׁרְרִים ICh. 15:27

כְּנַנְיָהוּ שפ״ז – הוּא כְּנַנְיָה

וּכְנַנְיָהוּ 1 וּכְנַנְיָהוּ שַׂר־הַלְוִיִּם בְּמַשָּׂא ICh. 15:22

כָּנַנְיָהוּ שפ״ז – נגיד התרוּמה והמעשׂר בימי חזקיהוּ: 1–4

כְּנַנְיָהוּ 1 לַיִּצְהָרִי כְּנַנְיָהוּ וּבָנָיו ICh. 26:29

2 וַעֲלֵיהֶם נָגִיד כָּנַנְיָהוּ (כת׳ כוּנניהו) IICh. 31:12

3 פְּקִידִים מִיַּד כָּנַנְיָהוּ (כת׳ כוּנניהו) IICh. 31:13

וְכָנַנְיָהוּ 4 וְכָנַנְיָהוּ (כת׳ וכוּנניהו) וּשְׁמַעְיָהוּ IICh. 35:9

כנס : כָּנַס, כִּנֵּס, הִתְכַּנֵּס; מִכְנָסַיִם

כָּנַס פָּ׳ א) אסף, הקהיל: 1-7

ב) [פִּ׳ כִּנֵּס] הקהיל: 8-10

ג) [הת׳ הִתְכַּנֵּס] התכּוֵץ: 11

קרובים: ראה אָסַף

כְּנוֹס 1 עֵת לְהַשְׁלִיךְ אֲבָנִים וְעֵת כְּנוֹס אֲבָנִים Eccl. 3:5

לִכְנוֹס 2 לִכְנוֹס בָּהֶם לִשְׂדֵי־הֶעָרִים Neh. 12:44

3 לִכְנוֹס אֶת־הַגֵּרִים אֲשֶׁר בְּאֶ״י ICh. 22:2(1)

וְלִכְנוֹס 4 וְלַחוֹטֶא נָתַן עִנְיָן לֶאֱסֹף וְלִכְנוֹס Eccl. 2:26

כָּנַסְתִּי 5 כָּנַסְתִּי לִי גַּם־כֶּסֶף וְזָהָב Eccl. 2:8

כֹּנֵס 6 כֹּנֵס כַּנֵּד מֵי הַיָּם Ps. 33:7

כְּנוֹס 7 לֵךְ כְּנוֹס אֶת־כָּל־הַיְּהוּדִים Es. 4:16

וְכִנַּסְתִּי 8 וְכִנַּסְתִּי אֶתְכֶם וְנָפַחְתִּי עֲלֵיכֶם Ezek. 22:21

וְכִנַּסְתִּים 9 וְכִנַּסְתִּים אֶל־אַדְמָתָם Ezek. 39:28

יְכַנֵּס 10 נִדְחֵי יִשְׂרָאֵל יְכַנֵּס Ps. 147:2

כְּהִתְכַּנֵּס 11 וְהַמַּסֵּכָה צָרָה כְּהִתְכַּנֵּס Is. 28:20

כנע : נִכְנַע, הִכְנִיעַ; כִּנְעָה, כְּנַעַן; ש״פ כְּנַעַן, כְּנַעֲנָה, כְּנַעֲנִי

(כנע) נִכְנַע נִפ׳ א) קבל מָרוּת: 1-25

ב) [הִפ׳ הִכְנִיעַ] הטיל מרוּת, נצח: 26-36

– נִכְנַע 1-3,8-10,14,16,19-21,23-25; נִכְנַע לִפְנֵי־ 12,15;
נִכְנַע מִלִּפְנֵי־ 4, 6, 7, 13, 17; נִכְנַע מִפְּנֵי־ 5,11,20
– נִכְנַע תַּחַת יָדוֹ 18, 22

כְּהִכָּנַע 1 וְלֹא נִכְנַע...כְּהִכָּנַע מְנַשֶּׁה אָבִיו IICh. 33:23

הִכָּנְעוֹ 2 וְהֶעֱמִיד הָאֲשֵׁרִים...לִפְנֵי הִכָּנְעוֹ IICh. 33:19

וּבְהִכָּנְעוֹ 3 וּבְהִכָּנְעוֹ שָׁב מִמֶּנּוּ אַף־יְיָ IICh. 12:12

נִכְנַע 4 הֲרָאִיתָ כִּי־נִכְנַע אַחְאָב מִלְּפָנָי IK. 21:29

5 יַעַן כִּי־נִכְנַע מִפָּנַי IK. 21:29

6 וְלֹא נִכְנַע מִלִּפְנֵי יְיָ IICh. 33:23

7 לֹא נִכְנַע מִלִּפְנֵי יִרְמְיָהוּ הַנָּבִיא IICh. 36:12

נִכְנְעוּ 8 נִכְנְעוּ לֹא אַשְׁחִיתֵם IICh. 12:7

9 נִכְנְעוּ וַיָּבֹאוּ לִירוּשָׁלִָם IICh. 30:11

נִכְנָעוּ 10 וּבִרְאוֹת יְיָ כִּי נִכְנָעוּ IICh. 12:7

וַתִּכָּנַע 11 יַעַן רַךְ לְבָבְךָ וַתִּכָּנַע מִפְּנֵי יְיָ IIK. 22:19

12 בְּשָׁמְעֲךָ...וַתִּכָּנַע לְפָנַי IICh. 34:27

13 יַעַן רַךְ־לְבָבְךָ וַתִּכָּנַע מִלִּפְנֵי אֱל IICh. 34:27

יִכָּנַע 14 אוֹ־אָז יִכָּנַע לְבָבָם הֶעָרֵל Lev. 26:41

וַיִּכָּנַע 15 וַיִּכָּנַע מִדְיָן לִפְנֵי בְּנֵי יִשְׂרָאֵל Jud. 8:28

16 וַיִּכָּנַע יְחִזְקִיָּהוּ בְּגֹבַהּ לִבּוֹ IICh. 32:26

17 וַיִּכָּנַע מְאֹד מִלִּפְנֵי אֱלֹהֵי אֲבֹתָיו IICh. 33:12

וַתִּכָּנַע 18 וַתִּכָּנַע מוֹאָב...תַּחַת יַד יִשְׂרָאֵל Jud. 3:30

וְיִכָּנְעוּ 19 וְיִכָּנְעוּ עַמִּי...וְיִתְפַּלְלוּ... IICh. 7:14

וַיִּכָּנְעוּ 20 וַיִּכָּנְעוּ בְּנֵי עַמּוֹן מִפְּנֵי בְּ״י Jud. 11:33

21 וַיִּכָּנְעוּ הַפְּלִשְׁתִּים וְלֹא־יָסְפוּ... ISh. 7:13

22 וַיִּלְחָצוּם...וַיִּכָּנְעוּ תַּחַת יָדָם Ps. 106:42

23 וַיִּכָּנְעוּ שָׂרֵי יִשְׂרָאֵל וְהַמֶּלֶךְ IICh. 12:6

24 וַיִּכָּנְעוּ בְנֵי־יִשְׂרָאֵל בָּעֵת הַהִיא IICh. 13:18

וַיִּכָּנֵעוּ 25 אָז הִכָּה...מִילִידֵי הָרְפָאִים וַיִּכָּנֵעוּ ICh. 20:4

הִכְנִיעַ 26 כִּי־הִכְנִיעַ יְיָ אֶת־יְהוּדָה IICh. 28:19

וְהִכְנַעְתִּי 27 וְהִכְנַעְתִּי אֶת־כָּל־אוֹיְבֶיךָ ICh. 17:10

אַכְנִיעַ 28 כִּמְעַט אוֹיְבֵיהֶם אַכְנִיעַ Ps. 81:15

תַּכְנִיעַ 29 כְּחֹרֶב בְּצָיוֹן שְׁאוֹן זָרִים תַּכְנִיעַ Is. 25:5

וַתַּכְנַע 30 וַתַּכְנַע לִפְנֵיהֶם אֶת...הַכְּנַעֲנִים Neh. 9:24

וַיַּכְנַע 31 וַיַּכְנַע אֱלֹהִים...לִפְנֵי בְּ״י Jud. 4:23

32 וַיַּכְנַע בֶּעָמָל לִבָּם Ps. 107:12

יַכְנִיעֵם 33 וְהוּא יַכְנִיעֵם לְפָנֶיךָ Deut. 9:3

וַיַּכְנִיעֵם 34 וַיַּךְ דָּוִד אֶת־פְּלִשְׁתִּים וַיַּכְנִיעֵם IISh. 8:1

35 וַיַּךְ דָּוִיד אֶת־פְּלִשְׁתִּים וַיַּכְנִיעֵם ICh. 18:1

הַכְנִיעֵהוּ 36 רְאֵה כָל־גֵּאֶה הַכְנִיעֵהוּ Job 40:12

כִּנְעָה* נ׳ סחוֹרה

כִּנְעָתֵךְ 1 אִסְפִּי מֵאֶרֶץ כִּנְעָתֵךְ יוֹשֶׁבֶת° בַּמָּצוֹר Jer. 10:17

כְּנַעַן¹ שפ״ז – הבן הרביעי לחָם בן נֹח: 1–13

אֲבִי כְנַעַן 1,4; בְּנוֹת כְּנַעַן 6–9

כְּנַעַן 1 וַיַּרְא חָם אֲבִי כְנַעַן אֵת עֶרְוַת אָבִיו Gen. 9:22

2-3 וִיהִי כְנַעַן עֶבֶד לָמוֹ Gen. 9:26, 27

כְּנָעַן 4 וְחָם הוּא אֲבִי כְנָעַן Gen. 9:18

5 וַיֹּאמֶר אָרוּר כְּנָעַן Gen. 9:25

6/7 לֹא־תִקַּח אִשָּׁה מִבְּנוֹת כְּנָעַן Gen. 28:1, 6

8 וַיַּרְא עֵשָׂו כִּי רָעוֹת בְּנוֹת כְּנָעַן Gen. 28:8

9 עֵשָׂו לָקַח אֶת־נָשָׁיו מִבְּנוֹת כְּנָעַן Gen. 36:2

וּכְנַעַן 10 וּכְנַעַן יָלַד אֶת־צִידֹן בְּכֹרוֹ Gen. 10:15

11 וּכְנַעַן יָלַד אֶת־צִידוֹן בְּכֹרוֹ ICh. 1:13

וּכְנָעַן 12 כּוּשׁ וּמִצְרַיִם וּפוּט וּכְנָעַן Gen. 10:6

13 כּוּשׁ וּמִצְרַיִם פּוּט וּכְנָעַן ICh. 1:8

כְּנַעַן² א) שמהּ הקדוּם של ארץ ישׂראל: 1–80 [להוציא:] ב) כּנוּי לסוחר: 33

אֶרֶץ כְּנַעַן 1-27, 36-71, 73, 74; יוֹשְׁבֵי כְנַעַן 72;
מִלְחֲמוֹת כְּ׳ 75; מֶלֶךְ כְּ׳ 29, 30, 76-78; מַמְלְכוֹת
כְּ׳ 80; עַם כְּ׳ 34; עֲצַבֵּי כְ׳ 79; שְׂפַת כְּנַעַן 31

כְּנַעַן 1-2 לָלֶכֶת אַרְצָה כְּנַעַן Gen. 11:31; 12:5

3 וְנָתַתִּי לְךָ...אֵת כָּל־אֶרֶץ כְּנַעַן Gen. 17:8

4-27 (וְ/בְּ/מֵ/וּמֵ)אֶרֶץ כְּנַעַן Gen. 33:18
35:6; 46:31; 42:7; 45:25; 46:6, 12; 47:13, 14, 15; 48:7; 50:5 • Lev. 14:34; 18:3; 25:38 • Num. 13:2; 34:2 • Deut. 32:49 • Josh. 5:12; 21:2; 22:11, 32 • Ezek. 16:29; 17:4

28 וַיִּשְׂאוּ אֹתוֹ בָנָיו אַרְצָה כְּנַעַן Gen. 50:13

29 וַיִּמְכְּרֵם יְיָ בְּיַד יָבִין מֶלֶךְ־כְּנַעַן Jud. 4:2

30 אָז נִלְחֲמוּ מַלְכֵי כְנַעַן Jud. 5:19

31 חָמֵשׁ עָרִים...מְדַבְּרוֹת שְׂפַת כְּנַעַן Is. 19:18

32 יְיָ צִוָּה אֶל־כְּנַעַן Is. 23:11

33 כְּנַעַן בְּיָדוֹ מֹאזְנֵי מִרְמָה Hosh. 12:8

34 כִּי נִדְמָה כָּל־עַם כְּנַעַן Zep. 1:11

35 כְּנַעַן אֶרֶץ פְּלִשְׁתִּים Zep. 2:5

כְּנָעַן 36 וַיָּבֹאוּ אַרְצָה כְּנָעַן Gen. 12:5

37 אַבְרָם יָשַׁב בְּאֶרֶץ־כְּנָעַן Gen. 13:12

38 ...לְשֶׁבֶת אַבְרָם בְּאֶרֶץ כְּנָעַן Gen. 16:3

39-69 (בְּ/מְ)אֶרֶץ כְּנָעַן Gen. 23:2, 19
36:5, 6; 37:1; 42:5, 13, 29, 32; 44:8; 47:1, 4; 48:3; 49:30 • Ex. 6:4; 16:35 • Num. 13:17; 26:19; 32:30, 32; 33:40, 51; 34:29; 35:14 • Josh. 14:1; 22:9, 10; 24:3 • Jud. 21:12 • Ps. 105:11 • ICh. 16:18

70 לָבוֹא אֶל־יִצְחָק...אַרְצָה כְּנָעַן Gen. 31:18

71 וּלְכוּ־בֹאוּ אַרְצָה כְּנָעַן Gen. 45:17

72 נָמֹגוּ כֹּל יֹשְׁבֵי כְנָעַן Ex. 15:15

73 אַתֶּם בָּאִים אֶל־הָאָרֶץ כְּנָעַן Num. 34:2

74 כִּי אַתֶּם עֹבְרִים...אַרְצָה כְּנָעַן Num. 35:10

75 לֹא־יָדְעוּ אֵת כָּל־מִלְחֲמוֹת כְּנָעַן Jud. 3:1

76-78 יָבִין מֶלֶךְ־כְּנָעַן Jud. 4:23, 24[2]

79 אֲשֶׁר זִבְּחוּ לַעֲצַבֵּי כְנָעַן Ps. 106:38

80 וּלְכֹל מַמְלְכוֹת כְּנָעַן Ps. 135:11

כְּנַעֲנָה שפ״ז א) אבי צדקיה נביא השקר בימי אחאב: 1-4
ב) איש מזרע בנימין: 5

כְּנַעֲנָה 1 וַיַּעַשׂ לוֹ צִדְקִיָּה בֶן־כְּנַעֲנָה IK. 22:11

2-4 צִדְקִיָּהוּ בֶן־כְּנַעֲנָה IK. 22:24 • IICh. 18:10, 23

וּכְנַעֲנָה 5 וְאֵהוּד וּכְנַעֲנָה וְזֵיתָן ICh. 7:10

כְּנַעֲנִי ת׳ א) עם ארץ כנען: 4–66, 71, 73
ב) מתּוֹשבי כנען: 1–3, 68–70
ג) סוחר, רוכל: 67, 72, 74

אִישׁ כְּנַעֲנִי 1; אֶרֶץ הַכְּנַעֲנִי 10-17; בֶּן־הַכְּנַעֲנִית
68,69; בְּנוֹת הַכְּנַעֲנִי 6,7; גְּבוּל הַכְּ׳ 4; מַלְכֵי
הַכְּנַעֲנִי 18; מִשְׁפְּחוֹת הַכְּנַעֲנִי 3

כְּנַעֲנִי 1 וַיַּרְא־שָׁם יְהוּדָה בַּת־אִישׁ כְּנַעֲנִי Gen. 38:2

2 וְלֹא יִהְיֶה כְנַעֲנִי עוֹד בְּבֵית־יְיָ Zech. 14:21

הַכְּנַעֲנִי 3 וְאַחַר נָפֹצוּ מִשְׁפְּחוֹת הַכְּנַעֲנִי Gen. 10:18

4 וַיְהִי גְּבוּל הַכְּנַעֲנִי מִצִּידֹן Gen. 10:19

5 וְאֶת־הָאֱמֹרִי וְאֶת־הַכְּנַעֲנִי Gen. 15:21

6/7 לֹא־תִקַּח...מִבְּנוֹת הַכְּנַעֲנִי Gen. 24:3, 37

8 וַיַּרְא יוֹשֵׁב הָאָרֶץ הַכְּנַעֲנִי Gen. 50:11

9 אֶל־מְקוֹם הַכְּנַעֲנִי וְהַחִתִּי... Ex. 3:8

10-17 (בְּ/מֵ)אֶרֶץ הַכְּנַעֲנִי Ex. 3:17; 13:5, 11
Deut. 1:7; 11:30 • Josh. 13:4 • Ezek. 16:3 • Neh. 9:8

18 וְכָל־מַלְכֵי הַכְּנַעֲנִי אֲשֶׁר עַל־הַיָּם Josh. 5:1

19-21 בְּקֶרֶב הַכְּנַעֲנִי Jud. 1:32, 33; 3:5

22-49 הַכְּנַעֲנִי Ex. 23:28; 33:2
Num. 21:1, 3; 33:40 • Deut. 20:17 • Josh. 3:10; 7:9; 9:1; 11:3; 16:10[2]; 17:12, 13, 16, 18 • Jud. 1:1, 4, 5, 10, 17, 27, 28, 29[2], 30; 3:3 • IK. 9:16

וְהַכְּנַעֲנִי 50 וְהַכְּנַעֲנִי אָז בָּאָרֶץ Gen. 12:6

51 וְהַכְּנַעֲנִי וְהַפְּרִזִּי אָז יֹשֵׁב בָּאָרֶץ Gen. 13:7

52 וֶהֱבִיאֲךָ אֶל־הָאֱמֹרִי...וְהַכְּנַעֲנִי Ex. 23:23

53 אֶת־הָאֱמֹרִי וְהַכְּנַעֲנִי וְהַחִתִּי Ex. 34:11

54 וְהַכְּנַעֲנִי יֹשֵׁב עַל־הַיָּם Num. 13:29

55-61 וְהַכְּנַעֲנִי Num. 14:25, 43, 45
Deut. 7:1 • Josh. 12:8; 24:11 • IISh. 24:7

בַּכְּנַעֲנִי 62 לְהַבְאִישֵׁנִי...בַּכְּנַעֲנִי וּבַפְּרִזִּי Gen. 34:30

63 עֲלֵה אִתִּי...וְנִלָּחֲמָה בַּכְּנַעֲנִי Jud. 1:3

64 לְהִלָּחֵם בַּכְּנַעֲנִי יוֹשֵׁב הָהָר Jud. 1:9

לַכְּנַעֲנִי 65 מִן־הַשִּׁיחוֹר...לַכְּנַעֲנִי תֵּחָשֵׁב Josh. 13:3

66 כְּתֹעֲבֹתֵיהֶם לַכְּנַעֲנִי הַחִתִּי Ez. 9:1

67 וַחֲגוֹר נָתְנָה לַכְּנַעֲנִי Prov. 31:24

הַכְּנַעֲנִית 68/9 וְשָׁאוּל בֶּן־הַכְּנַעֲנִית Gen. 46:10 • Ex. 6:15

70 ...נוֹלַד לוֹ מִבַּת־שׁוּעַ הַכְּנַעֲנִית ICh. 2:3

כנענים 71 וגלת...אשר־כנענים עד־צרפת Ob. 20
72 יחצוהו בין כנענים Job 40:30
הכנענים 73 ותכנע לפניהם את...הכנענים Neh. 9:24
כנעניה 74 סחריה שרים כנעניה נכבדי־ארץ Is. 23:8

כנף : נכנף; כנף

(כנף) נכנף נפ׳ נסתר

יכנף 1 ולא־יכנף עוד מוריך Is. 30:20

כנף

ג׳ א) אבר התעופה של העוף: רוב המקראות 1-109
ב) שולי הבגד: 5, 14, 17-21, 30-32, 38, 54, 68, 78, 79
ג) [בהשאלה] חסות, מחסה: 36, 37, 73-77, 86, 88
ד) קצה, אגף: 35, 69-72
– כנף אל כנף 6; עוף כנף 1, 11; צפור (כל־) כנף 2-4, 9, 10, 12 בעל כנף 13; ציצת כנף 14
– כנף אביו 17, 18; כנף הארץ 35; כ׳ בגד 31; כ׳ כרוב 22, 23, 28, 29, 33, 34; כ׳ מעיל 19-21, 30; כ׳ רננים 25; כ׳ שקוצים 26
– בעל כנפים 49; גדול כנפים 46; צלצל כ׳ 51
– כנפי בגדים 54; כ׳ חיות 58; כ׳ יונה 61; כנפי חסידה 47; כ׳ הכרובים 56, 57, 59, 64-66; כנפי נשרים 53; כנפי רוח 55, 62; כ׳ שחר 63
– כנפות הארץ 69-72; ארבע כנפות הכסות 68
– מטות כנפיו 83; סתר כ׳ 76; צל כ׳ 73-75, 77; קול כנפיו 58, 59, 95; קצות כנפיו 81, 82
– נשא כנפיו 97-99; עשה כנפים 48; פרש כנפיו 36, 37, 39-41, 50, 56, 80, 84, 85, 87; רפה כנפיו 108, 109

כנף 1 ואת כל־עוף כנף למינהו Gen. 1:21
2/3 כל צפור כל־כנף Gen. 7:14 • Ezek. 17:23
4 תבנית כל־צפור כנף Deut. 4:17
5 אשר כרת את־כנף אשר לשאול ISh. 24:6
6-7 נגעות כנף אל־כנף IK. 6:27
8 ולא־היה נדד כנף Is. 10:14
9 לעיט צפור כל־כנף Ezek. 39:4
10 אמר לצפור כל־כנף Ezek. 39:17
11 וכחול ימים עוף כנף Ps. 78:27
12 רמש וצפור כנף Ps. 148:10
13 בעיני כל־בעל כנף Prov. 1:17
הכנף 14 ונתנו על־ציצת הכנף Num. 15:38
והכנף 15/6 והכנף האחרת אמות חמש IICh. 3:11, 12
כנף־ 17 ולא יגלה כנף אביו Deut. 23:1
18 ארור...כי גלה כנף אביו Deut. 27:20
19 ויכרת את־כנף־המעיל ISh. 24:4
20 גם ראה את־כנף מעילך בידי ISh. 24:12
21 כי בכרתי את־כנף מעילך ISh. 24:12
22 וחמש אמות כנף הכרוב האחת IK. 6:24
23 וחמש אמות כנף הכרוב השנית IK. 6:24
24 ותגע כנף־האחד בקיר IK. 6:27
25 כנף־רננים נעלסה Job 39:13
26 ועל כנף שקוצים משומם Dan. 9:27
27 כנף האחד לאמות חמש IICh. 3:11
וכנף־ 28 וכנף הכרוב השני נגעת בקיר השני IK. 6:27
29 וכנף הכרוב האחד אמות חמש IICh. 3:12
בכנף־ 30 ויחזק בכנף־מעילו ויקרע ISh. 15:27
31 הן ישא־איש...בכנף בגדו Hag. 2:12
32 והחזיקו בכנף איש יהודי Zech. 8:23
לכנף־ 33 מגיע לכנף הכרוב האחר IICh. 3:11
34 דבקה לכנף הכרוב האחר IICh. 3:12
מכנף־ 35 מכנף הארץ זמרת שמענו Is. 24:16
כנפי 36 ואפרש כנפי עליך Ezek. 16:8
כנפך 37 ופרשת כנפך על־אמתך Ruth 3:9
בכנפו 38 ונגע בכנפו אל־הלחם Hag. 2:12
כנפים 39-40 פרשי כנפים למעלה Ex. 25:20; 37:9
41 פרשים כנפים אל־מקום הארון IK. 8:7
42-43 שש כנפים שש כנפים לאחד Is. 6:2
44 וארבע כנפים לאחת להם Ezek. 1:6
45 וארבע כנפים לאחד Ezek. 10:21
46 גדול כנפים ורב נוצה Ezek. 17:7
47 ולהנה כנפים ככנפי החסידה Zech. 5:9
48 כי עשה יעשה־לו כנפים Prov. 23:5
49 ובעל כנפים (כ׳ הכנפים) יגיד דבר Eccl. 10:20
50 פרשים כנפים על־מקום הארון IICh. 5:8
כנפים 51 הוי ארץ צלצל כנפים Is. 18:1
הכנפים 52 גדול הכנפים ארך האבר Ezek. 17:3
כנפי־ 53 ואשא אתכם על־כנפי נשרים Ex. 19:4
54 ציצת על־כנפי בגדיהם Num. 15:38
55 וירא על־כנפי־רוח IISh. 22:11
56 ויפרשו את־כנפי הכרבים IK. 6:27
57 אל־תחת כנפי הכרובים IK. 8:6
58 וקול כנפי החיות משיקות Ezek. 3:13
59 וקול כנפי הכרובים נשמע Ezek. 10:5
60 וידא על־כנפי־רוח Ps. 18:11
61 כנפי יונה נחפה בכסף Ps. 68:14
62 המהלך על־כנפי־רוח Ps. 104:3
63 אשא כנפי־שחר Ps. 139:9
64 כנפי הכרובים האלה פרשים... IICh. 3:13
65 אל־תחת כנפי הכרובים IICh. 5:7
וכנפי־ 66 וכנפי הכרובים ארכם אמות... IICh. 3:11
ככנפי־ 67 ולהנה כנפים ככנפי החסידה Zech. 5:9
כנפות־ 68 על־ארבע כנפות כסותך Deut. 22:12
69 יקבץ מארבע כנפות הארץ Is. 11:12
70 בא הקץ על־ארבע־כנפות הארץ Ezek. 7:2
71 ואורו על־כנפות הארץ Job 37:3
בכנפות־ 72 לאחז בכנפות הארץ Job 38:13
כנפיך 73 בצל כנפיך תסתירני Ps. 17:8
74 בצל כנפיך יחסיון Ps. 36:8
75 ובצל כנפיך אחסה Ps. 57:2
76 אחסה בסתר כנפיך Ps. 61:5
77 ובצל כנפיך ארנן Ps. 63:8
בכנפיך 78 וצרת אותם בכנפיך Ezek. 5:3
בכנפיך 79 גם בכנפיך נמצאו דם נפשות Jer. 2:34
כנפיו 80 יפרש כנפיו יקחהו Deut. 32:11
81 עשר אמות מקצות כנפיו IK. 6:24
82 ועד־קצות כנפיו IK. 6:24
83 מטות כנפיו מלא־רחב ארצך Is. 8:8
84 ופרש כנפיו אל־מואב Jer. 48:40
85 ויפרש כנפיו על־בצרה Jer. 49:22
86 ותחת־כנפיו תחסה Ps. 91:4
87 יפרש כנפו לתימן Job 39:26
88 אשר־באת לחסות תחת־כנפיו Ruth 2:12
בכנפיו 89 ושסע אתו בכנפיו Lev. 1:17
בכנפיה 90 צרר רוח אותה בכנפיה Hosh. 4:19
91 שמש צדקה ומרפא בכנפיה Mal. 3:20
כנפיהם 92 וידי אדם מתחת כנפיהם Ezek. 1:8
93 חברת אשה אל־אחותה כנפיהם Ezek. 1:9
94 כנפיהם ישרות אשה אל־אחותה Ezek. 1:23
95 ואשמע את־קול כנפיהם Ezek. 1:24
96 תבנית יד־אדם תחת כנפיהם Ezek. 10:8
97 ובשאת הכרובים את־כנפיהם Ezek. 10:16
98/9 וישאו הכרובים...כנפיהם Ezek. 10:19; 11:22
100 ודמות ידי אדם תחת כנפיהם Ezek. 10:21
וכנפיהם 101 וכנפיהם אל־תוך הבית IK. 6:27
וכנפיהם (המשך) 102 ופניהם וכנפיהם לארבעתם Ezek. 1:8
103 וכנפיהם פרדות מלמעלה Ezek. 1:11
104 וגבהם וידיהם וכנפיהם Ezek. 10:12
בכנפיהם 105/6 סככים בכנפיהם על... Ex. 25:20; 37:9
107 נשים יוצאות ורוח בכנפיהם Zech. 5:9
כנפיהן 108/9 בעמדם תרפינה כנפיהן Ezek. 1:24, 25

כנרת

עיר כנענית קדומה, ועל שמה "ים־כנרת" והאזור כולו "כנרות": 1–7
ים כנרת 1, 2; ים כנרות 6; נגב כנרות 5

כנרת 1 ומחה על־כתף ים־כנרת קדמה Num. 34:11
2 עד־קצה ים־כנרת Josh. 13:27
וכנרת 3 וחמת רקת וכנרת Josh. 19:35
מכנרת 4 מכנרת ועד ים הערבה Deut. 3:17
כנרות 5 ונגב כנרות ובשפלה Josh. 11:2
6 והערבה עד־ים כנרות מזרחה Josh. 12:3
7 כל־כנרות על כל־ארץ נפתלי IK. 15:20

כנש

פ׳ ארמית: א) אסף [למכנש = לאסוף]: 1
ב) [אתפ׳ אתכנש] התאסף: 2, 3

למכנש 1 שלח למכנש לאחשדרפניא Dan. 3:2
מתכנשין 2 באדין מתכנשין אחשדרפניא Dan. 3:3
ומתכנשין 3 ומתכנשין אחשדרפניא Dan. 3:27

כנת*1

ז׳ חבר, רע; כנותיו = חבריו

כנותיו 1 כתב בשלם...ושאר כנותו Ez. 4:7

כנת*2

ז׳ ארמית חבר, רע: 1–7; כנותה = חבריו

וכנותה 1 ושתר בוזני וכנותה Ez. 5:6
כנותהון 2-3 ...ושאר כנותהון Ez. 4:9, 17
וכנותהון 4 רחום ושמשי ספרא וכנותהון Ez. 4:23
5-7 תתני...ושתר בוזני וכנותהון Ez. 5:3; 6:6, 13

כס

ז׳ כסא • כס יה 1

כס־ 1 כי־יד על־כס יה Ex. 17:16

כסא

ז׳ א) מושב, רהיט לישיבה: רוב המקראות 1-135
ב) [בהשאלה] שלטון, שררה: 17-19, 25-47, 52-66, 68-82, 84-93, 112-119, 125-130
– כסא נקי 125; כסא רם 2
– כסא אביו 49; כ׳ אדני 75; כ׳ בית ישראל 55; כ׳ דוד 25, 32-39, 70; כ׳ דין 60; כ׳ הוות 58; כ׳ יי 52, 65; כ׳ ישראל 30, 31, 40-46; כ׳ כבוד 53, 54, 69, 71; כ׳ מלוכה 29; כ׳ המלך 27, 28; כ׳ מלכות 61-64, 66; כ׳ המלכים 50, 51, 72; כ׳ ממלכה 24, 26, 47, 56, 68; כ׳ מרומים 59; כ׳ פחה 74; כ׳ קדשו 57; כ׳ שופט 73; כ׳ שן 48, 67
– דמות כסא 5, 6, 16; פני כסא 8
– מכון כסאו 92, 115; מקום כסאו 85; נכון כסאו 7, 86, 89, 118, 119, 129

כסא 1 וישם כסא לאם המלך IK. 2:19
2 אדני ישב על־כסא רם ונשא Is. 6:1
3 והוכן בחסד כסא Is. 16:5
4 שבי־לארץ אין־כסא Is. 47:1
5 כמראה אבן־ספיר דמות כסא Ezek. 1:26
6 כאבן ספיר כמראה דמות כסא Ezek. 10:1
7 כי בצדקה יכון כסא Prov. 16:12
כסה 8 מאחז פני־כסה Job 26:9
וכסא 9 מטה ושלחן וכסא ומנורה IIK. 4:10
הכסא 10 רק הכסא אגדל ממך Gen. 41:40
11 ויקם מעל הכסא Jud. 3:20
12 ועלי הכהן ישב על־הכסא ISh. 1:9

הַכִּסֵּא (המשך) 13 וְהִנֵּה עֵלִי יֹשֵׁב עַל־הַכִּסֵּא ISh. 4:13
14 וַיִּפֹּל מֵעַל־הַכִּסֵּא אֲחֹרַנִּית ISh. 4:18
15 וְאוּלָם הַכִּסֵּא אֲשֶׁר יִשְׁפָּט־שָׁם IK. 7:7
16 וְעַל דְּמוּת הַכִּסֵּא דְּמוּת... Ezek. 1:26
לְכִסֵּא 17 מִפְּרִי בִטְנְךָ אָשִׁית לְכִסֵּא־לָךְ Ps. 132:11
18 עֲדֵי־עַד יֵשְׁבוּ לְכִסֵּא־לָךְ Ps. 132:2
לַכִּסֵּא 19 וְאֶת־מְלָכִים לַכִּסֵּא Job 36:7
20 וְשֵׁשׁ מַעֲלוֹת לַכִּסֵּא IICh. 9:18
21 וְכֶבֶשׁ בַּזָּהָב לַכִּסֵּא מָאֳחָזִים IICh. 9:18
לַכִּסֵּה 22 שֵׁשׁ מַעֲלוֹת לַכִּסֵּה IK. 10:19
23 וְרֹאשׁ־עָגוֹל לַכִּסֵּה מֵאַחֲרָיו IK. 10:19
כִּסֵּא־ 24 וְהָיָה כְשִׁבְתּוֹ עַל כִּסֵּא מַמְלַכְתּוֹ Deut. 17:18
25 וּלְהָקִים אֶת־כִּסֵּא דָוִד עַל־יִשְׂרָאֵל IISh. 3:10
26 וְכֹנַנְתִּי אֶת־כִּסֵּא מַמְלַכְתּוֹ IISh. 7:13
27/8 מִי יֵשֵׁב עַל־כִּסֵּא אֲדֹנִי־הַמֶּלֶךְ IK. 1:20, 27
29 יָשַׁב שְׁלֹמֹה עַל־כִּסֵּא הַמְּלוּכָה IK. 1:46
30/1 לֹא־יִכָּרֵת לְךָ אִישׁ מֵעַל כִּסֵּא יִשְׂ׳ IK. 2:4; 9:5
32 וּשְׁלֹמֹה יָשַׁב עַל־כִּסֵּא דָּוִד אָבִיו IK. 2:12
33-39 כִּסֵּא דָוִד IK. 2:24
Is. 9:6 • Jer. 17:25; 22:2, 30; 29:16; 36:30
40 וָאֵשֵׁב עַל־כִּסֵּא יִשְׂרָאֵל IK. 8:2
41-46 כִּסֵּא יִשְׂרָאֵל IK. 8:25
10:9 • IIK. 10:30; 15:12 • IICh. 6:10, 16
47 וַהֲקִמֹתִי אֶת־כִּסֵּא מַמְלַכְתְּךָ IK. 9:5
48 וַיַּעַשׂ הַמֶּלֶךְ כִּסֵּא־שֵׁן גָּדוֹל IK. 10:18
49 וְשַׂמְתֶּם עַל־כִּסֵּא אָבִיו IIK. 10:3
50 וַיֵּשֶׁב עַל־כִּסֵּא הַמְּלָכִים IIK. 11:19
51 וַיִּתֵּן אֶת־כִּסְאוֹ מֵעַל כִּסֵּא הַמְּלָכִים IIK. 25:28
52 יִקְרְאוּ לִירוּשָׁלַםִ כִּסֵּא יְיָ Jer. 3:17
53 אַל־תְּנַבֵּל כִּסֵּא כְבוֹדֶךָ Jer. 14:21
54 כִּסֵּא כָבוֹד מָרוֹם מֵרִאשׁוֹן Jer. 17:12
55 יֹשֵׁב עַל־כִּסֵּא בֵית־יִשְׂרָאֵל Jer. 33:17
56 וְהָפַכְתִּי כִּסֵּא מַמְלָכוֹת Hag. 2:22
57 אֱלֹהִים יָשַׁב עַל־כִּסֵּא קָדְשׁוֹ Ps. 47:9
58 הַיְחָבְרְךָ כִּסֵּא הַוּוֹת Ps. 94:20
59 וְיָשְׁבָה...עַל־כִּסֵּא מְרֹמֵי קָרֶת Prov. 9:14
60 מֶלֶךְ יוֹשֵׁב עַל־כִּסֵּא־דִין Prov. 20:8
61 כְּשֶׁבֶת הַמֶּלֶךְ...עַל כִּסֵּא מַלְכוּתוֹ Es. 1:2
62/3 כִּסֵּא מַלְכוּתוֹ Es. 5:1 • ICh. 22:10(9)
64 לָשֶׁבֶת עַל־כִּסֵּא מַלְכוּת יְיָ ICh. 28:5
65 וַיֵּשֶׁב שְׁלֹמֹה עַל־כִּסֵּא יְיָ ICh. 29:23
66 וַהֲקִימוֹתִי אֵת כִּסֵּא מַלְכוּתֶךָ IICh. 7:18
67 וַיַּעַשׂ הַמֶּלֶךְ כִּסֵּא־שֵׁן גָּדוֹל IICh. 9:17
68 וַיּוֹשִׁיבוּ...עַל כִּסֵּא הַמַּמְלָכָה IICh. 23:20
וְכִסֵּא־ 69 וְכִסֵּא כָבוֹד יַנְחִלֵם ISh. 2:8
70 וְכִסֵּא דָוִד יִהְיֶה נָכוֹן לִפְנֵי יְיָ IK. 2:45
לְכִסֵּא־ 71 וְהָיָה לְכִסֵּא כָבוֹד לְבֵית אָבִיו Is. 22:23
72 וַיִּתֵּן...מִמַּעַל לְכִסֵּא הַמְּלָכִים° Jer. 52:32
73 יָשַׁבְתָּ לְכִסֵּא שׁוֹפֵט צֶדֶק Ps. 9:5
74 לְכִסֵּא פַּחַת עֵבֶר הַנָּהָר Neh. 3:7
מִכִּסֵּא־ 75 וִיגַדֵּל אֶת־כִּסְאוֹ מִכִּסֵּא אֲדֹנִי... IK. 1:37
כִּסְאִי 76-79 וְהוּא יֵשֵׁב עַל־כִּסְאִי IK. 1:13, 17, 24, 30
80 וּבָא וְיָשַׁב עַל־כִּסְאִי IK. 1:35
81 אֲשֶׁר נָתַן הַיּוֹם יֹשֵׁב עַל־כִּסְאִי IK. 1:48
82 מִמַּעַל לְכוֹכְבֵי־אֵל אָרִים כִּסְאִי Is. 14:13
83 הַשָּׁמַיִם כִּסְאִי וְהָאָרֶץ הֲדֹם רַגְלָי Is. 66:1
84 וְשַׂמְתִּי כִסְאִי בְּעֵילָם Jer. 49:38
85 אֶת־מְקוֹם כִּסְאִי Ezek. 43:7
כִּסְאֲךָ 86 כִּסְאֲךָ יִהְיֶה נָכוֹן עַד־עוֹלָם IISh. 7:16
87 כִּסְאֲךָ אֱלֹהִים עוֹלָם וָעֶד Ps. 45:7
88 וּבָנִיתִי לְדֹר־וָדוֹר כִּסְאֲךָ Ps. 89:5
89 נָכוֹן כִּסְאֲךָ מֵאָז מֵעוֹלָם אָתָּה Ps. 93:2
90 לְעוֹלָם תֵּשֵׁב כִּסְאֲךָ לְדוֹר וָדוֹר Lam. 5:19
כִּסְאֶךָ 91 אֲשֶׁר אֶתֵּן תַּחְתֶּיךָ עַל־כִּסְאֶךָ IK. 5:19
92 צֶדֶק וּמִשְׁפָּט מְכוֹן כִּסְאֶךָ Ps. 89:15
מִכִּסְאֶךָ 93 וִיגַדֵּל אֶת־כִּסְאוֹ מִכִּסְאֶךָ IK. 1:47
כִּסְאוֹ 94/5 מִבְּכ(וֹ)ר פַּרְ׳ הַיֹּשֵׁב עַל־כִּסְאוֹ Ex. 11:5; 12:29
96/7 וִיגַדֵּל אֶת־כִּסְאוֹ IK. 1:37, 47
98 וַיָּקָם הַמֶּלֶךְ...וַיֵּשֶׁב עַל־כִּסְאוֹ IK. 2:19
99 וַתִּתֶּן־לוֹ בֵן יֹשֵׁב עַל־כִּסְאוֹ IK. 3:6
100 וַיְהִי בְמָלְכוֹ כְּשִׁבְתּוֹ עַל־כִּסְאוֹ IK. 16:11
101 יֹשְׁבִים אִישׁ עַל־כִּסְאוֹ IK. 22:10
102 רָאִיתִי אֶת־יְיָ יֹשֵׁב עַל־כִּסְאוֹ IK. 22:19
103 וְיָרָבְעָם יָשַׁב עַל־כִּסְאוֹ IIK. 13:13
104 וַיִּתֵּן אֶת־כִּסְאוֹ מֵעַל כִּסֵּא הַמְּלָ׳ IIK. 25:28
105 וְנָתְנוּ אִישׁ כִּסְאוֹ פֶּתַח...יְרוּשָׁלַםִ Jer. 1:15
106 הַיֹּשְׁבִים לְדָוִד עַל־כִּסְאוֹ Jer. 13:13
107 מְלָכִים יֹשְׁבִים לְדָוִד עַל־כִּסְאוֹ Jer. 22:4
108 מִהְיוֹת־לוֹ בֵן מֹלֵךְ עַל־כִּסְאוֹ Jer. 33:21
109 וְשַׂמְתִּי כִסְאוֹ מִמַּעַל לָאֲבָנִים Jer. 43:10
110 וַיִּתֵּן אֶת־כִּסְאוֹ מִמַּעַל לְכִסֵּא... Jer. 52:32
111 וְיָשַׁב וּמָשַׁל עַל־כִּסְאוֹ Zech. 6:13
112 וְהָיָה כֹהֵן עַל־כִּסְאוֹ Zech. 6:13
113 וַיְיָ...כּוֹנֵן לַמִּשְׁפָּט כִּסְאוֹ Ps. 9:8
114 יְיָ בַּשָּׁמַיִם כִּסְאוֹ Ps. 11:4
115 צֶדֶק וּמִשְׁפָּט מְכוֹן כִּסְאוֹ Ps. 97:2
116 יְיָ בַּשָּׁמַיִם הֵכִין כִּסְאוֹ Ps. 103:19
117 וְסָעַד בַּחֶסֶד כִּסְאוֹ Prov. 20:28
118 וְיִכּוֹן בַּצֶּדֶק כִּסְאוֹ Prov. 25:5
119 מֶלֶךְ...כִּסְאוֹ לָעַד יִכּוֹן Prov. 29:14
120 וַיָּשֶׂם אֶת־כִּסְאוֹ מֵעַל כָּל־הַשָּׂרִים Es. 3:1
121 וְכֹנַנְתִּי אֶת־כִּסְאוֹ עַד־עוֹלָם ICh. 17:12
122 לְתִתְּךָ עַל־כִּסְאוֹ לְמֶלֶךְ IICh. 9:8
123 יוֹשְׁבִים אִישׁ עַל־כִּסְאוֹ IICh. 18:9
124 רָאִיתִי אֶת־יְיָ יוֹשֵׁב עַל־כִּסְאוֹ IICh. 18:18
וְכִסְאוֹ 125 וְהַמֶּלֶךְ וְכִסְאוֹ נָקִי IISh. 14:9
126 וְשַׂמְתִּי...וְכִסְאוֹ כִּימֵי שָׁמָיִם Ps. 89:30
127 וְכִסְאוֹ כַשֶּׁמֶשׁ נֶגְדִּי Ps. 89:37
128 וְכִסְאוֹ לָאָרֶץ מִגַּרְתָּה Ps. 89:45
129 וְכִסְאוֹ יִהְיֶה נָכוֹן עַד־עוֹלָם ICh. 17:14
וּלְכִסְאוֹ 130 וּלְבֵיתוֹ וּלְכִסְאוֹ יִהְיֶה שָׁלוֹם IK. 2:33
מִכִּסְאוֹ 131 וַיָּקָם מִכִּסְאוֹ וַיַּעֲבֵר אַדַּרְתּוֹ Jon. 3:6
כִּסְאוֹת 132 כִּי שָׁמָּה יָשְׁבוּ כִסְאוֹת לְמִשְׁפָּט Ps. 122:5
133 כִּסְאוֹת לְבֵית דָּוִד Ps. 122:5
כִּסְאוֹתָם 134 וְיָרְדוּ מֵעַל כִּסְאוֹתָם כֹּל נְשִׂיאֵי... Ezek. 26:16
מִכִּסְאוֹתָם 135 הֵקִים מִכִּסְאוֹתָם כֹּל מַלְכֵי גוֹיִם Is. 14:9

כֶּסֶא, כֶּסֶה

ז׳ זמן קבוע, מועד: 1, 2

הַכֶּסֶא 1 לְיוֹם הַכֶּסֶא יָבֹא בֵיתוֹ Prov. 7:20
בַּכֶּסֶה 2 תִּקְעוּ בַחֹדֶשׁ שׁוֹפָר בַּכֶּסֶה לְיוֹם חַגֵּנוּ Ps. 81:4

כסה

: כָּסָה, כָּסוּי, נִכְסָה, כִּסָּה, כֻּסָּה (כָּסָה), הִתְכַּסָּה; כֶּסֶא, כֶּסֶה, כְּסוּי, כְּסוּת, כֶּסֶת, מִכְסֶה, מְכַסֶּה

כָּסָה

פָּ׳ א) העלים, הסתיר: 1-3
ב) [נפ׳ נִכְסָה] חֻפָּה, הושם עליו: 4, 5
ג) [פִּ׳ כִּסָּה] חִפָּה (גם בהשאלה): 6-140
ד) [פֻּ׳ כֻּסָּה, כָּסָה] חֻפָּה, צֻפָּה: 141-147
ה) [הת׳ הִתְכַּסָּה] התעטף: 148-156

– כִּסָּה (אֶת, בְּ־) רוב המקראות; כִּסָּה עַל־ 14, 24, 43, 86, 89, 90, 115-117, 121, 123, 133, 137; כִּסָּה אֶל־ 22; כִּסָּה מִן־ 65
– כּוֹסֶה דַעַת 1; כּוֹסֶה קָלוֹן 2; כְּסוּי חֲטָאָה 3
– כִּסָּהוּ אָבָק 108; כִּסָּה אוֹר 40; כִּ׳ אֹפֶל 38; כִּסָּה בוֹר 109; כִּ׳ בָשָׂר 7, 48; כִּסָּה דָבָר 62; כִּסָּה דָמוֹ 45, 54, 91; כִּסָּה חַטָּאת 27; כִּ׳ חָמָס 43, 98, 99, 107; כִּסָּהוּ יָם 36, 46; כִּסָּה עָוֹן 20; כִּסָּה עַיִן־ 32, 41, 102; כִּסָּה עָנָן 31, 42, 103, 104, 110, 111, 113; כִּסָּה עֶרְוָתוֹ 17, 83, 134; כִּסָּה פָּנָיו 37, 47, 88, 93, 96, 100; כִּסָּה פֶּשַׁע 23, 63, 64, 116; כִּסָּה צֵאָה 28; כִּסָּה צִדְקָתוֹ 21; כִּסָּה הַקֹּדֶשׁ 8; כִּסָּה שִׂנְאָה 61
– כִּסְּתָה אַהֲבָה 116; כִּ׳ בֹשֶׁת (בּוּשָׁה) 53, 126, 132; כִּסְּתָה דִמְעָה 6; כִּ׳ כְלִמָּה 49, 50, 125; כִּ׳ פַּלָּצוּת 52, 124; כִּסְּתָה צָרַעַת 48, 51; כִּסְּתָה רִמָּה 117
– כִּסּוּהוּ מַיִם 60, 135, 136
– כָּסוּ פָנָיו 142; כֻּסָּה שְׁמוֹ 145

כּוֹסֶה 1 אָדָם עָרוּם כֹּסֶה דָּעַת Prov. 12:23
וְכוֹסֶה 2 וְכֹסֶה קָלוֹן עָרוּם Prov. 12:16
כְּסוּי־ 3 אַשְׁרֵי נְשׂוּי־פֶּשַׁע כְּסוּי חֲטָאָה Ps. 32:1
הִכָּסוֹת 4 עַל־צְחִיחַ סֶלַע לְבִלְתִּי הִכָּסוֹת Ezek. 24:8
נִכְסָתָה 5 בַּהֲמוֹן גַּלָּיו נִכְסָתָה Jer. 51:42
כַּסּוֹת 6 כַּסּוֹת דִּמְעָה אֶת־מִזְבַּח יְיָ Mal. 2:13
לְכַסּוֹת 7 לְכַסּוֹת בְּשַׂר עֶרְוָה Ex. 28:42
8 וְכִלָּה...לְכַסֹּת אֶת־הַקֹּדֶשׁ Num. 4:15
9 לְכַסּוֹת אֶת־הַכֹּתָרֹת IK. 7:18
10-13 לְכַסּוֹת אֶת־שְׁתֵּי גֻּלּוֹת הַכֹּתָרוֹת IK. 7:41, 42
IICh. 4:12, 13
14 לְכַסּוֹת עָלָיו עָפָר Ezek. 24:7
15/6 כֶּעָנָן לְכַסּוֹת הָאָרֶץ Ezek. 38:9, 16
17 לְכַסּוֹת אֶת־עֶרְוָתָהּ Hosh. 2:11
18 בַּל־יְשׁוּבוּן לְכַסּוֹת הָאָרֶץ Ps. 104:9
לְכַסֹּתוֹ 19 יִהְיֶה סָרוּחַ...מִזֶּה וּמִזֶּה לְכַסֹּתוֹ Ex. 26:13
כִּסִּיתִי 20 חַטָּאתִי אוֹדִיעֲךָ וַעֲוֹנִי לֹא־כִסִּיתִי Ps. 32:5
21 צִדְקָתְךָ לֹא־כִסִּיתִי בְּתוֹךְ לִבִּי Ps. 40:11
22 הַצִּילֵנִי מֵאֹיְבַי יְיָ אֵלֶיךָ כִסִּתִי Ps. 143:9
23 אִם־כִּסִּיתִי כְאָדָם פְּשָׁעָי Job 31:33
כִּסֵּתִי 24 כִּסֵּתִי עָלָיו אֶת־תְּהוֹם Ezek. 31:15
וְכִסֵּיתִי 25 וְכִסֵּיתִי בְכַבּוֹתְךָ שָׁמַיִם Ezek. 32:7
כִּסִּיתִיךָ 26 וּבְצֵל יָדִי כִּסִּיתִיךָ Is. 51:16
כִּסִּיתָ 27 כִּסִּיתָ כָל־חַטָּאתָם Ps. 85:3
וְכִסִּיתָ 28 וְשַׁבְתָּ וְכִסִּיתָ אֶת־צֵאָתֶךָ Deut. 23:14
כִּסִּיתוֹ 29 תְּהוֹם כַּלְּבוּשׁ כִּסִּיתוֹ Ps. 104:6
וְכִסִּיתוֹ 30 כִּי־תִרְאֶה עָרֹם וְכִסִּיתוֹ Is. 58:7
כִּסָּה 31 כִּסָּה הֶעָנָן אֶת־הַמִּשְׁכָּן Num. 9:15
32 הִנֵּה כִסָּה אֶת־עֵין הָאָרֶץ Num. 22:5
33 וְאֶת־רָאשֵׁיכֶם הַחֹזִים כִּסָּה Is. 29:10
34 וְעֵרוֹם כִּסָּה־בָגֶד Ezek. 18:16
35 כִּסָּה שָׁמַיִם הוֹדוֹ Hab. 3:3
36 וְאֶת־אוֹיְבֵיהֶם כִּסָּה הַיָּם Ps. 78:53
37 כִּי־כִסָּה פָנָיו בְּחֶלְבּוֹ Job 15:27
38 וּמִפָּנַי כִּסָּה־אֹפֶל Job 23:17
39 וְשָׁרְשֵׁי הַיָּם כִּסָּה Job 36:30
40 עַל־כַּפַּיִם כִּסָּה־אוֹר Job 36:32
וְכִסָּה 41 וְכִסָּה אֶת־עֵין הָאָרֶץ Ex. 10:5
42 וְכִסָּה עֲנַן הַקְּטֹרֶת אֶת־הַכַּפֹּרֶת Lev. 16:13
43 וְכִסָּה חָמָס עַל־לְבוּשׁוֹ Mal. 2:16
כִּסָּהוּ 44 וְהִנֵּה כִסָּהוּ הֶעָנָן Num. 17:7
וְכִסָּהוּ 45 וְשָׁפַךְ אֶת־דָּמוֹ וְכִסָּהוּ בֶּעָפָר Lev. 17:13
כִּסָּמוֹ 46 נָשַׁפְתָּ בְרוּחֲךָ כִּסָּמוֹ יָם Ex. 15:10
כִּסְּתָה 47 וַיַּחְשְׁבֶהָ לְזוֹנָה כִּי כִסְּתָה פָּנֶיהָ Gen. 38:15
48 כִּסְּתָה הַצָּרַעַת אֶת־כָּל־בְּשָׂרוֹ Lev. 13:13
49 כִּסְּתָה כְלִמָּה פָּנֵינוּ Jer. 51:51
50 כִּסְּתָה כְלִמָּה פָנָי Ps. 69:8
וְכִסְּתָה 51 וְכִסְּתָה הַצָּרַעַת אֵת כָּל־עוֹר Lev. 13:12
52 וְכִסְּתָה אוֹתָם פַּלָּצוּת Ezek. 7:18
כִּסָּתְנִי 53 וּבֹשֶׁת פָּנַי כִּסָּתְנִי Ps. 44:16
וְכִסִּינוּ 54 כִּי נַהֲרֹג...וְכִסִּינוּ אֶת־דָּמוֹ Gen. 37:26

וְכִסּוּ 55 וְכִסּוּ־בָהּ אֵת אֲרֹן הָעֵדֻת Num. 4:5
56/7 וְכִסּוּ אֹתוֹ בְּמִכְסֵה עוֹר תָּחַשׁ Num. 4:8, 11
58 וְכִסּוּ אֶת־מְנֹרַת הַמָּאוֹר Num. 4:9
59 וְכִסּוּ אוֹתָם בְּמִכְסֵה עוֹר תָּחַשׁ Num. 4:12
וְכִסּוּךְ 60 וְכִסּוּךְ הַמַּיִם הָרַבִּים Ezek. 26:19
מְכַסֶּה 61 מְכַסֶּה שִׂנְאָה שִׂפְתֵי־שָׁקֶר Prov. 10:18
62 וְנֶאֱמַן־רוּחַ מְכַסֶּה דָבָר Prov. 11:13
63 מְכַסֶּה־פֶּשַׁע מְבַקֵּשׁ אַהֲבָה Prov. 17:9
64 מְכַסֶּה פְשָׁעָיו לֹא יַצְלִיחַ Prov. 28:13
הַמְכַסֶּה? 65 הַמְכַסֶּה אֲנִי מֵאַבְרָהָם... Gen. 18:17
הַמְכַסֶּה 66-72 (הַ)חֵלֶב הַמְכַסֶּה אֶת־הַקֶּרֶב
Ex. 29:13, 22 • Lev. 3:3, 9, 14; 4:8; 7:3
73 הַמְכַסֶּה שָׁמַיִם בְּעָבִים Ps. 147:8
וְהַמְכַסֶּה 74 הָאַלְיָה וְהַמְכַסֶּה וְהַכְּלָיֹת Lev. 9:19
וְלִמְכַסֶּה 75 לֶאֱכֹל לְשָׂבְעָה וְלִמְכַסֶּה עָתִיק Is. 23:18
מְכַסֵּךְ 76 תְּכֵלֶת וְאַרְגָּמָן...הָיָה מְכַסֵּךְ Ezek. 27:7
מְכַסִּים 77 כִּי־מָלְאָה...כַּמַּיִם לַיָּם מְכַסִּים Is. 11:9
וּמְכַסֶּיךָ 78 תַּחְתֶּיךָ יֻצַּע רִמָּה וּמְכַסֶּיךָ תּוֹלֵעָה Is. 14:11
מְכַסּוֹת 79 וּשְׁתַּיִם מְכַסּוֹת אֵת גְּוִיֹתֵיהֶנָה Ezek. 1:11
80/1 (וּ)לְאִישׁ שְׁתַּיִם מְכַסּוֹת לָהֵנָּה Ezek. 1:23²
אֲכַסֶּה־ 82 וַיֹּאמֶר אַעֲלֶה אֲכַסֶּה־אֶרֶץ Jer. 46:8
וָאֲכַסֶּה 83 וָאֶרְאֵךְ...וָאֲכַסֶּה עֶרְוָתֵךְ Ezek. 16:8
וָאֲכַסֵּךְ 84 וָאֶחְבְּשֵׁךְ בַּשֵּׁשׁ וַאֲכַסֵּךְ מֶשִׁי Ezek. 16:10
אֲכַסֶּנּוּ 85 שֶׁמֶשׁ בֶּעָנָן אֲכַסֶּנּוּ Ezek. 32:7
תְכַסֶּה 86 וְלֹא־תַחְמֹל וְלֹא־תְכַסֶּה עָלָיו Deut. 13:9
87 כְּסוּתְךָ אֲשֶׁר תְּכַסֶּה־בָּהּ Deut. 22:12
88 פָּנֶיךָ תְכַסֶּה וְלֹא תִרְאֶה... Ezek. 12:6
תְּכַס 89 וְאַל־תְּכַס עַל־עֲוֹנָם Neh. 3:37
וַתְּכַס 90 וַתְּכַס עָלֵינוּ בְצַלְמָוֶת Ps. 44:20
תְּכַסִּי 91 אֶרֶץ אַל־תְּכַסִּי דָמִי Job 16:18
וַתְּכַסִּים 92 וַתִּקְחִי...בִּגְדֵי רִקְמָתֵךְ וַתְּכַסִּים Ezek. 16:18
יְכַסֶּה 93 בִּשְׁתַּיִם יְכַסֶּה פָנָיו Is. 6:2
94 וּבִשְׁתַּיִם יְכַסֶּה רַגְלָיו Is. 6:2
95 כִּי הִנֵּה הַחֹשֶׁךְ יְכַסֶּה־אֶרֶץ Is. 60:2
96 פָּנָיו יְכַסֶּה יַעַן אֲשֶׁר לֹא־יִרְאֶה Ezek. 12:12
97 וְעֵירֹם יְכַסֶּה־בָּגֶד Ezek. 18:7
98-99 וּפִי רְשָׁעִים יְכַסֶּה חָמָס Prov. 10:6, 11
100 פְּנֵי־שֹׁפְטֶיהָ יְכַסֶּה Job 9:24
101 וְגֵוָה מִגֶּבֶר יְכַסֶּה Job 33:17
וַיְכַס 102 וַיְכַס אֶת־עֵין כָּל־הָאָרֶץ Ex. 10:15
103 וַיְכַס הֶעָנָן אֶת־הָהָר Ex. 24:15
104 וַיְכַס הֶעָנָן אֶת־אֹהֶל מוֹעֵד Ex. 40:34
105 וַיְכַס אֶת־עֵין הָאָרֶץ Num. 22:11
106 וַיְכַס שַׂק וַיֵּשֶׁב עַל־הָאֵפֶר Jon. 3:6
יְכַסֶּךָּ 107 כִּי־חֲמַס לְבָנוֹן יְכַסֶּךָּ Hab. 2:17
יְכַסֵּךְ 108 מִשִּׁפְעַת סוּסָיו יְכַסֵּךְ אֲבָקָם Ezek. 26:10
יְכַסֶּנּוּ 109 כִּי־יִכְרֶה אִישׁ בֹּר וְלֹא יְכַסֶּנּוּ Ex. 21:33
110 הֶעָנָן יְכַסֶּנּוּ וּמַרְאֵה אֵשׁ לָיְלָה Num. 9:16
וַיְכַסֵּהוּ 111 וַיְכַסֵּהוּ הֶעָנָן שֵׁשֶׁת יָמִים Ex. 24:16
112 וַיָּבֵא עָלָיו אֶת־הַיָּם וַיְכַסֵּהוּ Josh. 24:7
יְכַסֶּנָּה 113 הִיא עָנָן יְכַסֶּנָּה... Ezek. 30:18
יְכַסֵּמוֹ 114 עֲמַל שְׂפָתֵימוֹ יְכַסֵּמוֹ (כ׳ יכסומו) Ps. 140:10
תְכַסֶּה 115 וְלֹא־תְכַסֶּה עוֹד עַל־הֲרוּגֶיהָ Is. 26:21
116 וְעַל כָּל־פְּשָׁעִים תְּכַסֶּה אַהֲבָה Prov. 10:12
117 וְרִמָּה תְּכַסֶּה עֲלֵיהֶם Job 21:26
וַתְּכַס 118 וַתְּכַס בַּצָּעִיף וַתִּתְעַלָּף Gen. 38:14
119 וַתַּעַל הַצְּפַרְדֵּעַ וַתְּכַס אֶת־אֶרֶץ Ex. 8:2
120 וַתַּעַל הַשְּׂלָו וַתְּכַס אֶת־הַמַּחֲנֶה Ex. 16:13
121 וַתְּכַס עֲלֵיהֶם הָאָרֶץ Num. 16:33
122 ...שָׂמָה מְרַאֲשֹׁתָיו וַתְּכַס בַּבָּגֶד ISh. 19:13
123 וַתְּכַס עַל־עֲדַת אֲבִירָם Ps. 106:17
וַתְּכַסֵּנִי 124 וְרַעַד יָבֹא בִי וַתְּכַסֵּנִי פַּלָּצוּת Ps. 55:6
וּתְכַסֵּנוּ 125 נִשְׁכְּבָה בְּבָשְׁתֵּנוּ וּתְכַסֵּנוּ כְּלִמָּתֵנוּ Jer. 3:25
תְּכַסְּךָ 126 מֵחֲמַס אָחִיךָ...תְּכַסְּךָ בוּשָׁה Ob. 10
תְּכַסֶּךָּ 127/8 וְשִׁפְעַת־מַיִם תְּכַסֶּךָּ Job 22:11; 38:34
תְּכַסֵּךְ 129 שִׁפְעַת גְּמַלִּים תְּכַסֵּךְ Is. 60:6
וַתְּכַסֵּהוּ 130 וַתְּכַסֵּהוּ בַּשְּׂמִיכָה Jud. 4:18
131 וַתַּשְׁקֵהוּ וַתְּכַסֵּהוּ Jud. 4:19
וּתְכַסֶּהָ 132 וְתֵרֶא אֹיַבְתִּי וּתְכַסֶּהָ בוּשָׁה Mic. 7:10
יְכַסּוּ 133 כִּי תִּמָּלֵא...כַּמַּיִם יְכַסּוּ עַל־יָם Hab. 2:14
וַיְכַסּוּ 134 וַיְכַסּוּ אֵת עֶרְוַת אֲבִיהֶם Gen. 9:23
135 וַיָּשֻׁבוּ הַמַּיִם וַיְכַסּוּ אֶת־הָרֶכֶב Ex. 14:28
136 וַיְכַסּוּ מַיִם צָרֵיהֶם Ps. 106:11
137 וַיְכַסּוּ הַכְּרֻבִים עַל־הָאָרוֹן IICh. 5:8
וַיְכַסֻּהוּ 138 וַיְכַסֻּהוּ בַּבְּגָדִים וְלֹא יִחַם לוֹ IK. 1:1
יְכַסְיֻמוּ 139 תְּהֹמֹת יְכַסְיֻמוּ יָרְדוּ בִמְצוֹלֹת Ex. 15:5
כַּסּוּנוּ 140 וְאָמְרוּ לֶהָרִים כַּסּוּנוּ Hosh. 10:8
כָּסּוּ 141 כָּסּוּ הָרִים צִלָּהּ Ps. 80:11
142 כָּסּוּ פָנָיו חֲרֻלִּים Prov. 24:31
מְכֻסִּים 143 דָּוִיד וְהַזְּקֵנִים מְכֻסִּים בַּשַּׂקִּים ICh. 21:16
מְכֻסּוֹת 144 וְהַחַלֹּנוֹת מְכֻסּוֹת Ezek. 41:16
יְכֻסֶּה 145 וּבַחֹשֶׁךְ שְׁמוֹ יְכֻסֶּה Eccl. 6:4
וַיְכֻסּוּ 146 וַיְכֻסּוּ כָּל־הֶהָרִים הַגְּבֹהִים Gen. 7:19
147 גָּבְרוּ הַמָּיִם וַיְכֻסּוּ הֶהָרִים Gen. 7:20
מִתְכַּסֶּה 148 וְהוּא מִתְכַּסֶּה בְּשַׂלְמָה חֲדָשָׁה IK. 11:29
מִתְכַּסִּים 149/50 זִקְנֵי הַכֹּהֲנִים מִתְכַּסִּים בַּשַּׂקִּים IIK. 19:2
Is. 37:2
וַיִּתְכַּס 151/2 וַיִּתְכַּס בַּשָּׂק וַיָּבֹא בֵּית יְיָ IIK. 19:1 • Is. 37:1
תִּכַּסֶּה 153 תִּכַּסֶּה שִׂנְאָה בְּמַשָּׁאוֹן Prov. 26:26
וַתִּתְכָּס 154 וַתִּקַּח הַצָּעִיף וַתִּתְכָּס Gen. 24:65
יִתְכַּסּוּ 155 וְלֹא יִתְכַּסּוּ בְּמַעֲשֵׂיהֶם Is. 59:6
וְיִתְכַּסּוּ 156 וְיִתְכַּסּוּ שַׂקִּים הָאָדָם וְהַבְּהֵמָה Jon. 3:8

כֵּסֶה עין כִּסֵּא
כֶּסֶה עין כֶּסֶא

כָּסוּחַ* ת׳ כרות, קצוץ: 1, 2
כְּסוּחָה 1 שְׂרֻפָה בָאֵשׁ כְּסוּחָה Ps. 80:17
כְּסוּחִים 2 קוֹצִים כְּסוּחִים בָּאֵשׁ יִצַּתּוּ Is. 33:12

כַּסּוּחָה (ישעיה ה25) – עין סוּחָה

כָּסוּי* ת׳ – עין כָּסָה

כְּסוּי ז׳ מִכסה, צפוי: 1, 2 • כְּסוּי עוֹר 1, 2
קרובים: ראה בֶּגֶד
כְּסוּי־ 1 וְנָתְנוּ עָלָיו כְּסוּי עוֹר תַּחַשׁ Num. 4:6
2 וּפָרְשׂוּ עָלָיו כְּסוּי עוֹר תַּחַשׁ Num. 4:14

כְּסוּת נ׳ מלבוש, בגד: 1–8 • כְּסוּת עֵינַיִם 4
קרובים: ראה בֶּגֶד
כְּסוּת 1 עָרוֹם...וְאֵין כְּסוּת בַּקָּרָה Job 24:7
2 עָרוֹם...וְאֵין כְּסוּת לָאֲבַדּוֹן Job 26:6
3 וְאֵין כְּסוּת לָאֶבְיוֹן Job 31:19
כְּסוּת־ 4 הִנֵּה הוּא־לָךְ כְּסוּת עֵינַיִם Gen. 20:16
כְּסוּתְךָ 5 עַל־אַרְבַּע כַּנְפוֹת כְּסוּתְךָ Deut. 22:12
כְּסוּתֹה 6 כִּי הִוא כְסוּתֹה לְבַדָּהּ... Ex. 22:26
כְּסוּתָהּ 7 שְׁאֵרָהּ כְּסוּתָהּ וְעֹנָתָהּ לֹא יִגְרָע Ex. 21:10
כְּסוּתָם 8 וְשַׂק אָשִׂים כְּסוּתָם Is. 50:3

כסח : כָּסוּחַ

כְּסִיל[1] ז׳ שוטה, אויל: 1–70 • קרובים: ראה אֱוִיל
– כְּסִיל אָדָם 44, 45; אָזְנֵי כְסִיל 16; אִישׁ כְּסִיל 4;
בֵּן כְּסִיל 2,10,15; יַד כְּ׳ 7,19; לֵב כְּ׳ 25; מִקְרֵה
הַכְּסִיל 31; עֵינֵי כְ׳ 9; פִּי כְ׳ 13; קוֹל כְּ׳ 24;
שְׂחוֹק כְּסִיל 36, (38); שִׂפְתוֹת כְּ׳ 26; שִׂפְתֵי כְ׳ 12
– אִוֶּלֶת כְּסִילִים 50, 51; גֵּו כְּ׳ 56, 57; חֵיק כְּ׳ 62;
לֵב כְּ׳ 47, 54, 60; עֲמַל כְּ׳ 68; פִּי כְ׳ 53, 55, 58, 59;
רֹעֶה כְּסִילִים 49; שִׁיר כְּ׳ 61; שַׁלְוַת כְּ׳ 46;
תּוֹעֲבַת כְּסִילִים 48

כְּסִיל 1 יַחַד כְּסִיל וָבַעַר יֹאבֵדוּ Ps. 49:11
2 וּבֵן כְּסִיל תּוּגַת אִמּוֹ Prov. 10:1
3 וּמוֹצִא דִבָּה הוּא כְסִיל Prov. 10:18
4 לֵךְ מִנֶּגֶד לְאִישׁ כְּסִיל Prov. 14:7
5 מֵהַכּוֹת כְּסִיל מֵאָה Prov. 17:10
6 פָּגוֹשׁ...וְאַל־כְּסִיל בְּאִוַּלְתּוֹ Prov. 17:12
7 לָמָּה־זֶּה מְחִיר בְּיַד־כְּסִיל Prov. 17:16
8 יֹלֵד כְּסִיל לְתוּגָה לוֹ Prov. 17:21
9 וְעֵינֵי כְסִיל בִּקְצֵה־אָרֶץ Prov. 17:24
10 כַּעַס לְאָבִיו בֵּן כְּסִיל Prov. 17:25
11 לֹא־יַחְפֹּץ כְּסִיל בִּתְבוּנָה Prov. 18:2
12 שִׂפְתֵי כְסִיל יָבֹאוּ בְרִיב Prov. 18:6
13 פִּי־כְסִיל מְחִתָּה־לוֹ Prov. 18:7
14 טוֹב...מֵעִקֵּשׁ שְׂפָתָיו וְהוּא כְסִיל Prov. 19:1
15 הַוֺּת לְאָבִיו בֵּן כְּסִיל Prov. 19:13
16 בְּאָזְנֵי כְסִיל אַל־תְּדַבֵּר Prov. 23:9
17 אַל־תַּעַן כְּסִיל כְּאִוַּלְתּוֹ Prov. 26:4
18 עֲנֵה כְסִיל כְּאִוַּלְתּוֹ Prov. 26:5
19 שֹׁלֵחַ דְּבָרִים בְּיַד־כְּסִיל Prov. 26:6
20 וְשֹׂכֵר כְּסִיל וְשֹׂכֵר עֹבְרִים Prov. 26:10
21 כְּכֶלֶב...כְּסִיל שׁוֹנֶה בְאִוַּלְתּוֹ Prov. 26:11
22 בּוֹטֵחַ בְּלִבּוֹ הוּא כְסִיל Prov. 28:26
23 כָּל־רוּחוֹ יוֹצִיא כְסִיל Prov. 29:11
24 וְקוֹל כְּסִיל בְּרֹב דְּבָרִים Eccl. 5:2
25 וְלֵב כְּסִיל לִשְׂמֹאלוֹ Eccl. 10:2
26 וְשִׂפְתוֹת כְּסִיל תְּבַלְּעֶנּוּ Eccl. 10:12
וּכְסִיל 27 וּכְסִיל לֹא־יָבִין אֶת־זֹאת Ps. 92:7
28 וּכְסִיל יִפְרֹשׂ אִוֶּלֶת Prov. 13:16
29 וּכְסִיל מִתְעַבֵּר וּבוֹטֵחַ Prov. 14:16
30 טוֹב...מִמֶּלֶךְ זָקֵן וּכְסִיל Eccl. 4:13
הַכְּסִיל 31 כְּמִקְרֵה הַכְּסִיל גַּם־אֲנִי יִקְרֵנִי Eccl. 2:15
32 אֵין זִכְרוֹן לֶחָכָם עִם־הַכְּסִיל Eccl. 2:16
33 וְאֵיךְ יָמוּת הֶחָכָם עִם־הַכְּסִיל Eccl. 2:16
34 הַכְּסִיל חֹבֵק אֶת־יָדָיו Eccl. 4:5
35 כִּי מַה־יּוֹתֵר לֶחָכָם מִן־הַכְּסִיל Eccl. 6:8
36 כְּקוֹל הַסִּירִים...כֵּן שְׂחֹק הַכְּסִיל Eccl. 7:6
וְהַכְּסִיל 37 וְהַכְּסִיל בַּחֹשֶׁךְ הוֹלֵךְ Eccl. 2:14
לִכְסִיל 38 כִּשְׂחוֹק לִכְסִיל עֲשׂוֹת זִמָּה Prov. 10:23
39 לֹא־נָאוֶה לִכְסִיל תַּעֲנוּג Prov. 19:10
40 כֵּן לֹא־נָאוֶה לִכְסִיל כָּבוֹד Prov. 26:1
41 כֵּן־נוֹתֵן לִכְסִיל כָּבוֹד Prov. 26:8
42-43 תִּקְוָה לִכְסִיל מִמֶּנּוּ Prov. 26:12; 29:20
וּכְסִיל־ 44 וּכְסִיל אָדָם בּוֹזֶה אִמּוֹ Prov. 15:20
45 וּכְסִיל אָדָם יְבַלְּעֶנּוּ Prov. 21:20
כְּסִילִים 46 וְשַׁלְוַת כְּסִילִים תְּאַבְּדֵם Prov. 1:32
47 וְלֵב כְּסִילִים יִקְרָא אִוֶּלֶת Prov. 12:23
48 וְתוֹעֲבַת כְּסִילִים סוּר מֵרָע Prov. 13:19
49 וְרֹעֶה כְסִילִים יֵרוֹעַ Prov. 13:20
50 וְאִוֶּלֶת כְּסִילִים מִרְמָה Prov. 14:8
51 אִוֶּלֶת כְּסִילִים אִוֶּלֶת Prov. 14:24
52 וּבְקֶרֶב כְּסִילִים תִּוָּדֵעַ Prov. 14:33
53 וּפִי כְסִילִים יַבִּיעַ אִוֶּלֶת Prov. 15:2
54 וְלֵב כְּסִילִים לֹא־כֵן Prov. 15:7
55 וּפִי כְסִילִים יִרְעֶה אִוֶּלֶת Prov. 15:14
56 וּמַהֲלֻמוֹת לְגֵו כְּסִילִים Prov. 19:29
57 וְשֵׁבֶט לְגֵו כְּסִילִים Prov. 26:3
58/9 וּמָשָׁל בְּפִי כְסִילִים Prov. 26:7, 9
60 וְלֵב כְּסִילִים בְּבֵית שִׂמְחָה Eccl. 7:4
61 טוֹב...מֵאִישׁ שֹׁמֵעַ שִׁיר כְּסִילִים Eccl. 7:5
62 כִּי כַעַס בְּחֵיק כְּסִילִים יָנוּחַ Eccl. 7:9

וּכְסִילִים 63 וּכְסִילִים מָתַי תַּשְׂכִּילוּ Ps. 94:8
64 וּכְסִילִים יִשְׂנְאוּ־דָעַת Prov. 1:22
65 וּכְסִילִים מֵרִים קָלוֹן Prov. 3:35
66 וּכְסִילִים הָבִינוּ לֵב Prov. 8:5
הַכְּסִילִים 67 וְקָרוֹב לִשְׁמֹעַ מִתֵּת הַכְּסִילִים זָבַח Eccl. 4:17
68 עֲמַל הַכְּסִילִים תְּיַגְּעֶנּוּ Eccl. 10:15
בַּכְּסִילִים 69 כִּי אֵין חֵפֶץ בַּכְּסִילִים Eccl. 5:3
70 מִזַּעֲקַת מוֹשֵׁל בַּכְּסִילִים Eccl. 9:17

כְּסִיל[2] ז׳ קבוצת כוכבים (Orion): 1–4 • מוֹשְׁכוֹת כְּסִיל 2
כְּסִיל 1 עֹשֶׂה עָשׁ כְּסִיל וְכִימָה Job 9:9
2 אוֹ־מֹשְׁכוֹת כְּסִיל תְּפַתֵּחַ Job 38:31
וּכְסִיל 3 עֹשֵׂה כִימָה וּכְסִיל Am. 5:8
וּכְסִילֵיהֶם 4 כּוֹכְבֵי הַשָּׁמַיִם וּכְסִילֵיהֶם Is. 13:10

כְּסִיל[3] עיר בנחלת יהודה
וּכְסִיל 1 וְאֶלְתּוֹלַד וּכְסִיל וְחָרְמָה Josh. 15:30

כְּסִילוּת נ׳ אולת • אֵשֶׁת כְּסִילוּת 1
כְּסִילוּת 1 אֵשֶׁת כְּסִילוּת הֹמִיָּה Prov. 9:13

כסל : כָּסַל; כְּסִיל, כְּסִילוּת, כֶּסֶל, כִּסְלָה; ש״פ כְּסִיל,
כִּסְלֵו, כִּסְלוֹן, כְּסָלוֹן, כְּסֻלּוֹת, כִּסְלֹת

כָּסַל פ׳ עשה אולת
וְיִכְסָלוּ 1 וּבְאַחַת יִבְעֲרוּ וְיִכְסָלוּ Jer. 10:8

כֶּסֶל[1], כֵּסֶל ז׳ א) אולת: 1, 2
ב) בטחון: 3–6
כֶּסֶל 1 זֶה דַרְכָּם כֶּסֶל לָמוֹ Ps. 49:14
כֶּסֶל 2 וְלָדַעַת רֶשַׁע כֶּסֶל וְהַסִּכְלוּת הוֹלֵלוֹת Eccl. 7:25
כִּסְלִי 3 אִם־שַׂמְתִּי זָהָב כִּסְלִי Job 31:24
בְכִסְלֶךָ 4 כִּי־יְיָ יִהְיֶה בְכִסְלֶךָ Prov. 3:26
כִּסְלוֹ 5 אֲשֶׁר־יָקוֹט כִּסְלוֹ Job 8:14
כִּסְלָם 6 וְיָשִׂימוּ בֵאלֹהִים כִּסְלָם Ps. 78:7

כֶּסֶל[2]* ז׳ א) שרירי הירך סמוך לכליה: 2–6
ב) [בהשאלה] קרבים: 1, 7
כָסֶל 1 וַיַּעַשׂ פִּימָה עֲלֵי־כָסֶל Job 15:27
הַכְּסָלִים 2–6 וְאֶת־הַחֵלֶב...אֲשֶׁר עַל־הַכְּסָלִים
Lev. 3:4, 10, 15; 4:9; 7:4
כְּסָלַי 7 כִּי־כְסָלַי מָלְאוּ נִקְלֶה Ps. 38:8

כִּסְלָה נ׳ א) כסילות: 1
ב) בטחון: 2
לְכִסְלָה 1 וְאַל־יָשׁוּבוּ לְכִסְלָה Ps. 85:9
כִּסְלָתֶךָ 2 הֲלֹא יִרְאָתְךָ כִּסְלָתֶךָ Job 4:6

כִּסְלֵו שם החודש התשיעי מניסן: 1, 2
כִּסְלֵו 1 וַיְהִי בְחֹדֶשׁ־כִּסְלֵו שְׁנַת עֶשְׂרִים Neh. 1:1
בְּכִסְלֵו 2 בְּאַרְבָּעָה לַחֹדֶשׁ הַתְּשִׁעִי בְּכִסְלֵו Zech. 7:1

כְּסָלוֹן עיר בנחלת יהודה בהר יערים
כְּסָלוֹן 1 כֶּתֶף הַר־יְעָרִים...הִיא כְסָלוֹן Josh. 15:10

כִּסְלוֹן שפ״ז – אבי אֱלִידָד נשיא בנימין
כִּסְלוֹן 1 לְמַטֵּה בִנְיָמִן אֱלִידָד בֶּן־כִּסְלוֹן Num. 34:21

כְּסֻלּוֹת עיר בנחלת יששכר
וְהַכְּסֻלּוֹת 1 וַיְהִי גְּבוּלָם יִזְרְעֶאלָה וְהַכְּסֻלּוֹת Josh. 19:18

כִּסְלֹת תָּבוֹר היא כְּסֻלּוֹת
כִּסְלֹת תָּ׳ 1 וְשָׁב...עַל־גְּבוּל כִּסְלֹת תָּבֹר Josh. 19:12

כַּסְלֻחִים עם מילידי מצרים מבני חם: 1, 2
כַּסְלֻחִים 1 וְאֶת־פַּתְרֻסִים וְאֶת־כַּסְלֻחִים Gen. 10:14
2 וְאֶת־פַּתְרֻסִים וְאֶת־כַּסְלֻחִים ICh. 1:12

כסם : כָּסַם; כֻּסֶּמֶת?; כִּרְסֵם

כָּסַם פ׳ גזז שער: 1, 2
כָּסוֹם 1 כָּסוֹם יִכְסְמוּ אֶת־רָאשֵׁיהֶם Ezek. 44:20
יִכְסְמוּ 2 כָּסוֹם יִכְסְמוּ אֶת־רָאשֵׁיהֶם Ezek. 44:20

כֻּסֶּמֶת נ׳ אחד ממיני החטה (Triticum dicoccum): 1–3
וְכֻסֶּמֶת 1 וּשְׂעֹרָה נִסְמָן וְכֻסֶּמֶת גְּבֻלָתוֹ Is. 28:25
וְהַכֻּסֶּמֶת 2 וְהַחִטָּה וְהַכֻּסֶּמֶת לֹא נֻכּוּ Ex. 9:32
וְכֻסְּמִים 3 וּפוֹל וַעֲדָשִׁים וְדֹחַן וְכֻסְּמִים Ezek. 4:9

כסס : כָּסַס; מֶכֶס, מִכְסָה

כָּסַס פ׳ נמנה, בא במנין
תָּכֹסּוּ 1 אִישׁ לְפִי אָכְלוֹ תָּכֹסּוּ עַל־הַשֶּׂה Ex. 12:4

כסף : כָּסַף, נִכְסַף; כֶּסֶף; אר׳ כְּסַף; ש״פ כָּסִפְיָא

כָּסַף פ׳ א) חָשַׁק: 1, 2
ב) [נפ׳ נִכְסַף] השתוקק: 3–5
ג) [כנ״ל] החויר, נכלם: 6
תִּכְסֹף 1 לְמַעֲשֵׂה יָדֶיךָ תִכְסֹף Job 14:15
יִכְסוֹף 2 דִּמְיֹנוֹ כְּאַרְיֵה יִכְסוֹף לִטְרֹף Ps. 17:12
נִכְסֹף 3 נִכְסֹף נִכְסַפְתָּה לְבֵית אָבִיךָ Gen. 31:30
נִכְסַפְתָּה 4 נִכְסֹף נִכְסַפְתָּה לְבֵית אָבִיךָ Gen. 31:30
נִכְסְפָה 5 נִכְסְפָה וְגַם־כָּלְתָה נַפְשִׁי Ps. 84:3
נִכְסָף 6 הִתְקוֹשְׁשׁוּ וָקוֹשּׁוּ הַגּוֹי לֹא נִכְסָף Zep. 2:1

כֶּסֶף ז׳ א) מתכת יקרה לבנה, ששמשה ליציקת מטבעות למסחר, לתעשית כלים, תכשיטים וכדומה: רוב המקראות 1–403
ב) קִצּוּר של ״שֶׁקֶל כֶּסֶף״: 3, 10, 79, 83–85, 87, 88, 90, 96, 138, 144, 164, 165, 168, 173, 175, 177, 187, 239, 269, 278, 290
ג) מחיר, תמורה: 82, 352, 385
קרובים: ראה בַּרְזֶל

– כֶּסֶף וְזָהָב (זָהָב וָכֶסֶף) 9, 11–17, 62–78, 106, 127, 143, 189, 193, 194, 207–220, 234, 242–249, 252, 268, ועוד כ־40 מקראות; כֶּסֶף וּנְחֹשֶׁת 28

– כֶּסֶף אַחֵר 191; כֶּ׳ אִישׁ 353, 354; כֶּ׳ אֲשָׁם 195, 367; כֶּ׳ כֵּלִים 363; כֶּ׳ כִּפּוּרִים 356; כֶּ׳ מָלֵא 303, 315, 316; כֶּ׳ מִמְכָּר 358; כֶּ׳ מִקְנָה 371; כֶּ׳ מְרֻקָּע 112; כֶּ׳ מִשְׁנֶה 190; כֶּ׳ נִבְחָר 120, 348; כֶּ׳ נִמְאָס 111; כֶּ׳ נְפָשׁוֹת 366; כֶּ׳ נָקִי 199; כֶּ׳ סִיגִים 369; כֶּ׳ עוֹבֵר 365; כֶּ׳ פְּדוּיִים 362; כֶּ׳ פִּדְיוֹם 361; כֶּ׳ פְּקֻדִים 192; כֶּ׳ צוֹרֵף 368; כֶּ׳ צָרוּף 119; כֶּ׳ שִׁבְרוֹ 355; כֶּ׳ הַשָּׂדֶה 352; כֶּסֶף שְׁקָלִים 357, 370; כֶּסֶף תּוֹעָפוֹת 198

– אֲגוֹרַת כֶּסֶף 86; אֲגַרְטְלֵי כֶ׳ 129; אַדְנֵי כֶ׳ 23–26, 151, 158; אוֹהֵב כֶ׳ 123; אֵין כֶ׳ 148; אֱלֹהֵי כֶ׳ 17; אֱלִילֵי כֶ׳ 388, 389; בְּלֹא כֶ׳ 108; בֶּצַע כֶ׳ 82; גְּבִיעַ כֶ׳ 224; גְּלִילֵי כֶּסֶף 125; חֶבֶל כֶ׳ 272; חֲצוֹצְרוֹת כֶ׳ 60; טִירַת כֶ׳ 186; כִּכַּר כֶ׳ 91, 93–95, 102, 103, 126, 136, 137, 142, 143, 167, 170, 188, 229; כְּלֵי כֶ׳ 6, 11–16, 128, 133, 169, 280; כְּפוֹרֵי כֶ׳ 130, 282; מִזְרַק כֶּסֶף 33–56, 58; מְנֹרוֹת כֶ׳ 281; מִקְנַת כֶ׳ 1, 2, 147, 379, 382; מַשְׂכִּיּוֹת כֶ׳ 182; מִשְׁנֶה כֶ׳ 7; נְטִילֵי כֶ׳ 176; נְקֻדּוֹת כֶ׳ 291; נֶשֶׁךְ כֶ׳ 80; סַחַר כֶ׳ 180; סִפּוֹת כֶ׳ 100; סַפִּילֵי כֶ׳ 380; פָּרָשַׁת הַכֶּ׳ 274; צֵל הַכֶּ׳ 292; צְרוֹר כֶ׳ 271, 384, 403; קְבוּצַת כֶ׳ 114; קִנְיַן כֶ׳ 387; קְעָרַת כֶ׳ 33–57; רַצֵּי כֶסֶף 179; רְתֻקוֹת כֶ׳ 368; שִׁבְעַת כֶּסֶף 124; שַׁלְחֲנוֹת כֶּסֶף 293; שֶׁקֶל כֶ׳ 4, 5, 163, 166; תְּרוּמַת כֶּסֶף 28

כֶּסֶף 1–2 יְלִיד בָּיִת וּמִקְנַת־כֶּסֶף Gen. 17:12, 27
3 הִנֵּה נָתַתִּי אֶלֶף כֶּסֶף לְאָחִיךְ Gen. 20:16
4 אֶרֶץ אַרְבַּע מֵאֹת שֶׁקֶל־כֶּסֶף Gen. 23:15
5 שֶׁקֶל כֶּסֶף עֹבֵר לַסֹּחֵר Gen. 23:16
6 כְּלֵי־כֶסֶף וּכְלֵי זָהָב וּבְגָדִים Gen. 24:53
7 וּמִשְׁנֶה־כֶּסֶף לָקְחוּ בְיָדָם Gen. 43:15
8 הֵן כֶּסֶף אֲשֶׁר מָצָאנוּ...הֱשִׁיבֹנוּ Gen. 44:8
9 וְאֵיךְ נִגְנֹב...כֶּסֶף אוֹ זָהָב Gen. 44:8
10 וּלְבִנְיָמִן נָתַן שְׁלֹשׁ מֵאוֹת כֶּסֶף Gen. 45:22
11–16 כְּלֵי־כֶסֶף וּכְלֵי־זָהָב Ex. 3:22
11:2; 12:35 • IISh. 8:10 • IK. 10:25 • IICh. 9:24
17 אֱלֹהֵי כֶסֶף וֵאלֹהֵי זָהָב לֹא תַעֲשׂוּ Ex. 20:20
18 כֶּסֶף שְׁלֹשִׁים שְׁקָלִים יִתֵּן Ex. 21:32
19 כֶּסֶף יָשִׁיב לִבְעָלָיו Ex. 21:34
20 כִּי־יִתֵּן...כֶּסֶף אוֹ־כֵלִים לִשְׁמֹר Ex. 22:6
21 כֶּסֶף יִשְׁקֹל כְּמֹהַר הַבְּתוּלֹת Ex. 22:16
22 אִם־כֶּסֶף תַּלְוֶה אֶת־עַמִּי Ex. 22:24
23/4 וְאַרְבָּעִים אַדְנֵי־כֶסֶף Ex. 26:19; 36:24
25/6 וְאַדְנֵיהֶם כֶּסֶף Ex. 26:25; 36:30
27 מְחֻשָּׁקִים כֶּסֶף Ex. 27:17
28 כָּל־מֵרִים תְּרוּמַת כֶּסֶף וּנְחֹשֶׁת Ex. 35:24
29 וַחֲשׁוּקֵיהֶם כָּסֶף Ex. 38:17
30 וְהֵם מְחֻשָּׁקִים כֶּסֶף Ex. 38:17
31 וָוֵיהֶם כָּסֶף Ex. 38:19
32 חֲמִשִּׁים שֶׁקֶל כֶּסֶף בְּשֶׁקֶל הַקֹּדֶשׁ Lev. 27:3
33–56 קַעֲרַת־כֶּסֶף אַחַת...מִזְרָק אֶחָד כֶּסֶף...
Num. 7:13, 19, 25, 31, 37, 43, 49, 55, 61, 67, 73, 79
57 קַעֲרֹת כֶּסֶף שְׁתֵּים עֶשְׂרֵה Num. 7:84
58 מִזְרְקֵי־כֶסֶף שְׁנֵים עָשָׂר Num. 7:84
59 שְׁלֹשִׁים וּמֵאָה הַקְּעָרָה...כֶּסֶף... Num. 7:85
60 עֲשֵׂה לְךָ שְׁתֵּי חֲצוֹצְרֹת כֶּסֶף Num. 10:2
61 בְּעֶרְכְּךָ כֶּסֶף חֲמֵשֶׁת שְׁקָלִים Num. 18:16
62/3 מְלֹא בֵיתוֹ כֶּסֶף וְזָהָב Num. 22:18; 24:13
64–78 כֶּסֶף וְזָהָב Deut. 7:25; 29:16
Josh. 6:19 • IISh. 21:4 • IK. 15:15, 19 • IIK. 7:8 • Ezek. 38:13 • Zech. 6:11 • Ps. 115:4 • 135:15 • Eccl. 2:8 • IICh. 15:18; 16:2, 3
79 וְעָנְשׁוּ אֹתוֹ מֵאָה כֶסֶף Deut. 22:19
80 נֶשֶׁךְ כֶּסֶף נֶשֶׁךְ אֹכֶל Deut. 23:20
81 וּמָאתַיִם שְׁקָלִים כֶּסֶף Josh. 7:21
82 בֶּצַע כֶּסֶף לֹא לָקָחוּ Jud. 5:19
83 וַיִּתְּנוּ־לוֹ שִׁבְעִים כֶּסֶף Jud. 9:4
84 וַתִּקַּח אִמּוֹ מָאתַיִם כֶּסֶף Jud. 17:4
85 אֶתֶּן־לְךָ עֲשֶׂרֶת כֶּסֶף לַיָּמִים Jud. 17:10
86 לְהִשְׁתַּחֲוֹת...לַאֲגוֹרַת כֶּסֶף וְכִכַּר־לָחֶם ISh. 2:36
87 עֲשָׂרָה כֶסֶף וַחֲגֹרָה אֶחָת IISh. 18:11
88 וְלוּ אָנֹכִי שֹׁקֵל עַל־כַּפַּי אֶלֶף כֶּסֶף IISh. 18:12
89 אֵין כֶּסֶף לֹא נֶחְשָׁב...לִמְאוּמָה IK. 10:21
90 וַתַּעֲלֶה וַתֵּצֵא...בְּשֵׁשׁ־מֵאוֹת כֶּסֶף IK. 10:29
91 אוֹ כִכַּר־כֶּסֶף תִּשְׁקוֹל IK. 20:39
92 אֶתְּנָה־לְךָ כֶסֶף מְחִיר זֶה IK. 21:2
93 עֶשֶׂר כִּכְּרֵי־כֶסֶף וְשֵׁשֶׁת אֲלָפִים זָהָב IIK. 5:5
94 כִּכַּר־כֶּסֶף וּשְׁתֵּי חֲלִפוֹת בְּגָדִים IIK. 5:22
95 וַיָּצַר כִּכְּרַיִם כֶּסֶף IIK. 5:23
96 עַד הֱיוֹת רֹאשׁ־חֲמוֹר בִּשְׁמֹנִים כֶּסֶף IIK. 6:25
97 כָּל־כֶּסֶף אֲשֶׁר יַעֲלֶה עַל לֶב־אִישׁ IIK. 12:5
98 אַל־תִּקְחוּ־כֶסֶף מֵאֵת מַכָּרֵיכֶם IIK. 12:8
99 לְבִלְתִּי קְחַת־כֶּסֶף מֵאֵת הָעָם IIK. 12:9
100 סִפּוֹת כֶּסֶף מְזַמְּרוֹת מִזְרָקוֹת IIK. 12:14
101 חֲמִשִּׁים שְׁקָלִים כֶּסֶף לְאִישׁ אֶחָד IIK. 15:20
102 שְׁלֹשׁ מֵאוֹת כִּכַּר־כֶּסֶף IIK. 18:14
103 מֵאָה כִכַּר־כֶּסֶף וְכִכַּר זָהָב IIK. 23:33

כֶּסֶף (המשך)

104/5 וַאֲשֶׁר־כֶּסֶף כָּסֶף — IIK. 25:15 • Jer. 52:19
106 וַתִּמָּלֵא אַרְצוֹ כֶּסֶף וְזָהָב — Is. 2:7
107 אֲשֶׁר־כֶּסֶף לֹא יַחְשֹׁבוּ — Is. 13:17
108 שִׁבְרוּ בְּלוֹא־כֶסֶף וּבְלוֹא מְחִיר — Is. 55:1
109 לָמָּה תִשְׁקְלוּ־כֶסֶף בְּלוֹא־לֶחֶם — Is. 55:2
110 וְתַחַת הַבַּרְזֶל אָבִיא כֶסֶף — Is. 60:17
111 כֶּסֶף נִמְאָס קָרְאוּ לָהֶם — Jer. 6:30
112 כֶּסֶף מְרֻקָּע מִתַּרְשִׁישׁ יוּבָא — Jer. 10:9
113 בְּתוֹךְ כּוּר סִיגִים כֶּסֶף הָיוּ — Ezek. 22:18
114 קְבֻצַת כֶּסֶף וּנְחֹשֶׁת וּבַרְזֶל — Ezek. 22:20
115 כְּהִתּוּךְ כֶּסֶף בְּתוֹךְ כּוּר — Ezek. 22:22
116 בֹּזּוּ כֶסֶף בֹּזּוּ זָהָב — Nah. 2:10
117 וַתִּצְבָּר־כֶּסֶף כֶּעָפָר — Zech. 9:3
118 וְיָשַׁב מְצָרֵף וּמְטַהֵר כֶּסֶף — Mal. 3:3
119 כֶּסֶף צָרוּף בַּעֲלִיל לָאָרֶץ — Ps. 12:7
120 כֶּסֶף נִבְחָר לְשׁוֹן צַדִּיק — Prov. 10:20
121 וְלֹא יִשָּׁקֵל כֶּסֶף מְחִירָהּ — Job 28:15
122 עַמּוּדָיו עָשָׂה כֶסֶף — S.ofS. 3:10
123/4 אֹהֵב כֶּסֶף לֹא־יִשְׂבַּע כֶּסֶף — Eccl. 5:9
125 עַל־גְּלִילֵי כֶסֶף וְעַמּוּדֵי שֵׁשׁ — Es. 1:6
126 וַעֲשֶׂרֶת אֲלָפִים כִּכַּר־כֶּסֶף אֶשְׁקוֹל — Es. 3:9
127 עִם־כְּלֵי חֶמְדָּתָם כֶּסֶף וְזָהָב — Dan. 11:8
128 בִּכְלֵי־כֶסֶף בַּזָּהָב בָּרְכוּשׁ — Ez. 1:6
129 אֲגַרְטְלֵי־כֶסֶף אָלֶף — Ez. 1:9
130 כְּפוֹרֵי כֶסֶף מִשְׁנִים — Ez. 1:10
131 וַיִּתְּנוּ־כֶסֶף לַחֹצְבִים וְלֶחָרָשִׁים — Ez. 3:7
132 וָאֶשְׁקְלָה עַל־יָדָם כֶּסֶף כִּכָּרִים — Ez. 8:26
133 וּכְלֵי־כֶסֶף מֵאָה לְכִכָּרִים — Ez. 8:26
134 לָוִינוּ כֶסֶף לְמִדַּת הַמֶּלֶךְ — Neh. 5:4
135 נֹשִׁים בָּהֶם כֶּסֶף וְדָגָן — Neh. 5:10
136 וַיִּשְׁלַח...אֶלֶף כִּכַּר־כֶּסֶף — ICh. 19:6
137 וְשִׁבְעַת אֲלָפִים כִּכַּר־כֶּסֶף — ICh. 29:4
138 מֶרְכָּבָה בְּשֵׁשׁ מֵאוֹת כֶּסֶף — IICh. 1:17
139 אֵין כֶּסֶף נֶחְשָׁב...לִמְאוּמָה — IICh. 9:20
140 וְקִבְצוּ מִכָּל־יִשְׂרָאֵל כֶּסֶף — IICh. 24:5
141 וַיַּאַסְפוּ־כֶסֶף לָרֹב — IICh. 24:11
142 וַיִּתְּנוּ־לוֹ...מֵאָה כִּכַּר־כֶּסֶף — IICh. 27:5
143 מֵאָה כִכַּר־כֶּסֶף וְכִכַּר זָהָב — IICh. 36:3

כָּסֶף

144 וַיִּמְכְּרוּ אֶת־יוֹסֵף...בְּעֶשְׂרִים כָּסֶף — Gen. 37:28
145 וְלָמָּה נָמוּת...כִּי אָפֵס כָּסֶף — Gen. 47:15
146 הָבוּ מִקְנֵיכֶם...אִם־אָפֵס כָּסֶף — Gen. 47:16
147 וְכָל־עֶבֶד אִישׁ מִקְנַת כָּסֶף — Ex. 12:44
148 וְיָצְאָה חִנָּם אֵין כָּסֶף — Ex. 21:11
149/50 וְאַרְבָּעִים אַדְנֵיהֶם כָּסֶף — Ex. 26:21; 36:26
151 עַל־אַרְבָּעָה אַדְנֵי־כָסֶף — Ex. 26:32
152-6 וַחֲשֻׁקֵיהֶם כָּסֶף — Ex. 27:10, 11; 38:10, 11, 19
157 מְחֻשָּׁקִים כֶּסֶף וָוֵיהֶם כָּסֶף — Ex. 27:17
158 וַיִּצֹק לָהֶם אַרְבָּעָה אַדְנֵי־כָסֶף — Ex. 36:36
159 וַחֲשׁוּקֵיהֶם כָּסֶף — Ex. 38:12
160 וְצִפּוּי רָאשֵׁיהֶם כָּסֶף — Ex. 38:17
161 הַזָּכָר חֲמִשָּׁה שְׁקָלִים כָּסֶף — Lev. 27:6
162 עֶרְכְּךָ שְׁלֹשֶׁת שְׁקָלִים כָּסֶף — Lev. 27:6
163 זֶרַע...בַּחֲמִשִּׁים שֶׁקֶל כָּסֶף — Lev. 27:16
164 וְנָתַן הָאִישׁ...חֲמִשִּׁים כָּסֶף — Deut. 22:29
165 נִתֶּן־לְךָ אִישׁ אֶלֶף וּמֵאָה כָּסֶף — Jud. 16:5
166 הִנֵּה נִמְצָא בְיָדִי רֶבַע שֶׁקֶל כָּסֶף — ISh. 9:8
167 וַיִּקֶן אֶת־הָהָר...בְּכִכְּרַיִם כָּסֶף — IK. 16:24
168 הַקַּב דִּבְיוֹנִים° בַּחֲמִשָּׁה כָסֶף — IIK. 6:25
169 כָּל־כְּלִי זָהָב וּכְלִי־כָסֶף — IIK. 12:14
170 וַיִּתֵּן...אֶלֶף כִּכַּר־כָּסֶף — IIK. 15:19
171/2 וַאֲשֶׁר־כֶּסֶף כָּסֶף — IIK. 25:15 • Jer. 52:19
173 אֶלֶף גֶּפֶן בְּאֶלֶף כָּסֶף — Is. 7:23

כָּסֶף (המשך)

174 וַאֲשֶׁר אֵין־לוֹ כָּסֶף לְכוּ שִׁבְרוּ — Is. 55:1
175 וָאֶכְּרֶהָ לִּי בַּחֲמִשָּׁה עָשָׂר כָּסֶף — Hosh. 3:2
176 נִכְרְתוּ כָּל־נְטִילֵי כָסֶף — Zep. 1:11
177 וַיִּשְׁקְלוּ אֶת־שְׂכָרִי שְׁלֹשִׁים כָּסֶף — Zech. 11:12
178 צְרַפְתָּנוּ כִּצְרָף־כָּסֶף — Ps. 66:10
179 מִתְרַפֵּס בְּרַצֵּי־כָסֶף — Ps. 68:31
180 כִּי טוֹב סַחְרָהּ מִסְּחַר־כָּסֶף — Prov. 3:14
181 קְחוּ־מוּסָרִי וְאַל־כָּסֶף — Prov. 8:10
182 תַּפּוּחֵי זָהָב בְּמַשְׂכִּיּוֹת כָּסֶף — Prov. 25:11
183 הַמְמַלְאִים בָּתֵּיהֶם כָּסֶף — Job 3:15
184 אִם־יִצְבֹּר כֶּעָפָר כָּסֶף — Job 27:16
185 אִם־כֹּחָהּ אָכַלְתִּי בְלִי־כָסֶף — Job 31:39
186 חוֹמָה הִיא נִבְנֶה עָלֶיהָ טִירַת כָּסֶף — S.ofS. 8:9
187 אִישׁ יָבִא בְּפִרְיוֹ אֶלֶף כָּסֶף — S.ofS. 8:11
188 וַיִּשְׂכֹּר...בְּמֵאָה כִכַּר־כָּסֶף — IICh. 25:6

וְכֶסֶף

189 וַיִּתֶּן־לוֹ צֹאן...וְכֶסֶף וְזָהָב — Gen. 24:35
190 וְכֶסֶף מִשְׁנֶה קְחוּ בְיֶדְכֶם — Gen. 43:12
191 וְכֶסֶף אַחֵר הוֹרַדְנוּ בְיָדֵנוּ — Gen. 43:22
192 וְכֶסֶף פְּקוּדֵי הָעֵדָה מְאַת כִּכָּר — Ex. 38:25
193 וְכֶסֶף וְזָהָב יִרְבֶּה־לָּךְ — Deut. 8:13
194 וְכֶסֶף וְזָהָב לֹא יַרְבֶּה־לּוֹ — Deut. 17:17
195 כֶּסֶף אָשָׁם וְכֶסֶף חַטָּאוֹת — IIK. 12:17
196 וְכֶסֶף בַּקָּנֶה יִשְׁקֹלוּ — Is. 46:6
197 וְכֶסֶף הִרְבֵּיתִי...וְזָהָב עָשׂוּ לַבָּעַל — Hosh. 2:10
198 וְכֶסֶף תּוֹעָפוֹת לָךְ — Job 22:25
199 וְכֶסֶף נָקִי יַחֲלֹק — Job 27:17
200 וְכֶסֶף מָנִים חֲמֵשֶׁת אֲלָפִים — Ez. 2:69
201 וְכֶסֶף מָנִים אַלְפַּיִם וּמָאתָיִם — Neh. 7:71
202 וְכֶסֶף מָנִים אַלְפָּיִם — Neh. 7:72
203 וְכֶסֶף אֶלֶף אֲלָפִים כִּכָּרִים — ICh. 22:14(13)
204 וְכֶסֶף לְשֻׁלְחֲנוֹת הַכָּסֶף — ICh. 28:16
205 וְכֶסֶף כִּכָּרִים עֲשֶׂרֶת אֲלָפִים — ICh. 29:7
206 מְבִיאִים...מִנְחָה וְכֶסֶף מַשָּׂא — IICh. 17:11

וָכֶסֶף

207/8 זָהָב וָכֶסֶף וּנְחֹשֶׁת — Ex. 25:3; 35:5
209 אֳנִי תַרְשִׁישׁ נֹשְׂאֵת זָהָב וָכֶסֶף — IK. 10:22
210 וַתַּעְדִּי זָהָב וָכֶסֶף — Ezek. 16:13
211-217 זָהָב וָכֶסֶף — Ezek. 28:4 • Hab. 2:19 • Zech. 14:14 • Es. 1:6 • ICh. 18:10 • IICh. 9:14, 21

וָכָסֶף

218 טוֹב לִי...מֵאַלְפֵי זָהָב וָכָסֶף — Ps. 119:72
219 יֶשׁ־לִי סְגֻלָּה זָהָב וָכָסֶף — ICh. 29:3
220 וּכְלֵי זָהָב וָכָסֶף — IICh. 24:14

הַכֶּסֶף

221 וַיִּשְׁקֹל אַ׳ לְעֶפְרֹן אֶת־הַכֶּסֶף — Gen. 23:16
222 וְאֶת־הַכֶּסֶף הַמּוּשָׁב...תָּשִׁיבוּ — Gen. 43:12
223 הַכֶּסֶף הַשָּׁב בְּאַמְתְּחֹתֵינוּ — Gen. 43:18
224 וְאֶת־גְּבִיעִי גְּבִיעַ הַכֶּסֶף... — Gen. 44:2
225 וַיְלַקֵּט יוֹסֵף אֶת־כָּל־הַכֶּסֶף — Gen. 47:14
226 וַיָּבֵא יוֹסֵף אֶת־הַכֶּסֶף בֵּיתָה — Gen. 47:14
227 וַיִּתֹּם הַכֶּסֶף מֵאֶרֶץ מִצְרַיִם — Gen. 47:15
228 כִּי אִם־תַּם הַכֶּסֶף...אֶל־אֲדֹנִי — Gen. 47:18
229 וַיְהִי מְאַת כִּכַּר הַכֶּסֶף... — Ex. 38:27
230 וְחִשַּׁב־לוֹ הַכֹּהֵן אֶת־הַכֶּסֶף — Lev. 27:18
231 וְנָתַתָּה הַכֶּסֶף לְאַהֲרֹן וּלְבָנָיו — Num. 3:48
232 וְצַרְתָּ הַכֶּסֶף בְּיָדְךָ וְהָלַכְתָּ... — Deut. 14:25
233 וְנָתַתָּה הַכֶּסֶף בְּכֹל אֲשֶׁר־תְּאַוֶּה — Deut. 14:26
234 רַק הַכֶּסֶף וְהַזָּהָב...נָתְנוּ — Josh. 6:24
235 וְאֶת־הַכֶּסֶף וְאֶת־הָאַדֶּרֶת — Josh. 7:24
236 וַיַּעֲלוּ הַכֶּסֶף בְּיָדָם — Jud. 16:18
237 אֶלֶף וּמֵאָה הַכֶּסֶף אֲשֶׁר לֻקַּח־לָךְ — Jud. 17:2
238 הִנֵּה־הַכֶּסֶף אִתִּי אֲנִי לְקַחְתִּיו — Jud. 17:2
239 וַיָּשֶׁב אֶת־אֶלֶף־וּמֵאָה הַכֶּסֶף — Jud. 17:3
240 הַקְדֵּשׁ הִקְדַּשְׁתִּי אֶת־הַכֶּסֶף לַייָ — Jud. 17:3
241 וַיָּשֶׁב אֶת־הַכֶּסֶף לְאִמּוֹ — Jud. 17:4

הַכֶּסֶף (המשך)

242 עִם־הַכֶּסֶף וְהַזָּהָב אֲשֶׁר הִקְדִּישׁ — IISh. 8:11
243-249 (ו)אֶת־הַכֶּסֶף וְאֶת־הַזָּהָב — IK. 7:51 • IIK. 16:8; 20:13; 23:35 • Is. 39:2 • IICh. 1:15; 5:1
250/1 וַיִּתֵּן...אֶת־הַכֶּסֶף בִּירוּשָׁלַםִ כָּאֲבָנִים — IK. 10:27 • IICh. 9:27
252 וַיִּקַּח אָסָא אֶת־כָּל־הַכֶּסֶף וְהַזָּהָב — IK. 15:18
253 הַעֵת לָקַחַת אֶת־הַכֶּסֶף — IIK. 5:26
254 אֶת־כָּל־הַכֶּסֶף הַמּוּבָא בֵית־יְיָ — IIK. 12:10
255 כִּרְאוֹתָם כִּי־רַב הַכֶּסֶף בָּאָרוֹן — IIK. 12:11
256 וַיָּצֻרוּ וַיִּמְנוּ אֶת־הַכֶּסֶף — IIK. 12:11
257 וְנָתְנוּ אֶת־הַכֶּסֶף הַמְתֻכָּן — IIK. 12:12
258 מִן־הַכֶּסֶף הַמּוּבָא בֵית־יְיָ — IIK. 12:14
259 אֲשֶׁר יִתְּנוּ אֶת־הַכֶּסֶף עַל־יָדָם — IIK. 12:16
260 וַיֹּצֵא מְנַחֵם אֶת־הַכֶּסֶף עַל־יִשְׂרָ׳ — IIK. 15:20
261 אֶת־כָּל־הַכֶּסֶף הַנִּמְצָא בֵית־יְיָ — IIK. 18:15
262 וְיַתֵּם אֶת־הַכֶּסֶף הַמּוּבָא בֵּית יְיָ — IIK. 22:4
263 אַךְ לֹא־יֵחָשֵׁב אִתָּם הַכֶּסֶף — IIK. 22:7
264 הִתִּיכוּ עֲבָדֶיךָ אֶת־הַכֶּסֶף — IIK. 22:9
265 לָתֵת אֶת־הַכֶּסֶף עַל־פִּי פַרְעֹה — IIK. 23:35
266 וָאֶשְׁקֲלָה־לּוֹ אֶת־הַכֶּסֶף — Jer. 32:9
267 וָאֶשְׁקֹל הַכֶּסֶף בְּמֹאזְנָיִם — Jer. 32:10
268 לִי הַכֶּסֶף וְלִי הַזָּהָב נְאֻם יְיָ צְבָאוֹת — Hag. 2:8
269 וָאֶקְחָה שְׁלֹשִׁים הַכֶּסֶף וָאַשְׁלִיךְ — Zech. 11:13
270 וּצְרַפְתִּים כִּצְרֹף אֶת־הַכֶּסֶף... — Zech. 13:9
271 צְרוֹר הַכֶּסֶף לָקַח בְּיָדוֹ — Prov. 7:20
272 עַד אֲשֶׁר לֹא יֵרָתֵק° חֶבֶל הַכֶּסֶף — Eccl. 12:6
273 הַכֶּסֶף נָתוּן לָךְ — Es. 3:11
274 וְאֵת פָּרָשַׁת הַכֶּסֶף — Es. 4:7
275 וָאֶשְׁקֳלָה° לָהֶם אֶת־הַכֶּסֶף — Ez. 8:25
276 וְקִבְּלוּ...מִשְׁקַל הַכֶּסֶף וְהַזָּהָב — Ez. 8:30
277 נִשְׁקַל הַכֶּסֶף וְהַזָּהָב וְהַכֵּלִים — Ez. 8:33
278 וּמְאַת הַכֶּסֶף וְהַדָּגָן — Neh. 5:11
279 הִקְדִּישׁ...עִם־הַכֶּסֶף וְהַזָּהָב — ICh. 18:11
280 לְכֹל כְּלֵי הַכֶּסֶף בְּמִשְׁקָל — ICh. 28:14
281 וְלִמְנֹרוֹת הַכֶּסֶף בְּמִשְׁקָל — ICh. 28:15
282 וְלִכְפוֹרֵי הַכֶּסֶף בְּמִשְׁקָל — ICh. 28:17
283 וְכִרְאוֹתָם כִּי־רַב הַכֶּסֶף — IICh. 24:11
284 הֵבִיאוּ...אֶת־שְׁאָר הַכֶּסֶף — IICh. 24:14
285 אֶת־הַכֶּסֶף הַמּוּבָא בֵית־אֱלֹהִים — IICh. 34:9
286 וּבְהוֹצִיאָם אֶת־הַכֶּסֶף הַמּוּבָא — IICh. 34:14
287 וַיַּתִּיכוּ אֶת־הַכֶּסֶף הַנִּמְצָא — IICh. 34:17

הַכָּסֶף

288 מֵאֵת בְּכוֹר בְּ׳ לָקַח אֶת־הַכָּסֶף — Num. 3:50
289 אַךְ אֶת־הַזָּהָב וְאֶת־הַכָּסֶף — Num. 31:22
290 שִׁבְעָה שְׁקָלִים וַעֲשָׂרָה הַכָּסֶף — Jer. 32:9
291 תּוֹרֵי זָהָב...עִם נְקֻדּוֹת הַכָּסֶף — S.ofS. 1:11
292 כִּי בְּצֵל הַחָכְמָה בְּצֵל הַכָּסֶף — Eccl. 7:12
293 וְכֶסֶף לְשֻׁלְחֲנוֹת הַכָּסֶף — ICh. 28:16

וְהַכֶּסֶף

294 וְהִנָּם טְמוּנִים בָּאָ׳...וְהַכֶּסֶף תַּחְתֶּיהָ — Josh. 7:21
295 טְמוּנָה בְּאָהֳלוֹ וְהַכֶּסֶף תַּחְתֶּיהָ — Josh. 7:22
296 וְלָקַח אֶת־כָּל־הַזָּהָב וְהַכֶּסֶף — IIK. 14:14
297 וְהַכֶּסֶף וְהַזָּהָב נָתַן יְהוֹיָקִים לְפַרְ׳ — IIK. 23:35
298 וְהַכֶּסֶף יַעֲנֶה אֶת־הַכֹּל — Eccl. 10:19
299 וּמָשַׁל בְּמִכְמַנֵּי הַזָּהָב וְהַכֶּסֶף — Dan. 11:43
300 וְהַכֶּסֶף וְהַזָּהָב נְדָבָה לַייָ — Ez. 8:28
301 הַזָּהָב לַזָּהָב וְהַכֶּסֶף לַכֶּסֶף — ICh. 29:2
302 וְכָל־הַזָּהָב וְהַכֶּסֶף...הַנִּמְצְאִים... — IICh. 25:24

בְּכֶסֶף

303 בְּכֶסֶף מָלֵא יִתְּנֶנָּה לִּי — Gen. 23:9
304 שׁוּבוּ...בְּכֶסֶף וּבְזָהָב וּבִנְחֹשֶׁת — Josh. 22:8
305 וַיִּקֶן...בְּכֶסֶף שְׁקָלִים חֲמִשִּׁים — IISh. 24:24
306 תְּנָה־לִּי אֶת־כַּרְמְךָ בְּכֶסֶף — IK. 21:6
307 אֲשֶׁר מֵאֵן לָתֶת־לְךָ בְכֶסֶף — IK. 21:15
308 וְלֹא בְכֶסֶף תִּגָּאֵלוּ — Is. 52:3

בְּכֶסֶף (המשך) 309 בְּכֶסֶף וּבְזָהָב יְיַפֵּהוּ Jer. 10:4
310 בְּכֶסֶף בַּרְזֶל...נָתְנוּ עִזְבוֹנָיִךְ Ezek. 27:12
311 וּנְבִיאֶיהָ בְּכֶסֶף יִקְסֹמוּ Mic. 3:11
312 וַיּוֹצִיאֵם בְּכֶסֶף וְזָהָב Ps. 105:37
313 מֵימֵינוּ בְּכֶסֶף שָׁתִינוּ Lam. 5:4
314 יְנַשְּׂאוּהוּ...בְּכֶסֶף וּבְזָהָב וּבִרְכוּשׁ Ez. 1:4
315 בְּכֶסֶף מָלֵא תְּנֵהוּ לִי ICh. 21:22
316 לֹא כִּי־קָנֹה אֶקְנֶה בְּכֶסֶף מָלֵא ICh. 21:24
בְּכָסֶף 317 צְרַפְתִּיךְ וְלֹא בְכָסֶף Is. 48:10
וּבְכֶסֶף 318 יְכַבֵּד בְּזָהָב וּבְכֶסֶף וּבְאֶבֶן יְקָרָה Dan. 11:38
בַּכֶּסֶף 319 כָּבֵד מְאֹד בַּמִּקְנֶה בַּכֶּסֶף וּבַזָּהָב Gen. 13:2
320 אֹכֶל תִּשְׁבְּרוּ מֵאִתָּם בַּכֶּסֶף Deut. 2:6
321 וְגַם־מַיִם תִּכְרוּ מֵאִתָּם בַּכֶּסֶף Deut. 2:6
322 אֹכֶל בַּכֶּסֶף תַּשְׁבִּרֵנִי וְאָכַלְתִּי Deut. 2:28
323 וּמַיִם בַּכֶּסֶף תִּתֶּן־לִי וְשָׁתִיתִי Deut. 2:28
324 לֹא־קָנִיתָ לִּי בַכֶּסֶף קָנֶה Is. 43:24
325 קְנֵה־לְךָ הַשָּׂדֶה בַּכֶּסֶף Jer. 32:25
326 שָׂדוֹת בַּכֶּסֶף יִקְנוּ Jer. 32:44
327 עַל־מִכְרָם בַּכֶּסֶף צַדִּיק Am. 2:6
328 לִקְנוֹת בַּכֶּסֶף דַּלִּים Am. 8:6
329 כַּנְפֵי יוֹנָה נֶחְפָּה בַכֶּסֶף Ps. 68:14
בַּכָּסֶף 330 וְנָתַתָּה בַּכָּסֶף...וְהָלַכְתָּ Deut. 14:25
331 וּמָכֹר לֹא־תִמְכְּרֶנָּה בַּכָּסֶף Deut. 21:14
וּבַכֶּסֶף 332/3 בַּזָּהָב וּבַכֶּסֶף וּבַנְּחֹשֶׁת Ex. 31:4; 35:32
334 לַעֲשׂוֹת בַּזָּהָב וּבַכֶּסֶף וּבַנְּחֹשֶׁת IICh. 2:6
335 לַעֲשׂוֹת בַּזָּהָב וּבַכֶּסֶף בַּנְּחֹשֶׁת IICh. 2:13
כַּכָּסֶף 336 אִם־תְּבַקְשֶׁנָּה כַכָּסֶף Prov. 2:4
וְכַכָּסֶף 337 וְזִקַּק אֹתָם כַּזָּהָב וְכַכָּסֶף Mal. 3:3
לְכֶסֶף 338 מַתָּנוֹת רַבּוֹת לְכֶסֶף וּלְזָהָב IICh. 21:3
339 וְאוֹצָרוֹת...לְכֶסֶף וּלְזָהָב IICh. 32:27
לַכֶּסֶף 340/1 מַצְרֵף לַכֶּסֶף וְכוּר לַזָּהָב Prov. 17:3; 27:21
342 כִּי יֵשׁ לַכֶּסֶף מוֹצָא Job 28:1
343 לַזָּהָב לַכֶּסֶף וְלַנְּחֹשֶׁת ICh. 22:16(15)
344 הַזָּהָב לַזָּהָב וְהַכֶּסֶף לַכֶּסֶף ICh. 29:2
345 לַזָּהָב לַזָּהָב וְלַכֶּסֶף לַכֶּסֶף ICh. 29:5
וְלַכֶּסֶף 346 כָּל־כֵּלִים לַזָּהָב וְלַכֶּסֶף Ez. 1:11
347 לַזָּהָב לַזָּהָב וְלַכֶּסֶף לַכֶּסֶף ICh. 29:5
מִכֶּסֶף 348 וּתְבוּאָתִי מִכֶּסֶף נִבְחָר Prov. 8:19
349 נִבְחָר...מִכֶּסֶף וּמִזָּהָב חֵן טוֹב Prov. 22:1
מִכָּסֶף 350 וּקְנוֹת בִּינָה נִבְחָר מִכָּסֶף Prov. 16:16
351 הָגוֹ סִיגִים מִכָּסֶף Prov. 25:4
כֶּסֶף־ 352 נָתַתִּי כֶּסֶף הַשָּׂדֶה קַח מִמֶּנִּי Gen. 23:13
353/4 כֶּסֶף־אִישׁ בְּפִי אַמְתַּחְתּוֹ Gen. 43:21; 44:1
355 תָּשִׂימוּ...וְאֵת כֶּסֶף שִׁבְרוֹ Gen. 44:2
356 וְלָקַחְתָּ אֶת־כֶּסֶף הַכִּפֻּרִים Ex. 30:16
357 בְּעֶרְכְּךָ כֶּסֶף־שְׁקָלִים Lev. 5:15
358 וְהָיָה כֶּסֶף מִמְכָּרוֹ Lev. 25:50
359/60 וְיָסַף חֲמ(י)שִׁית כֶּסֶף־עֶרְכְּךָ Lev. 27:15, 19
361 וַיִּקַּח מֹשֶׁה אֵת כֶּסֶף הַפִּדְיוֹם Num. 3:49
362 וַיִּתֵּן מֹשֶׁה אֶת־כֶּסֶף הַפְּדֻיִם... Num. 3:51
363 כֹּל כֶּסֶף הַכֵּלִים Num. 7:85
364 כֹּל כֶּסֶף הַקֳּדָשִׁים אֲשֶׁר יוּבָא IIK. 12:5
365 כֶּסֶף עוֹבֵר אִישׁ IIK. 12:5
366 כֶּסֶף נַפְשׁוֹת עֶרְכּוֹ IIK. 12:5
367 כֶּסֶף אָשָׁם וְכֶסֶף חַטָּאוֹת IIK. 12:17
368 וּרְתֻקוֹת כֶּסֶף צוֹרֵף Is. 40:19
369 כֶּסֶף סִיגִים מְצֻפֶּה עַל־חָרֶשׂ Prov. 26:23
370 כֶּסֶף־שְׁקָלִים אַרְבָּעִים Neh. 5:15
מִכֶּסֶף־ 371 יָשִׁיב גְּאֻלָּתוֹ מִכֶּסֶף מִקְנָתוֹ Lev. 25:51
כַּסְפִּי 372 הוּשַׁב כַּסְפִּי וְגַם הִנֵּה בְאַמְתַּחְתִּי Gen. 42:28
373 אֲשֶׁר־כַּסְפִּי וּזְהָבִי לְקַחְתֶּם Joel 4:5
וּלְכַסְפִּי 374 כִּי־שָׁלַח אֵלַי...וּלְכַסְפִּי וְלִזְהָבִי IK. 20:7

וּמִכַּסְפִּי 375 כְּלֵי תִפְאַרְתֵּךְ מִזְּהָבִי וּמִכַּסְפִּי Ezek. 16:17
כַּסְפְּךָ 376 אֶת־כַּסְפְּךָ לֹא־תִתֵּן לוֹ בְּנֶשֶׁךְ Lev. 25:37
377 כַּסְפְּךָ וּזְהָבְךָ לִי־הוּא IK. 20:3
378 כַּסְפְּךָ וּזְהָבְךָ...לִי תִתֵּן IK. 20:5
כַּסְפֶּךָ 379 יְלִיד בֵּיתְךָ וּמִקְנַת כַּסְפֶּךָ Gen. 17:13
380 וְטִמֵּאתֶם אֶת־צִפּוּי פְּסִילֵי כַסְפֶּךָ Is. 30:22
כַּסְפֵּךְ 381 כַּסְפֵּךְ הָיָה לְסִיגִים Is. 1:22
כַּסְפּוֹ 382 וְאֵת כָּל־מִקְנַת כַּסְפּוֹ Gen. 17:23
383 וַיַּרְא אֶת־כַּסְפּוֹ וְהִנֵּה־הוּא... Gen. 42:27
384 וְהִנֵּה־אִישׁ צְרוֹר־כַּסְפּוֹ בְּשַׂקּוֹ Gen. 42:35
385 לֹא יֻקַּם כִּי כַסְפּוֹ הוּא Ex. 21:21
386 וּמָכְרוּ...וְחָצוּ אֶת־כַּסְפּוֹ Ex. 21:35
387 כִּי־יִקְנֶה נֶפֶשׁ קִנְיַן כַּסְפּוֹ Lev. 22:11
388 אֵת אֱלִילֵי כַסְפּוֹ וְאֵת אֱלִילֵי זְהָבוֹ Is. 2:20
389 אֱלִילֵי כַסְפּוֹ וֶאֱלִילֵי זְהָבוֹ Is. 31:7
390 כַּסְפּוֹ לֹא־נָתַן בְּנֶשֶׁךְ Ps. 15:5
כַּסְפֵּנוּ 391 וַיֹּאכַל גַּם־אָכוֹל אֶת־כַּסְפֵּנוּ Gen. 31:15
392 כֶּסֶף־אִישׁ...כַּסְפֵּנוּ בְּמִשְׁקָלוֹ Gen. 43:21
393 מִי־שָׂם כַּסְפֵּנוּ בְּאַמְתְּחֹתֵינוּ Gen. 43:22
כַּסְפְּכֶם 394 כַּסְפְּכֶם בָּא אֵלָי Gen. 43:23
כַּסְפָּם 395 כַּסְפָּם וּזְהָבָם אִתָּם Is. 60:9
396 כַּסְפָּם בַּחוּצוֹת יַשְׁלִיכוּ Ezek. 7:19
397 כַּסְפָּם...לֹא־יוּכַל לְהַצִּילָם Ezek. 7:19
398 כַּסְפָּם וּזְהָבָם עָשׂוּ לָהֶם עֲצַבִּים Hosh. 8:4
399 גַּם־כַּסְפָּם גַּם־זְהָבָם לֹא־יוּכַל... Zep. 1:18
לְכַסְפָּם 400 מַחְמַד לְכַסְפָּם קִמּוֹשׂ יִירָשֵׁם Hosh. 9:6
מִכַּסְפָּם 401 וַיַּעֲשׂוּ לָהֶם מַסֵּכָה מִכַּסְפָּם Hosh. 13:2
כַּסְפֵּיהֶם 402 וּלְהָשִׁיב כַּסְפֵּיהֶם אִישׁ אֶל־שַׂקּוֹ Gen. 42:25
403 וַיִּרְאוּ אֶת־צְרֹרוֹת כַּסְפֵּיהֶם Gen. 42:35

כְּסַף

ז׳ ארמית: כֶּסֶף: 1–13

כְּסַף וּדְהַב 2, 3; כַּסְפָּא וְדַהֲבָא 5–8; דַּהֲבָא וְכַסְפָּא 9–12

כְּסַף 1 חֲדוֹהִי וּדְרָעוֹהִי דִּי כְסַף Dan. 2:32
2 וּלְהֵיבָלָה כְּסַף וּדְהַב Ez. 7:15
3 וְכֹל כְּסַף וּדְהַב דִּי תְהַשְׁכַּח Ez. 7:16
4 עַד־כְּסַף כַּכְּרִין מְאָה Ez. 7:22
כַּסְפָּא 5 חַסְפָּא נְחָשָׁא כַּסְפָּא וְדַהֲבָא Dan. 2:35
8–6 כַּסְפָּא וְדַהֲבָא(ה) Dan. 2:45; 5:23 • Ez. 7:18
וְכַסְפָּא 9 לְהַיְתָיָה לְמָאנֵי דַּהֲבָא וְכַסְפָּא Dan. 5:2
12–10 דַּהֲבָא(ה) וְכַסְפָּא Dan. 5:4 • Ez. 5:14; 6:5
בְּכַסְפָּא 13 תִּקְנֵא בְּכַסְפָּא דְנָה תּוֹרִין Ez. 7:17

כָּסִפְיָא

מקום בבבל שישבו שם מבני הלויים: 1, 2

בְּכָסִפְיָא 1/2 ...בְּכָסִפְיָא הַמָּקוֹם Ez. 8:17[2]

כֶּסֶת*

נ׳ כְּרִית? קָשׁוּר?: 1, 2

כְּסָתוֹת 1 לִמְתַפְּרוֹת כְּסָתוֹת עַל כָּל־אַצִּילֵי יָדַי Ezek. 13:18
כִּסְּתוֹתֵיכֶנָה 2 הִנְנִי אֶל־כִּסְּתוֹתֵיכֶנָה Ezek. 13:20

כְּעַן

תה״פ ארמית: כָּעֵת, עתה: 1–13

כְּעַן 1 כְּעַן הֵן אִיתֵיכוֹן עֲתִידִין Dan. 3:15
2 כְּעַן אֲנָה נְבוּכַדְנֶצַּר מְשַׁבַּח Dan. 4:34
9–3 כְּעַן Dan. 5:12, 16; 6:9 • Ez. 4:13, 14, 21; 6:6
10 וְעַד־כְּעַן מִתְבְּנֵא וְלָא שְׁלִם Ez. 5:16
וּכְעַן 11 וּכְעַן הוֹדַעְתַּנִי דִּי־בְעֵינָא מִנָּךְ Dan. 2:23
12 וּכְעַן הֻעַלּוּ קָדָמַי חַכִּימַיָּא Dan. 5:15
13 וּכְעַן הֵן עַל־מַלְכָּא טָב Ez. 5:17

כְּעֶנֶת

תה״פ ארמית: וכדומה, וכו׳: 1–4

וּכְעֶנֶת 1 וּשְׁאָר עֲבַר־נַהֲרָה וּכְעֶנֶת Ez. 4:10
2 אֱנָשׁ עֲבַר־נַהֲרָה וּכְעֶנֶת Ez. 4:11
3 לְעֶזְרָא כָהֲנָא...גְּמִיר וּכְעֶנֶת Ez. 7:12
וּכְעֶ(נֶ)ת 4 וּשְׁאָר עֲבַר־נַהֲרָה שְׁלָם וּכְעֶת Ez. 4:17

כעס

: כָּעַס, כַּעַס, הִכְעִיס; כַּעַס (כַּעַשׂ)

כָּעַס

פ׳ א) קָצַף, רגז: 1–6

ב) [פי׳ כִּעֵס] הקציף, הביא לידי כעס: 7, 8

ג) [הפ׳ הִכְעִיס] הרגיז, הקציף: 9–57

קרובים: אָנַף / התעבר / זָעַם / זָעַף / חָרָה / קָצַף / רָגַז / רָעַם

כָּעַס אֶל־ 6; כִּעֵס אֶת־ 7, 8; הִכְעִיס אֶת־ 9–54

לִכְעוֹס 1 אַל־תְּבַהֵל בְּרוּחֲךָ לִכְעוֹס Eccl. 7:9
וְכָעַס 2 וְכָעַס הַרְבֵּה וְחָלְיוֹ וָקָצֶף Eccl. 5:16
וְכָעָס 3 רָשָׁע יִרְאֶה וְכָעָס... Ps. 112:10
אֶכְעַס 4 וְשָׁקַטְתִּי וְלֹא אֶכְעַס עוֹד Ezek. 16:42
וַיִּכְעַס 5 וַיִּחַר לוֹ וַיִּכְעַס הַרְבֵּה Neh. 3:33
6 וַיִּכְעַס אָסָא אֶל־הָרֹאֶה IICh. 16:10
וְכִעֲסַתָּה 7 וְכִעֲסַתָּה צָרָתָהּ גַּם־כַּעַס ISh. 1:6
כִּעֲסוּנִי 8 כִּעֲסוּנִי בְּהַבְלֵיהֶם Deut. 32:21
לְהַכְעִיס 9–10 לְהַכְעִיס אֶת־יְיָ...בְּהַבְלֵיהֶם IK. 16:13, 26
11 לְהַכְעִיס אֶת־יְיָ אֱלֹהֵי יִשְׂרָאֵל IK. 16:33
12 וַיַּעֲשׂוּ דְּבָרִים רָעִים לְהַכְעִיס אֶת IIK. 17:11
13 לַעֲשׂוֹת הָרַע בְּעֵינֵי יְיָ לְהַכְעִיס IIK. 21:6
14 אֲשֶׁר עָשׂוּ מַלְכֵי יִשְׂרָאֵל לְהַכְעִיס IIK. 23:19
הַכְעִיסֵנִי 15 לְמַעַן הַכְעִיסֵנִי בְּכֹל מַעֲשֵׂה יְדֵיהֶם IIK. 22:17
16–17 לְמַעַן הַכְעִסֵנִי Jer. 7:18; 32:29
18 לְמַעַן הַכְעִיסֵנִי בְּכֹל מַעֲשֵׂי יְדֵיהֶם IICh. 34:25
19 לְמַעַן הַכְעִיסֵנִי (כת׳ הכעסוני) בְּמַעֲשֵׂה יְדֵיכֶם Jer. 25:7
לְהַכְעִיסֵנִי 20 אֱלֹהִים אֲחֵרִים וּמַסֵּכוֹת לְהַכְעִיסֵנִי IK. 14:9
21 וַתַּחֲטִא...לְהַכְעִיסֵנִי בְּחַטֹּאתָם IK. 16:2
22 אֲשֶׁר עָשׂוּ לָהֶם לְהַכְעִסֵנִי Jer. 11:17
23–24 אֲשֶׁר עָשׂוּ לְהַכְעִסֵנִי Jer. 32:32; 44:3
25 לְהַכְעִסֵנִי בְּמַעֲשֵׂי יְדֵיכֶם Jer. 44:8
26 וַיָּשֻׁבוּ לְהַכְעִיסֵנִי Ezek. 8:17
27 וַתַּרְבִּי אֶת־תַּזְנֻתֵךְ לְהַכְעִיסֵנִי Ezek. 16:26
לְהַכְעִיסוֹ 28 וַעֲשִׂיתֶם הָרַע בְּעֵינֵי יְיָ...לְהַכְעִיסוֹ Deut. 4:25
29–31 לַעֲשׂוֹת הָרַע בְּעֵינֵי יְיָ לְהַכְעִיסוֹ Deut. 9:18 • IIK. 17:17 • IICh. 33:6
32 לְהַכְעִיסוֹ בְּמַעֲשֵׂה יְדֵיכֶם Deut. 31:29
33 לְהַכְעִיסוֹ בְּמַעֲשֵׂה יָדָיו IK. 16:7
וְהִכְעַסְתִּי 34 וְהִכְעַסְתִּי לֵב עַמִּים רַבִּים Ezek. 32:9
הִכְעַסְתָּ 35 אֶל־הַכַּעַס אֲשֶׁר הִכְעַסְתָּ IK. 21:22
הִכְעִיס 36 בְּכַעְסוֹ אֲשֶׁר הִכְעִיס אֶת־יְיָ IK. 15:30
37 הִכְעִיס אֶפְרַיִם תַּמְרוּרִים Hosh. 12:15
הִכְעִיסוֹ 38 הַכְּעָסִים אֲשֶׁר הִכְעִיסוֹ מְנַשֶּׁה IIK. 23:26
הִכְעִיסוּ 39 כִּי הִכְעִיסוּ לְנֶגֶד הַבּוֹנִים Neh. 3:37
הִכְעִיסוּנִי 40 מַדּוּעַ הִכְעִסוּנִי בִּפְסִלֵיהֶם Jer. 8:19
מַכְעִיסִים 41 יַעַן אֲשֶׁר עָשׂוּ...מַכְעִיסִים אֶת־יְיָ IK. 14:15
42 וַיִּהְיוּ מַכְעִסִים אֹתִי IIK. 21:15
43 הַאֹתִי הֵם מַכְעִסִים Jer. 7:19
44 אַךְ מַכְעִסִים אֹתִי בְּמַעֲשֵׂה יְדֵיהֶם Jer. 32:30
הַמַּכְעִיסִים 45 הָעָם הַמַּכְעִיסִים אוֹתִי עַל־פָּנַי Is. 65:3
אַכְעִיסֵם 46 בְּגוֹי נָבָל אַכְעִיסֵם Deut. 32:21
וַיַּכְעֵס 47 וַיַּכְעֵס אֶת־יְיָ אֱלֹהֵי יִשְׂרָאֵל IK. 22:54
48 וַיַּכְעֵס אֶת־יְיָ אֱלֹהֵי אֲבֹתָיו IICh. 28:25
תַּכְעִיסֶנָּה 49 מִדֵּי עֲלֹתָהּ בְּבֵית יְיָ כֵּן תַּכְעִסֶנָּה ISh. 1:7
תַּכְעִיסוּ 50 וְלֹא־תַכְעִיסוּ אוֹתִי בְּמַעֲשֵׂה Jer. 25:6
וַיַּכְעִיסוּ 51 וַיַּעַזְבוּ אֶת־יְיָ...וַיַּכְעִסוּ אֶת־יְיָ Jud. 2:12
52 וַיַּכְעִיסוּ בְּמַעַלְלֵיהֶם Ps. 106:29
יַכְעִיסוּהוּ 53 בְּתוֹעֵבֹת יַכְעִיסֻהוּ Deut. 32:16
וַיַּכְעִיסוּהוּ 54 וַיַּכְעִיסוּהוּ בְּבָמוֹתָם Ps. 78:58

כַּעַס

ז׳ רוגז, קצף: 1–21

קרובים: אַף / זַעַם / זַעַף / חֵמָה / חָרוֹן / חֳרִי / כַּעַשׂ / מְרִי / מַשְׂטֵמָה / עֶבְרָה / קֶצֶף / קֶרִי / רֹגֶז / שִׂיחַ

– כַּעַס אוֹיֵב 13; כַּעַס אֱוִיל 15; כ׳ בָּנִים 16; כַּעַס בָּנוֹת 16; כ׳ קָרְבָּנוֹ 14; רַב־כַּעַס 6

– הֵסִיר כַּעַס 5; הָפֵר כַּעְסוֹ 18; נוֹדַע כַּעְסוֹ 19

כַּעַס 1 וְכִעֲסַתָּה צָרָתָהּ גַּם־כַּעַס ISh. 1:6
2 כַּעַס לְאָבִיו בֵּן כְּסִיל Prov. 17:25
3 טוֹב כַּעַס מִשְּׂחוֹק Eccl. 7:3
4 כִּי כַעַס בְּחֵיק כְּסִילִים יָנוּחַ Eccl. 7:9
5 וְהָסֵר כַּעַס מִלִּבֶּךָ Eccl. 11:10
כָּעַס 6 כִּי בְּרֹב חָכְמָה רָב־כָּעַס Eccl. 1:18
וָכַעַס 7 כָל־יָמָיו מַכְאֹבִים וָכַעַס עִנְיָנוֹ Eccl. 2:23
8 כִּי־אַתָּה עָמָל וָכַעַס תַּבִּיט Ps. 10:14
וָכָעַס 9 טוֹב...מֵאֵשֶׁת מִדְיָנִים וָכָעַס Prov. 21:19
הַכַּעַס 10 אֶל־הַכַּעַס אֲשֶׁר הִכְעַסְתָּ... IK. 21:22
בְּכַעַס 11 עָשְׁשָׁה בְכַעַס עֵינִי Ps. 31:10
מִכַּעַס 12 עָשְׁשָׁה מִכַּעַס עֵינִי Ps. 6:8
כַּעַס־ 13 לוּלֵי כַּעַס אוֹיֵב אָגוּר Deut. 32:27
14 וַיִּתְּנוּ־שָׁם כַּעַס קָרְבָּנָם Ezek. 20:28
וְכַעַס־ 15 וְכַעַס אֱוִיל כָּבֵד מִשְּׁנֵיהֶם Prov. 27:3
מִכַּעַס־ 16 מִכַּעַס בָּנָיו וּבְנֹתָיו Deut. 32:19
וְכַעְסִי 17 כִּי מֵרֹב שִׂיחִי וְכַעְסִי דִּבַּרְתִּי ISh. 1:16
כַּעַסְךָ 18 וְהָפֵר כַּעַסְךָ עִמָּנוּ Ps. 85:5
כַּעְסוֹ 19 אֱוִיל בַּיּוֹם יִוָּדַע כַּעְסוֹ Prov. 12:16
בְּכַעְסוֹ 20 בְּכַעְסוֹ אֲשֶׁר הִכְעִיס אֶת־יְיָ IK. 15:30
הַכְּעָסִים 21 עַל כָּל־הַכְּעָסִים אֲשֶׁר הִכְעִיסוֹ IIK. 23:26

כַּעַשׂ

ז׳ כתיב אחר של כַּעַס: 1–4

כַּעַשׂ 1 כִּי־לֶאֱוִיל יַהֲרָג־כָּעַשׂ Job 5:2
מִכַּעַשׂ 2 וַתֵּכַהּ מִכַּעַשׂ עֵינִי Job 17:7
כַּעְשִׂי 3 לוּ שָׁקוֹל יִשָּׁקֵל כַּעְשִׂי Job 6:2
כַּעַשְׂךָ 4 וְתֶרֶב כַּעַשְׂךָ עִמָּדִי Job 10:17

כְּעַת

ארמית – עין כְּעֶנֶת (4)

כַּף

נ׳ א) חלק היד או הרגל שאליו מחוברות האצבעות, ובהשאלה – יד: רוב המקראות

ב) [בהשאלה] רשות, שלטון: 48, 52, 53, 59-61, 64-67, 69-80, 91

ג) מקום־שקע בפרקים כעין כף היד: 27, 28, 46, 47

ד) כלי בעל קבול כעין כף־היד: 1-12, 22, 23, 39, 171-178, 180, 181, 189, 192, 193

ה) [כַּפּוֹת תְּמָרִים] לולבים: 179

– כַּף אֶל כַּף 14, 83,84; כ׳ אוֹיֵב 52,64,66,70,72,74,77; כַּף אוֹרֵב 74; כַּף אִישׁ 54; כַּף אֱלֹהִים 51; כַּף זֶבַח וְצַלְמֻנָּע 44, 45; כַּף יָרֵךְ 27, 28, 46, 47; כַּף הַכֹּהֵן 31-34; כַּף מִדְיָן 48, 59; כַּף מֶלֶךְ 67, 75, 76, 78-80; כַּף מְעַוֵּל וְחוֹמֵץ 73; כַּף נַחַת 42; כַּף עָרִיצִים 69; כַּף פְּלִשְׁתִּים 65; כַּף פְּעָמָיו 49, 50; כַּף פַּרְעֹה 29, 30; כַּף הַקֶּלַע 39; כַּף קֶמַח 40; כַּף רֶגֶל 35-38, 43, 56-58, 68; כַּף רְמִיָּה 41; כַּף רָע 71; כַּף רֵעֲהוּ 53; כַּף שָׁאוּל 77; כַּף שְׂמָאלִית 94, 95

– מִדְרַךְ כַּף 35; מְלֹא כַף 40, 42

– בֹּר כַּפַּיִם 140; חֵפֶץ כ׳ 161; יְגִיעַ כ׳ 113, 121, 136; מַשְׂאַת כ׳ 125; נְקִי כ׳ 109; נִקְיוֹן כ׳ 120; פֹּעַל כ׳ 151; פְּרִי כ׳ 162; רַע כ׳ 108; תְּבוּנוֹת כַּפָּיו 152

– כַּפֵּי אַהֲרֹן 115, 118; כַּפֵּי בָנִים 116, 117; כַּפֵּי הַנָּזִיר 119

– כַּפּוֹת זָהָב 180, 181; כַּפּוֹת יָדַיִם 190, 191; כַּפּוֹת מַנְעוּל 189; כַּפּוֹת רַגְלַיִם 182, 183, 185-188; כַּפּוֹת תְּמָרִים 179; זְהַב הַכַּפּוֹת 172

– דָּרְכָה כַף 36, 38; הִכָּה (בְּ)כַף 14, 15, 83-85, 92; מָחָא כַף 16; מִלֵּא כַפּוֹ 93, 98; נָקְעָה כַף 27; פָּרַשׂ כַּף 106; קָצַץ כַּף 105; שָׂם (נַפְשׁוֹ) בְּכַפּוֹ 86-89, 100; תָּפַשׂ כַּף 24-26; תָּקַע כַּף 13, 18, 20, 21

– הֵזִיז כַּפַּיִם 131; נִעֵר כ׳ 150; נָשָׂא כ׳ 124, 129, 142; סָפַק (שָׂפַק) כ׳ 112, 145, 170; פָּרַשׂ (פֵּרֵשׂ) כ׳ 106, 122, 126, 139, 143, 147, 148, 154-156, 160, 164, 165; רָחַץ כַּפָּיו 127, 128; שָׁטַח כ׳ 130; תָּקַע כ׳ 137

כַּף 1-12 כַּף אַחַת עֲשָׂרָה זָהָב Num. 7:14, 20
7:26, 32, 38, 44, 50, 56, 62, 68, 74, 80
13 תָּקְעוּ כַף עָלֶיךָ Nah. 3:19
14 הִנָּבֵא וְהַךְ כַּף אֶל כָּף Ezek. 21:19
כָּף 15 וַיַּכּוּ־כָף וַיֹּאמְרוּ יְחִי הַמֶּלֶךְ IIK. 11:12
16 וְכָל־עֲצֵי הַשָּׂדֶה יִמְחֲאוּ־כָף Is. 55:12
17 הִנָּבֵא וְהַךְ כַּף אֶל־כָּף Ezek. 21:19
18 כָּל־הָעַמִּים תִּקְעוּ־כָף Ps. 47:2
19 נְהָרוֹת יִמְחֲאוּ־כָף Ps. 98:8
20 אָדָם חֲסַר־לֵב תֹּקֵעַ כָּף Prov. 17:18
21 אַל־תְּהִי בְתֹקְעֵי־כָף Prov. 22:26
וְכַף 22 וְכַף יָשִׂימוּ לְפִיהֶם Job 29:9
הַכַּף 23 כַּפּוֹת זָהָב...עֲשָׂרָה הַכַּף Num. 7:86
בַּכַּף 24 יַעַן הַזְכַּרְכֶם בַּכַּף תִּתָּפֵשׂוּ Ezek. 21:29
25 בְּתָפְשָׂם בְּךָ בַכַּף (כת׳ בכפך) Ezek. 29:7
בַּכָּף 26 וַיִּתֵּן אֹתָהּ לְמָרְטָה לִתְפֹּשׂ בַּכָּף Ezek. 21:16
כַּף־ 27 וַתֵּקַע כַּף־יֶרֶךְ יַעֲקֹב Gen. 32:25
28 אֲשֶׁר עַל־כַּף הַיָּרֵךְ Gen. 32:32
29 וָאֶתֵּן אֶת־הַכּוֹס עַל־כַּף פַּרְעֹה Gen. 40:11
30 וַיִּתֵּן הַכּוֹס עַל־כַּף פַּרְעֹה Gen. 40:21
31/2 עַל־כַּף הַכֹּהֵן הַשְּׂמָאלִית Lev. 14:15, 26
33/4 וְהַנּוֹתָר...אֲשֶׁר עַל־כַּף הַכֹּהֵן Lev. 14:18, 29
35 לֹא־אֶתֵּן...עַד מִדְרַךְ כַּף־רָגֶל Deut. 2:5
36 אֲשֶׁר תִּדְרֹךְ כַּף־רַגְלְכֶם בּוֹ Deut. 11:24
37 לֹא־נִסְּתָה כַף־רַגְלָהּ הַצֵּג Deut. 28:56
38 ...אֲשֶׁר תִּדְרֹךְ כַּף־רַגְלְכֶם בּוֹ Josh. 1:3
39 יְקַלְּעֶנָּה בְּתוֹךְ כַּף הַקָּלַע ISh. 25:29
40 כִּי אִם־מְלֹא כַף־קֶמַח בַּכַּד IK. 17:12
41 רָאשׁ עֹשֶׂה כַף־רְמִיָּה Prov. 10:4
42 טוֹב מְלֹא כַף נָחַת מִמְּלֹא חָפְנַיִם... Eccl. 4:6
וְכַף־ 43 וְכַף רַגְלֵיהֶם כְּכַף רֶגֶל עֵגֶל Ezek. 1:7
הֲכַף־ 44/5 הֲכַף זֶבַח וְצַלְמֻנָּע עַתָּה בְּיָדֶךָ Jud. 8:6, 15
בְּכַף־ 46 וַיַּרְא...וַיִּגַּע בְּכַף־יְרֵכוֹ Gen. 32:25
47 כִּי נָגַע בְּכַף־יֶרֶךְ יַעֲקֹב Gen. 32:32
48 נְטָשָׁנוּ יְיָ וַיִּתְּנֵנוּ בְּכַף מִדְיָן Jud. 6:13
49/50 וְאַחְרִב בְּכַף־פְּעָמַי IIK. 19:24 • Is. 37:25
51 וּצְנִיף מְלוּכָה בְּכַף־אֱלֹהָיִךְ Is. 62:3
52 נָתַתִּי...בְּכַף אֹיְבֶיהָ Jer. 12:7
53 כִּי בָאתָ בְכַף־רֵעֶךָ Prov. 6:3
כְּכַף־ 54 הִנֵּה־עָב קְטַנָּה כְּכַף־אִישׁ IK. 18:44
55 וְכַף רַגְלֵיהֶם כְּכַף רֶגֶל עֵגֶל Ezek. 1:7
לְכַף־ 56 וְלֹא־מָצְאָה...מָנוֹחַ לְכַף־רַגְלָהּ Gen. 8:9
57 וְלֹא־יִהְיֶה מָנוֹחַ לְכַף־רַגְלֶךָ Deut. 28:65
מִכַּף־ 58 מִכַּף רַגְלְךָ וְעַד קָדְקֳדֶךָ Deut. 28:35
59 וְהוֹשַׁעְתָּ אֶת־יִשְׂרָאֵל מִכַּף מִדְיָן Jud. 6:14
60 וְיֹשִׁעֵנוּ מִכַּף אֹיְבֵינוּ ISh. 4:3
61 לְהַצִּיל אֶת־אֲמָתוֹ מִכַּף הָאִישׁ IISh. 14:16
62/3 מִכַּף רַגְלוֹ וְעַד קָדְקֳדוֹ IISh. 14:25 • Job 2:7
64 הַמֶּלֶךְ הִצִּילָנוּ מִכַּף אֹיְבֵינוּ IISh. 19:10
65 וְהוּא מִלְּטָנוּ מִכַּף פְּלִשְׁתִּים IISh. 19:10
66 בְּיוֹם הִצִּיל...מִכַּף כָּל־אֹיְבָיו IISh. 22:1
מִכַּף־ (המשך) 67 וְהוֹשִׁעֵנִי מִכַּף מֶלֶךְ־אֲרָם IIK. 16:7
68 מִכַּף־רֶגֶל וְעַד־רֹאשׁ Is. 1:6
69 וּפְדִתִיךָ מִכַּף עָרִיצִים Jer. 15:21
70 שָׁם יִגְאָלֵךְ יְיָ מִכַּף אֹיְבָיִךְ Mic. 4:10
71 לְהִנָּצֵל מִכַּף רָע Hab. 2:9
72 בְּיוֹם הִצִּיל...מִכַּף כָּל־אֹיְבָיו Ps. 18:1
73 פַּלְּטֵנִי...מִכַּף מְעַוֵּל וְחוֹמֵץ Ps. 71:4
74 וַיַּצִּילֵנוּ מִכַּף אוֹיֵב וְאוֹרֵב Ez. 8:31
75 הַנִּשְׁאֶרֶת לָכֶם מִכַּף מַלְכֵי אַשּׁוּר IICh. 30:6
76 יַצִּילֵנוּ מִכַּף מֶלֶךְ אַשּׁוּר IICh. 32:11
וּמִכַּף־ 77 מִכַּף כָּל־אֹיְבָיו וּמִכַּף שָׁאוּל IISh. 22:1
78 מִכַּף...אֲרָם וּמִכַּף מֶלֶךְ יִשְׂרָאֵל IIK. 16:7
79/80 וּמִכַּף...אַשּׁוּר אַצִּילֵךְ IIK. 20:6 • Is. 38:6
כַּפִּי 81 וְשַׂכֹּתִי כַפִּי עָלֶיךָ עַד־עָבְרִי Ex. 33:22
82 וַהֲסִרֹתִי אֶת־כַּפִּי וְרָאִיתָ אֶת־אֲחֹרָי Ex. 33:23
83-84 וְגַם־אֲנִי אַכֶּה כַפִּי אֶל־כַּפִּי Ezek. 21:22
85 וְהִנֵּה הִכֵּיתִי כַפִּי אֶל־בִּצְעֵךְ Ezek. 22:13
בְּכַפִּי 86 וָאָשִׂימָה נַפְשִׁי בְכַפִּי Jud. 12:3
87 וָאָשִׂים נַפְשִׁי בְּכַפִּי ISh. 28:21
88 נַפְשִׁי בְכַפִּי תָמִיד Ps. 119:109
89 וְנַפְשִׁי אָשִׂים בְּכַפִּי Job 13:14
כַּפְּךָ 90 כַּפְּךָ מֵעָלַי הַרְחַק Job 13:21
כַּפֶּכָה 91 וַתָּשֶׁת עָלַי כַּפֶּכָה Ps. 139:5
בְּכַפְּךָ 92 הַכֵּה בְכַפְּךָ וּרְקַע בְּרַגְלְךָ Ezek. 6:11
כַּפּוֹ 93 וַיְמַלֵּא כַפּוֹ מִמֶּנָּה Lev. 9:17
94/5 אֲשֶׁר עַל־כַּפּוֹ הַשְּׂמָאלִית Lev. 14:16, 27
96 וּמִיֶּתֶר הַשֶּׁמֶן אֲשֶׁר עַל־כַּפּוֹ Lev. 14:17
97 מִן־הַשֶּׁמֶן אֲשֶׁר עַל־כַּפּוֹ Lev. 14:28
98 שֶׁלֹּא מִלֵּא כַפּוֹ קוֹצֵר Ps. 129:7
בְּכַפּוֹ 99 וַיְהִי לְמַטֶּה בְּכַפּוֹ Ex. 4:4
100 וַיָּשֶׂם אֶת־נַפְשׁוֹ בְכַפּוֹ ISh. 19:5
101 וַיִּקַּח שְׁלֹשָׁה שְׁבָטִים בְּכַפּוֹ IISh. 18:14
102/3 וּבָא בְכַפּוֹ וּנְקָבָהּ IIK. 18:21 • Is. 36:6
104 בְּעוֹדָהּ בְּכַפּוֹ יִבְלָעֶנָּה Is. 28:4
כַּפָּהּ 105 וְקַצֹּתָה אֶת־כַּפָּהּ Deut. 25:12
106 כַּפָּהּ פָּרְשָׂה לֶעָנִי... Prov. 31:20
כַּפַּיִם 107 הֵן עַל־כַּפַּיִם חַקֹּתִיךְ... Is. 49:16
108 עַל־הָרַע כַּפַּיִם לְהֵיטִיב Mic. 7:3
109 נְקִי כַפַּיִם וּבַר־לֵבָב Ps. 24:4
110 עַל־כַּפַּיִם יִשָּׂאוּנְךָ Ps. 91:12
111 עַל־כַּפַּיִם כִּסָּה־אוֹר Job 36:32
112 סָפְקוּ עָלַיִךְ כַּפַּיִם Lam. 2:15
כַּפָּיִם 113 וְעַל כָּל־יְגִיעַ כַּפָּיִם Hag. 1:11
114 נִשָּׂא לְבָבֵנוּ אֶל־כַּפָּיִם Lam. 3:41
כַּפֵּי־ 115 וְשַׂמְתָּ הַכֹּל עַל כַּפֵּי אַהֲרֹן Ex. 29:24
116/7 וְעַל־כַּפֵּי בָנָיו Ex. 29:24 • Lev. 8:27
118 וַיִּתֵּן אֶת־הַכֹּל עַל כַּפֵּי אַהֲרֹן Lev. 8:27
119 וְנָתַן עַל־כַּפֵּי הַנָּזִיר Num. 6:19
כַּפַּי 120 בְּתָם־לְבָבִי וּבְנִקְיֹן כַּפַּי Gen. 20:5
121 אֶת־עָנְיִי וְאֶת־יְגִיעַ כַּפַּי Gen. 31:42
122 אֶפְרֹשׂ אֶת־כַּפַּי אֶל־יְיָ Ex. 9:29
123 וְלוּ אָנֹכִי שֹׁקֵל עַל־כַּפַּי אֶלֶף כֶּסֶף IISh. 18:12
124 וְאֶשָּׂא כַפַּי אֶל־מִצְוֺתֶיךָ Ps. 119:48
125 מַשְׂאַת כַּפַּי מִנְחַת־עָרֶב Ps. 141:2
126 וָאֶפְרְשָׂה כַפַּי אֶל־יְיָ אֱלֹהָי Ez. 9:5
כַּפָּי 127/8 (וְ)אֶרְחַץ בְּנִקָּיוֹן כַּפָּי Ps. 26:6; 73:13
129 בְּשִׁמְךָ אֶשָּׂא כַפָּי Ps. 63:5
130 שִׁטַּחְתִּי אֵלֶיךָ כַפָּי Ps. 88:10
131 וַהֲזִכּוֹתִי בְּבֹר כַּפָּי Job 9:30
בְּכַפַּי 132 בְּלֹא חָמָס בְּכַפַּי ICh. 12:17(18)
בְּכַפָּי 133 אִם־יֶשׁ־עָוֶל בְּכַפָּי Ps. 7:4
134 עַל לֹא־חָמָס בְּכַפָּי Job 16:17

וּבְכַפַּי 135 וּבְכַפַּי דָּבַק מְאוּם Job 31:7
כַּפֶּיךָ 136 יְגִיעַ כַּפֶּיךָ כִּי תֹאכֵל אַשְׁרֶיךָ Ps. 128:2
137 תָּקַעְתָּ לַזָּר כַּפֶּיךָ Prov. 6:1
138 כִּי תִמְאַס יְגִיעַ כַּפֶּיךָ Job 10:3
139 וּפָרַשְׂתָּ אֵלָיו כַּפֶּיךָ Job 11:13
140 וְנִמְלַט בְּבֹר כַּפֶּיךָ Job 22:30
141 שִׂים עָלָיו כַּפֶּךָ Job 40:32
כַּפַּיִךְ 142 שְׂאִי אֵלָיו כַּפַּיִךְ עַל־נֶפֶשׁ עוֹלָלַיִךְ Lam. 2:19
כַּפָּיו 143 וַיִּפְרֹשׂ כַּפָּיו אֶל־יְיָ Ex. 9:33
144 וְכֹל הוֹלֵךְ עַל־כַּפָּיו Lev. 11:27
145 וַיִּחַר...וַיִּסְפֹּק אֶת־כַּפָּיו Num. 24:10
146 וַיִּרְדֵּהוּ אֶל־כַּפָּיו Jud. 14:9
147 וַיִּפְרֹשׂ כַּפָּיו הַשָּׁמָיִם IK. 8:22
148 וּפָרַשׂ כַּפָּיו אֶל־הַבַּיִת הַזֶּה IK. 8:38
149 וַיָּשֶׂם פִּיו עַל־פִּיו וְכַפָּיו עַל־כַּפָּו IIK. 4:34
150 נֹעֵר כַּפָּיו מִתְּמֹךְ בַּשֹּׁחַד Is. 33:15
151 בְּפֹעַל כַּפָּיו נוֹקֵשׁ רָשָׁע Ps. 9:17
152 וּבִתְבוּנוֹת כַּפָּיו יַנְחֵם Ps. 78:72
153 כַּפָּיו מִדּוּד תַּעֲבֹרְנָה Ps. 81:7
154 וַיַּעֲמֹד לִפְנֵי מִזְבַּח יְיָ...וַיִּפְרֹשׂ כַּפָּיו IICh. 6:12
155 וַיִּפְרֹשׂ כַּפָּיו הַשָּׁמָיְמָה IICh. 6:13
156 וּפָרַשׂ כַּפָּיו אֶל־הַבַּיִת הַזֶּה IICh. 6:29
וְכַפָּיו 157 וְכַפָּיו פְּרֻשׂוֹת הַשָּׁמָיִם IK. 8:54
158 וַיָּשֶׂם פִּיו עַל־פִּיו...וְכַפָּיו עַל־כַּפָּו IIK. 4:34
כַּפֶּיהָ 159 וְנָתַן עַל־כַּפֶּיהָ אֵת מִנְחַת הַזִּכָּרוֹן Num. 5:18
160 תִּתְיַפֵּחַ תְּפָרֵשׂ כַּפֶּיהָ Jer. 4:31
161 וַתַּעַשׂ בְּחֵפֶץ כַּפֶּיהָ Prov. 31:13
162 מִפְּרִי כַפֶּיהָ נָטְעָ כָּרֶם Prov. 31:16
וְכַפֶּיהָ 163 וְכַפֶּיהָ תָּמְכוּ פָלֶךְ Prov. 31:19
כַּפֵּינוּ 164 וַנִּפְרֹשׂ כַּפֵּינוּ לְאֵל זָר Ps. 44:21
כַּפֵּיכֶם 165 וּבְפָרִשְׂכֶם כַּפֵּיכֶם אַעְלִים עֵינַי Is. 1:15
166 כִּי כַפֵּיכֶם נְגֹאֲלוּ בַדָּם Is. 59:3
כַּפֵּיהֶם 167 וַיִּקַּח מֹשֶׁה אֹתָם מֵעַל כַּפֵּיהֶם Lev. 8:28
בְּכַפֵּיהֶם 168 וּפֹעַל חָמָס בְּכַפֵּיהֶם Is. 59:6
169 וְיָשֻׁבוּ...וּמִן־הֶחָמָס אֲשֶׁר בְּכַפֵּיהֶם Jon. 3:8
כַּפֵּימוֹ 170 יִשְׂפֹּק עָלֵימוֹ כַפֵּימוֹ Job 27:23
הַכַּפּוֹת 171 אֶת־הַקְּעָרֹת וְאֶת־הַכַּפֹּת Num. 4:7
172 כָּל־זְהַב הַכַּפּוֹת עֶשְׂרִים וּמֵאָה Num. 7:86
173 וְאֶת־הַמְזַמְּרוֹת וְאֶת־הַכַּפּוֹת IIK. 25:14
174 וְאֶת־הַמִּזְרָקֹת וְאֶת־הַכַּפּוֹת Jer. 52:18
175 וְאֶת־הַכַּפּוֹת וְאֶת־הַמְּנַקִּיּוֹת Jer. 52:19
וְכַפּוֹת 176 וְהָעֲלוֹת וְכַפּוֹת וּכְלֵי זָהָב וָכָסֶף IICh. 24:14
וְהַכַּפּוֹת 177/8 וְהַכַּפּוֹת וְהַמַּחְתּוֹת IK. 7:50 • IICh. 4:22
כַּפּוֹת־ 179 כַּפֹּת תְּמָרִים וַעֲנַף עֵץ־עָבֹת Lev. 23:40
180/1 כַּפּוֹת זָהָב שְׁתֵּים(־)עֶשְׂרֵה Num. 7:84, 86
182 כְּנוֹחַ כַּפּוֹת רַגְלֵי הַכֹּהֲנִים Josh. 3:13
183 נִתְּקוּ כַּפּוֹת רַגְלֵי הַכֹּהֲנִים Josh. 4:18
184 וּשְׁתֵּי כַּפּוֹת יָדָיו כְּרֻתוֹת ISh. 5:4
185 עַד־תֵּת יְיָ אֹתָם תַּחַת כַּפּוֹת רַגְלָי IK. 5:17
186 וְהִשְׁתַּחֲווּ עַל־כַּפּוֹת רַגְלַיִךְ Is. 60:14
187 וְאֶת־מְקוֹם כַּפּוֹת רַגְלַי Ezek. 43:7
188 אֵפֶר תַּחַת כַּפּוֹת רַגְלֵיכֶם Mal. 3:21
189 וְאֶצְבְּעֹתַי...עַל־כַּפּוֹת הַמַּנְעוּל S.ofS. 5:5
וְכַפּוֹת־ 190 הַגֻּלְגֹּלֶת וְהָרַגְלַיִם וְכַפּוֹת הַיָּדַיִם IIK. 9:35
191 וַתְּנִיעֵנִי עַל־בִּרְכַּי וְכַפּוֹת יָדָי Dan. 10:10
כַּפֹּתָיו 192 אֶת־קְעָרֹתָיו וְאֶת־כַּפֹּתָיו Ex. 37:16
וְכַפֹּתָיו 193 וְעָשִׂיתָ קְעָרֹתָיו וְכַפֹּתָיו Ex. 25:29

כֵּף*
ז׳ צוק סלע: 1, 2

וְכֵפִים 1 בַּעֲרוּץ נְחָלִים...חֹרֵי עָפָר וְכֵפִים Job 30:6
וּבַכֵּפִים 2 בָּאוּ בֶּעָבִים וּבַכֵּפִים עָלוּ Jer. 4:29

כִּפָּה
נ׳ חלק של עלה-התמר סמוך לחבורו לגזע: 1-3

כִּפָּה 1-2 רֹאשׁ וְזָנָב כִּפָּה וְאַגְמוֹן Is. 9:13; 19:15
וְכִפָּתוֹ 3 וְכִפָּתוֹ לֹא רַעֲנָנָה Job 15:32

כָּפָה
פ׳ כָּפַף, הִטָּה

יִכְפֶּה 1 מַתָּן בַּסֵּתֶר יִכְפֶּה־אָף Prov. 21:14

כָּפוּל
ת׳ מקופל [עין עוד כָּפַל]: 1-3

כָּפוּל 1 רָבוּעַ יִהְיֶה כָּפוּל Ex. 28:16
2 רָבוּעַ הָיָה כָּפוּל עָשׂוּ אֶת־הַחֹשֶׁן Ex. 39:9
3 זֶרֶת אָרְכּוֹ וְזֶרֶת רָחְבּוֹ כָּפוּל Ex. 39:9

כָּפוּף
ת׳ שחוח, מדוכא [עין עוד כָּפַף]: 1, 2

כְּפוּפִים 1 יְיָ פֹּקֵחַ עִוְרִים יְיָ זֹקֵף כְּפוּפִים Ps. 146:8
הַכְּפוּפִים 2 וְזוֹקֵף לְכָל־הַכְּפוּפִים Ps. 145:14

כְּפוֹר[1]
ז׳ שכבת טל שקפא: 1-3

כְּפוֹר 1 כְּפוֹר כָּאֵפֶר יְפַזֵּר Ps. 147:16
כַּכְּפֹר 2 דַּק כַּכְּפֹר עַל־הָאָרֶץ Ex. 16:14
וּכְפֹר־ 3 וּכְפֹר שָׁמַיִם מִי יְלָדוֹ Job 38:29

כְּפוֹר[2]
ז׳ ספל, גביע(?): 1-9

כְּפוֹרֵי זָהָב 5, 7, 8; כְּפוֹרֵי כֶסֶף 6, 9

וּכְפוֹר 1-2 בְּמִשְׁקָל לִכְפוֹר וּכְפוֹר ICh. 28:17[2]
לִכְפוֹר 3-4 בְּמִשְׁקָל לִכְפוֹר וּכְפוֹר ICh. 28:17[2]
כְּפוֹרֵי־ 5 כְּפוֹרֵי זָהָב שְׁלֹשִׁים Ez. 1:10
6 כְּפוֹרֵי כֶסֶף מִשְׁנִים Ez. 1:10
וּכְפֹרֵי־ 7 וּכְפֹרֵי זָהָב עֶשְׂרִים Ez. 8:27
וְלִכְפוֹרֵי־ 8 וְלִכְפוֹרֵי הַזָּהָב בְּמִשְׁקָל ICh. 28:17
9 וְלִכְפוֹרֵי הַכֶּסֶף בְּמִשְׁקָל ICh. 28:17

כִּפּוּרִים
ז״ר מחילה, העברת חטא: 1-8

אֵיל הַכִּפֻּרִים 7; חַטַּאת הַכִּפֻּרִים 3, 8; יוֹם כִּפֻּרִים 1, 5, 6; כֶּסֶף הַכִּפֻּרִים 4

כִּפֻּרִים 1 כִּי יוֹם כִּפֻּרִים הוּא לְכַפֵּר עֲלֵיכֶם Lev. 23:28
הַכִּפֻּרִים 2 וּפַר חַטָּאת תַּעֲשֶׂה...עַל־הַכִּפֻּרִים Ex. 29:36
3 מִדַּם חַטַּאת הַכִּפֻּרִים יְכַפֵּר Ex. 30:10
4 וְלָקַחְתָּ אֶת־כֶּסֶף הַכִּפֻּרִים Ex. 30:16
5 הֶעָשׂוֹר לַחֹדֶשׁ...יוֹם הַכִּפֻּרִים הוּא Lev. 23:27
6 בְּיוֹם הַכִּפֻּרִים תַּעֲבִירוּ שׁוֹפָר Lev. 25:9
7 מִלְּבַד אֵיל הַכִּפֻּרִים Num. 5:8
8 מִלְּבַד חַטַּאת הַכִּפֻּרִים Num. 29:11

כְּפִי
מ״י א) ביחס אל־, בשעור של־: 1-9
ב) [כְּפִי אֲשֶׁר] משום ש־: 10

כְּפִי 1 וַיִּלְקְטוּ...אִישׁ כְּפִי אָכְלוֹ Ex. 16:21
2 כְּפִי שָׁנָיו יָשִׁיב אֶת־גְּאֻלָּתוֹ Lev. 25:52
3 כְּפִי נִדְרוֹ...כֵּן יַעֲשֶׂה Num. 6:21
4/5 אִישׁ כְּפִי עֲבֹדָתוֹ Num. 7:5 • IICh. 31:2
6/7 כְּפִי עֲבֹדָתָם Num. 7:7, 8
8 אִישׁ כְּפִי נַחֲלָתוֹ...יִתֵּן Num. 35:8
9 כְּפִי־אִישׁ לֹא־נָשָׂא רֹאשׁוֹ Zech. 2:4
10 כְּפִי אֲשֶׁר אֵינְכֶם שֹׁמְרִים אֶת־דְּרָכַי Mal. 2:9

כָּפִיס
ז׳ קורה בבנין

וְכָפִיס 1 אֶבֶן...תִּזְעָק וְכָפִיס מֵעֵץ יַעֲנֶנָּה Hab. 2:11

כְּפִיר
ז׳ א) אריה צעיר: 1-30
ב) [בהשאלה] חזק, תקיף: 31

קרובים: אֲרִי / אַרְיֵה / לָבִיא / לְבִיָּא / לַיִשׁ / שַׁחַל

— כְּפִיר אֲרָיוֹת 16; כְּפִיר גּוֹיִם 17; פְּנֵי כְפִיר 4
— חַיַּת כְּפִירִים 24; מַלְתְּעוֹת כְּ׳ 22; שַׁאֲגַת כְּ׳ 20; שִׁנֵּי כְפִירִים 23

כְּפִיר 1 וַתַּעַל אֶחָד מִגֻּרֶיהָ כְּפִיר הָיָה Ezek. 19:3
2 וַתִּקַּח אֶחָד מִגֻּרֶיהָ כְּפִיר שָׂמָתְהוּ Ezek. 19:5
3 וַיִּתְהַלֵּךְ בְּתוֹךְ־אֲרָיוֹת כְּפִיר הָיָה Ezek. 19:6
4 וּפְנֵי־כְפִיר אֶל־הַתִּמֹרָה מִפּוֹ Ezek. 41:19
5 הֲיִתֵּן כְּפִיר קוֹלוֹ מִמְּעֹנָתוֹ Am. 3:4
6 תִּרְמֹס כְּפִיר וְתַנִּין Ps. 91:13
וּכְפִיר 7 וְעֵגֶל וּכְפִיר וּמְרִיא יַחְדָּו Is. 11:6
וְהַכְּפִיר 8 כַּאֲשֶׁר יֶהְגֶּה הָאַרְיֵה וְהַכְּפִיר Is. 31:4
כַּכְּפִיר 9 עָזַב כַּכְּפִיר סֻכּוֹ Jer. 25:38
10 נַהַם כַּכְּפִיר זַעַף מֶלֶךְ Prov. 19:12
11 נַהַם כַּכְּפִיר אֵימַת מֶלֶךְ Prov. 20:2
כִּכְפִיר 12 וְהָיָה...כִּכְפִיר בְּעֶדְרֵי־צֹאן Mic. 5:7
13 וְצַדִּיקִים כִּכְפִיר יִבְטָח Prov. 28:1
וְכַכְּפִיר 14 כַּשַּׁחַל...וְכַכְּפִיר לְבֵית יְהוּדָה Hosh. 5:14
וְכִכְפִיר 15 וְכִכְפִיר יֹשֵׁב בְּמִסְתָּרִים Ps. 178:12
כְּפִיר־ 16 וְהִנֵּה כְּפִיר אֲרָיוֹת שֹׁאֵג לִקְרָאתוֹ Jud. 14:5
17 כְּפִיר גּוֹיִם נִדְמֵיתָ Ezek. 32:2
כְּפִירִים 18 עָלָיו יִשְׁאֲגוּ כְפִרִים נָתְנוּ קוֹלָם Jer. 2:15
19 בְּתוֹךְ כְּפִרִים רִבְּתָה גוּרֶיהָ Ezek. 19:2
20 קוֹל שַׁאֲגַת כְּפִירִים Zech. 11:3
21 כְּפִירִים רָשׁוּ וְרָעֵבוּ Ps. 34:11
22 מַלְתְּעוֹת כְּפִירִים נְתֹץ יְיָ Ps. 58:7
23 וְשִׁנֵּי כְפִירִים נִתָּעוּ Job 4:10
24 וְחַיַּת כְּפִירִים תְּמַלֵּא Job 38:39
הַכְּפִירִים 25 הַכְּפִירִים שֹׁאֲגִים לַטָּרֶף Ps. 104:21
כַּכְּפִירִים 26 יִשְׁאַג° כַּכְּפִירִים וְיִנְהֹם Is. 5:29
27 יַחְדָּו כַּכְּפִרִים יִשְׁאָגוּ Jer. 51:38
לַכְּפִירִים 28 מְעוֹן אֲרָיוֹת וּמִרְעֶה הוּא לַכְּפִרִים Nah. 2:12
מִכְּפִירִים 29 הָשִׁיבָה...מִכְּפִירִים יְחִידָתִי Ps. 35:17
וּכְפִירַיִךְ 30 וּכְפִירַיִךְ תֹּאכַל חָרֶב Nah. 2:14
כְּפִרֶיהָ 31 וְסֹחֲרֵי תַרְשִׁישׁ וְכָל־כְּפִרֶיהָ Ezek. 38:13

כְּפִירָה
עיר בנחלת בנימין: 1-4

כְּפִירָה 1 בְּנֵי קִרְיַת עָרִים כְּפִירָה וּבְאֵרוֹת Ez. 2:25
2 אַנְשֵׁי קִרְיַת יְעָרִים כְּפִירָה וּבְאֵרוֹת Neh. 7:29
הַכְּפִירָה 3 וְהַכְּפִירָה וּבְאֵרוֹת וְקִרְיַת יְעָרִים Josh. 9:17
4 וְהַמִּצְפֶּה וְהַכְּפִירָה וְהַמֹּצָה Josh. 18:26

כְּפִירִים
עיר בנחלת בנימין, היא כְּפִירָה

בַּכְּפִירִים 1 וְנִוָּעֲדָה יַחְדָּו בַּכְּפִירִים בְּבִקְעַת אוֹנוֹ Neh. 6:2

כפל
: כָּפַל, כָּפוּל, נִכְפַּל; כֶּפֶל, מִכְפֵּלָה

כָּפַל
פ׳ א) קִפֵּל לשנים: 1
ב) [נפ׳ נִכְפַּל] נשנה, חזר: 2

וְכָפַלְתָּ 1 וְכָפַלְתָּ אֶת־הַיְרִיעָה הַשִּׁשִּׁית Ex. 26:9
וְתִכָּפֵל 2 וְתִכָּפֵל חֶרֶב שְׁלִישִׁתָה Ezek. 21:19

כֶּפֶל*
ז׳ א) קִפּוּל: 1
ב) [כִּפְלַיִם] כפול שנים: 2

בְּכֶפֶל־ 1 בְּכֶפֶל רִסְנוֹ מִי יָבוֹא Job 41:5
כִּפְלַיִם 2 כִּי לָקְחָה...כִּפְלַיִם בְּכָל־חַטֹּאתֶיהָ Is. 40:2
3 כִּי־כִפְלַיִם לְתוּשִׁיָּה Job 11:6

כפן
: כָּפַן; כָּפָן

כָּפַן
פ׳ כָּפַף

כָּפְנָה 1 הַגֶּפֶן הַזֹּאת כָּפְנָה שָׁרָשֶׁיהָ עָלָיו Ezek. 17:7

כָּפָן
ז׳ רָעָב: 1, 2

וּבְכָפָן 1 בְּחֶסֶר וּבְכָפָן גַּלְמוּד Job 30:3
וּלְכָפָן 2 לְשֹׁד וּלְכָפָן תִּשְׂחָק Job 5:22

כפף : כָּפַף, כָּפוּף, נִכַּף (אִכַּף); כַּף, כִּפָּה

כָּפַף פ׳ א) הטה למטה: 1, 2
ב) [נפ׳ נִכַּף] הטה עצמו, השתחוה: 3

הֲלָכֹף 1 הֲלָכֹף כְּאַגְמֹן רֹאשׁוֹ Is. 58:5
כָּפַף 2 רֶשֶׁת הֵכִינוּ לִפְעָמַי כָּפַף נַפְשִׁי Ps. 57:7
אִכַּף 3 בַּמָּה אֲקַדֵּם יְיָ אִכַּף לֵאלֹהֵי מָרוֹם Mic. 6:6

כפר : כָּפַר, כִּפֵּר, כֻּפַּר, הִתְכַּפֵּר; כִּפּוּרִים, כֹּפֶר1, 2, כַּפֹּרֶת; כְּפִיר? כֹּפֶר3 (?)

כָּפַר פ׳ א) צִפָּה, כסה: 1
ב) [פִּ׳ כִּפֵּר] העביר חטא, סלח
[ובהשאלה] טהר: 2–92
ג) [פֻּ׳ כֻּפַּר] הֻעבר החטא, נמחל: 93–99
ד) [התפ׳ הִתְכַּפֵּר, נִכַּפֵּר] כֻּפַּר, הֻעבר: 100, 101

– כָּפַר אֶת־ 1
– כִּפֶּר (אֶת־) 28, 30, 34, 64–68, 72, 76, 78, 79, 86, 87; כִּפֶּר בְּעַד־ 26, 60–63, 69, 80, 89, 90; כִּפֶּר עַל־ 2–4, 6–23, 27, 29, 32, 35–59, 70, 71, 73–75, 77, 82–85, 91, 92; כִּפֶּר לְ־ 31, 88
– כִּפֶּר עָוֹן 28,(71),79; כִּפֶּר פָּנָיו 68; כִּפֶּר פֶּשַׁע 72

וְכָפַרְתָּ 1 וְכָפַרְתָּ אֹתָהּ מִבַּיִת וּמִחוּץ בַּכֹּפֶר Gen. 6:14
לְכַפֵּר 2-3 לְכַפֵּר עַל־נַפְשֹׁתֵיכֶם Ex. 30:15, 16
4 וְנִרְצָה לוֹ לְכַפֵּר עָלָיו Lev. 1:4
5 אֲשֶׁר יוּבָא מִדָּמָהּ...לְכַפֵּר בַּקֹּדֶשׁ Lev. 6:23
6 וַיְקַדְּשֵׁהוּ לְכַפֵּר עָלָיו Lev. 8:15
7 צִוָּה יְיָ לַעֲשֹׂת לְכַפֵּר עֲלֵיכֶם Lev. 8:34
8-23 לְכַפֵּר עַל־ (עֲלֵיהֶם, עָלָיו וכו׳) Lev. 10:17; 14:21, 29; 16:10, 34; 17:11; 23:28 • Num. 8:12; 15:28; 28:22, 30; 29:5; 31:50 • Ezek. 45:15 • Neh. 10:34 • IICh. 29:24
24 בְּבֹאוֹ לְכַפֵּר בַּקֹּדֶשׁ Lev. 16:17
25 הוּבָא אֶת־דָּמָם לְכַפֵּר בַּקֹּדֶשׁ Lev. 16:27
26 לְכַפֵּר בְּעַד בֵּית־יִשְׂרָאֵל Ezek. 45:17
וּלְכַפֵּר 27 לַעֲבֹד...וּלְכַפֵּר עַל־בְּנֵי יִשְׂרָאֵל Num. 8:19
28 וּלְהָתֵם° חַטָּאת° וּלְכַפֵּר עָוֹן Dan. 9:24
29 וּלְכַפֵּר עַל־יִשְׂ׳ כְּכֹל אֲשֶׁר־צִוָּה... ICh. 6:34
מִכַּפֵּר 30 וְכִלָּה מִכַּפֵּר אֶת־הַקֹּדֶשׁ Lev. 16:20
בְּכַפְּרִי 31 בְּכַפְּרִי־לָךְ לְכָל־אֲשֶׁר עָשִׂית Ezek. 16:63
בְּכַפֶּרְךָ 32 וְחִטֵּאתָ עַל־הַמִּזְבֵּחַ בְּכַפֶּרְךָ עָלָיו Ex. 29:36
כַּפְּרָהּ 33 הֹוָה לֹא תוּכְלִי כַּפְּרָהּ Is. 47:11
וְכִפַּרְתָּהוּ 34 וְחִטֵּאתָ אוֹתוֹ וְכִפַּרְתָּהוּ Ezek. 43:20
וְכִפֶּר 35 וְכִפֶּר אַהֲרֹן עַל־קַרְנֹתָיו Ex. 30:10
36 וְכִפֶּר עֲלֵהֶם הַכֹּהֵן וְנִסְלַח לָהֶם Lev. 4:20
37-39 וְכִפֶּר עָלָיו הַכֹּהֵן מֵחַטָּאתוֹ Lev. 4:26; 5:6, 10
40 וְכִפֶּר עָלָיו הַכֹּהֵן וְנִסְלַח לוֹ Lev. 4:31
41-59 וְכִפֶּר עַל־ (עָלָיו, עָלֶיהָ וכו׳) Lev. 4:35; 5:13, 18, 26; 12:7, 8; 14:18, 19, 20, 31, 53; 15:15, 30; 16:16, 18; 19:22 • Num. 6:11; 15:25, 28
60-62 וְכִפֶּר בַּעֲדוֹ וּבְעַד בֵּיתוֹ Lev. 16:6, 11, 17
63 וְכִפֶּר בַּעֲדוֹ וּבְעַד הָעָם Lev. 16:24
64 וְכִפֶּר הַכֹּהֵן אֲשֶׁר־יִמְשַׁח אֹתוֹ Lev. 16:32
65 וְכִפֶּר אֶת־מִקְדַּשׁ הַקֹּדֶשׁ Lev. 16:33
וְכִפַּרְתֶּם 66 וְכִפַּרְתֶּם אֶת־הַבָּיִת Ezek. 45:20
אֲכַפֵּר 67 מָה אֶעֱשֶׂה לָכֶם וּבַמָּה אֲכַפֵּר IISh. 21:3
אֲכַפְּרָה 68 אֲכַפְּרָה פָנָיו בַּמִּנְחָה Gen. 32:21
69 אוּלַי אֲכַפְּרָה בְּעַד חַטַּאתְכֶם Ex. 32:30
תְּכַפֵּר 70 תְּכַפֵּר עַל־הַמִּזְבֵּחַ וְקִדַּשְׁתָּ אֹתוֹ Ex. 29:37
71 אַל־תְּכַפֵּר עַל־עֲוֹנָם Jer. 18:23
תְּכַפְּרֵם 72 פְּשָׁעֵינוּ אַתָּה תְכַפְּרֵם Ps. 65:4
יְכַפֵּר 73 אַחַת בַּשָּׁנָה יְכַפֵּר עָלָיו Ex. 30:10
74 וְהַכֹּהֵן יְכַפֵּר עָלָיו בְּאֵיל הָאָשָׁם Lev. 5:16
75 יְכַפֵּר עֲלֵיכֶם לְטַהֵר אֶתְכֶם Lev. 16:30
76 וְאֶת־אֹהֶל מוֹ׳ וְאֶת־הַמִּזְבֵּחַ יְכַפֵּר Lev. 16:33
77 וְעַל־כָּל־עַם הַקָּהָל יְכַפֵּר Lev. 16:33
78 כִּי־הַדָּם הוּא בַּנֶּפֶשׁ יְכַפֵּר Lev. 17:11
79 וְהוּא רַחוּם יְכַפֵּר עָוֹן Ps. 78:38
80 יְיָ הַטּוֹב יְכַפֵּר בְּעַד IICh. 30:18
יְכַפֶּר־ 81 הַכֹּהֵן אֲשֶׁר יְכַפֶּר־בּוֹ לוֹ יִהְיֶה Lev. 7:7
82 אֲשֶׁר יְכַפֶּר־בּוֹ עָלָיו Num. 5:8
וַיְכַפֵּר 83 וַיְכַפֵּר עֲלֵיהֶם אַהֲרֹן לְטַהֲרָם Num. 8:21
84 וַיִּתֵּן...הַקְּטֹרֶת וַיְכַפֵּר עַל־הָעָם Num. 17:12
85 קִנֵּא לֵאלֹהָיו וַיְכַפֵּר עַל־בְּ־יִ׳ Num. 25:13
יְכַפְּרֶנָּה 86 וְאִישׁ חָכָם יְכַפְּרֶנָּה Prov. 16:14
יְכַפְּרוּ 87 יְכַפְּרוּ אֶת־הַמִּזְבֵּחַ וְטִהֲרוּ אֹתוֹ Ezek. 43:26
כַּפֵּר 88 כַּפֵּר לְעַמְּךָ יִשְׂרָאֵל Deut. 21:8
וְכַפֵּר 89 וְכַפֵּר בַּעַדְךָ וּבְעַד הָעָם Lev. 9:7
90 וַעֲשֵׂה אֶת־קָרְבַּן הָעָם וְכַפֵּר בַּעֲדָם Lev. 9:7
91 קַח אֶת־הַמַּחְתָּה...וְכַפֵּר עֲלֵיהֶם Num. 17:11
92 וְכַפֵּר עַל־חַטֹּאתֵינוּ לְמַעַן שְׁמֶךָ Ps. 79:9
כֻּפַּר 93 וְאָכְלוּ אֹתָם אֲשֶׁר כֻּפַּר בָּהֶם Ex. 29:33
וְכֻפַּר 94 וְכֻפַּר בְּרִיתְכֶם אֶת־מָוֶת Is. 28:18
יְכֻפַּר 95 וְלָאָרֶץ לֹא־יְכֻפַּר לַדָּם Num. 35:33
96 אִם־יְכֻפַּר הֶעָוֹן הַזֶּה לָכֶם Is. 22:14
97 לָכֵן בְּזֹאת יְכֻפַּר עֲוֹן־יַעֲקֹב Is. 27:9
98 בְּחֶסֶד וֶאֱמֶת יְכֻפַּר עָוֹן Prov. 16:6
תְּכֻפָּר 99 וְסָר עֲוֹנֶךָ וְחַטָּאתְךָ תְּכֻפָּר Is. 6:7
וְנִכַּפֵּר 100 וְנִכַּפֵּר לָהֶם הַדָּם Deut. 21:8
יִתְכַּפֵּר 101 אִם־יִתְכַּפֵּר עֲוֹן בֵּית־עֵלִי ISh. 3:14

כֹּפֶר1 ז׳ פדיון נפש: 1–13
– כֹּפֶר נֶפֶשׁ 10, 11; רָב־כֹּפֶר 9
– הוּשַׁת כֹּפֶר 1; לָקַח כֹּפֶר 2–5; מָצָא כֹּפֶר 8; נָתַן כֹּפֶר 10, 12, 13

כֹּפֶר 1 אִם־כֹּפֶר יוּשַׁת עָלָיו Ex. 21:30
2 וְלֹא־תִקְחוּ כֹפֶר לְנֶפֶשׁ רֹצֵחַ Num. 35:31
3 וְלֹא־תִקְחוּ כֹפֶר לָנוּס... Num. 35:32
4 וּמִיַּד־מִי לָקַחְתִּי כֹפֶר ISh. 12:3
5 צֹרְרֵי צַדִּיק לֹקְחֵי כֹפֶר Am. 5:12
6 לֹא־יִשָּׂא פְּנֵי כָל־כֹּפֶר Prov. 6:35
7 כֹּפֶר לַצַּדִּיק רָשָׁע Prov. 21:18
8 פְּדָעֵהוּ...מָצָאתִי כֹפֶר Job 33:24
9 וְרָב־כֹּפֶר אַל־יַטֶּךָּ Job 36:18
כֹּפֶר־ 10 וְנָתְנוּ אִישׁ כֹּפֶר נַפְשׁוֹ לַיְיָ Ex. 30:12
11 כֹּפֶר נֶפֶשׁ־אִישׁ עָשְׁרוֹ Prov. 13:8
כָּפְרְךָ 12 נָתַתִּי כָפְרְךָ מִצְרַיִם Is. 43:3
כָּפְרוֹ 13 לֹא־יִתֵּן לֵאלֹהִים כָּפְרוֹ Ps. 49:8

כֹּפֶר2 ז׳ א) חֵמָר: 1
ב) עץ בּוֹשֶׂם: 2, 3
אֶשְׁכֹּל הַכֹּפֶר 2

בַּכֹּפֶר 1 וְכָפַרְתָּ אֹתָהּ...בַּכֹּפֶר Gen. 6:14
הַכֹּפֶר 2 אֶשְׁכֹּל הַכֹּפֶר דּוֹדִי לִי S.ofS. 1:14
כְּפָרִים 3 כְּפָרִים עִם־נְרָדִים S.ofS. 4:13

כֹּפֶר3 ז׳ כְּפָר, עיירה: 1–3

כֹּפֶר 1 מֵעִיר מִבְצָר וְעַד כֹּפֶר הַפְּרָזִי ISh. 6:18
בַּכְּפָרִים 2 נֵצֵא הַשָּׂדֶה נָלִינָה בַּכְּפָרִים S.ofS. 7:12
וּבַכְּפָרִים 3 בַּשָּׂדֶה בֶּעָרִים וּבַכְּפָרִים ICh. 27:25

כְּפַר הָעַמֹּנָה מקום בנחלת בנימין
וּכְפַר הָעַ׳ 1 וּכְפַר הָעַמֹּנָה° וְהָעָפְנִי וָגָבַע Josh. 18:24

כִּפֻּרִים עין כִּפּוּרִים

כַּפֹּרֶת נ׳ מִכסה לארון־הקודש: 1–26
כַּפֹּרֶת זָהָב 25, 26; בֵּית הַכַּפֹּרֶת 9; קְצוֹת הַכַּפֹּרֶת 1, 2

הַכַּפֹּרֶת 1-2 מִשְּׁנֵי קְצוֹת הַכַּפֹּרֶת Ex. 25:18; 37:7
3 מִן־הַכַּפֹּרֶת תַּעֲשׂוּ אֶת־הַכְּרֻבִים Ex. 25:19
4/5 סֹכְכִים בְּכַנְפֵיהֶם עַל־הַכַּפֹּרֶת Ex. 25:20; 37:9
6 אֶל־הַכַּפֹּרֶת יִהְיוּ פְּנֵי הַכְּרֻבִים Ex. 25:20
7 וְנָתַתָּ אֶת־הַכַּפֹּרֶת עַל־הָאָרֹן Ex. 25:21
8 וְדִבַּרְתִּי אִתְּךָ מֵעַל הַכַּפֹּרֶת Ex. 25:22
9 וַחֲדָרָיו הַפְּנִימִים וּבֵית הַכַּפֹּרֶת ICh. 28:11
10-24 הַכַּפֹּרֶת Ex. 26:34; 30:6; 31:7; 35:12; 37:8, 9; 39:35; 40:20 • Lev. 16:2[2], 13, 14[2], 15 • Num. 7:89
כַּפֹּרֶת־ 25 וְעָשִׂיתָ כַפֹּרֶת זָהָב טָהוֹר Ex. 25:17
26 וַיַּעַשׂ כַּפֹּרֶת זָהָב טָהוֹר Ex. 37:6

(כפש) הִכְפִּישׁ הפ׳ בּוֹסֵס, רָמַס
הִכְפִּישַׁנִי 1 וַיַּגְרֵס בֶּחָצָץ שִׁנָּי הִכְפִּישַׁנִי בָּאֵפֶר Lam. 3:16

כְּפַת פ׳ ארמית א) עָקַד, קשר: 1
ב) [פַּ׳ כַּפֵּת] כנ״ל: 2–4

כְּפִתוּ 1 גֻּבְרַיָּא אִלֵּךְ כְּפִתוּ בְּסַרְבָּלֵיהוֹן Dan. 3:21
לְכַפָּתָה 2 וּלְגֻבְרִין...אֲמַר לְכַפָּתָה לְשַׁדְרַךְ... Dan. 3:20
מְכַפְּתִין 3 נְפַלוּ לְגוֹא־אַתּוּן־נוּרָא...מְכַפְּתִין Dan. 3:23
4 רְמֵינָא לְגוֹא־נוּרָא מְכַפְּתִין Dan. 3:24

כַּפְתּוֹר1 ז׳ א) גֻּלָּה דמוית פקעת או נִצָּן: 1–10, 12–15, 17, 18
ב) כּוֹתֶרֶת בראש עמוד: 11, 16
כַּפְתֹּר וָפֶרַח 1–4, 12–15

כַּפְתֹּר 1-2 בַּקָּנֶה הָאֶחָד כַּפְתֹּר וָפֶרַח Ex. 25:33; 37:19
3 בְּקָנֶה הָאֶחָד כַּפְתֹּר וָפָרַח Ex. 25:33
4 בְּקָנֶה אֶחָד כַּפְתֹּר וָפָרַח Ex. 37:19
וְכַפְתֹּר 5-10 וְכַפְתֹּר תַּחַת(־)שְׁנֵי הַקָּנִים Ex. 25:35[3]; 37:21[3]
הַכַּפְתּוֹר 11 הַךְ הַכַּפְתּוֹר וְיִרְעֲשׁוּ הַסִּפִּים Am. 9:1
כַּפְתֹּרֶיהָ 12 כַּפְתֹּרֶיהָ וּפְרָחֶיהָ מִמֶּנָּה יִהְיוּ Ex. 25:31
13-15 כַּפְתֹּרֶיהָ וּפְרָחֶיהָ Ex. 25:34; 37:17, 20
בְּכַפְתֹּרֶיהָ 16 גַּם־קָאַת גַּם...בְּכַפְתֹּרֶיהָ יָלִינוּ Zep. 2:14
כַּפְתֹּרֵיהֶם 17 כַּפְתֹּרֵיהֶם וּקְנֹתָם מִמֶּנָּה יִהְיוּ Ex. 25:36
18 כַּפְתֹּרֵיהֶם וּקְנֹתָם מִמֶּנָּה הָיוּ Ex. 37:22

כַּפְתּוֹר2 אי כרתים, מקום מוצא הפלשתים: 1–6

כַּפְתּוֹר 1 אֶת־פְּלִשְׁתִּים שְׁאֵרִית אִי כַפְתּוֹר Jer. 47:4
מִכַּפְתֹּר 2 כַּפְתֹּרִים הַיֹּצְאִים מִכַּפְתֹּר Deut. 2:23
3 הֶעֱלֵיתִי...וּפְלִשְׁתִּיִּים מִכַּפְתּוֹר Am. 9:7
כַּפְתֹּרִים 4-5 יָצְאוּ מִשָּׁם פְּלִשְׁתִּים וְאֶת־כַּפְתֹּרִים Gen. 10:14 • ICh. 1:12
6 כַּפְתֹּרִים הַיֹּצְאִים מִכַּפְתֹּר Deut. 2:23

כַּר1 ז׳ א) כֶּבֶשׂ שָׁמֵן: 2–4, 8–13
ב) כְּלִי־מַפָּץ בצורת איל: 5–7
ג) שליח, רָץ(?): 1
קרובים: ראה כֶּבֶשׂ
דַּם כָּרִים 4; חֵלֶב כָּרִים 2; יְקַר כָּרִים 10

כַּר 1 שִׁלְחוּ־כַר...מִסֶּלַע מִדְבָּרָה Is. 16:1
כָּרִים 2 עִם־חֵלֶב כָּרִים וְאֵילִים Deut. 32:14
3 וְהֵשִׁיב לְמֶלֶךְ־יִשְׂ׳ מֵאָה־אֶלֶף כָּרִים IIK. 3:4
4 הֻדַּשְׁנָה מֵחֵלֶב מִדַּם כָּרִים וְעַתּוּדִים Is. 34:6
5 וְשִׂים־עָלֶיהָ כָּרִים סָבִיב Ezek. 4:2
6 לָשׂוּם כָּרִים לִפְתֹּחַ פֶּה בְּרֶצַח Ezek. 21:27
7 לָשׂוּם כָּרִים עַל־שְׁעָרִים Ezek. 21:27

כָּרִים (המשך) 8 אֵילִים כָּרִים וְעַתּוּדִים Ezek. 39:18
9 וְאֹכְלִים כָּרִים מִצֹּאן Am. 6:4
10 וְאֹיְבֵי יְיָ כִּיקַר כָּרִים Ps. 37:20
הַכָּרִים 11 וְעַל־מֵיטַב הַצֹּאן...וְעַל־הַכָּרִים ISh. 15:9
בְּכָרִים 12 בְּכָרִים וְאֵילִם וְעַתּוּדִים Ezek. 27:21
כְּכָרִים 13 אוֹרִידֵם כְּכָרִים לִטְבוֹחַ Jer. 51:40

כַּר² ז׳ כִּכָּר, שדה מרעה: 1, 2
קרובים: אָחוּ / כִּכָּר / מִגְרָשׁ / נָוֶה / שָׂדֶה
כַּר נִרְחָב 1
כַּר 1 יִרְעֶה מִקְנֶיךָ...כַּר נִרְחָב Is. 30:23
כָרִים 2 לָבְשׁוּ כָרִים הַצֹּאן וַעֲמָקִים יַעַטְפוּ־בָר Ps. 65:14

כַּר*³ ז׳ אוכף
בְּכַר־ 1 וַתְּשִׂמֵם בְּכַר הַגָּמָל וַתֵּשֶׁב עֲלֵיהֶם Gen. 31:34

כֹּר ז׳ מדת היבש, עשר איפות [עין גם כור]: 1–8
קרובים: אֵיפָה / בַּת² / חֹמֶר / לֶתֶךְ / סְאָה / עֹמֶר / עִשָּׂרוֹן
כֹּר חִטִּים 3, 6, 8; כֹּר סֹלֶת 1; כֹּר קֶמַח 2; כֹּר שֶׁמֶן 4; כֹּר שְׂעוֹרִים 7
כֹּר 1-2 שְׁלֹשִׁים כֹּר סֹלֶת וְשִׁשִּׁים כֹּר קָמַח IK. 5:2
3 עֶשְׂרִים אֶלֶף כֹּר חִטִּים IK. 5:25
4 וְעֶשְׂרִים כֹּר שֶׁמֶן כָּתִית IK. 5:25
הַכֹּר 5 מַעְשַׂר הַבַּת מִן־הַכֹּר Ezek. 45:14
כֹּרִים 6 נָתַתִּי חִטִּים...כֹּרִים עֶשְׂרִים אֶלֶף IICh. 2:9
7 וּשְׂעֹרִים כֹּרִים עֶשְׂרִים אָלֶף IICh. 2:9
8 וַעֲשֶׂרֶת אֲלָפִים כֹּרִים חִטִּים IICh. 27:5

כרבל : מְכֻרְבָּל; ארמית: כַּרְבְּלָא*

(כרבל) מְכֻרְבָּל פ׳ עטוף
מְכֻרְבָּל 1 וְדָוִיד מְכֻרְבָּל בִּמְעִיל בּוּץ ICh. 15:27

כַּרְבְּלָא* נ׳ ארמית: מעיל
וְכַרְבְּלָתְהוֹן 1 פַּטְּשֵׁיהוֹן °וְכַרְבְּלָתְהוֹן וּלְבוּשֵׁיהוֹן Dan. 3:21

כרה : א) כָּרָה¹, נִכְרָה, מִכְרֶה; ארי׳ (כרה) אֶתְכְּרִיַּת(?)
ב) כָּרָה²
ג) כָּרָה³, כֵּרָה

כָּרָה¹ פ׳ א) חפר, פתח [גם בהשאלה]: 1-14
ב) [נפ׳ נִכְרָה] נחפר: 15
כָּרָה אָזְנַיִם 3; כָּרָה בְּאֵר 10, 14; כָּ׳ בּוֹר 4, 13; כָּרָה קֶבֶר 2, 5; כָּ׳ רָעָה 11; כָּ׳ שׁוּחָה 6, 7; כָּרָה שִׂיחָה 8, 9; כָּרָה שַׁחַת 12, (15)
כֹּרֹת 1 נְוֹת כְּרֹת רֹעִים וְגִדְרוֹת צֹאן Zep. 2:6
כָּרִיתִי 2 בְּקִבְרִי אֲשֶׁר כָּרִיתִי לִי בְּאֶרֶץ כְּנַעַן Gen. 50:5
כָּרִיתָ 3 אָזְנַיִם כָּרִיתָ לִּי Ps. 40:7
כָּרָה 4 בּוֹר כָּרָה וַיַּחְפְּרֵהוּ Ps. 7:16
5 בְּקִבְרֹתָיו אֲשֶׁר כָּרָה־לוֹ בְּעִיר דָּוִיד IICh. 16:14
כָּרוּ 6 כִּי־כָרוּ שׁוּחָה לְנַפְשִׁי Jer. 18:20
7 כִּי־כָרוּ שׁוּחָה° לְלָכְדֵנִי Jer. 18:22
8 כָּרוּ לְפָנַי שִׁיחָה נָפְלוּ בְתוֹכָהּ Ps. 57:7
9 כָּרוּ־לִי זֵדִים שִׁיחוֹת Ps. 119:85
כָּרוּהָ 10 בְּאֵר...כָּרוּהָ נְדִיבֵי הָעָם Num. 21:18
כֹּרֶה 11 אִישׁ בְּלִיַּעַל כֹּרֶה רָעָה Prov. 16:27
12 כֹּרֶה־שַׁחַת בָּהּ יִפֹּל Prov. 26:27
יִכְרֶה 13 אוֹ כִּי־יִכְרֶה אִישׁ בֹּר Ex. 21:33
וַיִּכְרוּ 14 וַיִּכְרוּ־שָׁם עַבְדֵי־יִצְחָק בְּאֵר Gen. 26:25
יִכָּרֶה 15 עַד יִכָּרֶה לָרָשָׁע שָׁחַת Ps. 94:13

כָּרָה² פ׳ קָנָה: 1–4
וָאֶכְּרֶהָ 1 וָאֶכְּרֶהָ לִּי בַּחֲמִשָּׁה עָשָׂר כָּסֶף Hosh. 3:2
תִּכְרוּ 2 וְגַם־מַיִם תִּכְרוּ מֵאִתָּם בַּכֶּסֶף Deut. 2:6
וְתִכְרוּ 3 וְתִכְרוּ עַל־רֵיעֲכֶם Job 6:27
יִכְרוּ 4 יִכְרוּ עָלָיו חַבָּרִים Job 40:30

כָּרָה³ פ׳ ערך סעודה
וַיִּכְרֶה 1 וַיִּכְרֶה לָהֶם כֵּרָה גְדוֹלָה IIK. 6:23

כֵּרָה נ׳ סעודה
כֵּרָה 1 וַיִּכְרֶה לָהֶם כֵּרָה גְדוֹלָה IIK. 6:23

(כרה) אֶתְכְּרִיַּת אִתְפְּ׳ ארמית: חָלְשָׁה, קָצְרָה
אֶתְכְּרִיַּת 1 אֶתְכְּרִיַּת רוּחִי...בְּגוֹא נִדְנֶה Dan. 7:15

כְּרוּב¹ ז׳ א) מלאך: 3, 7
ב) תבנית מלאך בעל כנפים(?) במשכן ובמקדש מעל לארון־הברית: 1,2,4-6,8-91
– כְּרוּב (מִמְשַׁח) הַסּוֹכֵךְ 4, 5; כְּנַף הַכְּרוּב 10, 11, 17, 18, 19; פְּנֵי הַכְּרוּב 16; קוֹמַת הַכְּרוּב 13
– יוֹשֵׁב הַכְּרוּבִים 42, 56, 57, 66, 67, 79, 80; כַּנְפֵי הַכְּ׳ 63, 69, 82, 83, 84; מִקְלְעוֹת הַכְּרוּבִים 35, 36; פְּנֵי הַכְּרֻבִים 50, 54; רֹאשׁ הַכְּרוּבִים 68
כְּרוּב 1-2 כְּרוּב אֶחָד מִקָּצָה מִזֶּה Ex. 25:19; 37:8
3 וַיִּרְכַּב עַל־כְּרוּב וַיָּעֹף IISh. 22:11
4 אַתְּ־כְּרוּב מִמְשַׁח הַסּוֹכֵךְ Ezek. 28:14
5 וָאַבֶּדְךָ כְּרוּב הַסֹּכֵךְ Ezek. 28:16
6 וְתִמֹּרָה בֵּין־כְּרוּב לִכְרוּב Ezek. 41:18
7 וַיִּרְכַּב עַל־כְּרוּב וַיָּעֹף Ps. 18:11
וּכְרוּב 8-9 וּכְרוּב־אֶחָד מִקָּצָה מִזֶּה Ex. 25:19; 37:8
הַכְּרוּב 10 וְחָמֵשׁ אַמּוֹת כְּנַף הַכְּרוּב הָאֶחָת IK. 6:24
11 וְחָמֵשׁ אַמּוֹת כְּנַף הַכְּרוּב הַשֵּׁנִית IK. 6:24
12 וְעֶשֶׂר בָּאַמָּה הַכְּרוּב הַשֵּׁנִי IK. 6:25
13 קוֹמַת הַכְּרוּב הָאֶחָד עֶשֶׂר בָּאַמָּה IK. 6:26
14 וְכֵן הַכְּרוּב הַשֵּׁנִי IK. 6:26
15 וּכְנַף הַכְּרוּב הַשֵּׁנִי נֹגַעַת בַּקִּיר IK. 6:27
16 פְּנֵי הָאֶחָד פְּנֵי הַכְּרוּב Ezek. 10:14
17 מַגִּיעַ לִכְנַף הַכְּרוּב הָאַחֵר IICh. 3:11
18 וּכְנַף הַכְּרוּב הָאֶחָד אַמּוֹת חָמֵשׁ IICh. 3:12
19 דְּבֵקָה לִכְנַף הַכְּרוּב הָאַחֵר IICh. 3:12
20-24 הַכְּרוּב Ezek. 9:3; 10:4, 7:9²
לִכְרוּב 25 וְתִמֹּרָה בֵּין־כְּרוּב לִכְרוּב Ezek. 41:18
לַכְּרוּב 26 אֶל־בֵּינוֹת לַגַּלְגַּל אֶל־תַּחַת לַכְּרוּב Ezek. 10:2
27 וּשְׁנַיִם פָּנִים לַכְּרוּב Ezek. 41:18
כְּרֻבִים 28 וְעָשִׂיתָ שְׁנַיִם כְּרֻבִים זָהָב Ex. 25:18
29-30 כְּרֻבִים מַעֲשֵׂה חֹשֵׁב Ex. 26:1; 36:8
31 מַעֲשֵׂה חֹשֵׁב יַעֲשֶׂה אֹתָהּ כְּרֻבִים Ex. 26:31
32 מַעֲשֵׂה חֹשֵׁב עָשָׂה אֹתָהּ כְּרֻבִים Ex. 36:35
33 וַיַּעַשׂ שְׁנֵי כְרֻבִים זָהָב Ex. 37:7
34 שְׁנֵי כְרוּבִים עֲצֵי־שָׁמֶן IK. 6:23
35-36 מִקְלְעוֹת כְּרוּבִים וְתִמֹּרֹת IK. 6:29, 32
37 וְקִלַּע כְּרוּבִים וְתִמֹּרוֹת IK. 6:35
38 כְּרוּבִים אֲרָיוֹת וְתִמֹּרֹת IK. 7:36
39 וָאֵדַע כִּי כְרוּבִים הֵמָּה Ezek. 10:20
40-41 כְּרוּבִים וְתִמֹּרִים Ezek. 41:18, 25
42 יְיָ מָלָךְ...יֹשֵׁב כְּרוּבִים Ps. 99:1
43 וּפִתַּח כְּרוּבִים עַל־הַקִּירוֹת IICh. 3:7
44 כְּרוּבִים שְׁנַיִם מַעֲשֵׂה צַעֲצֻעִים IICh. 3:10
45 וַיַּעַל עָלָיו כְּרוּבִים IICh. 3:14
וּכְרוּבִים 46 אֲרָיוֹת בָּקָר וּכְרוּבִים IK. 7:29
הַכְּרֻבִים 47 וַיַּשְׁכֵּן...אֶת־הַכְּרֻבִים... Gen. 3:24
48 מִן־הַכַּפֹּרֶת תַּעֲשׂוּ אֶת־הַכְּרֻבִים Ex. 25:19

הַכְּרוּבִים (המשך) 49 וְהָיוּ הַכְּרֻבִים פֹּרְשֵׂי כְנָפַיִם Ex. 25:20
50 אֶל־הַכַּפֹּרֶת יִהְיוּ פְּנֵי הַכְּרֻבִים Ex. 25:20
51 מֵעַל הַכַּפֹּרֶת מִבֵּין שְׁנֵי הַכְּרֻבִים Ex. 25:22
52 מִן־הַכַּפֹּרֶת עָשָׂה אֶת־הַכְּרֻבִים Ex. 37:8
53 וַיִּהְיוּ הַכְּרֻבִים פֹּרְשֵׂי כְנָפַיִם Ex. 37:9
54 אֶל־הַכַּפֹּרֶת הָיוּ פְּנֵי הַכְּרֻבִים Ex. 37:9
55 מִדַּבֵּר אֵלָיו...מִבֵּין שְׁנֵי הַכְּרֻבִים Num. 7:89
56/7 יְיָ צְבָאוֹת יֹשֵׁב הַכְּרֻבִים ISh. 4:4 • IISh. 6:2
58 מִדָּה אַחַת...לִשְׁנֵי הַכְּרֻבִים IK. 6:25
59 וַיִּתֵּן אֶת־הַכְּרוּבִים בְּתוֹךְ הַבַּיִת IK. 6:27
60 וַיִּפְרְשׂוּ אֶת־כַּנְפֵי הַכְּרֻבִים IK. 6:27
61 וַיְצַף אֶת־הַכְּרוּבִים זָהָב IK. 6:28
62 וַיָּרֶד עַל־הַכְּרוּבִים אֶת־הַזָּהָב IK. 6:32
63 אֶל־תַּחַת כַּנְפֵי הַכְּרוּבִים IK. 8:6
64 כִּי הַכְּרוּבִים פֹּרְשִׂים כְּנָפַיִם IK. 8:7
65 וַיָּסֹכּוּ הַכְּרֻבִים עַל־הָאָרוֹן IK. 8:7
66 יְיָ אֱלֹהֵי יִשְׂרָאֵל יֹשֵׁב הַכְּרֻבִים IIK. 19:15
67 יְיָ...אֱלֹהֵי יִשְׂרָאֵל יֹשֵׁב הַכְּרֻבִים Is. 37:16
68 הָרָקִיעַ אֲשֶׁר עַל־רֹאשׁ הַכְּרֻבִים Ezek. 10:1
69 וְקוֹל כַּנְפֵי הַכְּרוּבִים נִשְׁמַע Ezek. 10:5
70 אֶל־הָאֵשׁ אֲשֶׁר בֵּינוֹת הַכְּרֻבִים Ezek. 10:7
71 אַרְבָּעָה אוֹפַנִּים אֵצֶל הַכְּרוּבִים Ezek. 10:9
72 וַיֵּרֹמּוּ הַכְּרוּבִים הִיא הַחַיָּה... Ezek. 10:15
73 וּבְלֶכֶת הַכְּרוּבִים יֵלְכוּ הָאוֹפַנִּים Ezek. 10:16
74 וּבִשְׂאֵת הַכְּרוּבִים אֶת־כַּנְפֵיהֶם Ezek. 10:16
75 וַיֵּצֵא...וַיַּעֲמֹד עַל־הַכְּרוּבִים Ezek. 10:18
76/7 וַיִּשְׂאוּ הַכְּרוּבִים אֶת־כַּנְפֵי־ Ezek. 10:19; 11:22
78 הַכְּרוּבִים וְהַתִּמֹּרִים עֲשׂוּיִם Ezek. 41:20
79 יֹשֵׁב הַכְּרוּבִים הוֹפִיעָה Ps. 80:2
80 יְיָ יוֹשֵׁב הַכְּרוּבִים ICh. 13:6
81 וּלְתַבְנִית הַמֶּרְכָּ׳ הַכְּרֻבִים זָהָב ICh. 28:18
82 וְכַנְפֵי הַכְּרוּבִים אָרְכָּם... IICh. 3:11
83 כַּנְפֵי הַכְּרוּבִים הָאֵלֶּה פֹּרְשִׂים... IICh. 3:13
84 אֶל־תַּחַת כַּנְפֵי הַכְּרוּבִים IICh. 5:7
85 וַיִּהְיוּ הַכְּרוּבִים פֹּרְשִׂים כְּנָפַיִם IICh. 5:8
86 וַיְכַסּוּ הַכְּרוּבִים עַל־הָאָרוֹן IICh. 5:8
וְהַכְּרֻבִים 87 וְהַכְּרֻבִים עֹמְדִים מִימִין לַבַּיִת Ezek. 10:3
לַכְּרוּבִים 88 גַּחֲלֵי־אֵשׁ מִבֵּינוֹת לַכְּרֻבִים Ezek. 10:2
89 מִבֵּינוֹת לַגַּלְגַּל מִבֵּינוֹת לַכְּרוּבִים Ezek. 10:6
90 וַיִּשְׁלַח...יָדוֹ מִבֵּינוֹת לַכְּרוּבִים Ezek. 10:7
91 וַיֵּרָא לַכְּרֻבִים תַּבְנִית יַד־אָדָם Ezek. 10:8

כְּרוּב² מקום על נהר כבר שהתישבו שם גולי בבל: 1, 2
כְּרוּב 1 תֵּל חַרְשָׁא כְּרוּב אַדָּן אִמֵּר Ez. 2:59
2 תֵּל חַרְשָׁא כְּרוּב אַדּוֹן וְאִמֵּר Neh. 7:61

כָּרוֹזָא ז׳ ארמית: מכריז, מודיע בקול
וְכָרוֹזָא 1 וְכָרוֹזָא קָרֵא בְחָיִל Dan. 3:4

כָּרוּת ת׳ א) מורד, חתוך: 3 [עין עוד כָּרַת]
ב) מי שאבר־המין שלו נחתך: 1, 2
וְכָרוּת 1 וּמָעוּךְ וְכָתוּת וְנָתוּק וְכָרוּת Lev. 22:24
וּכְרוּת־ 2 פְּצוּעַ־דַּכָּה וּכְרוּת שָׁפְכָה Deut. 23:2
כְּרֻתוֹת 3 וּשְׁתֵּי כַּפּוֹת יָדָיו כְּרֻתוֹת אֶל־הַמִּפְתָּן ISh. 5:4

כְּרוּתָה* נ׳ קורה גזורה מגזע עץ: 1–3
כְּרֻתוֹת־ 1/2 וְטוּר כְּרֻתֹת אֲרָזִים IK. 6:36; 7:12
וּכְרֻתוֹת־ 3 וּכְרֻתוֹת אֲרָזִים עַל־הָעַמּוּדִים IK. 7:2

כרז : הַכְרֵז; כָּרוֹזָא

(כרז) הַכְרֵז הַפְ׳ ארמית: קרא בקול
וְהַכְרִזוּ 1 וְהַכְרִזוּ עֲלוֹהִי דִּי־לֶהֱוֵא שַׁלִּיט Dan. 5:29

כָּרִי
ז' משמר המלך (עין גם כְּרֵתִי): 1, 2

הַכָּרִי 1 וְאֶת הַכָּרִי וְאֶת־הָרָצִים IIK. 11:19
לַכָּרִי 2 אֶת־שָׂרֵי הַמֵּאוֹת לַכָּרִי וְלָרָצִים IIK. 11:4

כְּרִית
נחל ממזרח לירדן שהתחבא שם אליהו: 1, 2

כְּרִית 1 בְּנַחַל כְּרִית אֲשֶׁר עַל־פְּנֵי הַיַּרְדֵּן IK. 17:3
2 וַיֵּלֶךְ וַיֵּשֶׁב בְּנַחַל כְּרִית IK. 17:5

כְּרִיתוּת
נ' בטול ברית: 1-4 • סֵפֶר כְּרִיתוּת 1-4

כְּרִיתֻת 1-2 וְכָתַב לָהּ סֵפֶר כְּרִיתֻת Deut. 24:1, 3
3 אֵי־זֶה סֵפֶר כְּרִיתוּת אִמְּכֶם Is. 50:1
כְּרִיתֻתֶיהָ 4 וָאֶתֵּן אֶת־סֵפֶר כְּרִיתֻתֶיהָ אֵלֶיהָ Jer. 3:8

כרך
: תַּכְרִיךְ; כַּרְכֹּם (?)

כַּרְכֹּב*
ז' שולים: 1, 2

כַּרְכֹּב 1 תַּחַת כַּרְכֹּב הַמִּזְבֵּחַ מִלְּמָטָּה Ex. 27:5
כַּרְכֻּבּוֹ 2 תַּחַת כַּרְכֻּבּוֹ מִלְּמַטָּה עַד־חֶצְיוֹ Ex. 38:4

כַּרְכֹּם
ז' צמח בושם (Crocus)

וְכַרְכֹּם 1 נֵרְדְּ וְכַרְכֹּם קָנֶה וְקִנָּמוֹן S.ofS. 4:14

כַּרְכְּמִישׁ
עיר קדומה על נהר פרת שנכבשה בידי האשורים: 1, 3

בְּכַרְכְּמִשׁ 1 עַל־נְהַר פְּרָת בְּכַרְכְּמִשׁ Jer. 46:2
2 לְהִלָּחֵם בְּכַרְכְּמִישׁ עַל־פְּרָת IICh. 35:20
כְּכַרְכְּמִישׁ 3 הֲלֹא כְּכַרְכְּמִישׁ כַּלְנוֹ Is. 10:9

כַּרְכַּס
שפ"ז – אחד משבעת סריסי המלך אחשורוש

וְכַרְכַּס 1 בִּגְתָא וַאֲבַגְתָא זֵתַר וְכַרְכַּס Es. 1:10

כִּרְכֵּר
פ' רקד: 1, 2

מְכַרְכֵּר 1 וְדָוִד מְכַרְכֵּר בְּכָל־עֹז לִפְנֵי יְיָ IISh. 6:14
וּמְכַרְכֵּר 2 מְפַזֵּז וּמְכַרְכֵּר לִפְנֵי יְיָ IISh. 6:16

כִּרְכָּרָה*
נ' נקבת הגמל? מרכבה?

וּבַכִּרְכָּרוֹת 1 וּבַצַּבִּים וּבַפְּרָדִים וּבַכִּרְכָּרוֹת Is. 66:20

כֶּרֶם
ז' גן נפנים או זיתים: 1-92 [נ' 27]

קרובים: גַּן / גַּנָּה / גִּנָּה / יָגֵב / פַּרְדֵּס / שָׂדֶה

– כֶּרֶם אָדָם 28; כֶּרֶם זַיִת 22; כֶּרֶם חֶמֶר 27; כֶּרֶם טוֹב 5; כֶּ' יְיָ 26; כֶּ' נָבוֹת 23-25, 31; כֶּרֶם רֵעֲהוּ 30; כֶּרֶם רָשָׁע 29
– מַטְּעֵי כֶרֶם 11; מֵיטַב הַכֶּרֶם 48; נַחֲלַת כֶּרֶם 15; פֶּרֶט כֶּרֶם 39; צִמְדֵּי כֶרֶם 8; תְּבוּאַת כֶּרֶם 18
– כְּרָמִים וְזֵיתִים 50, 52, 66; כְּרָמִים וִיגֵבִים 57; שָׂדוֹת וּכְרָמִים 62, 67, 71, 85-88, 92; דֶּרֶךְ כְּרָמִים 63; מִשְׁעוֹל כְּרָמִים 72;
– כַּרְמֵי חֶמֶד 81; כַּ' עֵין גֶּדִי 82; כַּרְמֵי תִמְנָתָה 80
– בִּעֵר כֶּרֶם 16; בָּצַר כֶּרֶם 41, 91; זָמַר כֶּ' 44, 46; זָרַע כֶּ' 40; חִבֵּל כֶּ' 64; לִקֵּשׁ כֶּ' 29; נָטַע כֶּ' 2, 3, 10, 12, 50-56, 58, 60-62, 65; נָטַר כֶּרֶם 35, 74; עוֹלֵל כֶּ' 41, 45; עָרַב כֶּ' 85; עָשַׂר כֶּ' 89; שִׁחֵת כֶּ' 34

כֶּרֶם 1 כִּי יַבְעֶר־אִישׁ שָׂדֶה אוֹ־כֶרֶם Ex. 22:4
2 הָאִישׁ אֲשֶׁר נָטַע כֶּרֶם וְלֹא חִלְּלוֹ Deut. 20:6
3 כֶּרֶם תִּטַּע וְלֹא תְחַלְּלֶנּוּ Deut. 28:30
4 כֶּרֶם הָיָה לְנָבוֹת הַיִּזְרְעֵאלִי IK. 21:1
5 וְאֶתְּנָה לְךָ תַּחְתָּיו כֶּרֶם טוֹב מִמֶּנּוּ IK. 21:2
6 אֶתְּנָה־לְּךָ כֶרֶם תַּחְתָּיו IK. 21:6
7 כֶּרֶם הָיָה לִידִידִי בְּקֶרֶן בֶּן־שָׁמֶן Is. 5:1
8 עֲשֶׂרֶת צִמְדֵּי־כֶרֶם יַעֲשׂוּ בַּת אֶחָת Is. 5:10
9 כֶּרֶם הָיָה לִשְׁלֹמֹה בְּבַעַל הָמוֹן S.ofS. 8:11
כָּרֶם 10 וַיָּחֶל נֹחַ אִישׁ הָאֲדָמָה וַיִּטַּע כָּרֶם Gen. 9:20
11 לְעִי הַשָּׂדֶה לְמַטָּעֵי כָרֶם Mic. 1:6
12 מִפְּרִי כַפֶּיהָ נָטַע° כָּרֶם Prov. 31:16
כֶּרֶם 13 וְזֶרַע לֹא־תִזְרָעוּ וְכֶרֶם לֹא־תִטָּעוּ Jer. 35:7
14 וְכֶרֶם וְשָׂדֶה וָזֶרַע לֹא יִהְיֶה־לָּנוּ Jer. 35:9
וָכָרֶם 15 וַתִּתֶּן־לָנוּ נַחֲלַת שָׂדֶה וָכָרֶם Num. 16:14
הַכֶּרֶם 16 וְאַתֶּם בִּעַרְתֶּם הַכֶּרֶם Is. 3:14
17 נָתַן אֶת־הַכֶּרֶם לַנֹּטְרִים S.ofS. 8:11
הַכָּרֶם 18 הַזֶּרַע אֲשֶׁר תִּזְרָע וּתְבוּאַת הַכָּרֶם Deut. 22:9
בְּכָרֶם 19 וְנוֹתְרָה בַת־צִיּוֹן כְּסֻכָּה בְכָרֶם Is. 1:8
וּבְכֶרֶם 20 לֹא נַעֲבֹר בְּשָׂדֶה וּבְכֶרֶם Num. 20:17
21 לֹא נִטֶּה בְּשָׂדֶה וּבְכֶרֶם Num. 21:22
כֶּרֶם־ 22 מִגָּדִישׁ וְעַד־קָמָה וְעַד־כֶּרֶם זָיִת Jud. 15:5
23 אֲנִי אֶתֵּן לְךָ אֶת־כֶּרֶם נָבוֹת IK. 21:7
24 קוּם רֵשׁ אֶת־כֶּרֶם נָבוֹת הַיִּזְרְעֵאלִי IK. 21:15
25 לָרֶדֶת אֶל־כֶּרֶם נָבוֹת הַיִּזְרְעֵאלִי IK. 21:16
26 כִּי כֶרֶם יְיָ צְבָאוֹת בֵּית יִשְׂרָאֵל Is. 5:7
27 בַּיּוֹם הַהוּא כֶּרֶם חֶמֶר עַנּוּ־לָהּ Is. 27:2
28 וְעַל־כֶּרֶם אָדָם חֲסַר־לֵב Prov. 24:30
וְכֶרֶם־ 29 וְכֶרֶם רָשָׁע יְלַקֵּשׁוּ Job 24:6
בְּכֶרֶם־ 30 כִּי תָבֹא בְּכֶרֶם רֵעֶךָ Deut. 23:25
31 הִנֵּה בְּכֶרֶם נָבוֹת אֲשֶׁר יָרַד שָׁם IK. 21:18
כַּרְמִי 32 לֹא־אֶתֵּן לְךָ אֶת־כַּרְמִי IK. 21:6
33 שִׁפְטוּ־נָא בֵּינִי וּבֵין כַּרְמִי Is. 5:3
34 רֹעִים רַבִּים שִׁחֲתוּ כַרְמִי Jer. 12:10
35 כַּרְמִי שֶׁלִּי לֹא נָטָרְתִּי S.ofS. 1:6
36 כַּרְמִי שֶׁלִּי לְפָנָי S.ofS. 8:12
לְכַרְמִי 37 מַה־לַּעֲשׂוֹת עוֹד לְכַרְמִי Is. 5:4
38 אֵת אֲשֶׁר־אֲנִי עֹשֶׂה לְכַרְמִי Is. 5:5
כַּרְמְךָ 39 וּפֶרֶט כַּרְמְךָ לֹא תְלַקֵּט Lev. 19:10
40 לֹא־תִזְרַע כַּרְמְךָ כִּלְאָיִם Deut. 22:9
41 כִּי תִבְצֹר כַּרְמְךָ לֹא תְעוֹלֵל Deut. 24:21
42-43 תְּנָה־לִּי אֶת־כַּרְמְךָ IK. 21:2, 6
כַּרְמֶךָ 44 וְשֵׁשׁ שָׁנִים תִּזְמֹר כַּרְמֶךָ Lev. 25:3
וְכַרְמְךָ 45 וְכַרְמְךָ לֹא תְעוֹלֵל... Lev. 19:10
46 שָׂדְךָ לֹא תִזְרָע וְכַרְמְךָ לֹא תִזְמֹר Lev. 25:4
לְכַרְמְךָ 47 כֵּן־תַּעֲשֶׂה לְכַרְמְךָ לְזֵיתֶךָ Ex. 23:11
כַּרְמוֹ 48 מֵיטַב שָׂדֵהוּ וּמֵיטַב כַּרְמוֹ יְשַׁלֵּם Ex. 22:4
לְכַרְמוֹ 49 אָשִׁירָה נָּא...שִׁירַת דּוֹדִי לְכַרְמוֹ Is. 5:1
כְּרָמִים 50 כְּרָמִים וְזֵיתִים אֲשֶׁר לֹא־נָטָעְתָּ Deut. 6:11
51 כְּרָמִים תִּטַּע וְעָבָדְתָּ... Deut. 28:39
52 כְּרָמִים וְזֵיתִים אֲשֶׁר לֹא־נְטַעְתֶּם Josh. 24:13
53/4 וְנִטְעוּ כְרָמִים וְאִכְלוּ פִּרְיָם IIK. 19:29
Is. 37:30
55 וְנָטְעוּ כְרָמִים וְאָכְלוּ פִּרְיָם Is. 65:21
56 עוֹד תִּטְּעִי כְרָמִים בְּהָרֵי שֹׁמְרוֹן Jer. 31:5(4)
57 וַיִּתֵּן לָהֶם כְּרָמִים וִיגֵבִים Jer. 39:10
58 וּבָנוּ בָתִּים וְנָטְעוּ כְרָמִים Ezek. 28:26
59 וּבְכָל־כְּרָמִים מִסְפֵּד Am. 5:17
60 וְנָטְעוּ כְרָמִים וְשָׁתוּ אֶת־יֵינָם Am. 9:14
61 וְנָטְעוּ כְרָמִים וְלֹא יִשְׁתּוּ אֶת־יֵינָם Zep. 1:13
62 וַיִּזְרְעוּ שָׂדוֹת וַיִּטְּעוּ כְרָמִים Ps. 107:37
63 לֹא־יִפְנֶה דֶּרֶךְ כְּרָמִים Job 24:18
64 שֻׁעָלִים קְטַנִּים מְחַבְּלִים כְּרָמִים S.ofS. 2:15
65 בָּנִיתִי לִי בָּתִּים נָטַעְתִּי לִי כְּרָמִים Eccl. 2:4
66 כְּרָמִים וְזֵיתִים וְעֵץ מַאֲכָל לָרֹב Neh. 9:25
וּכְרָמִים 67 גַּם־לְכֻלְּכֶם יִתֵּן...שָׂדוֹת וּכְרָמִים ISh. 22:7
68 וְזֵיתִים וּכְרָמִים וְצֹאן וּבָקָר IIK. 5:26
69/70 אֶרֶץ לֶחֶם וּכְרָמִים IIK. 18:32 • Is. 36:17
71 עוֹד יִקָּנוּ בָתִּים וְשָׂדוֹת וּכְרָמִים Jer. 32:15
הַכְּרָמִים 72 וַיַּעֲמֹד...בְּמִשְׁעוֹל הַכְּרָמִים Num. 22:24
73 וִיצָאתֶם מִן־הַכְּרָמִים וַחֲטַפְתֶּם Jud. 21:21
74 שָׂמֻנִי נֹטֵרָה אֶת־הַכְּרָמִים S.ofS. 1:6
75 וְעַל־הַכְּרָמִים שִׁמְעִי הָרָמָתִי ICh. 27:27
בַּכְּרָמִים 76 לְכוּ וַאֲרַבְתֶּם בַּכְּרָמִים Jud. 21:20
וּבַכְּרָמִים 77 וּבַכְּרָמִים לֹא־יְרֻנָּן לֹא יְרֹעָע Is. 16:10
לַכְּרָמִים 78 נַשְׁכִּימָה לַכְּרָמִים S.ofS. 7:13
שֶׁבַּכְּרָמִים 79 וְעַל שֶׁבַּכְּרָמִים לְאֹצְרוֹת הַיַּיִן ICh. 27:27
כַּרְמֵי־ 80 וַיָּבֹאוּ עַד־כַּרְמֵי תִמְנָתָה Jud. 14:5
81 כַּרְמֵי־חֶמֶד נְטַעְתֶּם Am. 5:11
בְּכַרְמֵי־ 82 אֶשְׁכֹּל הַכֹּפֶר...בְּכַרְמֵי עֵין גֶּדִי S.ofS. 1:14
כְּרָמֶיהָ 83 וְנָתַתִּי לָהּ אֶת־כְּרָמֶיהָ מִשָּׁם Hosh. 2:17
וּכְרָמֵינוּ 84 וּכְרָמֵינוּ סְמָדַר S.ofS. 2:15
85 שְׂדֹתֵינוּ וּכְרָמֵינוּ...אֲנַחְנוּ עֹרְבִים Neh. 5:3
86 לָוִינוּ כֶסֶף...שְׂדֹתֵינוּ וּכְרָמֵינוּ Neh. 5:4
87 וּשְׂדֹתֵינוּ וּכְרָמֵינוּ לַאֲחֵרִים Neh. 5:5
כַּרְמֵיכֶם 88 וְאֶת־שְׂדוֹתֵיכֶם וְאֶת־כַּרְמֵיכֶם...יִקָּח ISh. 8:14
וְכַרְמֵיכֶם 89 וְזַרְעֵיכֶם וְכַרְמֵיכֶם יַעְשֹׂר ISh. 8:15
90 גַּנּוֹתֵיכֶם וְכַרְמֵיכֶם...יֹאכַל הַגָּזָם Am. 4:9
כַּרְמֵיהֶם 91 וַיֵּצְאוּ הַשָּׂדֶה וַיִּבְצְרוּ...כַּרְמֵיהֶם Jud. 9:27
92 הָשִׁיבוּ...שְׂדֹתֵיהֶם כַּרְמֵיהֶם Neh. 5:11

כֹּרֵם
(תהלים יב 9) – עין רום כֹּרֵם עין כּוֹרֵם

כַּרְמִי[1]
שפ"ז א) צעיר בניו של ראובן: 4, 5, 7, 8
ב) מבני יהודה: 6
ג) אבי עכן שלקח מן החרם: 1-3

כַּרְמִי 1-2 עָכָן בֶּן־כַּרְמִי...לְמַטֵּה יְהוּדָה Josh. 7:1, 18
3 וּבְנֵי כַּרְמִי עָכָר עוֹכֵר יִשְׂרָאֵל ICh. 2:7
וְכַרְמִי 4 חֲנוֹךְ וּפַלּוּא וְחֶצְרֹן וְכַרְמִי Gen. 46:9
5 חֲנוֹךְ וּפַלּוּא חֶצְרֹן וְכַרְמִי Ex. 6:14
6 בְּנֵי יְהוּדָה פֶּרֶץ חֶצְרוֹן וְכַרְמִי ICh. 4:1
7 חֲנוֹךְ וּפַלּוּא חֶצְרוֹן וְכַרְמִי ICh. 5:3
לְכַרְמִי 8 לְכַרְמִי מִשְׁפַּחַת הַכַּרְמִי Num. 26:6

כַּרְמִי[2]
ת' המתיחס על בית כַּרְמִי (א)

הַכַּרְמִי 1 לְכַרְמִי מִשְׁפַּחַת הַכַּרְמִי Num. 26:6

כַּרְמִיל
ז' צבע ארגמן: 1-3

וְכַרְמִיל 1 וּבָאַרְגְּוָן וְכַרְמִיל וּתְכֵלֶת IICh. 2:6
2 תְּכֵלֶת וְאַרְגָּמָן וְכַרְמִיל וּבוּץ IICh. 3:14
וּבַכַּרְמִיל 3 בָּאַרְגָּמָן בַּתְּכֵלֶת וּבַבּוּץ וּבַכַּרְמִיל IICh. 2:13

כַּרְמֶל[1]
ז' א) מקום כרמים ושדות: 2, 5-15
ב) גרגרי־תבואה: 1, 3, 4

גֶּרֶשׂ כַּרְמֶל 1; יַעַר כַּרְמִלּוֹ 13, 14

כַּרְמֶל 1 אָבִיב קָלוּי בָּאֵשׁ גֶּרֶשׂ כַּרְמֶל Lev. 2:14
2 שֹׁכְנִי לְבָדָד יַעַר בְּתוֹךְ כַּרְמֶל Mic. 7:14
וְכַרְמֶל 3 וְלֶחֶם וְקָלִי וְכַרְמֶל לֹא תֹאכְלוּ Lev. 23:14
4 עֶשְׂרִים־לֶחֶם שְׂעֹרִים וְכַרְמֶל IIK. 4:42
הַכַּרְמֶל 5 וְנֶאֱסַף שִׂמְחָה וָגִיל מִן־הַכַּרְמֶל Is. 16:10
6 וְהִנֵּה־הַכַּרְמֶל הַמִּדְבָּר Jer. 4:26
וְהַכַּרְמֶל 7 וְהַכַּרְמֶל לַיַּעַר יֵחָשֵׁב Is. 29:17
8 וְהַכַּרְמֶל (כת' וכרמל) לַיַּעַר יֵחָשֵׁב Is. 32:15
בַּכַּרְמֶל 9 וּצְדָקָה בַּכַּרְמֶל תֵּשֵׁב Is. 32:16
לַכַּרְמֶל 10 וְשָׁב לְבָנוֹן לַכַּרְמֶל Is. 29:17
11 וְהָיָה מִדְבָּר לַכַּרְמֶל Is. 32:15
מִכַּרְמֶל 12 וְנֶאֶסְפָה שִׂמְחָה וָגִיל מִכַּרְמֶל Jer. 48:33
כַּרְמִלּוֹ 13 וְאָבוֹאָה מְלוֹן קִצֹּה יַעַר כַּרְמִלּוֹ IIK. 19:23
14 וְאָבוֹא מְרוֹם קִצּוֹ יַעַר כַּרְמִלּוֹ Is. 37:24
וְכַרְמִלּוֹ 15 וּכְבוֹד יַעְרוֹ וְכַרְמִלּוֹ...יְכַלֶּה Is. 10:18

כַּרְמֶל[2]
א) עיר בנחלת יהודה: 1, 2, 6-8, 23, 24
ב) רכס הרים ממערב לעמק זבולון: 3-5, 9-22

אֶרֶץ הַכַּרְמֶל 19; הֲדַר הַכַּרְמֶל 18; הַר הַכַּרְמֶל 13-16; רֹאשׁ הַכַּרְמֶל 17, 21, 22

כַּרְמֶל 1 מָעוֹן כַּרְמֶל וָזִיף וְיוּטָּה Josh. 15:55
כַּרְמֶלָה 2 עָלוּ כַרְמֶלָה וּבָאתֶם אֶל־נָבָל ISh. 25:5

וְכַרְמֶל 3 וְנֹעֵר בָּשָׁן וְכַרְמֶל Is. 33:9
4 אֻמְלַל בָּשָׁן וְכַרְמֶל Nah. 1:4
בְּכַרְמֶל 5 וּפָגַע בְּכַרְמֶל הַיָּמָּה Josh. 19:26
בַּכַּרְמֶל 6 וְאִישׁ בְּמָעוֹן וּמַעֲשֵׂהוּ בַכַּרְמֶל ISh. 25:2
7 וַיְהִי בִּגְזֹז אֶת־צֹאנוֹ בַּכַּרְמֶל ISh. 25:2
8 כָּל־יְמֵי הֱיוֹתָם בַּכַּרְמֶל ISh. 25:7
וּבַכַּרְמֶל 9 וְכֹרְמִים בֶּהָרִים וּבַכַּרְמֶל IICh. 26:10
כַּכַּרְמֶל 10 רֹאשֵׁךְ עָלַיִךְ כַּכַּרְמֶל S.ofS. 7:6
וּכְכַרְמֶל 11 כְּתָבוֹר בֶּהָרִים וּכְכַרְמֶל בַּיָּם Jer. 46:18
לְכַרְמֶל 12 מֶלֶךְ־יָקְנְעָם לְכַרְמֶל אֶחָד Josh. 12:22
הַכַּרְמֶל 13–16 הַר הַכַּרְמֶל IK. 18:19, 20 • IIK. 2:25; 4:25
17 עָלָה אֶל־רֹאשׁ הַכַּרְמֶל IK. 18:42
18 הֲדַר הַכַּרְמֶל וְהַשָּׁרוֹן Is. 35:2
19 וָאָבִיא אֶתְכֶם אֶל־אֶרֶץ הַכַּרְמֶל Jer. 2:7
20 וְרָעָה הַכַּרְמֶל וְהַבָּשָׁן Jer. 50:19
21 וְאָבְלוּ...וְיָבֵשׁ רֹאשׁ הַכַּרְמֶל Am. 1:2
22 וְאִם־יֵחָבְאוּ בְּרֹאשׁ הַכַּרְמֶל Am. 9:3
הַכַּרְמֶלָה 23 בָּא־שָׁאוּל הַכַּרְמֶלָה ISh. 15:12
24 וַיָּבֹאוּ...אֶל־אֲבִיגַיִל הַכַּרְמֶלָה ISh. 25:40

כַּרְמְלִי ת׳ מתושבי כַּרְמֶל: 1–7

הַכַּרְמְלִי 1 וַאֲבִיגַיִל אֵשֶׁת נָבָל הַכַּרְמְלִי ISh. 30:5
2/3 אֵשֶׁת נָבָל הַכַּרְמְלִי IISh. 2:2; 3:3
4 חֶצְרַי° הַכַּרְמְלִי פַּעֲרַי הָאַרְבִּי IISh. 23:35
5 חֶצְרוֹ הַכַּרְמְלִי נַעֲרַי בֶּן־אֶזְבָּי ICh. 11:37
הַכַּרְמְלִית 6 וַאֲבִיגַיִל אֵשֶׁת־נָבָל הַכַּרְמְלִית ISh. 27:3
7 שֵׁנִי דָּנִיֵּאל לַאֲבִיגַיִל הַכַּרְמְלִית ICh. 3:1

כְּרָן שפ״ז – מבני שֵׂעִיר החורי: 1, 2

וּכְרָן 1 חֶמְדָּן וְאֶשְׁבָּן וְיִתְרָן וּכְרָן Gen. 36:26
2 חַמְרָן וְאֶשְׁבָּן וְיִתְרָן וּכְרָן ICh. 1:41

כָּרְסֵא ז׳ ארמית: כִּסֵּא: 1–3 • כָּרְסָוָן = כִּסְאוֹת

כָּרְסֵא־ 1 הָנְחַת מִן־כָּרְסֵא מַלְכוּתֵהּ Dan. 5:20
כָּרְסְיֵהּ 2 כָּרְסְיֵהּ שְׁבִיבִין דִּי־נוּר Dan. 7:9
כָּרְסָוָן 3 חָזֵה הֲוֵית עַד דִּי כָרְסָוָן רְמִיו Dan. 7:9

כִּרְסֵם פ׳ חָתַךְ בשנים [עיין גם כסם]

יְכַרְסְמֶנָּה 1 יְכַרְסְמֶנָּה חֲזִיר מִיָּעַר Ps. 80:14

כרע : כָּרַע, הִכְרִיעַ; כְּרָעַיִם

כָּרַע פ׳ א) ירד ונשען על ברכיו: 1–30

ב) [הפ׳ הִכְרִיעַ] הוריד על הברכים [ובהשאלה] הכניע, הביס: 31–36
קרובים: יָרַד / נָפַל / צָנַח / קָרַס / שָׁכַב

מִכְּרֹעַ 1 קָם...מִכְּרֹעַ עַל־בִּרְכָּיו IK. 8:54
כָּרַע 2 כָּרַע רָבַץ כְּאַרְיֵה Gen. 49:9
3 כָּרַע שָׁכַב כַּאֲרִי Num. 24:9
4 בֵּין רַגְלֶיהָ כָּרַע נָפַל שָׁכָב Jud. 5:27
5 בֵּין רַגְלֶיהָ כָּרַע נָפָל Jud. 5:27
6 בַּאֲשֶׁר כָּרַע שָׁם נָפַל שָׁדוּד Jud. 5:27
7 בִּלְתִּי כָרַע תַּחַת אַסִּיר Is. 10:4
8 כָּרַע בֵּל קֹרֵס נְבוֹ Is. 46:1
כָּרְעוּ 9 כָּרְעוּ עַל־בִּרְכֵיהֶם לִשְׁתּוֹת מַיִם Jud. 7:6
10 הַבִּרְכַּיִם אֲשֶׁר לֹא־כָרְעוּ לַבַּעַל IK. 19:18
11 קָרְסוּ כָרְעוּ יַחְדָּו Is. 46:2
12 הֵמָּה כָּרְעוּ וְנָפָלוּ Ps. 20:9
13 כָּרְעוּ הַמֶּלֶךְ...וַיִּשְׁתַּחֲווּ IICh. 29:29
כּוֹרֵעַ 14 כִּי־אֵין מָרְדֳּכַי כֹּרֵעַ וּמִשְׁתַּחֲוֶה לוֹ Es. 3:5
כּוֹרְעִים 15 כֹּרְעִים וּמִשְׁתַּחֲוִים לְהָמָן Es. 3:2
כּוֹרְעוֹת 16 וּבִרְכַּיִם כֹּרְעוֹת תְּאַמֵּץ Job 4:4
וָאֶכְרְעָה 17 וָאֶכְרְעָה עַל־בִּרְכַּי Ez. 9:5
יִכְרַע 18 וְכֹל אֲשֶׁר־יִכְרַע עַל־בִּרְכָּיו Jud. 7:5
19 וּמָרְדֳּכַי לֹא יִכְרַע וְלֹא יִשְׁתַּחֲוֶה Es. 3:2
וַיִּכְרַע 20 וַיִּכְרַע עַל־בִּרְכָּיו לְנֶגֶד אֵלִיָּהוּ IIK. 1:13
21 וַיִּכְרַע בְּרִכְבּוֹ IIK. 9:24
תִּכְרַע 22 כִּי־לִי תִּכְרַע כָּל־בֶּרֶךְ Is. 45:23
וַתִּכְרַע 23 הָרָה לָלַת...וַתִּכְרַע וַתֵּלֶד ISh. 4:19
וְנִכְרָעָה 24 בֹּאוּ נִשְׁתַּחֲוֶה וְנִכְרָעָה Ps. 95:6
תִּכְרָעוּ 25 וְכֻלְּכֶם לַטֶּבַח תִּכְרָעוּ Is. 65:12
יִכְרְעוּ 26 לְפָנָיו יִכְרְעוּ כָּל־יוֹרְדֵי עָפָר Ps. 22:30
27 לְפָנָיו יִכְרְעוּ צִיִּים Ps. 72:9
וַיִּכְרְעוּ 28 וַיִּכְרְעוּ אַפַּיִם אַרְצָה...וַיִּשְׁתַּחֲווּ IICh. 7:3
יִכְרְעוּן 29 וְעָלֶיהָ יִכְרְעוּן אֲחֵרִין Job 31:10
תִּכְרַעְנָה 30 תִּכְרַעְנָה יַלְדֵיהֶן תְּפַלַּחְנָה Job 39:3
הַכְרֵעַ 31 אֲהָהּ בִּתִּי הַכְרֵעַ הִכְרַעְתִּנִי Jud. 11:35
הִכְרַעְתִּנִי 32 אֲהָהּ בִּתִּי הַכְרֵעַ הִכְרַעְתִּנִי Jud. 11:35
הִכְרִיעַ 33 וּבַחוּרֵי יִשְׂרָאֵל הִכְרִיעַ Ps. 78:31
תַּכְרִיעַ 34 תַּכְרִיעַ קָמַי תַּחְתֵּנִי IISh. 22:40
35 תַּכְרִיעַ קָמַי תַּחְתָּי Ps. 18:40
הַכְרִיעֵהוּ 36 קַדְּמָה פָנָיו הַכְרִיעֵהוּ Ps. 17:13

כְּרָעַיִם נ׳ זוגי – שׁוֹקֵי הרגלים של בעלי־חיים: 1–9

כְּרָעַיִם 1 אֲשֶׁר לוֹ° כְרָעַיִם מִמַּעַל לְרַגְלָיו Lev. 11:21
2 שְׁתֵּי כְרָעַיִם אוֹ בְדַל־אֹזֶן Am. 3:12
הַכְּרָעַיִם 3 וְאֶת־הַקֶּרֶב וְאֶת־הַכְּרָעַיִם Lev. 8:21
הַכְּרָעָיִם 4 וַיִּרְחַץ אֶת־הַקֶּרֶב וְאֶת־הַכְּרָעָיִם Lev. 9:14
וְהַכְּרָעַיִם 5 וְהַקֶּרֶב וְהַכְּרָעַיִם יִרְחַץ בַּמָּיִם Lev. 1:13
כְּרָעָיו 6 רֹאשׁוֹ עַל־כְּרָעָיו וְעַל־קִרְבּוֹ Ex. 12:9
7 עַל־רֹאשׁוֹ וְעַל־כְּרָעָיו Lev. 4:11
וּכְרָעָיו 8 וְרָחַצְתָּ קִרְבּוֹ וּכְרָעָיו Ex. 29:17
9 וְקִרְבּוֹ וּכְרָעָיו יִרְחַץ בַּמָּיִם Lev. 1:9

כַּרְפַּס ז׳ אריג מובחר

כַּרְפַּס 1 חוּר כַּרְפַּס וּתְכֵלֶת...וְאַרְגָּמָן Es. 1:6

כְּרֵשׂ* נ׳ כָּרֵס, בֶּטֶן

כְּרֵשׂוֹ 1 בִּלָעַנִי° כַּתַּנִּין מִלָּא כְרֵשׂוֹ מֵעֲדָנָי Jer. 51:34

כַּרְשְׁנָא שפ״ז – אחד משבעת סריסי אחשורוש

כַּרְשְׁנָא 1 וְהַקָּרֹב אֵלָיו כַּרְשְׁנָא שֵׁתָר... Es. 1:14

כרת : כָּרַת, נִכְרַת, הִכְרִית, הָכְרַת; כְּרוּת, כְּרוּתָה, כְּרִיתוּת; ש״פ כְּרִית

כָּרַת פ׳ א) גזר, חתך [גם בהשאלה]: 1–131

[עיין עוד ערכים כָּרוּת, כְּרוּתָה]
ב) [נפ׳ נִכְרַת] נגזר: 132–204
ג) [פֻּ׳ כֹּרַת, כֻּרַּת] נכרת, נחתך: 205, 206
ד) [הפ׳ הִכְרִית] השמיד: 207–284
ה) [הפ׳ הָכְרַת] הופסק, בוטל: 285
קרובים: בָּצַע / בָּרָא / גָּדַע / גָּזַר / זָמַר² / חָטַב / חָתַךְ

– כָּרַת אֲמָנָה 61; כָּרַת אֲרָזִים 11, 56, 69, 70, 116; כָּרַת אֶשְׁכּוֹל 51; כָּ׳ אֲשֵׁרָה 37, 47, 77, 78, 101, 112; כָּרַת בְּרִית – רוב המקראות 1–129; כָּ׳ דָּבָר 18; כָּרַת זַלְזַלִּים 48; כָּרַת זְמוֹרָה 119; כָּרַת יַעַר 55; כָּרַת כָּנָף 5, 38, 86; כָּרַת מַדְוֵיהֶם 88, 89; כָּרַת מִפְלֶצֶת 90, 91; כָּרַת עֵגֶל 54; כָּ׳ עֵץ (עֵצִים) 6, 8, 10, 28, 49, 63, 83, 105, 130; כָּרַת רֹאשׁ 102, 122, 123
– נִכְרַת (אִישׁ, עֶבֶד, צוֹרֵר, רָשָׁע וכד׳) 138–142, 144–159, 173–177, 181–183, 189–192, 198–202, 204; נִכְרַת אֹכֶל 136; נִכְרַת בָּשָׂר 170, 172; נִכְרַת עָסִיס 135; נִכְרַת שֵׁם 178, 179, 180, 188; נִכְרַת מְעוּנָה 185; נִכְ׳ מַשָּׂא 143
– נִכְרְתָה אַחֲרִיתוֹ 144; נִכְרְתָה אֱמוּנָה 160; נִכְרְתָה אֶרֶץ 193; נִכְרְתָה לָשׁוֹן 195; נִכְרְתָה נֶפֶשׁ 132, 145–159, 166, 194; נִכְרְתָה תִקְוָה 196, 197
– נִכְרְתוּ מַיִם 165, 203

כָּרוֹת 1 אָלוֹת שָׁוְא כָּרֹת בְּרִית Hosh. 10:4
וְכָרוֹת 2 וְכָרוֹת עִמּוֹ הַבְּרִית Neh. 9:8
כְּרֹת 3 אַחֲרֵי כְּרֹת הַמֶּלֶךְ...בְּרִית Jer. 34:8
בִּכְרָת־ 4 בִּכְרָת־בְּנִי עִם־בֶּן־יִשַׁי ISh. 22:8
בְּכָרְתִי 5 כִּי בְּכָרְתִי אֶת־כְּנַף מְעִילְךָ ISh. 24:12
לִכְרֹת 6 וְנִדְּחָה יָדוֹ בַגַּרְזֶן לִכְרֹת הָעֵץ Deut. 19:5
7 דִּבְרֵי הַבְּרִית...לִכְרֹת אֶת־בְּ־י׳ Deut. 28:69
8 יוֹדְעִים לִכְרוֹת עֲצֵי לְבָנוֹן IICh. 2:7
9 לִכְרוֹת בְּרִית לַיְיָ אֱלֹהֵי יִשְׂרָאֵל IICh. 29:10
לִכְרָת־ 10 אִישׁ יֹדֵעַ לִכְרָת־עֵצִים IK. 5:20
11 לִכְרָת־לוֹ אֲרָזִים Is. 44:14
כָּרַתִּי 12 כָּרַתִּי אִתְּךָ בְּרִית וְאֶת־יִשְׂרָאֵל Ex. 34:27
13 בְּרִיתִי אֲשֶׁר כָּרַתִּי אִתּוֹ Deut. 31:16
14 וְהַבְּרִית אֲשֶׁר־כָּרַתִּי אִתְּכֶם IIK. 17:38
15 בְּרִיתִי אֲשֶׁר כָּרַתִּי אֶת־אֲבוֹתָם Jer. 11:10
16 כַּבְּרִית אֲשֶׁר כָּרַתִּי אֶת־אֲבוֹתָם Jer. 31:32(31)
17 אָנֹכִי כָּרַתִּי בְרִית אֶת־אֲבוֹתֵיכֶם Jer. 34:13
18 אֶת־הַדָּבָר אֲשֶׁר כָּרַתִּי אִתְּכֶם Hag. 2:5
19 בְּרִיתִי אֲשֶׁר כָּרַתִּי אֶת...הָעַמִּים Zech. 11:10
20 כָּרַתִּי בְרִית לִבְחִירִי Ps. 89:4
21 בְּרִית כָּרַתִּי לְעֵינָי Job 31:1
22 כַּאֲשֶׁר כָּרַתִּי לְדָוִיד אָבִיךָ IICh. 7:18
וְכָרַתִּי 23 וְכָרַתִּי...בְּרִית חֲדָשָׁה Jer. 31:30
24 וְכָרַתִּי לָהֶם בְּרִית עוֹלָם Jer. 32:40
25/6 וְכָרַתִּי לָהֶם בְּרִית שָׁלוֹם Ezek. 34:25; 37:26
27 וְכָרַתִּי לָהֶם בְּרִית...עִם־חַיַּת... Hosh. 2:20
וְכָרַתָּ 28 רַק עֵץ...אֹתוֹ תַשְׁחִית וְכָרָתָּ Deut. 20:20
כָּרַת 29 כָּרַת יְיָ אֶת־אַבְרָם בְּרִית Gen. 15:18
30 דַם־הַבְּרִית אֲשֶׁר כָּרַת יְיָ עִמָּכֶם Ex. 24:8
31 בְּרִית יְיָ...אֲשֶׁר כָּרַת עִמָּכֶם Deut. 4:23
32 יְיָ אֱלֹהֵינוּ כָּרַת עִמָּנוּ בְּרִית בְּחֹרֵב Deut. 5:2
33 כָּרַת יְיָ אֶת־הַבְּרִית הַזֹּאת Deut. 5:3
34 הַבְּרִית אֲשֶׁר־כָּרַת־יְיָ עִמָּכֶם Deut. 9:9
35 הַבְּרִית אֲשֶׁר־כָּרַת אִתָּם בְּחֹרֵב Deut. 28:69
36 בְּרִית יְיָ...אֲשֶׁר כָּרַת עִמָּם Deut. 29:24
37 וְכִי כָרַת הָאֲשֵׁרָה אֲשֶׁר־עָלָיו Jud. 6:30
38 עַל אֲשֶׁר כָּרַת אֶת־כָּנָף ISh. 24:6
39 אֲשֶׁר כָּרַת יְיָ עִם־בְּנֵי יִשְׂרָאֵל IK. 8:9
40 בְּרִית יְיָ אֲשֶׁר כָּרַת עִם־אֲבֹתֵינוּ IK. 8:21
41 בְּרִיתוֹ אֲשֶׁר כָּרַת אֶת־אֲבוֹתָם IIK. 17:15
42/3 אֲשֶׁר כָּרַת אֶת־אַבְ׳ Ps. 105:9 • ICh. 16:16
44 אֲשֶׁר כָּרַת יְיָ עִם־בְּ־י׳ IICh. 5:10
45 אֲשֶׁר כָּרַת עִם־בְּנֵי יִשְׂרָאֵל IICh. 6:11
46 לְמַעַן הַבְּרִית אֲשֶׁר כָּרַת לְדָוִיד IICh. 21:7
וְכָרַת 47 וְכָרַת אֶת־הָאֲשֵׁרָה IIK. 18:4
48 וְכָרַת הַזַּלְזַלִּים בַּמַּזְמֵרוֹת Is. 18:5
כְּרָתוֹ 49 כִּי־עֵץ מִיַּעַר כְּרָתוֹ Jer. 10:3
כָּרַתְנוּ 50 כָּרַתְנוּ בְרִית אֶת־מָוֶת Is. 28:15
כָּרְתוּ 51 הָאֶשְׁכּוֹל אֲשֶׁר־כָּרְתוּ מִשָּׁם בְּ־י׳ Num. 13:24
52 אַחֲרֵי אֲשֶׁר־כָּרְתוּ לָהֶם בְּרִית Josh. 9:16
53 דִּבְרֵי הַבְּרִית אֲשֶׁר כָּרְתוּ לְפָנָי Jer. 34:18
54 הָעֵגֶל אֲשֶׁר כָּרְתוּ לִשְׁנַיִם Jer. 34:18
55 כָּרְתוּ יַעְרָהּ נְאֻם־יְיָ Jer. 46:23
וְכָרְתוּ 56 וְכָרְתוּ מִבְחַר אֲרָזֶיךָ Jer. 22:7
כּוֹרֵת 57 הִנֵּה אָנֹכִי כֹּרֵת בְּרִית Ex. 34:10
58 יְיָ אֱלֹהֶיךָ כֹּרֵת עִמְּךָ הַיּוֹם Deut. 29:11
59 אָנֹכִי כֹּרֵת אֶת־הַבְּרִית הַזֹּאת Deut. 29:13
הַכּוֹרֵת 60 לֹא־יַעֲלֶה הַכֹּרֵת עָלֵינוּ Is. 14:8
כּוֹרְתִים 61 אֲנַחְנוּ כֹּרְתִים אֲמָנָה וְכֹתְבִים Neh. 10:1
כּוֹרְתֵי־ 62 כֹּרְתֵי בְרִיתִי עֲלֵי־זָבַח Ps. 50:5
לְכוֹרְתֵי־ 63 לַחֹטְבִים לְכֹרְתֵי הָעֵצִים IICh. 2:9
אֶכְרֹת 64 בְּזֹאת אֶכְרֹת לָכֶם ISh. 11:2

אֶכְרֹת (המשך) 65 אֲנִי אֶכְרֹת אִתְּךָ בְּרִית IISh. 3:13
66 וּבְרִית עוֹלָם אֶכְרוֹת לָהֶם Is. 61:8
67 זֹאת הַבְּרִית אֲשֶׁר אֶכְרֹת Jer. 31:33(32)
אֶכְרָת־ 68 וְאֵיךְ אֶכְרָת (כ׳ אכרות)־לְךָ בְרִית Josh. 9:7
וְאֶכְרֹת 69/70 וְאֶכְרֹת קוֹמַת אֲרָזָיו IIK. 19:23 • Is. 37:24
וְאֶכְרְתָה 71 וְאֶכְרְתָה לָכֶם בְּרִית עוֹלָם Is. 55:3
תִּכְרֹת 72 לֹא־תִכְרֹת לָהֶם וְלֵאלֹהֵיהֶם בְּרִית Ex. 23:32
73/4 פֶּן־תִּכְרֹת בְּרִית לְיוֹשֵׁב הָאָ׳ Ex. 34:12, 15
75 לֹא־תִכְרֹת לָהֶם בְּרִית Deut. 7:2
76 עֵצָה...וְאֹתוֹ לֹא תִכְרֹת Deut. 20:19
77 וְאֶת־הָאֲשֵׁרָה אֲשֶׁר־עָלָיו תִּכְרֹת Jud. 6:25
78 בַּעֲצֵי הָאֲשֵׁרָה אֲשֶׁר תִּכְרֹת Jud. 6:26
וַתִּכְרָת־ 79 וַתִּכְרָת־לָךְ מֵהֶם Is. 57:8
הֲיִכְרֹת 80 הֲיִכְרֹת בְּרִית עִמָּךְ Job 40:28
וַיִּכְרֹת 81 וַיִּכְרֹת לָהֶם בְּרִית לְחַיּוֹתָם Josh. 9:15
82 וַיִּכְרֹת יְהוֹשֻׁעַ בְּרִית לָעָם Josh. 24:25
83 וַיִּכְרֹת שׂוֹכַת עֵצִים וַיִּשָּׂאֶהָ Jud. 9:48
84 וַיִּכְרֹת יְהוֹנָתָן וְדָוִד בְּרִית ISh. 18:3
85 וַיִּכְרֹת יְהוֹנָתָן עִם־בֵּית דָּוִד ISh. 20:16
86 וַיִּכְרֹת אֶת־כְּנַף הַמְּעִיל ISh. 24:4
87 וַיִּכְרֹת לָהֶם הַמֶּלֶךְ דָּוִד בְּרִית IISh. 5:3
88/9 וַיִּכְרֹת אֶת־מַדְוֵיהֶם... IISh. 10:4 • ICh. 19:4
90/1 וַיִּכְרֹת...אֶת־מִפְלַצְתָּהּ IK.15:13 • IICh. 15:16
92 וַיִּכְרֹת לָהֶם בְּרִית IIK. 11:4
93-100 וַיִּכְרֹת...בְּרִית IIK. 11:17; 17:35; 23:3
Ezek. 17:13 • ICh. 11:3 • IICh. 23:3, 16; 34:31
101 וַיִּכְרֹת אֶת־הָאֲשֵׁרִים IIK. 23:14
וַיִּכְרָת־ 102 וַיִּכְרָת־בָּהּ אֶת־רֹאשׁוֹ ISh. 17:51
103 וַיִּכְרָת־לוֹ בְרִית וַיְשַׁלְּחֵהוּ IK. 20:34
וַתִּכְרֹת 104 וַתִּכְרֹת אֶת־עָרְלַת בְּנָהּ Ex. 4:25
נִכְרֹת 105 וַאֲנַחְנוּ נִכְרֹת עֵצִים מִן־הַלְּבָנוֹן IICh. 2:15
נִכְרָת־ 106 וְעַתָּה נִכְרָת־בְּרִית לֵאלֹהֵינוּ Ez. 10:3
נִכְרְתָה 107 לְכָה נִכְרְתָה בְרִית אֲנִי וָאָתָּה Gen. 31:44
וְנִכְרְתָה 108 וְנִכְרְתָה בְרִית עִמָּךְ Gen. 26:28
וְנִכְרְתֶנּוּ 109 וְנִכְרְתֶנּוּ מֵאֶרֶץ חַיִּים Jer. 11:19
תִכְרְתוּ 110 לֹא־תִכְרְתוּ לְיוֹשְׁבֵי הָאָרֶץ Jud. 2:2
וַתִּכְרְתוּ 111 וַתִּכְרְתוּ בְרִית לְפָנַי Jer. 34:15
תִּכְרֹתוּן 112 וְאֶת־אֲשֵׁרָיו תִּכְרֹתוּן Ex. 34:13
יִכְרֹתוּ 113 וּבְרִית עִם־אַשּׁוּר יִכְרֹתוּ Hosh. 12:2
114 עָלֶיךָ בְּרִית יִכְרֹתוּ Ps. 83:6
וְיִכְרְתוּ 115 וְיִכְרְתוּ אִתְּךָ בְּרִית וּמָלַכְתָּ IISh. 3:21
116 וְיִכְרְתוּ־לִי אֲרָזִים מִן־הַלְּבָנוֹן IK. 5:20
וַיִּכְרְתוּ 117 וַיִּכְרְתוּ שְׁנֵיהֶם בְּרִית Gen. 21:27
118 וַיִּכְרְתוּ בְרִית בִּבְאֵר שָׁבַע Gen. 21:32
119 וַיִּכְרְתוּ מִשָּׁם זְמוֹרָה Num. 13:23
120 וַיִּכְרְתוּ גַם־כָּל־הָעָם אִישׁ שׂוֹכֹה Jud. 9:49
121 וַיִּכְרְתוּ שְׁנֵיהֶם בְּרִית לִפְנֵי יְיָ ISh. 23:18
122 וַיִּכְרְתוּ אֶת־רֹאשׁוֹ ISh. 31:9
123 וַיִּכְרְתוּ אֶת־רֹאשׁ שֶׁבַע בֶּן־בִּכְרִי IISh.20:22
124 וַיִּכְרְתוּ בְרִית שְׁנֵיהֶם IK. 5:26
וַיִּכְרְתֻהוּ 125 וַיִּכְרְתֻהוּ זָרִים...וַיִּטְּשֻׁהוּ Ezek. 31:12
כְּרָת־ 126 כְּרָת־לָנוּ בְרִית וְנַעַבְדֶךָּ ISh. 11:1
כָּרְתָה 127 כָּרְתָה בְרִיתְךָ אִתִּי IISh. 3:12
כִּרְתוּ 128/9 וְעַתָּה כִּרְתוּ־לָנוּ בְרִית Josh. 9:6, 11
130 כִּרְתוּ עֵצָה וְשִׁפְכוּ...סֹלְלָה Jer. 6:6
131 כִּרְתוּ זוֹרֵעַ מִבָּבֶל Jer. 50:16
הִכָּרֵת 132 הִכָּרֵת תִּכָּרֵת הַנֶּפֶשׁ הַהִוא Num. 15:31
בְּהִכָּרֵת 133 בְּהִכָּרֵת רְשָׁעִים תִּרְאֶה Ps. 37:34
וְנִכְרַתָּ 134 תְּכַסְּךָ בוּשָׁה וְנִכְרַתָּ לְעוֹלָם Ob. 10
נִכְרַת 135 עַל־עָסִיס כִּי נִכְרַת מִפִּיכֶם Joel 1:5
נִכְרָת 136 הֲלוֹא נֶגֶד עֵינֵינוּ אֹכֶל נִכְרָת Joel 1:16
137 לֹא יוֹסִיף עוֹד...בְּלִיַּעַל כֻּלֹּה נִכְרָת Nah. 2:1

138 וְזֶרַע רְשָׁעִים נִכְרָת Ps. 37:28
וְנִכְרַת 139-140 וְנִכְרַת מֵעַמָּיו Ex. 30:33, 38
141 וְנִכְרַת הָאִישׁ הַהוּא מִקֶּרֶב עַמּוֹ Lev. 17:4
142 וְנִכְרַת הָאִישׁ הַהוּא מֵעַמָּיו Lev. 17:9
143 וְנִכְרַת הַמַּשָּׂא אֲשֶׁר־עָלֶיהָ Is. 22:25
נִכְרָתָה 144 אַחֲרִית רְשָׁעִים נִכְרָתָה Ps. 37:38
וְנִכְרְתָה 145 וְנִכְרְתָה הַנֶּפֶשׁ הַהוּא מֵעַמֶּיהָ Gen. 17:14
146 וְנִכְרְתָה הַנֶּפֶשׁ הַהִוא מִיִּשְׂרָאֵל Ex. 12:15
147-159 וְנִכְרְתָה (הַנֶּפֶשׁ)...מִן... Ex. 12:19
31:14 • Lev. 7:20, 21, 25, 27; 19:8; 22:3; 23:29 •
Num. 9:13; 15:30; 19:13, 20
160 אָבְדָה הָאֱמוּנָה וְנִכְרְתָה מִפִּיהֶם Jer. 7:28
161 וְנִכְרְתָה קֶשֶׁת מִלְחָמָה Zech. 9:10
נִכְרְתוּ 162 אֲשֶׁר נִכְרְתוּ מֵימֵי הַיַּרְדֵּן Josh. 4:7
163 בְּעָבְרוֹ בַּיַּרְדֵּן נִכְרְתוּ מֵי הַיַּרְדֵּן Josh. 4:7
164 נִכְרְתוּ כָּל־נְטִילֵי כָסֶף Zep. 1:11
נִכְרָתוּ 165 וְהַיֹּרְדִים עַל יָם...תַּמּוּ נִכְרָתוּ Josh. 3:16
וְנִכְרְתוּ 166 וְנִכְרְתוּ הַנְּפָשׁוֹת...מִקֶּרֶב עַמָּם Lev. 18:29
167 וְנִכְרְתוּ לְעֵינֵי בְּנֵי עַמָּם Lev. 20:17
168 וְנִכְרְתוּ שְׁנֵיהֶם מִקֶּרֶב עַמָּם Lev. 20:18
169 וְנִכְרְתוּ כָּל־שֹׁקְדֵי אָוֶן Is. 29:20
יִכָּרֵת 170 וְלֹא־יִכָּרֵת כָּל־בָּשָׂר עוֹד Gen. 9:11
171 כָּל־אֹכְלָיו יִכָּרֵת Lev. 17:14
172 הַבָּשָׂר...טֶרֶם יִכָּרֵת Num. 11:33
173 וְלֹא־יִכָּרֵת מִכֶּם עֶבֶד... Josh. 9:23
174 וְאַל־יִכָּרֵת מִבֵּית יוֹאָב זָב... IISh. 3:29
175/6 לֹא־יִכָּרֵת לְךָ אִישׁ מֵעַל כִּסֵּא IK. 2:4; 9:5
177 לֹא־יִכָּרֵת לְךָ אִישׁ מִלְּפָנַי IK. 8:25
178 לֹא־יִכָּרֵת וְלֹא־יִשָּׁמֵד שְׁמוֹ Is. 48:19
179 לְאוֹת עוֹלָם לֹא יִכָּרֵת Is. 55:13
180 שֵׁם עוֹלָם אֶתֶּן־לוֹ אֲשֶׁר לֹא יִכָּרֵת Is. 56:5
181 לֹא־יִכָּרֵת לְדָוִד אִישׁ... Jer. 33:17
182 לֹא־יִכָּרֵת אִישׁ מִלְּפָנַי Jer. 33:18
183 לֹא־יִכָּרֵת אִישׁ לְיוֹנָדָב Jer. 35:19
184 כַּסְפָּם וּזְהָבָם...לְמַעַן יִכָּרֵת Hosh. 8:4
185 וְלֹא יִכָּרֵת מְעוֹנָהּ Zep. 3:7
186 וְיֶתֶר הָעָם לֹא יִכָּרֵת מִן־הָעִיר Zech. 14:2
187 אִם־יִכָּרֵת וְעוֹד יַחֲלִיף Job 14:7
188 וְלֹא־יִכָּרֵת שֵׁם הַמֵּת מֵעִם אֶחָיו Ruth 4:10
189 יִכָּרֵת מָשִׁיחַ וְאֵין לוֹ Dan. 9:26
190 לֹא־יִכָּרֵת לְךָ אִישׁ מִלְּפָנַי IICh. 6:16
191 לֹא־יִכָּרֵת לְךָ אִישׁ מוֹשֵׁל בְּיִשְׂרָאֵל IICh.7:18
יִכָּרֶת־ 192 לְמַעַן יִכָּרֶת־אִישׁ מֵהַר עֵשָׂו Ob. 9
תִכָּרֵת 193 וְלֹא־תִכָּרֵת הָאָרֶץ בָּרָעָב Gen. 41:36
194 הִכָּרֵת תִּכָּרֵת הַנֶּפֶשׁ הַהִוא Num. 15:31
195 וּלְשׁוֹן תַּהְפֻּכוֹת תִּכָּרֵת Prov. 10:31
196/7 וְתִקְוָתְךָ לֹא תִכָּרֵת Prov. 23:18; 24:14
יִכָּרְתוּ 198 פִּי־שְׁנַיִם בָּהּ יִכָּרְתוּ יִגְוָעוּ Zech. 13:8
יִכָּרֵתוּ 199 וְצֹרְרֵי יְהוּדָה יִכָּרֵתוּ Is. 11:13
200 וְכָל־אֹיְבֶיךָ יִכָּרֵתוּ Mic. 5:8
201 וּמְקֻלָּלָיו יִכָּרֵתוּ Ps. 37:22
202 וּרְשָׁעִים מֵאֶרֶץ יִכָּרֵתוּ Prov. 2:22
יִכָּרֵתוּן 203 מֵי הַיַּרְדֵּן יִכָּרֵתוּן Josh. 3:13
204 כִּי־מְרֵעִים יִכָּרֵתוּן Ps. 37:9
כָּרַּת 205 לֹא־כָרַּת שָׁרֵּךְ Ezek. 16:4
כֹּרָתָה 206 וְהָאֲשֵׁרָה אֲשֶׁר־עָלָיו כֹּרָתָה Jud. 6:28
הַכְרִית 207 לְמַעַן הַכְרִית לָכֶם... Jer. 44:8
בְּהַכְרִת 208 וְלֹא־בְּהַכְרִת יְיָ אֶת־אֹיְבֵי דָוִד ISh. 20:15
בְּהַכְרִית 209 בְּהַכְרִית אִיזֶבֶל אֵת נְבִיאֵי יְיָ IK. 18:4
לְהַכְרִית 210 לְהַכְרִית הַצְפַרְדְּעִים מִמְּךָ Ex. 8:5
211 לְהַכְרִית עוֹלָל מִחוּץ Jer. 9:20
212 לְהַכְרִית לָכֶם אִישׁ־וְאִשָּׁה Jer. 44:7

לְהַכְרִית (המשך) 213 לְהַכְרִית לְצֹר וּלְצִידוֹן כֹּל שָׂרִיד Jer. 47:4
214/5 לְהַכְרִית מִמֶּנָּה אָדָם וּבְהֵמָה Ezek. 14:19, 21
216 לְהַכְרִית נְפָשׁוֹת רַבּוֹת Ezek. 17:17
217 וְאַל־תַּעֲמֹד...לְהַכְרִית אֶת־פְּלִיטָיו Ob. 14
218 לְהַכְרִית מֵאֶרֶץ זִכְרָם Ps. 34:17
219 לְהַכְרִית מֵעִיר־יְיָ כָּל־פֹּעֲלֵי אָוֶן Ps. 101:8
220 יְהִי־אַחֲרִיתוֹ לְהַכְרִית Ps. 109:13
221 לְהַכְרִית אֶת־בֵּית אַחְאָב IICh. 22:7
וּלְהַכְרִית 222 וּלְהַכְרִית גּוֹיִם לֹא מְעָט Is. 10:7
223 וּלְהַכְרִית אֶת־כָּל־יְהוּדָה Jer. 44:11
הַכְרִיתֶךָ 224 אַאֲרִיךְ אַפִּי...לְבִלְתִּי הַכְרִיתֶךָ Is. 48:9
לְהַכְרִיתוֹ 225 אֶל־הַמָּקוֹם הַזֶּה לְהַכְרִיתוֹ Jer. 51:62
הִכְרַתִּי 226 וְכָל־הַגּוֹיִם אֲשֶׁר הִכְרַתִּי Josh. 23:4
227 אֲשֶׁר־הִכְרַתִּי מִמֵּךְ צַדִּיק וְרָשָׁע Ezek. 21:9
228 הִכְרַתִּי גוֹיִם נָשַׁמּוּ פִּנּוֹתָם Zep. 3:6
וְהִכְרַתִּי 229 וְהִכְרַתִּי אֹתָהּ מִקֶּרֶב עַמָּהּ Lev. 17:10
230/1 וְהִכְרַתִּי אֹתוֹ מִקֶּרֶב עַמּוֹ Lev. 20:3, 6
232 וְהִכְרַתִּי אֹתוֹ וְאֵת כָּל־הַזֹּנִים אַחֲרָיו Lev. 20:5
233 וְהִכְרַתִּי אֶת־חַמָּנֵיכֶם Lev. 26:30
234-258 וְהִכְרַתִּי (אֶת־ / לְ־ / מִן־ / מֵעַל־)
IK. 9:7; 14:10; 21:21 • IIK. 9:8 • Is. 14:22 • Ezek. 14:13, 17; 21:8; 25:13, 16; 29:8; 30:15; 35:7 • Am. 1:5, 8; 2:3 • Mic. 5:9, 10, 11, 12 • Nah. 2:14 • Zep. 1:3, 4 • Zech. 9:6, 10
וְהִכְרַתִּיךָ 259 וְהִכְרַתִּיךָ מִן־הָעַמִּים Ezek. 25:7
וְהִכְרַתִּיו 260 וְהִכְרַתִּיו מִתּוֹךְ עַמִּי Ezek. 14:8
הִכְרִית 261 אֲשֶׁר הִכְרִית אֶת־הָאֹבוֹת ISh. 28:9
262 עַד־הִכְרִית כָּל־זָכָר בֶּאֱדוֹם IK. 11:16
וְהִכְרִיתָה 263 וְהִכְרִיתָה אֶת־בְּהֶמְתְּכֶם Lev. 26:22
הִכְרִיתוּ 264 עַד אֲשֶׁר הִכְרִיתוּ אֵת יָבִין Jud. 4:24
וְהִכְרִיתוּ 265 וְהִכְרִיתוּ אֶת־שְׁמֵנוּ מִן־הָאָרֶץ Josh. 7:9
אַכְרִית 266 וְאִישׁ לֹא־אַכְרִית לְךָ מֵעִם מִזְבְּחִי ISh. 2:33
267 מִבֵּית אֱלֹהֶיךָ אַכְרִית פֶּסֶל וּמַסֵּכָה Nah. 1:14
268 אַכְרִית אֶת־שְׁמוֹת הָעֲצַבִּים מִן־הָאָ׳ Zech. 13:2
וָאַכְרִית 269 וָאַכְרִית אֶת־כָּל־אוֹיְבֶיךָ מִפָּנֶיךָ ICh. 17:8
וָאַכְרִתָה 270 וָאַכְרִתָה אֶת־כָּל־אֹיְבֶיךָ מִפָּנֶיךָ IISh. 7:9
תַכְרִית 271 וְלֹא־תַכְרִית אֶת־חַסְדְּךָ מֵעִם בֵּיתִי ISh. 20:15
272 אִם־תַּכְרִית אֶת־זַרְעִי אַחֲרָי ISh. 24:21
יַכְרִית 273/4 כִּי־יַכְרִית יְיָ אֱלֹ׳ אֶת־הַגּוֹיִם Deut. 12:29; 19:1
275 אֲשֶׁר יַכְרִית אֶת־בֵּית יָרָבְעָם IK. 14:14
יַכְרֵת 276 יַכְרֵת יְיָ לָאִישׁ...עֵר וְעֹנֶה Mal. 2:12
277 יַכְרֵת יְיָ כָּל־שִׂפְתֵי חֲלָקוֹת Ps. 12:4
וְיַכְרֵת 278 וְיַכְרֵת מֵאֶרֶץ זִכְרָם Ps. 109:15
וַיַּכְרֵת 270 וַיַּכְרֵת אֶת־הָעֲנָקִים מִן־הָהָר Josh. 11:21
280 וַיַּכְרֵת יְיָ מִיִּשְׂרָאֵל רֹאשׁ וְזָנָב Is. 9:13
תַּכְרִיתֵךְ 281 שָׁם תֹּאכְלֵךְ אֵשׁ תַּכְרִיתֵךְ חֶרֶב Nah. 3:15
נַכְרִית 282 וְלוֹא נַכְרִית מֵהַבְּהֵמָה IK. 18:5
וְנַכְרִיתֶנָּה 283 לְכוּ וְנַכְרִיתֶנָּה מִגּוֹי Jer. 48:2
תַּכְרִיתוּ 284 אַל־תַּכְרִיתוּ...מִתּוֹךְ הַלְוִיִּם Num. 4:18
הָכְרַת 285 הָכְרַת מִנְחָה וָנֶסֶךְ מִבֵּית יְיָ Joel 1:9

כְּרֻתוֹת (מ״א ו36) – עיין כְּרוּתָה*

כְּרֵתִי
תו״ז א) תושב ארץ הפלשתים
שמוצאם מאי כרת: 1, 9, 10
ב) [הַכְּרֵתִי וְהַפְּלֵתִי] גדודי חילים
שכירים משבטי הפלשתים: 2-8

הַכְּרֵתִי 1 אֲנַחְנוּ פָּשַׁטְנוּ נֶגֶב הַכְּרֵתִי ISh. 30:14
2 וְכָל־הַכְּרֵתִי וְכָל־הַפְּלֵתִי IISh. 15:18
3 עַל־הַכְּרֵתִי (כת׳ הכרי) וְעַל הַפְּלֵתִי IISh./20:23
4 וּבְנָיָהוּ...עַל־הַכְּרֵתִי וְהַפְּלֵתִי ICh. 18:17
וְהַכְּרֵתִי 5-8 וְהַכְּרֵתִי וְהַפְּלֵתִי ש״ב ח18 כ7 IISh. 8:18; 20:7

כְּרֵתִים 9 וְהִכְרַתִּי אֶת־כְּרֵתִים — Ezek. 25:16
10 יֹשְׁבֵי חֶבֶל הַיָּם גּוֹי כְּרֵתִים — Zep. 2:5

כֶּשֶׂב ז׳ כבש, שה, זכר בצאן: 1–13

קרובים: ראה כֶּבֶשׂ

בְּכוֹר כֶּשֶׂב 4; חֲלֵב כֶּשֶׂב 6; שֵׂה כְשָׂבִים 7

כֶּשֶׂב 1 אִם־כֶּשֶׂב הוּא־מַקְרִיב — Lev. 3:7
2 אֲשֶׁר יִשְׁחַט שׁוֹר אוֹ־כֶשֶׂב — Lev. 17:3
3 שׁוֹר אוֹ־כֶשֶׂב אוֹ־עֵז כִּי יִוָּלֵד — Lev. 22:27
4 אוֹ־בְכוֹר כֶּשֶׂב אוֹ־בְכוֹר עֵז — Num. 18:17
וְכֶשֶׂב 5 כָּל־חֵלֶב שׁוֹר וְכֶשֶׂב וָעֵז — Lev. 7:23
הַכֶּשֶׂב 6 כַּאֲשֶׁר יוּסַר חֵלֶב־הַכֶּשֶׂב — Lev. 4:35
כְשָׂבִים 7 שׁוֹר שֵׂה כְשָׂבִים וְשֵׂה עִזִּים — Deut. 14:4
הַכְּשָׂבִים 8 מִן־הַכְּשָׂבִים אוֹ מִן־הָעִזִּים — Lev. 1:10
וְהַכְּשָׂבִים 9 וְהַכְּשָׂבִים הִפְרִיד יַעֲקֹב — Gen. 30:40
בַּכְּשָׂבִים 10 וְכָל־שֶׂה חוּם בַּכְּשָׂבִים — Gen. 30:32
11 נָקֹד...בָּעִזִּים וְחוּם בַּכְּשָׂבִים — Gen. 30:33
12 וְכָל־חוּם בַּכְּשָׂבִים — Gen. 30:35
13 תָּמִים...בַּבָּקָר בַּכְּשָׂבִים וּבָעִזִּים — Lev. 22:19

כִּשְׂבָּה נ׳ כִּבְשָׂה, שֵׂיָה

קרובים: ראה כֶּבֶשׂ

כִּשְׂבָּה 1 נְקֵבָה מִן־הַצֹּאן כִּשְׂבָּה — Lev. 5:6

כֶּשֶׂד שפ״ז — בן נחור אחי אברהם

כֶּשֶׂד 1 וְאֶת־כֶּשֶׂד וְאֶת־חֲזוֹ וְאֶת־פִּלְדָּשׁ — Gen. 22:22

כַּשְׂדַּי* שפ״ז ארמית א) בן ארץ כשדים: 2–3

ב) כנוי לחוזה בכוכבים: 1, 4, 5–9

וְכַשְׂדָּי 1 לְכָל־חַרְטֹם וְאָשַׁף וְכַשְׂדָּי — Dan. 2:10
כַּשְׂדָּאָה 2 בֵּלְשַׁאצַּר מַלְכָּא כַשְׂדָּאָה (כ׳ כשדיא) — Dan. 5:30
כַּסְדָּאָה 3 נְבוּכַדְנֶצַּר מֶלֶךְ...כַּסְדָּאָה (כ׳ כסדיא) — Ez. 5:12
כַּשְׂדָּאִין 4 קְרִבוּ גֻּבְרִין כַּשְׂדָּאִין — Dan. 3:8
5 רַב חַרְטֻמִּין אָשְׁפִין כַּשְׂדָּאִין גָּזְרִין — Dan. 5:11
כַּשְׂדָּאֵי 6 עֲנוֹ כַשְׂדָּאֵי (כ׳ כשדיא)...וְאָמְרִין — Dan. 2:10
8-7 ...כַּשְׂדָּאֵי (כ׳ כשדיא) וְגָזְרַיָּא — Dan. 4:4; 5:7
לְכַשְׂדָּאֵי 9 עָנֵה...וְאָמַר לְכַשְׂדָּאֵי (כ׳ לכשדיא) — Dan. 2:5

כַּשְׂדִּים א) עם המיוחס לצאצאי כֶּשֶׂד בן־נחור, הוא עם בבל וארצו באזורי פרת וחידקל: 1–74,76

[עין גם אור כַּשְׂדִּים]

ב) כנוי לקוסמים: 75

אֶרֶץ כַּשְׂדִּים 7, 11–20; בַּת כ׳ 8, 9; גְּאוֹן כ׳ 6; גְּדוּדֵי כ׳ 1; חֵיל כ׳ 2,3,21–24,55,56; יַד כ׳ 47–54; יוֹשְׁבֵי כ׳ 27, 28; לְשׁוֹן כ׳ 34; מֶלֶךְ כ׳ 36; מַלְכוּת כ׳ 35; עַבְדֵי כ׳ 43; צַלְמֵי כַּשְׂדִּים 30

כַּשְׂדִּים 1 וַיְשַׁלַּח יְיָ בּוֹ אֶת־גְּדוּדֵי כַשְׂדִּים — IIK. 24:2
2 וַיִּרְדְּפוּ חֵיל־כַּשְׂדִּים אַחַר הַמֶּלֶךְ — IIK. 25:5
3 נָתְצוּ כָּל־חֵיל כַּשְׂדִּים — IIK. 25:10
4 וְאֶת־יָם הַנְּחֹשֶׁת...שִׁבְּרוּ כַשְׂדִּים — IIK. 25:13
5 כִּי יָרְאוּ מִפְּנֵי כַשְׂדִּים — IIK. 25:26
6 וְהָיְתָה בָבֶל...תִּפְאֶרֶת גְּאוֹן כַּשְׂדִּים — Is. 13:19
7 הֵן אֶרֶץ כַּשְׂדִּים זֶה הָעָם לֹא הָיָה — Is. 23:13
8 אֵין־כִּסֵּא בַּת־כַּשְׂדִּים — Is. 47:1
9 שְׁבִי דוּמָם...בַּת־כַּשְׂדִּים — Is. 47:5
10 יַעֲשֶׂה חֶפְצוֹ בְּבָבֶל וּזְרֹעוֹ כַּשְׂדִּים — Is. 48:14
20-11 (בְּ/וּמֵ) אֶרֶץ כַּשְׂדִּים — Jer. 24:5; 25:12
50:1, 8, 25, 45; 51:4, 54 • Ezek. 1:3; 12:13
24-21 חֵיל כַּשְׂדִּים — Jer. 37:10; 39:5; 52:8, 14
25 וְהָיְתָה כַשְׂדִּים לְשָׁלָל — Jer. 50:10
26 חֶרֶב עַל־כַּשְׂדִּים...וְאֶל־יֹשְׁבֵי בָבֶל — Jer. 50:35
27 לְבָבֶל וּלְכֹל יוֹשְׁבֵי כַשְׂדִּים — Jer. 51:24
28 וְדָמִי אֶל־יֹשְׁבֵי כַשְׂדִּים — Jer. 51:35

כַּשְׂדִּים (המשך)
29 עִם דֵּי הַנְּחֹשֶׁת...שִׁבְּרוּ כַשְׂדִּים — Jer. 52:17
30 צַלְמֵי כַשְׂדִּים (כ׳ כשדיים) — Ezek. 23:14
31 בְּנֵי־בָבֶל כַּשְׂדִּים אֶרֶץ מוֹלַדְתָּם — Ezek. 23:15
32 בְּנֵי בָבֶל וְכָל־כַּשְׂדִּים — Ezek. 23:23
33 כַּשְׂדִּים שָׂמוּ שְׁלֹשָׁה רָאשִׁים — Job 1:17
34 וּלְלַמְּדָם סֵפֶר וּלְשׁוֹן כַּשְׂדִּים — Dan. 1:4
35 אֲשֶׁר הָמְלַךְ עַל מַלְכוּת כַּשְׂדִּים — Dan. 9:1
36 וַיַּעַל...אֶת־מ׳ כַּשְׂדִּים (כ׳ כשדיים) — IICh. 36:17
כַּשְׂדִּימָה 37 תְּבִיאֵנִי כַשְׂדִּימָה אֶל־הַגּוֹלָה — Ezek. 11:24
38 אֶל־אֶרֶץ כְּנַעַן כַּשְׂדִּימָה — Ezek. 16:29
39 וַתִּשְׁלַח מַלְאָכִים...כַּשְׂדִּימָה — Ezek. 23:16
וְכַשְׂדִּים 40/1 וְכַשְׂדִּים עַל־הָעִיר — IIK. 25:4 • Jer. 52:7
42 וְכַשְׂדִּים בָּאֳנִיּוֹת רִנָּתָם — Is. 43:14
הַכַּשְׂדִּים 43 אַל־תִּירְאוּ מֵעַבְדֵי הַכַּשְׂדִּים — IIK. 25:24
44 וַיַּכּוּ...וְאֶת־הַכַּשְׂדִּים — IIK. 25:25
45/6 הַכַּשְׂדִּים הַצָּרִים עֲלֵיכֶם — Jer. 21:4, 9
47 וּבְיַד...מ׳־בָבֶל וּבְיַד הַכַּשְׂדִּים — Jer. 22:25
48 לֹא יִמָּלֵט מִיַּד הַכַּשְׂדִּים — Jer. 32:4
54-49 בְּיַד הַכַּשְׂדִּים — Jer. 32:24, 25
32:28, 43; 38:18; 43:3
55 בֹּאוּ...מִפְּנֵי חֵיל הַכַּשְׂדִּים — Jer. 35:11
56 בְּהֵעָלוֹת חֵיל הַכַּשְׂדִּים — Jer. 37:11
57 אֶת־הַכַּשְׂדִּים הַגּוֹי הַמַּר וְהַנִּמְהָר — Hab. 1:6
58 וַיְדַבְּרוּ הַכַּשְׂדִּים לַמֶּלֶךְ אֲרָמִית — Dan. 2:4
74-59 הַכַּשְׂדִּים — Jer. 32:5, 29; 33:5
37:5, 8, 9, 13, 14; 38:2, 19, 23; 39:8; 40:9, 10; 41:3, 18
וְלַכַּשְׂדִּים 75 וְלָאַשָּׁפִים וְלַמְכַשְּׁפִים וְלַכַּשְׂדִּים — Dan. 2:2
מִכַּשְׂדִּים 76 צְאוּ מִבָּבֶל בִּרְחוּ מִכַּשְׂדִּים — Is. 48:20

כָּשָׂה פ׳ שמן, התכסה שומן

כָּשִׂיתָ 1 שָׁמַנְתָּ עָבִיתָ כָּשִׂיתָ — Deut. 32:15

כַּשִּׁיל ז׳ כלי־מפץ

בְּכַשִּׁיל 1 בְּכַשִּׁיל וְכֵילַפּוֹת יַהֲלֹמוּן — Ps. 74:6

כְּשַׁךְ (אסתר ב1) — עין שכך

כָּשַׁךְ (ירמיה ה26) — עין שַׁךְ

כשל : כָּשַׁל, נִכְשַׁל, הִכְשִׁיל, הָכְשַׁל; כִּשָּׁלוֹן, כַּשִּׁיל(?), מִכְשׁוֹל, מַכְשֵׁלָה

כָּשַׁל פ׳ א) נתקל, מעד (גם בהשאלה): 1–4,7–15,17–23

ב) נחלש, רפה: 5, 6, 16, 24–29
ג) [נפ׳ נִכְשַׁל] נתקל: 30–52
ד) [הפ׳ הִכְשִׁיל] גרם מכשול (גם בהשאלה): 53–61
ה) [הפ׳ הָכְשַׁל] גרם לו מכשול, הפּיל: 62

– כָּשַׁל זָדוֹן 8; כָּשַׁל כֹּחוֹ 6; כָּשְׁלָה אֱמֶת 11; כָּשְׁלוּ בִרְכַּיִם 16; בִּרְכַּיִם כּוֹשְׁלוֹת 29
– הִכְשִׁיל כֹּחוֹ 55

כָּשׁוֹל 1 וּבַחוּרִים כָּשׁוֹל יִכָּשֵׁלוּ — Is. 40:30
כָּשַׁלְתָּ 2 שׁוּבָה...כִּי כָשַׁלְתָּ בַּעֲוֺנֶךָ — Hosh. 14:2
וְכָשַׁלְתָּ 3 וְכָשַׁלְתָּ הַיּוֹם וְכָשַׁל גַּם נָבִיא — Hosh. 4:5
כָּשַׁל 4 כָּשַׁל גַּם־יְהוּדָה עִמָּם — Hosh. 5:5
5 כָּשַׁל בַּעֲוֺנִי כֹחִי וַעֲצָמַי עָשֵׁשׁוּ — Ps. 31:11
6 כָּשַׁל כֹּחַ הַסַּבָּל וְהֶעָפָר הַרְבֵּה — Neh. 4:4
וְכָשַׁל 7 וְכָשַׁל עוֹזֵר וְנָפַל עָזֻר — Is. 31:3
8 וְכָשַׁל זָדוֹן וְנָפַל וְאֵין לוֹ מֵקִים — Jer. 50:32
9 וְכָשַׁל גַּם־נָבִיא עִמְּךָ לָיְלָה — Hosh. 4:5
כָּשְׁלָה 10 כִּי כָשְׁלָה יְרוּשָׁלַ͏ִם וִיהוּדָה נָפָל — Is. 3:8
11 כִּי־כָשְׁלָה בָרְחוֹב אֱמֶת — Is. 59:14
כָּשַׁלְנוּ 12 כָּשַׁלְנוּ בַצָּהֳרַיִם כַּנֶּשֶׁף — Is. 59:10
כָּשְׁלוּ 13 עַל־יַד נְהַר־פְּרָת כָּשְׁלוּ וְנָפָלוּ — Jer. 46:6
14 הֵמָּה כָשְׁלוּ וְנָפָלוּ — Ps. 27:2
15 כָּשְׁלוּ וְאֵין עֹזֵר — Ps. 107:12
16 בִּרְכַּי כָּשְׁלוּ מִצּוֹם — Ps. 109:24
כָּשָׁלוּ 17 כִּי־גִבּוֹר בְּגִבּוֹר כָּשָׁלוּ — Jer. 46:12
18 וּנְעָרִים בָּעֵץ כָּשָׁלוּ — Lam. 5:13
וְכָשְׁלוּ 19 וְכָשְׁלוּ אִישׁ־בְּאָחִיו כְּמִפְּנֵי־חֶרֶב — Lev. 26:37
20 וְכָשְׁלוּ בָם רַבִּים וְנָפְלוּ וְנִשְׁבָּרוּ — Is. 8:15
21 וְכָשְׁלוּ אָחוֹר וְנִשְׁבָּרוּ — Is. 28:13
22 וְכָשְׁלוּ בָם אָבוֹת וּבָנִים — Jer. 6:21
23 וְכָשְׁלוּ (כ׳ יכשלו) בִּגְוִיָּתָם — Nah. 3:3
כּוֹשֵׁל 24 אֵין־עָיֵף וְאֵין־כּוֹשֵׁל בּוֹ — Is. 5:27
25 הִרְבָּה כּוֹשֵׁל גַּם־נָפַל אִישׁ — Jer. 46:16
26 וְאֵין בִּשְׁבָטָיו כּוֹשֵׁל — Ps. 105:37
27 כּוֹשֵׁל יְקִימוּן מִלֶּיךָ — Job 4:4
28 וַיְנַהֲלוּם בַּחֲמֹרִים לְכָל־כּוֹשֵׁל — IICh. 28:15
כּוֹשְׁלוֹת 29 וּבִרְכַּיִם כֹּשְׁלוֹת אַמֵּצוּ — Is. 35:3
וּבִכָּשְׁלוֹ 30 וּבִכָּשְׁלוֹ אַל־יָגֵל לִבֶּךָ — Prov. 24:17
וּבְהִכָּשְׁלָם 31 וּבְהִכָּשְׁלָם יֵעָזְרוּ עֵזֶר מְעָט — Dan. 11:34
וְנִכְשַׁל 32 וְנִכְשַׁל וְנָפַל וְלֹא יִמָּצֵא — Dan. 11:19
וְנִכְשְׁלוּ 33 וְנִכְשְׁלוּ בְּחֶרֶב וּבְלֶהָבָה — Dan. 11:33
וְנִכְשָׁלוּ 34 יִנַּשְּׂאוּ לְהַעֲמִיד חָזוֹן וְנִכְשָׁלוּ — Dan. 11:14
הַנִּכְשָׁל 35 וְהָיָה הַנִּכְשָׁל בָּהֶם — Zech. 12:8
וְנִכְשָׁלִים 36 וְנִכְשָׁלִים אָזְרוּ חָיִל — ISh. 2:4
תִּכָּשֵׁל 37 וְאִם־תָּרוּץ לֹא תִכָּשֵׁל — Prov. 4:12
יִכָּשֶׁל 38 וְרִשְׁעַת הָרָשָׁע לֹא־יִכָּשֶׁל בָּהּ — Ezek. 33:12
יִכָּשְׁלוּ 39 בְּעֵת־פְּקַדְתִּים יִכָּשְׁלוּ — Jer. 6:15
40 בְּעֵת פְּקֻדָּתָם יִכָּשְׁלוּ — Jer. 8:12
41 עַל־כֵּן רֹדְפַי יִכָּשְׁלוּ וְלֹא יֻכָלוּ — Jer. 20:11
42 בְּדֶרֶךְ יָשָׁר לֹא יִכָּשְׁלוּ בָּהּ — Jer. 31:9(8)
43 וְיִשְׂרָאֵל וְאֶפְרַיִם יִכָּשְׁלוּ בַּעֲוֺנָם — Hosh. 5:5
44 וּפֹשְׁעִים יִכָּשְׁלוּ בָם — Hosh. 14:10
45 יִזְכֹּר אַדִּירָיו יִכָּשְׁלוּ בַּהֲלִיכָתָם° — Nah. 2:6
46 יִכָּשְׁלוּ וְיֹאבְדוּ מִפָּנֶיךָ — Ps. 9:4
47 וּרְשָׁעִים יִכָּשְׁלוּ בְרָעָה — Prov. 24:16
48 וּמִן־הַמַּשְׂכִּילִים יִכָּשְׁלוּ — Dan. 11:35
יִכָּשֵׁלוּ 49 וּבַחוּרִים כָּשׁוֹל יִכָּשֵׁלוּ — Is. 40:30
50 כַּסּוּס בַּמִּדְבָּר לֹא יִכָּשֵׁלוּ — Is. 63:13
51 לֹא יָדְעוּ בַּמֶּה יִכָּשֵׁלוּ — Prov. 4:19
52 וּבָא בְּאֶרֶץ הַצְּבִי וְרַבּוֹת יִכָּשֵׁלוּ — Dan. 11:41
לְהַכְשִׁילוֹ 53 וְהֵם הָיוּ־לוֹ לְהַכְשִׁילוֹ — IICh. 28:23
וּלְהַכְשִׁיל 54 יֶשׁ־כֹּחַ בֵּאלֹהִים לַעְזוֹר וּלְהַכְשִׁיל — IICh. 25:8
הִכְשִׁיל 55 עָלוּ עַל־צַוָּארִי הִכְשִׁיל כֹּחִי — Lam. 1:14
הִכְשַׁלְתֶּם 56 הִכְשַׁלְתֶּם רַבִּים בַּתּוֹרָה — Mal. 2:8
תַכְשִׁלִי 57 וְגוֹיַיִךְ° לֹא־תַכְשִׁלִי עוֹד — Ezek. 36:15
יַכְשִׁילְךָ 58 יַכְשִׁילְךָ הָאֱלֹהִים לִפְנֵי אוֹיֵב — IICh. 25:8
יַכְשִׁילוּ 59 וְנִגְזְלָה שְׁנָתָם אִם־לֹא יַכְשִׁילוּ (כ׳ יכשולו) — Prov. 4:16
וַיַּכְשִׁילֻהוּ 60 וַיַּכְשִׁילוּהוּ עָלֵימוֹ לְשׁוֹנָם — Ps. 64:9
וַיַּכְשִׁלוּם 61 וַיַּכְשִׁלוּם בְּדַרְכֵיהֶם שְׁבִילֵי° עוֹלָם — Jer. 18:15
מֻכְשָׁלִים 62 וְיִהְיוּ° מֻכְשָׁלִים לְפָנֶיךָ — Jer. 18:23

כִּשָּׁלוֹן ז׳ מפלה

כִּשָּׁלוֹן 1 וְלִפְנֵי כִשָּׁלוֹן גֹּבַהּ רוּחַ — Prov. 16:18

כשף : כִּשֵּׁף; מְכַשֵּׁף, מְכַשֵּׁפָה, כֶּשֶׁף, כַּשָּׁף

כִּשֵּׁף פ׳ עסק בכשפים, קסם: 1–6

וְכִשֵּׁף 1 וְעוֹנֵן וְנִחֵשׁ וְכִשֵּׁף — IICh. 33:6
וּמְכַשֵּׁף 2 מְעוֹנֵן וּמְנַחֵשׁ וּמְכַשֵּׁף — Deut. 18:10
בַּמְכַשְּׁפִים 3 עֵד מְמַהֵר בַּמְכַשְּׁפִים וּבַמְנָאֲפִים — Mal. 3:5
וְלַמְכַשְּׁפִים 4 וַיִּקְרָא...לַחֲכָמִים וְלַמְכַשְּׁפִים — Ex. 7:11
5 לַחַרְטֻמִּים וְלָאַשָּׁפִים וְלַמְכַשְּׁפִים — Dan. 2:2
מְכַשֵּׁפָה 6 מְכַשֵּׁפָה לֹא תְחַיֶּה — Ex. 22:17

כַּשָּׁף* ז׳ מכשף, קוסם

קרובים: אוֹב / אִט / אַשָּׁף / הוֹבֵר / חוֹבֵר / חַרְטֹם / יִדְּעוֹנִי / מָג / מְכַשֵּׁף / מְעוֹנֵן / קוֹסֵם

כַּשָּׁפֵיכֶם 1 וְאֶל־עֹנְנֵיכֶם וְאֶל־כַּשָּׁפֵיכֶם Jer. 27:9

כְּשָׁפִים ז״ר מעשה קסמים: 1–6

קרובים: חֶבֶר / לְהָטִים / לַחַשׁ / נַחַשׁ / קֶסֶם

בַּעֲלַת כְּשָׁפִים 2; רֹב כְּשָׁפִים 4

כְּשָׁפִים 1 וְהִכְרַתִּי כְשָׁפִים מִיָּדֶךָ Mic. 5:11
2 טוֹבַת חֵן בַּעֲלַת כְּשָׁפִים Nah. 3:4
כְּשָׁפַיִךְ 3 בְּרֹב כְּשָׁפַיִךְ בְּעָצְמַת חֲבָרַיִךְ מְאֹד Is. 47:9
4 עִמְדִי־נָא בַחֲבָרַיִךְ וּבְרֹב כְּשָׁפַיִךְ Is. 47:12
וּכְשָׁפֶיהָ 5 זְנוּנֵי אִיזֶבֶל אִמְּךָ וּכְשָׁפֶיהָ הָרַבִּים IIK. 9:22
בִּכְשָׁפֶיהָ 6 ...גּוֹיִם בִּזְנוּנֶיהָ וּמִשְׁפָּחוֹת בִּכְשָׁפֶיהָ Nah. 3:4

כשר : כָּשַׁר, כָּשֵׁר, הִכְשִׁיר; כִּשְׁרוֹן, כּוֹשָׁרוֹת, כִּישׁוֹר(?)

כָּשַׁר פָּ׳ א) היה רָאוּי, הצליח: 1, 2
ב) [הִפ׳ הִכְשִׁיר] עשה שיהיה ראוי וטוב: 3

וְכָשֵׁר 1 וְכָשֵׁר הַדָּבָר לִפְנֵי הַמֶּלֶךְ Es. 8:5
יִכְשָׁר 2 כִּי אֵינְךָ יוֹדֵעַ אֵי זֶה יִכְשָׁר Eccl. 11:6
הַכְשֵׁיר 3 וְיִתְרוֹן הַכְשֵׁיר חָכְמָה Eccl. 10:10

כִּשְׁרוֹן ז׳ תועלת, ברכה: 1–3

כִּשְׁרוֹן הַמַּעֲשֶׂה 3

כִּשְׁרוֹן 1 וּמַה־כִּשְׁרוֹן לִבְעָלֶיהָ Eccl. 5:10
וּבְכִשְׁרוֹן 2 בְּחָכְמָה וּבְדַעַת וּבְכִשְׁרוֹן Eccl. 2:21
כִּשְׁרוֹן־ 3 כָּל־עָמָל וְאֵת כָּל־כִּשְׁרוֹן הַמַּעֲשֶׂה Eccl. 4:4

כתב : כָּתַב, נִכְתַּב, כִּתֵּב; כְּתָב, כְּתֹבֶת, מִכְתָּב;
אר׳ כְּתַב; כְּתָבָא

כָּתַב פָּ׳ א) רָשַׁם, חרת: 1-204
ב) [נִפ׳ נִכְתַּב] נרשם, נחרת: 205-221
ג) [פִּ׳ כִּתֵּב] חרת, חקק: 222, 223

– כָּתַב (אֶת־) – רוֹב המקראוֹת
– כָּתַב (כָּתוּב) בְּ־ 1, 28, 35-38, 41, 42, 44-47, 50-52, 55, 56, 58-62, 66-68, 71-73, 77, 79-83, 134-136, 138, 141, 150, 166, 168, 182
– כָּתַב (כָּתוּב) עַל־ 8, 11, 13, 14, 16, 17, 33, 57, 63, 74, 75, 88-121, 133-139, 137, 139, 140, 142, 143, 146, 148, 151-156, 161, 172, 176, 178, 179, 186, 193-196, 198-200
– כָּתַב (כָּתוּב) אֶל־ 15, 48, 144, 165, 170
– נִכְתַּב בְּ־ 205-207, 210, 217; נִכְתַּב עַל־ 220; נִכְתַּב עִם־ 219
– כָּתַב אֶת־הָאָרֶץ 5, 184; כָּתַב מְרֹרוֹת 156; כָּתַב שִׂטְנָה 32

וְכָתוֹב 1 וְכָתוֹב בַּסֵּפֶר וְחָתוֹם Jer. 32:44
בִּכְתוֹב 2 יְיָ יִסְפֹּר בִּכְתוֹב עַמִּים Ps. 87:6
בְּכָתְבוֹ 3 בְּכָתְבוֹ אֶת־הַדְּבָרִים הָאֵלֶּה Jer. 45:1
לִכְתֹּב 4 לִכְתֹּב אֶת־דִּבְרֵי הַתּוֹרָה־הַזֹּאת Deut. 31:24
5 וַיְצַו יְהוֹשֻׁעַ...לִכְתֹּב אֶת־הָאָרֶץ Josh. 18:8
כָּתַבְתִּי 6 וְהַתּוֹרָה...אֲשֶׁר כָּתַבְתִּי לְהוֹרֹתָם Ex. 24:12
7 הֲלֹא כָתַבְתִּי לְךָ שָׁלִישִׁים° Prov. 22:20
וְכָתַבְתִּי 8 וְכָתַבְתִּי עַל־הַלֻּחֹת אֶת־הַדְּבָרִים... Ex. 34:1
כָּתַבְתָּ 9 בַּמְּגִלָּה אֲשֶׁר־כָּתַבְתָּ מִפִּי Jer. 36:6
10 אֵיךְ כָּתַבְתָּ אֶת־כָּל־הַדְּבָרִים Jer. 36:17
11 מַדּוּעַ כָּתַבְתָּ עָלֶיהָ לֵאמֹר Jer. 36:29
כָּתָבְתָּ 12 מְחֵנִי נָא מִסִּפְרְךָ אֲשֶׁר כָּתָבְתָּ Ex. 32:32

וְכָתַבְתָּ 13 וְכָתַבְתָּ עֲלֵיהֶן אֶת־כָּל־דִּבְרֵי... Deut. 27:3
14 וְכָתַבְתָּ עַל־הָאֲבָנִים אֶת־כָּל... Deut. 27:8
15 וְכָתַבְתָּ אֵלֶיהָ אֵת כָּל־הַדְּבָרִים Jer. 36:2
וּכְתַבְתָּם 16/7 וּכְתַבְתָּם עַל־מְזֻ(ו)זוֹת בֵּיתֶךָ וּבִשְׁעָרֶיךָ Deut. 6:9; 11:20
כָּתַב 18 אֲשֶׁר כָּתַב לִפְנֵי בְּנֵי יִשְׂרָאֵל Josh. 8:32
19 וְהַתּוֹרָה וְהַמִּצְוָה אֲשֶׁר כָּתַב לָכֶם IIK. 17:37
20 וְאֶת־הַדְּבָרִים אֲשֶׁר כָּתַב בָּרוּךְ Jer. 36:27
21 וְסֵפֶר כָּתַב אִישׁ רִיבִי Job 31:35
22 אֶת־הַסְּפָרִים...אֲשֶׁר כָּתַב... Es. 8:5
23 וְאֵת אֲשֶׁר־כָּתַב מָרְדֳּכַי אֲלֵיהֶם Es. 9:23
24 וּבִימֵי אַרְתַּחְשַׁשְׂתָּא כָּתַב בִּשְׁלָם Ez. 4:7
25 וְיֶתֶר דִּבְרֵי עֻזִּיָּהוּ...כָּתַב יְשַׁעְיָהוּ IICh. 26:22
26 וְגַם־אִגְּרוֹת כָּתַב עַל־אֶפְרַיִם IICh. 30:1
27 וּסְפָרִים כָּתַב לְחָרֵף לַייָ IICh. 32:17
וְכָתַב 28 וְכָתַב אֶת־הָאָלֹת הָאֵלֶּה...בַּסֵּפֶר Num. 5:23
29 וְכָתַב לוֹ אֶת־מִשְׁנֵה הַתּוֹרָה הַזֹּאת Deut. 17:18
30/1 וְכָתַב לָהּ סֵפֶר כְּרִיתֻת Deut. 24:1, 3
כָּתְבוּ 32 כָּתְבוּ שִׂטְנָה עַל־יֹשְׁבֵי יְהוּדָה Ez. 4:6
כּוֹתֵב 33 וַאֲנִי כֹּתֵב עַל־הַסֵּפֶר בַּדְּיוֹ Jer. 36:18
וְכוֹתְבִים 34 אֲנַחְנוּ כֹּרְתִים אֲמָנָה וְכֹתְבִים... Neh. 10:1
הַכּוֹתְבִים 35 הָעֵדִים הַכֹּתְבִים בְּסֵפֶר הַמִּקְנָה Jer. 32:12
כָּתוּב 36 אֲשֶׁר לֹא כָתוּב בְּסֵפֶר הַתּוֹרָה Deut. 28:61
37 כַּאֲשֶׁר כָּתוּב בַּסְּפָרִים IK. 21:11
38 בִּמְגִלַּת־סֵפֶר כָּתוּב עָלָי Ps. 40:8
39 לַעֲשׂוֹת בָּהֶם מִשְׁפָּט כָּתוּב Ps. 149:9
40 וַיִּמָּצֵא כָתוּב אֲשֶׁר הִגִּיד מָרְדֳּכַי Es. 6:2
41 כַּאֲשֶׁר כָּתוּב בְּתוֹרַת מֹשֶׁה Dan. 9:13
42 כָּל־הַנִּמְצָא כָּתוּב בַּסֵּפֶר Dan. 12:1
43 כָּתוּב אֲרָמִית וּמְתֻרְגָּם אֲרָמִית Ez. 4:7
44 כָּתוּב בָּהּ בַּגּוֹיִם נִשְׁמָע... Neh. 6:6
45 וָאֶמְצָא כָּתוּב בּוֹ Neh. 7:5
46 וַיִּמְצְאוּ כָּתוּב בַּתּוֹרָה Neh. 8:14
47 וְנִמְצָא כָּתוּב בּוֹ Neh. 13:1
וְכָתוּב 48 וְכָתוּב אֵלֶיהָ קִנִים וָהֶגֶה וָהִי Ezek. 2:10
49 וְכָתוּב יֹשֶׁר דִּבְרֵי אֱמֶת Eccl. 12:10
הַכָּתוּב 50 לַעֲשׂוֹת כְּכָל־הַכָּתוּב בּוֹ Josh. 1:8
51 כְּכָל־הַכָּתוּב בְּסֵפֶר הַתּוֹרָה Josh. 8:34
52 אֵת כָּל־הַכָּתוּב בְּסֵפֶר תּוֹרַת מֹשֶׁה Josh. 23:6
53 לַעֲשׂוֹת כְּכָל־הַכָּתוּב עָלֵינוּ IIK. 23:13
54 כָּל־הַכָּתוּב לַחַיִּים בִּירוּשָׁלִָם Is. 4:3
55 אֵת כָּל־הַכָּתוּב בַּסֵּפֶר הַזֶּה Jer. 25:13
56 וּלְכָל־הַכָּתוּב בְּתוֹרַת יְיָ ICh. 16:40
57 כְּכָל־הַכָּתוּב עַל־הַסֵּפֶר הַזֶּה IICh. 34:21
כַּכָּתוּב 58/9 כַּכָּתוּב בְּסֵפֶר תּוֹרַת מֹשֶׁה Josh. 8:31 • IIK. 14:6
60-62 כַּכָּתוּב בְּתוֹרַת מֹשֶׁה IK. 2:3
Ez. 3:2 • IICh. 23:18
63 כַּכָּתוּב עַל סֵפֶר הַבְּרִית הַזֶּה IIK. 23:21
64 וַיַּעֲשׂוּ אֶת־חַג הַסֻּכּוֹת כַּכָּתוּב Ez. 3:4
65 לַעֲשֹׂת סֻכֹּת כַּכָּתוּב Neh. 8:15
66/7 כַּכָּתוּב בַּתּוֹרָה Neh. 10:35, 37
68 כִּי כַכָּתוּב בַּתּוֹרָה בְּסֵפֶר מֹשֶׁה IICh. 25:4
69 כִּי לֹא לָרֹב עָשׂוּ כַּכָּתוּב IICh. 30:5
70 כִּי־אָכְלוּ אֶת־הַפֶּסַח בְּלֹא כַכָּתוּב IICh. 30:18
71/2 כַּכָּתוּב בְּתוֹרַת יְיָ IICh. 31:3; 35:26
73 כַּכָּתוּב בְּסֵפֶר מֹשֶׁה IICh. 35:12
כְּתוּבָה 74 הֲלֹא־הִיא כְתוּבָה עַל־סֵפֶר הַיָּשָׁר Josh. 10:13
75 הִנֵּה כְתוּבָה עַל־סֵפֶר הַיָּשָׁר IISh. 1:18
76 הִנֵּה כְתוּבָה לְפָנָי Is. 65:6
77 חַטַּאת יְהוּדָה כְּתוּבָה בְּעֵט בַּרְזֶל Jer. 17:1
78 וְהִיא כְתוּבָה פָּנִים וְאָחוֹר Ezek. 2:10
79 הָאָלָה...אֲשֶׁר כְּתוּבָה בְּתוֹרַת מֹשֶׁה Dan. 9:11

הַכְּתוּבָה 80-81 הַכְּתוּבָה בַּסֵּפֶר הַזֶּה Deut. 29:19, 26
82/3 הַכְּתוּבָה בְּסֵפֶר הַתּוֹרָה ... Deut. 29:20; 30:10
כְּתוּבִים 84 לֻחֹת אֶבֶן כְּתֻבִים בְּאֶצְבַּע אֱלֹהִים Ex. 31:18
85 לֻחֹת כְּתֻבִים מִשְּׁנֵי עֶבְרֵיהֶם Ex. 32:15
86 מִזֶּה וּמִזֶּה הֵם כְּתֻבִים Ex. 32:15
87 לוּחֹת...כְּתֻבִים בְּאֶצְבַּע אֱלֹהִים Deut. 9:10
88-117 הֲלוֹא־הֵם (הֵמָּה) כְּתֻבִים עַל־סֵפֶר...
IK. 11:41; 14:29; 15:7, 23, 31; 16:5, 14, 20, 27; 22:39, 46 • IIK. 1:18; 8:23; 10:34; 12:20; 13:8, 12; 14:15, 18, 28; 15:6, 21, 36; 16:19; 20:20; 21:17, 25; 23:28; 24:5 • Es. 10:2
118-129 (וְ)הִנָּם כְּתוּבִים עַל־סֵפֶר... IK. 14:19
IIK. 15:11, 15, 26, 31 • ICh. 9:1 • IICh. 16:11; 25:26; 27:7; 28:26; 35:27; 36:8
130 הַלְוִיִּם...כְּתוּבִים רָאשֵׁי אָבוֹת Neh. 12:22
131 כְּתוּבִים עַל־סֵפֶר דִּבְרֵי הַיָּמִים Neh. 12:23
132 הִנָּם כְּתוּבִים עַל־דִּבְרֵי שְׁמוּאֵל ICh. 29:29
133 הֲלֹא־הֵם כְּתוּבִים עַל־דִּבְרֵי... IICh. 9:29
134 הֲלֹא־הֵם כְּתוּבִים בְּדִבְרֵי שְׁמַעְיָה IICh. 12:15
135 כְּתוּבִים בְּמִדְרַשׁ הַנָּבִיא עִדּוֹ IICh. 13:22
136 הִנָּם כְּתוּבִים בְּדִבְרֵי יֵהוּא IICh. 20:34
137 הִנָּם כְּתוּבִים עַל־מִדְרַשׁ... IICh. 24:27
138 הִנָּם כְּתוּבִים בַּחֲזוֹן יְשַׁעְיָהוּ IICh. 32:32
139 הִנָּם כְּתוּבִים עַל דִּבְרֵי חוֹזָי IICh. 33:19
140 וְהִנָּם כְּתוּבִים עַל־הַקִּינוֹת IICh. 35:25
הַכְּתוּבִים 141 הַכְּתֻבִים בַּסֵּפֶר הַזֶּה Deut. 28:58
142 הַכְּתֻבִים עַל־הַסֵּפֶר הַזֶּה IIK. 23:3
143 הַכְּתֻבִים עַל־הַסֵּפֶר אֲשֶׁר מָצָא IIK. 23:24
144 הַכְּתֻבִים אֶל־בָּבֶל Jer. 51:60
145 וַיָּבֹאוּ אֵלֶּה הַכְּתוּבִים בְּשֵׁמוֹת ICh. 4:41
146 הַכְּתוּבִים עַל־הַסֵּפֶר הַזֶּה IICh. 34:31
בַּכְּתוּבִים 147 וַתָּנַח...הָרוּחַ וְהֵמָּה בַּכְּתֻבִים Num. 11:26
הַכְּתוּבוֹת 148 הָאָלוֹת הַכְּתוּבוֹת עַל־הַסֵּפֶר IICh. 34:24
אֶכְתָּב־ 149 אֶכְתָּב־(כ׳ אכתוב) לוֹ רֻבֵּי° תּוֹרָתִי Hosh. 8:12
וָאֶכְתֹּב 150 וָאֶכְתֹּב בַּסֵּפֶר וָאֶחְתֹּם Jer. 32:10
וְאֶכְתֹּב 151 וְאֶכְתֹּב עַל־הַלֻּחֹת אֶת־הַדְּבָרִים Deut. 10:2
אֶכְתֲּבֶנָּה 152 וְעַל־לִבָּם אֶכְתֲּבֶנָּה Jer. 31:33(32)
תִּכְתֹּב 153 אִישׁ אֶת־שְׁמוֹ תִּכְתֹּב עַל־מַטֵּהוּ Num. 17:17
154 וְאֵת שֵׁם אַהֲרֹן תִּכְתֹּב עַל־מַטֵּה לֵוִי Num. 17:18
155 הָעֵצִים אֲשֶׁר־תִּכְתֹּב עֲלֵיהֶם Ezek. 37:20
156 כִּי־תִכְתֹּב עָלַי מְרֹרוֹת Job 13:26
יִכְתֹּב 157 וְזֶה יִכְתֹּב יָדוֹ לַייָ Is. 44:5
וַיִּכְתֹּב 158 וַיִּכְתֹּב מֹשֶׁה אֵת כָּל־דִּבְרֵי יְיָ Ex. 24:4
159 וַיִּכְתֹּב עַל־הַלֻּחֹת אֵת דִּבְרֵי... Ex. 34:28
160 וַיִּכְתֹּב מֹשֶׁה אֶת־מוֹצָאֵיהֶם Num. 33:2
161 וַיִּכְתֹּב עַל־הַלֻּחֹת כַּמִּכְתָּב הָרִאשׁוֹן Deut. 10:4
162 וַיִּכְתֹּב מֹשֶׁה אֶת־הַתּוֹרָה הַזֹּאת Deut. 31:9
163 וַיִּכְתֹּב מֹשֶׁה אֶת־הַשִּׁירָה הַזֹּאת Deut. 31:22
164 וַיִּכְתֹּב יְהוֹשֻׁעַ אֶת־הַדְּבָרִים Josh. 24:26
165 וַיִּכְתֹּב אֵלָיו אֶת־שָׂרֵי סֻכּוֹת Jud. 8:14
166 וַיִּכְתֹּב בַּסֵּפֶר וַיַּנַּח לִפְנֵי יְיָ ISh. 10:25
167 וַיִּכְתֹּב דָּוִד סֵפֶר אֶל־יוֹאָב IISh. 11:14
168 וַיִּכְתֹּב בַּסֵּפֶר לֵאמֹר IISh. 11:15
169 וַיִּכְתֹּב יֵהוּא סְפָרִים וַיִּשְׁלַח שֹׁמְרוֹן IIK. 10:1
170 וַיִּכְתֹּב אֲלֵיהֶם סֵפֶר שֵׁנִית IIK. 10:6
171 וַיִּכְתֹּב בָּרוּךְ מִפִּי יִרְמְיָהוּ Jer. 36:4
172 וַיִּכְתֹּב־עָלֶיהָ מִפִּי יִרְמְיָהוּ Jer. 36:32
173 וַיִּכְתֹּב יִרְמְיָהוּ...אֶל־סֵפֶר אֶחָד Jer. 51:60
174 וַיִּכְתֹּב בְּשֵׁם הַמֶּלֶךְ Es. 8:10
175 וַיִּכְתֹּב מָרְדֳּכַי אֶת־הַדְּבָרִים Es. 9:20
וַיִּכְתָּב־ 176 וַיִּכְתָּב־שָׁם עַל־הָאֲבָנִים Josh. 8:32
יִכְתְּבֵם 177 מִסְפָּר יִהְיוּ וְנַעַר יִכְתְּבֵם Is. 10:19

וַיִּכְתְּבֵם 178 וַיִּכְתְּבֵם עַל־שְׁנֵי לֻחוֹת אֲבָנִים Deut. 4:13
179 וַיִּכְתְּבֵם עַל־שְׁנֵי לֻחֹת אֲבָנִים Deut. 5:22(19)
180 וַיִּכְתְּבֵם שְׁמַעְיָה...לִפְנֵי הַמֶּלֶךְ... IICh. 24:6
וַתִּכְתֹּב 181 וַתִּכְתֹּב סְפָרִים בְּשֵׁם אַחְאָב IK. 21:8
182 וַתִּכְתֹּב בַּסְּפָרִים לֵאמֹר IK. 21:9
183 וַתִּכְתֹּב אֶסְתֵּר הַמַּלְכָּה Es. 9:29
תִּכְתְּבוּ 184 וְאַתֶּם תִּכְתְּבוּ אֶת־הָאָרֶץ Josh. 18:6
וְיִכְתְּבוּ 185 וְיִכְתְּבוּ אוֹתָהּ לְפִי נַחֲלָתָם Josh. 18:4
וַיִּכְתְּבוּ 186 וַיִּכְתְּבוּ עָלָיו מִכְתַּב פִּתּוּחֵי חוֹתָם Ex. 39:30
וַיִּכְתְּבוּהָ 187 וַיִּכְתְּבוּהָ לֶעָרִים...עַל־סֵפֶר Josh. 18:9
כְּתֹב 188 כְּתֹב זֹאת זִכָּרוֹן בַּסֵּפֶר Ex. 17:14
189 כְּתֹב חָזוֹן וּבָאֵר עַל־הַלֻּחוֹת Hab. 2:2
כְּתָב־ 190 כְּתָב־לְךָ אֶת־הַדְּבָרִים הָאֵלֶּה Ex. 34:27
191 כְּתָב־לְךָ אֵת כָּל־הַדְּבָרִים Jer. 30:2
192 כְּתָב־ (כת׳ כתוב) לְךָ אֶת־שֵׁם Ezek. 24:2
וּכְתֹב 193 וּכְתֹב עָלָיו בְּחֶרֶט אֱנוֹשׁ Is. 8:1
194 וּכְתֹב עָלֶיהָ אֵת כָּל־הַדְּבָרִים Jer. 36:28
195 קַח־לְךָ עֵץ...וּכְתֹב עָלָיו לִיהוּדָה Ezek. 37:16
196 וּלְקַח עֵץ...וּכְתוֹב עָלָיו לְיוֹסֵף Ezek. 37:16
197 הוֹדַע אוֹתָם וּכְתֹב לְעֵינֵיהֶם Ezek. 43:11
כָּתְבָהּ 198 בּוֹא כָתְבָהּ עַל־לוּחַ אִתָּם Is. 30:8
כָּתְבֵם 199-200 כָּתְבֵם עַל־לוּחַ לִבֶּךָ Prov. 3:3; 7:3
כִּתְבוּ 201 כִּתְבוּ לָכֶם אֶת־הַשִּׁירָה הַזֹּאת Deut. 31:19
202 כִּתְבוּ אֶת־הָאִישׁ הַזֶּה עֲרִירִי Jer. 22:30
203 כִּתְבוּ עַל־הַיְּהוּדִים כַּטּוֹב בְּעֵינֵיכֶם Es. 8:8
וְכִתְבוּ 204 וְהִתְהַלְּכוּ בָאָרֶץ וְכִתְבוּ אוֹתָהּ Josh. 18:8
נִכְתָּב 205 בְּשֵׁם הַמֶּלֶךְ אֲחַשְׁוֵרֹשׁ נִכְתָּב Es. 3:12
וְנִכְתָּב 206 וּמַאֲמַר אֶסְ׳ קִיַּם...וְנִכְתָּב בַּסֵּפֶר Es. 9:32
נִכְתָּב 207 כְּתָב אֲשֶׁר־נִכְתָּב בְּשֵׁם־הַמֶּלֶךְ Es. 8:8
יִכָּתֵב 208 אִם־עַל־הַמֶּלֶךְ טוֹב יִכָּתֵב לְאַבְּדָם Es. 3:9
209 יִכָּתֵב לְהָשִׁיב אֶת־הַסְּפָרִים Es. 8:5
וְיִכָּתֵב 210 וְיִכָּתֵב בְּדָתֵי פָרַס־וּמָדַי Es. 1:19
וַיִּכָּתֵב 211 וַיִּכָּתֵב סֵפֶר זִכָּרוֹן לְפָנָיו Mal. 3:16
212 וַיִּכָּתֵב בְּסֵפֶר דִּבְרֵי הַיָּמִים Es. 2:23
213 וַיִּכָּתֵב כְּכָל־אֲשֶׁר־צִוָּה הָמָן Es. 3:12
214 וַיִּכָּתֵב כְּכָל־אֲשֶׁר־צִוָּה מָרְדֳּכַי Es. 8:9
215 וַיִּכָּתֵב כָּל־הַמִּשְׁקָל בָּעֵת הַהִיא Ez. 8:34
תִּכָּתֶב 216 תִּכָּתֶב זֹאת לְדוֹר אַחֲרוֹן Ps. 102:19
יִכָּתֵבוּ 217 וְסוּרַי° בָּאָרֶץ יִכָּתֵבוּ Jer. 17:13
218 וּבִכְתָב בֵּית־יִשְׂרָאֵל לֹא יִכָּתֵבוּ Ezek. 13:9
219 וְעִם־צַדִּיקִים אַל־יִכָּתֵבוּ Ps. 69:29
220 וְעַל־סִפְרְךָ כֻּלָּם יִכָּתֵבוּ Ps. 139:16
וְיִכָּתְבוּן 221 מִי־יִתֵּן אֵפוֹ וְיִכָּתְבוּן מִלָּי Job 19:23
כִּתֵּבוּ 222 וּמְכַתְּבִים עָמָל כִּתֵּבוּ Is. 10:1
וּמְכַתְּבִים 223 וּמְכַתְּבִים עָמָל כִּתֵּבוּ Is. 10:1

כְּתַב
פְּ׳ ארמית: כמו בעברית – כָּתַב: 1–8

כְּתַב 1 דָּרְיָוֶשׁ מַלְכָּא כְּתַב לְכָל־עַמְמַיָּא Dan. 6:26
2 חֶלְמָא כְתַב רֵאשׁ מִלִּין אֲמַר Dan. 7:1
כְּתַבוּ 3 כְּתַבוּ אִגְּרָה חֲדָה עַל־יְרוּשְׁלֶם Ez. 4:8
כָּתְבָה 4 וּמַלְכָּא חָזֵה פַּס יְדָא דִּי כָתְבָה Dan. 5:5
וְכָתְבָן 5 נְפַקָה° אֶצְבְּעָן...וְכָתְבָן Dan. 5:5
כְּתִיב 6 וְכִדְנָה כְּתִיב בְּגַוֵּהּ Ez. 5:7
7 וְכֵן־כְּתִיב בְּגַוַּהּ דִּכְרוֹנָה Ez. 6:2
נִכְתֻּב 8 דִּי נִכְתֻּב שֻׁם גֻּבְרַיָּא Ez. 5:10

כְּתָב[1]
ז׳ א) דברים שנכתבו, מכתב: 1-10, 14, 15
ב) צורת האותיות: 11-13, 16, 17

– כְּתָב אֱמֶת 8; כְּתָב בֵּית יִשְׂרָאֵל 10; כְּתָב דָּוִיד 9; כְּתָב הַדָּת 6; כְּתָב הַנִּשְׁתְּוָן 7
– פַּתְשֶׁגֶן הַכְּתָב 2, 3, 6

כְּתָב 1 כִּי־כְתָב אֲשֶׁר־נִכְתָּב בְּשֵׁם־הַמֶּלֶךְ Es. 8:8
הַכְּתָב 2/3 פַּתְשֶׁגֶן הַכְּתָב לְהִנָּתֵן דָּת Es. 3:14; 8:13
בִּכְתָב 4 הַכֹּל בִּכְתָב מִיַּד יְיָ עָלַי הִשְׂכִּיל ICh. 28:19
5 וַיֹּאמֶר חוּרָם מֶלֶךְ־צֹר בִּכְתָב IICh. 2:10
כְּתָב־ 6 וְאֶת־פַּתְשֶׁגֶן כְּתָב־הַדָּת Es. 4:8
וּכְתָב־ 7 וּכְתָב הַנִּשְׁתְּוָן כָּתוּב אֲרָמִית Ez. 4:7
בִּכְתָב־ 8 אֶת־הָרָשׁוּם בִּכְתָב אֱמֶת Dan. 10:21
9 בִּכְתָב דָּוִיד מֶלֶךְ יִשְׂרָאֵל IICh. 35:4
וּבִכְתָב־ 10 וּבִכְתָב בֵּית־יִשְׂרָאֵל לֹא יִכָּתֵבוּ Ezek. 13:9
כִּכְתָבָהּ 11 אֶל־מְדִינָה וּמְדִינָה כִּכְתָבָהּ Es. 1:22
12/3 מְדִינָה וּמְדִינָה כִּכְתָבָהּ Es. 3:12; 8:9
כְּתָבָם 14/5 אֵלֶּה בִּקְשׁוּ כְתָבָם הַמִּתְיַחְשִׂים Ez. 2:62
Neh. 7:64
כִּכְתָבָם 16 וְאֶל־הַיְּהוּדִים כִּכְתָבָם וְכִלְשׁוֹנָם Es. 8:9
17 לִהְיוֹת עֹשִׂים...כִּכְתָבָם וְכִזְמַנָּם Es. 9:27

כְּתָב[2]
ז׳ ארמית, כמו בעברית – כְּתָב: 1–12

כְּתָב 1 וּמְלַח דִּי־לָא כְתָב Ez. 7:22
כִּכְתָב־ 2 וַהֲקִימוּ...כִּכְתָב סְפַר מֹשֶׁה Ez. 6:18
כְּתָבָה 3 דִּי יִקְרֵה כְּתָבָה דְנָה Dan. 5:7
4 דִּי כְתָבָה דְנָא יִקְרוֹן Dan. 5:15
כְּתָבָא 5 וְלָא־כָהֲלִין כְּתָבָא לְמִקְרֵא Dan. 5:8
6 הֵן תִּכֻּל° כְּתָבָא לְמִקְרֵא Dan. 5:16
7 בְּרַם כְּתָבָא אֶקְרֵא לְמַלְכָּא Dan. 5:17
8 וּדְנָה כְתָבָא דִּי רְשִׁים Dan. 5:25
9 תְּקִים אֱסָרָא וְתִרְשֻׁם כְּתָבָא Dan. 6:9
10 מַלְכָּא...רְשַׁם כְּתָבָא וֶאֱסָרָא Dan. 6:10
11 כְּדִי יְדַע דִּי־רְשִׁים כְּתָבָא Dan. 6:11
וּכְתָבָא 12 וּכְתָבָא דְנָא רְשִׁים Dan. 5:24

כְּתֹבֶת
נ׳ אותיות או ציורים כתובים

וּכְתֹבֶת־ 1 וּכְתֹבֶת קַעֲקַע לֹא תִתְּנוּ בָּכֶם Lev. 19:28

כֹּתּוּ
(יואל ד10) – עין כתת

כָּתוּב
ת׳ עין כתב

כְּתוּר
(דה״א יז17) – עין תור

כָּתוּת
ת׳ א) שבור: 1
ב) מי שנשחקו אשכיו: 2

כָּתוּת 1 כְּשֵׁבֶר נֵבֶל יוֹצְרִים כָּתוּת לֹא יַחְמֹל Is. 30:14
וְכָתוּת 2 וּמָעוּךְ וְכָתוּת וְנָתוּק וְכָרוּת Lev. 22:24

כַּתּוֹתִי
(תהלים פט24) – עין כתת

כִּתִּיִּים
ז״ר כנוי לבני יפת שהתישבו
באי קפריסין ובסמוך לו: 1–8
אִיֵּי כִתִּיִּים 7, 8; אֶרֶץ כִּתִּים 3

כִּתִּים 1 וּבְנֵי יָוָן...כִּתִּים וְדֹדָנִים Gen. 10:4
2 וְצִים מִיַּד כִּתִּים Num. 24:24
3 מֵאֶרֶץ כִּתִּים נִגְלָה־לָמוֹ Is. 23:1
4 כִּתִּים (כת׳ כתיים) קוּמִי עֲבֹרִי Is. 23:12
5 וּבָאוּ בוֹ צִיִּים כִּתִּים וְנִכְאָה Dan. 11:30
6 וּבְנֵי יָוָן...כִּתִּים וְרוֹדָנִים ICh. 1:7
כִּתִּיִּים 7 כִּי עִבְרוּ אִיֵּי כִתִּיִּים וּרְאוּ Jer. 2:10
8 בַּת־אֲשֻׁרִים מֵאִיֵּי כִּתִּים Ezek. 27:6

כָּתִית
ת׳ שחוק: 1-5 • שֶׁמֶן כָּתִית: 1-5

כָּתִית 1 שֶׁמֶן זַיִת זָךְ כָּתִית לַמָּאוֹר Ex. 27:20
2 בָּלוּל בְּשֶׁמֶן כָּתִית רֶבַע הַהִין Ex. 29:40
3 שֶׁמֶן זַיִת זָךְ כָּתִית לַמָּאוֹר Lev. 24:2
4 בְּלוּלָה בְּשֶׁמֶן כָּתִית רְבִיעִת הַהִין Num. 28:5
5 וְעֶשְׂרִים כֹּר שֶׁמֶן כָּתִית IK. 5:25

כֹּתֶל*
ז׳ קיר

כָּתְלֵנוּ 1 הִנֵּה־זֶה עוֹמֵד אַחַר כָּתְלֵנוּ S.ofS. 2:9

כְּתַל*
ז׳ ארמית: כותל: 1, 2

כְּתַל־ 1 עַל־גִּירָא דִּי־כְתַל הֵיכְלָא Dan. 5:5
בְּכֻתְלַיָּא 2 וְאָע מִתְּשָׂם בְּכֻתְלַיָּא Ez. 5:8

כִּתְלִישׁ
עיר בשפלת יהודה

וְכִתְלִישׁ 1 וְכַבּוֹן וְלַחְמָס וְכִתְלִישׁ Josh. 15:40

כתם
: נִכְתַּם; כֶּתֶם, מִכְתָּם

(כתם) נִכְתַּם
נפ׳ נתלכלך

נִכְתָּם 1 אִם־תְּכַבְּסִי...נִכְתָּם עֲוֹנֵךְ לְפָנַי Jer. 2:22

כֶּתֶם
ז׳ זהב מובחר: 1–9

קרובים: ראה זָהָב

כֶּתֶם אוּפָז 8; כֶּ׳ אוֹפִיר 6, 7, 9; כֶּ׳ טָהוֹר 3; כֶּתֶם טוֹב 2; כֶּתֶם פָּז 5; חֲלִי כֶתֶם 1

כָּתֶם 1 נֶזֶם זָהָב וַחֲלִי־כָתֶם Prov. 25:12
הַכֶּתֶם 2 אֵיכָה יוּעַם זָהָב יִשְׁנֶא הַכֶּתֶם הַטּוֹב Lam. 4:1
בְּכֶתֶם 3 בְּכֶתֶם טָהוֹר לֹא תְסֻלֶּה Job 28:19
וְלַכֶּתֶם 4 וְלַכֶּתֶם אָמַרְתִּי מִבְטַחִי Job 31:24
כֶּתֶם־ 5 רֹאשׁוֹ כֶּתֶם פָּז S.ofS. 5:11
בְּכֶתֶם־ 6 נִצְּבָה שֵׁגַל לִימִינְךָ בְּכֶתֶם אוֹפִיר Ps. 45:10
7 לֹא־תְסֻלֶּה בְּכֶתֶם אוֹפִיר Job 28:16
8 וּמָתְנָיו חֲגֻרִים בְּכֶתֶם אוּפָז Dan. 10:5
מִכֶּתֶם־ 9 אוֹקִיר...וְאָדָם מִכֶּתֶם אוֹפִיר Is. 13:12

כֻּתֹּנֶת, כְּתֹנֶת
נ׳ לבוש דק לעור הגוף: 1-29

קרובים: בֶּגֶד / חֲלִיצָה / כְּסוּת / לְבוּשׁ / מַד / מִכְנָסַיִם / מְעִיל / סוּת / שַׂלְמָה / שִׂמְלָה / תִּלְבֹּשֶׁת

כְּתֹנֶת בַּד 10; כְּתֹנֶת בְּנוֹ 9, 14; כְּתֹנֶת יוֹסֵף 7; כְּתֹנֶת פַּסִּים 5,6,8,11, 13; כְּ׳ תַּשְׁבֵּץ 12; כָּתְנוֹת כֹּהֲנִים 26-28; כָּתְנוֹת עוֹר 25

הַכֻּתֹּנֶת 1 וַיִּטְבְּלוּ אֶת־הַכֻּתֹּנֶת בַּדָּם Gen. 37:31
2 וְהִלְבַּשְׁתָּ אֶת־אַהֲרֹן אֶת־הַכֻּתֹּנֶת Ex. 29:5
3 וַיִּתֵּן עָלָיו אֶת־הַכֻּתֹּנֶת Lev. 8:7
הַכְּתֹנֶת 4 וְשִׁבַּצְתָּ הַכְּתֹנֶת שֵׁשׁ Ex. 28:39
כְּתֹנֶת־ 5 וְעָשָׂה לוֹ כְּתֹנֶת פַּסִּים Gen. 37:3
6 אֶת־כְּתֹנֶת הַפַּסִּים אֲשֶׁר עָלָיו Gen. 37:23
7 וַיִּקְחוּ אֶת־כְּתֹנֶת יוֹסֵף Gen. 37:31
8 וַיְשַׁלְּחוּ אֶת־כְּתֹנֶת הַפַּסִּים Gen. 37:32
9 וַיַּכִּירָהּ וַיֹּאמֶר כְּתֹנֶת בְּנִי Gen. 37:33
10 כְּתֹנֶת־בַּד קֹדֶשׁ יִלְבָּשׁ Lev. 16:4
11 וְעָלֶיהָ כְּתֹנֶת פַּסִּים IISh. 13:18
וּכְתֹנֶת־ 12 חֹשֶׁן וְאֵפוֹד וּמְעִיל וּכְתֹנֶת תַּשְׁבֵּץ Ex. 28:4
13 וּכְתֹנֶת הַפַּסִּים אֲשֶׁר עָלֶיהָ IISh. 13:19
הַכְּתֹנֶת־ 14 הַכְּתֹנֶת בִּנְךָ הִוא אִם־לֹא Gen. 37:32
כֻּתָּנְתִּי 15 כְּפִי כֻתָּנְתִּי יַאַזְרֵנִי Job 30:18
16 פָּשַׁטְתִּי אֶת־כֻּתָּנְתִּי אֵיכָכָה אֶלְבָּשֶׁנָּה S.ofS. 5:3
כֻּתָּנְתֶּךָ 17 וְהִלְבַּשְׁתִּיו כֻּתָּנְתֶּךָ Is. 22:21
כֻּתָּנְתּוֹ 18 וַיַּפְשִׁיטוּ אֶת־יוֹסֵף אֶת־כֻּתָּנְתּוֹ Gen. 37:23
19 קָרוּעַ כֻּתָּנְתּוֹ וַאֲדָמָה עַל־רֹאשׁוֹ IISh. 15:32
כֻּתָּנֹת 20 וְלִבְנֵי אַהֲרֹן תַּעֲשֶׂה כֻתֳּנֹת Ex. 28:40
21 וְהִלְבַּשְׁתָּם כֻּתֳּנֹת Ex. 29:8
22 וְהִלְבַּשְׁתָּ אֹתָם כֻּתֳּנֹת Ex. 40:14
23 וַיַּלְבִּשֵׁם כֻּתֳּנֹת Lev. 8:13
הַכָּתְנוֹת 24 וַיַּעֲשׂוּ אֶת־הַכָּתְנוֹת שֵׁשׁ Ex. 39:27
כָּתְנוֹת־ 25 וַיַּעַשׂ...כָּתְנוֹת עוֹר וַיַּלְבִּשֵׁם Gen. 3:21
26 כָּתְנוֹת כֹּהֲנִים שְׁלֹשִׁים וַחֲמֵשׁ מֵאוֹת Neh. 7:70
וְכָתְנוֹת־ 27 וְכָתְנֹת כֹּהֲנִים מֵאָה Ez. 2:69
28 וְכָתְנוֹת כֹּהֲנִים שִׁשִּׁים וְשִׁבְעָה Neh. 7:42
בְּכֻתֳּנֹתָם 29 וַיִּשָּׂאֻם בְּכֻתֳּנֹתָם אֶל־מִחוּץ לַמַּחֲנֶה Lev. 10:5

כָּתֵף

כָּתֵף נ׳ א) קצה השֶׁכֶם (בגוף האדם או בגוף בעלי־חיים): 1-10, 48, 49, 63-66
ב) צד, עֵבֶר: 11-14, 18-47, 52-54, 61, 62, 67
ג) [כְּתֵפוֹת] רצועות־חִבּוּר על הכָּתֵף: 50, 51, 55-60

– כָּתֵף יְמָנִית 14; כָּ׳ מְרוּטָה 7; כָּ׳ סוֹרֶרֶת 8, 9
– כֶּתֶף הַבַּיִת 30-34, 43-45, 47; כֶּ׳ בֵּית חָגְלָה 29; כֶּ׳ הַר־יְעָרִים 23; כֶּ׳ הַיְבוּסִי 22, 27; כֶּ׳ יָם כִּנֶּרֶת 21; כֶּ׳ יְרִיחוֹ 25; כֶּ׳ לוּזָה 26; כֶּ׳ מוֹאָב 36; כֶּ׳ עֲיָרִים 35; כֶּ׳ עֶקְרוֹן 24; כֶּתֶף שַׁעַר 38-40,42; כֶּתֶף שְׁעָרִים 37; כָּתֵף פְּלִשְׁתִּים 41
– כִּתְפוֹת הָאוּלָם 61; כִּתְפוֹת הָאֵפוֹד 55-60; כִּתְפוֹת הַפֶּתַח 62

כָּתֵף 1 יִשָּׂאֻהוּ עַל־כָּתֵף יִסְבְּלֻהוּ Is. 46:7
2 וּבְנֹתַיִךְ עַל־כָּתֵף תִּנָּשֶׂאנָה Is. 49:22
3 לְעֵינֵיהֶם עַל־כָּתֵף תִּשָּׂא Ezek. 12:6
4 עַל־כָּתֵף נָשָׂאתִי לְעֵינֵיהֶם Ezek. 12:7
5 אֶל־כָּתֵף יִשָּׂא בָּעֲלָטָה Ezek. 12:12
6 וּבָקַעְתָּ לָהֶם כָּל־כָּתֵף Ezek. 29:7
7 וְכָל־כָּתֵף מְרוּטָה Ezek. 29:18
8/9 וַיִּתְּנוּ כָתֵף ס(ו)רֶרֶת Zech. 7:11 • Neh. 9:29
וְכָתֵף 10 כָּל־נֵתַח טוֹב יָרֵךְ וְכָתֵף Ezek. 24:4
הַכָּתֵף 11 קְלָעִים...אַמָּה אֶל־הַכָּתֵף Ex. 38:14
12 וְאֶל־הַכָּתֵף מִחוּצָה לָעוֹלֶה לְפֶתַח Ezek.40:40
13 וְאֶל־הַכָּתֵף הָאַחֶרֶת אֲשֶׁר לְאֻלָם Ezek. 40:40
14 מְפַכִּים מִן־הַכָּתֵף הַיְמָנִית Ezek. 47:2
בַּכָּתֵף 15 עֲבֹדַת הַקֹּדֶשׁ עֲלֵהֶם בַּכָּתֵף יִשָּׂאוּ Num. 7:9
16 אֵין־לָכֶם מַשָּׂא בַּכָּתֵף IICh. 35:3
וּבְכָתֵף 17 יַעַן בְּצַד וּבְכָתֵף תֶּהְדֹּפוּ Ezek. 34:21
לַכָּתֵף 18 וַחֲמֵשׁ עֶשְׂרֵה אַמָּה קְלָעִים לַכָּתֵף Ex. 27:14
וְלַכָּתֵף 19 וְלַכָּתֵף הַשֵּׁנִית חֲמֵשׁ עֶשְׂ׳ קְלָעִים Ex. 27:15
20 וְלַכָּתֵף הַשֵּׁנִית מִזֶּה וּמִזֶּה Ex. 38:15
כֶּתֶף־ 21 וּמָחָה עַל־כֶּתֶף יָם־כִּנֶּרֶת Num. 34:11
22 וְעָלָה הַגְּבוּל...אֶל־כֶּתֶף הַיְבוּסִי Josh. 15:8
23 וְעָבַר אֶל־כֶּתֶף הַר־יְעָרִים Josh. 15:10
24 וְיָצָא הַגְּבוּל אֶל־כֶּתֶף עֶקְרוֹן Josh. 15:11
25 וְעָלָה הַגְּבוּל אֶל־כֶּתֶף יְרִיחוֹ Josh. 18:12
26 וְעָבַר...אֶל־כֶּתֶף לוּזָה Josh. 18:13
27 וְיָרַד גֵּי הִנֹּם אֶל־כֶּתֶף הַיְבוּסִי Josh. 18:16
28 וְעָבַר אֶל־כֶּתֶף מוּל־הָעֲרָבָה Josh. 18:18
29 וְעָבַר הַגְּבוּל אֶל־כֶּתֶף בֵּית חָגְלָה Josh. 18:19

כֶּתֶף־ (המשך) 30 אֶל־כֶּתֶף הַבַּיִת הַיְמָנִית IK. 6:8
31 חָמֵשׁ עַל־כֶּתֶף הַבַּיִת מִיָּמִין IK. 7:39
32 וְחָמֵשׁ עַל־כֶּתֶף הַבַּיִת מִשְּׂמֹאלוֹ IK. 7:39
33/4 כֶּתֶף הַבַּיִת הַשְּׂמָאלִית IIK. 11:11 • IICh.23:10
35 יִשְׂאוּ עַל־כֶּתֶף עֲיָרִים° חֵילֵיהֶם Is. 30:6
36 הִנְנִי פֹתֵחַ אֶת־כֶּתֶף מוֹאָב Ezek. 25:9
37 וְהָרִצְפָּה אֶל־כֶּתֶף הַשְּׁעָרִים Ezek. 40:18
38 אֲשֶׁר אֶל־כֶּתֶף שַׁעַר הַצָּפוֹן Ezek. 40:44
39 אֶחָד אֶל־כֶּתֶף שַׁעַר הַקָּדִים Ezek. 40:44
40 בַמָּבוֹא אֲשֶׁר עַל־כֶּתֶף הַשַּׁעַר Ezek. 46:19
בְכָתֵף־ 41 וְעָפוּ בְכָתֵף פְּלִשְׁתִּים יָמָּה Is. 11:14
לְכֶתֶף־ 42 שֻׁלְחָנוֹת מִפֹּה לְכֶתֶף הַשָּׁעַר Ezek. 40:41
מִכֶּתֶף־ 43 וְאֶת־הַיָּם נָתַן מִכֶּתֶף הַבַּיִת הַיְמָנִית IK. 7:39
44 וַיַּעַמְדוּ...מִכֶּתֶף הַבַּיִת הַיְמָנִית... IIK. 11:11
45 מִתַּחַת מִכֶּתֶף הַבַּיִת הַיְמָנִית Ezek. 47:1
46 וְאֶת־הַיָּם נָתַן מִכֶּתֶף הַיְמָנִית IICh. 4:10
47 מִכֶּתֶף הַבַּיִת הַיְמָנִית IICh. 23:10
כְּתֵפִי 48 כְּתֵפִי מִשִּׁכְמָה תִפּוֹל Job 31:22
בִּכְתֵפָם 49 וַיִּשְׂאוּ...בִּכְתֵפָם בַּמֹּטוֹת עֲלֵיהֶם ICh. 15:15
כְּתֵפוֹת 50 שְׁתֵּי כְתֵפֹת חֹבְרֹת יִהְיֶה־לּוֹ Ex. 28:7
51 כְּתֵפֹת עָשׂוּ־לוֹ חֹבְרֹת Ex. 39:4
52 וְאַרְבָּעָה פַעֲמֹתָיו כְּתֵפֹת לָהֶם IK. 7:30
53 וְאַרְבַּע כְּתֵפוֹת אֶל־אַרְבַּע פִּנּוֹת IK. 7:34
הַכְּתֵפוֹת 54 מִתַּחַת לַכִּיֹּר הַכְּתֵפֹת יְצֻקוֹת IK. 7:30
כִּתְפוֹת־ 55 וְשַׂמְתָּ...עַל כִּתְפֹת הָאֵפֹד Ex. 28:12
56-58 כִּתְפֹת הָאֵפֹד Ex. 39:7, 18, 20
59-60 כִּתְפוֹת הָאֵפוֹד Ex. 28:25, 27
61 מִפּוֹ וּמִפּוֹ אֶל־כִּתְפוֹת הָאוּלָם Ezek. 41:26
וְכִתְפוֹת־ 62 וְכִתְפוֹת הַפֶּתַח חָמֵשׁ אַמּוֹת מִפּוֹ Ezek. 41:2
כְּתֵפָיו 63 וְנָשָׂא...עַל־שְׁתֵּי כְתֵפָיו לְזִכָּרֹן Ex. 28:12
64 וּבֵין כְּתֵפָיו שָׁכֵן Deut. 33:12
65 וַיִּסָּעֵם...וַיָּשֶׂם עַל־כְּתֵפָיו Jud. 16:3
66 וְכִידוֹן נְחֹשֶׁת בֵּין כְּתֵפָיו ISh. 17:6
כְּתֵפֶיהָ 67 מִן־הַמְּכֹנָה כְּתֵפֶיהָ IK. 7:34

כתר

כתר : כִּתֵּר, הִכְתִּיר; כֶּתֶר, כּוֹתֶרֶת

כִּתֵּר פ׳ א) הִקִּיף, סבב: 1, 2
ב) חִכָּה: 3
ג) [הפ׳ הִכְתִּיר] הִקִּיף: 4, 5

כִּתְּרוּ 1 כִּתְּרוּ אֶת־בִּנְיָמִן הִרְדִיפֻהוּ Jud. 20:43
כִּתְּרוּנִי 2 אַבִּירֵי בָשָׁן כִּתְּרוּנִי Ps. 22:13
כַּתַּר 3 כַּתַּר־לִי זְעֵיר וַאֲחַוֶּךָּ Job 36:2
מַכְתִּיר 4 כִּי רָשָׁע מַכְתִּיר אֶת־הַצַּדִּיק Hab. 1:4
יַכְתִּירוּ 5 בִּי יַכְתִּרוּ צַדִּיקִים Ps. 142:8
6 וַעֲרוּמִים יַכְתִּרוּ דָעַת Prov. 14:18

כֶּתֶר ז׳ עֲטָרָה, נֵזֶר: 1-3

קרובים: נֵזֶר / עֲטָרָה / פְּאֵר / צִיץ

כֶּתֶר מַלְכוּת 1-3

כֶּתֶר־ 1 וַיָּשֶׂם כֶּתֶר־מַלְכוּת בְּרֹאשָׁהּ Es. 2:17
2 וַאֲשֶׁר נִתַּן כֶּתֶר מַלְכוּת בְּרֹאשׁוֹ Es. 6:8
בְּכֶתֶר־ 3 לְהָבִיא אֶת־וַשְׁתִּי...בְּכֶתֶר מַלְכוּת Es. 1:11

כֹּתֶרֶת נ׳ עיין כּוֹתֶרֶת

כתש

כתש : כָּתַשׁ; מַכְתֵּשׁ

כָּתַשׁ פ׳ שָׁחַק

תִּכְתּוֹשׁ 1 אִם־תִּכְתּוֹשׁ אֶת־הָאֱוִיל בַּמַּכְתֵּשׁ Prov. 27:22

כתת

כתת : כָּתַת, כָּתוּת, כִּתֵּת, כֻּתַּת, הֻכַּת (וַיַּכְּתוּ), הֻכַּת; כָּתִית, מְכִתָּה

כָּתַת פָ׳ א) נִפֵּץ, שִׁבֵּר: 1-3
ב) [פִּ׳ כִּתַּת] שִׁבֵּר: 4-8
ג) [פֻּ׳ כֻּתַּת] הֻכָּה: 9
ד) [הִפ׳ הֵכַת] הִכָּה וְנִפֵּץ: 10, 11
ה) [הָפ׳ הֻכַּת] הֻכָּה לרסיסים: 12-15

קרובים: אִבֵּד / הִכָּה (נכה) / הֶחֱרִים / הָרַס / הִשְׁחִית / כָּתַשׁ / נִפֵּץ / נָתַץ / פִּצַּח / פָּרַץ / שִׁבֵּר / שָׁחַק

וְכַתּוֹתִי 1 וְכַתּוֹתִי מִפָּנָיו צָרָיו Ps. 89:24
וָאֶכֹּת 2 וָאֶכֹּת אֹתוֹ טָחוֹן הֵיטֵב Deut. 9:21
כֹּתּוּ 3 כֹּתּוּ אִתֵּיכֶם לַחֲרָבוֹת Joel 4:10
כִּתַּת 4 וְהַפְּסִלִים כִּתַּת לְהֵדַק IICh. 34:7
וְכִתַּת 5 וְכִתַּת נְחַשׁ הַנְּחֹשֶׁת אֲשֶׁר־עָשָׂה מֹשֶׁה IIK. 18:4
וְכִתְּתוּ 6 וְכִתְּתוּ חַרְבוֹתָם לְאִתִּים Is. 2:4
7 וְכִתְּתוּ חַרְבֹתֵיהֶם לְאִתִּים Mic. 4:3
8 וְכִתְּתוּ אֶת־הָאָרֶץ Zech. 11:6
וְכֻתְּתוּ 9 וְכֻתְּתוּ גוֹי־בְּגוֹי וְעִיר בְּעִיר IICh. 15:6
וַיַּכְּתוּ 10 וַיַּכְּתוּ אֶתְכֶם בְּשֵׂעִיר עַד־חָרְמָה Deut. 1:44
וַיַּכְּתוּם 11 וַיַּכּוּם וַיַּכְּתוּם עַד־הַחָרְמָה Num. 14:45
יֻכַּת 12 וּשְׁאִיָּה יֻכַּת־שָׁעַר Is. 24:12
יֻכַּתּוּ 13 וְגִבּוֹרֵיהֶם יֻכַּתּוּ וּמָנוֹס נָסוּ Jer. 46:5
14 וְכָל־פְּסִילֶיהָ יֻכַּתּוּ Mic. 1:7
15 מִבֹּקֶר לָעֶרֶב יֻכַּתּוּ Job 4:20

ל' זעירא

לוֹא — Lam. 1:12

ל' רבתי

וַיַּשְׁלִכֵם — Deut. 29:27

ל' חסרה

חַיִ[ל] — IISh. 23:20

ל' יתרה

וְ(ל)הַלֶּחֶם — IISh. 16:2

עָ(ל)לִין — Dan. 4:4; 5:8

עַ(ל)לַּת — Dan. 5:10

ל

למדי"ן בתורה 21 570

כתיב לא – קרי לוֹ

Ex. 21:8 • Lev. 11:21; 25:30 • ISh. 2:3 • IISh. 16:18 • Is. 9:2; 63:9 • Ps. 100:3; 139:16 • Prov. 19:7; 26:2 • Job 13:15; 41:4 • Ez. 4:2 IICh. 11:20

כתיב לוֹ – קרי לא

ISh. 2:16; 20:2

לְ־ (לַ־, לָ־, לֶ־, לִ־, לֵ־) אות יחס בראש מלים

[בנטיות – כמלת־יחס: לִי, לְךָ, לָךְ וכו' – להלן המקראות 1—4360]

לְ־ בראש שמות או פעלים או מליות במשמעים שונים. להלן המשמעים העיקריים ומקראות אחדים להדגמה (פרוט כל המקראות – ליד כל ערך במקומו):

א) לציון פניה מדבר אל דבר, ממקום אל מקום, מאדם לאדם וְכד' – כמשמע אֶל־: (א)

ב) לציון קִרבה אל זמן מסוים: (ב)

ג) [לפני מקור נסמך] לציון מטרת פעולה ותכליתה: (ג)

ד) [לפני שם כללי או פרטי] כמשמע סמיכות "שֶׁל־" (ד)

ה) לציון תוצאה של פעולה: (ה)

ו) לציון יחס־הפעול, כמשמע "אֶת"־: (ו)

ז) לפי, על־פי: (ז)

ח) על־אודות: 14, 22, 45 ועוד

ט) בראש מלים – כתארי־פועל, כגון: לְמַעַן, לְפִי, לִפְנֵי, לִפְנִים, לְפָנִים –

עיֵן כל ערך במקומו

(א) שׁוּבוּ לָכֶם לְ אָהֳלֵיכֶם — Deut. 5:27
וּבָא לְ צִיּוֹן גּוֹאֵל — Is. 59:20
וְאַתֶּם רָצִים אִישׁ לְ בֵיתוֹ — Hag. 1:9
שַׁבְתִּי לִ ירוּשָׁלִַם בְּרַחֲמִים — Zech. 1:16
דּוֹדִי יָרַד לְ גַנּוֹ לַ עֲרֻגוֹת הַבֹּשֶׂם — S.ofS. 6:2

(ב) וַתָּבֹא אֵלָיו הַיּוֹנָה לְ עֵת עֶרֶב — Gen. 8:11
וְלֹא־יָלִין לַ בֹּקֶר זֶבַח חַג הַפָּסַח — Ex. 34:25
וַיְהִי לִ תְשׁוּבַת הַשָּׁנָה לְ עֵת צֵאת הַמְּלָא' — IISh. 11:1
וּמַה־תַּעֲשׂוּ לְ יוֹם פְּקֻדָּה — Is. 10:3
וִיהוּדָה לְ עוֹלָם תֵּשֵׁב וִירוּשָׁלִַם לְ דוֹר וָדוֹר — Joel 4:20

(ג) וַיֵּרֶד יְיָ לִ רְאֹת אֶת־הָעִיר — Gen. 11:5
וַיָּבֹא אַבְרָהָם לִ סְפֹּד לְשָׂרָה וְלִ בְכֹּתָהּ — Gen. 23:2
לֶחֶם לֶ אֱכֹל וּבֶגֶד לִ לְבֹּשׁ — Gen. 28:20
וְלָבָן הָלַךְ לִ גְזֹז אֶת־צֹאנוֹ — Gen. 31:19
לָ גוּר בָּאָרֶץ בָּאנוּ — Gen. 47:4
וְעֵשֶׂב...לְ הוֹצִיא לֶחֶם מִן־הָאָרֶץ — Ps. 104:14

(ד) הֲלֹא לֵ אלֹהִים פִּתְרֹנִים — Gen. 40:8
דִּבְרֵי הַיָּמִים לְ מַלְכֵי יִשְׂרָאֵל — IK. 15:31
פֶּתַח־הַבַּיִת לֶ אֱלִישָׁע — IIK. 5:9
תְּפִלָּה לְ מֹשֶׁה אִישׁ־הָאֱלֹהִים — Ps. 90:1

(ה) וַיְהִי הָאָדָם לְ נֶפֶשׁ חַיָּה — Gen. 2:7
וְאֶעֶשְׂךָ לְ גוֹי גָּדוֹל — Gen. 12:1
וַיָּקָם שְׂדֵה עֶפְרוֹן...לְאַבְרָהָם לְ מִקְנָה — Gen. 23:17, 18

(ו) וְיוֹאָב וַאֲבִישַׁי אָחִיו הָרְגוּ לְ אַבְנֵר — IISh. 3:30
וַיִּקַּח רַב־טַבָּחִים לְ יִרְמְיָהוּ — Jer. 40:2
כִּי לֶ אֱוִיל יַהֲרָג־כָּעַשׂ — Job 5:2

(ז) עֵשֶׂב מַזְרִיעַ זֶרַע לְ מִינֵהוּ — Gen. 1:12
וְאִישׁ עַל־דִּגְלוֹ לְ צִבְאֹתָם — Num. 1:52
וְנִקְרַבְתֶּם בַּבֹּקֶר לְ שִׁבְטֵיכֶם — Josh. 7:14

לִי

1 הִוא נָתְנָה־לִּי מִן־הָעֵץ — Gen. 3:12
2 מַה־זֹּאת עָשִׂיתָ לִּי — Gen. 12:18
3 לָמָּה לֹא הִגַּדְתָּ לִּי — Gen. 12:18
4 וָאֶקַּח אֹתָהּ לִי לְאִשָּׁה — Gen. 12:19
5 תֶּן־לִי הַנֶּפֶשׁ וְהָרְכֻשׁ קַח לָךְ — Gen. 14:21
6 מַה־תִּתֶּן־לִי וְאָנֹכִי הוֹלֵךְ עֲרִירִי — Gen. 15:2
7 הֵן לִי לֹא נָתַתָּה זָרַע — Gen. 15:3
8 קְחָה לִי עֶגְלָה מְשֻׁלֶּשֶׁת — Gen. 15:9
9 אַחֲרֵי בְלֹתִי הָיְתָה־לִּי עֶדְנָה — Gen. 18:12
10 הִנֵּה נָא לִי שְׁתֵּי בָנוֹת — Gen. 19:8
11 הֲלֹא הוּא אָמַר לִי אֲחֹתִי הִוא — Gen. 20:5
12 וָאֶחְשֹׂךְ גַּם אָנֹכִי אוֹתְךָ מֵחֲטוֹ־לִי — Gen. 20:6
13 וַתְּהִי־לִי לְאִשָּׁה — Gen. 20:12
14 אִמְרִי־לִי אָחִי הוּא — Gen. 20:13
15 צְחֹק עָשָׂה לִי אֱלֹהִים — Gen. 21:6
16 כָּל הַשֹּׁמֵעַ יִצְחַק־לִי — Gen. 21:6
17 וְעַתָּה הִשָּׁבְעָה לִּי בֵאלֹהִים — Gen. 21:23
18 אִם־תִּשְׁקֹר לִי וּלְנִינִי — Gen. 21:23
19 וְגַם אַתָּה לֹא הִגַּדְתָּ לִּי — Gen. 21:26
20 בַּעֲבוּר תִּהְיֶה־לִּי לְעֵדָה — Gen. 21:31
21 תְּנוּ לִי אֲחֻזַּת קֶבֶר עִמָּכֶם — Gen. 23:4
22 שְׁמָעוּנִי וּפִגְעוּ לִי בְּעֶפְרוֹן — Gen. 23:8
23 וְיִתֶּן־לִי אֶת מְעָרַת הַמַּכְפֵּלָה — Gen. 23:9
24 בְּכֶסֶף מָלֵא יִתְּנֶנָּה לִּי — Gen. 23:9
25/6 וַאֲשֶׁר דִּבֶּר־לִי וַאֲשֶׁר נִשְׁבַּע־לִי — Gen. 24:7
27 מִכְרָה כַיּוֹם אֶת־בְּכֹרָתְךָ לִי — Gen. 25:31
28 וְלָמָּה־זֶּה לִי בְּכֹרָה — Gen. 25:32
29 גְּשָׁה־נָּא וּשְׁקָה־לִּי בְּנִי — Gen. 27:26
30 לָמָּה לִּי חַיִּים — Gen. 27:46
31 הָבָה־לִּי בָנִים וְאִם־אַיִן מֵתָה אָנֹכִי — Gen. 30:1
32 לוֹא אוּכַל...כִּי־דֶרֶךְ נָשִׁים לִי — Gen. 31:35
33 זֶה־לִּי עֶשְׂרִים שָׁנָה בְּבֵיתֶךָ — Gen. 31:41
34 וְכֹל אֲשֶׁר־אַתָּה רֹאֶה לִי־הוּא — Gen. 31:43
35 יֶשׁ־לִי רָב אָחִי — Gen. 33:10
36 וְכִי יֶשׁ־לִי־כֹל — Gen. 33:11
37 חָלִילָה לִּי מֵעֲשׂוֹת זֹאת — Gen. 44:17
38 הֵילִיכִי אֶת־הַיֶּלֶד הַזֶּה וְהֵינִקִהוּ — Ex. 2:10
39 בַּעֲבוּר זֶה עָשָׂה יְיָ לִי בְּצֵאתִי מִמִּצְ' — Ex. 13:8
40 וִהְיִיתֶם לִי סְגֻלָּה מִכָּל־הָעַמִּים — Ex. 19:5
41 כִּי־לִי כָּל־הָאָרֶץ — Ex. 19:5
42 וִהְיִיתֶם לִי קְדֹשִׁים — Lev. 20:26
43 לְכָה נָּא אָרָה לִּי אֶת־הָעָם הַזֶּה — Num. 22:6
44 לְכָה קָבָה לִּי אֹתוֹ — Num. 22:11
45 פֶּן יֹאמְרוּ לִי אִשָּׁה הֲרָגָתְהוּ — Jud. 9:54
46 מַה־לִּי וָלָךְ כִּי בָאתָ אֵלַי — Jud. 11:12
47 וּמַה־לִּי עוֹד — Jud. 18:24

לִי (המשך)

48-49 מַה־לִי וְלָכֶם בְּנֵי צְרֻ(וּ)יָה — IISh. 16:10; 19:23
50 צַר־לִי עָלֶיךָ אָחִי יְהוֹנָתָן — IISh. 1:26
51 לְאַט־לִי לַנַּעַר לְאַבְשָׁלוֹם — IISh. 18:5
52 מַה־לִּי וָלָךְ אִישׁ הָאֱלֹהִים — IK. 17:18
53-54 מַה־לִּי וָלָךְ — IIK. 3:13 • IICh. 35:21
55 אוֹי־לִי כִי־נִדְמֵיתִי — Is. 6:5
56-58 וָאֹמַר רָזִי־לִי רָזִי־לִי אוֹי לִי — Is. 24:16
59 אַלְלַי לִי כִּי הָיִיתִי כְּאָסְפֵּי־קַיִץ — Mic. 7:1
60 כַּתַּר־לִי זְעֵיר וַאֲחַוֶּךָּ — Job 36:2

61-743 לִי — Gen. 24:23, 49^2; 25:33; 27:3 27:4^2, 7^2, 9, 13, 25, 33, 36; 28:20, 22; 29:15, 25, 33; 30:6, 14, 24, 31^2; 31:9, 13, 27, 42; 32:6; 34:4, 12; 37:9, 16; 38:16; 39:19; 40:8; 41:24; 43:6; 44:10, 17, 27; 47:6, 31; 48:5^2, 9; 50:5 • Ex. 3:13; 4:1, 25; 5:1; 6:7; 11:8; 13:2^2; 15:2; 19:6; 20:21, 22; 22:28, 29, 30; 23:14, 33; 25:2, 8; 28:1, 3, 4, 41; 29:44; 30:30, 31; 32:10, 23, 24, 33; 34:2, 19; 40:13, 15 • Lev. 14:35; 20:26; 22:2; 25:23, 55; 26:14, 18, 21, 23, 27 • Num. 3:12, 13^3; 3:41, 45; 8:14, 16, 17^2; 11:13, 15, 29; 17:9; 22:17, 18, 34; 23:1^2, 11, 13, 27, 29^2; 24:13; 28:2 • Deut. 2:28, 29; 4:10; 8:17; 26:10; 29:18; 31:19; 32:35 • Josh. 2:12^2; 7:19; 14:12; 15:19^2; 17:14 • Jud. 1:7, 15^2; 3:19, 20; 5:13; 6:17; 7:2; 8:24; 11:36, 37; 13:6, 7; 14:2, 3, 12, 13^2; 15:11, 12; 16:6, 10, 13, 15; 17:10, 13^2; 18:4; 19:19 • ISh. 1:26, 27; 2:28, 35; 3:5, 7, 8; 9:18; 10:15; 12:1, 12, 23; 14:43; 16:1, 3, 17; 17:10; 18:17; 20:10, 20, 29; 21:10; 22:3, 15; 24:6, 19, 21; 25:21; 26:11; 27:1, 5, 12; 28:7, 8^2, 11, 15; 30:7, 15 • IISh. 1:4, 8, 26; 3:14, 35; 4:10; 7:5, 7, 14; 10:11; 13:4; 14:31, 32; 15:26, 28, 34; 16:3, 10, 12; 18:18; 19:14, 20, 23^2, 27, 29, 44^2; 20:4, 20; 22:2, 7, 19, 21, 25, 36, 41, 45^2, 48; 23:3, 5, 17; 24:14 • IK. 1:28, 32, 33, 51; 2:5, 14, 15, 17, 23, 24; 3:24, 26; 5:18, 20; 9:13; 10:7; 11:36; 13:8, 13, 27; 17:11^2, 12^2; 17:13^2, 18, 19; 20:3^2, 4, 5, 10; 21:2^2, 3, 6 • IIK. 2:20; 3:13, 15; 4:2, 22, 24, 27; 5:7; 6:11, 31; 8:4, 14; 9:5; 10:6, 19; 16:15; 20:8; 22:10 • Is. 1:11, 13; 8:2, 18; 12:2; 21:2, 4; 27:4, 5^2; 29:2; 38:14, 15, 17; 43:1, 10, 21, 23, 24; 44:7, 21; 45:23, 24; 49:3, 6, 20^2, 21; 50:4^2, 5, 7, 9; 52:5; 54:9; 60:9; 63:5; 66:1 • Jer. 2:21; 3:4, 19; 4:12, 19, 31; 5:5; 6:20^2; 7:23; 10:19; 11:4; 12:8, 9; 13:11; 15:8, 15, 16, 18; 17:17; 20:7, 8, 17; 22:6, 14; 23:14; 24:7; 26:14; 30:22; 31:1, 3, 20, 26, 33; 32:31, 38; 33:8, 9; 45:3; 51:20 • Ezek. 11:20; 12:7; 14:11, 13; 16:8, 20, 43; 18:4^2; 21:5; 22:18; 23:4, 37, 38; 29:3, 9, 20; 35:10; 36:20; 37:23, 27; 44:13, 15 • Hosh. 1:9, 14^2; 2:18, 21^2, 22, 25; 3:2, 3; 4:6, 7; 8:2; 11:9^2; 13:10; 14:9 • Joel 4:4 • Am. 5:22, 25 • Jon. 1:9; 2:3 • Mic. 2:4; 5:1; 7:8^2 • Zep. 3:8 • Hag. 2:8 • Zech. 2:15; 8:8; 9:13; 11:7; 12:5 • Mal. 1:10; 3:17

לִי (המשך)

Ps. 4:2; 16:6; 17:6, 7, 19, 21, 25, 36, 41, 45^2, 48; 22:3, 8; 25:2, 7; 27:2; 30:2, 11, 12; 31:3, 5, 10, 22; 32:7; 34:12; 35:7, 14, 19, 24; 37:13; 38:17; 40:7, 16, 18; 41:6, 8; 42:4; 50:5, 10, 12; 51:12, 14; 54:6; 55:3, 7, 9, 19; 56:3, 5, 10, 12; 59:17^2; 60:9; 61:4; 63:8; 66:14; 69:11, 18; 70:6; 71:3, 10; 73:25, 28; 81:9, 12, 14; 94:16^2, 17, 22; 102:3; 108:9^2; 116:2; 118:6^2, 7, 14, 19, 21; 119:54, 56; 119:71, 72, 79, 85, 95, 98, 99, 110; 120:1; 122:1; 129:2; 139:22; 140:6^2; 141:1, 9; 142:4, 5; 144:2 • Prov. 1:33; 4:4; 5:7; 7:24; 8:14^2, 32, 34; 23:6; 24:29; 30:2, 8 • Job 3:13, 25; 6:22, 24; 7:3^2; 10:15; 12:3; 13:16, 23; 14:13; 15:17; 16:9; 19:3, 27; 23:5; 27:5; 29:21, 23; 30:2, 21; 31:35^2, 36; 32:11, 21; 33:9, 27, 31, 33; 34:2, 10, 34^2; 41:3 • S.ofS. 1:7, 13, 14; 2:10, 16; 4:6; 5:2; 6:3; 8:1^2 • Ruth 1:11, 12, 13, 17, 20^3, 21^2; 2:11, 21^2; 3:17; 4:4, 6, 10 • Lam. 1:12, 20, 21, 22; 3:10, 60 • Eccl. 1:4^2, 5, 6, 7^2, 8^2, 9; 12:1 • Es. 5:13; 7:4 • Ez. 1:2 • Neh. 1:3; 2:2, 4, 6, 7, 8^2, 18; 5:6, 18, 19; 6:2; 13:8, 14, 22, 31 • ICh. 11:19; 12:18; 17:4, 6, 12, 13; 19:12; 21:13, 22^2; 22:10; 28:3, 5, 6^2; 29:3 • IICh. 2:6; 2:7, 8; 7:12; 8:11; 9:6; 34:18; 35:21; 36:23

וְלִי

744 הַחִידָה חַדְתָּה...וְלִי לֹא הִגַּדְתָּה Jud. 14:16
745 נָתְנוּ לְדָוִד רְבָבוֹת וְלִי נָתְנוּ הָאֲלָפִים ISh. 18:8
746 וְלִי אֲנִי־עַבְדֶּךָ IK. 1:26
747 לִי הַכֶּסֶף וְלִי הַזָּהָב Hag. 2:8
748 לִי גִלְעָד וְלִי מְנַשֶּׁה Ps. 60:9
749 דַּלּוֹתִי וְלִי יְהוֹשִׁיעַ Ps. 116:6
750 וְלִי מַה־יָּקְרוּ רֵעֶיךָ אֵל Ps. 139:17

לְךָ

751 מִי הִגִּיד לְךָ כִּי עֵירֹם אָתָּה Gen. 3:11
752 עֲשֵׂה לְךָ תֵּבַת עֲצֵי־גֹפֶר Gen. 6:14
753 וְאַתָּה קַח־לְךָ מִכָּל מַאֲכָל Gen. 6:21
754 וְהָיָה לְךָ וְלָהֶם לְאָכְלָה Gen. 6:21
755 תִּקַּח לְךָ שִׁבְעָה שִׁבְעָה Gen. 7:2
756 לֶךְ־לְךָ מֵאַרְצְךָ וּמִמּוֹלַדְתְּךָ Gen. 12:1
757 לְךָ אֶתְּנֶנָּה וּלְזַרְעֲךָ עַד־עוֹלָם Gen. 13:15
758 הִתְהַלֵּךְ בָּאָרֶץ...כִּי לְךָ אֶתְּנֶנָּה Gen. 13:17
759 לָתֶת לְךָ אֶת־הָאָרֶץ הַזֹּאת Gen. 15:7
760 לִהְיוֹת לְךָ לֵאלֹהִים וּלְזַרְעֲךָ Gen. 17:7
761 וְנָתַתִּי לְךָ וּלְזַרְעֲךָ אַחֲרֶיךָ Gen. 17:8
762 נָתַתִּי מִמֶּנָּה לְךָ בֵּן Gen. 17:16
763 שָׂרָה אִשְׁתְּךָ יֹלֶדֶת לְךָ בֵּן Gen. 17:19
764 תֵּלֵד לְךָ שָׂרָה לַמּוֹעֵד הַזֶּה Gen. 17:21
765 חָלִלָה לְּךָ מֵעֲשֹׂת כַּדָּבָר הַזֶּה Gen. 18:25
766 עַתָּה נָרַע לְךָ מֵהֶם Gen. 19:9
767 מִי לְךָ פֹה חָתָן Gen. 19:12
768 וְכֹל אֲשֶׁר־לְךָ בָּעִיר הוֹצֵא Gen. 19:12
769 כִּי בְיִצְחָק יִקָּרֵא לְךָ זָרַע Gen. 21:12
770 וְלֶךְ־לְךָ אֶל־אֶרֶץ הַמֹּרִיָּה Gen. 22:2
771 לְךָ נְתַתִּיהָ לְעֵינֵי בְנֵי עַמִּי Gen. 23:11
772 הִשָּׁמֶר לְךָ פֶּן תָּשִׁיב אֶת־בְּנִי Gen. 24:6
773 כִּי־לְךָ וּלְזַרְעֲךָ אֶתֵּן אֶת־כָּל... Gen. 26:3
774 וְיִתֶּן־לְךָ הָאֱלֹהִים מִטַּל הַשָּׁמַיִם Gen. 27:28
775 יַעַבְדוּךָ...וְיִשְׁתַּחֲווּ לְךָ לְאֻמִּים Gen. 27:29
776 וְיִשְׁתַּחֲווּ לְךָ בְּנֵי אִמֶּךָ Gen. 27:29
777 הַבְרָכָה אַחַת הִוא־לְךָ Gen. 27:38
778 עֵשָׂו אָחִיךָ מִתְנַחֵם לְךָ לְהָרְגֶךָ Gen. 27:42
779 וְקוּם בְּרַח־לְךָ אֶל־לָבָן Gen. 27:43
780 וְקַח־לְךָ מִשָּׁם אִשָּׁה Gen. 28:2
781 וְיִתֶּן־לְךָ אֶת־בִּרְכַּת אַבְרָהָם Gen. 28:4
782 לְךָ וּלְזַרְעֲךָ אִתָּךְ Gen. 28:4
783 הָאָרֶץ...לְךָ אֶתְּנֶנָּה וּלְזַרְעֶךָ Gen. 28:13
784 יְהִי לְךָ אֲשֶׁר לָךְ Gen. 33:9

לְךָ (המשך)

785 וְהָיָה לְךָ לְאוֹת עַל יָדְךָ Ex. 13:9
786/7 לֹא־יִהְיֶה לְךָ אֱלֹהִים אֲחֵרִים עַל־פָּנָי Ex. 20:3 • Deut. 5:7
788/9 לֹא־תַעֲשֶׂה לְךָ פֶסֶל Ex. 20:4 • Deut. 5:8
790 וְחַג שָׁבֻעֹת תַּעֲשֶׂה לְךָ Ex. 34:22
791 יִשָּׂא יְיָ פָּנָיו אֵלֶיךָ וְיָשֵׂם לְךָ שָׁלוֹם Num. 6:26
792 שְׁלַח־לְךָ אֲנָשִׁים וְיָתֻרוּ Num. 13:2
793/4 אוֹי־לְךָ מוֹאָב Num. 21:29 • Jer. 48:46
795 זָכוֹר אֵת אֲשֶׁר־עָשָׂה לְךָ עֲמָלֵק Deut. 25:17
796 וַיֹּאמֶר לוֹ יְיָ שָׁלוֹם לְךָ Jud. 6:23
797 מַה־לְּךָ כִּי נִזְעָקְתָּ Jud. 18:23
798 וּמָה־אַתָּה עֹשֶׂה...וּמַה־לְּךָ פֹה Jud. 18:3
799 קְחֶנּוּ וָבֹאָה כִּי־שָׁלוֹם לְךָ ISh. 20:21
800 וְאַתָּה שָׁלוֹם...וְכֹל אֲשֶׁר־לְךָ שָׁלוֹם ISh. 25:6
801/2 מַה־לְּךָ פֹה אֵלִיָּהוּ IK. 19:9, 13
803/4 מַה לְּךָ וּלְשָׁלוֹם IIK. 9:18, 19
805/6 מַה־לְּךָ פֹה וּמִי לְךָ פֹּה Is. 22:16
807 חֹזֶה לֵךְ בְּרַח־לְךָ Am. 7:12
808 וַיֹּאמֶר לוֹ מַה לְּךָ נִרְדָּם Jon. 1:6
809 לְךָ דֻמִיָּה תְהִלָּה אֱלֹהִים בְּצִיּוֹן Ps. 65:2
810/1 לְךָ יוֹם אַף־לְךָ לָיְלָה Ps. 74:16
812/3 לְךָ שָׁמַיִם אַף־לְךָ אָרֶץ Ps. 89:12
814 מַה לְּךָ הַיָּם כִּי תָנוּס Ps. 114:5
815 שָׁלוֹם שָׁלוֹם לְךָ ICh. 12:19
816-1233 לְךָ Gen. 29:27; 30:30; 31:24, 29; 31:32; 33:8; 35:12; 37:10; 43:4, 9; 48:5, 6, 22; 49:8; 50:18 • Ex. 3:12; 4:16^2; 8:5; 9:19; 10:29; 12:24; 13:7^2, 11, 12; 21:13; 23:33; 24:12; 25:22; 29:26; 30:6, 22, 34, 36, 37; 32:21; 34:1, 11, 12, 15, 27 • Lev. 9:2; 10:15; 25:6, 8^2 • Num. 10:2^2; 17:8^2, 9^2, 11^2, 12, 13, 14, 18, 19^2, 20; 21:8; 22:20, 28, 30; 24:11; 27:18 • Deut. 2:9, 19; 4:9, 21, 30, 38, 40^2; 6:3, 12; 7:12; 8:13, 15, 18; 9:6; 10:1^2; 12:1, 13, 15, 19, 21, 25, 26, 28, 30; 13:13, 18; 15:3, 4, 9, 12, 17; 16:4, 13, 18^2, 21, 22; 17:4, 9, 10, 11^2; 18:14, 15; 19:1, 2, 3, 8, 9, 10, 14; 20:11, 16; 21:1, 11, 13, 23; 23:6, 13, 14; 24:4; 25:13, 14 19^2; 26:1, 11, 17; 27:2, 3; 28:12, 31, 40, 51, 52, 53^2, 55, 57, 65; 28:66, 68; 29:12 • Josh. 5:2; 7:2; 9:7; 14:9; 17:15^3, 17, 18 • Jud. 7:4; 11:36; 15:2; 17:10 • ISh. 2:16, 20, 33, 34; 3:17; 9:20^2, 24; 10:4^2, 7, 8; 15:16; 18:17; 19:4; 21:10; 22:5; 23:17; 25:7, 31; 26:21; 28:15, 18 • IISh. 2:21^3, 22; 5:2; 7:9, 11^3, 23, 24^2; 9:7; 10:3; 11:20; 12:8^3, 9, 10, 14; 15:3; 16:4; 18:11; 19:7, 8, 43; 24:12, 13 • IK. 2:4, 36; 3:11^3, 12; 5:20; 8:25, 53; 9:5; 11:31^2, 35, 38^2; 12:7; 13:7; 14:9; 15:19; 17:3; 20:4, 25, 34; 21:2^2, 4, 6^2, 7, 15 • IIK. 5:10; 8:14; 9:26; 10:30; 14:12; 18:21, 23^2, 24; 19:21^2, 29; 20:9 • Is. 7:11; 8:1; 13:3; 14:8, 9^2; 22:16; 33:2; 36:8^2, 9, 22^2; 37:30; 38:7; 41:9, 13; 45:3, 4, 5; 58:12; 63:15 • Jer. 10:7; 13:1; 14:7; 16:2^2; 20:4, 15; 27:2; 30:2; 32:7^2, 8, 20, 25; 33:3; 34:14; 36:2, 28; 37:18; 38:15, 20, 22; 39:18; 45:5^2; 48:7 • Ezek. 4:1, 3, 5, 9^2, 15; 5:1^2; 12:3, 5; 21:24; 24:3; 28:4; 35:5; 37:16, 17; 38:7, 13 • Hosh. 1:2; 6:4^2; 13:11 • Am. 4:12 • Ob. 5, 7 • Jon. 1:9 • Mic. 2:6, 11; 6:3, 8 • Zech. 3:7; 11:15 • Ps. 5:4; 20:5; 27:8; 37:4; 39:8; 50:16; 51:6; 63:2^2; 66:3, 4^2, 13; 68:30; 69:14; 71:22; 75:2; 79:13; 89:14; 101:1; 105:11; 110:3; 116:17; 119:94; 120:3; 143:6 • Prov. 4:10; 5:17; 9:11; 22:20, 27; 24:6; 25:7 • Job 10:3; 11:6^2; 12:8; 38:17, 35; 40:14 • S.ofS. 2:17; 8:12, 14 • Ruth 4:6, 12 • Eccl. 9:9 • Dan. 9:7, 15; 10:21 • Neh. 9:6, 10 • ICh. 11:2; 12:19; 16:18; 17:8, 10, 21, 22; 19:3; 21:10, 24; 22:12; 29:11^2, 16 • IICh. 2:15; 6:16; 7:18; 10:7; 16:3; 20:8; 25:9, 16; 26:18^2; 35:21

לְכָה(=לְךָ)

1234 שִׂמְלָה לְכָה קָצִין תִּהְיֶה־לָּנוּ Is. 3:6

וּלְךָ

1235 וּלְךָ תִּהְיֶה צְדָקָה לִפְנֵי יְיָ Deut. 24:13
1236 לְךָ מִשְׁפַּט הַיְרֻשָּׁה וּלְךָ הַגְּאֻלָּה Jer. 32:8
1237 וּלְךָ אֶתֵּן פִּתְחוֹן־פֶּה Ezek. 29:21
1238 וּלְךָ־אֲדֹנָי חָסֶד Ps. 62:13
1239 וּלְךָ יְשֻׁלַּם נֶדֶר Ps. 65:2
1240 מִיָּדְךָ הוּא וּלְךָ הַכֹּל ICh. 29:16

וּלְכָה(=וּלְךָ)

1241 וּלְכָה אֵפוֹא מָה אֶעֱשֶׂה Gen. 27:37
1242 וּלְכָה אֵין־בְּשׂוֹרָה מֹצֵאת IISh. 18:22

לָךְ ז'

1243 וְקוֹץ וְדַרְדַּר תַּצְמִיחַ לָךְ Gen. 3:18
1244 לָמָּה חָרָה לָךְ Gen. 4:6
1245 לֹא־תֹסֵף תֵּת־כֹּחָהּ לָךְ Gen. 4:12
1246 תֶּן־לִי הַנֶּפֶשׁ וְהָרְכֻשׁ קַח לָךְ Gen. 14:21
1247 וְאִם־אֶקַּח מִכָּל־אֲשֶׁר־לָךְ Gen. 14:23
1248 אַל תִּירָא אַבְרָם אָנֹכִי מָגֵן לָךְ Gen. 15:1
1249 חָלִלָה לָּךְ הֲשֹׁפֵט כָּל־הָאָרֶץ... Gen. 18:25
1250 מוֹת תָּמוּת אַתָּה וְכָל־אֲשֶׁר לָךְ Gen. 20:7
1251 מֶה־עָשִׂיתָ לָּנוּ וּמֶה־חָטָאתִי לָךְ Gen. 20:9
1252 הַשָּׂדֶה נָתַתִּי לָךְ וְהַמְּעָרָה Gen. 23:11
1253 לְעֵינֵי בְנֵי־עַמִּי נְתַתִּיהָ לָּךְ Gen. 23:11
1254 וְאִם־לֹא יִתְּנוּ לָךְ וְהָיִיתָ נָקִי Gen. 24:41
1255 הֵן גְּבִיר שַׂמְתִּיו לָךְ Gen. 27:37
1256 אִם־עָשִׂיתִי...אֲשֶׁר־דִּבַּרְתִּי לָךְ Gen. 28:15
1257 עַשֵּׂר אֲעַשְּׂרֶנּוּ לָךְ Gen. 28:22
1258 טוֹב תִּתִּי אֹתָהּ לָךְ מִתִּתִּי... Gen. 29:19
1259 וַיֹּאמֶר מָה אֶתֶּן־לָךְ Gen. 30:31
1260 וַיֹּאמֶר מִי־אֵלֶּה לָּךְ Gen. 33:5
1261 יְהִי לְךָ אֲשֶׁר לָךְ Gen. 33:9
1262 אַתָּה וּבֵיתְךָ וְכָל־אֲשֶׁר־לָךְ Gen. 45:11
1263 וְהָיָה אִם לֹא יַאֲמִינוּ לָךְ Ex. 4:8
1264 אֲשֶׁר נִשְׁבַּע לַאֲבֹתֶיךָ לָתֶת לָךְ Ex. 13:5
1265 הָאֲדָמָה אֲשֶׁר יְיָ אֱלֹהֶיךָ נֹתֵן לָךְ Ex. 20:12
1266 אֱלֹהֵי מַסֵּכָה לֹא תַעֲשֶׂה־לָּךְ Ex. 34:18
1267 לְכָה אִתָּנוּ וְהֵטַבְנוּ לָךְ Num. 10:29
1268 הָאָרֶץ הַטֹּבָה אֲשֶׁר נָתַן־לָךְ Deut. 8:10
1269 שִׁבְעָה שָׁבֻעֹת תִּסְפָּר־לָךְ Deut. 16:9
1270 גְּדִלִים תַּעֲשֶׂה־לָּךְ עַל־אַרְבַּע Deut. 22:12
1271 אֶבֶן שְׁלֵמָה וָצֶדֶק יִהְיֶה־לָּךְ Deut. 25:15
1272 אֵיפָה שְׁלֵמָה וָצֶדֶק יִהְיֶה־לָּךְ Deut. 25:15
1273 שְׁאַל...זְקֵנֶיךָ וְיֹאמְרוּ לָךְ Deut. 32:7
1274 וּמַה־זֶּה תֹּאמְרוּ אֵלַי מַה־לָּךְ Jud. 18:24
1275 שָׁלוֹם לָךְ...כָּל־מַחְסוֹרְךָ עָלָי Jud. 19:20
1276 וַיֹּאמֶר יְהוֹנָתָן חָלִילָה לָּךְ ISh. 20:9
1277 יְהִי־חַסְדְּךָ...כַּאֲשֶׁר יִחַלְנוּ לָךְ Ps. 33:22
1278 אֱלֹהִים אַל־דֳּמִי־לָךְ Ps. 83:2
1279 כִּי מַלְאָכָיו יְצַוֶּה־לָּךְ Ps. 91:11
1280 מַה־יִּתֵּן לְךָ וּמַה יֹּסִיף לָךְ Ps. 120:3
1281 לְמַעַן בֵּית...אֲבַקְשָׁה טוֹב לָךְ Ps. 122:9
1282 יְגִיעַ כַּפֶּיךָ כִּי תֹאכֵל
אַשְׁרֶיךָ וְטוֹב לָךְ Ps. 128:2
1283 אַל תִּירָא אִישׁ חֲמֻדוֹת שָׁלוֹם לָךְ Dan. 10:19
1284 מוֹדִים אֲנַחְנוּ לָךְ ICh. 29:13
1285-1474 לָךְ ז' Gen. 31:12, 32; 33:11; 40:14; 45:10 • Ex. 13:11; 32:34; 33:5, 14 • Lev. 21:8; 25:15, 16, 39, 44 • Num. 10:32; 17:10, 15, 18; 22:37; 23:3 • Deut. 1:21; 3:26; 5:16^2; 6:3, 10; 6:18; 7:13, 16^2, 25; 8:13; 9:3; 10:13 12:9, 20; 15:6, 7; 16:5, 17; 16:20, 21; 17:14; 18:9; 19:2, 7, 13; 20:11, 14^2; 22:7^2; 25:15; 26:2, 18; 27:2, 3; 28:8, 9, 11, 31, 41, 52; 29:12; 33:29 • Josh. 17:17, 18 • Jud. 10:10; 11:27 • ISh. 8:8; 9:12, 23; 10:7; 14:7; 16:16; 19:3, 4; 20:4, 9; 24:11; 25:7, 8, 26; 28:11 • IISh. 7:27; 10:11; 16:2; 24:12

לָךְ (המשך)

IK. 3:5, 13; 8:13, 33, 35, 46, 50; 14:8; 19:20; 21:3 • IIK. 2:9; 6:7; 20:5 • Is. 19:12; 48:8, 9 • Jer. 1:19; 2:28; 3:22; 14:20, 22; 15:20; 17:4; 32:8; 34:5^{2}; 46:14; 49:9 • Ezek. 4:6; 5:1; 37:18 • Hosh. 6:11 • Am. 4:12 • Ob. 5:15 • Jon. 1:12; 2:10; 4:4 • Mic. 5:11 • Ps. 6:6; 41:5; 45:15; 49:19; 50:12; 54:8; 56:13; 66:4, 15; 71:23; 80:16, 18; 91:4; 119:11, 62; 132:11, 12; 141:1; 144:9^{2} • Prov. 3:2; 9:12; 20:22; 23:7; 24:27; 25:22 • Job 1:15, 17, 19; 5:23, 27; 7:20^{2}; 8:10; 10:4; 12:7; 13:24; 22:25, 28; 35:3; 40:9 • S.ofS. 7:13, 14 • Ruth 4:8 • Lam. 3:44 • Es. 3:11 • Dan. 9:8; 11:2 • Neh. 1:6, 7 • ICh. 17:10; 21:10, 11, 23; 22:9; 28:9; 29:14, 17 • IICh. 6:2, 24, 26, 36, 39

וָלָךְ ז׳

1475 מַה־לִּי וָלָךְ כִּי בָאתָ אֵלַי — Jud. 11:12
1476 מַה־לִּי וָלָךְ אִישׁ הָאֱלֹהִים — IK. 17:18
1477 מַה־לִּי וָלָךְ — IIK. 3:13
1478 מַה־לִּי וָלָךְ מֶלֶךְ יְהוּדָה — IICh. 35:21

לָךְ ג׳

1479 הִנֵּה הוּא־לָךְ כְּסוּת עֵינַיִם — Gen. 20:16
1480 וַיֹּאמֶר לָהּ מַה לָּךְ הָגָר — Gen. 21:17
1481 אַל תִּירְאִי כִּי־גַם־זֶה לָךְ בֵּן — Gen. 35:17
1482 מָה הָעֵרָבוֹן אֲשֶׁר אֶתֶּן־לָךְ — Gen. 38:18
1483 וְתֵינִק לָךְ אֶת־הַיָּלֶד — Ex. 2:7
1484 הַאֵלֵךְ וְקָרָאתִי לָךְ אִשָּׁה מֵינֶקֶת — Ex. 2:7
1485-90 וַיֹּאמֶר...מַה־לָּךְ — Josh. 15:18 • Jud. 1:14
IISh. 14:5 • IK. 1:16 • IIK. 6:28 • Es. 5:3
1491 הֲלוֹא אָנֹכִי טוֹב לָךְ מֵעֲשָׂרָה בָּנִים — ISh. 1:8
1492 וֶאֱמָר־לָהּ הֲשָׁלוֹם לָךְ — IIK. 4:26
1493 גַּם־לִי גַם לָךְ לֹא יִהְיֶה — IK. 3:26
1494 מַה־יֶּשׁ לָךְ (כת׳ לכי) בַּבָּיִת — IIK. 4:2
1495 זָכַרְתִּי לָךְ חֶסֶד נְעוּרַיִךְ — Jer. 2:2
1496 אוֹי לָךְ יְרוּשָׁלַםִ לֹא תִטְהֲרִי — Jer. 13:27
1497 אוֹי אוֹי לָךְ נְאֻם אֲדֹנָי — Ezek. 16:23
1498/9 וָאֹמַר לָךְ בְּדָמַיִךְ חֲיִי — Ezek. 16:6^{2}
1500-1609 לָךְ ג׳ — Jud. 16:5; 17:2, 3

IK. 1:30; 14:3 • IIK. 4:2, 3, 13^{2}, 24 • Is. 1:26; 22:1; 23:12; 40:9; 47:1, 5, 9, 15; 49:18, 23; 51:19; 57:8; 60:4, 5, 7, 14, 19^{3}, 20; 62:2, 4^{2} • Jer. 2:17; 2:18^{2}, 22; 3:3, 19; 4:18; 5:7; 6:26; 13:20; 15:5^{2}; 22:23; 30:13, 15, 17; 31:21^{2}; 46:11, 19; 48:32; 50:24 • Ezek. 16:5, 8, 14, 16, 17^{2}, 19, 24^{2}, 34, 60, 61, 63^{2}; 21:34^{2}; 23:30; 26:17; 27:5, 7, 9; 35:14, 15 • Mic. 1:15 • Nah. 3:7, 14 • Zech. 9:9, 12 • Ps. 137:8 • S.ofS. 1:8^{2}, 11; 2:10^{2}, 13^{2} • Ruth 3:1^{2}, 4, 11; 4:14, 15^{2} • Lam. 1:10; 2:13^{3}, 14^{2}, 18 • Es. 5:3, 6; 7:2; 9:12

וְלָךְ ג׳

1610 וּלְאִמִּי לֹא הִגַּדְתִּי וְלָךְ אַגִּיד — Jud. 14:16
1611 וְלָךְ וְלִבְנֵךְ תַּעֲשִׂי בָּאַחֲרֹנָה — IK. 17:13
1612 עָלַיִךְ יַעֲבֹרוּ וְלָךְ יִהְיוּ — Is. 45:14
1613 וְלָךְ יִקָּרֵא דְרוּשָׁה — Is. 62:12

לוֹ

1614 לִרְאוֹת מַה־יִּקְרָא־לוֹ — Gen. 2:19
1615 וְכֹל אֲשֶׁר יִקְרָא־לוֹ הָאָדָם — Gen. 2:19
1616 וַיִּקְרָא...וַיֹּאמֶר לוֹ אַיֶּכָּה — Gen. 3:9
1617-1764 וַיֹּאמֶר (אָמַר, וַיֹּאמְרוּ, לֵאמֹר וכו׳) לוֹ

Gen. 4:15; 15:5; 19:5; 20:3, 9; 22:9; 23:5, 14; 26:32; 27:13, 32; 28:1; 29:14; 31:14, 24; 35:10, 11; 37:8, 10; 37:13, 14; 40:9, 12; 47:18, 29 • Ex. 4:6, 18; 16:10 • Num. 22:20; 23:17 • Josh. 5:13, 14; 11:9 • Jud. 1:15, 24; 4:22; 6:23; 9:54; 11:2, 5, 19; 12:5, 6; 13:11, 18, 23; 14:3, 13, 18; 15:12, 13; 17:9, 10; 18:3, 5, 19; 19:9 • ISh. 2:16; 9:6; 10:19; 14:7; 15:13, 16; 17:27; 20:2, 18, 30, 40; 21:2, 6; 29:4; 30:8, 13 • IISh. 1:3; 9:4, 7; 12:1; 13:4^{2}, 5, 12, 16, 26; 15:33; 16:10, 11^{2}; 18:20; 18:23; 19:26, 30; 20:17; 21:4; 24:13, 18 • IK. 1:2;

לוֹ (המשך)

1:17, 53; 2:31, 36; 11:18, 22; 13:18; 18:8; 19:9, 20; 20:3, 22, 36; 21:6 • IIK. 2:6, 23; 3:13; 4:13; 6:10; 8:14, 19; 9:1, 6, 11; 13:15 • Is. 30:22 • Ezek. 28:12; 35:3 • Hosh. 1:6 • Jon. 1:6 • Ps. 52:2 • Prov. 7:13; 9:4, 16 • Job 2:9; 37:19 • Ruth 2:40 • Eccl. 8:4 • Es. 5:14; 6:6, 13 • ICh. 14:10, 14; 21:11 • IICh. 7:12; 15:2; 18:3; 24:6; 25:15, 16; 26:18; 34:24

1765 וַיִּקַּח־לוֹ לֶמֶךְ שְׁתֵּי נָשִׁים — Gen. 4:19
1766 וַיְהִי־לוֹ צֹאן וּבָקָר — Gen. 12:16
1767 אֹתוֹ...וְאֶת־כָּל־אֲשֶׁר־לוֹ — Gen. 12:20
1768 הוּא וְאִשְׁתּוֹ וְכָל־אֲשֶׁר־לוֹ — Gen. 13:1
1769 וַיִּבְחַר־לוֹ לוֹט אֵת כָּל־כִּכַּר... — Gen. 13:11
1770 וַיִּתֶּן־לוֹ מַעֲשֵׂר מִכֹּל — Gen. 14:20
1771 וַיַּחְשְׁבֶהָ לּוֹ צְדָקָה — Gen. 15:6
1772 וַיִּקַּח לוֹ אֶת־כָּל־אֵלֶּה — Gen. 15:10
1773 וְשָׂרַי אֵשֶׁת אַבְרָם לֹא יָלְדָה לוֹ — Gen. 16:1
1774 וַתִּתֵּן אֹתָהּ לְאַבְרָם...לוֹ לְאִשָּׁה — Gen. 16:3
1775 וַיָּשֶׁב לוֹ אֵת שָׂרָה אִשְׁתּוֹ — Gen. 20:14
1776 וַיִּקְרָא...שֶׁם־בְּנוֹ הַנּוֹלַד־לוֹ — Gen. 21:3
1777 אֱלֹהִים יִרְאֶה־לּוֹ הַשֶּׂה — Gen. 22:8
1778 וַיְהִי כִּי אָרְכוּ־לוֹ שָׁם הַיָּמִים — Gen. 26:8
1779 וַיֹּאמֶר לָהֶם הֲשָׁלוֹם לוֹ — Gen. 29:6
1780/1 וַיְחַבֶּק־לוֹ וַיְנַשֶּׁק־לוֹ — Gen. 29:13
1782 וַיִּירָא יַעֲקֹב מְאֹד וַיֵּצֶר לוֹ — Gen. 32:8
1783 וַיַּרְא כִּי לֹא יָכֹל לוֹ — Gen. 32:26
1784 הָבָה נִתְחַכְּמָה לוֹ פֶּן־יִרְבֶּה — Ex. 1:10
1785 שָׁם שָׂם לוֹ חֹק וּמִשְׁפָּט — Ex. 15:25
1786 אֲדֹנֶיהָ אֲשֶׁר לוֹ (כת׳ לא) יְעָדָהּ — Ex. 21:8
1787 חֻקַּת עוֹלָם לוֹ וּלְזַרְעוֹ אַחֲרָיו — Ex. 28:43
1788 אֲשֶׁר לוֹ (כת׳ לא) כְרָעַיִם — Lev. 11:21
1789 וְאָהַבְתָּ לוֹ כָּמוֹךָ — Lev. 19:34
1790 הַבַּיִת אֲשֶׁר לוֹ (כת׳ לא) חוֹמָה — Lev. 25:30
1791 מִי־גוֹי גָּדוֹל אֲשֶׁר־לוֹ אֱלֹהִים — Deut. 4:7
1792 לִהְיוֹת לוֹ לְעַם נַחֲלָה — Deut. 4:20
1793-5 לִהְיוֹת לוֹ לְעַם סְגֻלָּה — Deut. 7:6; 14:2; 26:18
1796 יָדָיו רָב לוֹ וְעֵזֶר מִצָּרָיו תִּהְיֶה — Deut. 33:7
1797 בְּכוֹר שׁוֹרוֹ הָדָר לוֹ — Deut. 33:17
1798 לוֹ (כת׳ לא) אֶהְיֶה וְאִתּוֹ אֵשֵׁב — IISh. 16:18
1799 וְהַנּוֹתָר בִּירוּשָׁלַםִ קָדוֹשׁ יֵאָמֶר לוֹ — Is. 4:3
1800 שְׂרָפִים עֹמְדִים מִמַּעַל לוֹ — Is. 6:2
1801 וְחִכִּיתִי לַייָ...וְקִוֵּיתִי־לוֹ — Is. 8:17
1802 הִרְבִּיתָ הַגּוֹי לוֹ (כת׳ לא) הִגְדַּלְתָּ... — Is. 9:2
1803 זֶה יְיָ קִוִּינוּ לוֹ — Is. 25:9
1804 לֹא תֹאַר לוֹ וְלֹא הָדָר — Is. 53:2
1805 וְאַל־תִּתְּנוּ דֳמִי לוֹ — Is. 62:7
1806 בְּכָל צָרָתָם לוֹ (כת׳ לא) צָר — Is. 63:9
1807 אִם־יִתְמַהְמַהּ חַכֵּה־לוֹ — Hab. 2:3
1808 בִּזְמִרוֹת נָרִיעַ לוֹ — Ps. 95:2
1809 הוֹדוּ לוֹ בָּרְכוּ שְׁמוֹ — Ps. 100:4
1810 אַשְׁרֵי הָעָם שֶׁכָּכָה לּוֹ — Ps. 145:15
1811 קִלְלַת חִנָּם לוֹ (כת׳ לא) תָבֹא — Prov. 26:2
1812 מְרַדֵּף אֲמָרִים לוֹ(כת׳ לא)־הֵמָּה — Prov. 19:7
1813 הֵן יִקְטְלֵנִי לוֹ (כת׳ לא) אֲיַחֵל — Job 13:15
1814 מָתְקוּ־לוֹ רִגְבֵי נָחַל — Job 21:33
1815 לוֹ (כת׳ לא)־אַחֲרִישׁ בַּדָּיו — Job 41:4
1816 דּוֹדִי לִי וַאֲנִי לוֹ — S.ofS. 2:16
1817-2709 לוֹ — Gen. 21:3, 5, 21; 22:12

24:2, 9, 35, 36^{2}, 47, 67; 25:2, 5, 20, 21; 25:33; 26:14, 32; 27:25, 26, 27, 37, 45; 28:6, 9; 29:28^{2}, 34; 30:4, 20, 37; 30:40, 43; 31:15, 20, 21, 47^{2}; 32:24, 32; 33:17, 20; 34:8, 14; 35:18, 26; 36:5; 37:3^{2}; 38:9, 14, 18, 25; 39:4, 5^{2}, 6, 8; 41:12, 43, 45, 50; 42:6, 29; 43:7, 26^{2}, 32;

לוֹ (המשך)

44:24; 45:26; 46:1, 20, 27; 47:31; 50:12 • Ex. 2:3, 4, 20; 4:16, 27; 6:20^{2}, 23^{2}, 25^{3}; 12:48; 18:7, 27; 21:4^{2}, 21:10, 31, 34, 36; 22:1, 2^{2}, 15, 16, 25; 23:4, 5; 25:12, 24, 26^{2}; 27:4; 28:7, 32; 29:5; 30:3, 4, 21; 32:1, 8^{2}, 23; 33:7^{2}; 35:16; 37:2, 3, 11, 12, 13, 26, 27; 38:30; 39:4, 39 • Lev. 1:4; 4:20, 26, 31, 35; 5:10, 13, 16, 18, 24; 5:26; 7:7, 8, 9, 14, 18, 33; 8:7; 9:8; 11:9, 10, 12, 23; 14:35; 15:13, 14; 16:6, 11^{2}; 19:22; 22:5^{2}; 24:9, 19; 25:26, 27, 28, 31, 37, 48, 50, 52; 27:15, 18, 19, 23, 24, 28 • Num. 1:50; 3:9; 5:7, 9, 10^{3}; 13:27; 15:28, 34; 16:5; 17:34, 35; 22:5, 22; 23:22; 24:8; 25:12, 13; 26:33; 27:3, 4, 8, 9, 10, 21; 31:53; 33:54^{2}; 35:23, 27 • Deut. 3:2, 3, 9; 4:34, 42; 7:10; 10:9, 18; 12:12; 13:9; 14:9, 10, 27, 29, 8^{2}, 9, 10^{2}; 15:14^{2}, 16; 17:16, 17^{2}, 18; 18:2^{2}, 4; 19:4, 6, 11, 19; 21:15, 16, 17^{3}; 22:2; 23:3, 17; 24:3, 4, 13; 25:5^{2}, 8; 28:9, 55; 29:12, 19; 32:5; 33:21 • Josh. 2:23; 5:3; 6:15; 7:19, 24; 8:14, 23, 33; 13:14; 15:16, 17; 17:1, 3, 18; 19:50; 20:4, 5; 24:3, 25, 33 • Jud. 1:12, 13; 3:16, 20; 4:3; 6:24, 31^{2}, 32; 7:1, 8; 8:30, 31; 9:4, 16, 25, 33; 10:4; 11:2, 34; 12:9, 14; 14:20; 15:10; 16:2, 5, 16; 17:5^{2}, 11, 12; 18:1^{2}, 4, 15, 27; 19:1, 25 • ISh. 2:19^{2}, 25, 35, 36; 3:13, 18; 6:3, 4, 8; 8:12^{2}, 17; 10:9, 16, 27; 11:5; 12:22; 13:6, 14; 14:43; 15:2, 3, 12; 16:21, 23; 17:9, 25, 40; 18:8, 13, 21^{2}, 24, 28; 19:7, 18^{2}; 20:7, 40;, 21:7; 22:2, 10^{3}, 13^{2}, 15; 24:1, 4; 25:1, 5, 12, 21, 22, 31, 35, 36^{2}, 37, 39, 40, 42, 43; 26:8; 27:6; 28:17; 29:5; 30:11, 12 • IISh. 1:5, 6, 13; 3:9^{2}; 4:10; 5:14; 6:12, 16, 17; 7:1, 14, 23^{2}; 8:10; 9:2, 10; 11:13, 27^{2}; 12:3, 4, 18, 20; 13:7, 21, 33; 14:33; 15:1, 2, 4, 5^{3}, 9, 30; 18:11, 18; 19:24, 38, 39; 20:6, 9, 10; 21:17^{2}; 22:8, 24; 24:13 • IK. 1:1, 2, 5; 2:8, 9, 15, 22; 3:6^{2}; 4:2, 10, 11, 13^{2}; 5:4, 26; 6:16; 8:24, 25, 32, 37; 9:12; 10:26; 11:3, 18^{2}, 19, 20, 23, 32; 12:3; 13:11, 13, 18, 23, 26; 14:14, 18; 15:4, 20; 16:4, 11, 31; 17:6; 18:16, 27^{2}; 20:18, 34; 22:11, 31, 54 • IIK. 1:17; 2:15; 4:1, 10, 31; 5:19; 6:13; 7:20; 8:6, 7, 18, 19; 9:36; 10:8, 11, 24; 16:13; 17:3^{2}; 18:4^{2}, 37; 23:18; 24:1; 25:30 • Is. 2:20; 3:11; 5:26, 29; 6:10; 8:20; 15:4; 22:16; 25:4, 9; 28:18; 30:18; 31:8, 9^{2}; 36:22; 40:10, 17, 18, 20; 42:24; 44:14^{2}, 17; 45:9; 49:5; 50:1, 10; 53:12; 55:1; 56:5, 6; 57:18; 59:16; 63:12; 64:3 • Jer. 7:12; 16:20; 18:8; 20:10; 21:9; 22:10, 13, 14, 15, 18^{2}; 27:6; 28:14; 29:32; 31:20(19); 32:9; 33:21; 36:30; 37:21; 38:2; 39:12; 40:5; 46:12; 48:17; 49:1, 31; 50:32 • Ezek. 1:4, 27; 14:4, 7^{2}; 16:15; 17:3, 7, 15; 18:22; 21:32; 29:18, 20; 31:11; 32:21; 33:16; 40:25, 26, 29, 33, 36; 41:22; 42:20; 44:26; 45:2, 8; 46:12, 17; 48:1 • Hosh. 1:3; 4:9, 12, 17; 8:7, 9, 11, 12; 9:4, 17; 10:1, 11; 11:3, 5; 13:13; 14:7 • Joel 1:6; 2:3 • Am. 3:4; 5:20; 7:8; 8:2 • Jon. 1:6; 4:1, 5 • Mic. 7:9 • Hab. 1:6, 10; 2:6^{2}; 3:4, 6 • Zep. 2:11 • Hag. 1:6 • Mal. 2:5, 15 • Ps. 3:3; 4:4; 12:6; 17:8; 21:3, 5; 32:2; 33:2, 3, 12; 37:7; 41:7; 45:12; 49:5; 72:111, 12^{2}; 78:17, 36; 81:16; 84:6; 89:29^{2}; 93:13; 95:4, 5; 97:7; 98:1; 105:2^{2}; 106:31; 109:11, 12, 19; 132:13; 134:4; 146:3; 149:3 • Prov. 7:13; 9:7; 12:9, 14; 13:3, 13; 15:12; 16:26; 17:21; 18:7, 13, 16; 19:17; 20:14; 22:16; 23:5; 24:8, 29; 26:4, 17; 27:14 • Job 1:2, 11, 12; 2:8, 11; 6:21; 8:4; 9:11; 12:11, 13, 16; 16:12; 18:15, 17, 19; 19:11, 16, 28; 20:22, 27; 21:31; 22:8, 14; 23:8; 24:5, 23; 28:6; 29:12; 33:10; 34:11; 35:6, 7, 14; 37:20; 40:20; 41:20; 42:11, 12, 13 • S.ofS. 2:11; 3:9, 11; 5:8; 8:7 • Ruth 4:13, 16, 17

לו (המשך)

Lam. 3:24 • Eccl. 1:11; 4:8; 5:15, 17, 18; 6:2, 3; 8:7, 9, 12, 15; 10:14 • Es. 1:7, 15; 3:2, 5, 6; 4:7, 8^2; 4:11; 5:4; 6:4, 13; 8:3 • Dan. 9:11, 26; 10:1; 11:1, 17^2, 18^2, 45 • Ez. 1:2; 7:6 • Neh. 2:6; 3:33; 4:2; 6:19; 7:18; 8:10; 13:5, 7 • ICh. 2:3, 4, 9, 19^2, 21, 22, 24; 2:29, 35; 3:1, 4, 5; 4:6; 11:7; 13:14; 14:1, 4; 15:1, 3, 12, 29; 16:1, 9^2; 17:13, 21, 25; 18:10; 22:5, 9, 10; 23:22; 24:28; 28:6 • IICh. 2:2^2, 3, 5^2, 13; 4:3; 6:15, 23, 28; 8:18; 10:3; 11:12, 15, 18, 19, 20; 12:8; 13:5, 21; 14:5; 15:4; 16:4, 14^2; 17:5, 11, 13; 18:2, 10, 30; 20:30; 21:6, 7, 17, 19; 22:4^2; 24:3; 25:14; 26:10; 27:5^2; 28:16, 20, 22, 23, 24; 29:11; 32:15, 27, 29^2, 33; 33:12, 13, 19; 34:24; 35:24; 36:20, 23

וְלוֹ

2710 יָבֹא שִׁילֹה וְלוֹ יִקְּהַת עַמִּים Gen. 49:10

2711 וְלוֹ־אֶתֵּן אֶת־הָאָרֶץ Deut. 1:36

2712 וְלוֹ אֵין מִשְׁפַּט מָוֶת Deut. 19:6

2713/4 וְלוֹ תִהְיֶה לְאִשָּׁה Deut. 22:19, 29

2715 וְלוֹ שְׁתֵּי נָשִׁים ISh. 1:2

2716 וְלוֹ (כת׳ ולא) נִתְכְּנוּ עֲלִלוֹת ISh. 2:3

2717 וְלוֹ־הָיָה בֵן וּשְׁמוֹ שָׁאוּל ISh. 9:2

2718 וְלוֹ שְׁמֹנָה בָנִים ISh. 17:12

2719 וְלוֹ צֹאן שְׁלֹשֶׁת־אֲלָפִים ISh. 25:2

2720 וְלוֹ בְאֵר בַּחֲצֵרוֹ וַיֵּרְדוּ שָׁם IISh. 17:18

2721 וְלוֹ־שֵׁם בַּשְּׁלֹשָׁה IISh. 23:18

2722 וְלוֹ־שֵׁם בִּשְׁלֹשָׁה הַגִּבֹּרִים IISh. 23:22

2723 וְלוֹ וּלְאֶבְיָתָר הַכֹּהֵן IK. 2:22

2724/5 וְלוֹ תִשְׁתַּחֲווּ וְלוֹ תִזְבָּחוּ IIK. 17:36

2726 וְלוֹ הֵכִין כְּלֵי־מָוֶת Ps. 7:14

2727 הוּא עָשָׂנוּ וְלוֹ (כת׳ ולא) אֲנַחְנוּ Ps. 100:3

2728 יָמִים...וְלוֹ (כת׳ ולא) אֶחָד בָּהֶם Ps. 139:16

2729 הַלְאֵל...וְלוֹ תְּדַבְּרוּ רְמִיָּה Job 13:7

2730 אַיִל אֶחָד עֹמֵד... וְלוֹ קְרָנָיִם Dan. 8:3

2731 וְלוֹ (כת׳ ולא) אֲנַחְנוּ זֹבְחִים Ez. 4:2

2732 וְלוֹ (כת׳ ולא) שֵׁם בַּשְּׁלוֹשָׁה ICh. 11:20

2733 וְלוֹ שֵׁם בִּשְׁלוֹשָׁה הַגִּבֹּרִים ICh. 11:24

2734 וְלוֹ אַחִים בְּנֵי יְהוֹשָׁפָט IICh. 21:2

לָהּ

2735 וַתְּהִי שָׂרַי עֲקָרָה אֵין לָהּ וָלָד Gen. 11:30

2736 עֲשִׂי־לָהּ הַטּוֹב בְּעֵינָיִךְ Gen. 16:6

2737 וַיֹּאמֶר לָהּ מַלְאַךְ יְיָ Gen. 16:9

2738-2772 וַיֹּאמֶר (וַתֹּאמֶר, אָמַר וכד׳) לָהּ

Gen. 16:10, 11; 20:13; 21:17; 24:60; 25:23; 30:15; 35:17 • Ex. 2:8, 9 • Josh. 2:14; 15:18 • Jud. 1:14; 14:16; 16:5, 17 • ISh. 1:8, 23; 28:13, 14 • IISh. 13:11, 15; 14:5 • IK. 2:20; 4:26; 6:28 • Ezek. 22:24 • Ruth 1:10; 2:2, 11, 14; 2:19, 20; 3:1 • Es. 5:3

2773 וַתֵּלֶךְ וַתֵּשֶׁב לָהּ מִנֶּגֶד Gen. 21:16

2774 וְהָאִישׁ מִשְׁתָּאֵה לָהּ Gen. 24:21

2775 וַיִּתֵּן לָבָן לָהּ אֶת־זִלְפָּה Gen. 29:24

2776 וַיְהִי־לָהּ לְבֵן Ex. 2:10

2777 כְּמִשְׁפַּט הַבָּנוֹת יַעֲשֶׂה־לָּהּ Ex. 21:9

2778 אֵל נָא רְפָא נָא לָהּ Num. 12:13

2779 עָלֹה נַעֲלֶה...כִּי־יָכוֹל נוּכַל לָהּ Num. 13:30

2780 עֱלִי בְאֵר עֱנוּ־לָהּ Num. 21:17

2781/2 וְכָתַב לָהּ סֵפֶר כְּרִיתֻת Deut. 24:1, 3

2783 אַף־הִיא תָּשִׁיב אֲמָרֶיהָ לָהּ Jud. 5:29

2784 וַיִּקָּרֵא לָהּ יַד אַבְשָׁלוֹם IISh. 18:18

2785/6 הַרְפֵּה־לָהּ כִּי נַפְשָׁהּ מָרָה לָהּ IIK. 4:27

2787 וּכְגַנָּה אֲשֶׁר־מַיִם אֵין לָהּ Is. 1:30

2788 וְדֶרֶךְ הַקֹּדֶשׁ יִקָּרֵא לָהּ Is. 35:8

2789 כַּאֲשֶׁר עָשְׂתָה עֲשׂוּ־לָהּ Jer. 50:15

2790 תְּשֻׁאוֹת חֵן חֵן לָהּ Zech. 4:7

2791 כְּעִיר שֶׁחֻבְּרָה־לָּהּ יַחְדָּו Ps. 122:3

לָהּ (המשך)

2792 יְרוּשָׁלַם הָרִים סָבִיב לָהּ Ps. 125:2

2793-2936 לָהּ

Gen. 29:29; 31:18, 23 • Ex. 21:11; 29:41; 36:36 • Lev. 15:26, 28, 29; 19:20; 21:3; 22:13 • Num. 4:9; 5:30; 30:5, 6, 8, 9, 12; 30:13, 15^2; 32:42 • Deut. 22:14^2, 27 • Josh. 2:6; 6:22^2, 23, 25; 15:19 • Jud. 1:15; 11:39; 14:17; 16:8, 9, 17, 18 • ISh. 28:10 • IISh. 5:9; 6:23; 13:2, 16; 21:10 • IK. 2:19; 3:26, 27; 9:24; 10:3^2, 13 • IIK. 4:12, 14^2, 15^2; 8:6^2; 11:16 • Is. 8:23; 27:2; 29:7; 34:14; 35:2; 51:18; 66:7 • Jer. 5:1; 30:17; 33:6, 9, 16; 44:17, 18, 19^3, 25; 46:22; 47:7; 50:9, 26^2, 29^2; 51:6, 33, 48, 53 • Ezek. 1:27; 13:16; 14:13; 16:49; 19:11; 21:15; 32:25; 43:17 • Hosh. 1:10^2; 2:17 • Am. 2:13; 3:5, 7 • Nah. 3:8 • Zech. 2:9; 5:11; 8:2; 9:3 • Ps. 64:4; 120:6; 123:4; 139:6 • Prov. 6:7; 31:22 • Job 13:1; 39:16, 17 • S.ofS. 3:7; 8:8 • Ruth 2:14, 16, 18; 3:16^2; 4:13 • Lam. 1:2^2, 4, 7, 9, 17 • Es. 1:9^2, 12, 13; 2:7; 4:4, 8; 5:12; 8:1 • IICh. 8:11; 9:2^2; 23:15

וְלָהּ

2937 וְלָהּ שִׁפְחָה מִצְרִית וּשְׁמָהּ הָגָר Gen. 16:1

2938 וְלָהּ שְׁנֵי פֵיוֹת גֹּמֶד אָרְכָּהּ Jud. 3:16

2939 וְלָהּ אָמַר עֲלִי לְשָׁלוֹם ISh. 25:35

לָנוּ

2940 וְנַעֲשֶׂה־לָּנוּ שֵׁם פֶּן־נָפוּץ Gen. 11:4

2941 וַיֹּאמֶר לוֹ מֶה־עָשִׂיתָ לָּנוּ Gen. 20:9

2942 הֲיֵשׁ...מָקוֹם לָנוּ לָלִין Gen. 24:23

2943/4 מַה־זֹּאת עָשִׂיתָ לָּנוּ Gen. 26:10 • Ex. 14:11

2945 וַיָּרִיבוּ...לֵאמֹר לָנוּ הַמָּיִם Gen. 26:20

2946 הִרְחִיב יְיָ לָנוּ וּפָרִינוּ בָאָרֶץ Gen. 26:22

2947 הַעוֹד לָנוּ חֵלֶק וְנַחֲלָה Gen. 31:14

2948 הָעֹשֶׁר...לָנוּ הוּא וּלְבָנֵינוּ Gen. 31:16

2949 כִּי חֶרְפָּה הוּא לָנוּ Gen. 34:14

2950 כַּאֲשֶׁר פָּתַר־לָנוּ כֵּן הָיָה Gen. 41:13

2951 מַה־זֹּאת עָשָׂה אֱלֹהִים לָנוּ Gen. 42:28

2952 שָׁאַל־הָאִישׁ לָנוּ וּלְמוֹלַדְתֵּנוּ Gen. 43:7

2953 יֶשׁ־לָנוּ אָב זָקֵן Gen. 44:20

2954 הָבָה־לָּנוּ לֶחֶם וְלָמָּה נָמוּת Gen. 47:15

2955 וּלְבֵנִים אֹמְרִים לָנוּ עֲשׂוּ Ex. 5:16

2956 בִּצֹאנֵנוּ...נֵלֵךְ כִּי חַג־יְיָ לָנוּ Ex. 10:9

2957 שְׁבוּ־לָנוּ בָזֶה עַד אֲשֶׁר נָשׁוּב Ex. 24:14

2958 וְהָיִיתָ לָּנוּ לְעֵינָיִם Num. 10:31

2959 וְהֵבִיא אֹתָנוּ... וּנְתָנָהּ לָנוּ Num. 14:8

2960 וַיָּרֵעוּ לָנוּ מִצְרַיִם וְלַאֲבֹתֵינוּ Num. 20:15

2961 טוֹבָה הָאָרֶץ אֲשֶׁר יְיָ...נֹתֵן לָנוּ Deut. 1:25

2962 וְהַנִּגְלֹת לָנוּ וּלְבָנֵינוּ עַד עוֹלָם Deut. 29:28

2963 תּוֹרָה צִוָּה־לָנוּ מֹשֶׁה Deut. 33:4

2964 לָתֶת לָנוּ אֶרֶץ זָבַת חָלָב וּדְבָשׁ Josh. 5:6

2965 חָלִילָה לָּנוּ מִמֶּנּוּ לִמְרֹד בַּיְיָ Josh. 22:29

2966 חָלִילָה לָּנוּ מֵעֲזֹב אֶת־יְיָ Josh. 24:16

2967 לְכָה וְהָיִיתָה לָּנוּ לְקָצִין Jud. 11:6

2968 אוֹי לָנוּ כִּי לֹא הָיְתָה כָּזֹאת ISh. 4:7

2969 אוֹי לָנוּ מִי יַצִּילֵנוּ ISh. 4:8

2970 שִׂימָה לָּנוּ מֶלֶךְ לְשָׁפְטֵנוּ ISh. 8:5

2971 אֵין־לָנוּ חֵלֶק בְּדָוִד IISh. 20:1

2972 וְלֹא נַחֲלָה־לָנוּ בְּבֶן־יִשַׁי IISh. 20:1

2973 שִׂמְלָה לְכָה קָצִין תִּהְיֶה־לָּנוּ Is. 3:6

2974 אֶת־מִי אֶשְׁלַח וּמִי יֵלֶךְ־לָנוּ Is. 6:8

2975/6 כִּי־יֶלֶד יֻלַּד־לָנוּ בֵּן נִתַּן־לָנוּ Is. 9:5

2977 עִיר עָז־לָנוּ יְשׁוּעָה יָשִׁית Is. 26:1

2978 יְיָ תִּשְׁפֹּת שָׁלוֹם לָנוּ Is. 26:12

2979 אוֹי לָנוּ כִּי שֻׁדָּדְנוּ Jer. 4:13

2980 אוֹי לָנוּ כִּי־פָנָה הַיּוֹם Jer. 6:4

2981 לָנוּ נִתְּנָה הָאָרֶץ לְמוֹרָשָׁה Ezek. 33:24

לָנוּ (המשך)

2982 וְאָבְדָה תִקְוָתֵנוּ נִגְזַרְנוּ לָנוּ Ezek. 37:11

2983 אֱלֹהִים לָנוּ מַחֲסֶה וָעֹז Ps. 46:2

2984/5 מִשְׂגָּב לָנוּ אֱלֹהֵי יַעֲקֹב סֶלָה Ps. 46:8, 12

2986 בָּרוּךְ אֲדֹנָי יוֹם יוֹם Ps. 68:20

2987 הָאֵל לָנוּ אֵל לְמוֹשָׁעוֹת Ps. 68:21

2988 הָבָה־לָּנוּ עֶזְרָת מִצָּר Ps. 108:13

2989/90 לֹא לָנוּ יְיָ לֹא לָנוּ Ps. 115:1

2991 אֵל יְיָ וַיָּאֶר לָנוּ Ps. 118:27

2992/3 לוּלֵי יְיָ שֶׁהָיָה לָנוּ Ps. 124:1, 2

2994 שֶׁבְּשִׁפְלֵנוּ זָכַר לָנוּ Ps. 136:23

2995 שִׁירוּ לָנוּ מִשִּׁיר צִיּוֹן Ps. 137:3

2996 אֶחֱזוּ־לָנוּ שׁוּעָלִים S.ofS. 2:15

2997 אָחוֹת לָנוּ קְטַנָּה וְשָׁדַיִם אֵין לָהּ S.ofS. 8:8

2998 זְכֹר יְיָ מֶה־הָיָה לָנוּ Lam. 5:1

2999 אוֹי־נָא לָנוּ כִּי חָטָאנוּ Lam. 5:16

3000 יְיָ לָנוּ בֹּשֶׁת הַפָּנִים Dan. 9:8

3001 אֱלֹהֵינוּ יִלָּחֶם לָנוּ Neh. 4:14

3002 וְהָיוּ לָנוּ הַלַּיְלָה מִשְׁמָר וְהַיּוֹם... Neh. 4:16

3003-3172 לָנוּ Gen. 34:9, 16, 21, 22^2; 34:23; 39:14, 17; 41:12; 42:2; 43:2; 44:25; 50:15 • Ex. 2:19; 10:7; 14:12; 16:9; 17:2; 32:23 • Num. 11:13, 18; 14:3; 16:14; 27:4 • Deut. 1:20, 22; 2:9, 35; 3:7; 6:23, 24, 25; 26:3, 9, 15; 30:12^2, 13^2 • Josh. 2:14; 9:6, 11, 25; 10:6; 17:4, 16; 21:2; 22:17, 23, 26 • Jud. 1:1; 6:13; 8:1^2; 10:15; 11:8; 14:15^2; 15:10, 11; 16:25; 18:19; 20:18 • ISh. 6:9^2; 8:6; 9:5, 6, 8; 10:16; 11:1, 3, 10; 12:19; 14:6, 10; 17:9; 20:29; 21:6; 25:15; 26:11; 29:4; 30:23 • IISh. 15:14; 18:3; 20:6; 21:4, 5^2 • IK. 12:16; 18:23; 22:3 • IIK. 6:2; 7:12; 9:12 • Is. 1:9; 26:12; 30:10^2; 33:14^2, 21; 41:22; 53:5 • Jer. 5:19, 24; 14:19; 29:15; 35:9; 36:17; 38:16, 25; 41:8; 42:3, 6, 20 • Ezek. 11:15; 24:19^2; 35:12; 36:2; 37:18 • Hosh. 6:3; 10:3^2 • Am. 6:13 • Jon. 1:6, 7, 8^2 • Zech. 1:6 • Ps. 12:5; 44:2, 27; 46:5; 60:3, 13; 62:9; 68:29; 78:3; 79:8; 80:3; 83:13; 85:8; 90:1; 103:10; 137:8 • Job 34:4 • Ruth 2:20 • Lam. 3:47; 4:19; 5:5 • Dan. 1:12 • Ez. 8:17, 18, 21, 23; 9:8^2, 9^2, 13 • Neh. 2:19, 20; 4:6, 9; 5:8 • IICh. 10:16; 14:6; 28:13

וְלָנוּ

3173 וְלָנוּ לֹא קְרָאתָ לָלֶכֶת עִמָּךְ Jud. 12:1

3174 וְלָנוּ הַסְגִּירוֹ בְּיַד הַמֶּלֶךְ ISh. 23:20

3175 לְךָ אֲדֹנָי הַצְּדָקָה וְלָנוּ בֹּשֶׁת הַפָּנִים Dan. 9:7

וָלָנוּ

3176 לֹא־לָכֶם וָלָנוּ לִבְנוֹת בַּיִת Ez. 4:3

הֲלָנוּ

3177 וַיֹּאמֶר לוֹ הֲלָנוּ אַתָּה אִם־לְצָרֵינוּ Josh. 5:13

לָכֶם

3178 הִנֵּה נָתַתִּי לָכֶם אֶת־כָּל־עֵשֶׂב Gen. 1:29

3179-3180 לָכֶם יִהְיֶה לְאָכְלָה Gen. 1:29; 9:3

3181 נָתַתִּי לָכֶם אֶת־כֹּל Gen. 9:3

3182 יִמּוֹל לָכֶם כָּל־זָכָר Gen. 17:12

3183 שְׁבוּ־לָכֶם פֹּה עִם־הַחֲמוֹר Gen. 22:5

3184 אַךְ־בְּזֹאת נֵאוֹת לָכֶם Gen. 34:15

3185 אֲשֶׁר־יֹאמַר לָכֶם תַּעֲשׂוּ Gen. 41:55

3186 אֶת־אֲחִיכֶם אֶתֵּן לָכֶם Gen. 42:34

3187 הַעוֹד לָכֶם אָח Gen. 43:6

3188 הֲיֵשׁ לָכֶם אָח Gen. 43:7

3189 וְאֵל שַׁדַּי יִתֵּן לָכֶם רַחֲמִים Gen. 43:14

3190 שָׁלוֹם לָכֶם אַל תִּירָאוּ Gen. 43:23

3191 לָשׂוּם לָכֶם שְׁאֵרִית בָּאָרֶץ Gen. 45:7

3192 טוּב כָּל־אֶרֶץ מִצְ׳־לָכֶם הוּא Gen. 45:20

3193 הֵא־לָכֶם זֶרַע וּזְרַעְתֶּם Gen. 47:23

3194 וְאַגִּידָה לָכֶם אֵת אֲשֶׁר־יִקְרָא Gen. 49:1

3195 פָּקַדְתִּי אֶתְכֶם וְאֶת־הֶעָשׂוּי לָכֶם Ex. 3:16

3196 וְהָיִיתִי לָכֶם לֵאלֹהִים Ex. 6:7

3197 וְנָתַתִּי אֹתָהּ לָכֶם מוֹרָשָׁה Ex. 6:8

לָכֶם (המשך)

3198 הַחֹדֶשׁ הַזֶּה לָכֶם רֹאשׁ חֳדָשִׁים Ex. 12:2
3199 רִאשׁוֹן הוּא לָכֶם לְחָדְשֵׁי הַשָּׁנָה Ex. 12:2
3200־3209 מִקְרָא־קֹדֶשׁ יִהְיֶה לָכֶם Ex. 12:16
Lev. 23:7, 21, 27, 36 • Num. 28:25, 26; 29:1, 7; 29:12
3210 מָה הָעֲבֹדָה הַזֹּאת לָכֶם Ex. 12:26
3211 יְיָ יִלָּחֵם לָכֶם וְאַתֶּם תַּחֲרִשׁוּן Ex. 14:14
3212 רְאוּ כִּי יְיָ נָתַן לָכֶם הַשַּׁבָּת Ex. 16:29
3213 קֹדֶשׁ יִהְיֶה לָכֶם Ex. 30:32
3214 קֹדֶשׁ קָדָשִׁים תִּהְיֶה לָכֶם Ex. 30:36
3215 וּבַיּוֹם הַשְּׁבִיעִי יִהְיֶה לָכֶם קֹדֶשׁ Ex. 35:2
3216־3219 לִהְי(וֹ)ת לָכֶם לֵאלֹהִים
Lev. 11:45; 22:33; 25:38 • Num. 15:41
3220 וְהָיְתָה לָכֶם לְחֻקַּת עוֹלָם Lev. 16:29
3221 שַׁבַּת שַׁבָּתוֹן הִיא לָכֶם Lev. 16:31
3222 אֵיפַת צֶדֶק וְהִין צֶדֶק יִהְיֶה לָכֶם Lev. 19:36
3223 וּסְפַרְתֶּם לָכֶם מִמָּחֳרַת הַשַּׁבָּת Lev. 23:15
3224 יִהְיֶה לָכֶם שַׁבָּתוֹן זִכְרוֹן תְּרוּעָה Lev. 23:24
3225 שַׁבַּת שַׁבָּתוֹן הוּא לָכֶם Lev. 23:32
3226/7 וְהָיִיתִי לָכֶם לֵאלֹהִים Lev. 26:13 • Jer. 7:23
3228/9 חֻקָּה אַחַת(...)לָכֶם וְלַגֵּר Num. 9:14; 15:15
3230 וְהָיָה לָכֶם לְצִיצִת וּרְאִיתֶם אֹתוֹ Num. 15:39
3231 הֲמִן הַסֶּלַע הַזֶּה נוֹצִיא לָכֶם מָיִם Num. 20:10
3232 יוֹם תְּרוּעָה יִהְיֶה לָכֶם Num. 29:1
3233 עֲצֶרֶת תִּהְיֶה לָכֶם Num. 29:35
3234 הָבוּ לָכֶם אֲנָשִׁים חֲכָמִים Deut. 1:13
3235 הִשָּׁמְרוּ לָכֶם פֶּן יִפְתֶּה לְבַבְכֶם Deut. 11:16
3236 הָאָרֶץ הַטֹּבָה אֲשֶׁר יְיָ נֹתֵן לָכֶם Deut. 11:17
3237 כִּתְבוּ לָכֶם אֶת־הַשִּׁירָה Deut. 31:19
3238 כָּל־מָקוֹם אֲשֶׁר...לָכֶם נְתַתִּיו Josh. 1:3
3239 מַה לָּכֶם וְלַייָ אֱלֹהֵי יִשְׂרָאֵל Jer. 22:24
3240 וָאֹמְרָה לָכֶם אֲנִי יְיָ אֱלֹהֵיכֶם Jud. 6:10
3241 אָחוּדָה נָּא לָכֶם חִידָה Jud. 14:12
3242 הָבוּ לָכֶם עֵצָה מַה נַּעֲשֶׂה IISh. 16:20
3243 חִדְלוּ לָכֶם מִן־הָאָדָם Is. 2:22
3244 אַל דֳּמִי לָכֶם Is. 62:6
3245 נִירוּ לָכֶם נִיר וְאַל־תִּזְרְעוּ... Jer. 4:3
3246־3248 וְאָנֹכִי אֶהְיֶה לָכֶם לֵאלֹהִים
Jer. 11:4; 30:22 • Ezek. 36:28
3249 שָׁלוֹם יִהְיֶה לָכֶם Jer. 23:17
3250 וְנָתַתִּי לָכֶם אֶת־אַדְמַת יִשְׂרָאֵל Ezek. 11:17
3251 אָנֹכִי שֹׁלֵחַ לָכֶם אֵת אֵלִיָּה הַנָּבִיא Mal. 3:23
3252 כִּי לֶקַח טוֹב נָתַתִּי לָכֶם Prov. 4:2
3253 לֹא לָכֶם וָלָנוּ לִבְנוֹת בַּיִת Ez. 4:3
3254־3637 לָכֶם Gen. 34:9, 16; 43:14, 23;
44:19; 45:7, 18, 19; 46:33; 47:16, 24 • Ex. 5:10, 11; 5:18; 7:9; 9:8; 10:5^2; 12:5, 6, 13, 14, 16, 21, 25; 14:13; 16:4, 8, 15, 23, 29; 19:12; 20:20; 29:42; 30:37 • Lev. 10:17; 11:4, 5, 6, 7, 8, 10, 11, 12, 20, 23, 26, 27, 28, 29; 11:31, 35, 38, 39; 14:34; 16:34; 17:11; 19:4, 23, 25, 34; 20:24^2, 25; 22:25; 23:10, 40; 24:22; 25:2, 6, 10, 11, 12; 25:21, 38, 45; 26:1^2, 5, 16, 26, 37 • Num. 9:8, 10; 10:8, 10, 29; 11:18, 20; 14:25, 28; 15:2, 16, 29; 16:3, 7^2; 17:6, 19, 26, 27, 31; 25:18^2; 28:19, 31; 29:8; 31:18; 32:21, 22, 24; 33:53, 56; 34:2, 3^2, 4, 6^2, 7^2, 9, 10; 34:12, 17; 35:11^2, 12, 13, 29 • Deut. 1:6, 7, 11, 30, 33, 40; 2:3^2, 5, 13; 3:18, 19^2, 20, 22; 4:1, 13, 16, 23^3, 34; 5:5, 30, 33; 9:16, 23; 11:5, 24, 25, 31; 12:10; 14:7, 8, 10, 19; 17:16; 20:4; 29:3; 30:18 • Josh. 1:11^2; 1:13^2, 14, 15; 2:9; 3:12; 4:2, 3, 5, 6; 6:16; 8:2; 9:24; 15:4; 18:3, 4, 6; 20:2, 3; 22:4^2, 16, 19^2, 25, 27; 23:3, 4, 5; 23:10^2, 13^2, 14, 15, 16; 24:13, 15, 20^2, 22 • Jud. 2:3^2;

לָכֶם (המשך)

6:9; 9:2; 10:14; 11:7, 9; 14:12; 19:30; 20:17; 21:21 • ISh. 4:9; 6:3; 8:18; 10:2, 15, 19; 11:2^2, 9; 12:3, 17; 17:8, 9; 29:10; 30:24, 26 • IISh. 7:23; 21:3, 4 • IK. 12:28; 18:25 • IIK. 7:12; 17:37; 18:29 • Is. 7:14; 21:10; 22:14; 23:7; 29:11; 30:3, 13, 20, 29; 31:7; 34:14; 40:21; 50:11; 61:6 • Jer. 3:15; 4:10; 5:19; 7:4, 6, 8, 14, 23; 14:13^2, 14; 16:13; 18:6; 23:16, 39; 25:5, 6, 7; 27:10, 14, 15, 16^2; 29:7, 8, 9, 11, 14, 21, 27, 31; 34:16, 17; 35:7, 15; 37:7, 19; 40:3, 9; 42:4, 10, 12, 21; 44:7^2, 8, 29 • Ezek. 5:16; 6:8; 11:11; 12:22; 13:15; 18:2, 3, 30, 31; 20:3, 31^2; 24:24; 36:7, 13, 26^2, 32; 39:17, 19; 44:6, 8; 45:9, 10, 12, 21; 47:14, 21, 22^2 • Hosh. 1:9; 5:1, 13; 10:12^3, 15 • Joel 2:19, 23^2, 25 • Am. 4:6; 5:10, 26 • Mic. 1:11; 3:1, 6^2 Hag. 1:4 • 1:6; 2:3; 3:10^2, 11^2, 20 • Ps. 127:2 • 13:5; 19:29; 42:8 • ICh. 22:18 • 15:2; 20:15^2, 17; 28:10; 30:6; 35:3
דה״ב יג5, 8, 9 טו2 כ15^2, 17 כח10 ל6 לה3

לָכֶם ג׳

3638 יִתֵּן יְיָ לָכֶם וּמְצֶאןָ מְנוּחָה Ruth 1:9
3639 הַעוֹד־לִי בָנִים...וְהָיוּ לָכֶם לַאֲנָשִׁים Ruth 1:11

לָכֶנָה

3640 וּנְפָשׁוֹת לָכֶנָה תְחַיֶּינָה Ezek. 13:18

וְלָכֶם

3641 חָטָאתִי לַייָ אֱלֹהֵיכֶם וְלָכֶם Ex. 10:16
3642/3 מַה־לִּי וְלָכֶם בְּנֵי צְרֻ(וּ)יָה IISh. 16:10; 19:23
3644 וְלָכֶם אֵין־חֵלֶק וּצְדָקָה Neh. 2:20
3645 תִּשְׂאוּ מִבְּנֹתֵיהֶם לִבְנֵיהֶם וְלָכֶם Neh. 13:25
3646 וְלָכֶם הֲנִשְׁמַע לַעֲשֹׂת אֵת כָּל הָרָעָה
Neh. 13:27

לָהֶם ז׳

3647 וַיַּעֲשׂוּ לָהֶם חֲגֹרֹת Gen. 3:7
3648 וּבָנוֹת יֻלְּדוּ לָהֶם Gen. 6:1
3649 וַיִּקְחוּ לָהֶם נָשִׁים Gen. 6:2
3650 יָבֹאוּ בְּנֵי הָאֱלֹהִים..וְיָלְדוּ לָהֶם Gen. 6:4
3651 וַיֹּאמֶר לָהֶם פְּרוּ וּרְבוּ Gen. 9:1
3652 וַיִּוָּלְדוּ לָהֶם בָּנִים Gen. 10:1
3653 וַתְּהִי לָהֶם הַלְּבֵנָה לְאָבֶן Gen. 11:3
3654 וְהַחֵמָר הָיָה לָהֶם לַחֹמֶר Gen. 11:3
3655 וַיִּקַּח אַבְרָם וְנָחוֹר לָהֶם נָשִׁים Gen. 11:29
3656 גֵּר יִהְיֶה...בְּאֶרֶץ לֹא לָהֶם Gen. 15:13
3657 וְהָיִיתִי לָהֶם לֵאלֹהִים Gen. 17:8
3658־3659 וַיַּעַשׂ לָהֶם מִשְׁתֶּה Gen. 19:3; 26:30
3660 וַיֹּאמֶר לָהֶם יַעֲקֹב Gen. 29:4
3661־3731 וַיֹּאמֶר (אָמַר וכד׳) לָהֶם Gen. 29:5, 6
39:14; 44:15 • Ex. 3:13; 6:26; 17:2; 32:24, 27 • Num. 6:23; 18:24; 20:10; 26:65; 28:3 • Deut. 1:42; 5:27 • Josh. 2:16; 4:5, 7 • Jud. 6:8; 9:7, 9, 11, 13; 14:12, 14, 18; 15:3, 7, 11, 12; 18:6, 8 • ISh. 2:23; 14:34; 17:8 • IISh. 4:9; 17:20 • IK. 1:33; 18:40 • IIK. 17:12; 19:6; 25:24 • Jer. 14:13 • Ezek. 11:15; 36:20 • Hosh. 2:1^2 • Ps. 106:34 • Dan. 2:3 • Ez. 2:63; 4:2, 3 • Neh. 2:20; 5:7, 8; 7:3, 65; 8:10; 9:15; 13:17 • ICh. 12:18; 15:12 • IICh. 12:5; 23:3; 24:5, 20; 28:9, 13; 29:5; 34:23
3732 וַיִּחַר לָהֶם מְאֹד Gen. 34:7
3733 וְאֶת־בְּנֹתֵינוּ נִתֵּן לָהֶם Gen. 34:21
3734 כַּאֲשֶׁר פָּתַר לָהֶם יוֹסֵף Gen. 40:22
3735 וַיְסַפֵּר פַּרְעֹה לָהֶם Gen. 41:8
3736 אֵת הַחֲלֹמוֹת אֲשֶׁר חָלַם לָהֶם Gen. 42:9
3737 וְלָתֵת לָהֶם צֵדָה לַדָּרֶךְ Gen. 42:25
3738 וַיַּעַשׂ לָהֶם כֵּן Gen. 42:25
3739 וַיִּשְׁאַל לָהֶם לְשָׁלוֹם Gen. 43:27
3740 וַיִּתֵּן לָהֶם יוֹסֵף עֲגָלוֹת... Gen. 45:21
3741 וַיִּתֵּן לָהֶם צֵדָה לַדָּרֶךְ Gen. 45:21
3742 כִּי לֹא־הֶאֱמִין לָהֶם Gen. 45:26

לָהֶם (המשך)

3743 וְכָל־אֲשֶׁר לָהֶם הֵבִיאוּ Gen. 46:32
3744 ...וְכָל־אֲשֶׁר לָהֶם בָּאוּ Gen. 47:1
3745 וַיִּתֵּן לָהֶם אֲחֻזָּה Gen. 47:11
3746 וַיִּתֵּן לָהֶם יוֹסֵף לֶחֶם Gen. 47:17
3747 אֲשֶׁר נָתַן לָהֶם פַּרְעֹה Gen. 47:22
3748/9 וַיִּשַּׁק לָהֶם וַיְחַבֵּק לָהֶם Gen. 48:10
3750 וַיַּעַשׂ לָהֶם בָּתִּים Ex. 1:21
3751 הֵם יֵלְכוּ וְקֹשְׁשׁוּ לָהֶם תֶּבֶן Ex. 5:7
3752 וּשְׁמִי יְיָ לֹא נוֹדַעְתִּי לָהֶם Ex. 6:3
3753 לָתֵת לָהֶם אֶת־אֶרֶץ כְּנָעַן Ex. 6:4
3754 וְיִקְחוּ לָהֶם אִישׁ שֶׂה... Ex. 12:3
3755 וְגַם־צֵדָה לֹא־עָשׂוּ לָהֶם Ex. 12:39
3756 בְּעַמּוּד אֵשׁ לְהָאִיר לָהֶם Ex. 13:21
3757/8 וְהַמַּיִם לָהֶם חוֹמָה Ex. 14:22, 29
3759 כִּי־יִהְיֶה לָהֶם דָּבָר Ex. 18:16
3760 וְהוֹדַעְתָּ לָהֶם אֶת־הַדֶּרֶךְ Ex. 18:20
3761 לֹא־תִשְׁתַּחֲוֶה לָהֶם Ex. 20:5
3762 לֹא־תִכְרֹת לָהֶם...בְּרִית Ex. 23:32
3763־3765 וְהָיִיתִי לָהֶם לֵאלֹהִים Ex. 29:45
Jer. 31:33(32) • Ezek. 37:27
3766 וְהָיְתָה לָהֶם חָק־עוֹלָם Ex. 30:21
3767/8 וְנִסְלַח לָהֶם Lev. 4:20 • Num. 15:25
3769 תּוֹרָה אַחַת לָהֶם Lev. 7:7
3770 וְזָכַרְתִּי לָהֶם בְּרִית רִאשֹׁנִים... Lev. 26:45
3771 לִהְיוֹת לָהֶם לֵאלֹהִים Lev. 26:45
3772 וְהָיְתָה לָהֶם לְחֻקַּת עוֹלָם Num. 19:21
3773 לָתֵת לָהֶם וּלְזַרְעָם אַחֲרֵיהֶם Deut. 1:8
3774 מִי־יִתֵּן וְהָיָה לְבָבָם זֶה לָהֶם... Deut. 5:26
3775 לְמַעַן יִיטַב לָהֶם Deut. 5:26
3776 לֹא־יָבֹא לָהֶם בִּקְהַל יְיָ Deut. 23:4
3777 יָבֹא לָהֶם בִּקְהַל יְיָ Deut. 23:9
3778 הָיוּ לָהֶם לָמַס Jud. 1:33
3779/80 וְדָבָר אֵין־לָהֶם עִם־אָדָם Jud. 18:7, 28
3781 כִּי־מְקַלְלִים לָהֶם בָּנָיו ISh. 3:13
3782־3784 עֵינַיִם לָהֶם וְלֹא יִרְאוּ Jer. 5:21
Ps. 115:5; 135:16
3785/6 אָזְנַיִם לָהֶם וְלֹא יִשְׁמָעוּ Jer. 5:21
Ps. 115:6
3787 וָאֱהִי לָהֶם לְמִקְדָּשׁ מְעַט Ezek. 11:16
3788 וְנָתַתִּי לָהֶם לֵב אֶחָד Ezek. 11:19
3789 וְנָתַתִּי לָהֶם לֵב בָּשָׂר Ezek. 11:19
3790 בַּצַּר לָהֶם יְשַׁחֲרֻנְנִי Hosh. 5:15
3791 וַיַּרְא בַּצַּר לָהֶם Ps. 106:44
3792־3795 בַּצַּר לָהֶם Ps. 107:6, 13, 19, 28
3796 וַאֲנִי הָיִיתִי חֶרְפָּה לָהֶם Ps. 109:25
3797 לָתֵת לָהֶם נַחֲלַת גּוֹיִם Ps. 111:6
3798/9 פֶּה־לָהֶם וְלֹא יְדַבֵּרוּ Ps. 115:5; 135:16
3800 אַף לָהֶם וְלֹא יְרִיחוּן Ps. 115:6
3801 אָזְנַיִם לָהֶם וְלֹא יַאֲזִינוּ Ps. 135:17
3802 שְׁהֶם־בְּהֵמָה הֵמָּה לָהֶם Eccl. 3:18
3803 וּמִקְרֶה אֶחָד לָהֶם Eccl. 3:19
3804/5 וְאֵין לָהֶם מְנַחֵם Eccl. 4:1
3806־4262 לָהֶם Ex. 26:37; 28:38, 40^2, 42
29:1, 9^2; 32:8, 13, 31; 36:36; 40:15 • Lev. 7:36; 8:13; 17:7; 24:12; 25:31, 34; 26:13 • Num. 3:4; 4:19, 26; 6:7; 8:7, 20, 22; 10:33; 11:21, 22^4, 32; 14:16; 15:38; 16:26, 30, 33; 20:8, 12; 21:16; 26:62; 32:7, 9, 28, 29, 33; 33:56; 35:3, 5 • Deut. 2:11, 12, 14, 20; 3:20; 4:19, 31; 5:9, 28; 7:2, 5; 8:19; 9:12, 28; 10:11; 11:9, 16, 21; 17:3; 18:18; 19:17; 21:8; 23:9; 29:25^2; 30:20; 31:4, 5, 7, 23 • Josh. 1:2, 6, 15; 2:13; 5:6; 8:22, 27; 9:15^3, 16, 18; 9:19, 20^2, 21, 22, 26;

לָהֶם (המשך)

15:2; 18:7, 10, 12; 19:2; 21:10, 21, 42(44); 22:4²; 23:7, 16 • Jud. 1:19; 2:12, 15², 17, 18, 19; 3:6, 15; 6:2; 7:24; 8:24, 33; 10:4; 14:9, 17; 15:11; 18:30, 31; 19:14; 21:7², 13; 21:14, 18, 22 • ISh. 5:9; 8:9, 22; 9:20, 22; 16:5; 25:7; 26:12; 30:19², 21, 22 • IISh. 2:32; 5:3, 23; 7:24; 17:17; 21:2; 23:19 • IK. 1:20; 7:28, 30; 9:6, 7, 9; 14:23; 18:6, 23, 26 • IIK. 5:22; 6:23; 7:10; 10:22; 11:4; 12:6; 17:9, 10, 16, 32², 35²; 21:21; 23:19; 25:24 • Is. 2:9; 3:9; 13:2; 19:20, 22; 28:13; 47:6; 52:15; 56:5; 57:6; 59:8; 61:3², 7, 8; 62:12; 63:8, 10; 66:4 • Jer. 2:13, 37; 3:2; 5:13; 6:10, 30; 8:2, 9, 13, 17; 10:18; 11:5, 12², 17, 23; 13:10; 14:16; 15:8; 16:5, 6², 7, 11; 19:9; 20:6; 23:12; 24:7², 10; 25:6, 14; 26:3; 30:9; 32:22², 23; 38, 39², 40; 33:6; 34:8; 35:17; 36:3, 13; 38:27; 39:10²; 40:9, 14; 42:17; 46:23; 49:29 • Ezek. 1:18; 3:26; 6:10; 7:20; 10:13; 11:20; 12:2², 11; 14:3, 11; 16:20, 21; 20:5², 6²; 20:11, 12, 15, 23, 25, 28; 21:19, 28²; 22:28²; 23:37; 24:27; 29:7²; 33:2, 32; 34:10, 24, 25, 29; 36:5, 12, 37; 37:23, 25, 26, 27; 38:7, 11; 39:13; 44:22, 28², 29; 45:4, 5; 46:17; 48:12 • Hosh. 1:6; 2:2, 15, 20; 7:13²; 8:4; 9:4, 12, 14²; 11:2, 4; 13:2², 7 • Joel 1:18 • Am. 6:1, 5; 9:1², 15 • Jon. 1:10; 3:10 • Zep. 2:10 • Zech. 8:8; 10:1, 8, 10 • Mal. 3:19 • Ps. 9:21; 22:19; 28:4³; 41:11; 69:12; 78:25, 29; 83:10; 99:8; 104:8, 28; 105:44; 106:15, 26, 36, 45; 145:15 • Prov. 1:22 • Job 3:15; 15:19; 30:9; 36:9 • Ruth 1:4, 6 • Lam. 3:64, 65²; 4:4 • Eccl. 1:11; 4:9, 11; 9:5, 6 • Es. 3:4; 5:8, 11; 9:22 • Dan. 1:5, 7, 14, 16, 17; 11:24 • Ez. 8:25; 9:2 • Neh. 2:9, 10, 18; 3:34; 4:1; 5:11; 6:6, 13; 8:12, 16; 9:12, 13, 14², 15³, 18, 19, 20, 22; 9:27², 28, 35; 12:29; 13:29 • ICh. 4:33; 5:20; 6:39, 40, 52; 11:3, 21; 12:40; 14:14; 17:22; 19:6, 7; 24:2 • IICh. 6:25; 7:19, 20, 22; 10:16; 11:23; 12:7; 13:14; 14:12; 15:4, 15²; 20:25; 21:3; 26:14; 28:23; 30:12; 34:4; 35:14², 15²

לָהֶם ג׳

4263 וַתַּעַן לָהֶם מִרְיָם Ex. 15:21
4264 נָתֹן תִּתֵּן לָהֶם אֲחֻזַּת נַחֲלָה Num. 27:7
4265 כַּצֹּאן אֲשֶׁר אֵין־לָהֶם רֹעֶה Num. 27:17
4266/7 נַחֲלַת...אֲשֶׁר תִּהְיֶינָה לָהֶם Num. 36:3, 4
4268 לָהֶם יִקְרְאוּ חַוֹּת יָאִיר Jud. 10:4
4269 וַעֲשׂוּ לָהֶם הַטּוֹב בְּעֵינֵיכֶם Jud. 19:24
4270 וַיִּקְרָא לָהֶם אֶרֶץ כָּבוּל IK. 9:13
4271 וְיָדוֹ חִלְּקַתָּה לָהֶם בַּקָּו Is. 34:17
4272 וְאַרְבַּע כְּנָפַיִם לְאַחַת לָהֶם Ezek. 1:6
4273 וְגַבֵּיהֶן וְגֹבַהּ לָהֶם וְיִרְאָה לָהֶם Ezek. 1:18
4274 וְקָרְאוּ לָהֶם גְּבוּל רִשְׁעָה Mal. 1:4
4275 וַיִּתֵּן לָהֶם אֲבִיהֶם נַחֲלָה Job 42:15

וְלָהֶם ו׳

4276 וְהָיָה לְךָ וְלָהֶם לְאָכְלָה Gen. 6:21
4277 וַיָּשִׂימוּ לוֹ לְבַדּוֹ וְלָהֶם לְבַדָּם Gen. 43:32
4278 וְלָהֶם אֶתְּנֶנָּה וְהֵם יִירָשׁוּהָ Deut. 1:39
4279 וְלָהֶם וְלִגְמַלֵּיהֶם אֵין מִסְפָּר Jud. 6:5
4280/1 וְלָהֶם מְשֹׁרְרִים Ez. 2:65 • Neh. 7:67
4282 וְלַאֲחֵיהֶם הַכֹּהֲנִים וְלָהֶם Ez. 6:20
4283 וְלִפְנֵיהֶם יִשְׁתַּחֲוֶה וְלָהֶם יְקַטֵּר IICh. 25:14

לָהֵמָּה

4284 וְאֵין מְקַבֵּר לָהֵמָּה Jer. 14:16

לָמוֹ

4285/6 וִיהִי כְנַעַן עֶבֶד לָמוֹ Gen. 9:26, 27
4287 אַשְׁכְּלֹת מְרֹרֹת לָמוֹ Deut. 32:32
4288 וְחָשׁ עֲתִדֹת לָמוֹ Deut. 32:35
4289 וְזָרַח מִשֵּׂעִיר לָמוֹ Deut. 33:2
4290 מִימִינוֹ אֵשְׁדָּת לָמוֹ Deut. 33:2
4291 הֱוִי־סֵתֶר לָמוֹ מִפְּנֵי שׁוֹדֵד Is. 16:4
4292 מֵאֶרֶץ כִּתִּים נִגְלָה־לָמוֹ Is. 23:1
4293 וַתְּאַבֵּד כָּל־זֵכֶר לָמוֹ Is. 26:14

לָמוֹ (המשך)

4294 צָקוּן לַחַשׁ מוּסָרְךָ לָמוֹ Is. 26:16
4295 עַל־עַם לֹא־יוֹעִילוּ לָמוֹ Is. 30:5
4296 לֹא־יַעַבְרֶנּוּ טָמֵא וְהוּא־לָמוֹ Is. 35:8
4297 וְחֵרְשִׁים וְאָזְנַיִם לָמוֹ Is. 43:8
4298 וְאֵין לָמוֹ מִכְשׁוֹל Ps. 119:165
4299-4339 לָמוֹ Is. 44:7, 15; 48:21; 53:8

Hab. 2:7 • Ps. 2:4; 28:8; 44:4, 11; 49:14; 55:20; 56:8; 58:5, 8; 59:9; 64:6²; 66:7; 73:6, 10, 18; 78:24, 66; 80:7; 88:9; 99:7 • Prov. 23:20 • Job 3:14; 6:19; 14:21; 15:28; 22:17, 19; 24:16, 17; 30:13; 39:4 • Lam. 1:19, 22; 4:10, 15

לָהֶן

4340 וַעֲשׂוּ לָהֶן כַּטּוֹב בְּעֵינֵיכֶם Gen. 19:8
4341 וַיִּקְרָא לָהֶן שֵׁמוֹת Gen. 26:18
4342 אֲשֶׁר־קָרָא לָהֶן אָבִיו Gen. 26:18
4343 וַיֹּאמֶר לָהֶן רֹאֶה אָנֹכִי... Gen. 31:5
4344 וַיֹּאמֶר לָהֶן מַדּוּעַ עֲשִׂיתֶן... Ex. 1:18
4345 וְהַעֲבַרְתָּ אֶת־נַחֲלַת אֲבִיהֶן לָהֶן Num. 27:7
4346 וַיֹּאמְרוּ לָהֶן הֲיֵשׁ בָּזֶה הָרֹאֶה ISh. 9:11
4347 וְהוּא־הִפִּיל לָהֶן גּוֹרָל Is. 34:17
4348 וְהַגֵּד לָהֶן אֵת תּוֹעֲבוֹתֵיהֶן Ezek. 23:36
4349 וְהוּא יִהְיֶה לָהֶן לְרֹעֶה Ezek. 34:23
4350 וְאֵין לָהֶן עַמּוּדִים Ezek. 42:6
4351 אִם־בְּפִידוֹ לָהֶן שׁוּעַ Job 30:24
4352 וַתִּשַּׁק לָהֶן Ruth 1:9
4353 כַּצֹּאן אֲשֶׁר אֵין־לָהֶן רֹעֶה IICh. 18:16

הֲלָהֵן

4354/5 הֲלָהֵן תְּשַׂבֵּרְנָה...הֲלָהֵן תֵּעָגֵנָה Ruth 1:13

לָהֵנָּה

4356 דְּמוּת אָדָם לָהֵנָּה Ezek. 1:5
4357/8 שְׁתַּיִם מְכַסּוֹת לָהֵנָּה Ezek. 1:23²
4359 בְּבֹאוֹ לָהֵנָּה מֵהֶחָצֵר הַחִיצֹנָה Ezek. 42:9

וְלָהֵנָּה

4360 וְלָהֵנָּה כְנָפַיִם כְּכַנְפֵי הַחֲסִידָה Zech. 5:9

לְ־

ארמית, כמו בעברית: 1—65

לִי

1 אֱמַרוּ לִי וְאִנְדַּע פִּשְׁרֵהּ תְּהַחֲוֻנַּנִי Dan. 2:9
2 חָכְמְתָא וּגְבוּרְתָא יְהַבְתְּ לִי Dan. 2:23
3 רָזָא דְנָה גֱּלִי לִי Dan. 2:30
4 וּפִשְׁרֵהּ לָא־מְהוֹדְעִין לִי Dan. 4:5
5 כָּל־קֳבֵל...הִשְׁתְּכַחַת לִי Dan. 6:23
6 וַאֲמַר־לִי וּפְשַׁר מִלַּיָּא יְהוֹדְעִנַּנִי Dan. 7:16

וְלִי

7 וְלִי הַדָּבְרַי וְרַבְרְבָנַי יְבַעוֹן Dan. 4:33

לָךְ

8 לָךְ אֱלָהּ אֲבָהָתִי מְהוֹדֵא Dan. 2:23
9 וְתָקְפָּא וִיקָרָא יְהַב־לָךְ Dan. 2:37
10 וְהֵן לָא יְדִיעַ לֶהֱוֵא־לָךְ Dan. 3:18
11 וְכָל־רָז לָא־אָנֵס לָךְ Dan. 4:6
12 בְּעֲבַר נַהֲרָא לָא אִיתַי לָךְ Ez. 4:16
13-21 לָךְ Dan. 4:22², 23, 28, 29²; 5:17 • Ez. 7:19, 20

וְלָךְ

22 וְלָךְ טָרְדִין מִן־אֲנָשָׁא Dan. 4:22

לֵהּ

23 וּגְבוּרְתָא דִּי־לֵהּ הִיא Dan. 2:20
24-25 וְכֵן אֲמַר־לֵהּ Dan. 2:24, 25
26 וְנִיחֹחִין אֲמַר לְנַסָּכָה לֵהּ Dan. 2:46
27 וּמַתְּנָן רַבְרְבָן שַׂגִּיאָן יְהַב־לֵהּ Dan. 2:48
28 וְכַוִּין פְּתִיחָן לֵהּ בְּעִלִּיתֵהּ Dan. 6:11
29-30 אֱלָהָךְ דִּי אַנְתְּ פָּלַח־לֵהּ Dan. 6:17, 21
31-38 לֵהּ Dan. 4:13, 32; 5:15, 19, 23; 6:7; 7:14, 28

וְלֵהּ

39 וְלֵהּ יְהִב שָׁלְטָן וִיקָר Dan. 7:14

לַהּ

40 וּלְבַב אֱנָשׁ יְהִיב לַהּ Dan. 7:4
41 וְגַפִּין דִּי־נְשַׁר לַהּ Dan. 7:4
42 וְכֵן אָמְרִין לַהּ קוּמִי Dan. 7:5
43 וְשָׁלְטָן יְהִיב לַהּ Dan. 7:6
44 וְקַרְנַיִן עֲשַׂר לַהּ Dan. 7:7
45 וְשִׁנַּיִן דִּי־פַרְזֶל לַהּ Dan. 7:7
46 וְעַיְנִין לַהּ וּפֻם מְמַלִּל Dan. 7:20

וְלַהּ

47 וְלַהּ גַּפִּין אַרְבַּע Dan. 7:6

לַנָא

48 לָא אֲרִיךְ לַנָא לְמֶחֱזֵא Ez. 4:14

לְכֹם

49-50 מַן שָׂם לְכֹם טְעֵם Ez. 5:3, 9

וּלְכֹם

51 וּלְכֹם מְהוֹדְעִין דִּי כָל־כָּהֲנַיָּא... Ez. 7:24

לְכוֹן

52 לְכוֹן אָמְרִין עַמְמַיָּא Dan. 3:4

לְהוֹם

53 כִּדְנָה תֵּאמְרוּן לְהוֹם Jer. 10:11
54 וְכֵן אָמְרִין לְהֹם Ez. 5:3
55-56 כְּנֵמָא אֲמַרְנָא לְהֹם Ez. 5:4, 9
57 שְׁמָהָתְהֹם שְׁאֵלְנָא לְהֹם לְהוֹדָעוּתָךְ Ez. 5:10
58 לֶהֱוֵא מִתְיְהֵב לְהֹם יוֹם בְּיוֹם Ez. 6:9

לְהוֹן

59 וְכָל־אֲתַר לָא־הִשְׁתְּכַח לְהוֹן Dan. 2:35
60 עָנֵה נְבוּכַדְנֶצַּר וְאָמַר לְהוֹן Dan. 3:14
61 אֲחַשְׁדַּרְפְּנַיָּא...יָהֲבִין לְהוֹן טַעְמָא Dan. 6:3
62 וְאַרְכָה בְחַיִּין יְהִיבַת לְהוֹן Dan. 7:12
63 עָבְדָא קְרָב עִם־קַדִּישִׁין וְיָכְלָה לְהוֹן Dan. 7:21
64 וּמִדָּה בְלוֹ וַהֲלָךְ מִתְיְהֵב לְהוֹן Ez. 4:20
65 וְבִיאַיָּה דִּי־אֱלָהָא מְסַעֲדִין לְהוֹן Ez. 5:2

לא

מלת שלילה [כתיב זה ברוב המקראות (4965)]; כתיב מלא ו׳ (לוֹא, וְלוֹא, בְּלוֹא, כְּלוֹא, לְלוֹא, הֲלוֹא) — ב־131 מקראות: 45, 111, 131, 132, 137-139, 1893, 1895-1898, 1900, 1901, 2938, 2989, 3014—3016, 3018, 3020, 3029, 3138, 3188—3189, 3271, 3272, 3278, 3279, 4112—4114, 4749, 4856—4862, 4871, 4914—4962, 5050—5093

א) [לפני פועל עתיד, ובייחוד לפני נוכח] לציון שלילת פעולה להבא או צווי ואזהרה להִמָּנע מִדָּבָר, כמשמע ״אַל״: 1—1828, 3235, 4059

ב) [לפני פועל עבר] לציון העדר פעולה או מצב: 1829—2877, 4060—4689

ג) [לפני בינוני] כנ״ל: 2906—2908, 2919, 3008, 3010, 3018, 3025, 3062, 3074, 3112, 3124, 4709, 4783, 4807

ד) [לפני שם או תואר או מלית] לציון שלילת דבר, נגודו: 2878—3170, 4690—4828

ה) מלה עצמאית – לציון שלילת הנאמר קודם, אין הדבר כן: 3171—3194

ו) [אִם לֹא] [כצרוף עצמאי] אם אין הנאמר קודם בתוקף: 3195—3209

ז) [אִם לֹא] [במשפט שבועה] שאמנם כן: 3210—3234

ח) [וָלֹא] ואם לאו, שאם לא כן: 4829, 4830

ט) [בְּלֹא] בלי, בהעדר: 4831—4861

י) [כְּלֹא] כאלו לא: 4862

יא) [לְלֹא] לאשר לא: 4863—4867, 4870

באין, במצב שלא: 4863—4873

יב) [הֲלֹא] האם לא? האמנם לא? בשאלה או בתמיהה שמשתמעת ממנה תשובה חיובית – הֵן, הֲרֵי: רוב המקראות 4874—5093

יג) [שֶׁלֹּא] על אשר לא: 5094—5097

— לֹא אָז 4714; לֹא אֱלֵיכֶם 3138; לֹא אִם 4715; לֹא זֹאת 3045; לֹא זֶה 2974; לֹא זֹה 2974; לֹא טוֹב – עין טוב; לֹא יֵשׁ 3110; לֹא־כִי 2956—2958, 2980, 2994; לֹא, כִּי 3171, 3175, 3178, 3180, 3183—3187, 3189, 3190, 3194; לֹא כֵן 2888, 2892, 2897, 2918, 2949, 2951, 2954, 2975, 2978, 2982, 2983, 3020, 3027, 3030, 3093, 3111, 4762; לֹא נָכוֹן 2891; לֹא עוֹד 4805;

— אִם לֹא 6, 31, 35, 52, 57, 58, 65, 110, 140—142, 147, 148, 150—152, 1871, 1889—1892, 1899, 1900, 1905—1910, 3195—3234; עַד אֲשֶׁר לֹא 155—157

לא (א)
1-2 לֹא תֹאכַל מִמֶּנּוּ Gen. 2:17; 3:17
3 לֹא תֹאכְלוּ מִכֹּל עֵץ הַגָּן Gen. 3:1
4 לֹא תֹאכְלוּ מִמֶּנּוּ וְלֹא תִגְּעוּ בּוֹ Gen. 3:3
5 לֹא־מוֹת תְּמֻתוּן Gen. 3:4
6 וְאִם לֹא תֵיטִיב לַפֶּתַח חַטָּאת רֹבֵץ Gen. 4:7
7 לֹא־תֹסֵף תֵּת־כֹּחָהּ לָךְ Gen. 4:12
8 לֹא־יָדוֹן רוּחִי בָאָדָם Gen. 6:3
9 לֹא אֹסִף לְקַלֵּל עוֹד אֶת־הָאֲדָ׳ Gen. 8:21
10 וְיוֹם וָלַיְלָה לֹא יִשְׁבֹּתוּ Gen. 8:22
11 אַךְ בָּשָׂר בְּנַפְשׁוֹ דָמוֹ לֹא תֹאכֵלוּ Gen. 9:4
12 וְעַתָּה לֹא־יִבָּצֵר מֵהֶם... Gen. 11:6
13 לֹא יִשְׁמְעוּ אִישׁ שְׂפַת רֵעֵהוּ Gen. 11:7
14 לֹא יִירָשְׁךָ זֶה Gen. 15:4
15 וְעָרֵל זָכָר אֲשֶׁר לֹא־יִמּוֹל... Gen. 17:14
16 לֹא־תִקְרָא אֶת־שְׁמָהּ שָׂרָי Gen. 17:15
17 הֲשֹׁפֵט...לֹא יַעֲשֶׂה מִשְׁפָּט Gen. 18:25
18-20 וַיֹּאמֶר לֹא אַשְׁחִית... Gen. 18:28, 31, 32
21-22 וַיֹּאמֶר לֹא אֶעֱשֶׂה... Gen. 18:29, 30
23 לֹא אוּכַל לְהִמָּלֵט הָהָרָה Gen. 19:19
24 כִּי־לֹא אוּכַל לַעֲשׂוֹת דָּבָר Gen. 19:22
25 מַעֲשִׂים אֲשֶׁר לֹא־יֵעָשׂוּ Gen. 20:9
26 כִּי לֹא יִירַשׁ בֶּן־הָאָמָה הַזֹּאת Gen. 21:10
27 אִישׁ מִמֶּנּוּ...לֹא־יִכְלֶה מִמְּךָ Gen. 23:6
28/9 לֹא־תִקַּח אִשָּׁה לִבְנִי Gen. 24:3, 37
30 אוּלַי לֹא־תֹאבֶה הָאִשָּׁה... Gen. 24:5
31 וְאִם־לֹא תֹאבֶה הָאִשָּׁה... Gen. 24:8
32 רַק אֶת־בְּנִי לֹא תָשֵׁב שָׁמָּה Gen. 24:8
33 לֹא אֹכַל עַד אִם־דִּבַּרְתִּי דְּבָרָי Gen. 24:33
34 אֻלַי לֹא־תֵלֵךְ הָאִשָּׁה אַחֲרָי Gen. 24:39
35 וְאִם־לֹא יִתְּנוּ לָךְ Gen. 24:41
36 לֹא נוּכַל דַּבֵּר אֵלֶיךָ... Gen. 24:50
37/8 לֹא־תִקַּח אִשָּׁה מִבְּנוֹת כְּנָעַן Gen. 28:1, 6
39 כִּי לֹא אֶעֱזָבְךָ... Gen. 28:15
40 לֹא נוּכַל עַד אֲשֶׁר יֵאָסְפוּ... Gen. 29:8
41 לֹא־יֵעָשֶׂה כֵן בִּמְקוֹמֵנוּ Gen. 29:26
42 לֹא־תִתֶּן־לִי מְאוּמָה Gen. 30:31
43 וּבְהַעֲטִיף הַצֹּאן לֹא יָשִׂים Gen. 30:42
44 עִם אֲשֶׁר תִּמְצָא...לֹא יִחְיֶה Gen. 31:32
45 כִּי לוֹא אוּכַל לָקוּם מִפָּנֶיךָ Gen. 31:35
46 אִם־אָנִי לֹא־אֶעֱבֹר אֵלֶיךָ Gen. 31:52
47 אֲשֶׁר לֹא־יִסָּפֵר מֵרֹב Gen. 32:13
48 וַיֹּאמֶר לֹא אֲשַׁלֵּחֲךָ... Gen. 32:27
49 עַל־כֵּן לֹא־יֹאכְלוּ בְנֵי־יִשְׂרָ׳... Gen. 32:33
50 וְכֵן לֹא יֵעָשֶׂה Gen. 34:7
51 לֹא נוּכַל לַעֲשׂוֹת הַדָּבָר הַזֶּה Gen. 34:14
52 וְאִם־לֹא תִשְׁמְעוּ אֵלֵינוּ... Gen. 34:17
53 לֹא־יִקָּרֵא שִׁמְךָ עוֹד יַעֲקֹב Gen. 35:10
54 וַיֹּאמֶר לֹא נַכֶּנּוּ נָפֶשׁ Gen. 37:21
55 וְאִם־אַתָּה לֹא־תַעֲבֹר אֵלַי... Gen. 31:52
56 לֹא־יָרִים אִישׁ אֶת־יָדוֹ Gen. 41:44
57/8 אִם־לֹא אֲבִיאֶנּוּ אֵלֶיךָ... Gen. 42:37; 44:32
59 לֹא־יֵרֵד בְּנִי עִמָּכֶם Gen. 42:38
60/1 לֹא־תִרְאוּ פָנַי בִּלְתִּי... Gen. 43:3, 5
62 וְאִם־אֵינְךָ מְשַׁלֵּחַ לֹא נֵרֵד Gen. 43:5
63 כִּי לֹא יוּכְלוּן הַמִּצְרִים לֶאֱכֹל... Gen. 43:32
64 לֹא־יוּכַל הַנַּעַר לַעֲזֹב אֶת־אָבִיו Gen. 44:22
65 אִם־לֹא יֵרֵד אֲחִיכֶם הַקָּטֹן Gen. 44:23
66 לֹא תֹסִפוּן לִרְאוֹת פָּנָי Gen. 44:23
67 לֹא נוּכַל לָרֶדֶת Gen. 44:26
68 כִּי־לֹא נוּכַל לִרְאוֹת... Gen. 44:26
69 לֹא־נְכַחֵד מֵאֲדֹנִי Gen. 47:18
70 וְהָאֲדָמָה לֹא תֵשָׁם Gen. 47:19

לא (א) (המשך)
71 לֹא יוּכַל לִרְאוֹת Gen. 48:10
72 לֹא־יָסוּר שֵׁבֶט מִיהוּדָה Gen. 49:10
73 מַדּוּעַ לֹא־יִבְעַר הַסְּנֶה Ex. 3:3
74 לֹא תֵלְכוּ רֵיקָם Ex. 3:21
75 וְהֵן לֹא־יַאֲמִינוּ לִי Ex. 4:1
76/7 וְהָיָה אִם־לֹא יַאֲמִינוּ Ex. 4:8, 9
78 וְגַם אֶת־יִשְׂרָאֵל לֹא אֲשַׁלֵּחַ Ex. 5:2
79 לֹא תֹאסִפוּן לָתֵת תֶּבֶן Ex. 5:7
80 לֹא תִגְרְעוּ מִמֶּנּוּ Ex. 5:8
81 וְתֶבֶן לֹא־יִנָּתֵן לָכֶם Ex. 5:18
82 לֹא־תִגְרְעוּ מִלִּבְנֵיכֶם Ex. 5:19
83 לֹא יֶחֱרַץ־כֶּלֶב לְשֹׁנוֹ Ex. 11:7
84/5 לֹא־יִהְיֶה לְךָ אֱלֹהִים אֲחֵרִים Ex. 20:3
Deut. 5:7
86/7 לֹא־תַעֲשֶׂה־לְךָ פֶסֶל Ex. 20:4 • Deut. 5:8
88/9 לֹא־תִשְׁתַּחֲוֶה לָהֶם Ex. 20:5 • Deut. 5:9
90/1 לֹא־תִשָּׂא אֶת־שֵׁם־יְיָ אֱלֹהֶיךָ לַשָּׁוְא
Ex. 20:7 • Deut. :11
92-94 לֹא תִרְצָח לֹא תִנְאָף לֹא תִגְנֹב Ex. 20:13
95 לֹא־תַעֲנֶה בְרֵעֲךָ עֵד שָׁקֶר Ex. 20:14
96 לֹא־תַחְמֹד בֵּית רֵעֶךָ Ex. 20:17
97 לֹא־תַחְמֹד אֵשֶׁת רֵעֶךָ Ex. 20:17
98 מְכַשֵּׁפָה לֹא תְחַיֶּה Ex. 22:17
99 וְגֵר לֹא־תוֹנֶה Ex. 22:20
100 כָּל־אַלְמָנָה וְיָתוֹם לֹא תְעַנּוּן Ex. 22:21
101 לֹא תִשָּׂא שֵׁמַע שָׁוְא Ex. 23:1
102 לֹא־תִהְיֶה אַחֲרֵי רַבִּים לְרָעֹת Ex. 23:2
103 וְדָל לֹא תֶהְדַּר בְּרִיבוֹ Ex. 23:3
104-106 לֹא־תְבַשֵּׁל גְּדִי בַּחֲלֵב אִמּוֹ Ex. 23:19
34:26 • Deut. 14:21
107 כִּי לֹא־יִרְאַנִי הָאָדָם וָחָי Ex. 33:20
108 וְנַקֵּה לֹא יְנַקֶּה Ex. 34:7
109 לֹא־תְבַעֲרוּ אֵשׁ בְּכֹל מֹשְׁבֹתֵיכֶם Ex. 35:3
110 וְאִם לוֹא יַגִּיד וְנָשָׂא עֲוֹנוֹ Lev. 5:1
111 לֹא תִּגְנֹבוּ וְלֹא־תְכַחֲשׁוּ Lev. 19:11
112 לֹא־תַעֲשֹׁק אֶת־רֵעֲךָ Lev. 19:13
113 לֹא־תָלִין פְּעֻלַּת שָׂכִיר Lev. 19:13
114 לֹא־תְקַלֵּל חֵרֵשׁ Lev. 19:14
115 וְלִפְנֵי עִוֵּר לֹא תִתֵּן מִכְשֹׁל Lev. 19:14
116 לֹא־תַעֲשׂוּ עָוֶל בַּמִּשְׁפָּט Lev. 19:15
117 לֹא־תִשָּׂא פְנֵי־דָל Lev. 19:15
118 וְלֹא תֶהְדַּר פְּנֵי גָדוֹל Lev. 19:15
119 לֹא־תֵלֵךְ רָכִיל בְּעַמֶּיךָ Lev. 19:16
120 לֹא תַעֲמֹד עַל־דַּם רֵעֶךָ Lev. 19:16
121 לֹא תִשְׂנָא אֶת־אָחִיךָ בִּלְבָבֶךָ Lev. 19:17
122 לֹא־תִקֹּם וְלֹא־תִטֹּר Lev. 19:8
123 וְהָאָרֶץ לֹא תִמָּכֵר לִצְמִתֻת Lev. 25:23
124 לֹא תִרְצָח Deut. 5:17
125 לֹא־יֶחְדַּל אֶבְיוֹן מִקֶּרֶב הָאָרֶץ Deut. 15:11
126 לֹא תַסִּיג גְּבוּל רֵעֲךָ Deut. 19:14
127 לֹא־תַחְסֹם שׁוֹר בְּדִישׁוֹ Deut. 25:4
128 לֹא־יָמוּשׁ סֵפֶר הַתּוֹרָה הַזֶּה מִפִּיךָ Josh. 1:8
129 נֵצַח יִשְׂרָאֵל לֹא יְשַׁקֵּר ISh. 15:29
130 לֹא (כת׳ לו) יַעֲשֶׂה° אָבִי דָבָר ISh. 20:2
131 לוֹא־יִתְנַבֵּא עָלַי טוֹב IK. 22:18
132 כִּי לוֹא־יַעֲשֶׂה עוֹד עַבְדְּךָ IIK. 5:17
133 לֹא־יִשָּׂא גוֹי אֶל־גּוֹי חֶרֶב Is. 2:4
134 לְמַעַן צִיּוֹן לֹא אֶחֱשֶׁה Is. 62:1
135 וּלְמַעַן יְרוּשָׁלַםִ לֹא אֶשְׁקוֹט Is. 62:1
136 רַדְנוּ לוֹא־נָבוֹא עוֹד אֵלֶיךָ Jer. 2:31
137 לוֹא־אַפִּיל פָּנַי בָּכֶם Jer. 3:12
138 הַעַל־אֵלֶּה לוֹא אֶפְקֹד Jer. 5:9

לא (א) (המשך)
139 וְחֶרֶב וְרָעָב לוֹא נִרְאֶה Jer. 5:12
140 וְאִם לֹא תִשְׁמְעוּ... Jer. 55
141 אִם־לֹא תִשְׁמְעוּ אֵלַי... Jer. 26:4
142 אִם־לוֹא יִסְחָבוּם צְעִירֵי הַצֹּאן Jer. 49:20
143 לֹא־יִשְׂאוּ גוֹי אֶל־גּוֹי חֶרֶב Mic. 4:3
144 לֹא־תָקוּם פַּעֲמַיִם צָרָה Nah. 1:9
145 לֹא תַאֲמִינוּ כִּי־יְסֻפָּר Hab. 1:5
146 לֹא־אָמוּת כִּי־אֶחְיֶה Ps. 118:17
147 תִּדְבַּק לְשׁוֹנִי...אִם־לֹא אֶזְכְּרֵכִי Ps. 137:6
148 אִם־לֹא אַעֲלֶה אֶת־יְרוּשָׁלַםִ... Ps. 137:6
149 כָּל־בָּאֶיהָ לֹא יְשׁוּבוּן Prov. 2:19
150 אִם־לֹא תֵדְעִי לָךְ הַיָּפָה בַּנָּשִׁים S.ofS. 1:8
151 אִם־לֹא יַחְפֹּץ לְגָאֳלֵךְ Ruth 3:13
152 וְאִם־לֹא יִגְאַל הַגִּידָה לִּי Ruth 4:4
153 מְעֻוָּת לֹא־יוּכַל לִתְקֹן Eccl. 1:15
154 וְחֶסְרוֹן לֹא־יוּכַל לְהִמָּנוֹת Eccl. 1:15
155 עַד אֲשֶׁר לֹא־יָבֹאוּ יְמֵי הָרָעָה Eccl. 12:1
156 עַד אֲשֶׁר לֹא־תֶחְשַׁךְ הַשֶּׁמֶשׁ Eccl. 12:2
157 עַד אֲשֶׁר לֹא־יֵרָתֵק° חֶבֶל הַכֶּסֶף Eccl. 12:6
158-1828 לֹא (א) Ex. 3:19; 8:24; 9:29; 10:14, 26^2, 29
11:6, 9; 12:16, 19, 20, 22, 43, 45, 46^2, 48; 13:13, 22; 14:13; 15:26; 16:25, 26; 18:18; 19:13^2, 23; 20:7^2, 10, 23^2, 25; 20:26; 21:5, 7, 8, 10, 11, 21; 22:7^2, 10, 12, 14, 24^2; 22:27^2, 28, 30; 23:6, 7, 8, 9, 13^2, 18, 21, 24, 26, 29; 23:32, 33; 24:2^2; 25:15; 28:32; 29:33, 34; 30:9^2, 15^2, 32^2, 37; 33:3, 11, 20, 23; 34:3, 14, 17, 20, 25; 39:23;
40:37 • Lev. 1:17; 2:11^2, 12; 3:17; 4:2, 13, 22, 27; 5:7, 11^2, 17; 6:5, 6, 10, 16, 23; 7:15, 18^2, 19, 23, 24, 26; 8:33; 10:6, 7; 11:4, 5, 7, 8^2, 11, 13, 41, 42, 47; 12:4^2, 8; 13:11, 33, 36; 14:32; 16:17, 29; 17:9, 12^2, 14, 16^2; 18:3^3, 6, 7^2, 8, 9, 10, 11, 12, 13, 14^2, 15^2, 16, 17^2, 18, 19, 20, 21; 18:22, 23^2; 19:4, 7, 9^2, 10, 19^3, 20, 23, 26^2,
27, 28^2, 33; 19:35; 20:19; 21:1, 4, 5^3, 7^2, 10^2, 11^2, 12, 14, 17, 18; 21:21^2, 23^2; 22:4, 8, 10^2, 12, 13, 20, 21, 22^2, 23, 24^2; 22:25^2, 28, 30; 23:3, 7, 8, 14, 21, 22^2, 25, 28, 29, 31; 23:35, 36; 25:4^2, 5^2, 11, 20, 26, 28, 30^2, 34, 37^2, 39; 25:42, 43, 46, 53, 54; 26:1^3, 6, 14, 18, 20, 23, 27; 27:10; 27:11, 20^2, 22, 26, 27, 28, 29, 33^2 • Num. 1:49^2; 5:15; 6:3^3, 4, 5, 6, 7; 8:26; 9:12^2; 10:30; 11:14; 13:31;
14:11; 14:18, 23, 41; 16:12, 14; 17:5; 18:3, 4, 17, 20^2, 23, 24, 32; 19:12^2; 20:12^2, 17^2, 18, 20, 24; 21:22^2; 22:12^2, 18, 37; 23:9, 13, 24, 25^2; 24:13; 28:18, 25, 26; 29:1, 7, 12, 35; 30:3, 6, 13; 31:23; 32:18, 19, 23, 30; 33:55; 35:30, 33 • Deut. 1:9, 17^2, 29, 37, 42; 2:5, 9, 19, 27; 3:22, 27; 4:2, 26, 28, 31; 5:11, 14, 29; 6:14, 16; 7:2, 3^2, 10, 14, 15; 7:16, 18, 21, 22, 24, 25; 8:4^2, 9, 20; 10:16; 10:17; 11:17, 25, 28; 12:4, 8, 16, 17, 24, 25, 31; 13:1, 4, 9, 17; 14:1, 3, 7, 8, 10, 12, 19, 21, 24, 27; 15:2, 4, 6^2, 7; 15:13, 16, 18, 19, 21, 23; 16:3, 5, 8, 19^2, 21; 17:1, 6, 11, 15, 16^2, 17; 18:1, 2, 9, 10, 16^2, 19, 22; 19:13, 15; 20:1; 20:12, 16, 19^2; 21:4, 14^2, 16, 23; 22:1, 3, 4, 5, 6, 9, 10, 11, 17; 22:19, 26, 29; 23:1, 2, 3^2, 4^2, 7, 8^2, 11^2, 16, 17, 18, 19; 23:20, 21, 22, 23, 25, 26; 24:1, 4, 5, 6, 10, 12, 14, 16^2; 24:17, 19, 20, 21; 25:3, 5, 7, 9, 12, 13, 14, 19;
27:5, 26; 28:12, 15, 27, 35, 39, 40, 44, 49, 50^2, 51, 58, 65, 68; 29:19, 22; 30:18; 31:2^2, 6, 8^2, 21; 32:52; 34:4 • Josh. 1:5^2; 2:14; 6:10; 7:12^2, 13; 9:19; 10:8; 14:3; 17:16, 17; 23:7, 13; 24:19^2 • Jud. 2:1, 2, 3, 21; 4:8^2, 9; 6:10, 23; 7:4^2; 8:23; 10:13; 11:2; 13:5, 14, 16; 14:13; 15:13; 19:12, 24; 20:8; 21:1, 18 • ISh. 1:8, 11, 13; 2:33; 3:2; 5:5, 7; 6:3; 9:13; 11:13; 12:15, 21, 22; 13:14^2, 19; 15:26; 16:11; 17:33, 39; 20:2, 31; 22:5, 23:17; 24:11, 13, 14; 25:28; 26:21; 27:11; 28:23; 29:8, 9; 30:22, 23 • IISh. 1:10, 22; 2:26; 3:13; 5:6^2, 8;

לא (א) (המשך)

5:23; 7:15; 12:10, 13, 23; 13:12, 13; 14:14, 24; 15:14, 26; 17:17; 18:3^3, 12, 13, 20; 19:22, 24; 21:17; 22:23; 23:5 • IK. 1:52; 2:4, 17, 20, 26; 3:7, 8, 12, 27; 5:7; 8:5, 8:19, 25, 27, 46; 9:5; 11:2^2, 12, 13; 12:24; 13:8, 9, 16; 12:17^2, 22; 17:14^2; 18:10, 12, 23^2, 25; 20:9, 23, 25; 21:4, 6, 29; 22:8, 16, 31 • IIK. 1:4, 6, 16; 2:10, 16, 21; 3:17; 4:28, 29^2; 6:22; 7:2, 19; 9:37; 10:5, 10, 19; 12:14, 17; 14:6^2; 17:12, 35, 38; 18:29, 36; 19:10; 19:32, 33; 20:17; 22:7; 23:9 • Is. 1:13^2, 23^2; 3:7^2; 5:6, 12, 27; 7:7, 9^2, 12, 25; 8:12^2, 20; 9:16^2, 18; 10:20; 11:9, 13^2; 13:10^2, 17^2, 18^2, 20^2, 22; 14:8, 20^2; 16:10^3; 17:8; 23:12^2, 18; 24:9; 25:2; 27:9, 11^2; 28:15, 16, 18; 28:27, 28^2; 29:11; 30:5, 6, 10^2, 14, 19; 31:4^2; 32:5^2; 33:19, 21; 34:10; 35:8^2, 9^2; 36:14, 15, 21; 37:10, 33, 34; 38:11^2, 18^2; 39:6; 40:20^2, 28^2; 41:3, 7, 17; 42:2, 3^2, 4; 42:8, 16^2; 43:2^3, 10, 25; 44:18, 21; 45:1, 17, 20; 46:7^2, 13^2; 47:1, 5, 8, 11^3, 14; 48:11, 19; 49:10, 15, 23; 50:7; 51:6, 22; 52:1; 54:4^3, 10^2, 14^2, 17; 55:5, 10, 11, 13; 56:5, 10; 57:11, 20; 58:4, 7, 11; 59:6, 14, 21; 60:11, 12, 18, 19^2, 20^2; 62:4^2, 6; 63:8, 13, 16; 64:2; 65:6, 20^2, 22^2, 23, 25; 66:24^2 • Jer. 2:8, 13, 20, 24; 3:12, 16, 19; 4:19, 27; 5:9, 15, 18, 22^2, 29^2; 6:10, 15^2, 16, 17; 7:6^2; 8:2, 12^2; 9:4, 8^2; 10:5^2, 7; 11:3, 11, 12, 19, 21, 23; 12:4, 13, 17; 13:1, 7, 10, 12, 14, 17, 27; 14:9, 13^2, 15; 15:19; 16:2, 4, 6, 8, 13; 17:8, 22, 27; 18:6, 18; 19:11; 20:9, 11; 21:7^2; 22:6, 10, 11, 12, 13, 18^2, 21^2, 27, 30^2; 23:16, 17, 20, 24, 32, 36, 38, 40; 24:2, 3, 8; 25:29, 33; 27:8^2, 9, 13, 14; 29:17, 32; 30:11^2, 14, 24; 31:9(8), 29(28), 34(33), 40(39); 32:4, 5, 17, 40; 33:17, 18, 22; 34:3, 4; 35:6^2, 7^3, 9, 19; 36:5, 30; 37:9, 19; 38:15, 17, 18^2, 20, 23; 39:18; 40:5, 15; 42:4, 5, 13, 14^3; 43:2; 44:14; 46:23, 28^2; 47:6; 48:8, 33; 49:9, 10, 12, 18, 20, 23, 33, 36; 50:5, 7, 9, 13, 40, 45^2; 51:43 • Ezek. 1:9, 12, 17; 3:6, 7, 9; 5:9, 11; 7:13^3, 19^3; 8:18; 9:10; 10:11^2, 16; 11:11; 12:12, 13, 24, 25, 28; 13:9^3, 19^2, 23^2; 14:11, 18; 15:5; 16:16, 41; 17:18; 18:6, 7^2, 8^2, 12, 13, 17, 20^2, 21, 22, 24, 25^3, 28, 29^3, 32; 19:9; 20:25, 32, 38, 39; 21:3, 4, 10, 18, 37; 23:27; 24:13, 14, 17^2, 22^2, 23; 25:10; 26:13, 14, 20; 29:5, 11^2, 18; 30:13; 31:14; 32:7, 13; 33:12^3, 13, 15, 16, 17^2, 20, 31; 34:3, 28; 35:9; 36:14^2, 15^2, 30; 44:2^2, 9, 18, 20, 21, 22, 25, 28, 31; 46:2, 9, 18; 47:5^2, 11, 12 • Hosh. 1:6, 9; 2:1, 6, 8, 12; 3:3; 4:14^2; 5:4, 13; 8:5; 9:2, 3, 4^2, 15; 10:9; 11:5, 7, 9^2; 12:9; 13:4, 13; 14:4^2 • Joel 2:2, 8^2; 4:17 • Am. 1:3, 6, 9, 11, 13; 2:1, 4, 6, 12, 14^2, 15^3; 3:5, 6, 7, 8^2; 4:7^2; 5:2, 5, 22^2, 23; 7:3, 6, 8, 10, 13, 16; 8:2, 8; 9:1, 8, 10 • Jon. 4:11 • Mic. 2:3, 5, 6^2; 3:5, 11; 5:6, 11 • Nah. 1:3, 12, 14; 2:1; 3:1 • Hab. 1:12, 13, 17; 2:3; 3:17 • Zep. 1:12, 18; 2:2^2; 3:5, 11, 13, 15 • Zech. 1:12; 9:5; 11:5, 6, 9, 16^4; 12:7; 13:3; 14:2, 6, 11, 17, 18^2, 19 • Mal. 1:10; 2:2^2, 6; 3:10, 19 • Ps. 1:3, 5; 3:7; 5:5, 6; 7:13; 9:19; 10:13; 15:5; 16:10^2; 18:23; 23:1, 4; 25:3; 26:1, 4, 5; 27:3; 28:5; 32:2, 6; 33:16, 17; 34:11; 35:8; 36:5; 37:19, 24, 31, 33; 38:14^2; 39:10; 40:10, 12; 41:9, 12; 44:7; 46:3; 49:8^2, 10, 18, 20; 50:9, 12; 51:18, 19; 52:9; 55:23, 24; 56:5, 12; 58:6; 59:16; 62:3, 7; 66:18; 73:4; 78:4, 64; 81:10; 84:12; 89:23^2, 31, 32, 34, 35^2; 91:5, 7, 10^2; 92:7^2; 94:7, 14^2; 101:3^2, 4, 5, 7^2; 102:28; 105:14; 107:38; 112:6, 7, 8; 115:7; 118:6; 119:6, 11, 16, 80, 93; 221:4, 6; 125:1, 3^2; 127:1^2, 5; 132:11; 139:6, 12; 143:2 • Prov. 3:15, 23, 24; 4:12^2, 16^3; 5:6; 6:27, 28, 29, 30, 33, 35; 7:11; 8:11, 29; 10:2, 3, 19, 30; 11:4, 21; 12:3, 21, 27; 14:5, 10; 15:12^2; 16:5, 10; 17:5, 13, 20; 18:2; 19:5^2, 9, 24; 20:1, 4, 19, 21; 21:10, 17; 22:6, 24; 23:13, 18; 24:7, 14, 20; 25:10; 27:1, 20^2, 22; 28:5, 13, 20; 29:7, 19; 30:11, 15, 21; 31:7, 11; 31:18, 21, 27 • Job 2:10; 3:16; 4:16^2, 18; 5:6, 19; 6:10, 30; 7:7, 8, 9, 10, 11, 16, 19^2, 21; 8:12, 20; 9:3, 13, 15, 16; 9:18, 21, 28; 10:7, 14, 15, 18; 11:2; 13:20; 14:7, 12, 16; 15:3, 15, 22, 28, 29, 30; 16:6, 22; 17:4; 19:3, 22; 20:20, 21; 21:4, 29; 22:11; 24:12, 15, 18, 20, 21^2; 25:3; 27:5, 6, 11, 14, 15; 28:15, 16, 17, 18, 19^2; 29:22, 24^2; 30:17, 24; 31:23, 31, 32, 34; 32:14, 16, 19, 21; 33:7^2, 13, 14; 34:9, 12^2, 31, 32; 35:13^2, 14; 36:6, 7, 12, 13; 37:19, 23, 24; 39:7; 40:23; 41:8, 20 • S.of S. 8:1, 7^2 • Ruth 2:8, 13; 3:18; 4:6^2 • Lam. 1:10, 14; 3:31, 38; 4:15, 16, 17, 22 • Eccl. 1:8^2, 11; 3:11; 4:8, 16; 5:4, 9^2, 14, 19; 6:3, 7; 7:21; 8:5, 13, 17^2; 9:12; 10:14; 11:2, 4^2, 5 • Es. 1:19; 2:10, 14; 3:2; 4:11; 6:13; 9:28^2 • Dan. 1:8^2; 8:4; 10:17; 11:15, 37^2, 42 • Ez. 2:63; 10:8 • Neh. 2:3; 4:4, 5; 5:12, 13; 6:11; 7:3, 65; 10:31^2, 32; 13:1, 19^2 • ICh. 11:5; 14:14; 17:5, 13; 21:24; 22:8; 28:3, 20 • IICh. 1:12; 2:5; 5:6; 6:9, 16, 18, 36; 7:18; 8:11; 11:4; 12:7; 13:12; 15:13; 18:15, 17, 30; 20:12; 23:14; 25:4^2; 28:13; 32:15^2, 17

לא (ב)

1829 כִּי לֹא הִמְטִיר יְיָ אֱלֹהִים — Gen. 2:5
1830 וּלְאָדָם לֹא־מָצָא עֵזֶר כְּנֶגְדּוֹ — Gen. 2:20
1831 וְאֶל־קַיִן וְאֶל־מִנְחָתוֹ לֹא שָׁעָה — Gen. 4:5
1832 וַיֹּאמֶר לֹא יָדַעְתִּי — Gen. 4:9
1833 וְעֶרְוַת אֲבִיהֶם לֹא רָאוּ — Gen. 9:23
1834 לָמָּה לֹא־הִגַּדְתָּ לִּי — Gen. 12:18
1835 הֵן לִי לֹא נָתַתָּה זָרַע — Gen. 15:3
1836 וְאֶת־הַצִּפֹּר לֹא בָתָר — Gen. 15:10
1837 כִּי לֹא־שָׁלֵם עֲוֺן הָאֱמֹרִי — Gen. 15:16
1838 לֹא יָלְדָה לוֹ — Gen. 16:1
1839 וַתְּכַחֵשׁ שָׂרָה...לֹא צָחַקְתִּי... — Gen. 18:15
1840 אֲשֶׁר לֹא־יָדְעוּ אִישׁ — Gen. 19:8
1841 וַאֲבִימֶלֶךְ לֹא קָרַב אֵלֶיהָ — Gen. 20:4
1842 לֹא־נְתַתִּיךָ לִנְגֹּעַ אֵלֶיהָ — Gen. 20:6
1843 לֹא יָדַעְתִּי מִי עָשָׂה אֶת־הַדָּבָר — Gen. 21:26
1844 וְגַם־אַתָּה לֹא־הִגַּדְתָּ לִּי — Gen. 21:26
1845 וְגַם אָנֹכִי לֹא שָׁמַעְתִּי — Gen. 21:26
1846 בְּתוּלָה וְאִישׁ לֹא יְדָעָהּ — Gen. 24:16
1847 אֲשֶׁר לֹא־עָזַב חַסְדּוֹ וַאֲמִתּוֹ — Gen. 24:27
1848 כַּאֲשֶׁר לֹא נְגַעֲנוּךָ — Gen. 26:29
1849 לֹא יָדַעְתִּי יוֹם מוֹתִי — Gen. 27:2
1850 וְאָנֹכִי לֹא יָדָעְתִּי — Gen. 28:16
1851 וַתֵּרֶא רָחֵל כִּי לֹא יָלְדָה — Gen. 30:1
1852 רְחֵלֶיךָ וְעִזֶּיךָ לֹא שִׁכֵּלוּ — Gen. 31:38
1853 וְאֵילֵי צֹאנְךָ לֹא אָכָלְתִּי — Gen. 31:38
1854 טְרֵפָה לֹא־הֵבֵאתִי אֵלֶיךָ — Gen. 31:39
1855 וַיַּרְא כִּי לֹא יָכֹל לוֹ — Gen. 32:25
1856 וְהוּא לֹא־נִתְּנָה לוֹ לְאִשָּׁה — Gen. 38:14
1857 כִּי לֹא יָדַע כִּי כַלָּתוֹ הִוא — Gen. 38:16
1858/59 לֹא־הָיְתָה בָזֶה קְדֵשָׁה — Gen. 38:21, 22
1860 וַיֹּאמֶר לֹא מְצָאתִיהָ — Gen. 38:22
1861 וְאַתָּה לֹא מְצָאתָהּ — Gen. 38:23
1862 לֹא־נְתַתִּיהָ לְשֵׁלָה בְנִי — Gen. 38:26
1863 הֵן אֲדֹנִי לֹא־יָדַע אִתִּי... — Gen. 39:8
1864 וְגַם־פֹּה לֹא־עָשִׂיתִי מְאוּמָה — Gen. 40:15
1865 לֹא־רָאִיתִי כָהֵנָּה...לָרֹעַ — Gen. 41:19
1866 לֹא־שָׁלַח יַעֲקֹב — Gen. 42:4
1867 וְהֵם לֹא הִכִּרֻהוּ — Gen. 42:8
1868 לֹא־הָיוּ עֲבָדֶיךָ מְרַגְּלִים — Gen. 42:11
1869 וְהֵם לֹא יָדְעוּ כִּי שֹׁמֵעַ יוֹסֵף — Gen. 42:23
1870 לֹא הָיִינוּ מְרַגְּלִים — Gen. 42:31
1871 אִם־לֹא הֲבִיאֹתִיו אֵלֶיךָ — Gen. 43:9
1872 לֹא יָדַעְנוּ מִי־שָׂם כַּסְפֵּנוּ.. — Gen. 43:22
1873 הֵם יָצְאוּ...לֹא הִרְחִיקוּ — Gen. 44:4
1874 כִּי לֹא־הֶאֱמִין לָהֶם — Gen. 45:26
1875 לֹא נִשְׁאַר לִפְנֵי אֲדֹנִי — Gen. 47:18
1876 רַק אַדְמַת הַכֹּהֲנִים לֹא קָנָה — Gen. 47:22

לא (ב) (המשך)

1877 לֹא מָכְרוּ אֶת־אַדְמָתָם — Gen. 47:22
1878 אַדְמַת...לֹא הָיְתָה לְפַרְעֹה — Gen. 47:26
1879 רְאֹה פָנֶיךָ לֹא פִלָּלְתִּי — Gen. 48:11
1880 אֲשֶׁר לֹא־יָדַע אֶת־יוֹסֵף — Ex. 1:8
1881 כִּי יֹאמְרוּ לֹא־נִרְאָה אֵלֶיךָ יְיָ — Ex. 4:1
1882 לֹא יָדַעְתִּי אֶת־יְיָ — Ex. 5:2
1883 מַדּוּעַ לֹא כִלִּיתֶם חָקְכֶם — Ex. 5:14
1884 וְהַצֵּל לֹא־הִצַּלְתָּ אֶת־עַמֶּךָ — Ex. 5:23
1885 וּשְׁמִי יְיָ לֹא נוֹדַעְתִּי לָהֶם — Ex. 6:3
1886 הֵן בְּנֵי־יִשְׂרָאֵל לֹא־שָׁמְעוּ אֵלַי — Ex. 6:12
1887 וְהִנֵּה לֹא־שָׁמַעְתָּ עַד־כֹּה — Ex. 7:16
1888 כִּי לֹא יָכְלוּ לִשְׁתֹּת... — Ex. 7:24
1889 אִם־לֹא שָׁכַב אִישׁ אֹתָךְ — Num. 5:19
1890 וְאִם־לֹא שָׂטִית — Num. 5:19
1891 וְאִם־לֹא נִטְמְאָה הָאִשָּׁה — Num. 5:28
1892 וְהָיָה אִם לֹא חָפַצְתָּ בָּהּ — Deut. 21:14
1893 כִּי לוֹא חָטָא לָךְ — ISh. 19:4
1894 עַיִן לֹא־רָאָתָה — Is. 64:3
1895 וּמַלְקוֹשׁ לוֹא הָיָה — Jer. 3:3
1896 אֲשֶׁר לוֹא־שָׁמְעוּ בְּקוֹל יְיָ — Jer. 7:28
1897 וַאֲנַחְנוּ לוֹא נוֹשָׁעְנוּ — Jer. 8:19
1898 מִדַּרְכֵיהֶם לוֹא שָׁבוּ — Jer. 15:7
1899 אִם־לֹא שֵׁרִיתִךָ° לְטוֹב — Jer. 15:11
1900 אִם־לוֹא הִפְגַּעְתִּי בְךָ...אֶת־הָאֹיֵב — Jer. 15:11
1901 וַיְדַבְּרוּ אֲשֶׁר לוֹא צִוִּיתִם — Jer. 29:23
1902 וְנִקֵּיתִי דָּמָם לֹא־נִקֵּיתִי — Joel 4:21
1903 הַגּוֹיִם אֲשֶׁר לֹא יְדָעוּךָ — Ps. 79:6
1904 ...אֲשֶׁר בְּשִׁמְךָ לֹא קָרָאוּ — Ps. 79:6
1905 אִם־לֹא שִׁוִּיתִי וְדוֹמַמְתִּי — Ps. 131:2
1906 ...אִם־לֹא גְמָלְךָ רָעָה — Prov. 3:30
1907 אִם לֹא נִכְחַד קִימָנוּ — Job 22:20
1908 אִם־לֹא בָכִיתִי לִקְשֵׁה־יוֹם — Job 30:25
1909 אִם־לֹא בֵרְכוּנִי חֲלָצָו — Job 31:20
1910 אִם לֹא אָמְרוּ מְתֵי אָהֳלִי — Job 31:31

לא (ב) 1911–2877 Ex. 8:27; 9:6, 7, 18, 21, 24, 26; 9:32, 33; 10:6, 14, 19, 23; 11:6; 12:39^2; 14:28; 16:15, 18, 24; 21:13; 22:15; 24:11; 32:1, 23; 33:12; 34:10, 28^2, 29 • Lev. 5:18; 10:1, 17, 18; 11:6; 13:4, 5, 23, 28, 32, 34; 11:53, 55^2; 14:48; 15:11; 17:4; 19:20^3; 21:3; 26:35, 44 • Num. 1:47; 2:33; 3:4; 5:13, 14; 7:9; 9:13^2; 11:11; 12:8, 15; 14:44; 15:34; 19:2, 13, 20; 22:34, 37; 23:8^2, 21; 26:11, 33, 62^2, 64; 27:3^2; 30:12; 31:18, 35; 32:11 • Deut. 1:39; 2:7, 34, 36, 37; 3:4^2; 4:15; 6:10, 11^3; 8:3, 16; 9:9, 18; 10:9, 10; 11:2^2, 28; 12:9; 13:3, 7, 14; 14:7; 17:3; 18:20, 21, 22; 20:18; 21:1, 3^2, 7^2; 22:20, 24, 28; 23:5; 25:7, 8; 26:13, 14; 28:33, 36, 45, 47, 56, 62, 64; 29:4^2, 5, 25; 31:13; 32:17^2, 30, 51; 33:9^3; 34:7 • Josh. 2:5; 3:4; 5:5, 6, 7; 8:14, 17, 26, 31, 35^2; 9:14; 10:21, 28, 30, 37, 39, 40; 11:11, 13, 14, 15, 19, 22; 13:14, 33; 15:63; 17:3, 13; 18:2; 21:43; 22:3, 17, 20, 31; 23:9, 14^2; 24:13^3 • Jud. 1:21, 28, 29, 30, 31, 32, 33, 34; 2:10, 17^2, 19; 3:1, 2, 22; 4:16; 5:19, 23; 8:19; 11:15, 26, 27, 39; 12:1; 13:6, 16, 23^2; 14:4, 16^2, 18; 16:7, 8, 11, 17, 20; 18:1; 19:30; 20:34; 21:5^2, 8^2, 12, 22 • ISh. 1:15, 18, 22; 2:12; 3:5, 6; 4:7; 5:12; 6:7; 8:5; 10:16; 12:4, 5; 13:11, 12, 13; 14:1, 3, 27, 30; 15:11, 19; 16:8, 9, 10; 17:39^2; 20:27, 29, 39; 21:7, 9; 22:15; 25:7, 11, 19, 25; 26:15, 16; 28:18, 20^2; 29:6; 30:2, 12, 22 • IISh. 1:14, 22, 23; 3:26, 34, 37; 6:23; 7:6, 7; 11:10^2, 13; 12:6; 14:24; 25^2, 28; 16:17; 17:13, 22^2, 23; 18:11; 19:25, 26, 29; 20:3, 10; 22:44; 23:19, 23 • IK. 1:4, 8, 10, 11, 18, 19, 26; 2:28, 32, 43; 3:2, 12, 13^2,

לֹא (ב) (המשך)

21, 26; 5:17; 6:7; 7:47; 8:16, 56; 9:21, 22; 10:3^{2}, 7, 10, 12, 20; 12:16, 20, 31; 13:28, 33; 14:4; 15:14, 29; 16:11; 17:7, 16^{2}, 17; 18:10, 18; 19:18^{2}; 20:36; 21:25; 22:28, 43, 44 • IIK. 1:17; 3:3; 4:31, 39; 5:25; 10:4, 21, 29, 31^{2}; 12:4, 7; 13:2, 6, 7, 11; 14:4, 6; 15:4, 9, 16, 18, 24, 28, 35; 17:14, 18, 19, 22, 25, 26; 18:5, 6, 12; 20:4, 13, 15; 22:13; 23:22, 25^{2}, 26; 24:14; 25:16 • Is. 1:3^{2}, 6, 11; 3:9; 5:12, 25; 7:17; 9:11, 12^{2}, 16, 20; 10:4; 14:17; 15:6; 17:10; 22:11; 23:4, 13; 29:12^{2}, 16^{2}; 30:2, 9; 31:1, 2; 33:8; 34:16^{2}; 39:2, 4; 40:26; 43:23^{3}, 24^{2}; 44:12; 45:19^{2}, 20; 46:2, 10; 47:6, 7^{2}; 48:8^{3}; 50:5, 6, 7; 52:12^{2}, 15^{2}; 54:1^{2}, 11; 55:5; 56:10, 11^{2}; 57:10^{2}, 11^{2}; 58:2; 59:1, 8^{2}; 63:16, 19^{2}; 64:3^{2}; 65:1, 12; 66:4, 19 • Jer. 1:6; 2:6, 8^{2}, 23^{2}, 30, 35; 3:2, 10, 13; 4:8, 22^{2}; 5:4, 28^{2}; 6:19, 20, 29; 7:9, 22, 31; 8:7, 22; 9:2, 15; 10:21^{2}, 25^{2}; 14:3, 4, 5, 10^{2}, 14, 15; 15:10, 14, 17, 18; 16:11, 13, 17; 17:4, 16^{2}; 19:4, 5; 20:11, 17; 22:6, 26, 28; 23:21^{2}, 32; 25:8; 27:15, 20; 28:15; 29:9, 16, 19, 27, 31; 31:18(17); 32:23^{2}, 35; 33:3, 25; 34:17, 18; 35:16; 38:27; 40:7; 41:4; 43:2, 7; 44:3, 10, 17, 23; 45:3; 46:15, 21; 47:3; 48:11^{2}; 49:25; 50:24; 52:20 • Ezek. 3:20, 21; 4:14; 5:6, 7^{3}, 9, 11; 11:12^{2}; 13:5, 6, 7, 22; 16:4^{4} 5, 5, 22, 28, 29, 34^{2}, 43, 49, 51; 18:6^{3}, 11, 15^{3}, 16^{3}, 17, 19; 20:8^{2}, 13; 20:16, 21^{2}, 24; 21:32; 22:24, 26^{2}, 28; 23:8; 24:6^{2}, 7; 26:19; 28:3; 30:21; 31:8^{4}; 32:9; 33:6; 34:4^{5}, 8; 44:25; 48:11 • Hosh. 2:10; 5:3, 4; 7:9^{2}; 8:13; 9:17; 10:3 • Joel 2:2, 3 • Am. 2:4; 3:6 • Jon. 4:10, 11 • Mic. 1:11; 4:12; 5:14; 7:18 • Nah. 3:19 • Hab. 2:4; 3:17 • Zep. 1:6; 2:1; 3:2^{4}, 3, 5 • Hag. 2:19 • Zech. 2:4; 7:14; 8:10; 10:6 • Mal. 3:6^{2}, 18 • Ps. 1:1^{3}; 9:11, 13; 14:4; 15:3^{3}, 5^{2}; 18:44; 22:25, 30; 24:4; 26:4; 32:5; 34:21; 35:11; 38:10; 40:7^{2}, 11^{2}; 44:4^{2}, 19; 53:5, 6; 54:5; 56:20; 69:5, 6, 34; 71:15; 73:25; 74:9; 77:20; 78:8, 10, 22, 30, 37, 42, 50, 56; 78:63, 67; 81:6, 12; 82:5; 88:6; 95:10; 106:7^{2}, 11, 13, 24; 106:25, 34; 107:4; 109:16; 118:18; 119:3, 51, 61, 83, 87, 102; 119:109, 110, 136, 141, 153, 155, 157, 158, 176; 129:2; 131:1; 139:15; 147:20 • Prov. 1:25, 29, 30; 4:19; 5:13; 8:26; 13:1, 8; 24:12; 30:12, 15, 16^{2}, 18, 20 • Job 1:22; 2:10; 3:10, 16, 18, 26; 6:10; 8:18; 9:25; 10:19; 12:9; 15:15, 32; 18:21; 20:20, 26; 21:14; 23:17; 24:1^{2}, 13, 16; 25:5; 28:7, 8^{2}, 13; 29:16; 30:10; 32:3, 15, 16, 22; 33:12, 21; 34:19, 27; 37:21, 23; 42:7, 8 • S.ofS. 1:6; 6:12 • Ruth 2:11, 20; 4:14 • Lam. 1:3, 6, 9; 2:8, 9, 21; 3:22^{2}, 33, 36, 37, 42, 43; 4:8, 12, 16^{2}; 5:12 • Eccl. 2:10^{2}, 23; 4:3^{2}, 13; 6:3, 5, 6; 7:28; 9:15; 10:15 • Es. 1:15; 2:10, 15; 4:11; 5:12; 6:3; 9:2, 10, 15, 16 • Dan. 9:12; 10:3^{3}, 7, 17; 11:24, 38; 12:1 • Ez. 3:6; 8:15; 9:1, 9; 10:6^{2} • Neh. 2:16^{2}; 3:5; 5:14, 15, 16, 18; 6:1, 8, 12; 8:17; 9:19^{2}, 20, 21^{3}, 31, 34, 35^{2}; 13:2, 6, 10, 21, 26 • ICh. 4:27; 10:13; 11:21, 25; 13:3; 15:13; 16:21; 17:6; 21:6; 23:11; 24:2; 26:10; 29:25 • IICh. 1:11, 12; 4:18; 6:5; 7:7; 8:8, 9; 9:2, 6, 19; 10:16; 12:14; 15:17, 19; 16:12; 18:27, 32; 20:10, 33^{2}; 21:12; 23:8; 24:6; 25:4, 15; 27:2; 28:27; 29:7^{2}; 30:3^{3}, 17, 18; 32:17; 34:21, 33; 35:18; 36:12

לֹא (ד)

2878 לֹא־טוֹב הֱיוֹת הָאָדָם לְבַדּוֹ — Gen. 2:19
2879 אֲשֶׁר לֹא טְהֹרָה הִוא — Gen. 7:2
2880 גֵר...בְּאֶרֶץ לֹא לָהֶם — Gen. 15:13
2881 אֲשֶׁר לֹא מִזַּרְעֲךָ הוּא — Gen. 17:12
2882 אַךְ לֹא בַת־אִמִּי — Gen. 20:12

לֹא (ד) (המשך)

2883 לֹא־עֵת הֵאָסֵף הַמִּקְנֶה — Gen. 29:7
2884 לֹא יַעֲקֹב יֵאָמֵר עוֹד שִׁמְךָ — Gen. 32:28
2885 כִּי לֹא לוֹ יִהְיֶה הַזָּרַע — Gen. 38:9
2886 וְאֵדְעָה כִּי לֹא מְרַגְּלִים אַתֶּם — Gen. 42:34
2887 לֹא־אַתֶּם שְׁלַחְתֶּם אֹתִי הֵנָּה — Gen. 45:8
2888 וַיֹּאמֶר...לֹא־כֵן אָבִי — Gen. 48:18
2889 לֹא כַנָּשִׁים הַמִּצְרִיֹּת הָעִבְרִיֹּת — Ex. 1:19
2890 לֹא אִישׁ דְּבָרִים אָנֹכִי — Ex. 4:10
2891 לֹא נָכוֹן לַעֲשׂוֹת כֵּן — Ex. 8:22
2892 לֹא כֵן לְכוּ־נָא הַגְּבָרִים — Ex. 10:11
2893 לֹא־עָלֵינוּ תְלֻנֹּתֵיכֶם — Ex. 16:8
2894 לֹא־טוֹב הַדָּבָר — Ex. 18:17
2895 כִּי־לֹא לְרָצוֹן יִהְיֶה לָכֶם — Lev. 22:20
2896 לֹא יוֹם אֶחָד תֹּאכְלוּן — Num. 11:19
2897 לֹא־כֵן עַבְדִּי מֹשֶׁה — Num. 12:7
2898 אַף לֹא אֶל־אֶרֶץ...הֲבִיאֹתָנוּ — Num. 16:14
2899 לֹא חֲמוֹר אֶחָד מֵהֶם נָשָׂאתִי — Num. 16:15
2900 כִּי־לֹא מִלִּבִּי — Num. 16:28
2901 לֹא יְיָ שְׁלָחָנִי — Num. 16:29
2902 אֲשֶׁר לֹא מִזֶּרַע אַהֲרֹן הוּא — Num. 17:5
2903 לֹא מְקוֹם זֶרַע וּתְאֵנָה — Num. 20:5
2904 לֹא אִישׁ אֵל וִיכַזֵּב — Num. 23:19
2905 כִּי לֹא־נַחַשׁ בְּיַעֲקֹב — Num. 23:23
2906 וְהוּא לֹא־אוֹיֵב לוֹ — Num. 35:23
2907/8 וְהוּא לֹא־שֹׂנֵא לוֹ — Deut. 4:42; 19:4
2909 לֹא אֶת־אֲבֹתֵינוּ כָּרַת יְיָ... — Deut. 5:3
2910 לֹא מֵרֻבְּכֶם מִכָּל־הָעַמִּים... — Deut. 7:7
2911 לֹא עַל־הַלֶּחֶם לְבַדּוֹ יִחְיֶה הָאָדָם — Deut. 8:3
2912 לֹא בְמִסְכֵּנֻת תֹּאכַל־בָּהּ לֶחֶם — Deut. 8:9
2913 לֹא בְצִדְקָתְךָ וּבְיֹשֶׁר לְבָבְךָ... — Deut. 9:5
2914 לֹא בְצִדְקָתְךָ יְיָ אֱלֹהֶיךָ נֹתֵן לְךָ — Deut. 9:6
2915 כִּי לֹא אֶת־בְּנֵיכֶם אֲשֶׁר... — Deut. 11:2
2916 לֹא כְאֶרֶץ מִצְרַיִם הִוא — Deut. 11:10
2917 אֲשֶׁר לֹא־אָחִיךָ הוּא — Deut. 17:15
2918 וְאַתָּה לֹא כֵן נָתַן לְךָ יְיָ אֱלֹהֶיךָ — Deut. 18:14
2919 כִּי לֹא־שֹׂנֵא הוּא לוֹ — Deut. 19:6
2920 לֹא־מֵעָרֵי הַגּוֹיִם־הָאֵלֶּה הֵנָּה — Deut. 20:15
2921 כִּי לֹא־עֵץ מַאֲכָל הוּא — Deut. 20:20
2922 וְאִם־לֹא קָרוֹב אָחִיךָ אֵלֶיךָ — Deut. 22:2
2923 לֹא כָתוּב בְּסֵפֶר הַתּוֹרָה — Deut. 28:61
2924 לֹא־נִפְלֵאת הִוא מִמְּךָ — Deut. 30:11
2925 לֹא בַשָּׁמַיִם הִוא — Deut. 30:12
2926 שִׁחֵת לוֹ לֹא בָּנָיו מוּמָם — Deut. 32:5
2927 יִזְבְּחוּ לַשֵּׁדִים לֹא אֱלֹהַּ — Deut. 32:17
2928 בָּנִים לֹא־אֵמֻן בָּם — Deut. 32:20
2929 כִּי לֹא כְצוּרֵנוּ צוּרָם — Deut. 32:31
2930 כִּי לֹא־דָבָר רֵק הוּא מִכֶּם — Deut. 32:47
2931/2 לֹא לְעוֹלָה — Josh. 22:26, 28
2933 לֹא בְחַרְבְּךָ וְלֹא בְקַשְׁתֶּךָ — Josh. 24:12
2934 לֹא לְהוֹרִישׁ אֶת־יֹשְׁבֵי הָעֵמֶק — Jud. 1:19
2935 אֲשֶׁר לֹא־מִבְּנֵי יִשְׂרָאֵל הֵנָּה — Jud. 19:12
2936 כִּי לֹא אַתֶּם נְתַתֶּם לָהֶם — Jud. 21:22
2937 כִּי־לֹא בְכֹחַ יִגְבַּר אִישׁ — ISh. 2:9
2938 כִּי לוֹא־טוֹבָה הַשְּׁמֻעָה... — ISh. 2:24
2939 כִּי לֹא יָדוֹ נָגְעָה בָּנוּ — ISh. 6:9
2940 כִּי לֹא אֹתְךָ מָאָסוּ... — ISh. 8:7
2941 כִּי לֹא אָדָם הוּא לְהִנָּחֵם — ISh. 15:29
2942 כִּי לֹא אֲשֶׁר יִרְאֶה הָאָדָם — ISh. 16:7
2943 לֹא בְּחֶרֶב וּבַחֲנִית יְהוֹשִׁיעַ יְיָ — ISh. 17:47
2944 כִּי־לֹא טָהוֹר — ISh. 20:26
2945 לֹא־טוֹב הַדָּבָר הַזֶּה — ISh. 26:16
2946 וּבְעֵינֵי הַסְּרָנִים לֹא־טוֹב אָתָּה — ISh. 29:6

לֹא (ד) (המשך)

2947 וְרַגְלֶיךָ לֹא־לִנְחֻשְׁתַּיִם הֻגָּשׁוּ — IISh. 3:34
2948 לֹא־טוֹבָה הָעֵצָה אֲשֶׁר־יָעַץ... — IISh. 17:7
2949 לֹא־כֵן אֹחִילָה לְפָנֶיךָ — IISh. 18:14
2950 לֹא אִישׁ בְּשֹׂרָה אַתָּה הַיּוֹם הַזֶּה — IISh. 18:20
2951 לֹא־כֵן הַדָּבָר — IISh. 20:21
2952 לֹא מִבְּנֵי יִשְׂרָאֵל הֵמָּה — IISh. 21:2
2953 בֹּקֶר לֹא עָבוֹת — IISh. 23:4
2954 כִּי־לֹא־כֵן בֵּיתִי עִם־אֵל — IISh. 23:5
2955 כִּי־לֹא בְיָד יִקָּחוּ — IISh. 23:6
2956 לֹא כִי בְּנִי הַחַי וּבְנֵךְ הַמֵּת — IK. 3:22
2957/8 לֹא כִי בְּנֵךְ הַמֵּת וּבְנִי הֶחָי — IK. 3:22, 23
2959 מְרֻבָּעוֹת לֹא־עֲגֻלּוֹת — IK. 7:31
2960 אֲשֶׁר לֹא־מֵעַמְּךָ יִשְׂרָאֵל הוּא — IK. 8:41
2961 אֲשֶׁר לֹא־מִבְּנֵי יִשְׂרָאֵל הֵמָּה — IK. 9:20
2962 אֵין כֶּסֶף לֹא נֶחְשָׁב... — IK. 10:21
2963 ...אַךְ לֹא כָל־הַיָּמִים — IK. 11:39
2964 כִּי לֹא־טוֹב אָנֹכִי מֵאֲבֹתָי — IK. 19:4
2965/6 לֹא בָרוּחַ יְיָ...לֹא בָרַעַשׁ יְיָ — IK. 19:11
2967 לֹא בָאֵשׁ יְיָ — IK. 19:12
2968 לֹא־אֲדֹנִים לָאֵלֶּה — IK. 22:17
2969 כִּי־לֹא־מֶלֶךְ יִשְׂרָאֵל הוּא — IK. 22:33
2970 רַק לֹא כְאָבִיו וּכְאִמּוֹ — IIK. 3:2
2971 לֹא־חֹדֶשׁ וְלֹא שַׁבָּת — IIK. 4:23
2972 לֹא־לִבִּי הָלַךְ כַּאֲשֶׁר... — IIK. 5:26
2973 לֹא־אַחַת וְלֹא שְׁתָּיִם — IIK. 6:10
2974 לֹא־זֶה הַדֶּרֶךְ וְלֹא־זֹה הָעִיר — IIK. 6:19
2975 לֹא־כֵן אֲנַחְנוּ עֹשִׂים הַיּוֹם הַזֶּה — IIK. 7:9
2976 רַק לֹא כְּדָוִד אָבִיו — IIK. 14:3
2977 רַק לֹא כְּמַלְכֵי יִשְׂרָאֵל — IIK. 17:2
2978 וַיְחַפְּאוּ בְ״יְ דְּבָרִים אֲשֶׁר לֹא־כֵן — IIK. 17:9
2979 כִּי לֹא אֱלֹהִים הֵמָּה... — IIK. 19:18
2980 לֹא כִי יָשׁוּב הַצֵּל אֲחֹרַנִּית — IIK. 20:10
2981 כִּי לֹא מוּעָף לַאֲשֶׁר מוּצָק לָהּ — Is. 8:23
2982 וְהוּא לֹא־כֵן יְדַמֶּה — Is. 10:7
2983 וּלְבָבוֹ לֹא־כֵן יַחְשֹׁב — Is. 10:7
2984 וּלְהַכְרִית גּוֹיִם לֹא מְעָט — Is. 10:7
2985 אִם־לֹא כְאַרְפַּד חֲמָת — Is. 10:9
2986 אִם־לֹא כְדַמֶּשֶׂק שֹׁמְרוֹן — Is. 10:9
2987 כְּהָרִים מַטֶּה לֹא־עֵץ — Is. 10:15
2988 לֹא־כֵן בַּדָּיו — Is. 16:6
2989 וּשְׁאָר מְעַט מִזְעָר לוֹא כַבִּיר — Is. 16:14
2990 לֹא חַלְלֵי־חֶרֶב — Is. 22:2
2991 כִּי לֹא עַם־בִּינוֹת הוּא — Is. 27:11
2992 לֹא עַתָּה יֵבוֹשׁ יַעֲקֹב — Is. 29:22
2993 לֹא לְעֵזֶר וְלֹא לְהוֹעִיל — Is. 30:5
2994 לֹא־כִי עַל־סוּס נָנוּס — Is. 30:16
2995 וְנָפַל אַשּׁוּר בְּחֶרֶב לֹא־אִישׁ — Is. 31:8
2996 וְחֶרֶב לֹא־אָדָם תֹּאכְלֶנּוּ — Is. 31:8
2997 הוֹי שׁוֹדֵד וְאַתָּה לֹא שָׁדוּד — Is. 33:1
2998 כִּי לֹא אֱלֹהִים הֵמָּה — Is. 37:19
2999 לֹא בִמְחִיר וְלֹא בְשֹׁחַד — Is. 45:13
3000 לֹא־תֹהוּ בְרָאָהּ — Is. 45:18
3001 לֹא בֶאֱמֶת וְלֹא בִצְדָקָה — Is. 48:1
3002 לֹא מֵרֹאשׁ בַּסֵּתֶר דִּבַּרְתִּי — Is. 48:16
3003 לֹא־תֹאַר לוֹ וְלֹא הָדָר — Is. 53:2
3004 עַל לֹא־חָמָס עָשָׂה — Is. 53:9
3005 כִּי לֹא מַחְשְׁבוֹתַי מַחְשְׁבוֹתֵיכֶם — Is. 55:8
3006 וְלֹא דַרְכֵיכֶם דְּרָכָי — Is. 55:8
3007 כִּי לֹא לְעוֹלָם אָרִיב — Is. 57:16
3008 ...דְרוּשָׁה עִיר לֹא נֶעֱזָבָה — Is. 62:12
3009 הַהֹלְכִים הַדֶּרֶךְ לֹא־טוֹב — Is. 65:2
3010 בַּמִּדְבָּר בְּאֶרֶץ לֹא זְרוּעָה — Jer. 2:2

לא (ד) (המשך)

3011/2 וְהֵמָּה לֹא אֱלֹהִים Jer. 2:11; 16:20
3013 לֹא־בַמַּחְתֶּרֶת מְצָאתִים Jer. 2:34
3014 לוֹא לִזְרוֹת וְלוֹא לְהָבַר Jer. 4:11
3015 כִּי לוֹא לַיְיָ הֵמָּה Jer. 5:10
3016 כִּחֲשׁוּ בַּייָ וַיֹּאמְרוּ לוֹא־הוּא Jer. 5:12
3017 בְּאֶרֶץ לֹא־לָכֶם Jer. 5:19
3018 אֶרֶץ לוֹא נוֹשָׁבָה Jer. 6:8
3019 עֹלוֹתֵיכֶם לֹא לְרָצוֹן Jer. 6:20
3020 לוֹא־כֵן יְדַבֵּרוּ Jer. 8:6
3021 לֹא־כְאֵלֶּה חֵלֶק יַעֲקֹב Jer. 10:16
3022 יָדַעְתִּי יְיָ כִּי לֹא לָאָדָם דַּרְכּוֹ Jer. 10:23
3023 לֹא־לְאִישׁ הֹלֵךְ וְהָכִין אֶת־צַעֲדוֹ Jer. 10:23
3024 לָבַז אֶתֵּן לֹא בִמְחִיר Jer. 15:13
3025 דֶּרֶךְ לֹא סְלוּלָה Jer. 18:15
3026 לֹא פַשְׁחוּר קָרָא יְיָ שְׁמֶךָ Jer. 20:3
3027 וּגְבוּרָתָם לֹא כֵן Jer. 23:10
3028 לֹא כַבְּרִית אֲשֶׁר כָּרַתִּי... Jer. 31:32(31)
3029 וְאִם לוֹא הַשְּׂחֹק הָיָה לְךָ Jer. 48:27
3030 לֹא־כֵן עָשׂוּ Jer. 48:30
3031 הֵידָד לֹא הֵידָד Jer. 48:33
3032 לֹא דְלָתַיִם וְלֹא בְרִיחַ Jer. 49:31
3033 לֹא־אַלְמָן יִשְׂרָאֵל...מֵאֱלֹהָיו Jer. 51:5
3034 לֹא כְאֵלֶּה חֵלֶק יַעֲקוֹב Jer. 51:19
3035 כִּי לֹא אֶל־עַם עִמְקֵי שָׂפָה Ezek. 3:5
3036 לֹא אֶל־עַמִּים רַבִּים עִמְקֵי שָׂפָה Ezek. 3:6
3037 הִנֵּה נַפְשִׁי לֹא מְטֻמָּאָה Ezek. 4:14
3038 לֹא אֶל־חִנָּם דִּבַּרְתִּי Ezek. 6:10
3039 לֹא־מֵהֶם וְלֹא מֵהֲמוֹנָם Ezek. 7:11
3040 לֹא בְקָרוֹב בְּנוֹת בָּתִּים Ezek. 11:3
3041 כִּי לֹא חִנָּם עָשִׂיתִי Ezek. 14:23
3042 לֹא־טוֹב עָשָׂה בְּתוֹךְ עַמָּיו Ezek. 18:18
3043 נָתַתִּי לָהֶם חֻקִּים לֹא טוֹבִים Ezek. 20:25
3044 לֹא כְדַרְכֵיכֶם הָרָעִים Ezek. 20:44
3045 זֹאת לֹא־זֹאת... Ezek. 21:31
3046 אַתְּ אֶרֶץ לֹא מְטֹהָרָה הִיא Ezek. 22:24
3047/8 לֹא לְמַעַנְכֶם אֲנִי(־)עֹשֶׂה Ezek. 36:22, 32
3049 וּמַעַלְלֵיכֶם אֲשֶׁר לֹא־טוֹבִים Ezek. 36:31
3050 כִּי אַתֶּם לֹא־עַמִּי Hosh. 1:9
3051 אֲשֶׁר יֵאָמֵר לָהֶם לֹא־עַמִּי אַתֶּם Hosh. 2:1
3052 כִּי־הִיא לֹא אִשְׁתִּי Hosh. 2:4
3053 וְאָנֹכִי לֹא אִישָׁהּ Hosh. 2:4
3054 וְרִחַמְתִּי אֶת־לֹא רֻחָמָה Hosh. 2:25
3055 יָשׁוּבוּ לֹא עָל Hosh. 7:16
3056 הוּא־בֵן לֹא חָכָם Hosh. 13:13
3057 כִּי לֹא לְהַזְכִּיר בְּשֵׁם יְיָ Am. 6:10
3058 לֹא־נָבִיא אָנֹכִי Am. 7:14
3059 לֹא־רָעָב לַלֶּחֶם Am. 8:11
3060 כִּי לֹא־זֹאת הַמְּנוּחָה Mic. 2:10
3061 לָרֶשֶׁת מִשְׁכָּנוֹת לֹא־לוֹ Hab. 1:6
3062 כְּרֶמֶשׂ לֹא־מֹשֵׁל בּוֹ Hab. 1:14
3063 הוֹי הַמַּרְבֶּה לֹא־לוֹ Hab. 2:6
3064 לֹא עֶת־בֹּא עֶת־בֵּית יְיָ לְהִבָּנוֹת Hag. 1:2
3065 לֹא בְחַיִל וְלֹא בְכֹחַ Zech. 4:6
3066 לֹא כַיָּמִים הָרִאשֹׁנִים אֲנִי... Zech. 8:11
3067 וְאָמַר לֹא נָבִיא אָנֹכִי Zech. 13:5
3068 לֹא־יוֹם וְלֹא־לָיְלָה Zech. 14:7
3069 לֹא־כֵן הָרְשָׁעִים Ps. 1.4
3070 כִּי לֹא אֵל חָפֵץ רֶשַׁע אָתָּה Ps. 5:5
3071 לְדֹר וָדֹר אֲשֶׁר לֹא־בְרָע Ps. 10:6
3072 כִּי לֹא שָׁלוֹם יְדַבֵּרוּ Ps. 35:20
3073 יִתְיַצֵּב עַל־דֶּרֶךְ לֹא־טוֹב Ps. 36:5
3074 וָאֱהִי כְּאִישׁ אֲשֶׁר לֹא־שֹׁמֵעַ Ps. 38:15

לא (ד) (המשך)

3075 וְרִיבָה רִיבִי מִגּוֹי לֹא־חָסִיד Ps. 43:1
3076 כִּי לֹא בְחַרְבָּם יָרְשׁוּ־אָרֶץ Ps. 44:4
3077 כִּי לֹא בְקַשְׁתִּי אֶבְטָח Ps. 44:7
3078 כִּי לֹא בְמוֹתוֹ יִקַּח הַכֹּל Ps. 49:18
3079 לֹא עַל־זְבָחֶיךָ אוֹכִיחֶךָ Ps. 50:8
3080 כִּי לֹא־אוֹיֵב יְחָרְפֵנִי וְאֶשָּׂא Ps. 55:13
3081 לֹא־מְשַׂנְאִי עָלַי הִגְדִּיל... Ps. 55:13
3082 לֹא־פִשְׁעִי וְלֹא־חַטָּאתִי יְיָ Ps. 59:4
3083 כִּי לֹא מִמּוֹצָא וּמִמַּעֲרָב Ps. 75:7
3084 לֹא־לָנֶצַח יָרִיב וְלֹא לְעוֹלָם Ps. 103:9
3085 לֹא כַחֲטָאֵינוּ עָשָׂה לָנוּ Ps. 103:10
3086 וַיַּתְעֵם בְּתֹהוּ לֹא־דָרֶךְ Ps. 107:40
3087/8 לֹא לָנוּ יְיָ לֹא לָנוּ... Ps. 115:1
3089 לֹא־הַמֵּתִים יְהַלְלוּ־יָהּ Ps. 115:17
3090 אֲשֶׁר לֹא כְתוֹרָתֶךָ Ps. 119:86
3091 לֹא בִגְבוּרַת הַסּוּס יֶחְפָּץ Ps. 147:10
3092 לֹא־בְשׁוֹקֵי הָאִישׁ יִרְצֶה Ps. 147:10
3093 וְלֵב כְּסִילִים לֹא־כֵן Prov. 15:7
3094 וְהוֹלִיכוֹ בְּדֶרֶךְ לֹא־טוֹב Prov. 16:29
3095 לֹא־נָאוָה לְנָבָל שְׂפַת־יֶתֶר Prov. 17:7
3096 גַּם עֲנוֹשׁ לַצַּדִּיק לֹא־טוֹב Prov. 17:26
3097 שְׂאֵת פְּנֵי־רָשָׁע לֹא־טוֹב Prov. 18:5
3098 גַּם בְּלֹא־דַעַת נֶפֶשׁ לֹא־טוֹב Prov. 19:2
3099 לֹא־נָאוֶה לִכְסִיל תַּעֲנוּג Prov. 19:10
3100 וּמֹאזְנֵי מִרְמָה לֹא־טוֹב Prov. 20:23
3101 אָכֹל דְּבַשׁ הַרְבּוֹת לֹא־טוֹב Prov. 25:27
3102 לֹא־נָאוֶה לִכְסִיל כָּבוֹד Prov. 26:1
3103 מִתְעַבֵּר עַל־רִיב לֹא־לוֹ Prov. 26:17
3104 כִּי לֹא לְעוֹלָם חֹסֶן Prov. 27:24
3105 הַכֵּר־פָּנִים לֹא־טוֹב Prov. 28:21
3106 הַנְּמָלִים עַם לֹא־עָז Prov. 30:25
3107 שְׁפַנִּים עַם לֹא־עָצוּם Prov. 30:26
3108 לָמָּה לֹא מֵרֶחֶם אָמוּת Job 3:11
3109 כִּי־לֹא־אִישׁ כָּמֹנִי אֶעֱנֶנּוּ Job 9:32
3110 לֹא יֵשׁ־בֵּינֵינוּ מוֹכִיחַ Job 9:33
3111 כִּי לֹא־כֵן אָנֹכִי עִמָּדִי Job 9:35
3112/א לֹא־נֹפֵל אָנֹכִי מִכֶּם Job 12:3; 13:2
3113 וַיַּתְעֵם בְּתֹהוּ לֹא־דָרֶךְ Job 12:24
3114 כִּי לֹא לְפָנָיו חָנֵף יָבוֹא Job 13:16
3115 מִי־יִתֵּן טָהוֹר מִטָּמֵא לֹא אֶחָד Job 14:4
3116 עַל לֹא־חָמָס בְּכַפָּי Job 16:17
3117 אִם לֹא הֲתֻלִים עִמָּדִי Job 17:2
3118 לֹא נִין לוֹ וְלֹא נֶכֶד Job 18:19
3119 הֵן לֹא בְיָדָם טוּבָם Job 21:16
3120 לֹא־מַיִם עָיֵף תַּשְׁקֶה Job 22:7
3121 לֹא אַךְ־הוּא יָשִׂם בִּי Job 23:6
3122 הוֹשַׁעְתָּ זְרוֹעַ לֹא־עֹז Job 26:2
3123 תְּהוֹם אָמַר לֹא בִי־הִיא Job 28:14
3124 לְהַוָּתִי יֹעִילוּ לֹא עֹזֵר לָמוֹ Job 30:13
3125 לֹא־רַבִּים יֶחְכָּמוּ Job 32:9
3126 אֵל יִדְּפֶנּוּ לֹא־אִישׁ Job 32:13
3127 וְיָסִירוּ אַבִּיר לֹא בְיָד Job 34:20
3128 כִּי לֹא עַל־אִישׁ יָשִׂים Job 34:23
3129 יָרֹעַ כַּבִּירִים לֹא־חֵקֶר Job 34:24
3130 אִיּוֹב לֹא־בְדַעַת יְדַבֵּר Job 34:35
3131 וּדְבָרָיו לֹא בְהַשְׂכֵּיל Job 34:35
3132 כִּי־אָמְנָם לֹא־שֶׁקֶר מִלָּי Job 36:4
3133 רַחַב לֹא־מוּצָק תַּחְתֶּיהָ Job 36:16
3134 הֲיַעֲרֹךְ שׁוּעֲךָ לֹא בְצָר Job 36:19
3135 לְהַמְטִיר עַל־אֶרֶץ לֹא־אִישׁ Job 36:19
3136 מִדְבָּר לֹא־אָדָם בּוֹ Job 38:26
3137 לֹא־אַכְזָר כִּי יְעוּרֶנּוּ Job 41:2

לא (ד) (המשך)

3138 לוֹא אֲלֵיכֶם כָּל־עֹבְרֵי דֶרֶךְ Lam. 1:12
3139 לֹא בִמְהֵרָה יִנָּתֵק Eccl. 4:12
3140 כִּי לֹא מֵחָכְמָה שָׁאַלְתָּ עַל־זֶה Eccl. 7:10
3141 כִּי לֹא לַקַּלִּים הַמֵּרוֹץ Eccl. 9:11
3142 וְגַם לֹא לַחֲכָמִים לֶחֶם Eccl. 9:11
3143 וְגַם לֹא לַנְּבֹנִים עֹשֶׁר Eccl. 9:11
3144 וְגַם לֹא לַיֹּדְעִים חֵן Eccl. 9:11
3145 וְהוּא לֹא־פָנִים קִלְקַל Eccl. 10:10
3146 לֹא עַל־הַמֶּלֶךְ לְבַדּוֹ עָוְתָה. Es. 1:16
3147 אָבוֹא אֶל־הַמֶּלֶךְ אֲשֶׁר לֹא־כַדָּת Es. 4:16
3148 כִּי לֹא עַל־צִדְקֹתֵינוּ... Dan. 9:18
3149 לֹא־לָכֶם וָלָנוּ לִבְנוֹת Ez. 4:3
3150 לֹא־לְיוֹם אֶחָד וְלֹא לִשְׁנַיִם Ez. 10:12
3151 לֹא־טוֹב הַדָּבָר Neh. 5:9
3152 וַיָּמָת סֶלֶד לֹא בָנִים ICh. 2:30
3153 וַיָּמָת יֶתֶר לֹא בָנִים ICh. 2:32
3154 לֹא לָשֵׂאת אֶת־אֲרוֹן הָאֱלֹהִים ICh. 15:2
3155 כִּי לְמַבָּרִאשׁוֹנָה לֹא אַתֶּם... ICh. 15:13
3156 לֹא אַתָּה תִּבְנֶה־לִּי הַבַּיִת ICh. 17:4
3157 בִּי...וּבְעַמְּךָ לֹא לְמַגֵּפָה ICh. 21:17
3158 כִּי לֹא לְאָדָם הַבִּירָה ICh. 29:1
3159 אֲשֶׁר לֹא־מֵעַמְּךָ יִשְׂרָאֵל הוּא IICh. 6:32
3160 אֲשֶׁר לֹא מִיִּשְׂרָאֵל הֵמָּה IICh. 8:7
3161 וַיֹּאמֶר יְיָ לֹא־אֲדֹנִים לָאֵלֶּה IICh. 18:16
3162 כִּי לֹא לְאָדָם תִּשְׁפְּטוּ כִּי לַייָ IICh. 19:6
3163 כִּי לֹא לָכֶם הַמִּלְחָמָה IICh. 20:15
3164 לֹא לָכֶם לְהִלָּחֵם בָּזֹאת IICh. 20:17
3165 רַק לֹא בְּלֵבָב שָׁלֵם IICh. 25:2
3166 לֹא־לְךָ עֻזִּיָּהוּ לְהַקְטִיר לַייָ IICh. 26:18
3167 כִּי לֹא לָרֹב עָשׂוּ כַּכָּתוּב IICh. 30:5
3168 לְכֹל לֹא טָהוֹר לְהַקְדִּישׁ לַייָ IICh. 30:17
3169 מִימֵי שְׁלֹמֹה...לֹא כָזֹאת בִּירוּשָׁלָ͏ִם IICh. 30:26
3170 לֹא־עָלֶיךָ אַתָּה הַיּוֹם IICh. 35:21

לא (ה)

3171 וַיֹּאמֶר לֹא כִּי צָחָקְתְּ Gen. 18:15
3172 וַיֹּאמְרוּ לֹא כִּי בָרְחוֹב נָלִין Gen. 19:2
3173 לֹא־אֲדֹנִי שְׁמָעֵנִי Gen. 23:11
3174 וַיֹּאמְרוּ אֵלָיו לֹא אֲדֹנִי Gen. 42:10
3175 לֹא כִּי־עֶרְוַת הָאָרֶץ...לִרְאוֹת Gen. 42:12
3176/7 וַיֹּאמֶר לֹא Num. 22:30 • Josh. 5:14
3178 לֹא כִּי אֶת־יְיָ נַעֲבֹד Josh. 24:21
3179 הַאֶפְרָתִי אַתָּה וַיֹּאמֶר לֹא Jud. 12:5
3180 לֹא כִּי־אָסֹר נֶאֱסָרְךָ Jud. 15:13
3181 וַתֹּאמֶר לֹא אֲדֹנִי ISh. 1:15
3181/א וְאָמַר לֹא (כת׳ לוֹ) כִּי עַתָּה תִתֵּן ISh. 2:16
3182 וַיֹּאמְרוּ לֹא כִּי אִם־מֶלֶךְ... ISh. 8:19
3183 לֹא כִּי־מֶלֶךְ יִמְלֹךְ עָלֵינוּ ISh. 12:12
3184 לֹא כִּי אֲשֶׁר בָּחַר יְיָ... IISh. 16:18
3185 לֹא כִּי־קָנוֹ אֶקְנֶה מֵאוֹתְךָ IISh. 24:24
3186 וַיֹּאמֶר לֹא כִּי־פֹה אָמוּת IK. 2:30
3187 וַיֹּאמֶר לֹא כִּי שַׁלַּח תְּשַׁלְּחֵנִי IK. 11:22
3188 לוֹא אֲדֹנִי הַמֶּלֶךְ IIK. 6:12
3189 לוֹא כִּי־אָהַבְתִּי זָרִים Jer. 2:25
3190 לֹא כִּי אֶרֶץ מִצְרַיִם נָבוֹא Jer. 42:14
3191 וַיַּעֲנוּ הַכֹּהֲנִים וַיֹּאמְרוּ לֹא Hag. 2:12
3192/3 וָאֹמַר לֹא אֲדֹנִי Zech. 4:5, 13
3194 לֹא כִּי־קָנֹה אֶקְנֶה בְּכֶסֶף מָלֵא ICh. 21:24

אם לא (ו)

3195 וְאִם־לֹא אֵדָעָה Gen. 18:21
3196 הַהִצְלִיחַ יְיָ דַּרְכּוֹ אִם־לֹא Gen. 24:21
3197 אִם־לֹא הַגִּידוּ לִי Gen. 24:49
3198 הַאַתָּה זֶה בְּנִי עֵשָׂו אִם־לֹא Gen. 27:21
3199 הַכְּתֹנֶת בִּנְךָ הוּא אִם־לֹא Gen. 37:2
3200 וְאִם־לֹא חֵי פַרְעֹה... Gen. 42:16

אם לא (ו) (המשך)

3201 הילך בתורתי אם־לא Ex. 16:4
3202 היקרך דברי אם־לא Num. 11:23
3203 התשמר מצותו אם־לא Deut. 8:2
3204 השמרים הם...אם־לא Jud. 2:22
3205 ואם לא לקחתי בחזקה ISh. 2:16
3206 ואם־לא וידענו ISh. 6:9
3207 ואם לא חדלו Zech. 11:12
3208 אם־לא אפוא מי־הוא Job 9:24
3209 ואם־לא אפו מי יכזיבני Job 24:25

אם לא (ז)

3210 אם־לא אל־בית־אבי תלך Gen. 24:38
3211 אם לא כאשר דברתם באזני Num. 14:28
3212 אם לא זאת אעשה... Num. 14:35
3213 אם לא הארץ אשר דרכה... Josh. 14:9
3214 אם־לא כדברך כן נעשה Jud. 11:10
3215 ואם־לא מדאגה מדבר Josh. 22:24
3216 אם־לא שר־צבא תהיה לפני IISh. 19:14
3217 אם־לא את־דמי נבות IIK. 9:26
3218 אם־לא בתים רבים לשמה יהיו Is. 5:9
3219 אם־לא כאשר דמיתי כן היתה Is. 14:24
3220 אם־לא בריתי יומם ולילה Jer. 33:25
3221 אם־לא אליהם שלחתיך... Ezek. 3:6
3222 אם־לא יען את־מקדשי טמאת Ezek. 5:11
3223 אם־לא במקום המלך... Ezek. 17:16
3224 אם־לא אלתי אשר בזה Ezek. 17:19
3225 אם־לא ביד חזקה...אמלוך Ezek. 20:33
3226 אם־לא...בחרב יפלו Ezek. 33:27
3227 אם־לא יען היות־צאני לבז Ezek. 34:8
3228 אם־לא דם שנאת ודם ירדפך Ezek. 35:6
3229 אם־לא באש קנאתי דברתי Ezek. 36:5
3230 אם־לא הגוים...כלמתם ישאו Ezek. 36:7
3231 אם־לא ביום ההוא יהיה רעש Ezek. 38:19
3232 אם־לא על־פניך יברכך Job 1:11
3233 אם־לא אל־פניך יברכך Job 2:5
3234 אם־לא על־שכמי אשאנו Job 31:36

ולא (א)

3235 ערומים...ולא יתבששו Gen. 2:25
3236 לא תאכלו ממנו ולא תגעו בו Gen. 3:3
3237 ולא־אסף עוד להכות Gen. 8:21
3238 ולא־יכרת כל־בשר עוד Gen. 9:11
3239 ולא־יהיה עוד מבול Gen. 9:11
3240 ולא יהיה עוד המים למבול Gen. 9:5
3241 ולא תאמר אני העשרתי... Gen. 14:23
3242 ולא יספר מרב Gen. 16:10
3243 ולא־יקרא עוד...אברם Gen. 17:5
3244 תספה ולא־תשא למקום Gen. 18:24
3245 ולא־יודע השבע בארץ Gen. 41:31
3246 ולא־תכרת הארץ ברעב Gen. 41:36
3247-9 ונחיה ולא נמות Gen. 42:2; 43:8; 47:19
3250 ויאמנו דבריכם ולא תמותו Gen. 42:20
3251 ולא ישמעו בקלי Ex. 4:1
3252 ולא ישמעו לקל האת הראשון Ex. 4:8
3253 ולא ישמעון לקלך Ex. 4:9
3254 ולא ישלח את־העם Ex. 4:21
3255 ולא־ישמע אלכם פרעה Ex. 7:4
3256 הן נזבח...ולא יסקלנו Ex. 8:22
3257 ולא ימות מכל־לבני ישׂ׳ דבר Ex. 9:4
3258 ולא־יראה לך חמץ Ex. 13:7
3259 ולא־יראה לך שאר Ex. 13:7
3260/1 ולא־יראו פני ריקם Ex. 23:15; 34:20
3262 ולא תהדר פני גדול Lev. 19:15
3263 ולא תונו איש את־עמיתו Lev. 25:17
3264 ולא־תתורו אחרי לבבכם Num. 15:39
3265/6 ולא תנאף ולא תגנב Deut. 5:17

ולא (א) (המשך)

3267 ולא־תענה ברעך עד שוא Deut. 5:17
3268 ולא תחמד אשת רעך Deut. 5:18
3269 ולא תתאוה בית רעך Deut. 5:18
3270 ולא־תקח שחד Deut. 16:19
3271 ולוא נכרית מהבהמה IK. 18:5
3272 אל־תשמע ולוא תאבה IK. 20:8
3273 ולא־ילמדו עוד מלחמה Is. 2:4
3274 עינים להם ולא יראו Jer. 8:21
3275 אזנים להם ולא ישמעו Jer. 5:21
3276 חק־עולם ולא יעברנהו Jer. 5:22
3277 ולא יוכלו להקשיב Jer. 6:10
3278 ובמקבות יחזקום ולוא יפיק Jer. 10:4
3279 ולוא תבוא דמעתך Ezek. 24:16
3280 ולא־ילמדון עוד מלחמה Mic. 4:3
3281 לא ינום ולא יישן שומר ישׂ׳ Ps. 121:4
3282 יכפר עון ולא־ישחית Ps. 78:38
3283 ולא־יעיר כל־חמתו Ps. 78:38
3284/5 פה־להם ולא ידברו Ps. 115:5; 135:16
3286/7 עינים להם ולא יראו Ps. 115:5; 135:16
3288/9 אזנים להם ולא ישמעו Ps. 115:5 135:16
3290 אף־להם ולא יריחון Ps. 115:6
3291 ידיהם ולא ימישון Ps. 115:6
3292 רגליהם ולא יהלכו Ps. 115:7

4059-3293 ולא (א) Ex. 9:19, 28; 10:5; 12:10, 13, 23; 13:3; 20:5(4), 26; 21:18, 22, 28, 29, 33, 36; 22:10, 20; 23:2, 18, 24[2]; 28:28, 35, 43; 30:12, 20, 21; 34:24, 25; 39:21; 40:37 • Lev. 2:13; 5:8, 11; 8:35; 10:6, 9; 11:43, 44; 14:36; 15:31; 16:2, 13; 17:7; 18:21, 26, 28, 30; 19:11[2], 12, 13, 15, 17, 18, 26[2], 27, 29; 20:14, 22, 23, 25; 21:6, 12, 15; 21:23; 22:2, 6, 9, 15, 32; 25:11[2], 20; 26:11, 14, 20, 21, 26, 31, 37; 27:10, 28, 33 • Num. 1:53; 4:15, 19, 20; 5:3, 15; 8:19, 25; 9:19, 22 • 10:7; 11:17; 14:42, 43; 15:22; 17:5, 25; 18:3, 5, 22, 32[2]; 19:13, 20; 20:17; 23:19[2], 20; 27:17; 35:12, 31, 32, 33, 34; 36:7, 9 • Deut. 1:29, 42[2]; 4:2, 28[3], 31[2]; 5:9; 7:2, 3, 16, 26; 8:3; 10:17; 11:17; 12:23; 3:1, 9[4], 12, 18; 14:1; 15:7, 9, 10, 19; 16:4[2], 16, 22; 17:13, 16, 17[2]; 18:16, 22[2]; 19:10, 20, 21; 20:8; 21:4, 18, 23; 22:5, 8; 23:1, 15, 18; 24:4, 5, 6, 15[2], 17; 25:6; 28:14, 29, 30[2], 31[2], 39, 41, 65, 66; 29:22[2]; 30:17; 31:6, 8[2] • Josh. 1:5, 18; 6:10[2]; 7:12; 9:20, 23; 20:5, 9; 22:27; 23:7[3] • Jud. 6:4; 8:23; 11:35; 12:6; 20:8, 16; 21:17 • ISh. 1:7, 11; 2:15, 25, 32; 3`13; 5:11; 8:18; 12:14, 21; 14:9, 34, 36; 15:3, 29; 20:2, 14[2], 15[2]; 25:31; 26:8; 27:9; 29:4[2], 7 • IISh. 2:28[2]; 7:10; 13:25; 14:10, 11, 14; 17:8; 21:17; 22:38, 39; 24:24 • IK. 1:1; 2:6, 36; 3:8; 6:13; 8:5, 8, 35; 9:6; 11:34; 12:24; 13:8[2], 9[2], 16[2], 17, 28; 14:2; 18:12, 44 • IIK. 3:17; 9:3; 12:16; 17:35[3]; 17:37; 18:30, 32; 19:32[3]; 20:1; 21:8; 22:17, 20 • Is. 5:6, 27; 7:7, 12; 8:10, 12; 11:9; 12:2; 13:20[2]; 16:12; 17:8; 19:15; 23:18; 24:20; 26:21; 30:5, 14, 20; 32:3; 37:33[3]; 38:1; 40:28, 31[2]; 41:12; 42:2[2], 4, 20[2], 25; 44:18, 19, 20[2]; 45:17, 23; 46:7; 47:3, 8; 48:19; 49:10[2]; 51:14[2]; 53:7[2]; 57:12; 58:3; 59:6, 9; 65:17[2], 19, 25; 66:9 • Jer. 1:19; 2:37; 3:16[4], 17; 4:1, 28; 5:12, 15, 22[2], 23; 7:20, 27[2], 32; 8:2, 4[2]; 10:5, 10; 11:11, 21; 13:14[2]; 14:14[2]; 15:10, 20; 16:2, 4. 6[3], 7[2], 14, 16[3]; 17:6[2], 8[2], 22, 27; 19:6; 20:9[2], 11; 21:7; 23:4[3], 7; 24:6[2]; 25:6[2], 27, 33[2]; 29:32; 30:8, 19[2]; 31:12(11), 34(33), 40(39); 33:22; 35:7; 37:20; 38:24, 25; 39:17; 42:10[2], 17, 18; 44:14, 22; 49:18, 33, 36; 50:3, 20. 39[2], 40, 42; 51:26, 39, 43, 44, 57, 64 • Ezek. 3:9; 3:20, 25, 26; 4:8; 5:11[2]; 7:4[2], 9[2]; 8:18[2]; 9:10; 12:6, 23; 13:21; 14:11; 16:16, 42, 63; 18:14, 30; 23:27, 48; 24:12, 14[2]; 24:16[2], 17, 23, 27; 26:21; 28:24; 29:5, 11, 15, 16; 31:14[2]; 32:13, 27; 34:10[2], 22, 28, 29[2]; 36:12, 15, 29; 37:22[2], 23; 39:7, 10[2], 28, 29; 41:6; 42:14; 43:7; 44:13, 17, 19; 45:8; 46:18; 47:11, 12; 48:14[3] • Hosh. 1:7; 2:1, 9[2], 18; 2:19; 3:3; 4:10[2]; 5:6, 13; 9:4; 11:9; 14:4 • Joel 2:7, 19, 26, 27 • Am. 4:8; 5:11[2], 21; 7:16; 8:12, 14; 9:1, 9, 15 • Ob. 18 • Jon. 1:6; 3:9 • Mic. 2:3; 3:4; 5:6, 12; 6:14[2], 15[3] • Nah. 2:14 • Hab. 1:2[2], 4; 2:3, 5[2] • Zep. 1:12, 13[2]; 3:7, 11, 13[2] • Zech. 7:13; 9:8; 10:10; 11:5, 6; 13:2, 4; 14:17, 21 • Mal. 1:10; 2:16; 3:5, 11[2] • Ps. 15:4; 18:18, 38, 39; 22:3; 28:5; 30:13; 34:23; 37:21, 28, 33; 39:7; 44:10; 49:21; 55:12; 60:12; 64:5; 66:5; 73:22; 77:3, 5, 8; 78:7, 8, 39; 81:10; 82:5; 83:5; 88:9; 89:34, 49; 94:7; 103:16; 108:12; 110:4; 119:46; 121:4; 135:16[2], 17; 148:6 • Prov. 1:28[2]; 2:19; 6:34, 35; 10:22; 17:21; 21:13, 26; 28:22; 29:24; 30:30 • Job 4:16; 5:12, 21, 24; 7:10; 8:9, 15[2], 20; 9:7, 11[2], 35; 10:21; 11:11, 15; 12:14[2]; 14:2, 5, 12[2], 21[2]; 15:9, 29[2]; 16:13; 17:10; 18:5; 19:7, 8, 16; 20:8, 9, 13, 18[2], 19; 21:10[2]; 22:14; 23:8, 9[2]; 23:11, 12; 24:22; 25:5; 26:8; 27:6, 19, 22; 28:13, 15; 29:24; 30:20; 35:12; 36:5, 26; 37:4, 5; 38:11; 39:22[2], 24; 40:5[2], 23; 41:9; 42:2, 3[2] • S.ofS. 3:4 • Ruth 2:15, 16, 22; 4:10 • Lam. 3:7, 49 • Eccl. 1:8; 5:4; 6:2, 10; 7:20; 8:8, 13, 17 • Es. 1:19; 3:2; 9:27 • Dan. 11:6[2], 12, 17, 19, 25, 27, 29; 12:8, 10 • Ez. 9:12 • Neh. 4:5; 6:3, 9; 10:40 • ICh. 17:9[2]; 28:20 • IICh. 5:6, 9; 6:26; 7:13; 11:4; 12:7; 19:10[2]; 23:19; 24:20; 30:9; 33:8; 34:25, 28

ולא (ב)

4060 ולא־מצאה היונה מנוח Gen. 8:9
4061 ולא־יספה שוב־אליו עוד Gen. 8:12
4062 ולא־נשא אתם הארץ... Gen. 13:6
4063 ולא יכלו לשבת יחדו Gen. 13:6
4064 ולא־ידע בשכבה ובקומה Gen. 19:33
4065 ולא־ידע בשכבה ובקמה Gen. 19:35
4066/7 ולא חשכת את־בנך Gen. 22:12, 16
4068 ולא רבו עליה Gen. 26:22
4069 ולא הכירו כי־היו ידיו... Gen. 27:23
4070 ולא שתם על־צאן לבן Gen. 30:40
4071 ולא נתנו אלהים להרע עמדי Gen. 31:7
4072 ולא־הגדת לי Gen. 31:27
4073 ולא נטשתני לנשק לבני Gen. 31:28
4074 ולא־ידע יעקב Gen. 31:32
4075/6 ולא מצא Gen. 31:33, 34
4077 ולא מצא את־התרפים Gen. 31:35
4078 ולא־אחר הנער לעשות Gen. 34:19
4079 ולא רדפו אחרי בני יעקב Gen. 35:5
4080 ולא יכלה...לשאת אתם Gen. 36:7
4081 ולא יכלו דברו לשלם Gen. 37:4
4082 וישלח...ולא מצאה Gen. 38:20
4083 ולא־יסף עוד לדעתה Gen. 38:26
4084 ולא־ידע אתו מאומה Gen. 39:6
4085 ולא חשך ממני מאומה Gen. 39:9
4086 ולא־שמע אליה Gen. 39:10
4087 ולא זכר שר־המשקים Gen. 40:23
4088 ולא נודע כי־באו Gen. 41:21
4089 בהתחננו אלינו ולא שמענו Gen. 42:21
4090 הלוא אמרתי...ולא שמעתם Gen. 42:22
4091 ולא ראיתיו עד־הנה Gen. 44:28
4092 ולא־יכל יוסף להתאפק Gen. 45:1
4093 ולא־עמד איש אתו Gen. 45:1
4094 ולא־יכלו אחיו לענות אתו Gen. 45:3
4095 ולא השיגו את־ימי שני... Gen. 47:9

וְלֹא (ב) (המשך)

4096 וְלֹא עָשׂוּ כַּאֲשֶׁר דִּבֶּר אֲלֵיהֶן... Ex. 1:17
4097 וְלֹא־יָכְלָה עוֹד הַצְּפִינוֹ Ex. 2:3
4098/9 וְלֹא(־)שָׁמְעוּ אֶל־מֹשֶׁה Ex. 6:9; 16:20
4100-4104 וְלֹא(־)שָׁמַע אֲלֵהֶם Ex. 7:13, 22; 8:11, 15; 9:12
4105 וְלֹא־יָכְלוּ מִצְרַיִם לִשְׁתּוֹת מַיִם Ex. 7:21
4106 וְלֹא־שָׁת לִבּוֹ גַּם־לָזֹאת Ex. 7:23
4107 וַיַּעֲשׂוּ־כֵן...וְלֹא יָכֹלוּ Ex. 8:14
4108/9 וְלֹא שִׁלַּח אֶת־הָעָם Ex. 8:28; 9:7
4110 וְלֹא־יָדַע אִישׁ אֶת־קְבֻרָתוֹ Deut. 34:6
4111 וְלֹא־קָם נָבִיא עוֹד בְּיִשְׂרָאֵל Deut. 34:10
4112 וְלוֹא־אָמְרוּ בִלְבָבָם Jer. 5:24
4113 וְלוֹא שָׁמְעוּ אֵלַי Jer. 7:26
4114 וְלוֹא הָיְתָה...לִשְׁמוּעָה בְּפִיךְ Ezek. 16:56
4115-4689 וְלֹא (ב) Ex. 9:11, 35; 10:15, 20, 27; 11:10; 12:39; 13:17; 14:20; 15:22, 23; 16:18, 24, 27; 33:4; 40:35 • Lev. 5:17; 13:6, 32; 26:44 • Num. 9:6; 11:25, 26; 14:22; 16:15; 20:2; 21:23; 23:21; 24:1; 25:11; 26:65; 31:49; 33:14 • Deut. 1:26, 43, 45^{2}; 2:30; 3:26; 5:5, 19; 9:23^{2}; 20:5, 6, 7; 22:2, 14; 23:6; 25:18; 26:13, 14^{2}; 29:3, 25; 34:7 • Josh. 2:4, 11, 22; 5:1, 12; 8:17, 20; 9:18, 26; 10:13, 14; 13:13; 14:4; 16:10; 17:12; 21:42; 22:33; 24:10 • Jud. 1:27; 2:2, 14, 20, 23; 3:28, 29; 6:10; 8:20, 28, 34, 35; 10:6; 11:17^{2}, 18, 20, 28; 12:2; 13:2, 3, 6, 21, 23; 14:6, 9, 14, 16; 15:1; 16:9, 15; 19:10, 25, 30; 20:13; 21:14 • ISh. 3:18, 19; 4:15, 20^{2}, 6:12; 7:13; 8:3; 9:4^{2}; 10:21; 10:27; 11:11; 12:4^{2}; 13:8, 22; 14:24, 37, 45; 15:9, 35; 18:2, 26; 20:26, 34; 22:17^{2}; 23:14; 24:8, 12^{2}, 19; 25:7, 15^{2}, 21, 36; 26:23; 27:4; 28:6, 15, 18; 29:3; 30:12, 17, 19; 31:4 • IISh. 2:19, 21; 3:8, 11; 6:10; 11:9; 12:17^{2}, 18; 13:14, 16, 22, 25, 30; 14:29^{2}; 15:11; 17:12, 19, 20; 18:29; 19:25^{2}, 44; 20:10; 21:10; 22:22, 37, 42; 23:16, 17 • IK. 1:6, 27; 3:11^{3}; 8:11; 9:12; 10:5, 7, 12; 11:4, 6, 10, 11, 33; 12:15; 13:4, 10, 21; 14:8; 15:3, 5; 18:21; 20:7; 21:4; 22:6, 25^{2}, 49, 50; 24:4; 30:2; 31:9; 35:15^{2}; 36:13; 37:25, 36; 40:5, 13; 44:13, 18^{2}; 55:20; 66:9 • IIK. 2:12, 17; 3:9, 26; 4:27, 40, 41; 6:23; 8:19; 9:18, 20, 35; 10:14, 21; 11:2; 13:23^{2}; 14:11, 27; 15:20; 16:2, 5; 17:4, 14, 38, 40; 18:7, 12^{2}, 36; 21:22; 22:2; 24:4, 7; 25:3 • Is. 1:6^{2}; 5:4, 27^{2}; 7:1; 9:19; 10:14; 22:11; 23:4^{2}; 28:12; 30:15; 31:1; 33:1; 36:21; 41:9; 42:16, 24^{2}, 25; 43:23; 45:4, 5; 48:6, 7, 21; 53:3; 58:3; 59:1; 65:12^{2}, 23; 66:4, 19 • Jer. 2:6^{2}; 3:7, 8, 25; 5:3; 7:13^{2}, 22, 24^{2}, 26, 28, 31; 9:2, 9, 12^{2}; 11:8^{3}, 19; 13:11; 14:18; 16:17; 17:11, 23^{2}; 19:5^{2}; 20:16; 23:2, 32; 25:3, 4^{2}, 7; 26:5; 29:19; 32:23, 35; 34:14^{2}; 35:14^{2}, 15^{2}, 17^{2}; 36:24^{2}, 25, 31; 37:2, 4, 14; 40:3, 14; 41:8; 42:21; 43:4; 44:5^{2}, 10^{2}, 23; 46:5; 48:11; 51:9; 52:6 • Ezek. 3:18^{2}, 19; 4:14; 12:2^{2}; 16:31, 43, 47; 19:14; 20:8, 17; 22:30; 24:13; 33:4, 5, 6, 8, 9, 22; 34:8; 44:8 • Hosh. 7:10^{2}, 14; 8:4; 11:3 • Am. 1:9; 3:10; 4:6, 8, 9, 10, 11; 6:6 • Jon. 1:13; 3:10; 4:10 • Mic. 4:12 • Nah. 3:17 • Zep. 1:6 • Zech. 1:4^{2}; 7:13; 8:14 • Mal. 2:15; 3:7 • Ps. 18:22, 37, 42; 22:6, 25^{2}; 24:4; 30:2; 31:9; 35:15^{2}; 36:13; 37:25, 36; 40:5, 13; 44:13, 18^{2}; 55:20; 66:9; 69:21; 76:6; 78:22, 32, 37, 53; 80:19; 81:12; 86:14; 89:44; 102:18; 105:28; 109:17; 119:60; 129:7; 131:1^{2} • Prov. 5:13; 7:23; 9:18; 30:3; 31:12 • Job 1:22; 2:12; 3:26^{2}; 9:5; 15:18, 19; 21:25; 22:16; 24:13; 28:7; 30:27; 31:17, 30; 32:14; 33:27; 34:19; 35:10, 15; 39:4, 17; 42:15 • S.ofS. 3:1, 2; 5:6^{2} • Lam. 2:1, 2, 14, 17, 22; 4:6; 5:5; 6:5 • Eccl. 6:5; 7:28 • Es. 1:17; 3:4; 4:4; 5:9^{2} • Dan. 1:19; 8:7^{2}; 9:6, 10, 13, 14; 10:8^{2}, 16; 11:21 • Ez. 2:59, 62 • Neh. 1:7; 2:1, 12, 17;

וְלֹא (ב) (המשך)

5:8; 6:1; 7:61, 64; 9:16, 17^{2}, 29^{2}, 30, 31, 34 • ICh. 2:34; 10:4, 14; 11:18, 19; 12:20; 13:13; 19:19; 21:30; 23:17, 22; 24:28; 27:23, 24^{2} • IICh. 1:11; 5:14; 6:5; 7:2; 8:15; 9:2, 4, 6, 9, 11; 10:15; 13:7, 10, 20; 16:7; 17:3, 10; 20:10, 32, 37; 21:7, 17, 19, 20; 22:11; 24:5, 19, 22, 25; 25:16, 20; 28:1, 20; 29:34; 32:26; 33:10, 22; 34:2; 35:18, 22^{2}; 36:17

וְלֹא (ד)

4690 וְהֵבֵאתִי...קְלָלָה וְלֹא בְרָכָה Gen. 27:12
4691 וְלֹא בְּיָד חֲזָקָה Ex. 3:19
4692-4695 וְלֹא יוֹמַיִם וְלֹא חֲמִשָּׁה יָמִים וְלֹא עֲשָׂרָה יָמִים וְלֹא עֶשְׂרִים יוֹם Num. 11:19
4696 וּמַרְאֶה וְלֹא־בְחִידֹת Num. 12:8
4697 כִּי לֹא...וְלֹא־קֶסֶם בְּיִשְׂרָאֵל Num. 23:23
4698 אֶרְאֶנּוּ וְלֹא עַתָּה Num. 24:17
4699 אֲשׁוּרֶנּוּ וְלֹא קָרוֹב Num. 24:17
4700 וְהוּא לֹא...וְלֹא מְבַקֵּשׁ רָעָתוֹ Num. 35:23
4701 מַפְרִיס פַּרְסָה הוּא וְלֹא גֵרָה Deut. 14:8
4702 וּנְתָנְךָ יְיָ לְרֹאשׁ וְלֹא לְזָנָב Deut. 28:13
4703 וְלֹא תִהְיֶה לְמָטָּה Deut. 28:13
4704 וְלֹא אִתְּכֶם לְבַדְּכֶם אָנֹכִי כֹּרֵת Deut. 29:13
4705 וְלֹא־רְחֹקָה הִוא Deut. 30:11
4706 וְלֹא־מֵעֵבֶר לַיָּם הִוא Deut. 30:13
4707 עַם נָבָל וְלֹא חָכָם Deut. 32:6
4708 וְלֹא יְיָ פָּעַל כָּל־זֹאת Deut. 32:27
4709 וְלֹא־שֹׂנֵא הוּא לוֹ Josh. 20:5
4710/1 לֹא לְעוֹלָה וְלֹא לְזָבַח Josh. 22:26, 28
4712 לֹא בְחַרְבְּךָ וְלֹא בְקַשְׁתֶּךָ Josh. 24:12
4713 ...וְלֹא אַתָּה אַגִּיד לָךְ ISh. 20:9
4714 וְלֹא־אָז אֶשְׁלַח אֵלֶיךָ ISh. 20:12
4715 וְלֹא אִם־עוֹדֶנִּי חָי ISh. 20:14
4716 וְלֹא נַחֲלָה־לָנוּ בְּבֶן־יִשַׁי IISh. 20:1
4717/8 וְלֹא־נַחֲלָה בְּבֶן־יִשַׁי IK. 12:16 • IICh. 10:16
4719 וְלֹא־אֱלֹהֵי עֲמָקִים הוּא IK. 20:28
4720 הַיּוֹם לֹא חֹדֶשׁ וְלֹא שַׁבָּת IIK. 4:23
4721 לֹא אַחַת וְלֹא שְׁתָּיִם IIK. 6:10
4722 לֹא־זֶה הַדֶּרֶךְ וְלֹא־זֹה הָעִיר IIK. 6:19
4723 וְלֹא־לְמַרְאֵה עֵינָיו יִשְׁפּוֹט Is. 11:3
4724 וְלֹא־לְמִשְׁמַע אָזְנָיו יוֹכִיחַ Is. 11:3
4725 לֹא חַלְלֵי...וְלֹא מֵתֵי מִלְחָמָה Is. 22:2
4726/7 שָׁכְרוּ וְלֹא־יַיִן נָעוּ וְלֹא־שֵׁכָר Is. 29:9
4728 וְלֹא עַתָּה פָּנָיו יֶחֱוָרוּ Is. 29:22
4729 לַעֲשׂוֹת עֵצָה וְלֹא מִנִּי Is. 30:1
4730 וְלִנְסֹךְ מַסֵּכָה וְלֹא רוּחִי Is. 30:1
4731 וּמִצְרַיִם אָדָם וְלֹא־אֵל Is. 31:3
4732 וְסוּסֵיהֶם בָּשָׂר וְלֹא־רוּחַ Is. 31:3
4733 וְלֹא־אֹתִי קָרָאתָ יַעֲקֹב Is. 43:22
4734/5 וְלֹא דַעַת וְלֹא־תְבוּנָה Is. 44:19
4736 לֹא בִמְחִיר וְלֹא בְשֹׁחַד Is. 45:13
4737 לֹא בֶאֱמֶת וְלֹא בִצְדָקָה Is. 48:1
4738 עַתָּה נִבְרְאוּ וְלֹא מֵאָז Is. 48:7
4739 הִנֵּה צְרַפְתִּיךָ וְלֹא בְכָסֶף Is. 48:10
4740 וּשְׁכֻרַת וְלֹא מִיָּיִן Is. 51:21
4741 וְלֹא בְכֶסֶף תִּגָּאֵלוּ Is. 52:3
4742 לֹא־תֹאַר לוֹ וְלֹא הָדָר Is. 53:2
4743 וְנִרְאֵהוּ וְלֹא־מַרְאֶה וְנֶחְמְדֵהוּ Is. 53:2
4744 וְלֹא מִרְמָה בְּפִיו Is. 53:9
4745 וְלֹא דַרְכֵיכֶם דְּרָכָי Is. 55:8
4746 וְלֹא לָנֶצַח אֶקְצוֹף Is. 57:16
4747 וְלֹא פַחְדָּתִי אֵלַיִךְ Jer. 2:19
4748 כִּי־פָנוּ אֵלַי עֹרֶף וְלֹא פָנִים Jer. 2:27
4749 לוֹא לִזְרוֹת וְלוֹא לְהָבַר Jer. 4:11
4750 בָּנִים סְכָלִים וְלֹא נְבוֹנִים הֵמָּה Jer. 4:22

וְלֹא (ד) (המשך)

4751 וַיִּהְיוּ לְאָחוֹר וְלֹא לְפָנִים Jer. 7:24
4752 כִּי שֶׁקֶר נִסְכּוֹ וְלֹא רוּחַ בָּם Jer. 10:14
4753 עֹשֶׂה עֹשֶׁר וְלֹא בְמִשְׁפָּט Jer. 17:11
4754 עֹרֶף וְלֹא־פָנִים אֶרְאֵם Jer. 18:17
4755-4758 לְרָעָה וְלֹא לְטוֹבָה Jer. 21:10; 39:16; 44:27 • Am. 9:9
4759 וְלֹא אֱלֹהֵי מֵרָחֹק Jer. 23:23
4760 מַחְשְׁבוֹת שָׁלוֹם וְלֹא לְרָעָה Jer. 29:11
4761 וַיִּפְנוּ אֵלַי עֹרֶף וְלֹא פָנִים Jer. 32:33
4762 וְלֹא־כֵן בַּדָּיו... Jer. 48:30
4763 וְלֹא בְרִיחַ לוֹ Jer. 51:17
4764 כִּי שֶׁקֶר נִסְכּוֹ וְלֹא־רוּחַ בָּם Jer. 51:17
4765 מְהוּמָה וְלֹא־הֵד הָרִים Ezek. 7:7
4766 לֹא מֵהֶם וְלֹא מֵהֲמוֹנָם Ezek. 7:11
4767/8 וְלֹא מֶהֱמֵהֶם וְלֹא־נֹהַּ בָּהֶם Ezek. 7:11
4769 לָךְ לְבָנוֹת וְלֹא מִבְּרִיתֵךְ Ezek. 16:61
4770 וְלֹא־בִזְרֹעַ גְּדוֹלָה וּבְעַם־רָב Ezek. 17:9
4771 וְלֹא בְחַיִל גָּדוֹל וּבְקָהָל רָב Ezek. 17:17
4772/3 וְאַתָּה אָדָם וְלֹא־אֵל Ezek. 28:2, 9
4774 כִּי חֶסֶד חָפַצְתִּי וְלֹא־זָבַח Hosh. 6:6
4775 הֵם הִמְלִיכוּ וְלֹא מִמֶּנִּי Hosh. 8:4
4776 חָרָשׁ עָשָׂהוּ וְלֹא אֱלֹהִים הוּא Hosh. 8:6
4777 כִּי אֵל אָנֹכִי וְלֹא־אִישׁ בְּקִרְבְּךָ Hosh. 11:9
4778 יוֹם יְיָ הוּא־חֹשֶׁךְ וְלֹא־אוֹר Am. 5:18
4779 הֲלֹא־חֹשֶׁךְ יוֹם יְיָ וְלֹא־אוֹר Am. 5:20
4780 וְאָפֵל וְלֹא־נֹגַהּ לוֹ Am. 5:20
4781 וְלֹא בֶן־נָבִיא אָנֹכִי Am. 7:14
4782 וְלֹא־צָמָא לַמַּיִם Am. 8:11
4783 וְלֹא־יוֹדֵעַ עַוָּל בֹּשֶׁת Zep. 3:5
4784 לֹא בְחַיִל וְלֹא בְכֹחַ... Zech. 4:6
4785 לֹא־יוֹם וְלֹא־לָיְלָה Zech. 14:7
4786/7 וְלֹא בָאָה וְלֹא עֲלֵיהֶם Zech. 14:18
4788 וְאָנֹכִי תוֹלַעַת וְלֹא־אִישׁ Ps. 22:7
4789 לֹא־פִשְׁעִי וְלֹא־חַטָּאתִי Ps. 59:4
4790 וְלֹא־אִתָּנוּ יוֹדֵעַ עַד־מָה Ps. 74:9
4791 וְלֹא מִמִּדְבַּר הָרִים Ps. 75:7
4792 וְלֹא־עַוְלָתָה° בּוֹ Ps. 92:16
4793 וְלֹא כַעֲוֹנֹתֵינוּ גָּמַל עָלֵינוּ Ps. 103:10
4794 וְלֹא כָּל־יֹרְדֵי דוּמָה Ps. 115:17
4795 יְהַלֶּלְךָ זָר וְלֹא־פִיךָ Prov. 27:2
4796 וְלֹא־בִינַת אָדָם לִי Prov. 30:2
4797 יָמוּתוּ וְלֹא בְחָכְמָה Job 4:21
4798 צַלְמָוֶת וְלֹא סְדָרִים Job 10:22
4799 יְמַשְׁשׁוּ־חֹשֶׁךְ וְלֹא־אוֹר Job 12:25
4800 יַרְשִׁיעֲךָ פִיךָ וְלֹא־אָנִי Job 15:6
4801 תָּבִין וְלֹא־עִמָּנוּ הוּא Job 15:9
4802 וְלֹא־שֵׁם לוֹ עַל־פְּנֵי־חוּץ Job 18:17
4803 לֹא־נִין לוֹ וְלֹא־נֶכֶד בְּעַמּוֹ Job 18:19
4804 וְעֵינַי רָאוּ וְלֹא־זָר Job 19:27
4805 וְלֹא־עוֹד תְּשׁוּרֶנּוּ מְקוֹמוֹ Job 20:9
4806 וְלֹא־שֵׁבֶט אֱלוֹהַּ עֲלֵיהֶם Job 21:9
4807 וְיָתוֹם וְלֹא־עֹזֵר לוֹ Job 29:12
4808 חַף אָנֹכִי וְלֹא עָוֹן לִי Job 33:9
4809 כִּי־אַתָּה תִבְחַר וְלֹא־אָנִי Job 34:33
4810 מִסְפַּר שָׁנָיו וְלֹא חֵקֶר Job 36:26
4811 אוֹתִי נָהַג וַיֹּלַךְ חֹשֶׁךְ וְלֹא־אוֹר Lam. 3:2
4812 וְלֹא לַגִּבּוֹרִים הַמִּלְחָמָה Eccl. 9:11
4813 בִּגְבוּרָה וְלֹא בַשְּׁתִי Eccl. 10:17
4814/5 ...וְלֹא בְכֹחוֹ Dan. 8:22, 24
4816/7 וְלֹא לְאַחֲרִיתוֹ וְלֹא כְמָשְׁלוֹ Dan. 11:4
4818 וְלֹא־לוֹ תִהְיֶה Dan. 11:17
4819/20 וְלֹא בְאַפַּיִם וְלֹא בְמִלְחָמָה Dan. 11:20

וְלֹא (ג) (המשך)
4821 לֹא־לְיוֹם אֶחָד וְלֹא לִשְׁנַיִם Ez. 10:13
4822 וְלֹא לְהִתְיַחֵשׂ לַבְּכֹרָה ICh. 5:1
4823 וְלֹא לְהַשְׁחִית לְכָלָה IICh. 12:12
4824 וְלֹא כְּמַעֲשֵׂה יִשְׂרָאֵל IICh. 17:4
4825 וְלֹא לְךָ לְכָבוֹד מֵיְיָ אֱלֹהִים IICh. 26:18
4826 וְלֹא לְעֶזְרָה לוֹ IICh. 28:21
4827 וְלֹא כְּטָהֳרַת הַקֹּדֶשׁ IICh. 30:19
4828 וְלֹא־כִגְמֻל עָלָיו הֵשִׁיב... IICh. 32:25

וָלֹא (ח)
4829 וָלֹא יֵלֶךְ־נָא אִתָּנוּ אַמְנוֹן IISh. 13:26
4830 וָלֹא יֻתַּן־נָא לְעַבְדְּךָ... IIK. 5:17

בְּלֹא (ט)
4831 בְּלֹא עֶת־נִדָּתָהּ Lev. 15:25
4832 וְאִם...בְּלֹא־אֵיבָה הֲדָפוֹ Num. 35:22
4833 אוֹ־הִשְׁלִיךְ...בְּלֹא צְדִיָּה Num. 35:22
4834 אוֹ בְכָל־אֶבֶן...בְּלֹא רְאוֹת Num. 35:23
4835 הֵם קִנְאוּנִי בְלֹא־אֵל Deut. 32:21
4836 וַאֲנִי אַקְנִיאֵם בְּלֹא־עָם Deut. 32:21
4837 וַיִּשָּׁבְעוּ בְּלֹא אֱלֹהִים Jer. 5:7
4838 הוֹי בֹּנֶה בֵיתוֹ בְּלֹא־צֶדֶק Jer. 22:13
4839 וַעֲלִיּוֹתָיו בְּלֹא מִשְׁפָּט Jer. 22:13
4840 וְאֶת־הַגֵּר עָשְׁקוּ בְּלֹא מִשְׁפָּט Ezek. 22:29
4841 תְּפִלָּתִי בְּלֹא שִׂפְתֵי מִרְמָה Ps. 17:1
4842 תִּמְכֹּר־עַמְּךָ בְלֹא־הוֹן Ps. 44:13
4843 וְיֵשׁ נִסְפֶּה בְּלֹא מִשְׁפָּט Prov. 13:23
4844 ...מֵרֹב תְּבוּאוֹת בְּלֹא מִשְׁפָּט Prov. 16:8
4845 גַּם בְּלֹא־דַעַת נֶפֶשׁ לֹא־טוֹב Prov. 19:2
4846 הֲיִגְאֶה־גֹּמֶא בְּלֹא בִצָּה Job 8:11
4847 בְּלֹא־יוֹמוֹ תִּמָּלֵא Job 15:32
4848 קֹדֵר הִלַּכְתִּי בְּלֹא חַמָּה Job 30:28
4849 וַיֵּלְכוּ בְלֹא־כֹחַ לִפְנֵי רוֹדֵף Lam. 1:6
4850 בְּלֹא יוּכְלוּ יִגְּעוּ בִּלְבֻשֵׁיהֶם Lam. 4:14
4851 לָמָּה תָמוּת בְּלֹא עִתֶּךָ Eccl. 7:17
4852 בְּלֹא חָמָס בְּכַפַּי ICh. 12:18
4853 וְלַעֲדֹר בְּלֹא־לֵב וָלֵב ICh. 12:34
4854 וַיֵּלֶךְ בְּלֹא חֶמְדָּה ICh. 21:20
4855 אָכְלוּ אֶת־הַפֶּסַח בְּלֹא כַכָּתוּב IICh. 30:18

בְּלוֹא
4856 בְּלוֹא־כֶסֶף וּבְלוֹא מְחִיר Is. 55:1
4857 לָמָּה תִשְׁקְלוּ־כֶסֶף בְּלוֹא־לֶחֶם Is. 55:2
4858 וִיגִיעֲכֶם בְּלוֹא לְשָׂבְעָה Is. 55:2
4859 וְעַמִּי הֵמִיר כְּבוֹדוֹ בְּלוֹא יוֹעִיל Jer. 2:11
4860 אִם־יִשֹּׁךְ הַנָּחָשׁ בְּלוֹא־לָחַשׁ Eccl. 10:11

וּבְלוֹא
4861 בְּלוֹא־כֶסֶף וּבְלוֹא מְחִיר Is. 55:1

כְּלוֹא (י)
4862 וְשָׁתוּ וְלָעוּ וְהָיוּ כְּלוֹא הָיוּ Ob. 16

לְלֹא (יא)
4863 נִמְצֵאתִי לְלֹא בִקְשֻׁנִי Is. 65:1
4864 וְאָמַרְתִּי לְלֹא־עַמִּי עַמִּי־אַתָּה Hosh. 2:25
4865 הַשְּׂמֵחִים לְלֹא דָבָר Am. 6:13
4866 מֶה־עָזַרְתָּ לְלֹא־כֹחַ Job. 26:2
4867 מַה־יָּעַצְתָּ לְלֹא חָכְמָה Job 26:3
4868 הִקְשִׁיחַ בָּנֶיהָ לְלֹא־לָהּ Job 39:16
4869 וְהָיָה כֹהֵן לְלֹא אֱלֹהִים ICh. 13:9
4870 וְיָמִים רַבִּים...לְלֹא אֱלֹהֵי אֱמֶת IICh. 15:3

לְלוֹא
4871 נִדְרַשְׁתִּי לְלוֹא שָׁאָלוּ Is. 65:1

וּלְלֹא
4872/3 וּלְלֹא כֹּהֵן מוֹרֶה וּלְלֹא תוֹרָה IICh. 15:3

הֲלֹא (יב)
4874 הֲלֹא כָל־הָאָרֶץ לְפָנֶיךָ Gen. 13:9
4875 הֲלֹא מִצְעָר הִוא Gen. 19:20
4876 הֲלֹא הוּא אָמַר־לִי אֲחֹתִי הִוא Gen. w0:5
4877 הֲלֹא־אָצַלְתָּ לִּי בְּרָכָה Gen. 27:36
4878 הֲלֹא בְרָחֵל עָבַדְתִּי עִמָּךְ Gen. 29:25
4879 מִי שָׂם...הֲלֹא אָנֹכִי יְיָ Ex. 4:11
4880 הֲלֹא אַהֲרֹן אָחִיךָ הַלֵּוִי Ex. 4:14
4881 הֲלֹא־זֶה הַדָּבָר אֲשֶׁר דִּבַּרְנוּ Ex. 14:12
4882 הֲלֹא גַּם־בָּנוּ דִבֵּר Num. 12:2
4883 הֲלֹא תִכָּלֵם שִׁבְעַת יָמִים Num. 12:14

הֲלֹא (המשך)
4884 הֲלֹא שָׁלֹחַ שָׁלַחְתִּי אֵלֶיךָ Num. 22:37
4885 הֲלֹא אֵת אֲשֶׁר יָשִׂים יְיָ בְּפִי... Num. 23:12
4886 הֲלֹא דִּבַּרְתִּי אֵלֶיךָ לֵאמֹר Num. 23:26
4887 הֲלֹא גַּם אֶל־מַלְאָכֶיךָ...דִּבַּרְתִּי Num. 24:12
4888 הֲלֹא־הֵמָּה בְּעֵבֶר הַיַּרְדֵּן Deut. 11:30
4889 הֲלֹא עַל כִּי־אֵין אֱלֹהַי Deut. 31:17
4890 הֲלֹא הוּא כָּמֻס עִמָּדִי Deut. 32:34
4891 הֲלֹא־הִיא כְתוּבָה עַל־סֵפֶר... Josh. 10:13
4892 הֲלֹא־צִוָּה יְיָ אֱלֹהֵי־יִשְׂרָאֵל Jud. 4:6
4893 הֲלֹא יְיָ יָצָא לְפָנֶיךָ Jud. 4:14
4894 הֲלֹא יִמְצְאוּ יְחַלְּקוּ שָׁלָל Jud. 5:30
4895 הֲלֹא מִמִּצְרַיִם הֶעֱלָנוּ יְיָ Jud. 6:13
4896 לֵךְ...הֲלֹא שְׁלַחְתִּיךָ Jud. 6:14
4897 הֲלֹא טוֹב עֹלְלוֹת אֶפְרַיִם... Jud. 8:2
4898 הֲלֹא בֶן־יְרֻבַּעַל וּזְבֻל פְּקִידוֹ Jud. 9:28
4899 הֲלֹא זֶה הָעָם אֲשֶׁר־מָאַסְתָּה בּוֹ Jud. 9:38
4900 הֲלֹא מִמִּצְרַיִם וּמִן־הָאֱמֹרִי... Jud. 10:11
4901 הֲלֹא אַתֶּם שְׂנֵאתֶם אוֹתִי Jud. 11:7
4902 הֲלֹא אֵת אֲשֶׁר יוֹרִישְׁךָ כְּמוֹשׁ Jud. 11:24
4903 הַלְיָרְשֵׁנוּ קְרָאתֶם לָנוּ הֲלֹא Jud. 14:15
4904 הֲלֹא אֲחוֹתָהּ הַקְּטַנָּה טוֹבָה Jud. 15:2
4905 הֲלֹא יָדַעְתָּ כִּי־מֹשְׁלִים בָּנוּ Jud. 15:11
4906 הֲלֹא־הֵם כְּתוּבִים עַל סֵפֶר... IIK. 20:20
4907 הֲלֹא כַּאֲשֶׁר עָשִׂיתִי לְשֹׁמְרוֹן Is. 10:11
4908 הֲלֹא מֵאָז הִשְׁמַעְתִּיךָ Is. 44:8
4909 הֲנֹטַע אֹזֶן הֲלֹא יִשְׁמָע Ps. 94:9
4910 אִם־יֹצֵר עַיִן הֲלֹא יַבִּיט Ps. 94:9
4911 הֲיֹסֵר גּוֹיִם הֲלֹא יוֹכִיחַ Ps. 94:10
4912 הֲלֹא בַּעֲבוּר לַחְקֹר...בָּאוּ ICh. 19:3
4913 הֲלֹא רַק־אַתֶּם עִמָּכֶם אֲשָׁמוֹת IICh. 28:10

הֲלוֹא
4914 הֲלוֹא אִם־תֵּיטִיב שְׂאֵת... Gen. 4:7
4915 הֲלוֹא נָכְרִיּוֹת נֶחְשַׁבְנוּ לוֹ Gen. 31:15
4916 מִקְנֵהֶם...הֲלוֹא לָנוּ הֵם Gen. 34:23
4917 הֲלוֹא אַחֶיךָ רֹעִים בִּשְׁכֶם Gen. 37:13
4918 הֲלוֹא לֵאלֹהִים פִּתְרֹנִים Gen. 40:8
4919 הֲלוֹא אָמַרְתִּי אֲלֵיכֶם לֵאמֹר Gen. 42:22
4920 הֲלוֹא זֶה אֲשֶׁר יִשְׁתֶּה אֲדֹנִי בּוֹ Gen. 44:5
4921 הֲלוֹא יְדַעְתֶּם כִּי־נַחֵשׁ יְנַחֵשׁ Gen. 44:15
4922 וּבַמֶּה יִוָּדַע ..הֲלוֹא בְּלֶכְתְּךָ Ex. 33:16
4923 הֲלוֹא טוֹב לָנוּ שׁוּב מִצְרָיְמָה Num. 14:3
4924 הֲלוֹא אָנֹכִי אֲתֹנְךָ... Num. 22:30
4925 הֲלוֹא־הוּא אָבִיךָ קָּנֶךָ Deut. 32:6
4926 הֲלוֹא צִוִּיתִיךָ חֲזַק וֶאֱמָץ Josh. 1:9
4927 הֲלוֹא עָכָן...מָעַל מַעַל Josh. 22:20
4928 הֲלוֹא אָנֹכִי טוֹב לָךְ מֵעֲשָׂרָה בָּנִים ISh. 1:8
4929 הֲלוֹא כַּאֲשֶׁר הִתְעַלֵּל בָּהֶם ISh. 6:6
4930 הֲלוֹא לְךָ וּלְכֹל בֵּית אָבִיךָ ISh. 9:20
4931 הֲלוֹא בֶן־יְמִינִי אָנֹכִי ISh. 9:21
4932 הֲלוֹא כִּי־מְשָׁחֲךָ יְיָ...לְנָגִיד ISh. 10:1
4933 הֲלוֹא קְצִיר־חִטִּים הַיּוֹם ISh. 12:17
4934 הֲלוֹא אִם־קָטֹן אַתָּה בְּעֵינֶיךָ ISh. 15:17
4935 הֲלוֹא אָנֹכִי הַפְּלִשְׁתִּי וְאַתֶּם עֲבָדִים ISh. 17:8
4936 הֲלוֹא דָּבָר הוּא ISh. 17:29
4937 הֲלוֹא יָדַעְתִּי כִּי־בֹחֵר אַתָּה לְבֶן.. ISh. 20:30
4938 הֲלוֹא הַחֵצִי מִמְּךָ וָהָלְאָה ISh. 20:37
4939 הֲלוֹא־זֶה דָוִד מֶלֶךְ הָאָרֶץ ISh. 21:12
4940 הֲלוֹא לָזֶה יַעֲנוּ בַמְּחֹלוֹת... ISh. 21:12
4941 הֲלוֹא תַעֲנֶה אַבְנֵר ISh. 26:14
4942 הֲלוֹא־אִישׁ אַתָּה ISh. 26:15
4943 הֲלוֹא־זֶה דָוִד עֶבֶד שָׁאוּל ISh. 29:3
4944 הֲלוֹא־זֶה דָוִד אֲשֶׁר יַעֲנוּ־לוֹ ISh. 29:5
4945 הֲלוֹא בַּעֲבוּר חֲקֹר אֶת־הָעִיר IISh. 10:3

הֲלוֹא (המשך)
4946 הֲלוֹא־זֹאת בַּת־שֶׁבַע... IISh. 11:3
4947 הֲלוֹא כִּי אָנֹכִי צִוִּיתִי אֶתְכֶם IISh. 13:28
4948 הֲלוֹא אִם־שָׁלוֹם וֶאֱמֶת יִהְיֶה IIK. 20:19
4949 הֲלוֹא אִם־שִׁוָּה פָנֶיהָ Is. 28:25
4950 הֲלוֹא הוּא אֲשֶׁר הֵסִיר חִזְקִיָּהוּ Is. 36:7
4951 הֲלוֹא יָדַעְתָּ אִם־לֹא שָׁמַעְתָּ Is. 40:28
4952 הֲלוֹא זֶה צוֹם אֶבְחָרֵהוּ Is. 58:6
4953 הֲלוֹא־זֹאת תַּעֲשֶׂה־לָּךְ Jer. 2:17
4954 הֲלוֹא מֵעַתָּה קָרָאת° לִי אָבִי Jer. 3:4
4955 הֲלוֹא־הִיא הַדַּעַת אֹתִי Jer. 22:16
4956 הֲלוֹא בַּיּוֹם הַהוּא נְאֻם־יְיָ Ob. 8
4957 הֲלוֹא־זֶה דְבָרִי Jon. 4:2
4958 הֲלוֹא־אֵלֶּה...עָלָיו מָשָׁל יִשָּׂאוּ Hab. 2:6
4959 הֲלוֹא הִנֵּה מֵאֵת יְיָ צְבָאוֹת Hab. 2:13
4960 הֲלוֹא זֶה אוּד מֻצָּל מֵאֵשׁ Zech. 3:2
4961 הֲלוֹא אָב אֶחָד לְכֻלָּנוּ Mal. 2:10
4962 הֲלוֹא אֵל אֶחָד בְּרָאָנוּ Mal. 2:10

4963-5049 הֲלֹא IK. 1:13; 14:29; 15:23, 31
16:5, 20, 27 18:13; 22:46 • IIK. 4:28; 5:12; 8:23;
13:12; 14:15, 18, 28; 15:6, 36; 16:19; 18:27; 19:25;
21:17, 25; 23:28; 24:5 • Is. 10:8, 9; 36:12 • Jer.
14:22; 26:19 • Ezek. 12:9; 17:10, 12; 18:23, 25, 29;
21:5; 24:19; 26:15 • Am. 5:20 • Ps. 14:4; 44:22;
53:5; 54:2; 56:9, 14; 60:12; 85:7; 108:12 • Prov.
8:1; 22:20; 24:12; 26:19 • Job 1:10; 4:6, 21; 7:1;
8:10; 10:10, 20; 12:11; 13:11; 21:29; 22:5, 12;
31:3,4,15 • Ruth 3:1,2 • Eccl. 6:6 • ICh.21:3,17;
22:18(17) • IICh. 9:29; 12:15; 13:5,9; 16:8; 18:17;
20:6, 7, 12; 25:26; 32:11, 12, 13

5050-5093 הֲלוֹא ISh. 23:19; 26:1; 29:4
IISh. 2:26; 3:38; 4:11; 11:10, 20, 21; 13:4; 16:19;
19:14, 23 • IK. 1:11; 2:42; 11:41; 15:7; 16:14;
22:18, 39 • IIK. 1:18; 2:18; 5:13; 6:11, 32; 10:34;
12:20; 13:8; 15:21; 18:22 • Is. 8:19; 29:17; 37:26;
40:21^{4}; 42:24; 43:19; 44:20; 45:21; 48:6; 51:9, 10;
57:4, 11; 58:7 • Jer. 3:1; 5:3; 7:19; 13:21; 22:15;
23:24, 29; 33:24; 35:13; 38:15; 44:21 • Ezek. 13:7,
12; 17:9; 24:25; 34:2; 37:18; 38:14 • Joel 1:16 •
Am. 6:13; 9:7^{2} • Ob. 5^{2} • Mic. 1:5^{2}; 2:7; 3:1, 11 •
Hab. 1:12; 2:7 • Hag. 2:3 • Zech. 1:6; 4:5, 13; 7:6 •
Mal. 1:2 • Ps. 139:21 • Prov. 14:22 • Ruth 2:8, 9 •
Es. 10:2 • Ez. 9:14 • Neh. 5:9; 13:18, 26

שֶׁלֹּא
5094 שֶׁלֹּא נְתָנָנוּ טֶרֶף לְשִׁנֵּיהֶם Ps. 124:6
5095 שֶׁלֹּא מִלֵּא כַפּוֹ קוֹצֵר Ps. 129:78
5096 וּלְאָדָם שֶׁלֹּא עָמַל־בּוֹ... Ps. 2:21
5097 עַל־דִּבְרַת שֶׁלֹּא יִמְצָא הָאָדָם Eccl. 7:14

לָא

מלת שלילה, ארמית, כמוֹ בעברית: לֹא
א) [לפני עתיד] לשלילת הפעולה: 1-20, 67, 68
ב) [לפני עבר] לציון העדר מעשה שנעשׂה: 21-36, 69-72
ג) [לפני בינוני או שם] 37-66, 73-77
ד) [כְּלָה] כמוֹ לֹא: 78
ה) [הֲלָא] הלא, הנה: 79-81

לָא (א)
1 הֵן לָא תְהוֹדְעוּנַּנִי חֶלְמָא Dan. 2:5
2 דִּי הֵן־חֶלְמָא לָא תְהוֹדְעֻנַּנִי Dan. 2:9
3 דִּי לָא יְהוֹבְדוּן דָּנִיֵּאל וְחַבְרוֹהִי Dan. 2:18
4 מַלְכוּ דִּי לְעָלְמִין לָא תִתְחַבַּל Dan. 2:44
5 לְעַם אָחֳרָן לָא תִשְׁתְּבִק Dan. 2:44
6-7 וּמַן־דִּי־לָא יִפֵּל וְיִסְגֻּד Dan. 3:6, 11
8 וּלְצֶלֶם דַּהֲבָא...לָא נִסְגֻּד Dan. 3:18
9 וּמַלְכָּא לָא־לֶהֱוֵא נָזִק Dan. 6:3

20-10 לָא (א) Dan. 3:15; 6:6, 9, 13, 18, 27
7:14² • Ez. 4:13, 21; 7:26

לָא (ב) 21 דִּי־שְׁמַיָּא וְאַרְקָא לָא עֲבַדוּ Jer. 10:11
22 כָּל־מֶלֶךְ...מִלָּה כִדְנָה לָא שְׁאֵל Dan. 2:10
23 וְכָל־אֲתַר לָא־הִשְׁתְּכַח לְהוֹן Dan. 2:35
24 דִּי לָא־שְׁלֵט נוּרָא בְּגֶשְׁמְהוֹן° Dan. 3:27
25 וּשְׂעַר רֵאשְׁהוֹן לָא הִתְחָרַךְ Dan. 3:27
26 וְסַרְבָּלֵיהוֹן לָא שְׁנוֹ Dan. 3:27
27 וְרֵיחַ נוּר לָא עֲדָת בְּהוֹן Dan. 3:27
28 וְאַנְתְּ°...לָא הַשְׁפֵּלְתְּ לִבְבָךְ Dan. 5:22
29 וְלֵאלָהָא...לָא הַדַּרְתָּ Dan. 5:23
36-30 לָא (ב) Dan. 3:12; 6:5, 6, 14, 19, 23, 24

לָא (ג) 37 לָא־אִיתַי אֱנָשׁ עַל־יַבֶּשְׁתָּא Dan. 2:10
38 וְאָחֳרָן לָא אִיתַי דִּי יְחַוִּנַּהּ Dan. 2:11
39 מְדָרְהוֹן עִם־בִּשְׂרָא לָא אִיתוֹהִי Dan. 2:11
40 לָא חַכִּימִין...יָכְלִין לְהַחֲוָיָה Dan. 2:27
41 לָא בְחָכְמָה דִּי־אִיתַי בִּי Dan. 2:30
43-42 דִּי־לָא בִידַיִן Dan. 2:34, 45
44 פַּרְזְלָא לָא מִתְעָרַב עִם־חַסְפָּא Dan. 2:43
45 וְהֵן לָא יְדִיעַ לֶהֱוֵא־לָךְ מַלְכָּא Dan. 3:18
46 וַחֲבָל לָא־אִיתַי בְּהוֹן Dan. 3:25
47 לָא אִיתַי אֱלָהּ אָחֳרָן Dan. 3:29
48 וְכָל־רָז לָא־אָנֵס לָךְ Dan. 4:6
66-49 לָא (ג) Dan. 3:12², 14², 16, 18; 4:4, 15;
5:23; 6:5, 9, 16 • Ez. 4:14, 16; 6:8, 9; 7:22, 24, 25

וְלָא (א) 67 וְלָא־לֶהֱוֺן דָּבְקִין דְּנָה עִם־דְּנָה Dan. 2:43
68 וְלָא יִסְגְּדוּן לְכָל־אֱלָהּ Dan. 3:28

וְלָא (ב) 69 וּסְגַר פֻּם אַרְיָוָתָא וְלָא חַבְּלוּנִי Dan. 6:23
70 וְלָא־מְטוֹ לְאַרְעִית גֻּבָּא Dan. 6:25
71 וְלָא־בַטִּלוּ הִמּוֹ Ez. 5:5
72 וְעַד־כְּעַן מִתְבְּנֵא וְלָא שְׁלִם Ez. 5:16

וְלָא (ג) 73 וְלָא אִיתַי דִּי־יְמַחֵא בִידֵהּ Dan. 4:32
74 וְלָא־כָהֲלִין כְּתָבָא לְמִקְרֵא Dan. 5:8
75 וְלָא־כָהֲלִין פְּשַׁר...לְהַחֲוָיָה Dan. 5:15
76/7 וְלָא שָׁמְעִין וְלָא יָדְעִין שַׁבַּחְתָּ Dan. 5:23

כְּלָה 78 וְכָל־דָּיְרֵי אַרְעָא כְּלָה חֲשִׁיבִין Dan. 4:32
הֲלָא 79 הֲלָא גֻבְרִין תְּלָתָה רְמֵינָא Dan. 3:24
80 הֲלָא דָא־הִיא בָּבֶל רַבְּתָא Dan. 4:27
81 הֲלָא אֱסָר רְשַׁמְתָּ דִּי כָל־אֱנָשׁ Dan. 6:13

לֹא דָבָר
עין לוֹ דְבָר

לֹא־עַמִּי
שפ״ז – כנויו של בן הושע הנביא

לֹא־עַמִּי 1 וַיֹּאמֶר קְרָא שְׁמוֹ לֹא־עַמִּי... Hosh. 1:9

לֹא רֻחָמָה
שפ״ז – כנויה של בת הושע הנביא: 2,1

לֹא רֻחָמָה 1 קְרָא שְׁמָהּ לֹא רֻחָמָה Hosh. 1:6
2 וַתִּגְמֹל אֶת־לֹא רֻחָמָה Hosh. 1:8

לאה
: לָאָה, נִלְאָה, הֶלְאָה; תְּלָאָה; ש״פ לֵאָה

לָאָה
פ׳ א) עָיֵף, יגע, לא יכול: 3-1
ב) [נפ׳ נִלְאָה] עָיֵף, לא יכול: 4-13
ג) [הפ׳ הֶלְאָה] עִיֵּף, הוגיע: 14-19

קרובים: יָגַע / יָעֵף / עָיֵף

תִּלְאֶה 1 הֲנִסָּה דָבָר אֵלֶיךָ תִּלְאֶה Job 4:2
וַתֵּלֶא 2 כִּי עַתָּה תָּבוֹא אֵלֶיךָ וַתֵּלֶא Job 4:5
וַיִּלְאוּ 3 וַיִּלְאוּ לִמְצֹא הַפָּתַח Gen. 19:11
נִלְאֵיתִי 4 הָיוּ עָלַי לָטֹרַח נִלְאֵיתִי נְשֹׂא Is. 1:14
5 חֲמַת יְיָ מָלֵאתִי נִלְאֵיתִי הָכִיל Jer. 6:11

6 וְאַשְׁחִיתֵךְ נִלְאֵיתִי הִנָּחֵם Jer. 15:6
וְנִלְאֵיתִי 7 וְנִלְאֵיתִי כַּלְכֵל וְלֹא אוּכָל Jer. 20:9
נִלְאֵית 8 נִלְאֵית בְּרֹב עֲצָתָיִךְ Is. 47:13
נִלְאָה 9 כִּי־נִלְאָה מוֹאָב עַל־הַבָּמָה Is. 16:12
10 נִלְאָה לַהֲשִׁיבָהּ אֶל־פִּיו Prov. 26:15
וְנִלְאָה 11 נַחֲלָתְךָ וְנִלְאָה אַתָּה כוֹנַנְתָּהּ Ps. 68:10
נִלְאוּ 12 לִמְּדוּ...דַּבֵּר־שֶׁקֶר הַעֲוֵה נִלְאוּ Jer. 9:4
וְנִלְאוּ 13 וְנִלְאוּ מִצְרַיִם לִשְׁתּוֹת מַיִם Ex. 7:18
הַלְאוֹת 14 הַמְעַט מִכֶּם הַלְאוֹת אֲנָשִׁים Is. 7:13
הֶלְאֵתִיךָ 15 מֶה־עָשִׂיתִי לְךָ וּמָה הֶלְאֵתִיךָ Mic. 6:3
הֶלְאָנִי 16 אַךְ־עַתָּה הֶלְאָנִי Job 16:7
הֶלְאָת 17 תְּאֻנִים הֶלְאָת Ezek. 24:12
תַּלְאוּ 18 כִּי תַלְאוּ גַּם אֶת־אֱלֹהָי Is. 7:13
וַיַּלְאוּךָ 19 כִּי אֶת־רַגְלִים רַצְתָּה וַיַּלְאוּךָ Jer. 12:5

לֵאָה
שפ״נ – אשתו הראשונה של יעקב: 1–34

אֹהֶל לֵאָה 9, 10; בְּנֵי לֵאָה 14; בַּת לֵאָה 11; עֵינֵי לֵאָה 2; שִׁפְחַת לֵאָה 7, 8

לֵאָה 1 שֵׁם הַגְּדֹלָה לֵאָה Gen. 29:16
2 וְעֵינֵי לֵאָה רַכּוֹת Gen. 29:17
3 וַיְהִי בָעֶרֶב וַיִּקַּח אֶת־לֵאָה בִתּוֹ Gen. 29:23
4 וַיְהִי בַבֹּקֶר וְהִנֵּה־הִוא לֵאָה Gen. 29:25
5 וַיַּרְא יְיָ כִּי־שְׂנוּאָה לֵאָה Gen. 29:31
6 וַתַּהַר לֵאָה וַתֵּלֶד בֵּן Gen. 29:32
8-7 וַתֵּלֶד זִלְפָּה שִׁפְחַת לֵאָה Gen. 30:10, 12
9 בְּאֹהֶל־יַעֲקֹב וּבְאֹהֶל לֵאָה Gen. 31:33
10 וַיֵּצֵא מֵאֹהֶל לֵאָה Gen. 31:33
11 וַתֵּצֵא דִינָה בַּת־לֵאָה Gen. 34:1
12 בְּנֵי לֵאָה בְּכוֹר יַעֲקֹב רְאוּבֵן Gen. 35:23
13 וּבְנֵי זִלְפָּה שִׁפְחַת לֵאָה Gen. 35:26
14 אֵלֶּה בְּנֵי לֵאָה Gen. 46:15
15 וְשָׁמָּה קָבַרְתִּי אֶת־לֵאָה Gen. 49:31
28-16 לֵאָה Gen. 30:9, 11
30:13, 14², 16, 17, 18, 19, 20; 33:1, 2, 7

וְלֵאָה 29 וַתַּעַן רָחֵל וְלֵאָה וַתֹּאמַרְנָה לוֹ Gen. 31:14
וּכְלֵאָה 30 יִתֵּן יְיָ אֶת־הָאִשָּׁה...כְּרָחֵל וּכְלֵאָה Ruth 4:11
לְלֵאָה 31 וַיִּתֵּן...לְלֵאָה בִתּוֹ שִׁפְחָה Gen. 29:24
32 אֲשֶׁר־נָתַן לָבָן לְלֵאָה בִתּוֹ Gen. 46:18
וּלְלֵאָה 33 וַיִּקְרָא לְרָחֵל וּלְלֵאָה Gen. 31:4
מִלֵּאָה 34 וַיֶּאֱהַב גַּם־אֶת־רָחֵל מִלֵּאָה Gen. 29:30

לָאט
פ׳ לט, כסה, עטה (גם בהשאלה): 1, 2

לָאט 1 וְהַמֶּלֶךְ לָאַט אֶת־פָּנָיו IISh. 19:5
2 וְדָבָר לָאט עִמָּךְ Job 15:11

לָאט*
עין בְּלָאט (באות ב׳) וגם לָט

לאך
: מַלְאָךְ, מְלָאכָה, מַלְאָכוּת; ש״פ מַלְאָכִי

לָאֵל
שפ״ז – אבי אליסף הנשיא למשפחת הגרשוני

לָאֵל 1 אֶלְיָסָף בֶּן־לָאֵל Num. 3:24

לְאֹם
ז׳ עַם, אֻמָּה: 1–35

קרובים: אֹם / אֻמָּה / גּוֹי / מַטֶּה / עֵדָה / עַם / קָהָל / שֵׁבֶט

הֲמוֹן לְאֻמִּים 18; חֶסֶד לְאֻמִּים 22; מְצִוָּה לְ׳ 13; עַד לְ׳ 12; עֲדַת לְ׳ 15; עֲמַל לְ׳ 20; שְׁאוֹן לְ׳ 8

לְאוֹם 1 מֹנֵעַ בָּר יִקְּבֻהוּ לְאוֹם Prov. 11:26
2 וּבְאֶפֶס לְאֹם מְחִתַּת רָזוֹן Prov. 14:28
וּלְאֹם 3 וּלְאֹם מִלְאֹם יֶאֱמָץ Gen. 25:23

מִלְאֹם 4 וּלְאֹם מִלְאֹם יֶאֱמָץ Gen. 25:23
וּלְאוּמִּי 5 הַקְשִׁיבוּ...עַמִּי וּלְאוּמִּי אֵלַי הַאֲזִינוּ Is. 51:4
לְאֻמִּים 6 וּשְׁנֵי לְאֻמִּים מִמֵּעַיִךְ יִפָּרֵדוּ Gen. 25:23
7 וְיִשְׁתַּחֲוֻ לְךָ לְאֻמִּים Gen. 27:29
8 וּשְׁאוֹן לְאֻמִּים כִּשְׁאוֹן מַיִם כַּבִּירִים Is. 17:12
9 לְאֻמִּים כִּשְׁאוֹן מַיִם רַבִּים יִשָּׁאוּן Is. 17:13
10 וְיֵאָסְפוּ לְאֻמִּים Is. 43:9
11 וְהַקְשִׁיבוּ לְאֻמִּים מֵרָחוֹק Is. 49:1
12 הֵן עֵד לְאוּמִּים נְתַתִּיו Is. 55:4
13 נָגִיד וּמְצַוֵּה לְאֻמִּים Is. 55:4
14 הַחֹשֶׁךְ יְכַסֶּה־אֶרֶץ וַעֲרָפֶל לְאֻמִּים Is. 60:2
15 וַעֲדַת לְאֻמִּים תְּסוֹבְבֶךָּ Ps. 7:8
16 יָדִין לְאֻמִּים בְּמֵישָׁרִים Ps. 9:9
17 תָּרַע לְאֻמִּים וַתְּשַׁלְּחֵם Ps. 44:3
18 שְׁאוֹן יַמִּים...וַהֲמוֹן לְאֻמִּים Ps. 65:8
19 יִשְׂמְחוּ וִירַנְּנוּ לְאֻמִּים Ps. 67:5
20 וַעֲמַל לְאֻמִּים יִירָשׁוּ Ps. 105:44
21 מַלְכֵי־אֶרֶץ וְכָל־לְאֻמִּים Ps. 148:11
22 וְחֶסֶד לְאֻמִּים חַטָּאת Prov. 14:34
23 יִקְּבֻהוּ עַמִּים יִזְעָמוּהוּ לְאֻמִּים Prov. 24:24
וּלְאֻמִּים 24 קִרְבוּ גוֹיִם...וּלְאֻמִּים הַקְשִׁיבוּ Is. 34:1
25 וּלְאֻמִּים יַחֲלִיפוּ כֹחַ Is. 41:1
26 אָדָם תַּחְתֶּיךָ וּלְאֻמִּים תַּחַת נַפְשֶׁךָ Is. 43:4
27 וּלְאֻמִּים בְּדֵי־אֵשׁ וְיָעֵפוּ Jer. 51:58
28 וּלְאֻמִּים בְּדֵי־רִיק יִעָפוּ Hab. 2:13
29 לָמָּה רָגְשׁוּ גוֹיִם וּלְאֻמִּים יֶהְגּוּ־רִיק Ps. 2:1
30 יַדְבֵּר...וּלְאֻמִּים תַּחַת רַגְלֵינוּ Ps. 47:4
31 וּלְאֻמִּים בָּאָרֶץ תַּנְחֵם Ps. 67:5
בַּלְאֻמִּים 32 מָשָׁל בַּגּוֹיִם מְנוֹד־רֹאשׁ בַּלְאֻמִּים Ps. 44:15
33 אוֹדְךָ בָעַמִּים...אֲזַמֶּרְךָ בַּלְאֻמִּים Ps. 57:10
34 אוֹדְךָ בָעַמִּים יְיָ וַאֲזַמֶּרְךָ בַּלְאֻמִּים Ps. 108:4
35 נְקָמָה בַּגּוֹיִם תּוֹכֵחוֹת בַּלְאֻמִּים Ps. 149:7

לְאֻמִּים
שפ״ז – שבט מצאצאי אברהם וקטורה

וּלְאֻמִּים 1 אַשּׁוּרִם וּלְטוּשִׁם וּלְאֻמִּים Gen. 25:3

לֵב
ז׳ א) האֵבר המרכזי בגוף המזרים את הדם אֶל כל חלקי הגוף: 228, 237
ב) [בהשאלה] מרכז החיים, החושים, הרגש, השׂכל וכדומה: רוב המקראות 1-599
ג) [על דומם] מרכז, אמצע: 229, 231, 232-236, 238, 242, 248, 249

[עין עוד להלן כל הצרופים]

– כְּלָיוֹת וָלֵב 134, 135, 593; בְּלֵב וָלֵב 136, 139; בְּלֹא לֵב וָלֵב 125, 137

– לֵב אוֹיְבִים 237; לֵב אֶחָד 126, 129; לֵב אַחֵר 14; לֵב אִישׁ 214-216; לֵב דַּוָּי 267; לֵב הוֹתַל 26; לֵב חָדָשׁ 48; לֵב חוֹרֵשׁ 78; לֵב חָכָם 19, 107, 251; לֵב טָהוֹר 63; לֵב יָצוּק 477; לֵב נָבוֹן 19, 99, 111; לֵב נִדְכֶּה 64; לֵב נָמֵס 130; לֵב נִשְׁבָּר 64; לֵב סוֹרֵר וּמוֹרֶה 36; לֵב עָמֹק 131; לֵב רַגָּז 10; לֵב רָע 133; לֵב שׁוֹמֵעַ 18; לֵב שָׁלֵם 141-143; לֵב שָׂמֵחַ 97, 110, 326; לֵב תָּמִים 301

– לֵב אַבְשָׁלוֹם 228; לֵב אָבוֹת 193; לֵב אֶבֶן 186, 191; לֵב אָדָם 146, 170, 197, 198; לֵב אַהֲרֹן 164; לֶב־אִישׁ 244-246; לֵב הָאֵלָה 229; לֵב אֱלֹהִים 255, 256; לֵב אַלְמָנָה 225; לֵב אַמְנוֹן 173; לֵב אֲנָשִׁים 175; לֵב אַרְיֵה 252; לֵב אִשָּׁה 253,254; לֵב בְּנֵי אָדָם 205, 206; לֵב בְּנֵי יִשְׂרָאֵל 165, 166; לֵב בָּנִים 221; לֵב בַּעְלָהּ 199; לֵב בָּשָׂר 187, 192; לֵב גִּבּוֹרִים 183, 184; לֵב דָּוִד 171, 172; לֵב חָכָם 204, 207; לֵב חֲכָמִים 202; לֶב־טוֹב 250;

לֵב־יָם 242, 248, 249; לֵב יְרוּשָׁלַיִם 180; לֵב
יַמִּים 231-236, 238; לֵב יוֹאָשׁ 212; לֵב כֹּהֵן 169;
לֵב כְּסִיל(ים) 223, 226, 227; לֵב לָבָן 147; לֵב
לְוִיִּים 213; לֵב (הַ)מֶּלֶךְ 174, 178, 208, 209, 217,
220, 241; לֵב מְלָכִים 224; לֵב מִצְרַיִם 163; לֵב
מַרְפֵּא 195; לֵב מַתָּנָה 203; לֵב נְבִיאִים 230;
לֵב נָבָל 219; לֵב נִדְכָּאִים 181; לֶב־נַעַר 247;
לֵב הַנַּעֲרָה 148; לֵב עֲבָדִים 161, 176; לֵב
עוֹלוֹת 239; לֵב הָעָם 168, 177; לֵב עַמִּים 190;
לֵב פַּרְעֹה 149-160, 162; לֵב צַדִּיק 189, 196;
לֵב קָמַי 185; לֵב הָרָאשִׁים 200; לֵב רָע 218;
לֵב רְשָׁעִים 194; לֵב שְׁלֹמֹה 211; לֵב הַשָּׁמַיִם
167; לֵב שִׁפְחָה 201; לֵב שִׁקּוּצִים 188

– אַבִּירֵי לֵב 28, 67; אַמִּיץ לֵב 466; אֵין לֵב 35,
52; גְּבַהּ לֵב 105; דַּרְכֵי לֵב 378; הָגוּת לֵב 289;
הֶגְיוֹן לֵב 277; זְדוֹן לֵב 369, 384; חוֹקֵר לֵב 39;
חִזְקֵי לֵב 42; חֲכַם לֵב 2-6, 85, 90, 106; חַכְמֵי
לֵב 1, 119; חַכְמַת לֵב 8; חָכְמַת לֵב 9; חַנְפֵי
לֵב 118; חֲסַר לֵב 79, 80, 83, 84, 86-88, 92, 101,
108, 115; חִקְקֵי לֵב 12; חִקְרֵי לֵב 13; טְהָר־
לֵב 114; טוּב לֵב 31; טוֹב (טוֹבֵי) לֵב 21,
100, 122, 127; יֵצֶר לֵב 146; יֹשֶׁר לֵב 318;
יִשְׁרֵי לֵב 56, 57, 61, 66, 69, 70; כְּאֵב לֵב 32;
כֹּחַ לֵב 117; בְּכָל לֵב 22, 53, 72-76, 270, 273, 298,
306, 350, 576,577; לוּחַ לֵב 388,389,551; מְגִנַּת לֵב
120; (לָ)מוּג לֵב 47; מְזִמּוֹת לֵב 458,459; מַחְשְׁבוֹת
לֵב 423; מִכְשׁוֹל לֵב 15; מַעַרְכֵי לֵב 104;
מִשְׁאֲלוֹת לֵב 386; מְשׂוֹשׂ לֵב 529; מְשַׂמְּחֵי
לֵב 58; נְדִיב לֵב 7, 128, 437; נַהֲמַת לֵב 284;
נִמְהֲרֵי לֵב 24; נַעֲוֵה לֵב 91; נְצוּרַת לֵב 81;
נִשְׁבְּרֵי לֵב 30, 60; סְגוֹר לֵב 564; סוּג לֵב 96;
עַצְּבַת לֵב 98; עִקֵּשׁ לֵב 109; עִקְּשֵׁי לֵב 89;
עֶרֶל לֵב 50; עַרְלֵי לֵב 37,49; קִירוֹת לֵב 263;
בְּקֶרֶב לֵב 283; קְשֵׁי לֵב 43; רוּם לֵב 462; רְחַב
לֵב 113; רֹחַב לֵב 20; רֹעַ לֵב 123; רַעְיוֹן לֵב 480;
שְׁבוּרֵי לֵב 77; שִׂמְחֵי לֵב 23; שִׂמְחַת לֵב 478,482;
שְׁרִירוּת לֵב 258,454,456/7,546-549,569; שְׂשׂוֹן לֵב
302; תַּרְמִית לֵב 550, 553; תַּעֲלוּמוֹת לֵב 62

– לִבּוֹת בְּנֵי אָדָם 594

– אָבַד לֵב 182; אִבֵּד לֵב 203; אָמַר לֵב 280; בָּחַן
לֵב 268,276,593,595; בָּטַח לֵב 199; גָּבַהּ לֵב 216,305,
363, 365, 488-490; גָּל לֵב 274, 397, 566; גָּנַב לֵב
147; גִּנֵּב לֵב 175; דָּוָה לֵב 267,530; הֵבִין לֵב 82;
הָגָה לֵב 196, 573; הֶחֱיָה לֵב 181; הֶחֱלָה לֵב 93;
הִטָּה לֵב 300, 307, 451; הֵיטִיב לֵב 540; הָיָה לֵב
124; הִכְאָה לֵב 189; הִכְבִּיד לֵב 161, 429,
430, 432, 433; הִכָּהוּ לִבּוֹ 171, 172; הֵכִין לִבּוֹ
470, 487, 567; הִכְנִיעַ לֵב 571; הִכְעִיס לֵב 190;
הָלַךְ לֵב 188, 261, 315, 557, 559, 560; הָמָה לֵב
263/א, 271, 335; הִמְסָה לֵב 168; הֵנִיא לֵב 166;
הֵסֵב לֵב 209, 544; הֵסִיר לֵב 200; הָפַךְ לֵב 570;
הִקְשָׁה לֵב 149; הִקְשִׁיחַ לֵב 526; הִרְחִיב לֵב
299; הֵרַךְ לֵב 314; הִרְנִין לֵב 225; הֵשִׁיב לֵב 193;
הִשְׁמִין לֵב 179; הִשְׁתּוֹמֵם לֵב 308; זִכָּה לֵב 310;
זָעַף לֵב 474; זָעַק לֵב 262; חָזַק לֵב 150-153;
חִזֵּק לֵב 156-160, 162/3, 427,531; חָל לֵב 290; חָלַל
לִבּוֹ 338; חַם לִ׳ 286; חָסֵר לִ׳ 484; חָקַר לֵב 39;
חָרַד לִבּוֹ 319, 446; טוֹב לִבּוֹ 173,208,219; טָפַשׁ
לִבּוֹ 572; יֵאֵשׁ לֵב 327; יָבֵשׁ לִבּוֹ 296; יָדַע לֵב
204, 403; יָצָא לִבּוֹ 534; יָרֵא לִבּוֹ 279; כָּאַב
לֵב 95; כָּבַד לֵב 154, 155; כִּבֵּד לִבּוֹ 541;
לָקַח לֵב 51, 400; מָלֵא לֵב 205; מְלָאוֹ
לִבּוֹ 485; מָצָא לִבּוֹ 447; מָנַע לֵב 325; מֵת לִבּוֹ
444; נָאַץ לֵב 309; נְדָבוֹ לִבּוֹ 434,536; נֶהְפַּךְ לֵב
272, 320; נָטָה לֵב 303; נָכוֹן לֵב 291, 292, 297, 579;
נִמְלַךְ לִבּוֹ 332; נָמֵס לֵב 46; נִסְעַר לֵב 178;
נָפַל לִבּוֹ 170; נִפְתָּה לִבּוֹ 316, 317; נָצַר לִבּוֹ
387, 392; נְשָׂאוֹ לֵב 380, 383, 438, 439, 591; נִשְׁבַּר
לֵב 269; נָתַן לֵב 129,328-331,402; סִבֵּב לֵב 343;
סְחַרְחַר לֵב 285; סָעַד לֵב 360,531; סָר לִבּוֹ 455;
עָטַף לֵב 293; עֲזָבוֹ לִבּוֹ 337; עָלַז לֵב 282; עָלַץ
לֵב 260; עֵר לִבּוֹ 339; עָרַב לִבּוֹ 460; פָּג לִבּוֹ 426;
פָּחַד לֵב 304; צָעַק לִבּוֹ 575; צָפַן לִבּוֹ 574; קָנָה
לֵב 103,112; רִחַק לִבּוֹ 492; רָחַשׁ לֵב 288; רָם לִבּוֹ
563; שָׁב לִבּוֹ 177; שָׁבַר לִבּוֹ 294; שָׁכַב לִבּוֹ 481;
שָׂם לֵב 16, 17,366-368,375,376,443,446,448,525,578;
שָׂמַח לֵב 71, 210, 275, 311, 326, 527, 565; שִׂמַּח
לֵב 58,102,116,313; שָׁפַךְ לִבּוֹ 421; שָׂשׂ לֵב 532;
שָׁת לֵב 65,374,398,406,419,519,533; תָּכַן לֵב 596,597

– אָמַר אֶל לִבּוֹ 425, 445; דִּבֶּר אֶל לִבּוֹ 257;
הֶעֱלָה אֶל לִבּוֹ 463,464; הִתְעַצֵּב אֶל לִבּוֹ 424;
הֵשִׁיב אֶל לִבּוֹ 321, 452, 543; נָתַן אֶל לִבּוֹ 330,
483; שָׂם אֶל לִבּוֹ 448, 450

– אָמַר בְּלִבּוֹ 496, 501-507, 512, 584, 585, 587;
בָּז בְּלִבּוֹ 523, 524; בָּטַח בְּלִבּוֹ 511; דִּבֵּר
בְּלִבּוֹ 355; זָעַק בְּלִבּוֹ 583; נָגַע בְּלִבּוֹ 580;
נָתַן בְּלִבּוֹ 241, 588; תָּפַשׂ בְּלִבּוֹ 582;

– דִּבֶּר עַל לֵב 148,180,201,213,535; הֶעֱלָה עַל לֵב
34; הֵשִׁיב עַל לֵב 27; עָלָה (עָלְתָה) עַל לֵב 33,34,
215,264/5,266; שָׂם עַל לֵב 25,29,38,54,55,415/6,486

– דִּבֶּר עִם לִבּוֹ 323

– הָגָה מִלֵּב 144; הוֹצִיא מִלִּבּוֹ 590; הִתְנַבֵּא
מִלִּבּוֹ 592; נִשְׁכַּח מִלֵּב 145

לֵב

1 תְּדַבֵּר אֶל־כָּל־חַכְמֵי־לֵב Ex. 28:3
2 וּבְלֵב כָּל־חֲכַם־לֵב נָתַתִּי חָכְמָה Ex. 31:6
3-6 חֲכַם־לֵב Ex. 35:10; 36:1, 2, 8
7 כֹּל נְדִיב לֵב הֵבִיאוּ חָח Ex. 35:22
8 וְכָל־אִשָּׁה חַכְמַת־לֵב בְּיָדֶיהָ טָווּ Ex. 35:25
9 מִלֵּא אֹתָם חָכְמַת־לֵב Ex. 35:35
10 לֵב רַגָּז וְכִלְיוֹן עֵינַיִם Deut. 28:65
11 וְלֹא־נָתַן יְיָ לָכֶם לֵב לָדַעַת Deut. 29:3
12 בִּפְלַגּוֹת רְאוּבֵן גְּדֹלִים חִקְקֵי־לֵב Jud. 5:15
13 לִפְלַגּוֹת רְאוּ׳ גְּדוֹלִים חִקְרֵי־לֵב Jud. 5:16
14 וַיַּהֲפָךְ־לוֹ אֱלֹהִים לֵב אַחֵר ISh. 10:9
15 לְפוּקָה וּלְמִכְשׁוֹל לֵב לַאדֹנִי ISh. 25:31
16-17 לֹא־יָשִׂימוּ אֵלֵינוּ לֵב IISh. 18:3[2]
18 לֵב שֹׁמֵעַ לִשְׁפֹּט אֶת־עַמְּךָ IK. 3:9
19 נָתַתִּי לְךָ לֵב חָכָם וְנָבוֹן IK. 3:12
20 וּתְבוּנָה הַרְבֵּה מְאֹד וְרֹחַב לֵב IK. 5:9
21 וַיֵּלְכוּ...שְׂמֵחִים וְטוֹבֵי לֵב IK. 8:66
22 וְלִשְׁמֹר...בְּכָל־לֵב וּבְכָל־נֶפֶשׁ IIK. 23:3
23 נֶאֶנְחוּ כָּל־שִׂמְחֵי־לֵב Is. 24:7
24 אִמְרוּ לְנִמְהֲרֵי־לֵב Is. 35:4
25 וַתִּבְעַר־בּוֹ וְלֹא־יָשִׂים עַל־לֵב Is. 42:25
26 רֹעֶה אֵפֶר לֵב הוּתַל הִטָּהוּ Is. 44:20
27 הָשִׁיבוּ פוֹשְׁעִים עַל־לֵב Is. 46:8
28 אַבִּירֵי לֵב הָרְחוֹקִים מִצְּדָקָה Is. 46:12
29 וְאֵין אִישׁ שָׂם עַל־לֵב Is. 57:1
30 שְׁלָחַנִי לַחֲבֹשׁ לְנִשְׁבְּרֵי־לֵב Is. 61::1
31 הִנֵּה עֲבָדַי יָרֹנּוּ מִטּוּב לֵב Is. 65:14
32 וְאַתֶּם תִּצְעֲקוּ מִכְּאֵב לֵב Is. 65:14
33 וְלֹא תַעֲלֶינָה עַל־לֵב Is. 65:17
34 וְלֹא יַעֲלֶה עַל־לֵב Jer. 3:16
35 עַם־סָכָל וְאֵין לֵב Jer. 5:21
36 וְלָעָם הַזֶּה הָיָה לֵב סוֹרֵר וּמוֹרֶה Jer. 5:23
37 וְכָל־בֵּית יִשְׂרָאֵל עַרְלֵי־לֵב Jer. 9:25
38 כִּי אֵין אִישׁ שָׂם עַל־לֵב Jer. 12:11
39 אֲנִי יְיָ חֹקֵר לֵב בֹּחֵן כְּלָיוֹת Jer. 17:10
40 וְנָתַתִּי לָהֶם לֵב לָדַעַת אֹתִי Jer. 24:7
41 וְנָתַתִּי לָהֶם לֵב אֶחָד Jer. 32:39
42 וְהַבָּנִים קְשֵׁי פָנִים וְחִזְקֵי־לֵב Ezek. 2:4
43 חִזְקֵי־מֵצַח וּקְשֵׁי־לֵב הֵמָּה Ezek. 3:7
44 וְנָתַתִּי לָהֶם לֵב אֶחָד וְרוּחַ חֲדָשָׁה Ezek. 11:19
45 וַעֲשׂוּ לָכֶם לֵב חָדָשׁ וְרוּחַ חֲדָשָׁה Ezek. 18:31
46 וְנָמֵס כָּל־לֵב וְרָפוּ כָל־יָדַיִם Ezek. 21:12
47 לְמַעַן לָמוּג לֵב Ezek. 21:20
48 וְנָתַתִּי לָכֶם לֵב חָדָשׁ וְרוּחַ חֲדָשָׁה Ezek. 36:26
49 בְּנֵי־נֵכָר עַרְלֵי־לֵב וְעַרְלֵי בָשָׂר Ezek. 44:7
50 בֶּן־נֵכָר עֶרֶל לֵב וְעֶרֶל בָּשָׂר Ezek. 44:9
51 זְנוּת יַיִן וְתִירוֹשׁ יִקַּח־לֵב Hosh. 4:11
52 כְּיוֹנָה פוֹתָה אֵין לֵב Hosh. 7:11
53 שִׂמְחִי וְעָלְזִי בְּכָל־לֵב Zep. 3:14
54 וְאִם־לֹא תָשִׂימוּ עַל־לֵב Mal. 2:2
55 כִּי אֵינְכֶם שָׂמִים עַל־לֵב Mal. 2:2
56 מוֹשִׁיעַ יִשְׁרֵי־לֵב Ps. 7:11
57 לִירוֹת בְּמוֹ־אֹפֶל לְיִשְׁרֵי־לֵב Ps. 11:2
58 פִּקּוּדֵי יְיָ יְשָׁרִים מְשַׂמְּחֵי־לֵב Ps. 19:9
59 וְהַרְנִינוּ כָּל־יִשְׁרֵי־לֵב Ps. 32:11
60 קָרוֹב יְיָ לְנִשְׁבְּרֵי־לֵב Ps. 34:19
61 מְשֹׁךְ...וְצִדְקָתְךָ לְיִשְׁרֵי־לֵב Ps. 36:11
62 כִּי־הוּא יֹדֵעַ תַּעֲלֻמוֹת לֵב Ps. 44:22
63 לֵב טָהוֹר בְּרָא־לִי אֱלֹהִים Ps. 51:12
64 לֵב־נִשְׁבָּר וְנִדְכֶּה Ps. 51:19
65 חַיִל כִּי יָנוּב אַל־תָּשִׁיתוּ לֵב Ps. 62:11
66 וְיִתְהַלְלוּ כָּל־יִשְׁרֵי־לֵב Ps. 64:11
67 אֶשְׁתּוֹלְלוּ אַבִּירֵי לֵב Ps. 76:6
68 כִּי נוֹעֲצוּ לֵב יַחְדָּו Ps. 83:6
69 וְאַחֲרָיו כָּל־יִשְׁרֵי־לֵב Ps. 94:15
70 וּלְיִשְׁרֵי־לֵב שִׂמְחָה Ps. 97:11
71 יִשְׂמַח לֵב מְבַקְשֵׁי יְיָ Ps. 105:3
72 בְּכָל־לֵב יִדְרְשׁוּהוּ Ps. 119:2
73 וְאֶשְׁמְרֶנָּה בְכָל־לֵב Ps. 119:34
74 חִלִּיתִי פָנֶיךָ בְכָל־לֵב Ps. 119:58
75 אֲנִי בְּכָל־לֵב אֶצֹּר פִּקּוּדֶיךָ Ps. 119:69
76 קָרָאתִי בְכָל־לֵב Ps. 119:145
77 הָרוֹפֵא לִשְׁבוּרֵי לֵב Ps. 147:3
78 לֵב חֹרֵשׁ מַחְשְׁבוֹת אָוֶן Prov. 6:18
79 נֹאֵף אִשָּׁה חֲסַר־לֵב Prov. 6:32
80 אָבִינָה בַבָּנִים נַעַר חֲסַר־לֵב Prov. 7:7
81 שִׁית זוֹנָה וּנְצֻרַת לֵב Prov. 7:10
82 וּכְסִילִים הָבִינוּ לֵב Prov. 8:5
83 מִי־פֶתִי...חֲסַר־לֵב אָמְרָה לוֹ Prov. 9:4
84 וַחֲסַר־לֵב וְאָמְרָה לוֹ Prov. 9:16
85 חֲכַם־לֵב יִקַּח מִצְוֹת Prov. 10:8
86 וְשֵׁבֶט לְגֵו חֲסַר־לֵב Prov. 10:13
87 וֶאֱוִילִים בַּחֲסַר־לֵב יָמוּתוּ Prov. 10:21
88 בָּז־לְרֵעֵהוּ חֲסַר־לֵב Prov. 11:12
89 תּוֹעֲבַת יְיָ עִקְּשֵׁי־לֵב Prov. 11:20
90 וְעֶבֶד אֱוִיל לַחֲכַם־לֵב Prov. 11:29
91 וְנַעֲוֵה־לֵב יִהְיֶה לָבוּז Prov. 12:8
92 וּמְרַדֵּף רֵיקִים חֲסַר־לֵב Prov. 12:11
93 תּוֹחֶלֶת מְמֻשָּׁכָה מַחֲלָה־לֵב Prov. 13:12
94 לֵב יוֹדֵעַ מָרַת נַפְשׁוֹ Prov. 14:10
95 גַּם־בִּשְׂחֹק יִכְאַב־לֵב Prov. 14:13
96 מִדְּרָכָיו יִשְׂבַּע סוּג לֵב Prov. 14:14
97 לֵב שָׂמֵחַ יֵיטִב פָּנִים Prov. 15:13

לֵב (המשך)	98	וּבְעַצְּבַת־לֵב רוּחַ נְכֵאָה	Prov. 15:13
	99	לֵב נָבוֹן יְבַקֶּשׁ־דָּעַת	Prov. 15:14
	100	וְטוֹב־לֵב מִשְׁתֶּה תָמִיד	Prov. 15:15
	101	אִוֶּלֶת שִׂמְחָה לַחֲסַר־לֵב	Prov. 15:21
	102	מְאוֹר־עֵינַיִם יְשַׂמַּח־לֵב	Prov. 15:30
	103	וְשׁוֹמֵעַ תּוֹכַחַת קוֹנֶה לֵּב	Prov. 15:32
	104	לְאָדָם מַעַרְכֵי־לֵב	Prov. 16:1
	105	תּוֹעֲבַת יְיָ כָּל־גְּבַהּ־לֵב	Prov. 16:5
	106	לַחֲכַם־לֵב יִקָּרֵא נָבוֹן	Prov. 16:21
	107	לֵב חָכָם יַשְׂכִּיל פִּיהוּ	Prov. 16:23
	108	אָדָם חֲסַר־לֵב תֹּקֵעַ כָּף	Prov. 17:18
	109	עִקֶּשׁ־לֵב לֹא יִמְצָא־טוֹב	Prov. 17:20
	110	לֵב שָׂמֵחַ יֵיטִיב גֵּהָה	Prov. 17:22
	111	לֵב־נָבוֹן יִקְנֶה־דָּעַת	Prov. 18:15
	112	קֹנֶה־לֵּב אֹהֵב נַפְשׁוֹ	Prov. 19:8
	113	רוּם־עֵינַיִם וּרְחַב־לֵב	Prov. 21:4
	114	אֹהֵב טְהָר־לֵב...רֵעֵהוּ מֶלֶךְ	Prov. 22:11
	115	וְעַל־כֶּרֶם אָדָם חֲסַר־לֵב	Prov. 24:30
	116	שֶׁמֶן וּקְטֹרֶת יְשַׂמַּח־לֵב	Prov. 27:9
	117	הֶן־אֵל...כַּבִּיר כֹּחַ לֵב	Job 36:5
	118	וְחַנְפֵי־לֵב יָשִׂימוּ אָף	Job 36:13
	119	לֹא־יִרְאֶה כָּל־חַכְמֵי־לֵב	Job 37:24
	120	תִּתֵּן לָהֶם מְגִנַּת־לֵב	Lam. 3:65
	121	כִּי־בְרֹעַ פָּנִים יִיטַב לֵב	Eccl. 7:3
	122	וַיֵּצֵא הָמָן...שָׂמֵחַ וְטוֹב לֵב	Es. 5:9
	123	אֵין זֶה כִּי־אִם רֹעַ לֵב	Neh. 2:2
	124	וַיְהִי לֵב לָעָם לַעֲשׂוֹת	Neh. 3:38
	125	וְלַעֲדֹר בְּלֹא־לֵב וָלֵב	ICh. 12:33(34)
	126	לֵב אֶחָד לְהַמְלִיךְ אֶת־דָּוִיד	ICh. 12:38(39)
	127	שְׂמֵחִים וְטוֹבֵי לֵב עַל־הַטּוֹבָה	IICh. 7:10
	128	וַיָּבִיאוּ...וְכָל־נְדִיב לֵב עֹלוֹת	IICh. 29:31
	129	לָתֵת לָהֶם לֵב אֶחָד לַעֲשׂוֹת...	IICh. 30:12
וְלֵב	130	וְלֵב נָמֵס וּפֵק בִּרְכַּיִם	Nah. 2:11
	131	וְקֶרֶב אִישׁ וְלֵב עָמֹק	Ps. 64:7
וְלֶב־	132	לִקְנוֹת חָכְמָה וְלֶב־אָיִן	Prov. 17:16
	133	שְׂפָתַיִם דֹּלְקִים וְלֶב־רָע	Prov. 26:23
וָלֵב	134	שֹׁפֵט צֶדֶק בֹּחֵן כְּלָיוֹת וָלֵב	Jer. 11:20
	135	בֹּחֵן צַדִּיק רֹאֶה כְלָיוֹת וָלֵב	Jer. 20:12
	136	שְׂפַת חֲלָקוֹת בְּלֵב וָלֵב יְדַבֵּרוּ	Ps. 12:3
	137	וְלַעֲדֹר בְּלֹא־לֵב וָלֵב	ICh. 12:33(34)
הַלֵּב	138	עָקֹב הַלֵּב מִכֹּל	Jer. 17:9
בְּלֵב	139	שְׂפַת חֲלָקוֹת בְּלֵב וָלֵב יְדַבֵּרוּ	Ps. 12:3
	140	אֲשֶׁר חָשְׁבוּ רָעוֹת בְּלֵב	Ps. 140:3
	141	בְּלֵב שָׁלֵם וּבְנֶפֶשׁ חֲפֵצָה	ICh. 28:9
	142	כִּי בְּלֵב שָׁלֵם הִתְנַדְּבוּ לַייָ	ICh. 29:9
וּבְלֵב	143	בֶּאֱמֶת וּבְלֵב שָׁלֵם	Is. 38:3
מִלֵּב	144	הֹרוֹ וְהֹגוֹ מִלֵּב דִּבְרֵי־שָׁקֶר	Is. 59:13
	145	נִשְׁכַּחְתִּי כְּמֵת מִלֵּב	Ps. 31:13
לֵב־	146	כִּי יֵצֶר לֵב־הָאָדָם רַע מִנְּעֻרָיו	Gen. 8:21
	147	וַיִּגְנֹב יַעֲקֹב אֶת־לֵב לָבָן	Gen. 31:20
	148	וַיְדַבֵּר עַל־לֵב הַנַּעֲר	Gen. 34:3
	149	וַאֲנִי אַקְשֶׁה אֶת־לֵב פַּרְעֹה	Ex. 7:3
	150-153	וַיֶּחֱזַק לֵב פַּרְעֹה..	Ex. 7:13, 22; 8:15; 9:35
	154	כָּבֵד לֵב פַּרְעֹה	Ex. 7:14
	155	וַיִּכְבַּד לֵב פַּרְעֹה	Ex. 9:7
	156-160	וַיְחַזֵּק יְיָ אֶת־לֵב פַּרְעֹה	Ex. 9:12; 10:20, 27; 11:10; 14:8
	161	הִכְבַּדְתִּי...וְאֶת־לֵב עֲבָדָיו	Ex. 10:1
	162	וְחִזַּקְתִּי אֶת־לֵב פַּרְעֹה	Ex. 14:4
	163	הִנְנִי מְחַזֵּק אֶת־לֵב מִצְרַיִם	Ex. 14:17
	164	וְהָיוּ עַל־לֵב אַהֲרֹן...	Ex. 28:30
	165	וְלָמָּה תְנִיאוּן° אֶת־לֵב בְּנֵי יִשׂ׳	Num. 32:7
לֵב־ (המשך)	166	וַיָּנִיאוּ אֶת־לֵב בְּנֵי יִשְׂרָאֵל	Num. 32:9
	167	בֹּעֵר בָּאֵשׁ עַד־לֵב הַשָּׁמַיִם	Deut. 4:11
	168	וְאַחַי...הִמְסִיו אֶת־לֵב הָעָם	Josh. 14:8
	169	וַיִּיטַב לֵב הַכֹּהֵן	Jud. 18:20
	170	אַל־יִפֹּל לֵב־אָדָם עָלָיו	ISh. 17:32
	171/2	וַיַּךְ לֵב־דָּוִד אֹתוֹ...	ISh. 24:6 • IISh. 24:10
	173	כְּטוֹב לֵב־אַמְנוֹן בַּיַּיִן...	IISh. 13:28
	174	כִּי־לֵב הַמֶּלֶךְ עַל־אַבְשָׁלוֹם	IISh. 14:1
	175	וַיְגַנֵּב...אַבְשָׁלוֹם אֶת־לֵב אַנְשֵׁי יִשׂ׳	IISh. 15:6
	176	וְדַבֵּר עַל־לֵב עֲבָדֶיךָ	IISh. 19:8
	177	וְשָׁב לֵב הָעָם הַזֶּה אֶל־אֲדֹנֵיהֶם	IK. 12:27
	178	וַיִּסָּעֵר לֵב מֶלֶךְ־אֲרָם	IIK. 6:11
	179	הַשְׁמֵן לֵב־הָעָם הַזֶּה	Is. 6:10
	180	דַּבְּרוּ עַל־לֵב יְרוּשָׁלַםִ	Is. 40:2
	181	וּלְהַחֲיוֹת לֵב נִדְכָּאִים	Is. 57:15
	182	יֹאבַד לֵב־הַמֶּלֶךְ וְלֵב הַשָּׂרִים	Jer. 4:9
	183	וְהָיָה לֵב גִּבּוֹרֵי מוֹאָב	Jer. 48:41
	184	וְהָיָה לֵב גִּבּוֹרֵי אֱדוֹם	Jer. 49:22
	185	עַל־בָּבֶל וְאֶל־יֹשְׁבֵי לֵב קָמָי	Jer. 51:1
	186	וַהֲסִרֹתִי לֵב הָאֶבֶן מִבְּשָׂרָם	Ezek. 11:19
	187	וְנָתַתִּי לָהֶם לֵב בָּשָׂר	Ezek. 11:19
	188	וְאֶל־לֵב שִׁקּוּצֵיהֶם...לִבָּם הֹלֵךְ	Ezek. 11:21
	189	יַעַן הַכְאוֹת לֵב־צַדִּיק שֶׁקֶר	Ezek. 13:22
	190	וְהִכְעַסְתִּי לֵב עַמִּים רַבִּים	Ezek. 32:9
	191	וַהֲסִרֹתִי אֶת־לֵב הָאֶבֶן מִבְּשַׂרְכֶם	Ezek. 36:26
	192	וְנָתַתִּי לָכֶם לֵב בָּשָׂר	Ezek. 36:26
	193	וְהֵשִׁיב לֵב־אָבוֹת עַל־בָּנִים	Mal. 3:24
	194	לֵב רְשָׁעִים כִּמְעָט	Prov. 10:20
	195	חַיֵּי בְשָׂרִים לֵב מַרְפֵּא	Prov. 14:30
	196	לֵב צַדִּיק יֶהְגֶּה לַעֲנוֹת	Prov. 15:28
	197	לֵב אָדָם יְחַשֵּׁב דַּרְכּוֹ	Prov. 16:9
	198	כֵּן לֵב הָאָדָם לָאָדָם	Prov. 27:19
	199	בָּטַח בָּהּ לֵב בַּעְלָהּ	Prov. 31:10
	200	מֵסִיר לֵב רָאשֵׁי עַם־הָאָרֶץ	Job 12:24
	201	וְכִי דִבַּרְתָּ עַל־לֵב שִׁפְחָתֶךָ	Ruth 2:13
	202	לֵב חֲכָמִים בְּבֵית אֵבֶל	Eccl. 7:4
	203	וִיאַבֵּד אֶת־לֵב מַתָּנָה	Eccl. 7:7
	204	וְעֵת וּמִשְׁפָּט יֵדַע לֵב חָכָם	Eccl. 8:5
	205	מָלֵא לֵב בְּנֵי־הָאָדָם בָּהֶם	Eccl. 8:11
	206	וְגַם לֵב בְּנֵי־הָאָדָם מָלֵא־רָע	Eccl. 9:3
	207	לֵב חָכָם לִימִינוֹ	Eccl. 10:2
	208	כְּטוֹב לֵב־הַמֶּלֶךְ בַּיָּיִן	Es. 1:10
	209	וְהֵסַב לֵב מֶלֶךְ־אַשּׁוּר עֲלֵיהֶם	Ez. 6:22
	210	יִשְׂמַח לֵב מְבַקְשֵׁי יְיָ	ICh. 16:10
	211	כָּל־הַבָּא עַל־לֵב שְׁלֹמֹה לַעֲשׂוֹת	IICh. 7:11
	212	הָיָה עִם־לֵב יוֹאָשׁ לְחַדֵּשׁ אֶת...	IICh. 24:4
	213	וַיְדַבֵּר יְחִזְ׳ עַל־לֵב כָּל־הַלְוִיִּם	IICh.30:22
לֶב־	214	הָיָה לֶב־אִישׁ יִשׂ׳ אַחֲרֵי אַבְשָׁלוֹם	IISh.15:13
	215	אֲשֶׁר יַעֲלֶה עַל לֶב־אִישׁ לְהָבִיא	IIK. 12:5
	216	לִפְנֵי־שֶׁבֶר יִגְבַּהּ לֶב־אִישׁ	Prov. 18:12
	217	פַּלְגֵי־מַיִם לֶב־מֶלֶךְ בְּיַד־יְיָ	Prov. 21:1
	218	וְשָׁר בַּשִּׁרִים עַל לֶב־רָע	Prov. 25:20
וְלֵב־	219	וְלֵב נָבָל טוֹב עָלָיו	IISh. 25:36
	220	יֹאבַד לֵב־הַמֶּלֶךְ וְלֵב הַשָּׂרִים	Jer. 4:9
	221	וְלֵב בָּנִים עַל־אֲבוֹתָם	Mal. 3:24
	222	וְלֵב כְּסִילִים יִקְרָא אִוֶּלֶת	Prov. 12:23
	223	וְלֵב כְּסִילִים לֹא־כֵן	Prov. 15:7
	224	וְלֵב מְלָכִים אֵין חֵקֶר	Prov. 25:3
	225	וְלֵב אַלְמָנָה אַרְנִן	Job 29:13
	226	וְלֵב כְּסִילִים בְּבֵית שִׂמְחָה	Eccl. 7:4
	227	וְלֵב כְּסִיל לִשְׂמֹאלוֹ	Eccl. 10:2
בְּלֵב־	228	וַיִּתְקָעֵם בְּלֵב אַבְשָׁלוֹם	IISh. 18:14
בְּלֵב־ (המשך)	229	עוֹדֶנּוּ חַי בְּלֵב הָאֵלָה	IISh. 18:14
	230	הֲיֵשׁ בְּלֵב הַנְּבִאִים נִבְּאֵי הַשָּׁקֶר	Jer. 23:26
	231	בְּלֵב יַמִּים גְּבוּלָיִךְ	Ezek. 27:4
	232	וַתִּכָּבְדִי מְאֹד בְּלֵב יַמִּים	Ezek. 27:25
	233	רוּחַ הַקָּדִים שְׁבָרֵךְ בְּלֵב יַמִּים	Ezek. 27:26
	234	יִפְּלוּ בְּלֵב יַמִּים בְּיוֹם מַפַּלְתֵּךְ	Ezek. 27:27
	235	מוֹשַׁב אֱל׳ יָשַׁבְתִּי בְּלֵב יַמִּים	Ezek. 28:2
	236	מְמוֹתֵי חָלָל בְּלֵב יַמִּים	Ezek. 28:8
	237	חִצֶּיךָ...יִפְּלוּ בְּלֵב אוֹיְבֵי הַמֶּלֶךְ	Ps. 45:6
	238	וּבְמוֹט הָרִים בְּלֵב יַמִּים	Ps. 46:3
	239	אַף־בְּלֵב עוֹלֹת תִּפְעָלוּן	Ps. 58:3
	240	בְּלֵב נָבוֹן תָּנוּחַ חָכְמָה	Prov. 14:33
	241	אֲשֶׁר נָתַן כָּזֹאת בְּלֵב הַמֶּלֶךְ	Ez. 7:27
בְּלֶב־	242	קָפְאוּ תְהֹמֹת בְּלֶב־יָם	Ex. 15:8
	243	מִרְמָה בְּלֶב־חֹרְשֵׁי רָע	Prov. 12:20
	244	דְּאָגָה בְלֶב־אִישׁ יַשְׁחֶנָּה	Prov. 12:25
	245	רַבּוֹת מַחֲשָׁבוֹת בְּלֶב־אִישׁ	Prov. 19:21
	246	מַיִם עֲמֻקִּים עֵצָה בְלֶב־אִישׁ	Prov. 20:5
	247	אִוֶּלֶת קְשׁוּרָה בְלֶב־נָעַר	Prov. 22:15
	248	וְהָיִיתָ כְּשֹׁכֵב בְּלֶב־יָם	Prov. 23:34
	249	דֶּרֶךְ־אֳנִיָּה בְלֶב־יָם	Prov. 30:19
	250	וּשְׁתֵה בְלֶב־טוֹב יֵינֶךָ	Eccl. 9:7
וּבְלֵב־	251	וּבְלֵב כָּל־חֲכַם־לֵב נָתַתִּי חָכְמָה	Ex. 31:6
כְּלֵב־	252	אֲשֶׁר לִבּוֹ כְּלֵב הָאַרְיֵה	IISh. 17:10
	253/4	כְּלֵב אִשָּׁה מְצֵרָה	Jer. 48:41; 49:22
	255	וַתִּתֵּן לִבְּךָ כְּלֵב אֱלֹהִים	Ezek. 28:2
	256	יַעַן תִּתְּךָ אֶת־לְבָבְךָ כְּלֵב אֱל׳	Ezek. 28:6
לִבִּי	257	טֶרֶם אֲכַלֶּה לְדַבֵּר אֶל־לִבִּי	Gen. 24:45
	258	כִּי בִּשְׁרִרוּת לִבִּי אֵלֵךְ	Deut. 29:18
	259	לִבִּי לְחוֹקְקֵי יִשְׂרָאֵל	Jud. 5:9
	260	עָלַץ לִבִּי בַּייָ	ISh. 2:1
	261	לֹא־לִבִּי הָלַךְ כַּאֲשֶׁר הָפַךְ־אִישׁ	IIK. 5:26
	262	לִבִּי לְמוֹאָב יִזְעָק	Is. 15:5
	263/א	קִירוֹת לִבִּי הֹמֶה־לִּי לִבִּי	Jer. 4:19
	264-6	וְלֹא עָלְתָה עַל־לִבִּי	Jer. 7:31; 19:5; 32:35
	267	עָלַי לִבִּי דַוָּי	Jer. 8:18
	268	תִּרְאֵנִי וּבָחַנְתָּ לִבִּי אִתָּךְ	Jer. 12:3
	269	נִשְׁבַּר לִבִּי בְקִרְבִּי	Jer. 23:9
	270	בֶּאֱמֶת בְּכָל־לִבִּי וּבְכָל־נַפְשִׁי	Jer. 32:41
	271	לִבִּי לְמוֹאָב כַּחֲלִלִים יֶהֱמֶה	Jer. 48:36
	272	נֶהְפַּךְ עָלַי לִבִּי	Hosh. 11:8
	273	אוֹדֶה יְיָ בְּכָל־לִבִּי	Ps. 9:2
	274	יָגֵל לִבִּי בִּישׁוּעָתֶךָ	Ps. 13:6
	275	לָכֵן שָׂמַח לִבִּי וַיָּגֶל כְּבוֹדִי	Ps. 16:9
	276	בָּחַנְתָּ לִבִּי פָּקַדְתָּ לַּיְלָה	Ps. 17:3
	277	אִמְרֵי־פִי וְהֶגְיוֹן לִבִּי	Ps. 19:15
	278	הָיָה לִבִּי כַּדּוֹנָג	Ps. 22:15
	279	לֹא־יִירָא לִבִּי	Ps. 27:3
	280	לְךָ אָמַר לִבִּי בַּקְּשׁוּ פָנָי	Ps. 27:8
	281	בוֹ בָטַח לִבִּי וְנֶעֱזָרְתִּי	Ps. 28:7
	282	וַיַּעֲלֹז לִבִּי וּמִשִּׁירִי אֲהוֹדֶנּוּ	Ps. 28:7
	283	נְאֻם־פֶּשַׁע לָרָשָׁע בְּקֶרֶב לִבִּי	Ps. 36:2
	284	שָׁאַגְתִּי מִנַּהֲמַת לִבִּי	Ps. 38:9
	285	לִבִּי סְחַרְחַר עֲזָבַנִי כֹחִי	Ps. 38:11
	286	חַם־לִבִּי בְּקִרְבִּי...	Ps. 39:4
	287	צִדְקָתְךָ לֹא כִסִּיתִי בְּתוֹךְ לִבִּי	Ps. 40:11
	288	רָחַשׁ לִבִּי דָּבָר טוֹב	Ps. 45:2
	289	וְהָגוּת לִבִּי תְבוּנוֹת	Ps. 49:4
	290	לִבִּי יָחִיל בְּקִרְבִּי	Ps. 55:5
	291/2	נָכוֹן לִבִּי אֱלֹהִים נָכוֹן לִבִּי...	Ps. 57:8
	293	אֵלֶיךָ אֶקְרָא בַּעֲטֹף לִבִּי	Ps. 61:3
	294	חֶרְפָּה שָׁבְרָה לִבִּי וָאָנוּשָׁה	Ps. 69:21

לִבִּי (המשך)

295 לִבִּי וּבְשָׂרִי יְרַנְּנוּ אֶל אֵל־חָי Ps. 84:3
296 הוּכָּה כָעֵשֶׂב וַיִּבַשׁ לִבִּי Ps. 102:5
297 נָכוֹן לִבִּי אֱלֹהִים Ps. 108:2
298 בְּכָל־לִבִּי דְרַשְׁתִּיךָ Ps. 119:10
299 כִּי תַרְחִיב לִבִּי Ps. 119:32
300 הַט־לִבִּי אֶל־עֵדְוֺתֶיךָ Ps. 119:36
301 יְהִי־לִבִּי תָמִים בְּחֻקֶּיךָ Ps. 119:80
302 כִּי־שְׂשׂוֹן לִבִּי הֵמָּה Ps. 119:111
303 נָטִיתִי לִבִּי לַעֲשׂוֹת חֻקֶּיךָ Ps. 119:112
304 וּמִדְּבָרְךָ° פָּחַד לִבִּי Ps. 119:161
305 לֹא־גָבַהּ לִבִּי וְלֹא־רָמוּ עֵינַי Ps. 131:1
306 אוֹדְךָ בְכָל־לִבִּי Ps. 138:1
307 אַל־תַּט לִבִּי לְדָבָר רָע Ps. 141:4
308 בְּתוֹכִי יִשְׁתּוֹמֵם לִבִּי Ps. 143:4
309 וְתוֹכַחַת נָאַץ לִבִּי Prov. 5:12
310 מִי־יֹאמַר זִכִּיתִי לִבִּי Prov. 20:9
311 יִשְׂמַח לִבִּי גַם־אָנִי Prov. 23:15
312 וָאֶחֱזֶה אָנֹכִי אָשִׁית לִבִּי Prov. 24:32
313 חֲכַם בְּנִי וְשַׂמַּח לִבִּי Prov. 27:11
314 וְאֵל הֵרַךְ לִבִּי וְשַׁדַּי הִבְהִילָנִי Job 23:16
315 וְאַחַר עֵינַי הָלַךְ לִבִּי Job 31:7
316 אִם־נִפְתָּה לִבִּי עַל־אִשָּׁה Job 31:9
317 וַיִּפְתְּ בַּסֵּתֶר לִבִּי Job 31:27
318 יֹשֶׁר לִבִּי אֲמָרָי Job 33:3
319 אַף־לְזֹאת יֶחֱרַד לִבִּי וְיִתַּר Job 37:1
320 מֵעַי חֳמַרְמָרוּ נֶהְפַּךְ לִבִּי בְּקִרְבִּי Lam. 1:20
321 זֹאת אָשִׁיב אֶל־לִבִּי Lam. 3:21
322 וְנָתַתִּי אֶת־לִבִּי לִדְרוֹשׁ Eccl. 1:13
323 דִּבַּרְתִּי אֲנִי עִם־לִבִּי לֵאמֹר Eccl. 1:16
324 וָאֶתְּנָה לִבִּי לָדַעַת חָכְמָה Eccl. 1:17
325 לֹא־מָנַעְתִּי אֶת־לִבִּי מִכָּל־שִׂמְחָה Eccl. 2:10
326 כִּי־לִבִּי שָׂמֵחַ מִכָּל־עֲמָלִי Eccl. 2:10
327 וְסַבּוֹתִי אֲנִי לְיַאֵשׁ אֶת־לִבִּי Eccl. 2:20
328 רָאִיתִי וְנָתוֹן אֶת־לִבִּי לְכָל־מַעֲשֶׂה Eccl. 8:9
329 נָתַתִּי אֶת־לִבִּי לָדַעַת חָכְמָה Eccl. 8:16
330 כִּי אֶת־כָּל־זֶה נָתַתִּי אֶל־לִבִּי Eccl. 9:1
331 מָה אֱלֹהַי נֹתֵן אֶל־לִבִּי לַעֲשׂוֹת Neh. 2:12
332 וַיִּמָּלֵךְ לִבִּי עָלַי Neh. 5:7
333 וַיִּתֵּן אֱלֹהַי אֶל־לִבִּי וָאֶקְבְּצָה... Neh. 7:5

וְלִבִּי

334 וְהָיוּ עֵינַי וְלִבִּי שָׁם כָּל־הַיָּמִים IK. 9:3
335 וְלִבִּי אֶל־...כַּחֲלִילִים יֶהֱמֶה Jer. 48:36
336 צָרְפָה° כִלְיוֹתַי וְלִבִּי Ps. 26:2
337 הִשִּׂיגוּנִי עֲוֺנֹתַי...וְלִבִּי עֲזָבָנִי Ps. 40:13
338 וְלִבִּי חָלַל בְּקִרְבִּי Ps. 109:22
339 אֲנִי יְשֵׁנָה וְלִבִּי עֵר S.ofS. 5:2
340 כִּי־רַבּוֹת אַנְחֹתַי וְלִבִּי דַוָּי Lam. 1:22
341 וְלִבִּי רָאָה הַרְבֵּה חָכְמָה וָדָעַת Eccl. 1:16
342 וְלִבִּי נֹהֵג בַּחָכְמָה Eccl. 2:3
343 סַבּוֹתִי אֲנִי וְלִבִּי לָדַעַת וְלָתוּר Eccl. 7:25
344 וְהָיוּ עֵינַי וְלִבִּי שָׁם כָּל־הַיָּמִים IICh. 7:16

בְּלִבִּי

345 כִּי יוֹם נָקָם בְּלִבִּי Is. 63:4
346 וְהָיָה בְלִבִּי כְּאֵשׁ בֹּעֶרֶת Jer. 20:9
347 נָתַתָּה שִׂמְחָה בְלִבִּי Ps. 4:8
348 אָוֶן אִם־רָאִיתִי בְלִבִּי Ps. 66:18
349 בְּלִבִּי צָפַנְתִּי אִמְרָתֶךָ Ps. 119:11
350-352 אָמַרְתִּי אֲנִי בְּלִבִּי Eccl. 2:1; 3:17, 18
353 תַּרְתִּי בְלִבִּי לִמְשׁוֹךְ בַּיַּיִן אֶת־בְּשָׂרִי Eccl. 2:3
354 וְאָמַרְתִּי אֲנִי בְּלִבִּי Eccl. 2:15
355 וְדִבַּרְתִּי בְלִבִּי שֶׁגַּם־זֶה הָבֶל Eccl. 2:15

כְּלִבִּי

356 וְנָתַתִּי לָכֶם רֹעִים כְּלִבִּי Jer. 3:15

מִלִּבִּי

357 כִּי־יְיָ שְׁלָחַנִי...כִּי־לֹא מִלִּבִּי Num. 16:28
358 לַעֲשׂוֹת טוֹבָה אוֹ רָעָה מִלִּבִּי Num. 24:13

לִבְּךָ

359 אֲנִי שֹׁלֵחַ אֶת־כָּל־מַגֵּפֹתַי אֶל־לִבְּךָ Ex. 9:14
360 סְעָד לִבְּךָ פַּת־לֶחֶם Jud. 19:5
361 אַל־תָּשֶׂם אֶת־לִבְּךָ לָהֶם ISh. 9:20
362 לִבְּךָ יֶהְגֶּה אֵימָה Is. 33:18
363 יַעַן גָּבַהּ לִבְּךָ וַתֹּאמֶר אֵל אָנִי Ezek. 28:2
364 וַתִּתֵּן לִבְּךָ כְּלֵב אֱלֹהִים Ezek. 28:2
365 גָּבַהּ לִבְּךָ בְּיָפְיֶךָ Ezek. 28:17
366 רְאֵה בְעֵינֶיךָ...וְשִׂים לִבְּךָ... Ezek. 40:4
367 שִׂים לִבְּךָ וּרְאֵה בְעֵינֶיךָ Ezek. 44:5
368 וְשַׂמְתָּ לִבְּךָ לִמְבוֹא הַבַּיִת Ezek. 44:5
369 זְדוֹן לִבְּךָ הִשִּׁיאֶךָ Ob. 3
370 תַּטֶּה לִבְּךָ לַתְּבוּנָה Prov. 2:2
371 קָשְׁרֵם עַל־לִבְּךָ תָמִיד Prov. 6:21
372 אַל־יְקַנֵּא לִבְּךָ בַּחַטָּאִים Prov. 23:17
373 תְּנָה־בְנִי לִבְּךָ לִי Prov. 23:26
374 שִׁית לִבְּךָ לַעֲדָרִים Prov. 27:23
375 הֲשַׂמְתָּ לִבְּךָ עַל־עַבְדִּי אִיּוֹב Job 1:8
376 הֲשַׂמְתָּ לִבְּךָ אֶל־עַבְדִּי אִיּוֹב Job 2:3
377 וִיטִיבְךָ לִבְּךָ בִּימֵי בְחוּרוֹתֶךָ Eccl. 11:9
378 וְהַלֵּךְ בְּדַרְכֵי לִבְּךָ Eccl. 11:9
379 אֲשֶׁר נָתַתָּ אֶת־לִבְּךָ לְהָבִין Dan. 10:12
380 וּנְשָׂאֲךָ לִבְּךָ לְהַכְבִּיד IICh. 25:19

לִבֶּךָ

381 הוֹאֶל־נָא וְלִין וְיִיטַב לִבֶּךָ Jud. 19:6
382 קוּם אֱכָל־לֶחֶם וְיִטַב לִבֶּךָ IK. 21:7
383 הַכֵּה הִכִּיתָ...וּנְשָׂאֲךָ לִבֶּךָ IIK. 14:10
384 תִּפְלַצְתְּךָ הִשִּׁיא אֹתָךְ זְדוֹן לִבֶּךָ Jer. 49:16
385 חֲזַק וְיַאֲמֵץ לִבֶּךָ Ps. 27:14
386 וְיִתֶּן־לְךָ מִשְׁאֲלֹת לִבֶּךָ Ps. 37:4
387 וּמִצְוֺתַי יִצֹּר לִבֶּךָ Prov. 3:1
388-389 כָּתְבֵם עַל־לוּחַ לִבֶּךָ Prov. 3:3; 7:3
390 בְּטַח אֶל־יְיָ בְּכָל־לִבֶּךָ Prov. 3:5
391 יִתְמָךְ־דְּבָרַי לִבֶּךָ Prov. 4:4
392 מִכָּל־מִשְׁמָר נְצֹר לִבֶּךָ Prov. 4:23
393 אַל־יֵשְׂטְ אֶל־דְּרָכֶיהָ לִבֶּךָ Prov. 7:25
394 הָבִיאָה לַמּוּסָר לִבֶּךָ Prov. 23:12
395 בְּנִי אִם־חָכַם לִבֶּךָ... Prov. 23:15
396 וְאַשֵּׁר בַּדֶּרֶךְ לִבֶּךָ Prov. 23:19
397 וּבִכָּשְׁלוֹ אַל־יָגֵל לִבֶּךָ Prov. 24:17
398 וְכִי־תָשִׁית אֵלָיו לִבֶּךָ Job 7:17
399 אִם־אַתָּה הֲכִינוֹתָ לִבֶּךָ Job 11:13
400 מַה־יִּקָּחֲךָ לִבֶּךָ Job 15:12
401 שִׂימֵנִי כַחוֹתָם עַל־לִבֶּךָ S.ofS. 8:6
402 לְכָל־הַדְּבָרִים...אַל־תִּתֵּן לִבֶּךָ Eccl. 7:21
403 גַּם־פְּעָמִים רַבּוֹת יָדַע לִבֶּךָ Eccl. 7:22

וְלִבְּךָ

404 אֲהַבְתִּיךְ וְלִבְּךָ אֵין אִתִּי Jud. 16:15
405 אֵין עֵינֶיךָ וְלִבְּךָ כִּי אִם־עַל... Jer. 22:17
406 וְלִבְּךָ תָּשִׁית לְדַעְתִּי Prov. 22:17
407 וְלִבְּךָ יְדַבֵּר תַּהְפֻּכוֹת Prov. 23:33
408 וְלִבְּךָ אַל־יְמַהֵר לְהוֹצִיא דָבָר Eccl. 5:1

בְּלִבֶּךָ

409 כִּי־תָבוֹא חָכְמָה בְלִבֶּךָ Prov. 2:10

וּכְלִבְּךָ

410 בַּעֲבוּר דְּבָרְךָ וּכְלִבְּךָ עָשִׂיתָ IISh. 7:21
411 בַּעֲבוּר עַבְדְּךָ וּכְלִבְּךָ עָשִׂיתָ ICh. 17:19

מִלִּבְּךָ

412 כִּי מִלִּבְּךָ אַתָּה בוֹדָאם Neh. 6:8

מִלִּבֶּךָ

413 וְהָסֵר כַּעַס מִלִּבֶּךָ Eccl. 11:10

לִבֵּךְ

414 אַל־תָּשִׁיתִי אֶת־לִבֵּךְ לַדָּבָר הַזֶּ IISh. 13:20
415 עַד לֹא־שַׂמְתְּ אֵלֶּה עַל־לִבֵּךְ Is. 47:7
416 לֹא זָכַרְתְּ לֹא־שַׂמְתְּ עַל־לִבֵּךְ Is. 57:11
417 כַּבְּסִי מֵרָעָה לִבֵּךְ יְרוּשָׁלַםִ Jer. 4:14
418 כִּי נָגַע עַד־לִבֵּךְ Jer. 4:18
419 שִׁתִי לִבֵּךְ לַמְסִלָּה Jer. 31:20(21)
420 הֲיַעֲמֹד לִבֵּךְ אִם־תֶּחֱזַקְנָה יָדַיִךְ Ezek. 22:14
421 שִׁפְכִי כַמַּיִם לִבֵּךְ Lam. 2:19

בְּלִבֵּךְ

422 וַתֹּאמְרִי בְלִבֵּךְ אֲנִי וְאַפְסִי עוֹד Is. 47:10

לִבּוֹ

423 וְכָל־יֵצֶר מַחְשְׁבֹת לִבּוֹ רַק רַע Gen. 6:5
424 וַיִּנָּחֶם יְיָ...וַיִּתְעַצֵּב אֶל־לִבּוֹ Gen. 6:6
425 וַיֹּאמֶר יְיָ אֶל־לִבּוֹ לֹא אֹסִף Gen. 8:21
426 וַיָּפָג לִבּוֹ כִּי לֹא־הֶאֱמִין Gen. 45:26
427 וַאֲנִי אֲחַזֵּק אֶת־לִבּוֹ... Ex. 4:21
428 וְלֹא־שָׁת לִבּוֹ גַּם־לָזֹאת Ex. 7:23
429 וְהַכְבֵּד אֶת־לִבּוֹ וְלֹא שָׁמַע אֲלֵהֶם Ex. 8:11
430 וַיַּכְבֵּד פַּרְעֹה אֶת־לִבּוֹ... Ex. 8:28
431 וַאֲשֶׁר לֹא־שָׂם לִבּוֹ אֶל־דְּבַר יְיָ Ex. 9:21
432 וַיַּכְבֵּד לִבּוֹ הוּא וַעֲבָדָיו Ex. 9:34
433 כִּי־אֲנִי הִכְבַּדְתִּי אֶת־לִבּוֹ Ex. 10:1
434 כָּל־אִישׁ אֲשֶׁר יִדְּבֶנּוּ לִבּוֹ Ex. 25:2
435 וְנָשָׂא...בְּחֹשֶׁן הַמִּשְׁפָּט עַל־לִבּוֹ Ex. 28:29
436 וְנָשָׂא...אֶת־מִשְׁפַּט בְּ־יְ עַל־לִבּוֹ Ex. 28:30
437 כֹּל נְדִיב לִבּוֹ יְבִיאֶהָ... Ex. 35:5
438 כָּל־אִישׁ אֲשֶׁר־נְשָׂאוֹ לִבּוֹ Ex. 35:21
439 כֹּל אֲשֶׁר נְשָׂאוֹ לִבּוֹ לְקָרְבָה... Ex. 36:2
440 וַיַּגֶּד־לָהּ אֶת־כָּל־לִבּוֹ Jud. 16:17
441 כִּי־הִגִּיד לָהּ אֶת־כָּל־לִבּוֹ Jud. 16:18
442 הָיָה לִבּוֹ חָרֵד עַל אֲרוֹן הָאֱלֹהִים ISh. 4:13
443 אַל־נָא יָשִׂים אֲדֹנִי אֶת־לִבּוֹ אֶל... ISh. 25:25
444 וַיָּמָת לִבּוֹ בְּקִרְבּוֹ ISh. 25:37
445 וַיֹּאמֶר דָּוִד אֶל־לִבּוֹ ISh. 27:1
446 וַיִּרָא וַיֶּחֱרַד לִבּוֹ מְאֹד ISh. 28:5
447 מָצָא עַבְדְּךָ אֶת־לִבּוֹ לְהִתְפַּלֵּל IISh. 7:27
448 אַל־יָשֵׂם...אֶל־לִבּוֹ דָּבָר לֵאמֹר IISh. 13:33
449 אֲשֶׁר לִבּוֹ כְּלֵב הָאַרְיֵה IISh. 17:10
450 לָשׂוּם הַמֶּלֶךְ אֶל־לִבּוֹ IISh. 19:20
451 וַיַּטּוּ נָשָׁיו אֶת־לִבּוֹ IK. 11:3
452 וְלֹא־יָשִׁיב אֶל־לִבּוֹ...לֵאמֹר Is. 44:19
453 וַיֵּלֶךְ שׁוֹבָב בְּדֶרֶךְ לִבּוֹ Is. 57:17
454 אִישׁ אַחֲרֵי שְׁרִרוּת לִבּוֹ־הָרָע Jer. 16:12
455 וּמִן־יְיָ יָסוּר לִבּוֹ Jer. 17:5
456 וְאִישׁ שְׁרִרוּת לִבּוֹ־הָרָע נַעֲשֶׂה Jer. 18:12
457 וְכֹל הֹלֵךְ בִּשְׁרִרוּת לִבּוֹ Jer. 23:17
458/9 וְעַד־הֲקִימוֹ מְזִמּוֹת לִבּוֹ Jer. 23:20; 30:24
460 מִי הוּא־זֶה עָרַב אֶת־לִבּוֹ לָגֶשֶׁת Jer. 30:21
461 אֹתָם זָכַר יְיָ וַתַּעֲלֶה עַל־לִבּוֹ Jer. 44:21
462 גְּאוֹן־מוֹאָב...וְגַאֲוָתוֹ וְרֻם לִבּוֹ Jer. 48:29
463 יַעֲלֶה אֶת־גִּלּוּלָיו אֶל־לִבּוֹ Ezek. 14:4
464 וְיַעַל גִּלּוּלָיו אֶל־לִבּוֹ Ezek. 14:7
465 וְאַמִּיץ לִבּוֹ בַּגִּבּוֹרִים Am. 2:16
466 תַּאֲוַת לִבּוֹ נָתַתָּה לּוֹ Ps. 21:3
467 מַחְשְׁבוֹת לִבּוֹ לְדֹר וָדֹר Ps. 33:11
468 לִבּוֹ יִקְבָּץ־אָוֶן לוֹ Ps. 41:7
469 חָלְקוּ מַחֲמָאֹת פִּיו וּקְרָב־לִבּוֹ Ps. 55:22
470 דּוֹר לֹא־הֵכִין לִבּוֹ Ps. 78:8
471 נָכוֹן לִבּוֹ בָּטֻחַ בַּיְיָ Ps. 112:7
472 סָמוּךְ לִבּוֹ לֹא יִירָא Ps. 112:8
473 לֹא־יַחְפֹּץ...כִּי...בְּהִתְגַּלּוֹת לִבּוֹ Prov. 18:2
474 וְעַל־יְיָ יִזְעַף לִבּוֹ Prov. 19:3
475 וּמַקְשֶׁה לִבּוֹ יִפּוֹל בְּרָעָה Prov. 28:14
476 אִם־יָשִׂים אֵלָיו לִבּוֹ Job 34:14
477 לִבּוֹ יָצוּק כְּמוֹ־אָבֶן Job 41:16
478 בְּיוֹם חֲתֻנָּתוֹ וּבְיוֹם שִׂמְחַת לִבּוֹ S.ofS. 3:11
479 וַיֹּאכַל בֹּעַז וַיֵּשְׁתְּ וַיִּיטַב לִבּוֹ Ruth 3:7
480 בְּכָל־עֲמָלוֹ וּבְרַעְיוֹן לִבּוֹ Eccl. 2:22
481 גַּם בַּלַּיְלָה לֹא־שָׁכַב לִבּוֹ Eccl. 2:23
482 כִּי הָאֱלֹהִים מַעֲנֶה בְּשִׂמְחַת לִבּוֹ Eccl. 5:19
483 וְהַחַי יִתֵּן אֶל־לִבּוֹ Eccl. 7:2
484 כְּשֶׁסָּכָל° הֹלֵךְ לִבּוֹ חָסֵר Eccl. 10:3

לִבּוֹ (המשך) 485 אֲשֶׁר־מְלָאוֹ לִבּוֹ לַעֲשׂוֹת כֵּן Es. 7:5
486 וַיָּשֶׂם דָּנִיֵּאל עַל־לִבּוֹ Dan. 1:8
487 כִּי לֹא הֵכִין לִבּוֹ לִדְרוֹשׁ אֶת־יְיָ IICh. 12:14
488 וַיִּגְבַּהּ לִבּוֹ בְּדַרְכֵי יְיָ IICh. 17:6
489 וּכְחֶזְקָתוֹ גָּבַהּ לִבּוֹ עַד־לְהַשְׁחִית IICh. 26:16
490 וְלֹא־כִגְמֻל עָלָיו...כִּי גָבַהּ לִבּוֹ IICh. 32:25
491 וַיִּכָּנַע יְחִזְקִיָּהוּ בְּגֹבַהּ לִבּוֹ IICh. 32:26
וְלִבּוֹ 492 בְּפִיו...כִּבְּדוּנִי וְלִבּוֹ רִחַק מִמֶּנִּי Is. 29:1
493 נְבָלָה יְדַבֵּר וְלִבּוֹ יַעֲשֶׂה־אָוֶן Is. 32:6
494 אֱכוֹל וּשְׁתֵה...וְלִבּוֹ בַּל־עִמָּךְ Prov. 23:7
בְּלִבּוֹ 495 וַיֹּאמֶר בְּלִבּוֹ הַלְּבֶן מֵאָה...יִוָּלֵד Gen. 17:17
496 וַיֹּאמֶר עֵשָׂו בְּלִבּוֹ Gen. 27:41
497 וְרָאֲךָ וְשָׂמַח בְּלִבּוֹ Ex. 4:14
498 וּלְהוֹרֹת נָתַן בְּלִבּוֹ Ex. 35:34
499 אֲשֶׁר נָתַן יְיָ חָכְמָה בְּלִבּוֹ Ex. 36:2
500 חָכְמָתוֹ אֲשֶׁר־נָתַן אֱלֹהִים בְּלִבּוֹ IK. 10:24
501 וַיֹּאמֶר יָרָבְעָם בְּלִבּוֹ... IK. 12:26
502 אֹמֵר בְּלִבּוֹ מִי יוֹרִדֵנִי אָרֶץ Ob. 3
503 אָמַר בְּלִבּוֹ בַּל־אֶמּוֹט Ps. 10:6
504 אָמַר בְּלִבּוֹ שָׁכַח אֵל Ps. 10:11
505 אָמַר בְּלִבּוֹ לֹא תִדְרֹשׁ Ps. 10:13
506/7 אָמַר נָבָל בְּלִבּוֹ אֵין אֱלֹהִים Ps. 14:1; 53:2
508 תּוֹרַת אֱלֹהָיו בְּלִבּוֹ Ps. 37:31
509 תַּהְפֻּכוֹת בְּלִבּוֹ חֹרֵשׁ רָע Prov. 6:14
510 כִּי שֶׁבַע תּוֹעֵבוֹת בְּלִבּוֹ Prov. 26:25
511 בּוֹטֵחַ בְּלִבּוֹ הוּא כְסִיל Prov. 28:26
512 וַיֹּאמֶר הָמָן בְּלִבּוֹ Es. 6:6
513 חָכְמָתוֹ אֲשֶׁר־נָתַן אֱלֹהִים בְּלִבּוֹ IICh. 9:23
מִלִּבּוֹ 514 בַּחֹדֶשׁ אֲשֶׁר־בָּדָא מִלִּבּוֹ (כ׳ מלבד) IK.12:33
515 וַיֵּצֵא הַחֵצִי מִלִּבּוֹ IIK. 9:24
516 כִּי לֹא עִנָּה מִלִּבּוֹ וַיַּגֶּה בְּנֵי־אִישׁ Lam.3:33
לִבָּהּ 517 לְדַבֵּר עַל־לִבָּהּ לַהֲשִׁיבָהּ° Jud. 19:3
518 וְחַנָּה הִיא מְדַבֶּרֶת עַל־לִבָּהּ ISh. 1:13
519 וְלֹא עָנְתָה וְלֹא־שָׁתָה לִבָּהּ ISh. 4:20
520 לֹא־שָׁבָה...בְּכָל־לִבָּהּ Jer. 3:10
521 אָנֹכִי מְפַתֶּיהָ...וְדִבַּרְתִּי עַל־לִבָּהּ Hosh.2:16
522 הִיא מְצוֹדִים וַחֲרָמִים לִבָּהּ Eccl. 7:26
בְּלִבָּהּ 523 וַתֵּרֶא...וַתִּבֶז לוֹ בְּלִבָּהּ IISh. 6:16
524 וַתֵּרֶא...וַתִּבֶז לוֹ בְּלִבָּהּ ICh. 15:29
לִבֵּנוּ 525 וְנָשִׂימָה לִבֵּנוּ וְנֵדְעָה אַחֲרִיתָן Is. 41:22
526 תַּקְשִׁיחַ לִבֵּנוּ מִיִּרְאָתֶךָ Is. 63:17
527 כִּי־בוֹ יִשְׂמַח לִבֵּנוּ Ps. 33:21
528 לֹא־נָסוֹג אָחוֹר לִבֵּנוּ Ps. 44:19
529 שָׁבַת מְשׂוֹשׂ לִבֵּנוּ Lam. 5:15
530 עַל־זֶה הָיָה דָוֶה לִבֵּנוּ Lam. 5:17
לִבְּכֶם 531 וְאֶקְחָה פַת־לֶחֶם וְסַעֲדוּ לִבְּכֶם Gen. 18:5
532 וּרְאִיתֶם וְשָׂשׂ לִבְּכֶם Is. 66:14
533 שִׁיתוּ לִבְּכֶם לְחֵילָה Ps. 48:14
לִבָּם 534 וַיֵּצֵא לִבָּם וַיֶּחֶרְדוּ Gen. 42:28
535 וַיְנַחֵם אוֹתָם וַיְדַבֵּר עַל־לִבָּם Gen. 50:21
536 אֲשֶׁר נָדַב לִבָּם אֹתָם לְהָבִיא Ex. 35:29
537 לְחַזֵּק...לִבָּם לִקְרַאת הַמִּלְחָמָה Josh. 11:20
538 וַיֵּט לִבָּם אַחֲרֵי אֲבִימֶלֶךְ Jud. 9:3
539 וַיְהִי כְּטוֹב° לִבָּם וַיֹּאמְרוּ Jud. 16:25
540 הֵמָּה מֵיטִיבִים אֶת־לִבָּם Jud. 19:22
541 כַּאֲשֶׁר כִּבְּדוּ מִצְ׳ וּפַרְעֹה אֶת־לִבָּם ISh. 6:6
542 הַהֹלְכִים לְפָנֶיךָ בְּכָל־לִבָּם IK. 8:23
543 וְהֵשִׁיבוּ אֶל־לִבָּם IK. 8:47
544 וְאַתָּה הֲסִבֹּתָ אֶת־לִבָּם אֲחֹרַנִּית IK. 18:37
545 אַחֲרֵי שְׁרִרוּת לִבָּם הָרָע Jer. 3:17
546 בְּמֹעֵצוֹת בִּשְׁרִרוּת לִבָּם הָרָע Jer. 7:24
547 וַיֵּלְכוּ אַחֲרֵי שְׁרִרוּת לִבָּם Jer. 9:13

לִבָּם (המשך) 548 וַיֵּלְכוּ אִישׁ בִּשְׁרִירוּת לִבָּם הָרָע Jer. 11:8
549 הַהֹלְכִים בִּשְׁרִרוּת לִבָּם Jer. 13:10
550 חֲזוֹן שֶׁקֶר...וְתַרְמִית° לִבָּם Jer. 14:14
551 חֲרוּשָׁה עַל־לוּחַ לִבָּם Jer. 17:1
552 חֲזוֹן לִבָּם יְדַבֵּרוּ לֹא מִפִּי יְיָ Jer. 23:16
553 וּנְבִיאֵי תַּרְמִת לִבָּם Jer. 23:26
554 כִּי־יָשֻׁבוּ אֵלַי בְּכָל־לִבָּם Jer. 24:7
555 וְעַל־לִבָּם אֶכְתֲּבֶנָּה Jer. 31:33(32)
556 אֲשֶׁר נִשְׁבַּרְתִּי אֶת־לִבָּם הַזּוֹנֶה Ezek. 6:9
557 וְאֶל־לֵב שִׁקּוּצֵיהֶם...לִבָּם הֹלֵךְ Ezek. 11:21
558 הֶעֱלוּ גִלּוּלֵיהֶם עַל־לִבָּם Ezek. 14:3
559 אַחֲרֵי גִלּוּלֵיהֶם לִבָּם הֹלֵךְ Ezek. 20:16
560 אַחֲרֵי בִצְעָם לִבָּם הֹלֵךְ Ezek. 33:31
561 כִּי־קֵרְבוּ כַתַּנּוּר לִבָּם בְּאָרְבָּם Hosh. 7:6
562 חָלַק לִבָּם עַתָּה יֶאְשָׁמוּ Ezek. 10:2
563 שָׂבְעוּ וַיָּרָם לִבָּם Hosh. 13:6
564 אֶפְגְּשֵׁם...וְאֶקְרַע סְגוֹר לִבָּם Hosh. 13:8
565 וְשָׂמַח לִבָּם כְּמוֹ־יָיִן Zech. 10:7
566 יָגֵל לִבָּם בַּייָ Zech. 10:7
567 תָּכִין לִבָּם תַּקְשִׁיב אָזְנֶךָ Ps. 10:17
568 הַיֹּצֵר יַחַד לִבָּם Ps. 33:15
569 וָאֲשַׁלְּחֵהוּ בִּשְׁרִירוּת לִבָּם Ps. 81:13
570 הָפַךְ לִבָּם לִשְׂנֹא עַמּוֹ Ps. 105:25
571 וַיַּכְנַע בֶּעָמָל לִבָּם Ps. 107:12
572 טָפַשׁ כַּחֵלֶב לִבָּם Ps. 119:70
573 כִּי־שֹׁד יֶהְגֶּה לִבָּם Prov. 24:2
574 כִּי־לִבָּם צָפַנְתָּ מִּשָּׂכֶל Job 17:5
575 צָעַק לִבָּם אֶל־אֲדֹנָי Lam. 2:18
576 הַהֹלְכִים לְפָנֶיךָ בְּכָל־לִבָּם IICh. 6:14
577 וְשָׁבוּ אֵלֶיךָ בְּכָל־לִבָּם IICh. 6:38
וְלִבָּם 578 וְלִבָּם שָׂמוּ שָׁמִיר מִשְּׁמוֹעַ Zech. 7:12
579 וְלִבָּם לֹא־נָכוֹן עִמּוֹ Ps. 78:37
בְּלִבָּם 580 הַחַיִל אֲשֶׁר נָגַע אֱלֹהִים בְּלִבָּם ISh. 10:26
581 יֹדְעֵי צֶדֶק עַם תּוֹרָתִי בְלִבָּם Is. 51:7
582 לְמַעַן תְּפֹשׂ אֶת־בֵּית־יִשְׂ׳ בְּלִבָּם Ezek. 14:5
583 וְלֹא־זָעֲקוּ אֵלַי בְּלִבָּם Hosh. 7:14
584 וְאָמְרוּ אַלֻּפֵי יְהוּדָה בְּלִבָּם... Zech. 12:5
585 אַל־יֹאמְרוּ בְלִבָּם הֶאָח נַפְשֵׁנוּ Ps. 35:25
586 חַרְבָּם תָּבוֹא בְלִבָּם Ps. 37:15
587 אָמְרוּ בְלִבָּם נִינָם יָחַד Ps. 74:8
588 גַּם אֶת־הָעֹלָם נָתַן בְּלִבָּם Eccl. 3:11
מִלִּבָּם 589 וְאָמַרְתָּ לִנְבִיאֵי מִלִּבָּם Ezek. 13:2
וּמִלִּבָּם 590 וּמִלִּבָּם יוֹצִאוּ מִלִּים Job 8:10
לִבָּן 591 אֲשֶׁר נָשָׂא לִבָּן אֹתָנָה בְּחָכְמָה Ex. 35:26
מִלִּבְּהֶן 592 בְּנוֹת עַמְּךָ הַמִּתְנַבְּאוֹת מִלִּבְּהֶן Ezek. 13:17
לִבּוֹת 593 וּבֹחֵן לִבּוֹת וּכְלָיוֹת אֱלֹ׳ צַדִּיק Ps. 7:10
594 אַף כִּי־לִבּוֹת בְּנֵי־אָדָם Prov. 15:11
595 מַצְרֵף לַכֶּסֶף...וּבֹחֵן לִבּוֹת יְיָ Prov. 17:3
596 וְתֹכֵן לִבּוֹת יְיָ Prov. 21:2
597 הֲלֹא־תֹכֵן לִבּוֹת הוּא־יָבִין Prov. 24:12
לִבּוֹתָם 598 טַח מֵרְאוֹת עֵינֵי׳ מֵהַשְׂכִּיל לִבֹּתָם Is. 44:18
בְּלִבּוֹתָם 599 לַטּוֹבִים וְלִישָׁרִים בְּלִבּוֹתָם Ps. 125:4

לֵב*[2] ז׳ ארמית, כמו בעברית
בְּלִבִּי 1 וּמִלְּתָא בְּלִבִּי נִטְרֵת Dan. 7:28

לֵב קָמָי כנוי לכשׂדים (בסדר אתב״ש?)
לֵב קָמָי 1 עַל־בָּבֶל וְאֶל־יֹשְׁבֵי לֵב קָמָי Jer. 51:1

לְבָאוֹת[1] נ״ר (נחום ב13) – עין לָבִיא

לְבָאוֹת[2] עיר בנחלת שבט שמעון, היא בֵּית לְבָאוֹת
לְבָאוֹת 1 וּבֵית לְבָאוֹת וְשָׁרוּחֶן Josh. 19:6
וּלְבָאוֹת 2 וּלְבָאוֹת וְשִׁלְחִים וְעַיִן Josh. 15:32

לְבָאִים ז״ר (תהלים נז 5) – עין לָבִיא

לבב : נִלְבַּב, לִבֵּב; לֵב, לֵבָב, לְבִיבָה; לִבָּה; אר׳ לְבַב

(לבב) נִלְבַּב נפ׳ א) נעשׂה בעל לב, החכים: 1
ב) [פִּ׳ לִבֵּב] תָּפַס בלב, הקסים: 2, 3
ג) [כנ״ל] אפה לביבות: 4, 5

יִלָּבֵב 1 וְאִישׁ נָבוּב יִלָּבֵב Job 11:12
לִבַּבְתִּנִי 2 לִבַּבְתִּנִי אֲחֹתִי כַלָּה S.ofS. 4:9
3 לִבַּבְתִּנִי בְּאַחַת° מֵעֵינַיִךְ S.ofS. 4:9
וּתְלַבֵּב 4 וּתְלַבֵּב לְעֵינַי שְׁתֵּי לְבִבוֹת IISh. 13:6
וַתְּלַבֵּב 5 וַתָּלָשׁ° וַתְּלַבֵּב לְעֵינָיו IISh. 13:8

לֵבָב ז׳ צוּרת־משנֶה של ״לֵב״ [עין לֵב]

א) לֵב, האבר המרכזי בגוף, ובהשאלה: מרכז החושים, הרגש, השׂכל וכדומה: רוב המקראות
ב) [על דומם] מֶרְכָּז, אמצע: 53

– לֵבָב דַּוָּי 5; לֵבָב נֶאֱמָן 162; לֵ׳ עִקֵּשׁ 13; לֵ׳ עָרֵל 227; לֵ׳ שָׁלֵם 24, 28-31, 151, 152, 205

– אַנְשֵׁי לֵבָב 20-21; בּוֹחֵן לֵ׳ 23; בַּר לֵ׳ 9, 10; גֹּדֶל לֵבָב 6, 41; חֲכַם לֵבָב 18; טוֹב לֵ׳ 2; יֹשֶׁר לֵ׳ 17, 26, 45, 89; יִשְׁרַת לֵ׳ 3; בְּכָל לֵבָב 16, 68, 82-88, 154-156, 167, 191, 192, 197, 198, 201, 203, 204, 208, 211, 230-232, 236, 237; מוֹרָשֵׁי לֵ׳ 71; מַשְׂכִּיּוֹת לֵ׳ 11; נֶגַע לֵ׳ 148; נִכְאֵה לֵ׳ 15; עָרְלַת לֵ׳ 190, 207; פַּחַד לֵ׳ 93; צוּר לֵ׳ 65; צָרוֹת לֵ׳ 62; רְחַב לֵ׳ 14; רַךְ לֵ׳ 25; רֹעַ לֵ׳ 112; שִׂמְחַת לֵ׳ 7, 8, 61; תּוֹעֵי לֵבָב 12; תָּם־לֵבָב 4, 56, 69, 81; תֹּם לֵבָב 159; תִּמְהוֹן לֵבָב 1

– לְבַב אֶחָיו 34; לְ׳ אִישׁ 37; לְ׳ אֱנוֹשׁ 42, 44, 45; לְ׳ אָסָא 40, 49; לְ׳ בְּנֵי אָדָם 39, 48; לְ׳ דָּוִד 38, 47, 54, 55; לְ׳ זַרְעוֹ 35; לְ׳ חָכְמָה 43; לְ׳ יַמִּים 53; לְ׳ (הַ)מֶּלֶךְ 41; לְ׳ מִצְרַיִם 51; לְ׳ נִמְהָרִים 52; לְ׳ הָעָם 36, 46, 50; לְבַב פַּרְעֹה 33

– אֹמֶץ לְבָבוֹ 90, 143, 168, 219; גָּבַהּ לְ׳ 102; גָּנַב לְ׳ 57; הֵבִין לְ׳ 169; הִטָּה לְ׳ 150, 187; הֵכִין לְבָבוֹ 105, 161, 202, 233, 239; הֵמֵס לְ׳ (179), 185; הֵעִיר לְ׳ 171; הִקְשָׁה לְ׳ 222; הִתְחַמֵּץ לְ׳ 64; זִכָּה לְ׳ 63; חַי לְ׳ 218, 221; חַם לְ׳ 146; חָרַף לְ׳ 72; חָשַׁב לְ׳ 170; טוֹב לְ׳ 111; יָדַע לְ׳ 48, 70, 97, 149; יִחֵד לְ׳ 67; כִּבֵּד לְ׳ 200; כָּלָה לְ׳ 77; מָל לְ׳ 94; מָצָא לְ׳ 162; נָטָה לְ׳ 153; נִכְנַע לְ׳ 227; נָמֵס לְ׳ 186, 229; נָע לְ׳ 157; נָשָׂא לְ׳ 188; נָתַן לְ׳ 103, 223, 235; סָעַד לְ׳ 45, 96; סָר לְ׳ 144; פִּנָּה לְ׳ 95, 147; פִּתָּה לְ׳ 193; רָחַב לְ׳ 140; רַךְ לְ׳ 100, 101, 119, 195, 209; רָם לְ׳ 109, 145, 158, 160; רַע לְבָבוֹ 92, 139; שָׁלֵם לְ׳ 49; שָׂם לְ׳ 196, 213-217; שִׂמַּח לְ׳ 44; שָׁפַךְ לְבָבוֹ 220

– אָמַר בִּלְבָבוֹ 120, 122, 125, 129, 130, 141, 142, 183, 184, 226, 242, 244; בֵּרַךְ בִּלְ׳ 248; דִּבֶּר בִּלְ׳ 176; הִגְדִּיל בִּלְ׳ 178; הִתְבָּרֵךְ בִּלְ׳ 173; חָמַד בִּלְ׳ 132; חָשַׁב בִּלְ׳ 224, 225; לָקַח בִּלְ׳ 126; נִסָּה בִּלְ׳ 246; צָפַן בִּלְ׳ 133; שָׂם בִּלְ׳ 134, 174; שָׂנֵא בִּלְבָבוֹ 128

– הָיָה עִם לְ׳ 98, 104, 181, 182; הֵשִׁיב אֶל לְבָבוֹ 106, 110, 234; יֵשׁ אֶת לְ׳ 99; יָדַע עִם לְ׳ 108; דִּבֶּר עַל לְבָבוֹ 240; עָלָה עַל לְבָבוֹ 116, 210; תּוֹפֵף עַל לְבָבוֹ 251; סָר מִלְּבָבוֹ 138; תָּר אַחֲרֵי לְבָבוֹ 189

לֵבָב 1 בְּשִׁגָּעוֹן וּבְעִוָּרוֹן וּבְתִמְהוֹן לֵבָב Deut. 28:28
2 בְּשִׂמְחָה וּבְטוּב לֵבָב Deut. 28:47
3 בֶּאֱמֶת וּבִצְדָקָה וּבְיִשְׁרַת לֵבָב IK. 3:6
4 כַּאֲשֶׁר הָלַךְ...בְּתָם־לֵבָב וּבְיֹשֶׁר IK. 9:4
5 כָּל־רֹאשׁ לָחֳלִי וְכָל־לֵבָב דַּוָּי Is. 1:5
6 בְּגַאֲוָה וּבְגֹדֶל לֵבָב לֵאמֹר Is. 9:8
7 וְשִׂמְחַת לֵבָב כַּהוֹלֵךְ בֶּחָלִיל Is. 30:29
8 בְּשִׂמְחַת כָּל־לֵבָב בִּשְׁאָט נֶפֶשׁ Ezek. 36:5
9 נְקִי כַפַּיִם וּבַר־לֵבָב Ps. 24:4
10 אַךְ טוֹב לְיִשְׂ׳ אֱלֹהִים לְבָרֵי לֵבָב Ps. 73:1
11 עָבְרוּ מַשְׂכִּיּוֹת לֵבָב Ps. 73:7
12 וָאֹמַר עַם תֹּעֵי לֵבָב הֵם Ps. 95:10
13 לֵבָב עִקֵּשׁ יָסוּר מִמֶּנִּי Ps. 101:4
14 גְּבַהּ־עֵינַיִם וּרְחַב לֵבָב Ps. 101:5
15 וְנִכְאֵה לֵבָב לְמוֹתֵת Ps. 109:16
16 אוֹדֶה יְיָ בְּכָל־לֵבָב Ps. 111:1
17 אוֹדְךָ בְּיֹשֶׁר לֵבָב Ps. 119:7
18 חֲכַם לֵבָב וְאַמִּיץ כֹּחַ Job 9:4
19 גַּם־לִי לֵבָב כְּמוֹכֶם Job 12:3
20 לָכֵן אַנְשֵׁי לֵבָב שִׁמְעוּ לִי Job 34:10
21 אַנְשֵׁי לֵבָב יֹאמְרוּ לִי... Job 34:34
22 יִהְיֶה־לִּי עֲלֵיכֶם לֵבָב לְיָחַד ICh. 12:17(18)
23 אַתָּה בֹּחֵן לֵבָב וּמֵישָׁרִים תִּרְצֶה ICh. 29:17
24 וְלִשְׁלֹמֹה בְנִי תֵּן לֵבָב שָׁלֵם ICh. 29:19
25 וּרְחַבְעָם הָיָה נַעַר וְרַךְ־לֵבָב IICh. 23:7
26 הַלְוִיִּם יִשְׁרֵי לֵבָב לְהִתְקַדֵּשׁ... IICh. 29:34
הַלֵּבָב 27 מִי־הָאִישׁ הַיָּרֵא וְרַךְ הַלֵּבָב Deut. 20:8
בְּלֵבָב 28 עֹדְרֵי מַעֲרָכָה בְּלֵבָב שָׁלֵם ICh. 12:38(39)
29 רַק לֹא בְּלֵבָב שָׁלֵם IICh. 25:2
וּבְלֵבָב 30 בֶּאֱמֶת וּבְלֵבָב שָׁלֵם IIK. 20:3
31 בֶּאֱמוּנָה וּבְלֵבָב שָׁלֵם IICh. 19:9
לַלֵּבָב 32 הָאָדָם יִרְאֶה לַעֵינַ׳ וַייָ יִרְאֶה לַלֵּבָב ISh. 16:7
לְבַב־ 33 וַיֵּהָפֵךְ לְבַב פַּרְעֹה...אֶל־הָעָם Ex. 14:5
34 וְלֹא יִמַּס אֶת־לְבַב אֶחָיו כִּלְבָבוֹ Deut. 20:8
35 אֶת־לְבָבְךָ וְאֶת־לְבַב זַרְעֶךָ Deut. 30:6
36 וַיִּמַּס לְבַב־הָעָם וַיְהִי לְמָיִם Josh. 7:5
37 וַיֵּט אֶת־לְבַב כָּל־אִישׁ־יְהוּדָה IISh. 19:15
38 וַיְהִי עִם־לְבַב דָּוִד אָבִי IK. 8:17
39 יָדַעְתָּ...אֶת־לְבַב כָּל־בְּנֵי הָאָדָם IK. 8:39
40 רַק לְבַב־אָסָא הָיָה שָׁלֵם עִם־יְיָ IK. 15:14
41 עַל־פְּרִי גֹדֶל לְבַב מֶלֶךְ־אַשּׁוּר Is. 10:12
42 וְכָל־לְבַב אֱנוֹשׁ יִמָּס Is. 13:7
43 וְנָבִא לְבַב חָכְמָה Ps. 90:12
44 וְיַיִן יְשַׂמַּח לְבַב־אֱנוֹשׁ Ps. 104:15
45 וְלֶחֶם לְבַב־אֱנוֹשׁ יִסְעָד Ps. 104:15
46 לְיֵצֶר מַחְשְׁבוֹת לְבַב עַמֶּךָ ICh. 29:18
47 וַיְהִי עִם־לְבַב דָּוִיד אָבִי IICh. 6:7
48 אַתָּה...יָדַעְתָּ אֶת־לְבַב בְּנֵי הָאָדָם IICh. 6:30
49 רַק לְבַב-אָסָא הָיָה שָׁלֵם כָּל-יָמָיו IICh.15:17
וּלְבַב־ 50 וַיָּנַע לְבָבוֹ וּלְבַב עַמּוֹ... Is. 7:2
51 וּלְבַב מִצְרַיִם יִמַּס בְּקִרְבּוֹ Is. 19:1
52 וּלְבַב נִמְהָרִים יָבִין לָדָעַת Is. 32:4
בִּלְבַב־ 53 וַתַּשְׁלִיכֵנִי מְצוּלָה בִּלְבַב יַמִּים Jon. 2:4
כִּלְבַב־ 54 שָׁלֵם...כִּלְבַב דָּוִיד אָבִיו IK. 11:4
55 שָׁלֵם...כִּלְבַב דָּוִד אָבִיו IK. 15:3
לְבָבִי 56 בְּתָם־לְבָבִי וּבְנִקְיֹן כַּפַּי... Gen. 20:5
57 מֶה עָשִׂיתָ וַתִּגְנֹב אֶת־לְבָבִי Gen. 31:26
58 וָאָשֵׁב אוֹתוֹ דָּבָר כַּאֲשֶׁר עִם-לְבָבִי Josh. 14:7
59 ...כַּאֲשֶׁר לְבָבִי עִם־לְבָבֶךָ IIK. 10:15
60 תָּעָה לְבָבִי פַּלָּצוּת בִּעֲתָתְנִי Is. 21:4
61 לְשָׂשׂוֹן וּלְשִׂמְחַת לְבָבִי Jer. 15:16
62 צָרוֹת לְבָבִי הִרְחִיבוּ Ps. 25:17

לְבָבִי (המשך) 63 אַךְ־רִיק זִכִּיתִי לְבָבִי Ps. 73:13
64 כִּי־יִתְחַמֵּץ לְבָבִי... Ps. 73:21
65 צוּר־לְבָבִי וְחֶלְקִי אֱל׳ לְעוֹלָם Ps. 73:26
66 עִם־לְבָבִי אָשִׂיחָה וַיְחַפֵּשׂ רוּחִי Ps. 77:7
67 יַחֵד לְבָבִי לְיִרְאָה שְׁמֶךָ Ps. 86:11
68 אוֹדְךָ אֲדֹנָי אֱלֹהַי בְּכָל־לְבָבִי Ps. 86:12
69 אֶתְהַלֵּךְ בְּתָם־לְבָבִי Ps. 101:2
70 חָקְרֵנִי אֵל וְדַע לְבָבִי Ps. 139:23
71 זִמֹּתַי נִתְּקוּ מוֹרָשֵׁי לְבָבִי Job 17:11
72 לֹא־יֶחֱרַף לְבָבִי מִיָּמָי Job 27:6
73 הָיָה עִם־לְבָבִי לִבְנוֹת בַּיִת ICh. 22:7(6)
74 עִם־לְבָבִי לִבְנוֹת בֵּית מְנוּחָה ICh. 28:2
75 אֲנִי בְּיֹשֶׁר לְבָבִי הִתְנַדַּבְתִּי ICh. 29:17
76 עַתָּה עִם־לְבָבִי לִכְרוֹת בְּרִית... IICh. 29:10
וּלְבָבִי 77 כָּלָה שְׁאֵרִי וּלְבָבִי Ps. 73:26
בִּלְבָבִי 78 כַּאֲשֶׁר בִּלְבָבִי וּבְנַפְשִׁי יַעֲשֶׂה ISh. 2:35
79 כְּכֹל אֲשֶׁר בִּלְבָבִי עָשִׂיתָ... IIK. 10:30
80 עַד־אָנָה...יָגוֹן בִּלְבָבִי יוֹמָם Ps. 13:3
לְבָבְךָ 81 כִּי בְתָם־לְבָבְךָ עָשִׂיתָ זֹּאת Gen. 20:6
82-86 בְּכָל־לְבָבְךָ וּבְכָל־נַפְשֶׁךָ Deut. 4:29
10:12; 26:16; 30:2, 10
87-88 בְּכָל-לְבָבְךָ וּבְכָל־נַפְשְׁךָ Deut. 6:5; 30:6
89 לֹא בְצִדְקָתְךָ וּבְיֹשֶׁר לְבָבְךָ Deut. 9:5
90 לֹא תְאַמֵּץ אֶת־לְבָבְךָ... Deut. 15:7
91 פֶּן־יִהְיֶה דָבָר עִם-לְבָבְךָ בְלִיַּעַל Deut. 15:9
92 וְלֹא־יֵרַע לְבָבְךָ בְּתִתְּךָ לוֹ Deut. 15:10
93 מִפַּחַד לְבָבְךָ אֲשֶׁר תִּפְחָד Deut. 28:67
94 וּמָל...אֶת-לְבָבְךָ וְאֶת-לְבַב זַרְעֶךָ Deut. 30:6
95 וְאִם־יִפְנֶה לְבָבְךָ וְלֹא תִשְׁמָע Deut. 30:17
96 סְעָד־נָא לְבָבְךָ Jud. 19:8
97 אֵת כָּל־הָרָעָה אֲשֶׁר יָדַע לְבָבְךָ IK. 2:44
98 הָיָה עִם־לְבָבְךָ לִבְנוֹת בַּיִת לִשְׁמִי IK. 8:18
99 הֲיֵשׁ אֶת־לְבָבְךָ יָשָׁר IIK. 10:15
100/1 רַךְ-לְבָבְךָ וַתִּכָּנַע IIK. 22:19 • IICh. 34:27
102 וַיִּגְבַּהּ לְבָבְךָ בְּחֵילֶךָ Ezek. 28:5
103 יַעַן תִּתְּךָ אֶת-לְבָבְךָ כְּלֵב אֱל׳ Ezek. 28:6
104 הָיָה עִם-לְבָבְךָ לִבְנוֹת בַּיִת לִשְׁמִי IICh. 6:8
105 וַהֲכִינוֹתָ לְבָבְךָ לִדְרֹשׁ הָאֱלֹהִים IICh. 19:3
לְבָבֶךָ 106 וְיָדַעְתָּ...וַהֲשֵׁבֹתָ אֶל־לְבָבֶךָ Deut. 4:39
107 וְהָיוּ הַדְּבָרִים הָאֵלֶּה...עַל-לְבָבֶךָ Deut. 6:6
108 וְיָדַעְתָּ עִם־לְבָבֶךָ Deut. 8:5
109 וְרָם לְבָבֶךָ וְשָׁכַחְתָּ אֶת־יְיָ... Deut. 8:14
110 וַהֲשֵׁבֹתָ אֶל־לְבָבֶךָ Deut. 30:1
111 לִין פֹּה וְיִיטַב לְבָבֶךָ Jud. 19:9
112 אֶת־זְדֹנְךָ וְאֵת רֹעַ לְבָבֶךָ ISh. 17:28
113/4 כִּי הָיָה עִם-לְבָבֶךָ IK. 8:18 • IICh. 6:8
115 כַּאֲשֶׁר לְבָבִי עִם־לְבָבֶךָ IIK. 10:15
116 יַעֲלוּ דְבָרִים עַל־לְבָבֶךָ Ezek. 38:10
117 שָׁמְרֵם בְּתוֹךְ לְבָבֶךָ Prov. 4:21
118 יַעַן אֲשֶׁר הָיְתָה זֹאת עִם לְבָבֶךָ IICh. 1:11
וּלְבָבְךָ 119 אַל־תִּירָא וּלְבָבְךָ אַל־יֵרַךְ Is. 7:4
בִּלְבָבְךָ 120 כִּי תֹאמַר בִּלְבָבְךָ רַבִּים הַגּוֹיִם... Deut. 7:17
121 לְנַסֹּתְךָ לָדַעַת אֶת-אֲשֶׁר בִּלְבָבְךָ Deut. 8:2
122 אַל־תֹּאמַר בִּלְבָבְךָ בַּהֲדֹף יְיָ... Deut. 9:4
123 וְכֹל אֲשֶׁר בִּלְבָבְךָ אַגִּיד לָךְ ISh. 9:19
124 כֹּל אֲשֶׁר בִּלְבָבְךָ לֵךְ עֲשֵׂה IISh. 7:3
125 אָמַרְתָּ בִלְבָבְךָ הַשָּׁמַיִם אֶעֱלֶה Is. 14:13
126 קַח בִּלְבָבְךָ וּבְאָזְנֶיךָ שְׁמָע Ezek. 3:10
127 כֹּל אֲשֶׁר בִּלְבָבְךָ עֲשֵׂה ICh. 17:2
בִּלְבָבֶךָ 128 לֹא־תִשְׂנָא אֶת־אָחִיךָ בִּלְבָבֶךָ Lev. 19:17
129 וְאָמַרְתָּ בִּלְבָבֶךָ כֹּחִי וְעֹצֶם יָדִי Deut. 8:17
130 וְכִי תֹאמַר בִּלְבָבֶךָ אֵיכָה נֵדַע Deut. 18:21

בִּלְבָבֶךָ (המשך) 131 עֲשֵׂה כָּל־אֲשֶׁר בִּלְבָבֶךָ ISh. 14:7
132 אַל־תַּחְמֹד יָפְיָהּ בִּלְבָבֶךָ Prov. 6:25
133 וְאֵלֶּה צָפַנְתָּ בִלְבָבֶךָ Job 10:13
134 וְשִׂים אֲמָרָיו בִּלְבָבֶךָ Job 22:22
וּבִלְבָבְךָ 135 קָרוֹב...בְּפִיךָ וּבִלְבָבְךָ לַעֲשֹׂתוֹ Deut. 30:14
כִּלְבָבֶךָ 136 נְטֵה לָךְ הִנְנִי עִמְּךָ כִּלְבָבֶךָ ISh. 14:7
137 יִתֶּן־לְךָ כִלְבָבֶךָ Ps. 20:5
מִלְּבָבְךָ 138 וּפֶן-יָסוּרוּ מִלְּבָבְךָ כֹּל יְמֵי חַיֶּיךָ Deut. 4:9
לְבָבֵךְ 139 לָמֶה תִבְכִּי...וְלָמֶה יֵרַע לְבָבֵךְ ISh. 1:8
140 וּפָחַד וְרָחַב לְבָבֵךְ Is. 60:5
בִּלְבָבֵךְ 141 וְאָמַרְתְּ בִּלְבָבֵךְ מִי יָלַד־לִי Is. 49:21
142 וְכִי תֹאמְרִי בִּלְבָבֵךְ מַדּוּעַ קְרָאֻנִי Jer. 13:22
לְבָבוֹ 143 הִקְשָׁה...רוּחוֹ וְאִמֵּץ אֶת־לְבָבוֹ Deut. 2:30
144 וְלֹא יָסוּר לְבָבוֹ Deut. 17:17
145 לְבִלְתִּי רוּם־לְבָבוֹ מֵאֶחָיו Deut. 17:20
146 ...כִּי יֵחַם לְבָבוֹ וְהִשִּׂיגוֹ Deut. 19:6
147 אֲשֶׁר לְבָבוֹ פֹנֶה הַיּוֹם מֵעִם יְיָ... Deut. 29:17
148 אֲשֶׁר יֵדְעוּן אִישׁ נֶגַע לְבָבוֹ IK. 8:38
149 אֲשֶׁר תֵּדַע אֶת־לְבָבוֹ IK. 8:39
150 נָשָׁיו הִטּוּ אֶת־לְבָבוֹ אַחֲרֵי... IK. 11:4
151/2 וְלֹא-הָיָה לְבָבוֹ שָׁלֵם עִם-יְיָ IK. 11:4; 15:3
153 כִּי־נָטָה לְבָבוֹ מֵעִם יְיָ IK. 11:9
154 וַאֲשֶׁר הָלַךְ אַחֲרַי בְּכָל־לְבָבוֹ IK. 14:8
155 לָלֶכֶת בְּתוֹרַת־יְיָ...בְּכָל־לְבָבוֹ IIK. 10:31
156 בְּכָל־לְבָבוֹ וּבְכָל־נַפְשׁוֹ IIK. 23:25
157 וַיָּנַע לְבָבוֹ וּלְבַב עַמּוֹ... Is. 7:2
158 וְרָם לְבָבוֹ בְּגָבְהוֹ Ezek. 31:10
159 וַיִּרְעֵם כְּתֹם לְבָבוֹ Ps. 78:72
160 וְנִשָּׂא הֶהָמוֹן וְרָם° לְבָבוֹ Dan. 11:12
161 כִּי עֶזְרָא הֵכִין לְבָבוֹ לִדְרֹשׁ... Ez. 7:10
162 וּמָצָאתָ אֶת־לְבָבוֹ נֶאֱמָן לְפָנֶיךָ Neh. 9:8
163 אֲשֶׁר תֵּדַע אֶת־לְבָבוֹ IICh. 6:30
164 אֲשֶׁר־דָּרַשׁ אֶת־יְיָ בְּכָל־לְבָבוֹ IICh. 22:9
165 כָּל-לְבָבוֹ הֵכִין לִדְרוֹשׁ הָאֱלֹהִים IICh. 30:19
166 לִדְרֹשׁ לֵאלֹהָיו בְּכָל־לְבָבוֹ... IICh. 31:21
167 בְּכָל־לְבָבוֹ וּבְכָל־נַפְשׁוֹ IICh. 34:31
168 וַיְאַמֵּץ אֶת־לְבָבוֹ מִשּׁוּב אֶל יְיָ IICh. 36:13
וּלְבָבוֹ 169 וּבְאָזְנָיו יִשְׁמָע וּלְבָבוֹ יָבִין Is. 6:10
170 וּלְבָבוֹ לֹא־כֵן יַחְשֹׁב... Is. 10:7
171 וְיָעֵר כֹּחוֹ וּלְבָבוֹ עַל-מֶלֶךְ הַנֶּגֶב Dan. 11:25
172 וּלְבָבוֹ עַל־בְּרִית קֹדֶשׁ Dan. 11:28
בִּלְבָבוֹ 173 וְהִתְבָּרֵךְ בִּלְבָבוֹ לֵאמֹר... Deut. 29:18
174 וַיָּשֶׂם דָּוִד אֶת־הַדְּבָרִים בִּלְבָבוֹ ISh. 21:13
175 כִּי לְהַשְׁמִיד בִּלְבָבוֹ Is. 10:7
176 וְדֹבֵר אֱמֶת בִּלְבָבוֹ Ps. 15:2
177 לְנַסּוֹתוֹ לָדַעַת כָּל־בִּלְבָבוֹ IICh. 32:31
וּבִלְבָבוֹ 178 מִרְמָה בְּיָדוֹ וּבִלְבָבוֹ יַגְדִּיל Dan. 8:25
כִּלְבָבוֹ 179 וְלֹא יִמַּס אֶת־לְבַב אֶחָיו כִּלְבָבוֹ Deut. 20:8
180 בִּקֵּשׁ יְיָ לוֹ אִישׁ כִּלְבָבוֹ ISh. 13:14
לְבָבָהּ 181 אֵת כָּל־אֲשֶׁר הָיָה עִם־לְבָבָהּ IK. 10:2
182 אֵת כָּל־אֲשֶׁר הָיָה עִם־לְבָבָהּ IICh. 9:1
בִּלְבָבָהּ 183 הָאֹמְרָה בִּלְבָבָהּ אֲנִי וְאַפְסִי עוֹד Is. 47:8
184 הָאֹמְרָה בִּלְבָבָהּ אֲנִי וְאַפְסִי עוֹד Zep. 2:15
לְבָבֵנוּ 185 אַחֵינוּ הֵמַסּוּ אֶת־לְבָבֵנוּ Deut. 1:28
186 וַנִּשְׁמַע וַיִּמַּס לְבָבֵנוּ Josh. 2:11
187 לְהַטּוֹת לְבָבֵנוּ אֵלָיו IK. 8:58
188 נִשָּׂא לְבָבֵנוּ אֶל־כַּפָּיִם Lam. 3:41
לְבַבְכֶם 189 וְלֹא־תָתוּרוּ אַחֲרֵי לְבַבְכֶם Num. 15:39
190 וּמַלְתֶּם אֵת עָרְלַת לְבַבְכֶם Deut. 10:16
191/2 בְּכָל-לְבַבְכֶם וּבְכָל נַפְשְׁכֶם Deut. 11:13; 13:4
193 הִשָּׁמְרוּ לָכֶם פֶּן-יִפְתֶּה לְבַבְכֶם Deut. 11:16
194 וְשַׂמְתֶּם...עַל־לְבַבְכֶם Deut. 11:18

לְבַבְכֶם 195 אַל־יֵרַךְ לְבַבְכֶם אַל־תִּירְאוּ Deut. 20:3
(המשך) 196 שִׂימוּ לְבַבְכֶם לְכָל־הַדְּבָרִים Deut. 32:46
197/8 בְּכָל־לְבַבְכֶם וּבְכָל־נַפְשְׁכֶם Josh. 22:5; 23
199 וְהַטּוּ אֶת־לְבַבְכֶם אֶל־יְיָ Josh. 24:23
200 וְלָמָּה תְכַבְּדוּ אֶת־לְבַבְכֶם ISh. 6:6
201 אִם־בְּכָל־לְבַבְכֶם אַתֶּם שָׁבִים אֶל־יְיָ ISh. 7:3
202 וְהָכִינוּ לְבַבְכֶם אֶל־יְיָ ISh. 7:3
203 וַעֲבַדְתֶּם אֶת־יְיָ בְּכָל־לְבַבְכֶם ISh. 12:20
204 וַעֲבַדְתֶּם אֹתוֹ בֶּאֱמֶת בְּכָל־לְבַבְכֶם ISh. 12:24
205 וְהָיָה לְבַבְכֶם שָׁלֵם עִם־יְיָ אֱלֹהֵינוּ IK. 8:61
206 יַטּוּ אֶת־לְבַבְכֶם אַחֲרֵי אֱלֹהֵיהֶם IK. 11:2
207 הִמֹּלוּ לַיְיָ וְהָסִרוּ עָרְלוֹת לְבַבְכֶם Jer. 4:4
208 כִּי תִדְרְשֻׁנִי בְּכָל־לְבַבְכֶם Jer. 29:13
209 וּפֶן־יֵרַךְ לְבַבְכֶם וְתִירְאוּ Jer. 51:46
210 וִירוּשָׁלַם תַּעֲלֶה עַל־לְבַבְכֶם Jer. 51:50
211 שֻׁבוּ עָדַי בְּכָל־לְבַבְכֶם Joel 2:12
212 וְקִרְעוּ לְבַבְכֶם וְאַל־בִּגְדֵיכֶם Joel 2:13
213/4 שִׂימוּ לְבַבְכֶם עַל־דַּרְכֵיכֶם Hag. 1:5, 7
215/6 שִׂימוּ־נָא לְבַבְכֶם... Hag. 2:15, 18
217 לְמִן־הַיּוֹם...שִׂימוּ לְבַבְכֶם Hag. 2:18
218 יְחִי לְבַבְכֶם לָעַד Ps. 22:27
219 חִזְקוּ וְיַאֲמֵץ לְבַבְכֶם Ps. 31:25
220 עָם שִׁפְכוּ־לְפָנָיו לְבַבְכֶם Ps. 62:9
221 ...דֹּרְשֵׁי אֱלֹהִים וִיחִי לְבַבְכֶם Ps. 69:33
222 אַל־תַּקְשׁוּ לְבַבְכֶם כִּמְרִיבָה Ps. 95:8
223 תְּנוּ לְבַבְכֶם וְנַפְשְׁכֶם לִדְרוֹשׁ לַיְיָ ICh. 22:19(18)
בִּלְבַבְכֶם 224/5 אַל־תַּחְשְׁבוּ בִּלְבַבְכֶם Zech. 7:10; 8:17
226 אִמְרוּ בִלְבַבְכֶם עַל־מִשְׁכַּבְכֶם... Ps. 4:5
לְבָבָם 227 אוֹ־אָז יִכָּנַע לְבָבָם הֶעָרֵל Lev. 26:41
228 מִי־יִתֵּן וְהָיָה לְבָבָם זֶה לָהֶם... Deut. 5:26
לְבָבָם 229 וַיִּמַּס לְבָבָם וְלֹא־הָיָה בָם...רוּחַ Josh. 5:1
230 בֶּאֱמֶת בְּכָל־לְבָבָם וּבְכָל־נַפְשָׁם IK. 2:4
231 וְשָׁבוּ...בְּכָל־לְבָבָם וּבְכָל־נַפְשָׁם IK. 8:48
232 וּשְׁנֵיהֶם הַמְּלָכִים לְבָבָם לְמֵרָע Dan. 11:27
233 וְהָכֵן לְבָבָם אֵלֶיךָ ICh. 29:18
234 וְהֵשִׁיבוּ אֶל־לְבָבָם... IICh. 6:37
235 הַנֹּתְנִים אֶת־לְבָבָם לְבַקֵּשׁ אֶת־יְיָ IICh. 11:16
236 ...בְּכָל־לְבָבָם וּבְכָל־נַפְשָׁם IICh. 15:12
237 כִּי בְכָל־לְבָבָם נִשְׁבָּעוּ... IICh. 15:15
238 לְהִתְחַזֵּק עִם־לְבָבָם שָׁלֵם אֵלָיו IICh. 16:9
239 לֹא־הֵכִינוּ לְבָבָם לֵאלֹהֵי אֲבֹתֵיהֶם IICh. 20:33
240 וַיְדַבֵּר עַל־לְבָבָם לֵאמֹר IICh. 32:6
בִּלְבָבָם 241 ...וְהֵבֵאתִי מֹרֶךְ בִּלְבָבָם Lev. 26:36
242 וְלוֹא־אָמְרוּ בִלְבָבָם נִירָא נָא... Jer. 5:24
243 וְאֶת־יִרְאָתִי אֶתֵּן בִּלְבָבָם Jer. 32:40
244 הָאֹמְרִים בִּלְבָבָם לֹא־יֵיטִיב יְיָ Zep. 1:12
245 דֹּבְרֵי שָׁלוֹם...וְרָעָה בִּלְבָבָם Ps. 28:3
246 וַיְנַסּוּ־אֵל בִּלְבָבָם לִשְׁאָל־אֹכֶל Ps. 78:18
247 אַשְׁרֵי אָדָם...מְסִלּוֹת בִּלְבָבָם Ps. 84:6
248 וּבֵרְכוּ אֱלֹהִים בִּלְבָבָם Job 1:5
249 וְהוֹלֵלוֹת בִּלְבָבָם בְּחַיֵּיהֶם Eccl. 9:3
לִלְבָבָם 250 וּבַל־יֹאמְרוּ לִלְבָבָם כָּל־רָעָתָם... Hosh. 7:2
לִבְבֵיהֶן 251 ...מְתֹפְפֹת עַל־לִבְבֵהֶן Nah. 2:8
לְבָבוֹת 252 כִּי כָל־לְבָבוֹת דּוֹרֵשׁ יְיָ ICh. 28:9

לְבַב*
ז׳ ארמית כמו בעברית: לֵבָב

וּלְבַב־ 1 וּלְבַב חֵיוָא יִתְיְהִב לֵהּ Dan. 4:13
2 וּלְבַב אֱנָשׁ יְהִיב לַהּ Dan. 7:4
לִבְבָךְ 3 וְרַעְיוֹנֵי לִבְבָךְ תִּנְדַּע Dan. 2:30
4 וְאַנְתְּ°...לָא הַשְׁפֵּלְתְּ לִבְבָךְ Dan. 5:22

לִבְבֵהּ 5 לִבְבֵהּ מִן־אֲנָשָׁא יְשַׁנּוֹן Dan. 4:13
6 וּכְדִי רִם לִבְבֵהּ Dan. 5:20
7 וְלִבְבֵהּ עִם־חֵיוְתָא שַׁוִּיו° Dan. 5:21

לְבַד
תה״פ – עין בַּד[2]

לַבָּה
נ׳ לֶהָבָה • לַבַּת אֵשׁ 1

בְּלַבַּת־ 1 וַיֵּרָא מַלְאַךְ יְיָ אֵלָיו בְּלַבַּת אֵשׁ Ex. 3:2

לִבָּה*
נ׳ לֵב

לִבָּתֵךְ 1 מָה אֲמֻלָה לִבָּתֵךְ Ezek. 16:30

לְבוֹא חֲמָת
מקום באזור חֲמָת בסוריה, שציין את גבולה הצפוני של ארץ־ישראל: 1–7

לְבוֹא חֲ־ 1 מִמִּדְבַּר־צִן עַד־רְחֹב לְבֹא חֲמָת Num. 13:21
7–2 לְבֹא (לְבוֹא) חֲמָת Num. 34:8 • Josh. 3:5
Jud. 3:3 • Ezek. 47:20; 48:1 • ICh. 13:5

לְבוֹנָה[1]
נ׳ אחד ממיני השרף של עצי בשמים (boswelia), ששמש לקטורת: 1–20

קרובים: ראה בֹּשֶׂם

לְבוֹנָה זַכָּה 4, 9; מִנְחָה וּלְבוֹנָה 11, 12, 16, 17; גִּבְעַת הַלְּבוֹנָה 15; עֲצֵי לְבוֹנָה 8

לְבוֹנָה 1 וְיָצַק...שֶׁמֶן וְנָתַן עָלֶיהָ לְבֹנָה Lev. 2:1
2 וְנָתַתָּ...שֶׁמֶן וְשַׂמְתָּ עָלֶיהָ לְבֹנָה Lev. 2:15
3 וְלֹא־יִתֵּן עָלֶיהָ לְבֹנָה Lev. 5:11
4 וְנָתַתָּ עַל־הַמַּעֲרֶכֶת לְבֹנָה זַכָּה Lev. 24:7
5 וְלֹא־יִתֵּן עָלָיו לְבֹנָה Num. 5:15
6 מַזְכִּיר לְבֹנָה מְבָרֵךְ אָוֶן Is. 66:3
7 לָמָּה־זֶּה לִי לְבוֹנָה מִשְּׁבָא תָבוֹא Jer. 6:20
8 נֵרְדְּ...עִם כָּל־עֲצֵי לְבוֹנָה S.ofS. 4:17
וּלְבוֹנָה 9 סַמִּים וּלְבֹנָה זַכָּה Ex. 30:34
10 זָהָב וּלְבוֹנָה יִשָּׂאוּ Is. 60:6
11 עוֹלָה וְזֶבַח וּמִנְחָה וּלְבוֹנָה Jer. 17:26
12 וּמִנְחָה וּלְבוֹנָה בְּיָדָם Jer. 41:5
13 מְקֻטֶּרֶת מֹר וּלְבוֹנָה S.ofS. 3:6
הַלְּבוֹנָה 14 וְאֵת כָּל־הַלְּבֹנָה אֲשֶׁר עַל־הַמִּנְחָה Lev. 6:8
15 אֶל־הַר הַמּוֹר וְאֶל־גִּבְעַת הַלְּבוֹנָה S.ofS. 4:6
16 אֶת־הַמִּנְחָה הַלְּבוֹנָה וְהַכֵּלִים Neh. 13:5
וְהַלְּבוֹנָה 17 אֶת־הַמִּנְחָה וְהַלְּבוֹנָה Neh. 13:9
18 וְהַשֶּׁמֶן וְהַלְּבוֹנָה וְהַבְּשָׂמִים ICh. 9:29
בִּלְבוֹנָה 19 וְלֹא הוֹגַעְתִּיךָ בִּלְבוֹנָה Is. 43:23
לְבֹנָתָהּ 20–21 עַל כָּל־לְבֹנָתָהּ Lev. 2:2, 16

לְבוֹנָה[2]
עיר בקרבת שילה

לִלְבוֹנָה 1 מִבֵּית־אֵל שְׁכֶמָה וּמִנֶּגֶב לִלְבוֹנָה Jud. 21:19

לָבוּר
(קהלת ט1) – עין ברר

לָבוּשׁ
ת׳ עין לָבַשׁ

לְבוּשׁ[1]
ז׳ בגד, כסות (גם בהשאלה): 1–31

קרובים: ראה בֶּגֶד

לְבוּשׁ מַלְכוּת 11, 13; לְבוּשׁ שַׂק 12, 15, 16

לְבוּשׁ 1 הוֹצֵא לְבוּשׁ לְכֹל עֹבְדֵי הַבָּעַל IIK. 10:22
2 עָרוֹם יָלִינוּ מִבְּלִי לְבוּשׁ Job 24:7
3 עָרוֹם הִלְּכוּ בְּלִי לְבוּשׁ Job 24:10
4 אִם־אֶרְאֶה אוֹבֵד מִבְּלִי לְבוּשׁ Job 31:19
5 וְיִתְיַצְּבוּ כְּמוֹ לְבוּשׁ Job 38:14
הַלְּבוּשׁ 6 וְנָתוֹן הַלְּבוּשׁ וְהַסּוּס עַל־יַד אִישׁ... Es. 6:9
7 מַהֵר קַח אֶת־הַלְּבוּשׁ וְאֶת־הַסּוּס Es. 6:10
8 וַיִּקַּח הָמָן אֶת־הַלְּבוּשׁ וְאֶת־הַסּוּס Es. 6:11

כַּלְּבוּשׁ 9 כַּלְּבוּשׁ תַּחֲלִיפֵם וְיַחֲלֹפוּ Ps. 102:27
10 תְּהוֹם כַּלְּבוּשׁ כִּסִּיתוֹ Ps. 104:6
לְבוּשׁ־ 11 לְבוּשׁ מַלְכוּת אֲשֶׁר לָבַשׁ־בּוֹ הַמֶּלֶךְ Es. 6:8
בִּלְבוּשׁ־ 12 כִּי אֵין לָבוֹא...בִּלְבוּשׁ שָׂק Es. 4:2
13 בִּלְבוּשׁ מַלְכוּת תְּכֵלֶת וָחוּר Es. 8:15
לְבוּשִׁי 14 וְעַל־לְבוּשִׁי יַפִּילוּ גוֹרָל Ps. 22:19
15 וַאֲנִי בַּחֲלוֹתָם לְבוּשִׁי שָׂק Ps. 35:13
16 וָאֶתְּנָה לְבוּשִׁי שָׂק... Ps. 69:12
17 בְּרָב־כֹּחַ יִתְחַפֵּשׂ לְבוּשִׁי Job 30:18
לִלְבוּשֶׁךָ 18 מַדּוּעַ אָדֹם לִלְבוּשֶׁךָ Is. 63:2
19 כְּבָשִׂים לִלְבוּשֶׁךָ... Prov. 27:26
לְבוּשׁוֹ 20 כִּבֵּס בַּיַּיִן לְבֻשׁוֹ Gen. 49:11
21 וְיוֹאָב חָגוּר מִדּוֹ לְבֻשׁוֹ IISh. 20:8
22 וְכִסָּה חָמָס עַל־לְבוּשׁוֹ Mal. 2:16
23 בְּשׂוּמִי עָנָן לְבֻשׁוֹ Job 38:9
24 מִי־גִלָּה פְּנֵי לְבוּשׁוֹ Job 41:5
בִּלְבוּשׁוֹ 25 זֶה הָדוּר בִּלְבוּשׁוֹ Is. 63:1
לְבוּשָׁהּ 26 מִמִּשְׁבְּצוֹת זָהָב לְבוּשָׁהּ Ps. 45:14
27 שֵׁשׁ וְאַרְגָּמָן לְבוּשָׁהּ Prov. 31:22
28 עֹז־וְהָדָר לְבוּשָׁהּ Prov. 31:25
לְבוּשְׁכֶן 29 הַמַּעֲלֶה עֲדִי זָהָב עַל לְבוּשְׁכֶן IISh. 1:24
לְבוּשָׁם 30 תְּכֵלֶת וְאַרְגָּמָן לְבוּשָׁם Jer. 10:9
בִּלְבֻשֵׁיהֶם 31 בְּלֹא יוּכְלוּ יִגְּעוּ בִּלְבֻשֵׁיהֶם Lam. 4:14

לְבוּשׁ[2]
ז׳ ארמית כמו בעברית: 1, 2

לְבוּשֵׁהּ 1 לְבוּשֵׁהּ כִּתְלַג חִוָּר Dan. 7:9
וּלְבוּשֵׁיהוֹן 2 פַּטְּשֵׁיהוֹן° וְכַרְבְּלָתְהוֹן וּלְבוּשֵׁיהוֹן Dan. 3:21

(לבט) נִלְבַּט
נפ׳ נכשל: 1–3

יִלָּבֵט 1–2 וֶאֱוִיל שְׂפָתַיִם יִלָּבֵט Prov. 10:8, 10
3 וְעָם לֹא־יָבִין יִלָּבֵט Hosh. 4:14

לְבִיא
(ירמיה לט7) – עין בוא (2032)

לָבִיא
ז׳ אריה בבגרותו: 1–12

קרובים: אֲרִי / אַרְיֵה / כְּפִיר / לַיִשׁ / שַׁחַל

בְּנֵי לָבִיא 4; מִתַּלְעוֹת לָבִיא 2

לָבִיא 1 לָבִיא וּמִתַּלְעוֹת וָלַיִשׁ מֵהֶם Is. 30:6
2 וּמְתַלְּעוֹת לָבִיא לוֹ Joel 1:6
3 הָלַךְ אַרְיֵה לָבִיא שָׁם גּוּר אַרְיֵה Nah. 2:12
4 וּבְנֵי לָבִיא יִתְפָּרָדוּ Job 4:11
כְּלָבִיא 5 הֶן־עָם כְּלָבִיא יָקוּם Num. 23:24
6 כְּלָבִיא שָׁכֵן וְטָרַף זְרוֹעַ Deut. 33:20
7 אֶפְגְּשֵׁם...וְאֹכְלֵם שָׁם כְּלָבִיא Hosh. 13:8
כַּלָּבִיא 8 שְׁאָגָה לוֹ כַּלָּבִיא Is. 5:29
וּכְלָבִיא 9 רָבַץ כְּאַרְיֵה וּכְלָבִיא מִי יְקִימֶנּוּ Gen. 49:9
10 שָׁכַב כַּאֲרִי וּכְלָבִיא מִי יְקִימֶנּוּ Num. 24:9
לְלָבִיא 11 הֲתָצוּד לְלָבִיא טָרֶף Job 38:39
לְבָאִים 12 נַפְשִׁי בְּתוֹךְ לְבָאִם אֶשְׁכְּבָה Ps. 57:5

לְבִיָּא
נ׳ נקבת הלָבִיא: 1, 2

לְבִיָּא 1 מָה אִמְּךָ לְבִיָּא בֵּין אֲרָיוֹת רָבָצָה Ezek. 19:2
לְלִבְאֹתָיו 2 טֹרֵף בְּדֵי גֹרוֹתָיו וּמְחַנֵּק לְלִבְאֹתָיו Nah. 2:13

לְבִיבָה*
נ׳ עוגת־קמח מבושלת או מטוגנת: 1–3

לְבִיבוֹת 1 וּתְלַבֵּב לְעֵינַי שְׁתֵּי לְבִבוֹת IISh. 13:6
הַלְּבִיבוֹת 2 וַתְּבַשֵּׁל אֶת־הַלְּבִבוֹת IISh. 13:8
3 וַתִּקַּח...אֶת־הַלְּבִבוֹת אֲשֶׁר עָשָׂתָה IISh. 13:10

לְבִים
עין לוּבִים

לבן
: א) לָבָן; ב) הִלְבִּין, הִתְלַבֵּן; לָבָן, לְבוֹנָה, לְבָנָה, מַלְבֵּן; ש״פ לָבָן, לָבָן[3]

לָבַן פ׳ עשה לבנים: 1—3

לִלְבֹּן 1 לָתֵת תֶּבֶן לָעָם לִלְבֹּן הַלְּבֵנִים Ex. 5:7
2 מַדּוּעַ לֹא כִלִּיתֶם חָקְכֶם לִלְבֹּן Ex. 5:14
נִלְבְּנָה 3 הָבָה נִלְבְּנָה לְבֵנִים וְנִשְׂרְפָה Gen. 11:3

(לבן)² הִלְבִּין הפ׳ א) נעשה לבן: 2—4
ב) הסביר, האיר: 1
ג) [הת׳ הִתְלַבֵּן] התברר: 5

וְלַלְבֵּן 1 ...לִצְרוֹף בָּהֶם וּלְבָרֵר וְלַלְבֵּן Dan. 11:35
הִלְבִּינוּ 2 חָשַׂף חֲשָׂפָהּ...הִלְבִּינוּ שָׂרִיגֶיהָ Joel 1:7
אַלְבִּין 3 תְּכַבְּסֵנִי וּמִשֶּׁלֶג אַלְבִּין Ps. 51:9
יַלְבִּינוּ 4 אִם־יִהְיוּ חֲטָאֵיכֶם כַּשָּׁנִים כַּשֶּׁלֶג יַלְבִּינוּ Is. 1:18
וְיִתְלַבְּנוּ 5 יִתְבָּרְרוּ וְיִתְלַבְּנוּ וְיִצָּרְפוּ רַבִּים Dan. 12:10

לָבָן¹ ת׳ שצבעו כעין החלב, הפך מן שחור: 1—29

– לָבָן אֲדַמְדָּם 11, 19, 22; כֵּהֶה לָבָן 29; לֶבֶן־שִׁנַּיִם 15
– זֶרַע גַּד לָבָן 2; מַחְשׂוֹף לָבָן 12; נֶגַע לָבָן 11; שֵׂעָר לָבָן 5, 8—10
– בַּהֶרֶת לְבָנָה (29),16,19,28; שְׂאֵת לְבָנָה 17—18, 22
– בְּגָדִים לְבָנִים 24; סוּסִים לְבָנִים 23, 25
– פְּצָלוֹת לְבָנוֹת 27
– הָפַךְ לָבָן 3—7; נֶהְפַּךְ לָבָן 9, 14

לָבָן 1 כֹּל אֲשֶׁר־לָבָן בּוֹ Gen. 30:35
2 וְהוּא כְּזֶרַע גַּד לָבָן Ex. 16:31
3 וְשֵׂעָר בַּנֶּגַע הָפַךְ לָבָן Lev. 13:3
4 וּשְׂעָרָהּ לֹא־הָפַךְ לָבָן Lev. 13:4
5 וְהִיא הָפְכָה שֵׂעָר לָבָן Lev. 13:10
6 כֻּלּוֹ הָפַךְ לָבָן טָהוֹר הוּא Lev. 13:13
7 וּשְׂעָרָהּ הָפַךְ לָבָן Lev. 13:20
8 וְהִנֵּה אֵין־בָּהּ שֵׂעָר לָבָן Lev. 13:21
9 וְהִנֵּה נֶהְפַּךְ שֵׂעָר לָבָן בַּבַּהֶרֶת Lev. 13:25
10 וְהִנֵּה אֵין־בַּבַּהֶרֶת שֵׂעָר לָבָן Lev. 13:26
11 וְכִי־יִהְיֶה...נֶגַע לָבָן אֲדַמְדָּם Lev. 13:42
הַלָּבָן 12 מַחְשֹׂף הַלָּבָן אֲשֶׁר עַל־הַמַּקְלוֹת Gen. 30:37
לְלָבָן 13 כִּי־יָשׁוּב הַבָּשָׂר הַחַי וְנֶהְפַּךְ לְלָבָן Lev. 13:16
14 וְהִנֵּה נֶהְפַּךְ הַנֶּגַע לְלָבָן Lev. 13:17
וּלְבֶן־ 15 וּלְבֶן־שִׁנַּיִם מֵחָלָב Gen. 49:12
לְבָנָה 16 וְאִם־בַּהֶרֶת לְבָנָה הִוא Lev. 13:4
17 וְהִנֵּה שְׂאֵת־לְבָנָה בָּעוֹר Lev. 13:10
18/9 שְׂאֵת לְבָנָה אוֹ בַהֶרֶת לְבָנָה אֲדַמְדֶּמֶת Lev. 13:19
20/1 בַּהֶרֶת לְבָנָה אֲדַמְדֶּמֶת אוֹ לְבָנָה Lev. 13:24
22 שְׂאֵת־הַנֶּגַע לְבָנָה אֲדַמְדֶּמֶת Lev. 13:43
לְבָנִים 23 וּבַמֶּרְכָּבָה הַשְּׁלִשִׁית סוּסִים לְבָנִים Zech. 6:3
24 בְּכָל־עֵת יִהְיוּ בְגָדֶיךָ לְבָנִים Eccl. 9:8
וּלְבָנִים 25 סוּסִים אֲדֻמִּים שְׂרֻקִּים וּלְבָנִים Zech. 1:8
וְהַלְּבָנִים 26 וְהַלְּבָנִים יָצְאוּ אֶל־אַחֲרֵיהֶם Zech. 6:6
לְבָנוֹת 27 וַיְפַצֵּל בָּהֵן פְּצָלוֹת לְבָנוֹת Gen. 30:37
28 בְעוֹר־בְּשָׂרָם בֶּהָרֹת...לְבָנֹת Lev. 13:38
29 בְעוֹר־בְּשָׂרָם בֹּהַק כֵּהוֹת לְבָנֹת Lev. 13:39

לָבָן² שפ״ז – הארמי, אחי רבקה אשת יצחק: 1—54
לָבָן הָאֲרַמִּי 4, 17, 18; אֲחוֹת ל׳ 4; בְּנוֹת ל׳ 5; בְּנֵי לָבָן 14; בַּת ל׳ 8; לֵב ל׳ 17; פְּנֵי ל׳ 15; צֹאן לָבָן 9—13

לָבָן 1 וּלְרִבְקָה אָח וּשְׁמוֹ לָבָן Gen. 24:29
2 וַיָּרָץ לָבָן אֶל־הָאִישׁ הַחוּצָה Gen. 24:29
3 וַיַּעַן לָבָן וּבְתוּאֵל וַיֹּאמְרוּ Gen. 24:50

לָבָן (המשך) 4 רִבְקָה...אֲחוֹת לָבָן הָאֲרַמִּי Gen. 25:20
5 מִבְּנוֹת לָבָן אֲחִי אִמֶּךָ Gen. 28:2
6 אֶל־לָבָן בֶּן־בְּתוּאֵל הָאֲרַמִּי Gen. 28:5
7 הַיְדַעְתֶּם אֶת־לָבָן בֶּן־נָחוֹר Gen. 29:5
8 רָחֵל בַּת־לָבָן אֲחִי אִמּוֹ Gen. 29:10
9 וְאֶת־צֹאן לָבָן אֲחִי אִמּוֹ Gen. 29:10
10 וַיַּשְׁקְ אֶת־צֹאן לָבָן אֲחִי אִמּוֹ Gen. 29:10
11 וְיַעֲקֹב רֹעֶה אֶת־צֹאן לָבָן Gen. 30:36
12 וַיִּתֵּן...וְכָל־חוּם בְּצֹאן לָבָן Gen. 30:40
13 וְלֹא שָׁתָם עַל־צֹאן לָבָן Gen. 30:40
14 וַיִּשְׁמַע אֶת־דִּבְרֵי בְנֵי־לָבָן Gen. 31:1
15 וַיַּרְא יַעֲקֹב אֶת־פְּנֵי לָבָן... Gen. 31:2
16 אֵת כָּל־אֲשֶׁר לָבָן עֹשֶׂה לָּךְ Gen. 31:12
17 וַיִּגְנֹב יַעֲקֹב אֶת־לֵב לָבָן הָאֲרַ׳ Gen. 31:20
18 וַיָּבֹא אֱלֹהִים אֶל־לָבָן הָאֲרַמִּי Gen. 31:24
19 עִם־לָבָן גַּרְתִּי וָאֵחַר עַד עָתָּה Gen. 32:5
45-20 לָבָן Gen. 27:43
29:13, 14, 15, 19, 21, 22, 24, 25, 26, 29; 30:25, 27, 34; 31:25, 26, 33, 34, 43, 47, 48, 51; 32:1²; 46:18, 25

וְלָבָן 46 וְלָבָן הָלַךְ לִגְזֹז אֶת־צֹאנוֹ Gen. 31:19
47 וְלָבָן תָּקַע...בְּהַר הַגִּלְעָד Gen. 31:25
בְּלָבָן 48 וַיִּחַר לְיַעֲקֹב וַיָּרֶב בְּלָבָן Gen. 31:36
לְלָבָן 49 וַיְסַפֵּר לְלָבָן אֵת כָּל־הַדְּבָרִים Gen. 29:13
50 וְהָיָה הָעֲטֻפִים לְלָבָן Gen. 30:42
51 וַיֻּגַּד לְלָבָן בַּיּוֹם הַשְּׁלִישִׁי Gen. 31:22
52/3 וַיַּעַן יַעֲקֹב וַיֹּאמֶר לְלָבָן Gen. 31:31, 36
וּלְלָבָן 54 וּלְלָבָן שְׁתֵּי בָנוֹת Gen. 29:16

לָבָן³ מתחנות בני ישראל במסעיהם במדבר

וְלָבָן 1 וְלָבָן וַחֲצֵרֹת וְדִי זָהָב Deut. 1:1

לְבֵנָה נ׳ טבלת חומר מיובשת ושרופה לבנין: 1—12
לִבְנַת הַסַּפִּיר 3; חֹמֶר וּלְבֵנִים 11; מַתְכֹּנֶת לְבֵנִים 9; תֹּכֶן לְבֵנִים 5

לְבֵנָה 1 קַח־לְךָ לְבֵנָה...וְחַקּוֹתָ עָלֶיהָ עִיר Ezek. 4:1
הַלְּבֵנָה 2 וַתְּהִי לָהֶם הַלְּבֵנָה לְאָבֶן Gen. 11:3
לִבְנַת־ 3 כְּמַעֲשֵׂה לִבְנַת הַסַּפִּיר Ex. 24:10
לְבֵנִים 4 הָבָה נִלְבְּנָה לְבֵנִים Gen. 11:3
5 וְתֹכֶן לְבֵנִים תִּתֵּנוּ Ex. 5:18
6 לְבֵנִים נָפָלוּ וְגָזִית נִבְנֶה Is. 9:9
וּלְבֵנִים 7 וּלְבֵנִים אֹמְרִים לָנוּ עֲשׂוּ Ex. 5:16
הַלְּבֵנִים 8 לָתֵת תֶּבֶן לָעָם לִלְבֹּן הַלְּבֵנִים Ex. 5:7
9 וְאֶת־מַתְכֹּנֶת הַלְּבֵנִים...תָּשִׂימוּ עֲלֵיהֶם Ex. 5:8
10 זֹבְחִים בַּגַּנּוֹת וּמְקַטְּרִים עַל־הַלְּבֵנִים Is. 65:3
וּבִלְבֵנִים 11 בַּעֲבֹדָה קָשָׁה בְּחֹמֶר וּבִלְבֵנִים Ex. 1:14
מִלִּבְנֵיכֶם 12 לֹא־תִגְרְעוּ מִלִּבְנֵיכֶם Ex. 5:19

לְבָנָה¹ נ׳ יָרֵחַ, המאור הקטן לממשלת הלילה: 1—3
קרובים: יָרֵחַ, סַהַר
אוֹר הַלְּבָנָה 2

הַלְּבָנָה 1 וְחָפְרָה הַלְּבָנָה וּבוֹשָׁה הַחַמָּה Is. 24:23
2 וְהָיָה אוֹר־הַלְּבָנָה כְּאוֹר הַחַמָּה Is. 30:26
כַּלְּבָנָה 3 יָפָה כַלְּבָנָה בָּרָה כַּחַמָּה S.ofS. 6:10

לְבָנָה² שפ״ז – איש מן הנתינים בימי עזרא ונחמיה: 2,1

לְבָנָה 1 בְּנֵי־לְבָנָה בְנֵי־חֲגָבָה Ez. 2:45
2 בְּנֵי־לְבָנָה בְנֵי־חֲגָבָא Neh. 7:48

לִבְנֶה ז׳ עץ־יער בעל פרחים לבנים (styrax): 1

לִבְנֶה 1 מַקַּל לִבְנֶה לַח וְלוּז וְעַרְמוֹן Gen. 30:37
וְלִבְנֶה 2 תַּחַת אַלּוֹן וְלִבְנֶה וְאֵלָה Hosh. 4:13

לִבְנָה א) אחת מתחנות ב״י במסעיהם במדבר: 11, 14
ב) עיר בקרבת לכיש שנלכדה בידי יהושע: 1—10, 12, 13, 15—18

לִבְנָה 1 וַיַּעֲבֹר יְהוֹשֻׁעַ...מִמַּקֵּדָה לִבְנָה Josh. 10:29
2 וַיִּלָּחֶם עִם־לִבְנָה Josh. 10:29
3 מֶלֶךְ לִבְנָה אֶחָד Josh. 12:15
4 לִבְנָה וָעֶתֶר וְעָשָׁן Josh. 15:42
10-5 לִבְנָה Josh. 21:13
IIK. 8:22; 19:8 • Is. 37:8 • ICh. 6:42 • IICh. 21:10
בְּלִבְנָה 11 וַיִּסְעוּ...וַיַּחֲנוּ בְּלִבְנָה Num. 33:20
לְלִבְנָה 12 כְּכֹל אֲשֶׁר־עָשָׂה לְלִבְנָה Josh. 10:32
13 וְכַאֲשֶׁר עָשָׂה לְלִבְנָה וּלְמַלְכָּהּ Josh. 10:39
מִלִּבְנָה 14 וַיִּסְעוּ מִלִּבְנָה וַיַּחֲנוּ בְּרִסָּה Num. 33:21
15 וַיַּעֲבֹר יְהוֹשֻׁעַ...מִלִּבְנָה לָכִישָׁה Josh. 10:31
17-16 בַּת יִרְמְיָהוּ מִלִּבְנָה IIK. 23:31; 24:18
18 חֲמוּטַל בַּת־יִרְמְיָהוּ מִלִּבְנָה Jer. 52:1

לְבֹנָה עין לְבוֹנָה

לְבָנוֹן רכס ההרים הגבוה שמצפון לארץ־ישראל וכן כנוי לכל חבל הארץ: 1—71

– אַרְזֵי לְבָנוֹן 2, 14, 27, 33, 39; בֵּית יַעַר הַלְּבָנוֹן 30—32; בִּקְעַת הַל׳ 22, 23; הַר הַל׳ 26; 44—45; חֲמַס לְבָנוֹן 11; טוּב ל׳ 8; יֵין ל׳ 9; יַרְכְּתֵי ל׳ 1, 5; כְּבוֹד הַל׳ 34, 35; מִגְדַּל הַל׳ 41; מוּל הַל׳ 21; פֶּרַח ל׳ 10; עֲצֵי ל׳ 17, 40, 42; רֹאשׁ הַל׳ 36; רֵיחַ לְבָנוֹן 15; שֶׁלֶג לְבָנוֹן 6
– אֶרֶז בַּלְּבָנוֹן 60, 61; אֶרֶז מִלְּבָנוֹן 68

לְבָנוֹן 1 מְרוֹם הָרִים יַרְכְּתֵי לְבָנוֹן IIK. 19:23
2 גַּם־בְּרוֹשִׁים...אַרְזֵי לְבָנוֹן Is. 14:8
3 וְשָׁב לְבָנוֹן לַכַּרְמֶל Is. 29:17
4 הֶחְפִּיר לְבָנוֹן קָמַל Is. 33:9
5 מְרוֹם הָרִים יַרְכְּתֵי לְבָנוֹן Is. 37:24
6 הֲיַעֲזֹב מִצּוּר שָׂדַי שֶׁלֶג לְבָנוֹן Jer. 18:14
7 וָאַקְדִּר עָלָיו לְבָנוֹן Ezek. 31:15
8 מִבְחַר וְטוֹב־לְבָנוֹן Ezek. 31:16
9 זִכְרוֹ כְּיֵין לְבָנוֹן Hosh. 14:8
10 וּפֶרַח לְבָנוֹן אֻמְלָל Nah. 1:4
11 כִּי־חֲמַס לְבָנוֹן יְכַסֶּךָּ Hab. 2:17
12 פְּתַח לְבָנוֹן דְּלָתֶיךָ Zech. 11:1
13 לְבָנוֹן וְשִׂרְיוֹן כְּמוֹ בֶן־רְאֵמִים Ps. 29:6
14 אַרְזֵי לְבָנוֹן אֲשֶׁר נָטָע Ps. 104:16
15 וְרֵיחַ שַׂלְמֹתַיִךְ כְּרֵיחַ לְבָנוֹן S.ofS. 4:11
16 וְנֹזְלִים מִן־לְבָנוֹן S.ofS. 4:15
17 יוֹדְעִים לִכְרוֹת עֲצֵי לְבָנוֹן IICh. 2:7
לְבָנוֹנָה 18 וַיִּשְׁלָחֵם לְבָנוֹנָה עֲשֶׂרֶת אֲלָפִים IK. 5:28
וּלְבָנוֹן 19 וּלְבָנוֹן אֵין דֵּי בָּעֵר Is. 40:16
20 וְאֶל־אֶרֶץ גִּלְעָד וּלְבָנוֹן אֲבִיאֵם Zech.10:10
הַלְּבָנוֹן 21 חוֹף הַיָּם הַגָּדוֹל אֶל־מוּל הַלְּבָנוֹן Josh. 9:1
22 וְעַד־בַּעַל גָּד בְּבִקְעַת הַלְּבָנוֹן Josh. 11:17
23 מִבַּעַל גָּד בְּבִקְעַת הַלְּבָנוֹן Josh. 12:7
24 וְהָאָרֶץ הַגִּבְלִי וְכָל־הַלְּבָנוֹן Josh. 13:5
25 מִן־הַלְּבָנוֹן עַד־מִשְׂרְפֹת מַיִם Josh. 13:6
26 וְכָל־הַכְּנַעֲנִי...יֹשֵׁב הַר הַלְּבָנוֹן Jud. 3:3
27 וְתֹאכַל אֶת־אַרְזֵי הַלְּבָנוֹן Jud. 9:15
28 וְיִכְרְתוּ־לִי אֲרָזִים מִן־הַלְּבָנוֹן IK. 5:20
29 עֲבָדַי יֹרִדוּ מִן־הַלְּבָנוֹן יָמָּה IK. 5:23
30 וַיִּבֶן אֶת־בֵּית יַעַר הַלְּבָנוֹן IK. 7:2
32-31 ...בֵּית(־)יַעַר הַלְּבָנוֹן IK. 10:17, 21
33 וְעַל כָּל־אַרְזֵי הַלְּבָנוֹן הָרָמִים Is. 2:13
34 כְּבוֹד הַלְּבָנוֹן נִתַּן־לָהּ Is. 35:2

הַלְּבָנוֹן (המשך) 35 כְּבוֹד הַלְּבָנוֹן אֵלַיִךְ יָבוֹא Is. 60:13
36 גִּלְעָד אַתָּה לִי רֹאשׁ הַלְּבָנוֹן Jer. 22:6
37 עֲלִי הַלְּבָנוֹן וּצְעָקִי Jer. 22:20
38 הַנֶּשֶׁר...בָּא אֶל־הַלְּבָנוֹן Ezek. 17:3
39 וַיְשַׁבֵּר יְיָ אֶת־אַרְזֵי הַלְּבָנוֹן Ps. 29:5
40 אַפִּרְיוֹן עָשָׂה לוֹ...מֵעֲצֵי הַלְּבָנוֹן S.ofS. 3:9
41 אַפֵּךְ כְּמִגְדַּל הַלְּבָנוֹן S.ofS. 7:5
42 לְהָבִיא עֲצֵי אֲרָזִים מִן־הַלְּבָנוֹן Ez. 3:7
43 נְכָרֹת עֵצִים מִן־הַלְּבָנוֹן IICh. 2:15
44 וַיִּתְּנֵם הַמֶּלֶךְ בְּבֵית יַעַר הַלְּבָנוֹן IICh. 9:16
45 וְכֹל־כְּלֵי בֵּית־יַעַר הַלְּבָנוֹן IICh. 9:20
וְהַלְּבָנוֹן 46 אֶרֶץ הַכְּנַעֲנִי וְהַלְּבָנוֹן Deut. 1:7
47 הָהָר הַטּוֹב הַזֶּה וְהַלְּבָנֹן Deut. 3:25
48 מִן־הַמִּדְבָּר וְהַלְּבָנוֹן Deut. 11:24
49 מֵהַמִּדְבָּר וְהַלְּבָנוֹן הַזֶּה Josh. 1:4
50 וְהַלְּבָנוֹן בְּאַדִּיר יִפּוֹל Is. 10:34
בַּלְּבָנוֹן 51 מִן־הָאֶרֶז אֲשֶׁר בַּלְּבָנוֹן IK. 5:13
52 חֹדֶשׁ יִהְיוּ בַלְּבָנוֹן IK. 5:28
53/4 הַחוֹחַ...בַּלְּבָנוֹן שָׁלַח IIK. 14:9 • IICh. 25:18
55/6 אֶל־הָאֶרֶז...בַּלְּבָנוֹן IIK. 14:9 • IICh. 25:18
57/8 חַיַּת הַשָּׂדֶה...בַּלְּבָנוֹן IIK. 14:9 • IICh. 25:18
59 יֹשַׁבְתְּ° בַּלְּבָנוֹן מְקֻנַּנְתְּ° בָּאֲרָזִים Jer. 22:23
60 אֶרֶז בַּלְּבָנוֹן יְפֵה עָנָף Ezek. 31:3
61 צַדִּיק...כְּאֶרֶז בַּלְּבָנוֹן יִשְׂגֶּה Ps. 92:13
וּבַלְּבָנוֹן 62/3 חָשַׁק לִבְנוֹת בִּירוּשָׁלַםִ וּבַלְּבָנוֹן
IK. 9:19 • IICh. 8:6
כַּלְּבָנוֹן 64 וְיַךְ שָׁרָשָׁיו כַּלְּבָנוֹן Hosh. 14:6
65 וְרֵיחַ לוֹ כַּלְּבָנוֹן Hosh. 14:7
66 יִרְעַשׁ כַּלְּבָנוֹן פִּרְיוֹ Ps. 72:16
67 מַרְאֵהוּ כַּלְּבָנוֹן בָּחוּר כָּאֲרָזִים S.ofS. 5:15
מִלְּבָנוֹן 68 אֶרֶז מִלְּבָנוֹן לָקָחוּ Ezek. 27:5
69 אִתִּי מִלְּבָנוֹן כַּלָּה S.ofS. 4:8
70 אִתִּי מִלְּבָנוֹן תָּבוֹאִי S.ofS. 4:8
מֵהַלְּבָנוֹן 71 אֲרָזִים בְּרוֹשִׁים וְאַלְגּוּמִּים מֵהַלְּבָנוֹן IICh. 2:7

לִבְנִי

שפ״ז א) בן גרשון בן לוי: 1–5
ב) ת׳ המתיַחס על בית לִבְנִי: 6, 7

לִבְנִי 1 בְּנֵי גֵרְשׁוֹן לִבְנִי וְשִׁמְעִי Ex. 6:17
2 בְּנֵי־גֵרְשׁוֹן...לִבְנִי וְשִׁמְעִי Num. 3:18
3 וְאֵלֶּה שְׁמוֹת בְּנֵי־גֵרְשׁוֹם לִבְנִי וְשִׁמְעִי ICh. 6:2
4 לְגֵרְשׁוֹם לִבְנִי בְנוֹ יַחַת בְּנוֹ ICh. 6:5
5 לִבְנִי בְנוֹ שִׁמְעִי בְנוֹ ICh. 6:14
הַלִּבְנִי 6-7 מִשְׁפַּחַת הַלִּבְנִי Num. 3:21; 26:58

לִבְנָת

עין שִׁיחוֹר לִבְנָת

לִבְנַת

נ׳ (שמות כד10) – עין לְבֵנָה

לבש

: לָבַשׁ, לָבוּשׁ, מְלֻבָּשׁ, הִלְבִּישׁ; לְבוּשׁ, מַלְבּוּשׁ, תִּלְבֹּשֶׁת; אר׳ לְבַשׁ, הַלְבֵּשׁ

לָבַשׁ

פָּ׳ א) שם בגד על גופו; רוב המקראות: 1–76
ב) [בהשאלה] התכסה, עטה: 4, 6, 7, 9, 10, 19, 41, 46–50, 52, 54, 61–66, 72, 73
ג) [כנ״ל] כִּסה, עטף: 16–18, 54
ד) [פָּ׳ בינוני: מְלֻבָּשׁ] עטוף: 77-80
ה) [הִפ׳ הִלְבִּישׁ] שם בגד על גוף אחר או כל דבר כיוצא בו (גם בהשאלה): 81-112

קרובים: חָבַשׁ / כִּסָּה / עָדָה / עָטָה / עָטַף / עָנַד

– לָבַשׁ אַדֶּרֶת 60; לָבַשׁ בֶּגֶד (בְּגָדִים) 2, 12-15, 20, 21, 25, 49, 55, 56, 67, 70, 71, 74, 75; לָבַשׁ בַּדִּים 24, 27; לָבַשׁ בֹּשֶׁת 64; לָ׳ גֵּאוּת 9; לָבַשׁ הוֹד וְהָדָר 5, 41; לָבַשׁ חֲרָדוֹת 66; לָבַשׁ כְּלִמָּה 62; לָבַשׁ כְּתֹנֶת 39, 47; לָבַשׁ מִכְנָסַיִם 44; לָ׳ מַלְבּוּשׁ 22; לָ׳ מַד 11; לָבַשׁ מַלְכוּת 57; לָבַשׁ מְעִיל 69; לָ׳ סִרְיוֹן 76; לָבַשׁ עֹז 72, 73; לָ׳ צֶדֶק 4, 54, 63; לָ׳ צְדָקָה 50; לָ׳ קְלָלָה 52; לָ׳ רִמָּה 7; לָ׳ שִׂמְלָה 45, 58; לָ׳ שְׁמָמָה 46; לָ׳ שָׁנִי(ם) 26, 42; לָ׳ שַׁעַטְנֵז 40; לָבַשׁ שַׂק 53, 68; לָבַשׁ שִׁרְיוֹן 23; לָבַשׁ תְּשׁוּעָה 65
– לָבְשָׁה רוּחַ (אֶת־) 16-18
– לָבוּשׁ בַּדִּים 28, 30-35; לְבוּשׁ הֲרוּגִים 29; לְבוּשֵׁי מִכְלוֹל 37, 38
– מְלֻבָּשׁ בּוּץ 79
– הִלְבִּישׁוֹ בְּגָדִים 82, 86, 90, 111
– הִלְבִּישׁוֹ בֹשֶׁת 97; הִלְ׳ יֶשַׁע 96; הִלְ׳ מַדָּיו 104; הִלְ׳ מְעִיל 102; הִלְ׳ כֻּתֹּנֶת 83, 85, 87, 88, 107, 108; הִלְ׳ מַחֲלָצוֹת 81; הִלְ׳ עוֹר וּבָשָׂר 100; הִלְ׳ קַדְרוּת 95; הִלְ׳ קְרָעִים 109; הִלְ׳ רַעְמָה 99; הִלְ׳ רִקְמָה 98; הִלְ׳ שָׁנִי 94; הִלְ׳ שִׁרְיוֹן 105

לָבוֹשׁ 1 לָבוֹשׁ וְאֵין־לְחֹם לוֹ Hag. 1:6
לִלְבֹּשׁ 2 וְנָתַן לִי־לֶחֶם לֶאֱכֹל וּבֶגֶד לִלְבֹּשׁ Gen. 28:20
3 וּמִלֵּא...יָדוֹ לִלְבֹּשׁ אֶת־הַבְּגָדִים Lev. 21:10
לָבַשְׁתִּי 4 צֶדֶק לָבַשְׁתִּי וַיִּלְבָּשֵׁנִי Job 29:14
לָבָשְׁתָּ 5 הוֹד וְהָדָר לָבָשְׁתָּ Ps. 104:1
לָבַשׁ 6 וּפָשַׁט אֶת־בִּגְדֵי הַבָּד אֲשֶׁר לָבַשׁ Lev. 16:23
7 לָבַשׁ בְּשָׂרִי רִמָּה וְגוּשׁ° עָפָר Job 7:5
8 אֲשֶׁר לָבַשׁ־בּוֹ הַמֶּלֶךְ Es. 6:8
לָבֵשׁ 9 יְיָ מָלָךְ גֵּאוּת לָבֵשׁ Ps. 93:1
10 לָבֵשׁ יְיָ עֹז הִתְאַזָּר Ps. 93:1
וְלָבַשׁ 11 וְלָבַשׁ הַכֹּהֵן מִדּוֹ בַד Lev. 6:3
12 וּפָשַׁט...וְלָבַשׁ בְּגָדִים אֲחֵרִים Lev. 6:4
13 וְלָבַשׁ אֶת־בְּגָדָיו Lev. 16:24
14 וְלָבַשׁ אֶת־בִּגְדֵי הַבָּד Lev. 16:32
וּלְבֵשָׁם 15 וְרָחַץ בַּמַּיִם אֶת־בְּשָׂרוֹ וּלְבֵשָׁם Lev. 16:4
לָבְשָׁה 16 וְרוּחַ יְיָ לָבְשָׁה אֶת־גִּדְעוֹן Jud. 6:34
17 וְרוּחַ לָבְשָׁה אֶת־עֲמָשַׂי ICh. 12:18(19)
18 וְרוּחַ אֱלֹהִים לָבְשָׁה אֶת־זְכַרְיָה IICh. 24:20
לָבְשׁוּ 19 לָבְשׁוּ כָרִים הַצֹּאן Ps. 65:14
וְלָבְשׁוּ 20 וְלָבְשׁוּ (כ׳ ילבשו) בְּגָדִים אֲחֵרִים Ezek. 42:14
21 וְלָבְשׁוּ בְּגָדִים אֲחֵרִים Ezek. 44:19
הַלֹּבְשִׁים 22 וְעַל כָּל־הַלֹּבְשִׁים מַלְבּוּשׁ נָכְרִי Zep. 1:8
לָבוּשׁ 23 וְשִׁרְיוֹן קַשְׂקַשִּׂים הוּא לָבוּשׁ ISh. 17:5
24 וְאִישׁ־אֶחָד בְּתוֹכָם לָבֻשׁ בַּדִּים Ezek. 9:2
25 וִיהוֹשֻׁעַ הָיָה לָבֻשׁ בְּגָדִים צוֹאִים Zech. 3:3
26 כִּי כָל־בֵּיתָהּ לָבֻשׁ שָׁנִים Prov. 31:21
27 וְהִנֵּה אִישׁ־אֶחָד לָבוּשׁ בַּדִּים Dan. 10:5
הַלָּבֻשׁ 28 וַיִּקְרָא אֶל־הָאִישׁ הַלָּבֻשׁ הַבַּדִּים Ezek. 9:3
לְבוּשׁ־ 29 לְבֻשׁ הֲרֻגִים מְטֹעֲנֵי חֶרֶב Is. 14:19
30 וְהִנֵּה הָאִישׁ לְבֻשׁ הַבַּדִּים Ezek. 9:11
31-33 לְבֻשׁ הַבַּדִּים Ezek. 10:2, 6, 7
34 וַיֹּאמֶר לָאִישׁ לְבוּשׁ הַבַּדִּים Dan. 12:6
35 וָאֶשְׁמַע אֶת־הָאִישׁ לְבוּשׁ הַבַּדִּים Dan. 12:7
לְבוּשֵׁי־ 36 לְבֻשֵׁי תְכֵלֶת פַּחוֹת וּסְגָנִים Ezek. 23:6
37 פַּחוֹת וּסְגָנִים...לְבֻשֵׁי מִכְלוֹל Ezek. 23:12
38 לְבֻשֵׁי מִכְלוֹל כֻּלָּם Ezek. 38:4
אֶלְבָּשֶׁנָּה 39 פָּשַׁטְתִּי כֻּתָּנְתִּי אֵיכָכָה אֶלְבָּשֶׁנָּה S.ofS. 5:3
תִּלְבַּשׁ 40 לֹא תִלְבַּשׁ שַׁעַטְנֵז צֶמֶר וּפִשְׁתִּים Deut. 22:11
תִּלְבָּשׁ 41 וְהוֹד וְהָדָר תִּלְבָּשׁ Job 40:10
תִּלְבְּשִׁי 42 כִּי־תִלְבְּשִׁי שָׁנִי Jer. 4:30
תִּלְבָּשִׁי 43 כִּי כֻלָּם כָּעֲדִי תִלְבָּשִׁי Is. 49:18
יִלְבַּשׁ 44 וּמִכְנְסֵי בַד יִלְבַּשׁ עַל־בְּשָׂרוֹ Lev. 6:3
45 וְלֹא־יִלְבַּשׁ גֶּבֶר שִׂמְלַת אִשָּׁה Deut. 22:5
46 וְנָשִׂיא יִלְבַּשׁ שְׁמָמָה Ezek. 7:27
יִלְבָּשׁ 47 כְּתֹנֶת־בַּד קֹדֶשׁ יִלְבָּשׁ Lev. 16:4
48 רָשָׁע...יָכִין וְצַדִּיק יִלְבָּשׁ Job 27:17
וַיִּלְבַּשׁ 49 וַיִּתְחַפֵּשׂ שָׁאוּל וַיִּלְבַּשׁ בְּגָדִים ISh. 28:8
50 וַיִּלְבַּשׁ צְדָקָה כַּשִּׁרְיָן Is. 59:17
51 וַיִּלְבַּשׁ בִּגְדֵי נָקָם תִּלְבֹּשֶׁת Is. 59:17
52 וַיִּלְבַּשׁ קְלָלָה כְּמַדּוֹ Ps. 109:18
53 וַיִּקְרַע...וַיִּלְבַּשׁ שַׂק וָאֵפֶר Es. 4:1
וַיִּלְבָּשֵׁנִי 54 צֶדֶק לָבַשְׁתִּי וַיִּלְבָּשֵׁנִי Job 29:14
יִלְבָּשָׁם 55 שִׁבְעַת יָמִים יִלְבָּשָׁם הַכֹּהֵן Ex. 29:30
וַתִּלְבַּשׁ 56 וַתִּלְבַּשׁ בִּגְדֵי אַלְמְנוּתָהּ Gen. 38:19
57 וַתִּלְבַּשׁ אֶסְתֵּר מַלְכוּת Es. 5:1
נִלְבָּשׁ 58 לַחְמֵנוּ נֹאכֵל וְשִׂמְלָתֵנוּ נִלְבָּשׁ Is. 4:1
תִּלְבָּשׁוּ 59 וְאֶת־הַצֶּמֶר תִּלְבָּשׁוּ Ezek. 34:3
יִלְבְּשׁוּ 60 וְלֹא יִלְבְּשׁוּ אַדֶּרֶת שֵׂעָר Zech. 13:4
61 יִלְבְּשׁוּ־בֹשֶׁת וּכְלִמָּה Ps. 35:26
62 יִלְבְּשׁוּ שׂוֹטְנַי כְּלִמָּה Ps. 109:29
63 כֹּהֲנֶיךָ יִלְבְּשׁוּ־צֶדֶק Ps. 132:9
64 שֹׂנְאֶיךָ יִלְבְּשׁוּ־בֹשֶׁת Job 8:22
65 כֹּהֲנֶיךָ יְיָ אֱלֹהִים יִלְבְּשׁוּ תְשׁוּעָה IICh. 6:41
יִלְבָּשׁוּ 66 חֲרָדוֹת יִלְבָּשׁוּ Ezek. 26:16
67 בִּגְדֵי פִשְׁתִּים יִלְבָּשׁוּ Ezek. 44:17
וַיִּלְבְּשׁוּ 68 וַיִּקְרְאוּ־צוֹם וַיִּלְבְּשׁוּ שַׂקִּים Jon. 3:5
תִּלְבַּשְׁןָ 69 תִּלְבַּשְׁןָ בְנוֹת־הַמֶּלֶךְ...מְעִילִים IISh. 13:18
לְבַשׁ 70 הִתְחַפֵּשׂ...וְאַתָּה לְבַשׁ בְּגָדֶיךָ IK. 22:30
71 הִתְחַפֵּשׂ...וְאַתָּה לְבַשׁ בְּגָדֶיךָ IICh. 18:29
לִבְשִׁי 72 עוּרִי עוּרִי לִבְשִׁי־עֹז זְרוֹעַ יְיָ Is. 51:9
73 עוּרִי עוּרִי לִבְשִׁי עֻזֵּךְ צִיּוֹן Is. 52:1
74 לִבְשִׁי בִּגְדֵי תִפְאַרְתֵּךְ יְרוּשָׁלַםִ Is. 52:1
וְלִבְשִׁי־ 75 וְלִבְשִׁי־נָא בִגְדֵי־אֵבֶל IISh. 14:2
לִבְשׁוּ 76 מִרְקוּ הָרְמָחִים לִבְשׁוּ הַסִּרְיֹנוֹת Jer. 46:4
מְלֻבָּשִׁים 77 יֹשְׁבִים...מְלֻבָּשִׁים בְּגָדִים בְּגֹרֶן IK. 22:10
78 הַכֹּהֲנִים מְלֻבָּשִׁים בַּחֲצֹצְרוֹת Ez. 3:10
79 וְהַלְוִיִּם...מְלֻבָּשִׁים בּוּץ בִּמְצִלְתַּיִם IICh. 5:12
80 מְלֻבָּשִׁים בְּגָדִים וְיֹשְׁבִים בְּגֹרֶן IICh. 18:9
וְהַלְבֵּשׁ 81 וְהַלְבֵּשׁ אֹתְךָ מַחֲלָצוֹת Zech. 3:4
לְהַלְבִּישׁ 82 וַתִּשְׁלַח בְּגָדִים לְהַלְבִּישׁ אֶת־מָרְדֳּכַי Es. 4:4
וְהִלְבַּשְׁתִּיו 83 וְהִלְבַּשְׁתִּיו כֻּתָּנְתֶּךָ Is. 22:21
וְהִלְבַּשְׁתָּ 84 וְהִלְבַּשְׁתָּ אֹתָם אֶת־אַהֲרֹן אָחִיךָ Ex. 28:41
85 וְהִלְבַּשְׁתָּ אֶת־אַהֲרֹן אֶת־הַכֻּתֹּנֶת Ex. 29:5
86 וְהִלְבַּשְׁתָּ אֶת־אַ׳ אֵת בִּגְדֵי הַקֹּדֶשׁ Ex. 40:13
87 וְהִלְבַּשְׁתָּ אֹתָם כֻּתֳּנֹת Ex. 40:14
וְהִלְבַּשְׁתָּם 88 וְהִלְבַּשְׁתָּם כֻּתֳּנֹת Ex. 29:8
89 וְהִלְבַּשְׁתָּם אֶת־אֶלְעָזָר בְּנוֹ Num. 20:26
הִלְבִּישַׁנִי 90 כִּי הִלְבִּישַׁנִי בִּגְדֵי־יֶשַׁע Is. 61:10
הִלְבִּישָׁה 91 וְאֵת עֹרֹת...הִלְבִּישָׁה עַל־יָדָיו Gen. 27:16
הִלְבִּישׁוּ 92 וְכָל־מַעֲרֻמֵּיהֶם הִלְבִּישׁוּ IICh. 28:15
וְהִלְבִּישׁוּ 93 וְהִלְבִּישׁוּ אֶת־הָאִישׁ... Es. 6:9
הַמַּלְבִּשְׁכֶם 94 הַמַּלְבִּשְׁכֶם שָׁנִי עִם־עֲדָנִים IISh. 1:24
אַלְבִּישׁ 95 אַלְבִּישׁ שָׁמַיִם קַדְרוּת Is. 50:3
96 וְכֹהֲנֶיהָ אַלְבִּישׁ יֶשַׁע Ps. 132:16
97 אוֹיְבָיו אַלְבִּישׁ בֹּשֶׁת Ps. 132:18
וָאַלְבִּישֵׁךְ 98 וָאַלְבִּישֵׁךְ רִקְמָה וָאֶנְעֲלֵךְ תָּחַשׁ Ezek. 16:10
הֲתַלְבִּישׁ 99 הֲתַלְבִּישׁ צַוָּארוֹ רַעְמָה Job 39:19
תַּלְבִּישֵׁנִי 100 עוֹר וּבָשָׂר תַּלְבִּישֵׁנִי Job 10:11
וַיַּלְבֵּשׁ 101 וַיַּלְבֵּשׁ אֹתוֹ בִּגְדֵי־שֵׁשׁ Gen. 41:42
102 וַיַּלְבֵּשׁ אֹתוֹ אֶת־הַמְּעִיל Lev. 8:7
103 וַיַּלְבֵּשׁ אֹתָם אֶת־אֶלְעָזָר Num. 20:28
104 וַיַּלְבֵּשׁ שָׁאוּל אֶת־דָּוִד מַדָּיו ISh. 17:38
105 וַיַּלְבֵּשׁ אֹתוֹ שִׁרְיוֹן ISh. 17:38
106 וַיַּלְבֵּשׁ אֶת־מָרְדֳּכַי Es. 6:11
וַיַּלְבִּשֵׁם 107 וַיַּעַשׂ...כָּתְנוֹת עוֹר וַיַּלְבִּשֵׁם Gen. 3:21
108 וַיַּלְבִּשֵׁם כֻּתֳּנֹת וַיַּחְגֹּר אֹתָם אַבְנֵט Lev. 8:13
תַּלְבִּישׁ 109 וּקְרָעִים תַּלְבִּישׁ נוּמָה Prov. 23:21
וַתַּלְבֵּשׁ 110 וַתִּקַּח...וַתַּלְבֵּשׁ אֶת־יַעֲקֹב... Gen. 27:15

וַיַּלְבִּשֻׁהוּ 111 וַיָּשִׂימוּ הַצָּנִיף...וַיַּלְבִּשֻׁהוּ בְּגָדִים Zech. 3:5
וַיַּלְבִּשׁוּם 112 וַיַּלְבִּשׁוּם וַיַּנְעִלוּם IICh. 28:15

לְבַשׁ
פ׳ ארמית, כמו בעברית: לָבַשׁ: 1–3
א) לְבַשׁ: 1, 2
ב) [הַפ׳ הַלְבֵּשׁ] הלביש: 3

תִּלְבַּשׁ 1 אַרְגְּוָנָא תִלְבַּשׁ Dan. 5:16
יִלְבַּשׁ 2 אַרְגְּוָנָא יִלְבַּשׁ Dan. 5:7
וְהַלְבִּשׁוּ 3 וְהַלְבִּשׁוּ לְדָנִיֵּאל אַרְגְּוָנָא Dan. 5:29

לֹג
ז׳ מדת הלח, אחד משנים עשר בהין: 1–5
קרובים: ראה אֵיפָה

וְלֹג 1 וְלֹג אֶחָד שָׁמֶן Lev. 14:10
לֹג־ 2/3 וְאֶת־לֹג הַשָּׁמֶן Lev. 14:12, 24
וְלֹג־ 4 וְעִשָּׂרוֹן סֹלֶת...וְלֹג שָׁמֶן Lev. 14:21
מִלֹּג־ 5 וְלָקַח הַכֹּהֵן מִלֹּג הַשָּׁמֶן Lev. 14:15

לֹד
עיר בגבול שפלת יהודה: 1–4

לֹד 1 בְּנֵי־לֹד חָדִיד וְאוֹנוֹ Ez. 2:33
2 בְּנֵי לֹד חָדִיד וְאוֹנוֹ Neh. 7:37
3 לֹד וְאוֹנוֹ גֵּי הַחֲרָשִׁים Neh. 11:35
4 אֶת־אוֹנוֹ וְאֶת־לֹד וּבְנֹתֶיהָ ICh. 8:12

לִדְבִר
היא העיר לוֹ־דְבָר (עין שם)

לִדְבִר 1 וּמִמַּחֲנַיִם עַד־גְּבוּל לִדְבִר Josh. 13:26

לֵדָה
נ׳ א) הוצאת הולד מבטן אמו: 1–3
ב) יציאת הולד: 4
אֵשֶׁת לֵדָה 1; מִלֵּדָה וּמִבֶּטֶן 4

לֵדָה 1 חֲבָלִים יֹאחֱזוּךְ כְּמוֹ אֵשֶׁת לֵדָה Jer. 13:21
לְלֵדָה 2/3 וְכֹחַ אַיִן לְלֵדָה IIK. 19:3 • Is. 37:3
מִלֵּדָה 4 מִלֵּדָה וּמִבֶּטֶן וּמֵהֵרָיוֹן Hosh. 9:11

לָהּ
(דניאל ד32) ארמית – עין לָא

להב
: לַהַב, לֶהָבָה, לַהֶבֶת, שַׁלְהֶבֶת, לַבָּה; ש״פ לְהָבִים

לַהַב
ז׳ א) לשון־אש: 1, 4, 5, 7–12
ב) בָּרָק, זוהר: 6
ג) החלק החד והמבריק של סכין או חרב: 2, 3
קרובים: לַבָּה / לֶהָבָה / לַהֶבֶת / לַהַט / שַׁלְהֶבֶת

לַהַב אֵשׁ 5, 12; לַ׳ חֲנִית 6; לַ׳ חֶרֶב 9;
לַהַב כִּידוֹן 6; לַ׳ הַמִּזְבֵּחַ 10; פְּנֵי לְהָבִים 11

וְלַהַב 1 וְלַהַב מִפִּיו יֵצֵא Job 41:13
הַלַּהַב 2 וַיָּבֹא גַם־הַנִּצָּב אַחַר הַלַּהַב Jud. 3:22
3 וַיִּסְגֹּר הַחֵלֶב בְּעַד הַלַּהַב Jud. 3:22
4 וַיְהִי בַעֲלוֹת הַלַּהַב...הַשָּׁמַיְמָה Jud. 13:20
לַהַב־ 5 כְּקוֹל לַהַב אֵשׁ אֹכְלָה קָשׁ Joel 2:5
6 לַהַב חֲנִית וְכִידוֹן Job 39:23
וְלַהַב־ 7–8 וְלַהַב אֵשׁ אוֹכֵלָה Is. 29:6; 30:30
9 וְלַהַב חֶרֶב וּבְרַק חֲנִית Nah. 3:3
בְּלַהַב־ 10 וַיַּעַל מַלְאַךְ־יְיָ בְּלַהַב הַמִּזְבֵּחַ Jud. 13:20
לְהָבִים 11 פְּנֵי לְהָבִים פְּנֵיהֶם Is. 13:8
בְּלַהֲבֵי־ 12 וְגַעֲרָתוֹ בְּלַהֲבֵי־אֵשׁ Is. 66:15

לֶהָבָה
נ׳ שלהבת אש: 1–17 • קרובים: ראה לַהַב
– אֵשׁ לֶהָבָה 2, 5, 9; יַד לֶהָבָה 4; אֵשׁ לֶהָבוֹת 16; לַהֲבוֹת אֵשׁ 17
– בֹּעֲרָה לֶהָבָה 10; לִהֲטָה לֶהָבָה 6, 8, 12, 15

לֶהָבָה 1 לֶהָבָה מִקִּרְיַת סִיחֹן Num. 21:28
2 וְנֹגַהּ אֵשׁ לֶהָבָה לָיְלָה Is. 4:5
3 וַחֲשַׁשׁ לֶהָבָה יִרְפֶּה Is. 5:24
4 לֹא־יַצִּילוּ אֶת־נַפְשָׁם מִיַּד לֶהָבָה Is. 47:14
לֶהָבָה (המשך) 5 בֹּקֶר הוּא בֹעֵר כְּאֵשׁ לֶהָבָה Hosh. 7:6
6 וְאַחֲרָיו תְּלַהֵט לֶהָבָה Joel 2:3
7 בֵּית־יַעֲקֹב אֵשׁ וּבֵית יוֹסֵף לֶהָבָה Ob. 1:18
8 לֶהָבָה תְּלַהֵט רְשָׁעִים Ps. 106:18
9 וַיִּבְעַר בְּיַעֲקֹב כְּאֵשׁ לֶהָבָה Lam. 2:3
וְלֶהָבָה 10 וְלֶהָבָה לֹא תִבְעַר־בָּךְ Is. 43:2
11 וְלֶהָבָה מִבֵּין סִיחוֹן Jer. 48:45
12 וְלֶהָבָה לִהֲטָה כָּל־עֲצֵי הַשָּׂדֶה Joel 1:19
לְלֶהָבָה 13 וְהָיָה אוֹר־יִשְׂ׳ לְאֵשׁ וּקְדוֹשׁוֹ לְלֶהָבָה Is. 10:17
וּבְלֶהָבָה 14 וְנִכְשְׁלוּ בְּחֶרֶב וּבְלֶהָבָה Dan. 11:33
וּכְלֶהָבָה 15 וּכְלֶהָבָה תְּלַהֵט הָרִים Ps. 83:15
לֶהָבוֹת 16 נָתַן...אֵשׁ לֶהָבוֹת בְּאַרְצָם Ps. 105:32
לַהֲבוֹת־ 17 קוֹל־יְיָ חֹצֵב לַהֲבוֹת אֵשׁ Ps. 29:7

לְהָבִים
שפ״ז – עם מצאצאי מצרים, מבני חם: 1, 2

לְהָבִים 1 וּמִצְ׳ יָלַד אֶת־לוּדִים...וְאֶת־לְהָבִים Gen. 10:13
2 וּמִצְ׳ יָלַד אֶת־לוּדִים°...וְאֶת־לְהָבִים ICh. 1:11

לְהָבַר
(ירמיה ד11) – עין ברר(17)

לַהֶבֶת
נ׳ א) שלהבת: 1
ב) החלק החד של חנית: 2
לַהֶבֶת שַׁלְהֶבֶת 1; לַהֶבֶת חֲנִית 2

לַהֶבֶת 1 לֹא־תִכְבֶּה לַהֶבֶת שַׁלְהֶבֶת Ezek. 21:3
וְלַהֶבֶת־ 2 וְלַהֶבֶת חֲנִיתוֹ שֵׁשׁ־מֵאוֹת שְׁקָלִים ISh. 17:7

לַהַג
ז׳ הגיה, עיון רב

וְלַהַג 1 וְלַהַג הַרְבֵּה יְגִעַת בָּשָׂר Eccl. 12:12

לַהַד*
שפ״ז – איש מזרע יהודה

לָהַד 1 וַיַּחַת הוֹלִיד אֶת־אֲחוּמַי וְאֶת־לָהַד ICh. 4:2

לָהָה
פ׳ לאה, עיף

וַתֵּלַהּ 1 וַתֵּלַהּ אֶרֶץ מִצְרַיִם...מִפְּנֵי הָרָעָב Gen. 47:13

לְהוֹדוֹת
(תהלים צב2) – עין ידה

לְהוֹנֹתָם
(יחזקאל מו18) – עין ינה

לְהַזִּיר
(במדבר ו2) – עין נזר

להט
: לָהַט, לִהֵט; לַהַט; לְהָטִים?

לָהַט
פ׳ א) שָׂרַף, התלקח: 1, 2
ב) [פִּ׳ לִהֵט] שרף: 3–11
קרובים: בָּעַר / דָּלַק / הִצִּית (יצת) / התלקח / חָרַךְ / יָקַד / כָּוָה / צָרַב / קָלָה / שָׂרַף

לֹהֵט 1 מְשָׁרְתָיו אֵשׁ לֹהֵט Ps. 104:4
לֹהֲטִים 2 בְּתוֹךְ לְבָאִם אֶשְׁכְּבָה לֹהֲטִים Ps. 57:5
וְלִהַט 3 וְלִהַט אֹתָם הַיּוֹם הַבָּא Mal. 3:19
לִהֲטָה 4 וְלֶהָבָה לִהֲטָה כָּל־עֲצֵי הַשָּׂדֶה Joel 1:19
תְּלַהֵט 5 וְאַחֲרָיו תְּלַהֵט לֶהָבָה Joel 2:3
6 וּכְלֶהָבָה תְּלַהֵט הָרִים Ps. 83:15
7 לֶהָבָה תְּלַהֵט רְשָׁעִים Ps. 106:18
8 נַפְשׁוֹ גֶּחָלִים תְּלַהֵט Job 41:13
וּתְלַהֵט 9 וּתְלַהֵט סָבִיב צָרָיו Ps. 97:3
וַתְּלַהֵט 10 וַתְּלַהֵט מוֹסְדֵי הָרִים Deut. 32:22
וַתְּלַהֲטֵהוּ 11 חֵמָה אַפּוֹ...וַתְּלַהֲטֵהוּ מִסָּבִיב Is. 42:25

לַהַט
ז׳ ברק, זוהר • קרובים: ראה לַהַב

לַהַט־ 1 וְאֵת לַהַט הַחֶרֶב הַמִּתְהַפֶּכֶת Gen. 3:24

לְהָטִים
ז״ר מעשי קסם [עין גם לָט]

בְּלַהֲטֵיהֶם 1 וַיַּעֲשׂוּ גַם־הֵם...בְּלַהֲטֵיהֶם כֵּן Ex. 7:11

(להלה) הִתְלַהְלַהּ
הת׳ התהולל, השתעשע

כְּמִתְלַהְלֵהַּ 1 כְּמִתְלַהְלֵהַּ הַיֹּרֶה זִקִּים חִצִּים וָמָוֶת Prov. 26:18

(להם) הִתְלַהֵם
הת׳ התדפק

כְּמִתְלַהֲמִים 1–2 דִּבְרֵי נִרְגָּן כְּמִתְלַהֲמִים Prov. 18:8; 26:22

לָהֵן
עין לְ־

לָהֵן
מ״ח ארמית א) על כן, לכן: 1, 2, 6
ב) כי אם, אך: 3–5, 7–9
ג) אולם: 10

לָהֵן 1 לָהֵן חֶלְמָא וּפִשְׁרֵהּ הַחֲוֹנִי Dan. 2:6
2 לָהֵן חֶלְמָא אֱמַרוּ לִי... Dan. 2:9
3 לָא אִיתַי...לָהֵן אֱלָהִין... Dan. 2:11
4 לָא בְחָכְמָה...לָהֵן עַל־דִּבְרַת... Dan. 2:30
5 דִּי לָא יִפְלְחוּן...לָהֵן לֵאלָהֲהוֹן Dan. 3:28
6 לָהֵן מַלְכָּא מִלְכִּי יִשְׁפַּר עֲלָךְ° Dan. 4:24
7 לָא נְהַשְׁכַּח...לָהֵן הַשְׁכַּחְנָא... Dan. 6:6
8/9 דִּי־יִבְעֵא...לָהֵן מִנָּךְ מַלְכָּא Dan. 6:8, 13
10 לָהֵן מִן־דִּי הַרְגִּזוּ אֲבָהֳתַנָא Ez. 5:12

לְהַנָּפָה
(ישעיה ל28) – עין נוף

לַהֲקָה*
נ׳ קהל, חבורה

לַהֲקַת־ 1 וַיַּרְא אֶת־לַהֲקַת הַנְּבִיאִים ISh. 19:20

לְהַשּׁוֹת
(מ״ב יט25) – עין שאה

לְהַשְׂמִיל
(ש״ב יד19) – עין שמאל

לוֹ־דְבָר
עיר בגלעד ממזרח למחנים (עין גם לִדְבִר): 1–3

לוֹ־דְבָר 1 בֵּית מָכִיר בֶּן־עַמִּיאֵל בְּלוֹ דְבָר IISh. 9:4
2 מִבֵּית מָכִיר בֶּן־עַמִּיאֵל מִלּוֹ דְבָר IISh. 9:5
(לֹא־דְבָר) 3 וּמָכִיר בֶּן־עַמִּיאֵל מִלֹּא דְבָר IISh. 17:27

לוּ
מלת תנאי: א) אם, אלו: 4, 7, 8–19, 22
ב) הלואי, מי יתן: 1–3, 5, 6, 20, 21

לוּ 1 לוּ יִשְׁמָעֵאל יִחְיֶה לְפָנֶיךָ Gen. 17:18
2 אַךְ אִם־אַתָּה לוּ שְׁמָעֵנִי Gen. 23:13
3 וַיֹּאמֶר לָבָן הֵן לוּ יְהִי כִדְבָרֶךָ Gen. 30:34
4 לוּ יִשְׂטְמֵנוּ יוֹסֵף Gen. 50:15
5 לוּ־מַתְנוּ בְּאֶרֶץ מִצְרַיִם Num. 14:2
6 אוֹ בַּמִּדְבָּר הַזֶּה לוּ־מָתְנוּ Num. 14:2
7 לוּ יֶשׁ־חֶרֶב בְּיָדִי כִּי עַתָּה... Num. 22:29
8 לוּ חָכְמוּ יַשְׂכִּילוּ זֹאת Deut. 32:29
9 לוּ הַחֲיִתֶם אוֹתָם... Jud. 8:19
10 לוּ חָפֵץ יְיָ לַהֲמִיתֵנוּ Jud. 13:23
11 כִּי לוּ (כת׳ לא) אַבְשָׁלוֹם חַי... IISh. 19:7
12 לוּ־חַיָּה רָעָה אַעֲבִיר בָּאָרֶץ Ezek. 14:15
13 לוּ־אִישׁ הֹלֵךְ רוּחַ וָשֶׁקֶר כִּזֵּב Mic. 2:11
14 לוּ עַמִּי שֹׁמֵעַ לִי Ps. 81:14
15 לוּ שָׁקוֹל יִשָּׁקֵל כַּעְשִׂי... Job 6:2
16 לוּ יֵשׁ נַפְשְׁכֶם תַּחַת נַפְשִׁי Job 16:4
לוּא 17 אַף כִּי לוּא אָכֹל אָכַל הַיּוֹם ISh. 14:30
18 לוּא הִקְשַׁבְתָּ לְמִצְוֹתָי Is. 48:18
19 לוּא־קָרַעְתָּ שָׁמַיִם יָרַדְתָּ Is. 63:19
וְלוּ 20 וְלוּ גָוַעְנוּ בִּגְוַע אַחֵינוּ Num. 20:3
21 וְלוּ הוֹאַלְנוּ וַנֵּשֶׁב בְּעֵבֶר הַיַּרְדֵּן Josh. 7:7
22 וְלוּ (כת׳ ולא) אָנֹכִי שֹׁקֵל עַל־כַּפַּי IISh. 18:12

לוּא
עין לוּ

לוֹא
עין לֹא

לוּבִים
שפ״ז – עם מעמי אפריקה [אולי הם לְהָבִים?]: 1–4

לוּבִים 1 לוּבִים סֻכִּיִּים וְכוּשִׁים IICh. 12:3
וְלוּבִים 2 פּוּט וְלוּבִים הָיוּ בְּעֶזְרָתֵךְ Nah. 3:9
3 וְלֻבִים וְכֻשִׁים בְּמִצְעָדָיו Dan. 11:43
וְהַלּוּבִים 4 הֲלֹא הַכּוּשִׁים וְהַלּוּבִים הָיוּ לְחַיִל IICh. 16:8

לוד – עין לד

לוד שפ״ז א) בן שם 1, 2
ב) עם מצאצאי חם בן נח המתיחסים על בני מצרים: 3–8

ולוד 1 בני שם עילם...ולוד וארם Gen. 10:22
2 בני שם עילם...ולוד וארם ICh. 1:17
3 תרשיש פול ולוד... Is. 66:19
4 פרס ולוד ופוט היו בחילך Ezek. 27:10
5 כוש ופוט ולוד וכל־הערב Ezek. 30:5
לודים 6 ומצרים ילד את־לודים Gen. 10:13
7 ומצ׳ ילד את־לודים (כת׳ לודיים) ICh. 1:11
ולודים 8 כוש ופוט...ולודים...דרכי קשת Jer. 46:9

לוה : א) לוה, הלוה, לוה, מלוה
ב) לוה, נלוה; לויה, לויתן(?); ש״פ לוי

לוה1 פ׳ א) לקח מאחר כסף או שוה־כסף לתקופה מסוימת: 1–5
ב) [הפ׳ הלוה] נתן למישהו כנ״ל: 6–14

לוינו 1 לוינו כסף למדת המלך Neh. 5:4
לוה 2 לוה רשע ולא ישלם Ps. 37:21
3 ועבד לוה לאיש מלוה Prov. 22:7
כלוה 4 כמלוה כלוה כנשה כאשר נשא בו Is. 24:2
תלוה 5 ואתה לא תלוה Deut. 28:12
והלוית 6 והלוית גוים רבים Deut. 28:12
מלוה 7 ועבד לוה לאיש מלוה Prov. 22:7
ומלוה 8 כל־היום חונן ומלוה Ps. 37:26
9 טוב־איש חונן ומלוה Ps. 112:5
כמלוה 10 כקונה כמוכר כמלוה כלוה Is. 24:2
מלוה־ 11 מלוה יי חונן דל Prov. 19:17
תלוה 12 אם־כסף תלוה את־עמי Ex. 22:24
תלונו 13 הוא ילוך ואתה לא תלונו Deut. 28:44
ילוך 14 הוא ילוך ואתה לא תלונו Deut. 28:44

לוה2 פ׳ א) קבל לחברה: 1
ב) [נפ׳ נלוה] התחבר, הסתפח: 2–12
נלוה אל־ 4, 6, 7, 11; נלוה על־ 3, 5, 8–10, 12; נלוה עם־ 2

ילונו 1 והוא ילונו בעמלו ימי חייו Eccl. 8:15
נלוה 2 גם־אשור נלוה עמם Ps. 83:9
ונלוה 3 ונלוה הגר עליהם Is. 14:1
הנלוה 4 בן־הנכר הנלוה אל־יי Is. 56:3
ונלוו 5 ונלוו עליך ושמרו את־משמרת... Num. 18:4
6 באו ונלוו אל־יי Jer. 50:5
7 ונלוו גוים רבים אל־יי Zech. 2:15
8 ונלוו עליהם רבים בחלקלקות Dan. 11:34
הנלוים 9 ובני הנכר הנלוים על־יי לשרתו Is. 56:6
10 ועל כל־הנלוים עליהם Es. 9:27
ילוה 11 עתה הפעם ילוה אישי אלי Gen. 29:34
וילוו 12 וילוו עליך וישרתוך Num. 18:2

לוז : לז, נלוז, הליז; לוזת(?); לוז; ש״פ לוז

(לוז) לז פ׳ א) סר, נטה: 1
ב) [נפ׳ נלוז] סטה: 2–5
ג) [הפ׳ הליז] הטה, הסיר: 6

ילזו 1 בני אל־ילזו מעיניך Prov. 3:21
נלוז 2 כי תועבת יי נלוז Prov. 3:32
ונלוז 3 ותבטחו בעשק ונלוז Is. 30:12
ונלוז־ 4 ונלוז דרכיו בוזהו Prov. 14:2
ונלוזים 5 ארחתיהם עקשים ונלוזים... Prov. 2:15
יליזו 6 אל־יליזו מעיניך Prov. 4:21

לוז1 ז׳ עץ שקדים

ולוז 1 מקל לבנה לח ולוז וערמון Gen. 30:37

לוז2 א) שמה הקדום של בית־אל 1, 2, 4–8
ב) עיר מצפון לארץ־ישראל: 3

לוז 1 לוז שם־העיר לראשנה Gen. 28:19
2 ושם־העיר לפנים לוז Jud. 1:23
3 ויבן עיר ויקרא שמה לוז Jud. 1:26
לוזה 4 ויבא יעקב לוזה...הוא בית־אל Gen. 35:6
5 ויצא מבית־אל לוזה Josh. 16:2
6 ועבר משם הגבול לוזה אל־כתף Josh. 18:13
7 לוזה נגבה היא בית־אל Josh. 18:13
בלוז 8 אל שדי נראה־אלי בלוז Gen. 48:3

לוח ז׳ א) טבלה של אבן, עץ או חומר אחר, רוב המקראות: 1–43
ב) [בהשאלה] כנוי ללב האדם כמרכז הזכרון: 2–4
– לוח ארז 5; לוח לבו 2–4
– לוחות אבן (אבנים) 24,26,29,30,32–4,36,37,40–42; לוחות הברית 35, 38, 39; לוחות העדות 25, 27, 31; לוחות כתובים 7; נבוב לוחות 6

לוח 1 בוא כתבה על־לוח אתם Is. 30:8
לוח־ 2 חרושה על־לוח לבם Jer. 17:1
3–4 כתבם על־לוח לבך Prov. 3:3; 7:3
5 ואם־דלת היא נצור עליה לוח ארז S.ofS. 8:9
לוחות 6 נבוב לחת תעשה אתו Ex. 27:8
7 לחת כתבים משני עבריהם Ex. 32:15
8 נבוב לחת עשה אתו Ex. 38:7
הלוחות 9 מכתב...חרות על־הלחת Ex. 32:16
הלחות 10 וישלך מידו את־הלחת Ex. 32:19
11 וכתבתי על־הלחת את־הדברים Ex. 34:1
12 אשר היו על־הלחת הראשנים Ex. 34:1
13 ויכתב על־הלחת... Ex. 34:28
14 ואתפש בשני הלחת ואשלכם Deut. 9:17
15 ואכתב על־הלחת את־הדברים Deut. 10:2
16 אשר היו על־הלחת הראשנים Deut. 10:2
17 ואעל ההרה ושני הלחת בידי Deut. 10:3
18 ויכתב על־הלחת כמכתב הראשון Deut. 10:4
19 ואשם את־הלחת בארון Deut. 10:5
20 ויפתח על־הלחת ידתיה IK. 7:36
21 כתב חזון ובאר על־הלחות Hab. 2:2
22 אין בארון רק שני הלחות... IICh. 5:10
והלוחות 23 והלחת מעשה אלהים המה Ex. 32:16
לוחות־ 24 ואתנה לך את־לחת האבן Ex. 24:12
25 ויתן אל־משה...שני לחת העדת Ex. 31:18
26 לחת אבן כתבים באצבע אל׳ Ex. 31:18
27 ושני לחת העדת בידו Ex. 32:15
28 פסל־לך שני־לחת אבנים Ex. 34:1
29 ויפסל שני־לחת אבנים כראשנים Ex. 34:4
30 ויקח בידו שני לחת אבנים Ex. 34:4
31 ושני לחת העדת ביד־משה Ex. 34:29
32 ויכתבם על־שני לחות אבנים Deut. 4:13
33 ויכתבם על־שני לחת אבנים Deut. 5:19
34/5 לוחת האבנים לוחת הברית Deut. 9:9
36 את־שני לוחת הא׳ כתבים... Deut. 9:10
37/8 שני לחת האבנים לחות הברית Deut. 9:11
39 ושני לוחת הב׳ על שתי ידי Deut. 9:15
40 פסל־לך שני־לוחת אבנים Deut. 10:1
41 ואפסל שני־לחת א׳ כראשנים Deut. 10:3
42 אין בארון רק שני לחות האבנים IK. 8:9
לוחתים 43 בנו לך את כל־לחתים Ezek. 27:5

לוחית מקום גבוה בארץ מואב: 1, 2

הלוחית 1 מעלה הלוחית בבכי יעלה בו Is. 15:5
2 מעלה הלוחית (כת׳ הלחות) בבכי יעלה־בכי Jer. 48:5

לוחם ז׳ עין לחם2

(ה)לוחש שפ״ז־אחד החותמים על האמנה בימי נחמיה: 1,2

1 ועל־ידו החזיק שלום בן־הלוחש Neh. 3:12
2 הלוחש פלחא שובק Neh. 10:25

לוט : הליט; לוט, לוט; ש״פ לוט, לוטן

(לוט) הליט הפ׳ עטף, כסה

וילט 1 וילט פניו באדרתו IK. 19:13

לוט* ת׳ עטוף

לוטה 1 הנה־היא לוטה בשמלה ISh. 21:10

לוט1 א) ז׳ מעטה, מכסה: 1
ב) ת׳ עוטה, מכסה: 2

הלוט 1 ובלע בהר הזה פני־הלוט Is. 25:7
2 ובלע...הלוט על־כל־העמים Is. 25:7

לוט2 שפ״ז – בן הרן אחי אברהם: 1–33
בנות לוט 14; בני לוט 16, 17; מקנה לוט 5

לוט 1 והרן הוליד את־לוט Gen. 11:27
2 ואת־לוט בן־הרן בן־בנו Gen. 11:31
3 וילך אתו לוט Gen. 12:4
4 ויקח...ואת־לוט בן־אחיו Gen. 12:5
5 ובין רעי מקנה־לוט Gen. 13:7
6 ויאמר אברם אל־לוט Gen. 13:8
7 וישא־לוט את־עיניו וירא Gen. 13:10
8 ויבחר...את כל־ככר הירדן Gen. 13:10
9 ויסע לוט מקדם Gen. 13:11
10 אחרי הפרד־לוט מעמו Gen. 13:14
11 ויקחו את־לוט ואת־רכשו Gen. 14:12
12 את־לוט אחיו ורכשו השיב Gen. 14:16
13 ויעל לוט מצוער... Gen. 19:30
14 ותהרין שתי בנות־לוט Gen. 19:36
15 לבני לוט נתתי את־ער ירשה Deut. 2:9
16 לבני־לוט נתתיה ירשה Deut. 2:19
17 היו זרוע לבני־לוט Ps. 83:9
18–26 לוט Gen. 19:1, 5, 6, 10, 12, 14, 18, 29²
ולוט 27 ויעל אברם...ולוט עמו הנגבה Gen. 13:1
28 ולוט ישב בערי הככר Gen. 13:12
29 ולוט ישב בשער־סדם Gen. 19:1
30 ולוט בא צערה Gen. 19:23
בלוט 31 ויפצרו באיש בלוט מאד Gen. 19:9
32 ויאיצו המלאכים בלוט לאמר Gen. 19:15
ללוט 33 וגם־ללוט ההלך את־אברם Gen. 13:5

לוטן שפ״ז – בן שעיר החורי
אחות לוטן 3, 4; אלוף לוטן 5; בני לוטן 2, 7

לוטן 1 לוטן ושובל וצבעון וענה Gen. 36:20
2 ויהיו בני־לוטן חרי והימם Gen. 36:22
3/4 ואחות לוטן תמנע Gen. 36:22 • ICh. 1:39
5 אלוף לוטן אלוף שובל Gen. 36:29
6 ובני שעיר לוטן ושובל ICh. 1:38
7 ובני לוטן חרי והומם ICh. 1:39

לֵוִי שפ״ז א) בן יעקב ולאה: 1-9, 17, 40, 41, 49-56, 58
ב) המתיחס על לוי בן יעקב:
10-16, 18-39, 42, 57, 59-61
ג) [לֵוִי, הַלֵּוִי] תואר לבן שבט לוי: 43-48, 62-99
ד) [לְוִיִּם, הַלְוִיִּם] בני שבט לוי: 100-349
– אִישׁ לֵוִי 45, 80; בֵּית לֵוִי 6, 37, 47; בֶּן לֵוִי 17, 49-52; בְּנֵי לֵוִי 3, 8, 10, 11, 14-16, 18-35, 39, 86; בְּרִית הַלֵּוִי 81; בַּת לֵ׳ 7, 41; חַיֵּי לֵוִי 9; יַד הַלֵּוִי 76; מַטֵּה לֵוִי 12, 13, 36; מִשְׁפְּחוֹת הַלֵּוִי 40, 63, 64; נַעַר לֵוִי 78, 79; נְשִׂיא הַלֵּוִי 65; פְּקוּדֵי הַלֵּ׳ 67; שֵׁבֶט לֵ׳ 42,68,72/3,87; שַׁעַר לֵ׳ 46
– כֹּהֲנִים וּלְוִיִּם 109-126, 251-278, 340, 341, 343-347
– אֲבוֹת הַלְוִיִּם 100, 131; אֲחֻזַּת הַלְ׳ 136; בֶּהֱמַת הַלְ׳ 128, 129; בְּנֵי הַלְ׳ 146, 149; גְּבוּל הַלְ׳ 135; יַד הַלְ׳ 151, 154; מַחֲנֵה הַלְ׳ 107; מְנָיוֹת הַלְ׳ 144; מַעֲלֵה הַלְ׳ 138; מִצְוַת הַלְ׳ 143; מִשְׁפְּחוֹת הַלְ׳ 132,133; עֲבֹדַת הַלְ׳ 101,137; עָרֵי הַלְ׳ 102,104, 134; פְּדוּיֵי הַלְ׳ 130; פְּקוּדֵי הַלְ׳ 127; פְּקִיד הַלְ׳ 141; רָאשֵׁי הַלְ׳ 140,142; שָׂרֵי הַלְ׳ 147/8,155

לֵוִי
1 עַל־כֵּן קָרָא־שְׁמוֹ לֵוִי Gen. 29:34
2 וַיֹּאמֶר יַעֲקֹב אֶל־שִׁמְעוֹן וְאֶל־לֵוִי Gen. 34:30
3 וּבְנֵי לֵוִי גֵּרְשׁוֹן קְהָת וּמְרָרִי Gen. 46:11
4-5 רְאוּבֵן שִׁמְעוֹן לֵוִי Ex. 1:2 • ICh. 2:1
6 וַיֵּלֶךְ אִישׁ מִבֵּית לֵוִי Ex. 2:1
7 וַיִּקַּח אֶת־בַּת־לֵוִי Ex. 2:1
8 וְאֵלֶּה שְׁמוֹת בְּנֵי־לֵוִי לְתֹלְדֹתָם... Ex. 6:16
9 וּשְׁנֵי חַיֵּי לֵוִי שֶׁבַע וּשְׁלֹשִׁים וּמְאַת שָׁנָה Ex. 6:16
10 וַיֵּאָסְפוּ אֵלָיו כָּל־בְּנֵי לֵוִי Ex. 32:26
11 וַיַּעֲשׂוּ בְנֵי־לֵוִי כִּדְבַר מֹשֶׁה Ex. 32:28
12 אַךְ אֶת־מַטֵּה לֵוִי לֹא תִפְקֹד Num. 1:49
13 הַקְרֵב אֶת־מַטֵּה לֵוִי Num. 3:6
14 פְּקֹד אֶת־בְּנֵי לֵוִי Num. 3:15
15 וַיִּהְיוּ־אֵלֶּה בְנֵי־לֵוִי בִּשְׁמֹתָם Num. 3:17
16 נָשֹׂא...מִתּוֹךְ בְּנֵי לֵוִי Num. 4:2
17 קֹרַח בֶּן־יִצְהָר בֶּן־קְהָת בֶּן־לֵוִי Num. 16:1
18 רַב־לָכֶם בְּנֵי לֵוִי Num. 16:7
19-35 (וּ/לִ/בִ/מִ) בְּנֵי לֵוִי Num. 16:8, 10
Deut. 21:5; 31:9 • Josh. 21:10 • IK. 12:31 • Ezek. 40:46 • Mal. 3:3 • Ez. 8:15 • Neh. 12:23 • ICh. 5:27; 6:1; 9:18; 23:6, 24, 27; 24:20
36 תִּכְתֹּב עַל־מַטֵּה לֵוִי Num. 17:18
37 פָּרַח מַטֵּה־אַהֲרֹן לְבֵית לֵוִי Num. 17:23
38 וְגַם אֶת־אַחֶיךָ מַטֵּה לֵוִי... Num. 18:2
39 וְלִבְנֵי לֵוִי...נָתַתִּי כָּל־מַעֲשֵׂר Num. 18:21
40 אֵלֶּה מִשְׁפְּחֹת לֵוִי... Num. 26:58
41 אֵשֶׁת עַמְרָם יוֹכֶבֶד בַּת־לֵוִי Num. 26:59
42 לַכֹּהֲנִים הַלְוִיִּם כָּל־שֵׁבֶט לֵוִי Deut. 18:1
43 מִמִּשְׁפַּחַת יְהוּדָה וְהוּא לֵוִי Jud. 17:7
44 לֵוִי אָנֹכִי מִבֵּית לֶחֶם יְהוּדָה Jud. 17:9
45 אִישׁ לֵוִי גָּר בְּיַרְכְּתֵי הַר־אֶפְרַיִם Jud. 19:1
46 שַׁעַר לֵוִי אֶחָד Ezek. 48:31
47 מִשְׁפַּחַת בֵּית־לֵוִי לְבָד Zech. 12:13
48 לִהְיוֹת בְּרִיתִי אֶת־לֵוִי Mal. 2:4
49 מִבְּנֵי מַחְלִי בֶּן־לֵוִי בֶּן־יִשְׂרָאֵל Ez. 8:18
50 בֶּן־קְהָת בֶּן־לֵוִי בֶּן־יִשְׂרָאֵל ICh. 6:23
51 בֶּן־יַחַת בֶּן־גֵּרְשֹׁם בֶּן־לֵוִי ICh. 6:28
52 בֶּן־מוּשִׁי בֶּן־מְרָרִי בֶּן־לֵוִי ICh. 6:32
וְלֵוִי
53 שִׁמְעוֹן וְלֵוִי אֲחֵי דִינָה Gen. 34:25
54 וְשִׁמְעוֹן וְלֵוִי וִיהוּדָה... Gen. 35:23
55 שִׁמְעוֹן וְלֵוִי אַחִים Gen. 49:5
56 שִׁמְעוֹן וְלֵוִי וִיהוּדָה... Deut. 27:12
57 וְלֵוִי וּבִנְיָמִן לֹא פָקַד בְּתוֹכָם ICh. 21:6

לְלֵוִי
58 אֲשֶׁר יָלְדָה אֹתָהּ לְלֵוִי... Num. 26:59
59 עַל־כֵּן לֹא־הָיָה לְלֵוִי חֵלֶק... Deut. 10:9
60 לְלֵוִי חֲשַׁבְיָה בֶן־קְמוּאֵל ICh. 27:17
וּלְלֵוִי
61 וּלְלֵוִי אָמַר תֻּמֶּיךָ וְאוּרֶיךָ... Deut. 33:8
הַלֵּוִי
62 הֲלֹא אַהֲרֹן אָחִיךָ הַלֵּוִי Ex. 4:14
63 אֵלֶּה מִשְׁפְּחֹת הַלֵּוִי לְתֹלְדֹתָם Ex. 6:19
64 מִשְׁפְּחֹת הַלֵּוִי לְבֵית אֲבֹתָם Num. 3:20
65 וּנְשִׂיא נְשִׂיאֵי הַלֵּוִי אֶלְעָזָר... Num. 3:32
66 וְעָבַד הַלֵּוִי הוּא אֶת־עֲבֹדַת... Num. 18:23
67 וְאֵלֶּה פְקוּדֵי הַלֵּוִי לְמִשְׁפְּחֹתָם Num. 26:57
68 הִבְדִּיל יְיָ אֶת־שֵׁבֶט הַלֵּוִי Deut. 10:8
69 הִשָּׁמֶר לְךָ פֶּן־תַּעֲזֹב אֶת־הַלֵּוִי Deut. 12:19
70 וּבָא הַלֵּוִי...וְהַיָּתוֹם... Deut. 14:29
71 וְכִי־יָבֹא הַלֵּוִי מֵאַחַד שְׁעָרֶיךָ Deut. 18:6
72 לְשֵׁבֶט הַלֵּוִי לֹא נָתַן נַחֲלָה Josh. 13:14
73 וּלְשֵׁבֶט הַלֵּוִי לֹא־נָתַן מֹשֶׁה נַחֲלָה Josh. 13:33
74 וַיֵּלֶךְ הַלֵּוִי Jud. 17:10
75 וַיּוֹאֶל הַלֵּוִי לָשֶׁבֶת אֶת־הָאִישׁ Jud. 17:11
76 וַיְמַלֵּא מִיכָה אֶת־יַד הַלֵּוִי Jud. 17:12
77 כִּי הָיָה־לִי הַלֵּוִי לְכֹהֵן Jud. 17:13
78 הִכִּירוּ אֶת־קוֹל הַנַּעַר הַלֵּוִי Jud. 18:3
79 וַיָּבֹאוּ אֶל־בֵּית הַנַּעַר הַלֵּוִי Jud. 18:15
80 וַיַּעַן הָאִישׁ הַלֵּוִי Jud. 20:4
81 שִׁחַתֶּם בְּרִית הַלֵּוִי Mal. 2:8
82 בֵּית הַלֵּוִי בָּרְכוּ אֶת־יְיָ Ps. 135:20
83 וּמְשֻׁלָּם וְשַׁבְּתַי הַלֵּוִי עֲזָרֻם Ez. 10:15
84 יָבִיאוּ בְנֵי־יִשְׂרָאֵל וּבְנֵי הַלֵּוִי Neh. 10:40
85 וְאֵלֶּה מִשְׁפְּחוֹת הַלֵּוִי לַאֲבֹתֵיהֶם ICh. 6:4
86 מִן־בְּנֵי הַלֵּוִי ICh. 12:26(27)
87 בָּנָיו יִקָּרְאוּ עַל־שֵׁבֶט הַלֵּוִי ICh. 23:14
88 שְׁמַעְיָה...הַסּוֹפֵר מִן־הַלֵּוִי ICh. 24:6
89 וְיַחֲזִיאֵל...הַלֵּוִי מִן־בְּנֵי אָסָף IICh. 20:14
90 וַעֲלֵיהֶם נָגִיד כָּנַנְיָהוּ הַלֵּוִי IICh. 31:12
91 וְקוֹרֵא בֶן־יִמְנָה הַלֵּוִי הַשּׁוֹעֵר IICh. 31:14
וְהַלֵּוִי
92 וְהַלֵּוִי אֲשֶׁר בְּשַׁעֲרֵיכֶם Deut. 12:12
93-95 וְהַלֵּוִי אֲשֶׁר בִּשְׁעָ׳ Deut. 12:18; 14:27; 16:11
96 וְהַלֵּוִי וְהַגֵּר וְהַיָּתוֹם... Deut. 16:14
97 וְהַלֵּוִי וְהַגֵּר אֲשֶׁר בְּקִרְבֶּךָ Deut. 26:11
לַלֵּוִי
98 לַלֵּוִי לַגֵּר לַיָּתוֹם וְלָאַלְמָנָה Deut. 26:12
99 לַלֵּוִי וְלַגֵּר לַיָּתוֹם וְלָאַלְמָנָה Deut. 26:13
הַלְוִיִּם
100 אֵלֶּה רָאשֵׁי אֲבוֹת הַלְוִיִּם... Ex. 6:25
101 עֲבֹדַת הַלְוִיִּם בְּיַד אִיתָמָר Ex. 38:21
102 וְעָרֵי הַלְוִיִּם בָּתֵּי עָרֵי אֲחֻזָּתָם Lev. 25:32
103 וַאֲשֶׁר יִגְאַל מִן־הַלְוִיִּם Lev. 25:33
104 בָתֵּי עָרֵי הַלְוִיִּם הִוא אֲחֻזָּתָם Lev. 25:33
105 וְאַתָּה הַפְקֵד אֶת־הַלְוִיִּם Num. 1:50
106 וּבִנְסֹעַ...יוֹרִידוּ אֹתוֹ הַלְוִיִּם Num. 1:51
107 וְנָסַע אֹהֶל־מוֹעֵד מַחֲנֵה הַלְוִיִּם Num. 2:17
108 לָקַחְתִּי אֶת־אֲחֵיכֶם הַלְוִיִּם Num. 18:6
109-126 (וְהַ/לַ) כֹּהֲנִים הַלְוִיִּם Deut. 17:9, 18
18:1; 24:8; 27:9 • Josh. 3:3; 8:33 • Jer. 33:18 • Ezek. 43:19; 44:15 • Ez. 10:5 • Neh. 10:29, 35; 11:20 • ICh. 9:2 • IICh. 5:5; 23:18; 30:27
127 כָּל־פְּקוּדֵי הַלְוִיִּם Num. 3:39
128 בֶּהֱמַת הַלְוִיִּם תַּחַת כָּל־בְּכוֹר Num. 3:41
129 בֶּהֱמַת הַלְוִיִּם תַּחַת בְּהֶמְתָּם Num. 3:45
130 הָעֹדְפִים עַל פְּדוּיֵי הַלְוִיִּם Num. 3:49
131 וַיִּגְּשׁוּ רָאשֵׁי אֲבוֹת הַלְוִיִּם Josh. 21:1
132 וְלִבְנֵי גֵרְשׁוֹן מִמִּשְׁפְּחֹת הַלְוִיִּם Josh. 21:27
133 הַנּוֹתָרִים מִמִּשְׁפְּחוֹת הַלְוִיִּם Josh. 21:38
134 כָּל עָרֵי הַלְוִיִּם... Josh. 21:39
135 תְּרוּמָה...אֶל־גְּבוּל הַלְוִיִּם Ezek. 48:12

הַלְוִיִּם (המשך)
136 וּמֵאֲחֻזַּת הַלְוִיִּם וּמֵאֲחֻזַּת הָעִיר Ezek. 48:22
137 וּמִן־הַנְּתִינִים...לַעֲבֹדַת הַלְוִיִּם Ez. 8:20
138 וַיָּקָם עַל־מַעֲלֵה הַלְוִיִּם... Neh. 9:4
139 וְהֵם הַלְוִיִּם הַמְעַשְּׂרִים Neh. 10:38
140 וְשַׁבְּתַי וְיוֹזָבָד...מֵרָאשֵׁי הַלְוִיִּם Neh. 11:16
141 וּפְקִיד הַלְוִיִּם בִּירוּשָׁלִַם Neh. 11:22
142 וְרָאשֵׁי הַלְוִיִּם חֲשַׁבְיָה שֵׁרֵבְיָה Neh. 12:24
143 מִצְוַת הַלְוִיִּם וְהַמְשֹׁרְרִים Neh. 13:5
144 וָאֵדְעָה כִּי מְנָיוֹת הַלְוִיִּם לֹא נִתָּנָה Neh. 13:10
145 גִּבּוֹרֵי הַשֹּׁעֲרִים הֵם הַלְוִיִּם ICh. 9:26
146 וַיִּשְׂאוּ בְנֵי־הַלְוִיִּם אֵת־אֲרוֹן הָאֱ׳ ICh. 15:15
147 וַיֹּאמֶר דָּוִיד לְשָׂרֵי הַלְוִיִּם ICh. 15:16
148 וּכְנַנְיָהוּ שַׂר־הַלְוִיִּם בְּמַשָּׂא ICh. 15:22
149 אֵלֶּה בְּנֵי הַלְוִיִּם לְבֵית אֲבֹתֵיהֶם ICh. 24:30
150 וְשֹׁטְרִים הַלְוִיִּם לִפְנֵיכֶם IICh. 19:11
151 אֶל־פְּקֻדַּת הַמֶּלֶךְ בְּיַד הַלְוִיִּם IICh. 24:11
152 וַיְחַזְּקוּם אֲחֵיהֶם הַלְוִיִּם... IICh. 29:34
153 כִּי הַלְוִיִּם יִשְׁרֵי לֵבָב IICh. 29:34
154 זֹרְקִים אֶת־הַדָּם מִיַּד הַלְוִיִּם IICh. 30:16
155 ...וִיעִיאֵל וְיוֹזָבָד שָׂרֵי הַלְוִיִּם IICh. 35:9
156-245 הַלְוִיִּם Num. 1:51, 53; 3:9, 12²; 3:41, 45², 46; 4:18, 46; 7:5, 6; 8:6, 9, 10², 11, 12, 13, 14², 8:15, 18, 19, 21, 22²; 18:26 • Deut. 18:7; 27:14; 31:25 • Josh. 21:4, 20, 34 • IISh. 15:24 • Jer. 33:21, 22 • Ezek. 44:10; 48:11 • Ez. 2:40; 3:8, 9; 8:33; 10:23 • Neh. 3:17; 7:43; 9:5; 10:39²; 11:15, 18, 36; 12:22, 27, 44; 13:10, 13 • ICh. 6:33; 9:14, 31; 15:2, 4, 17, 26, 27; 16:4; 23:3; 26:17 • IICh. 5:4; 11:14; 17:8²; 19:8; 20:19; 23:2, 7, 8; 24:5, 6; 29:4, 5, 12, 16, 25, 26; 30:21, 22; 34:9, 12; 35:15
וְהַלְוִיִּם
246/7 וְהַלְוִיִּם...לֹא הָתְפָּקְדוּ Num. 1:47; 2:33
248 וְהַלְוִיִּם יַחֲנוּ סָבִיב Num. 1:53
249 וְהַלְוִיִּם יִסְמְכוּ אֶת־יְדֵיהֶם Num. 8:12
250 וְהַלְוִיִּם הוֹרִידוּ אֶת־אֲרוֹן יְיָ ISh. 6:15
251-278 (וְ)הַכֹּהֲנִים וְהַלְוִיִּם IK. 8:4
Ez. 1:5; 2:70; 3:8, 12; 6:20; 7:7; 8:29, 30; 9:1 • Neh. 7:73; 8:13; 11:3; 12:1, 30 • ICh. 13:2; 15:14; 23:2; 28:13, 21 • IICh. 8:15; 11:13; 24:5; 30:15, 25; 31:4; 34:30; 35:18
279 הַשּׁוֹעֲרִים וְהַמְשֹׁרְרִים וְהַלְוִיִּם Neh. 7:1
280 וְהַלְוִיִּם מְבִינִים אֶת־הָעָם Neh. 8:7
281 וְהַלְוִיִּם הַמְּבִינִים אֶת־הָעָם Neh. 8:9
282 וְהַלְוִיִּם מַחְשִׁים לְכָל־הָעָם Neh. 8:11
283 וְהַלְוִיִּם מַקְדִּשִׁים לִבְנֵי אַהֲרֹן Neh. 12:47
284 וּבְרִית הַכְּהֻנָּה וְהַלְוִיִּם Neh. 13:29
285 וְהַלְוִיִּם הַמְשֹׁרְרִים לְכֻלָּם... IICh. 5:12
286 וְהַלְוִיִּם בִּכְלֵי־שִׁיר יְיָ... IICh. 7:6
287 וְהַלְוִיִּם עַל־מִשְׁמְרוֹתָם... IICh. 8:14
288 וְהַלְוִיִּם עַל־שְׁחִיטַת הַפְּסָחִים IICh. 30:17
289 וְהַלְוִיִּם כָּל־מֵבִין בִּכְלֵי־שִׁיר IICh. 34:12
290 וַיִּשְׁחֲטוּ...וְהַלְוִיִּם מַפְשִׁיטִים IICh. 35:11
291-303 וְהַלְוִיִּם Ezek. 48:13
Ez. 3:10 • Neh. 10:10, 39; 12:8 • ICh. 26:20 • IICh. 13:9, 10; 31:2, 9, 17; 35:10, 14
בַּלְוִיִּם
304 ...וּלְכָל־הִתְיַחֵשׂ בַּלְוִיִּם IICh. 31:19
לַלְוִיִּם
305 גְּאֻלַּת עוֹלָם תִּהְיֶה לַלְוִיִּם Lev. 25:32
306 וַיַּעַשׂ מֹשֶׁה וְאַהֲרֹן...לַלְוִיִּם Num. 8:20
307 אֲשֶׁר־צִוָּה יְיָ אֶת־מֹשֶׁה לַלְוִיִּם Num. 8:20
308 זֹאת אֲשֶׁר לַלְוִיִּם... Num. 8:24
309 כָּכָה תַּעֲשֶׂה לַלְוִיִּם בְּמִשְׁמְרֹתָם Num. 8:26
310 נָתַתִּי לַלְוִיִּם לְנַחֲלָה Num. 18:24
311 וְנֶחְשַׁב לַלְוִיִּם כִּתְבוּאַת גֹּרֶן Num. 18:30
312 וְנָתְנוּ לַלְוִיִּם...עָרִים לָשָׁבֶת Num. 35:2

לַלְוִיִּם (המשך) 313 וּמִגְרַשׁ לֶעָרִים...תִּתְּנוּ לַלְוִיִּם Num. 35:2
314 וְלֹא נָתְנוּ חֵלֶק לַלְוִיִּם בָּאָרֶץ Josh. 14:4
315 וַיֹּאמֶר לַלְוִיִּם הַמְּבִינִים... IICh. 35:3
316 וַחֲלֻקַּת בֵּית־אָב לַלְוִיִּם IICh. 35:5
317-338 לַלְוִיִּם Num. 31:30, 47
35:4, 6, 7, 8 • Josh. 18:7; 21:3, 8 • Is. 66:21 • Ezek. 45:5 • Neh. 10:38; 12:47; 13:22 • ICh. 6:49; 9:33, 34; 15:12; 23:26 • IICh. 23:6; 29:30; 35:9
וְלַלְוִיִּם 339 וְלַלְוִיִּם לֹא־נָתַן נַחֲלָה Josh. 14:3
340 מְנָאוֹת הַתּוֹרָה לַכֹּהֲנִים וְלַלְוִיִּם Neh. 12:44
341 מִשְׁמָרוֹת לַכֹּהֲנִים וְלַלְוִיִּם Neh. 13:30
342 וַיִּקְרָא דָוִיד...וְלַלְוִיִּם... ICh. 15:11
343/4 וְרָאשֵׁי הָאָבוֹת לַכֹּ׳ וְלַלְוִיִּם ICh. 24:6, 31
345 בָּאֵי הַשַּׁבָּת לַכֹּהֲנִים וְלַלְוִיִּם IICh. 23:4
346 וַיַּעֲמֵד...לַכֹּהֲנִים וְלַלְוִיִּם IICh. 31:2
347 וְשָׂרָיו...לַכֹּהֲנִים וְלַלְוִיִּם הֵרִימוּ IICh. 35:8
וּמֵהַלְוִיִּם 348 וּמֵהַלְוִיִּם סוֹפְרִים וְשֹׁטְרִים IICh. 34:13
לְוִיֵּנוּ 349 וְעַל־הֶחָתוּם שָׂרֵינוּ לְוִיֵּנוּ כֹּהֲנֵינוּ Neh. 10:1

לֵוִי*
ת׳ ארמית: המתיחס על לוי: לֵוָיֵא = לְוִיִּם: 1–4
וְלֵוָיֵא 1 וַעֲבַדוּ ב״י כָּהֲנַיָּא וְלֵוָיֵא Ez. 6:16
2 וְלֵוָיֵא בְּמַחְלְקָתְהוֹן Ez. 6:18
3 מִן עַמָּא יִשְׂרָאֵל וְכָהֲנוֹהִי וְלֵוָיֵא Ez. 7:13
4 כָּל־כָּהֲנַיָּא וְלֵוָיֵא זַמָּרַיָּא Ez. 7:24

לִוְיָה*
נ׳ תכשיט, זר: 2,1
לִוְיַת־ 1 כִּי לִוְיַת חֵן הֵם לְרֹאשֶׁךָ Prov. 1:9
2 תִּתֵּן לְרֹאשְׁךָ לִוְיַת־חֵן Prov. 4:9

לוֹיָה*
נ׳ לִוְיָה(?) זֵר(?): 1–3
לֹיוֹת 1 וּמִתַּחַת...לֹיוֹת מַעֲשֵׂה מוֹרָד IK. 7:29
2 מֵעֵבֶר אִישׁ לֹיוֹת IK. 7:30
וְלֹיוֹת 3 כְּמַעַר־אִישׁ וְלֹיוֹת סָבִיב IK. 7:36

לִוְיָתָן
ז׳ יונק ענק החי בימים (cetacea): 1–6
רָאשֵׁי לִוְיָתָן 3
לִוְיָתָן 1 יִפְקֹד יְיָ...עַל לִוְיָתָן נָחָשׁ בָּרִחַ Is. 27:1
2 וְעַל לִוְיָתָן נָחָשׁ עֲקַלָּתוֹן Is. 27:1
3 אַתָּה רִצַּצְתָּ רָאשֵׁי לִוְיָתָן Ps. 74:14
4 לִוְיָתָן זֶה־יָצַרְתָּ לְשַׂחֶק־בּוֹ Ps. 104:26
5 אֲרֻרֵי־יוֹם הָעֲתִידִים עֹרֵר לִוְיָתָן Job 3:8
6 תִּמְשֹׁךְ לִוְיָתָן בְּחַכָּה Job 40:25

לוּל*
ז׳ מדרגה חלזונית(?)
וּבְלוּלִּים 1 וּבְלוּלִּים יַעֲלוּ עַל־הַתִּיכֹנָה IK. 6:8

לוּלֵא, לוּלֵי
מ״ח לציון תנאי שלילי: אם לא
א) לפני פועל בעבר: 1–4, 7
ב) לפני שם: 5, 6, 8–14
לוּלֵא 1 כִּי לוּלֵא הִתְמַהְמָהְנוּ... Gen. 43:10
2 לוּלֵא חֲרַשְׁתֶּם בְּעֶגְלָתִי... Jud. 14:18
3 כִּי לוּלֵא דִּבַּרְתָּ כִּי אָז... IISh. 2:27
4 לוּלֵא הֶאֱמַנְתִּי לִרְאוֹת... Ps. 27:13
לוּלֵי 5 לוּלֵי אֱלֹהֵי אָבִי...הָיָה לִי... Gen. 31:42
6 לוּלֵי כַּעַס אוֹיֵב אָגוּר... Deut. 32:27
7 לוּלֵי מִהַרְתְּ...כִּי אִם־נוֹתַר... ISh. 25:34
8 כִּי לוּלֵי פְּנֵי־יְהוֹשָׁפָט IIK. 3:14
9 לוּלֵי יְיָ...הוֹתִיר לָנוּ שָׂרִיד כִּמְעָט Is. 1:9
10 לוּלֵי יְיָ עֶזְרָתָה לִּי כִּמְעַט... Ps. 94:17
11 לוּלֵי מֹשֶׁה בְּחִירוֹ עָמַד בַּפֶּרֶץ Ps. 106:23
12 לוּלֵי תוֹרָתְךָ שַׁעֲשֻׁעָי אָז... Ps. 119:92
13-14 לוּלֵי יְיָ שֶׁהָיָה לָנוּ... Ps. 124:1, 2

לוּלָאָה*
נ׳ עניבה, בית־קיבול לקרס: 1–13
לֻלָאֹת 1 חֲמִשִּׁים לֻלָאֹת תַּעֲשֶׂה בִּירִיעָה Ex. 26:5
2 וַחֲמִשִּׁים לֻלָאֹת תַּעֲשֶׂה... Ex. 26:5
3-7 (וַ)חֲמִשִּׁים לֻלָאֹת Ex. 26:10²; 36:12², 17
8 וַיַּעַשׂ לֻלְאֹת חֲמִשִּׁים Ex. 36:17
הַלֻּלָאֹת 9 מַקְבִּילֹת הַלֻּלָאֹת אִשָּׁה אֶל־אֲחֹתָהּ Ex. 26:5
10 מַקְבִּילֹת הַלֻּלָאֹת אַחַת אֶל־אֶחָת Ex. 36:12
בַּלֻּלָאֹת 11 וְהֵבֵאתָ אֶת־הַקְּרָסִים בַּלֻּלָאֹת Ex. 26:11
לֻלְאֹת־ 12/13 לֻלְאֹת...עַל שְׂפַת הַיְרִיעָה Ex. 26:4; 36:11

לוּלֵי
עין לולא

לוּן, לִין
א) לָן, הִתְלוֹנֵן; מָלוֹן, מְלוּנָה
ב) נָלוֹן, הֵלִין, הִלִּין; תְּלֻנָּה

(לוּן, לִין)1 לָן
פ׳ א) שהה בלילה, נשאר במקום לישון בו: 1–9,11–13,15–18,22,23,29,33–37,39,45–69
ב) (בהשאלה) שָׁכַן, שהה, נמצא: 10, 14, 19–21, 24–28, 30–32, 38, 40–44
ג) (הת׳ התלונן) שָׁכַן, דָּר: 70, 71

לָלוּן 1 גַּם־תֶּבֶן...גַּם מָקוֹם לָלוּן Gen. 24:25
2 וְלֹא־אָבָה הָאִישׁ לָלוּן Jud. 19:10
3 וַיָּסֻרוּ שָׁם לָבוֹא לָלוּן בַּגִּבְעָה Jud. 19:15
4 מְאַסֵּף־אוֹתָם הַבַּיְתָה לָלוּן Jud. 19:15
5 הַגִּבְעָתָה...בָּאתִי...לָלוּן Jud. 20:4
6 כְּגֵר בָּאָרֶץ וּכְאֹרֵחַ נָטָה לָלוּן Jer. 14:8
לָלִין 7 הֲיֵשׁ בֵּית אָבִיךְ מָקוֹם לָנוּ לָלִין Gen. 24:23
לָן 8 וְהוּא לָן בַּלַּיְלָה־הַהוּא בַּמַּחֲנֶה Gen. 32:22
וְלָן 9 וּבָא וְלָן וְשָׁכַב אָרְצָה IISh. 12:16
וְלָנָה (לָנָה) 10 וּבָאָה...וְלָנָה בְּתוֹךְ בֵּיתוֹ Zech. 5:4
וְלַנּוּ 11 וְלַנּוּ בַגִּבְעָה אוֹ בָרָמָה Jud. 19:13
לָנוּ 12 עָבְרוּ מַעְבָּרָה גֶּבַע מָלוֹן לָנוּ Is. 10:29
לֵנִים 13 מַדּוּעַ אַתֶּם לֵנִים נֶגֶד הַחוֹמָה Neh. 13:21
אָלִין 14 הִנֵּה אַרְחִיק נְדֹד אָלִין בַּמִּדְבָּר Ps. 55:8
15 וּבַאֲשֶׁר תָּלִינִי אָלִין Ruth 1:16
תָּלֶן 16 אַל־תָּלֶן הַלַּיְלָה בְּעַרְבוֹת הַמִּדְבָּר IISh. 17:16
תָּלַן 17 רַק בָּרְחוֹב אַל־תָּלַן Jud. 19:20
תָּלִינִי 18 וּבַאֲשֶׁר תָּלִינִי אָלִין Ruth 1:16
יָלִין 19 וְלֹא־יָלִין חֵלֶב־חַגִּי עַד־בֹּקֶר Ex. 23:18
20 וְלֹא־יָלִין לַבֹּקֶר זֶבַח חַג הַפָּסַח Ex. 34:25
21 וְלֹא־יָלִין מִן־הַבָּשָׂר...לַבֹּקֶר Deut. 16:4
22 וְלֹא יָלִין אֶת־הָעָם IISh. 17:8
23 אִם־יָלִין אִישׁ אִתְּךָ הַלַּיְלָה IISh. 19:8
24 מְלֵאֲתִי מִשְׁפָּט צֶדֶק יָלִין בָּהּ Is. 1:21
25 בָּעֶרֶב יָלִין בֶּכִי וְלַבֹּקֶר רִנָּה Ps. 30:6
26 וְאָדָם בִּיקָר בַּל־יָלִין Ps. 49:13
27 וְשָׂבֵעַ יָלִין בַּל־יִפָּקֶד רָע Prov. 19:23
28 וְטַל יָלִין בִּקְצִירִי Job 29:19
29 בַּחוּץ לֹא־יָלִין גֵּר Job 31:32
30 אִם־יָלִין עַל־אֲבוּסֶךָ Job 39:9
31 בְּצַוָּארוֹ יָלִין עֹז Job 41:14
32 צְרוֹר הַמֹּר...בֵּין שָׁדַי יָלִין S.ofS. 1:13
וַיָּלֶן 33 וַיָּלֶן שָׁם כִּי־בָא הַשֶּׁמֶשׁ Gen. 28:11
34 וַיָּלֶן שָׁם בַּלַּיְלָה הַהוּא Gen. 32:13
35 וַיָּלֶן יְהוֹשֻׁעַ בַּלַּיְלָה...בְּתוֹךְ הָעָם Josh. 8:9
36 וַיֵּשֶׁב וַיָּלֶן שָׁם Jud. 19:7
37 וַיָּבֹא־שָׁם אֶל־הַמְּעָרָה וַיָּלֶן שָׁם IK. 19:9
תָלִין נ׳ 38 לֹא־תָלִין פְּעֻלַּת שָׂכִיר...עַד־בֹּקֶר Lev. 19:13
39 לֹא־תָלִין נִבְלָתוֹ עַל־הָעֵץ Deut. 21:23
40 עַד־מָתַי תָּלִין בְּקִרְבֵּךְ מַחְשְׁבוֹת.. Jer. 4:14
41 נַפְשׁוֹ בְּטוֹב תָּלִין Ps. 25:13
42 תּוֹכַחַת חַיִּים בְּקֶרֶב חֲכָמִים תָּלִין Prov. 15:31
43 אִתִּי תָּלִין מְשׁוּגָתִי Job 19:4
תָּלַן 44 וּבְהַמְּרוֹתָם תָּלַן עֵינִי Job 17:2
נָלִין 45 וַיֹּאמְרוּ לֹּא כִּי בָרְחוֹב נָלִין Gen. 19:2
וְנָלִין 46 וְנָסוּרָה...וְנָלִין בָּהּ Jud. 19:11
נָלִינָה 47 נֵצֵא הַשָּׂדֶה נָלִינָה בַּכְּפָרִים S.ofS. 7:12
תָּלִינוּ 48 בַּמָּלוֹן אֲשֶׁר־תָּלִינוּ בוֹ הַלָּיְלָה Josh. 4:3
49 בַּיַּעַר...תָּלִינוּ אֹרְחוֹת דְּדָנִים Is. 21:13
יָלִינוּ 50 הַיֹּשְׁבִים בַּקְּבָרִים וּבַנְּצוּרִים יָלִינוּ Is. 65:4
51 גַּם־קָאַת...בְּכַפְתֹּרֶיהָ יָלִינוּ Zep. 2:14
52 עָרוֹם יָלִינוּ מִבְּלִי לְבוּשׁ Job 24:7
53 אִישׁ וְנַעֲרוֹ יָלִינוּ בְּתוֹךְ יְרוּשָׁלָםִ Neh. 4:16
54 וּסְבִיבוֹת בֵּית־הָאֱלֹהִים יָלִינוּ ICh. 9:27
וַיָּלִינוּ 55 וַיֹּאכְלוּ...וַיָּלִינוּ וַיָּקוּמוּ בַבֹּקֶר Gen. 24:54
56 וַיֹּאכְלוּ לֶחֶם וַיָּלִינוּ בָּהָר Gen. 31:54
57 וַיָּלִנוּ שָׁם טֶרֶם יַעֲבֹרוּ Josh. 3:1
58 וַיָּבֹאוּ הַמַּחֲנֶה וַיָּלִינוּ בַּמַּחֲנֶה Josh. 6:11
59 וַיָּבֹאוּ...עַד־בֵּית מִיכָה וַיָּלִינוּ שָׁם Jud. 18:2
60 וַיֹּאכְלוּ וַיִּשְׁתּוּ וַיָּלִינוּ שָׁם Jud. 19:4
61 אִם־לֹא יִשְׂבְּעוּ וַיָּלִינוּ Ps. 59:16
62 וַיָּלִינוּ הָרֹכְלִים...מִחוּץ לִירוּשָׁלָםִ Neh. 13:20
לִין 63 לִין פֹּה וְיִיטַב לְבָבֶךָ Jud. 19:9
וְלִין 64 הוֹאֶל־נָא וְלִין וְיִטַב לִבֶּךָ Jud. 19:6
לִינִי 65 לִינִי הַלַּיְלָה Ruth 3:13
לִינוּ 66 לִינוּ פֹה הַלַּיְלָה Num. 22:8
67 רָפָה הַיּוֹם לַעֲרוֹב לִינוּ־נָא Jud. 19:9
68 בֹּאוּ לִינוּ בַשַּׂקִּים מְשָׁרְתֵי אֱלֹהָי Joel 1:13
וְלִינוּ 69 סוּרוּ נָא...וְלִינוּ וְרַחֲצוּ רַגְלֵיכֶם Gen. 19:2
יִתְלוֹנָן 70 יֹשֵׁב בְּסֵתֶר...בְּצֵל שַׁדַּי יִתְלוֹנָן Ps. 91:1
וְיִתְלֹנָן 71 סֶלַע יִשְׁכֹּן וְיִתְלֹנָן Job 39:28

(לוּן, לִין)2 נָלוֹן
נפ׳ א) התאונן: 1–5
ב) [הפ׳ הֵלִין, הִלִּין] בא בטענות: 6–13
ג) [כנ״ל] הביא לידי ריב וטענות: 14
נָלוֹן עַל־ 1–5; הֵלִין עַל־ 6–13; הִלִּין אֶת־עַל־ 14

וַיִּלֹּנוּ 1 וַיִּלֹּנוּ הָעָם עַל־מֹשֶׁה לֵּאמֹר Ex. 15:24
2 וַיִּלּוֹנוּ (כת׳ וילינו)...ב״י עַל־מֹשֶׁה Ex. 16:2
3 וַיִּלֹּנוּ עַל־מֹשֶׁה וְעַל־אַהֲרֹן Num. 14:2
4 וַיִּלֹּנוּ כָּל־עֲדַת ב״י...עַל־מֹשֶׁה Num. 17:6
5 וַיִּלֹּנוּ כָל־הָעֵדָה עַל־הַנְּשִׂיאִים Josh. 9:18
הֲלִינֹתֶם 6 אֲשֶׁר הֲלִינֹתֶם עָלָי Num. 14:29
מַלִּינִים 7 תְּלֻנֹּתֵיכֶם אֲשֶׁר אַתֶּם מַלִּינִם עָלָיו Ex. 16:8
8 לָעֵדָה...אֲשֶׁר הֵמָּה מַלִּינִים עָלָי Num. 14:27
9 תְּלֻנּוֹת ב״י אֲשֶׁר הֵמָּה מַלִּינִים עָלַי Num. 14:27
10 תְּלֻנּוֹת אֲשֶׁר הֵם מַלִּינִם עֲלֵיכֶם Num. 17:20
וַיָּלֶן 11 וַיָּלֶן הָעָם עַל־מֹשֶׁה Ex. 17:3
תַלִּינוּ 12 וְנַחְנוּ מָה כִּי תַלִּינוּ (כ׳ תלונו) עָלֵינוּ Ex. 16:7
13 מַה־הוּא כִּי־תַלִּינוּ (כ׳ תלונו) עָלָיו Num. 16:11
וַיַּלִּינוּ 14 וַיַּלִּינוּ (כת׳ וילונו) עָלָיו אֶת־כָּל־הָעֵדָה Num. 14:36

לוּע
עין לעע

לוֹעֵז
ת׳ מדבר בשפה זרה
לֹעֵז 1 בְּצֵאת...בֵּית יַעֲקֹב מֵעַם לֹעֵז Ps. 114:1

לוּץ
עין ליץ

לוֹצֵץ
ז׳ – עין (ליץ) לֵץ

(לוּשׁ) לָשׁ
פ׳ גלגל וכבש בצק לאפיה: 1–5
מִלּוּשׁ 1 מִלּוּשׁ בָּצֵק עַד־חֻמְצָתוֹ Hosh. 7:7
לָשׁוֹת 2 וְהַנָּשִׁים לָשׁוֹת בָּצֵק Jer. 7:18
וַתָּלָשׁ 3 וַתִּקַּח־קֶמַח וַתָּלָשׁ וַתֹּפֵהוּ מַצּוֹת ISh. 28:24
4 וַתִּקַּח אֶת־הַבָּצֵק וַתָּלָשׁ (כת׳ ותלוש) IISh. 13:8
לוּשִׁי 5 מַהֲרִי...סֹלֶת לוּשִׁי וַעֲשִׂי עֻגוֹת Gen. 18:6

לוּת*
מ״י ארמית: לפני; מִן־לְוָתָךְ = מלפניך
מִן־לְוָתָךְ 1 יְהוּדָיֵא דִּי סְלִקוּ מִן־לְוָתָךְ Ez. 4:12

לֵז, לָזֶה, לֵזוּ – עין הַלֵּז, הַלָּזֶה, הַלֵּזוּ

לְזוּת
נ׳ עקמימות, סלוף
וּלְזוּת־ 1 וּלְזוּת שְׂפָתַיִם הַרְחֵק מִמֶּךָּ Prov. 4:24

לַח
ת׳ רטוב: 1–6
קרובים: טָרִי / רָטֹב / רַעֲנָן
מַקֵּל לִבְנֶה לַח 1; עֵץ לַח 2, 3; יְתָרִים לַחִים 5, 6; עֲנָבִים לַחִים 4
לַח 1 וַיִּקַּח־לוֹ יַעֲקֹב מַקַּל לִבְנֶה לַח Gen. 30:37
2 כָּל־עֵץ־לַח וְכָל־עֵץ יָבֵשׁ Ezek. 21:3
3 כִּי אֲנִי יְיָ...הוֹבַשְׁתִּי עֵץ לַח... Ezek. 17:24
לַחִים 4 וַעֲנָבִים לַחִים וִיבֵשִׁים לֹא יֹאכֵל Num. 6:3
6-5 יְתָרִים לַחִים אֲשֶׁר לֹא־חֹרָבוּ Jud. 16:7, 8

לֵחַ
ז׳ רעננות
לֵחֹה 1 לֹא־כָהֲתָה עֵינוֹ וְלֹא־נָס לֵחֹה Deut. 34:7

לְחוּם
ז׳ בָּשָׂר (?): 1, 2
וּלְחֻמָם 1 וְשֻׁפַּךְ דָּמָם כֶּעָפָר וּלְחֻמָם כַּגְּלָלִים Zep. 1:17
בִּלְחוּמוֹ 2 וְיַמְטֵר עָלֵימוֹ בִּלְחוּמוֹ Job 20:23

לְחִי
נ׳ דופן חלל הפה, כסוי הלסת: 1–21
לְחִי חֲמוֹר 8–10; הִכָּה לְחִי 1, 2, 15; הִכָּה (אֶת־) עַל לְחִי 4–6; נָקַב לְחִי 11; לְחָיֵי עַמִּים 14
לֶחִי 1 כִּי־הִכִּיתָ אֶת־כָּל־אֹיְבַי לֶחִי Ps. 3:8
2 יִתֵּן לְמַכֵּהוּ לֶחִי יִשְׂבַּע בְּחֶרְפָּה Lam. 3:30
הַלְּחִי 3 וַיַּשְׁלֵךְ הַלְּחִי מִיָּדוֹ Jud. 15:17
4 בַּשֵּׁבֶט יַכּוּ עַל־הַלְּחִי אֵת שֹׁפֵט יִשְׂרָ׳ Mic. 4:14
הַלֶּחִי 5 וַיַּכֶּה אֶת־מִיכָיְהוּ עַל־הַלֶּחִי IK. 22:24
6 וַיַּךְ אֶת־מִיכָיְהוּ עַל־הַלֶּחִי IICh. 18:23
בַּלֶּחִי 7 וַיִּבְקַע...אֶת־הַמַּכְתֵּשׁ אֲשֶׁר בַּלֶּחִי Jud. 15:19
לְחִי־ 8 וַיִּמְצָא לְחִי־חֲמוֹר טְרִיָּה Jud. 15:15
בִּלְחִי־ 9 בִּלְחִי הַחֲמוֹר חֲמוֹר חֲמֹרָתָיִם Jud. 15:16
10 בִּלְחִי הַחֲמוֹר הִכֵּיתִי אֶלֶף אִישׁ Jud. 15:16
לֶחְיוֹ 11 וּבְחוֹחַ תִּקֹּב לֶחְיוֹ Job 40:26
לֶחֱיָהּ 12 וְדִמְעָתָהּ עַל לֶחֱיָהּ Lam. 1:2
וְהַלְּחָיַיִם 13 הַזְּרֹעַ וְהַלְּחָיַיִם וְהַקֵּבָה Deut. 18:3
לְחָיֵי־ 14 וְרֶסֶן מַתְעֶה עַל לְחָיֵי עַמִּים Is. 30:28
לְחָיָי 15 בְּחֶרְפָּה הִכּוּ לְחָיָי Job 16:10
וּלְחָיַי 16 גֵּוִי נָתַתִּי לְמַכִּים וּלְחָיַי לְמֹרְטִים Is. 50:6
לְחָיַיִךְ 17 נָאווּ לְחָיַיִךְ בַּתֹּרִים S.ofS. 1:10
בִּלְחָיֶיךָ 18 וְנָתַתִּי חַחִים בִּלְחָיֶיךָ Ezek. 29:4
19 וְנָתַתִּי חַחִים בִּלְחָיֶיךָ Ezek. 38:4
לְחָיָו 20 לְחָיָו כַּעֲרוּגַת הַבֹּשֶׂם S.ofS. 5:13
לְחֵיהֶם 21 וָאֱהְיֶה לָהֶם כִּמְרִימֵי עֹל עַל לְחֵיהֶם Hosh. 11:4

לֶחִי
מקום בגבול ארץ פלשתים: 1–4
לֶחִי 1 הוּא בָא עַד־לֶחִי Jud. 15:14
2 וַיִּקְרָא לַמָּקוֹם הַהוּא רָמַת לֶחִי Jud. 15:17
בַּלֶּחִי 3 וַיַּחֲנוּ בִּיהוּדָה וַיִּנָּטְשׁוּ בַּלֶּחִי Jud. 15:9
4 עֵין הַקּוֹרֵא אֲשֶׁר בַּלֶּחִי Jud. 15:19

לַחַי רֹאִי – עין בְּאֵר לַחַי רֹאִי

לחך : לָחַךְ, לִחֵךְ

לָחַךְ
פ׳ א) לקק, אכל: 1
ב) [פ׳ לִחֵךְ] לִקֵּק: 2–6
לָחַךְ יֶרֶק 1; לִחֲכָה (הָאֵשׁ) מַיִם 2; לִחֵךְ עָפָר 4-6
כִּלְחֹךְ 1 כִּלְחֹךְ הַשּׁוֹר אֵת יֶרֶק הַשָּׂדֶה Num. 22:4
לִחֵכָה 2 וְאֶת־הַמַּיִם אֲשֶׁר־בַּתְּעָלָה לִחֵכָה IK. 18:38
יְלַחֲכוּ 3 עַתָּה יְלַחֲכוּ...כִּלְחֹךְ הַשּׁוֹר... Num. 22:4
4 יְלַחֲכוּ עָפָר כַּנָּחָשׁ Mic. 7:17
יְלַחֵכוּ 5 וַעֲפַר רַגְלַיִךְ יְלַחֵכוּ Is. 49:23
6 וְאֹיְבָיו עָפָר יְלַחֵכוּ Ps. 72:9

לחם : א) לָחַם, לְחוּם; לֶחֶם, לְחוּם(?)
ב) לָחַם, נִלְחַם; לָחֶם, מִלְחָמָה, מִלְחֶמֶת

לָחַם¹
פ׳ אָכַל: 1–6
לָחַם (בְּ)לֶחֶם 2, 5, 6; לָחַם בְּמַנְעַמֵּיהֶם 4; לְחוּמֵי רֶשֶׁף 3
לִלְחוֹם 1 כִּי תֵשֵׁב לִלְחוֹם אֶת־מוֹשֵׁל Prov. 23:1
לָחֲמוּ 2 כִּי לָחֲמוּ לֶחֶם רֶשַׁע Prov. 4:17
וּלְחֻמֵי־ 3 מְזֵי רָעָב וּלְחֻמֵי רֶשֶׁף Deut. 32:24
אֶלְחַם 4 וּבַל־אֶלְחַם בְּמַנְעַמֵּיהֶם Ps. 141:4
תִּלְחַם 5 אַל־תִּלְחַם אֶת־לֶחֶם רַע עָיִן Prov. 23:6
לַחֲמוּ 6 לְכוּ לַחֲמוּ בְלַחְמִי וּשְׁתוּ בְּיַיִן מָסָכְתִּי Prov. 9:5

לָחַם²
פ׳ א) ערך קרב: 1–4
ב) [נפ׳ נִלְחַם] ערך קרב, יצא למלחמה: 5–171
– לָחַם אֶת־ 1, 3; לָחַם לְ־ 2
– נִלְחַם אֶל־ 87, 88; נִלְחַם אֶת־ 23, 30, 32, 33, 50-52, 55, 104, 114, 128, 139, 145, 146, 149, 155, 163, 164, 166; נִלְחַם בְּ־ 5, 6, 12-21, 39, 41-47, 53, 54, 56-58, 60-62, 66, 67, 72, 75, 82, 86, 95, 97, 106-109, 119, 120, 122, 124-126, 129-134, 136-138, 140, 141, 143, 156-158, 161, 167, 169; נִלְחַם לְ־ 7, 92-94, 101-103, 115-117; נִלְחַם עַל־ 8, 9, 31, 59, 89, 90, 98-100, 110-113, 123, 135, 151-153, 170, 171; נִלְחַם עִם־ 7, 10, 11, 22, 24, 27, 34, 36, 37, 64, 65, 69, 74, 76, 80, 81, 83, 105, 118, 121, 127, 147, 148, 154, 159, 162, 165
לוֹחֵם 1 כָּל־הַיּוֹם לֹחֵם יִלְחָצֵנִי Ps. 56:2
לֹחֲמִים 2 כִּי־רַבִּים לֹחֲמִים לִי מָרוֹם Ps. 56:3
לֹחֲמָי 3 רִיבָה...אֶת־יְרִיבַי לְחַם אֶת־לֹחֲמָי Ps. 35:1
לְחַם 4 רִיבָה...אֶת־יְרִיבַי לְחַם אֶת־לֹחֲמָי Ps. 35:1
נִלְחַם 5 אִם־נִלְחֹם נִלְחַם בָּם Jud. 11:25
לְהִלָּחֵם 6 וַיַּעַשׂ יְהוֹשֻׁעַ...לְהִלָּחֵם בַּעֲמָלֵק Ex. 17:10
7 לְהִלָּחֵם לָכֶם עִם־אֹיְבֵיכֶם Deut. 20:4
8 כִּי־תִקְרַב אֶל־עִיר לְהִלָּחֵם עָלֶיהָ Deut. 20:10
9 כִּי־תָצוּר אֶל־עִיר...לְהִלָּחֵם עָלֶיהָ Deut. 20:19
10 לְהִלָּחֵם עִם־יְהוֹשֻׁעַ וְעִם־יִשְׂרָאֵל Josh. 9:2
11 וַיָּבֹאוּ...לְהִלָּחֵם עִם־יִשְׂרָאֵל Josh. 11:5
12 יָרְדוּ בְּנֵי יְהוּדָה לְהִלָּחֵם בַּכְּנַעֲנִי Jud. 1:9
21-13 לְהִלָּחֵם בְּ־ Jud. 8:1; 10:9, 18
11:9, 12; 12:1 • ISh. 28:1 • Neh. 4:2 • IICh. 35:20
22 וּפְלִשְׁתִּים נֶאֶסְפוּ לְהִלָּחֵם עִם־יִשְׂרָ׳ ISh. 13:5
23 אִם־יוּכַל לְהִלָּחֵם אִתִּי וְהִכָּנִי ISh. 17:9
24 לֹא תוּכַל לָלֶכֶת...לְהִלָּחֵם עִמּוֹ ISh. 17:33
25 וְלֹא־יָסְפוּ עוֹד לְהִלָּחֵם IISh. 2:28
26 מַדּוּעַ נִגַּשְׁתֶּם אֶל־הָעִיר לְהִלָּחֵם IISh. 11:20
27 וַיַּקְהֵל...לְהִלָּחֵם עִם־בֵּית יִשְׂרָאֵל IK. 12:21
28 וַיָּסֹרוּ עָלָיו לְהִלָּחֵם IK. 22:32
29 וַיָּצֻרוּ...וְלֹא יָכְלוּ לְהִלָּחֵם IIK. 16:5
30 הִנֵּה יָצָא לְהִלָּחֵם אִתָּךְ IIK. 19:9
לְהִלָּחֵם (המשך) 31 וְלֹא יָכֹל לְהִלָּחֵם עָלֶיהָ Is. 7:1
32 יָצָא לְהִלָּחֵם אִתָּךְ Is. 37:9
33 בָּאִים לְהִלָּחֵם אֶת־הַכַּשְׂדִּים Jer. 33:5
34 וַיֵּלְכוּ לְהִלָּחֵם עִם־יִשְׁמָעֵאל Jer. 41:12
35 חָדְלוּ גִבּוֹרֵי בָבֶל לְהִלָּחֵם Jer. 51:30
36 אָשׁוּב לְהִלָּחֵם עִם־שַׂר פָּרָס Dan. 10:20
37 וַיָּבֹא רְחַבְעָם...לְהִלָּחֵם עִם־יִשְׂרָאֵל IICh. 11:1
38 וַיָּסֹבּוּ עָלָיו לְהִלָּחֵם IICh. 18:31
39 לֹא לָכֶם לְהִלָּחֵם בָּזֹאת IICh. 20:17
40 וַיָּבֹא לְהִלָּחֵם בְּבִקְעַת מְגִדּוֹ IICh. 35:22
לְהִלָּחֶם 41 אוּלַי אוּכַל לְהִלָּחֶם בּוֹ... Num. 22:11
42 מִי־יַעֲלֶה־לָּנוּ...לְהִלָּחֶם בּוֹ Jud. 1:1
43 וְאַתָּה עֹשֶׂה אִתִּי רָעָה לְהִלָּחֶם בִּי Jud. 11:27
44 וַיַּעֲבֹר...אֶל...עַמּוֹן לְהִלָּחֶם בָּם Jud. 11:32
45 וְלָמָּה עֲלִיתֶם אֵלַי...לְהִלָּחֶם בִּי Jud. 12:3
46 כִּי־עָלוּ הַמְּלָכִים לְהִלָּחֶם בָּם IIK. 3:21
47 כִּי לְהִלָּחֶם־בּוֹ הִתְחַפֵּשׂ... IICh. 35:22
וּלְהִלָּחֵם 48 לְעָזְרֵנוּ וּלְהִלָּחֵם מִלְחֲמֹתֵינוּ IICh. 32:8
הִלָּחֲמוֹ 49 כְּיוֹם הִלָּחֲמוֹ בְּיוֹם קְרָב Zech. 14:3
בְּהִלָּחֲמוֹ 50-52 בְּהִלָּחֲמוֹ אֶת־חֲזָ(ה)אֵל מֶלֶךְ אֲרָם
IIK. 8:29; 9:15 • IICh. 22:6
נִלְחַמְתִּי 53 נִלְחַמְתִּי בְרַבָּה גַּם־לָכַדְתִּי... IISh. 12:27
וְנִלְחַמְתִּי 54 וְנִלְחַמְתִּי בְּאֹיְבֵי אֲדֹנִי הַמֶּלֶךְ ISh. 29:8
וְנִלְחַמְתִּי 55 וְנִלְחַמְתִּי אֲנִי אִתְּכֶם בְּיָד נְטוּיָה... Jer. 21:5
וְנִלְחַמְתָּ 56 וְהָלַכְתָּ עִמָּנוּ וְנִלְחַמְתָּ בִּבְנֵי עַמּוֹן Jud. 11:8
57 וְנִלְחַמְתָּ בוֹ עַד־כַּלּוֹתָם אֹתָם ISh. 15:18
נִלְחַם 58 וְהוּא נִלְחַם בְּמֶלֶךְ מוֹאָב Num. 21:26
59 אֲשֶׁר־נִלְחַם אָבִי עֲלֵיכֶם Jud. 9:17
60 הֲרוֹב רָב...אִם־נִלְחֹם נִלְחַם בָּם Jud. 11:25
61/2 אֲשֶׁר נִלְ׳ בַּהֲדַדְעֶזֶר IISh. 8:10 • ICh. 18:10
63 אֲשֶׁר נִלְחַם וַאֲשֶׁר מָלָךְ IK. 14:19
64/5 (וַ)אֲשֶׁר נִלְחַם עִם אֲמַצְיָה IIK. 13:12; 14:15(ו
66 וּבְמִלְחֲמוֹת תְּנוּפָה נִלְחַם־בָּם° Is. 30:32
67 ...הוּא נִלְחַם־בָּם Is. 63:10
68 כִּי נִלְחַם יְיָ עִם אוֹיְבֵי יִשְׂרָאֵל IICh. 20:29
69 וְהוּא נִלְחַם עִם־מֶלֶךְ בְּנֵי־עַמּוֹן IICh. 27:5
נִלְחָם (עבר) 70 אֲשֶׁר־עָשָׂה וַאֲשֶׁר נִלְחָם IK. 22:46
71 וּגְבוּרָתוֹ אֲשֶׁר־נִלְחָם IIK. 14:28
וְנִלְחַם 72 וְנִלְחַם־בָּנוּ וְעָלָה מִן־הָאָרֶץ Ex. 1:10
73 וְיָצָא לְפָנֵינוּ וְנִלְחַם אֶת־מִלְחֲמֹתֵנוּ ISh. 8:20
74 יֵלֵךְ וְנִלְחַם עִם־הַפְּלִשְׁתִּי הַזֶּה ISh. 17:32
75 וְיָצָא יְיָ וְנִלְחַם בַּגּוֹיִם הָהֵם Zech. 14:3
76 וְיָצָא וְנִלְחַם עִמּוֹ Dan. 11:11
וְנִלְחַמְנוּ 77 אֲנַחְנוּ נַעֲלֶה וְנִלְחַמְנוּ Deut. 1:41
וְנִלְחַמְתֶּם 78 וִהְיִיתֶם לַאֲנָשִׁים וְנִלְחַמְתֶּם ISh. 4:9
נִלְחֲמוּ 79 אָז נִלְחֲמוּ מַלְכֵי כְנַעַן Jud. 5:19
80 נִלְחֲמוּ עִם סִיסְרָא Jud. 5:20
81 כַּאֲשֶׁר־נִלְחֲמוּ בְנֵי־עַמּוֹן עִם־יִשׂ׳ Jud. 11:5
82 וּפְלִשְׁתִּים נִלְחֲמוּ בְּיִשְׂרָאֵל ICh. 10:1
83 וְלֹא נִלְחֲמוּ עִם־יְהוֹשָׁפָט IICh. 17:10
נִלְחָמוּ 84 בָּאוּ מְלָכִים נִלְחָמוּ Jud. 5:19
85 מִן־שָׁמַיִם נִלְחָמוּ Jud. 5:20
וְנִלְחֲמוּ 86 וְנִלְחֲמוּ אִישׁ בְּאָחִיו וְאִישׁ בְּרֵעֵהוּ Is. 19:2
87/8 וְנִלְחֲמוּ אֵלֶיךָ וְלֹא־יוּכְלוּ לָךְ Jer. 1:19; 15:20
89 וְנִלְחֲמוּ עָלֶיהָ וּלְכָדוּהָ Jer. 34:22
90 וְנִלְחֲמוּ עַל־הָעִיר הַזֹּאת וּלְכָדֻהָ Jer. 37:8
91 וְנִלְחֲמוּ כִּי יְיָ עִמָּם Zech. 10:5
נִלְחָם (הוה) 92 כִּי יְיָ נִלְחָם לָהֶם בְּמִצְרָיִם Ex. 14:25
93/4 כִּי יְיָ(...)נִלְחָם לְיִשְׂרָאֵל Josh. 10:14, 42
95 וַאֲבִימֶלֶךְ נִלְחָם בָּעִיר Jud. 9:45
96 כִּי־מִלְחֲמוֹת יְיָ אֲדֹנִי נִלְחָם ISh. 25:28
97 וּמֶלֶךְ אֲרָם הָיָה נִלְחָם בְּיִשְׂרָאֵל IIK. 6:8

98/9 מִ׳ אֲשֶׁר נִלְחַם עַל־לִבְנָה Is. 37:8 • IIK. 19:8
100 כִּי...מֶלֶךְ־בָּבֶל נִלְחָם עָלֵינוּ Jer. 21:2
הַנִּלְחָם 101 יְיָ אֱלֹהֵיכֶם הוּא הַנִּלְחָם לָכֶם Deut. 3:22
102/3 יְיָ אֱלֹהֵיכֶם הוּא הַנִּלְחָם לָכֶם Josh. 23:3, 10
נִלְחָמִים 104 ...אֲשֶׁר אַתֶּם נִלְחָמִים אוֹתָם Josh. 10:25
105 וְשָׁאוּל...נִלְחָמִים עִם־פְּלִשְׁתִּים ISh. 17:19
106 הִנֵּה פְלִשְׁתִּים נִלְחָמִים בִּקְעִילָה ISh. 23:1
107 וּפְלִשְׁתִּים נִלְחָמִים בִּי ISh. 28:15
108 וּפְלִשְׁתִּים נִלְחָמִים בְּיִשְׂרָאֵל ISh. 31:1
109 ...אֲשֶׁר אַתֶּם נִלְחָמִים בָּם Jer. 21:4
110/1 ...נִלְחָמִים עַל־יְרוּשָׁלִָם Jer. 34:1, 7
הַנִּלְחָמִים 112 נִתְּנָה בְּיַד...הַנִּלְחָמִים עָלֶיהָ Jer. 32:24
113 הַכַּשְׂדִּים הַנִּלְחָמִים עַל־הָעִיר Jer. 32:29
114 חֵיל כַּשְׂדִּים הַנִּלְחָמִים אִתְּכֶם Jer. 37:10
יִלָּחֵם 115 יְיָ יִלָּחֵם לָכֶם וְאַתֶּם תַּחֲרִשׁוּן Ex. 14:14
116 יְיָ אֱלֹהֵיכֶם...הוּא יִלָּחֵם לָכֶם Deut. 1:30
יִלָּחֶם 117 אֱלֹהֵינוּ יִלָּחֶם לָנוּ Neh. 4:14
וַיִּלָּחֶם 118 וַיִּלָּחֶם עִם־יִשְׂרָאֵל בִּרְפִידִם Ex. 17:8
119 וַיִּלָּחֶם בְּיִשְׂרָאֵל וַיִּשְׁבְּ מִמֶּנּוּ שֶׁבִי Num. 21:1
120 וַיָּבֹא יַהְצָה וַיִּלָּחֶם בְּיִשְׂרָאֵל Num. 21:23
121 וַיִּלָּחֶם עִם־לִבְנָה Josh. 10:29
122 וַיִּחַן עָלֶיהָ וַיִּלָּחֶם בָּהּ Josh. 10:31
123 וַיָּשָׁב...דְּבִרָה וַיִּלָּחֶם עָלֶיהָ Josh. 10:38
124 וַיָּקָם בָּלָק...וַיִּלָּחֶם בְּיִשְׂרָאֵל Josh. 24:9
125 וַיֵּצֵא גַעַל...וַיִּלָּחֶם בַּאֲבִימֶלֶךְ Jud. 9:39
126 וַיָּבֹא...עַד־הַמִּגְדָּל וַיִּלָּחֶם בּוֹ Jud. 9:52
127 וַיֶּאֱסֹף...וַיִּלָּחֶם עִם־יִשְׂרָאֵל Jud. 11:20
128 וַיִּקְבֹּץ...וַיִּלָּחֶם אֶת־אֶפְרָיִם Jud. 12:4
129 וַיִּלָּחֶם סָבִיב בְּכָל־אֹיְבָיו... ISh. 14:47
130-131 וַיִּלָּחֶם בַּפְּלִשְׁתִּים ISh. 19:8; 23:5
132 וַיִּלָּחֶם יוֹאָב בְּרַבַּת בְּנֵי עַמּוֹן IISh. 12:26
133 וַיִּלָּחֶם בָּהּ וַיִּלְכְּדָהּ IISh. 12:29
134 וַיָּצַר עַל־שֹׁמְרוֹן וַיִּלָּחֶם בָּהּ IK. 20:1
135 וַיִּלָּחֶם עַל־גַּת וַיִּלְכְּדָהּ IIK. 12:18
136 וַיִּלָּחֶם בְּאַשְׁדּוֹד וַיִּלְכְּדָהּ Is. 20:1
137 וַיֵּצֵא וַיִּלָּחֶם בַּפְּלִשְׁתִּים IICh. 26:6
תִּלָּחֵם 138 וְגַם־יְהוּדָה תִּלָּחֵם בִּירוּשָׁלִָם Zech. 14:14
נִלָּחֵם 139 וְאוּלָם נִלָּחֵם אִתָּם בַּמִּישׁוֹר IK. 20:23
וְנִלָּחֲמָה 140 עֲלֵה אִתִּי בְגוֹרָלִי וְנִלָּחֲמָה בַּכְּנַעֲנִי Jud. 1:3
141 לְכָה...וְנִלָּחֲמָה בִּבְנֵי עַמּוֹן Jud. 11:6
142 תְּנוּ־לִי אִישׁ וְנִלָּחֲמָה יָחַד ISh. 17:10
143 וְנִלָּחֲמָה אוֹתָם בַּמִּישׁוֹר IK. 20:25
תִלָּחֲמוּ 144 לֹא תַעֲלוּ וְלֹא־תִלָּחֲמוּ Deut. 1:42
145 לֹא תִּלָּחֲמוּ אֶת־קָטֹן וְאֶת־גָּדוֹל IK. 22:31
146 כִּי תִלָּחֲמוּ אֶת־הַכַּשְׂדִּים Jer. 32:5
147 וְלֹא־תִלָּחֲמוּ עִם־אֲחֵיכֶם IICh. 11:4
148 בְּנֵי יִשְׂרָאֵל אַל־תִּלָּחֲמוּ עִם־יְיָ... IICh. 13:12
149 לֹא תִּלָּחֲמוּ אֶת־הַקָּטֹן אֶת־הַגָּדוֹל IICh. 18:30
תִלָּחֲמוּן 150 לֹא־תַעֲלוּ וְלֹא־תִלָּחֲמוּן IK. 12:24
וַיִּלָּחֲמוּ 151 וַיַּחֲנוּ עַל־גִּבְעוֹן וַיִּלָּחֲמוּ עָלֶיהָ Josh. 10:5
152 וַיַּחֲנוּ עָלֶיהָ וַיִּלָּחֲמוּ עָלֶיהָ Josh. 10:34
153 וַיַּעַל...חֶבְרוֹנָה וַיִּלָּחֲמוּ עָלֶיהָ Josh. 10:36
154 וַיִּלָּחֲמוּ עִם־לֶשֶׁם וַיִּלְכְּדוּ אוֹתָהּ Josh. 19:47
155 וַיִּלָּחֲמוּ אִתְּכֶם וָאֶתֵּן אוֹתָם בְּיֶדְכֶם Josh. 24:8
156 וַיִּלָּחֲמוּ בָכֶם בַּעֲלֵי־יְרִיחוֹ Josh. 24:11
157 וַיִּמְצְאוּ אֶת־אֲדֹנִי בֶזֶק...וַיִּלָּחֲמוּ בוֹ Jud. 1:5
158 וַיִּלָּחֲמוּ בְנֵי־יְהוּדָה בִּירוּשָׁלִַם Jud. 1:8
159 וַיִּלָּחֲמוּ בְנֵי־עַמּוֹן עִם־יִשְׂרָאֵל Jud. 11:4
160 וַיִּלָּחֲמוּ פְלִשְׁתִּים וַיִּנָּגֶף יִשְׂרָאֵל ISh. 4:10
161 וַיִּמְכֹּר אֹתָם...וַיִּלָּחֲמוּ בָּם ISh. 12:9
162 וַיַּעַרְכוּ...לִקְרַאת דָּוִד וַיִּלָּחֲמוּ IISh. 10:17
163 וַיֵּצְאוּ אַנְשֵׁי...וַיִּלָּחֲמוּ אֶת־יוֹאָב IISh. 11:17
164 וַיִּלָּחֲמוּ אֶת־פְּלִשְׁתִּים וַיָּעַף דָּוִד IISh. 21:15
165 וַיַּעֲרֹךְ דָּוִיד...וַיִּלָּחֲמוּ עִמּוֹ ICh. 19:17
וַיִּלָּחֲמוּנִי 166 וְדִבְרֵי שִׂנְאָה סְבָבוּנִי וַיִּלָּחֲמוּנִי Ps. 109:3
הִלָּחֵם 167 וְצֵא הִלָּחֵם בַּעֲמָלֵק Ex. 17:9
וְהִלָּחֵם 168 וְהִלָּחֵם מִלְחֲמוֹת יְיָ ISh. 18:17
וְהִלָּחֶם 169 צֵא־נָא עַתָּה וְהִלָּחֶם בּוֹ Jud. 9:38
וְהִלָּחֲמוּ 170 וְהִלָּחֲמוּ עַל־בֵּית אֲדֹנֵיכֶם IIK. 10:3
171 וְהִלָּחֲמוּ עַל־אֲחֵיכֶם...וּבָתֵּיכֶם Neh. 4:8

לֶחֶם

ז׳ בָּצֵק מִמִּינֵי דָגָן וכד׳ שֶׁנֶּאֱפָה לַאֲכִילָה [וּבְהַשְׁאָלָה] כִּנּוּי לְמָזוֹן וּלְכָל מַאֲכָל לְאָדָם וְלַחַי: 1-296

קרובים: א) חַלָּה / עֻגָה / פַּת / צַפִּיחִית / רָקִיק / תֻּפִּין ב) אֹכֶל / בַּר / טֶרֶף / מַאֲכָל / מָזוֹן / פְּרִי / צֵידָה

– לֶחֶם וָמַיִם 4, 17, 20, 43, 46, 53, 178, 180, 187, 265

– לֶחֶם חַם 287; לֶ׳ טָמֵא 293; לֶ׳ מְגֹאָל 58; לֶחֶם צַר 46; לֶחֶם קְלֹקֵל 177

– לֶחֶם אָבִיו 249; לֶחֶם אַבִּירִים 224; לֶ׳ אוֹנִים 245; לֶ׳ אֱלֹהִים 201-206; לֶ׳ אֲנָשִׁים 241; לֶ׳ הָאָרֶץ 250; לֶ׳ אִשֶּׁה 198, 199, 209; לֶ׳ בֵּיתוֹ 218, 246; לֶ׳ בִּכּוּרִים 208, 222; לֶ׳ דִּמְעָה 225; לֶ׳ חֹל 213; לֶ׳ חֹם 216; לֶ׳ חֹק 231; לֶ׳ חֲמוּדוֹת 232; לֶ׳ חָמֵץ 200; לֶ׳ יוֹמַיִם 192; לֶ׳ כְּזָבִים 229; לֶ׳ לַחַץ 220, 221; לֶ׳ הַמַּעֲרֶכֶת 235, 247, 248; לֶ׳ מַצּוֹת 237; לֶ׳ סְתָרִים 243; לֶחֶם עֹנִי 210; לֶ׳ הָעֲצָבִים 226; לֶ׳ עַצְלוּת 244; לֶ׳ הַפֶּחָה 233, 234; לֶ׳ (ה)פָּנִים 193, 196, 197, 215, 219, 236; לֶ׳ צֵידוֹ 211; לֶ׳ קֹדֶשׁ 214; לֶ׳ רַע עַיִן 230; לֶ׳ רֶשַׁע 227; לֶ׳ שָׁמַיִם 242; לֶ׳ שֶׁמֶן 194/5; לֶ׳ שְׂעוֹרִים 212, 223; לֶ׳ שְׁלֹמֹה 217; לֶ׳ שֶׁקֶר 228; לֶ׳ תְּבוּאָה 239; לֶ׳ הַתָּמִיד 238; לֶחֶם תְּנוּפָה 207

– אֶרֶץ לֶחֶם 41, 42; דֵּי לֶחֶם 258; חַלַּת לֶחֶם 34; חֲמוֹר לֶ׳ 27; חֲמִשָּׁה לֶ׳ 29; חֹסֶר לֶ׳ 56; חֲסַר לֶ׳ 122, 136; כִּכַּר לֶחֶם 16, 23, 25, 49, 72, 119, 135; מָאתַיִם לֶ׳ 30, 36; מַטֵּה לֶחֶם 19, 51, 63, 131, 132; מַעֲרֶכֶת לֶ׳ 73; מַשְׁעֵן לֶ׳ 43; עֵרֶךְ לֶ׳ 18; עֲשָׂרָה לֶ׳ 37; פַּת לֶחֶם 3, 24, 31, 39, 66, 120; פְּתוֹתֵי לֶ׳ 54; צְלִיל לֶחֶם 212; שִׂבְעַת לֶחֶם 55

לֶחֶם 1 בְּזֵעַת אַפֶּיךָ תֹּאכַל לֶחֶם Gen. 3:19
2 וּמַלְכִּי־צֶדֶק...הוֹצִיא לֶחֶם וָיָיִן Gen. 14:18
3 וְאֶקְחָה פַת־לֶחֶם וְסַעֲדוּ לִבְּכֶם Gen. 18:5
4 וַיִּקַּח־לֶחֶם וְחֵמַת מַיִם... Gen. 21:14
5 לֶחֶם וּנְזִיד עֲדָשִׁים Gen. 25:34
6 לֶחֶם לֶאֱכֹל וּבֶגֶד לִלְבֹּשׁ Gen. 28:20
7 וַיֹּאכְלוּ לֶחֶם וַיָּלִינוּ בָּהָר Gen. 31:54
8 וַיֵּשְׁבוּ לֶאֱכָל־לֶחֶם... Gen. 37:25
9 לֶאֱכֹל אֶת־הָעִבְרִים לֶחֶם Gen. 43:32
10 וַיְכַלְכֵּל...לֶחֶם לְפִי הַטָּף Gen. 47:12
11 הָבָה־לָּנוּ לֶחֶם וְלָמָּה נָמוּת Gen. 47:15
12 וַיִּתֵּן לָהֶם יוֹסֵף לֶחֶם Gen. 47:17
13 בְּאָכְלֵנוּ לֶחֶם לָשֹׂבַע Ex. 16:3
14 הִנְנִי מַמְטִיר לָכֶם לֶחֶם מִן־הַשָּׁמָיִם Ex. 16:4
15 וַיָּבֹא...לֶאֱכָל־לֶחֶם עִם־חֹתֵן מֹשֶׁה Ex. 18:12
16 וְכִכַּר לֶחֶם אַחַת Ex. 29:23
17 לֶחֶם לֹא אָכַל וּמַיִם לֹא שָׁתָה Ex. 34:28
18 וַיַּעֲרֹךְ עָלָיו עֵרֶךְ לֶחֶם לִפְנֵי יְיָ Ex. 40:23
19 בְּשִׁבְרִי לָכֶם מַטֵּה־לֶחֶם Lev. 26:26
20 כִּי אֵין לֶחֶם וְאֵין מַיִם Num. 21:5
21 לֹא בְמִסְכֵּנֻת תֹּאכַל־בָּהּ לֶחֶם Deut. 8:9
22 וְאֹהֵב גֵּר לָתֶת לוֹ לֶחֶם וְשִׂמְלָה Deut. 10:18
23 תְּנוּ־נָא כִּכְּרוֹת לֶחֶם לָעָם... Jud. 8:5

לֶחֶם (המשך) 24 סְעָד לִבְּךָ פַּת־לֶחֶם Jud. 19:5
25 וְאֶחָד נֹשֵׂא שְׁלֹשֶׁה כִּכְּרוֹת לֶחֶם ISh. 10:3
26 וְנָתְנוּ לְךָ שְׁתֵּי־לֶחֶם ISh. 10:4
27 חֲמוֹר לֶחֶם וְנֹאד יַיִן ISh. 16:20
28 קַח־נָא...וַעֲשָׂרָה לֶחֶם הַזֶּה ISh. 17:17
29 מַה־יֵּשׁ תַּחַת־יָדְךָ חֲמִשָּׁה־לֶחֶם... ISh. 21:4
30 מָאתַיִם לֶחֶם וּשְׁנַיִם נִבְלֵי־יַיִן ISh. 25:18
31 וְאָשִׂמָה לְפָנֶיךָ פַּת־לֶחֶם וֶאֱכוֹל ISh. 28:22
32 לְהַבְרוֹת אֶת־דָּוִד לֶחֶם בְּעוֹד הַיּוֹם IISh. 3:35
33 אֶטְעַם לֶחֶם אוֹ כָל־מְאוּמָה IISh. 3:35
34 חַלַּת לֶחֶם אַחַת וְאֶשְׁפָּר אֶחָד IISh. 6:19
35 תָּבֹא נָא...וְתַבְרֵנִי לֶחֶם IISh. 13:5
36 מָאתַיִם לֶחֶם וּמֵאָה צִמּוּקִים IISh. 16:1
37 וְלָקַחַתְּ בְּיָדֵךְ עֲשָׂרָה לֶחֶם וְנִקֻּדִים IK. 14:3
38 מְבִיאִים לוֹ לֶחֶם וּבָשָׂר בַּבֹּקֶר... IK. 17:6
39 לִקְחִי־נָא לִי פַּת־לֶחֶם בְּיָדֵךְ IK. 17:11
40/1 אֶרֶץ לֶחֶם וּכְרָמִים Is. 36:17 • IIK. 18:32
42 וְלֹא־הָיָה לֶחֶם לְעַם הָאָרֶץ IIK. 25:3
43 כֹּל מִשְׁעַן־לֶחֶם וְכֹל מִשְׁעַן־מָיִם Is. 3:1
44 וּבְבֵיתִי אֵין לֶחֶם וְאֵין שִׂמְלָה Is. 3:7
45 לֶחֶם יוּדָק Is. 28:28
46 לֶחֶם צָר וּמַיִם לָחַץ Is. 30:20
47 וְאַף אָפִיתִי עַל־גֶּחָלָיו לֶחֶם Is. 44:19
48 לָמָּה תִשְׁקְלוּ־כֶסֶף בְּלוֹא־לֶחֶם Is. 55:2
49 וְנָתֹן לוֹ כִכַּר־לֶחֶם לַיּוֹם Jer. 37:21
50 וַנִּשְׂבַּע־לֶחֶם וַנִּהְיֶה טוֹבִים Jer. 44:17
51 הִנְנִי שֹׁבֵר מַטֵּה־לֶחֶם בִּירוּשָׁלִַם Ezek. 4:16
52 וְאָכְלוּ־לֶחֶם בְּמִשְׁקָל וּבִדְאָגָה Ezek. 4:16
53 לְמַעַן יַחְסְרוּ לֶחֶם וָמָיִם Ezek. 4:17
54 בְּשַׁעֲלֵי שְׂעֹרִים וּבִפְתוֹתֵי לֶחֶם Ezek. 13:19
55 שִׂבְעַת־לֶחֶם וְשַׁלְוַת הַשְׁקֵט Ezek. 16:49
56 נִקְיוֹן שִׁנַּיִם...וְחֹסֶר לֶחֶם Am. 4:6
57 מַגִּישִׁים עַל־מִזְבְּחִי לֶחֶם מְגֹאָל Mal. 1:7
58/59 אֹכְלֵי עַמִּי אָכְלוּ לֶחֶם Ps. 14:4; 53:5
60 הָיְתָה־לִּי דִמְעָתִי לֶחֶם יוֹמָם Ps. 42:4
61 הֲגַם־לֶחֶם יוּכַל תֵּת... Ps. 78:20
62 לְהוֹצִיא לֶחֶם מִן־הָאָרֶץ Ps. 104:14
63 כָּל־מַטֵּה־לֶחֶם שָׁבָר Ps. 105:16
64 נֹתֵן לֶחֶם לְכָל־בָּשָׂר Ps. 136:25
65 נֹתֵן לֶחֶם לָרְעֵבִים Ps. 146:7
66 וְעַל־פַּת־לֶחֶם יִפְשַׁע־גָּבֶר Prov. 28:21
67 עֲרָבָה לוֹ לֶחֶם לַנְּעָרִים Job 24:5
68 כָּל־עַמָּהּ נֶאֱנָחִים מְבַקְּשִׁים לֶחֶם Lam. 1:11
69 עוֹלָלִים שָׁאֲלוּ לֶחֶם פֹּרֵשׂ אֵין לָהֶם Lam. 4:4
70 לֹא לַחֲכָמִים לֶחֶם Eccl. 9:11
71 לִשְׂחוֹק עֹשִׂים לֶחֶם Eccl. 10:19
72 כִּכַּר־לֶחֶם וְאֶשְׁפָּר וַאֲשִׁישָׁה ICh. 16:3
73 וּמַעֲרֶכֶת לֶחֶם עַל־הַשֻּׁלְחָן הַטָּהוֹר IICh. 13:11
74-110 לֶחֶם Deut. 9:9, 18; 29:5

Jud. 19:19 • ISh. 14:24, 28; 20:34; 22:13; 28:20; 30:11, 12 • IISh. 9:7, 10²; 12:20 • IK. 13:8, 9, 16, 17, 18, 19, 22², 23; 18:4, 13; 21:7 • IIK. 6:22; 25:29 • Jer. 41:1; 52:6, 33 • Ezek. 44:3 • Am. 7:12 • Job 42:11 • Ez. 10:6 • ICh. 12:40(41)

לָחֶם 111 וַיִּקְרָא לְאֶחָיו לֶאֱכָל־לָחֶם Gen. 31:54
112 וּבְכָל־אֶרֶץ מִצְרַיִם הָיָה לָחֶם Gen. 41:54
113 שָׁמְעוּ כִּי־שָׁם יֹאכְלוּ לָחֶם Gen. 43:25
114 וַיִּתְאַפַּק וַיֹּאמֶר שִׂימוּ לָחֶם Gen. 43:31
115 קִרְאֶן לוֹ וְיֹאכַל לָחֶם Ex. 2:20
116 וּבַבֹּקֶר תִּשְׂבְּעוּ־לָחֶם Ex. 16:12
117 כִּי־נִתֵּן לִצְבָאֲךָ לָחֶם Jud. 8:6

לֶחֶם (המשך)
118 כִּי נִתֵּן לַאֲנָשֶׁיךָ הַיְּעֵפִים לָחֶם Jud. 8:15
119 לַאֲגוֹרַת כֶּסֶף וְכִכַּר־לָחֶם ISh. 2:36
120 סְפָחֵנִי נָא...לֶאֱכֹל פַּת־לָחֶם ISh. 2:36
121 וְלֹא־טָעַם כָּל־הָעָם לָחֶם ISh. 14:24
122 וְנֹפֵל בַּחֶרֶב וַחֲסַר־לָחֶם IISh. 3:29
123 וְלֹא־בָרָה אִתָּם לָחֶם IISh. 12:17
124 קַמְתָּ וַתֹּאכַל לָחֶם IISh. 12:21
125 לֵךְ אִתִּי הַבָּיְתָה וֶאֱכֹל לָחֶם IK. 13:15
126 וַיַּסֵּב אֶת־פָּנָיו וְלֹא־אָכַל לָחֶם IK. 21:4
127 רוּחֲךָ סָרָה וְאֵינְךָ אֹכֵל לָחֶם IK. 21:5
128 וַתַּחֲזֶק־בּוֹ לֶאֱכָל־לָחֶם IIK. 4:8
129 יָסֻר שָׁמָּה לֶאֱכָל־לָחֶם IIK. 4:8
130 אַף־יַשִּׂיק וְאָפָה לָחֶם Is. 44:15
131 וְשָׁבַרְתִּי לָכֶם מַטֵּה־לָחֶם Ezek. 5:16
132 וְשָׁבַרְתִּי לָהּ מַטֵּה־לָחֶם Ezek. 14:13
133 צַדִּיק נֶעֱזָב וְזַרְעוֹ מְבַקֶּשׁ־לָחֶם Ps. 37:25
134 אֶבְיוֹנֶיהָ אַשְׂבִּיעַ לָחֶם Ps. 132:15
135 בְּעַד־אִשָּׁה זוֹנָה עַד־כִּכַּר־לָחֶם Prov. 6:26
136 טוֹב...מִמִּתְכַּבֵּד וַחֲסַר־לָחֶם Prov. 12:9
137/8 עֹבֵד אַדְמָתוֹ יִשְׂבַּע־לָחֶם Prov. 12:11; 28:19
139 פְּקַח עֵינֶיךָ שְׂבַע־לָחֶם Prov. 20:13
140 אִם־רָעֵב שֹׂנַאֲךָ הַאֲכִלֵהוּ לָחֶם Prov. 25:21
141 מָטָר סֹחֵף וְאֵין לָחֶם Prov. 28:3
142 וְנָבָל כִּי יִשְׂבַּע־לָחֶם Prov. 30:22
143 וּמֵרָעֵב תִּמְנַע־לָחֶם Job 22:7
144 וְצֶאֱצָאָיו לֹא יִשְׂבְּעוּ־לָחֶם Job 27:14
145 אֶרֶץ מִמֶּנָּה יֵצֵא־לָחֶם Job 28:5
146 וְזִהֲמַתּוּ חַיָּתוֹ לָחֶם Job 33:20
147 כִּי־פָקַד...לָתֵת לָהֶם לָחֶם Ruth 1:6
148 מִצְרַיִם נָתַנּוּ יָד אַשּׁוּר לִשְׂבֹּעַ לָחֶם Lam. 5:6
וְלֶחֶם 149 וְלֶחֶם אֵין בְּכָל־הָאָרֶץ Gen. 47:13
150 וְלֶחֶם בַּבֹּקֶר לִשְׂבֹּעַ Ex. 16:8
151 וְלֶחֶם וְקָלִי וְכַרְמֶל לֹא תֹאכְלוּ Lev. 23:14
152 וְלֶחֶם אָמַר לוֹ וְאֶרֶץ נָתַן לוֹ IK. 11:18
153 וְלֶחֶם וּבָשָׂר בָּעָרֶב IK. 17:6
154 וְנָתַן זֶרַע לַזֹּרֵעַ וְלֶחֶם לָאֹכֵל Is. 55:10
155 וְלֶחֶם לְבַב־אֱנוֹשׁ יִסְעָד Ps. 104:15
156 וְלֶחֶם מִשָּׁמַיִם נָתַתָּה לָהֶם לִרְעָבָם Neh. 9:15
וָלֶחֶם 157 אֲתֹנֹת נֹשְׂאֹת בָּר וָלֶחֶם וּמָזוֹן Gen. 45:23
הַלֶּחֶם 158 אֶת־הַמַּטְעַמִּים וְאֶת־הַלֶּחֶם Gen. 27:17
159 וְלֹא יָדַע...כִּי אִם־הַלֶּחֶם Gen. 39:6
160 הַלֶּחֶם אֲשֶׁר נָתַן יְיָ לָכֶם לְאָכְלָה Ex. 16:15
161 אֶת־הַלֶּחֶם אֲשֶׁר הֶאֱכַלְתִּי אֶתְכֶם Ex. 16:32
162 וְאֶת־הַלֶּחֶם אֲשֶׁר בַּסָּל Ex. 29:32
163 וְאִם־יִוָּתֵר...וּמִן־הַלֶּחֶם... Ex. 29:34
164 וְאֶת־הַלֶּחֶם אֲשֶׁר בְּסַל הַמִּלֻּאִים Lev. 8:31
165 וְהִקְרַבְתֶּם עַל־הַלֶּחֶם... Lev. 23:18
166 לֹא עַל־הַלֶּחֶם לְבַדּוֹ יִחְיֶה הָאָדָם Deut. 8:3
167 כִּי הַלֶּחֶם אָזַל מִכֵּלֵינוּ ISh. 9:7
168 וַיֵּשֶׁב הַמֶּלֶךְ אֶל־הַלֶּחֶם לֶאֱכוֹל ISh. 20:24
169 עַד־תֹּם כָּל־הַלֶּחֶם מִן־הָעִיר Jer. 37:21
170 כִּי אֵין הַלֶּחֶם עוֹד בָּעִיר Jer. 38:9
171 ... בִּכְנָפוֹ אֶל־הַלֶּחֶם וְאֶל־הַנָּזִיד Hag. 2:12
172 גֹּשִׁי הֲלֹם וְאָכַלְתְּ מִן־הַלֶּחֶם Ruth 2:14
הַלָּחֶם 173 מַדּוּעַ לֹא־בָא...אֶל־הַלָּחֶם ISh. 20:27
וְהַלֶּחֶם 174 וְהַלֶּחֶם (כ׳ ולהלחם) וְהַקַּיִץ לֶאֱכוֹל IISh. 16:2
בְּלֶחֶם 175 וַיִּקְחוּ מֵהֶם בְּלֶחֶם וָיַיִן Neh. 5:15
בַּלֶּחֶם 176 וַיְנַהֲלֵם בַּלֶּחֶם בְּכָל־מִקְנֵהֶם Gen. 47:17
177 וְנַפְשֵׁנוּ קָצָה בַּלֶּחֶם הַקְּלֹקֵל Num. 21:5
178 לֹא־קִדְּמוּ אֶתְכֶם בַּלֶּחֶם וּבַמַּיִם Deut. 23:5
179 שְׂבֵעִים בַּלֶּחֶם נִשְׂכָּרוּ ISh. 2:5
180 לֹא קִדְּמוּ אֶת־בְּנֵי־יִ׳ בַּלֶּחֶם וּבַמָּיִם Neh. 13:2

בַּלָּחֶם 181 קְנֵה־אֹתָנוּ...בַּלָּחֶם Gen. 47:19
וּבַלָּחֶם 182 וְהַנּוֹתָר בַּבָּשָׂר וּבַלָּחֶם Lev. 8:32
כַּלֶּחֶם 183 כִּי אֵפֶר כַּלֶּחֶם אָכָלְתִּי Ps. 102:10
לְלֶחֶם 184 תְבוּאָתֹה לְלֶחֶם לְעֹבְדֵי הָעִיר Ezek. 48:18
לְלָחֶם 185 וְעָשִׂיתָ אוֹתָם לְךָ לְלָחֶם Ezek. 4:9
לַלֶּחֶם 186 וְהָיְתָה לַלֶּחֶם לְאַזְכָּרָה Lev. 24:7
187 לֹא־רָעָב לַלֶּחֶם וְלֹא־צָמָא לַמַּיִם Am. 8:11
188 נֹדֵד הוּא לַלֶּחֶם אַיֵּה Job 15:23
לַלָּחֶם 189 וַיִּצְעַק הָעָם אֶל־פַּרְעֹה לַלָּחֶם Gen. 41:55
וְלַלֶּחֶם 190 וְלַלֶּחֶם לֹא־נִרְעָב Jer. 41:14
לֶחֶם־ 191 בַּיּוֹם הַשִּׁשִּׁי לָקְטוּ לֶחֶם מִשְׁנֶה Ex. 16:22
192 נֹתֵן לָכֶם בַּיּוֹם הַשִּׁשִּׁי לֶחֶם יוֹמָיִם Ex. 16:29
193 לֶחֶם פָּנִים לְפָנַי תָּמִיד Ex. 25:30
194/5 וְחַלַּת לֶחֶם שֶׁמֶן אַחַת Ex. 29:23 • Lev. 8:26
196/7 וְאֵת לֶחֶם הַפָּנִים Ex. 35:13; 39:36
198 וְהִקְטִירוֹ...לֶחֶם אִשֶּׁה לַייָ Lev. 3:11
199 לֶחֶם אִשֶּׁה לְרֵיחַ נִיחֹחַ Lev. 3:16
200 עַל חַלֹּת לֶחֶם חָמֵץ Lev. 7:13
201 אֶת־אִשֵּׁי יְיָ לֶחֶם אֱלֹהֵיהֶם Lev. 21:6
202 אֶת־לֶחֶם אֱלֹהֶיךָ הוּא מַקְרִיב Lev. 21:8
203 לֹא יִקְרַב לְהַקְרִיב לֶחֶם אֱלֹהָיו Lev. 21:17
204 לֶחֶם אֱלֹהָיו לֹא יִגַּשׁ לְהַקְרִיב Lev. 21:21
205 לֶחֶם אֱלֹהָיו מִקָּדְשֵׁי הַקֳּדָשִׁים... Lev. 21:22
206 לֹא תַקְרִיבוּ אֶת־לֶחֶם אֱלֹהֵיכֶם Lev. 22:25
207 לֶחֶם תְּנוּפָה שְׁתַּיִם Lev. 23:17
208 וְהֵנִיף...עַל לֶחֶם הַבִּכּוּרִים Lev. 23:20
209 לֶחֶם אִשֶּׁה רֵיחַ־נִיחֹחַ לַייָ Num. 28:24
210 תֹּאכַל־עָלָיו מַצּוֹת לֶחֶם עֹנִי Deut. 16:3
211 וְכֹל לֶחֶם צֵידָם יָבֵשׁ הָיָה נִקֻּדִים Josh. 9:5
212 צְלִיל°־לֶחֶם שְׂעֹרִים מִתְהַפֵּךְ... Jud. 7:13
213 אֵין־לֶחֶם חֹל אֶל־תַּחַת יָדִי ISh. 21:5
214 כִּי־אִם־לֶחֶם קֹדֶשׁ יֵשׁ ISh. 21:5
215 לֹא־הָיָה... כִּי־אִם־לֶחֶם הַפָּנִים ISh. 21:7
216 לָשׂוּם לֶחֶם חֹם בְּיוֹם הִלָּקְחוֹ ISh. 21:7
217 וַיְהִי לֶחֶם־שְׁלֹמֹה לְיוֹם אֶחָד IK. 5:2
218 תַּעֲשֶׂה אֶת־חֶפְצִי לָתֵת לֶחֶם בֵּיתִי IK. 5:23
219 אֲשֶׁר עָלָיו לֶחֶם הַפָּנִים IK. 7:48
220-221 וְהַאֲכִ(י)לֻהוּ לֶחֶם לַחַץ וּמַיִם לַחַץ IK. 22:27 • IICh. 18:26
222 וַיָּבֵא לְאִישׁ הָאֱלֹהִים לֶחֶם בִּכּוּרִים IIK. 4:42
223 עֶשְׂרִים־לֶחֶם שְׂעֹרִים.. IIK. 4:42
224 לֶחֶם אַבִּירִים אָכַל אִישׁ Ps. 78:25
225 הֶאֱכַלְתָּם לֶחֶם דִּמְעָה Ps. 80:6
226 אֹכְלֵי לֶחֶם הָעֲצָבִים Ps. 127:2
227 כִּי לָחֲמוּ לֶחֶם רֶשַׁע Prov. 4:17
228 עָרֵב לָאִישׁ לֶחֶם שָׁקֶר Prov. 20:17
229 אַל־תִּתְאָו...וְהוּא לֶחֶם כְּזָבִים Prov. 23:3
230 אַל־תִּלְחַם אֶת־לֶחֶם רַע עָיִן Prov. 23:6
231 הַטְרִיפֵנִי לֶחֶם חֻקִּי Prov. 30:8
232 לֶחֶם חֲמֻדוֹת לֹא אָכַלְתִּי Dan. 10:3
233 לֶחֶם הַפֶּחָה לֹא אָכַלְתִּי Neh. 5:14
234 וְעִם־זֶה לֶחֶם הַפֶּחָה לֹא בִקַּשְׁתִּי Neh. 5:18
235 וּמִן־בְּנֵי...עַל־לֶחֶם הַמַּעֲרָכֶת ICh. 9:32
236 וַעֲלֵיהֶם לֶחֶם הַפָּנִים IICh. 4:19
וְלֶחֶם־ 237 וְלֶחֶם מַצּוֹת וְחַלֹּת מַצֹּת Ex. 29:2
238 וְלֶחֶם הַתָּמִיד עָלָיו יִהְיֶה Num. 4:7
239 וְלֶחֶם תְּבוּאַת הָאֲדָמָה Is. 30:23
240 וְלֶחֶם אֲנָשִׁים לֹא תֹאכֵל Ezek. 24:17
241 וְלֶחֶם אֲנָשִׁים לֹא תֹאכֵלוּ Ezek. 24:22
242 וְלֶחֶם שָׁמַיִם יַשְׂבִּיעֵם Ps. 105:40
243 וְלֶחֶם סְתָרִים יִנְעָם Prov. 9:17
244 וְלֶחֶם עַצְלוּת לֹא תֹאכֵל Prov. 31:27

כְּלֶחֶם־ 245 זִבְחֵיהֶם כְּלֶחֶם אוֹנִים לָהֶם Hosh. 9:4
לְלֶחֶם־ 246 ...לְלַחְמְךָ לְלֶחֶם בֵּיתֶךָ Prov. 27:27
247 לְלֶחֶם הַמַּעֲרֶכֶת וּמִנְחַת הַתָּמִיד Neh. 10:34
וּלְלֶחֶם־ 248 וּלְלֶחֶם הַמַּעֲרֶכֶת וּלְסֹלֶת לְמִנְחָה ICh. 23:29
מִלֶּחֶם־ 249 מִלֶּחֶם אָבִיהָ תֹּאכֵל Lev. 22:13
250 וְהָיָה בַּאֲכָלְכֶם מִלֶּחֶם הָאָרֶץ Num. 15:19
לַחְמִי 251 אֶת־קָרְבָּנִי לַחְמִי לְאִשַּׁי Num. 28:2
252 אֶת־לַחְמִי וְאֶת־מֵימַי ISh. 25:11
253 בְּהַקְרִיבְכֶם אֶת־לַחְמִי חֵלֶב וָדָם Ezek. 44:7
254 נֹתְנֵי לַחְמִי וּמֵימַי צַמְרִי וּפִשְׁתִּי Hosh. 2:7
255 גַּם אִישׁ־שְׁלוֹמִי...אוֹכֵל לַחְמִי Ps. 41:10
256 כִּי־שָׁכַחְתִּי מֵאֲכֹל לַחְמִי Ps. 102:5
257 כִּי־לִפְנֵי לַחְמִי אַנְחָתִי תָבֹא Job 3:24
258 הֵמָּה כִּדְוֵי לַחְמִי Job 6:7
וְלַחְמִי 259 וְלַחְמִי אֲשֶׁר־נָתַתִּי לָךְ Ezek. 16:19
בְּלַחְמִי 260 לְכוּ לַחֲמוּ בְלַחְמִי Prov. 9:5
לַחְמְךָ 261 וּבֵרַךְ אֶת־לַחְמְךָ וְאֶת־מֵימֶיךָ Ex. 23:25
262 וְעָשִׂיתָ אֶת־לַחְמְךָ עֲלֵיהֶם Ezek. 4:15
263 לַחְמְךָ בְּרַעַשׁ תֹּאכֵל Ezek. 12:18
264 לַחְמְךָ יָשִׂימוּ מָזוֹר תַּחְתֶּיךָ Ob. 7
265 שַׁלַּח לַחְמְךָ עַל־פְּנֵי הַמָּיִם Eccl. 11:1
לַחְמֶךָ 266 הֲלוֹא פָרֹס לָרָעֵב לַחְמֶךָ Is. 58:7
267 לֵךְ אֱכֹל בְּשִׂמְחָה לַחְמֶךָ Eccl. 9:7
וְלַחְמֶךָ 268 וְאָכַל קְצִירְךָ וְלַחְמֶךָ Jer. 5:17
בְּלַחְמֶךָ 269 אִם־תַּעְצְרֵנִי לֹא־אֹכַל בְּלַחְמֶךָ Jud. 13:16
לְלַחְמְךָ 270 וְדֵי חֲלֵב עִזִּים לְלַחְמְךָ Prov. 27:27
לַחְמוֹ 271 מֵאָשֵׁר שְׁמֵנָה לַחְמוֹ Gen. 49:20
272 וְאַחַר יֹאכַל...כִּי לַחְמוֹ הוּא Lev. 22:7
273 לַחְמוֹ נִתָּן מֵימָיו נֶאֱמָנִים Is. 33:16
274 וְלֹא־יָמוּת...וְלֹא יֶחְסַר לַחְמוֹ Is. 51:14
275 וְנָחָשׁ עָפָר לַחְמוֹ Is. 65:25
276 לַחְמוֹ לְרָעֵב יִתֵּן Ezek. 18:7
277 לַחְמוֹ לְרָעֵב נָתָן Ezek. 18:16
278 לַחְמוֹ בְּמֵעָיו נֶהְפָּךְ Job 20:14
בְּלַחְמוֹ 279 הֵם יֹאכְלוּ בְלַחְמוֹ Lev. 22:11
280 בְּלַחְמוֹ קִדְּמוּ נֹדֵד Is. 21:14
281 נַשְׁחִיתָה עֵץ בְּלַחְמוֹ Jer. 11:19
מִלַּחְמוֹ 282 כִּי־נָתַן מִלַּחְמוֹ לַדָּל Prov. 22:9
לַחְמָהּ 283 נוֹתֵן לִבְהֵמָה לַחְמָהּ Ps. 147:9
284 תָּכִין בַּקַּיִץ לַחְמָהּ Prov. 6:8
285 מִמֶּרְחָק תָּבִיא לַחְמָהּ Prov. 31:14
לַחְמֵנוּ 286 לַחְמֵנוּ הֵם סָר צִלָּם מֵעֲלֵיהֶם Num. 14:9
287 זֶה לַחְמֵנוּ חָם הִצְטַיַּדְנוּ אֹתוֹ... Josh. 9:12
288 לַחְמֵנוּ נֹאכֵל וְשִׂמְלָתֵנוּ נִלְבָּשׁ Is. 4:1
289 בְּנַפְשֵׁנוּ נָבִיא לַחְמֵנוּ Lam. 5:9
לַחְמְכֶם 290 וַאֲכַלְתֶּם לַחְמְכֶם לָשֹׂבַע Lev. 26:5
291 וְאָפוּ עֶשֶׂר נָשִׁים לַחְמְכֶם Lev. 26:26
292 וְהֵשִׁיבוּ לַחְמְכֶם בַּמִּשְׁקָל Lev. 26:26
לַחְמָם 293 יֹאכְלוּ בְנֵי־יִ׳ אֶת־לַחְמָם טָמֵא Ezek. 4:13
294 לַחְמָם בִּדְאָגָה יֹאכֵלוּ Ezek. 12:19
295 כִּי־לַחְמָם לְנַפְשָׁם לֹא יָבוֹא בֵּית יְיָ Hosh 9:4
296 הַנְּמָלִים...וַיָּכִינוּ בַקַּיִץ לַחְמָם Prov. 30:25
297 (?) וְשֹׁרֶשׁ רְתָמִים לַחְמָם Job 30:4

לָחֶם
ז׳ מלחמה (?)

לָחֶם 1 יִבְחַר אֱלֹהִים חֲדָשִׁים אָז לָחֶם שְׁעָרִים Jud. 5:8

לְחֶם
ז׳ ארמית: סעודה

לְחֶם 1 עֲבַד לְחֶם רַב לְרַבְרְבָנוֹהִי אֲלַף Dan. 5:1

לַחְמִי
שפ״ז – אחי גלית הגתי

לַחְמִי 1 אֶת־לַחְמִי אֲחִי גָּלְיַת הַגִּתִּי ICh. 20:5

לַחְמָם (ישעיה מז 14) – עין חָמַם

לַחְמָס עיר בשפלת יהודה

וְלַחְמָס 1 וְכַבּוֹן וְלַחְמָס וְכִתְלִישׁ Josh. 15:40

לְחֵנָה* נ׳ ארמית: פילגש: 1–3

וּלְחֵנָתָךְ 1 וְרַבְרְבָנָךְ° שֵׁגְלָתָךְ וּלְחֵנָתָךְ Dan. 5:23

וּלְחֵנָתֵהּ 2/3 וְרַבְרְבָנוֹהִי שֵׁגְלָתֵהּ וּלְחֵנָתֵהּ Dan. 5:2, 3

לחץ : לָחַץ, נִלְחַץ; לַחַץ

לָחַץ פ׳ א) דחק, הֵעִיק: 1-18

ב) [נפ׳ נִלְחַץ] נדחק: 19

לָחַץ 1 וְהוּא לָחַץ אֶת־בְּ״יִ בְּחָזְקָה Jud. 4:3

2 כִּי־לָחַץ אֹתָם מֶלֶךְ אֲרָם IIK. 13:4

3 וַחֲזָאֵל מֶלֶךְ אֲרָם לָחַץ אֶת־יִשְׂרָאֵל IIK. 13:22

וּלְחַצְתֶּם 4 סִגְרוּ הַדֶּלֶת וּלְחַצְתֶּם אֹתוֹ בַּדֶּלֶת IIK. 6:32

לָחֲצוּ 5 וְצִידוֹנִים...לָחֲצוּ אֶתְכֶם Jud. 10:12

וְלָחֲצוּ 6 וְלָחֲצוּ אֶתְכֶם מִלְּבוֹא חֲמָת... Am. 6:14

לֹחֲצִים 7 הַלַּחַץ אֲשֶׁר מִצְרַיִם לֹחֲצִים אֹתָם Ex. 3:9

8 כִּי־יִצְעֲקוּ אֶל־יְיָ מִפְּנֵי לֹחֲצִים Is. 19:20

הַלֹּחֲצִים 9 וּמִיַּד כָּל־הַמַּמְלָכוֹת הַלֹּחֲצִים אֶתְכֶ׳ ISh.10:18

לֹחֲצָיו 10 וּפָקַדְתִּי עַל כָּל־לֹחֲצָיו Jer. 30:20

לֹחֲצֵיכֶם 11 וָאַצִּל אֶתְכֶם...וּמִיַּד כָּל־לֹחֲצֵיכֶם Jud. 6:9

לֹחֲצֵיהֶם 12 ...מִפְּנֵי לֹחֲצֵיהֶם וְדֹחֲקֵיהֶם Jud. 2:18

תִּלְחָץ 13 וְגֵר לֹא תִלְחָץ Ex. 23:9

תִלְחָצֶנּוּ 14 וְגֵר לֹא־תוֹנֶה וְלֹא תִלְחָצֶנּוּ Ex. 22:20

יִלְחָצֵנִי 15 כָּל־הַיּוֹם לֹחֵם יִלְחָצֵנִי Ps. 56:2

וַתִּלְחַץ 16 וַתִּלְחַץ אֶת־רֶגֶל בִּלְעָם Num. 22:25

וַיִּלְחֲצוּ 17 וַיִּלְחֲצוּ הָאֱמֹרִי אֶת־בְּנֵי־דָן Jud. 1:34

וַיִּלְחָצוּם 18 וַיִּלְחָצוּם אוֹיְבֵיהֶם וַיִּכָּנְעוּ Ps. 106:42

וַתִּלָּחֵץ 19 וַתֵּרֶא...וַתִּלָּחֵץ אֶל־הַקִּיר... Num. 22:25

לַחַץ ז׳ א) עוני, דוחק: 1-4, 6

ב) נגישה, דכוי: 5, 7-12

לַחַץ אוֹיֵב 9, 10; לַ׳ יִשְׂרָאֵל 5; לֶחֶם לַחַץ 1,3; מַיִם לַחַץ 2, 4, 6

לַחַץ 1-4 וְהַאֲכִ(י)לֻהוּ לֶחֶם לַחַץ וּמַיִם לַחַץ

IK. 22:27 • IICh. 18:26

לַחַץ־ 5 כִּי רָאָה אֶת־לַחַץ יִשְׂרָאֵל... IIK. 13:4

לָחַץ 6 וְנָתַן לָכֶם...לֶחֶם צַר וּמַיִם לָחַץ Is. 30:20

הַלַּחַץ 7 רָאִיתִי אֶת־הַלַּחַץ אֲשֶׁר מִצְ׳ לֹחֲצִים Ex. 3:9

בַּלַּחַץ 8 וְיִגֶל בַּלַּחַץ אָזְנָם Job 36:15

בְּלַחַץ־ 9 לָמָּה־קֹדֵר אֵלֵךְ בְּלַחַץ אוֹיֵב Ps. 42:10

10 לָמָּה־קֹדֵר אֶתְהַלֵּךְ בְּלַחַץ אוֹיֵב Ps. 43:2

לַחֲצֵנוּ 11 וַיַּרְא אֶת־עָנְיֵנוּ...וְאֶת־לַחֲצֵנוּ Deut. 26:7

וְלַחֲצֵנוּ 12 לָמָּה...תִּשְׁכַּח עָנְיֵנוּ וְלַחֲצֵנוּ Ps. 44:25

לחש : לִחֵשׁ, הִתְלַחֵשׁ; לַחַשׁ, לְחָשִׁים

לִחֵשׁ פ׳ א) השביע על־ידי לַחַשׁ(ב): 1

ב) [התפ׳ הִתְלַחֵשׁ] שוחח בקול נמוך: 2, 3

קוֹל מְלַחֲשִׁים 1

מְלַחֲשִׁים 1 אֲשֶׁר לֹא־יִשְׁמַע לְקוֹל מְלַחֲשִׁים Ps. 58:6

מִתְלַחֲשִׁים 2 וַיַּרְא דָוִד כִּי עֲבָדָיו מִתְלַחֲשִׁים IISh. 12:19

יִתְלַחֲשׁוּ 3 יַחַד עָלַי יִתְלַחֲשׁוּ כָּל־שֹׂנְאָי Ps. 41:8

לַחַשׁ ז׳ א) דבור בקול נמוך: 1

ב) דברי השבעה במלות קסם: 2-4

ג) [לְחָשִׁים] מתכשיטי הנשים: 5

נְבוֹן לַחַשׁ 2

לַחַשׁ 1 צָקוּן לַחַשׁ מוּסָרְךָ לָמוֹ Is. 26:16

לָחַשׁ 2 וַחֲכַם חֲרָשִׁים וּנְבוֹן לָחַשׁ Is. 3:3

3 נְחָשִׁים...אֲשֶׁר אֵין לָהֶם לָחַשׁ Jer. 8:17

4 אִם־יִשֹּׁךְ הַנָּחָשׁ בְּלוֹא־לָחַשׁ Eccl. 10:11

וְהַלְּחָשִׁים 5 וּבָתֵּי הַנֶּפֶשׁ וְהַלְּחָשִׁים Is. 3:20

לָט* ז׳ א) סתר, חשאי: 1–3

ב) קסם, כשוף: 4–6 [עין גם בַּלָּאט, לַהַט]

בַּלָּט 1 דַּבְּרוּ אֶל דָּוִד בַּלָּט לֵאמֹר ISh. 18:22

2 וַיִּכְרֹת אֶת־כְּנַף־הַמְּעִיל...בַּלָּט ISh. 24:4

3 וַתָּבֹא בַלָּט וַתְּגַל מַרְגְּלֹתָיו Ruth 3:7

בְּלָטֵיהֶם 4 וַיַּעֲשׂוּ־כֵן חַרְטֻמֵּי מִצְ׳ בְּלָטֵיהֶם Ex. 7:22

5/6 וַיַּעֲשׂוּ־כֵן הַחַרְטֻמִּים בְּלָטֵיהֶם Ex. 8:3, 14

לֹט ז׳ שְׂרָף ריחני: 1, 2

וָלֹט 1 נֹשְׂאִים נְכֹאת וּצְרִי וָלֹט Gen. 37:25

2 מְעַט־צֳרִי...נְכֹאת וָלֹט Gen. 43:11

לְטָאָה נ׳ בעל־חיים מן הזוחלים (lacerta)

וְהַלְּטָאָה 1 וְהָאֲנָקָה וְהַכֹּחַ וְהַלְּטָאָה Lev. 11:30

לְטוּשִׁים שפ״ז – שבט מצאצאי אברהם וקטורה

וּלְטוּשִׁים 1 וּבְנֵי דְדָן הָיוּ אַשּׁוּרִם וּלְטוּשִׁם Gen. 25:3

לָטַעַת (קהלת ג 2) – עין נטע

לטש : לָטַשׁ, מְלֻטָּשׁ

לָטַשׁ פ׳ א) השחיז, חִדד: 1-3

ב) [בהשאלה] אמץ, נעץ: 4

ג) [פ׳ בינוני: מְלֻטָּשׁ] מושחז: 5

לָטַשׁ חֶרֶב 3; לָטַשׁ מַחֲרֵשָׁה 1; לָטַשׁ עֵינָיו 4; תַּעַר מְלֻטָּשׁ 5

לִלְטוֹשׁ 1 לִלְטוֹשׁ אִישׁ אֶת־מַחֲרַשְׁתּוֹ ISh. 13:20

לֹטֵשׁ 2 לֹטֵשׁ כָּל־חֹרֵשׁ נְחֹשֶׁת וּבַרְזֶל Gen. 4:22

יִלְטוֹשׁ 3 אִם־לֹא יָשׁוּב חַרְבּוֹ יִלְטוֹשׁ Ps. 7:13

4 צָרִי יִלְטוֹשׁ עֵינָיו לִי Job 16:9

מְלֻטָּשׁ 5 כְּתַעַר מְלֻטָּשׁ עֹשֵׂה רְמִיָּה Ps. 52:4

לֹיָה עין לוֹיָה

לַיִל, לֵיל ז׳ לַילה: 1–6 (עין לַיְלָה)

לֵיל הִתְקַדֶּשׁ־חָג 6; לֵיל שִׁמּוּרִים 3

כַּלַּיִל 1 שִׁיתִי כַלַּיִל צִלֵּךְ בְּתוֹךְ צָהֳרָיִם Is. 16:3

מִלֵּיל 2 שֹׁמֵר מַה־מִּלַּיְלָה שֹׁמֵר מַה־מִּלֵּיל Is. 21:11

לֵיל־ 3 לֵיל שִׁמֻּרִים הוּא לַייָ Ex. 12:42

בְּלֵיל־ 4 בְּלֵיל שֻׁדַּד עָר מוֹאָב Is. 15:1

5 בְּלֵיל שֻׁדַּד קִיר־מוֹאָב Is. 15:1

כְּלֵיל־ 6 כְּלֵיל הִתְקַדֶּשׁ־חָג Is. 30:29

לַיְלָה ז׳ א) פרק הזמן משקיעת השמש ועד זריחתה, להבדיל מן ״יום״: רוב המקראות 1-227

ב) תה״פ – בזמן החושך, לא ״יוֹמָם״: 1-3, 8-20, 22, 25-27, 34, 35, 40, 41, 45-49, 57-61, 63-70, 73, 78, 84, 89, 91-109

ג) [הַלַּיְלָה] בלילה זה: 111,112,116,120,122,130, 134/5,140,144,146,149,155,156,158,162,165,166

קרובים: אֶמֶשׁ / אֲפֵלָה / חֹשֶׁךְ / נֶשֶׁף / עֲלָטָה / עֶרֶב

– יוֹם וָלַיְלָה 4-7, 16, 20, 28, 39, 44, 50-56, 74, 75, 88, 90, 119, 121, 138, 147, 148, 152, 159, 160, 201, 205, 210, 213, 214, 218, 219, 221

– לַיְלָה וְיוֹמָם 11, 14, 22, 25; יוֹמָם וָלַיְלָה 57, 64, 84, 91-109

– אוֹר לַיְלָה 72; אִישׁוֹן לַיְלָה 37; בִּן־לַיְלָה 30, 31; בְּעוֹד לַיְלָה 38; גְּנֻבְתִי לַ׳ 56; חֲזוֹן לַ׳ 21, (32); חֶזְיוֹן לַ׳ 42, 79, 80; חֲלוֹם לַ׳ 150, 151, 163; חֲצוֹת לַ׳ 36, 81, 114; חֲצִי הַלַּיְלָה 115, 126, 127, 145; כָּל־הַלַּיְלָה 119, 123-125, 131-133, 138, 139, 141, 152, 154, 157, 159-161; מֶמְשֶׁלֶת הַלַּיְלָה 110; מִקְרֵה לַ׳ 62; מַרְאוֹת לַ׳ 113; פַּחַד לַ׳ 76; רְסִיסֵי לַיְלָה 82; לֵילוֹת עָמָל 222

לַיְלָה 1 וַיֵּחָלֵק עֲלֵיהֶם לַיְלָה Gen. 14:15

2 וַיָּקָם פַּרְעֹה לַיְלָה Ex. 12:30

לַיְלָה (המשך) 3 וַיִּקְרָא לְמֹשֶׁה וּלְאַהֲרֹן לַיְלָה Ex. 12:31

4-7 אַרְבָּעִים יוֹם וְאַרְבָּעִים לַיְלָה Ex. 34:28

Deut. 9:9, 18 • IK. 19:8

8 וְאֵשׁ תִּהְיֶה לַיְלָה בּוֹ Ex. 40:38

9 וַיָּבֹא אֱלֹהִים אֶל־בִּלְעָם לַיְלָה Num. 22:20

10 הַהֹלֵךְ לִפְנֵיכֶם...בָּאֵשׁ לַיְלָה Deut. 1:33

11 וּפָחַדְתָּ לַיְלָה וְיוֹמָם Deut. 28:66

12 וְעַתָּה קוּם לַיְלָה...וֶאֱרֹב בַּשָּׂדֶה Jud. 9:32

13 נֵרְדָה אַחֲרֵי פְלִשְׁתִּים לַיְלָה ISh. 14:36

14 חוֹמָה הָיוּ עָלֵינוּ גַּם־לַיְלָה גַּם־יוֹמָם ISh. 25:16

15 וַיָּבֹא דָוִד וַאֲבִישַׁי אֶל־הָעָם לַיְלָה ISh. 26:7

16 לִהְיוֹת עֵינְךָ פְתֻחֹת...לַיְלָה וָיוֹם IK. 8:29

17 וַיָּבֹאוּ לַיְלָה וַיַּקִּפוּ עַל־הָעִיר IIK. 6:14

18 וַיָּקָם הַמֶּלֶךְ לַיְלָה IIK. 7:12

19 וַיְהִי־הוּא קָם לַיְלָה וַיַּכֶּה... IIK. 8:21

20 לַיְלָה וָיוֹם אֶצֳּרֶנָּה Is. 27:3

21 וְהָיָה כַּחֲלוֹם חֲזוֹן לַיְלָה... Is. 29:7

22 לַיְלָה וְיוֹמָם לֹא תִכְבֶּה Is. 34:10

23/4 מִיּוֹם עַד־לַיְלָה תַּשְׁלִימֵנִי Is. 38:12, 13

25 תֵּרַדְנָה עֵינַי דִּמְעָה לַיְלָה וְיוֹמָם Jer. 14:17

26 וַיִּבְרְחוּ וַיֵּצְאוּ לַיְלָה מִן־הָעִיר Jer. 39:4

27 יִבְרְחוּ וַיֵּצְאוּ מֵהָעִיר לַיְלָה Jer. 52:7

28 ...וְיוֹם לַיְלָה הֶחְשִׁיךְ Am. 5:8

29 אִם־גַּנָּבִים...אִם־שׁוֹדְדֵי לַיְלָה Ob. 5

30/1 שֶׁבִּן־לַיְלָה הָיָה וּבִן־לַיְלָה אָבָד Jon. 4:10

32 לָכֵן לַיְלָה לָכֶם מֵחָזוֹן... Mic. 3:6

33 אַשְׂחֶה בְכָל־לַיְלָה מִטָּתִי Ps. 6:7

34 בָּחַנְתָּ לִבִּי פָּקַדְתָּ לַּיְלָה Ps. 17:3

35 יָדִי לַיְלָה נִגְּרָה וְלֹא תָפוּג Ps. 77:3

36 חֲצוֹת לַיְלָה אָקוּם לְהוֹדוֹת לָךְ Ps. 119:62

37 בְּאִישׁוֹן לַיְלָה וַאֲפֵלָה Prov. 7:9

38 וַתָּקָם בְּעוֹד לַיְלָה Prov. 31:15

39 לַיְלָה לְיוֹם יָשִׂימוּ Job 17:12

40 לַיְלָה גְּנָבַתּוּ סוּפָה Job 27:20

41 לַיְלָה עֲצָמַי נִקַּר מֵעָלָי Job 30:17

42 בַּחֲלוֹם חֶזְיוֹן לַיְלָה Job 33:15

43 וְהָפַךְ לַיְלָה וְיִדַּכָּאוּ Job 34:25

44 שְׁלֹשֶׁת יָמִים לַיְלָה וָיוֹם Es. 4:16

45 וָאָקוּם לַיְלָה...וְלֹא הִגַּדְתִּי לְאָדָם Neh. 2:12

46 וָאֵצְאָה בְשַׁעַר־הַגַּיְא לַיְלָה Neh. 2:13

47 וָאֱהִי עֹלֶה בַנַּחַל לַיְלָה Neh. 2:15

48 וּבְעַמּוּד אֵשׁ לַיְלָה Neh. 9:12

49 וַיְהִי קָם לַיְלָה וַיַּךְ אֶת־אֱדוֹם IICh. 21:9

לָיְלָה 50 ...לָאוֹר יוֹם וְלַחֹשֶׁךְ קָרָא לָיְלָה Gen. 1:5

51-55 אַרְבָּעִים יוֹם וְאַרְבָּעִים לָיְלָה

Gen. 7:4, 12 • Ex. 24:18 • Deut. 9:11; 10:10

56 גְּנֻבְתִי יוֹם וּגְנֻבְתִי לָיְלָה Gen. 31:39

57 עַמּוּד...יוֹמָם וְעַמּוּד הָאֵשׁ לָיְלָה Ex. 13:22

58 הֶעָנָן יְכַסֶּנּוּ וּמַרְאֵה־אֵשׁ לָיְלָה Num. 9:16

59 וּבְרֶדֶת הַטַּל עַל־הַמַּחֲנֶה לָיְלָה Num. 11:9

60 ...וּבְעַמּוּד אֵשׁ לָיְלָה Num. 14:14

61 הוֹצִיאֲךָ יְיָ אֱלֹהֶיךָ מִמִּצְ׳ לָיְלָה Deut. 16:1

62 לֹא־יִהְיֶה טָהוֹר מִקְּרֵה־לָיְלָה Deut. 23:11

63 וַיִּבְחַר יְהוֹשֻׁעַ...וַיִּשְׁלָחֵם לָיְלָה Josh. 8:3

64 יָרֵא...מֵעֲשׂוֹת יוֹמָם וַיַּעַשׂ לָיְלָה Jud. 6:27

65 וַיָּקָם אֲבִימֶלֶךְ...לָיְלָה Jud. 9:34

66 וַיָּסֹבּוּ עָלַי אֶת־הַבַּיִת לָיְלָה Jud. 20:5

67 וַיָּבֹאוּ אֶל־הָאִשָּׁה לָיְלָה ISh. 28:8

68 ...וְאֶת־חַיַּת הַשָּׂדֶה לָיְלָה IISh. 21:10

69 וַיָּמָת בֶּן־הָאִשָּׁה הַזֹּאת לָיְלָה IK. 3:19

70 וְעָשָׁן וְנֹגַהּ אֵשׁ לֶהָבָה לָיְלָה Is. 4:5

71 אָתָא בֹקֶר וְגַם־לָיְלָה Is. 21:12

לַיְלָה (המשך)
72 וְכוֹכָבִים לְאוֹר לָיְלָה Jer. 31:35(34)
73 וְכָשַׁל גַּם־נָבִיא עִמְּךָ לָיְלָה Hosh. 4:5
74 לֹא־יוֹם וְלֹא־לָיְלָה Zech. 14:7
75 לְךָ יוֹם אַף־לְךָ לָיְלָה Ps. 74:16
76 לֹא־תִירָא מִפַּחַד לָיְלָה Ps. 91:5
77 תָּשֶׁת־חֹשֶׁךְ וִיהִי לָיְלָה Ps. 104:20
78 עָנָן לְמָסָךְ וְאֵשׁ לְהָאִיר לָיְלָה Ps. 105:39
79 בִּשְׂעִפִּים מֵחֶזְיֹנוֹת לָיְלָה Job 4:13
80 וְיֻדַּד כְּחֶזְיוֹן לָיְלָה Job 20:8
81 רֶגַע יָמֻתוּ וַחֲצוֹת לָיְלָה Job 34:20
82 קְוֻצּוֹתַי רְסִיסֵי לָיְלָה S.ofS. 5:2
83 בְּהַעֲלוֹת הָעוֹלָה...עַד־לָיְלָה IICh. 35:14
וְלַיְלָה 84 יוֹמָם בְּעַמּוּד עָנָן...וְלַיְלָה בְּעַ׳ אֵשׁ Ex. 13:21
85 וְלַיְלָה לְּלַיְלָה יְחַוֶּה־דָּעַת Ps. 19:3
86 וְלַיְלָה וְלֹא־דוּמִיָּה לִי Ps. 22:3
87 חֹשֶׁךְ יְשׁוּפֵנִי וְלַיְלָה אוֹר בַּעֲדֵנִי Ps. 139:11
88 וְלַיְלָה כַּיּוֹם יָאִיר Ps. 139:12
89 וְלַיְלָה בָּאִים לְהָרְגֶךָ Neh. 6:10
וָלַיְלָה 90 וְיוֹם וָלַיְלָה לֹא יִשְׁבֹּתוּ Gen. 8:22
91 תֵּשְׁבוּ יוֹמָם וָלַיְלָה שִׁבְעַת יָמִים Lev. 8:35
92 אוֹ יוֹמָם וָלַיְלָה וְנַעֲלָה הֶעָנָן... Num. 9:21
93 וְהָגִיתָ בּוֹ יוֹמָם וָלַיְלָה Josh. 1:8
94 יוֹמָם וָלַיְלָה לֹא יִסָּגֵרוּ Is. 60:11
95 וְאֶבְכֶּה יוֹמָם וָלַיְלָה Jer. 8:23
96 וַעֲבַדְתֶּם־שָׁם...יוֹמָם וָלַיְלָה Jer. 16:13
97 וּלְבִלְתִּי הֱיוֹת יוֹמָם־וָלַיְלָה בְּעִתָּם Jer. 33:20
98 כִּי יוֹמָם וָלַיְלָה תִּכְבַּד עָלַי יָדֶךָ Ps. 32:4
99 יוֹמָם וָלַיְלָה יְסוֹבְבֻהָ Ps. 55:11
100 הוֹרִידִי כַנַּחַל דִּמְעָה יוֹמָם וָלַיְלָה Lam. 2:18
101 לִשְׁמֹעַ אֶל־תְּפִלַּת...יוֹמָם וָלַיְלָה Neh. 1:6
102 וַנַּעֲמִיד מִשְׁמָר...יוֹמָם וָלַיְלָה Neh. 4:3
103 כִּי־יוֹמָם וָלַיְלָה...בַּמְּלָאכָה ICh. 9:33
104 עֵינֶיךָ פְּתֻחוֹת...יוֹמָם וָלַיְלָה IICh. 6:20
וָלָיְלָה 105 לְהָאִיר לָהֶם לָלֶכֶת יוֹמָם וָלָיְלָה Ex. 13:21
106 קְרֹבִים אֶל־יְיָ אֱלֹהֵינוּ יוֹמָם וָלָיְלָה IK. 8:59
107 אִם־לֹא בְרִיתִי יוֹמָם וָלָיְלָה Jer. 33:25
108 וּבְתוֹרָתוֹ יֶהְגֶּה יוֹמָם וָלָיְלָה Ps. 1:2
109 דִמְעָתִי לֶחֶם יוֹמָם וָלָיְלָה Ps. 42:4
הַלַּיְלָה 110 הַמָּאוֹר הַקָּטֹן לְמֶמְשֶׁלֶת הַלַּיְלָה Gen. 1:16
111 נַשְׁקֶנּוּ יַיִן גַּם־הַלַּיְלָה Gen. 19:34
112 לָכֵן יִשְׁכַּב עִמָּךְ הַלַּיְלָה Gen. 30:15
113 וַיֹּאמֶר אֱל׳...בְּמַרְאֹת הַלַּיְלָה Gen. 46:2
114 כַּחֲצֹת הַלַּיְלָה אֲנִי יוֹצֵא Ex. 11:4
115 וַיְהִי בַּחֲצִי הַלַּיְלָה וַיְיָ הִכָּה... Ex. 12:29
116 הוּא־הַלַּיְלָה הַזֶּה לַיְיָ... Ex. 12:42
117 וַיּוֹלֶךְ...בְּרוּחַ קָדִים...כָּל־הַלַּיְלָה Ex. 14:21
118 כָּל־הַלַּיְלָה עַד־הַבֹּקֶר Lev. 6:2
119 כָּל־הַיּוֹם הַהוּא וְכָל־הַלַּיְלָה Num. 11:32
120 לִינוּ פֹה הַלַּיְלָה Num. 22:8
121 אֶת־אַרְבָּעִים הַיּוֹם וְאֶת־אַרְבָּעִים הַלַּיְלָה Deut. 9:25
122 הִנֵּה אֲנָשִׁים בָּאוּ הֵנָּה הַלַּיְלָה Josh. 2:2
123 כָּל־הַלַּיְלָה עָלָה מִן־הַגִּלְגָּל Josh. 10:9
124 וַיֶּאֶרְבוּ לוֹ כָל־הַלַּיְלָה Jud. 16:2
125 וַיִּתְחָרְשׁוּ כָל־הַלַּיְלָה לֵאמֹר Jud. 16:2
126 וַיִּשְׁכַּב שִׁמְשׁוֹן עַד־חֲצִי הַלַּיְלָה Jud. 16:2
127 וַיָּקָם בַּחֲצִי הַלַּיְלָה וַיֶּאֱחֹז... Jud. 16:3
128 וַיִּתְעַלְּלוּ־בָהּ כָּל־הַלַּיְלָה Jud. 19:25
129 וַיַּגִּשׁוּ...אִישׁ שׁוֹרוֹ בְיָדוֹ הַלַּיְלָה ISh. 14:34
130 אִם־אֵינְךָ מְמַלֵּט אֶת־נַפְשְׁךָ הַלַּיְלָה ISh. 19:11
131 וַיָּקוּמוּ...וַיֵּלְכוּ כָל־הַלַּיְלָה ISh. 31:12
132 הָלְכוּ בָּעֲרָבָה כֹּל הַלַּיְלָה הַהוּא IISh. 2:29

הַלַּיְלָה (המשך)
133 וַיֵּלְכוּ כָל־הַלַּיְלָה...וַיֵּאֹר...בְּחֶבְרוֹן IISh. 2:32
134 אַל־תָּלֶן הַלַּיְלָה בְּעַרְבוֹת הַמִּד׳ IISh. 17:16
135 אִם־יָלִין אִישׁ אִתְּךָ הַלַּיְלָה IISh. 19:8
136 וַתָּקָם בְּתוֹךְ הַלַּיְלָה וַתִּקַּח אֶת־בְּנִי IK. 3:20
137 וְכָל־אַנְשֵׁי הַמִּלְחָמָה הַלַּיְלָה IIK. 25:4
138 כָּל־הַיּוֹם וְכָל־הַלַּיְלָה תָּמִיד Is. 62:6
139 כָּל־הַלַּיְלָה יָשֵׁן אֹפֵהֶם Hosh. 7:6
140 רָאִיתִי הַלַּיְלָה וְהִנֵּה אִישׁ... Zech. 1:8
141 וְכָל־הַלַּיְלָה בְּאוֹר אֵשׁ Ps. 78:14
142 הַלַּיְלָה הַהוּא יִקָּחֵהוּ אֹפֶל Job 3:6
143 הַלַּיְלָה הַהוּא יְהִי גַלְמוּד Job 3:7
144 גַּם הָיִיתִי הַלַּיְלָה לְאִישׁ Ruth 1:12
145 וַיְהִי בַּחֲצִי הַלַּיְלָה וַיֶּחֱרַד הָאִישׁ Ruth 3:8
146 לִינִי הַלַּיְלָה וְהָיָה בַבֹּקֶר אִם־יִגְאָלֵךְ Ruth 3:13
147 הַלַּיְלָה מִשְׁמָר וְהַיּוֹם מְלָאכָה Neh. 4:16
הַלָּיְלָה 148 לְהַבְדִּיל בֵּין הַיּוֹם וּבֵין הַלָּיְלָה Gen. 1:14
149 אֲשֶׁר־בָּאוּ אֵלֶיךָ הַלָּיְלָה Gen. 19:5
150 וַיָּבֹא אֱלֹהִים...בַּחֲלוֹם הַלָּיְלָה Gen. 20:3
151 וַיָּבֹא אֱלֹהִים...בַּחֲלֹם הַלָּיְלָה Gen. 31:24
152 כָּל־הַיּוֹם הַהוּא וְכָל־הַלָּיְלָה Ex. 10:13
153 וַיְהִי...וְהַחֹשֶׁךְ וַיָּאֶר אֶת־הַלָּיְלָה Ex. 14:20
154 וְלֹא־קָרַב זֶה אֶל־זֶה כָּל־הַלָּיְלָה Ex. 14:20
155 שְׁבוּ נָא בָזֶה גַּם־אַתֶּם הַלָּיְלָה Num. 22:19
156 בַּמָּלוֹן אֲשֶׁר־תָּלִינוּ בוֹ הַלָּיְלָה Josh. 4:3
157 וַיִּזְעַק אֶל־יְיָ כָּל־הַלָּיְלָה ISh. 15:11
158 אֵת אֲשֶׁר דִּבֶּר יְיָ אֵלַי הַלָּיְלָה ISh. 15:16
159 כָּל־הַיּוֹם הַהוּא וְכָל־הַלָּיְלָה ISh. 19:24
160 לֹא אָכַל...כָּל־הַיּוֹם וְכָל־הַלָּיְלָה ISh. 28:20
161 וַיֵּלְכוּ דֶּרֶךְ הָעֲרָבָה כָּל־הַלָּיְלָה IISh. 4:7
162 וְאֶרְדְּפָה אַחֲרֵי־דָוִד הַלָּיְלָה IISh. 17:1
163 נִרְאָה יְיָ אֶל־שְׁלֹמֹה בַּחֲלוֹם הַלָּיְלָה IK. 3:5
164 בְּרִיתִי הַיּוֹם וְאֶת־בְּרִיתִי הַלָּיְלָה Jer. 33:20
165 אַל־תִּשְׁאַף הַלָּיְלָה Job 36:20
166 זֹרֶה אֶת־גֹּרֶן הַשְּׂעֹרִים הַלָּיְלָה Ruth 3:2
וְהַלַּיְלָה 167 וְהַלַּיְלָה אָמַר הֹרָה גָבֶר Job 3:3
בְּלַיְלָה 168 וַיַּחַלְמוּ...אִישׁ חֲלֹמוֹ בְּלַיְלָה אֶחָד Gen. 40:5
169 וַנַּחַלְמָה חֲלוֹם בְּלַיְלָה אֶחָד Gen. 41:11
170 וְאֶת־עַמּוּד הָאֵשׁ בְּלַיְלָה... Neh. 9:19
בַּלַּיְלָה 171 וַתַּשְׁקֶיןָ אֶת־אֲבִיהֶן...בַּלַּיְלָה Gen. 19:33
172 וַתַּשְׁקֶיןָ גַּם בַּלַּיְלָה הַהוּא... Gen. 19:35
173 וַיֵּרָא אֵלָיו יְיָ בַּלַּיְלָה הַהוּא Gen. 26:24
174 וַיִּשְׁכַּב עִמָּהּ בַּלַּיְלָה הוּא Gen. 30:16
175 וַיָּלֶן שָׁם בַּלַּיְלָה הַהוּא Gen. 32:14
176 וְהוּא לָן בַּלַּיְלָה־הַהוּא בַּמַּחֲנֶה Gen. 32:22
177 וַיָּקָם בַּלַּיְלָה הוּא וַיִּקַּח... Gen. 32:23
178 וְאָכְלוּ אֶת־הַבָּשָׂר בַּלַּיְלָה הַזֶּה Ex. 12:8
179 וְעָבַרְתִּי בְאֶרֶץ־מִצ׳ בַּלַּיְלָה הַזֶּה Ex. 12:12
180 וַיִּבְכּוּ הָעָם בַּלַּיְלָה הַהוּא Num. 14:1
181 וַיָּלֶן יְהוֹשֻׁעַ בַּלַּיְלָה הַהוּא Josh. 8:9
182 וַיֵּלֶךְ יְהוֹשֻׁעַ בַּלַּיְלָה הַהוּא Josh. 8:13
183-187 וַיְהִי בַּלַּיְלָה הַהוּא Jud. 6:25
7:9 • IISh. 7:4 • IIK. 19:35 • ICh. 17:3
188 וַיַּעַשׂ אֱלֹהִים כֵּן בַּלַּיְלָה הַהוּא Jud. 6:40
189 וְדָוִד נָס וַיִּמָּלֵט בַּלַּיְלָה הוּא ISh. 19:10
190 וַיָּקֻמוּ וַיֵּלְכוּ בַּלַּיְלָה הַהוּא ISh. 28:25
191 נַפְשִׁי אִוִּיתִךָ בַּלַּיְלָה Is. 26:9
192 אִם־גַּנָּבִים בַּלַּיְלָה הִשְׁחִיתוּ דַיָּם Jer. 49:9
193 צָעַקְתִּי בַלַּיְלָה נֶגְדֶּךָ Ps. 88:2
194 זָכַרְתִּי בַלַּיְלָה שִׁמְךָ יְיָ Ps. 119:55
195 לֹא יִכְבֶּה בַלַּיְל נֵרָהּ Prov. 31:18
196 בָּכוֹ תִבְכֶּה בַּלַּיְלָה Lam. 1:2
197 קוּמִי רֹנִּי בַלַּיְל לְרֹאשׁ אַשְׁמֻרוֹת Lam. 2:19
198 גַּם־בַּלַּיְלָה לֹא־שָׁכַב לִבּוֹ Eccl. 2:23
199 בַּלַּיְלָה הַהוּא נָדְדָה שְׁנַת הַמֶּלֶךְ Es. 6:1
200 בַּלַּיְלָה הַהוּא נִרְאָה אֱל׳ לִשְׁלֹמֹה IICh. 1:7
בַּלָּיְלָה 201 בַּיּוֹם אֲכָלַנִי חֹרֶב וְקֶרַח בַּלָּיְלָה Gen. 31:40
202 קוּמוּ וְנַעֲלֶה בַלָּיְלָה Jer. 6:5
203 לַחֹרֶב בַּיּוֹם וְלַקֶּרַח בַּלָּיְלָה Jer. 36:30
204 אֶזְכְּרָה נְגִינָתִי בַּלָּיְלָה Ps. 77:7
205 כְּיוֹם אֶתְמוֹל...וְאַשְׁמוּרָה בַלָּיְלָה Ps. 90:4
206 יוֹמָם הַשֶּׁמֶשׁ...וְיָרֵחַ בַּלָּיְלָה Ps. 121:6
207 וְכוֹכָבִים לְמֶמְשְׁלוֹת בַּלָּיְלָה Ps. 136:9
208 אֱלוֹהַּ עֹשָׂי נֹתֵן זְמִרוֹת בַּלָּיְלָה Job 35:10
209 וַיֵּרָא יְיָ אֶל־שְׁלֹמֹה בַּלָּיְלָה IICh. 7:12
וּבַלַּיְלָה 210 וְלִמְשֹׁל בַּיּוֹם וּבַלַּיְלָה Gen. 1:18
211 יוֹמָם...וּבַלַּיְלָה שִׁירֹה עִמִּי Ps. 42:9
212 לָאוֹר...וּבַלַּיְלָה יְהִי כַגַּנָּב Job 24:14
213 בַּיּוֹם וּבַלַּיְלָה שֵׁנָה...אֵינֶנּוּ רֹאֶה Eccl. 8:16
וּבַלָּיְלָה 214 בַּבֹּקֶר יַעֲבֹר בַּיּוֹם וּבַלָּיְלָה Is. 28:19
וְכַלַּיְלָה 215 יוֹמָם...וְכַלַּיְלָה יְמַשְׁשׁוּ בַצָּהֳרָיִם Job 5:14
לְּלָיְלָה 216 וְלַיְלָה לְּלַיְלָה יְחַוֶּה־דָּעַת Ps. 19:3
מִלַּיְלָה 217 שֹׁמֵר מַה־מִּלַּיְלָה שׁ׳ מַה־מִּלֵּיל Is. 21:11
לֵילוֹת 218/9 שְׁלֹשָׁה יָמִים וּשְׁל׳ לֵי׳ ISh. 30:12 • Jon. 2:1
220 אַף־לֵילוֹת יִסְּרוּנִי כִלְיוֹתָי Ps. 16:7
221 שִׁבְעַת יָמִים וְשִׁבְעַת לֵילוֹת Job 2:13
וְלֵילוֹת־ 222 וְלֵילוֹת עָמָל מִנּוּ־לִי Job 7:3
הַלֵּילוֹת 223 וְעַל־מִשְׁמַרְתִּי...כָּל־הַלֵּילוֹת Is. 21:8
בַּלֵּילוֹת 224 בַּבֹּקֶר חַסְדֶּךָ וֶאֱמוּנָתְךָ בַּלֵּילוֹת Ps. 92:3
225 הָעֹמְדִים בְּבֵית־יְיָ בַּלֵּילוֹת Ps. 134:1
226 עַל־מִשְׁכָּבִי בַּלֵּילוֹת בִּקַּשְׁתִּי... S.ofS. 3:1
227 חַרְבּוֹ עַל־יְרֵכוֹ מִפַּחַד בַּלֵּילוֹת S.ofS. 3:8

לֵילְיָא
ז׳ ארמית: לַיְלָה
לֵילְיָא 1 בְּחֶזְוָא דִי־לֵילְיָא רָזָא גֲלִי Dan. 2:19
2 חָזֵה הֲוֵית בְּחֶזְוִי עִם־לֵילְיָא Dan. 7:2
3-4 חָזֵה הֲוֵית בְּחֶזְוֵי לֵילְיָא Dan. 7:7, 13
בְּלֵילְיָא 5 בֵּהּ בְּלֵילְיָא קְטִיל בֵּלְאשַׁצַּר מַלְכָּא Dan. 5:30

לִילִית
נ׳ עוף־לילה מן הדורסים
לִילִית 1 אַךְ־שָׁם הִרְגִּיעָה לִּילִית Is. 34:14

ליץ
: לָץ, הֵלִיץ, לוֹצֵץ, הִתְלוֹצֵץ; לֵץ, לָצוֹן; מֵלִיץ, מְלִיצָה
(ליץ) לָץ פ׳ א) לגלג, בזה: 1
ב) [פִּ׳ לוֹצֵץ] לגלג: 2
ג) [הִתְ׳ הִתְלוֹצֵץ] חמד לצון: 3
ד) [הִפְ׳ הֵלִיץ] סלף, עוּת: 5–7
[עין עוד מֵלִיץ]
וְלַצְתָּ 1 וְלַצְתָּ לְבַדְּךָ תִשָּׂא Prov. 9:12
לֹצְצִים 2 מָשַׁךְ יָדוֹ אֶת־לֹצְצִים Hosh. 7:5
תִּתְלוֹצָצוּ 3 וְעַתָּה אַל־תִּתְלוֹצָצוּ Is. 28:22
הֱלִיצֻנִי 4 זֵדִים הֱלִיצֻנִי עַד־מְאֹד Ps. 119:51
יָלִיץ 5 אִם־לַלֵּצִים הוּא־יָלִיץ Prov. 3:34
6 אֱוִלִים יָלִיץ אָשָׁם Prov. 14:9
7 עֵד בְּלִיַּעַל יָלִיץ מִשְׁפָּט Prov. 19:28

לִירוֹא
(דה״ב כו 15) – עין ירה

לַיִשׁ1
ז׳ מכנויי האריה: 1-3 • קרובים: ראה אַרְיֵה
לַיִשׁ 1 לַיִשׁ גִּבּוֹר בַּבְּהֵמָה Prov. 30:30
2 לַיִשׁ אֹבֵד מִבְּלִי־טָרֶף Job 4:11
וָלַיִשׁ 3 לָבִיא וָלַיִשׁ מֵהֶם Is. 30:6

לַיִשׁ2
שמה הקדום של העיר דן: 1–4
לַיִשׁ 1 לְרַגֵּל אֶת־הָאָרֶץ לָיִשׁ Jud. 18:14
2 וַיָּבֹאוּ עַל־לַיִשׁ Jud. 18:27
3 לַיִשׁ שֵׁם־הָעִיר לָרִאשֹׁנָה Jud. 18:29
לָיְשָׁה 4 וַיֵּלְכוּ...וַיָּבֹאוּ לָיְשָׁה Jud. 18:7

לַיִשׁ[3]
שפ״ז – אבי פַּלְטִי מגלים בימי דוד: 1, 2

לַיִשׁ 1 לְפַלְטִי בֶן־לַיִשׁ אֲשֶׁר מִגַּלִּים ISh. 25:44
לָ֑יִשׁ 2 מֵעִם פַּלְטִיאֵל בֶּן־לָ֑יִשׁ (כת׳ לוש) IISh. 3:15

לַיְשָׁה
ישוב בנחלת בנימין

לַיְשָׁה 1 הַקְשִׁיבִי לַיְשָׁה עֲנִיָּה עֲנָתוֹת Is. 10:30

לֵךְ, לְכִי, לְכוּ – עין הלך

לכד
: לָכַד, נִלְכַּד, הִתְלַכֵּד; לֶכֶד, מַלְכֹּדֶת

לכד
פָּ״א) תָּפַס, צָד, כָּבַשׁ: 1–83
ב) [נפ׳ נִלְכַּד] נתפס, נאחז בפח: 84–118
ג) [הת׳ הִתְלַכֵּד] נאחז, נדבק: 119, 120

וְלָכוֹד 1 הֲיַעֲלֶה־פַּח...וְלָכוֹד לֹא יִלְכּוֹד Am. 3:5
לְלָכְדֵנִי 2 כִּי־כָרוּ שׁוּחָה לְלָכְדֵנִי Jer. 18:22
לְלָכְדָהּ 3 הִנֵּה הַסֹּלְלוֹת בָּאוּ הָעִיר לְלָכְדָהּ Jer. 32:24
לָכַדְתִּי 4 גַּם־לָכַדְתִּי אֶת־עִיר הַמָּיִם IISh. 12:27
לָכַד 5 כִּי־לָכַד הָאֹרֵב אֶת־הָעִיר Josh. 8:21
6 כִּי־לָכַד יְהוֹשֻׁעַ אֶת־הָעַי Josh. 10:1
7 וְאֶת־מַקֵּדָה לָכַד יְהוֹשֻׁעַ Josh. 10:28
8 וְאֶת־אַרְצָם לָכַד יְהוֹשֻׁעַ פַּעַם אֶחָת Josh. 10:42
9 וְאֶת־כָּל־מַלְכֵיהֶם לָכַד יְהוֹשֻׁעַ Josh. 11:12
10 וְאֵת כָּל־מַלְכֵיהֶם לָכַד וַיַּכֵּם Josh. 11:17
11 וְשָׁאוּל לָכַד הַמְּלוּכָה עַל־יִשְׂרָאֵל ISh. 14:47
12 לָכַד מֶלֶךְ־אַשּׁוּר אֶת־שֹׁמְרוֹן IIK. 17:6
13 הֶעָרִים אֲשֶׁר לָכַד מֵהַר אֶפְרָיִם IICh. 15:8
14 וּבְעָרֵי אֶפְ׳ אֲשֶׁר לָכַד אָסָא אָבִיו IICh. 17:2
לָכָד 15 הֲיִתֵּן כְּפִיר קוֹלוֹ...בִּלְתִּי אִם־לָכָד Am. 3:4
וְלָכַד 16 וְיִשְׁפֹּךְ סוֹלְלָה וְלָכַד עִיר Dan. 11:15
17 וְיָשֵׂם פָּנָיו לְאִיִּים וְלָכַד רַבִּים Dan. 11:18
וּלְכָדָהּ 18-19 אֲשֶׁר־יַכֶּה אֶת־קִרְיַת־סֵפֶר וּלְכָדָהּ Josh. 15:16 • Jud. 1:12
20-21 הִנְנִי נֹתֵן אֶת־הָעִיר הַזֹּאת בְּיַד...וּלְכָדָהּ Jer. 32:3, 28
22 הִנָּתֹן תִּנָּתֵן...בְּיַד...וּלְכָדָהּ Jer. 38:3
לְכָדְנוּ 23 וּשְׁלַל הֶעָרִים אֲשֶׁר לָכָדְנוּ Deut. 2:35
וּלְכָדוּהָ 24 וְנִלְחֲמוּ עָלֶיהָ וּלְכָדוּהָ Jer. 34:22
25 וְנִלְחֲמוּ עַל־הָעִיר הַזֹּאת וּלְכָדֻהָ Jer. 37:8
לֹכֵד 26 לֹכֵד חֲכָמִים בְּעָרְמָם Job 5:13
מִלֹּכֵד 27 טוֹב...וּמֹשֵׁל בְּרוּחוֹ מִלֹּכֵד עִיר Prov. 16:32
אֶלְכֹּד 28 פֶּן־אֶלְכֹּד אֲנִי אֶת־הָעִיר IISh. 12:28
יִלְכּוֹד 29 הֲיַעֲלֶה־פַּח...וְלָכוֹד לֹא יִלְכּוֹד Am. 3:5
וַיִּלְכֹּד 30 וַיִּלְכֹּד אֶת־חַוֹּתֵיהֶם Num. 32:41
31 הָלַךְ וַיִּלְכֹּד אֶת־קְנָת Num. 32:42
32 וַיִּלְכֹּד אֵת מִשְׁפַּחַת הַזַּרְחִי Josh. 7:17
33 וַיָּשָׁב...וַיִּלְכֹּד אֶת־חָצוֹר Josh. 11:10
34 וַיִּלְכֹּד...אֶת־עַזָּה וְאֶת־גְּבוּלָהּ Jud. 1:18
35 וַיִּלְכֹּד אֶת־שְׁנֵי מַלְכֵי מִדְיָן Jud. 8:12
36 וַיִּלְכֹּד אֶת־הָעִיר Jud. 9:45
37 וַיִּלְכֹּד...אֶת־מַעְבְּרוֹת הַיַּרְדֵּן Jud. 12:5
38 וַיִּלְכֹּד שְׁלֹשׁ־מֵאוֹת שׁוּעָלִים Jud. 15:4
39 וַיִּלְכֹּד דָּוִד אֵת מְצֻדַת צִיּוֹן IISh. 5:7
40 וַיִּלְכֹּד דָּוִד מִמֶּנּוּ...פָּרָשִׁים... IISh. 8:4
41 וַיִּלְכֹּד אֶת־עִיר הַמְּלוּכָה IISh. 12:26
42 וַיִּלְכֹּד אֶת־גֶּזֶר וַיִּשְׂרְפָהּ בָּאֵשׁ IK. 9:16
43 וַיִּלְכֹּד דָּוִיד אֶת־מְצֻדַת צִיּוֹן ICh. 11:5
44 וַיִּלְכֹּד דָּוִיד מִמֶּנּוּ אֶלֶף רֶכֶב ICh. 18:4
45 וַיִּלְכֹּד אֶת־עָרֵי הַמְּצֻרוֹת IICh. 12:4
46 וַיִּרְדֹּף...וַיִּלְכֹּד מִמֶּנּוּ עָרִים IICh. 13:19
וַיִּלְכָּד־ 47 וַיִּלְכָּד־נַעַר מֵאַנְשֵׁי סֻכּוֹת Jud. 8:14
וַיִּלְכְּדָהּ 48 וַיִּלְכְּדָהּ בַּיּוֹם הַשֵּׁנִי וַיַּכֶּהָ Josh. 10:32
49 וַיִּלְכְּדָהּ...וְאֶת־כָּל־עָרֶיהָ Josh. 10:39

וַיִּלְכְּדָהּ (המשך) 50-51 וַיִּלְכְּדָהּ עָתְנִיאֵל בֶּן־קְנַז Josh. 15:17 / Jud. 1:13
52 וַיֵּלֶךְ...וַיִּחַן בְּתֵבֵץ וַיִּלְכְּדָהּ Jud. 9:50
53 וַיֵּלֶךְ רַבָּתָה וַיִּלָּחֶם בָּהּ וַיִּלְכְּדָהּ IISh. 12:29
54 וַיִּלָּחֶם עַל־גַּת וַיִּלְכְּדָהּ IIK. 12:18
55 וַיִּלָּחֶם בְּאַשְׁדּוֹד וַיִּלְכְּדָהּ Is. 20:1
56 וַיִּצְבֹּר עָפָר וַיִּלְכְּדָהּ Hab. 1:10
יִלְכְּדֶנּוּ 57 וְהָיָה הַשֵּׁבֶט אֲשֶׁר־יִלְכְּדֶנּוּ יְיָ Josh. 7:14
58 וְהַבַּיִת אֲשֶׁר יִלְכְּדֶנּוּ יְיָ Josh. 7:14
יִלְכְּדֶנָּה 59 וְהַמִּשְׁפָּחָה אֲשֶׁר־יִלְכְּדֶנָּה יְיָ Josh. 7:14
תִּלְכְּדוֹ 60 וְרִשְׁתּוֹ אֲשֶׁר־טָמַן תִּלְכְּדוֹ Ps. 35:8
וַנִּלְכֹּד 61-62 וַנִּלְכֹּד אֶת־כָּל־עָרָיו Deut. 2:34; 3:4
יִלְכְּדוּ 63 לְמַעַן יִלְכְּדוּ אֶת־הָעִיר IICh. 32:18
יִלְכֹּדוּ 64 הִצִּיבוּ מַשְׁחִית אֲנָשִׁים יִלְכֹּדוּ Jer. 5:26
וַיִּלְכְּדוּ 65 וַיִּשְׁלַח מֹשֶׁה...וַיִּלְכְּדוּ בְּנֹתֶיהָ Num. 21:32
66 וַיִּלְכְּדוּ אֶת־הָעִיר Josh. 6:20
67 וַיִּלָּחֲמוּ עִם־לֶשֶׁם וַיִּלְכְּדוּ אוֹתָהּ Josh. 19:47
68 וַיִּלָּחֲמוּ...בִּירוּשָׁלִַם וַיִּלְכְּדוּ אוֹתָהּ Jud. 1:8
69 וַיִּלְכְּדוּ אֶת־מַעְבְּרוֹת הַיַּרְדֵּן Jud. 3:28
70 וַיִּלְכְּדוּ אֶת־הַמַּיִם...וְאֶת־הַיַּרְ׳ Jud. 7:24
71 וַיִּלְכְּדוּ...אֶת־עֹרֵב וְאֶת־זְאֵב Jud. 7:25
72 וַיִּלְכְּדוּ עָרִים בְּצֻרוֹת Neh. 9:25
73 וַיִּלְכְּדוּ אֶת־בֵּית־שֶׁמֶשׁ... IICh. 28:18
74 וַיִּלְכְּדוּ אֶת־מְנַשֶּׁה בַּחֹחִים IICh. 33:11
יִלְכְּדֻנוֹ 75 עֲווֹנוֹתָיו יִלְכְּדֻנוֹ אֶת־הָרָשָׁע Prov. 5:22
וַיִּלְכְּדֻהוּ 76 וַיְבַקֵּשׁ אֶת־אֲחַזְיָהוּ וַיִּלְכְּדֻהוּ IICh. 22:9
וַיִּלְכְּדוּהָ 77 וַיֵּלְכוּ...גִּלְעָדָה וַיִּלְכְּדֻהָ Num. 32:39
78 וַיָּבֹאוּ הָעִיר וַיִּלְכְּדוּהָ Josh. 8:19
79 וַיִּלְכְּדוּהָ...וַיַּכּוּהָ לְפִי־חֶרֶב Josh. 10:35
80 וַיִּלְכְּדוּהָ וַיַּכּוּהָ לְפִי־חֶרֶב Josh. 10:37
81 וַיִּלְכְּדֻהָ מִקְצֵה שָׁלֹשׁ שָׁנִים IIK. 18:10
וְלָכְדָה 82 וַחֲנֵה עַל־הָעִיר וְלָכְדָהּ IISh. 12:28
וְלִכְדוּ 83 רְדוּ...וְלִכְדוּ לָהֶם אֶת־הַמַּיִם Jud. 7:24
נִלְכַּדְתָּ 84 נוֹקַשְׁתָּ...נִלְכַּדְתָּ בְּאִמְרֵי־פִיךָ Prov. 6:2
נִלְכַּדְתְּ 85 יָקֹשְׁתִּי לָךְ וְגַם־נִלְכַּדְתְּ בָּבֶל Jer. 50:24
נִלְכַּד 86 מְשִׁיחַ יְיָ נִלְכַּד בִּשְׁחִיתוֹתָם Lam. 4:20
נִלְכְּדָה 87 כִּרְאוֹת זִמְרִי כִּי־נִלְכְּדָה הָעִיר IK. 16:18
88 בִּשְׁנַת־שֵׁשׁ לְחִזְקִיָּה...נִלְכְּדָה שֹׁמְרוֹן IIK. 18:10
89 עַד־יוֹם אֲשֶׁר־נִלְכְּדָה יְרוּשָׁלָ‍ִם Jer. 38:28
90 וְהָיָה כַּאֲשֶׁר נִלְכְּדָה יְרוּשָׁלָ‍ִם Jer. 38:28
91 הֹבִישָׁה נִלְכְּדָה קִרְיָתָיִם Jer. 48:1
92 נִלְכְּדָה הַקְּרִיּוֹת וְהַמְּצָדוֹת נִתְפָּשָׂה Jer. 48:41
93 אִמְרוּ נִלְכְּדָה בָבֶל Jer. 50:2
94 כִּי־נִלְכְּדָה עִירוֹ מִקָּצֶה Jer. 51:31
95 אֵיךְ נִלְכְּדָה שֵׁשַׁךְ Jer. 51:41
96 בְּרֶשֶׁת זוּ־טָמָנוּ נִלְכְּדָה רַגְלָם Ps. 9:16
וְנִלְכְּדָה 97 וְנִלְכְּדָה הָעִיר וְנָשַׁסּוּ הַבָּתִּים Zech. 14:2
וְנִלְכְּדוּ 98 וְנִלְכְּדוּ גִּבּוֹרֶיהָ חִתְּתָה קַשְּׁתוֹתָם Jer. 51:56
וְנִלְכָּדוּ 99/100 וְנוֹקְשׁוּ וְנִלְכָּדוּ Is. 8:15; 28:13
הַנִּלְכָּד 101 וְהָיָה הַנִּלְכָּד בַּחֵרֶם... Josh. 7:15
תִּלָּכֵדִי 102 גַּם־אַתְּ תִּלָּכֵדִי Jer. 48:7
יִלָּכֵד 103 וְהָעוֹלֶה מִתּוֹךְ הַפַּחַת יִלָּכֵד בַּפָּח Is. 24:18
104 וְהָעֹלֶה מִן־הַפַּחַת יִלָּכֵד בַּפָּח Jer. 48:44
105 ...וְחוֹטֵא יִלָּכֶד בָּהּ Eccl. 7:26
וַיִּלָּכֵד 106 וַיַּקְרֵב...וַיִּלָּכֵד שֵׁבֶט יְהוּדָה Josh. 7:16
107 וַיַּקְרֵב...וַיִּלָּכֵד זַבְדִּי Josh. 7:17
108 וַיַּקְרֵב...וַיִּלָּכֵד עָכָן Josh. 7:18
109 וַיַּקְרֵב...וַיִּלָּכֵד שֵׁבֶט בִּנְיָמִן ISh. 10:20
110 וַיַּקְרֵב...וַיִּלָּכֵד שָׁאוּל ISh. 10:21
111 וַיִּלָּכֵד יוֹנָתָן וְשָׁאוּל וְהָעָם יָצָאוּ ISh. 14:41
112 הַפִּילוּ בֵּינִי...וַיִּלָּכֵד יוֹנָתָן ISh. 14:42
תִּלָּכֵד 113 וְעָרְכוּ לָהּ מִשָּׁם תִּלָּכֵד Jer. 50:9
וַתִּלָּכֵד 114 וַיַּקְרֵב...וַתִּלָּכֵד מִשְׁפַּחַת הַמַּטְרִי ISh. 10:21
יִלָּכֵדוּ 115 כִּי גַם־אִישׁ עִם־אִשָּׁה יִלָּכֵדוּ Jer. 6:11
116 וּבְהַוַּת בֹּגְדִים יִלָּכֵדוּ Prov. 11:6
וְיִלָּכְדוּ 117 וְיִלָּכְדוּ בִגְאוֹנָם Ps. 59:13
וַיִּלָּכֵדוּ 118 הֹבִשׁוּ חֲכָמִים חַתּוּ וַיִּלָּכֵדוּ Jer. 8:9
יִלָּכְדוּן 119 יִלָּכְדוּן בְּחַבְלֵי־עֹנִי Job 36:8
יִתְלַכְּדוּ 120 יִתְלַכְּדוּ וְלֹא יִתְפָּרָדוּ Job 41:9
יִתְלַכָּדוּ 121 וּפְנֵי תְהוֹם יִתְלַכָּדוּ Job 38:30

לֶכֶד*
ז׳ מוקש

מִלָּכֶד 1 וְשָׁמַר רַגְלְךָ מִלָּכֶד Prov. 3:26

לְכָה
פ׳ – עין הלך

לְכָה
במקום לְךָ – עין ל־ (1234,1241,1242)

לֵכָה
עיר בנחלת יהודה

לֵכָה 1 עֵר אֲבִי לֵכָה ICh. 4:21

לָכִישׁ
עיר־מבצר בסביבות בית־גוברין ביהודה: 1-24
יוֹשֶׁבֶת לָכִישׁ 10; מֶלֶךְ לָכִישׁ 1–3, 6

לָכִישׁ 1 וַיִּשְׁלַח...וְאֶל־יָפִיעַ מֶלֶךְ לָכִישׁ Josh. 10:3
2 וַיֵּאָסְפוּ...מֶלֶךְ לָכִישׁ מֶלֶךְ עֶגְלוֹן Josh. 10:5
3 אֶת־מֶלֶךְ לָכִישׁ אֶת־מֶלֶךְ עֶגְלוֹן Josh. 10:23
4 וַיִּתֵּן יְיָ אֶת־לָכִישׁ בְּיַד יִשְׂרָאֵל Josh. 10:32
5 אָז עָלָה...לַעְזֹר אֶת־לָכִישׁ Josh. 10:33
6 מֶלֶךְ לָכִישׁ אֶחָד Josh. 12:11
7 לָכִישׁ וּבָצְקַת וְעֶגְלוֹן Josh. 15:39
8 וַיִּשְׁלַח מֶלֶךְ־אַשּׁוּר...מִן־לָכִישׁ IIK. 18:17
9 נִלְחָמִים...אֶל־לָכִישׁ וְאֶל־עֲזֵקָה Jer. 34:7
10 רְתֹם...לָרֶכֶשׁ יוֹשֶׁבֶת לָכִישׁ Mic. 1:13
11 לָכִישׁ וּשְׂדֹתֶיהָ עֲזֵקָה וּבְנֹתֶיהָ Neh. 11:30
12 וְאֶת־לָכִישׁ וְאֶת־עֲזֵקָה IICh. 11:9
13 וְהוּא עַל־לָכִישׁ IICh. 32:9
לָכִישָׁה 14 וַיַּעֲבֹר...מִלִּבְנָה לָכִישָׁה Josh. 10:31
15/6 וַיִּקְשְׁרוּ...וַיָּנָס לָכִישָׁה IIK.14:19 • IICh.25:27
17/8 וַיִּשְׁלְחוּ אַחֲרָיו לָכִישָׁה IIK.14:19 • IICh.25:27
19 וַיִּשְׁלַח...אֶל־מֶלֶךְ־אַשּׁוּר לָכִישָׁה IIK.18:14
לְלָכִישׁ 20 ...כְּכֹל אֲשֶׁר־עָשָׂה לְלָכִישׁ Josh. 10:35
מִלָּכִישׁ 21 וַיַּעֲבֹר...מִלָּכִישׁ עֶגְלֹנָה Josh. 10:34
22 כִּי שָׁמַע כִּי נָסַע מִלָּכִישׁ IIK. 19:8
23 וַיִּשְׁלַח מֶלֶךְ־אַשּׁוּר...מִלָּכִישׁ Is. 36:2
24 כִּי שָׁמַע כִּי נָסַע מִלָּכִישׁ Is. 37:8

לָכֵן
מ״ח – על כן, לפיכך: 1-197

לָכֵן 1 לָכֵן כָּל־הֹרֵג קַיִן... Gen. 4:15
2 לָכֵן יִשְׁכַּב עִמָּךְ הַלַּיְלָה Gen. 30:15
3 לָכֵן אֱמֹר לִבְנֵי־יִשְׂרָאֵל Ex. 6:6
4 לָכֵן אַתָּה וְכָל־עֲדָתְךָ Num. 16:11
5 לָכֵן לֹא תָבִיאוּ אֶת־הַקָּהָל הַזֶּה Num. 20:12
6 לָכֵן אֱמֹר הִנְנִי נֹתֵן לוֹ... Num. 25:12
7 לָכֵן בְּתֵת יְיָ אֶת־זֶבַח... Jud. 8:7
8 לָכֵן לֹא־אוֹסִיף לְהוֹשִׁיעַ אֶתְכֶם Jud. 10:13
9 לָכֵן עַתָּה שַׁבְנוּ אֵלֶיךָ Jud. 11:8
10 לָכֵן נְאֻם יְיָ אֱלֹהֵי יִשְׂרָאֵל ISh. 2:30
11 לָכֵן הָיְתָה צִקְלַג לְמַלְכֵי יְהוּדָה ISh. 27:6
12 לָכֵן...תֵדַע אֵת אֲשֶׁר־יַעֲשֶׂה עַבְדֶּךָ ISh. 28:2
13 לָכֵן שֹׁמֵר לְרֹאשִׁי אֲשִׂימְךָ ISh. 28:2
14 לָכֵן הִנְנִי מֵבִיא רָעָה IK. 14:10
15 לָכֵן שְׁמַע דְּבַר־יְיָ IK. 22:19
16/7 לָכֵן הַמִּטָּה אֲשֶׁר־עָלִיתָ שָּׁם IIK. 1:6, 16

לָכֵן (המשך) 18-79 לָכֵן כֹּה אָמַר יְיָ IIK. 19:32; 21:12

Is. 10:24; 28:16; 29:22; 37:33 • Jer. 5:14; 6:21; 7:20; 9:6, 14; 11:11, 21, 22; 14:15; 15:19; 18:13; 22:18; 23:2, 15, 38; 25:8; 28:16; 29:32; 32:28, 36; 34:17; 35:17, 19; 36:30; 44:11; 50:18; 51:36 • Ezek. 5:7, 8; 11:7; 13:13, 20; 15:6; 17:19; 21:29; 22:19; 23:35; 24:6, 9; 25:13, 16; 26:3; 28:6; 29:8, 19; 30:22; 31:10; 34:20; 36:5, 7; 39:25 • Am. 3:11; 5:16; 7:17 • Mic. 2:3 • Zech. 1:16

80 לָכֵן הִנְנִי אֹסִפְךָ עַל־אֲבֹתֶיךָ IIK. 22:20

81 לָכֵן נְאֻם הָאָדוֹן יְיָ צְבָאוֹת Is. 1:24

82 לָכֵן גָּלָה עַמִּי מִבְּלִי־דָעַת Is. 5:13

83 לָכֵן הִרְחִיבָה שְׁאוֹל נַפְשָׁהּ Is. 5:14

84 לָכֵן כֶּאֱכֹל קַשׁ לְשׁוֹן אֵשׁ Is. 5:24

85 לָכֵן יִתֵּן אֲדֹנָי הוּא לָכֶם אוֹת Is. 7:14

86-92 לָכֵן הִנֵּה יָמִים בָּאִים Jer. 7:32

16:14; 19:6; 23:7; 48:12; 49:2; 51:52

93-192 לָכֵן Is. 10:16; 16:7; 26:14; 27:9

28:14; 29:14; 30:7, 12, 13; 51:21; 52:6²; 53:12; 61:7 • Jer. 2:9, 33; 5:2; 6:15, 18; 8:10, 12; 16:21; 18:21; 23:12, 30, 39; 30:16; 42:15; 44:26; 49:20, 26; 50:30, 39, 45 • Ezek. 5:10, 11; 11:4, 16, 17; 12:23, 28; 13:23; 14:4, 6; 16:35, 37; 18:30; 20:27, 30; 21:9, 17; 22:19; 23:9, 22; 25:4, 7, 9; 28:7; 29:10; 33:25; 34:7, 9; 35:6, 11; 36:3, 4, 6, 14, 22; 37:12; 38:14 • Hosh. 2:8, 11, 16; 13:3 • Am. 4:12; 5:11, 13; 6:7 • Mic. 1:14; 2:5; 3:6, 12; 5:2 • Zep. 2:9; 3:8 • Zech. 11:7 • Ps. 16:9; 73:6, 10; 78:21; 119:119 • Job 20:2; 32:10; 34:10, 25; 37:24; 42:3 • IICh. 18:18

וְלָכֵן 193 וְלָכֵן נִשְׁבַּעְתִּי לְבֵית עֵלִי ISh. 3:14

194 וְלָכֵן כֹּה־אָמַר יְיָ IIK. 1:4

195 וְלָכֵן הִנֵּה אֲדֹנָי מַעֲלֶה עֲלֵיהֶם... Is. 8:7

196 וְלָכֵן יְחַכֶּה יְיָ לַחֲנַנְכֶם Is. 30:18

197 וְלָכֵן יָרוּם לְרַחֶמְכֶם Is. 30:18

לָכֹף
(ישעיה נח5) – עין כפף

לָלָאָה
עין לוּלָאָה

לָלַת
(ש״א ד19) – עין יָלַד (10)

לְמָא
ארמית: לָמָּה

לְמָא 1 וּמִנִּי שִׂים טְעֵם לְמָא דִּי־תַעַבְדוּן Ez. 6:8

למד
: לָמַד, לִמֵּד, לֻמַּד; לִמּוּד, מְלַמֵּד, מַלְמָד, תַּלְמִיד

לָמַד
פָּ׳ א) קנה דעת, רכש ידיעה בתחום מסוים: 1-24

ב) [פִּ׳ לִמֵּד] הקנה דעת, הרגיל: 25-81

ג) [פֻּ׳ בינוני: לֻמָּד, מְלֻמָּד] רגיל: 82-85

מִצְוַת אֲנָשִׁים מְלֻמָּדָה 83; עֶגְלָה מְלֻמָּדָה 84; מְלֻמְּדֵי מִלְחָמָה 85; מְלֻמְּדֵי שִׁיר 86

לָמֹד 1 אִם־לָמֹד יִלְמְדוּ אֶת־דַּרְכֵי עַמִּי Jer. 12:16

בְּלָמְדִי 2 אוֹדְךָ...בְּלָמְדִי מִשְׁפְּטֵי צִדְקֶךָ Ps. 119:7

לָמַדְתִּי 3 וְלֹא־לָמַדְתִּי חָכְמָה Prov. 30:3

לָמַד 4 יֻחַן רָשָׁע בַּל־לָמַד צֶדֶק Is. 26:10

וּלְמַדְתֶּם 5 וּלְמַדְתֶּם אֹתָם וּשְׁמַרְתֶּם לַעֲשֹׂתָם Deut. 5:1

לָמְדוּ 6 צֶדֶק לָמְדוּ יֹשְׁבֵי תֵבֵל Is. 26:9

וְלָמְדוּ 7 יִשְׁמְעוּ וְלָמְדוּ לְיִרְאָה אֶת־יְיָ... Deut. 31:13

וּלְמוּדֵי 8 נֹשְׂאֵי מָגֵן...וּלְמוּדֵי מִלְחָמָה ICh. 5:18

אֶלְמַד 9 לְמַעַן אֶלְמַד חֻקֶּיךָ Ps. 119:71

וְאֶלְמְדָה 10 הֲבִינֵנִי וְאֶלְמְדָה מִצְוֹתֶיךָ Ps. 119:73

תִּלְמַד 11 לְמַעַן תִּלְמַד לְיִרְאָה אֶת־יְיָ Deut. 14:23

12 לֹא-תִלְמַד לַעֲשׂוֹת כְּתוֹעֲבֹת הַגּוֹיִם Deut. 18:9

יִלְמַד 13 לְמַעַן יִלְמַד לְיִרְאָה אֶת־יְיָ Deut. 17:19

וַיִּלְמַד 14-15 וַיִּלְמַד לִטְרָף־טֶרֶף... Ezek. 19:3, 6

תִּלְמָדוּ 16 אֶל־דֶּרֶךְ הַגּוֹיִם אַל־תִּלְמָדוּ Jer. 10:2

יִלְמְדוּ 17 וּלְמַעַן יִלְמְדוּ וְיָרְאוּ אֶת־יְיָ Deut. 31:12

18 וְלֹא יִלְמְדוּ עוֹד מִלְחָמָה Is. 2:4

19 וְרוֹגְנִים יִלְמְדוּ־לֶקַח Is. 29:24

20 אִם־לָמֹד יִלְמְדוּ אֶת־דַּרְכֵי עַמִּי Jer. 12:16

יִלְמְדוּן 21 אֲשֶׁר יִלְמְדוּן לְיִרְאָה אֹתִי Deut. 4:10

22 וְלֹא־יִלְמְדוּן עוֹד מִלְחָמָה Mic. 4:3

וַיִּלְמְדוּ 23 וַיִּתְעָרְבוּ בַגּוֹיִם וַיִּלְמְדוּ מַעֲשֵׂיהֶם Ps. 106:35

לִמְדוּ 24 לִמְדוּ הֵיטֵב דִּרְשׁוּ מִשְׁפָּט Is. 1:17

וְלַמֵּד 25/6 וְלַמֵּד אֹתָם הַשְׁכֵּם וְלַמֵּד Jer. 32:33

לְלַמֵּד 27 לְלַמֵּד אֶתְכֶם חֻקִּים וּמִשְׁפָּטִים Deut. 4:14

28 צִוָּה יְיָ אֱלֹהֵיכֶם לְלַמֵּד אֶתְכֶם Deut. 6:1

29 לְלַמֵּד בְּנֵי־יְהוּדָה קָשֶׁת IISh. 1:18

30 מִכְתָּם לְדָוִד לְלַמֵּד Ps. 60:1

31 שָׁלַח לְשָׂרָיו...לְלַמֵּד בְּעָרֵי יְהוּדָה IICh. 17:7

וּלְלַמֵּד 32 וּלְלַמֵּד בְּיִשְׂרָאֵל חֹק וּמִשְׁפָּט Ez. 7:10

לְלַמְּדָם 33 לְמַעַן דַּעַת...לְלַמְּדָם מִלְחָמָה Jud. 3:2

וּלְלַמְּדָם 34 וּלְלַמְּדָם סֵפֶר וּלְשׁוֹן כַּשְׂדִּים Dan. 1:4

לִמַּדְתִּי 35 רְאֵה לִמַּדְתִּי אֶתְכֶם חֻקִּים Deut. 4:5

לִמַּדְתַּנִי 36 אֱלֹהִים לִמַּדְתַּנִי מִנְּעוּרָי Ps. 71:17

לִמַּדְתְּ 37 אֶת־הָרָעוֹת לִמַּדְתְּ אֶת־דְּרָכָיִךְ Jer. 2:33

38 לִמַּדְתְּ (כת׳ למדתי) אֹתָם עָלַיִךְ אַלֻּפִים לְרֹאשׁ Jer. 13:21

לִמַּד 39 עוֹד לִמַּד־דַּעַת אֶת־הָעָם Eccl. 12:9

וְלִמַּדְתֶּם 40 וְלִמַּדְתֶּם אֹתָם אֶת־בְּנֵיכֶם... Deut. 11:19

לִמְּדוּ 41 לִמְּדוּ לְשׁוֹנָם דַּבֶּר־שֶׁקֶר Jer. 9:4

42 כַּאֲשֶׁר לִמְּדוּ אֶת־עַמִּי לְהִשָּׁבֵעַ Jer. 12:16

לִמְּדוּם 43 הַבְּעָלִים אֲשֶׁר לִמְּדוּם אֲבוֹתָם Jer. 9:13

מְלַמֵּד 44 אֲשֶׁר אָנֹכִי מְלַמֵּד אֶתְכֶם לַעֲשׂוֹת Deut. 4:1

45/6 מְלַמֵּד יָדַי לַמִּלְחָמָה IISh. 22:35 • Ps. 18:35

הַמְלַמֵּד 47 הַמְלַמֵּד אָדָם דָּעַת Ps. 94:10

48 הַמְלַמֵּד יָדַי לַקְרָב Ps. 144:1

מְלַמֶּדְךָ 49 אֲנִי יְיָ אֱלֹהֶיךָ מְלַמֶּדְךָ לְהוֹעִיל Is. 48:17

מְלַמְּדַי 50 מִכָּל־מְלַמְּדַי הִשְׂכַּלְתִּי Ps. 119:99

וְלִמְלַמְּדַי 51 וְלִמְלַמְּדַי לֹא־הִטִּיתִי אָזְנִי Prov. 5:13

אֲלַמְּדָה 52 אֲלַמְּדָה פֹשְׁעִים דְּרָכֶיךָ Ps. 51:15

אֲלַמֶּדְכֶם 53 שִׁמְעוּ־לִי יִרְאַת־יְיָ אֲלַמֶּדְכֶם Ps. 34:12

אֲלַמְּדֵם 54 יִשְׁמְרוּ...וְעֵדֹתִי זוֹ אֲלַמְּדֵם Ps. 132:12

תְלַמְּדֵנִי 55 ...כִּי תְלַמְּדֵנִי חֻקֶּיךָ Ps. 119:171

תְלַמְּדֶנּוּ 56 וּמִתּוֹרָתְךָ תְלַמְּדֶנּוּ Ps. 94:12

תְּלַמְּדֵם 57 וְהַחֻקִּים וְהַמִּשְׁפָּטִים אֲשֶׁר תְּלַמְּדֵם Deut. 5:28

יְלַמֶּד־ 58 הַלְאֵל יְלַמֶּד־דָּעַת Job 21:22

וִילַמֵּד 59 וִילַמֵּד עֲנָוִים דַּרְכּוֹ Ps. 25:9

וַיְלַמְּדֵהוּ 60 וַיְלַמְּדֵהוּ בְּאֹרַח מִשְׁפָּט Is. 40:14

61 וַיְלַמְּדֵהוּ דַעַת... Is. 40:14

וַיְלַמְּדָהּ 62 וַיְלַמְּדָהּ אֶת־בְּנֵי יִשְׂרָאֵל Deut. 31:22

תְּלַמְּדֵנִי ג׳ 63 אֶל־בֵּית אִמִּי תְּלַמְּדֵנִי S.ofS. 8:2

יְלַמְּדוּ 64 לְמַעַן אֲשֶׁר לֹא־יְלַמְּדוּ אֶתְכֶם.. Deut. 20:18

65 וְלֹא יְלַמְּדוּ...אִישׁ אֶת־רֵעֵהוּ Jer. 31:34(33)

וַיְלַמְּדוּ 66 וַיְלַמְּדוּ בִּיהוּדָה...סֵפֶר תּוֹרַת יְיָ IICh. 17:9

67 וַיָּסֹבּוּ בְּכָל־עָרֵי י׳ וַיְלַמְּדוּ בָּעָם IICh. 17:9

יְלַמֵּדוּן 68 ...וְאֶת־בְּנֵיהֶם יְלַמֵּדוּן Deut. 4:10

לַמְּדֵנִי 69 אֹרְחוֹתֶיךָ לַמְּדֵנִי Ps. 25:4

70-72 לַמְּדֵנִי חֻקֶּיךָ Ps. 119:12, 26, 68

73 חֻקֶּיךָ לַמְּדֵנִי Ps. 119:64

74 טוּב טַעַם וָדַעַת לַמְּדֵנִי Ps. 119:66

75 וּמִשְׁפָּטֶיךָ לַמְּדֵנִי Ps. 119:108

76 וְחֻקֶּיךָ לַמְּדֵנִי Ps. 119:124

77 לַמְּדֵנִי לַעֲשׂוֹת רְצוֹנֶךָ Ps. 143:10

וְלַמְּדֵנִי 78 הַדְרִיכֵנִי בַאֲמִתֶּךָ וְלַמְּדֵנִי Ps. 25:5

79 וְלַמְּדֵנִי אֶת־חֻקֶּיךָ Ps. 119:135

וְלַמְּדָהּ 80 וְלַמְּדָהּ אֶת־בְּנֵי יִשְׂרָאֵל Deut. 31:19

וְלַמֵּדְנָה 81 וְלַמֵּדְנָה בְנֹתֵיכֶם נֶהִי Jer. 9:19

לֻמָּד 82 יִסַּרְתַּנִי...כְּעֵגֶל לֹא לֻמָּד Jer. 31:18(17)

מְלֻמָּדָה 83 מִצְוַת אֲנָשִׁים מְלֻמָּדָה Is. 29:13

84 וְאֶפְרַיִם עֶגְלָה מְלֻמָּדָה Hosh. 10:11

מְלֻמְּדֵי 85 אֲחֻזֵי חֶרֶב מְלֻמְּדֵי מִלְחָמָה S.ofS. 3:8

86 מְלֻמְּדֵי־שִׁיר לַיְיָ ICh. 25:7

לָמָּה, לָמָה
מ״ח – לשם מה? מדוע?: 1–178

לָמָּה זֶּה 99-121, 147; לָמֶה 143-145; שַׁלָּמָה 178

לָמָּה 1 לָמָּה חָרָה לָךְ Gen. 4:6

2 לָמָה לֹא־הִגַּדְתָּ לִּי Gen. 12:18

3 לָמָּה תַעֲמֹד בַּחוּץ Gen. 24:31

4 לָמָּה לִּי חַיִּים Gen. 27:46

5 לָמָּה נַחְבֵּאתָ לִבְרֹחַ Gen. 31:27

6 לָמָּה גָנַבְתָּ אֶת־אֱלֹהָי Gen. 31:30

7 לָמָּה תִּתְרָאוּ Gen. 42:1

8 לָמָּה שִׁלַּמְתֶּם רָעָה תַּחַת טוֹבָה Gen. 44:4

9 לָמָּה יְדַבֵּר אֲדֹנִי כַּדְּבָרִים הָאֵלֶּה Gen. 44:7

10 לָמָּה נָמוּת לְעֵינֶיךָ Gen. 47:19

11 לָמָּה תַכֶּה רֵעֶךָ Ex. 2:13

12 לָמָּה...תַּפְרִיעוּ אֶת־הָעָם Ex. 5:4

13 לָמָּה תַעֲשֶׂה כֹה לַעֲבָדֶיךָ Ex. 5:15

14 לָמָּה יֹאמְרוּ מִצְרַיִם לֵאמֹר Ex. 32:12

15 לָמָּה נִגָּרַע לְבִלְתִּי הַקְרִיב Num. 9:7

16 לָמָּה יָשַׁבְתָּ בֵּין הַמִּשְׁפְּתַיִם Jud. 5:16

17 וְדָן לָמָּה יָגוּר אֳנִיּוֹת Jud. 5:17

18 לָמָּה רָגְשׁוּ גוֹיִם... Ps. 2:1

19 לָמָּה־קֹדֵר אֵלֵךְ בְּלַחַץ אוֹיֵב Ps. 42:10

20 לָמָּה־קֹדֵר אֶתְהַלֵּךְ בְּלַחַץ אוֹיֵב Ps. 43:2

21 עוּרָה לָמָּה תִישַׁן אֲדֹנָי Ps. 44:24

22 לָמָּה פָנֶיךָ תַסְתִּיר... Ps. 44:25

23 אֲשֶׁר לָמָּה יִרְאֶה אֶת-פְּנֵיכֶם זֹעֲפִים Dan. 1:10

24-98 לָמָּה Num. 22:37; 27:4

Deut. 5:22 • Josh. 9:22 • IISh. 2:23, 29; 4:3; 6:3; 17:8; 19:17; 20:32; 21:15; 22:13; 24:10; 28:12, 15 • IISh. 2:22; 7:7; 11:21; 13:26; 14:31, 32; 15:19; 16:9, 17; 19:12, 26, 30; 20:19; 24:3 • IIK. 5:8 • Is. 1:11; 40:27; 55:2; 58:3; 63:17 • Jer. 2:29; 14:8, 9; 15:18; 27:13, 17; 29:27; 40:15 • Joel 2:17 • Mic. 4:9 • Hab. 1:3, 13 • Ps. 49:6; 68:17; 74:11; 79:10; 80:13; 115:2 • Prov. 22:27 • Job 3:11, 20; 13:24; 19:22; 30:2 • Ruth 1:11, 21 • Lam. 5:20 • Eccl. 5:5; 7:16, 17 • Dan. 10:20 • Neh. 6:3 • ICh. 17:6; 21:3²; 25:15, 16, 19; 32:4

לָמָּה זֶּה 99 לָמָּה זֶּה צָחֲקָה שָׂרָה Gen. 18:13

100 אִם־כֵּן לָמָּה זֶּה אָנֹכִי Gen. 25:22

101 לָמָּה זֶּה תִּשְׁאַל לִשְׁמִי Gen. 32:30

102 לָמָּה זֶּה אֶמְצָא-חֵן בְּעֵינֵי אֲדֹנִי Gen. 33:15

103 לָמָּה זֶּה עֲזַבְתֶּן אֶת־הָאִישׁ Ex. 2:20

104 לָמָּה זֶּה שְׁלַחְתָּנִי Ex. 5:22

105 לָמָּה זֶּה הֶעֱלִיתָנוּ מִמִּצְרַיִם Ex. 17:3

106 לָמָּה זֶּה יָצָאנוּ מִמִּצְרָיִם Num. 11:20

107 לָמָּה זֶּה אַתֶּם עֹבְרִים אֶת-פִּי יְיָ Num. 14:41

108-121 לָמָּה זֶּה Josh. 7:10

Jud. 13:18 • ISh. 17:28; 20:8; 26:18 • IISh. 3:24; 12:23; 18:22 • IK. 14:6 • Jer. 6:20; 20:18 • Am. 5:18 • Prov. 17:16 • Job 9:29

לָמָה 122 לָמָה שַׂמְתַּנִי לְמִפְגָּע לָךְ Job 7:20

לָמָה 123 לָמָה אָמַרְתְּ אֲחֹתִי הִוא Gen. 12:19

124 לָמָה אֶשְׁכַּל גַּם־שְׁנֵיכֶם Gen. 27:45

125 לָמָה הֲרֵעֹתֶם לִי Gen. 43:6

126 לָמָה הֲרֵעֹתָה לָעָם הַזֶּה Ex. 5:22

לָמָה (המשך)
127 לָמָה יְיָ יֶחֱרֶה אַפְּךָ בְּעַמֶּךָ Ex. 32:11
128 לָמָה הֲרֵעֹתָ לְעַבְדֶּךָ Num. 11:11
129 לָמָה הֶעֱלִיתֻנוּ מִמִּצְרַיִם Num. 21:5
130 לָמָה הֵעֲבַרְתָּ הַעֲבִיר אֶת־הָעָם Josh. 7:7
131 לָמָה עֲלִיתֶם עָלֵינוּ Jud. 15:10
132 לָמָה יְיָ אֱלֹהֵי יִשְׂרָאֵל Jud. 21:3
133 שַׁלְּחִנִי לָמָה אֲמִיתֵךְ ISh. 19:17
134 לָמָה אַתֶּם מַחֲרִשִׁים IISh. 19:11
135 לָמָה אַתֶּם עֹשִׂים רָעָה גְדוֹלָה Jer. 44:7
136 לָמָה יְיָ תַּעֲמֹד בְּרָחוֹק Ps. 10:1
137 אֵלִי אֵלִי לָמָה עֲזַבְתָּנִי Ps. 22:2
138 לָמָה שְׁכַחְתָּנִי Ps. 42:10
139 לָמָה זְנַחְתָּנִי Ps. 43:2
140 לָמָה אֱלֹהִים זָנַחְתָּ לָנֶצַח Ps. 74:1
141 לָמָה יְיָ תִּזְנַח נַפְשִׁי Ps. 88:15
142 לָמָה אַתֶּם עֹבְרִים אֶת־מִצְוֹת יְיָ IICh. 24:20
לָמֶה 143 חַנָּה לָמֶה תִבְכִּי ISh. 1:8
וְלָמֶה 144 וְלָמֶה לֹא תֹאכְלִי ISh. 1:8
145 וְלָמֶה יֵרַע לְבָבֵךְ ISh. 1:8
וְלָמָּה 146 לָמָּה...וְלָמָּה נָפְלוּ פָנֶיךָ Gen. 4:6
147 וְלָמָּה־זֶּה לִי בְּכֹרָה Gen. 25:32
148 הֲלֹא בְרָחֵל...וְלָמָּה רִמִּיתָנִי Gen. 29:25
149 וְלָמָּה נָמוּת נֶגְדֶּךָ Gen. 47:15
150 וְלָמָּה לֹא־מָצָתִי חֵן בְּעֵינֶיךָ Num. 11:11
151 וְלָמָּה תְנִיאוּן אֶת־לֵב בְּ״י Num. 32:7
152 וְלָמָּה מְצָאַתְנוּ כָּל־זֹאת Jud. 6:13
153 וְלָמָּה תְכַבְּדוּ אֶת־לְבַבְכֶם ISh. 6:6
154 וְלָמָּה דִּבַּרְתָּ אֵלַי כַּדָּבָר הַזֶּה ISh. 9:21
155 וְלָמָּה לֹא־שָׁמַעְתָּ בְּקוֹל יְיָ ISh. 15:19
156–171 וְלָמָּה ISh. 19:5; 26:15; 27:5; 28:16
IISh. 14:13; 19:13, 36, 37, 43 • IIK. 14:10 • Ezek. 18:31; 33:11 • Prov. 5:20 • Job 10:18; 27:12 • Eccl. 2:15

וְלָמָה 172 וְלָמָה יְיָ מֵבִיא אֹתָנוּ Num. 14:3
173 וְלָמָה הֲבֵאתֶם אֶת־קְהַל יְיָ Num. 20:4
174 וְלָמָה הֶעֱלִיתֻנוּ מִמִּצְרַיִם Num. 20:5
175 וְלָמָה עֲלִיתֶם אֵלַי הַיּוֹם Jud. 12:3
176 וְלָמָה אַתָּה מִתְנַקֵּשׁ בְּנַפְשִׁי ISh. 28:9
177 וְלָמָה אַתְּ שֹׁאֶלֶת IK. 2:22
שַׁלָּמָה 178 שַׁלָּמָה אֶהְיֶה כְּעֹטְיָה עַל עֶדְרֵי... S.ofS. 1:7

לְמָה

ארמית כמו בעברית לָמָה: 1, 2 [עין גם לְמָא]
לְמָה 1 לְמָה יִשְׂגֵּא חֲבָלָא לְהַנְזָקַת מַלְכִין Ez. 4:22
2 דִּי־לְמָה לֶהֱוֵא קְצַף עַל־מַלְכוּת Ez. 7:23

לָמוֹ

עין לְ־

לְמוֹ

מ״י – לְ־, אֶל: 1–4
לְמוֹ 1 אִם יִרְבּוּ בָנָיו לְמוֹ־חָרֶב Job 27:14
2 וְיִדְּמוּ לְמוֹ עֲצָתִי Job 29:21
3 יֵשְׁבוּ בַסֻּכָּה לְמוֹ־אָרֶב Job 38:40
4 מָה אֲשִׁיבֶךָּ יָדִי שַׂמְתִּי לְמוֹ־פִי Job 40:4

לְמוּאֵל, לְמוֹאֵל

שפ״ז – מלך?: 1, 2
לְמוּאֵל 1 דִּבְרֵי לְמוּאֵל מֶלֶךְ... Prov. 31:1
לְמוֹאֵל 2 אַל לַמְלָכִים לְמוֹאֵל...שְׁתוֹ־יָיִן Prov. 31:4

לְמוֹאֵל

(נחמיה יב38) – עין מוּל

לִמּוּד

תו״ז א) חניך, תלמיד: 2–6 ב) מורגל: 1
לִמֻּד מִדְבָּר 1; לְשׁוֹן לִמּוּדִים 2; לִמּוּדֵי הָרֵעַ 5; לִמּוּדֵי יְיָ 4
לִמֻּד 1 פֶּרֶה לִמֻּד מִדְבָּר Jer. 2:24
לִמּוּדִים 2 אֲדֹנָי יְיָ נָתַן לִי לְשׁוֹן לִמּוּדִים Is. 50:4
כַּלִּמּוּדִים 3 יָעִיר לִי אֹזֶן לִשְׁמֹעַ כַּלִּמּוּדִים Is. 50:4
לִמּוּדֵי 4 וְכָל־בָּנַיִךְ לִמּוּדֵי יְיָ Is. 54:13

5 תּוּכְלוּ לְהֵיטִיב לִמֻּדֵי הָרֵעַ Jer. 13:23
בְּלִמֻּדָי 6 צוֹר תְּעוּדָה חֲתוֹם תּוֹרָה בְּלִמֻּדָי Is. 8:16

לֶמֶךְ

שפ״ז א) בן מתושאל, הדור השביעי אחרי אדם: 1–3, 8, 11
ב) בן מתושלח, הדור התשיעי אחרי אדם, אבי נֹחַ: 4–7, 9, 10
לָמֶךְ 1 וַיִּקַּח־לוֹ לֶמֶךְ שְׁתֵּי נָשִׁים Gen. 4:19
2 וַיֹּאמֶר לֶמֶךְ לְנָשָׁיו...שְׁמַעַן קוֹלִי Gen. 4:23
3 נְשֵׁי לֶמֶךְ הַאְזֵנָּה אִמְרָתִי Gen. 4:23
4 וַיְחִי...אַחֲרֵי הוֹלִידוֹ אֶת־לָמֶךְ Gen. 5:26
5 וַיְחִי לֶמֶךְ...וַיּוֹלֶד בֵּן Gen. 5:28
6 וַיְחִי־לֶמֶךְ אַחֲרֵי הוֹלִידוֹ... Gen. 5:30
7 וַיְהִי כָּל־יְמֵי־לֶמֶךְ... Gen. 5:31
לָמֶךְ 8 וּמְתוּשָׁאֵל יָלַד אֶת־לָמֶךְ Gen. 4:18
9 וַיְחִי מְתוּשֶׁלַח...וַיּוֹלֶד אֶת־לָמֶךְ Gen. 5:25
10 חֲנוֹךְ מְתוּשֶׁלַח לָמֶךְ ICh. 1:3
וְלֶמֶךְ 11 שִׁבְעָתַיִם יֻקַּם קָיִן וְלֶמֶךְ שִׁבְעִים וְשִׁבְעָה Gen. 4:24

לְמִן

מ״י – עין מִן

לָמַס

(איוב ו14) – עין מָס

לְמַעַן

מ״י א) [לפני פועל] כדי, בשביל ש־: 1–181, 244–252
ב) [לפני שם] לטובת־, בגלל־: 182–231, 253–272
ג) [לְמַעַן אֲשֶׁר] כדי: 232–243
קרובים: בִּגְלַל / בַּעֲבוּר / בִּשְׁבִיל / יַעַן / עֵקֶב
לְמַעַן (א) 1 לְמַעַן יִיטַב־לִי בַעֲבוּרֵךְ Gen. 12:13
2 לְמַעַן הָבִיא יְיָ עַל־אַבְרָהָם Gen. 18:19
3 לְמַעַן תְּבָרֶכְךָ נַפְשִׁי Gen. 27:25
4 לְמַעַן הַצִּיל אֹתוֹ מִיָּדָם Gen. 37:22
5 לְמַעַן עֲשֹׂה כַּיּוֹם הַזֶּה... Gen. 50:20
6 לְמַעַן עַנֹּתוֹ בְּסִבְלֹתָם Ex. 1:11
7 לְמַעַן יַאֲרִכוּן יָמֶיךָ Ex. 20:12
8 לְמַעַן יָנוּחַ שׁוֹרְךָ וַחֲמֹרֶךָ Ex. 23:12
9 לְמַעַן יִרְבּוּ יְמֵיכֶם Deut. 11:21
10–11 לְמַעַן יִיטַב לְךָ Deut. 12:25, 28
12 לְמַעַן תִּזְכֹּר אֶת־יוֹם צֵאתְךָ Deut. 16:3
13–181 לְמַעַן Ex. 4:5; 8:6, 18; 9:29; 10:1
11:7, 9; 13:9; 16:4, 32; 33:13 • Lev. 20:3; 23:43 • Num. 15:40; 27:20; 36:8 • Deut. 2:30; 4:1; 5:14; 5:16, 26, 30; 6:2, 18, 23; 8:1, 2, 3, 16, 18; 11:8; 13:18; 14:23, 29; 16:20; 17:16, 19, 20; 22:7; 23:21; 24:19; 25:15; 29:5, 8, 12, 18; 30:19; 31:12, 19 • Josh. 1:7, 8; 4:6, 24²; 11:20² • Jud. 2:22; 3:2 • ISh. 15:15; 17:28 • IK. 2:3, 4; 8:40, 43, 60; 11:36; 12:15 • IIK. 10:19; 22:17; 23:24 • Is. 5:19; 23:16; 28:13; 30:1; 41:20; 43:10, 26; 44:9; 45:3, 6; 66:11² • Jer. 4:14; 7:10, 18, 23; 10:18; 11:5; 25:7; 27:10, 15; 32:14, 29, 35; 35:7; 36:3; 43:3; 44:8, 29; 50:34; 51:39 • Ezek. 4:17; 6:6; 11:20; 12:16, 19; 14:5, 11; 16:54, 63; 19:9; 20:26; 21:15², 20; 22:6, 9, 12, 27; 24:11; 25:10; 26:20; 38:16; 39:12; 40:4 • Hosh. 8:4 • Joel 4:6 • Am. 1:13; 2:7; 5:14; 9:12 • Ob. 9 • Mic. 6:5, 16 • Hab. 2:2, 15 • Zech. 12:7; 13:4 • Ps. 9:15; 30:13; 48:14; 51:6; 60:7; 68:24; 78:6; 108:7; 119:11, 71, 80, 101; 125:3; 130:4 • Prov. 2:20; 15:24; 19:20 • Job 19:29; 40:8 • Ez. 9:12 • Neh. 6:13³ • ICh. 28:8 • IICh. 6:31, 33; 10:15; 25:20; 31:4; 32:18; 34:25
לְמַעַן (ב) 182 וְלֹא־תִשָּׂא...לְמַעַן חֲמִשִּׁים הַצַּדִּיקִם Gen. 18:24
183 לְאַהֲבָה אֶת־יְיָ...לְמַעַן חַיֶּיךָ Deut. 30:6
184 וּבָא מֵאֶרֶץ רְחוֹקָה לְמַעַן שְׁמֶךָ IK. 8:41

לְמַעַן (המשך)
185 לְמַעַן דָּוִד אָבִיךָ IK. 11:12
186–187 לְמַעַן דָּוִד עַבְדִּי IK. 11:13, 34
188 לְמַעַן עַבְדִּי דָוִד IK. 11:32
189 וַאֲעַנֶּה אֶת־זֶרַע דָּוִד לְמַעַן זֹאת IK. 11:39
190 לְמַעַן דָּוִד נָתַן יְיָ...לוֹ נִיר IK. 15:4
191 וְלֹא־אָבָה...לְמַעַן דָּוִד עַבְדּוֹ IIK. 8:19
192 לְמַעַן בְּרִיתוֹ אֶת־אַבְרָהָם IIK. 13:23
193 יְיָ חָפֵץ לְמַעַן צִדְקוֹ Is. 42:21
194 לְמַעַן עַבְדִּי יַעֲקֹב Is. 45:4
195 לְמַעַן שְׁמִי אַאֲרִיךְ אַפִּי Is. 48:9
196 לְמַעַן יְיָ אֲשֶׁר נֶאֱמָן Is. 49:7
197 לְמַעַן יְיָ אֱלֹהַיִךְ Is. 55:5
198 לְמַעַן צִיּוֹן לֹא אֶחֱשֶׁה Is. 62:1
199 שׁוּב לְמַעַן עֲבָדֶיךָ Is. 63:17
200 כֵּן אֶעֱשֶׂה לְמַעַן עֲבָדַי Is. 65:8
201 לְמַעַן שְׁמִי יִכְבַּד יְיָ Is. 66:5
202 לְמַעַן בֹּשֶׁת פְּנֵיהֶם Jer. 7:19
203 עֲשֵׂה לְמַעַן שְׁמֶךָ Jer. 14:7
204 אַל־תִּנְאַץ לְמַעַן שִׁמְךָ Jer. 14:21
205–206 וָאַעַשׂ לְמַעַן שְׁמִי Ezek. 20:9, 22
207 וָאֶעֱשֶׂה לְמַעַן שְׁמִי Ezek. 20:14
208 בַּעֲשׂוֹתִי אִתְּכֶם לְמַעַן שְׁמִי Ezek. 20:44
209 מְרוּטָה לְהָכִיל לְמַעַן בָּרָק Ezek. 21:33
210 לְמַעַן שְׁדֵי נְעוּרָיִךְ Ezek. 23:21
211 לְמַעַן מִגְרָשָׁהּ לָבַז Ezek. 36:5
212 נְחֵנִי בְצִדְקָתֶךָ לְמַעַן שׁוֹרְרָי Ps. 5:9
213 הוֹשִׁיעֵנִי לְמַעַן חַסְדֶּךָ Ps. 6:5
214 יִסַּדְתָּ עֹז לְמַעַן צוֹרְרֶיךָ Ps. 8:3
215 יַנְחֵנִי בְמַעְגְּלֵי־צֶדֶק לְמַעַן שְׁמוֹ Ps. 23:3
216 לְמַעַן טוּבְךָ יְיָ Ps. 25:7
217 לְמַעַן־שִׁמְךָ יְיָ וְסָלַחְתָּ לַעֲוֹנִי Ps. 25:11
218 וּנְחֵנִי בְּאֹרַח...לְמַעַן שׁוֹרְרָי Ps. 27:11
219 קוּמָה...וּפְדֵנוּ לְמַעַן חַסְדֶּךָ Ps. 44:27
220 יִשְׂמַח הַר־צ׳...לְמַעַן מִשְׁפָּטֶיךָ Ps. 48:12
221 לְמַעַן אֹיְבַי פְּדֵנִי Ps. 69:19
222 וְכַפֵּר עַל־חַטֹּאתֵינוּ לְמַעַן שְׁמֶךָ Ps. 79:9
223 לְמַעַן מִשְׁפָּטֶיךָ יְיָ Ps. 97:8
224 וַיּוֹשִׁיעֵם לְמַעַן שְׁמוֹ... Ps. 106:8
225 עֲשֵׂה־אִתִּי לְמַעַן שְׁמֶךָ Ps. 109:21
226 לְמַעַן־אַחַי וְרֵעָי אֲדַבְּרָה־נָּא Ps. 122:8
227 לְמַעַן בֵּית־יְיָ אֱלֹהֵינוּ... Ps. 122:9
228 לְמַעַן־שִׁמְךָ יְיָ תְּחַיֵּנִי Ps. 143:11
229 וְהָאֵר פָּנֶיךָ...לְמַעַן אֲדֹנָי Dan. 9:17
230 וּבָא...לְמַעַן שִׁמְךָ הַגָּדוֹל IICh. 6:32
231 לְמַעַן הַבְּרִית אֲשֶׁר כָּרַת לְדָוִיד IICh. 21:7
לְמַעַן אֲשֶׁר 232 לְמַעַן אֲשֶׁר יְצַוֶּה אֶת־בָּנָיו Gen. 18:19
233 לְמַעַן אֲשֶׁר יָבִיאוּ בְּ״י...זִבְחֵיהֶם Lev. 17:5
234 לְמַעַן אֲשֶׁר לֹא־יִקְרַב אִישׁ זָר Num. 17:5
235 לְמַעַן אֲשֶׁר לֹא־יְלַמְּדוּ אֶתְכֶם Deut. 20:18
236 לְמַעַן אֲשֶׁר תָּבֹא אֶל־הָאָרֶץ Deut. 27:3
237 לְמַעַן אֲשֶׁר־תֵּדְעוּ אֶת־הַדֶּרֶךְ Josh. 3:4
238 לְמַעַן אֲשֶׁר אֶרְאֶה... IISh. 13:5
239 לְמַעַן אֲשֶׁר יִיטַב־לָנוּ Jer. 42:6
240 לְמַעַן אֲשֶׁר יֵדְעוּ אֲשֶׁר אֲנִי יְיָ Ezek. 20:26
241 לְמַעַן אֲשֶׁר לֹא־יִגְבְּהוּ Ezek. 31:14
242 לְמַעַן אֲשֶׁר לֹא תִקְחוּ עוֹד... Ezek. 36:30
243 לְמַעַן אֲשֶׁר לֹא־יָפֻצוּ עַמִּי... Ezek. 46:18
וּלְמַעַן(א) 244 וּלְמַעַן סַפֵּר שְׁמִי בְּכָל־הָאָרֶץ Ex. 9:16
245 וּלְמַעַן תְּסַפֵּר בְּאָזְנֵי בִנְךָ Ex. 10:2
246 וּלְמַעַן תַּאֲרִיךְ יָמִים Deut. 4:40
247 וּלְמַעַן יִיטַב לָךְ Deut. 5:16
248 וּלְמַעַן יַאֲרִכֻן יָמֶיךָ Deut. 6:2

ולמען (המשך) 249 לְמַעַן עַנֹּתְךָ וּלְמַעַן נַסֹּתֶךָ Deut. 8:16
250 וּלְמַעַן הָקִים אֶת־הַדָּבָר Deut. 9:5
251 וּלְמַעַן תַּאֲרִיכוּ יָמִים Deut. 11:9
252 וּלְמַעַן יִלְמְדוּ וְיָרְאוּ אֶת־יְיָ... Deut. 31:12
וּלְמַעַן(ב) 253 וּלְמַעַן יְרוּשָׁלַםִ אֲשֶׁר בָּחָרְתִּי IK. 11:13
254 וּלְמַעַן יְרוּשָׁלַםִ הָעִיר IK. 11:32
257-255 לְמַעֲנִי וּלְמַעַן דָּוִד עַבְדִּי IIK. 19:34
20:6 • Is. 37:35
258 וּלְמַעַן יְרוּשָׁלַםִ לֹא אֶשְׁקוֹט Is. 62:1
259 וּלְמַעַן הֱיוֹתְכֶם לִקְלָלָה Jer. 44:8
260 וּלְמַעַן שִׁמְךָ תַּנְחֵנִי וּתְנַהֲלֵנִי Ps. 31:4
לְמַעֲנִי 263-261 לְמַעֲנִי וּלְמַעַן דָּוִד עַבְדִּי IIK. 19:34
20:6 • Is. 37:35
264 אָנֹכִי הוּא מֹחֶה פְשָׁעֶיךָ לְמַעֲנִי Is. 43:25
266-265 לְמַעֲנִי לְמַעֲנִי אֶעֱשֶׂה Is. 48:11
לְמַעַנְךָ 267 לְמַעַנְךָ אֱלֹהַי כִּי־שִׁמְךָ נִקְרָא Dan. 9:19
הַלְמַעַנְךָ 268 הַלְמַעַנְךָ תֵּעָזַב אָרֶץ Job 18:4
לְמַעַנְכֶם 269 וַיִּתְעַבֵּר יְיָ בִּי לְמַעַנְכֶם Deut. 3:26
270 לְמַעַנְכֶם שִׁלַּחְתִּי בָבֶלָה Is. 43:14
271/2 לֹא לְמַעַנְכֶם אֲנִי(־)עֹשֶׂה Ezek. 36:22, 32

לֹעַ ז׳ בית הבליעה
בְּלֹעֶךָ 1 ...וְשַׂמְתָּ שַׂכִּין בְּלֹעֶךָ... Prov. 23:2

(לעב) הִלְעִיב הפ׳ העליב, לעג
מַלְעִיבִים 1 וַיִּהְיוּ מַלְעִבִים בְּמַלְאֲכֵי הָאֱלֹהִים IICh. 36:16

לעג : לָעַג, נִלְעַג, הִלְעִיג; לַעַג

לָעַג פ׳ א) בָּז, לִגְלֵג: 1—12
ב) [נפ׳ נִלְעַג] מגוחך: 13
ג) [הפ׳ הִלְעִיג] לִגְלֵג, בָּז: 14—18
קרובים: בָּז (בוז) / בָּזָה / גִּדֵּף / חֵרֵף / צָחַק / שָׂחַק
לָעַג לְ־ 1—4, 6, 8—12; הִלְעִיג בְּ־ 14; הִלְעִיג עַל־ 16; הִלְעִיג לְ־ 17, 18
לָעֲגָה 1/2 ...בָּזָה לְךָ לָעֲגָה לְךָ... IIK. 19:21 • Is. 37:22
לוֹעֵג 3 הָיִיתִי לִשְׂחוֹק...כֻּלֹּה לֹעֵג לִי Jer. 20:7
4 לֹעֵג לָרָשׁ חֵרֵף עֹשֵׂהוּ Prov. 17:5
אֶלְעַג 5 אֶלְעַג בְּבֹא פַחְדְּכֶם Prov. 1:26
תִּלְעַג 6 תִּשְׂחַק־לָמוֹ תִּלְעַג לְכָל־גּוֹיִם Ps. 59:9
וַתִּלְעַג 7 ...וַתִּלְעַג וְאֵין מַכְלִם Job 11:3
יִלְעַג 8 אֲדֹנָי יִלְעַג־לָמוֹ Ps. 2:4
9 וְנָקִי יִלְעַג־לָמוֹ Job 22:19
יִלְעָג 10 לְמַסַּת נְקִיִּם יִלְעָג Job 9:23
תִּלְעַג 11 עַיִן תִּלְעַג לְאָב וְתָבֻז לִיקֲּהַת אֵם Prov. 30:17
יִלְעֲגוּ 12 וְאֹיְבֵינוּ יִלְעֲגוּ־לָמוֹ Ps. 80:7
נִלְעַג־ 13 עַם...נִלְעַג לָשׁוֹן אֵין בִּינָה Is. 33:19
וּמַלְעִיגִים 14 מַשְׂחִיקִים עֲלֵיהֶם וּמַלְעִגִים בָּם IICh. 30:10
תַּלְעִיג 15 וְאַחַר דַּבְּרִי תַלְעִיג Job 21:3
וַיַּלְעֵג 16 וַיִּכְעַס הַרְבֵּה וַיַּלְעֵג עַל־הַיְּהוּדִים Neh. 3:33
יַלְעִיגוּ 17 כָּל־רֹאַי יַלְעִגוּ לִי... Ps. 22:8
וַיַּלְעִיגוּ 18 וַיַּלְעִגוּ לָנוּ וַיִּבְזוּ עָלֵינוּ Neh. 2:19

לַעַג ז׳ שחוק, לגלוג: 1—9
קרובים: בּוּז / בּוּזָה / גִּדּוּף / חֶרְפָּה / כְּלִמָּה / צְחוֹק / קֶלֶס
לַעַג וָקֶלֶס 1, 2; בּוּז וָלַעַג 6; צְחוֹק וָלַעַג 5; לַעֲגֵי מָעוֹג 8; לַעֲגֵי שָׂפָה 9
לַעַג 2-1 לַעַג וָקֶלֶס לִסְבִיבוֹתֵינוּ Ps. 44:14; 79:4
3 יִשְׁתֶּה־לַּעַג כַּמָּיִם Job 34:7
הַלַּעַג 4 הַלַּעַג הַשַּׁאֲנַנִּים הַבּוּז לִגְאֵיוֹנִים• Ps. 123:4
וּלְלַעַג 5 לִצְחֹק וּלְלַעַג מִרְבָּה לְהָכִיל Ezek. 23:32
6 אֲשֶׁר הָיוּ לָבַז וּלְלַעַג Ezek. 36:4
לַעְגָּם 7 זוֹ לַעְגָּם בְּאֶרֶץ מִצְרָיִם Hosh. 7:16
לַעֲגֵי־ 8 בְּחַנְפֵי לַעֲגֵי מָעוֹג Ps. 35:16
בְּלַעֲגֵי־ 9 בְּלַעֲגֵי שָׂפָה וּבְלָשׁוֹן אַחֶרֶת יְדַבֵּר Is. 28:11

לָעַד – עין עד

לַעְדָּה שפ״ז — בן שלה בן יהודה
וְלַעְדָּה 1 וְלַעְדָּה אֲבִי מָרֵשָׁה ICh. 4:21

לַעְדָּן שפ״ז א) איש מזרע אפרים: 1
ב) ראש למשפחת הגרשוני: 2—7
לַעְדָּן 1 לַעְדָּן בְּנוֹ עַמִּיהוּד בְּנוֹ ICh. 7:26
2 לַגֵּרְשֻׁנִּי לַעְדָּן וְשִׁמְעִי ICh. 23:7
3 בְּנֵי לַעְדָּן הָרֹאשׁ יְחִיאֵל ICh. 23:8
4 בְּנֵי לַעְדָּן בְּנֵי הַגֵּרְשֻׁנִּי ICh. 26:21
לְלַעְדָּן 6-5 רָאשֵׁי הָאָבוֹת לְלַעְדָּן ICh. 23:9; 26:21
7 בְּנֵי הַגֵּרְשֻׁנִּי לְלַעְדָּן ICh. 26:21

לָעוּ (איוב ו3) — עין לעע

לְעוֹלָם – עין עולם

לָעוּת (ישעיה נ4) — עין (עות)

לֹעֵז ת׳ — עין לועז

(לעט) הִלְעִיט הפ׳ פִּטֵּם, מִלֵּא גָּרוֹן
הַלְעִיטֵנִי 1 הַלְעִיטֵנִי נָא מִן־הָאָדֹם הָאָדֹם Gen. 25:30

לָעִיר שֵׁם מקום באזור עילם(?)
לָעִיר 1 וּמֶלֶךְ לָעִיר סְפַרְוָיִם IIK. 19:13

לְעֻמַּת מ״י מול, נוכח: 2—32
קרובים: אֵצֶל / לִקְרַאת / מוּל / נֶגֶד / נֹכַח
כָּל־עֻמַּת שֶׁ־ 1
כָּל־עֻמַּת 1 כָּל־עֻמַּת שֶׁבָּא כֵּן יֵלֵךְ Eccl. 5:15
לְעֻמַּת 2 לְעֻמַּת הַמִּסְגֶּרֶת תִּהְיֶיןָ הַטַּבָּעֹת Ex. 25:27
4-3 מִמּוּל פָּנָיו לְעֻמַּת מֶחְבַּרְתּוֹ Ex. 28:27; 39:20
5 לְעֻמַּת הַמִּסְגֶּרֶת הָיוּ הַטַּבָּעֹת Ex. 37:14
6 לְעֻמַּת קַלְעֵי הֶחָצֵר Ex. 38:18
7 לְעֻמַּת הֶעָצֶה יְסִירֶנָּה Lev. 3:9
8 נָתַתִּי...פָּנֶיךָ חֲזָקִים לְעֻמַּת פְּנֵיהֶם Ezek. 3:8
9 וְאֶת־מִצְחֲךָ חָזָק לְעֻמַּת מִצְחָם Ezek. 3:8
10 לְעֻמַּת אֹרֶךְ הַשְּׁעָרִים Ezek. 40:18
11 וְגָדֵר...לְעֻמַּת הַלְּשָׁכוֹת Ezek. 42:7
14-12 לְעֻמַּת תְּרוּמַת הַקֹּדֶשׁ Ezek. 45:6; 48:18²
15 וְהַלְוִיִּם לְעֻמַּת גְּבוּל הַכֹּהֲנִים Ezek. 48:13
16 לְעֻמַּת חֲלָקִים לַנָּשִׂיא Ezek. 48:21
17 גַּם אֶת־זֶה לְעֻמַּת־זֶה עָשָׂה הָאֱ׳ Eccl. 7:14
18/9 מִשְׁמָר לְעֻמַּת מִשְׁמָ׳ Neh.12:27 • ICh.26:16
20 וַיַּפִּילוּ...גּוֹרָלוֹת לְעֻמַּת אֲחֵיהֶם ICh. 24:31
21 אָבוֹת הָרֹאשׁ לְעֻמַּת אָחִיו הַקָּטָן ICh. 24:31
22 מִשְׁמֶרֶת לְעֻמַּת כַּקָּטֹן כַּגָּדוֹל ICh. 25:8
23 מִשְׁמָרוֹת לְעֻמַּת אֲחֵיהֶם ICh. 26:12
מִלְּעֻמַּת 24 גַּם־מִמַּעַל מִלְּעֻמַּת הַבֶּטֶן IK. 7:20
לְעֻמָּתוֹ 25 וְשִׁמְעִי הֹלֵךְ בְּצֵלַע הָהָר לְעֻמָּתוֹ IISh. 16:13
26 וַיְסַקֵּל בָּאֲבָנִים לְעֻמָּתוֹ IISh. 16:13
לְעֻמָּתָם 27 וְהָאוֹפַנִּים יִנָּשְׂאוּ לְעֻמָּתָם Ezek. 1:20
28 יִנָּשְׂאוּ הָאוֹפַנִּים לְעֻמָּתָם Ezek. 1:21
29 וְקוֹל הָאוֹפַנִּים לְעֻמָּתָם Ezek. 3:13
30/1 וַיִּשְׂאוּ...וְהָאוֹפַנִּים לְעֻמָּ׳ Ezek. 10:19; 11:22
לְעֻמּוֹת 32 וְאֹרֶךְ לְעֻמּוֹת אַחַד הַחֲלָקִים Ezek. 45:7

לַעֲנָה נ׳ צמח ריחני מר (arthemisia): 1—8
– רֹאשׁ וְלַעֲנָה 1, 2, 4, 5, 8
– הֶאֱכִילוֹ לַעֲנָה 1, 2; הִרְוָהוּ לַעֲנָה 3
לַעֲנָה 1 הִנְנִי מַאֲכִילָם...לַעֲנָה...מֵי רֹאשׁ Jer. 9:14
2 הִנְנִי מַאֲכִיל אוֹתָם לַעֲנָה...רֹאשׁ Jer. 23:15
3 הִשְׂבִּיעַנִי בַמְּרוֹרִים הִרְוַנִי לַעֲנָה Lam. 3:15
4 זְכָר־עָנְיִי וּמְרוּדִי לַעֲנָה וָרֹאשׁ Lam. 3:19
וְלַעֲנָה 5 שֹׁרֶשׁ פֹּרֶה רֹאשׁ וְלַעֲנָה Deut. 29:17
כַּלַּעֲנָה 6 וְאַחֲרִיתָהּ מָרָה כַלַּעֲנָה Prov. 5:4
לְלַעֲנָה 7 הַהֹפְכִים לְלַעֲנָה מִשְׁפָּט Am. 5:7
8 ...לְרֹאשׁ...וּפְרִי צְדָקָה לְלַעֲנָה Am. 6:12

לעע : לָעַע, לַע, יָלַע; לֹעַ

לָעַע פ׳ א) בלע, גמא: 2
ב) [בהשאלה] התבלבל, הסתבך: 3,1
לָעוּ 1 עַל־כֵּן דְּבָרַי לָעוּ Job 6:3
וְלָעוּ 2 וְשָׁתוּ וְלָעוּ וְהָיוּ כְּלוֹא הָיוּ Ob. 16
יָלַע 3 מוֹקֵשׁ אָדָם יָלַע קֹדֶשׁ Prov. 20:25

לַפַּחַת (יחזקאל כב20) — עין נפח

לְפִי מ״י — על־פי, ביחס לכמות או למדה
או לזמן וכד׳: 1—18 [עין עוד פֶּה, פִּי]
1 וַיְכַלְכֵּל...לֶחֶם לְפִי הַטָּף Gen. 47:12
2 אִישׁ לְפִי אָכְלוֹ תָּכֹסּוּ עַל־הַשֶּׂה Ex. 12:4
3 לִקְטוּ מִמֶּנּוּ אִישׁ לְפִי אָכְלוֹ Ex. 16:16
4 אִישׁ לְפִי־אָכְלוֹ לָקָטוּ Ex. 16:18
5 לְפִי רֹב הַשָּׁנִים תַּרְבֶּה מִקְנָתוֹ Lev. 25:16
6 וְהָיָה עֶרְכְּךָ לְפִי זַרְעוֹ Lev. 27:16
7 אִישׁ לְפִי פְקֻדָיו יֻתַּן נַחֲלָתוֹ Num. 26:54
8 לְפִי עֵדִים יִרְצַח אֶת־הָרֹצֵחַ Num. 35:30
9 וַיִּכְתְּבוּ אוֹתָהּ לְפִי נַחֲלָתָם Josh. 18:4
10 אִם־יִהְיֶה...כִּי אִם־לְפִי דְבָרִי IK. 17:1
11 לְפִי מְלֹאת לְבָבֶל שִׁבְעִים שָׁנָה Jer. 29:10
12 זִרְעוּ...קִצְרוּ לְפִי־חֶסֶד Hosh. 10:12
13 לְיַד־שְׁעָרִים לְפִי־קָרֶת Prov. 8:3
14 לְפִי שִׂכְלוֹ יְהֻלַּל־אִישׁ Prov. 12:8
15 וְאִישׁ לְפִי מַהֲלָלוֹ Prov. 27:21
וּלְפִי 16 וּלְפִי מְעֹט הַשָּׁנִים תַּמְעִיט מִקְנָתוֹ Lev. 25:16
17 וּלְפִי הֵעָלוֹת הֶעָנָן...יִסְעוּ בְּ־ Num. 9:17
לְפִיהֶן 18 לְפִיהֶן יָשִׁיב גְּאֻלָּתוֹ Lev. 25:51

לַפִּיד ז׳ אבוקת אֵשׁ: 1—14
לַפִּיד אֵשׁ 4, 5, 14; לַפִּיד בּוּז 3
לַפִּיד 1 וַיָּשֶׂם לַפִּיד אֶחָד בֵּין־שְׁנֵי הַזְּנָבוֹת Jud. 15:4
כְּלַפִּיד 2 וִישׁוּעָתָהּ כְּלַפִּיד יִבְעָר Is. 62:1
לַפִּיד־ 3 לַפִּיד בּוּז לְעַשְׁתּוּת שַׁאֲנָן Job 12:5
וְלַפִּיד־ 4 וְהִנֵּה תַנּוּר עָשָׁן וְלַפִּיד אֵשׁ Gen. 15:17
וּכְלַפִּיד־ 5 וּכְלַפִּיד אֵשׁ בְּעָמִיר Zech. 12:6
לַפִּדִים 6 וַיִּקַּח לַפִּדִים וַיֶּפֶן זָנָב אֶל־זָנָב Jud. 15:4
7 מִפִּיו לַפִּידִים יַהֲלֹכוּ Job 41:11
וְלַפִּדִים 8 וְלַפִּדִים בְּתוֹךְ הַכַּדִּים Jud. 7:16
הַלַּפִּידִם 9 אֶת־הַקּוֹלֹת וְאֶת־הַלַּפִּידִם Ex. 20:15
10 כְּגַחֲלֵי־אֵשׁ...כְּמַרְאֵה הַלַּפִּדִים Ezek. 1:13
בַּלַּפִּדִים 11 וַיַּחֲזִיקוּ בְיַד־שְׂמֹאולָם בַּלַּפִּדִים Jud. 7:20
12 וַיַּבְעֶר־אֵשׁ בַּלַּפִּידִים Jud. 15:5
כַּלַּפִּידִם 13 כַּלַּפִּידִם כַּבְּרָקִים יְרוֹצֵצוּ Nah. 2:5
כְּלַפִּידֵי־ 14 וְעֵינָיו כְּלַפִּידֵי אֵשׁ Dan. 10:6

לַפִּידוֹת שפ״ז(?) — בעלה של דבורה הנביאה
לַפִּידוֹת 1 וּדְבוֹרָה אִשָּׁה נְבִיאָה אֵשֶׁת לַפִּידוֹת Jud. 4:4

לִפְנוֹת תה״פ — בעת בוא, בהתקרב: 1—5
לִפְנוֹת בֹּקֶר 2, 4, 5; לִפְנוֹת עֶרֶב 1, 3
לִפְנוֹת 1 לָשׂוּחַ בַּשָּׂדֶה לִפְנוֹת עָרֶב Gen. 24:63
2 וַיָּשָׁב הַיָּם לִפְנוֹת בֹּקֶר לְאֵיתָנוֹ Ex. 14:27
3 וְהָיָה לִפְנוֹת־עֶרֶב יִרְחַץ בַּמָּיִם Deut. 23:12
4 וַתָּבֹא הָאִשָּׁה לִפְנוֹת הַבֹּקֶר Jud. 19:26
5 יַעְזְרֶהָ אֱלֹהִים לִפְנוֹת בֹּקֶר Ps. 46:6

לִפְנֵי מ״י א) מול, נוכח: 1-537, 596-621, 630-705, 718-737, 740-837, 859, 861-961, 990-1013, 1015-1034, 1044-1082, 1103

ב) טרם, קודם: 538-564, 622-629, 706-712, 838-843, 860, 963-975, 1014, 1035-1038, 1083, 1084

ג) בראש, קדימה לאחר: 565-595, 713-717, 738, 739, 844-858, 975-989, 1039-1043, 1085-1102

לִפְנֵי יְיָ 2, 3, 14, 15, 28, 31-245; לִפְנֵי מִזֶּה 629; מִלִּפְנֵי 630-668, 740-751, 861-870, 990-997, 1014, 1044-1046

לִפְנֵי (א)

1 וַתִּשָּׁחֵת הָאָרֶץ לִפְנֵי הָאֱלֹהִים Gen. 6:11
2 הוּא־הָיָה גִבֹּר־צַיִד לִפְנֵי יְיָ Gen. 10:9
3 כְּנִמְרֹד גִּבּוֹר צַיִד לִפְנֵי יְיָ Gen. 10:9
4 וְאַבְרָהָם עוֹדֶנּוּ עֹמֵד לִפְנֵי יְיָ Gen. 18:22
5 וַיִּשְׁתַּחוּ אַבְרָ׳ לִפְנֵי עַם־הָאָרֶץ Gen. 23:12
6 בַּמַּכְפֵּלָה אֲשֶׁר לִפְנֵי מַמְרֵא Gen. 23:17
7 בְּעָמְדוֹ לִפְנֵי פַּרְעֹה... Gen. 41:46
8 יִתֵּן לָכֶם רַחֲמִים לִפְנֵי־הָאִישׁ Gen. 43:14
9 וַיַּעַמְדוּ לִפְנֵי יוֹסֵף Gen. 43:15
10 וַיַּצִּגֵם לִפְנֵי פַרְעֹה Gen. 47:2
11 וַיַּעֲמִדֵהוּ לִפְנֵי פַרְעֹה Gen. 47:7
12 לֹא נִשְׁאַר לִפְנֵי אֲדֹנִי בִּלְתִּי... Gen. 47:18
13 וַעֲשִׂיתָם לִפְנֵי פַרְעֹה Ex. 4:21
14 וַיְדַבֵּר מֹשֶׁה לִפְנֵי יְיָ לֵאמֹר Ex. 6:12
15 וַיֹּאמֶר מֹשֶׁה לִפְנֵי יְיָ Ex. 6:30
16 וְהַשְׁלֵךְ לִפְנֵי־פַרְעֹה Ex. 7:9
17 וַיַּשְׁלֵךְ...לִפְנֵי פַרְעֹה Ex. 7:10
18/9 וְהִתְיַצֵּב לִפְנֵי פַרְעֹה Ex. 8:16; 9:13
20 וַיַּעַמְדוּ לִפְנֵי פַרְעֹה Ex. 9:10
21 וְלֹא־יָכְלוּ...לַעֲמֹד לִפְנֵי מֹשֶׁה Ex. 9:11
22 עָשׂוּ...הַמֹּפְתִים הָאֵלֶּה לִפְנֵי פַרְעֹה Ex. 11:10
23 לֹא־יָמִישׁ עַמּוּד הֶעָנָן...לִפְנֵי הָעָם Ex. 13:22
24 וְיַחֲנוּ לִפְנֵי פִּי הַחִירֹת Ex. 14:2
25/6 לִפְנֵי בַּעַל צְפֹן Ex. 14:2, 9
27 קִרְבוּ לִפְנֵי יְיָ Ex. 16:9
28 וְהַנַּח אֹתוֹ לִפְנֵי יְיָ לְמִשְׁמֶרֶת Ex. 16:33
29 וַיַּנִּיחֵהוּ...לִפְנֵי הָעֵדֻת לְמִשְׁמָרֶת Ex. 16:34
30 לֶאֱכָל־לֶחֶם...לִפְנֵי הָאֱלֹהִים Ex. 18:12
31 יַעֲרֹךְ אֹתוֹ אַהֲרֹן...לִפְנֵי יְיָ Ex. 27:21
32-245 לִפְנֵי יְיָ Ex. 28:12, 29, 30², 35, 38
29:11, 23, 24, 25, 26, 42; 30:8, 16; 34:34; 40:23, 25 • Lev. 1:3, 5, 11; 3:1, 7, 12; 4:4², 6, 7, 15³, 17, 18, 24; 5:26; 6:7, 18; 7:30; 8:26, 27, 29; 9:2, 4, 5, 21; 10:1, 2, 15; 10:17, 19; 12:7; 14:11, 12, 16, 18, 23, 24, 27, 29, 31; 15:14, 15, 30; 16:1, 7, 10, 13, 18, 30; 19:22; 23:11, 20; 23:28, 40; 24:3, 4, 6, 8 • Num. 3:4²; 5:16, 18, 25, 30; 6:16, 20; 7:3; 8:10, 11, 21; 10:9; 14:37; 15:15, 25, 28; 16:7, 16, 17; 17:3, 5, 22; 18:19; 20:3; 26:61; 27:5, 21; 31:50, 54; 32:20, 21, 22², 27, 29, 32 • Deut. 1:45; 4:10; 6:25; 9:18, 25; 10:8; 12:7, 12, 18²; 14:23, 26; 15:20; 16:11; 18:7; 19:17; 24:4, 13; 26:5, 10², 13; 27:7; 29:9, 14 • Josh. 4:13; 6:8, 26; 7:23; 18:6, 8, 10; 19:51 • Jud. 11:11; 20:23, 26² • ISh. 1:12, 15, 19; 6:20; 7:6; 10:19, 25; 11:15²; 12:7; 15:33; 21:8; 23:18; 26:19 • IISh. 5:3; 6:5, 14, 16, 17, 21²; 7:18; 21:9 • IK. 2:45; 8:59, 62, 64, 65; 9:25; 19:11²; 22:21 • IIK. 16:14; 19:14, 15; 23:3 • Is. 23:18; 37:14 • Jer. 36:7, 9 • Ezek. 41:22; 43:24; 44:3; 46:3, 9 • Ps. 95:6; 96:13; 98:9 • Dan. 9:20 • ICh. 11:3; 17:16; 22:18(17); 23:13, 31; 29:22 • IICh. 1:6; 14:12; 18:20; 20:13, 18; 27:6; 31:20; 34:31

לִפְנֵי (א) (המשך)

246 וְהִקְרַבְתָּ...לִפְנֵי אֹהֶל מוֹעֵד Ex. 29:10
247 וְנָתַתָּה אֹתוֹ לִפְנֵי הַפָּרֹכֶת... Ex. 30:6
248 לִפְנֵי הַכַּפֹּרֶת אֲשֶׁר עַל־הָעֵדֻת Ex. 30:6
249 וְנָתַתָּה מִמֶּנָּה לִפְנֵי הָעֵדֻת Ex. 30:36
250 וְנָתַתָּה...לִפְנֵי אֲרוֹן הָעֵדֻת Ex. 40:5
251 לִפְנֵי פֶּתַח מִשְׁכַּן אֹהֶל־מוֹעֵד Ex. 40:6
252 וַיָּשֶׂם...בְּאֹהֶל מוֹעֵד לִפְנֵי הַפָּרֹכֶת Ex. 40:26
253-258 לִפְנֵי אֹהֶל מוֹעֵד Lev. 3:8, 13
4:14 • Num. 3:7, 38; 8:9
259 לְהַקְרִיב...לִפְנֵי מִשְׁכַּן יְיָ Lev. 17:4
260 לֹא־תַעֲמֹד לִפְנֵי בְהֵמָה Lev. 18:23
261 וְנִגַּפְתֶּם לִפְנֵי אֹיְבֵיכֶם Lev. 26:17
262 וְלֹא־תִהְיֶה...תְּקוּמָה לִפְנֵי אֹיְבֵיכֶם Lev. 26:37
263 וְהֶעֱמִידוֹ לִפְנֵי הַכֹּהֵן Lev. 27:8
264 וְהֶעֱמִיד אֶת־הַבְּהֵמָה לִפְנֵי הַכֹּהֵן Lev. 27:11
265 וְהַעֲמַדְתָּ אֹתוֹ לִפְנֵי אַהֲרֹן הַכֹּהֵן Num. 3:6
266 וְהַחֹנִים לִפְנֵי הַמִּשְׁכָּן קֵדְמָה Num. 3:38
267 וַיַּקְרִיבוּ אוֹתָם לִפְנֵי הַמִּשְׁכָּן Num. 7:3
268 וַיַּקְרִיבוּ...קָרְבָּנָם לִפְנֵי הַמִּזְבֵּחַ Num. 7:10
269 וְהַעֲמַדְתָּ אֶת־הַלְוִיִּם לִפְנֵי אַהֲרֹן Num. 8:13
270 לַעֲבֹד...בְּאֹהֶל מוֹעֵד לִפְנֵי אַהֲרֹן Num. 8:22
271 וַיִּקְרְבוּ לִפְנֵי מֹשֶׁה... Num. 9:6
272 וְהָיוּ...לְזִכָּרוֹן לִפְנֵי אֱלֹהֵיכֶם Num. 10:10
273 וַיִּפֹּל...לִפְנֵי כָּל־קְהַל עֲדַת בְּ״י Num. 14:5
274 וְלֹא תִּנָּגְפוּ לִפְנֵי אֹיְבֵיכֶם Num. 14:42
275 וַיָּקֻמוּ לִפְנֵי מֹשֶׁה... Num. 16:2
276 וְלַעֲמֹד לִפְנֵי הָעֵדָה לְשָׁרְתָם Num. 16:9
277 וְהִנַּחְתָּם...לִפְנֵי הָעֵדוּת... Num. 17:19
278 הָשֵׁב...מַטֵּה אַהֲרֹן לִפְנֵי הָעֵדוּת Num. 17:25
279 וְאַתָּה...לִפְנֵי אֹהֶל הָעֵדֻת Num. 18:2
280 וַתַּעֲמֹדְנָה לִפְנֵי מֹשֶׁה... Num. 27:2
281 וְהַעֲמַדְתָּ אֹתוֹ לִפְנֵי אֶלְעָזָר Num. 27:19
282 וַיַּעֲמִדֵהוּ לִפְנֵי אֶלְעָזָר הַכֹּהֵן Num. 27:22
283 אֲשֶׁר הִכָּה יְיָ לִפְנֵי עֲדַת יִשְׂ׳ Num. 32:4
284 וַיִּסְעוּ...וַיַּחֲנוּ לִפְנֵי מִגְדֹּל Num. 33:7
285 וַיַּחֲנוּ בְּהָרֵי הָעֲבָרִים לִפְנֵי נְבוֹ Num. 33:47
286 עָמְדוֹ לִפְנֵי הָעֵדָה לַמִּשְׁפָּט Num. 35:12
287 וַיְדַבְּרוּ לִפְנֵי מֹשֶׁה... Num. 36:1
288 וְלֹא תִּנָּגְפוּ לִפְנֵי אֹיְבֵיכֶם Deut. 1:42
289 אֲשֶׁר־שָׂם מֹשֶׁה לִפְנֵי בְּ״י Deut. 4:44
290 מִי יִתְיַצֵּב לִפְנֵי בְּנֵי־עֲנָק Deut. 9:2
291 לִפְנֵי הַכֹּהֲנִים וְהַשֹּׁפְטִים Deut. 19:17
292 וּפָרְשׂוּ הַשִּׂמְלָה לִפְנֵי זִקְנֵי הָעִיר Deut. 22:17
293 וְהִנִּיחוֹ לִפְנֵי מִזְבַּח יְיָ אֱלֹהֶיךָ Deut. 26:4
294 יִתֶּנְךָ יְיָ נִגָּף לִפְנֵי אֹיְבֶיךָ Deut. 28:25
295 וַיָּנֻסוּ לִפְנֵי אַנְשֵׁי הָעָי Josh. 7:4
296 וַיִּרְדְּפוּם לִפְנֵי הַשַּׁעַר... Josh. 7:5
297 וַיִּפֹּל...לִפְנֵי אֲרוֹן יְיָ Josh. 7:6
298 הָפַךְ יִשְׂרָאֵל עֹרֶף לִפְנֵי אֹיְבָיו Josh. 7:8
299 וְלֹא יָכְלוּ בְּ״י לָקוּם לִפְנֵי אֹיְבֵיהֶם Josh. 7:12
300 עֹרֶף יִפְנוּ לִפְנֵי אֹיְבֵיהֶם Josh. 7:12
301 לֹא תוּכַל לָקוּם לִפְנֵי אֹיְבֶיךָ Josh. 7:13
302 וַיַּעַל...לִפְנֵי הָעָם הָעָי Josh. 8:10
303 וַיֵּצְאוּ...לַמּוֹעֵד לִפְנֵי הָעֲרָבָה Josh. 8:14
304 אֲשֶׁר כָּתַב לִפְנֵי בְּנֵי יִשְׂרָאֵל Josh. 8:32
305 וַיְהֻמֵּם יְיָ לִפְנֵי יִשְׂרָאֵל Josh. 10:10
306 וַתִּקְרַבְנָה לִפְנֵי אֶלְעָזָר הַכֹּהֵן... Josh. 17:4
307-537 לִפְנֵי (א) Josh. 10:12; 11:6; 20:6, 9
22:29; 24:1 • Jud. 2:14; 4:15, 23; 8:28; 9:39; 20:35, 42; 21:2 • ISh. 1:16; 2:35; 3:1; 4:2, 3, 17; 5:3, 4; 7:10; 9:24; 14:13; 16:8, 10; 17:31, 57; 19:24; 20:1²; 23:24; 28:25 • IISh. 2:17; 3:13, 31, 34; 10:15, 19; 14:33; 16:19²; 18:7, 9; 19:9, 19; 24:4, 13 • IK. 1:2, 23, 28², 32; 2:26; 3:15, 22, 24; 6:21; 7:49; 8:5, 22, 31, 33, 46, 50, 64; 12:30 • IIK. 4:43; 5:1, 2, 3; 11:18; 14:12; 18:22; 22:10 • Is. 8:4; 17:13²; 36:7; 53:7 • Jer. 15:9; 18:17; 19:7; 24:1; 35:5; 38:26; 40:10; 49:37; 52:12 • Ezek. 6:4, 5; 9:6; 28:9, 17; 40:12, 15, 19, 47; 44:12 • Joel 2:11 • Am. 9:4 • Nah. 1:6 • Zech. 3:1, 3, 9; 4:7; 14:20 • Ps. 34:1; 35:5; 56:14; 61:8; 68:4; 72:17; 80:3; 83:14; 98:6; 106:46; 116:9; 147:17 • Prov. 4:3; 14:12, 19; 16:25; 17:18; 22:29²; 25:5, 6, 7, 26; 27:4 • Job 3:24; 4:19; 8:16; 15:4; 21:18; 34:19 • Lam. 1:5, 6 • Eccl. 2:26; 5:1, 5; 7:26 • Es. 1:11, 13, 16, 19; 2:11, 23; 3:7; 4:2, 6; 5:14; 5:14; 6:1; 7:9; 8:1, 3², 4, 5; 9:11, 25 • Dan. 1:5, 9, 18, 19; 2:2; 8:3, 6; 10:12 • Ez. 7:28; 8:21, 29; 9:9; 10:1 • Neh. 1:4, 11; 2:6; 3:34; 8:1, 2, 3² • ICh. 6:17; 13:8, 10; 15:24; 16:1, 4, 6, 37², 39; 19:7, 14, 16, 19; 22:18(17); 24:6, 31 • IICh. 1:5; 3:15; 4:20; 5:6; 6:12, 22, 24, 36; 7:4, 7; 8:12; 10:6; 13:8, 15; 14:11, 12; 15:2, 8; 20:5, 9, 12; 23:17; 24:14; 25:8, 22; 26:19; 28:14; 29:19, 23; 30:9; 32:12; 34:18, 24

לִפְנֵי (ב)

538 לִפְנֵי שַׁחֵת יְיָ אֶת־סְדֹם Gen. 13:10
539 וַאֲבָרֶכְכָה לִפְנֵי יְיָ לִפְנֵי מוֹתִי Gen. 27:7
540 אֲשֶׁר יְבָרֶכְךָ לִפְנֵי מוֹתוֹ Gen. 27:10
541 לָתֵת הַצְּעִירָה לִפְנֵי הַבְּכִירָה Gen. 29:26
542 לִפְנֵי מְלָךְ־מֶלֶךְ לִבְנֵי יִשְׂרָאֵל Gen. 36:31
543 אָבִיךָ צִוָּה לִפְנֵי מוֹתוֹ Gen. 50:16
544 שֶׁבַע שָׁנִים נִבְנְתָה לִפְנֵי צֹעַן Num. 13:22
545 אֲשֶׁר בֵּרַךְ מֹשֶׁה...לִפְנֵי מוֹתוֹ Deut. 33:1
546 יוֹם אֶחָד לִפְנֵי בוֹא־שָׁאוּל ISh. 9:15
547 נָהֲגוּ לִפְנֵי הַמִּקְנֶה הַהוּא ISh. 30:20
548 כִּי אִם־לִפְנֵי בוֹא־הַשֶּׁמֶשׁ IISh. 3:35
549 חֲצִיר גַּגּוֹת וּשְׁדֵפָה לִפְנֵי קָמָה IIK. 19:26
550 כִּי־לִפְנֵי קָצִיר כְּתָם־פֶּרַח Is. 18:5
551 חֲצִיר גַּגּוֹת וּשְׁדֵמָה לִפְנֵי קָמָה Is. 37:27
552 בָּעֶרֶב לִפְנֵי בּוֹא הַפָּלִיט Ezek. 33:22
553/4 לִפְנֵי בּוֹא יוֹם יְיָ... Joel 3:4 • Mal. 3:23
555 אֲשֶׁר חָזָה...שְׁנָתַיִם לִפְנֵי הָרָעַשׁ Am. 1:1
556 כִּי לִפְנֵי הַיָּמִים הָהֵם Zech. 8:10
557 לִפְנֵי גְבָעוֹת חוֹלָלְתִּי Prov. 8:25
558 לִפְנֵי־שֶׁבֶר גָּאוֹן Prov. 16:18
559 לִפְנֵי־שֶׁבֶר יִגְבַּהּ לֵב־אִישׁ Prov. 18:12
560 צָלְלוּ שַׁעֲרֵי יְרוּשָׁ׳ לִפְנֵי הַשַּׁבָּת Neh. 13:19
561 לִפְנֵי מְלָךְ־מֶלֶךְ לִבְנֵי יִשְׂרָאֵל ICh. 1:43
562 וַיָּכֶן דָּוִיד לָרֹב לִפְנֵי מוֹתוֹ ICh. 22:5(4)
563 וַיָּמָת נָדָב וַאֲבִיהוּא לִפְנֵי אֲבִיהֶם ICh. 24:2
564 וְהֶעֱמִיד הָאֲשֵׁרִים...לִפְנֵי הִכָּנְעוֹ IICh. 33:19

לִפְנֵי (ג)

565 יַעֲבָר־נָא אֲדֹנִי לִפְנֵי עַבְדּוֹ Gen. 33:14
566 וַיָּשֶׂם אֶת־אֶפְרַיִם לִפְנֵי מְנַשֶּׁה Gen. 48:20
567 הַהֹלֵךְ לִפְנֵי מַחֲנֵה יִשְׂרָאֵל Ex. 14:19
568 עֲבֹר לִפְנֵי הָעָם Ex. 17:5
569 וַאֲנַחְנוּ נֵחָלֵץ חֻשִׁים לִפְנֵי בְּ״י Num. 32:17
570 חֲלוּצִים תַּעַבְרוּ לִפְנֵי אֲחֵיכֶם Deut. 3:18
571 כִּי־הוּא יַעֲבֹר לִפְנֵי הָעָם הַזֶּה Deut. 3:28
572 קוּם לֵךְ לְמַסַּע לִפְנֵי הָעָם Deut. 10:11
573 תַּעַבְרוּ חֲמֻשִׁים לִפְנֵי אֲחֵיכֶם Josh. 1:14
574 שְׂאוּ...וְעִבְרוּ לִפְנֵי הָעָם Josh. 3:6
575 וַיִּשְׂאוּ...וַיֵּלְכוּ לִפְנֵי הָעָם Josh. 3:6
576 נֹשְׂאֵי הָאָרוֹן הַבְּרִית לִפְנֵי הָעָם Josh. 3:14
577 עִבְרוּ לִפְנֵי אֲרוֹן יְיָ אֱלֹהֵיכֶם Josh. 4:5
578 וַיַּעֲבֹר אֲרוֹן יְיָ...לִפְנֵי הָעָם Josh. 4:11
579 וַיַּעַבְרוּ...חֲמֻשִׁים לִפְנֵי בְּ״י Josh. 4:12
580 יִשְׂאוּ שִׁבְעָה שׁוֹפְרוֹת...לִפְנֵי הָאָרוֹן Josh. 6:4

לִפְנֵי (ג) (המשך)

581-583 לִפְנֵי אֲרוֹן יְיָ Josh. 6:6, 7, 13
584 וְהֶחָלוּץ הֹלֵךְ לִפְנֵי הַכֹּהֲנִים Josh. 6:9
585 וְרָצוּ לִפְנֵי מֶרְכַּבְתּוֹ ISh. 8:11
586 וַיֵּצֵא וַיָּבֹא לִפְנֵי הָעָם ISh. 18:13
587 וְאַחְיוֹ הֹלֵךְ לִפְנֵי הָאָרוֹן IISh. 6:4
588 וְצָלְחוּ הַיַּרְדֵּן לִפְנֵי הַמֶּלֶךְ IISh. 19:18
589 וַיָּרָץ לִפְנֵי אַחְאָב... IK. 18:46
590 וִהְיוּ כְּעַתּוּדִים לִפְנֵי־צֹאן Jer. 50:8
591 אֱלֹהִים בְּצֵאתְךָ לִפְנֵי עַמֶּךָ Ps. 68:8
592 וְאֵצְאָה לִפְנֵי הָעָם־הַזֶּה וְאָבוֹאָה IICh. 1:10
593 הַמַּאֲרָב...וַיִּהְיוּ לִפְנֵי יְהוּדָה IICh. 13:13
594 בְּצֵאת לִפְנֵי הֶחָלוּץ IICh. 20:21
595 וַיֵּצֵא לִפְנֵי הַצָּבָא הַבָּא לְשֹׁמְרוֹן IICh. 28:9

וְלִפְנֵי (א)

596 לִפְנֵי פַרְעֹה וְלִפְנֵי עֲבָדָיו Ex. 7:10
597 וְלִפְנֵי הַכַּפֹּרֶת יַזֶּה Lev. 16:14
598 וְהִזָּה...עַל־...וְלִפְנֵי הַכַּפֹּרֶת Lev. 16:15
599 וְלִפְנֵי עִוֵּר לֹא תִתֵּן מִכְשֹׁל Lev. 19:14
600/1 לִפְנֵי אַהֲרֹן וְלִפְנֵי בָנָיו Num. 8:13, 22
602 ...לִפְנֵי מֹשֶׁה וְלִפְנֵי אַהֲרֹן Num. 9:6
603 וַתַּעֲמֹדְנָה...וְלִפְנֵי אֶלְעָזָר הַכֹּ׳ Num. 27:2
604 וְלִפְנֵי הַנְּשִׂיאִם וְכָל־הָעֵדָה Num. 27:2
605/6 וְלִפְנֵי כָּל־הָעֵדָה Num. 27:19, 22
607 וְלִפְנֵי אֶלְעָזָר הַכֹּהֵן יַעֲמֹד Num. 27:21
608 לִפְנֵי מֹשֶׁה וְלִפְנֵי הַנְּשִׂאִים Num. 36:1
609 וְלִפְנֵי יְהוֹשֻׁעַ בִּן־נוּן Josh. 17:4
610 וְלִפְנֵי הַנְּשִׂיאִים לֵאמֹר Josh. 17:4
611 לִפְנֵי־שָׁאוּל וְלִפְנֵי עֲבָדָיו ISh. 28:25
612 וְלִפְנֵי הַדְּבִיר עֶשְׂרִים אַמָּה אֹרֶךְ IK. 6:20
613 לִפְנֵיכֶם וְלִפְנֵי אֲבוֹתֵיכֶם Jer. 44:10
614 וְלִפְנֵי מְבַקְשֵׁי נַפְשָׁם Jer. 49:37
615 וְלִפְנֵי הַלְּשָׁכוֹת מַהֲלַךְ Ezek. 42:4
616 יִירָאוּךָ...וְלִפְנֵי יָרֵחַ דּוֹר דּוֹרִים Ps. 72:5
617 וְלִפְנֵי יְיָ יִשְׁפֹּךְ שִׂיחוֹ Ps. 102:1
618 וְלִפְנֵי גְדֹלִים יַנְחֶנּוּ Prov. 18:16
619 לִפְנֵי יְיָ וְלִפְנֵי עַמּוֹ ICh. 22:18(17)
620 לִפְנֵי אָסָא וְלִפְנֵי יְהוּדָה IICh. 14:11
621 לִפְנֵי־יְיָ וְלִפְנֵי מַחֲנֵהוּ IICh. 14:12

וְלִפְנֵי (ב)

622 וְלִפְנֵי־יוֹם וְלֹא שְׁמַעְתָּם Is. 48:7
623/4 וְלִפְנֵי כָבוֹד עֲנָוָה Prov. 15:33; 18:12
625 וְלִפְנֵי כִשָּׁלוֹן גֹּבַהּ רוּחַ Prov. 16:18
626 וְלִפְנֵי הִתְגַּלַּע הָרִיב נְטוֹשׁ Prov. 17:14
627 וְלִפְנֵי כָל־חָצִיר יִיבָשׁ Job 8:12
628 וְלִפְנֵי גְבָעוֹת חוֹלָלְתָּ Job 15:7
629 וְלִפְנֵי מִזֶּה אֶלְיָשִׁיב הַכֹּהֵן נָתוּן... Neh. 13:4

מִלִּפְנֵי (א)

630 וַיֵּצֵא קַיִן מִלִּפְנֵי יְיָ Gen. 4:16
631 וַיֵּצֵא יוֹסֵף מִלִּפְנֵי פַרְעֹה Gen. 41:46
632 וַיֵּצֵא מִלִּפְנֵי פַרְעֹה Gen. 47:10
633 וַיֵּצְאוּ כָּל־עֲדַת בְּ״יִ מִלִּפְנֵי מֹשֶׁה Ex. 35:20
634 וַיִּקְחוּ מִלִּפְנֵי מֹשֶׁה... Ex. 36:3
635 וַתֵּצֵא אֵשׁ מִלִּפְנֵי יְיָ Lev. 9:24
636-648 מִלִּפְנֵי יְיָ Lev. 10:2; 16:12
Num. 17:11, 24; 20:9 • ISh. 21:7 • Jon. 1:3²; 1:10 •
Ps. 97:5 • ICh. 16:33 • IICh. 19:2; 33:23
649 וְכָתַב...מִלִּפְנֵי הַכֹּהֲנִים הַלְוִיִּם Deut. 17:18
650 וּזְעַקְתֶּם...מִלִּפְנֵי מַלְכְּכֶם ISh. 8:18
651 וַיִּרָא שָׁאוּל מִלִּפְנֵי דָוִד ISh. 18:12
652 קָם מִלִּפְנֵי מִזְבַּח יְיָ IK. 8:54
653 וַיָּמָד...מִלִּפְנֵי הַשַּׁעַר הַתַּחְתּוֹנָה Ezek. 40:19
654 מִלִּפְנֵי אֲדוֹן כָּל־הָאָרֶץ Ps. 97:5
655 מִלִּפְנֵי אָדוֹן חוּלִי אָרֶץ Ps. 114:7
656 מִלִּפְנֵי אֱלוֹהַּ יַעֲקֹב Ps. 114:7
657 אֲשֶׁר אֵינֶנּוּ יָרֵא מִלִּפְנֵי אֱלֹהִים Eccl. 8:13

מִלִּפְנֵי (א) (המשך)

658 כִּשְׁגָגָה שֶׁיֹּצָא מִלִּפְנֵי הַשַּׁלִּיט Eccl. 10:5
659 נִבְעַת מִלִּפְנֵי הַמֶּלֶךְ וְהַמַּלְכָּה Es. 7:6
660 וּמָרְדֳּכַי יָצָא מִלִּפְנֵי הַמֶּלֶךְ Es. 8:15
661 וַיָּקָם עֶזְרָא מִלִּפְנֵי בֵּית הָאֱלֹהִים Ez. 10:6
662 וַיָּנָס אֲרָם מִלִּפְנֵי יִשְׂרָאֵל ICh. 19:18
663 לַבָּמָה...מִלִּפְנֵי אֹהֶל מוֹעֵד IICh. 1:13
664 הוֹרַשְׁתָּ...מִלִּפְנֵי עַמְּךָ יִשְׂרָאֵל IICh. 20:7
665 וַיִּכָּנַע מְאֹד מִלִּפְנֵי אֱלֹהֵי אֲבֹתָיו IICh. 33:12
666 רַךְ־לְבָבְךָ וַתִּכָּנַע מִלִּפְנֵי אֱלֹ׳ IICh. 34:27
667 לֹא נִכְנַע מִלִּפְנֵי יִרְמְיָהוּ הַנָּבִיא IICh. 36:12

וּמִלִּפְנֵי (א)

668 וּמִלִּפְנֵי כָּל־הֶהָמוֹן אֲשֶׁר־עִמּוֹ IICh. 32:7

לְפָנַי (א)

669 קֵץ כָּל־בָּשָׂר בָּא לְפָנַי Gen. 6:13
670 כִּי־אֹתְךָ רָאִיתִי צַדִּיק לְפָנַי Gen. 7:1
671 הִתְהַלֵּךְ לְפָנַי וֶהְיֵה תָמִים Gen. 17:1
672 הַקְרֵה־נָא לְפָנַי הַיּוֹם Gen. 24:12
673 לְרֶגֶל הַמְּלָאכָה אֲשֶׁר־לְפָנַי Gen. 33:14
674 לֶחֶם פָּנִים לְפָנַי תָּמִיד Ex. 25:30
675 יִתְהַלְּכוּ לְפָנַי עַד־עוֹלָם ISh. 2:30
676 יַעֲמָד־נָא דָוִד לְפָנַי ISh. 16:22
677 פָּרַץ יְיָ אֶת־אֹיְבַי לְפָנַי IISh. 5:20
678 שַׂר־צָבָא תִּהְיֶה לְפָנַי IISh. 19:14
679 אִם יִשְׁמְרוּ...לָלֶכֶת לְפָנַי בֶּאֱמֶת IK. 2:4
680 רַק אִם־יִשְׁמְרוּ...לָלֶכֶת לְפָנַי IK. 8:25
681 וְאֶת־תְּחִנָּתְךָ אֲשֶׁר הִתְחַנַּנְתָּה לְפָנַי IK. 9:3
682 וְאַתָּה אִם־תֵּלֵךְ לְפָנַי... IK. 9:4
683 לְמַעַן הֱיוֹת נִיר...כָּל־הַיָּמִים לְפָנַי IK. 11:36
684-705 לְפָנַי Is. 66:22, 23
Jer. 2:22; 7:10; 15:1, 19; 30:20; 31:36(35); 34:15; 35:19 • Ezek. 2:10; 22:30; 44:15 • Hag. 2:14 • Ps. 5:9; 23:5; 57:7 • Job 33:5; 41:2 • Neh. 6:19 • IICh. 7:17; 34:27

לְפָנַי (ב)

706 כִּי מְעַט אֲשֶׁר־הָיָה לְךָ לְפָנַי Gen. 30:30
707 לְפָנַי לֹא־נוֹצַר אֵל Is. 43:10
708 הַנְּבִיאִים אֲשֶׁר הָיוּ לְפָנַי וּלְפָנֶיךָ Jer. 28:8
709 אֲשֶׁר הָיָה לְפָנַי עַל יְרוּשָׁלָם Eccl. 1:16
710 מִכֹּל שֶׁהָיוּ לְפָנַי בִּירוּשָׁלָם Eccl. 2:7
711 מִכֹּל שֶׁהָיָה לְפָנַי בִּירוּשָׁלָם Eccl. 2:9
712 וְהַפַּחוֹת הָרִאשֹׁנִים אֲשֶׁר־לְפָנַי Neh. 5:15

לְפָנַי (ג)

713 וַיֹּאמֶר אֶל־עֲבָדָיו עִבְרוּ לְפָנַי Gen. 32:17
714 וַתִּרְאַנִי הָאָתוֹן וַתֵּט לְפָנַי Num. 22:33
715 עֲלֵה לְפָנַי הַבָּמָה ISh. 9:19
716 וְיָרַדְתָּ לְפָנַי הַגִּלְגָּל ISh. 10:8
717 עִבְרוּ לְפָנַי הִנְנִי אַחֲרֵיכֶם בָּאָה ISh. 25:19

לְפָנָי (א)

718 כִּי הִקְרָה יְיָ אֱלֹהֶיךָ לְפָנָי Gen. 27:20
719 בַּחֲלוֹמִי וְהִנֵּה־גֶפֶן לְפָנָי Gen. 40:9
720 וְנָתַן יְיָ אוֹתָם לְפָנָי Jud. 11:9
721 לָשֵׂאת אֵפוֹד לְפָנָי ISh. 2:28
722 כַּאֲשֶׁר הָלַכְתָּ לְפָנָי IK. 8:25
723 וַתִּקְרַע...וַתִּבְכֶּה לְפָנָי IIK. 22:19
724 הִנֵּה כְתוּבָה לְפָנָי Is. 65:6
725-737 לְפָנָי Jer. 34:18; 49:19; 50:44
Ezek. 8:1; 14:1; 16:50; 20:1; 36:17 • Jon. 1:2 •
S.ofS. 8:12 • ICh. 22:8(7) • IICh. 6:16; 34:27

לְפָנָי (ג)

738 בַּמִּנְחָה הַהֹלֶכֶת לְפָנָי Gen. 32:20
739 וּפִנָּה־דֶרֶךְ לְפָנָי Mal. 3:1

מִלְּפָנַי (א)

740 לִקְבֹּר אֶת־מֵתִי מִלְּפָנָי Gen. 23:8
741 וְנִכְרְתָה הַנֶּפֶשׁ הַהִוא מִלְּפָנַי Lev. 22:3
742/3 לֹא־יִכָּרֵת...אִישׁ מִלְּפָנַי IK. 8:25 • IICh. 6:16
744 כִּי־רוּחַ מִלְּפָנַי יַעֲטוֹף Is. 57:16
745 אִם יָמֻשׁוּ הַחֻקִּים...מִלְּפָנַי Jer. 31:36(35)
746 יֵצְאוּ מַלְאָכִים מִלְּפָנַי בַּצִּים Ezek. 30:9

מִלְּפָנָי (א)

747 וְאֶקְבְּרָה מֵתִי מִלְּפָנָי Gen. 23:4
748 כִּי־נִכְנַע אַחְאָב מִלְּפָנָי IK. 21:29
749 וְלֹא־יִשָּׁמֵד שְׁמוֹ מִלְּפָנָי Is. 48:19
750 לֹא נִסְתְּרוּ מִלְּפָנָי Jer. 16:17
751 לֹא־יִכָּרֵת אִישׁ מִלְּפָנָי Jer. 33:18

לְפָנֶיךָ (א)

752 הֲלֹא כָל־הָאָרֶץ לְפָנֶיךָ Gen. 13:9
753 לוּ יִשְׁמָעֵאל יִחְיֶה לְפָנֶיךָ Gen. 17:18
754 הִנֵּה אַרְצִי לְפָנֶיךָ... Gen. 20:15
755 הִנֵּה־רִבְקָה לְפָנֶיךָ קַח וָלֵךְ Gen. 24:51
756 כִּי־תָבוֹא עַל־שְׂכָרִי לְפָנֶיךָ Gen. 30:33
757 אִם־לֹא...וְהִצַּגְתִּיו לְפָנֶיךָ Gen. 43:9
758 אֶרֶץ מִצְרַיִם לְפָנֶיךָ הִוא Gen. 47:6
759 הִנְנִי עֹמֵד לְפָנֶיךָ שָּׁם עַל־הַצּוּר Ex. 17:6
760 וְקָרָאתִי בְשֵׁם יְיָ לְפָנֶיךָ Ex. 33:19
761 נָתַן יְיָ אֱלֹהֶיךָ לְפָנֶיךָ אֶת־הָאָרֶץ Deut. 1:21
762 יְהוֹשֻׁעַ בִּן־נוּן הָעֹמֵד לְפָנֶיךָ Deut. 1:38
763 הַחִלֹּתִי תֵּת לְפָנֶיךָ אֶת־סִיחֹן Deut. 2:31
764/5 וּנְתָנָם יְיָ אֱלֹהֶיךָ לְפָנֶיךָ Deut. 7:2, 23
766 יְיָ אֱלֹהֶיךָ הוּא־הָעֹבֵר לְפָנֶיךָ Deut. 9:3
767 וְהוּא יַכְנִיעֵם לְפָנֶיךָ Deut. 9:3
768 כִּי יִקָּרֵא קַן־צִפּוֹר לְפָנֶיךָ Deut. 22:6
769 לְהַצִּילְךָ וְלָתֵת אֹיְבֶיךָ לְפָנֶיךָ Deut. 23:15
770 יִתֵּן יְיָ אֶת־אֹיְבֶיךָ...נִגָּפִים לְפָנֶיךָ Deut. 28:7
771 וּבְשִׁבְעָה דְרָכִים יָנוּסוּ לְפָנֶיךָ Deut. 28:7
772 הַבְּרָכָה וְהַקְּלָלָה...נָתַתִּי לְפָנֶיךָ Deut. 30:1
773 רְאֵה נָתַתִּי לְפָנֶיךָ הַיּוֹם... Deut. 30:15
774 הַחַיִּים וְהַמָּוֶת נָתַתִּי לְפָנֶיךָ Deut. 30:19
775 וְהֶגְיוֹן לִבִּי לְפָנֶיךָ Ps. 19:15
776 וְיִשְׁתַּחֲווּ לְפָנֶיךָ כָּל־מִשְׁפְּחוֹת Ps. 22:28
777-837 לְפָנֶיךָ Josh. 1:5 • Jud. 4:14
6:18; 13:15 • ISh. 9:12, 24; 16:16; 28:22; 29:8 • IISh. 5:24; 7:16, 26, 29; 16:19; 18:14 • IK. 3:6; 8:23, 28; 10:8 • IIK. 6:1; 20:3 • Is. 9:2; 38:3 • Jer. 18:20, 23; 37:20; 39:16; 40:4; 42:2 • Ezek. 4:1; 33:31 • Zech. 3:8 • Ps. 41:13; 76:8; 79:11; 86:9; 88:3; 102:29; 119:169; 119:170; 141:2; 143:2 • Prov. 23:1 • Lam. 1:22 • Dan. 1:13; 9:18 • Ez. 9:15² • Neh. 1:6; 2:5; 9:8, 28, 32 • ICh. 17:24, 25, 27; 29:15 • IICh. 6:14; 19, 24; 9:7

לְפָנֶיךָ (ב)

838 לְיָמִים רִאשֹׁנִים אֲשֶׁר־הָיוּ לְפָנֶיךָ Deut. 4:32
839 אֲשֶׁר כָּמוֹךָ לֹא־הָיָה לְפָנֶיךָ IK. 3:12
840 וַתָּרַע...מִכֹּל אֲשֶׁר־הָיוּ לְפָנֶיךָ IK. 14:9
841 הַמְּלָכִים...אֲשֶׁר־הָיוּ לְפָנֶיךָ Jer. 34:5
842 הֲסִירוֹתִי מֵאֲשֶׁר הָיָה לְפָנֶיךָ ICh. 17:13
843 לֹא־הָיָה כֵן לַמְּלָכִים אֲשֶׁר לְפָנֶיךָ IICh. 1:12

לְפָנֶיךָ (ג)

844 הוּא יִשְׁלַח מַלְאָכוֹ לְפָנֶיךָ Gen. 24:7
845 וְאָנָה תֵלֵךְ וּלְמִי אֵלֶּה לְפָנֶיךָ Gen. 32:18
846 הִנֵּה אָנֹכִי שֹׁלֵחַ מַלְאָךְ לְפָנֶיךָ Ex. 23:20
847 כִּי־יֵלֵךְ מַלְאָכִי לְפָנֶיךָ Ex. 23:23
848 אֶת־אֵימָתִי אֲשַׁלַּח לְפָנֶיךָ Ex. 23:27
849 וְשָׁלַחְתִּי אֶת־הַצִּרְעָה לְפָנֶיךָ Ex. 23:28
850 הִנֵּה מַלְאָכִי יֵלֵךְ לְפָנֶיךָ Ex. 32:34
851 וְשָׁלַחְתִּי לְפָנֶיךָ מַלְאָךְ Ex. 33:2
852 יְיָ אֱלֹהֶיךָ הוּא עֹבֵר לְפָנֶיךָ Deut. 31:3
853 יְהוֹשֻׁעַ הוּא עֹבֵר לְפָנֶיךָ Deut. 31:3
854 וַיְיָ הוּא הַהֹלֵךְ לְפָנֶיךָ Deut. 31:8
855 אֲנִי לְפָנֶיךָ אֵלֵךְ וַהֲדוּרִים אֲיַשֵּׁר Is. 45:2
856 וְהָלַךְ לְפָנֶיךָ צִדְקֶךָ Is. 58:8
857 וָאֶשְׁלַח לְפָנֶיךָ אֶת־מֹשֶׁה Mic. 6:4
858 כִּי יָצָא הָאֱלֹהִים לְפָנֶיךָ ICh. 14:15

וּלְפָנֶיךָ (א)

859 נַעַמְדָה לִפְנֵי הַבַּיִת הַזֶּה וּלְפָנֶיךָ IICh. 20:9

וּלְפָנֶיךָ(ב) 860 אֲשֶׁר הָיוּ לְפָנַי וּלְפָנֶיךָ... Jer. 28:8
מִלְּפָנֶיךָ(א) 861 וְגֵרְשָׁה אֶת־הַחִוִּי...מִלְּפָנֶיךָ Ex. 23:28
862 בַּהֲדֹף יְיָ אֱלֹהֶיךָ אֹתָם מִלְּפָנֶיךָ Deut. 9:4
863 חֲמֹרְךָ גָּזוּל מִלְּפָנֶיךָ Deut. 28:31
864 הוּא־יַשְׁמִיד...מִלְּפָנֶיךָ Deut. 31:3
865 מֵעִם שָׁאוּל אֲשֶׁר הֲסִרֹתִי מִלְּפָנֶיךָ IISh. 7:15
866 אַל־תְּכַפֵּר עַל־עֲוֹנָם...מִלְּפָנֶיךָ Jer. 18:23
867 מִלְּפָנֶיךָ מִשְׁפָּטִי יֵצֵא Ps. 17:2
868 אַל־תַּשְׁלִיכֵנִי מִלְּפָנֶיךָ Ps. 51:13
869 וְאַל־תְּכַס עַל־עֲוֹנָם...מִלְּפָנֶי Neh. 3:37
870 וְהָעֹשֶׁר וְהַכָּבוֹד מִלְּפָנֶיךָ ICh. 29:12
לְפָנָיו(א) 871 וַיּוּשַׂם° לְפָנָיו לֶאֱכֹל Gen. 24:33
872 יְיָ אֲשֶׁר הִתְהַלַּכְתִּי לְפָנָיו Gen. 24:70
873 וַיִּקְרְאוּ לְפָנָיו אַבְרֵךְ Gen. 41:43
874 וַיֵּשְׁבוּ לְפָנָיו הַבְּכֹר כִּבְכֹרָתוֹ Gen. 43:33
875 וַיִּפְּלוּ לְפָנָיו אָרְצָה Gen. 44:14
876 אֲשֶׁר הִתְהַלְּכוּ אֲבֹתַי לְפָנָיו Gen. 48:15
877 וַיֵּלְכוּ גַּם־אֶחָיו וַיִּפְּלוּ לְפָנָיו Gen. 50:18
878 וַיִּבֶן מִזְבֵּחַ לְפָנָיו Ex. 32:5
879 וַתִּבְכּוּ לְפָנָיו לֵאמֹר Num. 11:20
880 וְשָׁחַט אֹתָהּ לְפָנָיו Num. 19:3
881 וְהִפִּילוֹ הַשֹּׁפֵט וְהִכָּהוּ לְפָנָיו Deut. 25:2
882 וּבְשִׁבְעָה דְרָכִים תָּנוּס לְפָנָיו Deut. 28:25
883 וְעָנְתָה הַשִּׁירָה הַזֹּאת לְפָנָיו Deut. 31:21
884־961 לְפָנָיו (א) Josh. 22:27
Jud. 20:28 • ISh. 5:3, 4; 16:21; 19:7 • IISh. 11:13; 13:9 • IK. 1:25; 3:16; 12:8; 17:1; 18:15; 19:19 • IIK. 3:14; 4:12, 38; 5:15, 16²; 5:23; 8:9²; 10:4; 25:29 • Is. 40:10; 41:2; 45:1²; 53:2 • Jer. 36:22; 42:9; 49:5; 52:33; 62:11 • Ezek. 3:20; 30:24 • Hosh. 6:2 • Zech. 3:4 • Mal. 3:16 • Ps. 18:7; 22:30; 50:3; 62:9; 68:5; 72:9; 100:2; 106:23; 142:3² • Prov. 8:30 • Job 13:16; 23:4; 35:14 • Eccl. 2:26 • Es. 1:3, 17; 2:9, 17; 6:9, 11, 13²; 8:5 • Dan. 8:4, 7; 11:16 • Neh. 2:1² • ICh. 16:29; 21:30 • IICh. 2:3, 5; 10:8; 14:4, 9; 29:11; 34:4
לְפָנָיו (ב) 962 לְפָנָיו לֹא־הָיָה כֵן Ex. 10:14
963 וְלֹא הָיָה כַּיּוֹם הַהוּא לְפָנָיו Josh. 10:14
964 בְּכָל־חַטֹּאות אָבִיו אֲשֶׁר־עָשָׂה לְפָנָיו IK. 15:3
965 וַיָּרַע מִכֹּל אֲשֶׁר לְפָנָיו IK. 16:25
966 וַיַּעַשׂ...הָרַע...מִכֹּל אֲשֶׁר לְפָנָיו IK. 16:30
967 מִכֹּל מַלְכֵי יִשְׂרָאֵל אֲשֶׁר הָיוּ לְפָנָיו IK. 16:33
968 לֹא כְּמַלְכֵי יִשְׂרָאֵל אֲשֶׁר הָיוּ לְפָנָיו IIK. 17:2
969 וַאֲשֶׁר הָיוּ לְפָנָיו IIK. 18:5
970 אֲשֶׁר־עָשׂוּ הָאֱמֹרִי אֲשֶׁר לְפָנָיו IIK. 21:11
971 וְכָמֹהוּ לֹא־הָיָה לְפָנָיו IIK. 23:25
972 לְפָנָיו אָכְלָה אֵשׁ וְאַחֲרָיו...לֶהָבָה Joel 2:3
973 כְּגַן־עֵדֶן הָאָרֶץ לְפָנָיו... Joel 2:3
974 לֹא הָיָה עַל־כָּל־מֶלֶךְ לְפָנָיו ICh. 29:25
לְפָנָיו (ג) 975 וַיִּשְׁלַח יַעֲקֹב מַלְאָכִים לְפָנָיו Gen. 32:3
976 וְאֶת־יְהוּדָה שָׁלַח לְפָנָיו Gen. 46:28
977 לְהוֹרֹת לְפָנָיו גֹּשְׁנָה Gen. 46:28
978 וְנֹשֵׂא הַצִּנָּה הֹלֵךְ לְפָנָיו ISh. 17:7
979 וְהָאִישׁ נֹשֵׂא הַצִּנָּה לְפָנָיו ISh. 17:41
980/1 וַחֲמִשִּׁים אִישׁ רָצִים לְפָ׳ IISh. 15:1 • IK. 1:5
982 לְפָנָיו רָגְזָה אֶרֶץ רָעֲשׁוּ שָׁמָיִם Joel 2:10
983 לְפָנָיו יֵלֶךְ דָּבֶר Hab. 3:5
984 צֶדֶק לְפָנָיו יְהַלֵּךְ Ps. 85:14
985/6 הוֹד וְהָדָר לְפָנָיו Ps. 96:6 • ICh. 16:27
987 אֵשׁ לְפָנָיו תֵּלֵךְ Ps. 97:3
וּלְפָנָיו(ג) 988 וּלְפָנָיו אֵין מִסְפָּר Job 21:33
989 וּלְפָנָיו תָּדוּץ דְּאָבָה Job 41:14

מִלְּפָנָיו(א) 990 וַיֵּצֵא מִלְּפָנָיו מְצֹרָע כַּשָּׁלֶג IIK. 5:27
991 וַיִּשְׁלַח אִישׁ מִלְּפָנָיו IIK. 6:32
992 וְהָאֱלֹהִים עָשָׂה שֶׁיִּרְאוּ מִלְּפָנָיו Eccl. 3:14
993 לְיִרְאֵי הָאֱלֹ׳ אֲשֶׁר יִירְאוּ מִלְּפָנָיו Eccl. 8:12
994 יֵצֵא דְבַר־מַלְכוּת מִלְּפָנָיו Es. 1:19
995 וּלְבַקֵּשׁ מִלְּפָנָיו עַל־עַמָּהּ Es. 4:8
996 וּזְרֹעוֹת הַשֶּׁטֶף יִשָּׁטְפוּ מִלְּפָנָיו Dan. 11:22
997 חִילוּ מִלְּפָנָיו כָּל־הָאָרֶץ ICh. 16:30
לְפָנֶיהָ(א) 998 וְשֻׁלְחָן עָרוּךְ לְפָנֶיהָ Ezek. 23:41
999 פִּנִּיתָ לְפָנֶיהָ וַתַּשְׁרֵשׁ שָׁרָשֶׁיהָ Ps. 80:10
1000 מִסָּרִיסֵי הַמֶּ׳ אֲשֶׁר הֶעֱמִיד לְפָנֶיהָ Es. 4:5
1001 וַיִּתְּנֵהוּ יְיָ אֱלֹהֵינוּ לְפָנֵינוּ Deut. 2:33
1002 אֶת־הַכֹּל נָתַן יְיָ אֱלֹהֵינוּ לְפָנֵינוּ Deut. 2:36
1003 נָסִים לְפָנֵינוּ כַּאֲשֶׁר בָּרִאשֹׁנָה Josh. 8:6
1004 נִגָּפִים הֵם לְפָנֵינוּ כְּבָרִאשֹׁנָה Jud. 20:32
1005 אַךְ נִגּוֹף נִגָּף הוּא לְפָנֵינוּ Jud. 20:39
1006 יָקוּמוּ נָא...וִישַׂחֲקוּ לְפָנֵינוּ IISh. 2:14
1007 בְּתוֹרֹתָיו אֲשֶׁר־נָתַן לְפָנֵינוּ Dan. 9:10
לְפָנֵינוּ(ג) 1008/9 אֱלֹהִים אֲשֶׁר יֵלְכוּ לְפָנֵינוּ Ex. 32:1, 23
1010 נִשְׁלְחָה אֲנָשִׁים לְפָנֵינוּ Deut. 1:22
1011 וּשְׁפָטָנוּ מַלְכֵּנוּ וְיָצָא לְפָנֵינוּ ISh. 8:20
1012 אֱמֹר לַנַּעַר וְיַעֲבֹר לְפָנֵינוּ ISh. 9:27
1013 עוֹדֶנּוּ הָאָרֶץ לְפָנֵינוּ IICh. 14:6
מִלְּפָנֵינוּ(ב) 1014 לְעֹלָמִים אֲשֶׁר הָיָה מִלְּפָנֵנוּ Eccl. 1:10
לִפְנֵיכֶם(א) 1015 וְהָאָרֶץ תִּהְיֶה לִפְנֵיכֶם Gen. 34:10
1016 וְנָפְלוּ לִפְנֵיכֶם לֶחָרֶב Lev. 26:7
1017 וְנָפְלוּ אֹיְבֵיכֶם לִפְנֵיכֶם לֶחָרֶב Lev. 26:8
1018 הָעֲמָלֵקִי...שָׁם לִפְנֵיכֶם Num. 14:43
1019 וְנִכְבְּשָׁה הָאָרֶץ לִפְנֵיכֶם Num. 32:29
1020 רְאֵה נָתַתִּי לִפְנֵיכֶם אֶת־הָאָרֶץ Deut. 1:8
1021/2 אֲשֶׁר אָנֹכִי נֹתֵן לִפְנֵיכֶם Deut. 4:8; 11:32
1023 רְאֵה אָנֹכִי נֹתֵן לִפְנֵיכֶם הַיּוֹם Deut. 11:26
1024 וּנְתָנָם יְיָ לִפְנֵיכֶם Deut. 31:5
1025 הִנֵּה הַמֶּלֶךְ מִתְהַלֵּךְ לִפְנֵיכֶם IISh. 12:2
1026 וַאֲנִי הִתְהַלַּכְתִּי לִפְנֵיכֶם ISh. 12:2
1027 חֻקֹּתַי אֲשֶׁר נָתַתִּי לִפְנֵיכֶם IK. 9:6
1028 כִּי־הֹלֵךְ לִפְנֵיכֶם יְיָ... Is. 52:12
1029 הֶהָרִים...יִפְצְחוּ לִפְנֵיכֶם רִנָּה Is. 55:12
1030 הִנְנִי נֹתֵן לִפְנֵיכֶם... Jer. 21:8
1031 בְּתוֹרָתִי אֲשֶׁר־נָתַתִּי לִפְנֵיכֶם Jer. 26:4
1032 בְּתוֹרָתִי וּבְחֻקֹּתַי...לִפְנֵיכֶם Jer. 44:10
1033 חֻקּוֹתַי...אֲשֶׁר נָתַתִּי לִפְנֵיכֶם IICh. 7:19
1034 וְשֹׁטְרִים הַלְוִיִּם לִפְנֵיכֶם IICh. 19:11
לִפְנֵיכֶם (ב) 1035 אַנְשֵׁי־הָאָרֶץ אֲשֶׁר לִפְנֵיכֶם Lev. 18:27
1036 אֶת־הַגּוֹי אֲשֶׁר לִפְנֵיכֶם Lev. 18:28
1037 הַתּוֹעֵבֹת אֲשֶׁר נַעֲשׂוּ לִפְנֵיכֶם Lev. 18:30
1038 לְמִחְיָה שְׁלָחַנִי אֱלֹ׳ לִפְנֵיכֶם Gen. 45:5
לִפְנֵיכֶם (ג) 1039 וַיִּשְׁלָחֵנִי אֱלֹהִים לִפְנֵיכֶם... Gen. 45:7
1040 יְיָ אֱלֹהֵיכֶם הַהֹלֵךְ לִפְנֵיכֶם Deut. 1:30
1041 הַהֹלֵךְ לִפְנֵיכֶם בַּדֶּרֶךְ... Deut. 1:33
1042 אֲרוֹן...עֹבֵר לִפְנֵיכֶם בַּיַּרְדֵּן Josh. 3:11
1043 וָאֶשְׁלַח לִפְנֵיכֶם אֶת־הַצִּרְעָה Josh. 24:12
מִלִּפְנֵיכֶם(א) 1044 וְהוֹרִישׁ יְיָ...מִלִּפְנֵיכֶם Deut. 11:23
1045 וְהוֹרִישׁ אֹתָם מִלִּפְנֵיכֶם Josh. 23:5
1046 לְהוֹרִישׁ אֶת־הַגּוֹיִם...מִלִּפְנֵיכֶם Josh. 23:13
לִפְנֵיהֶם(א) 1047 וַיִּקַּח חֶמְאָה...וַיִּתֵּן לִפְנֵיהֶם Gen. 18:8
1048 וְהָאָרֶץ רַחֲבַת־יָדַיִם לִפְנֵיהֶם Gen. 34:21
1049 וַיָּשֶׂם לִפְנֵיהֶם אֵת כָּל־הַדְּבָרִים Ex. 19:7
1050 הַמִּשְׁפָּטִים אֲשֶׁר תָּשִׂים לִפְנֵיהֶם Ex. 21:1
1051/2 ...וְנַסְנוּ לִפְנֵיהֶם Josh. 8:5, 6
1053 וַיִּנָּגְעוּ יְהוֹשֻׁעַ וְכָל־יִשְׂרָאֵל לִפְנֵיהֶם
Josh. 8:15

לִפְנֵיהֶם(א) 1054 וְהָאָרֶץ נִכְבְּשָׁה לִפְנֵיהֶם Josh. 18:1
(המשך) 1055 וַיִּקְרְאוּ לְשִׁמְשׁוֹן...וַיְצַחֵק לִפְנֵיהֶם
Jud. 16:25
1056 וְשׁוֹבַךְ שַׂר־צְבָא הֲדַדְעֶזֶר לִפְנֵי׳ IISh. 10:16
1057 ...וַעֲמָשָׂא בָּא לִפְנֵיהֶם IISh. 20:8
1058 וְכָל־הַנְּבִיאִים מִתְנַבְּאִים לִפְנֵיהֶם IK. 22:10
1059 וַיִּתֵּן לִפְנֵיהֶם וַיֹּאכְלוּ IIK. 4:44
1060 שִׂים לֶחֶם וָמַיִם לִפְנֵיהֶם IIK. 6:22
1061 אָשִׂים מַחְשָׁךְ לִפְנֵיהֶם לָאוֹר Is. 42:16
1062 פֶּן־אֲחִתְּךָ לִפְנֵיהֶם Jer. 1:17
1063 אֶת־תּוֹרָתִי אֲשֶׁר נָתַתִּי לִפְנֵיהֶם Jer. 9:12
1064 מִהְיוֹת עוֹד גּוֹי לִפְנֵיהֶם Jer. 33:24
1065 וְשִׁבְעִים אִישׁ...עֹמְדִים לִפְנֵיהֶם Ezek. 8:11
1066 וְשַׁמְנִי וּקְטָרְתִּי נָתַתִּ° לִפְנֵיהֶם Ezek. 16:18
1067 וּנְתַתִּיהוּ לִפְנֵיהֶם לְרֵיחַ נִיחֹחַ Ezek. 16:19
1068 וְנָתַתִּי לִפְנֵיהֶם מִשְׁפָּט... Ezek. 23:24
1069/70 וְאֵילַמָּו לִפְנֵיהֶם Ezek. 40:22, 26
1071 וְדֶרֶךְ לִפְנֵיהֶם Ezek. 42:11
1072 וְהֵמָּה יַעַמְדוּ לִפְנֵיהֶם לְשָׁרְתָם Ezek. 44:11
1073 יְהִי־שֻׁלְחָנָם לִפְנֵיהֶם לְפָח Ps. 69:23
1074 זַרְעָם נָכוֹן לִפְנֵיהֶם עִמָּם Job 21:8
1075 וְאִישׁ לֹא־עָמַד לִפְנֵיהֶם Es. 9:2
1076 וְהַיָּם בָּקַעְתָּ לִפְנֵיהֶם Neh. 9:11
1077 וַתַּכְנַע לִפְנֵיהֶם...הַכְּנַעֲנִים Neh. 9:24
1078 וּבְאֶרֶץ...אֲשֶׁר־נָתַתָּ לִפְנֵיהֶם Neh. 9:35
1079 וְעֶזְרָא הַסּוֹפֵר לִפְנֵיהֶם Neh. 12:36
1080 וְשׁוֹפַךְ שַׂר־צְבָא הֲדַדְעֶזֶר לִפְנֵיהֶם
ICh. 19:16
1081 וְלֹא הִתְחַזַּק לִפְנֵיהֶם IICh. 13:7
1082 וְכָל־הַנְּבִיאִים מִתְנַבְּאִים לִפְנֵיהֶם IICh. 18:9
לִפְנֵיהֶם (ב) 1083 אֵין קֵץ...לְכֹל אֲשֶׁר־הָיָה לִפְנֵיהֶם
Eccl. 4:16
1084 הַכֹּל לִפְנֵיהֶם Eccl. 9:1
לִפְנֵיהֶם (ג) 1085 וְהוּא עָבַר לִפְנֵיהֶם Gen. 33:3
1086 וַיְיָ הֹלֵךְ לִפְנֵיהֶם יוֹמָם... Ex. 13:21
1087 וַאֲרוֹן בְּרִית־יְיָ נֹסֵעַ לִפְנֵיהֶם Num. 10:33
1088 וּבְעַמֻּד עָנָן אַתָּה הֹלֵךְ לִפְנֵיהֶם Num. 14:14
1089 אֲשֶׁר־יֵצֵא לִפְנֵיהֶם וַאֲשֶׁר יָבֹא לִפְנֵיהֶם
Num. 27:17
1090 וְהֶחָלוּץ הֹלֵךְ לִפְנֵיהֶם Josh. 6:13
1091 וַיֵּרְדוּ עִמּוֹ...וְהוּא לִפְנֵיהֶם Jud. 3:27
1092 וַיָּשִׂימוּ אֶת־הַטַּף...לִפְנֵיהֶם Jud. 18:21
1093 כִּי־הוּא יוֹצֵא וָבָא לִפְנֵיהֶם ISh. 18:16
1094 וְגֵחֲזִי עָבַר לִפְנֵיהֶם IIK. 4:31
1095 עָלָה הַפֹּרֵץ לִפְנֵיהֶם...וַיַּעֲבֹר Mic. 2:13
1096 מַלְכָּם לִפְנֵיהֶם וַיְיָ בְּרֹאשָׁם Mic. 2:13
1097 כְּמַלְאַךְ יְיָ לִפְנֵיהֶם Zech. 12:8
1098 שָׁלַח לִפְנֵיהֶם אִישׁ Ps. 105:17
1099 וַיֵּצֵא דָוִיד לִפְנֵיהֶם ICh. 12:17(18)
1100 וַיִּשְׁמַע דָּוִיד וַיֵּצֵא לִפְנֵיהֶם ICh. 14:8
1101 מָחָר צְאוּ לִפְנֵיהֶם וַיְיָ עִמָּכֶם IICh. 20:17
וְלִפְנֵיהֶם(א) 1102 וְלִפְנֵיהֶם יִשְׁתַּחֲוֶה וְלָהֶם יְקַטֵּר IICh. 25:14
וְלִפְנֵיהֶם(ג) 1103 וְלִפְנֵיהֶם נֵבֶל וְתֹף וְחָלִיל וְכִנּוֹר ISh.¦10:5

לִפְנַי* תה״פ בִּפְנִים

לִפְנָ֫י 1 הָיָה הַבַּיִת הוּא הַהֵיכָל לִפְנָי מ״א ו 17

לִפְנִים תה״פ – עין פְּנִים

לְפָנִים תה״פ לפני זמן רב, בימים קדומים: 1–20

לְפָנִים 1 הָאֵמִים לְפָנִים יָשְׁבוּ בָהּ Deut. 2:10
2 וּבְשֵׂעִיר יָשְׁבוּ הַחֹרִים לְפָנִים Deut. 2:12

לְפָנִים (המשך)
3 רְפָאִים יָשְׁבוּ־בָהּ לְפָנִים Deut. 2:20
4 חָצוֹר לְפָנִים הִיא רֹאשׁ כָּל־הַמַּמְלָכוֹת Josh. 11:10
5 וְשֵׁם חֶבְרוֹן לְפָנִים קִרְיַת אַרְבַּע Josh. 14:15
6 וְשֵׁם־דְּבִר לְפָנִים קִרְיַת־סֵפֶר Josh. 15:15
7 וְשֵׁם־חֶבְרוֹן לְפָנִים קִרְיַת־אַרְבַּע Jud. 1:10
8 וְשֵׁם־דְּבִר לְפָנִים קִרְיַת־סֵפֶר Jud. 1:11
9 וְשֵׁם־הָעִיר לְפָנִים לוּז Jud. 1:23
10 רַק אֲשֶׁר־לְפָנִים לֹא יְדָעוּם Jud. 3:2
11 לְפָנִים בְּיִשְׂרָאֵל כֹּה־אָמַר הָאִישׁ ISh. 9:9
12 כִּי לַנָּבִיא הַיּוֹם יִקָּרֵא לְפָנִים הָרֹאֶה ISh. 9:9
13 לְפָנִים הָאָרֶץ יָסַדְתָּ Ps. 102:26
14 כָּל־אֶחָיו...וְכָל־יֹדְעָיו לְפָנִים Job 42:11
15 וְזֹאת לְפָנִים בְּיִשְׂרָאֵל Ruth 4:7
16 וְשָׁם הָיוּ לְפָנִים נֹתְנִים אֶת־הַמִּנְחָה Neh. 13:5
17 מִן־חָם הַיֹּשְׁבִים שָׁם לְפָנִים ICh. 4:40
18 נָגִיד הָיָה עֲלֵיהֶם לְפָנִים ICh. 9:20
19 וְלֹא־נִרְאוּ כָהֵם לְפָנִים IICh. 9:11
וּמִלְּפָנִים 20 מִי־הִגִּיד מֵרֹאשׁ...וּמִלְּפָנִים... Is. 41:26

לפת : לָפַת, נִלְפַּת

לָפַת
פָּ׳ א) אחז, תפס: 1
ב) [נפ׳ נִלְפַּת] התפתל (גם בהשאלה): 2, 3

וַיִּלְפֹּת 1 וַיִּלְפֹּת שִׁמְשׁוֹן אֶת־שְׁנֵי עַמּוּדֵי הַתָּוֶךְ Jud. 16:29
וַיִּלָּפֵת 2 וַיֶּחֱרַד הָאִישׁ וַיִּלָּפֵת Ruth 3:8
יִלָּפְתוּ 3 יִלָּפְתוּ אָרְחוֹת דַּרְכָּם Job 6:18

לֵץ
ז׳ הפכפך, קל דעת: 1–16
לֵץ הַיַּיִן 7; מוֹשַׁב לֵצִים 13

לֵץ
1 אָפֵס עָרִיץ וְכָלָה לֵץ Is. 29:20
2 יֹסֵר לֵץ לֹקֵחַ לוֹ קָלוֹן Prov. 9:7
3 אַל־תּוֹכַח לֵץ פֶּן־יִשְׂנָאֶךָּ Prov. 9:8
4 בִּקֶּשׁ־לֵץ חָכְמָה וָאָיִן Prov. 14:6
5 לֹא־יֶאֱהַב לֵץ הוֹכֵחַ לוֹ Prov. 15:12
6 לֵץ תַּכֶּה וּפֶתִי יַעְרִם Prov. 19:25
7 לֵץ הַיַּיִן הֹמֶה שֵׁכָר Prov. 20:1
8 בַּעְנָשׁ־לֵץ יֶחְכַּם־פֶּתִי Prov. 21:11
9 זֵד יָהִיר לֵץ שְׁמוֹ Prov. 21:24
10 גָּרֵשׁ לֵץ וְיֵצֵא מָדוֹן Prov. 22:10
11 וְתוֹעֲבַת לְאָדָם לֵץ Prov. 24:9
וְלֵץ 12 וְלֵץ לֹא־שָׁמַע גְּעָרָה Prov. 13:1
לֵצִים 13 וּבְמוֹשַׁב לֵצִים לֹא יָשָׁב Ps. 1:1
וְלֵצִים 14 וְלֵצִים לָצוֹן חָמְדוּ לָהֶם Prov. 1:22
לַלֵּצִים 15 אִם־לַלֵּצִים הוּא־יָלִיץ Prov. 3:34
16 נָכוֹנוּ לַלֵּצִים שְׁפָטִים Prov. 19:29

לָצֵאת (דברים לא²) – עין יצא

לָצוֹן
ז׳ עקשות: 1–3 • אַנְשֵׁי לָצוֹן 1, 3

לָצוֹן
1 אַנְשֵׁי לָצוֹן מֹשְׁלֵי הָעָם הַזֶּה Is. 28:14
2 וְלֵצִים לָצוֹן חָמְדוּ לָהֶם Prov. 1:22
3 אַנְשֵׁי לָצוֹן יָפִיחוּ קִרְיָה Prov. 29:8

לַקּוּם
עיר בנחלת נפתלי

לַקּוּם 1 וַיְהִי גְבוּלָם מֵחֵלֶף...עַד־לַקּוּם Josh. 19:33

לקח : לָקַח, נִלְקַח, לֻקַּח, הִתְלַקַּח; לֶקַח, מַלְקוֹחַ, מֶלְקָחַיִם, מִקָּח, מַקָּחָה; ש״פ לִקְחִי

לָקַח
פָּ׳ א) נטל, אחז ביד, קבל לרשותו
(גם בהשאלה): רוב המקראות 1–939
ב) נשׂא אשה: 10, 11, 15, 17, 43‑45, 48‑50, 52, 61, 90, 92, 111, 141, 143, 152, 158, 164‑169, 183‑185, 228, 231, 341, 343, 347, 351, 380, 387‑390, 393‑396, 410, 411, 427, 430, 447‑449, 655/6, 658, 666, 702/3, 705, 714, 739, 740, 747, 755
ג) [נפ׳ נִלְקַח] נתפס, עבר לרשות אחר: 940, 941, 943‑949
ד) [כנ״ל] הוצא, הוסר: 942
ה) [פֻּ׳ לֻקַּח] נלקח: 950‑964
ו) [הת׳ הִתְלַקַּח] (בהשאלה) התלהב: 965, 966

לָקַח אִשָּׁה – עין לעיל(ב); לָקַח בְּשֻׁנָּה 418; לָקַח דַּעַת 408; לָקַח טַעַם 422; לָקַח כֹּפֶר 65, 720, 721; לָקַח לֵב 403, 634; לָקַח לְשׁוֹנוֹ 303; לָקַח מוּסָר 27, 32, 68, 273, 723; לָקַח נַפְשׁוֹ 31, 51, 53, 54, 420; לָקַח נְפָשׁוֹת 302; לָקַח נָקָם 315; לָקַח רָצוֹן 37; לָקַח שֹׁחַד 296, 352, 361, 392, 421

לָקוֹחַ
1 לָקֹחַ אֵת סֵפֶר הַתּוֹרָה הַזֶּה Deut. 31:26
2 לָקוֹחַ אֶת־הַסְּפָרִים הָאֵלֶּה... Jer. 32:14
3 מִבְחַר הַצֹּאן לָקוֹחַ... Ezek. 24:5
4 לָקוֹחַ מֵאֵת הַגּוֹלָה... Zech. 6:10
קוֹחַ(?) 5 לִקְרֹא...וְלַאֲסוּרִים פְּקַח־קוֹחַ Is. 61:1
קַחַת 6 כִּלִּיתָם מֵאֲנוּ קַחַת מוּסָר Jer. 5:3
7 לְבִלְתִּי שְׁמוֹעַ וּלְבִלְתִּי קַחַת מוּסָר Jer. 17:23
קַחַת־ 8 לְבִלְתִּי קְחַת־כֶּסֶף מֵאֵת הָעָם IIK. 12:9
לָקַחַת 9 לָקַחַת אֶת־דְּמֵי אָחִיךָ Gen. 4:11
10 לָקַחַת אֶת־בַּת־אֲחִי אֲדֹנִי לִבְנוֹ Gen. 24:48
11 לָקַחַת־לוֹ מִשָּׁם אִשָּׁה Gen. 28:6
12 לָקַחַת הָעֵרָבוֹן מִיַּד הָאִשָּׁה Gen. 38:20
13 לָבוֹא לָקַחַת לוֹ גוֹי מִקֶּרֶב גּוֹי Deut. 4:34
14 בַּעֲלֹתִי...לָקַחַת לוּחֹת הָאֲבָנִים Deut. 9:9
15 לֹא יַחְפֹּץ...לָקַחַת אֶת־יְבִמְתּוֹ Deut. 25:7
16 לָקַחַת אֶת־יִפְתָּח מֵאֶרֶץ טוֹב Jud. 11:5
17 אַתָּה הוֹלֵךְ לָקַחַת אִשָּׁה מִפְּלִשְׁתִּים Jud. 14:3
18 וְלָקְחוּ...לָקַחַת צֵדָה לָעָם Jud. 20:10
19‑20 וַיִּשְׁלַח...לָקַחַת אֶת־דָּוִד ISh. 19:14, 20
21 וַיַּחְמֹל לָקַחַת מִצֹּאנוֹ וּמִבְּקָרוֹ IISh. 12:4
22 וַתֵּלֶךְ לָקַחַת IK. 17:11
23 וְהַנֹּשֶׁה בָּא לָקַחַת...לַעֲבָדִים IIK. 4:1
24 וַיִּפְצַר־בּוֹ לָקַחַת וַיְמָאֵן IIK. 5:16
25 הַעֵת לָקַחַת אֶת־הַכֶּסֶף... IIK. 5:26
26 כִּי יְמָאֲנוּ לָקַחַת־הַכּוֹס מִיָּדְךָ Jer. 25:28
27 וְאֵינָם שֹׁמְעִים לָקַחַת מוּסָר Jer. 32:33
28 וַיִּשְׁלַח...לָקַחַת אֶת־הַמְּגִלָּה Jer. 36:21
29 וַיְצַוֶּה...לָקַחַת אֶת־בָּרוּךְ הַסֹּפֵר Jer. 36:26
30 לָקַחַת מִקְנֶה וְקִנְיָן Ezek. 38:13
31 לָקַחַת נַפְשִׁי זָמָמוּ Ps. 31:14
32 לָקַחַת מוּסַר הַשְׂכֵּל Prov. 1:3
33 כִּי יָרְדוּ לָקַחַת אֶת־מִקְנֵיהֶם ICh. 7:21
וְלָקַחַת 34 ?...וְלָקַחַת גַּם אֶת־דּוּדָאֵי בְּנִי Gen. 30:15
35 וְלָקַחַת אֹתָנוּ לַעֲבָדִים Gen. 43:18
36 הַעֵת...וְלָקַחַת בְּגָדִים וְזֵיתִים IIK. 5:26
37 וְלָקַחַת רָצוֹן מִיֶּדְכֶם Mal. 2:13
מִקַּחַת 38 וַאֲנַחְנוּ מַחְשִׁים מִקַּחַת אֹתָהּ IK. 22:3
39 הִנֵּה חָשַׂךְ אֲדֹנִי...מִקַּחַת מִיָּדוֹ IIK. 5:20
40 אֶמְאַס מִקַּחַת מִזַּרְעוֹ מֹשְׁלִים Jer. 33:26
קַחְתִּי 41 בְּיוֹם קַחְתִּי מֵהֶם אֶת־מָעוּזָּם Ezek. 24:25
קַחְתֵּךְ 42 הַמְעַט קַחְתֵּךְ אֶת־אִישִׁי Gen. 30:15
בְּקַחְתֵּךְ 43 בְּקַחְתֵּךְ אֶת־אֲחוֹתַיִךְ Ezek. 16:61
לְקַחְתֵּךְ 44 דָּוִד שְׁלָחָנוּ...לְקַחְתֵּךְ לוֹ לְאִשָּׁה ISh. 25:40
בְּקַחְתּוֹ 45 בְּקַחְתּוֹ אֶת־רִבְקָה...לוֹ לְאִשָּׁה Gen. 25:20
46 בְּקַחְתּוֹ אֹתוֹ וְהוּא־אָסוּר בָּאזִקִּים Jer. 40:1
לְקַחְתּוֹ 47 וְשָׁכַחְתָּ...לֹא־תָשׁוּב לְקַחְתּוֹ Deut. 24:19
לְקַחְתָּהּ 48 לֹא־יוּכַל...לָשׁוּב לְקַחְתָּהּ... Deut. 24:4
49 וְאָמַר לֹא חָפַצְתִּי לְקַחְתָּהּ Deut. 25:8
50 וַיָּשָׁב מִיָּמִים לְקַחְתָּהּ... Jud. 14:8

לְקַחְתָּהּ (המשך)
51 וְאַתָּה צֹדֶה אֶת־נַפְשִׁי לְקַחְתָּהּ ISh. 24:12
52 וַיְדַבֵּר בַּאֲבִיגַיִל לְקַחְתָּהּ לוֹ לְאִשָּׁה ISh. 25:39
53/4 וַיְבַקְשׁוּ אֶת־נַפְשִׁי לְקַחְתָּהּ IK. 19:10, 14
לָקַחְתִּי 55 אֲשֶׁר לָקַחְתִּי מִיַּד הָאֱמֹרִי... Gen. 48:22
56 לָקַחְתִּי מֵאֵת בְּ־י מִזִּבְחֵי שַׁלְמֵיהֶם Lev. 7:34
57 לָקַחְתִּי אֶת־הַלְוִיִּם מִתּוֹךְ בְּ־י Num. 3:12
58 מִבְּנֵי יִשְׂרָאֵל לָקַחְתִּי אֹתָם לִי Num. 8:16
59 הִנֵּה לָקַחְתִּי אֶת־אֲחֵיכֶם הַלְוִיִּם Num. 18:6
60 אֶת־הָעֵגֶל לָקַחְתִּי וָאֶשְׂרֹף אֹתוֹ Deut. 9:21
61 אֶת־הָאִשָּׁה הַזֹּאת לָקַחְתִּי Deut. 22:14
62 וְאִם־לֹא לָקַחְתִּי בְחָזְקָה ISh. 2:16
63 אֶת־שׁוֹר מִי לָקַחְתִּי ISh. 12:3
64 וַחֲמוֹר מִי לָקַחְתִּי ISh. 12:3
65 ...וּמִיַּד־מִי לָקַחְתִּי כֹפֶר ISh. 12:3
66 וְגַם כֵּלַי לֹא־לָקַחְתִּי בְיָדִי ISh. 21:9
67 לָקַחְתִּי מִיָּדֵךְ אֶת־כּוֹס הַתַּרְעֵלָה Is. 51:22
68 רָאִיתִי לָקַחְתִּי מוּסָר Prov. 24:32
לְקָחְתִּי 69 הִנֵּה בָרֵךְ לָקָחְתִּי Num. 23:20
וְלָקַחְתִּי 70 וְלָקַחְתִּי אֶתְכֶם לִי לְעָם Ex. 6:7
71 וְלָקַחְתִּי אֶת־לַחְמִי...וְנָתַתִּי... ISh. 25:11
72 וְלָקַחְתִּי אֶת־נָשֶׁיךָ לְעֵינֶיךָ IISh. 12:11
73 וְלָקַחְתִּי הַמְּלוּכָה מִיַּד בְּנוֹ IK. 11:35
74 ...וְלָקַחְתִּי מֵאִתּוֹ מְאוּמָה IIK. 5:20
75/6 עַד־בֹּאִי וְלָקַחְתִּי אֶתְכֶם אֶל־אֶרֶץ... IIK. 18:32 • Is. 36:17
77 וְלָקַחְתִּי אֶתְכֶם אֶחָד מֵעִיר... Jer. 3:14
78 וְלָקַחְתִּי אֶת־כָּל־מִשְׁפְּחוֹת צָפוֹן Jer. 25:9
79 וְלָקַחְתִּי אֶת־נְבוּכַדְרֶאצַּר Jer. 43:10
80 וְלָקַחְתִּי אֶת־שְׁאֵרִית יְהוּדָה Jer. 44:12
81 וְלָקַחְתִּי אָנִי מִצַּמֶּרֶת הָאֶרֶז Ezek. 17:22
82 וְלָקַחְתִּי אֶתְכֶם מִן־הַגּוֹיִם Ezek. 36:24
83 וְלָקַחְתִּי דְגָנִי בְּעִתּוֹ Hosh. 2:11
לְקַחְתִּיךָ 84 לָקֹב אֹיְבַי לְקַחְתִּיךָ Num. 23:11
85/6 אֲנִי לְקַחְתִּיךָ מִן־הַנָּוֶה IISh. 7:8 • ICh. 17:7
וּלְקַחְתִּיךָ 87 וְשָׁלַחְתִּי וּלְקַחְתִּיךָ מִשָּׁם Gen. 27:45
לְקַחְתִּיו 88 הַכֶּסֶף אִתִּי אֲנִי לְקַחְתִּיו Jud. 17:3
וּלְקַחְתִּים 89 מִשָּׁם אֲחַפֵּשׂ וּלְקַחְתִּים Am. 9:3
לָקַחְתָּ 90 הִנְּךָ מֵת עַל־הָאִשָּׁה אֲשֶׁר־לָקַחְתָּ Gen. 20:3
91 וְלֹא־לָקַחְתָּ מִיַּד־אִישׁ מְאוּמָה ISh. 12:4
92 וְאֶת־אִשְׁתּוֹ לָקַחְתָּ לְּךָ לְאִשָּׁה IISh. 12:9
93 שָׁבִיתָ שֶּׁבִי לָקַחְתָּ מַתָּנוֹת בָּאָדָם Ps. 68:19
וְלָקַחְתָּ 94‑97 וְלָקַחְתָּ אִשָּׁה לִבְנִי Gen. 24:4, 7, 38, 40
98 וְלָקַחְתָּ מִנְחָתִי מִיָּדִי Gen. 33:10
99 וְלָקַחְתָּ מִמֵּימֵי הַיְאֹר... Ex. 4:9
100 וְלָקַחְתָּ אֶת־שְׁתֵּי אַבְנֵי־שֹׁהַם Ex. 28:9
101 וְלָקַחְתָּ אֶת־הַבְּגָדִים וְהִלְבַּשְׁתָּ... Ex. 29:5
102/3 וְלָקַחְתָּ אֶת־שֶׁמֶן הַמִּשְׁחָה Ex. 29:7; 40:9
104 וְלָקַחְתָּ מִדַּם הַפָּר וְנָתַתָּה... Ex. 29:12
105 וְלָקַחְתָּ מִדָּמוֹ וְנָתַתָּה... Ex. 29:20
106 וְלָקַחְתָּ מִן־הַדָּם...וּמִשֶּׁמֶן הַמִּשְׁ׳ Ex. 29:21
107 וְלָקַחְתָּ מִן־הָאַיִל הַחֵלֶב... Ex. 29:22
108 וְלָקַחְתָּ מִבְּנֹתָיו לְבָנֶיךָ Ex. 34:16
109 וְלָקַחְתָּ אֶת־הַלְוִיִּם לִי Num. 3:41
110 לֹא־תַחְמֹד כֶּסֶף...וְלָקַחְתָּ לָךְ Deut. 7:25
111 וְחָשַׁקְתָּ בָהּ וְלָקַחְתָּ לְךָ לְאִשָּׁה Deut. 21:11
112 וְלָקַחְתָּ מֵרֵאשִׁית...פְּרִי הָאֲדָמָה Deut. 26:2
113 וְלָקַחְתָּ...עֲשֶׂרֶת אֲלָפִים אִישׁ Jud. 4:6
114 וְנָתְנוּ לְךָ שְׁתֵּי־לֶחֶם וְלָקַחְתָּ מִיָּדָם ISh. 10:4
115 וְלָקַחְתָּ פַךְ־הַשֶּׁמֶן וְיָצַקְתָּ IIK. 9:3
116 וְלָקַחְתָּ לְךָ מֹאזְנֵי מִשְׁקָל Ezek. 5:1
117 וְלָקַחְתָּ מִשָּׁם מְעַט בְּמִסְפָּר Ezek. 5:3
118 וְלָקַחְתָּ מִדָּמוֹ וְנָתַתָּה... Ezek. 43:20

וְלָקַחְתָּ (המשך) 119 ...וְלָקַחְתָּ מוֹקֵשׁ לְנַפְשֶׁךָ Prov. 22:25
120-133 וְלָקַחְתָּ Ex. 29:13, 16, 19, 25, 26; 30:16
Lev. 24:5 • Num. 3:47; 11:16 • Deut. 15:17 • Jud. 6:26 • Ezek. 5:2; 43:21 • Zech. 6:11
לְקַחְתָּנוּ 134 לְקַחְתָּנוּ לָמוּת בַּמִּדְבָּר Ex. 14:11
לָקַחַתְּ 135 נֶשֶׁךְ וְתַרְבִּית לָקַחַתְּ Ezek. 22:12
וְלָקַחַתְּ 136 וְלָקַחַתְּ בְּיָדֵךְ עֲשָׂרָה לֶחֶם IK. 14:3
לָקַח 137 הַצֵּלָע אֲשֶׁר־לָקַח מִן־הָאָדָם Gen. 2:22
138 וְאֵינֶנּוּ כִּי־לָקַח אֹתוֹ אֱלֹהִים Gen. 5:24
139 וְהִנֵּה עַתָּה לָקַח בִּרְכָתִי Gen. 27:36
140 לָקַח...אֵת כָּל־אֲשֶׁר לְאָבִינוּ Gen. 31:1
141 עֵשָׂו לָקַח אֶת־נָשָׁיו מִבְּנוֹת כְּנָעַן Gen. 36:2
142 וּמִקְצֵה אֶחָיו לָקַח חֲמִשָּׁה... Gen. 47:2
143 לָקַח־לוֹ מִבְּנוֹת פּוּטִיאֵל לוֹ לְא׳ Ex. 6:25
144 וְאֶת־עַמּוֹ לָקַח עִמּוֹ Ex. 14:6
145 ...לָקַח חַלַּת מַצָּה אַחַת Lev. 8:26
146 מֵאֵת בְּכוֹר בְּ״יִ לָקַח אֶת־הַכָּסֶף Num. 3:50
147 יָאִיר...לָקַח אֶת...חֶבֶל אַרְגֹּב Deut. 3:14
148 וְאֶתְכֶם לָקַח יְיָ וַיּוֹצִא אֶתְכֶם.. Deut. 4:20
149 כִּי־לָקַח יִשְׂרָאֵל אֶת־אַרְצִי Jud. 11:13
150 לֹא־לָקַח יִשׂ׳ אֶת־אֶרֶץ מוֹאָב Jud. 11:15
151 לֹא־לָקַח מִיָּדֵנוּ עֹלָה וּמִנְחָה Jud. 13:23
152 לָקַח אֶת־אִשְׁתּוֹ וַיִּתְּנָהּ לְמֵרֵעֵהוּ Jud. 15:6
153 אֲחִינֹעַם לָקַח דָּוִד מִיִּזְרְעֶאל ISh. 25:43
154 וְאַבְנֵר...לָקַח אֶת־אִישׁ־בֹּשֶׁת IISh. 2:8
155 לָקַח הַמֶּלֶךְ דָּוִד נְחֹשֶׁת IISh. 8:8
156 וְאַבְשָׁלֹם לָקַח וַיַּצֶּב־לוֹ בְחַיָּו IISh. 18:18
157 גַּם־הוּא לָקַח אֶת־בָּשְׂמַת IK. 4:15
158 לְבַת־פַּרְעֹה אֲשֶׁר לָקַח שְׁלֹמֹה IK. 7:8
159 הֶעָרִים אֲשֶׁר־לָקַח אָבִי מֵאֵת אָבִיךָ IK.20:34
160 אֲשֶׁר לָקַח מִיַּד יְהוֹאָחָז IIK. 13:25
161 בְּמֶלְקַחַיִם לָקַח מֵעַל הַמִּזְבֵּחַ Is. 6:6
162 בַּנֶּשֶׁךְ נָתַן וְתַרְבִּית לָקַח וָחָי Ezek. 18:13
163 אֶסְתֵּר אֲשֶׁר לָקַח־לוֹ לְבַת Es. 2:15
164 אֲשֶׁר לָקַח מִבְּנוֹת בַּרְזִלַּי...אִשָּׁה Ez. 2:61
165 לָקַח אֶת־בַּת־מְשֻׁלָּם Neh. 6:18
166 אֲשֶׁר לָקַח מִבְּנוֹת בַּרְזִלַּי...אִשָּׁה Neh. 7:63
167 בַּת־פַּרְעֹה אֲשֶׁר לָקַח מָרֶד ICh. 4:18
168 וּמָכִיר לָקַח אִשָּׁה לְחֻפִּים וּלְשֻׁפִּים ICh. 7:15
169 וְאַחֲרֶיהָ לָקַח אֶת־מַעֲכָה IICh. 11:20
170 וְאָסָא הַמֶּ׳ לָקַח אֶת־כָּל־יְהוּדָה IICh. 16:6
171-181 לָקַח IIK. 23:34; 24:7
25:15, 19 • Jer. 28:3; 36:32; 52:19, 25 • Prov. 7:20
ICh. 18:8 • IICh. 36:4
לָקָח 182 אֶת־בְּכֹרָתִי לָקָח Gen. 27:36
183 הָאִשָּׁה הַכֻּשִׁית אֲשֶׁר לָקָח Num. 12:1
184 כִּי־אִשָּׁה כֻשִׁית לָקָח Num. 12:1
185 וְשִׂמַּח אֶת־אִשְׁתּוֹ אֲשֶׁר־לָקָח Deut. 24:5
186/7 (וְ)אֶת־הַכֹּל לָקָח IK. 14:26 • IICh. 12:9
188 וְאֶת־אֵילֵי הָאָרֶץ לָקָח Ezek. 17:13
189 נֶשֶׁךְ וְתַרְבִּית לֹא לָקָח Ezek. 18:17
190 וְשֹׁחַד עַל־נָקִי לֹא־לָקָח Ps. 15:5
191 יְיָ נָתַן וַייָ לָקָח Job 1:21
וְלָקַח 192 יִשְׁלַח יָדוֹ וְלָקַח גַּם מֵעֵץ הַחַיִּים Gen. 3:22
193 וְלָקַח הוּא וּשְׁכֵנוֹ הַקָּרֹב Ex. 12:4
194 וְלָקַח בְּעָלָיו וְלֹא יְשַׁלֵּם Ex. 22:10
195 וְלָקַח הַכֹּהֵן הַמָּשִׁיחַ מִדַּם הַפָּר Lev. 4:5
196-209 וְלָקַח הַכֹּהֵן Lev. 4:25, 30, 34
14:12, 14, 15, 24, 25 • Num. 5:17, 25; 6:19; 19:6 •
Deut. 26:4 • Ezek. 45:19
210 וְלָקַח לַמִּטַּהֵר שְׁתֵּי־צִפֳּרִים Lev. 14:4
211 וְלָקַח כֶּבֶשׂ אֶחָד אָשָׁם Lev. 14:21

וְלָקַח (המשך) 212 וְלָקַח לְחַטֵּא אֶת־הַבַּיִת Lev. 14:49
213 וְלָקַח אֶת־עֵץ־הָאֶרֶז Lev. 14:51
214 וְלָקַח אֶת־שְׁנֵי הַשְּׂעִירִם Lev. 16:7
215 וְלָקַח מְלֹא־הַמַּחְתָּה גַּחֲלֵי־אֵשׁ Lev. 16:12
216/7 וְלָקַח מִדַּם הַפָּר... Lev. 16:14, 18
218 וְלָקַח אֶת־שְׂעַר רֹאשׁ נִזְרוֹ Num. 6:18
219 וְלָקַח אֶלְעָזָר הַכֹּהֵן מִדָּמָהּ Num. 19:4
220 וְלָקַח אֵזוֹב וְטָבַל בַּמַּיִם Num. 19:18
221 וְלָקַח אֲבִי הַנַּעֲרָ וְאִמָּהּ... Deut. 22:15
222 וְלָקַח דָּוִד אֶת־הַכִּנּוֹר... ISh. 16:23
223 וְלָקַח צֹאן וּבָקָר וַחֲמֹרִים... ISh. 27:9
224 וְלָקַח אֶת־כָּל־הַזָּהָב וְהַכֶּסֶף IIK. 14:14
קָח 225 קָח עַל־מַיִם רַבִּים Ezek. 17:5
לְקָחַנִי 226 אֲשֶׁר לְקָחַנִי מִבֵּית אָבִי Gen. 24:7
לְקָחָהּ 227 אֲשֶׁר אֵרַשׂ אִשָּׁה וְלֹא לְקָחָהּ Deut. 20:7
228 אֲשֶׁר־לְקָחָהּ לוֹ לְאִשָּׁה Deut. 24:3
229 לְקָחָהּ מָרְדֳּכַי לוֹ לְבַת Es. 2:7
230 וְהוּא לְקָחָהּ וְהוּא בֶּן־שִׁשִּׁים שָׁנָה ICh. 2:21
וּלְקָחָהּ 231 וּלְקָחָהּ לוֹ לְאִשָּׁה וְיִבְּמָהּ Deut. 25:5
לְקָחָם 232 אֲשֶׁר לֹא־לְקָחָם נְבוּכַדְנֶאצַּר Jer. 27:20
קָחָם 233 קָחָם עַל־זְרוֹעֹתָיו Hosh. 11:3
לָקְחָה 234 וְרָחֵל לָקְחָה אֶת־הַתְּרָפִים Gen. 31:34
235 כִּי לָקְחָה מִיַּד יְיָ כִּפְלַיִם Is. 40:2
236 לֹא שָׁמְעָה בְּקוֹל לֹא לָקְחָה מוּסָר Zep. 3:2
וְלָקְחָה 237 וְלָקְחָה שְׁתֵּי־תֹרִים Lev. 12:8
לָקַחְנוּ 238 אֲשֶׁר לֹא־לָקַחְנוּ מֵאִתָּם Deut. 3:4
239 כִּי לֹא לָקַחְנוּ אִישׁ אִשְׁתּוֹ Jud. 21:22
240 הֲלוֹא בְחָזְקֵנוּ לָקַחְנוּ לָנוּ קַרְנָיִם Am. 6:13
וְלָקַחְנוּ 241 וְלָקַחְנוּ אֶת־בִּתֵּנוּ וְהָלָכְנוּ Gen. 34:17
242 וְלָקַחְנוּ עֲשָׂרָה אֲנָשִׁים לַמֵּאָה Jud. 20:10
לְקַחְתֶּם 243 אֶת־אֱלֹהַי אֲשֶׁר עָשִׂיתִי לְקַחְתֶּם Jud. 18:24
244 אֲשֶׁר־כַּסְפִּי וּזְהָבִי לְקַחְתֶּם Joel 4:5
וּלְקַחְתֶּם 245 וּלְקַחְתֶּם גַּם־אֶת־זֶה מֵעִם פָּנַי Gen. 44:29
246 וּלְקַחְתֶּם אֲגֻדַּת אֵזוֹב Ex. 12:22
247 וּלְקַחְתֶּם לָכֶם...פְּרִי עֵץ הָדָר Lev. 23:40
248 וּלְקַחְתֶּם מִפְּרִי הָאָרֶץ Num. 13:20
249 פֶּן־תַּחֲרִימוּ וּלְקַחְתֶּם מִן־הַחֵרֶם Josh. 6:18
250 וּלְקַחְתֶּם אֶת־אֲרוֹן יְיָ וּנְתַתֶּם אֹתוֹ ISh. 6:8
לָקְחוּ 251 וּמִשְׁנֶה־כֶּסֶף לָקְחוּ בְיָדָם Gen. 43:15
252 כִּי לָקְחוּ מַטֵּה בְנֵי הָראוּבֵנִי Num. 34:14
253 וַחֲצִי מַטֵּה מְנַשֶּׁה לָקְחוּ נַחֲלָתָם Num. 34:14
254 לָקְחוּ נַחֲלָתָם מֵעֵבֶר לְיַרְדֵּן... Num. 34:15
255 אֲשֶׁר לָקְחוּ מִן־הַיַּרְדֵּן Josh. 4:20
256 וְגַם לָקְחוּ מִן־הַחֵרֶם Josh. 7:11
257 אֶת־הַכֹּל לָקְחוּ בַמִּלְחָמָה Josh. 11:19
258 הָראוּבֵנִי וְהַגָּדִי לָקְחוּ נַחֲלָתָם Josh. 13:8
259 לָקְחוּ נַחֲלָתָם מֵעֵבֶר לַיַּרְדֵּן Josh. 18:7
260 לָקְחוּ אֶת־הַפֶּסֶל וְאֶת־הָאֵפוֹד Jud. 18:17
261 לָקְחוּ אֵת אֲשֶׁר־עָשָׂה מִיכָה Jud. 18:27
262 וּפְלִשְׁתִּים לָקְחוּ אֵת אֲרוֹן הָאֱלֹהִים ISh. 5:1
263 אֲשֶׁר לָקְחוּ פְלִשְׁתִּים מֵאֵת יִשְׂרָא׳ ISh. 7:14
264 אֲשֶׁר לָקְחוּ מֵאֶרֶץ פְּלִשְׁתִּים... ISh. 30:16
265 וַיַּצֵּל דָּוִד אֵת כָּל־אֲשֶׁר לָקְחוּ ISh. 30:18
266 וְעַד כָּל־אֲשֶׁר לָקְחוּ לָהֶם ISh. 30:19
267 לֹא שָׁמְעוּ...וְלֹא לָקְחוּ מוּסָר Jer. 7:28
268 שֹׁחַד לָקְחוּ־בָךְ Ezek. 22:12
לָקָחוּ 269 וְאֵת־אֲשֶׁר בַּשָּׂדֶה לָקָחוּ Gen. 34:28
270 בֶּצַע כֶּסֶף לֹא לָקָחוּ Jud. 5:19
271 וְאֵת רֹאשׁ אִישׁ־בֹּשֶׁת לָקָחוּ IISh. 4:12
272 וְאֶת־הַסִּירוֹת...לָקָחוּ IIK. 25:14
273 מוּסָר לֹא לָקָחוּ Jer. 2:30
274 וְאֶת־הַסִּרוֹת...לָקָחוּ Jer. 52:18

275 בָּנֶיהָ וּבְנוֹתֶיהָ לָקָחוּ Ezek. 23:10
276 אֶרֶז מִלְּבָנוֹן לָקָחוּ Ezek. 27:5
וְלָקְחוּ 277 וְלָקְחוּ מִן־הַדָּם וְנָתְנוּ... Ex. 12:7
278 וְלָקְחוּ אֲבָנִים אֲחֵרוֹת וְהֵבִיאוּ Lev. 14:42
279 וְלָקְחוּ בֶּגֶד תְּכֵלֶת וְכִסּוּ... Num. 4:9
280 וְלָקְחוּ אֶת־כָּל־כְּלֵי הַשָּׁרֵת Num. 4:12
281 וְלָקְחוּ פַּר בֶּן־בָּקָר Num. 8:8
282 וְלָקְחוּ...מֵעֲפַר...הַחַטָּאת Num. 19:17
283 וְשָׁלְחוּ...וְלָקְחוּ אֹתוֹ מִשָּׁם Deut. 19:12
284 וְלָקְחוּ...עֶגְלַת בָּקָר Deut. 21:3
285 וְלָקְחוּ...אֶת־הָאִישׁ וְיִסְּרוּ אֹתוֹ Deut. 22:18
286/7 וְלָקְחוּ כְּלֵי תִפְאַרְתֵּךְ Ezek. 16:39; 23:26
288 וְלָקְחוּ כָּל־יְגִיעֵךְ Ezek. 23:29
289 וְלָקְחוּ הֲמוֹנָהּ וְנֶהֶרְסוּ יְסוֹדוֹתֶיהָ Ezek. 30:4
290 וְלָקְחוּ עַם־הָאָרֶץ אִישׁ אֶחָד Ezek. 33:2
291 וְלָקְחוּ מֵהֶם וּבִשְּׁלוּ בָהֶם Zech. 14:21
וְלָקָחוּ 292 יָשִׂימוּ בְיָדָם וְלָקָחוּ IK. 20:6
וּלְקָחוּם 293 וּלְקָחוּם עַמִּים וֶהֱבִיאוּם... Is. 14:2
294 וּבְזָזוּם וּלְקָחוּם וֶהֱבִיאוּם בָּבֶלָה Jer. 20:5
לֹקֵחַ 295 אִם־לֹקֵחַ...אִשָּׁה מִבְּנוֹת־חֵת Gen. 27:46
296 אָרוּר לֹקֵחַ שֹׁחַד Deut. 27:25
297/א לֹקֵחַ אֶת־אֲדֹנֶיךָ מֵעַל רֹאשֶׁךָ IIK. 2:3, 5
298 הִנְנִי לֹקֵחַ...אֶת־מַחְמַד עֵינֶיךָ Ezek. 24:16
299 הִנֵּה אֲנִי לֹקֵחַ אֶת־עֵץ יוֹסֵף Ezek. 37:19
300 אֲנִי לֹקֵחַ אֶת־בְּ״יִ מִבֵּין הַגּוֹיִם Ezek. 37:21
301 יֹסֵר לֵץ לֹקֵחַ לוֹ קָלוֹן Prov. 9:7
וְלֹקֵחַ 302 וְלֹקֵחַ נְפָשׁוֹת חָכָם Prov. 11:30
הַלֹּקְחִים 303 הַלֹּקְחִים לְשׁוֹנָם וַיִּנְאֲמוּ נְאֻם Jer. 23:31
לֹקְחֵי 304 וַיְדַבֵּר אֶל־חֲתָנָיו לֹקְחֵי בְנֹתָיו Gen. 19:14
305 וְהֵנָּה בָּאוּ...לֹקְחֵי חִטִּים וַיַּכֻּהוּ IISh. 4:6
306 צֹרְרֵי צַדִּיק לֹקְחֵי כֹפֶר Am. 5:12
לְקֻחִים 307 הַצֵּל לְקֻחִים לַמָּוֶת Prov. 24:11
אֶקַּח 308 וְאִם־אֶקַּח מִכָּל־אֲשֶׁר־לָךְ Gen. 14:23
309 וְלֹא־אֶקַּח...הַמַּמְלָכָה מִיָּדוֹ IK. 11:34
310 וְאֹתְךָ אֶקַּח וּמָלַכְתָּ... IK. 11:37
311 וְגַם־מֵהֶם אֶקַּח לַכֹּהֲנִים Is. 66:21
312 לֹא־אֶקַּח מִבֵּיתְךָ פָר Ps. 50:9
313 כִּי־אֶקַּח מוֹעֵד Ps. 75:3
אֶקָּח 314 וַיֹּאמֶר חַי־יְיָ...אִם־אֶקָּח IIK. 5:16
315 נָקָם אֶקָּח וְלֹא אֶפְגַּע אָדָם Is. 47:3
וְאֶקַּח 316 אֶתֶּן־לְךָ...וְאֶקַּח בְּעֶבְרָתִי Hosh. 13:11
וָאֶקַּח 317 ...וָאֶקַּח אֹתָהּ לִי לְאִשָּׁה Gen. 12:19
318 וָאֶקַּח...הָעֲנָבִים וָאֶשְׂחַט אֹתָם Gen. 40:11
319 וָאֶקַּח אֶת־הַלְוִיִּם Num. 8:18
320 וָאֶקַּח אֶת־רָאשֵׁי שִׁבְטֵיכֶם Deut. 1:15
321 וָאֶקַּח מִכֶּם שְׁנֵים עָשָׂר אֲנָשִׁים Deut. 1:23
322 וָאֶקַּח אֶת־אֲבִיכֶם...מֵעֵבֶר הַנָּהָר Josh. 24:3
323 וָאֶקַּח הַנֵּזֶר אֲשֶׁר עַל־רֹאשׁוֹ IISh. 1:10
324 וָאֶקַּח אֶת־הָאֵזוֹר מִן־הַמָּקוֹם Jer. 13:7
325 וָאֶקַּח אֶת־הַכּוֹס מִיַּד יְיָ Jer. 25:17
326 וָאֶקַּח אֶת־סֵפֶר הַמִּקְנָה Jer. 32:11
327 וָאֶקַּח אֶת־יַאֲזַנְיָה Jer. 35:3
328 וָאֶקַּח־לִי שְׁנֵי מַקְלוֹת Zech. 11:7
329 וָאֶקַּח אֶת־מַקְלִי אֶת־נֹעַם Zech. 11:10
אֶקְחָה 330 אֵתָיוּ אֶקְחָה־יַיִן וְנִסְבְּאָה שֵׁכָר Is. 56:12
וְאֶקְחָה 331 וְאֶקְחָה פַת־לֶחֶם וְסַעֲדוּ לִבְּכֶם Gen. 18:5
וָאֶקְחָה 332 וָאֶקְחָה שְׁלֹשִׁים הַכֶּסֶף Zech. 11:13
אֶקָּחֲךָ 333 לְכָה...אֶקָּחֲךָ אֶל־מָקוֹם אַחֵר Num. 23:27
334 בַּיּוֹם הַהוּא...אֶקָּחֲךָ זְרֻבָּבֶל Hag. 2:23
וְאֶקָּחֵהוּ 335 לְכוּ וּרְאוּ...וְאֶשְׁלַח וְאֶקָּחֵהוּ IIK. 6:13
וָאֶקָּחֵם 336 וָאֵרֶא°...וָאֶחְמְדֵם וָאֶקָּחֵם Josh. 7:21
תִּקַּח 337 תִּקַּח־לְךָ שִׁבְעָה שִׁבְעָה Gen. 7:2

338 אֶת־שֶׁבַע כְּבָשֹׂת תִּקַּח מִיָּדִי Gen. 21:30
339 אֲשֶׁר לֹא־תִקַּח אִשָּׁה לִבְנִי... Gen. 24:3
340 לֹא־תִקַּח אִשָּׁה לִבְנִי מִבְּנוֹת... Gen. 24:37
341/2 לֹא־תִקַּח אִשָּׁה מִבְּנוֹת כְּנָעַן Gen. 28:1, 6
343 וְאִם־תִּקַּח נָשִׁים עַל־בְּנֹתַי Gen. 31:50
344 וְהָיוּ הַמַּיִם אֲשֶׁר תִּקַּח מִן־הַיְאֹר Ex. 4:9
345 וְאֶת־הַמַּטֶּה הַזֶּה תִּקַּח בְּיָדֶךָ Ex. 4:17
346 וְהַמַּטֶּה...תִּקַּח בְּיָדֶךָ Ex. 7:15
347 וְאֶת־בַּת־בִּתָּהּ לֹא תִקַּח... Lev. 18:17
348 אַל־תִּקַּח מֵאִתּוֹ נֶשֶׁךְ וְתַרְבִּית Lev. 25:36
349 וּפַר־שֵׁנִי בֶן־בָּקָר תִּקַּח לְחַטָּאת Num. 8:8
350 תִּקַּח אֶחָד אָחֻז מִן־הַחֲמִשִּׁים Num. 31:30
351 וּבִתּוֹ לֹא־תִקַּח לִבְנֶךָ Deut. 7:3
352 וְלֹא־תִקַּח שֹׁחַד Deut. 16:19
353 לֹא־תִקַּח הָאֵם עַל־הַבָּנִים Deut. 22:6
354 וְאֶת־הַבָּנִים תִּקַּח־לָךְ Deut. 22:7
355 עֶגְלַת בָּקָר תִּקַּח בְּיָדֶךָ ISh. 16:2
356 אִם־אַתָּה תִקַּח־לְךָ קָח ISh. 21:10
357 לֹא־תִקַּח לְךָ אִשָּׁה Jer. 16:2
358 תִּקַּח פַּר־בֶּן־בָּקָר תָּמִים Ezek. 45:18
359 וְרוּחַ קָדְשְׁךָ אַל־תִּקַּח מִמֶּנִּי Ps. 51:13
360 בְּנִי אִם־תִּקַּח אֲמָרָי Prov. 2:1
תִּקָּח 361 וְשֹׁחַד לֹא תִקָּח Ex. 23:8
362 וְאֶת־הָאַיִל הָאֶחָד תִּקָּח Ex. 29:15
363 וְאֵת אֵיל הַמִּלֻּאִים תִּקָּח Ex. 29:31
364 וְאִשָּׁה אֶל־אֲחֹתָהּ לֹא תִקָּח Lev. 18:18
365 וְלָקַחְתָּ...בְּשֶׁקֶל הַקֹּדֶשׁ תִּקָּח Num. 3:47
366 וְאֶת־עֲרֻבָּתָם תִּקָּח ISh. 17:18
367 וּמֵהֶם עוֹד תִּקָּח וְהִשְׁלַכְתָּ... Ezek. 5:4
וַתִּקַּח 368 וַתִּקַּח אֶת־אֵשֶׁת אוּרִיָּה IISh. 12:10
תִּקָּחֵנִי 369 אַל־לְאֶרֶךְ אַפְּךָ תִּקָּחֵנִי Jer. 15:15
370 וְאַחַר כָּבוֹד תִּקָּחֵנִי Ps. 73:24
תִּקָּחֶנּוּ 371 מֵעִם מִזְבְּחִי תִּקָּחֶנּוּ לָמוּת Ex. 21:14
372 כִּי תִקָּחֶנּוּ אֶל־גְּבוּלוֹ Job 38:20
373 תִּקָּחֶנּוּ לְעֶבֶד עוֹלָם Job 40:28
תִּקָּחֶנָּה 374 תַּעַר הַגַּלָּבִים תִּקָּחֶנָּה לָּךְ Ezek. 5:1
תִּקְחִי 375 אַךְ־תִּירְאִי אוֹתִי תִּקְחִי מוּסָר Zep. 3:7
וַתִּקְחִי 376 וַתִּקְחִי מִבְּגָדַיִךְ וַתַּעֲשִׂי־...בָּמוֹת Ezek. 16:16
377 וַתִּקְחִי כְּלֵי תִפְאַרְתֵּךְ...וַתַּעֲשִׂי Ezek. 16:17
378 וַתִּקְחִי אֶת־בִּגְדֵי רִקְמָתֵךְ Ezek. 16:18
379 וַתִּקְחִי אֶת־בָּנַיִךְ...וַתִּזְבָּחִים Ezek. 16:20
יִקַּח 380 אִם־אַחֶרֶת יִקַּח־לוֹ Ex. 21:10
381 וּמֹשֶׁה יִקַּח אֶת־הָאֹהֶל Ex. 33:7
382 אֶת־הַצִּפֹּר הַחַיָּה יִקַּח אֹתָהּ Lev. 14:6
383 יִקַּח שְׁנֵי־כְבָשִׂים תְּמִימִם Lev. 14:10
384 וְעָפָר אַחֵר יִקַּח וְטָח... Lev. 14:42
385 יִקַּח־לוֹ שְׁתֵּי תֹרִים Lev. 15:14
386 וּמֵאֵת עֲדַת בְּנֵי יִ׳ יִקַּח... Lev. 16:5
387 אֲשֶׁר יִקַּח אֶת־אִשָּׁה וְאֶת־אִמָּהּ Lev. 20:14
388 וְאִישׁ אֲשֶׁר־יִקַּח אֶת־אֲחֹתוֹ Lev. 20:17
389 אֲשֶׁר יִקַּח אֶת־אֵשֶׁת אָחִיו Lev. 20:21
390 בְּתוּלָה מֵעַמָּיו יִקַּח אִשָּׁה Lev. 21:14
391 וּמִן־הֶעָפָר...יִקַּח הַכֹּהֵן Num. 5:17
392 לֹא־יִשָּׂא פָנִים וְלֹא יִקַּח שֹׁחַד Deut. 10:17
393 כִּי־יִקַּח אִישׁ אִשָּׁה וּבָא אֵלֶיהָ Deut. 22:13
394 לֹא־יִקַּח אִישׁ אֶת־אֵשֶׁת אָבִיו Deut. 23:1
395 כִּי־יִקַּח אִישׁ אִשָּׁה וּבְעָלָהּ Deut. 24:1
396 כִּי־יִקַּח אִישׁ אִשָּׁה חֲדָשָׁה Deut. 24:5
397 אֲשֶׁר יַעֲלֶה הַמַּזְלֵג יִקַּח הַכֹּהֵן בּוֹ ISh. 2:14
398 וְלֹא־יִקַּח מִמְּךָ בָּשָׂר מְבֻשָּׁל ISh. 2:15
399 יִקַּח וְיַעַל...הַטּוֹב בְּעֵינָו IISh. 24:22
400 מִדֵּי עָבְרוֹ יִקַּח אֶתְכֶם Is. 28:19
401 וְאֶת־כֻּלָּם יִשָּׂא רוּחַ יִקַּח הָבֶל Is. 57:13
402 וְלֹא־יִקַּח הַנָּשִׂיא מִנַּחֲלַת הָעָם Ezek. 46:18
403 זְנוּת וְיַיִן וְתִירוֹשׁ יִקַּח־לֵב Hosh. 4:11
404 מִסְפַּד בֵּית הָאֵצֶל יִקַּח...עֶמְדָּתוֹ Mic. 1:11
405 כִּי לֹא בְמוֹתוֹ יִקַּח הַכֹּל Ps. 49:18
406 פְּקֻדָּתוֹ יִקַּח אַחֵר Ps. 109:8
407 חֲכַם־לֵב יִקַּח מִצְוֹת Prov. 10:8
408 וּבְהַשְׂכִּיל לְחָכָם יִקַּח־דָּעַת Prov. 21:11
409 לָמָּה יִקַּח מִשְׁכָּבְךָ מִתַּחְתֶּיךָ Prov. 22:27
יִקָּח 410 וְהוּא אִשָּׁה בִבְתוּלֶיהָ יִקָּח Lev. 21:13
411 אַלְמָנָה וּגְרוּשָׁה...לֹא יִקָּח Lev. 21:14
412 אֶת־בְּנֵיכֶם יִקָּח ISh. 8:11
413 וְאֶת־בְּנוֹתֵיכֶם יִקָּח ISh. 8:13
414 וְזֵיתֵיכֶם הַטּוֹבִים יִקָּח ISh. 8:14
415 וְאֶת־חֲמוֹרֵיכֶם יִקָּח ISh. 8:16
416 גַּם אֶת־הַכֹּל יִקָּח IISh. 19:31
417 וְתַרְבִּית לֹא יִקָּח Ezek. 18:8
418 בָּשְׁנָה אֶפְרַיִם יִקָּח Hosh. 10:6
419 שָׁמַע...יְיָ תְּפִלָּתִי יִקָּח Ps. 6:10
420 אֶת־נֶפֶשׁ בְּעָלָיו יִקָּח Prov. 1:19
421 שֹׁחַד מֵחֵק רָשָׁע יִקָּח Prov. 17:23
422 וְטַעַם זְקֵנִים יִקָּח Job 12:20
423 אוֹ מַה־מִּיָּדְךָ יִקָּח Job 35:7
וְיִקַּח 424 שִׁלְחוּ...וְיִקַּח אֶת־אֲחִיכֶם Gen. 42:16
וַיִּקַּח 425 וַיִּקַּח יְיָ אֱלֹהִים אֶת־הָאָדָם Gen. 2:15
426 וַיִּקַּח אַחַת מִצַּלְעֹתָיו... Gen. 2:21
427 וַיִּקַּח־לוֹ לֶמֶךְ שְׁתֵּי נָשִׁים Gen. 4:19
428 וַיִּקַּח מִכֹּל הַבְּהֵמָה הַטְּהֹרָה Gen. 8:20
429 וַיִּקַּח שֵׁם וָיֶפֶת אֶת־הַשִּׂמְלָה Gen. 9:23
430 וַיִּקַּח אַבְרָם וְנָחוֹר לָהֶם נָשִׁים Gen. 11:29
431 וַיִּקַּח תֶּרַח אֶת־אַבְרָם בְּנוֹ Gen. 11:31
432 וַיִּקַּח אַבְרָם אֶת־שָׂרַי אִשְׁתּוֹ Gen. 12:5
433 וַיִּקַּח־לוֹ אֶת־כָּל־אֵלֶּה Gen. 15:10
434 וַיִּקַּח אַבְרָהָם אֶת־יִשְׁמָעֵאל בְּנוֹ Gen. 17:23
435 וַיִּקַּח בֶּן־בָּקָר רַךְ וָטוֹב Gen. 18:7
436 וַיִּקַּח חֶמְאָה...וַיִּתֵּן לִפְנֵיהֶם Gen. 18:8
437 וַיִּשְׁלַח...וַיִּקַּח אֶת־שָׂרָה Gen. 20:2
438 וַיִּקַּח אֲבִימֶלֶךְ צֹאן וּבָקָר Gen. 20:14
439 וַיִּקַּח־לֶחֶם וְחֵמַת מַיִם Gen. 21:14
440 וַיִּקַּח אַבְרָהָם צֹאן וּבָקָר Gen. 21:27
441 וַיִּקַּח אֶת־שְׁנֵי נְעָרָיו אִתּוֹ Gen. 22:3
442 וַיִּקַּח אַבְרָהָם אֶת־עֲצֵי הָעֹלָה Gen. 22:6
443 וַיִּקַּח בְּיָדוֹ אֶת־הָאֵשׁ Gen. 22:6
444 וַיִּקַּח אֶת־הַמַּאֲכֶלֶת לִשְׁחֹט Gen. 22:10
445 וַיִּקַּח אֶת־הָאַיִל וַיַּעֲלֵהוּ לְעֹלָה Gen. 22:13
446 וַיִּקַּח הָעֶבֶד אֶת־רִבְקָה Gen. 24:61
447 וַיִּקַּח אֶת־רִבְקָה...לְאִשָּׁה Gen. 24:67
448 וַיִּקַּח אִשָּׁה וּשְׁמָהּ קְטוּרָה Gen. 25:1
449 וַיִּקַּח אִשָּׁה אֶת־יְהוּדִית... Gen. 26:34
450 וַיִּקַּח מֵאַבְנֵי הַמָּקוֹם Gen. 28:11
451 וַיִּקַּח אֶת־הָאֶבֶן...מְרַאֲשֹׁתָיו Gen. 28:18
452 וַיִּקַּח קֹרַח בֶּן־יִצְהָר Num. 16:1
626-453 וַיִּקַּח Gen. 24:10, 22; 27:14, 35 28:9, 23; 30:37; 31:23, 45; 32:14, 23; 34:2; 36:6; 38:6; 39:20; 42:24; 48:1, 13 • Ex. 2:1; 4:20[2]; 6:20, 23; 13:19; 14:7; 18:2, 12; 24:6, 7, 8; 32:4, 20; 34:4; 40:20 • Lev. 8:10, 15, 16, 23, 25, 28, 29, 30; 9:15 • Num. 1:17; 3:49; 7:6; 16:1; 17:4, 12; 20:9; 21:25, 26; 22:41; 23:28; 25:7; 27:22; 31:47, 51, 54 • Josh. 7:1; 7:24; 8:12; 11:16, 23; 24:26 • Jud. 3:21; 6:27; 8:16, 21; 9:43, 48; 13:19; 14:19; 15:4; 18:20; 19:1, 29 • ISh. 7:9, 12; 9:22; 10:1; 11:7; 15:21; 16:13, 20; 17:40, 49, 51, 54, 57; 24:3; 25:35; 26:12; 30:20; 31:4 • IISh. 5:13; 8:1, 7; 10:4; 12:4, 30; 14:2; 18:14; 20:3; 21:8, 12 • IK. 1:39; 3:1; 7:13; 14:26[2]; 15:18; 16:31; 17:23; 18:4, 31; 19:21 • IIK. 2:8, 14; 3:26, 27; 5:5, 24; 8:9, 15; 11:4, 19; 12:10, 19; 13:15, 25, 29; 16:8; 19:14; 23:16, 30; 24:12; 25:18, 20; 37:14 • Is. 44:14; 44:15 • Jer. 28:10; 36:14; 38:11[2], 14; 40:2; 41:16; 43:5; 52:24, 26 • Ezek. 10:7; 17:3, 5, 12, 13 • Hosh. 1:3 • Job 2:8 • Ruth 4:2, 13 • Es. 6:11 • ICh. 2:19, 23; 10:4; 14:3; 18:1, 7; 19:4; 20:2 • ICh. 11:18; 12:9[2]; 23:1, 20
וַיִּקָּח 627 וַיִּפְצַר־בּוֹ וַיִּקָּח Gen. 33:11
628 וַיֹּאמֶר קַח הַחִצִּים וַיִּקָּח IIK. 13:18
יִקָּחֵנִי 629/30 יִשְׁלַח מִמָּרוֹם יִקָּחֵנִי... IISh. 22:17 • Ps. 18:17
631 יִפְדֶּה נַפְשִׁי מִיַּד שְׁאוֹל כִּי יִקָּחֵנִי Ps. 49:16
וַיִּקָּחֵנִי 632 וַיִּקָּחֵנִי בְּצִיצִת רֹאשִׁי Ezek. 8:3
633 וַיִּקָּחֵנִי יְיָ מֵאַחֲרֵי הַצֹּאן Am. 7:15
יִקָּחֲךָ 634 מַה־יִּקָּחֲךָ לִבֶּךָ וּמַה־יִּרְזְמוּן עֵינֶיךָ Job 15:12
יִקָּחֶךָ 635 מִשָּׁם יְקַבֶּצְךָ...וּמִשָּׁם יִקָּחֶךָ Deut. 30:4
יִקָּחֵהוּ 636 יִפְרֹשׂ כְּנָפָיו יִקָּחֵהוּ Deut. 32:11
637 הַלַּיְלָה הַהוּא יִקָּחֵהוּ אֹפֶל Job 3:6
638 וְאֶל־מִצִּנִּים יִקָּחֵהוּ Job 5:5
וַיִּקָּחֵהוּ 639 וַיִּקָּחֵהוּ שְׂדֵה צֹפִים... Num. 23:14
640 וַיַּגִּדוּ לִפְנֵי־שָׁאוּל וַיִּקָּחֵהוּ ISh. 17:31
641 וַיִּקָּחֵהוּ שָׁאוּל בַּיּוֹם הַהוּא ISh. 18:2
642 וַיִּשְׁלַח...וַיִּקָּחֵהוּ מִבֵּית מָכִיר IISh. 9:5
643 וַיִּקָּחֵהוּ מֵחֵיקָהּ וַיַּעֲלֵהוּ אֶל־הָעֲלִיָּה IK. 17:19
644 וַיִּשְׁלַח יָדוֹ וַיִּקָּחֵהוּ IIK. 6:7
645 וַיִּשְׁלַח הַמֶּלֶךְ צִדְקִיָּהוּ וַיִּקָּחֵהוּ Jer. 37:17
646 וַיִּקָּחֵהוּ מִמִּכְלְאֹת צֹאן Ps. 78:70
יִקָּחֶנּוּ 647 בְּעֵינָיו יִקָּחֶנּוּ Job 40:24
וְיִקָּחֶהָ 648 מִי יַעֲלֶה־לָּנוּ...וְיִקָּחֶהָ לָּנוּ Deut. 30:12
649 מִי יַעֲבָר־לָנוּ...וְיִקָּחֶהָ לָּנוּ Deut. 30:13
650 וְיַעֲבֹר אֶחָד מֵהַנְּעָרִים וְיִקָּחֶהָ ISh. 26:22
וַיִּקָּחֶהָ 651/2 וַיִּשְׁלַח יָדוֹ וַיִּקָּחֶהָ Gen. 8:9 • Jud. 15:15
653 וַיִּקָּחֶהָ וַיָּבֹא אֵלֶיהָ Gen. 38:2
654 וַיִּקָּחֶהָ עַל־הַחֲמוֹר Jud. 19:28
655 וַיִּשְׁלַח...וַיִּקָּחֶהָ מֵעִם אִישׁ IISh. 3:15
656 וַיִּשְׁלַח...וַיִּקָּחֶהָ וַתָּבוֹא אֵלָיו IISh. 11:4
657 וַיִּשְׁלַח...וַיִּקָּחֶהָ מִלִּשְׁכַּת אֱלִישָׁמָע Jer. 36:21
יִקָּחֶנָּה 658 פֶּן־יָמוּת...וְאִישׁ אַחֵר יִקָּחֶנָּה Deut. 20:7
וַיִּקָּחֵם 659 וַיִּקָּחֵם וַיַּעֲבִרֵם אֶת־הַנָּחַל Gen. 32:24
תִּקַּח 660 תִּקַּח־לָהּ פֶּן נִהְיֶה לָבוּז Gen. 38:23
661 תִּקַּח־לָהּ שְׁתֵּי תֹרִים Lev. 15:29
662 תַּחַת אִישָׁהּ תִּקַּח אֶת־זָרִים Ezek. 16:32
וְתִקַּח 663 וְתִקַּח אָזְנְכֶם דְּבַר־פִּיו Jer. 9:19
וַתִּקַּח 664 וַתִּקַּח מִפִּרְיוֹ וַתֹּאכַל... Gen. 3:6
665 וַתִּקַּח שָׂרַי...אֶת־הָגָר הַמִּצְרִית Gen. 16:3
666 וַתִּקַּח־לוֹ אִמּוֹ אִשָּׁה מֵאֶ׳ מִצְ׳ Gen. 21:21
667 וַתִּקַּח הַצָּעִיף וַתִּתְכָּס Gen. 24:65
668 וַתִּקַּח רִבְקָה אֶת־בִּגְדֵי עֵשָׂו Gen. 27:15
669 וַתִּקַּח אֶת־זִלְפָּה שִׁפְחָתָהּ... Gen. 30:9
670 וַתִּקַּח הַמְיַלֶּדֶת וַתִּקְשֹׁר עַל־יָדוֹ Gen. 38:28
671 וַתִּקַּח־לוֹ תֵּבַת גֹּמֶא Ex. 2:3
672 וַתִּקַּח הָאִשָּׁה הַיֶּלֶד וַתְּנִיקֵהוּ Ex. 2:9
673 וַתִּקַּח צִפֹּרָה צֹר וַתִּכְרֹת... Ex. 4:25
674 וַתִּקַּח מִרְיָם...אֶת־הַתֹּף בְּיָדָהּ Ex. 15:20
675 וַתִּקַּח הָאִשָּׁה אֶת־שְׁנֵי הָאֲנָשִׁים Josh. 2:4
676 וַתִּקַּח יָעֵל...אֶת־יְתַד הָאֹהֶל Jud. 4:21
677 וַתִּקַּח דְּלִילָה עֲבֹתִים חֲדָשִׁים Jud. 16:12
678 וַתִּקַּח אִמּוֹ מָאתַיִם כֶּסֶף Jud. 17:4

679-694 וַתִּקַּח ISh.19:13;25:18;28:24 • IISh.13:8, 9, 10, 19; 17:19; 21:10 • IK. 3:20 • IIK. 11:2 • Ezek. 19:5; 33:6 • Job 4:12 • Ruth 4:16 • IICh. 22:11
וַתִּקָּחֵנִי 695 וְרוּחַ נְשָׂאַתְנִי וַתִּקָּחֵנִי Ezek. 3:14
תִּקָּחֲךָ 696 וְאַל־תִּקָּחֲךָ בְּעַפְעַפֶּיהָ Prov. 6:25
וַתִּקָּחֵהוּ 697 וַתָּבוֹא חֶרֶב וַתִּקָּחֵהוּ Ezek. 33:4
698 זָמְמָה שָׂדֶה וַתִּקָּחֵהוּ Prov. 31:16
וַתִּקָּחֶהָ 699 וַתִּשְׁלַח אֶת־אֲמָתָהּ וַתִּקָּחֶהָ Ex. 2:5
תִּקָּחֵם 700 אִם־יַחְתְּרוּ בִשְׁאוֹל מִשָּׁם יָדִי תִקָּחֵם Am. 9:2
וַתִּקָּחֵם 701 וַתִּפֹּל שְׁבָא וַתִּקָּחֵם Job 1:15
נִקַּח 702 וְאֶת־בְּנֹתֵיכֶם נִקַּח־לָנוּ Gen. 34:16
703 אֶת־בְּנֹתָם נִקַּח־לָנוּ לְנָשִׁים Gen. 34:21
704 כִּי מִמֶּנּוּ נִקַּח לַעֲבֹד אֶת־יְיָ Ex. 10:26
705 וְאֶת־בְּנֹתֵיהֶם לֹא נִקַּח לְבָנֵינוּ Neh. 10:31
706 וְכָל־שֶׁבֶר...לֹא־נִקַּח מֵהֶם בַּשַּׁבָּת Neh. 10:32
וַנִּקַּח 707 וַנִּקַּח בָּעֵת הַהִוא אֶת־הָאָרֶץ Deut. 3:8
708 וַנִּקַּח אֶת־אַרְצָם וַנִּתְּנָהּ לְנַחֲלָה... Deut. 29:7
נִקְחָה 709 נִקְחָה אֵלֵינוּ מִשִּׁלֹה אֶת־אֲרוֹן בְּרִית ISh. 4:3
וְנִקְחָה 710 וְנִקְחָה מִשָּׁם אִישׁ קוֹרָה אֶחָת IIK. 6:2
711 וְנִקְחָה נִקְמָתֵנוּ מִמֶּנּוּ Jer. 20:10
712 וְנִקְחָה דָגָן וְנֹאכְלָה וְנִחְיֶה Neh. 5:2
713 וְנִקְחָה דָגָן בָּרָעָב Neh. 5:3
תִּקְחוּ 714 וְאֶת־בְּנֹתֵינוּ תִּקְחוּ לָכֶם Gen. 34:9
715 מֵאֵת כָּל־אִישׁ...תִּקְחוּ אֶת־תְּרוּמָתִי Ex. 25:2
716 וְזֹאת הַתְּרוּמָה אֲשֶׁר תִּקְחוּ מֵאִתָּם Ex. 25:3
717 כִּי־תִקְחוּ מֵאֵת בְּ־י׳ אֶת־הַמַּעֲשֵׂר Num. 18:26
718 תְּרוּמַת יְיָ...אֲשֶׁר תִּקְחוּ מֵאֵת בְּ־י׳ Num. 18:28
719 וְנָשִׂיא...תִּקְחוּ לִנְחֹל אֶת־הָאָרֶץ Num. 34:18
720/1 וְלֹא־תִקְחוּ כֹפֶר Num. 35:31, 32
722 אַל־תִּקְחוּ כֶסֶף מֵאֵת מַכָּרֵיכֶם IIK. 12:8
723 הֲלוֹא תִקְחוּ מוּסָר... Jer. 35:13
724 לֹא תִקְחוּ עוֹד חֶרְפַּת רָעָב Ezek. 36:30
725 וּמַשְׂאַת־בַּר תִּקְחוּ מִמֶּנּוּ Am. 5:11
726 מֵעַל עֹלָלֶיהָ תִּקְחוּ הֲדָרִי לְעוֹלָם Mic. 2:9
תִּקָּחוּ 727 שִׁמְעוֹן אֵינֶנּוּ וְאֶת־בִּנְיָמִן תִּקָּחוּ Gen. 42:36
728 מִן־הַכְּבָשִׂים וּמִן־הָעִזִּים תִּקָּחוּ Ex. 12:5
729 אִישׁ לַאֲשֶׁר בְּאָהֳלוֹ תִּקָּחוּ Num. 31:29
730 מִמַּחֲצִיתָם תִּקָּחוּ... Num. 31:29
יִקְחוּ 731 הֵם יִקְחוּ חֶלְקָם Gen. 14:24
732 וְהֵם יִקְחוּ אֶת־הַזָּהָב Ex. 28:5
733 יִקְחוּ מִקְוֵה בִּמְחִיר IK. 10:28
734 יִקְחוּ לָהֶם הַכֹּהֲנִים אִישׁ מֵאֵת מַכָּרוֹ IIK.12:6
735 וְלֹא יִקְחוּ מִמְּךָ אֶבֶן לְפִנָּה Jer. 51:26
736 אִם־יִקְחוּ מִמֶּנּוּ יָתֵד... Ezek. 15:3
737 וְאַלְמָנָה וּגְרוּשָׁה לֹא־יִקְחוּ לָהֶם Ezek. 44:22
738 מִקְוֵא יִקְחוּ בִּמְחִיר IICh. 1:16
יִקָּחוּ 739 אִשָּׁה זֹנָה וַחֲלָלָה לֹא יִקָּחוּ Lev. 21:7
740 וְאִשָּׁה גְּרוּשָׁה מֵאִישָׁהּ לֹא יִקָּחוּ Lev. 21:7
741 כִּי לֹא בְיָד יִקָּחוּ IISh. 23:6
742 וּמִבָּנֶיךָ...אֲשֶׁר תּוֹלִיד יִקָּח IIK. 20:18
743 וּמִבָּנֶיךָ...אֲשֶׁר תּוֹלִיד יִקָּחוּ Is. 39:7
744 אָהֳלֵיהֶם וְצֹאנָם יִקָּחוּ Jer. 49:29
745 חֹסֶן וִיקָר יִקָּחוּ Ezek. 22:25
746 בָּנַיִךְ וּבְנוֹתַיִךְ יִקָּחוּ Ezek. 23:25
747 אֲשֶׁר־תִּהְיֶה אַלְמָנָה מִכֹּהֵן יִקָּחוּ Ezek. 44:22
748 וְנַחֲלַת עָרִיצִים מִשַּׁדַּי יִקָּחוּ Job 27:13
וְיִקְחוּ 749 וְיִקְחוּ לָהֶם אִישׁ שֶׂה לְבֵית־אָבֹת Ex. 12:3
750 דַּבֵּר אֶל־בְּ־י׳ וְיִקְחוּ־לִי תְּרוּמָה Ex. 25:2
751/2 וְיִקְחוּ אֵלֶיךָ שֶׁמֶן זַיִת Ex. 27:20 • Lev. 24:2
753 וְיִקְחוּ אֵלֶיךָ פָרָה אֲדֻמָּה תְּמִימָה Num. 19:2
754 וְיִקְחוּ־נָא חֲמִשָּׁה מִן־הַסּוּסִים IIK. 7:13

וַיִּקְחוּ 755 וַיִּקְחוּ לָהֶם נָשִׁים מִכֹּל אֲשֶׁר בָּחָרוּ Gen. 6:2
756 וַיִּקְחוּ אֶת־כָּל־רְכֻשׁ סְדֹם Gen. 14:11
757 וַיִּקְחוּ אֶת־לוֹט וְאֶת־רְכֻשׁוֹ Gen. 14:12
758 וַיִּקְחוּ אֲבָנִים וַיַּעֲשׂוּ־גָל Gen. 31:46
759 וַיִּקְחוּ שְׁנֵי בְנֵי־יַעֲקֹב...וַיָּבֹאוּ Gen. 34:25
760 וַיִּקְחוּ אֶת־דִּינָה מִבֵּית שְׁכֶם Gen. 34:26
761 וַיִּקְחוּ אֶת־כְּתֹנֶת יוֹסֵף Gen. 37:31
762 וַיִּקְחוּ הָאֲנָשִׁים אֶת־הַמִּנְחָה Gen. 43:15
763 וַיִּקְחוּ אֶת־מִקְנֵיהֶם...וַיָּבֹאוּ... Gen. 46:6
764 וַיִּקְחוּ אֶת־פִּיחַ הַכִּבְשָׁן Ex. 9:10
765 וַיִּקְחוּ־אֶבֶן וַיָּשִׂימוּ תַחְתָּיו Ex. 17:12
766 וַיִּקְחוּ מִלִּפְנֵי מֹשֶׁה אֵת...הַתְּרוּמָה Ex. 36:3
767-808 וַיִּקְחוּ Lev. 9:5 • Num. 10:1 16:18; 17:24; 31:11 • Deut. 1:25 • Josh. 9:4, 14 • Jud. 3:6, 25; 7:8; 14:11; 18:18 • ISh. 5:2, 3; 6:10; 8:3; 14:32; 30:11; 31:12, 13 • IISh.4:7; 18:17 • IK. 9:28; 11:18; 18:26 • IIK. 2:20; 7:14; 9:13; 10:7; 11:9; 14:21; 20:7 • Jer. 38:6; 39:5, 14; 41:12 • Neh. 5:15 • IICh. 8:18; 23:8; 26:1; 36:1
וַיִּקָּחֻהוּ 809 וַיִּקָּחֻהוּ וַיַּשְׁלִכוּ אֹתוֹ הַבֹּרָה Gen. 37:24
810 וַיָּרֻצוּ וַיִּקָּחֻהוּ מִשָּׁם ISh. 10:23
וַיִּקָּחוּם 811 וַיִּקָּחוּם מִתּוֹךְ הָאֹהֶל Josh. 7:23
812 וַיִּפְשְׁטוּ עַל־הַגְּמַלִּים וַיִּקָּחוּם Job 1:17
לְקַח 813 לְקַח פַּר אֶחָד בֶּן־בָּקָר Ex. 29:1
814 לְקַח־בִּגְדוֹ כִּי־עָרַב זָר Prov. 20:16
וּלְקַח 815 וּלְקַח עֵץ אֶחָד וּכְתוֹב עָלָיו Ezek. 37:16
קַח 816 וְאַתָּה קַח־לְךָ מִכָּל־מַאֲכָל Gen. 6:21
817 הִנֵּה אִשְׁתְּךָ קַח וָלֵךְ Gen. 12:19
818 תֶּן־לִי הַנֶּפֶשׁ וְהָרְכֻשׁ קַח־לָךְ Gen. 14:21
819 קוּם קַח אֶת־אִשְׁתְּךָ Gen. 19:15
820 קַח־נָא אֶת־בִּנְךָ אֶת־יְחִידְךָ Gen. 22:2
821 נָתַתִּי כֶּסֶף הַשָּׂדֶה קַח מִמֶּנִּי Gen. 23:13
822 הִנֵּה־רִבְקָה לְפָנֶיךָ קַח וָלֵךְ Gen. 24:51
823 אַךְ שְׁמַע בְּקֹלִי וְלֵךְ קַח־לִי Gen. 27:13
824 קַח־נָא אֶת־בִּרְכָתִי Gen. 33:11
825 קַח־לִי אֶת־הַיַּלְדָּה...לְאִשָּׁה Gen. 34:4
826 קַח אֶת־מַטְּךָ וְהַשְׁלֵךְ לִפְנֵי־פַרְעֹה Ex. 7:9
827 קַח מַטְּךָ וּנְטֵה־יָדְךָ Ex. 7:19
828 קַח צִנְצֶנֶת אַחַת Ex. 16:33
829 וּמַטְּךָ...קַח בְּיָדְךָ וְהָלָכְתָּ Ex. 17:5
830 וְאַתָּה קַח־לְךָ בְּשָׂמִים רֹאשׁ Ex. 30:23
831-845 קַח־לְךָ Ex. 30:34 Lev. 9:2 • Num. 27:18 • IK. 11:31 • Is. 8:1 • Jer. 36:2, 28 • Ezek. 4:1, 3, 9; 5:1; 37:16 • Hosh. 1:2 • Zech. 11:15 • ICh. 21:23
846-851 קַח־נָא ISh. 9:3; 17:17; 26:11 IIK. 5:15 • Jon. 4:3 • Job 22:22
852-879 קַח Lev. 8:2 • Num. 3:45; 7:5 8:6; 17:11; 20:8, 25; 25:4 • Josh. 8:1 • Jud. 6:20, 25; 14:3 • IISh. 20:6 • IK. 19:4; 22:26 • IIK. 5:23; 8:8; 9:17; 13:15, 18 • Jer. 13:4; 25:15; 38:10; 43:9 • Ezek. 3:10; 10:6 • Prov. 27:13 • Es. 6:10
קָח 880 אִם־אַתָּה תִקַּח־לְךָ קָח ISh. 21:10
קְחָה 881 קְחָה לִי עֶגְלָה מְשֻׁלֶּשֶׁת... Gen. 15:9
וְקַח 882 וְקַח־לִי מִשָּׁם שְׁנֵי גְּדָיֵי עִזִּים Gen. 27:9
883 וְקַח־לִי מִשָּׁם אִשָּׁה... Gen. 28:2
884 הַכֶּר־לְךָ מָה עִמָּדִי וְקַח־לָךְ Gen. 31:32
885 וְקַח אִתְּךָ מִזִּקְנֵי יִשְׂרָאֵל Ex. 17:5
886 וְקַח מֵאִתָּם מַטֶּה...לְבֵית אָב Num. 17:17
887 וְקַח־לְךָ כַּאֲשֶׁר תְּאַוֶּה נַפְשֶׁךָ ISh. 2:16
888 וְעַתָּה שְׁלַח וְקַח אֹתוֹ אֵלַי ISh. 20:31

889 וְקַח־לְךָ אֶת־חֲלִצָתוֹ IISh. 2:21
890 וְקַח מִשְׁעַנְתִּי בְיָדְךָ וָלֵךְ IIK. 4:29
891 וְקַח פַּךְ הַשֶּׁמֶן הַזֶּה בְּיָדֶךָ IIK. 9:1
892 לֵךְ פְּרָתָה וְקַח מִשָּׁם אֶת־הָאֵזוֹר Jer. 13:6
893 כָּל־תִּשָּׂא עָוֹן וְקַח־טוֹב Hosh. 14:3
894 שְׁמַע בְּנִי וְקַח אֲמָרָי Prov. 4:10
קָחֶנּוּ 895 הִנֵּה הַחִצִּים מִמְּךָ וָהֵנָּה קָחֶנּוּ... ISh. 20:21
896 קָחֶנּוּ וְעֵינֶיךָ שִׂים עָלָיו Jer. 39:12
וְקָחֶנּוּ 897 וַיֹּאמֶר שְׁמוּאֵל...שִׁלְחָה וְקָחֶנּוּ ISh. 16:11
קָחֶנָּה 898 הַמְּגִלָּה...קָחֶנָּה בְיָדְךָ וָלֵךְ Jer. 36:14
קָחֶם־ 899 קָחֶם־נָא אֵלַי וַאֲבָרְכֵם Gen. 48:9
לִקְחִי 900 לִקְחִי־נָא לִי פַּת־לֶחֶם בְּיָדֵךְ IK. 17:11
קְחִי 901 קְחִי־נָא לִי מְעַט־מַיִם בַּכְּלִי IK. 17:10
902 קְחִי כִנּוֹר סֹבִּי עִיר Is. 23:16
903 קְחִי רֵחַיִם וְטַחֲנִי קָמַח Is. 47:2
וּקְחִי 904 עֲלִי גִלְעָד וּקְחִי צֳרִי Jer. 46:11
קְחוּ 905 וְאֶת־רַעֲבוֹן בָּתֵּיכֶם קְחוּ וָלֵכוּ Gen. 42:33
906 קְחוּ מִזִּמְרַת הָאָרֶץ בִּכְלֵיכֶם Gen. 43:11
907 וְכֶסֶף מִשְׁנֶה קְחוּ בְיֶדְכֶם Gen. 43:12
908 קְחוּ־לָכֶם מֵאֶרֶץ מִצְ׳ עֲגָלוֹת Gen. 45:19
909 קְחוּ לָכֶם תֶּבֶן מֵאֲשֶׁר תִּמְצָאוּ Ex. 5:11
910 קְחוּ לָכֶם מְלֹא חָפְנֵיכֶם פִּיחַ כִּבְשָׁן Ex. 9:8
911 גַּם־צֹאנְכֶם...קְחוּ...וָלֵכוּ Ex. 12:32
912 קְחוּ מֵאִתְּכֶם תְּרוּמָה לַיְיָ Ex. 35:5
913 קְחוּ שְׂעִיר־עִזִּים לְחַטָּאת Lev. 9:3
914 קְחוּ אֶת־הַמִּנְחָה הַנּוֹתֶרֶת Lev. 10:12
915 זֹאת עֲשׂוּ קְחוּ־לָכֶם מַחְתּוֹת... Num. 16:6
916 קְחוּ לָכֶם שְׁנֵי עָשָׂר אִישׁ Josh. 3:12
917 קְחוּ לָכֶם מִן־הָעָם שְׁנֵים עָשָׂר אֲנָשִׁים Josh.4:2
918 קְחוּ בְיֶדְכֶם צֵידָה לַדֶּרֶךְ Josh. 9:11
919 וְעַתָּה קְחוּ־אוֹתָהּ לִי לְאִשָּׁה Jud. 14:2
920-932 קְחוּ ISh. 6:7 • IK. 1:33; 3:24 IIK. 2:20; 3:15; 10:6; 20:7 • Jer. 29:6; 51:8 • Hosh. 14:3 • Prov. 8:10 • Job 42:8 • IICh. 18:25
קָחוּ 933 וְאֶת־אֲחִיכֶם קָחוּ Gen. 43:13
וּקְחוּ 934 וּקְחוּ אֶת־אֲבִיכֶם...וּבֹאוּ אֵלָי Gen. 45:18
935 מִשְׁכוּ וּקְחוּ לָכֶם צֹאן Ex. 12:21
936 וּקְחוּ אִישׁ מַחְתָּתוֹ Num. 16:17
937 וַיֹּאמֶר וּקְחוּ־קָמַח IIK. 4:41
938 וּקְחוּ לִבְנֵיכֶם נָשִׁים Jer. 29:6
קָחֻהוּ 939 וַיֹּאמֶר בֹּאוּ קָחֻהוּ IK. 20:33
הִלָּקַח 940/1 אֶל־הִלָּקַח אֲרוֹן הָאֱלֹהִים ISh. 4:19, 21
הִלָּקְחוֹ 942 לָשׂוּם לֶחֶם חֹם בְּיוֹם הִלָּקְחוֹ ISh. 21:7
נִלְקַח 943 כִּי נִלְקַח אֲרוֹן הָאֱלֹהִים ISh. 4:22
נִלְקָח 944 וַאֲרוֹן אֱלֹהִים נִלְקָח ISh. 4:11
945 הוּא בַּעֲוֹנוֹ נִלְקָח Ezek. 33:6
נִלְקָחָה 946 וַאֲרוֹן הָאֱלֹהִים נִלְקָחָה ISh. 4:17
אֶלָּקַח 947 מָה אֶעֱשֶׂה לָּךְ בְּטֶרֶם אֶלָּקַח מֵעִמָּךְ IIK. 2:9
וַתִּלָּקַח 948 וַתִּלָּקַח אֶסְתֵּר אֶל־בֵּית הַמֶּלֶךְ Es. 2:8
949 וַתִּלָּקַח אֶסְתֵּר אֶל־הַמֶּלֶךְ אֲחַשְׁוֵרוֹשׁ Es. 2:16
לֻקָּחְתָּ 950 ...אֶל־הָאֲדָמָה כִּי מִמֶּנָּה לֻקָּחְתָּ Gen. 3:19
לֻקַּח 951 אֶת־הָאֲדָמָה אֲשֶׁר לֻקַּח מִשָּׁם Gen. 3:23
952 אֶלֶף וּמֵאָה הַכֶּסֶף אֲשֶׁר לֻקַּח־לָךְ Jud. 17:2
953 כִּי־לֻקַּח עַמִּי חִנָּם Is. 52:5
לֻקָּח 954 מֵעֹצֶר וּמִמִּשְׁפָּט לֻקָּח Is. 53:8
וְלֻקַּח 955 וְלֻקַּח מֵהֶם קְלָלָה לְכֹל...יְהוּדָה Jer. 29:22
לֻקֳחָה 956 ...כִּי מֵאִישׁ לֻקֳחָה־זֹּאת Gen. 2:23
לֻקְּחוּ 957 כִּי לֻקְּחוּ בָנֶיךָ בַּשֶּׁבִי Jer. 48:46
לֻקָּח (הוה) 958 אִם־תִּרְאֶה אֹתִי לֻקָּח מֵאִתָּךְ IIK. 2:10
יֻקַּח 959 יֻקַּח־נָא מְעַט־מַיִם Gen. 18:4
יֻקָּח 960 גַּם־שְׁבִי גִבּוֹר יֻקָּח Is. 49:25
961 בַּרְזֶל מֵעָפָר יֻקָּח Job 28:2

הֲיֻקַּח 962 הֲיֻקַּח מִגִּבּוֹר מַלְקוֹחַ Is. 49:24
963 הֲיֻקַּח מִמֶּנּוּ עֵץ לַעֲשׂוֹת לִמְלָאכָה Ezek. 15:3
וַתֻּקַּח 964 וַתֻּקַּח הָאִשָּׁה בֵּית פַּרְעֹה Gen. 12:15
מִתְלַקַּחַת 965 וְאֵשׁ מִתְלַקַּחַת בְּתוֹךְ הַבָּרָד Ex. 9:24
966 עָנָן גָּדוֹל וְאֵשׁ מִתְלַקַּחַת Ezek. 1:4

לֶקַח
ז׳ תורה, למוד: 1–9

לֶקַח זַךְ 8; לֶקַח טוֹב 3; רֹב לִקְחָהּ 9

לֶקַח 1 וְרוֹגְנִים יִלְמְדוּ־לֶקַח Is. 29:24
2 יִשְׁמַע חָכָם וְיוֹסֶף לֶקַח Prov. 1:5
3 כִּי לֶקַח טוֹב נָתַתִּי לָכֶם Prov. 4:2
4 הוֹדַע לְצַדִּיק וְיוֹסֶף לֶקַח Prov. 9:9
5 וּמֶתֶק שְׂפָתַיִם יֹסִיף לֶקַח Prov. 16:21
6 וְעַל־שְׂפָתָיו יֹסִיף לֶקַח Prov. 16:21
לִקְחִי 7 יַעֲרֹף כַּמָּטָר לִקְחִי Deut. 32:2
8 זַךְ לִקְחִי וּבַר הָיִיתִי בְּעֵינֶיךָ Job 11:4
לִקְחָהּ 9 הִטַּתּוּ בְּרֹב לִקְחָהּ בְּחֵלֶק שְׂפָתֶיהָ Prov. 7:21

לִקְחִי
שפ״ז איש מזרע מנשה

וְלִקְחִי 1 וְשֶׁכֶם וְלִקְחִי וַאֲנִיעָם ICh. 7:19

לקט
: לָקַט, לִקֵּט, לֻקַּט, הִתְלַקֵּט; לֶקֶט, יַלְקוּט

לָקַט
פ׳ א) אסף: 1–14
ב) [פ׳ לִקֵּט] אָסַף, צָבַר: 15–32
ג) [פ׳ לֻקַּט] נאסף: 33
ד) [הת׳ הִתְלַקֵּט] התאסף: 34

קרובים: אגר | אסף | ארה | כנס | צבר

לִלְקֹט 1 יָצְאוּ מִן־הָעָם לִלְקֹט Ex. 16:27
2 אַל־תֵּלְכִי לִלְקֹט בְּשָׂדֶה אַחֵר Ruth 2:8
וְלִלְקֹט 3 לִרְעוֹת בַּגַּנִּים וְלִלְקֹט שׁוֹשַׁנִּים S.ofS. 6:2
לָקְטוּ 4 וַיְהִי בַּיּוֹם הַשִּׁשִּׁי לָקְטוּ לֶחֶם מִשְׁנֶה Ex. 16:22
לָקָטוּ 5 אִישׁ לְפִי־אָכְלוֹ לָקָטוּ Ex. 16:18
וְלָקְטוּ 6 וְיָצָא הָעָם וְלָקְטוּ דְּבַר־יוֹם בְּיוֹמוֹ Ex. 16:4
7 שָׁטוּ הָעָם וְלָקְטוּ וְטָחֲנוּ בָרֵחַיִם Num. 11:8
תִּלְקְטֻהוּ 8 שֵׁשֶׁת יָמִים תִּלְקְטֻהוּ... Ex. 16:26
יִלְקְטוּ 9 מִשְׁנֶה עַל אֲשֶׁר־יִלְקְטוּ יוֹם יוֹם Ex. 16:5
וַיִּלְקְטוּ 10 וַיִּלְקְטוּ הַמַּרְבֶּה וְהַמַּמְעִיט Ex. 16:17
11 וַיִּלְקְטוּ אֹתוֹ בַּבֹּקֶר בַּבֹּקֶר Ex. 16:21
יִלְקֹטוּן 12 תִּתֵּן לָהֶם יִלְקֹטוּן... Ps. 104:28
לִקְטוּ 13 וַיֹּאמֶר...לְאֶחָיו לִקְטוּ אֲבָנִים Gen. 31:46
14 לִקְטוּ מִמֶּנּוּ אִישׁ לְפִי אָכְלוֹ Ex. 16:16
לְלַקֵּט 15 וַיֵּצֵא אֶחָד אֶל־הַשָּׂדֶה לְלַקֵּט אֹרֹת IIK. 4:39
16 וַתָּקָם לְלַקֵּט... Ruth 2:15
17 לְלַקֵּט עַד־כְּלוֹת קְצִיר־הַשְּׂעֹרִים Ruth 2:23
לִקַּטְתְּ 18 אֵיפֹה לִקַּטְתְּ הַיּוֹם וְאָנָה עָשִׂית Ruth 2:19
כִּמְלַקֵּט 19 כִּמְלַקֵּט שִׁבֳּלִים בְּעֵמֶק רְפָאִים Is. 17:5
מְלַקְּטִים 20 הָיוּ מְלַקְּטִים תַּחַת שֻׁלְחָנִי Jud. 1:7
21 הַבָּנִים מְלַקְּטִים עֵצִים Jer. 7:18
אֲלַקֳטָה 22 אֲלַקֳטָה־נָּא וְאָסַפְתִּי בָעֳמָרִים Ruth 2:7
וַאֲלַקֳטָה 23 אֵלְכָה־נָּא הַשָּׂדֶה וַאֲלַקֳטָה בַשִּׁבֳּלִים Ruth 2:2
תְלַקֵּט 24/5 וְלֶקֶט קְצִירְךָ לֹא תְלַקֵּט Lev. 19:9; 23:22
26 וּפֶרֶט כַּרְמְךָ לֹא תְלַקֵּט Lev. 19:10
וַיְלַקֵּט 27 וַיְלַקֵּט יוֹסֵף אֶת־כָּל־הַכֶּסֶף Gen. 47:14
28 וַיְלַקֵּט נַעַר יְהוֹנָתָן אֶת־הַחִצִּים ISh. 20:38
29 וַיְלַקֵּט מִמֶּנּוּ פַּקֻּעֹת שָׂדֶה IIK. 4:39
תְּלַקֵּט 30 גַּם בֵּין הָעֳמָרִים תְּלַקֵּט Ruth 2:15
וַתְּלַקֵּט 31 וַתְּלַקֵּט בַּשָּׂדֶה אַחֲרֵי הַקֹּצְרִים Ruth 2:3
32 וַתְּלַקֵּט בַּשָּׂדֶה עַד־הָעָרֶב Ruth 2:17
תְּלֻקְּטוּ 33 וְאַתֶּם תְּלֻקְּטוּ לְאַחַד אֶחָד בְּנֵי Is. 27:12
וַיִּתְלַקְּטוּ 34 וַיִּתְלַקְּטוּ אֶל־יִפְתָּח אֲנָשִׁים רֵיקִים Jud. 11:3

לֶקֶט
ז׳ שבלים שנפלו בשדה אחרי הקוצרים: 1, 2

וְלֶקֶט־ 1–2 וְלֶקֶט קְצִירְךָ לֹא תְלַקֵּט Lev. 19:9; 23:22

לקק
: לָקַק, לִקֵּק

לָקַק
פ׳ א) גמא בלשונו: 1–5
ב) [פ׳ לִקֵּק] כנ״ל: 6, 7

לָקְקוּ 1 בִּמְקוֹם אֲשֶׁר לָקְקוּ הַכְּלָבִים... IK. 21:19
יָלֹק 2 כֹּל אֲשֶׁר־יָלֹק בִּלְשׁוֹנוֹ מִן־הַמַּיִם Jud. 7:5
3 כַּאֲשֶׁר יָלֹק הַכֶּלֶב Jud. 7:5
יָלֹקּוּ 4 יָלֹקּוּ הַכְּלָבִים אֶת־דָּמְךָ גַּם־אָתָּה IK. 21:19
וַיָּלֹקּוּ 5 וַיָּלֹקּוּ הַכְּלָבִים אֶת־דָּמוֹ IK. 22:38
הַמְלַקְקִים 6 מִסְפַּר הַמְלַקְקִים בְּיָדָם אֶל־פִּיהֶם Jud. 7:6
7 בִּשְׁלֹשׁ מֵאוֹת הָאִישׁ הַמְלַקְקִים... Jud. 7:7

לִקְרַאת
מ״י – עין ערך (קְרָאת)לִקְרַאת (באות ק׳)

לקש
: לִקֵּשׁ; לֶקֶשׁ, מַלְקוֹשׁ

לִקֵּשׁ
פ׳ לקט פרי שהבשיל באחור

יְלַקֵּשׁוּ 1 וְכֶרֶם רָשָׁע יְלַקֵּשׁוּ Job 24:6

לֶקֶשׁ
ז׳ עשב או תבואה שצמחו אחרי המלקוש: 1, 2

לֶקֶשׁ 1 וְהִנֵּה־לֶקֶשׁ אַחַר גִּזֵּי הַמֶּלֶךְ Am. 7:1
הַלָּקֶשׁ 2 וְהִנֵּה יוֹצֵר גֹּבַי בִּתְחִלַּת עֲלוֹת הַלָּקֶשׁ Am. 7:1

לֵרָא
(ש״א יח29) – עין ירא

לָרֹב
(בראשית ו1) – עין רבב

לָרַד
(ישעיה מה1) – עין רדד

לָרֹס
(יחזקאל מו14) – עין רסס

לָרֶשֶׁת
(ויקרא כה24) – עין ירש

לָשֵׂאת
(בראשית לו7) – עין נשא

לָשֶׁבֶת
(בראשית יג6) – עין ישב

לָשָׁד
ז׳ שׁוּמָן, שמנונית (גם בהשאלה): 1, 2

לְשַׁד² 1 וְהָיָה טַעְמוֹ כְּטַעַם לְשַׁד הַשָּׁמֶן Num. 11:8
לְשַׁדִּי 2 נֶהְפַּךְ לְשַׁדִּי בְּחַרְבֹנֵי קַיִץ Ps. 32:4

לָשׁוֹן
נ׳ [ז׳ – 18, 40, 43, 44, 61, 63]
א) האבר בפה המשמש ללקיקה, לדבור וכד׳: 1, 3–17, 19–21, 28, 30, 32, 42, 43, 45–47, 53–73, 75, 77–86, 91–102, 104–111
ב) [בהשאלה] שפה, דבור: 2, 22, 23, 29, 31, 33–41, 48–51, 74, 76, 87–90, 103, 112, 113, 115–117
ג) [כנ״ל] עם, אומה: 114
ד) דבר מארך בתבנית לשון: 18, 24–27, 44, 52

– לָשׁוֹן אַחֶרֶת 22; לְשׁוֹן רְמִיָּה 10, 23; לָ׳ רַכָּה 20
– חֶלְקַת לָשׁוֹן 12; יַד לָשׁוֹן 15; כְּבַד לָשׁוֹן 1, 6, 7; מַעֲנֵה לָשׁוֹן 14; מַרְפֵּא לָ׳ 13; נִלְעַג לָ׳ 2; רִיב לָשׁוֹן 113; שׁוֹט לָשׁוֹן 17; שְׂפַת לָשׁוֹן 8
– לְשׁוֹן אִלֵּם 28; לְ׳ אֶפְעֶה 42; לְשׁוֹן אֵשׁ 26; לְשׁוֹן הַוֹּת 38; לְשׁוֹן זָהָב 24, 44; לְשׁוֹן חֲכָמִים 37, 47; לְשׁוֹן יוֹנֵק 43; לְשׁוֹן יָם 25, 27, 52; לְ׳ כְּלָבִים 32; לְ׳ כַּשְׂדִּים 48; לְשׁוֹן לִמּוּדִים 29; לְ׳ מִרְמָה 31; לְ׳ סֵתֶר 39; לְ׳ עִלְּגִים 45; לְ׳ עַם 50, 51; לְ׳ עֲרוּמִים 41; לְ׳ צַדִּיק 35; לְשׁוֹן שֶׁקֶר 33, 34, 36, 40, 49; לְשׁוֹן תַּהְפֻּכוֹת 46; לְשׁוֹן תַּרְמִית 30
– דִּבְּקָה לְשׁוֹנוֹ 59, 110; דִּבְּרָה לְשׁוֹנוֹ 60, 83; הָגְתָה (הֶגֶה) לָשׁוֹן 57, 62, 63, 94; הֶאֱרִיךְ לָשׁוֹן 5; הֶחֱלִיק לָשׁוֹן 16, 102; הֶחֱרִים לָ׳ 27; הִכְרִית לָשׁוֹן 9; הִלְכָה לָשׁוֹן 109; הִשְׁקִיעַ לָ׳ 80; חָרַץ לָשׁוֹן 73, 75; חָשְׁבָה לְשׁוֹנוֹ 69; לִמֵּד לְשׁוֹנוֹ 98; לָקַח לְשׁוֹנוֹ 100; נִמְקָה לְשׁוֹנוֹ 82; נָצַר לָ׳ 68; נָשְׁתָה לְשׁוֹנוֹ 96; פַּלַּג לְשׁוֹנוֹ 103; רִנְּנָה לָ׳ 55; שָׁמַר לְשׁוֹנוֹ 84; שָׁנַן לְשׁוֹנוֹ 104, 106
– דִּבֵּר בִּלְשׁוֹנוֹ 65; חָטָא בִּלְשׁוֹנוֹ 64; כִּזֵּב בִּלְשׁוֹנוֹ 111; נֶהְפַּךְ בִּלְשׁוֹנוֹ 86

לָשׁוֹן 1 כְבַד־פֶּה וּכְבַד לָשׁוֹן אָנֹכִי Ex. 4:10
2 עַם...נִלְעַג לָשׁוֹן אֵין בִּינָה Is. 33:19
3 כִּי־לִי...תִּשָּׁבַע כָּל־לָשׁוֹן Is. 45:23
4 וְכָל־לָשׁוֹן תָּקוּם..לַמִּשְׁפָּט תַּרְשִׁיעִי Is. 54:17
5 תַּרְחִיבוּ פֶה תַּאֲרִיכוּ לָשׁוֹן Is. 57:4
6–7 עִמְקֵי שָׂפָה וְכִבְדֵי לָשׁוֹן Ezek. 3:5, 6
8 וַתֵּעֲלוּ עַל־שְׂפַת לָשׁוֹן וְדִבַּת־עָם Ezek. 36:3
9 יַכְרֵת...לָשׁוֹן מְדַבֶּרֶת גְּדֹלוֹת Ps. 12:4
10 מַה־יִּתֵּן לְךָ...לָשׁוֹן רְמִיָּה Ps. 120:3
11 אִישׁ לָשׁוֹן בַּל־יִכּוֹן בָּאָרֶץ Ps. 140:12
12 לִשְׁמָרְךָ...מֵחֶלְקַת לָשׁוֹן נָכְרִיָּה Prov. 6:24
13 מַרְפֵּא לָשׁוֹן עֵץ חַיִּים Prov. 15:4
14 לְאָדָם מַעַרְכֵי־לֵב וּמֵיְיָ מַעֲנֵה לָשׁוֹן Prov. 16:1
15 מָוֶת וְחַיִּים בְּיַד־לָשׁוֹן Prov. 18:21
16 אַחֲרַי חֵן יִמְצָא מִמַּחֲלִיק לָשׁוֹן Prov. 28:23
17 בְּשׁוֹט לָשׁוֹן תֵּחָבֵא Job 5:21
הַלָּשׁוֹן 18 מִן־הַלָּשֹׁן הַפֹּנֶה נֶגְבָּה Josh. 15:2
19 וְאֵין יִתְרוֹן לְבַעַל הַלָּשׁוֹן Eccl. 10:11
וְלָשׁוֹן 20 וְלָשׁוֹן רַכָּה תִּשְׁבָּר־גָּרֶם Prov. 25:15
בַּלָּשׁוֹן 21 לְכוּ וְנַכֵּהוּ בַלָּשׁוֹן... Jer. 18:18
וּבְלָשׁוֹן 22 בְּלַעֲגֵי שָׂפָה וּבְלָשׁוֹן אַחֶרֶת Is. 28:11
מִלָּשׁוֹן 23 מִשְּׂפַת־שֶׁקֶר מִלָּשׁוֹן רְמִיָּה Ps. 120:2
לְשׁוֹן־ 24 וְאֶת־הָאַדֶּרֶת וְאֶת־לְשׁוֹן הַזָּהָב Josh. 7:24
25 אֶל־לְשׁוֹן יָם־הַמֶּלַח צָפוֹנָה Josh. 18:19
26 כֶּאֱכֹל קַשׁ לְשׁוֹן אֵשׁ Is. 5:24
27 וְהֶחֱרִים יְיָ אֵת לְשׁוֹן יָם־מִצְרַיִם Is. 11:15
28 וְתָרֹן לְשׁוֹן אִלֵּם Is. 35:6
29 אֲדֹנָי יְיָ נָתַן לִי לְשׁוֹן לִמּוּדִים Is. 50:4
30 וְלֹא־יִמָּצֵא בְּפִיהֶם לְשׁוֹן תַּרְמִית Zep. 3:13
31 אָהַבְתָּ...דִבְרֵי־בָלַע לְשׁוֹן מִרְמָה Ps. 52:6
32 תִּמְחַץ רַגְלְךָ בְּדָם לְשׁוֹן כְּלָבֶיךָ Ps. 68:24
33 דִּבְּרוּ אִתִּי לְשׁוֹן שָׁקֶר Ps. 109:2
34 עֵינַיִם רָמוֹת לְשׁוֹן שָׁקֶר Prov. 6:17
35 כֶּסֶף נִבְחָר לְשׁוֹן צַדִּיק Prov. 10:20
36 וְעַד־אַרְגִּיעָה לְשׁוֹן שָׁקֶר Prov. 12:19
37 לְשׁוֹן חֲכָמִים תֵּיטִיב דָּעַת... Prov. 15:2
38 שֶׁקֶר מֵזִין עַל־לְשׁוֹן הַוֹּת Prov. 17:4
39 וּפָנִים נִזְעָמִים לְשׁוֹן סָתֶר Prov. 25:23
40 לְשׁוֹן־שֶׁקֶר יִשְׂנָא דַכָּיו Prov. 26:28
41 וְתִבְחַר לְשׁוֹן עֲרוּמִים Job 15:5
42 תַּהַרְגֵהוּ לְשׁוֹן אֶפְעֶה Job 20:16
43 דָּבַק לְשׁוֹן יוֹנֵק אֶל־חִכּוֹ בַּצָּמָא Lam. 4:4
וּלְשׁוֹן־ 44 אַדֶּרֶת שִׁנְעָר...וּלְשׁוֹן זָהָב אֶחָד Josh. 7:21
45 וּלְשׁוֹן עִלְּגִים תְּמַהֵר לְדַבֵּר צָחוֹת Is. 32:4
46 וּלְשׁוֹן תַּהְפֻּכוֹת תִּכָּרֵת Prov. 10:31
47 וּלְשׁוֹן חֲכָמִים מַרְפֵּא Prov. 12:18
48 וּלְלַמְּדָם סֵפֶר וּלְשׁוֹן כַּשְׂדִּים Dan. 1:4
בִּלְשׁוֹן־ 49 פֹּעַל אֹצָרוֹת בִּלְשׁוֹן שָׁקֶר Prov. 21:6
כִּלְשׁוֹן־ 50 שֹׂרֵר בְּבֵיתוֹ וּמְדַבֵּר כִּלְשׁוֹן עַמּוֹ Es. 1:22
וְכִלְשׁוֹן־ 51 לְדַבֵּר יְהוּדִית וְכִלְשׁוֹן עַם וָעָם Neh. 13:24
מִלְּשׁוֹן־ 52 וּגְבוּל...מִלְּשׁוֹן הַיָּם מִקְצֵה הַיַּרְדֵּן Josh. 15:5
לְשׁוֹנִי 53 רוּחַ יְיָ דִּבֶּר־בִּי וּמִלָּתוֹ עַל־לְשׁוֹנִי IISh. 23:2
54 לְשׁוֹנִי עֵט סוֹפֵר מָהִיר Ps. 45:2
55 תְּרַנֵּן לְשׁוֹנִי צִדְקָתֶךָ Ps. 51:16
56 פִּי־קָרָאתִי וְרוֹמַם תַּחַת לְשׁוֹנִי Ps. 66:17
57 לְשׁוֹנִי כָּל־הַיּוֹם תֶּהְגֶּה צִדְקָתֶךָ Ps. 71:24

לְשׁוֹנִי (המשך) 58 תַּעַן לְשׁוֹנִי אִמְרָתֶךָ Ps. 119:172
59 תִּדְבַּק לְשׁוֹנִי לְחִכִּי אִם... Ps. 137:6
60 פָּתַחְתִּי פִי דִּבְּרָה לְשׁוֹנִי בְחִכִּי Job 33:2
וּלְשׁוֹנִי 61 וּלְשׁוֹנִי מֻדְבָּק מַלְקוֹחָי Ps. 22:16
62 וּלְשׁוֹנִי תֶּהְגֶּה צִדְקֶךָ Ps. 35:28
63 וּלְשׁוֹנִי אִם־יֶהְגֶּה רְמִיָּה Job 27:4
בִּלְשׁוֹנִי 64 אֶשְׁמְרָה דְרָכַי מֵחֲטוֹא בִלְשׁוֹנִי Ps. 39:2
65 בַּהֲגִיגִי תִבְעַר־אֵשׁ דִּבַּרְתִּי בִּלְשׁוֹנִי Ps. 39:4
66 כִּי אֵין מִלָּה בִּלְשׁוֹנִי Ps. 139:4
67 הֲיֵשׁ בִּלְשׁוֹנִי עַוְלָה Job 6:30
לְשׁוֹנְךָ 68 נְצֹר לְשׁוֹנְךָ מֵרָע Ps. 34:14
לְשׁוֹנֶךָ 69 הַוּוֹת תַּחְשֹׁב לְשׁוֹנֶךָ Ps. 52:4
וּלְשׁוֹנְךָ 70 וּלְשׁוֹנְךָ אַדְבִּיק אֶל־חִכֶּךָ Ezek. 3:26
71 וּלְשׁוֹנְךָ תַּצְמִיד מִרְמָה Ps. 50:19
לְשׁוֹנֵךְ 72 דְּבַשׁ וְחָלָב תַּחַת לְשׁוֹנֵךְ S.ofS. 4:11
לְשֹׁנוֹ 73 וּלְכֹל בְּ״י לֹא־יֶחֱרַץ כֶּלֶב לְשֹׁנוֹ Ex. 11:7
74 גּוֹי אֲשֶׁר לֹא־תִשְׁמַע לְשֹׁנוֹ... Deut. 28:49
75 לֹא־חָרַץ לִבְ״י לְאִישׁ אֶת־לְשֹׁנוֹ Josh. 10:21
76 גּוֹי לֹא־תֵדַע לְשֹׁנוֹ Jer. 5:15
77 תַּחַת לְשׁוֹנוֹ עָמָל וָאָוֶן Ps. 10:7
78 לֹא־רָגַל עַל־לְשֹׁנוֹ Ps. 15:3
79 יַכְחִידֶנָּה תַּחַת לְשׁוֹנוֹ Job 20:12
80 וּבְחֶבֶל תַּשְׁקִיעַ לְשֹׁנוֹ Job 40:25
וּלְשׁוֹנוֹ 81 וּלְשׁוֹנוֹ כְּאֵשׁ אֹכָלֶת Is. 30:27
82 וּלְשׁוֹנוֹ תִּמַּק בְּפִיהֶם Zech. 14:12
83 וּלְשׁוֹנוֹ תְּדַבֵּר מִשְׁפָּט Ps. 37:30
84 שֹׁמֵר פִּיו וּלְשׁוֹנוֹ שֹׁמֵר מִצָּרוֹת נַפְשׁוֹ Prov. 21:23
בִּלְשׁוֹנוֹ 85 כֹּל אֲשֶׁר יָלֹק בִּלְשׁוֹנוֹ מִן־הַמַּיִם Jud. 7:5
86 וְנֶהְפָּךְ בִּלְשׁוֹנוֹ יִפּוֹל בְּרָעָה Prov. 17:20
כִּלְשׁוֹנוֹ 87 וְאֶל־עַם וָעָם כִּלְשׁוֹנוֹ Es. 1:22
88/9 עַם וָעָם כִּלְשׁ(ו)נוֹ Es. 3:12; 8:9
לִלְשֹׁנוֹ 90 מֵאֵלֶּה נִפְרְדוּ...אִישׁ לִלְשֹׁנוֹ Gen. 10:5
לְשׁוֹנָהּ 91 וְתוֹרַת־חֶסֶד עַל־לְשׁוֹנָהּ Prov. 31:26
וּלְשׁוֹנֵנוּ 92 אָז יִמָּלֵא שְׂחוֹק פִּינוּ וּלְשׁוֹנֵנוּ רִנָּה Ps. 126:2
לִלְשֹׁנֵנוּ 93 לִלְשֹׁנֵנוּ נַגְבִּיר שְׂפָתֵינוּ אִתָּנוּ Ps. 12:5
לְשׁוֹנְכֶם 94 לְשׁוֹנְכֶם עַוְלָה תֶהְגֶּה Is. 59:3
לְשׁוֹנָם 95 כִּי־לְשׁוֹנָם וּמַעַלְלֵיהֶם אֶל־יְיָ Is. 3:8
96 לְשׁוֹנָם בַּצָּמָא נָשָׁתָּה Is. 41:17
97 וַיַּדְרְכוּ אֶת־לְשׁוֹנָם קַשְׁתָּם שֶׁקֶר Jer. 9:2
98 לִמְּדוּ לְשׁוֹנָם דַּבֶּר־שֶׁקֶר Jer. 9:4
99 חֵץ שָׁחוּט° לְשׁוֹנָם מִרְמָה דִבֵּר Jer. 9:7
100 הַלֹּקְחִים לְשׁוֹנָם וַיִּנְאֲמוּ נְאֻם Jer. 23:31
101 יִפְּלוּ בַחֶרֶב שָׂרֵיהֶם מִזַּעַם לְשׁוֹנָם Hosh.7:16
102 קֶבֶר־פָּתוּחַ גְּרוֹנָם לְשׁוֹנָם יַחֲלִיקוּן Ps. 5:10
103 בַּלַּע אֲדֹנָי פַּלַּג לְשׁוֹנָם Ps. 55:10
104 אֲשֶׁר שָׁנְנוּ כַחֶרֶב לְשׁוֹנָם Ps. 64:4
105 וַיַּכְשִׁילֻהוּ עָלֵימוֹ לְשׁוֹנָם Ps. 64:9
106 שָׁנְנוּ לְשׁוֹנָם כְּמוֹ־נָחָשׁ Ps. 140:4
וּלְשׁוֹנָם 107 וּלְשׁוֹנָם רְמִיָּה בְּפִיהֶם Mic. 6:12
108 וּלְשׁוֹנָם חֶרֶב חַדָּה Ps. 57:5
109 וּלְשׁוֹנָם תִּהֲלַךְ בָּאָרֶץ Ps. 73:9
110 וּלְשׁוֹנָם לְחִכָּם דָּבֵקָה Job 29:10
וּבִלְשׁוֹנָם 111 וּבִלְשׁוֹנָם יְכַזְּבוּ־לוֹ Ps. 78:36
וְכִלְשׁוֹנָם 112 וְאֶל־הַיְּהוּדִים כִּכְתָבָם וְכִלְשׁוֹנָם Es. 8:9
113 תִּצְפְּנֵם בְּסֻכָּה מֵרִיב לְשֹׁנוֹת Ps. 31:21
וְהַלְּשֹׁנוֹת 114 לְקַבֵּץ אֶת־כָּל־הַגּוֹיִם וְהַלְּשֹׁנוֹת Is. 66:18
לְשֹׁנוֹת־ 115 מִכֹּל לְשֹׁנוֹת הַגּוֹיִם Zech. 8:23
לִלְשֹׁנֹתָם 116 בְּנֵי־חָם לְמִשְׁפְּחֹתָם לִלְשֹׁנֹתָם Gen. 10:20
117 בְּנֵי־שֵׁם לְמִשְׁפְּחֹתָם לִלְשֹׁנֹתָם Gen. 10:31

לִשְׁכָּה נ׳ חדר, מדור: 1—47

קרובים: בַּיִת / חֶדֶר / תָּא

– לִשְׁכָּה גְּדוֹלָה 1

– לִשְׁכַּת אֱלִישָׁמָע 13, 16; ל׳ בֵּית אֱלֹהִים 14, 44, 46; ל׳ בְּנֵי חָנָן 8; ל׳ גְּמַרְיָהוּ 12; ל׳ יְהוֹחָנָן 11; ל׳ מַעֲשֵׂיָהוּ 15; ל׳ נְתַן־מֶלֶךְ 7; ל׳ הַסּוֹפֵר 10; לִשְׁכַּת הַשָּׂרִים 9

– לִשְׁכוֹת עֶלְיוֹנוֹת 38; אֹרֶךְ הַלְּשָׁכוֹת 28; מַרְאֵה הַלְּשָׁכוֹת 30; פִּתְחֵי הַלְּשָׁכוֹת 31

– לִשְׁכוֹת הַדָּרוֹם 41, 42; לִשְׁכוֹת הַקֹּדֶשׁ 43,45,47; לִשְׁכוֹת שָׂרִים 40;

לִשְׁכָּה 1 וַיַּעַשׂ לוֹ לִשְׁכָּה גְדוֹלָה Neh. 13:5
וְלִשְׁכָּה 2 וְלִשְׁכָּה וּפִתְחָהּ בְּאֵילִים הַשְּׁעָרִים Ezek. 40:38
הַלִּשְׁכָּה 3 זֶה הַלִּשְׁכָּה...לַכֹּהֲנִים Ezek. 40:45
4 וַיְבִאֵנִי אֶל־הַלִּשְׁכָּה Ezek. 42:1
5 וָאַשְׁלִיכָה...הַחוּץ מִן הַלִּשְׁכָּה Neh. 13:8
וְהַלִּשְׁכָּה 6 וְהַלִּשְׁכָּה אֲשֶׁר פָּנֶיהָ דֶּרֶךְ הַצָּפוֹן Ezek. 40:46
לִשְׁכַּת־ 7 ...אֶל־לִשְׁכַּת נְתַן־מֶלֶךְ הַסָּרִיס IIK. 23:11
8 וָאָבִא אֹתָם...אֶל־לִשְׁכַּת בְּנֵי חָנָן Jer. 35:4
9 אֲשֶׁר־אֵצֶל לִשְׁכַּת הַשָּׂרִים Jer. 35:4
10 וַיֵּרֶד בֵּית־הַמֶּ׳ עַל־לִשְׁכַּת הַסֹּפֵר Jer. 36:12
11 וַיֵּלֶךְ אֶל־לִשְׁכַּת יְהוֹחָנָן Ez. 10:6
בְּלִשְׁכַּת־ 12 בְּלִשְׁכַּת גְּמַרְיָהוּ בֶן־שָׁפָן הַסֹּפֵר Jer. 36:10
13 הִפְקִדוּ בְּלִשְׁכַּת אֱלִישָׁמָע הַסֹּפֵר Jer. 36:20
14 נָתוּן בְּלִשְׁכַּת בֵּית אֱלֹהֵינוּ Neh. 13:4
לְלִשְׁכַּת־ 15 אֲשֶׁר מִמַּעַל לְלִשְׁכַּת מַעֲשֵׂיָהוּ Jer. 35:4
מִלִּשְׁכַּת־ 16 וַיִּקָּחֶהָ מִלִּשְׁכַּת אֱלִישָׁמָע הַסֹּפֵר Jer. 36:21
לִשְׁכָּתָה 17 וַיִּקַּח שְׁמוּאֵל...וַיְבִיאֵם לִשְׁכָּתָה ISh. 9:22
לְשָׁכוֹת 18 וְהִנֵּה לְשָׁכוֹת וְרִצְפָה עָשׂוּי לֶחָצֵר Ezek. 40:17
19 שְׁלֹשִׁים לְשָׁכוֹת אֶל־הָרִצְפָה Ezek. 40:17
20 וְאֶל־פְּנֵי הַבִּנְיָן לְשָׁכוֹת Ezek. 42:10
21 וְהָיָה לַלְוִיִּם...עֶשְׂרִים לְשָׁכֹת Ezek. 45:5
22 לְהָכִין לְשָׁכוֹת בְּבֵית יְיָ IICh. 31:11
הַלְּשָׁכוֹת 23 וַהֲבִאוֹתָם...אֶל־אַחַת הַלְּשָׁכוֹת Jer. 35:2
24 וּבֵין הַלְּשָׁכוֹת רֹחַב... Ezek. 41:10
25 וְלִפְנֵי הַלְּשָׁכוֹת מַהֲלַךְ... Ezek. 42:4
26 וְגָדֵר אֲשֶׁר...לְעֻמַּת הַלְּשָׁכוֹת Ezek. 42:7
27 דֶּרֶךְ הֶחָצֵר...אֶל־פְּנֵי הַלְּשָׁכוֹת Ezek. 42:7
28 כִּי־אֹרֶךְ הַלְּשָׁכוֹת... Ezek. 42:8
29 וּמִתַּחַת° הַלְּשָׁכוֹת (כת׳ לשכות) הָאֵלֶּה Ezek. 42:9
הַלְּשָׁכוֹת (המשך) 30 לִפְנֵיהֶם כְּמַרְאֵה הַלְּשָׁכוֹת Ezek. 42:11
31 וּכְפִתְחֵי הַלְּשָׁכוֹת אֲשֶׁר דֶּרֶךְ Ezek. 42:12
32 אֶל־הַלְּשָׁכוֹת לְבֵית הָאוֹצָר Neh. 10:39
33 כִּי אֶל־הַלְּשָׁכוֹת יָבִיאוּ בְ״י Neh. 10:40
34 וָאֹמְרָה וַיְטַהֲרוּ הַלְּשָׁכוֹת Neh. 13:9
35 וְהָיוּ עַל הַלְּשָׁכוֹת וְעַל־הָאֹצְרוֹת ICh. 9:26
36 עַל־הַחֲצֵרוֹת וְעַל־הַלְּשָׁכוֹת ICh. 23:28
37 לַחֲצֵרוֹת...וּלְכָל־הַלְּשָׁכוֹת סָבִיב ICh. 28:12
וְהַלְּשָׁכוֹת 38 וְהַלְּשָׁכוֹת הָעֶלְיוֹנֹת קְצֻרוֹת Ezek. 42:5
בַּלְּשָׁכוֹת 39 הַמְשֹׁרְרִים...בַּלְּשָׁכֹת פְּטוּרִים ICh. 9:33
לִשְׁכוֹת־ 40 וּמִחוּצָה...לִשְׁכוֹת שָׁרִים Ezek. 40:44
41/2 לִשְׁכוֹת הַצָּפוֹן לִשְׁכוֹת הַדָּרוֹם... Ezek. 42:13
43 הֵנָּה לִשְׁכוֹת הַקֹּדֶשׁ... Ezek. 42:13
44 נָבִיא...אֶל־לִשְׁכוֹת בֵּית־אֱלֹהֵינוּ Neh.10:38
הַלְּשָׁכוֹת־ 45 וַיְבִאֵנִי...אֶל־הַלְּשָׁכוֹת הַקֹּדֶשׁ Ezek. 46:19
46 ...הַלְּשָׁכוֹת בֵּית יְיָ Ez. 8:29
בְּלִשְׁכוֹת־ 47 וְהִנִּיחוּ אוֹתָם בְּלִשְׁכֹת הַקֹּדֶשׁ Ezek. 44:19

לֶשֶׁם1 ז׳ מאבני החן שהיו בחושן הכהן הגדול: 1, 2

קרובים: עין אֹדֶם

לֶשֶׁם 1-2 לֶשֶׁם שְׁבוֹ וְאַחְלָמָה Ex. 28:19; 39:12

לֶשֶׁם2 היא העיר לַיִשׁ, היא דן בצפון ארץ־ישראל: 1, 2

לֶשֶׁם 1 וַיַּעֲלוּ בְנֵי־דָן וַיִּלָּחֲמוּ עִם־לֶשֶׁם Josh. 19:47
לְלֶשֶׁם 2 וַיִּקְרְאוּ לְלֶשֶׁם דָּן Josh. 19:47

(לשן) הִלְשִׁין הפ׳ א) ספר לאחר לרעת מישהו: 1 ב) [מְלָשְׁנִי = מַלְשִׁין?]: 2

תַּלְשֵׁן 1 אַל־תַּלְשֵׁן עֶבֶד אֶל־אֲדֹנָו Prov. 30:10
מְלָשְׁנִי 2 מְלָשְׁנִי (כת׳ מלושני) בַסֵּתֶר רֵעֵהוּ Ps. 101:5

לְשָׁן נ׳ ארמית: לָשׁוֹן: 1—7

וְלִשָּׁן 1 דִּי כָל־עַם אֻמָּה וְלִשָּׁן... Dan. 3:29
וְלִשָּׁנַיָּא 2-7 ...עַמְמַיָּא אֻמַּיָּא וְלִשָּׁנַיָּא Dan. 3:4, 7, 31; 5:19; 6:26; 7:14

לֶשַׁע* מקום במזרח ים המלח

לָשַׁע 1 בֹּאֲכָה סְדֹמָה...עַד לָשַׁע Gen. 10:19

לַשָּׁרוֹן (?) עירו של אחד ממלכי כנען בימי יהושע [ועין עוד שָׁרוֹן]

לַשָּׁרוֹן 1 מֶלֶךְ לַשָּׁרוֹן אֶחָד Josh. 12:18

(לַת) לָלֶת (ש״א 19ד) – עין יָלַד

לֶתֶךְ ז׳ מדת היבש, חמש איפות

קרובים: ראה אֵיפָה

וְלֶתֶךְ 1 ...וְחֹמֶר שְׂעֹרִים וְלֶתֶךְ שְׂעֹרִים Hosh. 3:2

מ׳ זעירא		
מוֹקְדָה		Lev. 6:2
מַמְרִים		Deut. 9:24
מ׳ רבתי		
שִׁלֵּשִׁים		Gen. 50:23
מִשְׁלֵי		Prov. 1:1
כתיב ם׳ ולא קרי		
ויהמם	וַיָּהֹם	IISh. 22:15

שלשם	שְׁלֹשָׁה	IISh. 23:13
שנים	שְׁנֵי	IIK. 17:16
נכרים	נָכְרִיָּה	Prov. 20:16
לא כתיב ם׳ וקרי ם׳		
עברנו	עָבְרָם	Josh. 5:1
החצי	הַחִצִּים	ISh. 20:38
אלהיך	אֱלֹהִים	IK. 1:47
שנה	שָׁנִים	IIK. 8:17
בה	בָּם	Is. 30:32

מ

ממ״ן בתורה 25 088

כתיב ב׳ – קרי מ׳		
באדם	מֵאָדָם	Josh. 3:16
בעבר	מֵעֵבֶר	Josh. 24:15
אבנה	אֲמָנָה	IIK. 5:12
בימין	מִיָּמִין	IIK. 12:10
במלך	מִמְּלֹךְ	IIK. 23:33
וישב	וְיָשֵׂם	Dan. 11:18

כתיב מ׳ – קרי ב׳		
מעבר	בְּעֵבֶר	Josh. 22:7
ם׳ באמצע התבה		
למרבה	לְמַרְבֵּה	Is. 9:5
מ׳ בסוף התבה		
המ	הֵם	Neh. 2:13

מִ־, מֵ־ אות־יחס בראש מלים [הנטיות לפי מלת־היחס ״מִן״: מִמֶּנִּי, מִמְּךָ, מִכֶּם וכו׳ – עין ערך ״מִן״] בראש שמות או פעלים או מליות – במשמעים שונים. להלן המשמעים העיקריים ומקראות אחדים להדגמה (פרוט המקראות – ליד כל ערך במקומו):

א) מֵאת, מתוך (מקום, מבנֶה, חי, דומם וכו׳) (א)
ב) לציון המקום שממנו מישהו בא: (ב)
ג) לציון תחילתו של דבר מבחינת הזמן בעיקר: (ג)
ד) מִסבת־, מפני־: (ד)
ה) יותר מאשר אחר: (ה)
ו) שלא, לבלתי: (ו)
ז) קצת מִן, חלק של דבר: (ז)
ח) בראשית מלים שונות כתארי־פועל, כגון: מֵאָז, מִלְּבַד, מִבַּלְעֲדֵי, מִחוּץ, מִלְמַעְלָה, מִתַּחַת – עין ליד כל ערך במקומו

(א) לֶךְ־לְךָ מֵאַרְצְךָ וּמִמּוֹלַדְתְּךָ וּמִבֵּית אָבִיךָ Gen. 12:1
מִדְּבַר שֶׁקֶר תִּרְחָק Ex. 23:7
מִמִּדְבָּר בָּא מֵאֶרֶץ נוֹרָאָה Is. 21:1
וּמַלְּטוּנִי מִיַּד צָר וּמִיַּד עָרִיצִים Job 6:23
וְהַמֶּלֶךְ שָׁב מִגִּנַּת הַבִּיתָן Es. 7:8

(ב) וַיְהִי אִישׁ אֶחָד מִצָּרְעָה מִמִּשְׁפַּחַת הַדָּנִי Jud. 13:2
וַיְהִי־נַעַר מִבֵּית לֶחֶם יְהוּדָה Jud. 17:7

(ג) וַיְהִי מִקֵּץ שְׁנָתַיִם יָמִים Gen. 41:1
מִבֶּן עֶשְׂרִים שָׁנָה וָמַעְלָה Num. 1:3
מִיּוֹם עַד־לַיְלָה Is. 38:12
מִנְּעוּרַי וְעַד־עַתָּה Ezek. 4:14

(ד) חַכְלִילִי עֵינַיִם מִיָּיִן וּלְבֶן־שִׁנַּיִם מֵחָלָב Gen. 49:12
מִדַּעְתִּי כִּי קָשֶׁה אָתָּה Is. 48:4
בִּרְכַּי כָּשְׁלוּ מִצּוֹם Ps. 109:24
אִישׁ חַרְבּוֹ עַל יְרֵכוֹ מִפַּחַד בַּלֵּילוֹת S.ofS. 3:8

(ה) וְהַנָּחָשׁ הָיָה עָרוּם מִכֹּל חַיַּת הַשָּׂדֶה Gen. 3:1
כִּי רַבּוּ מֵאַרְבֶּה Jer. 46:23
חָכָם אַתָּה מִדָּנִאֵל Ezek. 28:3
כִּי טוֹבִים דֹּדֶיךָ מִיָּיִן S.ofS. 1:2

(ו) וַתִּכְהֶיןָ עֵינָיו מֵרְאֹת Gen. 27:1
שִׁלַּחְנוּ אֶת־יִשְׂרָאֵל מֵעָבְדֵנוּ Ex. 14:5
וַיִּמְאָסְךָ מִמֶּלֶךְ ISh. 15:23
וְעַל הֶעָבִים אֲצַוֶּה מֵהַמְטִיר עָלָיו Is. 5:6

(ז) מֵהָעוֹף לְמִינֵהוּ...מִכֹּל רֶמֶשׂ הָאֲדָמָה Gen. 6:20
וַיִּפֹּל מִן־הָעָם מֵעַבְדֵי דָוִד IISh. 11:17
שִׁירוּ לָנוּ מִשִּׁיר צִיּוֹן Ps. 137:3
יִשָּׁקֵנִי מִנְּשִׁיקוֹת פִּיהוּ S.ofS. 1:2

מָא ארמית: מַה; לְמָא = לְמַה – עין מָה

מַאֲבוּס ז׳ אוצר תבואה

קרובים: אוֹצָר / אָסָם / מַמְגוּרָה

מַאֲבוּסֶיהָ 1 פִּתְחוּ מַאֲבֻסֶיהָ Jer. 50:26

מְאֹד א) תה״פ [אחרי תואר או בינוני] ביותר, במדה רבה: 1—102
ב) [אחרי פועל] כנ״ל: 103—227
ג) [לפני פועל] כנ״ל: 228—230
ד) ז׳ מדה רבה ביותר, כֹּח, יכולת: 298, 299
עין עוד בצרופים להלן

מְאֹד מְאֹד 231-242; **בִּמְאֹד מְאֹד** 243-254; **הַרְבֵּה מְאֹד** 255-272; **לְהַרְבֵּה מְאֹד** 273, 274; **יֶתֶר מְ׳** 275; **לָרֹב מְ׳** 276-279; **עַד מְאֹד** 280-296; **עַד לִמְאֹד** 297; **בְּכָל מְאֹדוֹ** 298, 299

מְאֹד (א)
1 וַיַּרְא אֱלֹהִים...וְהִנֵּה־טוֹב מְאֹד Gen. 1:31
2 וַיִּרְאוּ...כִּי־יָפָה הִוא מְאֹד Gen. 12:14
3 וְאַבְרָם כָּבֵד מְאֹד בַּמִּקְנֶה... Gen. 13:2
4/5 רָעִים וְחַטָּאִים לַיָי מְאֹד Gen. 13:13; 24:16
6 דַּלּוֹת וְרָעוֹת תֹּאַר מְאֹד Gen. 41:19
7 כִּי־כָבֵד הוּא מְאֹד Gen. 41:31
8 כִּי־כָבֵד הָרָעָב מְאֹד Gen. 47:13
9 וַיְהִי הַמַּחֲנֶה כָּבֵד מְאֹד Gen. 50:9
10 מִסְפֵּד גָּדוֹל וְכָבֵד מְאֹד Gen. 50:10
11 בַּסּוּסִים...דֶּבֶר כָּבֵד מְאֹד Ex. 9:3
12 הִנְנִי מַמְטִיר...בָּרָד כָּבֵד מְאֹד Ex. 9:18
13 כָּבֵד מְאֹד אֲשֶׁר לֹא־הָיָה כָמֹהוּ Ex. 9:24
14 כָּבֵד מְאֹד לְפָנָיו לֹא־הָיָה כֵן Ex. 10:14
15 וַיַּהֲפֹךְ יְיָ רוּחַ־יָם חָזָק מְאֹד Ex. 10:19
16 גַּם הָאִישׁ מֹשֶׁה גָּדוֹל מְאֹד Ex. 11:3
17 וְצֹאן וּבָקָר מִקְנֶה כָּבֵד מְאֹד Ex. 12:38
18 וְקֹל שֹׁפָר חָזָק מְאֹד Ex. 19:16
19 וַיַּךְ יְיָ בָּעָם מַכָּה רַבָּה מְאֹד Num. 11:33
20 וְהָאִישׁ מֹשֶׁה עָנָו מְאֹד Num. 12:3
21 וְהֶעָרִים בְּצֻרוֹת גְּדֹלֹת מְאֹד Num. 13:28
22 וּמִקְנֶה רַב הָיָה...עָצוּם מְאֹד Num. 32:1
23 הֶעָרִים הָרְחֹקֹת מִמְּךָ מְאֹד Deut. 20:15
24 הָאִישׁ הָרַךְ בְּךָ וְהֶעָנֹג מְאֹד Deut. 28:54
25 כִּי־קָרוֹב אֵלֶיךָ הַדָּבָר מְאֹד Deut. 30:14
26 הַרְחֵק מְאֹד מֵאָדָם הָעִיר Josh. 3:16
27 מֵאֶרֶץ רְחוֹקָה מְאֹד בָּאוּ עֲבָדֶיךָ Josh. 9:9
28 וּנְעָלֵינוּ בָּלוּ מֵרֹב הַדֶּרֶךְ מְאֹד Josh. 9:13
29 רְחוֹקִים אֲנַחְנוּ מִכֶּם מְאֹד Josh. 9:22
30 מַלְאַךְ הָאֱלֹהִים נוֹרָא מְאֹד Jud. 13:6
31 וְעֵלִי זָקֵן מְאֹד ISh. 2:22

מְאֹד (א) (המשך)
32-34 צַר לִי מְאֹד ISh. 28:15 • IISh. 24:14 ICh. 21:13
35 לֹא־הָיָה אִישׁ־יָפֶה...לְהַלֵּל מְאֹד IISh. 14:25
36 רָאָה יְיָ אֶת־עֳנִי יִשְׂרָאֵל מֹרֶה מְאֹד IIK. 14:26
37 כִּי־מַר־לִי מְאֹד Ruth 1:13
38-102 מְאֹד (ב) Josh. 10:2, 20; 11:4; 22:8 • Jud. 3:17; 11:33; 18:9 • ISh. 2:17; 4:10; 5:9; 14:20; 19:4; 25:2, 15 • IISh. 10:5; 11:2; 13:3, 15, 36; 18:17; 19:33^2 • IK. 1:6, 15; 10:2^2; 17:17 • Is. 16:6; 47:9; 52:13 • Jer. 14:17; 24:2^2, 3^2; 48:29 • Ezek. 37:2^2; 40:2; 47:7, 9, 10 • Joel 2:11^2 • Ob. 2 • Zep. 1:14 • Zech. 14:4, 14 • Ps. 48:2; 96:4; 119:96, 140, 167; 145:3 • Job 1:3; 2:13 • Ez. 10:1 • Neh. 8:17 • ICh. 16:25; 18:8; 19:5; 21:13 • IICh. 7:8; 9:1; 32:29

מְאֹד (ב)
103 וַיִּחַר לְקַיִן מְאֹד וַיִּפְּלוּ פָּנָיו Gen. 4:5
104 וַיִּגְבְּרוּ הַמַּיִם וַיִּרְבּוּ מְאֹד Gen. 7:18
105 וְחַטָּאתָם כִּי כָבְדָה מְאֹד Gen. 18:20
106 וַיִּפְצַר־בָּם מְאֹד וַיָּסֻרוּ אֵלָיו Gen. 19:3
107 וַיִּפְצְרוּ בָאִישׁ בְּלוֹט מְאֹד Gen. 19:9
108 וַיִּירְאוּ הָאֲנָשִׁים מְאֹד Gen. 20:8
109 וַיֵּרַע...מְאֹד בְּעֵינֵי אַבְרָהָם Gen. 21:11
110 וַיָי בֵּרַךְ אֶת־אֲדֹנִי מְאֹד Gen. 24:35
111 עַד כִּי־גָדַל מְאֹד Gen. 26:13
112 כִּי־עָצַמְתָּ מִמֶּנּוּ מְאֹד Gen. 26:16
113 וַיִּירָא יַעֲקֹב מְאֹד וַיֵּצֶר לוֹ Gen. 32:7
114 וַיִּתְעַצְּבוּ...וַיִּחַר לָהֶם מְאֹד Gen. 34:7
115 הַרְבּוּ עָלַי מְאֹד מֹהַר וּמַתָּן Gen. 34:12
116 וַיִּפְרוּ וַיִּרְבּוּ מְאֹד Gen. 47:27
117 וַיִּרֶב הָעָם וַיַּעַצְמוּ מְאֹד Ex. 1:20
118 וַיִּירְאוּ מְאֹד וַיִּצְעֲקוּ בְ״יִ אֶל־יְיָ Ex. 14:10
119 וַיֶּחֱרַד כָּל־הָהָר מְאֹד Ex. 19:18
120 קוֹל הַשֹּׁפָר הוֹלֵךְ וְחָזֵק מְאֹד Ex. 19:19
121 וַיִּחַר־אַף יְיָ מְאֹד Num. 11:10
122 וַיִּתְאַבְּלוּ הָעָם מְאֹד Num. 14:39
123 וַיִּחַר לְמֹשֶׁה מְאֹד Num. 16:15
124 וַיָּגָר מוֹאָב מִפְּנֵי הָעָם מְאֹד Num. 22:3
125 כִּי־כַבֵּד אֲכַבֶּדְךָ מְאֹד Num. 22:17
126 וְיִירְאוּ מִכֶּם וְנִשְׁמַרְתֶּם מְאֹד Deut. 2:4
127 הִשָּׁמֶר לְךָ וּשְׁמֹר נַפְשְׁךָ מְאֹד Deut. 4:9
128 וְנִשְׁמַרְתֶּם מְאֹד לְנַפְשֹׁתֵיכֶם Deut. 4:15
129 יִיטַב לְךָ וַאֲשֶׁר תִּרְבּוּן מְאֹד Deut. 6:3
130 וּבְאַהֲרֹן הִתְאַנַּף יְיָ מְאֹד Deut. 9:20
131 וְכֶסֶף וְזָהָב לֹא יַרְבֶּה־לּוֹ מְאֹד Deut. 17:17
132 הִשָּׁמֶר...לִשְׁמֹר מְאֹד וְלַעֲשׂוֹת Deut. 24:8
133 רַק חֲזַק וֶאֱמַץ מְאֹד Josh. 1:7
134 אַל־תַּרְחִיקוּ מִן־הָעִיר מְאֹד Josh. 8:4

מְאֹד (ב) (המשך) 135 וַיַּרְא...אֲשֶׁר־הוּא מַשְׂכִּיל מְאֹד ISh. 18:15
136 נָעַמְתָּ לִּי מְאֹד IISh. 1:26
227-137 מְאֹד (ג) Josh. 9:24; 22:5; 23:6, 11
Jud. 6:6; 10:9; 12:2; 15:18; 19:11 • ISh. 5:11; 11:6; 12:18; 14:31; 16:21; 17:11, 24; 18:8, 30; 19:1; 20:19; 21:13; 28:5, 20, 21; 30:6; 31:3, 4 • IISh. 3:8; 12:5; 13:21; 24:10[2] • IK. 2:12; 5:21; 11:19; 18:3; 21:26 • IIK. 17:18 • Is. 31:1; 47:6 • Jer. 2:10, 12, 36; 9:18; 18:13; 20:11; 48:16; 49:30; 50:12 • Ezek. 20:13; 27:25 • Nah. 2:2 • Zech. 9:2, 5, 9 • Ps. 6:4, 11; 21:2; 31:12; 46:2; 50:3; 78:29, 59; 79:8; 93:5; 104:1; 105:24; 107:38; 109:30; 112:2; 116:10; 119:4, 138; 139:14; 142:7 • Job 8:7; 35:15 • Ruth 1:20 • Es. 1:12; 4:4 • Neh. 4:1; 5:6; 6:16; 13:8 • ICh. 10:4; 21:8[2] • IICh. 25:10; 33:12, 14; 35:23

מְאֹד (ג) 228 לֵאלֹהִים מָגִנֵּי־אֶרֶץ מְאֹד נַעֲלָה Ps. 47:10
229 מְאֹד עָמְקוּ מַחְשְׁבֹתֶיךָ Ps. 92:6
230 מְאֹד נַעֲלֵיתָ עַל־כָּל־אֱלֹהִים Ps. 97:9

מְאֹד מְאֹד 231/2 וְהַמַּיִם גָּבְרוּ מְאֹד מְאֹד עַל־הָאָרֶץ Gen. 7:19
233/4 וַיִּפְרֹץ הָאִישׁ מְאֹד מְאֹד Gen. 30:43
235/6 טוֹבָה הָאָרֶץ מְאֹד מְאֹד Num. 14:7
237/8 וַיַּנַּח שְׁלֹמֹה אֶת־כָּל־הַכֵּלִים מֵרֹב מְאֹד מְאֹד IK. 7:47
239/40 וַיִּרְאוּ מְאֹד מְאֹד וַיֹּאמְרוּ... IIK. 10:4
241/2 וַיַּעַמְדוּ...חַיִל גָּדוֹל מְאֹד מְאֹד Ezek. 37:10

בִּמְאֹד מְאֹד 243/4 וְאַרְבֶּה אוֹתְךָ בִּמְאֹד מְאֹד Gen. 17:2
245/6 וְהִפְרֵתִי אֹתְךָ בִּמְאֹד מְאֹד Gen. 17:6
247/8 וְהִרְבֵּיתִי אֹתוֹ בִּמְאֹד מְאֹד Gen. 17:20
249/50 וַיִּרְבּוּ וַיַּעַצְמוּ בִּמְאֹד מְאֹד Ex. 1:7
251/2 עֲוֹן בֵּית יִשְׂ׳...גָּדוֹל בִּמְאֹד מְאֹד Ezek. 9:9
253/4 וַתִּיפִי בִּמְאֹד מְאֹד Ezek. 16:13

הַרְבֵּה מְאֹד 255 אַל־תִּירָא...שְׂכָרְךָ הַרְבֵּה מְאֹד Gen. 15:1
256 כְּחוֹל הַיָּם הַרְבֵּה מְאֹד Gen. 41:49
257 לְבַד מֵעָרֵי הַפְּרָזִי הַרְבֵּה מְאֹד Deut. 3:5
258 וְהָאָ׳ נִשְׁאֲרָה הַרְבֵּה מְאֹד לְרִשְׁתָּהּ Josh. 13:1
272-259 הַרְבֵּה מְאֹד Josh. 22:8
ISh. 26:21 • IISh. 8:8; 12:2, 30 • IK. 5:9; 10:10, 11 • IIK. 21:16 • Jer. 40:12 • Neh. 2:2 • ICh. 20:2 • IICh. 14:12 • 32:27

לְהַרְבֵּה מְאֹד 273 וַיְחַזְּקֵם לְהַרְבֵּה מְאֹד IICh. 11:12
274 לְרֶכֶב וּלְפָרָשִׁים לְהַרְבֵּה מְאֹד IICh. 16:8

יֶתֶר מְאֹד 275 וְהָיָה...גָּדוֹל יֶתֶר מְאֹד Is. 56:12

לָרֹב מְאֹד 276 כָּל־הַכֵּלִים הָאֵלֶּה לָרֹב מְאֹד IICh. 4:18
277 וּבְשָׂמִים לָרֹב מְאֹד IICh. 9:9
278 וַיְיָ נָתַן בְּיָדָם חַיִל לָרֹב מְאֹד IICh. 24:24
279 וַיֵּאָסְפוּ...קָהָל לָרֹב מְאֹד IICh. 30:13

עַד־מְאֹד 280 חֲרָדָה גְּדֹלָה עַד־מְאֹד Gen. 27:33
281 צְעָקָה גְּדֹלָה וּמָרָה עַד־מְאֹד Gen. 27:34
282 וַיִּשְׂמַח שָׁם שָׁאוּל...עַד־מְאֹד ISh. 11:15
283 וְהוּא שִׁכֹּר עַד־מְאֹד ISh. 25:36
284 וַתְּהִי הַמִּלְחָמָה קָשָׁה עַד־מְאֹד IISh. 2:17
285 וְהַנַּעֲרָה יָפָה עַד־מְאֹד IK. 1:4
286 אַל־תִּקְצֹף יְיָ עַד־מְאֹד Is. 64:8
287 תֶּחֱשֶׁה וּתְעַנֵּנוּ עַד־מְאֹד Is. 64:11
288 נַעֲוֵיתִי שַׁחֹתִי עַד־מְאֹד Ps. 38:7
289 נְפוּגוֹתִי וְנִדְכֵּיתִי עַד־מְאֹד Ps. 38:9
290 אַל־תַּעַזְבֵנִי עַד־מְאֹד Ps. 119:8
291 וְאַל־תַּצֵּל מִפִּי דְבַר־אֱמֶת עַד־מְאֹד Ps. 119:43
292 זֵדִים הֱלִיצֻנִי עַד־מְאֹד Ps. 119:51
293 נַעֲנֵיתִי עַד־מְאֹד Ps. 119:107

עַד־מְאֹד (המשך) 294 קָצַפְתָּ עָלֵינוּ עַד־מְאֹד Lam. 5:22
295 וּצְפִיר הָעִזִּים הִגְדִּיל עַד־מְאֹד Dan. 8:8
296 בְּחַיִל־גָּדוֹל וְעָצוּם עַד־מְאֹד Dan. 11:25

עַד־לְמְאֹד 297 שְׂרֵפָה גְּדוֹלָה עַד־לְמְאֹד IICh. 16:14

מְאֹדֶךָ (ד) 298 בְּכָל־לְבָבְךָ...וּבְכָל־מְאֹדֶךָ Deut. 6:5

מְאֹדוֹ (ד) 299 בְּכָל־לְבָבוֹ...וּבְכָל־מְאֹדוֹ IIK. 23:25

מֵאָה

המספר 100, עֶשֶׂר עֲשָׂרוֹת: 1-581

– מֵאָה וָעֶשֶׂר 5, 16, 17; מֵאָה וְעֶשְׂרִים 1, 14, 15, 18, 19, 24-27, 85-87, 93, 145; מֵאָה וּשְׁלֹשִׁים 88, 97

– מֵאָה אִישׁ 31, 34, 117, 122; מֵאָה אֶלֶף 33, 83, 90, 91, 98, 128, 133; מֵאָה אַמָּה 23, 42-50; מֵאָה בָאַמָּה 7, 9-11; מֵאָה אַמּוֹת 51; מֵאָה כִּכָּר 37, 38, 79, 99, 142; מֵאָה כֶסֶף 13, 119, 120; מֵאָה מְדִינָה 129-131; מֵאָה נְבִיאִים 30; מֵאָה עָרְלוֹת 140, 141; מֵאָה צֹאן 126; מֵאָה פְעָמִים 22, 89; מֵאָה צִמּוּקִים 123—124; מֵאָה קַיִץ 125; מֵאָה קְשִׂיטָה 138, 139; מֵאָה רֶכֶב 20, 21; מֵאָה שָׁנָה 2, 3, 39, 40; מֵאָה שְׁעָרִים 4

– מְאַת אֲדָנִים 153, 175; מְאַת אֶלֶף 102, 154-157; מְאַת יוֹם 171-173; מְאַת כִּכָּר 151-153, 175, 176; מְאַת כֶּסֶף 174; מְאַת שָׁנָה 146-150, 159-170

– אֶחָד לְמֵאָה 144; מִגְדַּל הַמֵּאָה 136, 137; עֲשָׂרָה... לַמֵּאָה 143

– שְׁלֹשׁ (אַרְבַּע, חֲמֵשׁ, שֵׁשׁ, שְׁבַע, שְׁמוֹנֶה, תְּשַׁע) מֵאוֹת 177-481; שָׂרֵי (הַ)מֵּאוֹת 219, 220, 483, 484, 486-497; שָׂרֵי...הַמֵּאוֹת 498-503; לְמֵאוֹת וְלַאֲלָפִים 504, 505

– מָאתַיִם 506-581

מֵאָה 1 וְהָיוּ יָמָיו מֵאָה וְעֶשְׂרִים Gen. 6:3
2 הַלְּבֶן מֵאָה־שָׁנָה יִוָּלֵד Gen. 17:17
3 וַיִּהְיוּ חַיֵּי שָׂרָה מֵאָה שָׁנָה... Gen. 23:1
4 וַיִּזְרַע...וַיִּמְצָא...מֵאָה שְׁעָרִים Gen. 26:12
5 וַיְחִי יוֹסֵף מֵאָה וָעֶשֶׂר שָׁנִים Gen. 50:22
6 וַיָּמָת יוֹסֵף בֶּן־מֵאָה וָעֶשֶׂר שָׁנִים Gen. 50:26
7 מֵאָה בָאַמָּה אֹרֶךְ Ex. 27:9
8 קְלָעִים מֵאָה אֹרֶךְ Ex. 27:11
9 אֹרֶךְ הֶחָצֵר מֵאָה בָאַמָּה Ex. 27:18
11-10 מֵאָה בָּאַמָּה Ex. 38:9, 11
12 וְרָדְפוּ מִכֶּם חֲמִשָּׁה מֵאָה Lev. 26:8
13 וְעָנְשׁוּ אֹתוֹ מֵאָה כֶסֶף Deut. 22:19
14 בֶּן־מֵאָה וְעֶשְׂרִים שָׁנָה אָנֹכִי Deut. 31:2
15 בֶּן־מֵאָה וְעֶשְׂרִים שָׁנָה בְּמֹתוֹ Deut. 34:7
17-16 וַיָּמָת יְהוֹשֻׁעַ...בֶּן־מֵאָה וָעֶשֶׂר שָׁנִים Josh. 24:29 • Jud. 2:8
18/9 מֵאָה וְעֶשְׂרִים אֶלֶף Jud. 8:10 • IICh. 28:6
21-20 וַיּוֹתֵר מִמֶּנּוּ מֵאָה IISh. 8:4 • ICh. 18:4
22 וְיוֹסֵף...כָּהֵם וְכָהֵם מֵאָה פְעָמִים IISh. 24:3
23 וַיִּבֶן...מֵאָה אַמָּה אָרְכּוֹ IK. 7:2
24 וְצֹאן מֵאָה וְעֶשְׂרִים אָלֶף IK. 8:63
27-25 מֵאָה וְעֶשְׂרִים כִּכַּר זָהָב IK. 9:14; 10:10 IICh. 9:9
28/9 מֵאָה וּשְׁמ(ו)נִים אֶ׳ בָ׳ IK. 12:21 • IICh. 11:1
30 וַיִּקַּח עֹבַדְיָהוּ מֵאָה נְבִאִים IK. 18:4
31 וָאַחְבִּא מִנְּבִיאֵי יְיָ מֵאָה אִישׁ IK. 18:13
32 וַיַּכּוּ...מֵאָה־אֶלֶף רַגְלִי בְּיוֹם אֶחָד IK. 20:29
33 וְהֵשִׁיב...מֵאָה־אֶלֶף כָּרִים IIK. 3:4
34 מָה אֶתֵּן זֶה לִפְנֵי מֵאָה אִישׁ IIK. 4:43
35/6 מֵאָה...וַחֲמִשָּׁה אָלֶף IIK. 19:35 • Is. 37:36
37/8 מֵאָה כִּכַּר־כֶּסֶף IIK. 23:33 • IICh. 36:3
40-39 בֶּן־מֵאָה שָׁנָה Is. 65:20[2]
41 כָּל־הָרִמּוֹנִים מֵאָה Jer. 52:23

מֵאָה (המשך) 42 וַיָּמָד רֹחַב...מִחוּץ מֵאָה אַמָּה Ezek. 40:19
50-43 מֵאָה Ezek. 40:23, 47[2]; 41:13[2], 14, 15; 42:8
51 וַיָּמָד...דֶּרֶךְ הַדָּרוֹם מֵאָה אַמּוֹת Ezek. 40:27
52 הָעִיר הַיֹּצֵאת אֶלֶף תַּשְׁאִיר מֵאָה Am. 5:3
53 וְהַיּוֹצֵאת מֵאָה תַּשְׁאִיר עֲשָׂרָה... Am. 5:3
54 גְּעָרָה בְמֵבִין מֵהַכּוֹת כְּסִיל מֵאָה Prov. 17:10
55 וַיְחִי אִיּוֹב...מֵאָה וְאַרְבָּעִים שָׁנָה Job 42:16
56 אִם־יוֹלִיד אִישׁ מֵאָה... Eccl. 6:3
57 בְּנֵי...מֵאָה שִׁבְעִים וּשְׁנָיִם Ez. 2:3
58/9 מֵאָה וּשְׁנֵים עָשָׂר Ez. 2:18 • ICh. 15:10
60 בְּנֵי...מֵאָה עֶשְׂרִים וּשְׁלֹשָׁה Ez. 2:21
68-61 מֵאָה עֶשְׂרִים (וְ־/וּ־) Ez. 2:23, 27, 41
Neh. 7:26, 27, 31, 32; 11:14
73-69 מֵאָה שְׁלֹשִׁים (אַרְבָּעִים וכו׳) (וְ־/וּ־)
Ez. 2:30, 42 • Neh. 7:44, 45; 11:19
74 וְכָתְנֹת כֹּהֲנִים מֵאָה Ez. 2:69
75 וְעִמּוֹ הִתְיַחֵשׂ לִזְכָרִים מֵאָה וַחֲמִשִּׁים Ez. 8:3
76 וְעִמּוֹ מֵאָה וְשִׁשִּׁים הַזְּכָרִים Ez. 8:10
77 וְעִמּוֹ מֵאָה וַעֲשָׂרָה הַזְּכָרִים Ez. 8:12
78 וּכְלֵי־כֶסֶף מֵאָה לְכִכָּרִים Ez. 8:26
79 זָהָב מֵאָה כִכָּר Ez. 8:26
80 וְהַיְּהוּדִים...מֵאָה וַחֲמִשִּׁים אִישׁ Neh. 5:17
81 בְּנֵי...אַלְפַּיִם מֵאָה וְשִׁבְעִים וּשְׁנָיִם Neh. 7:8
82 בְּנֵי חָרִיף מֵאָה שְׁנֵים עָשָׂר Neh. 7:24
83 וְנֶפֶשׁ אָדָם מֵאָה אָלֶף ICh. 5:21
84 בָּנִים וּבְנֵי בָנִים מֵאָה וַחֲמִשִּׁים ICh. 8:40
85/6 מֵאָה וְעֶשְׂרִים אָלֶף ICh. 12:38 • IICh. 7:5
87 וְאֶחָיו מֵאָה וְעֶשְׂרִים ICh. 15:5
88 וְאֶחָיו מֵאָה וּשְׁלֹשִׁים ICh. 15:7
89 יוֹסֵף...כָּהֵם מֵאָה פְעָמִים ICh. 21:3
90 זָהָב כִּכָּרִים מֵאָה־אֶלֶף ICh. 22:14(13)
91 וּבַרְזֶל מֵאָה־אֶלֶף כִּכָּרִים ICh. 29:7
92 וַיִּמָּצְאוּ מֵאָה וַחֲמִשִּׁים אֶלֶף IICh. 2:16
93 וְהַגֹּבַהּ מֵאָה וְעֶשְׂרִים IICh. 3:4
94 וַיַּעַשׂ רִמּוֹנִים מֵאָה IICh. 3:16
95 וַיַּעַשׂ מִזְרְקֵי זָהָב מֵאָה IICh. 4:8
96 מֵאָה־וּשְׁמוֹנִים אֶלֶף חֲלוּצֵי צָבָא IICh. 17:18
97 בֶּן־מֵאָה וּשְׁלֹשִׁים שָׁנָה בְּמוֹתוֹ IICh. 24:15
98 וַיִּשְׂכֹּר...מֵאָה אֶלֶף גִּבּוֹר חָיִל IICh. 25:6
99 וַיִּתְּנוּ־לוֹ...מֵאָה כִּכַּר־כֶּסֶף IICh. 27:5
100 אֵילִים מֵאָה כְּבָשִׂים מָאתָיִם IICh. 29:32

וּמֵאָה 101 וּמֵאָה מִכֶּם רְבָבָה יִרְדֹּפוּ Lev. 26:8
102 מְאַת אֶלֶף וּשְׁמֹנַת־אֲלָפִים וּמֵאָה Num. 2:24
114-103 שְׁלֹשִׁים וּמֵאָה מִשְׁקָלָהּ Num. 7:13, 19
25, 31, 37, 43, 49, 55, 61, 67, 73, 79
115 שְׁלֹשִׁים וּמֵאָה הַקְּעָרָה הָאַחַת Num. 7:75
116 כָּל־זְהַב הַכַּפּוֹת עֶשְׂרִים וּמֵאָה Num. 7:86
117 גִּדְעוֹן וּמֵאָה־אִישׁ אֲשֶׁר־אִתּוֹ Jud. 7:19
118 נִתַּן־לָךְ אִישׁ אֶלֶף וּמֵאָה כָּסֶף Jud. 16:5
119 אֶלֶף וּמֵאָה הַכֶּסֶף אֲשֶׁר לֻקַּח־לָךְ Jud. 17:2
120 וַיָּשֶׁב אֶת־אֶלֶף־וּמֵאָה הַכֶּסֶף Jud. 17:3
121 וּמֵאָה לָאֶלֶף וְאֶלֶף לָרְבָבָה Jud. 20:10
122 עֶשְׂרִים וַחֲמִשָּׁה אֶלֶף וּמֵאָה אִישׁ Jud. 20:35
123 וּמֵאָה צִמֻּקִים וּמָאתַיִם דְּבֵלִים ISh. 25:18
124/5 וּמֵאָה צִמּוּקִים וּמֵאָה קַיִץ IISh. 16:1
126 עֲשָׂרָה בָקָר...וּמֵאָה צֹאן IK. 5:3
127 וְסוּס בַּחֲמִשִּׁים וּמֵאָה IK. 10:29
128 וּמֵאָה אֶלֶף אֵילִים צָמֶר IIK. 3:4
129-31 שֶׁבַע וְעֶשְׂ׳ וּמֵאָה מְדִינָה Es. 1:1; 8:9; 9:30
132 שִׁבְעַת אֲלָפִים וּמֵאָה ICh. 12:25(26)
133 וּמֵאָה אֶלֶף אִישׁ שֹׁלֵף חֶרֶב ICh. 21:5
134 וְסוּס בַּחֲמִשִּׁים וּמֵאָה IICh. 1:17

הַמֵּאָה 135 אֶל־פְּנֵי אֹרֶךְ אַמּוֹת הַמֵּאָה Ezek. 42:2
136 וְעַד־מִגְדַּל הַמֵּאָה קִדְּשׁוּהוּ Neh. 3:1
137 וּמִגְדַּל חֲנַנְאֵל וּמִגְדַּל הַמֵּאָה Neh. 12:39
בְּמֵאָה 138 וַיִּקֶן...בְּמֵאָה קְשִׂיטָה Gen. 33:19
139 אֲשֶׁר קָנָה...בְּמֵאָה קְשִׂיטָה Josh. 24:32
140 כִּי בְּמֵאָה עָרְלוֹת פְּלִשְׁתִּים ISh. 18:25
141 אֵרַשְׂתִּי לִי בְּמֵאָה עָרְלוֹת פְּלִשְׁתִּ׳ IISh. 3:14
142 וַיִּשְׂכֹּר...בְּמֵאָה כִכַּר־כָּסֶף IICh. 25:6
לַמֵּאָה 143 וְלָקַחְנוּ עֲשָׂרָה אֲנָשִׁים לַמֵּאָה Jud. 20:10
לְמֵאָה 144 אֶחָד לְמֵאָה הַקָּטָן ICh. 12:14(15)
145 וְעִמָּהֶם כֹּהֲנִים לְמֵאָה וְעֶשְׂרִים IICh. 5:12
מְאַת־ 146 שֵׁם בֶּן־מְאַת שָׁנָה וַיּוֹלֶד... Gen. 11:10
147 וְאַבְרָהָם בֶּן־מְאַת שָׁנָה בְּהִוָּלֶד. Gen. 21:5
148 מְאַת שָׁנָה וְשִׁבְעִים שָׁנָה Gen. 25:7
149/50 מְאַת שָׁנָה Gen. 25:17; 35:28
151 וְכֶסֶף פְּקוּדֵי הָעֵדָה מְאַת כִּכָּר Ex. 38:25
152 וַיְהִי מְאַת כִּכַּר הַכֶּסֶף לָצֶקֶת. Ex. 38:27
153 מְאַת אֲדָנִים לִמְאַת הַכִּכָּר Ex. 38:27
154 מְאַת אֶלֶף וּשְׁמֹנִים אֶלֶף Num. 2:9
155-157 מְאַת אֶלֶף... Num. 2:16, 24, 31
158 אֲשֶׁר חֹטֶא עֹשֶׂה רָע מְאַת... Eccl. 8:12
וּמְאַת־ 159 שְׁלֹשִׁים וּמְאַת שָׁנָה... Gen. 5:3
160 חָמֵשׁ שָׁנִים וּמְאַת שָׁנָה... Gen. 5:6
161 שְׁתַּיִם וְשִׁשִּׁים שָׁנָה וּמְאַת שָׁנָה Gen. 5:18
162-170 וּמְאַת שָׁנָה Gen. 5:25, 28; 11:25
47:9, 28 • Ex. 6:16, 18, 20 • Num. 33:39
171 וַיִּגְבְּרוּ...חֲמִשִּׁים וּמְאַת יוֹם Gen. 7:24
172 מִקְצֵה חֲמִשִּׁים וּמְאַת יוֹם Gen. 8:3
173 יָמִים רַבִּים שְׁמוֹנִים וּמְאַת יוֹם Es. 1:4
174 וּמְאַת הַכֶּסֶף...אֲשֶׁר אַתֶּם נֹשִׁים Neh. 5:11
לִמְאַת־ 175 מְאַת אֲדָנִים לִמְאַת הַכִּכָּר Ex. 38:27
176 וּמַה־לַּעֲשׂוֹת לִמְאַת הַכִּכָּר IICh. 25:9
מֵאוֹת 177 שְׁמֹנֶה מֵאוֹת שָׁנָה Gen. 5:4
178/9 תְּשַׁע מֵאוֹת שָׁנָה Gen. 5:5; 9:29
180-4 וּשְׁמֹנֶה מֵאוֹת שָׁנָה Gen. 5:7, 10, 13, 16, 17
185-209 (וּ)תְּשַׁע (שְׁמוֹנֶה, שָׁלֹשׁ וכד׳) מֵאוֹת שָׁנָה
Gen. 5:8, 11, 14, 19, 20, 22, 23, 26, 27, 30, 31, 32; 7:6, 11; 8:13; 9:28; 11:11, 13, 15, 17; 15:13 • Ex. 12:40, 41 • Jud. 11:26 • IK. 6:1
210 שְׁלֹשׁ מֵאוֹת אַמָּה אֹרֶךְ הַתֵּבָה Gen. 6:15
211 שְׁמֹנָה עָשָׂר וּשְׁלֹשׁ מֵאוֹת Gen. 14:14
212/3 אַרְבַּע מֵאֹת שֶׁקֶל(־)כֶּסֶף Gen. 23:15, 16
214 וְאַרְבַּע־מֵאוֹת אִישׁ עִמּוֹ Gen. 32:6
215 וְעִמּוֹ אַרְבַּע מֵאוֹת אִישׁ Gen. 33:1
216 וּלְבִנְיָמִן נָתַן שְׁלֹשׁ מֵאוֹת כֶּסֶף Gen. 45:22
217 כְּשֵׁשׁ־מֵאוֹת אֶלֶף רַגְלִי Ex. 12:37
218 וַיִּקַּח שֵׁשׁ־מֵאוֹת רֶכֶב בָּחוּר Ex. 14:7
219/20 שָׂרֵי אֲלָפִים שָׂרֵי מֵאוֹת... Ex. 18:21, 25
221 מָר־דְּרוֹר חֲמֵשׁ מֵאוֹת Ex. 30:23
222 וְקִדָּה חֲמֵשׁ מֵאוֹת Ex. 30:24
223 וּשְׁבַע מֵאוֹת וּשְׁלֹשִׁים שֶׁקֶל Ex. 38:24
224 וְאֶלֶף וּשְׁבַע מֵאוֹת...שֶׁקֶל Ex. 38:25
225/6 לְשֵׁשׁ־מֵאוֹת אֶלֶף וּשְׁלֹשֶׁת אֲלָפִים
וַחֲמֵשׁ מֵאוֹת וַחֲמִשִּׁים Ex. 38:26
227 וְאַלְפַּיִם וְאַרְבַּע־מֵאוֹת שָׁקֶל Ex. 38:29
228-230 שָׂרֵי אֲלָפִים וְשָׂרֵי מֵאוֹת Deut. 1:15
ISh. 22:7 • IISh. 18:1
231 בִּשְׁלֹשׁ מֵאוֹת הָאִישׁ הַמְלַקְקִים... Jud. 7:7
232 וּבִשְׁלֹשׁ־מֵאוֹת הָאִישׁ הֶחֱזִיק Jud. 7:8
233 וּשְׁלֹשׁ־מֵאוֹת הָאִישׁ אֲשֶׁר אִתּוֹ Jud. 8:4
234 וְשֵׁשׁ־מֵאוֹת הָאִישׁ הֶחָגוּר... Jud. 18:17
235 אַרְבַּע מֵאוֹת נַעֲרָה בְתוּלָה Jud. 21:12

מֵאוֹת (המשך) 236-238 כְּשֵׁשׁ(־)מֵאוֹת אִישׁ ISh. 13:15; 14:2; 23:13
239 שֵׁשׁ־מֵאוֹת שְׁקָלִים בַּרְזֶל ISh. 17:7
240/1 כְּאַרְבַּע מֵאוֹת אִישׁ ISh. 22:2; 25:13
242 וַיִּקְבֹּץ...כְּאַרְבַּע מֵאוֹת אִישׁ IK. 22:6
243/4 חֲמֵשׁ מֵאוֹת בַּחֲמֵשׁ מֵאוֹת מְרֻבָּע Ezek. 45:2
245 מֶרְכָּבָה בְּשֵׁשׁ מֵאוֹת כֶּסֶף IICh. 1:17
246 בִּשְׁמֹנֶה מֵאוֹת אֶלֶף אִישׁ בָּחוּר IICh. 13:3
247-481 (וּ)חֲמֵשׁ (שְׁלֹשׁ, שֵׁשׁ, אַרְבַּע וְכד׳) מֵאוֹת
Num. 1:21, 23, 25, 27, 29, 31, 33, 37, 39, 41; 1:43, 46[2]; 2:4, 6, 8, 9, 11, 13, 15, 16, 19, 23, 26; 2:28, 30, 31, 32[2]; 3:22, 28, 50; 4:36, 40, 48; 7:85; 11:21; 17:14; 26:7, 18, 22, 25, 27, 34, 37, 41, 43, 47; 26:50, 51[2]; 31:32, 36[2], 37, 39, 43[2], 45, 52 • Jud. 3:31; 4:3, 13; 7:6, 16, 22; 8:26; 15:4; 18:11, 16; 20:2, 15, 16, 17, 47 • ISh. 11:8; 27:2; 30:9, 10, 17 • IISh. 2:31; 8:4; 10:18; 15:18; 21:16; 23:8, 18; 24:9[2] • IK. 5:30; 7:42; 9:23, 28; 10:14, 16, 17, 26, 29; 11:3[2]; 18:19[2], 22 • IIK. 3:26; 14:13; 18:14 • Jer. 52:29, 30[2] • Ezek. 4:5, 9; 42:17, 18, 19, 20[2]; 48:16[4], 30, 32, 33, 34 • Job 1:3[2] • Es. 9:6, 12, 15 • Dan. 8:14; 12:12 • Ez. 1:10, 11; 2:4, 5, 6, 8, 9, 10, 11, 13, 15, 17, 25, 26, 32, 34, 35, 36, 58, 60, 64, 65, 66, 67[2]; 8:5, 26 • Neh. 7:9, 10, 11; 7:13, 14, 15, 16, 17, 18, 20, 22, 23, 29, 30, 35, 36; 7:37, 38, 39, 60, 62, 66, 67, 68, 69; 11:6, 8, 12 • ICh. 4:42; 5:18; 7:2; 9:6, 9, 13; 11:11, 20; 12:25, 27, 28, 31, 36; 21:5, 25; 26:30, 32 • IICh. 1:14; 2:1, 16, 17; 3:8; 4:13; 8:18; 9:13, 15, 16[2]; 13:3, 17; 14:7, 8; 15:11; 17:11[2], 14; 18:5; 25:5, 23; 26:12, 13[2]; 29:33; 35:8[2], 9

הַמֵּאוֹת 482 וּשְׁבַע הַמֵּאוֹת וַחֲמִשָּׁה וְשִׁבְעִים Ex. 38:28
483/4 שָׂרֵי הָאֲלָ׳ וְשָׂרֵי הַמֵּאוֹת Num. 31:14, 48
485 אֶחָד נֶפֶשׁ מֵחֲמֵשׁ הַמֵּאוֹת Num. 31:28
486 וּמֵאַת שָׂרֵי הַמֵּאוֹת Num. 31:52
487-493 (וְ־/לְ־/וּלְ־)שָׂרֵי הַמֵּאוֹת IIK. 11:19
ICh. 28:1 • IICh. 23:1, 9, 14, 20; 25:5
494-7 שָׂרֵי הַמֵּאוֹת (כת׳ המאיות) IIK. 11:4, 9, 10, 15
וְהַמֵּאוֹת 498 מֵאֵת שָׂרֵי הָאֲלָפִים וְהַמֵּאוֹת Num. 31:54
499 עִם־שָׂרֵי הָאֲלָפִים וְהַמֵּאוֹת ICh. 13:1
500 לְשָׂרֵי־הָאֲלָפִים וְהַמֵּאוֹת ICh. 26:26
501/2 וְשָׂרֵי הָאֲלָפִים וְהַמֵּאוֹת ICh. 27:1; 29:6
503 וַיֹּאמֶר...לְשָׂרֵי הָאֲלָפִים וְהַמֵּאוֹת IICh. 1:2
לְמֵאוֹת 504 עֹבְרִים לְמֵאוֹת וְלַאֲלָפִים ISh. 29:2
505 וְכָל־הָעָם יָצְאוּ לְמֵאוֹת וְלַאֲלָפִ׳ IISh. 18:4
מָאתַיִם 506 וַיְחִי שְׂרוּג...מָאתַיִם שָׁנָה Gen. 11:23
507 עִזִּים מָאתַיִם וּתְיָשִׁים עֶשְׂרִים Gen. 32:14
508 רְחֵלִים מָאתַיִם וְאֵילִים עֶשְׂרִים Gen. 32:14
509 וַתִּקַּח אִמּוֹ מָאתַיִם כֶּסֶף Jud. 17:4
510 מָאתַיִם אֶלֶף רַגְלִי ISh. 15:4
511 וַיַּךְ בַּפְּלִשְׁתִּים מָאתַיִם אִישׁ ISh. 18:27
512 מָאתַיִם לֶחֶם וּשְׁנַיִם נִבְלֵי־יַיִן ISh. 25:18
513 וַיַּעַמְדוּ מָאתַיִם אִישׁ... ISh. 30:10
514 וַיָּבֹא דָוִד אֶל־מָאתַיִם הָאֲנָשִׁים.. ISh. 30:21
515 מָאתַיִם שְׁקָלִים בְּאֶבֶן הַמֶּלֶךְ IISh. 14:26
516 וְאֶת־אַבְשָׁלוֹם הָלְכוּ מָאתַיִם אִישׁ IISh. 15:11
517-549 מָאתַיִם IISh. 16:1
IK. 7:20; 10:16; 20:15 • Dan. 12:11 • Ez. 2:7, 12; 2:19, 28, 31, 38, 66; 8:4, 9, 20 • Neh. 7:12, 34; 7:41, 67, 68; 11:13, 18 • ICh. 5:21; 9:22; 12:33; 68 ,6 25:7 • IICh. 9:15; 14:7; 17:15, 16, 17; 28:8
מָאתָיִם 550 מְשֹׁרְרִים וּמְשֹׁרְרוֹת מָאתָיִם Ez. 2:65
551 שְׁמַעְיָה הַשָּׂר וְאֶחָיו מָאתָיִם ICh. 15:8
552 אֵילִים מֵאָה כְּבָשִׂים מָאתָיִם IICh. 29:32

וּמָאתַיִם 553 תְּשַׁע שָׁנִים וּמָאתַיִם שָׁנָה Gen. 11:19
554 שֶׁבַע שָׁנִים וּמָאתַיִם שָׁנָה Gen. 11:21
555 חָמֵשׁ שָׁנִים וּמָאתַיִם שָׁנָה Gen. 11:32
556 חֲמִשִּׁים וּמָאתַיִם מַחְתֹּת Num. 16:17
557 אֵת הַחֲמִשִּׁים וּמָאתַיִם אִישׁ Num. 16:35
558-565 וּמָאתָיִם Num. 26:10
Josh. 7:21 • ISh. 25:13, 18 • Ezek. 48:17 • S.ofS. 8:12 • ICh. 7:11 • IICh. 12:3
וּמָאתָיִם 566 מַחֲצִיתוֹ חֲמִשִּׁים וּמָאתָיִם Ex. 30:23
567 וּקְנֵה־בֹשֶׂם חֲמִשִּׁים וּמָאתָיִם Ex. 30:23
568/9 שְׁנַיִם וּשְׁלֹשִׁים אֶלֶף וּמָאתָיִם Num. 1:35; 2:21
570-579 וּמָאתָיִם Num. 3:34, 43
4:44; 16:2; 26:14 • Ezek. 48:17[2] • Neh. 7:70
ICh. 7:9 • IICh. 8:10
הַמָּאתַיִם 580 וְשֶׂה...מִן־הַצֹּאן מִן־הַמָּאתַיִם Ezek. 45:15
וְהַמָּאתָיִם 581 הַשְּׁלֹשָׁה וְהַשִּׁבְעִים וְהַמָּאתָיִם Num. 3:46

מְאָה
ש״מ ארמית: מְאָה; מָאתַיִן = מָאתַיִם: 1–8

מְאָה 1 לַאֲחַשְׁדַּרְפְּנַיָּא מְאָה וְעֶשְׂרִין Dan. 6:2
2-3 תּוֹרִין מְאָה...אִמְּרִין אַרְבַּע מְאָה Ez. 6:17
4 עַד־כְּסַף כַּכְּרִין מְאָה Ez. 7:22
5 וְעַד־חִנְטִין כּוֹרִין מְאָה Ez. 7:22
6 וְעַד־חֲמַר בַּתִּין מְאָה Ez. 7:22
7 וְעַד־בַּתִּין מְשַׁח מְאָה Ez. 7:22
מָאתַיִן 8 תּוֹרִין מְאָה דִּכְרִין מָאתַיִן Ez. 6:17

מַאֲהַב
ז׳ – עין אהב (193-208)

מְאוּזָל
– עין אוזל

מַאֲוַיִּים*
ז״ר חֵפֶץ, רצון

קרובים: אַוָּה | חֶמְדָּה | חֵפֶץ | חֵשֶׁק | רָצוֹן | תַּאֲוָה | תְּשׁוּקָה

מַאֲוַיֵּי־ 1 אַל־תִּתֵּן יְיָ מַאֲוַיֵּי רָשָׁע Ps. 140:9

מאום
ז׳ דבר־מה, משהו: 1, 2

מְאוּם 1 וּבְכַפַּי דָּבַק מְאוּם Job 31:7
2 יְלָדִים אֲשֶׁר אֵין־בָּהֶם כָּל־מְאוּם Dan. 1:4

מְאוּמָה
ז׳ צורה מארכת מן מאום

א) [על־פי־רוב במשפט שלילה]
לא־כלום, שום דבר: 1-24, 29-32
ב) [במשפט שאלה או חיווי] משהו: 25-28

מְאוּמָה (א) 1 וְאַל־תַּעַשׂ לוֹ מְאוּמָה Gen. 22:12
2 לֹא־תִתֶּן־לִי מְאוּמָה Gen. 30:31
3 וְלֹא־יָדַע אִתּוֹ מְאוּמָה Gen. 39:6
4 וְלֹא־חָשַׂךְ מִמֶּנִּי מְאוּמָה Gen. 39:9
5 אֵין...רֹאֶה אֶת־כָּל־מְאוּמָה בְּיָדוֹ Gen. 39:23
6 וְגַם־פֹּה לֹא־עָשִׂיתִי מְאוּמָה Gen. 40:15
7 הֲיָכֹל אוּכַל דַּבֵּר מְאוּמָה Num. 22:38
8 וְלֹא־יִדְבַּק...מְאוּמָה מִן־הַחֵרֶם Deut. 13:18
9 וְלֹא־לָקַחְתָּ מִיַּד־אִישׁ מְאוּמָה ISh. 12:4
10 כִּי לֹא מְצָאתֶם בְּיָדִי מְאוּמָה ISh. 12:5
11 וְלֹא־דִבֶּר שָׁאוּל מְאוּמָה ISh. 20:26
12 וְהַנַּעַר לֹא־יָדַע מְאוּמָה ISh. 20:39
13 אִישׁ אַל־יֵדַע מְאוּמָה אֶת־הַדָּבָר ISh. 21:3
14 וְלֹא־נִפְקַד לָהֶם מְאוּמָה ISh. 25:7
15 וְלֹא־פָקַדְנוּ מְאוּמָה ISh. 25:15
16 וְלֹא־נִפְקַד מִכָּל־אֲשֶׁר־לוֹ מְאוּמָה ISh. 25:21
17 וְלֹא־מָצָאתִי בוֹ מְאוּמָה ISh. 29:3
18 וַיַּעַל וַיַּבֵּט וַיֹּאמֶר אֵין מְאוּמָה IK. 18:43
19 הַדַּלִּים אֲשֶׁר אֵין־לָהֶם מְאוּמָה Jer. 39:10

מְאוּמָה(א) (המשך) 20 וְאַל־תַּעַשׂ לוֹ מְאוּמָה רָע Jer. 39:12
21 הָאָדָם וְהַבְּהֵמָה...אַל־יִטְעֲמוּ מְאוּמָה Jon. 3:7
22 וְהוֹלִיד בֵּן וְאֵין בְּיָדוֹ מְאוּמָה Eccl. 5:13
23 שֶׁלֹּא יִמְצָא הָאָדָם אַחֲרָיו מְאוּמָה Eccl. 7:14
24 וְהַמֵּתִים אֵינָם יוֹדְעִים מְאוּמָה Eccl. 9:5
מְאוּמָה(ב) 25 כִּי־תַשֶּׁה בְרֵעֲךָ מַשַּׁאת מְאוּמָה Deut. 24:10
26 אִם...אֶטְעַם־לֶחֶם אוֹ כָל־מְאוּמָ׳ IISh. 3:35
27 וַיִּפָּלֵא...לַעֲשׂוֹת לָהּ מְאוּמָה IISh. 13:2
28 וְלָקַחְתִּי מֵאִתּוֹ מְאוּמָה IIK. 5:20
וּמְאוּמָה(א) 29 וַיְשַׁסְּעֵהוּ...וּמְאוּמָה אֵין בְּיָדוֹ Jud. 14:6
30 וּמְאוּמָה לֹא־יִשָּׂא בַעֲמָלוֹ שֶׁיֹּלֵךְ Eccl. 5:14
לִמְאוּמָה(א) 31 אֵין כֶּסֶף לֹא נֶחְשָׁב...לִמְאוּמָה IK. 10:21
32 אֵין כֶּסֶף נֶחְשָׁב...לִמְאוּמָה IICh. 9:20

מָאוֹס ז׳ זוהמה, בזיון

וּמָאוֹס 1 סְחִי וּמָאוֹס תְּשִׂימֵנוּ בְּקֶרֶב הָעַמִּים Lam. 3:45

מָאוֹר ז׳ א) עצם מפיץ אור: 1-3, 16-19

ב) הפצת אור: 4-13
ג) [בהשאלה] זיו, זוהר: 14, 15
– מְנוֹרַת הַמָּאוֹר 4, 7; שֶׁמֶן הַמָּאוֹר 5, 6
– מְאוֹר עֵינַיִם 14; מ׳ פָּנִים 15; מְאוֹרֵי אוֹר 19

מָאוֹר 1 אַתָּה הֲכִינוֹתָ מָאוֹר וָשָׁמֶשׁ Ps. 74:17
הַמָּאוֹר 2 הַמָּאוֹר הַגָּדֹל לְמֶמְשֶׁלֶת הַיּוֹם Gen. 1:16
3 הַמָּאוֹר הַקָּטֹן לְמֶמְשֶׁלֶת הַלַּיְלָה Gen. 1:16
4 וְאֶת־מְנֹרַת הַמָּאוֹר Ex. 35:14
5/6 וְאֵת שֶׁמֶן הַמָּאוֹר Ex. 35:14; 39:37
7 וְכִסּוּ אֶת־מְנֹרַת הַמָּאוֹר Num. 4:9
8 שֶׁמֶן הַמָּאוֹר וּקְטֹרֶת הַסַּמִּים Num. 4:16
לַמָּאוֹר 9 לַמָּאוֹר וּלְשֶׁמֶן הַמִּשְׁחָה Ex. 35:28
לַמָּאֹר 10 שֶׁמֶן לַמָּאֹר Ex. 25:6
11/2 שֶׁמֶן זַיִת...לַמָּאוֹר Ex. 27:20 • Lev. 24:2
13 וְשֶׁמֶן לַמָּאוֹר Ex. 35:8
מְאוֹר־ 14 מְאוֹר־עֵינַיִם יְשַׂמַּח־לֵב Prov. 15:30
לִמְאוֹר־ 15 עֲלֻמֵנוּ לִמְאוֹר פָּנֶיךָ Ps. 90:8
מְאוֹרֹת 16 יְהִי מְאֹרֹת בִּרְקִיעַ הַשָּׁמַיִם Gen. 1:14
הַמְּאוֹרֹת 17 אֶת־שְׁנֵי הַמְּאֹרֹת הַגְּדֹלִים Gen. 1:16
לִמְאוֹרֹת 18 וְהָיוּ לִמְאוֹרֹת בִּרְקִיעַ הַשָּׁמַיִם Gen. 1:15
מְאוֹרֵי־ 19 כָּל־מְאוֹרֵי אוֹר בַּשָּׁמַיִם Ezek. 32:8

מְאוּרָה נ׳ משכן לבעל־חיים

מְאוּרַת־ 1 וְעַל מְאוּרַת צִפְעוֹנִי...יָדוֹ הָדָה Is. 11:8

מֹאזְנֵא ז״ז ארמית: מאזנים [נ״א מֹאזַנְיָא]

בְּמֹאזַנְיָא 1 תְּקִל תְּקִלְתָּה בְמֹאזַנְיָא... Dan. 5:27

מֹאזְנַיִם ז״ז מכשיר לשקילה, פֶּלֶס: 1-15

שַׁחַק מֹאזְנַיִם 1; מֹאזְנֵי מִרְמָה 9-11, 13; מֹאזְנֵי מִשְׁפָּט 12; מ׳ מִשְׁקָל 7; מ׳ צֶדֶק 6, 8, 15; מֹאזְנֵי רֶשַׁע 14

מֹאזְנַיִם 1 וּכְשַׁחַק מֹאזְנַיִם נֶחְשָׁבוּ Is. 40:15
בְּמֹאזְנַיִם 2 בְּמֹאזְנַיִם לַעֲלוֹת הֵמָּה מֵהֶבֶל Ps. 62:10
3 בְּמֹאזְנַיִם יִשְׂאוּ־יָחַד Job 6:2
בְּמֹאזְנָיִם 4 וְשָׁקַל בַּפֶּלֶס...וּגְבָעוֹת בְּמֹאזְנָיִם Is. 40:12
5 וָאֶשְׁקֹל הַכֶּסֶף בְּמֹאזְנָיִם Jer. 32:10
מֹאזְנֵי־ 6 מֹאזְנֵי צֶדֶק אַבְנֵי־צֶדֶק Lev. 19:36
7 וְלָקַחְתָּ לְךָ מֹאזְנֵי מִשְׁקָל Ezek. 5:1
8 מֹאזְנֵי־צֶדֶק וְאֵיפַת־צֶדֶק Ezek. 45:10
9 כְּנַעַן בְּיָדוֹ מֹאזְנֵי מִרְמָה Hosh. 12:8
10 וּלְעַוֵּת מֹאזְנֵי מִרְמָה Am. 8:5
11 מֹאזְנֵי מִרְמָה תּוֹעֲבַת יְיָ Prov. 11:1
וּמֹאזְנֵי־ 12 פֶּלֶס וּמֹאזְנֵי מִשְׁפָּט Prov. 16:11
13 וּמֹאזְנֵי מִרְמָה לֹא־טוֹב Prov. 20:23
בְּמֹאזְנֵי־ 14 הַאֶזְכֶּה בְּמֹאזְנֵי רֶשַׁע Mic. 6:11
15 יִשְׁקְלֵנִי בְמֹאזְנֵי־צֶדֶק Job 31:6

מַאֲכָל ז׳ מזון, חומר לאכילה: 1-30

קרובים: אֹכֶל / טֶרֶף / מָזוֹן / צֵידָה
– מַאֲכָל וּמִשְׁתֶּה 14; אוֹצְרוֹת מַאֲכָל 13; עֵץ מ׳ 2, 3, 6, 11; צֹאן מַאֲכָל 8
– מַאֲכַל פַּרְעֹה 23; מַאֲכַל שֻׁלְחָנוֹ 25, 26; מַאֲכַל תַּאֲוָה 24

מַאֲכָל 1 מִכָּל־מַאֲכָל אֲשֶׁר יֵאָכֵל Gen. 6:21
2 וּנְטַעְתֶּם כָּל־עֵץ מַאֲכָל Lev. 19:23
3 כִּי לֹא־עֵץ מַאֲכָל הוּא Deut. 20:20
4 מֵהָאֹכֵל יָצָא מַאֲכָל Jud. 14:14
5 אִם־אֶתֵּן...עוֹד מַאֲכָל לְאֹיְבַיִךְ Is. 62:8
6 כָּל־עֵץ־מַאֲכָל Ezek. 47:12
7 וְנָגַע בִּכְנָפוֹ...וְאֶל־כָּל־מַאֲכָל Hag. 2:12
8 תִּתְּנֵנוּ כְּצֹאן מַאֲכָל Ps. 44:12
9 תִּתְּנֶנּוּ מַאֲכָל לְעָם לְצִיִּים Ps. 74:14
10 נָתְנוּ...מַאֲכָל לְעוֹף הַשָּׁמָיִם Ps. 79:2
11 כְּרָמִים וְזֵיתִים וְעֵץ מַאֲכָל לָרֹב Neh. 9:25
12 מַאֲכָל קֶמַח דְּבֵלִים וְצִמּוּקִים ICh. 12:40(41)
13 וְאֹצְרוֹת מַאֲכָל וְשֶׁמֶן וָיָיִן IICh. 11:11
וּמַאֲכָל 14 וּמַאֲכָל וּמִשְׁתֶּה וָשֶׁמֶן Ez. 3:7
לְמַאֲכָל 15 נֶחְמָד לְמַרְאֶה וְטוֹב לְמַאֲכָל Gen. 2:9
16 וַתֵּרֶא...כִּי טוֹב הָעֵץ לְמַאֲכָל Gen. 3:6
17 לְמַאֲכָל לְכָל־עוֹף הַשָּׁמַיִם Deut. 28:26
18-21 לְמַאֲכָל לְעוֹף הַשָּׁמַ׳ Jer.7:33;16:4;19:7;34:20
22 וְהָיָה פִרְיוֹ לְמַאֲכָל Ezek. 47:12
מַאֲכַל־ 23 וּבַסַּל הָעֶלְיוֹן מִכֹּל מַאֲכַל פַּרְ׳ Gen. 40:17
24 וְנַפְשׁוֹ מַאֲכַל תַּאֲוָה Job 33:20
וּמַאֲכַל־ 25 וּמַאֲכַל שֻׁלְחָנוֹ וּמוֹשַׁב עֲבָדָיו IK. 10:5
26 וּמַאֲכַל שֻׁלְחָנוֹ וּמוֹשַׁב עֲבָדָיו IICh. 9:4
וּמַאֲכָלְךָ 27 וּמַאֲכָלְךָ אֲשֶׁר תֹּאכְלֶנּוּ בְּמִשְׁקוֹל Ezek. 4:10
וּמַאֲכָלוֹ 28 בָּהֵמָּה שָׁמֵן חֶלְקוֹ וּמַאֲכָלוֹ בְּרִאָה Hab. 1:16
מַאֲכָלָהּ 29 אָגְרָה בַקָּצִיר מַאֲכָלָהּ Prov. 6:8
מַאֲכַלְכֶם 30 אֲשֶׁר מִנָּה אֶת־מַאֲכַלְכֶם Dan. 1:10

מַאֲכֹלֶת* נ׳ מאכל, אכילה (בהשאלה): 1-2

מַאֲכֹלֶת אֵשׁ 1, 2

מַאֲכֹלֶת־ 1 וְהָיְתָה לִשְׂרֵפָה מַאֲכֹלֶת אֵשׁ Is. 9:4
כְּמַאֲכֹלֶת־ 2 וַיְהִי הָעָם כְּמַאֲכֹלֶת אֵשׁ Is. 9:18

מַאֲכֶלֶת נ׳ סכין לשחיטה: 1-4

הַמַּאֲכֶלֶת 1 וַיִּקַּח...אֶת־הָאֵשׁ וְאֶת־הַמַּאֲכֶלֶת Gen. 22:6
2 וַיִּשְׁלַח...וַיִּקַּח אֶת־הַמַּאֲכֶלֶת Gen. 22:10
3 וַיִּקַּח אֶת־הַמַּאֲכֶלֶת...וַיְנַתְּחֶהָ Jud. 19:29
וּמַאֲכָלוֹת 4 חֲרָבוֹת שִׁנָּיו וּמַאֲכָלוֹת מְתַלְּעֹתָיו Prov. 30:14

מַאֲמַצִּים* ז״ר התגברות

מַאֲמַצֵּי־ 1 וְכֹל מַאֲמַצֵּי־כֹחַ Job 36:19

מַאֲמָר* ז׳ פקודה, צו: 1-3

מַאֲמַר אֶסְתֵּר 3; מַאֲמַר מָרְדֳּכַי 2; מ׳ הַמֶּלֶךְ 1

מַאֲמַר־ 1 לֹא־עָשְׂתָה אֶת־מַאֲמַר הַמֶּלֶךְ Es. 1:15
2 וְאֶת־מַאֲמַר מָרְדֳּכַי אֶסְתֵּר עֹשָׂה Es. 2:20
וּמַאֲמַר־ 3 וּמַאֲמַר אֶסְתֵּר קִיַּם דִּבְרֵי הַפֻּרִים Es. 9:32

מֵאמַר* ז׳ ארמית: מאמר, צו: 1,2

וּמֵאמַר־ 1 בִּגְזֵרַת...וּמֵאמַר קַדִּישִׁין שְׁאֵלְתָא Dan. 4:14
כְּמֵאמַר־ 2 כְּמֵאמַר כָּהֲנַיָּא...לֶהֱוֵא מִתְיְהֵב Ez. 6:9

מָאן* ז׳ ארמית: כלי: 1-7 • מָאנֵי דַהֲבָא 5, 7

מָאנַיָּא 1 וְאַף מָאנַיָּא דִי בֵית־אֱלָהָא Ez. 5:14
2 אֵל° מָאנַיָּא שֵׂא אֵזֶל־אֲחֵת הִמּוֹ Ez. 5:15
וּמָאנַיָּא 3 וּמָאנַיָּא...לְפָלְחָן בֵּית אֱלָהָךְ Ez. 7:19
וּלְמָאנַיָּא 4 וּלְמָאנַיָּא דִי־בַיְתֵהּ הַיְתִיו קָדָמָךְ° Dan. 5:23
מָאנֵי־ 5 בֵּאדַיִן הַיְתִיו מָאנֵי דַהֲבָא Dan. 5:3
6 וְאַף מָאנֵי בֵית־אֱלָהָא דִּי דַהֲבָה Ez. 6:5
לְמָאנֵי־ 7 לְהַיְתָיָה לְמָאנֵי דַהֲבָא וְכַסְפָּא Dan. 5:2

מאן : מֵאֵן; מָאֵן

מֵאֵן פ׳ סֵרֵב, לא הסכים 1–41 [עין עוד ערך מָאֵן]

מֵאֵן 1 אִם־מָאֵן יְמָאֵן אָבִיהָ לְתִתָּהּ לוֹ Ex. 22:16
מֵאַנְתָּ 2 עַד־מָתַי מֵאַנְתָּ לֵעָנֹת מִפָּנָי Ex. 10:3
מֵאַנְתְּ 3 וּמֵצַח אִשָּׁה זוֹנָה...מֵאַנְתְּ הִכָּלֵם Jer. 3:3
מֵאֵן 4 כָּבֵד לֵב פַּרְעֹה מֵאֵן לְשַׁלַּח הָעָם Ex. 7:14
5 כִּי מֵאֵן יְיָ לְתִתִּי לַהֲלֹךְ עִמָּכֶם Num. 22:13
6 מֵאֵן בִּלְעָם הֲלֹךְ עִמָּנוּ Num. 22:14
7 מֵאֵן יְבָמִי לְהָקִים לְאָחִיו שֵׁם Deut. 25:7
8 אֲשֶׁר מֵאֵן לָתֶת־לְךָ בְכֶסֶף IK. 21:15
מֵאֲנָה 9 וּמַכָּתִי אֲנוּשָׁה מֵאֲנָה הֵרָפֵא Jer. 15:18
10 מֵאֲנָה לְהִנָּחֵם עַל־בָּנֶיהָ Jer. 31:15 (14)
11 מֵאֲנָה הִנָּחֵם נַפְשִׁי Ps. 77:3
12 מֵאֲנָה לִנְגּוֹעַ נַפְשִׁי Job 6:7
מֵאַנְתֶּם 13 עַד־אָנָה מֵאַנְתֶּם לִשְׁמֹר מִצְוֹתַי Ex. 16:28
מֵאֲנוּ 14 כִּלִּיתָם מֵאֲנוּ קַחַת מוּסָר Jer. 5:3
15-17 מֵאֲנוּ לָשׁוּב Jer. 5:3; 8:5 • Hosh. 11:5
18 בְּמִרְמָה מֵאֲנוּ דַעַת־אוֹתִי Jer. 9:5
19 אֲשֶׁר מֵאֲנוּ לִשְׁמוֹעַ אֶת־דְּבָרַי Jer. 11:10
20 הֶחֱזִיקוּ בָם מֵאֲנוּ שַׁלְּחָם Jer. 50:33
21 וּבְתוֹרָתוֹ מֵאֲנוּ לָלֶכֶת Ps. 78:10
22 כִּי מֵאֲנוּ לַעֲשׂוֹת מִשְׁפָּט Prov. 21:7
23 כִּי־מֵאֲנוּ יָדָיו לַעֲשׂוֹת Prov. 21:25
וַתְּמָאֵן 24 וָאֹמַר אֵלֶיךָ שַׁלַּח...וַתְּמָאֵן לְשַׁלְּחוֹ Ex. 4:23
יְמָאֵן 25 אִם־מָאֵן יְמָאֵן אָבִיהָ לְתִתָּהּ לוֹ Ex. 22:16
וַיְמָאֵן 26 וַיְמָאֵן לְהִתְנַחֵם Gen. 37:35
27 וַיְמָאֵן וַיֹּאמֶר אֶל־אֵשֶׁת אֲדֹנָיו Gen. 39:8
28 וַיְמָאֵן אָבִיו וַיֹּאמֶר Gen. 48:19
29 וַיְמָאֵן אֱדוֹם נְתֹן אֶת־יִשְׂ׳ עֲבֹר Num. 20:21
30 וַיְמָאֵן וַיֹּאמֶר לֹא אֹכַל ISh. 28:23
31 וַיְמָאֵן לָסוּר וַיַּכֵּהוּ אַבְנֵר IISh. 2:23
32 וַתַּצֵּק לְפָנָיו וַיְמָאֵן לֶאֱכוֹל IISh. 13:9
33 וַיְמָאֵן הָאִישׁ לְהַכֹּתוֹ IK. 20:35
34 וַיִּפְצַר־בּוֹ לָקַחַת וַיְמָאֵן IIK. 5:16
וַתְּמָאֵן 35 וַתְּמָאֵן הַמַּלְכָּה וַשְׁתִּי לָבוֹא Es. 1:12
תְּמָאֲנוּ 36 וְאִם־תְּמָאֲנוּ וּמְרִיתֶם...תְּאֻכְּלוּ Is. 1:20
וַתְּמָאֵנוּ 37 יַעַן קָרָאתִי וַתְּמָאֵנוּ Prov. 1:24
יְמָאֲנוּ 38 וְהָיָה כִּי יְמָאֲנוּ לָקַחַת־הַכּוֹס Jer. 25:28
וַיְמָאֲנוּ 39 וַיְמָאֲנוּ הָעָם לִשְׁמֹעַ בְּקוֹל שְׁמוּאֵל ISh. 8:19
40 וַיְמָאֲנוּ לְהַקְשִׁיב וַיִּתְּנוּ כָתֵף סֹרָרֶת Zech. 7:11
41 וַיְמָאֲנוּ לִשְׁמֹעַ וְלֹא־זָכְרוּ נִפְלְאֹתֶיךָ Neh. 9:17

מָאֵן, מָאֵן* ת׳ מְמָאֵן, מְסָרֵב: 1-5 [עין למעלה מֵאֵן]

מָאֵן 1 וְאִם־מָאֵן אַתָּה לְשַׁלֵּחַ Ex. 7:27
2/3 כִּי אִם־מָאֵן אַתָּה לְשַׁלֵּחַ Ex. 9:2; 10:4
4 וְאִם־מָאֵן אַתָּה לָצֵאת Jer. 38:21
הַמֵּאֲנִים 5 הַמֵּאֲנִים לִשְׁמוֹעַ אֶת־דְּבָרַי Jer. 13:10

מאס : מָאַס, נִמְאָס; מָאוֹס

מָאַס פ׳ א) בָּז, לא רצה בו: 1-71
ב) [נפ׳ נִמְאָס] נתעב, היה לְזָרָא: 72-76
קרובים: בּוּז / בָּזָה / בָּחַל / בָּס / גָּאַל² / גָּעַל / לָעַג / קוּץ / שִׁקֵּץ / תִּעֵב
– מָאַס אֶת־ 3, 4, 6-18, 20-23, 26-32, 34, 37, 39, 40, 42, 44-46, 48-59, 63-66, 68, 69; מָאַס בְּ־ 1, 2, 5, 19, 24, 25, 33, 35, 36, 38, 41, 43, 47, 60-62, 67, 70, 71
– כֶּסֶף נִמְאָס 72

מָאוֹס 1-2 מָאוֹס בָּרָע וּבָחוֹר בַּטּוֹב Is. 7:15, 16
3 כִּי אִם־מָאֹס מְאַסְתָּנוּ Lam. 5:22
הֲמָאוֹס 4 הֲמָאֹס מָאַסְתָּ אֶת־יְהוּדָה Jer. 14:19
מָאָסְכֶם 5 יַעַן מָאָסְכֶם בַּדָּבָר הַזֶּה Is. 30:12
מָאֳסָם 6 עַל־מָאֳסָם אֶת־תּוֹרַת יְיָ Am. 2:4
מָאַסְתִּי 7 שָׂנֵאתִי מָאַסְתִּי חַגֵּיכֶם Am. 5:21
8 מָאַסְתִּי לֹא־לְעֹלָם אֶחְיֶה Job 7:16
9 מָאַסְתִּי אֲבוֹתָם לָשִׁית עִם־כַּלְבֵי... Job 30:1
וּמָאַסְתִּי 10 וּמָאַסְתִּי אֶת־הָעִיר הַזֹּאת IIK. 23:27
מְאַסְתִּיךָ 11 בְּחַרְתִּיךָ וְלֹא מְאַסְתִּיךָ Is. 41:9
מְאַסְתִּיו 12 וַאֲנִי מְאַסְתִּיו מִמְּלֹךְ עַל־יִשְׂרָאֵל ISh. 16:1
מְאַסְתִּיהוּ 13 אַל־תַּבֵּט אֶל־מַרְאֵהוּ...כִּי מְאַסְתִּיהוּ ISh. 16:7
מְאַסְתִּים 14 לֹא־מְאַסְתִּים וְלֹא־גְעַלְתִּים Lev. 26:44
מָאַסְתָּ 15 יַעַן מָאַסְתָּ אֶת־דְּבַר יְיָ ISh. 15:23
16 הֲמָאֹס מָאַסְתָּ אֶת־יְהוּדָה Jer. 14:19
17 כִּי אַתָּה הַדַּעַת מָאַסְתָּ Hosh. 4:6
18 הֲמֵעִמְּךָ יְשַׁלְּמֶנָּה כִּי־מָאַסְתָּ Job 34:33
מָאַסְתָּה 19 הֲלֹא זֶה הָעָם אֲשֶׁר מָאַסְתָּה בּוֹ Jud. 9:38
20 כִּי מָאַסְתָּה אֶת־דְּבַר יְיָ ISh. 15:26
מְאַסְתָּנוּ 21 כִּי אִם־מָאֹס מְאַסְתָּנוּ Lam. 5:22
מָאַס 22 יַעַן כִּי מָאַס הָעָם הַזֶּה Is. 8:6
23 מָאַס עָרִים לֹא חָשַׁב אֱנוֹשׁ Is. 33:8
24 כִּי־מָאַס יְיָ בְּמִבְטַחַיִךְ Jer. 2:37
25 כִּי־מָאַס יְיָ בָּהֶם Jer. 6:30
26 כִּי מָאַס יְיָ וַיִּטֹּשׁ אֶת־דּוֹר עֶבְרָתוֹ Jer. 7:29
מְאָסָם 27 הֱבִשֹׁתָה כִּי־אֱלֹהִים מְאָסָם Ps. 53:6
מְאַסְתֶּם 28 יַעַן כִּי־מְאַסְתֶּם אֶת־יְיָ Num. 11:20
29 וְיָדְעוּ אֶת־הָאָרֶץ אֲשֶׁר מְאַסְתֶּם Num. 14:31
30 וְאַתֶּם הַיּוֹם מְאַסְתֶּם אֶת־אֱלֹהֵיכֶ׳ ISh. 10:19
מָאֲסוּ 31 כִּי־אֹתִי מָאֲסוּ מִמְּלֹךְ עֲלֵיהֶם ISh. 8:7
32 כִּי מָאֲסוּ אֵת תּוֹרַת יְיָ צְבָאוֹת Is. 5:24
33 לַשָּׁוְא תִּתְיַפִּי מָאֲסוּ־בָךְ עֹגְבִים Jer. 4:30
34 אֶבֶן מָאֲסוּ הַבּוֹנִים הָיְתָה לְרֹאשׁ Ps. 118:22
35 גַּם־עֲוִילִים מָאֲסוּ בִי Job 19:18
מָאָסוּ 36 יַעַן וּבְיַעַן בְּמִשְׁפָּטַי מָאָסוּ Lev. 26:43
37 כִּי לֹא אֹתְךָ מָאָסוּ ISh. 8:7
38 הִנֵּה בִדְבַר־יְיָ מָאָסוּ Jer. 8:9
39 כִּי בְמִשְׁפָּטַי מָאָסוּ Ezek. 5:6
40 וְאֶת־מִשְׁפָּטַי מָאָסוּ Ezek. 20:13
41 יַעַן בְּמִשְׁפָּטַי מָאָסוּ Ezek. 20:16
42 מִשְׁפָּטַי לֹא עָשׂוּ וְחֻקּוֹתַי מָאָסוּ Ezek. 20:24
מֹאֵס 43 מֹאֵס בְּבֶצַע מַעֲשַׁקּוֹת Is. 33:15
44 פּוֹרֵעַ מוּסָר מוֹאֵס נַפְשׁוֹ Prov. 15:32
מוֹאֶסֶת 45 שֵׁבֶט בְּנִי מֹאֶסֶת כָּל־עֵץ Ezek. 21:15
46 אִם־גַּם־שֵׁבֶט מֹאֶסֶת לֹא יִהְיֶה Ezek. 21:18
אֶמְאַס 47 אֶמְאַס בְּכָל־זֶרַע יִשְׂרָאֵל Jer. 31:37(36)
48 גַּם־זֶרַע יַעֲקוֹב וְדָוִד עַבְדִּי אֶמְאַס Jer. 33:26
49 לֹא־אֵדַע נַפְשִׁי אֶמְאַס חַיָּי Job 9:21
50 אִם־אֶמְאַס מִשְׁפַּט עַבְדִּי Job 31:13
51 עַל־כֵּן אֶמְאַס וְנִחַמְתִּי Job 42:6
וְאֶמְאָסְךָ 52 וְאֶמְאָסְךָ (כת׳ ואמאסאך) מִכַּהֵן לִי Hosh. 4:6
תִּמְאַס 53 הֲטוֹב לְךָ...כִּי־תִמְאַס יְגִיעַ כַּפֶּיךָ Job 10:3
תִּמְאָס 54 מוּסַר יְיָ בְּנִי אַל־תִּמְאָס Prov. 3:11
55 וּמוּסַר שַׁדַּי אַל־תִּמְאָס Job 5:17
וַתִּמְאָס 56 וְאַתָּה זָנַחְתָּ וַתִּמְאָס Ps. 89:39
יִמְאַס 57 הֶן־אֵל לֹא יִמְאַס־תָּם Job 8:20
יִמְאָס 58 רָע לֹא יִמְאָס Ps. 36:5
59 הֶן־אֵל כַּבִּיר וְלֹא יִמְאָס Job 36:5
וַיִּמְאַס 60 וַיִּמְאַס יְיָ בְּכָל־זֶרַע יִשְׂרָאֵל IIK. 17:20
61 וַיִּמְאַס מְאֹד בְּיִשְׂרָאֵל Ps. 78:59
62 וַיִּמְאַס בְּאֹהֶל יוֹסֵף Ps. 78:67
וַיִּמְאָסְךָ 63 יַעַן מָאַסְתָּ...וַיִּמְאָסְךָ מִמֶּלֶךְ ISh. 15:23
64 וַיִּמְאָסְךָ יְיָ מִהְיוֹת מֶלֶךְ עַל־יִשְׂרָ׳ ISh. 15:26
יִמְאָסֵם 65 יִמְאָסֵם אֱלֹהַי כִּי לֹא שָׁמְעוּ לוֹ Hosh. 9:17
וַיִּמְאָסֵם 66 אֲשֶׁר בָּחַר יְיָ בָּהֶם וַיִּמְאָסֵם Jer. 33:24
תִּמְאָסוּ 67 וְאִם־בְּחֻקֹּתַי תִּמְאָסוּ Lev. 26:15
יִמְאָסוּן 68 יִמְאָסוּן אִישׁ אֱלִילֵי כַסְפּוֹ Is. 31:7
וַיִּמְאֲסוּ 69 וַיִּמְאֲסוּ אֶת־חֻקָּיו וְאֶת־בְּרִיתוֹ IIK. 17:15
70 וְתוֹרָתִי וַיִּמְאֲסוּ־בָהּ Jer. 6:19
71 וַיִּמְאֲסוּ בְּאֶרֶץ חֶמְדָּה Ps. 106:24
נִמְאָס 72 כֶּסֶף נִמְאָס קָרְאוּ לָהֶם Jer. 6:30
73 נִבְזֶה בְּעֵינָיו נִמְאָס Ps. 15:4
וַיִּמָּאֵס 74 עוֹרִי רָגַע וַיִּמָּאֵס Job 7:5
תִּמָּאֵס 75 וְאֵשֶׁת נְעוּרִים כִּי תִמָּאֵס Is. 54:6
יִמָּאֲסוּ 76 יִמָּאֲסוּ כְמוֹ־מַיִם יִתְהַלְּכוּ־לָמוֹ Ps. 58:8

מַאֲסֵף ז׳ – עין אסף (מס׳ 187, 191-193)

מַאֲפֶה* ז׳ דבר שנאפה
מַאֲפֵה־ 1 קָרְבַּן מִנְחָה מַאֲפֵה תַנּוּר Lev. 2:4

מַאֲפֵל ז׳ דבר אָפֵל, מחשך
מַאֲפֵל 1 וַיָּשֶׂם מַאֲפֵל בֵּינֵיכֶם וּבֵין הַמִּצְרִים Josh. 24:7

מַאְפֵּלְיָה נ׳ חושך רב
מַאְפֵּלְיָה 1 הֲמִדְבָּר...אִם אֶרֶץ מַאְפֵּלְיָה Jer. 2:31

מאר : מֵאִיר, מַמְאֶרֶת

מַאֲרָב ז׳ א) מקום סתר: 1, 2, 5
ב) אנשים היושבים במקום סתר לארוב: 3, 4
הַמַּאֲרָב 1 וַיֵּלְכוּ אֶל־הַמַּאֲרָב וַיֵּשְׁבוּ Josh. 8:9
2 וַיָּקָם אֲבִימֶלֶךְ...מִן־הַמַּאֲרָב Jud. 9:35
3 הֵסֵב אֶת־הַמַּאֲרָב לָבוֹא מֵאַחֲרֵיהֶם IICh. 13:13
וְהַמַּאֲרָב 4 וְהַמַּאֲרָב מֵאַחֲרֵיהֶם IICh. 13:13
בְּמַאֲרַב־ 5 יֵשֵׁב בְּמַאְרַב חֲצֵרִים Ps. 10:8

מְאֵרָה נ׳ קללה: 1-5 • מְאֵרַת יְיָ 4; רַב מְאֵרוֹת 5
הַמְּאֵרָה 1 אֶת־הַמְּאֵרָה אֶת־הַמְּהוּמָה Deut. 28:20
2 וְשִׁלַּחְתִּי בָכֶם אֶת־הַמְּאֵרָה Mal. 2:2
בַּמְּאֵרָה 3 בַּמְּאֵרָה אַתֶּם נֵאָרִים Mal. 3:9
מְאֵרַת־ 4 מְאֵרַת יְיָ בְּבֵית רָשָׁע Prov. 3:33
מְאֵרוֹת 5 וּמַעְלִים עֵינָיו רַב־מְאֵרוֹת Prov. 28:27

מֵאֵת עין אֵת² (מס׳ 298 ואילך)

מְאַת־, מָאתַיִם – עין מֵאָה

מִבְדָּלוֹת נ״ר מקומות נבדלים (?)
הַמִּבְדָּלוֹת 1 וְהֶעָרִים הַמִּבְדָּלוֹת לִבְנֵי אֶפְרַיִם Josh. 16:9

מִבְהָל ת׳ – עין בהל

מָבוֹא ז׳ א) כניסה: 1-4, 8-11, 13-18, 23-25
ב) [בהשאלה כנסמך לשמש] שקיעה: 5-7, 12, 19-22
– שׁוֹמְרֵי מָבוֹא 2
– מְבוֹא בַיִת 16; מְ׳ הַמֶּלֶךְ 11; מְ׳ הַסּוּסִים 10; מְבוֹא עִיר 8, 9; מְ׳ עָם 15; מְ׳ פְּתָחִים 13; מְבוֹא הַשֶּׁמֶשׁ 5-7, 12; מְבוֹא שַׁעַר 14
– מְבוֹאוֹת יָם 23; מְבוֹאֵי עִיר 24
– מוֹצָא וּמוֹבָא 18, 25
מָבוֹא 1 מָבוֹא הַשְּׁלִישִׁי אֲשֶׁר בְּבֵית יְיָ Jer. 38:14
הַמָּבוֹא 2 וַאֲבֹתֵיהֶם...שֹׁמְרֵי הַמָּבוֹא ICh. 9:19
בַּמָּבוֹא 3 וַיְבִיאֵנִי בַמָּבוֹא...אֶל־הַלְּשָׁכוֹת... Ezek. 46:19
4 עוֹמֵד עַל־עַמּוּדוֹ בַּמָּבוֹא IICh. 23:13
מְבוֹא־ 5 אַחֲרֵי דֶּרֶךְ מְבוֹא הַשֶּׁמֶשׁ Deut. 11:30
6 וְעַד־הַיָּם הַגָּדוֹל מְבוֹא הַשָּׁמֶשׁ Josh. 1:4
7 וְהַיָּם הַגָּדוֹל מְבוֹא הַשָּׁמֶשׁ Josh. 23:4
8 הַרְאֵנוּ נָא אֶת־מְבוֹא הָעִיר Jud. 1:24
9 וַיַּרְאֵם אֶת־מְבוֹא הָעִיר Jud. 1:25
10 וַתָּבוֹא דֶּרֶךְ־מְבוֹא הַסּוּסִים IIK. 11:16
11 וְאֶת־מְבוֹא הַמֶּלֶךְ הַחִיצוֹנָה IIK. 16:18
12 מֵאֶרֶץ מִזְרָח וּמֵאֶרֶץ מְבוֹא הַשָּׁמֶשׁ Zech. 8:7
13 מְבוֹא פְתָחִים תָּרֹנָּה Prov. 8:3
14 אֶל־מְבוֹא שַׁעַר הַסּוּסִים IICh. 23:15
כִּמְבוֹא־ 15 וְיָבוֹאוּ אֵלֶיךָ כִּמְבוֹא־עָם Ezek. 33:31
לִמְבוֹא־ 16 וְשַׂמְתָּ לִבְּךָ לִמְבוֹא הַבַּיִת Ezek. 44:5
17 וַיֵּלְכוּ לִמְבוֹא גְדֹר ICh. 4:39
מוֹבָאֶךָ 18 וְלָדַעַת אֶת־מוֹצָאֲךָ וְאֶת־מוֹבָאֶךָ (כת׳ מבואך) IISh. 3:25
מְבוֹאוֹ 19 מִמִּזְרַח־שֶׁמֶשׁ וְעַד־מְבוֹאוֹ Mal. 1:11
20 מִמִּזְרַח־שֶׁמֶשׁ עַד־מְבֹאוֹ Ps. 50:1
21 שֶׁמֶשׁ יָדַע מְבוֹאוֹ Ps. 104:19
22 מִמִּזְרַח־שֶׁמֶשׁ עַד־מְבוֹאוֹ Ps. 113:3
מְבוֹאוֹת־ 23 הַיֹּשֶׁבֶת° עַל־מְבוֹאֹת יָם Ezek. 27:3
כִּמְבוֹאֵי־ 24 בְּבֹאוֹ...כִּמְבוֹאֵי עִיר מְבֻקָּעָה Ezek. 26:10
וּמוֹבָאָיו 25 וּתְכוּנָתוֹ וּמוֹצָאָיו וּמוֹבָאָיו Ezek. 43:11

מְבוּכָה נ׳ בלבול: 1, 2
וּמְבוּכָה 1 יוֹם מְהוּמָה וּמְבוּסָה וּמְבוּכָה Is. 22:5
מְבוּכָתָם 2 עַתָּה תִהְיֶה מְבוּכָתָם Mic. 7:4

מַבּוּל ז׳ גשם שוטף וגדול: 1—13
קרובים: גֶּשֶׁם / דֶּלֶף / זַרְזִיף / זֶרֶם / מָטָר / רְבִיבִים / שְׂעִירִים
אַחַר הַמַּבּוּל 7-10; מֵי הַמַּבּוּל 3, 4, 6
מַבּוּל 1 וְלֹא־יִהְיֶה עוֹד מַבּוּל לְשַׁחֵת הָאָ׳ Gen. 9:11
הַמַּבּוּל 2 הִנְנִי מֵבִיא אֶת־הַמַּבּוּל Gen. 6:17
3 וַיָּבֹא נֹחַ...מִפְּנֵי מֵי הַמַּבּוּל Gen. 7:7
4 וּמֵי הַמַּבּוּל הָיוּ עַל־הָאָרֶץ Gen. 7:10
5 וַיְהִי הַמַּבּוּל אַרְבָּעִים יוֹם עַל־הָאָ׳ Gen. 7:17
6 וְלֹא־יִכָּרֵת...מִמֵּי הַמַּבּוּל Gen. 9:11
7 וַיְחִי־נֹחַ אַחַר הַמַּבּוּל Gen. 9:28
8 וַיִּוָּלְדוּ לָהֶם בָּנִים אַחַר הַמַּבּוּל Gen. 10:1
9 וּמֵאֵלֶּה נִפְרְדוּ הַגּוֹיִם...אַחַר הַמַּ׳ Gen. 10:32
10 שְׁנָתַיִם אַחַר הַמַּבּוּל Gen. 11:10
וְהַמַּבּוּל 11 וְהַמַּבּוּל הָיָה מַיִם עַל־הָאָרֶץ Gen. 7:6
לְמַבּוּל 12 וְלֹא־יִהְיֶה עוֹד הַמַּיִם לְמַבּוּל Gen. 9:15
לַמַּבּוּל 13 יְיָ לַמַּבּוּל יָשָׁב Ps. 29:10

מְבוּסָה נ׳ מרמס: 1-3
וּמְבוּסָה 1/2 גּוֹי קַו־קָו וּמְבוּסָה Is. 18:2, 7
3 יוֹם מְהוּמָה וּמְבוּסָה וּמְבוּכָה Is. 22:5

מַבּוּעַ ז׳ מעין נובע: 1–3 • מַבּוּעֵי מַיִם 3,2
הַמַּבּוּעַ 1 וְתִשָּׁבֶר כַּד עַל־הַמַּבּוּעַ Eccl. 12:6
מַבּוּעֵי־ 2 וְעַל־מַבּוּעֵי מַיִם יְנַהֲלֵם Is. 49:10
לְמַבּוּעֵי־ 3 וְצִמָּאוֹן לְמַבּוּעֵי מָיִם Is. 35:7

מְבוּקָה נ׳ שממה
וּמְבוּקָה 1 בּוּקָה וּמְבוּקָה וּמְבֻלָּקָה Nah. 2:11

מְבוּשִׁים* ז״ר אברי הזכר
בִּמְבֻשָׁיו 1 וְשָׁלְחָה יָדָהּ וְהֶחֱזִיקָה בִּמְבֻשָׁיו Deut. 25:11

מִבְחוֹר ז׳ מבחר, מיטב: 1, 2
עִיר מִבְחוֹר 1; מִבְחוֹר בְּרוֹשִׁים 2
מִבְחוֹר 1 כָּל־עִיר מִבְצָר וְכָל־עִיר מִבְחוֹר IIK. 3:19
מִבְחוֹר־ 2 קוֹמַת אֲרָזָיו מִבְחוֹר בְּרֹשָׁיו IIK. 19:23

מִבְחָר¹* ז׳ מיטב, בחור: 1–12
– מִבְחַר אֲרָזִים 4; מ׳ בַּחוּרִים 10; מ׳ בְּנֵי אַשּׁוּר 5; מ׳ בְּרוֹשִׁים 3; מ׳ לְבָנוֹן 8; מ׳ נְדָרִים 1; מ׳ עֲמָקִים 2; מ׳ עֲצָמִים 6; מ׳ הַצֹּאן 7; מִבְחַר קְבָרִים 11; מ׳ שָׁלִשִׁים 9
– עַם מִבְחָרָיו 12
מִבְחַר־ 1 וְכֹל מִבְחַר נִדְרֵיכֶם Deut. 12:11
2 וַיְהִי מִבְחַר־עֲמָקַיִךְ מָלְאוּ רָכֶב Is. 22:7
3 קוֹמַת אֲרָזָיו מִבְחַר בְּרֹשָׁיו Is. 37:24
4 וְכָרְתוּ מִבְחַר אֲרָזֶיךָ Jer. 22:7
5 מִבְחַר בְּנֵי־אַשּׁוּר כֻּלָּם Ezek. 23:7
6 מִבְחַר עֲצָמִים מַלֵּא Ezek. 24:4
7 מִבְחַר הַצֹּאן לָקוֹחַ Ezek. 24:5
8 מִבְחַר וְטוֹב־לְבָנוֹן Ezek. 31:16
וּמִבְחַר־ 9 וּמִבְחַר שָׁלִשָׁיו טֻבְּעוּ בְיַם־סוּף Ex. 15:4
10 וּמִבְחַר בַּחוּרָיו יָרְדוּ לַטָּבַח Jer. 48:15
בְּמִבְחַר־ 11 בְּמִבְחַר קְבָרֵינוּ קְבֹר אֶת־מֵתֶךָ Gen. 23:6
מִבְחָרָיו 12 וּזְרֹעוֹת הַנֶּגֶב...וְעַם מִבְחָרָיו Dan. 11:15

מִבְחָר² שפ״ז – אחד מגבורי דוד
מִבְחָר 1 מִבְחָר בֶּן־הַגְרִי ICh. 11:38

מַבָּט* ז׳ צפיה, תקוה: 1–3
מֶבָּטָהּ 1 וְעֶקְרוֹן כִּי־הוֹבִישׁ מֶבָּטָהּ Zech. 9:5
מַבָּטֵנוּ 2 הִנֵּה־כֹה מַבָּטֵנוּ אֲשֶׁר נַסְנוּ שָׁם Is. 20:6
מַבָּטָם 3 וְחַתּוּ וָבֹשׁוּ מִכּוּשׁ מַבָּטָם Is. 20:5

מִבְטָא ז׳ מוצא פה: 1, 2
מִבְטָא־ 1–2 מִבְטָא שְׂפָתֶיהָ אֲשֶׁר אָסְרָה עַל־נַפְשָׁהּ Num. 30:7, 9

מִבְטָח ז׳ דבר או מקום לבטוח בו: 1–15
מִבְטַח בּוֹגֵד 2; מִבְטַח עֹז 4; מִשְׁכְּנוֹת מִבְטַחִים 14
מִבְטָח 1 מִבְטָח כָּל־קַצְוֵי־אֶרֶץ Ps. 65:6
2 מִבְטָח בּוֹגֵד בְּיוֹם צָרָה Prov. 25:19
לְמִבְטָח 3 וְלֹא יִהְיֶה־עוֹד...לְמִבְטָח מַזְכִּיר... Ezek. 29:16
מִבְטַח־ 4 בְּיִרְאַת יְיָ מִבְטַח־עֹז Prov. 14:26
מִבְטַחִי 5 אֲדֹנָי יְיָ מִבְטַחִי מִנְּעוּרָי Ps. 71:5
6 וְלַכֶּתֶם אָמַרְתִּי מִבְטַחִי Job 31:24
מִבְטַחֶךָ 7 לִהְיוֹת בַּייָ מִבְטַחֶךָ Prov. 22:19
מִבְטַחוֹ 8 וְהָיָה יְיָ מִבְטַחוֹ Jer. 17:7
9 אַשְׁרֵי הַגֶּבֶר אֲשֶׁר־שָׂם יְיָ מִבְטַחוֹ Ps. 40:5
10 וּבֵית עַכָּבִישׁ מִבְטַחוֹ Job 8:14
11 יִנָּתֵק מֵאָהֳלוֹ מִבְטַחוֹ Job 18:14
מִבְטֶחָה 12 עִיר גִּבֹּרִים...וַיֹּרֶד עֹז מִבְטֶחָה Prov. 21:22
מִבְטֶחָם 13 כַּאֲשֶׁר־בֹּשׁוּ...מִבֵּית אֵל מִבְטֶחָם Jer. 48:13
מִבְטַחִים 14 וּבְמִשְׁכְּנוֹת מִבְטַחִים וּבִמְנוּחֹת... Is. 32:18
בְּמִבְטַחַיִךְ 15 כִּי־מָאַס יְיָ בְּמִבְטַחַיִךְ Jer. 2:37

מַבְלִיגִית* נ׳ התאפקות
מַבְלִיגִיתִי 1 מַבְלִיגִיתִי עֲלֵי יָגוֹן עָלַי לִבִּי דַוָּי Jer. 8:18

מְבֻלָּקָה ת׳ שממה, חורבן [עין גם בלק]
וּמְבֻלָּקָה 1 בּוּקָה וּמְבוּקָה וּמְבֻלָּקָה Nah. 2:11

מִבְנֶה* ז׳ בנין
כְּמִבְנֵה־ 1 וְעָלָיו כְּמִבְנֵה־עִיר מִנֶּגֶב Ezek. 40:2

מְבֻנַּי שפ״ז – מגבורי דוד, הוא כנראה סִבְּכַי (ICh. 11:29)
מְבֻנַּי 1 אֲבִיעֶזֶר הָעַנְּתֹתִי מְבֻנַּי הַחֻשָׁתִי IISh. 23:27

מִבְצָר¹ ז׳ מצודה, מקום מבוצר: 1–37
קרובים: בַּחַן / מִגְדָּל / מִלּוֹא / מָעוֹז / מָצָד / מְצָדָה / מְצוּדָה / מִקְלָט / מִשְׂגָּב / עֹפֶל
עִיר (עָרֵי) מִבְצָר 1–7, 9, 11, 14–20, 27; מִבְצַר חוֹמוֹת 22; מ׳ צֹר 20, 21; עִיר מִבְצָרוֹת 37; מִבְצְרֵי בַת־יְהוּדָה 25; מִבְצְרֵי מָעֻזִּים 26
מִבְצָר 1 עָרֵי מִבְצָר וְגִדְרֹת צֹאן Num. 32:36
2 וְעָרֵי מִבְצָר הַצִּדִּים צֵר וְחַמַּת Josh. 19:35
3 מֵעִיר מִבְצָר וְעַד כֹּפֶר הַפְּרָזִי ISh. 6:18
4 וְהִכִּיתֶם כָּל־עִיר מִבְצָר IIK. 3:19
5 וְעִיר מִבְצָר וְהַנָּשֶׁק IIK. 10:2
6/7 מִמִּגְדַּל נוֹצְרִים עַד־עִיר מִבְ׳ IIK. 17:9; 18:8
8 וְנִשְׁבַּת מִבְצָר מֵאֶפְרַיִם Is. 17:3
9 הִנֵּה נְתַתִּיךָ הַיּוֹם לְעִיר מִבְצָר Jer. 1:18
10 בָּחוֹן נְתַתִּיךָ בְעַמִּי מִבְצָר Jer. 6:27
11 נִשְׁאֲרוּ בְּעָרֵי יְהוּדָה עָרֵי מִבְצָר Jer. 34:7
12 וְשֹׁד עַל־מִבְצָר יָבוֹא Am. 5:9
13 הוּא לְכָל־מִבְצָר יִשְׂחָק Hab. 1:10
14 מִי יֹבִלֵנִי עִיר מִבְצָר Ps. 108:11
הַמִּבְצָר 15 וְיָשַׁב טַפֵּנוּ בְּעָרֵי הַמִּבְצָר Num. 32:17
16 וַיָּבֹאוּ אֶל־עָרֵי הַמִּבְצָר Josh. 10:20
17 הֵאָסְפוּ וְנָבוֹאָה אֶל־עָרֵי הַמִּבְצָר Jer. 4:5
18 הֵאָסְפוּ וְנָבוֹא אֶל־עָרֵי הַמִּבְצָר Jer. 8:14
19 בְּעָרֵי הַמִּבְצָר בְּכָל־יְהוּדָה IICh. 17:19
מִבְצַר־ 20 וְעַד עִיר מִבְצַר־צֹר Josh. 19:29
21 וַיָּבֹאוּ מִבְצַר־צֹר IISh. 24:7
וּמִבְצַר־ 22 וּמִבְצַר מִשְׂגַּב חוֹמֹתֶיךָ הֵשַׁח Is. 25:12
מִבְצָרִים 23 וְעַל מִבְצָרִים יְחַשֵּׁב מַחְשְׁבֹתָיו Dan. 11:24
בְּמִבְצָרִים 24 הַבְּמַחֲנִים אִם בְּמִבְצָרִים Num. 13:19
מִבְצְרֵי־ 25 הָרַס בְּעֶבְרָתוֹ מִבְצְרֵי בַת־יְהוּדָה Lam. 2:2
לְמִבְצְרֵי־ 26 וְעָשָׂה לְמִבְצְרֵי מָעֻזִּים Dan. 11:39
מִבְצָרֶיךָ 27 יְרֹשֵׁשׁ עָרֵי מִבְצָרֶיךָ Jer. 5:17
28 וְכָל־מִבְצָרֶיךָ יוּשַּׁד Hosh. 10:14
29 וְהָרַסְתִּי כָּל־מִבְצָרֶיךָ Mic. 5:10
מִבְצָרָיִךְ 30 כִּי־שֹׁדֵד...שִׁחֵת מִבְצָרָיִךְ Jer. 48:18
31 כָּל־מִבְצָרַיִךְ תְּאֵנִים עִם־בִּכּוּרִים Nah. 3:12
מִבְצָרָיִךְ 32 חַזְּקִי מִבְצָרָיִךְ Nah. 3:14
מִבְצָרָיו 33 שַׂמְתָּ מִבְצָרָיו מְחִתָּה Ps. 89:41
34 בִּלַּע...שִׁחֵת מִבְצָרָיו Lam. 2:5
בְּמִבְצָרֶיהָ 35 קִמּוֹשׂ וָחוֹחַ בְּמִבְצָרֶיהָ Is. 34:13
מִבְצְרֵיהֶם 36 מִבְצְרֵיהֶם תְּשַׁלַּח בָּאֵשׁ IIK. 8:12
מִבְצָרוֹת 37 וְלָכַד עִיר מִבְצָרוֹת Dan. 11:15

מִבְצָר² שפ״ז – מאלופי אדום: 1, 2
מִבְצָר 1 אַלּוּף תֵּימָן אַלּוּף מִבְצָר Gen. 36:42
2 אַלּוּף תֵּימָן אַלּוּף מִבְצָר ICh. 1:53

מִבְרָח ז׳ קהל הבורחים
מִבְרָחָיו 1 וְאֵת כָּל־מִבְרָחָו בְּכָל־אֲגַפָּיו Ezek. 17:21

מְבֻשִׁים ז״ר – עין מְבוּשִׁים

מְבַשְּׁלוֹת נ״ר מקום שפיתת סירים לבשול
וּמְבַשְּׁלוֹת 1 וּמְבַשְּׁלוֹת עָשׂוּי מִתַּחַת הַטִּירוֹת Ezek. 46:23

מִבְשָׂם שפ״ז א) איש מזרע שמעון: 1
ב) מנשיאי שבטי ישמעאל: 2, 3
מִבְשָׂם 1 שַׁלֻּם בְּנוֹ מִבְשָׂם בְּנוֹ... ICh. 4:25
וּמִבְשָׂם 2 נְבָיֹת וְקֵדָר וְאַדְבְּאֵל וּמִבְשָׂם Gen. 25:13
3 נְבָיוֹת וְקֵדָר וְאַדְבְּאֵל וּמִבְשָׂם ICh. 1:29

מְבַשֵּׂר ז׳ מודיע, מגיד – עין בִּשֵּׂר (7-16)

מָג ז׳ כהן־קוסם בפרס ומדי, רַב־מָג – ראש האמגושים
רַב־מָג 1 נֵרְגַל שַׂר־אֶצֶר רַב־מָג Jer. 39:3

מַגְבִּישׁ עיר ביהודה שאליה שבו העולים עם זרובבל
מַגְבִּישׁ 1 בְּנֵי מַגְבִּישׁ מֵאָה חֲמִשִּׁים וְשִׁשָּׁה Ez. 2:30

מִגְבָּלֹת* נ׳ מקלעת (?)
מִגְבָּלֹת 1 מִגְבָּלֹת תַּעֲשֶׂה אֹתָם מַעֲשֵׂה עֲבֹת Ex. 28:14

מִגְבָּעַת* נ׳ כובע לכהנים הדיוטות: 1–4
פַּאֲרֵי מִגְבָּעוֹת 4
מִגְבָּעוֹת 1 וְחָבַשְׁתָּ לָהֶם מִגְבָּעֹת Ex. 29:9
2 וַיַּחֲבֹשׁ לָהֶם מִגְבָּעוֹת Lev. 8:13
וּמִגְבָּעוֹת 3 וּמִגְבָּעוֹת תַּעֲשֶׂה לָהֶם Ex. 28:40
הַמִּגְבָּעוֹת 4 וְאֶת־פַּאֲרֵי הַמִּגְבָּעֹת שֵׁשׁ Ex. 39:28

מֶגֶד* ז׳ מותק, ברכה: 1–8
מֶגֶד אֶרֶץ 5; מ׳ גְּבָעוֹת 4; מ׳ גֶּרֶשׁ 3; מ׳ שָׁמַיִם 1; מֶגֶד תְּבוּאוֹת 2; פְּרִי מְגָדִים 6, 8
מִמֶּגֶד־ 1 מִמֶּגֶד שָׁמַיִם מִטָּל Deut. 33:13
וּמִמֶּגֶד־ 2 וּמִמֶּגֶד תְּבוּאֹת שָׁמֶשׁ Deut. 33:14
3 וּמִמֶּגֶד גֶּרֶשׁ יְרָחִים Deut. 33:14
4 וּמִמֶּגֶד גִּבְעוֹת עוֹלָם Deut. 33:15
5 וּמִמֶּגֶד אֶרֶץ וּמְלֹאָהּ Deut. 33:16
מְגָדִים 6 פַּרְדֵּס רִמּוֹנִים עִם פְּרִי מְגָדִים S.ofS. 4:13
7 וְעַל־פְּתָחֵינוּ כָּל־מְגָדִים S.ofS. 7:14
מְגָדָיו 8 יָבֹא דוֹדִי לְגַנּוֹ וְיֹאכַל פְּרִי מְגָדָיו S.ofS.4:16

מְגִדּוֹ עיר מבצר כנענית שנפלה בנחלת מנשה, על שפת נחל קישון: 1–11
בִּקְעַת מְגִדּוֹ 8; יוֹשְׁבֵי מְגִדּוֹ 2, 3; מֵי מְגִדּוֹ 4; מֶלֶךְ מְגִדּוֹ 1
מְגִדּוֹ 1 מֶלֶךְ מְגִדּוֹ אֶחָד Josh. 12:21
2 וְיֹשְׁבֵי מְגִדּוֹ וּבְנוֹתֶיהָ Josh. 17:11
3 וְאֶת־יוֹשְׁבֵי מְגִדּוֹ וְאֶת־בְּנוֹתֶיהָ Jud. 1:27
4 בְּתַעְנַךְ עַל־מֵי מְגִדּוֹ Jud. 5:19
5 לִבְנוֹת...וְאֶת־מְגִדּוֹ וְאֶת־גָּזֶר IK. 9:15
6 וַיָּנָס מְגִדּוֹ וַיָּמָת שָׁם IIK. 9:27
7 תַּעְנַךְ וּבְנֹתֶיהָ מְגִדּוֹ וּבְנוֹתֶיהָ ICh. 7:29
8 וַיָּבֹא לְהִלָּחֵם בְּבִקְעַת מְגִדּוֹ IICh. 35:22
וּמְגִדּוֹ 9 בַּעֲנָא...תַּעְנַךְ וּמְגִדּוֹ IK. 4:12
בִּמְגִדּוֹ 10 וַיְמִיתֵהוּ בִּמְגִדּוֹ כִּרְאֹתוֹ אֹתוֹ IIK. 23:29
מִמְּגִדּוֹ 11 וַיַּרְכִּבֻהוּ עֲבָדָיו מֵת מִמְּגִדּוֹ IIK. 23:30

מִגְדּוֹל¹ (ש״ב כבו 51) – עין גדל (מס׳ 101)

מִגְדּוֹל² עיר בצפון מצרים התחתונה: 1–6
מִגְדֹּל 1 וְיַחֲנוּ...בֵּין מִגְדֹּל וּבֵין הַיָּם Ex. 14:2
2 וַיִּסְעוּ...וַיַּחֲנוּ לִפְנֵי מִגְדֹּל Num. 33:7

בְּמִגְדּוֹל 3 בְּמִגְדֹּל וּבְתַחְפַּנְחֵס וּבְנֹף Jer. 44:1
4 הַגִּידוּ בְמִצְרַיִם וְהַשְׁמִיעוּ בְמִגְדּוֹל Jer. 46:14
מִמִּגְדּוֹל 5 מִמִּגְדֹּל סְוֵנֵה וְעַד־גְּבוּל כּוּשׁ Ezek. 29:10
6 מִמִּגְדֹּל סְוֵנֵה בַּחֶרֶב יִפְּלוּ־בָהּ Ezek. 30:6

מְגִדּוֹן היא מְגִדּוֹ
מְגִדּוֹן 1 כְּמִסְפַּד הֲדַדְרִמּוֹן בְּבִקְעַת מְגִדּוֹן Zech. 12:11

מַגְדִּיאֵל מאלופי אדום: 1, 2
מַגְדִּיאֵל 1 אַלּוּף מַגְדִּיאֵל אַלּוּף עִירָם Gen. 36:43
2 אַלּוּף מַגְדִּיאֵל אַלּוּף עִירָם ICh. 1:54

מִגְדָּל ז' בנין גבוה מבוצר: 1-34 [עין עוד להלן השמות: מִגְדַּל־אֵל, מִגְדַּל־גָּד, מִגְדַּל דָּוִיד וכו']
קרובים: ראה מִבְצָר
– מִגְדָּל גָּבֹהַּ 1; חוֹמָה וּמִגְדָּל 23; גַּג הַמִּגְדָּל 6; פֶּתַח הַמִּגְדָּל 8
– מִגְדַּל נוֹצְרִים 18, 19; מִגְדַּל עֹז 13, 14, 16; מִגְדַּל עֵץ 15; מִגְדַּל הַשֵּׁן 17;
– מִגְדָּלוֹת מֶרְקָחִים 32
מִגְדָּל 1 וְעַל כָּל־מִגְדָּל גָּבֹהַּ Is. 2:15
2 וַיִּבֶן מִגְדָּל בְּתוֹכוֹ Is. 5:2
וּמִגְדָּל 3 נִבְנֶה־לָּנוּ עִיר וּמִגְדָּל Gen. 11:4
הַמִּגְדָּל 4 לִרְאֹת אֶת־הָעִיר וְאֶת־הַמִּגְדָּל Gen. 11:5
5 אֶתֹּץ אֶת־הַמִּגְדָּל הַזֶּה Jud. 8:9
6 וַיַּעֲלוּ עַל־גַּג הַמִּגְדָּל Jud. 9:51
7 וַיָּבֹא אֲבִימֶלֶךְ עַד־הַמִּגְדָּל וַיִּלָּחֶם Jud. 9:52
8 וַיִּגַּשׁ עַד־פֶּתַח הַמִּגְדָּל Jud. 9:52
9 וְהַצֹּפֶה עֹמֵד עַל־הַמִּגְדָּל IIK. 9:17
10 מִנֶּגֶד הַמִּגְדָּל הַגָּדוֹל הַיּוֹצֵא Neh. 3:27
וְהַמִּגְדָּל 11 וְהַמִּגְדָּל הַיּוֹצֵא מִבֵּית הַמֶּלֶךְ Neh. 3:25
12 עַד נֶגֶד...וְהַמִּגְדָּל הַיּוֹצֵא Neh. 3:26
מִגְדַּל־ 13 מִגְדַּל־עֹז מִפְּנֵי אוֹיֵב Ps. 61:4
14 מִגְדַּל־עֹז שֵׁם יְיָ Prov. 18:10
15 עַל־מִגְדַּל־עֵץ אֲשֶׁר עָשׂוּ לַדָּבָר Neh. 8:4
וּמִגְדַּל־ 16 וּמִגְדַּל־עֹז הָיָה בְתוֹךְ־הָעִיר Jud. 9:51
כְּמִגְדַּל־ 17 צַוָּארֵךְ כְּמִגְדַּל הַשֵּׁן S.ofS. 7:5
מִמִּגְדַּל־ 18/9 מִמִּגְדַּל נוֹצְרִים עַד־עִיר... IIK. 17:9; 18:8
מִגְדָּלִים 20 בְּיוֹם הֶרֶג רָב בִּנְפֹל מִגְדָּלִים Is. 30:25
21 וַיִּבֶן עֻזִּיָּהוּ מִגְדָּלִים בִּירוּשָׁלַ͏ִם IICh. 26:9
22 וַיִּבֶן מִגְדָּלִים בַּמִּדְבָּר IICh. 26:10
וּמִגְדָּלִים 23 וְנָסֵב חוֹמָה וּמִגְדָּלִים IICh. 14:6
24 וּבֶחֳרָשִׁים בָּנָה בִּירָנִיּוֹת וּמִגְדָּלִים IICh. 27:4
הַמִּגְדָּלִים 25 אַיֵּה סֹפֵר אֶת־הַמִּגְדָּלִים Is. 33:18
26 עַל־הַמִּגְדָּלִים וְעַל־הַפִּנּוֹת IICh. 26:15
מִגְדָּלֶיהָ 27 וְשִׁחֲתוּ חֹמוֹת צֹר וְהָרְסוּ מִגְדָּלֶיהָ Ezek. 26:4
28 סֹבּוּ צִיּוֹן...סִפְרוּ מִגְדָּלֶיהָ Ps. 48:13
הַמִּגְדָּלוֹת 29 וַיַּעַל עַל־הַמִּגְדָּלוֹת IICh. 32:5
וּבַמִּגְדָּלוֹת 30 בֶּעָרִים וּבַכְּפָרִים וּבַמִּגְדָּלוֹת ICh. 27:25
כַּמִּגְדָּלוֹת 31 אֲנִי חוֹמָה וְשָׁדַי כַּמִּגְדָּלוֹת S.ofS. 8:10
מִגְדְּלוֹת־ 32 כַּעֲרוּגַת הַבֹּשֶׂם מִגְדְּלוֹת מֶרְקָחִים S.ofS. 5:13
וּמִגְדְּלֹתַיִךְ 33 וּמִגְדְּלֹתַיִךְ יִתֹּץ בְּחַרְבוֹתָיו Ezek. 26:9
בְּמִגְדְּלוֹתַיִךְ 34 וְגַמָּדִים בְּמִגְדְּלוֹתַיִךְ הָיוּ Ezek. 27:11

מִגְדָּל עין מִגְדּוֹל2

מִגְדַּל־אֵל עיר בצורה בצפון נחלת נפתלי
וּמִגְדַּל־אֵל 1 וְיִרְאוֹן וּמִגְדַּל־אֵל... Josh. 19:38

מִגְדַּל־גָּד עיר בשפלת יהודה
וּמִגְדַּל־גָּד 1 צְנָן וַחֲדָשָׁה וּמִגְדַּל־גָּד Josh. 15:37

מִגְדַּל דָּוִיד אחד ממגדלי ירושלים בעיר דוד
כְּמִגְדַּל דָּוִיד 1 כְּמִגְדַּל דָּוִיד צַוָּארֵךְ S.ofS. 4:4

מִגְדַּל חֲנַנְאֵל שם מגדל בירושלים: 1–4
מִגְדַּל חֲנַ' 1 עַד מִגְדַּל חֲנַנְאֵל Neh. 3:1
וּמִגְדַּל חֲנַ' 2 עַד־שַׁעַר הַפִּנִּים וּמִגְדַּל חֲנַנְאֵל Zech. 14:10
3 וּמִגְדַּל חֲנַנְאֵל וּמִגְדַּל הַמֵּאָה Neh. 12:39
מִמִּגְדַּל חֲנַ' 4 מִמִּגְדַּל חֲנַנְאֵל עַד־שַׁעַר הַפִּנָּה Jer. 31:38(37)

מִגְדַּל הַלְּבָנוֹן שם אחד מהרי לבנון (?)
כְּמִגְדַּל הַלְּ' 1 כְּמִגְדַּל הַלְּבָנוֹן צוֹפֶה פְּנֵי דַמָּשֶׂק S.ofS. 7:5

מִגְדַּל הַמֵּאָה שם מגדל בירושלים: 1,2
מִגְדַּל הַמֵּ' 1 וְעַד־מִגְדַּל הַמֵּאָה קִדְּשׁוּהוּ Neh. 3:1
וּמִגְדַּל הַמֵּ' 2 וּמִגְדַּל חֲנַנְאֵל וּמִגְדַּל הַמֵּאָה Neh. 12:39

מִגְדַּל־עֵדֶר מקום ביהודה: 1, 2
מִגְדַּל־עֵדֶר 1 מִגְדַּל־עֵדֶר עֹפֶל בַּת־צִיּוֹן Mic. 4:8
לְמִגְדַּל־עֵדֶר 2 וַיֵּט...מֵהָלְאָה לְמִגְדַּל־עֵדֶר Gen. 35:21

מִגְדַּל פְּנוּאֵל שם מגדל בשכם
מִגְדַּל פְּנוּאֵל 1 וְאֶת־מִגְדַּל פְּנוּאֵל נָתָץ Jud. 8:17

מִגְדַּל־שְׁכֶם שם מגדל בשכם: 1-3
מִגְדַּל־שְׁכֶם 1/2 כָּל־בַּעֲלֵי מִגְדַּל־שְׁכֶם Jud. 9:46, 47
3 כָּל־אַנְשֵׁי מִגְדַּל־שְׁכֶם Jud. 9:49

מִגְדַּל הַתַּנּוּרִים שם מגדל בירושלים: 1,2
מִגְדַּל הַתַּ' 1 וְאֵת מִגְדַּל הַתַּנּוּרִים Neh. 3:11
לְמִגְדַּל הַתַּ' 2 מֵעַל לְמִגְדַּל הַתַּנּוּרִים Neh. 12:38

מִגְדָּנוֹת ז"ר מתנות: 1–4
וּמִגְדָּנֹת 1 וּמִגְדָּנֹת נָתַן לְאָחִיהָ וּלְאִמָּהּ Gen. 24:53
2 וְרַבִּים מְבִיאִים מִנְחָה...וּמִגְדָּנוֹת IICh. 32:23
וּבַמִּגְדָּנוֹת 3 בִּכְלֵי־כֶסֶף...וּבַבְּהֵמָה וּבַמִּגְדָּנוֹת Ez. 1:6
וּלְמִגְדָּנוֹת 4 מַתָּנוֹת רַבּוֹת לְכֶסֶף...וּלְמִגְדָּנוֹת IICh. 21:3

מָגוֹג שפ"ז – א) מבני יפת: 1, 2
ב) על שמו שם עם וארץ באסיה: 3, 4
וּמָגוֹג 1/2 בְּנֵי יֶפֶת גֹּמֶר וּמָגוֹג... Gen. 10:2 • ICh. 1:5
בְּמָגוֹג 3 וְשִׁלַּחְתִּי־אֵשׁ בְּמָגוֹג... Ezek. 39:6
הַמָּגוֹג 4 שִׂים פָּנֶיךָ אֶל־גּוֹג אֶרֶץ הַמָּגוֹג Ezek. 38:2

מָגוֹר ז' פחד: 1–8
קרובים: ראה אֵימָה • מָגוֹר מִסָּבִיב 1-6
מָגוֹר 1 כִּי חֶרֶב לָאֹיֵב מָגוֹר מִסָּבִיב Jer. 6:25
2 לֹא פַשְׁחוּר...כִּי אִם־מָגוֹר מִסָּבִיב Jer. 20:3
6-3 מָגוֹר מִסָּבִיב Jer. 20:10; 40:51; 49:29
Ps. 31:14
לְמָגוֹר 7 הִנְנִי נֹתֶנְךָ לְמָגוֹר לְךָ Jer. 20:4
מִמָּגוֹר 8 וְסַלְעוֹ מִמָּגוֹר יַעֲבוֹר Is. 31:9

מָגוֹר* ז' א) מקום מושב, משכן: 1, 3, 7
ב) שהיה במקום: 2, 4-6, 8-11
אֶרֶץ מְגוּרִים 5, 6, 8, 10, 11; בֵּית מְגוּרִים 4; יְמֵי מְגוּרִים 9; שְׁנֵי מְגוּרָיו 2
בִּמְגוּרָם 1 כִּי־רָעוֹת בִּמְגוּרָם בְּקִרְבָּם Ps. 55:16
מְגוּרַי 2 יְמֵי שְׁנֵי מְגוּרַי...מְעַט וְרָעִים Gen. 47:9
3 תִּקְרָא כְיוֹם מוֹעֵד מְגוּרַי מִסָּבִיב Lam. 2:22
מְגוּרָי 4 זְמִרוֹת הָיוּ־לִי חֻקֶּיךָ בְּבֵית מְגוּרָי Ps. 119:54
מְגֻרֶיךָ 5 וְנָתַתִּי לְךָ...אֵת אֶרֶץ מְגֻרֶיךָ Gen. 17:8
6 לְרִשְׁתְּךָ אֶת־אֶרֶץ מְגֻרֶיךָ Gen. 28:4
בִּמְגוּרָיו 7 וְאֵין שָׂרִיד בִּמְגוּרָיו Job 18:19
מְגוּרֵיהֶם 8 וְלֹא יָכְלָה אֶרֶץ מְגוּרֵיהֶם לָשֵׂאת Gen. 36:7
9 וְלֹא הִשִּׂיגוּ...בִּימֵי מְגוּרֵיהֶם Gen. 47:9
10 אֶרֶץ מְגֻרֵיהֶם אֲשֶׁר־גָּרוּ בָהּ Ex. 6:4
11 מֵאֶרֶץ מְגוּרֵיהֶם אוֹצִיא אוֹתָם Ezek. 20:38

מְגוֹרָה*, מְגוּרָה*1 נ' מָגוֹר, פחד: 1–3
קרובים: ראה אֵימָה
מְגוֹרַת־ 1 מְגוֹרַת רָשָׁע הִיא תְבוֹאֶנּוּ Prov. 10:24
מְגוּרוֹתַי 2 וּמִכָּל מְגוּרוֹתַי הִצִּילָנִי Ps. 34:5
וּמְגוּרֹתָם 3 וּמְגוּרֹתָם אָבִיא לָהֶם Is. 66:4

מְגוּרָה2 נ' אסם, מקום אגירת תבואה [עין גם מַמְּגֻרָה]
בַּמְּגוּרָה 1 הַעוֹד הַזֶּרַע בַּמְּגוּרָה Hag. 2:19

מְגוּרֵי (יחזקאל כא17) – עין מָגַר

מַגְזֵרָה* נ' מכשיר גזירה
וּבְמַגְזְרֹת־ 1 וּבַחֲרִצֵי הַבַּרְזֶל וּבְמַגְזְרֹת הַבַּרְזֶל IISh. 12:31

מַגִּיד ז' מודיע, מבשר – עין נגד

מַגִּישׁ (מלאכי ב12) – עין נגש

מַגָּל ז' כלי לקצירת שבלים: 2,1 • קרוב: חֶרְמֵשׁ
מַגָּל 1 וְתֹפֵשׂ מַגָּל בְּעֵת קָצִיר Jer. 50:16
2 שִׁלְחוּ מַגָּל כִּי בָשַׁל קָצִיר Joel 4:13

מְגִלָּה1 נ' ספר־יריעות גולל: 1–21
קרובים: אִגֶּרֶת / מִכְתָּב / נִשְׁתְּוָן / סֵפֶר / פַּתְשֶׁגֶן
מְגִלָּה עָפָה 3, 4; מְגִלַּת סֵפֶר 18–21
מְגִלָּה 1 שׁוּב קַח־לְךָ מְגִלָּה אַחֶרֶת Jer. 36:28
2 וְיִרְמְיָה לָקַח מְגִלָּה אַחֶרֶת Jer. 36:32
3 וְהִנֵּה מְגִלָּה עָפָה Zech. 5:1
4 וָאֹמַר אֲנִי רֹאֶה מְגִלָּה עָפָה Zech. 5:2
הַמְּגִלָּה 5 הַמְּגִלָּה אֲשֶׁר קָרָאתָ...בְּאָזְנֵי הָעָם Jer. 36:14
6 וַיִּקַּח בָּרוּךְ...אֶת־הַמְּגִלָּה בְּיָדוֹ Jer. 36:14
7 וְאֶת־הַמְּגִלָּה הִפְקִדוּ Jer. 36:20
8 וַיִּשְׁלַח...לָקַחַת אֶת־הַמְּגִלָּה Jer. 36:21
9 עַד־תֹּם כָּל־הַמְּגִלָּה עַל־הָאֵשׁ Jer. 36:23
10 לְבִלְתִּי שְׂרֹף אֶת־הַמְּגִלָּה Jer. 36:25
11 אַחֲרֵי שְׂרֹף הַמֶּלֶךְ אֶת־הַמְּגִלָּה Jer. 36:27
12 אֲשֶׁר הָיוּ עַל־הַמְּגִלָּה הָרִאשֹׁנָה Jer. 36:28
13 אַתָּה שָׂרַפְתָּ אֶת־הַמְּגִלָּה הַזֹּאת Jer. 36:29
16-14 הַמְּגִלָּה הַזֹּאת Ezek. 3:1, 2, 3
בַמְּגִלָּה 17 וְקָרָאתָ בַמְּגִלָּה אֲשֶׁר־כָּתַבְתָּ מִפִּי Jer. 36:6
מְגִלַּת־ 18 קַח...מְגִלַּת־סֵפֶר וְכָתַבְתָּ אֵלֶיהָ Jer. 36:2
19 וַיִּכְתֹּב בָּרוּךְ...עַל־מְגִלַּת־סֵפֶר Jer. 36:4
20 וְהִנֵּה־בוֹ מְגִלַּת־סֵפֶר Ezek. 2:9
בִּמְגִלַּת־ 21 הִנֵּה־בָאתִי בִּמְגִלַּת־סֵפֶר Ps. 40:8

מְגִלָּה2 נ' ארמית, כמו בעברית
מְגִלָּה 1 וְהִשְׁתְּכַח בְּאַחְמְתָא...מְגִלָּה חֲדָה Ez. 6:2

מְגַמָּה* נ' שאיפה
מְגַמַּת־ 1 מְגַמַּת פְּנֵיהֶם קָדִימָה Hab. 1:9

מָגֵן פ' מסר, הסגיר: 1–3
מִגֵּן 1 אֲשֶׁר־מִגֵּן צָרֶיךָ בְּיָדֶךָ Gen. 14:20
אֲמַגֶּנְךָ 2 אֵיךְ אֶתֶּנְךָ אֶפְרַיִם אֲמַגֶּנְךָ יִשְׂרָאֵל Hosh. 11:8
תְּמַגְּנֶךָּ 3 תִּתֵּן...עֲטֶרֶת תִּפְאֶרֶת תְּמַגְּנֶךָּ Prov. 4:9

מָגֵן

ז׳ א) שריון: 2, 4–11, 14, 15, 17, 18, 20–24, 26–29, 31, 32, 35, 49, 51–63

ב) [בהשאלה] מחסה: 1, 3, 12, 13, 16, 19, 25, 30, 33, 34, 36–38, 48–50

קרובים: מְצִחָה / סוֹחֵרָה / סִרְיוֹן / צִנָּה / שֶׁלֶט / שִׁרְיָה / שִׁרְיוֹן / שִׁרְיָן / תַּחְרָא

– אֶלֶף הַמָּגֵן 29; מָגֵן גִּבּוֹרִים 31, 35; מָגֵן יִשְׁעוֹ 33, 34; מָגֵן עֶזְרוֹ 30; מָגֵן שָׁאוּל 32

– אִישׁ מָגֵן 17, 18; נֹשְׂאֵי מָגֵן 20, 21; תֹּפְשֵׂי מָגֵן 9

– אֲפִיקֵי מָגִנִּים 50; מָגִנֵּי זָהָב 56,59; מ׳ נְחֹשֶׁת 57,60

מָגֵן 1 אָנֹכִי מָגֵן לָךְ Gen. 15:1
2 מָגֵן אִם־יֵרָאֶה וָרֹמַח... Jud. 5:8
3 מָגֵן הוּא לְכֹל הַחֹסִים בּוֹ IISh. 22:31
4 וְלֹא־יְקַדְּמֶנָּה מָגֵן IIK. 19:32
5 קוּמוּ הַשָּׂרִים מִשְׁחוּ מָגֵן Is. 21:5
6 וְעֵילָם נָשָׂא אַשְׁפָּה...וְקִיר עֵרָה מָגֵן Is. 22:6
7 וְלֹא־יְקַדְּמֶנָּה מָגֵן Is. 37:33
8 עִרְכוּ מָגֵן וְצִנָּה Jer. 46:3
9 כּוּשׁ וּפוּט תֹּפְשֵׂי מָגֵן Jer. 46:9
10 מָגֵן וְכוֹבַע תִּלּוּ־בָךְ Ezek. 27:10
11 פָּרַס כּוּשׁ...כֻּלָּם מָגֵן וְכוֹבָע Ezek. 38:5
12 וְאַתָּה יְיָ מָגֵן בַּעֲדִי Ps. 3:4
13 מָגֵן הוּא לְכֹל הַחוֹסִים בּוֹ Ps. 18:31
14 הַחֲזֵק מָגֵן וְצִנָּה Ps. 35:2
15 שָׁמָּה שִׁבַּר...מָגֵן וְחֶרֶב וּמִלְחָמָה Ps. 76:4
16 מָגֵן לְהֹלְכֵי תֹם Prov. 2:7
17 וּמַחְסֹרְךָ כְּאִישׁ מָגֵן Prov. 6:11
18 וּמַחְסֹרֶיךָ כְּאִישׁ מָגֵן Prov. 24:34
19 מָגֵן הוּא לַחֹסִים בּוֹ Prov. 30:5
20 נֹשְׂאֵי מָגֵן וְחֶרֶב וְדֹרְכֵי קֶשֶׁת ICh. 5:18
21 נֹשְׂאֵי מָגֵן וְדֹרְכֵי קֶשֶׁת IICh. 14:7
וּמָגֵן 22 צִנָּה וּמָגֵן וְקוֹבַע יָשִׂימוּ עָלַיִךְ Ezek. 23:24
23 צִנָּה וּמָגֵן תֹּפְשֵׂי חֲרָבוֹת כֻּלָּם Ezek. 38:4
24 וְהִשִּׂיקוּ בְּנֶשֶׁק וּמָגֵן וְצִנָּה... Ezek. 39:9
25 כִּי שֶׁמֶשׁ וּמָגֵן יְיָ Ps. 84:12
26 וְעִמּוֹ נֹשְׁקֵי־קֶשֶׁת וּמָגֵן IICh. 17:17
הַמָּגֵן 27/8 ...יַעֲלֶה עַל־הַמָּגֵן הָא׳ IK. 10:17 • IICh. 9:16
29 אֶלֶף הַמָּגֵן תָּלוּי עָלָיו S.ofS. 4:4
מְגֵן־ 30 מָגֵן עֶזְרֶךָ וַאֲשֶׁר־חֶרֶב גַּאֲוָתֶךָ Deut. 33:29
31 כִּי שָׁם נִגְעַל מָגֵן גִּבּוֹרִים IISh. 1:21
32 מָגֵן שָׁאוּל בְּלִי מָשִׁיחַ בַּשָּׁמֶן IISh. 1:21
33/4 וַתִּתֶּן־לִי מָגֵן יִשְׁעֶךָ IISh. 22:36 • Ps. 18:36
35 מָגֵן גִּבֹּרֵיהוּ מְאָדָּם Nah. 2:4
מָגִנִּי 36/7 מָגִנִּי וְקֶרֶן יִשְׁעִי IISh. 22:3 • Ps. 18:3
38 מָגִנִּי עַל־אֱלֹהִים Ps. 7:11
39 וּמְפַלְטִי לִי מָגִנִּי וּבוֹ חָסִיתִי Ps. 144:2
וּמָגִנִּי 40 יְיָ עֻזִּי וּמָגִנִּי בּוֹ בָטַח לִבִּי Ps. 28:7
41 סִתְרִי וּמָגִנִּי אָתָּה Ps. 119:114
מָגִנֵּנוּ 42 מָגִנֵּנוּ אֲדֹנָי Ps. 59::12
43 מָגִנֵּנוּ רְאֵה אֱלֹהִים Ps. 84:10
44 כִּי לַיְיָ מָגִנֵּנוּ Ps. 89:19
וּמָגִנֵּנוּ 45 עֶזְרֵנוּ וּמָגִנֵּנוּ הוּא Ps. 33:20
וּמָגִנָּם 46–48 עֶזְרָם וּמָגִנָּם הוּא Ps. 115:9, 10, 11
מָגִנִּים 49 וּשְׁלֹשׁ־מֵאוֹת מָגִנִּים זָהָב שָׁחוּט IK. 10:17
50 גַּאֲוָה אֲפִיקֵי מָגִנִּים Job 41:7
51 וּשְׁלֹשׁ־מֵאוֹת מָגִנִּים זָהָב שָׁחוּט IICh. 9:16
52 מָגִנִּים וּרְמָחִים וְכוֹבָעִים IICh. 26:14
וּמָגִנִּים 53 וַיַּעַשׂ שֶׁלַח לָרֹב וּמָגִנִּים IICh. 32:5
הַמָּגִנִּים 54 וְהָרְמָחִים הַמָּגִנִּים וְהַקְּשָׁתוֹת Neh. 4:10
וּלְמָגִנִּים 55 וּלְמָגִנִּים וּלְכֹל כְּלֵי חֶמְדָּה IICh. 32:27
מָגִנֵּי־ 56 וַיִּקַּח אֶת־כָּל־מָגִנֵּי הַזָּהָב IK. 14:26

מָגִנֵּי־ (המשך) 57 וַיַּעַשׂ...תַּחְתָּם מָגִנֵּי נְחֹשֶׁת IK. 14:27
58 כִּי לֵאלֹהִים מָגִנֵּי־אֶרֶץ Ps. 47:10
59 וַיִּקַּח אֶת־מָגִנֵּי הַזָּהָב IICh. 12:9
60 וַיַּעַשׂ...תַּחְתֵּיהֶם מָגִנֵּי נְחֹשֶׁת IICh. 12:10
מָגִנָּיו 61 יָרוּץ...בַּעֲבִי גַּבֵּי מָגִנָּיו Job 15:26
מָגִנֶּיהָ 62 אָהֲבוּ הֵבוּ קָלוֹן מָגִנֶּיהָ Hosh. 4:18
הַמָּגִנּוֹת 63 וְאֶת־הַמָּגִנּוֹת וְאֶת־הַשְּׁלָטִים IICh. 23:9

מְגִנָּה*

נ׳ צרה, כאב • מְגִנַּת־לֵב 1

מְגִנַּת־לֵב 1 תִּתֵּן לָהֶם מְגִנַּת־לֵב Lam. 3:65

מִגְעֶרֶת

נ׳ מגרעת(?), חסרון

הַמִּגְעֶרֶת 1 אֶת־הַמְּהוּמָה וְאֶת־הַמִּגְעֶרֶת Deut. 28:20

מַגֵּפָה

נ׳ א) נגף, מחלה קשה: 2–26

ב) מכה, מהלומה: 1

קרובים: דֶּבֶר / דְּוַי / חֳלִי / מַחֲלָה / מַכָּה / נֶגַע / נֶגֶף / פֶּגַע / קֶטֶב

מַגֵּפָה אַחַת 2; מַגֵּפָה גְדוֹלָה 1, 5, 13; יוֹם הַמַּגֵּפָה 10; מַגֵּפַת הַסּוּס וְהַפֶּרֶד 25

מַגֵּפָה 1 וְגַם מַגֵּפָה גְדוֹלָה הָיְתָה בָעָם ISh. 4:17
2 כִּי־מַגֵּפָה אַחַת לְכֻלָּם ISh. 6:4
3 וְאָמַר הָיְתָה מַגֵּפָה בָּעָם IISh. 17:9
4 וַתִּפְרָץ־בָּם מַגֵּפָה Ps. 106:29
5 הִנֵּה יְיָ נֹגֵף מַגֵּפָה גְדוֹלָה בְּעַמֶּךָ IICh. 21:14
הַמַּגֵּפָה 6–9 וַתֵּעָצַר הַמַּגֵּפָה Num. 17:13; 25:8 IISh. 24:25 • Ps. 106:30
10 אֲחֹתָם הַמֻּכָּה בְיוֹם־הַמַּגֵּפָה Num. 25:18
11 וַיְהִי אַחֲרֵי הַמַּגֵּפָה Num. 26:1
12 וַתְּהִי הַמַּגֵּפָה בַּעֲדַת יְיָ Num. 31:16
13 וַתְּהִי־שָׁם הַמַּגֵּפָה גְּדוֹלָה IISh. 18:7
14/5 וְתֵעָצַר הַמַּגֵּפָה IISh. 24:21 • ICh. 21:22
16/7 הַמַּגֵּפָה אֲשֶׁר יִגֹּף יְיָ Zech. 14:12, 18
וְהַמַּגֵּפָה 18 וְהַמַּגֵּפָה נֶעֱצָרָה Num. 17:15
בְּמַגֵּפָה 19 הִנְנִי לֹקֵחַ מִמְּךָ...בְּמַגֵּפָה Ezek. 24:16
בַּמַּגֵּפָה 20 וַיָּמֻתוּ...בַּמַּגֵּפָה לִפְנֵי יְיָ Num. 14:37
21/2 וַיִּהְיוּ הַמֵּתִים בַּמַּגֵּפָה Num. 17:14; 25:9
כַּמַּגֵּפָה 23 וְכֵן תִּהְיֶה...כַּמַּגֵּפָה הַזֹּאת Zech. 14:15
לְמַגֵּפָה 24 וּבְעַמְּךָ לֹא לְמַגֵּפָה ICh. 21:17
מַגֵּפַת־ 25 וְכֵן תִּהְיֶה מַגֵּפַת הַסּוּס הַפֶּרֶד... Zech. 14:15
מַגֵּפוֹתַי 26 אֲנִי שֹׁלֵחַ אֶת־כָּל־מַגֵּפֹתַי אֶל־לִבְּךָ Ex. 9:14

מַגְפִּיעָשׁ

שפ״ז – מן החתומים על האמנה בימי נחמיה

מַגְפִּיעָשׁ 1 מַגְפִּיעָשׁ מְשֻׁלָּם חֵזִיר Neh. 10:21

(מָגַר)

פ׳ א) [רק בינוני: מְגוּרֵי־] המסורים: 1

ב) [פ׳ מִגֵּר] הטיל, השליך: 2

מְגוּרֵי־ 1 מְגוּרֵי אֶל־חֶרֶב הָיוּ אֶת־עַמִּי Ezek. 21:17
מִגַּרְתָּה 2 וְכִסְאוֹ לָאָרֶץ מִגַּרְתָּה Ps. 89:45

מגר

פ׳ ארמית, כמו בעברית

יְמַגַּר 1 וֵאלָהָא...יְמַגַּר כָּל־מֶלֶךְ וְעַם Ez. 6:12

מְגֵרָה

נ׳ מַשּׂוֹר: 1–4

בַּמְּגֵרָה 1 וַיָּשֶׂם בַּמְּגֵרָה וּבַחֲרִצֵי הַבַּרְזֶל IISh. 12:31
2 מְגֹרָרוֹת בַּמְּגֵרָה מִבַּיִת וּמִחוּץ IK. 7:9
3 וַיָּשַׂר בַּמְּגֵרָה וּבַחֲרִיצֵי הַבַּרְזֶל ICh. 20:3
וּבַמְּגֵרוֹת 4 וּבַחֲרִיצֵי הַבַּרְזֶל וּבַמְּגֵרוֹת ICh. 20:3

מִגְרוֹן

עיר בנחלת בנימין: 1, 2

בְּמִגְרוֹן 1 תַּחַת הָרִמּוֹן אֲשֶׁר בְּמִגְרוֹן ISh. 14:2
2 בָּא עַל־עַיַּת עָבַר בְּמִגְרוֹן Is. 10:28

מְגֻרִים

(מיכה א) – עין נגר

מִגְרַעַת*

נ׳ שקע

מִגְרָעוֹת 1 כִּי מִגְרָעוֹת נָתַן לַבַּיִת סָבִיב IK. 6:6

מֶגְרָפָה*

נ׳ גוש עפר

מֶגְרְפֹתֵיהֶם 1 עָבְשׁוּ פְרֻדוֹת תַּחַת מֶגְרְפֹתֵיהֶם Joel 1:17

מִגְרָשׁ

ז׳ שטח אדמה, חלקת אדמה: 1–110

מִגְרַשׁ (מִגְרְשֵׁי) עָרִים 5, 6, 8; עָרֵי מִגְרָשִׁים 98; מִגְרְשֵׁי שָׁרוֹן 9

מִגְרָשׁ 1 וַחֲמִשִּׁים אַמָּה מִגְרָשׁ לוֹ סָבִיב Ezek. 45:2
2 וְהָיָה מִגְרָשׁ לָעִיר צָפוֹנָה Ezek. 48:17
וּמִגְרָשׁ 3 וּמִגְרָשׁ לֶעָרִים סְבִיבֹתֵיהֶם Num. 35:2
וּלְמִגְרָשׁ 4 חֹל־הוּא לָעִיר לְמוֹשָׁב וּלְמִגְרָשׁ Ezek. 48:15
מִגְרַשׁ־ 5 וּשְׂדֵה מִגְרַשׁ עָרֵיהֶם Lev. 25:34
6 בִּשְׂדֵי מִגְרַשׁ עָרֵיהֶם IICh. 31:19
מִגְרָשָׁהּ 7 לְמַעַן מִגְרָשָׁהּ לָבַז Ezek. 36:5
מִגְרְשֵׁי־ 8 זֶה יִהְיֶה לָהֶם מִגְרְשֵׁי הֶעָרִים Num. 35:5
9 וּבְכָל־מִגְרְשֵׁי שָׁרוֹן עַל־תּוֹצְאוֹתָם ICh. 5:16
מִגְרָשֶׁיהָ 10 וְאֶת־מִגְרָשֶׁהָ סְבִיבֹתֶיהָ Josh. 21:11
11 אֶת־חֶבְרוֹן וְאֶת־מִגְרָשֶׁיהָ Josh. 21:13
12 וְאֶת־לִבְנָה וְאֶת־מִגְרָשֶׁיהָ Josh. 21:13
13–55 וְאֶת־מִגְרָשֶׁהָ Josh. 21:14², 15², 16³, 17², 18², 21², 22², 23², 24², 25², 27², 28², 29², 30², 31², 32³, 34², 35², 36², 37²
56–95 וְאֶת־מִגְרָשֶׁיהָ ICh. 6:40, 42², 43², 44², 45³, 52², 53², 54², 55², 56², 57², 58², 59², 60², 61³, 62², 63², 64², 65², 66²
וּמִגְרָשֶׁיהָ 96 עִיר עִיר וּמִגְרָשֶׁיהָ סְבִיבֹתֶיהָ Josh. 21:40
מִגְרְשֵׁיהֶם 97 אֶת־הֶעָרִים וְאֶת־מִגְרְשֵׁיהֶם ICh. 6:49
98 הַכֹּהֲנִים וְהַלְוִיִּם בְּעָרֵי מִגְרְשֵׁיהֶם ICh. 13:2
99 כִּי־עָזְבוּ הַלְוִיִּם אֶת־מִגְרְשֵׁיהֶם IICh. 11:14
וּמִגְרְשֵׁיהֶם 100 וּמִגְרְשֵׁיהֶם...לִבְהֶמְתָּם Num. 35:3
101 וּמִגְרְשֵׁיהֶם לְמִקְנֵיהֶם וּלְקִנְיָנָם Josh. 14:4
מִגְרְשֵׁיהֶן 102 אֶתְהֶן וְאֶת־מִגְרְשֵׁיהֶן Num. 35:7
103/4 אֶת־הֶעָרִים...וְאֶת־מִגְרְשֵׁיהֶן Josh. 21:3, 8
וּמִגְרְשֵׁיהֶן 105 עָרִים...וּמִגְרְשֵׁיהֶן לִבְהֶמְתֵּנוּ Josh. 21:2
106 שָׁלֹשׁ־עֶשְׂרֵה עָרִים וּמִגְרְשֵׁיהֶן Josh. 21:19
107 כָּל־עָרִים עֶשֶׂר וּמִגְרְשֵׁיהֶן Josh. 21:26
108 שְׁלֹשׁ־עֶשְׂרֵה עִיר וּמִגְרְשֵׁיהֶן Josh. 21:33
109 עָרִים אַרְבָּעִים...וּמִגְרְשֵׁיהֶן Josh. 21:39
מִגְרָשׁוֹת 110 לְקוֹל...יִרְעֲשׁוּ מִגְרֹשׁוֹת Ezek. 27:28

מֻגָּשׁ

(מלאכי א11) – עין נגש

מַד*1

ז׳ א) בֶּגֶד, לבוש: 1–3, 5–9

ב) מרבד, שטיח(?): 4

קרובים: ראה בֶּגֶד

מִדּוֹ 1 וְלָבַשׁ הַכֹּהֵן מִדּוֹ בַד Lev. 6:3
2 וְיוֹאָב חָגוּר מִדּוֹ לְבֻשׁוֹ IISh. 20:8
כְּמַדּוֹ 3 וַיִּלְבַּשׁ קְלָלָה כְּמַדּוֹ Ps. 109:18
מִדִּין 4 יֹשְׁבֵי עַל־מִדִּין וְהֹלְכֵי עַל־דֶּרֶךְ Jud. 5:10
מַדָּיו 5 וַיַּלְבֵּשׁ שָׁאוּל אֶת־דָּוִד מַדָּיו ISh. 17:38
וּמַדָּיו 6 וּמַדָּיו קְרֻעִים וַאֲדָמָה עַל־רֹאשׁוֹ ISh. 4:12
7 וַיִּתְפַּשֵּׁט...וּמַדָּיו וְעַד־חַרְבּוֹ ISh. 18:4
לְמַדָּיו 8 וַיַּחְגֹּר אוֹתָהּ מִתַּחַת לְמַדָּיו Jud. 3:16
9 וַיַּחְגֹּר דָּוִד אֶת־חַרְבּוֹ מֵעַל לְמַדָּיו ISh. 17:39

מַד*2

ז׳ מִדָּה: 1, 2

מִדָּהּ 1 אֲרֻכָּה מֵאֶרֶץ מִדָּהּ Job 11:9
מְדַיִךְ 2 זֶה גוֹרָלֵךְ מְנָת־מִדַּיִךְ מֵאִתִּי Jer. 13:25

מָדָאָה ת׳ ארמית: מארץ מָדַי

מָדָאָה 1 וְדָרְיָוֶשׁ מָדָאָה (כת׳ מדיא) קַבֵּל מַלְכוּתָא Dan. 6:1

מַדְבַּח* ז׳ ארמית: מזבח

מַדְבְּחָה 1 עַל־מַדְבְּחָה דִּי בֵּית אֱלָהֲכֹם Ez. 7:17

מִדְבָּר1 ז׳ דבור

וּמִדְבָּרֵךְ 1 כְּחוּט הַשָּׁנִי שִׂפְתוֹתַיִךְ וּמִדְבָּרֵיךְ נָאוֶה S.ofS.4:3

מִדְבָּר2 ז׳ א) אזור מרעה דל־ישוב: רוב המקראות 1-271 ב) [בהשאלה] מקום שממה, ציה: 4, 9, 15, 24, 25, 26, 39, 40, 76, 96, 188, 190, 258, 259

קרובים: אָחוּ / בָּתָּה / יְשִׁימוֹן / כַּר / מִרְעֶה; עֲרָבָה / צִיָּה / שְׁמָמָה

– מִדְבָּר וְצִיָּה 4

– הַמִּדְבָּר הַגָּדוֹל 76; הַמִּדְבָּר הַנּוֹרָא 76

– אֶרֶץ מִדְבָּר 1, 23; דֶּרֶךְ הַמִּדְבָּר 28, 42, 48; חֶרֶב הַמ׳ 59; לִמּוּד מִדְבָּר 10; נְאוֹת מִדְבָּר 11, 14, 16, 17, 20, 55; עַרְבוֹת הַמ׳ 50, 51; פְּנֵי הַמ׳ 33; קְאַת מ׳ 21; קְצֵה הַמ׳ 29, 38; רוּחַ מִדְבָּר 12; תַּנּוֹת מִדְבָּר 18

– מִדְבַּר אֱדוֹם 227; מ׳ אֵיתָם 247; מ׳ בְּאֵר שֶׁבַע 233; מִדְבַּר בֵּית אָוֶן 195; מ׳ גִּבְעוֹן 226; מ׳ דַּמֶּשֶׂק 196; מ׳ דִּבְלָתָה 269; מ׳ הָרִים 270; מ׳ זִיף 225, 250, 251, 255; מ׳ יְהוּדָה 222, 257; מ׳ יָם 228; מ׳ יְרוּאֵל 232; מ׳ מוֹאָב 219; מ׳ מָעוֹן 223, 253; מ׳ א׳ מִצְרַיִם 256; מ׳ סִין 213, 248, 261, 265; מ׳ סִינַי 214, 215, 235-243, 262, 266; מ׳ עֵין גֶּדִי 254; מ׳ הָעַמִּים 229; מ׳ פָּארָן 216, 224, 234, 244, 245; מ׳ צִין 217, 218, 220, 221, 246, 249, 264, 267; מ׳ קְדֵמוֹת 268; מ׳ קָדֵשׁ 231; מ׳ שׁוּר 212; מ׳ שְׁמָמָה 230, 258, 259; מ׳ תְּקוֹעַ 260

מִדְבָּר 1 יִמְצָאֵהוּ בְּאֶרֶץ מִדְבָּר Deut. 32:10
2 עַד־יַעְזֵר נָגָעוּ תָּעוּ מִדְבָּר Is. 16:8
3 וְהָיָה מִדְבָּר לַכַּרְמֶל Is. 32:15
4 יְשֻׂשׂוּם מִדְבָּר וְצִיָּה Is. 35:1
5 אָשִׂים מִדְבָּר לַאֲגַם־מַיִם Is. 41:18
6 יִשְׂאוּ מִדְבָּר וְעָרָיו Is. 42:11
7 אָשִׂים נְהָרוֹת מִדְבָּר Is. 50:2
8 עָרֵי קָדְשְׁךָ הָיוּ מִדְבָּר Is. 64:9
9 צִיּוֹן מִדְבָּר הָיָתָה יְרוּשָׁלִַם שְׁמָמָה Is. 64:9
10 פֶּרֶה לִמֻּד מִדְבָּר Jer. 2:24
11 וְעַל־נְאוֹת מִדְבָּר קִינָה Jer. 9:9
12 וַאֲפִיצֵם...לְרוּחַ מִדְבָּר Jer. 13:24
13 אִם־לֹא אֲשִׁיתְךָ מִדְבָּר Jer. 22:6
14 יָבְשׁוּ נְאוֹת מִדְבָּר Jer. 23:10
15 מִדְבָּר צִיָּה וַעֲרָבָה Jer. 50:12
16 כִּי־אֵשׁ אָכְלָה נְאוֹת מִדְבָּר Joel 1:19
17 כִּי דָשְׁאוּ נְאוֹת מִדְבָּר Joel 2:22
18 וְאֶת־נַחֲלָתוֹ לְתַנּוֹת מִדְבָּר Mal. 1:3
19 קוֹל יְיָ יָחִיל מִדְבָּר Ps. 29:8
20 יִרְעֲפוּ נְאוֹת מִדְבָּר Ps. 65:13
21 דָּמִיתִי לִקְאַת מִדְבָּר Ps. 102:7
22 יָשֵׂם מִדְבָּר לַאֲגַם־מַיִם Ps. 107:35
23 טוֹב שֶׁבֶת בְּאֶרֶץ־מִדְבָּר Prov. 21:19
24 מִדְבָּר לֹא־אָדָם בּוֹ Job 38:26
הֲמִדְבָּר 25 הֲמִדְבָּר הָיִיתִי לְיִשְׂרָאֵל Jer. 2:31
הַמִּדְבָּר 26 עַד אֵיל פָּארָן אֲשֶׁר עַל־הַמִּדְבָּר Gen. 14:6
27 וַיִּנְהַג אֶת־הַצֹּאן אַחַר הַמִּדְבָּר Ex. 3:1
28 וַיַּסֵּב...דֶּרֶךְ הַמִּדְבָּר יַם־סוּף Ex. 13:18
29 וַיַּחֲנוּ בְאֵתָם בִּקְצֵה הַמִּדְבָּר Ex. 13:20

הַמִּדְבָּר (המשך) 30 סָגַר עֲלֵיהֶם הַמִּדְבָּר Ex. 14:3
31 הוֹצֵאתֶם אֹתָנוּ אֶל־הַמִּדְבָּר הַזֶּה Ex. 16:3
32 וַיִּפְנוּ אֶל־הַמִּדְבָּר Ex. 16:10
33 וְהִנֵּה עַל־פְּנֵי־הַמִּדְבָּר דַּק... Ex. 16:14
34 אֶל־הַמִּדְבָּר אֲשֶׁר־הוּא חֹנֶה שָׁם Ex. 18:5
35 פְּנוּ וּסְעוּ לָכֶם הַמִּדְבָּר Num. 14:25
36 וְלָמָה הֲבֵאתֶם...אֶל־הַמִּדְבָּר הַזֶּה Num. 20:4
37 וַיָּשֶׁת אֶל־הַמִּדְבָּר פָּנָיו Num. 24:1
38 וַיַּחֲנוּ בְּאֵתָם אֲשֶׁר בִּקְצֵה הַמִּדְבָּר Num. 33:6
39 אֵת כָּל־הַמִּדְבָּר הַגָּדוֹל וְהַנּוֹרָא Deut. 1:19
40 לֶכְתְּךָ אֶת־הַמִּדְבָּר הַגָּדֹל הַזֶּה Deut. 2:7
41 מִן־הַמִּדְבָּר וְהַלְּבָנוֹן... Deut. 11:24
42 וַיָּנֻסוּ דֶּרֶךְ הַמִּדְבָּר Josh. 8:15
43 וְהָעָם הַנָּס הַמִּדְבָּר נֶהְפַּךְ... Josh. 8:20
44 הַמִּדְבָּר עֹלֶה מִירִיחוֹ Josh. 16:1
45/6 אֶת־קוֹצֵי הַמִּדְבָּר...הַבַּרְקֳנִים Jud. 8:7, 16
47 וּמִן־הַמִּדְבָּר וְעַד־הַיַּרְדֵּן Jud. 11:22
48 וַיִּפְנוּ...אֶל־דֶּרֶךְ הַמִּדְבָּר Jud. 20:42
49 עֹבְרִים עַל־פְּנֵי דֶרֶךְ אֶת־הַמִּדְבָּר IISh. 15:23
50 אָנֹכִי מִתְמַהְמֵהַּ בְּעַרְבוֹת הַמִּדְ׳... IISh. 15:28
51 אַל־תָּלֶן הַלַּיְלָה בְּעַרְבוֹת הַמִּדְ׳ IISh. 17:16
52 וְהִנֵּה הַכַּרְמֶל הַמִּדְבָּר Jer. 4:26
53 וָאֲבִאֵם אֶל־הַמִּדְבָּר Ezek. 20:10
54 אָנֹכִי מְפַתֶּיהָ וְהֹלַכְתִּיהָ הַמִּדְבָּר Hosh. 2:16
55 וְאֵשׁ אָכְלָה נְאוֹת הַמִּדְבָּר Joel 1:20
56 רוּחַ גְּדוֹלָה בָּאָה מֵעֵבֶר הַמִּדְבָּר Job 1:19
57/8 מִי זֹאת עֹלָה מִן־הַמִּדְבָּר S.ofS. 3:6; 8:5
59 בְּנַפְשֵׁנוּ...מִפְּנֵי חֶרֶב הַמִּדְבָּר Lam. 5:9
מֵהַמִּדְבָּר 60 מֵהַמִּדְבָּר וְהַלְּבָנוֹן הַזֶּה Josh. 1:4
61 שָׁלַח דָּוִד מַלְאָכִים מֵהַמִּדְבָּר ISh. 25:14
בַּמִּדְבָּר 62 וַיִּמְצָאָהּ...עַל־עֵין הַמַּיִם בַּמִּדְבָּר Gen. 16:7
63 וַיֵּשֶׁב בַּמִּדְבָּר וַיְהִי רֹבֶה קַשָּׁת Gen. 21:20
64 מָצָא אֶת־הַיֵּמִם בַּמִּדְבָּר Gen. 36:24
65 אֶל־הַבּוֹר הַזֶּה אֲשֶׁר בַּמִּדְבָּר Gen. 37:22
66/7 דֶּרֶךְ שְׁלֹשֶׁת יָמִים בַּמִּדְבָּר Ex. 3:18; 5:3
68 שַׁלַּח אֶת־עַמִּי וְיָחֹגּוּ לִי בַּמִּדְבָּר Ex. 5:1
69 שַׁלַּח אֶת־עַמִּי וְיַעַבְדֻנִי בַּמִּדְבָּר Ex. 7:16
70 דֶּרֶךְ שְׁלֹשֶׁת יָמִים נֵלֵךְ בַּמִּדְבָּר Ex. 8:23
71 וּזְבַחְתֶּם לַייָ אֱלֹהֵיכֶם בַּמִּדְבָּר Ex. 8:24
72 לְקַחְתָּנוּ לָמוּת בַּמִּדְבָּר Ex. 14:11
73 וַיָּבֹאוּ...סִינַי וַיַּחֲנוּ בַּמִּדְבָּר Ex. 19:2
74 אוֹ בַּמִּדְבָּר הַזֶּה לוּ־מָתְנוּ Num. 14:2
75 וַיְנִעֵם בַּמִּדְבָּר אַרְבָּעִים שָׁנָה Num. 32:13
76 בַּמִּדְבָּר הַגָּדֹל וְהַנּוֹרָא Deut. 8:15
77 הַמַּאֲכִלְךָ מָן בַּמִּדְבָּר Deut. 8:16
78 עַל־מִי נָטַשְׁתָּ מְעַט הַצֹּאן...בַּמִּדְ׳ ISh. 17:28
79 וְשָׁכַן בַּמִּדְבָּר מִשְׁפָּט Is. 32:16
80 כִּי־נִבְקְעוּ בַמִּדְבָּר מַיִם Is. 35:6
81 קוֹל קוֹרֵא בַּמִּדְבָּר פַּנּוּ דֶּרֶךְ יְיָ Is. 40:3
82 אֶתֵּן בַּמִּדְבָּר אֶרֶז שִׁטָּה... Is. 41:19
83 אַף אָשִׂים בַּמִּדְבָּר דֶּרֶךְ Is. 43:19
84 כִּי־נָתַתִּי בַמִּדְבָּר מַיִם Is. 43:20
85 בַּמִּדְבָּר בְּאֶרֶץ לֹא זְרוּעָה Jer. 2:2
86 הַמּוֹלִיךְ אֹתָנוּ בַּמִּדְבָּר Jer. 2:6
87 עַל־דְּרָכִים יָשַׁבְתְּ...כַּעֲרָבִי בַּמִּדְבָּר Jer. 3:2
88 רוּחַ צַח שְׁפָיִם בַּמִּדְבָּר Jer. 4:11
89 מִי־יִתְּנֵנִי בַמִּדְבָּר מְלוֹן אֹרְחִים Jer. 9:1
90 וְתִהְיֶינָה כַּעֲרוֹעֵר בַּמִּדְבָּר Jer. 48:6
91 כַּעֲנָבִים בַּמִּדְבָּר מָצָאתִי יִשְׂרָאֵל Hosh. 9:10
92 אֲנִי יְדַעְתִּיךָ בַּמִּדְבָּר Hosh. 13:5
93 אַרְחִיק נְדֹד אָלִין בַּמִּדְבָּר Ps. 55:8
94 יְבַקַּע צֻרִים בַּמִּדְבָּר Ps. 78:15

בַּמִּדְבָּר (המשך) 95 וַיְנַהֲגֵם כָּעֵדֶר בַּמִּדְבָּר Ps. 78:52
96 תָּעוּ בַמִּדְבָּר בִּישִׁימוֹן דָּרֶךְ Ps. 107:4
97 לְמוֹלִיךְ עַמּוֹ בַּמִּדְבָּר Ps. 136:16
98 הֵן פְּרָאִים בַּמִּדְבָּר יָצְאוּ בְּפָעֳלָם Job 24:5
99 בַּת־עַמִּי לְאַכְזָר כַּיְעֵנִים° בַּמִּדְבָּר Lam. 4:3
100-178 בַּמִּדְבָּר Ex. 14:12; 15:22; 16:2, 32; 19:2 • Lev. 16:22 • Num. 10:31; 14:16, 29, 32, 33^{2}, 35; 15:32; 16:13; 21:5, 11, 13; 26:65; 27:3; 32:15 • Deut. 1:1; 4:43; 8:2; 9:7, 28; 11:5; 29:4 • Josh. 5:4, 5, 6; 8:24; 14:10; 15:61; 20:8; 24:7 • Jud. 11:16, 18 • ISh. 4:8; 23:14; 25:4, 21; 26:3 • IISh. 16:2; 17:29 • IK. 2:34; 9:18; 19:4 • Is. 63:13 • Jer. 9:25; 12:12; 17:6; 25:24; 31:2(1) • Ezek. 19:13; $20:13^{2}$, 15, 17, 18, 21, 23; 34:25 • Am. 2:10; 5:25 • Ps. 78:19, 40; 95:8; 106:14, 26 • Lam. 4:19 • Neh. 9:19, 21 • ICh. 6:63; 21:29 • IICh. 1:3; 8:4; 24:9; 26:10

וּבַמִּדְבָּר 179 עָשִׂיתִי בְמִצְרַיִם וּבַמִּדְבָּר Num. 14:22
180 וּבַמִּדְבָּר אֲשֶׁר רָאִיתָ Deut. 1:31
181 וּבָעֲרָבָה...וּבַמִּדְבָּר וּבַנֶּגֶב Josh. 12:8
כַּמִּדְבָּר 182 שָׂם תֵּבֵל כַּמִּדְבָּר Is. 14:17
183 נָוֶה מְשֻׁלָּח וְנֶעֱזָב כַּמִּדְבָּר Is. 27:10
184 נִצְּתָה כַמִּדְבָּר מִבְּלִי עֹבֵר Jer. 9:11
185 וְשַׂמְתִּיהָ כַמִּדְבָּר וְשַׁתִּהָ כְּאֶרֶץ צִיָּה Hosh. 2:5
186 וַיָּשֵׂם...לִשְׁמָמָה צִיָּה כַּמִּדְבָּר Zep. 2:13
187 וַיּוֹלִיכֵם בַּתְּהֹמוֹת כַּמִּדְבָּר Ps. 106:9
לְמִדְבָּר 188 יָשֵׂם נְהָרוֹת לְמִדְבָּר Ps. 107:33
לַמִּדְבָּר 189 וִיהוּדָה בָּא עַל־הַמִּצְפֶּה לַמִּדְבָּר IICh. 20:24
מִמִּדְבָּר 190 מִמִּדְבָּר בָּא מֵאֶרֶץ נוֹרָאָה Is. 21:1
191 מוּבָאִים סָבָאִים° מִמִּדְבָּר Ezek. 23:42
192 רוּחַ יְיָ מִמִּדְבָּר עֹלֶה Hosh. 13:15
וּמִמִּדְבָּר 193 וּמִמִּדְבָּר עַד־הַנָּהָר Ex. 23:31
194 וּמִמִּדְבָּר מַתָּנָה Num. 21:18
מִדְבָּרָה 195 וְהָיוּ° תֹּצְאֹתָיו מִדְבָּרָה בֵּית אָוֶן Josh. 18:12
196 שׁוּב לְדַרְכְּךָ מִדְבָּרָה דַמָּשֶׂק IK. 19:15
מִדְבָּרָה 197 שִׁלְחוּ־כַר...מִסֶּלַע מִדְבָּרָה Is. 16:1
198 וְלַמִּזְרָח יָשַׁב עַד־לְבוֹא מִדְבָּרָה ICh. 5:9
199 נִבְדְּלוּ אֶל־דָּוִיד לַמְצַד מִדְבָּרָה ICh. 12:8(9)
הַמִּדְבָּרָה 200 לֵךְ לִקְרַאת מֹשֶׁה הַמִּדְבָּרָה Ex. 4:27
201 לְשַׁלַּח אֹתוֹ לַעֲזָאזֵל הַמִּדְבָּרָה Lev. 16:10
202 וְשִׁלַּח בְּיַד־אִישׁ עִתִּי הַמִּדְבָּרָה Lev. 16:21
203 וַיֵּצֵא לִקְרַאת יִשׂ׳ הַמִּדְבָּרָה Num. 21:23
204 וַיַּעַבְרוּ בְתוֹךְ־הַיָּם הַמִּדְבָּרָה Num. 33:8
205 וּסְעוּ הַמִּדְבָּרָה דֶּרֶךְ יַם־סוּף Deut. 1:40
206 וַנִּסַּע הַמִּדְבָּרָה דֶּרֶךְ יַם־סוּף Deut. 2:1
207/8 וַיִּפְנוּ וַיָּנֻסוּ הַמִּדְבָּרָה Jud. 20:45, 47
209 יִפְנֶה דֶּרֶךְ הַגְּבוּל...הַמִּדְבָּרָה ISh. 13:18
210 כִּי בָא שָׁאוּל אַחֲרָיו הַמִּדְבָּרָה ISh. 26:3
211 וּנְטַשְׁתִּיךָ הַמִּדְבָּרָה Ezek. 29:5
מִדְבַּר־ 212 וַיֵּצְאוּ אֶל־מִדְבַּר־שׁוּר Ex. 15:22
213 וַיָּבֹאוּ...אֶל־מִדְבַּר־סִין Ex. 16:1
214 בַּיּוֹם הַזֶּה בָּאוּ מִדְבַּר סִינָי Ex. 19:1
215 וַיָּבֹאוּ מִדְבַּר סִינַי וַיַּחֲנוּ בַּמִּדְבָּר Ex. 19:2
216 וַיָּבֹאוּ...אֶל־מִדְבַּר פָּארָן Num. 13:26
217 וַיָּבֹאוּ ב״י כָּל־הָעֵדָה מִדְבַּר־צִן Num. 20:1
218 מֵי־מְרִיבַת קָדֵשׁ מִדְבַּר־צִן Num. 27:14
219 וַנֵּפֶן וַנַּעֲבֹר דֶּרֶךְ מִדְבַּר מוֹאָב Deut. 2:8
220 בְּמֵי־מְרִיבַת קָדֵשׁ מִדְבַּר־צִן Deut. 32:51
221 אֶל־גְּבוּל אֱדוֹם מִדְבַּר־צִן Josh. 15:1
222 מֵעִיר הַתְּמָרִים...מִדְבַּר יְהוּדָה Jud. 1:16
223 וַיִּרְדֹּף אַחֲרֵי־דָוִד מִדְבַּר מָעוֹן ISh. 23:25
224 וַיֵּרֶד אֶל־מִדְבַּר פָּארָן ISh. 25:1

מִדְבַּר- (המשך) 225 וַיֵּרֶד אֶל־מִדְבַּר־זִיף ISh. 26:2
226 וְהֵמָּה בָאוּ...דֶּרֶךְ מִדְבַּר גִּבְעוֹן IISh. 2:24
227 וַיֹּאמֶר דֶּרֶךְ מִדְבַּר אֱדוֹם IIK. 3:8
228 מַשָּׂא מִדְבַּר־יָם Is. 21:1
229 וְהֵבֵאתִי...אֶל־מִדְבַּר הָעַמִּים Ezek. 20:35
230 וְאַחֲרָיו מִדְבַּר שְׁמָמָה Joel 2:3
231 יָחִיל יְיָ מִדְבַּר קָדֵשׁ Ps. 29:8
232 בְּסוֹף הַנַּחַל פְּנֵי מִדְבַּר יְרוּאֵל IICh. 20:16
בְּמִדְבַּר- 233 וַתֵּתַע בְּמִדְבַּר בְּאֵר שָׁבַע Gen. 21:14
234 וַיֵּשֶׁב בְּמִדְבַּר פָּארָן Gen. 21:21
235 לְהַקְרִיב...לַייָ בְּמִדְבַּר סִינָי Lev. 7:38
236-8 וַיְדַבֵּר יְיָ אֶל־מֹשֶׁה בְּמִדְבַּר(־)סִינַי Num. 1:1; 3:14; 9:1
239-43 בְּמִדְבַּר Num.1:19; 3:4; 9:5; 26:64; 33:15
244 וַיִּשְׁכֹּן הֶעָנָן בְּמִדְבַּר פָּארָן Num. 10:12
245 וַיַּחֲנוּ בְּמִדְבַּר פָּארָן Num. 12:16
246 בְּמִדְבַּר־צִן בִּמְרִיבַת הָעֵדָה Num. 27:14
247 וַיֵּלְכוּ...בְּמִדְבַּר אֵתָם Num. 33:8
248 וַיַּחֲנוּ בְּמִדְבַּר־סִין Num. 33:11
249 וַיַּחֲנוּ בְמִדְבַּר־צִן Num. 33:36
250 וַיֵּשֶׁב בָּהָר בְּמִדְבַּר־זִיף ISh. 23:14
251 וְדָוִד בְּמִדְבַּר־זִיף בַּחֹרְשָׁה ISh. 23:15
252 וְדָוִד וַאֲנָשָׁיו בְּמִדְבַּר מָעוֹן ISh. 23:24
253 וַיֵּשֶׁב בְּמִדְבַּר מָעוֹן ISh. 23:25
254 הִנֵּה דָוִד בְּמִדְבַּר עֵין גֶּדִי ISh. 24:1
255 לְבַקֵּשׁ אֶת־דָּוִד בְּמִדְבַּר־זִיף ISh. 26:2
256 נִשְׁפַּטְתִּי...בְּמִדְבַּר אֶ׳ מִצְרָיִם Ezek. 20:36
257 בִּהְיוֹתוֹ בְּמִדְבַּר יְהוּדָה Ps. 63:1
לְמִדְבַּר- 258 חֶלְקַת חֶמְדָּתִי לְמִדְבַּר שְׁמָמָה Jer. 12:10
259 וֶאֱדוֹם לְמִדְבַּר שְׁמָמָה Joel 4:19
260 וַיֵּצְאוּ לְמִדְבַּר תְּקוֹעַ IICh. 20:20
מִמִּדְבַּר- 261 וַיִּסְעוּ...מִמִּדְבַּר־סִין לְמַסְעֵיהֶם Ex. 17:1
262 וַיִּסְעוּ ב״י לְמַסְעֵי׳ מִמִּדְבַּר סִינָי Num. 10:12
263 וַיִּשְׁלַח אֹתָם מֹשֶׁה מִמִּדְבַּר פָּארָן Num. 13:3
264 מִמִּדְבַּר־צִן עַד־רְחֹב Num. 13:21
265 וַיִּסְעוּ מִמִּדְבַּר־סִין Num. 33:12
266 וַיִּסְעוּ מִמִּדְבַּר סִינָי Num. 33:16
267 מִמִּדְבַּר־צִן עַל־יְדֵי אֱדוֹם Num. 34:3
268 וָאֶשְׁלַח מַלְאָכ׳ מִמִּדְבַּר קְדֵמוֹת Deut. 2:26
269 שְׁמָמָה וּמְשַׁמָּה מִמִּדְבַּר דִּבְלָתָה Ezek. 6:14
270 וְלֹא מִמִּדְבַּר הָרִים Ps. 75:7
מִדְבָּרָהּ 271 וַיָּשֶׂם מִדְבָּרָהּ כְּעֵדֶן Is. 51:3

מִדַּבְּרֹתֶיךָ (דברים לג3) – עין דִּבְּרָה

מדד : מָדַד, נָמַד, מִדֵּד, מוֹדַד, הִתְמוֹדֵד; מַד, מִדָּה, מֵמַד

מָדַד פ׳ א) קבע אורך או רוחב או נפח: 1-43
ב) [נפ׳ נָמַד] נקבעה מדתו: 44-46
ג) [פ׳ מִדֵּד] העריך מדה: 47-51
ד) [פו׳ מוֹדַד] מֻדַּד: 52
ה) [התפו׳ הִתְמוֹדֵד] השתרע: 53

לָמֹד 1 לָמֹד אֶת־יְרוּשָׁלַם... Zech. 2:6
וּמַדֹּתִי 2 וּמַדֹּתִי פְּעֻלָּתָם...אֶל־חֵיקָם Is. 65:7
מָדַד 3 מִי־מָדַד בְּשָׁעֳלוֹ מַיִם Is. 40:12
4 מָדַד אָרְכּוֹ וְרָחְבּוֹ Ezek. 40:20
5 מָדַד רוּחַ הַקָּדִים בִּקְנֵה הַמִּדָּה Ezek. 42:16
6 מָדַד רוּחַ הַצָּפוֹן Ezek. 42:17
7 מָדַד חֲמֵשׁ־מֵאוֹת קָנִים Ezek. 42:19
מָדָד 8 אֵת רוּחַ הַדָּרוֹם מָדָד Ezek. 42:18
וּמָדַד 9 וּמָדַד אֵילָו וְאֵילַמָּו כַּמִּדּוֹת הָאֵלֶּה Ezek. 40:24
10 וּמָדַד כַּמִּדּוֹת הָאֵלֶּה Ezek. 40:35
11 וּמָדַד אֶת־הַבַּיִת Ezek. 41:13
12 וּמָדַד אֹרֶךְ־הַבִּנְיָן Ezek. 41:15
מְדָדוֹ 13 לְאַרְבַּע רוּחוֹת מְדָדוֹ Ezek. 42:20
וּמְדָדוֹ 14 וּמְדָדוֹ סָבִיב סָבִיב Ezek. 42:15
וּמַדֹּתֶם 15 וּמַדֹּתֶם...אֶת־פְּאַת־קֵדְמָה Num. 35:5
וּמָדְדוּ 16 וּמָדְדוּ...הֶעָרִים...סְבִיבֹת הֶחָלָל Deut. 21:2
וּמָדְדוּ 17 וּמָדְדוּ אֶת־תָּכְנִית Ezek. 43:10
תָּמֹד 18 וּמִן־הַמִּדָּה הַזֹּאת תָּמוֹד Ezek. 45:3
וַיָּמָד 19 וַיָּמָד אֶת־רֹחַב הַבִּנְיָן קָנֶה אֶחָד Ezek. 40:5
20 וַיָּמָד אֶת־סַף־הַשַּׁעַר Ezek. 40:6
21-22 וַיָּמָד אֶת־אֻלָם הַשַּׁעַר Ezek. 40:8, 9
23 וַיָּמָד אֶת־רֹחַב פֶּתַח־הַשַּׁעַר Ezek. 40:11
24-25 וַיָּמָד אֶת־הַשַּׁעַר Ezek. 40:13, 32
26 וַיָּמָד רֹחַב מִלִּפְנֵי הַשַּׁעַר Ezek. 40:19
27 וַיָּמָד מִשַּׁעַר אֶל־שַׁעַר מֵאָה אַמָּה Ezek. 40:23
28 וַיָּמָד אֶלֶף בָּאַמָּה וַיַּעֲבִרֵנִי בַמַּיִם Ezek. 47:3
29 וַיָּמָד אֶלֶף וַיַּעֲבִרֵנִי...מַיִם בִּרְכָּיִם Ezek. 47:4
30 וַיָּמָד אֶלֶף וַיַּעֲבִרֵנִי מֵי מָתְנָיִם Ezek. 47:4
31 וַיָּמָד אֶלֶף נַחַל...לֹא־אוּכַל לַעֲבֹר Ezek. 47:5
32 וַיָּמָד שֵׁשׁ־שְׂעֹרִים וַיָּשֶׁת עָלֶיהָ Ruth 3:15
33-41 וַיָּמָד Ezek. 40:27, 28, 47, 48; 41:1, 2, 3, 4, 5,
תָּמֹדּוּ 42 עַל־הַיָּם הַקַּדְמוֹנִי תָּמֹדּוּ Ezek. 47:18
וַיָּמֹדּוּ 43 וַיָּמֹדּוּ בָעֹמֶר... Ex. 16:18
יִמַּד 44 וְלֹא יִמַּד חוֹל הַיָּם Jer. 33:22
45 אֲשֶׁר לֹא־יִמַּד וְלֹא יִסָּפֵר Hosh. 2:1
יִמַּדּוּ 46 אִם־יִמַּדּוּ שָׁמַיִם מִלְמַעְלָה Jer. 31:37(36)
וּמִדַּד (?) 47 אִם־שָׁכַבְתִּי...וּמִדַּד־עָרֶב Job 7:4
אֲמַדֵּד 48-49 וְעֵמֶק סֻכּוֹת אֲמַדֵּד Ps. 60:8; 108:8
וַיְמַדֵּד 50 וַיְמַדֵּד שְׁנֵי־חֲבָלִים IISh. 8:2
וַיְמַדְּדֵם 51 וַיְמַדְּדֵם בַּחֶבֶל הַשְׁכֵּב אוֹתָם אַרְצָה IISh. 8:2
וַיְמֹדֶד 52 עָמַד וַיְמֹדֶד אֶרֶץ Hab. 3:6
וַיִּתְמֹדֵד 53 וַיִּתְמֹדֵד עַל־הַיֶּלֶד שָׁלֹשׁ פְּעָמִים IK. 17:21

מִדָּה1 נ׳ שעור של דבר (אורך, רוחב וכד׳): 1-56
– מִדָּה אַחַת 1-6, 8, 9, 22; מִדָּה שֵׁנִית 13-19; אִישׁ מִדָּה 21; אַנְשֵׁי מִדָּה 7; חֶבֶל מ׳ 12; קַו הַמּ׳ 24; קְנֵה הַמִּדָּה 25-32
– מִדַּת יָמַי 38; מִדַּת הַמֶּלֶךְ 41; מ׳ הַשַּׁעַר 39, 40
– מִדּוֹת הַבַּיִת 51; מִדּוֹת גָּזִית 53,54; מ׳ הַמִּזְבֵּחַ 52
– אַנְשֵׁי מִדּוֹת 42; בֵּית מִדּוֹת 43
מִדָּה 1-2 מִדָּה אַחַת לְכָל־הַיְרִיעֹת Ex. 26:2; 36:9
3-4 מִדָּה אַחַת לְעַשְׁתֵּי עֶשְׂרֵה יְרִיעֹת Ex. 26:8; 36:15
5 מִדָּה אַחַת וְקֶצֶב אֶחָד לִשְׁנֵי הַכְּרֻבִים IK. 6:25
6 מִדָּה אַחַת קֶצֶב אֶחָד לְכֻלָּהְנָה IK. 7:37
7 וּסְבָאִים אַנְשֵׁי מִדָּה עָלַיִךְ יַעֲבֹרוּ Is. 45:14
8 מִדָּה אַחַת לִשְׁלָשְׁתָּם Ezek. 40:10
9 מִדָּה אַחַת לְאַרְבַּעְתָּם Ezek. 46:22
10-11 וְאַרְבַּעַת אֲלָפִים מִדָּה Ezek. 48:30, 33
12 וְהִנֵּה־אִישׁ וּבְיָדוֹ חֶבֶל־מִדָּה Zech. 2:5
13 מִדָּה שֵׁנִית הֶחֱזִיק מַלְכִּיָּה Neh. 3:11
14 וַיְחַזֵּק עַל־יָדוֹ...מִדָּה שֵׁנִית Neh. 3:19
15-17 הֶחֱזִיק...מִדָּה שֵׁנִית Neh. 3:20, 21, 24
18 הֶחֱזִיקוּ...מִדָּה שֵׁנִית Neh. 3:27
19 הֶחֱזִיק...מִדָּה שֵׁנִי Neh. 3:30
20 אִישׁ־מִדָּה חָמֵשׁ בָּאַמָּה ICh. 11:23
21 וַיְהִי אִישׁ מִדָּה וְאֶצְבְּעֹתָיו שֵׁשׁ־וָשֵׁשׁ ICh. 20:6
וּמִדָּה 22 וּמִדָּה אַחַת לָאֵילִם מִפֹּה וּמִפּוֹ Ezek. 40:10
23 וּלְכָל־מְשׂוּרָה וּמִדָּה ICh. 23:29
הַמִּדָּה 24 וְיָצָא עוֹד קָו׳ הַמִּדָּה Jer. 31:39(38)
25 וּפְתִיל־פִּשְׁתִּים בְּיָדוֹ וּקְנֵה הַמִּדָּה Ezek. 40:3
הַמִּדָּה (המשך) 26 וּבְיַד הָאִישׁ קְנֵה הַמִּדָּה Ezek. 40:5
27/8 מָדַד...בִּקְנֵה הַמִּדָּה Ezek. 42:16, 19
29/30 בִּקְנֵה הַמִּדָּה סָבִיב Ezek. 42:16, 17
31/2 חֲמֵשׁ־מ׳ קָנִים בִּקְנֵה הַמִּדָּה Ezek. 42:18, 19
33 וּמִן־הַמִּדָּה הַזֹּאת תָּמוֹד Ezek. 45:3
בַּמִּדָּה 34 בַּמִּדָּה בַּמִּשְׁקָל וּבַמְּשׂוּרָה Lev. 19:35
35 רָחוֹק..כְּאַלְפַּיִם אַמָּה בַּמִּדָּה Josh. 3:4
36 הָאֹרֶךְ אַמּוֹת בַּמִּדָּה הָרִאשׁוֹנָה IICh. 3:3
בְּמִדָּה 37 וּמַיִם תִּכֵּן בְּמִדָּה Job 28:25
וּמִדַּת- 38 וּמִדַּת יָמַי מַה־הִיא Ps. 39:5
כְּמִדַּת- 39 כְּמִדַּת הַשַּׁעַר הָרִאשׁוֹן Ezek. 40:21
40 כְּמִדַּת הַשַּׁעַר...פָּנָיו דֶּרֶךְ הַקָּדִים Ezek. 40:22
לְמִדַּת- 41 לָוִינוּ כֶסֶף לְמִדַּת הַמֶּלֶךְ Neh. 5:4
מִדּוֹת 42 וְכָל־הָעָם...אַנְשֵׁי מִדּוֹת Num. 13:32
43 אֶבְנֶה־לִּי בֵּית מִדּוֹת Jer. 22:14
44 בַּפְּנִימִי וּבַחִיצוֹן מִדּוֹת Ezek. 41:17
כַּמִּדּוֹת 45 וּמָדַד...כַּמִּדּוֹת הָאֵלֶּה Ezek. 40:24
46/7 וַיָּמָד...כַּמִּדּוֹת הָאֵלֶּה Ezek. 40:28, 32
48/9 וְתָאָו...כַּמִּדּוֹת הָאֵלֶּה Ezek. 40:29, 33
50 וּמָדַד כַּמִּדּוֹת הָאֵלֶּה Ezek. 40:35
מִדּוֹת- 51 וְכִלָּה אֶת־מִדּוֹת הַבַּיִת הַפְּנִימִי Ezek. 42:15
52 וְאֵלֶּה מִדּוֹת הַמִּזְבֵּחַ בָּאַמּוֹת Ezek. 43:13
כְּמִדּוֹת- 53 אֲבָנִים יְקָרֹת כְּמִדּוֹת גָּזִית IK. 7:9
54 אֲבָנִים יְקָרוֹת כְּמִדּוֹת גָּזִית וָאָרֶז IK. 7:11
מִדּוֹתָיו 55 זְקַן־אַהֲרֹן שֶׁיֹּרֵד עַל־פִּי מִדּוֹתָיו Ps. 133:2
מִדּוֹתֶיהָ 56 וְאֵלֶּה מִדּוֹתֶיהָ פְּאַת צָפוֹן Ezek. 48:16

מִדָּה2 נ׳ ארמית: מכס, מס הקרקע [עין גם מִנְדָּה]: 1-4
וּמִדָּה 1 וּמִדָּה בְלוֹ וַהֲלָךְ מִתְיְהֵב לְהוֹן Ez. 4:20
מִדַּת- 2 וּמִנִּכְסֵי מַלְכָּא דִּי מִדַּת עֲבַר נַהֲרָה Ez. 6:8
מִנְדָּה 3-4 מִנְדָּה(־)בְלוֹ וַהֲלָךְ Ez. 4:13; 7:24

מַדְהֵבָה נ׳ נגישה, דכוי
מַדְהֵבָה 1 אֵיךְ שָׁבַת נֹגֵשׂ שָׁבְתָה מַדְהֵבָה Is. 14:4

מַדְוֶה*1 ז׳ דוי, כאב: 1, 2 • מַדְוֵה מִצְרַיִם 1, 2
מַדְוֵה- 1 וְהֵשִׁיב...אֵת כָּל־מַדְוֵה מִצְרַיִם Deut. 28:60
מַדְוֵי- 2 וְכָל מַדְוֵי מִצְרַיִם הָרָעִים Deut. 7:15

מַדְוֶה*2 ז׳ צורת־משנה של מַד, בגד: 1, 2
מַדְוֵיהֶם 1-2 וַיִּכְרֹת אֶת־מַד׳ בַּחֵצִי IISh. 10:4 • ICh. 19:4

מַדּוּחִים ז״ר מדחה, מכשול
וּמַדּוּחִים 1 וַיֶּחֱזוּ לָךְ מַשְׂאוֹת שָׁוְא וּמַדּוּחִים Lam. 2:14

מְדֹכָה נ׳ מכתש
בַּמְּדֹכָה 1 וְטָחֲנוּ בָרֵחַיִם אוֹ דָכוּ בַּמְּדֹכָה Num. 11:8

מָדוֹן1 ז׳ א) מדה: 1
ב) ריב: 2—11
קרובים: מְדָנִים / מַצָּה / מַצּוּת / מְרִיבָה / עֵשֶׂק / רִיב / שִׂטְנָה
– רִיב וּמָדוֹן 2, 11; אִישׁ מָדוֹן 1, 2; רֵאשִׁית מָדוֹן 6
– גֵּרָה מָדוֹן 4, 9, 10; יָצָא מָדוֹן 7; שִׁלַּח מָדוֹן 5
מָדוֹן 1 וַיְהִי אִישׁ מָדוֹן (כת׳ מדין) IISh. 21:20
2 אִישׁ רִיב וְאִישׁ מָדוֹן Jer. 15:10
3 תְּשִׂימֵנוּ מָדוֹן לִשְׁכֵנֵינוּ Ps. 80:7
4 אִישׁ חֵמָה יְגָרֶה מָדוֹן Prov. 15:18
5 אִישׁ תַּהְפֻּכוֹת יְשַׁלַּח מָדוֹן Prov. 16:28
6 פּוֹטֵר מַיִם רֵאשִׁית מָדוֹן Prov. 17:14
7 גָּרֵשׁ לֵץ וְיֵצֵא מָדוֹן Prov. 22:10

מָדוֹן (המשך)
8 וּבְאֵין נִרְגָּן יִשְׁתֹּק מָדוֹן Prov. 26:20
9 רְחַב־נֶפֶשׁ יְגָרֶה מָדוֹן Prov. 28:25
10 אִישׁ־אַף יְגָרֶה מָדוֹן Prov. 29:22
וּמָדוֹן 11 וַיְהִי רִיב וּמָדוֹן יִשָּׂא Hab. 1:3

מָדוֹן² שֵׁם מקום בכנען: 2,1

מָדוֹן 1 וַיִּשְׁלַח אֶל־יוֹבָב מֶלֶךְ מָדוֹן Josh. 11:1
2 מֶלֶךְ מָדוֹן אֶחָד Josh. 12:19

מַדּוּעַ תה״פ לשאלה: על מה? מפני מה? מאיזו סבה? 1–72

מַדּוּעַ 1 מַדּוּעַ בָּאתֶם אֵלָי Gen. 26:27
2 מַדּוּעַ פְּנֵיכֶם רָעִים הַיּוֹם Gen. 40:7
3 מַדּוּעַ עֲשִׂיתֶן הַדָּבָר הַזֶּה Ex. 1:18
4 מַדּוּעַ מִהַרְתֶּן בֹּא הַיּוֹם Ex. 2:18
5 מַדּוּעַ לֹא־יִבְעַר הַסְּנֶה Ex. 3:3
6 מַדּוּעַ לֹא כִלִּיתֶם חָקְכֶם Ex. 5:14
7 מַדּוּעַ אַתָּה יוֹשֵׁב לְבַדֶּךָ Ex. 18:14
8 מַדּוּעַ לֹא אֲכַלְתֶּם אֶת־הַחַטָּאת Lev. 10:17
9 מַדּוּעַ נָתַתָּה לִּי נַחֲלָה Josh. 17:14
10 מַדּוּעַ בֹּשֵׁשׁ רִכְבּוֹ לָבוֹא Jud. 5:28
11 מַדּוּעַ אֶחֱרוּ פַּעֲמֵי מַרְכְּבוֹתָיו Jud. 5:28
12 מַדּוּעַ עָבַרְתָּ לְהִלָּחֵם בִּבְנֵי־עַמּוֹן Jud. 12:1
13 מַדּוּעַ לֹא־בָא בֶן־יִשַׁי...אֶל־הַלָּחֶם׳ ISh. 20:27
14 מַדּוּעַ אַתָּה לְבַדֶּךָ ISh. 21:2
15 מַדּוּעַ אַתָּה כָּכָה דַּל בֶּן־הַמֶּלֶךְ IISh. 13:4
16 וּמִי יֹאמַר מַדּוּעַ עָשִׂיתָה כֵּן IISh. 16:10
17 מַדּוּעַ אֲדֹנִי בֹכֶה IIK. 8:12
18 מַדּוּעַ בָּא־הַמְשֻׁגָּע הַזֶּה אֵלֶיךָ IIK. 9:11
19 מַדּוּעַ קִוֵּיתִי לַעֲשׂוֹת עֲנָבִים Is. 5:4
20 מַדּוּעַ בָּאתִי וְאֵין אִישׁ Is. 50:2
21 מַדּוּעַ דֶּרֶךְ רְשָׁעִים צָלֵחָה Jer. 12:1
22 מַדֻּעַ לֹא־נָשָׂא הַבֵּן בַּעֲוֹן הָאָב Ezek. 18:19
23–62 מַדּוּעַ IISh. 3:7; 11:10, 20; 12:9; 19:42; 24:21 • IK. 1:6, 41 • IIK. 4:23; 12:8 • Is. 63:2 • Jer. 2:14, 31; 8:5, 19, 22; 13:22; 14:19; 22:28; 26:9; 30:6; 32:3; 36:29; 46:5, 15; 49:1 • Mal. 2:10 • Job 3:12; 18:3; 21:4, 7; 24:1; 33:13 • Ruth 2:10 • Es. 3:3 • Neh. 2:2, 3; 13:11, 21 • IICh. 24:6
וּמַדּוּעַ 63 וּמַדּוּעַ לֹא יְרֵאתֶם לְדַבֵּר Num. 12:8
64 וּמַדּוּעַ תִּתְנַשְּׂאוּ עַל־קְהַל יְיָ Num. 16:3
65 וּמַדּוּעַ נַעַבְדֶנּוּ אֲנָחְנוּ Jud. 9:28
66 וּמַדּוּעַ בָּאתֶם אֵלַי עַתָּה Jud. 11:7
67 וּמַדּוּעַ לֹא־הִצַּלְתֶּם בָּעֵת הַהִיא Jud. 11:26
68 וּמַדּוּעַ יַסְתִּיר אָבִי מִמֶּנִּי ISh. 20:2
69 וּמַדּוּעַ לֹא־הִכִּיתוֹ שָׁם אַרְצָה IISh. 18:11
70 וּמַדּוּעַ הֱקִלֹּתַנִי... IISh. 19:44
71 וּמַדּוּעַ מָלַךְ אֲדֹנִיָּהוּ IK. 1:13
72 וּמַדּוּעַ לֹא שָׁמַרְתָּ אֵת שְׁבֻעַת יְיָ IK. 2:43

מְדוֹר* ז׳ ארמית: דירה, מעון: 1–4 [עין גם מְדָר]

מְדוֹרָךְ 1 וְעִם־חֵיוַת בָּרָא לֶהֱוֵה מְדֹרָךְ Dan. 4:22
2 וְעִם חֵיוַת בָּרָא מְדֹרָךְ Dan. 4:29
מְדוֹרֵהּ 3 וְעִם עֲרָדַיָּא מְדוֹרֵהּ Dan. 5:21
מְדָרְהוֹן 4 דִּי מְדָרְהוֹן עִם־בִּשְׂרָא לָא אִיתוֹהִי Dan. 2:11

מְדוּרָה נ׳ מוקד, עצים נשרפים: 1, 2

הַמְּדוּרָה 1 גַּם־אֲנִי אַגְדִּיל הַמְּדוּרָה Ezek. 24:9
מְדוּרָתָהּ 2 מְדֻרָתָהּ אֵשׁ וְעֵצִים הַרְבֵּה Is. 30:33

מְדוּשָׁה* נ׳ דבר שנדוש

מְדוּשָׁתִי 1 מְדֻשָׁתִי וּבֶן־גָּרְנִי Is. 21:10

מִדְחֶה ז׳ מכשול, שגגה

מִדְחֶה 1 וּפֶה חָלָק יַעֲשֶׂה מִדְחֶה Prov. 26:28

מַדְחֵפָה* נ׳ מכשול

לְמַדְחֵפוֹת 1 אִישׁ־חָמָס...יְצוּדֶנּוּ לְמַדְחֵפֹת Ps. 140:12

מָדַי שפ״ז א) בן יפת ואחי יון: 13, 14

ב) שם העם והארץ המתיחסים על הנ״ל: 1–12, 15–21
– מָדַי וּפָרַס 4–7, 20, 21; פָּרַס וּמָדַי 15–18
– דָּת מָדַי 5, 6; דָּתֵי מ׳ 18; זֶרַע מ׳ 12; חֵיל מ׳ 15; מַלְכֵי מ׳ 2–4, 7, 11; עָרֵי מ׳ 8, 9; שָׂרוֹת מ׳ 17; שָׂרֵי מָדַי 16

מָדַי 1 עֲלִי עֵילָם צוּרִי מָדַי Is. 21:2
2 הֵעִיר יְיָ אֶת־רוּחַ מַלְכֵי מָדַי Jer. 51:11
3 קַדְּשׁוּ עָלֶיהָ...אֶת־מַלְכֵי מָדַי Jer. 51:28
4 דִּבְרֵי הַיָּמִים לְמַלְכֵי מָדַי וּפָרָס Es. 10:2
5–6 כְּדָת־מָדַי וּפָרַס Dan. 6:9, 13
7 הָאַיִל ..מַלְכֵי מָדַי וּפָרָס Dan. 8:20
מָדָי 8–9 נְהַר גּוֹזָן וְעָרֵי מָדָי IIK. 17:6; 18:11
10 הִנְנִי מֵעִיר עֲלֵיהֶם אֶת־מָדָי Is. 13:17
11 וְאֵת כָּל־מַלְכֵי מָדָי Jer. 25:25
12 בֶּן־אֲחַשְׁוֵרוֹשׁ מִזֶּרַע מָדָי Dan. 9:1
וּמָדַי 13/4 בְּנֵי יֶפֶת...וּמָדַי וְיָוָן Gen. 10:2 • ICh. 1:5
15 חֵיל פָּרַס וּמָדַי הַפַּרְתְּמִים Es. 1:3
16 שִׁבְעַת שָׂרֵי פָּרַס וּמָדַי Es. 1:14
17 תֹּאמַרְנָה שָׂרוֹת פָּרַס־וּמָדַי Es. 1:18
18 וְיִכָּתֵב בְּדָתֵי פָרַס־וּמָדַי Es. 1:19
בְּמָדַי 19 בְּבִירְתָא דִּי בְּמָדַי מְדִינְתָּא Ez. 6:2
לְמָדַי 20 וִיהִיבַת לְמָדַי וּפָרָס Dan. 5:28
21 דִּי־דָת לְמָדַי וּפָרַס Dan. 6:16

מָדִי ת׳ שהוא מארץ מָדַי

הַמָּדִי 1 בִּשְׁנַת אַחַת לְדָרְיָוֶשׁ הַמָּדִי Dan. 11:1

מַדַּי עין דַּי (מס׳ 3)

מִדַּי עין דַּי (מס׳ 24–34)

מְדִיבוֹת (ויקרא כו16) – עין (דוב)

מִדְיָן¹ שפ״ז א) בן אברהם מאשתו קטורה: 1, 2, 50, 53

ב) שם העם והארץ המתיחסים על הנ״ל: 3–49, 51, 52, 54–59

אֶרֶץ מִדְיָן 4, 49; בִּכְרֵי מ׳ 48; בְּנֵי מ׳ 2, 50; זִקְנֵי מ׳ 8, 9; יַד מ׳ 17, 18, 42, 45; יוֹם מ׳ 46; כֹּהֵן מ׳ 5–7; כַּף מ׳ 25, 26; מַחֲנֵה מ׳ 28, 31, 32, 34; מַכַּת מ׳ 47 מַלְכֵי מ׳ 13, 14, 40, 41, 43; נְשֵׁי מ׳ 15; נְשִׂיא מ׳ 10, 16; שָׂרֵי מִדְיָן 37, 39

מִדְיָן 1 וַתֵּלֶד לוֹ...וְאֶת־מְדָן וְאֶת־מִדְיָן Gen. 25:2
2 וּבְנֵי מִדְיָן עֵיפָה וָעֵפֶר Gen. 25:4
3 הַמַּכֶּה אֶת־מִדְיָן בִּשְׂדֵה מוֹאָב Gen. 36:35
4 וַיִּבְרַח...וַיֵּשֶׁב בְּאֶרֶץ־מִדְיָן Ex. 2:15
5 וּלְכֹהֵן מִדְיָן שֶׁבַע בָּנוֹת Ex. 2:16
6 אֶת־צֹאן יִתְרוֹ חֹתְנוֹ כֹּהֵן מִדְיָן Ex. 3:1
7 וַיִּשְׁמַע יִתְרוֹ כֹהֵן מִדְיָן Ex. 18:1
8 וַיֹּאמֶר מוֹאָב אֶל־זִקְנֵי מִדְיָן Num. 22:4
9 וַיֵּלְכוּ זִקְנֵי מוֹאָב וְזִקְנֵי מִדְיָן Num. 22:7
10 כָּזְבִּי בַת־נְשִׂיא מִדְיָן Num. 25:18
11 הֵחָלְצוּ...וְיִהְיוּ עַל־מִדְיָן Num. 31:3
12 וַיִּצְבְּאוּ עַל־מִדְיָן Num. 31:7
13 וְאֶת־מַלְכֵי מִדְיָן הָרְגוּ Num. 31:8
14 חֲמֵשֶׁת מַלְכֵי מִדְיָן Num. 31:8

מִדְיָן (המשך)
15 וַיִּשְׁבּוּ בְנֵי יִשְׂרָאֵל אֶת־נְשֵׁי מִדְיָן Num. 31:9
16 הִכָּה מֹשֶׁה אֹתוֹ וְאֶת־נְשִׂיאֵי מִדְיָן Josh. 13:21
17 וַיִּתְּנֵם יְיָ בְּיַד־מִדְיָן Jud. 6:1
18 וַתָּעָז יַד־מִדְיָן עַל־יִשְׂרָאֵל Jud. 6:2
19 מִפְּנֵי מִדְיָן עָשׂוּ...אֶת־הַמִּנְהָרוֹת Jud. 6:2
20/1 מִדְיָן וַעֲמָלֵק וּבְנֵי־קֶדֶם Jud. 6:3, 33
22 וַיִּדַּל יִשְׂרָאֵל מְאֹד מִפְּנֵי מִדְיָן Jud. 6:6
23 וַיְהִי כִּי־זָעֲקוּ...עַל אֹדוֹת מִדְיָן Jud. 6:7
24 חֹבֵט חִטִּים...לְהָנִיס מִפְּנֵי מִדְיָן Jud. 6:11
25 נְטָשָׁנוּ יְיָ וַיִּתְּנֵנוּ בְּכַף מִדְיָן Jud. 6:13
26 וְהוֹשַׁעְתָּ אֶת־יִשְׂרָאֵל מִכַּף מִדְיָן Jud. 6:14
27 וְהִכִּיתָ אֶת־מִדְיָן כְּאִישׁ אֶחָד Jud. 6:16
28 וּמַחֲנֵה מִדְיָן הָיָה־לוֹ מִצָּפוֹן Jud. 7:1
29 רַב...מִתִּתִּי אֶת־מִדְיָן בְּיָדָם Jud. 7:2
30 וְנָתַתִּי אֶת־מִדְיָן בְּיָדֶךָ Jud. 7:7
31 וּמַחֲנֵה מִדְיָן...מִתַּחַת בָּעֵמֶק Jud. 7:8
32 לֶחֶם...מִתְהַפֵּךְ בְּמַחֲנֵה מִדְיָן Jud. 7:13
33 נָתַן הָאֱלֹהִים בְּיָדוֹ אֶת־מִדְיָן Jud. 7:14
34 נָתַן יְיָ בְּיֶדְכֶם אֶת־מַחֲנֵה מִדְיָן Jud. 7:15
35 וַיִּרְדְּפוּ אַחֲרֵי מִדְיָן Jud. 7:23
36 רְדוּ לִקְרַאת מִדְיָן Jud. 7:24
37 וַיִּלְכְּדוּ שְׁנֵי־שָׂרֵי מִדְיָן Jud. 7:25
38 וַיִּרְדְּפוּ אֶל־מִדְיָן Jud. 7:25
39 בְּיֶדְכֶם נָתַן אֱלֹהִים אֶת־שָׂרֵי מִדְיָן Jud. 8:3
40 זֶבַח וְצַלְמֻנָּע מַלְכֵי מִדְיָן Jud. 8:5
41 וַיִּלְכֹּד אֶת־שְׁנֵי מַלְכֵי מִדְיָן Jud. 8:12
42 כִּי הוֹשַׁעְתָּנוּ מִיַּד מִדְיָן Jud. 8:22
43 וּבִגְדֵי הָאַרְגָּמָן שֶׁעַל מַלְכֵי מִדְיָן Jud. 8:26
44 וַיִּכָּנַע מִדְיָן לִפְנֵי בְּנֵי יִשְׂרָאֵל Jud. 8:28
45 וַיַּצֵּל אֶתְכֶם מִיַּד מִדְיָן Jud. 9:17
46 הַחִתֹּתָ כְּיוֹם מִדְיָן Is. 9:3
47 כְּמַכַּת מִדְיָן בְּצוּר עוֹרֵב Is. 10:26
48 בִּכְרֵי מִדְיָן וְעֵיפָה Is. 60:6
49 יִרְגְּזוּן יְרִיעוֹת אֶרֶץ מִדְיָן Hab. 3:7
50 וּבְנֵי מִדְיָן עֵיפָה וָעֵפֶר ICh. 1:33
51 הַמַּכֶּה אֶת־מִדְיָן בִּשְׂדֵה מוֹאָב ICh. 1:46
וּמִדְיָן 52 וּמִדְיָן וַעֲמָלֵק וְכָל־בְּנֵי־קֶדֶם Jud. 7:12
53 וּבְנֵי קְטוּרָה...וּמְדָן וּמִדְיָן ICh. 1:32
בְּמִדְיָן 54 וַיֹּאמֶר יְיָ אֶל־מֹשֶׁה בְּמִדְיָן Ex. 4:19
55 רֹאשׁ אֻמּוֹת בֵּית־אָב בְּמִדְיָן Num. 25:15
56 לָתֵת נִקְמַת־יְיָ בְּמִדְיָן Num. 31:3
57 כִּי הָלַכְתָּ לְהִלָּחֵם בְּמִדְיָן Jud. 8:1
כְּמִדְיָן 58 עֲשֵׂה־לָהֶם כְּמִדְיָן Ps. 83:10
מִמִּדְיָן 59 וַיָּקֻמוּ מִמִּדְיָן וַיָּבֹאוּ פָּארָן IK. 11:18

מִדִּין¹ עיר בנחלת יהודה

מִדִּין 1 בֵּית הָעֲרָבָה מִדִּין וּסְכָכָה Josh. 15:61

מִדִּין² (שופטים ה10) – עין מַד¹ (מס׳ 4)

מְדִינָה¹ נ׳ ארץ או אזור בשלטון מקומי: 1–55

קרובים: ראה אֲדָמָה
– בְּנֵי הַמְּדִינָה 25, 26; מִשְׁמַנֵּי מְדִינָה 4; רָאשֵׁי הַמְּדִינָה 27
– מְדִינוֹת הַמֶּלֶךְ 42–47, 50–53; מ׳ מַלְכוּתוֹ 48, 49; שָׂרֵי הַמְּדִינוֹת 30–36

מְדִינָה 1–3 שֶׁבַע וְעֶשְׂרִים וּמֵאָה מְדִינָה Es. 1:1; 8:9; 9:30
4 וּבְמִשְׁמַנֵּי מְדִינָה יָבוֹא Dan. 11:24
מְדִינָה וּמְדִינָה 5–6 מְדִינָה וּמְדִינָה כִּכְתָבָהּ Es. 1:22
7–8 הַפַּחוֹת אֲשֶׁר עַל־מְדִינָה וּמְדִינָה Es. 3:12
9–12 מְדִינָה וּמְדִינָה כִּכְתָבָהּ Es. 3:12; 8:9

מְדִינָה (המשך)

13-16 דָּת בְּכָל־מְדִינָה וּמְדִינָה Es.3:14; 8:13

17-20 וּבְכָל־מְדִינָה וּמְדִינָה Es.4:3; 8:17

21-22 מְדִינָה וּמְדִינָה וְעִיר וָעִיר Es.9:28

וּמְדִינָה 23 אֶת־כָּל־חֵיל עַם וּמְדִינָה Es.8:11

הַמְּדִינָה 24 בְּשׁוּשַׁן הַבִּירָה...בְּעֵילָם הַמְּדִינָה Dan.8:2

25/6 בְּנֵי הַמְּדִינָה הָעֹלִים Ez.2:1 • Neh.7:6

27 וְאֵלֶּה רָאשֵׁי הַמְּדִינָה Neh.11:3

בַּמְּדִינָה 28 אִם־עֹשֶׁק רָשׁ...תִּרְאֶה בַמְּדִינָה Eccl.5:7

29 אֲשֶׁר נִשְׁאֲרוּ...שָׁם בַּמְּדִינָה Neh.1:3

הַמְּדִינוֹת 30 בְּנַעֲרֵי שָׂרֵי הַמְּדִינוֹת IK.20:14

31-33 נַעֲרֵי שָׂרֵי הַמְּדִינוֹת IK.20:15,17,19

34 וְשָׂרֵי הַמְּדִינוֹת לְפָנָיו Es.1:3

35 וְהַפַּחוֹת וְשָׂרֵי הַמְּדִינוֹת Es.8:9

36 וְכָל־שָׂרֵי הַמְּדִינוֹת וְהָאֲחַשְׁדַּרְפְּ Es.9:3

37 וְשָׁמְעוֹ הוֹלֵךְ בְּכָל־הַמְּדִינוֹת Es.9:4

וְהַמְּדִינוֹת 38 וּסְגֻלַּת מְלָכִים וְהַמְּדִינוֹת Eccl.2:8

בַּמְּדִינוֹת 39 רַבָּתִי בַגּוֹיִם שָׂרָתִי בַּמְּדִינוֹת Lam.1:1

לַמְּדִינוֹת 40 וַהֲנָחָה לַמְּדִינוֹת עָשָׂה Es.2:18

מִמְּדִינוֹת 41 וַיִּתְּנוּ עָלָיו גּוֹיִם סָבִיב מִמְּדִינוֹת Ezek.19:8

מְדִינוֹת־ 42-45 בְּכָל־מְדִינוֹת הַמֶּלֶךְ אֲחַשְׁוֵרוֹשׁ Es.1:16; 8:12; 9:2,20

46-47 אֶל־כָּל־מְדִינוֹת הַמֶּלֶךְ Es.1:22; 3:13

48 בְּכָל־מְדִינוֹת מַלְכוּתוֹ Es.2:3

49 מְפֻזָּר...בְּכֹל מְדִינוֹת מַלְכוּתֶךָ Es.3:8

50 עַבְדֵי הַמֶּלֶךְ וְעַם מְדִינוֹת הַמֶּלֶךְ Es.4:11

51 אֲשֶׁר בְּכָל־מְדִינוֹת הַמֶּלֶךְ Es.8:5

52 בִּשְׁאָר מְדִינוֹת הַמֶּלֶךְ מֶה עָשׂוּ Es.9:12

בִּמְדִינוֹת־ 53 אֲשֶׁר בִּמְדִינוֹת הַמֶּלֶךְ Es.9:16

מְדִינָה*2 נ׳ ארמית: כמו בעברית: 1—11

מְדִינְתָּא = המדינה; מְדִינָן, מְדִינָתָא = מדינות

מְדִינַת בָּבֶל 1-6; שִׁלְטוֹנֵי מְדִינְתָּא 10, 11

מְדִינַת־ 1 וְהַשְׁלְטֵהּ עַל כָּל־מְדִינַת בָּבֶל Dan.2:48

2 וּמַנִּי עַל־עֲבִידְתָּא דִּי מְדִינַת בָּבֶל Dan.2:49

3 עַל־עֲבִידַת מְדִינַת בָּבֶל Dan.3:12

4 דִּי תְהַשְׁכַּח בְּכֹל מְדִינַת בָּבֶל Ez.7:16

בִּמְדִינַת־ 5 בְּבִקְעַת דּוּרָא בִּמְדִינַת בָּבֶל Dan.3:1

6 הַצְלַח לְשַׁדְרַךְ...בִּמְדִינַת בָּבֶל Dan.3:30

מְדִינְתָּא 7 דִּי־אֱזַלְנָא לִיהוּד מְדִינְתָּא Ez.5:8

8 בְּבִירְתָא דִּי בְּמָדַי מְדִינְתָּה Ez.6:2

וּמְדִינָן 9 וּמְהַנְזְקַת מַלְכִין וּמְדִנָן Ez.4:15

מְדִינָתָא 10-11 וְכֹל שִׁלְטֹנֵי מְדִינָתָא Dan.3:2,3

מִדְיָנִי ת׳ המתיחס על מדין: 1—8

הַמִּדְיָנִי 1 לְחֹבָב בֶּן־רְעוּאֵל הַמִּדְיָנִי Num.10:29

הַמִּדְיָנִית 2 וַיַּקְרֵב אֶל־אֶחָיו אֶת־הַמִּדְיָנִית Num.25:6

3 אֲשֶׁר הֻכָּה אֶת־הַמִּדְיָנִית Num.25:14

4 וְשֵׁם הָאִשָּׁה הַמֻּכָּה הַמִּדְיָנִית Num.25:16

מִדְיָנִים 5 וַיַּעַבְרוּ אֲנָשִׁים מִדְיָנִים סֹחֲרִים Gen.37:28

הַמִּדְיָנִים 6 צָרוֹר אֶת־הַמִּדְיָנִים Num.25:17

7 נְקֹם נִקְמַת בְּנֵי יִשׂ׳ מֵאֵת הַמִּדְיָנִים Num.31:2

וְהַמְּדָנִים 8 וְהַמְּדָנִים מָכְרוּ אֹתוֹ אֶל־מִצְרָיִם Gen. 37:36

מִדְיָנִים ז״ר דברי ריב [עין גם מְדָנִים1]: 1—10

אִישׁ מִדְיָנִים 7; אֵשֶׁת מִדְ׳ 3-5, 8; מִדְיָנֵי אִשָּׁה 10

מִדְיָנִים 1 חֹרֵשׁ רָע מִדְיָנִים (כת׳ מדונים) יְשַׁלֵּחַ Prov.6:14

2 מִדְיָנִים יַשְׁבִּית הַגּוֹרָל Prov.18:18

3-5 מֵאֵשֶׁת מִדְיָנִים (כת׳ מדונים) Prov.21:9,19; 25:24

6 לְמִי מִדְיָנִים (כת׳ מדונים) לְמִי שִׂיחַ Prov.23:29

7 וְאִישׁ מִדְיָנִים (כת׳ מדונים) לְחַרְחַר Prov.26:21

8 וְאֵשֶׁת מִדְיָנִים (כת׳ מדונים) נִשְׁתָּוָה Prov.27:15

וּמִדְיָנִים 9 וּמִדְיָנִים (כת׳ מדונים) כִּבְרִיחַ אַרְמוֹן Prov.18:19

מִדְיְנֵי־ 10 וְדֶלֶף טֹרֵד מִדְיְנֵי אִשָּׁה Prov.19:13

מַדְכָה עין מְדוֹכָה

מַדְמֵן ז׳ מקום מבוצר במואב

מַדְמֵן 1 גַּם־מַדְמֵן תִּדֹּמִּי Jer.48:2

מַדְמֵנָה1 נ׳ מקום רפש ודומן

מַדְמֵנָה 1 כְּהִדּוּשׁ מַתְבֵּן בְּמוֹ׳ מַדְמֵנָה Is.25:10

מַדְמֵנָה2 עיר בנחלת בנימין

מַדְמֵנָה 1 נָדְדָה מַדְמֵנָה... Is.10:31

מַדְמַנָּה1 א) עיר בנגב יהודה

וּמַדְמַנָּה 1 וְצִקְלַג וּמַדְמַנָּה וְסַנְסַנָּה Josh.15:31

מַדְמַנָּה2 שפ״ז איש משבט יהודה

מַדְמַנָּה 1 שַׁעַף אֲבִי מַדְמַנָּה ICh.2:49

מְדָן שפ״ז בן אברהם מאשתו קטורה: 1, 2

מְדָן 1 וַתֵּלֶד לוֹ...וְאֶת־מְדָן וְאֶת־מִדְיָן Gen.25:2

וּמְדָן 2 וּמְדָן וּמִדְיָן וְיִשְׁבָּק ICh.1:32

מְדָנִים1 ז״ר ריב: 1, 2

מְדָנִים 1 וּמְשַׁלֵּחַ מְדָנִים בֵּין אַחִים Prov.6:19

2 שִׂנְאָה תְּעֹרֵר מְדָנִים Prov.10:12

מְדָנִים2 (בראשית לז36) – עין מִדְיָנִי(8)

מַדָּע ז׳ א) דעת, חכמה: 1—5

ב) מחשבה: 6

מַדָּע וְהַשְׂכֵּל 2; חָכְמָה וּמַדָּע 3-5; מְבִינֵי מַדָּע 1

מַדָּע 1 וְיֹדְעֵי דַעַת וּמְבִינֵי מַדָּע Dan.1:4

2 מַדָּע וְהַשְׂכֵּל בְּכָל־סֵפֶר וְחָכְמָה Dan.1:17

וּמַדָּע 3 עַתָּה חָכְמָה וּמַדָּע תֶּן־לִי IICh.1:10

4 וַתִּשְׁאַל־לְךָ חָכְמָה וּמַדָּע IICh.1:11

וְהַמַּדָּע 5 הַחָכְמָה וְהַמַּדָּע נָתוּן לָךְ IICh.1:12

בְּמַדָּעֲךָ 6 גַּם בְּמַדָּעֲךָ מֶלֶךְ אַל־תְּקַלֵּל Eccl.10:20

מֹדַע עין מוֹדָע   מֹדַעַת עין מוֹדַעַת

מַדְקֵרָה* נ׳ דקירה, נעיצה

כְּמַדְקְרוֹת־ 1 יֵשׁ בּוֹטֶה כְּמַדְקְרוֹת חָרֶב Prov.12:18

מְדָר* ז׳ ארמית: מדור, מעון — עין גם מְדוֹר

מְדָרְהוֹן 1 מְדָרְהוֹן עִם־בִּשְׂרָא לָא אִיתוֹהִי Dan.2:11

מַדְרֵגָה נ׳ מעלה: 1, 2

הַמַּדְרֵגָה 1 יוֹנָתִי בְּחַגְוֵי הַסֶּלַע בְּסֵתֶר הַמַּדְרֵגָה S.ofS.2:14

הַמַּדְרֵגוֹת 2 וְנֶהֶרְסוּ הֶהָרִים וְנָפְלוּ הַמַּדְרֵגוֹת Ezek.38:20

מִדְרָךְ* ז׳ צעד

מִדְרַךְ־ 1 עַד מִדְרַךְ כַּף־רָגֶל Deut.2:5

מִדְרָשׁ* ז׳ חקר, פרשה: 2,1

מִדְרַשׁ־ 1 כְּתוּבִים עַל־מִדְרַשׁ סֵפֶר הַמְּלָכִים IICh.24:27

בְּמִדְרַשׁ־ 2 כְּתוּבִים בְּמִדְרַשׁ הַנָּבִיא עִדּוֹ IICh.13:22

מָה, מַה, מֶה מ״ש או מ״ג – בשאלה על דבר,

או על מעשה לא־ידוע: איזה דבר?

איזה? איך? כמה שעורו? למה? וכד׳

א) [לפני פועל] 1-129, 239-298, 387-425, 446-472

ב) [לפני שם או תואר] 130-217, 299-355, 426-436

ג) [מלת־קריאה להבעת השתוממות] כמה! כל כך!: 218-238, 356-366, 433, 437, 495-497

ד) [מָה, מֶה כמלה עצמאית] דבר, משהו: 367-386, 438-445

ה) [בַּמָּה, בְּמָה, בַּמֶּה] באיזה דבר, בדבר ש־: 526-554

ו) [מַה־זֹּאת, מַה־זֶּה, מַה־זֹּה – לפני פועל] כהוראת מה (א) ביתר הדגשה: 115-129, 473-474

ז) [מַה לְּךָ, לָךְ וכו׳] איזה דבר קרה לך? איזה יחס לך ולדבר?: 183-217, 492-494

– מָה אִם 500; מַה־בֶּצַע 135, 161, 478; מַה גַּם 522; מָה הוּא 142, 352; מַה הִיא 143, 160, 162; מַה־זֹּאת 115-123, 141, 473; מַה זֶּה 124-128, 140, 179,180,474; מַה זֶּה 129; מַה־טּוֹב 145,157,170,177, 219,230,232,236,496; מַה־יָּפִית 238; מַה־יֵּשׁ 147, 150, 476; מַה לְּ־ (לְךָ, לוֹ וכו׳) 183-217, 492-494; מַה שֶּׁ־ 109-114; מַה שְּׁמוֹ (שְׁמֶךָ) 134, 139, 164

– וִיהִי מָה 380, 381; עַד מָה 368, 372, 373, 384; עַל־מָה 180, 367, 369-371, 374-376, 383; יַעַן מֶה 443; עַד מֶה 444; עַל־מֶה 445,441/2,438,413/4; תַּחַת מֶה 439

מה (א) 1 לִרְאוֹת מַה־יִּקְרָא־לוֹ Gen.2:19

2 מַה־תִּתֶּן־לִי וְאָנֹכִי הוֹלֵךְ עֲרִירִי Gen.15:2

3 מַה־מָּצָאתָ מִכֹּל כְּלֵי־בֵיתֶךָ Gen.31:37

4 וַיִּשְׁאָלֵהוּ...מַה־תְּבַקֵּשׁ Gen.37:15

5 וְנִרְאֶה מַה־יִּהְיוּ חֲלֹמֹתָיו Gen.37:20

6 מַה תִּתֶּן־לִי כִּי תָבוֹא אֵלָי Gen.38:16

7 מַה־פָּרַצְתָּ עָלֶיךָ פָּרֶץ Gen.38:29

8-9 מַה־נֹּאמַר לַאדֹנִי מַה־נְּדַבֵּר Gen.44:16

10 לְדֵעָה מַה־יֵּעָשֶׂה לוֹ Ex.2:4

11 לֹא־נֵדַע מַה־נַּעֲבֹד אֶת־יְיָ Ex.10:26

12 מַה־תִּצְעַק אֵלָי Ex.14:15

13 וַיִּלֹּנוּ...לֵאמֹר מַה־נִּשְׁתֶּה Ex.15:24

14/5 מַה־תְּרִיבוּן...מַה־תְּנַסּוּן אֶת־יְיָ Ex.17:2

16 מַה־נֹּאכַל בַּשָּׁנָה הַשְּׁבִיעִת Lev.25:20

17 וְאֶשְׁמְעָה מַה־יְּצַוֶּה יְיָ לָכֶם Num.9:8

18 כִּי לֹא פֹרַשׁ מַה־יֵּעָשֶׂה לוֹ Num.15:34

19 וְאֵדְעָה מַה־יֹּסֵף יְיָ דַּבֵּר עִמִּי Num.22:19

20 וּדְבַר מַה־יַּרְאֵנִי וְהִגַּדְתִּי לָךְ Num.23:3

21 מַה־דִּבֶּר יְיָ Num.23:17

22 כָּעֵת יֵאָמֵר...מַה־פָּעַל אֵל Num.23:23

23 וְשָׁמַעְתָּ מַה־יְדַבֵּרוּ Jud.7:11

24 מַה־נַּעֲשֶׂה לַנַּעַר הַיּוּלָּד Jud.13:8

25 מַה־יִּהְיֶה מִשְׁפַּט הַנַּעַר... Jud.13:12

26 וְעַתָּה דְּעוּ מַה־תַּעֲשׂוּ Jud.18:14

27 מַה־נַּעֲשֶׂה לָהֶם לַנּוֹתָרִים Jud.21:7

28 מַה־נַּעֲשֶׂה לַנּוֹתָרִים לְנָשִׁים Jud.21:16

29 מַה־נַּעֲשֶׂה לַאֲרוֹן אֱלֹהֵי יִשְׂרָאֵל ISh.5:8

30 מַה־נַּעֲשֶׂה לַאֲרוֹן יְיָ ISh.6:2

31 מַה־יֹּשִׁעֵנוּ זֶה ISh.10:27

32 מַה־יֵּעָשֶׂה לָאִישׁ אֲשֶׁר יַכֶּה... ISh.17:26

33 מַה־תֹּאמַר נַפְשְׁךָ וְאֶעֱשֶׂה־לָּךְ ISh.20:4

34 אוֹ מַה־יַּעַנְךָ אָבִיךָ קָשָׁה ISh.20:10

35 מַה־יַּעֲשֶׂה־לִּי אֱלֹהִים ISh.22:3

36 דְּעִי וּרְאִי מַה־תַּעֲשִׂי ISh.25:17

37 הָבוּ לָכֶם עֵצָה מַה־נַּעֲשֶׂה IISh.16:20

38 הוּא יַגִּיד לָךְ מַה־יִּהְיֶה לַנָּעַר IK.14:3

39 מַה־לַּעֲשׂוֹת עוֹד לְכַרְמִי Is.5:4

40 וְיֵדְעוּ מַה־יָּעַץ יְיָ צְבָאוֹת Is.19:12

41 הֲיֹאמַר...מַה־תַּעֲשֶׂה Is.45:9

42 הוֹי אֹמֵר לְאָב מַה־תּוֹלִיד Is.45:10

43 וּלְאִשָּׁה מַה־תְּחִילִין Is.45:10

מַה (א) (המשך)

44 מַה־מָּצְאוּ אֲבוֹתֵיכֶם בִּי עָוֶל Jer. 2:5
45 מַה־תֵּיטִבִי דַּרְכֵּךְ Jer. 2:33
46 מַה־תֵּזְלִי מְאֹד לְשַׁנּוֹת אֶת־דַּרְכֵּךְ Jer. 2:36
47 וְאַתְּ° שָׁדוּד מַה־תַּעֲשִׂי... Jer. 4:30
48 וְלֹא תִשְׁמַע מַה־יְדַבֵּר Jer. 5:15
49 מַה־תֹּאמְרִי כִּי־יִפְקֹד עָלַיִךְ Jer. 13:21
50 מַה־נֵּחַנְתְּ בְּבֹא־לָךְ חֲבָלִים Jer. 22:23
51 מַה־תִּזְעַק עַל־שִׁבְרֵךְ Jer. 30:15
52 מַה־דִּבַּרְתָּ אֶל־הַמֶּלֶךְ Jer. 38:25
53 אִמְרִי מַה־נִּהְיָתָה Jer. 48:19
54 מַה־תִּתְהַלְלִי בָּעֲמָקִים Jer. 49:4
55 מַה־יִּהְיֶה עֵץ־הַגֶּפֶן... Ezek. 15:2
56 מַה־תַּעֲשׂוּ לְיוֹם מוֹעֵד Hosh. 9:5
57 תֵּן־לָהֶם יְיָ מַה־תִּתֵּן Hosh. 9:14
58 וְהַמֶּלֶךְ מַה־יַּעֲשֶׂה לָנוּ Hosh. 10:3
59 מַה־נַּעֲשֶׂה לָּךְ וְיִשְׁתֹּק הַיָּם Jon. 1:11
60 עַד אֲשֶׁר יִרְאֶה מַה־יִּהְיֶה בָּעִיר Jon. 4:5
61 זְכָר־נָא מַה־יָּעַץ בָּלָק Mic. 6:5
62 מַה־תְּחַשְּׁבוּן אֶל־יְיָ Nah. 1:9
63 וַאֲצַפֶּה לִרְאוֹת מַה־יְּדַבֶּר־בִּי Hab. 2:1
64 וַאֲמַרְתֶּם מַה־נִּדְבַּרְנוּ עָלֶיךָ Mal. 3:13
65 צַדִּיק מַה־פָּעָל Ps. 11:3
66 וְעַתָּה מַה־קִּוִּיתִי אֲדֹנָי Ps. 39:8
67 מַה־תִּשְׁתּוֹחֲחִי נַפְשִׁי וַתֶּהֱמִי עָלָי Ps. 42:6
68/9 מַה־תִּשְׁתּוֹחֲחִי נַפְשִׁי Ps. 42:12; 43:5
70 מַה־תִּתְהַלֵּל בְּרָעָה הַגִּבּוֹר Ps. 52:3
71 מַה־יַּעֲשֶׂה בָשָׂר לִי Ps. 56:5
72 מַה־יַּעֲשֶׂה אָדָם לִי Ps. 56:12
73 אֶשְׁמְעָה מַה־יְּדַבֵּר הָאֵל יְיָ Ps. 85:9
74 מַה־יַּעֲשֶׂה לִי אָדָם Ps. 118:6
75 מַה־יִּתֵּן לְךָ וּמַה־יֹּסִיף לָךְ Ps. 120:3
76 וְאָדָם מַה־יָּבִין דַּרְכּוֹ Prov. 20:24
77 פֶּן מַה־תַּעֲשֶׂה בְּאַחֲרִיתָהּ Prov. 25:8
78 כִּי לֹא־תֵדַע מַה־יֵּלֶד יוֹם Prov. 27:1
79 מִי־יֹאמַר אֵלָיו מַה־תַּעֲשֶׂה Job 9:12
80 הוֹדִיעֵנִי עַל מַה־תְּרִיבֵנִי Job 10:2
81 גָּבְהֵי שָׁמַיִם מַה־תִּפְעָל Job 11:8
82 עֲמֻקָּה מִשְּׁאוֹל מַה־תֵּדָע Job 11:8
83 מַה־יָּדַעְתָּ וְלֹא נֵדָע Job 15:9
84 מַה־יִּקָּחֲךָ לִבֶּךָ Job 15:12
85 אוֹ מַה־יַּמְרִיצְךָ כִּי תַעֲנֶה Job 16:3
86 וְאַחְדְּלָה מַה־מִּנִּי יַהֲלֹךְ Job 16:6
87 כִּי תֹאמְרוּ מַה־נִּרְדָּף־לוֹ Job 19:28
88 וְאָמַרְתָּ מַה־יָּדַע אֵל Job 22:13
89 וְאָבִינָה מַה־יֹּאמַר לִי Job 23:5
90 מַה־יָּעַצְתָּ לְלֹא־חָכְמָה Job 26:3
91 כִּי־תֹאמַר מַה־יִּסְכָּן־לָךְ Job 35:3
92 אִם־חָטָאתָ מַה־תִּפְעָל־בּוֹ Job 35:6
93 וְרַבּוּ פְשָׁעֶיךָ מַה־תַּעֲשֶׂה־לּוֹ Job 35:6
94 אִם־צָדַקְתָּ מַה־תִּתֶּן־לוֹ Job 35:7
95 אוֹ מַה־מִּיָּדְךָ יִקָּח Job 35:7
96 הוֹדִיעֵנוּ מַה־נֹּאמַר לוֹ Job 37:19
97 מַה־תַּגִּידוּ לוֹ S.ofS. 5:8
98 מַה־תֶּחֱזוּ בַּשּׁוּלַמִּית S.ofS. 7:1
99 מַה־תָּעִירוּ וּמַה־תְּעֹרְרוּ S.ofS. 8:4
100 מַה־נַּעֲשֶׂה לַאֲחוֹתֵנוּ בַּיּוֹם שֶׁיְּדֻבַּר S.ofS. 8:8
101 מַה־יִּתְאוֹנֵן אָדָם חָי Lam. 3:39
102 מִי יַגִּיד לְאָדָם מַה־יִּהְיֶה אַחֲרָיו Eccl. 6:12
103 וּמִי יֹאמַר־לוֹ מַה־תַּעֲשֶׂה Eccl. 8:4
104 כִּי לֹא תֵדַע מַה־יִּהְיֶה Eccl. 11:2
105 כְּדָת מַה־לַּעֲשׂוֹת בַּמַּלְכָּה וַשְׁתִּי Es. 1:15
106 לָדַעַת מַה־יַּעֲשֶׂה יִשְׂרָאֵל ICh. 12:33
107 מַה־יּוֹסִיף עוֹד דָּוִיד אֵלֶיךָ ICh. 17:18
108 וַאֲנַחְנוּ לֹא נֵדַע מַה־נַּעֲשֶׂה IICh. 20:12

מַה שֶׁ־

109 מַה־שֶּׁהָיָה הוּא שֶׁיִּהְיֶה Eccl. 1:9
110 מַה־שֶּׁהָיָה כְּבָר הוּא Eccl. 3:15
111 מַה־שֶּׁהָיָה כְּבָר נִקְרָא שְׁמוֹ Eccl. 6:10
112 רָחוֹק מַה־שֶּׁהָיָה Eccl. 7:24
113 כִּי־אֵינֶנּוּ יֹדֵעַ מַה־שֶּׁיִּהְיֶה Eccl. 8:7
114 לֹא־יֵדַע הָאָדָם מַה־שֶּׁיִּהְיֶה Eccl. 10:14

מַה־זֹּאת

115 מַה־זֹּאת עָשִׂית Gen. 3:13
116/7 מַה־זֹּאת עָשִׂיתָ לִּי Gen. 12:18; 29:25
118 מַה־זֹּאת עָשִׂיתָ לָּנוּ Gen. 26:10
119 מַה־זֹּאת עָשָׂה אֱלֹהִים לָנוּ Gen. 42:28
120 וַיֹּאמְרוּ מַה־זֹּאת עָשִׂינוּ Ex. 14:5
121 מַה־זֹּאת עָשִׂיתָ לָּנוּ Ex. 14:11
122 מַה־זֹּאת עֲשִׂיתֶם Jud. 2:2
123 מַה־זֹּאת עָשִׂיתָ Jon. 1:10

מַה־זֶּה

124 מַה־זֶּה מִהַרְתָּ לִמְצֹא בְּנִי Gen. 27:20
125 מַה־זֶּה הָיָה לְבֶן־קִישׁ ISh. 10:11
126 מַה־זֶּה רוּחֲךָ סָרָה IK. 21:5
127 מַה־זֶּה שַׁבְתֶּם IIK. 1:5
128 עַל־מַה־זֶּה אַתָּה מְבַקֵּשׁ Neh. 2:4

מַה־זֹּה

129 וּלְשִׂמְחָה מַה־זֹּה עֹשָׂה Eccl. 2:2

מַה (ב)

130 בֵּינִי וּבֵינְךָ מַה־הִוא Gen. 23:15
131 הַגִּידָה לִּי מַה־מַּשְׂכֻּרְתֶּךָ Gen. 29:15
132/3 מַה־פִּשְׁעִי מַה חַטָּאתִי... Gen. 31:36
134 וַיֹּאמֶר אֵלָיו מַה־שְּׁמֶךָ Gen. 32:27
135 מַה־בֶּצַע כִּי נַהֲרֹג... Gen. 37:26
136 אֲדֹנִי לֹא־יָדַע אִתִּי מַה־בַּבָּיִת Gen. 39:8
137/8 מַה־מַּעֲשֵׂיכֶם Gen. 46:33; 47:3
139 וְאָמְרוּ־לִי מַה־שְּׁמוֹ Ex. 3:13
140 וַיֹּאמֶר...מַה־זֶּה (כת׳ מזה) בְיָדֶךָ Ex. 4:2
141 כִּי־יִשְׁאָלְךָ בִנְךָ...מַה־זֹּאת Ex. 13:14
142 כִּי לֹא יָדְעוּ מַה־הוּא Ex. 16:15
143 וּרְאִיתֶם אֶת־הָאָרֶץ מַה־הִוא Num. 13:18
144 וְאַהֲרֹן מַה־הוּא כִּי תַלִּינוּ° עָלָיו Num. 16:11
145 מַה־טּוֹב לָכֶם... Jud. 9:2
146 מַה־מָּתוֹק מִדְּבַשׁ Jud. 14:18
147 וְעַתָּה מַה־יֵּשׁ תַּחַת־יָדְךָ ISh. 21:4
148 וַיֹּאמֶר לָהּ מַה־תָּאֳרוֹ ISh. 28:14
149 וְנִשְׁמְעָה מַה־בְּפִיו גַּם־הוּא IISh. 17:5
150 מַה־יֶּשׁ־לָךְ° בַּבָּיִת IIK. 4:2
151/2 שֹׁמֵר מַה־מִּלַּיְלָה...מַה־מִּלֵּיל Is. 21:11
153 וְכִי־יִשְׁאָלְךָ...מַה־מַּשָּׂא יְיָ Jer. 23:33
154 וְאָמַרְתָּ אֲלֵיהֶם אֶת־מַה־מַּשָּׂא Jer. 23:33
155 וּמַגִּיד לְאָדָם מַה־שֵּׂחוֹ Am. 4:13
156 מַה־מְּלַאכְתְּךָ וּמֵאַיִן תָּבוֹא Jon. 1:8
157 הִגִּיד לְךָ אָדָם מַה־טּוֹב Mic. 6:8
158 מַה־שְּׁנֵי הַזֵּיתִים הָאֵלֶּה Zech. 4:11
159 מַה־שְׁתֵּי שִׁבֲּלֵי הַזֵּיתִים Zech. 4:12
160 וָאֹמַר מַה־הִיא Zech. 5:6
161 מַה־בֶּצַע בְּדָמִי Ps. 30:10
162 וּמִדַּת יָמַי מַה־הִיא Ps. 39:5
163 עַל־מַה־שָּׁוְא בָּרָאתָ... Ps. 89:48
164 מַה־שְּׁמוֹ וּמַה־שֶּׁם־בְּנוֹ Prov. 30:4
165 מַה־בְּרִי וּמַה־בַּר־בִּטְנִי Prov. 31:2
166 מַה־כֹּחִי כִּי־אֲיַחֵל Job 6:11
167 מַה־שַּׁדַּי כִּי־נַעַבְדֶנּוּ Job 21:15
168 כִּי מַה־חֶפְצוֹ בְּבֵיתוֹ אַחֲרָיו Job 21:21
169 מַה־תִּקְוַת חָנֵף כִּי יִבְצָע Job 27:8
170 נֵדְעָה בֵינֵינוּ מַה־טּוֹב Job 34:4
171/2 מַה־דּוֹדֵךְ מִדּוֹד S.ofS. 5:9[2]
173 מַה־יִּתְרוֹן לָאָדָם בְּכָל־עֲמָלוֹ Eccl. 1:3

מַה (ב) (המשך)

174 מַה־יִּתְרוֹן הָעוֹשֶׂה... Eccl. 3:9
175 מַה־יּוֹתֵר לֶחָכָם מִן־הַכְּסִיל Eccl. 6:8
176 מַה־יֹּתֵר לָאָדָם Eccl. 6:11
177 מִי־יוֹדֵעַ מַה־טּוֹב לָאָדָם Eccl. 6:12
178 אֵינְךָ יוֹדֵעַ מַה־דֶּרֶךְ הָרוּחַ Eccl. 11:5
179/80 לָדַעַת מַה־זֶּה וְעַל־מַה־זֶּה Es. 4:5
181/2 מַה־שְּׁאֵלָתֵךְ...וּמַה־בַּקָּשָׁתֵךְ Es. 5:6; 7:2

מַה־לְּ...

183 מַה־לָּךְ הָגָר Gen. 21:17
184 וַיֹּאמֶר־לָהּ כָּלֵב מַה־לָּךְ Josh. 15:18
185 מַה־לָּכֶם וְלַייָ אֱלֹהֵי יִשְׂרָאֵל Josh. 22:24
186 וַיֹּאמֶר־לָהּ כָּלֵב מַה־לָּךְ Jud. 1:14
187 מַה־לִּי וָלָךְ כִּי־בָאתָ אֵלַי Jud. 11:12
188 מַה־לְּךָ כִּי נִזְעָקְתָּ Jud. 18:23
189 וּמַה־זֶּה תֹּאמְרוּ אֵלַי מַה־לָּךְ Jud. 18:24
190 מַה־לָּעָם כִּי יִבְכּוּ ISh. 11:5
191 וַיֹּאמֶר־לָהּ הַמֶּלֶךְ מַה־לָּךְ IISh. 14:5
192/3 מַה־לִּי וְלָכֶם בְּנֵי צְרֻ(וּ)יָה IISh.16:10;
194 וַיֹּאמֶר הַמֶּלֶךְ מַה־לָּךְ IK. 1:16
195 מַה־לָּנוּ חֵלֶק בְּדָוִד IK. 12:16
196 מַה־לִּי וָלָךְ אִישׁ הָאֱלֹהִים IK. 17:18
197/8 מַה־לְּךָ פֹה אֵלִיָּהוּ IK. 19:9, 13
199 מַה־לִּי וָלָךְ... IIK. 3:13
200 וַיֹּאמֶר לָהּ הַמֶּלֶךְ מַה־לָּךְ IIK. 6:28
201/2 מַה־לְּךָ וּלְשָׁלוֹם IIK. 9:18, 19
203 מַה־לָּכֶם (כת׳ מלכם) תְּדַכְּאוּ עַמִּי Is. 3:15
204 מַה־לָּךְ אֵפוֹא כִּי־עָלִית... Is. 22:1
205 מַה־לְּךָ פֹה וּמִי־לְךָ פֹה Is. 22:16
206 וְעַתָּה מַה־לִּי־פֹה נְאֻם־יְיָ Is. 52:5
207 מַה־לָּךְ לְדֶרֶךְ מִצְרַיִם Jer. 2:18
208 מַה־לַּתֶּבֶן אֶת־הַבָּר Jer. 23:28
209 מַה־לָּכֶם אַתֶּם מֹשְׁלִים Ezek. 18:2
210 מַה־לִּי עוֹד לָעֲצַבִּים Hosh. 14:9
211 מַה־לְּךָ נִרְדָּם Jon. 1:6
212 מַה־לְּךָ לְסַפֵּר חֻקָּי Ps. 50:16
213 מַה־לְּךָ הַיָּם כִּי תָנוּס Ps. 114:5
214 מַה־לֶּעָנִי יוֹדֵעַ לַהֲלֹךְ נֶגֶד הַחַיִּים Eccl. 6:8
215 מַה־לָּךְ אֶסְתֵּר הַמַּלְכָּה Es. 5:3
216 מַה־לָּנוּ חֵלֶק בְּדָוִיד IICh. 10:16
217 מַה־לִּי וָלָךְ מֶלֶךְ יְהוּדָה IICh. 35:21

מַה (ג)

218 מַה־נּוֹרָא הַמָּקוֹם הַזֶּה Gen. 28:17
219 מַה־טֹּבוּ אֹהָלֶיךָ יַעֲקֹב Num. 24:5
220 מַה־נִּכְבַּד הַיּוֹם מֶלֶךְ יִשְׂרָאֵל IISh. 6:20
221 מַה־נָּאווּ...רַגְלֵי מְבַשֵּׂר Is. 52:7
222 מַה־נֶּאֶנְחָה בְהֵמָה Joel 1:18
223 כִּי מַה־טּוּבוֹ וּמַה־יָּפְיוֹ Zech. 9:17
224 וּבִישׁוּעָתְךָ מַה־יָּגֶל° מְאֹד Ps. 21:2
225 מַה־יָּקָר חַסְדְּךָ אֱלֹהִים Ps. 36:8
226 מַה־נּוֹרָא מַעֲשֶׂיךָ Ps. 66:3
227 מַה־יְּדִידוֹת מִשְׁכְּנוֹתֶיךָ Ps. 84:2
228 מַה־גָּדְלוּ מַעֲשֶׂיךָ יְיָ Ps. 92:6
229 מַה־נִּמְלְצוּ לְחִכִּי אִמְרָתֶךָ Ps. 119:103
230 הִנֵּה מַה־טּוֹב וּמַה־נָּעִים... Ps. 133:1
231 וְלִי מַה־יָּקְרוּ רֵעֶיךָ אֵל Ps. 139:17
232 וְדָבָר בְּעִתּוֹ מַה־טּוֹב Prov. 15:23
233 קְנֹה־חָכְמָה מַה־טּוֹב מֵחָרוּץ Prov. 16:16
234 מַה־נִּמְרְצוּ אִמְרֵי־יֹשֶׁר Job 6:25
235 מַה־יָּפוּ דֹדַיִךְ אֲחֹתִי כַלָּה S.ofS. 4:10
236 מַה־טֹּבוּ דֹדַיִךְ מִיַּיִן S.ofS. 4:10
237 מַה־יָּפוּ פְעָמַיִךְ בַּנְּעָלִים S.ofS. 7:2
238 מַה־יָּפִית וּמַה־נָּעַמְתְּ אַהֲבָה S.ofS. 7:7

מָה (א)

239 מָה רָאִיתָ כִּי עָשִׂיתָ אֶת־הַדָּבָר Gen. 20:10
240 וּלְכָה אֵפוֹא מָה אֶעֱשֶׂה בְּנִי Gen. 27:37

מָה (א) (המשך)

241 וַיֹּאמֶר מָה אֶתֶּן־לָךְ Gen. 30:31
242 מָה־אֶעֱשֶׂה לָאֵלֶּה הַיּוֹם Gen. 31:43
243 מָה אֹמַר אֲלֵהֶם Ex. 3:13
244 מָה אֶעֱשֶׂה לָעָם הַזֶּה Ex. 17:4
245 וְאֵדְעָה מָה אֶעֱשֶׂה־לָּךְ Ex. 33:5
246 מָה אֶקֹּב לֹא קַבֹּה אֵל Num. 23:8
247 מָה יְיָ אֱלֹהֶיךָ שֹׁאֵל מֵעִמָּךְ Deut. 10:12
248 מָה אֲדֹנִי מְדַבֵּר אֶל־עַבְדּוֹ Josh. 5:14
249 מָה אֹמַר אַחֲרֵי אֲשֶׁר... Josh. 7:8
250 מָה רְאִיתֶם עָשִׂיתִי מַהֲרוּ... Jud. 9:48
251 מָה אַתֶּם עֹשִׂים Jud. 18:18
252 מָה אֶעֱשֶׂה לִבְנִי ISh. 10:2
253 מָה־אָמַר לָכֶם שְׁמוּאֵל ISh. 10:15
254 אַל־תִּירְאִי כִּי מָה רָאִית ISh. 28:13
255 לְהוֹדִיעֵנִי מָה אֶעֱשֶׂה ISh. 28:15
256 מָה אֶעֱשֶׂה לָכֶם וּבַמָּה אֲכַפֵּר IISh. 21:3
257 מָה־אַתֶּם אֹמְרִים אֶעֱשֶׂה לָכֶם IISh. 21:4
258 מָה־אָשִׁיב שֹׁלְחִי דָּבָר IISh. 24:13
259 שְׁאַל מָה אֶתֶּן־לָךְ IK. 3:5
260 כִּי מָה־אַתָּה חָסֵר עִמִּי IK. 11:22
261 מָה אַתֶּם נוֹעָצִים IK. 12:9
262 שְׁאַל מָה אֶעֱשֶׂה־לָּךְ IIK. 2:9
263 וַיֹּאמֶר...מָה אֶעֱשֶׂה־לָּךְ IIK. 4:2
264 מָה אֶתֵּן זֶה לִפְנֵי מֵאָה אִישׁ IIK. 4:43
265 מָה־אוֹחִיל לַייָ עוֹד IIK. 6:33
266 מָה אֲנַחְנוּ יֹשְׁבִים פֹּה IIK. 7:3
267 מָה־אָמַר לְךָ אֱלִישָׁע IIK. 8:14
268 מָה־אָמְרוּ הָאֲנָשִׁים הָאֵלֶּה IIK. 20:14
269 מָה רָאוּ בְּבֵיתֶךָ IIK. 20:15
270 מָה־אֲדַבֵּר וְאָמַר־לִי Is. 38:15
271 מָה אָמְרוּ הָאֲנָשִׁים הָאֵלֶּה Is. 39:3
272 מָה רָאוּ בְּבֵיתֶךָ Is. 39:4
273 וְאָמַר מָה אֶקְרָא Is. 40:6
274-276 מָה(־)אַתָּה רֹאֶה Jer. 1:11, 13; 24:3
277 הַאֵינְךָ רֹאֶה מָה הֵמָּה עֹשִׂים Jer. 7:17
278 רָאִיתָ מָה־הָעָם הַזֶּה דִּבְּרוּ Jer. 33:24
279 הֲרֹאֶה אַתָּה מָה הֵם (כ׳ מהם) עֹשִׂים Ezek. 8:6
280 הֲלֹא אָמְרוּ...מָה אַתָּה עֹשֶׂה Ezek. 12:9
281 מָה אֶעֱשֶׂה־לְּךָ אֶפְרַיִם Hosh. 6:4
282 מָה אֶעֱשֶׂה־לְּךָ יְהוּדָה Hosh. 6:4
283/4 מָה־אַתָּה רֹאֶה עָמוֹס Am. 7:8; 8:2
285 מָה־הוֹעִיל פֶּסֶל... Hab. 2:18
286/7 מָה אַתָּה רֹאֶה Zech. 4:2; 5:2
288 מָה־אָשִׁיב לַייָ כָּל־תַּגְמוּלוֹהִי Ps. 116:12
289 חָטָאתִי מָה אֶפְעַל לָךְ Job 7:20
290 וְכִי־יִפְקֹד מָה אֲשִׁיבֶנּוּ Job 31:14
291 מָה אֹעִיל מֵחַטָּאתִי Job 35:3
292 הֵן קַלֹּתִי מָה אֲשִׁיבֶךָּ Job 40:4
293 מָה אֱלֹהַי נֹתֵן אֶל־לִבִּי Neh. 2:12
294 מָה הַיְּהוּדִים הָאֲמֵלָלִים עֹשִׂים Neh. 3:34
295 מָה־אָשִׁיב אֶת־שֹׁלְחִי דָּבָר ICh. 21:12
296 שְׁאַל מָה אֶתֶּן־לָךְ IICh. 1:7
297 מָה אַתֶּם נוֹעָצִים IICh. 10:9
298 רְאוּ מָה־אַתֶּם עֹשִׂים IICh. 19:6

מָה (ב)

299 מָה הֵנָּה שֶׁבַע כְּבָשֹׂת הָאֵלֶּה Gen. 21:29
300 הַכֶּר־לְךָ מָה עִמָּדִי Gen. 31:32
301 מָה הַחֲלוֹם הַזֶּה אֲשֶׁר חָלָמְתָּ Gen. 37:10
302 מָה הָעֵרָבוֹן אֲשֶׁר אֶתֶּן־לָךְ Gen. 38:18
303 מָה־הַמַּעֲשֶׂה הַזֶּה... Gen. 44:15
304 מָה הָעֲבֹדָה הַזֹּאת לָכֶם Ex. 12:26
305 מָה־הַדָּבָר הַזֶּה אֲשֶׁר אַתָּה עֹשֶׂה Ex. 18:14
306 מָה הָעֵדֹת וְהַחֻקִּים וְהַמִּשְׁפָּטִים Deut. 6:20

מָה (ב) (המשך)

307 אֶרְאֶה מָה אַחֲרִיתָם Deut. 32:20
308/9 מָה הָאֲבָנִים הָאֵלֶּה Josh. 4:6, 21
310 מָה־הַמַּעַל הַזֶּה אֲשֶׁר מְעַלְתֶּם Josh. 22:16
311 מָה־הַדָּבָר הַזֶּה עָשִׂיתָ לָּנוּ Jud. 8:1
312 וַיֹּאמְרוּ לָהֶם...מָה אַתֶּם Jud. 18:8
313 מָה הָרָעָה הַזֹּאת אֲשֶׁר נִהְיְתָה Jud. 20:12
314 מָה הַדָּבָר אֲשֶׁר דִּבֶּר אֵלֶיךָ ISh. 3:17
315 מָה הָאָשָׁם אֲשֶׁר נָשִׁיב לוֹ ISh. 6:4
316 וּתְשׁוּרָה אֵין־לְהָבִיא...מָה אִתָּנוּ ISh. 9:7
317 מָה הָעִבְרִים הָאֵלֶּה ISh. 29:3
318 מָה־הַדָּבָר הַזֶּה אֲשֶׁר עָשִׂיתָה IISh. 12:21
319 מָה־אֵלֶּה לָּךְ IISh. 16:2
320 מָה הֶעָרִים הָאֵלֶּה... IK. 9:13
321 כִּי מָה עַבְדְּךָ הַכֶּלֶב... IIK. 8:13
322 וַיֹּאמֶר מָה הַשָּׁלוֹם עַד־זְנוּנֵי אִיזֶב׳ IIK. 9:22
323 מָה הַבִּטָּחוֹן הַזֶּה אֲשֶׁר בָּטָחְתָּ IIK. 18:19
324 מָה אוֹת כִּי־יִרְפָּא יְיָ לִי IIK. 20:8
325 מָה הַצִּיּוּן הַלָּז... IIK. 23:17
326 מָה הַבִּטָּחוֹן הַזֶּה אֲשֶׁר בָּטָחְתָּ Is. 36:4
327 וַיֹּאמֶר חִזְקִיָּהוּ מָה אוֹת... Is. 38:22
328 הָרִאשֹׁנוֹת מָה הֵנָּה Is. 41:22
329 מָה־הַמָּשָׁל הַזֶּה לָכֶם Ezek. 12:22
330 הֲלֹא יְדַעְתֶּם מָה־אֵלֶּה Ezek. 17:12
331 מָה אִמְּךָ לְבִיָּא Ezek. 19:2
332 וָאֹמַר אֲלֵהֶם מָה הַבָּמָה Ezek. 20:29
333 הֲלֹא־תַגִּיד לָנוּ מָה־אֵלֶּה לָּנוּ Ezek. 24:19
334 מָה הַדָּבָר הַיּוֹצֵא מֵאֵת יְיָ Ezek. 33:30
335 הֲלוֹא־תַגִּיד לָנוּ מָה־אֵלֶּה לָּךְ Ezek. 37:18
336 וְגַם מָה־אַתֶּם לִי צֹר וְצִידוֹן Joel 4:4
337 מָה אַרְצֶךָ וְאֵי־מִזֶּה עַם אָתָּה Jon. 1:8
338-340 מָה־אֵלֶּה אֲדֹנִי Zech. 1:9; 4:4; 6:4
341 אֲנִי אַרְאֶךָּ מָה־הֵמָּה אֵלֶּה Zech. 1:9
342 וָאֹמַר...מָה־אֵלֶּה Zech. 2:2
343 מָה אֵלֶּה בָאִים לַעֲשׂוֹת Zech. 2:4
344 הֲלוֹא יָדַעְתָּ מָה־הֵמָּה אֵלֶּה Zech. 4:5
345 הֲלוֹא יָדַעְתָּ מָה־אֵלֶּה Zech. 4:13
346 וּרְאֵה מָה הַיּוֹצֵאת הַזֹּאת Zech. 5:5
347 מָה הַמַּכּוֹת הָאֵלֶּה בֵּין יָדֶיךָ Zech. 13:6
348 מָה־אֱנוֹשׁ כִּי־תִזְכְּרֶנּוּ Ps. 8:5
349 מָה־אָדָם וַתֵּדָעֵהוּ Ps. 144:3
350 מָה־אֱנוֹשׁ כִּי תְגַדְּלֶנּוּ Job 7:17
351 מָה־אֱנוֹשׁ כִּי־יִזְכֶּה Job 15:14
352 כִּי־הִגִּידָה אֶסְתֵּר מָה הוּא־לָהּ Es. 8:1
353 אֲדֹנִי מָה אַחֲרִית אֵלֶּה Dan. 12:8
354 מָה־הַדָּבָר הַזֶּה אֲשֶׁר אַתֶּם עֹשִׂים Neh. 2:19
355 מָה־הַדָּבָר הָרָע הַזֶּה Neh. 13:17

מָה (ג)

356 מָה אֲמֻלָה לִבָּתֵךְ Ezek. 16:30
357 יְיָ מָה־רַבּוּ צָרָי Ps. 3:2
358/9 מָה־אַדִּיר שִׁמְךָ בְּכָל־הָאָרֶץ Ps. 8:2, 10
360 מָה רַב טוּבְךָ אֲשֶׁר צָפַנְתָּ Ps. 31:20
361 מָה־רַבּוּ מַעֲשֶׂיךָ יְיָ Ps. 104:24
362 מָה־אָהַבְתִּי תוֹרָתֶךָ Ps. 119:97
363 דּוֹר מָה־רָמוּ עֵינָיו Prov. 30:13
364/5 מָה־אֲעִידֵךְ° מָה אֲדַמֶּה־לָּךְ Lam. 2:13
366 מָה אַשְׁוֶה־לָּךְ וַאֲנַחֲמֵךְ Lam. 2:13

מָה (ד)

367 עַל־מָה הִכִּיתָ אֶת־אֲתֹנְךָ Num. 22:32
368 עַד־מָה אַשּׁוּר תִּשְׁבֶּךָּ Num. 24:22
369 עַל־מָה אֲנַחְנוּ יֹשְׁבִים Jer. 8:14
370 עַל־מָה אָבְדָה הָאָרֶץ Jer. 9:11
371 עַל־מָה אַתָּה נֶאֱנָח Ezek. 21:12
372 עַד־מָה יְיָ תֶּאֱנַף לָנֶצַח Ps. 79:5
373 עַד־מָה־יְיָ תִּסָּתֵר לָנֶצַח Ps. 89:47

מָה (ד) (המשך)

374 עַל־מָה אֶשָּׂא בְשָׂרִי בְשִׁנָּי Job 13:14
375 עַל־מָה אֲדָנֶיהָ הָטְבָּעוּ Job 38:6
376 עַל־מָה אַתֶּם בֹּטְחִים IICh. 32:10
377/8 וְנַחְנוּ מָה... Ex. 16:7, 8
379 וְרָאִיתִי מָה וְהִגַּדְתִּי לָךְ ISh. 19:3
380 וִיהִי מָה אָרֻצָה־נָּא IISh. 18:22
381 וִיהִי־מָה אָרוּץ IISh. 18:23
382 רָאִיתִי...וְלֹא יָדַעְתִּי מָה IISh. 18:29
383 וַאֲמַרְתֶּם עַל־מָה Mal. 2:14
384 וְלֹא־אִתָּנוּ יֹדֵעַ עַד־מָה Ps. 74:9
385 פְּתַיּוּת וּבַל־יָדְעָה מָּה Prov. 9:13
386 וַאֲדַבְּרָה אָנִי וְיַעֲבֹר עָלַי מָה Job 13:13

מֶה (א)

387 וַיֹּאמֶר מֶה עָשִׂיתָ Gen. 4:10
388 מֶה־עָשִׂיתָ לָּנוּ Gen. 20:9
389 וַיֹּאמֶר לָבָן לְיַעֲקֹב מֶה עָשִׂיתָ Gen. 31:26
390/1 לֹא יָדַעְנוּ מֶה־הָיָה לוֹ Ex. 32:1, 23
392 מֶה־עָשָׂה לְךָ הָעָם הַזֶּה... Ex. 32:21
393 מֶה־עָשִׂיתִי לְךָ כִּי הִכִּיתַנִי Num. 22:28
394-412 מֶה עָשִׂיתִי (עָשִׂיתָ, עָשָׂה וכד׳) Num. 23:11
Josh. 7:19 • Jud. 8:2 • ISh. 13:11; 14:43; 17:29; 20:1, 32; 26:8; 29:8 • IISh. 3:24; 24:17 • IK. 19:20 • Jer. 2:3; 8:6 • Mic. 6:3 • Es. 9:12 • ICh. 21:17 • IICh. 32:13
413/4 עַל־מֶה עָשָׂה יְיָ כָּכָה Deut. 29:23 • IK. 9:8
415 מֶה עֲכַרְתָּנוּ Josh. 7:25
416 מֶה־הָיָה הַדָּבָר בְּנִי ISh. 4:16
417 מֶה־הָיָה הַדָּבָר IISh. 1:4
418 וַיֹּאמֶר מֶה חָטָאתִי IK. 18:9
419 מֶה לַעֲשׂוֹת לָךְ IIK. 4:13
420 מֶה־עָנָה יְיָ Jer. 23:35
421 מֶה־עָנָךְ יְיָ Jer. 23:37
422 מֶה חָטָאתִי לְךָ וְלַעֲבָדֶיךָ Jer. 37:18
423 מֶה־עָזַרְתָּ לְלֹא־כֹחַ Job 26:2
424 זְכֹר יְיָ מֶה־הָיָה לָנוּ Lam. 5:1
425 אַל־תֹּאמַר מֶה הָיָה Eccl. 7:10

מֶה (ב)

426 מֶה חֳרִי הָאַף הַגָּדוֹל הַזֶּה Deut. 29:23
427 מֶה קוֹל הַתְּרוּעָה הַגְּדוֹלָה הַזֹּאת ISh. 4:6
428 מֶה קוֹל הֶהָמוֹן הַזֶּה ISh. 4:14
429 מֶה־עֲוֺנִי וּמֶה־חַטָּאתִי ISh. 20:1
430 וַיֹּאמֶר מֶה עַבְדֶּךָ כִּי פָנִיתָ... IISh. 9:8
431 מֶה מִשְׁפַּט הָאִישׁ אֲשֶׁר עָלָה IIK. 1:7
432 מֶה לִידִידִי בְּבֵיתִי Jer. 11:15
433 אֵדְעָה מֶה־חָדֵל אָנִי Ps. 39:5
434 זְכָר־אֲנִי מֶה־חָלֶד Ps. 89:48
435 מֶה הָאָדָם שֶׁיָּבוֹא אַחֲרֵי הַמֶּלֶךְ Eccl. 2:12
436 כִּי מֶה־הֹוֶה לָאָדָם בְּכָל־עֲמָלוֹ Eccl. 2:22

מֶה (ג)

437 מֶה עָצְמוּ רָאשֵׁיהֶם Ps. 139:17

מֶה (ד)

438 עַל מֶה תֻכּוּ עוֹד תּוֹסִיפוּ סָרָה Is. 1:5
439 תַּחַת מֶה עָשָׂה יְיָ...אֶת־כָּל־אֵלֶּה Jer. 5:19
440 וְחָכְמַת־מֶה לָהֶם Jer. 8:9
441 עַל־מֶה דִבֶּר יְיָ עָלֵינוּ Jer. 16:10
442 עַל־מֶה עָשָׂה יְיָ כָּכָה Jer. 22:8
443 יַעַן מֶה...יַעַן בֵּיתִי אֲשֶׁר־הוּא Hag. 1:9
444 עַד־מֶה כְבוֹדִי לִכְלִמָּה Ps. 4:3
445 עַל מֶה נִאֵץ רָשָׁע אֱלֹהִים Ps. 10:13

וּמָה (א)

446 מַה נְּדַבֵּר וּמַה נִּצְטַדָּק Gen. 44:16
447 וּמַה תַּעֲשֵׂה לְשִׁמְךָ הַגָּדוֹל Josh. 7:9
448 וּמַה־יָּכֹלְתִּי עֲשׂוֹת כָּכֶם Jud. 8:3
449 וּמַה־נָּבִיא לָאִישׁ ISh. 9:7
450 וּמַה־מָּצָאתָ בְעַבְדְּךָ... ISh. 29:8
451 וּמַה־יּוֹסִיף דָּוִד עוֹד לְדַבֵּר אֵלֶיךָ IISh. 7:20
452 וּמַה־תַּעֲשׂוּ לְיוֹם פְּקֻדָּה Is. 10:3
453 וּמַה־יַּעֲנֶה מַלְאֲכֵי־גוֹי Is. 14:32

וּמָה (א) (המשך) 454 וּמַה־תַּעֲשׂוּ לְאַחֲרִיתָהּ Jer. 5:31
455/6 וּמַה־דִּבֶּר יְיָ Jer. 23:35, 37
457 וּמַה־דִּבֶּר אֵלֶיךָ הַמֶּלֶךְ Jer. 38:25
458/9 וּמַה־תֶּהֱמִי עָלָי Ps. 42:12; 43:5
460 וּמַה־יֹּסִיף לָךְ לָשׁוֹן רְמִיָּה Ps. 120:3
461 וּמַה־שָּׁגִיתִי הָבִינוּ לִי Job 6:24
462/3 וּמַה־יִּצְדַּק אֱנוֹשׁ עִם־אֵל Job 9:2; 25:4
464 וּמַה־יִּרְזְמוּן עֵינֶיךָ Job 15:12
465 וּמַה־נּוֹעִיל כִּי נִפְגַּע־בּוֹ Job 21:15
466 וּמַה־יִּפְעַל שַׁדַּי לָמוֹ Job 22:17
467 וּמַה־יִּזְכֶּה יְלוּד אִשָּׁה Job 25:4
468 וּמַה־יָּדַעְתָּ דַבֵּר Job 34:33
469 מַה־תָּעִירוּ וּמַה־תְּעֹרְרוּ S.ofS. 8:4
470 וּמַה־שֶּׁנַּעֲשָׂה הוּא שֶׁיֵּעָשֶׂה Eccl. 1:9
471 לָדַעַת...וּמַה־יֵּעָשֶׂה בָּהּ Es. 2:11
472 וּמַה־לַּעֲשׂוֹת לִמְאַת הַכִּכָּר IICh. 25:9
וּמַה־זֹּאת 473 וּמַה־זֹּאת עָשִׂיתָ לָּנוּ Jud. 15:11
וּמַה־זֶּה 474 וּמַה־זֶּה תֹּאמְרוּ אֵלַי מַה־לָּךְ Jud. 18:24
וּמַה (ב) 475 וּמַה־בְּיָדִי רָעָה ISh. 26:18
476 וּמַה־יֶּשׁ־לִי עוֹד צְדָקָה IISh. 19:29
477 וּמַה־דְּמוּת תַּעַרְכוּ־לוֹ Is. 40:18
478 וּמַה־בֶּצַע כִּי שָׁמַרְנוּ מִשְׁמַרְתּוֹ Mal. 3:14
479 מַה־שְּׁמוֹ וּמַה־שֶּׁם־בְּנוֹ Prov. 30:4
480 מַה־בְּרִי וּמַה־בַּר־בִּטְנִי Prov. 31:2
481 וּמַה־שָּׁדַיִם כִּי אִינָק Job 3:12
482 וּמַה־קִּצִּי כִּי־אַאֲרִיךְ נַפְשִׁי Job 6:11
483 וּמַה־יּוֹכִיחַ הוֹכֵחַ מִכֶּם Job 6:25
484 וּמַה־שֵּׁמֶץ דָּבָר נִשְׁמַע־בּוֹ Job 26:14
485 וּמַה־כִּשְׁרוֹן לִבְעָלֶיהָ Eccl. 5:10
486 וּמַה־יִּתְרוֹן לוֹ שֶׁיַּעֲמֹל לָרוּחַ Eccl. 5:15
487 מַה־לָּךְ אֶסְתֵּר...וּמַה־בַּקָּשָׁתֵךְ Es. 5:3
488/9 מַה־שְּׁאֵלָתֵךְ...וּמַה־בַּקָּשָׁתֵךְ Es. 5:6; 7:2
490 וּמַה־שְּׁאֵלָתֵךְ וְיִנָּתֵן לָךְ Es. 9:12
491 וּמַה־בַּקָּשָׁתֵךְ עוֹד וְתֵעָשׂ Es. 9:12
וּמַה־לְ... 492 ...וּמַה־לְּךָ פֹה Jud. 18:3
493 וּמַה־לִּי עוֹד Jud. 18:24
494 וּמַה־לָּךְ לְדֶרֶךְ אַשּׁוּר Jer. 2:18
וּמָה (ג) 495 כִּי מַה טּוּבוֹ וּמַה־יָּפְיוֹ Zech. 9:17
496 מַה־טּוֹב וּמַה־נָּעִים Ps. 133:1
497 מַה־יָּפִית וּמַה נָּעַמְתְּ אַהֲבָה S.ofS. 7:7
וּמָה (א) 498 וּמָה אֶזְעֹם לֹא זָעַם יְיָ Num. 23:8
499 וּמָה־אַתָּה עֹשֶׂה בָזֶה Jud. 18:3
500 וּמָה אִם־גַּם־שֵׁבֶט מֹאֶסֶת Ezek. 21:18
501 מֶה־עָשִׂיתִי לְךָ וּמָה הֶלְאֵתִיךָ Mic. 6:3
502 וּמָה־יְיָ דּוֹרֵשׁ מִמְּךָ Mic. 6:8
503 וּמָה אָשִׁיב עַל־תּוֹכַחְתִּי Hab. 2:1
504 וּמָה אַתֶּם רֹאִים אֹתוֹ עַתָּה Hag. 2:3
505 וּמָה הָאֶחָד מְבַקֵּשׁ Mal. 2:15
506 וּמָה אֶתְבּוֹנֵן עַל־בְּתוּלָה Job 31:1
507 וּמָה אֶעֱשֶׂה כִּי־יָקוּם אֵל Job 31:14
508 וּמָה־רָאוּ עַל־כָּכָה Es. 9:26
509 וּמָה הִגִּיעַ אֲלֵיהֶם Es. 9:26
510 לֹא יָדְעוּ...וּמָה אֲנִי עֹשֶׂה Neh. 2:16
וּמָה (ב) 511/2 וּמָה הָאָרֶץ...וּמָה הֶעָרִים... Num. 13:19
513 וּמָה הָאָרֶץ הַשְּׁמֵנָה הִוא Num. 13:20
וּמֶה 514 וּמֶה־חָטָאתִי לָךְ Gen. 20:9
515 וּמֶה עַז מֵאֲרִי Jud. 14:18
516 וּמֶה קוֹל־הַצֹּאן הַזֶּה בְּאָזְנָי ISh. 15:14
517 וּמֶה חַטָּאתִי לִפְנֵי אָבִיךָ ISh. 20:1
518 ...וּמֶה גַם־עַתָּה IK. 14:14
519 וּמֶה לַעֲשׂוֹת לָהּ IIK. 4:14
520/1 וּמֶה עֲוֹנֵנוּ וּמֶה חַטָּאתֵנוּ Jer. 16:10

וּמֶה (המשך) 522 וּמֶה־עָנָה אֹתוֹ בִּלְעָם Mic. 6:5
523 וּמֶה בַּר־נְדָרָי Prov. 31:2
524 וּמֶה לֹא־תִשָּׂא פִשְׁעִי Job 7:21
525 וּמֶה חֵלֶק אֱלוֹהַּ מִמָּעַל Job 31:2
בַּמָּה 526 בַּמָּה אֵדַע כִּי אִירָשֶׁנָּה Gen. 15:8
527 בַּמָּה אוֹשִׁיעַ אֶת־יִשְׂרָאֵל Jud. 6:15
528 בַּמָּה הָיְתָה הַחַטָּאת הַזֹּאת ISh. 14:38
529/30 וַיֹּאמֶר יְיָ אֵלָיו בַּמָּה IK.22:21 • IICh.18:20
531 בַּמָּה אֲקַדֵּם יְיָ Mic. 6:6
532 וַאֲמַרְתֶּם בַּמָּה אֲהַבְתָּנוּ Mal. 1:2
533 וַאֲמַרְתֶּם בַּמָּה הוֹגָעְנוּ Mal. 2:17
בַּמֶּה שֶׁ־ 534 לִרְאוֹת בְּמֶה שֶׁיִּהְיֶה אַחֲרָיו Eccl. 3:22
בַּמֶּה 535 הִוא שִׂמְלָתוֹ...בַּמֶּה יִשְׁכָּב Ex. 22:26
536 בַּמֶּה כֹּחוֹ גָדוֹל Jud. 16:5
537/8 בַּמֶּה כֹּחֲךָ גָדוֹל Jud. 16:6, 15
539 הַגִּידָה־נָּא לִי בַּמֶּה תֵּאָסֵר Jud. 16:10
540 הַגִּידָה לִּי בַּמֶּה תֵּאָסֵר Jud. 16:13
541 בַּמֶּה נְשַׁלְּחֶנּוּ לִמְקוֹמוֹ ISh. 6:2
542 כִּי־בַמֶּה נֶחְשָׁב הוּא Is. 2:22
543 בַּמֶּה בָזִינוּ אֶת־שְׁמֶךָ Mal. 1:6
544 וַאֲמַרְתֶּם בַּמֶּה גֵאַלְנוּךָ Mal. 1:7
545 וַאֲמַרְתֶּם בַּמֶּה נָשׁוּב Mal. 3:7
546 וַאֲמַרְתֶּם בַּמֶּה קְבַעֲנוּךָ Mal. 3:8
547 בַּמֶּה יְזַכֶּה־נַּעַר אֶת־אָרְחוֹ Ps. 119:9
548 לֹא יָדְעוּ בַּמֶּה יִכָּשֵׁלוּ Prov. 4:19
549 בַּמֶּה עָשָׂה יְיָ כָּכָה לָאָרֶץ הַזֹּאת IICh. 7:21
וּבַמָּה 550 מָה אֶעֱשֶׂה לָכֶם וּבַמָּה אֲכַפֵּר IISh. 21:3
וּבַמֶּה 551 וּבַמֶּה יִוָּדַע אֵפוֹא כִּי־מָצָאתִי חֵן Ex. 33:16
552 וּבַמֶּה נּוּכַל לוֹ Jud. 16:5
553 וּבַמֶּה תֵּאָסֵר לְעַנּוֹתֶךָ Jud. 16:6
554 וּבַמֶּה יִתְרַצֶּה זֶה אֶל־אֲדֹנָיו ISh. 29:4

מָה²
ארמית, כמו בעברית מה: 1–14

מָה 1 עַל־מָה דָתָא מְהַחְצְפָה Dan. 2:15
2 יָדַע מָה בַחֲשׁוֹכָא Dan. 2:22
3 מָה דִּי לֶהֱוֵא בְּאַחֲרִית יוֹמַיָּא Dan. 2:28
4-5 מָה דִי לֶהֱוֵא אַחֲרֵי דְנָה Dan. 2:29, 45
6 הוֹדְעָךְ מָה־דִי לֶהֱוֵא Dan. 2:29
7 וְיֵאמַר לֵהּ מָה עֲבַדְתְּ Dan. 4:32
וּמָה 8 וּמָה חַשְׁחָן וּבְנֵי תוֹרִין Ez. 6:9
9 וּמָה דִי עֲלָךְ° וְעַל־אֶחָךְ° Ez. 7:18
כְּמָה 10 אָתוֹהִי כְּמָה רַבְרְבִין Dan. 3:33
11 וְתִמְהוֹהִי כְּמָה תַקִּיפִין Dan. 3:33
לְמָה 12 לְמָה יִשְׂגֵּא חֲבָלָא Ez. 4:22
13 וּמִנִּי שִׂים טְעֵם לְמָא דִי־תַעַבְדוּן Ez. 6:8
14 דִּי־לְמָה לֶהֱוֵא קְצַף... Ez. 7:23

מָהוּל
ת׳ בלול, מזוג

מָהוּל 1 סָבְאֵךְ מָהוּל בַּמָּיִם Is. 1:22

מְהוּמָה
נ׳ מבוכה גדולה, בלבול: 1–12

– מְהוּמָה גְּדוֹלָה 1–3; רַבַּת מְהוּמָה 7
– מְהוּמַת יְיָ 10; מְהוּמַת מָוֶת 9; מְהוּמוֹת רַבּוֹת 12,11

מְהוּמָה 1 וְהָמָם מְהוּמָה גְדֹלָה Deut. 7:23
2 וַתְּהִי...בָּעִיר מְהוּמָה גְּדוֹלָה מְאֹד ISh. 5:9
3 ...אִישׁ בְּרֵעֵהוּ מְהוּמָה גְּדוֹלָה מְאֹד ISh. 14:20
4 יוֹם מְהוּמָה וּמְבוּסָה וּמְבוּכָה Is. 22:5
5 מְהוּמָה וְלֹא־הֵד הָרִים Ezek. 7:7
הַמְּהוּמָה 6 אֶת־הַמְּהוּמָה וְאֶת־הַמִּגְעֶרֶת Deut. 28:20
7 טְמֵאַת הַשֵּׁם רַבַּת הַמְּהוּמָה Ezek. 22:5
וּמְהוּמָה 8 טוֹב...מֵאוֹצָר רָב וּמְהוּמָה בוֹ Prov. 15:16
מְהוּמַת־ 9 כִּי־הָיְתָה מְהוּמַת־מָוֶת בְּכָל־הָעִיר ISh. 5:11
10 תִּהְיֶה מְהוּמַת־יְיָ רַבָּה בָּהֶם Zech. 14:13
מְהוּמוֹת 11 מְהוּמֹת רַבּוֹת בְּתוֹכָהּ Am. 3:9
12 מְהוּמוֹת רַבּוֹת עַל כָּל־יֹשְׁבֵי הָאֲרָ׳ IICh. 15:5

מְהוּמָן
שפ״ז – מסריסי המלך אחשורוש

לִמְהוּמָן 1 אָמַר לִמְהוּמָן בִּזְּתָא חַרְבוֹנָא Es. 1:10

מְהֵיטַבְאֵל
א) שפ״נ – אשת הדד מלך ארם: 1, 2
ב) שפ״ז–זקנו של שמעיה, שונאו של נחמיה: 3

מְהֵיטַבְאֵל 1-2 וְשֵׁם אִשְׁתּוֹ מְהֵיטַבְאֵל בַּת־מַטְרֵד Gen. 36:39 • ICh. 1:50
3 שְׁמַעְיָה בֶן־דְּלָיָה בֶן־מְהֵיטַבְאֵל Neh. 6:10

מָהִיר
ת׳ זריז: 1–4

אִישׁ מָהִיר 2; סוֹפֵר מָהִיר 1, 3; מְהִיר צֶדֶק 4

מָהִיר 1 לְשׁוֹנִי עֵט סוֹפֵר מָהִיר Ps. 45:2
2 חָזִיתָ אִישׁ מָהִיר בִּמְלַאכְתּוֹ Prov. 22:29
3 וְהוּא־סֹפֵר מָהִיר בְּתוֹרַת מֹשֶׁה Ez. 7:6
וּמְהִיר־ 4 וְדֹרֵשׁ מִשְׁפָּט וּמְהִר צֶדֶק Is. 16:5

מהל : מָהוּל

מַהֲלוּמָה*
נ׳ מַכָּה: 1, 2

וּמַהֲלֻמוֹת 1 וּמַהֲלֻמוֹת לְגֵו כְּסִילִים Prov. 19:29
לְמַהֲלֻמוֹת 2 וּפִיו לְמַהֲלֻמוֹת יִקְרָא Prov. 18:6

מַהֲלָךְ
ז׳ א) הליכה: 2–5
ב) מרחק: 1

מַהֲלַךְ יוֹם (שְׁלֹשֶׁת יָמִים) 3,2; נָתַן לוֹ מַהְלְכִים 5

מַהֲלַךְ־ 1 מַהֲלַךְ עֶשֶׂר אַמּוֹת רֹחַב Ezek. 42:4
2 וְנִינְוֵה...מַהֲלַךְ שְׁלֹשֶׁת יָמִים Jon. 3:3
3 ...לָבוֹא בָעִיר מַהֲלַךְ יוֹם אֶחָד Jon. 3:4
מַהֲלָכְךָ 4 עַד־מָתַי יִהְיֶה מַהֲלָכְךָ Neh. 2:6
מַהְלְכִים 5 וְנָתַתִּי לְךָ מַהְלְכִים בֵּין הָעֹמְדִים Zech. 3:7

מַהֲלָל
ז׳ שֶׁבַח, תהילה

מַהֲלָלוֹ 1 מַצְרֵף לַכֶּסֶף...וְאִישׁ לְפִי מַהֲלָלוֹ Prov.27:21

מַהֲלַלְאֵל
שפ״ז א) בן קינן בן אנוש: 1–5, 7
ב) איש משבט יהודה: 6

מַהֲלַלְאֵל 1 וַיְחִי קֵינָן...וַיּוֹלֶד אֶת־מַהֲלַלְאֵל Gen. 5:12
2 ...קֵינָן אַחֲרֵי הוֹלִידוֹ אֶת־מַהֲלַלְאֵל Gen. 5:13
3 וַיְחִי מַהֲלַלְאֵל...וַיּוֹלֶד אֶת־יָרֶד Gen. 5:15
4 וַיְחִי מַהֲלַלְאֵל אַחֲרֵי הוֹלִידוֹ Gen. 5:16
5 וַיִּהְיוּ כָּל־יְמֵי מַהֲלַלְאֵל... Gen. 5:17
6 עֲתָיָה...בֶּן־מַהֲלַלְאֵל מִבְּנֵי־פָרֶץ Neh. 11:4
7 קֵינָן מַהֲלַלְאֵל יָרֶד ICh. 1:2

מַהֲלֻמָה – עין מַהֲלוּמָה

(מהמה) הִתְמַהְמַהּ
הת׳ התאחר, התעכב: 1–9

לְהִתְמַהְמֵהַּ 1 וְלֹא יָכְלוּ לְהִתְמַהְמֵהַּ Ex. 12:39
הִתְמַהְמְהָם 2 וְאֵהוּד נִמְלַט עַד הִתְמַהְמְהָם Jud. 3:26
הִתְמַהְמָהְתִּי 3 חַשְׁתִּי וְלֹא הִתְמַהְמָהְתִּי Ps. 119:60
הִתְמַהְמָהְנוּ 4 כִּי לוּלֵא הִתְמַהְמָהְנוּ... Gen. 43:10
וְהִתְמַהְמְהוּ 5 וְהִתְמַהְמְהוּ עַד־נְטוֹת הַיּוֹם Jud. 19:8
מִתְמַהְמֵהַּ 6 אָנֹכִי מִתְמַהְמֵהַּ בְּעַרְבוֹת° הַמִּדְבָּר IISh. 15:28
יִתְמַהְמָהּ 7 אִם־יִתְמַהְמָהּ חַכֵּה־לוֹ Hab. 2:3
וַיִּתְמַהְמָהּ 8 וַיִּתְמַהְמָהּ וַיַּחֲזִיקוּ...בְּיָדוֹ Gen. 19:16
הִתְמַהְמְהוּ 9 הִתְמַהְמְהוּ וּתְמָהוּ... Is. 29:9

מַהֲמֹרֶת* נ׳ בּוֹר, פַּחַת

בְּמַהֲמֹרוֹת 1 בָּאֵשׁ יַפִּלֵם בְּמַהֲמֹרוֹת בַּל־יָקוּמוּ Ps. 140:11

מַהְפֵּכָה* נ׳ הפיכה, הֶרֶס: 1-6

מַהְפֵּכַת זָרִים 2; מַהְפֵּכַת סְדוֹם 1, 3-6

כְּמַהְפֵּכַת־ 1 כְּמַהְפֵּכַת סְדֹם וַעֲמֹרָה Deut. 29:22
2 וּשְׁמָמָה כְּמַהְפֵּכַת זָרִים Is. 1:7
3-5 כְּמַהְפֵּכַת אֱלֹהִים אֶת־סְדֹם Is. 13:19
Jer. 50:40 • Am. 4:11
6 כְּמַהְפֵּכַת סְדֹם וַעֲמֹרָה וּשְׁכֵנֶיהָ Jer. 49:18

מַהְפֶּכֶת נ׳ סַד־עִנּוּי לאסירים: 1-4

הַמַּהְפֶּכֶת 1 וַיִּתֵּן אֹתוֹ עַל־הַמַּהְפֶּכֶת Jer. 20:2
2 וַיִּתְּנֵהוּ בֵּית הַמַּהְפֶּכֶת IICh. 16:10
3 וְנָתַתָּה אֹתוֹ אֶל־הַמַּהְפֶּכֶת וְאֶל־הַצִּינֹק Jer. 29:26
הַמַּהְפָּכֶת 4 וַיֹּצֵא פַשְׁחוּר אֶת־יִרְמְיָהוּ מִן־הַמַּהְפָּכֶת Jer. 20:3

מַהֲקֻצְעוֹת (יחזקאל מו 22) — עין קצע

מהר: א) מָהַר; מֹהַר
ב) מִהֵר, נִמְהַר; מַהֵר, מְהֵרָה; ש״פ מַהֲרַי

מָהַר¹ פ׳ א) שִׁלֵּם מוֹהַר: 1, 3
ב) הֵמִיר, הֶחֱלִיף: 2

מָהֹר 1 מָהֹר יִמְהָרֶנָּה לּוֹ לְאִשָּׁה Ex. 22:15
מָהָרוּ 2 יִרְבּוּ עַצְּבוֹתָם אַחֵר מָהָרוּ Ps. 16:4
יִמְהָרֶנָּה 3 מָהֹר יִמְהָרֶנָּה לּוֹ לְאִשָּׁה Ex. 22:15

מָהַר² פ׳ א) נחפז: 1-14, 16-52, 54, 56-59
ב) האיץ, זֵרז: 15, 53, 55, 60
ג) [נפ׳ נִמְהַר] היה חפוז: 61-64

הַמַּר וְהַנִּמְהָר 62; עֵצָה נִמְהָרָה 61
לְבַב נִמְהָרִים 63; נִמְהֲרֵי לֵב 64;

כְּמַהֵר 1 כְּמַהֵר צִפּוֹר אֶל־פָּח Prov. 7:23
לְמַהֵר 2 וַתֶּחֱזַק...לְמַהֵר לְשַׁלְּחָם Ex. 12:33
3 וּכְתֹב עָלָיו...לְמַהֵר שָׁלָל חָשׁ בַּז Is. 8:1
4 וְכִצְבָאיִם עַל־הֶהָרִים לְמַהֵר ICh. 12:8(9)
מִהַרְתָּ 5 מַה־זֶּה מִהַרְתָּ לִמְצֹא בְּנִי Gen. 27:20
מִהַרְתְּ 6 לוּלֵי מִהַרְתְּ וַתָּבֹאתִ° לִקְרָאתִי ISh. 25:34
מִהַר 7 וְהָאִישׁ מִהַר וַיָּבֹא וַיַּגֵּד... ISh. 4:14
8 מִהַר צֹעֶה לְהִפָּתֵחַ Is. 51:14
מִהֲרָה 9 קָרוֹב...וְרָעָתוֹ מִהֲרָה מְאֹד Jer. 48:16
וּמִהַרְתֶּם 10 וּמִהַרְתֶּם וְהוֹרַדְתֶּם אֶת־אָבִי Gen. 45:13
מִהַרְתֶּן 11 מַדּוּעַ מִהַרְתֶּן בֹּא הַיּוֹם Ex. 2:18
מִהֲרוּ 12 מִהֲרוּ בָּנָיִךְ מְהָרְסַיִךְ...מִמֵּךְ יֵצֵאוּ Is. 49:17
13 מִהֲרוּ שָׁכְחוּ מַעֲשָׂיו Ps. 106:13
14 וְלֹא מִהֲרוּ הַלְוִיִּם IICh. 24:5
מְמַהֵר 15 וְהָיִיתִי עֵד מְמַהֵר בַּמְכַשְּׁפִים Mal. 3:5
וּמְמַהֵר 16 וּמְמַהֵר הָאֱלֹהִים לַעֲשֹׂתוֹ Gen. 41:32
מְמַהֲרוֹת 17 רַגְלַיִם מְמַהֲרוֹת לָרוּץ לָרָעָה Prov. 6:18
יְמַהֵר 18 פֶּן־יְמַהֵר וְהִשִּׂגָנוּ IISh. 15:14
19 יְמַהֵר יָחִישָׁה מַעֲשֵׂהוּ Is. 5:19
20 וְלִבְּךָ אַל־יְמַהֵר לְהוֹצִיא דָבָר Eccl. 5:1
וַיְמַהֵר 21 וַיְמַהֵר אַבְרָהָם הָאֹהֱלָה Gen. 18:6
22 וַיִּקַּח...וַיְמַהֵר לַעֲשׂוֹת אֹתוֹ Gen. 18:7
23 וַיְמַהֵר יוֹסֵף כִּי־נִכְמְרוּ רַחֲמָיו... Gen. 43:30
24 וַיְמַהֵר פַּרְעֹה לִקְרֹא לְמֹשֶׁה Ex. 10:16
25 וַיְמַהֵר מֹשֶׁה וַיִּקֹּד אַרְצָה Ex. 34:8
26 וַיְמַהֵר דָּוִד וַיָּרָץ הַמַּעֲרָכָה ISh. 17:48
27 וַיְמַהֵר שָׁאוּל וַיִּפֹּל...אַרְצָה ISh. 28:20
28 וַיְמַהֵר שִׁמְעִי בֶן־גֵּרָא...וַיֵּרֶד IISh. 19:17
29 וַיְמַהֵר וַיָּסַר אֶת־הָאֲפֵר IK. 20:41
תְּמַהֵר 30 וּלְשׁוֹן עִלְּגִים תְּמַהֵר לְדַבֵּר צָחוֹת Is. 32:4
וַתְּמַהֵר 31 וַתְּמַהֵר וַתֹּרֶד כַּדָּהּ עַל־יָדָהּ Gen. 24:18
32 וַתְּמַהֵר וַתְּעַר כַּדָּהּ אֶל־הַשֹּׁקֶת Gen. 24:20
33 וַתְּמַהֵר וַתּוֹרֶד כַּדָּהּ מֵעָלֶיהָ Gen. 24:46
34 וַתְּמַהֵר הָאִשָּׁה וַתָּרָץ וַתַּגֵּד לְאִישָׁהּ Jud. 13:10
35 וַתְּמַהֵר אֲבִיגַיִל° וַתִּקַּח... ISh. 25:18
36 וַתְּמַהֵר וַתֵּרֶד מֵעַל הַחֲמוֹר ISh. 25:23
37 וַתְּמַהֵר וַתָּקָם אֲבִיגַיִל וַתִּרְכַּב ISh. 25:42
38 וַתְּמַהֵר וַתִּזְבָּחֵהוּ ISh. 28:24
תְּמַהֲרוּ 39 וְאַתֶּם תְּמַהֲרוּ לַדָּבָר IICh. 24:5
יְמַהֲרוּ 40 יְמַהֲרוּ חוֹמָתָהּ וְהֻכַן הַסֹּכֵךְ Nah. 2:6
וַיְמַהֲרוּ 41 וַיְמַהֲרוּ וַיּוֹרִדוּ...אַרְצָה Gen. 44:11
42 וַיְמַהֲרוּ הָעָם וַיַּעֲבֹרוּ Josh. 4:10
43 וַיְמַהֲרוּ וַיַּשְׁכִּימוּ וַיֵּצְאוּ Josh. 8:14
44 וַיְמַהֲרוּ וַיַּצִּיתוּ אֶת־הָעִיר בָּאֵשׁ Josh. 8:19
45 וַיְמַהֲרוּ וַיַּחְלְטוּ הֲמִמֶּנּוּ IK. 20:33
46 וַיְמַהֲרוּ וַיִּקְחוּ אִישׁ בִּגְדוֹ IIK. 9:13
וִימַהֲרוּ 47 וִימַהֲרוּ לִשְׁפֹּךְ דָּם נָקִי Is. 59:7
48 וִימַהֲרוּ לִשְׁפָּךְ־דָּם Prov. 1:16
וּתְמַהֵרְנָה 49 וּתְמַהֵרְנָה וְתִשֶּׂנָה עָלֵינוּ נֶהִי Jer. 9:17
מַהֵר 50 מַהֵר הִמָּלֵט שָׁמָּה Gen. 19:22
51 מַהֵר עַתָּה כִּי הַיּוֹם בָּא לָעִיר ISh. 9:12
52 מַהֵר קַח אֶת־הַלְּבוּשׁ... Es. 6:10
53 מַהֵר מִיכָיְהוּ° בֶן־יִמְלָא IICh. 18:8
מַהֲרָה 54 מַהֲרָה וְלֵכָה כִּי־פָשְׁטוּ פְלִשְׁתִּים ISh. 23:27
55 מַהֲרָה מִיכָיְהוּ בֶן־יִמְלָה IK. 22:9
מַהֲרִי 56 מַהֲרִי שְׁלֹשׁ סְאִים קֶמַח סֹלֶת Gen. 18:6
מַהֲרוּ 57 מַהֲרוּ וַעֲלוּ אֶל־אָבִי Gen. 45:9
58 מַהֲרוּ עֲשׂוּ כָמוֹנִי Jud. 9:48
59 מַהֲרוּ לָלֶכֶת פֶּן־יְמַהֵר וְהִשִּׂגָנוּ IISh. 15:14
60 מַהֲרוּ אֶת־הָמָן לַעֲשׂוֹת אֶת־דְּבַר... Es. 5:5
נִמְהָרָה 61 וַעֲצַת נִפְתָּלִים נִמְהָרָה Job 5:13
וְהַנִּמְהָר 62 הַגּוֹי הַמַּר וְהַנִּמְהָר Hab. 1:6
נִמְהָרִים 63 וּלְבַב נִמְהָרִים יָבִין לָדָעַת Is. 32:4
לְנִמְהֲרֵי־ 64 אִמְרוּ לְנִמְהֲרֵי־לֵב חִזְקוּ אַל־תִּירָאוּ Is. 35:4

מַהֵר תה״פ חִישׁ, בחפזון: 1-18

מַהֵר 1 סָרוּ מַהֵר מִן־הַדֶּרֶךְ Ex. 32:8
2 כִּי־אָבֹד תֹּאבֵדוּן מַהֵר Deut. 4:26
3 וְחָרָה אַף־יְיָ בָּכֶם וְהִשְׁמִידְךָ מַהֵר Deut. 7:4
4 לֹא תוּכַל כַּלֹּתָם מַהֵר Deut. 7:22
5 וְהוֹרַשְׁתָּם וְהַאֲבַדְתָּם מַהֵר Deut. 9:3
6 קוּם רֵד מַהֵר מִזֶּה... Deut. 9:12
7 סָרוּ מַהֵר מִן־הַדֶּרֶךְ Deut. 9:12
8 סַרְתֶּם מַהֵר מִן־הַדֶּרֶךְ Deut. 9:16
9 עַד הִשָּׁמֶדְךָ וְעַד־אֲבָדְךָ מַהֵר Deut. 28:20
10 רִדְפוּ מַהֵר אַחֲרֵיהֶם כִּי תַשִּׂיגוּם Josh. 2:5
11 סָרוּ מַהֵר מִן־הַדֶּרֶךְ Jud. 2:17
12 וַיַּנַּח...לְבִלְתִּי הוֹרִישָׁם מַהֵר Jud. 2:23
13 כִּי־צַר־לִי מַהֵר עֲנֵנִי Ps. 69:18
14 מַהֵר יְקַדְּמוּנוּ רַחֲמֶיךָ Ps. 79:8
15 בְּיוֹם אֶקְרָא מַהֵר עֲנֵנִי Ps. 102:3
16 מַהֵר עֲנֵנִי יְיָ כָּלְתָה רוּחִי Ps. 143:7
17 אַל־תֵּצֵא לָרִב מַהֵר Prov. 25:8
וּמַהֵר 18 קָרוֹב...קָרוֹב וּמַהֵר מְאֹד Zep. 1:14

מֹהַר ז׳ נדוניה: 1-3

מֹהַר וּמַתָּן 1; מֹהַר הַבְּתוּלוֹת 3

מֹהַר 1 הַרְבּוּ עָלַי מְאֹד מֹהַר וּמַתָּן Gen. 34:12
בְּמֹהַר 2 אֵין־חֵפֶץ לַמֶּלֶךְ בְּמֹהַר... ISh. 18:25
כְּמֹהַר־ 3 כֶּסֶף יִשְׁקֹל כְּמֹהַר הַבְּתוּלֹת Ex. 22:16

מְהֵרָה תה״פ מַהֵר, חִישׁ: 1-20

מְהֵרָה קַל 12; עַד מְהֵרָה 18; קַל מְהֵרָה 15
בִּמְהֵרָה 20

מְהֵרָה 1 קַח...וְהוֹלֵךְ מְהֵרָה אֶל־הָעֵדָה Num. 17:11
2 וַאֲבַדְתֶּם מְהֵרָה מֵעַל הָאָרֶץ Deut. 11:17
3 וְהָאוֹרֵב קָם מְהֵרָה מִמְּקוֹמוֹ Josh. 8:19
4 עֲלֵה אֵלֵינוּ מְהֵרָה וְהוֹשִׁיעָה לָּנוּ Josh. 10:6
5 וַאֲבַדְתֶּם מְהֵרָה מֵעַל הָאָרֶץ Josh. 23:16
6 וַיִּקְרָא מְהֵרָה אֶל־הַנַּעַר Jud. 9:54
7 מְהֵרָה חוּשָׁה אַל־תַּעֲמֹד ISh. 20:38
8 וְעַתָּה שִׁלְחוּ מְהֵרָה וְהַגִּידוּ לְדָוִד IISh. 17:16
9 וַיֵּלְכוּ שְׁנֵיהֶם מְהֵרָה וַיָּבֹאוּ... IISh. 17:18
10 קוּמוּ וְעִבְרוּ מְהֵרָה אֶת־הַמַּיִם IISh. 17:21
11 כֹּה־אָמַר הַמֶּלֶךְ מְהֵרָה רֵדָה IIK. 1:11
12 וְהִנֵּה מְהֵרָה קַל יָבוֹא Is. 5:26
13 וַאֲרֻכָתְךָ מְהֵרָה תִצְמָח Is. 58:8
14 מוּשָׁבִים מִבָּבֶלָה עַתָּה מְהֵרָה Jer. 27:16
15 קַל מְהֵרָה אָשִׁיב גְּמֻלְכֶם בְּרֹאשְׁכֶם Joel 4:4
16 הַטֵּה אֵלַי אָזְנְךָ מְהֵרָה הַצִּילֵנִי Ps. 31:3
17 כִּי כֶחָצִיר מְהֵרָה יִמָּלוּ Ps. 37:2
18 עַד־מְהֵרָה יָרוּץ דְּבָרוֹ Ps. 147:15
19 אֵין־נַעֲשָׂה...מַעֲשֵׂה הָרָעָה מְהֵרָה Eccl. 8:11
בִּמְהֵרָה 20 וְהַחוּט הַמְשֻׁלָּשׁ לֹא בִמְהֵרָה יִנָּתֵק Eccl. 4:12

מַהֲרַי שפ״ז — אחד מגבורי דוד: 1-3

מַהֲרַי 1/2 מַהֲרַי הַנְּטֹפָתִי IISh. 23:28 • ICh. 11:30
3 מַהֲרַי הַנְּטוֹפָתִי לַזַּרְחִי ICh. 27:13

מַהֲתַלָּה* נ׳ דבר־צחוק

מַהֲתַלּוֹת 1 דַּבְּרוּ־לָנוּ חֲלָקוֹת חֲזוּ מַהֲתַלּוֹת Is. 30:10

־מוֹ, עין בְּמוֹ, כְּמוֹ, לְמוֹ

מוֹאָב שפ״ז א) בן לוט: 1
ב) כנוי לעם המתיחס על בני לוט
וכן לארצו שבמזרח ים המלח: 2-184

אֲבִי מוֹאָב 2; אָהֳלֵי מ׳ 102; אֵיד מ׳ 90; אֵילֵי מ׳ 4; אֱלֹהֵי מ׳ 69, 74; אֲרִיאֵל מ׳ 72, 118; אֶרֶץ מ׳ 40, 44-52; בְּנוֹת מ׳ 27, 84; בְּנֵי מ׳ 119, 120, 167; גְּאוֹן מ׳ 85, 86; גְּבוּל מ׳ 6, 8, 39, 43, 70, 71, 82; גִּבּוֹרֵי מ׳ 94; גַּגּוֹת מ׳ 93; גְּדוּדֵי מ׳ 77, 79; זִקְנֵי מ׳ 17; חֲלוּצֵי מ׳ 81; חֶרְפַּת מ׳ 101; יַד מ׳ 75, 76; יוֹשֶׁב(י) מ׳ 92, 95; כְּבוֹד מ׳ 88; כֶּתֶף מ׳ 99; מִדְבַּר מ׳ 41; מֶלֶךְ מ׳ 10, 19, 25, 53-68; מַשָּׂא מ׳ 80; מִשְׁפַּט מ׳ 98; עִיר מ׳ 24; עָר מ׳ 11; עַרְבוֹת מ׳ 13, 28-38; פְּאַת מ׳ 96; פַּאֲתֵי מ׳ 26; פַּחַת מ׳ 112-117; פְּלֵיטַת מ׳ 83; פִּשְׁעֵי מ׳ 100; קֶרֶן מ׳ 91; שְׁבוּת מ׳ 97; שְׂדֵה(י) מ׳ 3, 9, 103-111; שִׁקּוּץ מ׳ 73, 78; שָׂרֵי מוֹאָב 18, 20-23; תְּהִלַּת מוֹאָב 89

מוֹאָב 1 וַתֵּלֶד...בֵּן וַתִּקְרָא שְׁמוֹ מוֹאָב Gen. 19:37
2 הוּא אֲבִי־מוֹאָב עַד־הַיּוֹם Gen. 19:37
3 הַמַּכֶּה אֶת־מִדְיָן בִּשְׂדֵה מוֹאָב Gen. 36:35
4 אֵילֵי מוֹאָב יֹאחֲזֵמוֹ רָעַד Ex. 15:15
5 בַּמִּדְבָּר אֲשֶׁר עַל־פְּנֵי מוֹאָב Num. 21:11
6 כִּי אַרְנוֹן גְּבוּל מוֹאָב Num. 21:13
7 בֵּין מוֹאָב וּבֵין הָאֱמֹרִי Num. 21:13
8 וְנִשְׁעַן לִגְבוּל מוֹאָב Num. 21:15
9 הַגַּיְא אֲשֶׁר בִּשְׂדֵה מוֹאָב Num. 21:20
10 נִלְחַם בְּמֶלֶךְ מוֹאָב הָרִאשׁוֹן Num. 21:26
11 אָכְלָה עָר מוֹאָב Num. 21:28

מוֹאָב (המשך)

12 אוֹי־לְךָ מוֹאָב... Num. 21:29
13 וַיַּחֲנוּ בְּעַרְבוֹת מוֹאָב Num. 22:1
14 וַיָּגָר מוֹאָב מִפְּנֵי הָעָם מְאֹד Num. 22:3
15 וַיָּקָץ מוֹאָב מִפְּנֵי בְּנֵי יִשְׂרָאֵל Num. 22:3
16 וַיֹּאמֶר מוֹאָב אֶל־זִקְנֵי מִדְיָן Num. 22:4
17 וַיֵּלְכוּ זִקְנֵי מוֹאָב וְזִקְנֵי מִדְיָן Num. 22:7
18 וַיֵּשְׁבוּ שָׂרֵי־מוֹאָב עִם־בִּלְעָם Num. 22:8
19 בָּלָק...מֶלֶךְ מוֹאָב שָׁלַח אֵלָי Num. 22:10
20-23 (וּ)שָׂרֵי מוֹאָב Num. 22:14, 21; 23:6, 17
24 וַיֵּצֵא לִקְרָאתוֹ אֶל־עִיר מוֹאָב Num. 22:36
25 מִן־אֲרָם יַנְחֵנִי בָלָק מֶלֶךְ מוֹאָב Num. 23:7
26 וּמָחַץ פַּאֲתֵי מוֹאָב... Num. 24:17
27 לִזְנוֹת אֶל־בְּנוֹת מוֹאָב Num. 25:1
28-38 (בְּ/מְ)עַרְבֹ(וֹ)ת מוֹאָב Num. 26:3, 63 • 31:12; 33:48, 49, 50; 35:1; 36:13 • Deut. 34:1, 8 • Josh. 13:32
39 בְּעִיֵּי הָעֲבָרִים בִּגְבוּל מוֹאָב Num. 33:44
40 בְּעֵבֶר הַיַּרְדֵּן בְּאֶרֶץ מוֹאָב Deut. 1:5
41 וַנַּעֲבֹר דֶּרֶךְ מִדְבַּר מוֹאָב Deut. 2:8
42 אַל־תָּצַר אֶת־מוֹאָב Deut. 2:9
43 אַתָּה עֹבֵר הַיּוֹם אֶת־גְּבוּל מוֹאָב Deut. 2:18
44 אֲשֶׁר־צִוָּה יְיָ...בְּאֶרֶץ מוֹאָב Deut. 28:69
45-52 (בְּ/לְ/מֵ/וּמֵ)אֶרֶץ מוֹאָב Deut. 32:49 • 34:5, 6 • Jud. 11:15, 18[2] • Jer. 48:24, 33
53 וַיָּקָם בָּלָק בֶּן־צִפּוֹר מֶלֶךְ מוֹאָב Josh. 24:9
54 אֶת־עֶגְלוֹן מֶלֶךְ־מוֹאָב Jud. 3:12
55-68 מֶלֶךְ(־)מוֹאָב Jud. 3:14, 15, 17 • 11:17, 25 • ISh. 12:9; 22:3, 4 • IIK. 3:4 • 5, 7, 26 • Jer. 27:3 • Mic. 6:5
69 וַיַּעַבְדוּ...וְאֵת אֱלֹהֵי מוֹאָב Jud. 10:6
70 וְלֹא־בָאוּ בִּגְבוּל מוֹאָב Jud. 11:18
71 כִּי אַרְנוֹן גְּבוּל מוֹאָב Jud. 11:18
72 הוּא הִכָּה אֵת שְׁנֵי אֲרִאֵל מוֹאָב IISh. 23:20
73 בָּמָה לִכְמוֹשׁ שִׁקֻּץ מוֹאָב IK. 11:7
74 וַיִּשְׁתַּחֲווּ...לִכְמוֹשׁ אֱלֹהֵי מוֹאָב IK. 11:33
75-76 לָתֵת אוֹתָם בְּיַד(־)מוֹאָב IIK. 3:10, 13
77 וּגְדוּדֵי מוֹאָב יָבֹאוּ בָאָרֶץ IIK. 13:20
78 וְלִכְמוֹשׁ שִׁקֻּץ מוֹאָב IIK. 23:13
79 וַיְשַׁלַּח יְיָ...וְאֵת גְּדוּדֵי מוֹאָב IIK. 24:2
80 מַשָּׂא מוֹאָב... Is. 15:1
81 עַל־כֵּן חֲלֻצֵי מוֹאָב יָרִיעוּ Is. 15:4
82 הִקִּיפָה הַזְּעָקָה אֶת־גְּבוּל מוֹאָב Is. 15:8
83 לִפְלֵיטַת מוֹאָב אַרְיֵה Is. 15:9
84 בְּנוֹת מוֹאָב מַעְבָּרֹת לְאַרְנוֹן Is. 16:2
85/6 שָׁמַעְנוּ גְאוֹן־מוֹאָב Is. 16:6 • Jer. 48:29
87 לָכֵן יְיֵלִיל מוֹאָב Is. 16:7
88 וְנִקְלָה כְּבוֹד מוֹאָב Is. 16:14
89 אֵין עוֹד תְּהִלַּת מוֹאָב Jer. 48:2
90 קָרוֹב אֵיד־מוֹאָב לָבוֹא Jer. 48:16
91 נִגְדְּעָה קֶרֶן מוֹאָב Jer. 48:25
92 עִזְבוּ עָרִים...יֹשְׁבֵי מוֹאָב Jer. 48:28
93 עַל כָּל־גַּגּוֹת מוֹאָב...מִסְפֵּד Jer. 48:38
94 וְהָיָה לֵב גִּבּוֹרֵי מוֹאָב... Jer. 48:41
95 פַּחַד...עָלֶיךָ יוֹשֵׁב מוֹאָב Jer. 48:43
96 וַתֹּאכַל פְּאַת מוֹאָב Jer. 48:45
97 וְשַׁבְתִּי שְׁבוּת־מוֹאָב Jer. 48:47
98 ...עַד־הֵנָּה מִשְׁפַּט מוֹאָב Jer. 48:47
99 הִנְנִי פֹתֵחַ אֶת־כֶּתֶף מוֹאָב Ezek. 25:9
100 עַל־שְׁלֹשָׁה פִּשְׁעֵי מוֹאָב Am. 2:1
101 שָׁמַעְתִּי חֶרְפַּת מוֹאָב Zep. 2:8
102 אָהֳלֵי...מוֹאָב וְהַגְרִים Ps. 83:7
103 וַיֵּלֶךְ...לָגוּר בִּשְׂדֵי מוֹאָב Ruth 1:1

מוֹאָב (המשך)

104-111 (בְּ/מִ)שְּׂדֵי (שְׂדֵה) מוֹאָב Ruth 1:2, 6[2], 22 • 2:6; 4:3 • ICh. 1:46; 8:8
112 בְּנֵי־פַחַת מוֹאָב Ez. 2:6
113-117 פַּחַת מוֹאָב Ez. 8:4; 10:30 • Neh. 3:11; 7:11; 10:15
118 הוּא הִכָּה אֵת שְׁנֵי אֲרִיאֵל מוֹאָב ICh. 11:22
119 בָּאוּ בְנֵי־מוֹאָב וּבְנֵי עַמּוֹן IICh. 20:1
120 עַל־בְּנֵי עַמּוֹן מוֹ׳ וְהַר־שֵׂעִיר IICh.20:22
121-163 מוֹאָב Jud. 3:28, 29, 30 • IISh. 8:2[2] • IIK. 1:1; 3:7, 18, 21, 22, 23; 3:24[2] • Is. 15:2; 16:4, 12, 13; 25:10 • Jer. 9:25; 25:21; 48:4, 11, 13, 15, 18, 20[2], 26, 31, 38, 39[2], 40, 42, 44, 46 • Ezek. 25:8 • Am. 2:2 • Zep. 2:9 • Ps. 60:10; 108:10 • ICh. 18:2[2]

וּמוֹאָב
164 אֱדוֹם וּמוֹאָב מִשְׁלוֹחַ יָדָם Is. 11:14
165 אֱדוֹם וּמוֹאָב וְרֵאשִׁית בְּנֵי עַמּוֹן Dan. 11:41
166 בְנֵי־עַמּוֹן וּמוֹאָב וְהַר־שֵׂעִיר IICh. 20:10
167 וַיַּעַמְדוּ בְּנֵי עַמּוֹן וּמוֹאָב... IICh. 20:23

בְּמוֹאָב
168 בְמוֹאָב וּבִבְנֵי־עַמּוֹן וּבֶאֱדוֹם ISh. 14:47
169 בְמוֹאָב וּבִבְנֵי־עַמּוֹן וּבֶאֱדוֹם Jer. 40:11
170 וְשִׁלַּחְתִּי־אֵשׁ בְּמוֹאָב Am. 2:2

וּבְמוֹאָב
171 וּבְמוֹאָב אֶעֱשֶׂה שְׁפָטִים Ezek. 25:11

לְמוֹאָב
172 וּבָלָק..מֶלֶךְ לְמוֹאָב בָּעֵת הַהִוא Num. 22:4
173 אֶת־מַעְבְּרוֹת הַיַּרְדֵּן לְמוֹאָב Jud. 3:28
174 לִבִּי לְמוֹאָב יִזְעָק Is. 15:5
175 לְמוֹאָב כֻּלֹּה יְיֵלִיל Is. 16:7
176 מֵעַי לְמוֹאָב כַּכִּנּוֹר יֶהֱמוּ Is. 16:11
177 לְמוֹאָב כֹּה־אָמַר יְיָ צְבָאוֹת Jer. 48:1
178 תְּנוּ־צִיץ לְמוֹאָב Jer. 48:9
179 וְהִשְׁבַּתִּי לְמוֹאָב...מַעֲלֶה בָמָה Jer. 48:35
180 לִבִּי לְמוֹאָב כַּחֲלִלִים יֶהֱמֶה Jer. 48:36
181 ...אֲשֶׁר־בָּעֲלוּ לְמוֹאָב ICh. 4:22

וּלְמוֹאָב
182 וּלְמוֹאָב כֻּלֹּה אֶזְעָק Jer. 48:31

מִמּוֹאָב
183 מֵאֲרָם וּמִמּוֹאָב וּמִבְּנֵי עַמּוֹן IISh. 8:12

וּמִמּוֹאָב
184 מֵאֱדוֹם וּמִמּוֹאָב וּמִבְּנֵי עַמּוֹן ICh. 18:11

מוֹאָבִי
ת׳ המתיחס על עם מואב

וּמוֹאָבִי
1 לֹא־יָבֹא עַמּוֹנִי וּמוֹאָבִי בִּקְהַל יְיָ Deut. 23:4
2 לֹא־יָבוֹא עַמֹּנִי וּמֹאָבִי בִּקְהַל... Neh. 13:1

הַמֹּאָבִי
3 הָעַמֹּנִי הַמֹּאָבִי הַמִּצְרִי Ez. 9:1
4 וְיִתְמָה הַמּוֹאָבִי ICh. 11:46

מוֹאֲבִיָּה
5 נַעֲרָה מוֹאֲבִיָּה הִיא הַשָּׁבָה עִם־נָעֳמִי Ruth 2:6

הַמּוֹאֲבִיָּה
6 וַתָּשָׁב נָעֳמִי וְרוּת הַמּוֹאֲבִיָּה Ruth 1:22
7-9 רוּת הַמּוֹאֲבִיָּה Ruth 2:2, 21; 4:5
10 רוּת הַמֹּאֲבִיָּה Ruth 4:10

הַמּוֹאָבִית
11 וִיהוֹזָבָד בֶּן־שִׁמְרִית הַמּוֹאָבִית IICh. 24:26

וְהַמֹּאָבִים
12 וְהַמֹּאָבִים יִקְרְאוּ לָהֶם אֵמִים Deut. 2:11
13 וְהַמּוֹאָבִים הַיֹּשְׁבִים בְּעָר Deut. 2:29

מוֹאֲבִיּוֹת
14 מוֹאֲבִיּוֹת עַמֳּנִיּוֹת אֲדֹמִיֹּת IK. 11:1
15 וַיִּשְׂאוּ לָהֶם נָשִׁים מֹאֲבִיּוֹת Ruth 1:4
16 אַשְׁדֳּדִיּוֹת° עַמֳּנִיּוֹת° מוֹאֲבִיּוֹת Neh. 13:23

מוֹאל
(נחמיה יב38) – עין מול מ־י (מס׳ 27)

מוֹבָא
ז׳ – עין מָבוֹא (מס׳ 18, 25)

מוּבָס
ת׳ (ישעיה ידו19) – עין בוס

מוג
: מַג, נָמוֹג, מוֹגֵג, הִתְמוֹגֵג; מוּג

(מוג) מָג פ׳ א) נָמֵס, נִתַּךְ (גם בהשאלה): 1-3
ב) הֵמֵס, מוֹגֵג: 4
ג) [נפ׳ נָמוֹג] נָמַס, נֶחֱלַשׁ: 5-12
ד) [פ׳ מוֹגֵג] הֵמֵס: 13, 14
ה) [הת׳ הִתְמוֹגֵג] נָמַס, נֶחֱלַשׁ: 15-17
מוּג לֵב 1

לָמוּג
1 לְמַעַן לָמוּג לֵב Ezek. 21:20

תָּמוּג
2 נָתַן בְּקוֹלוֹ תָּמוּג אָרֶץ Ps. 46:7

וַתָּמוֹג
3 הַנּוֹגֵעַ בָּאָרֶץ וַתָּמוֹג Am. 9:5

וַתְּמוּגֵנוּ
4 וַתְּמוּגֵנוּ בְּיַד־עֲוֹנֵנוּ Is. 64:6

נָמוֹג
5 וְהִנֵּה הֶהָמוֹן נָמוֹג וַיֵּלֶךְ וַהֲלֹם ISh. 14:16
6 נָמוֹג פְּלֶשֶׁת כֻּלֵּךְ Is. 14:31
7 שַׁעֲרֵי הַנְּהָרוֹת נִפְתָּחוּ וְהַהֵיכָל נָמוֹג Nah. 2:7

נָמֹגוּ
8 נָמֹגוּ כֹּל יֹשְׁבֵי כְנָעַן Ex. 15:15
9 וְכִי נָמֹגוּ כָּל־יֹשְׁבֵי הָאָרֶץ מִפְּנֵיכֶם Josh. 2:9
10 וְגַם־נָמֹגוּ כָּל־יֹשְׁבֵי הָאָרֶץ מִפָּנֵינוּ Josh. 2:24
11 שָׁמְעוּ נָמֹגוּ בַּיָּם דְּאָגָה Jer. 49:23

נְמֹגִים
12 נְמֹגִים אֶרֶץ וְכָל־יֹשְׁבֶיהָ Ps. 75:4

וּתְמֹגְגֵנִי
13 תִּשָּׂאֵנִי אֶל־רוּחַ...וּתְמֹגְגֵנִי תֻּשִׁיָּה° Job 30:22

תְּמֹגְגֶנָּה
14 תְּלָמֶיהָ רַוֵּה..בִּרְבִיבִים תְּמֹגְגֶנָּה Ps. 65:11

הִתְמֹגָגוּ
15 הֶהָרִים רָעֲשׁוּ...וְהַגְּבָעוֹת הִתְמֹגָגוּ Nah. 1:5

תִּתְמוֹגָג
16 נַפְשָׁם בְּרָעָה תִתְמוֹגָג Ps. 107:26

תִּתְמוֹגַגְנָה
17 וְכָל־הַגְּבָעוֹת תִּתְמוֹגַגְנָה Am. 9:13

מוֹגֵךְ
(ישעיה ידו19) – עין יגה

מוֹדַע, מוֹדָע
ז׳ מַכִּיר, יְדִיד: 1, 2

מוֹדַע
1 וּלְנָעֳמִי מוֹדַע (כת׳ מידע) לְאִישָׁהּ Ruth 2:1

וּמוֹדָע
2 וּמֹדָע לַבִּינָה תִקְרָא Prov. 7:4

מוֹדַעַת*
ז׳ מוֹדַע, מַכִּיר

מֹדַעְתָּנוּ
1 הֲלֹא בֹעַז מֹדַעְתָּנוּ Ruth 3:2

מוּזָר
ת׳ (תהלים סטו9) – עין זוּר (מס׳ 7)

מוט
: מָט, נָמוֹט, הִתְמוֹטֵט, הֵמִיט; מוֹט, מוֹטָה

(מוט) מָט פ׳ א) התנודד, כשל: 1-12
ב) [נפ׳ נָמוֹט] כנ״ל: 13-35
ג) [הת׳ הִתְמוֹטֵט] כנ״ל: 36
ד) [הפ׳ הֵמִיט] הטיל: 37
מָטָה בְרִיתוֹ 11; מָטָה יָדוֹ 6; מָטָה רַגְלוֹ 2, 5, 10; הֵמִיט עָלָיו אָוֶן 37

מוֹט
1 מוֹט הִתְמוֹטְטָה אֶרֶץ Is. 24:19

בְּמוֹט
2 בְּמוֹט רַגְלִי עָלַי הִגְדִּילוּ Ps. 38:17

וּבְמוֹט
3 וּבְמוֹט הָרִים בְּלֵב יַמִּים Ps. 46:3

מָטָה
4 רְפָה שְׁבָרֶיהָ כִי־מָטָה Ps. 60:4
5 אִם־אָמַרְתִּי מָטָה רַגְלִי Ps. 94:18

וּמָטָה
6 וְכִי־יָמוּךְ אָחִיךָ וּמָטָה יָדוֹ עִמָּךְ Lev. 25:35

מָטוּ
7 הָמוּ גוֹיִם מָטוּ מַמְלָכוֹת Ps. 46:7

מָט (הוה)
8 צַדִּיק מָט לִפְנֵי־רָשָׁע Prov. 25:26

וּמָטִים
9 וּמָטִים לַהֶרֶג אִם־תַּחְשׂוֹךְ Prov. 24:11

תָּמוּט
10 לְעֵת תָּמוּט רַגְלָם Deut. 32:35
11 וּבְרִית שְׁלוֹמִי לֹא תָמוּט Is. 54:10

תְּמוּטֶינָה
12 הֶהָרִים יָמוּשׁוּ וְהַגְּבָעוֹת תְּמוּטֶינָה Is. 54:10

נָמוֹטּוּ
13 תָּמֹךְ...בַּל־נָמוֹטּוּ פְעָמָי Ps. 17:5

אֶמּוֹט
14 אָמַר בְּלִבּוֹ בַּל־אֶמּוֹט Ps. 10:6
15 צָרַי יָגִילוּ כִּי אֶמּוֹט Ps. 13:5
16 כִּי מִימִינִי בַּל־אֶמּוֹט Ps. 16:8
17 בַּל־אֶמּוֹט לְעוֹלָם Ps. 30:7
18/9 מִשְׂגַּבִּי לֹא(־)אֶמּוֹט Ps. 62:3, 7

יִמּוֹט
20 לְהָכִין פֶּסֶל לֹא יִמּוֹט Is. 40:20
21 וַיְחַזְּקֵהוּ בְמַסְמְרִים לֹא יִמּוֹט Is. 41:7
22 עֹשֵׂה אֵלֶּה לֹא יִמּוֹט לְעוֹלָם Ps. 15:5
23 כִּי־הַמֶּלֶךְ בֹּטֵחַ בַּיְיָ...בַּל־יִמּוֹט Ps. 21:8
24 כִּי־לְעוֹלָם לֹא־יִמּוֹט Ps. 112:6
25 כְּהַר־צִיּוֹן לֹא־יִמּוֹט לְעוֹלָם Ps. 125:1
26 צַדִּיק לְעוֹלָם בַּל־יִמּוֹט Prov. 10:30
27 וְשֹׁרֶשׁ צַדִּיקִים בַּל־יִמּוֹט Prov. 12:3
28 יָצוּק עָלָיו בַּל־יִמּוֹט Job 41:15

תִּמּוֹט 29 אֱלֹהִים בְּקִרְבָּהּ בַּל־תִּמּוֹט Ps. 46:6
30-32 אַף־תִּכּוֹן תֵּבֵל בַּל־תִּמּוֹט Ps. 93:1
96:10 • ICh. 16:30
33 יָסַד...בַּל־תִּמּוֹט עוֹלָם וָעֶד Ps. 104:5
יִמּוֹטוּ 34 יִמּוֹטוּ כָּל־מוֹסְדֵי אָרֶץ Ps. 82:5
35 יִמּוֹטוּ (כת׳ ימיטו) עֲלֵיהֶם גֶּחָלִים Ps. 140:11
הִתְמוֹטְטָה 36 מוֹט הִתְמוֹטְטָה אָרֶץ Is. 24:19
יָמִיטוּ 37 כִּי־יָמִיטוּ עָלַי אָוֶן Ps. 55:4

מוֹט¹
ז׳ כשלון: 1-3
מוֹט 1 לֹא־יִתֵּן לְעוֹלָם מוֹט לַצַּדִּיק Ps. 55:23
לַמּוֹט 2 וְלֹא־נָתַן לַמּוֹט רַגְלֵנוּ Ps. 66:9
3 אַל־יִתֵּן לַמּוֹט רַגְלֶךָ Ps. 121:3

מוֹט²
ז׳ מטה, מקל: 1-4 [ראה גם מוֹטָה]
הַמּוֹט 1-2 וְנָתְנוּ עַל־הַמּוֹט Num. 4:10, 12
בַמּוֹט 3 וַיִּשָּׂאֻהוּ בַמּוֹט בִּשְׁנָיִם Num. 13:23
מֹטֵהוּ 4 וְעַתָּה אֶשְׁבֹּר מֹטֵהוּ מֵעָלָיִךְ Nah. 1:13

מוֹטָה
נ׳ א) מוט, מקל: 4-10, 12
ב) [בהשאלה] עול, לחץ: 1-3, 11
קרובים: בַּד / מוֹט / מַטֶּה / מַלְמָד / מַקֵּל / מִשְׁעֶנֶת / פֶּלֶךְ / שֵׁבֶט / שׁוֹט
– אֲגֻדּוֹת מוֹטָה 1
– מוֹטוֹת בַּרְזֶל 10; מ׳ מִצְרַיִם 11; מ׳ עֻלּוֹ 8, 12
מוֹטָה 1 הַתֵּר אֲגֻדּוֹת מוֹטָה Is. 58:6
2 וְכָל־מוֹטָה תְּנַתֵּקוּ Is. 58:6
3 אִם־תָּסִיר מִתּוֹכְךָ מוֹטָה Is. 58:9
הַמּוֹטָה 4 וַיִּקַּח...הַמּוֹטָה מֵעַל צַוַּאר יִרְמְיָה Jer. 28:10
5 אַחֲרֵי שְׁבוֹר...אֶת־הַמּוֹטָה מֵעַל... Jer. 28:12
וּמֹטוֹת 6 עֲשֵׂה לְךָ מוֹסֵרוֹת וּמֹטוֹת Jer. 27:2
בַּמֹּטוֹת 7 וַיִּשְׂאוּ...בִּכְתֵפָם בַּמֹּטוֹת עֲלֵיהֶם ICh. 15:15
מֹטוֹת־ 8 וָאֶשְׁבֹּר מֹטֹת עֻלְּכֶם Lev. 26:13
9 מוֹטֹת עֵץ שָׁבָרְתָּ Jer. 28:13
10 וְעָשִׂיתָ תַחְתֵּיהֶן מֹטוֹת בַּרְזֶל Jer. 28:13
11 בְּשִׁבְרִי־שָׁם אֶת־מֹטוֹת מִצְרַיִם Ezek. 30:18
12 בְּשִׁבְרִי אֶת־מֹטוֹת עֻלָּם Ezek. 34:27

(מוך) מָךְ
פ׳ שָׁפַל, התרושש: 1-5
וּמָךְ 1 וּמָךְ אָחִיךָ עִמּוֹ Lev. 25:47
מָךְ (הוה) 2 וְאִם־מָךְ הוּא מֵעֶרְכֶּךָ Lev. 27:8
יָמוּךְ 3 כִּי־יָמוּךְ אָחִיךָ וּמָכַר מֵאֲחֻזָּתוֹ Lev. 25:25
4 וְכִי־יָמוּךְ אָחִיךָ וּמָטָה יָדוֹ עִמָּךְ Lev. 25:35
5 וְכִי־יָמוּךְ אָחִיךָ עִמָּךְ וְנִמְכַּר־לָךְ Lev. 25:39

מול
: מָל, נִמּוֹל, הֵמִיל; מוּל, מוֹל, מוּלוֹת

(מול) מָל
פ׳ א) כרת בשר הערלה: 1-13
ב) [נפ׳ נִמּוֹל] נכרתה ערלתו: 14-32
ג) [הפ׳ הֵמִיל] הכרית: 33-35
וּמַלְתָּה 1 וּמַלְתָּה אֹתוֹ אָז יֹאכַל בּוֹ Ex. 12:44
מָל 2 וְזֶה הַדָּבָר אֲשֶׁר־מָל יְהוֹשֻׁעַ Josh. 5:4
3 וְאֶת־בְּנֵיהֶם...אֹתָם מָל יְהוֹשֻׁעַ Josh. 5:7
וּמָל 4 וּמָל יְיָ אֱלֹהֶיךָ אֶת־לְבָבְךָ Deut. 30:6
וּמַלְתֶּם 5 וּמַלְתֶּם אֵת עָרְלַת לְבַבְכֶם Deut. 10:16
מָלוּ 6 וְכָל־הָעָם הַיִּלֹּדִים...לֹא־מָלוּ Josh. 5:5
7 כִּי לֹא־מָלוּ אוֹתָם בַּדָּרֶךְ Josh. 5:7
מוּל 8 וּפָקַדְתִּי עַל־כָּל־מוּל בְּעָרְלָה Jer. 9:24
מֻלִים 9 כִּי־מֻלִים הָיוּ כָּל־הָעָם הַיֹּצְאִים Josh. 5:5
וַיָּמָל 10 וַיָּמָל אֶת־בְּשַׂר עָרְלָתָם Gen. 17:23
11 וַיָּמָל אַבְרָהָם אֶת־יִצְחָק בְּנוֹ Gen. 21:4
12 וַיָּמָל אֶת־בְּ״יִ אֶל־גִּבְעַת הָעֲרָלוֹת Josh. 5:3
מֹל 13 וְשׁוּב מֹל אֶת־בְּנֵי־יִשְׂרָאֵל שֵׁנִית Josh. 5:2
הִמּוֹל 14 הִמּוֹל לָכֶם כָּל־זָכָר Gen. 17:10
15 הִמּוֹל יִמּוֹל יְלִיד בֵּיתְךָ Gen. 17:13
16 הִמּוֹל לוֹ כָל־זָכָר Ex. 12:48
בְּהִמּוֹל 17 בְּהִמּוֹל לָנוּ כָּל־זָכָר Gen. 34:22
לְהִמֹּל 18 לְהִמֹּל לָכֶם כָּל־זָכָר Gen. 34:15
19 וְאִם־לֹא תִשְׁמְעוּ אֵלֵינוּ לְהִמּוֹל Gen. 34:17
20 כַּאֲשֶׁר־תַּמּוּ כָל־הַגּוֹי לְהִמּוֹל Josh. 5:8
בְּהִמֹּלוֹ 21 בְּהִמֹּלוֹ בְּשַׂר עָרְלָתוֹ Gen. 17:24
22 בְּהִמֹּלוֹ אֵת בְּשַׂר עָרְלָתוֹ Gen. 17:25
נִמּוֹל 23 נִמּוֹל אַבְרָהָם וְיִשְׁמָעֵאל בְּנוֹ Gen. 17:26
וּנְמַלְתֶּם 24 וּנְמַלְתֶּם אֵת בְּשַׂר עָרְלַתְכֶם Gen. 17:11
נִמֹּלוּ 25 וְכָל־אַנְשֵׁי בֵיתוֹ...נִמֹּלוּ אִתּוֹ Gen. 17:27
נִמֹּלִים 26 בְּהִמּוֹל לָנוּ...כַּאֲשֶׁר הֵם נִמֹּלִים Gen. 34:22
יִמּוֹל 27 יִמּוֹל לָכֶם כָּל־זָכָר Gen. 17:12
28 הִמּוֹל יִמּוֹל יְלִיד בֵּיתְךָ Gen. 17:13
29 אֲשֶׁר לֹא־יִמּוֹל...בְּשַׂר עָרְלָתוֹ Gen. 17:14
30 וּבַיּוֹם הַשְּׁמִינִי יִמּוֹל בְּשַׂר עָרְלָתוֹ Lev. 12:3
וַיִּמֹּלוּ 31 וַיִּמֹּלוּ כָּל־זָכָר כָּל־יֹצְאֵי שַׁעַר Gen. 34:24
הִמֹּלוּ 32 הִמֹּלוּ לַיְיָ וְהָסִרוּ עָרְלוֹת לְבַבְכֶם Jer. 4:4
אֲמִילַם 33-35 בְּשֵׁם יְיָ כִּי אֲמִילַם Ps. 118:10, 11, 12

מוּל, מוֹל
מ״י נכח, נגד: 1-36
קרובים: לְעֻמַּת / לִפְנֵי / לִקְרַאת / נֶגֶד / נֹכַח / קֳבֵל
מוּל 1 הֱיֵה אַתָּה לָעָם מוּל הָאֱלֹהִים Ex. 18:19
2 וְכָפַלְתָּ...אֶל־מוּל פְּנֵי הָאֹהֶל Ex. 26:9
3 וְנָתַתָּה...אֶל־מוּל פָּנָיו Ex. 28:25
4 אֶל־מוּל פְּנֵי־הַמִּצְנֶפֶת יִהְיֶה Ex. 28:37
5 אַל־יִרְעוּ אֶל־מוּל הָהָר Ex. 34:3
6 וַיִּתְּנֵם...אֶל־מוּל פָּנָיו Ex. 39:18
7 וַיָּשֶׂם עַל־הַמִּצְנֶפֶת אֶל־מוּל פָּנָיו Lev. 8:9
8 אֶל־מוּל פְּנֵי הַמְּנוֹרָה יָאִירוּ... Num. 8:2
9 אֶל־מוּל פְּנֵי הַמְּנוֹרָה הֶעֱלָה נֵרֹתֶיהָ Num. 8:3
10 וְקָרַבְתָּ מוּל בְּנֵי עַמּוֹן Deut. 2:19
11-13 מוּל בֵּית פְּעוֹר Deut. 3:29; 4:46; 34:6
14 מוּל הַגִּלְגָּל אֵצֶל אֵלוֹנֵי מֹרֶה Deut. 11:30
15 חֶצְיוֹ אֶל־מוּל הַר־גְּרִזִים Josh. 8:33
16 וְהַחֶצְיוֹ אֶל־מוּל הַר־עֵיבָל Josh. 8:33
17 אֶל־מוּל הַלְּבָנוֹן Josh. 9:1
18 אֶל־כֶּתֶף מוּל־הָעֲרָבָה צָפוֹנָה Josh. 18:18
19 עִם־הַגְּבוּל מוּל יָפוֹ Josh. 19:46
20 אֶל־מוּל אֶרֶץ כְּנַעַן Josh. 22:11
21 הַשֵּׁן הָאֶחָד מָצוּק...מוּל מִכְמָשׂ ISh. 14:5
22 וְהָאֶחָד מִנֶּגֶב מוּל גָּבַע ISh. 14:5
23 וַיִּסֹּב מֵאֶצְלוֹ אֶל־מוּל אַחֵר ISh. 17:30
24 הָבוּ...אֶל־מוּל פְּנֵי הַמִּלְחָמָה IISh. 11:15
מוֹל 25 בַּמִּדְבָּר בָּעֲרָבָה מוֹל סוּף Deut. 1:1
וּמוּל 26 וּמוּל מֶחֱזָה אֶל־מֶחֱזָה... IK. 7:5
(לְמוֹאל) 27 וְהַתּוֹדָה הַשֵּׁנִית הַהוֹלֶכֶת לְמוֹאל Neh. 12:38
מִמּוּל 28/9 מִמּוּל פָּנָיו לְעֻמַּת מַחְבַּרְתּוֹ Ex. 28:27; 39:20
30 וּמָלַק אֶת־רֹאשׁוֹ מִמּוּל עָרְפּוֹ Lev. 5:8
31 וּבָאתָ לָהֶם מִמּוּל בְּכָאִים IISh. 5:23
32 נָתַן...קֵדְמָה מִמּוּל נֶגֶב IK. 7:39
33 מִמּוּל שַׂלְמָה אֶדֶר תַּפְשִׁטוּן Mic. 2:8
34 וּבָאתָ לָהֶם מִמּוּל הַבְּכָאִים ICh. 14:14
35 נָתַן...קֵדְמָה מִמּוּל נֶגְבָּה IICh. 4:10
מִמֻּלִי 36 וְהוּא יֹשֵׁב מִמֻּלִי Num. 22:5

מוֹלָדָה
עיר בנגב יהודה: 1-4
וּמוֹלָדָה 1 אֲמָם וּשְׁמַע וּמוֹלָדָה Josh. 15:26
2 בְּאֵר־שֶׁבַע וְשֶׁבַע וּמוֹלָדָה Josh. 19:2
3 וַיֵּשְׁבוּ בִּבְאֵר־שֶׁבַע וּמוֹלָדָה ICh. 4:28
וּבְמֹלָדָה 4 וּבְיֵשׁוּעַ וּבְמֹלָדָה וּבְבֵית־פָּלֶט Neh. 11:26

מוֹלֶדֶת*
נ׳ א) יליד, נולד: 1-3, 9, 21, 22
ב) בני המשפחה: 4-8, 10-20
– מוֹלֶדֶת אָב 3; מ׳ בַּיִת 1; מוֹלֶדֶת חוּץ 1
– אֶרֶץ מוֹלֶדֶת 5, 8, 13-15, 18, 20
מוֹלֶדֶת־ 1/2 מוֹלֶדֶת בַּיִת אוֹ מוֹלֶדֶת חוּץ Lev. 18:9
3 בַּת־אֵשֶׁת אָבִיךָ מוֹלֶדֶת אָבִיךָ Lev. 18:11
מוֹלַדְתִּי 4 אֶל־אַרְצִי וְאֶל־מוֹלַדְתִּי תֵּלֵךְ Gen. 24:4
5 מִבֵּית אָבִי וּמֵאֶרֶץ מוֹלַדְתִּי Gen. 24:7
6 אֶל־אַרְצִי וְאֶל־מוֹלַדְתִּי אֵלֵךְ Num. 10:30
7 וְאֵיכָכָה אוּכַל...בְּאָבְדַן מוֹלַדְתִּי Es. 8:6
מוֹלַדְתֶּךָ 8 צֵא...וְשׁוּב אֶל־אֶרֶץ מוֹלַדְתֶּךָ Gen. 31:13
וּמוֹלַדְתְּךָ 9 וּמוֹלַדְתְּךָ אֲשֶׁר־הוֹלַדְתָּ אַחֲרֵיהֶם Gen. 48:6
וּלְמוֹלַדְתְּךָ 10 שׁוּב לְאַרְצְךָ וּלְמוֹלַדְתְּךָ Gen. 32:10
וּלְמוֹלַדְתֶּךָ 11 אֶל־אֶרֶץ אֲבוֹתֶיךָ וּלְמוֹלַדְתֶּךָ Gen. 31:3
וּמִמּוֹלַדְתְּךָ 12 מֵאַרְצְךָ וּמִמּוֹלַדְתְּךָ וּמִבֵּית אָבִיךָ Gen. 12:1
מוֹלַדְתֵּךְ 13 וַתַּעַזְבִי אָבִיךְ וְאִמֵּךְ וְאֶרֶץ מוֹלַדְתֵּךְ Ruth 2:11
מוֹלַדְתּוֹ 14 בְּאֶרֶץ מוֹלַדְתּוֹ בְּאוּר כַּשְׂדִּים Gen. 11:28
15 לֹא יָשׁוּב...וְרָאָה אֶת־אֶרֶץ מוֹלַדְתּוֹ Jer. 22:10
מוֹלַדְתָּהּ 16 אֶת־עַמָּהּ וְאֶת־מוֹלַדְתָּהּ Es. 2:10
17 ...מַגֶּדֶת מוֹלַדְתָּהּ וְאֶת־עַמָּהּ Es. 2:20
מוֹלַדְתֵּנוּ 18 אֶל־עַמֵּנוּ וְאֶל־אֶרֶץ מוֹלַדְתֵּנוּ Jer. 46:16
וּלְמוֹלַדְתֵּנוּ 19 שָׁאוֹל שָׁאַל־הָאִישׁ לָנוּ וּלְמוֹלַדְתֵּנוּ Gen. 43:7
מוֹלַדְתָּם 20 בְּנֵי־בָבֶל כַּשְׂדִּים אֶרֶץ מוֹלַדְתָּם Ezek. 23:15
וּמוֹלְדוֹתַיִךְ 21 מְכֹרֹתַיִךְ וּמֹלְדֹתַיִךְ מֵא׳ הַכְּנַעֲנִי Ezek. 16:3
22 וּמוֹלְדוֹתַיִךְ בְּיוֹם הוּלֶּדֶת אוֹתָךְ Ezek. 16:4

מוּלוֹת
נ״ר כריתת בשר הערלה
לַמּוּלֹת 1 אָז אָמְרָה חֲתַן דָּמִים לַמּוּלֹת Ex. 4:26

מוֹלִיד
שפ״ז – בן אבישור לבית יהודה
מוֹלִיד 1 וַתֵּלֶד לוֹ אֶת־אַחְבָּן וְאֶת־מוֹלִיד ICh. 2:29

מוּם
ז׳ לִקּוּי, פגם בגוף: 1-19
כָּל מוּם רָע 13
מוּם 1 אֲשֶׁר יִהְיֶה בוֹ מוּם לֹא יִקְרַב Lev. 21:17
2 כָל־אִישׁ אֲשֶׁר־בּוֹ מוּם לֹא יִקְרָב Lev. 21:18
3 כָּל־אִישׁ אֲשֶׁר־בּוֹ מוּם...לֹא יִגַּשׁ Lev. 21:21
4 מוּם בּוֹ...לֹא יִגַּשׁ לְהַקְרִיב Lev. 21:21
5 וְאֶל־הַמִּזְבֵּחַ לֹא יִגַּשׁ כִּי־מוּם בּוֹ Lev. 21:23
6 כֹּל אֲשֶׁר־בּוֹ מוּם לֹא תַקְרִיבוּ Lev. 22:20
7 כָּל־מוּם לֹא יִהְיֶה־בּוֹ Lev. 22:21
8 מָשְׁחָתָם בָּהֶם מוּם בָּם Lev. 22:25
9 וְאִישׁ כִּי־יִתֵּן מוּם בַּעֲמִיתוֹ Lev. 24:19
10 כַּאֲשֶׁר יִתֵּן מוּם בָּאָדָם Lev. 24:20
11 פָרָה...אֲשֶׁר אֵין־בָּהּ מוּם Num. 19:2
12 וְכִי־יִהְיֶה בוֹ מוּם פִּסֵּחַ אוֹ עִוֵּר Deut. 15:21
13 כֹּל מוּם רָע... Deut. 15:21
14 אֲשֶׁר יִהְיֶה בוֹ מוּם כֹּל דָּבָר רָע Deut. 17:1
15 מִכַּף רַגְלוֹ...לֹא־הָיָה בוֹ מוּם IISh. 14:25
וּמוּם 16 כֻּלָּךְ יָפָה רַעְיָתִי וּמוּם אֵין בָּךְ S.ofS. 4:7
מִמּוּם 17 כִּי־אָז תִּשָּׂא פָנֶיךָ מִמּוּם Job 11:15
מוּמוֹ 18 וּמוֹכִיחַ לְרָשָׁע מוּמוֹ Prov. 9:7
מוּמָם 19 שִׁחֵת לוֹ לֹא בָּנָיו מוּמָם Deut. 32:5

מוֹנִים
ז״ר פעמים: 1, 2
מוֹנִים 1 וְהֶחֱלִף אֶת־מַשְׂכֻּרְתִּי עֲשֶׂרֶת מֹנִים Gen. 31:7
2 וַתַּחֲלֵף אֶת־מַשְׂכֻּרְתִּי עֲשֶׂרֶת מֹנִים Gen. 31:41

מוּסָב*
ז׳ מדרגה לולינית
מוּסַב־ 1 כִּי מוּסַב־הַבַּיִת לְמַעְלָה לְמַעְלָה Ezek. 41:7

מוֹסָד*
ז׳ יסוד, בסיס: 1–13

מוֹסְדֵי אֶרֶץ 2, 4–7, 12; מ׳ דוֹר 3; מ׳ הָרִים 1, 8; מוֹסְדֵי הַשָּׁמַיִם 10; מוֹסְדֵי תֵּבֵל 13

מוֹסְדֵי־ 1 וַתְּלַהֵט מוֹסְדֵי הָרִים Deut. 32:22
2 וַיִּרְעֲשׁוּ מוֹסְדֵי אָרֶץ Is. 24:18
3 מוֹסְדֵי דוֹר־וָדוֹר תְּקוֹמֵם Is. 58:12
4 וְיֵחָקְרוּ מוֹסְדֵי־אֶרֶץ לְמָטָּה Jer. 31:37(36)
5 וְהָאֵתָנִים מֹסְדֵי אָרֶץ Mic. 6:2
6 יִמּוֹטוּ כָּל־מוֹסְדֵי אָרֶץ Ps. 82:5
7 בְּחוּקוֹ מוֹסְדֵי אָרֶץ Prov. 8:29
וּמוֹסְדֵי־ 8 וּמוֹסְדֵי הָרִים יִרְגָּזוּ Ps. 18:8
לְמוֹסָדוֹת 9 אֶבֶן לְפִנָּה וְאֶבֶן לְמוֹסָדוֹת Jer. 51:26
מוֹסְדוֹת־ 10 מוֹסְדוֹת הַשָּׁמַיִם יִרְגָּזוּ IISh. 22:8
11 יִגָּלוּ מֹסְדוֹת תֵּבֵל IISh. 22:16
12 הֲלוֹא הֲבִינוֹתֶם מוֹסְדוֹת הָאָרֶץ Is. 40:21
13 וַיִּגָּלוּ מוֹסְדוֹת תֵּבֵל Ps. 18:16

מוּסָד
ז׳ יסוד: 1, 2

מוּסָד 1 פִּנַּת יִקְרַת מוּסָד מוּסָּד Is. 28:16
מוּסַד־ 2 עַד־הַיּוֹם מוּסַד בֵּית־יְיָ IICh. 8:16

מוּסָדָה
נ׳ יסוד?: 1, 2

מוּסָדָה 1 כֹּל מַעֲבַר מַטֵּה מוּסָדָה Is. 30:32
מוּסְדוֹת־ 2 מוּסְדוֹת (כת׳ מיסדות) הַצַּלָּעוֹת מְלוֹ הַקָּנֶה Ezek. 41:8

מוּסָךְ*
ז׳ יציע? בנין מקורה?

מוּסַךְ־ 1 מוּסַךְ (כת׳ מיסך) הַשַּׁבָּת אֲשֶׁר־בָּנוּ IIK. 16:18

מוֹסֵר
ז׳ אסור, מוסרה: 1–3 [עין עוד מוֹסֵרָה¹]

מוֹסְרֵי־ 1 הִתְפַּתְּחִי מוֹסְרֵי צַוָּארֵךְ Is. 52:2
לְמוֹסֵרָי 2 פִּתַּחְתָּ לְמוֹסֵרָי Ps. 116:16
מוֹסְרֵיכֶם 3 פֶּן־יֶחְזְקוּ מוֹסְרֵיכֶם Is. 28:22

מוּסָר
ז׳ א) תוכחה, אזהרה, עונש על מעשה רע: 1–40, 42–44, 46–50
ב) מוסרה, כבל: 41, 45

קרובים: גְּעָרָה / לֶקַח / עֹנֶשׁ / תּוֹכֵחָה / תּוֹכַחַת

– מוּסַר רָע 20; חָכְמָה וּמוּסָר 27–29; שֵׁבֶט מוּסָר 24; תּוֹכְחוֹת מוּסָר 14

– מוּסַר אָב 38, 40, 42, 43; מוּסַר אֱוִיל(ים) 41, 47; מ׳ אַכְזָרִי 36; מ׳ הֲבָלִים 35; מ׳ הַשְׂכֵּל 37; מ׳ חָכְמָה 44; מוּסַר יְיָ 33, 39; מ׳ כְּלִמָּה 46; מוּסַר מְלָכִים 45; מ׳ שַׁדַּי 48; מוּסַר שְׁלוֹם 34

– אֹהֵב מוּסָר 17; יָדַע מ׳ 27; לָקַח מ׳ 1–6, 9, 10, 26, 37, 49; מָנַע מ׳ 25; נָאַץ מ׳ 43; פָּרַע מ׳ 18, 21; קִבֵּל מ׳ 22; קָנָה מ׳ 29; רָאָה מ׳ 33; שִׁחֵר מ׳ 19; שָׁמַע מוּסָר 15; שָׁמַר מ׳ 16; שָׂנֵא מוּסָר 11, 12

מוּסָר 1 לַשָּׁוְא הִכֵּיתִי...מוּסָר לֹא לָקָחוּ Jer. 2:30
2 מֵאֲנוּ קַחַת מוּסָר Jer. 5:3
3 וְלֹא לָקְחוּ מוּסָר Jer. 7:28
4 לְבִלְתִּי שְׁמוֹעַ וּלְבִלְתִּי קַחַת מוּסָר Jer. 17:23
5 וְאֵינָם שֹׁמְעִים לָקַחַת מוּסָר Jer. 32:33
6 הֲלוֹא תִקְחוּ מוּסָר לִשְׁמֹעַ Jer. 35:13
7 חֶרְפָּה וּגְדוּפָה מוּסָר וּמְשַׁמָּה Ezek. 5:15
8 (?)וַאֲנִי מוּסָר לְכֻלָּם Hosh. 5:2
9 לֹא שָׁמְעָה בְּקוֹל לֹא לָקְחָה מוּסָר Zep. 3:2
10 אַךְ־תִּירְאִי אוֹתִי תִּקְחִי מוּסָר Zep. 3:7
11 וְאַתָּה שָׂנֵאתָ מוּסָר Ps. 50:17
12 אֵיךְ שָׂנֵאתִי מוּסָר Prov. 5:12
13 הוּא יָמוּת בְּאֵין מוּסָר Prov. 5:23
14 וְדֶרֶךְ חַיִּים תּוֹכְחוֹת מוּסָר Prov. 6:23
15 שִׁמְעוּ מוּסָר וַחֲכָמוּ Prov. 8:33
16 אֹרַח לְחַיִּים שׁוֹמֵר מוּסָר Prov. 10:17
17 אֹהֵב מוּסָר אֹהֵב דָּעַת Prov. 12:1
18 רֵישׁ וְקָלוֹן פּוֹרֵעַ מוּסָר Prov. 13:18
19 וְאֹהֲבוֹ שִׁחֲרוֹ מוּסָר Prov. 13:24
20 מוּסָר רָע לְעֹזֵב אֹרַח Prov. 15:10
21 פּוֹרֵעַ מוּסָר מוֹאֵס נַפְשׁוֹ Prov. 15:32
22 שְׁמַע עֵצָה וְקַבֵּל מוּסָר Prov. 19:20
23 חֲדַל בְּנִי לִשְׁמֹעַ מוּסָר Prov. 19:27
24 שֵׁבֶט מוּסָר יַרְחִיקֶנָּה מִמֶּנּוּ Prov. 22:15
25 אַל־תִּמְנַע מִנַּעַר מוּסָר Prov. 23:13
26 רָאִיתִי לָקַחְתִּי מוּסָר Prov. 24:32
וּמוּסָר 27 לָדַעַת חָכְמָה וּמוּסָר Prov. 1:2
28 חָכְמָה וּמוּסָר אֱוִילִים בָּזוּ Prov. 1:7
29 אֱמֶת קְנֵה...חָכְמָה וּמוּסָר וּבִינָה Prov. 23:23
בַּמּוּסָר 30 הַחֲזֵק בַּמּוּסָר אַל־תֶּרֶף Prov. 4:13
לַמּוּסָר 31 הָבִיאָה לַמּוּסָר לִבֶּךָ Prov. 23:12
32 וַיִּגֶל אָזְנָם לַמּוּסָר Job 36:10
מוּסַר־ 33 לֹא־רָאוּ אֶת־מוּסַר יְיָ אֱלֹהֵיכֶם Deut. 11:2
34 מוּסַר שְׁלוֹמֵנוּ עָלָיו Is. 53:5
35 מוּסַר הֲבָלִים עֵץ הוּא Jer. 10:8
36 מַכַּת אוֹיֵב...מוּסַר אַכְזָרִי Jer. 30:14
37 לָקַחַת מוּסַר הַשְׂכֵּל Prov. 1:3
38 שְׁמַע בְּנִי מוּסַר אָבִיךָ Prov. 1:8
39 מוּסַר יְיָ בְּנִי אַל־תִּמְאָס Prov. 3:11
40 שִׁמְעוּ בָנִים מוּסַר אָב Prov. 4:1
41 וּכְעֶכֶס אֶל־מוּסַר אֱוִיל Prov. 7:22
42 בֵּן חָכָם מוּסַר אָב Prov. 13:1
43 אֱוִיל יִנְאַץ מוּסַר אָבִיו Prov. 15:5
44 יִרְאַת יְיָ מוּסַר חָכְמָה Prov. 15:33
45 מוּסַר מְלָכִים פִּתֵּחַ Job 12:18
46 מוּסַר כְּלִמָּתִי אֶשְׁמָע Job 20:3
וּמוּסַר־ 47 וּמוּסַר אֱוִלִים אִוֶּלֶת Prov. 16:22
48 וּמוּסַר שַׁדַּי אַל־תִּמְאָס Job 5:17
מוּסָרִי 49 קְחוּ־מוּסָרִי וְאַל־כָּסֶף Prov. 8:10
מוּסָרְךָ 50 צָקוּן לַחַשׁ מוּסָרְךָ לָמוֹ Is. 26:16

מֹסֶר
ז׳ מוסר

וּבְמֹסָרָם 1 יִגְלֶה אֹזֶן אֲנָשִׁים וּבְמֹסָרָם יַחְתֹּם Job 33:16

מוֹסֵרָה*¹
נ׳ מוֹסֵר, כֶּבֶל: 1–8

מוֹסְרוֹת עָרוֹד 3; נִתֵּק מוֹסְרוֹת 1, 4–8; פִּתַּח מוֹסְרוֹת 3

מוֹסֵרוֹת 1 שָׁבְרוּ עֹל נִתְּקוּ מוֹסֵרוֹת Jer. 5:5
2 עֲשֵׂה לְךָ מוֹסֵרוֹת וּמֹטוֹת Jer. 27:2
וּמוֹסְרוֹת־ 3 וּמוֹסְרוֹת עָרוֹד מִי פִתֵּחַ Job 39:5
וּמוֹסְרוֹתֶיךָ 4 אֶשְׁבֹּר עֻלּוֹ...וּמוֹסְרוֹתֶיךָ אֲנַתֵּק Jer. 30:8
מוֹסְרוֹתָיִךְ 5 שָׁבַרְתִּי עֻלֵּךְ נִתַּקְתִּי מוֹסְרוֹתַיִךְ Jer. 2:20
וּמוֹסְרֹתַיִךְ 6 אֶשְׁבֹּר מֹטֵהוּ...וּמוֹסְרֹתַיִךְ אֲנַתֵּק Nah. 1:13
מוֹסְרוֹתֵימוֹ 7 נְנַתְּקָה אֶת־מוֹסְרוֹתֵימוֹ Ps. 2:3
וּמוֹסְרוֹתֵיהֶם 8 וּמוֹסְרוֹתֵיהֶם יְנַתֵּק Ps. 107:14

מוֹסֵרָה²
תחנה במסעי בני־ישראל במדבר

מוֹסֵרָה 1 נָסְעוּ מִבְּאֵרֹת בְּנֵי־יַעֲקָן מוֹסֵרָה Deut. 10:6

מֹסֵרוֹת
היא מוֹסֵרָה²: 1, 2

בְּמֹסֵרוֹת 1 וַיִּסְעוּ מֵחַשְׁמֹנָה וַיַּחֲנוּ בְּמֹסֵרוֹת Num. 33:30
מִמֹּסֵרוֹת 2 וַיִּסְעוּ מִמֹּסֵרוֹת וַיַּחֲנוּ בִּבְנֵי יַעֲקָן Num. 33:31

מוֹעֵד
ז׳ א) זמן קבוע: 1, 149, 150, 152, 154, 155, 158, 162, 163, 165–177, 179–193, 195, 197, 198, 201, 203, 218
ב) חג: 153, 157, 159–161, 178, 194, 199, 200, 202, 204–217, 219–223
ג) קרבן החג: 164
ד) התועדות, אספה: 2–148, 151, 156, 196

– מוֹעֵד דָּוִד 183; מוֹעֵד הַיָּמִים 182; מ׳ קֵץ 184; מוֹעֵד הַשָּׁנָה 179

– אֹהֶל מוֹעֵד 2–147; בָּאֵי מוֹעֵד 157; בֵּית מ׳ 156; הַר מוֹעֵד 151; יוֹם מ׳ 152, 153, 160, 161; קְרִאֵי מוֹעֵד 148; קִרְיַת מוֹעֵד 196

– מוֹעֲדִים טוֹבִים 204; מוֹעֲדֵי אֵל 213; מוֹעֲדֵי בֵית יִשְׂרָאֵל 212; מוֹעֲדֵי יְיָ 208–211, 214, 215

– הֶעֱבִיר הַמּוֹעֵד 163; חָזוֹן לַמּוֹעֵד 174; קֵץ לַמּוֹעֵד 175

מוֹעֵד 1 וַיָּשֶׂם יְיָ מוֹעֵד לֵאמֹר... Ex. 9:5
2 בְּאֹהֶל מוֹעֵד מִחוּץ לַפָּרֹכֶת Ex. 27:21
3–5 בְּבֹאָם אֶל־אֹהֶל מוֹע׳ Ex. 28:43; 30:20; 40:32
6–147 (בְּ/מֵ)אֹהֶל מוֹעֵד Ex. 29:4, 10, 11
29:30, 32, 42, 44; 30:16, 18, 26, 36; 31:7; 33:7²; 35:21; 38:8, 30; 39:32, 40; 40:2, 6, 7, 12, 22, 24, 26, 29, 30; 40:34, 35 • Lev. 1:1, 3, 5; 3:2, 8, 13; 4:4, 5, 7², 14; 4:16, 18²; 6:9, 19, 23; 8:3, 4, 31, 33, 35; 9:5, 23; 10:7, 9; 12:6; 14:11, 23; 15:14, 29; 16:7, 16, 17, 20, 23, 33; 17:4, 5, 6, 9; 19:21; 24:3 • Num. 1:1; 2:2, 17; 3:7, 8, 25², 38; 4:3, 4, 15, 23, 25², 28, 30, 31, 33; 4:35, 37, 39, 41, 43, 47; 6:10, 13, 18; 7:5, 89; 8:9, 15; 8:19, 22, 24, 26; 10:3; 11:16; 12:4; 14:10; 16:18, 19; 17:7, 8, 15, 19; 18:4, 6, 21, 22, 23, 31; 19:4; 20:6; 25:6; 27:2; 31:54 • Deut. 31:14² • Josh. 18:1; 19:51 • ISh. 2:22 • IK. 8:4 • ICh. 6:17; 9:21; 23:32 • IICh. 1:3, 6, 13; 5:5
148 קְרִאֵי מוֹעֵד אַנְשֵׁי־שֵׁם Num. 16:2
149 כְּבוֹא הַשֶּׁמֶשׁ מוֹעֵד צֵאתְךָ מִמִּצְ׳ Deut. 16:6
150 מֵהַבֹּקֶר וְעַד־עֵת מוֹעֵד IISh. 24:15
151 וְאֵשֵׁב בְּהַר־מוֹעֵד בְּיַרְכְּתֵי צָפוֹן Is. 14:13
152 מַה־תַּעֲשׂוּ לְיוֹם מוֹעֵד Hosh. 9:5
153 עֹד אוֹשִׁיבְךָ בָאֳהָלִים כִּימֵי מוֹ׳ Hosh. 12:10
154 אֶקַּח מוֹעֵד אֲנִי מֵישָׁרִים אֶשְׁפֹּט Ps. 75:3
155 כִּי־עֵת לְחֶנְנָהּ כִּי־בָא מוֹעֵד Ps. 102:14
156 וּבֵית מוֹעֵד לְכָל־חָי Job 30:23
157 דַּרְכֵי צִיּוֹן אֲבֵלוֹת מִבְּלִי בָּאֵי מוֹעֵד Lam. 1:4
158 קָרָא עָלַי מוֹעֵד לִשְׁבֹּר בַּחוּרָי Lam. 1:15
159 שִׁכַּח יְיָ בְּצִיּוֹן מוֹעֵד וְשַׁבָּת Lam. 2:6
160 קוֹל נָתְנוּ בְּבֵית־יְיָ כְּיוֹם מוֹעֵד Lam. 2:7
161 תִּקְרָא כְיוֹם מוֹעֵד Lam. 2:22
הַמּוֹעֵד 162 וַיּוֹחֶר׳ מִן־הַמּוֹעֵד אֲשֶׁר יְעָדוֹ IISh. 20:5
163 הֶעֱבִיר הַמּוֹעֵד Jer. 46:17
164 וַיֹּאכְלוּ אֶת־הַמּוֹעֵד שִׁבְעַת הַיָּמִ׳ IICh. 30:22
וְהַמּוֹעֵד 165 וְהַמּוֹעֵד הָיָה...עִם־הָאֹרֵב Jud. 20:38
לַמּוֹעֵד 166 לַמּוֹעֵד הַזֶּה בַּשָּׁנָה הָאַחֶרֶת Gen. 17:21
167 לַמּוֹעֵד אָשׁוּב אֵלֶיךָ כָּעֵת חַיָּה Gen. 18:14
168 לַמּוֹעֵד אֲשֶׁר־דִּבֶּר אֹתוֹ אֱלֹהִים Gen. 21:2
169 וַיֵּצְאוּ...לַמּוֹעֵד לִפְנֵי הָעֲרָבָה Josh. 8:14
170 כִּי לַמּוֹעֵד שָׁמוּר־לְךָ... ISh. 9:24
171 וַיּוֹחֶל...לַמּוֹעֵד אֲשֶׁר שְׁמוּאֵל ISh. 13:8
172/3 לַמּוֹעֵד הַזֶּה כָּעֵת חַיָּה IIK. 4:16, 17
174 כִּי עוֹד חָזוֹן לַמּוֹעֵד וְיָפֵחַ לַקֵּץ Hab. 2:3
175 כִּי־עוֹד קֵץ לַמּוֹעֵד Dan. 11:27
176 לַמּוֹעֵד יָשׁוּב וּבָא בַנֶּגֶב Dan. 11:29
177 עַד־עֵת קֵץ כִּי־עוֹד לַמּוֹעֵד Dan. 11:35

מִמּוֹעֵד 178 נוּגֵי מִמּוֹעֵד אָסַפְתִּי מִמֵּךְ הָיוּ — Zep. 3:18
בְּמֹעֵד 179 בְּמֹעֵד שְׁנַת הַשְּׁמִטָּה — Deut. 31:10
לְמוֹעֵד 180/1 לְמוֹעֵד חֹדֶשׁ הָאָבִיב — Ex. 23:15; 34:18
182 וְאַתָּה לֹא־בָאתָ לְמוֹעֵד הַיָּמִים — ISh. 13:11
183 וַיֵּצֵא יְהוֹנָתָן הַשָּׂדֶה לְמוֹעֵד דָּוִד — ISh. 20:35
184 ...כִּי לְמוֹעֵד קֵץ — Dan. 8:19
185 כִּי לְמוֹעֵד מוֹעֲדִים וָחֵצִי... — Dan. 12:7
מוֹעֲדֶךָ 186 שָׁאֲגוּ צֹרְרֶיךָ בְּקֶרֶב מוֹעֲדֶךָ — Ps. 74:4
מוֹעֲדוֹ 187 וַיַּחְמֹס כַּגַּן שֻׂכּוֹ שִׁחֵת מֹעֲדוֹ — Lam. 2:6
בְּמוֹעֲדוֹ 188 וְיַעֲשׂוּ בְ״י אֶת־הַפָּסַח בְּמוֹעֲדוֹ — Num. 9:2
189 בֵּין הָעַרְבַּיִם תַּעֲשׂוּ אֹתוֹ בְּמֹעֲדוֹ — Num. 9:3
190 לְבִלְתִּי הַקְרִיב...קָרְבַּן יְיָ בְּמֹעֲדוֹ — Num. 9:7
191 קָרְבַּן יְיָ לֹא הִקְרִיב בְּמֹעֲדוֹ — Num. 9:13
192 לְהַקְרִיב לִי בְּמוֹעֲדוֹ — Num. 28:2
193 דְגָנִי בְּעִתּוֹ וְתִירוֹשִׁי בְּמוֹעֲדוֹ — Hosh. 2:11
מוֹעֲדָהּ 194 וְהִשְׁבַּתִּי...חַגָּהּ...וְכֹל מוֹעֲדָהּ — Hosh. 2:13
לְמוֹעֲדָהּ 195 וְשָׁמַרְתָּ אֶת־הַחֻקָּה...לְמוֹעֲדָהּ — Ex. 13:10
מוֹעֲדֵנוּ 196 חֲזֵה צִיּוֹן קִרְיַת מוֹעֲדֵנוּ — Is. 33:20
בְּמוֹעֲדָם 197 אֲשֶׁר־תִּקְרְאוּ אֹתָם בְּמוֹעֲדָם — Lev. 23:4
מוֹעֲדִים 198 כִּי לְמוֹעֵד מוֹעֲדִים וָחֵצִי... — Dan. 12:7
בַּמּוֹעֲדִים 199 וּבְבוֹא עַם־הָאָרֶץ לִפְנֵי יְיָ בַּמּוֹעֲדִים — Ezek. 46:9
וּבַמּוֹעֲדִים 200 וּבַחַגִּים וּבַמּוֹעֲדִים תִּהְיֶה הַמִּנְחָה — Ezek. 46:11
לְמוֹעֲדִים 201 עָשָׂה יָרֵחַ לְמוֹעֲדִים... — Ps. 104:19
לַמּוֹעֲדִים 202 הַשַּׁבָּתוֹת הֶחֳדָשִׁים לַמּוֹעֲדִים — Neh. 10:34
וּלְמוֹעֲדִים 203 וְהָיוּ לְאֹתֹת וּלְמוֹעֲדִים — Gen. 1:14
204 לְשָׂשׂוֹן...וּלְמֹעֲדִים טוֹבִים — Zech. 8:19
וְלַמֹּעֲדִים 205 לַשַּׁבָּתוֹת לֶחֳדָשִׁים וְלַמֹּעֲדִים — IChr. 23:31
206 לַשַּׁבָּתוֹת וְלֶחֳדָשִׁים וְלַמֹּעֲדִים — IICh. 31:3
וְלַמּוֹעֲדוֹת 207 לַשַּׁבָּתוֹת וְלֶחֳדָשִׁים וְלַמּוֹעֲדוֹת — IICh. 8:13
מוֹעֲדֵי־ 208 מוֹעֲדֵי יְיָ...מִקְרָאֵי קֹדֶשׁ — Lev. 23:2
210-209 אֵלֶּה מוֹעֲדֵי יְיָ — Lev. 23:4, 37
211 וַיְדַבֵּר מֹשֶׁה אֶת־מֹעֲדֵי יְיָ — Lev. 23:44
212 בְּכָל־מוֹעֲדֵי בֵּית יִשְׂרָאֵל — Ezek. 45:17
213 שָׂרְפוּ כָל־מוֹעֲדֵי־אֵל בָּאָרֶץ — Ps. 74:8
214 וּלְכֹל־מוֹעֲדֵי יְיָ הַמְקֻדָּשִׁים — Ez. 3:5
וּלְמוֹעֲדֵי־ 215 לַשַּׁבָּתוֹת וְלֶחֳדָשִׁים וּלְמוֹעֲדֵי יְיָ — IICh. 2:3
מוֹעֲדַי 216 וְאֶת־חֻקֹּתַי בְּכָל־מוֹעֲדַי יִשְׁמֹרוּ — Ezek. 44:24
מוֹעֲדָי 217 ...אֵלֶּה הֵם מוֹעֲדָי — Lev. 23:2
מוֹעֲדֶיהָ 218 גַּם־חֲסִידָה...יָדְעָה מוֹעֲדֶיהָ — Jer. 8:7
בְּמוֹעֲדֶיהָ 219 כְּצֹאן יְרוּשָׁלִַם בְּמוֹעֲדֶיהָ — Ezek. 36:38
וּמוֹעֲדֵיכֶם 220 חָדְשֵׁיכֶם וּמוֹעֲדֵיכֶם שָׂנְאָה נַפְשִׁי — Is. 1:14
בְּמֹעֲדֵיכֶם 221 אוֹ בִנְדָבָה אוֹ בְּמֹעֲדֵיכֶם — Num. 15:3
222 אֵלֶּה תַּעֲשׂוּ לַיְיָ בְּמוֹעֲדֵיכֶם — Num. 29:39
וּבְמוֹעֲדֵ׳ 223 וּבְמוֹעֲדֵיכֶם וּבְרָאשֵׁי חָדְשֵׁכֶם — Num. 10:10

מוֹעָד* ז׳ מקום מיועד
בְּמוֹעָדָיו 1 וְאֵין בּוֹדֵד בְּמוֹעָדָיו — Is. 14:31

מוּעָדָה נ׳ מקום מיועד
הַמּוּעָדָה 1 אֵלֶּה הָיוּ עָרֵי הַמּוּעָדָה לְכֹל ב״י — Josh. 20:9

מוֹעַדְיָה שפ״ז – מעולי בבל עם זרובבל, הוא מַעַדְיָה
לְמוֹעַדְיָה 1 לְמִנְיָמִין לְמוֹעַדְיָה פִּלְטָי — Neh. 12:17

מוֹעֲדִים (ירמיה כדו) – עין יעד

מוֹעֶדֶת (משלי כה19) – עין מעד

מוּעָף ת׳ עיף? [עין גם עוף]
מוּעָף 1 כִּי לֹא מוּעָף לַאֲשֶׁר מוּצָק לָהּ — Is. 8:23

מוֹעֵצָה נ׳ עצה, מזמה: 1–7
בְּמֹעֵצוֹת 1 וַיֵּלְכוּ בְּמֹעֵצוֹת בִּשְׁרִרוּת לִבָּם — Jer. 7:24
2 כָתַבְתִּי...שָׁלִישִׁים° בְּמֹעֵצוֹת וָדָעַת — Prov. 22:20
בְּמֹעֲצוֹתָם 3 וַתֵּלְכוּ בְּמֹעֲצוֹתָם — Mic. 6:16
בְּמֹעֲצוֹתֵיהֶם 4 יֵלְכוּ בְּמוֹעֲצוֹתֵיהֶם — Ps. 81:13
מִמֹּעֲצוֹתֵיהֶם 5 וְחָלָה חֶרֶב..מִמֹּעֲצוֹתֵיהֶם — Hosh. 11:6
6 יִפְּלוּ מִמֹּעֲצוֹתֵיהֶם... — Ps. 5:11
וּמִמֹּעֲצֹתֵיהֶם 7 וּמִמֹּעֲצֹתֵיהֶם יִשְׂבָּעוּ — Prov. 1:31

מוּעָקָה נ׳ לחץ
מוּעָקָה 1 שַׂמְתָּ מוּעָקָה בְמָתְנֵינוּ — Ps. 66:11

מוּפָז ת׳ מזוקק (?) מאופז (?)
1 וַיְצַפֵּהוּ זָהָב מוּפָז — IK. 10:18

מוֹפֵת ז׳ א) פלא, נס: 1–3, 6–10, 12, 17–36
ב) משל ודוגמה: 4, 5, 11, 13–16,
קרובים: אות / מַסָּה / מִפְלָאָה / פֶּלֶא
אות ומופת 6, 10, 15; אַנְשֵׁי מוֹפֵת 5
אותות ומופתים 18, 19, 21, 22, 25–32

מוֹפֵת 1 כִּי יְדַבֵּר...תְּנוּ לָכֶם מוֹפֵת — Ex. 7:9
2 וְנָתַן אֵלֶיךָ אוֹת אוֹ מוֹפֵת — Deut. 13:2
3 וְנָתַן בַּיּוֹם הַהוּא מוֹפֵת לֵאמֹר — IK. 13:3
4 כִּי־מוֹפֵת נְתַתִּיךָ לְבֵית יִשְׂרָאֵל — Ezek. 12:6
5 כִּי־אַנְשֵׁי מוֹפֵת הֵמָּה — Zech. 3:8
וּמוֹפֵת 6 אוֹת וּמוֹפֵת עַל־מִצְרַיִם — Is. 20:3
7 וַיֹּאמֶר לוֹ וּמוֹפֵת נָתַן לוֹ — IICh. 32:24
הַמּוֹפֵת 8 זֶה הַמּוֹפֵת אֲשֶׁר דִּבֶּר יְיָ — IK. 13:3
9 לִדְרֹשׁ הַמּוֹפֵת אֲשֶׁר הָיָה בָאָרֶץ — IICh. 32:31
וְהַמּוֹפֵת 10 וּבָא הָאוֹת וְהַמּוֹפֵת — Deut. 13:3
כְּמוֹפֵת 11 כְּמוֹפֵת הָיִיתִי לְרַבִּים — Ps. 71:7
כַּמּוֹפֵת 12 כַּמּוֹפֵת אֲשֶׁר נָתַן אִישׁ הָאֱלֹהִים — IK. 13:5
לְמוֹפֵת 13 וְהָיָה יְחֶזְקֵאל לָכֶם לְמוֹפֵת — Ezek. 24:24
14 וְהָיִיתָ לָהֶם לְמוֹפֵת — Ezek. 24:27
וּלְמוֹפֵת 15 וְהָיוּ בְךָ לְאוֹת וּלְמוֹפֵת — Deut. 28:46
מוֹפֶתְכֶם 16 אֱמֹר אֲנִי מוֹפֶתְכֶם — Ezek. 12:11
מוֹפְתִים 17 וְנָתַתִּי מוֹפְתִים בַּשָּׁמַיִם וּבָאָרֶץ — Joel 3:3
וּמֹפְתִים 18 אוֹתֹת וּמֹפְתִים גְּדֹלִים וְרָעִים — Deut. 6:22
19 שַׂמְתָּ אֹתוֹת וּמֹפְתִים בְּאֶ׳ מִצְ׳ — Jer. 32:20
20 שָׂמוּ...וּמֹפְתִים בְּאֶרֶץ חָם — Ps. 105:27
21 אוֹתֹת וּמֹפְתִים בְּתוֹכֵכִי מִצְ׳ — Ps. 135:9
22 וַתִּתֵּן אֹתֹת וּמֹפְתִים בְּפַרְעֹה — Neh. 9:10
הַמֹּפְתִים 23 כָּל־הַמֹּפְתִים אֲשֶׁר שַׂמְתִּי בְיָדֶךָ — Ex. 4:21
24 עָשׂוּ אֶת־כָּל־הַמֹּפְתִים הָאֵלֶּה — Ex. 11:10
וְהַמֹּפְתִים 25 וְהָאֹתֹת וְהַמֹּפְתִים וְהַיָּד הַחֲזָקָה — Deut. 7:19
26 הָאֹתֹת וְהַמֹּפְתִים הַגְּדֹלִים הָהֵם — Deut. 29:2
27 הָאֹתֹת וְהַמּוֹפְתִים אֲשֶׁר שְׁלָחוֹ יְיָ — Deut. 34:11
וּבְמוֹפְתִים 28 בְּמַסֹּת בְּאֹתֹת וּבְמוֹפְתִים... — Deut. 4:34
29 בְּיָד חֲזָקָה...וּבְאֹתוֹת וּבְמֹפְתִים — Deut. 26:8
30 בְּאֹתוֹת וּבְמוֹפְתִים וּבְיָד חֲזָקָה — Jer. 32:21
וּלְמוֹפְתִים 31 ...לְאֹתוֹת וּלְמוֹפְתִים בְּיִשְׂרָאֵל — Is. 8:18
מוֹפְתַי 32 וְהִרְבֵּיתִי אֶת־אֹתֹתַי וְאֶת־מוֹפְתַי.. — Ex. 7:3
33 לְמַעַן רְבוֹת מוֹפְתַי בְּאֶרֶץ מִצְרָיִם — Ex. 11:9
מֹפְתָיו 34 מֹפְתָיו וּמִשְׁפְּטֵי־פִיו — Ps. 105:5
35 מֹפְתָיו וּמִשְׁפְּטֵי־פִיהוּ — IChr. 16:12
וּמוֹפְתָיו 36 שָׂם...וּמוֹפְתָיו בִּשְׂדֵה־צֹעַן — Ps. 78:43

מוֹץ, מֹץ ז׳ הקשקשים העוטפים את גרגרי הדגניים והנושרים ברוח בזריה;
משל לדבר האובד וכלה מהר: 1–8
מוֹץ עוֹבֵר 6; מוֹץ הָרִים 8

כְּמוֹץ 1 כְּמֹץ יְסֹעַר מִגֹּרֶן — Hosh. 13:3
2 בְּטֶרֶם לֶדֶת חֹק כְּמֹץ עָבַר יוֹם — Zep. 2:2
3 יִהְיוּ כְּמֹץ לִפְנֵי־רוּחַ — Ps. 35:5
כַּמֹּץ 4 תָּדוּשׁ...וּגְבָעוֹת כַּמֹּץ תָּשִׂים — Is. 41:15
5 כַּמֹּץ אֲשֶׁר־תִּדְּפֶנּוּ רוּחַ — Ps. 1:4
וּכְמוֹץ 6 וּכְמֹץ עֹבֵר הֲמוֹן עָרִיצִים — Is. 29:5
7 וּכְמֹץ גְּנָבַתּוּ סוּפָה — Job 21:18
כְּמוֹץ־ 8 וְרֻדַּף כְּמֹץ הָרִים לִפְנֵי רוּחַ — Is. 17:13

מוֹצָא[1] ז׳ א) יציאה: 3–5, 7–9, 12, 16–19, 21
ב) מקום יציאה, מקור: 1, 2, 6, 10, 11, 13–15, 20, 22–27
– מוֹצָא דָבָר 9; מ׳ דֶשֶׁא 8; מ׳ מַיִם 6, 10, 14, 20, 22, 23; מ׳ סוּסִים 11; מ׳ פֶּה 4; מ׳ שְׂפָתַיִם 3,5,7
– מוֹצָאֵי בֹקֶר 19; מ׳ גּוֹלָה 21; מ׳ הַמִּקְדָּשׁ 18
מוֹצָאָיו וּמוֹבָאָיו 24

מוֹצָא 1 כִּי יֵשׁ לַכֶּסֶף מוֹצָא — Job 28:1
מִמּוֹצָא 2 כִּי לֹא מִמּוֹצָא וּמִמַּעֲרָב — Ps. 75:7
מוֹצָא־ 3 כָּל־מוֹצָא שְׂפָתֶיהָ לִנְדָרֶיהָ — Num. 30:13
4 עַל־כָּל־מוֹצָא פִי־יְיָ יִחְיֶה הָאָדָם — Deut. 8:3
5 מוֹצָא שְׂפָתֶיךָ תִּשְׁמֹר — Deut. 23:24
6 וַיֵּצֵא אֶל־מוֹצָא הַמַּיִם — IIK. 2:21
7 מוֹצָא שְׂפָתַי נֹכַח פָּנֶיךָ הָיָה — Jer. 17:16
8 וּלְהַצְמִיחַ מֹצָא דֶשֶׁא — Job 38:27
9 וְתֵדַע וְתַשְׂכֵּל מִן־מֹצָא דָבָר — Dan. 9:25
10 סָתַם אֶת־מוֹצָא מֵימֵי גִיחוֹן — IICh. 32:30
וּמוֹצָא־ 11 וּמוֹצָא הַסּוּסִים...מִמִּצְרָיִם — IK. 10:28
12 וּמוֹצָא שְׂפָתַי לֹא אֲשַׁנֶּה — Ps. 89:35
13 וּמוֹצָא הַסּוּסִים...מִמִּצְרָיִם — IICh. 1:16
וּכְמוֹצָא־ 14 וּכְמוֹצָא מַיִם...לֹא־יְכַזְּבוּ מֵימָיו — Is. 58:11
מוֹצָאֲךָ 15 וְלָדַעַת אֶת־מוֹצָאֲךָ וְאֶת־מוֹבָאֶךָ — IISh. 3:25
מוֹצָאוֹ 16 כְּשַׁחַר נָכוֹן מֹצָאוֹ — Hosh. 6:3
17 מִקְצֵה הַשָּׁמַיִם מוֹצָאוֹ — Ps. 19:7
מוֹצָאֵי־ 18 בְּכֹל מוֹצָאֵי הַמִּקְדָּשׁ — Ezek. 44:5
19 מוֹצָאֵי־בֹקֶר וָעֶרֶב תַּרְנִין — Ps. 65:9
וּמֹצָאֵי־ 20 יָשֵׂם...וּמֹצָאֵי מַיִם לְצִמָּאוֹן — Ps. 107:33
כְּמוֹצָאֵי־ 21 וְאַתָּה תֵּצֵא...כְּמוֹצָאֵי גוֹלָה — Ezek. 12:4
לְמוֹצָאֵי־ 22 וְאֶ׳ צִיָּה לְמוֹצָאֵי מָיִם — Is. 41:18
23 וְאֶרֶץ צִיָּה לְמֹצָאֵי מָיִם — Ps. 107:35
וּמוֹצָאָיו 24 וּתְכוּנָתוֹ וּמוֹצָאָיו וּמוֹבָאָיו — Ezek. 43:11
מוֹצָאֵיהֶם 25 וַיִּכְתֹּב מֹשֶׁה אֶת־מוֹצָאֵיהֶם — Num. 33:2
לְמוֹצָאֵיהֶם 26 וְאֵלֶּה מַסְעֵיהֶם לְמוֹצָאֵיהֶם — Num. 33:2
מוֹצָאֵיהֶן 27 וְכֹל מוֹצָאֵיהֶן וּכְמִשְׁפְּטֵיהֶן — Ezek. 42:11

מוֹצָא[2] שפ״ז א) בן כָּלֵב מפילגשו עֵיפָה: 1
ב) מזרע יהונתן בן שאול: 2–5

מוֹצָא 1 יָלְדָה אֶת־חָרָן וְאֶת־מוֹצָא — IChr. 2:46
2–3 וְזִמְרִי הוֹלִיד אֶת־מוֹצָא — IChr. 8:36; 9:42
וּמוֹצָא 4–5 וּמוֹצָא הוֹלִיד אֶת־בִּנְעָא — IChr. 8:37; 9:43

מוֹצָאָה נ׳ א) מקום הפרשת צואה: 1 ב) מקור: 2
לְמוֹצָאוֹת 1 וַיְשִׂמֻהוּ לְמוֹצָאוֹת (כת׳ למחראות) — IIK. 10:27
וּמוֹצָאֹתָיו 2 וּמוֹצָאֹתָיו מִקֶּדֶם מִימֵי עוֹלָם — Mic. 5:1

מוּצָק ז׳ יציקת מתכת: 1–3
מוּצָק 1 מוּצָק אֶחָד מִדָּה אַחַת — IK. 7:37
בְּמוּצָק 2 וְרֹחַב מַיִם בְּמוּצָק — Job 37:10
לְמוּצָק 3 בְּצֶקֶת עָפָר לַמּוּצָק — Job 38:38

מוּצָקָה* נ׳ א) תבנית ליציקה: 1 ב) בית־קבול: 2
בְּמֻצַקְתּוֹ 1 הַבָּקָר יְצֻקִים בְּמֻצַקְתּוֹ — IICh. 4:3
מוּצָקוֹת 2 וְשִׁבְעָה מוּצָקוֹת לַנֵּרוֹת — Zech. 4:2

(מוק) הֵמִיק הפ׳ לעג
יָמִיקוּ 1 יָמִיקוּ וִידַבְּרוּ בְרָע — Ps. 73:8

מוֹקֵד ז׳ מדורה: 1, 2 • מוֹקְדֵי עוֹלָם 2
כְּמוֹקֵד 1 וְעַצְמוֹתַי כְּמוֹקֵד נִחָרוּ — Ps. 102:4
מוֹקְדֵי־ 2 מִי־יָגוּר לָנוּ מוֹקְדֵי עוֹלָם — Is. 33:14

מוֹקְדָה נ׳ מוקד
מוֹקְדָה 1 הוּא הָעֹלָה עַל מוֹקְדָה עַל־הַמִּזְבֵּחַ — Lev. 6:2

מוֹקֵשׁ ז׳ א) מלכודת, פח: 8, 17-21
ב) [בהשאלה] מכשול, נגף: 1-7, 9-16, 22-27

מוֹקֵשׁ רָע 2; פַּח וּמוֹקֵשׁ 17, 18; מוֹקֵשׁ אָדָם 4; מוֹקֵשׁ נַפְשׁוֹ 3; מוֹקְשֵׁי מָוֶת 22, 23, 25, 26; מוֹקְשֵׁי עָם 24; מֹקְשׁוֹת פּוֹעֲלֵי אָוֶן 27

מוֹקֵשׁ 1 כִּי־מוֹקֵשׁ הוּא לָךְ Deut. 7:16
2 בְּפֶשַׁע שְׂפָתַיִם מוֹקֵשׁ רָע Prov. 12:13
3 וּשְׂפָתָיו מוֹקֵשׁ נַפְשׁוֹ Prov. 18:7
4 מוֹקֵשׁ אָדָם יָלַע קֹדֶשׁ Prov. 20:25
5 וְלָקַחְתָּ מוֹקֵשׁ לְנַפְשֶׁךָ Prov. 22:25
6 בְּפֶשַׁע אִישׁ רָע מוֹקֵשׁ Prov. 29:6
7 חֶרְדַּת אָדָם יִתֵּן מוֹקֵשׁ Prov. 29:25
וּמוֹקֵשׁ 8 הֲתַפֹּל צִפּוֹר...וּמוֹקֵשׁ אֵין לָהּ Am. 3:5
לְמוֹקֵשׁ 9 עַד־מָתַי יִהְיֶה זֶה לָנוּ לְמוֹקֵשׁ Ex. 10:7
10 כִּי־יִהְיֶה לְךָ לְמוֹקֵשׁ Ex. 23:33
11 פֶּן־יִהְיֶה לְמוֹקֵשׁ בְּקִרְבֶּךָ Ex. 34:12
12 וֵאלֹהֵיהֶם יִהְיוּ לָכֶם לְמוֹקֵשׁ Jud. 2:3
13 וַיְהִי לְגִדְעוֹן וּלְבֵיתוֹ לְמוֹקֵשׁ Jud. 8:27
14 אֶתְּנֶנָּה לּוֹ וּתְהִי־לוֹ לְמוֹקֵשׁ ISh. 18:21
15 יְהִי־...לְפָח וְלִשְׁלוֹמִים לְמוֹקֵשׁ Ps. 69:23
16 וַיַּעַבְדוּ...וַיִּהְיוּ לָהֶם לְמוֹקֵשׁ Ps. 106:36
וּלְמוֹקֵשׁ 17 וְהָיוּ לָכֶם לְפַח וּלְמוֹקֵשׁ Josh. 23:13
18 לְפַח וּלְמוֹקֵשׁ לְיוֹשֵׁב יְרוּשָׁלָםִ Is. 8:14
מוֹקְשִׁים 19 יְסַפְּרוּ לִטְמוֹן מוֹקְשִׁים Ps. 64:6
20 מֹקְשִׁים שָׁתוּ־לִי Ps. 140:6
בְּמוֹקְשִׁים 21 בְּמוֹקְשִׁים יִנְקָב־אָף Job 40:24
מוֹקְשֵׁי־ 22 קִדְּמֻנִי מוֹקְשֵׁי־מָוֶת IISh. 22:6
23 קִדְּמוּנִי מוֹקְשֵׁי מָוֶת Ps. 18:6
מִמֹּקְשֵׁי־ 24 מִמְּלֹךְ אָדָם חָנֵף מִמֹּקְשֵׁי עָם Job 34:30
25-26 לָסוּר מִמֹּקְשֵׁי מָוֶת Prov. 13:14; 14:27
וּמוֹקְשׁוֹת 27 וּמֹקְשׁוֹת פֹּעֲלֵי אָוֶן Ps. 141:9

מוֹר ז׳ – עין מֹר

מור : נָמַר, הֵמִיר; תְּמוּרָה

(מור) נָמַר פ׳ א) השתנה: 1
ב) [הפ׳ הֵמִיר] החליף: 2-15

נָמַר 1 עָמַד טַעְמוֹ בּוֹ וְרֵיחוֹ לֹא נָמָר Jer. 48:11
הָמֵר 2 וְאִם־הָמֵר יָמִיר בְּהֵמָה בִּבְהֵמָה Lev. 27:10
3 וְאִם־הָמֵר יְמִירֶנּוּ Lev. 27:33
בְּהָמִיר 4 עַל־כֵּן לֹא־נִירָא בְּהָמִיר אָרֶץ Ps. 46:3
הֵמִיר 5 וְעַמִּי הֵמִיר כְּבוֹדוֹ בְּלוֹא יוֹעִיל Jer. 2:11
הַהֵימִיר 6 הַהֵימִיר גּוֹי אֱלֹהִים וְהֵמָּה לֹא אֱל׳ Jer. 2:11
אָמִיר 7 כְּבוֹדָם בְּקָלוֹן אָמִיר Hosh. 4:7
יָמִיר 8 לֹא יַחֲלִיפֶנּוּ וְלֹא־יָמִיר אֹתוֹ Lev. 27:10
9 וְאִם־הָמֵר יָמִיר בְּהֵמָה בִּבְהֵמָה Lev. 27:10
10 חֵלֶק עַמִּי יָמִיר Mic. 2:4
11 נִשְׁבַּע לְהָרַע וְלֹא יָמִר Ps. 15:4
יָמֵר 12 וְלֹא־יִמְכְּרוּ מִמֶּנּוּ וְלֹא יָמֵר... Ezek. 48:14
יְמִירֶנּוּ 13 לֹא יְבַקֵּר...וְלֹא יְמִירֶנּוּ Lev. 27:33
14 וְאִם־הָמֵר יְמִירֶנּוּ Lev. 27:33
וַיָּמִירוּ 15 וַיָּמִירוּ...כְּבוֹדָם בְּתַבְנִית שׁוֹר Ps. 106:20

מוֹרָא ז׳ פַּחַד, יראה: 1-12

קרובים: ראה אֵימָה

מוֹרָא גָּדוֹל 3-5; מוֹרָאִים גְּדוֹלִים 12

מוֹרָא 1 וָאֶתְּנֵם־לוֹ מוֹרָא וַיִּירָאֵנִי Mal. 2:5
מוֹרָה 2 שִׁיתָה יְיָ מוֹרָה לָהֶם Ps. 9:21
הַמּוֹרָא 3 וּלְכֹל הַמּוֹרָא הַגָּדוֹל Deut. 34:12
וּבְמוֹרָא 4 וּבִזְרֹעַ נְטוּיָה וּבְמֹרָא גָּדֹל Deut. 26:8
5 וּבְאֶזְרוֹעַ נְטוּיָה וּבְמוֹרָא גָּדוֹל Jer. 32:21
לַמּוֹרָא 6 יֹבִילוּ שַׁי לַמּוֹרָא Ps. 76:12
מוֹרָאִי 7 וְאִם־אֲדוֹנִים אָנִי אַיֵּה מוֹרָאִי Mal. 1:6
מוֹרָאוֹ 8 וְאֶת־מוֹרָאוֹ לֹא־תִירְאוּ Is. 8:12
מוֹרַאֲכֶם 9 וְהוּא מוֹרַאֲכֶם וְהוּא מַעֲרִצְכֶם Is. 8:13
וּמוֹרַאֲכֶם 10 וּמוֹרַאֲכֶם וְחִתְּכֶם יִהְיֶה עַל... Gen. 9:2
11 פַּחְדְּכֶם וּמוֹרַאֲכֶם יִתֵּן...עַל... Deut. 11:25
וּבְמוֹרָאִים 12 וּבִזְרוֹעַ נְטוּיָה וּבְמוֹרָאִים גְּדֹלִים Deut. 4:34

מוֹרַג ז׳ כלי דיש: 1-3

מוֹרַג חָרוּץ 1

לְמוֹרַג 1 לְמוֹרַג חָרוּץ חָדָשׁ בַּעַל פִּיפִיּוֹת Is. 41:15
וְהַמֹּרִגִּים 2 וְהַמֹּרִגִּים וּכְלֵי הַבָּקָר לָעֵצִים IISh. 24:22
3 הַבָּקָר לָעֹלוֹת וְהַמּוֹרַגִּים לָעֵצִים ICh. 21:23

מוֹרָד ז׳ א) מדרון, שפוע: 2-5
ב) מקשוטי הבנין: 1

מַעֲשֵׂה מוֹרָד 1; מוֹרַד בֵּית חוֹרוֹן 4; מוֹרַד חוֹרוֹנַיִם 5

מוֹרָד 1 וּמִתַּחַת...לֹיוֹת מַעֲשֵׂה מוֹרָד IK. 7:29
בַּמּוֹרָד 2 וַיִּרְדְּפוּם...וַיַּכּוּם בַּמּוֹרָד Josh. 7:5
בְּמוֹרָד 3 כְּמַיִם מֻגָּרִים בְּמוֹרָד Mic. 1:4
בְּמוֹרַד־ 4 הֵם בְּמוֹרַד בֵּית־חוֹרֹן... Josh. 10:11
5 בְּמוֹרַד חֹרוֹנַיִם...צַעֲקַת־שֶׁבֶר שָׁמֵעוּ Jer. 48:5

מוֹרֶה[1] ז׳ מלמד, נותן דעת: 1-7 [עין גם ירה[2]]

כֹּהֵן מוֹרֶה 3; מוֹרֶה שֶׁקֶר 1, 4

מוֹרֶה 1 וְנָבִיא מוֹרֶה־שֶּׁקֶר הוּא הַזָּנָב Is. 9:14
2 מִי כָמֹהוּ מוֹרֶה Job 36:22
3 וּלְלֹא כֹּהֵן מוֹרֶה IICh. 15:3
וּמוֹרֶה 4 מַסֵּכָה וּמוֹרֶה שָּׁקֶר Hab. 2:18
מוֹרָי 5 וְלֹא־שָׁמַעְתִּי בְּקוֹל מוֹרָי Prov. 5:13
מוֹרֶיךָ 6 וְלֹא־יִכָּנֵף עוֹד מוֹרֶיךָ Is. 30:20
7 וְהָיוּ עֵינֶיךָ רֹאוֹת אֶת־מוֹרֶיךָ Is. 30:20

מוֹרֶה[2] ז׳ יורה: 1-3

קרובים: ראה יוֹרֶה

מוֹרֶה 1 וַיּוֹרֶד לָכֶם גֶּשֶׁם מוֹרֶה וּמַלְקוֹשׁ... Joel 2:23
2 גַּם־בְּרָכוֹת יַעְטֶה מוֹרֶה Ps. 84:7
הַמּוֹרֶה 3 נָתַן לָכֶם אֶת־הַמּוֹרֶה לִצְדָקָה Joel 2:23

מוֹרֶה[3] ז׳ יורה חצים: 1-5 [עין גם ירה[1]]

מוֹרֶה 1 אֶת־הַחִצִּים אֲשֶׁר אָנֹכִי מוֹרֶה ISh. 20:36
הַמּוֹרִים 2 וַיִּמְצָאֻהוּ הַמּוֹרִים אֲנָשִׁים בַּקָּשֶׁת ISh. 31:3
3 וַיִּמְצָאֻהוּ הַמּוֹרִים בַּקָּשֶׁת ICh. 10:3
הַמּוֹרְאִים 4 וַיֹּרְאוּ הַמּוֹרִים (כת׳ המוראים) אֶל־עֲבָדֶיךָ IISh. 11:24
מֵהַמּוֹרִים 5 וַיָּחֶל מְאֹד מֵהַמּוֹרִים ISh. 31:3

מוֹרֶה[4] ת׳ ממרה, מורד: 1-5 • סורר ומורה 1-4

וּמוֹרֶה 1 כִּי־יִהְיֶה לְאִישׁ בֵּן סוֹרֵר וּמוֹרֶה Deut. 21:18
2 בְּנֵנוּ זֶה סוֹרֵר וּמֹרֶה Deut. 21:20
3 וְלָעָם הַזֶּה הָיָה לֵב סוֹרֵר וּמוֹרֶה Jer. 5:23
4 דּוֹר סוֹרֵר וּמֹרֶה Ps. 78:8
הַמֹּרִים 5 שִׁמְעוּ־נָא הַמֹּרִים Num. 20:10

מוֹרֶה[5] ש״פ – עין א) אֵלוֹן מוֹרֶה
ב) אֵלוֹנֵי מוֹרֶה
ג) גִּבְעַת הַמּוֹרֶה

מוֹרָה נ׳ תַּעַר: 1-3

מוֹרָה 1 מוֹרָה לֹא־עָלָה עַל־רֹאשִׁי Jud. 16:17
וּמוֹרָה 2 וּמוֹרָה לֹא־יַעֲלֶה עַל־רֹאשׁוֹ Jud. 13:5
3 וּמוֹרָה לֹא־יַעֲלֶה עַל־רֹאשׁוֹ ISh. 1:11

מוֹרָט (ישעיה יח2) – עין מרט

מוֹרִיָּה ההר שעליו נעקד יצחק: 1, 2

אֶרֶץ הַמּוֹרִיָּה 1; הַר הַמּוֹרִיָּה 2

הַמֹּרִיָּה 1 וְלֶךְ־לְךָ אֶל־אֶרֶץ הַמֹּרִיָּה Gen. 22:2
2 לִבְנוֹת...בִּירוּשָׁלַםִ בְּהַר הַמּוֹרִיָּה IICh. 3:1

מוֹרָשׁ* ז׳ ירושה, קנין: 1-3

מוֹרַשׁ קִפּוֹד 1; מוֹרָשֵׁי לֵבָב 2

לְמוֹרַשׁ־ 1 וְשַׂמְתִּיהָ לְמוֹרַשׁ קִפֹּד Is. 14:23
מוֹרָשֵׁי־ 2 זִמֹּתַי נִתְּקוּ מוֹרָשֵׁי לְבָבִי Job 17:11
מוֹרָשֵׁיהֶם 3 וְיָרְשׁוּ בֵּית יַעֲקֹב אֵת מוֹרָשֵׁיהֶם Ob. 17

מוֹרָשָׁה נ׳ ירושה: 1-9

מוֹרָשָׁה 1 וְנָתַתִּי אֹתָהּ לָכֶם מוֹרָשָׁה Ex. 6:8
2 תּוֹרָה...מוֹרָשָׁה קְהִלַּת יַעֲקֹב Deut. 33:4
3 לִהְיוֹתְכֶם מוֹרָשָׁה לִשְׁאֵרִית הַגּוֹיִם Ezek. 36:3
לְמוֹרָשָׁה 4 לָנוּ הִיא נִתְּנָה הָאָרֶץ לְמוֹרָשָׁה Ezek. 11:15
5 הִנְנִי נֹתְנָךְ לִבְנֵי־קֶדֶם לְמוֹרָשָׁה Ezek. 25:4
6 לִבְנֵי־קֶדֶם...וּנְתַתִּיהָ לְמוֹרָשָׁה Ezek. 25:10
7 לָנוּ נִתְּנָה הָאָרֶץ לְמוֹרָשָׁה Ezek. 33:24
8 וּבָמוֹת עוֹלָם לְמוֹרָשָׁה הָיְתָה־לָּנוּ Ezek. 36:2
9 נָתְנוּ אֶת־אַרְצִי לָהֶם לְמוֹרָשָׁה Ezek. 36:5

מוֹרֶשֶׁת גַּת עיר בשפלת יהודה

מוֹרֶשֶׁת גַּת 1 תִּתְּנִי שִׁלּוּחִים עַל מוֹרֶשֶׁת גַּת Mic. 1:14

מוֹרַשְׁתִּי ת׳ מתושבי מוֹרֶשֶׁת גַּת: 1, 2

הַמּוֹרַשְׁתִּי 1 מִיכָה° הַמּוֹרַשְׁתִּי הָיָה נִבָּא Jer. 26:18
2 דְּבַר־יְיָ...אֶל־מִיכָה הַמֹּרַשְׁתִּי Mic. 1:1

מוש : א) מָשׁ ב) מָשׁ, הֵמִישׁ

(מוש, מיש)[1] מָשׁ פ׳ א) הזיז, הסיר: 1, 20
ב) זז, סר: 2-19

וּמַשְׁתִּי 1 וּמַשְׁתִּי אֶת־עֲוֹן הָאָרֶץ־הַהִיא Zech. 3:9
וּמָשׁ 2 וּמָשׁ חֲצִי הָהָר צָפוֹנָה Zech. 14:4
מָשׁוּ 3 לֹא־מָשׁוּ מִקֶּרֶב הַמַּחֲנֶה Num. 14:44
תָּמֻשׁ 4 אַל־נָא תָמֻשׁ מִזֶּה עַד־בֹּאִי אֵלֶיךָ Jud. 6:18
יָמוּשׁ 5 לֹא־יָמוּשׁ סֵפֶר הַתּוֹרָה הַזֶּה מִפִּיךָ Josh. 1:8
6 וְחַסְדִּי מֵאִתֵּךְ לֹא־יָמוּשׁ Is. 54:10
תָּמוּשׁ 7 תָּמוּשׁ הַיָּתֵד הַתְּקוּעָה Is. 22:25
8 לֹא תָמוּשׁ (כת׳ תמיש) רָעָה מִבֵּיתוֹ Prov. 17:13
יָמוּשׁוּ 9 הֶהָרִים יָמוּשׁוּ וְהַגְּבָעוֹת תְּמוּטֶנָה Is. 54:10
10 לֹא־יָמוּשׁוּ מִפִּיךָ וּמִפִּי זַרְעֲךָ Is. 59:21
11 אִם־יָמֻשׁוּ הַחֻקִּים...מִלְּפָנַי Jer. 31:36(35)
אָמִישׁ 12 מִצְוַת שְׂפָתָיו וְלֹא אָמִישׁ Job 23:12
יָמִישׁ 13 לֹא־יָמִישׁ עַמּוּד הֶעָנָן יוֹמָם Ex. 13:22
14 וּמְשָׁרְתוֹ...לֹא יָמִישׁ מִתּוֹךְ הָאֹהֶל Ex. 33:11
15 וַיַּעֲמֹד מִמְּקוֹמוֹ לֹא יָמִישׁ Is. 46:7
16 וְלֹא יָמִישׁ מֵעֲשׂוֹת פֶּרִי Jer. 17:8
17 אֵיךְ יָמִישׁ לִי לְשׁוֹבֵב שָׂדֵינוּ יְחַלֵּק Mic. 2:4
18 הוֹי עִיר דָּמִים...לֹא יָמִישׁ טָרֶף Nah. 3:1
19 וְלֹא־יָמִישׁ מֵרְחֹבָהּ תֹּךְ וּמִרְמָה Ps. 55:12
תָמִישׁוּ 20 אֲשֶׁר לֹא־תָמִישׁוּ מִשָּׁם צַוְּארֹתֵיכֶם Mic. 2:3

(מוּשׁ)2 מָשׁ פָּ׳ א) מִשש: 1, 2 [עין גם משש]
ב) [הפ׳ הֵמִישׁ] השעין: 3

וַאֲמֻשְׁךָ 1 גְּשָׁה־נָּא וַאֲמֻשְׁךָ בְּנִי Gen. 27:21
יְמִישׁוּן 2 יְדֵיהֶם וְלֹא יְמִישׁוּן Ps. 115:7
וַהֲמִשֵׁנִי 3 הַנִּיחָה אוֹתִי וַהֲמִשֵׁנִי (כת׳ והימשני) אֶת־הָעַמֻּדִים Jud. 16:26

מוֹשָׁב

ז׳ א) ישיבה: 14-9, 17-21
ב) מקום ישיבה: 6-1, 8, 44-23
ג) כלי לשבת עליו: 7, 22
ד) התכנסות, חֶברה: 15, 16
– בֵּית מוֹשָׁב 6; עִיר מוֹשָׁב 3-1
– מוֹשַׁב אֱלֹהִים 11; מוֹשַׁב בֵּית־ 8; מ׳ בְּנֵי־יִשְׂרָאֵל 12; מוֹשַׁב זְקֵנִים 16; מוֹשַׁב לֵצִים 15; מ׳ סֵמֶל 10; מוֹשַׁב עֲבָדִים 13, 14; מ׳ עִיר 9; מוֹשַׁב הַקִּיר 7

מוֹשָׁב 1 תָּעוּ...עִיר מוֹשָׁב לֹא מָצָאוּ Ps. 107:4
2 וַיַּדְרִיכֵם...לָלֶכֶת אֶל־עִיר מוֹשָׁב Ps. 107:7
3 וַיְכוֹנְנוּ עִיר מוֹשָׁב Ps. 107:36
לְמוֹשָׁב 4 חֹל־הוּא לָעִיר לְמוֹשָׁב וּלְמִגְרָשׁ Ezek. 48:15
5 בָּחַר יְיָ בְּצִיּוֹן אִוָּהּ לְמוֹשָׁב לוֹ Ps. 132:13
מוֹשַׁב־ 6 בֵּית־מוֹשַׁב עִיר חוֹמָה Lev. 25:29
7 וַיֵּשֶׁב הַמֶּלֶךְ...אֶל־מוֹשַׁב הַקִּיר ISh. 20:25
8 וְכֹל מוֹשַׁב בֵּית־צִיבָא עֲבָדִים IISh. 9:12
9 הִנֵּה־נָא מוֹשַׁב הָעִיר טוֹב IIK. 2:19
10 אֲשֶׁר־שָׁם מוֹשַׁב סֵמֶל הַקִּנְאָה Ezek. 8:3
11 מוֹשַׁב אֱלֹהִים יָשַׁבְתִּי בְּלֵב יַמִּים Ezek. 28:2
וּמוֹשַׁב־ 12 וּמוֹשַׁב בְּ״יִ אֲשֶׁר יָשְׁבוּ בְּמִצְרָיִם Ex. 12:40
13 וּמוֹשַׁב עֲבָדָיו וּמַעֲמַד מְשָׁרְתָו IK. 10:5
14 וּמוֹשַׁב עֲבָדָיו וּמַעֲמַד מְשָׁרְתָיו IICh. 9:4
וּבְמוֹשַׁב־ 15 אַשְׁרֵי...וּבְמוֹשַׁב לֵצִים לֹא יָשָׁב Ps. 1:1
16 וּבְמוֹשַׁב זְקֵנִים יְהַלְלוּהוּ Ps. 107:32
מוֹשָׁבִי 17 בָּרְחוֹב אָכִין מוֹשָׁבִי Job 29:7
מוֹשָׁבֶךָ 18 מִשְׁמַנֵּי הָאָרֶץ יִהְיֶה מוֹשָׁבֶךָ Gen. 27:39
19 אֵיתָן מוֹשָׁבֶךָ וְשִׂים בַּסֶּלַע קִנֶּךָ Num. 24:21
20 וְנִפְקַדְתָּ כִּי יִפָּקֵד מוֹשָׁבֶךָ ISh. 20:18
מוֹשָׁבוֹ 21 מִחוּץ לַמַּחֲנֶה מוֹשָׁבוֹ Lev. 13:46
22 וַיֵּשֶׁב הַמֶּלֶךְ עַל־מוֹשָׁבוֹ ISh. 20:25
מוֹשָׁבָם 23 וַיְהִי מוֹשָׁבָם מִמֵּשָׁא Gen. 10:30
מוֹשְׁבֵי־ 24 בָּאֲפִיקִים וּבְכֹל מוֹשְׁבֵי הָאָרֶץ Ezek. 34:13
מוֹשְׁבוֹתֵיכֶם 25 בְּכֹל מוֹשְׁבֹתֵיכֶם תֹּאכְלוּ מַצּוֹת Ex. 12:20
26 לֹא־תְבַעֲרוּ אֵשׁ בְּכֹל מֹשְׁבֹתֵיכֶם Ex. 35:3
27 לְדֹרֹתֵיכֶם בְּכֹל מוֹשְׁבֹתֵיכֶם Lev. 3:17
31-28 בְּכֹל (בְּכָל־)מוֹשְׁבֹתֵיכֶם Lev. 7:26
23:3, 21 • Num. 35:29
32/3 לְדֹרֹתֵיכֶם בְּכֹל מֹשְׁבֹתֵיכֶם Lev. 23:14, 31
34 כִּי תָבֹאוּ אֶל־אֶרֶץ מוֹשְׁבֹתֵיכֶם Num. 15:2
35 בְּכֹל מוֹשְׁבוֹתֵיכֶם הֶעָרִים תֶּחֱרַבְנָה Ezek. 6:6
מִמּוֹשְׁבוֹתֵיכֶם 36 מִמּוֹשְׁבֹתֵיכֶם תָּבִיאוּ לֶחֶם Lev. 23:17
מוֹשְׁבוֹתֵיהֶם 37 שְׁמָמָה...בְּכֹל מוֹשְׁבוֹתֵיהֶם Ezek. 6:14
38 וְהוֹשַׁעְתִּי אֹתָם מִכֹּל מוֹשְׁבֹתֵיהֶם Ezek. 37:23
מוֹשְׁבוֹתָם 39 זֹאת מוֹשְׁבֹתָם וְהִתְיַחְשָׂם לָהֶם ICh. 4:33
40 וְאֵלֶּה מוֹשְׁבוֹתָם לְטִירוֹתָם ICh. 6:39
וּמוֹשְׁבוֹתָם 41 וַאֲחֻזָּתָם וּמֹשְׁבוֹתָם בֵּית־אֵל ICh. 7:28
בְּמוֹשְׁבוֹתָם 42 וּלְכָל־בְּ״יִ הָיָה אוֹר בְּמוֹשְׁבֹתָם Ex. 10:23
43 וְאֵת כָּל־עָרֵיהֶם בְּמוֹשְׁבֹתָם Num. 31:10
לְמוֹשְׁבוֹתָם 44 לְמֹשְׁבֹתָם בְּאֶרֶץ אֲחֻזָּתָם Gen. 36:43

מוּשִׁי

שפ״ז – א) בן מררי בן לוי: 8-1
ב) ת׳ המתיַחס על בית מושי: 10-9

מוּשִׁי 1 בֶּן־מַחְלִי בֶּן־מוּשִׁי בֶּן־מְרָרִי ICh. 6:32
2 בְּנֵי מוּשִׁי מַחְלִי וְעֵדֶר ICh. 23:23
3 וּבְנֵי מוּשִׁי מַחְלִי וְעֵדֶר וִירִימוֹת ICh. 24:30
וּמוּשִׁי 7-4 וּבְנֵי מְרָרִי(...) מַחְלִי וּמוּשִׁי Ex. 6:19
Num. 3:20 • ICh. 23:21; 24:26
8 בְּנֵי מְרָרִי מַחְלִי וּמֻשִׁי ICh. 6:4
הַמּוּשִׁי 10-9 מִשְׁפַּחַת הַמַּחְלִי מִשְׁפַּחַת הַמּוּשִׁי
Num. 3:33; 26:58

מוֹשִׁיעַ

ז׳ גואל, מציל: 1–20 [עין עוד ישע, הוֹשִׁיעַ]

מוֹשִׁיעַ 1 וְהָיִיתָ אַךְ עָשׁוּק...וְאֵין מוֹשִׁיעַ Deut. 28:29
2 וַיָּקֶם יְיָ מוֹשִׁיעַ לִבְנֵי יִשְׂרָאֵל Jud. 3:9
3 וַיָּקֶם יְיָ לָהֶם מוֹשִׁיעַ Jud. 3:15
4 יִשְׁעוּ וְאֵין מֹשִׁיעַ IISh. 22:42
5 וַיִּתֵּן יְיָ לְיִשְׂרָאֵל מוֹשִׁיעַ IIK. 13:5
6 וְיִשְׁלַח לָהֶם מוֹשִׁיעַ וָרָב Is. 19:20
7 וְאֵין מִבַּלְעָדַי מוֹשִׁיעַ Is. 43:11
8 אֵל מִסְתַּתֵּר אֱלֹהֵי יִשְׂרָאֵל מוֹשִׁיעַ Is. 45:15
9 יְשַׁוְּעוּ וְאֵין־מוֹשִׁיעַ Ps. 18:42
וּמוֹשִׁיעַ 10 וּמוֹשִׁיעַ אַיִן זוּלָתִי Is. 45:21
11 וּמוֹשִׁיעַ אַיִן בִּלְתִּי Hosh. 13:4
מוֹשִׁעִי 12 מֹשִׁעִי מֵחָמָס תֹּשִׁעֵנִי IISh. 22:3
מוֹשִׁיעֶךָ 13 קְדוֹשׁ יִשְׂרָאֵל מוֹשִׁיעֶךָ Is. 43:3
מוֹשִׁיעֵךְ 14 אִישׁ לְעֶבְרוֹ תָּעוּ אֵין מוֹשִׁיעֵךְ Is. 47:15
16-15 כִּי אֲנִי יְיָ מוֹשִׁיעֵךְ Is. 49:26; 60:16
מוֹשִׁיעוֹ 17 מִקְוֵה יִשְׂרָאֵל מוֹשִׁיעוֹ בְּעֵת צָרָה Jer. 14:8
מוֹשִׁיעָם 18 שָׁכְחוּ אֵל מוֹשִׁיעָם Ps. 106:21
מוֹשִׁעִים 19 וְעָלוּ מוֹשִׁעִים בְּהַר צִיּוֹן Ob. 21
20 תִּתֵּן לָהֶם מוֹשִׁיעִים וְיוֹשִׁיעוּם Neh. 9:27

מוֹשְׁכָה*

נ׳ רצועה למשיכת הסוס

מוֹשְׁכוֹת־ 1 אוֹ־מֹשְׁכוֹת כְּסִיל תְּפַתֵּחַ Job 38:31

מוֹשֵׁל

ז׳ עין מָשַׁל

מוֹשָׁעָה*

נ׳ ישועה

לְמוֹשָׁעוֹת 1 הָאֵל לָנוּ אֵל לְמוֹשָׁעוֹת Ps. 68:21

מות

: מֵת, מוֹתֵת, הֵמִית, הוּמַת; מָוֶת, מְמוֹתֵי, תְּמוּתָה

(מות) מֵת פָּ׳ א) יצאה נשמתו, נפטר: 1–565
ב) [פּ׳ מוֹתֵת] הכה מכת־מָוֶת: 574-566
ג) [הפ׳ הֵמִית] הָרַג, רָצַח: 712-575
ד) [הֻפ׳ הוּמַת] נהרג, הוצא להורג: 780-713

מוֹת 1 בְּיוֹם אֲכָלְךָ מִמֶּנּוּ מוֹת תָּמוּת Gen. 2:17
2 לֹא־מוֹת תְּמֻתוּן Gen. 3:4
3 דַּע כִּי־מוֹת תָּמוּת Geen. 20:7
4 הַנֹּגֵעַ בָּאִישׁ הַזֶּה...מוֹת יוּמָת Gen. 26:11
5 כָּל־הַנֹּגֵעַ בָּהָר מוֹת יוּמָת Ex. 19:12
21-6 מוֹת יוּמָת Ex. 21:12, 15, 16, 17
22:18; 31:14, 15 • Lev. 20:2, 9, 15; 24:16, 17; 27:29 •
Num. 35:31 • Jud. 21:5 • Ezek. 18:13
22 מוֹת־יוּמַת הַנֹּאֵף וְהַנֹּאָפֶת Lev. 20:10
24-23 מוֹת(־)יוּמְתוּ שְׁנֵיהֶם Lev. 20:11, 12
26-25 מוֹת יוּמָתוּ דְּמֵיהֶם בָּם Lev. 20:13, 16
27 וְאִישׁ אוֹ־אִשָּׁה...מוֹת יוּמָתוּ Lev. 20:27
28 מוֹת יוּמַת הָאִישׁ Num. 15:35
29 מוֹת יָמֻתוּ בַּמִּדְבָּר Num. 26:65
32-30 מוֹת יוּמַת הָרֹצֵחַ Num. 35:16, 17, 18
33 מוֹת־יוּמַת הַמַּכֶּה רֹצֵחַ הוּא Num. 35:21
34 מוֹת נָמוּת כִּי אֱלֹהִים רָאִינוּ Jud. 13:22
35 אִם־יֶשְׁנוֹ בְּיוֹנָתָן בְּנִי כִּי מוֹת יָמוּת ISh. 14:39
מוֹת (המשך) 36 כִּי־מוֹת תָּמוּת יוֹנָתָן ISh. 14:44
46-37 מוֹת תָּמוּת ISh. 22:16
IK. 2:37, 42 • IIK. 1:4, 6, 16 • Jer. 26:8 • Ezek. 3:18; 33:8, 14
47 גַּם הַבֵּן הַיִּלּוֹד לְךָ מוֹת יָמוּת IISh. 12:14
48 כִּי־מוֹת נָמוּת... IISh. 14:14
49 וְהִרְאַנִי יְיָ כִּי־מוֹת יָמוּת IIK. 8:10
לָמוּת 50 הִנֵּה אָנֹכִי הוֹלֵךְ לָמוּת Gen. 25:32
51 וַיִּקְרְבוּ יְמֵי־יִשְׂרָאֵל לָמוּת Gen. 47:29
52 הֲמִבְּלִי...לְקַחְתָּנוּ לָמוּת בַּמִּדְבָּר Ex. 14:11
53 מֵעִם מִזְבְּחִי תִּקָּחֶנּוּ לָמוּת Ex. 21:14
54 וְלֹא־יִקְרְבוּ...לָשֵׂאת חֵטְא לָמוּת Num. 18:22
55 לָמוּת שָׁם אֲנַחְנוּ וּבְעִירֵנוּ Num. 20:4
56 לָמָה הֶעֱלִיתֻנוּ...לָמוּת בַּמִּדְבָּר Num. 21:5
57 וְעֵד אֶחָד לֹא־יַעֲנֶה בְנֶפֶשׁ לָמוּת Num. 35:30
58 אֲשֶׁר־הוּא רָשָׁע לָמוּת Num. 35:31
59 כַּאֲשֶׁר־תַּמּוּ...לָמוּת מִקֶּרֶב הָעָם Deut. 2:16
60 הֵן קָרְבוּ יָמֶיךָ לָמוּת Deut. 31:14
61 נַפְשֵׁנוּ תַחְתֵּיכֶם לָמוּת Josh. 2:14
62 זְבֻלוּן עַם חֵרֵף נַפְשׁוֹ לָמוּת Jud. 5:18
63 וַתִּקְצַר נַפְשׁוֹ לָמוּת Jud. 16:16
64 וַיִּקְרְבוּ יְמֵי־דָוִד לָמוּת IK. 2:1
65 וַיִּשְׁאַל אֶת־נַפְשׁוֹ לָמוּת IK. 19:4
66/7 חָלָה חִזְקִיָּהוּ לָמוּת IIK. 20:1 • Is. 38:1
68 לְבִלְתִּי הֲשִׁיבֵנִי בֵּית יְהוֹנָ׳ לָמוּת Jer. 38:26
69 וַיִּשְׁאַל אֶת־נַפְשׁוֹ לָמוּת Jon. 4:8
70 עֵת לָלֶדֶת וְעֵת לָמוּת Eccl. 3:2
71 לָתֵת אֶתְכֶם לָמוּת בְּרָעָב וּבְצָמָא IICh. 32:11
72 חָלָה יְחִזְקִיָּהוּ עַד־לָמוּת IICh. 32:24
מוּתִי 73 מִי־יִתֵּן מוּתִי אֲנִי תַחְתֶּיךָ IISh. 19:1
מוּתָהּ 74 וּכְעֵת מוּתָהּ וַתְּדַבֵּרְנָה הַנִּצָּבוֹת ISh. 4:20
מוּתֵנוּ 75 מִי־יִתֵּן מוּתֵנוּ בְיַד־יְיָ Ex. 16:3
מִמּוּתֵנוּ 76 כִּי טוֹב לָנוּ...מִמֻּתֵנוּ בַּמִּדְבָּר Ex. 14:12
מוּתָן 77 עַד־יוֹם מֻתָן אַלְמְנוּת חַיּוּת IISh. 20:3
וָמַתִּי 78 פֶּן־תִּדְבָּקַנִי הָרָעָה וָמַתִּי Gen. 19:19
וָמַתָּה 79 וָמַתָּה מְמוֹתֵי חָלָל בְּלֵב יַמִּים Ezek. 28:8
מֵת (עבר) 80 אָחִיו מֵת וְהוּא לְבַדּוֹ נִשְׁאָר Gen. 42:3
81 וְאָחִיו מֵת וַיִּוָּתֵר הוּא לְבַדּוֹ Gen. 44:20
82 וַיִּרְאוּ...כִּי־מֵת אֲבִיהֶם Gen. 50:15
83 וּמִמִּקְנֵה בְ״יִ לֹא־מֵת אֶחָד Ex. 9:6
84 לֹא־מֵת מִמִּקְ׳ יִשְׂרָאֵל עַד־אֶחָד Ex. 9:7
85 וְכִי־יִשְׁאַל...וְנִשְׁבַּר אוֹ־מֵת Ex. 22:13
86 אָבִינוּ מֵת בַּמִּדְבָּר Num. 27:3
87 כִּי־בְחֶטְאוֹ מֵת Num. 27:3
88 שָׁם מֵת אַהֲרֹן וַיִּקָּבֵר שָׁם Deut. 10:6
89 כַּאֲשֶׁר־מֵת אַהֲרֹן אָחִיךָ Deut. 32:50
90 מֹשֶׁה עַבְדִּי מֵת וְעַתָּה קוּם... Josh. 1:2
91 וְאֶלְעָזָר בֶּן־אַהֲרֹן מֵת Josh. 24:33
92 וַיֹּסִפוּ בְּנֵי יִשְׂרָאֵל...וְאֵהוּד מֵת Jud. 4:1
93 וַיִּפְדּוּ הָעָם אֶת־יוֹנָתָן וְלֹא־מֵת ISh. 14:45
94 וַיִּרְאוּ הַפְּלִשְׁתִּים כִּי־מֵת גִּבּוֹרָם ISh. 17:51
95 וְאַבְשָׁלוֹם...מֵת בַּמִּלְחָמָה IISh. 19:11
96 לֹא־טוֹב עָשָׂה...וְהִנֵּה־מֵת בַּעֲוֹנוֹ Ezek. 18:18
128-97 מֵת Jud. 8:33; 9:55
ISh. 25:39; 28:3; 31:5 • IISh. 1:5; 2:7; 4:1, 10; 11:21, 24, 26; 12:18[2], 19[2], 21, 23; 13:32, 33, 39; 18:20 • IK. 3:21; 11:21; 14:17; 21:15, 16 • IIK. 4:1; 11:1 • Ezek. 11:13 • ICh. 10:5 • IICh. 22:10
וּמֵת 129 וּמֵת כָּל־בְּכוֹר בְּאֶרֶץ מִצְרַיִם Ex. 11:5
130 וְכִי־יַכֶּה...וּמֵת תַּחַת יָדוֹ Ex. 21:20
131 וּמֵת אוֹ־נִשְׁבַּר אוֹ־נִשְׁבָּה Es. 22:9
132 וְאַהֲרֹן יֵאָסֵף וּמֵת שָׁם Num. 20:26

וּמֵת (המשך)
133 וּמֵת הָאִישׁ הַהוּא — Deut. 17:12
134 וּמֵת הַנָּבִיא הַהוּא — Deut. 18:20
135 וּמֵת הָאִישׁ אֲשֶׁר־שָׁכַב עִמָּהּ — Deut. 22:25
136 אִישׁ גֹּנֵב...וּמֵת הַגַּנָּב הַהוּא — Deut. 24:7
137 וּמֵת אַחַד מֵהֶם וּבֵן אֵין־לוֹ — Deut. 25:5
138 וּמֵת חָמִיהָ וְאִישָׁהּ — ISh. 4:19
139 בְּבֹאָה...הָעִירָה וּמֵת הַיָּלֶד — IK. 14:12
140 וְעָשָׂה עָוֶל וּמֵת עֲלֵיהֶם — Ezek. 18:26
141 וְעָשָׂה עָוֶל וּמֵת בָּהֶם — Ezek. 33:18
142 וּמֵת בְּשָׁאוֹן מוֹאָב — Am. 2:2

וָמֵת
143 אֲשֶׁר יִמָּצֵא אִתּוֹ מֵעֲבָדֶיךָ וָמֵת — Gen. 44:9
144 וְעָזַב אֶת־אָבִיו וָמֵת — Gen. 44:22
145 כִּרְאוֹתוֹ כִּי־אֵין הַנַּעַר וָמֵת — Gen. 44:31
146 מַכֵּה אִישׁ וָמֵת מוֹת יוּמָת — Ex. 21:12
147 וְכִי־יִגַּח שׁוֹר אֶת־אִישׁ...וָמֵת — Ex. 21:28
148 וְכִי־יִגֹּף...אֶת־שׁוֹר רֵעֵהוּ וָמֵת — Ex. 21:35
149 אִם...יִמָּצֵא הַגַּנָּב וְהֻכָּה וָמֵת — Ex. 22:1
150 וּסְקַלְתּוֹ בָאֲבָנִים וָמֵת — Deut. 13:11
151 וּמָצָא אֶת־רֵעֵהוּ וָמֵת — Deut. 19:5
152 וְקָם עָלָיו וְהִכָּהוּ נֶפֶשׁ וָמֵת — Deut. 19:11
153 וְנָתְנוּ אֹתוֹ בְּיַד גֹּאֵל הַדָּם וָמֵת — Deut. 19:12
154 וּרְגָמֻהוּ...בָאֲבָנִים וָמֵת — Deut. 21:21
155 אוֹ־יוֹמוֹ יָבוֹא וָמֵת — ISh. 26:10
156 וְשַׁבְתֶּם מֵאַחֲרָיו וְנִכָּה וָמֵת — IISh. 11:15
157 וְאִם־רָעָה תִּמָּצֵא־בוֹ וָמֵת — IK. 1:52

הֲמֵת
158 וַיֹּאמֶר דָּוִד...הֲמֵת הַיָּלֶד — IISh. 12:19

מֵתָה
159 וַיְהִי בְּצֵאת נַפְשָׁהּ כִּי מֵתָה — Gen. 35:18
160 בְּבֹאִי מִפַּדָּן מֵתָה עָלַי רָחֵל — Gen. 48:7
161 וְהַדָּגָה אֲשֶׁר־בַּיְאֹר מֵתָה — Ex. 7:21

וָמֵתָה
162 וּסְקָלוּהָ...בָּאֲבָנִים וָמֵתָה — Deut. 22:21

מַתְנוּ
163 לוּ־מַתְנוּ בְּאֶרֶץ מִצְרַיִם — Num. 14:2

מָתְנוּ
164 אוֹ בַּמִּדְבָּר הַזֶּה לוּ־מָתְנוּ — Num. 14:2
165 מָה אֲנַחְנוּ יֹשְׁבִים פֹּה עַד־מָתְנוּ — IIK. 7:3

וָמַתְנוּ
166 אִם־אָמַרְנוּ נָבוֹא הָעִיר...וָמַתְנוּ שָׁם — IIK. 7:4

וָמָתְנוּ
167 אִם־יֹסְפִים אֲנַחְנוּ לִשְׁמֹעַ...וָמָתְנוּ — Deut. 5:22
168 וַעֲשִׂיתִיהוּ...וַאֲכַלְנֻהוּ וָמָתְנוּ — IK. 17:12
169 וְאִם־יָשַׁבְנוּ פֹה וָמָתְנוּ — IIK. 7:4
170 אִם יְחַיֻּנוּ נִחְיֶה וְאִם־יְמִיתֻנוּ וָמָתְנוּ — IIK. 7:4

מֵתוּ
171 מִכֹּל אֲשֶׁר בֶּחָרָבָה מֵתוּ — Gen. 7:22
172 כִּי־מֵתוּ כָּל־הָאֲנָשִׁים — Ex. 4:19
173 וּבְנֵי־קֹרַח לֹא־מֵתוּ — Num. 26:11
174 כֹּל אַנְשֵׁי הַמִּלְחָמָה מֵתוּ בַמִּדְבָּר — Josh. 5:4
175 רַבִּים אֲשֶׁר־מֵתוּ בְּאַבְנֵי הַבָּרָד — Josh. 10:11
176 וּשְׁנֵי בְנֵי־עֵלִי מֵתוּ — ISh. 4:11
177 וְגַם־שְׁנֵי בָנֶיךָ מֵתוּ — ISh. 4:17
178 וְהָאֲנָשִׁים אֲשֶׁר לֹא־מֵתוּ — ISh. 5:12
179/80 וְכִי־מֵתוּ שָׁאוּל וּבָנָיו — ISh. 31:7 • ICh. 10:7
181 וְגַם שָׁאוּל וִיהוֹנָתָן בְּנוֹ מֵתוּ — IISh. 1:4
182 שְׁלֹשׁ־מֵאוֹת וְשִׁשִּׁים אִישׁ מֵתוּ — IISh. 2:31
183 כָּל־בְּנֵי הַמֶּלֶךְ מֵתוּ — IISh. 13:33
184 וְשַׁבֵּחַ אֲנִי אֶת־הַמֵּתִים שֶׁכְּבָר מֵתוּ — Eccl. 4:2
185 וַיָּמָת שָׁאוּל...וְכָל־בֵּיתוֹ יַחְדָּו מֵתוּ — ICh. 10:6

וּמֵתוּ
186 וּמֵתוּ בוֹ כִּי יְחַלְּלֻהוּ — Lev. 22:9
187 וּמֵתוּ גַּם־שְׁנֵיהֶם — Deut. 22:22
188 וּמֵתוּ גְדֹלִים וּקְטַנִּים בָּאָרֶץ הַזֹּאת — Jer. 16:6

וָמֵתוּ
189 וּדְפָקוּם...וָמֵתוּ כָּל־הַצֹּאן — Gen. 33:13
190 וְיָרַד עֲלֵהֶם הַבָּרָד וָמֵתוּ — Ex. 9:19
191 וְלֹא־יִשְׂאוּ עָוֹן וָמֵתוּ — Ex. 28:43
192 וְלֹא־יִגְּעוּ אֶל־הַקֹּדֶשׁ וָמֵתוּ — Num. 4:15
193 וְלֹא־יָבֹאוּ לִרְאוֹת...וָמֵתוּ — Num. 4:20
194 וּסְקַלְתָּם בָּאֲבָנִים וָמֵתוּ — Deut. 17:5
195 וּסְקַלְתֶּם אֹתָם בָּאֲבָנִים וָמֵתוּ — Deut. 22:24
196 וְהָיָה אִם־יִוָּתְרוּ...וָמֵתוּ — Am. 6:9

מֵת (הווה)
197 הִנְּךָ מֵת עַל־הָאִשָּׁה אֲשֶׁר־לָקַחְתָּ — Gen. 20:3
198-199 הִנֵּה אָנֹכִי מֵת — Gen. 48:21; 50:5
200 וַיֹּאמֶר יוֹסֵף...אָנֹכִי מֵת — Gen. 50:24
201 וַיַּרְא יִשְׂרָאֵל אֶת־מִצְרַיִם מֵת עַל־שְׂפַת הַיָּם — Ex. 14:30
202 כִּי אָנֹכִי מֵת בָּאָרֶץ הַזֹּאת — Deut. 4:22
203 וְהִנֵּה אֲדֹנֵיהֶם נֹפֵל אַרְצָה מֵת — Jud. 3:25
204 וְהִנֵּה סִיסְרָא נֹפֵל מֵת — Jud. 4:22
205 אַתָּה רֹדֵף אַחֲרֵי כֶּלֶב מֵת — ISh. 24:14
206 וְהִנֵּה הַנַּעַר מֵת מֻשְׁכָּב עַל־מִטָּתוֹ — IIK. 4:32
207 כִּי מֵת אַתָּה וְלֹא תִחְיֶה — IIK. 20:1
208 וַיַּרְכִּבֻהוּ עֲבָדָיו מֵת מִמְּגִדּוֹ — IIK. 23:30
209 כִּי מֵת אַתָּה וְלֹא תִחְיֶה — Is. 38:1
210 הַשָּׁנָה אַתָּה מֵת — Jer. 28:16

הַמֵּת
211 יָקוּם עַל־שֵׁם אָחִיו הַמֵּת — Deut. 25:6
212 פָּנִיתָ אֶל־הַכֶּלֶב הַמֵּת אֲשֶׁר כָּמוֹנִי — IISh. 9:8
213 לָמָּה יְקַלֵּל הַכֶּלֶב הַמֵּת הַזֶּה — IISh. 16:9
214 וְאֶת־בְּנָהּ הַמֵּת הִשְׁכִּיבָה בְחֵיקִי — IK. 3:20
215/6 בְּנִי הַחַי וּבְנֵךְ הַמֵּת — IK. 3:22, 23
217/8 לֹא כִּי בְּנֵךְ הַמֵּת וּבְנִי הֶחָי — IK. 3:22, 23
219 הַמֵּת לְיָרָבְעָם בָּעִיר... — IK. 14:11
220 הַמֵּת לְבַעְשָׁא בָּעִיר... — IK. 16:4
221 הַמֵּת לְאַחְאָב בָּעִיר... — IK. 21:24
222 לְכֶלֶב...טוֹב מִן־הָאַרְיֵה הַמֵּת — Eccl. 9:4

וְהַמֵּת
223/4 וְהַמֵּת בַּשָּׂדֶה יֹאכְלוּ עוֹף הַשָּׁמָיִם — IK. 14:11; 21:24
225 וְהַמֵּת...בַּשָּׂדֶה יֹאכְלוּ עוֹף הַשָּׁמָיִם — IK. 16:4

מֵתָה
226 וְאִם־אַיִן מֵתָה אָנֹכִי — Gen. 30:1

הַמֵּתָה
227 הַמֵּתָה תָמוּת וְהַנִּכְחֶדֶת תִּכָּחֵד — Zech. 11:9

מֵתִים
228 כִּי אָמְרוּ כֻּלָּנוּ מֵתִים — Ex. 12:33
229 אַבְשָׁלוֹם חַי וְכֻלָּנוּ הַיּוֹם מֵתִים — IISh. 19:7
230/1 וְהִנֵּה כֻלָּם פְּגָרִים מֵתִים — IIK. 19:35; Is. 37:36

הַמֵּתִים
232/3 וַיִּהְיוּ הַמֵּתִים בַּמַּגֵּפָה... — Num. 17:14; 25:9
234 מִלְּבַד הַמֵּתִים עַל־דְּבַר־קֹרַח — Num. 17:14
235 וַיִּהְיוּ הַמֵּתִים אֲשֶׁר הֵמִית — Jud. 16:30

אָמוּת
236 כִּי אָמַרְתִּי פֶּן־אָמוּת עָלֶיהָ — Gen. 26:9
237 בַּעֲבוּר תְּבָרֶכְךָ נַפְשִׁי בְּטֶרֶם אָמוּת — Gen. 27:4
238 אֵלְכָה וְאֶרְאֶנּוּ בְּטֶרֶם אָמוּת — Gen. 45:28
239 לֹא אֹסֵף לִשְׁמֹעַ...וְלֹא אָמוּת — Deut. 18:16
240 וְעַתָּה אָמוּת בַּצָּמָא — Jud. 15:18
241 טָעֹמְתִּי...מְעַט דְּבַשׁ הִנְנִי אָמוּת — ISh. 14:43
242 וְלֹא־תַעֲשֶׂה...חֶסֶד יְיָ וְלֹא אָמוּת — ISh. 20:14
243 וַיֹּאמֶר לֹא כִּי פֹה אָמוּת — IK. 2:30
244 וְאַל־תְּשִׁבֵנִי...וְלֹא אָמוּת שָׁם — Jer. 37:20
245 לֹא־אָמוּת כִּי־אֶחְיֶה — Ps. 118:17
246 אַל־תִּמְנַע מִמֶּנִּי בְּטֶרֶם אָמוּת — Prov. 30:7
247 לָמָּה לֹּא מֵרֶחֶם אָמוּת — Job 3:11
248 בַּאֲשֶׁר תָּמוּתִי אָמוּת — Ruth 1:17

אָמוּתָה
249 אָמוּתָה הַפָּעַם אַחֲרֵי רְאוֹתִי... — Gen. 46:30

וְאָמוּת
250 וְאָמֻת בְּעִירִי עִם קֶבֶר אָבִי וְאִמִּי — IISh. 19:38

תָּמוּת
251 בְּיוֹם אֲכָלְךָ מִמֶּנּוּ מוֹת תָּמוּת — Gen. 2:17
252-263 מוֹת תָּמוּת — Gen. 20:7
ISh. 14:44; 22:16 • IK. 2:37, 42 • IIK. 1:4, 6, 16
Jer. 26:8 • Ezek. 3:18; 33:8, 14
264 כִּי בְּיוֹם רְאֹתְךָ פָנַי תָּמוּת — Ex. 10:28
265 אַל־תִּירָא לֹא תָמוּת — Jud. 6:23
266-271 (וְ)לֹא תָמוּת — ISh. 20:2
IISh. 12:13; 19:24 • Jer. 11:21; 34:4; 38:24
272 שָׁמָּה תָמוּת וְשָׁמָּה מַרְכְּבוֹת כְּבוֹדֶךָ — Is. 22:18

תָּמוּת (המשך)
273 וּבָבֶל תָּבוֹא וְשָׁם תָּמוּת — Jer. 20:6
274 בְּשָׁלוֹם תָּמוּת... — Jer. 34:5
275 מוֹתֵי עֲרֵלִים תָּמוּת בְּיַד זָרִים — Ezek. 28:10
276 עַל־אֲדָמָה טְמֵאָה תָּמוּת — Am. 7:17
277 לָמָּה תָמוּת בְּלֹא עִתֶּךָ — Eccl. 7:17

תָּמוּתִי
278 בַּאֲשֶׁר תָּמוּתִי אָמוּת — Ruth 1:17

יָמוּת
279 פֶּן־יָמוּת גַּם־הוּא כְּאֶחָיו — Gen. 38:11
280 וְלֹא יָמוּת מִכָּל־לִבְנֵי יִשׂ׳ דָּבָר — Ex. 9:4
281 וְלֹא יָמוּת וְנָפַל לְמִשְׁכָּב — Ex. 21:18
282 וְנִשְׁמַע קוֹלוֹ בְּבֹאוֹ...וְלֹא יָמוּת — Ex. 28:35
283 וְכִי־יָמוּת מִן־הַבְּהֵמָה... — Lev. 11:39
284 וְאַל־יָבֹא בְכָל־עֵת...וְלֹא יָמוּת — Lev. 16:2
285-293 (וְ)לֹא יָמוּת — Lev. 16:13
Num. 35:12 • Josh. 20:9 • Is. 51:14 • Ezek. 18:17, 21, 28; 33:15 • Prov. 23:13
294 וְכִי־יָמוּת מֵת עָלָיו בְּפֶתַע פִּתְאֹם — Num. 6:9
295 כֹּל הַקָּרֵב...אֶל־מִשְׁכַּן יְיָ יָמוּת — Num. 17:28
296 הַנֹּגֵעַ...בְּנֶפֶשׁ הָאָדָם אֲשֶׁר־יָמוּת — Num. 19:13
297 אָדָם כִּי־יָמוּת בְּאֹהֶל — Num. 19:14
298 אִישׁ כִּי־יָמוּת וּבֵן אֵין לוֹ — Num. 27:8
299 בְּאֶבֶן יָד אֲשֶׁר־יָמוּת בָּהּ הִכָּהוּ — Num. 35:17
300 בִּכְלִי עֵץ־יָד אֲשֶׁר־יָמוּת בּוֹ — Num. 35:18
301 אוֹ בְכָל־אֶבֶן אֲשֶׁר־יָמוּת בָּהּ — Num. 35:23
302-304 פֶּן־יָמוּת בַּמִּלְחָמָה... — Deut. 20:5, 6, 7
305 אוֹ כִי יָמוּת הָאִישׁ הָאַחֲרוֹן — Deut. 24:3
306 אִם־יֶשְׁנוֹ בְּיוֹנָתָן בְּנִי כִּי מוֹת יָמוּת — ISh.14:39
307 הֲיוֹנָתָן יָמוּת אֲשֶׁר עָשָׂה הַיְשׁוּעָה — ISh. 14:45
308 הַכְּמוֹת נָבָל יָמוּת אַבְנֵר — IISh. 3:33
309 גַּם הַבֵּן הַיִּלּוֹד לְךָ מוֹת יָמוּת — IISh. 12:14
310 וְהִרְאַנִי יְיָ כִּי־מוֹת יָמוּת — IIK. 8:10
311 חָלָה אֶת־חָלְיוֹ אֲשֶׁר יָמוּת בּוֹ — IIK. 13:14
312 מִי־אַתְּ וַתִּירְאִי מֵאֱנוֹשׁ יָמוּת — Is. 51:12
313 הָאֹכֵל מִבֵּיצֵיהֶם יָמוּת — Is. 59:5
314 הַנַּעַר בֶּן־מֵאָה שָׁנָה יָמוּת — Is. 65:20
315 מָתַי יָמוּת וְאָבַד שְׁמוֹ — Ps. 41:6
316 הוּא יָמוּת בְּאֵין מוּסָר — Prov. 5:23
317 שׂוֹנֵא תוֹכַחַת יָמוּת — Prov. 15:10
318 בּוֹזֵה דְרָכָיו יָמוּת (כת׳ יומת) — Prov. 19:16
319 וּבֶעָפָר יָמוּת גִּזְעוֹ — Job 14:8
320 וְגֶבֶר יָמוּת וַיֶּחֱלָשׁ — Job 14:10
321 אִם־יָמוּת גֶּבֶר הֲיִחְיֶה — Job 14:14
322 זֶה יָמוּת בְּעֶצֶם תֻּמּוֹ — Job 21:23
323 יָמוּת בְּנֶפֶשׁ מָרָה — Job 21:25
324 וְאֵיךְ יָמוּת הֶחָכָם עִם־הַכְּסִיל — Eccl. 2:16
325-344 יָמוּת — Jer. 21:9; 22:12
31:30(29); 38:2, 10 • Ezek. 3:18, 19, 20^2; 6:12^2; 7:15; 12:13; 17:16; 18:24, 26; 33:8, 9, 13 • Am. 7:11

יָמֹת
345 יְחִי רְאוּבֵן וְאַל־יָמֹת — Deut. 33:6

וְיָמֹת
346 הוֹצֵא אֶת־בִּנְךָ וְיָמֹת — Jud. 6:30
347 וְהוֹצִיאֻהוּ וְסִקְלֻהוּ וְיָמֹת — IK. 21:10

וַיָּמָת
348 וַיָּמָת הָרָן עַל־פְּנֵי תֶּרַח אָבִיו — Gen. 11:28
349 וַיָּמָת תֶּרַח בְּחָרָן — Gen. 11:32
350 וַיִּגְוַע וַיָּמָת אַבְרָהָם — Gen. 25:8
351 וַיִּגְוַע וַיָּמָת וַיֵּאָסֶף אֶל־עַמָּיו — Gen. 25:17
352 וַיִּגְוַע יִצְחָק וַיָּמָת — Gen. 35:29
353 וַיָּמָת בָּלַע וַיִּמְלֹךְ תַּחְתָּיו... — Gen. 36:33
354 וַיָּמָת יוֹסֵף בֶּן־מֵאָה וָעֶשֶׂר שָׁנִים — Gen. 50:26
355 וַיָּמָת יוֹסֵף וְכָל־אֶחָיו — Ex. 1:6
356 וַיָּמָת מֶלֶךְ מִצְרַיִם — Ex. 2:23
357 וַיָּמָת כֹּל מִקְנֵה מִצְרָיִם — Ex. 9:6
358 וַיָּמָת נָדָב וַאֲבִיהוּא לִפְנֵי יְיָ — Num. 3:4
359 וַיָּמָת שָׁם מֹשֶׁה עֶבֶד־יְיָ — Deut. 34:5

וַיָּמָת (המשך)

360 וַיָּמָת יְהוֹשֻׁעַ בִּן־נוּן עֶבֶד יְיָ Josh. 24:29
361 וַיָּמָת שְׁמוּאֵל...וַיִּסְפְּדוּ־לוֹ ISh. 25:1
362 וַיָּמָת לִבּוֹ בְּקִרְבּוֹ ISh. 25:37
363-432 וַיָּמָת Gen. 36:34, 35, 36, 37
36:38, 39; 46:12 • Num. 20:28; 21:6; 26:19, 61;
33:38 • Jud. 1:7; 2:8; 3:11; 8:32; 10:2, 5; 12:7, 10,
12, 15 • ISh. 31:5, 6 • IISh. 2:23; 3:27; 6:7; 10:1, 18;
11:17, 21; 12:18; 14:5; 17:23; 24:15 • IK. 3:19;
16:18, 22; 22:35, 37 • IIK. 1:17; 9:27; 13:20, 24;
23:34 • Jer. 28:17; 38:9 • Job 42:17 • Ruth 1:3 •
ICh. 1:44, 45, 46, 47, 48, 49, 50, 51; 2:30, 32; 10:6, 13;
13:10; 19:1; 23:22; 24:2; 29:28 • IICh. 16:13;
18:34; 21:19; 35:24

וַיָּמֹת

433 וַיִּהְיוּ כָּל־יְמֵי אָדָם...וַיָּמֹת Gen. 5:5
434 וַיִּהְיוּ כָּל־יְמֵי־שֵׁת...וַיָּמֹת Gen. 5:8
435 וַיְהִי כָּל־יְמֵי־נֹחַ...וַיָּמֹת Gen. 9:29
436 וַיִּרְגְּמוּ אֹתוֹ בָּאֲבָנִים וַיָּמֹת Num. 15:36
437 וְאִם־בִּכְלִי בַרְזֶל הִכָּהוּ וַיָּמֹת Num. 35:16
438 וְאִם בְּאֶבֶן יָד...הִכָּהוּ וַיָּמֹת Num. 35:17
439 וְהוּא־נִרְדָּם וַיָּעַף וַיָּמֹת Jud. 4:21
440-474 וַיָּמֹת Gen. 5:11, 14, 17, 20, 27
5:31 • Num. 35:18, 20, 21, 23 • Jud. 2:21; 9:54 • ISh.
4:18; 25:38 • IISh. 1:15; 2:23; 20:10 • IK. 2:25, 46;
12:18; 21:13, 14, 15 • IIK. 4:20; 7:17, 20; 8:15;
12:22; 25:25 • Hosh. 13:1 • ICh. 10:5 • IICh. 10:18;
13:20; 24:15, 25

תָּמוּת

475 וְהַדָּגָה אֲשֶׁר־בַּיְאֹר תָּמוּת Ex. 7:18
476 כִּי תוֹלַעְתָּם לֹא תָמוּת Is. 66:24
477/8 הַנֶּפֶשׁ הַחֹטֵאת הִיא תָמוּת Ezek. 18:4, 20
479 הַמֵּתָה תָמוּת וְהַנִּכְחֶדֶת תִּכָּחֵד Zech. 11:9
480 וְעִמָּכֶם תָּמוּת חָכְמָה Job 12:2

תָּמֹת

481 תָּמֹת נַפְשִׁי מוֹת יְשָׁרִים Num. 23:10
482 תָּמוֹת נַפְשִׁי עִם־פְּלִשְׁתִּים Jud. 16:30
483 תָּמֹת בַּנֹּעַר נַפְשָׁם Job 36:14

וְתָמֹת

484 תִּבְאַשׁ דְּגָתָם...וְתָמֹת בַּצָּמָא Is. 50:2

וַתָּמָת

485 וַתָּמָת שָׂרָה בְּקִרְיַת אַרְבַּע Gen. 23:2
486 וַתָּמָת דְּבֹרָה מֵינֶקֶת רִבְקָה Gen. 35:8
487 וַתָּמָת רָחֵל וַתִּקָּבֵר בְּדֶרֶךְ... Gen. 35:19
488 וַתָּמָת בַּת־שׁוּעַ אֵשֶׁת־יְהוּדָה Gen. 38:12
489 וַתָּמָת שָׁם מִרְיָם וַתִּקָּבֵר שָׁם Num. 20:1
490 וַתָּמָת אִשְׁתִּי בָּעָרֶב Ezek. 24:18
491 וַתָּמָת עֲזוּבָה וַיִּקַּח־לוֹ כָלֵב... ICh. 2:19

וַתָּמֹת

492 וְאֶת־פִּילַגְשִׁי עִנּוּ וַתָּמֹת Jud. 20:5

נָמוּת

493/4 וְנִחְיֶה וְלֹא נָמוּת Gen. 42:2; 43:8
495 וְלָמָּה נָמוּת נֶגְדֶּךָ Gen. 47:15
496 לָמָּה נָמוּת לְעֵינֶיךָ גַּם־אֲנַחְנוּ Gen. 47:19
497 וְתֶן־זֶרַע וְנִחְיֶה וְלֹא נָמוּת Gen. 47:19
498 וְאַל־יְדַבֵּר עִמָּנוּ אֱלֹ׳ פֶּן־נָמוּת Ex. 20:16
499 וְעַתָּה לָמָּה נָמוּת... Deut. 5:22
500 מוֹת נָמוּת כִּי אֱלֹהִים רָאִינוּ Jud. 13:22
501 הִתְפַּלֵּל בְּעַד־עֲבָדֶיךָ...וְאַל־נָמוּת ISh. 12:19
502 כִּי־מוֹת נָמוּת IISh. 14:14
503 אָכוֹל וְשָׁתוֹ כִּי מָחָר נָמוּת Is. 22:13
504 יְיָ אֱלֹהַי קְדֹשִׁי לֹא נָמוּת Hab. 1:12

תָמוּתוּ

505 וְיֵאָמְנוּ דִבְרֵיכֶם וְלֹא תָמוּתוּ Gen. 42:20
506 וּשְׁמַרְתֶּם...וְלֹא תָמוּתוּ Lev. 8:35
507 רָאשֵׁיכֶם אַל־תִּפְרָעוּ...וְלֹא תָמֻתוּ Lev. 10:6
508 לֹא תֵצְאוּ פֶּן־תָּמֻתוּ Lev. 10:7
509 יַיִן וְשֵׁכָר אַל־תֵּשְׁתְּ...וְלֹא תָמֻתוּ Lev. 10:9
510 לֹא תְחַלְּלוּ וְלֹא תָמוּתוּ Num. 18:32
511 וִחְיוּ וְלֹא תָמֻתוּ IIK. 18:32
512 הָאָרֶץ אַחֶרֶת...וְשָׁם תָּמוּתוּ Jer. 22:26

תָמוּתוּ (המשך)

513 לָמָּה תָמוּתוּ...בַּחֶרֶב בָּרָעָב... Jer. 27:13
514 שָׁם יִדְבַּק אַחֲרֵיכֶם...וְשָׁם תָּמֻתוּ Jer. 42:16
515 בַּחֶרֶב בָּרָעָב וּבַדֶּבֶר תָּמוּתוּ Jer. 42:22
516 וְלָמָּה תָמֻתוּ בֵּית יִשְׂרָאֵל Ezek. 18:31
517 וְלָמָּה תָמוּתוּ בֵּית יִשְׂרָאֵל Ezek. 33:11

תְּמֻתוּן

518 לֹא תֹאכְלוּ מִמֶּנּוּ...פֶּן תְּמֻתוּן Gen. 3:3
519 לֹא־מוֹת תְּמֻתוּן Gen. 3:4
520 אִם־יְכֻפַּר הֶעָוֹן...עַד־תְּמֻתוּן Is. 22:14
521 אָכֵן כְּאָדָם תְּמוּתוּן Ps. 82:7

יָמוּתוּ

522 יִרְחֲצוּ־מַיִם וְלֹא יָמֻתוּ Ex. 30:20
523 וְרָחֲצוּ יְדֵיהֶם וְרַגְלֵיהֶם וְלֹא יָמֻתוּ Ex. 30:21
524 וְלֹא יָמֻתוּ בְּטֻמְאָתָם Lev. 15:31
525 חֶטְאָם יִשָּׂאוּ עֲרִירִים יָמֻתוּ Lev. 20:20
526 וְחָיוּ וְלֹא יָמֻתוּ Num. 4:19
527 בַּמִּדְבָּר הַזֶּה יִתַּמּוּ וְשָׁם יָמֻתוּ Num. 14:35
528 וּתְכַל תְּלוּנֹּתָם מֵעָלַי וְלֹא יָמֻתוּ Num. 17:25
529 וְלֹא־יָמֻתוּ גַם־הֵם גַּם־אַתֶּם Num. 18:3
530 מוֹת יָמֻתוּ בַּמִּדְבָּר Num. 26:65
531 וְכָל־מַרְבִּית בֵּיתְךָ יָמוּתוּ אֲנָשִׁים ISh. 2:33
532 בְּיוֹם אֶחָד יָמוּתוּ שְׁנֵיהֶם ISh. 2:34
533 וְאִם־יָמֻתוּ חֶצְיֵנוּ לֹא־יָשִׂימוּ...לֵב IISh. 18:3
534 הַבַּחוּרִים יָמוּתוּ בַחֶרֶב Jer. 11:22
535 בְּנֵיהֶם וּבְנוֹתֵיהֶם יָמֻתוּ בָּרָעָב Jer. 11:22
536 מְמוֹתֵי תַחֲלֻאִים יָמֻתוּ Jer. 16:4
537 בְּדֶבֶר גָּדוֹל יָמֻתוּ Jer. 21:6
538 יָמוּתוּ בַּחֶרֶב בָּרָעָב וּבַדָּבֶר Jer. 42:17
539 בַּחֶרֶב וּבָרָעָב יָמֻתוּ Jer. 44:12
540 שְׁלִשִׁתַיִךְ בַּדֶּבֶר יָמוּתוּ Ezek. 5:12
541 וַאֲשֶׁר בַּמְּצָדוֹת...בַּדֶּבֶר יָמוּתוּ Ezek. 33:27
542 בַּחֶרֶב יָמוּתוּ כֹּל חַטָּאֵי עַמִּי Am. 9:10
543 כִּי יִרְאֶה חֲכָמִים יָמוּתוּ Ps. 49:11
544 וֶאֱוִילִים בַּחֲסַר־לֵב יָמוּתוּ Prov. 10:21
545 יָמוּתוּ וְלֹא בְחָכְמָה Job 4:21
546 רֶגַע יָמֻתוּ...וְיַעֲבֹרוּ Job 34:20
547 לֹא־יָמוּתוּ אָבוֹת עַל־בָּנִים IICh. 25:4
548 וּבָנִים לֹא־יָמוּתוּ עַל־אָבוֹת IICh. 25:4
549 כִּי אִישׁ בְּחֶטְאוֹ יָמוּתוּ IICh. 25:4

וַיָּמוּתוּ

550 וַיָּמֻתוּ הַצְפַרְדְּעִים מִן־הַבָּתִּים Ex. 8:9
551 וַתֵּצֵא אֵשׁ...וַיָּמֻתוּ לִפְנֵי יְיָ Lev. 10:2
552 בְּקָרְבָתָם לִפְנֵי־יְיָ וַיָּמֻתוּ Lev. 16:1
553 וַיָּמֻתוּ...בַּמַּגֵּפָה לִפְנֵי יְיָ Num. 14:37
554 וַיְיָ הִשְׁלִיךְ עֲלֵיהֶם אֲבָנִים...וַיָּמֻתוּ Josh. 10:11
555 וַיָּמֻתוּ גַּם כָּל־אַנְשֵׁי מִגְדַּל־שְׁכֶם Jud. 9:49
556 וְגַם־הַרְבֵּה נָפַל מִן־הָעָם וַיָּמֻתוּ IISh. 1:4
557 וַיָּמוּתוּ מֵעַבְדֵי הַמֶּלֶךְ IISh. 11:24
558 וַיִּפֹּל עַל־הַנְּעָרִים וַיָּמוּתוּ Job 1:19
559 וַיָּמֻתוּ גַם־שְׁנֵיהֶם מַחְלוֹן וְכִלְיוֹן Ruth 1:5

שֶׁיָּמוּתוּ

560 כִּי הַחַיִּים יוֹדְעִים שֶׁיָּמֻתוּ Eccl. 9:5

יְמוּתוּן

561 אִם־כְּמוֹת כָּל־הָאָדָם יְמֻתוּן Num. 16:29
562 וְיֹשְׁבֶיהָ כְּמוֹ־כֵן יְמוּתוּן Is. 51:6

תְמוּתֶנָה

563 נְפָשׁוֹת אֲשֶׁר לֹא־תְמוּתֶנָה Ezek. 13:19

וּמוּת

564 וּמֻת בָּהָר...וְהֵאָסֵף אֶל־עַמֶּיךָ Deut. 32:50

וָמֻת

565 בָּרֵךְ אֱלֹהִים וָמֻת Job 2:9

לְמוֹתֵת

566 וְנִכְאֵה לֵבָב לְמוֹתֵת Ps. 109:16

מוֹתַתִּי

567 אָנֹכִי מֹתַתִּי אֶת־מְשִׁיחַ יְיָ IISh. 1:16

מוֹתְתַנִי

568 אֲשֶׁר לֹא־מוֹתְתַנִי מֵרָחֶם Jer. 20:17

מְמוֹתֵת

569 וְנֹשֵׂא כֵלָיו מְמוֹתֵת אַחֲרָיו ISh. 14:13

וַאֲמֹתְתֵהוּ

570 וָאֶעֱמֹד עָלָיו וַאֲמֹתְתֵהוּ IISh. 1:10

וַיְמֹתְתֵהוּ

571 וַיִּקַּח אֶת־חַרְבּוֹ...וַיְמֹתְתֵהוּ ISh. 17:51

תְּמוֹתֵת

572 תְּמוֹתֵת רָשָׁע רָעָה Ps. 34:22

וּמוֹתְתֵנִי

573 שְׁלֹף חַרְבְּךָ וּמוֹתְתֵנִי Jud. 9:54
574 עֲמָד־נָא עָלַי וּמֹתְתֵנִי IISh. 1:9

הָמֵת

575 וְהַבָּא אַחֲרֶיהָ הָמֵת בֶּחָרֶב IIK. 11:15
576 הֲלוֹא הָמֵת תְּמִיתֵנִי Jer. 38:15

וְהָמֵת

577 וְהָמֵת לֹא נְמִיתֶךָ Jud. 15:13
578 תְּנוּ־לָהּ...וְהָמֵת אַל־תְּמִיתֻהוּ IK. 3:26
579 תְּנוּ־לָהּ...וְהָמֵת לֹא תְמִיתֻהוּ IK. 3:27

הֶהָמֵת

580 הֶהָמֵת הֱמִתֻהוּ חִזְקִיָּהוּ Jer. 26:19

הָמִית

581 ...לְבִלְתִּי הָמִית אֹתוֹ Lev. 20:4

לְהָמִית

582 לְהָמִית צַדִּיק עִם־רָשָׁע Gen. 18:25
583 לְהָמִית אֶת...הַקָּהָל הַזֶּה בָּרָעָב Ex. 16:3
584 לְהָמִית אֹתִי וְאֶת־בָּנַי...בַּצָּמָא Ex. 17:3
585 וַיְדַבֵּר שָׁאוּל...לְהָמִית אֶת־דָּוִד ISh. 19:1
586 וְלָמָּה תֶחֱטָא...לְהָמִית אֶת־דָּוִד חִנָּם ISh. 19:5
587 כָלָה הִיא...לְהָמִית אֶת־דָּוִד ISh. 20:33
588 לֹא הָיְתָה מֵהַמֶּ׳ לְהָמִית אֶת־אַבְ׳ IISh. 3:37
589 וַיְמַדֵּד שְׁנֵי־חֲבָלִים לְהָמִית IISh. 8:2
590 לְהָמִית עִיר וְאֵם בְּיִשְׂרָאֵל IISh. 20:19
591 וְאֵין־לָנוּ אִישׁ לְהָמִית בְּיִשְׂרָאֵל IISh. 21:4
592 וַיְבַקֵּשׁ שְׁלֹמֹה לְהָמִית אֶת־יָרָבְעָם IK. 11:40
593 הֲרֵעוֹתָ לְהָמִית אֶת־בְּנָהּ IK. 17:20
594 הַאֱלֹהִים אָנִי לְהָמִית וּלְהַחֲיוֹת IIK. 5:7
595 בַּיּוֹם הַשֵּׁנִי לְהָמִית אֶת־גְּדַלְיָהוּ Jer. 41:4
596 לְהָמִית אֹתָנוּ וּלְהַגְלוֹת אֹתָנוּ Jer. 43:3
597 לְהָמִית נְפָשׁוֹת אֲשֶׁר לֹא־תְמוּתֶנָה Ezek. 13:19
598 אַחַת דָּתוֹ לְהָמִית Es. 4:11

וּלְהָמִית

599 לְהַזְכִּיר אֶת־עֲוֹנִי וּלְהָמִית אֶת־בְּנִי IK. 17:18

לַהֲמִיתֵנִי

600 לַהֲמִיתֵנִי וְאֶת־עַמִּי ISh. 5:10
601 מִתְנַקֵּשׁ בְּנַפְשִׁי לַהֲמִיתֵנִי ISh. 28:9
602 נֹתֵן...בְּיַד־אַחְאָב לַהֲמִיתֵנִי IK. 18:9

לַהֲמִיתֶךָ

603 מְבַקֵּשׁ שָׁאוּל אָבִי לַהֲמִיתֶךָ ISh. 19:2

הֲמִיתוֹ

604 וַיִּפְגְּשֵׁהוּ יְיָ וַיְבַקֵּשׁ הֲמִיתוֹ Ex. 4:24
605 וַיְבַקֵּשׁ הַמֶּלֶךְ הֲמִיתוֹ Jer. 26:21
606 (?)וְאֶל־הֲמִיתוֹ אַל־תִּשָּׂא נַפְשֶׁךָ Prov. 19:18

לַהֲמִיתוֹ

607 וַיִּתְנַכְּלוּ אֹתוֹ לַהֲמִיתוֹ Gen. 37:18
608 תִּהְיֶה־בּוֹ בָרִאשֹׁנָה לַהֲמִיתוֹ Deut. 13:10
609 יַד הָעֵדִים תִּהְיֶה־בּוֹ...לַהֲמִיתוֹ Deut. 17:7
610 הַעֲלוּ אֹתוֹ בַּמִּטָּה אֵלַי לַהֲמִתוֹ ISh. 19:15
611 לְבִלְתִּי תֵּת־אֹתוֹ...לַהֲמִיתוֹ Jer. 26:24
612 צוֹפֶה רָשָׁע...וּמְבַקֵּשׁ לַהֲמִיתוֹ Ps. 37:32
613 וַיִּשְׁמְרוּ אֶת־הַבַּיִת לַהֲמִיתוֹ Ps. 59:1

וְלַהֲמִיתוֹ

614 וַיִּשְׁלַח...לְשָׁמְרוֹ וְלַהֲמִיתוֹ בַּבֹּקֶר ISh. 19:11

לַהֲמִיתֵנוּ

615 הֶעֱלִיתָנוּ...לַהֲמִיתֵנוּ בַּמִּדְבָּר Num. 16:13
616 לוּ חָפֵץ יְיָ לַהֲמִיתֵנוּ... Jsd. 13:23

לַהֲמִיתָם

617 הוֹצִיאָם לַהֲמִתָם בַּמִּדְבָּר Deut. 9:28
618 כִּי־חָפֵץ יְיָ לַהֲמִיתָם ISh. 2:25

וְהֵמַתִּי

619 וְהֵמַתִּי בָרָעָב שָׁרְשֵׁךְ Is. 14:30
620 וְהֵמַתִּי מַחֲמַדֵּי בִטְנָם Hosh. 9:16

וַהֲמִיתִּיו

621 וְהֶחֱזַקְתִּי בִּזְקָנוֹ וְהִכִּתִיו וַהֲמִיתִּיו ISh. 17:35

וַהֲמִתִּיהָ

622 וְשַׁתִּהָ כְּאֶרֶץ צִיָּה וַהֲמִתִּיהָ בַּצָּמָא Hosh. 2:5

וְהֵמַתָּה

623 וְהֵמַתָּה אֶת־הָעָם הַזֶּה Num. 14:15
624 וְהֵמַתָּה מֵאִישׁ עַד־אִשָּׁה ISh. 15:3

הֵמִית

625 וַיִּהְיוּ הַמֵּתִים אֲשֶׁר־הֵמִית בְּמוֹתוֹ Jud. 16:30
626 רַבִּים מֵאֲשֶׁר הֵמִית בְּחַיָּיו Jud. 16:30
627 עַל אֲשֶׁר הֵמִית אֶת־עֲשָׂהאֵל IISh. 3:30
628 עַל אֲשֶׁר־הֵמִית אֶת־הַגִּבְעֹנִים IISh. 21:1
629 וְאֶת־בְּנֵי הַמַּכִּים לֹא הֵמִית IIK. 14:6
630 וְאֶת־רְצִין הֵמִית IIK. 16:9
631 וְאֵת שׁוֹפַךְ שַׂר־הַצָּבָא הֵמִית ICh. 19:18
632 וְאֶת־בְּנֵיהֶם לֹא הֵמִית IICh. 25:4

וְהֵמִית

633 וְהֵמִית אִישׁ אוֹ אִשָּׁה Ex. 21:29

וֶהֱמִיתָנִי

634 וְאִם־יֶשׁ־בִּי עָוֹן וֶהֱמִתָנִי IISh. 14:32

וֶהֱמִיתְךָ

635 וֶהֱמִיתְךָ אֲדֹנָי יְיָ Is. 65:15

הֱמִיתָם

636 וְלֹא הֱמִיתָם בְּתוֹךְ אֲחֵיהֶם Jer. 41:8

הֱמִיתָתְהוּ 637 וַתַּסְתִּירֵהוּ...וְלֹא הֱמִיתָתְהוּ IICh. 22:11
הֲמִתֶּם 638 אַתֶּם הֲמִתֶּם אֶת־עַם יְיָ Num. 17:6
וַהֲמִתֶּם 639 הַכּוּ אֶת־אַמְנוֹן וַהֲמִתֶּם אֹתוֹ IISh. 13:28
וַהֲמִתֶּן 640 אִם־בֵּן הוּא וַהֲמִתֶּן אֹתוֹ Ex. 1:16
הֵמִיתוּ 641 וַיִּשְׁבּוּ...לֹא הֵמִיתוּ אִישׁ ISh. 30:2
642 אֶת כָּל־הַנְּעָרִים...הֵמִיתוּ IISh. 13:32
643 וְאֶת־עֲתַלְיָהוּ הֵמִיתוּ בַחֶרֶב IIK. 11:20
644 וְאֶת־עֲתַלְיָהוּ הֵמִיתוּ בֶחָרֶב IICh. 23:21
הֱמִתֻהוּ 645 הֶהָמֵת הֱמִתֻהוּ חִזְקִיָּהוּ... Jer. 26:19
מֵמִית 646 יְיָ מֵמִית וּמְחַיֶּה ISh. 2:6
מְמִיתִים 647 וְהִנָּם מְמִיתִים אוֹתָם IIK. 17:26
648 כִּי אִם־מְמִתִים אַתֶּם אֹתִי Jer. 26:15
לַמְמִיתִים 649 ...לַשַּׁחַת נַפְשׁוֹ וְחַיָּתוֹ לַמְמִתִים Job 33:22
אָמִית 650 אֲנִי אָמִית וַאֲחַיֶּה Deut. 32:39
אֲמִיתְךָ 651 וָאֶשָּׁבַע לוֹ בַיְיָ...אִם־אֲמִיתְךָ בֶּחָרֶב IK. 2:8
אֲמִיתֶךָ 652 וּבַיּוֹם הַזֶּה לֹא אֲמִיתֶךָ IK. 2:26
653 חַי־יְיָ...אִם־אֲמִיתֶךָ Jer. 38:16
אֲמִיתֵךְ 654 שַׁלְּחִנִי לָמָה אֲמִיתֵךְ ISh. 19:17
תָּמִית 655 אֶת־שְׁנֵי בָנַי תָּמִית Gen. 42:37
תְּמִיתֵנִי 656 הִשָּׁבְעָה לִּי בֵאלֹהִים אִם־תְּמִיתֵנִי ISh.30:15
657 כִּי אַגִּיד...הֲלוֹא הָמֵת תְּמִיתֵנִי Jer. 38:15
תְּמִתֵנוּ 658 וַיֹּאמְרוּ אֶל־יִשְׁמָעֵאל אַל־תְּמִתֵנוּ Jer. 41:8
יָמִית 659 גֹּאֵל הַדָּם הוּא יָמִית אֶת־הָרֹצֵחַ Num. 35:19
660 גֹּאֵל הַדָּם יָמִית אֶת־הָרֹצֵחַ Num. 35:21
661 וְלֹא־יָמִית אֹתִי וְאֶת־עַמִּי ISh. 5:11
662 אִם־יָמִית אֶת־עַבְדּוֹ בֶּחָרֶב IK. 1:51
663 הַנִּמְלָט מֵחֶרֶב חֲזָאֵל יָמִית יֵהוּא IK. 19:17
664 וְהַנִּמְלָט מֵחֶרֶב יֵהוּא יָמִית אֱלִישָׁע IK. 19:17
665 וּבְרוּחַ שְׂפָתָיו יָמִית רָשָׁע Is. 11:4
666 אִם־שׁוֹט יָמִית פִּתְאֹם Job 9:23
וַיָּמֶת 667 וַיֵּרַע...וַיָּמֶת גַּם־אֹתוֹ Gen. 38:10
668 וַיָּמֶת...שְׁמֹנִים וַחֲמִשָּׁה אִישׁ ISh. 22:18
669 וַיַּכּוּ הָאֶחָד אֶת־הָאֶחָד וַיָּ׳ אֹתוֹ IISh.14:6
670 וַיַּכּוּ אֶת־גְּדַלְיָהוּ...וַיָּמֶת אֹתוֹ Jer. 41:2
671 וַיָּמֶת אֶת־דְּגָתָם Ps. 105:29
וַיְמִתֵהוּ 672 עֵר...רַע בְּעֵינֵי יְיָ וַיְמִתֵהוּ יְיָ Gen. 38:7
673 וַיַּךְ אֶת־הַפְּלִשְׁתִּי וַיְמִיתֵהוּ ISh. 17:50
674 וַיַּךְ אֶת־הַפְּלִשְׁתִּי וַיְמִיתֵהוּ IISh. 21:17
675 וַיַּעַל...וַיִּפְגַּע־בּוֹ וַיְמִתֵהוּ IK. 2:34
676 וַיִּמְצָאֵהוּ אַרְיֵה בַּדֶּרֶךְ וַיְמִיתֵהוּ IK. 13:24
677 לָאַרְיֵה...וַיִּשְׁבְּרֵהוּ וַיְמִתֵהוּ IK. 13:26
678/9 וַיְמִתֵהוּ(...)וַיִּמְלֹךְ תַּחְ׳ IK. 15:28 • IK. 15:25
680-682 וַיְמִיתֵהוּ (...) וַיִּמְלֹךְ תַּחְתָּיו IK. 16:10
IIK. 15:14, 30
683 וַיַּכֵּהוּ קָבָל־עָם וַיְמִיתֵהוּ IIK. 15:10
684 וַיְמִיתֵהוּ בִּמְגִדּוֹ כִּרְאֹתוֹ אֹתוֹ IIK. 23:29
685 וַיְהִי...רַע בְּעֵינֵי יְיָ וַיְמִיתֵהוּ ICh. 2:3
686 וְלֹא־דָרַשׁ בַּיְיָ וַיְמִיתֵהוּ ICh. 10:14
יְמִיתֶנּוּ 687 בְּפִגְעוֹ־בוֹ הוּא יְמִתֶנּוּ Num. 35:19
וַיְמִיתֵם 688 וַיַּכֵּם יְהוֹשֻׁעַ אַחֲרֵי־כֵן וַיְמִיתֵם Josh. 10:26
689 כָּל־מַלְכֵיהֶם לָכַד וַיַּכֵּם וַיְמִיתֵם Josh. 11:17
690 וַיַּךְ אֹתָם...וַיְמִתֵם בְּרִבְלָה IIK. 25:21
691 וַיַּכֶּה אוֹתָם...וַיְמִתֵם בְּרִבְלָה Jer. 52:27
תָּמִית 692 וּפֹתֶה תָּמִית קִנְאָה Job 5:2
תְּמִיתֶנּוּ 693 תַּאֲוַת עָצֵל תְּמִיתֶנּוּ Prov. 21:25
נְמִיתֶךָ 694 וְהָמֵת לֹא נְמִיתֶךָ Jud. 15:13
695 אַל־תְּכַחֵד מִמֶּנּוּ וְלֹא נְמִיתֶךָ Jer. 38:25
וּנְמִיתֵהוּ 696 וּנְמִתֵהוּ בְּנֶפֶשׁ אָחִיו אֲשֶׁר הָרָג IISh. 14:7
וּנְמִיתֵם 697 וּנְמִיתֵם וּנְבַעֲרָה רָעָה מִיִּשְׂרָאֵל Jud. 20:13
698 תְּנוּ הָאֲנָשִׁים וּנְמִיתֵם ISh. 11:12
תְּמִיתֻהוּ 699 תְּנוּ־לָהּ...וְהָמֵת אַל־תְּמִיתֻהוּ IK. 3:26
700 תְּנוּ־לָהּ...וְהָמֵת לֹא תְמִיתֻהוּ IK. 3:27

תְּמִיתוּהָ 701 לֹא תְמִיתוּהָ בֵּית יְיָ IICh. 23:14
וַיָּמִיתוּ 702 וַיָּמִיתוּ אֶת־הַמֶּלֶךְ בְּבֵיתוֹ IIK. 21:23
יְמִיתֻנוּ 703 אִם־יְחַיֻּנוּ נִחְיֶה וְאִם־יְמִיתֻנוּ וָמָתְנוּ IIK. 7:4
וַיְמִיתֻהוּ 704 וַיַּכֻּהוּ וַיְמִתֻהוּ וַיָּסִרוּ אֶת־רֹאשׁוֹ IISh. 4:7
705 וַיַּכּוּ אֶת־אַבְשָׁלוֹם וַיְמִתֻהוּ IISh. 18:15
706 וַיִּשְׁלְחוּ אַחֲרָיו...וַיְמִתֻהוּ שָׁם IIK. 14:19
707 וַיְבִאֻהוּ...וַיְמִתֻהוּ וַיִּקְבְּרֻהוּ IICh. 22:9
708 וַיִּשְׁלְחוּ אַחֲרָיו...וַיְמִיתֻהוּ שָׁם IICh. 25:27
709 וַיִּקְשְׁרוּ...וַיְמִיתֻהוּ בְּבֵיתוֹ IICh. 33:24
וַיְמִיתוּהָ 710 וַתָּבוֹא אֶל־מְבוֹא...וַיְמִיתוּהָ שָׁם IICh. 23:15
הֲמִיתֵנִי 711 וְאִם־יֶשׁ־בִּי עָוֹן הֲמִיתֵנִי ISh. 20:8
וְהָמִיתוּ 712 סֹבּוּ וְהָמִיתוּ כֹּהֲנֵי יְיָ ISh. 22:17
הוּמָת 713 וַיַּסְתִּרוּ אֹתוֹ...וְלֹא הוּמָת IIK. 11:2
וְהוּמָת 714 ...בְאִישׁ חֵטְא מִשְׁפַּט־מָוֶת וְהוּמָת Deut. 21:22
הוּמְתוּ 715 וְהֵמָּה° הֻמְתוּ בִּימֵי קָצִיר IISh. 21:9
מוּמָת 716 אִם־אֵינְךָ...מָחָר אַתָּה מוּמָת ISh. 19:11
הַמּוּמָתִים 717 וַתִּגְנֹב אֹתוֹ מִתּוֹךְ...הַמּוּמָתִים IIK. 11:2
(כת׳ הממותתים)
718 וַתִּגְנֹב אֹתוֹ מִתּוֹךְ...הַמּוּמָתִים IICh. 22:11
יוּמַת 719 מוֹת־יוּמַת הַנֹּאֵף וְהַנֹּאָפֶת Lev. 20:10
720 מוֹת יוּמַת הָאִישׁ Num. 15:35
721-723 מוֹת יוּמַת הָרֹצֵחַ Num. 35:16, 17, 18
724 מוֹת־יוּמַת הַמַּכֶּה רֹצֵחַ הוּא Num. 35:21
725 עַל־פִּי שְׁנַיִם עֵדִים...יוּמַת הַמֵּת Deut. 17:6
726 לֹא יוּמַת עַל־פִּי עֵד אֶחָד Deut. 17:6
727-734 יוּמַת Jud. 6:31
ISh. 11:13; 20:32 • IISh. 19:22, 23 • IK. 2:24 • Jer. 38:4 • IICh. 23:14
יוּמָת 735 הַנֹּגֵעַ בָּאִישׁ הַזֶּה...מוֹת יוּמָת Gen. 26:11
736 כָּל־הַנֹּגֵעַ בָּהָר מוֹת יוּמָת Ex. 19:12
737 מַכֵּה אִישׁ וָמֵת מוֹת יוּמָת Ex. 21:12
738 וּמַכֵּה אָבִיו וְאִמּוֹ מוֹת יוּמָת Ex. 21:15
739-752 מוֹת יוּמָת Ex. 21:16, 17
22:18; 31:14, 15 • Lev. 20:2, 9, 15; 24:16, 17; 27:29 • Num. 35:31 • Jud. 21:5 • Ezek. 18:13
753 הַשּׁוֹר יִסָּקֵל וְגַם־בְּעָלָיו יוּמָת Ex. 21:29
754 כָּל־הָעֹשֶׂה בוֹ מְלָאכָה יוּמָת Ex. 35:2
755-767 יוּמָת Lev. 24:16, 21
Num. 1:51; 3:10, 38; 18:7 • Deut. 13:6 • Josh. 1:18 • ISh. 19:6 • IIK. 11:8; 14:6 • IICh. 15:13; 23:7
תּוּמַת 768 אַל־תּוּמַת בֵּית יְיָ IIK. 11:15
וַתּוּמַת 769 וַתָּבוֹא...בֵית הַמֶּלֶךְ וַתּוּמַת שָׁם IIK. 11:16
יוּמְתוּ 770 לֹא יוּמְתוּ כִּי־לֹא חֻפָּשָׁה Lev. 19:20
771-772 מוֹת(־)יוּמְתוּ שְׁנֵיהֶם Lev. 20:11, 12
773-6 לֹא־יוּמְתוּ אָבוֹת עַל־בָּנִים וּבָנִים לֹא־יוּמְתוּ עַל־אָבוֹת Deut. 24:16 • IIK. 14:6
יוּמָתוּ 777-778 מוֹת יוּמָתוּ דְּמֵיהֶם בָּם Lev. 20:13, 16
779 מוֹת יוּמָתוּ...דְּמֵיהֶם בָּם Lev. 20:27
780 אִישׁ בְּחֶטְאוֹ יוּמָתוּ Deut. 24:16

מָוֶת

ז׳ פסיקת החיים, מיתה: 1—161

– מָוֶת וְחַיִּים 45, 59, 64, 71; אֲבַדּוֹן וָמָוֶת 53
– אֵימוֹת מָוֶת 31; אִישׁ מ׳ 11; אַל־מָוֶת 39; אַנְשֵׁי מָוֶת 8; בְּכוֹר מ׳ 48; בֶּן מָוֶת 5-7; דֶּרֶךְ הַמָּוֶת 59; דַּרְכֵי מָוֶת 42, 43; הֲרוּגֵי מ׳ 19; זְבוּבֵי מ׳ 51; חֶבְלֵי מ׳ 26, 27; חַדְרֵי מ׳ 37; חֵטְא מָוֶת 3; יוֹם הַמָּוֶת 62, 63; כְּלֵי מ׳ 24; מְבַקְשֵׁי מ׳ 46; מְהוּמַת מ׳ 4; מוֹקְשֵׁי מ׳ 10, 28, 40, 41; מַלְאֲכֵי מ׳ 44; מַר הַמָּוֶת 56; מִשְׁבְּרֵי מ׳ 9; מִשְׁפַּט מָוֶת 1, 2, 20, 21; עֲפַר מָוֶת 29; שַׁעֲרֵי מָוֶת 25, 34, 50
– מוֹת אָבִיו 114, 123; מוֹת אַבְרָהָם 93, 94; מ׳ אָדָם 122; מ׳ אִשָּׁה 111; מ׳ אַחְאָב 106, 125; מ׳ אִמּוֹ 123; מ׳ בְּנוֹ 95; מ׳ זֶה 112, 126; מ׳ חֶצְרוֹן 113; מ׳ יְהוֹאָשׁ 107; מ׳ יְהוֹיָדָע 115; מ׳ יְהוֹשֻׁעַ 103; מ׳ יוֹאָשׁ 116; מ׳ הַיֶּלֶד 117; מ׳ יְשָׁרִים 96; מ׳ כָּל־אָדָם 124; מ׳ הַכֹּהֵן 97-100, 102; מ׳ הַמֶּלֶךְ 108, 109; מ׳ מֹשֶׁה 101; מ׳ הַמֵּת 120; מ׳ נָבָל 127; מ׳ הָעֵדָה 118; מ׳ רָשָׁע 110, 121; מ׳ שָׁאוּל 104; מ׳ הַשּׁוֹפֵט 119; מוֹת שְׁלֹמֹה 105
– יוֹם מוֹתוֹ 128, 138-142, 144, 154; אַחֲרֵי מוֹתִי 130, 131; לִפְנֵי מוֹתִי 129, 135-137, 143
– מוֹתֵי עֲרֵלִים 160
– אָהֵב מָוֶת 38; בִּלַּע הַמָּוֶת 58; יָשֵׁן הַמָּוֶת 60; עָלָה מָוֶת 18; רָאָה מָוֶת 33
– חָרָה עַד מָוֶת 23; עַזָּה כַמָּוֶת 69
– הֶעֱרָה לַמָּוֶת 72
– גָּאַל מִמָּוֶת 84; חָשַׂךְ מִמָּוֶת 87; הִצִּיל מִמָּוֶת 83, 85, 86; מַר מִמָּוֶת 92; פָּדָה מִמָּוֶת 91

מָוֶת 1 וְלוֹ אֵין מִשְׁפַּט־מָוֶת Deut. 19:6
2 וְכִי־יִהְיֶה בְאִישׁ חֵטְא מִשְׁפַּט־מָוֶת Deut. 21:22
3 אֵין לַנַּעֲרָ חֵטְא מָוֶת Deut. 22:26
4 הָיְתָה מְהוּמַת־מָוֶת בְּכָל־הָעִיר ISh. 5:11
5 כִּי בֶן־מָוֶת הוּא ISh. 20:31
6 חַי־יְיָ כִּי בְנֵי־מָוֶת אַתֶּם ISh. 26:16
7 חַי־יְיָ כִּי בֶן־מָוֶת הָאִישׁ IISh. 12:5
8 כִּי אִם־אַנְשֵׁי־מָוֶת לַאדֹנִי הַמֶּלֶךְ IISh. 19:29
9 כִּי אֲפָפֻנִי מִשְׁבְּרֵי־מָוֶת IISh. 22:5
10 קִדְּמֻנִי מֹקְשֵׁי־מָוֶת IISh. 22:6
11 כִּי אִישׁ מָוֶת אָתָּה IK. 2:26
12 לֹא־יִהְיֶה מִשָּׁם עוֹד מָוֶת וּמְשַׁכָּלֶת IIK. 2:21
13 וַיֹּאמְרוּ מָוֶת בַּסִּיר IIK. 4:40
14 כָּרַתְנוּ בְרִית אֶת־מָוֶת Is. 28:15
15 וְכֻפַּר בְּרִיתְכֶם אֶת־מָוֶת Is. 28:18
16 כִּי־לֹא שְׁאוֹל תּוֹדֶךָּ מָוֶת יְהַלְלֶךָּ Is. 38:18
17 וְנִבְחַר מָוֶת מֵחַיִּים Jer. 8:3
18 כִּי־עָלָה מָוֶת בְּחַלּוֹנֵינוּ Jer. 9:20
19 וְאַנְשֵׁיהֶם יִהְיוּ הֲרֻגֵי מָוֶת Jer. 18:21
20 מִשְׁפַּט־מָוֶת לָאִישׁ הַזֶּה Jer. 26:11
21 אֵין־לָאִישׁ הַזֶּה מִשְׁפַּט־מָוֶת Jer. 26:16
22 אֱהִי דְבָרֶיךָ מָוֶת Hosh. 13:14
23 הֵיטֵב חָרָה־לִי עַד־מָוֶת Jon. 4:9
24 וְלוֹ הֵכִין כְּלֵי־מָוֶת Ps. 7:14
25 מְרוֹמְמִי מִשַּׁעֲרֵי־מָוֶת Ps. 9:14
26-27 אֲפָפוּנִי חֶבְלֵי־מָוֶת Ps. 18:5; 116:3
28 קִדְּמוּנִי מוֹקְשֵׁי־מָוֶת Ps. 18:6
29 וְלַעֲפַר־מָוֶת תִּשְׁפְּתֵנִי Ps. 22:16
30 לִשְׁאוֹל שַׁתּוּ מָוֶת יִרְעֵם Ps. 49:15
31 וְאֵימוֹת מָוֶת נָפְלוּ עָלָי Ps. 55:5
32 יַשִּׁיא מָוֶת (כת׳ ישימות) עָלֵימוֹ Ps. 55:16
33 מִי גֶבֶר יִחְיֶה וְלֹא יִרְאֶה־מָּוֶת Ps. 89:49
34 וַיַּגִּיעוּ עַד־שַׁעֲרֵי מָוֶת Ps. 107:18
35 כִּי שָׁחָה אֶל־מָוֶת בֵּיתָהּ Prov. 2:18
36 רַגְלֶיהָ יֹרְדוֹת מָוֶת Prov. 5:5
37 יֹרְדוֹת אֶל־חַדְרֵי־מָוֶת Prov. 7:27
38 כָּל־מְשַׂנְאַי אָהֲבוּ מָוֶת Prov. 8:36
39 וְדֶרֶךְ נְתִיבָה אַל־מָוֶת Prov. 12:28
40/1 לָסוּר מִמֹּקְשֵׁי מָוֶת Prov. 13:14; 14:27
42/3 וְאַחֲרִיתָהּ דַּרְכֵי־מָוֶת Prov. 14:12; 16:25
44 חֲמַת־מֶלֶךְ מַלְאֲכֵי־מָוֶת Prov. 16:14
45 מָוֶת וְחַיִּים בְּיַד־לָשׁוֹן Prov. 18:21
46 הֶבֶל נִדָּף מְבַקְשֵׁי־מָוֶת Prov. 21:6
47 וַתִּבְחַר...מָוֶת מֵעַצְמוֹתָי Job 7:15
48 יֹאכַל בַּדָּיו בְּכוֹר מָוֶת Job 18:13

מָוֶת (המשך)
49 כִּי־יָדַעְתִּי מָוֶת תְּשִׁיבֵנִי Job 30:23
50 הֲנִגְלוּ לְךָ שַׁעֲרֵי־מָוֶת Job 38:17
51 זְבוּבֵי מָוֶת יַבְאִישׁ יַבִּיעַ שֶׁמֶן רוֹקֵחַ Eccl. 10:1
וָמָוֶת 52 הַיֹּרֶה זִקִּים חִצִּים וָמָוֶת Prov. 26:18
53 אֲבַדּוֹן וָמָוֶת אָמְרוּ... Job 28:22
הַמָּוֶת 54 וְיָסֵר מֵעָלַי רַק אֶת־הַמָּוֶת הַזֶּה Ex. 10:17
55 וְאֶת־הַמָּוֶת וְאֶת־הָרָע Deut. 30:15
56 אָכֵן סָר מַר־הַמָּוֶת ISh. 15:32
57 כְּפֶשַׂע בֵּינִי וּבֵין הַמָּוֶת ISh. 20:3
58 בִּלַּע הַמָּוֶת לָנֶצַח Is. 25:8
59 אֶת־דֶּרֶךְ הַחַיִּים וְאֶת־דֶּרֶךְ הַמָּוֶת Jer. 21:8
60 הָאִירָה עֵינַי פֶּן־אִישַׁן הַמָּוֶת Ps. 13:4
61 כִּי הַמָּוֶת יַפְרִיד בֵּינִי וּבֵינֵךְ reth 1:17
62 טוֹב...וְיוֹם הַמָּוֶת מִיּוֹם הִוָּלְדוֹ Eccl. 7:1
63 וְאֵין שִׁלְטוֹן בְּיוֹם הַמָּוֶת Eccl. 8:8
וְהַמָּוֶת 64 הַחַיִּים וְהַמָּוֶת נָתַתִּי לְפָנֶיךָ Deut. 30:19
הַמָּוְתָה 65 יָקָר בְּעֵינֵי יְיָ הַמָּוְתָה לַחֲסִידָיו Ps. 116:15
בַּמָּוֶת 66 כִּי אֵין בַּמָּוֶת זִכְרֶךָ Ps. 6:6
67 שְׂרִידָיו בַּמָּוֶת יִקָּבֵרוּ Job 27:15
כַמָּוֶת 68 וְהוּא כַמָּוֶת וְלֹא יִשְׂבָּע Hab. 2:5
69 כִּי־עַזָּה כַמָּוֶת אַהֲבָה S.ofS. 8:6
70 מִחוּץ שִׁכְּלָה־חֶרֶב בַּבַּיִת כַּמָּוֶת Lam. 1:20
לְמָוֶת 71 אִם־לְמָוֶת אִם־לְחַיִּים IISh. 15:21
לַמָּוֶת 72 תַּחַת אֲשֶׁר הֶעֱרָה לַמָּוֶת נַפְשׁוֹ Is. 53:12
73-76 אֲשֶׁר לַמָּוֶת לַמָּוֶת Jer. 15:2; 43:11
77 אֶת־כָּל־עֲצָתָם עָלַי לַמָּוֶת Jer. 18:23
78 כִּי כֻלָּם נִתְּנוּ לַמָּוֶת Ezek. 31:14
79 וְלַיְיָ אֲדֹנָי לַמָּוֶת תּוֹצָאוֹת Ps. 68:21
80 הַצֵּל לְקֻחִים לַמָּוֶת וּמָטִים לַהֶרֶג Prov. 24:11
81 הַמְחַכִּים לַמָּוֶת וְאֵינֶנּוּ Job 3:21
וְלַמָּוֶת 82 יַסֹּר יִסְּרַנִּי יָּהּ וְלַמָּוֶת לֹא נְתָנָנִי Ps. 118:18
מִמָּוֶת 83 וְהִצַּלְתֶּם אֶת־נַפְשֹׁתֵינוּ מִמָּוֶת Josh. 2:13
84 מִיַּד שְׁאוֹל אֶפְדֵּם מִמָּוֶת אֶגְאָל׳ Hosh. 13:14
85 לְהַצִּיל מִמָּוֶת נַפְשָׁם Ps. 33:19
86 כִּי הִצַּלְתָּ נַפְשִׁי מִמָּוֶת Ps. 56:14
87 לֹא־חָשַׂךְ מִמָּוֶת נַפְשָׁם Ps. 78:50
88 כִּי חִלַּצְתָּ נַפְשִׁי מִמָּוֶת Ps. 116:8
89-90 וּצְדָקָה תַּצִּיל מִמָּוֶת Prov. 10:2; 11:4
91 בְּרָעָב פָּדְךָ מִמָּוֶת Job 5:20
92 וּמוֹצֶא אֲנִי מַר מִמָּוֶת אֶת־הָאִשָּׁה Eccl. 7:26
מוֹת־ 93 וַיְהִי אַחֲרֵי מוֹת אַבְרָהָם... Gen. 25:11
94 וַיְסַתְּמוּם...אַחֲרֵי מוֹת אַבְרָהָם Gen. 26:18
95 אַחֲרֵי מוֹת שְׁנֵי בְּנֵי אַהֲרֹן Lev. 16:1
96 תָּמֹת נַפְשִׁי מוֹת יְשָׁרִים Num. 23:10
97/8 עַד־מוֹת הַכֹּהֵן הַגָּדֹל Num. 35:25, 28
99 וְאַחֲרֵי־מוֹת הַכֹּהֵן הַגָּדֹל... Num. 35:28
100 לָשֶׁבֶת בָּאָרֶץ עַד־מוֹת הַכֹּהֵן Num. 35:32
101 וַיְהִי אַחֲרֵי מוֹת מֹשֶׁה עֶבֶד יְיָ Josh. 1:1
102 עַד־מוֹת הַכֹּהֵן הַגָּדוֹל Josh. 20:6
103 וַיְהִי אַחֲרֵי מוֹת יְהוֹשֻׁעַ Jud. 1:1
104 וַיְהִי אַחֲרֵי מוֹת שָׁאוּל IISh. 1:1
105 וַיְהִי בְמִצְרַיִם עַד־מוֹת שְׁלֹמֹה IK. 11:40
106 וַיִּפְשַׁע מוֹאָב...אַחֲרֵי מוֹת אַחְאָב IIK. 1:1
107 וַיְחִי...אַחֲרֵי מוֹת יְהוֹאָשׁ IIK. 14:17
108 בִּשְׁנַת־מוֹת הַמֶּלֶךְ עֻזִּיָּהוּ Is. 6:1
109 בִּשְׁנַת־מוֹת הַמֶּלֶךְ אָחָז Is. 14:28
110 הֶחָפֹץ אֶחְפֹּץ מוֹת רָשָׁע Ezek. 18:23
111 כֹּל אֲשֶׁר־עָשִׂית...אַחֲרֵי מוֹת אִישֵׁךְ Ruth 2:11
112 כְּמוֹת זֶה כֵּן מוֹת זֶה Eccl. 3:19
113 וְאַחַר מוֹת־חֶצְרוֹן בְּכָלֵב אֶפְרָתָה ICh. 2:24
114 הָיוּ־לוֹ יוֹעֲצִים אַחֲרֵי מוֹת אָבִיו IICh. 22:4
115 וְאַחֲרֵי מוֹת יְהוֹיָדָע בָּאוּ IICh. 24:17
116 וַיְחִי...אַחֲרֵי מוֹת יוֹאָשׁ IICh. 25:25
בְּמוֹת־ 117 אַל־אֶרְאֶה בְּמוֹת הַיָּלֶד Gen. 21:16
118 וַתִּבְלַע אֹתָם...בְּמוֹת הָעֵדָה Num. 26:10
119 וְהָיָה בְּמוֹת הַשּׁוֹפֵט יָשֻׁבוּ... Jud. 2:19
120 לֹא אֶחְפֹּץ בְּמוֹת הַמֵּת Ezek. 18:32
121 אִם־אֶחְפֹּץ בְּמוֹת הָרָשָׁע Ezek. 33:11
122 בְּמוֹת אָדָם רָשָׁע תֹּאבַד תִּקְוָה Prov. 11:7
וּבְמוֹת־ 123 וּבְמוֹת אָבִיהָ וְאִמָּהּ לְקָחָהּ מָרְדֳּכַי Es. 2:7
כְּמוֹת־ 124 אִם־כְּמוֹת כָּל־הָאָדָם יְמֻתוּן Num. 16:29
125 וַיְהִי כְּמוֹת אַחְאָב וַיִּפְשַׁע מֶ׳־מוֹאָב IIK. 3:5
126 כְּמוֹת זֶה כֵּן מוֹת זֶה Eccl. 3:19
הַכְּמוֹת־ 127 הַכְּמוֹת נָבָל יָמוּת אַבְנֵר IISh. 3:33
מוֹתִי 128 לֹא יָדַעְתִּי יוֹם מוֹתִי Gen. 27:2
129 וַאֲבָרֶכְכָה לִפְנֵי יְיָ לִפְנֵי מוֹתִי Gen. 27:7
130 וְאַף כִּי־אַחֲרֵי מוֹתִי Deut. 31:27
131 אַחֲרֵי מוֹתִי...הַשְׁחֵת תַּשְׁחִתוּן Deut. 31:29
132-133 טוֹב מוֹתִי מֵחַיָּי Jon. 4:3, 8
בְּמוֹתִי 134 בְּמוֹתִי וּקְבַרְתֶּם אֹתִי בַּקֶּבֶר אֲשֶׁר.. IK. 13:31
מוֹתוֹ 135 בַּעֲבֻר...יְבָרֶכְךָ לִפְנֵי מוֹתוֹ Gen. 27:10
136 אָבִיךָ צִוָּה לִפְנֵי מוֹתוֹ Gen. 50:16
137 אֲשֶׁר בֵּרַךְ...אֶת־בְּ״יִ לִפְנֵי מוֹתוֹ Deut. 33:1
138 מִן־הַבֶּטֶן עַד־יוֹם מוֹתוֹ Jud. 13:7
139 וְלֹא־יָסַף...עַד־יוֹם מוֹתוֹ ISh. 15:35
140 וַיְהִי מְצֹרָע עַד־יוֹם מֹתוֹ IIK. 15:5
141 וַיִּתְּנֵהוּ בְ׳־הַפְּקֻדֹּת עַד־יוֹם מוֹתוֹ Jer. 52:11
142 דְּבַר־יוֹם בְּיוֹמוֹ עַד־יוֹם מוֹתוֹ Jer. 52:34
143 וַיָּכֶן דָּוִיד לָרֹב לִפְנֵי מוֹתוֹ ICh. 22:5(4)
144 וַיְהִי...מְצֹרָע עַד־יוֹם מוֹתוֹ IICh. 26:21
בְּמֹתוֹ 145 וְאַהֲרֹן...בְּמֹתוֹ בְּהֹר הָהָר Num. 33:39
146 בֶּן־מֵאָה וְעֶשְׂרִים שָׁנָה בְּמֹתוֹ Deut. 34:7
147 הַמֵּתִים אֲשֶׁר הֵמִית בְּמוֹתוֹ... Jud. 16:30
148 כִּי לֹא בְמוֹתוֹ יִקַּח הַכֹּל Ps. 49:18
149 וְחֹסֶה בְמוֹתוֹ צַדִּיק Prov. 14:32
150 בֶּן־מֵאָה וּשְׁלֹשִׁים שָׁנָה בְּמוֹתוֹ IICh. 24:15
151 וְכָבוֹד עָשׂוּ־לוֹ בְּמוֹתוֹ IICh. 32:33
וּכְמוֹתוֹ 152 וּכְמוֹתוֹ אָמַר יֵרֶא יְיָ וְיִדְרֹשׁ IICh. 24:22
לְמוֹתוֹ 153 וּמְרַדֵּף רָעָה לְמוֹתוֹ Prov. 11:19
מוֹתָהּ 154 לֹא־הָיָה לָהּ יָלֶד עַד־יוֹם מוֹתָהּ IISh. 6:23
בְּמֹתָם 155 כָּל־הַנֹּגֵעַ בָּהֶם בְּמֹתָם... Lev. 11:31
156 אֲשֶׁר־יִפֹּל עָלָיו מֵהֶם בְּמֹתָם... Lev. 11:32
157 לֹא־יִטַּמָּא לָהֶם בְּמֹתָם Num. 6:7
וּבְמוֹתָם 158 ...וּבְמוֹתָם לֹא נִפְרָדוּ IISh. 1:23
לְמוֹתָם 159 כִּי אֵין חַרְצֻבּוֹת לְמוֹתָם Ps. 73:4
מוֹתֵי־ 160 מוֹתֵי עֲרֵלִים תָּמוּת בְּיַד זָרִים Ezek. 28:10
בְּמֹתָיו 161 וַיִּתֵּן...וְאֶת־עָשִׁיר בְּמֹתָיו Is. 53:9

מוֹת
ז׳ ארמית, מָוֶת
לְמוֹת 1 הֵן לְמוֹת הֵן לִשְׁרֹשִׁי Ez. 7:26

(עַל־)מוּת
(תהלים טו, מח15) – עין ערך עַל־מוּת

מוֹתָר
ז׳ עוֹדֵף, יִתְרוֹן: 1—3 • מוֹתַר הָאָדָם 3
מוֹתָר 1 בְּכָל־עֶצֶב יִהְיֶה מוֹתָר Prov. 14:23
לְמוֹתָר 2 מַחְשְׁבוֹת חָרוּץ אַךְ־לְמוֹתָר Prov. 21:5
וּמוֹתַר־ 3 וּמוֹתַר הָאָדָם מִן־הַבְּהֵמָה אָיִן Eccl. 3:19

מִזְבֵּחַ
ז׳ בָּמָה להקרבת קרבנות או להקטרת קטורת לעבודת אלהים: 1—400

– מִזְבַּח גָּדוֹל 26, 97; אַבְנֵי מִזְבֵּחַ 39; אֵשׁ הַמִּזְבֵּחַ 75; גַּב הַמִּ׳ 101; דְּבַר הַמִּ׳ 88; דְּמוּת הַמִּ׳ 95; זָוִיּוֹת הַמִּ׳ 42 חֲנֻכַּת הַמִּ׳ 83-86, 106; חֲצִי הַמִּ׳ 53; חֻקּוֹת הַמִּ׳ 102; יְסוֹד הַמִּ׳ 56, 71, 72, 74, 79, 80, 290-292; יֶרֶךְ הַמִּ׳ 68, 96; כְּלֵי הַמִּ׳ 65, 67, 82; כַּרְכֹּב הַמִּ׳ 52; לַהַב הַמִּ׳ 90; מִדּוֹת הַמִּ׳ 100; מְקוֹם הַמִּ׳ 46; מִשְׁמֶרֶת הַמִּ׳ 87, 99; מְשָׁרְתֵי הַמִּ׳ 40; פְּנֵי הַמִּ׳ 76; צַלְעוֹת הַמִּ׳ 54, 66; קִיר הַמִּ׳ 69, 73; קַרְנוֹת הַמִּ׳ 55, 70, 77, 78, 81, 91-93, 103, 104, 289, 293-295; שַׁעַר הַמִּ׳ 98; תַּבְנִית הַמִּזְבֵּחַ 319

– מִזְבַּח אֲבָנִים 257, 317, 318; מִ׳ אֲדָמָה 256; מִ׳ הַזָּהָב 283-288; מִ׳ יְיָ 296-316, 319, 331; מִ׳ הַנְּחֹשֶׁת 276-282, 325, 327; מִ׳ הָעוֹלָה 264-275, 290-295, 326; מִ׳ הַקְּטֹרֶת 258-263, 289, 330, 332;

– מִזְבְּחוֹת בֵּית אֵל 376; מִזְבְּחוֹת הַבְּעָלִים 378; מִזְבְּחוֹת הַנֵּכָר 377

– סְבִיבוֹת הַמִּזְבְּחוֹת 389, 400

מִזְבֵּחַ 1 וַיִּבֶן נֹחַ מִזְבֵּחַ לַיְיָ Gen. 8:20
2-4 וַיִּבֶן(־)שָׁם מִזְבֵּחַ לַיְיָ Gen. 12:7, 8; 13:18
5-6 וַיִּבֶן שָׁם מִזְבֵּחַ Gen. 26:25; 35:7
7 וַיַּצֶּב־שָׁם מִזְבֵּחַ Gen. 33:20
8 וַעֲשֵׂה־שָׁם מִזְבֵּחַ לָאֵל הַנִּרְאֶה... Gen. 35:1
9 וְאֶעֱשֶׂה־שָּׁם מִזְבֵּחַ לָאֵל... Gen. 35:3
10 וַיִּבֶן מֹשֶׁה מִזְבֵּחַ Ex. 17:15
11 וַיִּבֶן מִזְבֵּחַ תַּחַת הָהָר Ex. 24:4
12 וְעָשִׂיתָ מִזְבֵּחַ מִקְטַר קְטֹרֶת Ex. 30:1
13 וַיַּרְא אַהֲרֹן וַיִּבֶן מִזְבֵּחַ לְפָנָיו Ex. 32:5
14 וּבָנִיתָ שָּׁם מִזְבֵּחַ לַיְיָ אֱלֹהֶיךָ Deut. 27:5
15-24 מִזְבֵּחַ לַיְיָ Josh. 8:30
Jud. 6:26 • ISh. 7:17; 14:35² • IISh. 24:21,25 • Is. 19:19 • ICh. 21:22, 26
25 וַיִּבְנוּ...שָׁם מִזְבֵּחַ עַל־הַיַּרְדֵּן Josh. 22:10
26 מִזְבֵּחַ גָּדוֹל לְמַרְאֶה Josh. 22:10
27 בִּבְנוֹתְכֶם לָכֶם מִזְבֵּחַ לִמְרָדְכֶם Josh. 22:16
28 בִּבְנֹתְכֶם לָכֶם מִזְבֵּחַ מִבַּלְעֲדֵי... Josh. 22:19
29 לִבְנוֹת לָנוּ מִזְבֵּחַ לָשׁוּב מֵאַחֲרֵי יְיָ Josh. 22:23
30 לִבְנוֹת מִזְבֵּחַ...לְמִנְחָה וּלְזָבַח Josh. 22:29
31 וַיִּבֶן שָׁם גִּדְעוֹן מִזְבֵּחַ Jud. 6:24
32 וַיִּבְנוּ־שָׁם מִזְבֵּחַ Jud. 21:4
33 עֲלֵה הָקֵם לַיְיָ מִזְבֵּחַ IISh. 24:18
34 וַיְצַף מִזְבֵּחַ אָרֶז IK. 6:20
35-36 מִזְבֵּחַ מִזְבֵּחַ כֹּה אָמַר יְיָ IK. 13:2
37 וַיָּקֶם מִזְבֵּחַ לַבָּעַל IK. 16:32
38 וַיִּבְנֶה אֶת־הָאֲבָנִים מִזְבֵּחַ בְּשֵׁם יְיָ IK. 18:32
39 בְּשׂוּמוֹ כָּל־אַבְנֵי מִזְבֵּחַ כְּאַבְנֵי־גִר Is. 27:9
40 הֵילִילוּ מְשָׁרְתֵי מִזְבֵּחַ Joel 1:13
41 יַטּוּ אֵצֶל כָּל־מִזְבֵּחַ Am. 2:8
42 וּמָלְאוּ כַּמִּזְרָק כְּזָוִיּוֹת מִזְבֵּחַ Zech. 9:15
43 לְהָקִים מִזְבֵּחַ לַיְיָ בְּגֹרֶן אָרְנָן ICh. 21:18
44 וְזֶה־מִזְבֵּחַ לְעֹלָה לְיִשְׂרָאֵל ICh. 22:1(21:31)
45 לִפְנֵי מִזְבֵּחַ אֶחָד תִּשְׁתַּחֲווּ IICh. 32:12
הַמִּזְבֵּחַ 46 מְקוֹם הַמִּזְבֵּחַ אֲשֶׁר־עָשָׂה שָׁם Gen. 13:4
47 וַיִּבֶן שָׁם אַבְרָהָם אֶת־הַמִּזְבֵּחַ Gen. 22:9
48 וַיָּשֶׂם אֹתוֹ עַל־הַמִּזְבֵּחַ Gen. 22:9
49 וַחֲצִי הַדָּם זָרַק עַל־הַמִּזְבֵּחַ Ex. 24:6
50 וְעָשִׂיתָ אֶת־הַמִּזְבֵּחַ עֲצֵי שִׁטִּים Ex. 27:1
51 רָבוּעַ יִהְיֶה הַמִּזְבֵּחַ Ex. 27:1
52 וְנָתַתָּה אֹתָהּ תַּחַת כַּרְכֹּב הַמִּזְבֵּחַ Ex. 27:5
53 וְהָיְתָה הָרֶשֶׁת עַד חֲצִי הַמִּזְבֵּחַ Ex. 27:5
54 וְהָיוּ הַבַּדִּים עַל־שְׁתֵּי צַלְעֹת הַמִּזְבֵּחַ Ex. 27:7
55 וְנָתַתָּה עַל־קַרְנֹת הַמִּזְבֵּחַ Ex. 29:12
56 תִּשְׁפֹּךְ אֶל־יְסוֹד הַמִּזְבֵּחַ Ex. 29:12
57 וְזָרַקְתָּ עַל־הַמִּזְבֵּחַ סָבִיב Ex. 29:16

הַמִּזְבֵּחַ (המשך)

58 וְזָרַקְתָּ אֶת־הַדָּם עַל־הַמִּזְבֵּחַ Ex. 29:20
59 וְלָקַחְתָּ מִן־הַדָּם אֲשֶׁר עַל־הַמִּזְבֵּחַ Ex. 29:21
60 וְחִטֵּאתָ עַל־הַמִּזְבֵּחַ בְּכַפֶּרְךָ עָלָיו Ex. 29:36
61 שִׁבְעַת יָמִים תְּכַפֵּר עַל־הַמִּזְבֵּחַ Ex. 29:37
62 וְקִדַּשְׁתָּ אֶת־הַמִּזְבֵּחַ Ex. 40:10
63/4 וְהָיָה הַמִּזְבֵּחַ קֹדֶשׁ קָדָשִׁים Ex. 29:37; 40:10
65 וַיַּעַשׂ אֶת־כָּל־כְּלֵי הַמִּזְבֵּחַ Ex. 38:3
66 בַּטַּבָּעֹת עַל צַלְעֹת הַמִּזְבֵּחַ Ex. 38:7
67 וְאֵת כָּל־כְּלֵי הַמִּזְבֵּחַ Ex. 38:30
68 וְשָׁחַט...עַל יֶרֶךְ הַמִּזְבֵּחַ צָפֹנָה Lev. 1:11
69 וְנִמְצָה דָמוֹ עַל קִיר הַמִּזְבֵּחַ Lev. 1:15
70 וּמִן־הַדָּם יִתֵּן עַל־קַרְנֹת הַמִּזְבֵּחַ Lev. 4:18
71/2 יִשְׁפֹּךְ אֶל־יְסוֹד הַמִּזְבֵּחַ Lev. 4:30, 34
73 וְהִזָּה...עַל־קִיר הַמִּזְבֵּחַ Lev. 5:9
74 יִמָּצֵה אֶל־יְסוֹד הַמִּזְבֵּחַ Lev. 5:9
75 וְאֵשׁ הַמִּזְבֵּחַ תּוּקַד בּוֹ Lev. 6:2
76 לִפְנֵי יְיָ אֶל־פְּנֵי הַמִּזְבֵּחַ Lev. 6:7
77/8 וַיִּתֵּן עַל־קַרְנוֹת הַמִּזְבֵּחַ Lev. 8:15; 9:9
79-80 הַדָּם יָצַק אֶל־יְסוֹד הַמִּזְבֵּחַ Lev. 8:15; 9:9
81 וְנָתַן עַל־קַרְנוֹת הַמִּזְבֵּחַ סָבִיב Lev. 16:18
82 וְנָתְנוּ עָלָיו...כָּל כְּלֵי הַמִּזְבֵּחַ Num. 4:14
83 וַיַּקְרִיבוּ הַנְּשִׂאִים אֵת חֲנֻכַּת הַמִּזְבֵּחַ Num. 7:10
84 יַקְרִיבוּ...לַחֲנֻכַּת הַמִּזְבֵּחַ Num. 7:11
85/6 זֹאת חֲנֻכַּת הַמִּזְבֵּחַ Num. 7:84, 88
87 וְאֵת מִשְׁמֶרֶת הַמִּזְבֵּחַ Num. 18:5
88 אֶת־כְּהֻנַּתְכֶם לְכָל־דְּבַר הַמִּזְבֵּחַ Num. 18:7
89 הָעֹלָה עַל־הַמִּזְבֵּחַ הַבָּנוּי Jud. 6:28
90 וַיַּעַל מַלְאַךְ־יְיָ בְּלַהַב הַמִּזְבֵּחַ Jud. 13:20
91/2 וַיַּחֲזֵק בְּקַרְנוֹת הַמִּזְבֵּחַ IK. 1:50; 2:28
93 וְהִנֵּה אָחַז בְּקַרְנוֹת הַמִּזְבֵּחַ IK. 1:51
94 הִנֵּה הַמִּזְבֵּחַ נִקְרָע IK. 13:3
95 וַיִּשְׁלַח...אֶת־דְּמוּת הַמִּזְבֵּחַ IIK. 16:10
96 וַיִּתֵּן אֹתוֹ עַל־יֶרֶךְ הַמִּזְבֵּחַ צָפוֹנָה IIK. 16:14
97 עַל הַמִּזְבֵּחַ הַגָּדוֹל הַקְטֵר... IIK. 16:15
98 וְהִנֵּה מִצָּפוֹן לְשַׁעַר הַמִּזְבֵּחַ Ezek. 8:5
99 שֹׁמְרֵי מִשְׁמֶרֶת הַמִּזְבֵּחַ Ezek. 40:46
100 וְאֵלֶּה מִדּוֹת הַמִּזְבֵּחַ בָּאַמּוֹת... Ezek. 43:13
101 וְזֶה גַּב הַמִּזְבֵּחַ Ezek. 43:13
102 אֵלֶּה חֻקּוֹת הַמִּזְבֵּחַ... Ezek. 43:18
103 וְנִגְדְּעוּ קַרְנוֹת הַמִּזְבֵּחַ Am. 3:14
104 אִסְרוּ־חַג...עַד־קַרְנוֹת הַמִּזְבֵּחַ Ps. 118:27
105 וַיָּכִינוּ הַמִּזְבֵּחַ עַל־מְכוֹנֹתָו Ez. 3:3
106 כִּי חֲנֻכַּת הַמִּזְבֵּחַ עָשׂוּ IICh. 7:9
107-200 הַמִּזְבֵּחַ Ex. 28:43; 29:38, 44
30:18, 20; 40:7, 30, 32 • Lev. 1:5, 7, 8, 11, 12, 16; 2:8, 12; 3:2, 8, 13; 6:2, 3², 5, 6, 8; 7:2; 8:11², 15, 19; 8:24, 30; 9:7, 8, 12, 13, 17, 18, 24; 10:12; 16:12, 18, 20; 16:33; 17:11; 21:23; 22:22 • Num. 3:26; 4:13, 26; 5:25; 7:1, 10; 17:11; 18:3, 17 • Josh. 22:11, 26 • IK. 1:53; 2:29; 3:4; 6:22; 9:25; 12:32, 33²; 13:1, 2, 13:4², 5, 32; 18:26 • IIK. 12:10; 16:10, 11, 12²; 16:13, 14; 18:22; 23:15², 16 • Is. 6:6; 36:7 • Ezek. 8:16; 41:22; 43:22, 26, 27 • Am. 9:1 • Zech. 14:20

וְהַמִּזְבֵּחַ
201 וְהַמִּזְבֵּחַ נִקְרָע וַיִּשָּׁפֵךְ הַדֶּשֶׁן IK. 13:5
202 וְהַמִּזְבֵּחַ לִפְנֵי הַבָּיִת Ezek. 40:47

הַמִּזְבֵּחָה
203/4 וְהִקְטַרְתָּ הַמִּזְבֵּחָה Ex. 29:13, 25
205 וְהִקְטַרְתָּ אֶת...הָאַיִל הַמִּזְבֵּחָה Ex. 29:18
206 וְהִקְטִיר הַכֹּהֵן אֶת־הַכֹּל הַמִּזְבֵּחָה Lev. 1:9
207-229 וְהִקְטִיר (יַקְטִיר, וַיַּקְטֵר וכו׳)...הַמִּזְבֵּחָה
Lev. 1:13, 15, 17; 2:2, 9 3:5, 11, 16; 4:19, 26, 31, 35;

הַמִּזְבֵּחָה (המשך)
5:12; 7:5, 31; 8:16, 21, 28; 9:10, 14, 20; 16:25 • Num. 5:26
230 וְהֶעֱלָה...אֶת־הָעֹלָה...הַמִּזְבֵּחָה Lev. 14:20
231-233 וַיִּזְרְקוּ (הַדָּם) הַמִּזְבֵּחָה IICh. 29:22³
234 וַיְחַטְּאוּ אֶת־דָּמָם הַמִּזְבֵּחָה IICh. 29:24

לְהַמִּזְבֵּחַ
235 לְהַעֲלוֹת הָעֹלָה לְהַמִּזְבֵּחַ IICh. 29:27

בַּמִּזְבֵּחַ
236 וַיַּעַל עֹלֹת בַּמִּזְבֵּחַ Gen. 8:20
237 כָּל־הַנֹּגֵעַ בַּמִּזְבֵּחַ יִקְדָּשׁ Ex. 29:37
238 וַיַּעַל בָּלָק...פָּר וָאַיִל בַּמִּזְבֵּחַ Num. 23:2
239 וָאַעַל פָּר וָאַיִל בַּמִּזְבֵּחַ Num. 23:4
240/1 וַיַּעַל פָּר וָאַיִל בַּמִּזְבֵּחַ Num. 23:14, 30

לַמִּזְבֵּחַ
242 וְעָשִׂיתָ בַדִּים לַמִּזְבֵּחַ Ex. 27:6
243 וַיַּעַשׂ לַמִּזְבֵּחַ מִכְבָּר Ex. 38:4
244 רִקֻּעֵי פַחִים צִפּוּי לַמִּזְבֵּחַ Num. 17:3
245 וַיְרַקְּעוּם צִפּוּי לַמִּזְבֵּחַ Num. 17:4
246 וַיִּקְרְאוּ בְּנֵי־רְאוּבֵן...לַמִּזְבֵּחַ Josh. 22:34
247 וַיַּעַשׂ תְּעָלָה...סָבִיב לַמִּזְבֵּחַ IK. 18:32
248 וַיֵּלְכוּ הַמַּיִם סָבִיב לַמִּזְבֵּחַ IK. 18:35
249/50 מִכֶּתֶף הַבַּיִת...לַמִּזְבֵּחַ וְלַבָּיִת
IIK. 11:11 • IICh. 23:10
251 אַרְבַּע פִּנּוֹת הָעֲזָרָה לַמִּזְבֵּחַ Ezek. 45:19
252 מִכֶּתֶף הַבַּיִת...מִנֶּגֶב לַמִּזְבֵּחַ Ezek. 47:1
253 וְהַלְוִיִּם...עֹמְדִים מִזְרָח לַמִּזְבֵּחַ IICh. 5:12

וְלַמִּזְבֵּחַ
254 הֶחָצֵר סָבִיב לַמִּשְׁכָּן וְלַמִּזְבֵּחַ Ex. 40:33
255 בֵּין הָאוּלָם וְלַמִּזְבֵּחַ יִבְכּוּ הַכֹּהֲנִים Joel 2:17

מִזְבַּח־
256 מִזְבַּח אֲדָמָה תַּעֲשֶׂה־לִּי Ex. 20:21
257 וְאִם־מִזְבַּח אֲבָנִים תַּעֲשֶׂה־לִּי Ex. 20:22
258-263 מִזְבַּח הַקְּטֹרֶת Ex. 30:27; 31:8
35:15; 37:25 • ICh. 6:34 • IICh. 26:16
264-275 מִזְבַּח הָעֹ(ו)לָה Ex. 30:28
31:9; 35:16; 38:1; 40:6, 10, 29 • Lev. 4:10 • ICh. 6:34; 16:40; 21:26 • IICh. 29:18
276-282 מִזְבַּח (הַ)נְּחֹשֶׁת Ex. 38:30; 39:39
IK. 8:64 • Ezek. 9:2 • IICh. 1:6; 4:1; 7:7
283-288 מִזְבַּח הַזָּהָב Ex. 39:38
40:5, 26 • Num. 4:11 • IK. 7:48 • IICh. 4:19
289 עַל־קַרְנוֹת מִזְבַּח קְטֹרֶת הַסַּמִּים Lev. 4:7
290-2 אֶל־יְסוֹד מִזְבַּח הָעֹלָה Lev. 4:7, 18, 25
293-5 עַל־קַרְנֹת מִזְבַּח הָעֹלָה Lev. 4:25, 30, 34
296 וְזָרַק...עַל־מִזְבַּח יְיָ Lev. 17:6
297-316 מִזְבַּח יְיָ (אֱלֹהֶיךָ) Deut. 12:27²
16:21; 26:4; 27:6 • Josh. 22:19, 29 • IK. 8:22; 8:54; 18:30 • IIK. 23:9 • Mal. 2:13 • Neh. 10:35 • IICh. 6:12; 8:12; 15:8; 29:19, 21; 33:16; 35:16
317 וּבָנִיתָ שָּׁם...מִזְבַּח אֲבָנִים Deut. 27:5
318 מִזְבַּח אֲבָנִים שְׁלֵמוֹת Josh. 8:31
319 רְאוּ אֶת־תַּבְנִית מִזְבַּח יְיָ Josh. 22:28
320 וְהָרַסְתָּ אֶת־מִזְבַּח הַבַּעַל Jud. 6:25
321/2 מִזְבַּח הַבַּעַל Jud. 6:28, 30
323 וְאָבוֹאָה אֶל־מִזְבַּח אֱלֹהִים Ps. 43:4
324 וַיִּבְנוּ אֶת־מִזְבַּח אֱלֹהֵי יִשְׂרָאֵל Ez. 3:2

וּמִזְבַּח־
325 וּמִזְבַּח הַנְּחֹשֶׁת יִהְיֶה־לִּי לְבַקֵּר IIK. 16:15
326 וּמִזְבַּח הָעוֹלָה בָּעֵת הַהִיא... ICh. 21:29
327 וּמִזְבַּח הַנְּחֹשֶׁת אֲשֶׁר עָשָׂה בְּצַלְאֵל IICh. 1:5

הַמִּזְבַּח־
328 וְאֵת הַמִּזְבַּח הַנְּחֹשֶׁת אֲשֶׁר לִפְנֵי יְיָ IIK. 16:14
329 וַיִּקְרָא...עַל הַמִּזְבַּח בֵּית־אֵל IIK. 23:17

לְמִזְבַּח־
330 מֵעַל לְמִזְבַּח הַקְּטֹרֶת IICh. 26:19

וּלְמִזְבַּח־
331 חֹטְבֵי עֵצִים...לָעֵדָה וּלְמִזְבַּח יְיָ Josh. 9:27
332 וּלְמִזְבַּח הַקְּטֹרֶת זָהָב מְזֻקָּק ICh. 28:18

מִזְבְּחִי
333 וְלֹא־תַעֲלֶה בְמַעֲלֹת עַל־מִזְבְּחִי Ex. 20:23
334 מֵעִם מִזְבְּחִי תִּקָּחֶנּוּ לָמוּת Ex. 21:14
335 לַעֲלוֹת עַל־מִזְבְּחִי לְהַקְטִיר קְטֹרֶת ISh. 2:28

מִזְבְּחִי (המשך)
336 וְאִישׁ לֹא־אַכְרִית לְךָ מֵעִם מִזְבְּחִי ISh. 2:33
337 עוֹלֹתֵיהֶם...לְרָצוֹן עַל־מִזְבְּחִי Is. 56:7
338 יַעֲלוּ עַל־רָצוֹן מִזְבְּחִי Is. 60:7
339 מַגִּישִׁים עַל־מִזְבְּחִי לֶחֶם מְגֹאָל Mal. 1:7
340 וְלֹא־תָאִירוּ מִזְבְּחִי חִנָּם Mal. 1:10

מִזְבַּחֲךָ
341 וּבָא אָלָה לִפְנֵי מִזְבַּחֲךָ IK. 8:31
342 וַאֲסֹבְבָה אֶת־מִזְבַּחֲךָ יְיָ Ps. 26:6
343 אָז יַעֲלוּ עַל־מִזְבַּחֲךָ פָרִים Ps. 51:21
344 וּבָא אָלָה לִפְנֵי מִזְבַּחֲךָ בַּבַּיִת הַזֶּה IICh. 6:22

מִזְבְּחֶךָ
345 יָשִׂימוּ...וְכָלִיל עַל־מִזְבְּחֶךָ Deut. 33:10

מִזְבְּחוֹ
346/7 כִּי נָתַץ אֶת־מִזְבְּחוֹ Jud. 6:31, 32
348 זָנַח אֲדֹנָי מִזְבְּחוֹ Lam. 2:7

מִזְבְּחֹת
349/50 בְּנֵה־לִי בָזֶה שִׁבְעָה מִזְבְּחֹת Num. 23:1, 29
351 וַיִּבֶן שִׁבְעָה מִזְבְּחֹת Num. 23:14
352 וַיָּקֶם מִזְבְּחֹת לַבַּעַל IIK. 21:3
353 וּבָנָה מִזְבְּחֹת בְּבֵית יְיָ IIK. 21:4
354/5 וַיִּבֶן מִזְבְּחוֹת לְכָל־צְבָא הַשָּׁמַיִם
IIK. 21:5 • IICh. 33:5
356 שַׂמְתֶּם מִזְבְּחוֹת לַבֹּשֶׁת Jer. 11:13
357 מִזְבְּחוֹת לְקַטֵּר לַבָּעַל Jer. 11:13
358 כִּי־הִרְבָּה אֶפְרַיִם מִזְבְּחֹת לַחֲטֹא Hosh. 8:11
359 הָיוּ־לוֹ מִזְבְּחוֹת לַחֲטֹא Hosh. 8:11
360 וַיַּעַשׂ לוֹ מִזְבְּחוֹת בְּכָל־פִּנָּה IICh. 28:24
361 וַיָּקֶם מִזְבְּחוֹת לַבְּעָלִים IICh. 33:3
362 וּבָנָה מִזְבְּחוֹת בְּבֵית יְיָ IICh. 33:4

הַמִּזְבְּחֹת
363 אֶת־שִׁבְעַת הַמִּזְבְּחֹת עָרַכְתִּי Num. 23:4
364 וְאֵת מַתָּן...הָרְגוּ לִפְנֵי הַמִּזְבְּחוֹת IIK. 11:18
365 וְאֶת־הַמִּזְבְּחוֹת אֲשֶׁר עַל־הַגָּג IIK. 23:12
366 וְאֶת־הַמִּזְבְּחוֹת אֲשֶׁר עָשָׂה מְנַשֶּׁה IIK. 23:12
367 וַיִּזְבַּח...כֹּהֲנֵי...עַל־הַמִּזְבְּחוֹת IIK. 23:20
368 וְלֹא יִשְׁעֶה אֶל־הַמִּזְבְּחוֹת Is. 17:8
369 וְאֵת מַתָּן...הָרְגוּ לִפְנֵי הַמִּזְבְּחוֹת IICh. 23:17
370 וַיָּסִירוּ אֶת־הַמִּזְבְּחוֹת אֲשֶׁר בִּירו׳ IICh. 30:14
371 וַיְנַתְּצוּ...הַבָּמוֹת וְאֶת־הַמִּזְבְּחֹת IICh. 31:1
372 וַיָּסַר...וְכָל־הַמִּזְבְּחוֹת אֲשֶׁר בָּנָה IICh. 33:15
373 וַיְנַתֵּץ אֶת־הַמִּזְבְּחוֹת IICh. 34:7

וְהַמִּזְבְּחוֹת
374 וּמִשְׁמַרְתָּם הָאָרֹן...וְהַמִּזְבְּחֹת Num. 3:31

לַמִּזְבְּחוֹת
375 כְּרֹב לְפִרְיוֹ הִרְבָּה לַמִּזְבְּחוֹת Hosh. 10:1

מִזְבְּחוֹת־
376 וּפָקַדְתִּי עַל־מִזְבְּחוֹת בֵּית־אֵל Am. 3:14
377 וַיָּסַר אֶת־מִזְבְּחוֹת הַנֵּכָר IICh. 14:2
378 וַיְנַתְּצוּ...אֵת מִזְבְּחוֹת הַבְּעָלִים IICh. 34:4

מִזְבְּחֹתֶיךָ
379-380 אֶת־מִזְבְּחֹתֶיךָ הָרָסוּ IK. 19:10, 14
381 שָׁתָה אֶפְרֹחֶיהָ אֶת־מִזְבְּחוֹתֶיךָ Ps. 84:4

מִזְבְּחֹתָיו
382 אֶת־מִזְבְּחֹתָו...שִׁבְּרוּ הֵיטֵב IIK. 11:18
383-385 הֵסִיר...אֶת־בָּמֹתָיו וְאֶת־מִזְבְּחֹתָיו
IIK. 18:22 • Is. 36:7 • IICh. 32:12
386 וְאֶת־מִזְבְּחֹתָיו...שִׁבֵּרוּ IICh. 23:17

מִזְבְּחוֹתֵיכֶם
387 חֲרוּשָׁה...וּלְקַרְנוֹת מִזְבְּחוֹתֵיכֶם Jer. 17:1
388 וְנָשַׁמּוּ מִזְבְּחוֹתֵיכֶם וְנִשְׁבְּרוּ... Ezek. 6:4
389 וְזֵרִיתִי...סְבִיבוֹת מִזְבְּחוֹתֵיכֶם Ezek. 6:5
390 לְמַעַן יֶחֶרְבוּ וְיֶאְשְׁמוּ מִזְבְּחוֹתֵיכֶם Ezek. 6:6

מִזְבְּחֹתָם
391 כִּי אֶת־מִזְבְּחֹתָם תִּתֹּצוּן Ex. 34:13
392 וְנִתַּצְתֶּם אֶת־מִזְבְּחֹתָם Deut. 12:3
393 כִּזְכֹּר בְּנֵיהֶם מִזְבְּחוֹתָם Jer. 17:2
394 הוּא יַעֲרֹף מִזְבְּחוֹתָם Hosh. 10:2
395 קוֹץ וְדַרְדַּר יַעֲלֶה עַל־מִזְבְּחו׳ Hosh. 10:8
396 גַּם מִזְבְּחוֹתָם כְּגַלִּים... Hosh. 12:12
397 וְעַצְמוֹת כֹּהֲנִים שָׂרַף עַל־מִזְבְּחוֹתָם
(כת׳ מזבחותים) IICh. 34:5

מִזְבְּחֹתֵיהֶם
398 מִזְבְּחֹתֵיהֶם תִּתֹּצוּ Deut. 7:5
399 מִזְבְּחוֹתֵיהֶם תִּתֹּצוּן Jud. 2:2
400 חַלְלֵיהֶם...סְבִיבוֹת מִזְבְּחוֹתֵיהֶם Ezek. 6:13

מֶזֶג* ז׳ תערובת נוזל

הַמָּזֶג 1 שָׁרְרֵךְ אַגַּן הַסַּהַר אַל־יֶחְסַר הַמָּזֶג S.ofS. 7:3

מָזֶה* ת׳ מצוץ, סחוט

מְזֵי־ 1 מְזֵי רָעָב וּלְחֻמֵי רֶשֶׁף Deut. 32:24

מִזָּה שפ־ז – בן רעואל בן עשׂו: 1–3

מִזָּה 1 אַלּוּף שַׁמָּה אַלּוּף מִזָּה Gen. 36:17
וּמִזָּה 2 נַחַת וָזֶרַח שַׁמָּה וּמִזָּה Gen. 36:13
3 נַחַת זֶרַח שַׁמָּה וּמִזָּה ICh. 1:37

מַזֶּה (שמות דז) – עין מַה (מס׳ 140)

מָזֶוה* ז׳ מחסן מזון

מְזָוֵינוּ 1 מְזָוֵינוּ מְלֵאִים מְפִיקִים מִזַּן אֶל־זַן Ps. 144:13

מְזוּזָה נ׳ אחד משני העמודים שהמשקוף נשען עליהם: 1–19

מְזוּזַת הַבַּיִת 5, 15, 16; מ׳ הַהֵיכָל 3; מ׳ פֶּתַח 19; מ׳ רְבוּעָה 4; מְזוּזַת הַשַּׁעַר 7

הַמְּזוּזָה 1 וְהִגִּישׁוֹ אֶל־הַדֶּלֶת אוֹ אֶל־הַמְּזוּזָה Ex. 21:6
וְהַמְּזוּזָה 2 וְאַחַר הַדֶּלֶת וְהַמְּזוּזָה שַׂמְתְּ זִכְרוֹנֵךְ Is. 57:8
מְזוּזַת־ 3 יֹשֵׁב...עַל־מְזוּזַת הֵיכַל יְיָ ISh. 1:9
4 הַהֵיכָל מְזוּזַת רְבֻעָה Ezek. 41:21
5 וְנָתַן אֶל־מְזוּזַת הַבַּיִת... Ezek. 45:19
6 מְזוּזַת שַׁעַר הֶחָצֵר הַפְּנִימִית Ezek. 45:19
7 וְעָמַד עַל־מְזוּזַת הַשַּׁעַר Ezek. 46:2
מְזוּזָתִי 8 וּמְזוּזָתָם אֵצֶל מְזוּזָתִי Ezek. 43:8
וּמְזוּזָתָם 9 וּמְזוּזָתָם אֵצֶל מְזוּזָתִי Ezek. 43:8
הַמְּזוּזֹת 10 עַל־שְׁתֵּי הַמְּזוּזֹת וְעַל־הַמַּשְׁקוֹף Ex. 12:7
11 אֶל־הַמַּשְׁקוֹף וְאֶל־שְׁתֵּי הַמְּזוּזֹת Ex. 12:22
12 עַל־הַמַּשְׁקוֹף וְעַל שְׁתֵּי הַמְּזוּזֹת Ex. 12:23
13 וַיֶּאֱחֹז בְּדַלְתוֹת...וּבִשְׁתֵּי הַמְּזוּזוֹת Jud. 16:3
וְהַמְּזוּזוֹת 14 וְכָל־הַפְּתָחִים וְהַמְּזוּזוֹת... IK. 7:5
מְזוּזוֹת־ 15 וּכְתַבְתָּם עַל־מְזֻזוֹת בֵּיתֶךָ Deut. 6:9
16 וּכְתַבְתָּם עַל־מְזוּזוֹת בֵּיתֶךָ Deut. 11:20
17 הָאַיִל מְזוּזוֹת חֲמִשִׁית IK. 6:31
18 מְזוּזוֹת עֲצֵי־שָׁמֶן IK. 6:33
19 לִשְׁמֹר מְזוּזֹת פְּתָחָי Prov. 8:34

מָזוֹן¹ ז׳ אוכל: 1, 2

וּמָזוֹן 1 נֹשְׂאֹת בָּר וָלֶחֶם וּמָזוֹן Gen. 45:23
הַמָּזוֹן 2 וַיִּתֵּן לָהֶם הַמָּזוֹן לָרֹב IICh. 11:23

מָזוֹן² ז׳ ארמית, כמו בעברית: 1, 2

וּמָזוֹן 1–2 וּמָזוֹן לְכֹלָּא־בֵהּ Dan. 4:9, 18

מָזוֹר ז׳ א) חֳלִי, מכה: 1, 2, 4
ב) רטיה, תחבושת: 3

מָזוֹר 1 וְלֹא־יִגְהֶה מִכֶּם מָזוֹר Hosh. 5:13
2 לַחְמְךָ יָשִׂימוּ מָזוֹר תַּחְתֶּיךָ Ob. 7
לְמָזוֹר 3 אֵין־דָּן דִּינֵךְ לְמָזוֹר Jer. 30:13
מְזֹרוֹ 4 וַיַּרְא אֶפְרַיִם אֶת־חָלְיוֹ וִיהוּדָה אֶת־מְזֹרוֹ Hosh. 5:13

מֵזַח ז׳ א) גשר מן החוף לים: 1
ב) חגורה: 2

מֵזַח 1 עִבְרִי אַרְצֵךְ כַּיְאֹר...אֵין מֵזַח עוֹד Is. 23:10
וּלְמֵזַח 2 וּלְמֵזַח תָּמִיד יַחְגְּרֶהָ Ps. 109:19

מְזִיחַ* חגורה

וּמְזִיחַ־ 1 מְזִיחַ אֲפִיקִים רִפָּה Job 12:21

מַזְכִּיר ז׳ – עין זָכַר

מַזָּל* ז׳ כּוֹכַב־לֶכֶת

וְלַמַּזָּלוֹת 1 לַשֶּׁמֶשׁ וְלַיָּרֵחַ וְלַמַּזָּלוֹת... IIK. 23:5

מַזְלֵג ז׳ כלי בעל שנים לתקיעה בבשׂר: 1–7

הַמַּזְלֵג 1 כֹּל אֲשֶׁר יַעֲלֶה הַמַּזְלֵג יִקַּח הַכֹּהֵן ISh. 2:14
וְהַמַּזְלֵג 2 וְהַמַּזְלֵג שְׁלֹשׁ הַשִּׁנַּיִם בְּיָדוֹ ISh. 2:13
הַמִּזְלָגֹת 3 אֶת־הַמִּזְלָגֹת וְאֶת־הַמַּחְתֹּת Ex. 38:3
4 אֶת־הַמַּחְתֹּת אֶת־הַמִּזְלָגֹת Num. 4:14
5 וְאֶת־הַיָּעִים וְאֶת־הַמִּזְלָגוֹת IICh. 4:16
וְהַמִּזְלָגוֹת 6 וְהַמִּזְלָגוֹת וְהַמִּזְרָקוֹת ICh. 28:17
וּמִזְלְגֹתָיו 7 וּמִזְרְקֹתָיו וּמִזְלְגֹתָיו וּמַחְתֹּתָיו Ex. 27:3

מְזִמָּה נ׳ מחשבה: 1–19 • קרובים: ראה מַחֲשָׁבָה

– דַּעַת וּמְזִמָּה 4; תּוּשִׁיָּה וּמְזִמָּה 5
– אִישׁ מְזִמּוֹת 12, 13; בַּעַל מ׳ 14; דַּעַת מ׳ 11; עוֹשֶׂה מְזִמּוֹת 9; מְזִמּוֹת לִבּוֹ 17, 18

מְזִמָּה 1 חָשְׁבוּ מְזִמָּה בַּל־יוּכָלוּ Ps. 21:12
2 מְזִמָּה תִּשְׁמֹר עָלֶיךָ Prov. 2:11
3 וְלֹא־יִבָּצֵר מִמְּךָ מְזִמָּה Job 42:2
וּמְזִמָּה 4 לָתֵת...לְנַעַר דַּעַת וּמְזִמָּה Prov. 1:4
5 נְצֹר תֻּשִׁיָּה וּמְזִמָּה Prov. 3:21
לִמְזִמָּה 6 אֲשֶׁר יֹמְרוּךָ לִמְזִמָּה Ps. 139:20
הַמְזִמָּתָה 7 עֲשׂוֹתָהּ הַמְזִמָּתָה הָרַבִּים Jer. 11:15
מְזִמָּתוֹ 8 כִּי עַל־בָּבֶל מְזִמָּתוֹ לְהַשְׁחִיתָהּ Jer. 51:11
מְזִמּוֹת 9 אַל־תִּתְחַר...בְּאִישׁ עֹשֶׂה מְזִמּוֹת Ps. 37:7
10 לִשְׁמֹר מְזִמּוֹת וְדַעַת שְׂפָתֶיךָ יִנְצֹרוּ Prov. 5:2
11 וְדַעַת מְזִמּוֹת אֶמְצָא Prov. 8:12
12 וְאִישׁ מְזִמּוֹת יַרְשִׁיעַ Prov. 12:2
13 וְאִישׁ מְזִמּוֹת יִשָּׂנֵא Prov. 14:17
14 מְחַשֵּׁב לְהָרֵעַ לוֹ בַּעַל־מְזִמּוֹת יִקְרָאוּ Prov. 24:8
וּמְזִמּוֹת 15 וּמְזִמּוֹת עָלַי תַּחְמֹסוּ Job 21:27
בִּמְזִמּוֹת 16 יִתָּפְשׂוּ בִּמְזִמּוֹת זוּ חָשָׁבוּ Ps. 10:2
מְזִמּוֹת־ 17/8 וְעַד־הֲקִימוֹ מְזִמּוֹת לִבּוֹ Jer. 23:20; 30:24
מְזִמּוֹתָיו 19 אֵין אֱלֹהִים כָּל־מְזִמּוֹתָיו Ps. 10:4

מִזְמוֹר ז׳ שיר מנוגן בכלי־זמר: 1–57

קרובים: זִמְרָה | זְמִירוֹת | מַנְגִּינָה | נְגִינָה | רֹן | רִנָּה | רְנָנָה | שִׁיר | שִׁירָה

מִזְמוֹר שִׁיר 44, 45, 52, 53; מִזְמוֹר לְתוֹדָה 55; שִׁיר מִזְמוֹר 43, 50, 56

מִזְמוֹר 1–7 מִזְמוֹר לְדָוִד Ps. 3:1
15:1; 23:1; 29:1; 63:1; 141:1; 143:1
8–26 לַמְנַצֵּחַ(...)מִזְמוֹר לְדָוִד Ps. 4:1
5:1; 6:1; 8:1; 9:1; 12:1; 13:1; 19:1; 20:1; 21:1; 22:1; 31:1; 39:1; 41:1; 51:1; 62:1; 64:1; 65:1; 140:1
27–28 לְדָוִד מִזְמוֹר Ps. 24:1; 101:1
29 מִזְמוֹר שִׁיר־חֲנֻכַּת הַבַּיִת לְדָוִד Ps. 30:1
30 מִזְמוֹר לְדָוִד לְהַזְכִּיר Ps. 38:1
31–33 לַמְנַצֵּחַ לְדָוִד מִזְמוֹר Ps. 40:1; 109:1; 139:1
34–36 לַמְנַצֵּחַ לִבְנֵי־קֹרַח מִזְמוֹר Ps. 47:1; 49:1; 85:1
37–38 שִׁיר מִזְמוֹר לִבְנֵי(־)קֹרַח Ps. 48:1; 88:1
39–42 מִזְמוֹר לְאָסָף Ps. 50:1; 73:1; 79:1; 82:1
43 לַמְנַצֵּחַ שִׁיר מִזְמוֹר Ps. 66:1
44 לַמְנַצֵּחַ בִּנְגִינֹת מִזְמוֹר שִׁיר Ps. 67:1
45 לַמְנַצֵּחַ לְדָוִד מִזְמוֹר שִׁיר Ps. 68:1
46 מִזְמוֹר לְאָסָף שִׁיר Ps. 75:1
47 לַמְנַצֵּחַ בִּנְגִ׳ מִזְמוֹר לְאָסָף שִׁיר Ps. 76:1
48 לַמְנַצֵּחַ עַל־יְדוּתוּן לְאָסָף מִזְמוֹר Ps. 77:1
49 לַמְנַצֵּחַ...עֵדוּת לְאָסָף מִזְמוֹר Ps. 80:1

מִזְמוֹר (המשך) 50 שִׁיר מִזְמוֹר לְאָסָף Ps. 83:1
51 לַמְנַצֵּחַ...לִבְנֵי־קֹרַח מִזְמוֹר Ps. 84:1
52 לִבְנֵי־קֹרַח מִזְמוֹר שִׁיר Ps. 87:1
53 מִזְמוֹר שִׁיר לְיוֹם הַשַּׁבָּת Ps. 92:1
54 מִזְמוֹר שִׁירוּ לַיְיָ שִׁיר חָדָשׁ Ps. 98:1
55 מִזְמוֹר לְתוֹדָה Ps. 100:1
56 שִׁיר מִזְמוֹר לְדָוִד Ps. 108:1
57 לְדָוִד מִזְמוֹר Ps. 110:1

מַזְמֵרָה* נ׳ מכשיר לכריתת ענפים: 1–4

בַּמַּזְמֵרוֹת 1 וְכָרַת הַזַּלְזַלִּים בַּמַּזְמֵרוֹת Is. 18:5
לְמַזְמֵרוֹת 2 וְכִתְּתוּ...וַחֲנִיתוֹתֵיהֶם לְמַזְמֵרוֹת Is. 2:4
3 וְכִתְּתוּ...וַחֲנִיתֹתֵיהֶם לְמַזְמֵרוֹת Mic. 4:3
וּמַזְמְרֹתֵיכֶם 4 כֹּתּוּ...וּמַזְמְרֹתֵיכֶם לִרְמָחִים Joel 4:10

מְזַמֶּרֶה* נ׳ מכלי־הנקוי של המנורה: 1–5

מְזַמְּרוֹת 1 מְזַמְּרוֹת מִזְרָקוֹת חֲצֹצְרוֹת IIK. 12:14
הַמְזַמְּרוֹת 2 וְאֶת־הַמְזַמְּרוֹת וְאֶת־הַכַּפּוֹת IIK. 25:14
3 וְאֶת־הַיָּעִים וְאֶת־הַמְזַמְּרוֹת Jer. 52:18
וְהַמְזַמְּרוֹת 4 וְהַסִּפּוֹת וְהַמְזַמְּרוֹת וְהַמִּזְרָקוֹת IK. 7:50
5 וְהַמְזַמְּרוֹת וְהַמִּזְרָקוֹת וְהַכַּפּוֹת IICh. 4:22

מִזְעָר תה״פ מעט: 1–4 • מְעַט מִזְעָר 1, 2, 4

מִזְעָר 1 כִּי־עוֹד מְעַט מִזְעָר... Is. 10:25
2 וּשְׁאָר מְעַט מִזְעָר לוֹא כַבִּיר Is. 16:14
3 וְנִשְׁאַר אֱנוֹשׁ מִזְעָר Is. 24:6
4 הֲלֹא־עוֹד מְעַט מִזְעָר Is. 29:17

מַזָּר* ז׳ מזל

מַזָּרוֹת 1 הֲתֹצִיא מַזָּרוֹת בְּעִתּוֹ Job 38:32

מִזְרֶה ז׳ כלי לזרית תבואה: 1, 2

בְּמִזְרֶה 1 וָאֶזְרֵם בְּמִזְרֶה בְּשַׁעֲרֵי הָאָרֶץ Jer. 15:7
וּבַמִּזְרֶה 2 אֲשֶׁר־זֹרֶה בָרַחַת וּבַמִּזְרֶה Is. 30:24

מִזְרָח ז׳ הצד שבו זורחת השמש: 1–74

– מִזְרָח וּמַעֲרָב 3, 12, 21, 38
– אֶרֶץ מִזְרָח 2; רְחוֹב הַמִּ׳ 10; שַׁעַר הַמִּזְרָח 9
– מִזְרַח הַגַּיְא 31; מ׳ יָנוֹחָה 34; מ׳ הַיַּרְדֵּן 32; מִזְרַח יְרִיחוֹ 25; מִזְרַח שֶׁמֶשׁ 24,23,26–30,33,35–45
– קֵדְמָה מִזְרָחָה 46–48, 51, 65

מִזְרָח 1 מִיָּם עַד־יָם וּמִצָּפוֹן וְעַד־מִזְרָח Am. 8:12
2 מֵאֶרֶץ מִזְרָח וּמֵאֶרֶץ מְבוֹא הַשָּׁמֶשׁ Zech. 8:7
3 כִּרְחֹק מִזְרָח מִמַּעֲרָב Ps. 103:12
4 וְעַד שַׁעַר הַמַּיִם מִזְרָח Neh. 12:37
5 עַל־כָּל־פְּנֵי מִזְרָח לַגִּלְעָד ICh. 5:10
6 מִזְרָח יָמָּה צָפוֹנָה וָנֶגְבָּה ICh. 9:24
7 וְהַלְוִיִּם...עֹמְדִים מִזְרָח לַמִּזְבֵּחַ IICh. 5:12
הַמִּזְרָח 8 אֶל־הַנֶּגֶב וְאֶל־הַמִּזְרָח וְאֶל־הַצֶּבִי Dan. 8:9
9 שְׁמַעְיָה...שֹׁמֵר שַׁעַר הַמִּזְרָח Neh. 3:29
10 וַיַּאַסְפֵם לִרְחוֹב הַמִּזְרָח IICh. 29:4
לַמִּזְרָח 11 עַד נֶגֶד שַׁעַר הַמַּיִם לַמִּזְרָח Neh. 3:26
12 וַיַּבְרִיחוּ...לַמִּזְרָח וְלַמַּעֲרָב ICh. 12:15(16)
13 לַמִּזְרָח הַלְוִיִּם שִׁשָּׁה ICh. 26:17
וְלַמִּזְרָח 14 וְלַמִּזְרָח יָשַׁב עַד־לְבוֹא מִדְבָּרָה ICh. 5:9
15 וְלַמִּזְרָח נַעֲרָן וְלַמַּעֲרָב גֶּזֶר ICh. 7:28
מִמִּזְרָח 16 הַכְּנַעֲנִי מִמִּזְרָח וּמִיָּם Josh. 11:3
17 יִפְגְּעוּן...וּבְיִשָּׂשכָר מִמִּזְרָח Josh. 17:10
18 מִי הֵעִיר מִמִּזְרָח Is. 41:2
19 מִמִּזְרָח אָבִיא זַרְעֶךָ Is. 43:5
20 קֹרֵא מִמִּזְרָח עַיִט Is. 46:11
21 מִמִּזְרָח וּמִמַּעֲרָב מִצָּפוֹן וּמִיָּם Ps. 107:3
22 וּשְׁמֻעוֹת יְבַהֲלֻהוּ מִמִּזְרָח וּמִצָּפוֹן Dan. 11:44

מִזְרַח־ 23 אֲשֶׁר בְּעֵבֶר הַיַּרְדֵּן מִזְרַח שָׁמֶשׁ Deut. 4:47
24 בְּעֵבֶר הַיַּרְדֵּן מִזְרַח הַשָּׁמֶשׁ Josh. 1:15
25 בַּגִּלְגָּל בִּקְצֵה מִזְרַח יְרִיחוֹ Josh. 4:19
26 וְכָל־הַלְּבָנוֹן מִזְרַח הַשֶּׁמֶשׁ Josh. 13:5
27 וְשָׁב...קֵדְמָה מִזְרַח הַשֶּׁמֶשׁ Josh. 19:12
28 וְשָׁב מִזְרַח הַשֶּׁמֶשׁ בֵּית דָּגֹן Josh. 19:27
29 וּפָגַע...הַיַּרְדֵּן מִזְרַח הַשָּׁמֶשׁ Josh. 19:34
30 מִן־הַיַּרְדֵּן מִזְרַח הַשֶּׁמֶשׁ IIK. 10:33
לְמִזְרַח־ 31 וַיֵּלְכוּ...עַד לְמִזְרַח הַגָּיְא ICh. 4:39
32 וּמֵעֵבֶר לְיַרְדֵּן יְרֵחוֹ לְמִזְרַח הַיַּרְדֵּן ICh. 6:63
מִמִּזְרַח־ 33 בְּעִיֵּי הָעֲבָרִים...מִמִּזְרַח הַשָּׁמֶשׁ Num. 21:11
34 וְעָבַר אוֹתוֹ מִמִּזְרַח יָנוֹחָה Josh. 16:6
35 וַיָּבֹא מִמִּזְרַח־שֶׁמֶשׁ לְאֶ׳ מוֹאָב Jud. 11:18
36 עַד נֹכַח הַגִּבְעָה מִמִּזְרַח־שָׁמֶשׁ Jud. 20:43
37 מִמִּזְרַח־שֶׁמֶשׁ יִקְרָא בִשְׁמִי Is. 41:25
38 מִמִּזְרַח־שֶׁמֶשׁ וּמִמַּעֲרָבָה Is. 45:6
39 מִמִּזְרַח־שֶׁמֶשׁ וְעַד־מְבוֹאוֹ Mal. 1:11
40 מִמִּזְרַח־שֶׁמֶשׁ עַד־מְבֹאוֹ Ps. 50:1
41 מִמִּזְרַח־שֶׁמֶשׁ עַד־מְבוֹאוֹ Ps. 113:3
וּמִמִּזְרַח־ 42 וּמִמִּזְרַח־שֶׁמֶשׁ אֶת־כְּבוֹדוֹ Is. 59:19
מִזְרְחָה 43 בְּעֵבֶר הַיַּרְדֵּן מִזְרְחָה שָׁמֶשׁ Deut. 4:41
44 בְּעֵבֶר הַיַּרְדֵּן מִזְרְחָה הַשָּׁמֶשׁ Josh. 12:1
45 מִצְּפוֹנָה לְבֵ׳ אֵל מִזְרְחָה הַשֶּׁמֶשׁ Jud. 21:19
מִזְרָחָה 46 לִפְאַת קֵדְמָה מִזְרָחָה Ex. 27:13
47 וְלִפְאַת קֵדְמָה מִזְרָחָה Ex. 38:13
48 וְהַחֹנִים קֵדְמָה מִזְרָחָה Num. 2:3
49 לִפְנֵי אֹהֶל־מוֹעֵד מִזְרָחָה Num. 3:38
50 מֵעֵבֶר הַיַּרְדֵּן מִזְרָחָה Num. 32:19
51 מֵעֵבֶר לְיַרְדֵּן...קֵדְמָה מִזְרָחָה Num. 34:15
52 תַּחַת אַשְׁדֹּת הַפִּסְגָּה מִזְרָחָה Deut. 3:17
53 עֵבֶר הַיַּרְדֵּן מִזְרָחָה Deut. 4:49
54 וְעַד־בִּקְעַת מִצְפֶּה מִזְרָחָה Josh. 11:8
55 וְכָל־הָעֲרָבָה מִזְרָחָה Josh. 12:1
56 וְהָעֲרָבָה עַד־יָם כִּנְרוֹת מִזְרָחָה Josh. 12:3
57 וְעַד...יָם־הַמֶּלַח מִזְרָחָה Josh. 12:3
58 בְּעֵבֶר הַיַּרְדֵּן מִזְרָחָה Josh. 13:8
59 עַד...עֵבֶר הַיַּרְדֵּן מִזְרָחָה Josh. 13:27
60 מֵעֵבֶר לְיַרְדֵּן יְרִיחוֹ מִזְרָחָה Josh. 13:32
61 מִיַּרְדֵּן יְרִיחוֹ לְמֵי יְרִיחוֹ מִזְרָחָה Josh. 16:1
62 וַיְהִי גְּבוּל נַחֲלָתָם מִזְרָחָה Josh. 16:5
63 וְנָסַב הַגְּבוּל מִזְרָחָה Josh. 16:6
64 מֵעֵבֶר לַיַּרְדֵּן מִזְרָחָה Josh. 18:7
65 וּמִשָּׁם עָבַר קֵדְמָה מִזְרָחָה Josh. 19:13
66 וּמֵעֵבֶר לְיַרְדֵּן יְרִיחוֹ מִזְרָחָה Josh. 20:8
67/8 וּשְׁלֹשָׁה פֹנִים מִזְרָחָה IK. 7:25 • IICh. 4:4
69 פִּנַּת שַׁעַר הַסּוּסִים מִזְרָחָה Jer. 31:40(39)
70 וְנִבְקַע...מֶחֶצְיוֹ מִזְרָחָה וָיָמָּה Zech. 14:4
71 וְעַד־הֵנָּה בְּשַׁעַר הַמֶּלֶךְ מִזְרָחָה ICh. 9:18
72 וַיִּפֹּל הַגּוֹרָל מִזְרָחָה לְשֶׁלֶמְיָהוּ ICh. 26:14
וּמִזְרָחָה 73 יָמָּה וְצָפֹנָה וְתֵימָנָה וּמִזְרָחָה Deut. 3:27
לַמִּזְרָחָה 74 וְקוֹרֵא...הַלֵּוִי הַשּׁוֹעֵר לַמִּזְרָחָה IICh. 31:14

מְזָרִים
ז״ר רוּחוֹת צָפוֹן(?)

וּמִמְּזָרִים 1 מִן־הַחֶדֶר תָּבוֹא סוּפָה וּמִמְּזָרִים קָרָה Job 37:9

מִזְרָע*
ז׳ צמחים שנזרעו

מִזְרַע־ 1 וְכֹל מִזְרַע יְאוֹר יִיבַשׁ Is. 19:7

מִזְרָק
ז׳ א) כלי לזריקת דם על המזבח: 1-17, 19-32
ב) גביע, ספל: 18

מִזְרְקֵי זָהָב 17; מִזְרְקֵי יַיִן 18; מ׳ כֶּסֶף 16

מִזְרָק 1-12 מִזְרָק אֶחָד כֶּסֶף Num. 7:13, 19
7:25, 31, 37, 43, 49, 55, 61, 67, 73, 79
הַמִּזְרָק 13 וּשְׁבְעִים הַמִּזְרָק הָאֶחָד Num. 7:85
כַּמִּזְרָק 14 וּמָלְאוּ כַּמִּזְרָק כְּזָוִיּוֹת מִזְבֵּחַ Zech. 9:15
כַּמִּזְרָקִים 15 כַּמִּזְרָקִים לִפְנֵי הַמִּזְבֵּחַ Zech. 14:20
מִזְרְקֵי־ 16 מִזְרְקֵי־כֶסֶף שְׁנֵים עָשָׂר Num. 7:84
17 וַיַּעַשׂ מִזְרְקֵי זָהָב מֵאָה IICh. 4:8
בְּמִזְרְקֵי־ 18 הַשֹּׁתִים בְּמִזְרְקֵי יַיִן Am. 6:6
מִזְרָקוֹת 19 סִפּוֹת כֶּסֶף מְזַמְּרוֹת מִזְרָקוֹת IIK. 12:14
20 נָתַן לָאוֹצָר...מִזְרָקוֹת חֲמִשִּׁים Neh. 7:69
הַמִּזְרָקֹת 21/2 הַיָּעִים וְאֶת־הַמִּזְרָקֹת Ex. 38:3 • Num. 4:14
23-25 וְאֶת־הַיָּעִים וְאֶת־הַמִּזְרָקוֹת IK. 7:40, 45
IICh. 4:11
26-27 וְאֶת־הַמַּחְתּוֹת וְאֶת־הַמִּזְרָקוֹת
IIK. 25:15 • Jer. 52:19
28 וְאֶת־הַמְזַמְּרוֹת וְאֶת־הַמִּזְרָקֹת Jer. 52:18
וְהַמִּזְרָקוֹת 29 וְהַסִּפּוֹת וְהַמְזַמְּרוֹת וְהַמִּזְרָקוֹת IK. 7:50
30 וְהַמִּזְלָגוֹת וְהַמִּזְרָקוֹת וְהַקְּשָׂוֹת ICh. 28:17
31 וְהַמְזַמְּרוֹת וְהַמִּזְרָקוֹת וְהַכַּפּוֹת IICh. 4:22
וּמִזְרְקֹתָיו 32 וְיָעָיו וּמִזְרְקֹתָיו וּמִזְלְגֹתָיו Ex. 27:3

מֹחַ
ז׳ לְשַׁד העצמות

וּמֹחַ־ 1 וּמֹחַ עַצְמוֹתָיו יְשֻׁקֶּה Job 21:24

מֵחַ*
ת׳ שָׁמֵן: 1, 2

מֵחִים 1 וְחָרְבוֹת מֵחִים גָּרִים יֹאכֵלוּ Is. 5:17
2 עֹלוֹת מֵחִים אַעֲלֶה־לָּךְ Ps. 66:15

מחא
: מָחָא; אר׳ מְחָא, מְחֵא, אִתְמְחֵא

מָחָא
פ׳ הכה: 1—3

מָחָא יָד 1; מָחָא כַף 2, 3

מַחְאֲךָ 1 יַעַן מַחְאֲךָ יָד וְרַקְעֲךָ בְּרָגֶל Ezek. 25:6
יִמְחֲאוּ 2 וְכָל־עֲצֵי הַשָּׂדֶה יִמְחֲאוּ־כָף Is. 55:12
3 נְהָרוֹת יִמְחֲאוּ־כָף Ps. 98:8

מְחָא
פ׳ ארמית: א) הכה: 1, 2
ב) [פ׳ מְחֵא] הכה (ובהשאלה) התנגד: 3
ג) [אתפ׳ אִתְמְחֵא] הכה (ובהשאלה) נִתלה: 4

מְחָת 1 וְאַבְנָא דִּי־מְחָת לְצַלְמָא Dan. 2:35
וּמְחָת 2 וּמְחָת לְצַלְמָא עַל־רַגְלוֹהִי Dan. 2:34
יְמַחֵא 3 וְלָא אִיתַי דִּי־יְמַחֵא בִידֵהּ Dan. 4:32
יִתְמְחֵא 4 וּזְקִיף יִתְמְחֵא עֲלֹהִי Ez. 6:11

מַחֲבֵא
ז׳ מסתר

כְּמַחֲבֵא־ 1 כְּמַחֲבֵא־רוּחַ וְסֵתֶר זָרֶם Is. 32:2

מַחֲבוֹא*
ז׳ מסתר

הַמַּחֲבֹאִים 1 מִכֹּל הַמַּחֲבֹאִים אֲשֶׁר יִתְחַבֵּא שָׁם ISh. 23:23

מַחְבֶּרֶת
נ׳ חִבּוּר דברים: 1—8

בַּמַּחְבָּרֶת 1-2 בַּמַּחְבֶּרֶת הַשֵּׁנִית Ex. 26:4; 36:11
3-4 אֲשֶׁר בַּמַּחְבֶּרֶת הַשֵּׁנִית Ex. 26:5; 36:12
בַּמַּחְבָּרֶת 5 מִקָּצָה בַּמַּחְבָּרֶת Ex. 36:11
6 הַקִּיצוֹנָה בַּמַּחְבָּרֶת Ex. 36:17
מַחְבַּרְתּוֹ 7-8 לְעֻמַּת מַחְבַּרְתּוֹ Ex. 28:27; 39:20

מְחַבְּרֶת*
נ׳ קוֹרַת־חִבּוּר: 1, 2

לַמְחַבְּרוֹת 1 וְעֵצִים לַמְחַבְּרוֹת IICh. 34:11
וְלַמְחַבְּרוֹת 2 לְדַלְתוֹת הַשְּׁעָרִים וְלַמְחַבְּרוֹת ICh. 22:3(2)

מַחֲבַת
נ׳ כלי לטגון: 1—5 • מַחֲבַת בַּרְזֶל 5

מַחֲבַת 1 עַל־מַחֲבַת בַּשֶּׁמֶן תֵּעָשֶׂה Lev. 6:14
2 וְכָל־נַעֲשָׂה בַמַּרְחֶשֶׁת וְעַל־מַחֲבַת Lev. 7:9
הַמַּחֲבַת 3 וְאִם־מִנְחָה עַל־הַמַּחֲבַת קָרְבָּנֶךָ Lev. 2:5
וְלַמַּחֲבַת 4 וְלַמַּחֲבַת וְלַמֻּרְבָּכֶת ICh. 23:29
מַחֲבַת־ 5 וְאַתָּה קַח־לְךָ מַחֲבַת בַּרְזֶל Ezek. 4:3

מַחֲגֹרֶת*
נ׳ חֲגוֹרָה

מַחֲגֹרֶת־ 1 וְתַחַת פְּתִיגִיל מַחֲגֹרֶת שָׂק Is. 3:24

מחה
: מָחָה, נִמְחָה, הִמְחָה; מְחִי

מָחָה
פ׳ א) מָחַק, בִּטֵּל, השמיד: 1, 2-6, 10, 13, 18-20, 23-35
ב) נגב, קִנֵּח: 7, 11, 12, 19, 22
ג) נגע: 8, 9
ד) [נפ׳ נִמְחָה] נמחק, הושמד: 24-32
ה) [הפ׳ הִמְחָה] מחק: 33-35

– מָחָה דִמְעָה 11; מָחָה זִכְרוֹ 1; מָחָה פִּיו 12; מָחָה פְּשָׁעָיו 3, 13, 21; מָחָה שְׁמוֹ 2, 6, 10, 16
– נִמְחָה שְׁמוֹ 25, 27

מָחֹה 1 כִּי־מָחֹה אֶמְחֶה אֶת־זֵכֶר עֲמָלֵק Ex. 17:14
לִמְחוֹת 2 לִמְחוֹת אֶת־שֵׁם יִשְׂ׳ מִתַּחַת הַשָּׁמָיִם IIK. 14:27
מָחִיתִי 3 מָחִיתִי כָעָב פְּשָׁעֶיךָ Is. 44:22
וּמָחִיתִי 4 וּמָחִיתִי אֶת־כָּל־הַיְקוּם Gen. 7:4
5 וּמָחִיתִי אֶת־יְרוּשָׁלַםִ IIK. 21:13
מָחִיתָ 6 שְׁמָם מָחִיתָ לְעוֹלָם וָעֶד Ps. 9:6
מָחָה 7 מָחָה וְהָפַךְ עַל־פָּנֶיהָ IIK. 21:13
וּמָחָה 8 וְכָתַב...וּמָחָה אֶל־מֵי הַמָּרִים Num. 5:23
9 וּמָחָה עַל־כֶּתֶף יָם־כִּנֶּרֶת Num. 34:11
10 וּמָחָה יְיָ אֶת־שְׁמוֹ מִתַּחַת הַשָּׁמָיִם Deut. 29:19
11 וּמָחָה יְיָ...דִּמְעָה מֵעַל כָּל־פָּנִים Is. 25:8
וּמָחֲתָה 12 אָכְלָה וּמָחֲתָה פִיהָ... Prov. 30:20
מוֹחֶה 13 אָנֹכִי אָנֹכִי...מֹחֶה פְשָׁעֶיךָ לְמַעֲנִי Is. 43:25
אֶמְחֶה 14 אֶמְחֶה אֶת־הָאָדָם...מֵעַל פְּנֵי הָאֲדָמָה
Gen. 6:7
15 כִּי־מָחֹה אֶמְחֶה אֶת־זֵכֶר עֲמָלֵק... Ex. 17:14
וְאֶמְחֶה 16 וְאֶמְחֶה אֶת־שְׁמָם מִתַּחַת הַשָּׁמָיִם Deut. 9:14
אֶמְחֶנּוּ 17 מִי אֲשֶׁר חָטָא־לִי אֶמְחֶנּוּ מִסִּפְרִי Ex. 32:33
תִּמְחֶה 18 תִּמְחֶה אֶת־זֵכֶר עֲמָלֵק Deut. 25:19
יִמְחֶה 19 כַּאֲשֶׁר־יִמְחֶה אֶת־הַצַּלַּחַת IIK. 21:13
וַיִּמַח 20 וַיִּמַח אֶת־כָּל־הַיְקוּם Gen. 7:23
מְחֵה 21 כְּרֹב רַחֲמֶיךָ מְחֵה פְשָׁעָי Ps. 51:3
22 וְכָל־עֲוֹנֹתַי מְחֵה Ps. 51:11
מְחֵנִי 23 מְחֵנִי נָא מִסִּפְרְךָ אֲשֶׁר כָּתָבְתָּ Ex. 32:32
וְנִמְחוּ 24 וְנִגְדְּעוּ חַמָּנֵיכֶם וְנִמְחוּ מַעֲשֵׂיכֶם Ezek. 6:6
יִמָּחֶה 25 וְלֹא־יִמָּחֶה שְׁמוֹ מִיִּשְׂרָאֵל Deut. 25:6
26 וְלֹא־יִמָּחֶה שֵׁבֶט מִיִּשְׂרָאֵל Jud. 21:17
יִמַּח 27 בְּדוֹר אַחֵר יִמַּח שְׁמָם Ps. 109:13
תִמָּחֶה 28 וְחֶרְפָּתוֹ לֹא תִמָּחֶה Prov. 6:33
29 וְחַטָּאתָם מִלְּפָנֶיךָ אַל־תִּמָּחֶה Neh. 3:37
תִּמָּח 30 וְחַטַּאת אִמּוֹ אַל־תִּמָּח Ps. 109:14
יִמָּחוּ 31 יִמָּחוּ מִסֵּפֶר חַיִּים Ps. 69:29
וַיִּמָּחוּ 32 וַיִּמָּחוּ מִן־הָאָרֶץ Gen. 7:23
לַמְחוֹת 33 אַל־תִּתֵּן...וּדְרָכֶיךָ לַמְחוֹת מְלָכִין Prov. 31:3
תֶּמַח 34 וְאַל־תֶּמַח חֲסָדַי אֲשֶׁר עָשִׂיתִי Neh. 13:14
תֶּמְחִי 35 וְחַטָּאתָם מִלְּפָנֶיךָ אַל־תֶּמְחִי Jer. 18:23

מְחוּגָה
נ׳ מכשיר לשרטוט מעגלים

וּבַמְּחוּגָה 1 בַּמַּקְצֻעוֹת וּבַמְּחוּגָה יְתָאֳרֵהוּ Is. 44:13

מָחוֹז*
ז׳ נמל? גבול?

מְחוֹז־ 1 וַיַּנְחֵם אֶל־מְחוֹז חֶפְצָם Ps. 107:30

מְחוּיָאֵל
שפ־ז – מצאצאי קין

מְחוּיָאֵל 1 וְעִירָד יָלַד אֶת־מְחוּיָאֵל Gen. 4:18

מַחֲוִים עיר במואב שבה נולד אחד מגבורי דוד (?)
הַמַּחֲוִים 1 אֱלִיאֵל הַמַּחֲוִים וִירִיבַי... ICh. 11:46

מָחוֹל¹ ז׳ רקוד, כרכור (לדעה אחרת: כלי־זמר כעין חליל): 1–13
תֹּף וּמָחוֹל 1, 12, 13; מְחוֹל מְשַׂחֲקִים 5
וּמָחוֹל 1 הַלְלוּהוּ בְּתֹף וּמָחוֹל Ps. 150:4
בְּמָחוֹל 2 אָז תִּשְׂמַח בְּתוּלָה בְּמָחוֹל Jer. 31:13(12)
3 יְהַלְלוּ שְׁמוֹ בְמָחוֹל Ps. 149:3
לְמָחוֹל 4 הָפַכְתָּ מִסְפְּדִי לְמָחוֹל לִי Ps. 30:12
בִּמְחוֹל־ 5 וְיָצָאת בִּמְחוֹל מְשַׂחֲקִים Jer. 31:4(3)
מְחֹלֵנוּ 6 נֶהְפַּךְ לְאֵבֶל מְחֹלֵנוּ Lam. 5:15
וּמְחֹלֹת 7 וַיַּרְא אֶת־הָעֵגֶל וּמְחֹלֹת Ex. 32:19
וְהַמְּחֹלוֹת 8 וַתֵּצֶאנָה הַנָּשִׁים...לָשִׁיר° וְהַמְּחֹלוֹת ISh. 18:6
בַּמְּחֹלוֹת 9 אִם־יֵצְאוּ...לָחוּל בַּמְּחֹלוֹת Jud. 21:21
10 הֲלוֹא לָזֶה יַעֲנוּ בַמְּחֹלוֹת לֵאמֹר ISh. 21:12
11 אֲשֶׁר יַעֲנוּ־לוֹ בַּמְּחֹלוֹת לֵאמֹר ISh. 29:5
וּבִמְחֹלֹת 12 וַתֵּצֶאןָ...אַחֲרֶיהָ בְּתֻפִּים וּבִמְחֹלֹת Ex. 15:20
13 יֹצֵאת לִקְרָאתוֹ בְּתֻפִּים וּבִמְחֹלוֹת Jud. 11:34

מָחוֹל² שפ״ז – אבי החכמים הימן כלכל ודרדע
מָחוֹל 1 וְהֵימָן וְכַלְכֹּל וְדַרְדַּע בְּנֵי מָחוֹל IK. 5:11

מְחוֹלָה נ׳ מָחוֹל • מְחוֹלַת הַמַּחֲנָיִם 1
כִּמְחֹלַת־ 1 מַה־תֶּחֱזוּ בַּשּׁוּלַמִּית כִּמְחֹלַת הַמַּחֲנָיִם S.ofS.7:1

מְחוֹלָתִי ת׳ מתושבי אבל מחולה: 1, 2
הַמְּחֹלָתִי 1 נִתְּנָה לְעַדְרִיאֵל הַמְּחֹלָתִי לְאִשָּׁה ISh. 18:19
2 אֲשֶׁר יָלְדָה לְעַדְרִיאֵל...הַמְּחֹלָתִי IISh. 21:8

(אָבֵל) מְחוֹלָה – עין אָבֵל מְחוֹלָה (באות א׳)

מַחֲזֶה ז׳ מַרְאֶה: 1–4 • קרובים: ראה חָזוֹן
מַחֲזֵה שַׁדַּי 2, 3; מַחֲזֵה שָׁוְא 4
בַּמַּחֲזֶה 1 הָיָה דְבַר־יְ״יָ אֶל־אַבְרָם בַּמַּחֲזֶה Gen. 15:1
מַחֲזֵה־ 2-3 מַחֲזֵה שַׁדַּי יֶחֱזֶה Num. 24:4, 16
4 הֲלוֹא מַחֲזֵה־שָׁוְא חֲזִיתֶם Ezek. 13:7

מֶחֱזָה נ׳ מַרְאֶה, מקום גלוי: 1–4
מֶחֱזָה 1 וּמֶחֱזָה אֶל־מֶחֱזָה שָׁלֹשׁ פְּעָמִים IK. 7:4
2-3 וּמוּל מֶחֱזָה אֶל־מֶחֱזָה שָׁלֹשׁ פְּעָמִים IK. 7:5
וּמֶחֱזָה 4 וּמֶחֱזָה אֶל־מֶחֱזָה שָׁלֹשׁ פְּעָמִים IK. 7:4

מַחֲזִיאוֹת שפ״ז – צעיר בני הימן ממשוררי דוד: 1, 2
מַחֲזִיאוֹת 1 בְּנֵי הֵימָן...הוֹתִיר מַחֲזִיאוֹת ICh. 25:4
לְמַחֲזִיאוֹת 2 לִשְׁלֹשָׁה וְעֶשְׂרִים לְמַחֲזִיאוֹת ICh. 25:30

מחח : מֹחַ, מֵחַ, מְמֻחָיִם

מְחִי ז׳ מַכָּה
וּמְחִי־ 1 וּמְחִי קָבָלּוֹ יִתֵּן בְּחֹמוֹתָיִךְ Ezek. 26:9

מְחִיָּאֵל הוא מְחוּיָאֵל, מצאצאי קין
וּמְחִיָּאֵל 1 וּמְחִיָּיאֵל יָלַד אֶת־מְתוּשָׁאֵל Gen. 4:18

מְחִידָא שפ״ז – מן הנתונים בימי עזרא: 1, 2
מְחִידָא 1 בְּנֵי־מְחִידָא בְּנֵי חַרְשָׁא Ez. 2:52
2 בְּנֵי־מְחִידָא בְּנֵי חַרְשָׁא Neh. 7:54

מִחְיָה נ׳ א) אוכל לחיים: 1–5, 8
ב) בשר חי בפצע: 6, 7
מִחְיָה 1 וְלֹא־יַשְׁאִירוּ מִחְיָה Jud. 6:4
2 וּלְתִתֵּנוּ מִחְיָה מְעַט בְּעַבְדֻתֵנוּ Ez. 9:8
3 לָתֶת־לָנוּ מִחְיָה Ez. 9:9
4 וַיִּפֹּל מִכּוּשִׁים לְאֵין־לָהֶם מִחְיָה IICh. 14:12
לְמִחְיָה 5 כִּי לְמִחְיָה שְׁלָחַנִי אֱלֹ׳ לִפְנֵיכֶם Gen. 45:5
מִחְיַת־ 6 וְהָיְתָה מִחְיַת הַמִּכְוָה בַּהֶרֶת Lev. 13:24
וּמִחְיַת־ 7 וּמִחְיַת בָּשָׂר חַי בַּשְׂאֵת Lev. 13:10
וּמִחְיָתֶךָ 8 וְעֵרֶךְ בְּגָדִים וּמִחְיָתֶךָ Jud. 17:10

מְחִיר¹ ז׳ תמורה, ערכו של דבר בכסף: 1–15
בְּלוֹא מְחִיר 2; מְחִיר כֶּלֶב 12; כֶּסֶף מְחִירוֹ 14
מְחִיר 1 אֶתְּנָה־לְךָ כֶסֶף מְחִיר זֶה IK. 21:2
2 שִׁבְרוּ בְּלוֹא־כֶסֶף וּבְלוֹא מְחִיר Is. 55:1
3 לָמָּה־זֶּה מְחִיר בְּיַד־כְּסִיל Prov. 17:16
בִּמְחִיר 4 כִּי־קָנוֹ אֶקְנֶה מֵאוֹתְךָ בִּמְחִיר IISh. 24:24
5 סֹחֲרֵי הַמֶּלֶךְ יִקְחוּ מִקְוֵה בִּמְחִיר IK. 10:28
6 לֹא בִמְחִיר וְלֹא בְשֹׁחַד Is. 45:13
7 חֵילְךָ...לָבַז אֶתֵּן לֹא בִמְחִיר Jer. 15:13
8 וְכֹהֲנֶיהָ בִּמְחִיר יוֹרוּ Mic. 3:11
9 עֵצֵינוּ בִּמְחִיר יָבֹאוּ Lam. 5:4
10 וַאֲדָמָה יְחַלֵּק בִּמְחִיר Dan. 11:39
11 סֹחֲרֵי הַמֶּלֶךְ מִקְוֵא יִקְחוּ בִּמְחִיר IICh. 1:16
וּמְחִיר־ 12 אֶתְנַן זוֹנָה וּמְחִיר כֶּלֶב Deut. 23:19
13 וּמְחִיר שָׂדֶה עַתּוּדִים Prov. 27:26
מְחִירָהּ 14 וְלֹא יִשָּׁקֵל כֶּסֶף מְחִירָהּ Job 28:15
בִּמְחִירֵיהֶם 15 וְלֹא־רִבִּיתָ בִּמְחִירֵיהֶם Ps. 44:13

מְחִיר² שפ״ז – איש מזרע יהודה
מְחִיר 1 וּכְלוּב...הוֹלִיד אֶת־מְחִיר ICh. 4:11

מַחֲלָה נ׳ חֳלִי, דְוַי: 1–4 • קרובים: ראה חֳלִי
מַחֲלָה 1 וַהֲסִרֹתִי מַחֲלָה מִקִּרְבֶּךָ Ex. 23:25
2 כָּל־נֶגַע כָּל־מַחֲלָה IK. 8:37
3 כָּל־נֶגַע וְכָל־מַחֲלָה IICh. 6:28
הַמַּחֲלָה 4 כָּל־הַמַּחֲלָה אֲשֶׁר־שַׂמְתִּי בְמִצְרַיִם Ex. 15:26

מַחֲלֶה* ז׳ מַחֲלָה: 1, 2
בְּמַחֲלֵה־ 1 בָּחֳלָיִים רַבִּים בְּמַחֲלֵה מֵעֶיךָ IICh. 21:15
מַחֲלֵהוּ 2 רוּחַ־אִישׁ יְכַלְכֵּל מַחֲלֵהוּ Prov. 18:14

מַחְלָה¹ שפ״נ – מבנות צלפחד: 1–4
מַחְלָה 1-2 מַחְלָה וְנֹעָה חָגְלָה... Num. 26:33 • Josh. 17:3
3 מַחְלָה נֹעָה וְחָגְלָה... Num. 27:1
4 מַחְלָה תִרְצָה וְחָגְלָה... Num. 36:11

מַחְלָה² שפ״ז – איש מזרע מנשה
מַחְלָה 1 וְאֶת־אֲבִיעֶזֶר וְאֶת־מַחְלָה ICh. 7:18

מְחִלָּה נ׳ מְאוּרָה
וּבִמְחִלּוֹת־ 1 בִּמְעָרוֹת צֻרִים וּבִמְחִלּוֹת עָפָר Is. 2:19

מַחֲלוּיִים ז״ר מחלות, נגעים • קרובים: ראה חֳלִי
בְּמַחֲלוּיִים 1 כִּי־עָזְבוּ אֹתוֹ בְּמַחֲלְיִים רַבִּים IICh. 24:25

מַחְלוֹן שפ״ז – בן נעמי ואלימלך: 1–4
מַחְלוֹן 1 וְשֵׁם שְׁנֵי־בָנָיו מַחְלוֹן וְכִלְיוֹן אֶפְרָתִים Ruth 1:2
2 וַיָּמוּתוּ גַם־שְׁנֵיהֶם מַחְלוֹן וְכִלְיוֹן Ruth 1:5
3 אֶת־רוּת הַמֹּאֲבִיָּה אֵשֶׁת מַחְלוֹן Ruth 4:10
וּמַחְלוֹן 4 וְאֵת כָּל־אֲשֶׁר לְכִלְיוֹן וּמַחְלוֹן Ruth 4:9

מַחְלִי¹ שפ״ז א) בן מררי בן לוי: 1–5, 7–9
ב) בן מושי בן מררי: 6, 10, 11
מַחְלִי 1/2 וּבְנֵי מְרָרִי(...) מַחְלִי וּמוּשִׁי Ex. 6:19 • Num. 3:20
3 מִבְּנֵי מַחְלִי בֶּן־לֵוִי בֶּן־יִשְׂרָאֵל Ez. 8:18
4 בְּנֵי מְרָרִי מַחְלִי וּמוּשִׁי ICh. 6:4
5 בְּנֵי מְרָרִי מַחְלִי ICh. 6:14
6 בֶּן־מַחְלִי בֶּן־מוּשִׁי בֶּן־מְרָרִי ICh. 6:32
7-8 בְּנֵי מְרָרִי מַחְלִי וּמוּשִׁי ICh. 23:21; 24:26
מַחְלִי (המשך) 9 בְּנֵי מַחְלִי אֶלְעָזָר וְקִישׁ ICh. 23:21
10 בְּנֵי מוּשִׁי מַחְלִי וְעֵדֶר ICh. 23:23
11 וּבְנֵי מוּשִׁי מַחְלִי וְעֵדֶר ICh. 24:30

מַחְלִי² ת׳ המתיחס על מַחְלִי: 1–3
הַמַּחְלִי 1-2 מִשְׁפַּחַת הַמַּחְלִי Num. 3:33; 26:58
לְמַחְלִי 3 לְמַחְלִי אֶלְעָזָר ICh. 24:28

מַחֲלָף* ז׳ מַאֲכֶלֶת
מַחֲלָפִים 1 מַחֲלָפִים תִּשְׁעָה וְעֶשְׂרִים Ez. 1:9

מַחְלָפָה* נ׳ צַמָּה: 1, 2
מַחְלְפוֹת־ 1 אִם־תַּאַרְגִי אֶת־שֶׁבַע מַחְלְפוֹת רֹאשִׁי Jud. 16:13
2 וַתְּגַלַּח אֶת־שֶׁבַע מַחְלְפוֹת רֹאשׁוֹ Jud. 16:19

מַחֲלָצוֹת נ״ר – בגדי פאר: 1, 2
מַחֲלָצוֹת 1 ...וְהַלְבֵּשׁ אֹתְךָ מַחֲלָצוֹת Zech. 3:4
הַמַּחֲלָצוֹת 2 הַמַּחֲלָצוֹת וְהַמַּעֲטָפוֹת... Is. 3:22

מַחֲלֻקָּה*, מַחֲלֹקֶת נ׳ קבוצה, פלוגה: 1–41
– דְּבַר הַמַּחְלְקוֹת 19; שָׂרֵי הַמַּחְלְקוֹת 20
– מַחְלְקוֹת יְהוּדָה 25; מ׳ כֹּהֲנִים 28–31; מ׳ לְוִיִּם 28, 30–31; מַחְלְקוֹת שׁוֹעֲרִים 26, 27
מַחֲלֹקֶת־ 1 וְעַל מַחֲלֹקֶת הַחֹדֶשׁ הַשֵּׁנִי־ ICh. 27:4
הַמַּחֲלֹקֶת 2 הַמַּחֲלֹקֶת הָאַחַת עֶשְׂרִים...אָלֶף ICh. 27:1
3 עַל הַמַּחֲלֹקֶת הָרִאשׁוֹנָה...יָשָׁבְעָם ICh. 27:2
מַחֲלֻקְתּוֹ 4-15 וְעַל מַחֲלֻקְתּוֹ עֶשְׂרִים וְאַרְבָּעָה אָלֶף
ICh. 27:2, 4, 5, 7, 8, 9, 10, 11, 12, 13, 14, 15
וּמַחֲלֻקְתּוֹ 16 דּוֹדַי הָאֲחוֹחִי וּמַחֲלֻקְתּוֹ ICh. 27:4
17 וּמַחֲלֻקְתּוֹ עַמִּיזָבָד בְּנוֹ ICh. 27:6
מַחְלְקוֹת 18 וַיֶּחָלְקֵם דָּוִיד מַחְלְקוֹת ICh. 23:6
הַמַּחְלְקוֹת 19 הַמְשָׁרְתִים...לְכֹל דְּבַר הַמַּחְלְקוֹת ICh. 27:1
20 וְשָׂרֵי הַמַּחְלְקוֹת הַמְשָׁרְתִים ICh. 28:1
21 כִּי לֹא־פָטַר...אֶת־הַמַּחְלְקוֹת IICh. 23:8
בְּמַחְלְקוֹת 22 לָתֵת לַאֲחֵיהֶם בְּמַחְלְקוֹת... IICh. 31:15
לְמַחְלְקוֹת 23 לְמַחְלְקוֹת לַשְּׁעָרִים... ICh. 26:1
24 אֵין לִשְׁמוֹר לְמַחְלְקוֹת IICh. 5:11
מַחְלְקוֹת־ 25 מַחְלְקוֹת יְהוּדָה לְבִנְיָמִין Neh. 11:36
26 לְאֵלֶּה מַחְלְקוֹת הַשֹּׁעֲרִים ICh. 26:12
27 אֵלֶּה מַחְלְקוֹת הַשֹּׁעֲרִים ICh. 26:19
28 וְהִנֵּה מַחְלְקוֹת הַכֹּהֲנִים וְהַלְוִיִּם ICh. 28:21
29 מַחְלְקוֹת הַכֹּהֲנִים עַל־עֲבֹדָתָם IICh. 8:14
30 אֶת־מַחְלְקוֹת הַכֹּהֲנִים וְהַלְוִיִּם IICh. 31:2
וּלְמַחְלְקוֹת־ 31 וּלְמַחְלְקוֹת הַכֹּהֲנִים וְהַלְוִיִּם.. ICh. 28:13
כְּמַחְלְקוֹתֵיכֶם 32 לְבֵ׳ אֲבֹתֵיכֶם כְּמַחְלְקוֹתֵיכֶם IICh. 35:4
מַחְלְקוֹתָם 33 זֹאת הָאָרֶץ...וְאֵלֶּה מַחְלְקוֹתָם Ezek. 48:29
34 וְלִבְנֵי אַהֲרֹן מַחְלְקוֹתָם ICh. 24:2(1)
35 וַיַּעֲמֵד...עַל־מַחְלְקוֹתָם IICh. 31:2
36 וַיַּעַמְדוּ...וְהַלְוִיִּם עַל־מַחְלְקוֹתָם IICh. 35:10
בְּמַחְלְקוֹתָם 37 וְהַשּׁוֹעֲרִים בְּמַחְלְקוֹתָם לְשַׁעַר... IICh. 8:14
כְּמַחְלְקֹתָם 38 לְיִשְׂרָאֵל כְּמַחְלְקֹתָם לְשִׁבְטֵיהֶם Josh. 11:23
39 לְשִׁבְטֵי יִשְׂרָאֵל יְרֻשָּׁה כְּמַחְלְקֹתָם Josh. 12:7
40 וַיְחַלֶּק־שָׁם...לִבְ״י כְּמַחְלְקֹתָם Josh. 18:10
בְּמַחְלְקוֹתֵיהֶם 41 בְּמִשְׁמְרוֹתֵ׳ בְּמַחְלְקוֹתֵיהֶם IICh. 31:17

מַחְלְקָה* נ׳ ארמית – כמו בעברית
בְּמַחְלְקָתְהוֹן 1 כָּהֲנַיָּא בִּפְלֻגָּתְהוֹן וְלֵוָיֵא בְּמַחְלְקָתְהוֹן Ez. 6:18

מַחֲלַת נ׳ אחד מסוגי הזמר: 1, 2
מַחֲלַת 1 לַמְנַצֵּחַ עַל־מָחֲלַת מַשְׂכִּיל לְדָוִד Ps. 53:1
2 לַמְנַצֵּחַ עַל־מָחֲלַת לְעַנּוֹת Ps. 88:1

מַחֲלַת, מָחֲלַת
שפ״נ א) בת ישמעאל, מנשי עשׂו: 1
ב) אשת המלך רחבעם: 2

מַחֲלַת 1 וַיִּקַּח אֶת־מַחֲלַת בַּת־יִשְׁמָעֵאל...לְאִשָּׁה Gen. 28:9

מָחֲלַת 2 וַיִּקַּח־לוֹ רְחַבְעָם אִשָּׁה אֶת־מָחֲלַת... IICh. 11:18

מַחֲמָאֹת
(תהלים נה22) – עין חֶמְאָה (מס׳ 11)

מַחְמָד*
ז׳ דבר נחמד: 1-13

מַחְמַד עֵינָיו 1-4; מַחֲמַדֵּי בִטְנוֹ 7; מַחֲמַדֵּי עָיִן 8; כְּלֵי מַחֲמַדִּים 11

מַחְמַד־ 1 כָּל־מַחְמַד עֵינֶיךָ יָשִׂימוּ בְיָדָם IK. 20:6
2 הִנְנִי לֹקֵחַ מִמְּךָ אֶת־מַחְמַד עֵינֶיךָ Ezek. 24:16
3 מַחְמַד עֵינֵיכֶם וּמַחְמַל נַפְשְׁכֶם Ezek. 24:21
4 אֶת־מַחְמַד עֵינֵיהֶם וְאֶת־מַשָּׂא נַפְשָׁם Ezek. 24:25
5 מַחְמַד לְכַסְפָּם קִמּוֹשׂ יִירָשֵׁם Hosh. 9:6
מַחֲמַדִּים 6 חִכּוֹ מַמְתַקִּים וְכֻלּוֹ מַחֲמַדִּים S.ofS. 5:16
מַחֲמַדֵּי־ 7 וְהֵמַתִּי מַחֲמַדֵּי בִטְנָם Hosh. 9:16
8 וַיַּהֲרֹג כֹּל מַחֲמַדֵּי־עָיִן Lam. 2:4
וּמַחֲמַדַּי 9 וּמַחֲמַדַּי הַטֹּבִים הֲבֵאתֶם לְהֵיכְלֵיכֶם Joel 4:5
מַחֲמַדֶּיהָ 10 יָדוֹ פָּרַשׂ צָר עַל כָּל־מַחֲמַדֶּיהָ Lam. 1:10
11 וְכָל־כְּלֵי מַחֲמַדֶּיהָ לְהַשְׁחִית IICh. 36:19
מַחֲמַדֵּינוּ 12 וְכָל־מַחֲמַדֵּינוּ הָיָה לְחָרְבָּה Is. 64:10
מַחֲמַדֵּיהֶם 13 נָתְנוּ מַחֲמַדֵּיהֶם (כת׳ מחמודיהם) בְּאֹכֶל Lam. 1:11

מַחֲמוּד*
ז׳ מַחמד

מַחֲמוּדֶּיהָ 1 כֹּל מַחֲמֻדֶּיהָ אֲשֶׁר הָיוּ מִימֵי קֶדֶם Lam. 1:7

מַחְמָל*
ז׳ דבר המעורר חמלה

וּמַחְמַל־ 1 מַחְמַד עֵינֵיכֶם וּמַחְמַל נַפְשְׁכֶם Ezek. 24:21

מַחְמֶצֶת
נ׳ בָּצֵק שהחמיץ: 2,1

מַחְמֶצֶת 1 כָּל־אֹכֵל מַחְמֶצֶת וְנִכְרְתָה הַנֶּפֶשׁ Ex. 12:19
2 כָּל־מַחְמֶצֶת לֹא תֹאכֵלוּ Ex. 12:20

מַחֲנֶה
ז׳ [נ׳– 3, 4, 21]

א) מקום חניה: 8-15, 74-126, 167-172, 192-196
ב) קבוצה גדולה של אנשים, לוחמים וכדומה: 1-7, 16-73, 127-166, 173-191, 197-216

– מַחֲנֶה כָּבֵד 7; סְבִיבוֹת מַ׳ 13,14; קוֹל מַ׳ 2; קְצֵה הַמַּחֲנֶה 11,20,22; שַׁעַר הַמַּחֲנֶה 9
– מַחֲנֵה אֱלֹהִים 129,176; מַ׳ (בְּנֵי) אֶפְרַיִם 139, 142, 179; מַ׳ אֲרָם 153-159; מַ׳ אַשּׁוּר 173-175; מַ׳ בְּנֵי קֶדֶם 148; מַ׳ (בְּנֵי) דָן 140, 143, 167, 180; מַ׳ (בְּנֵי) יְהוּדָה 135, 141, 177; מַ׳ יְיָ 160; מַ׳ יִשְׂרָאֵל 130, 132, 144, 146, 151, 152,181, 183; מַ׳ הַלְוִיִּם 138; מַ׳ מִדְיָן 147,163,164,166; מַ׳ מִצְרַיִם 131,133,134; מַ׳ סִיסְרָא 145; מַ׳ הָעִבְרִים 168; מַ׳ פְּלִשְׁתִּים 149, 150,161,162,165,169,170-172,182; מַ׳ רְאוּבֵן 136,137
– מְחוֹלַת מַחֲנָיִם 191; בְּאֹשׁ מַחֲנָיו 195
– מַחֲנוֹת יְיָ 214; מַ׳ בְּנֵי לֵוִי 215; מַ׳ פְּלִשְׁתִּים 216; פְּקוּדֵי הַמַּחֲנוֹת 208; שַׁעֲרֵי הַמַּחֲנוֹת 214

מַחֲנֶה 1 כִּי־תֵצֵא מַחֲנֶה עַל־אֹיְבֶיךָ Deut. 23:10
2 קוֹל הֲמֻלָּה כְּקוֹל מַחֲנֶה Ezek. 1:24
3 אִם־תַּחֲנֶה עָלַי מַחֲנֶה Ps. 27:3
הַמַּחֲנֶה 4 אִם־יָבוֹא עֵשָׂו אֶל־הַמַּחֲנֶה הָאַחַת וְהִכָּהוּ Gen. 32:8
5 וְהָיָה הַמַּחֲנֶה הַנִּשְׁאָר לִפְלֵיטָה Gen. 32:8
6 מִי לְךָ כָּל־הַמַּחֲנֶה הַזֶּה Gen. 33:8
7 וַיְהִי הַמַּחֲנֶה כָּבֵד מְאֹד Gen. 50:9
8 וַתַּעַל הַשְּׂלָו וַתְּכַס אֶת־הַמַּחֲנֶה Ex. 16:13

הַמַּחֲנֶה (המשך) 9 וַיַּעֲמֹד מֹשֶׁה בְּשַׁעַר הַמַּחֲנֶה Ex. 32:26
10 מִחוּץ לַמַּחֲנֶה הַרְחֵק מִן־הַמַּחֲנֶה Ex. 33:7
11 וַתִּבְעַר...וַתֹּאכַל בִּקְצֵה הַמַּחֲנֶה Num. 11:1
12 וַיָּגָז שַׂלְוִים...וַיִּטֹּשׁ עַל־הַמַּחֲנֶה Num. 11:31
13 כְּדֶרֶךְ יוֹם כֹּה...סְבִיבוֹת הַמַּחֲנֶה Num. 11:31
14 וַיִּשְׁטְחוּ...שָׁטוֹחַ סְבִיבוֹת הַמַּחֲנֶה Num. 11:32
15 לֹא־מָשׁוּ מִקֶּרֶב הַמַּחֲנֶה Num. 14:44
16 עַד-תֹּם כָּל-הַדּוֹר...מִקֶּרֶב הַמַּחֲנֶה Deut. 2:14
17 יַד יְיָ...לְהֻמָּם מִקֶּרֶב הַמַּחֲנֶה Deut. 2:15
18 עִבְרוּ בְּקֶרֶב הַמַּחֲנֶה Josh. 1:11
19 וַיַּעַבְרוּ הַשֹּׁטְרִים בְּקֶרֶב הַמַּחֲנֶה Josh. 3:2
20 וְהִנֵּה אָנֹכִי בָא בִּקְצֵה הַמַּחֲנֶה Jud. 7:17
21 וַיַּעַזְבוּ...הַמַּחֲנֶה כַּאֲשֶׁר הִיא IIK. 7:7
22 וַיָּבֹאוּ...עַד־קְצֵה הַמַּחֲנֶה IIK. 7:8
23-72 הַמַּחֲנֶה Ex. 19:17; 32:19; 33:11
Lev. 14:8; 16:26, 28 • Num. 4:5, 15; 5:2; 10:34; 11:9, 30; 19:7; 31:12, 24 • Deut. 23:11, 12 • Josh. 6:11, 14; 8:13; 9:6; 10:6, 15, 21, 43; 18:9 • Jud. 4:15, 16; 7:10, 14, 18, 19, 21, 22[2]; 8:11, 12; 21:8, 12 • ISh. 4:3, 5, 6, 7; 11:11; 17:17; 26:6 • IISh. 1:2 • IK. 22:34 • IIK. 7:12 • IICh. 18:33

וְהַמַּחֲנֶה 73 וְהַמַּחֲנֶה הָיָה בֶטַח Jud. 8:11
בַּמַּחֲנֶה 74 וְהוּא לָן בַּלַּיְלָה-הַהוּא בַּמַּחֲנֶה Gen. 32:21
75 וַיֶּחֱרַד כָּל־הָעָם אֲשֶׁר בַּמַּחֲנֶה Ex. 19:16
76 וַיֹּאמֶר...קוֹל מִלְחָמָה בַּמַּחֲנֶה Ex. 32:17
77 עִבְרוּ וָשׁוּבוּ מִשַּׁעַר לָשַׁעַר בַּמַּחֲנֶה Ex. 32:27
78 וַיַּעֲבִירוּ קוֹל בַּמַּחֲנֶה לֵאמֹר Ex. 36:6
79 אֲשֶׁר יִשְׁחַט שׁוֹר...בַּמַּחֲנֶה Lev. 17:3
80 וַיִּנָּצוּ בַּמַּחֲנֶה בֶּן הַיִּשְׂרְאֵלִית... Lev. 24:10
81 וַיִּשָּׁאֲרוּ שְׁנֵי־אֲנָשִׁים בַּמַּחֲנֶה Num. 11:26
82 וַיִּתְנַבְּאוּ בַּמַּחֲנֶה Num. 11:26
83 אֶלְדָּד וּמֵידָד מִתְנַבְּאִים בַּמַּחֲנֶה Num. 11:27
84 וַיֵּשְׁבוּ תַחְתָּם בַּמַּחֲנֶה עַד חֲיוֹתָם Josh. 5:8
85 וַיָּבֹאוּ הַמַּחֲנֶה וַיָּלִינוּ בַּמַּחֲנֶה Josh. 6:11
86 קוּם רֵד בַּמַּחֲנֶה Jud. 7:9
87 תֶּחֱזַקְנָה יָדֶיךָ וְיָרַדְתָּ בַּמַּחֲנֶה Jud. 7:11
88 קְצֵה הַחֲמֻשִׁים אֲשֶׁר בַּמַּחֲנֶה Jud. 7:11
89 וַתְּהִי חֲרָדָה בַמַּחֲנֶה בַשָּׂדֶה ISh. 14:15
90 אֲשֶׁר עָלוּ עִמָּם בַּמַּחֲנֶה סָבִיב ISh. 14:21
91 כִּי אִתִּי תֵּצֵא בַמַּחֲנֶה ISh. 28:1
92 ...צֵאתְךָ וּבֹאֲךָ אִתִּי בַּמַּחֲנֶה ISh. 29:6
93 וַיַּמְלִכוּ...בַּיּוֹם הַהוּא בַּמַּחֲנֶה IK. 16:16
94 וַיַּעֲבֹר הָרִנָּה בַּמַּחֲנֶה...לֵאמֹר IK. 22:36
95 וַיְקַנְאוּ לְמֹשֶׁה בַּמַּחֲנֶה Ps. 106:16
לַמַּחֲנֶה 96 הָיְתָה שִׁכְבַת הַטַּל סָבִיב לַמַּחֲנֶה Ex. 16:13
97 תִּשְׂרֹף בָּאֵשׁ מִחוּץ לַמַּחֲנֶה Ex. 29:14
98 יִקַּח...הָאֹהֶל וְנָטָה-לוֹ מִחוּץ לַמַּחֲנֶה Ex. 33:7
99 אֹהֶל מוֹעֵד אֲשֶׁר מִחוּץ לַמַּחֲנֶה Ex. 33:7
100-124 מִחוּץ לַמַּחֲנֶה Lev. 4:12, 21; 6:4
8:17; 9:11; 10:4, 5; 13:46; 14:3; 16:27; 17:3; 24:14, 23 • Num. 5:3, 4; 12:14, 15; 15:35, 36; 19:3, 9; 31:13, 19 • Deut. 23:11, 13
125 וַיַּעַמְדוּ...תַּחְתָּיו סָבִיב לַמַּחֲנֶה Jud. 7:21
126 וְלֹא־הָיָה מַיִם לַמַּחֲנֶה IIK. 3:9
127 הַגְּדוּד הַבָּא בָעַרְבִים לַמַּחֲנֶה IICh. 22:1
לְמַחֲנֶה 128 עַד לְמַחֲנֶה גָדוֹל כְּמַ׳ אֱלֹהִים ICh. 12:22(23)
מַחֲנֵה־ 129 וַיֹּאמֶר...מַחֲנֵה אֱלֹהִים זֶה Gen. 32:2
130 ...הַהֹלֵךְ לִפְנֵי מַחֲנֵה יִשְׂרָאֵל Ex. 14:19
131 וַיָּבֹא בֵּין מַחֲנֵה מִצְרַיִם Ex. 14:20
132 וּבֵין מַחֲנֵה יִשְׂרָאֵל Ex. 14:20
133 וַיַּשְׁקֵף יְיָ אֶל־מַחֲנֵה מִצְרַיִם... Ex. 14:24
134 וַיָּהָם אֵת מַחֲנֵה מִצְרָיִם Ex. 14:24

מַחֲנֵה־ (המשך) 135 דֶּגֶל מַחֲנֵה יְהוּדָה... Num. 2:3
136/7 דֶּגֶל מַחֲנֵה רְאוּבֵן... Num. 2:10; 10:18
138 וְנָסַע...מַחֲנֵה הַלְוִיִּם בְּתוֹךְ הַמַּחֲנֹת Num. 2:17
139 דֶּגֶל מַחֲנֵה אֶפְרַיִם... Num. 2:18
140 דֶּגֶל מַחֲנֵה דָן... Num. 2:25
141 דֶּגֶל מַחֲנֵה בְנֵי־יְהוּדָה Num. 10:14
142 דֶּגֶל מַחֲנֵה בְנֵי־אֶפְרַיִם Num. 10:22
143 דֶּגֶל מַחֲנֵה בְנֵי־דָן Num. 10:25
144 וְשַׂמְתֶּם אֶת-מַחֲנֵה יִשְׂרָאֵל לְחֵרֶם Josh. 6:18
145 וַיִּפֹּל כָּל־מַחֲנֵה סִיסְרָא לְפִי־חֶרֶב Jud. 4:16
146 וַיָּשָׁב אֶל־מַחֲנֵה יִשְׂרָאֵל Jud. 7:15
147 נָתַן יְיָ בְּיֶדְכֶם אֶת־מַחֲנֵה מִדְיָן Jud. 7:15
148 הַנּוֹתָרִים מִכֹּל מַחֲנֵה בְנֵי־קֶדֶם Jud. 8:10
149 וְנָתַתִּי פֶּגֶר מַחֲנֵה פְלִשְׁתִּים... ISh. 17:46
150 וַיַּרְא שָׁאוּל אֶת־מַחֲנֵה פְלִשְׁתִּים ISh. 28:5
151 גַּם אֶת־מַחֲנֵה יִשְׂ׳ יִתֵּן יְיָ בְּיַד פְּ׳ ISh. 28:19
152 וַיָּבֹאוּ אֶל־מַחֲנֵה יִשְׂרָאֵל IIK. 3:24
153 לְכוּ וְנִפְּלָה אֶל־מַחֲנֵה אֲרָם IIK. 7:4
154-159 מַחֲנֵה(־)אֲרָם IIK. 7:5[2], 6, 10, 14, 16
160 וַאֲבֹתֵיהֶם עַל־מַחֲנֵה יְיָ ICh. 9:19
161 ...לְהַכּוֹת אֶת־מַחֲנֵה פְלִשְׁתִּים ICh. 14:15
162 וַיַּכּוּ אֶת־מַחֲנֵה פְלִשְׁתִּים ICh. 14:16
וּמַחֲנֵה־ 163 וּמַחֲנֵה מִדְיָן הָיָה־לוֹ מִצָּפוֹן Jud. 7:1
164 וּמַחֲנֵה מִדְיָן הָיָה לוֹ...בָּעֵמֶק Jud. 7:8
165 וּמַחֲנֵה פְלִשְׁ׳ חֹנָה בְּעֵמֶק רְפָאִים ICh. 11:15
בְּמַחֲנֵה־ 166 צְלִיל°...מִתְהַפֵּךְ בְּמַחֲנֵה מִדְיָן Jud. 7:13
167 וַתָּחֶל רוּחַ יְיָ לְפַעֲמוֹ בְּמַחֲנֵה-דָן Jud. 13:25
168 קוֹל הַתְּרוּעָה...בְּמַחֲנֵה הָעִבְרִים ISh. 4:6
169 וְהֶהָמוֹן אֲשֶׁר בְּמַחֲנֵה פְלִשְׁתִּים... ISh. 14:19
170-2 בְּמַחֲנֵה פְלִשְׁ׳ IISh. 5:24; 23:16 • ICh. 11:18
173 וַיַּךְ בְּמַחֲנֵה אַשּׁוּר מֵאָה...אָלֶף IIK. 19:35
174 וַיַּכֶּה בְּמַחֲנֵה אַשּׁוּר מֵאָה...אָלֶף Is. 37:36
175 וַיַּכְחֵד...בְּמַחֲנֵה מֶלֶךְ אַשּׁוּר IICh. 32:21
כְּמַחֲנֵה־ 176 לְמַחֲנֶה גָדוֹל כְּמַחֲנֵה אֱלֹהִים ICh. 12:22(23)
לְמַחֲנֵה־ 177 כָּל־הַפְּקֻדִים לְמַחֲנֵה יְהוּדָה Num. 2:9
178 כָּל־הַפְּקֻדִים לְמַחֲנֵה רְאוּבֵן Num. 2:16
179 כָּל־הַפְּקֻדִים לְמַחֲנֵה אֶפְרַיִם Num. 2:24
180 כָּל־הַפְּקֻדִים לְמַחֲנֵה דָן Num. 2:31
181 וַיַּנִּיחוּם מִחוּץ לְמַחֲנֵה יִשְׂרָאֵל Josh. 6:23
מִמַּחֲנֵה־ 182 וַיֵּצֵא הַמַּשְׁחִית מִמַּחֲנֵה פְלִשְׁתִּים ISh. 13:17
183 מִמַּחֲנֵה יִשְׂרָאֵל נִמְלָטְתִּי IISh. 1:3
מַחֲנֶךָ 184 יְיָ אֱלֹהֶיךָ מִתְהַלֵּךְ בְּקֶרֶב מַחֲנֶךָ Deut. 23:15
מַחֲנֵהוּ 185 אִישׁ עַל-מַחֲנֵהוּ וְאִישׁ עַל-דִּגְלוֹ Num. 1:52
186 וַיָּשָׁב...הוּא וְכָל־מַחֲנֵהוּ IIK. 5:15
187 וַיִּקְבֹּץ...אֶת־כָּל־מַחֲנֵהוּ IIK. 6:24
188 כִּי רַב מְאֹד מַחֲנֵהוּ Joel 2:11
189 וַיַּפֵּל בְּקֶרֶב מַחֲנֵהוּ... Ps. 78:28
190 נִשְׁבְּרוּ לִפְנֵי־יְיָ וְלִפְנֵי מַחֲנֵהוּ IICh. 14:12
הַמַּחֲנָיִם 191 מַה־תֶּחֱזוּ בַּשּׁוּלַמִּית כִּמְחֹלַת הַמַּחֲנָיִם S.ofS. 7:1
הַבְּמַחֲנִים 192 הַבְּמַחֲנִים אִם בְּמִבְצָרִים Num. 13:19
מַחֲנֶיךָ 193 וְהָיָה מַחֲנֶיךָ קָדוֹשׁ Deut. 23:15
194 וְגֵרְךָ אֲשֶׁר בְּקֶרֶב מַחֲנֶיךָ Deut. 29:10
מַחֲנֵיכֶם 195 וָאַעֲלֶה בְּאֹשׁ מַחֲנֵיכֶם וּבְאַפְּכֶם Am. 4:10
מַחֲנֵיהֶם 196 וְלֹא יְטַמְּאוּ אֶת־מַחֲנֵיהֶם Num. 5:3
197 וַיַּעֲלוּ...הֵם וְכָל־מַחֲנֵיהֶם Josh. 10:5
198 וַיֵּצְאוּ הֵם וְכָל־מַחֲנֵיהֶם עִמָּם Josh. 11:4
199 וַיַּאַסְפוּ פְ׳ אֶת־מַחֲנֵיהֶם לַמִּלְחָמָה ISh. 17:1
200 וַיָּשֹׁסּוּ אֶת־מַחֲנֵיהֶם ISh. 17:53
201 וַיִּקְבְּצוּ פְלִשְׁתִּים אֶת־מַחֲנֵיהֶם ISh. 28:1
202 וַיִּקְבְּצוּ פְ׳ אֶת־כָּל־מַחֲנֵיהֶם ISh. 29:1

וּמַחֲנֵיהֶם 203 וּמַחֲנֵיהֶם...כַּחֲמֵשֶׁת עָשָׂר אֶלֶף Jud. 8:10
מַחֲנוֹת 204 וַיַּחַץ אֶת־הָעָם...לִשְׁנֵי מַחֲנוֹת Gen. 32:7
205 וְעַתָּה הָיִיתִי לִשְׁנֵי מַחֲנוֹת Gen. 32:10
206 וְנָתַתָּה עָלֶיהָ מַחֲנוֹת... Ezek. 4:2
הַמַּחֲנוֹת 207 מַחֲנֵה הַלְוִיִּם בְּתוֹךְ הַמַּחֲנֹת Num. 2:17
208 כָּל־פְּקוּדֵי הַמַּחֲנֹת לְצִבְאֹתָם Num. 2:32
209 וּלְמַסַּע אֶת־הַמַּחֲנוֹת Num. 10:2
210 וְנָסְעוּ הַמַּחֲנוֹת הַחֹנִים קֵדְמָה Num. 10:5
211 וְנָסְעוּ הַמַּחֲנוֹת הַחֹנִים תֵּימָנָה Num. 10:6
212 מְאַסֵּף לְכָל־הַמַּחֲנֹת לְצִבְאֹתָם Num. 10:25
בַּמַּחֲנוֹת 213 אֲשֶׁר יִהְיֶה בַּמַּחֲנוֹת הָהֵמָּה Zech. 14:15
מַחֲנוֹת־ 214 לְשָׁרֵת...בְּשַׁעֲרֵי מַחֲנוֹת יְיָ IICh. 31:2
לְמַחֲנוֹת־ 215 הֵמָּה הַשֹּׁעֲרִים לְמַחֲנוֹת בְּנֵי לֵוִי ICh. 9:18
מִמַּחֲנוֹת־ 216 וַיֵּצֵא אִישׁ־הַבֵּנַיִם מִמַּחֲנוֹת פְּלִשְׁתִּים ISh.17:4

מַחֲנֵה דָן מבצר בין צרעה לאשתאול: 1, 2

מַחֲנֵה־דָן 1 קָרְאוּ לַמָּקוֹם הַהוּא מַחֲנֵה־דָן Jud. 18:12
בְּמַחֲנֵה־דָן 2 וַתָּחֶל רוּחַ יְיָ לְפַעֲמוֹ בְּמַחֲנֵה־דָן Jud. 13:25

מַחֲנַ֫יִם עיר בעבר הירדן המזרחי: 1–13

מַחֲנַיִם 1 וְאֶת־מַחֲנַיִם וְאֶת־מִגְרָשֶׁהָ Josh. 21:36
2 וְאֶת־מַחֲנַיִם וְאֶת־מִגְרָשֶׁיהָ ICh. 6:65
מַחֲנָ֫יִם 3 וַיִּקְרָא שֵׁם־הַמָּקוֹם הַהוּא מַחֲנָיִם Gen. 32:2
4 לָקַח...וַיַּעֲבִרֵהוּ מַחֲנָיִם IISh. 2:8
5 וַיֵּלְכוּ...וַיָּבֹאוּ מַחֲנָיִם IISh. 2:29
6 וְהוּא קִלְלַנִי...בְּיוֹם לֶכְתִּי מַחֲנָיִם IK. 2:8
מַחֲנָיְמָה 7 וְדָוִד בָּא מַחֲנָיְמָה IISh. 17:24
8 וַיְהִי כְּבוֹא דָוִד מַחֲנָיְמָה IISh. 17:27
9 אֲחִינָדָב בֶּן־עִדֹּא מַחֲנָיְמָה IK. 4:14
בְמַחֲנַיִם 10 כִּלְכַּל אֶת־הַמֶּלֶךְ בְּשִׁיבָתוֹ בְמַחֲנ׳ IISh.19:33
מִמַּחֲנַיִם 11 וַיְהִי גְבוּלָם מִמַּחֲנַיִם Josh. 13:30
12 וַיֵּצֵא...מִמַּחֲנַיִם גִּבְעוֹנָה IISh. 2:12
וּמִמַּחֲנַיִם 13 וּמִמַּחֲנַיִם עַד־גְּבוּל לִדְבִר Josh. 13:26

מַחֲנָק ז׳ מיתת חֶנק

מַחֲנָק 1 וַתִּבְחַר מַחֲנָק נַפְשִׁי Job 7:15

מַחְסֶה ז׳ מקום לחסות בו, מקלט: 1־20

צוּר מַחְסֶה 17; מַחְסֵה כָזָב 10, (20)

מַחְסֶה 1 מַחְסֶה מִזֶּרֶם צֵל מֵחֹרֶב Is. 25:4
2 וַיְיָ מַחֲסֶה לְעַמּוֹ Joel 4:16
3 אֱלֹהִים לָנוּ מַחֲסֶה וָעֹז Ps. 46:2
4 כִּי־הָיִיתָ מַחְסֶה לִי Ps. 61:4
5 אֱלֹהִים מַחֲסֶה־לָּנוּ סֶלָה Ps. 62:9
6 סְלָעִים מַחְסֶה לַשְׁפַנִּים Ps. 104:18
7 וּלְבָנָיו יִהְיֶה מַחְסֶה Prov. 14:26
8 וּמִבְּלִי מַחְסֶה חִבְּקוּ־צוּר Job 24:8
וּלְמַחְסֶה 9 וּלְמַחְסֶה וּלְמִסְתּוֹר מִזֶּרֶם וּמִמָּטָר Is. 4:6
מַחְסֵה־ 10 וְיָעָה בָרָד מַחְסֵה כָזָב Is. 28:17
מַחְסִי 11 מַחֲסִי־אַתָּה בְּיוֹם רָעָה Jer. 17:17
12 צוּר־עֻזִּי מַחְסִי בֵּאלֹהִים Ps. 62:8
13 וְאַתָּה מַחֲסִי־עֹז Ps. 71:7
14 שַׁתִּי בַּאדֹנָי יְיָ מַחְסִי Ps. 73:28
15 אֹמַר לַיְיָ מַחְסִי וּמְצוּדָתִי Ps. 91:2
16 כִּי־אַתָּה יְיָ מַחְסִי Ps. 91:9
17 וֵאלֹהַי לְצוּר מַחְסִי Ps. 94:22
18 אָמַרְתִּי אַתָּה מַחְסִי Ps. 142:6
מַחְסֵהוּ 19 עֲצַת־עָנִי תָבִישׁוּ כִּי יְיָ מַחְסֵהוּ Ps. 14:6
מַחְסֵנוּ 20 כִּי שַׂמְנוּ כָזָב מַחְסֵנוּ Is. 28:15

מַחְסוֹם ז׳ זמָם, סגור

מַחְסוֹם 1 אֶשְׁמְרָה־לְפִי מַחְסוֹם Ps. 39:2

מַחְסוֹר ז׳ א) חוסר, גרעון: 1־9, 11, 13

ב) דברים חסרים: 10, 12

אֵין מַחְסוֹר 1, 3, 5; אִישׁ מַחְסוֹר 4

מַחְסוֹר 1 אֵין־שָׁם מַחְסוֹר כָּל־דָּבָר Jud. 18:10
2 אֵין מַחְסוֹר כָּל־דָּבָר Jud. 19:19
3 כִּי־אֵין מַחְסוֹר לִירֵאָיו Ps. 34:10
4 אִישׁ מַחְסוֹר אֹהֵב שִׂמְחָה Prov. 21:17
5 נוֹתֵן לָרָשׁ אֵין מַחְסוֹר Prov. 28:27
לְמַחְסוֹר 6 וְחוֹשֵׂךְ מִיֹּשֶׁר אַךְ־לְמַחְסוֹר Prov. 11:24
7 וּדְבַר שְׂפָתַיִם אַךְ־לְמַחְסוֹר Prov. 14:23
8 וְכָל־אָץ אַךְ־לְמַחְסוֹר Prov. 21:5
9 נֹתֵן לְעָשִׁיר אַךְ־לְמַחְסוֹר Prov. 22:16
מַחְסוֹרְךָ 10 רַק כָּל־מַחְסוֹרְךָ עָלָי Jud. 19:20
וּמַחְסוֹרְךָ 11 וּבָא...וּמַחְסֹרְךָ כְּאִישׁ מָגֵן Prov. 6:11
מַחְסוֹרוֹ 12 דֵּי מַחְסֹרוֹ אֲשֶׁר יֶחְסַר לוֹ Deut. 15:8
וּמַחְסוֹרֶיךָ 13 וּבָא...וּמַחְסֹרֶיךָ כְּאִישׁ מָגֵן Prov. 24:34

מַחְסֵיָה שפ״ז – זקנו של ברוך סופר ירמיהו: 1,2

מַחְסֵיָה 1־2 בֶּן־נֵרִיָּה בֶּן־מַחְסֵיָה Jer. 32:12; 51:59

מְחֻסְפָּס ת׳ – עין חספס

מחץ : מָחַץ; מַחַץ

מָחַץ פ׳ א) פָּצע, רוֹצץ: 1־9, 11, 12, 14

ב) הֶאדים(?): 10, 13

מָחַצְתִּי 1 ...מָחַצְתִּי וַאֲנִי אֶרְפָּא Deut. 32:39
מָחַצְתָּ 2 מָחַצְתָּ רֹּאשׁ מִבֵּית רָשָׁע Hab. 3:13
מָחַץ 3 מָחַץ בְּיוֹם־אַפּוֹ מְלָכִים Ps. 110:5
4 מָחַץ רֹאשׁ עַל־אֶרֶץ רַבָּה Ps. 110:6
5 וּבִתְבוּנָתוֹ° מָחַץ רָהַב Job 26:12
וּמָחַץ 6 וּמָחַץ פַּאֲתֵי מוֹאָב Num. 24:17
וּמָחֲצָה 7 וּמָחֲצָה וְחָלְפָה רַקָּתוֹ Jud. 5:26
אֶמְחָצֵם 8 אֶמְחָצֵם וְלֹא־יֻכְלוּ קוּם Ps. 18:39
וָאֶמְחָצֵם 9 וָאֶמְחָצֵם וְלֹא יְקוּמוּן IISh. 22:38
תִּמְחַץ 10 לְמַעַן תִּמְחַץ רַגְלְךָ בְּדָם Ps. 68:24
יִמְחַץ 11 אַךְ־אֱלֹהִים יִמְחַץ רֹאשׁ אֹיְבָיו Ps. 68:22
12 יִמְחַץ וְיָדָו תִּרְפֶּינָה Job 5:18
יִמְחָץ 13 יֹאכַל גּוֹיִם...וְחִצָּיו יִמְחָץ Num. 24:8
מְחַץ 14 מְחַץ מָתְנַיִם קָמָיו Deut. 33:11

מַ֫חַץ* ז׳ פֶּצע

וּמַחַץ־ 1 וּמַחַץ מַכָּתוֹ יִרְפָּא Is. 30:26

מַחְצֵב ז׳ חציבה בסלע: 1־3 • אַבְנֵי מַחְצֵב 1־3

מַחְצֵב 1־2 וְלִקְנוֹת עֵצִים וְאַבְנֵי מַחְצ׳ IIK. 12:13; 22:6
3 לִקְנוֹת אַבְנֵי מַחְצֵב וְעֵצִים IICh. 34:11

מֶחֱצָה נ׳ חצי: 1, 2

הַמֶּחֱצָה 1 וַתְּהִי הַמֶּחֱצָה חֵלֶק הַיֹּצְאִים בַּצָּבָא Num. 31:36
מֶחֱצַת־ 2 וַתְּהִי מֶחֱצַת הָעֵדָה מִן־הַצֹּאן Num. 31:43

מַחֲצִית נ׳ חצי, מחצָה: 1־16

מַחֲצִית בְּנֵי יִשְׂרָאֵל 7, 9, 10; מַחֲצִית הַיּוֹם 5;
מַ׳ מַטֵּה 8,11,12; מַ׳ הָרֶכֶב 4; מַ׳ הַשֶּׁקֶל 1־3,6

מַחֲצִית־ 1־2 מַחֲצִית הַשֶּׁקֶל בְּשֶׁקֶל הַקֹּדֶשׁ Ex. 30:13; 38:26
3 מַחֲצִית הַשֶּׁקֶל תְּרוּמָה לַיְיָ Ex. 30:13
4 זִמְרִי שַׂר מַחֲצִית הָרָכֶב IK. 16:9
5 מִן־הָאוֹר עַד־מַחֲצִית הַיּוֹם Neh. 8:3
מִמַּחֲצִית־ 6 לֹא יַמְעִיט מִמַּחֲצִית הַשָּׁקֶל Ex. 30:15
7 וַיִּקַּח מֹשֶׁה מִמַּחֲצִת בְּנֵי יִשְׂרָאֵל Num. 31:47
8 מִמַּחֲצִית מַטֵּה חֲצִי מְנַשֶּׁה ICh. 6:46
וּמִמַּחֲצִית־ 9 וּמִמַּחֲצִת בְּנֵי־יִשְׂרָאֵל תִּקַּח Num. 31:30
10 וּמִמַּחֲצִית בְּ״יִ אֲשֶׁר חָצָה מֹשֶׁה Num. 31:42
11/2 וּמִמַּחֲצִית מַטֵּה מְנַשֶּׁה Josh. 21:25 • ICh. 6:55

מַחֲצִיתוֹ 13 מַחֲצִיתוֹ חֲמִשִּׁים וּמָאתָיִם Ex. 30:23
מַחֲצִיתָהּ 14 מַחֲצִיתָהּ בַּבֹּקֶר וּמַחֲצִיתָהּ בָּעָרֶב Lev. 6:13
וּמַחֲצִיתָהּ 15 מַחֲצִיתָהּ בַּבֹּקֶר וּמַחֲצִיתָהּ בָּעָרֶב Lev. 6:13
מִמַּחֲצִיתָם 16 מִמַּחֲצִיתָם תִּקָּחוּ וְנָתַתָּה Num. 31:29

מָחַק פ׳ מָחץ

מָחֲקָה 1 וְהָלְמָה סִיסְרָא מָחֲקָה רֹאשׁוֹ Jud. 5:26

מֶחְקָר* ז׳ מַעמק, מִסתר

מֶחְקְרֵי־ 1 אֲשֶׁר בְּיָדוֹ מֶחְקְרֵי־אָרֶץ Ps. 95:4

מָחָר תה״פ א) ביום שאחרי זה: 2־5, 7־12, 14, 17, 21־36, 39, 40־42, 44־52

ב) [בהשאלה] בעתיד: 1, 6, 13, 15, 16, 18, 19, 20, 37, 38, 43

יוֹם מָחָר 1, 37, 38; הַיּוֹם וּמָחָר 42, 45; כָּעֵת מָחָר 4, 23, 28, 30, 31, 33־35

מָחָר 1 וְעָנְתָה־בִּי צִדְקָתִי בְּיוֹם מָחָר Gen. 30:33
2 וְסָר הֶעָרֹב מִפַּרְעֹה...מָחָר Ex. 8:25
3 מָחָר יַעֲשֶׂה יְיָ הַדָּבָר הַזֶּה Ex. 9:5
4 הִנְנִי מַמְטִיר כָּעֵת מָחָר... Ex. 9:18
5 הִנְנִי מֵבִיא מָחָר אַרְבֶּה בִּגְבֻלֶךָ Ex. 10:4
6 וְהָיָה כִּי־יִשְׁאָלְךָ בִנְךָ מָחָר Ex. 13:14
7 שַׁבַּת־קֹדֶשׁ לַיְיָ מָחָר Ex. 16:23
8 מָחָר אָנֹכִי נִצָּב עַל־רֹאשׁ הַגִּבְעָה Ex. 17:9
9 חַג לַיְיָ מָחָר Ex. 32:5
10 מָחָר פְּנוּ וּסְעוּ לָכֶם הַמִּדְבָּר Num. 14:25
11 וְשִׂימוּ עֲלֵיהֶן קְטֹרֶת...מָחָר Num. 16:7
12 הֱיוּ לִפְנֵי יְיָ...מָחָר Num. 16:16
13 כִּי־יִשְׁאָלְךָ בִנְךָ מָחָר Deut. 6:20
14 מָחָר יַעֲשֶׂה יְיָ בְּקִרְבְּכֶם נִפְלָאוֹת Josh. 3:5
15 כִּי־יִשְׁאָלוּן בְּנֵיכֶם מָחָר Josh. 4:6
16 אֲשֶׁר יִשְׁאָלוּן בְּנֵיכֶם מָחָר Josh. 4:21
17 כִּי מָחָר כָּעֵת הַזֹּאת אָנֹכִי נֹתֵן Josh. 11:6
18 מָחָר יֹאמְרוּ בְנֵיכֶם לְבָנֵינוּ... Josh. 22:24
19 וְלֹא־יֹאמְרוּ בְנֵיכֶם מָחָר Josh. 22:27
20 וְהָיָה כִּי־יֹאמְרוּ...מָחָר Josh. 22:28
21 וְהִשְׁכַּמְתֶּם מָחָר לְדַרְכְּכֶם Jud. 19:9
22 עֲלוּ כִּי מָחָר אֶתְּנֶנּוּ בְיָדֶךָ Jud. 20:28
23 כָּעֵת מָחָר אֶשְׁלַח אֵלֶיךָ אִישׁ ISh. 9:16
24 מָחָר תִּהְיֶה־לָכֶם תְּשׁוּעָה ISh. 11:9
25 מָחָר נֵצֵא אֲלֵיכֶם ISh. 11:10
26 מָחָר אַתָּה מוּמָת ISh. 19:11
27 הִנֵּה־חֹדֶשׁ מָחָר ISh. 20:5
28 כָּעֵת מָחָר הַשְּׁלִשִׁית ISh. 20:12
29 מָחָר חֹדֶשׁ וְנִפְקַדְתָּ... ISh. 20:18
30 כִּי־כָעֵת מָחָר אָשִׂים אֶת־נַפְשְׁךָ... IK. 19:2
31 כִּי אִם־כָּעֵת מָחָר אֶשְׁלַח IK. 20:6
32 וְאֶת־בְּנִי נֹאכַל מָחָר IIK. 6:28
33 כָּעֵת מָחָר סְאָה־סֹלֶת בְּשֶׁקֶל IIK. 7:1
34 וּסְאָה־סֹלֶת בְּשֶׁקֶל יִהְיֶה כָּעֵת מָחָר IIK. 7:18
35 וּבֹאוּ אֵלַי כָּעֵת מָחָר יִזְרְעֶאלָה IIK. 10:6
36 אָכוֹל וְשָׁתוֹ כִּי מָחָר נָמוּת Is. 22:13
37 וְהָיָה כָזֶה יוֹם מָחָר Is. 56:12
38 אַל־תִּתְהַלֵּל בְּיוֹם מָחָר Prov. 27:1
39 יִנָּתֵן גַּם־מָחָר לַיְּהוּדִים Es. 9:13
40 מָחָר רְדוּ עֲלֵיהֶם IICh. 20:16
41 מָחָר צְאוּ לִפְנֵיהֶם IICh. 20:17
וּמָחָר 42 וְקִדַּשְׁתָּם הַיּוֹם וּמָחָר Ex. 19:10
43 וּמָחָר אֶל־כָּל־עֲדַת יִשׂ׳ יִקְצֹף Josh. 22:18
44 וּמָחָר אַתָּה וּבָנֶיךָ עִמִּי ISh. 28:19
45 שֵׁב בָּזֶה גַּם־הַיּוֹם וּמָחָר אֲשַׁלְּחֶךָּ IISh.11:12

46 אַל־תֹּאמַר...לֵךְ וָשׁוּב וּמָחָר אֶתֵּן Prov. 3:28
47 וּמָחָר אֶעֱשֶׂה כִּדְבַר הַמֶּלֶךְ Es. 5:8
לְמָחָר 48 וַיֹּאמֶר לְמָחָר Ex. 8:6
49 לְמָחָר יִהְיֶה הָאֹת הַזֶּה Ex. 8:19
50 הִתְקַדְּשׁוּ לְמָחָר וַאֲכַלְתֶּם בָּשָׂר Num. 11:18
51 וְאָמַרְתָּ הִתְקַדְּשׁוּ לְמָחָר Josh. 7:13
52 וְגַם־לְמָחָר אֲנִי קְרוּא־לָהּ... Es. 5:12

מחראות
(מ״ב י27) כת׳ – קרי מוֹצָאוֹת

מַחֲרֵשָׁה*
נ׳ כלי־חרישה של עובד אדמה: 1-3

מַחֲרַשְׁתּוֹ 1 לִלְטוֹשׁ אִישׁ אֶת־מַחֲרַשְׁתּוֹ ISh. 13:20
מַחֲרַשְׁתּוֹ 2 וְאֶת־קַרְדֻּמּוֹ וְאֵת מַחֲרֵשָׁתוֹ ISh. 13:20
לַמַּחֲרֵשׁוֹת 3 לַמַּחֲרֵשׁוֹת וְלָאֵתִים ISh. 13:21

מָחֳרָת
נ׳ יום המחר: 1-32

– יוֹם הַמָּחֳרָת 1; לַמָּחֳרָת 2; מִמָּחֳרָת 3-25
– לְמָחֳרַת הַיּוֹם 26; מִמָּחֳרַת הַפֶּסַח 30, 31; מִמָּחֳרַת הַשַּׁבָּת 27-29

הַמָּחֳרָת 1 כָּל־הַיּוֹם...וְכֹל יוֹם הַמָּחֳרָת Num. 11:32
לַמָּחֳרָת 2 וַיְמַן...בַּעֲלוֹת הַשַּׁחַר לַמָּחֳרָת Jon. 4:7
מִמָּחֳרָת 3 וַיְהִי מִמָּחֳרָת וַתֹּאמֶר הַבְּכִירָה Gen. 19:34
4 וַיַּעַשׂ יְיָ אֶת־הַדָּבָר הַזֶּה מִמָּחֳרָת Ex. 9:6
5 וַיְהִי מִמָּחֳרָת וַיֵּשֶׁב מֹשֶׁה... Ex. 18:13
6 וַיַּשְׁכִּימוּ מִמָּחֳרָת וַיַּעֲלוּ עֹלֹת Ex. 32:6
7 וַיְהִי מִמָּחֳרָת וַיֹּאמֶר מֹשֶׁה אֶל־הָעָם Ex. 32:30
8 וַיִּלֹּנוּ כָּל־עֲדַת בְּ״י מִמָּחֳרָת Num. 17:6
9 וַיְהִי מִמָּחֳרָת וַיָּבֹא מֹשֶׁה Num. 17:23
10 וַיִּשְׁבֹּת הַמָּן מִמָּחֳרָת Josh. 5:12
11 וַיַּשְׁכֵּם מִמָּחֳרָת וַיָּזַר אֶת־הַגִּזָּה Jud. 6:38
12 וַיְהִי מִמָּחֳרָת וַיֵּצֵא הָעָם... Jud. 9:42
13-22 מִמָּחֳרָת Jud. 21:4
ISh. 5:3,4; 11:11; 18:10; 20:27; 31:8 • IIK. 8:15 •
Jer. 20:3 • ICh. 10:8
וּמִמָּחֳרָת 23 בְּיוֹם הַקְרִיבוֹ...יֵאָכֵל וּמִמָּחֳרָת... Lev. 7:16
24 בְּיוֹם זִבְחֲכֶם יֵאָכֵל וּמִמָּחֳרָת... Lev. 19:6
25 וַיֵּשֶׁב...בַּיּוֹם הַהוּא וּמִמָּחֳרָת IISh. 11:12
לְמָחֳרַת־ 26 וַיִּזְבְּחוּ...לְמָחֳרַת הַיּוֹם הַהוּא ICh. 29:21
מִמָּחֳרַת־ 27 מִמָּחֳרַת הַשַּׁבָּת יְנִיפֶנּוּ הַכֹּהֵן Lev. 23:11
28 וּסְפַרְתֶּם לָכֶם מִמָּחֳרַת הַשַּׁבָּת Lev. 23:15
29 עַד מִמָּחֳרַת הַשַּׁבָּת הַשְּׁבִיעִת... Lev. 23:16
30 מִמָּחֳרַת הַפֶּסַח יָצְאוּ בְ״י Num. 33:3
31 וַיֹּאכְלוּ...מִמָּחֳרַת הַפֶּסַח מַצּוֹת Josh. 5:11
לְמָחֳרָתָם 32 וַיַּכֵּם...מֵהַנֶּשֶׁף וְעַד־הָעֶרֶב לְמָחֳרָתָם ISh.30:17

מַחֲשָׁבָה
נ׳ הרהור, מזימה: 1—50

קרובים: הֲגוּת / הָגִיג / הִגָּיוֹן / יֵצֶר / מְזִמָּה / עֶשְׁתּוֹנוֹת / רֵעַ² / רַעְיוֹן / שְׂעִפִּים / שַׂרְעַפִּים

– מַחֲשֶׁבֶת רָעָה 3; מַחֲשֶׁבֶת הָמָן 4
– מַחְשְׁבוֹת אָדָם 24; מַחְשְׁבוֹת אָוֶן 17, 18, 25; מ׳ חָרוּץ 28; מ׳ יְיָ 20, 21; מ׳ לֵבָב 30; מ׳ לִבּוֹ 16, 23; מ׳ עַמִּים 22; מ׳ עֲרוּמִים 29; מ׳ צַדִּיקִים 26; מ׳ רָע 27; מַחְשְׁבוֹת שָׁלוֹם 19
– יֵצֶר מַחְשְׁבוֹת 14, 16; פְּרִי מַחְשְׁבוֹת 44

מַחֲשָׁבָה 1 וְחֹשֵׁב עֲלֵיכֶם מַחֲשָׁבָה Jer. 18:11
2 וְחָשַׁב עֲלֵיכֶם° מַחֲשָׁבָה Jer. 49:30
מַחֲשֶׁבֶת־ 3 וְחָשַׁבְתָּ מַחֲשֶׁבֶת רָעָה Ezek. 38:10
4 לְהָשִׁיב אֶת־הַסְּפָרִים מַחֲשֶׁבֶת הָמָן Es. 8:5
מַחֲשַׁבְתּוֹ 5 לְהַעֲבִיר...וְאֵת מַחֲשַׁבְתּוֹ Es. 8:3
6 יָשׁוּב מַחֲשַׁבְתּוֹ הָרָעָה Es. 9:25
מַחֲשָׁבוֹת 7 וְחָשַׁב מַחֲשָׁבוֹת לְבִלְתִּי יִדַּח IISh. 14:14
8 כִּי־עָלַי חָשְׁבוּ מַחֲשָׁבוֹת Jer. 11:19
9 וְנַחְשְׁבָה עַל־יִרְמְיָהוּ מַחֲשָׁבוֹת Jer. 18:18
10 הָפֵר מַחֲשָׁבוֹת בְּאֵין סוֹד Prov. 15:22
11 רַבּוֹת מַחֲשָׁבוֹת בְּלֶב־אִישׁ Prov. 19:21
12 מַחֲשָׁבוֹת בְּעֵצָה תִכּוֹן Prov. 20:18
13 כִּי יַחְשְׁבוּ עָלָיו מַחֲשָׁבוֹת Dan. 11:25
14 וְכָל־יֵצֶר מַחֲשָׁבוֹת מֵבִין ICh. 28:9
הַמַּחֲשָׁבֹת 15 אֶת־הַמַּחֲשָׁבֹת אֲשֶׁר אָנֹכִי חֹשֵׁב Jer. 29:11
מַחְשְׁבוֹת־ 16 וְכָל־יֵצֶר מַחְשְׁבֹת לִבּוֹ רַק רַע Gen. 6:5
17 מַחְשְׁבוֹתֵיהֶם מַחְשְׁבוֹת אָוֶן Is. 59:7
18 תָּלִין בְּקִרְבֵּךְ מַחְשְׁבוֹת אוֹנֵךְ Jer. 4:14
19 חֹשֵׁב עֲלֵיכֶם...מַחְשְׁבוֹת שָׁלוֹם Jer. 29:11
20 קָמָה עַל־בָּבֶל מַחְשְׁבוֹת יְיָ Jer. 51:29
21 וְהֵמָּה לֹא יָדְעוּ מַחְשְׁבוֹת יְיָ Mic. 4:12
22 הֵנִיא מַחְשְׁבוֹת עַמִּים Ps. 33:10
23 מַחְשְׁבוֹת לִבּוֹ לְדֹר וָדֹר Ps. 33:11
24 יְיָ יֹדֵעַ מַחְשְׁבוֹת אָדָם Ps. 94:11
25 לֵב חֹרֵשׁ מַחְשְׁבוֹת אָוֶן Prov. 6:18
26 מַחְשְׁבוֹת צַדִּיקִים מִשְׁפָּט Prov. 12:5
27 תּוֹעֲבַת יְיָ מַחְשְׁבוֹת רָע Prov. 15:26
28 מַחְשְׁבוֹת חָרוּץ אַךְ־לְמוֹתָר Prov. 21:5
29 מֵפֵר מַחְשְׁבוֹת עֲרוּמִים Job 5:12
30 לְיֵצֶר מַחְשְׁבוֹת לְבַב עַמֶּךָ ICh. 29:18
מַחְשְׁבוֹתַי 31 כִּי לֹא מַחְשְׁבוֹתַי מַחְשְׁבוֹתֵיכֶם Is. 55:8
וּמַחְשְׁבֹתַי 32 גָּבְהוּ...וּמַחְשְׁבֹתַי מִמַּחְשְׁבֹתֵיכֶם Is. 55:9
מַחְשְׁבֹתֶיךָ 33 מְאֹד עָמְקוּ מַחְשְׁבֹתֶיךָ Ps. 92:6
34 גֹּל אֶל־יְיָ מַעֲשֶׂיךָ וְיִכֹּנוּ מַחְשְׁבֹתֶיךָ Prov. 16:3
וּמַחְשְׁבֹתֶיךָ 35 נִפְלְאֹתֶיךָ וּמַחְשְׁבֹתֶיךָ אֵלֵינוּ Ps. 40:6
מַחְשְׁבֹתָיו 36 יַעֲזֹב רָשָׁע דַּרְכּוֹ וְאִישׁ אָוֶן מַחְשְׁבֹתָיו Is. 55:7
37 וְעַל מִבְצָרִים יְחַשֵּׁב מַחְשְׁבֹתָיו Dan. 11:24
וּמַחְשְׁבוֹתָיו 38/9 וּמַחְשְׁבוֹתָיו אֲשֶׁר חָשַׁב Jer. 49:20; 50:45
מַחְשְׁבוֹתֵינוּ 40 כִּי־אַחֲרֵי מַחְשְׁבוֹתֵינוּ נֵלֵךְ Jer. 18:12
מַחְשְׁבוֹתֵיכֶם 41 כִּי לֹא מַחְשְׁבוֹתַי מַחְשְׁבוֹתֵיכֶם Is. 55:8
42 הֵן יָדַעְתִּי מַחְשְׁבוֹתֵיכֶם Job 21:27
מִמַּחְשְׁבֹתֵיכֶם 43 גָּבְהוּ...וּמַחְשְׁבֹתַי מִמַּחְשְׁבֹתֵיכֶם Is. 55:9
מַחְשְׁבוֹתָם 44 אָנֹכִי מֵבִיא...פְּרִי מַחְשְׁבוֹתָם Jer. 6:19
45 עָלַי כָּל־מַחְשְׁבֹתָם לָרָע Ps. 56:6
46 כָּל־נִקְמָתָם כָּל־מַחְשְׁבֹתָם לִי Lam. 3:60
47 שָׁמַעְתָּ...כָּל־מַחְשְׁבֹתָם עָלָי Lam. 3:61
מַחְשְׁבוֹתֵיהֶם 48 מַחְשְׁבוֹתֵיהֶם מַחְשְׁבוֹת אָוֶן Is. 59:7
49 הַהֹלְכִים...אַחַר מַחְשְׁבֹתֵיהֶם Is. 65:2
וּמַחְשְׁבֹתֵיהֶם 50 מַעֲשֵׂיהֶם וּמַחְשְׁבֹתֵיהֶם בָּאָה... Is. 66:18

מַחֲשֶׁבֶת
נ׳ הבנה באמנות: 1-6

מַחֲשֶׁבֶת חוֹשֵׁב 3; מְלֶאכֶת מַחֲשֶׁבֶת 1

מַחֲשָׁבֶת 1 לַעֲשׂוֹת בְּכָל־מְלֶאכֶת מַחֲשָׁבֶת Ex. 35:33
2 וּלְפַתֵּחַ...וְלַחְשֹׁב כָּל־מַחֲשָׁבֶת IICh. 2:13
מַחֲשֶׁבֶת־ 3 וַיַּעַשׂ...חִשְּׁבֹנוֹת מַחֲשֶׁבֶת חוֹשֵׁב IICh. 26:15
מַחֲשָׁבוֹת 4 לַחְשֹׁב מַחֲשָׁבֹת לַעֲשׂוֹת בַּזָּהָב Ex. 31:4
5 וְלַחְשֹׁב מַחֲשָׁבֹת לַעֲשֹׂת בַּזָּהָב Ex. 35:32
6 עֹשֵׂי כָּל־מְלָאכָה וְחֹשְׁבֵי מַחֲשָׁבֹת Ex. 35:35

מַחְשׂוֹף
ז׳ מקום מגולה

מַחְשׂוֹף־ 1 מַחְשֹׂף הַלָּבָן אֲשֶׁר עַל־הַמַּקְלוֹת Gen. 30:37

מַחְשָׁךְ
ז׳ מקום חושך, מאפל: 1-7

מַחְשַׁכֵּי אֶרֶץ 7

מַחְשָׁךְ 1 אָשִׂים מַחְשָׁךְ לִפְנֵיהֶם לָאוֹר Is. 42:16
2 הִרְחַקְתָּ מִמֶּנִּי אֹהֵב...מְיֻדָּעַי מַחְשָׁךְ Ps. 88:19
בְּמַחְשָׁךְ 3 וְהָיָה בְמַחְשָׁךְ מַעֲשֵׂיהֶם Is. 29:15
בְּמַחֲשַׁכִּים 4 בְּבוֹר תַּחְתִּיּוֹת בְּמַחֲשַׁכִּים Ps. 88:7
5 הוֹשִׁיבַנִי בְמַחֲשַׁכִּים כְּמֵתֵי עוֹלָם Ps. 143:3
6 בְּמַחֲשַׁכִּים הוֹשִׁיבַנִי כְּמֵתֵי עוֹלָם Lam. 3:6
מַחֲשַׁכֵּי־ 7 מָלְאוּ מַחֲשַׁכֵּי־אֶרֶץ נְאוֹת חָמָס Ps. 74:20

מַחַת
שפ״ז א) לוי מאבות הימן המשורר בימי דוד: 1
ב) לויים בימי חזקיהו: 2, 3

מַחַת 1 ...בֶּן־מַחַת בֶּן־עֲמָשַׂי ICh. 6:20
2 וַיָּקֻמוּ הַלְוִיִּם מַחַת בֶּן־עֲמָשַׂי IICh. 29:12
וּמַחַת 3 ...וּמַחַת וּבְנָיָהוּ פְּקִידִים IICh. 31:13

מַחְתָּה
נ׳ א) כלי לחתות בו גחלים: 1-9, 17, 18
ב) מכלי הניקוי של המנורה: 10—16, 19—21

מַחְתּוֹת הַחַטָּאִים 17; מַחְתּוֹת נְחֹשֶׁת 18

הַמַּחְתָּה 1 וְלָקַח מְלֹא־הַמַּחְתָּה גַּחֲלֵי־אֵשׁ Lev. 16:12
2 קַח אֶת־הַמַּחְתָּה וְתֶן־עָלֶיהָ אֵשׁ Num. 17:11
מַחְתָּתוֹ 3 וַיִּקְחוּ בְנֵי־אַהֲרֹן...אִישׁ מַחְתָּתוֹ Lev. 10:1
4 וּקְחוּ אִישׁ מַחְתָּתוֹ וּנְתַתֶּם... Num. 16:17
5 וְהִקְרַבְתֶּם לִפְנֵי יְיָ אִישׁ מַחְתָּתוֹ Num. 15:17
6 וְאַתָּה וְאַהֲרֹן אִישׁ מַחְתָּתוֹ Num. 16:17
7 וַיִּקְחוּ אִישׁ מַחְתָּתוֹ Num. 16:18
מַחְתּוֹת 8 קְחוּ־לָכֶם מַחְתּוֹת Num. 16:6
9 חֲמִשִּׁים וּמָאתַיִם מַחְתֹּת Num. 16:17
הַמַּחְתּוֹת 10 אֶת־הַמִּזְלָגֹת וְאֶת־הַמַּחְתֹּת Ex. 38:3
11 אֶת־הַמַּחְתֹּת אֶת־הַמִּזְלָגֹת Num. 4:14
12 וְיָרֶם אֶת־הַמַּחְתֹּת... Num. 17:2
13/4 וְאֶת־הַמַּחְתּוֹת וְאֶת־הַמִּזְרָקוֹת
IIK. 25:15 • Jer. 52:19
וְהַמַּחְתּוֹת 15/6 וְהַמִּזְרָקוֹת וְהַכַּפּוֹת וְהַמַּחְתּוֹת
IK. 7:50 • IICh. 4:22
מַחְתּוֹת־ 17 אֵת מַחְתּוֹת הַחַטָּאִים הָאֵלֶּה Num. 17:3
18 וַיִּקַּח...אֵת מַחְתּוֹת הַנְּחֹשֶׁת Num. 17:4
וּמַחְתֹּתָיו 19 וּמִזְרְקֹתָיו וּמִזְלְגֹתָיו וּמַחְתֹּתָיו Ex. 27:3
מַחְתֹּתֶיהָ 20 וְאֶת־מַלְקָחֶיהָ וְאֶת־מַחְתֹּתֶיהָ Num. 4:9
וּמַחְתֹּתֶיהָ 21/2 וּמַלְקָחֶיהָ וּמַחְתֹּתֶיהָ Ex. 25:38; 37:23

מְחִתָּה
נ׳ הֶרֶס, שֶׁבֶר: 1—11

קרובים: אֵיד / אָסוֹן / הַוָּה / הֶרֶס / פִּיד / צָרָה / שֶׁבֶר / שׁוֹאָה

מְחִתָּה קְרֹבָה 2; מְחִתַּת דַּלִּים 10; מְחִתַּת רָזוֹן 11

מְחִתָּה 1 ...שַׂמְתָּ מִבְצָרָיו מְחִתָּה Ps. 89:41
2 וּפִי־אֱוִיל מְחִתָּה קְרֹבָה Prov. 10:14
3 פֹּשֵׂק שְׂפָתָיו מְחִתָּה־לוֹ Prov. 13:3
4 פִּי־כְסִיל מְחִתָּה־לוֹ Prov. 18:7
וּמְחִתָּה 5/6 וּמְחִתָּה לְפֹעֲלֵי אָוֶן Prov. 10:29; 21:15
לִמְחִתָּה 7 אַל־תִּהְיֵה־לִי לִמְחִתָּה Jer. 17:17
וְלִמְחִתָּה 8 וְלִמְחִתָּה לְכָל־סְבִיבָיו Jer. 48:39
וּמִמְּחִתָּה 9 רַחֲקִי מֵעֹשֶׁק...וּמִמְּחִתָּה Is. 54:14
מְחִתַּת־ 10 מְחִתַּת דַּלִּים רֵישָׁם Prov. 10:15
11 וּבְאֶפֶס לְאֹם מְחִתַּת רָזוֹן Prov. 14:28

מַחְתֶּרֶת
נ׳ חפירה מתחת לקיר: 1, 2

בַּמַּחְתֶּרֶת 1 אִם־בַּמַּחְתֶּרֶת יִמָּצֵא הַגַּנָּב Ex. 22:1
2 לֹא־בַמַּחְתֶּרֶת מְצָאתִים Jer. 2:34

מְטָא
פ׳ ארמית הגיע: 1—8

מְטָא 1 כֹּלָּא מְטָא עַל־נְבוּכַדְנֶצַּר Dan. 4:25
מְטָה 2 וְעַד־עַתִּיק יוֹמַיָּא מְטָה Dan. 7:13
3 וְזִמְנָא מְטָה וּמַלְכוּתָא הֶחֱסִנוּ Dan. 7:22
מְטָת 4 דִּי מְטָת עַל־מְרָאֵי מַלְכָּא Dan. 4:21

ומְטָת 5 וּרְבוּתָךְ רְבָת וּמְטָת לִשְׁמַיָּא Dan. 4:19
מְטוֹ 6 וְלָא־מְטוֹ לְאַרְעִית גֻּבָּא Dan. 6:25
יִמְטֵא 7/8 וְרוּמֵהּ יִמְטֵא לִשְׁמַיָּא Dan. 4:8, 17

מַטְאֲטֵא ז׳ כלי לנקוי רצפה

בְּמַטְאֲטֵא־ 1 וְטֵאטֵאתִיהָ בְּמַטְאֲטֵא הַשְׁמֵד Is. 14:23

מַטְבֵּחַ ז׳ טֶבַח, הרג

מַטְבֵּחַ 1 הָכִינוּ לְבָנָיו מַטְבֵּחַ Is. 14:21

מַטֶּה ז׳

א) מקל, משענת: 1, 8, 10-13, 20, 21, 24-27, 29, 39-41, 89-99, 101, 205-216, 220-222, 244, 245
ב) שֵׁבֶט, ענף: 22, 28, 69, 70, 217, 218, 227, 249-251
ג) [בהשאלה] שבט מי״ב השבטים, בית אב: רוב המקראות 2-248 [חוץ מן א׳ וב׳]
קרובים: בַּד / גֶּזַע / חֹטֶר / מוֹט / מַקֵּל / מִשְׁעָן / מִשְׁעֶנֶת / נֵצֶר / עֵץ / קָנֶה / שֵׁבֶט / שַׁרְבִיט
– חֲצִי הַמַּטֶּה 14, 15, 18, 19, 72-78; מִשְׁפַּחַת הַמַּטֶּה 23, 82; נַחֲלַת הַמ׳ 16; קְצֵה הַמַּטֶּה 20, 21
– מַטֵּה אָבִיו 80, 82, (83); מ׳ אֲבוֹתָיו 79,81,122,123; מַטֵּה אַהֲרֹן 40, 69, 70, 105; מ׳ הָאֱלֹהִים 39, 101; מ׳ אֶפְרַיִם 84; מ׳ אָשֵׁר 47, 181; מ׳ בַּדָּיו 169; מ׳ בְּנֵי... 49-67, 106, 124-131, 156-162, 168; מַטֵּה בִנְיָמִן 103, 179; מ׳ גָד 102, 164; מ׳ דָן 116-121, 180; מ׳ זְבוּלֻן 44,88; מ׳ חֲצִי מְנ׳ 100; מ׳ יְהוּדָה 107-115, 166; מ׳ יִשָּׂשכָר 43, 85; מ׳ לֵוִי 42, 48, 68, 71; מַטֵּה לֶחֶם 41, 93-95, 98; מ׳ מוּסָדָה 91; מ׳ מְנַשֶּׁה 46, 72-78, 86, 87, 132, 165; מ׳ מִשְׁפַּחַת... 83; מ׳ נַפְתָּלִי 104; מַטֵּה עֹז 92, 96, 97, 99; מ׳ רְאוּבֵן 163, 167; מ׳ רֶשַׁע 133; מ׳ רְשָׁעִים 90; מ׳ שִׁכְמוֹ 89; מ׳ שִׁמְעוֹן 45; מ׳ הַשִּׁמְעֹנִי 178
– נְשִׂיאֵי הַמַּטּוֹת 226, 239; רָאשֵׁי הַמַּטּוֹת 229-232, 237, 238
– מַטּוֹת אֲבוֹתָיו 239, 240, 246; מ׳ אֹמֶר 245; מַטּוֹת בְּנֵי יִשְׂרָאֵל 242, 247, 248; מ׳ יִשְׂרָאֵל 241, 243; מַטּוֹת עֹז 244

מַטֶּה 1 מַה־זֶּה° בְיָדֶךָ וַיֹּאמֶר מַטֶּה Ex. 4:2
2-3 מַטֶּה מַטֶּה לְבֵית אָב Num. 17:17
4 מַטֶּה אֶחָד לְרֹאשׁ בֵּית אֲבוֹתָם Num. 17:18
5-6 מַטֶּה לְנָשִׂיא אֶחָד Num. 17:21[2]
7 וְלֹא־תִסֹּב...מִמַּטֶּה אֶל־מַטֶּה Num. 36:7
8 כְּהָרִים מַטֶּה לֹא־עֵץ Is. 10:15
9 שִׁמְעוּ מַטֶּה וּמִי יְעָדָהּ Mic. 6:9
וּמַטֶּה־ 10 וּמַטֶּה־הוּא בְיָדָם זַעְמִי Is. 10:5
הַמַּטֶּה 11 וְאֶת־הַמַּטֶּה הַזֶּה תִּקַּח בְּיָדֶךָ Ex. 4:17
12 קַח אֶת־הַמַּטֶּה וְהַקְהֵל... Num. 20:8
13 וַיִּקַּח מֹשֶׁה אֶת־הַמַּטֶּה מִלִּפְנֵי יְיָ Num. 20:9
14 לְתִשְׁעַת הַמַּטּוֹת וַחֲצִי הַמַּטֶּה Num. 34:13
15 שְׁנֵי הַמַּטּוֹת וַחֲצִי הַמַּטֶּה Num. 34:15
16 וְנוֹסַף עַל נַחֲלַת הַמַּטֶּה Num. 36:3
17 וְנוֹסְפָה נַחֲלָתָן עַל נַחֲלַת הַמַּטֶּה Num. 36:4
18 לְתִשְׁעַת הַמַּטּוֹת וַחֲצִי הַמַּטֶּה Josh. 14:2
19 נַחֲלַת שְׁנֵי הַמַּטּוֹת וַחֲצִי הַמַּטֶּה Josh. 14:3
20 וַיִּשְׁלַח אֶת־קְצֵה הַמַּטֶּה... ISh. 14:27
21 טָעֹם טָעַמְתִּי בִּקְצֵה הַמַּטֶּה ISh. 14:43
22 צָץ הַמַּטֶּה פָּרַח הַזָּדוֹן Ezek. 7:10
23 הַנּוֹתָרִים מִמִּשְׁפַּחַת הַמַּטֶּה ICh. 6:46
וְהַמַּטֶּה 24 הַחֹתֶמֶת וְהַפְּתִילִים וְהַמַּטֶּה Gen. 38:25
25 וְהַמַּטֶּה אֲשֶׁר־נֶהְפַּךְ לְנָחָשׁ... Ex. 7:15
בַּמַּטֶּה 26 הִנֵּה אָנֹכִי מַכֶּה בַּמַּטֶּה...עַל־הַמַּיִם Ex. 7:17
27 וַיָּרֶם בַּמַּטֶּה וַיַּךְ אֶת־הַמַּיִם Ex. 7:20
28 כִּי בַמַּטֶּה יֵחָבֶט קֶצַח Is. 28:27
לְמַטֶּה 29 וַיַּחֲזֶק־בּוֹ וַיְהִי לְמַטֶּה בְּכַפּוֹ Ex. 4:4
30 וְלֹא־תִסֹּב נַחֲלָה...לְמַטֶּה אַחֵר Num. 36:9
לַמַּטֶּה 31 וְאִתְּכֶם יִהְיוּ אִישׁ אִישׁ לַמַּטֶּה Num. 1:4
32/3 אֶלֶף לַמַּטֶּה אֶלֶף לַמַּטֶּה... Num. 31:4
34 וַיִּמָּסְרוּ מֵאַלְפֵי יִשׂ׳ אֶלֶף לַמַּטֶּה Num. 31:5
35 וַיִּשְׁלַח...אֶלֶף לַמַּטֶּה לַצָּבָא Num. 31:6
מִמַּטֶּה 36 נָשִׂיא אֶחָד מִמַּטֶּה תִּקְחוּ Num. 34:18
37 וְלֹא־תִסֹּב...מִמַּטֶּה אֶל־מַטֶּה Num. 36:7
38 וְלֹא־תִסֹּב נַחֲלָה מִמַּטֶּה לְמַטֶּה Num. 36:9
מַטֵּה־ 39 וַיִּקַּח מֹשֶׁה אֶת־מַטֵּה הָאֱלֹהִים בְּיָדוֹ Ex. 4:20
40 וַיִּבְלַע מַטֵּה־אַהֲרֹן אֶת־מַטֹּתָם Ex. 7:12
41 בְּשִׁבְרִי לָכֶם מַטֵּה־לֶחֶם Lev. 26:26
42 אַךְ אֶת־מַטֵּה לֵוִי לֹא תִפְקֹד Num. 1:49
43 וְהַחֹנִים עָלָיו מַטֵּה יִשָּׂשכָר Num. 2:5
44 מַטֵּה זְבוּלֻן וְנָשִׂיא לִבְנֵי זְבוּלֻן Num. 2:7
45 וְהַחוֹנִם עָלָיו מַטֵּה שִׁמְעוֹן Num. 2:12
46 וְעָלָיו מַטֵּה מְנַשֶּׁה... Num. 2:20
47 וְהַחֹנִים עָלָיו מַטֵּה אָשֵׁר Num. 2:27
48 הַקְרֵב אֶת־מַטֵּה לֵוִי Num. 3:6
49-67 מַטֵּה בְּנֵי... Num. 10:15, 16, 19, 20
10:23, 24, 26, 27; 34:14; 36:5 • Josh. 13:29; 15:20; 16:8; 18:11; 19:8, 23, 31, 39, 48
68 ...תִּכְתֹּב עַל־מַטֵּה לֵוִי Num. 17:18
69 וְהִנֵּה פָּרַח מַטֵּה־אַהֲרֹן Num. 17:23
70 הָשֵׁב אֶת־מַטֵּה אַהֲרֹן... Num. 17:25
71 אֶת־אַחֶיךָ מַטֵּה לֵוִי שֵׁבֶט אָבִיךָ Num. 18:2
72-78 (וּ/לְ/מִ/וּמִ)חֲצִי מַטֵּה מְנַשֶּׁה Num. 34:14
Josh. 21:5, 6, 27; 22:1 • ICh. 6:56; 12:31(32)
79 וּמִנַּחֲלַת מַטֵּה אֲבֹתֵינוּ... Num. 36:4
80 אַךְ לְמִשְׁפַּחַת מַטֵּה אֲבִיהֶם... Num. 36:6
81 אִישׁ בְּנַחֲלַת מַטֵּה אֲבֹתָיו... Num. 36:7
82 מִמִּשְׁפַּחַת מַטֵּה אָבִיהָ... Num. 36:8
83 ...עַל־מַטֵּה מִשְׁפַּחַת אֲבִיהֶן Num. 36:12
84 מִמִּשְׁפְּחֹת מַטֵּה־אֶפְרַיִם Josh. 21:5
85 מִמִּשְׁפְּחֹת מַטֵּה־יִשָּׂשכָר Josh. 21:6
86/7 וּמִמַּחֲצִית מַטֵּה מְנַשֶּׁה Josh. 21:25 • ICh. 6:55
88 הַנּוֹתָרִים מֵאֵת מַטֵּה זְבוּלֻן Josh. 21:34
89 אֶת־עֹל סֻבֳּלוֹ וְאֵת מַטֵּה שִׁכְמוֹ Is. 9:3
90 שָׁבַר יְיָ מַטֵּה רְשָׁעִים Is. 14:5
91 וְהָיָה כֹּל מַעֲבַר מַטֵּה מוּסָדָה Is. 30:32
92 אֵיכָה נִשְׁבַּר מַטֵּה־עֹז Jer. 48:17
93 הִנְנִי שֹׁבֵר מַטֵּה־לֶחֶם בִּירוּשָׁלִַם Ezek. 4:16
94 וְשָׁבַרְתִּי לָכֶם מַטֵּה־לָחֶם Ezek. 5:16
95 וְשָׁבַרְתִּי לָהּ מַטֵּה־לָחֶם Ezek. 14:13
96 מַטֵּה עֻזָּהּ אֵשׁ אֲכָלָתְהוּ Ezek. 19:12
97 מַטֵּה עֹז שֵׁבֶט לִמְשׁוֹל Ezek. 19:14
98 כָּל־מַטֵּה־לֶחֶם שָׁבָר Ps. 105:16
99 מַטֵּה עֻזְּךָ יִשְׁלַח יְיָ Ps. 110:2
100 מִמַּחֲצִית מַטֵּה חֲצִי מְנַשֶּׁה ICh. 6:46
וּמַטֵּה־ 101 וּמַטֵּה הָאֱלֹהִים בְּיָדִי Ex. 17:9
102 וּמַטֵּה גָּד וְנָשִׂיא לִבְנֵי גָד Num. 2:14
103 וּמַטֵּה בִּנְיָמִן וְנָשִׂיא לִבְנֵי בִנְ׳ Num. 2:22
104 וּמַטֵּה נַפְתָּלִי וְנָשִׂיא לִבְנֵי נַפְתָּ׳ Num. 2:29
105 וּמַטֵּה אַהֲרֹן בְּתוֹךְ מַטּוֹתָם Num. 17:21
106 וּמַטֵּה בְנֵי־הַגָּדִי לְבֵית אֲבֹתָם Num. 34:14
לְמַטֵּה־ 107-115 לְמַטֵּה יְהוּדָה Ex. 31:2; 35:30
38:22 • Num. 1:27; 7:12; 13:6; 34:19 • Josh. 7:1, 18
116-121 לְמַטֵּה(־)דָן Ex. 31:6; 35:34; 38:23
Lev. 24:11 • Num. 1:39; 13:12
לְמַטֵּה־ (המשך) 122 וְהַלְוִיִּם לְמַטֵּה אֲבֹתָם לֹא הָתְפָּקְדוּ Num. 1:47
123 אִישׁ אֶחָד...לְמַטֵּה אֲבֹתָיו Num. 13:2
124-131 לְמַטֵּה בְנֵי... Num. 34:23
Josh. 13:15; 15:1, 21; 18:21; 19:1, 24, 40
132 וַיְהִי הַגּוֹרָל לְמַטֵּה מְנַשֶּׁה Josh. 17:1
133 הֶחָמָס קָם לְמַטֵּה־רֶשַׁע Ezek. 7:11
134-155 לְמַטֵּה Num. 1:21, 23, 25, 29
1:31, 33, 35, 37, 41, 43; 13:4, 5, 7, 8, 9, 10, 11, 13; 13:14, 15; 34:21 • Josh. 13:24
וּלְמַטֵּה־ 156 וּלְמַטֵּה בְּנֵי שִׁמְעוֹן שְׁמוּאֵל... Num. 34:20
157 וּלְמַטֵּה בְנֵי־דָן נָשִׂיא... Num. 34:22
158 וּלְמַטֵּה בְנֵי־אֶפְרַיִם נָשִׂיא... Num. 34:24
159 וּלְמַטֵּה בְנֵי־זְבוּלֻן נָשִׂיא... Num. 34:25
160 וּלְמַטֵּה בְנֵי־יִשָּׂשכָר נָשִׂיא... Num. 34:26
161 וּלְמַטֵּה בְנֵי־אָשֵׁר נָשִׂיא... Num. 34:27
162 וּלְמַטֵּה בְנֵי־נַפְתָּלִי נָשִׂיא... Num. 34:28
מִמַּטֵּה־ 163 אֶת־בֶּצֶר...מִמַּטֵּה רְאוּבֵן Josh. 20:8
164 וְאֶת־רָאמֹת בַּגִּלְעָד מִמַּטֵּה גָד Josh. 20:8
165 וְאֶת־גּוֹלָן בַּבָּשָׁן מִמַּטֵּה מְנַשֶּׁה Josh. 20:8
166 וַיְהִי לִבְנֵי אַהֲרֹן...מִמַּטֵּה יְהוּדָה Josh. 21:4
167 לִבְנֵי־מְרָרִי...מִמַּטֵּה רְאוּבֵן Josh. 21:7
168 וַיִּתְּנוּ מִמַּטֵּה בְּנֵי יְהוּדָה... Josh. 21:9
169 וַתֵּצֵא אֵשׁ מִמַּטֵּה בַדֶּיהָ Ezek. 19:14
170-177 מִמַּטֵּה Josh. 21:20
IK. 7:14 • ICh. 6:47, 48, 50, 51, 62, 63
וּמִמַּטֵּה־ 178/9 וּמִמַּטֵּה הַשִּׁמְעֹנִי וּמִמַּטֵּה בִנְיָמִן Josh. 21:4
180 וּמִמַּטֵּה־דָן...בַּגּוֹרָל... Josh. 21:5
181/2 וּמִמַּטֵּה־אָשֵׁר וּמִמַּטֵּה נַפְתָּלִי Josh. 21:6
183/4 וּמִמַּטֵּה־גָד וּמִמַּטֵּה זְבוּלֻן Josh. 21:7
185 וַיִּתְּנוּ...מִמַּטֵּה בְּנֵי שִׁמְעוֹן Josh. 21:9
186 וּמִמַּטֵּה בִנְיָמִן אֶת־גִּבְעוֹן Josh. 21:17
187-204 וּמִמַּטֵּה Josh. 21:23, 28, 30
21:32, 36[2] • ICh. 6:45, 47[3], 48[2], 50[2], 57, 59, 61, 65
מַטְּךָ 205 קַח אֶת־מַטְּךָ וְהַשְׁלֵךְ לִפְנֵי־פַרְעֹה Ex. 7:9
206 קַח מַטְּךָ וּנְטֵה־יָדְךָ... Ex. 7:19
207 נְטֵה אֶת־מַטְּךָ וְהַךְ... Ex. 8:12
208 הָרֵם אֶת־מַטְּךָ וּנְטֵה אֶת־יָדְךָ Ex. 14:16
וּמַטְּךָ 209 חֹתָמְךָ...וּמַטְּךָ אֲשֶׁר בְּיָדֶךָ Ex. 38:18
210 וּמַטְּךָ אֲשֶׁר הִכִּיתָ בּוֹ אֶת־הַיְאֹר Ex. 17:5
בְּמַטֶּךָ 211 נְטֵה אֶת־יָדְךָ בְּמַטֶּךָ Ex. 8:1
מַטֵּהוּ 212 וַיַּשְׁלֵךְ אַהֲרֹן אֶת־מַטֵּהוּ Ex. 7:10
213 וַיַּשְׁלִיכוּ אִישׁ מַטֵּהוּ וַיִּהְיוּ לְתַנִּינִם Ex. 7:12
214/5 וַיֵּט מֹשֶׁה אֶת־מַטֵּהוּ Ex. 9:23; 10:13
216 אִישׁ אֶת־שְׁמוֹ תִּכְתֹּב עַל־מַטֵּהוּ Num. 17:17
217 אֲשֶׁר אֶבְחַר־בּוֹ מַטֵּהוּ יִפְרָח Num. 17:20
218 וַיִּרְאוּ וַיִּקְחוּ אִישׁ מַטֵּהוּ Num. 17:24
וּמַטֵּהוּ 219 וּמַטֵּהוּ יִשָּׂא־עָלֶיךָ בְּדֶרֶךְ מִצְרָיִם Is. 10:24
220 וּמַטֵּהוּ עַל־הַיָּם Is. 10:26
בְּמַטֵּהוּ 221 וַיֵּט אַהֲרֹן אֶת־יָדוֹ בְמַטֵּהוּ Ex. 8:13
222 וַיַּךְ אֶת־הַסֶּלַע בְּמַטֵּהוּ Num. 20:11
מַטּוֹת 223/4 ...שְׁנֵים עָשָׂר מַטּוֹת Num. 17:17, 21
225 כִּי־הָיוּ בְנֵי־יוֹסֵף שְׁנֵי מַטּוֹת Josh. 14:4
הַמַּטּוֹת 226 הֵם נְשִׂיאֵי הַמַּטֹּת Num. 7:2
227 וַיַּנַּח מֹשֶׁה אֶת־הַמַּטֹּת לִפְנֵי יְיָ Num. 17:22
228 וַיֹּצֵא מֹשֶׁה אֶת־כָּל־הַמַּטֹּת Num. 17:24
229 אֶל־רָאשֵׁי הַמַּטּוֹת לִבְ״י Num. 30:2
230-232 (וְ)רָאשֵׁי אֲבוֹת הַמַּטּוֹת לִבְנֵי יִשְׂרָאֵל
Num. 32:28 • Josh. 14:1; 21:1
233/4 לְתִשְׁעַת הַמַּטּוֹת וַחֲצִי הַמַּטֶּה
Num. 34:13 • Josh. 14:2
235/6 שְׁנֵי הַמַּטּוֹת וַחֲצִי הַמַּטֶּה
Num. 34:15 • Josh. 14:3

237/8 רָאשֵׁי הַמַּטּוֹת נְשִׂיאֵי הָאָבוֹת IK. 8:1 • IICh. 5:2
מַטּוֹת־ 239 נְשִׂיאֵי מַטּוֹת אֲבוֹתָם Num. 1:16
240 לִשְׁמוֹת מַטּוֹת־אֲבֹתָם יִנְחָלוּ Num. 26:55
241 אֶלֶף לַמַּטֶּה...לְכֹל מַטּוֹת יִשְׂרָאֵל Num. 31:4
242 אִישׁ בְּנַחֲלָתוֹ יִדְבְּקוּ מַטּוֹת בְּ״יִ Num. 36:9
243 נָשִׂיא אֶחָד...לְכֹל מַטּוֹת יִשְׂרָאֵל Josh. 22:14
244 מַטּוֹת עֹז אֶל־שִׁבְטֵי מֹשְׁלִים Ezek. 19:11
245 שְׁבֻעוֹת מַטּוֹת אֹמֶר סֶלָה Hab. 3:9
לְמַטּוֹת־ 246 לְמַטּוֹת אֲבֹתֵיכֶם תִּתְנֶחָלוּ Num. 33:54
247 וְרָאשֵׁי הָאָבוֹת לְמַטּוֹת בְּ״יִ Josh. 19:51
מִמַּטּוֹת־ 248 יֹרֶשֶׁת נַחֲלָה מִמַּטּוֹת בְּ״יִ Num. 36:8
מַטּוֹתָם 249 וַיִּבְלַע מַטֵּה־אַהֲרֹן אֶת־מַטֹּתָם Ex. 7:12
250 וּמַטֵּה אַהֲרֹן בְּתוֹךְ מַטּוֹתָם Num. 17:21
בְּמַטָּיו 251 נָקַבְתָּ בְמַטָּיו רֹאשׁ פְּרָזָו Hab. 3:14

מִטָּה נ׳ רהיט לשכיבה: 1־29

קרובים: אַפִּרְיוֹן / יָצוּעַ / מִשְׁכָּב / עֶרֶשׂ

– מִטָּה כְבוּדָה 2; פְּאַת מִטָּה 3; רֹאשׁ הַמִּטָּה 4; מִטַּת אִישׁ הָאֱלֹהִים 16; מִטָּתוֹ שֶׁלִּשְׁלֹמֹה 24
– מִטּוֹת זָהָב 29; מִטּוֹת כֶּסֶף 29; מִטּוֹת שֵׁן 28
– חֲדַר הַמִּטּוֹת 26, 27

מִטָּה 1 מִטָּה וְשֻׁלְחָן וְכִסֵּא וּמְנוֹרָה IIK. 4:10
2 וְיָשַׁבְתְּ עַל־מִטָּה כְבוּדָה Ezek. 23:41
3 ...בִּפְאַת מִטָּה וּבִדְמֶשֶׁק עָרֶשׂ Am. 3:12
הַמִּטָּה 4 וַיִּשְׁתַּחוּ יִשְׂרָאֵל עַל־רֹאשׁ הַמִּטָּה Gen. 47:31
5 וַיִּתְחַזֵּק יִשְׂרָאֵל וַיֵּשֶׁב עַל־הַמִּטָּה Gen. 48:2
6 וַיֶּאֱסֹף רַגְלָיו אֶל־הַמִּטָּה Gen. 49:33
7 וַתִּקַּח...וַתָּשֶׂם אֶל־הַמִּטָּה ISh. 19:13
8 וְהִנֵּה הַתְּרָפִים אֶל־הַמִּטָּה ISh. 19:16
9 וַיָּקָם מֵהָאָרֶץ וַיֵּשֶׁב אֶל־הַמִּטָּה ISh. 28:23
10 וְהַמֶּלֶךְ דָּוִד הֹלֵךְ אַחֲרֵי הַמִּטָּה IISh. 3:31
11־13 הַמִּטָּה אֲשֶׁר־עָלִיתָ שָּׁם IIK. 1:4, 6, 16
14 וְהָמָן נֹפֵל עַל־הַמִּטָּה... Es. 7:8
בַּמִּטָּה 15 הַעֲלוּ אֹתוֹ בַמִּטָּה אֵלַי לַהֲמִתוֹ ISh. 19:15
מִטַּת־ 16 וַתַּשְׁכִּבֵהוּ עַל־מִטַּת אִישׁ הָאֱלֹהִים IIK.4:21
מִטָּתִי 17 אַשְׂחֶה בְכָל־לַיְלָה מִטָּתִי Ps. 6:7
מִטָּתֶךָ 18 וּבַחֲדַר מִשְׁכָּבְךָ וְעַל־מִטָּתֶךָ Ex. 7:28
מִטָּתוֹ 19 וְהוּא־שֹׁכֵב עַל־מִטָּתוֹ IISh. 4:7
20 וַיַּשְׁכִּבֵהוּ עַל־מִטָּתוֹ IK. 17:19
21 וַיִּשְׁכַּב עַל־מִטָּתוֹ וַיַּסֵּב אֶת־פָּנָיו IK. 21:4
22 וְהִנֵּה הַנַּעַר מֵת מֻשְׁכָּב עַל־מִטָּתוֹ IIK. 4:32
23 הַדֶּלֶת תִּסּוֹב עַל־צִירָהּ וְעָצֵל עַל־מִטָּתוֹ Prov. 26:14
24 הִנֵּה מִטָּתוֹ שֶׁלִּשְׁלֹמֹה S.ofS. 3:7
25 וַיַּהַרְגֻהוּ עַל־מִטָּתוֹ וַיָּמֹת IICh. 24:25
הַמִּטּוֹת 26/7 וַתִּגְנֹב אֹתוֹ...בַּחֲדַר הַמִּ׳ IIK. 11:2 • IICh. 22:11
מִטּוֹת־ 28 הַשֹּׁכְבִים עַל־מִטּוֹת שֵׁן Am. 6:4
29 מִטּוֹת זָהָב וָכֶסֶף Es. 1:6

מַטָּה תה״פ לצד הנמוך, מתחת: 1־19

מַטָּה מָּטָּה 2־3; לְמַטָּה 4־13; מִלְּמַטָּה 14־19

מַטָּה 1 לְמַעַן סוּר מִשְּׁאוֹל מָטָּה Prov. 15:24
מַטָּה מָּטָּה 2־3 וְאַתָּה תֵרֵד מַטָּה מָּטָּה Deut. 28:43
לְמַטָּה 4 הַיֹּרֶדֶת הִיא לְמַטָּה לָאָרֶץ Eccl. 3:21
5 חָשַׂכְתָּ לְמַטָּה מֵעֲוֹנֵינוּ Ez. 9:13
6 וַיַּשְׁרֵם° לְמַטָּה־מַעְרָבָה IICh. 32:30
לְמָטָּה 7 וְהָיִיתָ...לְמַעְלָה וְלֹא תִהְיֶה לְמָטָּה Deut. 28:13
8־9 וְיָסְפָה...שֹׁרֶשׁ לְמָטָּה... IIK. 19:30 • Is. 37:31
10 וְיֵחָקְרוּ מוֹסְדֵי־אֶרֶץ לְמָטָּה Jer. 31:37(36)
וּלְמַטָּה 11 וּמִמַּרְאֵה מָתְנָיו וּלְמַטָּה רָאִיתִי... Ezek. 1:27
12 מִמַּרְאֵה מָתְנָיו וּלְמַטָּה אֵשׁ Ezek. 8:2
וּלְמָטָּה 13 לְמִבֶּן עֶשְׂרִים שָׁנָה וּלְמָטָּה ICh. 27:23
מִלְּמַטָּה 14 וְיִהְיוּ תֹאֲמִם מִלְּמַטָּה Ex. 26:24
15 עַל־שְׁתֵּי כִתְפוֹת הָאֵפוֹד מִלְּמַטָּה Ex. 28:27
16 וְהָיוּ תוֹאֲמִם מִלְּמַטָּה Ex. 36:29
17 תַּחַת כַּרְכֻּבּוֹ מִלְּמַטָּה עַד־חֶצְיוֹ Ex. 38:4
18 עַל־שְׁתֵּי כִתְפֹת הָאֵפֹד מִלְּמַטָּה Ex. 39:20
מִלְּמָטָּה 19 תַּחַת כַּרְכֹּב הַמִּזְבֵּחַ מִלְּמָטָּה Ex. 27:5

מֻטֶּה ז׳ עוות דין

מֻטֶּה 1 וְהָעִיר מָלְאָה מֻטֶּה Ezek. 9:9

מֻטָּה נ״ר פרישה

מֻטּוֹת־ 1 וְהָיָה מֻטּוֹת כְּנָפָיו מְלֹא רֹחַב־אַרְצְךָ Is. 8:8

מְטָהֳרוֹ (תהלים פט45) – עין טֹהַר

מַטְוֶה ז׳ חוטים שנטוו

מַטְוֶה 1 וַיָּבִיאוּ מַטְוֶה אֶת־הַתְּכֵלֶת Ex. 35:25

מְטִיל* ז׳ מוט, גוש

כִּמְטִיל־ 1 גְּרָמָיו כִּמְטִיל בַּרְזֶל Job 40:18

מַטְמוֹן ז׳ אוצר: 1–5 • מַטְמֻנֵי מִסְתָּרִים 5

מַטְמוֹן 1 נָתַן לָכֶם מַטְמוֹן בְּאַמְתְּחֹתֵיכֶם Gen. 43:23
מַטְמוֹנִים 2 יֶשׁ־לָנוּ מַטְמֹנִים בַּשָּׂדֶה Jer. 41:8
וְכַמַּטְמוֹנִים 3 וְכַמַּטְמֹנִים תַּחְפְּשֶׂנָּה Prov. 2:4
מִמַּטְמוֹנִים 4 וַיַּחְפְּרֻהוּ מִמַּטְמוֹנִים Job 3:21
וּמַטְמֻנֵי־ 5 אוֹצְרוֹת חֹשֶׁךְ וּמַטְמֻנֵי מִסְתָּרִים Is. 45:3

מַטָּע ז׳ שטח אדמה נטוע: 1־6

עֲרוּגוֹת מַטָּע 3; מַטַּע יְיָ 2; מַטָּעֵי כֶרֶם 5

מַטָּע 1 וַהֲקִמֹתִי לָהֶם מַטָּע לְשֵׁם Ezek. 34:29
מַטַּע־ 2 אֵילֵי הַצֶּדֶק מַטַּע יְיָ לְהִתְפָּאֵר Is. 61:3
מַטָּעָהּ 3 לְהַשְׁקוֹת אוֹתָהּ מֵעֲרֻגוֹת מַטָּעָהּ Ezek. 17:7
4 נַהֲרֹתֶיהָ הֹלֵךְ סְבִיבוֹת מַטָּעָהּ Ezek. 31:4
לְמַטָּעֵי־ 5 ...לְעִי הַשָּׂדֶה לְמַטָּעֵי כָרֶם Mic. 1:6
מַטָּעַי 6 נֵצֶר מַטָּעַי (כת׳ מטעו) מַעֲשֵׂה יָדַי לְהִתְפָּאֵר Is. 60:21

מַטְעַמִּים ז״ר מאכלי תאוה: 1־8

מַטְעַמִּים 1־2 וַעֲשֵׂה־לִי מַטְעַמִּים Gen. 27:4, 7
3 וְאֶעֱשֶׂה אֹתָם מַטְעַמִּים לְאָבִיךָ Gen. 27:9
4 וַתַּעַשׂ אִמּוֹ מַטְעַמִּים כַּאֲשֶׁר אָהֵב Gen. 27:14
5 וַיַּעַשׂ גַּם הוּא מַטְעַמִּים Gen. 27:31
הַמַּטְעַמִּים 6 אֶת־הַמַּטְעַמִּים וְאֶת־הַלֶּחֶם Gen. 27:17
לְמַטְעַמּוֹתָיו 7 אַל־תִּתְאָו לְמַטְעַמּוֹתָיו Prov. 23:3
8 וְאַל־תִּתְאָו לְמַטְעַמֹּתָיו Prov. 23:6

מִטְפַּחַת נ׳ מעטפה לכסוי הצואר או הראש, מבגדי הנשים: 1, 2

הַמִּטְפַּחַת 1 הָבִי הַמִּטְפַּחַת אֲשֶׁר־עָלַיִךְ Ruth 3:15
וְהַמִּטְפָּחוֹת 2 וְהַמִּטְפָּחוֹת וְהָחֲרִיטִים Is. 3:22

מטר : הִמְטִיר, נִמְטַר; מָטָר

(מטר) הִמְטִיר הפ׳ א) הוריד גשמים: 1־4,6,7,10,13,16 ב) [בהשאלה] הטיל בשפע: 5, 8, 9, 11, 12, 14, 15 ג) [נפ׳ נִמְטַר] ירד עליו גשם: 17

לְהַמְטִיר 1 לְהַמְטִיר עַל־אֶרֶץ לֹא־אִישׁ Job 38:26
מֵהַמְטִיר 2 הֶעָבִים אֲצַוֶּה מֵהַמְטִיר עָלָיו מָטָר Is. 5:6
וְהִמְטַרְתִּי 3 וְהִמְטַרְתִּי עַל־עִיר אֶחָת Am. 4:7
הִמְטִיר 4 לֹא הִמְטִיר יְיָ אֱלֹהִים עַל־הָאָרֶץ Gen. 2:5
5 וַייָ הִמְטִיר עַל־סְדֹם...גָּפְרִית וָאֵשׁ Gen. 19:24
מַמְטִיר 6 אָנֹכִי מַמְטִיר עַל־הָאָרֶץ Gen. 7:4
7 הִנְנִי מַמְטִיר כָּעֵת מָחָר Ex. 9:18
8 הִנְנִי מַמְטִיר לָכֶם לֶחֶם מִן־הַשָּׁמָיִם Ex. 16:4
אַמְטִיר 9 אֵשׁ וְגָפְרִית אַמְטִיר עָלָיו Ezek. 38:22
10 וְעַל־עִיר אַחַת לֹא אַמְטִיר Am. 4:7
יַמְטֵר 11 יַמְטֵר עַל־רְשָׁעִים פַּחִים Ps. 11:6
וְיַמְטֵר 12 וְיַמְטֵר עָלֵימוֹ בִּלְחוּמוֹ Job 20:23
וַיַּמְטֵר 13 וַיַּמְטֵר יְיָ בָּרָד עַל־אֶרֶץ מִצְרָיִם Ex. 9:23
14 וַיַּמְטֵר עֲלֵיהֶם מָן לֶאֱכֹל Ps. 78:24
15 וַיַּמְטֵר עֲלֵיהֶם כֶּעָפָר שְׁאֵר Ps. 78:27
תַּמְטִיר 16 וְחֶלְקָה אֲשֶׁר־לֹא־תַמְטִיר עָלֶיהָ Am. 4:7
תִּמָּטֵר 17 חֶלְקָה אַחַת תִּמָּטֵר... Am. 4:7

מָטָר ז׳ גשם: 1־38

קרובים: גֶּשֶׁם / דֶּלֶף / זַרְזִיף / זֶרֶם / טַל / יוֹרֶה / מַבּוּל / מוֹרֶה / מַלְקוֹשׁ / רְבִיבִים / שְׂעִירִים

– מָטָר סוֹחֵף 9; גֶּשֶׁם מָטָר 12, 38; טַל וּמָטָר 2, 19; קוֹלוֹת וּמָטָר 17, 18
– מְטַר הָאָרֶץ 32־34; מְ׳ גֶּשֶׁם 36; מְ׳ זַרְעוֹ 35; מְטַר הַשָּׁמַיִם 37; מִטְרוֹת עֻזּוֹ 38

מָטָר 1 וְעָצַר אֶת־הַשָּׁמַיִם וְלֹא־יִהְיֶה מָטָר Deut. 11:17
2 אַל־טַל וְאַל־מָטָר עֲלֵיכֶם IISh. 1:21
3 בְּהֵעָצֵר שָׁמַיִם וְלֹא־יִהְיֶה מָטָר IK. 8:35
4 וְנָתַתָּה מָטָר עַל־אַרְצְךָ IK. 8:36
5 וְאֶתְּנָה מָטָר עַל־פְּנֵי הָאֲדָמָה IK. 18:1
6 ...אֲצַוֶּה מֵהַמְטִיר עָלָיו מָטָר Is. 5:6
7 שַׁאֲלוּ מֵייָ מָטָר בְּעֵת מַלְקוֹשׁ Zech. 10:1
8 הַמֵּכִין לָאָרֶץ מָטָר Ps. 147:8
9 מָטָר סֹחֵף וְאֵין לָחֶם Prov. 28:3
10 הַנֹּתֵן מָטָר עַל־פְּנֵי־אָרֶץ Job 5:10
11 יָזֹקּוּ מָטָר לְאֵדוֹ Job 36:27
12 לַשֶּׁלֶג יֹאמַר הֱוֵא אָרֶץ וְגֶשֶׁם מָטָר Job 37:6
13 בְּהֵעָצֵר הַשָּׁמַיִם וְלֹא־יִהְיֶה מָטָר IICh. 6:26
14 וְנָתַתָּה מָטָר עַל־אַרְצְךָ IICh. 6:27
15 הֵן אֶעֱצֹר הַשָּׁמַיִם וְלֹא־יִהְיֶה מָטָר IICh. 7:13
וּמָטָר 16 וּמָטָר לֹא־נִתַּךְ אָרְצָה Ex. 9:33
17 אֶקְרָא אֶל־יְיָ וְיִתֵּן קֹלוֹת וּמָטָר ISh. 12:17
18 וַיִּתֵּן יְיָ קֹלֹת וּמָטָר בַּיּוֹם הַהוּא ISh. 12:18
19 אִם־יִהְיֶה הַשָּׁנִים הָאֵלֶּה טַל וּמָטָר IK. 17:1
הַמָּטָר 20 כִּי־חָדַל הַמָּטָר וְהַבָּרָד וְהַקֹּלֹת Ex. 9:34
כְּמָטָר 21 יֵרֵד כְּמָטָר עַל־גֵּז Ps. 72:6
כַּמָּטָר 22 יַעֲרֹף כַּמָּטָר לִקְחִי Deut. 32:2
23 וְיִחֲלוּ כַמָּטָר לִי Job 29:23
וְכַמָּטָר 24 כַּשֶּׁלֶג בַּקַּיִץ וְכַמָּטָר בַּקָּצִיר Prov. 26:1
לַמָּטָר 25־27 בְּרָקִים לַמָּטָר עָשָׂה Jer. 10:13; 51:16 Ps. 135:7
28 בַּעֲשֹׂתוֹ לַמָּטָר חֹק Job 28:26
29 הֲיֵשׁ־לַמָּטָר אָב Job 38:28
מִמָּטָר 30 מִנֹּגַהּ מִמָּטָר דֶּשֶׁא מֵאָרֶץ IISh. 23:4
וּמִמָּטָר 31 וּלְמַחְסֶה וּלְמִסְתּוֹר מִזֶּרֶם וּמִמָּטָר Is. 4:6
מְטַר־ 32 וְנָתַתִּי מְטַר־אַרְצְכֶם בְּעִתּוֹ Deut. 11:14
33 לָתֵת מְטַר־אַרְצְךָ בְּעִתּוֹ Deut. 28:12
34 יִתֵּן יְיָ אֶת־מְטַר אַרְצְךָ אָבָק Deut. 28:24
35 וְנָתַן מְטַר זַרְעֲךָ אֲשֶׁר־תִּזְרַע Is. 30:23
וּמְטַר־ 36 וּמְטַר־גֶּשֶׁם יִתֵּן לָהֶם Zech. 10:1
לִמְטַר־ 37 לִמְטַר הַשָּׁמַיִם תִּשְׁתֶּה־מָּיִם Deut. 11:11
מִטְרוֹת־ 38 וְגֶשֶׁם מָטָר וְגֶשֶׁם מִטְרוֹת עֻזּוֹ Job 37:6

מַטָּרָא נ׳ (איכה ג 12) – עין מַטָּרָה

מַטְרֵד שפ״נ – אשת הֲדַד מלך ארם: 2,1

1/2 מְהֵיטַבְאֵל בַּת־מַטְרֵד — Gen. 36:39 • ICh. 1:50

מַטָּרָה נ׳ א) משמר: 1-13

ב) ציון לכוון ירית החץ: 14-16

חֲצַר הַמַּטָּרָה 1-12; שַׁעַר הַמַּטָּרָה 13

הַמַּטָּרָה 1 הָיָה כָלוּא בַּחֲצַר הַמַּטָּרָה — Jer. 32:2
2 וַיָּבֹא אֶל־חֲצַר הַמַּטָּרָה — Jer. 32:8
3-10 בַּחֲצַר הַמַּטָּרָה — Jer. 32:12; 33:1
37:21^{2}; 38:6, 13, 28; 39:15
11 וַיִּקְחוּ אֶת־יִרְמְ׳ מֵחֲצַר הַמַּטָּרָה — Jer. 39:14
12 מִבֵּית...אֲשֶׁר לַחֲצַר הַמַּטָּרָה — Neh. 3:25
13 וְעָמְדוּ בְּשַׁעַר הַמַּטָּרָה — Neh. 12:39
כַּמַּטָּרָא 14 וַיַּצִּיבֵנִי כַּמַּטָּרָא לַחֵץ — Lam. 3:12
לְמַטָּרָה 15 צִדָּה אוֹרֶה לְשַׁלַּח־לִי לְמַטָּרָה — ISh. 20:20
16 וַיְקִימֵנִי לוֹ לְמַטָּרָה — Job 16:12

מַטְרִי ת׳ המתיחס על משפחה מבנימין, מאבות שאול המלך

הַמַּטְרִי 1 וַתִּלָּכֵד מִשְׁפַּחַת הַמַּטְרִי — ISh. 10:21

מֵי סמיכות מן מַיִם – עין מַיִם

מִי מ״ג כנוי סתמי לאדם, על־פי־רוב במשפט שאלה, להבעת שאלה או תמיהה: 1-423

א) בראש המשפט – כנוֹשׂא: 1-276, 322-398
ב) אחרי שם או מלת־יחס – כמוּשׂא: 277-321
ג) זה אשר, האיש ש־: 20, 21, 32, 33, 72, 81, 92
ד) האמנם? האם?: 76, 77
ה) [מִי אֲשֶׁר] הָאִישׁ ש־: 238-241, 395
ו) [מִי יִתֵּן] הלוַאי: 254-276, 397, 398

– מִי וָמִי 344; מִי אֵלֶּה 8, 11, 63; מִי אֵפוֹא 237; מִי אֲשֶׁר 238-241, 395; מִי הוּא זֶה 120, 242,243; מִי זֶה 247-253, 395, 396; מִי זֹאת 244-246; מִי יוֹדֵעַ 45, 73, 78, 385, 388; מִי יִתֵּן 254-276, 397, 398; מִי כָּמוֹהוּ 113; מִי כָמוֹךָ 18, 19, 93, 95, 98, 351, 362; מִי כָּמוֹנִי 332, 333, 389; מִי שְׁמֶךָ 40

– אַחֲרֵי מִי 288, 289; אֶל מִי 290-296; אֶת־מִי 297-309; עַל מִי 310-321; בַּאֲשֶׁר לְמִי 407; בְּשֶׁלְּמִי 423; בֶּן מִי 282-284; בַּת מִי 277, 278

– ״מִי״ מרכיב בשמות פרטיים שונים, כגון: מִיכָאֵל, מִיכָה, מִיכָיָה ועוד – עין כל שם במקומו

מִי 1 מִי הִגִּיד לְךָ כִּי עֵירֹם אָתָּה — Gen. 3:11
2 עֹד מִי־לְךָ פֹה — Gen. 19:12
3 מִי מִלֵּל לְאַבְרָהָם — Gen. 21:7
4 מִי עָשָׂה אֶת־הַדָּבָר הַזֶּה — Gen. 21:26
5 מִי־הָאִישׁ הַלָּזֶה — Gen. 24:65
6 מִי אַתָּה בְּנִי — Gen. 27:18
7 וַיֹּאמֶר לוֹ...מִי־אָתָּה — Gen. 27:32
8 מִי־אֵלֶּה לָּךְ — Gen. 33:5
9 מִי לְךָ כָּל־הַמַּחֲנֶה הַזֶּה — Gen. 33:8
10 לֹא־יָדַעְנוּ מִי־שָׂם כַּסְפֵּנוּ — Gen. 43:22
11 וַיֹּאמֶר מִי־אֵלֶּה — Gen. 48:8
12 כָּרַע רָבַץ...מִי יְקִימֶנּוּ — Gen. 49:9
13 מִי שָׂמְךָ לְאִישׁ שַׂר וְשֹׁפֵט — Ex. 2:14
14 מִי אָנֹכִי כִּי אֵלֵךְ אֶל־פַּרְעֹה — Ex. 3:11
15 מִי שָׂם פֶּה לָאָדָם — Ex. 4:11

מִי (המשך)
16 אוֹ מִי־יָשׂוּם אִלֵּם — Ex. 4:11
17 מִי יְיָ אֲשֶׁר אֶשְׁמַע בְּקֹלוֹ — Ex. 5:2
18 מִי־כָמֹכָה בָּאֵלִם יְיָ — Ex. 15:11
19 מִי כָּמֹכָה נֶאְדָּר בַּקֹּדֶשׁ — Ex. 15:11
20 מִי־בַעַל דְּבָרִים יִגַּשׁ אֲלֵהֶם — Ex. 24:14
21 מִי לַייָ אֵלָי — Ex. 32:26
22-23 מִי יַאֲכִלֵנוּ בָּשָׂר — Num. 11:4, 18
24 מִי הָאֲנָשִׁים הָאֵלֶּה עִמָּךְ — Num. 22:9
25 מִי מָנָה עֲפַר יַעֲקֹב — Num. 23:10
26 כָּרַע שָׁכַב...מִי יְקִימֶנּוּ — Num. 24:9
27 אוֹי מִי יִחְיֶה מִשֻּׂמוֹ אֵל — Num. 24:23
28 אֲשֶׁר מִי־אֵל בַּשָּׁמַיִם וּבָאָרֶץ. — Deut. 3:24
29 כִּי מִי־גוֹי גָּדוֹל... — Deut. 4:7
30 כִּי מִי כָל־בָּשָׂר אֲשֶׁר שָׁמַע... — Deut. 5:23
31 מִי יִתְיַצֵּב לִפְנֵי בְּנֵי־עֲנָק — Deut. 9:2
32 מִי־הָאִישׁ אֲשֶׁר בָּנָה... — Deut. 20:5
33 מִי־הָאִישׁ הַיָּרֵא וְרַךְ הַלֵּבָב — Deut. 20:8
34 לֹא נוֹדַע מִי הִכָּהוּ — Deut. 21:1
35 מִי יַעֲלֶה־לָּנוּ הַשָּׁמַיְמָה — Deut. 30:12
36 מִי יַעֲבָר־לָנוּ אֶל־עֵבֶר הַיָּם — Deut. 30:13
37 מִי כָמוֹךָ עַם נוֹשַׁע בַּייָ — Deut. 33:29
38 מִי אַתֶּם וּמֵאַיִן תָּבֹאוּ — Josh. 9:8
39 מִי אֲבִימֶלֶךְ כִּי נַעַבְדֶנּוּ — Jud. 9:38
40 וַיֹּאמֶר מָנוֹחַ...מִי שְׁמֶךָ — Jud. 13:17
41 כִּי מִי הַפְּלִשְׁתִּי הֶעָרֵל הַזֶּה — ISh. 17:26
42 מִי יַגִּיד לִי אוֹ מַה־יַּעַנְךָ אָבִיךָ — ISh. 20:10
43 מִי אַתָּה קָרָאתָ אֶל־הַמֶּלֶךְ — ISh. 26:14
44 וַיֹּאמֶר לִי מִי־אָתָּה — IISh. 1:8
45 מִי יוֹדֵעַ וְחַנַּנִי° יְיָ — IISh. 12:22
46 מִי־יְשִׂמֵנִי שֹׁפֵט בָּאָרֶץ — IISh. 15:4
47 שִׁמְרוּ־מִי בַּנַּעַר בְּאַבְשָׁלוֹם — IISh. 18:12
48 כִּי מִי־אֵל מִבַּלְעֲדֵי יְיָ — IISh. 22:32
49 מִי מִשֶּׁלָּנוּ אֶל־מֶלֶךְ יִשְׂרָאֵל — IIK. 6:11
50-51 וַיֹּאמֶר מִי אִתִּי מִי — IIK. 9:32
52 וַיֹּאמֶר מִי אַתֶּם — IIK. 10:13
53 מִי עִוֵּר כִּי אִם־עַבְדִּי — Is. 42:19
54 מִי עִוֵּר כִּמְשֻׁלָּם — Is. 42:19
55 מִי יָלַד־לִי אֶת־אֵלֶּה — Is. 49:21
56 וְאֵלֶּה מִי גִדֵּל — Is. 49:21
57 מִי־הוּא יַרְשִׁיעֵנִי — Is. 50:9
58 מִי בָכֶם יְרֵא יְיָ — Is. 50:10
59 מִי־אַתְּ וַתִּירְאִי מֵאֱנוֹשׁ — Is. 51:12
60/1 מִי יָנוּד לָךְ...מִי אֲנַחֲמֵךְ — Is. 51:19
62 מִי הֶאֱמִין לִשְׁמֻעָתֵנוּ — Is. 53:1
63 מִי־אֵלֶּה כָּעָב תְּעוּפֶינָה — Is. 60:8
64/5 מִי־שָׁמַע כָּזֹאת מִי רָאָה כָּאֵלֶּה — Is. 66:8
66 מִי־הָאִישׁ הֶחָכָם וְיָבֵן... — Jer. 9:11
67 כִּי מִי־יַחְמֹל עָלַיִךְ יְרוּשָׁלִַם — Jer. 15:5
68 ...וְאָנֻשׁ הוּא מִי יֵדָעֶנּוּ — Jer. 17:9
69 מִי שָׁמַע כָּאֵלֶּה — Jer. 18:13
70 כִּי מִי עָמַד בְּסוֹד יְיָ — Jer. 23:18
71 מִי־הִקְשִׁיב דְּבָרוֹ° וַיִּשְׁמָע — Jer. 23:18
72 מִי חָכָם וְיָבֵן אֵלֶּה — Hosh. 14:10
73 מִי יוֹדֵעַ יָשׁוּב וְנִחָם — Joel 2:14
74 אַרְיֵה שָׁאָג מִי לֹא יִירָא — Am. 3:8
75 אֲדֹנָי יֱיִ דִּבֶּר מִי לֹא יִנָּבֵא — Am. 3:8
76/7 מִי יָקוּם יַעֲקֹב — Am. 7:2, 5
78 מִי־יוֹדֵעַ יָשׁוּב וְנִחַם הָאֱלֹהִים — Jon. 3:9
79 מִי־פֶשַׁע יַעֲקֹב הֲלוֹא שֹׁמְרוֹן — Mic. 1:5
80 מִי־אֵל כָּמוֹךָ — Mic. 7:18
81 מִי בָכֶם הַנִּשְׁאָר אֲשֶׁר רָאָה... — Hag. 2:3
82 מִי־אַתָּה הַר־הַגָּדוֹל — Zech. 4:7

מִי (המשך)
83 כִּי מִי בַז לְיוֹם קְטַנּוֹת — Zech. 4:10
84 מִי־יַרְאֵנוּ טוֹב — Ps. 4:7
85 בִּשְׁאוֹל מִי יוֹדֶה־לָּךְ — Ps. 6:6
86 מִי אָדוֹן לָנוּ — Ps. 12:5
87 מִי־יָגוּר בְּאָהֳלֶךָ — Ps. 15:1
88 מִי־יִשְׁכֹּן בְּהַר קָדְשֶׁךָ — Ps. 15:1
89 כִּי מִי אֱלוֹהַּ מִבַּלְעֲדֵי יְיָ — Ps. 18:32
90 שְׁגִיאוֹת מִי־יָבִין — Ps. 19:13
91 מִי־יַעֲלֶה בְהַר־יְיָ — Ps. 24:3
92 מִי־הָאִישׁ הֶחָפֵץ חַיִּים — Ps. 34:13
93 יְיָ מִי כָמוֹךָ — Ps. 35:10
94 אָמְרוּ מִי יִרְאֶה־לָּמוֹ — Ps. 64:6
95 אֱלֹהִים מִי כָמוֹךָ — Ps. 71:19
96 מִי־לִי בַשָּׁמָיִם... — Ps. 73:25
97 מִי־אֵל גָּדוֹל כֵּאלֹהִים — Ps. 77:14
98 מִי־כָמוֹךָ חֲסִין יָהּ — Ps. 89:9
99 מִי־יוֹדֵעַ עֹז אַפֶּךָ — Ps. 90:11
100 מִי יְמַלֵּל גְּבוּרוֹת יְיָ — Ps. 106:2
101 מִי־חָכָם וְיִשְׁמָר־אֵלֶּה — Ps. 107:43
102 מִי כַּייָ אֱלֹהֵינוּ — Ps. 113:5
103 וְרוּחַ נְכֵאָה מִי יִשָּׂאֶנָּה — Prov. 18:14
104 וְאִישׁ אֱמוּנִים מִי יִמְצָא — Prov. 20:6
105 וּפִיד שְׁנֵיהֶם מִי יוֹדֵעַ — Prov. 24:22
106 אֵשֶׁת־חַיִל מִי יִמְצָא — Prov. 31:10
107 זְכָר־נָא מִי הוּא נָקִי אָבָד — Job 4:7
108 אִם־לֹא אֵפוֹא מִי־הוּא — Job 9:24
109 מִי לֹא־יָדַע בְּכָל־אֵלֶּה — Job 12:9
110 מִי־הוּא יָרִיב עִמָּדִי — Job 13:19
111 מִי־הוּא לְיָדִי יִתָּקֵעַ — Job 17:3
112 וְאִם־לֹא אֵפוֹ מִי יַכְזִיבֵנִי — Job 24:25
113 מִי כָמֹהוּ מוֹרֶה — Job 36:22
114 מִי יוֹדֵעַ רוּחַ בְּנֵי הָאָדָם — Eccl. 3:21
115 כִּי מִי־יוֹדֵעַ מַה־טּוֹב לָאָדָם — Eccl. 6:12
116 אֲשֶׁר מִי־יַגִּיד לָאָדָם... — Eccl. 6:12
117 כִּי מִי יוּכַל לְתַקֵּן... — Eccl. 7:13
118 וַיֹּאמֶר מִי־אָתְּ — Ruth 3:9
119 וַתֹּאמֶר מִי־אַתְּ בִּתִּי — Ruth 3:16
120 מִי הוּא זֶה וְאֵי־זֶה הוּא — Es. 7:5
121 מִי־אֲנִי יְיָ אֱלֹהִים... — ICh. 17:16
122-236 מִי — Jud 1:1; 6:29

7:3; 10:18; 15:6; 18:3; 20:18; 21:8 • ISh. 2:25; 4:8; 6:20; 11:12; 14:17; 23:22; 26:6, 9 • IISh. 11:21; 23:15 • IK. 1:20, 27; 3:9; 20:14; 22:20 • IIK. 18:35 • Is. 1:12; 23:8; 33:14^{2}; 36:20; 40:12, 13, 26; 41:2, 4, 26; 42:23, 24; 43:9; 44:10; 45:21; 48:14; 50:1, 8^{2}; 53:8; 54:15 • Jer. 2:24; 10:7; 21:13; 49:4 • Ezek. 27:32 • Ob. 3 • Nah. 1:6; 3:7 • Mal. 1:10 • Ps. 39:7; 59:8; 60:11^{2}; 89:7, 49; 94:16^{2}; 108:11^{2}; 130:3; 147:17 • Prov. 9:4, 16; 20:9; 30:4^{4}, 9 • Job 4:2; 9:4, 12^{2}, 19; 17:15; 21:31^{2}; 26:14; 34:7, 13; 36:23; 38:5^{2}; 38:6, 25, 28, 29, 36^{2}, 37^{2}, 41; 39:5^{2}; 41:3, 5^{2}, 6 • Eccl. 3:22; 7:24; 8:7; 10:14 • Lam. 2:13 • Es. 6:4 • Ez. 1:3 • ICh. 11:17 • IICh. 1:10; 18:19; 32:14; 36:23

מִי אֵפוֹא 237 מִי־אֵפוֹא הוּא הַצָּד־צַיִד — Gen. 27:33
מִי אֲשֶׁר 238 מִי אֲשֶׁר חָטָא־לִי אֶמְחֶנּוּ מִסִּפְרִי — Ex. 32:33
239 מִי אֲשֶׁר לֹא־עָלָה בַקָּהָל — Jud. 21:5
240 מִי אֲשֶׁר חָפֵץ בְּיוֹאָב — IISh. 20:11
241 כִּי־מִי אֲשֶׁר יְחֻבַּר° אֶל־כָּל־הַחַיִּים — Eccl. 9:4
מִי הוּא זֶה 242 כִּי מִי הוּא־זֶה עָרַב אֶת־לִבּוֹ — Jer. 30:21
243 מִי הוּא זֶה מֶלֶךְ הַכָּבוֹד — Ps. 24:10
מִי זֹאת 244/5 מִי זֹאת עֹלָה מִן־הַמִּדְבָּר — S.ofS. 3:6; 8:5
246 מִי־זֹאת הַנִּשְׁקָפָה כְּמוֹ־שָׁחַר — S.ofS. 6:10

מִי זֶה 247 מִי־זֶה בָּא מֵאֱדוֹם Is. 63:1

248 מִי־זֶה כַּיְאֹר יַעֲלֶה Jer. 46:7

249 מִי זֶה מֶלֶךְ הַכָּבוֹד Ps. 24:8

250 מִי־זֶה הָאִישׁ יְרֵא יְיָ Ps. 25:12

251 מִי זֶה מַחְשִׁיךְ עֵצָה Job 38:2

252 מִי זֶה מַעְלִים עֵצָה Job 42:3

253 מִי זֶה אָמַר וַתֶּהִי Lam. 3:37

מִי יִתֵּן 254 מִי־יִתֵּן מוּתֵנוּ בְיַד־יְיָ Ex. 16:3

255 מִי־יִתֵּן וְהָיָה לְבָבָם זֶה... Deut. 5:26

256 בַּבֹּקֶר תֹּאמַר מִי־יִתֵּן עֶרֶב Deut. 28:67

257 וּבָעֶרֶב תֹּאמַר מִי־יִתֵּן בֹּקֶר Deut. 28:67

258 מִי־יִתֵּן מוּתִי אֲנִי תַחְתֶּיךָ IISh. 19:1

259 מִי־יִתְּנֵנִי שָׁמִיר שַׁיִת בַּמִּלְחָמָה Is. 27:4

260 מִי־יִתֵּן רֹאשִׁי מַיִם Jer. 8:23

261 מִי־יִתְּנֵנִי בַמִּדְבָּר מְלוֹן אֹרְחִים Jer. 9:1

262 מִי יִתֵּן מִצִּיּוֹן יְשׁוּעַת יִשְׂרָאֵל Ps. 14:7

263 מִי יִתֵּן מִצִּיּוֹן יְשֻׁעוֹת יִשְׂרָאֵל Ps. 53:7

264 מִי־יִתֶּן־לִּי אֵבֶר כַּיּוֹנָה Ps. 55:7

265 מִי־יִתֵּן תָּבוֹא שֶׁאֱלָתִי Job 6:8

266 מִי־יִתֵּן אֱלוֹהַּ דַּבֵּר Job 11:5

267 מִי־יִתֵּן הַחֲרֵשׁ תַּחֲרִישׁוּן Job 13:5

268 מִי־יִתֵּן טָהוֹר מִטָּמֵא Job 14:4

269 מִי יִתֵּן בִּשְׁאוֹל תַּצְפִּנֵנִי Job 14:13

270 מִי־יִתֵּן אֵפוֹ וְיִכָּתְבוּן מִלָּי Job 19:23

271 מִי־יִתֵּן בַּסֵּפֶר וְיֻחָקוּ Job 19:23

272 מִי־יִתֵּן יָדַעְתִּי וְאֶמְצָאֵהוּ Job 23:3

273 מִי־יִתְּנֵנִי כְיַרְחֵי־קֶדֶם Job 29:2

274 מִי־יִתֵּן מִבְּשָׂרוֹ לֹא נִשְׂבָּע Job 31:31

275 מִי יִתֶּן־לִי שֹׁמֵעַ לִי Job 31:35

276 מִי יִתֶּנְךָ כְּאָח לִי S.ofS. 8:1

מִי (ב) 277/8 בַּת־מִי אַתְּ Gen. 24:23, 47

279 אֶת־שׁוֹר מִי לָקַחְתִּי ISh. 12:3

280 וַחֲמוֹר מִי לָקַחְתִּי ISh. 12:3

281 וּמִיַּד־מִי לָקַחְתִּי כֹפֶר ISh. 12:3

282 בֶּן־מִי־זֶה הַנָּעַר ISh. 17:55

283 בֶּן־מִי־זֶה הָעָלֶם ISh. 17:56

284 בֶּן־מִי אַתָּה הַנַּעַר ISh. 17:58

285 דְּבַר־מִי יָקוּם מִמֶּנִּי וּמֵהֶם Jer. 44:28

286 וְנִשְׁמַת־מִי יָצְאָה מִמֶּךָּ Job 26:4

287 מִבֶּטֶן מִי יָצָא הַקָּרַח Job 38:29

אַחֲרֵי מִי 288 אַחֲרֵי מִי יָצָא מֶלֶךְ יִשְׂרָאֵל ISh. 24:14

289 אַחֲרֵי מִי אַתָּה רֹדֵף ISh. 24:14

אֶל־מִי 290 וְאֶל־מִי יַעֲלֶה מֵעָלֵינוּ ISh. 6:20

291 אֶל־מִי מִכֻּלָּנוּ IIK. 9:5

292 וְאֶל־מִי תְּדַמְּיוּן אֵל Is. 40:18

293 וְאֶל־מִי תְדַמְּיוּנִי וְאֶשְׁוֶה Is. 40:25

294 אֶל־מִי דָּמִיתָ בְגָדְלֶךָ Ezek. 31:2

295 אֶל־מִי דָּמִיתָ כָּכָה בְּכָבוֹד Ezek. 31:18

296 וְאֶל־מִי מִקְּדֹשִׁים תִּפְנֶה Job 5:1

אֶת־מִי 297 בַּחֲרוּ...אֶת־מִי תַעֲבֹדוּן Josh. 24:15

298/9 וְאֶת־מִי עָשַׁקְתִּי אֶת־מִי רַצּוֹתִי ISh. 12:3

300 אֶת־מִי אַעֲלֶה־לָּךְ ISh. 28:11

301/2 אֶת־מִי חֵרַפְתָּ IIK. 19:22 • Is. 37:23

303 אֶת־מִי אֶשְׁלַח Is. 6:8

304 אֶת־מִי יוֹרֶה דֵעָה Is. 28:9

305 וְאֶת־מִי יָבִין שְׁמוּעָה Is. 28:9

306 אֶת־מִי נוֹעָץ וַיְבִינֵהוּ Is. 40:14

307 וְאֶת־מִי דָּאַגְתְּ וַתִּירְאִי Is. 57:11

308 וְאֶת־מִי אֵין כְּמוֹ־אֵלֶּה Job 12:3

309 אֶת־מִי הִגַּדְתָּ מִלִּין Job 26:4

עַל־מִי 310 וְעַל־מִי נָטַשְׁתָּ מְעַט הַצֹּאן ISh. 17:28

311/2 עַל־מִי בָטַחְתָּ IIK. 18:20 • Is. 36:5

עַל־מִי (המשך) 313/4 וְעַל־מִי הֲרִימוֹתָ(ה) קּוֹל IIK. 19:22 Is. 37:23

315 עַל־מִי תָּנוּסוּ לְעֶזְרָה Is. 10:3

316 וּזְרוֹעַ יְיָ עַל־מִי נִגְלָתָה Is. 53:1

317 עַל־מִי תִּתְעַנָּגוּ Is. 57:4

318 עַל־מִי תַּרְחִיבוּ פֶה Is. 57:4

319 עַל־מִי אֲדַבְּרָה וְאָעִידָה Jer. 6:10

320 עַל־מִי לֹא־עָבְרָה רָעָתְךָ Nah. 3:19

321 וְעַל־מִי לֹא־יָקוּם אוֹרֵהוּ Job 25:3

מִי...וּמִי 322/3 מִי־אֲבִימֶלֶךְ וּמִי־שְׁכֶם Jud. 9:28

324/5 מִי אָנֹכִי וּמִי חַיַּי... ISh. 18:18

326/7 מִי דָוִד וּמִי בֶן־יִשָׁי ISh. 25:10

328/9 מִי אָנֹכִי אֲדֹנָי יְיָ וּמִי בֵיתִי IISh. 7:18

330/1 מִי רֹאֵנוּ וּמִי יוֹדְעֵנוּ Is. 29:15

335-332 כִּי מִי כָמוֹנִי וּמִי יְעִידֵנִי Jer. 49:19; 50:44

336/7 כִּי מִי יֹאכַל וּמִי יָחוּשׁ Eccl. 2:25

338/9 מִי כְּהֶחָכָם וּמִי יוֹדֵעַ פֵּשֶׁר דָּבָר Eccl. 8:1

340/1 מִי־אֲנִי יְיָ אֱלֹהִים וּמִי בֵיתִי ICh. 17:16

342/3 וְכִי מִי אֲנִי וּמִי עַמִּי ICh. 29:14

מִי וָמִי 344/5 מִי וָמִי הַהֹלְכִים Ex. 10:8

וּמִי 346 וּמִי גּוֹי גָּדוֹל אֲשֶׁר־לוֹ... Deut. 4:8

347 וּמִי־הָאִישׁ אֲשֶׁר נָטַע כֶּרֶם Deut. 20:6

348 וּמִי־הָאִישׁ אֲשֶׁר אֵרַשׂ אִשָּׁה Deut. 20:7

349 וַיַּעַן...וַיֹּאמֶר וּמִי אֲבִיהֶם ISh. 10:12

350 וּמִי בְכָל־עֲבָדֶיךָ כְּדָוִד נֶאֱמָן ISh. 22:14

351 וּמִי כָמוֹךָ בְּיִשְׂרָאֵל ISh. 26:15

352 וּמִי יִשְׁמַע לָכֶם ISh. 30:24

353 וּמִי כְעַמְּךָ כְּיִשְׂרָאֵל גּוֹי אֶחָד בָּאָ׳ IISh. 7:23

354 וּמִי יֹאמַר מַדּוּעַ עָשִׂיתָה כֵּן IISh. 16:10

355 וּמִי צוּר מִבַּלְעֲדֵי אֱלֹהֵינוּ IISh. 22:32

356 וּמִי הִכָּה אֶת־כָּל־אֵלֶּה IIK. 10:9

357 אֶת־מִי אֶשְׁלַח וּמִי יֵלֶךְ־לָנוּ Is. 6:8

358 כִּי־יְיָ צְבָאוֹת יָעָץ וּמִי יָפֵר Is. 14:27

359 וְיָדוֹ הַנְּטוּיָה וּמִי יְשִׁיבֶנָּה Is. 14:27

360 מַה־לְּךָ פֹה וּמִי־לְךָ פֹּה Is. 22:16

361 אֶפְעַל וּמִי יְשִׁיבֶנָּה Is. 43:13

362 וּמִי־כָמוֹנִי יִקְרָא Is. 44:7

363 מִי־יַחְמֹל...וּמִי יָנוּד לָךְ Jer. 15:5

364 וּמִי יָסוּר לִשְׁאֹל לְשָׁלֹם לָךְ Jer. 15:5

365 וּמִי יָבוֹא בִּמְעוֹנוֹתֵינוּ Jer. 21:13

366/7 וּמִי בָחוּר אֵלֶיהָ אֶפְקֹד Jer. 49:19

368 וְנוֹרָא מְאֹד וּמִי יְכִילֶנּוּ Joel 2:11

369 וּמִי בָּמוֹת יְהוּדָה הֲלוֹא יְרוּשָׁלִָם Mic. 1:5

370 שִׁמְעוּ מַטֶּה וּמִי יְעָדָהּ Mic. 6:9

371 וּמִי יָקוּם בַּחֲרוֹן אַפּוֹ Nah. 1:6

372 וּמִי מְכַלְכֵּל אֶת־יוֹם בּוֹאוֹ Mal. 3:2

373 וּמִי הָעֹמֵד בְּהֵרָאוֹתוֹ Mal. 3:2

374 וּמִי צוּר זוּלָתִי אֱלֹהֵינוּ Ps. 18:32

375 וּמִי־יָקוּם בִּמְקוֹם קָדְשׁוֹ Ps. 24:3

376 וּמִי־יַעֲמֹד לְפָנֶיךָ... Ps. 76:8

377 וּמִי יַעֲמֹד לִפְנֵי קִנְאָה Prov. 27:4

378 וְיַקְהִיל וּמִי יְשִׁיבֶנּוּ Job 11:10

379 וְהוּא בְאֶחָד וּמִי יְשִׁיבֶנּוּ Job 23:13

380 וּמִי שָׂם תֵּבֵל כֻּלָּהּ Job 34:13

381 וְהוּא יַשְׁקִט וּמִי יַרְשִׁעַ Job 34:29

382 וְיַסְתֵּר פָּנִים וּמִי יְשׁוּרֶנּוּ Job 34:29

383 וּמִי־אָמַר פָּעַלְתָּ עַוְלָה Job 36:23

384 וּמִי הוּא לְפָנַי יִתְיַצָּב Job 41:2

385 וּמִי יוֹדֵעַ הֶחָכָם יִהְיֶה Eccl. 2:19

386 וּמִי־אֹהֵב בֶּהָמוֹן לֹא תְבוּאָה Eccl. 5:9

387 וּמִי יֹאמַר־לוֹ מַה־תַּעֲשֶׂה Eccl. 8:4

388 וּמִי יוֹדֵעַ אִם־לְעֵת כָּזֹאת... Es. 4:14

וּמִי (המשך) 389 וּמִי כָּמוֹנִי אֲשֶׁר־יָבוֹא... Neh. 6:11

390 וּמִי כְּעַמְּךָ יִשְׂרָאֵל גּוֹי אֶחָד בָּאָ׳ ICh. 17:21

391 וּמִי מִתְנַדֵּב לְמַלֹּאות יָדוֹ ICh. 29:5

392 וּמִי יַעֲצָר־כֹּחַ לִבְנוֹת־לוֹ בַיִת... IICh. 2:5

393 וּמִי אֲנִי אֲשֶׁר אֶבְנֶה־לוֹ בַיִת IICh. 2:5

וּמִי אֲשֶׁר 394 וּמִי אֲשֶׁר־לְדָוִד אַחֲרֵי יוֹאָב IISh. 20:11

וּמִי־זֶה 395/6 וּמִי־זֶה רֹעֶה... Jer. 49:19; 50:44

וּמִי יִתֵּן 397 וּמִי יִתֵּן כָּל־עַם יְיָ נְבִיאִים Num. 11:29

398 וּמִי יִתֵּן אֶת־הָעָם הַזֶּה בְּיָדִי Jud. 9:29

בְּמִי 499 וַיֹּאמֶר אַחְאָב בְּמִי IK. 20:14

לְמִי 400 לְמִי־אַתָּה וְאָנָה תֵלֵךְ Gen. 32:17

401 לְמִי הַחֹתֶמֶת וְהַפְּתִילִים Gen. 38:25

402 לְמִי זָהָב הִתְפָּרָקוּ Ex. 32:24

403 לְמִי־אַתָּה וְאֵי מִזֶּה אָתָּה ISh. 30:13

404 ...לֵאמֹר לְמִי־אָרֶץ IISh. 3:12

405 לְמִי אֲנִי אֶעֱבֹד IISh. 16:19

406 לְמִי תְדַמְּיוּנִי וְתַשְׁווּ Is. 46:5

407 בַּאֲשֶׁר לְמִי־הָרָעָה הַזֹּאת לָנוּ Jon. 1:8

410-408 לְמִי אוֹי לְמִי אֲבוֹי לְמִי מִדְיָנִים Prov. 23:29*

411/2 לְמִי שִׂיחַ לְמִי פְּצָעִים חִנָּם Prov. 23:29

413 לְמִי חַכְלִלוּת עֵינָיִם Prov. 23:29

414 לְמִי הַנַּעֲרָה הַזֹּאת Ruth 2:5

415 לְמִי עוֹלַלְתָּ כֹּה Lam. 2:20

416 לְמִי יַחְפֹּץ הַמֶּלֶךְ לַעֲשׂוֹת יְקָר Es. 6:6

וּלְמִי 417 וּלְמִי אֵלֶּה לְפָנֶיךָ Gen. 32:17

418 וּלְמִי כָּל־חֶמְדַּת יִשְׂרָאֵל ISh. 9:20

419 וּלְמִי אֲנִי עָמֵל... Eccl. 4:8

מִמִּי 420 מִמִּי נָעָמְתָּ Ezek. 32:19

421 יְיָ אוֹרִי וְיִשְׁעִי מִמִּי אִירָא Ps. 27:1

422 יְיָ מָעוֹז־חַיַּי מִמִּי אֶפְחָד Ps. 27:1

בְּשֶׁלְּמִי 423 בְּשֶׁלְּמִי הָרָעָה הַזֹּאת לָנוּ Jon. 1:7

מֵידְבָא עיר בארץ מואב, בנחלת ראובן: 1–5

מֵידְבָא 1 וַנַּשִּׁים עַד־נֹפַח אֲשֶׁר עַד־מֵידְבָא Num. 21:30

2 וְכָל־הַמִּישֹׁר מֵידְבָא עַד־דִּיבוֹן Josh. 13:9

3 וְכָל־הַמִּישֹׁר עַל־מֵידְבָא Josh. 13:16

4 עַל־נְבוֹ וְעַל מֵידְבָא Is. 15:2

5 וַיָּבֹאוּ וַיַּחֲנוּ לִפְנֵי מֵידְבָא ICh. 19:7

מֵידָד שפ״ז – מן המתנבאים בימי משה: 1, 2

מֵידָד 1 שֵׁם הָאֶחָד אֶלְדָּד...הַשֵּׁנִי מֵידָד Num. 11:26

וּמֵידָד 2 אֶלְדָּד וּמֵידָד מִתְנַבְּאִים בַּמַּחֲנֶה Num. 11:27

מֵי זָהָב שפ״ז (שפ״נ?) – איש (או אשה?) באדום: 1, 2

מֵי זָהָב 1 בַּת־מַטְרֵד בַּת מֵי זָהָב Gen. 36:39

2 בַּת־מַטְרֵד בַּת מֵי זָהָב ICh. 1:50

מֵי הַיַּרְקוֹן עין ירקון

מְיֻדָּע* ז׳ מכיר, מודע: 1–6

וּמְיֻדָּעִי 1 אֱנוֹשׁ כְּעֶרְכִּי אַלּוּפִי וּמְיֻדָּעִי Ps. 55:14

מְיֻדָּעַי 2 הִרְחַקְתָּ מְיֻדָּעַי מִמֶּנִּי Ps. 88:9

3 הִרְחַקְתָּ...מְיֻדָּעַי מַחְשָׁךְ Ps. 88:19

וּמְיֻדָּעַי 4 חָדְלוּ קְרוֹבָי וּמְיֻדָּעַי שְׁכֵחוּנִי Job 19:14

לִמְיֻדָּעָי 5 וּפַחַד לִמְיֻדָּעָי Ps. 31:12

וּמְיֻדָּעָיו 6 גְּדֹלָיו וּמְיֻדָּעָיו וְכֹהֲנָיו IIK. 10:11

מְיֻזָּן* ת׳ מפוטם, אבוס

מְיֻזָּנִים 1 סוּסִים מְיֻזָּנִים (כ׳ מוזנים) מַשְׁכִּים הָיוּ Jer. 5:8

מֵיטָב* ז׳ מבחר, הטוב ביותר: 1–6

מֵיטַב הָאָרֶץ 5, 6; מ׳ הַכֶּרֶם 4; מ׳ הַצֹּאן 2, 3;
מֵיטַב הַשָּׂדֶה 1

מֵיטַב־ 1 מֵיטַב שָׂדֵהוּ וּמֵיטַב כַּרְמוֹ יְשַׁלֵּם Ex. 22:4
2 וַיַּחְמֹל...וְעַל־מֵיטַב הַצֹּאן וְהַבָּקָר ISh. 15:9
3 חָמַל הָעָם עַל־מֵיטַב הַצֹּאן ISh. 15:15
וּמֵיטַב־ 4 מֵיטַב שָׂדֵהוּ וּמֵיטַב כַּרְמוֹ יְשַׁלֵּם Ex. 22:4
בְּמֵיטַב־ 5 בְּמֵיטַב הָאָרֶץ הוֹשֵׁב אֶת־אָבִיךָ Gen. 47:6
6 בְּמֵיטַב הָאָרֶץ בְּאֶרֶץ רַעְמְסֵס Gen. 47:11

מִיכָא
שפ״ז א) בן מפיבשת בן יהונתן: 1
ב) לוי בימי נחמיה: 2-5

מִיכָא 1 וְלִמְפִיבֹשֶׁת בֵּן־קָטָן וּשְׁמוֹ מִיכָא IISh. 9:12
2 מִיכָא רְחוֹב חֲשַׁבְיָה Neh. 10:12
3/4 וּמַתַּנְיָה בֶן־מִיכָא... Neh. 11:17 • ICh. 9:15
5 בֶּן־מַתַּנְיָה בֶּן־מִיכָא Neh. 11:22

מִיכָאֵל
שפ״ז א) שם מלאך שׂר ישׂראל: 2—4
ב) אבי הנשׂיא סתור משבט אָשר: 1
ג) בן יהושפט מלך יהודה: 13
ד) אנשים שונים: 5—12

מִיכָאֵל 1 לְמַטֵּה אָשֵׁר סְתוּר בֶּן־מִיכָאֵל Num. 13:13
2 מִיכָאֵל אַחַד הַשָּׂרִים הָרִאשֹׁנִים Dan. 10:13
3 כִּי אִם־מִיכָאֵל שַׂרְכֶם Dan. 10:21
4 מִיכָאֵל הַשַּׂר...הָעֹמֵד עַל־בְּנֵי עַמֶּךָ Dan. 12:1
5 וּמִבְּנֵי שְׁפַטְיָה זְבַדְיָה בֶּן־מִיכָאֵל Ez. 8:8
6 וַאֲחֵיהֶם...מִיכָאֵל וּמְשֻׁלָּם ICh. 5:13
7 בֶּן־גִּלְעָד בֶּן־מִיכָאֵל ICh. 5:14
8 בֶּן־מִיכָאֵל בֶּן־בַּעֲשֵׂיָה ICh. 6:25
9 וּבְנֵי יִזְרַחְיָה מִיכָאֵל וְעֹבַדְיָה ICh. 7:3
10 לְיִשָּׂשכָר עָמְרִי בֶּן־מִיכָאֵל ICh. 27:18
וּמִיכָאֵל 11 וּמִיכָאֵל וְיִשְׁפָּה וְיוֹחָא ICh. 8:16
12 וּמִיכָאֵל וְיוֹזָבָד וֶאֱלִיהוּא ICh. 12:20(21)
13 בְּנֵי יְהוֹשָׁפָט...וּמִיכָאֵל וּשְׁפַטְיָהוּ IICh. 21:2

מִיכָה
שפ״ז א) איש מהר אפרים: 1—18, 32
ב) המורשתי, נביא ישׂראל: 19, 20
ג) נביא בימי אחאב: 30
ד) אנשים שונים: 21—29, 31

מִיכָה 1 וְהָאִישׁ מִיכָה לוֹ בֵּית אֱלֹהִים Jud. 17:5
2 וַיָּבֹא הַר־אֶפְרַיִם עַד־בֵּית מִיכָה Jud. 17:8
3 וַיֹּאמֶר־לוֹ מִיכָה מֵאַיִן תָּבוֹא Jud. 17:9
4 וַיֹּאמֶר לוֹ מִיכָה שְׁבָה עִמָּדִי Jud. 17:10
5 וַיְמַלֵּא מִיכָה אֶת־יַד הַלֵּוִי Jud. 17:12
6 וַיְהִי בְּבֵית מִיכָה Jud. 17:12
7-13 (מִ)בֵּית מִיכָה Jud. 18:2, 3, 13, 15, 18, 22²
14 וַיֹּאמֶר מִיכָה עַתָּה יָדַעְתִּי... Jud. 17:13
15 כָּזֹה וְכָזֶה עָשָׂה לִי מִיכָה Jud. 18:4
16 וַיַּרְא מִיכָה כִּי־חֲזָקִים הֵמָּה Jud. 18:26
17 לָקְחוּ אֵת אֲשֶׁר־עָשָׂה מִיכָה Jud. 18:27
18 וַיָּשִׂימוּ לָהֶם אֶת־פֶּסֶל מִיכָה Jud. 18:31
19 מִיכָה (כ׳ מיכיה) הַמּוֹרַשְׁתִּי...נִבָּא Jer. 26:18
20 דְּבַר־יְיָ...אֶל־מִיכָה הַמֹּרַשְׁתִּי Mic. 1:1
21 מִיכָה בְנוֹ רְאָיָה בְנוֹ ICh. 5:5
22 וּמְרִיב בַּעַל הוֹלִיד אֶת־מִיכָה ICh. 8:34
23 וּבְנֵי מִיכָה פִּיתוֹן וָמֶלֶךְ ICh. 8:35
24 וּמְרִי־בַעַל הוֹלִיד אֶת־מִיכָה ICh. 9:40
25 וּבְנֵי מִיכָה פִּיתֹן וָמֶלֶךְ ICh. 9:41
26-27 בְּנֵי עֻזִּיאֵל מִיכָה ICh. 23:20; 24:24
28 לִבְנֵי מִיכָה שָׁמִיר° ICh. 24:24
29 אֲחִי מִיכָה יִשִּׁיָּה ICh. 24:25
30 מִיכָה הֲנֵלֵךְ אֶל־רָמֹת גִּלְעָד IICh. 18:14
31 וְאֶת־עַבְדּוֹן בֶּן־מִיכָה IICh. 34:20
לְמִיכָה 32 וַיֹּאמְרוּ לְמִיכָה מַה־לְּךָ כִּי נִזְעָקְתָּ Jud. 18:23

מִיכָיָה
שפ״ז א) אבי שׂר בימי יאשיהו: 1
ב) מן הכהנים בימי נחמיה: 2, 3

מִיכָיָה 1 וְאֶת־עַכְבּוֹר בֶּן־מִיכָיָה IIK. 22:12
2 בֶּן־מַתַּנְיָה בֶּן־מִיכָיָה Neh. 12:35
3 מִנְיָמִין מִיכָיָה אֶלְיוֹעֵינַי Neh. 12:41

מִיכָיָהוּ[1]
שפ״ז – שׂר בימי יהושפט מלך יהודה

וּלְמִיכָיָהוּ 1 שָׁלַח לְשָׂרָיו...וְלִנְתַנְאֵל וּלְמִיכָיָהוּ IICh. 17:7

מִיכָיָהוּ[2]
שפ״נ – אשת רחבעם – היא מַעֲכָה

מִיכָיָהוּ 1 וְשֵׁם אִמּוֹ מִיכָיָהוּ בַת־אוּרִיאֵל IICh. 13:2

מִיכָיְהוּ
שפ״ז א) איש מהר אפרים, הוא מִיכָה(א): 1, 2
ב) בן ימלה, נביא בימי אחאב: 3-11, 14-21
ג) בן הסופר למלך יהויקים: 12, 13

מִיכָיְהוּ 1 וַיְהִי־אִישׁ מֵהַר־אֶפְרָיִם וּשְׁמוֹ מִיכָיְהוּ Jud. 17:1
2 וַיְהִי בְּבֵית מִיכָיְהוּ Jud. 17:4
3/4 מִיכָיְהוּ בֶּן־יִמְלָה IK. 22:8, 9
5 וְהַמַּלְאָךְ אֲשֶׁר־הָלַךְ לִקְרֹא מִיכָיְהוּ IK. 22:13
6-8 וַיֹּאמֶר מִיכָיְהוּ IK. 22:14, 25, 28
9 מִיכָיְהוּ הֲנֵלֵךְ אֶל־רָמֹת גִּלְעָד IK. 22:15
10 וַיַּכֶּה אֶת־מִיכָיְהוּ עַל־הַלֶּחִי IK. 22:24
11 קַח אֶת־מִיכָיְהוּ וַהֲשִׁיבֵהוּ IK. 22:26
12 וַיִּשְׁמַע מִכָיְהוּ בֶן־גְּמַרְיָהוּ Jer. 36:11
13 וַיַּגֵּד לָהֶם מִכָיְהוּ Jer. 36:13
14 הוּא מִיכָיְהוּ בֶּן־יִמְלָא IICh. 18:7
15 מַהֵר מִיכָיְהוּ (כת׳ מיכהו) בֶּן־יִמְלָא IICh. 18:8
16-18 וַיֹּאמֶר מִיכָיְהוּ IICh. 18:13, 24, 27
19 וַיַּךְ אֶת־מִיכָיְהוּ עַל־הַלֶּחִי IICh. 18:23
20 קְחוּ אֶת־מִיכָיְהוּ וַהֲשִׁיבֻהוּ... IICh. 18:25
לְמִיכָיְהוּ 21 וְהַמַּלְאָךְ...הָלַךְ לִקְרֹא לְמִיכָיְהוּ IICh. 18:12

מִיכָל*
ז׳ פלג, נחל

מִיכַל־ 1 עָבְרוּ מִיכַל הַמָּיִם IISh. 17:20

מִיכַל
שפ״נ – בת שאול, אשת דוד: 1—18

מִיכַל 1 וְשֵׁם הַקְּטַנָּה מִיכַל ISh. 14:49
2 וַתֶּאֱהַב מִיכַל...אֶת־דָּוִד ISh. 18:20
3 וַיִּתֶּן־לוֹ שָׁאוּל אֶת־מִיכַל בִּתּוֹ ISh. 18:27
4 וְאֶת־חֲמֵשֶׁת בְּנֵי מִיכַל IISh. 21:8
5-14 מִיכַל ISh. 19:11, 12, 13, 17²; 25:44 IISh. 3:13, 14; 6:20, 21
וּמִיכַל 15 וּמִיכַל בַּת־שָׁאוּל אֲהֵבַתְהוּ ISh. 18:28
16/7 וּמִיכַל בַּת־שָׁאוּל נִשְׁקְ׳ IISh. 6:16 • ICh. 15:29
וּלְמִיכַל 18 וּלְמִיכַל...לֹא־הָיָה לָהּ יָלֶד IISh. 6:23

מַיִם
ז״ר הנוזל הממלא את הנהרות והַיַּמִּים
בא מן העננים כטפות גשם: 1—580

– לֶחֶם וָמַיִם 263-266, 438, 441, 468, 561, 562, 564, 569

– מַיִם אַדִּירִים 369; מַיִם בִּרְכַּיִם 89; מַ׳ גְּנוּבִים 106; מַ׳ זֵידוֹנִים 307; מַ׳ זָרִים 40, 66; מַ׳ חַיִּים 10, 20, 21, 59, 65, 92, 124, 370, 436, 437; מַ׳ טְהוֹרִים 87; מַ׳ יוֹרְדִים 290, 291; מַ׳ כַּבִּירִים 43; מַ׳ לֹא נֶאֱמָנוּ 63; מַ׳ לַחַץ 252, 253, 262; מַ׳ מְאָרְרִים 287-289; מַיִם מֻגָּרִים 443; מַיִם מְפַכִּים 88; מַ׳ נִגָּרִים 463; מַ׳ נוֹזְלִים 66; מַ׳ עָבוֹת 99; מַ׳ עַזִּים 375,434; מַ׳ עֲמֻקִּים 108,109; מַ׳ קְדוֹשִׁים 22; מַ׳ קָרִים 66, 110; מַ׳ רַבִּים 25, 44, 69-82, 304, 371-374, 433, 442, 471-475; מַ׳ רָעִים 366; מַיִם שׁוֹטְפִים 46

– אֲגַם מַיִם 51,103,232; אַגְמֵי מַ׳ 204; אֲפִיקֵי מַ׳ 94, 224, 239; בְּאֵר מַ׳ 123, 173, 282, 283, 338; בְּרֵכַת מַ׳ 90, 243; גֻּלֹּת מַ׳ 187, 188; הֲמוֹן מַ׳ 61, 62; זֶרֶם מַ׳ 91; חֵמֶת מַ׳ 6; חֶשְׁכַת מַ׳ 93; חַשְׁרַת מַ׳ 36; יִבְלֵי מַ׳ 206,211; מַבּוּעֵי מַ׳ 55,208; מוֹצָא מַ׳ 57, 301; מוֹצָאֵי מַ׳ 102, 210, 231; מְעַט מַ׳ 5, 8, 9, 33; מִיכַל מַ׳ 351; מַעְיַן מַ׳ 39; מַעְיְנֵי מַ׳ 38, 295; מַעֲמַקֵּי מַ׳ 97, 217, 227; מִקְוֵה מַ׳ 18, 270, 577; מְקוֹר מַ׳ 59,65; מִשְׁעַן מַ׳ 203; מִשְׁקַע מַ׳ 86; נַחֲלֵי מַ׳ 67,183,184; נִטְפֵי מַ׳ 242; נִכְבַּדֵּי מַ׳ 236; סֵפֶל מַ׳ 191; סֵתֶר מַ׳ 47; עֵין מַ׳ 281, 338, 339; עֵינוֹת מַ׳ 16, 27; עֲצֵי מַ׳ 84; פַּלְגֵי מַיִם 49, 104, 110, 126, 235; פֶּרֶץ מַ׳ 194, 244; צַפַּחַת מַ׳ 201, 292-294; קְצֵה הַמַּיִם 348; רֹחַב מַ׳ 122; רֵיחַ מַ׳ 115; שְׁאוֹן מַ׳ 43, 44; שִׁבֹּלֶת מַ׳ 98; שׁוֹאֵב מַ׳ 30-32, 566; שׁוֹתֵי מַ׳ 218, 219; שַׁעַר הַמַּיִם 309-311, 361; שִׁפְעַת מַ׳ 118, 119; שִׁקְתוֹת מַיִם 342; שֶׁרֶץ הַמַּיִם 285

– מֵי אַפְסַיִם 522; מֵי בְאֵר 488, 489; מֵי בוֹר 506, 512; מֵי בְרֵכָה 511, 542; מֵי דִימוֹן 510; מֵי חַטָּאת 483; מֵי יְהוּדָה 547; מֵי הַיָּם 479, 529, 543, 544; מֵי יַם־סוּף 491, 493; מֵי הַיַּרְדֵּן 494-499, 537; מֵי יְרִיחוֹ 541; מֵי הַמַּבּוּל 478, 532, 545; מֵי מְגִדּוֹ 505; מֵי מָלֵא 533; מֵי מְנוּחוֹת 528; מֵי מָצוֹר 527; מֵי מֵרוֹם 500, 501; מֵי מְרִיבָה 487, 490, 492, 526, 530, 531, 536, 540; מֵי מְרִיבוֹת 525; מֵי הַמָּרִים 480-482, 546; מֵי מָתְנַיִם 523; מֵי נִדָּה 484-486, 534, 535, 539; מֵי הַנָּהָר 508, 517; מֵי נֹחַ 514, 515; מֵי נִמְרִים 509, 521; מֵי נֶפְתּוֹחַ 503, 504; מֵי עֵין שֶׁמֶשׁ 502; מֵי רֹאשׁ 518-520; מֵי שָׂחוּ 524; מֵי שִׁיחוֹר 516; מֵי שֶׁלֶג 538; מֵי הַשִּׁלֹחַ 507; מֵי תְהוֹם 513

– מֵימֵי גִיחוֹן 556; מֵ׳ הַיְאוֹר 557-560; מֵ׳ הַיַּרְדֵּן 550; מֵ׳ יִשְׂרָאֵל 551; מֵ׳ מִצְרַיִם 548, 549; מֵ׳ עֲיָנוֹת 555; מֵ׳ רַגְלָיִם 552, 553; מֵימֵי שֶׁלֶג 554

– אָזְלוּ מַיִם 116; בָּאוּ מַ׳ 96; גָּאוּ מַ׳ 305, 524; גָּבְרוּ מַ׳ 275, 276, 336, 362; גָּרְשׁוּ מַ׳ 570; הָלְכוּ מַ׳ 296; הָמוּ מ׳ 574; הִתְהַלְּכוּ מַ׳ 94; הִתְגָּעֲשׁוּ מַ׳ 214, 572; זָבוּ מַ׳ 101, 212, 230; זֹרְמוּ מַ׳ 98; חָמְרוּ מַ׳ 574; חָרְבוּ מַ׳ 280; יָצְאוּ מַ׳ 25, 91, 547; יָרְדוּ מַ׳ 291, 367; כִּזְּבוּ מַ׳ 57, 571; כִּסּוּ מַ׳ 304; מָתְקוּ מַ׳ 344; נִבְקְעוּ מַ׳ 343; נָזְלוּ מַ׳ 26, 234; נִכְרְתוּ מַ׳ 550; נֶעֶרְמוּ מַ׳ 15; נִקְווּ מַ׳ 269; נִרְפְּאוּ מַ׳ 302, 356; עָבְרוּ מַ׳ 307,444; עָלוּ מַ׳ 68; עָמְדוּ מַ׳ 229; צָפוּ מַ׳ 127; קַלּוּ הַמַּ׳ 278,279; שָׁחֲקוּ מַ׳ 117; שָׁטְפוּ מָ׳ 306; שָׁכְכוּ מַ׳ 337; שָׁרְצוּ הַמַּיִם 271, 272

– דָּלַח מַיִם 85; הִגְמִיאוֹ מַ׳ 8; הוֹבִישׁ מַ׳ 493; הוֹצִיא מַ׳ 24, 29, 180; הִזָּה מַ׳ 486; הִזִּיל מַ׳ 54; הִצִּיב מַ׳ 100; הֵצִיף מַ׳ 491; הִשְׁקָהוּ מַ׳ 9, 33, 193, 237; הִשְׁקִיעַ מַ׳ 578; הֵתָיוּ מַ׳ 204; זָרַק מַ׳ 86; חָשַׂף מַ׳ 48; יָצַק מַ׳ 37, 53; מִלֵּא מַ׳ 200; מָצָא מַ׳ 175; נָזַל מַ׳ 213; נָטַף מַ׳ 189; סָתַם מַ׳ 555, 556; פָּטַר מַ׳ 107; צָרַר מַ׳ 112, 121; שָׁאַב מַ׳ 30-32, 42, 174, 192, 527, 566; שָׂבַע מַ׳ 113; שָׁלַח מַ׳ 114; שָׁתָה מַ׳ 12, 13, 14, 40, 85, 105, 186, 191,195,197,198, 209,218, 219, 246-251, 254-256, 259, 488, 489, 506, 512, 516, 517, 552, 553, 563, 565, 567, 580; תִּכֵּן מַיִם 258

מַיִם 1 וִיהִי מַבְדִּיל בֵּין מַיִם לָמָיִם Gen. 1:6
2 ...אֶת־הַמַּבּוּל מַיִם עַל־הָאָרֶץ Gen. 6:17

מַיִם (המשך)

3 וְהַמַּבּוּל הָיָה מַיִם עַל־הָאָרֶץ Gen. 7:6
4 כִּי־מַיִם עַל־פְּנֵי כָל־הָאָרֶץ Gen. 8:9
5 יֻקַּח־נָא מְעַט־מַיִם... Gen. 18:4
6 וַיִּקַּח־לֶחֶם וְחֵמַת מַיִם Gen. 21:14
7 וַתְּמַלֵּא אֶת־הַחֵמֶת מַיִם Gen. 21:19
8 הַגְמִיאִינִי נָא מְעַט־מַיִם מִכַּדֵּךְ Gen. 24:17
9 הַשְׁקִינִי־נָא מְעַט־מַיִם מִכַּדֵּךְ Gen. 24:43
10 וַיִּמְצְאוּ־שָׁם בְּאֵר מַיִם חַיִּים Gen. 26:19
11 וַיִּתֶּן־מַיִם וַיִּרְחֲצוּ רַגְלֵיהֶם Gen. 43:24
12 וְנִלְאוּ...לִשְׁתּוֹת מַיִם מִן־הַיְאֹר Ex. 7:18
13 וְלֹא־יָכְלוּ..לִשְׁתּוֹת מַיִם מִן־הַיְאֹר Ex. 7:21
14 וַיַּחְפְּרוּ...מַיִם לִשְׁתּוֹת Ex. 7:24
15 וּבְרוּחַ אַפֶּיךָ נֶעֶרְמוּ מַיִם Ex. 15:8
16 וְשָׁם שְׁתֵּים עֶשְׂרֵה עֵינֹת מַיִם Ex. 15:27
17 אֲשֶׁר יָבוֹא עָלָיו מַיִם יִטְמָא Lev. 11:34
18 אַךְ מַעְיָן וּבוֹר מִקְוֵה־מַיִם... Lev. 11:36
19 וְכִי יֻתַּן־מַיִם עַל־זֶרַע Lev. 11:38
20/1 וְשָׁחַט...עַל־מַיִם חַיִּים Lev. 14:5, 50
22 וְלָקַח הַכֹּהֵן מַיִם קְדֹשִׁים Num. 5:17
23 וְנָתַן עָלָיו מַיִם חַיִּים Num. 19:17
24 וְהוֹצֵאתָ לָהֶם מַיִם מִן־הַסֶּלַע Num. 20:8
25 ...וַיֵּצְאוּ מַיִם רַבִּים Num. 20:11
26 יִזַּל־מַיִם מִדָּלְיָו Num. 24:7
27 וּבְאֵילִם שְׁתֵּים עֶשְׂרֵה עֵינֹת מַיִם Num. 33:9
28 וְגַם־מַיִם תִּכְרוּ מֵאִתָּם Deut. 2:6
29 הַמּוֹצִיא לְךָ מַיִם מִצּוּר הַחַלָּמִישׁ Deut. 8:15
30 חֹטְבֵי עֵצִים וְשֹׁאֲבֵי־מַיִם Josh. 9:21
31/2 (וְ)חֹטְבֵי עֵצִים וְשֹׁאֲבֵי מַיִם Josh. 9:23, 27
33 הַשְׁקִינִי־נָא מְעַט־מַיִם Jud. 4:19
34 מַיִם שָׁאַל חָלָב נָתָנָה Jud. 5:25
35 עַד נִתַּךְ־מַיִם עֲלֵיהֶם IISh. 21:10
36 חַשְׁרַת־מַיִם עָבֵי שְׁחָקִים IISh. 22:12
37 אֲשֶׁר־יָצַק מַיִם עַל־יְדֵי אֵלִיָּהוּ IIK. 3:11
38 וְכָל־מַעְיְנֵי־מַיִם תִּסְתֹּמוּ IIK. 3:19
39 וְכָל־מַעְיַן־מַיִם יִסְתְּמוּ IIK. 3:25
40 אֲנִי קַרְתִּי וְשָׁתִיתִי מַיִם זָרִים IIK. 19:24
41 וּכְגַנָּה אֲשֶׁר־מַיִם אֵין לָהּ Is. 1:30
42 וּשְׁאַבְתֶּם־מַיִם בְּשָׂשׂוֹן... Is. 12:3
43 כִּשְׁאוֹן מַיִם כַּבִּירִים יִשָּׁאוּן Is. 17:12
44 כִּשְׁאוֹן מַיִם רַבִּים יִשָּׁאוּן Is. 17:13
45 וּפֹרְשֵׂי מִכְמֹרֶת עַל־פְּנֵי־מַיִם Is. 19:8
46 כְּזֶרֶם מַיִם כַּבִּירִים שֹׁטְפִים Is. 28:2
47 וְסֵתֶר מַיִם יִשְׁטֹפוּ Is. 28:17
48 וְלַחְשֹׂף מַיִם מִגֶּבֶא Is. 30:14
49 כְּפַלְגֵי־מַיִם בְּצָיוֹן Is. 32:2
50 מִי־מָדַד בְּשָׁעֳלוֹ מַיִם Is. 40:12
51 אָשִׂים מִדְבָּר לַאֲגַם־מַיִם Is. 41:18
52 כִּי־נָתַתִּי בַמִּדְבָּר מַיִם Is. 43:20
53 כִּי אֶצָּק־מַיִם עַל־צָמֵא Is. 44:3
54 מַיִם מִצּוּר הִזִּיל לָמוֹ Is. 48:21
55 וְעַל־מַבּוּעֵי מַיִם יְנַהֲלֵם Is. 49:10
56 תִּבְאַשׁ דְּגָתָם מֵאֵין מַיִם Is. 50:2
57 וּכְמוֹצָא מַיִם אֲשֶׁר לֹא־יְכַזְּבוּ... Is. 58:11
58 מַיִם תִּבְעֶה־אֵשׁ Is. 64:1
59 אֹתִי עָזְבוּ מְקוֹר מַיִם חַיִּים Jer. 2:13
60 מִי־יִתֵּן רֹאשִׁי מַיִם... Jer. 8:23
61/2 לְקוֹל תִּתּוֹ הֲמוֹן מַיִם בַּשָּׁמַ׳ Jer.10:13; 51:16
63 תִהְיֶה...כְּמוֹ אַכְזָב מַיִם לֹא נֶאֱמָנוּ Jer. 15:18
64 וְהָיָה כְּעֵץ שָׁתוּל עַל־מַיִם Jer. 17:8
65 כִּי עָזְבוּ מְקוֹר־מַיִם חַיִּים Jer. 17:13
66 יִנָּתְשׁוּ מַיִם זָרִים קָרִים נוֹזְלִים Jer. 18:14
67 אוֹלִיכֵם אֶל־נַחֲלֵי מַיִם Jer. 31:9(8)

מַיִם (המשך)

68 הִנֵּה־מַיִם עֹלִים מִצָּפוֹן Jer. 47:2
69 שֹׁכַנְתְּ° עַל־מַיִם רַבִּים Jer. 51:13
70 וָאֶשְׁמַע...כְּקוֹל מַיִם רַבִּים Ezek. 1:24
71-82 מַיִם רַבִּים Ezek. 17:5, 8
31:7, 15; 32:13; 43:2 • Hab. 3:15 • Ps. 29:3; 32:6; 93:4 • S.ofS. 8:7 • IICh. 32:4
83 וְכָל־בִּרְכַּיִם תֵּלַכְנָה מַּיִם Ezek. 21:12
84 לֹא־יִגְבְּהוּ...כָּל־עֲצֵי־מַיִם Ezek. 31:14
85 וַתִּדְלַח־מַיִם בְּרַגְלֶיךָ Ezek. 32:2
86 וּמִשְׁקַע־מַיִם תִּשְׁתּוּ Ezek. 34:18
87 וְזָרַקְתִּי עֲלֵיכֶם מַיִם טְהוֹרִים Ezek. 36:25
88 וְהִנֵּה־מַיִם מְפַכִּים מִן־הַכָּתֵף... Ezek. 47:2
89 וַיַּעֲבִרֵנִי בַמַּיִם מַיִם בִּרְכָּיִם Ezek. 47:4
90 וְנִינְוֵה כִבְרֵכַת־מַיִם מִימֵי הִיא Nah. 2:9
91 רָאוּךָ...זֶרֶם מַיִם עָבָר Hab. 3:10
92 יֵצְאוּ מַיִם־חַיִּים מִירוּשָׁלַ͏ִם Zech. 14:8
93 חֶשְׁכַת־מַיִם עָבֵי שְׁחָקִים Ps. 18:12
94 וַיֵּרָאוּ אֲפִיקֵי מַיִם... Ps. 18:16
95 יִמָּאֲסוּ כְמוֹ־מַיִם יִתְהַלְּכוּ־לָמוֹ Ps. 58:8
96 כִּי בָאוּ מַיִם עַד־נָפֶשׁ Ps. 69:2
97 בָּאתִי בְמַעֲמַקֵּי־מַיִם... Ps. 69:3
98 אַל־תִּשְׁטְפֵנִי שִׁבֹּלֶת מַיִם... Ps. 69:16
99 זֹרְמוּ מַיִם עָבוֹת... Ps. 77:18
100 וַיַּצֶּב־מַיִם כְּמוֹ־נֵד Ps. 78:13
101 הֵן הִכָּה־צוּר וַיָּזוּבוּ מַיִם Ps. 78:20
102 יָשֵׂם...וּמֹצָאֵי מַיִם לְצִמָּאוֹן Ps. 107:33
103 יָשֵׂם מִדְבָּר לַאֲגַם־מַיִם Ps. 107:35
104 פַּלְגֵי־מַיִם יָרְדוּ עֵינָי Ps. 119:136
105 שְׁתֵה־מַיִם מִבּוֹרֶךָ Prov. 5:15
106 מַיִם־גְּנוּבִים יִמְתָּקוּ Prov. 9:17
107 פּוֹטֵר מַיִם רֵאשִׁית מָדוֹן Prov. 17:14
108 מַיִם עֲמֻקִּים דִּבְרֵי פִי־אִישׁ Prov. 18:4
109 מַיִם עֲמֻקִּים עֵצָה בְלֶב־אִישׁ Prov. 20:5
110 פַּלְגֵי־מַיִם לֶב־מֶלֶךְ בְּיַד־יְיָ Prov. 21:1
111 מַיִם קָרִים עַל־נֶפֶשׁ עֲיֵפָה Prov. 25:25
112 מִי צָרַר־מַיִם בַּשִּׂמְלָה Prov. 30:4
113 אֶרֶץ לֹא־שָׂבְעָה מַּיִם Prov. 30:16
114 וְשֹׁלֵחַ מַיִם עַל־פְּנֵי חוּצוֹת Job 5:10
115 מֵרֵיחַ מַיִם יַפְרִחַ Job 14:9
116 אָזְלוּ־מַיִם מִנִּי־יָם Job 14:11
117 אֲבָנִים שָׁחֲקוּ מַיִם Job 14:19
118/9 וְשִׁפְעַת־מַיִם תְּכַסֶּךָּ Job 22:11; 38:34
120 הָרְפָאִים...מִתַּחַת מַיִם וְשֹׁכְנֵיהֶם Job 26:5
121 צֹרֵר מַיִם בְּעָבָיו... Job 26:8
122 וְרֹחַב מַיִם בְּמוּצָק Job 37:10
123 כָּאֶבֶן מַיִם יִתְחַבָּאוּ Job 38:30
124 מַעְיַן גַּנִּים בְּאֵר מַיִם חַיִּים S.ofS. 4:15
125 עֵינִי עֵינִי יֹרְדָה מַּיִם Lam. 1:16
126 פַּלְגֵי־מַיִם תֵּרַד עֵינִי Lam. 3:48
127 צָפוּ־מַיִם עַל־רֹאשִׁי Lam. 3;54
128-172 מַיִם Ex. 15:23
17:1, 2, 6; 30:20; 40:30 • Num. 20:2; 21:5; 33:14 • Jud. 15:19 • ISh. 7:6; 30:12 • IISh. 23:15, 16 • IK. 13:8, 16, 22; 17:10; 18:34 • IIK. 3:9, 20 • Is. 18:2; 19:5; 35:6; 41:17; 44:12; 63:12 • Jer. 14:3; 38:6; 41:12 • Ezek. 19:10; 26:12; 31:4; 47:1 • Am. 4:8 • Jon. 2:6 • Nah. 3:8 • Zech. 9:11 • Ps. 77:17²; 106:11 • Job 22:7; 24:18 • ICh. 11:17, 18

מָיִם

173 וַתֵּרֶא בְּאֵר מָיִם וַתֵּלֶךְ Gen. 21:19
174 ...יֹצְאֹת לִשְׁאֹב מָיִם Gen. 24:13
175 וַיֹּאמְרוּ לוֹ מָצָאנוּ מָיִם Gen. 26:32
176 וְהַבּוֹר רֵק אֵין בּוֹ מָיִם Gen. 37:24

מָיִם (המשך)

177 וַיֵּלְכוּ...וְלֹא־מָצְאוּ מָיִם Ex. 15:22
178 וְעָשִׂיתָ כִּיּוֹר...וְנָתַתָּ שָׁמָּה מָיִם Ex. 30:18
179 וְנָתַתָּ אֶת־הַכִּיֹּר...וְנָתַתָּ שָׁם מָיִם Ex. 40:7
180 הֲמִן הַסֶּלַע הַזֶּה נוֹצִיא לָכֶם מָיִם Num. 20:10
181 אֱסֹף...הָעָם וְאֶתְּנָה לָהֶם מָיִם Num. 21:16
182 כַּאֲרָזִים עֲלֵי־מָיִם Num. 24:6
183/4 אֶרֶץ נַחֲלֵי מָיִם Deut. 8:7; 10:7
185 בַּמִּדְבָּר...אֲשֶׁר אֵין־מָיִם Deut. 8:15
186 לִמְטַר הַשָּׁמַיִם תִּשְׁתֶּה־מָּיִם Deut. 11:11
187/8 וְנָתַתָּה לִי גֻּלֹּת מָיִם Josh. 15:19 • Jud. 1:15
189 גַּם־עָבִים נָטְפוּ מָיִם Jud. 5:4
190 וַיִּמֶץ טַל...מְלוֹא הַסֵּפֶל מָיִם Jud. 6:38
191 כָּרְעוּ עַל־בִּרְכֵיהֶם לִשְׁתּוֹת מָיִם Jud. 7:6
192 נְעָרוֹת יֹצְאוֹת לִשְׁאֹב מָיִם ISh. 9:11
193 וַיִּתְּנוּ־לוֹ לֶחֶם...וַיַּשְׁקֻהוּ מָיִם ISh. 30:11
194 פָּרַץ יְיָ אֶת־אֹיְבַי לְפָנַי כְּפֶרֶץ מָיִ׳ IISh. 5:20
195 לֹא־תֹאכַל לֶחֶם וְלֹא תִשְׁתֶּה־מָּיִם IK. 13:9
196 וְלֹא תִשְׁתֶּה שָׁם מָיִם IK. 13:17
197 וְיֹאכַל לֶחֶם וְיֵשְׁתְּ מָיִם IK. 13:18
198 וַיֹּאכַל לֶחֶם בְּבֵיתוֹ וַיֵּשְׁתְּ מָיִם IK. 13:19
199 אַל תֹּאכַל לֶחֶם וְאַל־תֵּשְׁתְּ מָיִם IK. 13:22
200 וְגַם אֶת־הַתְּעָלָה מִלֵּא־מָיִם IK. 18:35
201 עֻגַת רְצָפִים וְצַפַּחַת מָיִם IK. 19:6
202 וְהַנַּחַל הַהוּא יִמָּלֵא מָיִם IIK. 3:17
203 כֹּל מִשְׁעַן־לֶחֶם וְכֹל מִשְׁעַן־מָיִם Is. 3:1
204 לְמוֹרַשׁ קִפֹּד וְאַגְמֵי־מָיִם Is. 14:23
205 לִקְרַאת צָמֵא הֵתָיוּ מָיִם Is. 21:14
206 פְּלָגִים יִבְלֵי־מָיִם Is. 30:25
207 אַשְׁרֵיכֶם זֹרְעֵי עַל־כָּל־מָיִם Is. 32:20
208 וְהָיָה...וְצִמָּאוֹן לְמַבּוּעֵי מָיִם Is. 35:7
209 אֲנִי קַרְתִּי וְשָׁתִיתִי מָיִם Is. 37:25
210 וְאֶרֶץ צִיָּה לְמוֹצָאֵי מָיִם Is. 41:18
211 וְצָמְחוּ...כַּעֲרָבִים עַל־יִבְלֵי־מָיִם Is. 44:4
212 וַיִּבְקַע־צוּר וַיָּזֻבוּ מָיִם Is. 48:21
213 וְעַפְעַפֵּינוּ יִזְּלוּ־מָיִם Jer. 9:17
214 וְכַנְּהָרוֹת יִתְגָּעֲשׁוּ מָיִם Jer. 46:8
215 וְכָל־בִּרְכַּיִם תֵּלַכְנָה מָּיִם Ezek. 7:17
216 ...וְגַם־יְצֹק בּוֹ מָיִם Ezek. 24:3
217 נִשְׁבֶּרֶת מִיַּמִּים בְּמַעֲמַקֵּי־מָיִם Ezek. 27:34
218/9 כָּל־שֹׁתֵי מָיִם Ezek. 31:14, 16
220 נִדְמֶה...כְּקֶצֶף עַל־פְּנֵי־מָיִם Hosh. 10:7
221 כִּי יָבְשׁוּ אֲפִיקֵי מָיִם Joel 1:20
222 וְכָל־אֲפִיקֵי יְהוּדָה יֵלְכוּ מָיִם Joel 4:18
223 וְהָיָה כְּעֵץ שָׁתוּל עַל־פַּלְגֵי מָיִם Ps. 1:3
224 כְּאַיָּל תַּעֲרֹג עַל־אֲפִיקֵי־מָיִם Ps. 42:2
225 בְּאֶרֶץ־צִיָּה וְעָיֵף בְּלִי־מָיִם Ps. 63:2
226 פֶּלֶג אֱלֹהִים מָלֵא מָיִם Ps. 65:10
227 אִנָּצְלָה מִשֹּׂנְאַי וּמִמַּעֲמַקֵּי־מָיִם Ps. 69:15
228 וַיּוֹרֶד כַּנְּהָרוֹת מָיִם Ps. 78:16
229 עַל־הָרִים יַעַמְדוּ־מָיִם Ps. 104:6
230 פָּתַח צוּר וַיָּזוּבוּ מָיִם Ps. 105:41
231 וְאֶרֶץ צִיָּה לְמֹצָאֵי מָיִם Ps. 107:35
232 הַהֹפְכִי הַצּוּר אֲגַם־מָיִם Ps. 114:8
233 חַלָּמִישׁ לְמַעְיְנוֹ־מָיִם Ps. 114:8
234 יַשֵּׁב רוּחוֹ יִזְּלוּ־מָיִם Ps. 147:18
235 יָפוּצוּ...בָּרְחֹבוֹת פַּלְגֵי־מָיִם Prov. 5:16
236 בְּאֵין מַעְיָנוֹת נִכְבַּדֵּי־מָיִם Prov. 8:24
237 וְאִם־צָמֵא הַשְׁקֵהוּ מָיִם Prov. 25:21
238 יִשְׂגֶּא־אָחוּ בְלִי־מָיִם Job 8:11
239 עֵינָיו כְּיוֹנִים עַל־אֲפִיקֵי מָיִם S.ofS. 5:12
240 חֹק־חָג עַל־פְּנֵי־מָיִם Job 26:10
241 שָׁרְשִׁי פָתוּחַ אֱלֵי־מָיִם Job 29:19

מַיִם (המשך)

242 כִּי יְגָרַע נִטְפֵי־מָיִם Job 36:27
243 עָשִׂיתִי לִי בְּרֵכוֹת מָיִם Eccl. 2:6
244 פָּרַץ...אוֹיְבַי בְּיָדִי כְּפֶרֶץ מָיִם ICh. 14:11

וּמַיִם

245 וַיִּתֵּן...וּמַיִם לִרְחֹץ רַגְלָיו Gen. 24:32
246/7 לֶחֶם לֹא(־)אָכַל וּמַיִם לֹא(־)שָׁתָה Ex.34:28 • Ez. 10:6
248 וּמַיִם אַיִן לִשְׁתּוֹת Num. 20:5
249 וּמַיִם בַּכֶּסֶף תִּתֶּן־לִי וְשָׁתִיתִי Deut. 2:28
250/1 לֶחֶם לֹא אָכַלְתִּי וּמַיִם לֹא שָׁתִיתִי Deut. 9:9, 18
252 וְהַאֲכִלֻהוּ לֶחֶם לַחַץ וּמַיִם לַחַץ IK. 22:27
253 וְנָתַן...לֶחֶם צָר וּמַיִם לָחַץ Is. 30:20
254 וּמַיִם בִּמְשׂוּרָה תִשְׁתֶּה Ezek. 4:11
255 וּמַיִם בִּמְשׂוּרָה וּבְשִׁמָּמוֹן יִשְׁתּוּ Ezek. 4:16
256 וְהַצֹּאן...אַל־יִרְעוּ וּמַיִם אַל־יִשְׁתּוּ Jon. 3:7
257 וּמַיִם לֹא יַעַבְרוּ־פִיו Prov. 8:29
258 וּמַיִם תִּכֵּן בְּמִדָּה Job 28:25
259 וְיִתְּנוּ־לָנוּ...וּמַיִם וְנִשְׁתֶּה Dan. 1:12
260 וּמַיִם מִסֶּלַע הוֹצֵאתָ לָהֶם Neh. 9:15
261 וּמַיִם נָתַתָּה לָהֶם לִצְמָאָם Neh. 9:20
262 וְהַאֲכִילֻהוּ לֶחֶם לַחַץ וּמַיִם לָחַץ IICh. 18:26

וָמַיִם

263 שִׂים לֶחֶם וָמַיִם לִפְנֵיהֶם IIK. 6:22

וָמָיִם

264 וְכִלְכְּלָם לֶחֶם וָמָיִם IK. 18:4
265 וָאֲכַלְכְּלֵם לֶחֶם וָמָיִם IK. 18:13
266 לְמַעַן יַחְסְרוּ לֶחֶם וָמָיִם Ezek. 4:17

הַמַּיִם

267 בֵּין הַמַּיִם אֲשֶׁר מִתַּחַת לָרָקִיעַ Gen. 1:7
268 וּבֵין הַמַּיִם אֲשֶׁר מֵעַל לָרָקִיעַ Gen. 1:7
269 יִקָּווּ הַמַּיִם...אֶל־מָקוֹם אֶחָד Gen. 1:9
270 וּלְמִקְוֵה הַמַּיִם קָרָא יַמִּים Gen. 1:10
271 יִשְׁרְצוּ הַמַּיִם שֶׁרֶץ נֶפֶשׁ חַיָּה Gen. 1:20
272 כָּל־נֶפֶשׁ...אֲשֶׁר שָׁרְצוּ הַמַּיִם Gen. 1:21
273 וּמִלְאוּ אֶת־הַמַּיִם בַּיַּמִּים Gen. 1:22
274 וַיִּרְבּוּ הַמַּיִם וַיִּשְׂאוּ אֶת־הַתֵּבָה Gen. 7:17
275 וַיִּגְבְּרוּ הַמַּיִם וַיִּרְבּוּ מְאֹד Gen. 7:18
276 וַיִּגְבְּרוּ הַמַּיִם עַל־הָאָרֶץ Gen. 7:24
277 עַד־יְבֹשֶׁת הַמַּיִם מֵעַל הָאָרֶץ Gen. 8:7
278 הֲקַלּוּ הַמַּיִם מֵעַל פְּנֵי הָאֲדָמָה Gen. 8:8
279 כִּי־קַלּוּ הַמַּיִם מֵעַל הָאָרֶץ Gen. 8:11
280 חָרְבוּ הַמַּיִם מֵעַל הָאָרֶץ Gen. 8:13
281 וַיִּמְצָאָהּ...עַל־עֵין הַמַּיִם Gen. 16:7
282 עַל־אֹדוֹת בְּאֵר הַמַּיִם Gen. 21:25
283 וַיַּחְפֹּר אֶת־בְּאֵרֹת הַמַּיִם Gen. 26:18
284 כִּי מִן־הַמַּיִם מְשִׁיתִהוּ Ex. 2:10
285 מִכֹּל שֶׁרֶץ הַמַּיִם Lev. 11:10
286 ...הַשְּׁחֻטָה עַל הַמַּיִם הַחַיִּים Lev. 14:6
287 וּבָאוּ הַמַּיִם הַמְאָרְרִים...בְּמֵעַיִךְ Num. 5:22
288/9 וּבָאוּ בָהּ הַמַּיִם הַמְאָרְרִים Num. 5:24, 27
290 הַמַּיִם הַיֹּרְדִים מִלְמַעְלָה Josh. 3:13
291 וַיַּעַמְדוּ הַמַּיִם הַיֹּרְדִים מִלְמַעְלָה Josh. 3:16
292-294 וְאֶת־צַפַּחַת הַמַּיִם ISh. 26:11, 12, 16
295 אֶל־כָּל־מַעְיְנֵי הַמַּיִם IK. 18:5
296 וַיֵּלְכוּ הַמַּיִם סָבִיב לַמִּזְבֵּחַ IK. 18:35
297 וְאֶת־הַמַּיִם אֲשֶׁר־בַּתְּעָלָה לִחֵכָה IK. 18:38
298/9 וַיַּכֶּה אֶת־הַמַּיִם וַיֵּחָצוּ IIK. 2:8, 14
300 וַיַּכֶּה אֶת־הַמַּיִם וַיֹּאמַר IIK. 2:14
301 וַיֵּצֵא אֶל־מוֹצָא הַמַּיִם IIK. 2:21
302 וַיֵּרָפוּ הַמַּיִם עַד הַיּוֹם הַזֶּה IIK. 2:22
303 אֶת־הַמַּיִם אֲדֻמִּים כַּדָּם IIK. 3:22
304 וְכִסּוּךְ הַמַּיִם הָרַבִּים Ezek. 26:19
305 כִּי־גָאוּ הַמַּיִם מֵי שָׂחוּ Ezek. 47:5
306 אֲזַי הַמַּיִם שְׁטָפוּנוּ Ps. 124:4
307 עָבַר עַל־נַפְשֵׁנוּ הַמַּיִם הַזֵּידוֹנִים Ps. 124:5

הַמַּיִם (המשך)

308 עַד נֶגֶד שַׁעַר הַמַּיִם לַמִּזְרָח Neh. 3:26
309-311 שַׁעַר הַמָּיִם Neh. 8:3, 16; 12:37
312-331 הַמָּיִם Gen. 8:3[2]; 9:15; 21:15 • Ex. 4:9; 7:17, 20[2]; 14:26, 28; 32:20 • Num. 5:27 • Jud. 7:4, 5, 24[2] • IISh. 17:21 • IIK. 20:20 • Ezek. 47:8, 9

הַמָּיִם

332 וְרוּחַ אֱלֹ׳ מְרַחֶפֶת עַל־פְּנֵי הַמָּיִם Gen. 1:2
333 יְהִי רָקִיעַ בְּתוֹךְ הַמָּיִם Gen. 1:6
334 וַתֵּלֶךְ הַתֵּבָה עַל־פְּנֵי הַמָּיִם Gen. 7:18
335 חֲמֵשׁ עֶשְׂרֵה אַמָּה...גָּבְרוּ הַמָּיִם Gen. 7:20
336 וַיַּעֲבֵר אֱלֹהִים רוּחַ...וַיָּשֹׁכּוּ הַמָּיִם Gen. 8:1
337 וַיַּבְרֵךְ הַגְּמַלִּים...אֶל־בְּאֵר הַמָּיִם Gen. 24:11
338/9 אָנֹכִי נִצָּב עַל־עֵין הַמָּיִם Gen. 24:13, 43
340 וַיָּרִיבוּ...לֵאמֹר לָנוּ הַמָּיִם Gen. 26:20
341 וַיַּצֵּג...בָּרְהָטִים בְּשִׁקְתוֹת הַמָּיִם Gen. 30:38
342 וַיֵּט מֹשֶׁה אֶת־יָדוֹ...וַיִּבָּקְעוּ הַמָּיִם Ex. 14:21
343 וַיַּשְׁלֵךְ אֶל־הַמַּיִם וַיִּמְתְּקוּ הַמָּיִם Ex. 15:25
344 וַיַּחֲנוּ־שָׁם עַל־הַמָּיִם Ex. 15:27
345 יִקַּח הַכֹּהֵן וְנָתַן אֶל־הַמָּיִם Num. 5:17
346 יַשְׁקֶה אֶת־הָאִשָּׁה אֶת־הַמָּיִם Num. 5:26
347 נִטְבְּלוּ בִּקְצֵה הַמָּיִם Josh. 3:15
348 וַיּוֹרֶד אֶת־הָעָם אֶל־הַמָּיִם Jud. 7:5
349 גַּם־לָכַדְתִּי אֶת־עִיר הַמָּיִם IISh. 12:27
350 עָבְרוּ מִיכַל הַמָּיִם IISh. 17:20
351 וַתִּמָּלֵא הָאָרֶץ אֶת־הַמָּיִם IIK. 3:20
352 וְהַשֶּׁמֶשׁ זָרְחָה עַל־הַמָּיִם IIK. 3:22
353 וְאֶת־הַבַּרְזֶל נָפַל אֶל־הַמָּיִם IIK. 6:5
354 בֹּארוֹת...אֲשֶׁר לֹא־יָכִלוּ הַמָּיִם Jer. 2:13
355 וּבָאוּ הַיָּמָּה...וְנִרְפּוּ הַמָּיִם Ezek. 47:8
356 קוֹל יְיָ עַל־הַמָּיִם Ps. 29:3
357 שִׁבַּרְתָּ רָאשֵׁי תַנִּינִים עַל־הַמָּיִם Ps. 74:13
358 לְרֹקַע הָאָרֶץ עַל־הַמָּיִם Ps. 136:6
359 שַׁלַּח לַחְמְךָ עַל־פְּנֵי הַמָּיִם Eccl. 11:1
360 אִישׁ שִׁלְחוֹ הַמָּיִם Neh. 4:17
361 אֲשֶׁר לִפְנֵי שַׁעַר־הַמָּיִם Neh. 8:1

וְהַמַּיִם

362 וְהַמַּיִם גָּבְרוּ...עַל־הָאָרֶץ Gen. 7:19
363 וְהַמַּיִם הָיוּ הָלוֹךְ וְחָסוֹר Gen. 8:5
364/5 וְהַמַּיִם לָהֶם ח(וֹ)מָה מִימִינָם וּמִשְּׂמֹאלָם Ex. 14:22, 29
366 וְהַמַּיִם רָעִים וְהָאָרֶץ מְשַׁכָּלֶת IIK. 2:19
367 וְהַמַּיִם יֹרְדִים מִתַּחַת... Ezek. 47:1
368 וְהַמַּיִם אֲשֶׁר מֵעַל הַשָּׁמָיִם Ps. 148:4

בְּמַיִם

369 צָלְלוּ כַּעוֹפֶרֶת בְּמַיִם אַדִּירִים Ex. 15:10
370 וְרָחַץ בְּשָׂרוֹ בְּמַיִם חַיִּים Lev. 15:13
371 וְזַרְעוֹ בְּמַיִם רַבִּים Num. 24:7
372 בְּמַיִם רַבִּים הֱבִאוּךְ הַשָּׁטִים Ezek. 27:26
373 וּשְׁבִילְךָ° בְּמַיִם רַבִּים Ps. 77:20
374 עֹשֵׂי מְלָאכָה בְּמַיִם רַבִּים Ps. 107:23
375 כְּמוֹ־אֶבֶן בְּמַיִם עַזִּים Neh. 9:11

בַּמַּיִם

376 וַאֲשֶׁר בַּמַּיִם מִתַּחַת לָאָרֶץ Ex. 20:4
377 בַּמַּיִם בַּיַּמִּים וּבַנְּחָלִים Lev. 11:9
378 בַּמַּיִם יוּבָא...וְטָהֵר Lev. 11:32
379 וְרָחַץ בַּמַּיִם וְטָהֵר Lev. 14:8
380/1 וְרָחַץ אֶת־בְּשָׂרוֹ בַּמַּיִם Lev. 14:9; 16:24
382-395 וְרָחַץ (בְּשָׂרוֹ) בַּמַּיִם Lev. 15:5, 6; 15:7, 8, 10, 11, 16, 21, 22, 27; 16:4; 17:15 • Num. 19:7, 19
396 וְכִבֶּס בַּמַּיִם וְטָמֵא עַד־הָעָרֶב Lev. 15:17
397 וְרָחֲצוּ בַמַּיִם וְטָמְאוּ עַד־הָעָרֶב Lev. 15:18
398 וְהַשֹּׂרֵף אֹתָהּ יְכַבֵּס בְּגָדָיו בַּמַּיִם Num. 19:8
399 וְלָקַח אֵזוֹב וְטָבַל בַּמַּיִם... Num. 19:18
400 לְהַקְדִּישֵׁנִי בַמַּיִם לְעֵינֵיהֶם Num. 27:14
401/2 (וַ)אֲשֶׁר(־)בַּמַּיִם מִתַּחַת לָאָ׳ Deut. 4:18; 5:8

בַּמַּיִם (המשך)

403 כַּאֲשֶׁר יָנוּד הַקָּנֶה בַּמַּיִם IK. 14:15
404 וַיִּקַּח הַמַּכְבֵּר וַיִּטְבֹּל בַּמַּיִם IIK. 8:15
405 כִּי־תַעֲבֹר בַּמַּיִם אִתְּךָ אָנִי Is. 43:2
406 וָאֶרְחָצֵךְ בַּמַּיִם וָאֶשְׁטֹף דָּמַיִךְ Ezek. 16:9
407 וַיַּעֲבִרֵנִי בַמַּיִם מֵי אָפְסָיִם Ezek. 47:3
408 וַיַּעֲבִרֵנִי בַמַּיִם מַיִם בִּרְכָּיִם Ezek. 47:4
409 הַמְקָרֶה בַמַּיִם עֲלִיּוֹתָיו Ps. 104:3
410 הֵן יַעְצֹר בַּמַּיִם וְיִבָשׁוּ Job 12:15

בַּמָּיִם

411 וּבָשֵׁל מְבֻשָּׁל בַּמָּיִם Ex. 12:9
412-413 וְרָחַצְתָּ אֹתָם בַּמָּיִם Ex. 29:4; 40:12
414 וְקִרְבּוֹ וּכְרָעָיו יִרְחַץ בַּמָּיִם Lev. 1:9
415 וְהַקֶּרֶב וְהַכְּרָעַיִם יִרְחַץ בַּמָּיִם Lev. 1:13
416 וּמֹרַק וְשֻׁטַּף בַּמָּיִם Lev. 6:21
417 וַיִּרְחַץ אֹתָם בַּמָּיִם Lev. 8:6
418 וְאֶת־הַקֶּרֶב...רָחַץ בַּמָּיִם Lev. 8:21
419 זֶה תֹּאכְלוּ מִכֹּל אֲשֶׁר בַּמָּיִם... Lev. 11:9
420 וּמִכֹּל נֶפֶשׁ הַחַיָּה אֲשֶׁר בַּמָּיִם Lev. 11:10
421 כֹּל אֲשֶׁר אֵין־לוֹ סְנַפִּיר...בַּמָּיִם Lev. 11:12
422 וּלְכָל נֶפֶשׁ הַחַיָּה הָרֹמֶשֶׂת בַּמָּיִם Lev. 11:46
423 וְיָדָיו לֹא־שָׁטַף בַּמָּיִם Lev. 15:11
424 וְכָל־כְּלִי־עֵץ יִשָּׁטֵף בַּמָּיִם Lev. 15:12
425-428 (וְ)רָחַץ (אֶת־)בְּשָׂרוֹ בַּמָּיִם Lev. 16:26, 28; 22:6 • Num. 19:8
429 וְכֹל אֲשֶׁר לֹא־יָבֹא בָּאֵשׁ תַּעֲבִירוּ בַמָּיִם Num. 31:23
430 אֶת־זֶה תֹּאכְלוּ מִכֹּל אֲשֶׁר בַּמָּיִם Deut. 14:9
431 וְהָיָה לִפְנוֹת־עֶרֶב יִרְחַץ בַּמָּיִם Deut. 23:12
432 סָבְאֵךְ מָהוּל בַּמָּיִם Is. 1:22

וּבְמַיִם

433 וּבְמַיִם רַבִּים זֶרַע שִׁחֹר Is. 23:3
434 הַנּוֹתֵן...וּבְמַיִם עַזִּים נְתִיבָה Is. 43:16
435 וּבְמַיִם לֹא־רֻחַצְתְּ לְמִשְׁעִי Ezek. 16:4

וּבַמַּיִם

436/7 בְּדַם הַצִּפּ(וֹ)ר...וּבַמַּיִם הַחַ׳ Lev. 14:51, 52
438 לֹא־קִדְּמוּ אֶתְכֶם בַּלֶּחֶם וּבַמַּיִם Deut. 23:5
439 וּבַמַּיִם לֹא תְבִאֵהוּ Jer. 13:1
440 בָּאנוּ־בָאֵשׁ וּבַמַּיִם Ps. 66:12

וּבַמָּיִם

441 לֹא קִדְּמוּ אֶת־בְּ״יִ בַּלֶּחֶם וּבַמָּיִם Neh. 13:2

כְּמַיִם

442 וְהָמוּ גַלֵּיהֶם כְּמַיִם רַבִּים Jer. 51:55
443 כְּמַיִם מֻגָּרִים בְּמוֹרָד Mic. 1:4
444 כְּמַיִם עָבְרוּ תִזְכֹּר Job 11:16

כַּמַּיִם

445 פַּחַז כַּמַּיִם אַל־תּוֹתַר Gen. 49:4
446 כִּי־מָלְאָה...כַּמַּיִם לַיָּם מְכַסִּים Is. 11:9
447 עֲלֵיהֶם אֶשְׁפּוֹךְ כַּמַּיִם עֶבְרָתִי Hosh. 5:10
448 וְיִגַּל כַּמַּיִם מִשְׁפָּט Am. 5:24
449 כִּי תִּמָּלֵא...כַּמַּיִם יְכַסּוּ עַל־יָם Hab. 2:14
450 כַּמַּיִם נִשְׁפַּכְתִּי Ps. 22:15
451 שָׁפְכוּ דָמָם כַּמַּיִם Ps. 79:3
452 סַבּוּנִי כַמַּיִם כָּל־הַיּוֹם Ps. 88:18
453 וַתָּבֹא כַמַּיִם בְּקִרְבּוֹ Ps. 109:18
454 כַּמַּיִם הַפָּנִים לַפָּנִים כֵּן לֵב... Prov. 27:19
455 וַיִּתְּכוּ כַמַּיִם שַׁאֲגֹתָי Job 3:24
456 אִישׁ־שֹׁתֶה כַמַּיִם עַוְלָה Job 15:16
457 תַּשִּׂיגֵהוּ כַמַּיִם בַּלָּהוֹת Job 27:20
458 שִׁפְכִי כַמַּיִם לִבֵּךְ נֹכַח פְּנֵי אֲדֹנָי Lam. 2:19

כַּמָּיִם

459-461 עַל־הָאָרֶץ תִּשְׁפְּכֶנּוּ כַּמָּיִם Deut. 12:16, 24; 15:23
462 יִשְׁתֶּה־לַּעַג כַּמָּיִם Job 34:7

וְכַמַּיִם

463 וְכַמַּיִם הַנִּגָּרִים אַרְצָה IISh. 14:14

לְמָיִם

464 וַיִּמַּס לְבַב־הָעָם וַיְהִי לְמָיִם Josh. 7:5

לַמַּיִם

465 וַיִּצְמָא שָׁם הָעָם לַמַּיִם Ex. 17:3
466 רִפֵּאתִי לַמַּיִם הָאֵלֶּה IIK. 2:21
467 הוֹי כָּל־צָמֵא לְכוּ לַמַּיִם Is. 55:1
468 לֹא־רָעָב לַלֶּחֶם וְלֹא־צָמָא לַמַּיִם Am. 8:11

למים 469 ויהי מבדיל בין מים למים Gen. 1:6
למים 470 ואדריהם שלחו צעיריהם °למים Jer. 14:3
ממים 471/2 ימשני ממים רבים IISh. 22:17 • Ps. 18:17
473 פריה וענפה היתה ממים רבים Ezek. 19:10
474 ותארכנה פארתו ממים רבים Ezek. 31:5
475 פצני והצילני ממים רבים Ps. 144:7
המימה 476 הנה יצא המימה Ex. 7:15
המימה 477 הנה יוצא המימה Ex. 8:16
מי־ 478 ויבא...אל־התבה מפני מי המבול Gen. 7:7
479 וישב יי עלהם את־מי הים Ex. 15:19
480-2 מי המרים (המאררים) Num. 5:18, 23, 24
483 הזה עליהם מי חטאת Num. 8:7
484/5 מי נדה לא־זרק עליו Num. 19:13, 20
486 ומזה מי־הנדה יכבס בגדיו Num. 19:21
487 המה מי מריבה אשר־רבו ב״י Num. 20:13
488/9 (ו)לא נשתה מי באר Num. 20:17; 21:22
490 הם מי־מריבת קדש Num. 27:14
491 הציף את־מי ים־סוף על־פניהם Deut. 11:4
492 תריבהו על־מי מריבה Deut. 33:8
493 הוביש יי את־מי ים־סוף מפניכם Josh. 2:10
494 כבאכם עד־קצה מי הירדן Josh. 3:8
495 והיה כנוח...מי הירדן יכרתון Josh. 3:13
496-499 מי(־)הירדן Josh. 4:7, 18, 23; 5:1
500 ויחנו יחדו אל־מי מרום Josh. 11:5
501 ויבא...על־מי מרום פתאם Josh. 11:7
502 ועבר הגבול אל־מי עין־שמש Josh. 15:7
503-504 אל־מעין מי נפתוח Josh. 15:9; 18:15
505 בתענך על־מי מגדו Jud. 5:19
506 ושתו איש מי־ברו IIK. 18:31
507 את מי השלח ההלכים לאט Is. 8:6
508 את־מי הנהר העצומים... Is. 8:7
509 כי־מי נמרים משמות יהיו Is. 15:6
510 כי מי דימון מלאו דם Is. 15:9
511 את־מי הברכה התחתונה Is. 22:9
512 ושתו איש מי־בורו Is. 36:16
513 המחרבת ים מי תהום רבה Is. 51:10
514 כי־מי נח זאת לי אשר נשבעתי Is. 54:9
515 מעבר מי־נח עוד על־הארץ Is. 54:9
516 ועתה מה־לך...לשתות מי שחור Jer. 2:18
517 ומה־לך...לשתות מי נהר Jer. 2:18
518 הדמנו וישקנו מי־ראש Jer. 8:14
519/20 והשק(י)תים מי־ראש Jer. 9:14; 23:15
521 מי נמרים למשמות יהיו Jer. 48:34
522 ויעברני במים מי אפסים Ezek. 47:3
523 ויעברני מי מתנים Ezek. 47:4
524 כי־גאו המים מי שחו Ezek. 47:5
525 עד־מי מריבות קדש Ezek. 47:19
526 מי מריבת קדש Ezek. 48:28
527 מי מצור שאבי־לך Nah. 3:14
528 על־מי מנחות ינהלני Ps. 23:2
529 כנס כנד מי הים Ps. 33:7
530 אבחנך על־מי מריבה Ps. 81:8
531 ויקציפו על־מי מריבה Ps. 106:32
ומי־ 532 ומי המבול היו על־הארץ Gen. 7:10
533 ומי מלא ימצו למו Ps. 73:10
במי־ 534 והנגע במי הנדה Num. 19:21
535 אך במי נדה יתחטא Num. 31:23
536 מעלתם בי...במי־מריבת קדש Deut. 32:51
537 והיה כנוח...במי הירדן Josh. 3:13
538 התרחצתי במי (כת׳ במו)־שלג Job 9:30
למי־ 539 והיתה...למשמרת למי נדה Num. 19:9
540 מריתם את־פי למי מריבה Num. 20:24

למי־ (המשך) 541 מירדן יריחו למי יריחו מזרחה Josh. 16:1
542 ומקוה...למי הברכה הישנה Is. 22:11
543/4 הק(ו)רא למי־הים וישפכם Am. 5:8; 9:6
ממי־ 545 ולא־יכרת...עוד ממי המבול Gen. 9:11
546 הנקי ממי המרים המאררים Num. 5:19
וממי־ 547 וממי יהודה יצאו Is. 48:1
מימי־ 548 ונטה־ידך על־מימי מצרים Ex. 7:19
549 ויט אהרן את־ידו על מימי מצ׳ Ex. 8:2
550 אשר נכרתו מימי הירדן Josh. 4:7
551 הלא טוב...מכל מימי ישראל IIK. 5:12
552/3 ולשתות את־מימי רגליהם (כת׳ שיניהם) IIK. 18:27 • Is. 36:12
554 ציה גם־חם יגזלו מימי־שלג Job 24:19
555 לסתום את־מימי העינות IICh. 32:3
556 סתם את־מוצא מימי גיחון IICh. 32:30
למימי־ 557/8 אשר ממעל למימי היאר Dan. 12:6, 7
ממימי־ 559 ולקחת ממימי היאר Ex. 4:9
560 לא יכלו לשתת ממימי היאר Ex. 7:24
מימי 561 ולקחתי את־לחמי ואת־מימי... ISh. 25:11
ומימי 562 מאהבי נתני לחמי ומימי Hosh. 2:7
מימינו 563 מימינו בכסף שתינו Lam. 5:4
מימיך 564 וברך את־לחמך ואת־מימיך Ex. 23:25
565 ואם־מימיך נשתה...ונתתי מכרם Num. 20:19
566 מחטב עציך עד שאב מימיך Deut. 29:10
ומימיך 567 ומימיך ברגזה ובדאגה תשתה Ezek. 12:18
מימיו 568 ודברתם אל־הסלע...ונתן מימיו Num. 20:8
569 לחמו נתן מימיו נאמנים Is. 33:16
570 ויגרשו מימיו רפש וטיט Is. 57:20
571 אשר לא־יכזבו מימיו Is. 58:11
572 כנהרות יתגעשו מימיו Jer. 46:7
573 כי מימיו מן־המקדש...יוצאים Ezek. 47:12
574 יהמו יחמרו מימיו Ps. 46:4
מימיה 575 כהקיר ביר° מימיה Jer. 6:7
576 חרב אל־מימיה ויבשו Jer. 50:38
מימיהם 577 ועל כל־מקוה מימיהם Ex. 7:19
578 אז אשקיע מימיהם Ezek. 32:14
579 הפך את־מימיהם לדם Ps. 105:29
ומימיהם 580 ומימיהם בשממון ישתו Ezek. 12:19

מימין

שפ״ז א) מן הכהנים שעלו עם זרובבל: 1, 2
ב) כהן בימי דוד: 4
ג) בן פרעוש, ישראלי שנשא נשים נכריות: 3

מימין 1 משלם אביה מימן Neh. 10:8
2 מימין מעדיה בלגה Neh. 12:5
ומימין 3 ומישראל...ומימן ואלעזר Ez. 10:25
למימין 4 למלכיה החמישי למימן הששי ICh. 24:9

מין

ז׳ קבוצת צמחים או בעלי־חיים הקרובים בסימניהם או בתכונותיהם: 1-31

למינו 1 עץ פרי עשה פרי למינו Gen. 1:11
2 את כל־ערב למינו Lev. 11:15
3 את־הארבה למינו Lev. 11:22
4 ואת כל־ערב למינו Deut. 14:14
למינהו 5 דשא עשב מזריע זרע למינהו Gen. 1:12
6 ועץ עשה־פרי אשר זרעו־בו למינהו Gen. 1:12
7 ואת כל־עוף כנף למינהו Gen. 1:21
8 כל־רמש האדמה למינהו Gen. 1:25
9 מהעוף למינהו Gen. 6:20
10 מכל רמש האדמה למינהו Gen. 6:20
11-12 וכל־הרמש הרמש על־הארץ למינהו וכל־העוף למינהו Gen. 7:14

למינהו (המשך) 13 ואת־הנץ למינהו Lev. 11:16
14 ואת־הסלעם למינהו Lev. 11:22
15 ואת־החרגל למינהו Lev. 11:22
16 ואת־החגב למינהו Lev. 11:22
17 החלד והעכבר והצב למינהו Lev. 11:29
18 ואת־הנץ למינהו Deut. 14:15
למינה 19 תוצא הארץ נפש חיה למינה Gen. 1:24
20 וחיתו־ארץ למינה Gen. 1:24
21 ויעש...את־חית הארץ למינה Gen. 1:25
22 ואת־הבהמה למינה Gen. 1:25
23 ומן הבהמה למינה Gen. 6:20
24 וכל־החיה למינה Gen. 7:14
25 וכל־הבהמה למינה Gen. 7:14
26 ואת־האיה למינה Lev. 11:14
27 ואת החסידה האנפה למינה Lev. 11:19
28 ואת־הראה והאיה והדיה למינה Deut. 14:13
29 והחסידה והאנפה למינה Deut. 14:18
(למינה) 30 למינה תהיה דגתם Ezek. 47:10
למיניהם 31 אשר שרצו המים למינהם Gen. 1:21

מינקת

נ׳ עין ינק

מיסך

(מ״ב טז 18) – קרי מוסך

מיפעת

עיר לויים בנחלת ראובן: 1-3

מיפעת 1 ואת־מיפעת ואת־מגרשיה ICh. 6:64
2 ואל־יהצה ועל־מיפעת (כ׳ מופעת) Jer. 48:21
ומיפעת 3 ויהצה וקדמת ומפעת Josh. 13:18

מיץ

ז׳ נוזל שנסחט: 1-3

מיץ אף 2; מיץ אפים 3; מיץ חלב 1

מיץ־ 1 כי מיץ חלב יוציא חמאה Prov. 30:33
ומיץ־ 2 ומיץ־אף יוציא דם Prov. 30:33
3 ומיץ אפים יוציא ריב Prov. 30:33

(מיש)

עין (מוש)

מישא

שפ״ז – מבני בנימין

מישא 1 ויולד...ואת־מישא ואת־מלכם ICh. 8:9

מישאל

שפ״ז א) בן עוזיאל דוד אהרן: 1, 2
ב) אחד משלושת רעי דניאל: 3-6, 8
ג) נכבד בימי עזרא: 7

מישאל 1 ובני עזיאל מישאל ואלצפן וסתרי Ex. 6:22
2 ויקרא משה אל־מישאל Lev. 10:4
3-6 (ול)חנניה מישאל ועזריה Dan. 1:6,11, 19; 2:17
ומישאל 7 ומשמאלו פדיה ומישאל Neh. 8:4
ולמישאל 8 וישם...ולמישאל מישך Dan. 1:7

מישור

ז׳ א) מקום ישר: 1, 4-16, 18, 19, 21-23
ב) [בהשאלה] ישר, צדק: 2, 3, 17, 20

ארח מישור 1; ארץ (ה)מישור 4, 6, 12; ערי המישור 5, 9; צור המישור 10; שבט מישור 2; העקב למישור 21

מישור 1 ...ונחני בארח מישור Ps. 27:11
2 שבט מישר שבט מלכותך Ps. 45:7
3 כי־תשפט עמים מישר Ps. 67:5
4 תנחני בארץ מישור Ps. 143:10
המישור 5 כל ערי המישר וכל־הגלעד Deut. 3:10
6 את־בצר במדבר בארץ המישר Deut. 4:43
7 וכל־המישר מידבא עד־דיבון Josh. 13:9
8 וכל־המישר על־מידבא Josh. 13:16
9 וכל ערי המישר... Josh. 13:21
10 ישבת העמק צור המישר Jer. 21:13

11 וְאָבַד הָעֵמֶק וְנִשְׁמַד הַמִּישֹׁר Jer. 48:8
12 וּמִשְׁפָּט בָּא אֶל־אֶרֶץ הַמִּישֹׁר Jer. 48:21
בַּמִּישׁוֹר 13 וְכָל־עָרֶיהָ אֲשֶׁר בַּמִּישׁוֹר Josh. 13:17
14 אֶת־בֶּצֶר בַּמִּדְבָּר בַּמִּישֹׁר Josh. 20:8
15 וְאוּלָם נִלָּחֵם אִתָּם בַּמִּישׁוֹר IK. 20:23
16 וְנִלָּחֲמָה אוֹתָם בַּמִּישׁוֹר IK. 20:25
בְּמִישׁוֹר 17 וְהוֹכִיחַ בְּמִישׁוֹר לְעַנְוֵי־אָרֶץ Is. 11:4
18 רַגְלִי עָמְדָה בְמִישׁוֹר Ps. 26:12
וּבַמִּישׁוֹר 19 מִקְנֶה־רַב...וּבַשְּׁפֵלָה וּבַמִּישׁוֹר IICh. 26:10
וּבְמִישׁוֹר 20 בְּשָׁלוֹם וּבְמִישׁוֹר הָלַךְ אִתִּי Mal. 2:6
לְמִישׁוֹר 21 וְהָיָה הֶעָקֹב לְמִישׁוֹר Is. 40:4
22 אָשִׂים...וּמַעֲקַשִּׁים לְמִישׁוֹר Is. 42:16
23 מִי־אַתָּה הַר־הַגָּדוֹל
לִפְנֵי זְרֻבָּבֶל לְמִישֹׁר Zech. 4:7

מֵישַׁךְ
שפ״ז – שמו הפרסי של מישאל: 1-15

מֵישַׁךְ 1 וַיָּשֶׂם...וּלְמִישָׁאֵל מֵישַׁךְ Dan. 1:7
2-15 (לְ)שַׁדְרַךְ מֵישַׁךְ וַעֲבֵד נְגוֹ(א) Dan. 2:49
3:12, 13, 14, 16, 19, 20, 22, 23, 26², 28, 29, 30

מֵישַׁע
שפ״ז – מלך מואב בימי אחאב ואחריו

וּמֵישַׁע 1 וּמֵישַׁע מֶלֶךְ־מוֹאָב הָיָה נֹקֵד IIK. 3:4

מֵישָׁע
שפ״ז – בכור כלב בן חצרון

מֵישָׁע 1 מֵישָׁע בְּכֹרוֹ הוּא אֲבִי־זִיף ICh. 2:42

מֵישָׁרִים
ז״ר יֹשֶׁר, צֶדֶק: 1-19

קרובים: ראה יֹשֶׁר

דּוֹבֵר מֵישָׁרִים 2; מַגִּיד מֵישָׁרִים 3
עֹשֶׂה מֵישָׁרִים 11; שֹׁפֵט מֵישָׁרִים 5, 6

מֵישָׁרִים 1 אֹרַח לַצַּדִּיק מֵישָׁרִים Is. 26:7
2 הֹלֵךְ צְדָקוֹת וְדֹבֵר מֵישָׁרִים Is. 33:15
3 דֹּבֵר צֶדֶק מַגִּיד מֵישָׁרִים Is. 45:19
4 עֵינֶיךָ תֶּחֱזֶינָה מֵישָׁרִים Ps. 17:2
5 מֵישָׁרִים תִּשְׁפְּטוּ בְּנֵי אָדָם Ps. 58:2
6 אֲנִי מֵישָׁרִים אֶשְׁפֹּט Ps. 75:3
7 אַתָּה כּוֹנַנְתָּ מֵישָׁרִים Ps. 99:4
8 וּמִפְתַּח שְׂפָתַי מֵישָׁרִים Prov. 8:6
9 בְּדַבֵּר שְׂפָתֶיךָ מֵישָׁרִים Prov. 23:16
10 נַזְכִּירָה דֹדֶיךָ מִיַּיִן מֵישָׁרִים אֲהֵבוּךָ S.ofS.1:4
11 וּבַת מֶלֶךְ־הַנֶּגֶב תָּבוֹא...לַעֲשׂוֹת מֵישָׁרִים Dan. 11:6
וּמֵישָׁרִים 12 צֶדֶק וּמִשְׁפָּט וּמֵשָׁרִים Prov. 1:3
13 צֶדֶק וּמִשְׁפָּט וּמֵישָׁרִים Prov. 2:9
14 בֹּחֵן לֵבָב וּמֵישָׁרִים תִּרְצֶה ICh. 29:17
בְּמֵישָׁרִים 15 יָדִין לְאֻמִּים בְּמֵישָׁרִים Ps. 9:9
16 יָדִין עַמִּים בְּמֵישָׁרִים Ps. 96:10
17 יִשְׁפֹּט־תֵּבֵל בְּצֶדֶק וְעַמִּים בְּמֵישָׁרִים Ps. 98:9
18 יִתֵּן בַּכּוֹס° עֵינוֹ יִתְהַלֵּךְ בְּמֵישָׁרִים Prov. 23:31
לְמֵישָׁרִים 19 כְּיֵין הַטּוֹב הוֹלֵךְ לְדוֹדִי לְמֵישָׁרִים S.ofS. 7:10

מֵיתָר*
ז׳ א) חֶבֶל ליריעות האוהל: 1, 3-9
ב) חוּט הַקֶּשֶׁת: 2

מֵיתָרַי 1 אָהֳלִי שֻׁדָּד וְכָל־מֵיתָרַי נִתָּקוּ Jer. 10:20
בְּמֵיתָרֶיךָ 2 בְּמֵיתָרֶיךָ תְּכוֹנֵן עַל־פְּנֵיהֶם Ps. 21:13
מֵיתָרַיִךְ 3 הַאֲרִיכִי מֵיתָרַיִךְ וִיתֵדֹתַיִךְ חַזֵּקִי Is. 54:2
מֵיתָרָיו 4 אֶת־מֵיתָרָיו וִיתֵדֹתֶיהָ Ex. 39:40
5 וְאֵת מֵיתָרָיו לְכֹל עֲבֹדָתוֹ Num. 3:26
מֵיתְרֵיהֶם 6 וְאֶת־יִתְדֹת הֶחָצֵר וְאֶת־מֵיתְרֵיהֶם Ex. 35:18
7 וְאֵת מֵיתְרֵיהֶם וְאֶת...כְּלֵי עֲבֹדָתָם Num. 4:26
וּמֵיתְרֵיהֶם 8/9 וִיתֵדֹתָם וּמֵיתְרֵיהֶם Num. 3:37; 4:32

מַכְאוֹב
ז׳ כְּאֵב: 1-16

קרובים: ראה חֳלִי

מַכְאוֹב אֱנוֹשׁ 9; סְבַל מַכְאוֹבִים 15;
אִישׁ מַכְאֹבוֹת 16

מַכְאוֹב 1 וְאֶל־מַכְאוֹב חֲלָלֶיךָ יְסַפֵּרוּ Ps. 69:27
2 אִם־יֵשׁ מַכְאוֹב כְּמַכְאֹבִי Lam. 1:12
3 וְיוֹסִיף דַּעַת יוֹסִיף מַכְאוֹב Eccl. 1:18
בְּמַכְאוֹב 4 וְהוּכַח בְּמַכְאוֹב עַל־מִשְׁכָּבוֹ Job 33:19
מַכְאֹבִי 5 כִּי־יָסַף יְיָ יָגוֹן עַל־מַכְאֹבִי Jer. 45:3
6 שִׁמְעוּ־נָא...וּרְאוּ מַכְאֹבִי Lam. 1:18
וּמַכְאוֹבִי 7 וּמַכְאוֹבִי נֶגְדִּי תָמִיד Ps. 38:18
כְּמַכְאֹבִי 8 אִם־יֵשׁ מַכְאוֹב כְּמַכְאֹבִי Lam. 1:12
מַכְאֹבֵךְ 9 מַה־תִּזְעַק...אָנוּשׁ מַכְאֹבֵךְ Jer. 30:15
וּמַכְאֹבוֹ 10 אֲשֶׁר יֵדְעוּ אִישׁ נִגְעוֹ וּמַכְאֹבוֹ IICh. 6:29
לְמַכְאוֹבָהּ 11 קְחוּ צֳרִי לְמַכְאוֹבָהּ Jer. 51:8
מַכְאוֹבִים 12 רַבִּים מַכְאוֹבִים לָרָשָׁע Ps. 32:10
13 כָל־יָמָיו מַכְאֹבִים וָכַעַס עִנְיָנוֹ Eccl. 2:23
מַכְאֹבָיו 14 כִּי יָדַעְתִּי אֶת־מַכְאֹבָיו Ex. 3:7
וּמַכְאֹבֵינוּ 15 חֳלָיֵנוּ הוּא נָשָׂא וּמַכְאֹבֵינוּ סְבָלָם Is. 53:4
מַכְאֹבוֹת 16 אִישׁ מַכְאֹבוֹת וִידוּעַ חֹלִי Is. 53:3

מַכְבִּיר
ז׳ מַרְבֶּה [עין עוד כבר]

לְמַכְבִּיר 1 יִתֶּן־אֹכֶל לְמַכְבִּיר Job 36:31

מַכְבֵּנָה
מקום בנחלת יהודה

מַכְבֵּנָה 1 וַתֵּלֶד...אֶת־שְׁוָא אֲבִי מַכְבֵּנָה ICh. 2:49

מַכְבַּנַּי
שפ״ז מגבורי דוד בצקלג

מַכְבַּנַּי 1 ...מַכְבַּנַּי עַשְׁתֵּי עָשָׂר ICh. 12:13

מַכְבֵּר
ז׳ מכסה כעין שמיכה

הַמַּכְבֵּר 1 וַיִּקַּח הַמַּכְבֵּר וַיִּטְבֹּל בַּמַּיִם IIK. 8:15

מִכְבָּר
ז׳ שְׂבָכָה, רֶשֶׁת: 1-6 • מִכְבַּר נְחֹשֶׁת 3-6

מִכְבָּר 1-2 מִכְבָּר מַעֲשֵׂה רֶשֶׁת נְחֹשֶׁת Ex. 27:4; 38:4
מִכְבַּר־ 3-5 וְאֶת־מִכְבַּר הַנְּחֹשֶׁת אֲשֶׁר־לוֹ Ex. 35:16; 38:30; 39:39
לְמִכְבַּר־ 6 וַיִּצֹק...לְמִכְבַּר הַנְּחֹשֶׁת Ex. 38:5

מַכָּה
נ׳ מַהֲלוּמָה, פגיעה קשה (גם בהשאלה): 1-44

קרובים: חַבּוּרָה / חֳלִי / מַהֲלוּמָה / מַחַץ / נֶגַע / פֶּגַע / פֶּצַע

– מַכָּה אֲנוּשָׁה 29; מַכָּה גְדוֹלָה 6-13, 20, 33; מַכָּה טְרִיָּה 18; מ׳ נֶאֱמָנָה 33; מַכָּה נַחְלָה 16,28,30-31; מַכָּה רִאשׁוֹנָה 21; מַכָּה רַבָּה 2, 3, 17
– דַּם הַמַּכָּה 22; מַחַץ מַכָּה 32
– מַכַּת אוֹיֵב 24; מַכַּת חֶרֶב 25; מַכַּת מִדְיָן 26; מַכַּת מַכֵּהוּ 27
– מַכּוֹת הָאָרֶץ 37; מַכּוֹת זַרְעֲךָ 36

מַכָּה 1 וְיָסַפְתִּי עֲלֵיכֶם מַכָּה Lev. 26:21
2 וַיַּךְ יְיָ בָּעָם מַכָּה רַבָּה מְאֹד Num. 11:33
3 ...לְהַכֹּתוֹ עַל־אֵלֶּה מַכָּה רַבָּה Deut. 25:3
4 גַּם כָּל־חֳלִי וְכָל־מַכָּה Deut. 28:61
5 וַיַּכֵּם מַכָּה־גְדוֹלָה בְּגִבְעוֹן Josh. 10:10
6 לְהַכּוֹתָם מַכָּה גְדוֹלָה־מְאֹד Josh. 10:20
7-13 מַכָּה גְּדוֹלָה (מְאֹד) Jud. 11:33; 15:8
ISh. 6:19; 19:8; 23:5 • IK. 20:21 • IICh. 28:5
14 הַמַּכִּים...בְּכָל־מַכָּה בַּמִּדְבָּר ISh. 4:8
15 כִּי עַתָּה לֹא־רָבְתָה מַכָּה בַּפְּלִשְׁ׳ ISh. 14:30
16 מַכָּה נַחְלָה מְאֹד Jer. 14:17
17 וַיַּכּוּ בָהֶם...מַכָּה רַבָּה IICh. 13:17
וּמַכָּה 18 פֶּצַע וְחַבּוּרָה וּמַכָּה טְרִיָּה Is. 1:6
19 חָמָס וָשֹׁד...חֳלִי וּמַכָּה Jer. 6:7
הַמַּכָּה 20 וַתְּהִי הַמַּכָּה גְּדוֹלָה מְאֹד ISh. 4:10
21 וַתְּהִי הַמַּכָּה הָרִאשֹׁנָה ISh. 14:14
22 וַיִּצֶק דַּם־הַמַּכָּה אֶל־חֵיק הָרָכֶב IK. 22:35
מַכַּת־ 23 מַכֶּה...מַכַּת בִּלְתִּי סָרָה Is. 14:6
24 כִּי מַכַּת אוֹיֵב הִכִּיתִיךְ Jer. 30:14
25 מַכַּת־חֶרֶב וְהֶרֶג וְאַבְדָן Es. 9:5
כְּמַכַּת־ 26 כְּמַכַּת מִדְיָן בְּצוּר עוֹרֵב Is. 10:26
הַכְמַכַּת־ 27 הַכְמַכַּת מַכֵּהוּ הִכָּהוּ Is. 27:7
מַכָּתִי 28 אוֹי לִי עַל־שִׁבְרִי נַחְלָה מַכָּתִי Jer. 10:19
וּמַכָּתִי 29 כְּאֵבִי נֶצַח וּמַכָּתִי אֲנוּשָׁה Jer. 15:18
מַכָּתֶךָ 30 אֵין־כֵּהָה לְשִׁבְרֶךָ נַחְלָה מַכָּתֶךָ Nah. 3:19
מַכָּתֵךְ 31 אָנוּשׁ לְשִׁבְרֵךְ נַחְלָה מַכָּתֵךְ Jer. 30:12
מַכָּתוֹ 32 וּמַחַץ מַכָּתוֹ יִרְפָּא Is. 30:26
מַכּוֹת 33 מַכּוֹת גְּדֹלֹת וְנֶאֱמָנוֹת Deut. 28:59
וּמַכּוֹת 34 חַבֻּרוֹת...וּמַכּוֹת חַדְרֵי־בָטֶן Prov. 20:30
הַמַּכּוֹת 35 מָה הַמַּכּוֹת הָאֵלֶּה בֵּין יָדֶיךָ Zech. 13:6
מַכּוֹת־ 36 אֶת־מַכֹּתְךָ וְאֵת מַכּוֹת זַרְעֶךָ Deut. 28:59
37 וְרָאוּ אֶת־מַכּוֹת הָאָרֶץ Deut. 29:21
מַכֹּתְךָ 38 וְהִפְלָא יְיָ אֶת־מַכֹּתְךָ Deut. 28:59
וּמִמַּכּוֹתַיִךְ 39 וּמִמַּכּוֹתַיִךְ אֶרְפָּאֵךְ Jer. 30:17
מַכֹּתֶהָ 40 יִשֹּׁם וְיִשְׁרֹק עַל־כָּל־מַכֹּתֶהָ Jer. 19:8
41/2 יִשֹּׁם וְיִשְׁרֹק עַל־כָּל־מַכּוֹתֶ(הָ)׳ Jer. 49:17; 50:13
43 כִּי אֲנוּשָׁה מַכּוֹתֶיהָ Mic. 1:9
מַכּוֹתָם 44 חֵץ פִּתְאוֹם הָיוּ מַכּוֹתָם Ps. 64:8

מִכְוָה
נ׳ צְרִיבַת עוֹר: 1-5

מִחְיַת מִכְוָה 1; צָרֶבֶת מִכְוָה 3; שְׂאֵת מִכְוָה 2;
מִכְוַת אֵשׁ 5

הַמִּכְוָה 1 וְהָיְתָה מִחְיַת הַמִּכְוָה בַּהֶרֶת לְבָנָה Lev. 13:24
2 שְׂאֵת הַמִּכְוָה הוּא וְטִהֲרוֹ הַכֹּהֵן Lev. 13:28
3 כִּי־צָרֶבֶת הַמִּכְוָה הוּא Lev. 13:28
בַּמִּכְוָה 4 צָרַעַת הוּא בַּמִּכְוָה פָּרָחָה Lev. 13:25
מִכְוַת־ 5 כִּי־יִהְיֶה בְעֹרוֹ מִכְוַת־אֵשׁ Lev. 13:24

מָכוֹן
ז׳ מָקוֹם, מַעֲמָד: 1-17

מְכוֹן הַר צִיּוֹן 7; מְכוֹן כִּסְאוֹ 8, 9; מְכוֹן מִקְדָּשׁוֹ 10; מְכוֹן שִׁבְתּוֹ 4-6, 11-14

מָכוֹן 1 מָכוֹן לְשִׁבְתְּךָ פָּעַלְתָּ יְיָ Ex. 15:17
וּמָכוֹן 2/3 (וּ)מָכוֹן לְשִׁבְתְּךָ עוֹלָמִים׳ IK. 8:13 • IICh.6:2
מְכוֹן־ 4/5 תִּשְׁמַע הַשָּׁמַיִם מְכוֹן שִׁבְתֶּךָ IK. 8:39, 43
6 וְשָׁמַעְתָּ הַשָּׁמַיִם מְכוֹן שִׁבְתְּךָ IK. 8:49
7 עַל כָּל־מְכוֹן הַר־צִיּוֹן Is. 4:5
8 צֶדֶק וּמִשְׁפָּט מְכוֹן כִּסְאֶךָ Ps. 89:15
9 צֶדֶק וּמִשְׁפָּט מְכוֹן כִּסְאוֹ Ps. 97:2
10 וְהֻשְׁלַךְ מְכוֹן מִקְדָּשׁוֹ Dan. 8:11
11 תִּשְׁמַע מִן־הַשָּׁמַיִם מְכוֹן שִׁבְתְּךָ IICh. 6:30
מִמְּכוֹן־ 12 מִמְּכוֹן־שִׁבְתּוֹ הִשְׁגִּיחַ Ps. 33:14
13 תִּשְׁמַע מִן־הַשָּׁמַיִם מִמְּכוֹן שִׁבְתְּךָ IICh. 6:33
14 וְשָׁמַעְתָּ מִן־הַשָּׁמַיִם מִמְּכוֹן שִׁבְתְּךָ IICh. 6:39
בִּמְכוֹנִי 15 אֶשְׁקֳטָה° וְאַבִּיטָה בִמְכוֹנִי Is. 18:4
מְכוֹנוֹ 16 לְהַעֲמִידוֹ עַל־מְכוֹנוֹ Ez. 2:68
מְכוֹנֶיהָ 17 יָסַד־אֶרֶץ עַל־מְכוֹנֶיהָ Ps. 104:5

מְכוּנָה*
נ׳ יְסוֹד, בָּסִיס

מְכֻנָתָהּ 1 וְהוּכַן וְהֻנִּיחָה שָּׁם עַל־מְכֻנָתָהּ Zech. 5:11

מְכוֹנָה¹
נ׳ יְסוֹד, בָּסִיס: 1-23

הַמְּכוֹנָה 1 אֹרֶךְ הַמְּכוֹנָה הָאֶחָת IK. 7:27
2 וְזֶה מַעֲשֵׂה הַמְּכוֹנָה IK. 7:28

הַמְּכֹנָה (המשך) 3 אֶל אַרְבַּע פִּנּוֹת הַמְּכֹנָה הָאֶחָת IK. 7:34
4 מִן־הַמְּכֹנָה כְּתֵפֶיהָ IK. 7:34
5 וּבְרֹאשׁ הַמְּכוֹנָה חֲצִי הָאַמָּה קוֹמָה... IK. 7:35
6 וְעַל רֹאשׁ הַמְּכֹנָה יְדֹתֶיהָ IK. 7:35
7 כִּיּוֹר אֶחָד עַל־הַמְּכוֹנָה הָאַחַת IK. 7:38
בַּמְּכוֹנָה 8 וִידוֹת הָאוֹפַנִּים בַּמְּכוֹנָה IK. 7:32
לַמְּכוֹנָה 9 אוֹפַנֵּי נְחֹשֶׁת לַמְּכוֹנָה הָאַחַת IK. 7:30
הַמְּכֹנוֹת 10 וַיַּעַשׂ אֶת־הַמְּכֹנוֹת עֶשֶׂר IK. 7:27
11 כָּזֹאת עָשָׂה אֵת עֶשֶׂר הַמְּכֹנוֹת IK. 7:37
12 עֲשָׂרָה כִּירוֹת...לְעֶשֶׂר הַמְּכֹנוֹת IK. 7:38
13 וַיִּתֵּן אֶת־הַמְּכֹנוֹת...מִיָּמִין IK. 7:39
14־20 הַמְּכֹנוֹת IK. 7:43
IIK. 16:17; 25:13 • Jer. 52:17, 20 • IICh. 4:14[2]
21 וְעַל־הַיָּם וְעַל־הַמְּכֹנוֹת Jer. 27:19
וְהַמְּכֹנוֹת 22 הַיָּם הָאֶחָד וְהַמְּכֹנוֹת... IIK. 25:16
מְכוֹנָתוֹ 23 וַיָּכִינוּ הַמִּזְבֵּחַ עַל־מְכוֹנָתוֹ Ez. 3:3

מְכוֹנָה[2] מקום בנחלת יהודה

וּבִמְכוֹנָה 1 וּבְצִקְלַג וּבִמְכֹנָה וּבִבְנֹתֶיהָ Neh. 11:28

מְכוּרָה* נ׳ מולדת: 1, 2

מְכוּרָתָם 1 וַהֲשִׁבֹתִי...עַל־אֶרֶץ מְכוּרָתָם Ezek. 29:14
מְכוּרוֹתַיִךְ 2 אֲשֶׁר־נִבְרֵאת בְּאֶרֶץ מְכֻרוֹתַיִךְ Ezek. 21:35

מְכוֹרוֹת* נ״ר מולדת

מְכוֹרֹתַיִךְ 1 מְכֹרֹתַיִךְ וּמֹלְדֹתַיִךְ מֵאֶ׳ הַכְּנַעֲנִי Ezek. 16:3

מַכּוֹת (דה״ב ב9) – עין מַכֹּלֶת (2)

מָכִי שפ״ז – אבי נשיא מטה גד

מָכִי 1 לְמַטֵּה גָד גְּאוּאֵל בֶּן־מָכִי Num. 13:15

מָכִיר שפ״ז א) בכור מנשה, אבי גלעד: 1־8

ב) שם כללי לבני מכיר: 9, 22
ג) בן־עמיאל מלו־דבר: 10, 11, 17
אֵשֶׁת מָכִיר 15; בֵּית מָ׳ 10, 11; בְּנֵי מָכִיר 1, 6־8
מָכִיר 1 גַּם בְּנֵי מָכִיר בֶּן־מְנַשֶּׁה... Gen. 50:23
2־5 בֶּן־מָכִיר בֶּן־מְנַשֶּׁה Num. 27:1; 36:1
Josh. 17:3 • ICh. 7:17
6 וַיֵּלְכוּ בְּנֵי מָכִיר...גִּלְעָדָה Num. 32:39
7 וַחֲצִי הַגִּלְעָד...לִבְנֵי מָכִיר בֶּן־מְנַשֶּׁה Josh. 13:31
8 לַחֲצִי בְנֵי־מָכִיר לְמִשְׁפְּחוֹתָם Josh. 13:31
9 מִנִּי מָכִיר יָרְדוּ מְחֹקְקִים Jud. 5:14
10 בֵּית מָכִיר בֶּן־עַמִּיאֵל בְּלוֹ דְבָר IISh. 9:4
11 מִבֵּית מָכִיר בֶּן־עַמִּיאֵל מִלּוֹ דְבָר IISh. 9:5
12־14 מָכִיר אֲבִי(־)גִלְעָד ICh. 2:21, 23; 7:14
15 וַתֵּלֶד מַעֲכָה אֵשֶׁת־מָכִיר בֵּן ICh. 7:16
וּמָכִיר 16 וּמָכִיר הוֹלִיד אֶת־גִּלְעָד Num. 26:29
17 וּמָכִיר בֶּן־עַמִּיאֵל מִלֹּא דְבָר IISh. 17:27
18 וּמָכִיר לָקַח אִשָּׁה לְחֻפִּים ICh. 7:15
לְמָכִיר 19 לְמָכִיר מִשְׁפַּחַת הַמָּכִירִי Num. 26:29
20 וַיִּתֵּן...לְמָכִיר בֶּן־מְנַשֶּׁה Num. 32:40
21 לְמָכִיר בְּכוֹר מְנַשֶּׁה אֲבִי הַגִּלְעָד Josh. 17:1
וּלְמָכִיר 22 וּלְמָכִיר נָתַתִּי אֶת־הַגִּלְעָד Deut. 3:15

מָכִירִי ת׳ המתיחס על בית מכיר

הַמָּכִירִי 1 לְמָכִיר מִשְׁפַּחַת הַמָּכִירִי Num. 26:29

מָכַךְ פ׳ א) דוכא: 1

ב) [נפ׳ נָמַךְ] התמוטט: 2
ג) [הפ׳ הֻמַּךְ] הושפל: 3
וַיָּמֹכּוּ 1 וַיָּמֹכּוּ בַּעֲוֺנָם Ps. 106:43
יִמַּךְ 2 בַּעֲצַלְתַּיִם יִמַּךְ הַמְּקָרֶה Eccl. 10:18
וְהֻמְּכוּ 3 וְהֻמְּכוּ כַּכֹּל יִקָּפְצוּן Job 24:24

מִכְלָא* ז׳ מקום גדור לצאן: 1, 2

מִמִּכְלְאֹת־ 1 ...וַיִּקָּחֵהוּ מִמִּכְלְאֹת צֹאן Ps. 78:70
מִמִּכְלְאֹתֶיךָ 2 לֹא־אֶקַּח...מִמִּכְלְאֹתֶיךָ עַתּוּדִים Ps. 50:9

מִכְלָה נ׳ מִכלא

מִמִּכְלָה 1 גָּזַר מִמִּכְלָה צֹאן Hab. 3:17

מִכְלוֹל ז׳ פאר

מִכְלוֹל 1/2 לְבֻשֵׁי מִכְלוֹל Ezek. 23:12; 38:4

מַכְלוּלִים ז׳ פאר

בְּמַכְלֻלִים 1 הֵמָּה רֹכְלַיִךְ בְּמַכְלֻלִים Ezek. 27:24

מִכְלָל* ז׳ פאר

מִכְלַל־ 1 מִצִּיּוֹן מִכְלַל־יֹפִי אֱלֹהִים הוֹפִיעַ Ps. 50:2

מַכֹּלֶת נ׳ מאכל: 1, 2

מַכֹּלֶת 1 עֶשְׂרִים אֶלֶף כֹּר חִטִּים מַכֹּלֶת לְבֵיתוֹ IK. 5:5
(מַכּוֹת) 2 חִטִּים מַכּוֹת (=מַכֹּלֶת?) עֲבָדֶיךָ IICh. 2:9

מִכְמָן* ז׳ מטמון, אוצר

בְּמִכְמַנֵּי־ 1 וּמָשַׁל בְּמִכְמַנֵּי הַזָּהָב וְהַכֶּסֶף Dan. 11:43

מִכְמָס, מִכְמָשׂ עיר בנחלת בנימין: 1־11

מִכְמָס 1 אַנְשֵׁי מִכְמָס מֵאָה עֶשְׂרִים וּשְׁנָיִם Ez. 2:27
2 אַנְשֵׁי מִכְמָס מֵאָה וְעֶשְׂרִים וּשְׁנָיִם Neh. 7:31
מִכְמָשׂ 3 וּפְלִשְׁתִּים נֶאֱסָפִים מִכְמָשׂ ISh. 13:11
4 וַיֵּצֵא...אֶל־מַעֲבַר מִכְמָשׂ ISh. 13:23
5 הַשֵּׁן הָאֶחָד...מוּל מִכְמָשׂ ISh. 14:5
6 מִכְמָשׂ וְעַיָּה וּבֵית־אֵל Neh. 11:31
בְּמִכְמָשׂ 7 וַיִּהְיוּ עִם־שָׁאוּל אַלְפַּיִם בְּמִכְמָשׂ ISh. 13:2
8 וַיַּעֲלוּ וַיַּחֲנוּ בְמִכְמָשׂ ISh. 13:5
9 וּפְלִשְׁתִּים חָנוּ בְמִכְמָשׂ ISh. 13:16
לְמִכְמָשׂ 10 לְמִכְמָשׂ יַפְקִיד כֵּלָיו Is. 10:28
מִמִּכְמָשׂ 11 וַיַּכּוּ...בַּפְּלִשְׁתִּים מִמִּכְמָשׂ אַיָּלֹנָה ISh. 14:31

מִכְמָר ז׳ מכמורת

מִכְמָר 1 שָׁכְבוּ...כְּתוֹא מִכְמָר Is. 51:20

מַכְמוֹר* ז׳ רשת

בְמַכְמֹרָיו 1 יִפְּלוּ בְמַכְמֹרָיו רְשָׁעִים Ps. 141:10

מִכְמֹרֶת נ׳ רשת

מִכְמֹרֶת 1 וּפֹרְשֵׂי מִכְמֹרֶת עַל־פְּנֵי־מַיִם Is. 19:8

מִכְמֶרֶת* נ׳ רשת

בְּמִכְמַרְתּוֹ 1 יְגֹרֵהוּ בְחֶרְמוֹ וְיַאַסְפֵהוּ בְּמִכְמַרְתּוֹ Hab. 1:15
לְמִכְמַרְתּוֹ 2 יְזַבֵּחַ לְחֶרְמוֹ וִיקַטֵּר לְמִכְמַרְתּוֹ Hab. 1:16

מִכְמָשׂ – עין מִכְמָס

מִכְמְתָת עיר בגבול מנשה ואשר: 1, 2

הַמִּכְמְתָת 1 וְיָצָא הַגְּבוּל הַיָּמָּה הַמִּכְמְתָת מִצָּפוֹן Josh. 16:6
2 וַיְהִי גְבוּל־מְנַשֶּׁה מֵאָשֵׁר הַמִּכְמְתָת Josh. 17:7

מַכְנַדְבַי שפ״ז – כהן בימי נחמיה

מַכְנַדְבַי 1 מַכְנַדְבַי שָׁשַׁי שָׁרָי Ez. 10:40

מִכְנָסַיִם* ז״ז בגד לרגלים: 1־5

מִכְנְסֵי בַד 1־4; מִכְנְסֵי פִשְׁתִּים 5
מִכְנְסֵי־ 1 מִכְנְסֵי־בָד לְכַסּוֹת בְּשַׂר עֶרְוָה Ex. 28:42
2 וְאֶת־מִכְנְסֵי הַבָּד שֵׁשׁ מָשְׁזָר Ex. 39:28
וּמִכְנְסֵי־ 3 וּמִכְנְסֵי־בַד יִלְבַּשׁ עַל־בְּשָׂרוֹ Lev. 6:3
4 וּמִכְנְסֵי־בַד יִהְיוּ עַל־בְּשָׂרוֹ Lev. 16:4
5 וּמִכְנְסֵי פִשְׁתִּים...עַל־מָתְנֵיהֶם Ezek. 44:18

מֶכֶס ז׳ מנה קצובה: 1־6

מֶכֶס 1 וַהֲרֵמֹתָ מֶכֶס לַיי...אֶחָד נֶפֶשׁ Num. 31:28
הַמֶּכֶס 2 וַיְהִי הַמֶּכֶס לַיי מִן־הַצֹּאן Num. 31:37
מֶכֶס־ 3 אֶת־מֶכֶס תְּרוּמַת יְיָ Num. 31:41
וּמִכְסָם 4־6 וּמִכְסָם לַיְיָ... Num. 31:38, 39, 40

מִכְסָה* נ׳ מנה קצובה: 1, 2

מִכְסַת־ 1 וְחִשַּׁב...הַכֹּהֵן אֵת מִכְסַת הָעֶרְכְּךָ Lev. 27:23
בְּמִכְסַת־ 2 וְלָקַח הוּא וּשְׁכֵנוֹ...בְּמִכְסַת נְפָשֹׁת Ex. 12:4

מִכְסֶה ז׳ צפוי: 1־16

קרובים: כְּסוּי / כְּסוּת / לוֹט / מַסְוֶה / מַעֲטֶה
מִכְסֵה הָאֹהֶל 6; מִכְסֵה עוֹר (עוֹרוֹת) 4, 5, 7־9, 11־13; מִכְסֵה תֵבָה 3; מִכְסֵה תַחַשׁ 10
מִכְסֶה 1 וְעָשִׂיתָ מִכְסֶה לָאֹהֶל Ex. 26:14
2 וַיַּעַשׂ מִכְסֶה לָאֹהֶל Ex. 36:19
מִכְסֵה־ 3 וַיָּסַר נֹחַ אֶת־מִכְסֵה הַתֵּבָה Gen. 8:13
4 וְאֶת־מִכְסֵה עוֹרֹת הָאֵילִם Ex. 39:34
5 וְאֶת־מִכְסֵה עֹרֹת הַתְּחָשִׁים Ex. 39:34
6 וַיָּשֶׂם אֶת־מִכְסֵה הָאֹהֶל עָלָיו Ex. 40:19
7 וְנָתְנוּ...אֶל־מִכְסֵה עוֹר תָּחַשׁ Num. 4:10
וּמִכְסֵה־ 8־9 וּמִכְסֵה עֹרֹת תְּחָשִׁים מִלְמָעְלָה Ex. 26:14; 36:19
10 וּמִכְסֵה הַתַּחַשׁ...מִלְמָעְלָה Num. 4:25
בְּמִכְסֵה־ 11/2 וְכִסּוּ אֹתוֹ בְּמִכְסֵה עוֹר תָּחַשׁ Num. 4:8, 11
13 וְכִסּוּ אוֹתָם בְּמִכְסֵה עוֹר תָּחַשׁ Num. 4:12
מִכְסֵהוּ 14 אֶת־אָהֳלוֹ וְאֶת־מִכְסֵהוּ Ex. 35:11
15 מִכְסֵהוּ וּמָסַךְ פֶּתַח אֹהֶל מוֹעֵד Num. 3:25
16 וְאֶת־אֹהֶל מוֹעֵד מִכְסֵהוּ Num. 4:25

מְכַסֶּה ז׳ צפוי: 1־4

וְלִמְכַסֶּה 1 לֶאֱכֹל לְשָׂבְעָה וְלִמְכַסֶּה עָתִיק Is. 23:18
וְהַמְכַסֶּה 2 הָאַלְיָה וְהַמְכַסֶּה וְהַכְּלָיֹת Lev. 9:19
מְכַסֵּךְ 3 תְּכֵלֶת וְאַרְגָּמָן...הָיָה מְכַסֵּךְ Ezek. 27:7
וּמְכַסֶּיךָ 4 תַּחְתֶּיךָ יֻצַּע רִמָּה וּמְכַסֶּיךָ תּוֹלֵעָה Is. 14:11

מַכְפֵּלָה נ׳ המערה בחברון שנקברו בה האבות והאמהות: 1־6

מְעָרַת הַמַּכְפֵּלָה 1, 3; שְׂדֵה הַמַּכְפֵּלָה 2, 4, 5
הַמַּכְפֵּלָה 1 וְיִתֶּן־לִי אֶת־מְעָרַת הַמַּכְפֵּלָה Gen. 23:9
2 קָבַר...אֶל־מְעָרַת שְׂדֵה הַמַּכְפֵּלָה Gen. 23:19
3 וַיִּקְבְּרוּ אֹתוֹ...אֶל־מְעָרַת הַמַּכְפֵּלָה Gen. 25:9
4 בַּמְּעָרָה אֲשֶׁר בִּשְׂדֵה הַמַּכְפֵּלָה Gen. 49:30
5 בִּמְעָרַת שְׂדֵה הַמַּכְפֵּלָה Gen. 50:13
בַּמַּכְפֵּלָה 6 שְׂדֵה עֶפְרוֹן אֲשֶׁר בַּמַּכְפֵּלָה Gen. 23:17

מכר : מָכַר, נִמְכַּר, הִתְמַכֵּר; מֶכֶר, מִמְכָּר, מִמְכֶּרֶת

מָכַר פ׳ א) מסר דבר במחיר: 1־57

ב) [נפ׳ נִמְכַּר] נמסר במחיר: 58־76
ג) [הת׳ הִתְמַכֵּר] התמסר: 77־80
מָכוֹר 1 לַגֵּר...תִּתְּנֶנָּה...אוֹ מָכֹר לְנָכְרִי Deut. 14:21
וּמָכוֹר 2 וּמָכֹר לֹא־תִמְכְּרֶנָּה בַּכָּסֶף Deut. 21:14
לִמְכּוֹר 3 הַמְבִיאִים...בְּיוֹם הַשַּׁבָּת לִמְכּוֹר Neh. 10:32
לְמָכְרָהּ 4 לְעַם נָכְרִי לֹא־יִמְשֹׁל לְמָכְרָהּ Ex. 21:8
מִכְרָם 5 עַל־מִכְרָם בַּכֶּסֶף צַדִּיק Am. 2:6
6 וָאָעִיד בְּיוֹם מִכְרָם צַיִד Neh. 13:15

מָכַרְתִּי 7 מִי מִנּוֹשַׁי אֲשֶׁר־מָכַרְתִּי אֶתְכֶם לוֹ Is. 50:1
וּמָכַרְתִּי 8 וּמָכַרְתִּי אֶת־הָאָרֶץ בְּיַד־רָעִים Ezek. 30:12
9 וּמָכַרְתִּי אֶת־בְּנֵיכֶם...בְּנֵי יְהוּדָה Joel 4:8
מָכַר 10 וְהֵשִׁיב...לָאִישׁ אֲשֶׁר מָכַר־לוֹ Lev. 25:27
11 וְאִם־מָכַר...הַשָּׂדֶה לְאִישׁ אַחֵר Lev. 27:20
וּמָכַר 12 כִּי־יָמוּךְ אָחִיךָ וּמָכַר מֵאֲחֻזָּתוֹ Lev. 25:25
מְכָרוֹ 13 כִּי יִגְנֹב...וּטְבָחוֹ אוֹ מְכָרוֹ Ex. 21:37
וּמְכָרוֹ 14 וְגֹנֵב אִישׁ וּמְכָרוֹ וְנִמְצָא בְיָדוֹ Ex. 21:16
15 גֹּנֵב נֶפֶשׁ...וְהִתְעַמֶּר־בּוֹ וּמְכָרוֹ Deut. 24:7
מְכָרָנוּ 16 נָכְרִיּוֹת נֶחְשַׁבְנוּ לוֹ כִּי מְכָרָנוּ Gen. 31:15
מְכָרָם 17 אִם־לֹא כִּי־צוּרָם מְכָרָם Deut. 32:30
מָכְרָה 18 חֶלְקַת הַשָּׂדֶה...מָכְרָה נָעֳמִי Ruth 4:3
מְכַרְתֶּם 19 אֲשֶׁר־מְכַרְתֶּם אֹתִי מִצְרָיְמָה Gen. 45:4
20 כִּי־מְכַרְתֶּם אֹתִי הֵנָּה Gen. 45:5
21 וּבְנֵי יְרוּשָׁלַם מְכַרְתֶּם לִבְנֵי הַיְּוָנִים Joel 4:6
22 אֲשֶׁר־מְכַרְתֶּם אֹתָם שָׁמָּה Joel 4:7
מָכְרוּ 23 וְהַמְּדָנִים מָכְרוּ אֹתוֹ אֶל־מִצְרָיִם Gen. 37:36
24 כִּי־מָכְרוּ מִצְרַיִם אִישׁ שָׂדֵהוּ Gen. 47:20
25 עַל־כֵּן לֹא מָכְרוּ אֶת־אַדְמָתָם Gen. 47:22
26 וְהַיַּלְדָּה מָכְרוּ בַיַּיִן וַיִּשְׁתּוּ Joel 4:3
וּמָכְרוּ 27 וּמָכְרוּ אֶת־הַשּׁוֹר הַחַי Ex. 21:35
וּמְכָרוּם 28 וּמְכָרוּם לִשְׁבָאיִם אֶל־גּוֹי רָחוֹק Joel 4:8
מֹכֵר 29 מִסְפַּר תְּבוּאֹת הוּא מֹכֵר לָךְ Lev. 25:16
הַמּוֹכֵר 30 כִּי הַמּוֹכֵר אֶל־הַמִּמְכָּר לֹא יָשׁוּב Ezek. 7:13
וְהַמּוֹכֵר 31 הַקּוֹנֶה אַל־יִשְׂמָח וְהַמּוֹכֵר אַל־יִתְאַבָּל Ezek. 7:12
כַּמּוֹכֵר 32 כַּקּוֹנֶה כַּמּוֹכֵר כַּמַּלְוֶה כַּלֹּוֶה Is. 24:2
הַמֹּכֶרֶת 33 הַמֹּכֶרֶת גּוֹיִם בִּזְנוּנֶיהָ Nah. 3:4
וּמוֹכְרִים 34 וּמוֹכְרִים בַּשַּׁבָּת לִבְנֵי יְהוּדָה... Neh. 13:16
וּמֹכְרֵי־ 35 הָרֹכְלִים וּמֹכְרֵי כָל־מִמְכָּר Neh. 13:20
וּמֹכְרֵיהֶן 36 וּמֹכְרֵיהֶן יֹאמַר בָּרוּךְ יְיָ וַאעְשִׁר Zech. 11:5
תִּמְכֹּר 37 תִּמְכֹּר־עַמְּךָ בְלֹא־הוֹן Ps. 44:13
38 אֱמֶת קְנֵה וְאַל־תִּמְכֹּר Prov. 23:23
תִמְכְּרֶנָּה 39 וּמָכֹר לֹא־תִמְכְּרֶנָּה בַּכָּסֶף Deut. 21:14
יִמְכֹּר 40 וְכִי־יִמְכֹּר אִישׁ אֶת־בִּתּוֹ לְאָמָה Ex. 21:7
41 וְאִישׁ כִּי־יִמְכֹּר בֵּית־מוֹשַׁב... Lev. 25:29
42 בְיַד־אִשָּׁה יִמְכֹּר יְיָ אֶת־סִיסְרָא Jud. 4:9
יִמְכָּר־ 43 בְּמִסְפַּר שְׁנֵי־תְבוּאֹת יִמְכָּר־לָךְ Lev. 25:15
וַיִּמְכֹּר 44 וַיִּמְכֹּר אֶת־בְּכֹרָתוֹ לְיַעֲקֹב Gen. 25:33
45 וַיִּמְכֹּר אֹתָם בְּיַד סִיסְרָא ISh. 12:9
וַיִּמְכְּרֵם 46 וַיִּמְכְּרֵם בְּיַד אוֹיְבֵיהֶם מִסָּבִיב Jud. 2:14
47 וַיִּמְכְּרֵם בְּיַד כּוּשַׁן רִשְׁעָתַיִם Jud. 3:8
48 וַיִּמְכְּרֵם יְיָ בְּיַד יָבִין מֶלֶךְ־כְּנַעַן Jud. 4:2
49 וַיִּמְכְּרֵם בְּיַד־פְּלִשְׁתִּים Jud. 10:7
וַתִּמְכֹּר 50 סָדִין עָשְׂתָה וַתִּמְכֹּר Prov. 31:24
וְנִמְכְּרֶנּוּ 51 לְכוּ וְנִמְכְּרֶנּוּ לַיִּשְׁמְעֵאלִים Gen. 37:27
תִמְכְּרוּ 52 וְכִי־תִמְכְּרוּ מִמְכָּר לַעֲמִיתֶךָ Lev. 25:14
53 וְגַם־אַתֶּם תִּמְכְּרוּ אֶת־אֲחֵיכֶם Neh. 5:8
יִמְכְּרוּ 54 וְלֹא־יִמְכְּרוּ מִמֶּנּוּ וְלֹא יָמֵר Ezek. 48:14
וַיִּמְכְּרוּ 55 וַיִּמְכְּרוּ אֶת־יוֹסֵף לַיִּשְׁמְעֵאלִים Gen. 37:28
מִכְרָה 56 מִכְרָה כַיּוֹם אֶת־בְּכֹרָתְךָ לִי Gen. 25:31
מִכְרִי 57 לְכִי מִכְרִי אֶת־הַשֶּׁמֶן IIK. 4:7
הִמָּכְרוֹ 58 וְחִשַּׁב...מִשְּׁנַת הִמָּכְרוֹ לוֹ Lev. 25:50
נִמְכַּר 59 אַחֲרֵי נִמְכַּר גְּאֻלָּה תִּהְיֶה־לּוֹ Lev. 25:48
60 לְעֶבֶד נִמְכַּר יוֹסֵף Ps. 105:17
וְנִמְכַּר 61 אִם־אֵין לוֹ וְנִמְכַּר בִּגְנֵבָתוֹ Ex. 22:2
62 וְכִי־יָמוּךְ אָחִיךָ...וְנִמְכַּר־לָךְ Lev. 25:39
63 וְנִמְכַּר לְגֵר תּוֹשָׁב עִמָּךְ Lev. 25:47
64 וְאִם־לֹא יִגָּאֵל וְנִמְכַּר בְּעֶרְכֶּךָ Lev. 27:27
נִמְכַּרְנוּ 65 כִּי נִמְכַּרְנוּ אֲנִי וְעַמִּי Es. 7:4
66 וְאִלּוּ לַעֲבָדִים וְלִשְׁפָחוֹת נִמְכַּרְנוּ Es. 7:4
נִמְכַּרְתֶּם 67 הֵן בַּעֲוֺנֹתֵיכֶם נִמְכַּרְתֶּם Is. 50:1
68 חִנָּם נִמְכַּרְתֶּם וְלֹא בְכֶסֶף תִּגָּאֵלוּ Is. 52:3
וְנִמְכְּרוּ 69 תִּמְכְּרוּ אֶת־אֲחֵיכֶם וְנִמְכְּרוּ־לָנוּ Neh. 5:8
הַנִּמְכָּרִים 70 אֲנַחְנוּ קָנִינוּ...הַנִּמְכָּרִים לַגּוֹיִם Neh. 5:8
יִמָּכֵר 71 וּשְׂדֵה מִגְרַשׁ עָרֵיהֶם לֹא יִמָּכֵר Lev. 25:34
72 לֹא יִמָּכֵר וְלֹא יִגָּאֵל Lev. 27:28
73 כִּי־יִמָּכֵר לְךָ אָחִיךָ הָעִבְרִי Deut. 15:12
74 אָחִיו הָעִבְרִי אֲשֶׁר־יִמָּכֵר לְךָ Jer. 34:14
תִמָּכֵר 75 וְהָאָרֶץ לֹא תִמָּכֵר לִצְמִתֻת Lev. 25:23
יִמָּכְרוּ 76 לֹא יִמָּכְרוּ מִמְכֶּרֶת עָבֶד Lev. 25:42
הִתְמַכֶּרְךָ 77 יַעַן הִתְמַכֶּרְךָ לַעֲשׂוֹת הָרַע IK. 21:20
הִתְמַכֵּר 78 אֲשֶׁר הִתְמַכֵּר לַעֲשׂוֹת הָרַע IK. 21:25
וְהִתְמַכַּרְתֶּם 79 וְהִתְמַכַּרְתֶּם שָׁם לְאֹיְבֶיךָ Deut. 28:68
וַיִּתְמַכְּרוּ 80 וַיִּתְמַכְּרוּ לַעֲשׂוֹת הָרַע בְּעֵינֵי יְיָ IIK. 17:17

מֶכֶר
ז׳ א) סחורה למכירה: 1
ב) מחיר דבר: 2, 3

מֶכֶר 1 וְהַצֹּרִים...מְבִיאִים דָּאג וְכָל־מֶכֶר Neh. 13:16
מִכְרָהּ 2 וְרָחֹק מִפְּנִינִים מִכְרָהּ Prov. 31:10
מִכְרָם 3 וְאִם־מֵימֶיךָ נִשְׁתֶּה...וְנָתַתִּי מִכְרָם Num. 20:19

מַכָּר
ז׳ מכיר, מודע: 1, 2

מַכָּרוֹ 1 יִקְחוּ...אִישׁ מֵאֵת מַכָּרוֹ IIK. 12:6
מַכָּרֵיכֶם 2 אַל־תִּקְחוּ־כֶסֶף מֵאֵת מַכָּרֵיכֶם IIK. 12:8

מִכְרֶה*
ז׳ חפירה

וּמִכְרֵה־ 1 מִמְשַׁק חָרוּל וּמִכְרֵה־מֶלַח Zep. 2:9

מְכֵרָה*
נ׳ מכורה, מולדת

מְכֵרֹתֵיהֶם 1 כְּלֵי חָמָס מְכֵרֹתֵיהֶם Gen. 49:5

מִכְרִי
שפ״ז – איש מבנימין

מִכְרִי 1 וְאֵלָה בֶּן־עֻזִּי בֶּן־מִכְרִי ICh. 9:8

מְכֵרָתִי
ת׳ המתיחס על מקום בשם מְכֵרָה

הַמְּכֵרָתִי 1 חֵפֶר הַמְּכֵרָתִי... ICh. 11:36

מִכְשׁוֹל
ז׳ דבר שאפשר להכשל בו, נגף: 1-14

מִכְשׁוֹל לֵב 12; מִכְשׁוֹל עָוֹן 6-11; צוּר מִכְשׁוֹל 2

מִכְשֹׁל 1 וְלִפְנֵי עִוֵּר לֹא תִתֵּן מִכְשֹׁל Lev. 19:14
2 וּלְאֶבֶן נֶגֶף וּלְצוּר מִכְשׁוֹל Is. 8:14
3 הָרִימוּ מִכְשׁוֹל מִדֶּרֶךְ עַמִּי Is. 57:14
4 וְנָתַתִּי מִכְשׁוֹל לְפָנָיו Ezek. 3:20
5 שָׁלוֹם רָב...וְאֵין־לָמוֹ מִכְשׁוֹל Ps. 119:165
מִכְשׁוֹל־ 6 כִּי־מִכְשׁוֹל עֲוֺנָם הָיָה Ezek. 7:19
וּמִכְשׁוֹל־ 7 וּמִכְשׁוֹל עֲוֺנָם נָתְנוּ נֹכַח פְּנֵיהֶם Ezek. 14:3
8/9 וּמִכְשׁוֹל עֲוֺנוֹ יָשִׂים נֹכַח פָּנָיו Ezek. 14:4, 7
לְמִכְשׁוֹל־ 10 וְלֹא־יִהְיֶה לָכֶם לְמִכְשׁוֹל עָוֹן Ezek. 18:30
11 וְהָיוּ לְבֵית־יִשְׂרָאֵל לְמִכְשׁוֹל עָוֹן Ezek. 44:12
וּלְמִכְשׁוֹל־ 12 לְךָ לְפוּקָה וּלְמִכְשׁוֹל לֵב לַאדֹנִי ISh. 25:31
מִכְשֹׁלִים 13 הִנְנִי נֹתֵן אֶל־הָעָם הַזֶּה מִכְשֹׁלִים Jer. 6:21
הַמִּכְשֹׁלִים 14 וְהַרְבֵּה הַמִּכְשֹׁלִים Ezek. 21:20

מַכְשֵׁלָה
נ׳ פגע: 1, 2

וְהַמַּכְשֵׁלָה 1 וְהַמַּכְשֵׁלָה הַזֹּאת תַּחַת יָדֶךָ Is. 3:6
וְהַמַּכְשֵׁלוֹת 2 וְהַמַּכְשֵׁלוֹת אֶת־הָרְשָׁעִים Zep. 1:3

מִכְתָּב
ז׳ א) אגרת, גליון כתוב: 1, 2, 4, 5, 9
ב) אופן הכתיבה: 3, 6-8

מִכְתַּב אֱלֹהִים 3; מִכְתַּב פִּתּוּחֵי חוֹתָם 8; מִכְתַּב שְׁלֹמֹה 9

מִכְתָּב 1 מִכְתָּב לְחִזְקִיָּהוּ...בַּחֲלֹתוֹ... Is. 38:9
2 וַיָּבֹא אֵלָיו מִכְתָּב מֵאֵלִיָּהוּ הַנָּבִיא IICh. 21:12
וְהַמִּכְתָּב 3 וְהַמִּכְתָּב מִכְתַּב אֱלֹהִים הוּא Ex. 32:16
בְּמִכְתָּב 4-5 וַיַּעֲבֶר־קוֹל...וְגַם־בְּמִכְתָּב לֵאמֹר Ez. 1:1 • IICh. 36:22
כַּמִּכְתָּב 6 וַיִּכְתֹּב...כַּמִּכְתָּב הָרִאשׁוֹן Deut. 10:4
מִכְתַּב־ 7 מִכְתַּב אֱלֹהִים...חָרוּת עַל־הַלֻּחֹת Ex. 32:16
8 וַיִּכְתְּבוּ עָלָיו מִכְתַּב פִּתּוּחֵי חוֹתָם Ex. 39:30
וּבְמִכְתַּב־ 9 וּבְמִכְתַּב שְׁלֹמֹה בְנוֹ IICh. 35:4

מְכִתָּה
נ׳ שבר כלי חרס

בִּמְכִתָּתוֹ 1 וְלֹא־יִמָּצֵא בִמְכִתָּתוֹ חֶרֶשׂ Is. 30:14

מִכְתָּם
ז׳ אחת מצורות המזמורים לדוד: 1-6

מִכְתָּם 1 מִכְתָּם לְדָוִד Ps. 16:1
2-5 לַמְנַצֵּחַ...לְדָוִד מִכְתָּם Ps. 56:1;57:1;58:1;59:1
6 לַמְנַצֵּחַ...מִכְתָּם לְדָוִד לְלַמֵּד Ps. 60:1

מַכְתֵּשׁ[1]
ז׳ כלי לכתישה: 1, 2

הַמַּכְתֵּשׁ 1 וַיִּבְקַע אֱלֹ׳ אֶת־הַמַּכְתֵּשׁ...בַּלְּחִי Jud. 15:19
בַּמַּכְתֵּשׁ 2 בַּמַּכְתֵּשׁ בְּתוֹךְ הָרִיפוֹת בַּעֱלִי Prov. 27:22

מַכְתֵּשׁ[2]
אזור בירושלים הקדומה

הַמַּכְתֵּשׁ 1 הֵילִילוּ יֹשְׁבֵי הַמַּכְתֵּשׁ Zep. 1:11

מלא
: מָלֵא, נִמְלָא, מִלֵּא, מֻלָּא, הִתְמַלֵּא; מָלֵא, מְלֵאָה, מְלוֹאָה, מִלּוּאִים; אר׳ מְלָא, הִתְמְלִי

פָּ׳ א) היה בתוך כל קבולו (גם בהשאלה): 11, 14-57, 60-66, 69-74, 78-83, 86, 87 [עין גם מָלֵא ת׳ להלן]
ב) הכניס לתוך־ עד תום (גם בהשאלה): 23, 68, 77, 84, 85, 88-90, 96-101
ג) הושלם, תם (ביחוד על זמן): 1-10, 12, 13, 58, 59, 67, 75, 76, 91-95
ד) [נפ׳ נִמְלָא] הכיל בכל קבולו (גם בהשאלה) 102-137
ה) [פִּ׳ מִלֵּא] הכניס אל בית־קבול (גם בהשאלה): 140, 141, 144, 145, 150-153, 155-160, 164, 167, 168, 174-182, 184-187, 190, 193, 195-202, 204-207, 209-212, 219, 220, 222, 223, 227-238, 240, 242-248
ו) [כנ״ל] אשר, קים, נתן תוקף: 138, 139, 142, 143, 147, 148, 161-163, 165, 166, 169-173, 183, 188, 189, 191, 192, 194, 208, 213-215, 217, 218, 224-226
ז) [כנ״ל] השלים: 146, 149, 154, 203, 216, 221, 239, 241
ח) [פֻּ׳ בינוני מְמֻלָּא] שמלאו אותו: 249
ט) [הת׳ הִתְמַלֵּא] התאסף: 250

– מְלֹאו יָמִים (שָׁנִים וכו׳) 1-7, 9, 10, 12, 13, 58, 59, 67, 75, 76, 91-95; מְלָאוֹ לִבּוֹ 38; מְלָאַתּוּ נַפְשׁוֹ 90
– נִמְלָא חֵמָה 120, 121; נִמְ׳ כָבוֹד 114, 115; נִמְלָא שְׂחוֹק 112
– נִמְלְאָה אָזְנוֹ 124; נִמְלְאָה נַפְשׁוֹ 125
– מִלֵּא אַחֲרָיו 151, 161, 170-173, 191, 192, 224, מ׳ בִטְנוֹ 141, 210, 220; מִלֵּא חַיָּתוֹ 211; מִלֵּא יָדוֹ 138, 142, 143, 147, 162, 163, 165, 166, 169, 172, 175, 183, 186, 188, 189, 194, 208, 213-215, 225, 226; מִלֵּא יָמִיו 203, 216; מִלֵּא כְרֵשׂוֹ 185; מִלֵּא מֵעָיו 209, 234; מִלֵּא מִשְׁאֲלוֹתָיו 218; מִלֵּא נַפְשׁוֹ 179; מִלֵּא עֲצָתוֹ 217; מִלֵּא פִיו 205, 207

מְלֹאת 1 עַד יוֹם מְלֹאת יְמֵי מִלֻּאֵיכֶם Lev. 8:33
2 עַד־מְלֹאת יְמֵי טָהֳרָהּ Lev. 12:4
3 עַד־מְלֹאת לוֹ שָׁנָה תְמִימָה Lev. 25:30
4 עַד־מְלֹאת הַיָּמִם... Num. 6:5
5 בְּיוֹם מְלֹאת יְמֵי נִזְרוֹ Num. 6:13
6 לְפִי מְלֹאת לְבָבֶל שִׁבְעִים שָׁנָה Jer. 29:10
7 עַד־מְלֹאת שְׁלֹשֶׁת שָׁבֻעִים יָמִים Dan. 10:3

בִּמְלֹאת 8 בִּמְלֹאות שִׂפְקוֹ יֵצֶר לוֹ Job 20:22
וּבִמְלֹאת 9 וּבִמְלֹאת יְמֵי טָהֳרָהּ לְבֵן Lev. 12:6
וּבִמְלֹאת 10 וּבִמְלוֹאת הַיָּמִים הָאֵלֶּה Es. 1:5
כִּמְלֹאת 11 וַיְהִי כִּמְלֹאת הַכֵּלִים... IIK. 4:6
12 וְהָיָה כִמְלֹאות שִׁבְעִים שָׁנָה Jer. 25:12
13 כִּמְלֹאת יְמֵי הַמָּצוֹר וְלָקַחְתָּ... Ezek. 5:2
מָלֵאתִי 14 וְאֵת חֲמַת יְיָ מָלֵאתִי Jer. 6:11
15 מָלֵאתִי כֹחַ אֶת־רוּחַ יְיָ Mic. 3:8
(מָלֵתִי) 16 כִּי מָלֵתִי מִלִּים Job 32:18
מָלֵאתָ 17 וְדִין־רָשָׁע מָלֵאתָ Job 36:17
מָלֵא 18/9 וּכְבוֹד יְיָ מָלֵא אֶת־הַמִּשְׁכָּן Ex. 40:34, 35
20 וִיהוֹשֻׁעַ בִּן־נוּן מָלֵא רוּחַ חָכְמָה Deut. 34:9
21 וְהַיַּרְדֵּן מָלֵא עַל־כָּל־גְּדוֹתָיו Josh. 3:15
22 וְהַבַּיִת מָלֵא הָאֲנָשִׁים וְהַנָּשִׁים Jud. 16:27
23 וְהֶעָנָן מָלֵא אֶת־בֵּית יְיָ IK. 8:10
24 כִּי־מָלֵא כְבוֹד־יְיָ אֶת־בֵּית יְיָ IK. 8:11
25 וְהִנֵּה הָהָר מָלֵא סוּסִים וְרֶכֶב אֵשׁ IIK. 6:17
26 וְהֶעָנָן מָלֵא אֶת־הֶחָצֵר הַפְּנִימִית Ezek. 10:3
27 וְהִנֵּה מָלֵא כְבוֹד־יְיָ הַבָּיִת Ezek. 43:5
28 וְהִנֵּה מָלֵא כְבוֹד־יְיָ אֶת־בֵּית יְיָ Ezek. 44:4
29 אָלָה פִּיהוּ מָלֵא Ps. 10:7
30 פֶּלֶג אֱלֹהִים מָלֵא מָיִם Ps. 65:10
31 יָדִין בַּגּוֹיִם מָלֵא גְוִיּוֹת Ps. 110:6
32 וְנַחַת שֻׁלְחָנְךָ מָלֵא דָשֶׁן Job 36:16
33 מָלֵא לֵב בְּנֵי־הָאָדָם בָּהֶם Eccl. 8:11
34 וְהַבַּיִת מָלֵא עָנָן בֵּית יְיָ IICh. 5:13
35 כִּי־מָלֵא כְבוֹד־יְיָ אֶת־בֵּית הָאֱלֹ׳ IICh. 5:14
36 וּכְבוֹד יְיָ מָלֵא אֶת־הַבָּיִת IICh. 7:1
37 כִּי־מָלֵא כְבוֹד־יְיָ אֶת־בֵּית יְיָ IICh. 7:2
מְלָאוֹ 38 אֲשֶׁר־מְלָאוֹ לִבּוֹ לַעֲשׂוֹת כֵּן Es. 7:5
מָלְאָה 39 כִּי־מָלְאָה הָאָרֶץ חָמָס Gen. 6:13
40 כִּי־מָלְאָה הָאָרֶץ דֵּעָה אֶת־יְיָ Is. 11:9
41 חֶרֶב לַיְיָ מָלְאָה דָם Is. 34:6
42 כִּי מָלְאָה צְבָאָהּ Is. 40:2
43 כִּי מְנָאֲפִים מָלְאָה הָאָרֶץ Jer. 23:10
44 וְצִוְחָתֵךְ מָלְאָה הָאָרֶץ Jer. 46:12
45 כִּי אַרְצָם מָלְאָה אָשָׁם Jer. 51:5
46 כִּי הָאָרֶץ מָלְאָה מִשְׁפַּט דָּמִים Ezek. 7:23
47 וְהָעִיר מָלְאָה חָמָס Ezek. 7:23
48 וְהָעִיר־מָלְאָה מֻטֶּה Ezek. 9:9
49 וְהֶחָצֵר מָלְאָה אֶת־נֹגַהּ כְּבוֹד Ezek. 10:4
50 כִּי־מָלְאָה גַּת הֵשִׁיקוּ הַיְקָבִים Joel 4:13
51 וּתְהִלָּתוֹ מָלְאָה הָאָרֶץ Hab. 3:3
52 וִימִינָם מָלְאָה שֹּׁחַד Ps. 26:10
53 חֶסֶד יְיָ מָלְאָה הָאָרֶץ Ps. 33:5
54 צֶדֶק מָלְאָה יְמִינֶךָ Ps. 48:11
55 מָלְאָה הָאָרֶץ קִנְיָנֶךָ Ps. 104:24
56 חַסְדְּךָ יְיָ מָלְאָה הָאָרֶץ Ps. 119:64
וּמָלְאָה 57 וּמָלְאָה הָאָרֶץ זִמָּה Lev. 19:29
מָלְאוּ 58 הָבָה אֶת־אִשְׁתִּי כִּי מָלְאוּ יָמָי Gen. 29:21
59 וְלֹא מָלְאוּ הַיָּמִים ISh. 18:26
60 כִּי מָלְאוּ מִקֶּדֶם Is. 2:6
61 כִּי מֵי דִימוֹן מָלְאוּ דָם Is. 15:9
62 עַל־כֵּן מָלְאוּ מָתְנַי חַלְחָלָה Is. 21:3
63 וַיְהִי מִבְחַר־עֲמָקַיִךְ מָלְאוּ רָכֶב Is. 22:7
64 כָּל־שֻׁלְחָנוֹת מָלְאוּ קִיא צֹאָה Is. 28:8
65 שְׂפָתָיו מָלְאוּ זַעַם Is. 30:27
66 בְּנִבְלַת...מָלְאוּ אֶת־נַחֲלָתִי Jer. 16:18
67 כִּי־מָלְאוּ יְמֵיכֶם לִטְבוֹחַ Jer. 25:34
68 כִּי־מָלְאוּ אֶת־הָאָרֶץ חָמָס Ezek. 8:17
69 אֲשֶׁר עֲשִׁירֶיהָ מָלְאוּ חָמָס Mic. 6:12
70 כִּי־כְסָלַי מָלְאוּ נִקְלֶה Ps. 38:8

מָלְאוּ (המשך) 71 כִּי־מָלְאוּ...נְאוֹת חָמָס Ps. 74:20
72 וּרְשָׁעִים מָלְאוּ רָע Prov. 12:21
73 עַצְמוֹתָיו מָלְאוּ עֲלוּמָו Job 20:11
74 עֲטִינָיו מָלְאוּ חָלָב Job 21:24
75 קָרַב קִצֵּנוּ מָלְאוּ יָמֵינוּ Lam. 4:18
76 וְהָיָה כִּי־מָלְאוּ יָמֶיךָ ICh. 17:11
(מָלוּ) 77 בְּרֹב רְכֻלָּתְךָ מָלוּ תוֹכְךָ חָמָס Ezek. 28:16
מָלֵאוּ 78 יְדֵיכֶם דָּמִים מָלֵאוּ Is. 1:15
וּמָלְאוּ 79 וּמָלְאוּ בָּתֵּי מִצְרַיִם אֶת־הֶעָרֹב Ex. 8:17
80 וּמָלְאוּ בָתֶּיךָ וּבָתֵּי כָל־עֲבָדֶיךָ Ex. 10:6
81 וּמָלְאוּ בָתֵּיהֶם אֹחִים Is. 13:21
82 וּמָלְאוּ פְנֵי־תֵבֵל עָרִים Is. 14:21
83 וּמָלְאוּ פְנֵי־תֵבֵל תְּנוּבָה Is. 27:6
84 וּמָלְאוּ אֶת־הַמָּקוֹם הַזֶּה דַּם נְקִיִּם Jer. 19:4
85 וּמָלְאוּ אֶת־הָאָרֶץ חָלָל Ezek. 30:11
86 וּמָלְאוּ הַגֳּרָנוֹת בָּר Joel 2:24
87 וּמָלְאוּ כַּמִּזְרָק כְּזָוִיּוֹת מִזְבֵּחַ Zech. 9:15
מָלֵא 88 אֶת־הַשָּׁמַיִם וְאֶת־הָאָרֶץ אֲנִי מָלֵא Jer. 23:24
מְלֵאִים 89 וְשׁוּלָיו מְלֵאִים אֶת־הַהֵיכָל Is. 6:1
תִּמְלָאֵמוֹ 90 אָמַר אוֹיֵב...תִּמְלָאֵמוֹ נַפְשִׁי Ex. 15:9
יִמְלְאוּ 91 כִּי כֵּן יִמְלְאוּ יְמֵי הַחֲנֻטִים Gen. 50:3
92 כִּי יִמְלְאוּ יָמֶיךָ וְשָׁכַבְתָּ אֶת־אֲבֹתֶיךָ IISh. 7:12
93 כִּי כֵּן יִמְלְאוּ יְמֵי מְרוּקֵיהֶן Es. 2:12
וַיִּמְלְאוּ 94 וַיִּמְלְאוּ יָמֶיהָ לָלֶדֶת Gen. 25:24
95 וַיִּמְלְאוּ־לוֹ אַרְבָּעִים יוֹם Gen. 50:3
מִלְאוּ 96 מִלְאוּ יֶדְכֶם הַיּוֹם לַיְיָ Ex. 32:29
97 מִלְאוּ אַרְבָּעָה כַדִּים מַיִם IK. 18:34
98 הָבֵרוּ הַחִצִּים מִלְאוּ הַשְּׁלָטִים Jer. 51:11
וּמִלְאוּ 99 וּמִלְאוּ אֶת־הַמַּיִם בַּיַּמִּים Gen. 1:22
100 וּמִלְאוּ אֶת־הָאָרֶץ וְכִבְשֻׁהָ Gen. 1:28
101 פְּרוּ וּרְבוּ וּמִלְאוּ אֶת־הָאָרֶץ Gen. 9:1
נִמְלָא 102 פִּתְחִי־לִי...שֶׁרֹּאשִׁי נִמְלָא־טָל S.ofS. 5:2
אִמָּלְאָה 103 אִמָּלְאָה הָחֳרָבָה Ezek. 26:2
תִּמָּלֵאִי 104 שִׁכָּרוֹן וְיָגוֹן תִּמָּלֵאִי Ezek. 23:33
וַתִּמָּלְאִי 105 וַתִּמָּלְאִי וַתִּכְבְּדִי מְאֹד Ezek. 27:25
יִמָּלֵא 106 יִמָּלֵא בַרְזֶל וְעֵץ חֲנִית IISh. 23:7
107 וְהַנַּחַל הַהוּא יִמָּלֵא מָיִם IIK. 3:17
108 וְהַבַּיִת יִמָּלֵא עָשָׁן Is. 6:4
109-110 כָּל־נֵבֶל יִמָּלֵא יָיִן Jer. 13:12[2]
111 יִמָּלֵא פִי תְּהִלָּתֶךָ Ps. 71:8
112 אָז יִמָּלֵא שְׂחוֹק פִּינוּ Ps. 126:2
113 וְאַחַר יִמָּלֵא־פִיהוּ חָצָץ Prov. 20:17
וְיִמָּלֵא 114 וְיִמָּלֵא כְבוֹד־יְיָ אֶת־כָּל־הָאָ׳ Num. 14:21
115 וְיִמָּלֵא כְבוֹדוֹ אֶת־כָּל־הָאָ׳ Ps. 72:19
וַיִּמָּלֵא 116 וַיִּמָּלֵא שִׁבְעַת יָמִים אַחֲרֵי... Ex. 7:25
117 וַיִּמָּלֵא אֶת־הַחָכְמָה וְאֶת־הַתְּבוּנָה IK. 7:14
118 וַיִּמָּלֵא בֵית־הַבַּעַל פֶּה לָפֶה IIK. 10:21
119 וַיִּמָּלֵא הַבַּיִת אֶת־הֶעָנָן Ezek. 10:4
120 וַיִּמָּלֵא הָמָן חֵמָה Es. 3:5
121 וַיִּמָּלֵא הָמָן עַל־מָרְדֳּכַי חֵמָה Es. 5:9
תִּמָּלֵא 122 כִּי תִּמָּלֵא הָאָרֶץ לָדַעַת... Hab. 2:14
123 בְּלֹא־יוֹמוֹ תִּמָּלֵא Job 15:32
124 וְלֹא־תִמָּלֵא אֹזֶן מִשְּׁמֹעַ Eccl. 1:8
125 וְגַם־הַנֶּפֶשׁ לֹא תִמָּלֵא Eccl. 6:7
וַתִּמָּלֵא 126 וַתִּמָּלֵא הָאָרֶץ חָמָס Gen. 6:11
127 וַתִּמָּלֵא הָאָרֶץ אֹתָם Ex. 1:7
128 וַתִּמָּלֵא הָאָרֶץ אֶת־הַמָּיִם IIK. 3:20
129 וַתִּמָּלֵא אַרְצוֹ כֶּסֶף וְזָהָב Is. 2:7
130 וַתִּמָּלֵא אַרְצוֹ סוּסִים Is. 2:7
131 וַתִּמָּלֵא אַרְצוֹ אֱלִילִים Is. 2:8
132 וַתִּמָּלֵא הָאָרֶץ דָּמִים Ezek. 9:9
יִמָּלְאוּ 133 וּרְחֹבוֹת הָעִיר יִמָּלְאוּ יְלָ׳ וִילָדוֹת Zech. 8:5

134 וּבְדַעַת חֲדָרִים יִמָּלְאוּ Prov. 24:4
135 אִם־יִמָּלְאוּ הֶעָבִים גֶּשֶׁם Eccl. 11:3
וְיִמָּלְאוּ 136 וְיִמָּלְאוּ אֲסָמֶיךָ שָׂבָע Prov. 3:10
יִמָּלְאוּן 137 וַאֲפִקִים יִמָּלְאוּן מִמֶּךָּ Ezek. 32:6
לְמַלֵּא 138 לְמַלֵּא אֶת־יָדָם לְקַדֵּשׁ אֹתָם Ex. 29:33
139 לְמַלֵּא אֶת־דְּבַר יְיָ IK. 2:27
140 כִּי־יִגְנוֹב לְמַלֵּא נַפְשׁוֹ כִּי יִרְעָב Prov. 6:30
141 יְהִי לְמַלֵּא בִטְנוֹ Job 20:23
142 כָּל־הַבָּא לְמַלֵּא יָדוֹ בְּפַר בֶּן־בָּקָר IICh.13:9
וּלְמַלֵּא 143 וּלְמַלֵּא־בָם אֶת־יָדָם Ex. 29:29
לְמַלֹּאת 144/5 וּבַחֲרֹשֶׁת אֶבֶן לְמַלֹּאת Ex. 31:5; 35:33
146 לְמַלֹּאות לְחָרְבוֹת יְרוּ׳ שִׁבְעִים שָׁנָה Dan. 9:2
147 לְמַלֹּאות יָדוֹ הַיּוֹם לַיְיָ ICh. 29:5
148 לְמַלֹּאות דְּבַר־יְיָ בְּפִי יִרְמְיָהוּ IICh. 36:21
149 לְמַלֹּאות שִׁבְעִים שָׁנָה IICh. 36:21
וּלְמַלְאָם 150 וּלְמַלְאָם אֶת־פִּגְרֵי הָאָדָם Jer. 33:5
מִלֵּאתִי 151 וְאָנֹכִי מִלֵּאתִי אַחֲרֵי יְיָ Josh. 14:8
152 וְכָל־נֶפֶשׁ דָּאֲבָה מִלֵּאתִי Jer. 31:25(24)
153 דָרַכְתִּי לִי יְהוּדָה קֶשֶׁת מִלֵּאתִי אֶפְרַיִם Zech. 9:13
וּמִלֵּאתִי 154 אָבוֹא אַחֲרַיִךְ וּמִלֵּאתִי אֶת־דְּבָרָיִךְ IK. 1:14
155 וּמִלֵּאתִי הַגֵּאָיוֹת רָמוּתֶךָ Ezek. 32:5
156 וּמִלֵּאתִי אֶת־הָרָיו חֲלָלָיו Ezek. 35:8
157 וּמִלֵּאתִי אֶת־הַבַּיִת הַזֶּה כָּבוֹד Hag. 2:7
מִלֵּאתִיךְ 158 כִּי אִם־מִלֵּאתִיךְ אָדָם כַּיֶּלֶק Jer. 51:14
מִלֵּאתִיו 159 אֲשֶׁר מִלֵּאתִיו רוּחַ חָכְמָה Ex. 28:3
מִלֵּאתָ 160 וּבָתִּים מְלֵאִים...אֲשֶׁר לֹא־מִלֵּאתָ Deut. 6:11
161 כִּי מִלֵּאתָ אַחֲרֵי יְיָ אֱלֹהָי Josh. 14:9
162/3 וַתְּדַבֵּר בְּפִיךָ וּבְיָדְךָ מִלֵּאתָ IK. 8:24 • IICh. 6:15
וּמִלֵּאתָ 164 וּמִלֵּאתָ בוֹ מִלֻּאַת אֶבֶן Ex. 28:17
165 וּמִלֵּאתָ אֶת־יָדָם...וְכִהֲנוּ־לִי Ex. 28:41
166 וּמִלֵּאתָ יַד־אַהֲרֹן וְיַד־בָּנָיו Ex. 29:9
מִלֵּאתָנִי 167 בָּדָד יָשַׁבְתִּי כִּי־זַעַם מִלֵּאתָנִי Jer. 15:17
מִלֵּא 168 מִלֵּא אֹתָם חָכְמַת־לֵב Ex. 35:35
169 אֲשֶׁר־מִלֵּא יָדָם לְכַהֵן Num. 3:3
170/1 יַעַן אֲשֶׁר מִלֵּא אַחֲרֵי יְיָ Deut. 1:36 Josh. 14:14
172 אֲשֶׁר דִּבֶּר בְּפִיו...וּבְיָדוֹ מִלֵּא IK. 8:15
173 וְלֹא מִלֵּא אַחֲרֵי יְיָ כְּדָוִד אָבִיו IK. 11:6
174 וְגַם אֶת־הַתְּעָלָה מִלֵּא־מָיִם IK. 18:35
175 וְיֵהוּא מִלֵּא יָדוֹ בַקֶּשֶׁת IIK. 9:24
176 מִלֵּא אֶת־יְרוּשָׁלַםִ פֶּה לָפֶה IIK. 21:16
177 מִלֵּא צִיּוֹן מִשְׁפָּט וּצְדָקָה Is. 33:5
178 אֹתוֹ מִלֵּא יִשְׁמָעֵאל...חֲלָלִים Jer. 41:9
179 וְנֶפֶשׁ רְעֵבָה מִלֵּא־טוֹב Ps. 107:9
180 אֲשֶׁר מִלֵּא אֶת־אַשְׁפָּתוֹ מֵהֶם Ps. 127:5
181 שֶׁלֹּא מִלֵּא כַפּוֹ קוֹצֵר Ps. 129:7
182 וְהוּא מִלֵּא בָתֵּיהֶם טוֹב Job 22:18
183 אֲשֶׁר דִּבֶּר בְּפִיו...וּבְיָדָיו מִלֵּא IICh. 6:4
184 אֲשֶׁר מִלֵּא בְּשָׂמִים וּזְנִים IICh. 16:14
מִלָּא 185 מִלָּא כְרֵשׂוֹ מֵעֲדָנָי Jer. 51:34
וּמִלֵּא 186 וּמִלֵּא אֶת־יָדוֹ לִלְבֹּשׁ... Lev. 21:10
מִלֵּאנוּ 187 נֹאדוֹת הַיַּיִן אֲשֶׁר מִלֵּאנוּ חֲדָשִׁים Josh. 9:13
מִלֵּאתֶם 188 וַתְּדַבֵּרְנָה בְּפִיכֶם וּבִידֵיכֶם מִלֵּאתֶם Jer. 44:25
189 עַתָּה מִלֵּאתֶם יֶדְכֶם לַיְיָ IICh. 29:31
וּמִלֵּאתֶם 190 וּמִלֵּאתֶם חוּצֹתֶיהָ חָלָל Ezek. 11:6
מִלְאוּ 191 כִּי לֹא־מִלְאוּ אַחֲרָי Num. 32:11
192 כִּי מִלְאוּ אַחֲרֵי יְיָ Num. 32:12
193 וַאֲרָם מִלְאוּ אֶת־הָאָרֶץ IK. 20:27
וּמִלְאוּ 194 וְטִהֲרוּ אֹתוֹ וּמִלְאוּ יָדוֹ Ezek. 43:26

מִלְאוּךְ 195 סֹחֵר צִידוֹן עֹבֵר יָם מִלְאוּךְ Is. 23:2
מִלְאוּהָ 196 מִלְאוּהָ מִפֶּה אֶל־פֶּה בְּטֻמְאָתָם Ez. 9:11
וּמִלְאוּהָ 197 יַשְׁלִיכוּ אִישׁ־אַבְנוֹ וּמִלְאוּהָ IIK. 3:25
מְמַלֵּא 198 הִנְנִי מְמַלֵּא...שִׁכָּרוֹן Jer. 13:13
199 וְהוּא מְמַלֵּא עַל־כָּל־גְּדוֹתָיו° ICh. 12:15(16)
הַמְמַלְאִים 200 הַמְמַלְאִים בֵּית אֲדֹנֵיהֶם חָמָס Zep. 1:9
201 הַמְמַלְאִים בָּתֵּיהֶם כָּסֶף Job 3:15
וְהַמְמַלְאִים 202 וְהַמְמַלְאִים לַמְנִי מִמְסָךְ Is. 65:11
אֲמַלֵּא 203 אֶת־מִסְפַּר יָמֶיךָ אֲמַלֵּא Ex. 23:26
204 וְאֹצְרֹתֵיהֶם אֲמַלֵּא Prov. 8:21
205 וּפִי אֲמַלֵּא תוֹכָחוֹת Job 23:4
וָאֲמַלֵּא 206 וָאֲמַלֵּא אֹתוֹ רוּחַ אֱלֹהִים בְּחָכְמָה Ex. 31:3
וַאֲמַלְאֵהוּ 207 הַרְחֶב־פִּיךָ וַאֲמַלְאֵהוּ Ps. 81:11
תְּמַלֵּא 208 שִׁבְעַת יָמִים תְּמַלֵּא יָדָם Ex. 29:35
209 בִּטְנְךָ תַאֲכֵל וּמֵעֶיךָ תְמַלֵּא Ezek. 3:3
210 וּצְפוּנְךָ° תְּמַלֵּא בִטְנָם Ps. 17:14
211 וְחַיַּת כְּפִירִים תְּמַלֵּא Job 38:39
הַתְמַלֵּא 212 הַתְמַלֵּא בְשֻׂכּוֹת עוֹרוֹ Job 40:31
יְמַלֵּא 213 שִׁבְעַת יָמִים יְמַלֵּא אֶת־יֶדְכֶם Lev. 8:33
214 וַאֲשֶׁר יְמַלֵּא אֶת־יָדוֹ לְכַהֵן Lev. 16:32
215 הֶחָפֵץ יְמַלֵּא אֶת־יָדוֹ IK. 13:33
216 וְזָקֵן אֲשֶׁר לֹא־יְמַלֵּא אֶת־יָמָיו Is. 65:20
217 וְכָל־עֲצָתְךָ יְמַלֵּא Ps. 20:5
218 יְמַלֵּא יְיָ כָּל־מִשְׁאֲלוֹתֶיךָ Ps. 20:6
(יְמַלֵּה) 219 עַד־יְמַלֵּה שְׂחוֹק פִּיךָ Job 8:21
וִימַלֵּא 220 וִימַלֵּא קָדִים בִּטְנוֹ Job 15:2
וַיְמַלֵּא 221 וַיַּעַשׂ יַעֲקֹב כֵּן וַיְמַלֵּא שְׁבֻעַ זֹאת Gen. 29:28
222 וַיְמַלֵּא אֹתוֹ רוּחַ אֱלֹהִים בְּחָכְמָה Ex. 35:31
223 וַיְמַלֵּא כַפּוֹ מִמֶּנָּה וַיַּקְטֵר... Lev. 9:17
224 וְעַבְדִּי כָלֵב...וַיְמַלֵּא אַחֲרָי Num. 14:24
225 וַיְמַלֵּא אֶת־יַד אַחַד מִבָּנָיו Jud. 17:5
226 וַיְמַלֵּא מִיכָה אֶת־יַד הַלֵּוִי Jud. 17:12
227 וַיְמַלֵּא אֶת־מְקוֹמָם עַצְמוֹת אָדָם IIK. 23:14
228 וַיְמַלֵּא אֶת־יְרוּשָׁלִַם דָּם נָקִי IIK. 24:4
229 וַיְמַלֵּא־טֶרֶף חֹרָיו Nah. 2:13
וַתְּמַלֵּא 230 וַתֵּלֶךְ וַתְּמַלֵּא אֶת־הַחֵמֶת מַיִם Gen. 21:19
231 וַתֵּרֶד הָעַיְנָה וַתְּמַלֵּא כַדָּהּ Gen. 24:16
232 וַתַּשְׁרֵשׁ שָׁרָשֶׁיהָ וַתְּמַלֵּא־אָרֶץ Ps. 80:10
נְמַלֵּא 233 נְמַלֵּא בָתֵּינוּ שָׁלָל Prov. 1:13
יְמַלְּאוּ 234 וּמֵעֵיהֶם לֹא יְמַלְּאוּ Ezek. 7:19
וַיְמַלְאוּ 235 וַיְמַלְאוּ אֶת־כְּלֵיהֶם בָּר Gen. 42:25
236 וַיְמַלְאוּ־בוֹ אַרְבָּעָה טוּרֵי אָבֶן Ex. 39:10
וַיְמַלְאוּם 237 סִתְּמוּם פְּלִשְׁתִּים וַיְמַלְאוּם עָפָר Gen. 26:15
238 וַיָּבֵא דָוִד...וַיְמַלְאוּם לַמֶּלֶךְ ISh. 18:27
תְּמַלֶּאנָה 239 תִּסְפֹּר יְרָחִים תְּמַלֶּאנָה Job 39:2
וַתְּמַלֶּאנָה 240 וַתְּמַלֶּאנָה אֶת־הָרְהָטִים Ex. 2:16
מַלֵּא 241 מַלֵּא שְׁבֻעַ זֹאת וְנִתְּנָה לְךָ... Gen. 29:27
242 מַלֵּא...אַמְתְּחֹת הָאֲנָשִׁים אֹכֶל Gen. 44:1
243 מַלֵּא קַרְנְךָ שֶׁמֶן ISh. 16:1
244 מִבְחַר עֲצָמִים מַלֵּא Ezek. 24:4
245 מַלֵּא פְנֵיהֶם קָלוֹן Ps. 83:17
וּמַלֵּא 246 וּמַלֵּא חָפְנֶיךָ גַחֲלֵי־אֵשׁ Ezek. 10:2
מַלְאוּ 247 קִרְאוּ מַלְאוּ וְאִמְרוּ Jer. 4:5
וּמַלְאוּ 248 וּמַלְאוּ אֶת־הַחֲצֵרוֹת חֲלָלִים Ezek. 9:7
מְמֻלָּאִים 249 יָדָיו גְּלִילֵי זָהָב מְמֻלָּאִים בַּתַּרְשִׁישׁ S.ofS.5:14
יִתְמַלָּאוּן 250 יַחַד עָלַי יִתְמַלָּאוּן Job 16:10

מְלָא
פְּ׳ ארמית א) מְלָא: 1
ב) [אִתְפְּ׳ אִתְמְלִי] התמלא: 2

וּמְלָאת 1 הֲוָת לְטוּר רַב וּמְלָאת כָּל־אַרְעָא Dan. 2:35
הִתְמְלִי 2 בֵּאדַיִן נְבוּכַדְנֶצַּר הִתְמְלִי חֱמָא Dan. 3:19

מָלֵא
ת׳ מכיל בכל קבולו, משופע בכמות רבה: 1‑63
– מְלֵא יָמִים 17; כֶּסֶף מָלֵא 1, 13, 14; מֵי מָלֵא 8; רוּחַ מָלֵא 2
– בֶּטֶן מְלֵאָה 38; מָלֵא חָכְמָה 6; מְלֵאֲתִי מִשְׁפָּט 39; שִׁבֳּלִים מְלֵאוֹת 59, 63

מָלֵא 1 בְּכֶסֶף מָלֵא יִתְּנֶנָּה לִי Gen. 23:9
2 רוּחַ מָלֵא מֵאֵלֶּה יָבוֹא לִי Jer. 4:12
3 כִּכְלוּב מָלֵא עוֹף כֵּן בָּתֵּיהֶם... Jer. 5:27
4 גַּם־הֵמָּה קָרְאוּ אַחֲרֶיךָ מָלֵא Jer. 12:6
5 אֶרֶךְ הָאֵבֶר מָלֵא הַנּוֹצָה Ezek. 17:3
6 מָלֵא חָכְמָה וּכְלִיל יֹפִי Ezek. 28:12
7 אֻכְּלוּ כְּקַשׁ יָבֵשׁ מָלֵא Nah. 1:10
8 וּמֵי מָלֵא יִמָּצוּ לָמוֹ Ps. 73:10
9 וְיַיִן חָמַר מָלֵא מֶסֶךְ Ps. 75:9
10 טוֹב...מִבַּיִת מָלֵא זִבְחֵי־רִיב Prov. 17:1
11 ...וְהַיָּם אֵינֶנּוּ מָלֵא Eccl. 1:7
12 וְגַם לֵב בְּנֵי־הָאָדָם מָלֵא־רָע Eccl. 9:3
13 בְּכֶסֶף מָלֵא תְּנֵהוּ לִי ICh. 21:22
14 קָנֹה אֶקְנֶה בְּכֶסֶף מָלֵא ICh. 21:24
וּמָלֵא 15 שְׂבַע רָצוֹן וּמָלֵא בִּרְכַּת יְיָ Deut. 33:23
וְהַמָּלֵא 16 וְיָצַקְתְּ...וְהַמָּלֵא תַּסִּיעִי IIK. 4:4
מְלֵא־ 17 זָקֵן עִם־מְלֵא יָמִים Jer. 6:11
מְלֵאָה 18‑29 כַּף אַחַת...מְלֵאָה קְטֹרֶת Num. 7:14
7:20, 26, 32, 38, 44, 50, 56, 62, 68, 74, 80
30 חֶלְקַת הַשָּׂדֶה מְלֵאָה עֲדָשִׁים IISh. 23:11
31 כָל־הַדֶּרֶךְ מְלֵאָה בְגָדִים וְכֵלִים IIK. 7:15
32 תְּשֻׁאוֹת מְלֵאָה עִיר הוֹמִיָּה Is. 22:2
33 ...הַבִּקְעָה וְהִיא מְלֵאָה עֲצָמוֹת Ezek. 37:1
34 כֻּלָּהּ כַּחַשׁ פֶּרֶק מְלֵאָה Nah. 3:1
35 מְלֵאָה הָלַכְתִּי וְרֵיקָם הֱשִׁיבַנִי יְיָ Ruth 1:21
36 וַתְּהִי חֶלְקַת הַשָּׂדֶה מְלֵאָה שְׂעוֹרִים ICh. 11:13
הַמְלֵאָה 37 הָעֲגָלָה הַמְלֵאָה לָהּ עָמִיר Am. 2:13
38 כַּעֲצָמִים בְּבֶטֶן הַמְלֵאָה Eccl. 11:5
מְלֵאֲתִי־ 39 מְלֵאֲתִי מִשְׁפָּט צֶדֶק יָלִין בָּהּ Is. 1:21
מְלֵאִים 40‑51 שְׁנֵיהֶם מְלֵאִים סֹלֶת Num. 7:13, 19
7:25, 31, 37, 43, 49, 55, 61, 67, 73, 79
52 וּבָתִּים מְלֵאִים כָּל־טוּב Deut. 6:11
53 בָּתֵּיהֶם מְלֵאִים מִרְמָה Jer. 5:27
54 גְּבִעִים מְלֵאִים יַיִן וְכֹסוֹת Jer. 35:5
55 וְהָאוֹפַנִּים מְלֵאִים עֵינַיִם סָבִיב Ezek. 10:12
56 מְזָוֵינוּ מְלֵאִים מְפִיקִים מִזַּן אֶל זַן Ps. 144:13
57 בָּתִּים מְלֵאִים־כָּל־טוּב Neh. 9:25
הַמְלֵאִים 58 הַמְלֵאִים חֲמַת־יְיָ גַּעֲרַת אֱלֹהָיִךְ Is. 51:20
מְלֵאוֹת 59 שֶׁבַע שִׁבֳּלִים...מְלֵאֹת וְטֹבוֹת Gen. 41:22
60 כַּפּוֹת זָהָב...מְלֵאֹת קְטֹרֶת Num. 7:86
61 וְגַבֹּתָם מְלֵאֹת עֵינַיִם סָבִיב Ezek. 1:18
62 תִּהְיֶינָה...מְלֵאוֹת צֹאן אָדָם Ezek. 36:38
וְהַמְלֵאוֹת 63 הַשִּׁבֳּלִים הַבְּרִיאוֹת וְהַמְלֵאוֹת Gen. 41:7

מְלֹא
ז׳ – עין מְלוֹא

מְלֵאָה, מִלֻּאִים
– עין מִלּוּאָה, מִלּוּאִים

מְלֵאָה
נ׳ שפע תבואה או פרי הגפן: 1‑3

הַמְלֵאָה 1 פֶּן־תִּקְדַּשׁ הַמְלֵאָה הַזֶּרַע Deut. 22:9
וְכַמְלֵאָה 2 כַּדָּגָן מִן־הַגֹּרֶן וְכַמְלֵאָה מִן־הַיָּקֶב Num. 18:27
מְלֵאָתְךָ 3 מְלֵאָתְךָ וְדִמְעֲךָ לֹא תְאַחֵר Ex. 22:28

מַלְאָךְ
ז׳ א) שליח, ציר: 4‑10, 13‑17, 19‑29, 45, 46, 125‑171, 174‑188, 191‑205, 211
ב) [ביחס אל ה׳] שליח ה׳ – נביא, כהן או יצור אלהי – שנשלח לבצע את דבר ה׳: רוב המקראות 1‑212
– מַלְאָךְ אַכְזָרִי 16; מַ׳ מֵלִיץ 10; מַ׳ מַשְׁחִית 47,48; מַלְאָךְ רָשָׁע 9; מַלְאָךְ שָׁלוּחַ 7
– עֲצַת מַלְאָךְ 204; קוֹל מַלְאָךְ 203
– מַלְאַךְ אֱלֹהִים 54, 97‑101, 115‑117; מַ׳ הַבְּרִית 109; מַלְאַךְ יְיָ 50‑53, 55‑96, 102‑108, 110‑114, 118
– מַלְאָכִים קַלִּים 166; מַלְאֲכֵי אֱלֹהִים 189, 190, 199; מַ׳ בֶּן־הֲדַד 200; מַ׳ גּוֹי 195; מַ׳ דָּוִד 193; מַ׳ יִפְתָּח 191; מַלְאֲכֵי מָוֶת 198; מַ׳ מֶלֶךְ 194; מַ׳ רָעִים 197; מַ׳ שָׁאוּל 192; מַלְאֲכֵי שָׁלוֹם 196

מַלְאָךְ 1 הִנֵּה אָנֹכִי שֹׁלֵחַ מַלְאָךְ לְפָנֶיךָ Ex. 23:20
2 וְשָׁלַחְתִּי לְפָנֶיךָ מַלְאָךְ Ex. 33:2
3 וַיִּשְׁלַח מַלְאָךְ וַיֹּצִאֵנוּ מִמִּצְרָיִם Num. 20:16
4 וַתִּשְׁלַח אִיזֶבֶל מַלְאָךְ אֶל־אֵלִיָּהוּ IK. 19:2
5 וְהִנֵּה־זֶה מַלְאָךְ נֹגֵעַ בּוֹ IK. 19:5
6 וַיִּשְׁלַח אֵלָיו אֱלִישָׁע מַלְאָךְ לֵאמֹר IIK. 5:10
7 מַלְאָךְ שָׁלוּחַ אֲלֵיהֶם וְהִנֵּה־בָאוּ Ezek. 23:40
8 וַיָּשַׂר אֶל־מַלְאָךְ וַיֻּכָל Hosh. 12:5
9 מַלְאָךְ רָשָׁע יִפֹּל בְּרָע Prov. 13:17
10 אִם־יֵשׁ עָלָיו מַלְאָךְ מֵלִיץ... Job 33:23
11 וַיִּשְׁלַח הָאֱלֹהִים מַלְאָךְ לִירוּשָׁלִַם ICh. 21:15
12 וַיִּשְׁלַח יְיָ מַלְאָךְ וַיַּכְחֵד... IICh. 32:21
וּמַלְאָךְ 13 וּמַלְאָךְ בָּא אֶל־שָׁאוּל לֵאמֹר ISh. 23:27
14 וּמַלְאָךְ דִּבֶּר אֵלַי בִּדְבַר יְיָ IK. 13:18
15 וּמַלְאָךְ אַחֵר יֹצֵא לִקְרָאתוֹ Zech. 2:7
16 וּמַלְאָךְ אַכְזָרִי יְשֻׁלַּח־בּוֹ Prov. 17:11
17 וּמַלְאָךְ בָּא אֶל־אִיּוֹב וַיֹּאמַר Job 1:14
הַמַּלְאָךְ 18 הַמַּלְאָךְ הַגֹּאֵל אֹתִי מִכָּל־רָע Gen. 48:16
19 וַיְצַו אֶת־הַמַּלְאָךְ לֵאמֹר IISh. 11:19
20 וַיֵּלֶךְ הַמַּלְאָךְ וַיָּבֹא וַיַּגֵּד לְדָוִד IISh. 11:22
21 וַיֹּאמֶר הַמַּלְאָךְ אֶל־דָּוִד IISh. 11:23
22 וַיֹּאמֶר דָּוִד אֶל־הַמַּלְאָךְ IISh. 11:25
23 וַיִּשְׁלַח יָדוֹ הַמַּלְאָךְ יְרוּשָׁלִַם IISh. 24:16
24 בִּרְאֹתוֹ אֶת־הַמַּלְאָךְ הַמַּכֶּה בָעָם IISh. 24:17
25 וַיִּשְׁלַח אִישׁ...בְּטֶרֶם יָבֹא הַמַּלְאָךְ IIK. 6:32
26 כְּבֹא הַמַּלְאָךְ סִגְרוּ הַדֶּלֶת IIK. 6:32
27 וְהִנֵּה הַמַּלְאָךְ יֹרֵד אֵלָיו IIK. 6:33
28 בָּא־הַמַּלְאָךְ עַד־הֵם וְלֹא־שָׁב IIK. 9:18
29 וַיָּבֹא הַמַּלְאָךְ וַיַּגֶּד־לוֹ לֵאמֹר IIK. 10:8
30/1 וַיֹּאמֶר אֵלַי הַמַּלְאָךְ הַדֹּבֵר בִּי Zech. 1:9, 14
32‑44 הַמַּלְאָךְ Zech. 1:13; 2:2, 7; 3:3
4:1, 4, 5; 5:5, 10; 6:4, 5 • Eccl. 5:5 • ICh. 21:20
וְהַמַּלְאָךְ 45 וְהַמַּלְאָךְ אֲשֶׁר־הָלַךְ לִקְרֹא מִיכָיְהוּ IK. 22:13
46 וְהַמַּלְאָךְ אֲשֶׁר־הָלַךְ לִקְרֹא לְמִ׳ IICh. 18:12
לַמַּלְאָךְ 47 וַיֹּאמֶר לַמַּלְאָךְ הַמַּשְׁחִית בָּעָם IISh. 24:16
48 וַיֹּאמֶר לַמַּלְאָךְ הַמַּשְׁחִית רַב ICh. 21:15
49 וַיֹּאמֶר יְיָ לַמַּלְאָךְ וַיָּשֶׁב חַרְבּוֹ ICh. 21:27
מַלְאַךְ־ 50 וַיִּמְצָאָהּ מַלְאַךְ יְיָ עַל־עֵין הַמַּיִם Gen. 16:7
51‑53 וַיֹּאמֶר לָהּ מַלְאַךְ יְיָ Gen. 16:9, 10, 11
54 וַיִּקְרָא מַלְאַךְ אֱלֹהִים אֶל־הָגָר Gen. 21:17
55 וַיִּקְרָא...מַלְאַךְ יְיָ מִן־הַשָּׁמַיִם Gen. 22:11
56‑96 מַלְאַךְ(־)יְיָ Gen. 22:15
Ex. 3:2 • Num. 22:22, 23, 24, 25, 26, 27, 31, 32, 34, 35 • Jud. 2:1, 4; 5:23; 6:11, 12, 20, 21, 22²; 13:3, 13, 15, 16², 18, 20, 21² • IK. 19:7 • IIK. 1:15; 19:35 • Is. 37:36 • Zech. 1:11, 12; 3:1, 6 • Mal. 2:7 • Ps. 34:8 • ICh. 21:16
97 וַיֹּאמֶר...מַלְאַךְ הָאֱלֹהִים בַּחֲלוֹם Gen. 31:11
98 וַיִּסַּע מַלְאַךְ הָאֱלֹהִים הַהֹלֵךְ... Ex. 14:19

מַלְאַךְ־ (המשך)
99 כְּמַרְאֵה מַלְאַךְ הָאֱלֹהִים נוֹרָא Jud. 13:6
100 וַיָּבֹא מַלְאַךְ הָאֱלֹהִים עוֹד... Jud. 13:9
101 חָכָם כְּחָכְמַת מַלְאַךְ הָאֱלֹהִים IISh. 14:20
102 וַיֹּאמֶר חַגַּי מַלְאַךְ יְיָ Hag. 1:13
103 כִּי נִבְעַת מִפְּנֵי חֶרֶב מַלְאַךְ יְיָ ICh. 21:30
וּמַלְאַךְ־ 104 וּמַלְאַךְ יְיָ הָלַךְ מֵעֵינָיו Jud. 6:21
105 וּמַלְאַךְ יְיָ הָיָה עִם־גֹּרֶן הָאֲרַוְנָה° IISh. 24:16
106 וּמַלְאַךְ יְיָ דִּבֶּר אֶל־אֵלִיָּה הַתִּשְׁבִּי IIK. 1:3
107 וּמַלְאַךְ פָּנָיו הוֹשִׁיעָם Is. 63:9
108 וּמַלְאַךְ יְיָ עֹמֵד Zech. 3:5
109 וּמַלְאַךְ הַבְּרִית...הִנֵּה־בָא Mal. 3:1
110 וּמַלְאַךְ יְיָ דּוֹחֶה Ps. 35:5
111-114 וּמַלְאַךְ יְיָ Ps. 35:6
ICh. 21:12, 15, 18
כְּמַלְאַךְ־ 115 טוֹב אַתָּה בְּעֵינַי כְּמַלְאַךְ אֱלֹהִים ISh. 29:9
116 כְּמַלְאַךְ הָאֱלֹהִים כֵּן אֲדֹנִי הַמֶּלֶךְ IISh. 14:17
117 וַאדֹנִי הַמֶּלֶךְ כְּמַלְאַךְ הָאֱלֹהִים IISh. 19:28
118 וּבֵית דָּוִיד...כְּמַלְאַךְ יְיָ לִפְנֵיהֶם Zech. 12:8
מַלְאָכִי 119 כִּי־יֵלֵךְ מַלְאָכִי לְפָנֶיךָ וֶהֱבִיאֲךָ Ex. 23:23
120 הִנֵּה מַלְאָכִי יֵלֵךְ לְפָנֶיךָ Ex. 32:34
121 הִנְנִי שֹׁלֵחַ מַלְאָכִי וּפִנָּה־דֶרֶךְ לְפָנָי Mal. 3:1
כְּמַלְאָכִי 122 ...וְחֵרֵשׁ כְּמַלְאָכִי אֶשְׁלָח Is. 42:19
מַלְאָכוֹ 123 הוּא יִשְׁלַח מַלְאָכוֹ לְפָנֶיךָ Gen. 24:7
124 יְיָ...יִשְׁלַח מַלְאָכוֹ אִתָּךְ Gen. 24:40
מַלְאָכִים 125 וַיִּשְׁלַח יַעֲקֹב מַלְאָכִים לְפָנָיו... Gen. 32:3
126 וַיִּשְׁלַח מֹשֶׁה מַלְאָכִים מִקָּדֵשׁ Num. 20:14
127 וַיִּשְׁלַח יִשְׂ׳ מַלְאָכִים אֶל־סִיחֹן Num. 21:21
128 וַיִּשְׁלַח מַלְאָכִים אֶל־בִּלְעָם Num. 22:5
129 וָאֶשְׁלַח מַלְאָכִים מִמִּדְבַּר קְדֵמוֹת Deut. 2:26
130 וַיִּשְׁלַח יְהוֹשֻׁעַ מַלְאָכִים וַיָּרֻצוּ... Josh. 7:22
131-165 וַיִּשְׁלַח (וַיִּשְׁלְחוּ, שָׁלַח וְכד׳) מַלְאָכִים
Jud. 9:31; 11:12, 14, 17, 19 • ISh. 6:21; 11:3; 16:19; 19:11, 14, 20, 21²; 25:14 • IISh. 2:5; 3:12, 14, 26; 5:11; 11:4; 12:27 • IK. 20:2 • IIK. 1:2, 16; 14:8; 16:7; 17:4; 19:9 • Is. 37:9 • Ezek. 23:16 • Neh. 6:3 • ICh. 14:1; 19:2, 16 • IICh. 35:21
166 לְכוּ מַלְאָכִים קַלִּים אֶל־גּוֹי Is. 18:2
167 וְשִׁלַּחְתָּם...בְּיַד מַלְאָכִים...יְרוּשָׁ׳ Jer. 27:3
168 יֵצְאוּ מַלְאָכִים מִלְּפָנַי בַּצִּים Ezek. 30:9
וּמַלְאָכִים 169 וּמַלְאָכִים שָׁלַח בְּכָל־מְנַשֶּׁה Jud. 6:35
170 וּמַלְאָכִים שָׁלַח בְּאָשֵׁר Jud. 6:35
171 וּמַלְאָכִים שָׁלַח גִּדְעוֹן Jud. 7:24
הַמַּלְאָכִים 172 וַיָּבֹאוּ שְׁנֵי הַמַּלְאָכִים סְדֹמָה Gen. 19:1
173 וַיָּאִיצוּ הַמַּלְאָכִים בְּלוֹט לֵאמֹר Gen. 19:15
174 וַיָּשֻׁבוּ הַמַּלְאָכִים אֶל־יַעֲקֹב Gen. 32:6
175 כִּי הֶחְבְּאַתָה אֶת־הַמַּלְאָכִים Josh. 6:17
176 כִּי הֶחְבִּיאָה אֶת־הַמַּלְאָכִים Josh. 6:25
177 וַיָּבֹאוּ הַמַּלְאָכִים גִּבְעַת שָׁאוּל ISh. 11:4
178 וַיְשַׁלַּח...בְּיַד הַמַּלְאָכִים לֵאמֹר ISh. 11:7
179 וַיָּבֹאוּ הַמַּלְאָכִים וַיַּגִּידוּ ISh. 11:9
180 וַיִּשְׁלַח שָׁאוּל אֶת־הַמַּלְאָכִים ISh. 19:15
181 וַיָּבֹאוּ הַמַּלְאָכִים וְהִנֵּה ISh. 19:16
182 וַיָּשׁוּבוּ הַמַּלְאָכִים וַיֹּאמְרוּ IK. 20:5
183 וַיֵּלְכוּ הַמַּלְאָכִים וַיְשִׁבֻהוּ דָּבָר IK. 20:9
184 וַיָּשׁוּבוּ הַמַּלְאָכִים אֵלָיו IIK. 1:5
185 וַיָּשֻׁבוּ הַמַּלְאָכִים וַיַּגִּדוּ לַמֶּלֶךְ IIK. 7:15
186/7 וַיִּקַּח חִזְקִיָּהוּ...מִיַּד הַמַּלְאָכִים
IIK. 19:14 • Is. 37:14
לַמַּלְאָכִים 188 וַיֹּאמְרוּ לַמַּלְאָכִים הַבָּאִים ISh. 11:9
מַלְאֲכֵי־ 189 מַלְאֲכֵי אֱלֹ׳הִים עֹלִים וְיֹרְדִים בּוֹ Gen. 28:12
190 וַיִּפְגְּעוּ־בוֹ מַלְאֲכֵי אֱלֹהִים Gen. 32:1

מַלְאֲכֵי־ (המשך)
191 וַיֹּאמֶר...אֶל־מַלְאֲכֵי יִפְתָּח Jud. 11:13
192 וַתְּהִי עַל־מַלְאֲכֵי שָׁאוּל רוּחַ אֱלֹ׳ ISh. 19:20
193 וַתֵּלֶךְ אַחֲרֵי מַלְאֲכֵי דָוִד ISh. 25:42
194 עֲלֵה לִקְרַאת מַלְאֲכֵי מֶלֶךְ־שֹׁמְרוֹן IIK. 1:3
195 וּמַה־יַּעֲנֶה מַלְאֲכֵי־גוֹי Is. 14:32
196 מַלְאֲכֵי שָׁלוֹם מַר יִבְכָּיוּן Is. 33:7
197 עֶבְרָה...מִשְׁלַחַת מַלְאֲכֵי רָעִים Ps. 78:49
198 חֲמַת־מֶלֶךְ מַלְאֲכֵי־מָוֶת Prov. 16:14
בְּמַלְאֲכֵי־ 199 וַיִּהְיוּ מַלְעִבִים בְּמַלְאֲכֵי הָאֱלֹ׳ IICh. 36:16
לְמַלְאֲכֵי־ 200 וַיֹּאמֶר לְמַלְאֲכֵי בֶן־הֲדַד IK. 20:9
מַלְאָכֶיךָ 201 הֲלֹא גַּם אֶל־מַלְאָכֶיךָ...דִּבַּרְתִּי Num. 24:12
202 בְּיַד מַלְאָכֶיךָ חֵרַפְתָּ אֲדֹנָי IIK. 19:23
מַלְאָכֵכֵה 203 וְלֹא־יִשָּׁמַע עוֹד קוֹל מַלְאָכֵכֵה Nah. 2:14
מַלְאָכָיו 204 וַעֲצַת מַלְאָכָיו יַשְׁלִים Is. 44:26
205 וַיִּמְרָד־בּוֹ לִשְׁלֹחַ מַלְאָכָיו מִצְ׳ Ezek. 17:15
206 כִּי מַלְאָכָיו יְצַוֶּה־לָּךְ לִשְׁמָרְךָ Ps. 91:11
207 בָּרְכוּ יְיָ מַלְאָכָיו גִּבֹּרֵי כֹחַ Ps. 103:20
208 עֹשֶׂה מַלְאָכָיו רוּחוֹת Ps. 104:4
209 הַלְלוּהוּ כָל־מַלְאָכָיו Ps. 148:2
210 וַיִּשְׁלַח יְיָ...עֲלֵיהֶם בְּיַד מַלְאָכָיו IICh. 36:15
וּמַלְאָכָיו 211 וּמַלְאָכָיו חָנֵס יַגִּיעוּ Is. 30:4
וּבְמַלְאָכָיו 212 וּבְמַלְאָכָיו יָשִׂים תָּהֳלָה Job 4:18

מַלְאַךְ* ז׳ ארמית כמו בעברית: 1, 2
מַלְאֲכֵהּ 1 דִּי־שְׁלַח מַלְאֲכֵהּ וְשֵׁיזִב Dan. 3:28
2 אֱלָהִי שְׁלַח מַלְאֲכֵהּ וּסְגַר Dan. 6:23

מְלָאכָה נ׳ א) עבודה, מעשה ידים: רוב המקראות 1-166
ב) תוצרת העבודה, נכס, רכוש: 42, 43, 48, 50, 72, 79, 141, 142

קרובים: יְגִיעַ / מַעֲשֶׂה / עֲבוֹדָה / עָמָל / פֹּעַל / פְּעֻלָּה

– מְלָאכָה גְּדוֹלָה 86; מ׳ חִיצוֹנָה 97; מ׳ נִמְבְזָה וְנָמֵס 50; אוֹצַר הַמְּלָאכָה 72, 79; עוֹשֵׂה(י) מְלָאכָה 30, 33, 36, 41, 55-71

– מְלֶאכֶת אֹהֶל מוֹעֵד 145; מ׳ בֵּית הָאֱלֹהִים (יְיָ) 127, 128, 130, 132, 143; מ׳ הַחוֹמָה 144; מ׳ חָרָשׁ 106; מ׳ יְיָ 124, 134; מ׳ מַחֲשֶׁבֶת 105; מ׳ הַמֶּלֶךְ 126, 138; מְלֶאכֶת עֲבוֹדָה 104, 111-122, 133, 136, 137, 140, 146; מ׳ עֲבוֹדַת הַקֹּדֶשׁ 107; מ׳ עוֹר 110; מ׳ עַמּוּדִים 123; מ׳ הַקֹּדֶשׁ 108, 109; מ׳ קֹדֶשׁ הַקֳּדָשִׁים 131; מ׳ רֵעֵהוּ 141, 142; מְלֶאכֶת שְׁלֹמֹה 139; מְלֶאכֶת תַּפִּים 125

מְלָאכָה 1 כָּל־מְלָאכָה לֹא־יֵעָשֶׂה בָהֶם Ex. 12:16
2-3 לֹא־תַעֲשֶׂה כָל־מְלָאכָה Ex. 20:10
Deut. 5:14
4-5 בְּחָכְמָה...וּבְכָל־מְלָאכָה Ex. 31:3; 35:31
6 לַעֲשׂוֹת בְּכָל־מְלָאכָה Ex. 31:5
7 כִּי כָּל־הָעֹשֶׂה בָהּ מְלָאכָה... Ex. 31:14
8 שֵׁשֶׁת יָמִים יֵעָשֶׂה מְלָאכָה Ex. 31:15
9 הָעֹשֶׂה מְלָאכָה בְּיוֹם הַשַּׁבָּת... Ex. 31:15
10-11 שֵׁשֶׁת יָמִים תֵּעָשֶׂה מְלָאכָה Ex. 35:2
Lev. 23:3
12 כָּל־הָעֹשֶׂה בוֹ מְלָאכָה יוּמָת Ex. 35:2
13 עֹשֵׂי כָּל־מְלָאכָה וְחֹשְׁבֵי מַחֲשָׁבֹת Ex. 35:35
14 אַל־יַעֲשׂוּ־עוֹד מְלָאכָה Ex. 36:6
15 וְחֵלֶב...יֵעָשֶׂה לְכָל־מְלָאכָה Lev. 7:24
16-27 עָשָׂה (עוֹשֶׂה, תַּעֲשֶׂה, לַעֲשׂוֹת וכד׳)
כָּל־מְלָאכָה Lev. 11:32
16:29; 23:3, 28, 30, 31 • Num. 4:3; 29:7 • Deut. 16:8 • Jer. 17:22, 24 • Hag. 1:14

מְלָאכָה (המשך)
28 אֲשֶׁר לֹא־נַעֲשָׂה בָהֶם מְלָאכָה Jud. 16:11
29 לַעֲשׂוֹת כָּל־מְלָאכָה בַּנְּחֹשֶׁת IK. 7:14
30 וַיַּרְא...כִּי־עֹשֵׂה מְלָאכָה הוּא IK. 11:28
31 הוּא° עֹשֶׂה מְלָאכָה עַל־הָאָבְנָיִם Jer. 18:3
32 כִּי־מְלָאכָה הִיא לַאדֹנָי יְיָ צְבָאוֹת Jer. 50:25
33 עֹשֵׂי מְלָאכָה בְּמַיִם רַבִּים Ps. 107:23
34 הַלַּיְלָה מִשְׁמָר וְהַיּוֹם מְלָאכָה Neh. 4:16
35 מְלָאכָה גְדוֹלָה אֲנִי עֹשֶׂה Neh. 6:3
36 וְעִמְּךָ לָרֹב עֹשֵׂי מְלָאכָה ICh. 22:15(14)
37 וְכָל־חָכָם בְּכָל מְלָאכָה ICh. 22:15(14)
38 אַנְשֵׁי מְלָאכָה לַעֲבֹדָתָם ICh. 25:1
39 וְעִמְּךָ בְכָל־מְלָאכָה... ICh. 28:21
40 וּלְכָל־מְלָאכָה בְּיַד חָרָשִׁים ICh. 29:5
41 וּמְנַצְּחִים לְכֹל עֹשֵׂה מְלָאכָה IICh. 34:13
וּמְלָאכָה 42 וּמְלָאכָה...הָיָה לוֹ בְּעָרֵי יְהוּדָה IICh. 17:13
הַמְּלָאכָה 43 לְרֶגֶל הַמְּלָאכָה אֲשֶׁר־לְפָנַי Gen. 33:14
44 לְכָל־הַמְּלָאכָה אֲשֶׁר צִוָּה יְיָ Ex. 35:29
45 לְקָרְבָה אֶל־הַמְּלָאכָה לַעֲשֹׂת אֹתָהּ Ex. 36:2
46 לְכָל־הַמְּלָאכָה לַעֲשׂוֹת אֹתָהּ Ex. 36:7
47 וַיַּעֲשׂוּ כָל־חֲכַם־לֵב...הַמְּלָאכָה Ex. 36:8
48 וַיַּרְא מֹשֶׁה אֶת־כָּל־הַמְּלָאכָה Ex. 39:43
49 וַיְכַל מֹשֶׁה אֶת־הַמְּלָאכָה Ex. 40:33
50 וְכָל־הַמְּלָאכָה נְמִבְזָה וְנָמֵס ISh. 15:9
51 לְבַד מִשָּׂרֵי...אֲשֶׁר עַל־הַמְּלָאכָה IK. 5:30
52 וַיְכַל...לַעֲשׂוֹת אֶת־כָּל־הַמְּלָאכָה IK. 7:40
53 וַתִּשְׁלַם כָּל־הַמְּלָאכָה אֲשֶׁר עָשָׂה IK. 7:51
54 אֵלֶּה...הַנִּצָּבִים אֲשֶׁר עַל־הַמְּלָאכָה IK. 9:23
55 וְנָתְנוּ...עַל־יְדֵי° עֹשֵׂי הַמְּלָאכָה IIK. 12:12
56-71 (ו/ל)עֹשֵׂי(ה) הַמְּלָאכָה IIK. 12:15, 16
22:5², 9 • Es. 3:9; 9:3 • Ez. 3:9 • Neh. 2:16; 11:12; 13:10 • ICh. 23:24 • IICh. 24:13; 34:10², 17
72 כְּכֹחָם נָתְנוּ לְאוֹצַר הַמְּלָאכָה Ez. 2:69
73 וְהִשְׁבַּתְנוּ אֶת־הַמְּלָאכָה Neh. 4:5
74 הַמְּלָאכָה הַרְבֵּה וּרְחָבָה Neh. 4:13
75 וְכָל־נְעָרַי קְבוּצִים שָׁם עַל־הַמְּלָאכָה Neh. 5:16
76 לָמָּה תִשְׁבַּת הַמְּלָאכָה כַּאֲשֶׁר אַרְפֶּהָ Neh. 6:3
77 יִרְפּוּ יְדֵיהֶם מִן־הַמְּלָאכָה Neh. 6:9
78 מֵאֵת אֱלֹהֵינוּ נֶעֶשְׂתָה הַמְּלָאכָה Neh. 6:16
79 נָתְנוּ לְאוֹצַר הַמְּלָאכָה זָהָב Neh. 7:71(70)
80 עַל־הַמְּלָאכָה...לְבֵית הָאֱלֹהִים Neh. 11:16
81 וַיְכַל חוּרָם° לַעֲשׂוֹת אֶת־הַמְּלָאכָה IICh. 4:11
82 וַתִּשְׁלַם כָּל־הַמְּלָאכָה אֲשֶׁר־עָשָׂה IICh. 5:1
83 וַיְחַזְּקוּם...עַד־כְּלוֹת הַמְּלָאכָה IICh. 29:34
וְהַמְּלָאכָה 84 וְהַמְּלָאכָה הָיְתָה דַיָּם...וְהוֹתֵר Ex. 36:7
85 וְהַמְּלָאכָה לֹא־לְיוֹם אֶחָד Ez. 10:13
86 שְׁלֹמֹה...נַעַר וָרָךְ וְהַמְּלָאכָה גְדוֹלָה ICh. 29:1
בַּמְּלָאכָה 87/8 הָרֹדִים בָּעָם הָעֹשִׂים בַּמְּלָאכָה IK. 5:30; 9:23
89 חֲצִי נְעָרַי עֹשִׂים בַּמְּלָאכָה Neh. 4:10
90 בְּאַחַת יָדוֹ עֹשֶׂה בַמְּלָאכָה Neh. 4:11
91 וַאֲנַחְנוּ עֹשִׂים בַּמְּלָאכָה Neh. 4:15
92 כִּי־יוֹמָם וָלַיְלָה עֲלֵיהֶם בַּמְּלָאכָה ICh. 9:33
93 וְהָאֲנָשִׁים עֹשִׂים בֶּאֱמוּנָה בַּמְּלָאכָה IICh. 34:12
לַמְּלָאכָה 94 מַרְבִּים...מִדֵּי הָעֲבֹדָה לַמְּלָאכָה Ex. 36:5
95 כָּל־הַזָּהָב הֶעָשׂוּי לַמְּלָאכָה Ex. 38:24
96 רָאשֵׁי הָאָבוֹת נָתְנוּ לַמְּלָאכָה Neh. 7:69
97 לַמְּלָאכָה הַחִיצוֹנָה עַל־יִשְׂרָאֵל ICh. 26:29
98 וַתַּעַל אֲרוּכָה לַמְּלָאכָה בְּיָדָם IICh. 24:13
לִמְלָאכָה 99 לְכֹל אֲשֶׁר־יֵעָשֶׂה הָעוֹר לִמְלָאכָה Lev. 13:51
100 הֲיֻקַּח מִמֶּנּוּ עֵץ לַעֲשׂוֹת לִמְלָאכָה Ezek. 15:3
101 הֲיִצְלַח לִמְלָאכָה Ezek. 15:4
102 בִּהְיוֹתוֹ תָמִים לֹא יֵעָשֶׂה לִמְלָאכָה Ezek. 15:5

103 וַיֵּחַר וְנַעֲשָׂה עוֹד לִמְלָאכָה Ezek. 15:5
מְלֶאכֶת־ 104 עֲצֵי שִׁטִּים לְכָל־מְלֶאכֶת הָעֲבֹדָה Ex. 35:24
105 לַעֲשׂוֹת בְּכָל־מְלֶאכֶת מַחֲשָׁבֶת Ex. 35:33
106 לַעֲשׂוֹת כָּל־מְלֶאכֶת חָרָשׁ וְחֹשֵׁב Ex. 35:35
107 אֶת־כָּל־מְלֶאכֶת עֲבֹדַת הַקֹּדֶשׁ Ex. 36:1
108 הָעֹשִׂים אֵת כָּל־מְלֶאכֶת הַקֹּדֶשׁ Ex. 36:4
109 הֶעָשׂוּי...בְּכֹל מְלֶאכֶת הַקֹּדֶשׁ Ex. 38:24
110 אוֹ בְּכָל־מְלֶאכֶת עוֹר Lev. 13:48
111-122 כָּל־מְלֶאכֶת עֲבֹדָה לֹא תַעֲשׂוּ
Lev. 23:7, 8, 21, 25, 35, 36 • Num. 28:18, 25, 26; 29:1, 12, 35
123 וַתִּתֹּם מְלֶאכֶת הָעַמּוּדִים IK. 7:22
124 אָרוּר עֹשֶׂה מְלֶאכֶת יְיָ רְמִיָּה Jer. 48:10
125 מְלֶאכֶת תֻּפֶּיךָ וּנְקָבֶיךָ בָּךְ Ezek. 28:13
126 וָאֶעֱשֶׂה אֶת־מְלֶאכֶת הַמֶּלֶךְ Dan. 8:27
127/8 לְנַצֵּחַ עַל־מְלֶאכֶת בֵּית־יְיָ Ez. 3:8 • ICh. 23:4
129 וְכֹל מְלֶאכֶת בֵּית־אֱלֹהֵינוּ Neh. 10:34
130 לְנֶגֶד מְלֶאכֶת בֵּית־הָאֱלֹהִים Neh. 11:22
131 לְכֹל מְלֶאכֶת קֹדֶשׁ הַקֳּדָשִׁים ICh. 6:34
132 מְלֶאכֶת עֲבוֹדַת בֵּית־הָאֱלֹהִים ICh. 9:13
133 וְשַׁלּוּם...עַל מְלֶאכֶת הָעֲבֹדָה ICh. 9:19
134 לְכֹל מְלֶאכֶת יְיָ וְלַעֲבֹדַת הַמֶּלֶךְ ICh. 26:30
135 מְלֶאכֶת הַשָּׂדֶה לַעֲבֹדַת הָאֲדָמָה ICh. 27:26
136/7 מְלֶאכֶת עֲבוֹדַת בֵּית־יְיָ ICh. 28:13, 20
138 וַיִּתְנַדְּבוּ...וּלְשָׂרֵי מְלֶאכֶת הַמֶּלֶךְ ICh. 29:6
139 וַתִּכֹּן כָּל־מְלֶאכֶת שְׁלֹמֹה IICh. 8:16
140 עוֹשֵׂה מְלֶאכֶת עֲבוֹדַת בֵּית־יְיָ IICh. 24:12
בִּמְלֶאכֶת־ 141/2 אִם־לֹא שָׁלַח יָדוֹ בִּמְלֶאכֶת רֵעֵהוּ Ex. 22:7, 10
143 לְחַזֵּק יְדֵיהֶם בִּמְלֶאכֶת בֵּית־הָאֱלֹהִים Ez. 6:22
144 בִּמְלֶאכֶת הַחוֹמָה הַזֹּאת הֶחֱזַקְתִּי Neh. 5:16
לִמְלֶאכֶת־ 145 לִמְלֶאכֶת אֹהֶל מוֹעֵד וּלְכָל־עֲבֹדָתוֹ Ex. 35:21
146 לִמְלֶאכֶת עֲבֹדַת הַקֹּדֶשׁ Ex. 36:3
מְלַאכְתְּךָ 147 מַה־מְּלַאכְתְּךָ וּמֵאַיִן תָּבוֹא Jon. 1:8
מְלַאכְתֶּךָ 148/9 שֵׁשֶׁת יָמִים תַּעֲבֹד וְעָשִׂיתָ כָּל־מְלַאכְתֶּךָ Ex. 20:9 • Deut. 5:13
150 הָכֵן בַּחוּץ מְלַאכְתֶּךָ Prov. 24:27
מְלַאכְתּוֹ 151 וַיְכַל אֱלֹהִים...מְלַאכְתּוֹ Gen. 2:2
152 וַיִּשְׁבֹּת...מִכָּל־מְלַאכְתּוֹ Gen. 2:2
153 כִּי בוֹ שָׁבַת מִכָּל־מְלַאכְתּוֹ Gen. 2:3
154 וַיָּבֹא הַבַּיְתָה לַעֲשׂוֹת מְלַאכְתּוֹ Gen. 39:11
155 וַיַּעַשׂ אֶת־כָּל־מְלַאכְתּוֹ IK. 7:14
156 וַנָּשָׁב°...אִישׁ אֶל־מְלַאכְתּוֹ Neh. 4:9
157 וַיַּשְׁבֵּת אֶת־מְלַאכְתּוֹ IICh. 16:5
בִּמְלַאכְתּוֹ 158 גַּם מִתְרַפֶּה בִמְלַאכְתּוֹ... Prov. 18:9
159 חָזִיתָ אִישׁ מָהִיר בִּמְלַאכְתּוֹ Prov. 22:29
160 מִשְׁמָרוֹת...אִישׁ בִּמְלַאכְתּוֹ Neh. 13:30
161 עִם־הַמֶּלֶךְ בִּמְלַאכְתּוֹ יָשְׁבוּ שָׁם ICh. 4:23
לִמְלַאכְתּוֹ 162 חֲמוֹרֵיכֶם יִקָּח וְעָשָׂה לִמְלַאכְתּוֹ ISh. 8:16
163 לֹא נָתַן...לַעֲבָדִים לִמְלַאכְתּוֹ IICh. 8:9
מִמְּלַאכְתּוֹ 164 וַיָּבֹאוּ...אִישׁ אִישׁ מִמְּלַאכְתּוֹ Ex. 36:4
מַלְאֲכוֹת־ 165 כֹּל מַלְאֲכוֹת הַתַּבְנִית ICh. 28:19
מַלְאֲכוֹתֶיךָ 166 לְסַפֵּר כָּל־מַלְאֲכוֹתֶיךָ Ps. 73:28

מַלְאֲכוּת* נ׳ שליחות

בְּמַלְאֲכוּת־ 1 וַיֹּאמֶר חַגַּי מַלְאַךְ יְיָ בְּמַלְאֲכוּת יְיָ Hag. 1:13

מַלְאָכִי שפ״ז – אחרון נביאי ישראל

מַלְאָכִי 1 מַשָּׂא דְבַר־יְיָ...בְּיַד מַלְאָכִי Mal. 1:1

מְלֶאכֶת* נ׳ מלאכה

בִּמְלֶאכֶת 1 וְכֹהֲנִים מְשָׁרְתִים...וְהַלְוִיִּם בִּמְלָאכֶת IICh. 13:10

מִלֵּאת נ׳ משבצת למלוא אבן חן

מִלֵּאת 1 עֵינָיו...יֹשְׁבוֹת עַל־מִלֵּאת S.ofS. 5:12

מַלְבּוּשׁ ז׳ לבוש, בגד: 1-8 • מַלְבּוּשׁ נָכְרִי 1

קרובים: ראה בֶּגֶד

מַלְבּוּשׁ 1 וְעַל כָּל־הַלֹּבְשִׁים מַלְבּוּשׁ נָכְרִי Zep. 1:8
2 וְכַחֹמֶר יָכִין מַלְבּוּשׁ Job 27:16
הַמַּלְבּוּשׁ 3 וַיֵּצֵא לָהֶם הַמַּלְבּוּשׁ IIK. 10:22
וּמַלְבּוּשֵׁךְ 4 וּמַלְבּוּשֵׁךְ שֵׁשׁ° וָמֶשִׁי וְרִקְמָה Ezek. 16:13
מַלְבּוּשַׁי 5 וְכָל־מַלְבּוּשַׁי אֶגְאָלְתִּי Is. 63:3
וּמַלְבֻּשֵׁיהֶם 6 וּמַעֲמַד מְשָׁרְתָו וּמַלְבֻּשֵׁיהֶם IK. 10:5
7 וּמַעֲמַד מְשָׁרְתָיו וּמַלְבּוּשֵׁיהֶם IICh. 9:4
8 וּמַשְׁקָיו וּמַלְבּוּשֵׁיהֶם IICh. 9:4

מַלְבֵּן ז׳ דפוס לעשית לבנים: 1-3

מַלְבֵּן 1 בֹּאִי בַטִּיט...הַחֲזִיקִי מַלְבֵּן Nah. 3:14
בַּמַּלְבֵּן 2 וְהֶעֱבִיר אוֹתָם בַּמַּלְבֵּן (כת׳ במלכן) IISh. 12:31
3 וּטְמַנְתָּם בַּמֶּלֶט בַּמַּלְבֵּן Jer. 43:9

מִלָּה[1] נ׳ דבור, מוצא פה: 1-38

קרובים: דָּבָר / דִּבֵּר / הָגָה

קוֹל מִלִּין 19, 34; קִנְצֵי לְמִלִּין 30; שֵׂכֶל מִלָּיו 36

מִלָּה 1 כִּי אֵין מִלָּה בִּלְשׁוֹנִי Ps. 139:4
לְמִלָּה 2 נְגִינָתָם הָיִיתִי וָאֱהִי לָהֶם לְמִלָּה Job 30:9
מִלָּתִי 3-4 שִׁמְעוּ שָׁמוֹעַ מִלָּתִי... Job 13:17; 21:2
5 מִי יַכְזִבֵנִי וְיָשֵׂם לְאַל מִלָּתִי Job 24:25
6 ...וְעָלֵימוֹ תִּטֹּף מִלָּתִי Job 29:22
וּמִלָּתוֹ 7 רוּחַ יְיָ דִּבֶּר־בִּי וּמִלָּתוֹ עַל־לְשׁוֹנִי IISh. 23:2
מִלִּים 8 הַלְהוֹכַח מִלִּים תַּחְשֹׁבוּ Job 6:26
9 וּמִלִּבָּם יוֹצִאוּ מִלִּים Job 8:10
10 אֵדְעָה מִלִּים יַעֲנֵנִי Job 23:5
11 הֶעְתִּיקוּ מֵהֶם מִלִּים Job 32:15
12 כִּי מָלֵתִי מִלִּים Job 32:18
13 כִּי־עוֹד לֶאֱלוֹהַּ מִלִּים Job 36:2
מִלִּין 14 הֲלֹא־אֹזֶן מִלִּין תִּבְחָן Job 12:11
15 ...וְהֹצֵאתָ מִפִּיךָ מִלִּין Job 15:13
16 אֶת־מִי הִגַּדְתָּ מִלִּין... Job 26:4
17 הֵן הוֹחַלְתִּי...עַד־תַּחְקְרוּן מִלִּין Job 32:11
18 וְלֹא־עָרַךְ אֵלַי מִלִּין Job 32:14
19 וְקוֹל מִלִּין אֶשְׁמָע Job 33:8
20 אִם־יֵשׁ־מִלִּין הֲשִׁיבֵנִי Job 33:32
21 כִּי־אֹזֶן מִלִּין תִּבְחָן Job 34:3
22 אֲנִי אֲשִׁיבְךָ מִלִּין Job 35:4
23 בִּבְלִי־דַעַת מִלִּין יַכְבִּר Job 35:16
וּמִלִּים 24 וּמִלִּים לֹא־יוֹעִיל בָּם Job 15:3
בְּמִלִּים 25 אַחְבִּירָה עֲלֵיכֶם בְּמִלִּים Job 16:4
26 וּתְדַכְּאוּנַנִי בְמִלִּים Job 19:2
27 שָׂרִים עָצְרוּ בְמִלִּים Job 29:9
בְּמִלִּין 28 וַעְצֹר בְּמִלִּין מִי יוּכָל Job 4:2
29 מַחְשִׁיךְ עֵצָה בְמִלִּין בְּלִי־דָעַת Job 38:2
לְמִלִּין 30 עַד־אָנָה תְּשִׂימוּן קִנְצֵי לְמִלִּין Job 18:2
מִלַּי 31 מִי־יִתֵּן אֵפוֹ וְיִכָּתְבוּן מִלָּי Job 19:23
32 וְאוּלָם שְׁמַע־נָא אִיּוֹב מִלָּי Job 33:1
33 שִׁמְעוּ חֲכָמִים מִלָּי Job 34:1
34 הַאֲזִינָה לְקוֹל מִלָּי Job 34:16
35 כִּי־אָמְנָם לֹא־שֶׁקֶר מִלָּי Job 36:4
מִלֶּיךָ 36 כִּי־יָבוּז לְשֵׂכֶל מִלֶּיךָ Prov. 23:9
37 כּוֹשֵׁל יְקִימוּן מִלֶּיךָ Job 4:4
מִלֵּיהֶם 38 וּבִקְצֵה תֵבֵל מִלֵּיהֶם Ps. 19:5

מִלָּה[2] נ׳ ארמית, כמו בעברית; מִלְּתָא = הדבר: 1-24

מִלָּה 1 כָּל־מֶלֶךְ...מִלָּה כִדְנָה לָא שְׁאֵל Dan. 2:10
וּמִלָּה 2 וּמִלָּה כִדְבָה וּשְׁחִיתָה הִזְדְּמִנְתּוּן° Dan. 2:9
מִלַּת־ 3 דִּי מִלַּת מַלְכָּא יוּכַל לְהַחֲוָיָה Dan. 2:10
4 דִּי־מִלַּת מַלְכָּא הוֹדַעְתֶּנָא Dan. 2:23
5 מִן־דִּי מִלַּת מַלְכָּא מַחְצְפָה Dan. 3:22
וּמִלַּת־ 6 וּמִלַּת מַלְכָּא שַׁנִּיו Dan. 3:28
מִלְּתָא 7 מִלְּתָה מִנִּי אַזְדָּא Dan. 2:5
8 דִּי־אַזְדָּא מִנִּי מִלְּתָא Dan. 2:8
9 אֱדַיִן מִלְּתָא הוֹדַע אַרְיוֹךְ לְדָנִיֵּאל Dan. 2:15
10 וְלַחֲנַנְיָה...חַבְרוֹהִי מִלְּתָא הוֹדַע Dan. 2:17
11 עוֹד מִלְּתָא בְּפֻם מַלְכָּא Dan. 4:28
12-17 מִלְּתָא Dan. 4:30; 5:15, 26; 6:13, 15; 7:28
וּמִלְּתָא 18 וּמִלְּתָא דִי־מַלְכָּה שָׁאֵל יַקִּירָה Dan. 2:11
19 וּמִלְּתָא בְּלִבִּי נִטְרֵת Dan. 7:28
מִלִּין 20 חֶלְמָא כְתַב רֵאשׁ מִלִּין אֲמַר Dan. 7:1
וּמִלִּין 21 וּמִלִּין לְצַד עִלָּאָה יְמַלִּל Dan. 7:25
מִלַּיָּא 22 מִן־קָל מִלַּיָּא רַבְרְבָתָא Dan. 7:11
23 וּפְשַׁר מִלַּיָּא יְהוֹדְעִנַּנִי Dan. 7:16
מִלֵּי־ 24 מַלְכְּתָא לָקֳבֵל מִלֵּי מַלְכָּא...עַלַּת° Dan. 5:10

מְלוֹא ז׳ כָּל אשר בְּ־, כל מה שממלא דבר: 1-38

– מְלוֹא הָאָרֶץ 14; מְלוֹא בִגְדוֹ 13; מְ׳ בֵיתוֹ 8, 9; מְ׳ הַגּוֹיִם 1; מְ׳ הַחֶבֶל 20; מְ׳ חָפְנַיִם 2, 19, 21; מְ׳ הַכַּף 12, 17; מְ׳ הַמַּחְתָּה 7; מְ׳ הַסֵּפֶל 10; מְ׳ הָעֹמֶר 3, 4; מְ׳ קוֹמָתוֹ 11; מְ׳ קֻמְצוֹ 5, 6; מְ׳ הַקָּנֶה 18; מְלוֹא רֹעִים 16; מְ׳ רֹחַב 15
– אֶרֶץ וּמְלוֹאָהּ 26-31, 33, 34, 37, 38; הַיָּם וּמְלוֹאוֹ 22-25; תֵּבֵל וּמְלוֹאָהּ 35, 36

מְלוֹא 1 וְזַרְעוֹ יִהְיֶה מְלֹא־הַגּוֹיִם Gen. 48:19
2 קְחוּ לָכֶם מְלֹא חָפְנֵיכֶם פִּיחַ כִּבְשָׁן Ex. 9:8
3 מְלֹא הָעֹמֶר מִמֶּנּוּ לְמִשְׁמֶרֶת Ex. 16:32
4 וְתֶן־שָׁמָּה מְלֹא־הָעֹמֶר מָן Ex. 16:33
5 וְקָמַץ מִשָּׁם מְלֹא קֻמְצוֹ Lev. 2:2
6 וְקָמַץ הַכֹּהֵן מִמֶּנָּה מְלוֹא קֻמְצוֹ Lev. 5:12
7 וְלָקַח מְלֹא־הַמַּחְתָּה גַּחֲלֵי־אֵשׁ Lev. 16:12
8-9 מְלֹא בֵיתוֹ כֶּסֶף וְזָהָב Num. 22:18; 24:13
10 וַיִּמֶץ...מְלוֹא הַסֵּפֶל מָיִם Jud. 6:38
11 וַיִּפֹּל מְלֹא־קוֹמָתוֹ אַרְצָה ISh. 28:20
12 כִּי אִם־מְלֹא כַף־קֶמַח בַּכַּד IK. 17:12
13 וַיְלַקֵּט... פַּקֻּעֹת שָׂדֶה מְלֹא בִגְדוֹ IIK. 4:39
14 מְלֹא כָל־הָאָרֶץ כְּבוֹדוֹ Is. 6:3
15 מֻטּוֹת כְּנָפָיו מְלֹא רֹחַב־אַרְצְךָ Is. 8:8
16 אֲשֶׁר יִקָּרֵא עָלָיו מְלֹא רֹעִים Is. 31:4
17 טוֹב מְלֹא כַף נָחַת... Eccl. 4:6
(מְלוֹ) 18 מְלוֹ הַקָּנֶה שֵׁשׁ אַמּוֹת אַצִּילָה Ezek. 41:8
וּמְלוֹא 19 וּמְלֹא חָפְנָיו קְטֹרֶת סַמִּים דַּקָּה Lev. 16:12
20 וּמְלֹא הַחֶבֶל לְהַחֲיוֹת IISh. 8:2
מִמְּלֹא 21 טוֹב...מִמְּלֹא חָפְנַיִם עָמָל... Eccl. 4:6
וּמְלוֹאוֹ 22 יוֹרְדֵי הַיָּם וּמְלֹאוֹ Is. 42:10
23-24 יִרְעַם הַיָּם וּמְלֹאוֹ Ps. 96:11; 98:7
25 יִרְעַם הַיָּם וּמְלוֹאוֹ ICh. 16:32
וּמְלֹאָהּ 26 וּמִמֶּגֶד אֶרֶץ וּמְלֹאָהּ Deut. 33:16
27 תִּשְׁמַע הָאָרֶץ וּמְלֹאָהּ Is. 34:1
28 וַיָּבוֹאוּ וַיֹּאכְלוּ אֶרֶץ וּמְלוֹאָהּ Jer. 8:16
29 וְיִשְׁטְפוּ אֶרֶץ וּמְלוֹאָהּ Jer. 47:2
30 וַתֵּשַׁם אֶרֶץ וּמְלֹאָהּ Ezek. 19:7
31 וַהֲשִׁמֹּתִי אֶרֶץ וּמְלֹאָהּ בְּיַד־זָרִים Ezek. 30:12
32 וְהִסְגַּרְתִּי עִיר וּמְלֹאָהּ Am. 6:8

וּמְלֹאָהּ (המשך) 33 הַקְשִׁיבִי אֶרֶץ וּמְלֹאָהּ Mic. 1:2
34 לַייָ הָאָרֶץ וּמְלוֹאָהּ Ps. 24:1
35 כִּי־לִי תֵּבֵל וּמְלֹאָהּ Ps. 50:12
36 תֵּבֵל וּמְלֹאָהּ אַתָּה יְסַדְתָּם Ps. 89:12
מִמְּלוֹאָהּ 37 לְמַעַן תֵּשַׁם אַרְצָהּ מִמְּלֹאָהּ Ezek. 12:19
38 שְׁמָמָה וּנְשַׁמָּה אֶרֶץ מִמְּלֹאָהּ Ezek. 32:15

מִלּוֹא

ז׳ סוללת עפר שפוך: 1־6

הַמִּלּוֹא 1 וַיִּבֶן דָּוִד סָבִיב מִן־הַמִּלּוֹא וָבָיְתָה IISh. 5:9
2 וְאֶת־הַמִּלּוֹא וְאֵת חוֹמַת יְרוּשָׁלִָם IK. 9:15
3 אָז בָּנָה אֶת־הַמִּלּוֹא IK. 9:24
4 שְׁלֹמֹה בָּנָה אֶת־הַמִּלּוֹא IK. 11:27
5 וַיִּבֶן...מִן־הַמִּלּוֹא וְעַד־הַסָּבִיב ICh. 11:8
6 וַיְחַזֵּק אֶת־הַמִּלּוֹא עִיר דָּוִיד IICh. 32:5

מִלּוּאָה

נ׳ משבצת שמלאוּהָ: 1־3

מִלֻּאַת אֶבֶן 1

מִלֻּאַת־ 1 וּמִלֵּאתָ בוֹ מִלֻּאַת אֶבֶן Ex. 28:17
בְּמִלּוּאוֹתָם 2 מְשֻׁבָּצִים זָהָב יִהְיוּ בְּמִלּוּאֹתָם Ex. 28:20
3 מוּסַבֹּת מִשְׁבְּצוֹת זָהָב בְּמִלֻּאֹתָם Ex. 39:13

מִלּוּאִים

ז״ר א) משבצת לאבני חן: 1, 2, 5, 10
ב) הקדשת הכֹּהנים לעבודתם:
3, 4, 6־9, 11־15

אַבְנֵי מִלּוּאִים 1,2,10; אֵיל הַמִּלּוּאִים 3,6־8,11,12;
בְּשַׂר הַמִּלּוּאִים 9; יְמֵי הַמִּ׳ 15; סַל הַמִּלּוּאִים 13

מִלּוּאִים 1/2 (וְ)אַבְנֵי־שֹׁהַם וְאַבְנֵי מִלֻּאִים Ex. 25:7; 35:9
3 כִּי אֵיל מִלֻּאִים הוּא Ex. 29:22
4 מִלֻּאִים הֵם לְרֵיחַ נִיחֹחַ Lev. 8:28
וּמִלּוּאִים 5 אַבְנֵי־שֹׁהַם וּמִלּוּאִים ICh. 29:2
הַמִּלּוּאִים 6 מֵאֵיל הַמִּלֻּאִים אֲשֶׁר לְאַהֲרֹן Ex. 29:26
7 מֵאֵיל הַמִּלֻּאִים מֵאֲשֶׁר לְאַהֲרֹן Ex. 29:27
8 וְאֵת אֵיל הַמִּלֻּאִים תִּקָּח Ex. 29:31
9 וְאִם־יִוָּתֵר מִבְּשַׂר הַמִּלֻּאִים Ex. 29:34
10 אֵת אַבְנֵי הַשֹּׁהַם וְאֵת אַ׳ הַמִּלֻּאִים Ex. 35:27
11 אֶת־הָאַיִל הַשֵּׁנִי אֵיל הַמִּלֻּאִים Lev. 8:22
12 מֵאֵיל הַמִּלֻּאִים לְמֹשֶׁה הָיָה לְמָנָה Lev. 8:29
13 וְאֶת־הַלֶּחֶם אֲשֶׁר בְּסַל הַמִּלֻּאִים Lev. 8:31
וְלַמִּלּוּאִים 14 וְלַמִּלּוּאִים וּלְזֶבַח הַשְּׁלָמִים Lev. 7:37
מִלּוּאֵיכֶם 15 עַד יוֹם מְלֹאת יְמֵי מִלֻּאֵיכֶם Lev. 8:33

מַלּוּחַ

ז׳ שיח בר הגדל במלֵחות (atriplex)

מַלּוּחַ 1 הַקֹּטְפִים מַלּוּחַ עֲלֵי־שִׂיחַ Job 30:4

מַלּוּךְ

שפ״ז – אנשים שונים בימי עזרא ונחמיה: 1–6

מַלּוּךְ 1 וּמִבְּנֵי בָּנִי מְשֻׁלָּם מַלּוּךְ וַעֲדָיָה Ez. 10:29
2 בִּנְיָמִן מַלּוּךְ שְׁמַרְיָה Ez. 10:32
3 חַטּוּשׁ שְׁבַנְיָה מַלּוּךְ Neh. 10:5
4 מַלּוּךְ חָרִם בַּעֲנָה Neh. 10:28
5 אֲמַרְיָה מַלּוּךְ חַטּוּשׁ Neh. 12:2
6 אֵיתָן...בֶּן־עַבְדִּי בֶן־מַלּוּךְ ICh. 6:29

מלוכי

(נחמיה יב14) – קרי מְלִיכוּ

מְלוּכָה

נ׳ ממשלת המלך: 1־24

קרובים: מַלְכוּת / מַמְלָכָה / מַמְלְכוּת / מַמְלֶכֶת / מֶמְשָׁלָה / שִׁלְטוֹן

דְּבַר הַמְּלוּכָה 4; זֶרַע הַמְּלוּכָה 17־19, 22;
כִּסֵּא הַמְּ׳ 11; מִשְׁפַּט הַמְּ׳ 5; עִיר הַמְּלוּכָה 9;
צְנִיף מְלוּכָה 3

מְלוּכָה 1 אַתָּה עַתָּה תַּעֲשֶׂה מְלוּכָה עַל־יִשְׂ׳ IK. 21:7
2 חֹרֶיהָ וְאֵין־שָׁם מְלוּכָה יִקְרָאוּ Is. 34:12
3 וּצְנִיף° מְלוּכָה בְּכַף־אֱלֹהָיִךְ Is. 62:3
הַמְּלוּכָה 4 וְאֶת־דְּבַר הַמְּלוּכָה לֹא־הִגִּיד ISh. 10:16
5 וַיְדַבֵּר...אֵת מִשְׁפַּט הַמְּלֻכָה ISh. 10:25
6 וְנֵלְכָה הַגִּלְגָּל וּנְחַדֵּשׁ שָׁם הַמְּלוּכָה ISh. 11:14
7 וְשָׁאוּל לָכַד הַמְּלוּכָה עַל־יִשְׂרָאֵל ISh. 14:47
8 וְעוֹד לוֹ אַךְ הַמְּלוּכָה ISh. 18:8
9 וַיִּלְכֹּד אֶת־עִיר הַמְּלוּכָה IISh. 12:26
10 וַיִּתֵּן יְיָ אֶת־הַמְּלוּכָה בְּיַד...בְּנֶךָ IISh. 16:8
11 וְגַם יָשַׁב שְׁלֹמֹה עַל כִּסֵּא הַמְּלוּכָה IK. 1:46
12 אַתְּ יָדַעַתְּ כִּי־לִי הָיְתָה הַמְּלוּכָה IK. 2:15
13 וַתִּסֹּב הַמְּלוּכָה וַתְּהִי לְאָחִי IK. 2:15
14 וְשַׁאֲלִי־לוֹ אֶת־הַמְּלוּכָה IK. 2:22
15 וְלָקַחְתִּי הַמְּלוּכָה מִיַּד בְּנוֹ IK. 11:35
16 לְהָשִׁיב אֶת־הַמְּלוּכָה לִרְחַבְעָם IK. 12:21
17־18 בָּא יִשְׁמָעֵאל...מִזֶּרַע הַמְּלוּכָה
IIK. 25:25 • Jer. 41:1
19 וַיִּקַּח מִזֶּרַע הַמְּלוּכָה Ezek. 17:13
20 וְהָיְתָה לַייָ הַמְּלוּכָה Ob. 21
21 כִּי לַייָ הַמְּלוּכָה וּמֹשֵׁל בַּגּוֹיִם Ps. 22:29
22 וּמִזֶּרַע הַמְּלוּכָה וּמִן־הַפַּרְתְּמִים Dan. 1:3
23 וַיַּסֵּב אֶת־הַמְּלוּכָה לְדָוִיד ICh. 10:14
לִמְלוּכָה 24 וַתִּיפִי...וַתִּצְלְחִי לִמְלוּכָה Ezek. 16:13

מָלוֹן

ז׳ מקום לינה: 1־8

מְלוֹן אוֹרְחִים 8; מְלוֹן קִצּוֹ 7

מָלוֹן 1 עָבְרוּ מַעְבָּרָה גֶּבַע מָלוֹן לָנוּ Is. 10:29
הַמָּלוֹן 2 וַיְהִי כִּי־בָאנוּ אֶל־הַמָּלוֹן Gen. 43:21
3 וַיַּעֲבִרוּם עִמָּם אֶל־הַמָּלוֹן Josh. 4:8
בַּמָּלוֹן 4 לָתֵת מִסְפּוֹא לַחֲמֹרוֹ בַּמָּלוֹן Gen. 42:27
5 וַיְהִי בַדֶּרֶךְ בַּמָּלוֹן וַיִּפְגְּשֵׁהוּ יְיָ Ex. 4:24
6 בַּמָּלוֹן אֲשֶׁר־תָּלִינוּ בוֹ הַלָּיְלָה Josh. 4:3
מְלוֹן־ 7 וְאָבוֹאָה מְלוֹן קִצֹּה יַעַר כַּרְמִלּוֹ IIK. 19:23
8 מִי־יִתְּנֵנִי בַמִּדְבָּר מְלוֹן אֹרְחִים Jer. 9:1

מְלוּנָה

נ׳ סוכת שומר: 1, 2

כִּמְלוּנָה 1 כְּסֻכָּה בְכָרֶם כִּמְלוּנָה בְמִקְשָׁה Is. 1:8
כַּמְּלוּנָה 2 נוֹעַ תָּנוּעַ...וְהִתְנוֹדְדָה כַּמְּלוּנָה Is. 24:20

מַלּוֹתִי

שפ״ז – מבני הימן המשורר: 1, 2

מַלּוֹתִי 1 לְהֵימָן...יָשְׁבְּקָשָׁה מַלּוֹתִי ICh. 25:4
לְמַלּוֹתִי 2 לְתִשְׁעָה עָשָׂר לְמַלּוֹתִי ICh. 25:26

מלח

: א) מָלַח, מֻלָּח, הָמְלַח; מֶלַח, מְלֵחָה, מַלּוּחַ;
אר׳ מְלַח; מְלַח
ב) נִמְלַח; מַלָּחִים
ג) מַלָּח

מָלַח1

פָּ׳ א) הוסיף מֶלח: 1
ב) [פֻּ׳ בינוני מְמֻלָּח] מתובל במלח: 2
ג) [הָפְ׳ הָמְלַח] מֹרק במי מֶלח: 3, 4

תִּמְלָח 1 וְכָל־קָרְבַּן מִנְחָתְךָ בַּמֶּלַח תִּמְלָח Lev. 2:13
מְמֻלָּח 2 מַעֲשֵׂה רוֹקֵחַ מְמֻלָּח טָהוֹר קֹדֶשׁ Ex. 30:35
וְהָמְלֵחַ 3 וְהָמְלֵחַ לֹא הֻמְלַחַתְּ Ezek. 16:4
הֻמְלַחַתְּ 4 וְהָמְלֵחַ לֹא הֻמְלַחַתְּ Ezek. 16:4

(מלח)2 נִמְלַח

נפ׳ נשחק, בלה

נִמְלָחוּ 1 כִּי־שָׁמַיִם כֶּעָשָׁן נִמְלָחוּ Is. 51:6

מֶלַח

ז׳ תרכובת מינרלית של נתרן וכלור המשמשת תבלין למזונות: 1־14

בְּרִית מֶלַח 4, 11; מִכְרֵה מֶלַח 9; נְצִיב מֶלַח 1

מֶלַח 1 וַתַּבֵּט...וַתְּהִי נְצִיב מֶלַח Gen. 19:26
2 וְלֹא תַשְׁבִּית מֶלַח...מֵעַל מִנְחָתֶךָ Lev. 2:13
מֶלַח (המשך) 3 עַל כָּל־קָרְבָּנְךָ תַּקְרִיב מֶלַח Lev. 2:13
4 בְּרִית מֶלַח עוֹלָם הִוא לִפְנֵי יְיָ Num. 18:19
5 וַיִּתֹּץ אֶת־הָעִיר וַיִּזְרָעֶהָ מֶלַח Jud. 9:45
6 וְשִׂימוּ שָׁם מֶלַח IIK. 2:20
7 וַיַּשְׁלֶךְ־שָׁם מֶלַח IIK. 2:21
8 וְהִשְׁלִיכוּ הַכֹּהֲנִים עֲלֵיהֶם מֶלַח Ezek. 43:24
9 מִמְשַׁק חָרוּל וּמִכְרֵה־מֶלַח Zep. 2:9
10 הֲיֵאָכֵל תָּפֵל מִבְּלִי־מֶלַח Job 6:6
11 לוֹ וּלְבָנָיו בְּרִית מֶלַח IICh. 13:5
וָמֶלַח 12 גָּפְרִית וָמֶלַח שְׂרֵפָה כָל־אַרְצָהּ Deut. 29:22
בַּמֶּלַח 13 וְכָל־קָרְבַּן מִנְחָתְךָ בַּמֶּלַח תִּמְלָח Lev. 2:13
לְמֶלַח 14 וְלֹא יֵרָפְאוּ לְמֶלַח נִתָּנוּ Ezek. 47:11

(גֵּיא) מֶלַח

– עין גֵּיא מֶלַח (באות ג׳)

(תֵּל) מֶלַח

– עין תֵּל מֶלַח (באות ת׳)

מְלַח1

פְּ׳ אכל מֶלַח

מְלַחְנָא 1 כָּל־קֳבֵל דִּי־מְלַח הֵיכְלָא מְלַחְנָא Ez. 4:14

מְלַח2

ז׳ ארמית: מֶלַח: 1־3

מְלַח 1 חִנְטִין מְלַח חֲמַר וּמְשַׁח Ez. 6:9
וּמְלַח 2 ...וּמְלַח דִּי־לָא כְתָב Ez. 7:22
מְלַח־ 3 כָּל־קֳבֵל דִּי־מְלַח הֵיכְלָא מְלַחְנָא Ez. 4:14

מַלָּח*

ז׳ ספן: 1־4

מַלָּחִים 1 ...מַלָּחִים כֹּל חֹבְלֵי הַיָּם Ezek. 27:29
הַמַּלָּחִים 2 וַיִּירְאוּ הַמַּלָּחִים וַיִּזְעֲקוּ Jon. 1:5
מַלָּחַיִךְ 3 מַלָּחַיִךְ וְחֹבְלָיִךְ מַחֲזִיקֵי בִדְקֵךְ Ezek. 27:27
וּמַלָּחֵיהֶם 4 כָּל־אֳנִיּוֹת הַיָּם וּמַלָּחֵיהֶם Ezek. 27:9

מְלֵחָה

נ׳ אדמה ספוגה מֶלח: 1־3

מְלֵחָה 1 אֶרֶץ מְלֵחָה וְלֹא תֵשֵׁב Jer. 17:6
2 עֲרָבָה בֵיתוֹ וּמִשְׁכְּנוֹתָיו מְלֵחָה Job 39:6
לִמְלֵחָה 3 אֶרֶץ פְּרִי לִמְלֵחָה Ps. 107:34

מְלָחִים

ז״ר סחבות: 1, 2

מְלָחִים 1 בְּלוֹיֵ סְחָבוֹת° וּבְלוֹיֵ מְלָחִים Jer. 38:11
וְהַמְּלָחִים 2 בְּלוֹאֵי הַסְּחָבוֹת וְהַמְּלָחִים Jer. 38:12

מִלְחָמָה

נ׳ קְרָב, התנגשות־דָּמים בין צבאות: 1־316

– מִלְחָמָה אֲרֻכָּה 143; מִ׳ חֲזָקָה 135; מִ׳ קָשָׁה 142
– אִישׁ מִלְחָמָה 5, 14, 17, 20, 23, 26, 35, 47;
אַנְשֵׁי מִ׳ 51, 78, 84, 90, 104־124; גִּבּוֹר מִ׳ 59, 86;
דִּבְרֵי מִ׳ 148, 149; דְּמֵי מִ׳ 29, 30; יוֹם מִ׳ 49,53,62;
כֹּבֶד מִ׳ 37; כְּלֵי מִ׳ 16,24, 46, 77, 132, 160; לִמּוּדֵי
מִ׳ 70; מְלַמְּדֵי מִ׳ 66; מְשִׁיבֵי מִ׳ 39; מְתֵי מִ׳ 38;
עוֹזְרֵי מִ׳ 164; עוֹרְכֵי מִ׳ 73, 75; עוֹשֵׂה(י) מִ׳ 31,
33, 85, 91, 92; עֱזוּז מִ׳ 40; עַם הַמִּ׳ 126־129;
עֲרוּךְ מִ׳ 50; עֵת מִ׳ 67; פְּנֵי הַמִּ׳ 145, 147, 165;
צְבָא מִ׳ 36, 77, 102; קוֹל מִ׳ 7, 45; קֵץ מִ׳ 68;
קֶשֶׁת מִ׳ 57; שׁוּבֵי מִ׳ 54; שְׁלוֹם הַמִּ׳ 146;
תּוֹפְשֵׂי מִ׳ 103; תְּרוּעַת מִלְחָמָה 41, 44
– אַנְשֵׁי מִלְחַמְתּוֹ 290־292, 295; בֵּית מִלְחַמְתּוֹ 288;
כְּלֵי מִלְחַמְתּוֹ 293, 294, 296, 297
– אִישׁ מִלְחָמוֹת 298, 301, 310, 311; מַשְׁבִּית מִ׳ 299;
שָׂרֵי מִלְחָמוֹת 303; מִלְחָמוֹת גְּדוֹלוֹת 304;
מִלְחֲמוֹת יְיָ 306, 308, 309; מִלְחֲמוֹת כְּנַעַן 307;
מִ׳ רְחַבְעָם וְיָרָבְעָם 312; מִלְחֲמוֹת תְּנוּפָה 313;
מִלְחֲמוֹת תֹּעִי (תֹּעוּ) 310, 311
– אָסַר מִלְחָמָה 155; הֵרִיחַ מִ׳ 64; הִתְגָּרָה מִ׳ 9,10;
עָרַךְ מִ׳ 2, 18, 19, 21, 22, 25, 76, 79, 80, 87, 89;
עָשָׂה מִלְחָמָה 1, 11־13, 61, 63, 69, 71; קִדֵּשׁ מִ׳ 42

מִלְחָמָה

1 עָשׂוּ מִלְחָמָה אֶת־בֶּרַע... Gen. 14:2
2 וַיַּעַרְכוּ אִתָּם מִלְחָמָה בְּעֵמֶק... Gen. 14:8
3 וְהָיָה כִּי־תִקְרֶאנָה מִלְחָמָה... Ex. 1:10
4 פֶּן־יִנָּחֵם הָעָם בִּרְאֹתָם מִלְחָמָה Ex. 13:17
5 יְיָ אִישׁ מִלְחָמָה יְיָ שְׁמוֹ Ex. 15:3
6 מִלְחָמָה לַייָ בַּעֲמָלֵק מִדֹּר דֹּר Ex. 17:16
7 קוֹל מִלְחָמָה בַּמַּחֲנֶה Ex. 32:17
8 וְכִי־תָבֹאוּ מִלְחָמָה בְּאַרְצְכֶם Num. 10:9
9 אַל־תָּצַר...וְאַל־תִּתְגָּר בָּם מִלְחָמָה Deut. 2:9
10 וְהִתְגָּר בּוֹ מִלְחָמָה Deut. 2:24
11 וְעָשְׂתָה עִמְּךָ מִלְחָמָה Deut. 20:12
12 אֲשֶׁר־הִוא עֹשָׂה עִמְּךָ מִלְחָמָה Deut. 20:20
13 יָמִים רַבִּים עָשָׂה...מִלְחָמָה Josh. 11:18
14 כִּי הוּא הָיָה אִישׁ מִלְחָמָה Josh. 17:1
15 לְמַעַן דַּעַת...לְלַמְּדָם מִלְחָמָה Jud. 3:2
16 שֵׁשׁ־מֵאוֹת אִישׁ חָגוּר כְּלֵי מִלְחָמָה Jud. 18:11
17 כָּל־זֶה אִישׁ מִלְחָמָה Jud. 20:17
18 וַיַּעַרְכוּ אִתָּם...מִלְחָמָה אֶל־הַגִּבְ׳ Jud. 20:20
19 וַיֹּסִפוּ לַעֲרֹךְ מִלְחָמָה בַּמָּקוֹם Jud. 20:22
20 וְגִבּוֹר חַיִל וְאִישׁ מִלְחָמָה ISh. 16:18
21 וַיַּעַרְכוּ מִלְחָמָה לִקְרַאת פְּלִשְׁתִּים ISh. 17:2
22 לָמָּה תֵצְאוּ לַעֲרֹךְ מִלְחָמָה ISh. 17:8
23 וְהוּא אִישׁ מִלְחָמָה מִנְּעֻרָיו ISh. 17:33
24 אֵיךְ נָפְלוּ גִבּוֹרִים וַיֹּאבְדוּ כְּלֵי מִלְחָמָה IISh. 1:27
25 וַיַּעַרְכוּ מִלְחָמָה פֶּתַח הַשָּׁעַר IISh. 10:8
26 וְאָבִיךָ אִישׁ מִלְחָמָה IISh. 17:8
27 וַתְּהִי־עוֹד מִלְחָמָה לַפְּלִשְׁתִּים IISh. 21:15
28 וַתְּהִי־עוֹד מִלְחָמָה בְּגַת IISh. 21:20
29 וַיָּשֶׂם דְּמֵי־מִלְחָמָה בְּשָׁלֹם IK. 2:5
30 וַיִּתֵּן דְּמֵי מִלְחָמָה בַּחֲגֹרָתוֹ... IK. 2:5
31 ...אֶלֶף בָּחוּר עֹשֵׂה מִלְחָמָה IK. 12:21
32 אֵין מִלְחָמָה בֵּין אֲרָם וּבֵין יִשְׂרָאֵל IK. 22:1
33 הַכֹּל גִּבּוֹרִים עֹשֵׂי מִלְחָמָה IIK. 24:16
34 וְלֹא־יִלְמְדוּ עוֹד מִלְחָמָה Is. 2:4
35 גִּבּוֹר וְאִישׁ מִלְחָמָה Is. 3:2
36 יְיָ צְבָאוֹת מְפַקֵּד צְבָא מִלְחָמָה Is. 13:4
37 מִפְּנֵי חֶרֶב...וּמִפְּנֵי כֹּבֶד מִלְחָמָה Is. 21:15
38 לֹא חַלְלֵי־חֶרֶב וְלֹא מֵתֵי מִלְחָמָה Is. 22:2
39 וְלִגְבוּרָה מְשִׁיבֵי מִלְחָמָה שָׁעְרָה Is. 28:6
40 חֵמָה אַפּוֹ וֶעֱזוּז מִלְחָמָה Is. 42:25
41 קוֹל שׁוֹפָר...תְּרוּעַת מִלְחָמָה Jer. 4:19
42 קַדְּשׁוּ עָלֶיהָ מִלְחָמָה Jer. 6:4
43 אֲשֶׁר לֹא־נִרְאֶה מִלְחָמָה... Jer. 42:14
44 וְהִשְׁמַעְתִּי...תְּרוּעַת מִלְחָמָה Jer. 49:2
45 קוֹל מִלְחָמָה בָּאָרֶץ וְשֶׁבֶר גָּדוֹל Jer. 50:22
46 מַפֵּץ־אַתָּה לִי כְּלֵי מִלְחָמָה Jer. 51:20
47 גִּבּוֹר וְכָל־אִישׁ מִלְחָמָה Ezek. 39:20
48 לֹא־תַשִּׂיגֵם בַּגִּבְעָה מִלְחָמָה Hosh. 10:9
49 כְּשֹׁד שַׁלְמַן...בְּיוֹם מִלְחָמָה Hosh. 10:14
50 כְּעַם עָצוּם עֱרוּךְ מִלְחָמָה Joel 2:5
51 כְּאַנְשֵׁי מִלְחָמָה יַעֲלוּ חוֹמָה Joel 2:7
52 קַדְּשׁוּ מִלְחָמָה הָעִירוּ הַגִּבּוֹרִים Joel 4:9
53 בִּתְרוּעָה בְּיוֹם מִלְחָמָה Am. 1:14
54 מֵעֹבְרִים בֶּטַח שׁוּבֵי מִלְחָמָה Mic. 2:8
55 וְקִדְּשׁוּ עָלָיו מִלְחָמָה Mic. 3:5
56 וְלֹא־יִלְמְדוּן עוֹד מִלְחָמָה Mic. 4:3
57 וְנִכְרְתָה קֶשֶׁת מִלְחָמָה Zech. 9:10
58 מִמֶּנּוּ פִנָּה...מִמֶּנּוּ קֶשֶׁת מִלְחָמָה Zech. 10:4
59 יְיָ עִזּוּז וְגִבּוֹר יְיָ גִּבּוֹר מִלְחָמָה Ps. 24:8
60 אִם־תָּקוּם עָלַי מִלְחָמָה Ps. 27:3
61 וּבְתַחְבֻּלוֹת עֲשֵׂה מִלְחָמָה Prov. 20:18

מִלְחָמָה (המשך)

62 סוּס מוּכָן לְיוֹם מִלְחָמָה Prov. 21:31
63 בְּתַחְבֻּלוֹת תַּעֲשֶׂה־לְּךָ מִלְחָמָה Prov. 24:6
64 וּמֵרָחוֹק יָרִיחַ מִלְחָמָה Job 39:25
65 זְכֹר מִלְחָמָה אַל־תּוֹסַף Job 40:32
66 כֻּלָּם אֲחֻזֵי חֶרֶב מְלֻמְּדֵי מִלְחָמָה S.ofS. 3:8
67 עֵת מִלְחָמָה וְעֵת שָׁלוֹם Eccl. 3:8
68 וְעַד קֵץ מִלְחָמָה נֶחֱרֶצֶת שֹׁמֵמוֹת Dan. 9:26
69 עָשׂוּ מִלְחָמָה עִם־הַהַגְרִאִים ICh. 5:10
70 נֹשְׂאֵי מָגֵן...וּלְמוּדֵי מִלְחָמָה ICh. 5:18
71 וַיַּעֲשׂוּ מִלְחָמָה עִם־הַהַגְרִיאִים ICh. 5:19
72 גְּדוּדֵי צְבָא מִלְחָמָה ICh. 7:4
73 יוֹצְאֵי צָבָא עֹרְכֵי מִלְחָמָה ICh. 12:33(34)
74 בְּכָל־כְּלֵי מִלְחָמָה ICh. 12:33(34)
75 וּמִן־הַדָּנִי עֹרְכֵי מִלְחָמָה... ICh. 12:35(36)
76 יוֹצְאֵי צָבָא לַעֲרֹךְ מִלְחָמָה ICh. 12:36(37)
77 בְּכֹל כְּלֵי צְבָא מִלְחָמָה ICh. 12:37(38)
78 כָּל־אֵלֶּה אַנְשֵׁי מִלְחָמָה ICh. 12:38(39)
79 וַיַּעַרְכוּ מִלְחָמָה פֶּתַח הָעִיר ICh. 19:9
80 וַיַּעֲרֹךְ דָּוִיד לִקְרַאת אֲרָם מִלְחָמָה ICh. 19:17
81 וַתַּעֲמֹד מִלְחָמָה בְּגֶזֶר עִם־פְּלִשְׁתִּים ICh. 20:4
82 וַתְּהִי־עוֹד מִלְחָמָה אֶת־פְּלִשְׁתִּים ICh. 20:5
83 וַתְּהִי עוֹד מִלְחָמָה בְּגַת ICh. 20:6
84 כִּי־הֵמָּה אַנְשֵׁי מִלְחָמָה IICh. 8:9
85 ...אֶלֶף בָּחוּר עֹשֵׂה מִלְחָמָה IICh. 11:1
86 וַיֶּאְסֹר...בְּחַיִל גִּבּוֹרֵי מִלְחָמָה IICh. 13:3
87 עָרַךְ עִמּוֹ מִלְחָמָה בִּשְׁמוֹנֶה מֵאוֹת IICh. 13:3
88 וְאֵין־עִמּוֹ מִלְחָמָה בַּשָּׁנִים הָאֵלֶּה IICh. 14:5
89 וַיַּעַרְכוּ מִלְחָמָה בְּגֵיא צְפָתָה IICh. 14:9
90 וְאַנְשֵׁי מִלְחָמָה גִּבּוֹרֵי חַיִל IICh. 17:13
91 חַיִל עֹשֵׂה מִלְחָמָה יוֹצְאֵי צָבָא IICh. 26:11
92 עוֹשֵׂי מִלְחָמָה בְּכֹחַ חָיִל IICh. 26:13

וּמִלְחָמָה 93 וּמִלְחָמָה הָיְתָה בֵּין...כָּל־הַיָּמִים IK. 14:30
94-97 וּמִלְחָמָה הָיְתָה בֵּין...וּבֵין...
IK. 15:6, 7, 16 • IICh. 13:2
98 וְחֶרֶב וּמִלְחָמָה אֶשְׁבּוֹר מִן־הָאָרֶץ Hosh. 2:20
99 שִׁבַּר...מָגֵן וְחֶרֶב וּמִלְחָמָה Ps. 76:4
100 לְעֵת־צָר לְיוֹם קְרָב וּמִלְחָמָה Job 38:23
101 וּמִלְחָמָה לֹא הָיְתָה עַד שְׁנַת... IICh. 15:19

הַמִּלְחָמָה 102 הַבָּאִים מִצְּבָא הַמִּלְחָמָה Num. 31:14
103 וְחָצִיתָ...בֵּין תֹּפְשֵׂי הַמִּלְחָמָה Num. 31:27
104 אַנְשֵׁי הַמִּלְחָמָה הַיֹּצְאִים לַצָּבָא Num. 31:28
105-124 (וְ)אַנְשֵׁי הַמִּלְחָמָה Num. 31:49
Deut. 2:14, 16 • Josh. 5:4, 6; 6:3; 10:24 • ISh. 18:5 • IK. 9:22 • IIK. 25:4, 19 • Jer. 38:4; 39:4; 41:3, 16; 49:26; 51:32; 52:7, 25 • Joel 4:9

125 וְהָיָה כְּקָרָבְכֶם אֶל־הַמִּלְחָמָה Deut. 20:2
126 קַח עִמְּךָ אֵת כָּל־עַם הַמִּלְחָמָה Josh. 8:1
127-129 עַם הַמִּלְחָמָה Josh. 8:3; 10:7; 11:7
130 לְחַזֵּק...לִבָּם לִקְרַאת הַמִּלְחָמָה Josh. 11:20
131 וַיָּשָׁב גִּדְעוֹן...מִן־הַמִּלְחָמָה Jud. 8:13
132 הֶחָגוּר כְּלֵי הַמִּלְחָמָה Jud. 18:17
133 וַיַּעַרְכוּ...וַתִּטֹּשׁ הַמִּלְחָמָה ISh. 4:2
134 וַיִּזָּעֵק...וַיָּבֹאוּ עַד־הַמִּלְחָמָה ISh. 14:20
135 וַתְּהִי הַמִּלְחָמָה חֲזָקָה עַל־פְּלִשְׁ׳ ISh. 14:52
136 כִּי לְמַעַן רְאוֹת הַמִּלְחָמָה יָרָדְתָּ ISh. 17:28
137 כִּי לַייָ הַמִּלְחָמָה ISh. 17:47
138 וַתּוֹסֶף הַמִּלְחָמָה לִהְיוֹת ISh. 19:8
139 וַתִּכְבַּד הַמִּלְחָמָה אֶל־שָׁאוּל ISh. 31:3
140 נָס הָעָם מִן־הַמִּלְחָמָה IISh. 1:4
141 אֵיךְ נָפְלוּ גִבֹּרִים בְּתוֹךְ הַמִּלְחָמָה IISh. 1:25
142 וַתְּהִי הַמִּלְחָמָה קָשָׁה עַד־מְאֹד IISh. 2:17

הַמִּלְחָמָה (המשך)

143 וַתְּהִי הַמִּלְחָמָה אֲרֻכָּה בֵּין...וּבֵין... IISh. 3:1
144 וַיְהִי בִּהְיוֹת הַמִּלְחָמָה בֵּין...וּבֵין... IISh. 3:6
145 פְּנֵי הַמִּלְחָמָה מִפָּנִים וּמֵאָחוֹר IISh. 10:9
146 וְלִשְׁלוֹם הָעָם וְלִשְׁלוֹם הַמִּלְחָמָה IISh. 11:7
147 אֶל־מוּל פְּנֵי הַמִּלְחָמָה הַחֲזָקָה IISh. 11:15
148/9 אֵת כָּל־דִּבְרֵי הַמִּלְחָמָה IISh. 11:18, 19
150 וַתְּהִי הַמִּלְחָמָה בְּיַעַר אֶפְרָיִם IISh. 18:6
151 וַתְּהִי־שָׁם הַמִּלְחָמָה נָפוֹצֶת° IISh. 18:8
152/3 וַתְּהִי־עוֹד הַמִּלְחָמָה בְּגוֹב עִם־פְּלִשְׁתִּים IISh. 21:18, 19
154 מִפְּנֵי הַמִּלְחָמָה אֲשֶׁר סְבָבֻהוּ IK. 5:17
155 וַיֹּאמֶר מִי־יֶאְסֹר הַמִּלְחָמָה IK. 20:14
156 וַיְהִי בַּיּוֹם הַשְּׁבִיעִי וַתִּקְרַב הַמִּלְחָמָ׳ IK. 20:29
157 עַבְדְּךָ יָצָא בְקֶרֶב־הַמִּלְחָמָה IK. 20:39
158 וַתַּעֲלֶה הַמִּלְחָמָה בַּיּוֹם הַהוּא IK. 22:35
159 וַיַּרְא...כִּי־חָזַק מִמֶּנּוּ הַמִּלְחָמָה IIK. 3:26
160 הִנְנִי מֵסֵב אֶת־כְּלֵי הַמִּלְחָמָה... Jer. 21:4
161 וְלֹא לַגִּבּוֹרִים הַמִּלְחָמָה Eccl. 9:11
162 כִּי מֵהָאֱלֹהִים הַמִּלְחָמָה ICh. 5:22
163 וַתִּכְבַּד הַמִּלְחָמָה עַל־שָׁאוּל ICh. 10:3
164 וְהֵמָּה בַּגִּבּוֹרִים עֹזְרֵי הַמִּלְחָמָה ICh. 12:1
165 פְּנֵי־הַמִּלְחָמָה אֵלָיו פָּנִים וְאָחוֹר ICh. 19:10
166 וַיֶּאְסֹר אֲבִיָּה אֶת־הַמִּלְחָמָה בְּחַיִל IICh. 13:3
167 וְהִנֵּה לָהֶם הַמִּלְחָמָה פָּנִים וְאָחוֹר IICh. 13:14
168 וַתַּעַל הַמִּלְחָמָה בַּיּוֹם הַהוּא IICh. 18:34
169 כִּי לֹא לָכֶם הַמִּלְחָמָה IICh. 20:15

וְהַמִּלְחָמָה 170 וְהַמִּלְחָמָה כָּבֵדָה Jud. 20:34
171 וְהַמִּלְחָמָה הִדְבִּיקָתְהוּ Jud. 20:42
172 וְהַמִּלְחָמָה עָבְרָה אֶת־בֵּית אָוֶן ISh. 14:23

בְּמִלְחָמָה 173 וְלֹא בְאַפַּיִם וְלֹא בְמִלְחָמָה Dan. 11:20

בַּמִּלְחָמָה 174-176 פֶּן־יָמוּת בַּמִּלְחָמָה Deut. 20:5, 6, 7
177 אֶת־הַכֹּל לָקְחוּ בַמִּלְחָמָה Josh. 11:19
178 וַיַּהֲפֹךְ אִישׁ־יִשְׂרָאֵל בַּמִּלְחָמָה Jud. 20:39
179 לֹא לָקַחְנוּ אִישׁ אִשְׁתּוֹ בַּמִּלְחָמָה Jud. 21:22
180 וַיַּדְבְּקוּ...אַחֲרֵיהֶם בַּמִּלְחָמָה ISh. 14:22
181 שְׁלֹשֶׁת בָּנָיו אֲשֶׁר הָלְכוּ בַּמִּלְחָמָה ISh. 17:13
182 וְהַחַיִל הַיֹּצֵא...וְהֵרֵעוּ בַּמִּלְחָמָה ISh. 17:20
183 אוֹ בַמִּלְחָמָה יֵרֵד וְנִסְפָּה ISh. 26:10
184 וְלֹא־יֵרֵד עִמָּנוּ בַּמִּלְחָמָה ISh. 29:4
185 וְלֹא־יִהְיֶה־לָּנוּ לְשָׂטָן בַּמִּלְחָמָה ISh. 29:4
186 לֹא־יַעֲלֶה עִמָּנוּ בַּמִּלְחָמָה ISh. 29:9
187 כִּי כְּחֵלֶק הַיֹּרֵד בַּמִּלְחָמָה ISh. 30:24
188 עַל אֲשֶׁר הֵמִית...בַּמִּלְחָמָה IISh. 3:30
189 הָעָם הַנִּכְלָמִים בְּנוּסָם בַּמִּלְחָמָה IISh. 19:4
190 וְאַבְשָׁלוֹם...מֵת בַּמִּלְחָמָה IISh. 19:11
191 הִתְחַפֵּשׂ וָבֹא בַמִּלְחָמָה IK. 22:30
192 וַיִּתְחַפֵּשׂ מֶלֶךְ יִשְׂ׳ וַיָּבוֹא בַּמִּלְחָמָה IK. 22:30
193 אֲשֶׁר לָקַח מִיַּד...בַּמִּלְחָמָה IIK. 13:25
194 וְתָפַשׂ אֶת־הַסֶּלַע בַּמִּלְחָמָה IIK. 14:7
195 מְתַיִךְ בַּחֶרֶב יִפֹּלוּ וּגְבוּרָתֵךְ בַּמִּלְחָמָה Is. 3:25
196 בַּמִּלְחָמָה אֶפְשְׂעָה בָהּ Is. 27:4
197 כְּסוּס שׁוֹטֵף בַּמִּלְחָמָה Jer. 8:6
198 בַּחוּרֵיהֶם מֻכֵּי־חֶרֶב בַּמִּלְחָמָה Jer. 18:21
199 לַעֲמֹד בַּמִּלְחָמָה בְּיוֹם יְיָ Ezek. 13:5
200 וְלֹא בְחַיִל גָּדוֹל...יַעֲשֶׂה אוֹתוֹ פַרְעֹה בַּמִּלְחָמָה Ezek. 17:17
201 וְשָׂם אוֹתָם כְּסוּס הוֹדוֹ בַּמִּלְחָמָ׳ Zech. 10:3
202 כְגִבֹּרִים בּוֹסִים בְּטִיט...בַּמִּלְחָמָה Zech. 10:5
203 וְלֹא הֲקֵמֹתוֹ בַּמִּלְחָמָה Ps. 89:44
204 וְאֵין מִשְׁלַחַת בַּמִּלְחָמָה Eccl. 8:8
205 כִּי לֵאלֹהִים זָעֲקוּ בַּמִּלְחָמָה ICh. 5:20

בַּמִּלְחָמָה (המשך) 206 וְהִתְיַחְשָׂם בַּצָּבָא בַּמִּלְחָמָה ICh. 7:40
207 אָז תֵּצֵא בַמִּלְחָמָה ICh. 14:15
208 כָּמוֹנִי כָמוֹךָ...וְעִמְּךָ בַּמִּלְחָמָה IICh. 18:3
210-209 הִתְחַפֵּשׂ וָבוֹא בַּמִּלְחָמָה...וַיִּתְחַפֵּשׂ
מֶלֶךְ־יִשְׂרָאֵל וַיָּבֹאוּ בַּמִּלְחָמָה IICh. 18:29
וּבְמִלְחָמָה 211 ...וּבְמִלְחָמָה וּבְיָד חֲזָקָה Deut. 4:34
212 וְלֹא אוֹשִׁיעֵם בְּקֶשֶׁת...וּבְמִלְחָמָה Hosh. 1:7
213 ...וּבְמִלְחָמָה מִידֵי חָרֶב Job 5:20
כַּמִּלְחָמָה 214 נִגּוֹף נִגָּף...כַּמִּלְחָמָה הָרִאשֹׁנָה Jud. 20:39
לְמִלְחָמָה 215 וְאִם לְמִלְחָמָה יָצְאוּ חַיִּים תִּפְשׂוּם IK. 20:18
216 וַיִּנָּבְאוּ...לְמִלְחָמָה וּלְרָעָה וּלְדָבֶר Jer. 28:8
לַמִּלְחָמָה 217 וַיֵּצֵא עוֹג...לִקְרָאתָם...לַמִּלְחָמָה Num. 21:33
218 אַנְשֵׁי הַצָּבָא הַבָּאִים לַמִּלְחָמָה Num. 31:21
219 הַאַחֵיכֶם יָבֹאוּ לַמִּלְחָמָה... Num. 32:6
220 אִם־תֵּחָלְצוּ לִפְנֵי יְיָ לַמִּלְחָמָה Num. 32:20
221 וַעֲבָדֶיךָ יַעַבְרוּ...לִפְנֵי יְיָ לַמִּלְחָמָה Num. 32:27
222 אִם־יַעַבְרוּ...כָּל־חָלוּץ לַמִּלְחָמָה Num. 32:29
223 וַיֵּצֵא סִיחֹן לִקְרָאתֵנוּ...לַמִּלְחָמָה Deut. 2:32
224 וַיֵּצֵא עוֹג...לִקְרָאתֵנוּ...לַמִּלְחָמָה Deut. 3:1
Deut. 20:1; 21:10; 29:6 • Josh. 8:14 • Jud. 3:10; 20:14, 20, 28 • ISh. 4:1 • IISh. 21:17 • IK. 8:44 • IICh. 6:34
237 אַתֶּם קְרֵבִים הַיּוֹם לַמִּלְחָמָה
עַל־אֹיְבֵיכֶם Deut. 20:3
238 עָבְרוּ לִפְנֵי יְיָ לַמִּלְחָמָה Josh. 4:13
239 כְּכֹחִי אָז...לַמִּלְחָמָה Josh. 14:11
240 יַעֲלֶה...לַמִּלְחָמָה עִם־בְּנֵי בִנְיָמִין Jud. 20:18
241 לָגֶשֶׁת לַמִּלְחָמָה עִם־בְּנֵי בִנְיָמִן Jud. 20:23
242 וּפְלִשְׁתִּים נִגְּשׁוּ לַמִּלְחָמָה בְּיִשְׂרָאֵל ISh. 7:10
243 וַיַּאַסְפוּ פ׳ אֶת־מַחֲנֵיהֶם לַמִּלְחָמָה ISh. 17:1
244 הָלְכוּ אַחֲרֵי־שָׁאוּל לַמִּלְחָמָה ISh. 17:13
245 וַיְשַׁמַּע שָׁאוּל אֶת־...הָעָם לַמִּלְחָמָה ISh. 23:8
246 וַיִּגַּשׁ יוֹאָב...לַמִּלְחָמָה בַּאֲרָם IISh. 10:13
247 מְלַמֵּד יָדַי לַמִּלְחָמָה IISh. 22:35
248 וַתַּזְרֵנִי חַיִל לַמִּלְחָמָה IISh. 22:40
249 נֶאֶסְפוּ־שָׁם לַמִּלְחָמָה IISh. 23:9
250 וַיַּעַל אֲפֵקָה לַמִּלְחָמָה עִם־יִשְׂרָ׳ IK. 20:26
251 הֲתֵלֵךְ אִתִּי לַמִּלְחָמָה רָמֹת גִּלְעָד IK. 22:4
252 הַאֵלֵךְ עַל־רָמֹת גִּלְעָד לַמִּלְחָמָה IK. 22:6
255-253 הֲנֵלֵךְ אֶל־רָמֹת גִּלְעָד לַמִּלְחָמָה
IK. 22:15 • IICh. 18:5, 14
256 הֲתֵלֵךְ אִתִּי אֶל־מוֹאָב לַמִּלְחָמָה IIK. 3:7
257 וַיֵּלֶךְ...לַמִּלְחָמָה עִם־חֲזָאֵל IIK. 8:28
258 אָז יַעֲלֶה...יְרוּשָׁלַם לַמִּלְחָמָה IIK. 16:5
259/60 עֵצָה וּגְבוּרָה לַמִּלְחָ׳ IIK. 18:20 • Is. 36:5
261 עָלָה...יְרוּשָׁלַם לַמִּלְחָמָה עָלֶיהָ Is. 7:1
262/3 עָרוּךְ כְּאִישׁ לַמִּלְחָמָה Jer. 6:23; 50:42
264 עִרְכוּ מָגֵן וְצִנָּה וּגְשׁוּ לַמִּלְחָמָה Jer. 46:3
265 גִּבּוֹרִים...וְאַנְשֵׁי־חַיִל לַמִּלְחָמָה Jer. 48:14
266 הִתְקַבְּצוּ...וְקוּמוּ לַמִּלְחָמָה Jer. 49:14
267 תָּקְעוּ...וְאֵין הֹלֵךְ לַמִּלְחָמָה Ezek. 7:14
268 קוּמוּ וְנָקוּמָה עָלֶיהָ לַמִּלְחָמָה Ob. 1
269 וְאָסַפְתִּי...אֶל־יְרוּשָׁלַם לַמִּלְחָמָה Zech. 14:2
270 מְלַמֵּד יָדַי לַמִּלְחָמָה Ps. 18:35
271 וַתְּאַזְּרֵנִי חַיִל לַמִּלְחָמָה Ps. 18:40
272 אֲנִי־שָׁלוֹם וְכִי אֲדַבֵּר הֵמָּה לַמִּלְחָמָה Ps. 120:7
273 הַמְלַמֵּד...אֶצְבְּעוֹתַי לַמִּלְחָמָה Ps. 144:1
274 יִתְגָּרֶה לַמִּלְחָמָה בְּחַיִל־גָּדוֹל Dan. 11:25
275 יֹצְאֵי צָבָא לַמִּלְחָמָה ICh. 7:11
276 וְהַפְּלִשְׁ׳ נֶאֶסְפוּ־שָׁם לַמִּלְחָמָה ICh. 11:13

לַמִּלְחָמָה (המשך) 277 גִּבֹּרֵי הַחַיִל אַנְשֵׁי צָבָא לַמִּלְחָמָה ICh. 12:8(9)
278 בְּבֹאוֹ...עַל־שָׁאוּל לַמִּלְחָמָה ICh. 12:19(20)
279 נֶאֶסְפוּ מֵעָרֵיהֶם וַיָּבֹאוּ לַמִּלְחָמָה ICh. 19:7
280 וַיִּגַּשׁ יוֹאָב...לִפְנֵי אֲרָם לַמִּלְחָמָה ICh. 19:14
281 בָּאוּ...עַל־יְהוֹשָׁפָט לַמִּלְחָמָה IICh. 20:1
282 וַיֵּלֶךְ...לַמִּלְחָמָה עַל־חֲזָאֵל IICh. 22:5
283 בֹּא אַתָּה עֲשֵׂה חֲזַק לַמִּלְחָמָה IICh. 25:8
284 הֵשִׁיב...מִלֶּכֶת עִמּוֹ לַמִּלְחָמָה IICh. 25:13
285 כִּי־בָא סַנְחֵרִיב וּפָנָיו לַמִּלְחָמָה IICh. 32:2
מִמִּלְחָמָה 286/7 וְהָאָרֶץ שָׁקְטָה מִמִּלְחָמָה Josh. 11:23; 14:15
מִלְחַמְתִּי 288 לֹא־עָלֶיךָ...כִּי אֶל־בֵּית מִלְחַמְתִּי IICh. 35:21
מִלְחַמְתְּךָ 289 הַחֲזֵק מִלְחַמְתְּךָ אֶל־הָעִיר IISh. 11:25
מִלְחַמְתֶּךָ 290 כְאַיִן וּכְאֶפֶס אַנְשֵׁי מִלְחַמְתֶּךָ Is. 41:12
מִלְחַמְתֵּךְ 291 פָּרַס...בְחֵילֵךְ אַנְשֵׁי מִלְחַמְתֵּךְ Ezek. 27:10
292 וְכָל־אַנְשֵׁי מִלְחַמְתֵּךְ אֲשֶׁר־בָּךְ Ezek. 27:27
מִלְחַמְתּוֹ 293 וַתַּחְגְּרוּ אִישׁ אֶת־כְּלֵי מִלְחַמְתּוֹ Deut. 1:41
294 וְלַעֲשׂוֹת כְּלֵי־מִלְחַ׳ וּכְלֵי רִכְבּוֹ ISh. 8:12
מִלְחַמְתָּהּ 295 וְכָל־אַנְשֵׁי מִלְחַמְתָּהּ יִדַּמּוּ Jer. 50:30
מִלְחַמְתָּם 296 חֲגוּרִים כְּלֵי מִלְחַמְתָּם Jud. 18:16
297 יָרְדוּ־שְׁאוֹל בִּכְלֵי־מִלְחַמְתָּם Ezek. 32:27
מִלְחָמוֹת 298 יְיָ כַּגִּבּוֹר יֵצֵא כְּאִישׁ מִלְחָמוֹת Is. 42:13
299 מַשְׁבִּית מִלְחָמוֹת עַד־קְצֵה הָאָ׳ Ps. 46:10
300 כָּל־יוֹם יָגוּרוּ מִלְחָמוֹת Ps. 140:3
301 אִישׁ מִלְחָמוֹת אַתָּה וְדָמִים שָׁפָכְתָּ ICh. 28:3
302 כִּי מֵעַתָּה יֵשׁ עִמְּךָ מִלְחָמוֹת IICh. 16:9
303 וַיִּתֵּן שָׂרֵי מִלְחָמוֹת עַל־הָעָם IICh. 32:6
וּמִלְחָמוֹת 304 וּמִלְחָמוֹת גְּדֹלוֹת עָשִׂיתָ ICh. 22:8(7)
הַמִּלְחָמוֹת 305 מִן־הַמִּלְחָמוֹת וּמִן־הַשָּׁלָל ICh. 26:27
מִלְחֲמוֹת־ 306 עַ״כֵּ יֵאָמַר בְּסֵפֶר מִלְחֲמֹת יְיָ Num. 21:14
307 אֵת כָּל־מִלְחֲמוֹת כְּנָעַן Jud. 3:1
308 וְהִלָּחֵם מִלְחֲמוֹת יְיָ ISh. 18:17
309 כִּי־מִלְחֲמוֹת יְיָ אֲדֹנִי נִלְחָם ISh. 25:28
310 אִישׁ מִלְחֲמוֹת תֹּעִי הָיָה הֲדַדְעָזֶר IISh. 8:10
311 אִישׁ מִלְחֲמוֹת תֹּעוּ הָיָה הֲדַדְעָזֶר ICh. 18:10
וּמִלְחֲמוֹת־ 312 וּמִלְחֲמוֹת רְחַבְעָם וְיָרָבְעָם IICh. 12:15
וּבְמִלְחֲמוֹת־ 313 וּבְמִלְחֲמוֹת תְּנוּפָה נִלְחַם־בָּם־ Is. 30:32
מִלְחֲמֹתָיו 314 ...וְכָל־מִלְחֲמֹתָיו וּדְרָכָיו IICh. 27:7
מִלְחֲמֹתֵינוּ 315 וְיָצָא...וְנִלְחַם אֶת־מִלְחֲמֹתֵנוּ ISh. 8:20
316 ...לְעָזְרֵנוּ וּלְהִלָּחֵם מִלְחֲמֹתֵינוּ IICh. 32:8

מִלְחֶמֶת ג׳ מלחמה

מִלְחֶמֶת 1 וְהָיָה בְּיוֹם מִלְחֶ׳ וְלֹא נִמְצָא חֶרֶב ISh. 13:22

מלט : נִמְלַט, מִלֵּט, הִתְמַלֵּט, הִמְלִיט; מֶלֶט; ש״פ מְלַטְיָה

(מלט) נִמְלַט נפ׳ א) נס, ברח: 1-25, 27-63
ב) חמק, רץ: 26
ג) [פ׳ מִלֵּט] הציל, חלץ: 64-83, 85-91; המליט: 84
ד) [הת׳ הִתְמַלֵּט] נמלט, נחלץ: 92-93
ה) [הפ׳ הִמְלִיט] הציל: 94; הוציא מן הרחם: 95

הִמָּלֵט 1 אֵין־לִי טוֹב כִּי־הִמָּלֵט אִמָּלֵט... ISh. 27:1
לְהִמָּלֵט 2 לֹא אוּכַל לְהִמָּלֵט הָהָרָה Gen. 19:19
3 אַל־תְּדַמִּי בְנַפְשֵׁךְ לְהִמָּלֵט בֵּית־הַמֶּלֶךְ Es. 4:13
נִמְלָטְתִּי 4 מִמַּחֲנֵה יִשְׂרָאֵל נִמְלָטְתִּי IISh. 1:3
וְנִמְלַטְתִּי 5 וְנוֹאַשׁ מִמֶּנִּי...וְנִמְלַטְתִּי מִיָּדוֹ ISh. 27:1
נִמְלַט 6 וְאֵהוּד נִמְלַט עַד הִתְמַהְמְהָם Jud. 3:26
7 וַיַּכּוּ...וְלֹא נִמְלַט אִישׁ Jud. 3:29
8 כִּי־נִמְלַט דָּוִד מִקְּעִילָה ISh. 23:13
9 וַיַּכֵּם...וְלֹא־נִמְלַט מֵהֶם אִישׁ ISh. 30:17
10 וְיִשְׁמָעֵאל...נִמְלַט בִּשְׁמֹנָה אֲנָשִׁים Jer. 41:15
11 נִמְלַט חֵיל מֶלֶךְ־אֲרָם מִיָּדֶךָ IICh. 16:7

נִמְלָט 12 וְזֶרַע צַדִּיקִים נִמְלָט Prov. 11:21
וְנִמְלַט 13 וְנִמְלַט בְּבֹר כַּפֶּיךָ Job 22:30
וְנִמְלָט 14 וְהֵפֵר בְּרִית וְנִמְלָט Ezek. 17:15
נִמְלְטָה 15 כְּצִפּוֹר נִמְלְטָה מִפַּח יוֹקְשִׁים Ps. 124:7
נִמְלָטְנוּ 16 הַפַּח נִשְׁבָּר וַאֲנַחְנוּ נִמְלָטְנוּ Ps. 124:7
נִמְלְטוּ 17 וְהֵמָּה נִמְלְטוּ אֶרֶץ אֲרָרָט IIK. 19:37
18 וְהֵמָּה נִמְלְטוּ אֶרֶץ אֲרָרָט Is. 37:38
נִמְלָטוּ 19 וְרֵכָב וּבַעֲנָה אָחִיו נִמְלָטוּ IISh. 4:6
וְנִמְלָטוּ 20 אֵלֶיךָ זָעֲקוּ וְנִמְלָטוּ Ps. 22:6
הַנִּמְלָט 21 הַנִּמְלָט מֵחֶרֶב חֲזָאֵל יָמִית יֵהוּא IK. 19:17
וְהַנִּמְלָט 22 וְהַנִּמְלָט מֵחֶרֶב יֵהוּא יָמִית אֱלִישָׁע IK. 19:17
וְנִמְלָטָה 23 שַׁאֲלִי־נָס וְנִמְלָטָה Jer. 48:19
אִמָּלֵט 24 הִמָּלֵט אִמָּלֵט אֶל־אֶרֶץ פְּלִשְׁתִּים ISh. 27:1
אִמָּלְטָה 25 אִמָּלְטָה נָּא שָׁמָּה Gen. 19:20
26 אִמָּלְטָה נָּא וְאֶרְאֶה אֶת־אֶחָי ISh. 20:29
וָאִמָּלְטָה 27-30 וָאִמָּלְטָה רַק־אֲנִי לְבַדִּי לְהַגִּיד לָךְ
Job 1:15, 16, 17, 19
תִּמָּלֵט 31 וְאַתָּה לֹא תִמָּלֵט מִיָּדוֹ Jer. 34:3
32/3 וְאַתָּה לֹא־תִמָּלֵט מִיָּדָם Jer. 38:18, 23
יִמָּלֵט 34 אִישׁ אַל־יִמָּלֵט מֵהֶם IK. 18:40
35 הָאִישׁ אֲשֶׁר־יִמָּלֵט מִן־הָאֲנָשִׁים.. IIK. 10:24
36 וְאִם־שְׁבִי צַדִּיק יִמָּלֵט Is. 49:24
37 וּמַלְקוֹחַ עָרִיץ יִמָּלֵט Is. 49:25
38 לֹא יִמָּלֵט מִיַּד הַכַּשְׂדִּים Jer. 32:4
39 אַל־יָנוּס הַקַּל וְאַל־יִמָּלֵט הַגִּבּוֹר Jer. 46:6
40 וְכָל־אֵלֶּה עָשָׂה לֹא יִמָּלֵט Ezek. 17:18
41 כֹּל אֲשֶׁר־יִקְרָא בְּשֵׁם יְיָ יִמָּלֵט Joel 3:5
42 וְלֹא־יִמָּלֵט לָהֶם פָּלִיט Am. 9:1
43 וְיָפִיחַ כְּזָבִים לֹא יִמָּלֵט Prov. 19:5
44 וְהוֹלֵךְ בְּחָכְמָה הוּא יִמָּלֵט Prov. 28:26
45 טוֹב לִפְנֵי הָאֱלֹהִים יִמָּלֵט מִמֶּנָּה Eccl. 7:26
46 וּבָעֵת הַהִיא יִמָּלֵט עַמְּךָ Dan. 12:1
הֲיִמָּלֵט 47 הֲיִצְלָח הֲיִמָּלֵט הָעֹשֵׂה אֵלֶּה Ezek. 17:15
וַיִּמָּלֵט 48 וְהוּא עָבַר...וַיִּמָּלֵט הַשְּׂעִירָתָה Jud. 3:26
49 וְדָוִד נָס וַיִּמָּלֵט בַּלַּיְלָה הוּא ISh. 19:10
50 וַיֵּלֶךְ וַיִּבְרַח וַיִּמָּלֵט ISh. 19:12
51 וַתְּשַׁלְּחִי אֶת־אֹיְבִי וַיִּמָּלֵט ISh. 19:17
52 וְדָוִד בָּרַח וַיִּמָּלֵט ISh. 19:18
53 וַיִּמָּלֵט אֶל־מְעָרַת עֲדֻלָּם ISh. 22:1
54 וַיִּמָּלֵט בֵּן־אֶחָד לַאֲחִימֶלֶךְ ISh. 22:20
55 וַיִּמָּלֵט בֶּן־הֲדַד...עַל־סוּס וּפָרָשִׁים IK. 20:20
תִּמָּלֵט 56 וְיָבֹא שֹׁדֵד...וְעִיר לֹא תִמָּלֵט Jer. 48:8
נִמָּלֵט 57 וְאֵיךְ נִמָּלֵט אֲנָחְנוּ Is. 20:6
יִמָּלְטוּ 58 וְאֵלֶּה יִמָּלְטוּ מִיָּדוֹ Dan. 11:41
וַיִּמָּלֵטוּ 59 גַּם בָּחֲנוּ אֱלֹהִים וַיִּמָּלֵטוּ Mal. 3:15
הִמָּלֵט 60 הִמָּלֵט עַל־נַפְשֶׁךָ Gen. 19:17
61 הָהָרָה הִמָּלֵט פֶּן־תִּסָּפֶה Gen. 19:17
62 מַהֵר הִמָּלֵט שָׁמָּה Gen. 19:22
הִמָּלְטִי 63 הוֹי צִיּוֹן הִמָּלְטִי יוֹשֶׁבֶת בַּת־בָּבֶל Zech. 2:11
מַלֵּט 64 לֹא יָכְלוּ מַלֵּט מַשָּׂא Is. 46:2
65 מַלֵּט אֲמַלֶּטְךָ וּבַחֶרֶב לֹא תִפֹּל Jer. 39:18
מִלֵּט 66 וְהוּא נִזְהָר נַפְשׁוֹ מִלֵּט Ezek. 33:5
וּמִלַּט 67 וּמִלַּט־הוּא אֶת־הָעִיר בְּחָכְמָתוֹ Eccl. 9:15
מִלְּטָנוּ 68 וְהוּא מִלְּטָנוּ מִכַּף פְּלִשְׁתִּים IISh. 19:10
מְמַלֵּט 69 אִם־אֵינְךָ מְמַלֵּט אֶת־נַפְשְׁךָ ISh. 19:11
הַמְמַלְּטִים 70 הַמְמַלְּטִים אֶת־נַפְשְׁךָ הַיּוֹם IISh. 19:6
אֲמַלֵּט 71 כִּי־אֲמַלֵּט עָנִי מְשַׁוֵּעַ Job 29:12
וַאֲמַלֵּט 72 וַאֲנִי אֶסְבֹּל וַאֲמַלֵּט Is. 46:4
אֲמַלֶּטְךָ 73 מַלֵּט אֲמַלֶּטְךָ וּבַחֶרֶב לֹא תִפֹּל Jer. 39:18
יְמַלֵּט 74 וְגִבּוֹר לֹא־יְמַלֵּט נַפְשׁוֹ Am. 2:14
75 וְקַל בְּרַגְלָיו לֹא יְמַלֵּט Am. 2:15
76 וְרֹכֵב הַסּוּס לֹא יְמַלֵּט נַפְשׁוֹ Am. 2:15

יְמַלֵּט (המשך) 77 וּבְרֹב חֵילוֹ לֹא יְמַלֵּט Ps. 33:17
78 יְמַלֵּט נַפְשׁוֹ מִיַּד־שְׁאוֹל Ps. 89:49
79 בַּחֲמוּדוֹ לֹא יְמַלֵּט Job 20:20
80 יְמַלֵּט אִי־נָקִי... Job 22:30
81 וְלֹא־יְמַלֵּט רֶשַׁע אֶת־בְּעָלָיו Eccl. 8:8
וִימַלֵּט 82 וִימַלֵּט מִשְּׁחִיתוֹתָם Ps. 107:20
יְמַלְּטֵהוּ 83 בְּיוֹם רָעָה יְמַלְּטֵהוּ יְיָ Ps. 41:2
וַתְּמַלֵּט 84 שָׁמָּה קִנְּנָה קִפּוֹז וַתְּמַלֵּט Is. 34:15
וַיְמַלְּטוּ 85 וַיְמַלְּטוּ עַצְמֹתָיו אֵת עַצְמוֹת הַנָּבִ׳ IIK. 23:18
מַלְּטָה 86 אָנָּה יְיָ מַלְּטָה נַפְשִׁי Ps. 116:4
וּמַלְּטִי 87 וּמַלְּטִי אֶת־נַפְשֵׁךְ IK. 1:12
מַלְּטוּ 88 נֻסוּ מַלְּטוּ נַפְשְׁכֶם Jer. 48:6
וּמַלְּטוּ 89 ...וּמַלְּטוּ אִישׁ נַפְשׁוֹ Jer. 51:6
90 צְאוּ...וּמַלְּטוּ אִישׁ אֶת־נַפְשׁוֹ Jer. 51:45
וּמַלְּטוּנִי 91 וּמַלְּטוּנִי מִיַּד־צָר... Job 6:23
וָאֶתְמַלְּטָה 92 וָאֶתְמַלְּטָה בְּעוֹר שִׁנָּי Job 19:20
יִתְמַלָּטוּ 93 מִפִּיו...כִּידוֹדֵי אֵשׁ יִתְמַלָּטוּ Job 41:11
וְהִמְלִיט 94 גָּנוֹן וְהִצִּיל פָּסֹחַ וְהִמְלִיט Is. 31:5
וְהִמְלִיטָה 95 בְּטֶרֶם יָבוֹא חֵבֶל...וְהִמְלִיטָה זָכָר Is. 66:7

מֶלֶט ז׳ חומר, טיט

בַּמֶּלֶט 1 וּטְמַנְתָּם בַּמֶּלֶט בַּמַּלְבֵּן Jer. 43:9

מְלַטְיָה שפ״ז – מבוני חומת ירושלים

מְלַטְיָה 1 וְעַל־יָדָם הֶחֱזִיק מְלַטְיָה הַגִּבְעֹנִי Neh. 3:7

מְלִיכוּ שפ״ז – כהן, ראש בית אב בימי עזרא ונחמיה

לִמְלִיכוּ 1 לִמְלִיכוּ (כת׳ למלוכי) יוֹנָתָן... Neh. 12:14

מְלִילָה*נ׳ שבולת שהבשילה

מְלִילֹת 1 וְקָטַפְתָּ מְלִילֹת בְּיָדֶךָ Deut. 23:26

מֵלִיץ ז׳ א) סניגור, מלַמד זכות: 1, 3-5
ב) מתרגם: 2

מֵלִיץ 1 אִם־יֵשׁ עָלָיו מַלְאָךְ מֵלִיץ Job 33:23
הַמֵּלִיץ 2 ...כִּי הַמֵּלִיץ בֵּינֹתָם Gen. 42:23
בִּמְלִיצֵי־ 3 וְכֵן בִּמְלִיצֵי שָׂרֵי בָבֶל IICh. 32:31
מְלִיצַי 4 מְלִיצַי רֵעָי אֶל־אֱלוֹהַּ דָּלְפָה עֵינִי Job 16:20
וּמְלִיצֶיךָ 5 וּמְלִיצֶיךָ פָּשְׁעוּ בִי Is. 43:27

מְלִיצָה נ׳ דבר חכמה: 1, 2

וּמְלִיצָה 1 עָלָיו מָשָׁל יִשָּׂאוּ וּמְלִיצָה חִידוֹת לוֹ Hab. 2:6
2 לְהָבִין מָשָׁל וּמְלִיצָה Prov. 1:6

מלך : א) מָלַךְ, הִמְלִיךְ, הָמְלַךְ; מֶלֶךְ, מַלְכָּה, מְלוּכָה, מַלְכוּת, מַמְלָכָה, מַמְלְכוּת; ש״פ מֶלֶךְ, מְלִיכוּ; אר׳ מֶלֶךְ, מַלְכָּא
ב) נִמְלַךְ; אר׳ מְלַךְ

מָלַךְ פָּ׳ א) היה למֶלך, מָשַׁל: 1-297
ב) [הִפ׳ הִמְלִיךְ] הכתיר למֶלך: 298-346
ג) [הָפ׳ הָמְלַךְ] הוכתר למלך: 347
קרובים: מָשַׁל / רָדָה / שָׁלַט / שָׂרַר

מָלֹךְ 1 הִנֵּה יָדַעְתִּי כִּי מָלֹךְ תִּמְלוֹךְ ISh. 24:20
הֲמָלֹךְ 2 הֲמָלֹךְ תִּמְלֹךְ עָלֵינוּ... Gen. 37:8
מְלֹךְ 3 אֵלֶּה עָרֵיהֶם עַד־מְלֹךְ דָּוִיד ICh. 4:31
4 עַד־מְלֹךְ מַלְכוּת פָּרָס IICh. 36:20
מְלָךְ־ 5 לִפְנֵי מְלָךְ־מֶלֶךְ לִבְנֵי יִשְׂרָאֵל Gen. 36:31
6 לִפְנֵי מְלָךְ־מֶלֶךְ לִבְנֵי יִשְׂרָאֵל ICh. 1:43
לִמְלֹךְ 7 וְעָלַי שָׂמוּ כָל־יִשְׂרָאֵל פְּנֵיהֶם לִמְלֹךְ IK. 2:15
8 הַחֹדֶשׁ הַשֵּׁנִי לִמְלֹךְ שְׁלֹמֹה עַל־יִשְׂרָאֵל IK. 6:1
9 כִּי־מִבֵּית הָסוּרִים יָצָא לִמְלֹךְ Eccl. 4:14
מִמְּלֹךְ 10 כִּי־אֹתִי מָאֲסוּ מִמְּלֹךְ עֲלֵיהֶם ISh. 8:7
11 וַאֲנִי מְאַסְתִּיו מִמְּלֹךְ עַל־יִשְׂרָאֵל ISh. 16:1
12 וַיַּאַסְרֵהוּ...מִמְּלֹךְ (כ׳ במלך) בִּירוּשָׁ׳ IIK. 23:33

13 מִמְּלֹךְ אָדָם חָנֵף מִמֹּקְשֵׁי עָם Job 34:30
מָלְכוֹ 14 נָשָׂא אֱוִיל מְרֹדַךְ...בִּשְׁנַת מָלְכוֹ... IIK. 25:27
בְּמָלְכוֹ 15 בֶּן־שָׁנָה שָׁאוּל בְּמָלְכוֹ ISh. 13:1
16 בֶּן־אַרְבָּעִים...בְּמָלְכוֹ עַל־יִשְׂרָאֵל IISh. 2:10
17 בֶּן־שְׁלֹשִׁים שָׁנָה דָּוִד בְּמָלְכוֹ IISh. 5:4
18-52 בֶּן...שָׁנָה (שָׁנִים)...בְּמָלְכוֹ IK. 14:21
22:42 • IIK. 8:17, 26; 12:1; 14:2; 15:2, 33; 16:2;
18:2; 21:1, 19; 22:1; 23:31, 36; 24:8, 18 • Jer. 52:1 •
IICh. 12:13; 20:31; 21:5, 20; 22:2; 24:1; 26:3; 27:1,
8; 28:1; 33:1, 21; 34:1; 36:2, 5, 9, 11
53 וַיְהִי בְמָלְכוֹ כְּשִׁבְתּוֹ עַל־כִּסְאוֹ IK. 16:11
כְמָלְכוֹ 54 וַיְהִי כְמָלְכוֹ הִכָּה אֶת־כָּל־בֵּית... IK. 15:29
לְמָלְכוֹ 55 וַיִּקַּח אֹתוֹ...בִּשְׁנַת שְׁמֹנֶה לְמָלְכוֹ IIK. 24:12
56 וַיְהִי בִשְׁנַת הַתְּשִׁיעִית לְמָלְכוֹ IIK. 25:1
57 בִּשְׁלֹשׁ־עֶשְׂרֵה שָׁנָה לְמָלְכוֹ Jer. 1:2
58 בִּשְׁנַת הָרְבִעִית לְמָלְכוֹ Jer. 51:59
59 וַיְהִי בַשָּׁנָה הַתְּשִׁעִית לְמָלְכוֹ Jer. 52:4
60 בִּשְׁנַת שָׁלוֹשׁ לְמָלְכוֹ Es. 1:3
61-64 (וּ)בִשְׁנַת...לְמָלְכוֹ Dan. 9:2
IICh. 16:13; 17:7; 34:8
65 הוּא בַשָּׁנָה הָרִאשׁוֹנָה לְמָלְכוֹ IICh. 29:3
66 וּבִשְׁמוֹנֶה שָׁנִים לְמָלְכוֹ IICh. 34:3
מָלַכְתָּ 67 בֵּית־שָׁאוּל אֲשֶׁר מָלַכְתָּ תַּחְתָּו IISh. 16:8
וּמָלַכְתָּ 68 וּמָלַכְתָּ בְּכֹל אֲשֶׁר־תְּאַוֶּה נַפְשֶׁךָ IISh. 3:21
69 וּמָלַכְתָּ בְּכֹל אֲשֶׁר־תְּאַוֶּה נַפְשֶׁךָ IK. 11:37
מָלַךְ 70-71 אֲשֶׁר מָלַךְ בְּחֶשְׁבּוֹן Josh. 13:10, 21
72 אֲשֶׁר־מָלַךְ בְּעַשְׁתָּרוֹת וּבְאֶדְרֶעִי Josh. 13:12
73 מֶלֶךְ־כְּנַעַן אֲשֶׁר מָלַךְ בְּחָצוֹר Jud. 4:2
74 וְגַם־הַמֶּלֶךְ אֲשֶׁר־מָלַךְ עֲלֵיכֶם ISh. 12:14
75 וּשְׁתֵּי שָׁנִים מָלַךְ עַל־יִשְׂרָאֵל ISh. 13:1
76 בְּחֶבְרוֹן מָלַךְ עַל־יְהוּדָה IISh. 5:5
77 וּבִירוּשָׁלַם מָלַךְ...עַל כָּל־יִשְׂרָאֵל IISh. 5:5
78 מָלַךְ אַבְשָׁלוֹם בְּחֶבְרוֹן IISh. 15:10
79 הֲלוֹא שָׁמַעַתְּ כִּי מָלַךְ אֲדֹנִיָּהוּ IK. 1:11
80 וּמַדּוּעַ מָלַךְ אֲדֹנִיָהוּ IK. 1:13
81 וְהַיָּמִים אֲשֶׁר מָלַךְ דָּוִד עַל־יִשְׂרָאֵל IK. 2:11
82 בְּחֶבְרוֹן מָלַךְ שֶׁבַע שָׁנִים IK. 2:11
83 וּבִירוּשָׁלַם מָלַךְ שְׁלֹשִׁים וְשָׁלֹשׁ שָׁנִים IK. 2:11
84 וְהַיָּמִים אֲשֶׁר מָלַךְ שְׁלֹמֹה IK. 11:42
85-168 מָלַךְ (עַל/בְּ) IK. 14:20, 21[2]; 15:1, 2
15:9, 10, 25, 33; 16:8, 15, 23[2], 29; 22:41, 42, 52 • IIK.
3:1; 8:16, 17, 25, 26; 9:13, 29; 10:36; 12:2[2]; 13:1, 10;
14:1, 2, 23; 15:1, 2, 8, 13, 17, 23, 27, 32, 33; 16:1, 2;
17:1; 18:1, 2; 21:1, 19; 22:1; 23:31, 36; 24:8, 18 • Is.
24:23; 52:7 • Jer. 52:1 • Ps. 47:9 • ICh. 3:4; 29:26,
27[3] • IICh. 12:13; 13:2; 20:31; 21:5, 20; 22:2; 24:1;
25:1[2]; 26:3; 27:1, 8; 28:1; 29:1[2]; 33:1, 21; 34:1; 36:2,
5, 9, 11
מָלָךְ 169 וּשְׁתַּיִם שָׁנִים מָלָךְ IISh. 2:10
170 אַרְבָּעִים שָׁנָה מָלָךְ IISh. 5:4
171 וְעַתָּה הִנֵּה אֲדֹנִיָּה מָלָךְ IK. 1:18
172 אֲשֶׁר נִלְחַם וַאֲשֶׁר מָלָךְ IK. 14:19
173 יְיָ מָלָךְ גֵּאוּת לָבֵשׁ Ps. 93:1
174 אִמְרוּ בַגּוֹיִם יְיָ מָלָךְ Ps. 96:10
175 יְיָ מָלָךְ תָּגֵל הָאָרֶץ Ps. 97:1
176 יְיָ מָלָךְ יִרְגְּזוּ עַמִּים Ps. 99:1
177 וְיֹאמְרוּ בַגּוֹיִם יְיָ מָלָךְ ICh. 16:31
וּמָלַךְ 178 וּמָלַךְ מֶלֶךְ וְהִשְׂכִּיל Jer. 23:5
179 וּמָלַךְ יְיָ עֲלֵיהֶם בְּהַר צִיּוֹן Mic. 4:7
מָלְכוּ 180 אֲשֶׁר מָלְכוּ בְּאֶרֶץ אֱדוֹם Gen. 36:31
181 אֲשֶׁר מָלְכוּ בְּאֶרֶץ אֱדוֹם ICh. 1:43
מֹלֵךְ 182 מִהְיוֹת־לוֹ בֵן מֹלֵךְ עַל־כִּסְאוֹ Jer. 33:21

הַמֹּלֵךְ 183 הַמֹּלֵךְ תַּחַת יֹאשִׁיָּהוּ אָבִיו Jer. 22:11
184 הַמֹּלֵךְ מֵהֹדּוּ וְעַד־כּוּשׁ Es. 1:1
מֹלֶכֶת 185 וַעֲתַלְיָה מֹלֶכֶת עַל־הָאָרֶץ IIK. 11:3
186 וַעֲתַלְיָה מֹלֶכֶת עַל־הָאָרֶץ IICh. 22:12
אֶמְלֹךְ 187 ...מִתְנַשֵּׂא לֵאמֹר אֲנִי אֶמְלֹךְ IK. 1:5
188 בְּיָד חֲזָקָה...אֶמְלוֹךְ עֲלֵיכֶם Ezek. 20:33
תִּמְלֹךְ 189 הֲמָלֹךְ תִּמְלֹךְ עָלֵינוּ Gen. 37:8
190 וְאַתָּה תִּמְלֹךְ עַל־יִשְׂרָאֵל ISh. 23:17
191 הִנֵּה יָדַעְתִּי כִּי מָלֹךְ תִּמְלוֹךְ ISh. 24:20
הֲתִמְלֹךְ 192 הֲתִמְלֹךְ כִּי אַתָּה מְתַחֲרֶה בָאָרֶז Jer. 22:15
יִמְלֹךְ 193 יְיָ יִמְלֹךְ לְעֹלָם וָעֶד Ex. 15:18
194 מִשְׁפַּט הַמֶּלֶךְ אֲשֶׁר יִמְלֹךְ עֲלֵיהֶם ISh. 8:9
195 מִשְׁפַּט הַמֶּלֶךְ אֲשֶׁר יִמְלֹךְ עֲלֵיכֶם ISh. 8:11
196 מִי הָאֹמֵר שָׁאוּל יִמְלֹךְ עָלֵינוּ ISh. 11:12
197 לֹא כִּי־מֶלֶךְ יִמְלֹךְ עָלֵינוּ ISh. 12:12
198/9 כִּי־שְׁלֹמֹה בְנֵךְ יִמְלֹךְ אַחֲרַי IK. 1:13, 30
200 כִּי־שְׁלֹמֹה בְנֵךְ יִמְלֹךְ אַחֲרָי IK. 1:17
201 אֲדֹנִיָּהוּ יִמְלֹךְ אַחֲרָי IK. 1:24
202 וְהוּא יִמְלֹךְ תַּחְתָּי IK. 1:35
203 הַבְּכוֹר אֲשֶׁר־יִמְלֹךְ תַּחְתָּיו IIK. 3:27
204 יִמְלֹךְ יְיָ לְעוֹלָם Ps. 146:10
205 תַּחַת עֶבֶד כִּי יִמְלוֹךְ Prov. 30:22
206 הִנֵּה בֶן־הַמֶּלֶךְ יִמְלֹךְ IICh. 23:3
יִמְלָךְ־ 207 הֵן לְצֶדֶק יִמְלָךְ־מֶלֶךְ Is. 32:1
וַיִּמְלֹךְ 208 וַיִּמְלֹךְ בֶּאֱדוֹם בֶּלַע בֶּן־בְּעוֹר Gen. 36:32
209-215 וַיָּמָת...וַיִּמְלֹךְ תַּחְתָּיו...
Gen. 36:33, 34, 35, 36, 37, 38, 39
216 וַיִּמְלֹךְ דָּוִד עַל־כָּל־יִשְׂרָאֵל IISh. 8:15
217 וַיִּמְלֹךְ חָנוּן בְּנוֹ תַּחְתָּיו IISh. 10:1
218 וַיָּקָץ בְּיִשְׂרָאֵל וַיִּמְלֹךְ עַל־אֲרָם IK. 11:25
219 וַיִּמְלֹךְ רְחַבְעָם בְּנוֹ תַּחְתָּיו IK. 11:43
220-288 וַיִּמְלֹךְ IK. 12:17; 14:20, 31; 15:8, 24, 25, 28
16:6, 10, 22, 28, 29; 22:40, 51, 52 • IIK. 1:17; 3:1;
8:15, 24; 10:35; 12:22; 13:9, 24; 14:16, 29; 15:7, 10,
13, 14, 22, 25, 30, 38; 16:20; 19:37; 20:21; 21:18, 26;
24:6 • Is. 37:38 • ICh. 1:44, 45, 46, 47, 48, 49, 50;
18:14; 19:1; 29:28 • IICh. 1:13; 9:30, 31; 10:17;
12:13, 16; 13:1, 23; 17:1; 20:31; 21:1; 22:1; 24:27;
26:23; 27:9; 28:27; 32:33; 33:20; 36:8
וַיִּמְלָךְ־ 289 וַיִּמְלָךְ־מֶלֶךְ צִדְקִיָּהוּ...תַּחַת... Jer. 37:1
290 וַיִּמְלָךְ־שָׁם שֶׁבַע שָׁנִים ICh. 3:4
תִּמְלֹךְ 291 וְהַנַּעֲרָה...תִּמְלֹךְ תַּחַת וַשְׁתִּי Es. 2:4
יִמְלֹכוּ 292 בִּי מְלָכִים יִמְלֹכוּ Prov. 8:15
וַיִּמְלְכוּ 293 וַיֵּלְכוּ דַמֶּשֶׂק...וַיִּמְלְכוּ בְּדַמָּשֶׂק IK. 11:24
מְלָךְ־ 294 לֵךְ אַתָּה מְלָךְ־עָלֵינוּ Jud. 9:14
מָלְכָה 295 וַיֹּאמְרוּ לַזַּיִת מָלְכָה (כת׳ מלוכה) עָלֵינוּ
Jud. 9:8
מָלְכִי 296/7 לְכִי אַתְּ מָלְכִי עָלֵינוּ Jud. 9:10, 12
לְהַמְלִיךְ 298 בָא כָל־יִשְׂרָאֵל לְהַמְלִיךְ אֹתוֹ IK. 12:1
299 לָבוֹא לְהַמְלִיךְ אֶת־דָּוִיד ICh. 12:31(32)
300 בָּאוּ... לְהַמְלִיךְ אֶת־דָּוִיד ICh. 12:38(39)
301 לֵב אֶחָד לְהַמְלִיךְ אֶת־דָּוִיד ICh. 12:38(39)
302 בִּי רָצָה לְהַמְלִיךְ עַל...יִשְׂרָאֵל ICh. 28:4
303 שְׁכֶם בָּאוּ כָל־יִשְׂרָאֵל לְהַמְלִיךְ אֹתוֹ
IICh. 10:1
לְהַמְלִיכוֹ 304 הָיָה אַחֲרֵי תִבְנִי...לְהַמְלִיכוֹ IK. 16:21
305 הַמִּתְחַזְּקִים...עִם־כָּל־יִשְׂרָאֵל לְהַמְלִיכוֹ
ICh. 11:10
306 וַיַּעֲמֵד...לְנָגִיד...כִּי לְהַמְלִיכוֹ IICh. 11:22
הִמְלַכְתִּי 307 נִחַמְתִּי כִּי הִמְלַכְתִּי אֶת־שָׁאוּל לְמֶלֶךְ
ISh. 15:11
הִמְלַכְתִּיךָ 308 אֲשֶׁר הִמְלַכְתִּיךָ עָלָיו IICh. 1:11

הִמְלַכְתָּ 309 אַתָּה הִמְלַכְתָּ אֶת־עַבְדְּךָ תַּחַת דָּוִד IK. 3:7
וְהִמְלַכְתָּ 310 שְׁמַע בְּקוֹלָם וְהִמְלַכְתָּ לָהֶם מֶלֶךְ ISh. 8:22
הִמְלַכְתַּנִי 311 כִּי אַתָּה הִמְלַכְתַּנִי עַל־עַם רַב IICh. 1:9
וְהִמְלַכְתַּנִי 312 וְהִמְלַכְתַּנִי תַּחְתָּיו IICh. 1:8
הִמְלִיךְ 313 וַיָי נִחָם כִּי־הִמְלִיךְ אֶת־שָׁאוּל ISh. 15:35
314 אֲבָל אֲדֹנֵינוּ...הִמְלִיךְ אֶת־שְׁלֹמֹה IK. 1:43
315 הִמְלִיךְ נְבוּכַדְנֶאצַּר...בְּאֶ׳ יְהוּדָה Jer. 37:1
הִמְלִיכוּ 316 הֵם הִמְלִיכוּ וְלֹא מִמֶּנִּי Hosh. 8:4
הַמַּמְלִיךְ 317 בִּמְקוֹם הַמֶּלֶךְ הַמַּמְלִיךְ אֹתוֹ Ezek. 17:16
וָאַמְלִיךְ 318 שָׁמַעְתִּי...וָאַמְלִיךְ עֲלֵיכֶם מֶלֶךְ ISh. 12:1
וַיַּמְלֵךְ 319 וַיַּמְלֵךְ פַּרְעֹה נְכֹה אֶת־אֶלְיָקִים IIK. 23:34
320 וַיַּמְלֵךְ מֶלֶךְ־בָּבֶל אֶת־מַתַּנְיָה IIK. 24:17
321 וַיַּמְלֵךְ אֶת־שְׁלֹמֹה בְנוֹ עַל־יִשְׂרָ׳ ICh. 23:1
322 וַיַּמְלֵךְ מֶלֶךְ מִצְרַיִם אֶת־אֶלְיָקִים IICh. 36:4
323 וַיַּמְלֵךְ אֶת־צִדְקִיָּהוּ אָחִיו IICh. 36:10
וַיַּמְלִכֵהוּ 324 וַיַּמְלִכֵהוּ אֶל־הַגִּלְעָד...וְעַל־יִשְׂרָאֵל IISh. 2:9
וַיַּמְלִיכֶהָ 325 וַיַּמְלִיכֶהָ תַּחַת וַשְׁתִּי Es. 2:17
נַמְלִיךְ 326 עֲבָדֶיךָ אֲנַחְנוּ...לֹא־נַמְלִיךְ אִישׁ IIK. 10:5
וְנַמְלִיךְ 327 וְנַמְלִיךְ מֶלֶךְ בְּתוֹכָהּ Is. 7:6
וַתַּמְלִיכוּ 328/9 וַתַּמְלִיכוּ אֶת־אֲבִימֶלֶךְ Jud. 9:16, 18
וַיַּמְלִיכוּ 330 וַיַּמְלִיכוּ אֶת־אֲבִימֶלֶךְ לְמֶלֶךְ Jud. 9:6
331 וַיַּמְלִכוּ שָׁם אֶת־שָׁאוּל לִפְנֵי יְיָ ISh. 11:15
332 וַיַּמְלִיכוּ אֹתוֹ עַל־כָּל־יִשְׂרָאֵל IK. 12:20
333 וַיַּמְלִכוּ כָל־יִשְׂרָאֵל אֶת־עָמְרִי IK. 16:16
334 וַיַּמְלִכוּ עֲלֵיהֶם מֶלֶךְ IIK. 8:20
335 וַיַּמְלִכוּ אֹתוֹ וַיִּמְשָׁחֻהוּ IIK. 11:12
336 וַיַּמְלִכוּ אֹתוֹ תַּחַת אָבִיו IIK. 14:21
337 וַיַּמְלִיכוּ אֶת־יָרָבְעָם בֶּן־נְבָט IIK. 17:21
338-343 וַיַּמְלִיכוּ (אֶת־, אוֹתוֹ...) IIK. 21:24
23:30 • IICh. 22:1; 23:11; 26:1; 33:25
344 וַיַּמְלִיכוּ שֵׁנִית לִשְׁלֹמֹה... ICh. 29:22
345 וַיַּמְלִיכוּ עֲלֵיהֶם מֶלֶךְ IICh. 21:8
וַיַּמְלִיכֻהוּ 346 וַיַּמְלִיכֻהוּ תַחַת־אָבִיו בִּירוּשָׁלִָם IICh. 36:1
הָמְלַךְ 347 אֲשֶׁר הָמְלַךְ עַל מַלְכוּת כַּשְׂדִּים Dan. 9:1

(מלך²) נִמְלַךְ נפ׳ נועץ

וַיִּמָּלֵךְ 1 וַיִּמָּלֵךְ לִבִּי עָלַי וָאָרִיבָה Neh. 5:7

מֶלֶךְ¹

ז׳ א) שליט עליון במדינה: רוב המקראות: 1-2518
ב) כנוי כבוד לה׳ שהוא אדון כל הברואים: 5, 57, 58, 60, 63-65, 414, 453-455, 467, 471, 472, 1240, 1241, 2072-2074, 2086-2090, 2144, 2183-2188, 2219, 2221, 2222, 2224

מרכיב בשמות פרטיים רבים: מַלְכִּיאֵל, מַלְכִּיָּה, מַלְכִּי־צֶדֶק, מַלְכִּירָם, מַלְכִּישׁוּעַ וְעוֹד, וכן: אֲבִימֶלֶךְ, אֲחִימֶלֶךְ, אֱלִימֶלֶךְ ועוד – עין כל שֵׁם במקומו

– מֶלֶךְ וְכֹהֵן 90; מֶלֶךְ וְשָׂרִים 47, 51, 53; אֱלֹהִים וָמֶלֶךְ 115, 116; מֶלֶךְ גִּבּוֹר 99; מֶלֶךְ גָּדוֹל 57, 63, 96, 114; מֶ׳ זָקֵן 1343; מֶ׳ חָדָשׁ 3; מֶ׳ חָכָם 78; מֶ׳ כְּסִיל 1343; מֶ׳ עַז 112; מֶ׳ עַז־פָּנִים 98; מֶלֶךְ רָב 65

– הַמֶּ׳ אֲחַשְׁוֵרוֹשׁ 474, 484, 495, 513, 523, 545, 550, 552-554, 1208, 1209, 1287-1290 הַמֶּ׳ אָחָז 391-401; הַמֶּ׳ אָמוֹן 416; הַמֶּ׳ אָסָא 370-374, 1174; הַמֶּ׳ אַרְתַּחְשַׁסְתָּא 569; הַמֶּ׳ הַגָּדוֹל 406, 407, 425, 426; הַמֶּ׳ דָּוִד 202-222, 1161-1164, 1203, 1253-1259; הַמֶּ׳ חִזְקִיָּהוּ 404, 405, 410-415, 1273-1275; הַמֶּ׳ יֹאשִׁיָּהוּ 418, 648, 1276-1278; הַמֶּ׳ יְהוֹאָשׁ 387, 1272; הַמֶּ׳ יְהוֹרָם 379; הַמֶּ׳ יְהוֹיָקִים 430-432; הַמֶּ׳ יְהוֹשָׁפָט 614; הַמֶּ׳ יוֹיָכִין 458; הַמֶּ׳ יָרָבְעָם 1271, 1295; הַמֶּ׳ כּוֹרֶשׁ 1175; הַמֶּ׳ עֻזִּיָּהוּ 423; הַמֶּ׳ נְבוּכַדְנֶאצַּר 1210, 1281, 1282; הַמֶּ׳ צִדְקִיָּהוּ 429, 435, 440-446, 1279, 1280; הַמֶּ׳ הָרִאשׁוֹן 566; הַמֶּ׳ רְחַבְעָם 361-368, 1173, 1270, 1294; הַמֶּ׳ שְׁלֹמֹה 324-355, 1167-1172, 1207, 1260-1268

– אֵימַת מֶלֶךְ 76; בֵּית מֶ׳ 33; בֶּן־מֶלֶךְ 67; בַּת־מֶלֶךְ 39, 61; דְּבַר מֶ׳ 95; הַדְרַת מֶ׳ 70; הֵיכַל מֶ׳ 62; הֵיכְלֵי מֶ׳ 87; זַעַף מֶ׳ 75; חֲמַת מֶ׳ 73; יְמֵי מֶ׳ 42, 66; לֶב־מֶ׳ 80; מַעֲדַנֵּי מֶ׳ 2; מִקְדַּשׁ מֶ׳ 55; מַשָּׂא מֶ׳ 51; עֹז מֶ׳ 68; פִּי מֶ׳ 94; פְּנֵי מֶ׳ 74, 304, 305; קִרְיַת מֶ׳ 65; רְצוֹן מֶ׳ 71; שִׂפְתֵי מֶ׳ 72; תְּרוּעַת מֶלֶךְ 5

– אֶבֶן הַמֶּלֶךְ 306; אִגְּרוֹת הַמֶּ׳ 577; אֲדֹנִי הַמֶּ׳ 134, 139, 140, 142-201; אוֹיְבֵי הַמֶּ׳ 128, 470; אוֹצְרוֹת הַמֶּ׳ 596, 649; אָזְנֵי הַמֶּלֶךְ 436, 437; אֲחַשְׁדַּרְפְּנֵי הַמֶּ׳ 575; אֲחַשְׁוֵרוֹשׁ הַמֶּ׳ 522; אֵם הַמֶּ׳ 357, 419; אָסָא הַמֶּ׳ 609, 610; אֲסִירֵי הַמֶּ׳ 119; אַרְתַּחְשַׁסְתָּא הַמֶּ׳ 568, 573, 576, 582; בֵּית הַמֶּלֶךְ 225-278; בֵּלְשַׁאצַּר הַמֶּ׳ 565; בִּיתַן הַמֶּ׳ 475; בֶּן־הַמֶּ׳ 282, 313, 315, 378, 383, 385, 390, 438, 439, 447, 613, 620, 621, 630; בְּנוֹת הַמֶּ׳ 283, 451, 452; בְּנֵי הַמֶּ׳ 123, 223, 284-301, 462, 617; בִּרְכַּת הַמֶּ׳ 578; בַּת הַמֶּ׳ 382, 616, 618; גִּזֵּי הַמֶּלֶךְ 460; גַּן הַמֶּ׳ 421, 449, 456, 580; גִּנְזֵי הַמֶּ׳ 519, 530; דְּבַר הַמֶּ׳ 130, 317, 479, 480, 494, 526-528, 534, 555, 556, 579, 586, 587, 595, 615; דָּוִד הַמֶּ׳ 302, 588, 592, 594, 598-603; דָּרְיָוֶשׁ הַמֶּ׳ 463-465; דֶּרֶךְ הַמֶּ׳ 120, 121; דָּתֵי הַמֶּ׳ 518, 574; הֵיכַל הַמֶּ׳ 559; זֶרַע הַמֶּ׳ 365; חוֹזֵה הַמֶּ׳ 590, 635, 647; (יְ)חִזְקִיָּהוּ הַמֶּ׳ 633, 634, 636-638; חֲמַת הַמֶּ׳ 280, 489, 543; חֲנִית הַמֶּ׳ 138, 141; חֲתַן הַמֶּ׳ 131; טַבַּעַת הַמֶּ׳ 524, 547, 549, 551; טַעַם הַמֶּ׳ 461; יֹאשִׁיָּהוּ הַמֶּ׳ 427; יְהוֹרָם הַמֶּ׳ 379, 381; יוֹרָם הַמֶּ׳ 380; יַד הַמֶּ׳ 133, 369, 375, 376, 377, 389, 476, 498, 584, 585, 589, 591, 611, 612, 640; יוֹאָשׁ הַמֶּ׳ 626; יְחִי הַמֶּ׳ 126, 311, 312, 319-321, 386, 622; יְכָנְיָה הַמֶּ׳ 433; יִקְבֵי הַמֶּ׳ 466; כּוֹרֶשׁ הַמֶּ׳ 564; לֵב הַמֶּ׳ 303, 428, 477, 570; לִפְנֵי הַמֶּ׳ 471, 571; מַאֲמַר הַמֶּ׳ 482; מְבוֹא הַמֶּ׳ 403; מִדַּת הַמֶּ׳ 581; מְדִינוֹת הַמֶּ׳ 483, 488, 525, 532, 544, 552-554, 557, 558; מְלֶאכֶת הַמֶּ׳ 567, 604; מְנָת הַמֶּ׳ 643; מִצְוַת הַמֶּ׳ 408, 409, 517, 583, 607, 625, 632, 641, 642, 646, 648; מַשְׂאַת הַמֶּ׳ 279; מִשְׁנֵה הַמֶּ׳ 631; מִשְׁפַּט הַמֶּ׳ 124, 125; מִשְׁתֵּה הַמֶּ׳ 135; נְאוּם הַמֶּ׳ 453-455; נֶזֶק הַמֶּ׳ 541; נַעֲרֵי הַמֶּ׳ 490, 537, 538; נְשֵׁי הַמֶּ׳ 420; סוֹחֲרֵי הַמֶּ׳ 359, 606; סוֹפֵר הַמֶּ׳ 388, 624; סוֹפְרֵי הַמֶּ׳ 520, 521; סְרִיס הַמֶּ׳ 491, 496, 497; סָרִיסֵי הַמֶּ׳ 511, 512, 529, 540; עֶבֶד הַמֶּ׳ 316, 417, 448, 644; עַבְדֵי הַמֶּ׳ 132, 281, 309, 318, 323, 412, 413, 514-516, 531, 532, 535; עֲבוֹדַת הַמֶּ׳ 593; עוֹלַת הַמֶּ׳ 402; עֻזִּיָּה(וּ) הַמֶּ׳ 628, 629; עֵינֵי הַמֶּ׳ 487, 492, 493, 533, 639; עַל־יְדֵי הַמֶּ׳ 389, 589, 591; עֵמֶק הַמֶּ׳ 118, 314; פִּי הַמֶּ׳ 542; פְּנֵי הַמֶּ׳ 304-305, 307, 310, 422, 457, 478, 481; פְּקֻדַּת הַמֶּ׳ 623; פִּרְדַּת הַמֶּ׳ 322; פַּת־בַּג הַמֶּ׳ 560-563; פִּתְגָם הַמֶּ׳ 486; רַבֵּי הַמֶּ׳ 450; רְכוּשׁ הַמֶּ׳ 645; רֵעַ הַמֶּ׳ 597; רֵעֶה הַמֶּ׳ 358; שָׁאוּל הַמֶּ׳ 127; שֻׁלְחַן הַמֶּ׳ 129, 224; שְׁלֹמֹה הַמֶּ׳ 356, 605, 608; שֵׁם הַמֶּ׳ 546, 548, 550; שְׁנַת הַמֶּ׳ 536; שַׁעַר הַמֶּ׳ 499-510; שָׂרֵי הַמֶּ׳ 485, 539, 572, 627

– מֶלֶךְ אֱדוֹם 1407, 1538, 1539, 1867, 2075, 2084, 2138, 2139; מֶ׳ אַדְמָה 1354, 2133; מֶ׳ אַכְשָׁף 1477, 1500; מֶ׳ אֶלָּסָר 1346/7; מֶ׳ אַלְקוּם 2146; מֶ׳ (הָ)אֱמֹרִי 1410-1423, 2161; מֶ׳ אֲפֵק 1495; מֶ׳ הָאָרֶץ 1544; מֶ׳ אֲרָם 1510, 1831, 1833-1864, 2136, 2140, 2149; מֶ׳ אֲרַם נַהֲרַיִם 1509; מֶ׳ אַרְפָּד 2141, 2142; מֶ׳ אַשּׁוּר 425, 426, 1868, 1940, 2153, 2155, 2170-2176; מֶלֶךְ בָּבֶל 1945-2071, 2154, 2156, 2177; מֶ׳ בֵּית אֵל 1492; מֶ׳ בַּעֲלָהוֹת 2179; מֶ׳ בֶּלַע 2130/1; מֶ׳ (הַ)בָּשָׁן 1424, 1427-1440; מֶ׳ בְּנֵי עַמּוֹן 1530-1537, 2077, 2080; מֶ׳ גֶּדֶר 1486; מֶ׳ (הַ)גּוֹיִם 1350/1, 1506, 2074; מֶ׳ גֶּזֶר 1473, 1484; מֶ׳ גְּרָר 1362; מֶ׳ גְּשׁוּר 1670, 1678, 2120; מֶ׳ גַּת 1543, 1545, 1669, 1679; מֶ׳ דְּבִיר 1485; מֶ׳ דּוֹר 1505; מֶ׳ דַּרְמֶשֶׂק 2180; מֶ׳ חֶבְרוֹן 1459, 1464, 1469, 1480; מֶ׳ חֲמָת 1676, 1943, 1944, 2125; מֶ׳ חֵפֶר 1494; מֶ׳ חָצוֹר 1474, 1498, 1526; מֶ׳ חָרְמָה 1487; מֶ׳ חֶשְׁבּוֹן 1441-1450; מֶ׳ יְהוּדָה 1682-1831, 2137; מֶ׳ יָוָן 2092; מֶ׳ יַעֲקֹב 2072; מֶ׳ יָקְנְעָם 1504; מֶ׳ יָרֵב 2083, 2178; מֶ׳ יְרוּשָׁלִַם 1457, 1458, 1463, 1468, 1479; מֶ׳ יְרִיחוֹ 1451, 1478, 2162-2164; מֶ׳ יַרְמוּת 1460, 1465, 1470, 1481; מֶ׳ יִשְׂרָאֵל 1546-1668, 2073, 2135, 2148, 2150, 2166-2169; מֶ׳ הַכָּבוֹד 2086-2090; מֶ׳ כּוּשׁ 1941, 1942; מֶ׳ כְּנַעַן 1525, 1527-1529; מֶ׳ כַּשְׂדִּים 2129; מֶ׳ לִבְנָה 1489; מֶ׳ לָכִישׁ 1461, 1466, 1471, 1482; מֶ׳ לַשָּׁרוֹן 1496; מֶ׳ מְגִדּוֹ 1502; מֶ׳ מָדוֹן 1475, 1497; מֶ׳ מוֹאָב 1425, 1426, 1508, 1511-1524, 2076, 2151, 2152; מֶ׳ מְלָכִים 2081; מֶ׳ מַעֲכָה 1677, 2126; מֶ׳ מִצְרַיִם 1365-1406, 2157-2160; מֶ׳ מַקֵּדָה 1491, 2165; מֶ׳ מַשָּׂא 2091; מֶ׳ הַנֶּגֶב 2094, 2095, 2102-2106, 2147; מֶ׳ נִינְוֵה 2085; מֶ׳ סְדוֹם 1356, 1357-1360; מֶ׳ סְפַרְוָיִם 2143; מֶ׳ עֶגְלוֹן 1462, 1467, 1472, 1483; מֶ׳ עֲדֻלָּם 1490; מֶלֶךְ עוֹלָם 2144; מֶלֶךְ הָעַי 1452-1456; מֶ׳ עֵילָם 1348/9; מֶ׳ עֲמֹרָה 1353, 1357, 2132; מֶ׳ עֲמָלֵק 1540-1542; מֶ׳ עֲרָד 1408, 1409, 1488; מֶ׳ פְּלִשְׁתִּים 1363, 1364; מֶ׳ פָּרַס 2093, 2107-2119; מֶ׳ צְבוֹיִם 1354, 2134; מֶ׳ צוֹבָה 1673-1675, 2122-2124; מֶ׳ צִידוֹן 2079; מֶ׳ צִידֹנִים 1832; מֶ׳ הַצָּפוֹן 2096-2101, 2181; מֶ׳ צֹר 1671, 1672, 1680, 1681, 2078, 2082, 2121, 2127, 2128; מֶ׳ קֶדֶשׁ 1503; מֶ׳ שָׁלֵם 1361; מֶ׳ שׁוֹמְרוֹן 1865, 1866; מֶ׳ שִׁמְרוֹן 1476, 1499; מֶ׳ שִׁנְעָר 1344/5; מֶ׳ שֵׁשַׁךְ 2145; מֶ׳ תַּעְנַךְ 1501; מֶ׳ תַּפּוּחַ 1493; מֶ׳ תִּרְצָה 1507

– מְלָכִים וְכֹהֲנִים 2497; מְלָכִים וְשָׂרִים 2251, 2496, 2498-2501, 2506-2507

– מְלָכִים אַדִּירִים 2265; מְ׳ גְּדוֹלִים 2264, 2283, 2284

– בְּנוֹת מְלָכִים 2256; חַדְרֵי הַמְּ׳ 2511; כְּבוֹד מְ׳ 2270; כִּסֵּא מְ׳ 2292, 2293, 2295; לֵב מְ׳ 2271; מוּסַר מְ׳ 2273; מֶלֶךְ מְלָכִים 2253; מָתְנֵי מְ׳ 2245; סְגֻלַּת מְ׳ 2275; סֵפֶר הַמְּ׳ 2298, 2302; עָרֵי הַמְּ׳ 2289; פִּגְרֵי הַמְּ׳ 2508, 2509; צֵאת הַמְּ׳ 2296, 2323; צַוְּארֵי הַמְּ׳ 2288; קִבְרוֹת הַמְּ׳ 2299, 2301; רְצוֹן מְ׳ 2268; שַׁד מְ׳ 2249; תּוֹעֲבַת מְלָכִים 2267

– מַלְכֵי הָאֲדָמָה 2405; מַ׳ הָעַי 2410; מַ׳ הָאֱמֹרִי 2339-2347; מַ׳ אֲרָם 2444, 2448, 2490; מַ׳ אֶרֶץ 2419, 2420, 2424-2427, 2439, 2440, 2487, 2488; מַ׳ הָאָרֶץ 2349, 2350, 2356, 2358; מַ׳ אֶרֶץ הָעוּץ 2406; מַ׳ אֶרֶץ פְּלִשְׁתִּים 2407; מַ׳ הָאֲרָצוֹת 2430; מַ׳ אַשּׁוּר 2394-2401; מַ׳ בֵּית יִשְׂרָאֵל 2361; מַ׳ גּוֹיִם 2402, 2403; מַ׳ זִמְרִי 2413; מַ׳ חֶסֶד 2362; מַ׳ הַחִתִּים 2359, 2363, 2437; מַ׳ יְהוּדָה 2367-2382, 2441-2443, 2446, 2447, 2451, 2470-2484, 2485;

מ׳ יִשְׂרָאֵל 2360, 2365, 2366, 2383-2393, 2432-2436,
2445, 2246, 2450, 2452-2469, 2486; מ׳ כְּנַעַן 2351;
מ׳ הַכְּנַעֲנִי 2348; מ׳ מָדַי 2415, 2417, 2418, 2428,
2489; מ׳ מָדַי וּפָרַס 2428; מ׳ מִדְיָן 2337, 2338,
2352-2354; מ׳ מִצְרַיִם 2364; מ׳ עֵבֶר הַנָּהָר 2355;
מ׳ עֵילָם 2414; מ׳ עַמִּים 2336; מ׳ עֲרָב 2411,
2438; מ׳ הָעֶרֶב 2357, 2412; מ׳ פָּרַס 2428, 2429,
2431; מ׳ צְבָאוֹת 2421; מ׳ צוֹבָה 2449; מ׳ הַצָּפוֹן
2416; מ׳ צִידוֹן 2409; מ׳ צֹר 2408; מ׳ קֶדֶם 2404;
מ׳ שְׁבָא וּסְבָא 2423; מ׳ תַּרְשִׁישׁ 2422

מֶלֶךְ

1 לִפְנֵי מְלָךְ־מֶלֶךְ לִבְנֵי יִשְׂרָאֵל Gen. 36:31
2 וְהוּא יִתֵּן מַעֲדַנֵּי־מֶלֶךְ Gen. 49:20
3 וַיָּקָם מֶלֶךְ־חָדָשׁ עַל־מִצְרָיִם Ex. 1:8
4 וּבָלָק...מֶלֶךְ לְמוֹאָב בָּעֵת הַהִוא Num. 22:4
5 יְיָ אֱלֹהָיו עִמּוֹ וּתְרוּעַת מֶלֶךְ בּוֹ Num. 23:21
6 אָשִׂימָה עָלַי מֶלֶךְ כְּכָל־הַגּוֹיִם Deut. 17:14
7 שׂוֹם תָּשִׂים עָלֶיךָ מֶלֶךְ Deut. 17:15
8 מִקֶּרֶב אַחֶיךָ תָּשִׂים עָלֶיךָ מֶלֶךְ Deut. 17:15
9 וַיְהִי בִישֻׁרוּן מֶלֶךְ Deut. 33:5
10 הָלְכוּ הָעֵצִים לִמְשֹׁחַ עֲלֵיהֶם מֶלֶךְ Jud. 9:8
11-13 בַּיָּמִים הָהֵם אֵין מֶלֶךְ בְּיִשְׂרָאֵל
Jud. 17:6; 18:1; 21:25
14 שִׂימָה־לָּנוּ מֶלֶךְ לְשָׁפְטֵנוּ ISh. 8:5
15 תְּנָה־לָּנוּ מֶלֶךְ לְשָׁפְטֵנוּ ISh. 8:6
16 אֶל־הָעָם הַשֹּׁאֲלִים מֵאִתּוֹ מֶלֶךְ ISh. 8:10
17 כִּי אִם־מֶלֶךְ יִהְיֶה עָלֵינוּ ISh. 8:19
18 שְׁמַע בְּקוֹלָם וְהִמְלַכְתָּ לָהֶם מֶלֶךְ ISh. 8:22
19 כִּי־מֶלֶךְ תָּשִׂים עָלֵינוּ ISh. 10:19
20 וָאַמְלִיךְ עֲלֵיכֶם מֶלֶךְ ISh. 12:1
21 לֹא כִּי־מֶלֶךְ יִמְלֹךְ עָלֵינוּ ISh. 12:12
22 וְהִנֵּה נָתַן יְיָ עֲלֵיכֶם מֶלֶךְ ISh. 12:13
23 רָעַתְכֶם רַבָּה...לִשְׁאוֹל לָכֶם מֶלֶךְ ISh. 12:17
24 יָסַפְנוּ...רָעָה לִשְׁאֹל לָנוּ מֶלֶךְ ISh. 12:19
25 וַיִּמְאָסְךָ יְיָ מִהְיוֹת מֶלֶךְ עַל־יִשְׂרָא׳ ISh. 15:26
26 כִּי־רָאִיתִי בְּבָנָיו לִי מֶלֶךְ ISh. 16:1
27 אֲשֶׁר הָיָה דָוִד מֶלֶךְ בְּחֶבְרוֹן IISh. 2:11
28 וְאָנֹכִי הַיּוֹם רַךְ וּמָשׁוּחַ מֶלֶךְ IISh. 3:39
29 בִּהְיוֹת שָׁאוּל מֶלֶךְ עָלֵינוּ IISh. 5:2
30 כִּי הַיּוֹם אֲנִי־מֶלֶךְ עַל־יִשְׂרָאֵל IISh. 19:23
31 וַיְהִי...מֶלֶךְ עַל־כָּל־יִשְׂרָאֵל IK. 4:1
32 וְהָיִיתָ מֶּלֶךְ עַל־יִשְׂרָאֵל IK. 11:37
32א וְהֵקִים יְיָ לוֹ מֶלֶךְ עַל־יִשְׂרָאֵל IK. 14:12
33 וַיִּשְׂרֹף עָלָיו אֶת־בֵּית־מֶלֶךְ בָּאֵשׁ IK. 16:18
34 וּשְׁלֹשִׁים וּשְׁנַיִם מֶלֶךְ אִתּוֹ IK. 20:16
35 שְׁלֹשִׁים־וּשְׁנַיִם מֶלֶךְ עֹזֵר אֹתוֹ IK. 22:48
36 וּמֶלֶךְ אֵין בֶּאֱדוֹם נִצָּב מֶלֶךְ IIK. 8:13
37 הִרְאַנִי יְיָ אֹתְךָ מֶלֶךְ עַל־אֲרָם IIK. 8:20
38 וַיַּמְלִכוּ עֲלֵיהֶם מֶלֶךְ IIK. 9:34
39 וְקִבְרוּהָ כִּי בַת־מֶלֶךְ הִיא IIK. 23:25
40 וְכָמֹהוּ לֹא־הָיָה לְפָנָיו מֶלֶךְ Is. 7:6
41 וְנַמְלִיךְ מֶלֶךְ בְּתוֹכָהּ... Is. 7:6
42 וְנִשְׁכַּחַת צֹר...כִּימֵי מֶלֶךְ אֶחָד Is. 23:15
43 הֵן לְצֶדֶק יִמְלָךְ־מֶלֶךְ Is. 32:1
44 מֶלֶךְ בְּיָפְיוֹ תֶּחֱזֶינָה עֵינֶיךָ Is. 33:17
45 וּמָלַךְ מֶלֶךְ וְהִשְׂכִּיל Jer. 23:5
46 וַיִּמְלָךְ־מֶלֶךְ צִדְקִיָּהוּ בֶּן־יֹאשִׁיָּהוּ Jer. 37:1
47 וְהַאֲבַדְתִּי מִשָּׁם מֶלֶךְ וְשָׂרִים Jer. 49:38
48 וְעַבְדִּי דָוִד מֶלֶךְ עֲלֵיהֶם Ezek. 37:24
49 אֵין מֶלֶךְ וְאֵין שָׂר Hosh. 3:4
50 בְּרָעָתָם יְשַׂמְּחוּ־מֶלֶךְ Hosh. 7:3
51 וַיָּחֵלּוּ מְּעָט מִמַּשָּׂא מֶלֶךְ שָׂרִים Hosh. 8:10
52 כִּי עַתָּה יֹאמְרוּ אֵין מֶלֶךְ לָנוּ Hosh. 10:3

מֶלֶךְ (המשך)

53 תְּנָה־לִּי מֶלֶךְ וְשָׂרִים Hosh. 13:10
54 אֶתֶּן־לְךָ מֶלֶךְ בְּאַפִּי Hosh. 13:11
55 כִּי מִקְדַּשׁ־מֶלֶךְ הוּא Am. 7:13
56 וְאָבַד מֶלֶךְ מֵעַזָּה Zech. 9:5
57 כִּי מֶלֶךְ גָּדוֹל אָנִי Mal. 1:14
58 יְיָ מֶלֶךְ עוֹלָם וָעֶד Ps. 10:16
59 יְיָ בְּעָזְּךָ יִשְׂמַח־מֶלֶךְ Ps. 21:2
60 וַיֵּשֶׁב יְיָ מֶלֶךְ לְעוֹלָם Ps. 29:10
61 כָּל־כְּבוּדָּה בַת־מֶלֶךְ פְּנִימָה Ps. 45:14
62 תְּבֹאֶינָה בְּהֵיכַל מֶלֶךְ Ps. 45:16
63 מֶלֶךְ גָּדוֹל עַל־כָּל־הָאָרֶץ Ps. 47:3
64 כִּי מֶלֶךְ כָּל־הָאָרֶץ אֱלֹהִים Ps. 47:8
65 יְפֵה נוֹף...קִרְיַת מֶלֶךְ רָב Ps. 48:3
66 יָמִים עַל־יְמֵי־מֶלֶךְ תּוֹסִיף Ps. 61:7
67 וְצִדְקָתְךָ לְבֶן־מֶלֶךְ Ps. 72:1
68 וְעֹז מֶלֶךְ מִשְׁפָּט אָהֵב Ps. 99:4
69 שָׁלַח־מֶלֶךְ וַיַּתִּירֵהוּ Ps. 105:20
70 בְּרָב־עָם הַדְרַת־מֶלֶךְ Prov. 14:28
71 רְצוֹן־מֶלֶךְ לְעֶבֶד מַשְׂכִּיל Prov. 14:35
72 קֶסֶם עַל־שִׂפְתֵי־מֶלֶךְ Prov. 16:10
73 חֲמַת־מֶלֶךְ מַלְאֲכֵי־מָוֶת Prov. 16:14
74 בְּאוֹר־פְּנֵי־מֶלֶךְ חַיִּים Prov. 16:15
75 נַהַם כַּכְּפִיר זַעַף מֶלֶךְ Prov. 19:12
76 נַהַם כַּכְּפִיר אֵימַת מֶלֶךְ Prov. 20:2
77 מֶלֶךְ יוֹשֵׁב עַל־כִּסֵּא־דִין Prov. 20:8
78 מְזָרֶה רְשָׁעִים מֶלֶךְ חָכָם Prov. 20:26
79 חֶסֶד וֶאֱמֶת יִצְּרוּ־מֶלֶךְ Prov. 20:28
80 פַּלְגֵי־מַיִם לֶב־מֶלֶךְ בְּיַד־יְיָ Prov. 21:1
81 חֵן שְׂפָתָיו רֵעֵהוּ מֶלֶךְ Prov. 22:11
82 הָגוֹ רָשָׁע לִפְנֵי־מֶלֶךְ Prov. 25:5
83 אַל־תִּתְהַדַּר לִפְנֵי־מֶלֶךְ Prov. 25:6
84 מֶלֶךְ בְּמִשְׁפָּט יַעֲמִיד אָרֶץ Prov. 29:4
85 מֶלֶךְ שׁוֹפֵט בֶּאֱמֶת דַּלִּים Prov. 29:14
86 מֶלֶךְ אֵין לָאַרְבֶּה Prov. 30:27
87 שְׂמָמִית...וְהִיא בְּהֵיכְלֵי מֶלֶךְ Prov. 30:28
88 הוּא מֶלֶךְ עַל־כָּל־בְּנֵי־שָׁחַץ Job 41:26
89 מֶלֶךְ אָסוּר בָּרְהָטִים S.ofS. 7:6
90 וַיִּנְאַץ בְּזַעַם־אַפּוֹ מֶלֶךְ וְכֹהֵן Lam. 2:6
91 קֹהֶלֶת בֶּן־דָּוִד מֶלֶךְ בִּירוּשָׁלָםִ Eccl. 1:1
92 הָיִיתִי מֶלֶךְ עַל־יִשְׂרָאֵל בִּירוּשָׁלָםִ Eccl. 1:12
93 מֶלֶךְ לְשָׂדֶה נֶעֱבָד Eccl. 5:8
94 אֲנִי־פִּי־מֶלֶךְ שְׁמֹר Eccl. 8:2
95 בַּאֲשֶׁר־דְּבַר־מֶלֶךְ שִׁלְטוֹן Eccl. 8:4
96 וּבָא־אֵלֶיהָ מֶלֶךְ גָּדוֹל Eccl. 9:14
97 גַּם בְּמַדָּעֲךָ מֶלֶךְ אַל־תְּקַלֵּל Eccl. 10:20
98 מֶלֶךְ עַז־פָּנִים וּמֵבִין חִידוֹת Dan. 8:23
99 וְעָמַד מֶלֶךְ גִּבּוֹר וּמָשַׁל מִמְשָׁל רַב Dan. 11:3
100 לִקְרֹא עָלֶיךָ...מֶלֶךְ בִּיהוּדָה Neh. 6:7
101 וּבַגּוֹיִם...לֹא־הָיָה מֶלֶךְ כָּמֹהוּ Neh. 13:26
102 וַיִּתְּנֵהוּ אֱלֹ׳ מֶלֶךְ עַל־כָּל־יִשְׂרָ׳ Neh. 13:26
103 לִפְנֵי מְלָךְ־מֶלֶךְ לִבְנֵי יִשְׂרָאֵל ICh. 1:43
104 גַּם בִּהְיוֹת שָׁאוּל מֶלֶךְ ICh. 11:2
105 לֹא־הָיָה עַל־כָּל־מֶלֶךְ לְפָנָיו ICh. 29:25
106 אֶת־עַמּוֹ נְתָנְךָ עֲלֵיהֶם מֶלֶךְ IICh. 2:10
107 וַיַּמְלִיכוּ עֲלֵיהֶם מֶלֶךְ IICh. 21:8

הַמֶּלֶךְ

108 הֲמֶלֶךְ אֵין־בָּךְ אִם־יוֹעֲצֵךְ אָבָד Mic. 4:9

וּמֶלֶךְ

109 וּמֶלֶךְ אֵין בְּיִשְׂרָאֵל Jud. 19:1
110 וּמֶלֶךְ אֵין בֶּאֱדוֹם נִצָּב מֶלֶךְ IK. 22:48
111 וּמֶלֶךְ לָעִיר סְפַרְוָיִם IIK. 19:13
112 וּמֶלֶךְ עַז יִמְשָׁל־בָּם Is. 19:4
113 וּמֶלֶךְ אֶחָד יִהְיֶה לְכֻלָּם לְמֶלֶךְ Ezek. 37:22
114 וּמֶלֶךְ גָּדוֹל עַל־כָּל־אֱלֹהִים Ps. 95:3

וָמֶלֶךְ

115 בֵּרַכְתָּ אֱלֹהִים וָמֶלֶךְ IK. 21:10
116 בֵּרַךְ נָבוֹת אֱלֹהִים וָמֶלֶךְ IK. 21:13
117 יְרָא אֶת־יְיָ בְּנִי וָמֶלֶךְ Prov. 24:21

הַמֶּלֶךְ

118 עֵמֶק שָׁוֵה הוּא עֵמֶק הַמֶּלֶךְ Gen. 14:17
119 מְקוֹם אֲשֶׁר־אֲסִירֵי הַמֶּלֶךְ אֲסוּ׳ Gen. 39:20
120 דֶּרֶךְ הַמֶּלֶךְ נֵלֵךְ לֹא נִטֶּה... Num. 20:17
121 בְּדֶרֶךְ הַמֶּלֶךְ נֵלֵךְ Num. 21:22
122 דְּבַר־סֵתֶר לִי אֵלֶיךָ הַמֶּלֶךְ Jud. 3:19
123 כְּתֹאַר בְּנֵי הַמֶּלֶךְ Jud. 8:18
124 וְהִגַּדְתָּ לָהֶם מִשְׁפַּט הַמֶּלֶךְ ISh. 8:9
125 זֶה יִהְיֶה מִשְׁפַּט הַמֶּלֶךְ ISh. 8:11
126 וַיָּרִעוּ...וַיֹּאמְרוּ יְחִי הַמֶּלֶךְ ISh. 10:24
127 וַתֵּצֶאנָה...לִקְרַאת שָׁאוּל הַמֶּלֶךְ ISh. 18:6
128 לְהִנָּקֵם בְּאֹיְבֵי הַמֶּלֶךְ ISh. 18:25
129 עַל־כֵּן לֹא־בָא אֶל־שֻׁלְחַן הַמֶּלֶךְ ISh. 20:29
130 כִּי־הָיָה דְבַר־הַמֶּלֶךְ נָחוּץ ISh. 21:9
131 וְחֹתֵן הַמֶּלֶךְ וְסָר אֶל־מִשְׁמַעְתֶּךָ ISh. 22:14
132 וְלֹא־אָבוּ עַבְדֵי הַמֶּלֶךְ... ISh. 22:17
133 וְלָנוּ הַסְגִּירוֹ בְּיַד הַמֶּלֶךְ ISh. 23:20
134 וַיִּקְרָא...לֵאמֹר אֲדֹנִי הַמֶּלֶךְ ISh. 24:9
135 מִשְׁתֶּה בְּבֵיתוֹ כְּמִשְׁתֵּה הַמֶּלֶךְ ISh. 25:36
136 וְלָמָּה לֹא שָׁמַרְתָּ אֶל־אֲדֹנֶיךָ הַמֶּלֶךְ ISh. 26:15
137 לְהַשְׁחִית אֶת־הַמֶּלֶךְ אֲדֹנֶיךָ ISh. 26:15
138 וְעַתָּה רְאֵה אֵי־חֲנִית הַמֶּלֶךְ ISh. 26:16
139 הֲקוֹלְךָ...קוֹלִי אֲדֹנִי הַמֶּלֶךְ ISh. 26:17
140 יִשְׁמַע־נָא אֲדֹנִי הַמֶּלֶךְ... ISh. 26:19
141 וַיַּעַן...הִנֵּה חֲנִית הַמֶּלֶךְ... ISh. 26:22
142 וְנִלְחַמְתִּי בְּאֹיְבֵי אֲדֹנִי הַמֶּלֶךְ ISh. 29:8
143-201 (וַ)אֲדֹנִי הַמֶּלֶךְ IISh. 3:21; 4:8; 9:11
13:33; 14:9, 12, 17², 18, 19², 22; 15:15, 21²; 16:4, 9;
18:28, 31, 32; 19:20, 21, 27, 28², 29, 31, 36, 38; 24:3²,
21, 22 • IK. 1:2², 13, 18, 20², 21, 24, 27², 31, 36, 37²;
2:38; 20:4, 9 • IIK. 6:12, 26; 8:5 • Is. 36:8 • Jer.
37:20; 38:9 • Dan. 1:10 • ICh. 21:3, 23
202 וַיִּכְרֹת לָהֶם הַמֶּלֶךְ דָּוִד בְּרִית IISh. 5:3
203 וַתֵּרֶא אֶת־הַמֶּלֶךְ דָּוִד מְפַזֵּז IISh. 6:16
204 וַיָּבֹא הַמֶּלֶךְ דָּוִד וַיֵּשֶׁב לִפְנֵי יְיָ IISh. 7:18
205-222 הַמֶּלֶךְ דָּו(י)ד IISh. 8:8, 10, 11; 9:5; 16:5, 6
19:17 • IK. 1:28, 32, 38, 43, 47 • ICh. 15:29; 17:16;
18:10, 11; 21:24; 29:24
223 אֹכֵל עַל־שֻׁלְחָנִי כְּאַחַד מִבְּנֵי הַמֶּ׳ IISh. 9:11
224 עַל־שֻׁלְחַן הַמֶּלֶךְ תָּמִיד הוּא אֹכֵל IISh. 9:13
225 וַיִּתְהַלֵּךְ עַל־גַּג בֵּית־הַמֶּלֶךְ IISh. 11:2
226-278 (וּבְ/וּלְבֵ/בְּבֵ/לְבֵ/מ) בֵּית הַמֶּלֶךְ
IISh. 11:8, 9; 15:35; 16:2; 19:19 • IK. 9:1, 10; 10:12;
14:26, 27; 15:18; 16:18 • IIK. 7:9, 11; 11:5, 16, 19,
20; 12:19; 14:14; 15:25; 16:28; 18:15; 24:13; 25:9 •
Jer. 26:10; 36:12; 38:7, 8, 11; 39:8; 52:13 • Hosh.
5:1 • Es. 2:8, 9, 13; 4:13; 5:1²; 6:4; 9:4 • Neh. 3:25 •
IICh. 7:11; 9:11; 12:9, 10; 16:2; 21:7; 23:5, 15, 20;
25:24; 26:21; 28:21
279 וַתֵּצֵא אַחֲרָיו מַשְׂאַת הַמֶּלֶךְ IISh. 11:8
280 וְהָיָה אִם־תַּעֲלֶה חֲמַת הַמֶּלֶךְ IISh. 11:20
281 וַיָּמוּתוּ מֵעַבְדֵי הַמֶּלֶךְ IISh. 11:24
282 מַדּוּעַ אַתָּה כָּכָה דַּל בֶּן־הַמֶּלֶךְ IISh. 13:4
283 כִּי כֵן תִּלְבַּשְׁןָ בְנוֹת־הַמֶּלֶךְ IISh. 13:18
284 וַיִּקְרָא אַבְשָׁלוֹם לְכָל־בְּנֵי הַמֶּ׳ IISh. 13:23
285-301 (וּ)בְנֵי הַמֶּלֶךְ IISh. 13:27, 29
13:30, 32, 33, 35, 36 • IK. 1:9, 19, 25 • IIK. 10:6;
10:7, 8, 13; 11:2 • ICh. 27:32; 29:24
302 וַתְּכַל דָּוִד הַמֶּלֶךְ לָצֵאת IISh. 13:39
303 כִּי־לֵב הַמֶּלֶךְ עַל־אַבְשָׁלוֹם IISh. 14:1

הַמֶּלֶךְ (המשך)

304/5 וּפְנֵי הַמֶּלֶךְ לֹא רָאָה IISh. 14:24, 28
306 מָאתַיִם שְׁקָלִים בְּאֶבֶן הַמֶּלֶךְ IISh. 14:26
307 וְעַתָּה אֶרְאֶה פְּנֵי הַמֶּלֶךְ IISh. 14:32
308 וְשֹׁמֵעַ אֵין־לְךָ מֵאֵת הַמֶּלֶךְ IISh. 15:3
309 וַיֹּאמְרוּ עַבְדֵי־הַמֶּלֶךְ IISh. 15:15
310 עֹבְרִים עַל־פְּנֵי הַמֶּלֶךְ IISh. 15:18
311/2 יְחִי הַמֶּלֶךְ יְחִי הַמֶּלֶךְ IISh. 16:16
313 לֹא־אֶשְׁלַח יָדִי אֶל־בֶּן־הַמֶּלֶךְ IISh. 18:12
314 מַצֶּבֶת אֲשֶׁר בְּעֵמֶק־הַמֶּלֶךְ IISh. 18:18
315 כִּי־עַל־כֵּן בֶּן־הַמֶּלֶךְ מֵת IISh. 18:20
316 לִשְׁלֹחַ אֶת־עֶבֶד הַמֶּלֶךְ יוֹאָב IISh. 18:29
317 וַיֶּחֱזַק דְּבַר־הַמֶּלֶךְ אֶל־יוֹאָב IISh. 24:4
318 וּלְכָל־אַנְשֵׁי יְהוּדָה עַבְדֵי הַמֶּלֶךְ IK. 1:9
319 וַיֹּאמְרוּ יְחִי הַמֶּלֶךְ אֲדֹנִיָּהוּ IK. 1:25
320/1 יְחִי הַמֶּלֶךְ שְׁלֹמֹה IK. 1:34, 39
322 וַיַּרְכִּבוּ אֹתוֹ עַל פִּרְדַּת הַמֶּלֶךְ IK. 1:44
323 וְגַם־בָּאוּ עַבְדֵי הַמֶּלֶךְ IK. 1:47
324 הִנֵּה אֲדֹנִיָּהוּ יָרֵא אֶת־הַמֶּלֶךְ שְׁלֹמֹה IK. 1:51
325 יִשָּׁבַע־לִי כַיּוֹם הַמֶּלֶךְ שְׁלֹמֹה IK. 1:51
326-355 הַמֶּלֶךְ שְׁלֹמֹה IK. 1:53; 2:22, 23, 25; 4:1
5:7^{2}, 27; 6:2; 7:13, 14, 51; 8:1, 2; 9:11, 15, 26, 28;
10:13, 16, 21, 23; 12:2 • Jer. 52:20 • S.ofS. 3:9 •
IICh. 7:5; 8:18; 9:15, 20, 22
356 אִמְרִי־נָא לִשְׁלֹמֹה הַמֶּלֶךְ IK. 2:17
357 וַיָּשֶׂם כִּסֵּא לְאֵם הַמֶּלֶךְ IK. 2:19
358 וְזָבוּד בֶּן־נָתָן כֹּהֵן רֵעֶה הַמֶּלֶךְ IK. 4:5
359 מִקְוֵה סֹחֲרֵי הַמֶּלֶךְ יִקְחוּ... IK. 10:28
360 מִזֶּרַע הַמֶּלֶךְ הוּא בֶּאֱדוֹם IK. 11:14
361 וַיִּוָּעַץ הַמֶּלֶךְ רְחַבְעָם אֶת־הַזְּקֵנִים IK. 12:6
362-368 הַמֶּלֶךְ רְחַבְעָם IK. 12:18; 14:27
IICh. 10:6, 13, 18; 12:10, 13
369 וַתָּשָׁב יַד־הַמֶּלֶךְ אֵלָיו IK. 13:6
370 וַיִּשְׁלָחֵם הַמֶּלֶךְ אָסָא IK. 15:18
371-374 הַמֶּלֶךְ אָסָא IK. 15:20, 22
Jer. 41:9 • IICh. 16:4
375 עֲלֵה וְיִתֵּן אֲדֹנָי בְּיַד הַמֶּלֶךְ IK. 22:6
376/7 עֲלֵה...וְנָתַן יְיָ בְּיַד הַמֶּלֶךְ IK. 22:12, 15
378 וַהֲשִׁיבֵהוּ...וְאֶל־יוֹאָשׁ בֶּן־הַמֶּלֶךְ IK. 22:26
379 וַיֵּצֵא הַמֶּלֶךְ יְהוֹרָם...מִשֹּׁמְרוֹן IIK. 3:6
380 וַיָּשָׁב יוֹרָם הַמֶּלֶךְ לְהִתְרַפֵּא IIK. 8:29
381 וַיָּשָׁב יְהוֹרָם הַמֶּלֶךְ לְהִתְרַפֵּא IIK. 9:15
382 וַתִּקַּח יְהוֹשֶׁבַע בַּת־הַמֶּלֶךְ־יוֹרָם IIK. 11:2
383 וַיַּרְא אֹתָם אֶת־בֶּן־הַמֶּלֶךְ IIK. 11:4
384 אֶת־מִשְׁמֶרֶת בֵּית־יְיָ אֶל־הַמֶּלֶךְ IIK. 11:7
385 וַיּוֹצֵא אֶת־בֶּן־הַמֶּלֶךְ IIK. 11:12
386 וַיַּכּוּ כָף וַיֹּאמְרוּ יְחִי הַמֶּלֶךְ IIK. 11:12
387 וַיִּקְרָא הַמֶּלֶךְ יְהוֹאָשׁ לִיהוֹיָדָע IIK. 12:8
388 וַיַּעַל סֹפֵר הַמֶּלֶךְ וְהַכֹּהֵן הַגָּדוֹל IIK. 12:11
389 וַיָּשֶׂם אֱלִישָׁע יָדָיו עַל־יְדֵי הַמֶּ׳ IIK. 13:16
390 וְיוֹתָם בֶּן־הַמֶּלֶךְ עַל־הַבַּיִת IIK. 15:5
391 וַיֵּלֶךְ הַמֶּלֶךְ אָחָז לִקְרַאת תִּגְלַת IIK. 16:10
392-401 הַמֶּלֶךְ אָחָז IIK. 16:10, 11^{2}, 15, 16, 17
Is. 14:28 • IICh. 28:16, 22; 29:19
402 וְאֶת־עֹלַת הַמֶּלֶךְ וְאֶת־מִנְחָתוֹ IIK. 16:15
403 וְאֶת־מְבוֹא הַמֶּלֶךְ הַחִיצוֹנָה IIK. 16:18
404/5 וַיִּשְׁלַח...אֶל־הַמֶּלֶךְ חִזְקִיָּהוּ IIK. 18:17
Is. 36:2
406 כֹּה־אָמַר הַמֶּלֶךְ הַגָּדוֹל IIK. 18:19
407 שִׁמְעוּ דְּבַר הַמֶּלֶךְ הַגָּדוֹל IIK. 18:28
408/9 מִצְוַת הַמֶּלֶךְ הִיא... IIK. 18:36 • Is. 36:21
410/1 כִּשְׁמֹעַ הַמֶּלֶךְ חִזְקִיָּהוּ IIK. 19:1 • Is. 37:1
412/3 וַיָּבֹאוּ עַבְדֵי הַמֶּלֶךְ חִזְקִ׳ IIK. 19:5 • Is. 37:5

הַמֶּלֶךְ (המשך)

414/5 וַיָּבֹא יְשַׁעְיָהוּ...אֶל־הַמֶּלֶךְ חִזְקִיָּהוּ
IIK. 20:14 • Is. 39:3
416 כָּל־הַקֹּשְׁרִים עַל־הַמֶּלֶךְ אָמוֹן IIK. 21:24
417 וְאֶת־עֲשָׂיָה עֶבֶד־הַמֶּלֶךְ IIK. 22:12
418 וַיֵּלֶךְ הַמֶּלֶךְ יֹאשִׁיָּהוּ לִקְרָאתוֹ IIK. 23:29
419/20 וְאֶת־אֵם הַמֶּלֶךְ וְאֶת־נְשֵׁי הַמֶּלֶךְ IIK. 24:15
421 אֲשֶׁר עַל־גַּן הַמֶּלֶךְ IIK. 25:4
422 וַחֲמִשָּׁה אֲנָשִׁים מֵרֹאֵי פְנֵי־הַמֶּלֶךְ IIK. 25:19
423 בִּשְׁנַת־מוֹת הַמֶּלֶךְ עֻזִּיָּהוּ Is. 6:1
424 כִּי אֶת־הַמֶּלֶךְ יְיָ צְבָאוֹת רָאוּ עֵינָי Is. 6:5
425/6 הַמֶּלֶךְ הַגָּדוֹל מֶלֶךְ אַשּׁוּר Is. 36:4, 13
427 בִּימֵי יֹאשִׁיָּהוּ הַמֶּלֶךְ Jer. 3:6
428 יֹאבַד לֵב־הַמֶּלֶךְ וְלֵב הַשָּׂרִים Jer. 4:9
429 בִּשְׁלֹחַ אֵלָיו הַמֶּלֶךְ צִדְקִיָּהוּ Jer. 21:1
430 וַיִּשְׁמַע הַמֶּלֶךְ יְהוֹיָקִים Jer. 26:21
431/2 הַמֶּלֶךְ יְהוֹיָקִם Jer. 26:22, 23
433 אַחֲרֵי צֵאת יְכָנְיָה הַמֶּלֶךְ Jer. 29:2
434 הַמֶּלֶךְ הַיּוֹשֵׁב אֶל־כִּסֵּא דָוִד Jer. 29:46
435 אַחֲרֵי כְּרֹת הַמֶּלֶךְ צִדְקִיָּהוּ בְּרִית Jer. 34:8
436 וַיַּגִּידוּ בְּאָזְנֵי הַמֶּלֶךְ Jer. 36:20
437 וַיִּקְרָאֶהָ יְהוּדִי בְּאָזְנֵי הַמֶּלֶךְ Jer. 36:21
438/9 וַיְצַוֶּה הַמֶּלֶךְ אֶת־יְרַחְמְאֵל
בֶּן־הַמֶּלֶךְ Jer. 36:26
440 וַיִּשְׁלַח הַמֶּלֶךְ צִדְקִיָּהוּ אֶת־יְהוּכַל Jer. 37:3
441-446 הַמֶּלֶךְ צִדְקִיָּהוּ Jer. 37:17, 21
38:5, 14, 16, 19
447 מַלְכִּיָּהוּ בֶן־הַמֶּלֶךְ Jer. 38:6
448 וַיְצַוֶּה הַמֶּלֶךְ אֵת עֶבֶד־מֶלֶךְ Jer. 38:10
449 וַיֵּצְאוּ...דֶּרֶךְ גַּן הַמֶּלֶךְ Jer. 39:4
450 בָּא יִשְׁמָעֵאל...וְרַבֵּי הַמֶּלֶךְ Jer. 41:1
451 וַיִּשְׁבְּ...אֶת־בְּנוֹת הַמֶּלֶךְ Jer. 41:10
452 וְאֶת־הַטַּף וְאֶת־בְּנוֹת הַמֶּלֶךְ Jer. 43:6
453-5 נְאֻם־הַמֶּלֶךְ יְיָ צְבָא׳ Jer. 46:18; 48:15; 51:57
456 ...אֲשֶׁר עַל־גַּן הַמֶּלֶךְ Jer. 52:7
457 אֲנָשִׁים מֵרֹאֵי פְנֵי־הַמֶּלֶךְ Jer. 52:25
458 הַשָּׁנָה...לְגָלוּת הַמֶּלֶךְ יוֹיָכִין Ezek. 1:2
459 בִּמְקוֹם הַמֶּלֶךְ הַמַּמְלִיךְ אֹתוֹ Ezek. 17:16
460 וְהִנֵּה־לֶקֶשׁ אַחַר גִּזֵּי הַמֶּלֶךְ Am. 7:1
461 מִטַּעַם הַמֶּלֶךְ וּגְדֹלָיו Jon. 3:7
462 עַל־הַשָּׂרִים וְעַל־בְּנֵי הַמֶּלֶךְ Zep. 1:8
463/4 בִּשְׁנַת שְׁתַּיִם לְדָרְיָוֶשׁ הַמֶּלֶךְ Hag. 1:1, 15
465 וַיְהִי בִּשְׁנַת אַרְבַּע לְדָרְיָוֶשׁ הַמֶּלֶךְ Zech. 7:1
466 וּמִגְדַּל חֲנַנְאֵל עַד יִקְבֵי הַמֶּלֶךְ Zech. 14:10
467 יְיָ הוֹשִׁיעָה הַמֶּלֶךְ יַעֲנֵנוּ Ps. 20:10
468 כִּי־הַמֶּלֶךְ בֹּטֵחַ בַּיְיָ Ps. 21:8
469 אֵין הַמֶּלֶךְ נוֹשָׁע בְּרָב־חָיִל Ps. 33:16
470 בְּלֵב אוֹיְבֵי הַמֶּלֶךְ Ps. 45:6
471 הָרִיעוּ לִפְנֵי הַמֶּלֶךְ יְיָ Ps. 98:6
472 אֲרוֹמִמְךָ אֱלוֹהַי הַמֶּלֶךְ Ps. 145:1
473 הֱבִיאַנִי הַמֶּלֶךְ חֲדָרָיו S.ofS. 1:4
474 כְּשֶׁבֶת הַמֶּלֶךְ אֲחַ׳ עַל כִּסֵּא מַלְכוּ׳ Es. 1:2
475 בַּחֲצַר גִּנַּת בִּיתַן הַמֶּלֶךְ Es. 1:5
476 וְיֵין מַלְכוּת רָב כְּיַד הַמֶּלֶךְ Es. 1:7
477 כְּטוֹב לֵב הַמֶּלֶךְ בַּיָּיִן Es. 1:10
478 ...הַמְשָׁרְתִים אֶת־פְּנֵי הַמֶּלֶךְ Es. 1:10
479 וַתְּמָאֵן...לָבוֹא בִּדְבַר הַמֶּלֶךְ Es. 1:12
480 כִּי־כֵן דְּבַר הַמֶּלֶךְ Es. 1:13
481 וְהַקָּרֹב אֵלָיו...רֹאֵי פְּנֵי הַמֶּלֶךְ Es. 1:14
482 אֶת־מַאֲמַר הַמֶּלֶךְ אֲחַשְׁוֵרוֹשׁ Es. 1:15
483 אֲשֶׁר בְּכָל־מְדִינוֹת הַמֶּלֶךְ Es. 1:16
484 הַמֶּלֶךְ אֲחַשְׁוֵרוֹשׁ אָמַר לְהָבִיא... Es. 1:17
485 תֹּאמַרְנָה...לְכֹל שָׂרֵי הַמֶּלֶךְ Es. 1:18

הַמֶּלֶךְ (המשך)

486 וְנִשְׁמַע פִּתְגָם הַמֶּלֶךְ... Es. 1:20
487 וַיִּיטַב הַדָּבָר בְּעֵינֵי הַמֶּלֶךְ Es. 1:21
488 וַיִּשְׁלַח...אֶל־כָּל־מְדִינוֹת הַמֶּלֶךְ Es. 1:22
489 כְּשֹׁךְ חֲמַת הַמֶּלֶךְ אֲחַשְׁוֵרוֹשׁ Es. 2:1
490 וַיֹּאמְרוּ נַעֲרֵי־הַמֶּלֶךְ מְשָׁרְתָיו Es. 2:2
491 אֶל־יַד הֵגֶא סְרִיס הַמֶּלֶךְ Es. 2:3
492 וְהַנַּעֲרָה אֲשֶׁר תִּיטַב בְּעֵינֵי הַמֶּלֶךְ Es. 2:4
493 וַיִּיטַב הַדָּבָר בְּעֵינֵי הַמֶּלֶךְ Es. 2:4
494 וַיְהִי בְּהִשָּׁמַע דְּבַר־הַמֶּלֶךְ וְדָתוֹ Es. 2:8
495 לָבוֹא אֶל־הַמֶּלֶךְ אֲחַשְׁוֵרוֹשׁ Es. 2:12
496 אֶל־יַד שַׁעַשְׁגַז סְרִיס הַמֶּלֶךְ Es. 2:14
497 אֲשֶׁר יֹאמַר הֵגַי סְרִיס־הַמֶּלֶךְ Es. 2:15
498 וַיִּתֵּן מַשְׂאֵת כְּיַד הַמֶּלֶךְ Es. 2:18
499/500 וּמָרְדֳּכַי יֹשֵׁב בְּשַׁעַר־הַמֶּלֶךְ Es. 2:19, 21
501-510 (בְּ)שַׁעַר הַמֶּלֶךְ Es. 3:2, 3
4:2^{2},6; 5:9, 13; 6:10, 12 • ICh. 9:18
511/2 שְׁנֵי(־)סָרִיסֵי הַמֶּלֶךְ Es. 2:21; 6:2
513 גִּדַּל הַמֶּלֶךְ אֲחַשְׁוֵרוֹשׁ אֶת־הָמָן Es. 3:1
514/5 עַבְדֵי הַמֶּלֶךְ...כִּי כֵן צִוָּה־לוֹ הַמֶּלֶךְ
Es. 3:2
516 וַיֹּאמְרוּ עַבְדֵי הַמֶּלֶךְ לְמָרְדֳּכָי Es. 3:3
517 אַתָּה עוֹבֵר אֵת מִצְוַת הַמֶּלֶךְ Es. 3:3
518 וְאֶת־דָּתֵי הַמֶּלֶךְ אֵינָם עֹשִׂים Es. 3:8
519 לְהָבִיא אֶל־גִּנְזֵי הַמֶּלֶךְ Es. 3:9
520/1 וַיִּקָּרְאוּ סֹפְרֵי הַמֶּלֶךְ Es. 3:12; 8:9
522 אֲשֶׁר־צִוָּה הָמָן אֶל אֲחַשְׁ׳ הַמֶּלֶךְ Es. 3:12
523 ...בְּשֵׁם הַמֶּלֶךְ אֲחַשְׁוֵרוֹשׁ נִכְתָּב Es. 3:12
524 וְנֶחְתָּם בְּטַבַּעַת הַמֶּלֶךְ Es. 3:12
525 וְנִשְׁלוֹחַ...אֶל־כָּל־מְדִינוֹת הַמֶּלֶךְ Es. 3:13
526 יָצְאוּ דְחוּפִים בִּדְבַר הַמֶּלֶךְ Es. 3:15
527/8 אֲשֶׁר דְּבַר־הַמֶּלֶךְ וְדָתוֹ מַגִּיעַ Es. 4:3; 8:17
529 וַתִּקְרָא...מִסָּרִיסֵי הַמֶּלֶךְ Es. 4:5
530 לִשְׁקוֹל עַל־גִּנְזֵי הַמֶּלֶךְ Es. 4:7
531/2 עַבְדֵי הַמֶּלֶךְ וְעַם מְדִינוֹת הַמֶּלֶךְ Es. 4:11
533 אִם־מָצָאתִי חֵן בְּעֵינֵי הַמֶּלֶךְ Es. 4:11
534 וּמָחָר אֶעֱשֶׂה כִּדְבַר הַמֶּלֶךְ Es. 5:8
535 עַל הַשָּׂרִים וְעַבְדֵי הַמֶּלֶךְ Es. 5:8
536 בַּלַּיְלָה הַהוּא נָדְדָה שְׁנַת הַמֶּלֶךְ Es. 5:11
537 וַיֹּאמְרוּ נַעֲרֵי הַמֶּלֶךְ מְשָׁרְתָיו Es. 6:1
538 וַיֹּאמְרוּ נַעֲרֵי הַמֶּלֶךְ אֵלָיו הִנֵּה הָמָן Es. 6:3
539 וְנָתוֹן...עַל־יַד־אִישׁ מִשָּׂרֵי הַמֶּלֶךְ Es. 6:4
540 וְסָרִיסֵי הַמֶּלֶךְ הִגִּיעוּ Es. 6:9
541 כִּי אֵין הַצָּר שֹׁוֶה בְּנֵזֶק הַמֶּלֶךְ Es. 6:14
542 הַדָּבָר יָצָא מִפִּי הַמֶּלֶךְ Es. 7:4
543 וַחֲמַת הַמֶּלֶךְ שָׁכָכָה Es. 7:8
544 אֲשֶׁר בְּכָל־מְדִינוֹת הַמֶּלֶךְ Es. 7:10
545 וַיֹּאמֶר הַמֶּלֶךְ אֲחַשְׁוֵרֹשׁ לְאֶסְתֵּר Es. 8:7
546 כִּתְבוּ...בְּשֵׁם הַמֶּלֶךְ Es. 8:8
547 וְחִתְמוּ בְּטַבַּעַת הַמֶּלֶךְ Es. 8:8
548 כְתָב אֲשֶׁר־נִכְתָּב בְּשֵׁם־הַמֶּלֶךְ Es. 8:8
549 וְנַחְתּוֹם בְּטַבַּעַת הַמֶּלֶךְ Es. 8:8
550 וַיִּכְתֹּב בְּשֵׁם הַמֶּלֶךְ אֲחַשְׁוֵרֹשׁ Es. 8:10
551 וַיַּחְתֹּם בְּטַבַּעַת הַמֶּלֶךְ Es. 8:10
552-554 מְדִינוֹת הַמֶּלֶךְ אֲחַשְׁ׳ Es. 8:12; 9:2, 20
555 מְבֹהָלִים וּדְחוּפִים בִּדְבַר הַמֶּלֶךְ Es. 8:14
556 אֲשֶׁר הִגִּיעַ דְּבַר־הַמֶּלֶךְ וְדָתוֹ Es. 9:1
557 בִּשְׁאָר מְדִינוֹת הַמֶּלֶךְ מֶה עָשׂוּ Es. 9:12
558 ...אֲשֶׁר בִּמְדִינוֹת הַמֶּלֶךְ Es. 9:16
559 כֹּחַ בָּהֶם לַעֲמֹד בְּהֵיכַל הַמֶּלֶךְ Dan. 1:4
560 מִפַּת־בַּג הַמֶּלֶךְ וּמִיֵּין מִשְׁתָּיו Dan. 1:5
561 אֲשֶׁר לֹא־יִתְגָּאַל בְּפַת־בַּג הַמֶּלֶךְ Dan. 1:8
562/3 הָאֹכְלִים אֵת פַּת־בַּג הַמֶּלֶךְ Dan. 1:13, 15

המלך (המשך)

564 עד־שנת אחת לכורש המלך Dan. 1:21
565 למלכות בלאשצר המלך Dan. 8:1
566 הוא המלך הראשון Dan. 8:21
567 ואעשה את־מלאכת המלך Dan. 8:27
568 בשנת־שבע לארתחשסתא המלך Ez. 7:7
569 נתן המלך ארתחשסתא לעזרא Ez. 7:11
570 אשר נתן כזאת בלב המלך Ez. 7:27
571 ועלי הטה־חסד לפני המלך Ez. 7:28
572 ולכל־שרי המלך הגברים Ez. 7:28
573 במלכות ארתחשסתא המלך Ez. 8:1
574 ויתנו את־דתי המלך Ez. 8:36
575 לאחשדרפני המלך... Ez. 8:36
576 שנת עשרים לארתחשס׳ המלך Neh. 2:1
577 ואתנה להם את אגרות המלך Neh. 2:9
578 ואעבר...ואל־ברכת המלך Neh. 2:14
579 דברי המלך אשר אמר־לי Neh. 2:18
580 חומת ברכת השלח לגן־המלך Neh. 3:15
581 לוינו כסף למדת המלך Neh. 5:4
582 ועד שנת...לארתחשסתא המלך Neh. 5:14
583 כי־מצות המלך עליהם Neh. 11:23
584 ...ליד המלך לכל־דבר לעם Neh. 11:24
585 ובני־דויד הראשנים ליד המלך ICh. 18:17
586 ודבר־המלך חזק על־יואב ICh. 21:4
587 נתעב דבר־המלך את־יואב ICh. 21:6
588 לפני דויד המלך וצדוק... ICh. 24:31
589 על יד־אסף הנבא על־ידי המלך ICh. 25:2
590 חזה המלך בדברי האלהים ICh. 25:5
591 על ידי המלך אסף... ICh. 25:6
592 אשר הקדיש דויד המלך ICh. 26:26
593 לכל מלאכת יי ולעבדת המלך ICh. 26:30
594/5 ויפקידם דויד המלך על־הראובני...
לכל־דבר האלהים ודבר המלך ICh. 26:32
596 ועל אצרות המלך עזמות ICh. 27:25
597 וחושי הארכי רע המלך ICh. 27:33
598 ויקם דויד המלך על־רגליו ICh. 28:2
599-603 (ל)דויד המלך ICh. 29:1, 9, 29
IICh. 2:11; 7:6
604 ולשרי מלאכת המלך ICh. 29:6
605 נתנו יד תחת שלמה המלך ICh. 29:24
606 ומקוא° סחרי המלך... IICh. 1:16
607 ולא־סרו מצות המלך... IICh. 8:15
608 אשר ברח מפני שלמה המלך IICh. 10:2
609 אם אסא המלך הסירה מגבירה IICh. 15:16
610 ואסא המלך לקח את־כל־יהודה IICh. 16:6
611 עלה ויתן האלהים ביד המלך IICh. 18:5
612 עלה...ונתן יי ביד המלך IICh. 18:11
613 והשיבהו...ואל־יואש בן־המלך IICh. 18:25
614 ויאמר אל־המלך יהושפט IICh. 19:2
615 וזבדיהו...לכל דבר־המלך IICh. 19:11
616 ותקח יהושבעת בת־המלך IICh. 22:11
617 מתוך בני־המלך המומתים... IICh. 22:11
618 ותסתירהו יהושבעת בת־המלך IICh. 22:11
619 ויכרת...ברית...עם־המלך IICh. 23:3
620 הנה בן־המלך ימלך... IICh. 23:3
621 ויוציאו את־בן־המלך IICh. 23:11
622 ויאמרו יחי המלך IICh. 23:11
623 בעת יביא...אל־פקדת המלך IICh. 24:11
624 ובא סופר המלך IICh. 24:11
625 וירגמהו אבן במצות המלך IICh. 24:21
626 ולא־זכר יואש המלך החסד IICh. 24:22
627 על יד־חנניהו משרי המלך IICh. 26:11
628 ויעמדו על־עזיהו המלך IICh. 26:18

המלך (המשך)

629 ויהי עזיהו המלך מצרע IICh. 26:21
630 ויהרג...את־מעשיהו בן־המלך IICh. 28:7
631 ואת־אלקנה משנה המלך IICh. 28:7
632 ויבאו כמצות המלך בדברי יי IICh. 29:15
633 ויבואו...אל־חזקיהו המלך IICh. 29:18
634 וישכם יחזקיהו המלך IICh. 29:20
635 וגד חזה־המלך IICh. 29:25
636 ויאמר יחזקיהו המלך IICh. 29:30
637/8 יחזקיהו המלך IICh. 31:13; 32:20
639 ויישר הדבר בעיני המלך IICh. 30:4
640 וילכו הרצים באגרות מיד המלך IICh.30:6
641 ...וכמצות המלך לאמר IICh. 30:6
642 לעשות מצות המלך והשרים IICh. 30:12
643 ומנת המלך מן־רכושו IICh. 31:3
644 ואת עשיה עבד־המלך IICh. 34:20
645 אלה מרכוש המלך IICh. 35:7
646 ויעמדו הכהנים...כמצות המלך IICh. 35:10
647 והימן וידתון חוזה המלך IICh. 35:15
648 כמצות המלך יאשיהו IICh. 35:16
649 ...ואצרות המלך ושריו IICh. 36:18
650-1160 המלך ISh. 12:2, 13, 14; 17:25, 55, 56
18:22; 19:4; 20:5, 24, 25; 21:3; 22:11^{2}, 14, 15, 16; 22:17, 18; 23:20; 26:14; 28:13 • IISh. 3:23, 24, 32; 3:33, 36, 38; 4:8; 5:3, 6; 7:1, 2, 3; 9:2, 3^{2}, 4^{2}, 9, 11; 10:5; 11:19; 13:6^{2}, 13, 24^{2}, 25, 26; 13:31, 35, 36; 14:3, 4^{2}, 5; 14:8, 9, 10, 11, 13^{2}, 15^{3}, 16, 18, 19, 21, 22^{2}, 24, 29, 32, 33^{4}; 15:2, 6, 7, 9, 15, 16^{2}, 17, 19^{2}, 21, 25, 27, 34; 16:2, 3^{2}, 4, 9, 10, 14; 17:2; 18:2, 4^{2}, 5^{2}, 12, 13, 19, 25, 26, 27, 28, 29, 30, 32; 19:1, 2, 3, 5, 6, 9^{3}, 10, 11, 12^{2}, 13, 15, 16^{3}, 18, 19; 19:20^{2}, 24^{2}, 25^{2}, 26^{2}, 27, 29, 30, 31, 32, 33, 34, 35^{2}; 19:37^{2}, 39, 40, 41^{3}, 42^{2}, 43^{2}; 20:3, 4, 22; 21:2, 5, 6, 7, 8, 14; 24:2, 3, 4, 9, 20, 23^{2}, 24 • IK. 1:2, 14, 15^{2}, 16, 22, 23, 28^{2}, 29, 32, 33, 36, 44, 47, 48; 2:18, 19^{2}, 20, 26, 30^{2}, 31, 35^{2}, 36, 42, 44, 46; 3:4, 16, 22, 23, 24^{2}, 25, 26, 27, 28^{2}; 4:7; 5:31; 7:46; 8:14, 63, 64, 66; 10:3, 6, 12, 17, 18, 26, 27; 12:12, 13, 15, 16^{2}, 28; 13:4, 6, 7, 8, 11; 14:28; 16:16; 20:39^{2}; 22:8, 13, 15, 16, 27, 37^{2} • IIK. 1:6, 9, 11, 15; 4:13; 5:8; 6:28, 30; 7:12, 14, 17, 18; 8:3, 5, 6^{2}, 8; 9:18, 19; 11:8^{2}, 11, 14^{2}, 17^{2}, 19; 14:5, 22; 15:5; 16:12^{3}; 18:18, 29; 21:23; 22:3, 9^{2}, 10, 11, 12, 20; 23:1, 2, 3, 4, 12, 13, 21; 25:5, 6, 11, 30 • Is. 36:14, 16 • Jer. 26:21; 36:20, 21^{2}, 24, 27; 37:17, 18; 38:4, 5, 8, 14, 25^{2}, 26, 27; 52:8, 9 • Ezek. 7:27 • Ps. 45:12 • Eccl. 2:12 • Es. 1:5, 8, 11, 12, 16^{2}, 19^{3}, 21; 2:3, 13, 14^{2}, 15, 16, 17, 18, 23; 3:9, 10; 4:8, 11^{4}, 16; 5:2^{2}, 3, 4, 5, 6, 8^{2}, 11, 12^{2}, 14; 6:1, 3, 5, 4^{3}; 6:7^{2}, 8^{2}, 9^{2}, 10, 11; 7:1, 2^{2}, 3, 4^{2}, 5, 6, 7, 8, 9^{3}; 8:1^{2}, 2, 3, 4^{2}, 5^{2}, 11, 15; 9:11, 12, 13, 14, 25; 10:1, 2 • Dan. 1:3, 5^{2}, 18, 19^{2}, 20; 2:2^{2}, 3; 11:36 • Ez. 4:3; 7:6; 8:22, 25 • Neh. 2:2, 3, 4, 5, 6^{2}, 7, 8, 9, 19; 13:6^{2} • ICh. 4:23; 11:3; 19:5; 24:6; 27:1; 28:1 • IICh. 1:14, 15; 4:17; 5:3; 6:3; 7:5; 9:5, 11, 12, 16, 17, 25, 27; 10:12, 13, 15, 16^{2}; 12:11; 17:19^{2}; 18:7, 12, 14^{2}, 15, 26; 23:7^{2}, 10, 12, 13^{2}, 16, 20^{2}; 24:6, 8, 12, 14, 17; 25:3, 7; 26:2; 29:23, 24, 29; 30:2; 33:25; 34:16^{2}, 18, 19, 20, 22, 28, 29, 30, 31; 35:23; 36:10

והמלך
1161 והמלך דוד הלך אחרי המטה IISh. 3:31
1162-1164 והמ׳ דוד IISh.13:21; 19:12 • IK.1:1
1165 ...והמלך לא ידעה IK. 1:4
1166 והמלך זקן מאד... IK. 1:15

המלך (המשך)

1167 והמלך שלמה ברוך IK. 2:45
1168-1172 והמלך שלמה IK. 8:5; 10:13; 11:1
IICh. 5:6; 9:12
1173 והמלך רחבעם התאמץ...לנוס IK. 12:18
1174 והמלך אסא השמיע את־כל־... IK. 15:22
1175 והמלך כורש הוציא את־כלי... Ez. 1:7
1176-1195 והמלך IISh. 14:9; 15:23; 19:5, 40
IK. 8:62; 22:35 • IIK. 7:17; 8:4 • Jer. 36:22; 38:7 • Hosh. 10:3 • Ps. 63:12 • Es. 3:15; 5:1; 7:7, 8 • IICh. 7:4; 10:18; 12:6; 20:15

מהמלך
1196 כי לא היתה מהמלך להמית... IISh. 3:37

שהמלך
1197 עד־שהמלך במסבו נרדי נתן ריחו S.ofS.1:12

במלך
1198 ועתה התחתן במלך ISh. 18:22
1199 הנקלה בעיניכם התחתן במלך ISh.18:23
1200 וישר הדבר...להתחתן במלך ISh. 18:26
1201 ויבא דוד...להתחתן במלך ISh. 18:27
1202 עשר־ידות לי במלך IISh. 19:44
1203 ...נשא ידו במלך בדוד IISh. 20:21
1204 וירבעם...וירם יד במלך IK. 11:26
1205 וזה הדבר אשר־הרים יד במלך IK. 11:27
1206 וגם אלנתן...הפגעו במלך... Jer. 36:25
1207 צאינה וראינה...במלך שלמה S.ofS. 3:11
1208/9 לשלח יד במלך אחשורוש Es. 2:21; 6:2
1210 וגם במלך נבוכדנאצר מרד IICh. 36:13

כמלך
1211 תתקפהו כמלך עתיד לכידור Job 15:24
1212 ואשכון כמלך בגדוד Job 29:25

למלך
1213 וימליכו את־אבימלך למלך Jud. 9:6
1214 אתם משחים אתי למלך עליכם Jud. 9:15
1215 ...למשחך למלך על־עמו ISh. 15:1
1216 כי־המלכתי את־שאול למלך ISh. 15:11
1217 וימשחך יי למלך על־ישראל ISh. 15:17
1218 וימשחו־שם את־דוד למלך... IISh. 2:4
1219 וגם אתי משחו...למלך עליהם IISh. 2:7
1220 הייתם מבקשים את־דוד למלך IISh. 3:17
1221 וימשחו את־דוד למלך על־ישר׳ IISh.5:3
1222 כי־הכינו יי למלך על־ישר׳ IISh. 5:12
1223-1231 למלך על (אל)־ישראל IISh. 5:17
12:7 • IK. 1:34; 19:16 • IIK. 9:3, 12 • ICh. 11:3
14:2; 28:4
1232 וימשחו אותו...למלך בגחון IK. 1:45
1233 אתו משחו למלך תחת אביהו IK. 5:15
1234 וישימך למלך לעשות משפט IK. 10:9
1235 הוא־דבר עלי למלך על־העם IK. 14:2
1236 ומשחת את־חזאל למלך על־ארם IK. 19:15
1237 משחתיך למלך אל־עם יי IIK. 9:6
1238 ומלך אחד יהיה לכלם למלך Ezek. 37:22
1239 והיה יי למלך על־כל־הארץ Zech. 14:9
1240/1 להשתחות למלך יי צבאות Zech.14:16, 17
1242 אמר אני מעשי למלך Ps. 45:2
1243 אלהים משפטיך למלך תן Ps. 72:1
1244 האמר למלך בליעל Job 34:18
1245 ואתה הוה להם למלך Neh. 6:6
1246 נמשח דויד למלך על־כל־יש׳ ICh. 14:8
1247 וישב...למלך תחת־דויד אביו ICh. 29:23
1248 לתתך על־כסאו למלך ליי IICh. 9:8
1249 ויתנך עליהם למלך IICh. 9:8

למלך
1250 מי אנכי...כי־אהיה חתן למלך ISh. 18:18
1251 אין־חפץ למלך במהר... ISh. 18:25
1252 ויבא דוד...וימלאום למלך ISh. 18:27
1253 ויגד למלך דוד לאמר IISh. 6:12
1254-1259 למלך דו(י)ד IISh. 17:17, 21
IIK. 11:10 • ICh. 27:24, 31 • IICh. 23:9

לַמֶּלֶךְ (המשך)

1260 וַיָּבֹא וַיִּשְׁתַּחוּ לַמֶּלֶךְ שְׁלֹמֹה IK. 1:53
1268-1261 לַמֶּלֶךְ שְׁלֹמֹה IK. 2:29
7:40, 45; 10:10 • IICh. 4:11, 16; 8:10; 9:9
1269 כִּי אֳנִי תַרְשִׁישׁ לַמֶּלֶךְ בַּיָּם IK. 10:22
1270 בַּשָּׁנָה הַחֲמִישִׁית לַמֶּלֶךְ רְחַבְעָם IK. 14:25
1271 וּבִשְׁנַת שְׁמֹנֶה עֶשְׂרֵה לַמֶּלֶךְ יָרָבְעָם IK. 15:1
1272 וַיְהִי בִּשְׁנַת...לַמֶּלֶךְ יְהוֹאָשׁ IIK. 12:7
1273 וַיְהִי בַּשָּׁנָה הָרְבִיעִית לַמֶּלֶךְ חִזְקִיָּ' IIK. 18:9
1274/5 לַמֶּלֶךְ חִזְקִיָּהוּ IIK. 18:13 • Is. 36:1
1276 בִּשְׁמֹנֶה עֶשְׂרֵה שָׁנָה לַמֶּ' יֹאשִׁיָּהוּ IIK. 22:3
1277/8 לַמֶּלֶךְ יֹאשִׁיָּהוּ IIK. 23:23 • IICh. 35:23
1279/80 עַד...שָׁנָה לַמֶּלֶךְ צִדְקִיָּהוּ
IIK. 25:2 • Jer. 52:5
1281/2 הִיא שְׁנַת...לַמֶּלֶךְ נְבֻכַדְנֶאצַּר
IIK. 25:8 • Jer. 52:12
1283 גַּם הוּא° לַמֶּלֶךְ הוּכָן Is. 30:33
1284 וַתָּשֻׁרִי לַמֶּלֶךְ בַּשֶּׁמֶן... Is. 57:9
1285 אֱמֹר לַמֶּלֶךְ וְלַגְּבִירָה... Jer. 13:18
1286 לִרְקָמוֹת תּוּבַל לַמֶּלֶךְ... Ps. 45:15
1287 בֵּית הַמַּלְכוּת...לַמֶּלֶךְ אֲחַשְׁוֵרוֹשׁ Es. 1:9
1290-1288 לַמֶּלֶךְ אֲחַשְׁוֵרוֹשׁ Es. 3:7, 8; 10:3
1291 שֹׁמֵר הַפַּרְדֵּס אֲשֶׁר לַמֶּלֶךְ Neh. 2:8
1292 וַאֲחִיתֹפֶל יוֹעֵץ לַמֶּלֶךְ IICh. 27:33
1293 וְשַׂר־צָבָא לַמֶּלֶךְ יוֹאָב ICh. 27:34
1294 בַּשָּׁנָה הַחֲמִישִׁית לַמֶּלֶךְ רְחַבְעָם IICh. 12:2
1295 בִּשְׁנַת שְׁמוֹנֶה עֶשְׂרֵה לַמֶּלֶךְ יָרָבְ' IICh. 13:1
1339-1296 לַמֶּלֶךְ IISh. 17:16; 18:21, 25, 28
24:20, 23 • IK. 1:3, 4, 16, 23², 31; 2:38; 9:14; 10:10; 20:38 • IIK. 7:2, 15; 8:5; 22:10 • Jer. 36:16 • Es. 2:2, 22; 5:14; 6:4; 9:3 • Dan. 1:10; 2:2, 4 • Ez. 7:8; 8:22 • Neh. 1:11; 2:1, 3, 5, 7; 6:7 • ICh. 28:1 • IICh. 9:9, 21; 24:17; 25:16; 26:13; 34:18

וְלַמֶּלֶךְ

1340 וְלַמֶּלֶךְ אֵין־שֹׁוֶה לְהַנִּיחָם Es. 3:8
1341 וַיִּקְּדוּ וַיִּשְׁתַּחֲווּ לַיי וְלַמֶּלֶךְ ICh. 29:20

מִמֶּלֶךְ

1342 יַעַן מָאַסְתָּ...וַיִּמְאָסְךָ מִמֶּלֶךְ ISh. 15:23
1343 טוֹב...מִמֶּלֶךְ זָקֵן וּכְסִיל Eccl. 4:13

מֶלֶךְ־

1344/5 (וְ)אַמְרָפֶל מֶלֶךְ־שִׁנְעָר Gen. 14:1, 9
1346/7 (וְ)אַרְיוֹךְ מֶלֶךְ אֶלָּסָר Gen. 14:1, 9
1348/9 כְּדָרְלָעֹמֶר מֶלֶךְ עֵילָם Gen. 14:1, 9
1350/1 וְתִדְעָל מֶלֶךְ גּוֹיִם Gen. 14:1, 9
1352 עָשׂוּ מִלְחָמָה אֶת־בֶּרַע מֶלֶךְ סְדֹם
Gen. 14:2
1353 וְאֶת־בִּרְשַׁע מֶלֶךְ עֲמֹרָה Gen. 14:2
1354 שִׁנְאָב מֶלֶךְ אַדְמָה Gen. 14:2
1355 וְשֶׁמְאֵבֶר מֶלֶךְ צְבוֹיִם° Gen. 14:2
1356 וַיֵּצֵא מֶלֶךְ־סְדֹם... Gen. 14:8
1357 וַיָּנֻסוּ מֶלֶךְ־סְדֹם וַעֲמֹרָה Gen. 14:10
1360-1358 מֶלֶךְ סְדֹם Gen. 14:17, 21, 22
1361 וּמַלְכִּי־צֶדֶק מֶלֶךְ שָׁלֵם... Gen. 14:18
1362 וַיִּשְׁלַח אֲבִימֶלֶךְ מֶלֶךְ גְּרָר Gen. 20:2
1363/4 אֲבִימֶלֶךְ מֶלֶךְ(־)פְּלִשְׁתִּים Gen. 26:1, 8
1365 מַשְׁקֵה מֶלֶךְ־מִצְרַיִם וְהָאֹפֶה Gen. 40:1
1366 בְּעָמְדוֹ לִפְנֵי־מֶלֶךְ־מִצְרָיִם Gen. 41:46
1406-1367 מֶלֶךְ(־)מִצְרַיִם (־רָ) Ex. 1:15, 17, 18
2:23; 3:18, 19; 5:4; 6:11, 13, 27, 29; 14:8 • Deut. 7:8; 11:3 • IK. 3:1; 9:16; 11:18, 40; 14:25 • IIK. 17:4, 7; 18:21; 23:29; 24:7 • Is. 36:6 • Jer. 25:19; 44:30; 46:2, 17 • Ezek. 29:2, 3; 30:21, 22; 31:2; 32:2 • IICh. 12:2, 9; 35:20; 36:3, 4
1407 וַיִּשְׁלַח מֹשֶׁה...אֶל־מֶלֶךְ אֱדוֹ' Num. 20:14
1409-1408 וַיִּשְׁמַע הַכְּנַעֲנִי מֶלֶךְ(־)עֲרָד
Num. 21:1; 33:40

מֶלֶךְ־ (המשך)

1410 ...אֶל־סִיחֹן מֶלֶךְ־הָאֱמֹרִי Num. 21:21
1423-1411 לְ(סִיחֹן) מֶלֶךְ הָאֱמֹרִי Num. 21:26, 34
32:33 • Deut. 1:4; 3:2; 4:46 • Josh. 12:2; 13:10, 21 • Jud. 11:19 • IK. 4:19 • Ps. 135:11; 136:19
1424 וַיֵּצֵא עוֹג מֶלֶךְ־הַבָּשָׁן לִקְרָאתָ Num. 21:33
1425 בָּלָק...מֶלֶךְ מוֹאָב שָׁלַח אֵלָי Num. 22:10
1426 יַנְחֵנִי בָלָק מֶלֶךְ־מוֹאָב Num. 23:7
1427 מַמְלֶכֶת עוֹג מֶלֶךְ־הַבָּשָׁן Num. 32:33
1440-1428 (וּלְ)עוֹג מֶלֶךְ הַבָּשָׁן Deut. 1:4; 3:1, 3
3:11; 29:6; 4:47 • Josh. 9:10; 12:4 • IK. 4:19; 13:30 • Ps. 135:11; 136:20 • Neh. 9:22
1450-1441 (לְסִיחֹן) מֶלֶךְ חֶשְׁבּוֹן Deut. 2:24, 26
2:30; 3:6; 29:6 • Josh. 9:10; 12:5; 13:27 • Jud. 11:19 • Neh. 9:22
1451 וַיִּשְׁלַח מֶלֶךְ יְרִיחוֹ אֶל־רָחָב Josh. 2:3
1452 נָתַתִּי בְיָדְךָ אֶת־מֶלֶךְ הָעַי... Josh. 8:1
1456-1453 מֶלֶךְ הָעַי Josh. 8:14, 23, 29; 12:9
1457/8 ...אֲדֹנִי־צֶדֶק מֶלֶךְ יְרוּשָׁלִַם Josh. 10:1, 3
1459 וַיִּשְׁלַח...אֶל־הוֹהָם מֶלֶךְ חֶבְרוֹן Josh. 10:3
1460 וְאֶל־פִּרְאָם מֶלֶךְ יַרְמוּת Josh. 10:3
1461 וְאֶל־יָפִיעַ מֶלֶךְ־לָכִישׁ Josh. 10:3
1462 וְאֶל־דְּבִיר מֶלֶךְ־עֶגְלוֹן Josh. 10:3
1463 וַיֵּאָסְפוּ...מֶלֶךְ־יְרוּשָׁלִַם Josh. 10:5
1464/5 מֶלֶךְ־חֶבְרוֹן מֶלֶךְ־יַרְמוּת Josh. 10:5
1466/7 מֶלֶךְ־לָכִישׁ מֶלֶךְ־עֶגְלוֹן Josh. 10:5
1468 וַיֹּצִיאוּ אֵלָיו...אֵת מֶלֶךְ יְרוּשָׁלִַם Josh. 10:23
1469/70 מֶלֶךְ חֶבְרוֹן אֶת־מֶלֶךְ יַרְמוּת Josh. 10:23
1471/2 אֶת־מֶלֶךְ לָכִישׁ אֶת־מֶלֶךְ עֶגְ' Josh. 10:23
1473 אָז עָלָה הֹרָם מֶלֶךְ גֶּזֶר לַעְזֹר Josh. 10:33
1474 וַיְהִי כִּשְׁמֹעַ יָבִין מֶלֶךְ־חָצוֹר Josh. 11:1
1475 וַיִּשְׁלַח אֶל־יוֹבָב מֶלֶךְ מָדוֹן Josh. 11:1
1476/7 מֶלֶךְ שִׁמְרוֹן...מֶלֶךְ אַכְשָׁף Josh. 11:1
1478 מֶלֶךְ יְרִיחוֹ אֶחָד Josh. 12:9
1479/80 מֶלֶךְ יְרוּשָׁלִַם...מֶלֶךְ חֶבְרוֹן Josh. 12:10
1481/2 מֶלֶךְ יַרְמוּת...מֶלֶךְ לָכִישׁ Josh. 12:11
1483/4 מֶלֶךְ עֶגְלוֹן...מֶלֶךְ גֶּזֶר Josh. 12:12
1485/6 מֶלֶךְ דְּבִר...מֶלֶךְ גֶּדֶר Josh. 12:13
1487/8 מֶלֶךְ חָרְמָה...מֶלֶךְ עֲרָד Josh. 12:14
1489/90 מֶלֶךְ לִבְנָה...מֶלֶךְ עֲדֻלָּם Josh. 12:15
1491/2 מֶלֶךְ מַקֵּדָה...מֶלֶךְ בֵּית־אֵל Josh. 12:16
1493/4 מֶלֶךְ תַּפּוּחַ...מֶלֶךְ חֵפֶר Josh. 12:17
1495/6 מֶלֶךְ אֲפֵק...מֶלֶךְ לַשָּׁרוֹן Josh. 12:18
1497/8 מֶלֶךְ מָדוֹן...מֶלֶךְ חָצוֹר... Josh. 12:19
1499 מֶלֶךְ שִׁמְרוֹן מְראוֹן אֶחָד Josh. 12:20
1500 מֶלֶךְ אַכְשָׁף אֶחָד Josh. 12:20
1501/2 מֶלֶךְ תַּעְנַךְ...מֶלֶךְ מְגִדּוֹ... Josh. 12:21
1503/4 מֶלֶךְ קֶדֶשׁ...מֶלֶךְ־יָקְנְעָם Josh. 12:22
1505 מֶלֶךְ דּוֹר לְנָפַת דּוֹר אֶחָד Josh. 12:23
1506 מֶלֶךְ־גּוֹיִם לְגִלְגָּל אֶחָד Josh. 12:23
1507 מֶלֶךְ תִּרְצָה אֶחָד Josh. 12:24
1508 וַיָּקָם בָּלָק בֶּן־צִפּוֹר מֶלֶךְ מוֹאָב Josh. 24:9
1509 כּוּשַׁן רִשְׁעָתַיִם מֶלֶךְ אֲרַם נַהֲרָיִם Jud. 3:8
1510 אֶת־כּוּשַׁן רִשְׁעָתַיִם מֶלֶךְ אֲרָם Jud. 3:10
1511/2 עֶגְלוֹן מֶלֶךְ מוֹאָב Jud. 3:12, 14
1524-1513 מֶלֶךְ מוֹאָב Jud. 3:15, 17; 11:17, 25
ISh. 12:9; 22:3, 4 • IIK. 3:4, 5, 7, 26 • Mic. 6:5
1525 וַיִּמְכְּרֵם יי בְּיַד יָבִין מֶלֶךְ־כְּנַעַן Jud. 4:2
1526 כִּי שָׁלוֹם בֵּין יָבִין מֶלֶךְ־חָצוֹר Jud. 4:17
1527 וַיַּכְנַע...אֵת יָבִין מֶלֶךְ־כְּנָעַן Jud. 4:23
1528/9 יָבִין מֶלֶךְ כְּנָעַן Jud. 4:24²
1530/1 וַיִּשְׁלַח...אֶל־מֶלֶךְ בְּנֵי־עַמּוֹן
Jud. 11:12, 14

מֶלֶךְ־ (המשך)

1537-1532 מֶלֶךְ בְּנֵי עַמּוֹן Jud. 11:13, 28
ISh. 12:12 • IISh. 10:1 • ICh. 19:1 • IICh. 27:5
1538 וַיִּשְׁלַח...אֶל־מֶלֶךְ אֱדוֹם... Jud. 11:17
1539 וְלֹא שָׁמַע מֶלֶךְ אֱדוֹם Jud. 11:17
1540 וַיִּתְפֹּשׂ אֶת־אֲגַג מֶלֶךְ עֲמָלֵק חָי ISh. 15:8
1541/2 אֲגַג מֶלֶךְ עֲמָלֵק ISh. 15:20, 32
1543 וַיָּבֹא אֶל־אָכִישׁ מֶלֶךְ גַּת ISh. 21:11
1544 הֲלוֹא־זֶה דָוִד מֶלֶךְ הָאָרֶץ ISh. 21:12
1545 וַיִּרָא מְאֹד מִפְּנֵי אָכִישׁ מֶלֶךְ־גַּת ISh. 21:13
1546 אַחֲרֵי מִי יָצָא מֶלֶךְ יִשְׂרָאֵל ISh. 24:14
1668-1547 מֶלֶךְ יִשְׂרָאֵל ISh. 26:20
29:3 • IISh. 6:20 • IK. 15:9, 16, 17, 19, 32; 20:2, 4, 7, 11, 13, 21, 22, 28, 31, 32, 40, 41, 43; 21:18; 22:2, 3, 4, 5, 22:6, 8, 9, 18, 26, 29, 30², 31, 32, 33, 34, 41, 45 • IIK. 3:9, 10, 11, 12, 13²; 5:5, 6, 7, 8; 6:9, 10, 11, 21, 26; 7:6; 8:16, 25, 26; 9:21; 13:14; 14:1, 8, 9, 11, 13, 17, 23; 15:1, 29, 32; 16:5, 7; 18:1, 9, 10; 21:3; 23:13; 24:13 • Is. 7:1 • Jer. 41:9 • Hosh. 1:1; 10:15 • Am. 1:1; 7:10 • Zep. 3:15 • Prov. 1:1 • Neh. 13:26 • Ez. 3:10 • ICh. 5:17 • IICh. 8:11; 16:1, 3; 18:3, 4, 5, 7, 8, 17; 18:19, 25, 28, 29², 30, 31, 32, 33; 20:35; 21:2; 22:5; 25:17, 18, 21, 23, 25; 28:5, 19; 29:27; 30:26; 35:3, 4
1669 וַיַּעֲבֹר...אֶל־אָכִישׁ...מֶלֶךְ גַּת ISh. 27:2
1670 בֶּן־מַעֲכָה בַת־תַּלְמַי מֶלֶךְ גְּשׁוּר IISh. 3:3
1671/2 חִירָם מֶלֶךְ־צֹר IISh. 5:11 • IK. 11:23
1673/4 הֲדַדְעֶזֶר...מֶלֶךְ צוֹבָה IISh. 8:3, 12
1675 לַעְזֹר לַהֲדַדְעֶזֶר מֶלֶךְ צוֹבָה IISh. 8:5
1676 וַיִּשְׁמַע תֹּעִי מֶלֶךְ חֲמָת IISh. 8:9
1677 וְאֶת־מֶלֶךְ מַעֲכָה אֶלֶף אִישׁ IISh. 10:6
1678 וַיֵּלֶךְ אֶל־תַּלְמַי...מֶלֶךְ גְּשׁוּר IISh. 13:37
1679 וַיִּבְרְחוּ...אֶל־אָכִישׁ...מֶלֶךְ גַּת IK. 2:39
1680 וַיִּשְׁלַח חִירָם מֶלֶךְ־צוֹר IK. 5:15
1681 חִירָם מֶלֶךְ־צֹר נִשָּׂא אֶת־שְׁלֹמֹה IK. 9:11
1682 אֱמֹר אֶל־רְחַבְעָם...מֶלֶךְ יְהוּדָה IK. 12:23
1830-1683 מֶלֶךְ יְהוּדָה IK. 12:27²; 15:17, 25, 28
15:33; 16:8, 10, 15, 23, 29; 22:2, 10, 29, 52 • IIK. 1:17; 3:1, 7, 14; 8:16², 25, 29; 9:16, 21, 27; 10:13; 12:19; 13:1, 10, 12; 14:1, 9, 11, 13, 15, 17, 23; 15:1, 8, 15:13; 17, 23, 27, 32; 16:1; 17:1; 18:1, 14², 16; 19:10; 21:11; 22:16, 18; 24:12; 25:27² • Is. 7:1; 37:10; 38:9 • Jer. 1:2, 3²; 15:4; 21:7, 11; 22:1, 2, 6, 11, 18, 24; 24:1, 8; 25:1, 3; 26:1, 18, 19; 27:1, 3, 12, 18, 20, 21; 28:1, 4; 29:3; 32:1, 2, 3, 4; 34:2², 4, 6, 21; 35:1; 36:1, 9, 28, 29, 30, 32; 37:7; 38:22; 39:1, 4; 44:30; 45:1; 46:2; 49:34; 51:59; 52:31² • Am. 1:1 • Zep. 1:1 • Zech. 14:5 • Prov. 25:1 • Es. 2:6 • Dan. 1:1, 2 • ICh. 4:41; 5:17 • IICh. 11:3; 16:1, 7; 18:3, 9, 28; 19:1; 20:35; 21:12; 22:1, 6; 25:17, 18, 21, 23, 25; 30:24; 32:8, 9, 23; 34:24, 26; 35:21
1831 אֶל־בֶּן־הֲדַד...מֶלֶךְ אֲרָם IK. 15:18
1832 בַּת־אֶתְבַּעַל מֶלֶךְ צִידֹנִים IK. 16:31
1833 וּבֶן־הֲדַד מֶלֶךְ־אֲרָם IK. 20:1
1864-1834 מֶלֶךְ אֲרָם IK. 20:20, 22, 23; 22:3
IIK. 5:1, 5; 6:11, 24; 8:7, 9, 28, 29; 9:14, 15; 12:18, 19; 13:3, 4, 7, 22, 24; 15:37; 16:5, 6, 7 • IICh. 16:2, 7²; 22:5, 6; 28:5
1865 אֵצֶל הֵיכַל אַחְאָב מֶלֶךְ שֹׁמְרוֹן IK. 21:1
1866 עֲלֵה לִקְרַאת מַלְאֲכֵי מֶלֶךְ־שֹׁמְרוֹן IIK. 1:3
1867 ...לְהַבְקִיעַ אֶל־מֶלֶךְ אֱדוֹם IIK. 3:26
1868 בָּא פוּל מֶלֶךְ־אַשּׁוּר עַל־הָאָרֶץ IIK. 15:19
1869 וַיָּשָׁב מֶלֶךְ אַשּׁוּר IIK. 15:20

מֶלֶךְ־ (המשך)

1870 תִּגְלַת פִּלְאֶסֶר מֶלֶךְ אַשּׁוּר... IIK. 15:29
1940-1871 מֶלֶךְ אַשּׁוּר IIK. 16:7, 9², 10, 18; 17:3
17:4², 5, 6, 24, 27; 18:9, 11, 13, 14², 17, 19, 23, 28;
18:30, 31, 33; 19:4, 6, 8, 10, 20, 32, 36; 20:6; 23:29 •
Is. 7:17; 8:4, 7; 10:12; 20:1, 4, 6; 36:1, 2, 4, 13, 15, 18;
37:4, 6, 8, 10, 21, 33, 37; 38:6 • Jer. 50:17, 18 • Nah.
3:18 • Ez. 4:2; 6:22 • ICh. 5:6, 26² • IICh. 28:20;
32:1, 7, 9, 10, 11, 21, 22
1941/2 תִּרְהָקָה מֶלֶךְ־כּוּשׁ IIK. 19:9 • Is. 37:9
1943/4 אַיּוֹ מֶלֶךְ־חֲמָת IIK. 19:13 • Is. 37:13
1945 שָׁלַח בְּרֹאדַךְ...מֶלֶךְ־בָּבֶל IIK. 20:12
1946 וְהָיוּ סָרִיסִים בְּהֵיכַל מֶלֶךְ בָּבֶל IIK. 20:18
1947 עָלָה נְבֻכַדְנֶאצַּר מֶלֶךְ בָּבֶל IIK. 24:1
2071-1948 מֶלֶךְ בָּבֶל IIK. 24:7, 10, 11, 12², 16, 17
25:1, 6, 8², 20, 21, 22, 23, 24, 27 • Is. 14:4; 39:1, 7 • Jer.
20:4; 21:2, 4, 7, 10; 22:25; 24:1; 25:9, 11, 12; 27:(6),
8², 9, 11, 12, 13, 14, 17, 20; 28:2, 3, 4, 11, 14; 29:3, 21,
22; 32:2, 4, 28, 36; 34:1, 2, 3, 7, 21; 35:11; 36:29; 37:1,
17, 19; 38:3, 17, 18, 22, 23; 39:1, 3², 5, 6², 11, 13;
40:5, 7, 9, 11; 41:2, 11, 18; 43:10; 44:30; 46:2, 13, 26;
49:28, 30; 50:17, 18, 43; 51:34; 52:4, 9, 10, 11, 12², 15,
26, 27; 52:31, 34 • Ezek. 17:12; 19:9; 21:24, 26;
24:2; 26:7; 29:18, 19; 30:10, 24, 25²; 32:11 • Es. 2:6
• Dan. 1:1 • Ez. 2:1 • Neh. 7:6; 13:6 • IICh. 36:6

2072 יֹאמַר מֶלֶךְ יַעֲקֹב Is. 41:21
2073 כֹּה אָמַר יְיָ מֶלֶךְ יִשְׂרָאֵל Is. 45:6
2074 מִי לֹא יִרָאֲךָ מֶלֶךְ הַגּוֹיִם Jer. 10:7
2075/6 אֶל־מֶלֶךְ אֱדוֹם וְאֶל־מֶלֶךְ מוֹאָב Jer. 27:3
2077/8 וְאֶל־מֶלֶךְ בְּנֵי עַמּוֹן וְאֶל־מֶלֶךְ צֹר Jer. 27:3
2079 וְאֶל־מֶלֶךְ צִידוֹן...בְּיַד מַלְאָכִים Jer. 27:3
2080 בַּעֲלִיס מֶלֶךְ בְּנֵי־עַמּוֹן שָׁלַח... Jer. 40:14
2081 מִצָּפוֹן מֶלֶךְ מְלָכִים Ezek. 26:7
2082 שָׂא קִינָה עַל־מֶלֶךְ צוֹר Ezek. 28:12
2083 וַיִּשְׁלַח אֶל־מֶלֶךְ יָרֵב Hosh. 5:13
2084 עַל־שָׂרְפוֹ עַצְמוֹת מֶלֶךְ־אֱדוֹם Am. 2:1
2085 וַיִּגַּע הַדָּבָר אֶל־מֶלֶךְ נִינְוֵה Jon. 3:6
2086 וְיָבוֹא מֶלֶךְ הַכָּבוֹד Ps. 24:7
2087 וְיָבֹא מֶלֶךְ הַכָּבוֹד Ps. 24:9
2090-2088 מֶלֶךְ הַכָּבוֹד Ps. 24:8, 10²
2091 דִּבְרֵי לְמוּאֵל מֶלֶךְ מַשָּׂא... Prov. 31:1
2092 וְהַצָּפִיר הַשָּׂעִיר מֶלֶךְ יָוָן Dan. 8:21
2093 בִּשְׁנַת שָׁלוֹשׁ לְכוֹרֶשׁ מֶלֶךְ פָּרַס Dan. 10:1
2094 וְיֶחֱזַק מֶלֶךְ־הַנֶּגֶב וּמִן־שָׂרָיו Dan. 11:5
2095 וּבַת־מֶלֶךְ־הַנֶּגֶב תָּבוֹא Dan. 11:6
2096 אֶל־מֶלֶךְ הַצָּפוֹן לַעֲשׂוֹת מֵישָׁרִים Dan. 11:6
2097 וְיָבֹא בְּמָעוֹז מֶלֶךְ הַצָּפוֹן Dan. 11:7
2101-2098 מֶלֶךְ הַצָּפוֹן Dan. 11:11, 13, 15, 40
2102 וּבָא בְּמַלְכוּת מֶלֶךְ הַנֶּגֶב Dan. 11:9
2103 וְיִתְמַרְמַר מֶלֶךְ הַנֶּגֶב Dan. 11:11
2106-2104 מֶלֶךְ הַנֶּגֶב Dan. 11:14, 25, 40
2107 וּבִשְׁנַת אַחַת לְכוֹרֶשׁ מֶלֶךְ פָּרַס.. Ez. 1:1
2108 הֵעִיר יְיָ אֶת־רוּחַ כֹּרֶשׁ מֶלֶךְ־פָּרַס Ez. 1:1
2119-2109 מֶלֶךְ פָּרַס Ez. 1:2, 8; 3:7
4:3, 5², 7; 7:1 • IICh. 36:22², 23
2120 בַּת־תַּלְמַי מֶלֶךְ גְּשׁוּר ICh. 3:2
2121 וַיִּשְׁלַח חוּרָם° מֶלֶךְ־צֹר... ICh. 14:1
2122 וַיַּךְ דָּוִיד אֶת־הֲדַדְעֶזֶר מֶלֶךְ־צוֹבָה ICh. 18:3
2123/4 (לְ)הֲדַדְעֶזֶר מֶלֶךְ צוֹבָה ICh. 18:5, 9
2125 וַיִּשְׁמַע תֹּעוּ מֶלֶךְ חֲמָת ICh. 18:9

מֶלֶךְ־ (המשך)

2126 וַיִּשְׂכְּרוּ...וְאֶת־מֶלֶךְ מַעֲכָה... ICh. 19:7
2127 וַיִּשְׁלַח שְׁלֹמֹה אֶל־חוּרָם מֶלֶךְ־צֹר IICh. 2:2
2128 וַיֹּאמֶר חוּרָם מֶלֶךְ־צֹר בִּכְתָב... IICh. 2:10
2129 וַיַּעַל עֲלֵיהֶם אֶת־מֶלֶךְ כַּשְׂדִּים° IICh. 36:17

וּמֶלֶךְ־
2130/1 וּמֶלֶךְ בֶּלַע הִיא־צֹעַר Gen. 14:2, 8
2132/3 וּמֶלֶךְ עֲמֹרָה וּמֶלֶךְ אַדְמָה Gen. 14:2
2134 וּמֶלֶךְ צְבוֹיִם Gen. 14:8
2135 וּמֶלֶךְ יִשְׂרָאֵל וִיהוֹשָׁפָט...יֹשְׁבִים IK. 22:10
2136 וּמֶלֶךְ אֲרָם צִוָּה...לֵאמֹר IK. 22:31
2137/8 וּמֶלֶךְ יְהוּדָה וּמֶלֶךְ אֱדוֹם IIK. 3:9
2139 וִיהוֹשָׁפָט וּמֶלֶךְ אֱדוֹם IIK. 3:12
2140 וּמֶלֶךְ אֲרָם הָיָה נִלְחָם בְּיִשְׂרָאֵל IIK. 6:8
2141 אַיּוֹ מֶלֶךְ־חֲמָת וּמֶלֶךְ אַרְפָּד IIK. 19:13
2142 אַיֵּה מֶלֶךְ־חֲמָת וּמֶלֶךְ אַרְפָּד Is. 37:31
2143 וּמֶלֶךְ לָעִיר סְפַרְוָיִם... Is. 37:13
2144 הוּא־אֱלֹהִים חַיִּים וּמֶלֶךְ עוֹלָם Jer. 10:10
2145 וּמֶלֶךְ שֵׁשַׁךְ יִשְׁתֶּה אַחֲרֵיהֶם Jer. 25:26
2146 וּמֶלֶךְ אַלְקוּם עִמּוֹ Prov. 30:31
2147 וּמֶלֶךְ הַנֶּגֶב יִתְגָּרֶה לַמִּלְחָמָה Dan. 11:25
2148 וּמֶלֶךְ יִשְׂרָאֵל וִיהוֹשָׁפָט...יוֹשְׁבִ IICh. 18:9
2149 וּמֶלֶךְ אֲרָם צִוָּה...לֵאמֹר IICh. 18:30
2150 וּמֶלֶךְ יִשְׂ' הָיָה מַעֲמִיד בַּמֶּרְכָּבָה IICh. 18:34

בְּמֶלֶךְ־
2151 וְהוּא נִלְחַם בְּמֶלֶךְ מוֹאָב Num. 21:26
2152 וַיִּפְשַׁע מֶלֶךְ־מוֹאָב בְּמֶלֶךְ יִשְׂרָאֵל IIK. 3:5
2153 וַיִּמְרֹד בְּמֶלֶךְ־אַשּׁוּר וְלֹא עֲבָדוֹ IIK. 18:7
2154 וַיִּמְרֹד צִדְקִיָּהוּ בְּמֶלֶךְ בָּבֶל IIK. 24:20
2155 יְגַלַּח...בְּעֶבְרֵי נָהָר בְּמֶלֶךְ אַשּׁוּר Is. 7:20
2156 וַיִּמְרֹד צִדְקִיָּהוּ בְּמֶלֶךְ בָּבֶל Jer. 52:3

לְמֶלֶךְ־
2157 חָטְאוּ...לַאֲדֹנֵיהֶם לְמֶלֶךְ מִצְ' Gen. 40:1
2158 הַמַּשְׁקֶה וְהָאֹפֶה... לְמֶלֶךְ מִצְ' Gen. 40:5
2160-2159 לְמֶלֶךְ מִצְרַיִם Ex. 14:5 • IIK. 24:7
2161 נָתַן...בַּשְּׁבִית לְמֶלֶךְ אֱמֹרִי סִיחוֹן Num. 21:29
2164-2162 לְמֶלֶךְ יְרִיחוֹ Josh. 2:2; 10:28, 30
2165 וַיַּעַשׂ לְמֶלֶךְ מַקֵּדָה... Josh. 10:28
2169-2166 לְמֶלֶךְ יִשְׂרָאֵל IIK. 3:4; 6:12; 13:16, 18
2176-2170 לְמֶלֶךְ אַשּׁוּר IIK. 15:20
16:8; 17:4, 26; 18:16 • IICh. 28:21; 33:11
2177 לְהַגִּיד לְמֶלֶךְ בָּבֶל Jer. 51:31
2178 לְאַשּׁוּר יוּבָל מִנְחָה לְמֶלֶךְ יָרֵב Hosh. 10:6
2179 וְתַצְעִדֵהוּ לְמֶלֶךְ בַּלָּהוֹת Job 18:14
2180 וְכָל־שְׁלָלָם שִׁלְּחוּ לְמֶלֶךְ דַּרְמָשֶׂק IICh. 24:23

מִמֶּלֶךְ־
2181 וְהוּא שָׁנִים יַעֲמֹד מִמֶּלֶךְ הַצָּפוֹן Dan. 11:8

מַלְכִּי
2182 ...לְהָשִׁיב אֶת־מַלְכִּי IISh. 19:44
2183 וַאֲנִי נָסַכְתִּי מַלְכִּי עַל־צִיּוֹן Ps. 2:6
2184/5 מַלְכִּי וֵאלֹהָי Ps. 5:3; 84:4
2186 אַתָּה־הוּא מַלְכִּי אֱלֹהִים Ps. 44:5
2187 הֲלִיכוֹת אֵלִי מַלְכִּי בַקֹּדֶשׁ Ps. 68:25
2188 וֵאלֹהִים מַלְכִּי מִקֶּדֶם... Ps. 74:12

מַלְכְּךָ
2189 יוֹלֵךְ יְיָ אֹתְךָ וְאֶת־מַלְכְּךָ Deut. 28:36
2190 אֱהִי מַלְכְּךָ אֵפוֹא וְיוֹשִׁיעֲךָ Hosh. 13:10

מַלְכֵּךְ
2191 הִנֵּה מַלְכֵּךְ יָבוֹא לָךְ Zech. 9:9

שֶׁמַּלְכֵּךְ
2192 אִי־לָךְ אֶרֶץ שֶׁמַּלְכֵּךְ נָעַר Eccl. 10:16
2193 אַשְׁרֵיךְ אֶרֶץ שֶׁמַּלְכֵּךְ בֶּן־חוֹרִים Eccl. 10:17

מַלְכּוֹ
2194 וְיָרֹם מֵאֲגַג מַלְכּוֹ Num. 24:7
2195 מִגְדּוֹלº יְשׁוּעוֹת מַלְכּוֹ IISh. 22:51
2196 וְאַשּׁוּר הוּא מַלְכּוֹ Hosh. 11:5
2197 אִישׁ בְּיַד־רֵעֵהוּ וּבְיַד מַלְכּוֹ Zech. 11:6
2198 מַגְדִּל יְשׁוּעוֹת מַלְכּוֹ Ps. 18:51

בְּמַלְכּוֹ
2199 וְקִלֵּל בְּמַלְכּוֹ וּבֵאלֹהָיו Is. 8:21

לְמַלְכּוֹ
2200 וְיִתֶּן־עֹז לְמַלְכּוֹ וְיָרֵם קֶרֶן מְשִׁיחוֹ ISh. 2:10

מַלְכָּהּ
2201 נָתַתִּי בְיָדְךָ אֶת־יְרִיחוֹ וְאֶת־מַלְכָּהּ Josh. 6:2
2202 וַיַּכֶּהָ לְפִי־חֶרֶב וְאֶת־מַלְכָּהּ הֶחֱרִם Josh. 10:28
2203 וַיִּתֵּן...בְּיַד יִשְׂרָאֵל וְאֶת־מַלְכָּהּ, Josh. 10:30
2204 וַיַּכּוּהָ לְפִי־חֶרֶב וְאֶת־מַלְכָּהּ Josh. 10:37
2205 וַיִּלְכְּדָהּ וְאֶת־מַלְכָּהּ Josh. 10:39
2206 וְאֶת־מַלְכָּהּ הִכָּה בֶחָרֶב Josh. 11:10
2207 הַיְיָ אֵין בְּצִיּוֹן אִם־מַלְכָּהּ אֵין בָּהּ Jer. 8:19
2208 וַיִּקַּח אֶת־מַלְכָּהּ וְאֶת־שָׂרֶיהָ Ezek. 17:12
2209 נִדְמֶה שֹׁמְרוֹן מַלְכָּהּ Hosh. 10:7
2210 מַלְכָּהּ וְשָׂרֶיהָ בַגּוֹיִם אֵין תּוֹרָה Lam. 2:9

לְמַלְכָּהּ
2211 וַיַּעַשׂ לְמַלְכָּהּ כַּאֲשֶׁר עָשָׂה לְמֶלֶךְ יְרִיחוֹ Josh. 10:30

וּלְמַלְכָּהּ
2212 וְעָשִׂיתָ לָעַי וּלְמַלְכָּהּ Josh. 8:2
2213 כַּאֲשֶׁר עָשִׂיתָ לִירִיחוֹ וּלְמַלְכָּהּ Josh. 8:2
2214 כַּאֲשֶׁר עָשָׂה לִירִיחוֹ וּלְמַלְכָּהּ Josh. 10:1
2215 כֵּן־עָשָׂה לָעַי וּלְמַלְכָּהּ Josh. 10:1
2216 כֵּן־עָשָׂה לִדְבִרָה וּלְמַלְכָּהּ Josh. 10:39
2217 וְכַאֲשֶׁר עָשָׂה לְלִבְנָה וּלְמַלְכָּהּ Josh. 10:39

מַלְכֵּנוּ
2218 וּשְׁפָטָנוּ מַלְכֵּנוּ וְיָצָא לְפָנֵינוּ ISh. 8:20
2219 יְיָ מַלְכֵּנוּ הוּא יוֹשִׁיעֵנוּ Is. 33:22
2220 יוֹם מַלְכֵּנוּ הֶחֱלוּ שָׂרִים Hosh. 7:5
2221 ...וְלִקְדוֹשׁ יִשְׂרָאֵל מַלְכֵּנוּ Ps. 89:19

לְמַלְכֵּנוּ
2222 זַמְּרוּ לְמַלְכֵּנוּ זַמֵּרוּ Ps. 47:7

מַלְכְּכֶם
2223 וּזְעַקְתֶּם...מִלִּפְנֵי מַלְכְּכֶם ISh. 8:18
2224 וַיְיָ אֱלֹהֵיכֶם מַלְכְּכֶם ISh. 12:12
2225 גַּם־אַתֶּם גַּם־מַלְכְּכֶם תִּסָּפוּ ISh. 12:25
2226 אֲנִי יְיָ...בּוֹרֵא יִשְׂרָאֵל מַלְכְּכֶם Is. 43:15
2227 וּנְשָׂאתֶם אֵת סִכּוּת מַלְכְּכֶם Am. 5:26

מַלְכָּם
2228 וַיִּקַּח...עֲטֶרֶת מַלְכָּם מֵעַל רֹאשׁוֹ IISh. 12:30
2229 וְאֵת־דָּוִד מַלְכָּם...אָקִים לָהֶם Jer. 30:9
2230 מַדּוּעַ יָרַשׁ מַלְכָּם אֶת־גָּד Jer. 49:1
2231 כִּי מַלְכָּם בַּגּוֹלָה יֵלֵךְ... Jer. 49:3
2232 וּבִקְשׁוּ...וְאֵת דָּוִיד מַלְכָּם Hosh. 3:5
2233 וְהָלַךְ מַלְכָּם בַּגּוֹלָה... Am. 1:15
2234 וַיַּעֲבֹר מַלְכָּם לִפְנֵיהֶם Mic. 2:13
2235 וַיִּקַּח דָּוִיד אֶת־עֲטֶרֶת מַלְכָּם ICh. 20:2

בְּמַלְכָּם
2236 וְאִישׁ יְהוּדָה דָּבְקוּ בְמַלְכָּם IISh. 20:2
2237 הַנִּשְׁבָּעִים לַיְיָ וְהַנִּשְׁבָּעִים בְּמַלְכָּם Zep. 1:5
2238 בְּנֵי־צִיּוֹן יָגִילוּ בְמַלְכָּם Ps. 149:2

מְלָכִים
2239 אַרְבָּעָה מְלָכִים אֶת־הַחֲמִשָּׁה Gen. 14:9
2240 כָּל־מְלָכִים שְׁלֹשִׁים וְאֶחָד Josh. 12:24
2241 שִׁבְעִים מְלָכִים בְּהֹנוֹת...מְקֻצָּצִים Jud. 1:7
2242 שִׁמְעוּ מְלָכִים הַאֲזִינוּ רֹזְנִים Jud. 5:3
2243 בָּאוּ מְלָכִים נִלְחָמוּ... Jud. 5:19
2244 הֲלֹא שָׂרַי יַחְדָּו מְלָכִים Is. 10:8
2245 וּמָתְנֵי מְלָכִים אֲפַתֵּחַ Is. 45:1
2246 מְלָכִים יִרְאוּ וָקָמוּ Is. 49:7
2247 וְהָיוּ מְלָכִים אֹמְנַיִךְ Is. 49:23
2248 עָלָיו יִקְפְּצוּ מְלָכִים פִּיהֶם Is. 52:15
2249 וְשֹׁד מְלָכִים תִּינָקִי Is. 60:16
2250 וְרָאוּ...וְכָל־מְלָכִים כְּבוֹדֵךְ Is. 62:2
2251 וּבָאוּ...מְלָכִים וְשָׂרִים.... Jer. 17:25
2252 מְלָכִים יֹשְׁבִים לְדָוִד עַל־כִּסְאוֹ Jer. 22:4
2253 נְבוּכַדְרֶאצַּר...מֶלֶךְ מְלָכִים Ezek. 26:7
2254 לִפְנֵי מְלָכִים נְתַתִּיךָ לְרַאֲוָה Ezek. 28:17
2255 וְעַתָּה מְלָכִים הַשְׂכִּילוּ Ps. 2:10
2256 בְּנוֹת מְלָכִים בְּיִקְּרוֹתֶיךָ Ps. 45:10
2257 בְּפָרֵשׂ שַׁדַּי מְלָכִים Ps. 68:15
2258 לְךָ יוֹבִילוּ מְלָכִים שָׁי Ps. 68:30
2259 וְיִשְׁתַּחֲווּ־לוֹ כָל־מְלָכִים Ps. 72:11
2260 וַיּוֹכַח עֲלֵיהֶם מְלָכִים Ps. 105:14

מְלָכִים (המשך)

2261 מָחַץ בְּיוֹם־אַפּוֹ מְלָכִים Ps. 110:5
2262 וַאֲדַבְּרָה...נֶגֶד מְלָכִים Ps. 119:46
2263 וְהָרַג מְלָכִים עֲצוּמִים Ps. 135:10
2264 לְמַכֵּה מְלָכִים גְּדֹלִים Ps. 136:17
2265 וַיַּהֲרֹג מְלָכִים אַדִּירִים Ps. 136:18
2266 בִּי מְלָכִים יִמְלֹכוּ Prov. 8:15
2267 תּוֹעֲבַת מְלָכִים עֲשׂוֹת רֶשַׁע Prov. 16:12
2268 רְצוֹן מְלָכִים שִׂפְתֵי־צֶדֶק Prov. 16:13
2269 לִפְנֵי־מְלָכִים יִתְיַצָּב Prov. 22:29
2270 וּכְבֹד מְלָכִים חֲקֹר דָּבָר Prov. 25:2
2271 וְלֵב מְלָכִים אֵין חֵקֶר Prov. 25:3
2272 עִם־מְלָכִים וְיֹעֲצֵי אָרֶץ Job 3:14
2273 מוּסַר מְלָכִים פִּתֵּחַ Job 12:18
2274 וְאֶת־מְלָכִים לַכִּסֵּא Job 36:7
2275 וּסְגֻלַּת מְלָכִים וְהַמְּדִינוֹת Eccl. 2:8
2276 הִנֵּה־עוֹד שְׁלֹשָׁה מְלָכִים עֹמְדִים Dan. 11:2
2277 וַיּוֹכַח עֲלֵיהֶם מְלָכִים ICh. 16:21

מְלָכִין
2278 אַל־תִּתֵּן...וּדְרָכֶיךָ לַמְחוֹת מְלָכִין Prov. 31:3

וּמְלָכִים
2279 וּמְלָכִים מִמְּךָ יֵצֵאוּ Gen. 17:6
2280 וּמְלָכִים מֵחֲלָצֶיךָ יֵצֵאוּ Gen. 35:11
2281 יִתֵּן לְפָנָיו גּוֹיִם וּמְלָכִים יַרְדְּ Is. 41:2
2282 וְהָלְכוּ...וּמְלָכִים לְנֹגַהּ זַרְחֵךְ Is. 60:3
2283/4 גּוֹיִם רַבִּים וּמְלָכִים גְּדוֹלִים Jer. 25:14; 27:7
2285 וּמְלָכִים...יֵעֹרוּ מִיַּרְכְּתֵי־אָרֶץ Jer. 50:41

הַמְּלָכִים
2286 וְאֶת־הַמְּלָכִים אֲשֶׁר אִתּוֹ Gen. 14:17
2287 וְאֵלֶּה הַמְּלָכִים אֲשֶׁר מָלְכוּ Gen. 36:31
2288 עַל־צַוְּארֵי הַמְּלָכִים הָאֵלֶּה Josh. 10:24
2289 וְאֶת־כָּל־עָרֵי הַמְּלָכִים הָאֵלֶּה Josh. 11:12
2290 הָחֳרֵב נֶחֶרְבוּ הַמְּלָכִים... IIK. 3:23
2291 שְׁנֵי הַמְּלָכִים לֹא עָמְדוּ לְפָנָיו IIK. 10:4
2292 וַיֵּשֶׁב עַל־כִּסֵּא הַמְּלָכִים IIK. 11:19
2293 וַיִּתֵּן...כִּסְאוֹ מֵעַל כִּסֵּא הַמְּלָכִים IIK. 25:28
2294 וְאֶת־הַמְּלָכִים הַיֹּשְׁבִים לְדָוִד עַל־כִּסְאוֹ Jer. 13:13
2295 מִמַּעַל לְכִסֵּא הַמְּלָכִים Jer. 52:32
2296 לְעֵת צֵאת הַמְּלָכִים ICh. 20:1
2297 וַיְהִי מוֹשֵׁל בְּכָל־הַמְּלָכִים IICh. 9:26
2298 עַל־סֵפֶר הַמְּלָכִים לִיהוּדָה וְיִשׂ' IICh. 16:11
2299 וַיִּקְבְּרֻהוּ...וְלֹא בְּקִבְרוֹת הַמְּלָכִים IICh. 21:20
2300 וַיִּקְבְּרֻהוּ בְעִיר־דָּוִיד עִם־הַמְּלָכִים IICh. 24:16
2301 וְלֹא קְבָרֻהוּ בְּקִבְרוֹת הַמְּלָכִים IICh. 24:25
2302 עַל־מִדְרַשׁ סֵפֶר הַמְּלָכִים IICh. 24:27
2303-2322 הַמְּלָכִים Deut. 3:21
Josh. 9:1; 10:16, 17, 22, 23, 24, 42; 11:2, 5, 18 • IISh. 10:19 • IK. 20:24 • IIK. 3:10, 13, 21 • Jer. 34:5 • Ps. 48:5 • Dan. 11:27 • ICh. 1:43

הַמְּלָאכִים
2323 לְעֵת צֵאת הַמְּלָאכִים IISh. 11:1

וְהַמְּלָכִים
2324 כְּדָרְלָעֹמֶר וְהַמְּלָכִים אֲשֶׁר אִתּוֹ Gen. 14:5
2325 וְהוּא שֹׁתֶה הוּא וְהַמְּלָ' בַּסֻּכּוֹת IK. 20:12
2326 הוּא וְהַמְּלָ' שְׁלֹשִׁים־וּשְׁנַיִם מֶלֶךְ IK. 20:16
2327 וְהַמְּלָכִים אֲשֶׁר־בָּאוּ לְבַדָּם ICh. 19:9

בַּמְּלָכִים
2328 לֹא־הָיָה כָמוֹךָ אִישׁ בַּמְּלָכִים IK. 3:13
2329 וְהוּא בַּמְּלָכִים יִתְקַלָּס Hab. 1:10

לַמְּלָכִים
2330 הַנּוֹתֵן תְּשׁוּעָה לַמְּלָכִים Ps. 144:10
2331 אַל לַמְלָכִים לְמוֹאֵל Prov. 31:4
2332 אַל לַמְלָכִים שְׁתוֹ־יָיִן Prov. 31:4
2333 וּתְבוּאָתָהּ מַרְבָּה לַמְּלָכִים Neh. 9:37
2334 אֲשֶׁר לֹא־הָיָה כֵן לַמְּלָכִים IICh. 1:12
2335 בִּשְׂדֵה הַקְּבוּרָה אֲשֶׁר לַמְּלָכִים IICh. 26:23

מַלְכֵי־
2336 מַלְכֵי עַמִּים מִמֶּנָּה יִהְיוּ Gen. 17:16

מַלְכֵי־ (המשך)

2337 וְאֶת־מַלְכֵי מִדְיָן הָרְגוּ Num. 31:8
2338 חֲמֵשֶׁת מַלְכֵי מִדְיָן Num. 31:8
2339-2347 מַלְכֵי הָאֱמֹרִי Deut. 3:8
4:47; 31:4 • Josh. 2:10; 5:1; 9:10; 10:5, 6; 24:12
2348 וְכָל־מַלְכֵי הַכְּנַעֲנִי Josh. 5:1
2349-2350 וְאֵלֶּה מַלְכֵי הָאָרֶץ Josh. 12:1, 7
2351 אָז נִלְחֲמוּ מַלְכֵי כְנַעַן Jud. 5:19
2352 זֶבַח וְצַלְמֻנָּע מַלְכֵי מִדְיָן Jud. 8:5
2353/4 מַלְכֵי מִדְיָן Jud. 8:12, 26
2355 בְּכָל־מַלְכֵי עֵבֶר הַנָּהָר IK. 5:4
2356 וַיָּבֹאוּ...מֵאֵת כָּל־מַלְכֵי הָאָרֶץ IK. 5:14
2357 וְכָל־מַלְכֵי הָעֶרֶב וּפַחוֹת הָאָרֶץ IK. 10:15
2358 וַיִּגְדַּל...מִכֹּל מַלְכֵי הָאָרֶץ IK. 10:23
2359 וְכֵן לְכָל־מַלְכֵי הַחִתִּים... IK. 10:29
2360 לְהַכְעִיס...מִכֹּל מַלְכֵי יִשְׂרָאֵל IK. 16:33
2361 שָׁמַעְנוּ כִּי מַלְכֵי בֵּית יִשְׂרָאֵל IK. 20:31
2362 כִּי־מַלְכֵי חֶסֶד הֵם IK. 20:31
2363 שָׂכַר עָלֵינוּ...אֶת־מַלְכֵי הַחִתִּים IIK. 7:6
2364 וְאֶת־מַלְכֵי מִצְרַיִם לָבוֹא עָלֵינוּ IIK. 7:6
2365/6 וַיֵּלֶךְ בְּדֶרֶךְ מַלְכֵי יִשְׂרָאֵל IIK. 8:18; 16:3
2367 אֲבֹתָיו מַלְכֵי יְהוּדָה IIK. 12:19
2368-2382 מַלְכֵי יְהוּדָה IIK. 18:5; 23:5, 11
Is. 1:1 • Jer. 8:1; 17:19, 20; 19:3, 13; 20:5; 33:4; 44:9 • Hosh. 1:1 • Mic. 1:1 • IICh. 34:11
2383-2393 מַלְכֵי יִשְׂרָאֵל IIK. 13:13; 14:16, 29
23:19, 22 • IICh. 21:6, 13; 28:2, 27; 33:18; 35:18
2394 אֵת אֲשֶׁר עָשׂוּ מַלְכֵי אַשּׁוּר IIK. 19:11
2395-2401 מַלְכֵי אַשּׁוּר IIK. 19:17
Is. 37:11, 18 • Neh. 9:32 • IICh. 28:16; 30:6; 32:4
2402 הֵקִים מִכִּסְאוֹתָם כֹּל מַלְכֵי גוֹיִם Is. 14:9
2403 כָּל־מַלְכֵי גוֹיִם כֻּלָּם... Is. 14:18
2404 בֶּן־חֲכָמִים...בֶּן־מַלְכֵי־קֶדֶם Is. 19:11
2405 מַלְכֵי הָאֲדָמָה עַל־הָאֲדָמָה Is. 24:21
2406 כָּל־מַלְכֵי אֶרֶץ הָעוּץ Jer. 25:20
2407 כָּל־מַלְכֵי אֶרֶץ פְּלִשְׁתִּים Jer. 25:20
2408-2410 וְאֵת כָּל־מַלְכֵי צֹר וְאֵת כָּל־מַלְכֵי צִידוֹן וְאֵת מַלְכֵי הָאִי Jer. 25:22
2411 וְאֵת כָּל־מַלְכֵי עֲרָב Jer. 25:24
2412 וְאֵת כָּל־מַלְכֵי הָעֶרֶב Jer. 25:24
2413 וְאֵת כָּל־מַלְכֵי זִמְרִי Jer. 25:25
2414 וְאֵת כָּל־מַלְכֵי עֵילָם Jer. 25:25
2415 וְאֵת כָּל־מַלְכֵי מָדָי Jer. 25:25
2416 וְאֵת כָּל־מַלְכֵי הַצָּפוֹן Jer. 25:26
2417-2418 מַלְכֵי מָדַי Jer. 51:11, 28
2419 ...הֶעֱשַׁרְתְּ מַלְכֵי־אָרֶץ Ezek. 27:33
2420 יִתְיַצְּבוּ מַלְכֵי אֶרֶץ Ps. 2:2
2421 מַלְכֵי צְבָאוֹת יִדֹּדוּן יִדֹּדוּן Ps. 68:13
2422 מַלְכֵי תַרְשִׁישׁ וְאִיִּים Ps. 72:10
2423 מַלְכֵי שְׁבָא וּסְבָא אֶשְׁכָּר יַקְרִיבוּ Ps. 72:10
2424 וְיִירְאוּ...וְכָל־מַלְכֵי הָאָרֶץ Ps. 102:16
2425 יוֹדוּךָ יְיָ כָּל־מַלְכֵי־אָרֶץ Ps. 138:4
2426 מַלְכֵי־אֶרֶץ וְכָל־לְאֻמִּים Ps. 148:11
2427 לֹא הֶאֱמִינוּ מַלְכֵי־אֶרֶץ Lam. 4:12
2428 הָאַיִל...מַלְכֵי מָדַי וּפָרָס Dan. 8:20
2429 נוֹתַרְתִּי שָׁם אֵצֶל מַלְכֵי פָרָס Dan. 10:13
2430 נִתַּנּוּ...בְּיַד מַלְכֵי הָאֲרָצוֹת Ez. 9:7
2431 וַיַּט־עָלֵינוּ חֶסֶד לִפְנֵי מַלְכֵי פָרַס Ez. 9:9
2432-2436 עַל־סֵפֶר מַלְכֵי יִשְׂרָאֵל ICh. 9:1
IICh. 20:34; 27:7; 35:27; 36:8
2437 וְכֵן לְכָל־מַלְכֵי הַחִתִּים IICh. 1:17
2438 וְכָל־מַלְכֵי עֲרָב וּפַחוֹת הָאָרֶץ IICh. 9:14
2439 וַיִּגְדַּל...מִכֹּל מַלְכֵי הָאָרֶץ IICh. 9:22

מַלְכֵי־ (המשך)

2440 וְכֹל מַלְכֵי הָאָרֶץ מְבַקְשִׁים... IICh. 9:23
2441-2443 ...עַל־סֵפֶר מַלְכֵי יְהוּדָה IICh. 25:26
28:26; 32:32
2444 אֱלֹהֵי מַלְכֵי־אֲרָם הֵם מַעְזְרִים IICh. 28:23

וּמַלְכֵי־
2445 ...וּמַלְכֵי יִשְׂרָאֵל אֲשֶׁר עָשׂוּ IIK. 17:8
2446 יְמֵי מַלְכֵי יִשְׂרָאֵל וּמַלְכֵי יְהוּדָה IIK. 23:22
2447 הֵמָּה וַאֲבוֹתֵיהֶם וּמַלְכֵי יְהוּדָה Jer. 19:4
2448 וּמַלְכֵי אֲרָם בְּיָדָם יוֹצִיאוּ IICh. 1:17

וּבְמַלְכֵי־
2449 וַיִּלָּחֵם...וּבְמַלְכֵי צוֹבָה ISh. 14:47

כְּמַלְכֵי־
2450 רַק לֹא כְּמַלְכֵי יִשְׂרָאֵל IIK. 17:2

לְמַלְכֵי־
2451 לָכֵן הָיְתָה צִקְלַג לְמַלְכֵי יְהוּדָה ISh. 27:6
2452-2469 עַל־סֵפֶר דִּבְרֵי הַיָּמִים לְמַלְכֵי יִשְׂרָאֵל IK. 14:19; 15:31; 16:5, 14, 20, 27; 22:39
IIK. 1:18; 10:34; 13:8,12; 14:15,28; 15:11,15,21,26,31
2470-2484 עַל־סֵפֶר דִּבְרֵי הַיָּמִים לְמַלְכֵי יְהוּדָה IK.14:29; 15:7, 23; 22:46 • IIK. 8:23; 12:20
14:18; 15:6,36; 16:19; 20:20; 21:17,25; 23:28; 24:5
2485 לְמַלְכֵי יְהוּדָה לְשָׂרֶיהָ לְכֹהֲנֶיהָ Jer. 1:18
2486 בָּתֵּי אַכְזִיב...לְמַלְכֵי יִשְׂרָאֵל Mic. 1:14
2487 נוֹרָא לְמַלְכֵי־אָרֶץ Ps. 76:13
2488 עֶלְיוֹן לְמַלְכֵי־אָרֶץ Ps. 89:28
2489 סֵפֶר דִּבְרֵי הַיָּמִים לְמַלְכֵי מָדַי Es. 10:2

וּלְמַלְכֵי־
2490 וּלְמַלְכֵי אֲרָם בְּיָדָם יֵצְאוּ IK. 10:29

מַלְכֶיהָ
2491 תֵּעָזֵב הָאֲדָמָה...מִפְּנֵי שְׁנֵי מְלָכֶיהָ Is. 7:16
2492 אֶת־יְרוּשָׁלַםִ...וְאֶת־מְלָכֶיהָ Jer. 25:18
2493 וְעַל־אֱלֹהֶיהָ וְעַל־מְלָכֶיהָ Jer. 46:25
2494 אֱדוֹם מְלָכֶיהָ וְכָל־נְשִׂיאֶיהָ Ezek. 32:29

מְלָכֵינוּ
2495 אֲנַחְנוּ...מְלָכֵינוּ וְשָׂרֵינוּ Jer. 44:17
2496 דִּבְּרוּ בִּשְׁמְךָ אֶל־מְלָכֵינוּ שָׂרֵינוּ Dan. 9:6
2497 נִתַּנּוּ אֲנַחְנוּ מְלָכֵינוּ כֹהֲנֵינוּ Ez. 9:7
2498 וְאֶת־מְלָכֵינוּ שָׂרֵינוּ כֹּהֲנֵינוּ Neh. 9:34

לִמְלָכֵינוּ
2499 לִמְלָכֵינוּ לְשָׂרֵינוּ וְלַאֲבֹתֵינוּ Dan. 9:8
2500 לִמְלָכֵינוּ לְשָׂרֵינוּ וּלְכֹהֲנֵינוּ Neh. 9:32

מַלְכֵיכֶם
2501 מַלְכֵיכֶם וְשָׂרֵיכֶם וְעַם הָאָרֶץ Jer. 44:21

מַלְכֵיהֶם
2502 וְנָתַן מַלְכֵיהֶם בְּיָדֶךָ Deut. 7:24
2503 וַיַּכֶּה...וְאֵת כָּל־מַלְכֵיהֶם Josh. 10:40
2504 וְאֶת־כָּל־מַלְכֵיהֶם לָכַד Josh. 11:12
2505 וְאֵת כָּל־מַלְכֵיהֶם לָכַד וַיַּכֵּם Josh. 11:17
2506/7 הֵמָּה מַלְכֵיהֶם שָׂרֵיהֶם Jer. 2:26; 32:32
2508 וְלֹא יְטַמְּאוּ...וּבְפִגְרֵי מַלְכֵיהֶם Ezek. 43:7
2509 אֶת־זְנוּתָם וּפִגְרֵי מַלְכֵיהֶם Ezek. 43:9
2510 כָּל־מַלְכֵיהֶם נָפָלוּ Hosh. 7:7
2511 צְפַרְדְּעִים בְּחַדְרֵי מַלְכֵיהֶם Ps. 105:30
2512 לֶאְסֹר מַלְכֵיהֶם בְּזִקִּים... Ps. 149:8
2513 וְאֶת־מַלְכֵיהֶם וְאֶת־עַמְמֵי הָאָרֶץ Neh. 9:24

וּמַלְכֵיהֶם
2514 ...וּמַלְכֵיהֶם יְשָׁרְתוּנֵךְ Is. 60:10
2515 לְהָבִיא אֵלַיִךְ...וּמַלְכֵיהֶם נְהוּגִים Is. 60:11
2516 וּמַלְכֵיהֶם שָׂעֲרוּ שַׂעַר... Ezek. 27:35
2517 וּמַלְכֵיהֶם יִשְׂעֲרוּ עָלֶיךָ שַׂעַר Ezek. 32:10
2518 וְלֹא יְטַמְּאוּ...הֵמָּה וּמַלְכֵיהֶם בִּזְנוּתָם Ezek. 43:7

מֶלֶךְ² ז' ארמית: כמו בעברית; מַלְכָּא = המלך: 1—180

– מֶלֶךְ בָּבֶל 5, 7; מֶלֶךְ מַלְכַיָּא 4, 9, 178, 180; מ' פָּרַס 6, 8; מֶלֶךְ שְׁמַיָּא 10

– גִּנְזֵי מַלְכָּא 47; חַיֵּי מ' 46; חַכִּימֵי מ' 38; מִלַּת מ' 25, 28—30; פֻּם מ' 37; קֳדָם מ' 27; תְּרַע מַלְכָּא 33

– מַלְכִין תַּקִּיפִין 177; מָרֵא מַלְכִין 169

מֶלֶךְ
1 דִּי כָל־מֶלֶךְ רַב וְשַׁלִּיט Dan. 2:10
2 וֵאלָהָא...יְמַגַּר כָּל־מֶלֶךְ וְעַם Ez. 6:12

וּמֶלֶךְ 3 וּמֶלֶךְ לְיִשְׂרָאֵל רַב בְּנָהִי וְשַׁכְלְלֵהּ Ez. 5:11
מֶלֶךְ־ 4 אַנְתְּ° מַלְכָּא מֶלֶךְ מַלְכַיָּא Dan. 2:37
5 בִּשְׁנַת חֲדָה לְבֵלְאשַׁצַּר מֶלֶךְ בָּבֶל Dan. 7:1
6 לְמַלְכוּת דָּרְיָוֶשׁ מֶלֶךְ פָּרָס Ez. 4:24
7 נְבוּכַדְנֶצַּר מֶלֶךְ־בָּבֶל כַּסְדָּאָה° Ez. 5:12
8 וְאַרְתַּחְשַׁשְׂתְּא מֶלֶךְ פָּרָס Ez. 6:14
9 אַרְתַּחְשַׁסְתְּא מֶלֶךְ מַלְכַיָּא Ez. 7:12
לְמֶלֶךְ־ 10 מְשַׁבַּח...וּמְהַדַּר לְמֶלֶךְ שְׁמַיָּא Dan. 4:34
מַלְכָּא 11-14 מַלְ׳ לְעָלְמִין חֱיִי Dan. 2:4; 3:9; 5:10; 6:22
15-24 עָנֵה מַלְכָּא וְאָמַר... Dan. 2:5, 8, 26
4:16, 27; 5:7, 13; 6:13, 17, 21
25 דִּי מִלַּת מַלְכָּא יוּכַל לְהַחֲוָיָה Dan. 2:10
26 וּמִלְּתָא דִי־מַלְכָּה שָׁאֵל יַקִּירָה Dan. 2:11
27 דִּי יְחַוִּנַּהּ קֳדָם מַלְכָּא Dan. 2:11
28-30 (וּ)מִלַּת מַלְכָּא Dan. 2:23; 3:22, 28
31 אַנְתְּ° מַלְכָּא מֶלֶךְ מַלְכַיָּא Dan. 2:37
32 מַלְכָּא נְבוּכַדְנֶצַּר נְפַל עַל־אַנְפּוֹהִי Dan. 2:46
33 וְדָנִיֵּאל בִּתְרַע מַלְכָּא Dan. 2:49
34 נְבוּכַדְנֶצַּר מַלְכָּא עֲבַד צְלֵם Dan. 3:1
35 יְדִיעַ לֶהֱוֵא־לָךְ מַלְכָּא Dan. 3:18
36 כֹּלָּא מְטָא עַל־נְבוּ׳ מַלְכָּא Dan. 4:25
37 עוֹד מִלְּתָא בְּפֻם מַלְכָּא... Dan. 4:28
38 אֱדַיִן עָלִין° כֹּל־חַכִּימֵי מַלְכָּא Dan. 5:8
39 אַנְתְּ° מַלְכָּא אֱלָהָא עִלָּאָה° Dan. 5:18
40 דָּרְיָוֶשׁ מַלְכָּא לְעָלְמִין חֱיִי Dan. 6:7
41 לְאַרְתַּחְשַׁשְׂתְּא מַלְכָּא כְּנֵמָא Ez. 4:8
42 לְדָרְיָוֶשׁ מַלְכָּא שְׁלָמָא כֹלָּא Ez. 5:7
43 בִּשְׁנַת חֲדָה לְכוֹרֶשׁ מַלְכָּא Ez. 6:3
44 וְנִפְקְתָא מִן־בֵּית מַלְכָּא תִּתְיְהִב Ez. 6:4
45 וּמִנִּכְסֵי מַלְכָּא...תֶּהֱוֵא מִתְיַהֲבָא Ez. 6:8
46 וּמְצַלַּיִן לְחַיֵּי מַלְכָּא וּבְנוֹהִי Ez. 6:10
47 תִּנְתֵּן מִן־בֵּית גִּנְזֵי מַלְכָּא Ez. 7:20
48-145 מַלְכָּא Dan. 2:7, 10, 11, 12, 14, 15^{2}, 16
2:24^{2} 25, 27^{2}, 29, 31, 36, 47, 48, 49; 3:2^{2}, 3, 5, 7; 9, 10,
12, 13, 17, 24^{2}, 27, 30, 31; 4:15, 19, 20, 21^{2}; 24, 28;
5:1, 2, 3, 5, 6, 7, 9, 10, 11, 12, 13^{2}, 17, 30; 6:7, 8^{2}, 9, 10,
6:13^{3}, 14^{2}, 15, 16^{2}, 17, 18, 19, 20, 22; 23, 24, 25, 26 • Ez.
4:11, 14, 17, 23; 5:6, 13^{2}, 14; 5:17^{4}; 6:1, 3, 13, 15; 7:14,
15, 21, 23, 26
וּמַלְכָּא 146 וּמַלְכָּא חָזֵה פַּס יְדָא דִּי כָתְבָה Dan. 5:5
147 וּמַלְכָּא נְבֻכַדְנֶצַּר אֲבוּךְ...הֲקִימֵהּ
Dan. 5:11
148 וּמַלְכָּא לָא־לֶהֱוֵא נָזִק Dan. 6:3
149 וּמַלְכָּא עֲשִׁית לַהֲקָמוּתֵהּ... Dan. 6:4
לְמַלְכָּא 150 וּפִשְׁרָא לְהַחֲוָיָה לְמַלְכָּא Dan. 2:16
151 הַעֵלְנִי...וּפִשְׁרָא לְמַלְכָּא אֲחַוֵּא Dan. 2:24
152 ...פִּשְׁרָא לְמַלְכָּא יְהוֹדַע Dan. 2:25
153 לָא חַכִּימִין...יָכְלִין לְהַחֲוָיָה לְמַלְכָּא
Dan. 2:27
154 וְהוֹדַע לְמַלְכָּא נְבוּכַדְנֶצַּר Dan. 2:28
155 דִּי פִשְׁרָא לְמַלְכָּא יְהוֹדְעוּן Dan. 2:30
156-166 לְמַלְכָּא Dan. 2:45; 3:16, 24
5:8, 17; 6:16 • Ez. 4:12, 13, 14, 16; 5:8
מַלְכִין 167/8 מְהַעְדֵּה מַלְכִין וּמְהָקֵים מַלְכִין Dan. 2:21
169 הוּא אֱלָהּ אֱלָהִין וּמָרֵא מַלְכִין Dan. 2:47
170 אַרְבְּעָה מַלְכִין יְקוּמוּן Dan. 7:17
171 עַשְׂרָה מַלְכִין יְקֻמוּן Dan. 7:24
172 וּתְלָתָה מַלְכִין יְהַשְׁפִּל Dan. 7:24
173 וּמְהַנְזְקַת מַלְכִין וּמְדִנָן Ez. 4:15
174 עַל־מַלְכִין מִתְנַשְּׂאָה Ez. 4:19
175 חֲבָלָא לְהַנְזָקַת מַלְכִין Ez. 4:22
מַלְכִים 176 וְאַפְּתֹם מַלְכִים תְּהַנְזִק Ez. 4:13
וּמַלְכִין 177 וּמַלְכִין תַּקִּיפִין הֲווֹ עַל־יְרוּשְׁלֶם Ez. 4:20
מַלְכַיָּא 178 אַנְתְּ° מַלְכָּא מֶלֶךְ מַלְכַיָּא Dan. 2:37
179 וּבְיוֹמֵיהוֹן דִּי מַלְכַיָּא אִנּוּן Dan. 2:44
180 אַרְתַּחְשַׁסְתְּא מֶלֶךְ מַלְכַיָּא Ez. 7:12

מֶלֶךְ[3] שפ״ז – מזרע יונתן בן שאול: 2,1

וָמֶלֶךְ 1 וּבְנֵי מִיכָה פִּיתוֹן וָמֶלֶךְ וְתַאְרֵעַ ICh. 8:35
2 וּבְנֵי מִיכָה פִּיתֹן וָמֶלֶךְ וְתַחְרֵעַ ICh. 9:41

מֹלֶךְ ז׳ אליל הָאֵש של עמי הקדם: 1–8

וּלְמֹלֶךְ 1 אָז יִבְנֶה...וּלְמֹלֶךְ שִׁקֻּץ בְּנֵי־עַמּוֹן IK. 11:7
הַמֹּלֶךְ 2 לִזְנוֹת אַחֲרֵי הַמֹּלֶךְ Lev. 20:5
לַמֹּלֶךְ 3 וּמִזַּרְעֲךָ לֹא־תִתֵּן לְהַעֲבִיר לַמֹּלֶךְ Lev. 18:21
4 אֲשֶׁר יִתֵּן מִזַּרְעוֹ לַמֹּלֶךְ Lev. 20:2
5 כִּי מִזַּרְעוֹ נָתַן לַמֹּלֶךְ Lev. 20:3
6 בְּתִתּוֹ מִזַּרְעוֹ לַמֹּלֶךְ Lev. 20:4
7 לְבִלְתִּי לְהַעֲבִיר...לַמֹּלֶךְ IIK. 23:10
8 לְהַעֲבִיר אֶת־בְּנֵיהֶם...לַמֹּלֶךְ Jer. 32:35

מְלַךְ* ז׳ ארמית: עצה

מִלְכִּי 1 לָהֵן מַלְכָּא מִלְכִּי יִשְׁפַּר עֲלָךְ° Dan. 4:24

מַלְכָּא* נ׳ ארמית: מַלְכָּה, אשת מלך: 2,1; מַלְכְּתָא=המלכה

מַלְכְּתָא 1 מַלְכְּתָא לָקֳבֵל מִלֵּי מַלְכָּא... Dan. 5:10
2 עַלַּת° עֲנָת מַלְכְּתָא וַאֲמֶרֶת Dan. 5:10

מַלְכֹּדֶת* נ׳ פח, מוקש

וּמַלְכֻּדְתּוֹ 1 בָּאָרֶץ חַבְלוֹ וּמַלְכֻּדְתּוֹ עֲלֵי נָתִיב Job 18:10

מַלְכָּה נ׳ א) מושלת: 26–33

ב) אשת המלך: 1–25, 34 35

הַמֶּלֶךְ וְהַמַּלְכָּה 24; אֶסְתֵּר הַמַּלְכָּה 8, 10-22; דְּבַר הַמַּ׳ 6, 7; וַשְׁתִּי הַמַּלְכָּה 1-5; מַלְכַּת־שְׁבָא 26-33

הַמַּלְכָּה 1 וַשְׁתִּי הַמַּלְכָּה עָשְׂתָה מִשְׁתֵּה נָשִׁים Es. 1:9
2-5 וַשְׁתִּי הַמַּלְכָּה Es. 1:11, 12, 16, 17
6 יֵצֵא דְבַר־הַמַּלְכָּה עַל־כָּל־הַנָּשִׁים Es. 1:17
7 אֲשֶׁר שָׁמְעוּ אֶת־דְּבַר הַמַּלְכָּה Es. 1:18
8 וַיִּוָּדַע...וַיַּגֵּד לְאֶסְתֵּר הַמַּלְכָּה Es. 2:22
9 וַתִּתְחַלְחַל הַמַּלְכָּה מְאֹד Es. 4:4
10 כִּרְאוֹת הַמֶּלֶךְ אֶת־אֶסְתֵּר הַמַּלְכָּה Es. 5:2
11 מַה־לָּךְ אֶסְתֵּר הַמַּלְכָּה Es. 5:3
12-22 (וְ/לְ/מֵ)אֶסְתֵּר הַמַּלְכָּה Es. 5:12
7:1, 2, 3, 5, 7; 8:1, 7; 9:12, 29, 31
23 הֲגַם לִכְבּוֹשׁ אֶת־הַמַּלְכָּה... Es. 7:8
וְהַמַּלְכָּה 24 וְהָמָן נִבְעַת מִלִּפְנֵי הַמֶּלֶךְ וְהַמַּלְכָּה Es. 7:6
בַּמַּלְכָּה 25 כְּדָת מַה־לַּעֲשׂוֹת בַּמַּלְכָּה וַשְׁתִּי Es. 1:15
מַלְכַּת־ 26 וַתֵּרֶא מַלְכַּת־שְׁבָא
אֵת כָּל־חָכְמַת שְׁלֹמֹה IK. 10:4
27-29 מַלְכַּת־שְׁבָא IK. 10:10 • IICh. 9:3, 9
וּמַלְכַּת־ 30-31 וּמַלְכַּת־שְׁבָא שֹׁמַעַת
אֶת־שֵׁמַע שְׁלֹמֹה IK. 10:1 • IICh. 9:1
לְמַלְכַּת־ 32-33 נָתַן לְמַלְכַּת־שְׁבָא אֶת־כָּל־חֶפְצָהּ
IK. 10:13 • IICh. 9:12
מְלָכוֹת 34 שִׁשִּׁים הֵמָּה מְלָכוֹת S.ofS. 6:8
35 רָאוּהָ...מְלָכוֹת וּפִילַגְשִׁים וַיְהַלְלוּהָ S.ofS. 6:9

מִלְכָּה שפ״נ א) אשת נחור אחי אברהם: 1-7

ב) מבנות צְלָפְחָד: 8-11

מִלְכָּה 1 וְשֵׁם אֵשֶׁת־נָחוֹר מִלְכָּה בַּת־הָרָן Gen. 11:29
2 אֲבִי מִלְכָּה וַאֲבִי יִסְכָּה Gen. 11:29
מִלְכָּה (המשך) 3 הִנֵּה יָלְדָה מִלְכָּה גַּם־הִוא בָּנִים Gen. 22:20
4 שְׁמֹנָה אֵלֶּה יָלְדָה מִלְכָּה לְנָחוֹר Gen. 22:23
5 אֲשֶׁר יֻלְּדָה לִבְתוּאֵל בֶּן־מִלְכָּה Gen. 24:15
6 בֶּן־מִלְכָּה אֲשֶׁר יָלְדָה לְנָחוֹר Gen. 24:24
7 אֲשֶׁר יָלְדָה־לּוֹ מִלְכָּה Gen. 24:47
8-9 חָגְלָה מִלְכָּה וְתִרְצָה Num. 26:33 • Josh. 17:3
וּמִלְכָּה 10-11 וְחָגְלָה וּמִלְכָּה... Num. 27:1; 36:11

מְלֻכָה עין מְלוּכָה

מַלְכוּ נ׳ ארמית מלוכה: 1–57; מַלְכוּתָא = המלכות

– בֵּית מַלְכוּ 4; מַלְכוּת אֲנָשָׁא 12-15; מַ׳ דָרְיָוֶשׁ 16, 18, 19; מַלְכוּת כּוֹרֶשׁ 17; מַלְכוּת מַלְכָּא 11
– הֵיכַל מַלְכוּתָא 22; חַכִּימֵי מַ׳ 40; יְקַר מַ׳ 41; כָּרְסֵא מַ׳ 51; סָרְכֵי מַ׳ 25; שָׁלְטָן מַלְכוּתָא 43

מַלְכוּ 1 וּבָתְרָךְ תְּקוּם מַלְכוּ אָחֳרִי Dan. 2:39
2 מַלְכוּ פְלִיגָה תֶּהֱוֵה Dan. 2:41
3 מַלְכוּ דִּי לְעָלְמִין לָא תִתְחַבַּל Dan. 2:44
4 דִּי־אֲנָה בֱנַיְתַהּ לְבֵית מַלְכוּ Dan. 4:27
5 מַלְכוּ רְבִיעָאָה° תֶּהֱוֵה בְאַרְעָא Dan. 7:23
6 וּמַלְכוּ תְלִיתָאָה° אָחֳרִי דִּי נְחָשָׁא Dan. 2:39
7 וּמַלְכוּ רְבִיעָאָה° תֶּהֱוֵא תַקִּיפָה... Dan. 2:40
8 וְלֵהּ יְהִב שָׁלְטָן וִיקָר וּמַלְכוּ Dan. 7:14
מַלְכוּת־ 9-10 מַלְכוּתֵהּ מַלְכוּת עָלַם Dan. 3:33; 7:27
11 עַל־מַלְכוּת מַלְכָּא וּבְנוֹהִי Ez. 7:23
בְּמַלְכוּת־ 12 דִּי־שַׁלִּיט עִלָּאָה° בְּמַלְכוּת אֲנָשָׁא° Dan. 4:14
13-15 בְּמַלְכוּת אֲנָשָׁא Dan. 4:22, 29; 5:21
16 וְדָנִיֵּאל דְּנָה הַצְלַח בְּמַלְ׳ דָּרְיָוֶשׁ Dan. 6:29
וּבְמַלְכוּת־ 17 וּבְמַלְכוּת כּוֹרֶשׁ פָּרְסָאָה° Dan. 6:29
לְמַלְכוּת־ 18 לְמַלְכוּת דָּרְיָוֶשׁ מֶלֶךְ פָּרָס Ez. 4:24
19 לְמַלְכוּת דָּרְיָוֶשׁ מַלְכָּא Ez. 6:15
מַלְכוּתָא 20 מַלְכוּתָא חִסְנָא וְתָקְפָּא וִיקָרָא Dan. 2:37
21 מִן־קְצָת מַלְכוּתָא תֶּהֱוֵה תַקִּיפָה Dan. 2:42
22 עַל־הֵיכַל מַלְכוּתָא דִּי בָבֶל Dan. 4:26
23 מַלְכוּתָא עֲדָת מִנָּךְ Dan. 4:28
24 הֲווֹ בָעַיִן עִלָּה...מִצַּד מַלְכוּתָא Dan. 6:5
25 סָרְכֵי מַלְכוּתָא סִגְנַיָּא Dan. 6:8
26-33 מַלְכוּתָא Dan. 5:18; 6:1, 2^{2}, 4; 7:18^{2}, 24
וּמַלְכוּתָה 34 וּמַלְכוּתָה לְעַם אָחֳרָן לָא תִשְׁתְּבִק Dan. 2:44
וּמַלְכוּתָא 35 וּמַלְכוּתָא הֶחֱסִנוּ קַדִּישִׁין Dan. 7:22
36 וּמַלְכוּתָא וְשָׁלְטָנָא וּרְבוּתָא Dan. 7:27
בְּמַלְכוּתָא 37 וְתַלְתִּי בְמַלְכוּתָא יִשְׁלַט Dan. 5:7
38 וְתַלְתָּא בְמַלְכוּתָא תִּשְׁלַט Dan. 5:16
39 דִּי־לֶהֱוֵא שַׁלִּיט תַּלְתָּא בְּמַלְכוּתָא Dan. 5:29
מַלְכוּתִי 40 כָּל־חַכִּימֵי מַלְכוּתִי לָא־יָכְלִין Dan. 4:15
41 וְלִיקַר מַלְכוּתִי הַדְרִי וְזִיוִי יְתוּב Dan. 4:33
42 וְעַל־מַלְכוּתִי הָתְקְנַת Dan. 4:33
43 דִּי בְּכָל־שָׁלְטָן מַלְכוּתִי Dan. 6:27
בְּמַלְכוּתִי 44 דִּי כָל־מִתְנַדַּב בְּמַלְכוּתִי Ez. 7:13
מַלְכוּתָךְ 45 מַלְכוּתָךְ לָךְ קַיָּמָה Dan. 4:23
46 מְנֵא מְנָה־אֱלָהָא מַלְכוּתָךְ Dan. 5:26
47 פְּרֵס פְּרִיסַת מַלְכוּתָךְ Dan. 5:28
בְּמַלְכוּתָךְ 48 אִיתַי גְּבַר בְּמַלְכוּתָךְ Dan. 5:11
מַלְכוּתֵהּ 49-50 מַלְכוּתֵהּ מַלְכוּת עָלַם Dan. 3:33; 7:27
51 הָנְחַת מִן־כָּרְסֵא מַלְכוּתֵהּ Dan. 5:20
וּמַלְכוּתֵהּ 52 וּמַלְכוּתֵהּ עִם־דָּר וְדָר Dan. 4:31
53/4 וּמַלְכוּתֵהּ דִּי־לָא תִתְחַבַּל Dan. 6:27; 7:14
מַלְכְוָתָא 55 תַּדִּק וְתָסֵף כָּל־אִלֵּין מַלְכְוָתָא Dan. 2:44
56 דִּי תִשְׁנֵא מִן־כָּל־מַלְכְוָתָא Dan. 7:23
מַלְכְוָת 57 דִּי מַלְכְוָת תְּחוֹת כָּל־שְׁמַיָּא Dan. 7:27

מַלְכוּת נ׳ א) שלטון מֶלֶךְ: רוב המקראות: 1-91
ב) ארץ ממשלתו של המלך: 21-26, 31, 47, 49, 51, 60, 61, 64, 68, 76

קרובים: מְלוּכָה / מַמְלָכָה / מֹמְשָׁל / מֶמְשָׁלָה / שִׁלְטוֹן

– מַלְכוּת אֲחַשְׁוֵרוֹשׁ 22, 23, 38; מ׳ אָסָא 43-45; מ׳ אַרְתַּחְשַׁסְתָּא 36, 37; מ׳ בֵּלְשַׁאצַּר 41; מ׳ דָּוִד 42; מ׳ דָּרְיָוֶשׁ 27, 28; מ׳ יֹאשִׁיָּהוּ 46; מ׳ יְהוּדָה 31; מ׳ יְהוֹשָׁפָט 33; מ׳ יְהוֹיָקִים 39; מ׳ יָוָן 26; מַלְכוּת יְיָ 30; מ׳ כַּשְׂדִּים 24; מ׳ מֶלֶךְ 35; מ׳ נְבוּכַדְנֶצַּר 40; מ׳ כָּל־עוֹלָמִים 21; מ׳ פָּרַס 25, 34; מ׳ צִדְקִיָּהוּ 20; מ׳ רְחַבְעָם 32

– אַחֲרִית הַמַּלְכוּת 89; בֵּית הַמַּלְכוּת 13, 62; דְּבַר מ׳ 3; הֲדַר מ׳ 57; הֲדַר מ׳ 9; הוֹד מ׳ 10, 12; חֲצִי הַמ׳ 15-17; יֵין מַלְכוּת 1; כְּבוֹד מ׳ 48, 59; כִּסֵּא מ׳ 14, 30, 52, 58, 63, 72; כֶּתֶר מ׳ 2,4,7; לְבוּשׁ מ׳ 6, 8; מְדִינוֹת הַמ׳ 51, 61; שֵׁבֶט מ׳ 50; שְׁנַת הַמַּלְכוּת 56; תְּחִלַּת הַמַּלְכוּת 69; תֹּקֶף הַמַּלְכוּת 67

מַלְכוּת 1 וְיֵין מַלְכוּת רָב כְּיַד הַמֶּלֶךְ Es. 1:7
2 לְהָבִיא אֶת־וַשְׁתִּי...בְּכֶתֶר מַלְכוּת Es. 1:11
3 יֵצֵא דְבַר־מַלְכוּת מִלְּפָנָיו Es. 1:19
4 וַיָּשֶׂם כֶּתֶר־מַלְכוּת בְּרֹאשָׁהּ Es. 2:17
5 וַתִּלְבַּשׁ אֶסְתֵּר מַלְכוּת Es. 5:1
6 לְבוּשׁ מַלְכוּת אֲשֶׁר לָבַשׁ־בּוֹ הַמֶּלֶךְ Es. 6:8
7 ...וַאֲשֶׁר נִתַּן כֶּתֶר מַלְכוּת בְּרֹאשׁוֹ Es. 6:8
8 בִּלְבוּשׁ מַלְכוּת תְּכֵלֶת וָחוּר Es. 8:15
9 מַעֲבִיר נוֹגֵשׂ הֶדֶר מַלְכוּת Dan. 11:20
10 וְלֹא־נָתְנוּ עָלָיו הוֹד מַלְכוּת Dan. 11:21
11 וְהֶחֱזִיק מַלְכוּת בַּחֲלַקְלַקּוֹת Dan. 11:21
12 וַיִּתֵּן עָלָיו הוֹד מַלְכוּת ICh. 29:25
הַמַּלְכוּת 13 בֵּית הַמַּלְכוּת אֲשֶׁר לַמֶּלֶךְ אֲחַשְׁוֵרוֹשׁ Es. 1:9
14 עַל־כִּסֵּא מַלְכוּתוֹ בְּבֵית הַמַּלְכוּת Es. 5:1
15 עַד־חֲצִי הַמַּלְכוּת וְיִנָּתֵן לָךְ Es. 5:3
16/7 עַד־חֲצִי הַמַּלְכוּת וְתֵעָשׂ Es. 5:6; 7:2
בַּמַּלְכוּת 18 הַיֹּשְׁבִים רִאשֹׁנָה בַּמַּלְכוּת Es. 1:14
לַמַּלְכוּת 19 אִם־לְעֵת כָּזֹאת הִגַּעַתְּ לַמַּלְכוּת Es. 4:14
מַלְכוּת־ 20 בְּרֵאשִׁית מַלְכוּת צִדְקִיָּה... Jer. 49:34
21 מַלְכוּתְךָ מַלְכוּת כָּל־עֹלָמִים Ps. 145:13
22 אֲשֶׁר בְּכָל־מַלְכוּת אֲחַשְׁוֵרוֹשׁ Es. 3:6
23 אֶל...מֵאָה מְדִינָה מַלְכוּת אֲחַשְׁוֵרוֹשׁ Es. 9:30
24 אֲשֶׁר הָמְלַךְ עַל מַלְכוּת כַּשְׂדִּים Dan. 9:1
25 וְשַׂר מַלְכוּת פָּרַס עֹמֵד לְנֶגְדִּי Dan. 10:13
26 יָעִיר הַכֹּל אֵת מַלְכוּת יָוָן Dan. 11:2
27 וְעַד־מַלְכוּת דָּרְיָוֶשׁ מֶלֶךְ פָּרָס Ez. 4:5
28 כְּתוּבִים...עַל־מַלְכוּת דָּרְיָוֶשׁ Neh. 12:22
29 לְהָסֵב מַלְכוּת שָׁאוּל אֵלָיו ICh. 12:23(24)
30 לָשֶׁבֶת עַל־כִּסֵּא מַלְכוּת יְיָ ICh. 28:5
31 וַיְחַזְּקוּ אֶת־מַלְכוּת יְהוּדָה IICh. 11:17
32 וַיְהִי כְּהָכִין מַלְכוּת רְחַבְעָם IICh. 12:1
33 וַתִּשְׁקֹט מַלְכוּת יְהוֹשָׁפָט IICh. 20:30
34 עַד־מְלֹךְ מַלְכוּת פָּרָס IICh. 36:20
בְּמַלְכוּת־ 35 וּבָא בְּמַלְכוּת מֶלֶךְ הַנֶּגֶב Dan. 11:9
36 בְּמַלְכוּת אַרְתַּחְשַׁסְתָּא מֶלֶךְ־פָּרָס Ez. 7:1
37 בְּמַלְכוּת אַרְתַּחְשַׁסְתָּא הַמֶּלֶךְ מִבָּבֶל Ez. 8:1
וּבְמַלְכוּת־ 38 וּבְמַלְכוּת אֲחַשְׁוֵרוֹשׁ בִּתְחִלַּת מַלְכוּתוֹ Ez. 4:6
לְמַלְכוּת־ 39 בִּשְׁנַת שָׁלוֹשׁ לְמַלְכוּת יְהוֹיָקִים Dan. 1:1
40 וּבִשְׁנַת שְׁתַּיִם לְמַלְכוּת נְבֻכַדְנֶצַּר Dan. 2:1
41 בִּשְׁנַת שָׁלוֹשׁ לְמַלְכוּת בֵּלְשַׁאצַּר Dan. 8:1
42 בִּשְׁנַת הָאַרְבָּעִים לְמַלְכוּת דָּוִיד ICh. 26:31
43 לִשְׁנַת חֲמֵשׁ־עֶשְׂרֵה לְמַלְכוּת אָסָא IICh. 15:10
44 עַד שְׁנַת...לְמַלְכוּת אָסָא IICh. 15:19
45 בִּשְׁנַת שְׁלֹשִׁים וָשֵׁשׁ לְמַלְכוּת אָסָא IICh. 16:1
46 בִּשְׁמוֹנֶה עֶשְׂרֵה...לְמַלְכוּת יֹאשִׁיָּהוּ IICh. 35:19
וּבְמַלְכוּתִי 47 וְהַעֲמַדְתִּיהוּ בְּבֵיתִי וּבְמַלְכוּתִי ICh. 17:14
מַלְכוּתְךָ 48 כְּבוֹד מַלְכוּתְךָ יֹאמֵרוּ Ps. 145:11
49 מַלְכוּתְךָ מַלְכוּת כָּל־עֹלָמִים Ps. 145:13
מַלְכוּתֶךָ 50 שֵׁבֶט מִישֹׁר שֵׁבֶט מַלְכוּתֶךָ Ps. 45:7
51 מְפֻזָּר...בְּכֹל מְדִינוֹת מַלְכוּתֶךָ Es. 3:8
52 וַהֲקִימוֹתִי אֵת כִּסֵּא מַלְכוּתֶךָ IICh. 7:18
וּמַלְכוּתֶךָ 53 לֹא תִכּוֹן אַתָּה וּמַלְכוּתֶךָ ISh. 20:31
מַלְכֻתוֹ 54 וְיָרֹם מֵאֲגַג מַלְכּוֹ וְתִנַּשֵּׂא מַלְכֻתוֹ Num. 24:7
55 וַתִּכֹּן מַלְכֻתוֹ מְאֹד IK. 2:12
56 נָשָׂא אֱוִיל מְרֹדַךְ...בִּשְׁנַת מַלְכֻתוֹ Jer. 52:31
57 וּכְבוֹד הֲדַר מַלְכוּתוֹ Ps. 145:12
58 כְּשֶׁבֶת הַמֶּלֶךְ...עַל כִּסֵּא מַלְכוּתוֹ Es. 1:2
59 אֶת־עֹשֶׁר כְּבוֹד מַלְכוּתוֹ Es. 1:4
60 אֲשֶׁר־יַעֲשֶׂה בְּכָל־מַלְכוּתוֹ Es. 1:20
61 וְיַפְקֵד...בְּכָל־מְדִינוֹת מַלְכוּתוֹ Es. 2:3
62 וַתִּלָּקַח...אֶל־בֵּית מַלְכוּתוֹ Es. 2:16
63 וְהַמֶּלֶךְ יוֹשֵׁב עַל־כִּסֵּא מַלְכוּתוֹ Es. 5:1
64 הָאַשָּׁפִים אֲשֶׁר בְּכָל־מַלְכוּתוֹ Dan. 1:20
65 וּכְעָמְדוֹ תִּשָּׁבֵר מַלְכוּתוֹ Dan. 11:4
66 כִּי תִנָּתֵשׁ מַלְכוּתוֹ Dan. 11:4
67 לָבוֹא בְּתֹקֶף כָּל־מַלְכוּתוֹ Dan. 11:17
68 וַיַּעֲבֶר־קוֹל בְּכָל־מַלְכוּתוֹ Ez. 1:1
69 וּבְמַלְכוּת אֲחַשְׁוֵרוֹשׁ בִּתְחִלַּת מַלְכוּתוֹ Ez. 4:6
70 כִּי־נִשֵּׂאת לְמַעְלָה מַלְכוּתוֹ ICh. 14:2
71 וַהֲכִינוֹתִי אֶת־מַלְכוּתוֹ ICh. 17:11
72 וַהֲכִינוֹתִי אֶת־כִּסֵּא מַלְכוּתוֹ ICh. 22:10(9)
73 וַהֲכִינוֹתִי אֶת־מַלְכוּתוֹ עַד־לְעוֹלָם ICh. 28:7
74 עִם כָּל־מַלְכוּתוֹ וּגְבוּרָתוֹ ICh. 29:30
75 וַיִּתְחַזֵּק שְׁלֹמֹה...עַל־מַלְכוּתוֹ IICh. 1:1
76 וַיַּעֲבֶר־קוֹל בְּכָל־מַלְכוּתוֹ IICh. 36:22
וּמַלְכוּתוֹ 77 וּמַלְכוּתוֹ בַּכֹּל מָשָׁלָה Ps. 103:19
בְּמַלְכוּתוֹ 78 כִּי גַם בְּמַלְכוּתוֹ נוֹלַד רָשׁ Eccl. 4:14
79 הַמִּתְחַזְּקִים עִמּוֹ בְּמַלְכוּתוֹ ICh. 11:10
80 אֲשֶׁר הֵזִיחַ הַמֶּלֶךְ אָחָז בְּמַלְכוּתוֹ IICh. 29:19
לְמַלְכוּתוֹ 81 ...בִּשְׁנַת־שֶׁבַע לְמַלְכוּתוֹ Es. 2:16
82 בַּיִת לְשֵׁם יְיָ וּבַיִת לְמַלְכוּתוֹ IICh. 1:18
83 יִבְנֶה בַּיִת לַייָ וּבַיִת לְמַלְכוּתוֹ IICh. 2:11
84 וַיָּחֶל לִבְנוֹת...בִּשְׁנַת אַרְבַּע לְמַלְכוּתוֹ IICh.3:2
85 בִּשְׁנַת שְׁלוֹשִׁים וָתֵשַׁע לְמַלְכוּתוֹ IICh. 16:12
86 וַיְשִׁיבֵהוּ יְרוּשָׁלַ‍ִם לְמַלְכוּתוֹ IICh. 33:13
וּמַלְכוּתָהּ 87 וּמַלְכוּתָהּ יִתֵּן הַמֶּלֶךְ לִרְעוּתָהּ... Es. 1:19
מַלְכוּתָם 88 בְּכָל־חַכְמֵי הַגּוֹיִם וּבְכָל־מַלְכוּתָם Jer. 10:7
89 וּבְאַחֲרִית מַלְכוּתָם כְּהָתֵם הַפֹּשְׁעִים Dan. 8:23
בְּמַלְכוּתָם 90 וְהֵם בְּמַלְכוּתָם...לֹא עֲבָדוּךָ Neh. 9:35
מַלְכֻיּוֹת 91 אַרְבַּע מַלְכֻיּוֹת מִגּוֹי יַעֲמֹדְנָה Dan. 8:22

מַלְכִּיאֵל שפ״ז – נכד אָשֵׁר בן יעקב: 1-3
וּמַלְכִּיאֵל 1 וּבְנֵי בְרִיעָה חֶבֶר וּמַלְכִּיאֵל Gen. 46:17
2 וּבְנֵי בְרִיעָה חֶבֶר וּמַלְכִּיאֵל ICh. 7:31
לְמַלְכִּיאֵל 3 לְמַלְכִּיאֵל מִשְׁפַּחַת הַמַּלְכִּיאֵלִי Num. 26:45

מַלְכִּיאֵלִי ת׳ המתיחס על בית מַלְכִּיאֵל
הַמַּלְכִּיאֵלִי 1 לְמַלְכִּיאֵל מִשְׁפַּחַת הַמַּלְכִּיאֵלִי Num. 26:45

מַלְכִּיָּה שפ״ז א) משוררים בימי דוד: 9, 10
ב) כהן בימי דוד: 15
ג) מְשָׂרֵי צדקיהו: 1, 2
ד) אנשים שונים בימי עזרא ונחמיה: 3-8, 11-14

מַלְכִּיָּה 1-2 פַּשְׁחוּר בֶּן־מַלְכִּיָּה Jer. 21:1; 38:1
3 וּבְנֵי חָרִם אֱלִיעֶזֶר יִשִּׁיָּה מַלְכִּיָּה Ez. 10:31
4 הֶחֱזִיק מַלְכִּיָּה בֶן־חָרִם Neh. 3:11
5 הֶחֱזִיק מַלְכִּיָּה בֶן־רֵכָב Neh. 3:14
6 הֶחֱזִיק מַלְכִּיָּה בֶּן־הַצֹּרְפִי Neh. 3:31
7 פַּשְׁחוּר אֲמַרְיָה מַלְכִּיָּה Neh. 10:4
8 וַעֲדָיָה...בֶּן־פַּשְׁחוּר בֶּן־מַלְכִּיָּה Neh. 11:12
9 בֶּן־בַּעֲשֵׂיָה בֶן־מַלְכִּיָּה ICh. 6:25
10 וַעֲדָיָה...בֶּן־פַּשְׁחוּר בֶּן־מַלְכִּיָּה ICh. 9:12
וּמַלְכִּיָּה 11 מִבְּנֵי פַרְעֹשׁ רַמְיָה וְיִזִּיָּה וּמַלְכִּיָּה Ez. 10:24
12 וּמִיָּמִן וְאֶלְעָזָר וּמַלְכִּיָּה וּבְנָיָה Ez. 10:25
13 פְּדָיָה וּמִישָׁאֵל וּמַלְכִּיָּה Neh. 8:4
14 וִיהוֹחָנָן וּמַלְכִּיָּה וְעֵילָם וָעָזֶר Neh. 12:42
לְמַלְכִּיָּה 15 לְמַלְכִּיָּה הַחֲמִישִׁי לְמִיָּמִן הַשִּׁשִּׁי ICh. 24:9

מַלְכִּיָּהוּ שפ״ז – בן המלך צדקיהו(?)
מַלְכִּיָּהוּ 1 ...אֶל־הַבּוֹר מַלְכִּיָּהוּ בֶן־הַמֶּלֶךְ Jer. 38:6

מַלְכִּי־צֶדֶק שפ״ז א) מלך שָׁלֵם בימי אברהם: 2
ב) כנוי למלך ירושלים: 1
מַלְכִּי־צֶדֶק 1 עַל־דִּבְרָתִי מַלְכִּי־צֶדֶק Ps. 110:4
וּמַלְכִּי־צֶדֶק 2 וּמַלְכִּי־צֶדֶק מֶלֶךְ שָׁלֵם Gen. 14:18

מַלְכִּירָם שפ״ז – בן יכניה מלך יהודה
וּמַלְכִּירָם 1 וּמַלְכִּירָם וּפְדָיָה וְשֶׁנְאַצַּר ICh. 3:18

מַלְכִּי־שׁוּעַ שפ״ז – מבני שאול: 1-5
מַלְכִּי־שׁוּעַ 1-3 אֶת־יְהוֹנָתָן...וְאֶת־מַלְכִּי־שׁוּעַ ISh. 31:2
ICh. 8:33; 9:39
4 אֶת־יוֹנָתָן וְאֶת־מַלְכִּי־שׁוּעַ ICh. 10:2
וּמַלְכִּי־שׁוּעַ 5 יוֹנָתָן וְיִשְׁוִי וּמַלְכִּי־שׁוּעַ ISh. 14:49

מַלְכָּם שפ״ז – איש מבני בנימין
מַלְכָּם 1 וַיּוֹלֶד...וְאֶת־מֵישָׁא וְאֶת־מַלְכָּם ICh. 8:9

מִלְכֹּם שפ״ז – כנוי לאליל מֹלֶךְ של בני עמון: 1-3
מִלְכֹּם 1 וַיֵּלֶךְ...וְאַחֲרֵי מִלְכֹּם שִׁקֻּץ עַמֹּנִים IK. 11:5
וּלְמִלְכֹּם 2 וּלְמִלְכֹּם אֱלֹהֵי בְנֵי־עַמּוֹן IK. 11:33
3 וּלְמִלְכֹּם תּוֹעֲבַת בְּנֵי־עַמּוֹן IIK. 23:13

מְלֶכֶת* נ׳ [בצרוף מְלֶכֶת הַשָּׁמַיִם] כנוי לִלְבָנָה בפולחן האלילים: 1-5
לִמְלֶכֶת־ 1 לַעֲשׂוֹת כַּוָּנִים לִמְלֶכֶת הַשָּׁמַיִם Jer. 7:18
2-4 לְקַטֵּר לִמְלֶכֶת הַשָּׁמַיִם Jer. 44:17, 18, 25
5 אֲנַחְנוּ מְקַטְּרִים לִמְלֶכֶת הַשָּׁמַיִם Jer. 44:19

מֹלֶכֶת* שפ״נ – בת מָכִיר בן מנשה
הַמֹּלֶכֶת 1 וַאֲחֹתוֹ הַמֹּלֶכֶת יָלְדָה... ICh. 7:18

מלל: א) מָלַל, נָמַל, מוֹלֵל, הִתְמוֹלֵל; מְלִילָה
ב) מִלֵּל; מִלָּה אר׳ מַלֵּל, מִלָּה; ש״פ מְלוֹתִי, מַלְלַי

מָלַל[1] פ׳ א) הניע, טלטל, שפשף: 1
ב) [נפ׳ נָמַל] נשחק, נבל: 2-5
ג) [פ׳ מוֹלֵל] נשחק, נבל: 6
ד) [הת׳ הִתְמוֹלֵל] נשחק, נכרת: 7

מוֹלֵל 1 קֹרֵץ בְּעֵינָו מֹלֵל בְּרַגְלָו Prov. 6:13
יִמַּל 2 וּמִמַּעַל יִמַּל קְצִירוֹ Job 18:16
וַיִּמָּל 3 כְּצִיץ יָצָא וַיִּמָּל Job 14:2
יִמָּלוּ 4 כִּי כֶחָצִיר מְהֵרָה יִמָּלוּ Ps. 37:2
5 וּכְרֹאשׁ שִׁבֹּלֶת יִמָּלוּ Job 24:24
יְמוֹלֵל 6 לָעֶרֶב יְמוֹלֵל וְיָבֵשׁ Ps. 90:6
יִתְמֹלָלוּ 7 יִדְרֹךְ חִצָּו כְּמוֹ יִתְמֹלָלוּ Ps. 58:8

מָלַל² פ׳ דבר, השמיע מלים: 1-4

מִלֵּל 1 מִי מִלֵּל לְאַבְרָהָם Gen. 21:7

מִלֵּלוּ 2 וְדַעַת שְׂפָתַי בָּרוּר מִלֵּלוּ Job 33:3

תְּמַלֶּל־ 3 עַד־אָן תְּמַלֶּל־אֵלֶּה... Job 8:2

יְמַלֵּל 4 מִי יְמַלֵּל גְּבוּרוֹת יְיָ... Ps. 106:2

מלל פ׳ ארמית פ׳ דבר: 1-5

מַלִּל 1 אֱדַיִן דָּנִיֵּאל עִם־מַלְכָּא מַלִּל Dan. 6:22

מְמַלִּל 2/3 וּפֻם מְמַלִּל רַבְרְבָן Dan. 7:8, 20

מְמַלִּלָא 4 דִּי קַרְנָא מְמַלִּלָא Dan. 7:11

יְמַלִּל 5 וּמִלִּין לְצַד עִלָּאָה° יְמַלִּל Dan. 7:25

מִלֲלַי שפ״ז – מבני אסף הכהנים

מִלֲלַי 1 מִלֲלַי גִּלֲלַי מָעַי... Neh. 12:36

מַלְמָד ז׳ מקל שבראשו דרבן לזרוז הבקר

בְּמַלְמַד 1 וַיַּךְ אֶת־פְּלִשְׁתִּים...בְּמַלְמַד הַבָּקָר Jud. 3:31

מַלְפֵנוּ (איוב להו11) – עין אָלַף (מס׳ 2)

מלץ: נִמְלַץ; מְלִיצָה(?)

(מלץ) נִמְלַץ נפ׳ היה נעים

נִמְלְצוּ 1 מַה־נִּמְלְצוּ לְחִכִּי אִמְרָתֶךָ Ps. 119:103

מֶלְצַר ז׳ משגיח, מפקח: 1, 2

הַמֶּלְצַר 1 וַיֹּאמֶר דָּנִיֵּאל אֶל־הַמֶּלְצַר Dan. 1:11

2 וַיְהִי הַמֶּלְצַר נֹשֵׂא אֶת־פַּת־בָּגָם Dan. 1:16

מלק פ׳ התיז, קצץ: 1, 2

וּמָלַק 1 וּמָלַק אֶת־רֹאשׁוֹ...וְנִמְצָה דָמוֹ Lev. 1:15

2 וּמָלַק אֶת־רֹאשׁוֹ מִמּוּל עָרְפּוֹ Lev. 5:8

מַלְקוֹחַ ז׳ שְׁבִי חי – באדם או בבהמה: 1-7

קרובים: בַּז / בִּזָּה / שְׁבִי / שִׁבְיָה / שָׁלָל

מַלְקוֹחַ עָרִיץ 7; מַלְקוֹחַ הַשְּׁבִי 1

מַלְקוֹחַ 1 שָׂא אֵת רֹאשׁ מַלְקוֹחַ הַשְּׁבִי Num. 31:26

2 הֲיֻקַּח מִגִּבּוֹר מַלְקוֹחַ... Is. 49:24

הַמַּלְקוֹחַ 3 אֶת־כָּל־הַשָּׁלָל וְאֵת כָּל־הַמַּלְקוֹחַ Num. 31:11

4 וְאֶת־הַמַּלְקוֹחַ וְאֶת־הַשָּׁלָל Num. 31:12

5 וְחָצִיתָ אֶת־הַמַּלְקוֹחַ בֵּין... Num. 31:27

6 וַיְהִי הַמַּלְקוֹחַ יֶתֶר הַבָּז Num. 31:32

וּמַלְקוֹחַ 7 וּמַלְקוֹחַ עָרִיץ יִמָּלֵט Is. 49:25

מַלְקוֹחַיִם* ז״ז כנוי לבית הבליעה

מַלְקוֹחָי 1 וּלְשׁוֹנִי מֻדְבָּק מַלְקוֹחָי Ps. 22:16

מַלְקוֹשׁ ז׳ הגשמים המאוחרים

(בארץ־ישראל – בערך בחדשים אדר־ניסן): 1-8

קרובים: ראה מָטָר

יוֹרֶה וּמַלְקוֹשׁ 3, 5; עָב מַלְקוֹשׁ 2; עֵת מַלְקוֹשׁ 1

מַלְקוֹשׁ 1 שַׁאֲלוּ מֵיְיָ מָטָר בְּעֵת מַלְקוֹשׁ Zech. 10:1

2 וּרְצוֹנוֹ כְּעָב מַלְקוֹשׁ Prov. 16:15

וּמַלְקוֹשׁ 3 מְטַר אַרְצְכֶם בְּעִתּוֹ יוֹרֶה וּמַלְ׳ Deut. 11:14

4 וַיִּמָּנְעוּ רְבִבִים וּמַלְקוֹשׁ לוֹא הָיָה Jer. 3:3

5 הַנֹּתֵן גֶּשֶׁם יֹרֶה וּמַלְקוֹשׁ בְּעִתּוֹ Jer. 5:24

6 וַיּוֹרֶד לָכֶם גֶּשֶׁם מוֹרֶה וּמַלְקוֹשׁ Joel 2:23

כְּמַלְקוֹשׁ 7 וְיָבוֹא...כְּמַלְקוֹשׁ יוֹרֶה אָרֶץ Hosh. 6:3

לְמַלְקוֹשׁ 8 וּפִיהֶם פָּעֲרוּ לְמַלְקוֹשׁ Job 29:23

מֶלְקָחַיִם ז״ז צבת לאחיזת גחלים או זנבות נרות: 1-6

וְהַמֶּלְקָחַיִם 1 וְהַפֶּרַח וְהַנֵּרֹת וְהַמֶּלְקָחַיִם זָהָב IK. 7:49

2 וְהַפֶּרַח וְהַנֵּרוֹת וְהַמֶּלְקַחַיִם זָהָב IICh. 4:21

בְּמֶלְקָחַיִם 3 בְּמֶלְקַחַיִם לָקַח מֵעַל הַמִּזְבֵּחַ Is. 6:6

מַלְקָחֶיהָ 4 וְאֶת־נֵרֹתֶיהָ וְאֶת־מַלְקָחֶיהָ Num. 4:9

וּמַלְקָחֶיהָ 5/6 וּמַלְקָחֶיהָ וּמַחְתֹּתֶיהָ זָהָב Ex. 25:38; 37:23

מֶלְתָּחָה נ׳ ארון בגדים

הַמֶּלְתָּחָה 1 וַיֹּאמֶר לַאֲשֶׁר עַל־הַמֶּלְתָּחָה IIK. 10:22

מַלְתָּעָה* נ׳ שן של חית־טרף [עין גם מְתַלְּעָה]

מַלְתְּעוֹת כְּפִירִים 1

מַלְתְּעוֹת־ 1 מַלְתְּעוֹת כְּפִירִים נְתֹץ יְיָ Ps. 58:7

מַמְאִיר ת׳ א) עוקץ, דוקר: 1

ב) חמור, חסוך־מרפא: 2-4

מַמְאִיר 1 סִלּוֹן מַמְאִיר וְקוֹץ מַכְאִב Ezek. 28:24

מַמְאֶרֶת 2-4 צָרַעַת מַמְאֶרֶת Lev. 13:51, 52; 14:44

מַמְּגוּרָה נ׳ אסם

מַמְּגֻרוֹת 1 נָשַׁמּוּ אֹצָרוֹת נֶהֶרְסוּ מַמְּגֻרוֹת Joel 1:17

מֵמַד* ז׳ מדה

מְמַדֶּיהָ 1 מִי־שָׂם מְמַדֶּיהָ כִּי תֵדָע Job 38:5

מְמוּכָן שפ״ז – משרי המלך אחשורוש: 1-3

מְמוּכָן 1 ...מֶרֶס מַרְסְנָא מְמוּכָן Es. 1:14

2 וַיֹּאמֶר מְמוּכָן (כ׳ מומכן) לִפְנֵי הַמֶּלֶךְ Es. 1:16

3 וַיַּעַשׂ הַמֶּלֶךְ כִּדְבַר מְמוּכָן Es. 1:21

מְמוֹתִים* ז״ר מָוֶת: 1, 2

מְמוֹתֵי חָלָל 2; מ׳ תַּחֲלוּאִים 1

מְמוֹתֵי־ 1 מְמוֹתֵי תַחֲלֻאִים יָמֻתוּ Jer. 16:4

2 וָמַתָּה מְמוֹתֵי חָלָל בְּלֵב יַמִּים Ezek. 28:8

מַמְזֵר ז׳ א) מי שנולד מאסורי ערוה: 1

ב) כנוי לבזוי ונקלה: 2

מַמְזֵר 1 לֹא־יָבֹא מַמְזֵר בִּקְהַל יְיָ Deut. 23:3

2 וְיָשַׁב מַמְזֵר בְּאַשְׁדּוֹד Zech. 9:6

מְמֻחָיִם ת׳ רבוי: מלאי מֵחַ, דשנים

1 שְׁמָנִים מְמֻחָיִם שְׁמָרִים מְזֻקָּקִים Is. 25:6

מִמְכָּר ז׳ א) מכירה: 5, 6, 8, 9, 10

ב) דבר שנמכר, סחורה: 1, 2, 4, 7

מִמְכַּר אָחִיו 4; מ׳ בַּיִת 5; כֶּסֶף מִמְכָּר 9;
שְׁנֵי מִמְכָּר 6; שְׁנַת מִמְכָּר 8

מִמְכָּר 1 וְכִי־תִמְכְּרוּ מִמְכָּר לַעֲמִיתֶךָ Lev. 25:14

2 הָרֹכְלִים וּמֹכְרֵי כָל־מִמְכָּר Neh. 13:20

הַמִּמְכָּר 3 כִּי הַמּוֹכֵר אֶל־הַמִּמְכָּר לֹא יָשׁוּב Ezek. 7:13

מִמְכַּר־ 4 וְגָאַל אֵת מִמְכַּר אָחִיו Lev. 25:25

5 וְיָצָא מִמְכַּר־בַּיִת...בַּיֹּבֵל Lev. 25:33

מִמְכָּרוֹ 6 וְחִשַּׁב אֶת־שְׁנֵי מִמְכָּרוֹ Lev. 25:27

7 וְהָיָה מִמְכָּרוֹ בְּיַד הַקֹּנֶה אֹתוֹ Lev. 25:28

8 עַד־תֹּם שְׁנַת מִמְכָּרוֹ Lev. 25:29

9 וְהָיָה כֶּסֶף מִמְכָּרוֹ בְּמִסְפַּר שָׁנִים Lev. 25:50

מִמְכָּרָיו 10 לְבַד מִמְכָּרָיו עַל־הָאָבוֹת Deut. 18:8

מִמְכֶּרֶת נ׳ מכירה

מִמְכֶּרֶת־ 1 לֹא יִמָּכְרוּ מִמְכֶּרֶת עָבֶד Lev. 25:42

מְמֻלָּח ת׳ – עין מָלח1

מַמְלָכָה נ׳ א) מלוכה, ממשלת מלך: 9, 15-22, 24-36,
41, 44, 50-55, 58-61, 63-68, 78

ב) ארץ המלך והעם היושב בה: 1-8, 10-14,
23, 37-40, 42, 43, 45-49, 56, 57, 62, 69-77,
79-117 • קרובים: ראה מְלוּכָה

– מַמְלָכָה שְׁפָלָה 4, 5

– בֵּית מַמְלָכָה 6; זֶרַע הַמַּמְלָכָה 24, 32; כִּסֵּא מ׳
60, 63, 67; עִיר הַמַּ׳ 14; עָרֵי הַמַּ׳ 13; רֵאשִׁית
הַמַּמְלָכָה 62

– מַמְלֶכֶת אָבִיו 55; מ׳ יְהוֹיָקִים 51; מ׳ יְיָ 54;
מ׳ יִשְׂרָאֵל 50; מ׳ כֹּהֲנִים 44; מ׳ סִיחוֹן 45;
מ׳ עוֹג 46-49; מ׳ צִדְקִיָּהוּ 52

– מַמְלָכוֹת גְּדוֹלוֹת 74; גְּבֶרֶת מַמְלָכוֹת 73;
כִּסֵּא מ׳ 78; צְבִי מ׳ 70; רֹאשׁ הַמַּמְלָכוֹת 85

– מַמְלְכוֹת אָדָם 91; מ׳ אֱלִיל 116; מ׳ הָאָרֶץ
92-104, 115; מ׳ הָאֲרָצוֹת 110-113; מ׳ אֲרָרָט 107;
מ׳ גּוֹיִם 105, 108, 114; מ׳ חָצוֹר 117; מ׳ כְּנַעַן 109;
מַמְלְכוֹת צָפוֹנָה 106

מַמְלָכָה 1 וְנִלְחֲמוּ...מַמְלָכָה בְּמַמְלָכָה Is. 19:2

2/3 אֲדַבֵּר עַל־גּוֹי וְעַל־מַמְלָכָה Jer. 18:7, 9

4 לִהְיוֹת מַמְלָכָה שְׁפָלָה Ezek. 17:14

5 וְהָיוּ שָׁם מַמְלָכָה שְׁפָלָה Ezek. 29:14

6 ...וּבֵית מַמְלָכָה הוּא Am. 7:13

7 חִלֵּל מַמְלָכָה וְשָׂרֶיהָ Lam. 2:2

8 לֹא־נַעֲשָׂה כֵן לְכָל־מַמְלָכָה IICh. 9:19

9 כִּי יְיָ...נָתַן מַמְלָכָה לְדָוִיד IICh. 13:5

וּמַמְלָכָה 10 אִם־יֶשׁ־גּוֹי וּמַמְלָכָה IK. 18:10

11 וְנִשְׁבַּת...וּמַמְלָכָה מִדַּמֶּשֶׂק Is. 17:3

12 ...כָּל־אֱלוֹהַּ כָּל־גּוֹי וּמַמְלָכָה IICh. 32:15

הַמַּמְלָכָה 13 עִיר גְּדוֹלָה...כְּאַחַת עָרֵי הַמַּמְלָכָה Josh. 10:2

14 וְלָמָּה יֵשֵׁב עַבְדְּךָ בְּעִיר הַמַּמְלָכָה ISh. 27:5

15 וַיִּקְרַע יְיָ אֶת־הַמַּמְלָכָה מִיָּדֶךָ ISh. 28:17

16 לְהַעֲבִיר הַמַּמְלָכָה מִבֵּית שָׁאוּל IISh. 3:10

17 קָרֹעַ אֶקְרַע אֶת־הַמַּמְלָכָה מֵעָלֶיךָ IK. 11:10

18 רַק אֶל־כָּל־הַמַּמְלָכָה לֹא אֶקְרָע IK. 11:13

19 הִנְנִי קֹרֵעַ אֶת־הַמַּמְלָכָה מִיַּד שְׁלֹמֹה IK. 11:31

20 וְלֹא־אֶקַּח אֶת־כָּל־הַמַּמְלָכָה מִיָּדוֹ IK. 11:34

21 עַתָּה תָּשׁוּב הַמַּמְלָכָה לְבֵית דָּוִד IK. 12:26

22 וָאֶקְרַע אֶת־הַמַּמְלָכָה מִבֵּית דָּוִד IK. 14:8

23 וְהִשְׁבִּיעַ אֶת־הַמַּמְלָכָה וְאֶת־הַגּוֹי IK. 18:10

24 וַתְּאַבֵּד אֵת כָּל־זֶרַע הַמַּמְלָכָה IIK. 11:1

25 וַיְהִי כַּאֲשֶׁר חָזְקָה הַמַּמְלָכָה בְּיָדוֹ IIK. 14:5

26 לְהַחֲזִיק הַמַּמְלָכָה בְּיָדוֹ IIK. 15:19

27 לְךָ יְיָ הַמַּמְלָכָה ICh. 29:11

28 לְהָשִׁיב אֶת־הַמַּמְלָכָה לִרְחַבְעָם IICh. 11:1

29 וַתִּשְׁקֹט הַמַּמְלָכָה לְפָנָיו IICh. 14:4

30 וַיָּכֶן יְיָ אֶת־הַמַּמְלָכָה בְּיָדוֹ IICh. 17:5

31 וְאֶת־הַמַּמְלָכָה נָתַן לִיהוֹרָם IICh. 21:3

32 וַתְּדַבֵּר אֶת־כָּל־זֶרַע הַמַּמְלָכָה IICh. 22:10

33 וַיּוֹשִׁיבוּ אֶת־הַמֶּלֶךְ עַל־כִּסֵּא הַמַּמְלָכָה IICh. 23:20

34 וַיְהִי כַּאֲשֶׁר חָזְקָה הַמַּמְלָכָה עָלָיו IICh. 25:3

35 עַל־הַמַּמְלָכָה וְעַל־הַמִּקְדָּשׁ IICh. 29:21

וְהַמַּמְלָכָה 36 וְהַמַּמְלָכָה נְכוֹנָה בְּיַד שְׁלֹמֹה IK. 2:46

37 הַגּוֹי וְהַמַּמְלָכָה אֲשֶׁר לֹא־יַעַבְדוּךְ Is. 60:12

38 הַגּוֹי וְהַמַּמְלָכָה אֲשֶׁר לֹא־יַעַבְדוּ Jer. 27:8

בְּמַמְלָכָה 39 וְנִלְחֲמוּ...מַמְלָכָה בְּמַמְלָכָה Is. 19:2

בַּמַּמְלָכָה 40 עֵינֵי אֲדֹנָי יְיָ בַּמַּמְלָכָה הַחַטָּאָה Am. 9:8

לְמַמְלָכָה 41 וְאֵין לְבֵית אֲחַזְיָהוּ לַעְצֹר כֹּחַ לְמַמְלָכָה IICh. 22:9

מִמַּמְלָכָה 42 מִגּוֹי...מִמַּמְלָכָה אֶל־עַם אַחֵר Ps. 105:13

וּמִמַּמְלָכָה 43 מִגּוֹי...וּמִמַּמְלָכָה אֶל־עַם אַחֵר ICh. 16:20

מַמְלֶכֶת־ 44 מַמְלֶכֶת כֹּהֲנִים וְגוֹי קָדוֹשׁ Ex. 19:6

45 אֶת־מַמְלֶכֶת סִיחֹן מֶלֶךְ הָאֱמֹרִי Num. 32:33

46 וְאֶת־מַמְלֶכֶת עוֹג מֶלֶךְ הַבָּשָׁן Num. 32:33

47-49 מַמְלֶכֶת עוֹג (בַּבָּשָׁן) Deut. 3:4, 10, 13

50 וְקָמָה בְּיָדְךָ מַמְלֶכֶת יִשְׂרָאֵל ISh. 24:20

51 בְּרֵאשִׁית מַמְלֶכֶת יְהוֹיָקִם Jer. 27:1

52 בְּרֵאשִׁית מַמְלֶכֶת צִדְקִיָּה Jer. 28:1

53 וּבָאָה...מַמְלֶכֶת לְבַת־יְרוּשָׁלָםִ Mic. 4:8

54 לְהִתְחַזֵּק לִפְנֵי מַמְלֶכֶת יְיָ IICh. 13:8
55 וַיָּקָם יְהוֹרָם עַל־מַמְלֶכֶת אָבִיו IICh. 21:4
מַמְלַכְתִּי 56 הֵבֵאתָ...וְעַל־מַמְלַכְתִּי חֲטָאָה גְדֹלָה Gen. 20:9
וּמִמַּמְלַכְתִּי 57 נָקִי אָנֹכִי וּמַמְלַכְתִּי מֵעִם יְיָ IISh. 3:28
מַמְלַכְתְּךָ 58 הֵכִין יְיָ אֶת־מַמְלַכְתְּךָ ISh. 13:13
59 וְעַתָּה מַמְלַכְתְּךָ לֹא־תָקוּם ISh. 13:14
60 וַהֲקִמֹתִי אֶת־כִּסֵּא מַמְלַכְתְּךָ IK. 9:5
וּמַמְלַכְתְּךָ 61 וְנֶאְמַן בֵּיתְךָ וּמַמְלַכְ׳ עַד־עוֹלָם IISh. 7:16
מַמְלַכְתּוֹ 62 וַתְּהִי רֵאשִׁית מַמְלַכְתּוֹ בָּבֶל וְאֶרֶךְ Gen. 10:10
63 וְהָיָה כְשִׁבְתּוֹ עַל כִּסֵּא מַמְלַכְתּוֹ Deut. 17:18
64 יַאֲרִיךְ יָמִים עַל־מַמְלַכְתּוֹ Deut. 17:20
65 כִּי־הֱכִינוֹ יְיָ...וְכִי נִשֵּׂא מַמְלַכְתּוֹ IISh. 5:12
66 וַהֲכִינֹתִי אֶת־מַמְלַכְתּוֹ IISh. 7:12
67 וְכֹנַנְתִּי אֶת־כִּסֵּא מַמְלַכְ׳ עַד־עוֹלָם IISh. 7:13
68 עַל־כִּסֵּא דָוִד וְעַל־מַמְלַכְתּוֹ Is. 9:6
מַמְלָכוֹת 69 לֹא־נַעֲשָׂה כֵן לְכָל־מַמְלָכוֹת IK. 10:20
70 וְהָיְתָה בָבֶל צְבִי מַמְלָכוֹת Is. 13:19
71 מַרְגִּיז הָאָרֶץ מַרְעִישׁ מַמְלָכוֹת Is. 14:16
72 יָדוֹ נָטָה עַל־הַיָּם הִרְגִּיז מַמְלָכוֹת Is. 23:11
73 לֹא תוֹסִיפִי יִקְרְאוּ־לָךְ גְּבֶרֶת מַמְלָכוֹת Is. 47:5
74 אֶל־אֲרָצוֹת...וְעַל־מַמְלָכוֹת גְּדֹלוֹת Jer. 28:8
75 ...וְהִשְׁחַתִּי בְךָ מַמְלָכוֹת Jer. 51:20
76 וְלֹא יֵחָצוּ עוֹד לִשְׁתֵּי מַמְלָכוֹת Ezek. 37:22
77 לֶאֱסֹף גּוֹיִם לְקָבְצִי מַמְלָכוֹת Zep. 3:8
78 וְהָפַכְתִּי כִּסֵּא מַמְלָכוֹת Hag. 2:22
79 הָמוּ גוֹיִם מָטוּ מַמְלָכוֹת Ps. 46:7
80 מַמְלָכוֹת אֲשֶׁר בְּשִׁמְךָ לֹא קָרָאוּ Ps. 79:6
81 וַתִּתֵּן לָהֶם מַמְלָכוֹת וַעֲמָמִים Neh. 9:22
וּמַמְלָכוֹת 82 וְהַרְאֵיתִי...וּמַמְלָכוֹת קְלוֹנֵךְ Nah. 3:5
83 בְּהִקָּבֵץ עַמִּים יַחְדָּו וּמַמְלָכוֹת Ps. 102:23
הַמַּמְלָכוֹת 84 כֵּן־יַעֲשֶׂה יְיָ לְכָל־הַמַּמְלָכוֹת Deut. 3:21
85 הִיא רֹאשׁ כָּל־הַמַּמְלָכוֹת הָאֵלֶּה Josh. 11:10
86 וּמִיַּד כָּל־הַמַּמְלָ׳ הַלֹּחֲצִים אֶתְכֶם ISh. 10:18
87 וּשְׁלֹמֹה הָיָה מוֹשֵׁל בְּכָל־הַמַּמְלָכוֹת IK. 5:1
88 עַל־הַגּוֹיִם וְעַל־הַמַּמְלָכוֹת Jer. 1:10
89 מִן־הַמַּמְלָכוֹת תִּהְיֶה שְׁפָלָה Ezek. 29:15
90 הֲטוֹבִים מִן־הַמַּמְלָכוֹת הָאֵלֶּה Am. 6:2
מַמְלְכוֹת־ 91 וְהָיִיתָ לְזַעֲוָה לְכֹל מַמְלְכוֹת הָאָ׳ Deut. 28:25
92 הָאֱ׳ לְבַדְּךָ לְכֹל מַמְלְכוֹת הָאָרֶץ IIK. 19:15
93-104 מַמְלְכוֹת הָאָרֶץ IIK. 19:19
Is. 23:17; 37:16, 20 • Jer. 15:4; 24:9; 29:18; 34:1, 17
• Ps. 68:33 • Ez. 1:2 • IICh. 36:23
105 קוֹל שְׁאוֹן מַמְלְכוֹת גּוֹיִם נֶאֱסָפִים Is. 13:4
106 לְכָל־מִשְׁפְּחוֹת מַמְלְכוֹת צָפוֹנָה Jer. 1:15
107 הַשְׁמִיעוּ עָלֶיהָ מַמְלְכוֹת אֲרָרָט Jer. 51:27
108 וְהִשְׁמַדְתִּי חֹזֶק מַמְלְכוֹת הַגּוֹיִם Hag. 2:22
109 וּלְכֹל מַמְלְכוֹת כְּנָעַן Ps. 135:11
110 וְעַל כָּל־מַמְלְכוֹת הָאֲרָצוֹת ICh. 29:30
111-113 מַמְלְכוֹת הָאָ׳ IICh. 12:8; 17:10; 20:29
114 וְאַתָּה מוֹשֵׁל בְּכֹל מַמְלְכוֹת הַגּוֹיִם IICh. 20:6
הַמַּמְלְכוֹת־ 115 וְאֵת כָּל־הַמַּמְלְכוֹת הָאָרֶץ Jer. 25:26
לְמַמְלְכוֹת 116 מָצְאָה יָדִי לְמַמְלְכֹת הָאֱלִיל Is. 10:10
וּלְמַמְלְכוֹת־ 117 לְקֵדָר וּלְמַמְלְכוֹת חָצוֹר Jer. 49:28

מַמְלְכוּת* נ׳ מְלוּכָה: 1-9

קרובים: ראה מְלוּכָה

מַמְלְכוּת אָבִיו 7; מ׳ בֵּית יִשְׂרָאֵל 9; מ׳ יְהוֹיָקִים 8; מ׳ יִשְׂרָאֵל 6; מ׳ סִיחוֹן 2, 3; מ׳ עוֹג 1, 4, 5

מַמְלְכוּת־ 1 כָּל־מַמְלְכוּת עוֹג בַּבָּשָׁן Josh. 13:12
2 וְכָל־מַמְלְכוּת סִיחוֹן Josh. 13:21

מַמְלְכוּת־ (המשך) 3 יֶתֶר מַמְלְכוּת סִיחוֹן... Josh. 13:27
4 כָּל־מַמְלְכוּת עוֹג Josh. 13:30
5 עָרֵי מַמְלְכוּת עוֹג בַּבָּשָׁן Josh. 13:31
6 קָרַע יְיָ אֶת־מַמְלְכוּת יִשְׂרָאֵל ISh. 15:28
7 הַיּוֹם יָשִׁיבוּ לִי...אֶת מַמְלְכוּת אָבִי IISh. 16:3
8 בְּרֵאשִׁית מַמְלְכוּת יְהוֹיָקִים Jer. 26:1
9 וְהִשְׁבַּתִּי מַמְלְכוּת בֵּית יִשְׂרָאֵל Hosh. 1:4

מִמְסָךְ ז׳ מֶזֶג: 1, 2

מִמְסָךְ 1 וְהַמְמַלְאִים לַמְנִי מִמְסָךְ Is. 65:11
2 לַבָּאִים לַחְקֹר מִמְסָךְ Prov. 23:30

מֶמֶר ז׳ מְרִי, רוֹגֶז

וּמֶמֶר 1 כַּעַס לְאָבִיו...וּמֶמֶר לְיוֹלַדְתּוֹ Prov. 17:25

מַמְרֵא שפ״ז א) אמורי מבעלי ברית אברהם: 7

ב) אזור בחברון שהיה שיך לו
ונקרא על שמו: 1-6 [עין גם אֵלוֹנֵי מַמְרֵא]

מַמְרֵא 1 בַּמַּכְפֵּלָה אֲשֶׁר לִפְנֵי מַמְרֵא Gen. 23:17
2 עַל־פְּנֵי מַמְרֵא הִוא חֶבְרוֹן Gen. 23:19
3-5 עַל־פְּנֵי מַמְרֵא Gen. 25:9; 49:30; 50:13
6 מַמְרֵא קִרְיַת הָאַרְבַּע הִוא חֶבְרוֹן Gen. 35:27
וּמַמְרֵא 7 עָנֵר אֶשְׁכֹּל וּמַמְרֵא...יִקְחוּ חֶלְקָם Gen. 14:24

מַמְּרוֹרִים ז״ר דברים מרים

מַמְּרוֹרִים 1 כִּי יַשְׂבִּעַנִי מַמְּרוֹרִים Job 9:18

מִמְשַׁח* ז׳ משיחה בשמן (?) גֹּבַהּ (?)

מִמְשַׁח־ 1 אַתְּ־כְּרוּב מִמְשַׁח הַסּוֹכֵךְ Ezek. 28:14

מִמְשָׁךְ ת׳ עין משך (36-34)

מִמְשָׁל ז׳ שלטון: 1-3 • מִמְשָׁל רַב 1, 2

מִמְשָׁל 1 וּמָשַׁל מִמְשָׁל רַב וְעָשָׂה כִּרְצוֹנוֹ Dan. 11:3
2 וּמָשַׁל מִמְשָׁל רַב מֶמְשַׁלְתּוֹ Dan. 11:5
הַמִּמְשָׁלִים 3 ...הַמִּמְשָׁלִים לְבֵית אֲבִיהֶם ICh. 26:6

מֶמְשָׁלָה נ׳ א) שלטון: 1-14

ב) אנשי השלטון: 15

קרובים: ראה מְלוּכָה

מֶמְשֶׁלֶת יָדוֹ 2; מ׳ הַיּוֹם 3-5; מ׳ הַלַּיְלָה 4; אֶרֶץ מֶמְשַׁלְתּוֹ 8, 11, 14

הַמֶּמְשָׁלָה 1 הַמֶּמְשָׁלָה...מַמְלֶכֶת לְבַת־יְרוּשָׁלָם Mic. 4:8
מֶמְשֶׁלֶת־ 2 וְכָל־מַמְלְכוֹת אֶרֶץ מֶמְשֶׁלֶת יָדוֹ Jer. 34:1
לְמֶמְשֶׁלֶת־ 3 הַמָּאוֹר הַגָּדֹל לְמֶמְשֶׁלֶת הַיּוֹם Gen. 1:16
4 הַמָּאוֹר הַקָּטֹן לְמֶמְשֶׁלֶת הַלַּיְלָה Gen. 1:16
5 אֶת־הַשֶּׁמֶשׁ לְמֶמְשֶׁלֶת בַּיּוֹם Ps. 136:8
וּמֶמְשַׁלְתְּךָ 6 ...וּמֶמְשַׁלְתְּךָ אֶתֵּן בְּיָדוֹ Is. 22:21
7 וּמֶמְשַׁלְתְּךָ בְּכָל־דּוֹר וָדֹר Ps. 145:13
מֶמְשַׁלְתּוֹ 8 בִּירוּשָׁלַם...וּבְכֹל אֶרֶץ מֶמְשַׁלְתּוֹ IK. 9:19
9/10 בְּבֵיתוֹ וּבְכָל־מֶמְשַׁלְתּוֹ IIK. 20:13 • Is. 39:2
11 ...וְאֵת כָּל־אֶרֶץ מֶמְשַׁלְתּוֹ Jer. 51:28
12 בָּרְכוּ...בְּכָל־מְקֹמוֹת מֶמְשַׁלְתּוֹ Ps. 103:22
13 וּמָשַׁל מִמְשָׁל רַב מֶמְשַׁלְתּוֹ Dan. 11:5
14 בִּירוּשָׁלַם...וּבְכֹל אֶרֶץ מֶמְשַׁלְתּוֹ IICh. 8:6
15 וְהוּא... וְכָל־מֶמְשַׁלְתּוֹ עִמּוֹ IICh. 32:9
לְמֶמְשְׁלוֹת 16 אֶת־הַיָּרֵחַ וְכוֹכָבִים
לְמֶמְשְׁלוֹת בַּלָּיְלָה Ps. 136:9
מַמְשְׁלוֹתָיו 17 הָיְתָה יְהוּדָה לְקָדְשׁוֹ
יִשְׂרָאֵל מַמְשְׁלוֹתָיו Ps. 114:2

מִמְשָׁק* ז׳ שקשוק, רעש

מִמְשַׁק־ 1 מִמְשַׁק חָרוּל וּמִכְרֵה־מֶלַח Zep. 2:9

מַמְתַקִּים ז״ר דברים מתוקים: 1, 2

מַמְתַקִּים 1 חִכּוֹ מַמְתַקִּים וְכֻלּוֹ מַחֲמַדִּים S.ofS. 5:16
2 אִכְלוּ מַשְׁמַנִּים וּשְׁתוּ מַמְתַקִּים Neh. 8:10

מָן ז׳ המזון שירד משמים במסעי ב״י במדבר: 1-15

מָן 1 וַיֹּאמְרוּ אִישׁ אֶל־אָחִיו מָן הוּא Ex. 16:15
2 וַיִּקְרְאוּ בֵית־יִשְׂרָאֵל אֶת־שְׁמוֹ מָן Ex. 16:31
3 וְתֶן־שָׁמָּה מְלֹא־הָעֹמֶר מָן Ex. 16:33
4 הַמַּאֲכִלְךָ מָן בַּמִּדְבָּר Deut. 8:16
5 וְלֹא־הָיָה עוֹד לִבְנֵי יִשְׂרָאֵל מָן Josh. 5:12
6 וַיַּמְטֵר עֲלֵיהֶם מָן לֶאֱכֹל... Ps. 78:24
הַמָּן 7 וּבְ״י אָכְלוּ אֶת־הַמָּן אַרְבָּעִים שָׁנָה Ex. 16:35
8 אֶת־הַמָּן אָכְלוּ עַד־בֹּאָם... Ex. 16:35
9 ...בִּלְתִּי אֶל־הַמָּן עֵינֵינוּ Num. 11:6
10 וּבְרֶדֶת הַטַּל...יֵרֵד הַמָּן עָלָיו Num. 11:9
11 וַיַּאֲכִלְךָ אֶת־הַמָּן Deut. 8:3
12 וַיִּשְׁבֹּת הַמָּן מִמָּחֳרָת... Josh. 5:12
וְהַמָּן 13 וְהַמָּן כִּזְרַע־גַּד הוּא Num. 11:7
וּמָנְךָ 14 וּמָנְךָ לֹא־מָנַעְתָּ מִפִּיהֶם Neh. 9:20
מִנֵּהוּ(?) 15 מֵאֹיְבִים מִנֵּהוּ Ps. 68:24

מַן ארמית: מַה, מִי: 1-10

מַן 1/2 מַן־שָׂם לְכֹם טְעֵם Ez. 5:3, 9
3 מַן־אִנּוּן שְׁמָהָת גֻּבְרַיָּא Ez. 5:4
וּמַן 4/5 וּמַן־דִּי־לָא יִפֵּל וְיִסְגֻּד... Dan. 3:6, 11
6 וּמַן־הוּא אֱלָהּ דִּי יְשֵׁיזְבִנְכוֹן Dan. 3:15
וּלְמַן 7-9 וּלְמַן(־)דִּי יִצְבֵּא יִתְּנִנַּהּ Dan. 4:14, 22, 29
10 וּלְמַן־דִּי יִצְבֵּא יְהָקֵים עֲלַהּ Dan. 5:21

מִן מלת־יחס [עין גם מֵ־, מִ־ בראש האות מ]

א) מאת, מתוך (מקום, מבנה, אדם וכד׳): 1-411, 626-650, 732, 733, 736, 737, 739, 742, 746, 750, 754, 759-762, 763, 766-770, 773-839, 849, 863-897, 904-916, 922-937, 942-1068, 1088-1145, 1150-1169, 1176-1209, 1214-1301, 1306-1314, 1317-1319, 1322, 1323

ב) חלק משלם, מקצת: 412-532, 651-714, 1245, 1309-1311, 1322, 1323

ג) מתחילת מקום, מראשיתו: 533-541, 598, 599, 602-607, 609-614, 616, 619, 620, 622, 715, 716, 729, 730, 764, 765

ד) מתחילת הזמן: 542-560, 600, 601, 608, 615, 617, 618, 621, 721-728, 731, 734, 735, 755, 756

ה) יותר מאשר אחר: 561-589, 745, 747, 748, 771, 840-862, 898-903, 917-921, 938-941, 1069-1087, 1146-1149, 1170-1175, 1210-1213, 1302-1305, 1315, 1316, 1320

ו) מפני, מסבת: 590-596, 720, 743, 746, 753

ז) שלא, לבל: 597

ח) [לְבַד מִן־] נוסף על־: 623, 624

– מִן אָז 717; מִן אַחֲרֵי 625; לְמִן הַיּוֹם 721-724, 726-728, 731; מִנֵּי אֶלֶף 746, 761; מִנֵּי עַד 755;

– מִנֵּי קֶדֶם 741

– מַה מִנֵּי יַהֲלֹךְ 769

מִן־(א) 1 וְאֵד יַעֲלֶה מִן־הָאָרֶץ וְהִשְׁקָה... Gen. 2:6
2 וַיִּיצֶר...עָפָר מִן־הָאֲדָמָה Gen. 2:7
3 וַיַּצְמַח יְיָ...מִן הָאֲדָמָה Gen. 2:9
4 וַיִּצֶר יְיָ אֱלֹהִים מִן־הָאֲדָמָה... Gen. 2:19
5 אֶת־הַצֵּלָע אֲשֶׁר־לָקַח מִן־הָאָדָם Gen. 2:22
6 הִוא נָתְנָה־לִּי מִן־הָעֵץ וָאֹכֵל Gen. 3:12

מִן־ (א) (המשך)

7 וַתֹּאכַל מִן־הָעֵץ... Gen. 3:17
8 צֹעֲקִים אֵלַי מִן־הָאֲדָמָה Gen. 4:10
9 וַיִּמָּחוּ מִן־הָאָרֶץ Gen. 7:23
10 וַיִּכָּלֵא הַגֶּשֶׁם מִן־הַשָּׁמָיִם Gen. 8:2
11 וַיֹּסֶף שַׁלַּח אֶת־הַיּוֹנָה מִן־הַתֵּבָה Gen. 8:10
12 צֵא מִן־הַתֵּבָה Gen. 8:16
13 מֵאֵת יְיָ מִן־הַשָּׁמָיִם Gen. 19:24
14 צֵא מִן־הָאָרֶץ הַזֹּאת Gen. 31:13
15/6 וְהִנֵּה מִן־הַיְאֹר עֹלֹת... Gen. 41:2, 18
17 וְהֶעֱלָה אֶתְכֶם מִן־הָאָרֶץ הַזֹּאת Gen. 50:24
18 וְעָלָה מִן־הָאָרֶץ Ex. 1:10
19 כִּי מִן־הַמַּיִם מְשִׁיתִהוּ Ex. 2:10
20 ...וַתִּכָּחֵד מִן־הָאָרֶץ Ex. 9:15
21 וְעָמֹק אֵין מַרְאֶהָ מִן־הָעוֹר Lev. 13:4
22 וְהִנֵּה מַרְאֶהָ שָׁפָל מִן־הָעוֹר Lev. 13:20
23-30 מִן־הָעוֹר Lev. 13:21, 25, 26, 30, 31, 32, 34, 56
31 וּמַרְאֵיהֶן שָׁפָל מִן־הַקִּיר Lev. 14:37
32 וְיָצָא הַכֹּהֵן מִן־הַבַּיִת Lev. 14:38
33 וְאִם הַעְלֵם יַעְלִימוּ...מִן־הָאִישׁ Lev. 20:4
34 אֲשֶׁר־הִבְדַּלְתִּי אֶתְכֶם מִן־הָעַמִּים Lev. 20:24
35 וָאַבְדִּל אֶתְכֶם מִן־הָעַמִּים Lev. 20:26
36 מִן־הַשָּׂדֶה תֹּאכְלוּ אֶת־תְּבוּאָתָהּ Lev. 25:12
37 וַיָּגָז שַׂלְוִים מִן־הַיָּם Num. 11:31
38 ...מִן־הָאֶזְרָח וּמִן־הַגֵּר Num. 15:30
39 מִקֹּדֶשׁ הַקֳּדָשִׁים מִן־הָאֵשׁ Num. 18:9
40 וַהֲרֵמֹתֶם...מַעֲשֵׂר מִן־הַמַּעֲשֵׂר Num. 18:26
41/2 כַּדָּגָן מִן־הַגֹּרֶן וְכַמְלֵאָה מִן־הַיָּקֶב Num.18:27
43 וְהוֹצֵאתָ לָהֶם מַיִם מִן־הַסֶּלַע Num. 20:8
44 מִן־אֲרָם יַנְחֵנִי בָלָק Num. 23:7
45 לֹא־הָיָה דָּבָר נֶעְלָם מִן־הַמֶּלֶךְ IK. 10:3
46 הֲמִן־הַגֹּרֶן אוֹ מִן הַיָּקֶב IIK. 6:27
47 אָבַד חָסִיד מִן־הָאָרֶץ Mic. 7:2
48 לְהוֹצִיא לֶחֶם מִן־הָאָרֶץ Ps. 104:14
49 יִתַּמּוּ חַטָּאִים מִן־הָאָרֶץ Ps. 104:35
50 וְקַבְּצֵנוּ מִן־הַגּוֹיִם Ps. 106:47
51 מִן־הַמֵּצַר קָרָאתִי יָּהּ Ps. 118:5
52 וַיַּעַן יְיָ אֶת־אִיּוֹב מִן (כת׳ מנ) הַסְּעָרָה Job 38:1

53-411 מִן (א) Gen. 8:19; 9:18; 10:11; 13:14; 19:12, 14, 21:15, 17; 22:11, 15; 25:29; 29:2; 30:16; 34:7; 37:28; 40:14, 17; 41:3, 14 • Ex. 3:8; 4:9, 7:18, 21; 8:9^2; 10:5, 12:5, 33, 46^2; 16:4; 19:3, 14, 17; 20:22; 23:16; 25:19, 33, 35; 29:22; 32:1, 8, 15; 33:7; 34:29; 37:8, 19 • Lev. 7:25; 9:10^2, 19; 11:13; 13:56^2; 14:3, 7; 25:33; 26:6; 27:29 • Num. 5:2; 6:19^2; 10:34; 20:28; 22:6, 23 • Deut. 4:36; 9:12, 15, 16, 21; 10:5; 11:28; 12:3; 13:6; 17:10, 11, 20; 19:5; 26:13, 15; 28:24; 31:29; 33:22 • Josh. 4:16, 17, 19, 20; 7:9; 10:7, 9, 11, 22, 23; 11:21^2 • Jud. 1:24; 2:1, 17; 3:19, 27; 5:20; 6:21, 38; 8:13; 9:15, 35, 43; 12:9; 13:5; 15:13; 19:16^2; 20:14, 21, 25, 31, 32, 38, 40; 21:21 • ISh. 1:1; 2:20; 4:16^2; 7:11; 9:5; 11:5; 13:15; 14:11; 17:40; 24:9; 28:9, 13 • IISh. 1:2, 4; 4:11; 7:8; 12:17; 15:24; 18:13; 19:10, 43; 20:12, 13, 16; 21:10; 22:14 • IK. 1:39; 5:20, 23; 7:34; 8:8, 10; 11:26; 13:5, 26; 15:12; 16:2; 17:23; 20:19; 22:34, 47 • IIK. 1:10^2, 12^2, 14; 2:1, 23, 24; 4:3; 7:12^2; 8:29; 9:15^2; 14:2; 15:28; 18:17; 21:8, 19; 23:16, 36 • Is. 2:22; 16:4, 10; 55:10 • Jer. 8:3; 13:7; 16:9; 20:3; 21:7^2; 22:11; 24:5; 25:35; 28:3; 37:21; 38:10, 13; 39:4; 40:1, 4; 41:6, 14, 16; 44:28; 48:44; 51:25 • Ezek. 1:4; 10:19; 11:17^2; 20:34^2, 41^2; 23:48; 25:7^2; 28:25; 29:13; 34:13^2, 25; 36:24; 39:10^2, 27; 45:1, 4, 15; 47:2, 12 • Hosh. 2:2, 20 • Joel 1:12; 4:7 • Am. 3:5; 6:10 • Jon. 4:5 • Zep. 1:4, 10 • Zech. 8:10; 13:2^2; 14:2 • Mal. 2:8 • Ps. 10:18; 12:8; 18:49; 30:4; 45:9; 104:7^2; 116:8; 148:1, 7 • Prov. 27:8 • Job 1:16; 30:5, 8; 37:9; 40:6 • S.ofS. 2:9^2; 3:6; 4:2, 15; 5:4; 6:5, 6; 8:5 • Ruth 1:7; 2:16; 4:12^2 • Lam. 1:6 • Eccl. 3:20; 6:3 • Dan. 8:5, 10 • Ez. 2:62; 3:7; 8:22 • Neh. 1:2, 3; 5:17; 6:9; 7:64; 8:17; 11:1, 10; 13:6, 8 • ICh. 4:40; 5:18; 8:8, 9; 10:3; 11:22; 12:8, 25(26), 28(27), 38; 15:25; 16:4, 35; 17:7; 19:6; 21:21, 26; 24:3^2, 4, 6; 26:10, 27; 27:3, 10, 14 • IICh. 2:13, 15; 5:9, 11; 6:21, 23, 25, 30, 33, 35, 39; 7:14; 8:7, 8; 10:9; 13:2; 16:10; 18:33; 19:8; 20:14, 19; 26:3, 18; 28:12; 29:5, 12; 31:3; 34:3, 12^2; 35:24; 36:20

מִן־ (ב)

412 מִן־הַבְּהֵמָה הַטְּהוֹרָה Gen. 7:8
413 וַיֵּשְׁתְּ מִן־הַיַּיִן וַיִּשְׁכָּר Gen. 9:21
414 הַלְעִיטֵנִי נָא מִן־הָאָדֹם... Gen. 25:30
415 וַיִּקַּח מִן־הַבָּא בְיָדוֹ מִנְחָה Gen. 32:14
416 אַצִּיגָה־נָּא עִמְּךָ מִן־הָעָם Gen. 33:15
417 אֲשַׁלַּח גְּדִי־עִזִּים מִן־הַצֹּאן Gen. 38:17
418 ...אִשָּׁה מֵינֶקֶת מִן הָעִבְרִיֹּת Ex. 2:7
419 ...הַנִּשְׁאֶרֶת לָכֶם מִן־הַבָּרָד.. Ex. 10:5
420 מִן־הַכְּבָשִׂים...תִּקָּחוּ Ex. 12:5
421 וְלָקְחוּ מִן־הַדָּם וְנָתְנוּ... Ex. 12:7
422 וְהִגַּעְתֶּם אֶל־הַמַּשְׁקוֹף...מִן־הַדָּם Ex. 12:22
423 יָצְאוּ מִן־הָעָם לִלְקֹט Ex. 16:27
424 וְלָקַחְתָּ מִן־הַדָּם...וְהִזֵּיתָ Ex. 29:21
425 וַיִּפֹּל מִן־הָעָם בַּיּוֹם הַהוּא... Ex. 32:28
426 וְהֵבִיא...נְקֵבָה מִן־הַצֹּאן... Lev. 5:6
427 וְאֵת אֲשֶׁר חָטָא מִן־הַקֹּדֶשׁ Lev. 5:16
428 וְאָצַלְתִּי מִן־הָרוּחַ Num. 11:17
429 וַיָּאצֶל מִן־הָרוּחַ Num. 11:25
430 אֶחָד אָחֻז מִן־הַחֲמִשִּׁים Num. 31:30
431 אֶת־הָאָחֻז אֶחָד מִן־הַחֲמִשִּׁים Num. 31:47
432 וְנָס אֶל־אַחַת מִן־הֶעָרִים הָאֵל Deut. 4:42
433 דִּבְרֵי יִרְמְיָהוּ...מִן־הַכֹּהֲנִים Jer. 1:1

434-532 מִן־ Lev. 1:2^2, 3, 10^3, 14^3; 2:3, 9, 10; 3:1, 6; 4:6, 7, 17; 5:15, 18, 25; 8:24; 11:39; 14:16^2, 27, 28, 29, 30^2; 16:14, 19; 22:6, 7; 25:22 • Num. 5:26; 13:33; 14:6, 38; 15:3^2; 31:28, 30^2, 35, 37, 42, 43, 47 • Deut. 13:18; 16:4 • Josh. 2:1; 4:2; 6:18^2; 7:1, 4, 11; 8:4, 6, 16, 22, 29; 21:4 • Jud. 2:21; 7:3, 5; 10:11; 21:23 • IISh. 1:4; 11:17; 24:15 • IK. 9:20; 11:2; 12:9; 18:5 • IIK. 4:22; 7:13; 10:24; 12:14 • Is. 6:6 • Ezek. 43:23, 25; 44:31; 45:14, 15 • Ruth 2:14 • Es. 7:9 • Dan. 1:10, 12 • Neh. 13:13 • ICh. 4:42; 9:3, 14, 31, 32; 12:17; 26:1 • IICh. 15:11; 28:15

מִן־ (ג)

533 מִן־הַיָּם הַגָּדֹל תְּתָאוּ לָכֶם Num. 34:7
534 מִן־הַלָּשֹׁן הַפֹּנֶה נֶגְבָּה Josh. 15:2
535 לִפְאַת צָפוֹנָה מִן־הַיַּרְדֵּן Josh. 18:12
536 וְנָסַב...נֶגְבָּה מִן־הָהָר Josh. 18:14
537 מִן־הַיַּרְדֵּן וְכָל־הַגּוֹיִם Josh. 23:4
538 וַיִּבֶן...מִן־הַמִּלּוֹא וָבָיְתָה IISh. 5:9
539 מִן־הַיַּרְדֵּן מִזְרַח הַשֶּׁמֶשׁ IIK. 10:33
540 מִן־הַיָּם הַגָּדוֹל Ezek. 47:15
541 וְהָיָה גְבוּל מִן־הַיָּם Ezek. 47:17

מִן־ (ד)

542 מִן־הַיּוֹם אֲשֶׁר צִוָּה יְיָ וָהָלְאָה Num. 15:23
543 מִן־הַיּוֹם אֲשֶׁר הוֹצֵאתִי... IK. 8:16
544 מַכְעִסִים אֹתִי מִן־הַיּוֹם... IIK. 21:15
545 אֶל־עַם נוֹרָא מִן־הוּא וָהָלְאָה Is. 18:2
546 וּמֵעַם נוֹרָא מִן־הוּא וָהָלְאָה Is. 18:7
547 מִן־שְׁלֹשׁ עֶשְׂרֵה שָׁנָה Jer. 25:3
548 הָיוּ לְפָנַי וּלְפָנֶיךָ מִן־הָעוֹלָם Jer. 28:8
549 מִן־הַיּוֹם הַהוּא וָהָלְאָה Ezek. 39:22
550 כָּמֹהוּ לֹא נִהְיָה מִן־הָעוֹלָם Joel 2:2

מִן־ (ד) (המשך)

551/2 מִן־הַיּוֹם הַזֶּה וָמָעְלָה Hag. 2:15, 18
553 מִן־הַיּוֹם הַזֶּה אֲבָרֵךְ Hag. 2:19
554 וְתֵדַע וְתַשְׂכֵּל מִן־מֹצָא דָבָר Dan. 9:25
555 כִּי מִן־הַיּוֹם הָרִאשׁוֹן... Dan. 10:12
556 וַיְהִי מִן־הַיּוֹם הַהוּא... Neh. 4:10
557 מִן הַיּוֹם הָרִאשׁוֹן... Neh. 8:18
558 מִן־הָעֵת הַהִיא לֹא בָאוּ בַּשַּׁבָּת Neh. 13:21
559 מִן־הַיּוֹם אֲשֶׁר הֶעֱלֵיתִי... ICh. 17:5
560 מִן־הַיּוֹם אֲשֶׁר הוֹצֵאתִי אֶת־עַמִּי IICh. 6:5

מִן־ (ה)

561 וְכִי הִיא גְדוֹלָה מִן־הָעַי Josh. 10:2
562 וַיֶּחֱזַק דָּוִד מִן־הַפְּלִשְׁתִּי ISh. 17:50
563 וַיּוֹחֶר־ מִן־הַמּוֹעֵד אֲשֶׁר יְעָדוֹ IISh. 20:5
564 עַתָּה יֵרַע לָנוּ...מִן־אַבְשָׁלוֹם IISh. 20:6
565 מִן־הַשְּׁלֹשָׁה הֲכִי נִכְבָּד IISh. 23:19
566 מִן־הַשְּׁלֹשִׁים נִכְבָּד IISh. 23:23
567 לַעֲשׂוֹת אֶת־הָרַע מִן־הַגּוֹיִם... IIK. 21:9
568 מִשְׁפָּטַי לְרִשְׁעָה מִן־הַגּוֹיִם Ezek. 5:6
569 וְאֶת־חֻקּוֹתַי מִן־הָאֲרָצוֹת... Ezek. 5:6
570 יַעַן הֲמָנְכֶם מִן־הַגּוֹיִם Ezek. 5:7
571 וַיְהִי־בָךְ הֵפֶךְ מִן־הַנָּשִׁים... Ezek. 16:34
572 מִן־הַמַּמְלָכוֹת תִּהְיֶה שְׁפָלָה Ezek. 29:15
573 הֲטוֹבִים מִן־הַמַּמְלָכוֹת הָאֵלֶּה Am. 6:2
574 גָּדוֹל יִהְיֶה...הָאַחֲרוֹן מִן־הָרִאשׁוֹן Hag. 2:9
575 הֵיטַבְתְּ חַסְדֵּךְ הָאַחֲרוֹן מִן־הָרִא׳ Ruth 3:10
576 שֶׁיֵּשׁ יִתְרוֹן לַחָכְמָה מִן־הַסִּכְלוּת Eccl. 2:13
577 כִּיתְרוֹן הָאוֹר מִן־הַחֹשֶׁךְ Eccl. 2:13
578 וּמוֹתַר הָאָדָם מִן־הַבְּהֵמָה אָיִן Eccl. 3:19
579 וְשַׁבֵּחַ אֲנִי אֶת־הַמֵּתִים...מִן־הַחַיִּים Eccl. 4:2
580 טוֹבִים הַשְּׁנַיִם מִן־הָאֶחָד Eccl. 4:9
581 כִּי מַה־יּוֹתֵר לֶחָכָם מִן־הַכְּסִיל Eccl. 6:8
582 ...הוּא טוֹב מִן־הָאַרְיֵה הַמֵּת Eccl. 9:4
583 וּבְרִיאֵי בָּשָׂר מִן־כָּל הַיְלָדִים Dan. 1:15
584 וְהָאַחַת גְּבֹהָה מִן־הַשֵּׁנִית Dan. 8:3
585 הָמוֹן רַב מִן־הָרִאשׁוֹן Dan. 11:13
586 שְׁלוֹשָׁה מִן־הַשְּׁלוֹשִׁים רֹאשׁ ICh. 11:15
587 מִן־הַשְּׁלוֹשָׁה בַּשְּׁנַיִם נִכְבָּד ICh. 11:21
588 מִן הַשְּׁלוֹשִׁים הִנּוֹ נִכְבָּד ICh. 11:25
589 וַיֵּתַע...לַעֲשׂוֹת רַע מִן־הַגּוֹיִם IICh. 33:9

מִן־ (ו)

590 אָרוּר אַתָּה מִן־הָאֲדָמָה... Gen. 4:11
591 זֶה יְנַחֲמֵנוּ...מִן־הָאֲדָמָה... Gen. 5:29
592 וַיֵּאָנְחוּ בְנֵי יִשְׂרָאֵל מִן־הָעֲבֹדָה Ex. 2:23
593 וַתַּעַל שַׁוְעָתָם...מִן־הָעֲבֹדָה Ex. 2:23
594/א נִבְלְעוּ מִן־הַיַּיִן תָּעוּ מִן־הַשֵּׁכָר Is. 28:7
595 סָפוּ תַמּוּ מִן־בַּלָּהוֹת Ps. 73:19
596 עַד־יֵצְאוּ מֵעֶיךָ מִן־הַחֹלִי IICh. 21:15

מִן־ (ז)

597 וּמְשַׂנְאָיו מִן־יְקוּמוּן Deut. 33:11

מִן...אֶל

598 מַבְרִחַ מִן־הַקָּצֶה אֶל־הַקָּצֶה Ex. 26:28
599 לִבְרֹחַ...מִן־הַקָּצֶה אֶל־הַקָּצֶה Ex. 36:33

מִן...עַד

600 וַיַּעֲמֹד...מִן־הַבֹּקֶר עַד־הָעָרֶב Ex. 18:13
601 נִצָּב עָלֶיךָ מִן־בֹּקֶר עַד־עָרֶב Ex. 18:14
602 מִן־הַגִּלְעָד וְעַד־נַחַל אַרְנֹן Deut. 3:16
603 מִן־הַמִּדְבָּר וְהַלְּבָנוֹן וְעַד... Deut. 11:24
604 מִן־הַנָּהָר נְהַר־פְּרָת וְעַד... Deut. 11:24
605 מִן־הָהָר הֶחָלָק...וְעַד־בַּעַל גָּד Josh. 11:17
606 מִן־הַשִּׁיחוֹר...וְעַד גְּבוּל Josh. 13:3
607 מִן־הַלְּבָנוֹן עַד־מִשְׂרְפֹת מַיִם Josh. 13:6
608 נְזִיר...מִן־הַבֶּטֶן עַד־יוֹם מוֹתוֹ Jud. 13:7
609 מִן־הַקָּטֹן וְעַד־הַגָּדוֹל ISh. 30:19
610 מִן־הַיַּרְדֵּן וְעַד יְרוּשָׁלָם IISh. 20:2
611 מִן־הַנָּהָר...וְעַד גְּבוּל מִצְרָיִם IK. 5:1
612 מִן־הָאֶרֶז וְעַד הָאֵזוֹב IK. 5:13
613 מִן־הַקַּרְקַע עַד־הַקִּירוֹת IK. 6:16

מִן...עַד (המשך) 614 מִן־הַשִּׁטִּים עַד־הַגִּלְגָּל — Mic. 6:5
615 מִן־הָעוֹלָם וְעַד־הָעוֹלָם — Ps. 106:48
616 מִן־הַמִּקְצוֹעַ עַד־פֶּתַח... — Neh. 3:20
617 מִן־הָאוֹר עַד־מַחֲצִית הַיּוֹם — Neh. 8:3
618 מִן־הָעוֹלָם עַד־הָעוֹלָם — Neh. 9:5
619 מִן־הַמִּלּוֹא וְעַד־הַסָּבִיב — ICh. 11:8
620 מִן־שִׁיחוֹר מִצְרַיִם וְעַד — ICh. 13:5
621 מִן־הָעוֹלָם וְעַד הָעֹלָם — ICh. 16:36
622 מִן־הַנָּהָר וְעַד־אֶרֶץ פְּלִשְׁתִּים — IICh. 9:26
לְבַד מִן־ 623 לְבַד מִן־הַשַּׂהֲרֹנִים וְהַנְּטִיפוֹת — Jud. 8:26
624 וּלְבַד מִן־הָעֲנָקוֹת — Jud. 8:26
מִן־אַחֲרֵי 625 מִן־אַחֲרֵי הַצֹּאן — ICh. 17:7
הֲמִן־ (א) 626 הֲמִן־הָעֵץ...אָכָלְתָּ — Gen. 3:11
627 הֲמִן הַסֶּלַע הַזֶּה נוֹצִיא לָכֶם מָיִם — Num. 20:10
628 הֲמִן־הַגֹּרֶן אוֹ מִן־הַיָּקֶב — IIK. 6:27
וּמִן־ (א) 629 וַיָּמֻתוּ הַצְפַרְדְּעִים מִן...וּמִן הַשָּׂדֹת — Ex. 8:9
630 וּמִן־הַמִּקְדָּשׁ לֹא יֵצֵא — Lev. 21:12
631 וּמִן־הַגֻּדְגֹּדָה יָטְבָתָה... — Deut. 10:7
632 וּמִן־אָשֵׁר וּמִן־כָּל־מְנַשֶּׁה — Jud. 7:23
633 הֲלֹא מִמִּצְרַיִם וּמִן־הָאֱמֹרִי... — Jud. 10:11
634 וּמִן־הַנַּחַל יִשְׁתֶּה — IK. 17:6
635 וּמִן־הָעִיר לָקַח סָרִיס אֶחָד — IIK. 25:19
636 וּמִן־יְיָ יָסוּר לִבּוֹ — Jer. 17:5
637 וּמִן־הַשְּׁפֵלָה וּמִן־הָהָר וּמִן־הַנֶּגֶב — Jer. 17:26
638 מִן־אֲרַם נַהֲרַיִם וּמִן־אֲרַם מַעֲכָה — ICh. 19:6
639-650 וּמִן — Is. 14:3; 20:5
Jer. 21:7; 52:25 • Ezek. 1:13 • Jon. 3:8 • Ps. 18:4 • Dan. 8:9 • Ez. 10:11 • Neh. 12:28[2] • IICh. 15:8
וּמִן־ (ב) 651 ...וּמִן־הַבְּהֵמָה לְמִינָהּ — Gen. 6:20
652 וּמִן־הַבְּהֵמָה אֲשֶׁר לֹא טְהֹרָה — Gen. 7:2
653/4 וּמִן־הַבְּהֵמָה... וּמִן־הָעוֹף — Gen. 7:8
655 מִן־הַכְּבָשִׂים וּמִן־הָעִזִּים תִּקָּחוּ — Ex. 12:5
656 מִבְּשַׂר הַמִּלֻּאִים וּמִן־הַלֶּחֶם — Ex. 29:34
657 וּמִן־הַתְּכֵלֶת וְהָאַרְגָּמָן — Ex. 39:1
658 מִן...מִן הַבָּקָר וּמִן הַצֹּאן — Lev. 1:2
659 וּמִן־הַדָּם יִתֵּן עַל־קַרְנֹת... — Lev. 4:18
660 מִשֶּׁמֶן הַמִּשְׁחָה וּמִן־הַדָּם — Lev. 8:30
661 מִן הַשּׁוֹר וּמִן־הָאַיִל — Lev. 9:19
662 וּמִן־הַשֶּׁמֶן יִצֹק הַכֹּהֵן — Lev. 14:26
663 מִן־הָאֶזְרָח וּמִן הַגֵּר — Num. 15:30
664/5 וּמִן הַבָּקָר וּמִן הַחֲמֹרִים — Num. 31:28
666/7 וּמִן הַצֹּאן — Num. 31:28, 30
668 מִן־הָאָדָם וּמִן־הַבְּהֵמָה — Num. 31:47
669 וּמִן־הָעָם הַדַּלִּים...הִשְׁאִיר — Jer. 39:10
670 וּמִן־הַמַּשְׂכִּילִים יִכָּשְׁלוּ — Dan. 11:35
671-714 וּמִן־ (ב) — Lev. 17:8, 10, 13
20:2; 21:22; 22:18 • Num. 5:17; 13:23[2] • Ezek. 44:31 • Dan. 1:3 • Ez. 2:70; 7:7; 8:20; 10:23, 24[2] • Neh. 7:63, 73; 11:15, 36 • ICh. 9:3[2], 5, 6, 7; 9:10, 14, 30, 32; 12:9, 30, 36(35); 15:17[2]; 26:27 • IICh. 8:9; 17:11, 17; 20:19; 29:12[2], 13[2], 14[2]
וּמִן־ (ג,ד,ה) 715 וּמִן־הַמִּדְבָּר וְעַד־הַיַּרְדֵּן — Jud. 11:22
716 וּמִן־הַתִּיכֹנָה אֶל־הַשְּׁלִשִׁים — IK. 6:8
717 וּמִן־אָז חָדַלְנוּ לְקַטֵּר... — Jer. 44:18
718 וּמִן־הַמִּדָּה הַזֹּאת תָּמוֹד... — Ezek. 45:3
719 וַיֶּחֱזַק מֶלֶךְ הַנֶּגֶב וּמִן־שָׂרָיו — Dan. 11:5
720 וּמִן־הִתְחַבְּרוּת אֵלָיו יַעֲשֶׂה מִרְמָה — Dan. 11:23
לְמִן־ (ד,ה) 721 לְמִן־הַיּוֹם הִוָּסְדָה וְעַד־עָתָּה — Ex. 9:18
722 לְמִן־הַיּוֹם אֲשֶׁר בָּרָא אֱלֹהִים — Deut. 4:32
723 לְמִן־הַיּוֹם אֲשֶׁר־יָצָאתָ — Deut. 9:7
724 לְמִן־הַיּוֹם לֶכֶת הַמֶּלֶךְ — IISh. 19:25

לְמִן־ (המשך) 725 לְמִן־עוֹלָם וְעַד־עוֹלָם — Jer. 7:7; 25:5
726 לְמִן־הַיּוֹם אֲשֶׁר יָצְאוּ — Jer. 7:25
727 לְמִן־הַיּוֹם אֲשֶׁר־בָּנוּ אוֹתָהּ... — Jer. 32:31
728 לְמִן־הַיּוֹם אֲשֶׁר־יֻסַּד הֵיכַל־יְיָ — Hag. 2:18
לְמִן־ (ג) 729 עַד...לְמִן־הַנָּהָר פְּרָת — ICh. 5:9
730 לְמִן־קָטֹן וְעַד־גָּדוֹל... — ICh. 15:13
וּלְמִן־ (ד) 731 וּלְמִן־הַיּוֹם אֲשֶׁר צִוִּיתִי שֹׁפְטִים... — IISh. 7:11
מִנִּי 732 מִנִּי אֶפְרַיִם שָׁרְשָׁם בַּעֲמָלֵק — Jud. 5:14
733 מִנִּי מָכִיר יָרְדוּ מְחֹקְקִים — Jud. 5:14
734 הָעֲמֻסִים מִנִּי־בֶטֶן — Is. 46:3
735 הַנְּשֻׂאִים מִנִּי־רָחַם — Is. 46:3
736 תְּשִׁיבֵנוּ אָחוֹר מִנִּי־צָר — Ps. 44:11
737 וַתֵּט אֲשֻׁרֵינוּ מִנִּי אָרְחֶךָ — Ps. 44:19
738 מִן־הֵיכְלֵי שֵׁן מִנִּי שִׂמְּחוּךָ — Ps. 45:9
739 יֶאֱתָיוּ חַשְׁמַנִּים מִנִּי מִצְרָיִם — Ps. 68:32
740 זְכֹר חֶרְפָּתְךָ מִנִּי־נָבָל... — Ps. 74:22
741 אַבִּיעָה חִידוֹת מִנִּי־קֶדֶם — Ps. 78:2
742 יוֹם אֲשֶׁר־פָּדָם מִנִּי־צָר — Ps. 78:42
743 עֵינִי דָאֲבָה מִנִּי עֹנִי — Ps. 88:10
744 הַקֹּדְרִים מִנִּי־קָרַח — Job 6:16
745 יָמַי קַלּוּ מִנִּי־אָרֶג — Job 7:6
746 לֹא יַעֲנֶנּוּ אַחַת מִנִּי־אָלֶף — Job 9:3
747 וְיָמַי קַלּוּ מִנִּי־רָץ — Job 9:25
748 וּרְחָבָה מִנִּי־יָם — Job 11:9
749 מְגַלֶּה עֲמֻקוֹת מִנִּי־חֹשֶׁךְ — Job 12:22
750 אָזְלוּ־מַיִם מִנִּי־יָם... — Job 14:11
751 לֹא־יַאֲמִין שׁוּב מִנִּי־חֹשֶׁךְ — Job 15:22
752 לֹא־יָסוּר מִנִּי־חֹשֶׁךְ — Job 15:30
753 פָּנַי חֳמַרְמְרוּ° מִנִּי־בֶכִי — Job 16:16
754 זִכְרוֹ־אָבַד מִנִּי־אָרֶץ — Job 18:17
755 הֲזֹאת יָדַעְתָּ מִנִּי־עַד — Job 20:4
756 מִנִּי שִׂים אָדָם עֲלֵי־אָרֶץ — Job 20:4
757 הַנִּשְׁכָּחִים מִנִּי־רָגֶל — Job 28:4
758 וְעַצְמִי־חָרָה מִנִּי־חֹרֶב — Job 30:30
759 אִם־תִּטֶּה אַשֻּׁרִי מִנִּי הַדָּרֶךְ — Job 31:7
760 יַחְשֹׂךְ נַפְשׁוֹ מִנִּי־שָׁחַת — Job 33:18
761 מַלְאָךְ מֵלִיץ אֶחָד מִנִּי־אָלֶף — Job 33:23
762 לְהָשִׁיב נַפְשׁוֹ מִנִּי־שָׁחַת — Job 33:30
מִנֵּי־ 763/א סוּרוּ מִנֵּי־דֶרֶךְ הַטּוּ מִנֵּי־אֹרַח — Is. 30:11
לְמִנִּי 764 לְמִנִּי אַשּׁוּר וְעָרֵי מָצוֹר — Mic. 7:12
וּלְמִנִּי 765 וּלְמִנִּי מָצוֹר וְעַד־נָהָר — Mic. 7:12
מִנִּי (א) 766 עַל־כֵּן אָמַרְתִּי שְׁעוּ מִנִּי — Is. 22:4
767 לַעֲשׂוֹת עֵצָה וְלֹא מִנִּי — Is. 30:1
768 דּוֹרִי נִסַּע וְנִגְלָה מִנִּי — Is. 38:12
769 וְאַחְדְּלָה מַה־מִנִּי יַהֲלֹךְ — Job 16:7
מֶנִּי (א) 770 וְחֻקֹּתָיו לֹא־אָסִיר מֶנִּי — Ps. 18:23
771 דִּבְרֵי עֲוֹנֹת גָּבְרוּ מֶנִּי — Ps. 65:4
772 וְאַנְשֵׁי דָמִים סוּרוּ מֶנִּי — Ps. 139:19
773 עֲצַת רְשָׁעִים רָחֲקָה מֶנִּי — Job 21:16
774 וַעֲצַת רְשָׁעִים רָחֲקָה מֶנִּי — Job 22:18
775 תִּעֲבוּנִי רָחֲקוּ מֶנִּי — Job 30:10
מִמֶּנִּי (א) 776 וְלֹא חָשַׂכְתָּ אֶת־בִּנְךָ...מִמֶּנִּי — Gen. 22:12
777 נָתַתִּי כֶּסֶף הַשָּׂדֶה קַח מִמֶּנִּי — Gen. 23:13
778 וְלֹא־חָשַׂךְ מִמֶּנִּי מְאוּמָה — Gen. 39:9
779 וְיָסֵר הַצְפַרְדְּעִים מִמֶּנִּי וּמֵעַמִּי — Ex. 8:4
780 הֶרֶף מִמֶּנִּי וְאַשְׁמִידֵם — Deut. 9:14
781 אַל־תְּכַחֵד מִמֶּנִּי — Josh. 7:19
782 מִמֶּנִּי תִרְאוּ וְכֵן תַּעֲשׂוּ — Jud. 7:17
783 הַרְפֵּה מִמֶּנִּי שְׁנַיִם חֳדָשִׁים — Jud. 11:37
784 וְסָר מִמֶּנִּי כֹחִי — Jud. 16:17
785 אַל־נָא תְכַחֵד מִמֶּנִּי... — ISh. 3:17
786 אִם־תְּכַחֵד מִמֶּנִּי דָּבָר — ISh. 3:17

מִמֶּנִּי (א) (המשך) 787 וּמַדּוּעַ יַסְתִּיר אָבִי מִמֶּנִּי — ISh. 20:2
788 נִשְׁאֹל נִשְׁאַל מִמֶּנִּי דָוִד — ISh. 20:6
789 וְנוֹאַשׁ מִמֶּנִּי שָׁאוּל — ISh. 27:1
790 סוּרוּ מִמֶּנִּי כָּל־פֹּעֲלֵי אָוֶן — Ps. 6:9
791 תַּסְתִּיר אֶת־פָּנֶיךָ מִמֶּנִּי — Ps. 13:2
792-794 אַל־תַּסְתֵּר פָּנֶיךָ מִמֶּנִּי — Ps. 27:9
102:3; 143:7
795 אַל־תֶּחֱרַשׁ מִמֶּנִּי — Ps. 28:1
796 לֹא־תִכְלָא רַחֲמֶיךָ מִמֶּנִּי — Ps. 40:12
797 וְרוּחַ קָדְשְׁךָ אַל־תִּקַּח מִמֶּנִּי — Ps. 51:13
798 אָבַד מָנוֹס מִמֶּנִּי — Ps. 142:5
799 אַל־תִּמְנַע מִמֶּנִּי — Prov. 30:7
800-839 מִמֶּנִּי — IISh. 14:18 • IIK. 4:27
Is. 29:13 • Jer. 2:35; 38:14; 44:28 • Ezek. 3:17; 33:7; 43:9 • Hosh. 8:3; 7:13; 8:4; 14:9 • Jon. 4:3 • Ps. 2:8; 22:12; 28:1; 31:12; 35:22; 38:22; 39:14; 71:12; 88:9, 15, 19; 101:4; 119:19, 29, 115 • Prov. 30:8 • Job 6:13; 7:16, 19; 10:20; 13:13; 19:13; 27:5 • Lam. 1:16 • Eccl. 7:23 • Es. 6:6
מִמֶּנִּי (ה) 840 וַיֹּאמֶר צָדְקָה מִמֶּנִּי — Gen. 38:26
841 אֵינֶנּוּ גָדוֹל בַּבַּיִת הַזֶּה מִמֶּנִּי — Gen. 39:9
842 ...כִּי כָבֵד מִמֶּנִּי — Num. 11:14
843 כִּי־עָצוּם הוּא מִמֶּנִּי — Num. 22:6
844 רַבִּים הַגּוֹיִם הָאֵלֶּה מִמֶּנִּי — Deut. 7:17
845 וַתְּכַבֵּד אֶת־בָּנֶיךָ מִמֶּנִּי — ISh. 2:29
846 צַדִּיק אַתָּה מִמֶּנִּי — ISh. 24:17
847 בְּנֵי צְרוּיָה קָשִׁים מִמֶּנִּי — IISh. 3:39
848 אִם־תֶּחֱזַק אֲרָם מִמֶּנִּי... — IISh. 10:11
849-851 כִּי אָמְצוּ מִמֶּנִּי — IISh. 22:18
Ps. 18:18; 142:7
852 כִּי הוּא אָחִי הַגָּדוֹל מִמֶּנִּי — IK. 2:22
853 כְּמַשָּׂא כָבֵד יִכְבְּדוּ מִמֶּנִּי — Ps. 38:5
854 בְּצוּר־יָרוּם מִמֶּנִּי תַנְחֵנִי — Ps. 61:3
855 ...בִּגְדֹלוֹת וּבְנִפְלָאוֹת מִמֶּנִּי — Ps. 131:1
856 פְּלִיאָה° דַעַת מִמֶּנִּי — Ps. 139:6
857 שְׁלֹשָׁה הֵמָּה נִפְלְאוּ מִמֶּנִּי — Prov. 30:18
858 צְעִירִים מִמֶּנִּי לְיָמִים — Job 30:1
859 נִפְלָאוֹת מִמֶּנִּי וְלֹא אֵדָע — Job 42:3
860 וְגַם יֵשׁ גֹּאֵל קָרוֹב מִמֶּנִּי — Ruth 3:12
861 וּמִי יָחוּשׁ חוּץ מִמֶּנִּי — Eccl. 2:25
862 אִם־תֶּחֱזַק מִמֶּנִּי אֲרָם — ICh. 19:12
הֲמִמֶּנִּי 863 הֲמִמֶּנִּי יִפָּלֵא כָּל־דָּבָר — Jer. 32:27
מִמְּךָ (א) 864 וּמְלָכִים מִמְּךָ יֵצֵאוּ — Gen. 17:6
865 אֶת־קִבְרוֹ לֹא־יִכְלֶה מִמְּךָ — Gen. 23:6
866 עַד־שׁוּב אַף־אָחִיךָ מִמְּךָ — Gen. 27:45
867 לְהַכְרִית הַצְפַרְדְּעִים מִמְּךָ.. — Ex. 8:5
868 וְסָרוּ הַצְפַרְדְּעִים מִמְּךָ... — Ex. 8:7
869 כִּי־כָבֵד מִמְּךָ הַדָּבָר — Ex. 18:18
870 וְהֵסִיר יְיָ מִמְּךָ כָּל־חֹלִי — Deut. 7:15
871/2 כִּי־יִרְחַק מִמְּךָ הַמָּקוֹם — Deut. 12:21; 14:24
873 וְכִי־יִרְבֶּה מִמְּךָ הַדֶּרֶךְ — Deut. 14:24
874 כִּי יִפָּלֵא מִמְּךָ דָבָר לַמִּשְׁפָּט — Deut. 17:8
875 ...הָרְחֹקֹת מִמְּךָ מְאֹד — Deut. 20:15
876 לֹא־נִפְלֵאת הִוא מִמְּךָ — Deut. 30:11
877 וְלֹא־יִקַּח מִמְּךָ בָּשָׂר מְבֻשָּׁל — ISh. 2:15
878 הִנֵּה הַחִצִּים מִמְּךָ וָהֵנָּה — ISh. 20:21
879 הִנֵּה הַחִצִּים מִמְּךָ וָהָלְאָה — ISh. 20:22
880 הֲלוֹא הַחֵצִי מִמְּךָ וָהָלְאָה — ISh. 20:37
881 כִּי רַב מִמְּךָ הַדָּרֶךְ — IK. 19:7
882-883 וּמִבָּנֶיךָ אֲשֶׁר יֵצְאוּ מִמְּךָ
IIK. 20:18 • Is. 39:7
884 וּבָנוּ מִמְּךָ חָרְבוֹת עוֹלָם — Is. 58:12

מִמְּךָ (המשך)
885 לֹא־יִפָּלֵא מִמְּךָ כָּל־דָּבָר Jer. 32:17
886 וְלֹא־יִקְחוּ מִמְּךָ אֶבֶן לְפִנָּה Jer. 51:26
887 הִנְנִי לֹקֵחַ מִמְּךָ אֶת־מַחְמַד עֵינֶיךָ Ezek. 24:16
888 וְהִשְׂבַּעְתִּי מִמְּךָ חַיַּת כָּל־הָאָרֶץ Ezek. 32:4
889 מִמְּךָ לִי יֵצֵא לִהְיוֹת מוֹשֵׁל Mic. 5:1
890 וּמָה־יְיָ דּוֹרֵשׁ מִמְּךָ Mic. 6:8
891 חַיִּים שָׁאַל מִמְּךָ נָתַתָּה לּוֹ Ps. 21:5
892 וְאַנְחָתִי מִמְּךָ לֹא נִסְתָּרָה Ps. 38:10
893 וְאַשְׁמוֹתַי מִמְּךָ לֹא־נִכְחָדוּ Ps. 69:6
894 הָסֵר מִמְּךָ עִקְּשׁוּת פֶּה Prov. 4:24
895 הַמְעַט מִמְּךָ תַּנְחוּמוֹת אֵל Job 15:11
896 וְלֹא־יִבָּצֵר מִמְּךָ מְזִמָּה Job 42:2
897 כִּי־מִמְּךָ הַכֹּל... ICh. 29:14

מִמְּךָ (ה)
898 גְּדֹלִים וַעֲצֻמִים מִמְּךָ Deut. 4:38
899 וְרָאִיתָ...עַם רַב מִמְּךָ Deut. 20:1
900 וְאִם־בְּנֵי עַמּוֹן יֶחֶזְקוּ מִמְּךָ IISh. 10:11
901 וְגַם־בְּדָוִד אֲנִי מִמְּךָ IISh. 19:44
902 וְאִם־בְּנֵי עַמּוֹן יֶחֶזְקוּ מִמְּךָ... ICh. 19:12
903 אֶת-אַחֶיךָ. הַטּוֹבִים מִמְּךָ הָרָגְתָּ IICh. 21:13

מִמֶּךָּ (א)
904 גּוֹי וּקְהַל גּוֹיִם יִהְיֶה מִמֶּךָּ Gen. 35:11
905 ...אוֹ הָרְחֹקִים מִמֶּךָּ Deut. 13:8
906 וְרָאוּ...וְיָרְאוּ מִמֶּךָּ Deut. 28:10
907 וּנְקָמַנִי יְיָ מִמֶּךָּ ISh. 24:13
908 כִּי לֹא יִמְנָעֵנִי מִמֶּךָּ IISh. 13:13
909 וַאֲפִקִם יִמָּלְאוּן מִמֶּךָּ Ezek. 32:6
910 אֶל־יְיָ...יִפְחָדוּ וְיִרְאוּ מִמֶּךָּ Mic. 7:17
911 הִצְמַתָּה כָּל־זוֹנֶה מִמֶּךָּ Ps. 73:27
912 וְלֹא־נָסוֹג מִמֶּךָּ Ps. 80:19
913 גַּם־חֹשֶׁךְ לֹא־יַחְשִׁיךְ מִמֶּךָּ Ps. 139:12
914 לֹא־נִכְחַד עָצְמִי מִמֶּךָּ Ps. 139:15
915 וּלְזוּת שְׂפָתַיִם הַרְחֵק מִמֶּךָּ Prov. 4:24
916 וְנִשְׁמַת־מִי יָצְאָה מִמֶּךָּ Job 26:4

מִמֶּךָּ (ה)
917 רַק הַכִּסֵּא אֶגְדַּל מִמֶּךָּ Gen. 41:40
918 רַבִּים וַעֲצוּמִים מִמֶּךָּ Deut. 7:1
919 גְּדֹלִים וַעֲצֻמִים מִמֶּךָּ Deut. 9:1
920 וּנְתָנָהּ לְרֵעֲךָ הַטּוֹב מִמֶּךָּ ISh. 15:28
921 וְשׁוּר שְׁחָקִים גָּבְהוּ מִמֶּךָּ Job 35:5

מִמֵּךְ (א)
922 אֲשֶׁר־מָנַע מִמֵּךְ פְּרִי־בָטֶן Gen. 30:2
923 מְהָרְסַיִךְ...מִמֵּךְ יֵצֵאוּ Is. 49:17
924 הִסְתַּרְתִּי פָנַי רֶגַע מִמֵּךְ Is. 54:8
925 פֶּן־תֵּקַע נַפְשִׁי מִמֵּךְ Jer. 6:8
926 וְסָרָה קִנְאָתִי מִמֵּךְ Ezek. 16:42
927 וְהִכְרַתִּי מִמֵּךְ צַדִּיק וְרָשָׁע Ezek. 21:8
928 יַעַן אֲשֶׁר־הִכְרַתִּי מִמֵּךְ... Ezek. 21:9
929 הַקְּרֹבוֹת וְהָרְחֹקוֹת מִמֵּךְ Ezek. 22:5
930 וַהֲתִמֹּתִי טֻמְאָתֵךְ מִמֵּךְ Ezek. 22:15
931 וְהִשְׁבַּתִּי זִמָּתֵךְ מִמֵּךְ Ezek. 23:27
932 וְהִכְרַתִּי מִמֵּךְ אָדָם וּבְהֵמָה Ezek. 29:8
933 וְהוֹרִיד מִמֵּךְ עֻזֵּךְ Am. 3:11
934 כִּי־גָלוּ מִמֵּךְ Mic. 1:16
935 מִמֵּךְ יָצָא חֹשֵׁב עַל־יְיָ רָעָה Nah. 1:11
936 וְהָיָה כָל־רֹאַיִךְ יִדּוֹד מִמֵּךְ Nah. 3:7
937 נוּגֵי מִמּוֹעֵד אָסַפְתִּי מִמֵּךְ הָיוּ Zep. 3:18

מִמֵּךְ (ה)
938 וַאֲחוֹתֵךְ הַקְּטַנָּה מִמֵּךְ Ezek. 16:46
939 ...תִּצְדַּקְנָה מִמֵּךְ Ezek. 16:52
940 אֲחוֹתַיִךְ הַגְּדֹלוֹת מִמֵּךְ Ezek. 16:61
941 אֶל־הַקְּטַנּוֹת מִמֵּךְ Ezek. 16:61

מִמֶּנּוּ (א)
942/3 לֹא תֹאכַל מִמֶּנּוּ Gen. 2:17; 3:17
944 כִּי בְּיוֹם אֲכָלְךָ מִמֶּנּוּ...תָּמוּת Gen. 2:17
945 וַיִּרֶף מִמֶּנּוּ Ex. 4:26
946 לֹא תִגְרְעוּ מִמֶּנּוּ Ex. 5:8

מִמֶּנּוּ (המשך)
947 כִּי מִמֶּנּוּ נִקַּח לַעֲבֹד... Ex. 10:26
948 אַל־תֹּאכְלוּ מִמֶּנּוּ נָא Ex. 12:9
949 וְלֹא־תוֹתִירוּ מִמֶּנּוּ עַד־בֹּקֶר Ex. 12:10
950 וְהַנֹּתָר מִמֶּנּוּ עַד־בֹּקֶר... Ex. 12:10
951 לִקְטוּ מִמֶּנּוּ אִישׁ לְפִי אָכְלוֹ Ex. 16:16
952-954 וְנֶעְלַם מִמֶּנּוּ Lev. 5:2, 3, 4
955 וַיִּשְׁבְּ מִמֶּנּוּ שֶׁבִי Num. 21:1
956 וְלֹא תִגְרְעוּ מִמֶּנּוּ Deut. 4:2
957 לֹא־אָכַלְתִּי בְאֹנִי מִמֶּנּוּ Deut. 26:14
958 וְלֹא־בִעַרְתִּי מִמֶּנּוּ בְּטָמֵא Deut. 26:14
959 וְלֹא־נָתַתִּי מִמֶּנּוּ לְמֵת Deut. 26:14
960 לְבִלְתִּי סוּר מִמֶּנּוּ יָמִין וּשְׂמֹאול Josh. 23:6
961 לֹא־נָפַל מִמֶּנּוּ דָּבָר אֶחָד Josh. 23:14
962 וְצִדְקַת צַדִּיקִים יָסִירוּ מִמֶּנּוּ Is. 5:23
963 וּכְמַסְתֵּר פָּנִים מִמֶּנּוּ Is. 53:3
964 וְנִקְחָה נִקְמָתֵנוּ מִמֶּנּוּ Jer. 20:10
965 וְהָיָה אַדִּירוֹ מִמֶּנּוּ Jer. 30:21
966 וַיַּחֲרִשׁוּ מִמֶּנּוּ Jer. 38:27
967 אַל־תִּירְאוּ מִמֶּנּוּ Jer. 42:11
968 עַל־כְּבוֹדוֹ כִּי־גָלָה מִמֶּנּוּ Hosh. 10:5
969 כִּי שָׁב אַפִּי מִמֶּנּוּ Hosh. 14:5
970/א מִמֶּנּוּ פִנָּה מִמֶּנּוּ יָתֵד Zech. 10:4
971 מִמֶּנּוּ קֶשֶׁת מִלְחָמָה Zech. 10:4
972 מִמֶּנּוּ יֵצֵא כָל־נוֹגֵשׂ יַחְדָּו Zech. 10:4
973 כִּי־מִמֶּנּוּ תּוֹצְאוֹת חַיִּים Prov. 14:23
974 אַף כִּי מֵרֵעֵהוּ רָחֲקוּ מִמֶּנּוּ Prov. 19:7
975 שֵׁבֶט מוּסָר יַרְחִיקֶנָּה מִמֶּנּוּ Prov. 22:15
976-1068 מִמֶּנּוּ (א) Gen. 3:3, 5, 11 • Ex. 16:19, 20, 32; 17:6; 19:21; 25:15; 27:2; 28:8; 30:2, 19, 33; 37:25; 38:2; 39:5; 40:31 • Lev. 2:11; 3:14; 4:8, 19; 6:8; 7:3, 14, 15, 16, 18; 8:11; 15:16, 32; 22:4, 30; 27:9 • Num. 9:12; 18:26, 28, 29, 30, 32 • Deut. 13:1; 18:22; 20:19; 22:3, 8; 28:31 • Josh. 1:7; 22:17 • Jud. 11:34; 15:19; 20:45 • ISh. 3:18 • IISh. 7:15; 8:4²; 14:14; 22:9 • IK. 20:7; 22:43 • IIK. 4:39 • Jer. 42:16 • Ezek. 5:4; 15:3²; 35:7; 48:14 • Am. 5:11 • Nah. 1:5, 6 • Hab. 1:7 • Ps. 18:9; 22:24, 25; 33:8; 55:13; 62:2, 6; 109:17 • Job 23:15 • Eccl. 5:18; 6:2 • Es. 5:9 • Dan. 11:31 • Ez. 8:21 • ICh. 5:2; 18:4² • IICh. 12:12; 13:19; 18:31; 24:25; 28:5; 35:22

מִמֶּנּוּ (ה)
1069 וְאוּלָם אָחִיו הַקָּטֹן יִגְדַּל מִמֶּנּוּ Gen. 48:19
1070 לְגוֹי־גָּדוֹל וְעָצוּם מִמֶּנּוּ Num. 14:12
1071 לְגוֹי־עָצוּם וָרָב מִמֶּנּוּ Deut. 9:14
1072/3 אֲחִי כָלֵב הַקָּטֹן מִמֶּנּוּ Jud. 1:13; 3:9
1074 כִּי חֲזָקִים הֵמָּה מִמֶּנּוּ Jud. 18:26
1075 וְאֵין אִישׁ...טוֹב מִמֶּנּוּ ISh. 9:2
1076 צַדִּקִים וְטֹבִים מִמֶּנּוּ IK. 2:32
1077 וְאֶתְּנָה...כֶּרֶם טוֹב מִמֶּנּוּ IK. 21:2
1078 כִּי־חָזַק מִמֶּנּוּ הַמִּלְחָמָה IIK. 3:26
1079 וּגְאָלוֹ מִיַּד חָזָק מִמֶּנּוּ Jer. 31:10(11)
1080 בְּבַלַּע רָשָׁע צַדִּיק מִמֶּנּוּ Hab. 1:13
1081 מַצִּיל עָנִי מֵחָזָק מִמֶּנּוּ Ps. 35:10
1082/3 תִּקְוָה לִכְסִיל מִמֶּנּוּ Prov. 26:12; 29:20
1084 זְקֵנִים־הֵמָּה מִמֶּנּוּ לְיָמִים Job 32:4
1085 טוֹב מִמֶּנּוּ הַנָּפֶל Eccl. 6:3
1086 לָדִין עִם שֶׁתַּקִּיף° מִמֶּנּוּ Eccl. 6:10

הַמִּמֶּנּוּ
1087 וַיְמַהֲרוּ וַיַּחְלְטוּ הֲמִמֶּנּוּ IK. 20:33

וּמִמֶּנּוּ (א)
1088 וּמִמֶּנּוּ אֵין לִגְרֹעַ Eccl. 3:14
1089 וּמִמֶּנּוּ הוּרַם° הַתָּמִיד Dan. 8:11

מֶנְהוּ (א)
1090 וַתִּקַּח אָזְנִי שֵׁמֶץ מֶנְהוּ Job 4:12

מִמֶּנָּה (א)
1091 כִּי מִמֶּנָּה לֻקָּחְתָּ Gen. 3:19

מִמֶּנָּה (המשך)
1092 אוּלַי אִבָּנֶה מִמֶּנָּה Gen. 16:2
1093 וְגַם נָתַתִּי מִמֶּנָּה לְךָ בֵּן Gen. 17:16
1094 מַלְכֵי עַמִּים מִמֶּנָּה יִהְיוּ Gen. 17:16
1095 וְאִבָּנֶה גַם־אָנֹכִי מִמֶּנָּה Gen. 30:3
1096 כַּפְתֹּרֶיהָ וּפְרָחֶיהָ מִמֶּנָּה יִהְיוּ Ex. 25:31
1097 וְחֻקֹּתָיו לֹא־אָסוּר מִמֶּנָּה IISh. 22:23
1098 לֹא־סָר מִמֶּנָּה IIK. 3:3
1099 גַּם כִּי־יַזְקִין לֹא־יָסוּר מִמֶּנָּה Prov. 22:6
1100 אֶרֶץ מִמֶּנָּה יֵצֵא־לָחֶם Job 28:5
1101-1145 מִמֶּנָּה (א) Ex. 25:35², 36; 30:36²; 37:17, 21⁴, 22 • Lev. 5:12; 6:9; 7:25; 9:17; 27:9, 11 • IK. 7:35 • IIK. 1:4, 6, 16; 13:2; 17:22 • Is. 13:9 • Jer. 4:28; 11:11; 36:29; 42:16; 51:55 • Ezek. 11:18; 14:13, 17, 19, 21; 25:13; 24:6, 12; 26:4; 33:9 • Ps. 132:11 • Prov. 2:22 • Job 31:17; 38:13 • Eccl. 7:26 • IICh. 20:32

מִמֶּנָּה (ה)
1146 אֲחוֹתָהּ הַקְּטַנָּה טוֹבָה מִמֶּנָּה Jud. 15:2
1147 וַיֶּחֱזַק מִמֶּנָּה וַיְעַנֶּהָ IISh. 13:14
1148 וַתַּשְׁחֵת עַגְבָתָהּ מִמֶּנָּה Ezek. 23:11
1149 לִרְעוּתָהּ הַטּוֹבָה מִמֶּנָּה Es. 1:19

וּמִמֶּנָּה (ה)
1150 וְעֵת צָרָה...וּמִמֶּנָּה יִוָּשֵׁעַ Jer. 30:7

מִמֶּנּוּ (א)
1151 הֵן הָאָדָם הָיָה כְּאַחַד מִמֶּנּוּ Gen. 3:22
1152 אִישׁ מִמֶּנּוּ...קִבְרוֹ לֹא־יִכְלֶה Gen. 23:6
1153 חֲדַל מִמֶּנּוּ וְנַעַבְדָה אֶת־מִצְרָיִם Ex. 14:12
1154 וְלֹא־נִפְקַד מִמֶּנּוּ אִישׁ Num. 31:49
1155 חָלִילָה לָּנוּ מִמֶּנּוּ Josh. 22:29
1156 אִישׁ מִמֶּנּוּ לֹא־יִתֵּן בִּתּוֹ Jud. 21:1
1157 אַל־תַּחֲרֵשׁ מִמֶּנּוּ ISh. 7:8
1158 הַמָּקוֹם...צַר מִמֶּנּוּ IIK. 6:1
1159 עַל־כֵּן רָחַק מִשְׁפָּט מִמֶּנּוּ Is. 59:9
1160 נְקַוֶּה...לִישׁוּעָה רָחֲקָה מִמֶּנּוּ Is. 59:11
1161 כִּי־הִסְתַּרְתָּ פָנֶיךָ מִמֶּנּוּ Is. 64:6
1162 לֹא־שָׁב חֲרוֹן אַף־יְיָ מִמֶּנּוּ Jer. 4:8
1163 אַל־תְּכַחֵד מִמֶּנּוּ Jer. 38:25
1164 וְנַשְׁלִיכָה מִמֶּנּוּ עֲבֹתֵימוֹ Ps. 2:3
1165 הִרְחִיק מִמֶּנּוּ אֶת־פְּשָׁעֵינוּ Ps. 103:12
1166 וַיֹּאמְרוּ לָאֵל סוּר מִמֶּנּוּ Job 21:14
1167 הָאֹמְרִים לָאֵל סוּר מִמֶּנּוּ Job 22:17
1168 לְהָשִׁיב חֲרוֹן אַף־אֱלֹהֵינוּ מִמֶּנּוּ Ez. 10:14
1169 וְיָשֹׁב מִמֶּנּוּ חֲרוֹן אַפּוֹ IICh. 29:10

מִמֶּנּוּ (ה)
1170 כִּי־עָצַמְתָּ מִמֶּנּוּ Gen. 26:16
1171 רַב וְעָצוּם מִמֶּנּוּ Ex. 1:9
1172 כִּי־חָזָק הוּא מִמֶּנּוּ Num. 13:31
1173 עַם גָּדוֹל וָרָם מִמֶּנּוּ Deut. 1:28
1174 קִרְיָה אֲשֶׁר שָׂגְבָה מִמֶּנּוּ Deut. 2:36
1175 עַל־כֵּן חָזְקוּ מִמֶּנּוּ IK. 20:23

מִכֶּם (א)
1176 שִׁלְחוּ מִכֶּם אֶחָד Gen. 42:16
1177 אָדָם כִּי־יַקְרִיב מִכֶּם... Lev. 1:2
1178 כָּל־נֶפֶשׁ מִכֶּם לֹא־תֹאכַל דָּם Lev. 17:12
1179 כְּאֶזְרָח מִכֶּם יִהְיֶה לָכֶם הַגֵּר Lev. 19:34
1180 וְרָדְפוּ מִכֶּם חֲמִשָּׁה מֵאָה Lev. 26:8
1181 וּמֵאָה מִכֶּם רְבָבָה יִרְדֹּפוּ Lev. 26:8
1182 הַמְעַט מִכֶּם כִּי־הִבְדִּיל... Num. 16:9
1183 וְהַדָּבָר אֲשֶׁר יִקְשֶׁה מִכֶּם Deut. 1:17
1184 וָאֶקַּח מִכֶּם שְׁנֵים עָשָׂר אֲנָשִׁים Deut. 1:23
1185 וְיִירְאוּ מִכֶּם וְנִשְׁמַרְתֶּם מְאֹד Deut. 2:4
1186 כִּי לֹא־דָבָר רֵק הוּא מִכֶּם Deut. 32:47
1187 רְחוֹקִים אֲנַחְנוּ מִכֶּם מְאֹד Josh. 9:22
1188 וְלֹא־יִכָּרֵת מִכֶּם עֶבֶד Josh. 9:23
1189 אִישׁ אֶחָד מִכֶּם יִרְדָּף־אָלֶף Josh. 23:10
1190 אֶשְׁאֲלָה מִכֶּם שְׁאֵלָה Jud. 8:24
1191 לָמָּה לֹא־תָסוּר יָדוֹ מִכֶּם ISh. 6:3

מִכֶּם (א) (המשך) 1192 וְאֵין־חֹלֶה מִכֶּם עָלַי ISh. 22:8
1193 הַשְּׁלִשִׁית מִכֶּם בָּאֵי הַשַּׁבָּת IIK. 11:5
1194 אַעְלִים עֵינַי מִכֶּם Is. 1:15
1195 הַמְעַט מִכֶּם הַלְאוֹת אֲנָשִׁים Is. 7:13
1196 הִסְתִּירוּ פָנִים מִכֶּם מִשְּׁמוֹעַ Is. 59:2
1197 וְחַטֹּאותֵיכֶם מָנְעוּ הַטּוֹב מִכֶּם Jer. 5:25
1198 לֹא־אֶמְנַע מִכֶּם Jer. 42:4
1199 וּבָרוֹתִי מִכֶּם הַמֹּרְדִים Ezek. 20:38
1200 הַמְעַט מִכֶּם הַמִּרְעֶה הַטּוֹב Ezek. 34:18
1201 וְלֹא־יִגְהֶה מִכֶּם מָזוֹר Hosh. 5:3
1202 וְגַם אָנֹכִי מָנַעְתִּי מִכֶּם... Am. 4:7
1203 יִקַּח מִכֶּם עֶמְדָּתוֹ Mic. 1:11
1204 הֲיִשָּׂא מִכֶּם פָּנִים Mal. 1:9
1205 וּמַה־יּוֹכִיחַ הוֹכֵחַ מִכֶּם Job 6:25
1206 אֵין...עוֹנֶה אֲמָרָיו מִכֶּם Job 32:12
1207 הַשְּׁלִשִׁית מִכֶּם בָּאֵי הַשַּׁבָּת IICh. 23:4
1208 וְיָשֹׁב מִכֶּם חֲרוֹן אַפּוֹ IICh. 30:8
1209 וְלֹא־יָסִיר פָּנִים מִכֶּם IICh. 30:9
מִכֶּם (ה) 1210 גּוֹיִם גְּדֹלִים וַעֲצֻמִים מִכֶּם Deut. 11:23
1211/2 לֹא־נֹפֵל אָנֹכִי מִכֶּם Job 12:3; 13:2
1213 כִּי־מַר־לִי מְאֹד מִכֶּם Ruth 1:13
מֵהֶם (א) 1214 וְעַתָּה לֹא־יִבָּצֵר מֵהֶם... Gen. 11:6
1215 אֶת־אֵלֶּה מֵהֶם תֹּאכֵלוּ Lev. 11:22
1216 וְכֹל אֲשֶׁר־יִפֹּל עָלָיו מֵהֶם Lev. 11:32
1217 אֲשֶׁר־יִפֹּל מֵהֶם אֶל־תּוֹכוֹ Lev. 11:33
1218 וְסָר מֵהֶם הַנָּגַע Lev. 18:58
1219 לֹא־תִתְּנוּ מֵהֶם עַל־הַמִּזְבֵּחַ Lev. 22:22
1220 מֵהֶם תִּקְנוּ עֶבֶד וְאָמָה Lev. 25:44
1221 מֵהֶם תִּקְנוּ וּמִמִּשְׁפַּחְתָּם Lev. 25:45
1222 וְהָאָרֶץ תֵּעָזֵב מֵהֶם Lev. 26:43
1223 וְהָאָרֶץ תֵּעָזֵב...בָּהְשַׁמָּה מֵהֶם Lev. 26:43
1224 לֹא חֲמוֹר אֶחָד מֵהֶם נָשָׂאתִי Num. 16:15
1225 וְלֹא הֲרֵעֹתִי אֶת־אַחַד מֵהֶם Num. 16:15
1226 וְלֹא־נוֹתַר מֵהֶם אִישׁ Num. 26:65
1227-1233 (כ/ל) אַחַד מֵהֶם Deut. 25:5
28:55 • ISh. 17:36 • IK. 19:2; 22:13 • Ob. 11 •
IICh. 18:12
1234 וְהִסְתַּרְתִּי פָנַי מֵהֶם Deut. 31:17
1235/6 אַל־תִּירָא מֵהֶם Josh. 10:8 • Ezek. 2:6
1237 לֹא־יַעֲמֹד אִישׁ מֵהֶם בְּפָנֶיךָ Josh. 10:8
1238/9 אֶרְאֶה נִקְמָתְךָ מֵהֶם Jer. 11:30; 20:12
1240 לְהָשִׁיב אֶת־חֲמָתְךָ מֵהֶם Jer. 18:20
1241 וְהַאֲבַדְתִּי מֵהֶם קוֹל שָׂשׂוֹן Jer. 25:10
1242 לֹא־מֵהֶם וְלֹא מֵהֲמוֹנָם Ezek. 7:11
1243 אֶחָד מֵהֶם נוֹתָר Ps. 106:11
1244 שׁוֹמֵר נַפְשׁוֹ יִרְחַק מֵהֶם Prov. 22:5
1245 וְיֵשׁ מֵהֶם נָשִׁים וַיָּשִׂימוּ בָּנִים Ez. 10:44
1246-1301 מֵהֶם Num. 33:55 • Deut. 1:29
7:18; 14:12; 20:1; 22:1, 4; 32:20 • Josh. 7:5; 10:20;
19:47 • Jud. 14:19 • ISh. 30:17 • IISh. 13:30; 24:12
• IK. 18:40 • IIK. 2:24; 10:14 • Is. 30:6; 44:15;
57:8; 66:19, 21 • Jer. 10:5; 29:22; 30:19 • Ezek.
7:22; 12:16; 22:30; 23:17, 22, 28; 24:25; 33:6;
39:23, 24, 28, 29 • Hosh. 5:6; 9:12 • Mic. 3:4 • Zech.
14:21 • Ps. 127:5 • Job 32:15 • S.of S. 3:4 • Eccl.
2:6, 10 • Dan. 1:20; 8:9 • Ez. 10:3 • Neh. 5:15;
10:32; 13:25 • IICh. 2:17; 25:13; 28:8
מֵהֶם (ה) 1302 עַתָּה נָרַע לְךָ מֵהֶם Gen. 19:9
1303 חֵלֶק בְּנֵי־יְהוּדָה רַב מֵהֶם Josh. 19:9
1304/5 אִם־לֹא נֶחֱזַק מֵהֶם IK. 20:23, 25
וּמֵהֶם (א) 1306 דְּבַר־מִי יָקוּם מִמֶּנִּי וּמֵהֶם Jer. 44:28
1307 וּמֵהֶם עוֹד תִּקַּח וְהִשְׁלַכְתָּ Ezek. 5:4
1308 נָשִׁיב וּמֵהֶם לֹא נְבַקֵּשׁ Neh. 5:12
וּמֵהֶם (ב) 1309 וּמֵהֶם מִן־בְּנֵי שִׁמְעוֹן ICh. 4:42
1310 וּמֵהֶם עַל־כְּלֵי הָעֲבֹדָה ICh. 9:28
1311 וּמֵהֶם מְמֻנִּים עַל־הַכֵּלִים ICh. 9:29
מִנְהֶם 1312 וּמָנוֹס אָבַד מִנְהֶם Job 11:20
מֵהֵמָּה 1313 כִּי יֵחַתּוּ הַגּוֹיִם מֵהֵמָּה Jer. 10:2
1314 וְיֹתֵר מֵהֵמָּה בְּנִי הִזָּהֵר... Eccl. 12:12
מֵהֵן (ה) 1315 בְּחַטֹּאתַיִךְ אֲשֶׁר־הִתְעַבְתְּ מֵהֵן Ezek. 16:52
מֵהֵן (ה) 1316 וַתַּשְׁחִתִי מֵהֵן בְּכָל־דְּרָכָיִךְ Ezek. 16:47
מֵהֵנָּה (א) 1317 וְעָשָׂה אַחַת מֵהֵנָּה Lev. 4:2
1318 אַחַת מֵהֵנָּה לֹא נֶעְדָּרָה Is. 34:16
1319 כָּל־הַיּוֹצֵא מֵהֵנָּה יִטָּרֵף Jer. 5:6
1320 וַתַּרְבִּי אֶת־תּוֹעֲבוֹתַיִךְ מֵהֵנָּה Ezek. 16:51
1321 כִּי־יוּכְלוּ אַתִּיקִים מֵהֵנָּה Ezek. 42:5
1322 אַחַת מֵהֵנָּה לֹא נִשְׁבָּרָה Ps. 34:21
1323 בְּחַר־לְךָ אַחַת מֵהֵנָּה ICh. 21:10

מִן

מ״י ארמית כמו בעברית: 1-100

מִן אֱדַיִן 71; מִן דִּי 10, 14, 22, 23; מִן טְעֵם 24, 25; מִן יַצִּיב 1; מִן לְוָת 19; מִן קֳדָם 15, 16; מִן קְצָת 7; מִן קְשֹׁט 8

מִן־ 1 מִן־יַצִּיב יָדַע אֲנָה... Dan. 2:8
2 וְדָנִיֵּאל עַל וּבְעָא מִן־מַלְכָּא Dan. 2:16
3 מְבָרַךְ מִן עָלְמָא וְעַד־עָלְמָא Dan. 2:20
4 דִּי־הַשְׁכַּחַת...מִן־בְּנֵי גָלוּתָא Dan. 2:25
5 דִּי־אִיתַי בִּי מִן־כָּל־חַיַּיָּא Dan. 2:30
6 וַהֲווֹ כְּעוּר מִן־אִדְּרֵי־קַיִט Dan. 2:35
7 מִן־קְצָת מַלְכוּתָא תֶּהֱוֵה תַקִּיפָה Dan. 2:42
8 מִן־קְשֹׁט דִּי אֱלָהֲכוֹן הוּא אֱלָהּ Dan. 2:47
9 דִּי־יְשֵׁיזְבִנְכוֹן מִן־יְדָי Dan. 3:15
10 מִן־דִּי מִלַּת מַלְכָּא מַחְצְפָה Dan. 3:22
11 עִיר וְקַדִּישׁ מִן־שְׁמַיָּא נָחִת Dan. 4:10
12 תְּנֻד חֵיוְתָא מִן־תַּחְתּוֹהִי Dan. 4:11
13 וְצִפְּרַיָּא מִן־עַנְפּוֹהִי Dan. 4:11
14 מִן־דִּי תִנְדַּע דִּי שַׁלִּטִן שְׁמַיָּא Dan. 4:23
15 הֲווֹ זָאעִין° וְדָחֲלִין מִן־קֳדָמוֹהִי° Dan. 5:19
16 אֶתְעֲקַרָה° מִן־קֳדָמַהּ° Dan. 7:8
17 קִרְבֵת עַל־חַד מִן־קָאֲמַיָּא Dan. 7:16
18 וְהוּא יִשְׁנֵא מִן־קַדְמָיֵא Dan. 7:24
19 יְהוּדָיֵא דִּי סְלִקוּ מִן־לְוָתָךְ Ez. 4:12
20/1 מִן־יוֹמָת עָלְמָא Ez. 4:15, 19
22 מִן־דִּי פַּרְשֶׁגֶן נִשְׁתְּוָנָא Ez. 4:23
23 מִן־דִּי הַרְגִּזוּ אֲבָהֳתַנָא Ez. 5:12
24 מִן־טַעַם אֱלָהּ יִשְׂרָאֵל Ez. 6:14
25 מִן־טַעַם אֱלָהּ שְׁמַיָּא Ez. 7:23
26-63 מִן־ Dan. 2:49; 3:17, 26; 4:13, 20, 22, 28
5:2, 3, 13^2, 20; 6:8, 13, 14, 21, 24^2, 28; 7:3^2, 4, 7, 8, 11, 17,
19, 20, 23 • Ez. 5:14^2, 17; 6:4, 5, 6, 11; 7:13, 20
וּמִן־ 64 מֵאַרְעָא וּמִן־תְּחוֹת שְׁמַיָּא אֵלֶּה Jer. 10:11
65 וּמִן־נִצְבְּתָא דִּי־פַרְזְלָא Dan. 2:41
66 וּמִן־יְדָךְ מַלְכָּא יְשֵׁיזִב Dan. 3:17
67 וּמִן־אֲנָשָׁא לָךְ טָרְדִין Dan. 4:29
68 וּמִן־אֲנָשָׁא טְרִיד Dan. 4:30
69 וּמִן־רְבוּתָא דִּי יְהַב־לֵהּ... Dan. 5:19
70 וּמִן־בְּנֵי אֲנָשָׁא טְרִיד Dan. 5:21
71 וּמִן־אֱדַיִן וְעַד־כְּעַן מִתְבְּנֵא Ez. 5:16
מִנִּי 72 מִלְּתָה מִנִּי אַזְדָּא Dan. 2:5
73 דִּי־אַזְדָּא מִנִּי מִלְּתָא Dan. 2:8
74 עַד־מִנִּי טַעְמָא יִתְּשָׂם Ez. 4:21
75 מִנִּי שִׂים טְעֵם Ez. 7:13
וּמִנִּי 76-81 וּמִנִּי(...) שִׂים טְעֵם Dan. 3:29
4:3, 19; 6:8, 11 • Ez. 7:21
מִנָּךְ 82 הוֹדַעְתַּנִי דִּי־בְעֵינָא מִנָּךְ Dan. 2:23
83 מַלְכוּ אָחֳרִי אֲרַע° מִנָּךְ Dan. 2:39
84 מַלְכוּתָא עֲדָת מִנָּךְ Dan. 4:28
85-86 דִּי־יִבְעֵא...לָהֵן מִנָּךְ מַלְכָּא Dan. 6:8, 13
מִנֵּהּ 87 וִיקָרָה הֶעְדִּיו מִנֵּהּ Dan. 5:20
88 וְיַצִּיבָא אֶבְעֵא מִנֵּהּ Dan. 7:16
89 דִּינָה לֶהֱוֵא מִתְעֲבֵד מִנֵּהּ Ez. 7:26
וּמִנֵּהּ 90 וּמִנֵּהּ יִתְּזִין כָּל־בִּשְׂרָא Dan. 4:9
מִנַּהּ 91 מִנַּהּ מַלְכוּתָא עַשְׂרָה מַלְכִין יְקֻמוּן Dan. 7:24
וּמִנַּהּ 92 וּמִנַּהּ תֶּהֱוֵא תְבִירָה Dan. 2:42
מִנְּהוֹן 93 וְעֵלָּא מִנְּהוֹן סָרְכִין תְּלָתָה Dan. 6:3
94 דִּי דָנִיֵּאל חַד מִנְּהוֹן Dan. 6:3
מִנְּהֵן 95 רַגְלוֹהִי מִנְּהֵן (כ׳ מנהון) דִּי פַרְזֶל Dan. 2:33
96 רַגְלַיָּא וְאֶצְבְּעָתָא מִנְּהֵן (כת׳ מנהון) חֲסַף דִּי־פֶחָר Dan. 2:41
97 וְאֶצְבְּעָת רַגְלַיָּא מִנְּהֵן (כת׳ מנהון) פַּרְזֶל Dan. 2:42
וּמִנְּהֵן 98 וּמִנְּהֵן (כת׳ ומנהון) דִּי חֲסַף Dan. 2:33
99 וּמִנְּהֵן (כת׳ ומנהון) פַּרְזֶל Dan. 2:41
100 וּמִנְּהֵן (כת׳ ומנהון) חֲסַף... Dan. 2:42

מְנָא
פ׳ ארמית – עין מְנָה

מְנָאוֹת
נ״ר – עין מְנָת

מַנְגִּינָה*
נ׳ שיר התול

מַנְגִּינָתָם 1 שִׁבְתָּם וְקִימָתָם הַבִּיטָה אֲנִי מַנְגִּינָתָם Lam. 3:63

מְנַד
(ש״ב כג6) – עין נוד

מִנְדָּה
נ׳ ארמית מס הקרקע [עין מִדָּה]

מִנְדָּה 1-2 מִנְדָּה־בְלוֹ וַהֲלָךְ Ez. 4:13; 7:24

מַנְדַּע
ז׳ ארמית דעת, מדע: 1-4

וּמַנְדַּע 1 רוּחַ יַתִּירָה וּמַנְדַּע וְשָׂכְלְתָנוּ Dan. 5:12
וּמַנְדְּעָא 2 יָהֵב...וּמַנְדְּעָא לְיָדְעֵי בִינָה Dan. 2:21
מַנְדְּעִי 3 בֵּהּ־זִמְנָא מַנְדְּעִי יְתוּב עֲלַי Dan. 4:33
וּמַנְדְּעִי 4 וּמַנְדְּעִי עֲלַי יְתוּב Dan. 4:31

מנה :
מָנָה, נִמְנָה, מֻנֶּה, מְנָה; מָנָה, מָנֶה, מוֹנִים, מְנִי, מִנְיָן, מְנָת; ש״פ תְּמוּנָה, תְּמוּנָתָה; אר׳ מְנָה, מְנֵי

מָנָה
פ׳ א) סָפַר, קָבַע את הכמות: 1-5, 7-9, 11, 12
ב) קָצַב, קָבַע: 6, 10
ג) [נפ׳ נִמְנָה] נִסְפַּר: 13, 15-18
ד) [כב״ל] היה בחשבון: 14
ה) [פ׳ מִנָּה] קבע זמן, הפקיד: 19-28
ו) [פ׳ מֻנָּה] הֻפְקַד: 29
קרובים: חָשַׁב / סָפַר / פָּקַד

מָנָה (אֶת־) 1-3, 5-12; מָנָה בְּ־ 4; נִמְנָה אֶת־ 14

לִמְנוֹת 1 לִמְנוֹת אֶת־עֲפַר הָאָרֶץ Gen. 13:16
2 לִמְנוֹת יָמֵינוּ כֵּן הוֹדַע Ps. 90:12
3 וַיָּסֶת אֶת־דָּוִיד לִמְנוֹת אֶת־יִשְׂרָאֵל ICh. 21:1
4 הֲלֹא אֲנִי אָמַרְתִּי לִמְנוֹת בָּעָם ICh. 21:17
5 הֵחֵל לִמְנוֹת וְלֹא כִלָּה ICh. 27:24
וּמָנִיתִי 6 וּמָנִיתִי אֶתְכֶם לַחֶרֶב Is. 65:12
מָנָה 7 מִי מָנָה עֲפַר יַעֲקֹב Num. 23:10
מוֹנֶה 8 תַּעֲבֹרְנָה הַצֹּאן עַל־יְדֵי מוֹנֶה Jer. 33:13
9 מוֹנֶה מִסְפָּר לַכּוֹכָבִים Ps. 147:4
תִּמְנֶה 10 וְאַתָּה תִמְנֶה־לְךָ חַיִל IK. 20:25
וַיִּמְנוּ 11 וַיָּצֻרוּ וַיִּמְנוּ אֶת־הַכֶּסֶף IIK. 12:11
מְנֵה 12 לֵךְ מְנֵה אֶת־יִשְׂרָאֵל IISh. 24:1
לְהִמָּנוֹת 13 וְחֶסְרוֹן לֹא־יוּכַל לְהִמָּנוֹת Eccl. 1:15
נִמְנָה 14 וְאֶת־פֹּשְׁעִים נִמְנָה Is. 53:12
יִמָּנֶה 15 אִם יוּכַל...גַּם זַרְעֲךָ יִמָּנֶה Gen. 13:16
16 אֲשֶׁר לֹא־יִמָּנֶה וְלֹא יִסָּפֵר מֵרֹב IK. 3:8

יִמָּנוּ 17/8 לֹא־יִסָּפְרוּ וְלֹא יִמָּנוּ מֵרֹב IK.8:5 • IICh.5:6
מִנָּה 19 אֲשֶׁר מִנָּה אֶת־מַאֲכַלְכֶם... Dan. 1:10
20 אֲשֶׁר מִנָּה...עַל־דָּנִיֵּאל... Dan. 1:11
מִנֵּהוּ(?) 21 מֵאֹיְבִים מִנֵּהוּ Ps. 68:24
מִנּוּ 22 וְלֵילוֹת עָמָל מִנּוּ־לִי Job 7:3
וַיְמַן 23 וַיְמַן יְיָ דָּג גָּדוֹל Jon. 2:1
24 וַיְמַן יְיָ־אֱלֹהִים קִיקָיוֹן Jon. 4:6
25 וַיְמַן הָאֱלֹהִים תּוֹלַעַת Jon. 4:7
26 וַיְמַן אֱלֹהִים רוּחַ קָדִים חֲרִישִׁית Jon. 4:8
27 וַיְמַן לָהֶם הַמֶּלֶךְ...מִפַּת־בַּג הַמֶּלֶךְ Dan. 1:5
מַן 28 חֶסֶד וֶאֱמֶת מַן יִנְצְרֻהוּ Ps. 61:8
מְמֻנִּים 29 וּמֵהֶם מְמֻנִּים עַל־הַכֵּלִים ICh. 9:29

מְנָה פ׳ ארמית א) קבע, קצב: 1–4
ב) [פ׳ מַנִּי] מִנָּה, הפקיד: 5–8

מְנֵא 1–2 מְנֵא מְנֵא תְּקֵל וּפַרְסִין Dan. 5:25
3 מְנֵא מְנָה אֱלָהָא מַלְכוּתָךְ Dan. 5:26
מְנָה 4 מְנָה אֱלָהָא מַלְכוּתָךְ Dan. 5:26
מַנִּי 5 דִּי מַנִּי מַלְכָּא לְהוֹבָדָא Dan. 2:24
וּמַנִּי 6 וּמַנִּי עַל־עֲבִידְתָּא Dan. 2:49
מַנִּיתָ 7 דִּי־מַנִּיתָ יָתְהוֹן עַל־עֲבִידַת... Dan. 3:12
מֶנִּי 8 וְאַנְתְּ...מֶנִּי שָׁפְטִין וְדַיָּנִין Ez. 7:25

מָנָה נ׳ חֵלֶק (של מזון וכד׳): 1–12
קרובים: חֵלֶק / יָד
מָנָה אַחַת אַפָּיִם 1; מִשְׁלוֹחַ מָנוֹת 7, 8

מָנָה 1 וּלְחַנָּה יִתֵּן מָנָה אַחַת אַפָּיִם ISh. 1:5
הַמָּנָה 2 תְּנָה אֶת־הַמָּנָה אֲשֶׁר נָתַתִּי לָךְ ISh. 9:23
לְמָנָה 3 וְלָקַחְתָּ אֶת־הֶחָזֶה...וְהָיָה לְךָ לְמָנָה Ex. 29:26
4 לוֹ תִהְיֶה שׁוֹק הַיָּמִין לְמָנָה Lev. 7:33
5 ...אֶת־הֶחָזֶה...לְמֹשֶׁה הָיָה לְמָנָה Lev. 8:29
מָנוֹת 6 וְנָתַן...וּלְכָל־בָּנֶיהָ וּבְנוֹתֶיהָ מָנוֹת ISh. 1:4
7–8 וּמִשְׁלֹחַ מָנוֹת אִישׁ לְרֵעֵהוּ Es. 9:19, 22
9 וְשִׁלְחוּ מָנוֹת לְאֵין נָכוֹן לוֹ Neh. 8:10
10 לֶאֱכֹל וְלִשְׁתּוֹת וּלְשַׁלַּח מָנוֹת Neh. 8:12
11 לָתֵת מָנוֹת לְכָל־זָכָר בַּכֹּהֲנִים IICh. 31:19
מָנוֹתֶהָ 12 וַיְבַהֵל...וְאֶת־מָנוֹתֶהָ לָתֵת לָהּ Es. 2:9

מָנֶה ז׳ משקל ומטבע, ערכו כששים שקל (?): 1–5

הַמָּנֶה 1 עֶשְׂרִים שְׁקָלִים...הַמָּנֶה יִהְיֶה Ezek. 45:12
מָנִים 2 שְׁלֹשֶׁת מָנִים זָהָב יַעֲלֶה... IK. 10:17
3 וְכֶסֶף מָנִים חֲמֵשֶׁת אֲלָפִים Ez. 2:69
4 וְכֶסֶף מָנִים אַלְפַּיִם וּמָאתָיִם Neh. 7:70
5 וְכֶסֶף מָנִים אַלְפָּיִם Neh. 7:71

מִנְהָג ז׳ נהיגת סוס הרכב: 1, 2

וְהַמִּנְהָג 1 וְהַמִּנְהָג כְּמִנְהַג יֵהוּא בֶן־נִמְשִׁי IIK. 9:20
כְּמִנְהַג 2 וְהַמִּנְהָג כְּמִנְהַג יֵהוּא בֶּן־נִמְשִׁי IIK. 9:20

מִנְהָרָה* נ׳ מחִלָּה, תעלה

הַמִּנְהָרוֹת 1 אֶת־הַמִּנְהָרוֹת אֲשֶׁר בֶּהָרִים Jud. 6:2

מָנוֹד* ז׳ הנעה, טלטול • מְנוֹד רֹאשׁ 1

מְנוֹד 1 מָשָׁל בַּגּוֹיִם מְנוֹד־רֹאשׁ בַּלְאֻמִּים Ps. 44:15

מָנוֹחַ ז׳ מנוחה, מרגוע: 1–7
קרובים: ראה מְנוּחָה

מָנוֹחַ 1 וְלֹא־מָצְאָה הַיּוֹנָה מָנוֹחַ לְכַף־רַגְלָהּ Gen. 8:9
2 וְלֹא־יִהְיֶה מָנוֹחַ לְכַף־רַגְלֶךָ Deut. 28:65
3 הִרְגִּיעָה לִּילִית וּמָצְאָה לָהּ מָנוֹחַ Is. 34:14
4 הֲלֹא אֲבַקֶּשׁ־לָךְ מָנוֹחַ... Ruth 3:1
5 הִיא יָשְׁבָה בַגּוֹיִם לֹא מָצְאָה מָנוֹחַ Lam. 1:3
מִמָּנוֹחַ 6 וְאֵלֶּה אֲשֶׁר הֶעֱמִיד...מִמְּנוֹחַ הָאָרוֹן ICh. 6:16
לִמְנוּחָיְכִי 7 שׁוּבִי נַפְשִׁי לִמְנוּחָיְכִי Ps. 116:7

מָנוֹחַ שפ״ז – אבי שמשון: 1–18 • קוֹל מָנוֹחַ 3

מָנוֹחַ 1 מִמִּשְׁפַּחַת הַדָּנִי וּשְׁמוֹ מָנוֹחַ Jud. 13:2
2 וַיֶּעְתַּר מָנוֹחַ אֶל־יְיָ וַיֹּאמַר Jud. 13:8
3 וַיִּשְׁמַע הָאֱלֹהִים בְּקוֹל מָנוֹחַ Jud. 13:9
4 וַיֵּלֶךְ מָנוֹחַ אַחֲרֵי אִשְׁתּוֹ Jud. 13:11
5 וַיִּקְבְּרוּ...בְּקֶבֶר מָנוֹחַ אָבִיו Jud. 16:31
6–15 מָנוֹחַ Jud. 13:12, 13, 15, 16[2], 17, 19, 21[2], 22
וּמָנוֹחַ 16 וּמָנוֹחַ אִישָׁהּ אֵין עִמָּהּ Jud. 13:9
17–18 וּמָנוֹחַ וְאִשְׁתּוֹ רֹאִים Jud. 13:19, 20

מְנוּחָה נ׳ שלוה, שקט, מרגוע: 1–21
קרובים: הַשְׁקֵט / מָנוֹחַ / מַרְגּוֹעַ / מַרְגֵּעָה / נַחַת / שׁוּבָה / שַׁלְוָה / שֶׁקֶט
אִישׁ מְנוּחָה 7; בֵּית מְנוּחָה 8; מְקוֹם מְנוּחָה 14; שַׂר מְנוּחָה 5; מְנוּחוֹת שַׁאֲנַנּוֹת 21; מֵי מְנוּחוֹת 20

מְנֻחָה 1 וַיַּרְא מְנֻחָה כִּי טוֹב Gen. 49:15
2 נָסַע לִפְנֵיהֶם...לָתוּר לָהֶם מְנוּחָה Num. 10:33
3 (?)הִרְדִּיפֻהוּ מְנוּחָה הִדְרִיכֻהוּ Jud. 20:43
4 אֲשֶׁר נָתַן מְנוּחָה לְעַמּוֹ יִשְׂרָאֵל IK. 8:56
5 וּשְׂרָיָה שַׂר־מְנוּחָה Jer. 51:59
6 וּמְצֶאןָ מְנוּחָה אִשָּׁה בֵּית אִישָׁהּ Ruth 1:9
7 הוּא יִהְיֶה אִישׁ מְנוּחָה ICh. 22:9(8)
8 בֵּית מְנוּחָה לַאֲרוֹן בְּרִית־יְיָ ICh. 28:2
וּמְנוּחָה 9 יָגַעְתִּי בְּאַנְחָתִי וּמְנוּחָה לֹא מָצָאתִי Jer. 45:3
הַמְּנוּחָה 10 אֶל־הַמְּנוּחָה וְאֶל־הַנַּחֲלָה Deut. 12:9
11 זֹאת הַמְּנוּחָה הָנִיחוּ לֶעָיֵף Is. 28:12
12 כִּי לֹא־זֹאת הַמְּנוּחָה Mic. 2:10
לִמְנֻחָה 13 יְהִי־נָא דְּבַר אֲדֹנִי הַמֶּלֶךְ לִמְנֻחָה IISh. 14:17
מְנוּחָתִי 14 וְאֵי־זֶה מָקוֹם מְנוּחָתִי Is. 66:1
15 אִם־יְבֹאוּן אֶל־מְנוּחָתִי Ps. 95:11
16 זֹאת־מְנוּחָתִי עֲדֵי־עַד Ps. 132:14
לִמְנוּחָתֶךָ 17 קוּמָה יְיָ לִמְנוּחָתֶךָ Ps. 132:8
מְנֻחָתוֹ 18 וְהָיְתָה מְנֻחָתוֹ כָּבוֹד Is. 11:10
19 בְּאֶרֶץ חַדְרָךְ וְדַמֶּשֶׂק מְנֻחָתוֹ Zech. 9:1
מְנוּחוֹת 20 עַל־מֵי מְנֻחוֹת יְנַהֲלֵנִי Ps. 23:2
וּבִמְנוּחוֹת 21 וּבְמִשְׁכְּנוֹת מִבְטַחִים וּבִמְנוּחֹת שַׁאֲנַנּוֹת Is. 32:18

מְנוּחָה שם מקום(?)

מְנוּחָה 1 הִרְדִּיפֻהוּ מְנוּחָה הִדְרִיכֻהוּ Jud. 20:43

מָנוֹן ז׳ [מלה סתומה] מושל(?) יורש(?) מורד(?)

מָנוֹן 1 מְפַנֵּק מִנֹּעַר עַבְדּוֹ וְאַחֲרִיתוֹ יִהְיֶה מָנוֹן Prov. 29:21

מָנוֹס ז׳ א) בריחה: 1–6
ב) מקום מקלט: 7–8
אָבַד מָנוֹס מִן־ 1, 2, 6

מָנוֹס 1 וְאָבַד מָנוֹס מִן־הָרֹעִים Jer. 25:35
2 וְאָבַד מָנוֹס מִקָּל Am. 2:14
3 אָבַד מָנוֹס מִמֶּנִּי Ps. 142:5
וּמָנוֹס 4 וּמָנוֹס נָסוּ וְלֹא הִפְנוּ Jer. 46:5
5 וּמָנוֹס בְּיוֹם צַר־לִי Ps. 59:17
6 וּמָנוֹס אָבַד מִנְהֶם Job 11:20
וּמְנוּסִי 7 מְנוּסִי...מִשְׂגַּבִּי וּמְנֻסִי IISh. 22:3
8 יְיָ עֻזִּי וּמָעֻזִּי וּמְנוּסִי בְּיוֹם צָרָה Jer. 16:19

מְנוּסָה נ׳ מנוס, בריחה: 1, 2
מְנוּסַת־חֶרֶב 2

וּבִמְנוּסָה 1 ...וּבִמְנוּסָה לֹא תֵלֵכוּן Is. 52:12
מְנֻסַת־ 2 וְנָסוּ מְנֻסַת־חֶרֶב Lev. 26:36

מָנוֹר ז׳ יָתֵד הארג: 1–4
מְנוֹר אֹרְגִים 1–4

כִּמְנוֹר־ 1–3 וְעֵץ חֲנִיתוֹ כִּמְנוֹר אֹרְגִים ISh. 17:7
IISh. 21:19 • ICh. 20:5
4 וּבְיַד הַמִּצְרִי חֲנִית כִּמְנוֹר אֹרְגִים ICh. 11:23

מְנוֹרָה נ׳ כלי למאור בשמן או בנרות: 1–42
– הַמְּנֹרָה הַטְּהֹרָה 16, 19, 22; מַעֲשֵׂה הַמ׳ 25; מִשְׁקַל הַמ׳ 5; עֲבוֹדַת הַמ׳ 6, 9; פְּנֵי הַמ׳ 23, 24
– מְנֹרַת זָהָב 32, 35, 36; מְנֹרַת הַמָּאוֹר 33, 34; מְנֹרוֹת הַזָּהָב 37, 41; מְנֹרוֹת הַכֶּסֶף 42

מְנֹרָה 1–4 שְׁלֹשָׁה קְנֵי מְנֹרָה מִצִּדָּהּ הָאֶחָד וּשְׁלֹשָׁה קְנֵי מְנֹרָה מִצִּדָּהּ הַשֵּׁנִי Ex. 25:32; 37:18
5 בְּמִשְׁקַל־מְנוֹרָה וּמְנוֹרָה וְנֵרֹתֶיהָ ICh. 28:15
6 כַּעֲבֹדַת מְנוֹרָה וּמְנוֹרָה ICh. 28:15
וּמְנוֹרָה 7 מִטָּה וְשֻׁלְחָן וְכִסֵּא וּמְנוֹרָה IIK. 4:10
8 בְּמִשְׁקַל־מְנוֹרָה וּמְנוֹרָה ICh. 28:15
9 כַּעֲבֹדַת מְנוֹרָה וּמְנוֹרָה ICh. 28:15
הַמְּנוֹרָה 10 מִקְשָׁה תֵּעָשֶׂה הַמְּנוֹרָה Ex. 25:31
11–13 לְשֵׁשֶׁת הַקָּנִים הַיֹּצְאִים מִן־הַמְּנֹרָה Ex. 25:33, 35; 37:19
14 וְאֶת־הַמְּנֹרָה נֹכַח הַשֻּׁלְחָן Ex. 26:35
15 וְאֶת־הַמְּנֹרָה וְאֶת־כֵּלֶיהָ Ex. 30:27
16 וְאֶת־הַמְּנֹרָה הַטְּהֹרָה Ex. 31:8
17 וַיַּעַשׂ אֶת־הַמְּנֹרָה זָהָב טָהוֹר Ex. 37:17
18 מִקְשָׁה עָשָׂה אֶת־הַמְּנֹרָה Ex. 37:17
19 אֶת־הַמְּנֹרָה הַטְּהֹרָה... Ex. 39:37
20 וְהֵבֵאתָ אֶת־הַמְּנֹרָה... Ex. 40:4
21 וַיָּשֶׂם אֶת־הַמְּנֹרָה בְּאֹהֶל מוֹעֵד Ex. 40:24
22 עַל הַמְּנֹרָה הַטְּהֹרָה יַעֲרֹךְ... Lev. 24:4
23/4 אֶל־מוּל פְּנֵי הַמְּנוֹרָה Num. 8:2, 3
25 וְזֶה מַעֲשֵׂה הַמְּנֹרָה מִקְשָׁה זָהָב Num. 8:4
26 כֵּן עָשָׂה אֶת־הַמְּנֹרָה Num. 8:4
27 עַל־יְמִין הַמְּנוֹרָה וְעַל־שְׂמֹאלָהּ Zech. 4:11
וְהַמְּנֹרָה 28 וְהַשֻּׁלְחָן וְהַמְּנֹרָה וְהַמִּזְבְּחֹת Num. 3:31
וּבַמְּנֹרָה 29–30 וּבַמְּנֹרָה אַרְבָּעָה גְבִעִים Ex. 25:34; 37:20
לִמְנוֹרָה 31 בְּמִשְׁקָל לִמְנוֹרָה וְנֵרֹתֶיהָ ICh. 28:15
מְנֹרַת־ 32 וְעָשִׂיתָ מְנֹרַת זָהָב טָהוֹר Ex. 25:31
33 וְאֶת־מְנֹרַת הַמָּאוֹר וְאֶת־כֵּלֶיהָ Ex. 35:14
34 אֶת־מְנֹרַת הַמָּאוֹר וְאֶת־נֵרֹתֶיהָ Num. 4:9
35 וְהִנֵּה־מְנוֹרַת זָהָב כֻּלָּהּ Zech. 4:2
וּמְנוֹרַת־ 36 וּמְנוֹרַת הַזָּהָב וְנֵרֹתֶיהָ IICh. 13:11
מְנֹרוֹת־ 37 וַיַּעַשׂ אֶת־מְנֹרוֹת הַזָּהָב עֶשֶׂר IICh. 4:7
הַמְּנֹרוֹת 38 וְאֶת־הַמְּנֹרוֹת חָמֵשׁ מִיָּמִין IK. 7:49
39 וְאֶת־הַסִּפּוֹת וְאֶת־הַמְּנֹרוֹת Jer. 52:19
40 וְאֶת־הַמְּנֹרוֹת וְנֵרֹתֵיהֶם IICh. 4:20
לִמְנֹרוֹת־ 41 וּמִשְׁקָל לִמְנֹרוֹת הַזָּהָב ICh. 28:15
וְלִמְנֹרוֹת 42 וְלִמְנֹרוֹת הַכֶּסֶף בְּמִשְׁקָל ICh. 28:15

מִנְזָר* ז׳ נָגִיד, מושל (?)

מִנְּזָרַיִךְ 1 מִנְּזָרַיִךְ כָּאַרְבֶּה וְטַפְסְרַיִךְ כְּגוֹב גֹּבָי Nah.3:17

מִנְחָה נ׳ א) מתנת כבוד: 1–4, 23, 24, 26–34, 42, 48, 51–53, 61, 62, 74–77, 84, 116, 117, 163, 165, 170, 175
ב) קרבן לה׳ (בעיקר ממיני מאפה): רוב המקראות 5–211
קרובים: ראה קָרְבָּן

– מִנְחָה וָנֶסֶךְ 44, 45, 178, 180–183, 186–190, 193–202; זֶבַח וּמִנְחָה 63, 64, 72, 73, 118, 166; עוֹלָה וּמִנְחָה 57–60, 120, 135, 138, 211

– מִנְחָה בְּלוּלָה 12–17, 56; מ׳ חֲדָשָׁה 18, 22; מִנְחָה טְהוֹרָה 71; מִנְחָה(...)שְׁלוּחָה 3

– מַגִּישׁ מִנְחָה 30, 46, 47; מַעֲלֵה מִנְחָה 36; מַקְטִיר מ׳ 38; נוֹשְׂאֵי מ׳ 26–29, 84; תּוֹרַת הַמִּנְחָה 82

– הֵבִיא מִנְחָה 1, 24, 37, 52, 54, 64, 77, 81, 153; הִגִּישׁ מ׳ 30, 46, 47; הוֹבִיל מ׳ 165; הוֹרִיד מ׳ 4; הֶעֱלָה מ׳ 34–36; הֵשִׁיב מ׳ 33; הִקְרִיב מ׳ 18, 19, 22, 141, 142; נִאֵץ מ׳ 150; נָשָׂא מ׳ 26–29, 49, 50; נָתַן מ׳ 51, 53; עָשָׂה מ׳ 20, 40; שָׁלַח מִנְחָה 3, 61, 62

– מִנְחַת בִּכּוּרִים 142; מִנְחַת הַבֹּקֶר 160, 161; מִנְחַת זִכָּרוֹן 146, 147; מ׳ יְיָ 150; מ׳ יְהוּדָה וִירוּשָׁלָיִם 154; מ׳ יִשְׂרָאֵל 151; מ׳ כֹּהֵן 144; מ׳ מַרְחֶשֶׁת 140; מ׳ הָעֶרֶב 152, 155, 156, 159, 162; מ׳ פִּתִּים 143; מ׳ קְנָאוֹת 145, 149; מ׳ שָׁוְא 153; מ׳ הַתָּמִיד 157, 158

מִנְחָה
1 וַיָּבֵא קַיִן מִפְּרִי הָאֲדָמָה מִנְחָה לַייָ Gen. 4:3
2 וַיִּקַּח...מִנְחָה לְעֵשָׂו אָחִיו Gen. 32:14
3 מִנְחָה הִוא שְׁלוּחָה לַאדֹנִי לְעֵשָׂו Gen. 32:19
4 קְחוּ...וְהוֹרִידוּ לָאִישׁ מִנְחָה Gen. 43:11
5 וְנֶפֶשׁ כִּי־תַקְרִיב קָרְבַּן מִנְחָה לַייָ Lev. 2:1
6 קָרְבַּן מִנְחָה מַאֲפֵה תַנּוּר Lev. 2:4
7 וְאִם־מִנְחָה עַל־הַמַּחֲבַת קָרְבָּנֶךָ Lev. 2:5
8/9 ...מִנְחָה הִוא Lev. 2:6, 15
10 עֲשִׂירִת הָאֵפָה סֹלֶת מִנְחָה תָּמִיד Lev. 6:13
11 וְכָל־מִנְחָה אֲשֶׁר תֵּאָפֶה בַּתַּנּוּר Lev. 7:9
12 מִנְחָה בְלוּלָה־בַשֶּׁמֶן וַחֲרֵבָה Lev. 7:10
13–17 ...מִנְחָה בְּלוּלָה בַשֶּׁמֶן Lev. 14:10 Num. 28:9, 12[2], 13
18 וְהִקְרַבְתֶּם מִנְחָה חֲדָשָׁה לַייָ Lev. 23:16
19 וְהִקְרִיב...מִנְחָה סֹלֶת עִשָּׂרוֹן Num. 15:4
20 תַּעֲשֶׂה מִנְחָה סֹלֶת שְׁנֵי עֶשְׂרֹנִים Num. 15:6
21 ...מִנְחָה סֹלֶת שְׁלֹשָׁה עֶשְׂרֹנִים Num. 15:9
22 בְּהַקְרִיבְכֶם מִנְחָה חֲדָשָׁה לַייָ Num. 28:26
23 ...מִנְחָה לְעֶגְלוֹן מֶלֶךְ מוֹאָב Jud. 3:15
24 וְלֹא־הֵבִיאוּ לוֹ מִנְחָה ISh. 10:27
25 אִם־יְיָ הֱסִיתְךָ בִי יָרַח מִנְחָה ISh. 26:19
26 וַתְּהִי מוֹאָב...לַעֲבָדִים נֹשְׂאֵי מִנְחָה IISh. 8:2
27–29 נ(וֹ)שְׂאֵי מִנְחָה IISh. 8:6 • ICh. 18:2, 6
30 מַגִּשִׁים מִנְחָה וְעֹבְדִים אֶת־שְׁלֹמֹה IK. 5:1
31 קַח בְּיָדְךָ מִנְחָה וָלֵךְ... IIK. 8:8
32 וַיִּקַּח מִנְחָה בְיָדוֹ וְכָל־טוּב דַּמֶּשֶׂק IIK. 8:9
33 וַיְהִי־לוֹ הוֹשֵׁעַ עֶבֶד וַיָּשֶׁב לוֹ מִנְחָה IIK. 17:3
34 וְלֹא־הֶעֱלָה מִנְחָה לְמֶלֶךְ אַשּׁוּר IIK. 17:4
35 שָׁפַכְתְּ נֶסֶךְ הֶעֱלִית מִנְחָה Is. 57:6
36 מַעֲלֵה מִנְחָה דַּם־חֲזִיר Is. 66:3
37 וְהֵבִיאוּ אֶת־כָּל־אֲחֵיכֶם...מִנְחָה לַייָ Is. 66:20
38 מַעֲלֶה עוֹלָה וּמַקְטִיר מִנְחָה Jer. 33:18
39 וְלַכְּבָשִׂים מִנְחָה מַתַּת יָדוֹ Ezek. 46:5
40 וְאֵיפָה לָאַיִל יַעֲשֶׂה מִנְחָה Ezek. 46:7
41 מִנְחָה לַייָ חֻקּוֹת עוֹלָם תָּמִיד Ezek. 46:14
42 מִנְחָה לְמֶלֶךְ יָרֵב Hosh. 10:6
43 הָכְרַת מִנְחָה וָנֶסֶךְ מִבֵּית יְיָ Joel 1:9
44 נִמְנַע מִבֵּית אֱלֹהֵיכֶם מִנְחָה וָנָסֶךְ Joel 1:13
45 מִנְחָה וָנֶסֶךְ לַייָ אֱלֹהֵיכֶם Joel 2:14
46 וּמַגִּישׁ מִנְחָה לַייָ צְבָאוֹת Mal. 2:12
47 וְהָיוּ לַייָ מַגִּישֵׁי מִנְחָה בִּצְדָקָה Mal. 3:3

מִנְחָה (המשך)
48 מַלְכֵי תַרְשִׁישׁ וְאִיִּים מִנְחָה יָשִׁיבוּ Ps. 72:10
49 שְׂאוּ־מִנְחָה וּבֹאוּ לְחַצְרוֹתָיו Ps. 96:8
50 שְׂאוּ מִנְחָה וּבֹאוּ לְפָנָיו ICh. 16:29
51 וַיִּתְּנוּ כָל־יְהוּדָה מִנְחָה לִיהוֹשָׁפָט IICh. 17:5
52 מְבִיאִים ..מִנְחָה וְכֶסֶף מַשָּׂא IICh. 17:11
53 וַיִּתְּנוּ הָעַמּוֹנִים מִנְחָה לְעֻזִּיָּהוּ IICh. 26:8
54 מְבִיאִים מִנְחָה לַייָ לִירוּשָׁלַםִ IICh. 32:23

וּמִנְחָה
55 קְטֹרֶת זָרָה וְעֹלָה וּמִנְחָה Ex. 30:9
56 וּמִנְחָה בְּלוּלָה בַשֶּׁמֶן Lev. 9:4
57 עֹלָה וּמִנְחָה זֶבַח וּנְסָכִים Lev. 23:37
58–60 ע(וֹ)לָה וּמִנְחָה Josh. 22:23 Jud. 13:23 • Jer. 14:12
61/2 שֹׁלֵחַ...סְפָרִים וּמִנְחָה IIK. 20:12 • Is. 39:1
63 וְעָבְדוּ זֶבַח וּמִנְחָה Is. 19:21
64 מְבִאִים עוֹלָה וְזֶבַח וּמִנְחָה Jer. 17:26
65 וּמִנְחָה וּלְבוֹנָה בְּיָדָם Jer. 41:5
66 וּמִנְחָה אֵיפָה לַפָּר...יַעֲשֶׂה Ezek. 45:24
67 וּמִנְחָה אֵיפָה לָאַיִל Ezek. 46:5
68 וּמִנְחָה תַעֲשֶׂה עָלָיו בַּבֹּקֶר Ezek. 46:14
69 הַזְּבָחִים וּמִנְחָה הִגַּשְׁתֶּם־לִי Am. 5:25
70 וּמִנְחָה לֹא־אֶרְצֶה מִיֶּדְכֶם Mal. 1:10
71 מֻקְטָר מֻגָּשׁ לִשְׁמִי וּמִנְחָה טְהוֹרָה Mal. 1:11
72 זֶבַח וּמִנְחָה לֹא־חָפַצְתָּ Ps. 40:7
73 יַשְׁבִּית זֶבַח וּמִנְחָה Dan. 9:27

הַמִּנְחָה
74 וַתַּעֲבֹר הַמִּנְחָה עַל־פָּנָיו Gen. 32:21
75 וַיִּקְחוּ הָאֲנָשִׁים אֶת־הַמִּנְחָה Gen. 43:15
76 וַיָּכִינוּ אֶת־הַמִּנְחָה Gen. 43:25
77 וַיָּבִיאוּ לוֹ אֶת־הַמִּנְחָה Gen. 43:26
78 וַיַּעַל...אֶת־הָעֹלָה וְאֶת־הַמִּנְחָה Ex. 40:29
79–80 וְהַנּוֹתֶרֶת מִן־הַמִּנְחָה... Lev. 2:3, 10
81 וְהֵבֵאתָ אֶת־הַמִּנְחָה...לַייָ Lev. 2:8
82 וְזֹאת תּוֹרַת הַמִּנְחָה Lev. 6:7
83 וְהֵרִים...מִסֹּלֶת הַמִּנְחָה וּמִשַּׁמְנָהּ Lev. 6:8
84 וַיְשַׁלַּח אֶת־הָעָם נֹשְׂאֵי הַמִּנְחָה Jud. 3:18
85–112 הַמִּנְחָה Lev. 2:9, 11; 6:8; 9:17 10:12; 14:20, 31 • Num. 5:25, 26 • Jud. 3:17, 18; 13:19 • IK. 8:64[2]; 18:29, 36 • IIK. 3:20 • Is. 66:20 • Ezek. 44:29; 45:17; 46:11, 15, 20 • Mal. 1:13; 2:13 • Neh. 13:5, 9 • IICh. 7:7

וְהַמִּנְחָה
113 וְהַמִּנְחָה וְהַחַטָּאת וְהָאָשָׁם Ezek. 42:13
114 הָעוֹלוֹת וְהַמִּנְחָה וְהַנֶּסֶךְ Ezek. 45:17

בְּמִנְחָה
115 לֹא הֶעֱבַדְתִּיךָ בְּמִנְחָה Is. 43:23
116 וּבַת־צֹר בְּמִנְחָה Ps. 45:13

בַּמִּנְחָה
117 אֲכַפְּרָה פָנָיו בַּמִּנְחָה Gen. 32:20

וּבְמִנְחָה
118 אִם־יִתְכַּפֵּר...בְּזֶבַח וּבְמִנְחָה ISh. 3:14

כַּמִּנְחָה
119 וְהָיְתָה לַכֹּהֵן כַּמִּנְחָה Lev. 5:13

וְכַמִּנְחָה
120 כַּחַטָּאת כָּעֹלָה וְכַמִּנְחָה Ezek. 45:25

לְמִנְחָה
121–134 סֹלֶת(...)לְמִנְחָה Lev. 14:21 Num. 7:13, 19, 25, 31, 37, 43, 49, 55, 61, 67, 73, 79; 28:5
135 לְעֹלָה לְמִנְחָה וּלְזָבַח Josh. 22:29
136 לְמִנְחָה וּלְעוֹלָה וְלִשְׁלָמִים Ezek. 45:15
137 וּלְסֹלֶת לְמִנְחָה וְלִרְקִיקֵי הַמַּצּוֹת ICh. 23:29

לַמִּנְחָה
138 זֹאת הַתּוֹרָה לָעֹלָה לַמִּנְחָה Lev. 7:37
139 הַבָּקָר לָעֹלוֹת...וְהַחִטִּים לַמִּנְחָה ICh. 21:23

מִנְחַת־
140 וְאִם־מִנְחַת מַרְחֶשֶׁת קָרְבָּנֶךָ Lev. 2:7
141 וְאִם־תַּקְרִיב מִנְחַת בִּכּוּרִים לַייָ Lev. 2:14
142 תַּקְרִיב אֵת מִנְחַת בִּכּוּרֶיךָ Lev. 2:14
143 תֻּפִינֵי מִנְחַת פִּתִּים Lev. 6:14
144 וְכָל־מִנְחַת כֹּהֵן כָּלִיל תִּהְיֶה Lev. 6:16
145 כִּי־מִנְחַת קְנָאֹת הוּא Num. 5:15
146 מִנְחַת זִכָּרוֹן מַזְכֶּרֶת עָוֹן Num. 5:15
147 וְנָתַן עַל־כַּפֶּיהָ אֵת מִנְחַת הַזִּכָּ׳ Num. 5:18

מִנְחַת־ (המשך)
148 מִנְחַת קְנָאֹת הִוא Num. 5:18
149 וְלָקַח...אֶת מִנְחַת הַקְּנָאֹת Num. 5:25
150 כִּי נִאֲצוּ הָאֲנָשִׁים אֵת מִנְחַת יְיָ ISh. 2:17
151 מֵרֵאשִׁית כָּל־מִנְחַת יִשְׂרָאֵל ISh. 2:29
152 עֹלַת־הַבֹּקֶר וְאֶת־מִנְחַת הָעֶרֶב IIK. 16:15
153 לֹא תוֹסִיפוּ הָבִיא מִנְחַת־שָׁוְא Is. 1:13
154 וְעָרְבָה לַייָ מִנְחַת יְהוּדָה וִירוּשָׁ׳ Mal. 3:4
155 מַשְׂאַת כַּפַּי מִנְחַת־עָרֶב Ps. 141:2
156 נֹגֵעַ אֵלַי כְּעֵת מִנְחַת־עָרֶב Dan. 9:21

וּמִנְחַת־
157 וּמִנְחַת הַתָּמִיד וְשֶׁמֶן הַמִּשְׁחָה Num. 4:16
158 וּמִנְחַת הַתָּמִיד וּלְעוֹלַת הַתָּמִיד Neh. 10:34

וּבְמִנְחַת־
159 וּבְמִנְחַת הָעֶרֶב קַמְתִּי מִתַּעֲנִיתִי Ez. 9:5

כְּמִנְחַת־
160 כְּמִנְחַת הַבֹּקֶר וּכְנִסְכָּהּ Ex. 29:41
161 כְּמִנְחַת הַבֹּקֶר וּכְנִסְכּוֹ Num. 28:8

לְמִנְחַת־
162 יֹשֵׁב מְשׁוֹמֵם עַד לְמִנְחַת הָעָרֶב Ez. 9:4

מִנְחָתִי
163 וְלָקַחְתָּ מִנְחָתִי מִיָּדִי Gen. 33:10
164 וְהוֹצֵאתִי אֶת־מִנְחָתִי וְהִנַּחְתִּי... Jud. 6:18
165 עֲתָרַי בַּת־פּוּצַי יוֹבִלוּן מִנְחָתִי Zep. 3:10

וּבְמִנְחָתִי
166 לָמָּה תִבְעֲטוּ בְּזִבְחִי וּבְמִנְחָתִי ISh. 2:29

מִנְחָתְךָ
167 וְכָל־קָרְבַּן מִנְחָתְךָ בַּמֶּלַח תִּמְלָח Lev. 2:13

מִנְחָתֶךָ
168 וְלֹא תַשְׁבִּית מֶלַח...מֵעַל מִנְחָתֶךָ Lev. 2:13

מִנְחָתוֹ
169 וַיִּשַׁע יְיָ אֶל־הֶבֶל וְאֶל־מִנְחָתוֹ Gen. 4:4
170 וְאֶל־קַיִן וְאֶל־מִנְחָתוֹ לֹא שָׁעָה Gen. 4:5
171 וְעָשָׂה הַכֹּהֵן אֶת־מִנְחָתוֹ Num. 6:17
172 וְהֵמָּה מְבִיאִים אִישׁ מִנְחָתוֹ... IK. 10:25
173 וַיַּקְטֵר אֶת־עֹלָתוֹ וְאֶת־מִנְחָתוֹ IIK. 16:13
174 וְאֶת־עֹלַת הַמֶּלֶךְ וְאֶת־מִנְחָתוֹ IIK. 16:15
175 וְהֵם מְבִיאִים אִישׁ מִנְחָתוֹ... IICh. 9:24

וּמִנְחָתוֹ
176 וּמִנְחָתוֹ שְׁנֵי עֶשְׂרֹנִים סֹלֶת Lev. 23:13
177 וּמִנְחָתוֹ סֹלֶת בְּלוּלָה בַשָּׁמֶן Num. 8:8
178 וּמִנְחָתוֹ וְנִסְכּוֹ כַּמִּשְׁפָּט Num. 15:24
179 מִלְּבַד עֹלַת הַתָּמִיד וּמִנְחָתוֹ Num. 28:31

מִנְחָתָהּ
180–182 עֹלַת הַתָּמִיד מִנְחָתָהּ וְנִסְכָּהּ Num. 29:16, 25, 34
183 עֹלַת הַתָּמִיד מִנְחָתָהּ וּנְסָכֶיהָ Num. 29:31

וּמִנְחָתָהּ
184 מִלְּבַד עֹלַת הַחֹדֶשׁ וּמִנְחָתָהּ Num. 29:6
185 וְעֹלַת הַתָּמִיד וּמִנְחָתָהּ Num. 29:6
186/7 וּמִנְחָתָהּ וְנִסְכֵּיהֶם Num. 29:11, 19
188–190 וּמִנְחָתָהּ וְנִסְכָּהּ Num. 29:22, 28, 38

מִנְחָתָם
191 אַל־תֵּפֶן אֶל־מִנְחָתָם Num. 16:15
192 לְכָל־מִנְחָתָם וּלְכָל־חַטָּאתָם Num. 18:9
193–194 מִנְחָתָם וְנִסְכֵּיהֶם... Num. 29:24, 37

וּמִנְחָתָם
195–202 וּמִנְחָתָם וְנִסְכֵּיהֶם Lev. 23:18 Num. 6:15; 29:18, 21, 27, 30, 33 • IIK. 16:15
203 כְּבָשִׂים בְּנֵי־שָׁנָה...וּמִנְחָתָם Num. 7:87
204–208 וּמִנְחָתָם סֹלֶת בְּלוּלָה בַשָּׁמֶן Num. 28:20, 28; 29:3, 9, 14

מִנְחוֹתֶיךָ
209 יִזְכֹּר כָּל־מִנְחֹתֶיךָ Ps. 20:4

וּמִנְחֹתֵיכֶם
210 וּמִנְחֹתֵיכֶם לֹא אֶרְצֶה Am. 5:22

וּלְמִנְחוֹתֵיכֶם
211 לְעֹלֹתֵיכֶם וּלְמִנְחֹתֵיכֶם Num. 29:39

מִנְחָה
ג׳ ארמית כמו בעברית: מִנְחָה (ב): 1, 2

וּמִנְחָה
1 וּמִנְחָה וְנִיחֹחִין אֲמַר לְנַסָּכָה לֵהּ Dan. 2:46

וּמִנְחָתְהוֹן
2 תּוֹרִין...וּמִנְחָתְהוֹן וְנִסְכֵּיהוֹן Ez. 7:17

מְנֻחוֹת
הוא כנראה המקום מנחת

הַמְּנֻחוֹת
1 הָרֹאֶה חֲצִי הַמְּנֻחוֹת ICh. 2:52

מְנַחֵם
שפ״ז — בן גדי, מלך ישראל: 1–8

מְנַחֵם
1 וַיַּעַל מְנַחֵם בֶּן־גָּדִי מִתִּרְצָה IIK. 15:14
2 אָז יַכֶּה מְנַחֵם אֶת־תִּפְסַח IIK. 15:16

מְנַחֵם (המשך)

3 מָלַךְ מְנַחֵם בֶּן־גָּדִי עַל־יִשְׂרָאֵל IIK. 15:17
4 וַיִּתֵּן מְנַחֵם לְפוּל אֶלֶף כִּכַּר־כָּסֶף IIK. 15:19
5 וַיֹּצֵא מְנַחֵם אֶת־הַכֶּסֶף עַל־יִשְׂרָאֵל IIK.15:20
6 וְיֶתֶר דִּבְרֵי מְנַחֵם IIK. 15:21
7 וַיִּשְׁכַּב מְנַחֵם עִם־אֲבֹתָיו IIK. 15:22
8 מָלַךְ פְּקַחְיָה בֶן־מְנַחֵם IIK. 15:23

מָנַחַת[1] שפ״ז – מבני שעיר החורי: 1, 2

וּמָנַחַת 1 בְּנֵי שׁוֹבָל עַלְוָן וּמָנַחַת וְעֵיבָל Gen. 36:23
2 בְּנֵי שׁוֹבָל עַלְיָן וּמָנַחַת וְעֵיבָל ICh. 1:40

מָנַחַת*[2] עיר בגבול יהודה

מָנָחַת 1 וַיַּגְלוּם אֶל־מָנָחַת ICh. 8:6

מְנֻחָתִי ת׳ המתיחס על מנחת[2]

הַמְּנֻחָתִי 1 וַחֲצִי הַמְּנֻחָתִי הַצָּרְעִי ICh. 2:54

מְנִי שפ״ג – אלילת הגורל בבבל

לַמְנִי 1 וְהַמְמַלְאִים לַמְנִי מִמְסָךְ Is. 65:11

מִנִּי מחוז בארץ ארמניה

מִנִּי 1 מַמְלְכוֹת אֲרָרַט מִנִּי וְאַשְׁכְּנָז Jer. 51:27

מִנִּי, מִנֵּי מ״י – עין מִן־

מְנָיוֹת נ״ר – עין מְנָת

מֵנִיחַ (יהושע א13), מֵנִיחַ (קהלת ה11) – עין נוח

מִנִּים ז״ר כלי זמר

בְּמִנִּים 1 הַלְלוּהוּ בְּמִנִּים וְעֻגָב Ps. 150:4

מֹנִים (בראשית לא7,41) – עין מוֹנִים

מִנְיָמִין שפ״ז – כהן בימי חזקיהו: 1–3

מִנְיָמִין 1 וְהַכֹּהֲנִים אֶלְיָקִים...מִנְיָמִין... Neh. 12:41
וּמִנְיָמִין 2 וְעַל־יָדוֹ עֵדֶן וּמִנְיָמִן וְיֵשׁוּעַ IICh. 31:15
לְמִנְיָמִין 3 לְמִנְיָמִין לְמוֹעַדְיָה פִּלְטָי Neh. 12:17

מִנְיָן ז׳ ארמית: מספר

לְמִנְיָן 1 תְּרֵי־עֲשַׂר לְמִנְיָן שִׁבְטֵי יִשְׂרָאֵל Ez. 6:17

מִנִּית מקום בארץ עמון: 1, 2

מִנִּית 1 מֵעֲרוֹעֵר וְעַד־בּוֹאֲךָ מִנִּית Jud. 11:33
2 בְּחִטֵּי מִנִּית וּפַנַּג וּדְבַשׁ Ezek. 27:17

מִנְלֶה* [מלה סתומה]

מִנְלָם 1 וְלֹא־יִטֶּה לָאָרֶץ מִנְלָם Job 15:29

מָנַע פ׳ א) חשך, עצר: 1–25

ב) [נפ׳ נִמְנַע] נעצר, נחשך: 26, 28, 29
ג) [כנ״ל] מנע עצמו: 27
קרובים: הֵנִיא / חָשַׂךְ / עָצַר

מָנַע אֶת־ 4, 12, 15, 20, 22; מָנַע אֶת מִן־ 1–3, 5–11, 13, 14, 16, 19, 21, 23

מָנַעְתִּי 1 שָׁלַח אֵלַי לְנָשַׁי...וְלֹא מָנַעְתִּי מִמֶּנּוּ IK. 20:7
2 וְגַם אָנֹכִי מָנַעְתִּי מִכֶּם אֶת־הַגֶּשֶׁם Am. 4:7
3 לֹא־מָנַעְתִּי אֶת־לִבִּי מִכָּל־שִׂמְחָה Eccl. 2:10
מָנַעְתָּ 4 וַאֲרֶשֶׁת שְׂפָתָיו בַּל־מָנַעְתָּ Ps. 21:3
5 וּמַנְךָ לֹא־מָנַעְתָּ מִפִּיהֶם Neh. 9:20
מָנַע 6 אֲשֶׁר־מָנַע מִמֵּךְ פְּרִי־בָטֶן Gen. 30:2
מְנָעַנִי 7 אֲשֶׁר מְנָעַנִי מֵהָרַע אֹתָךְ ISh. 25:34
מְנָעֲךָ 8 וְהִנֵּה מְנָעֲךָ יְיָ מִכָּבוֹד Num. 24:11
9 אֲשֶׁר מְנָעֲךָ יְיָ מִבּוֹא בְדָמִים ISh. 25:26
מָנְעוּ 10 וְחַטֹּאותֵיכֶם מָנְעוּ הַטּוֹב מִכֶּם Jer. 5:25
מוֹנֵעַ 11 וְאָרוּר מֹנֵעַ חַרְבּוֹ מִדָּם Jer. 48:10
12 מֹנֵעַ בָּר יִקְּבֻהוּ לְאוֹם Prov. 11:26
אֶמְנַע 13 לֹא־אֶמְנַע מִכֶּם דָּבָר Jer. 42:4
14 אִם־אֶמְנַע מֵחֵפֶץ דַּלִּים Job 31:16
וָאֶמְנַע 15 וָאֶמְנַע נַהֲרוֹתֶיהָ וַיִּכָּלְאוּ מַיִם Ezek. 31:15
תִּמְנַע 16 אַל־תִּמְנַע טוֹב מִבְּעָלָיו Prov. 3:27
17 אַל־תִּמְנַע מִנַּעַר מוּסָר Prov. 23:13
18 אַל־תִּמְנַע מִמֶּנִּי בְּטֶרֶם אָמוּת Prov. 30:7
19 וּמֵרָעֵב תִּמְנַע־לָחֶם Job 22:7
יִמְנַע 20 לֹא־יִמְנַע טוֹב לַהֹלְכִים בְּתָמִים Ps. 84:12
יִמְנָעֵנִי 21 כִּי לֹא יִמְנָעֵנִי מִמֶּךָּ IISh. 13:13
וַיִּמְנָעֶנָּה 22 וַיִּמְנָעֶנָּה בְּתוֹךְ חִכּוֹ Job 20:13
מְנַע 23 מְנַע רַגְלְךָ מִנְּתִיבָתָם Prov. 1:15
מִנְעִי 24 מִנְעִי רַגְלֵךְ מִיָּחֵף Jer. 2:25
25 מִנְעִי קוֹלֵךְ מִבֶּכִי Jer. 31:16(15)
נִמְנַע 26 כִּי נִמְנַע מִבֵּית אֱלֹהֵיכֶם מִנְחָה וָנָסֶךְ Joel 1:13
תִּמָּנַע 27 אַל־נָא תִמָּנַע מֵהֲלֹךְ אֵלָי Num. 22:16
וְיִמָּנַע 28 וְיִמָּנַע מֵרְשָׁעִים אוֹרָם Job 38:15
וַיִּמָּנְעוּ 29 וַיִּמָּנְעוּ רְבִבִים וּמַלְקוֹשׁ לוֹא הָיָה Jer. 3:3

מַנְעוּל ז׳ מכשיר לסגירת דלת: 1–6

כַּפּוֹת הַמַּנְעוּל 1; מַנְעוּלִים וּבְרִיחִים 2–6

הַמַּנְעוּל 1 מוֹר עֹבֵר עַל כַּפּוֹת הַמַּנְעוּל S.ofS. 5:5
מַנְעוּלָיו 2 דַּלְתֹתָיו מַנְעוּלָיו וּבְרִיחָיו Neh. 3:3
3–5 דַּלְתֹתָיו מַנְעֻלָיו וּבְרִיחָיו Neh. 3:13, 14, 15
וּמַנְעוּלָיו 6 דַּלְתֹתָיו וּמַנְעֻלָיו וּבְרִיחָיו Neh. 3:6

מִנְעָל* ז׳ נעל (?)

מִנְעָלֶךָ 1 בַּרְזֶל וּנְחֹשֶׁת מִנְעָלֶךָ Deut. 33:25

מַנְעַם* ז׳ אוכל נעים

בְּמַנְעַמֵּיהֶם 1 וּבַל־אֶלְחַם בְּמַנְעַמֵּיהֶם Ps. 141:4

מְנַעַנְעִים ז״ר כלי־הקשה לנגינה

וּבִמְנַעַנְעִים 1 וּבְתֻפִּים וּבִמְנַעַנְעִים וּבְצֶלְצֶלִים IISh. 6:5

מְנַצֵּחַ ז׳ – עין ערך נִצֵּחַ (באות נ׳)

מְנַקִּית* נ׳ כלי לנסוך יין(?); קנה חלול

תחת לחם־הפנים(?): 1–4

הַמְּנַקִּיּוֹת 1 וְאֶת־הַכַּפֹּת וְאֶת־הַמְּנַקִּיֹּת Num. 4:7
2 וְאֶת־הַכַּפּוֹת וְאֶת־הַמְּנַקִּיּוֹת Jer. 52:19
מְנַקִּיֹּתָיו 3 וְאֶת־כַּפֹּתָיו וְאֵת מְנַקִּיֹּתָיו Ex. 37:16
וּמְנַקִּיֹּתָיו 4 וּקְשׂוֹתָיו וּמְנַקִּיֹּתָיו אֲשֶׁר יֻסַּךְ בָּהֵן Ex. 25:29

מֵנֶקֶת נ׳ עין ינק

מְנַשֶּׁה שפ״ז א) בכור יוסף: 1–9, 30–43, 50, 52, 114, 126

ב) על שמו שם השבט וכן שני חצאי נחלתו בעבר הירדן ובארץ כנען: 10–29, 44–49, 51, 53–69, 82, 83, 85–99, 10–113, 115, 116, 118–125, 127–146
ג) [מְנַשֶּׁה] הוא משה: 70
ד) מלך יהודה, בן חזקיהו: 71–81, 84, 100
ה) שני אנשים בימי עזרא: 89, 117

מְנַשֶּׁה וְאֶפְרַיִם (אֶפְרַיִם וּמְנַשֶּׁה) 2, 3, 30, 47, 48, 69, 82, 83, 114–116, 118–122, 124, 126, 129, 132; אַלְפֵי מְנַשֶּׁה 45; בְּכוֹר מ׳ 50; בֶּן מ׳ 9, 32, 33, 36–43, 70; בְּנוֹת מ׳ 52; בְּנֵי מ׳ 10, 12–28; גְּבוּל מ׳ 53, 54, 56, 86; דִּבְרֵי מ׳ 77, 100; חַבְלֵי מ׳ 51; חַטַּאת מ׳ 81; חֲצִי מ׳ 95; יַד מ׳ 102; מַטֵּה מ׳ 11–13, 29, 44, 49, 57–62, 97–99; מִשְׁפְּחוֹת מ׳ 31, 34; רֹאשׁ מ׳ 5, 7; שֵׁבֶט מְנַשֶּׁה 35, 63, 64, 90–94, 135–145

מְנַשֶּׁה 1 ...אֶת־שֵׁם הַבְּכוֹר מְנַשֶּׁה Gen. 41:51
2–3 אֶת־מְנַשֶּׁה וְאֶת־אֶפְרָיִם Gen. 46:20; 48:1
4 וַיִּקַּח...וְאֶת־מְנַשֶּׁה בִשְׂמֹאלוֹ Gen. 48:13
5 וְאֶת־שְׂמֹאלוֹ עַל־רֹאשׁ מְנַשֶּׁה Gen. 48:14
6 כִּי מְנַשֶּׁה הַבְּכוֹר Gen. 48:14
7 יַד אָבִיו...עַל־רֹאשׁ מְנַשֶּׁה Gen. 48:17
8 וַיָּשֶׂם אֶת־אֶפְרַיִם לִפְנֵי מְנַשֶּׁה Gen. 48:20
9 גַּם בְּנֵי מָכִיר בֶּן־מְנַשֶּׁה Gen. 50:23
10 לִבְנֵי מְנַשֶּׁה תּוֹלְדֹתָם לְמִשְׁפְּחֹתָם Num. 1:34
11 פְּקֻדֵיהֶם לְמַטֵּה מְנַשֶּׁה Num. 1:35
12/3 מַטֵּה מְנַשֶּׁה וְנָשִׂיא לִבְנֵי מְנַשֶּׁה Num. 2:20
14–28 (וּב/לִב/מ)בְּנֵי מְנַשֶּׁה Num. 7:54; 10:23; 26:29; 34:23; 36:12 • Josh. 13:29; 16:9; 17:2², 6, 12; 22:30,31 • ICh. 7:14, 29
29 לְמַטֵּה יוֹסֵף לְמַטֵּה מְנַשֶּׁה Num. 13:11
30 בְּנֵי יוֹסֵף...מְנַשֶּׁה וְאֶפְרָיִם Num. 26:28
31 אֵלֶּה מִשְׁפְּחוֹת מְנַשֶּׁה Num. 26:34
32/3 בֶּן־מָכִיר בֶּן־מְנַשֶּׁה Num. 26:1; 37:1
34 לְמִשְׁפְּחֹת מְנַשֶּׁה בֶן־יוֹסֵף Num. 27:1
35 וְלַחֲצִי שֵׁבֶט מְנַשֶּׁה בֶן־יוֹסֵף Num. 32:33
36 וַיֵּלְכוּ בְּנֵי מָכִיר בֶּן־מְנַשֶּׁה... Num. 32:39
37–43 בֶּן־מְנַשֶּׁה Num. 32:40, 41 • Deut. 3:14 • Josh. 13:31; 17:3 • IK. 4:13 • ICh. 7:17
44 וַחֲצִי מַטֵּה מְנַשֶּׁה לָקְחוּ נַחֲלָתָם Num. 34:14
45 וְהֵם אַלְפֵי מְנַשֶּׁה Deut. 33:17
46 וַיִּתֵּן מֹשֶׁה לַחֲצִי שֵׁבֶט מְנַשֶּׁה Josh. 13:29
47/8 מְנַשֶּׁה וְאֶפְרָיִם Josh. 14:4; 16:4
49 וַיְהִי הַגּוֹרָל לְמַטֵּה מְנַשֶּׁה Josh. 17:1
50 לְמָכִיר בְּכוֹר מְנַשֶּׁה Josh. 17:1
51 וַיִּפְּלוּ חַבְלֵי־מְנַשֶּׁה עֲשָׂרָה Josh. 17:5
52 כִּי בְּנוֹת מְנַשֶּׁה נָחֲלוּ נַחֲלָה Josh. 17:6
53 וַיְהִי גְבוּל־מְנַשֶּׁה מֵאָשֵׁר Josh. 17:7
54 וְתַפּוּחַ אֶל־גְּבוּל מְנַשֶּׁה Josh. 17:8
55 בְּתוֹךְ עָרֵי מְנַשֶּׁה Josh. 17:9
56 וּגְבוּל מְנַשֶּׁה מִצְּפוֹן לַנַּחַל Josh. 17:9
57 וְאֶת־גּוֹלָן בַּבָּשָׁן מִמַּטֵּה מְנַשֶּׁה Josh. 20:8
58/9 וּמֵחֲצִי מַטֵּה מְנַשֶּׁה Josh. 21:5, 6
60 וּמִמַּחֲצִית מַטֵּה מְנַשֶּׁה Josh. 21:25
61/2 (וְל/מ)חֲצִי מַטֵּה מְנַשֶּׁה Josh. 21:27; 22:1
63/4 וְאֶל־חֲצִי שֵׁבֶט־מְנַשֶּׁה Josh. 22:13, 15
65 וְלֹא־הוֹרִישׁ מְנַשֶּׁה אֶת־בֵּית־שְׁאָן Jud. 1:27
66 וּמַלְאָכִים שָׁלַח בְּכָל־מְנַשֶּׁה Jud. 6:35
67 וּמִן־אָשֵׁר וּמִן־כָּל־מְנַשֶּׁה Jud. 7:23
68 וַיַּעֲבֹר אֶת־הַגִּלְעָד וְאֶת־מְנַשֶּׁה Jud. 11:29
69 ...בְּתוֹךְ אֶפְרַיִם בְּתוֹךְ מְנַשֶּׁה Jud. 12:4
70 בֶּן־גֵּרְשֹׁם בֶּן־מְנַשֶּׁה Jud. 18:30
71 וַיִּמְלֹךְ מְנַשֶּׁה בְנוֹ תַּחְתָּיו IIK. 20:21
72 בֶּן־שְׁתֵּים עֶשְׂרֵה שָׁנָה מְנַשֶּׁה... IIK. 21:1
73 וַיַּתְעֵם מְנַשֶּׁה לַעֲשׂוֹת אֶת־הָרָע IIK. 21:9
74/5 אֲשֶׁר עָשָׂה מְנַשֶּׁה IIK. 21:11; 23:12
76 וְגַם דָּם נָקִי שָׁפַךְ מְנַשֶּׁה IIK. 21:16
77 וְיֶתֶר דִּבְרֵי מְנַשֶּׁה IIK. 21:17
78 וַיִּשְׁכַּב מְנַשֶּׁה עִם־אֲבֹתָיו IIK. 21:18
79 כַּאֲשֶׁר עָשָׂה מְנַשֶּׁה אָבִיו IIK. 21:20
80 אֲשֶׁר הִכְעִיסוֹ מְנַשֶּׁה IIK. 23:26
81 ...בְּחַטֹּאת מְנַשֶּׁה... IIK. 24:3
82 מְנַשֶּׁה אֶת־אֶפְרַיִם Is. 9:20
83 וְאֶפְרַיִם אֶת־מְנַשֶּׁה... Is. 9:20
84 בִּגְלַל מְנַשֶּׁה בֶן־יְחִזְקִיָּהוּ Jer. 15:4
85 וְעַל גְּבוּל נַפְתָּלִי...מְנַשֶּׁה אֶחָד Ezek. 48:4
86 וְעַל גְּבוּל מְנַשֶּׁה... Ezek. 48:5
87/8 לִי גִלְעָד וְלִי מְנַשֶּׁה Ps. 60:9; 108:9

מנשה (המשך) 89 מִבְּנֵי חָשֵׁם...מְנַשֶּׁה שִׁמְעִי Ez. 10:33
90-94 (הַ/וְ/לַ/ל)חֲצִי שֵׁבֶט מְנַשֶּׁה ICh. 5:18
5:23, 26; 12:37(38); 27:20
95 מִמַּחֲצִית מַטֵּה חֲצִי מְנַשֶּׁה ICh. 6:46
96 וּמִמַּטֵּה מְנַשֶּׁה בַּבָּשָׁן ICh. 6:47
97 וּמִמַּחֲצִית מַטֵּה מְנַשֶּׁה ICh. 6:55
98 מִמִּשְׁפַּחַת חֲצִי מַטֵּה מְנַשֶּׁה ICh. 6:56
99 וּמֵחֲצִי מַטֵּה מְנַשֶּׁה ICh. 12:31(32)
100 וְיֶתֶר דִּבְרֵי מְנַשֶּׁה וּתְפִלָּתוֹ IICh. 33:18
101 וּבְעָרֵי מְנַשֶּׁה וְאֶפְרַיִם IICh. 34:6
102 מִיַּד מְנַשֶּׁה וְאֶפְרַיִם IICh. 34:9
103-113 מְנַשֶּׁה ICh. 3:13
IICh. 32:33; 33:1, 9, 10, 11, 13, 20, 22², 23
וּמְנַשֶּׁה 114 אֶפְרַיִם וּמְנַשֶּׁה כִּרְאוּבֵן וְשִׁמְעוֹן Gen. 48:5
115 וְאֵת־אֶרֶץ אֶפְרַיִם וּמְנַשֶּׁה Deut. 34:2
116 לִפְנֵי אֶפְרַיִם וּבִנְיָמִן וּמְנַשֶּׁה... Ps. 80:3
117 ...בְּצַלְאֵל וּבִנּוּי וּמְנַשֶּׁה Ez. 10:30
118 וּמִן־בְּנֵי אֶפְרַיִם וּמְנַשֶּׁה ICh. 9:3
119-120 מֵאֶפְרַיִם וּמְנַשֶּׁה IICh. 15:9; 30:18
121 אִגְּרוֹת כָּתַב עַל־אֶפְרַיִם וּמְנַשֶּׁה IICh.30:1
122 בְּאֶרֶץ־אֶפְרַיִם וּמְנַשֶּׁה IICh. 30:10
123 אֲנָשִׁים מֵאָשֵׁר וּמְנַשֶּׁה וּמִזְּבֻלוּן IICh. 30:11
124 וַיְנַתְּצוּ...וּבְאֶפְרַיִם וּמְנַשֶּׁה IICh. 31:1
בִּמְנַשֶּׁה 125 הִנֵּה אַלְפִּי הַדַּל בִּמְנַשֶּׁה Jud. 6:15
וְכִמְנַשֶּׁה 126 יְשִׂמְךָ אֱלֹהִים כְּאֶפְרַיִם וְכִמְנַשֶּׁה Gen.48:20
לִמְנַשֶּׁה 127 לִמְנַשֶּׁה גַּמְלִיאֵל בֶּן־פְּדָהצוּר Num. 1:10
128 לִמְנַשֶּׁה הָיְתָה אֶרֶץ תַּפּוּחַ Josh. 17:8
129 נֶגְבָּה לְאֶפְרַיִם וְצָפוֹנָה לִמְנַשֶּׁה Josh. 17:10
130 וַיְהִי לִמְנַשֶּׁה בְּיִשָּׂשכָר... Josh. 17:11
131 רָאשֵׁי הָאֲלָפִים אֲשֶׁר לִמְנַשֶּׁה ICh. 12:20(21)
וְלִמְנַשֶּׁה 132 אֶל־בֵּית יוֹסֵף לְאֶפְרַיִם וְלִמְנַשֶּׁה Josh. 17:17
מִמְּנַשֶּׁה 133 ...נָפְלוּ עָלָיו מִמְּנַשֶּׁה ICh. 12:20(21)
וּמִמְּנַשֶּׁה 134 וּמִמְּנַשֶּׁה נָפְלוּ עַל־דָּוִיד ICh. 12:19(20)
הַמְנַשֶּׁה 135 נָתַתִּי לַחֲצִי שֵׁבֶט הַמְנַשֶּׁה Deut. 3:13
136-138 וְלַחֲצִי שֵׁבֶט הַמְנַ׳ Josh. 1:12; 12:6; 22:7
139-144 וַחֲצִי שֵׁבֶט הַמְנַשֶּׁה Josh. 4:12
18:7; 22:9, 10, 11, 21
145 וַחֲצִי הַשֵּׁבֶט הַמְנַשֶּׁה Josh. 13:7
146 לַחֲצִי הַמְנַשֶּׁה גִּלְעָדָה ICh. 27:21

מְנַשִּׁי ת׳ המתיחס על מנשה: 1-4
הַמְנַשִּׁי 1 וְלַחֲצִי שֵׁבֶט הַמְנַשִּׁי Deut. 29:7
2 וַחֲצִי שֵׁבֶט הַמְנַשִּׁי ICh. 26:32
וְהַמְנַשִּׁי 3 הַגָּדִי וְהָרְאוּבֵנִי וְהַמְנַשִּׁי IIK. 10:33
לַמְנַשִּׁי 4 וְאֶת־גּוֹלָן בַּבָּשָׁן לַמְנַשִּׁי Deut. 4:43

מְנָת* נ׳ מָנָה: 1-9
– מְנָת חֶלְקוֹ 3; מְנָת הַכֹּהֲנִים 5; מְנָת כּוֹסוֹ 2; מְנָת מִדָּיו 1; מְנָת הַמֶּלֶךְ 6
– מְנָיוֹת הַמְשֹׁרְרִים 8; מְנָאוֹת הַתּוֹרָה 7; מְנָיוֹת הַלְוִיִּם 9
מְנָת־ 1 זֶה גוֹרָלֵךְ מְנָת־מִדַּיִךְ מֵאִתִּי Jer. 13:25
2 וְרוּחַ זִלְעָפוֹת מְנָת כּוֹסָם Ps. 11:6
3 יְיָ מְנָת חֶלְקִי וְכוֹסִי Ps. 16:5
4 מְנָת שֻׁעָלִים יִהְיוּ Ps. 63:11
5 לָתֵת מְנָת הַכֹּהֲנִים וְהַלְוִיִּם IICh. 31:4
וּמְנָת־ 6 וּמְנָת הַמֶּלֶךְ מִן־רְכוּשׁוֹ לָעֹלוֹת IICh. 31:3
מְנָאוֹת 7 מְנָאוֹת הַתּוֹרָה לַכֹּהֲנִים וְלַלְוִיִּם Neh. 12:44
מְנָיוֹת 8 נֹתְנִים מְנָיוֹת הַמְשֹׁרְרִים וְהַשֹּׁעֲרִים Neh. 12:47
9 כִּי־מְנָיוֹת הַלְוִיִּם לֹא נִתָּנָה Neh. 13:10

מַס ת׳ נָמֵס [ובהשאלה] מיואש?
לַמָּס 1 לַמָּס מֵרֵעֵהוּ חָסֶד Job 6:14

מַס ז׳ תשלום-חובה לאוצר המדינה: 1-11
– מַס עֹבֵד 19-21; דְּבַר הַמַּס 7; שָׂרֵי מִסִּים 23
– הֶעֱלָה מַס 1; שָׂם מַס 2, 12
– הָיָה לָמַס 10, 13-20; הֶעֱלָה לָמַס 21, 22; נָתַן לָמַס 11; שָׂם לָמַס 12
מַס 1 וַיַּעַל...מַס מִכָּל־יִשְׂרָאֵל IK. 5:27
2 וַיָּשֶׂם...מַס עַל־הָאָרֶץ Es. 10:1
הַמַּס 3 וַאֲדֹרָם עַל־הַמַּס IISh. 20:24
4 וַאֲדֹנִירָם בֶּן־עַבְדָּא עַל־הַמַּס IK. 4:6
5 וַיְהִי הַמַּס שְׁלֹשִׁים אֶלֶף אִישׁ IK. 5:27
6 וַאֲדֹנִירָם עַל־הַמַּס IK. 5:28
7 וְזֶה דְבַר־הַמַּס אֲשֶׁר־הֶעֱלָה... IK. 9:15
8 וַיִּשְׁלַח...אֶת־אֲדֹרָם אֲשֶׁר עַל־הַמַּס IK. 12:18
9 וַיִּשְׁלַח...אֶת־הֲדֹרָם אֲשֶׁר עַל־הַמַּ׳ IICh.10:18
לָמַס 10 ...יִהְיוּ לְךָ לָמַס וַעֲבָדוּךָ Deut. 20:11
11 וַיִּתְּנוּ אֶת־הַכְּנַעֲנִי לָמַס Josh. 17:13
12 ...וַיָּשֶׂם אֶת־הַכְּנַעֲנִי לָמַס Jud. 1:28
13 וַיֵּשֶׁב הַכְּנַעֲנִי בְּקִרְבּוֹ וַיִּהְיוּ לָמַס Jud. 1:30
14 וְיֹשְׁבֵי בֵית־שֶׁמֶשׁ...הָיוּ לָהֶם לָמַס Jud. 1:33
15 וַתִּכְבַּד יַד בֵּית־יוֹסֵף וַיִּהְיוּ לָמַס Jud. 1:35
16 וּבַחוּרָיו לָמַס יִהְיוּ Is. 31:8
17 וּרְמִיָּה תִּהְיֶה לָמַס Prov. 12:24
18 שָׂרָתִי בַּמְּדִינוֹת הָיְתָה לָמַס Lam. 1:1
לְמַס־ 19/20 וַיְהִי לְמַס־עֹבֵד Gen. 49:15 • Josh. 16:10
21 וַיַּעֲלֵם שְׁלֹמֹה לְמַס־עֹבֵד... IK. 9:21
22 וַיַּעֲלֵם שְׁלֹמֹה לְמַס עַד הַיּוֹם הַזֶּה IICh. 8:8
מִסִּים 23 וַיָּשִׂימוּ עָלָיו שָׂרֵי מִסִּים... Ex. 1:11

מֵסַב ז׳ א) האזור שמסביב: 1, 3
ב) מושב, מקום ישיבה: 2
מְסִבֵּי יְרוּשָׁלָיִם 3
מֵסַב 1 וְאֵת כָּל־קִירוֹת הַבַּיִת מֵסַב קָלַע IK. 6:29
בִּמְסִבּוֹ 2 עַד־שֶׁהַמֶּלֶךְ בִּמְסִבּוֹ נִרְדִּי נָתַן רֵיחוֹ S. ofS.1:12
וּמְסִבֵּי־ 3 בְּעָרֵי יְהוּדָה וּמְסִבֵּי יְרוּשָׁלָיִם IIK. 23:5

מְסִבָּה* נ׳ מעגל, חוג
מְסִבּוֹת 1 וְהוּא מְסִבּוֹת מִתְהַפֵּךְ בְּתַחְבּוּלֹתָו Job 37:12

מֻסַבֹּת (שמות כח11) – עין סבב

מַסְגֵּר ז׳ א) מקום סגור, כֶּלֶא: 1-3
ב) אומן בכלי מתכת: 4-7
מַסְגֵּר 1 וְאֻסְּפוּ...וְסֻגְּרוּ עַל־מַסְגֵּר Is. 24:22
מִמַּסְגֵּר 2 לְהוֹצִיא מִמַּסְגֵּר אַסִּיר Is. 42:7
3 הוֹצִיאָה מִמַּסְגֵּר נַפְשִׁי Ps. 142:8
הַמַּסְגֵּר 4 וְאֶת־הֶחָרָשׁ וְאֶת־הַמַּסְגֵּר Jer. 24:1
וְהַמַּסְגֵּר 5 וְכָל־הֶחָרָשׁ וְהַמַּסְגֵּר IIK. 24:14
6 וְהֶחָרָשׁ וְהַמַּסְגֵּר אֶלֶף IIK. 24:16
7 וְהֶחָרָשׁ וְהַמַּסְגֵּר Jer. 29:2

מִסְגֶּרֶת נ׳ א) חגורה מעץ או ממתכת המקיפה דבר: 1-14
ב) אזור מבוצר: 15-17
מִסְגֶּרֶת 1-2 מִסְגֶּרֶת טֹפַח סָבִיב Ex. 25:25; 37:12
הַמִּסְגֶּרֶת 3 לְעֻמַּת הַמִּסְגֶּרֶת תִּהְיֶיןָ הַטַּבָּעֹת Ex. 25:27
4 לְעֻמַּת הַמִּסְגֶּרֶת הָיוּ הַטַּבָּעֹת Ex. 37:14
לְמִסְגַּרְתּוֹ 5-6 זֵר־זָהָב לְמִסְגַּרְתּוֹ סָבִיב Ex. 25:25; 37:12
מִסְגְּרוֹת 7 וְזֶה מַעֲשֵׂה הַמְּכוֹנָה מִסְגְּרֹת לָהֶם IK. 7:28
וּמִסְגְּרוֹת 8 ...וּמִסְגְּרֹת בֵּין הַשְּׁלַבִּים IK. 7:28
הַמִּסְגְּרוֹת 9 וְעַל־הַמִּסְגְּרוֹת...אֲרָיוֹת... IK. 7:29
10 וַיְקַצֵּץ...אֶת־הַמִּסְגְּרוֹת הַמְּכֹנוֹת IIK. 16:17
לַמִּסְגְּרוֹת 11 וְאַרְבַּעַת הָאוֹפַנִּים לְמִתַּחַת לַמִּסְגְּרוֹ׳ IK. 7:32
מִסְגְּרֹתֶיהָ 12 וַיְפַתַּח...וְעַל מִסְגְּרֹתֶיהָ (כת׳ ומסגרתיה) IK. 7:36
וּמִסְגְּרֹתֶיהָ 13 יְדֹתֶיהָ וּמִסְגְּרֹתֶיהָ מִמֶּנָּה IK. 7:35
וּמִסְגְּרֹתֵיהֶם 14 וּמִסְגְּרֹתֵיהֶם מְרֻבָּעוֹת לֹא־עֲגֻלּוֹת IK. 7:31
מִמִּסְגְּרוֹתָם 15 בְּנֵי נֵכָר יִבֹּלוּ וְיַחְגְּרוּ מִמִּסְגְּרוֹתָם IISh. 22:46
מִמִּסְגְּרֹתֵיהֶם 16 יִרְגְּזוּ מִמִּסְגְּרֹתֵיהֶם Mic. 7:17
17 וְיַחְרְגוּ מִמִּסְגְּרוֹתֵיהֶם Ps. 18:46

מַסַּד ז׳ יסוד
וּמִמַּסָּד 1 וּמִמַּסָּד עַד־הַטְּפָחוֹת IK. 7:9

מִסְדְּרוֹן ז׳ מבוא, פרוזדור
הַמִּסְדְּרוֹנָה 1 וַיֵּצֵא אֵהוּד הַמִּסְדְּרוֹנָה Jud. 3:23

מסה : הַמַּסָּה

(מסה) הַמְסָה הפ׳ הֵמַס, התיך (גם בהשאלה): 1-4
הִמְסִיו 1 וְאַחַי...הִמְסִיו אֶת־לֵב הָעָם Josh. 14:8
אַמְסֶה 2 בְּדִמְעָתִי עַרְשִׂי אַמְסֶה Ps. 6:7
וַתֶּמֶס 3 יִסַּרְתָּ אִישׁ וַתֶּמֶס כָּעָשׁ חֲמוּדוֹ Ps. 39:12
וְיַמְסֵם 4 יִשְׁלַח דְּבָרוֹ וְיַמְסֵם... Ps. 147:18

מַסָּה* נ׳ נסיון, בחינה: 1-4
מַסַּת נְקִיִּים 1; מַסּוֹת גְּדֹלוֹת 2, 3
לְמַסַּת־ 1 לְמַסַּת נְקִיִּם יִלְעָג Job 9:23
הַמַּסּוֹת 2 הַמַּסֹּת הַגְּדֹלֹת אֲשֶׁר־רָאוּ עֵינֶיךָ Deut. 7:19
3 הַמַּסּוֹת הַגְּדֹלֹת אֲשֶׁר רָאוּ עֵינֶיךָ Deut. 29:2
בְּמַסּוֹת 4 בְּמַסֹּת בְּאֹתֹת וּבְמוֹפְתִים Deut. 4:34

מַסָּה (וּמְרִיבָה) מקום מים בצור ליד הר חורב: 1-6
יוֹם מַסָּה 2, 3
מַסָּה 1 וַיִּקְרָא שֵׁם הַמָּקוֹם מַסָּה וּמְרִיבָה Ex. 17:7
2 אַל־תַּקְשׁוּ...כְּיוֹם מַסָּה בַּמִּדְבָּר Ps. 95:8
3 כְּיוֹם מַסָּה בַּמִּדְבָּר Ps. 95:8
בַּמַּסָּה 4 לֹא תְנַסּוּ...כַּאֲשֶׁר נִסִּיתֶם בַּמַּסָּה Deut. 6:16
בְּמַסָּה 5 אֲשֶׁר נִסִּיתוֹ בְּמַסָּה... Deut. 33:8
וּבְמַסָּה 6 וּבְמַסָּה...מַקְצִפִים הֱיִיתֶם... Deut. 9:22

מִסָּה* נ׳ מכסה, קצבה
מִסַּת־ 1 מִסַּת נִדְבַת יָדְךָ אֲשֶׁר תִּתֵּן Deut. 16:10

מַסְוֶה ז׳ כסוי לְפָנִים: 1-3
מַסְוֶה 1 וַיִּתֵּן עַל־פָּנָיו מַסְוֶה Ex. 34:33
הַמַּסְוֶה 2 וּבְבֹא מֹשֶׁה...יָסִיר אֶת־הַמַּסְוֶה Ex. 34:34
3 וְהֵשִׁיב מֹשֶׁה אֶת־הַמַּסְוֶה עַל־פָּנָיו Ex. 34:35

מְסוּכָה נ׳ א) גדר: 1 [עין גם מְשׂוּכָה]
ב) סְכָה: 2
מִמְּסוּכָה 1 טוֹבָם כְּחֵדֶק יָשָׁר מִמְּסוּכָה Mic. 7:4
מְסֻכָתֶךָ 2 כָּל־אֶבֶן יְקָרָה מְסֻכָתֶךָ Ezek. 28:13

מֶסֶס ז׳ רקבון
כִּמְסֹס 1 וְהָיָה כִּמְסֹס נֹסֵס Is. 10:18

מַסָּח תה״פ בחלופין
מַסָּח 1 וּשְׁמַרְתֶּם אֶת־מִשְׁמֶרֶת הַבַּיִת מַסָּח IIK. 11:6

מִסְחָר* ז׳ מקח וממכר
וּמִסְחַר־ 1 לְבַד מֵאַנְשֵׁי הַתָּרִים וּמִסְחַר הָרֹכְ׳ IK. 10:15

מַסִּיג (דברים כז17) – עין נסג

מֵסִיךְ (שופטים ג 24) – עין סוך

מַסִּית (ירמיה מג 3) – עין סות

מסך : מָסַךְ; מֶסֶךְ

מָסַךְ פ׳ מזג, יצק (גם בהשאלה): 1-5

מָסַךְ יַיִן 3, 5; מָסַךְ רוּחַ 4; מָסַךְ שֵׁכָר 1

לִמְסֹךְ 1 וְאַנְשֵׁי־חַיִל לִמְסֹךְ שֵׁכָר Is. 5:22
מָסָכְתִּי 2 וְשִׁקֻּוַי בִּבְכִי מָסָכְתִּי Ps. 102:10
3 לַחֲמוּ בְלַחֲמִי וּשְׁתוּ בְּיַיִן מָסָכְתִּי Prov. 9:5
מָסַךְ 4 יְיָ מָסַךְ בְּקִרְבָּהּ רוּחַ עִוְעִים Is. 19:14
מָסְכָה 5 מָסְכָה יֵינָהּ אַף עָרְכָה שֻׁלְחָנָהּ Prov. 9:2

מֶסֶךְ ז׳ מזג

מֶסֶךְ 1 וְיַיִן חָמַר מָלֵא מֶסֶךְ Ps. 75:9

מָסָךְ ז׳ וילון, פרגוד: 1-25

– פָּרֹכֶת הַמָּסָךְ 4-7
– מָסַךְ יְהוּדָה 23; מ׳ הַפֶּתַח 13, 17-22, 25; מָסַךְ הַשַּׁעַר 14-16, 24

מָסָךְ 1-2 מָסָךְ לְפֶתַח הָאֹהֶל Ex. 26:36; 36:37
3 וּלְשַׁעַר הֶחָצֵר מָסָךְ עֶשְׂרִים אַמָּה Ex. 27:16
הַמָּסָךְ 4-7 (וְ)אֵת פָּרֹכֶת הַמָּסָךְ Ex. 35:12
39:34; 40:21 • Num. 4:5
8 וְאֶת־הַמָּסָךְ לְשַׁעַר הֶחָצֵר Ex. 39:40
9 וַתִּפְרֹשׂ אֶת־הַמָּסָךְ עַל־פְּנֵי הַבְּאֵר IISh.17:19
וְהַמָּסָךְ 10 וְהַמָּסָךְ וְכֹל עֲבֹדָתוֹ Num. 3:31
לְמָסָךְ 11 פָּרַשׂ עָנָן לְמָסָךְ Ps. 105:39
לַמָּסָךְ 12 וְעָשִׂיתָ לַמָּסָךְ חֲמִשָּׁה עַמּוּדֵי שִׁטִּים Ex. 26:37
מָסַךְ־ 13 וְאֶת־מָסַךְ הַפֶּתַח לְפֶתַח הַמִּשְׁכָּן Ex. 35:15
14-16 (וְ)אֵת מָסַךְ שַׁעַר הֶחָצֵר Ex. 35:17; 40:8, 33
17 וְאֵת מָסַךְ פֶּתַח הָאֹהֶל Ex. 39:38
18-19 מָסַךְ הַפֶּתַח לַמִּשְׁכָּן Ex. 5:5, 28
20-22 (וְ)אֵת מָסַךְ פֶּתַח... Num. 3:26; 4:25, 26
23 וַיְגַל אֵת מָסַךְ יְהוּדָה Is. 22:8
וּמָסַךְ־ 24 וּמָסַךְ שַׁעַר הֶחָצֵר מַעֲשֵׂה רֹקֵם Ex. 38:18
25 וּמָסַךְ פֶּתַח אֹהֶל מוֹעֵד Num. 3:25

מְסֻכָּה נ׳ צורת־משנה במקום מְסוּכָה – עין מְסוּכָה

מַסֵּכָה נ׳ א) פֶּסֶל יצוק ממתכת: 1-8, 9-18, 21-28
ב) מִכְסֶה: 19, 20
ג) מזימה, מחשבה: 9

פֶּסֶל וּמַסֵּכָה 12-16, 26, 27; אֱלֹהֵי מַסֵּכָה 5, 6; אֲפֻדַּת מַסֵּכָה 23; עֵגֶל מ׳ 1-4; מַסֵּכַת זָהָב 23; צַלְמֵי מַסֵּכֹת 28

מַסֵּכָה 1 וַיָּצַר...וַיַּעֲשֵׂהוּ עֵגֶל מַסֵּכָה Ex. 32:4
2-4 עֵגֶל מַסֵּכָה Ex. 32:8
Deut. 9:16 • Neh. 9:18
5 אֱלֹהֵי מַסֵּכָה לֹא־תַעֲשֶׂה־לָּךְ Ex. 34:17
6 וֵאלֹהֵי מַסֵּכָה לֹא תַעֲשׂוּ לָכֶם Lev. 19:4
7 סָרוּ מַהֵר...עָשׂוּ לָהֶם מַסֵּכָה Deut. 9:12
8 וַיַּעֲשׂוּ לָהֶם מַסֵּכָה שְׁנֵי עֲגָלִים IIK. 17:16
9 וְלִנְסֹךְ מַסֵּכָה וְלֹא רוּחִי Is. 30:1
10 וַיַּעֲשׂוּ לָהֶם מַסֵּכָה מִכַּסְפָּם Hosh. 13:2
11 מַסֵּכָה וּמוֹרֶה שָּׁקֶר Hab. 2:18
וּמַסֵּכָה 12 אֲשֶׁר יַעֲשֶׂה פֶסֶל וּמַסֵּכָה Deut. 27:15
13-16 (וּ)פֶסֶל וּמַסֵּכָה Jud. 17:3, 4
18:14 • Nah. 1:14
הַמַּסֵּכָה 17/8 וְאֶת־הַתְּרָפִים וְאֶת־הַמַּסֵּכָה Jud. 18:17, 18
וְהַמַּסֵּכָה 19 וְהַמַּסֵּכָה הַנְּסוּכָה עַל־כָּל־הַגּוֹיִם Is. 25:7
20 וְהַמַּסֵּכָה צָרָה כְּהִתְכַּנֵּס Is. 28:20
לְמַסֵּכָה 21 הָאֹמְרִים לְמַסֵּכָה אַתֶּם אֱלֹהֵינוּ Is. 42:17
22 יַעֲשׂוּ עֵגֶל...וַיִּשְׁתַּחֲווּ לְמַסֵּכָה Ps. 106:19
מַסֵּכַת־ 23 וְאֶת־אֲפֻדַּת מַסֵּכַת זְהָבֶךָ Is. 30:22
מַסֵּכוֹת 24 וְגַם מַסֵּכוֹת עָשָׂה לַבְּעָלִים IICh. 28:2
וּמַסֵּכוֹת 25 וַתַּעֲשֶׂה־לְּךָ אֱלֹהִים אֲחֵרִים וּמַסֵּכוֹת IK.14:9
וְהַמַּסֵּכוֹת 26/7 וְהַפְּסִלִים וְהַמַּסֵּכוֹת IICh. 34:3, 4
מַסֵּכֹתָם 28 כָּל־צַלְמֵי מַסֵּכֹתָם תְּאַבֵּדוּ Num. 33:52

מִסְכֵּן ת׳ דַּל, עני: 1-4

אִישׁ מִסְכֵּן 2, 3; יֶלֶד מִסְכֵּן 1; חָכְמַת הַמִּסְכֵּן 4

מִסְכֵּן 1 טוֹב יֶלֶד מִסְכֵּן וְחָכָם... Eccl. 4:13
2 וּמָצָא בָהּ אִישׁ מִסְכֵּן חָכָם Eccl. 9:15
הַמִּסְכֵּן 3 וְאָדָם לֹא זָכַר אֶת־הָאִישׁ הַמִּסְכֵּן Eccl. 9:15
4 וְחָכְמַת הַמִּסְכֵּן בְּזוּיָה Eccl. 9:16

מְסֻכָּן נ׳ מִסְכֵּן, דל

הַמְסֻכָּן 1 הַמְסֻכָּן תְּרוּמָה עֵץ...יִבְחָר Is. 40:20

מִסְכֵּנוּת נ׳ דלות

בְּמִסְכֵּנֻת 1 לֹא בְמִסְכֵּנֻת תֹּאכַל־בָּהּ לֶחֶם Deut. 8:9

מִסְכְּנוֹת נ״ר אוצרות, אסמים: 1-7

עָרֵי מִסְכְּנוֹת 1-3, 5-7

מִסְכְּנוֹת 1 וַיִּבֶן עָרֵי מִסְכְּנוֹת לְפַרְעֹה Ex. 1:11
2 וְאֵת כָּל־מִסְכְּנוֹת עָרֵי נַפְתָּלִי IICh. 16:4
3 וַיִּבֶן...בִּירָנִיּוֹת וְעָרֵי מִסְכְּנוֹת IICh. 17:12
וּמִסְכְּנוֹת 4 וּמִסְכְּנוֹת לִתְבוּאַת דָּגָן וְתִירוֹשׁ IICh. 32:28
הַמִּסְכְּנוֹת 5 וְאֵת כָּל־עָרֵי הַמִּסְכְּנוֹת IK. 9:19
6-7 וְאֵת כָּל־עָרֵי הַמִּסְכְּנוֹת IICh. 8:4, 6

מַסֶּכֶת* נ׳ מערכת חוטי השתי: 1, 2

הַמַּסֶּכֶת 1 אִם־תַּאַרְגִי...עִם־הַמַּסָּכֶת Jud. 16:13
2 אֶת־הַיְתַד הָאֶרֶג וְאֶת־הַמַּסָּכֶת Jud. 16:14

מְסִלָּה נ׳ א) דרך סלולה: 1-26
ב) חוג, נתיב: 27
קרובים: ראה דֶּרֶךְ

מְסִלַּת יְשָׁרִים 15; מְסִלַּת שְׂדֵה כוֹבֵס 14,16,17

מְסִלָּה 1 וְהָיְתָה מְסִלָּה לִשְׁאָר עַמּוֹ Is. 11:16
2 תִּהְיֶה מְסִלָּה מִמִּצְרַיִם אַשּׁוּרָה Is. 19:23
3 יַשְּׁרוּ בָּעֲרָבָה מְסִלָּה לֵאלֹהֵינוּ Is. 40:3
הַמְסִלָּה 4 וַעֲמָשָׂא מִתְגֹּלֵל בַּדָּם בְּתוֹךְ הַמְסִלָּ׳ IISh. 20:12
5 וַיַּסֵּב אֶת־עֲמָשָׂא מִן־הַמְסִלָּה הַשָּׂ׳ IISh. 20:12
6 כַּאֲשֶׁר הֹגָה מִן הַמְסִלָּה IISh. 20:13
7 סֹלּוּ סֹלּוּ הַמְסִלָּה סַקְּלוּ מֵאֶבֶן Is. 62:10
בִּמְסִלָּה 8 בִּמְסִלָּה אַחַת הָלְכוּ הָלֹךְ וְגָעוֹ ISh. 6:12
בַּמְסִלָּה 9 וַיֹּאמְרוּ אֵלָיו בְּ״יִ בַּמְסִלָּה נַעֲלֶה Num. 20:19
10 עִם שַׁעַר שַׁלֶּכֶת בַּמְסִלָּה הָעוֹלָה ICh. 26:16
לִמְסִלָּה 11 לִמְסִלָּה הָעֹלָה מִבֵּית־אֵל Jud. 21:19
לַמְסִלָּה 12 שִׁתִי לִבֵּךְ לַמְסִלָּה Jer. 31:21(20)
13 אַרְבָּעָה לַמְסִלָּה שְׁנַיִם לַפַּרְבָּר ICh. 26:18
מְסִלַּת־ 14 צֵא־נָא...אֶל־מְסִלַּת שְׂדֵה כוֹבֵס Is. 7:3
15 מְסִלַּת יְשָׁרִים סוּר מֵרָע Prov. 16:17
בִּמְסִלַּת־ 16 אֲשֶׁר בִּמְסִלַּת שְׂדֵה כֹבֵס IIK. 18:17
17 בִּמְסִלַּת שְׂדֵה כוֹבֵס Is. 36:2
בִּמְסִלָּתוֹ 18 גֶּבֶר בִּמְסִלָּתוֹ יֵלֵכוּן Joel 2:8
מְסִלּוֹת 19 נָשַׁמּוּ מְסִלּוֹת שָׁבַת עֹבֵר אֹרַח Is. 33:8
20 ...עוֹז־לוֹ בָךְ מְסִלּוֹת בִּלְבָבָם Ps. 84:6
21 וַיַּעַשׂ...מְסִלּוֹת לְבֵית־יְיָ IICh. 9:11
הַמְסִלּוֹת 22 וּנְתַקְּנוּהוּ מִן־הָעִיר אֶל־הַמְסִלּוֹת Jud. 20:32
בַּמְסִלּוֹת 23 בַּמְסִלּוֹת אֲשֶׁר...עֹלָה בֵית־אֵל Jud. 20:31
24 וַיְעֹלְלֻהוּ בַּמְסִלּוֹת Jud. 20:45
וּמְסִלֹּתַי 25 כָּל־הָרַי לַדָּרֶךְ וּמְסִלֹּתַי יְרֻמוּן Is. 49:11
בִּמְסִלּוֹתָם 26 שֹׁד וָשֶׁבֶר בִּמְסִלּוֹתָם Is. 59:7
מִמְּסִלּוֹתָם 27 הַכּוֹכָבִים מִמְּסִלּוֹתָם נִלְחֲמוּ... Jud. 5:20

מַסְלוּל ז׳ נתיב, דרך • קרובים: ראה דֶּרֶךְ

מַסְלוּל 1 וְהָיָה־שָׁם מַסְלוּל וָדֶרֶךְ... Is. 35:8

מַסְמֵר*, מַשְׂמֵר* ז׳ יתד־ברזל לחבור חלקים: 1-5

מַשְׂמְרוֹת נְטוּעִים 4

בְּמַסְמְרִים 1 וַיְחַזְּקֵהוּ בְמַסְמְרִים לֹא יִמּוֹט Is. 41:7
לַמִּסְמְרִים 2 וּבַרְזֶל לָרֹב לַמִּסְמְרִים ICh. 22:3(2)
בְּמַסְמְרוֹת 3 בְּמַסְמְרוֹת וּבְמַקָּבוֹת יְחַזְּקוּם Jer. 10:4
וּכְמַשְׂמְרוֹת 4 וּכְמַשְׂמְרוֹת נְטוּעִים בַּעֲלֵי אֲסֻפּוֹת Eccl. 12:11
לְמִסְמְרוֹת 5 וּמִשְׁקָל לְמִסְמְרוֹת לִשְׁקָלִים IICh. 3:9

מסס : נָמֵס, הֵמֵס; מַס, מְסוּס, מַסָּה, תֶּמֶס

(מסס) נָמַס נפ׳ א) נמוג, נתך (גם בהשאלה): 1-19
ב) [הפ׳ הֵמֵס] התיך, החליש: 20

– נָמֵס דּוֹנַג 2; נָמֵס לִבּוֹ 1, 3, 9, 10, 12, 13, 15-18; נָמֵס (הַמָּן) 4; נָמַסּוּ אֱסוּרָיו 19; נָמַסּוּ הָרִים 6-8
– הֵמֵס לִבּוֹ 20

הָמֵס 1 אֲשֶׁר לִבּוֹ...הָמֵס יִמָּס IISh. 17:10
כְּהִמֵּס 2 כְּהִמֵּס דּוֹנַג מִפְּנֵי־אֵשׁ... Ps. 68:3
וְנָמֵס 3 וְנָמֵס כָּל־לֵב וְרָפוּ כָל־יָדַיִם Ezek. 21:12
וְנָמָס 4 וְחַם הַשֶּׁמֶשׁ וְנָמָס Ex. 16:21
5 שִׁנָּיו יַחֲרֹק וְנָמָס Ps. 112:10
נָמַסּוּ 6 הָרִים כַּדּוֹנַג נָמַסּוּ מִלִּפְנֵי יְיָ Ps. 97:5
וְנָמַסּוּ 7 וְנָמַסּוּ הָרִים מִדָּמָם Is. 34:3
8 וְנָמַסּוּ הֶהָרִים תַּחְתָּיו Mic. 1:4
נָמֵס 9 וְלֵב נָמֵס וּפֵק בִּרְכַּיִם Nah. 2:11
10 הָיָה לִבִּי כַּדּוֹנָג נָמֵס בְּתוֹךְ מֵעָי Ps. 22:15
וְנָמֵס 11 וְכָל־הַמְּלָאכָה נְמִבְזָה וְנָמֵס ISh. 15:9
יִמַּס 12 וְלֹא יִמַּס אֶת־לְבַב אֶחָיו Deut. 20:8
13 וּלְבַב מִצְרַיִם יִמַּס בְּקִרְבּוֹ Is. 19:1
יִמָּס 14 לִבּוֹ כְּלֵב הָאַרְיֵה הָמֵס יִמָּס IISh. 17:10
15 וְכָל־לְבַב אֱנוֹשׁ יִמָּס Is. 13:7
וַיִּמַּס 16 וַנִּשְׁמַע וַיִּמַּס לְבָבֵנוּ Josh. 2:11
17 וַיִּמַּס לְבָבָם וְלֹא־הָיָה בָם עוֹד רוּחַ Josh. 5:1
18 וַיִּמַּס לְבַב־הָעָם וַיְהִי לְמָיִם Josh. 7:5
וַיִּמַּסּוּ 19 וַיִּמַּסּוּ אֱסוּרָיו מֵעַל יָדָיו Jud. 15:14
הֵמַסּוּ 20 אַחֵינוּ הֵמַסּוּ אֶת־לְבָבֵנוּ Deut. 1:28

מסס עין מְסוּס

מַסָּע ז׳ א) העברה, טלטול: 1
ב) נסיעה, תנועה ממקום למקום: 3-14
ג) מרגמה(?): 2

אֶבֶן מַסָּע 1; מַסְעֵי בְּנֵי יִשְׂרָאֵל 5, 6

מַסָּע 1 אֶבֶן שְׁלֵמָה מַסָּע נִבְנָה IK. 6:7
2 חֲנִית מַסָּע וְשִׁרְיָה Job 41:18
לְמַסַּע 3 קוּם לֵךְ לְמַסַּע לִפְנֵי הָעָם Deut. 10:11
וּלְמַסַּע 4 לְמִקְרָא הָעֵדָה וּלְמַסַּע אֶת־הַמַּחֲנוֹת Num.10:2
מַסְעֵי־ 5 אֵלֶּה מַסְעֵי בְנֵי־יִשְׂרָאֵל לְצִבְאֹתָם Num. 10:28
6 מַסְעֵי בְנֵי־יִשְׂרָאֵל אֲשֶׁר יָצְאוּ... Num. 33:1
לְמַסָּעָיו 7 וַיֵּלֶךְ לְמַסָּעָיו מִנֶּגֶב וְעַד־בֵּית־אֵל Gen. 13:3
מַסְעֵיהֶם 8 יִסְעוּ בְּנֵי יִשְׂרָאֵל בְּכֹל מַסְעֵיהֶם Ex. 40:36
9 לְעֵינֵי כָל־בֵּית יִשׂ׳ בְּכָל־מַסְעֵיהֶם Ex. 40:38
10 וְאֵלֶּה מַסְעֵיהֶם לְמוֹצָאֵיהֶם Num. 33:2
לְמַסְעֵיהֶם 11 וַיִּסְעוּ...לְמַסְעֵיהֶם עַל־פִּי יְיָ Ex. 17:1
12 תְּרוּעָה יִתְקְעוּ לְמַסְעֵיהֶם Num. 10:6
13 וַיִּסְעוּ בְנֵי יִשְׂרָאֵל לְמַסְעֵיהֶם Num. 10:12
14 וַיִּכְתֹּב...מוֹצָאֵיהֶם לְמַסְעֵיהֶם Num. 33:2

מִסְעָד ז׳ משען, תומכה

מִסְעָד 1 עֲצֵי הָאַלְמֻגִּים מִסְעָד לְבֵית יְיָ IK. 10:12

מִסְפֵּד ז׳ אֵבֶל, קינה: 1-16

קרובים: ראה אֵבֶל

בְּכִי וּמִסְפֵּד 8, 12; מִסְפֵּד גָּדוֹל 1; מ׳ מַר 3; מִסְפַּד בֵּית הָאֵצֶל 14; מ׳ הֲדַדְרִמּוֹן 15; מִסְפַּד תַּמְרוּרִים 13

מִסְפֵּד 1 מִסְפֵּד גָּדוֹל וְכָבֵד מְאֹד Gen. 50:10
2 וּבִרְחֹבֹתֶיהָ כֻּלֹּה מִסְפֵּד Jer. 48:38
3 וּבָכוּ אֵלַיִךְ בְּמַר־נֶפֶשׁ מִסְפֵּד מָר Ezek. 27:31
4 בְּכָל־רְחֹבוֹת מִסְפֵּד Am. 5:16
5 וּבְכָל־כְּרָמִים מִסְפֵּד Am. 5:17
6 אֶעֱשֶׂה מִסְפֵּד כַּתַּנִּים Mic. 1:8
וּמִסְפֵּד 7 ...וּמִסְפֵּד אֶל־יוֹדְעֵי נֶהִי Am. 5:16
8 אֵבֶל...וְצוֹם וּבְכִי וּמִסְפֵּד Es. 4:3
הַמִּסְפֵּד 9 יִגְדַּל הַמִּסְפֵּד בִּירוּשָׁלִַם Zech. 12:11
וּבְמִסְפֵּד 10 וּבְצוֹם וּבִבְכִי וּבְמִסְפֵּד Joel 2:12
כְּמִסְפֵּד 11 וְסָפְדוּ עָלָיו כְּמִסְפֵּד עַל־הַיָּחִיד Zech.12:10
וּלְמִסְפֵּד 12 לִבְכִי וּלְמִסְפֵּד וּלְקָרְחָה Is. 22:12
מִסְפַּד־ 13 אֵבֶל יָחִיד...מִסְפַּד תַּמְרוּרִים Jer. 6:26
14 מִסְפַּד בֵּית הָאֵצֶל יִקַּח...עֶמְדָּתוֹ Mic. 1:11
כְּמִסְפַּד־ 15 כְּמִסְפַּד הֲדַדְרִמּוֹן בְּבִקְעַת מְגִדּוֹן Zech.12:11
מִסְפְּדִי 16 הָפַכְתָּ מִסְפְּדִי לְמָחוֹל לִי Ps. 30:12

מִסְפּוֹא ז׳ מזון בלול לבהמות: 1-5

תֶּבֶן וּמִסְפּוֹא 1, 4, 5

מִסְפּוֹא 1 גַּם־תֶּבֶן גַּם־מִסְפּוֹא רַב עִמָּנוּ Gen. 24:25
2 ...לָתֵת מִסְפּוֹא לַחֲמֹרוֹ בַּמָּלוֹן Gen. 42:27
3 וַיִּתֵּן מִסְפּוֹא לַחֲמֹרֵיהֶם Gen. 43:24
4 וְגַם־תֶּבֶן וְגַם־מִסְפּוֹא יֵשׁ לַחֲמוֹרֵינוּ Jud.19:19
וּמִסְפּוֹא 5 וַיִּתֵּן תֶּבֶן וּמִסְפּוֹא לַגְּמַלִּים Gen. 24:32

מִסְפָּחָה* נ׳ מטפחת, עטיפה: 1, 2

הַמִּסְפָּחוֹת 1 וְעֹשׂוֹת הַמִּסְפָּחוֹת עַל־רֹאשׁ כָּל־קוֹמָה Ezek. 13:18
מִסְפְּחֹתֵיכֶם 2 וְקָרַעְתִּי אֶת־מִסְפְּחֹתֵיכֶם Ezek. 13:21

מִסְפַּחַת נ׳ נגע, צרעת: 1-3

מִסְפַּחַת 1 וְטִהֲרוֹ הַכֹּהֵן מִסְפַּחַת הִוא Lev. 13:6
הַמִּסְפַּחַת 2 וְאִם־פָּשֹׂה תִפְשֶׂה הַמִּסְפַּחַת בָּעוֹר Lev. 13:7
3 וְהִנֵּה פָּשְׂתָה הַמִּסְפַּחַת בָּעוֹר Lev. 13:8

מִסְפָּר[1] ז׳ א) מנין, כמות: 2, 6-21, 24, 27-29, 31-48, 50-106, 108-134

ב) כמות מועטת, אחדים: 1, 3-5, 22, 23, 25, 26, 30

ג) ספור, פרשה: 49, 107

–(לְ)אֵין מִסְפָּר 2, 7-20; אַנְשֵׁי מִסְפָּר 25; יָמִים מִסְפָּר 3; מְתֵי מִסְפָּר 1, 4, 5, 23, 26, 30; שְׁנוֹת מִסְפָּר 28

–מִסְפַּר הָאֲנָשִׁים 71, 72; מ׳ בְּנֵי... 61, 75, 110; מ׳ הַגִּבֹּרִים 73; מִסְפַּר דִּבְרֵי־הַיָּמִים 107; מ׳ הַהֲרוּגִים 69; מ׳ כָּל־זָכָר 102-104; מ׳ הֶחֳדָשִׁים 63, 80; מ׳ חוּצוֹת 78; מ׳ הֶחָלוֹם 49; מ׳ הַיָּמִים 44, 52-55, 66-68, 81, 105, 113; מ׳ יְרָחִים 106; מ׳ הַכֶּסֶף 84; מ׳ הַמְלַקְקִים 48; מ׳ הַמִּפְקָד 57,74; מ׳ נַפְשׁוֹת 43; מ׳ סְרָנִים 50; מ׳ הָעוֹלָה 77; מ׳ הָעָם 56, 74; מ׳ הֶעָרִים 51; מ׳ פְּקֻדָּתוֹ 108; מ׳ הַצֹּאן 47; מ׳ הַצְּעָדִים 64; מ׳ קֶשֶׁת 58; מ׳ רָאשֵׁי... 76, 134; מ׳ הַשְּׁבָטִים 109, 111, 112; מ׳ שֵׁמוֹת 46, 87-101; מ׳ הַשָּׁנִים 65, 70, 79, 82-83; מִסְפַּר תְּבוּאוֹת 45

מִסְפָּר 1 וַאֲנִי מְתֵי מִסְפָּר וְנֶאֶסְפוּ עָלַי Gen. 34:30
2 חָדַל לִסְפֹּר כִּי־אֵין מִסְפָּר Gen. 41:49
3 אֲשֶׁר יִהְיֶה הֶעָנָן יָמִים מִסְפָּר Num. 9:20
4 וְנִשְׁאַרְתֶּם מְתֵי מִסְפָּר בַּגּוֹיִם Deut. 4:27
5 יְחִי רְאוּבֵן...וִיהִי מְתָיו מִסְפָּר Deut. 33:6
6 וְלָהֶם וְלִגְמַלֵּיהֶם אֵין מִסְפָּר Jud. 6:5
7-20 (וּ/לְ)אֵין מִסְפָּר Jud. 7:12
Jer. 2:32 • Joel 1:6 • Ps. 40:13; 104:25; 105:34; 147:5 • Job 5:9; 9:10; 21:33 • S.ofS. 6:8 • ICh. 22:4(3), 16(15) • IICh. 12:3
21 שֵׁשׁ וָשֵׁשׁ עֶשְׂרִים וְאַרְבַּע מִסְפָּר IISh. 21:20
22 וּשְׁאָר עֵץ יַעְרוֹ מִסְפָּר יִהְיוּ Is. 10:19
23 וּפְלִיטֵי חֶרֶב...מְתֵי מִסְפָּר Jer. 44:28
24 רַבּוּ מֵאַרְבֶּה וְאֵין לָהֶם מִסְפָּר Jer. 46:23
25 וְהוֹתַרְתִּי מֵהֶם אַנְשֵׁי מִסְפָּר Ezek. 12:16
26 בִּהְיוֹתָם מְתֵי מִסְפָּר Ps. 105:12
27 מוֹנֶה מִסְפָּר לַכּוֹכָבִים Ps. 147:4
28 כִּי־שְׁנוֹת מִסְפָּר יֶאֱתָיוּ Job 16:22
29 הֲיֵשׁ מִסְפָּר לִגְדוּדָיו Job 25:3
30 בִּהְיוֹתְכֶם מְתֵי מִסְפָּר ICh. 16:19
וּמִסְפָּר 31 מִי מָנָה...וּמִסְפָּר אֶת־רֹבַע יִשׂ׳ Num. 23:10
הַמִּסְפָּר 32 וְלֹא עָלָה הַמִּסְפָּר בְּמִסְפַּר... ICh. 27:24
בְּמִסְפָּר 33 וְהִכָּהוּ לְפָנָיו כְּדֵי רִשְׁעָתוֹ בְּמִסְפָּר Deut. 25:2
34 וַיָּקֻמוּ וַיַּעַבְרוּ בְמִסְפָּר IISh. 2:15
35 הַמּוֹצִיא בְמִסְפָּר צְבָאָם Is. 40:26
36 וְלָקַחְתָּ מִשָּׁם מְעַט בְּמִסְפָּר Ezek. 5:3
37 וְעֹלַת יוֹם בְּיוֹם בְּמִסְפָּר Ez. 3:4
38 בְּמִסְפָּר בְּמִשְׁקָל לַכֹּל Ez. 8:34
39 בְּמִסְפָּר יְבִיאוּם וּבְמִסְפָּר יוֹצִיאוּם ICh. 9:28
40 בְּמִסְפָּר כְּמִשְׁפָּט עֲלֵיהֶם תָּמִיד ICh. 23:31
וּבְמִסְפָּר 41 בְּמִסְפָּר יְבִיאוּם וּבְמִסְפָּר יוֹצִיאוּם ICh. 9:28
כַּמִּסְפָּר 42 כַּמִּסְפָּר אֲשֶׁר תַּעֲשׂוּ Num. 15:12
מִסְפַּר־ 43 עֹמֶר לַגֻּלְגֹּלֶת מִסְפַּר נַפְשֹׁתֵיכֶם Ex. 16:16
44 אֶת־מִסְפַּר יָמֶיךָ אֲמַלֵּא Ex. 23:26
45 כִּי מִסְפַּר תְּבוּאֹת הוּא מֹכֵר לָךְ Lev. 25:16
46 וְשָׂא אֵת מִסְפַּר שְׁמֹתָם Num. 3:40
47 מִסְפַּר הַצֹּאן שְׁלֹשׁ־מֵאוֹת אֶלֶף Num. 31:36
48 וַיְהִי מִסְפַּר הַמְלַקְקִים... Jud. 7:6
49 אֶת־מִסְפַּר הַחֲלוֹם וְאֶת־שִׁבְרוֹ Jud. 7:15
50 מִסְפַּר סַרְנֵי פְלִשְׁתִּים ISh. 6:4
51 מִסְפַּר כָּל־עָרֵי פְלִשְׁתִּים ISh. 6:18
52 וַיְהִי מִסְפַּר הַיָּמִים אֲשֶׁר־יָשַׁב דָּוִד ISh. 27:7
53-55 מִסְפַּר הַיָּמִים IISh. 2:11 • Ezek. 4:4, 9
56 וְיָדַעְתִּי אֵת מִסְפַּר הָעָם IISh. 24:2
57 אֶת־מִסְפַּר מִפְקַד־הָעָם IISh. 24:9
58 וּשְׁאָר מִסְפַּר־קֶשֶׁת... Is. 21:17
59-60 מִסְפַּר עָרֶיךָ הָיוּ אֱלֹהֶיךָ Jer. 2:28; 11:13
61 וְהָיָה מִסְפַּר בְּ״יִ כְּחוֹל הַיָּם Hosh. 2:1
62 וְהֶעֱלָה עֹלוֹת מִסְפַּר כֻּלָּם Job 1:5
63 מִסְפַּר־חֳדָשָׁיו אִתָּךְ Job 14:5
64 מִסְפַּר צְעָדַי אַגִּידֶנּוּ Job 31:37
65 מִסְפַּר שָׁנָיו וְלֹא־חֵקֶר Job 36:26
66 אֲשֶׁר יַעֲשׂוּ...מִסְפַּר יְמֵי חַיֵּיהֶם Eccl. 2:3
67 מִסְפַּר יְמֵי־חַיָּו אֲשֶׁר־נָתַן־לוֹ הָאֱלֹהִים Eccl. 5:17
68 מִסְפַּר יְמֵי־חַיֵּי הֶבְלוֹ Eccl. 6:12
69 בָּא מִסְפַּר הַהֲרוּגִים...לִפְנֵי הַמֶּלֶךְ Es. 9:11
70 מִסְפַּר הַשָּׁנִים אֲשֶׁר הָיָה דְבַר־יְיָ Dan. 9:2
71/2 מִסְפַּר אַנְשֵׁי עַם־יִשְׂרָאֵל Ez. 2:2 • Neh. 7:7

מִסְפַּר־ (המשך) 73 וְאֵלֶּה מִסְפַּר הַגִּבֹּרִים אֲשֶׁר לְדָוִיד ICh. 11:11
74 אֶת־מִסְפַּר מִפְקַד־הָעָם ICh. 21:5
75 הֵמָּה מִסְפַּר בְּנֵי־לֵוִי ICh. 23:27
76 כֹּל מִסְפַּר רָאשֵׁי הָאָבוֹת IICh. 26:12
77 וַיְהִי מִסְפַּר הָעֹלָה...בָּקָר שִׁבְעִים IICh. 29:32
וּמִסְפַּר־ 78 וּמִסְפַּר חֻצוֹת יְרוּשָׁלַםִ שַׂמְתֶּם... Jer. 11:13
79 וּמִסְפַּר שָׁנִים נִצְפְּנוּ לֶעָרִיץ Job 15:20
80 וּמִסְפַּר חֳדָשָׁיו חֻצָּצוּ Job 21:21
81 וּמִסְפַּר יָמֶיךָ רַבִּים Job 38:21
בְּמִסְפַּר־ 82 בְּמִסְפַּר שָׁנִים אַחַר הַיּוֹבֵל תִּקְנֶה Lev. 25:15
83 בְּמִסְפַּר שְׁנֵי־תְבוּאֹת יִמְכָּר־לָךְ Lev. 25:15
84 וְהָיָה כֶּסֶף מִמְכָּרוֹ בְּמִסְפַּר שָׁנִים Lev. 25:50
85/6 בְּמִסְפַּר שֵׁמוֹת...לְגֻלְגְּלֹתָם Num. 1:2, 18
87-101 בְּמִסְפַּר שֵׁמ(וֹ)ת Num. 1:20, 22
1:24, 26, 28, 30, 32, 34, 36, 38, 40, 42; 3:43; 26:53 ICh. 23:24
102 פְּקֻדֵיהֶם בְּמִסְפַּר כָּל־זָכָר Num. 3:22
103 בְּמִסְפַּר כָּל־זָכָר מִבֶּן־חֹדֶשׁ Num. 3:28
104 וּפְקֻדֵיהֶם בְּמִסְפַּר כָּל־זָכָר Num. 3:34
105 בְּמִסְפַּר הַיָּמִים אֲשֶׁר־תַּרְתֶּם Num. 14:34
106 בְּמִסְפַּר יְרָחִים אַל־יָבֹא Job 3:6
107 בְּמִסְפַּר דִּבְרֵי הַיָּמִים לַמֶּלֶךְ דָּוִיד ICh. 27:24
108 יוֹצְאֵי צָבָא...בְּמִסְפַּר פְּקֻדָּתָם IICh. 26:11
כְּמִסְפַּר־ 109 כְּמִסְפַּר שִׁבְטֵי בְנֵי־יַעֲקֹב IK. 18:31
לְמִסְפַּר־ 110 יַצֵּב גְּבֻלֹת עַמִּים לְמִסְפַּר בְּ״יִ Deut. 32:8
111/2 לְמִסְפַּר שִׁבְטֵי בְנֵי־יִשְׂרָאֵל Josh. 4:5, 8
113 לְמִסְפַּר יָמִים שְׁלֹשׁ־מֵאוֹת... Ezek. 4:5
114 לְכָל־הַנִּמְצָא לְמִסְפַּר שְׁלֹשִׁים אֶלֶף IICh. 35:7
מִסְפַּרְכֶם 115 וְכָל־פְּקֻדֵיכֶם לְכָל־מִסְפַּרְכֶם Num. 14:29
מִסְפָּרָם 116 וְאֵלֶּה מִסְפָּרָם אֲגַרְטְלֵי זָהָב שְׁלֹשִׁים Ez. 1:9
117 מִסְפָּרָם בִּימֵי דָוִיד ICh. 7:2
118 מִסְפָּרָם אֲנָשִׁים עֶשְׂרִים וְשִׁשָּׁה אָלֶף ICh. 7:40
119 וְהָבִיאוּ אֵלַי וְאֵדְעָה אֶת־מִסְפָּרָם ICh. 21:2
120 וַיְהִי מִסְפָּרָם לְגֻלְגְּלֹתָם לִגְבָרִים ICh. 23:3
121 וַיְהִי מִסְפָּרָם אַנְשֵׁי מְלָאכָה ICh. 25:1
122 וַיְהִי מִסְפָּרָם עִם־אֲחֵיהֶם ICh. 25:7
123 וְלֹא־נָשָׂא דָוִיד מִסְפָּרָם ICh. 27:23
בְּמִסְפָּרָם 124-130 וּמִנְחָתָם...בְּמִסְפָּרָם כַּמִּשְׁפָּט
Num. 29:18, 21, 24, 27, 30, 33, 37
כְּמִסְפָּרָם 131 כָּכָה תַּעֲשׂוּ לָאֶחָד כְּמִסְפָּרָם Num. 15:12
לְמִסְפָּרָם 132 וַיִּשְׂאוּ נָשִׁים לְמִסְפָּרָם מִן־הַמְּחֹלְלוֹת Jud. 21:23
133 וּבְ״יִ לְמִסְפָּרָם רָאשֵׁי הָאָבוֹת ICh. 27:1
מִסְפְּרֵי־ 134 וְאֵלֶּה מִסְפְּרֵי רָאשֵׁי הֶחָלוּץ ICh. 12:23(24)

מִסְפָּר[2] שפ״ז – אחד מעולי בבל

מִסְפָּר 1 מִסְפָּר בִּגְוַי רְחוּם בַּעֲנָה Ez. 2:2

מִסְפֶּרֶת שפ״ז – הוא מִסְפָּר[2]

מִסְפֶּרֶת 1 מִסְפֶּרֶת בִּגְוַי נְחוּם בַּעֲנָה Neh. 7:7

מסר : מָסַר, נִמְסַר

מָסַר פ׳ א) נתן, עשה: 1

ב) [נפ׳ נִמְסַר] נִתַּן: 2

לִמְסָר־ 1 הֵן הֵנָּה הָיוּ...לִמְסָר־מַעַל בַּ״יְיָ Num. 31:16
וַיִּמָּסְרוּ 2 וַיִּמָּסְרוּ מֵאַלְפֵי יִשׂ׳ אֶלֶף לַמַּטֶּה Num. 31:5

מֹסָר (איוב לג16) – עין מוּסָר

מֹסֵרָה – עין מוֹסֵרָה

מְסָרֵף ז׳ מְשָׂרֵף(?), קרוב משפחה?

וּמְסָרְפוֹ 1 וּנְשָׂאוֹ דּוֹדוֹ וּמְסָרְפוֹ לְהוֹצִיא עֲצָמִים Am. 6:10

מָסֹרֶת* נ׳ קֶשֶׁר

בְּמָסֹרֶת־ 1 וְהֵבֵאתִי אֶתְכֶם בְּמָסֹרֶת הַבְּרִית Ezek. 20:37

מַסְתּוֹלֵל (שמות ט17) – עין סלל

מִסְתּוֹר ז׳ מחבוא

וּלְמִסְתּוֹר 1 וּלְמַחְסֶה וּלְמִסְתּוֹר מִזֶּרֶם וּמִמָּטָר Is. 4:6

מִסְתָּר ז׳ מְקוֹם סֵתֶר, מַחֲבוֹא: 1־10

קרובים: ראה מַחֲבוֹא

מַטְמוֹנֵי מִסְתָּרִים 3

בַּמִּסְתָּר 1 עֲלִיצֻתָם כְּמוֹ־לֶאֱכֹל עָנִי בַּמִּסְתָּר Hab. 3:14

2 יֶאֱרֹב בַּמִּסְתָּר כְּאַרְיֵה בְסֻכֹּה Ps. 10:9

מִסְתָּרִים 3 אוֹצְרוֹת חֹשֶׁךְ וּמַטְמֻנֵי מִסְתָּרִים Is. 45:3

בְּמִסְתָּרִים 4 בְּמִסְתָּרִים תִּבְכֶּה נַפְשִׁי מִפְּנֵי גֵוָה Jer. 13:17

5 וְכִכְפִיר יֹשֵׁב בְּמִסְתָּרִים Ps. 17:12

6 דֹּב אֹרֵב הוּא לִי אֲרִי° בְּמִסְתָּרִים Lam. 3:10

בַּמִּסְתָּרִים 7 אִם־יִסָּתֵר אִישׁ בַּמִּסְתָּרִים Jer. 23:24

8 בַּמִּסְתָּרִים יַהֲרֹג נָקִי Ps. 10:8

9 לִירוֹת בַּמִּסְתָּרִים תָּם Ps. 64:5

מִסְתָּרָיו 10 גִּלֵּיתִי אֶת־מִסְתָּרָיו Jer. 49:10

מַסְתֵּר (ישעיה נג 3) – עין סתר

מַעְבָּד* ז׳ עבודה, מעשה

מַעְבָּדֵיהֶם 1 לָכֵן יַכִּיר מַעְבָּדֵיהֶם Job 34:25

מַעֲבָד* ז׳ ארמית: מַעְבָּד, מעשה

מַעֲבָדוֹהִי 1 דִּי כָל־מַעֲבָדוֹהִי קְשֹׁט Dan. 4:34

מַעֲבֶה* ז׳ עָבְיוֹ של דבר

בְּמַעֲבֵה־ 1 בְּכִכַּר הַיַּרְדֵּן...בְּמַעֲבֵה הָאֲדָמָה IK. 7:46

מַעֲבָר* ז׳ מקום לעבור בו: 1־3

מַעֲבַר יַבֹּק 1; מ׳ מִכְמָשׂ 2; מ׳ מַטֶּה 3

מַעֲבַר־ 1 וַיַּעֲבֹר אֵת מַעֲבַר יַבֹּק Gen. 32:23

2 וַיֵּצֵא...אֶל־מַעֲבַר מִכְמָשׂ ISh. 13:23

3 כֹּל מַעֲבַר מַטֶּה מוּסָדָה Is. 30:32

מַעְבָּרָה נ׳ מקום מעבר, טבעי או בנוי: 1־8

מַעְבְּרוֹת הַיַּרְדֵּן 6־8

מַעְבָּרָה 1 עָבְרוּ מַעְבָּרָה גֶּבַע מָלוֹן לָנוּ Is. 10:29

מַעְבָּרוֹת 2 בְּנוֹת מוֹאָב מַעְבָּרוֹת לְאַרְנוֹן Is. 16:2

וְהַמַּעְבָּרוֹת 3 וְהַמַּעְבָּרוֹת נִתְפָּשׂוּ Jer. 51:32

הַמַּעְבְּרוֹת 4 רָדְפוּ...דֶּרֶךְ הַיַּרְדֵּן עַל הַמַּעְבְּרוֹת Josh. 2:7

5 הַמַּעְבְּרוֹת אֲשֶׁר בִּקֵּשׁ יוֹנָתָן לַעֲבֹר ISh. 14:4

מַעְבְּרוֹת־ 6 וַיִּלְכְּדוּ אֶת־מַעְבְּרוֹת הַיַּרְדֵּן Jud. 3:28

7 וַיִּלְכֹּד גִּלְעָד אֶת־מַעְבְּרוֹת הַיַּרְדֵּן Jud. 12:5

8 וַיִּשְׁחָטוּהוּ אֶל־מַעְבְּרוֹת הַיַּרְדֵּן Jud. 12:6

מַעְגָּל ז׳ א) חוג, קו עגול: 1, 2, 3, 7

ב) [בהשאלה] מחזור, אורח, דרך: 4־6, 8־16

מַעְגַּל טוֹב 5; מַעְגַּל צַדִּיק 4; מַעְגַּל רַגְלוֹ 6; מַעְגְּלֵי יֹשֶׁר 9; מַעְגְּלֵי צֶדֶק 8

מַעְגָּל 1 פָּרְשׂוּ רֶשֶׁת לְיַד־מַעְגָּל Ps. 140:6

בַּמַּעְגָּל 2 וְשָׁאוּל שֹׁכֵב בַּמַּעְגָּל ISh. 26:5

3 וְהִנֵּה שָׁאוּל שֹׁכֵב יָשֵׁן בַּמַּעְגָּל ISh. 26:7

מַעְגַּל־ 4 יָשָׁר מַעְגַּל צַדִּיק תְּפַלֵּס Is. 26:7

5 אָז תָּבִין צֶדֶק...כָּל־מַעְגַּל־טוֹב Prov. 2:9

6 פַּלֵּס מַעְגַּל רַגְלֶךָ Prov. 4:26

הַמַּעְגָּלָה 7 וַיָּבֹא הַמַּעְגָּלָה ISh. 17:20

בְּמַעְגְּלֵי־ 8 יַנְחֵנִי בְמַעְגְּלֵי־צֶדֶק לְמַעַן שְׁמוֹ Ps. 23:3

9 הִדְרַכְתִּיךָ בְּמַעְגְּלֵי־יֹשֶׁר Prov. 4:11

וּמַעְגָּלֶיךָ 10 וּמַעְגָּלֶיךָ יִרְעֲפוּן דָּשֶׁן Ps. 65:12

בְּמַעְגְּלוֹתֶיךָ 11 תָּמֹךְ אֲשֻׁרַי בְּמַעְגְּלוֹתֶיךָ Ps. 17:5

מַעְגְּלֹתָיו 12 וְכָל־מַעְגְּלֹתָיו מְפַלֵּס Prov. 5:21

מַעְגְּלֹתֶיהָ 13 וְאֶל־רְפָאִים מַעְגְּלֹתֶיהָ Prov. 2:18

14 נָעוּ מַעְגְּלֹתֶיהָ לֹא תֵדָע Prov. 5:6

בְּמַעְגְּלוֹתָם 15 וְאֵין מִשְׁפָּט בְּמַעְגְּלוֹתָם Is. 59:8

16 אָרְחֹתֵיהֶם עִקְּשִׁים וּנְלוֹזִים בְּמַעְגְּלוֹתָם Prov. 2:15

מעד : מָעַד; הִמְעִיד, מוּעָד

מעד פָּ׳ א) נכשל: 1־6 [מוּעֶדֶת = מוֹעֶדֶת?]

ב) [הִפ׳ הֶמְעִיד] הכשיל: 7, 8

[וְהַעֲמַדְתָּ = וְהִמְעַדְתָּ?]

– מָעֲדָה אֲשׁוּרָיו 6; מָעֲדָה רֶגֶל 3, 4; מָעֲדוּ קַרְסֻלָּיו 1, 2

– הִמְעִיד מָתְנַיִם 7, 8

מָעֲדוּ 1/2 וְלֹא מָעֲדוּ קַרְסֻלָּי IISh. 22:37 • Ps. 18:37

לְמוֹעֲדֵי־ 3 נָכוֹן לְמוֹעֲדֵי רָגֶל Job 12:5

מוּעָדֶת(?) 4 שֵׁן רֹעָה וְרֶגֶל מוּעָדֶת Prov. 25:19

אֶמְעָד 5 וּבַיְיָ בָּטַחְתִּי לֹא אֶמְעָד Ps. 26:1

תִמְעַד 6 לֹא תִמְעַד אֲשֻׁרָיו Ps. 37:31

וְהַעֲמַדְתָּ(?) 7 וְהַעֲמַדְתָּ לָהֶם כָּל־מָתְנָיִם Ezek. 29:7

הַמְעַד 8 וּמָתְנֵיהֶם תָּמִיד הַמְעַד Ps. 69:24

מֹעֲדוֹת (יחזקאל כא21) – עין יעד

מַעֲדַי שפ״ז – מעולי הגולה שנשאו נשים נכריות

מַעֲדַי 1 מִבְּנֵי בָנִי מַעֲדַי עַמְרָם Ez. 10:34

מַעַדְיָה שפ״ז – מעולי הגולה עם זרובבל

מַעַדְיָה 1 מִיָּמִין מַעַדְיָה בִּלְגָּה Neh. 12:5

מַעֲדַנּוֹת א) תה״פ כשהוא כבול, אסור: 1

ב) נ״ר קְשׁוּרִים: 2

מַעֲדַנֹּת 1 וַיֵּלֶךְ אֵלָיו אֲגַג מַעֲדַנֹּת ISh. 15:32

מַעֲדַנּוֹת־ 2 הַתְקַשֵּׁר מַעֲדַנּוֹת כִּימָה Job 38:31

מַעֲדַנִּים ז״ר מטעמים: 1־3 • מַעֲדַנֵּי מֶלֶךְ 3

מַעֲדַנִּים 1 וְיִתֵּן מַעֲדַנִּים לְנַפְשֶׁךָ Prov. 29:17

לְמַעֲדַנִּים 2 הָאֹכְלִים לְמַעֲדַנִּים נָשַׁמּוּ בַּחוּצוֹת Lam. 4:5

מַעֲדַנֵּי־ 3 וְהוּא יִתֵּן מַעֲדַנֵּי־מֶלֶךְ Gen. 49:20

מַעְדֵּר ז׳ כלי חפירה

בַּמַּעְדֵּר 1 וְכֹל הֶהָרִים אֲשֶׁר בַּמַּעְדֵּר יֵעָדֵרוּן Is. 7:25

מֵעֶה* ז׳ עין מְעִי

מָעוֹג1 ז׳ עוגה

מָעוֹג 1 חַי יְיָ אֱלֹהֶיךָ אִם־יֶשׁ־לִי מָעוֹג IK. 17:12

מָעוֹג2 נ׳ הֶעוית־פּוּ

מָעוֹג 1 בְּחַנְפֵי לַעֲגֵי מָעוֹג Ps. 35:16

מָעוֹז ז׳ א) מבצר, מגדל עוז: 7, 8, 11־13, 18, 19, 27, 32, 33

ב) [בהשאלה] מחסה, מקלט: 1־6, 9, 10, 14־17, 20־26, 28־31

מָעוֹז הַיָּם 11; מ׳ מִצְרַיִם 13; מָ׳ פַּרְעֹה 12, 18; אֱלֹהֵי מָעוֹז 22; עָרֵי מָעוֹז 28; צוּר מָ׳ 4, 25; רֹאשׁ הַמָּעוֹז 7

מָעוֹז 1 כִּי־הָיִיתָ מָעוֹז לַדָּל Is. 25:4

2 מָעוֹז לָאֶבְיוֹן בַּצַּר־לוֹ Is. 25:4

3 גַּם־אַתְּ תְּבַקְשִׁי מָעוֹז מֵאוֹיֵב Nah. 3:11

4 הֱיֵה לִי לְצוּר־מָעוֹז Ps. 31:3

5 מָעוֹז לַתֹּם דֶּרֶךְ יְיָ Prov. 10:29

וּמָעוֹז 6 וַיְיָ מַחֲסֶה לְעַמּוֹ וּמָעוֹז לִבְנֵי יִשְׂרָאֵל Joel 4:16

הַמָּעוֹז 7 עַל רֹאשׁ הַמָּעוֹז הַזֶּה בַּמַּעֲרָכָה Jud. 6:26

8 וְחִלְּלוּ הַמִּקְדָּשׁ הַמָּעוֹז Dan. 11:31

לְמָעוֹז 9 טוֹב יְיָ לְמָעוֹז בְּיוֹם צָרָה Nah. 1:7

וּלְמָעוֹז 10 עָמְדִי לְמַחֲזִיק וּלְמָעוֹז לוֹ Dan. 11:1

מָעוֹז־ 11 כִּי־אָמַר יָם מָעוֹז הַיָּם לֵאמֹר Is. 23:4

12 וְהָיָה לָכֶם מָעוֹז פַּרְעֹה לְבֹשֶׁת Is. 30:3

13 חֲמָתִי עַל־סִין מָעוֹז מִצְרָיִם Ezek. 30:15

14 יְיָ מָעוֹז־חַיַּי מִמִּי אֶפְחָד Ps. 27:1

15/6 וְאֶפְרַיִם מָעוֹז רֹאשִׁי Ps. 60:9; 108:9

וּמָעוֹז 17 וּמָעוֹז יְשׁוּעוֹת מְשִׁיחוֹ הוּא Ps. 28:8

בְּמָעוֹז־ 18 לָעוֹז בְּמָעוֹז פַּרְעֹה Is. 30:2

19 וְיָבֹא בְּמָעוֹז מֶלֶךְ הַצָּפוֹן Dan. 11:7

מָעוּזִּי 20 הָאֵל מָעוּזִּי חָיִל IISh. 22:33

21 כִּי־אַתָּה מָעוּזִּי Ps. 31:5

22 כִּי־אַתָּה אֱלֹהֵי מָעוּזִּי Ps. 43:2

וּמָעֻזִּי 23 יְיָ עֻזִּי וּמָעֻזִּי וּמְנוּסִי Jer. 16:19

בְּמָעֻזִּי 24 אוֹ יַחֲזֵק בְּמָעֻזִּי יַעֲשֶׂה שָׁלוֹם לִי Is. 27:5

מָעֻזֵּךְ 25 וְצוּר מָעֻזֵּךְ לֹא זָכָרְתְּ Is. 17:10

מָעֻזְּכֶם 26 כִּי־חֶדְוַת יְיָ הִיא מָעֻזְּכֶם Neh. 8:10

מָעֻזְּכֶן 27 הֵילִילוּ...כִּי שֻׁדַּד מָעֻזְּכֶן Is. 23:14

מָעֻזּוֹ 28 יִהְיוּ עָרֵי מָעֻזּוֹ כַּעֲזוּבַת הַחֹרֶשׁ Is. 17:9

29 הַגֶּבֶר לֹא־יָשִׂים אֱלֹהִים מָעוּזּוֹ Ps. 52:9

מָעֻזֹּה 30 וְיָשֹׁב וְיִתְגָּרֶה° עַד מָעֻזֹּה Dan. 11:10

מָעוּזָּם 31 מָעוּזָּם בְּעֵת צָרָה Ps. 37:39

מָעֻזָּם 32 בְּיוֹם קַחְתִּי מֵהֶם אֶת־מָעֻזָּם Ezek. 24:25

מָעֻזְנֶיהָ 33 צִוָּה אֶל־כְּנַעַן לַשְׁמִד מָעֻזְנֶיהָ Is. 23:11

מָעוֹךְ שפ״ז – אבי אכיש מלך גת, נקרא גם מַעֲכָה

מָעוֹךְ 1 אֶל־אָכִישׁ בֶּן־מָעוֹךְ מֶלֶךְ גַּת ISh. 27:2

מָעוּךְ ת׳ עין מָעַךְ

מָעוֹן1 ז׳ מקום מגורים: 1־18

צוּר מָעוֹן 3; מְעוֹן אֲרָיוֹת 8; מְ׳ בֵּיתוֹ 9; מְעוֹן קָדְשׁוֹ 10, 12־15; מְ׳ תַּנִּים 5־7, 11

מָעוֹן 1 בְּזִבְחִי...אֲשֶׁר צִוִּיתִי מָעוֹן ISh. 2:29

2 וְהִבַּטְתָּ צַר מָעוֹן ISh. 2:32

3 הֱיֵה לִי לְצוּר מָעוֹן Ps. 71:3

4 אֲדֹנָי מָעוֹן אַתָּה הָיִיתָ לָּנוּ Ps. 90:1

מְעוֹן־ 5־6 ...לְגַלִּים מְעוֹן(־)תַּנִּים Jer. 9:10; 51:37

7 שְׁמָמָה מְעוֹן תַּנִּים Jer. 10:22

8 אַיֵּה מְעוֹן אֲרָיוֹת Nah. 2:12

9 יְיָ אָהַבְתִּי מְעוֹן בֵּיתֶךָ Ps. 26:8

בִּמְעוֹן־ 10 אֱלֹהִים בִּמְעוֹן קָדְשׁוֹ Ps. 68:6

לִמְעוֹן־ 11 לִמְעוֹן תַּנִּים שְׁמָמָה עַד־עוֹלָם Jer. 49:33

12 לִמְעוֹן קָדְשׁוֹ לַשָּׁמָיִם IICh. 30:27

מִמְּעוֹן־ 13 הַשְׁקִיפָה מִמְּעוֹן קָדְשְׁךָ Deut. 26:15

14 כִּי נֵעוֹר מִמְּעוֹן קָדְשׁוֹ Zech. 2:17

וּמִמְּעוֹן־ 15 וּמִמְּעוֹן קָדְשׁוֹ יִתֵּן קוֹלוֹ Jer. 25:30

מְעוֹנֶךָ 16 עֶלְיוֹן שַׂמְתָּ מְעוֹנֶךָ Ps. 91:9

מְעוֹנוֹ 17 כִּי־חָמַל עַל־עַמּוֹ וְעַל־מְעוֹנוֹ IICh. 36:15

מְעוֹנָהּ 18 תִּקְחִי מוּסָר וְלֹא־יִכָּרֵת מְעוֹנָהּ Zep. 3:7

מָעוֹן2 שפ״ז – איש מזרע יהודה: 1, 2

מָעוֹן 1 וּבֶן־שַׁמַּי מָעוֹן ICh. 2:45

וּמָעוֹן 2 וּמָעוֹן אֲבִי בֵית־צוּר ICh. 2:45

מָעוֹן3 א) ישוב בהר יהודה: 1, 5

ב) [מִדְבַּר מָעוֹן] – אזור במדבר יהודה: 3, 4

ג) ישוב באדום ותושביו: 6 [עין גם מְעוּנִים]

מָעוֹן 1 מָעוֹן כַּרְמֶל וָזִיף וְיוּטָּה Josh. 15:55

2 וְדָוִד...בְּמִדְבַּר מָעוֹן בָּעֲרָבָה ISh. 23:24

3 וַיֵּרֶד הַסֶּלַע וַיֵּשֶׁב בְּמִדְבַּר מָעוֹן ISh. 23:25
4 וַיִּרְדֹּף אַחֲרֵי דָוִד מִדְבַּר מָעוֹן ISh. 23:25
בְּמָעוֹן 5 וְאִישׁ בְּמָעוֹן וּמַעֲשֵׂהוּ בַכַּרְמֶל ISh. 25:2
וּמָעוֹן 6 וַעֲמָלֵק וּמָעוֹן לָחֲצוּ אֶתְכֶם Jud. 10:12

מָעוֹן
עין בֵּית מְעוֹן

מְעוֹנָה
נ׳ מָעוֹן, מגורים: 1-9

מְעוֹנָה אֱלֹהֵי קֶדֶם 1; מְעוֹנוֹת אֲרָיוֹת 5

מְעוֹנָה 1 מְעֹנָה אֱלֹהֵי קֶדֶם Deut. 33:27
וּמְעוֹנָתוֹ 2 וַיְהִי בְשָׁלֵם סֻכּוֹ וּמְעוֹנָתוֹ בְצִיּוֹן Ps. 76:3
מִמְּעוֹנָתוֹ 3 הֲיִתֵּן כְּפִיר קוֹלוֹ מִמְּעֹנָתוֹ... Am. 3:4
בַּמְּעוֹנוֹת 4 כִּי־יָשֹׁחוּ בַמְּעוֹנוֹת... Job 38:40
מִמְּעוֹנוֹת־ 5 מִמְּעֹנוֹת אֲרָיוֹת מֵהַרְרֵי נְמֵרִים S.ofS. 4:8
בִּמְעוֹנוֹתֵינוּ 6 מִי־יֵחַת...וּמִי יָבוֹא בִּמְעוֹנוֹתֵינוּ Jer. 21:13
וּמְעוֹנֹתָיו 7 וַיְמַלֵּא־טֶרֶף חֹרָיו וּמְעֹנֹתָיו טְרֵפָה Nah. 2:13
וּבִמְעוֹנוֹתֶיהָ 8 וַתָּבוֹא חַיָּה...וּבִמְעוֹנֹתֶיהָ תִשְׁכֹּן Job 37:8
מְעוֹנֹתָם 9 ...וְאֶל־מְעוֹנֹתָם יִרְבָּצוּן Ps. 104:22

מְעוּנִים
ז״ר שבט נודד בתקופת השופטים בגבול המדבר בדרום א״י: 1–4

מְעוּנִים 1 בְּנֵי־אַסְנָה בְנֵי־מְעוּנִים Ez. 2:50
2 בְּנֵי בֵסַי בְּנֵי־מְעוּנִים Neh. 7:52
הַמְּעוּנִים 3 וַיַּכּוּ אֶת־אָהֳלֵיהֶם וְאֶת־הַמְּעוּנִים (כת׳ המעינים) ICh. 4:41
וְהַמְּעוּנִים 4 וְעַל־הָעַרְבִים°...וְהַמְּעוּנִים IICh. 26:7

מְעוֹנֵן
(דברים יח10) – עין ענן

מְעוֹנֹתַי
שפ״ז – איש מזרע יהודה

וּמְעוֹנֹתַי 1 וּמְעוֹנֹתַי הוֹלִיד אֶת־עָפְרָה ICh. 4:14

מָעוּף*
ז׳ חֹשֶׁךְ

מְעוּף־ 1 מְעוּף צוּקָה וַאֲפֵלָה מְנֻדָּח Is. 8:22

מָעוֹר*
ז׳ מערום, מחשוף

מְעוֹרֵיהֶם 1 לְמַעַן הַבִּיט עַל־מְעוֹרֵיהֶם Hab. 2:15

מָעֹז
ז׳ – עין מָעוֹז

מַעַזְיָה
שפ״ז – מראשי הכהנים בימי עזרא

מַעַזְיָה 1 מַעַזְיָה בִלְגַּי שְׁמַעְיָה Neh. 10:9

מַעַזְיָהוּ
שפ״ז – מן הכהנים בימי נחמיה

לְמַעַזְיָהוּ 1 לְמַעַזְיָהוּ אַרְבָּעָה וְעֶשְׂרִים ICh. 24:18

מעט
: מָעַט, מִעֵט, הִמְעִיט; מְעַט, מָעָט (?)

מָעַט
פ׳ א) פחת, ירדה כמותו: 1-8
ב) [פ׳ מִעֵט] כנ״ל: 9
ג) [הפ׳ הִמְעִיט] הפחית, חסר: 10-22

מְעֹט 1 וּלְפִי מְעֹט הַשָּׁנִים תַּמְעִיט מִקְנָתוֹ Lev. 25:16
יִמְעַט 2 וְאִם־יִמְעַט הַבַּיִת מִהְיוֹת מִשֶּׂה Ex. 12:4
3 אַל־יִמְעַט לְפָנֶיךָ אֵת כָּל־הַתְּלָאָה Neh. 9:32
יִמְעָט 4 הוֹן מֵהֶבֶל יִמְעָט Prov. 13:11
תִּמְעָטוּ 5 וּרְבוּ־שָׁם וְאַל־תִּמְעָטוּ Jer. 29:6
יִמְעָטוּ 6 וּשְׁאָר...גִּבּוֹרֵי בְנֵי־קֵדָר יִמְעָטוּ Is. 21:17
7 וְהִרְבִּתִים וְלֹא יִמְעָטוּ Jer. 30:19
וַיִּמְעֲטוּ 8 וַיִּמְעֲטוּ וַיָּשֹׁחוּ מֵעֹצֶר רָעָה וְיָגוֹן Ps. 107:39
מִעֵטוּ 9 וּבָטְלוּ הַטֹּחֲנוֹת כִּי מִעֵטוּ Eccl. 12:3
וְהִמְעִיטָה 10 וְשִׁכְּלָה אֶתְכֶם...וְהִמְעִיטָה אֶתְכֶם Lev. 26:22
וְהִמְעַטְתִּים 11 וְהִמְעַטְתִּים לְבִלְתִּי רְדוֹת... Ezek. 29:15
הַמַּמְעִיט 12 הַמַּמְעִיט אָסַף עֲשָׂרָה חֳמָרִים Num. 11:32
וְהַמַּמְעִיט 13 וַיִּלְקְטוּ הַמַּרְבֶּה וְהַמַּמְעִיט Ex. 16:17
14 וְהַמַּמְעִיט לֹא הֶחְסִיר Ex. 16:18
תַּמְעִיט 15 וּלְפִי מְעֹט הַשָּׁנִים תַּמְעִיט מִקְנָתוֹ Lev. 25:16
16 וְלַמְעַט תַּמְעִיט נַחֲלָתוֹ Num. 26:54
17 וְלַמְעַט תַּמְעִיט אֶת־נַחֲלָתוֹ Num. 33:54
תַּמְעִטֵנִי 18 יַסְּרֵנִי...אַל־בְּאַפְּךָ פֶּן־תַּמְעִטֵנִי Jer. 10:24
תַּמְעִיטִי 19 כֵּלִים רֵקִים אַל־תַּמְעִיטִי IIK. 4:3
יַמְעִיט 20 וְהַדַּל לֹא יַמְעִיט מִמַּחֲצִית הַשָּׁקֶל Ex. 30:15
21 וּבְהֶמְתָּם לֹא יַמְעִיט Ps. 107:38
תַּמְעִיטוּ 22 וּמֵאֵת הַמְעַט תַּמְעִיטוּ Num. 35:8

מְעַט
א) ת׳ לא רב, קטן בכמותו: 1-31, 47-53, 62, 70-76, 95-101
ב) תה״פ בכמות קטנה, בזמן מועט וכד׳: 32-46, 54-60
ג) [הַמְעַט] [בשאלה] האם אין זה מספיק? כלום קל הדבר: 61, 63-69
ד) [כִּמְעַט] קרוב ל־: 77-94

– מְעַט אֹכֶל 5,6; מ׳ דְּבַשׁ 7,11,12; מ׳ חִבּוּק יָדַיִם 23,24; מ׳ יָמִים 8; מ׳ מִזְעָר 38-40; מ׳ מַיִם 1-3, 10, 14; מ׳ הַצֹּאן 13; מ׳ צֳרִי 7; מ׳ שֶׁמֶן 72; מְעַט שֵׁנוֹת 19, 20; מ׳ תְּנוּמוֹת 21, 22
– מְעַט מְעַט 33, 36, 54; אֲנָשִׁים מְעַט 30, 52; לֹא מְעַט 50; מִחְיָה מְעַט 29; מִקְדָּשׁ מְעַט 17; מְתֵי מְעָט 47, 48; סִכְלוּת מ׳ 53; עוֹד מְעַט 32, 38, 40, 41, 42, 45; עֵזֶר מְעָט 54; עַם מְעַט 31
– כִּמְעַט קָט 80; כִּמְעַט רֶגַע 79, 90; כִּמְעַט שֶׁ־ 89
– דְּבָרִים מְעַטִּים 101; יָמִים מְעַטִּים 100

מְעַט (א) 1 יֻקַּח־נָא מְעַט־מַיִם Gen. 18:4
2 הַגְמִיאִינִי נָא מְעַט־מַיִם מִכַּדֵּךְ Gen. 24:17
3 הַשְׁקִינִי נָא מְעַט־מַיִם מִכַּדֵּךְ Gen. 24:43
4 כִּי מְעַט אֲשֶׁר־הָיָה לְךָ לְפָנַי Gen. 30:30
5/6 שִׁבְרוּ־לָנוּ מְעַט־אֹכֶל Gen. 43:2; 44:25
7 מְעַט צֳרִי וּמְעַט דְּבַשׁ Gen. 43:11
8 מְעַט וְרָעִים הָיוּ יְמֵי שְׁנֵי חַיַּי Gen. 47:9
9 אַל־תְּיַגַּע שָׁמָּה...כִּי מְעַט הֵמָּה Josh. 7:3
10 הַשְׁקִינִי־נָא מְעַט־מַיִם Jud. 4:19
11 כִּי טָעַמְתִּי מְעַט דְּבַשׁ הַזֶּה ISh. 14:29
12 טָעֹם טָעַמְתִּי...מְעַט דְּבַשׁ ISh. 14:43
13 וְעַל־מִי נָטַשְׁתָּ מְעַט הַצֹּאן ISh. 17:28
14 קְחִי־נָא לִי מְעַט־מַיִם IK. 17:10
15 כִּי־נִשְׁאַרְנוּ מְעַט מֵהַרְבֵּה Jer. 42:2
16 וְלָקַחְתָּ מִשָּׁם מְעַט בְּמִסְפָּר Ezek. 5:3
17 וָאֱהִי לָהֶם לְמִקְדָּשׁ מְעַט Ezek. 11:16
18 טוֹב מְעַט לַצַּדִּיק Ps. 37:16
19-22 מְעַט שֵׁנוֹת מְעַט תְּנוּמוֹת Prov. 6:10; 24:33
23/4 מְעַט חִבֻּק יָדַיִם לִשְׁכָּב Prov. 6:10; 24:33
25 טוֹב־מְעַט בְּיִרְאַת יְיָ Prov. 15:16
26 טוֹב מְעַט בִּצְדָקָה מֵרֹב... Prov. 16:8
27 הֲלֹא־מְעַט יָמַי יַחֲדָל° Job 10:20
28 אִם־מְעַט וְאִם־הַרְבֵּה יֹאכֵל Eccl. 5:11
29 וּלְתִתֵּנוּ מִחְיָה מְעַט בְּעַבְדֻתֵנוּ Ez. 9:8
30 אֲנִי וַאֲנָשִׁים מְעַט עִמִּי Neh. 2:12
31 וְהָעָם מְעַט בְּתוֹכָהּ Neh. 7:4
מְעַט (ב) 32 עוֹד מְעַט וּסְקָלֻנִי Ex. 17:4
33/4 מְעַט מְעַט אֲגָרְשֶׁנּוּ מִפָּנֶיךָ Ex. 23:30
35 וְאִם־מְעַט נִשְׁאַר בַּשָּׁנִים Lev. 25:52
36 וְנָשַׁל...מִפָּנֶיךָ מְעַט מְעָט Deut. 7:22
37 וְדָוִד עָבַר מְעַט מֵהָרֹאשׁ IISh. 16:1
38 כִּי־עוֹד מְעַט מִזְעָר... Is. 10:25
39 וּשְׁאָר מְעַט מִזְעָר לוֹא כַבִּיר Is. 16:14
40 הֲלֹא־עוֹד מְעַט מִזְעָר... Is. 29:17
41 עוֹד מְעַט וּבָאָה עֵת־הַקָּצִיר לָהּ Jer. 51:33
42 כִּי־עוֹד מְעַט וּפָקַדְתִּי... Hosh. 1:4
43 עוֹד אַחַת מְעַט הִיא וַאֲנִי מַרְעִישׁ... Hag. 2:6
44 וַתְּחַסְּרֵהוּ מְּעַט מֵאֱלֹהִים Ps. 8:6
45 וְעוֹד מְעַט וְאֵין רָשָׁע Ps. 37:10
46 רוֹמּוּ מְּעַט וְאֵינֶנּוּ Job 24:24
מְעָט (א) 47 וַיָּגָר שָׁם בִּמְתֵי מְעָט Deut. 26:5
48 וְנִשְׁאַרְתֶּם בִּמְתֵי מְעָט Deut. 28:62
49 וְאִם מְעָט וְאֹסִפָה לְּךָ... IISh. 12:8
50 וּלְהַכְרִית גּוֹיִם לֹא מְעָט Is. 10:7
51 זְרַעְתֶּם הַרְבֵּה וְהָבֵא מְעָט Hag. 1:6
52 עִיר קְטַנָּה וַאֲנָשִׁים בָּהּ מְעָט Eccl. 9:14
53 יָקָר מֵחָכְמָה מִכָּבוֹד סִכְלוּת מְעָט Eccl. 10:1
54 וּבְהִכָּשְׁלָם יֵעָזְרוּ עֵזֶר מְעָט Dan. 11:34
מְעָט (ב) 55 וְנָשַׁל...מִפָּנֶיךָ מְעַט מְעָט Deut. 7:22
56 אַחְאָב עָבַד אֶת־הַבַּעַל מְעָט I K. 10:18
57 וַיָּחֵלּוּ מְּעָט מִמַּשָּׂא מֶלֶךְ שָׂרִים Hosh. 8:10
58 אֲשֶׁר אֲנִי קָצַפְתִּי מְּעָט... Zech. 1:15
59 וְשִׁית° מִמֶּנִּי וְאַבְלִיגָה מְּעָט Job 10:20
60 זֶה שִׁבְתָּהּ הַבַּיִת מְעָט Ruth 2:7
הַמְעַט? 61 הַמְעַט קַחְתֵּךְ אֶת־אִישִׁי... Gen. 30:15
62 הַמְעַט הוּא אִם־רָב Num. 13:18
63 הַמְעַט מִכֶּם כִּי־הִבְדִּיל... Num. 16:9
64 הַמְעַט כִּי הֶעֱלִיתָנוּ מֵאֶרֶץ זָבַת... Num. 16:13
65 הַמְעַט־לָנוּ אֶת־עֲוֹן פְּעוֹר... Josh. 22:17
66 הַמְעַט מִכֶּם הַלְאוֹת אֲנָשִׁים... Is. 7:13
67 הַמְעַט מִתַּזְנֻתָיִךְ° Ezek. 16:20
68 הַמְעַט מִכֶּם הַמִּרְעֶה הַטּוֹב Ezek. 34:18
69 הַמְעַט מִמְּךָ תַּנְחֻמוֹת אֵל Job 15:11
וּמְעַט 70 מְעַט צֳרִי וּמְעַט דְּבַשׁ Gen. 43:11
71 זֶרַע רַב...וּמְעַט תֶּאֱסֹף Deut. 28:38
72 וּמְעַט־שֶׁמֶן בַּצַּפָּחַת IK. 17:12
הַמְעַט 73 וּמֵאֵת הַמְעַט תַּמְעִיטוּ Num. 35:8
74 כִּי־אַתֶּם הַמְעַט מִכָּל־הָעַמִּים Deut. 7:7
בִּמְעַט־ 75 וְעָלָה וְעָצַם בִּמְעַט־גּוֹי Dan. 11:23
בִּמְעָט 76 לְהוֹשִׁיעַ בְּרַב אוֹ בִמְעָט ISh. 14:6
כִּמְעַט 77 כִּמְעַט שָׁכַב אַחַד הָעָם... Gen. 26:10
78 כִּמְעַט יַעֲבֹר עַבְדְּךָ אֶת־הַיַּרְדֵּן IISh. 19:37
79 חֲבִי כִמְעַט־רֶגַע... Is. 26:20
80 כִּמְעַט קָט וַתַּשְׁחִתִי מֵהֶן Ezek. 16:47
81 כִּי־יִבְעַר כִּמְעַט אַפּוֹ Ps. 2:12
82 וַאֲנִי כִּמְעַט נָטָיוּ° רַגְלָי Ps. 73:2
83 כִּמְעַט אוֹיְבֵיהֶם אַכְנִיעַ Ps. 81:15
84 לוּלֵי...כִּמְעַט שָׁכְנָה דוּמָה נַפְשִׁי Ps. 94:17
85 מְתֵי מִסְפָּר כִּמְעַט וְגָרִים בָּהּ Ps. 105:12
86 כִּמְעַט כִּלּוּנִי בָאָרֶץ Ps. 119:87
87 כִּמְעַט הָיִיתִי בְכָל־רָע Prov. 5:14
88 כִּמְעַט יִשָּׂאֵנִי עֹשֵׂנִי Job 32:22
89 כִּמְעַט שֶׁעָבַרְתִּי מֵהֶם... S.ofS. 3:4
90 וְעַתָּה כִּמְעַט־רֶגַע הָיְתָה תְחִנָּה Ez. 9:8
91 מְתֵי מִסְפָּר כִּמְעַט וְגָרִים בָּהּ ICh. 16:19
92 וְנָתַתִּי לָהֶם כִּמְעַט לִפְלֵיטָה IICh. 12:7
כִּמְעָט 93 לוּלֵי...הוֹתִיר לָנוּ שָׂרִיד כִּמְעָט Is. 1:9
94 לֵב רְשָׁעִים כִּמְעָט Prov. 10:20
לִמְעָט 95 תֵּחָלֵק נַחֲלָתוֹ בֵּין רַב לִמְעָט Num. 26:56
96 פָּנֹה אֶל־הַרְבֵּה וְהִנֵּה לִמְעָט Hag. 1:9
97 רַק הַכֹּהֲנִים הָיוּ לִמְעָט IICh. 29:34
וְלַמְעַט 98 וְלַמְעַט תַּמְעִיט נַחֲלָתוֹ Num. 26:54
99 וְלַמְעַט תַּמְעִיט אֶת־נַחֲלָתוֹ Num. 33:54
מְעַטִּים 100 יִהְיוּ־יָמָיו מְעַטִּים Ps. 109:8
101 עַל־כֵּן יִהְיוּ דְבָרֶיךָ מְעַטִּים Eccl. 5:1

מְעַט*
ת׳ מָרוּט(?)

מְעֻטָּה 1 עֲשׂוּיָה לְבָרָק מְעֻטָּה לְטָבַח Ezek. 21:20

מַעֲטֶה* ז׳ כסוי

מַעֲטֵה 1 מַעֲטֵה תְהִלָּה תַּחַת רוּחַ כֵּהָה Is. 61:3

מַעֲטֶפֶת* נ׳ בגד להתעטף בו

וְהַמַּעֲטָפוֹת 1 הַמַּחֲלָצוֹת וְהַמַּעֲטָפוֹת Is. 3:22

מְעִי* ז׳ עי, תל

מְעִי־ 1 וְהָיְתָה מְעִי מַפָּלָה Is. 17:1

(מֵעֶה*1) מֵעִים ז״ר א) האברים הפנימיים בגוף וביחוד צנורות העכול: 1-4, 12, 15-17, 19-33

ב) [בהשאלה קרבים, פנים הגוף: 5-11, 13, 14, 18

– מְעֵי אִמּוֹ 2, 4; מְעֵי הַדָּג(ה) 1, 3

– הֲמוֹן מֵעָיו 18; יְצִיאֵי מ׳ 29; מַחֲלָה מ׳ 19; צֶאֱצָאֵי מֵעָיו 17, 33

– הָמוּ מֵעָיו 5, 8, 14; חֳמַרְמְרוּ מ׳ 10, 11; יָצְאוּ מֵעָיו 20, 28; מִלֵּא מֵעָיו 21, 32; רֻתְּחוּ מֵעָיו 9; שָׁפַךְ מֵעָיו 26

בִּמְעֵי 1 וַיְהִי יוֹנָה בִּמְעֵי הַדָּג שְׁלֹשָׁה יָמִים... Jon. 2:1
מִמְּעֵי 2 מִמְּעֵי אִמִּי הִזְכִּיר שְׁמִי Is. 49:1
3 וַיִּתְפַּלֵּל יוֹנָה...מִמְּעֵי הַדָּגָה Jon. 2:2
4 מִמְּעֵי אִמִּי אַתָּה גוֹזִי Ps. 71:6
5 מֵעַי לְמוֹאָב כַּכִּנּוֹר יֶהֱמוּ Is. 16:11
מֵעַי 6-7 מֵעַי מֵעַי אוֹחִילָה° Jer. 4:19
8 עַל־כֵּן הָמוּ־מֵעַי לוֹ Jer. 31:20(19)
9 מֵעַי רֻתְּחוּ וְלֹא־דָמּוּ Job 30:27
10 מֵעַי חֳמַרְמָרוּ נֶהְפַּךְ לִבִּי בְּקִרְבִּי Lam. 1:20
11 חֳמַרְמְרוּ מֵעַי נִשְׁפַּךְ לָאָרֶץ כְּבֵדִי Lam. 2:11
מֵעָי 12 הָיָה לִבִּי כַּדּוֹנָג נָמֵס בְּתוֹךְ מֵעָי Ps. 22:15
13 וְתוֹרָתְךָ בְּתוֹךְ מֵעָי Ps. 40:9
וּמֵעַי 14 דּוֹדִי שָׁלַח יָדוֹ...וּמֵעַי הָמוּ עָלָיו S.ofS. 5:4
בְּמֵעַי 15 הַעוֹד־לִי בָנִים בְּמֵעַי... Ruth 1:11
מִמֵּעַי 16 הִנֵּה בְנִי אֲשֶׁר־יָצָא מִמֵּעַי... IISh. 16:11
מֵעֶיךָ 17 ...וְצֶאֱצָאֵי מֵעֶיךָ כִּמְעֹתָיו Is. 48:19
18 הֲמוֹן מֵעֶיךָ אֵלַי הִתְאַפָּקוּ Is. 63:15
19 בָּחֳלָיִים רַבִּים בְּמַחֲלֵה מֵעֶיךָ IICh. 21:15
20 עַד־יֵצְאוּ מֵעֶיךָ מִן־הַחֹלִי IICh. 21:15
וּמֵעֶיךָ 21 בִּטְנְךָ תַאֲכֵל וּמֵעֶיךָ תְמַלֵּא Ezek. 3:3
מִמֵּעֶיךָ 22 כִּי־אִם אֲשֶׁר יֵצֵא מִמֵּעֶיךָ Gen. 15:4
23 זַרְעֲךָ אַחֲרֶיךָ אֲשֶׁר יֵצֵא מִמֵּעֶיךָ IISh. 7:12
בְּמֵעַיִךְ 24 וּבָאוּ הַמַּיִם הַמְאָרְרִים...בְּמֵעַיִךְ Num. 5:22
מִמֵּעַיִךְ 25 וּשְׁנֵי לְאֻמִּים מִמֵּעַיִךְ יִפָּרֵדוּ Gen. 25:23
מֵעָיו 26 וַיַּכֵּהוּ...וַיִּשְׁפֹּךְ מֵעָיו אַרְצָה IISh. 20:10
27 מֵעָיו עֶשֶׁת שֵׁן מְעֻלֶּפֶת סַפִּירִים S.ofS. 5:14
28 יָצְאוּ מֵעָיו עִם־חָלְיוֹ IICh. 21:19
29 וּמִיצִיאֵי מֵעָיו שָׁם הִפִּילֻהוּ בֶחָרֶב IICh. 32:21
בְּמֵעָיו 30 לַחְמוֹ בְּמֵעָיו נֶהְפָּךְ Job 20:14
31 נְגָפוֹ יי בְּמֵעָיו לָחֳלִי IICh. 21:18
וּמֵעֵיהֶם 32 וּמֵעֵיהֶם לֹא יְמַלֵּאוּ Ezek. 7:19
כִּמְעֹתָיו 33 וְצֶאֱצָאֵי מֵעֶיךָ כִּמְעֹתָיו Is. 48:19

(מְעִי*2) מְעִין ז״ר ארמית: מֵעִים, קרבים

מְעוֹהִי 1 מְעוֹהִי וְיַרְכָתֵהּ דִּי נְחָשׁ Dan. 2:32

מָעַי שפ״ז – מן הלויים בימי עזרא

מָעַי 1 מִלְלַי גִּלְלַי מָעַי Neh. 12:36

מְעִיל ז׳ מַלְבּוּשׁ עליון: 1-28

קרובים: ראה בֶּגֶד

מְעִיל הָאֵפוֹד 15-17; מ׳ בּוּץ 19; מ׳ צְדָקָה 18; כְּנַף מְעִיל 11, 22-24; פִּי מְעִיל 8; שׁוּלֵי מְעִיל 4-7

מְעִיל 1 וְהוּא עֹטֶה מְעִיל ISh. 28:14
וּמְעִיל 2 חֹשֶׁן וְאֵפוֹד וּמְעִיל Ex. 28:4
3 וּמְעִיל קָטֹן תַּעֲשֶׂה־לּוֹ אִמּוֹ ISh. 2:19
הַמְּעִיל 4-7 עַל־שׁוּלֵי הַמְּעִיל Ex. 28:34; 39:24, 25, 26
8 וּפִי־הַמְּעִיל בְּתוֹכוֹ Ex. 39:23
9 וַיַּלְבֵּשׁ אֹתוֹ אֶת־הַמְּעִיל Lev. 8:7
10 וַיִּתְפַּשֵּׁט...אֶת־הַמְּעִיל אֲשֶׁר עָלָיו ISh. 18:4
11 אֶת־כְּנַף הַמְּעִיל אֲשֶׁר־לְשָׁאוּל ISh. 24:4
כִּמְעִיל 12 כִּמְעִיל וְצָנִיף מִשְׁפָּטִי Job 29:14
כַּמְּעִיל 13 וַיַּעַט כַּמְּעִיל קִנְאָה Is. 59:17
14 וְיַעֲטוּ כַמְּעִיל בָּשְׁתָּם Ps. 109:29
מְעִיל־ 15 וְעָשִׂיתָ אֶת־מְעִיל הָאֵפוֹד Ex. 28:31
16 אֶת־הַכֻּתֹּנֶת וְאֵת מְעִיל הָאֵפֹד Ex. 29:5
17 וַיַּעַשׂ אֶת־מְעִיל הָאֵפֹד Ex. 39:22
18 מְעִיל צְדָקָה יְעָטָנִי Is. 61:10
בִּמְעִיל־ 19 וְדָוִיד מְכֻרְבָּל בִּמְעִיל בּוּץ ICh. 15:27
וּמְעִילִי 20 קָרַעְתִּי אֶת־בִּגְדִי וּמְעִילִי Ez. 9:3
21 וּבְקָרְעִי בִגְדִי וּמְעִילִי Ez. 9:5
מְעִילְךָ 22 רְאֵה אֶת־כְּנַף מְעִילְךָ בְּיָדִי ISh. 24:11
23 כִּי בְּכָרְתִי אֶת־כְּנַף מְעִילְךָ... ISh. 24:11
מְעִילוֹ 24 וַיַּחֲזֵק בִּכְנַף־מְעִילוֹ וַיִּקָּרַע ISh. 15:27
25 וַיִּקְרַע אֶת־מְעִלוֹ וַיָּגָז אֶת־רֹאשׁוֹ Job 1:20
26 וַיִּקְרְעוּ אִישׁ מְעִלוֹ Job 2:12
מְעִילִים 27 תִּלְבַּשְׁןָ בְנוֹת־הַמֶּ׳ הַבְּתוּלֹת מְעִי׳ IISh. 13:18
מְעִילֵיהֶם 28 וְהֵסִירוּ אֶת־מְעִילֵיהֶם Ezek. 26:16

מְעִים ז״ז – עין מֵעֶה*

מַעְיָן ז׳ א) מקור מים חיים (גם בהשאלה): 1-16, 18-23

ב) שימת עין, התבוננות: 17

– מַעְיָן חָתוּם 5; מַעְיָן נִרְפָּשׂ 4

– מַעְיַן גַּנִּים 10; מַעְיַן מַיִם 7-9, 11, 14, 15; מַעַיְנֵי יְשׁוּעָה 16; מַעְיְנוֹת תְּהוֹם 21, 22

מַעְיָן 1 אַךְ מַעְיָן וּבוֹר מִקְוֵה־מַיִם Lev. 11:36
2 אַתָּה בָקַעְתָּ מַעְיָן וָנָחַל Ps. 74:15
3 עֹבְרֵי בְּעֵמֶק הַבָּכָא מַעְיָן יְשִׁיתוּהוּ Ps. 84:7
4 מַעְיָן נִרְפָּשׂ וּמָקוֹר מָשְׁחָת Prov. 25:26
5 גַּל נָעוּל מַעְיָן חָתוּם S.ofS. 4:12
וּמַעְיָן 6 וּמַעְיָן מִבֵּית יי יֵצֵא... Joel 4:18
מַעְיַן־ 7-8 ...אֶל־מַעְיַן מֵי נֶפְתּוֹחַ Josh. 15:9; 18:15
9 וְכָל־מַעְיַן־מַיִם יִסְתֹּמוּ IIK. 3:25
10 מַעְיַן גַּנִּים בְּאֵר מַיִם חַיִּים S.ofS. 4:15
לְמַעְיְנוֹ־ 11 הַהֹפְכִי...חַלָּמִישׁ לְמַעְיְנוֹ־מָיִם Ps. 114:8
מַעְיָנוֹ 12 וְיֵבוֹשׁ מְקוֹרוֹ וְיֶחֱרַב מַעְיָנוֹ Hosh. 13:15
מַעְיָנִים 13 הַמְשַׁלֵּחַ מַעְיָנִים בַּנְּחָלִים Ps. 104:10
מַעְיְנֵי־ 14 לֵךְ בָּאָרֶץ אֶל־כָּל־מַעְיְנֵי הַמַּיִם... IK. 18:5
15 וְכָל־מַעְיְנֵי־מַיִם תִּסְתֹּמוּ IIK 3:19
מִמַּעַיְנֵי־ 16 וּשְׁאַבְתֶּם...מִמַּעַיְנֵי הַיְשׁוּעָה Is. 12:3
מַעְיָנַי 17 וְשָׁרִים כְּחֹלְלִים כָּל מַעְיָנַי בָּךְ Ps. 87:7
מַעְיָנוֹת 18 וּבְתוֹךְ בְּקָעוֹת מַעְיָנוֹת Is. 41:18
19 בְּאֵין מַעְיָנוֹת נִכְבַּדֵּי־מָיִם Prov. 8:24
הַמַּעְיָנוֹת 20 וַיִּסְתְּמוּ אֶת־כָּל־הַמַּעְיָנוֹת IICh. 32:4
מַעְיְנוֹת־ 21 נִבְקְעוּ כָּל־מַעְיְנוֹת תְּהוֹם רַבָּה Gen. 7:11
22 וַיִּסָּכְרוּ מַעְיְנֹת תְּהוֹם Gen. 8:2
מַעְיְנֹתֶיךָ 23 יָפוּצוּ מַעְיְנֹתֶיךָ חוּצָה Prov. 5:16

מעך : מָעַךְ, מָעוּךְ; ש״פ מָעוֹךְ, מַעֲכָה

מָעַךְ פ׳ א) [בינוני: מָעוּךְ] כתוש: 1

ב) [כנ״ל] תקוע: 2

ג) [פָּ׳ מֹעַךְ] נלחץ במשוש: 3

וּמָעוּךְ 1 וּמָעוּךְ וְכָתוּת וְנָתוּק וְכָרוּת Lev. 22:24
מְעוּכָה 2 וַחֲנִיתוֹ מְעוּכָה בָאָרֶץ ISh. 26:7
מִעֲכוּ 3 שָׁמָּה מֹעֲכוּ שְׁדֵיהֶן Ezek. 23:3

מַעֲכָה[1] שפ״ז א) בן נחור אחי אברהם: 1

ב) מלך גת: 2

ג) אבי חנן מגבורי דוד: 3

ד) אבי ראש בית אב בימי דוד: 4

מַעֲכָה 1 וַתֵּלֶד...וְאֶת־תַּחַשׁ וְאֶת־מַעֲכָה Gen. 22:24
2 אֶל־אָכִישׁ בֶּן־מַעֲכָה מֶלֶךְ גַּת IK. 2:39
3 חָנָן בֶּן־מַעֲכָה... ICh. 11:43
4 לַשִּׁמְעוֹנִי שְׁפַטְיָהוּ בֶּן־מַעֲכָה ICh. 27:16

מַעֲכָה[2] שפ״נ א) מנשי דוד, אם אבשלום: 1, 2

ב) אשת רחבעם בן שלמה: 3–5, 9–14

ג) פילגש כָּלֵב: 6

ד) נשים שונות: 7, 8

מַעֲכָה 1-2 (לְ)אַבְשָׁלוֹם בֶּן־מַעֲכָה בַת־תַּלְמַי IISh. 3:3 • ICh. 3:2
3-4 וְשֵׁם אִמּוֹ מַעֲכָה בַּת־אֲבִישָׁלוֹם IK. 15:2, 10
5 וְגַם אֶת־מַעֲכָה אִמּוֹ וַיְסִרֶהָ... IK. 15:13
6 פִּילֶגֶשׁ כָּלֵב מַעֲכָה ICh. 2:48
7 וּמָכִיר...וְשֵׁם אֲחֹתוֹ מַעֲכָה ICh. 7:15
8 וַתֵּלֶד מַעֲכָה אֵשֶׁת־מָכִיר בֵּן ICh. 7:16
9-10 וְשֵׁם אִשְׁתּוֹ מַעֲכָה ICh. 8:29, 35
11-12 אֶת־מַעֲכָה בַּת־אַבְשָׁלוֹם IICh. 11:20, 21
13 אֶת־אֲבִיָּה בֶן־מַעֲכָה IICh. 11:22
14 מַעֲכָה אֵם אָסָא הַמֶּלֶךְ הֱסִירָהּ IICh. 15:16

מַעֲכָה[3] ממלכה ארמית: 1-3

[עין גם אָבֵל בֵּית מַעֲכָה]

מַעֲכָה 1/2 וַיִּשְׂכְּרוּ..וְאֶת־מֶלֶךְ מַ׳ וּ/7 IISh. 10:6 • ICh. 19:7
וּמַעֲכָה 3 וַאֲרָם צוֹבָא וּרְחוֹב...וּמַעֲכָה IISh. 10:8

מַעֲכַת היא ממלכת מַעֲכָה

וּמַעֲכַת 1 וַיֵּשֶׁב גְּשׁוּר וּמַעֲכַת בְּקֶרֶב יִשְׂרָאֵל Josh. 13:13

מַעֲכָתִי ת׳ מתושבי ממלכת מַעֲכָה: 1-8

הַמַּעֲכָתִי 1 ...אֶת־הַגְּשׁוּרִי וְאֶת־הַמַּעֲכָתִי Josh. 13:13
2 אֱלִיפֶלֶט בֶּן־אֲחַסְבַּי בֶּן־הַמַּעֲכָ׳ IISh. 23:34
3 וְיַאֲזַנְיָהוּ בֶּן־הַמַּעֲכָתִי IIK. 25:23
4 וִיזַנְיָהוּ בֶּן־הַמַּעֲכָתִי Jer. 40:8
5 וְאֶשְׁתְּמֹעַ הַמַּעֲכָתִי ICh. 4:19
וְהַמַּעֲכָתִי 6-7 עַד־גְּבוּל הַגְּשׁוּרִי וְהַמַּעֲכָתִי Deut. 3:14 • Josh. 12:5
8 וּגְבוּל הַגְּשׁוּרִי וְהַמַּעֲכָתִי Josh. 13:11

מעל : מָעַל; מַעַל

מָעַל פ׳ בָּגַד באמון: 1-35

קרובים: ראה חָטָא

מָעַל 8, 20, 27, 29, 33; מָעַל בְּ־ 3, 4, 7, 10, 12, 13, 21, 23-26, 28, 30, 35; מָעַל מַעַל בְּ־ 1, 2, 5, 6, 9, 11, 14-19, 22, 31, 32, 34

וּמָעוֹל 1 הִפְרִיעַ בִּיהוּדָה וּמָעוֹל מַעַל בַּיי IICh. 28:19
לִמְעֹל 2 לִמְעֹל מַעַל בַּיי Num. 5:6
3 וְלָכֶם הֲנִשְׁמַע...לִמְעֹל בֵּאלֹהֵינוּ Neh. 13:27
4 וּבְעֵת הָצַר לוֹ וַיּוֹסֶף לִמְעוֹל בַּיי IICh. 28:22

לְמָעָל־ 5 כִּי תֶחֱטָא־לִי לִמְעָל־מַעַל Ezek. 14:13
6 הִרְבּוּ לִמְעָל (כת׳ למעול) מַעַל... IICh. 36:17
בְּמַעֲלָם 7 גִּדְּפוּ אוֹתִי...בְּמַעֲלָם בִּי מָעַל Ezek. 20:27
מָעַלְתָּ 8 צֵא מִן־הַמִּקְדָּשׁ כִּי מָעַלְתָּ IICh. 26:18
מָעַל 9 עָכָן...מָעַל מַעַל בַּחֵרֶם Josh. 22:20
10 וְנִשְׁפַּטְתִּי...מַעֲלוֹ אֲשֶׁר מָעַל־בִּי Ezek. 17:20
11 בְּמַעֲלוֹ אֲשֶׁר־מָעַל...יָמוּת Ezek. 18:24
12 עָכָר...אֲשֶׁר מָעַל בַּחֵרֶם ICh. 2:7
13 בְּמַעֲלוֹ אֲשֶׁר־מָעַל בַּייָ ICh. 10:13
וּמָעֲלָה 14 נֶפֶשׁ כִּי תֶחֱטָא וּמָעֲלָה מַעַל בַּייָ Lev. 5:21
15 כִּי־תִשְׂטֶה אִשְׁתּוֹ וּמָעֲלָה בוֹ מָעַל Num. 5:12
מָעַלְנוּ 16 אֲנַחְנוּ מָעַלְנוּ בֵאלֹהֵינוּ Ez. 10:2
מְעַלְתֶּם 17 עַל אֲשֶׁר מְעַלְתֶּם בִּי Deut. 32:51
18 אֲשֶׁר מְעַלְתֶּם בֵּאלֹהֵי יִשְׂרָאֵל Josh. 22:16
19 לֹא־מְעַלְתֶּם בַּייָ הַמַּעַל הַזֶּה Josh. 22:31
20 אַתֶּם מְעַלְתֶּם וַתֹּשִׁיבוּ נָשִׁים נָכְרִיּוֹת Ez. 10:10
מָעֲלוּ 21 בְּמַעֲלָם אֲשֶׁר מָעֲלוּ־בִי Lev. 26:40
22 יַעַן מָעֲלוּ מַעַל Ezek. 15:8
23 עַל אֲשֶׁר מָעֲלוּ־בִי Ezek. 39:23
24 כָּל־מַעֲלָם אֲשֶׁר מָעֲלוּ־בִי Ezek. 39:26
25 בְּמַעֲלָם אֲשֶׁר מָעֲלוּ־בָךְ Dan. 9:7
26 עָלָה שִׁישַׁק...כִּי מָעֲלוּ בַּייָ IICh. 12:2
27 כִּי־מָעֲלוּ אֲבֹתֵינוּ IICh. 29:6
28 אֲשֶׁר מָעֲלוּ בַּייָ אֱלֹהֵי אֲבוֹתֵיהֶם IICh. 30:7
יִמְעַל־ 29 בְּמִשְׁפָּט לֹא יִמְעַל־פִּיו Prov. 16:10
וַיִּמְעַל 30 גָּבַהּ לִבּוֹ...וַיִּמְעַל בַּייָ אֱלֹהָיו IICh. 26:16
תִּמְעֹל 31 נֶפֶשׁ כִּי־תִמְעֹל מַעַל Lev. 5:15
וַתִּמְעֹל 32 אִם־נִטְמְאָה וַתִּמְעֹל מַעַל בְּאִישָׁהּ Num. 5:27
תִּמְעָלוּ 33 אַתֶּם תִּמְעָלוּ אֲנִי אָפִיץ אֶתְכֶם Neh. 1:8
וַיִּמְעֲלוּ 34 וַיִּמְעֲלוּ בְנֵי־יִשְׂרָאֵל מַעַל בַּחֵרֶם Josh. 7:1
35 וַיִּמְעֲלוּ בֵּאלֹהֵי אֲבֹתֵיהֶם... ICh. 5:25

מַעַל[1]

ז׳ בגידה, הפרת אמון: 1-29

מַעַל הַגּוֹלָה 19, 20; יָדוֹ הָיְתָה בַּמַּעַל 18; מָעַל מַעַל 1-4, 6-13, 15, 16, 21, 23-28; מְסַר מ׳ 5; נִשְׁאַר מַעַל 14

מַעַל 1 נֶפֶשׁ כִּי־תִמְעֹל מַעַל Lev. 5:15
2 נֶפֶשׁ כִּי־תֶחֱטָא וּמָעֲלָה מַעַל בַּייָ Lev. 5:21
3 כִּי יַעֲשׂוּ...לִמְעֹל מַעַל בַּייָ Num. 5:6
4 אִם־נִטְמְאָה וַתִּמְעֹל מַעַל בְּאִישָׁהּ Num. 5:27
5 לִמְסָר־מַעַל בַּייָ Num. 31:16
6 וַיִּמְעֲלוּ בְנֵי יִשְׂרָאֵל מַעַל בַּחֵרֶם Josh. 7:1
7 עָכָן...מָעַל מַעַל בַּחֵרֶם Josh. 22:20
8 כִּי תֶחֱטָא־לִי לִמְעָל־מַעַל Ezek. 14:13
9 יַעַן מָעֲלוּ מַעַל Ezek. 15:8
10 הִפְרִיעַ בִּיהוּדָה וּמָעוֹל מַעַל בַּייָ IICh. 28:19
11 הִרְבּוּ לִמְעָל°־מַעַל... IICh. 36:14
מָעַל 12 כִּי תִשְׂטֶה אִשְׁתּוֹ וּמָעֲלָה בוֹ מָעַל Num. 5:12
13 גִּדְּפוּ אוֹתִי...בְּמַעֲלָם בִּי מָעַל Ezek. 20:27
14 וּתְשׁוּבֹתֵיכֶם נִשְׁאַר־מָעַל Job 21:34
הַמַּעַל 15 מָה־הַמַּעַל הַזֶּה אֲשֶׁר מְעַלְתֶּם Josh. 22:16
16 אֲשֶׁר לֹא־מְעַלְתֶּם בַּייָ הַמַּעַל הַזֶּה Josh. 22:31
בְּמַעַל 17 אִם־בְּמֶרֶד וְאִם־בְּמַעַל בַּייָ Josh. 22:22
בַּמַּעַל 18 וְיַד...הָיְתָה בַּמַּעַל הַזֶּה רִאשׁוֹנָה Ez. 9:2
מַעַל־ 19 כָּל־חָרֵד...עַל מַעַל הַגּוֹלָה Ez. 9:4
20 כִּי מִתְאַבֵּל עַל־מַעַל הַגּוֹלָה Ez. 10:6
מַעֲלוֹ 21 מַעֲלוֹ אֲשֶׁר מָעַל־בִּי Ezek. 17:20
וּמַעְלוֹ 22 וְכָל־חַטָּאתוֹ וּמַעְלוֹ IICh. 33:19
בְּמַעֲלוֹ 23 בְּמַעֲלוֹ אֲשֶׁר מָעַל... Ezek. 18:24
24 וַיָּמָת שָׁאוּל בְּמַעֲלוֹ אֲשֶׁר־מָעַל בַּייָ ICh. 10:13
25 אֲשֶׁר הִזְנִיחַ...בְּמַלְכוּתוֹ בְּמַעֲלוֹ IICh. 29:19
מַעֲלָם 26 כָּל־מַעֲלָם אֲשֶׁר מָעֲלוּ־בִי Ezek. 39:26
בְּמַעֲלָם 27 בְּמַעֲלָם אֲשֶׁר מָעֲלוּ־בִי Lev. 26:40
28 בְּמַעֲלָם אֲשֶׁר מָעֲלוּ־בָךְ Dan. 9:7
29 וִיהוּדָה הָגְלוּ לְבָבֶל בְּמַעֲלָם ICh. 9:1

מַעַל[2]

תה״פ א) [מִמַּעַל] בגובה, ברום: 2-6, 11, 14, 18, 21-27, 29

ב) [מִמַּעַל לְ־] מֵעַל־, עַל־פְּנֵי, הפך מן ״מתחת ל־״: 1, 3-5, 12, 13, 15-17, 19, 20, 28

ג) [מַעְלָה] לגובה: 30, 31

ד) [מִן...וָמַעְלָה] ויותר מזה (בגיל, בגובה, בזמן וכד׳): 32-83

ה) [לְמַעְלָה] לגובה, לרום, אל עָל (גם בהשאלה): 84-117

ו) [מִלְמַעְלָה] מן הצד העליון: 118-141

מַעְלָה מַעְלָה 30; לְמַעְלָה לְמַעְלָה 90; לְמַעְלָה רֹאשׁ 93; עַד לְמַעְלָה 98, 109, 111

מִמַּעַל 1 עַל־הַמִּזְבֵּחַ מִמַּעַל לָעֵצִים Gen. 22:9
2 אֲשֶׁר בַּשָּׁמַיִם מִמַּעַל Ex. 20:4
3-4 מִמַּעַל לְחֵשֶׁב הָאֵפ(וֹ)ד Ex. 28:27; 39:20
5 אֲשֶׁר לוֹ° כְרָעַיִם מִמַּעַל לְרַגְלָיו Lev. 11:21
6 הוּא הָאֱלֹהִים בַּשָּׁמַיִם מִמַּעַל Deut. 4:39
7-9 בַּשָּׁמַיִם מִמַּעַל Deut. 5:8
Josh. 2:11 • IK. 8:23
10 וְסָפֻן בָּאֶרֶז מִמַּעַל עַל־הַצְּלָעֹת IK. 7:3
11 גַּם־מִמַּעַל מִלְּעֻמַּת הַבֶּטֶן IK. 7:20
12 שְׂרָפִים עֹמְדִים מִמַּעַל לוֹ Is. 6:2
13 מִמַּעַל לְכוֹכְבֵי־אֵל אָרִים כִּסְאִי Is. 14:13
14 הַרְעִיפוּ שָׁמַיִם מִמַּעַל Is. 45:8
15 אֲשֶׁר מִמַּעַל לְלִשְׁכַּת מַעֲשֵׂיָהוּ Jer. 35:4
16 וְשַׂמְתִּי כִסְאוֹ מִמַּעַל לָאֲבָנִים Jer. 43:10
17 מִמַּעַל לְכִסֵּא הַמְּלָכִים° Jer. 52:32
18 וָאַשְׁמִיד פִּרְיוֹ מִמַּעַל Am. 2:9
19-20 אֲשֶׁר מִמַּעַל לְמֵימֵי הַיְאֹר Dan. 12:6, 7
מִמָּעַל 21 וְעַל־הַשְּׁלַבִּים כֵּן מִמָּעַל IK. 7:29
22 וְקָדְרוּ הַשָּׁמַיִם מִמָּעַל Jer. 4:28
23 וַיְצַו שְׁחָקִים מִמָּעַל Ps. 78:23
24 בְּאַמְּצוֹ שְׁחָקִים מִמָּעַל Prov. 8:28
25 אַל־יִדְרְשֵׁהוּ אֱלוֹהַּ מִמָּעַל Job 3:3
26 וּמֶה חֵלֶק אֱלוֹהַּ מִמַּעַל Job 31:2
27 כִּי־כִחַשְׁתִּי לָאֵל מִמָּעַל Job 31:28
וּמִמַּעַל 28 וּמִמַּעַל לָרָקִיעַ אֲשֶׁר עַל־רֹאשָׁם Ezek. 1:26
29 וּמִמַּעַל יִמַּל קְצִירוֹ Job 18:16
מַעְלָה מָּעְלָה 30/1 יַעֲלֶה עָלֶיךָ מַעְלָה מָּעְלָה Deut. 28:43
וָמַעְלָה 32 מִבֶּן עֶשְׂרִים שָׁנָה וָמַעְלָה Ex. 38:26
33 מִבֶּן־שִׁשִּׁים שָׁנָה וָמַעְלָה Lev. 27:7
34-60 מִבֶּן...שָׁנָה וָמַעְלָה Num. 1:3, 18
1:20, 22, 24, 26, 28, 30, 32, 34, 36, 38, 40, 42, 45; 4:3, 23, 30, 35, 39, 43, 47; 8:24; 26:2; 32:11 • Ez. 3:8 • IICh. 25:5
61-63 מִבֶּן־חֹדֶשׁ וָמַעְלָה Num. 3:15, 39, 43
64 מִשִּׁכְמוֹ וָמַעְלָה גָּבֹהַּ מִכָּל־הָעָם ISh. 9:2
65 וּפִיהוּ מִבֵּית לַכֹּתֶרֶת וָמַעְלָה IK. 7:31
66 מִכֹּל חֹגֵר חֲגֹרָה וָמָעְלָה IIK. 3:21
וָמָעְלָה 67 מִבֶּן עֶשְׂרִים שָׁנָה וָמָעְלָה Ex. 30:14
68-71 מִבֶּן־...שָׁנָה וָמָעְלָה Num. 14:29; 26:4
ICh. 23:3, 24
72-77 מִבֶּן־חֹדֶשׁ וָמָעְלָה Num. 3:22, 28, 34
3:40, 43; 26:62
78 וּגְבוּל הָאֱמֹרִי...מֵהַסֶּלַע וָמָעְלָה Jud. 1:36
79 וַיִּגְבַּהּ מִכָּל־הָעָם מִשִּׁכְמוֹ וָמָעְלָה ISh. 10:23
80-81 מֵהַיּוֹם הַהוּא וָמָעְלָה ISh. 16:13; 30:25
82-83 מִן־הַיּוֹם הַזֶּה וָמָעְלָה Hag. 2:15, 18
לְמַעְלָה 84-85 פֹּרְשֵׂי כְנָפַיִם לְמַעְלָה Ex. 25:20; 37:9
86 וְהָיִיתָ רַק לְמַעְלָה Deut. 28:13
87 וַיַּהַפְכֵהוּ לְמַעְלָה וְנָפַל הָאֹהֶל Jud. 7:13
88/9 וְנָסְבָה לְמַעְלָה לְמַעְלָה Ezek. 41:17
90/1 מוּסַב־הַבַּיִת לְמַעְלָה לְמַעְלָה Ezek. 41:7
92 אֹרַח חַיִּים לְמַעְלָה לְמַשְׂכִּיל Prov. 15:24
93 כִּי עֲוֹנֹתֵינוּ רָבוּ לְמַעְלָה רֹאשׁ Ez. 9:6
94 כִּי־נִשֵּׂאת לְמַעְלָה מַלְכוּתוֹ ICh. 14:2
95 וְהַבַּיִת... לְהַגְדִּיל לְמַעְלָה לְשֵׁם ICh. 22:5(4)
96 נָתַתִּי לְבֵית־אֱלֹהַי לְמַעְלָה ICh. 29:3
97 וַיְגַדֵּל יְיָ אֶת־שְׁלֹמֹה לְמַעְלָה ICh. 29:25
98 וַיֶּחֱלֶא...עַד־לְמַעְלָה חָלְיוֹ IICh. 16:12
99 וְהַחַמָּנִים אֲשֶׁר־לְמַעְלָה מֵעֲלֵיהֶם IICh. 34:4
לְמָעְלָה 100/1 וְעָשָׂה פְרִי לְמָעְלָה IIK. 19:30 • Is. 37:31
102 הַעְמֵק שְׁאָלָה אוֹ הַגְבֵּהַּ לְמָעְלָה Is. 7:11
103 וְקִלֵּל...וּבֵאלֹהָיו וּפָנָה לְמָעְלָה Is. 8:21
104 עַל־כֵּן רֹחַב־לַבַּיִת לְמָעְלָה Ezek. 41:7
105 יִוָּדַע כְּמֵבִיא לְמָעְלָה Ps. 74:5
106 מִי יוֹדֵעַ...הָעֹלָה הִיא לְמָעְלָה Eccl. 3:21
107 וּבְנֵי רְחַבְיָה רָבוּ לְמָעְלָה ICh. 23:17
108 וַייָ אֱלֹהָיו עִמּוֹ וַיְגַדְּלֵהוּ לְמָעְלָה IICh. 1:1
109 וַיְהִי...הֹלֵךְ וְגָדֵל עַד־לְמָעְלָה IICh. 17:12
110 לְהַלֵּל לַייָ...בְּקוֹל גָּדוֹל לְמָעְלָה IICh. 20:19
111 כִּי הֶחֱזִיק עַד־לְמָעְלָה IICh. 26:8
וּלְמַעְלָה 112 וּמִמָּתְנָיו וּלְמַעְלָה כְּמַרְאֵה־זֹהַר Ezek. 8:2
113 וּמֵהָאֲרִאֵיל וּלְמַעְלָה הַקְּרָנוֹת Ezek. 43:15
114 מִבֶּן שָׁלוֹשׁ שָׁנִים לְמַעְלָה IICh. 31:16
וּלְמָעְלָה 115 מִמַּרְאֵה מָתְנָיו וּלְמָעְלָה Ezek. 1:27
116-117 מִבֶּן עֶשְׂרִים שָׁנָה וּלְמָעְלָה
ICh. 23:27 • ICh. 31:17
מִלְמַעְלָה 118 וְאֶל־אַמָּה תְּכַלֶּנָּה מִלְמַעְלָה Gen. 6:16
119 חֲמֵשׁ עֶשְׂרֵה אַמָּה מִלְמַעְלָה גָּבְרוּ Gen. 7:20
120 וַיַּעַמְדוּ הַמַּיִם הַיֹּרְדִים מִלְמַעְלָה Josh. 3:16
121 אִם־יִמַּדּוּ שָׁמַיִם מִלְמַעְלָה Jer. 31:37(36)
מִלְמָעְלָה 122 וְנָתַתָּ...עַל־הָאָרֹן מִלְמָעְלָה Ex. 25:21
123/4 וּמִכְסֵה עֹרֹת...מִלְמָעְלָה Ex. 26:14; 36:19
125 לָתֵת עַל־הַמִּצְנֶפֶת מִלְמָעְלָה Ex. 39:31
126 יִכָּרֵתוּן הַמַּיִם הַיֹּרְדִים מִלְמָעְלָה Josh. 3:13
127 כְּמַרְאֵה אָדָם עָלָיו מִלְמָעְלָה Ezek. 1:26
128/9 וּכְבוֹד אֱלֹהֵי־יִשְׂ׳ עֲלֵיהֶם מִלְמָעְלָה
Ezek. 10:19; 11:22
130 וַיִּקְרַם עֲלֵיהֶם עוֹר מִלְמָעְלָה Ezek. 37:8
131-140 מִלְמָעְלָה Ex. 40:19, 20
Num. 4:6, 25 • IK. 7:25; 8:7 • Ezek. 1:11
1:22 • IICh. 4:4; 5:8
וּמִלְמַעְלָה 141 וּמִלְמַעְלָה אֲבָנִים יְקָרוֹת IK. 7:11

מֹעַל*

ז׳ הרמה, תנופה

בְּמֹעַל־ 1 וַיַּעֲנוּ...אָמֵן אָמֵן בְּמֹעַל יְדֵיהֶם Neh. 8:6

מֵעָל

ז׳ ארמית — עין מֵעָלֵי

מַעֲלֶה

ז׳ א) מקום עליה: 1-5, 7-19

ב) בימה, דוכן: 6

מַעֲלֵה אֲדֻמִּים 3, 14; מַ׳ בֵּית חוֹרוֹן 2; מַ׳ גּוּר 9; מַ׳ הֶחָרֶס 16; מַ׳ הַלּוּחִית 4, 5; מַ׳ הַלְוִיִּם 6; מַ׳ הָעִיר 7; מַ׳ עַקְרַבִּים 12,13,15; מַ׳ הַצִּיץ 10; מַעֲלֵה קִבְרֵי בְנֵי דָוִד 11

בַּמַּעֲלֶה 1 וְנֶגְדָּם עָלוּ...בַּמַּעֲלֶה לַחוֹמָה Neh. 12:37
מַעֲלֵה־ 2 וַיִּרְדְּפֵם דֶּרֶךְ מַעֲלֵה בֵית־חוֹרֹן Josh. 10:10
3 אֲשֶׁר־נֹכַח מַעֲלֵה אֲדֻמִּים Josh. 18:17

מַעֲלֵה־ (המשך) 4 מַעֲלֵה הַלּוּחִית בִּבְכִי יַעֲלֶה־בּוֹ Is. 15:5
5 מַעֲלֵה הַלֻּחוֹת° בִּבְכִי יַעֲלֶה־בֶּכִי Jer. 48:5
6 וַיָּקָם עַל־מַעֲלֵה הַלְוִיִּם יֵשׁוּעַ... Neh. 9:4
בְּמַעֲלֵה־ 7 הֵמָּה עֹלִים בְּמַעֲלֵה הָעִיר ISh. 9:11
8 וְדָוִד עֹלֶה בְמַעֲלֵה הַזֵּיתִים IISh. 15:30
9 וַיִּרְדֹּף אַחֲרָיו...בְּמַעֲלֵה־גוּר IIK. 9:27
10 הִנָּם עֹלִים בְּמַעֲלֵה־הַצִּיץ IICh. 20:16
11 בְּמַעֲלֵה קִבְרֵי בְנֵי־דָוִיד IICh. 32:33
לְמַעֲלֵה־ 12 וְנָסַב...מִנֶּגֶב לְמַעֲלֵה עַקְרַבִּים Num. 34:4
13 אֶל־מִנֶּגֶב לְמַעֲלֵה עַקְרַבִּים Josh. 15:3
14 אֲשֶׁר־נֹכַח לְמַעֲלֵה אֲדֻמִּים Josh. 15:7
מִמַּעֲלֵה־ 15 וּגְבוּל הָאֱמֹרִי מִמַּעֲלֵה עַקְרַבִּים Jud. 1:36
מִלְמַעֲלֵה־ 16 וַיָּשָׁב...מִלְמַעֲלֵה הֶחָרֶס Jud. 8:13
מַעֲלָיו 17 וּמַעֲלוֹת שְׁמוֹנֶה מַעֲלָו Ezek. 40:31
18-19 וּשְׁמֹנֶה מַעֲלוֹת מַעֲלָו Ezek. 40:34, 37

מַעֲלָה

נ׳ א) עֲלִיָּה (גם בהשאלה): 1, 2, 42
ב) מדרגה: 3-41, 43, 44
ג) קומה עליונה: 45

– הָאָדָם הַמַּעֲלָה 2; יְסוּד הַמַּעֲלָה 1
– גֶּרֶם הַמַּעֲלוֹת 17; צֵל הַמַּ׳ 18; שִׁיר הַמַּעֲלוֹת 19-32, (40)
– מַעֲלוֹת אָחָז 43, 44; מַעֲלוֹת עִיר דָּוִד 41; מַעֲלוֹת רוּחוֹ 42

הַמַּעֲלָה 1 הוּא יְסֻד הַמַּעֲלָה מִבָּבֶל Ez. 7:9
2 וּרְאִיתַנִי כְּתוֹר הָאָדָם הַמַּעֲלָה ICh. 17:17
מַעֲלוֹת 3 שֵׁשׁ מַעֲלוֹת לַכִּסֵּה IK. 10:19
4 הָלַךְ הַצֵּל עֶשֶׂר מַעֲלוֹת IIK. 20:9
5 אִם־יָשׁוּב עֶשֶׂר מַעֲלוֹת IIK. 20:9
6-10 עֶשֶׂר מַעֲלוֹת IIK. 20:10², 11 • Is. 38:8²
11-12 וּשְׁמֹנֶה מַעֲלוֹת מַעֲלָו Ezek. 40:47, 37
13 וְשֵׁשׁ מַעֲלוֹת לַכִּסֵּא IICh. 9:18
וּמַעֲלוֹת 14 וּמַעֲלוֹת שִׁבְעָה עֹלוֹתָו Ezek. 40:26
15 וּמַעֲלוֹת שְׁמוֹנֶה מַעֲלָו Ezek. 40:31
הַמַּעֲלוֹת 16 עַל־שֵׁשׁ הַמַּעֲלוֹת מִזֶּה וּמִזֶּה IK. 10:20
17 וַיָּשִׂימוּ תַחְתָּיו אֶל־גֶּרֶם הַמַּעֲלוֹת IIK. 9:13
18 הִנְנִי מֵשִׁיב אֶת־צֵל הַמַּעֲלוֹת Is. 38:8
19-27 שִׁיר הַמַּעֲלוֹת Ps. 120:1; 123:1
125:1; 126:1; 128:1; 129:1; 130:1; 132:1; 134:1
28-31 שִׁיר הַמַּעֲלוֹת לְדָוִד Ps. 122:1
124:1; 131:1; 133:1
32 שִׁיר הַמַּעֲלוֹת לִשְׁלֹמֹה Ps. 127:1
33 הַמַּעֲלוֹת הַיּוֹרְדוֹת מֵעִיר דָּוִיד Neh. 3:15
34 ...עֹמְדִים שָׁם עַל־שֵׁשׁ הַמַּעֲלוֹת IICh. 9:19
בַּמַּעֲלוֹת 35 וַיָּשֶׁב...הַצֵּל בַּמַּעֲלוֹת אֲשֶׁר יָרְדָה IIK.20:11
36 וַתָּשָׁב הַשֶּׁמֶשׁ..בַּמַּעֲלוֹת אֲשֶׁר יָרָדָה Is. 38:8
בְּמַעֲלוֹת 37 וְלֹא־תַעֲלֶה בְמַעֲלֹת עַל־מִזְבְּחִי Ex. 20:23
וּבְמַעֲלוֹת 38 וּבְמַעֲלוֹת שֶׁבַע יַעֲלוּ־בוֹ Ezek. 40:22
וּבַמַּעֲלוֹת 39 וּבַמַּעֲלוֹת אֲשֶׁר יַעֲלוּ אֵלָיו Ezek. 40:49
לַמַּעֲלוֹת 40 שִׁיר לַמַּעֲלוֹת Ps. 121:1
מַעֲלוֹת־ 41 וְנֶגְדָּם עָלוּ עַל־מַעֲלוֹת עִיר דָּוִיד
Neh. 12:37
וּמַעֲלוֹת־ 42 וּמַעֲלוֹת רוּחֲכֶם אֲנִי יְדַעְתִּיהָ Ezek. 11:5
בְּמַעֲלוֹת־ 43 אֲשֶׁר יָרְדָה בְּמַעֲלוֹת אָחָז IIK. 20:11
44 אֲשֶׁר יָרְדָה בְּמַעֲלוֹת אָחָז Is. 38:8
מַעֲלוֹתָיו 45 הַבּוֹנֶה בַשָּׁמַיִם מַעֲלוֹתָו Am. 9:6
בְּמַעֲלוֹתָיו 46 וַיָּבוֹא...וַיַּעַל בְּמַעֲלֹתָו Ezek. 40:6
וּמַעֲלוֹתֵהוּ 47 וּמַעֲלֹתֵהוּ פְּנוֹת קָדִים Ezek. 43:17

מֶעָלֵי

ז״ר ארמית מבוא

מֶעָלֵי־ 1 וְעַד מֶעָלֵי שִׁמְשָׁא הֲוָה מִשְׁתַּדַּר... Dan. 6:15

מַעֲלָלִים

ז״ר מעשים, פעולות: 1-41

– פְּרִי מַעֲלָלִים 6, 7, 27, 36; רַע מַעֲלָלִים 1; רֹעַ מַעֲלָלִים 4, 13-18, 29-32
– מַעַלְלֵי אֵל 3; מַעַלְלֵי יָהּ 2

מַעֲלָלִים 1 וְהָאִישׁ קָשֶׁה וְרַע מַעֲלָלִים ISh. 25:3
מַעַלְלֵי־ 2 אֶזְכּוֹר מַעַלְלֵי־יָהּ Ps. 77:12
3 וְלֹא יִשְׁכְּחוּ מַעַלְלֵי־אֵל Ps. 78:7
מַעֲלָלֶיךָ 4 מִפְּנֵי רֹעַ מַעֲלָלֶיךָ אֲשֶׁר עֲזַבְתָּנִי Deut. 28:20
וּמַעֲלָלַיִךְ 5 דַּרְכֵּךְ וּמַעֲלָלַיִךְ עָשׂוֹ אֵלֶּה לָךְ Jer. 4:18
מַעֲלָלָיו 6/7 כִּדְרָכָו כִּפְרִי מַעֲלָלָיו Jer. 17:10; 32:19
8 הֲקָצַר רוּחַ יְיָ אִם־אֵלֶּה מַעֲלָלָיו Mic. 2:7
וּמַעֲלָלָיו 9 וּמַעֲלָלָיו אָשִׁיב לוֹ Hosh. 4:9
בְּמַעֲלָלָיו 10 גַּם בְּמַעֲלָלָיו יִתְנַכֶּר־נָעַר Prov. 20:11
כְּמַעֲלָלָיו 11 כְּמַעֲלָלָיו יָשִׁיב לוֹ Hosh. 12:3
וּכְמַעֲלָלֵינוּ 12 לַעֲשׂוֹת לָנוּ כִּדְרָכֵינוּ וּכְמַעֲלָלֵינוּ Zech. 1:6
מַעַלְלֵיכֶם 13 הָסִירוּ רֹעַ מַעַלְלֵיכֶם מִנֶּגֶד עֵינָי Is. 1:16
14-18 (מִ)רֹעַ מַעַלְלֵיכֶם Jer. 4:4
21:12; 23:2; 25:5; 44:22
19 אֶת־דַּרְכֵיכֶם וְאֶת־מַעַלְלֵיכֶם Jer. 7:5
20 וּפָקַדְתִּי עֲלֵיכֶ׳ כִּפְרִי מַעַלְלֵיכֶם Jer. 21:14
21 שֻׁבוּ־נָא...וְהֵיטִיבוּ מַעַלְלֵיכֶם Jer. 35:15
וּמַעַלְלֵיכֶם 22-24 הֵיטִיבוּ דַרְכֵיכֶם וּמַעַלְלֵיכֶם
Jer. 7:3; 18:11; 26:13
25 וּמַעַלְלֵיכֶם אֲשֶׁר לֹא־טוֹבִים Ezek. 36:31
26 וּמַעַלְלֵיכֶם (כ׳ ומעליליכם) הָרָעִים Zech. 1:4
מַעַלְלֵיהֶם 27 כִּי־פְרִי מַעַלְלֵיהֶם יֹאכֵלוּ Is. 3:10
28 אָז הִרְאִיתַנִי מַעַלְלֵיהֶם Jer. 11:18
29-32 (וּכְ־/וּמֵ־)רֹעַ מַעַלְלֵיהֶם Jer. 23:22
26:3 • Hosh. 9:15 • Ps. 28:4
33 לֹא יִתְּנוּ מַעַלְלֵיהֶם לָשׁוּב אֶל־אֱלֹ׳ Hosh. 5:4
34 עַתָּה סְבָבוּם מַעַלְלֵיהֶם Hosh. 7:2
35 כַּאֲשֶׁר הֵרֵעוּ מַעַלְלֵיהֶם Mic. 3:4
36 וְהָיְתָה..לִשְׁמָמָה..מִפְּרִי מַעַלְלֵיהֶם Mic. 7:13
וּמַעַלְלֵיהֶם 37 כִּי־לְשׁוֹנָם וּמַעַלְלֵיהֶם אֶל־יְיָ Is. 3:8
בְּמַעַלְלֵיהֶם 38 וַיַּכְעִיסוּ בְּמַעַלְלֵיהֶם Ps. 106:29
39 וַיִּטְמְאוּ בְמַעֲשֵׂיהֶם וַיִּזְנוּ בְּמַעַלְלֵיהֶם
Ps. 106:39
מִמַּעַלְלֵיהֶם 40 מִמַּעַלְלֵיהֶם וּמִדַּרְכָּם הַקָּשָׁה Jud. 2:19
41 וְלֹא־שָׁבוּ מִמַּעַלְלֵיהֶם הָרָעִים Neh. 9:35

מַעֲמָד*

ז׳ א) מַצָּב, כהונה: 1-3
ב) מקום עמידה: 4, 5

מַעֲמַד מְשָׁרְתָיו 1, 2

וּמַעֲמַד־ 1 וּמוֹשַׁב עֲבָדָיו וּמַעֲמַד מְשָׁרְתָו IK. 10:5
2 וּמוֹשַׁב עֲבָדָיו וּמַעֲמַד מְשָׁרְתָיו IICh. 9:4
וּמִמַּעֲמָדְךָ 3 וַהֲדַפְתִּיךָ מִמַּצָּבֶךָ וּמִמַּעֲמָדְךָ יֶהֶרְסֶךָ
Is. 22:19
מַעֲמָדָם 4 כִּי מַעֲמָדָם לְיַד בְּנֵי־אַהֲרֹן ICh. 23:28
5 וְהַמְשֹׁרְרִים בְּנֵי אָסָף עַל מַעֲמָדָם IICh. 35:15

מָעֳמָד

ז׳ מקום עמידה

מָעֳמָד 1 טָבַעְתִּי בִּיוֵן מְצוּלָה וְאֵין מָעֳמָד Ps. 69:3

מַעֲמָסָה

נ׳ נֵטֶל, משא

מַעֲמָסָה 1 אֶבֶן מַעֲמָסָה לְכָל־הָעַמִּים Zech. 12:3

מַעֲמַקִּים

ז״ר מקומות עמוקים: 1–5

מַעֲמַקֵּי יָם 2; מַעֲמַקֵּי מַיִם 3-5

מִמַּעֲמַקִּים 1 מִמַּעֲמַקִּים קְרָאתִיךָ יְיָ Ps. 130:1
מַעֲמַקֵּי־ 2 הַשָּׂמָה מַעֲמַקֵּי־יָם דָּרֶךְ... Is. 51:10
בְּמַעֲמַקֵּי־ 3 נִשְׁבֶּרֶת מִיַּמִּים בְּמַעֲמַקֵּי־מָיִם Ezek. 27:34
4 בָּאתִי בְמַעֲמַקֵּי־מַיִם Ps. 69:3
וּמִמַּעֲמַקֵּי־ 5 אִנָּצְלָה מִשֹּׂנְאַי וּמִמַּעֲמַקֵּי מָיִם Ps. 69:15

מַעַן

עין לְמַעַן (באות ל׳)

מַעֲנָה

נ׳ תֶּלֶם, חריץ שנעשה במחרשה

מַעֲנָה 1 כְּבַחֲצִי מַעֲנָה צֶמֶד שָׂדֶה ISh. 14:14

מַעֲנֶה

ז׳ תשובה: 1–8

מַעֲנֶה רַךְ 1; מַעֲנֵה אֱלֹהִים 5; מַעֲנֵה לָשׁוֹן 6; מַעֲנֵה פֶה 7

מַעֲנֶה 1 מַעֲנֶה־רַּךְ יָשִׁיב חֵמָה Prov. 15:1
2 כִּי־יָבִין וְאֵין מַעֲנֶה Prov. 29:19
3 עַל אֲשֶׁר לֹא־מָצְאוּ מַעֲנֶה Job 32:3
4 כִּי אֵין מַעֲנֶה בְּפִי Job 32:5
מַעֲנֵה־ 5 כִּי אֵין מַעֲנֵה אֱלֹהִים Mic. 3:7
6 וּמֵיְיָ מַעֲנֵה לָשׁוֹן Prov. 16:1
בְּמַעֲנֵה־ 7 שִׂמְחָה לָאִישׁ בְּמַעֲנֵה־פִיו Prov. 15:23
לַמַּעֲנֵהוּ 8 כֹּל פָּעַל יְיָ לַמַּעֲנֵהוּ Prov. 16:4

מְעֹנָה

עין מְעוֹנָה

מַעֲנִית

נ׳ מַעֲנָה

לְמַעֲנִיתָם 1 עַל גַּבִּי חָרְשׁוּ חֹרְשִׁים הֶאֱרִיכוּ לְמַעֲנִיתָם
Ps. 129:3

מְעָף

(דניאל ט21) – עין (עוף)

מַעַץ

שפ״ז – איש מזרע יהודה

מַעַץ 1 וַיִּהְיוּ בְנֵי־רָם...מַעַץ וְיָמִין וָעֵקֶר ICh. 2:27

מַעֲצֵבָה

נ׳ עֶצֶב, יגון

לְמַעֲצֵבָה 1 לְמַעֲצֵבָה תִּשְׁכָּבוּן Is. 50:11

מַעֲצָד

ז׳ מפסלת: 1, 2

מַעֲצָד 1 חָרַשׁ בַּרְזֶל מַעֲצָד Is. 44:12
בַּמַּעֲצָד 2 מַעֲשֵׂה יְדֵי־חָרָשׁ בַּמַּעֲצָד Jer. 10:3

מַעְצוֹר

ז׳ עכוב, מניעה

מַעְצוֹר 1 אֵין לַיְיָ מַעְצוֹר לְהוֹשִׁיעַ ISh. 14:6

מַעְצָר

ז׳ מחסום

מַעְצָר 1 אִישׁ אֲשֶׁר אֵין־מַעְצָר לְרוּחוֹ Prov. 25:28

מַעֲקֶה

ז׳ גדר להִשָּׁעֵן בה

מַעֲקֶה 1 כִּי תִבְנֶה...וְעָשִׂיתָ מַעֲקֶה לְגַגֶּךָ Deut. 22:8

מַעֲקַשִּׁים

ז״ר דרך נפתלת

וּמַעֲקַשִּׁים 1 אָשִׂים מַחְשָׁךְ...לָאוֹר וּמַעֲקַשִּׁים לְמִישׁוֹר
Is. 42:16

מַעַר

ז׳ מחשׂוף, מערום: 1, 2

כְּמַעַר־ 1 כְּמַעַר־אִישׁ וְלֹיוֹת סָבִיב IK. 7:36
מַעְרֵךְ 2 וְהַרְאֵיתִי גוֹיִם מַעְרֵךְ Nah. 3:5

מַעֲרָב[1]

ז׳ הצד שהשמש שוקעת בו: 1-14

מִזְרָח וּמַעֲרָב 5, 7, 8, 10, 14

הַמַּעֲרָב 1 בָּא מִן־הַמַּעֲרָב עַל־פְּנֵי כָל־הָאָ׳ Dan. 8:5
לַמַּעֲרָב 2 לְשֻׁפִּים וּלְחֹסָה לַמַּעֲרָב ICh. 26:16
3 לַפַּרְבָּר לַמַּעֲרָב ICh. 26:18
וְלַמַּעֲרָב 4 וְלַמַּעֲרָב גֶּזֶר וּבְנוֹתֶיהָ ICh. 7:28
5 וַיַּבְרִיחוּ...לַמִּזְרָח וְלַמַּעֲרָב ICh. 12:15(16)
מִמַּעֲרָב 6 וְיִירְאוּ מִמַּעֲרָב אֶת־שֵׁם יְיָ Is. 59:19
7 כִּרְחֹק מִזְרָח מִמַּעֲרָב Ps. 103:12
וּמִמַּעֲרָב 8 מִמִּזְרָח...וּמִמַּעֲרָב אֲקַבְּצֶךָּ Is. 43:5
9 כִּי לֹא מִמּוֹצָא וּמִמַּעֲרָב Ps. 75:7
10 מִמִּזְרָח וּמִמַּעֲרָב מִצָּפוֹן וּמִיָּם Ps. 107:3

מַעֲרָבָה 11 מֵעֵבֶר לַיַּרְדֵּן מַעֲרָבָה ICh. 26:30
מַעֲרָבָה 12 וַיַּשְּׁרֵם° לְמַטָּה-מַעֲרָבָה IICh. 32:30
13 חוֹמָה חִיצוֹנָה...מַעֲרָבָה לְגִיחוֹן IICh. 33:14
וּמִמַּעֲרָבָה 14 מִמִּזְרַח-שֶׁמֶשׁ וּמִמַּעֲרָבָה Is. 45:6

מַעֲרָב² ז׳ סחורה: 1–9

מַעֲרָבֵךְ 1 כָּל-אֳנִיּוֹת הַיָּם...לַעֲרֹב מַעֲרָבֵךְ Ezek. 27:9
2 בְּנֶפֶשׁ אָדָם...נָתְנוּ מַעֲרָבֵךְ Ezek. 27:13
3 בְּחִטֵּי מִנִּית...נָתְנוּ מַעֲרָבֵךְ Ezek. 27:17
4 אֳנִיּוֹת תַּרְשִׁישׁ שָׁרוֹתַיִךְ מַעֲרָבֵךְ Ezek. 27:25
5 הוֹנֵךְ וְעִזְבוֹנַיִךְ מַעֲרָבֵךְ Ezek. 27:27
6 מַחֲזִיקֵי בִדְקֵךְ וְעֹרְבֵי מַעֲרָבֵךְ Ezek. 27:27
7 מַעֲרָבֵךְ וְכָל-קְהָלֵךְ בְּתוֹכֵךְ נָפָלוּ Ezek. 27:34
בְּמַעֲרָבֵךְ 8 קִדָּה וְקָנֶה בְּמַעֲרָבֵךְ הָיָה Ezek. 27:19
וּמַעֲרָבַיִךְ 9 בְּרֹב הוֹנַיִךְ וּמַעֲרָבַיִךְ הֶעֱשַׁרְתְּ Ezek. 27:33

מַעֲרֶה* ז׳ מקום פנוי

מִמַּעֲרֵה- 1 מֵגִיחַ מִמְּקֹמוֹ מִמַּעֲרֵה-גָבַע Jud. 20:33

מְעָרָה נ׳ מחִלָּה באדמה: 1–40

– יַרְכְּתֵי הַמְּעָרָה 10; פִּי הַמּ׳ 4, 5, 9; פֶּתַח הַמְּעָרָה 12
– מְעָרַת הַמַּכְפֵּלָה 28, 30; מ׳ עֲדֻלָּם 31–33; מ׳ פָּרִיצִים 34; מְעָרַת שְׂדֵה הַמַּכְפֵּלָה 29, 35

מְעָרָה 1 וַיָּבֹא אֶל-גִּדְרוֹת הַצֹּאן...וְשָׁם מְעָרָה ISh. 24:3
וּמְעָרָה 2 וּמְעָרָה אֲשֶׁר לַצִּידֹנִים Josh. 13:4
הַמְּעָרָה 3 הַמְּעָרָה אֲשֶׁר בִּשְׂדֵה עֶפְרוֹן Gen. 49:29
4 גֹּלּוּ אֲבָנִים גְּדֹלוֹת אֶל-פִּי הַמְּעָרָה Josh. 10:18
5 פִּתְחוּ אֶת-פִּי הַמְּעָרָה Josh. 10:22
6 וְהוֹצִיאוּ אֵלַי...מִן-הַמְּעָרָה Josh. 10:22
7 וַיֹּצִיאוּ אֵלָיו...מִן-הַמְּעָרָה Josh. 10:23
8 וַיַּשְׁלִכֻם אֶל-הַמְּעָרָה Josh. 10:27
9 וַיָּשִׂמוּ אֲבָנִים...עַל-פִּי הַמְּעָרָה Josh. 10:27
10 וְדָוִד וַאֲנָשָׁיו בְּיַרְכְּתֵי הַמְּעָרָה ISh. 24:3
11 וַיָּבֹא-שָׁם אֶל-הַמְּעָרָה וַיָּלֶן שָׁם IK. 19:9
12 וַיֵּצֵא וַיַּעֲמֹד פֶּתַח הַמְּעָרָה IK. 19:13
וְהַמְּעָרָה 13–16 הַשָּׂדֶה...וְהַמְּעָרָה אֲשֶׁר-בּוֹ Gen. 23:11
23:17, 20; 49:32
בַּמְּעָרָה 17 וַיֵּשֶׁב בַּמְּעָרָה הוּא וּשְׁתֵּי בְנֹתָיו Gen. 19:30
18 בַּמְּעָרָה אֲשֶׁר בִּשְׂדֵה הַמַּכְפֵּלָה Gen. 49:30
19 וַיֵּחָבְאוּ בַמְּעָרָה בְּמַקֵּדָה Josh. 10:16
20 ...נֶחְבְּאִים בַּמְּעָרָה בְּמַקֵּדָה Josh. 10:17
21 נְתָנְךָ יְיָ הַיּוֹם בְּיָדִי בַּמְּעָרָה ISh. 24:10
22 וַיַּחְבִּיאֵם חֲמִשִּׁים אִישׁ בַּמְּעָרָה IK. 18:4
23 וָאַחְבִּא...חֲמִשִּׁים חֲמִשִּׁים אִישׁ בַּמְּעָרָה IK. 18:13
24 בְּבָרְחוֹ מִפְּנֵי-שָׁאוּל בַּמְּעָרָה Ps. 57:1
25 בִּהְיוֹתוֹ בַמְּעָרָה תְפִלָּה Ps. 142:1
מֵהַמְּעָרָה 26 וְשָׁאוּל קָם מֵהַמְּעָרָה וַיֵּלֶךְ בַּדָּרֶךְ ISh. 24:7
27 וַיֵּצֵא מֵהַמְּעָרָה (כת׳ מן המערה) ISh. 24:8
מְעָרַת- 28 וְיִתֶּן-לִי אֶת-מְעָרַת הַמַּכְפֵּלָה Gen. 23:9
29 ...אֶל-מְעָרַת שְׂדֵה הַמַּכְפֵּלָה Gen. 23:19
30 וַיִּקְבְּרוּ...אֶל-מְעָרַת הַמַּכְפֵּלָה Gen. 25:9
31 וַיִּמָּלֵט אֶל-מְעָרַת עֲדֻלָּם ISh. 22:1
32–33 אֶל-מְעָרַת עֲדֻלָּם IISh. 23:13 • ICh. 11:15
הַמְעָרַת- 34 הַמְעָרַת פָּרִצִים הָיָה הַבַּיִת הַזֶּה Jer. 7:11
בִּמְעָרַת- 35 וַיִּקְבְּרוּ אֹתוֹ בִּמְעָרַת שְׂדֵה הַמַּכְפֵּלָה Gen. 50:13
מְעָרוֹת 36 הָיָה בְעַד מְעָרוֹת עַד-עוֹלָם Is. 32:14
הַמְּעָרוֹת 37 וְאֶת-הַמְּעָרוֹת וְאֶת-הַמְּצָדוֹת Jud. 6:2
בַּמְּעָרוֹת 38 בַּמְּעָרוֹת וּבַחֲוָחִים וּבַסְּלָעִים ISh. 13:6
וּבַמְּעָרוֹת 39 וַאֲשֶׁר בַּמְּצָדוֹת וּבַמְּעָרוֹת Ezek. 33:27
בִּמְעָרוֹת- 40 בִּמְעָרוֹת צֻרִים וּבִמְחִלּוֹת עָפָר Is. 2:19

מערות (ש״א יז 23) – כתיב, קרי: מַעַרְכוֹת, עין מַעֲרָכָה

מַעֲרִיץ ז׳ (ישעיה ח12) – עין עָרַץ

מַעֲרָךְ* ז׳ סדר • מַעַרְכֵי לֵב 1

מַעַרְכֵי- 1 לְאָדָם מַעַרְכֵי לֵב וּמֵיְיָ מַעֲנֵה לָשׁוֹן Prov. 16:1

מַעֲרָכָה נ׳ א) דברים ערוכים בסדר מסוים: 3, 9

ב) מחנה לוחמים, שדה הקרב: 1,2,4–8,10–18

– נֵרוֹת הַמַּעֲרָכָה 3
– מַעַרְכוֹת אֱלֹהִים 14, 15; מ׳ יִשְׂרָאֵל 12, 13, 16; מַעַרְכוֹת פְּלִשְׁתִּים 17, 18

מַעֲרָכָה 1 וַתַּעֲרֹךְ...מַעֲרָכָה לִקְרַאת מַעֲרָכָה ISh. 17:21
2 אַנְשֵׁי מִלְחָמָה עֹדְרֵי מַעֲרָכָה ICh. 12:38(39)
הַמַּעֲרָכָה 3 אֶת-נֵרֹתֶיהָ נֵרֹת הַמַּעֲרָכָה Ex. 39:37
4 אָנֹכִי הַבָּא מִן-הַמַּעֲרָכָה ISh. 4:16
5 וַאֲנִי מִן-הַמַּעֲרָכָה נַסְתִּי הַיּוֹם ISh. 4:16
6 וְהַחַיִל הַיֹּצֵא אֶל-הַמַּעֲרָכָה ISh. 17:20
7–8 וַיָּרָץ הַמַּעֲרָכָה ISh. 17:22, 48
בַּמַּעֲרָכָה 9 עַל רֹאשׁ הַמָּעוֹז הַזֶּה בַּמַּעֲרָכָה Jud. 6:26
10 וַיַּכּוּ בַמַּעֲרָכָה בַּשָּׂדֶה ISh. 4:2
מֵהַמַּעֲרָכָה 11 וַיָּרָץ אִישׁ-בִּנְיָמִן מֵהַמַּעֲרָכָה ISh. 4:12
מַעַרְכוֹת- 12 וַיִּקְרָא אֶל-מַעַרְכֹת יִשְׂרָאֵל ISh. 17:8
13 אֲנִי חֵרַפְתִּי אֶת-מַעַרְכוֹת יִשְׂרָאֵל ISh. 17:10
14 כִּי חֵרֵף מַעַרְכֹת אֱלֹהִים חַיִּים ISh. 17:26
15 כִּי חֵרֵף מַעַרְכֹת אֱלֹהִים חַיִּים ISh. 17:36
16 בְּשֵׁם יְיָ צְ׳ אֱלֹהֵי מַעַרְכוֹת יִשְׂרָאֵל ISh. 17:45
17 נֵלְכָה קַעְלָה אֶל-מַעַרְכוֹת פְּלִשְׁתִּים ISh. 23:3
מִמַּעַרְכוֹת- 18 אִישׁ הַבֵּנַיִם עוֹלֶה...מִמַּעַרְכוֹת (כת׳ ממערות) פְּלִשְׁתִּים ISh. 17:23

מַעֲרֶכֶת נ׳ סדר לֶחֶם-הַפָּנִים שנערך על השולחן במשכן ובמקדש: 1–10

מַעֲרֶכֶת תָּמִיד 8; מ׳ לֶחֶם 9; לֶחֶם הַמַּעֲרֶכֶת 2, 3, 7; שֻׁלְחַן הַמַּעֲרֶכֶת 4, 5

הַמַּעֲרֶכֶת 1 וְנָתַתָּ עַל-הַמַּעֲרֶכֶת לְבֹנָה זַכָּה Lev. 24:7
2 לְלֶחֶם הַמַּעֲרֶכֶת וּמִנְחַת הַתָּמִיד Neh. 10:34
3 וּלְלֶחֶם הַמַּעֲרֶכֶת וּלְסֹלֶת לְמִנְחָה ICh. 23:29
4 וְאֶת-הַזָּהָב...לְשֻׁלְחֲנוֹת הַמַּעֲרֶכֶת ICh. 28:16
5 שֻׁלְחַן הַמַּעֲרֶכֶת וְאֶת-כָּל-כֵּלָיו IICh. 29:18
הַמַּעֲרָכֶת 6 וְשַׂמְתָּ אוֹתָם...שֵׁשׁ הַמַּעֲרָכֶת Lev. 24:6
7 בְּנֵי הַקְּהָתִי...עַל-לֶחֶם הַמַּעֲרָכֶת ICh. 9:32
וּמַעֲרֶכֶת- 8 קְטֹרֶת סַמִּים וּמַעֲרֶכֶת תָּמִיד IICh. 2:3
9 וּמַעֲרֶכֶת לֶחֶם עַל-הַשֻּׁלְחָן הַטָּהוֹר IICh. 13:11
מַעֲרָכוֹת 10 וְשַׂמְתָּ אוֹתָם שְׁתַּיִם מַעֲרָכוֹת... Lev. 24:6

מַעֲרֻמִּים ז״ר מקום ערום בגוף

מַעֲרֻמֵּיהֶם 1 וְכָל-מַעֲרֻמֵּיהֶם הִלְבִּישׁוּ IICh. 28:15

מַעֲרָצָה נ׳ גרזן גדול

בְּמַעֲרָצָה 1 מְסָעֵף פֻּארָה בְּמַעֲרָצָה Is. 10:33

מַעֲרָת ישוב בנחלת יהודה

וּמַעֲרָת 1 וּמַעֲרָת וּבֵית עֲנוֹת וְאֶלְתְּקֹן Is. 15:59

מַעֲשֶׂה ז׳ א) פעולה, מלאכה: רוב המקראות 1–233

ב) עבודה, עסק: 144, 145, 152, 156, 200, 201
ג) מעלל, יצירה: 170–174, 176–193
ד) פרי, יבול: 98, 185

קרובים: מְלָאכָה / מַעֲלָל / מִפְעָל / עֲבוֹדָה / פֹּעַל / פְּעֻלָּה

– מִרְקַחַת מַעֲשֶׂה 9; שֵׁשֶׁת יְמֵי הַמַּעֲשֶׂה 16
– מַעֲשֶׂה רָע 20; אַנְשֵׁי מַעֲשֶׂה 153; יוֹם הַמַּעֲשֶׂה 14; כְּלִי מַעֲשֶׂה 1; כִּשְׁרוֹן הַמַּעֲשֶׂה 21
– מַעֲשֵׂה אוֹפֶה 24; מ׳ אוֹפַן 131; מ׳ הָאוֹפַנִּים 110; מ׳ הָאֱלֹהִים 102, 104, 105; מ׳ אֹרֵג 45–47; מ׳ אֵפוֹד 127, 128; מ׳ אֶצְבְּעוֹתָיו 99; מ׳ אֶרֶץ כְּנַעַן 138; מ׳ אֶרֶץ מִצְרַיִם 129; מ׳ אִשָּׁה 95; מ׳ בֵּית אַחְאָב 97; מ׳ זַיִת 98; מ׳ הַחֲבִתִּים 107; מ׳ חוֹשֵׁב 25–32; מ׳ חֲכָמִים 92; מ׳ חָרָשׁ 41, 91; מ׳ חָרָשִׁים 96; מ׳ יָדוֹ 55, 58, 113; מ׳ יְדֵי- 56, 63, 64, 75–79, 100, 101; מ׳ יָדָיו 59–62, 80–88, 90, 111, 112, 114–118, 120–125, 132, 133, 139–143; מַעֲשֵׂה יְיָ 51, 57, 65–67; מ׳ יִשְׂרָאֵל 137; מ׳ לִבְנַת 126; מ׳ כֵּן 74; מ׳ מוֹרָד 73; מ׳ הַמְּכוֹנָה 72; מ׳ הַמְּנוֹרָה 53; מ׳ מִקְשָׁה 2; מ׳ עֲבוֹדָה 119; מ׳ עֲבֹת 42–44; מ׳ הָעוֹלָה 109; מ׳ עִזִּים 54; מ׳ הַצַּדִּיקִים 135; מ׳ הַצְּדָקָה 89; מ׳ צַעֲצֻעִים 108; מ׳ רֹקֵחַ 48, 49, 52; מ׳ רֹקֵם 33–38; מ׳ הָרָעָה 103; מ׳ הָרְשָׁעִים 134; מ׳ רֶשֶׁת 39, 40; מ׳ שְׂבָכָה 68; מ׳ שׁוֹשַׁן 70, 71; מ׳ שְׂפַת כּוֹס 130, 136; מ׳ שַׁרְשְׁרוֹת 69; מ׳ תַּעְתֻּעִים 93, 94;
– מַעֲשִׂים רָעִים 217; בְּכוּרֵי מַעֲשָׂיו 184; כֹּחַ מַעֲשָׂיו 207
– מַעֲשֵׂי אָוֶן 169; מ׳ יָדָיו 172, 174–179; מ׳ יָהּ 173; מַעֲשֵׂי יְיָ 170, 171

מַעֲשֶׂה 1 כֹּל כְּלִי מַעֲשֶׂה Num. 31:51
2 וְתַחַת מַעֲשֶׂה מִקְשֶׁה קָרְחָה Is. 3:24
3 וְלֹא-יִהְיֶה לְמִצְרַיִם מַעֲשֶׂה Is. 19:15
4 כִּי-יֹאמַר מַעֲשֶׂה לְעֹשֵׂהוּ Is. 29:16
5 לְהָסִיר אָדָם מַעֲשֶׂה Job 33:17
6 לְכָל-מַעֲשֶׂה אֲשֶׁר נַעֲשָׂה תַּחַת הַשָּׁמֶשׁ Eccl. 8:9
7 כִּי אֵין מַעֲשֶׂה וְחֶשְׁבּוֹן...בִּשְׁאוֹל Eccl. 9:10
8 כָּל-מַעֲשֶׂה הָאֱלֹהִים יָבִא בְמִשְׁפָּט Eccl. 12:14
9 מְרֻקָּחִים בְּמִרְקַחַת מַעֲשֶׂה IICh. 16:14
10 וּבְכָל-מַעֲשֶׂה אֲשֶׁר-הֵחֵל IICh. 31:21
הַמַּעֲשֶׂה 11 מָה-הַמַּעֲשֶׂה הַזֶּה אֲשֶׁר עֲשִׂיתֶם Gen. 44:15
12 וְאֶת-הַמַּעֲשֶׂה אֲשֶׁר יַעֲשׂוּן Ex. 18:20
13 וְגַם אֶת-הַמַּעֲשֶׂה אֲשֶׁר עָשָׂה לְיִשׂ׳ Jud. 2:10
14 אֲשֶׁר-נִסְתַּרְתָּ שָּׁם בְּיוֹם הַמַּעֲשֶׂה ISh. 20:19
15 וַיְסַפֶּר-לוֹ אֶת-כָּל-הַמַּעֲשֶׂה IK. 13:11
16 יִהְיֶה סָגוּר שֵׁשֶׁת יְמֵי הַמַּעֲשֶׂה Ezek. 46:1
17 כִּי רַע עָלַי הַמַּעֲשֶׂה Eccl. 2:17
18 אֶת-הַמַּעֲשֶׂה אֲשֶׁר-עָשָׂה הָאֱלֹהִים Eccl. 3:11
19 כִּי-עֵת...וְעַל כָּל-הַמַּעֲשֶׂה שָׁם Eccl. 3:17
20 אֲשֶׁר לֹא-רָאָה אֶת-הַמַּעֲשֶׂה הָרָע Eccl. 4:3
21 וְאֵת כָּל-כִּשְׁרוֹן הַמַּעֲשֶׂה Eccl. 4:4
22 לֹא יוּכַל...לִמְצוֹא אֶת-הַמַּעֲשֶׂה Eccl. 8:17
כַּמַּעֲשֶׂה 23 וּבֵיתוֹ...כַּמַּעֲשֶׂה הַזֶּה הָיָה IK. 7:8
מַעֲשֵׂה- 24 מִכֹּל מַאֲכַל פַּרְעֹה מַעֲשֵׂה אֹפֶה Gen. 40:17
25 מַעֲשֵׂה חֹשֵׁב תַּעֲשֶׂה אֹתָם Ex. 26:1
26–32 מַעֲשֵׂה חֹשֵׁב Ex. 26:31
28:6, 15; 29:3, 8; 36:8, 35
33–38 מַעֲשֵׂה רֹקֵם Ex. 26:36
27:16; 28:39; 36:37; 38:18; 39:29
39–40 מִכְבַּר מַעֲשֵׂה רֶשֶׁת נְחֹשֶׁת Ex. 27:4; 38:4
41 מַעֲשֵׂה חָרַשׁ אֶבֶן Ex. 28:11
42–44 מַעֲשֵׂה עֲבֹת Ex. 28:14, 22; 39:15
45–47 מַעֲשֵׂה אֹרֵג Ex. 28:32; 39:22, 27
48/9 רֹקַחַ(...)מַעֲשֵׂה רֹקֵחַ Ex. 30:25, 35
50 וְהַלֻּחֹת מַעֲשֵׂה אֱלֹהִים הֵמָּה Ex. 32:16
51 וְרָאָה...אֶת-מַעֲשֵׂה יְיָ כִּי-נוֹרָא הוּא Ex. 34:10
52 קְטֹרֶת הַסַּמִּים טָהוֹר מַעֲשֵׂה רֹקֵחַ Ex. 37:29

מַעֲשֵׂה- (המשך)
53 וְזֶה מַעֲשֵׂה הַמְּנֹרָה... Num. 8:4
54 וְכָל-מַעֲשֵׂה עִזִּים... Num. 31:20
55 יְיָ אֱלֹהֶיךָ בֵּרַכְךָ בְּכֹל מַעֲשֵׂה יָדֶךָ Deut. 2:7
56 אֱלֹהִים מַעֲשֵׂה יְדֵי אָדָם עֵץ וָאֶבֶן Deut. 4:28
57 אֵת כָּל-מַעֲשֵׂה יְיָ הַגָּדֹל Deut. 11:7
58 בְּכָל-מַעֲשֵׂה יָדְךָ אֲשֶׁר תַּעֲשֶׂה Deut. 14:29
59 כִּי יְבָרֶכְךָ...וּבְכֹל מַעֲשֵׂה יָדֶיךָ Deut. 16:15
60-62 (בְּ)כֹל מַעֲ׳ יָדֶ(י)ךָ Deut. 24:19; 28:12; 30:9
63/4 מַעֲשֵׂה יְדֵי חָרָשׁ Deut. 27:15 • Jer. 10:3
65 וַאֲשֶׁר יָדְעוּ אֵת כָּל-מַעֲשֵׂה יְיָ... Josh. 24:31
66-67 מַעֲשֵׂה יְיָ Jud. 2:7 • Jer. 51:10
68 שְׂבָכִים מַעֲשֵׂה שְׂבָכָה גְּדִלִים IK. 7:17
69 מַעֲשֵׂה שַׁרְשְׁרוֹת לַכֹּתָרֹת IK. 7:17
70 וְכֹתָרֹת...מַעֲשֵׂה שׁוּשַׁן בָּאוּלָם IK. 7:19
71 וְעַל רֹאשׁ הָעַמּוּדִים מַעֲשֵׂה שׁוֹשָׁן IK. 7:22
72 וְזֶה מַעֲשֵׂה הַמְּכוֹנָה IK. 7:28
73 לֹיוֹת מַעֲשֵׂה מוֹרָד IK. 7:29
74 וּפִיהָ עָגֹל מַעֲשֵׂה-כֵן IK. 7:31
75-79 מַעֲשֵׂה יְדֵי-(הָ)אָדָם IIK. 19:18
Is. 37:19 • Ps. 115:4; 135:15 • IICh. 32:19
80-88 מַעֲשֵׂה יְדֵיהֶם (יָדָיו וכד׳) IIK. 22:17
Is. 17:8; 29:23 • Hag. 2:14, 17 • Ps. 28:5
Job 1:10; 34:19 • Eccl. 5:5
89 וְהָיָה מַעֲשֵׂה הַצְּדָקָה שָׁלוֹם Is. 32:17
90 מַעֲשֵׂה יָדַי לְהִתְפָּאֵר Is. 60:21
91 מַעֲשֵׂה חָרָשׁ וִידֵי צוֹרֵף Jer. 10:9
92 מַעֲשֵׂה חֲכָמִים כֻּלָּם Jer. 10:9
93/4 הֶבֶל הֵמָּה מַעֲשֵׂה תַּעְתֻּעִים Jer. 10:15; 51:18
95 מַעֲשֵׂה אִשָּׁה זוֹנָה שַׁלָּטֶת Ezek. 16:30
96 עֲצַבִּים מַעֲשֵׂה חָרָשִׁים כֻּלֹּה Hosh. 13:2
97 וְכֹל מַעֲשֵׂה בֵית-אַחְאָב Mic. 6:16
98 כִּחֵשׁ מַעֲשֵׂה-זַיִת... Hab. 3:17
99 אֶרְאֶה שָׁמֶיךָ מַעֲשֵׂה אֶצְבְּעֹתֶיךָ Ps. 8:4
100 כְּמוֹ חֲלָאִים מַעֲשֵׂה יְדֵי אָמָּן S.ofS. 7:2
101 לְנִבְלֵי-חֶרֶשׂ מַעֲשֵׂה יְדֵי יוֹצֵר Lam. 4:2
102 רְאֵה אֶת-מַעֲשֵׂה הָאֱלֹהִים Eccl. 7:13
103 אֵין-נַעֲשָׂה פִתְגָם מַעֲשֵׂה הָרָעָה Eccl. 8:11
104 וְרָאִיתִי אֶת-כָּל-מַעֲשֵׂה הָאֱלֹהִים Eccl. 8:17
105 לֹא תֵדַע אֶת-מַעֲשֵׂה הָאֱלֹהִים Eccl. 11:5
106 וְכָל-מַעֲשֵׂה תָקְפּוֹ וּגְבוּרָתוֹ Es. 10:2
107 בֶּאֱמוּנָה עַל מַעֲשֵׂה הַחֲבִתִּים ICh. 9:31
108 כְּרוּבִים שְׁנַיִם מַעֲשֵׂה צַעֲצֻעִים IICh. 3:10
109 אֶת-מַעֲשֵׂה הָעוֹלָה יָדִיחוּ בָם IICh. 4:6
וּמַעֲשֵׂה- 110 וּמַעֲשֵׂה הָאוֹפַנִּים כְּמַעֲשֵׂה... IK. 7:33
111 וּמַעֲשֵׂה יָדָיו לֹא רָאוּ Is. 5:12
112 עַמִּי מִצְרַיִם וּמַעֲשֵׂה יָדַי אַשּׁוּר Is. 19:25
113 וּמַעֲשֵׂה יָדְךָ כֻּלָּנוּ Is. 64:7
114 וּמַעֲשֵׂה יְדֵיהֶם יְבַלּוּ בְחִירָי Is. 65:22
115 וּמַעֲשֵׂה יָדָיו מַגִּיד הָרָקִיעַ Ps. 19:2
116 וּמַעֲשֵׂה יָדֵינוּ כּוֹנְנָה עָלֵינוּ Ps. 90:17
117 וּמַעֲשֵׂה יָדֵינוּ כּוֹנְנֵהוּ Ps. 90:17
118 וּמַעֲשֵׂה יָדֶיךָ שָׁמָיִם Ps. 102:26
119 וּמַעֲשֵׂה עֲבֹדַת בֵּית הָאֱלֹהִים ICh. 23:28
בְּמַעֲשֵׂה- 120 לְהַכְעִיסוֹ בְּמַעֲשֵׂה יְדֵיכֶם Deut. 31:29
121 לְהַכְעִיסוֹ בְּמַעֲשֵׂה יָדָיו IK. 16:7
122/3 בְּמַעֲשֵׂה יְדֵיכֶם Jer. 25:6, 7
124 בְּמַעֲשֵׂה יְדֵיהֶם Jer. 32:30
125 בְּמַעֲשֵׂה יָדֶיךָ אֲשׂוֹחֵחַ Ps. 143:5
כְּמַעֲשֵׂה- 126 וְתַחַת רַגְלָיו כְּמַעֲשֵׂה לִבְנַת הַסַּפִּיר Ex. 24:10
127/8 מַעֲשֵׂה חֹשֵׁב כְּמַעֲשֵׂה אֵפֹד Ex. 28:15; 39:8
129 כְּמַעֲשֵׂה אֶרֶץ-מִצְרַיִם...לֹא תַעֲשׂוּ Lev. 18:3

כְּמַעֲשֵׂה- (המשך)
130 כְּמַעֲשֵׂה שְׂפַת-כּוֹס פֶּרַח שׁוֹשָׁן IK. 7:26
131 כְּמַעֲשֵׂה אוֹפַן הַמֶּרְכָּבָה IK. 7:33
132 כְּמַעֲשֵׂה יְדֵיהֶם תֵּן לָהֶם Ps. 28:4
133 תָּשִׁיב לָהֶם...כְּמַעֲשֵׂה יְדֵיהֶם Lam. 3:64
134 מַגִּיעַ אֲלֵהֶם כְּמַעֲשֵׂה הָרְשָׁעִים Eccl. 8:14
135 שֶׁמַּגִּיעַ אֲלֵיהֶם כְּמַעֲשֵׂה הַצַּדִּיקִים Eccl. 8:14
136 כְּמַעֲשֵׂה שְׂפַת-כּוֹס פֶּרַח שׁוֹשַׁנָּה IICh. 4:5
137 וְלֹא כְּמַעֲשֵׂה יִשְׂרָאֵל IICh. 17:4
וּכְמַעֲשֵׂה- 138 וּכְמַעֲשֵׂה אֶרֶץ-כְּנַעַן...לֹא תַעֲשׂוּ Lev. 18:3
139 כְּפָעֳלָם וּכְמַעֲשֵׂה יְדֵיהֶם Jer. 25:14
לְמַעֲשֵׂה- 140 לְמַעֲשֵׂה יָדָיו יִשְׁתַּחֲווּ... Is. 2:8
141 וְלֹא-נֹאמַר עוֹד אֱלֹ׳ לְמַעֲשֵׂה יָדֵ׳ Hosh. 14:4
142 וְלֹא-תִשְׁתַּחֲוֶה עוֹד לְמַעֲשֵׂה יָדֶיךָ Mic. 5:12
143 לְמַעֲשֵׂה יָדֶיךָ תִכְסֹף Job 14:15
מַעֲשֶׂךָ 144 בְּכָל-מַעֲשֶׂךָ וּבְכֹל מִשְׁלַח יָדֶךָ Deut. 15:10
מַעֲשֵׂהוּ 145 בָּא מִן-מַעֲשֵׂהוּ מִן-הַשָּׂדֶה Jud. 19:16
146 וְאֶת-תַּבְנִיתוֹ לְכָל-מַעֲשֵׂהוּ IIK. 16:10
147 יְמַהֵר יָחִישָׁה מַעֲשֵׂהוּ Is. 5:19
148 יְבַצַּע אֲדֹנָי אֶת-כָּל-מַעֲשֵׂהוּ Is. 10:12
149 וְהִתְעוּ אֶת-מִצְרַיִם בְּכָל-מַעֲשֵׂהוּ Is. 19:14
150/א לַעֲשׂוֹת מַעֲשֵׂהוּ זָר מַעֲשֵׂהוּ Is. 28:21
151 וְכָל-מַעֲשֵׂהוּ בֶּאֱמוּנָה Ps. 33:4
152 מַעֲשֵׂהוּ כָּל-אַבְנֵי-כִיס Prov. 16:11
153 לָדַעַת כָּל-אַנְשֵׁי מַעֲשֵׂהוּ Job 37:7
154 וַיַּצְלַח יְחִזְקִיָּהוּ בְּכָל-מַעֲשֵׂהוּ IICh. 32:30
וּמַעֲשֵׂהוּ 155 מַה-יִּהְיֶה מִשְׁפַּט הַנַּעַר וּמַעֲשֵׂהוּ Jud. 13:12
156 וְאִישׁ בְּמָעוֹן וּמַעֲשֵׂהוּ בַכַּרְמֶל ISh. 25:2
157 וַיַּגִּידוּ פֹּעַל אֱלֹהִים וּמַעֲשֵׂהוּ הִשְׂכִּילוּ Ps. 64:10
כְּמַעֲשֵׂהוּ 158 כְּמַעֲשֵׂהוּ מִמֶּנּוּ יִהְיֶה Ex. 28:8
159 מִמֶּנּוּ הוּא כְּמַעֲשֵׂהוּ Ex. 39:5
160 כִּי-אַתָּה תְשַׁלֵּם לְאִישׁ כְּמַעֲשֵׂהוּ Ps. 62:13
לְמַעֲשֵׂהוּ 161 וּמוֹצִיא כְלִי לְמַעֲשֵׂהוּ Is. 54:16
מִמַּעֲשֵׂנוּ 162 זֶה יְנַחֲמֵנוּ מִמַּעֲשֵׂנוּ וּמֵעִצְּבוֹן... Gen. 5:29
מַעֲשִׂים 163 מַעֲשִׂים אֲשֶׁר לֹא-יֵעָשׂוּ Gen. 20:9
הַמַּעֲשִׂים 164 לַעֲשׂוֹת אֵת כָּל-הַמַּעֲשִׂים הָאֵלֶּה Num. 16:28
165 כְּכָל-הַמַּעֲשִׂים אֲשֶׁר עָשׂוּ ISh. 8:8
166 כְּכָל-הַמַּעֲשִׂים אֲשֶׁר עָשָׂה IIK. 23:19
167 יַעַן עֲשׂוֹתְכֶם אֶת-כָּל-הַמַּעֲשִׂים Jer. 7:13
168 רָאִיתִי אֶת-כָּל-הַמַּעֲשִׂים שֶׁנַּעֲשׂוּ Eccl. 1:14
מַעֲשֵׂי- 169 מַעֲשֵׂיהֶם מַעֲשֵׂי-אָוֶן Is. 59:6
170 הֵמָּה רָאוּ מַעֲשֵׂי יְיָ Ps. 107:24
171 גְּדֹלִים מַעֲשֵׂי יְיָ Ps. 111:2
172 מַעֲשֵׂי יָדָיו אֱמֶת וּמִשְׁפָּט Ps. 111:7
173 ...אֶחְיֶה וַאֲסַפֵּר מַעֲשֵׂי יָהּ Ps. 118:17
174 מַעֲשֵׂי יָדֶיךָ אַל-תֶּרֶף Ps. 138:8
175 לְמַעַן הַכְעִיסֵנִי בְּכֹל מַעֲשֵׂי יְדֵיהֶם IICh. 34:25
בְּמַעֲשֵׂי- 176 לְהַכְעִיסֵנִי בְּמַעֲשֵׂי יְדֵיכֶם Jer. 44:8
177 תַּמְשִׁילֵהוּ בְּמַעֲשֵׂי יָדֶיךָ Ps. 8:7
178 בְּמַעֲשֵׂי יָדֶיךָ אֲרַנֵּן Ps. 92:5
לְמַעֲשֵׂי- 179 וַיִּשְׁתַּחֲווּ לְמַעֲשֵׂי יְדֵיהֶם Jer. 1:16
מַעֲשַׂי 180 אֹמֵר אָנִי מַעֲשַׂי לְמֶלֶךְ Ps. 45:2
181 בְּכָל-מַעֲשַׂי שֶׁעָשׂוּ יָדַי Eccl. 2:11
מַעֲשָׂי 182 הִגְדַּלְתִּי מַעֲשָׂי בָּנִיתִי לִי בָּתִּים Eccl. 2:4
מַעֲשֶׂיךָ 183 שֵׁשֶׁת יָמִים תַּעֲשֶׂה מַעֲשֶׂיךָ Ex. 23:12
184 בִּכּוּרֵי מַעֲשֶׂיךָ אֲשֶׁר תִּזְרַע בַּשָּׂדֶה Ex. 23:16
185 בְּאָסְפְּךָ אֶת-מַעֲשֶׂיךָ מִן-הַשָּׂדֶה Ex. 23:16
186 אִמְרוּ לֵאלֹ׳ מַה-נּוֹרָא מַעֲשֶׂיךָ Ps. 66:3
187 מַה-גָּדְלוּ מַעֲשֶׂיךָ יְיָ Ps. 92:6
188 מִפְּרִי מַעֲשֶׂיךָ תִּשְׂבַּע הָאָרֶץ Ps. 104:13
189 מָה-רַבּוּ מַעֲשֶׂיךָ יְיָ Ps. 104:24

מַעֲשֶׂיךָ (המשך)
190 נִפְלָאִים מַעֲשֶׂיךָ וְנַפְשִׁי יֹדַעַת Ps. 139:14
191 דּוֹר לְדוֹר יְשַׁבַּח מַעֲשֶׂיךָ Ps. 145:4
192 יוֹדוּךָ יְיָ כָּל-מַעֲשֶׂיךָ Ps. 145:10
193 גֹּל אֶל-יְיָ מַעֲשֶׂיךָ Prov. 16:3
194 כְּבָר רָצָה הָאֱלֹהִים אֶת-מַעֲשֶׂיךָ Eccl. 9:7
195 פָּרַץ יְיָ אֶת-מַעֲשֶׂיךָ IICh. 20:37
כְּמַעֲשֶׂיךָ 196 אֲשֶׁר-יַעֲשֶׂה כְמַעֲשֶׂיךָ וְכִגְבוּרֹתֶךָ Deut. 3:24
197 אֵין-כָּמוֹךָ...וְאֵין כְּמַעֲשֶׂיךָ Ps. 86:8
מַעֲשַׂיִךְ 198 וְאֶת-מַעֲשַׂיִךְ וְלֹא יוֹעִילוּךְ Is. 57:12
199 בְּרֹב מַעֲשַׂיִךְ מֵרֹב כָּל-הוֹן Ezek. 27:18
מַעֲשָׂיִךְ 200 אֲרָם סֹחַרְתֵּךְ מֵרֹב מַעֲשָׂיִךְ Ezek. 27:16
בְּמַעֲשַׂיִךְ 201 יַעַן בִּטְחֵךְ בְּמַעֲשַׂיִךְ וּבְאוֹצְרוֹתַיִךְ Jer. 48:7
מַעֲשָׂיו 202 וְאֶת-מַעֲשָׂיו אֲשֶׁר עָשָׂה Deut. 11:3
203 וְכִי מַעֲשָׂיו טוֹב-לְךָ מְאֹד ISh. 19:4
204 בָּרְכוּ יְיָ כָּל-מַעֲשָׂיו Ps. 103:22
205 מִהֲרוּ שָׁכְחוּ מַעֲשָׂיו Ps. 106:13
206 וִיסַפְּרוּ מַעֲשָׂיו בְּרִנָּה Ps. 107:22
207 כֹּחַ מַעֲשָׂיו הִגִּיד לְעַמּוֹ Ps. 111:6
208 וְרַחֲמָיו עַל-כָּל-מַעֲשָׂיו Ps. 145:9
209 וְחָסִיד בְּכָל-מַעֲשָׂיו Ps. 145:17
210 עַל-כָּל-מַעֲשָׂיו אֲשֶׁר עָשָׂה Dan. 9:14
בְּמַעֲשָׂיו 211 יִשְׂמַח יְיָ בְּמַעֲשָׂיו Ps. 104:31
212 אֵין טוֹב מֵאֲשֶׁר יִשְׂמַח הָאָ׳ בְּמַעֲשָׂיו Eccl. 3:22
כְּמַעֲשָׂיו 213 זָכְרָה אֱלֹהַי לְטוֹבִיָּה...כְּמַעֲשָׂיו אֵלֶּה Neh. 6:14
מִמַּעֲשָׂיו 214 לָמָּה...תַּפְרִיעוּ אֶת-הָעָם מִמַּעֲשָׂיו Ex. 5:4
מַעֲשֶׂיהָ 215 וִיהַלְלוּהָ בַשְּׁעָרִים מַעֲשֶׂיהָ Prov. 31:31
מַעֲשֵׂינוּ 216 כִּי גַם-כָּל-מַעֲשֵׂינוּ פָּעַלְתָּ לָּנוּ Is. 26:12
בְּמַעֲשֵׂינוּ 217 כָּל-הַבָּא עָלֵינוּ בְּמַעֲשֵׂינוּ הָרָעִים Ez. 9:13
מַעֲשֵׂיכֶם 218-219 מַה מַּעֲשֵׂיכֶם Gen. 46:33; 47:3
220 כַּלּוּ מַעֲשֵׂיכֶם דְּבַר-יוֹם בְּיוֹמוֹ Ex. 5:13
221 וְנִגְדְּעוּ חַמָּנֵיכֶם וְנִמְחוּ מַעֲשֵׂיכֶם Ezek. 6:6
מַעֲשֵׂיהֶם 222 וְהָיָה בְמַחְשָׁךְ מַעֲשֵׂיהֶם Is. 29:15
223 הֵן כֻּלָּם אָוֶן אֶפֶס מַעֲשֵׂיהֶם Is. 41:29
224 מַעֲשֵׂיהֶם מַעֲשֵׂי-אָוֶן Is. 59:6
225 מַעֲשֵׂיהֶם וּמַחְשְׁבֹתֵיהֶם בָּאָה Is. 66:18
226 אִם-אֶשְׁכַּח לָנֶצַח כָּל-מַעֲשֵׂיהֶם Am. 8:7
227 וַיַּרְא הָאֱלֹהִים אֶת-מַעֲשֵׂיהֶם Jon. 3:10
228 הַמֵּבִין אֶל-כָּל-מַעֲשֵׂיהֶם Ps. 33:15
229 וַיִּתְעָרְבוּ בַגּוֹיִם וַיִּלְמְדוּ מַעֲשֵׂיהֶם Ps. 106:35
וּמַעֲשֵׂיהֶם 230 מַרְאֵה הָאוֹפַנִּים וּמַעֲשֵׂיהֶם... Ezek. 1:16
231 וּמַרְאֵיהֶם וּמַעֲשֵׂיהֶם... Ezek. 1:16
בְּמַעֲשֵׂיהֶם 232 וְלֹא יִתְכַּסּוּ בְּמַעֲשֵׂיהֶם Is. 59:6
233 וַיִּטְמְאוּ בְמַעֲשֵׂיהֶם Ps. 106:39
כְּמַעֲשֵׂיהֶם 234 וְלֹא תַעֲשֶׂה כְּמַעֲשֵׂיהֶם Ex. 23:24

מַעֲשַׂי
שפ״ז – כֹּהֵן מעולי הגולה
וּמַעֲשַׂי 1 וּמַעֲשַׂי בֶּן-עֲדִיאֵל בֶּן-יַחְזֵרָה ICh. 9:12

מַעֲשֵׂיָה
שפ״ז א) אבי צפניה הכהן בימי צדקיהו: 1, 2, 4
ב) אבי צדקיהו נביא השקר: 3
ג) אנשים שונים בימי עזרא ונחמיה: 5-16
מַעֲשֵׂיָה 1-2 צְפַנְיָה בֶן-מַעֲשֵׂיָה הַכֹּהֵן Jer. 21:1; 29:25
3 וְאֶל-צִדְקִיָּהוּ בֶן-מַעֲשֵׂיָה Jer. 29:21
4 צְפַנְיָהוּ בֶן-מַעֲשֵׂיָה הַכֹּהֵן Jer. 37:3
5 מַעֲשֵׂיָה וֶאֱלִיעֶזֶר וְיָרִיב וּגְדַלְיָה Ez. 10:18
6 מַעֲשֵׂיָה וְאֵלִיָּה וּשְׁמַעְיָה Ez. 10:21
7 וּמִבְּנֵי פַּשְׁחוּר אֶלְיוֹעֵינַי מַעֲשֵׂיָה Ez. 10:22
8 בְּנָיָה מַעֲשֵׂיָה מַתַּנְיָה Ez. 10:30
9 עֲזַרְיָה בֶן-מַעֲשֵׂיָה... Neh. 3:23
10 מַעֲשֵׂיָה קְלִיטָא עֲזַרְיָה... Neh. 8:7
11 רְחוּם חֲשַׁבְנָה מַעֲשֵׂיָה Neh. 10:26

12 בֶּן־מַעֲשֵׂיָה בֶּן־אִיתִיאֵל... Neh. 11:7
13 וְהַכֹּהֲנִים אֶלְיָקִים מַעֲשֵׂיָה Neh. 12:41
וּמַעֲשֵׂיָה 14 וְחִלְקִיָּה וּמַעֲשֵׂיָה עַל־יְמִינוֹ Neh. 8:4
15 וּמַעֲשֵׂיָה בֶּן־בָּרוּךְ Neh. 11:5
16 וּמַעֲשֵׂיָה וּשְׁמַעְיָה וְאֶלְעָזָר Neh. 12:42

מַעֲשֵׂיָהוּ
שפ״ז א) מנגן בנבל בימי דוד: 5, 6
ב) שׂר בימי יואש בן אחזיהו: 2
ג) שוטר למלך עוזיהו: 7
ד) בן אחז מלך יהודה: 3
ה) שׂר העיר בימי יאשיהו: 4
ו) שומר הסף למלך צדקיהו: 1

מַעֲשֵׂיָהוּ 1 מַעֲשֵׂיָהוּ בֶן־שַׁלֻּם שֹׁמֵר הַסַּף Jer. 35:4
2 וְאֶת־מַעֲשֵׂיָהוּ בֶן־עֲדָיָהוּ IICh. 23:1
3 וַיַּהֲרֹג...אֶת־מַעֲשֵׂיָהוּ בֶּן־הַמֶּלֶךְ IICh. 28:7
4 וְאֶת־מַעֲשֵׂיָהוּ שַׂר־הָעִיר IICh. 34:8
וּמַעֲשֵׂיָהוּ 5 וּבְנָיָהוּ וּמַעֲשֵׂיָהוּ וּמַתִּתְיָהוּ ICh. 15:18
6 וֶאֱלִיאָב וּמַעֲשֵׂיָהוּ וּבְנָיָהוּ ICh. 15:20
7 יְעִיאֵל° הַסּוֹפֵר וּמַעֲשֵׂיָהוּ הַשּׁוֹטֵר IICh. 26:11

מַעֲשַׁקּוֹת
נ״ר עושק, גזל: 1, 2
בֶּצַע מַעֲשַׁקּוֹת 1; רַב מַעֲשַׁקּוֹת 2

מַעֲשַׁקּוֹת 1 מֹאֵס בְּבֶצַע מַעֲשַׁקּוֹת Is. 33:15
2 חֲסַר תְּבוּנוֹת וְרַב מַעֲשַׁקּוֹת Prov. 28:16

מַעֲשֵׂר
ז׳ א) עשירית: 1, 18-21
ב) החלק העשירי מתבואת הארץ שנצטוו בני־ישראל לתת לשבט לוי: 2-17, 22-32
– מַעֲשֵׂר וּתְרוּמָה 7,10,30,31; מַעֲשֵׂר מִן הַמַּעֲשֵׂר 3
– מַעְשַׂר הָאֲדָמָה 23; מַעְשַׂר הָאָרֶץ 11; מַ׳ בְּנֵי יִשְׂרָאֵל 13; מַעְשַׂר בָּקָר 12, 21; מַ׳ הַבַּת 19; מַ׳ דָּגָן 14, 15, 20, 24; מַ׳ הַחֹמֶר 18; מַ׳ יִצְהָר 14, 20; מַ׳ הַכֹּל 25; מַ׳ הַמַּעֲשֵׂר 22; מַ׳ צֹאן 12, 21; מַ׳ קֳדָשִׁים 26; מַ׳ תְּבוּאָה 16, 17; מַ׳ תִּירוֹשׁ 14, 20

מַעֲשֵׂר 1 וַיִּתֶּן־לוֹ מַעֲשֵׂר מִכֹּל Gen. 14:20
2 נָתַתִּי כָּל־מַעֲשֵׂר בְּיִשְׂרָאֵל נַחֲלָה Num. 18:21
3 וַהֲרֵמֹתֶם...מַעֲשֵׂר מִן־הַמַּעֲשֵׂר Num. 18:26
הַמַּעֲשֵׂר 4 כִּי־תִקְחוּ מֵאֵת בְּ״יִ אֶת־הַמַּעֲשֵׂר Num. 18:26
5 וַהֲרֵמֹתֶם...מַעֲשֵׂר מִן־הַמַּעֲשֵׂר Num. 18:26
6 בַּשָּׁנָה הַשְּׁלִישִׁת שְׁנַת הַמַּעֲשֵׂר Deut. 26:12
7 בַּמֶּה קְבַעֲנוּךָ הַמַּעֲשֵׂר וְהַתְּרוּמָה Mal. 3:8
8 הָבִיאוּ אֶת־כָּל־הַמַּעֲשֵׂר Mal. 3:10
9 וְהַלְוִיִּם יַעֲלוּ אֶת־מַעֲשַׂר הַמַּעֲשֵׂר Neh. 10:39
וְהַמַּעֲשֵׂר 10 הַתְּרוּמָה וְהַמַּעֲשֵׂר וְהַקֳּדָשִׁים IICh. 31:12
מַעְשַׂר־ 11 וְכָל־מַעְשַׂר הָאָרֶץ מִזֶּרַע הָאָ׳ Lev. 27:30
12 וְכָל־מַעְשַׂר בָּקָר וָצֹאן Lev. 27:32
13 אֶת־מַעְשַׂר בְּ״יִ אֲשֶׁר יָרִימוּ... Num. 18:24
14 מַעְשַׂר דְּגָנְךָ וְתִירֹשְׁךָ וְיִצְהָרֶךָ Deut. 12:17
15 מַעְשַׂר דְּגָנְךָ תִּירֹשְׁךָ וְיִצְהָרֶךָ Deut. 14:23
16/7 אֶת־כָּל־מַעְשַׂר תְּבוּאָתְךָ Deut. 14:28; 26:12
18 לָשֵׂאת מַעְשַׂר הַחֹמֶר הַבָּת Ezek. 45:11
19 מַעְשַׂר הַבַּת מִן־הַכֹּר Ezek. 45:14
20 מַעְשַׂר הַדָּגָן הַתִּירוֹשׁ וְהַיִּצְהָר Neh. 13:12
21 מַעְשַׂר בָּקָר וָצֹאן IICh. 31:6
מַעְשַׂר־ 22 יַעֲלוּ אֶת־מַעְשַׂר הַמַּעֲשֵׂר Neh. 10:39
וּמַעְשַׂר־ 23 וּמַעְשַׂר אַדְמָתֵנוּ לַלְוִיִּם Neh. 10:38
24 וּמַעְשַׂר הַדָּגָן הַתִּרוֹשׁ וְהַיִּצְהָר Neh. 13:5
25 וּמַעְשַׂר הַכֹּל לָרֹב הֵבִיאוּ IICh. 31:5
26 וּמַעְשַׂר קֳדָשִׁים הַמְקֻדָּשִׁים לַיְיָ.. IICh. 31:6
מִמַּעַשְׂרוֹ 27 וְאִם־גָּאֹל יִגְאַל אִישׁ מִמַּעַשְׂרוֹ Lev. 27:31
וְלַמַּעַשְׂרוֹת 28 לַתְּרוּמוֹת לָרֵאשִׁית וְלַמַּעַשְׂרוֹת Neh. 12:44
מַעְשְׂרֹתֵיכֶם 29 כֵּן תָּרִימוּ...מִכֹּל מַעְשְׂרֹתֵיכֶם Num. 18:28
30 וְאֵת מַעְשְׂרֹתֵיכֶם וְאֵת תְּרוּמַת יֶדְכֶם Deut. 12:6
31 מַעְשְׂרֹתֵיכֶם וּתְרֻמַת יֶדְכֶם Deut. 12:11
32 וְהָבִיאוּ...לִשְׁלֹשֶׁת יָמִים מַעְשְׂרֹתֵיכֶם Am. 4:4

מֹף
מן הערים הגדולות במצרים, היא מֶמפיס
מֹף 1 מִצְרַיִם תְּקַבְּצֵם מֹף תְּקַבְּרֵם Hosh. 9:6

מִפְגָּע
ז׳ מכשול
לְמִפְגָּע 1 לָמָה שַׂמְתַּנִי לְמִפְגָּע לָךְ Job 7:20

מַפֻּחַ
ז׳ כלי לפחת בו אש
מַפּוּחַ 1 נָחַר מַפֻּחַ מֵאֵשׁ תַּם° עֹפָרֶת Jer. 6:29

מַפָּח*
ז׳ נשיפה
מַפַּח־ 1 וְתִקְוָתָם מַפַּח־נָפֶשׁ Job 11:20

מְפִיבֹשֶׁת
שפ״ז א) בן שאול מפילגשו רצפה: 8
ב) בן יהונתן בן שאול: 1-7, 9-15

מְפִיבֹשֶׁת 1 וְלִיהוֹנָתָן...בֵּן...וּשְׁמוֹ מְפִיבֹשֶׁת IISh. 4:4
2 וַיָּבֹא מְפִיבֹשֶׁת בֶּן־יְהוֹנָתָן... IISh.9:6
3 ...וַיֹּאמֶר דָּוִד מְפִיבֹשֶׁת... IISh.9:6
4 וְהִנֵּה צִיבָא נַעַר מְפִיבֹשֶׁת לִקְרָאתוֹ IISh.16:1
5 לָמָּה לֹא־הָלַכְתָּ עִמִּי מְפִיבֹשֶׁת IISh. 19:26
6 וַיֹּאמֶר מְפִיבֹשֶׁת אֶל־הַמֶּלֶךְ IISh. 19:31
7 וַיַּחְמֹל הַמֶּלֶךְ עַל־מְפִיבֹשֶׁת IISh. 21:7
8 אֶת־אַרְמֹנִי וְאֶת־מְפִבֹשֶׁת IISh. 21:8
וּמְפִיבֹשֶׁת 9 וּמְפִיבֹשֶׁת בֶּן־אֲדֹנֶיךָ... IISh. 9:10
10 וּמְפִיבֹשֶׁת אֹכֵל עַל־שֻׁלְחָנִי IISh. 9:11
11 וּמְפִיבֹשֶׁת יֹשֵׁב בִּירוּשָׁלַםִ IISh. 9:13
12 וּמְפִבֹשֶׁת בֶּן־שָׁאוּל IISh. 19:25
לִמְפִיבֹשֶׁת 13 בֵּית צִיבָא עֲבָדִים לִמְפִיבֹשֶׁת IISh. 9:12
14 הִנֵּה לְךָ כֹּל אֲשֶׁר לִמְפִיבֹשֶׁת IISh. 16:4
וְלִמְפִיבֹשֶׁת 15 וְלִמְפִיבֹשֶׁת בֵּן־קָטָן וּשְׁמוֹ מִיכָ׳ IISh. 9:12

מֻפִּים
שפ״ז – מבני בנימן
מֻפִּים 1 מֻפִּים וְחֻפִּים וָאָרְדְּ Gen. 46:21

מֵפִיץ
ז׳ מַפָּץ, דֶקר [עין גם פוץ]
מֵפִיץ 1 מֵפִיץ וְחֶרֶב וְחֵץ שָׁנוּן Prov. 25:18

מַפָּל*
ז׳ דבר שנפל: 1, 2
וּמַפַּל־ 1 וּמַפַּל בַּר נַשְׁבִּיר Am. 8:6
מַפְּלֵי־ 2 מַפְּלֵי בְשָׂרוֹ דָבֵקוּ Job 41:15

מִפְלָאָה*
נ׳ פלא, מופת
מִפְלְאוֹת 1 מִפְלְאוֹת תְּמִים דֵּעִים Job 37:16

מִפְלַגָּה*
נ׳ מחלקה
לְמִפְלַגּוֹת 1 לְתִתָּם לְמִפְלַגּוֹת לְבֵית־אָבוֹת IICh. 35:12

מַפָּלָה, מַפֵּלָה
נ׳ נפילה, הֶרס, חורבן: 1-11
קרובים: הֶרֶס / הֲרִיסוּת / הֲפֵכָה / חָרְבָּה / כִּלָּיוֹן / מַהְפֵּכָה / מְשׁוֹאָה / שׁוֹאָה
מְעִי מַפָּלָה 1; מַפֶּלֶת הָאַרְיֵה 4; יוֹם מַפַּלְתּוֹ 5, 7, 8; קוֹל מַפַּלְתּוֹ 6, 10

מַפָּלָה 1 ...וְהָיְתָה מְעִי מַפָּלָה Is. 17:1
לְמַפֵּלָה 2 עוֹרְרוּ אַרְמְנוֹתֶיהָ שָׂמָהּ לְמַפֵּלָה Is. 23:13
3 קִרְיָה בְצוּרָה לְמַפֵּלָה Is. 25:2
מַפֶּלֶת־ 4 לִרְאוֹת אֵת מַפֶּלֶת הָאַרְיֵה Jud. 14:8
מַפַּלְתֵּךְ 5 וְחָרְדוּ לִרְגָעִים...בְּיוֹם מַפַּלְתֵּךְ Ezek. 32:10
מַפַּלְתֵּךְ 6 הֲלֹא מִקּוֹל מַפַּלְתֵּךְ...יִרְעֲשׁוּ Ezek. 26:15
7 עַתָּה יֶחֶרְדוּ הָאִיִּן יוֹם מַפַּלְתֵּךְ Ezek. 26:18
8 יִפְּלוּ בְּלֵב יַמִּים בְּיוֹם מַפַּלְתֵּךְ Ezek. 27:27
מַפַּלְתּוֹ 9 עַל־מַפַּלְתּוֹ יִשְׁכְּנוּ כָּל־עוֹף הַשָּׁ׳ Ezek. 31:13
10 מִקּוֹל מַפַּלְתּוֹ הִרְעַשְׁתִּי גוֹיִם Ezek. 31:16
בְּמַפַּלְתָּם 11 וְצַדִּיקִים בְּמַפַּלְתָּם יִרְאוּ Prov. 29:16

מִפְלָט
ז׳ מִקלט
מִפְלָט 1 אָחִישָׁה מִפְלָט לִי מֵרוּחַ סֹעָה Ps. 55:9

מִפְלֶצֶת
נ׳ אליל־אימה: 1-4
מִפְלֶצֶת 1 אֲשֶׁר־עָשְׂתָה מִפְלֶצֶת לַאֲשֵׁרָה IK. 15:13
מִפְלָצֶת 2 אֲשֶׁר־עָשְׂתָה לַאֲשֵׁרָה מִפְלָצֶת IICh. 15:16
מִפְלַצְתָּהּ 3 וַיִּכְרֹת אָסָא אֶת־מִפְלַצְתָּהּ IK. 15:13
4 וַיִּכְרֹת אָסָא אֶת־מִפְלַצְתָּהּ IICh. 15:16

מִפְלָשׂ*
ז׳ מפרשׂ
מִפְלְשֵׂי־ 1 הֲתֵדַע עַל־מִפְלְשֵׂי־עָב Job 37:16

מִפְּנֵי־
מ״י א) מן־: 1-92, 184-306
ב) מסבת, בגלל: 93-100, 102-107, 109-183
ג) [מִפְּנֵי אֲשֶׁר] משום, כיון ש־: 101, 108

מִפְּנֵי־ (א) 1 וַיִּתְחַבֵּא...מִפְּנֵי יְיָ אֱלֹהִים Gen. 3:8
2 וַיָּבֹא...אֶל־הַתֵּבָה מִפְּנֵי מֵי הַמַּבּוּל Gen. 7:7
3 מִפְּנֵי שָׂרַי גְּבִרְתִּי אָנֹכִי בֹּרַחַת Gen. 16:8
4 בְּבָרְחֲךָ מִפְּנֵי עֵשָׂו אָחִיךָ Gen. 35:1
5 בְּבָרְחוֹ מִפְּנֵי אָחִיו Gen. 35:7
6 וַיֵּלֶךְ אֶל־אֶרֶץ מִפְּנֵי יַעֲקֹב אָחִיו Gen. 36:6
7 וַיִּבְרַח מֹשֶׁה מִפְּנֵי פַרְעֹה Ex. 2:15
8 טֶרֶם תִּירְאוּן מִפְּנֵי יְיָ אֱלֹהִים Ex. 9:30
9 אָנוּסָה מִפְּנֵי יִשְׂרָאֵל Ex. 14:25
10 וַיָּבֹא מֹשֶׁה וְאַהֲרֹן מִפְּנֵי הַקָּהָל Num. 20:6
11 וַיָּגָר מוֹאָב מִפְּנֵי הָעָם מְאֹד Num. 22:3
12 וַיָּקָץ מוֹאָב מִפְּנֵי בְּנֵי יִשְׂרָאֵל Num. 22:3
13 וְיָשַׁב...מִפְּנֵי יֹשְׁבֵי הָאָרֶץ Num. 32:17
14 וַיִּסְעוּ מִפְּנֵי הַחִירֹת Num. 33:8
15 לֹא תָגוּרוּ מִפְּנֵי־אִישׁ Deut. 1:17
16 הַס מִפְּנֵי אֲדֹנָי יְיָ Zep. 1:7
17 הַס כָּל־בָּשָׂר מִפְּנֵי יְיָ Zech. 2:17
18-92 מִפְּנֵי (א) • Deut. 5:5; 9:19 • Josh. 10:11; 13:6 • Jud. 6:11; 9:21; 11:3, 23, 33 • ISh. 7:7; 18:29; 19:10; 21:11, 13; 23:26; 25:10; 31:1 • IISh. 10:14, 18; 15:14; 23:11 • IK. 1:50; 2:7; 3:28; 12:2; 14:24 • IIK. 11:2; 16:3; 17:8; 19:6; 21:2, 9, 26; 22:19; 25:26 • Is. 7:2; 16:4; 17:9; 19:16; 31:8; 37:6; 51:13 • Jer. 1:13; 41:15, 18; 42:11; 48:44 • Am. 5:19 • Mic. 1:4 • Hag. 1:12 • Zech. 14:5 • Mal. 3:14 • Ps. 3:1; 17:9; 57:1 • Prov. 30:30 • Job 19:29; 23:17; 39:22 • Lam. 2:3 • ICh. 2:1; 11:13; 12:1; 17:21; 19:15; 21:12, 30 • IICh. 10:2; 13:16; 20:15; 22:11; 28:3; 32:7; 33:2, 9

מִפְּנֵי־ (ב) 93 קַצְתִּי בְחַיַּי מִפְּנֵי בְּנוֹת חֵת Gen. 27:46
94 וְלֹא יָכְלָה...לָשֵׂאת אֹתָם מִפְּנֵי מִקְנֵיהֶם Gen. 36:7
95 וְלֹא יִוָּדַע...מִפְּנֵי הָרָעָב הַהוּא Gen. 41:31
96 וַתֵּלַהּ אֶרֶץ מִצְ׳...מִפְּנֵי הָרָעָב Gen. 47:13
97 וַיָּקֻצוּ מִפְּנֵי בְּנֵי יִשְׂרָאֵל Ex. 1:12
98 וְאֶת־צַעֲקָתָם שָׁמַעְתִּי מִפְּנֵי נֹגְשָׂיו Ex. 3:7
99 תִּשָּׁחֵת הָאָרֶץ מִפְּנֵי הֶעָרֹב Ex. 8:20
100 וְלֹא־יָכְלוּ...לַעֲמֹד...מִפְּנֵי הַשְּׁחִין Ex. 9:11
101 מִפְּנֵי אֲשֶׁר יָרַד עָלָיו יְיָ בָּאֵשׁ Ex. 19:18
102 מִפְּנֵי שֵׂיבָה תָּקוּם... Lev. 19:32

מִפְּנֵי־(ב) (המשך) 103 וְיָשָׁן מִפְּנֵי חָדָשׁ תּוֹצִיאוּ Lev. 26:10
104 עַד הִשָּׁמֶדְךָ...מִפְּנֵי רֹעַ מַעֲלָלֶיךָ Deut. 28:20
105 נִכְרְתוּ...מִפְּנֵי אֲרוֹן בְּרִית־יְיָ Josh. 4:7
106 הָרִים נָזְלוּ מִפְּנֵי יְיָ Jud. 5:5
107 זֶה סִינַי מִפְּנֵי יְיָ אֱלֹהֵי יִשְׂרָאֵל Jud. 5:5
108 מִפְּנֵי אֲשֶׁר קִטַּרְתֶּם Jer. 44:23
109-183 מִפְּנֵי (ב) Josh. 5:1²; 6:1
Jud. 2:18; 6:2, 6 • IISh. 7:23 • IK. 5:17; 8:11 • IIK. 9:14; 16:18 • Is. 2:10; 7:16; 19:17, 19, 21; 10:27; 19:20; 20:6; 21:15²; 30:17²; 57:1 • Jer. 4:4, 26²; 7:12; 9:6; 13:17; 14:16; 15:17; 21:12; 23:9, 10; 25:16, 27, 37, 38; 26:3; 32:24; 35:11; 37:11; 38:9; 41:9; 42:17; 44:3, 22²; 46:16; 50:16; 51:64 • Ezek. 14:15; 16:63 • Hosh. 10:15 • Ps. 38:4², 6; 44:17; 55:4; 60:6; 61:4; 68:3², 9²; 102:11 • Job 17:12; 35:12; 37:19 • Lam. 5:9, 10 • Neh. 5:15 • IICh. 5:14; 12:5

וּמִפְּנֵי־(ב) 184 וּמִפְּנֵי קֶשֶׁת דְּרוּכָה Is. 21:15
185 וּמִפְּנֵי כֹּבֶד מִלְחָמָה Is. 21:15
186 מִפְּנֵי יְיָ וּמִפְּנֵי דִּבְרֵי קָדְשׁוֹ Jer. 23:9
187 וּמִפְּנֵי חֲרוֹן אַפּוֹ Jer. 25:38
188 וּמִפְּנֵי חֵיל אֲרָם Jer. 35:11
189 וּמִפְּנֵי שְׁמִי נִחַת הוּא Mal. 2:5
כְּמִפְּנֵי־ 190 וְכָשְׁלוּ אִישׁ־בְּאָחִיו כְּמִפְּנֵי חֶרֶב Lev. 26:37
מִפָּנַי 191 אוּלַי נָטְתָה מִפָּנַי Num. 22:33
192 יַעַן כִּי־נִכְנַע מִפָּנַי IK. 21:29
193 וְאִם־תָּסִיר שִׁקּוּצֶיךָ מִפָּנַי Jer. 4:1
194 אִם מִפָּנַי לֹא תָחִילוּ... Jer. 5:22
195 וְרָעֲשׁוּ מִפָּנַי דְּגֵי הַיָּם Ezek. 38:20
196 וְרֶסֶן מִפָּנַי שִׁלֵּחוּ Job 30:11
מִפָּנָי 197 עַד־מָתַי מֵאַנְתָּ לֵעָנֹת מִפָּנָי Ex. 10:3
וּמִפָּנַי 198 וּמִפָּנַי כִּסָּה־אֹפֶל Job 23:17
199 וּמִפָּנַי לֹא־חָשְׂכוּ רֹק Job 30:10
מִפָּנֶיךָ 200 כִּי לוֹא אוּכַל לָקוּם מִפָּנֶיךָ Gen. 31:35
201 לֹא אֲגָרְשֶׁנּוּ מִפָּנֶיךָ בְּשָׁנָה אֶחָת Ex. 23:29
202 מְעַט מְעַט אֲגָרְשֶׁנּוּ מִפָּנֶיךָ Ex. 23:30
203 אֶתֵּן בְּיֶדְכֶם...וְגֵרַשְׁתָּמוֹ מִפָּנֶיךָ Ex. 23:31
204 הִנְנִי גֹרֵשׁ מִפָּנֶיךָ אֶת־הָאֱמֹרִי Ex. 34:11
205 כִּי־אוֹרִישׁ גּוֹיִם מִפָּנֶיךָ Ex. 34:24
206 וְיָנֻסוּ מְשַׂנְאֶיךָ מִפָּנֶיךָ Num. 10:35
207 וְרָגְזוּ וְחָלוּ מִפָּנֶיךָ Deut. 2:25
208 לְהוֹרִישׁ גּוֹיִם גְּדֹלִים...מִפָּנֶיךָ Deut. 4:38
209 לַהֲדֹף אֶת־כָּל־אֹיְבֶיךָ מִפָּנֶיךָ Deut. 6:19
210 וְנָשַׁל גּוֹיִם־רַבִּים מִפָּנֶיךָ Deut. 7:1
211 הַנִּשְׁאָרִים וְהַנִּסְתָּרִים מִפָּנֶיךָ Deut. 7:20
212 וְנָשַׁל...אֶת־הַגּוֹיִם הָאֵל מִפָּנֶיךָ Deut. 7:22
213/4 יְיָ אֱלֹהֶיךָ מוֹרִישָׁם מִפָּנֶיךָ Deut. 9:4, 5
215 כִּי־יַכְרִית יְיָ אֱלֹהֶיךָ...מִפָּנֶיךָ Deut. 12:29
216 אַחֲרֵי הִשָּׁמְדָם מִפָּנֶיךָ Deut. 12:30
217 יְיָ אֱלֹהֶיךָ מוֹרִישׁ אוֹתָם מִפָּנֶיךָ Deut. 18:12
218 לָבֹא מִפָּנֶיךָ בַּמָּצוֹר Deut. 20:19
219 וַיְגָרֶשׁ מִפָּנֶיךָ אוֹיֵב... Deut. 33:27
220 וָאַכְרִתָה אֶת־כָּל־אֹיְבֶיךָ מִפָּנֶיךָ IISh. 7:9
221 ...כֵּן הָיִינוּ מִפָּנֶיךָ יְיָ Is. 26:17
222/3 מִפָּנֶיךָ הָרִים נָזֹלּוּ Is. 63:19; 64:2
224 מִפָּנֶיךָ גּוֹיִם יִרְגָּזוּ Is. 64:1
225 יִכָּשְׁלוּ וְיֹאבְדוּ מִפָּנֶיךָ Ps. 9:4
226 אָנָה אֵלֵךְ...וְאָנָה מִפָּנֶיךָ אֶבְרָח Ps. 139:7
227 אָז מִפָּנֶיךָ לֹא אֶסָּתֵר Job 13:20
228 וָאַכְרִית אֶת־כָּל־אוֹיְבֶיךָ מִפָּנֶיךָ ICh. 17:8
וּמִפָּנֶיךָ 229 הֵן גֵּרַשְׁתָּ אֹתִי...וּמִפָּנֶיךָ אֶסָּתֵר Gen. 4:14
מִפָּנָיו 230 כִּי נִבְהֲלוּ מִפָּנָיו Gen. 45:3

מִפָּנָיו (המשך) 231 וַיָּנָס מֹשֶׁה מִפָּנָיו Ex. 4:3
232 הִשָּׁמֶר מִפָּנָיו וּשְׁמַע בְּקֹלוֹ Ex. 23:21
233 עַד הוֹרִישׁוֹ אֶת־אֹיְבָיו מִפָּנָיו Num. 32:21
234 וַיִּרְדְּפֵהוּ אֲבִימֶלֶךְ וַיָּנָס מִפָּנָיו Jud. 9:40
235 וַיָּנֻסוּ מִפָּנָיו וַיִּירְאוּ מְאֹד ISh. 17:24
236 וַיִּסֹּב דָּוִד מִפָּנָיו פַּעֲמָיִם ISh. 18:11
237 וַיַּרְא שָׁאוּל...וַיָּגָר מִפָּנָיו ISh. 18:15
238 וַיַּךְ בָּהֶם...וַיָּנֻסוּ מִפָּנָיו ISh. 19:8
239 וַיִּגַּשׁ יוֹאָב...וַיָּנֻסוּ מִפָּנָיו IISh. 10:13
240 רֵד אוֹתוֹ אַל־תִּירָא מִפָּנָיו IIK. 1:15
241 הַס מִפָּנָיו כָּל־הָאָרֶץ Hab. 2:20
242-252 מִפָּנָיו IIK. 17:20 • Is. 19:1
Jer. 42:11 • Joel 2:6 • Nah. 1:5 • Ps. 68:2; 89:24; 96:9 • Job 23:15 • Eccl. 8:3 • ICh. 19:14
מִפָּנֶיהָ 253 וַתְּעַנֶּהָ שָׂרַי וַתִּבְרַח מִפָּנֶיהָ Gen. 16:6
254 וְתָסֵר זְנוּנֶיהָ מִפָּנֶיהָ Hosh. 2:4
מִפָּנֵינוּ 255 נָמֹגוּ כָּל־יֹשְׁבֵי הָאָרֶץ מִפָּנֵינוּ Josh. 2:24
256 אֲשֶׁר־הוֹבִישׁ מִפָּנֵינוּ עַד־עָבְרֵנוּ Josh. 4:23
257 וַיְגָרֶשׁ...יֹשֵׁב הָאָרֶץ מִפָּנֵינוּ Josh. 24:18
258 כָּל־אֲשֶׁר הוֹרִישׁ...מִפָּנֵינוּ Jud. 11:24
259 הַשְׁבִּיתוּ מִפָּנֵינוּ אֶת־קְדוֹשׁ יִשׂ׳ Is. 30:11
מִפְּנֵיכֶם 260/1 אֲשֶׁר־אֲנִי מְשַׁלֵּחַ מִפְּנֵיכֶ׳ Lev. 18:24; 20:23
262 וְהוֹרַשְׁתֶּם...מִפְּנֵיכֶם Num. 33:52
263 וְאִם־לֹא תוֹרִישׁוּ...מִפְּנֵיכֶם Num. 33:55
264 אֲשֶׁר יְיָ מַאֲבִיד מִפְּנֵיכֶם Deut. 8:20
265 נָמֹגוּ כָּל־יֹשְׁבֵי הָאָרֶץ מִפְּנֵיכֶם Josh. 2:9
266/7 אֲשֶׁר־הוֹבִישׁ יְיָ...מִפְּנֵיכֶם Josh. 2:10; 4:23
268 וְלֹא־קָמָה...רוּחַ בְּאִישׁ מִפְּנֵיכֶם Josh. 2:11
269 וְהוֹרֵשׁ יוֹרִישׁ מִפְּנֵיכֶם... Josh. 3:10
270 וּלְהַשְׁמִיד אֶת...יֹשְׁבֵי הָאָ׳ מִפְּנֵיכֶם Josh. 9:24
271 וַנִּירָא מְאֹד לְנַפְשֹׁתֵינוּ מִפְּנֵיכֶם Josh. 9:24
272 עָשָׂה...לְכָל־הַגּוֹיִם...מִפְּנֵיכֶם Josh. 23:3
273 הוּא יֶהְדֳּפֵם מִפְּנֵיכֶם Josh. 23:5
274 וַיּוֹרֶשׁ יְיָ מִפְּנֵיכֶם גּוֹיִם גְּדֹלִים Josh. 23:9
275 וָאַשְׁמִידֵם מִפְּנֵיכֶם Josh. 24:8
276 וַתְּגָרֵשׁ אוֹתָם מִפְּנֵיכֶם Josh. 24:12
277 לֹא־אֲגָרֵשׁ אוֹתָם מִפְּנֵיכֶם Jud. 2:3
278 וָאֲגָרֵשׁ אוֹתָם מִפְּנֵיכֶם Jud. 6:9
מִפְּנֵיהֶם 279 מָלְאָה הָאָרֶץ חָמָס מִפְּנֵיהֶם Gen. 6:13
280 וַיִּסַּע עַמּוּד הֶעָנָן מִפְּנֵיהֶם Ex. 14:19
281 וַיַּשְׁמִידוּם מִפְּנֵיהֶם Deut. 2:12
282 וַיַּשְׁמִדֵם יְיָ מִפְּנֵיהֶם Deut. 2:21
283 אֲשֶׁר הִשְׁמִיד אֶת־הַחֹרִי מִפְּנֵיהֶם Deut. 2:22
284 אֲשֶׁר־אַתָּה יָרֵא מִפְּנֵיהֶם Deut. 7:19
285 לֹא תַעֲרֹץ מִפְּנֵיהֶם Deut. 7:21
286-287 וְאַל־תַּעַרְצוּ מִפְּנֵיהֶם Deut. 20:3; 31:6
288 מַדְוֵה מִצְ׳ אֲשֶׁר יָגֹרְתָּ מִפְּנֵיהֶם Deut. 28:60
289 אַל־תִּירָא מִפְּנֵיהֶם Josh. 11:6
290 לֹא אוֹסִיף לְהוֹרִישׁ אִישׁ מִפְּנֵיהֶם Jud. 2:21
291 וַיַּכּוּ אֶת־מוֹאָב וַיָּנֻסוּ מִפְּנֵיהֶם IIK. 3:24
292 אֲשֶׁר־הֶגְלָה יְיָ מִפְּנֵיהֶם IIK. 17:11
293 בּוֹקֵעַ מַיִם מִפְּנֵיהֶם Is. 63:12
294-305 מִפְּנֵיהֶם Jer. 1:8, 17; 22:25
39:17; 41:18 • Ezek. 3:9 • Hosh. 11:2 • Am. 2:9 • Ps. 78:55 • Neh. 4:3, 8 • IICh. 5:25
וּמִפְּנֵיהֶם 306 וּמִפְּנֵיהֶם אַל־תֵּחָת Ezek. 2:6

מִפְעָל* ז׳ מַעֲשֶׂה, מעלל: 1-3 · קרובים: ראה מַעֲשֶׂה
מִפְעֲלוֹת אֱלֹהִים 3; מִפְעֲלוֹת יְיָ 2
מִפְעָלָיו 1 קֶדֶם מִפְעָלָיו מֵאָז Prov. 8:22
מִפְעֲלוֹת־ 2 לְכוּ־חֲזוּ מִפְעֲלוֹת יְיָ Ps. 46:9
3 לְכוּ וּרְאוּ מִפְעֲלוֹת אֱלֹהִים Ps. 66:5

מְפַעַת שם־נ – עין מֵיפַעַת

מַפֵּץ, מַפָּץ ז׳ כלי־נפץ: 1–2
מַפֵּץ 1 מַפֵּץ אַתָּה־לִי כְּלֵי מִלְחָמָה Jer. 51:20
מַפָּצוֹ 2 וְאִישׁ כְּלִי מַפָּצוֹ בְּיָדוֹ Ezek. 9:2

מִפְקָד ז׳ ספירה, מניה: 1-5
שַׁעַר הַמִּפְקָד 1; מִפְקַד הַבַּיִת 4; מ׳ יְחִזְקִיָּהוּ 5; מִפְקַד הָעָם 2, 3
הַמִּפְקָד 1 נֶגֶד שַׁעַר הַמִּפְקָד Neh. 3:31
מִפְקַד־ 2/3 אֶת־מִסְפַּר מִפְקַד־הָעָם IISh. 24:9 • ICh. 21:5
בְּמִפְקַד־ 4 בְּמִפְקַד הַבַּיִת מִחוּץ לַמִּקְדָּשׁ Ezek. 43:21
5 בְּמִפְקַד יְחִזְקִיָּהוּ הַמֶּלֶךְ IICh. 31:13

מִפְרָץ* ז׳ לשון־ים ביבשה
מִפְרָצָיו 1 יָשַׁב לְחוֹף יַמִּים וְעַל־מִפְרָצָיו יִשְׁכּוֹן Jud. 5:17

מַפְרֶקֶת* נ׳ מערכת חוליות הצוָּאר
מַפְרַקְתּוֹ 1 וַתִּשָּׁבֵר מַפְרַקְתּוֹ וַיָּמֹת ISh. 4:18

מִפְרָשׂ* ז׳ א) יריעה פרושה בכלי־שיט: 1
ב) פרישה, רקוע: 2
מִפְרָשֵׂךְ 1 שֵׁשׁ...הָיָה מִפְרָשֵׂךְ לִהְיוֹת לָךְ לְנֵס Ezek. 27:7
מִפְרְשֵׂי־ 2 אִם־יָבִין מִפְרְשֵׂי־עָב Job 36:29

מִפְשָׂעָה נ׳ מקום חבור הבטן לַיָּרֵךְ
הַמִּפְשָׂעָה 1 וַיִּכְרֹת אֶת־מַדְוֵיהֶם בַּחֲצִי עַד־הַמִּפְשָׂעָה ICh. 19:4

מַפְתֵּחַ ז׳ מכשיר לפתיחת מנעול: 1-3
הַמַּפְתֵּחַ 1 וַיִּקְחוּ אֶת־הַמַּפְתֵּחַ וַיִּפְתָּחוּ Jud. 3:25
2 עֲלֵיהֶם מִשְׁמֶרֶת וְהֵם עַל־הַמַּפְתֵּחַ ICh. 9:27
מַפְתֵּחַ־ 3 וְנָתַתִּי מַפְתֵּחַ בֵּית־דָ׳ עַל־שִׁכְמוֹ Is. 22:22

מִפְתָּח* ז׳ פתיחה
וּמִפְתַּח־ 1 וּמִפְתַּח שְׂפָתַי מֵישָׁרִים Prov. 8:6

מִפְתָּן ז׳ סף הדלת: 1-8
מִפְתַּן הַבַּיִת 4-7; מִפְתַּן הַשַּׁעַר 8
הַמִּפְתָּן 1 וּשְׁתֵּי כַּפּוֹת יָדָיו כְּרֻתוֹת אֶל־הַמִּפְתָּן ISh. 5:4
2 וּפָקַדְתִּי עַל כָּל־הַדּוֹלֵג עַל הַמִּפְתָּן Zep. 1:9
מִפְתַּן־ 3 לֹא־יִדְרְכוּ...עַל־מִפְתַּן דָּגוֹן ISh. 5:5
4 ...נַעֲלָה...אֶל מִפְתַּן הַבָּיִת Ezek. 9:3
5-7 מִפְתַּן הַבַּיִת (הַבַּ׳) Ezek. 10:4, 18; 47:1
8 וְהִשְׁתַּחֲוָה עַל־מִפְתַּן הַשַּׁעַר Ezek. 46:2

מֹץ ז׳ עין מוֹץ

מֵץ ז׳ גזל, רשע
הַמֵּץ 1 כִּי־אָפֵס הַמֵּץ כָּלָה שֹׁד Is. 16:4

מצא : מָצָא, נִמְצָא, הִמְצִיא

מָצָא פ׳ א) גלה, השיג: רוב המקראות 1-307
ב) פגע, פגש: 13, 35, 67, 89, 115, 119, 120, 153-155, 161, 164, 166, 171, 220, 226-229, 231, 240-244, 246, 269, 284-289, 302
ג) הספיק, היה די: 98-100
ד) [נפ׳ נִמְצָא] נגלה, הושג, היה קים: רוב המקראות 308-448
ה) [כנ״ל] נזדמן, נקרה: 346, 351, 352, 373, 403, 418, 424, 425, 432
ו) [כנ״ל] הִסְפִּיק: 414, 422

ז) [כנ״ל] נענה לדורשיו: 309, 310, 312, 332, 424, 425

ח) [הפ׳ הַמְצִיא] הביא, הגיש: רוב המקראות 450-455

ט) [כנ״ל] מסר, סגר: 449, 451

– מָצָא אוֹן 41; מָצָא חֵן 4, 5, 14–30, 50, 53, 61, 62, 74, 75, 86, 124, 253, 255, 265, 281, 305; מָצָא חֵפֶץ 12, 268; מָצָא חֶשְׁבּוֹן 8; (לֹא) מָצָא יָדָיו 140; מָצָא (אֶת) לִבּוֹ 87; מָצָא מָנוֹחַ 114, 116; מָצָא מְנוּחָה 38, 307; מָצָא מַרְגּוֹעַ 306; מָצָא שָׁלוֹם 168

– לְעֵת מְצֹא 1

– מָצְאָה יָדוֹ 251, 254, 256, 257, 260, 262-264

מְצֹא 1 עַל־זֹאת יִתְפַּלֵּל...לְעֵת מְצֹא Ps. 32:6
לִמְצֹא 2 וַיִּלְאוּ לִמְצֹא הַפָּתַח Gen. 19:11
3 מַה־זֶּה מִהַרְתָּ לִמְצֹא בְּנִי Gen. 27:20
4 לִמְצֹא־חֵן בְּעֵינֶיךָ Gen. 32:5
5 לִמְצֹא־חֵן בְּעֵינֵי אֲדֹנִי Gen. 33:8
6 לִמְצֹא עֲוֹנוֹ לִשְׂנֹא Ps. 36:3
7 שֹׁמֵר תְּבוּנָה לִמְצֹא־טוֹב Prov. 19:8
8 אַחַת לְאַחַת לִמְצֹא חֶשְׁבּוֹן Eccl. 7:27
9 לֹא יוּכַל...לִמְצוֹא אֶת־הַמַּעֲשֶׂה Eccl. 8:17
10 אִם יֹאמַר...לָדַעַת לֹא יוּכַל לִמְצֹא Eccl. 8:17
11 בִּקֵּשׁ קֹהֶלֶת לִמְצֹא דִּבְרֵי־חֵפֶץ Eccl. 12:10
מִמְּצוֹא 12 וְכִבַּדְתּוֹ מִמְּצוֹא חֶפְצְךָ וְדַבֵּר דָּבָר Is. 58:13
בְּמֹצַאֲכֶם 13 תְּדַבְּרוּן...בְּמֹצַאֲכֶם אֹתוֹ Gen. 32:19
מָצָאתִי 14-21 אִם־נָא מָצָאתִי חֵן בְּעֵינֶיךָ Gen. 18:3
30:27; 33:10; 47:29 • Ex. 33:13; 34:9 • Jud. 6:17 • ISh. 27:5
22-30 מָצָאתִי חֵן בְּעֵינֵיכֶם (בְּעֵינֶיךָ וכד׳)
Gen. 50:4 • Ex. 33:16 • Num. 11:15 • ISh. 20:3, 29 • IISh. 14:22 • Ruth 2:10 • Es. 5:8; 7:3
31 וְלֹא־מָצָאתִי לָהּ בְּתוּלִים Deut. 22:14
32 לֹא־מָצָאתִי לְבִתְּךָ בְּתוּלִים Deut. 22:17
33 וְלֹא־מָצָאתִי בוֹ מְאוּמָה ISh. 29:3
34 כִּי לֹא־מָצָאתִי בְךָ רָעָה ISh. 29:6
35 הַמְצָאתַנִי אֹיְבִי וַיֹּאמֶר מָצָאתִי IK. 21:20
36 סֵפֶר הַתּוֹרָה מָצָאתִי בְּבֵית יְיָ IIK. 22:8
37 גַּם־בְּבֵיתִי מָצָאתִי רָעָתָם Jer. 23:11
38 יָגַעְתִּי בְּאַנְחָתִי וּמְנוּחָה לֹא מָצָאתִי Jer. 45:3
39 וָאֲבַקֵּשׁ מֵהֶם אִישׁ...וְלֹא מָצָאתִי Ezek. 22:30
40 כַּעֲנָבִים בַּמִּדְבָּר מָצָאתִי יִשְׂרָאֵל Hosh. 9:10
41 אַךְ עָשַׁרְתִּי מָצָאתִי אוֹן לִי Hosh. 12:9
42 וְלַמְנַחֲמִים וְלֹא מָצָאתִי Ps. 69:21
43 מָצָאתִי דָּוִד עַבְדִּי... Ps. 99:21
44 פְּדָעֵהוּ מֵרֶדֶת שַׁחַת מָצָאתִי כֹפֶר Job 33:24
45 רְאֵה זֶה מָצָאתִי אָמְרָה קֹהֶלֶת Eccl. 7:27
46 עוֹד בִּקְשָׁה נַפְשִׁי וְלֹא מָצָאתִי Eccl. 7:28
47 אָדָם אֶחָד מֵאֶלֶף מָצָאתִי Eccl. 7:28
48 וְאִשָּׁה בְכָל־אֵלֶּה לֹא מָצָאתִי Eccl. 7:28
49 לְבַד רְאֵה־זֶה מָצָאתִי Eccl. 7:29
50 וְאִם־מָצָאתִי חֵן לְפָנָיו Es. 8:5
51 וּמִבְּנֵי לֵוִי לֹא־מָצָאתִי שָׁם Ez. 8:15
52 סֵפֶר הַתּוֹרָה מָצָאתִי בְּבֵית יְיָ IICh. 34:15
(מָצָתִי) 53 וְלָמָּה...מָצָתִי חֵן בְּעֵינֶיךָ Num. 11:11
שֶׁמָּצָאתִי 54 עַד שֶׁמָּצָאתִי אֵת שֶׁאָהֲבָה נַפְשִׁי S.ofS. 3:4
מְצָאתִיו 55-56 בִּקַּשְׁתִּיו וְלֹא מְצָאתִיו S.ofS. 3:1, 2
מְצָאתִיהוּ 57 בִּקַּשְׁתִּיהוּ וְלֹא מְצָאתִיהוּ S.ofS. 5:6
מְצָאתִיהָ 58 וַיָּשָׁב...וַיֹּאמֶר לֹא מְצָאתִיהָ Gen. 38:22
מְצָאתִים 59 לֹא־בַמַּחְתֶּרֶת מְצָאתִים Jer. 2:34
מָצָאתָ 60 מַה־מָּצָאתָ מִכֹּל כְּלֵי־בֵיתֶךָ Gen. 31:37
61 וְגַם־מָצָאתָ חֵן בְּעֵינָי Ex. 33:12

מָצָאתָ (המשך) 62 כִּי־מָצָאתָ חֵן בְּעֵינַי Ex. 33:17
63 מֶה עָשִׂיתִי וּמַה־מָּצָאתָ בְעַבְדְּךָ ISh. 29:8
64 דְּעֶה חָכְמָה[14] לְנַפְשֶׁךָ אִם־מָצָאתָ Prov. 24:14
65 דְּבַשׁ מָצָאתָ אֱכֹל דַּיֶּךָּ Prov. 25:16
וּמָצָאתָ 66 וּבִקַּשְׁתֶּם מִשָּׁם אֶת־יְיָ...וּמָצָאתָ Deut. 4:29
67 וּמָצָאתָ שְׁנֵי אֲנָשִׁים עִם־קְבֻרַת רָחֵל ISh. 10:2
68 וּמָצָאתָ אֶת־לְבָבוֹ נֶאֱמָן לְפָנֶיךָ Neh. 9:8
הַמְצָאתַנִי 69 וַיֹּאמֶר...הַמְצָאתַנִי אֹיְבִי IK. 21:20
מְצָאתָהּ 70 שָׁלַחְתִּי...וְאַתָּה לֹא מְצָאתָהּ Gen. 38:23
וּמְצָאתָהּ 71 אֲשֶׁר־תֹּאבַד מִמֶּנּוּ וּמְצָאתָהּ Deut. 22:3
מָצָאת 72 חַיַּת יָדֵךְ מָצָאת Is. 57:10
מָצָא 73 וּלְאָדָם לֹא־מָצָא עֵזֶר כְּנֶגְדּוֹ Gen. 2:20
74 וְנֹחַ מָצָא חֵן בְּעֵינֵי יְיָ Gen. 6:8
75 הִנֵּה־נָא מָצָא עַבְדְּךָ חֵן בְּעֵינֶיךָ Gen. 19:19
76 וַיָּבֹא...בְּאֹהֶל־יַעֲקֹב...וְלֹא מָצָא Gen. 31:33
77 וַיְמַשֵּׁשׁ לָבָן אֶת..הָאֹהֶל וְלֹא מָצָא Gen. 31:34
78 וַיְחַפֵּשׂ וְלֹא מָצָא אֶת־הַתְּרָפִים Gen. 31:35
79 אֲשֶׁר מָצָא אֶת־הַיֵּמִם בַּמִּדְבָּר Gen. 36:24
80 הָאֱלֹהִים מָצָא אֶת־עֲוֹן עֲבָדֶיךָ Gen. 44:16
81 אוֹ־מָצָא אֲבֵדָה וְכִחֶשׁ בָּהּ Lev. 5:22
82 אוֹ אֶת־הָאֲבֵדָה אֲשֶׁר מָצָא Lev. 5:23
83 וַנַּקְרֵב...אִישׁ אֲשֶׁר מָצָא... Num. 31:50
84 כִּי־מָצָא בָהּ עֶרְוַת דָּבָר Deut. 24:1
85 מִשְּׁלַל אֹיְבָיו אֲשֶׁר מָצָא ISh. 14:30
86 כִּי־מָצָא חֵן בְּעֵינָי ISh. 16:22
87 מָצָא עַבְדְּךָ אֶת־לִבּוֹ לְהִתְפַּלֵּל IISh. 7:27
88 פֶּן־מָצָא לוֹ עָרִים בְּצֻרוֹת IISh. 20:6
89 וְיֵהוּא מָצָא אֶת־אֲחֵי אֲחַזְיָהוּ IIK. 10:13
90 עַל־הַסֵּפֶר אֲשֶׁר מָצָא חִלְקִיָּהוּ IIK. 23:24
91 מָצָא חֵן בַּמִּדְ׳ עַם שְׂרִידֵי חָרֶב Jer. 31:2(1)
92 אַשְׁרֵי אָדָם מָצָא חָכְמָה Prov. 3:13
93 כִּי מֹצְאִי מָצָא (כת׳ מצאי) חַיִּים Prov. 8:35
94-95 מָצָא אִשָּׁה מָצָא טוֹב Prov. 18:22
96 מָצָא עַבְדְּךָ לְהִתְפַּלֵּל לְפָנֶיךָ ICh. 17:25
97 מָצָא...אֶת־סֵפֶר תּוֹרַת־יְיָ IICh. 34:14
וּמָצָא 98 וְהִשִּׂיגָה יָדוֹ וּמָצָא כְּדֵי גְאֻלָּתוֹ Lev. 25:26
99 הֲצֹאן וּבָקָר יִשָּׁחֵט...וּמָצָא לָהֶם Num. 11:22
100 דְּגֵי הַיָּם יֵאָסֵף...וּמָצָא לָהֶם Num. 11:22
101 וּמָצָא אֹתוֹ גֹּאֵל הַדָּם Num. 35:27
102 וּמָצָא אֶת־רֵעֵהוּ וָמֵת Deut. 19:5
103 וּמָצָא בָהּ אִישׁ מִסְכֵּן Eccl. 9:15
מְצָאוֹ 104 וְהִתְעֹרַרְתִּי כִּי־מְצָאוֹ רָע Job 31:29
מְצָאָהּ 105 וַיִּשְׁלַח יְהוּדָה...וְלֹא מְצָאָהּ Gen. 38:20
106 כִּי בַשָּׂדֶה מְצָאָהּ Deut. 22:27
וּמְצָאָהּ 107 וּמְצָאָהּ אִישׁ בָּעִיר וְשָׁכַב עִמָּהּ Deut. 22:23
וּמְצָאָנוּ 108 וַאֲנַחְנוּ מַחְשִׁים...וּמְצָאָנוּ עָוֹן IIK. 7:9
מָצְאָה 109 וְלֹא־מָצְאָה הַיּוֹנָה מָנוֹחַ לְכַף... Gen. 8:9
110 לֹא מָצְאָה יָדוֹ דֵּי הָשִׁיב לוֹ Lev. 25:28
111 מָצְאָה יָדִי לְמַמְלְכֹת הָאֱלִיל Is. 10:10
112 גַּם־צִפּוֹר מָצְאָה בַיִת Ps. 84:4
113 וְכִי־כַבִּיר מָצְאָה יָדִי Job 31:25
114 הִיא יָשְׁבָה בַגּוֹיִם לֹא מָצְאָה מָנוֹחַ Lam. 1:3
וּמָצְאָה 115 כִּי־תֵצֵא אֵשׁ וּמָצְאָה קֹצִים Ex. 22:5
116 הִרְגִּיעָה לִּילִית וּמָצְאָה לָהּ מָנוֹחַ Is. 34:14
מְצָאַתְנוּ 117 וְלָמָּה מְצָאַתְנוּ כָּל־זֹאת Jud. 6:13
118 אֵת כָּל־הַתְּלָאָה אֲשֶׁר־מְצָאַתְנוּ Neh. 9:32
מְצָאָתְנוּ 119 אֵת כָּל־הַתְּלָאָה אֲשֶׁר מְצָאָתְנוּ Num. 20:14
מְצָאָתַם 120 כָּל־הַתְּלָאָה אֲשֶׁר מְצָאָתַם בַּדֶּרֶךְ Ex. 18:8
מָצָאנוּ 121 וַיֹּאמְרוּ לוֹ מָצָאנוּ מָיִם Gen. 26:32
122 וַיָּבִיאוּ...וַיֹּאמְרוּ זֹאת מָצָאנוּ Gen. 37:32
123 הֵן כֶּסֶף אֲשֶׁר מָצָאנוּ... Gen. 44:8
124 אִם־מָצָאנוּ חֵן בְּעֵינֶיךָ Num. 32:5

125 פֶּן־תֹּאמְרוּ מָצָאנוּ חָכְמָה Job 32:13
126 אַךְ זֶה הַיּוֹם...מָצָאנוּ רָאִינוּ Lam. 2:16
מְצָאנֻהוּ 127 שַׁדַּי לֹא־מְצָאנֻהוּ שַׂגִּיא־כֹחַ Job 37:23
מְצָאנוּהָ 128 מְצָאנוּהָ בִּשְׂדֵי־יָעַר Ps. 132:6
מְצָאתֶם 129 לוּלֵא...לֹא מְצָאתֶם חִידָתִי Jud. 14:18
130 כִּי לֹא מְצָאתֶם בְּיָדִי מְאוּמָה ISh. 12:5
וּמְצָאתֶם 131 אִם־הַגֵּד תַּגִּידוּ...וּמְצָאתֶם Jud. 14:12
132 וּבִקַּשְׁתֶּם אֹתִי וּמְצָאתֶם Jer. 29:13
133 וּמְצָאתֶם אֹתָם בְּסוֹף הַנַּחַל IICh. 20:16
מָצְאוּ 134 וַיֵּלְכוּ...וְלֹא־מָצְאוּ מָיִם Ex. 15:22
135 וְלֹא־מָצְאוּ לָהֶם כֵּן Jud. 21:14
136 וְהֵמָּה מָצְאוּ נְעָרוֹת יֹצְאוֹת... ISh. 9:11
137 וְלֹא־מָצְאוּ בָהּ כִּי אִם־הַגֻּלְגֹּלֶת IIK. 9:35
138 מַה־מָּצְאוּ אֲבוֹתֵיכֶם בִּי עָוֶל Jer. 2:5
139 בָּאוּ עַל־גֵּבִים לֹא־מָצְאוּ מַיִם Jer. 14:3
140 וְלֹא־מָצְאוּ...אַנְשֵׁי־חַיִל יְדֵיהֶם Ps. 76:6
141 עַל אֲשֶׁר לֹא־מָצְאוּ מַעֲנֶה Job 32:3
142 כְּאַיָּלִים לֹא־מָצְאוּ מִרְעֶה Lam. 1:6
143 גַּם־נְבִיאֶיהָ לֹא־מָצְאוּ חָזוֹן מֵיְיָ Lam. 2:9
144 וַיַּחֲרִישׁוּ וְלֹא מָצְאוּ דָּבָר Neh. 5:8
145 ...אֲשֶׁר מָצְאוּ בְּהֵיכַל יְיָ IICh. 29:16
מָצָאוּ 146 יָצְאוּ...לִלְקֹט וְלֹא מָצָאוּ Ex. 16:27
147 וַיְבַקְשׁוּ הָרֹדְפִים...וְלֹא מָצָאוּ Josh. 2:22
148 וַיַּעֲבֹר בְּאֶרֶץ־שַׁלְשָׁה וְלֹא מָצָאוּ ISh. 9:4
149 וַיַּעֲבֹר בְּאֶרֶץ־יְמִינִי וְלֹא מָצָאוּ ISh. 9:4
150 וַיְבַקְשׁוּ וְלֹא מָצָאוּ IISh. 17:20
151 עִיר מוֹשָׁב לֹא מָצָאוּ Ps. 107:4
וּמָצְאוּ 152 לָמָּה יָבוֹאוּ...וּמָצְאוּ מַיִם רַבִּים IICh. 32:4
מְצָאוּנִי 153 מְצָאוּנִי הָרָעוֹת הָאֵלֶּה Deut. 31:17
154 וּמְצָרֵי שְׁאוֹל מְצָאוּנִי Ps. 116:3
155 צַר־וּמָצוֹק מְצָאוּנִי Ps. 119:143
156/7 מְצָאוּנִי הַשֹּׁמְרִים...בָּעִיר S.ofS. 3:3; 5:7
וּמְצָאוּךָ 158 וּמְצָאוּךָ כֹּל הַדְּבָרִים הָאֵלֶּה Deut. 4:30
159 וּמְצָאוּךָ שָׁם שְׁלֹשָׁה אֲנָשִׁים ISh. 10:3
מְצָאֻהוּ 160 וַיְבַקְשׁוּ שְׁלֹשָׁה־יָמִים וְלֹא מְצָאֻהוּ IIK. 2:17
וּמְצָאֻהוּ 161 וּמְצָאֻהוּ רָעוֹת רַבּוֹת Deut. 31:17
וּמוֹצֶא 162 וּמוֹצֶא אֲנִי מַר מִמָּוֶת אֶת־הָאִשָּׁה Eccl. 7:26
כְּמוֹצֵא 163 שָׂשׂ...כְּמוֹצֵא שָׁלָל רָב Ps. 119:162
מֹצְאִי 164 וְהָיָה כָל־מֹצְאִי יַהַרְגֵנִי Gen. 4:14
165 כִּי מֹצְאִי מָצָא° חַיִּים Prov. 8:35
מֹצְאוֹ 166 לְבִלְתִּי הַכּוֹת־אֹתוֹ כָּל־מֹצְאוֹ Gen. 4:15
מֹצֵאת 167 וּלְכָה אֵין־בְּשׂוֹרָה מֹצֵאת IISh. 18:22
כְּמוֹצְאֵת 168 אָז הָיִיתִי בְעֵינָיו כְּמוֹצְאֵת שָׁלוֹם S.ofS. 8:10
הַמֹּצְאִים 169 ...הַמֹּצְאִים אֹתוֹ מְקֹשֵׁשׁ עֵצִים Num. 15:33
לְמֹצְאֵי־ 170 וִישָׁרִים לְמֹצְאֵי דָעַת Prov. 8:9
מוֹצְאֵיהֶם 171 כָּל־מוֹצְאֵיהֶם אֲכָלוּם Jer. 50:7
לְמֹצְאֵיהֶם 172 כִּי־חַיִּים הֵם לְמֹצְאֵיהֶם Prov. 4:22
הַמֹּצְאוֹת 173 וַיְסַפְּרוּ...אֵת כָּל־הַמֹּצְאוֹת אוֹתָם Josh. 2:23
אֶמְצָא 174 אִם־אֶמְצָא בִסְדֹם חֲמִשִּׁים צַדִּיקִם Gen. 18:26
175 אִם־אֶמְצָא שָׁם אַרְבָּעִים Gen. 18:28
176 אִם־אֶמְצָא שָׁם שְׁלֹשִׁים Gen. 18:30
177 אֶמְצָא־חֵן בְּעֵינֵי אֲדֹנִי Gen. 33:15
178-183 אֶמְצָא חֵן בְּעֵינֵי־ (בְּעֵינֵיכֶם, בְּעֵינֶיךָ וכד׳)
Gen. 34:11 • Ex. 33:13 • IISh. 15:25; 16:4 • Ruth 2:2, 13
184 וְאָנֹכִי הֹלֵךְ לָגוּר בַּאֲשֶׁר אֶמְצָא Jud. 17:9
185 צָרָה וְיָגוֹן אֶמְצָא Ps. 116:3
186 עַד־אֶמְצָא מָקוֹם לַיְיָ Ps. 132:5
187 וְדַעַת מְזִמּוֹת אֶמְצָא Prov. 8:12
188 וְלֹא־אֶמְצָא בָכֶם חָכָם Job 17:10
וָאֶמְצָא 189 וָאֶמְצָא סֵפֶר הַיַּחַשׂ הָעוֹלִים Neh. 7:5

190 וָאֶמְצָא כָּתוּב בּוֹ Neh. 7:5
אֶמְצָאֲךָ 191 אֶמְצָאֲךָ בַחוּץ אֶשָּׁקְךָ S.ofS. 8:1
וָאֶמְצָאֶךָּ 192 יָצָאתִי לִקְרָאתֶךָ...וָאֶמְצָאֶךָּ Prov. 7:15
וְאֶמְצָאֵהוּ 193 מִי־יִתֵּן יָדַעְתִּי וְאֶמְצָאֵהוּ Job 23:3
תִּמְצָא 194 עִם אֲשֶׁר תִּמְצָא אֶת־אֱלֹהֶיךָ Gen. 31:32
195 כִּי תִמְצָא־אִישׁ לֹא תְבָרְכֶנּוּ IIK. 4:29
196 אֵת אֲשֶׁר־תִּמְצָא אֱכוֹל Ezek. 3:1
197 תִּדְרוֹשׁ־רִשְׁעוֹ בַל־תִּמְצָא Ps. 10:15
198 צְרַפְתַּנִי בַל־תִּמְצָא Ps. 17:3
199 וְדַעַת אֱלֹהִים תִּמְצָא Prov. 2:5
200 הַחֵקֶר אֱלוֹהַּ תִּמְצָא Job 11:7
201 אִם עַד־תַּכְלִית שַׁדַּי תִּמְצָא Job 11:7
תִּמְצָאֶנּוּ 202 ...כִּי־בְרֹב הַיָּמִים תִּמְצָאֶנּוּ Eccl. 11:1
תִּמְצָאֵם 203 תְּבַקְשֵׁם וְלֹא תִמְצָאֵם אַנְשֵׁי מַצֻּתֶךָ Is. 41:12
יִמְצָא 204 בְּרָע אֲשֶׁר יִמְצָא אֶת־אָבִי Gen. 44:34
205 וְאִם־בַּשָּׂדֶה יִמְצָא הָאִישׁ אֶת־הַנַּעֲר° Deut. 22:25
206 כִּי־יִמְצָא אִישׁ נַעֲר° בְתוּלָה Deut. 22:28
207 וַיֵּלֶךְ...לָגוּר בַּאֲשֶׁר יִמְצָא Jud. 17:8
208 וְכִי־יִמְצָא אִישׁ אֶת־אֹיְבוֹ ISh. 24:19
209 נֶגַע־וְקָלוֹן יִמְצָא Prov. 6:33
210 מַשְׂכִּיל עַל־דָּבָר יִמְצָא־טוֹב Prov. 16:20
211 עִקֶּשׁ־לֵב לֹא יִמְצָא־טוֹב Prov. 17:20
212 וְאִישׁ אֱמוּנִים מִי יִמְצָא Prov. 20:6
213 יִמְצָא חַיִּים צְדָקָה וְכָבוֹד Prov. 21:21
214 מוֹכִיחַ אָדָם אַחֲרַי חֵן יִמְצָא Prov. 28:23
215 אֵשֶׁת־חַיִל מִי יִמְצָא Prov. 31:10
216 הֵן תְּנוּאוֹת עָלַי יִמְצָא Job 33:10
217 אֲשֶׁר לֹא־יִמְצָא הָאָדָם... Eccl. 3:11
218 שֶׁלֹּא יִמְצָא הָאָדָם אַחֲרָיו מְאוּמָה Eccl. 7:14
219 יַעֲמֹל הָאָדָם לְבַקֵּשׁ וְלֹא יִמְצָא Eccl. 8:17
220 ...בָּרָעָה אֲשֶׁר־יִמְצָא אֶת־עַמִּי Es. 8:6
וַיִּמְצָא 221 וַיִּמְצָא בַּשָּׁנָה הַהִוא מֵאָה שְׁעָרִים Gen. 26:12
222 וַיִּמְצָא דוּדָאִים בַּשָּׂדֶה Gen. 30:14
223 וַיִּמְצָא יוֹסֵף חֵן בְּעֵינָיו Gen. 39:4
224 וַיִּמְצָא לְחִי־חֲמוֹר טְרִיָּה Jud. 15:15
225 וַיִּמְצָא הֲדַד חֵן בְּעֵינֵי פַרְעֹה מְאֹד IK. 11:19
226 וַיִּמְצָא אֹתוֹ אֲחִיָּה...בַּדֶּרֶךְ IK. 11:29
227 וַיִּמְצָא אֶת־נִבְלָתוֹ מֻשְׁלֶכֶת IK. 13:28
228 וַיֵּלֶךְ מִשָּׁם וַיִּמְצָא אֶת־אֱלִישָׁע IK. 19:19
229 וַיִּמְצָא אִישׁ אַחֵר וַיֹּאמֶר... IK. 20:37
230 וַיֵּצֵא...וַיִּמְצָא גֶּפֶן שָׂדֶה IIK. 4:39
231 וַיִּמְצָא אֶת־יְהוֹנָדָב...לִקְרָאתוֹ IIK. 10:15
232 וַיִּמְצָא מֶלֶךְ־אַשּׁוּר בְּהוֹשֵׁעַ קֶשֶׁר IIK. 17:4
233-234 וַיִּמְצָא אֶת־מֶלֶךְ אַשּׁוּר נִלְחָם IIK.19:8 • Is. 37:8
235 וַיִּמְצָא אָנִיָּה בָּאָה תַרְשִׁישׁ Jon. 1:3
236 וַיִּמְצָא אֶת־שָׂרֵי יְהוּדָה...מְשָׁרְתִים IICh. 22:8
יִמְצָאֲךָ 237 וְלֹא יִמְצָאֲךָ וַהֲרָגָנִי IK. 18:12
יִמְצָאֶכָּה 238 וְהִשְׁבִּיעַ...כִּי לֹא יִמְצָאֶכָּה IK. 18:10
יִמְצָאֵהוּ 239 יִמְצָאֵהוּ בְּאֶרֶץ מִדְבָּר Deut. 32:10
וַיִּמְצָאֵהוּ 240 וַיִּמְצָאֵהוּ אִישׁ וְהִנֵּה תֹעֶה בַּשָּׂדֶה Gen. 37:15
241 וַיִּמְצָאֵהוּ יֹשֵׁב תַּחַת הָאֵלָה IK. 13:14
242 וַיֵּלֶךְ וַיִּמְצָאֵהוּ אַרְיֵה...וַיְמִיתֵהוּ IK. 13:24
243 וַיֵּלֶךְ...וַיִּמְצָאֵהוּ הָאַרְיֵה וַיַּכֵּהוּ IK. 20:36
יִמְצָאֶנּוּ 244 בֵּית־אֵל יִמְצָאֶנּוּ וְשָׁם יְדַבֵּר עִמָּנוּ Hosh. 12:5
245 וְעָמֹק עָמֹק מִי יִמְצָאֶנּוּ Eccl. 7:24
וַיִּמְצָאָהּ 246 וַיִּמְצָאָהּ מַלְאַךְ...עַל־עֵין הַמַּיִם Gen. 16:7
247 וַיִּמְצָאָהּ מִשְׁקַל כִּכַּר־זָהָב ICh. 20:2
וַיִּמְצָאֵם 248 וַיֵּלֶךְ...וַיִּמְצָאֵם בְּדֹתָן Gen. 37:17
249 וַיִּמְצָאֵם עֶשֶׂר יָדוֹת עַל כָּל־הַחַרְטֻמִּים Dan. 1:20

250 וַיִּמְצָאֵם שְׁלֹשׁ־מֵאוֹת אֶלֶף... IICh. 25:5
תִּמְצָא 251 וְאִם־לֹא תִמְצָא יָדָהּ דֵּי שֶׂה Lev. 12:8
252 חַטַּאתְכֶם אֲשֶׁר תִּמְצָא אֶתְכֶם Num. 32:23
253 אִם־לֹא תִמְצָא־חֵן בְּעֵינָיו Deut. 24:1
254 וְעָשִׂיתָ לּוֹ כַּאֲשֶׁר תִּמְצָא יָדֶךָ Jud. 9:33
255 תִּמְצָא שִׁפְחָתְךָ חֵן בְּעֵינֶיךָ ISh. 1:18
256 עֲשֵׂה לְךָ אֲשֶׁר־תִּמְצָא יָדֶךָ ISh. 10:7
257 תְּנָה־נָּא אֵת אֲשֶׁר תִּמְצָא יָדְךָ ISh. 25:8
258 וּנְתִיבוֹתֶיהָ לֹא תִמְצָא Hosh. 2:8
259 וּבִקְשָׁתַם וְלֹא תִמְצָא Hosh. 2:9
260 תִּמְצָא יָדְךָ לְכָל־אֹיְבֶיךָ Ps. 21:9
261 יְמִינְךָ תִּמְצָא שֹׂנְאֶיךָ Ps. 21:9
262 כֹּל אֲשֶׁר תִּמְצָא יָדְךָ לַעֲשׂוֹת Eccl. 9:10
וַתִּמְצָא 263 וַתִּמְצָא כַקֵּן יָדִי לְחֵיל הָעַמִּים Is. 10:14
תִּמְצָאֲךָ 264 כִּי לֹא תִמְצָאֲךָ יַד־שָׁאוּל אָבִי ISh. 23:17
נִמְצָא 265 נִמְצָא־חֵן בְּעֵינֵי אֲדֹנִי Gen. 47:25
266 אוּלַי נִמְצָא חָצִיר וּנְחַיֶּה IK. 18:5
267 כָּל־הוֹן יָקָר נִמְצָא Prov. 1:13
תִּמְצְאוּ 268 הֵן בְּיוֹם צֹמְכֶם תִּמְצְאוּ־חֵפֶץ Is. 58:3
269 וּדְעוּ וּבַקְשׁוּ...אִם־תִּמְצְאוּ אִישׁ Jer. 5:1
270 אִם־תִּמְצְאוּ...דּוֹדִי מַה־תַּגִּידוּ לוֹ S.ofS.5:8
תִּמְצָאוּ 271 קְחוּ לָכֶם תֶּבֶן מֵאֲשֶׁר תִּמְצָאוּ Ex. 5:11
תִּמְצְאוּן 272 כְּבֹאֲכֶם הָעִיר כֵּן תִּמְצְאוּן אֹתוֹ.. ISh. 9:13
273 כִּי־אֹתוֹ כְהַיּוֹם תִּמְצְאוּן אֹתוֹ ISh. 9:13
תִּמְצָאֻהוּ 274 הַיּוֹם לֹא תִמְצָאֻהוּ בַּשָּׂדֶה Ex. 16:25
יִמְצְאוּ 275 הֲלֹא יִמְצְאוּ יְחַלְּקוּ שָׁלָל Jud. 5:30
276 כָּל־יְגִיעַי לֹא יִמְצְאוּ־לִי עָוֹן Hosh. 12:9
277 יָשִׂישׂוּ כִּי יִמְצְאוּ־קָבֶר Job 3:22
יִמְצָאוּ 278 וַהֲצֵרוֹתִי לָהֶם לְמַעַן יִמְצָאוּ Jer. 10:18
279 יֵלְכוּ לְבַקֵּשׁ אֶת־יְיָ וְלֹא יִמְצָאוּ Hosh. 5:6
280 לְבַקֵּשׁ אֶת־דְּבַר־יְיָ וְלֹא יִמְצָאוּ Am. 8:12
וְיִמְצְאוּ 281 וְיִמְצְאוּ הַנְּעָרִים חֵן בְּעֵינֶיךָ ISh. 25:8
וַיִּמְצְאוּ 282 וַיִּמְצְאוּ בִקְעָה בְּאֶרֶץ שִׁנְעָר Gen. 11:2
283 וַיִּמְצְאוּ־שָׁם בְּאֵר מַיִם חַיִּים Gen. 26:19
284 וַיִּמְצְאוּ אִישׁ מְקֹשֵׁשׁ עֵצִים Num. 15:32
285 וַיִּמְצְאוּ אֶת־אֲדֹנִי בֶזֶק בְּבֶזֶק Jud. 1:5
286 וַיִּמְצְאוּ מִיּוֹשְׁבֵי יָבֵישׁ גִּלְעָד... Jud. 21:12
287 וַיִּמְצְאוּ אִישׁ־מִצְרִי בַּשָּׂדֶה ISh. 30:11
288 וַיִּמְצְאוּ אֶת־שָׁאוּל...נֹפְלִים... ISh. 31:8
289 וַיִּמְצְאוּ אֶת־אֲבִישַׁג הַשּׁוּנַמִּית IK. 1:3
290 וַיִּמְצְאוּ אֹתוֹ אֶל־מַיִם רַבִּים Jer. 41:12
291 וַיִּמְצְאוּ כָּתוּב בַּתּוֹרָה... Neh. 8:14
292 וַיִּמְצְאוּ מִרְעֶה שָׁמֵן וָטוֹב ICh. 4:40
293 וַיִּמְצְאוּ אֶת־שָׁאוּל...נֹפְלִים... ICh. 10:8
294 וַיִּמְצְאוּ בָהֶם לָרֹב וּרְכוּשׁ IICh. 20:25
יִמְצָאֻנְנִי 295 יְשַׁחֲרֻנְנִי וְלֹא יִמְצָאֻנְנִי Prov. 1:28
296 וּמְשַׁחֲרַי יִמְצָאֻנְנִי Prov. 8:17
יִמְצָאֻהוּ 297 כַּחֲלוֹם יָעוּף וְלֹא יִמְצָאֻהוּ Job 20:8
וַיִּמְצָאֻהוּ 298 וַיִּמְצָאֻהוּ הַמּוֹרִים אֲנָשִׁים בַּקָּשֶׁת ISh. 31:3
299 וַיִּמְצָאֻהוּ בְּחֶלְקַת נָבוֹת הַיִּזְרְעֵאלִי IIK. 9:21
300 וַיִּמְצָאֻהוּ הַמּוֹרִים בַּקָּשֶׁת ICh. 10:3
יִמְצָאוּנְהָ 301 כָּל־מְבַקְשֶׁיהָ..בְּחָדְשָׁהּ יִמְצָאוּנְהָ Jer. 2:24
תִּמְצֶאןָ 302 כִּי־תִמְצֶאןָ אֹתוֹ רָעוֹת רַבּוֹת Deut. 31:21
מְצָא 303 לֵךְ מְצָא אֶת־הַחִצִּים ISh. 20:21
304 רֻץ מְצָא־נָא אֶת־הַחִצִּים ISh. 20:36
וּמְצָא 305 וּמְצָא־חֵן וְשֵׂכֶל טוֹב Prov. 3:4
וּמִצְאוּ 306 וּמִצְאוּ מַרְגּוֹעַ לְנַפְשְׁכֶם Jer. 6:16
וּמְצֶאןָ 307 וּמְצֶאןָ מְנוּחָה אִשָּׁה בֵּית אִישָׁהּ Ruth 1:9
הִמָּצֵא 308 אִם־הִמָּצֵא תִמָּצֵא בְיָדוֹ הַגְּנֵבָה Ex. 22:3
בְּהִמָּצְאוֹ 309 דִּרְשׁוּ יְיָ בְּהִמָּצְאוֹ Is. 55:6
נִמְצֵאתִי 310 נִמְצֵאתִי לְלֹא בִקְשֻׁנִי Is. 65:1
נִמְצֵאת 311 נִמְצֵאת וְגַם־נִתְפַּשְׂתְּ Jer. 50:24

וְנִמְצֵאתִי 312 וְנִמְצֵאתִי לָכֶם נְאֻם־יְיָ... Jer. 29:14
תִּמָּצְאִי 313 וּתְבֻקְשִׁי וְלֹא־תִמָּצְאִי עוֹד Ezek. 26:21
נִמְצָא 314/5 נִמְצָא הַגָּבִיעַ בְּיָדוֹ Gen. 44:16, 17
316 וְכָל־אִישׁ אֲשֶׁר־נִמְצָא אִתּוֹ תְּכֵלֶת Ex. 35:23
317 וְכֹל אֲשֶׁר נִמְצָא אִתּוֹ עֲצֵי שִׁטִּים Ex. 35:24
318 הִנֵּה נִמְצָא בְיָדִי רֶבַע שֶׁקֶל כָּסֶף ISh. 9:8
319 וַיְבַקְשֻׁהוּ וְלֹא נִמְצָא ISh. 10:21
320 וְלֹא נִמְצָא חֶרֶב וַחֲנִית בְּיַד... ISh. 13:22
321 בְּאַחַד° הַמְּקוֹמֹת אֲשֶׁר נִמְצָא שָׁם IISh.17:12
322 עַד אֲשֶׁר לֹא־נִמְצָא שָׁם גַּם־צְרוֹר IISh. 17:13
323 יַעַן נִמְצָא־בוֹ דָּבָר טוֹב IK. 14:13
324/5 כָּל־אֲשֶׁר נִמְצָא בְּאוֹצְרֹתָיו IIK. 20:13 • Is. 39:2
326 נִמְצָא־קֶשֶׁר בְּאִישׁ יְהוּדָה Jer. 11:9
327 אִם־בְּגַנָּבִים נִמְצָא (כת׳ נמצאה) Jer. 48:27
328 עַד־נִמְצָא עַוְלָתָה בָּךְ Ezek. 28:15
329 מִמֶּנִּי פֶּרְיְךָ נִמְצָא Hosh. 14:9
330 וְעַוְלָה לֹא נִמְצָא בִשְׂפָתָיו Mal. 2:6
331 וָאֲבַקְשֵׁהוּ וְלֹא נִמְצָא Ps. 37:36
332 עֶזְרָה בְצָרוֹת נִמְצָא מְאֹד Ps. 46:2
333 וְשֹׁרֶשׁ דָּבָר נִמְצָא־בִי Job 19:28
334 וְלֹא נִמְצָא נָשִׁים° יָפוֹת כִּבְנוֹת אִיּוֹב Job 42:15
335 וְלֹא נִמְצָא מִכֻּלָּם כְּדָנִיֵּאל... Dan. 1:19
336 בִּקְשׁוּ כְתָבָם...וְלֹא נִמְצָא Neh. 7:64
337 עַל־דִּבְרֵי הַסֵּפֶר אֲשֶׁר נִמְצָא IICh. 34:21
הֲנִמְצָא 338 הֲנִמְצָא כָזֶה אִישׁ אֲשֶׁר רוּחַ אֱלֹ׳ Gen. 41:38
וְנִמְצָא 339 וְגֹנֵב אִישׁ וּמְכָרוֹ וְנִמְצָא בְיָדוֹ Ex. 21:16
340 וְנִמְצָא יְשַׁלֵּם שִׁבְעָתָיִם Prov. 6:31
341 וְנִמְצָא כָּתוּב בּוֹ Neh. 13:1
נִמְצְאוּ 342 לֹא־נִמְצְאוּ בְתוּלִים לַנַּעֲר° Deut. 22:20
343 נִמְצְאוּ חֲמֵשֶׁת הַמְּלָכִים נֶחְבְּאִים Josh. 10:17
344 נִמְצְאוּ הָאֲתֹנוֹת אֲשֶׁר הָלַכְתָּ לְבַקֵּ׳ ISh. 10:2
345 הַגֵּד הִגִּיד לָנוּ כִּי נִמְצְאוּ הָאֲתֹנוֹ׳ ISh. 10:16
346 וַחֲמִשָּׁה אֲנָשִׁים...נִמְצְאוּ בָעִיר IIK. 25:19
347 גַּם בִּכְנָפַיִךְ נִמְצְאוּ דַּם...נְקִיִּים Jer. 2:34
348 כִּי־נִמְצְאוּ בְעַמִּי רְשָׁעִים Jer. 5:26
349 נִמְצְאוּ דְבָרֶיךָ וָאֹכְלֵם Jer. 15:16
350 הַכַּשְׂדִּים אֲשֶׁר נִמְצְאוּ־שָׁם Jer. 41:3
351 וַעֲשָׂרָה אֲנָשִׁים נִמְצְאוּ־בָם Jer. 41:8
352 וְשִׁבְעָה אֲנָשִׁים...אֲשֶׁר נִמְצְאוּ... Jer. 52:25
353 כִּי־בָךְ נִמְצְאוּ פִּשְׁעֵי יִשְׂרָאֵל Mic. 1:13
354 וְאֶת־הַמְּעוּנִים° אֲשֶׁר נִמְצְאוּ שָׁמָּה ICh. 4:41
355 דְּבָרִים טוֹבִים נִמְצְאוּ עִמָּךְ IICh. 19:3
נִמְצָאוּ 356 אַל־תָּשֶׂם אֶת־לִבְּךָ...כִּי נִמְצָאוּ ISh. 9:20
357 אֵלֶּה בִקְשׁוּ כְתָבָם...וְלֹא נִמְצָאוּ Ez. 2:62
הַנִּמְצְאוּ 358 וְעַתָּה עַמְּךָ הַנִּמְצְאוּ־פֹה... ICh. 29:17
וְנִמְצָאוּ 359 וּתְפָשָׂהּ וְשָׁכַב עִמָּהּ וְנִמְצָאוּ Deut. 22:28
הַנִּמְצָא 360 כָּל־הַכֶּסֶף הַנִּמְצָא בְאֶ׳־מִצְרַיִם Gen. 47:14
361 וְהָיָה כָל־הָעָם הַנִּמְצָא־בָהּ Deut. 20:11
362 מֵעִיר מְתֹם...עַד כָּל־הַנִּמְצָא Jud. 20:48
363 וְשָׁאוּל...וְהָעָם הַנִּמְצָא עִמּוֹ ISh. 13:16
364 מַה־יֵּשׁ...תְּנָה בְיָדִי אוֹ הַנִּמְצָא ISh. 21:4
365-368 הַכֶּסֶף...הַנִּמְצָא (בְּ)בֵית־יְיָ IIK. 12:11 • 18:15; 16:8 • IICh. 34:17
369 הַנִּמְצָא בְּאֹצְרוֹת בֵּית־יְיָ IIK. 12:19
370 אֶת־הַכֶּסֶף הַנִּמְצָא בַבַּיִת IIK. 22:9
371 עַל־דִּבְרֵי הַסֵּפֶר הַנִּמְצָא הַזֶּה IIK. 22:13
372 סֵפֶר הַבְּרִית הַנִּמְצָא בְּבֵית יְיָ IIK. 23:2
373 כָּל־הַנִּמְצָא יִדָּקֵר Is. 13:15
374 כָּל־הַנִּמְצָא כָּתוּב בַּסֵּפֶר Dan. 12:1
375 כָּל־הָרְכוּשׁ הַנִּמְצָא לְבֵית־הַמֶּ׳ IICh. 21:17
376 סֵפֶר הַבְּרִית הַנִּמְצָא בֵּית יְיָ IICh. 34:30

הַנִּמְצָא (המשך)
377 אֶת כָּל־הַנִּמְצָא בִּירוּשָׁלִָם IICh. 34:32
378 וַיַּעֲבֵד אֶת־כָּל־הַנִּמְצָא בְּיִשׂ׳ IICh. 34:33
379 הַכֹּל לַפְּסָחִים לְכָל־הַנִּמְצָא IICh. 35:7
380 וְכָל־יְהוּדָה וְיִשְׂרָאֵל הַנִּמְצָא IICh. 35:18
וְהַנִּמְצָא 381 וְהַנִּמְצָא אִתּוֹ אֲבָנִים נָתְנוּ... ICh. 29:8
382 וְתֹעֲבֹתָיו אֲשֶׁר־עָשָׂה וְהַנִּמְצָא עָלָיו IICh.36:8
הַנִּמְצָאָה 383/4 וְנָשָׂאתָ תְפִלָּה בְּעַד הַשְּׁאֵרִית הַנִּמְצָאָה
IIK. 19:4 • Is. 37:4
הַנִּמְצְאִים 385 הַמֶּלֶךְ...וְכָל־יִשְׂרָאֵל הַנִּמְצְאִים Ez. 8:25
הַנִּמְצְאִים 386 וַיִּפְקֹד...אֶת־הָעָם הַנִּמְצְאִים עִמּוֹ ISh.13:15
387 כָּל־הַכֵּלִים הַנִּמְצְאִים בֵּית־יְיָ IIK. 14:14
388 וְשִׁשִּׁים אִישׁ...הַנִּמְצְאִים בָּעִיר IIK. 25:19
389 מֵעַם הָא׳ הַנִּמְצְאִים בְּתוֹךְ הָעִיר Jer. 52:25
390 הָעָם הַנִּמְצְאִים בְּשׁוּשַׁן הַבִּירָה Es. 1:5
391 כָּל־הַיְּהוּדִים הַנִּמְצְאִים בְּשׁוּשָׁן Es. 4:16
392 כָּל־הַכֹּהֲנִים הַנִּמְצְאִים הִתְקַדָּשׁוּ IICh. 5:11
393 הַכֵּלִים הַנִּמְצְאִים בְּבֵית־הָאֱלֹ׳ IICh. 25:24
394 כָּרְעוּ הַמֶּ׳ וְכָל־הַנִּמְצְאִים אִתּוֹ IICh. 29:29
395 וַיַּעֲשׂוּ בְנֵי־יִשׂ׳ הַנִּמְצְאִים בִּירוּשָׁ׳ IICh. 30:21
396 וַיֵּצְאוּ כָל־יִשׂ׳ הַנִּמְצְאִים לְעָרֵי... IICh. 31:1
397 וַיַּעֲשׂוּ ב״י הַנִּמְצְאִים אֶת־הַפֶּסַח IICh. 35:17
נִמְצָאַיִךְ 398 כָּל־נִמְצָאַיִךְ אֻסְּרוּ יַחְדָּו Is. 22:3
הַנִּמְצָאֹת 399 וְאֶת־שְׁתֵּי בְנֹתֶיךָ הַנִּמְצָאֹת Gen. 19:15
400 הֶעָרִים הַנִּמְצָאוֹת שִׁלְּחוּ בָאֵשׁ Jud. 20:48
יִמָּצֵא 401 אֲשֶׁר יִמָּצֵא אִתּוֹ מֵעֲבָדֶיךָ Gen. 44:9
402 אֲשֶׁר יִמָּצֵא אִתּוֹ יִהְיֶה־לִּי עָבֶד Gen. 44:10
403 ...וְהַבְּהֵמָה אֲשֶׁר־יִמָּצֵא בַשָּׂדֶה Ex. 9:19
404 שְׂאֹר לֹא יִמָּצֵא בְּבָתֵּיכֶם Ex. 12:19
405 אִם־בַּמַּחְתֶּרֶת יִמָּצֵא הַגַּנָּב Ex. 22:1
406 אִם־יִמָּצֵא הַגַּנָּב יְשַׁלֵּם שְׁנָיִם Ex. 22:6
407 אִם־לֹא יִמָּצֵא הַגַּנָּב Ex. 22:7
408 כִּי־יִמָּצֵא...בְּאַחַד שְׁעָרֶיךָ Deut. 17:2
409 לֹא־יִמָּצֵא בְךָ מַעֲבִיר...בָּאֵשׁ Deut. 18:10
410 כִּי־יִמָּצֵא חָלָל בָּאֲדָמָה Deut. 21:1
411 פִּי שְׁנַיִם בְּכֹל אֲשֶׁר־יִמָּצֵא לוֹ Deut. 21:17
412 כִּי־יִמָּצֵא אִישׁ שֹׁכֵב עִם־אִשָּׁה Deut. 22:22
413 כִּי־יִמָּצֵא אִישׁ גֹּנֵב נֶפֶשׁ Deut. 24:7
414 לֹא־יִמָּצֵא לָנוּ הָהָר Josh. 17:16
415 וְחָרָשׁ לֹא יִמָּצֵא בְּכֹל אֶרֶץ יִשְׂר׳ ISh. 13:19
416 לְכֹל אֲשֶׁר־יִמָּצֵא שָׁם בָּדֶק IIK. 12:6
417 וְלֹא־יִמָּצֵא בִמְכִתָּתוֹ חֶרֶשׂ Is. 30:14
418 שָׂשׂוֹן וְשִׂמְחָה יִמָּצֵא בָהּ Is. 51:3
419 כַּאֲשֶׁר יִמָּצֵא הַתִּירוֹשׁ בָּאֶשְׁכּוֹל Is. 65:8
420 כְּבֹשֶׁת גַּנָּב כִּי יִמָּצֵא Jer. 2:26
421 וְלֹא־יִמָּצֵא בְּפִיהֶם לְשׁוֹן תַּרְמִית Zep. 3:13
422 ...וְלֹא יִמָּצֵא לָהֶם Zech. 10:10
423 וְנִכְשַׁל וְנָפַל וְלֹא יִמָּצֵא Dan. 11:19
424 אִם־תִּדְרְשֶׁנּוּ יִמָּצֵא לָךְ ICh. 28:9
425 וְאִם־תִּדְרְשֻׁהוּ יִמָּצֵא לָכֶם IICh. 15:2
וַיִּמָּצֵא 426 וַיִּמָּצֵא הַגָּבִיעַ בְּאַמְתַּחַת בִּנְיָמִן Gen. 44:12
427 וַיְבֻקַּשׁ הַדָּבָר וַיִּמָּצֵא Es. 2:23
428 וַיִּמָּצֵא כָתוּב אֲשֶׁר הִגִּיד מָרְדֳּכַי Es. 6:2
429 וַיִּמָּצֵא מִבְּנֵי הַכֹּהֲנִים Ez. 10:18
430 וַיִּמָּצֵא בָהֶם גִּבּוֹרֵי חַיִל ICh. 26:31
431 וַיְבַקְשֻׁהוּ וַיִּמָּצֵא לָהֶם IICh. 15:4
432 וּבְכָל־רְצוֹנָם בִּקְשֻׁהוּ וַיִּמָּצֵא IICh. 15:15
תִּמָּצֵא 433 אִם־הִמָּצֵא תִמָּצֵא בְיָדוֹ הַגְּנֵבָה Ex. 22:3
434 וְרָעָה לֹא־תִמָּצֵא בְךָ מִיָּמֶיךָ ISh. 25:28
435 וְאִם־רָעָה תִמָּצֵא־בוֹ וָמֵת IK. 1:52
436 וּפְרִיץ חַיּוֹת...לֹא תִמָּצֵא שָׁם Is. 35:9
437 בְּשִׂפְתֵי נָבוֹן תִּמָּצֵא חָכְמָה Prov. 10:13
438 בְּדֶרֶךְ צְדָקָה תִּמָּצֵא Prov. 16:31

439 וְהַחָכְמָה מֵאַיִן תִּמָּצֵא Job 28:12
440 וְלֹא תִמָּצֵא בְּאֶרֶץ הַחַיִּים Job 28:13
וַתִּמָּצֵא 441 וַתִּמָּצֵא לְשָׁאוּל וּלְיוֹנָתָן בְּנוֹ ISh. 13:22
יִמָּצְאוּן 442 אוּלַי יִמָּצְאוּן שָׁם אַרְבָּעִים Gen. 18:29
443 אוּלַי יִמָּצְאוּן שָׁם שְׁלֹשִׁים Gen. 18:30
444 אוּלַי יִמָּצְאוּן שָׁם עֶשְׂרִים Gen. 18:31
445 אוּלַי יִמָּצְאוּן שָׁם עֲשָׂרָה Gen. 18:32
וַיִּמָּצְאוּ 446 וַיִּמָּצְאוּ בְנֵי־אֶלְעָזָר רַבִּים ICh. 24:4
447 וַיִּמָּצְאוּ מֵאָה וַחֲמִשִּׁים אֶלֶף IICh. 2:16
תִמָּצֶאינָה 448 יְבֻקַּשׁ אֶת־עֲוֹן יִשׂ׳...וְלֹא תִמָּצֶאינָה Jer. 50:20
הִמְצִיתִךָ 449 וְלֹא הִמְצִיתִךָ בְּיַד דָּוִד IISh. 3:8
הִמְצִיאוּ 450 וְאֶת־הָעֹלָה הִמְצִיאוּ אֵלָיו Lev. 9:13
מַמְצִיא 451 אָנֹכִי מַמְצִיא אֶת־הָאָדָם
אִישׁ בְּיַד־רֵעֵהוּ Zech. 11:6
יַמְצִאֶנּוּ 452 וּכְאֹרַח אִישׁ יַמְצִאֶנּוּ Job 34:11
יַמְצִאֵהוּ 453 אִם־לְשֵׁבֶט..אִם־לְחֶסֶד יַמְצִאֵהוּ Job 37:13
וַיַּמְצִאוּ 454 וַיַּמְצִאוּ בְּנֵי אַהֲרֹן אֶת־הַדָּם Lev. 9:12
455 וַיַּמְצִאוּ בְּנֵי אַהֲרֹן אֶת־הַדָּם אֵלָיו Lev. 9:18

מַצָּב*
ז׳ א) מעמד: 2, 9, 10
ב) יחידה צבאית החונה במקום: 1, 3-8
מַצַּב הָעֲרֵלִים 6; מַצַּב פְּלִשְׁתִּים 3-5, 7, 8; מַצַּב רַגְלָיו 2, 9

הַמַּצָּב 1 הַמַּצָּב וְהַמַּשְׁחִית חָרְדוּ גַּם־הֵמָּה ISh. 14:15
מַצַּב־ 2 הֵקִים...תַּחַת מַצַּב רַגְלֵי הַכֹּהֲנִים Josh. 4:9
3 וַיֵּצֵא מַצַּב פְּלִשְׁתִּים ISh. 13:23
4 לְכָה וְנַעְבְּרָה אֶל־מַצַּב פְּלִשְׁתִּים ISh. 14:1
5 לַעֲבֹר עַל־מַצַּב פְּלִשְׁתִּים ISh. 14:4
6 וְנַעְבְּרָה אֶל־מַצַּב הָעֲרֵלִים הָאֵלֶּה ISh.14:6
7 וַיִּגָּלוּ שְׁנֵיהֶם אֶל־מַצַּב פְּלִשְׁתִּים ISh. 14:11
וּמַצַּב־ 8 וּמַצַּב פְּלִשְׁתִּים אָז בֵּית לָחֶם IISh. 23:14
מִמַּצַּב־ 9 שְׂאוּ־לָכֶם...מִמַּצַּב רַגְלֵי הַכֹּהֲנִים Josh. 4:3
מִמַּצָּבְךָ 10 וַהֲדַפְתִּיךָ מִמַּצָּבֶךָ וּמִמַּעֲמָדְךָ... Is. 22:19

מֻצָּב
תו״ז א) מוקם, מעמד: 1, 2 [עין גם יצב]
ב) מערכת צבא להתקפה: 3

מֻצָּב 1 וְהִנֵּה סֻלָּם מֻצָּב אַרְצָה Gen. 28:12
2 עִם־אֵלוֹן מֻצָּב אֲשֶׁר בִּשְׁכֶם Jud. 9:6
3 וְצַרְתִּי עָלַיִךְ מֻצָּב Is. 29:3

מַצָּבָה
נ׳ חיל מצב

הַמַּצָּבָה 1 וַיַּעֲנוּ אַנְשֵׁי הַמַּצָּבָה אֶת־יוֹנָתָן ISh. 14:12

מִצָּבָה
– מַצָּבָה(?) מִצָּבָא(?)

מִצָּבָה 1 וְחָנִיתִי לְבֵיתִי מִצָּבָה מֵעֹבֵר וּמִשָּׁב Zech. 9:8

מַצֵּבָה
נ׳ אבן או עמוד שהוצבו לזכרון או לפולחן: 1-34
– פֶּסֶל וּמַצֵּבָה 10
– מַצֶּבֶת אֶבֶן 17; מַצְּבַת הַבַּעַל 15, 16; מַצֶּבֶת קְבוּרָה 18
– מַצְּבוֹת בֵּית הַבַּעַל 26; מַצְּבוֹת בֵּית שֶׁמֶשׁ 27; מַצְּבוֹת עֹז 28

מַצֵּבָה 1 וַיִּקַּח...וַיָּשֶׂם אֹתָהּ מַצֵּבָה Gen. 28:18
2 וְהָאֶבֶן ... אֲשֶׁר־שַׂמְתִּי מַצֵּבָה Gen. 28:22
3 אֲשֶׁר מָשַׁחְתָּ שָּׁם מַצֵּבָה Gen. 31:13
4 וַיִּקַּח יַעֲקֹב אָבֶן וַיְרִימֶהָ מַצֵּבָה Gen. 31:45
5-6 וַיַּצֵּב יַעֲקֹב מַצֵּבָה Gen. 35:14, 20
7 וַיִּבֶן...וּשְׁתֵּים עֶשְׂרֵה מַצֵּבָה Ex. 24:4
8 וְלֹא־תָקִים לְךָ מַצֵּבָה Deut. 16:22
9 וְאֵין זֶבַח וְאֵין מַצֵּבָה Hosh. 3:4
וּמַצֵּבָה 10 וּפֶסֶל וּמַצֵּבָה לֹא־תָקִימוּ לָכֶם Lev. 26:1
11 וּמַצֵּבָה אֵצֶל־גְּבוּלָהּ לַיְיָ Is. 19:19
הַמַּצֵּבָה 12 הִנֵּה הַגַּל הַזֶּה וְהִנֵּה הַמַּצֵּבָה Gen. 31:51
13 עֵד הַגַּל הַזֶּה וְעֵדָה הַמַּצֵּבָה... Gen. 31:52
14 לֹא־תַעֲבֹר...וְאֶת־הַמַּצֵּבָה הַזֹּאת לְרָעָה Gen. 31:52
מַצְּבַת־ 15 וַיָּסַר אֶת־מַצְּבַת הַבַּעַל IIK. 3:2
16 וַיִּתְּצוּ אֵת מַצְּבַת הַבָּעַל IIK. 10:27
מַצֶּבֶת־ 17 וַיַּצֵּב יַעֲקֹב מַצֵּבָה...מַצֶּבֶת אָבֶן Gen. 35:14
18 הִוא מַצֶּבֶת קְבֻרַת־רָחֵל Gen. 35:20
מַצֵּבוֹת 19 וַיַּצִּבוּ לָהֶם מַצֵּבוֹת וַאֲשֵׁרִים IIK. 17:10
20 כְּטוֹב לְאַרְצוֹ הֵיטִיבוּ מַצֵּבוֹת Hosh. 10:1
וּמַצֵּבוֹת 21 בָּמוֹת וּמַצֵּבוֹת וַאֲשֵׁרִים IK. 14:23
הַמַּצֵּבוֹת 22 וְשִׁבַּר אֶת־הַמַּצֵּבֹת IIK. 18:4
23 וְשִׁבַּר אֶת־הַמַּצֵּבוֹת IIK. 23:14
24 וַיְשַׁבֵּר אֶת־הַמַּצֵּבוֹת IICh. 14:2
25 וַיְשַׁבְּרוּ הַמַּצֵּבוֹת וַיְגַדְּעוּ הָאֲשֵׁרִים IICh. 31:1
מַצְּבוֹת־ 26 וַיֹּצִאוּ אֶת־מַצְּבוֹת בֵּית־הַבַּעַל IIK. 10:26
27 וְשִׁבַּר אֶת־מַצְּבוֹת בֵּית־שֶׁמֶשׁ Jer. 43:13
וּמַצְּבוֹת־ 28 וּמַצְּבוֹת עֻזֵּךְ לָאָרֶץ תֵּרֵד Ezek. 26:11
וּמַצֵּבוֹתֶיךָ 29 וְהִכְרַתִּי פְסִילֶיךָ וּמַצֵּבוֹתֶיךָ Mic. 5:12
מַצֵּבֹתָם 30 וְאֶת־מַצֵּבֹתָם תְּשַׁבֵּרוּן Ex. 34:13
31 וְשִׁבַּרְתֶּם אֶת־מַצֵּבֹתָם Deut. 12:3
32 יַעֲרֹף מִזְבְּחוֹתָם יְשֹׁדֵד מַצֵּבוֹתָם Hosh. 10:2
וּמַצֵּבֹתָם 33 מִזְבְּחֹתֵי׳ תִּתֹּצוּ וּמַצֵּבֹתָם תְּשַׁבֵּרוּ Deut. 7:5
מַצֵּבֹתֵיהֶם 34 וְשַׁבֵּר תְּשַׁבֵּר מַצֵּבֹתֵיהֶם Ex. 23:24

מְצֹבָיָה
מקום בצפון ארץ־ישראל

הַמְּצֹבָיָה 1 אֱלִיאֵל וְעוֹבֵד וְיַעֲשִׂיאֵל הַמְּצֹבָיָה ICh. 11:47

מַצֶּבֶת
נ׳ א) מצבה: 1, 3
ב) גזע: 2

מַצֶּבֶת 1 אֶת־מַצֶּבֶת אֲשֶׁר בְּעֵמֶק־הַמֶּלֶךְ IISh. 18:18
2 כָּאֵלָה וְכָאַלּוֹן אֲשֶׁר בְּשַׁלֶּכֶת
מַצֶּבֶת בָּם... Is. 6:13
לְמַצֶּבֶת 3 וַיִּקָּרֵא לַמַּצֶּבֶת עַל־שְׁמוֹ IISh. 18:18

מְצָד
ז׳ מבצר: 1-12
קרובים: בַּחַן / מִבְצָר / מִגְדָּל / מְצוּדָה
מְצָדוֹת סְלָעִים 11; מְצָדוֹת עֵין גֶּדִי 12

בַּמְּצָד 1 וַיֵּשֶׁב דָּוִיד בַּמְּצָד ICh. 11:7
לַמְּצָד 2 וַיָּבֹאוּ...עַד־לַמְּצָד לְדָוִיד ICh. 12:16(17)
לַמְּצַד 3 נִבְדְּלוּ אֶל־דָּוִיד לַמְּצַד מִדְבָּרָה ICh. 12:8(9)
הַמְּצָדוֹת 4 וְאֶת־הַמְּעָרוֹת וְאֶת־הַמְּצָדוֹת Jud. 6:2
וְהַמְּצָדוֹת 5 נִלְכְּדָה הַקְּרִיּוֹת וְהַמְּצָדוֹת נִתְפָּשָׂה Jer. 48:41
בַּמְּצָדוֹת 6 וַיֵּשֶׁב דָּוִד בַּמִּדְבָּר בַּמְּצָדוֹת ISh. 23:14
7 מִסְתַּתֵּר עִמָּנוּ בַּמְּצָדוֹת בַּחֹרְשָׁה ISh. 23:19
8 חָדְלוּ...לְהִלָּחֵם יָשְׁבוּ בַּמְּצָדוֹת Jer. 51:30
9 וַיִּתְּנֻהוּ בַסּוּגַר...יְבִאֻהוּ בַּמְּצֹדוֹת Ezek. 19:9
10 וַאֲשֶׁר בַּמְּצָדוֹת וּבַמְּעָרוֹת Ezek. 33:27
מְצָדוֹת־ 11 מְצָדוֹת סְלָעִים מִשְׂגַּבּוֹ Is. 33:16
בִּמְצָדוֹת־ 12 וַיֵּשֶׁב בִּמְצָדוֹת עֵין־גֶּדִי ISh. 23:29

מְצָדָה
נ׳ עין מְצוּדָה

מצה : מָצָה, נִמְצָה

מָצָה
פ׳ א) מצץ, סחט: 1-4
ב) [נפ׳ נִמְצָה] נסחט: 5-7

מָצִית 1 אֶת־קֻבַּעַת כּוֹס...שָׁתִית מָצִית Is. 51:17
וּמָצִית 2 וְשָׁתִית אוֹתָהּ וּמָצִית Ezek. 23:34
וַיִּמֶץ 3 וַיִּמֶץ טַל מִן־הַגִּזָּה Jud. 6:38
יִמְצוּ 4 אַךְ־שְׁמָרֶיהָ יִמְצוּ יִשְׁתּוּ Ps. 65:9
וְנִמְצָה 5 וְנִמְצָה דָמוֹ עַל קִיר הַמִּזְבֵּחַ Lev. 1:15

יִמָּצֵה 6 וְהַנִּשְׁאָר...יִמָּצֵה אֶל־יְסוֹד הַמִּזְבֵּחַ Lev. 5:9
יִמָּצוּ 7 וּמֵי מָלֵא יִמָּצוּ לָמוֹ Ps. 73:10

מַצָּה[1] נ׳ פת אפויה מבצק שלא החמיץ: 1-53

קרובים: חַלָּה / לֶחֶם / פַּת / רָקִיק / תּוּפִינִים

– חַלַּת מַצָּה 2, 3; רְקִיק מַצָּה 4
– חַג הַמַּצּוֹת 38, 39, 43, 45, 49-52; חַלּוֹת מַצּוֹת 15, 20, 22; לֶחֶם מַ׳ 14; סַל מַ׳ 24, 40-42, 44; עוּגוֹת מַצּוֹת 9; קֶמַח מַצּוֹת 30; רְקִיקֵי מַצּוֹת 16-19, 48

מַצָּה 1 סֹלֶת בְּלוּלָה בַשֶּׁמֶן מַצָּה תִהְיֶה Lev. 2:5
2 לָקַח חַלַּת מַצָּה אַחַת Lev. 8:26
3 וְחַלַּת מַצָּה אַחַת מִן־הַסַּל Num. 6:19
4 וּרְקִיק מַצָּה אֶחָד Num. 6:19
מַצּוֹת 5-6 שִׁבְעַת יָמִים מַצּוֹת תֹּאכֵלוּ Ex. 12:15
Lev. 23:6
7 בָּרִאשֹׁן...בָּעֶרֶב תֹּאכְלוּ מַצֹּת Ex. 12:18
8 בְּכֹל מוֹשְׁבֹתֵיכֶם תֹּאכְלוּ מַצּוֹת Ex. 12:20
9 וַיֹּאפוּ אֶת־הַבָּצֵק...עֻגֹת מַצּוֹת Ex. 12:39
10 שִׁבְעַת יָמִים תֹּאכַל מַצֹּת Ex. 13:6
11 מַצּוֹת יֵאָכֵל אֵת שִׁבְעַת הַיָּמִים Ex. 13:7
12/3 שִׁבְעַת יָמִים תֹּאכַל מַצּוֹת Ex. 23:15; 34:18
14/5 וְלֶחֶם מַצּוֹת וְחַלֹּת מַצֹּת Ex. 29:2
16-19 וּרְקִיקֵי מַצּוֹת מְשֻׁחִים בַּשָּׁמֶן Ex. 29:2
Lev. 2:4; 7:12 • Num. 6:15
20 סֹלֶת חַלּוֹת מַצֹּת בְּלוּלֹת בַּשֶּׁמֶן Lev. 2:4
21 מַצּוֹת תֵּאָכֵל בְּמָקוֹם קָדשׁ Lev. 6:9
22 חַלּוֹת מַצּוֹת בְּלוּלֹת בַּשֶּׁמֶן Lev. 7:12
23 קְחוּ אֶת־הַמִּנְחָה...וְאִכְלוּהָ מַצּוֹת Lev. 10:12
24 וְסַל מַצּוֹת...חַלֹּת בְּלוּלֹת בַּשֶּׁמֶן Num. 6:15
25 עַל־מַצּוֹת וּמְרֹרִים יֹאכְלֻהוּ Num. 9:11
26 שִׁבְעַת יָמִים מַצּוֹת יֵאָכֵל Num. 28:17
27 תֹּאכַל־עָלָיו מַצּוֹת לֶחֶם עֹנִי Deut. 16:3
28 שֵׁשֶׁת יָמִים תֹּאכַל מַצּוֹת Deut. 16:8
29 וַיֹּאכְלוּ...מַצּוֹת וְקָלוּי Josh. 5:11
30 וְאֵיפַת־קֶמַח מַצּוֹת Jud. 6:19
31 וַתָּלָשׁ וַתֹּפֵהוּ מַצּוֹת ISh. 28:24
32 כִּי אִם־אָכְלוּ מַצּוֹת בְּתוֹךְ אֲחֵיהֶם IIK. 23:9
33 חַג שְׁבֻעוֹת יָמִים מַצּוֹת יֵאָכֵל Ezek. 45:21
34 וַיַּעֲשׂוּ חַג־מַצּוֹת שִׁבְעַת יָמִים Ez. 6:22
וּמַצּוֹת 35 וּמַצּוֹת אָפָה וַיֹּאכֵלוּ Gen. 19:3
36 וּמַצּוֹת עַל־מְרֹרִים יֹאכְלֻהוּ Ex. 12:8
הַמַּצּוֹת 37 וּשְׁמַרְתֶּם אֶת־הַמַּצּוֹת Ex. 12:17
38/9 אֶת־חַג הַמַּצּוֹת תִּשְׁמֹר Ex. 23:15; 34:18
40 מִסַּל הַמַּצּוֹת אֲשֶׁר לִפְנֵי יְיָ Ex. 29:23
41 קַח...וְאֵת סַל הַמַּצּוֹת Lev. 8:2
42 וּמִסַּל הַמַּצּוֹת אֲשֶׁר לִפְנֵי יְיָ Lev. 8:26
43 וּבַחֲמִשָּׁה עָשָׂר יוֹם...חַג הַמַּצּוֹת Lev. 23:6
44 זֶבַח שְׁלָמִים לַייָ עַל סַל הַמַּצּוֹת Num. 6:17
45 בְּחַג הַמַּצּוֹת וּבְחַג הַשָּׁבֻעוֹת Deut. 16:16
46/7 אֶת־הַבָּשָׂר וְאֶת־הַמַּצּוֹת Jud. 6:20, 21
48 וּלְסֹלֶת לְמִנְחָה וְלִרְקִיקֵי הַמַּצּוֹת ICh. 23:29
49 בְּחַג הַמַּצּוֹת וּבְחַג הַשָּׁבֻעוֹת IICh. 8:13
50-52 חַג הַמַּצּוֹת IICh. 30:13, 21; 35:17
וּבַמַּצּוֹת 53 וַיִּשְׁלַח...וַיִּגַּע בַּבָּשָׂר וּבַמַּצּוֹת Jud. 6:21

מַצָּה[2] נ׳ ריב, קטטה: 1-3

מַצָּה 1 רַק־בְּזָדוֹן יִתֵּן מַצָּה Prov. 13:10
2 אֹהֵב פֶּשַׁע אֹהֵב מַצָּה Prov. 17:19
וּמַצָּה 3 הֵן לְרִיב וּמַצָּה תָּצוּמוּ Is. 58:4

מֹצָה – היא מוֹצָא

וְהַמֹּצָה 1 וְהַמִּצְפֶּה וְהַכְּפִירָה וְהַמֹּצָה Josh. 18:26

מִצְהָלָה* נ׳ צהלה, צחוק: 1, 2

מִצְהֲלוֹת־ 1 מִקּוֹל מִצְהֲלוֹת אַבִּירָיו Jer. 8:16
וּמִצְהֲלוֹתַיִךְ 2 נִאֻפַיִךְ וּמִצְהֲלוֹתַיִךְ זִמַּת זְנוּתֵךְ Jer. 13:27

מָצוֹד* ז׳ מָצָד, מבצר (גם בהשאלה): 1-4

מְצוֹד־ 1 חָמַד רָשָׁע מְצוֹד רָעִים Prov. 12:12
וּמְצוּדוֹ 2 וּמְצוּדוֹ עָלַי הִקִּיף Job 19:6
מְצוֹדִים 3 מְצוֹדִים וַחֲרָמִים לִבָּהּ Eccl. 7:26
4 וּבָנָה עָלֶיהָ מְצוֹדִים גְּדֹלִים Eccl. 9:14

מְצוֹדָה נ׳ רשת, מוקש: 1, 2

בִּמְצוֹדָה 1 כַּדָּגִים שֶׁנֶּאֱחָזִים בִּמְצוֹדָה רָעָה Eccl. 9:12
וּמְצֹדָתָהּ 2 צֹבֶיהָ וּמְצֹדָתָהּ וְהַמְּצִיקִים לָהּ Is. 29:7

מְצוּדָה נ׳ א) מבצר חזק: 1-3, 5-9, 11, 12

ב) [בהשאלה] מקלט, מחסה: 13-18, 21
ג) רשת, מלכודת: 4, 10, 19, 20

קרובים: ראה מָצָד

מְצוּדַת צִיּוֹן 11, 12; בֵּית מְצוּדוֹת 21

וּמְצוּדָה 1 עַל־שֶׁן־סֶלַע וּמְצוּדָה Job 39:28
הַמְּצוּדָה 2 וְדָוִד וַאֲנָשָׁיו עָלוּ אֶל־הַמְּצוּדָה ISh. 24:22
3 וַיִּשְׁמַע דָּוִד וַיֵּרֶד עַל־הַמְּצוּדָה IISh. 5:17
לִמְצוּדָה 4 וְלֹא־יִהְיוּ עוֹד בְּיֶדְכֶן לִמְצֻדָה Ezek. 13:21
בַּמְּצוּדָה 5 כָּל־יְמֵי הֱיוֹת דָּוִד בַּמְּצוּדָה ISh. 22:4
6 לֹא תֵשֵׁב בַּמְּצוּדָה ISh. 22:5
7 וַיֵּשֶׁב דָּוִד בַּמְּצֻדָה IISh. 5:9
8-9 וְדָוִ(י)ד אָז בַּמְּצוּדָה IISh. 23:14 • ICh. 11:16
10 הֲבֵאתָנוּ בַמְּצוּדָה Ps. 66:11
מְצוּדַת־ 11/2 וַיִּלְכֹּד דָּוִד אֶת־מְצֻדַת IISh. 5:7 • ICh. 11:5
וּמְצוּדָתִי 13 יְיָ סַלְעִי וּמְצֻדָתִי וּמְפַלְטִי־לִי IISh. 22:2
14 יְיָ סַלְעִי וּמְצוּדָתִי וּמְפַלְטִי Ps. 18:3
15/6 כִּי־סַלְעִי וּמְצוּדָתִי אָתָּה Ps. 31:4; 71:3
17 אֹמַר לַייָ מַחְסִי וּמְצוּדָתִי Ps. 91:2
18 חַסְדִּי וּמְצוּדָתִי מִשְׂגַּבִּי... Ps. 144:2
בִּמְצוּדָתִי 19-20 וְנִתְפַּשׂ בִּמְצוּדָתִי Ezek. 12:13; 17:20
מְצוּדוֹת 21 הֱיֵה לִי לְצוּר...לְבֵית מְצוּדוֹת Ps. 31:3

מִצְוָה נ׳ צַו, פקודה, וביחוד צו אלהים, חוק התורה: 1-181

קרובים: ראה חֹק

– הַתּוֹרָה וְהַמִּצְוָה 25-30; מִצְוָה בָּרָה 39; מִ׳ טוֹבָה 64; יְרֵא מִצְוָה 2; מִשְׁמֶרֶת מִ׳ 31; נֵר מִצְוָה 1; שׁוֹמֵר מִצְוָה 3, 4
– מִצְוַת אָב 36, 37, 40; מִ׳ אֱלֹהִים 48; מִ׳ אֲנָשִׁים מְלֻמָּדָה 34; מִצְוַת דָּוִיד 47, 49, 51, 52, 56; מִ׳ יְהוֹנָדָב 38; מִ׳ יְיָ 31, 39; מִ׳ הַלְוִיִּם 46; מִ׳ הַמֶּלֶךְ 33, 35, 42-45, 50, 54, 55, 57, 58; מִצְוַת שְׂפָתַיִם 41
– מִצְווֹת אֱלֹהִים 93; מִצְווֹת יְיָ 71-92, 94; דֶּרֶךְ מִצְווֹת 124; נְתִיב מִצְווֹת 125
– הֵפֵר מִצְווֹת 61, 137; הֵקִים מִ׳ 37; לָקַח מִ׳ 62; נָצַר מִ׳ 40, 93, 119, 178; עָשָׂה מִ׳ 18, 27, 99, 110, 141, 157; שָׁמַר מִצְווֹת 3, 4, 15, 20, 32, 96-98, 100, 102-109, 111-116, 127, 140, 151-156, 160, 161, 163-175, 177

מִצְוָה 1 כִּי נֵר מִצְוָה וְתוֹרָה אוֹר Prov. 6:23
2 וִירֵא מִצְוָה הוּא יְשֻׁלָּם Prov. 13:13
3 שֹׁמֵר מִצְוָה שֹׁמֵר נַפְשׁוֹ Prov. 19:16
4 שׁוֹמֵר מִצְוָה לֹא יֵדַע דָּבָר רָע Eccl. 8:5
הַמִּצְוָה 5 כָּל־הַמִּצְוָה וְהַחֻקִּים וְהַמִּשְׁפָּטִים Deut. 5:28
6 וְזֹאת הַמִּצְוָה הַחֻקִּים וְהַמִּשְׁפָּטִים Deut. 6:1
7 לַעֲשׂוֹת אֶת־כָּל־הַמִּצְוָה הַזֹּאת Deut. 6:25

הַמִּצְוָה (המשך) 8 אֶת־הַמִּצְוָה וְאֶת־הַחֻקִּים Deut. 7:11
9-10 כָּל־הַמִּצְוָה אֲשֶׁר אָנֹכִי מְצַוְּךָ Deut. 8:1; 11:8
11-13 אֶת־כָּל־הַמִּצְוָה הַזֹּאת Deut. 11:22; 15:5; 19:9
14 וּלְבִלְתִּי סוּר מִן־הַמִּצְוָה Deut. 17:20
15 שָׁמֹר אֶת־כָּל־הַמִּצְוָה Deut. 27:1
16 הַמִּצְוָה הַזֹּאת אֲשֶׁר אָנֹכִי מְצַוְּךָ Deut. 30:11
17 כְּכָל־הַמִּצְוָה אֲשֶׁר צִוִּיתִי אֶתְכֶם Deut. 31:5
18 לַעֲשׂוֹת אֶת־הַמִּצְוָה וְאֶת־הַתּוֹרָה Josh. 22:5
19 וְאֶת־הַמִּצְוָה אֲשֶׁר־צִוִּיתִי עָלֶיךָ IK. 2:43
20 וְלֹא שָׁמַרְתָּ אֶת־הַמִּצְוָה IK. 13:21
21 אֶת־הֶחָתוּם הַמִּצְוָה וְהַחֻקִּים Jer. 32:11
22 אֲלֵיכֶם הַמִּצְוָה הַזֹּאת הַכֹּהֲנִים Mal. 2:1
23 שִׁלַּחְתִּי אֲלֵיכֶם אֵת הַמִּצְוָה הַזֹּאת Mal. 2:4
24 כִּי בְיַד־יְיָ הַמִּצְוָה בְּיַד נְבִיאָיו IICh. 29:25
וְהַמִּצְוָה 25 וְהַתּוֹרָה וְהַמִּצְוָה אֲשֶׁר כָּתַבְתִּי... Ex. 24:12
26 וְהַתּוֹרָה וְהַמִּצְוָה אֲשֶׁר כָּתַב לָכֶם IIK. 17:37
27 וְלַעֲשׂוֹת הַתּוֹרָה וְהַמִּצְוָה IICh. 14:3
וּבַמִּצְוָה 28 וּבְכָל־מַעֲשֶׂה...וּבַתּוֹרָה וּבַמִּצְוָה IICh. 31:21
וְכַמִּצְוָה 29 וְכַתּוֹרָה וְכַמִּצְוָה אֲשֶׁר צִוָּה יְיָ IIK. 17:34
לְמִצְוָה 30 בֵּין־תּוֹרָה לְמִצְוָה לְחֻקִּים... IICh. 19:10
מִצְוַת־ 31 אֶת־מִשְׁמֶרֶת מִצְוַת יְיָ אֱלֹהֵיכֶם Josh. 22:3
32 לֹא שָׁמַרְתָּ אֶת־מִצְוַת יְיָ אֱלֹהֶיךָ ISh. 13:13
33 כִּי־מִצְוַת הַמֶּלֶךְ הִיא לֵאמֹר IIK. 18:36
34 מִצְוַת אֲנָשִׁים מְלֻמָּדָה Is. 29:13
35 כִּי־מִצְוַת הַמֶּלֶךְ הִיא לֵאמֹר Is. 36:21
36 כִּי שָׁמְעוּ אֶת־מִצְוַת אֲבִיהֶם Jer. 35:14
37 כִּי הֵקִימוּ...אֶת־מִצְוַת אֲבִיהֶם Jer. 35:16
38 שְׁמַעְתֶּם עַל־מִצְוַת יְהוֹנָדָב Jer. 35:18
39 מִצְוַת יְיָ בָּרָה מְאִירַת עֵינָיִם Ps. 19:9
40 נְצֹר בְּנִי מִצְוַת אָבִיךָ Prov. 6:20
41 מִצְוַת שְׂפָתָיו וְלֹא אָמִישׁ Job 23:12
42 מַדּוּעַ אַתָּה עוֹבֵר אֵת מִצְוַת הַמֶּלֶךְ Es. 3:3
43-45 מִצְוַת הַמֶּ׳ Neh. 11:23 • IICh. 8:15; 30:12
46 מִצְוַת הַלְוִיִּם וְהַמְשֹׁרְרִים Neh. 13:5
47 כִּי כֵן מִצְוַת דָּוִיד אִישׁ הָאֱלֹהִים IICh. 8:14
בְּמִצְוַת־ 48 וְהַחֲרֵדִים בְּמִצְוַת אֱלֹהֵינוּ Ez. 10:3
49 לְהַלֵּל לְהוֹדוֹת בְּמִצְוַת דָּוִיד... Neh. 12:24
50 וַיִּרְגְּמֻהוּ אֶבֶן בְּמִצְוַת הַמֶּלֶךְ IICh. 24:21
51 בְּמִצְוַת דָּוִיד וְגָד IICh. 29:25
כְּמִצְוַת־ 52 כְּמִצְוַת דָּוִיד וּשְׁלֹמֹה בְנוֹ Neh. 12:45
53 לְהַעֲלוֹת כְּמִצְוַת מֹשֶׁה IICh. 8:13
54 וַיָּבֹאוּ כְמִצְוַת־הַמֶּלֶךְ IICh. 29:15
55 עַל־מַחְלְקוֹתָם כְּמִצְוַת הַמֶּלֶךְ IICh. 35:10
56 כְּמִצְוַת דָּוִיד וְאָסָף IICh. 35:15
57 כְּמִצְוַת הַמֶּלֶךְ יֹאשִׁיָּהוּ IICh. 35:16
וּכְמִצְוַת־ 58 וּכְמִצְוַת הַמֶּלֶךְ לֵאמֹר IICh. 30:6
מִצְוָתְךָ 59 כְּכָל־מִצְוָתְךָ אֲשֶׁר צִוִּיתָנִי Deut. 26:13
60 רְחָבָה מִצְוָתְךָ מְאֹד Ps. 119:96
מִצְוָתוֹ 61 וְאֶת־מִצְוָתוֹ הֵפַר Num. 15:31
62 חֲכַם־לֵב יִקַּח מִצְוֹת Prov. 10:8
63 וְהֶעֱמַדְנוּ עָלֵינוּ מִצְוֹת Neh. 10:33
וּמִצְוֹת 64 חֻקִּים וּמִצְוֹת טוֹבִים Neh. 9:13
65 וּמִצְווֹת וְחֻקִּים וְתוֹרָה Neh. 9:14
הַמִּצְוֹת 66 ...אֵת כָּל־הַמִּצְוֹת הָאֵלֶּה Lev. 26:14
67 אֵלֶּה הַמִּצְוֹת אֲשֶׁר צִוָּה יְיָ Lev. 27:34
68 וְלֹא תַעֲשׂוּ אֵת כָּל־הַמִּצְוֹת הָאֵלֶּה Num. 15:22
69 אֵלֶּה הַמִּצְוֹת וְהַמִּשְׁפָּטִים Num. 36:13
70 אֶת־הַמִּצְוֹת וְאֶת־הַחֻקִּים Neh. 1:7
מִצְוֹת־ 71-73 מִכֹּל(־)מִצְוֹת יְיָ אֲשֶׁר לֹא תֵעָשֶׂינָה
Lev. 4:2, 13; 5:17
74 מִכָּל־מִצְוֹת יְיָ אֱלֹהָיו Lev. 4:22
75-92 מִצְוֹת יְיָ Num. 15:39

מִצְוֹת־ (המשך) Deut. 4:2; 6:17; 8:6; 10:13; 11:27, 28; 28:9, 13 • Jud. 2:17; 3:4 • IK. 18:18 • IIK. 17:16, 19 • Ez. 7:11 • Neh. 10:30 • ICh. 28:8 • IICh. 24:20
93 סוּרוּ...וְאֶצְּרָה מִצְוֹת אֱלֹהָי Ps. 119:115
מִמִּצְוֹת־ 94 מִמִּצְוֹת יְיָ אֲשֶׁר לֹא־תֵעָשֶׂינָה Lev. 4:27
מִצְוֹתַי 95 מִצְוֹתַי חֻקּוֹתַי וְתוֹרֹתָי Gen. 26:5
96 לִשְׁמֹר מִצְוֹתַי וְתוֹרֹתָי Ex. 16:28
97 וּשְׁמַרְתֶּם מִצְוֹתַי וַעֲשִׂיתֶם אֹתָם Lev. 22:31
98 וְאֶת־מִצְוֹתַי תִּשְׁמְרוּ וַעֲשִׂיתֶם Lev. 26:3
99 לְבִלְתִּי עֲשׂוֹת אֶת־כָּל־מִצְוֹתַי Lev. 26:15
100 וְלִשְׁמֹר אֶת־כָּל־מִצְוֹתַי Deut. 5:26
101 אִם־שָׁמֹעַ תִּשְׁמְעוּ אֶל־מִצְוֹתַי Deut. 11:13
102 וְשָׁמַרְתָּ אֶת־כָּל־מִצְוֹתַי IK. 6:12
103 וְלֹא תִשְׁמְרוּ מִצְוֹתַי חֻקֹּתַי IK. 9:6
104 אֲשֶׁר שָׁמַר מִצְוֹתַי וְחֻקֹּתָי IK. 11:34
105 כְּעַבְדִּי דָוִד אֲשֶׁר שָׁמַר מִצְוֹתַי IK. 14:8
106 וְשִׁמְרוּ מִצְוֹתַי חֻקּוֹתַי IIK. 17:13
107-108 שְׁמֹר מִצְוֹתַי וֶחְיֵה Prov. 4:4; 7:2
109 וּשְׁמַרְתֶּם מִצְוֹתַי וַעֲשִׂיתֶם אֹתָם Neh. 1:9
110 לַעֲשׂוֹת מִצְוֹתַי וּמִשְׁפָּטַי ICh. 28:7
מִצְוֹתָי 111 לְאֹהֲבַי וּלְשֹׁמְרֵי מִצְוֹתָי Ex. 20:6
112 וַעֲשִׂיתֶם אֶת־כָּל־מִצְוֹתָי Num. 15:40
113 לְאֹהֲבַי וּלְשֹׁמְרֵי מִצְוֹתָי(כ׳ מצותו) Deut. 5:10
וּמִצְוֹתַי 114 לִשְׁמֹר חֻקַּי וּמִצְוֹתַי IK. 3:14
115 לִשְׁמוֹר חֻקּוֹתַי וּמִצְוֹתַי IK. 11:38
116 וּמִצְוֹתַי לֹא יִשְׁמֹרוּ Ps. 89:32
117-118 וּמִצְוֹתַי תִּצְפֹּן אִתָּךְ Prov. 2:1; 7:1
119 וּמִצְוֹתַי יִצֹּר לִבֶּךָ Prov. 3:1
120 וַעֲזַבְתֶּם חֻקּוֹתַי וּמִצְוֹתַי IICh. 7:19
לְמִצְוֹתָי 121 לוּא הִקְשַׁבְתָּ לְמִצְוֹתָי Is. 48:18
מִצְוֹתֶיךָ 122 בְּהַבִּיטִי אֶל־כָּל־מִצְוֹתֶיךָ Ps. 119:6
123 אַל־תַּסְתֵּר מִמֶּנִּי מִצְוֹתֶיךָ Ps. 119:19
124 דֶּרֶךְ־מִצְוֹתֶיךָ אָרוּץ Ps. 119:32
125 הַדְרִיכֵנִי בִּנְתִיב מִצְוֹתֶיךָ Ps. 119:35
126 וְאֶשָּׂא־כַפַּי אֶל־מִצְוֹתֶיךָ Ps. 119:48
127 חַשְׁתִּי...לִשְׁמֹר מִצְוֹתֶיךָ Ps. 119:60
128 הֲבִינֵנִי וְאֶלְמְדָה מִצְוֹתֶיךָ Ps. 119:73
129 כָּל־מִצְוֹתֶיךָ אֱמוּנָה Ps. 119:86
130 מֵאֹיְבַי תְּחַכְּמֵנִי מִצְוֹתֶךָ Ps. 119:98
131 עַל־כֵּן אָהַבְתִּי מִצְוֹתֶיךָ Ps. 119:127
132 מִצְוֹתֶיךָ שַׁעֲשֻׁעָי Ps. 119:143
133 וְכָל־מִצְוֹתֶיךָ אֱמֶת Ps. 119:151
134 כִּי כָל־מִצְוֹתֶיךָ צֶּדֶק Ps. 119:172
135 כִּי מִצְוֹתֶיךָ לֹא שָׁכָחְתִּי Ps. 119:176
136 כִּי עָזַבְנוּ מִצְוֹתֶיךָ Ez. 9:10
137 הֲנָשׁוּב לְהָפֵר מִצְוֹתֶיךָ Ez. 9:14
138 וְלֹא שָׁמְעוּ אֶל־מִצְוֹתֶיךָ Neh. 9:16
139 וְלֹא הִקְשִׁיבוּ אֶל־מִצְוֹתֶיךָ Neh. 9:34
140 לִשְׁמוֹר מִצְוֹתֶיךָ עֵדְוֹתֶיךָ וְחֻקֶּיךָ ICh. 29:19
וּמִצְוֹתֶיךָ 141 שִׂבַּרְתִּי...וּמִצְוֹתֶיךָ עָשִׂיתִי Ps. 119:166
בְּמִצְוֹתֶיךָ 142 וְאֶשְׁתַּעֲשַׁע בְּמִצְוֹתֶיךָ Ps. 119:47
143 כִּי בְמִצְוֹתֶיךָ הֶאֱמָנְתִּי Ps. 119:66
לְמִצְוֹתֶיךָ 144 וְלֹא־שָׁמְעוּ לְמִצְוֹתֶיךָ Neh. 9:29
145 כִּי לְמִצְוֹתֶיךָ יָאָבְתִּי Ps. 119:131
מִמִּצְוֹתֶיךָ 146 לֹא־עָבַרְתִּי מִמִּצְוֹתֶיךָ Deut. 26:13
147 אַל־תַּשְׁגֵּנִי מִמִּצְוֹתֶיךָ Ps. 119:10
148 גָּעַרְתָּ...הַשֹּׁגִים מִמִּצְוֹתֶיךָ Ps. 119:21
149 וְסוֹר מִמִּצְוֹתֶךָ וּמִמִּשְׁפָּטֶיךָ Dan. 9:5
מִצְוֹתָיו 150 אֶת־חֻקָּיו וְאֶת־מִצְוֹתָיו Deut. 4:40
151 לְאֹהֲבָיו וּלְשֹׁמְרֵי מִצְוֹתָו Deut. 7:9
152 הֲתִשְׁמֹר מִצְוֹתָו אִם־לֹא Deut. 8:2
153 לְבִלְתִּי שְׁמֹר מִצְוֹתָיו וּמִשְׁפָּטָיו Deut. 8:11
מִצְוֹתָיו (המשך) 154 וְאֶת־מִצְוֹתָיו תִּשְׁמֹרוּ Deut. 13:5
155 לִשְׁמֹר אֶת־כָּל־מִצְוֹתָיו Deut. 13:19
156 וְלִשְׁמֹר כָּל־מִצְוֹתָיו Deut. 26:18
157 וְעָשִׂיתָ אֶת־מִצְוֹתָו וְאֶת־חֻקָּיו Deut. 27:10
158/9 לַעֲשׂוֹת אֶת־כָּל־מִצְוֹתָיו Deut. 28:1, 15
160/1 לִשְׁמֹר מִצְוֹתָיו וְחֻקֹּתָיו Deut. 28:45; 30:10
162 וְעָשִׂיתָ אֶת־כָּל־מִצְוֹתָיו Deut. 30:8
163 וְלִשְׁמֹר מִצְוֹתָיו וְחֻקֹּתָיו Deut. 30:16
164 וְלִשְׁמֹר מִצְוֹתָיו וּלְדָבְקָה־בוֹ Josh. 22:5
165 לִשְׁמֹר חֻקֹּתָיו מִצְוֹתָיו וּמִשְׁפָּטָיו IK. 2:3
166 לִשְׁמֹר מִצְוֹתָיו וְחֻקָּיו וּמִשְׁפָּטָיו IK. 8:58
167 לָלֶכֶת בְּחֻקָּיו וְלִשְׁמֹר מִצְוֹתָיו IK. 8:61
168 וַיִּשְׁמֹר מִצְוֹתָיו אֲשֶׁר־צִוָּה יְיָ IIK. 18:6
169 וְלִשְׁמֹר מִצְוֹתָיו וְאֶת־עֵדְוֹתָיו IIK. 23:3
170 וַתִּשְׁמְרוּ אֶת־כָּל־מִצְוֹתָיו Jer. 35:18
171 אֶת־הָאֱלֹהִים יְרָא וְאֶת־מִצְוֹתָיו שְׁמוֹר Eccl. 12:13
172/3 ...וּלְשֹׁמְרֵי מִצְוֹתָיו Dan. 9:4 • Neh. 1:5
174 וְלִשְׁמוֹר אֶת־מִצְוֹתָיו וְעֵדְוֹתָיו IICh. 34:31
וּמִצְוֹתָיו 175 לִשְׁמֹר אֶת־כָּל־חֻקֹּתָיו וּמִצְוֹתָיו Deut. 6:2
176 וְחֻקֹּתָיו וּמִשְׁפָּטָיו וּמִצְוֹתָיו Deut. 11:1
177 וְלִשְׁמֹר חֻקָּיו וּמִצְוֹתָיו Deut. 26:17
178 וְלֹא יִשְׁכְּחוּ...וּמִצְוֹתָיו יִנְצֹרוּ Ps. 78:7
בְּמִצְוֹתָיו 179 בְּמִצְוֹתָיו חָפֵץ מְאֹד Ps. 112:1
וּבְמִצְוֹתָיו 180 לֵאל׳ אָבִיו דָּרָשׁ וּבְמִצְוֹתָיו הָלָךְ IICh. 17:4
לְמִצְוֹתָיו 181 וְהַאֲזַנְתָּ לְמִצְוֹתָיו וְשָׁמַרְתָּ...חֻקָּיו Ex. 15:26

מְצוּלָה נ׳ מעמקי מים: 1-12

מְצוּלוֹת יְאוֹר 7; מְצוּלוֹת יָם 8, 9
מְצוּלָה 1 וַתַּשְׁלִיכֵנִי מְצוּלָה בִּלְבַב יַמִּים Jon. 2:4
2 טָבַעְתִּי בִּיוֵן מְצוּלָה Ps. 69:3
3 וְאַל־תִּבְלָעֵנִי מְצוּלָה Ps. 69:16
4 יַרְתִּיחַ כַּסִּיר מְצוּלָה Job 41:23
בִּמְצוּלָה 5 מַעֲשֵׂי יְיָ וְנִפְלְאוֹתָיו בִּמְצוּלָה Ps. 107:24
בַּמְּצוּלָה 6 בֵּין הַהֲדַסִּים אֲשֶׁר בַּמְּצֻלָה Zech. 1:8
מְצוּלוֹת־ 7 וְהֹבִישׁוּ כֹּל מְצוּלוֹת יְאֹר Zech. 10:11
בִּמְצוּלוֹת־ 8 וְתַשְׁלִיךְ בִּמְצֻלוֹת יָם כָּל־חַטֹּאתָם Mic. 7:19
מִמְּצוּלוֹת־ 9 אָשִׁיב מִמְּצֻלוֹת יָם Ps. 68:23
בִּמְצוּלוֹת 10 יָרְדוּ בִמְצוֹלֹת כְּמוֹ־אָבֶן Ex. 15:5
11 שַׁתַּנִי...בְּמַחֲשַׁכִּים בִּמְצֹלוֹת Ps. 88:7
12 הִשְׁלַכְתָּ בִמְצוֹלֹת כְּמוֹ־אֶבֶן Neh. 9:11

מָצוֹק ז׳ לחץ: 1-6

קרובים: ראה צָרָה

מָצוֹר וּמָצוֹק 3-6; צַר וּמָצוֹק 2; אִישׁ מָצוֹק 1
מָצוֹק 1 וַיִּתְקַבְּצוּ אֵלָיו כָּל־אִישׁ מָצוֹק ISh. 22:2
וּמָצוֹק 2 צַר־וּמָצוֹק מְצָאוּנִי Ps. 119:143
וּבְמָצוֹק 3-6 בְּמָצוֹר וּבְמָצוֹק Deut. 28:53, 55, 57 • Jer. 19:9

מָצוּק ז׳ צוק, סלע: 1, 2

מָצוּק 1 הַשֵּׁן הָאֶחָד מָצוּק מִצָּפוֹן ISh. 14:5
מְצוּקֵי־ 2 כִּי לַייָ מְצֻקֵי אֶרֶץ ISh. 2:8

מְצוּקָה נ׳ צרה, לחץ: 1-7

קרובים: ראה צָרָה

צָרָה וּמְצוּקָה 1; צַר וּמְצוּקָה 2
וּמְצוּקָה 1 יוֹם צָרָה וּמְצוּקָה Zep. 1:15
2 יְבַעֲתֻהוּ צַר וּמְצוּקָה Job 15:24
מִמְּצוּקוֹתַי 3 מִמְּצוּקוֹתַי הוֹצִיאֵנִי Ps. 25:17
מִמְּצוּקוֹתֵיהֶם 4 מִמְּצוּקוֹתֵיהֶם יַצִּילֵם Ps. 107:6
5-6 מִמְּצֻקוֹתֵיהֶם יוֹשִׁיעֵם Ps. 107:13, 19
וּמִמְּצוּקוֹתֵיהֶם 7 וּמִמְּצוּקֹתֵיהֶם יוֹצִיאֵם Ps. 107:28

מָצוֹר[1] ז׳ א) צרה, לחץ: 4, 11-14

ב) כִּתּוּר עיר על־ידי אויב כדי לכבשה: 1-3, 5-10, 15-25

מָצוֹר וּמָצוֹק 11-14; יְמֵי מָצוֹר 10, 25; מֵי מָצוֹר 4; עִיר מָצוֹר 8,9; מְצוֹר יְרוּשָׁלַיִם 24
מָצוֹר 1 וּבָנִיתָ מָצוֹר עַל־הָעִיר Deut. 20:20
2 וְנָתַתָּ עָלֶיהָ מָצוֹר Ezek. 4:2
3 מָצוֹר שָׂם עָלֵינוּ Mic. 4:14
4 מֵי מָצוֹר שַׁאֲבִי־לָךְ Nah. 3:14
5 וְאֶתְיַצְּבָה עַל־מָצוֹר Hab. 2:1
6 וַתִּבֶן צוֹר מָצוֹר לָהּ Zech. 9:3
7 הִפְלִיא חַסְדּוֹ לִי בְּעִיר מָצוֹר Ps. 31:22
8 מִי יֹבִלֵנִי עִיר מָצוֹר Ps. 60:11
9 וַיִּבֶן...עָרֵי מָצוֹר חוֹמוֹת IICh. 8:5
הַמָּצוֹר 10 כִּמְלֹאת יְמֵי הַמָּצוֹר Ezek. 5:2
בְּמָצוֹר 11-14 בְּמָצוֹר וּבְמָצוֹק Deut. 28:53, 55, 57 • Jer. 19:9
15 וְיֹשְׁבִים בְּמָצוֹר בִּירוּשָׁלָם IICh. 32:10
בַּמָּצוֹר 16 לָבֹא מִפָּנֶיךָ בַּמָּצוֹר Deut. 20:19
17-18 וַתָּבֹא הָעִיר בַּמָּצוֹר IIK. 24:10; 25:2
19 אִסְפִּי...יֹשֶׁבֶת° בַּמָּצוֹר Jer. 10:17
20 וַתָּבֹא הָעִיר בַּמָּצוֹר Jer. 52:5
21 וְהָיְתָה בַמָּצוֹר וְצַרְתָּ עָלֶיהָ Ezek. 4:3
22 וְגַם עַל־יְהוּדָה יִהְיֶה בַמָּצוֹר Zech. 12:2
לְמָצוֹר 23 וַיִּבֶן עָרִים לְמָצוֹר בִּיהוּדָה IICh. 11:5
מְצוֹר־ 24 וְאֶל־מְצוֹר יְרוּשָׁלַם תָּכִין פָּנֶיךָ Ezek. 4:7
מְצוֹרֶיךָ 25 עַד־כַּלּוֹתְךָ יְמֵי מְצוֹרֶיךָ Ezek. 4:8

מָצוֹר[2] כנוי למצרים: 1-5

יְאֹרֵי מָצוֹר 1-3; עָרֵי מָצוֹר 4
מָצוֹר 1 וְאַחְרִב...כֹּל יְאֹרֵי מָצוֹר IIK. 19:25
2 דָּלְלוּ וְחָרְבוּ יְאֹרֵי מָצוֹר Is. 19:6
3 וְאַחְרִב...כֹּל יְאֹרֵי מָצוֹר Is. 37:25
4 לְמִנִּי אַשּׁוּר וְעָרֵי מָצוֹר Mic. 7:12
5 וּלְמִנִּי מָצוֹר וְעַד־נָהָר Mic. 7:12

מְצוּרָה נ׳ מצודה, מבצר: 1-8

עָרֵי מְצוּרָה 2; עָרֵי מְצוּרוֹת 4, 5, 7, 8
מְצוּרָה 1 עָלָה מֵפִיץ עַל־פָּנַיִךְ נָצוֹר מְצוּרָה Nah. 2:2
2 וַיִּבֶן עָרֵי מְצוּרָה בִּיהוּדָה IICh. 14:5
מְצוּרוֹת 3 וַהֲקִמֹתִי עָלַיִךְ מְצֻרֹת Is. 29:3
4 וְאֶת־צָרְעָה...עָרֵי מְצֻרוֹת IICh. 11:10
5 עִם־עָרֵי מְצֻרוֹת בִּיהוּדָה IICh. 21:3
הַמְּצוּרוֹת 6 וַיְחַזֵּק אֶת־הַמְּצוּרוֹת IICh. 11:11
7 וַיִּבֶן...לְכֹל עָרֵי הַמְּצֻרוֹת IICh. 11:23
8 וַיִּלְכֹּד אֶת־עָרֵי הַמְּצֻרוֹת IICh. 12:4

מַצּוּת נ׳ ריב, קטטה

מַצֻּתֶךָ 1 תְּבַקְשֵׁם וְלֹא תִמְצָאֵם אַנְשֵׁי מַצֻּתֶךָ Is. 41:12

מֵצַח ז׳ הדופן הקדמי בגולגולת: 1-13

מֵצַח אַהֲרֹן 2; מֵצַח אִשָּׁה זוֹנָה 3; מֵצַח נְחוּשָׁה 11; מֵצַח חָזָק 9-12; חִזְקֵי מֵצַח 1
מֵצַח 1 חִזְקֵי־מֵצַח וּקְשֵׁי־לֵב הֵמָּה Ezek. 3:7
מֵצַח־ 2 וְהָיָה עַל־מֵצַח אַהֲרֹן Ex. 28:38
וּמֵצַח־ 3 וּמֵצַח אִשָּׁה זוֹנָה הָיָה לָךְ Jer. 3:3
מִצְחוֹ 4 וְהָיָה עַל־מִצְחוֹ תָּמִיד Ex. 28:38
5 וַיַּךְ אֶת־הַפְּלִשְׁתִּי אֶל־מִצְחוֹ ISh. 17:49
בְּמִצְחוֹ 6 וַתִּטְבַּע הָאֶבֶן בְּמִצְחוֹ ISh. 17:49
7 וְהַצָּרַעַת זָרְחָה בְמִצְחוֹ IICh. 26:19
8 וְהִנֵּה־הוּא מְצֹרָע בְּמִצְחוֹ IICh. 26:20
מִצְחֲךָ 9 וְאֶת־מִצְחֲךָ חָזָק לְעֻמַּת מִצְחָם Ezek. 3:8
מִצְחֶךָ 10 כְּשָׁמִיר חָזָק מִצֹּר נָתַתִּי מִצְחֶךָ Ezek. 3:9

וּמִצְחֲךָ 11 וְגִיד בַּרְזֶל עָרְפֶּךָ וּמִצְחֲךָ נְחוּשָׁה Is. 48:4
מִצְחָם 12 וְאֶת־מִצְחֲךָ חָזָק לְעֻמַּת מִצְחָם Ezek. 3:8
מִצְחוֹת־ 13 וְהִתְוִיתָ תָּו עַל מִצְחוֹת הָאֲנָשִׁים Ezek. 9:4

מִצְחָה*
נ׳ מגן לרגלים

וּמִצְחַת־ 1 וּמִצְחַת נְחֹשֶׁת עַל־רַגְלָיו ISh. 17:6

מְצִלָּה*
נ׳ פעמון • מְצִלּוֹת הַסּוּס 1

מְצִלּוֹת־ 1 יִהְיֶה עַל־מְצִלּוֹת הַסּוּס קֹדֶשׁ לַיְיָ Zech. 14:20

מְצִלְתַּיִם
נ״ז כלי הקשה או נגינה: 1-23
קרובים: ראה כִּנּוֹר

מְצִלְתַּיִם 1 מְצִלְתַּיִם נְבָלִים וּבְכִנֹּרוֹת Neh. 12:27
וּמְצִלְתַּיִם 2 חֲצֹצְרוֹת וּמְצִלְתַּיִם לְמַשְׁמִיעִים ICh. 16:42
וּמְצִלְתָּיִם 3 נְבָלִים וְכִנֹּרוֹת וּמְצִלְתָּיִם ICh. 15:16
בִּמְצִלְתַּיִם 4 בִּמְצִלְתַּיִם נְחֹשֶׁת לְהַשְׁמִיעַ ICh. 15:19
5 בִּמְצִלְתַּיִם נְבָלִים וְכִנֹּרוֹת ICh. 25:6
6 בִּמְצִלְתַּיִם וּבִנְבָלִים וְכִנֹּרוֹת IICh. 5:12
17 בִּמְצִלְתַּיִם בִּנְבָלִים וּבְכִנֹּרוֹת IICh. 29:25
בַּמְצִלְתַּיִם 18 וְהַלְוִיִּם...בַּמְצִלְתַּיִם לְהַלֵּל Ez. 3:10
19 וְאָסָף בַּמְצִלְתַּיִם מַשְׁמִיעַ ICh. 16:5
וּבִמְצִלְתַּיִם 20 וּבְתֻפִּים וּבִמְצִלְתַּיִם ICh. 13:8
21 בַּחֲצֹצְרוֹת וּבִמְצִלְתַּיִם IICh. 5:13
וּבִמְצִלְתָּיִם 22 וּבַחֲצֹצְרוֹת וּבִמְצִלְתָּיִם ICh. 15:28
23 בְּכִנֹּרוֹת בִּנְבָלִים וּבִמְצִלְתָּיִם ICh. 25:1

מִצְנֶפֶת
נ׳ מעטפה לראש גבר, מבגדי הכֹּהן: 1-12
מִצְנֶפֶת בַּד 12; מִצְנֶפֶת שֵׁשׁ 4, 11

מִצְנֶפֶת 1 חֹשֶׁן וְאֵפוֹד...מִצְנֶפֶת וְאַבְנֵט Ex. 28:4
הַמִּצְנֶפֶת 2 אֶל־מוּל פְּנֵי־הַמִּצְנֶפֶת יִהְיֶה Ex. 28:37
3 וְשַׂמְתָּ הַמִּצְנֶפֶת עַל־רֹאשׁוֹ Ex. 29:6
4 וְאֵת הַמִּצְנֶפֶת שֵׁשׁ... Ex. 39:28
5 לָתֵת עַל־הַמִּצְנֶפֶת מִלְמָעְלָה Ex. 39:31
6 וַיָּשֶׂם אֶת־הַמִּצְנֶפֶת עַל־רֹאשׁוֹ Lev. 8:9
7 וַיָּשֶׂם עַל הַמִּצְנֶפֶת...אֵת צִיץ הַזָּהָב Lev. 8:9
8 הָסִיר הַמִּצְנֶפֶת וְהָרִים הָעֲטָרָה Ezek. 21:31
הַמִּצְנָפֶת 9 (צִיץ)...וְהָיָה עַל־הַמִּצְנָפֶת Ex. 28:37
10 נֵזֶר הַקֹּדֶשׁ עַל־הַמִּצְנָפֶת Ex. 29:6
מִצְנֶפֶת־ 11 וְעָשִׂיתָ מִצְנֶפֶת שֵׁשׁ Ex. 28:39
וּבְמִצְנֶפֶת־ 12 וּבְמִצְנֶפֶת בַּד יִצְנֹף Lev. 16:4

מַצָּע
ז׳ מרבד

הַמַּצָּע 1 כִּי־קָצַר הַמַּצָּע מֵהִשְׂתָּרֵעַ Is. 28:20

מִצְעָד*
ז׳ צעד, מהלך: 1-3

מִצְעֲדֵי גֶבֶר 1, 2

מִצְעֲדֵי־ 1 מֵיְיָ מִצְעֲדֵי־גֶבֶר כּוֹנָנוּ Ps. 37:23
2 מֵיְיָ מִצְעֲדֵי־גָבֶר Prov. 20:24
בְּמִצְעָדָיו 3 וְלֻבִים וְכֻשִׁים בְּמִצְעָדָיו Dan. 11:43

מְצָעִירָה
(דניאל ח9) – עין צָעִיר

מִצְעָר
ז׳ דבר מועט, קל ערך: 1-6

הַר מִצְעָר 3; עִיר...מִצְעָר 1; מִצְעָר אֲנָשִׁים 5

מִצְעָר 1 הִנֵּה־נָא הָעִיר...וְהִוא מִצְעָר Gen. 19:20
2 הֲלֹא מִצְעָר הִוא Gen. 19:20
3 וְחֶרְמוֹנִים מֵהַר מִצְעָר Ps. 42:7
4 וְהָיָה רֵאשִׁיתְךָ מִצְעָר Job 8:7
בְּמִצְעַר־ 5 בְּמִצְעַר אֲנָשִׁים בָּאוּ חֵיל אֲרָם IICh. 24:24
לַמִּצְעָר 6 לַמִּצְעָר יָרְשׁוּ עַם־קָדְשֶׁךָ Is. 63:18

מִצְפֶּה¹
ז׳ מגדל צופים: 1, 2

מִצְפֶּה 1 עַל־מִצְפֶּה אֲדֹנָי אָנֹכִי עֹמֵד Is. 21:8
הַמִּצְפֶּה 2 וִיהוּדָה בָּא עַל־הַמִּצְפֶּה לַמִּדְבָּר IICh. 20:24

מִצְפֶּה²
א) בקעה לרגלי המורד הדרומי של חרמון: 1
ב) עיר בארץ גלעד: 2, 5, 7
ג) עיר בשפלת יהודה: 3
ד) עיר בנחלת בנימין: 4
ה) מקום במואב: 6

מִצְפֵּה גִלְעָד 5, 7; מִ׳ מוֹאָב 6; בִּקְעַת מִצְפֶּה 1; רָמַת הַמִּצְפֶּה 2

מִצְפֶּה 1 וְעַד־בִּקְעַת מִצְפֶּה מִזְרָחָה Josh. 11:8
הַמִּצְפֶּה 2 עַד רָמַת הַמִּצְפֶּה וּבְטֹנִים Josh. 13:26
וְהַמִּצְפֶּה 3 וְדִלְעָן וְהַמִּצְפֶּה וְיָקְתְאֵל Josh. 15:38
4 וְהַמִּצְפֶּה וְהַכְּפִירָה וְהַמֹּצָה Josh. 18:26
מִצְפֵּה־ 5 וַיַּעֲבֹר אֶת־מִצְפֵּה גִלְעָד Jud. 11:29
6 וַיֵּלֶךְ דָּוִד מִשָּׁם מִצְפֵּה מוֹאָב ISh. 22:3
וּמִמִּצְפֵּה־ 7 וּמִמִּצְפֵּה גִלְעָד עָבַר בְּנֵי עַמּוֹן Jud. 11:29

מִצְפָּה
א) עיר בנחלת בנימין: 1, 4-18, 20-29, 32-40
ב) מקום בארץ הגלעד: 2, 3, 19, 30, 31

אֶרֶץ הַמִּצְפָּה 2; שַׂר פֶּלֶךְ הַמִּצְפָּה 16; שַׂר הַמִּצְפָּה 17

לְמִצְפָּה 1 כִּי־פַח הֱיִיתֶם לְמִצְפָּה Hosh. 5:1
הַמִּצְפָּה 2 תַּחַת חֶרְמוֹן בְּאֶרֶץ הַמִּצְפָּה Josh. 11:3
3 וַיָּבֹא יִפְתָּח הַמִּצְפָּה אֶל־בֵּיתוֹ Jud. 11:34
4-6 ...אֶל־יְיָ הַמִּצְפָּה Jud. 20:1; 21:5, 8
7 כִּי־עָלוּ בְנֵי־יִשְׂרָאֵל הַמִּצְפָּה Jud. 20:3
8 וַיֵּצְאוּ אַנְשֵׁי יִשְׂרָאֵל מִן־הַמִּצְפָּה ISh. 7:11
9 וַיָּשֶׂם בֵּין־הַמִּצְפָּה וּבֵין הַשֵּׁן ISh. 7:12
10 וַיַּצְעֵק...אֶל־יְיָ הַמִּצְפָּה ISh. 10:15
11 אֶת־גֶּבַע בִּנְיָמִן וְאֶת־הַמִּצְפָּה IK. 15:22
12 וַיָּבֹאוּ אֶל־גְּדַלְיָהוּ הַמִּצְפָּה IIK. 25:23
13 וַיֵּצֵא...לִקְרָאתָם מִן־הַמִּצְפָּה Jer. 41:6
14 אֲשֶׁר־שָׁבָה יִשְׁמָעֵאל מִן־הַמִּצְפָּה Jer. 41:14
15 אֲשֶׁר הֵשִׁיב...מִן־הַמִּצְפָּה Jer. 41:16
16 שַׁלּוּן...שַׂר־פֶּלֶךְ הַמִּצְפָּה Neh. 3:15
17 עֵזֶר בֶּן־יֵשׁוּעַ שַׂר הַמִּצְפָּה Neh. 3:19
18 וַיִּבֶן בָּהֶם אֶת־גֶּבַע וְאֶת־הַמִּצְפָּה IICh. 16:6
וְהַמִּצְפָּה 19 וְהַמִּצְפָּה אֲשֶׁר אָמַר יִצֶף יְיָ Gen. 31:49
20 וְסָבַב בֵּית־אֵל וְהַגִּלְגָּל וְהַמִּצְפָּה ISh. 7:16
21 אַנְשֵׁי גִבְעוֹן וְהַמִּצְפָּה Neh. 3:7
הַמִּצְפָּתָה 22 קִבְצוּ אֶת־כָּל־יִשְׂרָאֵל הַמִּצְפָּתָה ISh. 7:5
23 וַיִּקָּבְצוּ הַמִּצְפָּתָה ISh. 7:6
24 כִּי־הִתְקַבְּצוּ בְנֵי־יִשְׂרָאֵל הַמִּצְפָּתָה ISh. 7:7
25 אֶל־גְּדַלְיָה בֶן־אֲחִיקָם הַמִּצְפָּתָה Jer. 40:6
26 וַיָּבֹאוּ אֶל־גְּדַלְיָה הַמִּצְפָּתָה Jer. 40:8
27/8 אֶל־גְּדַלְיָהוּ הַמִּצְפָּתָה Jer. 40:12, 13
29 אֶל־גְּדַלְיָהוּ...הַמִּצְפָּתָה Jer. 41:1
בַּמִּצְפָּה 30 וַיֵּאָסְפוּ בְּנֵי יִשׂ׳ וַיַּחֲנוּ בַּמִּצְפָּה Jud. 10:17
31 וַיְדַבֵּר יִפְתָּח...לִפְנֵי יְיָ בַּמִּצְפָּה Jud. 11:11
32 וְאִישׁ יִשְׂרָאֵל נִשְׁבַּע בַּמִּצְפָּה Jud. 21:1
33 וַיִּשְׁפֹּט שְׁמוּאֵל אֶת־בְּ־יִ׳ בַּמִּצְפָּה ISh. 7:6
34 וַיַּכּוּ...אֲשֶׁר־הָיוּ אִתּוֹ בַּמִּצְפָּה IIK. 25:25
35 וַאֲנִי הִנְנִי יֹשֵׁב בַּמִּצְפָּה Jer. 40:10
36 אָמַר אֶל־גְּדַלְיָהוּ בַסֵּתֶר בַּמִּצְפָּה Jer. 40:15
37 וַיֹּאכְלוּ שָׁם לֶחֶם יַחְדָּו בַּמִּצְפָּה Jer. 41:1
38 ...אֲשֶׁר־הָיוּ אִתּוֹ...בַּמִּצְפָּה Jer. 41:3
39 כָּל־שְׁאֵרִית הָעָם אֲשֶׁר בַּמִּצְפָּה Jer. 41:10
40 כָּל־הָעָם הַנִּשְׁאָרִים בַּמִּצְפָּה Jer. 41:10

מַצְפּוּן*
ז׳ מסתר, מחבוא

מַצְפֻּנָיו 1 אֵיךְ נֶחְפְּשׂוּ עֵשָׂו נִבְעוּ מַצְפֻּנָיו Ob. 6

מֵצִיץ
: מָצַץ; מֵץ, מֵיץ, מַצָּה¹

מָצַץ
פ׳ ינק

תָּמֹצּוּ 1 לְמַעַן תָּמֹצּוּ וְהִתְעַנַּגְתֶּם מִזִּיז כְּבוֹדָהּ Is. 66:11

מֵצַר
ז׳ מעבר צר (ובהשאלה) לחץ, צרה: 1-3

מִן הַמֵּצַר 1; בֵּין הַמְּצָרִים 2; מְצָרֵי שְׁאוֹל 3

הַמֵּצַר 1 מִן־הַמֵּצַר קָרָאתִי יָּהּ Ps. 118:5
הַמְּצָרִים 2 כָּל־רֹדְפֶיהָ הִשִּׂיגוּהָ בֵּין הַמְּצָרִים Lam. 1:3
וּמְצָרֵי־ 3 וּמְצָרֵי שְׁאוֹל מְצָאוּנִי Ps. 116:3

מִצְרָה
(ירמיה מח41) – עין צָרַר² (22, 23)

מִצְרִי
ת׳ איש מתושבי מצרים: 1-29

אִישׁ מִצְרִי 1-4, 6, 8, 18; בֵּית הַמִּ׳ 11; יַד הַמִּ׳ 14-16, 19; נַעַר מִ׳ 7; עֶבֶד מִ׳ 9; הָגָר הַמִּצְרִית 21-23; שִׁפְחָה מִצְרִית 20; נָשִׁים מִצְרִיּוֹת 29

מִצְרִי 1 וַיִּקְנֵהוּ פּוֹטִיפַר...אִישׁ מִצְרִי Gen. 39:1
2 וַיַּרְא אִישׁ מִצְרִי מַכֶּה אִישׁ־עִבְרִי Ex. 2:11
3 אִישׁ מִצְרִי הִצִּילָנוּ מִיַּד הָרֹעִים Ex. 2:19
4 וְהוּא בֶּן־אִישׁ מִצְרִי Lev. 24:10
5 לֹא־תְתַעֵב מִצְרִי Deut. 23:8
6 וַיִּמְצְאוּ אִישׁ־מִצְרִי בַּשָּׂדֶה ISh. 30:11
7 נַעַר מִצְרִי אָנֹכִי ISh. 30:13
8 וְהוּא הִכָּה אֶת־אִישׁ מִצְרִי IISh. 23:21
9 וּלְשֵׁשָׁן עֶבֶד מִצְרִי וּשְׁמוֹ יַרְחָע ICh. 2:34
הַמִּצְרִי 10 וַיְהִי בְּבֵית אֲדֹנָיו הַמִּצְרִי Gen. 39:2
11 וַיְבָרֶךְ יְיָ אֶת־בֵּית הַמִּצְרִי Gen. 39:5
12 וַיַּךְ אֶת־הַמִּצְרִי Ex. 2:12
13 כַּאֲשֶׁר הָרַגְתָּ אֶת־הַמִּצְרִי Ex. 2:14
14 וּבְיַד הַמִּצְרִי חֲנִית IISh. 23:21
15/6 וַיִּגְזֹל אֶת־הַחֲנִית מִיַּד הַמִּצְרִי IISh. 23:21
ICh. 11:23
17 כְּתֹעֲבֹתֵיהֶם...הַמִּצְרִי וְהָאֱמֹרִי Ez. 9:1
18 וְהוּא הִכָּה אֶת־הָאִישׁ הַמִּצְרִי... ICh. 11:23
19 וּבְיַד הַמִּצְרִי חֲנִית כִּמְנוֹר אֹרְגִים ICh. 11:23
מִצְרִית 20 וְלָהּ שִׁפְחָה מִצְרִית וּשְׁמָהּ הָגָר Gen. 16:1
הַמִּצְרִית 21 וַתִּקַּח...אֶת־הָגָר הַמִּצְרִית Gen. 16:3
22 וַתֵּרֶא...אֶת־בֶּן־הָגָר הַמִּצְרִית Gen. 21:9
23 אֲשֶׁר יָלְדָה הָגָר הַמִּצְרִית Gen. 25:12
הַמִּצְרִים 24 וְהָיָה כִּי־יִרְאוּ...הַמִּצְרִים Gen. 12:12
25 וַיִּרְאוּ הַמִּצְרִים אֶת־הָאִשָּׁה Gen. 12:14
26 לֹא יוּכְלוּן הַמִּצְרִים לֶאֱכֹל אֶת־הָעִבְרִים לֶחֶם Gen. 43:32
27 וַיָּרֵעוּ אֹתָנוּ הַמִּצְרִים וַיְעַנּוּנוּ Deut. 26:6
28 מַאֲפֵל בֵּינֵיכֶם וּבֵין הַמִּצְרִים Josh. 24:7
הַמִּצְרִיּוֹת 29 לֹא כַנָּשִׁים הַמִּצְרִיֹּת הָעִבְרִיֹּת Ex. 1:19

מִצְרַיִם
שפ״ז א) בן חָם בן נֹחַ: 509, 510
ב) על שמו הארץ באפריקה ממערב לים־סוף, וכן שֵׁם העם היושב בה: 1-680

אַדְמַת מִצְרַיִם 119, 122; אֵטוּן מִ׳ 476; אֱלֹהֵי מִ׳ 183, 257, 258; אֱלִילֵי מִ׳ 228; אֶרֶץ מִ׳ 1, 7-113, 177, 293, 296-403, 412; בְּכוֹרֵי מִצְרַיִם 474; בְּנֵי מִ׳ 261; בַּת מִ׳ 464, 466; בְּתוֹכֵכִי מִ׳ 475; בָּתֵּי מִ׳ 176; גְּאוֹן מִ׳ 277; גְּבוּל מִ׳ 121, 420, 421, 442, 480; גִּלּוּלֵי מִ׳ 263; דֶּרֶךְ מִ׳ 251, 285, 450; הֲמוֹן מִ׳ 272, 279; חַטַּאת מִ׳ 471; חֵיל מִ׳ 206; חָכְמַת מִ׳ 443; חֲמוּדוֹת מִ׳ 478; חַרְטֻמֵּי מִ׳ 6, 170, 171; חֶרְפַּת מִ׳ 210; טוּב מִ׳ 406; יְאוֹר מִ׳ 469, 470; יְאוֹרֵי מִ׳ 448; יְגִיעַ מִ׳ 249; יַד מִ׳ 161, 201, 215, 218, 428, 430; יוֹם מִ׳ 271; יוֹשְׁבֵי מִ׳ 266; יָם מִ׳ 226; לֵב מִ׳ 193; לְבַב מִ׳ 229; לְבוֹא מִ׳

292; מַדְוֵה(י) מ׳ 205, 208; מוֹטוֹת מ׳ 274; מַחֲנֵה מ׳ 196, 427; מֵימֵי מ׳ 173, 415; מֶלֶךְ מ׳ 4,5, 125-160, 295, 404, 408, 434, 441, 445, 446,467; מַלְכֵי מ׳ 221; מְנִי מ׳ 472; מָעוֹז מ׳468; מִקְנֵה מ׳ 416,417; מַשָּׂא מ׳ 451; מִשְׁפַּחַת מ׳ 287; נְהַר מ׳ 2; נַחַל מ׳ 212, 219, 225, 437, 454, 479; נַחְלָה מ׳ 433; סִבְלוֹת מ׳ 166, 413; סוֹמְכֵי מ׳ 270; עֵינֵי מ׳ 188, 409, 422; עַל־פְּנֵי מ׳ 440; עֳנִי מ׳ 163; עֶרְוַת מ׳ 453; צֵל מ׳ 244,455; צֹעַן מ׳ 431; רוּחַ מ׳ 231; רֶכֶב מ׳ 425; שְׁבוּת מ׳ 269; שֵׁבֶט מ׳ 286; שְׁבִי מ׳ 241; שְׁחִין מ׳ 207; שִׁיחוֹר מ׳ 291; תּוֹעֲבַת מִצְרַיִם 117,178,179

מִצְרַיִם
1 ...כְּגַן־יְיָ כְּאֶרֶץ מִצְרַיִם Gen. 13:10
2 מִנְּהַר מִצְרַיִם עַד־הַנָּהָר הַגָּדֹל Gen. 15:18
3 עַד־שׁוּר אֲשֶׁר עַל־פְּנֵי מִצְרַיִם Gen. 25:18
4 מַשְׁקֵה מֶלֶךְ־מִצְרַיִם וְהָאֹפֶה Gen. 40:1
5 הַמַּשְׁקֶה וְהָאֹפֶה אֲשֶׁר לְמֶ׳ מִצְרַיִם Gen. 40:5
6 וַיִּקְרָא אֶת־כָּל־חַרְטֻמֵּי מִצְרַיִם Gen. 41:8
7 לֹא־רָאִיתִי...בְּכָל־אֶרֶץ מִצְרַיִם Gen. 41:19
8-113 (בְּ/לְ/מֵ)אֶרֶץ מִצְרַיִם Gen. 41:34
41:48, 54, 55; 45:18, 19, 20; 46:20; 47:6, 11, 13, 14, 15; 47:27, 28; 48:5 • Ex. 6:26; 7:4, 19; 9:22, 24, 25; 10:12; 10:13, 14, 22; 11:3, 5; 12:1, 12[2], 29, 42, 51; 13:15; 16:3; 20:2; 29:46; 32:1, 11, 23 • Lev. 11:45; 18:3; 22:33; 26:13, 45 • Num. 1:1; 3:13; 8:17; 9:1; 14:2; 15:41; 33:1, 38 • Deut. 5:6, 15; 6:12; 8:14; 9:7; 11:10; 13:6, 11; 15:15; 16:3[2]; 29:1; 34:11 • Josh. 24:17 • Jud. 2:12; 19:30 • IK. 6:1; 9:9 • IIK. 17:7, 36 • Is. 19:18 • Jer. 7:25; 11:4, 7; 32:20; 34:13; 42;14; 43:7, 12; 44:8, 12[2], 13, 15, 27, 28[2] • Ezek. 29:9; 29:10, 12; 30:13; 32:15 • Hosh. 11:5 • Am. 3:1; 9:7 • Mic. 6:4 • Zech. 10:10 • Ps. 78:12 • Dan. 9:15; 11:42 • IICh. 6:5; 7:22
114 וַיֹּאמֶר פַּרְעֹה לְכָל־מִצְרַיִם Gen. 41:55
115 וַיָּקֻמוּ וַיֵּרְדוּ מִצְרַיִם Gen. 43:15
116 וַיִּשְׁמְעוּ מִצְרַיִם... Gen. 45:2
117 תוֹעֲבַת מִצְרַיִם כָּל־רֹעֵה צֹאן Gen. 46:34
118 וַיָּבֹאוּ כָל־מִצְרַיִם אֶל־יוֹסֵף Gen. 47:15
119 וַיִּקֶן יוֹסֵף...כָּל־אַדְמַת מִצְרַיִם Gen. 47:20
120 כִּי־מָכְרוּ מִצְרַיִם אִישׁ שָׂדֵהוּ Gen. 47:20
121 מִקְצֵה גְבוּל־מִצְרַיִם Gen. 47:21
122 לְחֹק...עַל־אַדְמַת מִצְרַיִם Gen. 47:26
123 וַיִּבְכּוּ אֹתוֹ מִצְרַיִם שִׁבְעִים יוֹם Gen. 50:3
124 וַיַּעֲבִדוּ מִצְרַיִם אֶת־בְּ״יִ בְּפָרֶךְ Ex. 1:13
125 וַיֹּאמֶר מֶלֶךְ מִצְרַיִם לַמְיַלְּדֹת Ex. 1:15
126-160 (לְ)מֶלֶךְ מִצְרַיִם Ex. 1:18; 2:23
3:18, 19; 5:4; 6:11, 13, 27, 29; 14:5, 8 • Deut. 11:3 • IK. 9:16; 11:18, 40; 14:25 • IIK. 17:4; 18:21; 23:29; 24:7 • Is. 36:6 • Jer. 25:19; 44:30; 46:2, 17 • Ezek. 29:3; 30:21, 22; 31:2; 32:2 • IICh. 12:2, 9; 35:20; 36:3, 4
161 וָאֵרֵד לְהַצִּילוֹ מִיַּד מִצְרַיִם Ex. 3:8
162 ...אֲשֶׁר מִצְרַיִם לֹחֲצִים אֹתָם Ex. 3:9
163 אַעֲלֶה אֶתְכֶם מֵעֳנִי מִצְרַיִם Ex. 3:17
164 וְהִכֵּיתִי אֶת־מִצְרַיִם Ex. 3:20
165 אֲשֶׁר מִצְרַיִם מַעֲבִדִים אֹתָם Ex. 6:5
166 וְהוֹצֵאתִי...מִתַּחַת סִבְלֹת מִצְרַיִם Ex. 6:6
167-169 וְיָדְעוּ מִצְרַיִם כִּי־אֲנִי יְיָ Ex. 7:5; 14:4,18
170/1 חַרְטֻמֵּי מִצְרַיִם Ex. 7:11, 22
172 וְנִלְאוּ מִצְרַיִם לִשְׁתּוֹת...מִן־הַיְאֹר Ex. 7:18
173 וּנְטֵה־יָדְךָ עַל־מֵימֵי מִצְרַיִם... Ex. 7:19
174 וְלֹא־יָכְלוּ מִצְרַיִם לִשְׁתּוֹת מַיִם מִן־הַיְאֹר Ex. 7:21

מִצְרַיִם (המשך)
175 וַיַּחְפְּרוּ כָל־מִצְרַיִם סְבִיבֹת הַיְאֹר Ex. 7:24
176 וּמָלְאוּ בָּתֵּי מִצְרַיִם אֶת־הֶעָרֹב Ex. 8:17
177 וּבְכָל־אֶרֶץ מִצְרַיִם תִּשָּׁחֵת הָאָרֶץ Ex. 8:20
178 תּוֹעֲבַת מִצְרַיִם נִזְבַּח לַיְיָ אֱלֹהֵינוּ Ex. 8:22
179 נִזְבַּח אֶת־תּוֹעֲבַת מִצְרַיִם Ex. 8:22
180 וּמָלְאוּ בָתֶּיךָ...וּבָתֵּי כָל־מִצְרַיִם Ex. 10:6
181 אָבִיא עַל־פַּרְעֹה וְעַל־מִצְרַיִם Ex. 11:1
182 יַפְלֶה יְיָ בֵּין מִצְרַיִם וּבֵין יִשְׂרָאֵל Ex. 11:7
183 וּבְכָל־אֱלֹהֵי מִצְרַיִם אֶעֱשֶׂה שְׁפָטִים Ex. 12:12
184 וְעָבַר יְיָ לִנְגֹּף אֶת־מִצְרַיִם Ex. 12:23
185 אֲשֶׁר פָּסַח...בְּנָגְפּוֹ אֶת־מִצְרַיִם Ex. 12:27
186 וְכָל־עֲבָדָיו וְכָל־מִצְרַיִם Ex. 12:30
187 וַתֶּחֱזַק מִצְרַיִם עַל־הָעָם Ex. 12:33
188 וַיְיָ נָתַן אֶת־חֵן הָעָם בְּעֵינֵי מִצְרַיִם Ex. 12:36
189 וַיִּרְדְּפוּ מִצְרַיִם אַחֲרֵיהֶם Ex. 14:9
190 וְהִנֵּה מִצְרַיִם נֹסֵעַ אַחֲרֵיהֶם Ex. 14:10
191 כִּי טוֹב לָנוּ עֲבֹד אֶת־מִצְרַיִם... Ex. 14:12
192 רְאִיתֶם אֶת־מִצְרַיִם הַיּוֹם... Ex. 14:13
193 וַאֲנִי הִנְנִי מְחַזֵּק אֶת־לֵב מִצְרַיִם Ex. 14:17
194 וַיָּבֹא בֵּין מַחֲנֵה מִצְרַיִם... Ex. 14:20
195 וַיִּרְדְּפוּ מִצְרַיִם וַיָּבֹאוּ אַחֲרֵיהֶם Ex. 14:23
196 וַיַּשְׁקֵף יְיָ אֶל־מַחֲנֵה מִצְרַיִם Ex. 14:24
197 וַיֹּאמֶר מִצְרַיִם אָנוּסָה מִפְּנֵי יִשְׂ׳ Ex. 14:25
198 וְיָשֻׁבוּ הַמַּיִם עַל־מִצְרַיִם... Ex. 14:26
199 וַיְנַעֵר יְיָ אֶת־מִצְרַיִם בְּתוֹךְ הַיָּם Ex. 14:27
200 וַיַּרְא יִשְׂרָאֵל אֶת־מִצְרַיִם מֵת... Ex. 14:30
201 אֲשֶׁר הִצִּיל אֶתְכֶם מִיַּד מִצְרַיִם Ex. 18:10
202 לָמָּה יֹאמְרוּ מִצְרַיִם לֵאמֹר Ex. 32:12
203 וְשָׁמְעוּ מִצְרַיִם כִּי הֶעֱלִיתָ... Num. 14:13
204 וַיָּרֵעוּ לָנוּ מִצְרַיִם וְלַאֲבֹתֵינוּ Num. 20:15
205 וְכָל־מַדְוֵי מִצְרַיִם הָרָעִים Deut. 7:15
206 וַאֲשֶׁר עָשָׂה לְחֵיל מִצְרַיִם Deut. 11:4
207 יַכְּכָה יְיָ בִּשְׁחִין מִצְרַיִם Deut. 28:27
208 וְהֵשִׁיב בְּךָ...כָּל־מַדְוֵה מִצְרַיִם Deut. 28:60
209 וֶהֱשִׁיבְךָ יְיָ מִצְרַיִם בָּאֳנִיּוֹת Deut. 28:68
210 גַּלּוֹתִי אֶת־חֶרְפַּת מִצְרַיִם מֵעֲלֵיכֶם Josh. 5:9
211 מִן־הַשִּׁיחוֹר אֲשֶׁר עַל־פְּנֵי מִצְרַיִם Josh. 13:3
212 וְעָבַר...וְיָצָא נַחַל מִצְרַיִם Josh. 15:4
213 וָאֶשְׁלַח...וָאֶגֹּף אֶת־מִצְרַיִם Josh. 24:5
214 וַיִּרְדְּפוּ מִצְרַיִם אַחֲרֵי אֲבוֹתֵיכֶם Josh. 24:6
215 וָאַצִּל אֶתְכֶם מִיַּד מִצְרַיִם Jud. 6:9
216 הָאֱלֹהִים הַמַּכִּים אֶת־מִצְרַיִם ISh. 4:8
217 כִּבְּדוּ מִצְרַיִם וּפַרְעֹה אֶת־לִבָּם ISh. 6:6
218 וָאַצִּיל אֶתְכֶם מִיַּד מִצְרַיִם ISh. 10:18
219 מִלְּבוֹא חֲמָת עַד־נַחַל מִצְרַיִם IK. 8:65
220 וַיָּקָם יָרָבְעָם וַיִּבְרַח מִצְרַיִם IK. 11:40
221 שָׂכַר־עָלֵינוּ...וְאֶת־מַלְכֵי מִצְרַיִם IIK. 7:6
222 הִנֵּה בָטַחְתָּ לְּךָ...עַל־מִצְרַיִם IIK. 18:21
223 וַתִּבְטַח לְךָ עַל־מִצְרַיִם IIK. 18:24
224 וַיָּבֹא מִצְרַיִם וַיָּמָת שָׁם IIK. 23:34
225 כִּי־לָקַח מֶלֶךְ בָּבֶל מִנַּחַל מִצְרַיִם IIK. 24:7
226 וְהֶחֱרִים יְיָ אֵת לְשׁוֹן יָם־מִצְרַיִם Is. 11:15
227 יְיָ רֹכֵב עַל־עָב קַל וּבָא מִצְרַיִם Is. 19:1
228 וְנָעוּ אֱלִילֵי מִצְרַיִם מִפָּנָיו Is. 19:1
229 וּלְבַב מִצְרַיִם יִמַּס בְּקִרְבּוֹ Is. 19:1
230 וְסִכְסַכְתִּי מִצְרַיִם בְּמִצְרַיִם Is. 19:2
231 וְנָבְקָה רוּחַ־מִצְרַיִם בְּקִרְבּוֹ Is. 19:3
232 וְסִכַּרְתִּי אֶת־מִצְרַיִם בְּיַד אֲדֹנִים Is. 19:4
233 וְהִתְעוּ אֶת־מִצְרַיִם פִּנַּת שְׁבָטֶיהָ Is. 19:13
234 וְהִתְעוּ אֶת־מִצְרַ׳ בְּכָל־מַעֲשֵׂהוּ Is. 19:14
235 יִהְיֶה מִצְרַיִם כַּנָּשִׁים Is. 19:16
236 וְיָדְעוּ מִצְרַיִם אֶת־יְיָ Is. 19:21

מִצְרַיִם (המשך)
237 וְנָגַף יְיָ אֶת־מִצְרַיִם Is. 19:22
238 וְעָבְדוּ מִצְרַיִם אֶת־אַשּׁוּר Is. 19:23
239 בָּרוּךְ עַמִּי מִצְרַיִם Is. 19:25
240 אוֹת וּמוֹפֵת עַל־מִצְרַיִם Is. 20:3
241 אֶת־שְׁבִי מִצְרַיִם וְאֶת־גָּלוּת כּוּשׁ Is. 20:4
242 וְחַתּוּ...וּמִן־מִצְרַיִם תִּפְאַרְתָּם Is. 20:5
243 הַהֹלְכִים לָרֶדֶת מִצְרַיִם Is. 30:2
244 וְהֶחָסוּת בְּצֵל־מִצְרַיִם לִכְלִמָּה Is. 30:3
245 הוֹי הַיֹּרְדִים מִצְרַיִם לְעֶזְרָה Is. 31:1
246 הִנֵּה בָטַחְתָּ ..עַל־מִצְרַיִם Is. 36:6
247 וַתִּבְטַח לְךָ עַל־מִצְרַיִם Is. 36:9
248 נָתַתִּי כָפְרְךָ מִצְרַיִם Is. 43:3
249 יְגִיעַ מִצְרַיִם וּסְחַר־כּוּשׁ Is. 45:14
250 מִצְרַיִם יָרַד־עַמִּי בָרִאשֹׁנָה Is. 52:4
251 מַה־לָּךְ לְדֶרֶךְ מִצְרַיִם Jer. 2:18
252 עַל־מִצְרַיִם וְעַל־יְהוּדָה Jer. 9:25
253 תְּשִׂמוּן פְּנֵיכֶם לָבֹא מִצְרַיִם Jer. 42:15
254 שָׁם יִדְבַּק אַחֲרֵיכֶם מִצְרַיִם Jer. 42:16
255 לָבוֹא מִצְרַיִם לָגוּר שָׁם Jer. 42:17
256 לֹא־תָבֹאוּ מִצְרַיִם לָגוּר שָׁם Jer. 43:2
257 וְהִצַּתִּי אֵשׁ בְּבָתֵּי אֱלֹהֵי מִצְרַיִם Jer. 43:12
258 אֱלֹהֵי מִצְרַיִם יִשְׂרֹף בָּאֵשׁ Jer. 43:13
259 מִצְרַיִם כַּיְאֹר יַעֲלֶה Jer. 46:8
260 וְעַל־פַּרְעֹה וְעַל־מִצְרַיִם Jer. 46:25
261 וַתִּזְנִי אֶל־בְּנֵי־מִצְרַיִם שְׁכֵנַיִךְ Ezek. 16:26
262 לִשְׁלֹחַ מַלְאָכָיו מִצְרַיִם Ezek. 17:15
263 וּבְגִלּוּלֵי מִצְרַיִם אַל־תִּטַּמָּאוּ Ezek. 20:7
264 וְאֶת־גִּלּוּלֵי מִצְרַיִם לֹא עָזָבוּ Ezek. 20:8
265 וְהִנָּבֵא עָלָיו וְעַל־מִצְרַיִם כֻּלָּהּ Ezek. 29:2
266 וְיָדְעוּ כָּל־יֹשְׁבֵי מִצְרַיִם Ezek. 29:6
267 וַהֲפִצֹתִי אֶת־מִצְרַיִם בַּגּוֹיִם Ezek. 29:12
268 אֲקַבֵּץ אֶת־מִצְרַיִם מִן־הָעַמִּים Ezek. 29:13
269 וְשַׁבְתִּי אֶת־שְׁבוּת מִצְרַיִם Ezek. 29:14
270 וְנָפְלוּ סֹמְכֵי מִצְרַיִם Ezek. 30:6
271 וְהָיְתָה חַלְחָלָה...כְּיוֹם מִצְרַיִם Ezek. 30:9
272 וְהִשְׁבַּתִּי אֶת־הֲמוֹן מִצְרַיִם Ezek. 30:10
273 וְהֵרִיקוּ חַרְבוֹתָם עַל־מִצְרַיִם Ezek. 30:11
274 בְּשִׁבְרִי־שָׁם אֶת־מֹטוֹת מִצְרַיִם Ezek. 30:18
275/6 וַהֲפִצוֹתִי אֶת־מִצְרַיִם בַּגּוֹיִם Ezek. 30:23, 26
277 וְשָׁדְדוּ אֶת־גְּאוֹן מִצְרַיִם Ezek. 32:12
278 עַל־מִצְרַיִם וְעַל־כָּל־הֲמוֹנָהּ Ezek. 32:16
279 נְהֵה עַל־הֲמוֹן מִצְרַיִם... Ezek. 32:18
280 מִצְרַיִם קָרָאוּ אַשּׁוּר הָלָכוּ Hosh. 7:11
281 הֵמָּה מִצְרַיִם יָשׁוּבוּ Hosh. 8:13
282 וְשָׁב אֶפְרַיִם מִצְרַיִם... Hosh. 9:3
283 מִצְרַיִם תְּקַבְּצֵם מֹף תְּקַבְּרֵם Hosh. 9:6
284 מִצְרַיִם לִשְׁמָמָה תִהְיֶה Joel 4:19
285 שִׁלַּחְתִּי בָכֶם דֶּבֶר בְּדֶרֶךְ מִצְרַיִם Am. 4:10
286 וְשֵׁבֶט מִצְרַיִם יָסוּר Zech. 10:11
287 מִשְׁפַּחַת מִצְרַיִם לֹא־תַעֲלֶה Zech. 14:18
288 שָׂמַח מִצְרַיִם בְּצֵאתָם Ps. 105:38
289 לְמַכֵּה מִצְרַיִם בִּבְכוֹרֵיהֶם Ps. 136:10
290 מִצְרַיִם נָתַנּוּ יָד Lam. 5:6
291 מִן־שִׁיחוֹר מִצְרַיִם וְעַד־לְבוֹא חֲמָת ICh.13:5
292 וַיֵּלֶךְ שְׁמוֹ עַד־לְבוֹא מִצְרַיִם IICh. 26:8

מִצְרָיִם
293 וַתִּקַּח־לוֹ...אִשָּׁה מֵאֶרֶץ מִצְרָיִם Gen. 21:21
294 וְהַמְּדָנִים מָכְרוּ אֹתוֹ אֶל־מִצְרָיִם Gen. 37:36
295 לַאֲדֹנֵיהֶם לְמֶלֶךְ מִצְרָיִם Gen. 40:1
296 שָׂבָע גָּדוֹל בְּכָל־אֶרֶץ מִצְרָיִם Gen. 41:29
297 וְנִשְׁכַּח כָּל־הַשָּׂבָע בְּאֶרֶץ מִצְרָיִם Gen.41:30
298-403 (בְּ/לְ/מֵ)אֶרֶץ מִצְרָיִם Gen. 41:33
41:36, 41, 43, 44, 45, 46, 53, 56; 45:8, 26; 50:7

מִצְרַיִם (המשך) Ex. 5:12; 16:13, 28; 7:3, 21; 8:1, 2, 3, 12, 13; 9:9²; 22, 23; 10:12, 15, 21; 11:6, 9; 12:13, 17, 41; 13:18; 16:1; 16:6, 32; 19:1; 22:20; 23:9; 32:4, 7, 8; 33:1 • Lev. 19:34, 36; 23:43; 25:38, 42, 55 • Num. 26:4 • Deut. 1:27; 10:19; 20:1; 24:22; 29:15, 24 • ISh. 12:6; 27:8 • IK. 8:9, 21; 12:28 • Is. 11:16; 19:19, 20; 27:13 • Jer. 2:6; 7:22; 16:14; 23:7; 24:8; 31:32(31); 32:21; 42:16; 43:11, 13; 44:1, 14, 24, 26²; 46:13 • Ezek. 19:4; 20:5, 6, 8, 9, 10, 36; 23:19, 27; 29:19, 20; 30:13, 25 • Hosh. 2:17; 7:16; 12:10; 13:4 • Am. 2:10; 3:9 • Mic. 7:15 • Ps. 81:6, 11 • IICh. 20:10

404 בְּעָמְדוֹ לִפְנֵי פַּרְעֹה מֶלֶךְ־מִצ׳ Gen. 41:46
405 לְאָדוֹן לְכָל־מִצְרָיִם Gen. 45:9
406 נֹשְׂאִים מִטּוּב מִצְרָיִם Gen. 45:23
407 וַיָּקָם מֶלֶךְ־חָדָשׁ עַל־מִצְרָיִם Ex. 1:8
408 כַּאֲשֶׁר דִּבֶּר אֲלֵיהֶן מֶלֶךְ מִצְרָיִם Ex. 1:17
409 אֶת־חֵן הָעָם הַזֶּה בְּעֵינֵי מִצְרָיִם Ex. 3:21
410 וְנִצַּלְתֶּם אֶת־מִצְרָיִם Ex. 3:22
411 וַיֹּאמֶר יְיָ...לֵךְ שֻׁב מִצְרָיִם Ex. 4:19
412 ...וַיָּשָׁב אַרְצָה מִצְרָיִם Ex. 4:20
413 הַמּוֹצִיא... מִתַּחַת סִבְלוֹת מִצְרָיִם Ex. 6:7
414 בִּנְטֹתִי אֶת־יָדִי עַל־מִצְרָיִם Ex. 7:5
415 וַיֵּט אַהֲרֹן...יָדוֹ עַל מֵימֵי מִצְרָיִם Ex. 8:2
416 וְהִפְלָה...וּבֵין מִקְנֵה מִצְרָיִם Ex. 9:4
417 וַיָּמָת כֹּל מִקְנֵה מִצְרָיִם Ex. 9:6
418 ...בַּחַרְטֻמִּם וּבְכָל־מִצְרָיִם Ex. 9:11
419 הֲטֶרֶם תֵּדַע כִּי אָבְדָה מִצְרָיִם Ex. 10:7
420 וַיָּנַח בְּכֹל גְּבוּל מִצְרָיִם Ex. 10:14
421 לֹא נִשְׁאַר...בְּכֹל גְּבוּל מִצְרָיִם Ex. 10:19
422 וַיִּתֵּן יְיָ אֶת־חֵן הָעָם בְּעֵינֵי מִצְרָיִם Ex. 11:3
423 אֲנִי יוֹצֵא בְּתוֹךְ מִצְרָיִם Ex. 11:4
424 וַיַּשְׁאִלוּם וַיְנַצְּלוּ אֶת־מִצְרָיִם Ex. 12:36
425 וַיִּקַּח...וְכֹל רֶכֶב מִצְרָיִם Ex. 14:7
426 חֲדַל מִמֶּנּוּ וְנַעַבְדָה אֶת־מִצְרָיִם Ex. 14:12
427 וַיָּהָם אֵת מַחֲנֵה מִצְרָיִם Ex. 14:24
428 וַיּוֹשַׁע יְיָ ..מִיַּד מִצְרָיִם Ex. 14:30
429 ...אֲשֶׁר הִצִּילוֹ מִיַּד מִצְרָיִם Ex. 18:9
430 אֶת־הָעָם מִתַּחַת יַד־מִצְרָיִם Ex. 18:10
431 ...נִבְנְתָה לִפְנֵי צֹעַן מִצְרָיִם Num. 13:22
432 יָצְאוּ בְ״יִ...לְעֵינֵי כָּל־מִצְרָיִם Num. 33:3
433 וְנָסַב הַגְּבוּל...נַחְלָה מִצְרָיִם Num. 34:5
434 מִיַּד פַּרְעֹה מֶלֶךְ־מִצְרָיִם Deut. 7:8
435 אֲשֶׁר־עָשָׂה...לְפַרְעֹה וּלְכָל־מִצְרָיִם Deut. 7:18
436 מַעֲשָׂיו אֲשֶׁר עָשָׂה בְּתוֹךְ מִצְרָיִם Deut. 11:3
437 עַד־נַחַל מִצְרָיִם Josh. 15:47
438 וְיַעֲקֹב וּבָנָיו יָרְדוּ מִצְרָיִם Josh. 24:4
439 כַּאֲשֶׁר־בָּא יַעֲקֹב מִצְרָיִם ISh. 12:8
440 בּוֹאֲךָ שׁוּר אֲשֶׁר עַל־פְּנֵי מִצְרָיִם ISh. 15:7
441 וַיִּתְחַתֵּן...אֶת־פַּרְעֹה מֶלֶךְ מִצְרָיִם IK. 3:1
442 מִן־הַנָּהָר...וְעַד־גְּבוּל מִצְרָיִם IK. 5:1
443 וַתֵּרֶב...וּמִכֹּל חָכְמַת מִצְרָיִם IK. 5:10
444 וַיִּבְרַח אֲדַד...לָבוֹא מִצְרָיִם IK. 11:17
445 מִתַּחַת יַד פַּרְעֹה מֶלֶךְ־מִצְרָיִם IIK. 17:7
446 אֲשֶׁר הָיְתָה לְמֶלֶךְ מִצְרָיִם IIK. 24:7
447 וַיָּקֻמוּ...וַיָּבֹאוּ מִצְרָיִם IIK. 25:26
448 אֲשֶׁר בִּקְצֵה יְאֹרֵי מִצְרָיִם Is. 7:18
449 וּמַטֵּהוּ יִשָּׂא עָלֶיךָ בְּדֶרֶךְ מִצְרָיִם Is. 10:24
450 וּנְשָׂאוֹ בְּדֶרֶךְ מִצְרָיִם Is. 10:26
451 מַשָּׂא מִצְרָיִם Is. 19:1
452 מַה־יָּעַץ יְיָ...עַל־מִצְרָיִם Is. 19:12
453 וַחֲשׂוּפַי שֵׁת עֶרְוַת מִצְרָיִם Is. 20:4
454 מִשִּׁבֹּלֶת הַנָּהָר עַד־נַחַל מִצְרָיִם Is. 27:12

מִצְרָיִם (המשך)
455 וְלַחְסוֹת בְּצֵל מִצְרָיִם Is. 30:2
456 וַיִּבְרַח וַיָּבֹא מִצְרָיִם Jer. 26:21
457 וַיִּשְׁלַח הַמֶּלֶךְ יְהוֹיָקִים אֲנָשִׁים מִצְרָיִם Jer. 26:22
458 וַאֲנָשִׁים אִתּוֹ אֶל־מִצְרָיִם Jer. 26:22
459 שָׁב לְאַרְצוֹ מִצְרָיִם Jer. 37:7
460 לָלֶכֶת לָבוֹא מִצְרָיִם Jer. 41:17
461 תִּתַּךְ חֲמָתִי עֲלֵיכֶם בְּבֹאֲכֶם מִצְרָיִם Jer. 42:18
462 דִּבֶּר יְיָ...אַל־תָּבֹאוּ מִצְרָיִם Jer. 42:19
463 בְּתוּלַת בַּת־מִצְרָיִם Jer. 46:11
464 יוֹשֶׁבֶת בַּת־מִצְרָיִם Jer. 46:19
465 עֶגְלָה יְפֵה־פִיָּה מִצְרָיִם Jer. 46:20
466 הֹבִישָׁה בַּת־מִצְרָיִם Jer. 46:24
467 שִׂים פָּנֶיךָ עַל־פַּרְעֹה מֶלֶךְ מִצְרָיִם Ezek. 29:2
468 עַל־סִין מָעוֹז מִצְרָיִם Ezek. 30:15
469 וְנִשְׁקְעָה° כִּיאוֹר מִצְרָיִם Am. 8:8
470 וְשָׁקְעָה כִּיאֹר מִצְרָיִם Am. 9:5
471 זֹאת תִּהְיֶה חַטַּאת מִצְרָיִם Zech. 14:19
472 יֶאֱתָיוּ חַשְׁמַנִּים מִנִּי מִצְרָיִם Ps. 68:32
473 וַיָּבֹא יִשְׂרָאֵל מִצְרָיִם Ps. 105:23
474 שֶׁהִכָּה בְּכוֹרֵי מִצְרָיִם Ps. 135:8
475 וּמֹפְתִים בְּתוֹכֵכִי מִצְרָיִם Ps. 135:9
476 חֲטֻבוֹת אֵטוּן מִצְרָיִם Prov. 7:16
477 אֱלֹהֵיהֶם...בַּשֶּׁבִי יָבִא מִצְרָיִם Dan. 11:8
478 וּבְכֹל חֲמֻדוֹת מִצְרָיִם Dan. 11:43
479 מִלְּבוֹא חֲמָת עַד־נַחַל מִצְרָיִם IICh. 7:8
480 מִן־הַנָּהָר...וְעַד גְּבוּל מִצְרָיִם IICh. 9:26

מִצְרַיְמָה
481 וַיֵּרֶד אַבְרָם מִצְרַיְמָה לָגוּר שָׁם Gen. 12:10
482 וְכָל־הָאָרֶץ בָּאוּ מִצְרַיְמָה Gen. 41:57
483 אָנֹכִי אֵרֵד עִמְּךָ מִצְרַיְמָה Gen. 46:4
484 וְאֵלֶּה שְׁמוֹת בְּ״יִ הַבָּאִים מִצְרַיְמָה Gen. 46:8
485 כָּל־הַנֶּפֶשׁ הַבָּאָה...מִצְרַיְמָה Gen. 46:26
486 כָּל־הַנֶּפֶשׁ...הַבָּאָה מִצְרַיְמָה Gen. 46:27
487 עַד־בֹּאִי אֵלֶיךָ מִצְרַיְמָה Gen. 48:5
488 וַיָּשָׁב יוֹסֵף מִצְרַיְמָה Gen. 50:14
489 בְּלֶכְתְּךָ לָשׁוּב מִצְרַיְמָה Ex. 4:21
490 וַיֵּרְדוּ אֲבֹתֵינוּ מִצְרַיְמָה Num. 20:15
491 וְלֹא־יָשִׁיב אֶת־הָעָם מִצְרַיְמָה Deut. 17:16
492 וַיֵּרֶד מִצְרַיְמָה וַיָּגָר שָׁם Deut. 26:5

מִצְרָיְמָה
493 כַּאֲשֶׁר הִקְרִיב לָבוֹא מִצְרָיְמָה Gen. 12:11
494 וַיְהִי כְּבוֹא אַבְרָם מִצְרָיְמָה Gen. 12:14
495 אַל־תֵּרֵד מִצְרָיְמָה Gen. 26:2
496 הוֹלְכִים לְהוֹרִיד מִצְרָיְמָה Gen. 37:25
497 וַיָּבִיאוּ אֶת־יוֹסֵף מִצְרָיְמָה Gen. 37:28
498 וְיוֹסֵף הוּרַד מִצְרָיְמָה Gen. 39:1
499 אֲשֶׁר־מְכַרְתֶּם אֹתִי מִצְרָיְמָה Gen. 45:4
500 אַל־תִּירָא מֵרְדָה מִצְרָיְמָה Gen. 46:3
501 וַיִּקְחוּ...וַיָּבֹאוּ מִצְרָיְמָה Gen. 46:6
502 וְכָל־זַרְעוֹ הֵבִיא אִתּוֹ מִצְרָיְמָה Gen. 46:7
503 וְאֵלֶּה שְׁמוֹת בְּ״יִ הַבָּאִים מִצְרָיְמָה Ex. 1:1
504 פֶּן־יִנָּחֵם...וְשָׁבוּ מִצְרָיְמָה Ex. 13:17
505 הֲלוֹא טוֹב לָנוּ שׁוּב מִצְרָיְמָה Num. 14:3
506 נִתְּנָה רֹאשׁ וְנָשׁוּבָה מִצְרָיְמָה Num. 14:4
507 בְּשִׁבְעִים נֶפֶשׁ יָרְדוּ...מִצְרָיְמָה Deut. 10:22
508 לָקַח נְכוֹ וַיְבִיאֵהוּ מִצְרָיְמָה IICh. 36:4

וּמִצְרַיִם
509 וּבְנֵי חָם כּוּשׁ וּמִצְרַיִם Gen. 10:6
510 וּמִצְרַיִם יָלַד אֶת־לוּדִים Gen. 10:13
511 וּמִצְרַיִם נָסִים לִקְרָאתוֹ Ex. 14:27
512 וּמִצְרַיִם מְקַבְּרִים...כָּל־בְּכוֹר Num. 33:4
513 וּבָא־אַשּׁוּר בְּמִצ׳ וּמִצְרַיִם בְּאַשּׁוּר Is. 19:23

וּמִצְרַיִם (המשך)
514 וּמִצְרַיִם הֶבֶל וָרִיק יַעְזֹרוּ Is. 30:7
515 וּמִצְרַיִם אָדָם וְלֹא־אֵל Is. 31:3
516 וּמִצְרַיִם לֹא תִזְכְּרִי־עוֹד Ezek. 23:27
517 כּוּשׁ עָצְמָה וּמִצְרַיִם וְאֵין קֵצֶה Nah. 3:9
518 בְּנֵי חָם כּוּשׁ וּמִצְרַיִם... ICh. 1:8
519 וּמִצְרַיִם יָלַד אֶת־לוּדִים°... ICh. 1:11

בְּמִצְרַיִם
520 וְהִגַּדְתֶּם...אֶת־כָּל־כְּבוֹדִי בְּמִצְרַיִם Gen. 45:13
521 וּבְנֵי יוֹסֵף אֲשֶׁר־יֻלַּד־לוֹ בְּמִצְרַיִם Gen. 46:27
522 וַיֵּשֶׁב יוֹסֵף בְּמִצְרַיִם Gen. 50:22
523 וְאָשׁוּבָה אֶל־אַחַי אֲשֶׁר־בְּמִצְרַיִם Ex. 4:18
524 אֲשֶׁר לֹא־הָיָה כָמֹהוּ בְּמִצְרַיִם Ex. 9:18
525 אֵת אֲשֶׁר הִתְעַלַּלְתִּי בְּמִצְרַיִם Ex. 10:2
526 אֲשֶׁר פָּסַח עַל־בָּתֵּי בְ״יִ בְּמִצְרַיִם Ex. 12:27
527 הֲמִבְּלִי אֵין־קְבָרִים בְּמִצְרַיִם... Ex. 14:11
528 אֲשֶׁר דִּבַּרְנוּ אֵלֶיךָ בְמִצְרַיִם Ex. 14:12
529 וַיַּרְא...אֲשֶׁר עָשָׂה יְיָ בְּמִצְרַיִם Ex. 14:31
530 הַמַּחֲלָה אֲשֶׁר־שַׂמְתִּי בְמִצְרַיִם Ex. 15:26
531 אֲשֶׁר־נֹאכַל בְּמִצְרַיִם חִנָּם Num. 11:5
532 אֹתֹתַי אֲשֶׁר־עָשִׂיתִי בְמִצְרַיִם Num. 14:22
533 וַנֵּשֶׁב בְּמִצְרַיִם יָמִים רַבִּים Num. 20:15
534 כְּכֹל אֲשֶׁר עָשָׂה אִתְּכֶם בְּמִצְרַיִם Deut. 1:30
535 כְּכֹל אֲשֶׁר־עָשָׂה...בְּמִצְרַיִם Deut. 4:34
536 וַיִּתֵּן יְיָ אוֹתֹת וּמֹפְתִים...בְּמִצְרַיִם Deut. 6:22
537 וְזָכַרְתָּ כִּי עֶבֶד הָיִיתָ בְּמִצְרַיִם Deut. 24:18
538 בִּהְיוֹתָם בְּמִצְרַיִם לְבֵית פַּרְעֹה ISh. 2:27
539 וַהֲדַד שָׁמַע בְּמִצְרַיִם... IK. 11:21
540 וַיְהִי בְמִצְרַיִם עַד־מוֹת שְׁלֹמֹה IK. 11:40
541 כִּשְׁמֹעַ יָרָבְ׳...וְהוּא עוֹדֶנּוּ בְמִצְרַיִם IK. 12:2
542 וְסִכְסַכְתִּי מִצְרַיִם בְּמִצְרַיִם Is. 19:2
543 וּבָא־אַשּׁוּר בְּמִצְרַיִם... Is. 19:23
544 הַגִּידוּ בְמִצְרַיִם וְהַשְׁמִ׳ בְמִגְדּוֹל Jer. 46:14
545 וַתִּזְנֶינָה בְמִצְרַיִם Ezek. 23:3
546 וּבָאָה חֶרֶב בְּמִצְרַיִם Ezek. 30:4
547 בְּתִתִּי־אֵשׁ בְּמִצְרַיִם Ezek. 30:8
548 וְנָתַתִּי אֵשׁ בְּמִצְרַיִם Ezek. 30:16
549 אֲשֶׁר־שָׂם בְּמִצְרַיִם אֹתוֹתָיו Ps. 78:43
550 אֲבוֹתֵינוּ בְמִצְרַיִם לֹא־הִשְׂכִּילוּ Ps. 106:7
551 כִּשְׁמֹעַ יָרָבְעָם...וְהוּא בְמִצְרַיִם IICh. 10:2

בְּמִצְרָיִם
552/3 ...כִּי יֶשׁ־שֶׁבֶר בְּמִצְרָיִם Gen. 42:1, 2
554 אַל־נָא תִקְבְּרֵנִי בְּמִצְרָיִם Gen. 47:29
555 וַיִּישֶׂם בָּאָרוֹן בְּמִצְרָיִם Gen. 50:26
556 וְיוֹסֵף הָיָה בְמִצְרָיִם Ex. 1:5
557 רָאִיתִי אֶת־עֳנִי עַמִּי אֲשֶׁר בְּמִצְרָיִם Ex. 3:7
558 ...וְאֶת־הֶעָשׂוּי לָכֶם בְּמִצְרָיִם Ex. 3:16
559 וְנָתַתִּי אֶת־יָדִי בְּמִצְרָיִם Ex. 7:4
560 וַתְּהִי צְעָקָה גְדֹלָה בְּמִצְרָיִם Ex. 12:30
561 וּמוֹשַׁב בְּ״יִ אֲשֶׁר יָשְׁבוּ בְּמִצְרָיִם Ex. 12:40
562 כִּי יְיָ נִלְחָם לָהֶם בְּמִצְרָיִם Ex. 14:25
563 כִּי־טוֹב לָנוּ בְּמִצְרָיִם Num. 11:18
564 יָלְדָה אֹתָהּ לְלֵוִי בְּמִצְרָיִם Num. 26:59
565 עֲבָדִים הָיִינוּ לְפַרְעֹה בְּמִצְרָיִם Deut. 6:21
566 וְזָכַרְתָּ כִּי־עֶבֶד הָיִיתָ בְּמִצְרָיִם Deut. 16:12
567 וְאֵת כָּל־אֲשֶׁר עָשָׂה בְּמִצְרָיִם Josh. 9:9
568 אֵת אֲשֶׁר־עָשִׂיתִי בְּמִצְרָיִם Josh. 24:7
569 וַיֵּשֶׁב יָרָבְעָם בְּמִצְרָיִם IK. 12:2
570 בִּנְפֹל חָלָל בְּמִצְרָיִם Ezek. 30:4
571 וְעָשִׂיתִי שְׁפָטִים בְּמִצְרָיִם Ezek. 30:19
572 וַיַּךְ כָּל־בְּכוֹר בְּמִצְרָיִם Ps. 78:51
573 עֹשֶׂה גְדֹלוֹת בְּמִצְרָיִם Ps. 106:21
574 וַתֵּרֶא אֶת־עֳנִי אֲבֹתֵינוּ בְּמִצְרָיִם Neh. 9:9

וּבְמִצְרַיִם 575 עִבְדוּ...בְּעֵבֶר הַנָּהָר וּבְמִצְרַיִם Josh. 24:14
576 וַיִּפְתַּח...וַיִּשְׁבֹּר לְמִצְרַיִם Gen. 41:56
לְמִצְרַיִם 577 וְלֹא־יִהְיֶה לְמִצְרַיִם מַעֲשֶׂה Is. 19:15
578 וְהָיְתָה אַדְמַת יְהוּדָה לְמִצ׳ לְחָגָּא Is. 19:17
579 וְנוֹדַע יְיָ לְמִצְרַיִם Is. 19:21
580 שְׁלִישִׁיָּה לְמִצְרַיִם וּלְאַשּׁוּר Is. 19:24
581 לְמִצְרַיִם עַל־חֵיל פַּרְעֹה נְכוֹ Jer. 46:2
582 וְשֶׁמֶן לְמִצְרַיִם יוּבָל Hosh. 12:2
לְמִצְרָיִם 583 כִּי־תוֹעֵבָה הִוא לְמִצְרָיִם Gen. 43:32
584 אֵבֶל־כָּבֵד זֶה לְמִצְרָיִם Gen. 50:11
585 אֲשֶׁר עָשִׂיתִי לְמִצְרָיִם Ex. 19:4
586 כַּאֲשֶׁר־שֵׁמַע לְמִצְרָיִם Is. 23:5
וּלְמִצְרַיִם 587 אֲשֶׁר עָשָׂה יְיָ לְפַרְעֹה וּלְמִצְרַיִם Ex. 18:8
מִמִּצְרַיִם 588 וַיַּעַל אַבְרָם מִמִּצְרַיִם...הַנֶּגְבָּה Gen. 13:1
589 וְשָׁכַבְתִּי...וּנְשָׂאתַנִי מִמִּצְרַיִם Gen. 47:30
590 בְּהוֹצִיאֲךָ אֶת־הָעָם מִמִּצְרַיִם... Ex. 3:12
591 וַיִּשְׁאֲלוּ מִמִּצְרַיִם כְּלֵי־כֶסֶף... Ex. 12:35
592 הַבָּצֵק אֲשֶׁר הוֹצִיאוּ מִמִּצְרַיִם Ex. 12:39
593 כִּי לֹא חָמֵץ כִּי גֹרְשׁוּ מִמִּצְרַיִם Ex. 12:39
594 יְצָאתֶם מִמִּצְרַיִם מִבֵּית עֲבָדִים Ex. 13:3
595 הוֹצִיאָנוּ יְיָ מִמִּצְרַיִם מִבֵּית עֲבָדִים Ex. 13:14
596 לָמָּה זֶּה הֶעֱלִיתָנוּ מִמִּצְרַיִם Ex. 17:3
597 מִמִּצְרַיִם וְעַד־הֵנָּה Num. 14:19
598/9 (וְ)לָמָּה הֶעֱלִיתֻנוּ מִמִּצְרַיִם Num. 20:5; 21:5
600 הִנֵּה עַם יָצָא מִמִּצְרַיִם Num. 22:5
601 הִנֵּה הָעָם הַיֹּצֵא מִמִּצְרַיִם Num. 22:11
602 אֵל מוֹצִיאוֹ מִמִּצְרַיִם Num. 24:8
603 אִם יִרְאוּ הָאֲנָשִׁים הָעֹלִים מִמִּצְרַיִם... Num. 32:11
604 וַיּוֹצִיאֵנוּ יְיָ מִמִּצְרַיִם בְּיָד חֲזָקָה Deut. 6:21
605 הוֹצֵאתָ מִמִּצְרַיִם בְּיָד חֲזָקָה Deut. 9:26
606 הוֹצִיאֲךָ יְיָ אֱלֹהֶיךָ מִמִּצְרַיִם לָיְלָה Deut. 16:1
607 וַיּוֹצִאֵנוּ יְיָ מִמִּצְרַיִם בְּיָד חֲזָקָה Deut. 26:8
608 הָעָם הַיֹּצֵא מִמִּצְרַיִם הַזְּכָרִים Josh. 5:4
609 בַּדֶּרֶךְ בְּצֵאתָם מִמִּצְרַיִם לֹא־מָלוּ Josh. 5:5
610 עַד־תֹּם כָּל...הַיֹּצְאִים מִמִּצְרַיִם Josh. 5:6
611 וָאוֹצִיא אֶת־אֲבוֹתֵיכֶם מִמִּצְרַיִם Josh. 24:6
612 אֲשֶׁר־הֶעֱלוּ בְ״יִ מִמִּצְרַיִם Josh. 24:32
613 אַעֲלֶה אֶתְכֶם מִמִּצְרַיִם Jud. 2:1
614 אָנֹכִי הֶעֱלֵיתִי אֶתְכֶם מִמִּצְרַיִם Jud. 6:8
615 הֲלֹא מִמִּצְרַיִם הֶעֱלָנוּ יְיָ Jud. 6:13
616 הֲלֹא מִמִּצְרַיִם וּמִן־הָאֱמֹרִי... Jud. 10:11
617 לָקַח...אַרְצִי בַּעֲלוֹתוֹ מִמִּצְרַיִם Jud. 11:13
618 מִיּוֹם הַעֲלֹתִי אוֹתָם מִמִּצְרַיִם ISh. 8:8
619 וַיּוֹצִיאוּ אֶת־אֲבוֹתֵיכֶם מִמִּצְרַיִם ISh. 12:8
620 לְמִיּוֹם הַעֲלֹתִי אֶת־בְּ״יִ מִמִּצְרַיִם IISh. 7:6
621 אֲשֶׁר פָּדִיתָ לְּךָ מִמִּצְרַיִם IISh. 7:23
622 מִן־הַיּוֹם אֲשֶׁר הוֹצֵאתִי...מִמִּצְרַיִם IK. 8:16
623 מִמִּצְרַיִם מִתּוֹךְ כּוּר הַבַּרְזֶל IK. 8:51
624 בְּהוֹצִיאֲךָ אֶת־אֲבֹתֵינוּ מִמִּצְרַיִם IK. 8:53
625 וַתַּעֲלֶה וַתֵּצֵא מֶרְכָּבָה מִמִּצְרַיִם.. IK. 10:29
626 מִן־הַיּוֹם אֲשֶׁר יָצְאוּ...מִמִּצְרַיִם IIK. 21:15
627 תִּהְיֶה מְסִלָּה מִמִּצְרַיִם אַשּׁוּרָה Is. 19:23
628 גַּם מִמִּצְרַיִם תֵּבֹשִׁי Jer. 2:36
629 וַיּוֹצִיאוּ אֶת־אוּרִיָּהוּ מִמִּצְרַיִם Jer. 26:23
630 וְאֶת־תַּזְנוּתֶיהָ מִמִּצְרַיִם Ezek. 23:8
631 בַּעְשׂוֹת מִמִּצְרַיִם דַּדַּיִךְ Ezek. 23:21
632 שֵׁשׁ בְּרִקְמָה מִמִּצְרַיִם Ezek. 27:7
633 יֶחֶרְדוּ כְצִפּוֹר מִמִּצְרַיִם Hosh. 11:11
634 אֲשֶׁר כָּרַתִּי...בְּצֵאתְכֶם מִמִּצְרַיִם Hag. 2:5
635 גֶּפֶן מִמִּצְרַיִם תַּסִּיעַ Ps. 80:9

מִמִּצְרַיִם (המשך) 636 עַמְּךָ אֲשֶׁר פָּדִיתָ מִמִּצְרַיִם ICh. 17:21
637 וַיַּעֲלוּ וַיּוֹצִיאוּ מִמִּצְרַיִם מֶרְכָּבָה IICh. 1:17
638 וּמוֹצִיאִים סוּסִים מִמִּצְרַיִם IICh. 9:28
639 אֲשֶׁר־בָּאוּ עִמּוֹ מִמִּצְרַיִם IICh. 12:3
מִמִּצְרָיִם 640 וַיֵּרְדוּ...לִשְׁבֹּר בָּר מִמִּצְרָיִם Gen. 42:3
641 הַשֶּׁבֶר אֲשֶׁר הֵבִיאוּ מִמִּצְרָיִם Gen. 43:2
642 וַיַּעֲלוּ מִמִּצְרָיִם Gen. 45:25
643 וְהוֹצֵא אֶת־עַמִּי בְ״יִ מִמִּצְרָיִם Ex. 3:10
644 אוֹצִיא אֶת־בְּנֵי יִשְׂרָאֵל מִמִּצְרָיִם Ex. 3:11
645 לְהוֹצִיא אֶת־בְּ״יִ מִמִּצְרָיִם Ex. 6:27
646 עָשָׂה יְיָ לִי בְּצֵאתִי מִמִּצְרָיִם Ex. 13:8
647 בְּיָד חֲזָקָה הוֹצִאֲךָ יְיָ מִמִּצְרָיִם Ex. 13:9
648 בְּחֹזֶק יָד הוֹצִיאָנוּ יְיָ מִמִּצְרָיִם Ex. 13:16
649 לְהוֹצִיאָנוּ מִמִּצְרָיִם Ex. 14:11
650 כִּי־הוֹצִיא יְיָ אֶת־יִשְׂר׳ מִמִּצְרָיִם Ex. 18:1
651 כִּי־בוֹ יָצָאתָ מִמִּצְרָיִם Ex. 23:15
652 בְּחֹדֶשׁ הָאָבִיב יָצָאתָ מִמִּצְרָיִם Ex. 34:18
653 לָמָּה זֶּה יָצָאנוּ מִמִּצְרָיִם Num. 11:20
654 וַיִּשְׁלַח מַלְאָךְ וַיֹּצִאֵנוּ מִמִּצְרָיִם Num. 20:16
655 אֵל מוֹצִיאָם מִמִּצְרָיִם Num. 23:22
656 וַיּוֹצִא...מִכּוּר הַבַּרְזֶל מִמִּצְרָיִם Deut. 4:20
657 וַיּוֹצִאֲךָ...בְּכֹחוֹ הַגָּדֹל מִמִּצְרָיִם Deut. 4:37
658/9 ...בְּצֵאתָם מִמִּצְרָיִם Deut. 4:45, 46
660 עִמְּךָ אֲשֶׁר הוֹצֵאת מִמִּצְרָיִם Deut. 9:12
661 מוֹעֵד צֵאתְךָ מִמִּצְרָיִם Deut. 16:6
662-664 בַּדֶּרֶךְ בְּצֵאתְכֶם מִמִּצְרָיִם Deut. 23:5 24:9; 25:17
665 הוֹבִישׁ...בְּצֵאתְכֶם מִמִּצְרָיִם Josh. 2:10
666 מֵתוּ...בַדֶּרֶךְ בְּצֵאתָם מִמִּצְרָיִם Josh. 5:4
667 כִּי בַּעֲלוֹתָם מִמִּצְרָיִם... Jud. 11:16
668 הֶעֱלֵיתִי אֶת־יִשְׂרָאֵל מִמִּצְרָיִם ISh. 10:18
669 בַּדֶּרֶךְ בַּעֲלֹתוֹ מִמִּצְרָיִם ISh. 15:2
670 עֲשִׂיתָה חֶסֶד...בַּעֲלוֹתָם מִמִּצְרָיִם ISh. 15:6
671 וּמוֹצָא הַסּוּסִים...מִמִּצְרָיִם IK. 10:28
672 וְחֵיל פַּרְעֹה יָצָא מִמִּצְרָיִם Jer. 37:5
673 וּבְנָבִיא הֶעֱלָה יְיָ...מִמִּצְרָיִם Hosh. 12:14
674 בְּצֵאת יִשְׂרָאֵל מִמִּצְרָיִם Ps. 114:1
675 אֱלֹהֶיךָ אֲשֶׁר הֶעֶלְךָ מִמִּצְרָיִם Neh. 9:18
676 וּמוֹצָא הַסּוּסִים...מִמִּצְרָיִם IICh. 1:16
677 אֲשֶׁר כָּרַת...בְּצֵאתָם מִמִּצְרָיִם IICh. 5:10
678 וַיָּשָׁב יָרָבְעָם מִמִּצְרָיִם IICh. 10:2
וּמִמִּצְרַיִם 679 יִשָּׁאֵר מֵאַשּׁוּר וּמִמִּצְרַיִם Is. 11:11
680 וּמִמִּצְרַיִם קָרָאתִי לִבְנִי Hosh. 11:1

מְצֹרָע ת׳ – עין (צרע) צָרוּעַ (6-20)

מַצְרֵף ז׳ כּוּר לִזְקוּק מַתָּכוֹת: 1, 2

מַצְרֵף 1/2 מַצְרֵף לַכֶּסֶף וְכוּר לַזָּהָב Prov. 17:3; 27:21

מַק, מָק ז׳ רָקָב, רִקָּבוֹן: 1, 2

מַק 1 וְהָיָה תַחַת בֹּשֶׂם מַק יִהְיֶה Is. 3:24
כַּמָּק 2 שָׁרְשָׁם כַּמָּק יִהְיֶה Is. 5:24

מַקֶּבֶת נ׳ א) פַּטִּישׁ: 2-5

ב) נְקִיבָה, חוֹר בָּאֲדָמָה: 1

מַקֶּבֶת 1 ...וְאֶל־מַקֶּבֶת בּוֹר נֻקַּרְתֶּם Is. 51:1
הַמַּקֶּבֶת 2 וַתָּשֶׂם אֶת־הַמַּקֶּבֶת בְּיָדָהּ Jud. 4:21
וּמַקָּבוֹת 3 וּמַקָּבוֹת וְהַגַּרְזֶן כָּל־כְּלִי בַרְזֶל... IK. 6:7
וּבַמַּקָּבוֹת 4 וּפָעַל בַּפֶּחָם וּבַמַּקָּבוֹת יִצְּרֵהוּ Is. 44:12
5 בְּמַסְמְרוֹת וּבְמַקָּבוֹת יְחַזְּקוּם Jer. 10:4

מַקֵּדָה יִשּׁוּב בִּשְׁפֵלַת יְהוּדָה: 1-9

מַקֵּדָה 1 וַיַּכֵּם עַד־עֲזֵקָה וְעַד־מַקֵּדָה Josh. 10:10
2 וַיָּשֻׁבוּ...אֶל־יְהוֹשֻׁעַ מַקֵּדָה Josh. 10:21

מַקֵּדָה (המשך) 3 וְאֶת־מַקֵּדָה לָכַד יְהוֹשֻׁעַ Josh. 10:28
4 וַיַּעַשׂ לְמֶלֶךְ מַקֵּדָה Josh. 10:28
5 מֶלֶךְ מַקֵּדָה אֶחָד Josh. 12:16
וּמַקֵּדָה 6 גְּדֵרוֹת...וְנַעֲמָה וּמַקֵּדָה Josh. 15:41
בְּמַקֵּדָה 7/8 בַּמְּעָרָה בְּמַקֵּדָה Josh. 10:16, 17
מִמַּקֵּדָה 9 וַיַּעֲבֹר יְהוֹשֻׁעַ...מִמַּקֵּדָה לִבְנָה Josh. 10:29

מִקְדָּשׁ ז׳ א) מָקוֹם קָדוֹשׁ לַעֲבוֹדַת אֱלֹהִים: 1, 2, 4-9, 26-28, 33, 35, 48, 49

ב) בֵּית ה׳ הַקָּדוֹשׁ שֶׁבָּנָה שְׁלֹמֹה בִּירוּשָׁלַיִם: 3, 10-20, 22-25, 29-32, 34, 36-47, 50-72

ג) מִכְשׁוֹל: 21

– מִקְדָּשׁ מְעַט 22; בֵּית הַמִּקְדָּשׁ 65; כְּלֵי הַמּ׳ 18; מוֹצָאֵי הַמּ׳ 11; מְכוֹן הַמּ׳ 60; מְקוֹם הַמּ׳ 36, 64; מִשְׁמֶרֶת הַמּ׳ 7, 46; מְשָׁרְתֵי הַמּ׳ 13; נוֹשְׂאֵי הַמּ׳ 8; עֲוֹן הַמּ׳ 9; שַׁעַר הַמִּקְדָּשׁ 10

– מִקְדַּשׁ אֱלֹהִים 27; מ׳ הַבַּיִת 32; מ׳ יְיָ 28, 29, 31, 33, 34; מ׳ מֶלֶךְ 30; מ׳ הַקֹּדֶשׁ 26

– מִקְדְּשֵׁי אֵל 68; מ׳ בֵּית יְיָ 67; מִקְדְּשֵׁי יִשְׂרָאֵל 69

מִקְּדָשׁ 1 מִקְּדָשׁ אֲדֹנָי כּוֹנְנוּ יָדֶיךָ Ex. 15:17
מִקְדָּשׁ 2 וְעָשׂוּ לִי מִקְדָּשׁ וְשָׁכַנְתִּי בְּתוֹכָם Ex. 25:8
3 וַיִּבְנוּ לְךָ בָּהּ מִקְדָּשׁ לְשִׁמְךָ IICh. 20:8
וּמִקְדָּשׁ 4 מָקוֹם לְבָתִּים וּמִקְדָּשׁ לַמִּקְדָּשׁ Ezek. 45:4
הַמִּקְדָּשׁ 5 וְאֶל־הַמִּקְדָּשׁ לֹא תָבֹא Lev. 12:4
6 וּמִן־הַמִּקְדָּשׁ לֹא יֵצֵא Lev. 21:12
7 שֹׁמְרִים מִשְׁמֶרֶת הַמִּקְדָּשׁ Num. 3:38
8 וְנָסְעוּ הַקְּהָתִים נֹשְׂאֵי הַמִּקְדָּשׁ Num. 10:21
9 תִּשְׂאוּ אֶת־עֲוֹן הַמִּקְדָּשׁ Num. 18:1
10 דֶּרֶךְ שַׁעַר הַמִּקְדָּשׁ הַחִיצוֹן Ezek. 44:1
11 לִמְבוֹא הַבַּיִת בְּכֹל מוֹצָאֵי הַמִּקְדָּ׳ Ezek. 44:5
12 וּבוֹ־יִהְיֶה הַמִּקְדָּשׁ קֹדֶשׁ קָדָשִׁים Ezek. 45:3
13 לַכֹּהֲנִים מְשָׁרְתֵי הַמִּקְדָּשׁ יִהְיֶה Ezek. 45:4
14 וְחִטֵּאתָ אֶת־הַמִּקְדָּשׁ Ezek. 45:18
15 מֵימָיו מִן־הַמִּקְדָּשׁ הֵמָּה יוֹצְאִים Ezek. 47:12
16 וְהָיָה הַמִּקְדָּשׁ בְּתוֹכוֹ Ezek. 48:8
17 וְחִלְּלוּ הַמִּקְדָּשׁ הַמָּעוֹז Dan. 11:31
18 וְשָׁם כְּלֵי הַמִּקְדָּשׁ וְהַכֹּהֲנִים... Neh. 10:40
19 צֵא מִן־הַמִּקְדָּשׁ כִּי מָעַלְתָּ IICh. 26:18
20 עַל־הַמַּמְלָכָה וְעַל־הַמִּקְדָּשׁ IICh. 29:21
לְמִקְדָּשׁ 21 וְהָיָה לְמִקְדָּשׁ וּלְאֶבֶן נֶגֶף Is. 8:14
22 וָאֱהִי לָהֶם לְמִקְדָּשׁ מְעַט Ezek. 11:16
לַמִּקְדָּשׁ 23 בְּמִפְקַד הַבַּיִת מִחוּץ לַמִּקְדָּשׁ Ezek. 43:21
24 מָקוֹם לְבָתִּים וּמִקְדָּשׁ לַמִּקְדָּשׁ Ezek. 45:4
25 יְיָ בָּחַר בְּךָ לִבְנוֹת־בַּיִת לַמִּקְדָּשׁ ICh. 28:10
מִקְדַּשׁ־ 26 וְכִפֶּר אֶת־מִקְדַּשׁ הַקֹּדֶשׁ Lev. 16:33
27 וְלֹא יְחַלֵּל אֵת מִקְדַּשׁ אֱלֹהָיו Lev. 21:12
28 כִּי אֶת־מִקְדַּשׁ יְיָ טִמֵּא Num. 19:20
29 וְהָיָה מִקְדַּשׁ־יְיָ בְּתוֹכוֹ Ezek. 48:10
30 כִּי מִקְדַּשׁ־מֶלֶךְ הוּא Am. 7:13
31 אֶת־מִקְדַּשׁ יְיָ הָאֱלֹהִים ICh. 22:19(18)
וּמִקְדַּשׁ־ 32 וּמִקְדַּשׁ הַבַּיִת בְּתוֹכֹה Ezek. 48:21
בְּמִקְדַּשׁ־ 33 תַּחַת הָאַלָּה אֲשֶׁר בְּמִקְדַּשׁ יְיָ Josh. 24:26
34 אִם־יֵהָרֵג בְּמִקְדַּשׁ אֲדֹנָי כֹּהֵן וְנָבִיא Lam. 2:20
מִקְדָּשַׁי 35 לְמַעַן טַמֵּא אֶת־מִקְדָּשִׁי Lev. 20:3
36 לְפָאֵר מְקוֹם מִקְדָּשִׁי... Is. 60:13
37 אִם־לֹא יַעַן אֶת־מִקְדָּשִׁי טִמֵּאת Ezek. 5:11
38 לְרָחֳקָה מֵעַל מִקְדָּשִׁי Ezek. 8:6
39 טִמְּאוּ אֶת־מִקְדָּשִׁי בַּיּוֹם הַהוּא Ezek. 23:38
40 וַיָּבֹאוּ אֶל־מִקְדָּשִׁי...לְחַלְּלוֹ Ezek. 23:39
41 הִנְנִי מְחַלֵּל אֶת־מִקְדָּשִׁי גְּאוֹן עֻזְּכֶם Ezek. 24:21

מִקְדָּשִׁי (המשך) 42 יַעַן אָמְרֵךְ הֶאָח אֶל־מִקְדָּשִׁי כִּי־נִחָל Ezek. 25:3
43 וְנָתַתִּי...מִקְדָּשִׁי בְּתוֹכָם לְעוֹלָם Ezek. 37:26
44 בִּהְיוֹת מִקְדָּשִׁי בְּתוֹכָם לְעוֹלָם Ezek. 37:28
45 בֶּן־נֵכָר..לֹא יָבוֹא אֶל־מִקְדָּשִׁי Ezek. 44:9
46 שָׁמְרוּ אֶת־מִשְׁמֶרֶת מִקְדָּשִׁי Ezek. 44:15
47 הֵמָּה יָבֹאוּ אֶל־מִקְדָּשִׁי Ezek. 44:16
וּמִקְדָּשִׁי 48/9 שַׁבְּתֹתַי תִּשְׁמֹרוּ וּמִקְדָּשִׁי תִּירָאוּ Lev. 19:30; 26:2
בְּמִקְדָּשִׁי 50 ...לִהְיוֹת בְּמִקְדָּשִׁי לְחַלְּלוֹ Ezek. 44:7
51 לְשֹׁמְרֵי מִשְׁמַרְתִּי בְּמִקְדָּשִׁי לָכֶם Ezek. 44:8
52 וְהָיוּ בְמִקְדָּשִׁי מְשָׁרְתִים Ezek. 44:11
וּמִמִּקְדָּשִׁי 53 וּמִמִּקְדָּשִׁי תָּחֵלּוּ Ezek. 9:6
מִקְדָּשְׁךָ 54 וְהָאֵר פָּנֶיךָ עַל־מִקְדָּשְׁךָ הַשָּׁמֵם Dan. 9:17
מִקְדָּשֶׁךָ 55 צָרֵינוּ בּוֹסְסוּ מִקְדָּשֶׁךָ Is. 63:18
56 שִׁלְחוּ בָאֵשׁ מִקְדָּשֶׁךָ Ps. 74:7
מִקְדָּשׁוֹ 57 וּבָא אֶל־מִקְדָּשׁוֹ לְהִתְפַּלֵּל Is. 16:12
58 וַיִּבֶן כְּמוֹ־רָמִים מִקְדָּשׁוֹ Ps. 78:69
59 זָנַח אֲדֹנָי מִזְבְּחוֹ נֵאֵר מִקְדָּשׁוֹ Lam. 2:7
60 וְהֻשְׁלַךְ מְכוֹן מִקְדָּשׁוֹ Dan. 8:11
בְּמִקְדָּשׁוֹ 61 עֹז וְתִפְאֶרֶת בְּמִקְדָּשׁוֹ Ps. 96:6
לְמִקְדָּשׁוֹ 62 וּבֹאוּ לְמִקְדָּשׁוֹ אֲשֶׁר הִקְדִּישׁ לְעוֹ׳ IICh. 30:8
מִקְדָּשָׁהּ 63 כִּי־רָאֲתָה גוֹיִם בָּאוּ מִקְדָּשָׁהּ Lam. 1:10
מִקְדָּשֵׁנוּ 64 כִּסֵּא כָבוֹד...מְקוֹם מִקְדָּשֵׁנוּ Jer. 17:12
מִקְדָּשָׁם 65 וַיַּהֲרֹג בַּחוּרֵיהֶם בַּחֶרֶב בְּבֵית מִקְדָּשָׁם IICh. 36:17
מִקְדָּשִׁים 66 וְהַטֵּף אֶל־מִקְדָּשִׁים Ezek. 21:7
מִקְדְּשֵׁי־ 67 בָּאוּ זָרִים עַל־מִקְדְּשֵׁי בֵּית יְיָ Jer. 51:51
68 עַד־אָבוֹא אֶל־מִקְדְּשֵׁי־אֵל Ps. 73:17
וּמִקְדְּשֵׁי־ 69 וּמִקְדְּשֵׁי יִשְׂרָאֵל יֶחֱרָבוּ Am. 7:9
מִקְדָּשַׁי 70 וְלֹא יְחַלֵּל אֶת־מִקְדָּשַׁי Lev. 21:23
מִקְדָּשֶׁיךָ 71 בְּעֶוֶל רְכֻלָּתְךָ חִלַּלְתְּ מִקְדָּשֶׁיךָ Ezek. 28:18
מִמִּקְדָּשֶׁיךָ 72 נוֹרָא אֱלֹהִים מִמִּקְדָּשֶׁיךָ Ps. 68:36
מִקְדְּשֵׁיכֶם 73 וַהֲשִׁמּוֹתִי אֶת־מִקְדְּשֵׁיכֶם Lev. 26:31

מִקְדָּשׁ* ז׳ חלק מקודש

מִקְדְּשׁוֹ 1 תָּרִימוּ...מִכָּל־חֶלְבּוֹ אֶת־מִקְדְּשׁוֹ מִמֶּנּוּ Num. 18:29

מַקְהֵלָה* נ׳ חבר משוררים: 1, 2

בְּמַקְהֵלִים 1 בְּמַקְהֵלִים אֲבָרֵךְ יְיָ Ps. 26:12
בְּמַקְהֵלוֹת 2 בְּמַקְהֵלוֹת בָּרְכוּ אֱלֹהִים Ps. 68:27

מַקְהֵלֹת מַתַּחֲנוֹת בני ישראל במסעיהם במדבר: 1, 2

בְּמַקְהֵלֹת 1 וַיִּסְעוּ מֵחֲרָדָה וַיַּחֲנוּ בְּמַקְהֵלֹת Num. 33:25
מִמַּקְהֵלֹת 2 וַיִּסְעוּ מִמַּקְהֵלֹת וַיַּחֲנוּ בְּתָחַת Num. 33:26

מִקְוֵא – עין מִקְוֶה² (2, 6)

מִקְוֶה¹ ז׳ תקוה: 1-5

מִקְוֵה אֲבוֹתֵיהֶם 5; מִקְוֵה יִשְׂרָאֵל 3, 4

מִקְוֶה 1 יֵשׁ־מִקְוֶה לְיִשְׂרָאֵל עַל־זֹאת Ez. 10:2
2 כַּצֵּל יָמֵינוּ...וְאֵין מִקְוֶה ICh. 29:15
מִקְוֵה־ 3 מִקְוֵה יִשְׂרָאֵל מוֹשִׁיעוֹ בְּעֵת צָרָה Jer. 14:8
4 מִקְוֵה יִשְׂרָאֵל יְיָ Jer. 17:13
וּמִקְוֵה־ 5 וּמִקְוֵה אֲבוֹתֵיהֶם יְיָ Jer. 50:7

מִקְוֶה²* ז׳ א) מקום אוסף: 1, 2, 5, 6

ב) אוסף המים: 3, 4, 7

מִקְוֵה מַיִם 3, 4, 7; מִקְוֵה סֹחֲרִים 5, 6

מִקְוֵה 1 יִקְחוּ מִקְוֵה בִּמְחִיר IK. 10:28
2 מִקְוֵא° יִקְחוּ בִּמְחִיר IICh. 1:16
מִקְוֵה־ 3 וְעַל כָּל־מִקְוֵה מֵימֵיהֶם Ex. 7:19
4 אַךְ מַעְיָן וּבוֹר מִקְוֵה־מַיִם Lev. 11:36
וּמִקְוֵה 5 וּמִקְוֵה סֹחֲרֵי הַמֶּלֶךְ יִקְחוּ... IK. 10:28
6 וּמִקְוֵא סֹחֲרֵי הַמֶּלֶךְ IICh. 1:16
וּלְמִקְוֵה־ 7 וּלְמִקְוֵה הַמַּיִם קָרָא יַמִּים Gen. 1:10

מִקְוָה נ׳ מקוה מים

וּמִקְוָה 1 וּמִקְוָה עֲשִׂיתֶם בֵּין הַחֹמֹתַיִם Is. 22:11

מָקוֹם ז׳ א) שטח פנוי לאדם, לגוף, לחפץ וכדומה: 1-30, 32-34, 36-45, 54-57, 60-62, 79-139, 141-155, 157-160, 162-179, 181-197, 199-217, 220-233, 235-269, 272-304, 309, 314, 316-327, 329-335, 348-357, 361-366, 368-372, 374-379, 382-389

ב) יִשּׁוּב, שטח למושב בני אדם: 31, 35, 46-53, 58, 59, 63-78, 140, 156, 161, 180, 198, 218, 219, 234, 270, 271, 305-308, 310-313, 315, 328, 336-347, 358-360, 367, 373, 380, 381, 390-401

ג) [בִּמְקוֹם אֲשֶׁר] תַּחַת, תמורת: 294

– מָקוֹם אֶחָד 1, 39, 40; מָ׳ אַחֵר 12, 13, 31, 233; מָ׳ טָהוֹר 6, 7, 176; מָ׳ טָמֵא 8-10; מָ׳ נֶאֱמָן 178, 179; מָ׳ נוֹרָא 61; מָ׳ צַר 151, 154, 177; מָ׳ קָדוֹשׁ 158, 167-174; מָקוֹם רָע 84
– הַמָּקוֹם הַהוּא 182, 220, 222-228; הַמָּקוֹם הַזֶּה 86-124, 180, 183, 198-214, 218, 230
– אַבְנֵי הַמָּקוֹם 60; אַנְשֵׁי הַמָּ׳ 58, 59, 63, 78, 140, 328, 367; (מֵ)אֵין מָקוֹם 29, 30, 41; אֶפֶס מָקוֹם 25; (בְּ)כָל (הַ)מָּ׳ 11, 15, 16, 26, 34, 35, 37, 125; בְּלִי מָ׳ 27; שֵׁם הַמָּקוֹם 57, 62, 64-77; שַׁעַר הַמָּקוֹם 315, 326
– מְקוֹם אָהֳלוֹ 253; מְ׳ הָאָרוֹן 273; מְ׳ אֶרֶץ 292; מְ׳ בִּינָה 265, 266; מְ׳ גְּדוֹלִים 301; מְ׳ הַגֹּרֶן 272; מְ׳ דָּוִד 243, 244, 299; מְ׳ הַדָּם 240; מְ׳ הַדֶּשֶׁן 239; מְ׳ זֶרַע 241; מְ׳ הַחֵצִי 245; מְ׳ הַחִתִּי 238; מְ׳ הַכְּנַעֲנִי 238; מְ׳ כִּסְאוֹ 259; מְ׳ כַּפּוֹת 260; מְ׳ הַמִּזְבֵּחַ 235; מְ׳ הַמֶּלֶךְ 293; מְ׳ הַמִּנְחָה 258; מְ׳ הַמִּקְדָּשׁ 254, 255; מְ׳ מִקְנֶה 242; מְ׳ מִשְׁכַּן 276; מְ׳ הַמִּשְׁפָּט 268; מְ׳ נְהָרִים 252; מְ׳ סַפִּיר 264; מְ׳ פְּלוֹנִי 246, 250; מְ׳ הַצֶּדֶק 277; מְ׳ קָדוֹשׁ 304; מְ׳ הַקֹּדֶשׁ 289, 291, 295, 298; מְ׳ רַגְלָיו 275; מְ׳ רוֹאִים 297; מְ׳ הַשֶּׁבֶת 249, 274; מְ׳ שִׁבְתּוֹ 248, 303; מְ׳ שְׁכֶם 234; מְ׳ שֵׁם יְיָ 251; מְ׳ הַשְׁחִין 290; מְ׳ הַשַּׂעַר 261; מְ׳ תְּאֵנָה 241; מְ׳ תַּנִּים 296; מְקוֹם הַתֹּפֶת 302
– מְקוֹם אֲשֶׁר 236, 237, 256, 270, 271, 278, 279, 281-288, 294, 300; מְקוֹם שֶׁ־ 267, 269
– אַחַד הַמְּקוֹמוֹת 385, 388, 389; כָּל־הַמְּקוֹמוֹת 383, 384, 386, 387, 390-397
– מְקוֹמוֹת מֶמְשַׁלְתּוֹ 383
– בָּחַר מָקוֹם 127-134, 137, 139, 165, 186-197; הָיָה מָ׳ 38; הֵכִין מָ׳ 42, 81; הִנִּיחַ מָ׳ 309; הִרְחִיב מָ׳ 253; יָדַע מָ׳ 369; מָצָא מָ׳ 36; נָתַן מָ׳ 19-21; עָשָׂה מָ׳ 24; רָאָה מָ׳ 56, 143; שָׂם מָ׳ 22, 23, 43; תָּר מָקוֹם 14

מָקוֹם 1 יִקָּווּ הַמַּיִם...אֶל־מָקוֹם אֶחָד Gen. 1:9
2 הֲיֵשׁ בֵּית אָבִיךְ מָקוֹם לָנוּ לָלִין Gen. 24:23
3 גַּם־תֶּבֶן...גַּם־מָקוֹם לָלוּן Gen. 24:25
4 וְשַׂמְתִּי לְךָ מָקוֹם אֲשֶׁר יָנוּס שָׁמָּה Ex. 21:13
5 הִנֵּה מָקוֹם אִתִּי וְנִצַּבְתָּ עַל־הַצּוּר Ex. 33:21
6-7 אֶל־מָקוֹם טָהוֹר Lev. 4:12; 6:14
8-10 אֶל־מָקוֹם טָמֵא Lev. 14:40, 41, 45
מָקוֹם (המשך) 11 וַאֲכַלְתֶּם אֹתוֹ בְּכָל־מָקוֹם... Num. 18:31
12 לְךָ־נָּא אִתִּי אֶל־מָקוֹם אַחֵר Num. 18:31
13 לְכָה־נָּא אֶקָּחֲךָ אֶל־מָקוֹם אַחֵר Num.23:27
14 לָתוּר לָכֶם מָקוֹם לַחֲנֹתְכֶם Deut. 1:33
15 בְּכָל־מָקוֹם אֲשֶׁר תִּרְאֶה Deut. 12:13
16 כָּל־מָקוֹם אֲשֶׁר תִּדְרֹךְ כַּף־רַגְלְכֶם Josh. 1:3
17 וְנָתְנוּ־לוֹ מָקוֹם וְיָשַׁב עִמָּם Josh. 20:4
18 מָקוֹם אֲשֶׁר אֵין־שָׁם מַחְסוֹר... Jud. 18:10
19 וַיִּתְּנוּ אִישׁ־יִשְׂ׳ מָקוֹם לְבִנְיָמִן Jud. 20:36
20 וַיִּתֵּן לָהֶם מָקוֹם בְּרֹאשׁ הַקְּרוּאִים ISh. 9:22
21 יִתְּנוּ־לִי מָקוֹם בְּאַחַת עָרֵי הַשָּׂדֶה ISh. 27:5
22 וְשַׂמְתִּי מָקוֹם לְעַמִּי לְיִשְׂרָאֵל IISh. 7:10
23 וָאָשִׂם שָׁם מָקוֹם לָאָרוֹן IK. 8:21
24 וְנַעֲשֶׂה־לָּנוּ שָׁם מָקוֹם לָשֶׁבֶת שָׁם IIK. 6:2
25 ...עַד אֶפֶס מָקוֹם Is. 5:8
26 כָּל־מָקוֹם אֲשֶׁר יִהְיֶה־שָּׁם... Is. 7:23
27 מָלְאוּ קִיא צֹאָה בְּלִי מָקוֹם Is. 28:8
28 וְאֵי־זֶה מָקוֹם מְנוּחָתִי Is. 66:1
29 וְקָבְרוּ בְתֹפֶת מֵאֵין מָקוֹם Jer. 7:32
30 מֵאֵין מָקוֹם לִקְבּוֹר Jer. 19:11
31 וְגָלִיתָ מִמְּקוֹמְךָ אֶל־מָקוֹם אַחֵר Ezek. 12:3
32 וְהָיָה לָהֶם מָקוֹם לְבָתִּים Ezek. 45:4
33 וְהִנֵּה־שָׁם מָקוֹם בַּיַּרְכָתַיִם° Ezek. 46:19
34 בְּכָל־מָקוֹם הִשְׁלִיךְ הָס Am. 8:3
35 וּבְכָל־מָקוֹם מֻקְטָר מֻגָּשׁ לִשְׁמִי Mal. 1:11
36 עַד־אֶמְצָא מָקוֹם לַייָ Ps. 132:5
37 בְּכָל־מָקוֹם עֵינֵי יְיָ Prov. 15:3
38 וְאַל־יְהִי מָקוֹם לְזַעֲקָתִי Job 16:18
39 הַכֹּל הוֹלֵךְ אֶל־מָקוֹם אֶחָד Eccl. 3:20
40 הֲלֹא אֶל־מָקוֹם אֶחָד הַכֹּל הוֹלֵךְ Eccl. 6:6
41 וְאֵין־מָקוֹם לַבְּהֵמָה לַעֲבֹר תַּחְתָּי Neh. 2:14
42 וַיָּכֶן מָקוֹם לַאֲרוֹן הָאֱלֹהִים ICh. 15:1
43 וְשַׂמְתִּי מָקוֹם לְעַמִּי יִשְׂרָאֵל ICh. 17:9
וּמָקוֹם 44 פִּנִּיתִי הַבַּיִת וּמָקוֹם לַגְּמַלִּים Gen. 24:31
45 וּמָקוֹם לַזָּהָב יָזֹקּוּ Job 28:1
הַמָּקוֹם 46 וַיֵּלֶךְ לְמַסָּעָיו...עַד־הַמָּקוֹם... Gen. 13:3
47 וּרְאֵה מִן־הַמָּקוֹם אֲשֶׁר־אַתָּה שָׁם Gen. 13:14
48 וְנָשָׂאתִי לְכָל־הַמָּקוֹם בַּעֲבוּרָם Gen. 18:26
49 וְכֹל...הוֹצֵא מִן־הַמָּקוֹם Gen. 19:12
50 מַשְׁחִתִים אֲנַחְנוּ אֶת־הַמָּקוֹם הַזֶּה Gen. 19:13
51 קוּמוּ צְּאוּ מִן־הַמָּקוֹם הַזֶּה Gen. 19:14
52 אֶל־הַמָּקוֹם אֲשֶׁר־עָמַד שָׁם Gen. 19:27
53 אֶל...הַמָּקוֹם אֲשֶׁר נָבוֹא שָׁמָּה Gen. 20:13
54/5 אֶל־הַמָּקוֹם אֲשֶׁר־אָמַר־לוֹ Gen. 22:3, 9
56 וַיַּרְא אֶת־הַמָּקוֹם מֵרָחֹק Gen. 22:4
57 וַיִּקְרָא אַבְ׳ שֵׁם־הַמָּקוֹם הַהוּא Gen. 22:14
58 וַיִּשְׁאֲלוּ אַנְשֵׁי הַמָּקוֹם לְאִשְׁתּוֹ Gen. 26:7
59 פֶּן־יַהַרְגֻנִי אַנְשֵׁי הַמָּקוֹם Gen. 26:7
60 וַיִּקַּח מֵאַבְנֵי הַמָּקוֹם Gen. 28:11
61 מַה־נּוֹרָא הַמָּקוֹם הַזֶּה Gen. 28:17
62 וַיִּקְרָא אֶת־שֵׁם הַמָּקוֹם הַהוּא Gen. 28:19
63 וַיֶּאֱסֹף...אֶת־כָּל־אַנְשֵׁי הַמָּקוֹם Gen. 29:22
64 וַיִּקְרָא שֵׁם־הַמָּקוֹם הַהוּא מַחֲנָיִם Gen. 32:2.
65-77 קָרָא (וַיִּקְרָא וכו׳) שֵׁם הַמָּקוֹם...
Gen. 32:30; 33:17; 35:15 • Ex. 17:7 • Num. 11:3, 34; 21:3 • Josh. 5:9; 7:26 • Jud. 2:5 • IISh. 5:20 • ICh. 14:11 • IICh. 20:26
78 וְגַם אַנְשֵׁי הַמָּקוֹם אָמְרוּ... Gen. 38:22
79 הַמָּקוֹם אֲשֶׁר אַתָּה עוֹמֵד עָלָיו Ex. 3:5
80 בְּכָל־הַמָּקוֹם אֲשֶׁר אַזְכִּיר...שְׁמִי Ex. 20:21
81 אֶל־הַמָּקוֹם אֲשֶׁר הֲכִנֹתִי Ex. 23:20
82 נֹסְעִים אֲנַחְנוּ אֶל־הַמָּקוֹם Num. 10:29

הַמָּקוֹם (המשך)

83 וְעָלִינוּ אֶל־הַמָּקוֹם אֲשֶׁר־אָמַר Num. 14:40
84 לְהָבִיא אֹתָנוּ אֶל־הַמָּקוֹם...הַזֶּה Num. 20:5
85 וְהִנֵּה הַמָּקוֹם מְקוֹם מִקְנֶה Num. 32:1
86-124 עַד (אֶל/אֶת/מִן/עַל־) הַמָּקוֹם הַזֶּה
Deut 1:31; 9:7; 11:5; 26:9; 29:6 • IK. 8:29; 30,35 • IIK. 6:9; 18:25; 22:16, 19, 20 • Jer. 7:20; 16:9; 19:3, 4[2]; 22:11; 24:5; 27:22; 28:3[2], 4, 6; 29:10; 32:37; 40:2; 42:18; 51:62 • Zep. 1:4 • IICh. 6:20, 21, 26, 40; 7:15; 34:24, 27, 28
125 כָּל־הַמָּקוֹם אֲשֶׁר תִּדְרֹךְ
כַּף־רַגְלְכֶם בּוֹ Deut. 11:24
126 וְאִבַּדְתֶּם...מִן־הַמָּקוֹם הַהוּא Deut. 12:3
127-134 הַמָּקוֹם אֲשֶׁר־יִבְחַר יְיָ Deut. 12:5
12:11, 26; 14:25; 16:6; 17:8; 18:6; 26:2
135/6 כִּי יִרְחַק מִמְּךָ הַמָּקוֹם Deut. 12:21; 14:24
137 הַמָּקוֹם הַהוּא אֲשֶׁר יִבְחַר יְיָ Deut. 17:10
138 הַמָּקוֹם אֲשֶׁר אַתָּה עֹמֵד עָלָיו Josh. 5:15
139 אֶל־הַמָּקוֹם אֲשֶׁר יִבְחָר Josh. 9:27
140 וְאַנְשֵׁי הַמָּקוֹם בְּנֵי יְמִינִי Jud. 19:16
141 אֶל־הַמָּקוֹם אֲשֶׁר־נִסְתַּרְתָּ שָּׁם ISh. 20:19
142 וַיָּבֹא אֶל־הַמָּקוֹם אֲשֶׁר חָנָה־שָׁם ISh. 26:5
143 וַיַּרְא דָוִד אֶת־הַמָּקוֹם ISh. 26:5
144 רַב הַמָּקוֹם בֵּינֵיהֶם ISh. 26:13
145 וַיְהִי כָּל־הַבָּא אֶל־הַמָּקוֹם IISh. 2:23
146 וַיִּתֵּן אֶת־אוּרִיָּה אֶל־הַמָּקוֹם IISh. 11:16
147 יָבֹאוּ אֶל־הַמָּקוֹם אֲשֶׁר יִהְיֶה־שָּׁם IK. 5:8
148 עַד־הַמָּקוֹם אֲשֶׁר־תִּשְׁלַח אֵלַי IK. 5:23
149 הַמָּקוֹם אֲשֶׁר אָמַרְתָּ יִהְיֶה שְׁמִי שָׁם IK. 8:29
150 וְהֵנִיף יָדוֹ אֶל־הַמָּקוֹם IIK. 5:11
151 הִנֵּה־נָא הַמָּקוֹם...צַר מִמֶּנּוּ IIK. 6:1
152 וַיַּרְאֵהוּ אֶת־הַמָּקוֹם IIK. 6:6
153 אֶל־הַמָּקוֹם אֲשֶׁר אָמַר־לוֹ IIK. 6:10
154 צַר־לִי הַמָּקוֹם גְּשָׁה־לִּי וְאֵשֵׁבָה Is. 49:20
155 מִן־הַמָּקוֹם אֲשֶׁר־טְמַנְתִּיו שָׁמָּה Jer. 13:7
156 וַהֲשִׁבֹתִי אֶתְכֶם אֶל־הַמָּקוֹם... Jer. 29:14
157 הַמָּקוֹם אֲשֶׁר־יִפְנֶה הָרֹאשׁ... Ezek. 10:11
158 כִּי הַמָּקוֹם קָדֹשׁ Ezek. 42:13
159 זֶה הַמָּקוֹם אֲשֶׁר יְבַשְּׁלוּ־שָׁם Ezek. 46:20
160 הִנְנִי מְעִירָם מִן־הַמָּקוֹם... Joel 4:7
161 וַתֵּצֵא מִן־הַמָּקוֹם אֲשֶׁר הָיְתָה־שָּׁמָּה Ruth1:7
162 וְיָדַעַתְּ אֶת־הַמָּקוֹם אֲשֶׁר יִשְׁכַּב־שָׁם Ruth3:4
163/4 בְּכָסִפְיָא הַמָּקוֹם Ez. 8:17[2]
165 אֶל־הַמָּקוֹם אֲשֶׁר בָּחַרְתִּי Neh. 1:9
166 הַמָּקוֹם אֲשֶׁר אָמַרְתָּ לָשׂוּם שִׁמְךָ IICh. 6:20

בְּמָקוֹם

167 וּבִשַּׁלְתָּ אֶת־בְּשָׂרוֹ בְּמָקֹם קָדֹשׁ Ex. 29:31
168 מַצּוֹת תֵּאָכֵל בְּמָקוֹם קָדֹשׁ Lev. 6:9
169-174 בְּמָקוֹם קָד(וֹ)שׁ Lev. 6:19, 20
7:6; 10:13; 16:24; 24:9
175 תֹּאכְלוּ בְּמָקוֹם טָהוֹר Lev. 10:14
176 וְהִנִּיחַ...בְּמָקוֹם טָהוֹר Num. 19:9
177 וַיַּעֲמֹד בְּמָקוֹם צָר Num. 22:26
178 וּתְקַעְתִּיו יָתֵד בְּמָקוֹם נֶאֱמָן Is. 22:23
179 הַתְּקוּעָה בְּמָקוֹם נֶאֱמָן Is. 22:25

בַּמָּקוֹם

180 אֵין־יִרְאַת אֱלֹהִים בַּמָּקוֹם הַזֶּה Gen. 20:11
181 וַיִּפְגַּע בַּמָּקוֹם וַיָּלֶן שָׁם Gen. 28:11
182 וַיִּשְׁכַּב בַּמָּקוֹם הַהוּא Gen. 28:11
183 אָכֵן יֵשׁ יְיָ בַּמָּקוֹם הַזֶּה Gen. 28:16
184/5 בַּמָּקוֹם אֲשֶׁר־דִּבֶּר אִתּוֹ Gen. 35:13, 14
186-192 בַּמָּקוֹם אֲשֶׁר(־)יִבְחַר יְיָ Deut. 12:14
12:18; 15:20; 16:2, 7, 11, 15
193 בַּמָּקוֹם אֲשֶׁר יִבְחַר לְשַׁכֵּן שְׁמוֹ Deut. 14:23
194/5 בַּמָּקוֹם אֲשֶׁר יִבְחָר Deut. 16:16; 31:11

בַּמָּקוֹם (המשך)

196 יֵשֵׁב...בַּמָּקוֹם אֲשֶׁר־יִבְחַר Deut. 23:17
197 בַּמָּקוֹם אֲשֶׁר־עָרְכוּ שָׁם... Jud. 20:22
198 וַיֹּשִׁבוּם בַּמָּקוֹם הַזֶּה ISh. 12:8
199-214 בַּמָּקוֹם הַזֶּה IK. 13:8, 16
IIK. 22:17 • Jer. 7:3, 6, 7; 14:13; 16:2, 3; 19:7; 22:3; 33:10, 12; 44:29 • IICh. 7:12; 34:25
215 אַל־תֹּאכַל...בַּמָּקוֹם אֲשֶׁר דִּבֶּר.. IK. 13:22
216 בַּמָּקוֹם אֲשֶׁר חֲפַצְתֶּם לָבוֹא Jer. 42:22
217 וַיִּתֵּן דָּוִיד לְאָרְנָן בַּמָּקוֹם... ICh. 21:25

וּבַמָּקוֹם

218 וּבַמָּקוֹם הַזֶּה אֶתֵּן שָׁלוֹם Hag. 2:9

לַמָּקוֹם

219 וְלֹא־תִשָּׂא לַמָּקוֹם לְמַעַן... Gen. 18:24
220 עַל־כֵּן קָרָא לַמָּקוֹם הַהוּא... Gen. 21:31
221 וַיִּקְרָא לַמָּקוֹם אֵל בֵּית־אֵל Gen. 35:7
222 לַמָּקוֹם הַהוּא קָרָא נַחַל אֶשְׁכּוֹל Num.13:24
223-8 וַיִּקְרָא (קָרְאוּ) לַמָּקוֹם הַהוּא Jud. 15:17
18:12 • ISh. 23:28 • IISh. 2:16; 6:8 • ICh. 13:11
229 וְלֹא־יִקָּרֵא לַמָּקוֹם הַזֶּה עוֹד Jer. 19:6
230 כֵּן אֶעֱשֶׂה לַמָּקוֹם הַזֶּה Jer. 19:12
231 וָאַעֲמִיד מִתַּחְתִּיּוֹת לַמָּקוֹם Neh. 4:7

וְלַמָּקוֹם

232 וְלַמָּקוֹם אֲשֶׁר־נָתַתִּי לָכֶם Jer. 7:14

מִמָּקוֹם

233 רֶוַח וְהַצָּלָה יַעֲמוֹד לַיְּהוּדִים
מִמָּקוֹם אַחֵר Es. 4:14

מְקוֹם־

234 וַיַּעֲבֹר...עַד מְקוֹם שְׁכֶם Gen. 12:6
235 מְקוֹם הַמִּזְבֵּחַ אֲשֶׁר־עָשָׂה שָׁם Gen. 13:4
236 מְקוֹם אֲשֶׁר־אֲסִירֵי° הַמֶּלֶךְ אֲסוּרִים Gen. 39:20
237 מְקוֹם אֲשֶׁר יוֹסֵף אָסוּר שָׁם Gen. 40:3
238 וּלְהַעֲלֹתוֹ...אֶל־מְקוֹם הַכְּנַעֲנִי Ex. 3:8
239 וְהִשְׁלִיךְ...אֶל־מְקוֹם הַדָּשֶׁן Lev. 1:16
240 וְנָתַן...עַל־מְקוֹם דַּם הָאָשָׁם Lev. 14:28
241 לֹא מְקוֹם זֶרַע וּתְאֵנָה Num. 20:5
242 וְהִנֵּה הַמָּקוֹם מְקוֹם מִקְנֶה Num. 32:1
243/4 וַיִּפָּקֵד מְקוֹם דָּוִד ISh. 20:25, 27
245 וַיָּבֹא הַנַּעַר עַד־מְקוֹם הַחֵצִי ISh. 20:37
246 יוֹדַעְתִּי אֶל־מְקוֹם פְּלֹנִי אַלְמֹנִי ISh. 21:3
247 פֹּרְשִׂים כְּנָפַיִם אֶל־מְקוֹם הָאָרוֹן IK. 8:7
248 וְאַתָּה תִּשְׁמַע אֶל־מְקוֹם שִׁבְתְּךָ... IK. 8:30
249 וְיָדֹת מִזֶּה וּמִזֶּה אֶל־מְקוֹם הַשָּׁבֶת IK. 10:19
250 אֶל־מְקוֹם פְּלֹנִי אַלְמֹנִי תַּחֲנֹתִי IIK. 6:8
251 אֶל־מְקוֹם שֵׁם־יְיָ צְבָאוֹת Is. 18:7
252 מְקוֹם־נְהָרִים יְאֹרִים Is. 33:21
253 הַרְחִיבִי מְקוֹם אָהֳלֵךְ Is. 54:2
254 לְפָאֵר מְקוֹם מִקְדָּשִׁי Is. 60:13
255 כִּסֵּא כָבוֹד...מְקוֹם מִקְדָּשֵׁנוּ Jer. 17:12
256 מְקוֹם אֲשֶׁר נָתְנוּ־שָׁם רֵיחַ נִיחֹחַ Ezek. 6:13
257 מְקוֹם־שָׁם קֶבֶר בְּיִשְׂרָאֵל Ezek. 39:11
258 וְרֹחַב מְקוֹם הַמֻּנָּח חָמֵשׁ אַמּוֹת Ezek. 41:11
259 אֶת־מְקוֹם כִּסְאִי Ezek. 43:7
260 וְאֶת־מְקוֹם כַּפּוֹת רַגְלַי Ezek. 43:7
261 עַד־מְקוֹם שַׁעַר הָרִאשׁוֹן Zech. 14:10
262 אֶל־מְקוֹם זֶה יָסַדְתָּ לָהֶם Ps. 104:8
263 וְזֶה מְקוֹם לֹא־יָדַע אֵל Job 18:21
264 מְקוֹם־סַפִּיר אֲבָנֶיהָ Job 28:6
265/6 וְאֵי־זֶה מְקוֹם בִּינָה Job 28:12, 20
267 אֶל־מְקוֹם שֶׁהַנְּחָלִים הֹלְכִים.. Eccl. 1:7
268 מְקוֹם הַמִּשְׁפָּט שָׁמָּה הָרֶשַׁע Eccl. 3:16
269 מְקוֹם שֶׁיִּפּוֹל הָעֵץ שָׁם יְהוּא Eccl. 11:3
270/1 מְקוֹם אֲשֶׁר דְּבַר־הַמֶּלֶךְ וְדָתוֹ מַגִּיעַ Es. 4:3; 8:17
272 תְּנָה־לִּי מְקוֹם הַגֹּרֶן ICh. 21:22
273 פֹּרְשִׂים כְּנָפַיִם עַל־מְקוֹם הָאָרוֹן IICh. 5:8
274 וְיָדוֹת...עַל־מְקוֹם הַשָּׁבֶת IICh. 9:18

וּמְקוֹם־

275 וּמְקוֹם רַגְלַי אֲכַבֵּד Is. 60:13
276 מְעוֹן בֵּיתֶךָ וּמְקוֹם מִשְׁכַּן כְּבוֹדֶךָ Ps. 26:8
277 וּמְקוֹם הַצֶּדֶק שָׁמָּה הָרָשַׁע Eccl. 3:16

בִּמְקוֹם־

278/9 בִּמְקוֹם אֲשֶׁר(־)יִשְׁחַט אֶת־הָעֹלָה Lev. 4:24, 33
280 וְשָׁחַט אֶת־הַחַטָּאת בִּמְקוֹם הָעֹלָה Lev. 4:29
281 בִּמְקוֹם אֲשֶׁר תִּשָּׁחֵט הָעֹלָה Lev. 6:18
282-288 בִּמְקוֹם אֲשֶׁר Lev. 7:2; 14:13
IISh. 15:21 • IK. 21:19 • Jer. 22:12
Ezek. 21:35 • Neh. 4:14
289 לֹא־אֲכַלְתֶּם...בִּמְקוֹם הַקֹּדֶשׁ Lev. 10:17
290 וְהָיָה בִּמְקוֹם הַשְּׁחִין שְׂאֵת לְבָנָה Lev. 13:19
291 וְאֶת־הָעֹלָה בִּמְקוֹם הַקֹּדֶשׁ Lev. 14:13
292 לֹא בַסֵּתֶר דִּבַּרְתִּי בִּמְקוֹם אֶרֶץ חֹשֶׁךְ Is. 45:19
293 בִּמְקוֹם הַמֶּלֶךְ הַמַּמְלִיךְ אֹתוֹ Ezek. 17:16
294 וְהָיָה בִּמְקוֹם אֲשֶׁר־יֵאָמֵר לָהֶם... Hosh. 2:1
295 וּמִי יָקוּם בִּמְקוֹם קָדְשׁוֹ Ps. 24:3
296 כִּי דִכִּיתָנוּ בִּמְקוֹם תַּנִּים Ps. 44:20
297 סְפָקָם בִּמְקוֹם רֹאִים Job 34:26
298 וְלָתֶת־לָנוּ יָתֵד בִּמְקוֹם קָדְשׁוֹ Ez. 9:8
299 אֲשֶׁר הֵכִין בִּמְקוֹם דָּוִיד IICh. 3:1

וּבִמְקוֹם־

300 וּבִמְקוֹם אֲשֶׁר יִשְׁכָּן־שָׁם הֶעָנָן Num. 9:17
301 וּבִמְקוֹם גְּדֹלִים אַל־תַּעֲמֹד Prov. 25:6

כִּמְקוֹם־

302 כִּמְקוֹם הַתֹּפֶת הַטְּמֵאִים Jer. 19:13

מִמְּקוֹם־

303 מִמְּקוֹם שִׁבְתְּךָ מִן־הַשָּׁמַיִם IICh. 6:21

וּמִמְּקוֹם־

304 וּמִמְּקוֹם קָדוֹשׁ יְהַלֵּכוּ Eccl. 8:10

מְקוֹמִי

305 וְאֵלְכָה אֶל־מְקוֹמִי וּלְאַרְצִי Gen. 30:25
306 נַעְבְּרָה־נָּא בְאַרְצְךָ עַד־מְקוֹמִי Jud. 11:19
307 לְכוּ־נָא אֶל־מְקוֹמִי אֲשֶׁר בְּשִׁילוֹ Jer. 7:12
308 אֵלֵךְ אָשׁוּבָה אֶל־מְקוֹמִי Hosh. 5:15

מְקוֹמְךָ

309 מְקוֹמְךָ אַל־תַּנַּח Eccl. 10:4

מְקֹמֶךָ

310 וְעַתָּה בְּרַח־לְךָ אֶל־מְקוֹמֶךָ Num. 24:11

לִמְקוֹמֶךָ

311 וְגַם־גֹּלֶה אַתָּה לִמְקוֹמֶךָ IISh. 15:19

מִמְּקוֹמְךָ

312 וְגָלִיתָ מִמְּקוֹמְךָ אֶל־מָקוֹם אַחֵר Ezek. 12:3
313 וּבָאתָ מִמְּקוֹמְךָ מִיַּרְכְּתֵי צָפוֹן Ezek. 38:15

מְקֹמוֹ

314 עַל־מְקֹמוֹ יָבֹא בְשָׁלוֹם Ex. 18:23
315 אֶל־זִקְנֵי עִירוֹ וְאֶל־שַׁעַר מְקֹמוֹ Deut. 21:19
316 אֶת־מְקוֹמוֹ אֲשֶׁר תִּהְיֶה רַגְלוֹ ISh. 23:22
317 וְיָשֹׁב אֶל־מְקוֹמוֹ אֲשֶׁר הִפְקַדְתּוֹ שָׁם ISh. 29:4
318 אֶת־אֲרוֹן בְּרִית־יְיָ אֶל־מְקוֹמוֹ IK. 8:6
319 וְלֹא־נוֹדַע מְקוֹמוֹ אַיָּם Nah. 3:17
320 וְהִתְבּוֹנַנְתָּ עַל־מְקוֹמוֹ וְאֵינֶנּוּ Ps. 37:10
321 וְלֹא־יַכִּירֶנּוּ עוֹד מְקוֹמוֹ Ps. 103:16
322 וְלֹא־יַכִּירֶנּוּ עוֹד מְקֹמוֹ Job 7:10
323 וְלֹא־עוֹד תְּשׁוּרֶנּוּ מְקוֹמוֹ Job 20:9
324 יִדַּעְתָּה הַשַּׁחַר° מְקֹמוֹ Job 38:12
325 וְחֹשֶׁךְ אֵי־זֶה מְקֹמוֹ Job 38:19
326 ...מֵעִם אֶחָיו וּמִשַּׁעַר מְקוֹמוֹ Ruth 4:10
327 וְאֶל־מְקוֹמוֹ שׁוֹאֵף זוֹרֵחַ הוּא שָׁם Eccl. 1:5
328 יְנַשְּׂאוּהוּ אַנְשֵׁי מְקֹמוֹ בְּכֶסֶף Ez. 1:4
329 אֶל־מְקוֹמוֹ אֲשֶׁר־הֵכִין לוֹ ICh. 15:3
330 אֶת־אֲרוֹן בְּרִית יְיָ אֶל־מְקוֹמוֹ IICh. 5:7
331 וִישָׂאֻהוּ וִישִׁבֻהוּ אֶל־מְקֹמוֹ IICh. 24:11

בִּמְקוֹמוֹ

332 וְעֵלִי שֹׁכֵב בִּמְקוֹמוֹ ISh. 3:2
333 וַיֵּלֶךְ שְׁמוּאֵל וַיִּשְׁכַּב בִּמְקוֹמוֹ ISh. 3:9
334 וַיַּצִּגוּ אֹתוֹ בִּמְקוֹמוֹ IISh. 6:17
335 עֹז וְחֶדְוָה בִּמְקֹמוֹ ICh. 16:27

לִמְקֹמוֹ

336 וְאַבְרָהָם שָׁב לִמְקֹמוֹ Gen. 18:33
337 וַיֵּלֶךְ וַיָּשָׁב לָבָן לִמְקֹמוֹ Gen. 31:55
338 וַיָּקָם...וַיֵּלֶךְ וַיָּשָׁב לִמְקֹמוֹ Num. 24:25
339 וְכָל־הָעָם יֵלְכוּ אִישׁ לִמְקֹמוֹ Jud. 7:7

לִמְקוֹמוֹ (המשך) 340 וַיִּרְאוּ...וַיֵּלְכוּ אִישׁ לִמְקֹמוֹ Jud. 9:55
341 וַיָּקָם הָאִישׁ וַיֵּלֶךְ לִמְקֹמוֹ Jud. 19:28
342 וּבֵרַךְ עֵלִי...וְהָלְכוּ לִמְקוֹמוֹ ISh. 2:20
343 וַיָּשִׁבוּ אֹתוֹ לִמְקוֹמוֹ ISh. 5:3
344 שַׁלְּחוּ...וְיָשֹׁב לִמְקֹמוֹ ISh. 5:11
345 בַּמֶּה נְשַׁלְּחֶנּוּ לִמְקוֹמוֹ ISh. 6:2
346 וְשָׁאוּל שָׁב לִמְקוֹמוֹ ISh. 26:25
347 וַיְבָרְכֵהוּ וַיָּשָׁב לִמְקֹמוֹ IISh. 19:40
מִמְּקוֹמוֹ 348 אַל־יֵצֵא אִישׁ מִמְּקֹמוֹ Ex. 16:29
349 וְהָאוֹרֵב קָם מְהֵרָה מִמְּקוֹמוֹ Josh. 8:19
350 וְכֹל אִישׁ יִשְׂרָאֵל קָמוּ מִמְּקוֹמוֹ Jud. 20:33
351 וְאֹרֵב יִשְׂרָאֵל מֵגִיחַ מִמְּקֹמוֹ Jud. 20:33
352 הָסֵר הַמְּלָכִים אִישׁ מִמְּקֹמוֹ IK. 20:24
353 כִּי־הִנֵּה יְיָ יֹצֵא מִמְּקוֹמוֹ Is. 26:21
354 מִמְּקוֹמוֹ לֹא יָמִישׁ Is. 46:7
355 וּמַשְׁחִית גּוֹיִם נָסַע יָצָא מִמְּקֹמוֹ Jer. 4:7
356 בָּרוּךְ כְּבוֹד־יְיָ מִמְּקוֹמוֹ Ezek. 3:12
357 כִּי־הִנֵּה יְיָ יֹצֵא מִמְּקוֹמוֹ Mic. 1:3
358 וְיִשְׁתַּחֲווּ־לוֹ אִישׁ מִמְּקוֹמוֹ Zep. 2:11
359 כֵּן אִישׁ נוֹדֵד מִמְּקוֹמוֹ Prov. 27:8
360 וַיִּשְׁמְעוּ...וַיָּבֹאוּ אִישׁ מִמְּקֹמוֹ Job 2:11
361 אִם־יְבַלְּעֶנּוּ מִמְּקֹמוֹ וְכִחֶשׁ בּוֹ Job 8:18
362 וְצוּר יֶעְתַּק מִמְּקֹמוֹ Job 14:18
363 וְיֶעְתַּק־צוּר מִמְּקֹמוֹ Job 18:4
364 יִשָּׂאֵהוּ...וִישָׂעֲרֵהוּ מִמְּקֹמוֹ Job 27:21
365 וְיִשְׁרֹק עָלָיו מִמְּקֹמוֹ Job 27:23
366 יֶחֱרַד לִבִּי וְיִתַּר מִמְּקוֹמוֹ Job 37:1
מְקוֹמָהּ 367 וַיִּשְׁאַל אֶת־אַנְשֵׁי מְקֹמָהּ Gen. 38:21
368 וּבְשֶׁטֶף עֹבֵר כָּלָה יַעֲשֶׂה מְקוֹמָהּ Nah. 1:8
369 וְהוּא יָדַע אֶת־מְקוֹמָהּ Job 28:23
לִמְקֹמָהּ 370 וְהֵשִׁיבוּ אֶת־הָאֶבֶן...לִמְקֹמָהּ Gen. 29:3
מִמְּקוֹמָהּ 371 וְתִרְעַשׁ הָאָרֶץ מִמְּקוֹמָהּ Is. 13:13
372 הַמַּרְגִּיז אֶרֶץ מִמְּקוֹמָהּ Job 9:6
בִּמְקוֹמֵנוּ 373 לֹא־יֵעָשֶׂה כֵן בִּמְקוֹמֵנוּ Gen. 29:26
מִמְּקוֹמְכֶם 374 וְאַתֶּם תִּסְעוּ מִמְּקוֹמְכֶם Josh. 3:3
מְקוֹמָם 375 אִם־הֲבִיאֹנֻם אֶל־מְקוֹמָם Num. 32:17
376 וַיְמַלֵּא אֶת־מְקוֹמָם עַצְמוֹת אָדָם IIK. 23:14
377 וֶהֱבִיאוּם אֶל־מְקוֹמָם Is. 14:2
לִמְקוֹמָם 378 וַיָּשֻׁבוּ מֵי־הַיַּרְדֵּן לִמְקוֹמָם Josh. 4:18
379 וּפְלִשְׁתִּים הָלְכוּ לִמְקוֹמָם ISh. 14:46
380 וַיַּבְדִּילֵם...לָלֶכֶת לִמְקוֹמָם IICh. 25:10
381 וַיָּשׁוּבוּ לִמְקוֹמָם בָּחֳרִי־אָף IICh. 25:10
מִמְּקוֹמָם 382 בְּחֻמּוֹ נִדְעֲכוּ מִמְּקוֹמָם Job 6:14
מְקֹמוֹת־ 383 בָּרְכוּ יְיָ...בְּכָל־מְקֹמוֹת מֶמְשַׁלְתּוֹ Ps. 103:22
הַמְּקֹמוֹת 384 תְּאַבְּדוּן אֶת־כָּל־הַמְּקֹמוֹת Deut. 12:2
385 לְךָ וְנִקְרְבָה בְּאַחַד הַמְּקֹמוֹת Jud. 19:13
386 וְשָׁפַט...אֵת כָּל־הַמְּקוֹמוֹת הָאֵלֶּה ISh. 7:16
387 וּלְכָל־הַמְּקֹמוֹת אֲשֶׁר־הִתְהַלֵּךְ־שָׁם ISh. 30:31
388 אוֹ בְּאַחַד הַמְּקוֹמֹת IISh. 17:9
389 וּבָאנוּ אֵלָיו בְּאַחַד הַמְּקוֹמֹת IISh. 17:12
390 בְּכָל־הַמְּקֹמוֹת הַנִּשְׁאָרִים Jer. 8:3
391 בְּכָל־הַמְּקֹמוֹת אֲשֶׁר אַדִּיחֵם־שָׁם Jer. 24:9
392 מִכָּל־הַגּוֹיִם וּמִכָּל־הַמְּקוֹמוֹת Jer. 29:14
393 מִכָּל־הַמְּקֹמוֹת אֲשֶׁר נִדְּחוּ־שָׁם Jer. 40:12
394 כָּל־הַמְּקֹמוֹת אֲשֶׁר תֵּלֶךְ־שָׁם Jer. 45:5
395 מִכָּל־הַמְּקוֹמֹת אֲשֶׁר נָפֹצוּ שָׁם Ezek. 34:12
396 וְכָל־הַנִּשְׁאָר מִכָּל־הַמְּקֹמוֹת Ez. 1:4
397 מִכָּל־הַמְּקֹמוֹת אֲשֶׁר תָּשׁוּבוּ עָלֵינוּ Neh. 4:6
וְהַמְּקֹמוֹת 398 וְהַמְּקֹמוֹת אֲשֶׁר בָּנָה בָהֶם בָּמוֹת IICh. 33:19
מְקוֹמֹתֵיכֶם 399 וְחֹסֶר לֶחֶם בְּכֹל מְקוֹמֹתֵיכֶם Am. 4:6
מְקוֹמֹתָם 400 בִּקְשׁוּ...הַלְוִיִּם מִכָּל־מְקוֹמֹתָם Neh. 12:27
לִמְקֹמֹתָם 401 לְמִשְׁפְּחֹתָם לִמְקֹמֹתָם בִּשְׁמֹתָם Gen. 36:40

מָקוֹר
ז׳ א) מוֹצָא, מַעְיָן (גם בהשאלה): 1, 2, 4-16
ב) כנוי לרחם האשה: 3, 13, 17, 18
– מָקוֹר בָּרוּךְ 15; מָקוֹר מָשְׁחָת 2
– מְקוֹר דָּמֶיהָ 3, 13; מְ׳ דִּמְעָה 5; מְ׳ חַיִּים 7-11;
מְ׳ חָכְמָה 12; מְ׳ יִשְׂרָאֵל 14; מְ׳ מַיִם חַיִּים 4, 6
מָקוֹר 1 יִהְיֶה מָקוֹר נִפְתָּח לְבֵית דָּוִיד Zech. 13:1
וּמָקוֹר 2 מַעְיָן נִרְפָּשׂ וּמָקוֹר מָשְׁחָת Prov. 25:26
מְקוֹר־ 3 וְהוּא גִלָּה אֶת־מְקוֹר דָּמֶיהָ Lev. 20:18
4 אֹתִי עָזְבוּ מְקוֹר מַיִם חַיִּים Jer. 2:13
5 רֹאשִׁי מַיִם וְעֵינִי מְקוֹר דִּמְעָה Jer. 8:23
6 כִּי עָזְבוּ מְקוֹר מַיִם־חַיִּים אֶת־יְיָ Jer. 17:13
7 כִּי־עִמְּךָ מְקוֹר חַיִּים Ps. 36:10
8 מְקוֹר חַיִּים פִּי צַדִּיק Prov. 10:11
9 תּוֹרַת חָכָם מְקוֹר חַיִּים Prov. 13:14
10 יִרְאַת יְיָ מְקוֹר חַיִּים Prov. 14:27
11 מְקוֹר חַיִּים שֵׂכֶל בְּעָלָיו Prov. 16:22
12 נַחַל נֹבֵעַ מְקוֹר חָכְמָה Prov. 18:4
מִמְּקוֹר־ 13 וְטָהֲרָה מִמְּקֹר דָּמֶיהָ Lev. 12:7
14 בָּרְכוּ...אֲדֹנָי מִמְּקוֹר יִשְׂרָאֵל Ps. 68:27
מְקוֹרְךָ 15 יְהִי־מְקוֹרְךָ בָרוּךְ Prov. 5:18
מְקוֹרוֹ 16 וְיֵבוֹשׁ מְקוֹרוֹ וְיֶחֱרַב מַעְיָנוֹ Hosh. 13:15
מְקֹרָהּ 17 אֶת־מְקֹרָהּ הֶעֱרָה Lev. 20:18
18 וְהוֹבַשְׁתִּי אֶת־מְקוֹרָהּ Jer. 51:36

מִקַּח*
ז׳ לקיחה
וּמִקַּח־ 1 וּמַשֹּׂא פָנִים וּמִקַּח־שֹׁחַד IICh. 19:7

מַקָּחָה*
נ׳ סחורה
הַמַּקָּחוֹת 1 הַמְבִיאִים אֶת־הַמַּקָּחוֹת וְכָל־שֶׁבֶר Neh. 10:32

מִקְטָר*
ז׳ מקום להקטיר
מִקְטַר־ 1 וְעָשִׂיתָ מִזְבֵּחַ מִקְטַר קְטֹרֶת Ex. 30:1

מִקְטֶרֶת
נ׳ מחתה להקטיר עליה: 1, 2
מִקְטֶרֶת 1 וּבְיָדוֹ מִקְטֶרֶת לְהַקְטִיר IICh. 26:19
מִקְטַרְתּוֹ 2 וְאִישׁ מִקְטַרְתּוֹ בְּיָדוֹ Ezek. 8:11

מַקֵּל
ז׳ מטה, משענת: 1-18 • קרובים: ראה מַטֶּה
מַקֵּל יָד 5; מַקֵּל לִבְנֶה 4; מַקֵּל שָׁקֵד 2;
מַקֵּל תִּפְאָרָה 3
בַּמַּקֵּל 1 וַיַּךְ אֶת־הָאָתוֹן בַּמַּקֵּל Num. 22:27
מַקֵּל־ 2 וָאֹמַר מַקֵּל שָׁקֵד אֲנִי רֹאֶה Jer. 1:11
3 מַטֵּה־עֹז מַקֵּל תִּפְאָרָה Jer. 48:17
מַקַּל־ 4 וַיִּקַּח־לוֹ יַעֲקֹב מַקַּל לִבְנֶה לַח Gen. 30:37
וּבְמַקֵּל־ 5 בְּנֶשֶׁק...וּבְמַקֵּל יָד וּבְרֹמַח Ezek. 39:9
מַקְלִי 6 וָאֶקַּח אֶת־מַקְלִי אֶת־נֹעַם Zech. 11:10
7 וָאֶגְדַּע אֶת־מַקְלִי הַשֵּׁנִי Zech. 11:14
בְּמַקְלִי 8 בְמַקְלִי עָבַרְתִּי אֶת־הַיַּרְדֵּן הַזֶּה Gen. 32:11
מַקְלוֹ 9 וַיִּקַּח מַקְלוֹ בְּיָדוֹ ISh. 17:40
וּמַקְלוֹ 10 בְּעֵצוֹ יִשְׁאָל וּמַקְלוֹ יַגִּיד לוֹ Hosh. 4:12
וּמַקֶּלְכֶם 11 נַעֲלֵיכֶם בְּרַגְלֵי׳ וּמַקֶּלְכֶם בְּיֶדְכֶם Ex. 12:11
מַקְלוֹת 12 וָאֶקַּח־לִי שְׁנֵי מַקְלוֹת Zech. 11:7
הַמַּקְלוֹת 13 מַחְשֹׂף הַלָּבָן...עַל־הַמַּקְלוֹת Gen. 30:37
14 וַיַּצֵּג אֶת־הַמַּקְלוֹת אֲשֶׁר פִּצֵּל Gen. 30:38
15 וַיֶּחֱמוּ הַצֹּאן אֶל־הַמַּקְלוֹת Gen. 30:39
16 וְשָׂם יַעֲקֹב אֶת־הַמַּקְלוֹת לְעֵינֵי־ Gen. 30:41
בַּמַּקְלוֹת 17 וְשָׁם...לְיַחְמֵנָּה בַּמַּקְלוֹת Gen. 30:41
18 כִּי־אַתָּה בָא־אֵלַי בַּמַּקְלוֹת ISh. 17:43

מִקְלוֹת
שפ״ז א) איש מבנימין: 1-3 ב) נגיד בימי דוד: 4
וּמִקְלוֹת 1 וּמִקְלוֹת הוֹלִיד אֶת־שִׁמְאָה ICh. 8:32
2 וּגְדוֹר וְאַחְיוֹ וּזְכַרְיָה וּמִקְלוֹת ICh. 9:37
3 וּמִקְלוֹת הוֹלִיד אֶת־שִׁמְאָם ICh. 9:38
4 וְעַל מַחֲלֻקֶת...וּמִקְלוֹת הַנָּגִיד ICh. 27:4

מִקְלָט
ז׳ מקום להורג נפש בשגגה להמלט שם: 1-20
מִקְלַט הָרֹצֵחַ 11-15; עִיר מִקְלָט 11-20;
עָרֵי מִקְלָט 1-7
מִקְלָט 1-2 עָרֵי מִקְלָט תִּהְיֶינָה לָכֶם Num. 35:11, 13
3 עָרֵי מִקְלָט תִּהְיֶינָה Num. 35:14
הַמִּקְלָט 4 אֵת שֵׁשׁ־עָרֵי הַמִּקְלָט Num. 35:6
5 תְּנוּ לָכֶם אֶת־עָרֵי הַמִּקְלָט Josh. 20:2
6 וְלִבְנֵי אַהֲרֹן נָתְנוּ אֶת־עָרֵי הַמִּקְלָט ICh. 6:42
7 וַיִּתְּנוּ לָהֶם אֶת־עָרֵי הַמִּקְלָט ICh. 6:52
לְמִקְלָט 8 וְהָיוּ לָכֶם הֶעָרִים לְמִקְלָט מִגֹּאֵל Num. 35:12
9 תִּהְיֶינָה שֵׁשׁ־הֶעָרִים...לְמִקְלָט Num. 35:15
10 וְהָיוּ לָכֶם לְמִקְלָט מִגֹּאֵל הַדָּם Josh. 20:3
מִקְלַט־ 11-15 עִיר מִקְלַט הָרֹצֵחַ Josh. 21:13, 21, 27, 32, 36
מִקְלָטוֹ 16 עִיר מִקְלָטוֹ אֲשֶׁר־נָס שָׁמָּה Num. 35:25
17 אֶת־גְּבוּל עִיר מִקְלָטוֹ Num. 35:26
18 מִחוּץ לִגְבוּל עִיר מִקְלָטוֹ Num. 35:27
19 כִּי בְעִיר מִקְלָטוֹ יֵשֵׁב Num. 35:28
20 לָנוּס אֶל־עִיר מִקְלָטוֹ Num. 35:32

מִקְלַעַת
נ׳ תבנית של צורות קלועות: 1-4
מִקְלַעַת פְּקָעִים 1; מִקְלְעוֹת כְּרוּבִים 3, 4
מִקְלַעַת־ 1 מִקְלַעַת פְּקָעִים וּפְטוּרֵי צִצִּים IK. 6:18
מִקְלָעוֹת 2 וְגַם־עַל־פִּיהָ מִקְלָעוֹת IK. 7:31
מִקְלְעוֹת־ 3 פִּתּוּחֵי מִקְלְעוֹת כְּרוּבִים IK. 6:29
4 וְקָלַע עֲלֵיהֶם מִקְלְעוֹת כְּרוּבִים IK. 6:32

מִקְנֶה
ז׳ א) קניה: 10, 11, 29, 63, 76
ב) שם כולל לצאן ולבקר
ולשאר בהמות: 1-9, 12-28, 30-62, 64-75
– מִקְנֶה וְקִנְיָן 10, 11; מִקְנֶה כָּבֵד 4; מִ׳ רַב 8, 15;
– אָהֳלֵי מִקְנֶה 14; אַנְשֵׁי מִקְנֶה 1, 2; אֶרֶץ מִ׳ 6;
מְקוֹם מִ׳ 5; קוֹל מִ׳ 9; רֹעֵי מִקְנֶה 24, 25;
שָׂרֵי מִקְנֶה 3
– מִקְנֵה אָבִיו 27; מִ׳ אַבְרָם 24; מִ׳ הַבְּהֵמָה 34;
מִ׳ בָקָר 37, 33; מִ׳ יִשְׂרָאֵל (39) 38, 30; מִ׳ לוֹט 25;
מִ׳ מִצְרַיִם 31, 32; מִ׳ צֹאן 36, 35, 26; מִ׳ קִנְיָנוֹ 28;
מִקְנֵה הַשָּׂדֶה 29; הֲמוֹן מִקְנֵיהֶם 70
מִקְנֶה 1 כִּי־אַנְשֵׁי מִקְנֶה הָיוּ Gen. 46:32
2 אַנְשֵׁי מִקְנֶה הָיוּ עֲבָדֶיךָ Gen. 46:34
3 וְשַׂמְתָּם שָׂרֵי מִקְנֶה עַל־אֲשֶׁר־לִי Gen. 47:6
4 וְצֹאן וּבָקָר מִקְנֶה כָּבֵד מְאֹד Ex. 12:38
5 וְהִנֵּה הַמָּקוֹם מְקוֹם מִקְנֶה Num. 32:1
6 הָאָרֶץ...אֶרֶץ מִקְנֶה הִוא Num. 32:4
7 וְלַעֲבָדֶיךָ מִקְנֶה Num. 32:4
8 יָדַעְתִּי כִּי־מִקְנֶה רַב לָכֶם Deut. 3:19
9 וְלֹא שָׁמְעוּ קוֹל מִקְנֶה Jer. 9:9
10 וְאֶל־עַם...עֹשֶׂה מִקְנֶה וְקִנְיָן Ezek. 38:12
11 לָקַחַת מִקְנֶה וְקִנְיָן Ezek. 38:13
12 מִקְנֶה אַף עַל־עוֹלֶה Job 36:33
13 מִקְנֶה בָקָר וָצֹאן הַרְבֵּה הָיָה לִי Eccl. 2:7
14 וְגַם־אָהֳלֵי מִקְנֶה הִכּוּ IICh. 14:14
15 כִּי מִקְנֶה־רַב הָיָה לוֹ IICh. 26:10
וּמִקְנֶה 16 אֲבִי יֹשֵׁב אֹהֶל וּמִקְנֶה Gen. 4:20
17 וּמִקְנֶה רַב הָיָה לִבְנֵי רְאוּבֵן Num. 32:1
18 וְשָׂרֵי כָל־רְכוּשׁ־וּמִקְנֶה ICh. 28:1
הַמִּקְנֶה 19 לֹא־עֵת הֵאָסֵף הַמִּקְנֶה Gen. 29:7
20 וְאֶת־הַמִּקְנֶה וְאֶת־הַכְּבוּדָּה Jud. 18:21
21 נָהֲגוּ לִפְנֵי הַמִּקְנֶה הַהוּא ISh. 30:20
בַּמִּקְנֶה 22 כָּבֵד...בַּמִּקְנֶה בַּכֶּסֶף וּבַזָּהָב Gen. 13:2
וּבְמִקְנֶה 23 וּבְמִקְנֶה רַב־מְאֹד בְּכֶסֶף וּבְזָהָב Josh. 22:8
מִקְנֵה־ 24 רִיב בֵּין רֹעֵי מִקְנֵה־אַבְרָם Gen. 13:7
25 וּבֵין רֹעֵי מִקְנֵה־לוֹט Gen. 13:7

26 וַיְהִי־לוֹ מִקְנֵה־צֹאן Gen. 26:14
27 וַיַּצֵּל אֱלֹהִים אֶת־מִקְנֵה אֲבִיכֶם Gen. 31:9
28 מִקְנֵה קִנְיָנוֹ אֲשֶׁר רָכָשׁ Gen. 31:18
29 מִקְנֵה הַשָּׂדֶה וְהַמְּעָרָה Gen. 49:32
30 וְהִפְלָה יְיָ בֵּין מִקְנֵה יִשְׂרָאֵל Ex. 9:4
31 וּבֵין מִקְנֵה מִצְרָיִם Ex. 9:4
32 וַיָּמָת כֹּל מִקְנֵה מִצְרָיִם Ex. 9:6
וּמִקְנֵה־ 33 וּמִקְנֵה בָקָר וַעֲבֻדָּה רַבָּה Gen. 26:14
34 אִם־תַּם הַכֶּסֶף וּמִקְנֵה הַבְּהֵמָה Gen. 47:18
35 וּמִקְנֵה־צֹאן וּבָקָר לָרֹב IICh. 32:29
וּבְמִקְנֵה־ 36 וַיִּתֵּן...בַּסּוּסִים וּבְמִקְנֵה הַצֹּאן Gen. 47:17
37 וּבְמִקְנֵה הַבָּקָר וּבַחֲמֹרִים Gen. 47:17
מִמִּקְנֵה־ 38 לֹא־מֵת מִמִּקְנֵה יִשְׂרָאֵל עַד־אֶחָד Ex. 9:7
וּמִמִּקְנֵה־ 39 וּמִמִּקְנֵה בְנֵי יִשְׂרָאֵל לֹא־מֵת אֶחָד Ex. 9:6
מִקְנְךָ 40 וְאֵת אֲשֶׁר־הָיָה מִקְנְךָ אִתִּי Gen. 30:29
41 וְעַתָּה שְׁלַח הָעֵז אֶת־מִקְנְךָ Ex. 9:19
42 וְכָל־מִקְנְךָ תִּזָּכָר Ex. 34:19
בְּמִקְנְךָ 43 יַד־יְיָ הוֹיָה בְּמִקְנְךָ אֲשֶׁר בַּשָּׂדֶה Ex. 9:3
מִקְנֵהוּ 44 וַיִּנְהַג אֶת־כָּל־מִקְנֵהוּ Gen. 31:18
45 וּבָנָיו הָיוּ אֶת־מִקְנֵהוּ בַּשָּׂדֶה Gen. 34:5
46 וְאֶת־מִקְנֵהוּ וְאֶת־כָּל־בְּהֶמְתּוֹ Gen. 36:6
47 הֵנִיס אֶת־עֲבָדָיו וְאֶת־מִקְנֵהוּ Ex. 9:20
48 וַיַּעֲזֹב אֶת־עֲבָדָיו וְאֶת־מִקְנֵהוּ Ex. 9:21
49 וַיְהִי מִקְנֵהוּ שִׁבְעַת אַלְפֵי־צֹאן Job 1:3
וּמִקְנֵהוּ 50 וּמִקְנֵהוּ פָּרַץ בָּאָרֶץ Job 1:10
וּלְמִקְנֵהוּ 51 וּלְמִקְנֵהוּ עָשָׂה סֻכֹּת Gen. 33:17
מִקְנֵנוּ 52 וְגַם־מִקְנֵנוּ יֵלֵךְ עִמָּנוּ Ex. 10:26
53 טַפֵּנוּ נָשֵׁינוּ מִקְנֵנוּ וְכָל־בְּהֶמְתֵּנוּ Num. 32:26
לְמִקְנֵנוּ 54 גִּדְרֹת צֹאן נִבְנֶה לְמִקְנֵנוּ פֹּה Num. 32:16
מִקְנַי 55 לְהָמִית אֹתִי...וְאֶת־מִקְנַי בַּצָּמָא Ex. 17:3
וּמִקְנַי 56 וְאִם־מֵימֶיךָ נִשְׁתֶּה אֲנִי וּמִקְנַי Num. 20:19
מִקְנֶיךָ 57 יִרְעֶה מִקְנֶיךָ...כַּר נִרְחָב Is. 30:23
מִקְנֵיכֶם 58 וַיֹּאמֶר יוֹסֵף הָבוּ מִקְנֵיכֶם Gen. 47:16
וּמִקְנֵיכֶם 59 רַק נְשֵׁיכֶם וְטַפְּכֶם וּמִקְנֵכֶם Deut. 3:19
60 נְשֵׁיכֶם טַפְּכֶם וּמִקְנֵיכֶם Josh. 1:14
61 וּשְׁתִיתֶם אַתֶּם וּמִקְנֵיכֶם IIK. 3:17
בְּמִקְנֵיכֶם 62 הָבוּ...וְאֶתְּנָה לָכֶם בְּמִקְנֵיכֶם Gen. 47:16
מִקְנֵיהֶם 63 מִקְנֵהֶם וְקִנְיָנָם וְכָל־בְּהֶמְתָּם Gen. 34:23
64 וְלֹא יָכְלָה...מִפְּנֵי מִקְנֵיהֶם Gen. 36:7
65 וַיִּקְחוּ אֶת־מִקְנֵיהֶם Gen. 46:6
66 וַיָּבִיאוּ אֶת־מִקְנֵיהֶם אֶל־יוֹסֵף Gen. 47:17
67 וַיְנַהֲלֵם בַּלֶּחֶם בְּכָל־מִקְנֵהֶם Gen. 47:17
68 כָּל־בְּהֶמְתָּם וְאֶת־כָּל־מִקְנֵהֶם Num. 31:9
69 וַיִּנְהַג אֶת־מִקְנֵיהֶם ISh. 23:5
70 וַהֲמוֹן מִקְנֵיהֶם לְשָׁלָל Jer. 49:32
71 כִּי מִקְנֵיהֶם רָבוּ בְּאֶרֶץ גִּלְעָד ICh. 5:9
72 וַיִּשְׁבּוּ מִקְנֵיהֶם גְּמַלֵּיהֶם... ICh. 5:21
73 כִּי יָרְדוּ לָקַחַת אֶת־מִקְנֵיהֶם ICh. 7:21
וּמִקְנֵיהֶם 74 כִּי הֵם וּמִקְנֵיהֶם יַעֲלוּ וְאָהֳלֵיהֶם Jud. 6:5
75 וַיַּסְגֵּר...וּמִקְנֵיהֶם לָרְשָׁפִים Ps. 78:48
לְמִקְנֵיהֶם 76 וּמִגְרְשֵׁיהֶם לְמִקְנֵיהֶם וּלְקִנְיָנָם Josh. 14:4

מִקְנָה נ׳ א) קניה, קנין: 1-11, 14, 15 ב) מחיר: 12, 13
כֶּסֶף מִקְנָה 14; סֵפֶר הַמִּקְנָה 1-5; שְׂדֵה מִקְנָה 15; מִקְנַת כֶּסֶף 7-11
הַמִּקְנָה 1-3 ...אֶת־סֵפֶר הַמִּקְנָה Jer. 32:11, 12, 16
4 הָעֵדִים הַכֹּתְבִים בְּסֵפֶר הַמִּקְנָה Jer. 32:12
5 אֵת סֵפֶר הַמִּקְנָה הַזֶּה... Jer. 32:14
לְמִקְנָה 6 לְאַבְרָהָם לְמִקְנָה לְעֵינֵי בְנֵי־חֵת Gen. 23:18
מִקְנַת־ 7 וְאֵת כָּל־מִקְנַת כַּסְפּוֹ Gen. 17:23
8 וְכָל־עֶבֶד אִישׁ מִקְנַת־כָּסֶף Ex. 12:44
וּמִקְנַת־ 9-10 יְלִיד בָּיִת וּמִקְנַת־כֶּסֶף Gen. 17:12, 27
11 יְלִיד בֵּיתְךָ וּמִקְנַת כַּסְפֶּךָ Gen. 17:13
מִקְנָתוֹ 12 לְפִי רֹב הַשָּׁנִים תַּרְבֶּה מִקְנָתוֹ Lev. 25:16
13 וּלְפִי מְעֹט הַשָּׁנִים תַּמְעִיט מִקְנָתוֹ Lev. 25:16
14 לְפִיהֶן יָשִׁיב גְּאֻלָּתוֹ מִכֶּסֶף מִקְנָתוֹ Lev. 25:51
15 וְאִם אֶת־שְׂדֵה מִקְנָתוֹ...יַקְדִּישׁ Lev. 27:22

מִקְנֵיָהוּ שפ־ז לוי משורר בימי דוד
וּמִקְנֵיָהוּ 1/2 וּמַתִּתְיָהוּ וֶאֱלִיפְלֵהוּ וּמִקְנֵיָהוּ ICh. 15:18, 21

מִקְסָם* ז׳ כִּשּׁוּף, מעשה כשפים: 1, 2
מִקְסַם חָלָק 1; מִקְסַם כָּזָב 2
וּמִקְסַם־ 1 כָּל־חֲזוֹן שָׁוְא וּמִקְסַם חָלָק Ezek. 12:24
2 וּמִקְסַם כָּזָב אֲמַרְתֶּם Ezek. 13:7

מָקַץ עיר בשפלת יהודה
בְּמָקַץ 1 בֶּן־דֶּקֶר בְּמָקַץ וּבְשַׁעַלְבִים IK. 4:9

מִקְצוֹעַ ז׳ פִּנָּה, זוית: 1-12 • מִקְצוֹעַ הֶחָצֵר 6-8, 11
הַמִּקְצוֹעַ 1 מִנֶּגֶד עֲלֹת הַנֶּשֶׁק הַמִּקְצֹעַ Neh. 3:19
2 מִן־הַמִּקְצוֹעַ עַד־פֶּתַח בֵּית אֶלְיָשִׁיב Neh. 3:20
3 עַד־הַמִּקְצוֹעַ וְעַד־הַפִּנָּה Neh. 3:24
4 מִנֶּגֶד הַמִּקְצוֹעַ וְהַמִּגְדָּל Neh. 3:25
5 וְעַל־שַׁעַר הַגַּיְא וְעַל־הַמִּקְצוֹעַ IICh. 26:9
בְּמִקְצוֹעַ־ 6-7 חָצֵר בְּמִקְצֹעַ הֶחָצֵר Ezek. 46:21^{2}
מִקְצוֹעֹת־ 8 בְּאַרְבַּעַת מִקְצֹעוֹת הֶחָצֵר Ezek. 46:22
הַמִּקְצוֹעֹת 9 לִשְׁנֵי הַמִּקְצֹעֹת יִהְיוּ Ex. 26:24
10 כֵּן עָשָׂה לִשְׁנֵיהֶם לִשְׁנֵי הַמִּקְצֹעֹת Ex. 36:29
מִקְצוֹעֵי־ 11 אֶל־אַרְבַּעַת מִקְצוֹעֵי הֶחָצֵר Ezek. 46:21
וּמִקְצוֹעוֹתָיו 12 וְאָרְכּוֹ שְׁתַּיִם אַמּוֹת וּמִקְצוֹעוֹתָיו לוֹ Ezek. 41:22

מַקְצוּעָה* נ׳ כלי להחלקת עץ
בַּמַּקְצֻעוֹת 1 יַעֲשֵׂהוּ בַּמַּקְצֻעוֹת וּבַמְּחוּגָה יְתָאֳרֵהוּ Is. 44:13

מִקְצָעָה* נ׳ מקצוע, זוית: 1,2
לְמִקְצְעֹת־ 1-2 לִמְקֻצְעֹת הַמִּשְׁכָּן Ex. 26:23; 36:28

מִקְצָת נ׳ מעט, חלק מדבר: 1-5
מִקְצָת יָמִים 2, 4; מִקְצָת הַכֵּלִים 1; מִקְצָת רָאשֵׁי הָאָבוֹת 3
וּמִקְצָת־ 1 וּמִקְצָת כְּלֵי בֵית־הָאֱלֹהִים Dan. 1:2
2 וּמִקְצָת יָמִים עֲשָׂרָה נִרְאָה... Dan. 1:15
3 וּמִקְצָת רָאשֵׁי הָאָבוֹת נָתְנוּ Neh. 7:69
וּלְמִקְצָת־ 4 וּלְמִקְצָת הַיָּמִים אֲשֶׁר־אָמַר הַמֶּלֶךְ Dan. 1:18
וּמִקְצָתָם 5 וּמִקְצָתָם יַעַמְדוּ לִפְנֵי הַמֶּלֶךְ Dan. 1:5

מקק : נָמַק, הֵמַק; מַק

(מקק) נָמַק נפ׳ א) נבל, נרקב (גם בהשאלה): 1-9
ב) [הפ׳ הֵמַק] הרקיב: 10
נָמַקָּה לְשׁוֹנוֹ 6; נָמַקּוּ חַבּוּרוֹת 2; נָמַקּוּ עֵינָיו 9
וּנְמַקּוֹתֶם 1 וּנְמַקֹּתֶם בַּעֲוֹנֹתֵיכֶם וּנְהַמְתֶּם Ezek. 24:23
נָמַקּוּ 2 נָמַקּוּ חַבּוּרֹתָי מִפְּנֵי אִוַּלְתִּי Ps. 38:6
וְנָמַקּוּ 3 וְנָמַקּוּ כָּל־צְבָא הַשָּׁמַיִם Is. 34:4
4 וְנָשַׁמּוּ אִישׁ וְאָחִיו וְנָמַקּוּ בַּעֲוֹנָם Ezek. 4:17
נְמַקִּים 5 וּבָם אֲנַחְנוּ נְמַקִּים וְאֵיךְ נִחְיֶה Ezek. 33:10
תִּמַּק 6 וּלְשׁוֹנוֹ תִּמַּק בְּפִיהֶם Zech. 14:12
יִמַּקּוּ 7 וְהַנִּשְׁאָרִים בָּכֶם יִמַּקּוּ בַּעֲוֹנָם Lev. 26:39
תִּמַּקְנָה 9 וְעֵינָיו תִּמַּקְנָה בְחֹרֵיהֶן Zech. 14:12
הָמֵק 10 הָמֵק בְּשָׂרוֹ וְהוּא עֹמֵד עַל־רַגְלָיו Zech. 14:12

מִקְרָא ז׳ א) קריאה בספר: 2
ב) הודעה להתאסף: 3-18, 19-22
ג) מקום האספה: 23
מִקְרָא קֹדֶשׁ 3-18; מִקְרָא הָעֵדָה 19; מִקְרָאֵי קֹדֶשׁ 20, 22
מִקְרָא 1 חֹדֶשׁ וְשַׁבָּת קְרֹא מִקְרָא Is. 1:13
בַּמִּקְרָא 2 וַיִּקְרְאוּ בַסֵּפֶר...וַיָּבִינוּ בַּמִּקְרָא Neh. 8:8
מִקְרָא־ 3 וּבַיּוֹם הָרִאשׁוֹן מִקְרָא־קֹדֶשׁ Ex. 12:16
4 וּבַיּוֹם הַשְּׁבִיעִי מִקְרָא־קֹדֶשׁ Ex. 12:16
5 שַׁבַּת שַׁבָּתוֹן מִקְרָא־קֹדֶשׁ Lev. 23:3
6-9 מִקְרָא־קֹדֶשׁ יִהְיֶה לָכֶם Lev. 23:7, 21, 27, 36
10-18 מִקְרָא קֹדֶשׁ Lev. 23:8, 24, 35
Num. 28:18, 25, 26; 29:1, 7, 12
לְמִקְרָא־ 19 וְהָיוּ לְךָ לְמִקְרָא הָעֵדָה Num. 10:2
מִקְרָאֵי־ 20-21 תִּקְרְאוּ אֹתָם מִקְרָאֵי קֹדֶשׁ Lev. 23:2, 37
22 אֵלֶּה מוֹעֲדֵי יְיָ מִקְרָאֵי קֹדֶשׁ Lev. 23:4
מִקְרָאֶהָ 23 עַל כָּל־מְכוֹן הַר־צִיּוֹן וְעַל־מִקְרָאֶהָ Is. 4:5

מִקְרֶה ז׳ דבר שקרה: 1-10
מִקְרֶה בִּלְתִּי טָהוֹר 2; מִקְרֵה הַבְּהֵמָה 6; מִקְרֵה בְנֵי הָאָדָם 3; מִקְרֵה הַכְּסִיל 9
מִקְרֶה 1 מִקְרֶה הוּא הָיָה לָנוּ ISh. 6:9
2 מִקְרֶה הוּא בִּלְתִּי טָהוֹר הוּא ISh. 20:26
3 כִּי מִקְרֶה בְנֵי־הָאָדָם Eccl. 3:19
4 מִקְרֶה אֶחָד לַצַּדִּיק וְלָרָשָׁע Eccl. 9:2
5 כִּי־מִקְרֶה אֶחָד לַכֹּל Eccl. 9:3
וּמִקְרֶה 6-7 וּמִקְרֶה הַבְּהֵמָה וּמִקְרֶה אֶחָד לָהֶם Eccl. 3:19
שֶׁמִּקְרֶה 8 שֶׁמִּקְרֶה אֶחָד יִקְרֶה אֶת־כֻּלָּם Eccl. 2:14
כְּמִקְרֵה־ 9 כְּמִקְרֵה הַכְּסִיל גַּם־אֲנִי יִקְרֵנִי Eccl. 2:15
מִקְרֶהָ 10 וַיִּקֶר מִקְרֶהָ חֶלְקַת הַשָּׂדֶה לְבֹעַז Ruth 2:3

מְקָרֶה ז׳ תקרה
הַמְּקָרֶה 1 בַּעֲצַלְתַּיִם יִמַּךְ הַמְּקָרֶה Eccl. 10:18

מְקֵרָה נ׳ מקום אויר קר: 1, 2
חֲדַר הַמְּקֵרָה 2; עֲלִיַּת הַמְּקֵרָה 1
הַמְּקֵרָה 1 בַּעֲלִיַּת הַמְּקֵרָה אֲשֶׁר־לוֹ לְבַדּוֹ Jud. 3:20
2 מֵסִיךְ...רַגְלָיו בַּחֲדַר הַמְּקֵרָה Jud. 3:24

מִקְשֶׁה ז׳ זקוף השער(?)
מִקְשֶׁה 1 וְתַחַת מַעֲשֶׂה מִקְשֶׁה קָרְחָה Is. 3:24

מִקְשָׁה[1] נ׳ גוש אחד: 1-9
מִקְשָׁה 1 מִקְשָׁה תֵּעָשֶׂה אֹתָם Ex. 25:18
2 מִקְשָׁה תֵּיעָשֶׂה הַמְּנוֹרָה Ex. 25:31
3-4 כֻּלָּהּ מִקְשָׁה אַחַת Ex. 25:36; 37:22
5 מִקְשָׁה עָשָׂה אֹתָם Ex. 37:7
6 מִקְשָׁה עָשָׂה אֶת־הַמְּנֹרָה Ex. 37:17
7 וְזֶה מַעֲשֵׂה הַמְּנֹרָה מִקְשָׁה זָהָב Num. 8:4
8 עַד־יְרֵכָהּ עַד־פִּרְחָהּ מִקְשָׁה הִוא Num. 8:4
9 מִקְשָׁה תַּעֲשֶׂה אֹתָם Num. 10:2

מִקְשָׁה[2] נ׳ שדה קשואים: 1, 2 • תֹּמֶר מִקְשָׁה 1
מִקְשָׁה 1 כְּתֹמֶר מִקְשָׁה הֵמָּה Jer. 10:5
בְּמִקְשָׁה 2 כְּסֻכָּה בְכָרֶם כִּמְלוּנָה בְמִקְשָׁה Is. 1:8

מַר[1] ת׳ א) חָרִיף בטעמו: 3, 8, 19, 28-34
ב) [בהשאלה] רע, קשה, מכאיב: 1, 2, 4-7, 9-18, 20-27, 35-38
– מַר...מָתוֹק 3,8,16; הַמַּר וְהַנִּמְהָר 15; רַע וָמָר 14; מַר הַמָּוֶת 1; מַר נֶפֶשׁ 2; מַר נַפְשׁוֹ 5, 17-19
– דְּבַר מַר 13; יוֹם מַר 12; מִסְפֵּד מַר 11
– מָרֵי נֶפֶשׁ 35-38; מָרַת נֶפֶשׁ 27
– וְזַעֲקָה מָרָה 26; נֶפֶשׁ מָרָה 23; צְעָקָה מָרָה 25
– בְּכָה מַר 4; הָלַךְ מַר 6; צָרַח מַר 7; זַעַק מָרָה 21

מַר

מַר 1 אָכֵן סָר מַר־הַמָּוֶת ISh. 15:32
2 וַיִּתְקַבְּצוּ...וְכָל־אִישׁ מַר־נֶפֶשׁ ISh. 22:2
3 שָׂמִים מַר לְמָתוֹק וּמָתוֹק לְמָר Is. 5:20
4 מַלְאֲכֵי שָׁלוֹם מַר יִבְכָּיוּן Is. 33:7
5 אֶדַּדֶּה כָל־שְׁנוֹתַי עַל־מַר נַפְשִׁי Is. 38:15
6 וָאֵלֵךְ מַר בַּחֲמַת רוּחִי Ezek. 3:14
7 קוֹל יוֹם יְיָ מַר צֹרֵחַ שָׁם גִּבּוֹר Zep. 1:14
8 וְנֶפֶשׁ רְעֵבָה כָּל־מַר מָתוֹק Prov. 27:7
9 וּמוֹצֶא אֲנִי מַר מִמָּוֶת אֶת...הָאִשָּׁה Eccl. 7:26
מָר 10 זֹאת רָעָתֵךְ כִּי מָר Jer. 4:18
11 וּבָכוּ אֵלַיִךְ...מִסְפֵּד מָר Ezek. 27:31
12 וְאַחֲרִיתָהּ כְּיוֹם מָר Am. 8:10
13 דַּרְכּוֹ חִצָּם דָּבָר מָר Ps. 64:4
וָמָר 14 כִּי־רַע וָמָר עָזְבֵךְ אֶת־יְיָ אֱלֹהָיִךְ Jer. 2:19
הַמַּר 15 הַכַּשְׂדִּים הַגּוֹי הַמַּר וְהַנִּמְהָר Hab. 1:6
לְמָר 16 שָׂמִים מַר לְמָתוֹק וּמָתוֹק לְמָר Is. 5:20
בְּמַר־ 17 וּבָכוּ אֵלַיִךְ בְּמַר־נֶפֶשׁ Ezek. 27:31
18 אָשִׂיחָה בְּמַר נַפְשִׁי Job 7:11
19 אֲדַבְּרָה בְּמַר נַפְשִׁי Job 10:1
מָרָה 20 כִּי־מָרָה תִהְיֶה בָּאַחֲרוֹנָה IISh. 2:26
21 וְהִשְׁמִיעוּ...וְיִזְעֲקוּ מָרָה Ezek. 27:30
22 וְאַחֲרִיתָהּ מָרָה כַלַּעֲנָה Prov. 5:4
23 וְזֶה יָמוּת בְּנֶפֶשׁ מָרָה Job 21:25
(מָרָא) 24 קְרֶאןָ לִי מָרָא Ruth 1:20
וּמָרָה 25 צְעָקָה גְּדֹלָה וּמָרָה עַד־מְאֹד Gen. 27:34
26 וַיִּזְעַק זְעָקָה גְדוֹלָה וּמָרָה Es. 4:1
מָרַת־ 27 וְהִיא מָרַת נָפֶשׁ...וּבָכֹה תִבְכֶּה ISh. 1:10
מָרִים 28 וְלֹא יָכְלוּ לִשְׁתֹּת...כִּי מָרִים הֵם Ex. 15:23
הַמָּרִים 29 מֵי הַמָּרִים הַמְאָרְרִים Num. 5:18
30 הִנָּקִי מִמֵּי הַמָּרִים הַמְאָרְרִים Num. 5:19
31 וּמָחָה אֶל־מֵי הַמָּרִים הָאֵלֶּה Num. 5:23
32 וְהִשְׁקָה...מֵי הַמָּרִים הַמְאָרְרִים Num. 5:24
לְמָרִים 33/4 וּבָאוּ בָהּ הַמַּיִם הַמְאָרְרִים לְמָרִים Num. 5:24, 27
מָרֵי־ 35 פֶּן־יִפְגְּעוּ בָכֶם אֲנָשִׁים מָרֵי נֶפֶשׁ Jud. 18:25
וּמָרֵי־ 36 כִּי גִבֹּרִים הֵמָּה וּמָרֵי נֶפֶשׁ IISh. 17:8
לְמָרֵי־ 37 תְּנוּ שֵׁכָר לְאוֹבֵד וְיַיִן לְמָרֵי נָפֶשׁ Prov. 31:6
38 לָמָּה יִתֵּן...וְחַיִּים לְמָרֵי נָפֶשׁ Job 3:20

מַר²

ז׳ טִפָּה

כְּמַר 1 הֵן גּוֹיִם כְּמַר מִדְּלִי...נֶחְשָׁבוּ Is. 40:15

מֹר, מוֹר

ז׳ שְׂרָף־בּוֹשֶׂם (Commiphora myrrha): 1-12

– מֹר וַאֲהָלוֹת (אֲהָלִים) 1, 2, 4; מֹר וּלְבוֹנָה 3; מֹר עוֹבֵר 6; מָר־דְּרוֹר 11

– הַר הַמּוֹר 9; צְרוֹר הַמֹּר 8; שֶׁמֶן הַמֹּר 10

מוֹר 1 מֹר־וַאֲהָלוֹת קְצִיעוֹת... Ps. 45:9
2 נַפְתִּי מִשְׁכָּבִי מֹר אֲהָלִים וְקִנָּמוֹן Prov. 7:17
3 מְקֻטֶּרֶת מֹר וּלְבוֹנָה S.ofS. 3:6
4 נֵרְדְּ...מֹר וַאֲהָלוֹת S.ofS. 4:14
5/6 וְיָדַי נָטְפוּ־מוֹר וְאֶצְבְּעֹתַי מוֹר עֹבֵר S.ofS. 5:5
7 שִׂפְתוֹתָיו שׁוֹשַׁנִּים נֹטְפוֹת מוֹר עֹבֵר S.ofS. 5:13
הַמֹּר 8 צְרוֹר הַמֹּר דּוֹדִי לִי S.ofS. 1:13
9 אֵל־הַר הַמּוֹר וְאֶל־גִּבְעַת הַלְּבוֹנָה S.ofS. 4:6
10 שִׁשָּׁה חֳדָשִׁים בְּשֶׁמֶן הַמֹּר Es. 2:12
מָר־ 11 בְּשָׂמִים רֹאשׁ מָר־דְּרוֹר Ex. 30:23
מוֹרִי 12 אָרִיתִי מוֹרִי עִם־בְּשָׂמִי S.ofS. 5:1

(מרא) הִמְרִיא

הִפ׳ הִתְנַשֵּׂא

תַּמְרִיא 1 כָּעֵת בַּמָּרוֹם תַּמְרִיא Job 39:18

מָרֵא

ז׳ אֲרָמִית: אָדוֹן: 1-4

מָרֵא מַלְכִין 2; מָרֵא שְׁמַיָּא 1

מָרֵא 1 וְעַל מָרֵא שְׁמַיָּא הִתְרוֹמַמְתָּ Dan. 5:23
וּמָרֵא 2 אֱלָהּ אֱלָהִין וּמָרֵא מַלְכִין Dan. 2:47
מָרְאִי 3 מָרְאִי חֶלְמָא לְשָׂנְאָךְ Dan. 4:16
4 וּגְזֵרַת עִלָּאָה...עַל־מָרְאִי מַלְכָּא Dan. 4:21

מְרֹאדַךְ בַּלְאֲדָן

שפ״ז מלך בבל [עין גם בְּרֹאדַךְ]

מְרֹאדַךְ בַּ׳ 1 שָׁלַח מְרֹאדַךְ בַּלְאֲדָן...מֶלֶךְ־בָּבֶל Is. 39:1

מַרְאֶה

ז׳ א) ראיה, הסתכלות: 35-37, 42, 70-72

ב) דמות, תואר: 1-17, 19, 20, 38-41, 43-69, 73-103

ג) חזון: 18, 21-34

– מַרְאֶה גָּדוֹל 21; מ׳ עָמֹק 79, 87; מַ׳ רַע 102; מַרְאֶה שָׁפָל 90, 103

– אִישׁ מַרְאֶה 15; טוֹבֵי מ׳ 17; טוֹבַת מ׳ 2-8; יְפֵה מ׳ 10, 13; יְפוֹת מ׳ 11, 20; יְפַת מ׳ 1, 9, 14; רָעוֹת מַרְאֶה 12, 19

– מַרְאֶה אֶבֶן־סַפִּיר 56; מ׳ אָדָם 57, 69; מ׳ אוֹפַנִּים 38, 47; מ׳ אֵשׁ 46, 52, 58-60; מ׳ בָזָק 55; מ׳ בֹּקֶר 49; מ׳ בָרָק 68; מ׳ גֶבֶר 67; מ׳ דְּמוּת 40, 63; מ׳ זֹהַר 62; מ׳ יְלָדִים 48; מ׳ כְּבוֹד יְיָ 43; מ׳ לַפִּידִים 54; מ׳ לְשָׁכוֹת 65; מ׳ מַלְאָךְ 53; מ׳ הַמַּרְאֶה 24; מ׳ מָתְנָיו 74, 75, 77; מ׳ נֹגַהּ 39; מ׳ נֶגַע 44; מ׳ נְחֹשֶׁת 64, 83; מ׳ נֶתֶק 45; מ׳ סוּסִים 66, 84; מ׳ עֵינַיִם 37, 42, 71-73, 76; מ׳ עֶרֶב 49; מ׳ צָרַעַת 51; מַרְאֶה שָׁלִשִׁים 41

– גָּדוֹל לְמַרְאֶה 36; נֶחְמָד לְמַרְאֶה 35

מַרְאֶה 1 כִּי־אִשָּׁה יְפַת־מַרְאֶה אָתְּ Gen. 12:11
2 וְהַנַּעֲרָ׳ טֹבַת מַרְאֶה מְאֹד Gen. 24:16
3-8 (וּ)טוֹבַת (־בוֹת) מַרְאֶה Gen. 26:7
IISh. 11:2 • Es. 1:11; 2:2, 3, 7
9 יְפַת־תֹּאַר וִיפַת מַרְאֶה Gen. 29:17
10 יְפֵה־תֹאַר וִיפֵה מַרְאֶה Gen. 39:6
11 יְפוֹת מַרְאֶה וּבְרִיאֹת בָּשָׂר Gen. 41:2
12 רָעוֹת מַרְאֶה וְדַקּוֹת בָּשָׂר Gen. 41:3
13 וְאַדְמֹנִי עִם־יְפֵה מַרְאֶה ISh. 17:42
14 הִיא הָיְתָה אִשָּׁה יְפַת מַרְאֶה IISh. 14:27
15 אֶת־אִישׁ מִצְרִי אִישׁ׳ מַרְאֶה IISh. 23:21
16 ...וְלֹא־מַרְאֶה וְנֶחְמְדֵהוּ Is. 53:2
17 ...וְטוֹבֵי מַרְאֶה וּמַשְׂכִּלִים... Dan. 1:4
וּמַרְאֶה 18 ...וּמַרְאֶה וְלֹא בְחִידֹת... Num. 12:8
הַמַּרְאֶה 19 הַפָּרוֹת רָעוֹת הַמַּרְאֶה וְדַקֹּת Gen. 41:4
20 הַפָּרוֹת יְפֹת הַמַּרְאֶה וְהַבְּרִיאֹת Gen. 41:4
21 וְאֶרְאֶה אֶת־הַמַּרְאֶה הַגָּדֹל הַזֶּה Ex. 3:3
22 וַיַּעַל מֵעָלַי הַמַּרְאֶה אֲשֶׁר רָאִיתִי Ezek. 11:24
23 וּפְנֵי הַקֹּדֶשׁ הַמַּרְאֶה כַּמַּרְאֶה Ezek. 41:21
24 וּכְמַרְאֵה הַמַּרְאֶה אֲשֶׁר רָאִיתִי Ezek. 43:3
25 הָבֵן לְהַלָּז אֶת־הַמַּרְאֶה Dan. 8:16
26 וָאֶשְׁתּוֹמֵם עַל־הַמַּרְאֶה Dan. 8:27
בַּמַּרְאֶה 27 וַתְּבִאֵנִי...בַּמַּרְאֶה בְּרוּחַ אֱלֹהִים Ezek. 11:24
28 וּבִין בַּדָּבָר וְהָבֵן בַּמַּרְאֶה Dan. 9:23
29 וּבִין אֶת־הַדָּבָר וּבִינָה לוֹ בַּמַּרְאֶה Dan. 10:1
כַּמַּרְאֶה 30 כַּמַּרְאֶה אֲשֶׁר הֶרְאָה יְיָ אֶת־מֹשֶׁה Num. 8:4
31 כַּמַּרְאֶה אֲשֶׁר רָאִיתִי בַּבִּקְעָה Ezek. 8:4
32 וּפְנֵי הַקֹּדֶשׁ הַמַּרְאֶה כַּמַּרְאֶה Ezek. 41:21
33 כַּמַּרְאֶה אֲשֶׁר־רָאִיתִי בְּבֹאִי Ezek. 43:3
34 כַּמַּרְאֶה אֲשֶׁר רָאִיתִי אֶל־נְהַר כְּבָר Ezek. 43:3
לְמַרְאֶה 35 כָּל־עֵץ נֶחְמָד לְמַרְאֶה Gen. 2:9
36 וַיִּבְנוּ...מִזְבֵּחַ גָּדוֹל לְמַרְאֶה Josh. 22:10
מַרְאֵה־ 37 לְכָל־מַרְאֵה עֵינֵי הַכֹּהֵן Lev. 13:12
38 מַרְאֵה הָאוֹפַנִּים וּמַעֲשֵׂיהֶם Ezek. 1:16
39 כֵּן מַרְאֵה הַנֹּגַהּ סָבִיב Ezek. 1:28
40 הוּא מַרְאֵה דְּמוּת כְּבוֹד־יְיָ Ezek. 1:28
מַרְאֵה־ (המשך) 41 מַרְאֵה שָׁלִשִׁים כֻּלָּם Ezek. 23:15
42 טוֹב מַרְאֵה עֵינַיִם מֵהֲלָךְ־נָפֶשׁ Eccl. 6:9
וּמַרְאֵה־ 43 וּמַרְאֵה כְּבוֹד יְיָ כְּאֵשׁ אֹכֶלֶת Ex. 24:17
44 וּמַרְאֵה הַנֶּגַע עָמֹק מֵעוֹר בְּשָׂרוֹ Lev. 13:3
45 וּמַרְאֵה הַנֶּתֶק אֵין עָמֹק מִן־הָעוֹר Lev. 13:32
46 הֶעָנָן יְכַסֶּנּוּ וּמַרְאֵה־אֵשׁ לָיְלָה Num. 9:16
47 וּמַרְאֵה הָאוֹפַנִּים כְּעֵין אֶבֶן Ezek. 10:9
48 מַרְאֵינוּ וּמַרְאֵה הַיְלָדִים הָאֹכְלִים Dan. 1:13
49 וּמַרְאֵה הָעֶרֶב וְהַבֹּקֶר Dan. 8:26
וּבְמַרְאֵה־ 50 בְּדַרְכֵי לִבְּךָ וּבְמַרְאֵה (כת׳ ובמראי) עֵינֶיךָ Eccl. 11:9
כְּמַרְאֵה־ 51 כְּמַרְאֵה צָרַעַת עוֹר בָּשָׂר Lev. 13:43
52 וּבָעֶרֶב...כְּמַרְאֵה־אֵשׁ עַד־בֹּקֶר Num. 9:15
53 כְּמַרְאֵה מַלְאַךְ הָאֱלֹהִים Jud. 13:6
54 מַרְאֵיהֶם...כְּמַרְאֵה הַלַּפִּדִים Ezek. 1:13
55 וְהַחַיּוֹת רָצוֹא וָשׁוֹב כְּמַרְאֵה הַבָּזָק Ezek. 1:14
56 כְּמַרְאֵה אֶבֶן־סַפִּיר Ezek. 1:26
57 דְּמוּת כְּמַרְאֵה אָדָם עָלָיו Ezek. 1:26
58-60 כְּמַרְאֵה־אֵשׁ Ezek. 1:27²; 8:2
61 כְּמַרְאֵה הַקֶּשֶׁת אֲשֶׁר יִהְיֶה בֶעָנָן Ezek. 1:28
62 כְּמַרְאֵה־זֹהַר כְּעֵין הַחַשְׁמַלָה Ezek. 8:2
63 כְּאֶבֶן סַפִּיר כְּמַרְאֵה דְּמוּת כִּסֵּא Ezek. 40:3
64 מַרְאֵהוּ כְּמַרְאֵה נְחֹשֶׁת Ezek. 42:11
65 וְדֶרֶךְ לִפְנֵיהֶם כְּמַרְאֵה הַלְּשָׁכוֹת Ezek. 42:11
66 כְּמַרְאֵה סוּסִים מַרְאֵהוּ Joel 2:4
67 וְהִנֵּה עֹמֵד לְנֶגְדִּי כְּמַרְאֵה־גָבֶר Dan. 8:15
68 וּפָנָיו כְּמַרְאֵה בָרָק Dan. 10:6
69 וַיִּגַּע־בִּי כְּמַרְאֵה אָדָם Dan. 10:18
וּכְמַרְאֵה־ 70 וּכְמַרְאֵה הַמַּרְאֶה אֲשֶׁר רָאִיתִי Ezek. 43:3
לְמַרְאֵה־ 71 וְלֹא־לְמַרְאֵה עֵינָיו יִשְׁפּוֹט Is. 11:3
72 וַתַּעְגְּבָ׳ עֲלֵיהֶם לְמַרְאֵה עֵינֶיהָ Ezek. 23:16
מִמַּרְאֵה־ 73 וְהָיִיתָ מְשֻׁגָּע מִמַּרְאֵה עֵינֶיךָ... Deut. 28:34
74 מִמַּרְאֵה מָתְנָיו וּלְמַעְלָה Ezek. 1:27
75 מִמַּרְאֵה מָתְנָיו וּלְמַטָּה אֵשׁ Ezek. 8:2
וּמִמַּרְאֵה־ 76 וּמִמַּרְאֵה עֵינֶיךָ אֲשֶׁר תִּרְאֶה Deut. 28:67
77 וּמִמַּרְאֵה מָתְנָיו וּלְמַטָּה... Ezek. 1:27
וּמַרְאֵיךְ 78 כִּי־קוֹלֵךְ עָרֵב וּמַרְאֵיךְ נָאוֶה S.ofS. 2:14
מַרְאֵהוּ 79 וְהִנֵּה מַרְאֵהוּ עָמֹק מִן־הָעוֹר Lev. 13:30
80 וְהִנֵּה אֵין־מַרְאֵהוּ עָמֹק מִן־הָעוֹר Lev. 13:31
81 אַל־תַּבֵּט אֶל־מַרְאֵהוּ וְאֶל־גְּבֹהַּ... ISh. 16:7
82 כֵּן־מִשְׁחַת מֵאִישׁ מַרְאֵהוּ Is. 52:14
83 מַרְאֵהוּ כְּמַרְאֵה נְחֹשֶׁת Ezek. 40:3
84 כְּמַרְאֵה סוּסִים מַרְאֵהוּ Joel 2:4
85 יַעֲמֹד וְלֹא אַכִּיר מַרְאֵהוּ Job 4:16
86 מַרְאֵהוּ כַּלְּבָנוֹן בָּחוּר כָּאֲרָזִים S.ofS. 5:15
וּמַרְאֵהוּ 87 וּמַרְאֵהוּ אֵינֶנּוּ עָמֹק מִן־הָעוֹר Lev. 13:34
88 וּמַרְאֵהוּ כְּמַרְאֵה מַלְאַךְ הָאֱלֹ׳ Jud. 13:6
מַרְאֶהָ 89 וְעָמֹק אֵין־מַרְאֶהָ מִן־הָעוֹר Lev. 13:4
90 וְהִנֵּה מַרְאֶהָ שָׁפָל מִן־הָעוֹר Lev. 13:20
וּמַרְאֶהָ 91 וּמַרְאֶהָ עָמֹק מִן־הָעוֹר Lev. 13:25
מַרְאַיִךְ 92 הַרְאִינִי אֶת־מַרְאַיִךְ S.ofS. 2:14
מַרְאָיו 93 הֲגַם אֶל־מַרְאָיו יֻטָל Job 41:1
מַרְאֵינוּ 94 וְיֵרָאוּ לְפָנֶיךָ מַרְאֵינוּ Dan. 1:13
מַרְאֵיהֶם 95 מַרְאֵיהֶם כְּגַחֲלֵי־אֵשׁ בֹּעֲרוֹת Ezek. 1:13
96 וּדְמוּת פְּנֵיהֶם...מַרְאֵיהֶם וְאוֹתָם Ezek. 10:22
97 נִרְאָה מַרְאֵיהֶם טוֹב Dan. 1:15
וּמַרְאֵיהֶם 98 וּמַרְאֵיהֶם וּמַעֲשֵׂיהֶם כְּעֵין תַּרְשִׁישׁ Ezek. 1:16
99 וּמַרְאֵיהֶם דְּמוּת אֶחָד לְאַרְבַּעְתָּם Ezek. 10:10
מַרְאֵיהֶן 100 וְזֶה מַרְאֵיהֶן דְּמוּת אָדָם לָהֵנָּה Ezek. 1:5
101 מַרְאֵיהֶן כַּלַּפִּידִים כַּבְּרָקִים יְרוֹצֵצוּ Nah. 2:5
וּמַרְאֵיהֶן 102 וּמַרְאֵיהֶן רַע כַּאֲשֶׁר בַּתְּחִלָּה Gen. 41:21
103 וּמַרְאֵיהֶן שָׁפָל מִן־הַקִּיר Lev. 14:37

מַרְאָה נ׳ א) חזון נבואי: 1–9, 11, 12
ב) ראי, אספקלריה: 10
קרובים: ראה חָזוֹן
מַרְאָה גְדֹלָה 4; מַרְאוֹת אֱלֹהִים 8, 11, 12; מַרְאוֹת הַצֹּבְאוֹת 10
הַמַּרְאָה 1 וּשְׁמוּאֵל יָרֵא מֵהַגִּיד אֶת־הַמַּרְאָה ISh. 3:15
2 וְרָאִיתִי אֲנִי דָנִיֵּאל...אֶת־הַמַּרְאָה Dan. 10:7
3 וְהָאֲנָשִׁים...לֹא רָאוּ אֶת־הַמַּרְאָה Dan. 10:7
4 וָאֶרְאֶה אֶת־הַמַּרְאָה הַגְּדֹלָה הַזֹּאת Dan. 10:8
בַּמַּרְאָה 5 בַּמַּרְאָה אֵלָיו אֶתְוַדָּע Num. 12:6
6 בַּמַּרְאָה נֶהֶפְכוּ צִירַי עָלַי Dan. 10:16
וּמַרְאוֹת 7 וּמַרְאוֹת כַּמַּרְאֶה אֲשֶׁר רָאִיתִי Ezek. 43:3
מַרְאוֹת־ 8 וָאֶרְאֶה מַרְאוֹת אֱלֹהִים Ezek. 1:1
בְּמַרְאֹת־ 9 וַיֹּאמֶר אֱלֹהִים בְּמַרְאֹת הַלַּיְלָה Gen. 46:2
10 בְּמַרְאֹת הַצֹּבְאֹת אֲשֶׁר צָבְאוּ... Ex. 38:8
11 וַתָּבֵא אֹתִי...בְּמַרְאוֹת אֱלֹהִים Ezek. 8:3
12 בְּמַרְאוֹת אֱלֹהִים הֱבִיאַנִי Ezek. 40:2

מֻרְאָה* נ׳ זֶפֶק
מֻרְאָתוֹ 1 וְהֵסִיר אֶת־מֻרְאָתוֹ בְּנֹצָתָהּ Lev. 1:16

מֹרְאָה ת׳ מורדת, ממרה
מוֹרְאָה 1 הוֹי מֹרְאָה וְנִגְאָלָה Zep. 3:1

מֵרוֹן – עין שִׁמְרוֹן

מָרֵאשָׁה – עין מָרֵשָׁה

מְרַאֲשׁוֹת* נ״ר המקום במטה להשענת הראש: 1–10
מְרַאֲשֹׁתֵי־ 1 וַיִּקַּח דָּוִד אֶת־הַחֲנִית...מְרַאֲשֹׁתֵי שָׁאוּל ISh. 26:12
מְרַאֲשֹׁתָיו 2 וַיִּקַּח...וַיָּשֶׂם מְרַאֲשֹׁתָיו Gen. 28:11
3 הָאֶבֶן אֲשֶׁר־שָׂם מְרַאֲשֹׁתָיו Gen. 28:18
4 כְּבִיר הָעִזִּים שָׂמָה מְרַאֲשֹׁתָיו ISh. 19:13
5 וּכְבִיר הָעִזִּים מְרַאֲשֹׁתָיו ISh. 19:16
6 וַחֲנִיתוֹ מְעוּכָה־בָאָרֶץ מְרַאֲשֹׁתָיו ISh. 26:7
7 אֶת־הַחֲנִית אֲשֶׁר מְרַאֲשֹׁתָו ISh. 26:11
8 צַפַּחַת הַמַּיִם אֲשֶׁר מְרַאֲשֹׁתָו ISh. 26:16
9 וַיַּבֵּט וְהִנֵּה מְרַאֲשֹׁתָיו עֻגַת רְצָפִים IK. 19:6
מְרַאֲשׁוֹתֵיכֶם 10 כִּי יָרַד מְרַאֲשׁוֹתֵיכֶם Jer. 13:18

מֵרַב שפ״נ – בת המלך שאול: 1–3
מֵרַב 1 שֵׁם הַבְּכִירָה מֵרַב ISh. 14:49
2 הִנֵּה בִתִּי הַגְּדוֹלָה מֵרַב ISh. 18:17
3 בְּעֵת תֵּת אֶת־מֵרַב...לְדָוִד ISh. 18:19

מַרְבַד* ז׳ מצע למשכב: 1, 2
מַרְבַדִּים 1 מַרְבַדִּים רָבַדְתִּי עַרְשִׂי Prov. 7:16
2 מַרְבַדִּים עָשְׂתָה־לָּהּ Prov. 31:22

מִרְבָּה נ׳ הרבה
מִרְבָּה 1 תִּהְיֶה לִצְחֹק וּלְלַעַג מִרְבָּה לְהָכִיל Ezek. 23:32

מַרְבֶּה תה״פ הרבה, רוב: 1, 2
מַרְבֶּה 1 אָז חֻלַּק עַד־שָׁלָל מַרְבֶּה Is. 33:23
לְמַרְבֵּה 2 לְמַרְבֵּה (כת׳ לםרבה) הַמִּשְׂרָה וּלְשָׁלוֹם אֵין־קֵץ Is. 9:6

מַרְבֵּה רַגְלַיִם ז׳ שרץ בעל רגלים רבות
מַרְבֵּה רַגְלַיִם 1 עַד כָּל־מַרְבֵּה רַגְלַיִם Lev. 11:42

מַרְבִּית נ׳ א) רוב: 1–3, 5
ב) נשך, רבית: 4
מַרְבִּית בֵּיתוֹ 1; מ׳ חָכְמָתוֹ 2; מ׳ הָעָם 3
מַרְבִּית־ 1 וְכָל־מַרְבִּית בֵּיתְךָ יָמוּתוּ אֲנָשִׁים ISh. 2:33
2 לֹא הֻגַּד־לִי חֲצִי מַרְבִּית חָכְמָתֶךָ IICh. 9:6
3 כִּי מַרְבִּית הָעָם...לֹא הִטֶּהָרוּ IICh. 30:18
וּבְמַרְבִּית 4 וּבְמַרְבִּית לֹא־תִתֵּן אָכְלֶךָ Lev. 25:37
מַרְבִּיתָם 5 מַרְבִּיתָם שֹׁמְרִים מִשְׁמֶרֶת בֵּית שָׁאוּל IICh. 12:29(30)

מַרְבַּע ת׳ – עין רָבַע (1-3)

מַרְבֵּץ ז׳ משכב הבהמה והחיה: 1, 2 מַרְבֵּץ צֹאן 2
מַרְבֵּץ 1 אֵיךְ הָיְתָה לְשַׁמָּה מַרְבֵּץ לַחַיָּה Zep. 2:15
לְמַרְבַּץ־ 2 וְאֶת־בְּנֵי עַמּוֹן לְמַרְבַּץ־צֹאן Ezek. 25:5

מַרְבֵּק ז׳ מקום לפטום בעלי־חיים: 1–4
עֵגֶל מַרְבֵּק 1, 2, 4
מַרְבֵּק 1 וְלָאִשָּׁה עֵגֶל־מַרְבֵּק בַּבַּיִת ISh. 28:24
2 שְׂכִרֶיהָ בְקִרְבָּהּ כְּעֶגְלֵי מַרְבֵּק Jer. 46:21
3 וַעֲגָלִים מִתּוֹךְ מַרְבֵּק Am. 6:4
4 וִיצָאתֶם וּפִשְׁתֶּם כְּעֶגְלֵי מַרְבֵּק Mal. 3:20

מַרְגּוֹעַ ז׳ מנוחה • קרובים: ראה מְנוּחָה
מַרְגּוֹעַ 1 וּמִצְאוּ מַרְגּוֹעַ לְנַפְשְׁכֶם Jer. 6:16

מַרְגְּלוֹת נ״ר א) המקום במטה להשענת הרגלים: 1–4
ב) רגלים: 5
מַרְגְּלֹתָיו 1 וְגִלִּית מַרְגְּלֹתָיו וְשָׁכָבְתְּ Ruth 3:4
2 וַתְּגַל מַרְגְּלֹתָיו וַתִּשְׁכָּב Ruth 3:7
3 וְהִנֵּה אִשָּׁה שֹׁכֶבֶת מַרְגְּלֹתָיו Ruth 3:8
4 וַתִּשְׁכַּב מַרְגְּלוֹתָו עַד־הַבֹּקֶר Ruth 3:14
וּמַרְגְּלֹתָיו 5 וּזְרֹעֹתָיו וּמַרְגְּלֹתָיו כְּעֵין נְחֹשֶׁת קָלָל Dan. 10:6

מַרְגֵּמָה נ׳ מכשיר לקליעת אבנים
בְּמַרְגֵּמָה 1 כִּצְרוֹר אֶבֶן בְּמַרְגֵּמָה Prov. 26:8

מַרְגֵּעָה נ׳ מנוח, מרגוע • קרובים: ראה מְנוּחָה
הַמַּרְגֵּעָה 1 זֹאת הַמְּנוּחָה...וְזֹאת הַמַּרְגֵּעָה Is. 28:12

מרד : מָרַד; מֶרֶד, מָרוּד; אר׳ מְרַד, מָרָד

מָרַד פ׳ קם נגד־, פרק עול: 1–25
– מָרַד, מָרַד בְּ־ 1–10, 12–17, 19–22, 24, 25; מָרַד עַל־ 11, 18; מָרַד אֶת־ 23
– מוֹרְדֵי אוֹר 14
לִמְרֹד 1 חָלִילָה לָּנוּ מִמֶּנּוּ לִמְרֹד בַּיי Josh. 22:29
2 וְהַיְּהוּדִים חֹשְׁבִים לִמְרוֹד Neh. 6:6
לִמְרָדְכֶם 3 ...מִזְבֵּחַ לִמְרָדְכֶם הַיּוֹם בַּיי Josh. 22:16
מָרַדְתָּ 4 עַל־מִי בָטַחְתָּ כִּי מָרַדְתָּ בִּי IIK. 18:20
5 עַל־מִי בָטַחְתָּ כִּי מָרַדְתָּ בִּי Is. 36:5
מָרָד 6 וְגַם בַּמֶּלֶךְ נְבוּכַדְנֶאצַּר מָרָד IICh. 36:13
מָרַדְנוּ 7 כִּי מָרַדְנוּ בּוֹ Dan. 9:9
וּמָרָדְנוּ 8 חָטָאנוּ וְעָוִינוּ הִרְשַׁעְנוּ וּמָרָדְנוּ Dan. 9:5
מָרְדוּ 9 הַמּוֹרְדִים אֲשֶׁר מָרְדוּ־בִי Ezek. 2:3
מָרָדוּ 10 וּשְׁלֹשׁ־עֶשְׂרֵה שָׁנָה מָרָדוּ Gen. 14:4
מוֹרְדִים 11 הַעַל הַמֶּלֶךְ אַתֶּם מֹרְדִים Neh. 2:19
הַמּוֹרְדִים 12 אֶל־גּוֹיִם הַמּוֹרְדִים Ezek. 2:3
13 הַמֹּרְדִים וְהַפּוֹשְׁעִים בִּי Ezek. 20:38
בְּמֹרְדֵי־ 14 הֵמָּה הָיוּ בְּמֹרְדֵי אוֹר Job 24:13
וַיִּמְרֹד 15 וַיִּמְרֹד בְּמֶלֶךְ־אַשּׁוּר וְלֹא עֲבָדוֹ IIK. 18:7
16 וַיִּמְרֹד צִדְקִיָּהוּ בְּמֶלֶךְ בָּבֶל IIK. 24:20
17 וַיִּמְרֹד צִדְקִיָּהוּ בְּמֶלֶךְ בָּבֶל Jer. 52:3
18 וַיָּקָם...וַיִּמְרֹד עַל־אֲדֹנָיו IICh. 13:6
וַיִּמְרָד־ 19 וַיָּשָׁב וַיִּמְרָד־בּוֹ IIK. 24:1
20 וַיִּמְרָד־בּוֹ לִשְׁלֹחַ מַלְאָכָיו מִצְ׳ Ezek. 17:15
תִּמְרְדוּ 21 וְהָיָה אַתֶּם תִּמְרְדוּ הַיּוֹם בַּיי Josh. 22:18
תִּמְרֹדוּ 22 אַךְ בַּיי אַל־תִּמְרֹדוּ Num. 14:9
23 וְאוֹתָנוּ אַל־תִּמְרֹדוּ Josh. 22:19
24 וּבַיי אַל־תִּמְרֹדוּ Josh. 22:19
וַיִּמְרְדוּ 25 וַיַּמְרוּ וַיִּמְרְדוּ בָּךְ Neh. 9:26

מֶרֶד¹ ז׳ התקוממות, פריקת עול
בְּמֶרֶד 1 אִם־בְּמֶרֶד וְאִם־בְּמַעַל בַּיי Josh. 22:22

מֶרֶד² שפ״ז איש משבט יהודה: 1, 2
מֶרֶד 1 בְּנֵי בִתְיָה...אֲשֶׁר לָקַח מָרֶד ICh. 4:18
וּמֶרֶד 2 וּבֶן־עֶזְרָה יֶתֶר וּמֶרֶד... ICh. 4:17

מְרַד ז׳ ארמית: מֶרֶד
וּמְרַד 1 וּמְרַד וְאֶשְׁתַּדּוּר מִתְעַבֵד־בַּהּ Ez. 4:19

מָרָדָא ת׳ ארמית: הַמּוֹרֵד: 1, 2
מָרָדָא 1 קִרְיְתָא דָךְ קִרְיָא מָרָדָא Ez. 4:15
מָרָדְתָּא 2 קִרְיְתָא מָרָדְתָּא וּבִאישְׁתָּא Ez. 4:12

מַרְדּוּת נ׳ עונש, כפיה
הַמַּרְדּוּת 1 וַיֹּאמֶר לוֹ בֶּן־נַעֲוַת הַמַּרְדּוּת ISh. 20:30

מְרֹדַךְ* שפ״ז מאלילי בבל [גם מְרֹאדַךְ]
מְרֹדָךְ 1 הֹבִישׁ בֵּל חַת מְרֹדָךְ Jer. 50:2

מָרְדְּכַי שפ״ז א) בן יאיר, בן־דוד לאסתר: 1–30, 33
ב) מעולי בבל עם זרובבל 31, 32
מָרְדְּכַי הַיְּהוּדִי 9–11, 50, 54, 60; גְּדֻלַּת מ׳ 13; דִּבְרֵי מָרְדְּכַי 7, 36; דּוֹד מ׳ 5; מַאֲמַר מ׳ 6; עַם מָרְדְּכַי 35,34; פַּחַד מ׳ 12; שֵׁם מָרְדְּכַי 33
מָרְדֳּכַי 1 וּשְׁמוֹ מָרְדֳּכַי בֶּן יָאִיר Es. 2:5
2 לְקָחָהּ מָרְדֳּכַי לוֹ לְבַת Es. 2:7
3 כִּי מָרְדֳּכַי צִוָּה עָלֶיהָ Es. 2:10
4 מָרְדֳּכַי מִתְהַלֵּךְ לִפְנֵי חֲצַר בֵּית־הַנָּ׳ Es. 2:11
5 בַּת־אֲבִיחַיִל דֹּד מָרְדֳּכַי Es. 2:15
6 וְאֶת־מַאֲמַר מָרְדֳּכַי אֶסְתֵּר עֹשָׂה Es. 2:20
7 לִרְאוֹת הֲיַעַמְדוּ דִּבְרֵי מָרְדֳּכַי Es. 3:4
8 כִּי־אֵין מָרְדֳּכַי כֹּרֵעַ וּמִשְׁתַּחֲוֶה לוֹ Es. 3:5
9–11 מָרְדֳּכַי הַיְּהוּדִי Es. 5:13; 9:31; 10:3
12 כִּי־נָפַל פַּחַד־מָרְדֳּכַי עֲלֵיהֶם Es. 9:3
13 וּפָרָשַׁת גְּדֻלַּת מָרְדֳּכַי Es. 10:2
14–30 מָרְדֳּכַי Es. 4:1, 4, 7, 13
5:9², 14; 6:2, 4, 12, 13; 8:2, 9; 9:4², 20, 23
31 בָּאוּ עִם־זְרֻבָּבֶל...מָרְדֳּכַי בִּלְשָׁן Ez. 2:2
32 הַבָּאִים עִם־זְרֻבָּבֶל..מָרְדֳּכַי בִּלְשָׁן Neh. 7:7
מָרְדֳּכָי 33 וַתֹּאמֶר אֶסְתֵּר לַמּ׳ בְּשֵׁם מָרְדֳּכָי Es. 2:22
34 כִּי־הִגִּידוּ לוֹ אֶת־עַם מָרְדֳּכָי... Es. 3:6
35 וַיְבַקֵּשׁ הָמָן לְהַשְׁמִיד...עַם מָרְדֳּכָי Es. 3:6
36 וַיַּגֵּד לְאֶסְתֵּר אֵת דִּבְרֵי מָרְדֳּכָי Es. 4:9
37–43 מָרְדֳּכָי Es. 2:20; 4:5, 6, 10, 15, 17; 6:11
וּמָרְדֳּכַי 44/5 וּמָרְדֳּכַי י(ו)שֵׁב בְּשַׁעַר־הַמֶּלֶךְ Es. 2:19, 21
46 וּמָרְדֳּכַי לֹא יִכְרַע וְלֹא יִשְׁתַּחֲוֶה Es. 3:2
47 וּמָרְדֳּכַי יָדַע אֶת־כָּל־אֲשֶׁר נַעֲשָׂה Es. 4:1
48 וּמָרְדֳּכַי בָּא לִפְנֵי הַמֶּלֶךְ Es. 8:1
49 וּמָרְדֳּכַי יָצָא מִלִּפְנֵי הַמֶּלֶךְ Es. 8:15
50 וַתִּכְתֹּב אֶסְתֵּר...וּמָרְדֳּכַי הַיְּהוּדִי Es. 9:29
בְּמָרְדֳּכַי 51 לִשְׁלֹחַ יָד בְּמָרְדֳּכַי לְבַדּוֹ Es. 3:6
לְמָרְדֳּכַי 52 וַיִּוָּדַע הַדָּבָר לְמָרְדֳּכַי Es. 2:22
53 מַה־נַּעֲשָׂה יְקָר וּגְדוּלָּה לְמָרְדֳּכַי Es. 6:3

לְמָרְדֳּכַי
54 וַעֲשֵׂה־כֵן לְמָרְדֳּכַי הַיְּהוּדִי Es. 6:10
55 אֲשֶׁר־עָשָׂה הָמָן לְמָרְדֳּכַי Es. 7:9
לְמָרְדֳּכַי 56 וַיֹּאמְרוּ עַבְדֵי הַמֶּלֶךְ...לְמָרְדֳּכַי Es. 3:3
57 וַיַּגִּידוּ לְמָרְדֳּכָי Es. 4:12
58 עַל־הָעֵץ אֲשֶׁר הֵכִין לְמָרְדֳּכָי Es. 7:10
59 וַיָּסַר הַמֶּלֶךְ...וַיִּתְּנָהּ לְמָרְדֳּכָי Es. 8:2
וּלְמָרְדֳּכַי 60 לְאֶסְתֵּר...וּלְמָרְדֳּכַי הַיְּהוּדִי Es. 8:7

מרה : מָרָה, הִמְרָה; מוֹרֶה, מְרִי; ש״פ מָרָה, מְרִיָּה, מְרִיּוֹת, יִמְרָה, מְרִים

מָרָה פ׳ א) לא שמע בקול, סרב: 1-21
ב) [הפ׳ הִמְרָה] מרד, מרה, הכעיס: 22-44
– סורר ומורה 17-20
– מָרָה 1, 2, 4, 9, 13, 17-21; מָרָה אֶת־ 8, 14, 16; מָרָה בְּ־ 7, 15; מָרָה (אֶת) פִּיו 3, 5, 6, 10-12
– הִמְרָה אֶת־ 22-26, 31, 42-44; הִמְרָה בְּ־ 30, 37-40; הִמְרָה אֲמָרָיו 26; הִמ׳ מִשְׁפָּטוֹ 31; הִמְרָה עֵינָיו 22; הִמְרָה רוּחוֹ 25; הִמְרָה בַּעֲצָתוֹ 37

מָרוּ 1 נֶהְפַּךְ לִבִּי...כִּי מָרוֹ מָרִיתִי Lam. 1:20
מָרִיתִי 2 וְאָנֹכִי לֹא מָרִיתִי Is. 50:5
3 צַדִּיק הוּא יְיָ כִּי־פִיהוּ מָרִיתִי Lam. 1:18
4 נֶהְפַּךְ לִבִּי...כִּי מָרוֹ מָרִיתִי Lam. 1:20
מָרִיתָ 5 יַעַן כִּי מָרִיתָ פִּי יְיָ IK. 13:21
מָרָה 6 אֲשֶׁר מָרָה אֶת־פִּי יְיָ IK. 13:26
מָרְתָה 7 תֶּאְשַׁם שֹׁמְרוֹן כִּי מָרְתָה בֵּאלֹהֶיהָ Hosh. 14:1
מָרָתָה 8 כִּי־אֹתִי מָרָתָה נְאֻם יְיָ Jer. 4:17
וּמָרִינוּ 9 נַחְנוּ פָשַׁעְנוּ וּמָרִינוּ Lam. 3:42
מְרִיתֶם 10 עַל אֲשֶׁר־מְרִיתֶם אֶת־פִּי Num. 20:24
11 כַּאֲשֶׁר מְרִיתֶם פִּי בְּמִדְבַּר־צִן Num. 27:14
וּמְרִיתֶם 12 וּמְרִיתֶם אֶת־פִּי יְיָ ISh. 12:15
13 וְאִם־תְּמָאֲנוּ וּמְרִיתֶם Is. 1:20
מָרוּ 14 מָרוּ וְעִצְּבוּ אֶת־רוּחַ קָדְשׁוֹ Is. 63:10
15 הַדִּיחֵמוֹ כִּי מָרוּ בָךְ Ps. 5:11
16 וְלֹא־מָרוּ אֶת־דְּבָרוֹ Ps. 105:28
וּמוֹרֶה 17 יִהְיֶה לְאִישׁ בֵּן סוֹרֵר וּמוֹרֶה Deut. 21:18
18 בְּנֵנוּ זֶה סוֹרֵר וּמֹרֶה Deut. 21:20
19 וְלָעָם הַזֶּה הָיָה לֵב סוֹרֵר וּמוֹרֶה Jer. 5:23
20 דּוֹר סוֹרֵר וּמֹרֶה Ps. 78:8
הַמּוֹרִים 21 שִׁמְעוּ־נָא הַמֹּרִים Num. 20:10
לַמְרוֹת 22 לַמְרוֹת עֵנֵי־כְבוֹדוֹ Is. 3:8
23 לַמְרוֹת עֶלְיוֹן בַּצִּיָּה Ps. 78:17
וּבְהַמְּרוֹתָם 24 וּבְהַמְּרוֹתָם תָּלַן עֵינִי Job 17:2
הִמְרוּ 25 כִּי־הִמְרוּ אֶת־רוּחוֹ Ps. 106:33
26 כִּי־הִמְרוּ אִמְרֵי־אֵל Ps. 107:11
מַמְרִים 27/8 מַמְרִים הֱיִיתֶם עִם־יְיָ Deut. 9:7, 24
29 מַמְרִים הֱיִתֶם עִם־יְיָ Deut. 31:27
תַּמֵּר 30 וּשְׁמַע בְּקֹלוֹ אַל־תַּמֵּר בּוֹ Ex. 23:21
וַתֶּמֶר 31 וַתֶּמֶר אֶת־מִשְׁפָּטַי לְרִשְׁעָה Ezek. 5:6
יַמְרֶה 32 כָּל־אִישׁ אֲשֶׁר־יַמְרֶה אֶת־פִּיךָ Josh. 1:18
תַּמְרוּ 33 וְלֹא תַמְרוּ אֶת־פִּי יְיָ ISh. 12:14
וַתַּמְרוּ 34/5 וַתַּמְרוּ אֶת־פִּי יְיָ אֱלֹהֵיכֶם Deut. 1:26; 9:23
36 וַתַּמְרוּ אֶת־פִּי יְיָ Deut. 1:43
יַמְרוּ 37 וְהֵמָּה יַמְרוּ בַעֲצָתָם Ps. 106:43
וַיַּמְרוּ 38 וַיַּמְרוּ־בִי וְלֹא אָבוּ לִשְׁמֹעַ אֵלַי Ezek. 20:8
39 וַיַּמְרוּ־בִי בֵית־יִשְׂרָאֵל בַּמִּדְבָּר Ezek. 20:13
40 וַיַּמְרוּ־בִי הַבָּנִים Ezek. 20:21
41 וַיְנַסּוּ וַיַּמְרוּ אֶת־אֱלֹהִים עֶלְיוֹן Ps. 78:56
42 וַיַּמְרוּ עַל־יָם בְּיַם־סוּף Ps. 106:7
43 וַיַּמְרוּ וַיִּמְרְדוּ בָּךְ Neh. 9:26
יַמְרוּהוּ 44 כַּמָּה יַמְרוּהוּ בַמִּדְבָּר Ps. 78:40

מָרֶה ת׳ מַר, חמור
מָרֶה 1 רָאָה יְיָ אֶת־עֳנִי יִשְׂרָאֵל מֹרֶה מְאֹד IIK. 14:26

מֹרָה נ׳ מרירות • מֹרַת רוּחַ 1
מוֹרַת 1 מֹרַת רוּחַ לְיִצְחָק וּלְרִבְקָה Gen. 26:35

מָרָּה נ׳ מרירות • מָרַּת־נַפְשׁוֹ 1
מָרַּת 1 לֵב יוֹדֵעַ מָרַּת נַפְשׁוֹ Prov. 14:10

מָרָה מתחנות בני ישראל במסעיהם במדבר סיני: 1-5
מָרָה 1 עַל־כֵּן קָרָא־שְׁמָהּ מָרָה Ex. 15:23
מָרָתָה 2 וַיָּבֹאוּ מָרָתָה וְלֹא יָכְלוּ לִשְׁתֹּת Ex. 15:23
בְּמָרָה 3 וַיֵּלְכוּ...בְּמִדְבַּר אֵתָם וַיַּחֲנוּ בְּמָרָה Num. 33:8
מִמָּרָה 4 וְלֹא יָכְלוּ לִשְׁתֹּת מַיִם מִמָּרָה Ex. 15:23
5 וַיִּסְעוּ מִמָּרָה וַיָּבֹאוּ אֵילִמָה Num. 33:9

מָרוּד תו״ז א) מדוכא, מר־נפש: 2
ב) דכאון, דכדוך: 1, 3
וּמְרוּדִי 1 זְכָר־עָנְיִי וּמְרוּדִי לַעֲנָה וָרֹאשׁ Lam. 3:19
מְרוּדִים 2 וַעֲנִיִּים מְרוּדִים תָּבִיא בָיִת Is. 58:7
וּמְרוּדֶיהָ 3 זָכְרָה יְרוּשָׁלַ‍ִם יְמֵי עָנְיָהּ וּמְרוּדֶיהָ Lam. 1:7

מֵרוֹז עיר בצפון ארץ כנען
מֵרוֹז 1 אוֹרוּ מֵרוֹז...אָרוֹר יֹשְׁבֶיהָ Jud. 5:23

מְרוֹחַ* ת׳ מעוך
מְרוֹחַ־ 1 ...אוֹ יַלֶּפֶת אוֹ מְרוֹחַ אָשֶׁךְ Lev. 21:20

מָרוֹם ז׳ א) מקום רם, גובה: 4, 5, 8, 9, 12, 14-54
ב) תה״פ – אל על, למעלה: 13,11,10,7,6,3,2,1
– מָרוֹם וְקָדוֹשׁ 7; אֱלֹהֵי מָרוֹם 9; יוֹשְׁבֵי מָ׳ 4; צְבָא מָ׳ 14, 15; שֹׁכֵן מָרוֹם 5
– מְרוֹם גִּבְעָה 37; מְרוֹם הָרִים 33, 34; מְ׳ יִשְׂרָאֵל 39-41; מְ׳ עֻזּוֹ 38; מְ׳ עַם הָאָרֶץ 35; מְ׳ צִיּוֹן 43; מְרוֹם קָדְשׁוֹ 44; מְ׳ קִצּוֹ 36; מְרוֹם שִׁבְתּוֹ 42
– רֹאשׁ מְרוֹמִים 46; מְרוֹמֵי קָרֶת 52, 53; מְרוֹמֵי שָׂדֶה 51
– אַדִּיר בַּמָּרוֹם 18; רוּחַ מִמָּרוֹם 28; שָׂהֲדִי בַּמְּרוֹמִים 48

מָרוֹם 1-2 וַתִּשָּׂא מָרוֹם עֵינֶיךָ IIK. 19:22 • Is. 37:23
3 חֹצְבִי מָרוֹם קִבְרוֹ Is. 22:16
4 כִּי הֵשַׁח יֹשְׁבֵי מָרוֹם Is. 26:5
5 נִשְׂגָּב יְיָ כִּי שֹׁכֵן מָרוֹם Is. 33:5
6 שְׂאוּ־מָרוֹם עֵינֵיכֶם וּרְאוּ Is. 40:26
7 מָרוֹם וְקָדוֹשׁ אֶשְׁכּוֹן Is. 57:15
8 כִּסֵּא כָבוֹד מָרוֹם מֵרִאשׁוֹן Jer. 17:12
9 בַּמָּה אֲקַדֵּם יְיָ אִכַּף לֵאלֹהֵי מָרוֹם Mic. 6:6
10 מָרוֹם מִשְׁפָּטֶיךָ מִנֶּגְדּוֹ Ps. 10:5
11 כִּי־רַבִּים לֹחֲמִים לִי מָרוֹם Ps. 56:3
12 וְצִדְקָתְךָ אֱלֹהִים עַד־מָרוֹם Ps. 71:19
13 וְאַתָּה מָרוֹם לְעֹלָם יְיָ Ps. 92:9
הַמָּרוֹם 14 יִפְקֹד יְיָ עַל־צְבָא הַמָּרוֹם Is. 24:21
בַּמָּרוֹם 15 עַל־צְבָא הַמָּרוֹם בַּמָּרוֹם Is. 24:21
16 לְהַשְׁמִיעַ בַּמָּרוֹם קוֹלְכֶם Is. 58:4
17 לָשׂוּם בַּמָּרוֹם קִנּוֹ Hab. 2:9
18 אַדִּיר בַּמָּרוֹם יְיָ Ps. 93:4
19 כָּעֵת בַּמָּרוֹם תַּמְרִיא Job 39:18
לְמָרוֹם 20 לָשׂוּם שְׁפָלִים לְמָרוֹם Job 5:11
לַמָּרוֹם 21 דַּלּוּ עֵינַי לַמָּרוֹם Is. 38:14
22 וְעָלֶיהָ לַמָּרוֹם שׁוּבָה Ps. 7:8
23 עָלִיתָ לַמָּרוֹם שָׁבִיתָ שֶּׁבִי Ps. 68:19
24 אַל־תָּרִימוּ לַמָּרוֹם קַרְנְכֶם Ps. 75:6
מִמָּרוֹם 25/6 יִשְׁלַח מִמָּרוֹם יִקָּחֵנִי IISh. 25:17 • Ps. 18:17

מִמָּרוֹם (המשך) 27 כִּי־אֲרֻבּוֹת מִמָּרוֹם נִפְתָּחוּ Is. 24:18
28 עַד־יֵעָרֶה עָלֵינוּ רוּחַ מִמָּרוֹם Is. 32:15
29 יְיָ מִמָּרוֹם יִשְׁאָג Jer. 25:30
30 עֹשֶׁק מִמָּרוֹם יְדַבֵּרוּ Ps. 73:8
31 שְׁלַח יָדֶיךָ מִמָּרוֹם פְּצֵנִי Ps. 144:7
32 מִמָּרוֹם שָׁלַח־אֵשׁ בְּעַצְמֹתַי Lam. 1:13
מְרוֹם־ 33/4 עָלִיתִי מְרוֹם הָרִים IIK. 19:23 • Is. 37:24
35 אֻמְלְלוּ מְרוֹם עַם־הָאָרֶץ Is. 24:4
36 וְאָבוֹא מְרוֹם קִצּוֹ Is. 37:24
37 תֹּפְשִׂי מְרוֹם גִּבְעָה Jer. 49:16
38 וְכִי תְבַצֵּר מְרוֹם עֻזָּהּ Jer. 51:53
39 בְּהַר מְרוֹם יִשְׂרָאֵל אֶשְׁתֳּלֶנּוּ Ezek. 17:23
40 בְהַר־קָדְשִׁי בְּהַר מְרוֹם יִשְׂרָאֵל Ezek. 20:40
41 וּבְהָרֵי מְרוֹם יִשְׂרָאֵל יִהְיֶה נְוֵהֶם Ezek. 34:14
42 שֹׁכְנִי בְחַגְוֵי־סֶלַע מְרוֹם שִׁבְתּוֹ Ob. 3
בִּמְרוֹם־ 43 וְרִנְּנוּ בִמְרוֹם־צִיּוֹן Jer. 31:12(11)
מִמְּרוֹם־ 44 כִּי־הִשְׁקִיף מִמְּרוֹם קָדְשׁוֹ Ps. 102:20
מְרוֹמִים 45 הוּא מְרוֹמִים יִשְׁכֹּן Is. 33:16
46 בְּרֹאשׁ־מְרֹמִים עֲלֵי־דָרֶךְ Prov. 8:2
בַּמְּרוֹמִים 47 הַלְלוּהוּ בַּמְּרוֹמִים Ps. 148:1
48 בַשָּׁמַיִם עֵדִי וְשָׂהֲדִי בַּמְּרוֹמִים Job 16:19
49 נִתַּן הַסֶּכֶל בַּמְּרוֹמִים רַבִּים Eccl. 10:6
מִמְּרוֹמִים 50 ...וְנַחֲלַת שַׁדַּי מִמְּרֹמִים Job 31:2
מְרוֹמֵי־ 51 ...וְנַפְתָּלִי עַל מְרוֹמֵי שָׂדֶה Jud. 5:18
52 עַל־גַּפֵּי מְרֹמֵי קָרֶת Prov. 9:3
53 עַל־כִּסֵּא מְרֹמֵי קָרֶת Prov. 9:14
בִּמְרוֹמָיו 54 עֹשֶׂה שָׁלוֹם בִּמְרוֹמָיו Job 25:2

מֵרוֹם עיר כנענית במרומי הגליל העליון: 1, 2
מֵרוֹם 1 וַיַּחֲנוּ יַחְדָּו אֶל־מֵי מֵרוֹם Josh. 11:5
2 וַיָּבֹא...עַל־מֵי מֵרוֹם פִּתְאֹם Josh. 11:7

מֵרֹנֹתִי ת׳ בן הישוב מֵרוֹנוֹת: 1, 2
הַמֵּרֹנֹתִי 1 מְלַטְיָה הַגִּבְעֹנִי וְיָדוֹן הַמֵּרֹנֹתִי Neh. 3:7
2 וְעַל־הָאֲתֹנוֹת יֶחְדְּיָהוּ הַמֵּרֹנֹתִי ICh. 27:30

מֵרוֹץ ז׳ ריצה
הַמֵּרוֹץ 1 כִּי לֹא לַקַּלִּים הַמֵּרוֹץ Eccl. 9:11

מְרוּצָה[1] נ׳ ריצה: 1-4
מְרוּצַת אֲחִימַעַץ 2; מְרוּצַת הָרִאשׁוֹן 1
מְרוּצַת־ 1 אֲנִי רֹאֶה אֶת־מְרוּצַת הָרִאשֹׁן... IISh. 18:27
כִּמְרוּצַת־ 2 כִּמְרֻצַת אֲחִימַעַץ בֶּן־צָדוֹק IISh. 18:27
מְרוּצָתָם 3 וַתְּהִי מְרוּצָתָם רָעָה Jer. 23:10
בִּמְרוּצָתָם 4 כֻּלֹּה שָׁב בִּמְרוּצָתָם (כת׳ במרצותם) Jer. 8:6

מְרוּצָה[2] נ׳ רציצה, לחץ
הַמְּרוּצָה 1 וְעַל־הָעֹשֶׁק וְעַל־הַמְּרוּצָה לַעֲשׂוֹת Jer. 22:17

מָרוּק ת׳ עין מרק

מְרוּקִים* ז״ר סיכה במיני בשמים
מְרוּקֵיהֶן 1 כִּי כֵּן יִמְלְאוּ יְמֵי מְרוּקֵיהֶן Es. 2:12

מָרוֹר* ז׳ ירק מר בטעמו: 1-3
מְרֹרִים 1 עַל־מְרֹרִים יֹאכְלֻהוּ Ex. 12:8
וּמְרֹרִים 2 עַל־מַצּוֹת וּמְרֹרִים יֹאכְלֻהוּ Num. 9:11
בַמְּרוֹרִים 3 הִשְׂבִּיעַנִי בַמְּרוֹרִים הִרְוַנִי לַעֲנָה Lam. 3:15

מְרוֹרָה נ׳ דבר מר ומזיק, ארס: 1-4
מְרוֹרַת פְּתָנִים 1; אַשְׁכְּלֹת מְרֹרֹת 3
מְרוֹרַת־ 1 מְרוֹרַת פְּתָנִים בְּקִרְבּוֹ Job 20:14
מִמְּרֹרָתוֹ 2 וּבָרָק מִמְּרֹרָתוֹ יַהֲלֹךְ עָלָיו אֵמִים Job 20:25

מְרוֹרוֹת 3 אַשְׁכְּלֹת מְרֹרֹת לָמוֹ Deut. 32:32
4 כִּי־תִכְתֹּב עָלַי מְרֹרוֹת Job 13:26

מָרוֹת עיר בנחלת יהודה
מָרוֹת 1 כִּי־חָלָה לְטוֹב יוֹשֶׁבֶת מָרוֹת Mic. 1:12

מַרְזֵחַ ז׳ א) צעקת אבלים: 1
ב) צעקת הוללים: 2
בֵּית מַרְזֵחַ 1; מַרְזֵחַ סְרוּחִים 2
מַרְזֵחַ 1 אַל־תָּבוֹא בֵּית מַרְזֵחַ Jer. 16:5
מִרְזַח־ 2 וְסָר מִרְזַח סְרוּחִים Am. 6:7

מרח : מָרַח; מְרוֹחַ

מָרַח פ׳ משח, שפשף
וְיִמְרְחוּ 1 יִשְׂאוּ דְּבֶלֶת תְּאֵנִים וְיִמְרְחוּ עַל־הַשְּׁחִין Is. 38:21

מֶרְחָב ז׳ מקום רחב ומרווח (גם בהשאלה): 1-6
מֶרְחֲבֵי אֶרֶץ 6; הוֹצִיאוּ לַמֶּרְחָב 4, 5
בַּמֶּרְחָב 1 עַתָּה יִרְעֵם יְיָ כְּכֶבֶשׂ בַּמֶּרְחָב Hosh. 4:16
2 הֶעֱמַדְתָּ בַמֶּרְחָב רַגְלָי Ps. 31:9
3 מִן הַמֵּצַר...עָנָנִי בַמֶּרְחָב יָהּ Ps. 118:5
לַמֶּרְחָב 4 וַיֹּצֵא לַמֶּרְחָב אֹתִי IISh. 22:20
5 וַיּוֹצִיאֵנִי לַמֶּרְחָב Ps. 18:20
לְמֶרְחֲבֵי־ 6 הַהוֹלֵךְ לְמֶרְחֲבֵי־אֶרֶץ Hab. 1:6

מֶרְחַבְיָה נ׳ [נוסח אחר במקום ״בַּמֶּרְחָב יָהּ״, לעיל מס׳ 3]
בַּמֶּרְחַבְיָה 1 מִן־הַמֵּצַר קָרָאתִי יָּה עָנָנִי בַמֶּרְחַבְיָה Ps. 118:5

מֶרְחָק ז׳ מקום רחוק: 1-17
אֶרֶץ מֶרְחָק 1-5; אֶרֶץ מַרְחַקִּים 14, 15; מֶרְחַקֵּי אֶרֶץ 17
מֶרְחָק 1 בָּאִים מֵאֶרֶץ מֶרְחָק מִקְצֵה הַשָּׁמָיִם Is. 13:5
2 קֹרֵא...מֵאֶרֶץ מֶרְחָק אִישׁ עֲצָתִי Is. 46:11
3 וְקָנֶה הַטּוֹב מֵאֶרֶץ מֶרְחָק Jer. 6:20
4 וּשְׁמוּעָה טוֹבָה מֵאֶרֶץ מֶרְחָק Prov. 25:25
הַמֶּרְחָק 5 נֹצְרִים בָּאִים מֵאֶרֶץ הַמֶּרְחָק Jer. 4:16
מִמֶּרְחָק 6 וּלְשׁוֹאָה מִמֶּרְחָק תָּבוֹא Is. 10:3
7 וְגָעַר בּוֹ וְנָס מִמֶּרְחָק Is. 17:13
8 הִנֵּה שֵׁם־יְיָ בָּא מִמֶּרְחָק Is. 30:27
9 הִנְנִי מֵבִיא עֲלֵיכֶם גּוֹי מִמֶּרְחָק Jer. 5:15
10 וְהַגִּידוּ בָאִיִּים מִמֶּרְחָק Jer. 31:9
11 לַאֲנָשִׁים בָּאִים מִמֶּרְחָק Ezek. 23:40
12 וְגָבֹהַּ מִמֶּרְחָק יְיֵדָע Ps. 138:6
13 מִמֶּרְחָק תָּבִיא לַחְמָהּ Prov. 31:14
מַרְחַקִּים 14 תִּרְאֶינָה אֶרֶץ מַרְחַקִּים Is. 33:17
15 שַׁוְעַת בַּת־עַמִּי מֵאֶרֶץ מַרְחַקִּים Jer. 8:19
וּבַמֶּרְחַקִּים 16 וָאֶזְרָעֵם בָּעַמִּים וּבַמֶּרְחַקִּים יִזְכְּרוּנִי Zech. 10:9
מֶרְחַקֵּי־ 17 וְהַאֲזִינוּ כֹּל מֶרְחַקֵּי־אָרֶץ Is. 8:9

(בֵּית) הַמֶּרְחָק – עין בֵּית הַמֶּרְחָק (באות ב׳)

מַרְחֶשֶׁת נ׳ כלי עמוק לטגון: 1, 2
מַרְחֶשֶׁת 1 וְאִם־מִנְחַת מַרְחֶשֶׁת קָרְבָּנֶךָ Lev. 2:7
בַּמַּרְחֶשֶׁת 2 וְכָל־נַעֲשָׂה בַמַּרְחֶשֶׁת וְעַל־מַחֲבַת Lev. 7:9

מרט : מָרַט, נִמְרַט, מֹרַט; ארמית מְרַט

מָרַט פ׳ א) תלש שערות: 2, 5-9
ב) השחיז, לטש: 1, 3, 4
ג) [נפ׳ נִמְרַט] נתלשו, שערותיו: 8, 9
ד) [פ׳ מֹרַט] לֻטַּשׁ, מֹרָק: 10-12
ה) [מוֹרָט] שנקרחו שערותיו (?): 13, 14
לְמָרְטָה 1 וַיִּתֵּן אֹתָהּ לְמָרְטָה לִתְפֹּשׂ בַּכָּף Ezek. 21:16
לְמֹרְטִים 2 גֵּוִי נָתַתִּי לְמַכִּים וּלְחָיַי לְמֹרְטִים Is. 50:6
מְרוּטָה 3 חֶרֶב חֶרֶב הוּחַדָּה וְגַם־מְרוּטָה Ezek. 21:14
4 חֶרֶב חֶרֶב פְּתוּחָה לְטֶבַח מְרוּטָה Ezek. 21:33
5 כָּל־רֹאשׁ מֻקְרָח וְכָל־כָּתֵף מְרוּטָה Ezek. 29:18
וָאֶמְרְטָה 6 וָאֶמְרְטָה מִשְּׂעַר רֹאשִׁי וּזְקָנִי Ez. 9:3
וָאֶמְרְטֵם 7 וָאַכֶּה מֵהֶם אֲנָשִׁים וָאֶמְרְטֵם Neh. 13:25
יִמָּרֵט 8 וְאִישׁ כִּי יִמָּרֵט רֹאשׁוֹ Lev. 13:40
9 וְאִם מִפְּאַת פָּנָיו יִמָּרֵט רֹאשׁוֹ Lev. 13:41
מֹרָטָּה 10 לְמַעַן הֱיֵה־לָהּ בָּרָק מֹרָטָּה Ezek. 21:15
11 הִיא הוּחַדָּה חֶרֶב וְהִיא מֹרָטָּה Ezek. 21:16
מְמֹרָט 12 וְאֵת כָּל־הַכֵּלִים...נְחֹשֶׁת מְמֹרָט IK. 7:45
וּמוֹרָט 13 לְכוּ...אֶל־גּוֹי מְמֻשָּׁךְ וּמוֹרָט Is. 18:2
14 יוּבַל־שַׁי...עַם מְמֻשָּׁךְ וּמוֹרָט Is. 18:7

מְרַט פ׳ ארמית תלש
מְרִיטוּ 1 חָזֵה הֲוֵית עַד דִּי־מְּרִיטוּ גַפַּהּ Dan. 7:4

מְרִי ז׳ א) מרידה, אי־ציות: 1-14, 16-23
ב) מרירות, רוגז: 15
קרובים: בֶּגֶד², מַעַל / מֶרֶד
מְרִי שִׂיחַ 21; בֵּית מְרִי 2-8, 15-20; בְּנֵי מֶרִי 11; עַם מְרִי 1
מְרִי 1 כִּי עַם מְרִי הוּא בָּנִים כֶּחָשִׁים Is. 30:9
2-8 כִּי בֵּית מְרִי הֵמָּה (הֵם) Ezek. 2:5, 6 3:9, 26, 27; 12:2, 3
9 כִּי מְרִי הֵמָּה Ezek. 2:7
10 אַךְ־מְרִי יְבַקֶּשׁ־רָע Prov. 17:11
מֶרִי 11 לְמִשְׁמֶרֶת לְאוֹת לִבְנֵי־מֶרִי Num. 17:25
12 כִּי חַטַּאת־קֶסֶם מֶרִי ISh. 15:23
13 אַל־תְּהִי־מֶרִי כְּבֵית הַמֶּרִי Ezek. 2:8
14 וְאָמַרְתָּ אֶל־מֶרִי אֶל־בֵּית יִשְׂ׳ Ezek. 44:6
הַמֶּרִי 15 אַל־תְּהִי מֶרִי כְּבֵית הַמֶּרִי Ezek. 2:8
16 בְּתוֹךְ בֵּית־הַמֶּרִי אַתָּה יֹשֵׁב Ezek. 12:2
17 בֵּית יִשְׂרָאֵל בֵּית הַמֶּרִי Ezek. 12:9
18-20 (לְ)בֵית הַמֶּרִי Ezek. 12:25; 17:12; 24:3
מְרִי־ 21 גַּם־הַיּוֹם מְרִי שִׂחִי Job 23:2
מֶרְיְךָ 22 אֶת־מֶרְיְךָ וְאֶת־עָרְפְּךָ הַקָּשֶׁה Deut. 31:27
בְּמִרְיָם 23 לָשׁוּב לְעַבְדֻתָם בְּמִרְיָם Neh. 9:17

מְרִי־בַעַל שפ״ז – הוא מפיבשת בן יהונתן
וּמְרִי־בַעַל 1 וּמְרִי־בַעַל הוֹלִיד אֶת־מִיכָה ICh. 9:40

מְרִיא ז׳ בהמה גסה: 1-6
חֵלֶב מְרִיאִים 6; שֶׁלֶם מְרִיאִים 8; מְרִיאֵי בָשָׁן 7
וּמְרִיא 1 וַיִּזְבַּח שׁוֹר וּמְרִיא IISh. 6:13
2 וַיִּזְבַּח אֲדֹנִיָּהוּ צֹאן וּבָקָר וּמְרִיא IK. 1:9
3-4 שׁוֹר וּמְרִיא־וְצֹאן לָרֹב IK. 1:19, 25
5 וְעֵגֶל וּכְפִיר וּמְרִיא יַחְדָּו Is. 11:6
מְרִיאִים 6 עֹלוֹת אֵילִים וְחֵלֶב מְרִיאִים Is. 1:11
מְרִיאֵי־ 7 אֵילִים...מְרִיאֵי בָשָׁן כֻּלָּם Ezek. 39:18
מְרִיאֵיכֶם 8 וְשֶׁלֶם מְרִיאֵיכֶם לֹא אַבִּיט Am. 5:22

מְרִיב־בַּעַל ז׳ הוא מְרִי־בַעַל, הוא מְפִיבֹשֶׁת: 1-3
מְרִיב בַּעַל 1-2 וּבֶן־יְהוֹנָתָן מְרִיב בָּעַל ICh. 8:34; 9:40
וּמְרִיב בַּעַל 3 וּמְרִיב בַּעַל הוֹלִיד אֶת־מִיכָה ICh. 8:34

מְרִיבָה¹ נ׳ ריב, קטטה: 1, 2
מְרִיבַת הָעֵדָה 2
מְרִיבָה 1 אַל־נָא תְהִי מְרִיבָה בֵּינִי וּבֵינֶךָ Gen. 13:8
בִּמְרִיבַת־ 2 מְרִיתֶם פִּי...בִּמְרִיבַת הָעֵדָה Num. 27:14

מְרִיבָה² מקום מים בצור ליד הר חורב: 1-11
[עין עוד מַסָּה²]
מֵי מְרִיבָה 1-5, 8-10; מַסָּה וּמְרִיבָה 6; מֵי מְרִיבוֹת 11
מְרִיבָה 1 הֵמָּה מֵי מְרִיבָה אֲשֶׁר־רָבוּ בְ״י Num. 20:13
2 מְרִיתֶם אֶת־פִּי לְמֵי מְרִיבָה Num. 20:24
3 תְּרִיבֵהוּ עַל־מֵי מְרִיבָה Deut. 33:8
4 אֶבְחָנְךָ עַל־מֵי מְרִיבָה Ps. 81:8
5 וַיַּקְצִיפוּ עַל־מֵי מְרִיבָה Ps. 106:32
וּמְרִיבָה 6 וַיִּקְרָא שֵׁם הַמָּקוֹם מַסָּה וּמְרִיבָה Ex. 17:7
כִּמְרִיבָה 7 אַל־תַּקְשׁוּ לְבַבְכֶם כִּמְרִיבָה Ps. 95:8
מְרִיבַת־ 8 מֵי־מְרִיבַת קָדֵשׁ מִדְבַּר־צִן Num. 27:14
9 בְּמֵי־מְרִיבַת קָדֵשׁ מִדְבַּר־צִן Deut. 32:51
10 וְהָיָה גְבוּל מִתָּמָר מֵי מְרִיבַת קָדֵשׁ Ezek.48:28
מְרִיבוֹת־ 11 מִתָּמָר עַד־מֵי מְרִיבוֹת קָדֵשׁ Ezek. 47:19

מְרָיָה שפ״ז – כהן בימי נחמיה
מְרָיָה 1 לִשְׂרָיָה מְרָיָה לְיִרְמְיָה חֲנַנְיָה Neh. 12:12

מֹרִיָּה עין מוֹרִיָּה

מְרָיוֹת שפ״ז א) בן זרחיה משבט לוי, מאבות עזרא: 1, 4
ב) בן אחיטוב, נגיד בית האלהים: 2-3, 5-6
ג) מן הכהנים בימי זרובבל: 7
מְרָיוֹת 1 בֶּן־אֲמַרְיָה בֶּן־עֲזַרְיָה בֶּן־מְרָיוֹת Ez. 7:3
2-3 בֶּן־מְרָיוֹת בֶּן־אֲחִיטוּב Neh. 11:11 • ICh. 9:11
4 וּזְרַחְיָה הוֹלִיד אֶת־מְרָיוֹת ICh. 5:32
5 מְרָיוֹת הוֹלִיד אֶת־אֲמַרְיָה ICh. 5:33
6 מְרָיוֹת בְּנוֹ אֲמַרְיָה בְנוֹ אֲחִיטוּב בְּנוֹ ICh. 6:37
לִמְרָיוֹת 7 לְחָרִים עַדְנָא לִמְרָיוֹת חֶלְקָי Neh. 12:15

מִרְיָם שפ״נ א) אחות משה: 1-10, 12-15
ב) אשה מבית יהודה: 11
מִרְיָם 1 וַתִּקַּח מִרְיָם הַנְּבִיאָה...אֶת־הַתֹּף Ex. 15:20
2 וַתַּעַן לָהֶם מִרְיָם שִׁירוּ לַיְיָ Ex. 15:21
3 וַתְּדַבֵּר מִרְיָם וְאַהֲרֹן בְּמֹשֶׁה Num. 12:1
4 אֶל־מֹשֶׁה וְאֶל־אַהֲרֹן וְאֶל־מִרְיָם Num. 12:4
5 וְהִנֵּה מִרְיָם מְצֹרַעַת כַּשָּׁלֶג Num. 12:10
6 וַיִּפֶן אַהֲרֹן אֶל־מִרְיָם וְהִנֵּה מְצֹרָעַת Num. 12:10
7 וַתִּסָּגֵר מִרְיָם מִחוּץ לַמַּחֲנֶה... Num. 12:15
8 וְהָעָם לֹא נָסַע עַד־הֵאָסֵף מִרְיָם Num. 12:15
9 וַתָּמָת שָׁם מִרְיָם וַתִּקָּבֵר שָׁם Num. 20:1
10 וַתֵּלֶד...וְאֵת מִרְיָם אֲחֹתָם Num. 26:59
11 וַתַּהַר אֶת־מִרְיָם וְאֶת־שַׁמַּי ICh. 4:17
וּמִרְיָם 12 וַיֵּרֶד יְיָ...וַיִּקְרָא אַהֲרֹן וּמִרְיָם Num. 12:5
13 וָאֶשְׁלַח...אֶת־מֹשֶׁה אַהֲרֹן וּמִרְיָם Mic. 6:4
14 וּבְנֵי עַמְרָם אַהֲרֹן וּמֹשֶׁה וּמִרְיָם ICh. 5:29
לְמִרְיָם 15 אֲשֶׁר־עָשָׂה יְיָ אֱלֹהֶיךָ לְמִרְיָם Deut. 24:9

מְרִירוּת נ׳ טעמו של הדבר המר (ובהשאלה) רוגז, דאגה
וּבִמְרִירוּת 1 בְּשִׁבְרוֹן מָתְנַיִם וּבִמְרִירוּת Ezek. 21:11

מְרִירִי ת׳ מר מאוד
מְרִירִי 1 וּלְחֻמֵי רֶשֶׁף וְקֶטֶב מְרִירִי Deut. 32:24

מֹרֶךְ ז׳ רפיון
מֹרֶךְ 1 וְהֵבֵאתִי מֹרֶךְ בִּלְבָבָם Lev. 26:36

מֶרְכָּב ז׳ א) מושב הרוכב: 1, 2
ב) מרכבה: 3

הַמֶּרְכָּב 1 הַמֶּרְכָּב אֲשֶׁר יִרְכַּב עָלָיו הַזָּב Lev. 15:9
מֶרְכָּבוֹ 2 רְפִידָתוֹ זָהָב מֶרְכָּבוֹ אַרְגָּמָן S.ofS. 3:10
לְמֶרְכָּבוֹ 3 אַרְבָּעִים אֶלֶף אֻרְוֺת סוּסִים לְמֶרְכָּבוֹ IK. 5:6

מֶרְכָּבָה נ׳ א) עגלת-פאר לשרים, למלכים וכד׳: 1, 2, 4-11, 13-30
ב) רכב-מלחמה: 3, 12, 31-33, 36, 38-44

– מֶרְכָּבָה מְרַקֵּדָה 5; אוֹפַן הַמֶּרְכָּבָה 7; תַּבְנִית הַמֶּרְכָּבָה 13
– מִרְכֶּבֶת הַמִּשְׁנֶה 23
– פַּעֲמֵי מַרְכְּבוֹת 39; קוֹל מַרְכָּבוֹת 28; מַרְכְּבוֹת כְּבוֹד 34; מַרְכְּבוֹת עַם 35; מַרְכְּבוֹת פַּרְעֹה 32; מַרְכְּבוֹת הַשֶּׁמֶשׁ 33

מֶרְכָּבָה 1 וַיַּעַשׂ לוֹ אַבְשָׁלוֹם מֶרְכָּבָה וְסֻסִים IISh. 15:1
2 וַתֵּצֵא מֶרְכָּבָה מִמִּצְרַיִם IK. 10:29
3 וְהָפַכְתִּי מֶרְכָּבָה וְרֹכְבֶיהָ Hag. 2:22
4 וַיַּעֲלוּ וַיּוֹצִיאוּ מִמִּצְרַיִם מֶרְכָּבָה IICh. 1:17
וּמֶרְכָּבָה 5 וְסוּס דֹּהֵר וּמֶרְכָּבָה מְרַקֵּדָה Nah. 3:2
הַמֶּרְכָּבָה 6 וַיֵּרֶד סִיסְרָא מֵעַל הַמֶּרְכָּבָה Jud. 4:15
7 כְּמַעֲשֵׂה אוֹפַן הַמֶּרְכָּבָה IK. 7:33
8 וַיַּעֲלֵהוּ עַל-הַמֶּרְכָּבָה IK. 20:33
9 וַיִּפֹּל מֵעַל הַמֶּרְכָּבָה לִקְרָאתוֹ IIK. 5:21
10 גַּם-אֹתוֹ הַכֻּהוּ אֶל-הַמֶּרְכָּבָה IIK. 9:27
11 וַיַּעֲלֵהוּ אֵלָיו אֶל-הַמֶּרְכָּבָה IIK. 10:15
12 רְתֹם הַמֶּרְכָּבָה לָרֶכֶשׁ Mic. 1:13
13 וּלְתַבְנִית הַמֶּרְכָּבָה הַכְּרֻבִים ICh. 28:18
14 וַיַּעֲבִירֻהוּ עֲבָדָיו מִן-הַמֶּרְכָּבָה IICh. 35:24
בַּמֶּרְכָּבָה 15 הִתְאַמֵּץ לַעֲלוֹת בַּמֶּרְכָּבָה IK. 12:18
16 וְהַמֶּלֶךְ הָיָה מָעֳמָד בַּמֶּרְכָּבָה IK. 22:35
17 בַּמֶּרְכָּבָה הָרִאשֹׁנָה סוּסִים אֲדֻמִּים Zech. 6:2
18 הִתְאַמֵּץ לַעֲלוֹת בַּמֶּרְכָּבָה IICh. 10:18
19 וּמֶלֶךְ יִשׂ׳ הָיָה מַעֲמִיד בַּמֶּרְכָּבָה IICh. 18:34
וּבַמֶּרְכָּבָה 20 וּבַמֶּרְכָּבָה הַשֵּׁנִית סוּסִים שְׁחֹרִים Zech. 6:2
21 וּבַמֶּרְכָּבָה הַשְּׁלִשִׁית סוּסִים לְבָנִים Zech. 6:3
22 וּבַמֶּרְכָּבָה הָרְבִעִית סוּסִים בְּרֻדִּים Zech.6:3
בְּמִרְכֶּבֶת- 23 בְּמִרְכֶּבֶת הַמִּשְׁנֶה אֲשֶׁר-לוֹ Gen. 41:43
מֶרְכַּבְתּוֹ 24 וַיֶּאְסֹר יוֹסֵף מֶרְכַּבְתּוֹ וַיַּעַל Gen. 46:29
25 וְרָצוּ לִפְנֵי מֶרְכַּבְתּוֹ ISh. 8:11
26 הָפַךְ-אִישׁ מֵעַל-מֶרְכַּבְתּוֹ לִקְרָאתֶךָ IIK.5:26
בְּמֶרְכַּבְתּוֹ 27 וְשָׂם לוֹ בְּמֶרְכַּבְתּוֹ וּבְפָרָשָׁיו ISh. 8:11
מַרְכָּבוֹת 28 כְּקוֹל מַרְכָּבוֹת...יְרַקֵּדוּן Joel 2:5
29 וְהִנֵּה אַרְבַּע מַרְכָּבוֹת יֹצְאוֹת Zech. 6:1
וּמַרְכָּבוֹת 30 אֻרְיוֹת סוּסִים וּמַרְכָּבוֹת IICh. 9:25
31 בְּחַיִל...וּמַרְכָּבוֹת שְׁלֹשׁ מֵאוֹת IICh. 14:8
מַרְכְּבֹת- 32 מַרְכְּבֹת פַּרְעֹה וְחֵילוֹ יָרָה בַיָּם Ex. 15:4
33 וְאֶת-מַרְכְּבוֹת הַשֶּׁמֶשׁ שָׂרַף בָּאֵשׁ IIK. 23:11
34 וְשָׁמָּה מַרְכְּבוֹת כְּבוֹדֶךָ Is. 22:18
35 מַרְכְּבוֹת עַמִּי-נָדִיב S.ofS. 6:12
מַרְכְּבֹתֶיךָ 36 וְהַאֲבַדְתִּי מַרְכְּבֹתֶיךָ Mic. 5:9
37 מַרְכְּבֹתֶיךָ יְשׁוּעָה Hab. 3:8
מַרְכְּבֹתָיו 38 וַיָּסַר אֵת אֹפַן מַרְכְּבֹתָיו Ex. 14:25
39 מַדּוּעַ אֵחֲרוּ פַּעֲמֵי מַרְכְּבוֹתָיו Jud. 5:28
40 בָּאֵשׁ יָבוֹא וְכַסּוּפָה מַרְכְּבֹתָיו Is. 66:15
41 כַּעֲנָנִים יַעֲלֶה וְכַסּוּפָה מַרְכְּבוֹתָיו Jer. 4:13
לְמַרְכְּבֹתָיו 42 וְאֵין קֵצֶה לְמַרְכְּבֹתָיו Is. 2:7
מַרְכְּבֹתֵיהֶם 43 וְאֶת-מַרְכְּבֹתֵיהֶם תִּשְׂרֹף בָּאֵשׁ Josh. 11:6
44 וְאֶת-מַרְכְּבֹתֵיהֶם שָׂרַף בָּאֵשׁ Josh. 11:9

מַרְכֹּלֶת* נ׳ מסחר, סחורה

בְּמַרְכֻּלְתֵּךְ 1 חֲבֻשִׁים וַאֲרֻזִים בְּמַרְכֻּלְתֵּךְ Ezek. 27:24

מִרְמָה נ׳ רמאות, הונאה, שקר: 1-39
קרובים: ראה אָוֶן

– אָוֶן וּמִרְמָה 29; דָּמִים וּמִרְמָה 28, 31; חָמָס וּמִרְמָה 27; תֹּךְ וּמִרְמָה 30, 38
– אַבְנֵי מִרְמָה 8; אִישׁ מ׳ 11, 28; אַנְשֵׁי מ׳ 31; לְשׁוֹן מ׳ 13; מֹאזְנֵי מ׳ 6, 7, 15, 21; פִּי מ׳ 14; שִׂפְתֵי מִרְמָה 9
– דִּבְרֵי מִרְמוֹת 37

מִרְמָה 1 וַיֹּאמֶר אֶל-אֲחַזְיָהוּ מִרְמָה אֲחַזְיָה IIK. 9:23
2 לֹא-חָמָס עָשָׂה וְלֹא מִרְמָה בְּפִיו Is. 53:9
3 כִּכְלוּב...כֵּן בָּתֵּיהֶם מְלֵאִים מִרְמָה Jer. 5:27
4 שִׁבְתְּךָ בְּתוֹךְ מִרְמָה Jer. 9:5
5 חֵץ שָׁחוּט׳ לְשׁוֹנָם מִרְמָה דִבֵּר Jer. 9:7
6 כְּנַעַן בְּיָדוֹ מֹאזְנֵי מִרְמָה Hosh. 12:8
7 וּלְעַוֵּת מֹאזְנֵי מִרְמָה Am. 8:5
8 בְּמֹאזְנֵי רֶשַׁע וּבְכִיס אַבְנֵי מִרְמָה Mic. 6:11
9 הַאֲזִינָה תְפִלָּתִי בְּלֹא שִׂפְתֵי מִרְמָה Ps. 17:1
10 נְצֹר...וּשְׂפָתֶיךָ מִדַּבֵּר מִרְמָה Ps. 34:14
11 מֵאִישׁ-מִרְמָה וְעַוְלָה תְפַלְּטֵנִי Ps. 43:1
12 וּלְשׁוֹנְךָ תַּצְמִיד מִרְמָה Ps. 50:19
13 כָּל-דִּבְרֵי-בָלַע לְשׁוֹן מִרְמָה Ps. 52:6
14 פִּי רָשָׁע וּפִי-מִרְמָה עָלַי פָּתָחוּ Ps. 109:2
15 מֹאזְנֵי מִרְמָה תּוֹעֲבַת יְיָ Prov. 11:1
16 תַּחְבֻּלוֹת רְשָׁעִים מִרְמָה Prov. 12:5
17 וְעֵד שְׁקָרִים מִרְמָה Prov. 12:17
18 מִרְמָה בְּלֶב-חֹרְשֵׁי רָע Prov. 12:20
19 וְאִוֶּלֶת כְּסִילִים מִרְמָה Prov. 14:8
20 וְיָפִחַ כְּזָבִים מִרְמָה Prov. 14:25
21 וּמֹאזְנֵי מִרְמָה לֹא-טוֹב Prov. 20:23
22 וּבְקִרְבּוֹ יָשִׁית מִרְמָה Prov. 26:24
23 הָרֹה עָמָל...וּבִטְנָם תָּכִין מִרְמָה Job 15:35
24 וַתַּחַשׁ עַל-מִרְמָה רַגְלִי Job 31:5
25 וְעַל-שִׂכְלוֹ וְהִצְלִיחַ מִרְמָה בְּיָדוֹ Dan. 8:25
26 וּמִן-הִתְחַבְּרוּת אֵלָיו יַעֲשֶׂה מִרְמָה Dan. 11:23
וּמִרְמָה 27 הַמְמַלְאִים בֵּית...חָמָס וּמִרְמָה Zep. 1:9
28 אִישׁ-דָּמִים וּמִרְמָה יְתָעֵב יְיָ Ps. 5:7
29 דִּבְרֵי-פִיו אָוֶן וּמִרְמָה Ps. 36:4
30 וְלֹא יָמִישׁ...תֹּךְ וּמִרְמָה Ps. 55:12
31 אַנְשֵׁי דָמִים וּמִרְמָה Ps. 55:24
בְּמִרְמָה 32 בָּא אָחִיךָ בְּמִרְמָה וַיִּקַּח בִּרְכָתֶךָ Gen. 27:35
33 וַיַּעֲנוּ...בְּמִרְמָה וַיְדַבֵּרוּ Gen. 34:13
34 בְּמִרְמָה מֵאֲנוּ דַעַת-אוֹתִי Jer. 9:5
וּבְמִרְמָה 35 סְבָבֻנִי בְכַחַשׁ...וּבְמִרְמָה... Hosh. 12:1
לְמִרְמָה 36 וְלֹא נִשְׁבַּע לְמִרְמָה Ps. 24:4
מִרְמוֹת 37 דִּבְרֵי מִרְמוֹת יַחֲשֹׁבוּן Ps. 35:20
וּמִרְמוֹת 38 אָלָה פִּיהוּ מָלֵא וּמִרְמוֹת וָתֹךְ Ps. 10:7
39 וּמִרְמוֹת כָּל-הַיּוֹם יֶהְגּוּ Ps. 38:13

מִרְמָה[2] שפ״ז – איש משבט בנימין

מִרְמָה 1 וְאֶת-שָׂכְיָה וְאֶת-מִרְמָה ICh. 8:10

מְרֵמוֹת שפ״ז – כהנים בימי זרובבל, עזרא ונחמיה: 1-6

מְרֵמוֹת 1 מְרֵמוֹת בֶּן-אוּרִיָּה הַכֹּהֵן Ez. 8:33
2 וַנְיָה מְרֵמוֹת אֶלְיָשִׁיב Ez. 10:36
3-4 מְרֵמוֹת בֶּן-אוּרִיָּה Neh. 3:4, 21
5 חָרִם מְרֵמוֹת עֹבַדְיָה Neh. 10:6
6 שְׁכַנְיָה רְחֻם מְרֵמֹת Neh. 12:3

מִרְמָס ז׳ רמיסה, דריסה: 1, 2
מִרְמַס רַגְלַיִם 6; מִרְמַס שֶׂה 7

מִרְמָס 1 וּלְשׂוּמוֹ׳ מִרְמָס כְּחֹמֶר חוּצוֹת Is. 10:6
2 תֵּת וְקֹדֶשׁ וְצָבָא מִרְמָס Dan. 8:13
לְמִרְמָס 3 פָּרֹץ גְּדֵרוֹ וְהָיָה לְמִרְמָס Is. 5:5
4 וִהְיִיתֶם לוֹ לְמִרְמָס Is. 28:18
5 תִּהְיֶה לְמִרְמָס כְּטִיט חוּצוֹת Mic. 7:10
מִרְמַס- 6 מִרְמַס רַגְלֵיכֶם תִּרְעֶינָה Ezek. 34:19
וּלְמִרְמַס- 7 לְמִשְׁלַח שׁוֹר וּלְמִרְמַס שֶׂה Is. 7:25

(מרמר) הִתְמַרְמֵר הת׳ הסתער במרירות: 1, 2

וְיִתְמַרְמַר 1 וְיִתְמַרְמַר מֶלֶךְ הַנֶּגֶב וְיָצָא וְנִלְחַם Dan. 11:11
וַיִּתְמַרְמַר 2 וַיִּתְמַרְמַר אֵלָיו וַיַּךְ אֶת-הָאַיִל Dan. 8:7

מֵרֹנֹתִי ת׳ עיין מרונותי

מֶרֶס ז׳ משרי המלך אחשורוש

מֶרֶס 1 מֶרֶס מַרְסְנָא מְמוּכָן Es. 1:14

מַרְסְנָא ז׳ משרי המלך אחשורוש

מַרְסְנָא 1 מֶרֶס מַרְסְנָא מְמוּכָן Es. 1:14

מֵרַע ז׳ רוע-לב

לְמֵרָע 1 וּשְׁנֵיהֶם הַמְּלָכִים לְבָבָם לְמֵרָע Dan. 11:27

מֵרֵעַ* ז׳ רֵעַ, חָבֵר: 1-9

לְמֵרֵעֲךָ 1 אָמַר אֲמַרְתִּי...וָאֶתְּנֶנָּה לְמֵרֵעֶךָ Jud. 15:2
מֵרֵעֵהוּ 2 וַאֲחֻזַּת מֵרֵעֵהוּ וּפִיכֹל שַׂר-צְבָאוֹ Gen. 26:26
3 אֶל-אֶחָיו וְאֶל-מֵרֵעֵהוּ IISh. 3:8
4 (?)וְדָל מֵרֵעֵהוּ יִפָּרֵד Prov. 19:4
5 אַף כִּי מְרֵעֵהוּ רָחֲקוּ מִמֶּנּוּ Prov. 19:7
6 לַמָּס מֵרֵעֵהוּ חָסֶד Job 6:14
לְמֵרֵעֵהוּ 7 וַתְּהִי...לְמֵרֵעֵהוּ אֲשֶׁר רֵעָה לוֹ Jud. 14:20
8 לָקַח אֶת-אִשְׁתּוֹ וַיִּתְּנָהּ לְמֵרֵעֵהוּ Jud. 15:6
מֵרֵעִים 9 וַיִּקְחוּ שְׁלֹשִׁים מֵרֵעִים וַיִּהְיוּ אִתּוֹ Jud. 14:11

מִרְעֶה ז׳ מקום עשב לרעות עדרים: 1-13

מִרְעֶה טוֹב 5, 10; מִרְעֶה שָׁמֵן 5, 7; מִרְעֶה עֲדָרִים 11

מִרְעֶה 1 כִּי-אֵין מִרְעֶה לַצֹּאן Gen. 47:4
2 כִּי אֵין מִרְעֶה לָהֶם Joel 1:18
3 הָיוּ שָׂרֶיהָ כְּאַיָּלִים לֹא-מָצְאוּ מִרְעֶה Lam. 1:6
4 וַיֵּלְכוּ...לְבַקֵּשׁ מִרְעֶה לְצֹאנָם ICh. 4:39
5 וַיִּמְצְאוּ מִרְעֶה שָׁמֵן וָטוֹב ICh. 4:40
6 כִּי-מִרְעֶה לְצֹאנָם שָׁם ICh. 4:41
וּמִרְעֶה 7 וּמִרְעֶה שָׁמֵן תִּרְעֶינָה Ezek. 34:14
8 מְעוֹן אֲרָיוֹת וּמִרְעֶה הוּא לַכְּפִרִים Nah. 2:12
הַמִּרְעֶה 9 הַמְעַט מִכֶּם הַמִּרְעֶה הַטּוֹב תִּרְעוּ Ezek. 34:18
בְּמִרְעֶה 10 בְּמִרְעֶה-טּוֹב אֶרְעֶה אֹתָם Ezek. 34:14
מִרְעֵה- 11 מְשׂוֹשׂ פְּרָאִים מִרְעֵה עֲדָרִים Is. 32:14
מִרְעֵהוּ 12 יְתוּר הָרִים מִרְעֵהוּ Job 39:8
מִרְעֵיכֶם 13 מִרְעֵיכֶם תִּרְמְסוּ בְּרַגְלֵיכֶם Ezek. 34:18

מַרְעִית נ׳ א) רעיה, אכילת עשב (גם בהשאלה): 1-7, 10
ב) עדר הרועה בשדה: 8, 9

צֹאן מַרְעִיתוֹ 1-4, 6; עַם מַרְעִיתוֹ 5

מַרְעִיתִי 1 וּמְפִצִים אֶת-צֹאן מַרְעִיתִי Jer. 23:1
2 וְאַתֵּן...צֹאן מַרְעִיתִי אָדָם אַתֶּם Ezek. 34:31
מַרְעִיתֶךָ 3 יֶעְשַׁן אַפְּךָ בְּצֹאן מַרְעִיתֶךָ Ps. 74:1
4 וַאֲנַחְנוּ עַמְּךָ וְצֹאן מַרְעִיתֶךָ Ps. 79:13
מַרְעִיתוֹ 5 וַאֲנַחְנוּ עַם מַרְעִיתוֹ וְצֹאן יָדוֹ Ps. 95:7
6 עַמּוֹ וְצֹאן מַרְעִיתוֹ Ps. 100:3
מַרְעִיתָם 7 וּבְכָל-שְׁפָיִים מַרְעִיתָם Is. 49:9
8 וְכָל-מַרְעִיתָם נָפוֹצָה Jer. 10:21
9 כִּי-שֹׁדֵד יְיָ אֶת-מַרְעִיתָם Jer. 25:36
כְּמַרְעִיתָם 10 כְּמַרְעִיתָם וַיִּשְׂבָּעוּ Hosh. 13:6

מַרְעֲלָה ישוב בנחלת זבולון

וּמַרְעֲלָה 1 וְעָלָה גְבוּלָם לַיָּמָּה וּמַרְעֲלָה Josh. 19:11

מַרְפֵּא ז׳ רפואה (גם בהשאלה): 1-16

קרובים: אֲרוּכָה / גֵּהָה / מָזוֹר / רְפָאוּת / רְפוּאָה / תְּעָלָה / תְּרוּפָה

מַרְפֵּא לָשׁוֹן 10; לְאֵין מַרְפֵּא 12,13; לֵב מַרְפֵּא 9; עֵת מַרְפֵּא 1, 3;

מַרְפֵּא 1 לְעֵת מַרְפֵּא וְהִנֵּה בְעָתָה Jer. 8:15
2 מַדּוּעַ הִכִּיתָנוּ וְאֵין לָנוּ מַרְפֵּא Jer. 14:19
3 וּלְעֵת מַרְפֵּא וְהִנֵּה בְעָתָה Jer. 14:19
4 וּלְכָל־בְּשָׂרוֹ מַרְפֵּא Prov. 4:22
5-6 פֶּתַע יִשָּׁבֵר וְאֵין מַרְפֵּא Prov. 6:15; 29:1
7 וּלְשׁוֹן חֲכָמִים מַרְפֵּא Prov. 12:18
8 וְצִיר אֱמוּנִים מַרְפֵּא Prov. 13:17
9 חַיֵּי בְשָׂרִים לֵב מַרְפֵּא Prov. 14:30
10 מַרְפֵּא לָשׁוֹן עֵץ חַיִּים Prov. 15:4
11 כִּי מַרְפֵּא יַנִּיחַ חֲטָאִים גְּדוֹלִים Eccl. 10:4
12 נְגָפוֹ יְיָ בְּמֵעָיו לָחֳלִי לְאֵין מַרְפֵּא IICh. 21:18
13 עַד עֲלוֹת חֲמַת־יְיָ בְּעַמּוֹ עַד־לְאֵין מַרְפֵּא IICh. 36:16
וּמַרְפֵּא 14 הִנְנִי מַעֲלֶה־לָּהּ אֲרֻכָה וּמַרְפֵּא Jer. 33:6
15 שֶׁמֶשׁ צְדָקָה וּמַרְפֵּא בִּכְנָפֶיהָ Mal. 3:20
16 מָתוֹק לַנֶּפֶשׁ וּמַרְפֵּא לָעָצֶם Prov. 16:24

מַרְפֵּשׂ* ז׳ מרמס

וּמִרְפַּשׂ־ 1 וּמִרְפַּשׂ רַגְלֵיכֶם תִּשְׁתֶּינָה Ezek. 34:19

מרץ : נִמְרָץ, הִמְרִיץ

(מרץ) נִמְרָץ נפ׳ א) היה עז וחריף: 1-3
ב) [הפ׳ הִמְרִיץ] לחץ, הניע: 4

חֶבֶל נִמְרָץ 2; קְלָלָה נִמְרֶצֶת 3

נִמְרְצוּ 1 מַה־נִּמְרְצוּ אִמְרֵי־יֹשֶׁר Job 6:25
נִמְרָץ 2 בַּעֲבוּר טָמְאָה תְּחַבֵּל וְחֶבֶל נִמְרָץ Mic. 2:10
נִמְרֶצֶת 3 וְהוּא קִלְלַנִי קְלָלָה נִמְרֶצֶת IK. 2:8
יַמְרִיצְךָ 4 מַה־יַּמְרִיצְךָ כִּי תַעֲנֶה Job 16:3

מַרְצֵעַ ז׳ כלי־יד בעל חוד לנקיבה: 1, 2

הַמַּרְצֵעַ 1 וְלָקַחְתָּ אֶת־הַמַּרְצֵעַ וְנָתַתָּה בְאָזְנוֹ וּבַדֶּלֶת Deut. 15:17
בַּמַּרְצֵעַ 2 וְרָצַע אֲדֹנָיו אֶת־אָזְנוֹ בַּמַּרְצֵעַ Ex. 21:6

מַרְצֶפֶת* נ׳ שטח מרוצף

מַרְצֶפֶת אֲבָנִים

מַרְצֶפֶת־ 1 וַיִּתֵּן אֹתוֹ עַל מַרְצֶפֶת אֲבָנִים IIK. 16:17

מרק : מָרַק, מָרוּק, מֹרַק; מָרָק, מְרוּקִים, תַּמְרוּקִים

מָרַק פ׳ א) הבריק, צחצח: 1, 2
ב) [פ׳ מֹרַק] שופשף ונוקה: 3

נְחֹשֶׁת מָרוּק 1

מָרוּק 1 וְאֶת־כָּל־כְּלֵיהֶם...נְחֹשֶׁת מָרוּק IICh. 4:16
מִרְקוּ 2 מִרְקוּ הָרְמָחִים לִבְשׁוּ הַסִּרְיֹנֹת Jer. 46:4
וּמֹרַק 3 וּמֹרַק וְשֻׁטַּף בַּמָּיִם Lev. 6:21

מָרָק ז׳ נוזל שהתבשל בו בשר או כיוצא בו: 1-3

מְרַק פִּגֻּלִים 3

הַמָּרָק 1 קַח אֶת־הַבָּשָׂר...וְאֶת־הַמָּרַק שְׁפוֹךְ Jud. 6:20
וְהַמָּרַק 2 הַבָּשָׂר שָׂם בַּסַּל וְהַמָּרַק שָׂם בַּפָּרוּר Jud. 6:19
וּמְרַק־ 3 וּמְרַק (כת׳ ופרק) פִּגֻּלִים כְּלֵיהֶם Is. 65:4

מֶרְקָח* ז׳ תערובת מיני בשמים

מֶרְקָחִים 1 כַּעֲרוּגַת הַבֹּשֶׂם מִגְדְּלוֹת מֶרְקָחִים S.ofS. 5:13

מֶרְקָחָה נ׳ רתיחה חזקה: 1,2

הַמֶּרְקָחָה 1 וְהַרְקַח הַמֶּרְקָחָה וְהָעֲצָמוֹת יֵחָרוּ Ezek. 24:10
כַּמֶּרְקָחָה 2 יַרְתִּיחַ...יָם יָשִׂים כַּמֶּרְקָחָה Job 41:23

מִרְקַחַת נ׳ תערובת מיני בשמים: 1-3

רֹקַח מִרְקַחַת 1; רוֹקְחֵי מִרְקַחַת 2

מִרְקַחַת 1 רֹקַח מִרְקַחַת מַעֲשֵׂה רֹקֵחַ Ex. 30:25
הַמִּרְקַחַת 2 רֹקְחֵי הַמִּרְקַחַת לַבְּשָׂמִים ICh. 9:30
בְּמִרְקַחַת־ 3 מְרֻקָּחִים בְּמִרְקַחַת מַעֲשֶׂה IICh. 16:14

מרר : מָרַר, נָמַר, מֵרַר, הִתְמַרְמֵר, הֵמַר; מַר, מֹר, מָרָה, מֹרָה, מְרִירִי, מְרִירוּת, מֶמֶר, מַמְּרוֹרִים, תַּמְרוּרִים

מָרַר, מַר פ׳ א) היה מר וקשה בטעמו (גם בהשאלה): 1-7 [עין גם ערך מַר]
ב) [פ׳ מֵרַר] עשה מר: 8-10
ג) [הפ׳ הֵמַר] בכה מרה, ספד: 11, 12
ד) [כנ״ל] גרם מרירות, הכאיב: 13, 14

מַר לוֹ 1-3; מָרָה נַפְשׁוֹ 5, 6; מֵרַר בִּבְכִי 8; מֵרַר חַיָּיו 9; הֵמַר נַפְשׁוֹ 13

מַר 1 הִנֵּה לְשָׁלוֹם מַר־לִי מָר Is. 38:17
2 כִּי־מַר־לִי מְאֹד מִכֶּם Ruth 1:13
3 בְּתוּלֹתֶיהָ נוּגוֹת וְהִיא מַר־לָהּ Lam. 1:4
מָר 4 הִנֵּה לְשָׁלוֹם מַר־לִי מָר Is. 38:17
מָרָה 5 כִּי־מָרָה נֶפֶשׁ כָּל־הָעָם ISh. 30:6
6 כִּי־נַפְשָׁהּ מָרָה־לָהּ IIK. 4:27
יֵמַר 7 יֵמַר שֵׁכָר לְשֹׁתָיו Is. 24:9
אֲמָרֵר 8 שְׁעוּ מִנִּי אֲמָרֵר בַּבֶּכִי Is. 22:4
וַיְמָרְרוּ 9 וַיְמָרְרוּ אֶת־חַיֵּיהֶם בַּעֲבֹדָה קָשָׁה Ex. 1:14
וַיְמָרְרֻהוּ 10 וַיְמָרְרֻהוּ וָרֹבּוּ וַיִּשְׂטְמֻהוּ Gen. 49:23
וְהָמֵר 11 וְהָמֵר עָלָיו כְּהָמֵר עַל־הַבְּכוֹר Zech. 12:10
כְּהָמֵר 12 וְהָמֵר עָלָיו כְּהָמֵר עַל־הַבְּכוֹר Zech. 12:10
הֵמַר 13 וְשַׁדַּי הֵמַר נַפְשִׁי Job 27:3
14 כִּי־הֵמַר שַׁדַּי לִי מְאֹד Ruth 1:20

מְרֵרָה נ׳ כיס המרה

מְרֵרָתִי 1 יְפַלַּח כִּלְיוֹתַי...יִשְׁפֹּךְ לָאָרֶץ מְרֵרָתִי Job 16:13

מְרֹרָה עין מְרוֹרָה

מְרָרִי שפ״ז – בן לוי בן יעקב: 1-39

בֶּן מְרָרִי 31; בְּנֵי מ׳ 1, 2, 5-30; מִשְׁפְּחוֹת מ׳ 3,4,39

מְרָרִי 1 וּבְנֵי מְרָרִי מַחְלִי וּמוּשִׁי Ex. 6:19
2 וּבְנֵי מְרָרִי לְמִשְׁפְּחֹתָם Num. 3:20
3 אֵלֶּה הֵם מִשְׁפְּחֹת מְרָרִי Num. 3:33
4 וּנְשִׂיא בֵית־אָב לְמִשְׁפְּחֹת מְרָרִי Num. 3:35
5 וּפְקֻדַּת מִשְׁמֶרֶת בְּנֵי מְרָרִי Num. 3:36
6-30 (וּב/לִב/מ)בְּנֵי מְרָרִי Num. 4:29, 33, 42, 45 • 7:8; 10:17; 21:7, 38 • Josh. 21:34 • Ez. 8:19 • ICh. 6:4, 14, 29, 48, 62; 9:14; 15:6, 17; 23:21; 24:26, 27; 26:10, 19; 29:12; 34:12
31 בֶּן־מוּשִׁי בֶּן־מְרָרִי בֶּן־לֵוִי ICh. 6:32
וּמְרָרִי 32 וּבְנֵי לֵוִי גֵּרְשׁוֹן קְהָת וּמְרָרִי Gen. 46:11
33 גֵּרְשׁוֹן וּקְהָת וּמְרָרִי Ex. 6:16
34-37 גֵּרְשׁוֹן(־שֹׁם) קְהָת וּמְרָרִי Num. 3:17 ICh. 5:27; 6:1; 23:6
לִמְרָרִי 38 לִמְרָרִי מִשְׁפַּחַת הַמַּחְלִי Num. 3:33
39 לִמְרָרִי מִשְׁפַּחַת הַמְּרָרִי Num. 26:57

מְרָרִי ת׳ המתייחס על מררי בן לוי בן יעקב

הַמְּרָרִי 1 לִמְרָרִי מִשְׁפַּחַת הַמְּרָרִי Num. 26:57

מְרֹרִים עין מְרוֹרִים

מָרֵשָׁה[1] עיר בשפלת נחלת יהודה: 1-6

מָרֵשָׁה 1 עֹד הַיֹּרֵשׁ אָבִי* לָךְ יוֹשֶׁבֶת מָרֵשָׁה Mic. 1:15
2 וְאֶת־גַּת וְאֶת־מָרֵשָׁה וְאֶת־זִיף IICh. 11:8
3 וַיֵּצֵא אֲלֵיהֶם...וַיָּבֹא עַד־מָרֵשָׁה IICh. 14:8
וּמָרֵאשָׁה 4 וּקְעִילָה וְאַכְזִיב וּמָרֵאשָׁה Josh. 15:44
לְמָרֵשָׁה 5 בְּגֵיא צְפָתָה לְמָרֵשָׁה IICh. 14:9
מִמָּרֵשָׁה 6 אֱלִיעֶזֶר בֶּן־דֹּדָוָהוּ מִמָּרֵשָׁה IICh. 20:37

מָרֵשָׁה[2] שפ״ז מבני כלב בן חצרון: 1-2

מָרֵשָׁה 1 וּבְנֵי מָרֵשָׁה אֲבִי חֶבְרוֹן ICh. 2:42
2 וְלַעְדָּה אֲבִי מָרֵשָׁה ICh. 4:21

מִרְשַׁעַת נ׳ אשה רעה מאוד

הַמִּרְשַׁעַת 1 עֲתַלְיָהוּ הַמִּרְשַׁעַת בָּנֶיהָ פָרְצוּ IICh. 24:7

מְרָתַיִם אזור בדרום בבל (?)

מְרָתַיִם 1 עַל־הָאָרֶץ מְרָתַיִם עֲלֵה עָלֶיהָ Jer. 50:21

מַשׁ שפ״ז – בן ארם, מצאצאי שם בן נח

וָמַשׁ 1 עוּץ וְחוּל וְגֶתֶר וָמַשׁ Gen. 10:23

מַשָּׂא[1] ז׳ א) נטל, מטען: 1-7, 9-13, 16, 25, 32, 33, 58
ב) נשיאת מטען: 29, 59, 60, 62-65
ג) טורח: 26-28, 31, 56, 57, 61
ד) חזון, נבואה: 14, 15, 17-20, 24, 34-49, 51-55, 66

קרובים: טֹרַח / כֹּבֶד / מַעֲמָסָה / נֵטֶל

– מַשָּׂא כָבֵד 25; מַשָּׂא לַעֲיֵפָה 2; מַשָּׂא נֶפֶשׁ 50
– מַשָּׂא בָּבֶל 34; מ׳ בַּהֲמוֹת נֶגֶב 43; מ׳ בְּנֵי קְהָת 30; מ׳ גֵּיא חִזָּיוֹן 41; מ׳ דְּבַר יְיָ 52-54; מ׳ דּוּמָה 39; מ׳ דַּמֶּשֶׂק 36; מ׳ יְיָ 44, 46-49, 55; מ׳ מִדְבַּר יָם 38; מ׳ מוֹאָב 35; מ׳ מֶלֶךְ 57; מ׳ מִצְרָיִם 37; מ׳ נִינְוֵה 51; מ׳ הָעָם 56; מַשָּׂא צֹר 42
– מִשְׁמֶרֶת מַשָּׂא 64, 65; עֲבוֹדַת מַשָּׂא 1; לְאֵין מַשָּׂא 12
– הָיָה לְמַשָּׂא 26-28
– מַשְׂאוֹת שָׁוְא 66

מַשָּׂא 1 וַעֲבֹדַת מַשָּׂא בְּאֹהֶל מוֹעֵד Num. 4:47
2 נְשֻׂאֹתֵיכֶם עֲמוּסוֹת מַשָּׂא לַעֲיֵפָה Is. 46:1
3 לֹא יָכְלוּ מַלֵּט מַשָּׂא Is. 46:2
4 וְאַל־תִּשְׂאוּ מַשָּׂא בְּיוֹם הַשַּׁבָּת Jer. 17:21
5 וְלֹא־תוֹצִיאוּ מַשָּׂא מִבָּתֵּיכֶם Jer. 17:22
6 לְבִלְתִּי הָבִיא מַשָּׂא בְּשַׁעֲרֵי הָעִיר Jer. 17:24
7 וּלְבִלְתִּי שְׂאֵת מַשָּׂא...בְּיוֹם הַשַּׁבָּת Jer. 17:27
8 מַשָּׂא אֲשֶׁר יִסְּרַתּוּ אִמּוֹ Prov. 31:1
9 עֲנָבִים וּתְאֵנִים וְכָל־מַשָּׂא Neh. 13:15
10 לֹא־יָבוֹא מַשָּׂא בְּיוֹם הַשַּׁבָּת Neh. 13:19
11 מְבִיאִים...מִנְחָה וְכֶסֶף מַשָּׂא IICh. 17:11
12 וַיְנַצְּלוּ לָהֶם לְאֵין מַשָּׂא IICh. 20:25
13 אֵין־לָכֶם מַשָּׂא בַּכָּתֵף IICh. 35:3
הַמַּשָּׂא 14 וַייָ נָשָׂא עָלָיו אֶת־הַמַּשָּׂא הַזֶּה IIK. 9:25
15 בִּשְׁנַת...הָיָה הַמַּשָּׂא הַזֶּה Is. 14:28
16 וְנִכְרַת הַמַּשָּׂא אֲשֶׁר־עָלֶיהָ Is. 22:25
17 כִּי הַמַּשָּׂא יִהְיֶה לְאִישׁ דְּבָרוֹ Jer. 23:36
18 הַנָּשִׂיא הַמַּשָּׂא הַזֶּה בִּירוּשָׁלַםִ Ezek. 12:10
19 הַמַּשָּׂא אֲשֶׁר חָזָה חֲבַקּוּק הַנָּבִיא Hab. 1:1
20 הַמַּשָּׂא נְאֻם הַגֶּבֶר לְאִיתִיאֵל Prov. 30:1

21 וּכְנַנְיָהוּ שַׂר הַמַּשָּׂא הַמְשֹׁרְרִים ICh. 15:27
22 וּבָנָיו יִרֶב הַמַּשָּׂא עָלָיו IICh. 24:27
בְּמַשָּׂא 23 וּכְנַנְיָהוּ שַׂר־הַלְוִיִּם בְּמַשָּׂא ICh. 15:22
בַּמַּשָּׂא 24 יָסֹר בַּמַּשָּׂא כִּי מֵבִין הוּא ICh. 15:22
כְּמַשָּׂא 25 כְּמַשָּׂא כָבֵד יִכְבְּדוּ מִמֶּנִּי Ps. 38:5
לְמַשָּׂא 26 אִם־עָבַרְתָּ אִתִּי וְהָיִתָ עָלַי לְמַשָּׂ׳ IISh. 15:33
27 וְלָמָּה יִהְיֶה...עַבְדְּךָ...לְמַשָּׂא IISh. 19:36
28 וָאֶהְיֶה עָלַי לְמַשָּׂא Job 7:20
וּלְמַשָּׂא 29 זֹאת עֲבֹדַת...לַעֲבֹד וּלְמַשָּׂא Num. 4:24
מַשָּׂא־ 30 מַשָּׂא בְנֵי־קְהָת בְּאֹהֶל מוֹעֵד Num. 4:15
31 לָשׂוּם אֶת־מַשָּׂא כָּל־הָעָם...עָלָי Num. 11:11
32 מַשָּׂא צֶמֶד־פְּרָדִים אֲדָמָה IIK. 5:17
33 מַשָּׂא אַרְבָּעִים גָּמָל IIK. 8:9
34 מַשָּׂא בָּבֶל אֲשֶׁר חָזָה יְשַׁעְיָהוּ Is. 13:1
35 מַשָּׂא מוֹאָב Is. 15:1
36 מַשָּׂא דַּמָּשֶׂק Is. 17:1
37 מַשָּׂא מִצְרָיִם Is. 19:1
38 מַשָּׂא מִדְבַּר־יָם Is. 21:1
39 מַשָּׂא דּוּמָה Is. 21:11
40 מַשָּׂא בַּעְרָב Is. 21:13
41 מַשָּׂא גֵּיא חִזָּיוֹן Is. 22:1
42 מַשָּׂא צֹר Is. 23:1
43 מַשָּׂא בַּהֲמוֹת נֶגֶב Is. 30:6
44 וְכִי־יִשְׁאָלְךָ...מַה־מַּשָּׂא יְיָ Jer. 23:33
45 אֶת־מַה־מַּשָּׂא וְנָטַשְׁתִּי אֶתְכֶם Jer. 23:33
46 וְהַנָּבִיא...אֲשֶׁר יֹאמַר מַשָּׂא יְיָ Jer. 23:34
47 וְאִם־מַשָּׂא יְיָ תֹּאמֵרוּ Jer. 23:38
48 יַעַן אֲמָרְכֶם אֶת־הַדָּבָר...מַשָּׂא יְיָ Jer. 23:38
49 לֹא תֹאמְרוּ מַשָּׂא יְיָ Jer. 23:38
50 אֶת־מַחְמַד עֵינֵיהֶם וְאֶת־מַשָּׂא נַפְשָׁם Ezek. 24:25
51 מַשָּׂא נִינְוֵה סֵפֶר חֲזוֹן נַחוּם Nah. 1:1
52 מַשָּׂא דְבַר־יְיָ בְּאֶרֶץ חַדְרָךְ Zech. 9:1
53 מַשָּׂא דְבַר־יְיָ עַל־יִשְׂרָאֵל Zech. 12:1
54 מַשָּׂא דְבַר־יְיָ אֶל־יִשְׂרָאֵל Mal. 1:1
וּמַשָּׂא־ 55 וּמַשָּׂא יְיָ לֹא תִזְכְּרוּ־עוֹד Jer. 23:36
בְּמַשָּׂא־ 56 וְנָשְׂאוּ אִתְּךָ בְּמַשָּׂא הָעָם Num. 11:17
מִמַּשָּׂא־ 57 וַיָּחֵלּוּ מְּעָט מִמַּשָּׂא מֶלֶךְ שָׂרִים Hosh. 8:10
מַשָּׂאוֹ 58 חֲמוֹר שֹׂנַאֲךָ רֹבֵץ תַּחַת מַשָּׂאוֹ Ex. 23:5
59 עַל־עֲבֹדָתוֹ וְאֶל־מַשָּׂאוֹ Num. 4:19
60 עַל עֲבֹדָתוֹ וְעַל מַשָּׂאוֹ Num. 4:49
וּמַשַּׂאֲכֶם 61 טָרְחֲכֶם וּמַשַּׂאֲכֶם וְרִיבְכֶם Deut. 1:12
מַשָּׂאָם 62 לְכָל־מַשָּׂאָם וּלְכֹל עֲבֹדָתָם Num. 4:27
63 וּפְקַדְתֶּם עֲלֵהֶם...אֵת כָּל־מַשָּׂאָם Num. 4:27
64 וְזֹאת מִשְׁמֶרֶת מַשָּׂאָם Num. 4:31
65 אֶת־כְּלֵי מִשְׁמֶרֶת מַשָּׂאָם Num. 4:32
מַשְׂאוֹת־ 66 וַיֶּחֱזוּ לָךְ מַשְׂאוֹת שָׁוְא וּמַדּוּחִים Lam. 2:14

מַשָּׂא² שפ״ז – אחד מנשיאי בני ישמעאל: 1, 2

מַשָּׂא 1 מִשְׁמָע וְדוּמָה מַשָּׂא... ICh. 1:30
וּמַשָּׂא־ 2 וּמִשְׁמָע וְדוּמָה וּמַשָּׂא Gen. 25:14

מַשָּׁא ז׳ מַשֶּׁה, תביעת חוב: 1-3

מַשָּׁא 1 מַשָּׁא אִישׁ־בְּאָחִיו אַתֶּם נֹשִׁים Neh. 5:7
וּמַשָּׁא 2 וְנִטֹּשׁ...וּמַשָּׁא כָל־יָד Neh. 10:32
הַמַּשָּׁא 3 נַעַזְבָה־נָּא אֶת־הַמַּשָּׁא הַזֶּה Neh. 5:10

מַשֹּׂא ז׳ נשיאה (בהשאלה)

וּמַשֹּׂא־ 1 עַוְלָה וּמַשֹּׂא פָנִים וּמִקַּח־שֹׁחַד IICh. 19:7

מֵשָׁא מחוז בנגב ערב

מִמֵּשָׁא 1 וַיְהִי מוֹשָׁבָם מִמֵּשָׁא... Gen. 10:30

מַשְׁאַבִּים ז״ר שקע למלוי מים לעדרים (?)

מַשְׁאַבִּים 1 מִקּוֹל מְחַצְצִים בֵּין מַשְׁאַבִּים Jud. 5:11

מַשָּׂאָה נ׳ עמוד עשן • כֹּבֶד מַשָּׂאָה 1

מַשָּׂאָה 1 בֹּעֵר אַפּוֹ וְכֹבֶד מַשָּׂאָה Is. 30:27

מַשָּׁאָה* נ׳ מַשָּׁא, תביעת חוב: 1, 2

מַשַּׁאת מְאוּמָה 1
מַשַּׁאת־ 1 כִּי־תַשֶּׁה בְרֵעֲךָ מַשַּׁאת מְאוּמָה Deut. 24:10
מַשָּׁאוֹת 2 אַל־תְּהִי בְתֹקְעֵי־כָף בַּעֹרְבִים מַשָּׁאוֹת Prov. 22:26

מַשָּׁאוֹן ז׳ שכחה

בְּמַשָּׁאוֹן 1 תִּכַּסֶּה שִׂנְאָה בְּמַשָּׁאוֹן Prov. 26:26

מַשְׂאוֹת שם פעולה מן ״נשא״ – לעקור

לְמַשְׂאוֹת 1 לְמַשְׂאוֹת אוֹתָהּ מִשָּׁרָשֶׁיהָ Ezek. 17:9

מִשְׁאָל עיר לויים בנחלת אשר [ועין עוד מָשָׁל²]

מִשְׁאָל 1 אֶת־מִשְׁאָל וְאֶת־מִגְרָשֶׁהָ Josh. 21:30
וּמִשְׁאָל 2 וְאַלַּמֶּלֶךְ וְעַמְעָד וּמִשְׁאָל Josh. 19:26

מִשְׁאָלָה* נ׳ בקשה, חפץ: 1, 2

מִשְׁאֲלוֹת לֵב 1
מִשְׁאֲלֹת־ 1 וְיִתֶּן־לְךָ מִשְׁאֲלֹת לִבֶּךָ Ps. 37:4
מִשְׁאֲלוֹתֶיךָ 2 יְמַלֵּא יְיָ כָּל־מִשְׁאֲלוֹתֶיךָ Ps. 20:6

מִשְׁאֶרֶת נ׳ ערבה ללישת בצק: 1-4

וּמִשְׁאַרְתֶּךָ 1 בָּרוּךְ טַנְאֲךָ וּמִשְׁאַרְתֶּךָ Deut. 28:5
2 אָרוּר טַנְאֲךָ וּמִשְׁאַרְתֶּךָ Deut. 28:17
וּבְמִשְׁאֲרוֹתֶיךָ 3 וּבָאוּ בְּבֵיתֶךָ...וּבְמִשְׁאֲרוֹתֶיךָ Ex. 7:28
מִשְׁאֲרֹתָם 4 מִשְׁאֲרֹתָם צְרֻרֹת בְּשִׂמְלֹתָם Ex. 12:34

מַשְׂאֵת נ׳ א) עמוד מתרומם: 1, 2, 5, 7

ב) תרומה, מתנה: 3, 4, 6, 8-15
– מַשְׂאַת בִּנְיָמִן 6; מ׳ בַּר 12; מ׳ כַּפַּיִם 9; מַשְׂאַת הַמֶּלֶךְ 8; מַשְׂאַת מֹשֶׁה 10, 11
– רֵאשִׁית מַשְׂאוֹת 15
מַשְׂאֵת 1 וְעַל־בֵּית הַכֶּרֶם שְׂאוּ מַשְׂאֵת Jer. 6:1
2 מַשְׂאֵת עָלֶיהָ חֶרְפָּה Zep. 3:18
3 וַיִּתֵּן מַשְׂאֵת כְּיַד הַמֶּלֶךְ Es. 2:18
וּמַשְׂאֵת 7 וַיִּתֶּן־לוֹ...אֲרֻחָה וּמַשְׂאֵת Jer. 40:5
וְהַמַּשְׂאֵת 5 וְהַמַּשְׂאֵת הֵחֵלָּה לַעֲלוֹת...עַמּוּד עָשָׁן Jud. 20:40
מַשְׂאַת־ 6 וַתֵּרֶב מַשְׂאַת בִּנְיָמִן Gen. 43:34
7 הֶרֶב לְהַעֲלוֹתָם מַשְׂאַת הֶעָשָׁן... Jud. 20:38
8 וַתֵּצֵא אַחֲרָיו מַשְׂאַת הַמֶּלֶךְ IISh. 11:8
9 מַשְׂאַת כַּפַּי מִנְחַת־עָרֶב Ps. 141:2
10 לְהָבִיא...אֶת־מַשְׂאַת מֹשֶׁה IICh. 24:6
11 לְהָבִיא לַייָ מַשְׂאַת מֹשֶׁה IICh. 24:9
וּמַשְׂאַת־ 12 וּמַשְׂאַת־בַּר תִּקְחוּ מִמֶּנּוּ Am. 5:11
מַשְׂאֹת 13 וַיִּשָּׂא מַשְׂאֹת מֵאֵת פָּנָיו Gen. 43:34
מִמַּשְׂאֹת־ 14 וַתֵּרֶב...מִמַּשְׂאֹת כֻּלָּם חָמֵשׁ יָדוֹת Gen. 43:34
מַשְׂאוֹתֵיכֶם 15 וְאֶת־רֵאשִׁית מַשְׂאוֹתֵיכֶם Ezek. 20:40

מִשְׁבֶּצֶת* נ׳ א) מסגרת לאבן־חן: 2-8

ב) מקלעת: 1, 9
מִשְׁבְּצוֹת זָהָב 4-9
הַמִּשְׁבְּצֹת 1 שַׁרְשְׁרֹת הָעֲבֹתֹת עַל־הַמִּשְׁבְּצֹת Ex. 28:14
2 תִּתֵּן עַל־שְׁתֵּי הַמִּשְׁבְּצוֹת Ex. 28:25
3 נָתְנוּ עַל־שְׁתֵּי הַמִּשְׁבְּצֹת Ex. 39:18
מִשְׁבְּצוֹת־ 4/5 מֻסַבֹּת מִשְׁבְּצוֹת זָהָב Ex. 28:11
6 וְעָשִׂיתָ מִשְׁבְּצֹת זָהָב Ex. 28:13
7 מוּסַבֹּת מִשְׁבְּצוֹת זָהָב בְּמִלּוּאֹתָם Ex. 39:13
8 וַיַּעֲשׂוּ שְׁתֵּי מִשְׁבְּצֹת זָהָב Ex. 39:16
מִמִּשְׁבְּצוֹת־ 9 מִמִּשְׁבְּצוֹת זָהָב לְבוּשָׁהּ Ps. 45:14

מַשְׁבֵּר ז׳ פריצת הולד מבטן אמו: 1-3

בָּא עַד מַשְׁבֵּר 1, 2; מִשְׁבַּר בָּנִים 3
מַשְׁבֵּר 1/2 כִּי־בָאוּ בָנִים עַד־מַשְׁבֵּר Is. 37:3 • IIK. 19:3
בְּמִשְׁבַּר־ 3 כִּי־עֵת לֹא־יַעֲמֹד בְּמִשְׁבַּר בָּנִים Hosh.13:13

מִשְׁבָּר* ז׳ גל גדול: 1-5

מִשְׁבְּרֵי יָם 2; מִשְׁבְּרֵי מָוֶת 1
מִשְׁבְּרֵי־ 1 כִּי אֲפָפֻנִי מִשְׁבְּרֵי־מָוֶת IISh. 22:5
2 אַדִּירִים מִשְׁבְּרֵי־יָם Ps. 93:4
מִשְׁבָּרֶיךָ 3 כָּל־מִשְׁבָּרֶיךָ וְגַלֶּיךָ עָלַי עָבָרוּ Jon. 2:4
7 כָּל־מִשְׁבָּרֶיךָ וְגַלֶּיךָ עָלַי עָבָרוּ Ps. 42:8
5 וְכָל־מִשְׁבָּרֶיךָ עִנִּיתָ Ps. 88:8

מִשְׁבָּת* ז׳ מכשול, צרה

מִשְׁבַּתֶּהָ 1 רָאוּהָ צָרִים שָׂחֲקוּ עַל־מִשְׁבַּתֶּהָ Lam. 1:7

מִשְׂגָּב ז׳ [נ׳–6] מבצר, מעוז (גם בהשאלה): 1-17

קרובים: ראה מִבְצָר
מִשְׂגָּב לַדָּךְ 1; מִשְׂגַּב חוֹמוֹת 9
מִשְׂגָּב 1 וִיהִי יְיָ מִשְׂגָּב לַדָּךְ Ps. 9:10
2 מִשְׂגָּב לְעִתּוֹת בַּצָּרָה Ps. 9:10
3-4 מִשְׂגָּב לָנוּ אֱלֹהֵי יַעֲקֹב Ps. 46:8, 12
5 כִּי־הָיִיתָ מִשְׂגָּב לִי Ps. 59:17
הַמִּשְׂגָּב 6 הֹבִישָׁה הַמִּשְׂגָּב וָחָתָּה Jer. 48:1
לְמִשְׂגָּב 7 אֱלֹהִים בְּאַרְמְנוֹתֶיהָ נוֹדַע לְמִשְׂגָּב Ps. 48:4
8 וַיְהִי יְיָ לִי לְמִשְׂגָּב Ps. 94:22
מִשְׂגַּב־ 9 וּמִבְצַר מִשְׂגַּב חוֹמֹתַיִךְ הֵשַׁח Is. 25:12
מִשְׂגַּבִּי 10 מָגִנִּי וְקֶרֶן יִשְׁעִי מִשְׂגַּבִּי וּמְנוּסִי IISh. 22:3
11 מָגִנִּי וְקֶרֶן יִשְׁעִי מִשְׂגַּבִּי Ps. 18:3
12-13 כִּי(־)אֱלֹהִים מִשְׂגַּבִּי Ps. 59:10, 18
14 מִשְׂגַּבִּי לֹא־אֶמּוֹט רַבָּה Ps. 62:3
15 מִשְׂגַּבִּי לֹא־אֶמּוֹט Ps. 62:7
16 חַסְדִּי וּמְצוּדָתִי מִשְׂגַּבִּי Ps. 144:2
מִשְׂגַּבּוֹ 17 מְצָדוֹת סְלָעִים מִשְׂגַּבּוֹ Is. 33:16

מִשְׁגֶּה ז׳ שגיאה, טעות

מִשְׁגֶּה 1 אוּלַי מִשְׁגֶּה הוּא Gen. 43:12

מְשֻׁגָּע ת׳ – עין (שגע) (3)

משה : מָשָׁה, הַמֹּשֶׁה; מֹשִׁי; ש״פ מֹשֶׁה

מָשָׁה פ׳ א) הוציא: 1

ב) [הפ׳ הַמֹּשֶׁה] כנ״ל: 2
מְשִׁיתִהוּ 1 כִּי מִן־הַמַּיִם מְשִׁיתִהוּ Ex. 2:10
יַמְשֵׁנִי 2/3 יַמְשֵׁנִי מִמַּיִם רַבִּים Ps. 18:17 • IISh. 22:17

מֹשֶׁה שפ״ז – בן עמרם, הנביא והמחוקק לישראל: 1-770

– מֹשֶׁה וְאַהֲרֹן 87-126, 243-258, 732, 734, 735, 740, 742, 744, 745, 748, 756-759; מֹשֶׁה הָאִישׁ 285,286; מֹשֶׁה אִישׁ הָאֱלֹהִים 396, 414, 429, 746, 767; מֹשֶׁה בְּחִיר יְיָ 411; מֹשֶׁה עֶבֶד אֱלֹהִים (יְיָ) 376-391, 412, 421, 423, 427
– אֵבֶל מֹשֶׁה 370; אֲדוֹנִי מֹשֶׁה 349; הָאִישׁ מֹשֶׁה 223, 350; אַף מ׳ 287; אֵשֶׁת מ׳ 266; בֶּן מ׳ 425; בְּנֵי מ׳ 424; (כִּ)דְבַר מ׳ 218, 219, 241, 340; חֹתֵן מֹשֶׁה 262-265, 267; (בְּ)יַד מ׳ 343-346, 353, 357-

360, 397-399, 402, 403, 420, 430-432; יְדֵי מֹשֶׁה 260; יְמִין מ׳ 407; מוֹת מ׳ 372; מִצְוַת מ׳ 426; מְשָׁרֵת מ׳ 373; סֵפֶר מ׳ 422, 428, 433; סֵפֶר מ׳ 415; עֵינֵי מ׳ 348, 355; עַבְדֵּי מֹשֶׁה 352, 374, 375, 405; פְּנֵי מֹשֶׁה 295, 296; פְּקוּדֵי מ׳ 356; תּוֹרַת מֹשֶׁה 393-395, 400, 401, 404, 406, 409, 413, 414, 416, 419

מֹשֶׁה

1 וַתִּקְרָא שְׁמוֹ מֹשֶׁה וַתֹּאמֶר Ex. 2:10
2 וַיִּגְדַּל מֹשֶׁה וַיֵּצֵא אֶל־אֶחָיו Ex. 2:11
3 וַיִּירָא מֹשֶׁה וַיֹּאמַר Ex. 2:14
4 וַיִּשְׁמַע פַּר׳...וַיְבַקֵּשׁ לַהֲרֹג אֶת־מֹשֶׁה Ex. 2:15
5 וַיִּבְרַח מֹשֶׁה מִפְּנֵי פַרְעֹה Ex. 2:15
6 וַיָּקָם מֹשֶׁה וַיּוֹשִׁעָן Ex. 2:17
7 וַיּוֹאֶל מֹשֶׁה לָשֶׁבֶת אֶת־הָאִישׁ Ex. 2:21
8 וַיֹּאמֶר מֹשֶׁה אָסֻרָה־נָּא וְאֶרְאֶה Ex. 3:3
9-10 וַיֹּאמֶר מֹשֶׁה מֹשֶׁה וַיֹּאמֶר הִנֵּנִי Ex. 3:4
11 וַיַּסְתֵּר מֹשֶׁה פָּנָיו Ex. 3:6
12/3 וַיֹּאמֶר מֹשֶׁה אֶל־הָאֱלֹהִים Ex. 3:11, 13
14 וַיֹּאמֶר אֱלֹהִים אֶל־מֹשֶׁה Ex. 3:14
15 וַיֹּאמֶר עוֹד אֱלֹהִים אֶל־מֹשֶׁה Ex. 3:15
16 וַיַּעַן מֹשֶׁה וַיֹּאמֶר Ex. 4:1
17 וַיָּנָס מֹשֶׁה מִפָּנָיו Ex. 4:3
18-83 וַיֹּאמֶר יְיָ אֶל־מֹשֶׁה Ex. 4:4, 19, 21
6:1; 7:1, 8, 14, 19, 26; 8:1, 12, 16; 15:1, 8, 13, 22; 10:1, 12, 21; 11:1, 9; 12:1, 43; 14:15, 26; 16:4, 28; 17:5, 14; 19:9, 10, 21; 20:19(22); 24:12; 30:34; 31:12; 32:9, 33; 33:5, 17; 34:1, 27 • Lev. 21:1 • Num. 3:40; 7:4, 11; 9:1; 11:16, 23; 12:14; 14:11; 15:35, 37; 17:25; 20:12, 23; 21:8, 34; 25:4; 26:1; 27:6, 12, 18; 31:25 • Deut. 31:14, 16
84-86 וַיֹּאמֶר מֹשֶׁה אֶל־יְיָ Ex. 4:10; 19:23; 33:12
87-120 מֹשֶׁה (וּ/לְ)אַהֲרֹן Ex. 4:28, 29
5:1, 4; 6:27; 7:6, 10, 20; 8:8; 10:3; 16:6; 24:9; 40:31 • Lev. 9:1, 23 • Num. 1:17, 44; 3:38, 39; 4:34, 37; 4:41, 45, 46; 8:20; 14:5; 17:8; 20:6, 10; 26:34; 33:1 • Mic. 6:4 • Ps. 77:21; 99:6
121-126 אֶת־מֹשֶׁה וְאֶת־אַהֲרֹן Ex. 5:20
6:20; 10:8 • Josh. 24:5 • ISh. 12:6, 8
127-217 וַיְדַבֵּר יְיָ אֶל־מֹשֶׁה (לֵּאמֹר)
Ex. 6:10, 13, 29; 13:1; 14:1; 16:11; 25:1; 30:11; 17:22; 31:1; 32:7; 33:1; 40:1 • Lev. 4:1; 5:14, 20; 6:1, 12, 17; 7:22, 28; 8:1; 11:1; 12:1; 13:1; 14:1, 33; 15:1; 16:1, 2; 17:1; 18:1; 19:1; 20:1; 21:16; 22:1, 17, 26; 23:1, 9, 23, 26, 33; 24:1, 13; 25:1; 27:1 • Num. 1:1, 48; 2:1; 3:5, 11, 14, 44; 4:1, 17, 21, 26; 5:1, 5, 11; 6:1, 22; 8:1, 5, 23; 9:1, 9; 10:1; 13:1; 15:1, 17; 16:20, 23; 17:1, 9, 16; 18:25; 19:1; 20:7; 25:10, 16; 26:52; 28:1; 31:1; 33:50; 34:1, 16; 35:1, 9 • Deut. 32:48
218-219 וַיַּעַשׂ יְיָ כִּדְבַר מֹשֶׁה Ex. 8:9, 27
220-222 כַּאֲשֶׁר דִּבֶּר יְיָ בְּיַד־מֹשֶׁה Ex. 9:35
Num. 17:5; 27:23
223 גַּם הָאִישׁ מֹשֶׁה גָּדוֹל מְאֹד Ex. 11:3
224-240 כַּאֲשֶׁר צִוָּה יְיָ אֶת־מֹשֶׁה Ex. 12:28, 50
39:1, 5, 7, 21, 26, 29, 31; 40:19, 21, 23, 25, 27, 29, 32
Deut. 34:9
241 וּבְנֵי־יִשְׂרָאֵל עָשׂוּ כִּדְבַר מֹשֶׁה Ex. 12:35
242 אָז יָשִׁיר־מֹשֶׁה וּבְנֵי יִשְׂרָאֵל Ex. 15:1
243-249 עַל מֹשֶׁה וְעַל אַהֲרֹן Ex. 16:2
Num. 14:2; 16:3; 17:6, 7; 20:2; 26:9
250-258 וַיֹּאמֶר מֹשֶׁה אֶל־אַהֲרֹן Ex. 16:9, 33
32:21 • Lev. 8:31; 9:7; 10:3, 6; 21:24 • Num. 17:11
259 כַּאֲשֶׁר יָרִים מֹשֶׁה יָדוֹ וְגָבַר יִשְׂרָאֵל Ex. 17:11
260 וִידֵי מֹשֶׁה כְּבֵדִים Ex. 17:12
261 וַיִּבֶן מֹשֶׁה מִזְבֵּחַ Ex. 17:15

מֹשֶׁה (המשך)

262 וַיִּשְׁמַע יִתְרוֹ...חֹתֵן מֹשֶׁה Ex. 18:1
263-265 יִתְרוֹ חֹתֵן מֹשֶׁה Ex. 18:2, 5, 12
266 וַיִּקַּח...אֶת־צִפֹּרָה אֵשֶׁת מֹשֶׁה Ex. 18:2
267 לֶאֱכָל־לֶחֶם עִם־חֹתֵן מֹשֶׁה Ex. 18:12
268-272 חֹתֵן מֹשֶׁה Ex. 18:14, 17
Num. 10:29 • Jud. 1:16; 4:11
273 הַדָּבָר הַקָּשֶׁה יְבִיאוּן אֶל־מֹשֶׁה Ex. 18:26
274 מֹשֶׁה יְדַבֵּר וְהָאֱלֹ׳ יַעֲנֶנּוּ בְקוֹל Ex. 19:19
275 וַיִּקְרָא יְיָ לְמֹשֶׁה...וַיַּעַל מֹשֶׁה Ex. 19:20
276 וְנִגַּשׁ מֹשֶׁה לְבַדּוֹ אֶל־יְיָ Ex. 24:2
277 וַיִּכְתֹּב מֹשֶׁה אֵת כָּל־דִּבְרֵי יְיָ Ex. 24:4
278 וַיָּקָם מֹשֶׁה וִיהוֹשֻׁעַ מְשָׁרְתוֹ Ex. 24:13
279 וַיַּעַל מֹשֶׁה אֶל־הַר הָאֱלֹהִים Ex. 24:13
280 וַיַּעַל מֹשֶׁה אֶל־הָהָר Ex. 24:15
281 וַיָּבֹא מֹשֶׁה בְּתוֹךְ הֶעָנָן Ex. 24:18
282 וַיְהִי מֹשֶׁה בָּהָר אַרְבָּעִים יוֹם... Ex. 24:18
283 וַיִּתֵּן אֶל־מֹשֶׁה...שְׁנֵי לֻחֹת הָעֵדֻת Ex. 31:18
284 וַיַּרְא הָעָם כִּי־בֹשֵׁשׁ מֹשֶׁה Ex. 32:1
285/6 כִּי־זֶה מֹשֶׁה הָאִישׁ... Ex. 32:1, 23
287 וַיִּחַר אַף מֹשֶׁה וַיַּשְׁלֵךְ מִיָּדָו... Ex. 32:19
288 וַיַּעֲשׂוּ בְנֵי־לֵוִי כִּדְבַר מֹשֶׁה Ex. 32:28
289 כְּצֵאת מֹשֶׁה אֶל־הָאֹהֶל יָקוּמוּ... Ex. 33:8
290 וְהִבִּיטוּ אַחֲרֵי מֹשֶׁה Ex. 33:8
291 וְהָיָה כְּבֹא מֹשֶׁה הָאֹהֱלָה
יֵרֵד עַמּוּד הֶעָנָן Ex. 33:9
292 וְדִבֶּר עִם־מֹשֶׁה Ex. 33:9
293 וְדִבֶּר יְיָ אֶל־מֹשֶׁה פָּנִים אֶל־פָּ׳ Ex. 33:11
294 וַיַּרְא...אֶת־מֹשֶׁה וְהִנֵּה קָרַן... Ex. 34:30
295 וְרָאוּ בְנֵי־יִשְׂרָאֵל אֶת־פְּנֵי מֹשֶׁה Ex. 34:35
296 כִּי קָרַן עוֹר פְּנֵי מֹשֶׁה Ex. 34:35
297 וְהֵשִׁיב מֹשֶׁה...הַמַּסְוֶה עַל־פָּנָיו Ex. 34:35
298 אֲשֶׁר צִוָּה יְיָ לַעֲשׂוֹת בְּיַד־מֹשֶׁה Ex. 35:29
299-339 (כַּ)אֲשֶׁר צִוָּה יְיָ אֶת־מֹשֶׁה Ex. 38:22
39:32, 42 • Lev. 8:9, 13, 17; 8:21, 29; 9:10; 16:34; 24:23; 27:34 • Num. 1:19, 54; 2:33, 34; 3:51; 4:49; 8:3, 20, 22; 9:5; 15:36; 26:4; 27:11; 30:1, 17; 31:7, 31:21; 31, 41, 47; 36:10 • Deut. 28:69 • Josh. 11:15^2; 11:20; 14:5 • ICh. 22:13(12)
340 וַיַּעֲשׂוּ כִּדְבַר מֹשֶׁה Lev. 10:7
341 דִּבֶּר יְיָ אֲלֵיהֶם בְּיַד־מֹשֶׁה Lev. 10:11
342 אֲשֶׁר נָתַן...בְּהַר סִינַי בְּיַד־מֹשֶׁה Lev. 26:46
343-346 עַל־פִּי יְיָ בְּיַד־מֹשֶׁה
Num. 4:37, 45; 9:23; 10:13
347 עַל־פִּי יְיָ פָּקַד אוֹתָם בְּיַד־מֹשֶׁה Num. 4:49
348 וּבְעֵינֵי מֹשֶׁה רָע Num. 11:10
349 אֲדֹנִי מֹשֶׁה כְּלָאֵם Num. 11:28
350 וְהָאִישׁ מֹשֶׁה עָנָו מְאֹד Num. 12:3
351 וַיֹּאמֶר יְיָ פִּתְאֹם אֶל־מֹשֶׁה Num. 12:4
352 לֹא־כֵן עַבְדִּי מֹשֶׁה Num. 12:7
353 אֲשֶׁר צִוָּה יְיָ אֲלֵיכֶם בְּיַד־מֹשֶׁה Num. 15:23
354 וַיַּעַשׂ מֹשֶׁה נְחַשׁ נְחֹשֶׁת Num. 21:9
355 וַיַּקְרֵב...הַמִּדְיָנִית לְעֵינֵי מֹשֶׁה Num. 25:6
356 אֵלֶּה פְּקוּדֵי מֹשֶׁה וְאֶלְעָזָר Num. 26:63
357-360 (כַּ)אֲשֶׁר צִוָּה יְיָ בְּיַד־מֹשֶׁה
Num. 36:13 • Josh. 14:2; 21:8 • Neh. 8:14
361 הוֹאִיל מֹשֶׁה בֵּאֵר אֶת־הַתּוֹרָה Deut. 1:5
362 וְזֹאת הַתּוֹרָה אֲשֶׁר־שָׂם מֹשֶׁה Deut. 4:44
363 וַיִּכְתֹּב מֹשֶׁה אֶת־הַתּוֹרָה הַזֹּאת Deut. 31:9
364 וַיִּכְתֹּב מֹשֶׁה אֶת־הַשִּׁירָה הַזֹּאת Deut. 31:22
365 אֲשֶׁר בֵּרַךְ מֹשֶׁה אִישׁ הָאֱלֹהִים Deut. 33:1
366 תּוֹרָה צִוָּה־לָנוּ מֹשֶׁה Deut. 33:4
367 וַיַּעַל מֹשֶׁה מֵעַרְבֹת מוֹאָב Deut. 34:1
368 וַיָּמָת שָׁם מֹשֶׁה עֶבֶד־יְיָ Deut. 34:5
369 וַיִּבְכּוּ בְנֵי יִשְׂרָאֵל אֶת־מֹשֶׁה Deut. 34:8
370 וַיִּתְּמוּ יְמֵי בְכִי אֵבֶל מֹשֶׁה Deut. 34:8
371 עָשָׂה מֹשֶׁה לְעֵינֵי כָּל־יִשְׂרָאֵל Deut. 34:12
372 וַיְהִי אַחֲרֵי מוֹת מֹשֶׁה עֶבֶד יְיָ Josh. 1:1
373 יְהוֹשֻׁעַ בִּן־נוּן מְשָׁרֵת מֹשֶׁה Josh. 1:1
374 מֹשֶׁה עַבְדִּי מֵת וְעַתָּה קוּם עֲבֹר Josh. 1:2
375 הַתּוֹרָה אֲשֶׁר צִוְּךָ מֹשֶׁה עַבְדִּי Josh. 1:7
376-391 מֹשֶׁה עֶבֶד(־)יְיָ Josh. 1:13, 15
8:31, 33; 11:12; 12:6^2; 13:8; 14:7; 18:7; 22:2, 4, 5 • IIK. 18:12 • IICh. 1:3; 24:6
392 כַּאֲשֶׁר יָרְאוּ אֶת־מֹשֶׁה Josh. 4:14
393/4 בְּסֵפֶר תּוֹרַת מֹשֶׁה Josh. 8:31; 23:6
395 אֵת מִשְׁנֵה תּוֹרַת מֹשֶׁה Josh. 8:32
396 אֶל־מֹשֶׁה אִישׁ־הָאֱלֹהִים Josh. 14:6
397 יְיָ צִוָּה בְּיַד־מֹשֶׁה לָתֶת־לָנוּ... Josh. 21:2
398 עַל־פִּי יְיָ בְּיַד־מֹשֶׁה Josh. 22:9
399 צִוָּה אֶת־אֲבוֹתָם בְּיַד־מֹשֶׁה Jud. 3:4
400/1 כַּכָּתוּב בְּתוֹרַת מֹשֶׁה IIK. 2:3 • IICh. 23:18
402 כַּאֲשֶׁר דִּבַּרְתָּ בְּיַד מֹשֶׁה עַבְדֶּךָ IK. 8:53
403 אֲשֶׁר דִּבֶּר בְּיַד מֹשֶׁה עַבְדּוֹ IK. 8:56
404 כַּכָּתוּב בְּסֵפֶר תּוֹרַת־מֹשֶׁה IIK. 14:6
405 אֲשֶׁר־צִוָּה אֹתָם עַבְדִּי מֹשֶׁה IIK. 21:8
406 אֲשֶׁר־שָׁב...כְּכֹל תּוֹרַת מֹשֶׁה IIK. 23:25
407 לִימִין מֹשֶׁה זְרוֹעַ תִּפְאַרְתּוֹ Is. 63:12
408 אִם־יַעֲמֹד מֹשֶׁה וּשְׁמוּאֵל לְפָנַי Jer. 15:1
409 זִכְרוּ תּוֹרַת מֹשֶׁה עַבְדִּי Mal. 3:22
410 שָׁלַח מֹשֶׁה עַבְדּוֹ Ps. 105:26
411 לוּלֵי מֹשֶׁה בְחִירוֹ עָמַד בַּפֶּרֶץ Ps. 106:23
412 בְּתוֹרַת מֹשֶׁה עֶבֶד־הָאֱלֹהִים Dan. 9:11
413 כַּאֲשֶׁר כָּתוּב בְּתוֹרַת מֹשֶׁה Dan. 9:13
414 כַּכָּתוּב בְּתוֹרַת מֹשֶׁה אִישׁ הָאֱלֹהִים Ez. 3:2
415 כִּכְתָב סֵפֶר מֹשֶׁה Ez. 6:18
416 וְהוּא סֹפֵר מָהִיר בְּתוֹרַת מֹשֶׁה Ez. 7:6
417/8 אֲשֶׁר צִוִּיתָ אֶת־מֹשֶׁה עַבְדֶּךָ Neh. 1:7, 8
419 לְהָבִיא אֶת־סֵפֶר תּוֹרַת מֹשֶׁה Neh. 8:1
420 צִוִּיתָ לָהֶם בְּיַד מֹשֶׁה עַבְדֶּךָ Neh. 9:14
421 בְּיַד מֹשֶׁה עֶבֶד־הָאֱלֹהִים Neh. 10:30
422 נִקְרָא בְּסֵפֶר מֹשֶׁה בְּאָזְנֵי הָעָם Neh. 13:1
423 אֲשֶׁר־צִוָּה מֹשֶׁה עֶבֶד הָאֱלֹהִים ICh. 6:34
424 בְּנֵי מֹשֶׁה גֵּרְשׁוֹם וֶאֱלִיעֶזֶר ICh. 23:15
425 וּשְׁבֻאֵל בֶּן־גֵּרְשׁוֹם בֶּן־מֹשֶׁה ICh. 26:24
426 לְהַעֲלוֹת כְּמִצְוַת מֹשֶׁה IICh. 8:13
427 מַשְׂאַת מֹשֶׁה עֶבֶד־הָאֱלֹהִים IICh. 24:9
428 כַּכָּתוּב בַּתּוֹרָה בְּסֵפֶר מֹשֶׁה IICh. 25:4
429 כְּתוֹרַת מֹשֶׁה אִישׁ הָאֱלֹהִים IICh. 30:16
430 לְכָל־הַתּוֹרָה...בְּיַד־מֹשֶׁה IICh. 33:8
431 אֶת־סֵפֶר תּוֹרַת־יְיָ בְּיַד־מֹשֶׁה IICh. 34:14
432 כִּדְבַר־יְיָ בְּיַד־מֹשֶׁה IICh. 35:6
433 כַּכָּתוּב בְּסֵפֶר מֹשֶׁה IICh. 35:12
434-730 מֹשֶׁה Ex. 4:18, 20^2, 27, 30
5:22; 6:2, 9^2, 12, 28, 30; 16:20; 8:5, 8, 21, 22, 25, 26; 9:8, 10, 11, 12, 23, 29, 33; 10:9, 13, 22, 24, 25, 29; 11:4; 12:21; 13:3, 19; 14:11, 13, 21, 27; 15:22, 24; 16:8, 15, 19, 20^2, 24, 25, 32, 34; 17:2^2, 3, 4, 6, 7, 9, 10; 18:5, 6, 7, 8, 13^2, 15, 24, 25, 27; 19:7, 8, 9, 14; 19:17, 25; 20:16(19), 17(20); 24:1, 3, 6, 8, 16; 32:11, 15; 32:17, 25, 26, 29, 30, 31; 34:4, 8, 29^2, 31^2, 33, 34; 35:1, 4, 20, 30; 36:2, 3, 5, 6; 38:21; 39:33, 43^2; 40:16, 18, 33, 35 • Lev. 1:1; 7:38; 8:4, 5, 6, 10, 13; 8:15, 16, 19, 20, 21, 23, 24^2, 28, 29, 30, 36; 9:5, 6, 21; 10:4, 5, 12, 16, 19, 20; 20:24; 23:44; 24:11, 23

משה (המשך) Num. 3:1, 16, 42, 49, 51; 5:4; 7:1, 6, 89; 8:4; 9:4, 6, 8; 10:29, 35; 11:2[2], 10, 11, 21, 24, 29, 30; 12:11, 13; 13:3; 14:13, 16[2], 17, 26, 30, 36, 39, 41; 15:22, 33; 16:2, 4, 8, 12, 16, 25, 28; 17:12, 15, 21, 22, 23; 17:24, 26, 27; 20:3, 9, 11, 14, 27, 28; 21:7[2], 32; 25:5; 26:3, 59; 27:2, 5, 15, 22; 30:1, 2; 31:3, 6, 12, 13, 14, 15, 31, 41, 42, 47, 48, 49, 51, 54; 32:2, 6, 25, 28, 29, 33, 40; 33:2; 34:13; 36:1, 5 • Deut. 1:1, 3; 4:41, 45, 46; 5:1; 27:1, 9, 11; 29:1; 31:1, 7, 10, 14; 31:24, 25, 30; 32:44, 45; 34:1, 9 •

Josh. 1:3, 5, 14; 1:17[2]; 3:7; 4:10, 12; 8:35; 9:24; 11:15, 23; 13:8, 12, 15; 21, 24, 29, 32, 33; 14:3, 9, 10, 11; 17:4; 20:2; 22:7 • Jud. 1:20 • IK. 8:9 • IIK. 18:4, 6 • Is. 63:11 • ICh. 15:15; 21:29 • IICh. 5:10

וּמֹשֶׁה 731 וּמֹשֶׁה הָיָה רֹעֶה אֶת־צֹאן יִתְרוֹ Ex. 3:1
732 הוּא אַהֲרֹן וּמֹשֶׁה אֲשֶׁר אָמַר יְיָ Ex. 6:26
733 וּמֹשֶׁה בֶּן־שְׁמֹנִים שָׁנָה...בְּדַבְּרָם... Ex. 7:7
734 וּמֹשֶׁה וְאַהֲרֹן עָשׂוּ אֶת...הַמֹּפְתִים Ex. 11:10
735 וּמֹשֶׁה אַהֲרֹן וְחוּר עָלוּ Ex. 17:10
736 וּמֹשֶׁה עָלָה אֶל־הָאֱלֹהִים Ex. 19:3
737 וּמֹשֶׁה נִגַּשׁ אֶל־הָעֲרָפֶל Ex. 20:18(21)
738 וּמֹשֶׁה יִקַּח אֶת־הָאֹהֶל Ex. 33:7
739 וּמֹשֶׁה לֹא־יָדַע כִּי קָרַן עוֹר פָּנָיו Ex. 34:29
740 וְאֵלֶּה תּוֹלְדֹת אַהֲרֹן וּמֹשֶׁה Num. 3:1
741 וַאֲרוֹן בְּרִית־יְיָ וּמֹשֶׁה לֹא־מָשׁוּ Num. 14:44
742 וַיַּעַמְדוּ פֶּתַח...וּמֹשֶׁה וְאַהֲרֹן Num. 16:18
743 וּמֹשֶׁה בֶּן־מֵאָה וְעֶשְׂרִים שָׁנָה Deut. 34:7
744 וּבְנֵי עַמְרָם אַהֲרֹן וּמֹשֶׁה וּמִרְיָם ICh. 5:29
745 בְּנֵי עַמְרָם אַהֲרֹן וּמֹשֶׁה ICh. 23:13
746 וּמֹשֶׁה אִישׁ הָאֱלֹהִים ICh. 23:24
בְּמֹשֶׁה 747 וַיִּחַר־אַף יְיָ בְּמֹשֶׁה וַיֹּאמֶר Ex. 4:14
748 וַתְּדַבֵּר מִרְיָם וְאַהֲרֹן בְּמֹשֶׁה Num. 12:1
749 הֲרַק אַךְ־בְּמֹשֶׁה דִּבֶּר יְיָ Num. 12:2
750 לֹא יְרֵאתֶם לְדַבֵּר...בְּמֹשֶׁה Num. 12:8
וּבְמֹשֶׁה 751 וַיַּאֲמִינוּ בַּיְיָ וּבְמֹשֶׁה עַבְדּוֹ Ex. 14:31
752 וַיְדַבֵּר הָעָם בֵּאלֹהִים וּבְמֹשֶׁה Num. 21:5
כְּמֹשֶׁה 753 וְלֹא־קָם נָבִיא עוֹד...כְּמֹשֶׁה Deut. 34:10
לְמֹשֶׁה 754 וַיִּתֵּן אֶת־צִפֹּרָה בִתּוֹ לְמֹשֶׁה Ex. 2:21
755 וַיֹּאמֶר יִתְרוֹ לְמֹשֶׁה לֵךְ לְשָׁלוֹם Ex. 4:18
756 וַיִּקְרָא פַרְעֹה לְמֹשֶׁה וּלְאַהֲרֹן Ex. 8:4
757/8 וַיִּקְרָא לְמֹשֶׁה וּלְאַהֲרֹן Ex. 9:27; 12:31
759 וַיְמַהֵר...לִקְרֹא לְמֹשֶׁה וּלְאַהֲרֹן Ex. 10:16
760 וַיָּבֹאוּ...וַיַּגִּידוּ לְמֹשֶׁה Ex. 16:22
761 לְמֹשֶׁה וּלְיִשְׂרָאֵל עַמּוֹ Ex. 18:1
762 וַיִּקְרָא יְיָ לְמֹשֶׁה אֶל־רֹאשׁ הָהָר Ex. 19:20
763 מֵאֵיל הַמִּלֻּאִים לְמֹשֶׁה הָיָה לְמָנָה Lev. 8:29
764 וַיָּרָץ הַנַּעַר וַיַּגֵּד לְמֹשֶׁה Num. 11:27
765 וַיִּחַר לְמֹשֶׁה מְאֹד וַיֹּאמֶר Num. 16:15
766 הַבְּאֵר אֲשֶׁר אָמַר יְיָ לְמֹשֶׁה Num. 21:16
767 תְּפִלָּה לְמֹשֶׁה אִישׁ־הָאֱלֹהִים Ps. 90:1
768 יוֹדִיעַ דְּרָכָיו לְמֹשֶׁה Ps. 103:7
769 וַיְקַנְאוּ לְמֹשֶׁה בַּמַּחֲנֶה Ps. 106:16
770 וַיֵּרַע לְמֹשֶׁה בַּעֲבוּרָם Ps. 106:32

מַשֶּׁה* ז׳ חוב

מַשֵּׁה־ 1 שָׁמוֹט כָּל־בַּעַל מַשֵּׁה יָדוֹ Deut. 15:2

מְשׁוֹאָה נ׳ צרה, אסון: 1-3

שׁוֹאָה וּמְשׁוֹאָה 1-3

וּמְשׁוֹאָה 1 יוֹם שֹׁאָה וּמְשׁוֹאָה Zep. 1:15
2 אֶמֶשׁ שׁוֹאָה וּמְשֹׁאָה Job 30:3
3 לְהַשְׂבִּיעַ שֹׁאָה וּמְשֹׁאָה Job 38:27

מַשּׁוּאָה* נ׳ חורבן, הרס: 1, 2

מַשּׁוּאוֹת נֶצַח 2

לְמַשּׁוּאוֹת 1 הִפַּלְתָּם לְמַשּׁוּאוֹת Ps. 73:18
לְמַשֻּׁאוֹת־ 2 הָרִימָה פְעָמֶיךָ לְמַשֻּׁאוֹת נֶצַח Ps. 74:3

מְשׁוֹבָב שפ״ז – ראש בית אב למטה שמעון

וּמְשׁוֹבָב 1 וּמְשׁוֹבָב וְיַמְלֵךְ וְיוֹשָׁה ICh. 4:34

מְשׁוּבָה נ׳ סטיה מדרך הישר: 1-12

מְשֻׁבָה יִשְׂרָאֵל 1-4; מְשׁוּבָה נִצַּחַת 5; מְשׁוּבַת פְּתָיִם 6

מְשֻׁבָה 1 אֲשֶׁר עָשְׂתָה מְשֻׁבָה יִשְׂרָאֵל Jer. 3:6
2 אֲשֶׁר נִאֲפָה מְשֻׁבָה יִשְׂרָאֵל Jer. 3:8
3 צִדְּקָה נַפְשָׁהּ מְשֻׁבָה יִשְׂרָאֵל Jer. 3:11
4 שׁוּבָה מְשֻׁבָה יִשְׂרָאֵל Jer. 3:12
5 מַדּוּעַ שׁוֹבְבָה...מְשֻׁבָה נִצַּחַת Jer. 8:5
מְשׁוּבַת־ 6 כִּי מְשׁוּבַת פְּתָיִם תַּהַרְגֵם Prov. 1:32
לִמְשׁוּבָתִי 7 וְעַמִּי תְלוּאִים לִמְשׁוּבָתִי Hosh. 11:7
מְשׁוּבָתָם 8 אֶרְפָּא מְשׁוּבָתָם אֹהֲבֵם נְדָבָה Hosh. 14:5
וּמְשֻׁבוֹתַיִךְ 9 תְּיַסְּרֵךְ רָעָתֵךְ וּמְשֻׁבוֹתַיִךְ תּוֹכִחֻךְ Jer. 2:19
מְשׁוּבֹתֵינוּ 10 כִּי־רַבּוּ מְשׁוּבֹתֵינוּ Jer. 14:7
מְשׁוּבֹתֵיכֶם 11 שׁוּבוּ...אֶרְפָּה מְשׁוּבֹתֵיכֶם Jer. 3:22
מְשֻׁבוֹתֵיהֶם 12 רַבּוּ פִּשְׁעֵיהֶם עָצְמוּ מְשֻׁבוֹתֵיהֶם Jer. 5:6

מְשׁוּגָה* נ׳ שגגה

מְשׁוּגָתִי 1 אִתִּי תָּלִין מְשׁוּגָתִי Job 19:4

מָשׁוּחַ ת׳ עין מָשַׁח

מָשׁוֹט, מִשּׁוֹט* ז׳ מוט לשיט: 1, 2

מָשׁוֹט 1 כֹּל תֹּפְשֵׂי מָשׁוֹט מַלָּחִים Ezek. 27:29
מִשּׁוֹטָיִךְ 2 אַלּוֹנִים מִבָּשָׁן עָשׂוּ מִשּׁוֹטָיִךְ Ezek. 27:6

מְשׂוּכָה* גָּדֵר [עין מְסוּכָה]

מְשׂוּכָּתוֹ 1 הָסֵר מְשׂוּכָּתוֹ...פָּרֹץ גְּדֵרוֹ Is. 5:5

מַשּׂוֹר ז׳ כלי לנסירת עץ

הַמַּשּׂוֹר 1 אִם־יִתְגַּדֵּל הַמַּשּׂוֹר עַל־מְנִיפוֹ Is. 10:15

מְשׂוּרָה נ׳ כלי למדידת נוזלים: 1-4

מְשׂוּרָה 1 וּלְכָל־מְשׂוּרָה וּמִדָּה ICh. 23:29
בִּמְשׂוּרָה 2 וּמַיִם בִּמְשׂוּרָה תִשְׁתֶּה Ezek. 4:11
3 וּמַיִם בִּמְשׂוּרָה וּבְשִׁמָּמוֹן יִשְׁתּוּ Ezek. 4:16
וּבַמְּשׂוּרָה 4 בַּמִּדָּה בַּמִּשְׁקָל וּבַמְּשׂוּרָה Lev. 19:35

מָשׂוֹשׂ ז׳ שמחה: 1-17 • קרובים: ראה גִּיל

– בָּתֵּי מְשׂוֹשׂ 1; קִרְיַת מְשׂוֹשׂ 16
– מְשׂוֹשׂ (כָּל־) הָאָרֶץ 7, 11; מְשׂוֹשׂ דּוֹר וָדוֹר 9; מ׳ דַּרְכּוֹ 12; מ׳ חָתָן 15; מ׳ כִּנּוֹר 6; מ׳ לִבֵּנוּ 13; מ׳ פְּרָאִים 8; מְשׂוֹשׂ תִּפְאַרְתּוֹ 10; מְשׂוֹשׂ תֻּפִּים 5

מָשׂוֹשׂ 1 עַל־כָּל־בָּתֵּי מָשׂוֹשׂ קִרְיָה עַלִּיזָה Is. 32:13
2 אֶת־יְרוּשָׁלִַם גִּילָה וְעַמָּהּ מָשׂוֹשׂ Is. 65:18
3 שִׂישׂוּ אִתָּהּ מָשׂוֹשׂ Is. 66:10
4 כְּלִילַת יֹפִי מָשׂוֹשׂ לְכָל־הָאָרֶץ Lam. 2:15
מְשׂוֹשׂ־ 5 שָׁבַת מְשׂוֹשׂ תֻּפִּים...שְׁאוֹן עַלִּיזִים Is. 24:8
6 שָׁבַת מְשׂוֹשׂ כִּנּוֹר Is. 24:8
7 עָרְבָה...שִׂמְחָה גָּלָה מְשׂוֹשׂ הָאָרֶץ Is. 24:11
8 מְשׂוֹשׂ פְּרָאִים מִרְעֵה עֲדָרִים Is. 32:14
9 לִגְאוֹן עוֹלָם מְשׂוֹשׂ דּוֹר וָדוֹר Is. 60:15
10 אֶת־מָעֻזָּם מְשׂוֹשׂ תִּפְאַרְתָּם Ezek. 24:25
11 יְפֵה נוֹף מְשׂוֹשׂ כָּל־הָאָרֶץ Ps. 48:3
12 הֶן־הוּא מְשׂוֹשׂ דַּרְכּוֹ Job 8:19
13 שָׁבַת מְשׂוֹשׂ לִבֵּנוּ Lam. 5:15
וּמְשׂוֹשׂ־ 14 יַעַן כִּי מָאַס...וּמְשׂוֹשׂ אֶת־רְצִין... Is. 8:6
15 וּמְשׂוֹשׂ חָתָן עַל־כַּלָּה יָשִׂישׂ עָלַיִךְ Is. 62:5
מְשׂוֹשִׂי 16 ...עִיר תְּהִלָּת קִרְיַת מְשׂוֹשִׂי Jer. 49:25
מְשׂוֹשָׂהּ 17 וְהִשְׁבַּתִּי כָּל־מְשׂוֹשָׂהּ Hosh. 2:13

משח : מָשַׁח, נִמְשַׁח; מָשִׁיחַ, מָשְׁחָה, מִשְׁחָה, מִמְשַׁח(?)

מָשַׁח

פ׳ א) סך אדם או חפץ בשמן לאות הקדשה לתפקיד (מלך, כהן, נביא, מצבה, מזבח וכדו׳): רוב המקראות 2-69
ב) מרח בצבע או בשמן למטרות שונות: 1, 38-41, 55, 65
ג) [נפ׳ נִמְשַׁח] הוסך בשמן: 70

וּמָשׁוֹחַ 1 וְסָפוּן בָּאָרֶז וּמָשׁוֹחַ בַּשָּׁשַׁר Jer. 22:14
לִמְשֹׁחַ 2 הָלְכוּ הָעֵצִים לִמְשֹׁחַ עֲלֵיהֶם מֶלֶךְ Jud. 9:8
וְלִמְשֹׁחַ 3 וְלִמְשֹׁחַ קֹדֶשׁ קָדָשִׁים Dan. 9:24
לְמָשְׁחָה 4 לְמָשְׁחָה בָהֶם וּלְמַלֵּא־בָם אֶת־יָדָם Ex. 29:29
לִמְשָׁחֲךָ 5 לִמְשָׁחֲךָ לְמֶלֶךְ עַל־עַמּוֹ עַל־יִשְׂרָאֵל ISh. 15:1
מָשְׁחוֹ 6 לָתֵת לָהֶם בְּיוֹם מָשְׁחוֹ אֹתָם Lev. 7:36
מְשַׁחְתִּיךָ 7 אָנֹכִי מְשַׁחְתִּיךָ לְמֶלֶךְ עַל־יִשְׂרָאֵל IISh. 12:7
8-9 מְשַׁחְתִּיךָ לְמֶלֶךְ אֶל־יִשְׂרָאֵל IIK. 9:3, 12
10 מְשַׁחְתִּיךָ לְמֶלֶךְ אֶל־עַם יְיָ IIK. 9:6
מְשַׁחְתִּיו 11 בְּשֶׁמֶן קָדְשִׁי מְשַׁחְתִּיו Ps. 89:21
מָשַׁחְתָּ 12 אֲשֶׁר מָשַׁחְתָּ שָּׁם מַצֵּבָה Gen. 31:13
13 כַּאֲשֶׁר מָשַׁחְתָּ אֶת־אֲבִיהֶם Ex. 40:15
וּמָשַׁחְתָּ 14 וּמָשַׁחְתָּ אֹתָם וּמִלֵּאתָ אֶת־יָדָם Ex. 28:41
15 וְיָצַקְתָּ עַל־רֹאשׁוֹ וּמָשַׁחְתָּ אֹתוֹ Ex. 29:7
16 וּמָשַׁחְתָּ אֹתוֹ לְקַדְּשׁוֹ Ex. 29:36
17 וּמָשַׁחְתָּ בוֹ אֶת־אֹהֶל מוֹעֵד Ex. 30:26
18 וּמָשַׁחְתָּ אֶת־הַמִּשְׁכָּן...וְקִדַּשְׁתָּ אֹתוֹ Ex. 40:9
19 וּמָשַׁחְתָּ אֶת־מִזְבַּח הָעֹלָה Ex. 40:10
20 וּמָשַׁחְתָּ אֶת־הַכִּיֹּר...וְקִדַּשְׁתָּ אֹתוֹ Ex. 40:11
21 וּמָשַׁחְתָּ אֹתוֹ וְקִדַּשְׁתָּ אֹתוֹ Ex. 40:13
22 וּמָשַׁחְתָּ אֹתָם כַּאֲשֶׁר מָשַׁחְתָּ אֶת־אֲבִיהֶם Ex. 40:15
23 וּמָשַׁחְתָּ לִי אֵת אֲשֶׁר־אֹמַר אֵלֶיךָ ISh. 16:3
24 וּמָשַׁחְתָּ אֶת־חֲזָאֵל לְמֶלֶךְ עַל־אֲרָם IK. 19:15
וּמְשַׁחְתּוֹ 25 וּמְשַׁחְתּוֹ לְנָגִיד עַל־עַמִּי ISh. 9:16
מָשַׁח 26 אֲשֶׁר־מָשַׁח אֹתוֹ בְּשֶׁמֶן הַקֹּדֶשׁ Num. 35:25
27 יַעַן מָשַׁח יְיָ אֹתִי לְבַשֵּׂר עֲנָוִים Is. 61:1
וּמָשַׁח 28 וּמָשַׁח אֹתוֹ שָׁם...לְמֶלֶךְ... IK. 1:34
מְשָׁחֲךָ 29 כִּי־מְשָׁחֲךָ יְיָ עַל־נַחֲלָתוֹ לְנָגִיד ISh. 10:1
30 מְשָׁחֲךָ אֱלֹ׳ אֱלֹהֶיךָ שֶׁמֶן שָׂשׂוֹן Ps. 45:8
מְשָׁחוֹ 31 מְשָׁחוֹ יְיָ לְהַכְרִית אֶת־בֵּית אַחְאָב IICh. 22:7
מָשַׁחְנוּ 32 וְאַבְשָׁלוֹם אֲשֶׁר מָשַׁחְנוּ עָלֵינוּ מֵת IISh. 19:11
מָשְׁחוּ 33 וְגַם אֹתִי מָשְׁחוּ...לְמֶלֶךְ עֲלֵיהֶם IISh. 2:7
34 מָשְׁחוּ אֶת־דָּוִד לְמֶלֶךְ עַל־יִשְׂרָאֵל IISh. 5:17
35 כִּי אֹתוֹ מָשְׁחוּ לְמֶלֶךְ תַּחַת אָבִיהוּ IK. 5:15
מֹשְׁחִים 36 אַתֶּם מֹשְׁחִים אֹתִי לְמֶלֶךְ Jud. 9:15
וּמָשׁוּחַ 37 וְאָנֹכִי הַיּוֹם רַךְ וּמָשׁוּחַ מֶלֶךְ IISh. 3:39
מְשֻׁחִים 38-41 וּרְקִיקֵי מַצּוֹת מְשֻׁחִים בַּשָּׁמֶן Ex. 29:2
Lev. 2:4; 7:12 • Num. 6:15
הַמְּשֻׁחִים 42 בְּנֵי אַהֲרֹן הַכֹּהֲנִים הַמְּשֻׁחִים Num. 3:3
תִּמְשַׁח 43 וְאֵת יֵהוּא...תִּמְשַׁח לְמֶלֶךְ IK. 19:16
44 וְאֶת־אֱלִישָׁע...תִּמְשַׁח לְנָבִיא תַּחְתֶּיךָ IK. 19:16
תִּמְשָׁח 45 וְאֶת־אַהֲרֹן וְאֶת־בָּנָיו תִּמְשָׁח Ex. 30:30
יִמְשַׁח 46 אֲשֶׁר־יִמְשַׁח אֹתוֹ וַאֲשֶׁר יְמַלֵּא Lev. 16:32
וַיִּמְשַׁח 47 וַיִּמְשַׁח אֶת־הַמִּשְׁכָּן...וַיְקַדֵּשׁ אֹתָם Lev. 8:10
48 וַיִּמְשַׁח אֶת־הַמִּזְבֵּחַ...לְקַדְּשָׁם Lev. 8:11
49 וַיִּמְשַׁח אֹתוֹ לְקַדְּשׁוֹ Lev. 8:12
50 וַיִּמְשַׁח אֹתוֹ וַיְקַדֵּשׁ אֹתוֹ Num. 7:1
51 וַיִּמְשַׁח אֹתוֹ בְּקֶרֶב אֶחָיו ISh. 16:13
52 וַיִּקַּח...אֶת־קֶרֶן הַשֶּׁמֶן...
וַיִּמְשַׁח אֶת־שְׁלֹמֹה IK. 1:39
וַיִּמְשָׁחֲךָ 53 וַיִּמְשָׁחֲךָ יְיָ לְמֶלֶךְ עַל־יִשְׂרָאֵל ISh. 15:17
וַיִּמְשָׁחֵם 54 וַיִּמְשָׁחֵם וַיְקַדֵּשׁ אֹתָם Num. 7:1
יִמְשָׁחוּ 55 וְרֵאשִׁית שְׁמָנִים יִמְשָׁחוּ Am. 6:6

וַיִּמְשְׁחוּ 56 וַיִּמְשְׁחוּ־שָׁם אֶת־דָּוִד לְמֶלֶךְ IISh. 2:4
57 וַיִּמְשְׁחוּ אֶת־דָּוִד לְמֶלֶךְ עַל־יִשְׂרָ׳ IISh. 5:3
58 וַיִּמְשְׁחוּ אֹתוֹ...לְמֶלֶךְ IK. 1:45
59 וַיִּמְשְׁחוּ אֹתוֹ וַיַּמְלִיכוּ אֹתוֹ IIK. 23:30
60 וַיִּמְשְׁחוּ אֶת־דָּוִיד לְמֶלֶךְ עַל־יִשְׂ׳ ICh. 11:3
61 וַיִּמְשְׁחוּ לַיְיָ לְנָגִיד וּלְצָדוֹק לְכֹהֵן ICh. 29:22
וַיִּמְשָׁחֻהוּ 62/3 וַיַּמְלִכוּ אֹתוֹ וַיִּמְשָׁ׳| IIK. 11:12 • IICh. 23:11
מְשָׁחֵהוּ 64 קוּם מְשָׁחֵהוּ כִּי־זֶה הוּא ISh. 16:12
מִשְׁחוּ 65 קוּמוּ הַשָּׂרִים מִשְׁחוּ מָגֵן Is. 21:5
הִמָּשַׁח 66 זֶה קָרְבַּן אַהֲרֹן...בְּיוֹם הִמָּשַׁח אֹתוֹ Lev. 6:13
67/8 חֲנֻכַּת הַמִּזְ׳ בְּיוֹם הִמָּשַׁח אֹתוֹ Num. 7:10, 84
69 חֲנֻכַּת הַמִּזְבֵּחַ אַחֲרֵי הִמָּשַׁח אֹתוֹ Num. 7:88
נִמְשַׁח 70 נִמְשַׁח דָּוִיד לְמֶלֶךְ עַל־כָּל־יִשְׂרָאֵל ICh. 14:8

מְשַׁח
ז׳ ארמית שֶׁמֶן

מְשַׁח 1 וְעַד־בַּתִּין מְשַׁח מְאָה Ez. 7:22

מִשְׁחָה
נ׳ א) סיכה בשמן: 1־19, 21, 22
ב) מָנָה, חלק: 20, 23

שֶׁמֶן הַמִּשְׁחָה 1־16; מִשְׁחַת אַהֲרֹן 20, 23; מ׳ אֱלֹהִים 22; מ׳ בָּנִים 23; מ׳ יְיָ 21; מִשְׁחַת קֹדֶשׁ 17־19

הַמִּשְׁחָה 1 בְּשָׂמִים לְשֶׁמֶן הַמִּשְׁחָה Ex. 25:6
2 וְלָקַחְתָּ אֶת־שֶׁמֶן הַמִּשְׁחָה וְיָצַקְתָּ Ex. 29:7
3 וְלָקַחְתָּ מִן־הַדָּם...וּמִשֶּׁמֶן הַמִּשְׁחָה Ex. 29:21
4־16 (וְ/לְ/מִ)שֶּׁמֶן הַמִּשְׁחָה Ex. 31:11
35:8, 15, 28; 37:29; 39:38; 40:9 • Lev. 8:2, 10, 12, 30
21:10 • Num. 4:16
מִשְׁחַת־ 17־19 שֶׁמֶן מִשְׁחַת־קֹדֶשׁ Ex. 30:25², 31
20 זֹאת מִשְׁחַת אַהֲרֹן...מֵאִשֵּׁי יְיָ Lev. 7:35
21 כִּי־שֶׁמֶן מִשְׁחַת יְיָ עֲלֵיכֶם Lev. 10:7
22 נֵזֶר שֶׁמֶן מִשְׁחַת אֱלֹהָיו עָלָיו Lev. 21:12
וּמִשְׁחַת־ 23 זֹאת מִשְׁחַת אַהֲרֹן וּמִשְׁחַת בָּנָיו Lev. 7:35

מָשְׁחָה
נ׳ חֵלֶק, מָנָה: 1, 2

לְמָשְׁחָה 1 לְךָ נְתַתִּים לְמָשְׁחָה וּלְבָנֶיךָ Num. 18:8
מָשְׁחָתָם 2 לִהְיֹת לָהֶם מָשְׁחָתָם לִכְהֻנַּת עוֹלָם Ex. 40:15

מַשְׁחִית
ז׳ א) מחַבֵּל, מזיק: 1, 8, 10, 11, 14
ב) נֶגַע, כליון: 3־6, 13, 15, 16־19
ג) חֵיל מַחַץ: 2, 7, 9, 12

– מַשְׁחִית גּוֹיִם 7; אִישׁ מַשְׁחִית 6; בַּעַל מַשְׁחִית 5,6; הַר הַמַּשְׁחִית 10, 11; חָרָשֵׁי מַשְׁחִית 4; רוּחַ מַשְׁחִית 3

מַשְׁחִית 1 וְאָנֹכִי בָּרָאתִי מַשְׁחִית לְחַבֵּל Is. 54:16
2 הִצִּיבוּ מַשְׁחִית אֲנָשִׁים יִלְכֹּדוּ Jer. 5:26
3 הִנְנִי מֵעִיר...רוּחַ מַשְׁחִית Jer. 51:1
4 אֲנָשִׁים בֹּעֲרִים חָרָשֵׁי מַשְׁחִית Ezek. 21:36
5 אָח הוּא לְבַעַל מַשְׁחִית Prov. 18:9
6 חָבֵר הוּא לְאִישׁ מַשְׁחִית Prov. 28:24
וּמַשְׁחִית 7 וּמַשְׁחִית גּוֹיִם נָסַע יָצָא מִמְּקֹמוֹ Jer. 4:7
הַמַּשְׁחִית 8 וְלֹא יִתֵּן הַמַּשְׁחִית לָבֹא אֶל־בָּתֵּי׳ Ex. 12:23
9 וַיֵּצֵא הַמַּשְׁחִית מִמַּחֲנֵה פְלִשְׁתִּים ISh. 13:17
10 מִימִין לְהַר־הַמַּשְׁחִית IIK. 23:13
11 הִנְנִי אֵלֶיךָ הַר הַמַּשְׁחִית נְאֻם־יְיָ Jer. 51:25
וְהַמַּשְׁחִית 12 הַמַּצָּב וְהַמַּשְׁחִית חָרְדוּ גַּם־הֵמָּה ISh. 14:15
לְמַשְׁחִית 13 וְלֹא־יִהְיֶה בָכֶם נֶגֶף לְמַשְׁחִית Ex. 12:13
14 חִצֵּי הָרָעָב...אֲשֶׁר־הָיוּ לְמַשְׁחִית Ezek. 5:16
15 זָקֵן בָּחוּר...תַּהַרְגוּ לְמַשְׁחִית Ezek. 9:6
16 לְמַשְׁחִית אֵיבַת עוֹלָם Ezek. 25:15
17 וְהוֹדִי נֶהְפַּךְ עָלַי לְמַשְׁחִית Dan. 10:8
18 עָזְרוּ אִישׁ בְּרֵעֵהוּ לְמַשְׁחִית IICh. 20:23
19 הָיוּ־לוֹ יוֹעֲצִים...לְמַשְׁחִית לוֹ IICh. 22:4

מִשְׂחָק
ז׳ צחוק, לַעַג

מִשְׂחָק 1 בַּמְּלָכִים יִתְקַלָּס וְרֹזְנִים מִשְׂחָק לוֹ Hab. 1:10

מִשְׁחָר
ז׳ עלית השחר

מִשְׁחָר 1 מֵרֶחֶם מִשְׁחָר לְךָ טַל יַלְדֻתֶיךָ Ps. 110:3

מַשְׁחֵת*
ז׳ פֶּגַע, הֶרֶס • כְּלִי מַשְׁחֵת 1

מַשְׁחֵתוֹ 1 וְאִישׁ כְּלִי מַשְׁחֵתוֹ בְּיָדוֹ Ezek. 9:1

מִשְׁחַת
ת׳ מָשְׁחָת, נִשְׁחָת(?)

מִשְׁחַת 1 כֵּן־מִשְׁחַת מֵאִישׁ מַרְאֵהוּ Is. 52:14

מָשְׁחָת¹
ת׳ פגום, לקוי: 1, 2 [עין גם שחת]

מָשְׁחָת 1 וְנֹדֵר וְזֹבֵחַ מָשְׁחָת לַאדֹנָי Mal. 1:14
2 מַעְיָן נִרְפָּשׂ וּמָקוֹר מָשְׁחָת Prov. 25:26

מָשְׁחָת*²
ז׳ לִקּוּי

מָשְׁחָתָם 1 מָשְׁחָתָם בָּהֶם מוּם בָּם Lev. 22:25

מִשְׁטוֹחַ
ז׳ מקום לשטוח עליו: 1־3

מִשְׁטַח חֲרָמִים 2־3

מִשְׁטוֹחַ 1 מִשְׁטוֹחַ לַחֲרָמִים יִהְיוּ Ezek. 47:10
מִשְׁטַח־ 2/3 מִשְׁטַח חֲרָמִים תִּהְיֶה Ezek. 26:5, 14

מַשְׂטֵמָה
נ׳ שנאה: 1, 2

קרובים: ראה אֵיבָה

מַשְׂטֵמָה 1 עַל רֹב עֲוֹנְךָ וְרַבָּה מַשְׂטֵמָה Hosh. 9:7
2 פַּח יָקוֹשׁ...מַשְׂטֵמָה בְּבֵית אֱלֹהָיו Hosh. 9:8

מִשְׁטָר
ז׳ סדר השלטון

מִשְׁטָרוֹ 1 אִם־תָּשִׂים מִשְׁטָרוֹ בָאָרֶץ Job 38:33

מֶשִׁי
ז׳ אריג עדין מקורי זחלים של פרפרים מיוחדים: 1,2

מֶשִׁי 1 וָאֶחְבְּשֵׁךְ בַּשֵּׁשׁ וַאֲכַסֵּךְ מֶשִׁי Ezek. 16:10
וָמֶשִׁי 2 וּמַלְבּוּשֵׁךְ שֵׁשׁ וָמֶשִׁי וְרִקְמָה Ezek. 16:13

מֻשִׁי
שפ״ז – עין מוּשִׁי

מְשֵׁיזַבְאֵל
שפ״ז – אנשים בימי נחמיה: 1–3

מְשֵׁיזַבְאֵל 1 מְשֻׁלָּם בֶּן־בֶּרֶכְיָה בֶּן־מְשֵׁיזַבְאֵל Neh. 3:4
2 מְשֵׁיזַבְאֵל צָדוֹק יַדּוּעַ Neh. 10:22
3 וּפְתַחְיָה בֶּן־מְשֵׁיזַבְאֵל מִבְּנֵי־זֶרַח Neh. 11:24

מָשִׁיחַ
א) ת׳ מְשׁוּחַ, סוּך בשמן: 1
ב) ז׳ כהן או מלך שנמשח בשמן הקודש: 2־39

הַכֹּהֵן הַמָּשִׁיחַ 4־7; נֶגֶד הַמָּשִׁיחַ 29; עִקְּבוֹת הַמָּשִׁיחַ 25; פְּנֵי הַמָּשִׁיחַ 23,26,27; קֶרֶן הַמָּשִׁיחַ 28; מְשִׁיחַ אֱלֹהִים 14; מְשִׁיחַ יְיָ 8־13, 15־19

מָשִׁיחַ 1 מָגֵן שָׁאוּל בְּלִי מָשִׁיחַ בַּשָּׁמֶן IISh. 1:21
2 עַד־מָשִׁיחַ נָגִיד שָׁבֻעִים שִׁבְעָה Dan. 9:25
3 ...יִכָּרֵת מָשִׁיחַ וְאֵין לוֹ Dan. 9:26
הַמָּשִׁיחַ 4 אִם־הַכֹּהֵן הַמָּשִׁיחַ יֶחֱטָא Lev. 4:3
5 וְלָקַח הַכֹּהֵן הַמָּשִׁיחַ מִדַּם הַפָּר Lev. 4:5
6 וְהֵבִיא הַכֹּהֵן הַמָּשִׁיחַ מִדַּם הַפָּר Lev. 4:16
7 וְהַכֹּהֵן הַמָּשִׁיחַ תַּחְתָּיו מִבָּנָיו Lev. 6:15
מְשִׁיחַ־ 8־9 כִּי־מְשִׁיחַ יְיָ הוּא ISh. 24:6, 10
10 עַל־אֲדֹנֵיכֶם עַל־מְשִׁיחַ יְיָ ISh. 26:16
11 לִשְׁלֹחַ יָדְךָ לְשַׁחֵת אֶת־מְשִׁיחַ יְיָ IISh. 1:14
12 אָנֹכִי מֹתַתִּי אֶת־מְשִׁיחַ יְיָ IISh. 1:16
13 כִּי קִלֵּל אֶת־מְשִׁיחַ יְיָ IISh. 19:22
14 הַגֶּבֶר הֻקַם עָל מְשִׁיחַ אֱלֹהֵי יַעֲקֹב IISh. 23:1
15 רוּחַ אַפֵּינוּ מְשִׁיחַ יְיָ נִלְכַּד... Lam. 4:20
בִּמְשִׁיחַ־ 16 כִּי מִי שָׁלַח יָדוֹ בִּמְשִׁיחַ יְיָ וְנִקָּה ISh. 26:9
17 חָלִילָה לִּי...מִשְּׁלֹחַ יָדִי בִּמְשִׁיחַ יְיָ ISh. 26:11
18 וְלֹא אָבִיתִי לִשְׁלֹחַ יָדִי בִּמְשִׁיחַ יְיָ ISh. 26:23
לִמְשִׁיחַ־ 19 אִם־אֶעֱשֶׂה...לַאדֹנִי לִמְשִׁיחַ יְיָ ISh. 24:7
מְשִׁיחִי 20 וְהִתְהַלֵּךְ לִפְנֵי־מְשִׁיחִי כָּל־הַיָּמִים ISh. 2:35
לִמְשִׁיחִי 21 עָרַכְתִּי נֵר לִמְשִׁיחִי Ps. 132:17
מְשִׁיחֶךָ 22 לְיֵשַׁע עַמֶּךָ לְיֵשַׁע אֶת־מְשִׁיחֶךָ Hab. 3:13
23 רְאֵה אֱלֹ׳...וְהַבֵּט פְּנֵי מְשִׁיחֶךָ Ps. 84:10
27 הִתְעַבַּרְתָּ עִם מְשִׁיחֶךָ Ps. 89:39
25 אֲשֶׁר חֵרְפוּ עִקְּבוֹת מְשִׁיחֶךָ Ps. 89:52
26/7 אַל־תָּשֵׁב פְּנֵי מְשִׁיחֶךָ Ps. 132:10
IICh. 6:42
מְשִׁיחוֹ 28 וְיִתֶּן עֹז לְמַלְכּוֹ וְיָרֵם קֶרֶן מְשִׁיחוֹ ISh. 2:10
29 עֲנוּ בִי נֶגֶד יְיָ וְנֶגֶד מְשִׁיחוֹ ISh. 12:3
30 עֵד יְיָ בָּכֶם וְעֵד מְשִׁיחוֹ ISh. 12:5
31 וַיֹּאמֶר אַךְ נֶגֶד יְיָ מְשִׁיחוֹ ISh. 16:6
32 נוֹסְדוּ־יָחַד עַל־יְיָ וְעַל־מְשִׁיחוֹ Ps. 2:2
33 כִּי הוֹשִׁיעַ יְיָ מְשִׁיחוֹ Ps. 20:7
34 וּמָעוֹז יְשׁוּעוֹת מְשִׁיחוֹ הוּא Ps. 28:8
לִמְשִׁיחוֹ 35/6 וְעֹשֶׂה(־)חֶסֶד לִמְשִׁיחוֹ IISh. 22:51 • Ps. 18:51
37 כֹּה־אָמַר יְיָ לִמְשִׁיחוֹ לְכוֹרֶשׁ Is. 45:1
בִּמְשִׁיחָי 38/9 אַל־תִּגְּעוּ בִּמְשִׁיחָי Ps. 105:15 • ICh. 16:22

משך
: מָשַׁךְ, נִמְשַׁךְ, מְמֻשָּׁךְ; מֶשֶׁךְ; ש״פ מֶשֶׁךְ

מָשַׁךְ
פָ׳ א) גרר, סחב (גם בהשאלה): 1, 2, 4, 6, 8־26, 29־30
ב) אסף, כנס: 5, 7, 27, 28
ג) (?)משח: 3
ד) [נפ׳ נִמְשַׁךְ] אָרַךְ: 31־33
ה) [פָ׳ בינוני: מְמֻשָּׁךְ] ארוּךְ, בעל קוֹמָה(?): 34, 35
ו) [כנ״ל] שנמשך הרבה: 36

קרובים: גָּרַר / סָחַב

– מָשַׁךְ אַבִּירִים 11; מָשַׁךְ אַפּוֹ 23; מֹשֵׁךְ זֶרַע 15; מָ׳ חֶסֶד 6, 14, 19; מָ׳ יָדוֹ 10; מָ׳ הַיּוֹבֵל 1, 2; מָ׳ עָוֹן 17; מָ׳ בְּעֹל 12; מָ׳ (בְּ)קֶשֶׁת 8, 9, 18; מֹשֵׁךְ בְּשֵׁבֶט סוֹפֵר 16
– נִמְשַׁךְ דְּבָרוֹ 32; נִמְשְׁכוּ יָמָיו 33
– גּוֹי מְמֻשָּׁךְ 34; עַם מְ׳ 35; תּוֹחֶלֶת מְמֻשָּׁכָה 36

בִּמְשֹׁךְ 1 בִּמְשֹׁךְ הַיֹּבֵל הֵמָּה יַעֲלוּ בָהָר Ex. 19:13
2 וְהָיָה בִּמְשֹׁךְ בְּקֶרֶן הַיּוֹבֵל... Josh. 6:5
לִמְשׁוֹךְ 3 לִמְשׁוֹךְ בַּיַּיִן אֶת־בְּשָׂרִי Eccl. 2:3
בְּמָשְׁכוֹ 4 יַחְטֹף עָנִי בְּמָשְׁכוֹ בְרִשְׁתּוֹ Ps. 10:9
וּמָשַׁכְתִּי 5 וּמָשַׁכְתִּי אֵלֶיךָ אֶל־נַחַל קִישׁוֹן Jud. 4:7
מְשַׁכְתִּיךְ 6 עַל־כֵּן מְשַׁכְתִּיךְ חָסֶד Jer. 31:3(2)
וּמָשַׁכְתָּ 7 לֵךְ וּמָשַׁכְתָּ בְּהַר תָּבוֹר Jud. 4:6
מָשַׁךְ 8/9 וְאִישׁ מָשַׁךְ בַּקֶּשֶׁת לְתֻמּוֹ IK. 22:34 • IICh. 18:33
10 מָשַׁךְ יָדוֹ אֶת־לֹצְצִים Hosh. 7:5
וּמָשַׁךְ 11 וּמָשַׁךְ אַבִּירִים בְּכֹחוֹ Job 24:22
מָשְׁכָה 12 אֲשֶׁר לֹא־מָשְׁכָה בְּעֹל Deut. 21:3
מָשְׁכוּ 13 מָשְׁכוּ אוֹתָהּ וְכָל־הֲמוֹנֶיהָ Ezek. 32:20
מֹשֵׁךְ 14 אַל־יְהִי לוֹ מֹשֵׁךְ חָסֶד Ps. 109:12
בְּמֹשֵׁךְ־ 15 וְדֹרֵךְ עֲנָבִים בְּמֹשֵׁךְ הַזָּרַע Am. 9:13
מֹשְׁכִים 16 וּמִזְּבוּלֻן מֹשְׁכִים בְּשֵׁבֶט סֹפֵר Jud. 5:14
מֹשְׁכֵי־ 17 הוֹי מֹשְׁכֵי הֶעָוֹן בְּחַבְלֵי הַשָּׁוְא Is. 5:18
18 מֹשְׁכֵי קֶשֶׁת תּוּבַל וְיָוָן Is. 66:19
מְשֹׁךְ 19 מְשֹׁךְ חַסְדְּךָ לְיֹדְעֶיךָ Ps. 36:11
מָשְׁכֵנִי 20 מָשְׁכֵנִי אַחֲרֶיךָ נָּרוּצָה S.ofS. 1:4
מִשְׁכוּ 21 מִשְׁכוּ וּקְחוּ לָכֶם צֹאן Ex. 12:21
אֶמְשְׁכֵם 22 בְּחַבְלֵי אָדָם אֶמְשְׁכֵם Hosh. 11:4
תִּמְשֹׁךְ 23 הַלְעוֹלָם...תִּמְשֹׁךְ אַפְּךָ לְדֹר וָדֹר Ps. 85:6
24 תִּמְשֹׁךְ לִוְיָתָן בְּחַכָּה Job 40:25
וַתִּמְשֹׁךְ 25 וַתִּמְשֹׁךְ עֲלֵיהֶם שָׁנִים רַבּוֹת Neh. 9:30
תִּמְשְׁכֵנִי 26 אַל־תִּמְשְׁכֵנִי עִם־רְשָׁעִים Ps. 28:3

יִמְשׁוֹךְ 27 וְאַחֲרָיו כָּל־אָדָם יִמְשׁוֹךְ Job 21:33
וַיִּמָּשֵׁךְ 28 וַיִּמָּשֵׁךְ הָאֹרֵב וַיַּךְ אֶת־...הָעִיר Jud. 20:37
וַיִּמְשְׁכוּ 29 וַיִּמְשְׁכוּ וַיַּעֲלוּ אֶת־יוֹסֵף Gen. 37:28
30 וַיִּמְשְׁכוּ אֶת־יִרְמְיָהוּ בַּחֲבָלִים Jer. 38:13
תִּמָּשֵׁךְ 31 אֲדַבֵּר...וְיֵעָשֶׂה לֹא תִמָּשֵׁךְ עוֹד Ezek. 12:25
32 לֹא־תִמָּשֵׁךְ עוֹד כָּל־דְּבָרָי Ezek. 12:28
יִמָּשֵׁכוּ 33 וְיָמֶיהָ לֹא יִמָּשֵׁכוּ Is. 13:22
מְמֻשָּׁךְ 34 לְכוּ...אֶל־גּוֹי מְמֻשָּׁךְ וּמוֹרָט Is. 18:2
35 יוּבַל שַׁי...עַם מְמֻשָּׁךְ וּמוֹרָט Is. 18:7
מְמֻשָּׁכָה 36 תּוֹחֶלֶת מְמֻשָּׁכָה מַחֲלָה־לֵב Prov. 13:12

מֶשֶׁךְ[1]
ז׳ שַׂק, צְרוֹר: 1, 2

מֶשֶׁךְ הַזָּרַע 1; מֶשֶׁךְ חָכְמָה 2

מֶשֶׁךְ־ 1 יֵלֵךְ וּבָכֹה נֹשֵׂא מֶשֶׁךְ הַזָּרַע Ps. 126:6
וּמֶשֶׁךְ־ 2 וּמֶשֶׁךְ חָכְמָה מִפְּנִינִים Job 28:18

מֶשֶׁךְ[2]
שפ״ז – בן יפת: 1-9

מֶשֶׁךְ 1 שָׁם מֶשֶׁךְ תֻּבַל וְכָל־הֲמוֹנָהּ Ezek. 32:26
2-4 נְשִׂיא רֹאשׁ מֶשֶׁךְ וְתֻבָל Ezek. 38:2, 3; 39:1
5 אוֹיָה לִי כִּי־גַרְתִּי מֶשֶׁךְ Ps. 120:5
וּמֶשֶׁךְ 6-7 וְיָוָן וְתֻבַל וּמֶשֶׁךְ וְתִירָס Gen. 10:2; ICh. 1:5
וָמֶשֶׁךְ 8 יָוָן תֻּבַל וָמֶשֶׁךְ הֵמָּה רֹכְלָיִךְ Ezek. 27:13
9 וְעוּץ וְחוּל וְגֶתֶר וָמֶשֶׁךְ ICh. 1:17

מִשְׁכָּב
ז׳ א) שכיבה: 2, 11-18, 22, 25-29, 39, 41

ב) מקום לשכב עליו, מטה, יצוע: 1, 3-10, 19-21, 23, 24, 30-38, 40, 42-46

– חֲדַר מִשְׁכָּב 22, 26, 29
– מִשְׁכַּב דּוֹדִים 18; מִשְׁכַּב זָכָר 11-13, 16, 17; מ׳ נִדָּה 15; מִשְׁכַּב הַצָּהֳרָיִם 14
– מִשְׁכְּבֵי אָבִיו 40; מִשְׁכְּבֵי אִשָּׁה 41, 42
– נָפַל לְמִשְׁכָּב 10

מִשְׁכָּב 1 מִשְׁכָּב וְסַפּוֹת וּכְלִי יוֹצֵר IISh. 17:28
2 בְּתוֹךְ חֲלָלִים נָתְנוּ מִשְׁכָּב לָהּ Ezek. 32:25
3 בִּתְנוּמוֹת עֲלֵי מִשְׁכָּב Job 33:15
הַמִּשְׁכָּב 4 הַמִּשְׁכָּב אֲשֶׁר יִשְׁכַּב עָלָיו הַזָּב Lev. 15:4
5 וְאִם עַל־הַמִּשְׁכָּב הוּא Lev. 15:23
6 וְכָל־הַמִּשְׁכָּב אֲשֶׁר־יִשְׁכַּב עָלָיו Lev. 15:24
7 כָּל־הַמִּשְׁכָּב אֲשֶׁר־תִּשְׁכַּב עָלָיו Lev. 15:26
8 וַיִּשְׁתַּחוּ הַמֶּלֶךְ עַל־הַמִּשְׁכָּב IK. 1:47
בַּמִּשְׁכָּב 9 בַּמִּשְׁכָּב אֲשֶׁר מִלֵּא בְּשָׂמִים וּזְנִים IICh. 16:14
לְמִשְׁכָּב 10 ...וְלֹא יָמוּת וְנָפַל לְמִשְׁכָּב Ex. 21:18
מִשְׁכַּב־ 11-12 לֹא־יָדְעוּ מִשְׁכַּב זָכָר Num. 31:18, 35
13 וְכָל־אִשָּׁה יֹדַעַת מִשְׁכַּב־זָכָר Jud. 21:11
14 וְהוּא שֹׁכֵב אֵת מִשְׁכַּב הַצָּהֳרָיִם IISh. 4:5
כְּמִשְׁכַּב־ 15 כְּמִשְׁכַּב נִדָּתָהּ יִהְיֶה־לָּהּ Lev. 15:26
לְמִשְׁכַּב־ 16 יֹדַעַת אִישׁ לְמִשְׁכַּב זָכָר Num. 31:17
17 לֹא־יָדְעָה אִישׁ לְמִשְׁכַּב זָכָר Jud. 21:12
18 וַיָּבֹאוּ אֵלֶיהָ... לְמִשְׁכַּב דֹּדִים Ezek. 23:17
מִשְׁכָּבִי 19 נַפְתִּי מִשְׁכָּבִי מֹר אֲהָלִים וְקִנָּמוֹן Prov. 7:17
20 יִשָּׂא בְשִׂיחִי מִשְׁכָּבִי Job 7:13
21 עַל־מִשְׁכָּבִי בַּלֵּילוֹת בִּקַּשְׁתִּי... S.ofS. 3:1
מִשְׁכָּבְךָ 22 וּבַחֲדַר מִשְׁכָּבְךָ וְעַל־מִטָּתֶךָ Ex. 7:28
23 שְׁכַב עַל־מִשְׁכָּבְךָ וְהִתְחָל IISh. 13:5
24 לָמָּה יִקַּח מִשְׁכָּבְךָ מִתַּחְתֶּיךָ Prov. 22:27
25 וּבְחַדְרֵי מִשְׁכָּבְךָ אַל־תְּקַלֵּל עָשִׁיר Eccl.10:20
מִשְׁכָּבֶךָ 26 אֲשֶׁר תְּדַבֵּר בַּחֲדַר מִשְׁכָּבֶךָ IIK. 6:12
מִשְׁכָּבֵךְ 27 עַל הַר־גָּבֹהַּ וְנִשָּׂא שַׂמְתְּ מִשְׁכָּבֵךְ Is. 57:7
28 הִרְחַבְתְּ מִשְׁכָּבֵךְ וַתִּכְרָת־לָךְ מֵהֶם Is. 57:8
מִשְׁכָּבוֹ 29 שֹׁכֵב עַל־מִטָּתוֹ בַּחֲדַר מִשְׁכָּבוֹ IISh. 4:7
30 הָרְגוּ...בְּבֵיתוֹ עַל־מִשְׁכָּבוֹ IISh. 4:11
31 וַיָּקָם דָּוִד מֵעַל מִשְׁכָּבוֹ IISh. 11:2

מִשְׁכָּבוֹ (המשך) 32 אָוֶן יַחְשֹׁב עַל־מִשְׁכָּבוֹ Ps. 36:5
33 כָּל־מִשְׁכָּבוֹ הָפַכְתָּ בְחָלְיוֹ Ps. 41:4
34 וְהוּכַח בְּמַכְאוֹב עַל־מִשְׁכָּבוֹ Job 33:19
בְּמִשְׁכָּבוֹ 35 וְאִישׁ אֲשֶׁר יִגַּע בְּמִשְׁכָּבוֹ Lev. 15:5
36 לִשְׁכַּב בְּמִשְׁכָּבוֹ עִם־עַבְדֵי אֲדֹנָיו IISh.11:13
בְּמִשְׁכָּבָהּ 37 וְכָל־הַנֹּגֵעַ בְּמִשְׁכָּבָהּ יְכַבֵּס בְּגָדָיו Lev. 15:21
מִשְׁכַּבְכֶם 38 אִמְרוּ בִלְבַבְכֶם עַל־מִשְׁכַּבְכֶם Ps. 4:5
מִשְׁכָּבָם 39 אָהַבְתְּ מִשְׁכָּבָם יָד חָזִית Is. 57:8
מִשְׁכְּבֵי־ 40 כִּי עָלִיתָ מִשְׁכְּבֵי אָבִיךָ Gen. 49:4
41 וְאֶת־זָכָר לֹא תִשְׁכַּב מִשְׁכְּבֵי אִשָּׁה Lev. 18:22
42 אֲשֶׁר יִשְׁכַּב אֶת־זָכָר מִשְׁכְּבֵי אִשָּׁה Lev. 20:13
מִשְׁכְּבוֹתָם 43 יָבוֹא שָׁלוֹם יָנוּחוּ עַל־מִשְׁכְּבוֹתָם Is. 57:2
44 כִּי יְיֵלִילוּ עַל־מִשְׁכְּבוֹתָם Hosh. 7:14
45 חֹשְׁבֵי־אָוֶן וּפֹעֲלֵי רָע עַל־מִשְׁכְּבוֹתָם Mic. 2:1
46 יַעְלְזוּ...יְרַנְּנוּ עַל־מִשְׁכְּבוֹתָם Ps. 149:5

מִשְׁכַּב*
ז׳ ארמית מטה: 1-6

מִשְׁכְּבִי 1 וְהַרְהֹרִין עַל־מִשְׁכְּבִי...יְבַהֲלֻנַּנִי Dan. 4:2
2 וְחֶזְוֵי רֵאשִׁי עַל־מִשְׁכְּבִי Dan. 4:7
3 בְּחֶזְוֵי רֵאשִׁי עַל־מִשְׁכְּבִי Dan. 4:10
מִשְׁכְּבָךְ 4 חֶלְמָךְ וְחֶזְוֵי רֵאשָׁךְ עַל־מִשְׁכְּבָךְ Dan. 2:28
5 רַעְיוֹנָךְ עַל־מִשְׁכְּבָךְ סְלִקוּ Dan. 2:29
מִשְׁכְּבֵהּ 6 וְחֶזְוֵי רֵאשֵׁהּ עַל־מִשְׁכְּבֵהּ Dan. 7:1

מִשְׁכָּה
נ׳ עין מוֹשְׁכָה

מַשְׂכִּיל
ת׳ א) מצליח: 1, 2

ב) בעל שכל, נבון: 3, 4, 20-24, 26-35

ג) מתבונן, מסתכל: 6, 25

ד) סוג של מזמורי־הגות וְלִמּוּד: 5, 7-19

בֵּן מַשְׂכִּיל 20; עֶבֶד מַשְׂכִּיל 22, 24; אִשָּׁה מַשְׂכָּלֶת 29; מַשְׂכִּילֵי עָם 35

מַשְׂכִּיל 1 וַיְהִי דָוִד לְכָל־דְּרָכָו מַשְׂכִּיל ISh. 18:14
2 אֲשֶׁר־הוּא מַשְׂכִּיל מְאֹד ISh. 18:15
3/4 הֲיֵשׁ מַשְׂכִּיל דֹּרֵשׁ אֶת־אֱלֹהִים Ps. 14:2; 53:3
5 לְדָוִד מַשְׂכִּיל Ps. 32:1
6 אַשְׁרֵי מַשְׂכִּיל אֶל־דָּל Ps. 41:2
7 לַמְנַצֵּחַ מַשְׂכִּיל לִבְנֵי־קֹרַח Ps. 42:1
8 לַמְנַצֵּחַ לִבְנֵי־קֹרַח מַשְׂכִּיל Ps. 44:1
9 לַמְנַצֵּחַ לִבְנֵי־קֹרַח מַשְׂכִּיל שִׁיר... Ps. 45:1
10 זַמְּרוּ מַשְׂכִּיל Ps. 47:8
11 לַמְנַצֵּחַ מַשְׂכִּיל לְדָוִד Ps. 52:1
12 לַמְנַצֵּחַ עַל־מָחֲלַת מַשְׂכִּיל לְדָוִד Ps. 53:1
13/4 לַמְנַצֵּחַ בִּנְגִינֹת מַשְׂכִּיל לְדָוִד Ps. 54:1; 55:1
15/6 מַשְׂכִּיל לְאָסָף Ps. 74:1; 78:1
17 מַשְׂכִּיל לְהֵימָן הָאֶזְרָחִי Ps. 88:1
18 מַשְׂכִּיל לְאֵיתָן הָאֶזְרָחִי Ps. 89:1
19 מַשְׂכִּיל לְדָוִד Ps. 142:1
20 אֹגֵר בַּקַּיִץ בֵּן מַשְׂכִּיל Prov. 10:5
21 וְחֹשֵׂךְ שְׂפָתָיו מַשְׂכִּיל Prov. 10:19
22 רְצוֹן־מֶלֶךְ לְעֶבֶד מַשְׂכִּיל Prov. 14:35
23 מַשְׂכִּיל עַל־דָּבָר יִמְצָא־טוֹב Prov. 16:20
24 עֶבֶד מַשְׂכִּיל יִמְשֹׁל בְּבֵן מֵבִישׁ Prov. 17:2
25 מַשְׂכִּיל צַדִּיק לְבֵית רָשָׁע Prov. 21:12
26 כִּי־יִסְכֹּן עָלֵימוֹ מַשְׂכִּיל Job 22:2
הַמַּשְׂכִּיל 27 לָכֵן הַמַּשְׂכִּיל בָּעֵת הַהִיא יִדֹּם Am. 5:13
לְמַשְׂכִּיל 28 אֹרַח חַיִּים לְמַעְלָה לְמַשְׂכִּיל Prov. 15:24
מַשְׂכָּלֶת 29 וּמֵיְיָ אִשָּׁה מַשְׂכָּלֶת Prov. 19:14
וּמַשְׂכִּילִים 30 וּמַשְׂכִּילִים בְּכָל־חָכְמָה Dan. 1:4
הַמַּשְׂכִּילִים 31 וּמִן־הַמַּשְׂכִּילִים יִכָּשְׁלוּ Dan. 11:35
32 הַמַּשְׂכִּילִים שֵׂכֶל־טוֹב לַייָ IICh. 30:22
וְהַמַּשְׂכִּלִים 33 וְהַמַּשְׂכִּלִים יַזְהִרוּ כְּזֹהַר הָרָקִיעַ Dan. 12:3
34 וְהַמַּשְׂכִּלִים יָבִינוּ Dan. 12:10
וּמַשְׂכִּילֵי־ 35 וּמַשְׂכִּילֵי עָם יָבִינוּ לָרַבִּים Dan. 11:33

מַשְׂכִּית
נ׳ א) ציור, תמונה: 1, 3-5

ב) [בהשאלה] חזון, הגות: 4

אֶבֶן מַשְׂכִּית 1; חַדְרֵי מַשְׂכִּית 2; מַשְׂכִּיּוֹת כֶּסֶף 5; מַשְׂכִּיּוֹת לֵבָב 4

מַשְׂכִּית 1 וְאֶבֶן מַשְׂכִּית לֹא תִתְּנוּ בְּאַרְצְכֶם Lev. 26:1
מַשְׂכִּיתוֹ 2 עֹשִׂים בַּחֹשֶׁךְ אִישׁ בְּחַדְרֵי מַשְׂכִּיתוֹ Ezek. 8:12
בְּמַשְׂכִּיתוֹ 3 וּכְחוֹמָה נִשְׂגָּבָה בְּמַשְׂכִּיתוֹ Prov. 18:11
מַשְׂכִּיּוֹת־ 4 עָבְרוּ מַשְׂכִּיּוֹת לֵבָב Ps. 73:7
בְּמַשְׂכִּיּוֹת־ 5 תַּפּוּחֵי זָהָב בְּמַשְׂכִּיּוֹת כָּסֶף Prov. 25:11
מַשְׂכִּיֹּתָם 6 וְאִבַּדְתֶּם אֵת כָּל־מַשְׂכִּיֹּתָם Num. 33:52

מִשְׁכָּן
ז׳ א) מקום לשכון בו, מעון, דירה: 1, 78, 88, 99, 114, 117, 121-139

ב) כנוי לאוהל מועד במסעי ישראל במדבר: 2-77, 79-87, 89-98, 100-106, 110, 113

ג) מקדש ה׳: 107-109, 111, 112, 115, 116, 118-120

קרובים: ראה בַּיִת

אֲחוֹרֵי הַמִּשְׁכָּן 7; חֲצַר הַמּ׳ 27; יְרִיעוֹת הַמּ׳ 54; יֶרֶךְ הַמּ׳ 43-46; יַרְכְּתֵי הַמּ׳ 22, 23; יִתְדוֹת הַמּ׳ 31, 35; כְּלֵי הַמּ׳ 28; מִקְצְעוֹת הַמּ׳ 24, 25; נוֹשְׂאֵי הַמּ׳ 61; עֲבוֹדַת הַמּ׳ 37, 52, 53, 90; פְּקוּדֵי הַמּ׳ 34, 89; פֶּתַח הַמּ׳ 30; צִדֵּי הַמּ׳ 8; צֶלַע הַמּ׳ 9-16; קַרְשֵׁי הַמּ׳ 17-21; תַּבְנִית הַמִּשְׁכָּן 2

– מִשְׁכַּן אֹהֶל מוֹעֵד 90-93, 110; מ׳ בֵּית אֱלֹהִים 111; מ׳ יְיָ 94, 98, 100-106, 112, 115; מ׳ כְּבוֹדוֹ 107; מ׳ הָעֵדֻת 89, 95-97, 113; מ׳ קֹרַח 99, 114; מִשְׁכַּן שִׁילוֹ 109; מִשְׁכַּן שְׁמוֹ 108

– מִשְׁכְּנֵי עֶלְיוֹן 120; מִשְׁכְּנוֹת יַעֲקֹב 124; מ׳ מִבְטַחִים 128; מ׳ עַוָּל 125; מ׳ רֹעִים 127; מִשְׁכְּנוֹת רְשָׁעִים 126

– יְרִיעוֹת מִשְׁכְּנוֹתָיו 132

מִשְׁכָּן 1 חֹקְקִי בַסֶּלַע מִשְׁכָּן לוֹ Is. 22:16
הַמִּשְׁכָּן 2 אֵת תַּבְנִית הַמִּשְׁכָּן... Ex. 25:9
3 וְאֶת־הַמִּשְׁכָּן תַּעֲשֶׂה עֶשֶׂר יְרִיעֹת Ex. 26:1
4 וְהָיָה הַמִּשְׁכָּן אֶחָד Ex. 26:6
5-6 לְאֹהֶל עַל־הַמִּשְׁכָּן Ex. 26:7; 36:14
7 תִּסְרַח עַל אֲחֹרֵי הַמִּשְׁכָּן Ex. 26:12
8 יִהְיֶה סָרוּחַ עַל־צִדֵּי הַמִּשְׁכָּן Ex. 26:13
9-16 (וּלְ)צֶלַע הַמִּשְׁכָּן Ex. 26:20, 26; 26:27², 35; 36:25, 31, 32
17-21 (לְ)קַרְשֵׁי הַמִּשְׁכָּן Ex. 26:17; 36:22, 32; Num. 3:36; 4:31
22-23 וּלְיַרְכְּתֵי הַמִּשְׁכָּן יָמָּה Ex. 26:22; 36:27
24-25 לִמְקֻצְעֹת הַמִּשְׁכָּן Ex. 26:23; 36:28
26 וַהֲקֵמֹתָ אֶת־הַמִּשְׁכָּן Ex. 26:30
27 וְעָשִׂיתָ אֵת חֲצַר הַמִּשְׁכָּן Ex. 27:9
28 לְכֹל כְּלֵי הַמִּשְׁכָּן בְּכֹל עֲבֹדָתוֹ Ex. 27:19
29 אֶת־הַמִּשְׁכָּן אֶת־אָהֳלוֹ Ex. 35:11
30 וְאֶת־מָסַךְ הַפֶּתַח לְפֶתַח הַמִּשְׁכָּן Ex. 35:15
31 אֶת־יִתְדֹת הַמִּשְׁכָּן Ex. 35:18
32 וַיַּעֲשׂוּ...אֶת־הַמִּשְׁכָּן עֶשֶׂר יְרִיעֹת Ex. 36:8
33 וַיְהִי הַמִּשְׁכָּן אֶחָד Ex. 36:13
34 אֵלֶּה פְקוּדֵי הַמִּשְׁכָּן Ex. 38:21
35 וְאֶת כָּל־יִתְדֹת הַמִּשְׁכָּן Ex. 38:31
36 וַיָּבִיאוּ אֶת־הַמִּשְׁכָּן אֶל־מֹשֶׁה Ex. 39:33
37 וְאֵת כָּל־כְּלֵי עֲבֹדַת הַמִּשְׁכָּן Ex. 39:40
38 וּמָשַׁחְתָּ אֶת־הַמִּשְׁכָּן Ex. 40:9
39 בְּאֶחָד לַחֹדֶשׁ הוּקַם הַמִּשְׁכָּן Ex. 40:17
40 וַיָּקֶם מֹשֶׁה אֶת־הַמִּשְׁכָּן Ex. 40:18
41 וַיִּפְרֹשׂ אֶת־הָאֹהֶל עַל־הַמִּשְׁכָּן Ex. 40:19
42 וַיָּבֵא אֶת־הָאָרֹן אֶל־הַמִּשְׁכָּן Ex. 40:21

הַמִּשְׁכָּן (המשך) 43-46 עַל יֶרֶךְ הַמִּשְׁכָּן — Ex. 40:22, 24
47/8 וּכְבוֹד יְיָ מָלֵא אֶת־הַמִּשְׁכָּן — Ex. 40:34, 35
49 וּבְהֵעָלוֹת הֶעָנָן מֵעַל הַמִּשְׁכָּן — Ex. 40:36
50 כִּי עֲנַן יְיָ עַל־הַמִּשְׁכָּן יוֹמָם — Ex. 40:38
51 וַיִּמְשַׁח אֶת־הַמִּשְׁכָּן — Lev. 8:10
52/3 לַעֲבֹד אֶת־עֲבֹדַת הַמִּשְׁכָּן — Num. 3:7, 8
54 וְנָשְׂאוּ אֶת־יְרִיעֹת הַמִּשְׁכָּן — Num. 4:25
55 אֲשֶׁר יִהְיֶה בְּקַרְקַע הַמִּשְׁכָּן — Num. 5:17
56 יִהְיֶה עַל־הַמִּשְׁכָּן כְּמַרְאֵה־אֵשׁ — Num. 9:15
57-60 הֶעָנָן...עַל־הַמִּשְׁכָּן — Num. 9:18, 19, 20, 22
61 וּבְנֵי מְרָרִי נֹשְׂאֵי הַמִּשְׁכָּן — Num. 10:17
62-77 הַמִּשְׁכָּן — Num. 1:50, 51^{2}; 3:23, 25 3:26, 38; 4:16, 26; 7:1, 3; 9:15^{2}; 10:17, 21 • ICh. 23:26
וּבְמִשְׁכָּן 78 וָאֶהְיֶה מִתְהַלֵּךְ בְּאֹהֶל וּבְמִשְׁכָּן — IISh. 7:6
לַמִּשְׁכָּן 79-82 הַקְּרָשִׁים לַמִּשְׁכָּן — Ex. 26:15, 18; 36:20, 23
83 וְכָל־הַיְתֵדֹת לַמִּשְׁכָּן וְלֶחָצֵר — Ex. 38:20
84/5 אֶת־מָסַךְ הַפֶּתַח לַמִּשְׁכָּן — Ex. 40:5, 28
86 וַיָּקֶם אֶת־הֶחָצֵר סָבִיב לַמִּשְׁכָּן — Ex. 40:33
87 וְסָבִיב לַמִּשְׁכָּן יַחֲנוּ — Num. 1:50
וּמִמִּשְׁכָּן 88 וָאֶהְיֶה מֵאֹהֶל אֶל־אֹהֶל וּמִמִּשְׁכָּן — ICh. 17:5
מִשְׁכַּן־ 89 פְקוּדֵי הַמִּשְׁכָּן מִשְׁכַּן הָעֵדֻת — Ex. 38:21
90 כָּל־עֲבֹדַת מִשְׁכַּן אֹהֶל מוֹעֵד — Ex. 39:32
91 תָּקִים אֶת־מִשְׁכַּן אֹהֶל מוֹעֵד — Ex. 40:2
92-93 פֶּתַח מִשְׁכַּן אֹהֶל מוֹעֵד — Ex. 40:6, 29
94 לֹא הֱבִיאוֹ...לִפְנֵי מִשְׁכַּן יְיָ — Lev. 17:4
95 הַפְקֵד...עַל־מִשְׁכַּן הָעֵדֻת — Num. 1:50
96-97 מִשְׁכַּן הָעֵד(וּ)ת — Num. 1:53; 10:11
98 לַעֲבֹד אֶת־עֲבֹדַת מִשְׁכַּן יְיָ — Num. 16:9
99 וַיֵּעָלוּ מֵעַל מִשְׁכַּן־קֹרַח... — Num. 16:27
100 כֹּל הַקָּרֵב הַקָּ׳ אֶל־מִשְׁכַּן יְיָ — Num. 17:28
101-106 מִשְׁכַּן יְיָ — Num. 19:13; 31:30, 47 Josh. 22:19 • ICh. 16:39 • IICh. 1:5
107 מְעוֹן בֵּיתֶךָ וּמְקוֹם מִשְׁכַּן כְּבוֹדֶךָ — Ps. 26:8
108 חִלְּלוּ מִשְׁכַּן־שְׁמֶךָ — Ps. 74:7
109 וַיִּטֹּשׁ מִשְׁכַּן שִׁלוֹ — Ps. 78:60
110 מְשָׁרְתִים לִפְנֵי מִשְׁכַּן אֹהֶל־מוֹעֵד — ICh. 6:17
111 לְכָל־עֲבוֹדַת מִשְׁכַּן בֵּית הָאֱלֹהִים — ICh. 6:33
וּמִשְׁכַּן־ 112 וּמִשְׁכַּן יְיָ אֲשֶׁר־עָשָׂה — ICh. 21:29
לְמִשְׁכַּן־ 113 יַחֲנוּ סָבִיב לְמִשְׁכַּן הָעֵדֻת — Num. 1:53
114 הֵעָלוּ מִסָּבִיב לְמִשְׁכַּן־קֹרַח — Num. 16:24
מִמִּשְׁכַּן־ 115 וַיַּסֵּבּוּ פְנֵיהֶם מִמִּשְׁכַּן יְיָ — IICh. 29:6
מִשְׁכָּנִי 116 בְּטַמְּאָם אֶת־מִשְׁכָּנִי אֲשֶׁר בְּתוֹכָם — Lev. 15:31
117 וְנָתַתִּי מִשְׁכָּנִי בְּתוֹכְכֶם — Lev. 26:11
118 וְהָיָה מִשְׁכָּנִי עֲלֵיהֶם — Ezek. 37:27
מִשְׁכָּנוֹ 119 מִזְבַּח יְיָ...אֲשֶׁר לִפְנֵי מִשְׁכָּנוֹ — Josh. 22:29
מִשְׁכְּנֵי־ 120 קְדֹשׁ מִשְׁכְּנֵי עֶלְיוֹן — Ps. 46:5
מִשְׁכְּנֵיהֶם 121 וְנָתְנוּ בָךְ מִשְׁכְּנֵיהֶם — Ezek. 25:4
מִשְׁכָּנוֹת 122 לָרֶשֶׁת מִשְׁכָּנוֹת לֹּא־לוֹ — Hab. 1:6
123 מִשְׁכָּנוֹת לַאֲבִיר יַעֲקֹב — Ps. 132:5
מִשְׁכְּנוֹת־ 124 אֹהֵב...מִכֹּל מִשְׁכְּנוֹת יַעֲקֹב — Ps. 87:2
125 אַךְ־אֵלֶּה מִשְׁכְּנוֹת עַוָּל — Job 18:21
126 וְאַיֵּה אֹהֶל מִשְׁכְּנוֹת רְשָׁעִים — Job 21:28
127 וּרְעִי...עַל מִשְׁכְּנוֹת הָרֹעִים — S.ofS. 1:8
וּבְמִשְׁכְּנוֹת־ 128 בִּנְוֵה שָׁלוֹם וּבְמִשְׁכְּנוֹת מִבְטַחִים — Is. 32:18
מִשְׁכְּנֹתֶיךָ 129 מַה־טֹּבוּ אֹהָלֶיךָ יַעֲקֹב מִשְׁכְּנֹתֶיךָ יִשְׂרָאֵל — Num. 24:5
130 אֶל־הַר קָדְשְׁךָ וְאֶל־מִשְׁכְּנוֹתֶיךָ — Ps. 43:3
131 מַה־יְּדִידוֹת מִשְׁכְּנוֹתֶיךָ — Ps. 84:2
מִשְׁכְּנוֹתַיִךְ 132 וִירִיעוֹת מִשְׁכְּנוֹתַיִךְ יַטּוּ — Is. 54:2
וּמִשְׁכְּנֹתָיו 133 הִנְנִי־שָׁב...וּמִשְׁכְּנֹתָיו אֲרַחֵם — Jer. 30:18
134 עֲרָבָה בֵיתוֹ וּמִשְׁכְּנוֹתָיו מְלֵחָה — Job 39:6
לְמִשְׁכְּנוֹתָיו 135 וַיַּפֵּל...סָבִיב לְמִשְׁכְּנֹתָיו — Ps. 78:28
136 נָבוֹאָה לְמִשְׁכְּנוֹתָיו — Ps. 132:7
מִשְׁכְּנֹתֶיהָ 137 הִצִּיתוּ מִשְׁכְּנֹתֶיהָ נִשְׁבְּרוּ בְרִיחֶיהָ — Jer. 51:30
מִשְׁכְּנוֹתֵינוּ 138 כִּי הִשְׁלִיכוּ מִשְׁכְּנוֹתֵינוּ — Jer. 9:18
מִשְׁכְּנֹתָם 139 מִשְׁכְּנֹתָם לְדֹר וָדֹר — Ps. 49:12

מִשְׁכַּן* ז׳ ארמית כמו בעברית

מִשְׁכְּנֵהּ 1 לֶאֱלָהּ יִשְׂרָאֵל דִּי בִירוּשְׁלֶם מִשְׁכְּנֵהּ — Ez. 7:15

מַשְׂכֹּרֶת* נ׳ שכר: 1-4

מַשְׂכֻּרְתִּי 1 וְהֶחֱלִף...מַשְׂכֻּרְתִּי עֲשֶׂרֶת מֹנִים — Gen. 31:7
2 וַתַּחֲלֵף...מַשְׂכֻּרְתִּי עֲשֶׂרֶת מֹנִים — Gen. 31:41
מַשְׂכֻּרְתֶּךָ 3 הַגִּידָה לִּי מַה־מַּשְׂכֻּרְתֶּךָ — Gen. 29:15
מַשְׂכֻּרְתֵּךְ 4 וּתְהִי מַשְׂכֻּרְתֵּךְ שְׁלֵמָה מֵעִם יְיָ — Ruth 2:12

מַשְׂמֵר ז׳ יתד־ברזל – [עין מַסְמֵר]

וּכְמַשְׂמְרוֹת 1 וּכְמַשְׂמְרוֹת נְטוּעִים בַּעֲלֵי אֲסֻפּוֹת — Eccl. 12:11

משל : א) מָשַׁל, הִמְשִׁיל; מוֹשֵׁל, מִמְשָׁל, מֶמְשָׁלָה, מֹשֶׁל[1]
ב) מָשָׁל, מְשֹׁל, הִמְשִׁיל, הִתְמַשֵּׁל; מָשָׁל, מֹשֶׁל[2]

מָשַׁל[1] פ׳ א) שלט, שרר (גם בהשאלה): 1-78
ב) [הפ׳ הִמְשִׁיל] הִשְׁלִיט: 79-81
– מָשַׁל בְּ־ 1-4, 7, 16-19, 23, 27-35, 37-46, 48, 53, 54, 60, 63-72, 74-78; מָשַׁל עַל־ 34, 59
– מוֹשֵׁל עַמִּים 32; מוֹשֵׁל רָשָׁע 34; רוּחַ הַמּוֹשֵׁל 50; עֶבֶד מוֹשְׁלִים 56; שֵׁבֶט מוֹשְׁלִים 55; מוֹשְׁלֵי הָעָם 61

מָשׁוֹל 1 אִם־מָשׁוֹל תִּמְשֹׁל בָּנוּ — Gen. 37:8
מְשֹׁל 2 אִם־מְשֹׁל בָּכֶם אִישׁ אֶחָד — Jud. 9:2
3 אַף כִּי־לְעֶבֶד מְשֹׁל בְּשָׂרִים — Prov. 19:10
הַמְשֹׁל 4 הַמְשֹׁל בָּכֶם שִׁבְעִים אִישׁ — Jud. 9:2
וּבִמְשֹׁל 5 וּבִמְשֹׁל רָשָׁע יֵאָנַח עָם — Prov. 29:2
לִמְשׁוֹל 6 מַטֵּה עֹז שֵׁבֶט לִמְשׁוֹל — Ezek. 19:14
לִמְשָׁל־ 7 וְאַל־תִּתֵּן...לִמְשָׁל־בָּם גּוֹיִם — Joel 2:17
וְלִמְשֹׁל 8 וְלִמְשֹׁל בַּיּוֹם וּבַלַּיְלָה... — Gen. 1:18
מָשַׁלְתָּ 9 הָיִינוּ מֵעוֹלָם לֹא־מָשַׁלְתָּ בָּם — Is. 63:19
וּמָשַׁלְתָּ 10 וּמָשַׁלְתָּ בְּגוֹיִם רַבִּים — Deut. 15:6
מָשָׁל 11 וְלֹא כְמָשְׁלוֹ אֲשֶׁר מָשָׁל — Dan. 11:4
וּמָשַׁל 12 וְיָשַׁב וּמָשַׁל עַל־כִּסְאוֹ — Zech. 6:13
13 וְעָמַד...וּמָשַׁל מִמְשָׁל רַב — Dan. 11:3
14 וּמָשַׁל בְּמִכְמַנֵּי הַזָּהָב וְהַכֶּסֶף — Dan. 11:43
וּמָשָׁל 15 וְיֶחֱזַק עָלָיו וּמָשָׁל — Dan. 11:5
מָשָׁלָה 16 וּמַלְכוּתוֹ בַּכֹּל מָשָׁלָה — Ps. 103:19
מָשְׁלוּ 17 וְנָשִׁים מָשְׁלוּ בוֹ — Is. 3:12
18 עֲבָדִים מָשְׁלוּ בָנוּ — Lam. 5:8
מוֹשֵׁל 19 וְכִי־הוּא מֹשֵׁל בְּכָל־אֶרֶץ מִצ׳ — Gen. 45:26
20 מֹשֵׁל מֵעֲרֹעֵר...וְעַד יַבֹּק הַנַּחַל — Josh. 12:2
21 מוֹשֵׁל בָּאָדָם צַדִּיק — IISh. 23:3
22 מוֹשֵׁל יִרְאַת אֱלֹהִים — IISh. 23:3
23 הָיָה מוֹשֵׁל בְּכָל־הַמַּמְלָכוֹת — IK. 5:1
24 שִׁלְחוּ־כַר מֹשֵׁל־אֶרֶץ — Is. 16:1
25/6 וְחָמָס בָּאָרֶץ מֹשֵׁל עַל־מֹשֵׁל — Jer. 51:46
27 מִמְּךָ לִי יֵצֵא לִהְיוֹת מוֹשֵׁל בְּיִשְׂרָאֵל — Mic. 5:1
28 כְּרֶמֶשׂ לֹא־מֹשֵׁל בּוֹ — Hab. 1:14
29 וְיֵדְעוּ כִּי־אֱלֹהִים מֹשֵׁל בְּיַעֲקֹב — Ps. 59:14
30 מֹשֵׁל בִּגְבוּרָתוֹ עוֹלָם — Ps. 66:7
31 אַתָּה מוֹשֵׁל בְּגֵאוּת הַיָּם — Ps. 89:10
32 שָׁלַח...מֹשֵׁל עַמִּים וַיְפַתְּחֵהוּ — Ps. 105:20
33 כִּי־תֵשֵׁב לִלְחוֹם אֶת־מוֹשֵׁל — Prov. 23:1
34 מוֹשֵׁל רָשָׁע עַל עַם־דָּל — Prov. 28:15
35 מֹשֵׁל מַקְשִׁיב עַל־דְּבַר־שָׁקֶר — Prov. 29:12
36 רַבִּים מְבַקְשִׁים פְּנֵי־מוֹשֵׁל — Prov. 29:26
מוֹשֵׁל (המשך) 37 מִזַּעֲקַת מוֹשֵׁל בַּכְּסִילִים — Eccl. 9:17
38 וְאַתָּה מוֹשֵׁל בַּכֹּל — ICh. 29:12
39 לֹא־יִכָּרֵת לְךָ אִישׁ מוֹשֵׁל בְּיִשְׂרָאֵל — IICh. 7:18
40 וַיְהִי מוֹשֵׁל בְּכָל־הַמְּלָכִים — IICh. 9:26
41 וְאַתָּה מוֹשֵׁל בְּכֹל מַמְלְכוֹת הַגּוֹיִם — IICh. 20:6
וּמוֹשֵׁל 42 וּמֹשֵׁל בְּכָל־אֶרֶץ מִצְרָיִם — Gen. 45:8
43 וּמֹשֵׁל בְּהַר חֶרְמוֹן וּבְסַלְכָה — Josh. 12:5
44 וּמֹשֵׁל עוֹד בִּיהוּדָה — Jer. 22:30
45 כִּי לַיְיָ הַמְּלוּכָה וּמֹשֵׁל בַּגּוֹיִם — Ps. 22:29
46 אָדוֹן לְבֵיתוֹ וּמֹשֵׁל בְּכָל־קִנְיָנוֹ — Ps. 105:21
47 אֲשֶׁר אֵין־לָהּ קָצִין שֹׁטֵר וּמֹשֵׁל — Prov. 6:7
48 וּמֹשֵׁל בְּרוּחוֹ מִלֹּכֵד עִיר — Prov. 16:32
הַמּוֹשֵׁל 49 זְקַן בֵּיתוֹ הַמֹּשֵׁל בְּכָל־אֲשֶׁר־לוֹ — Gen. 24:2
50 אִם־רוּחַ הַמּוֹשֵׁל תַּעֲלֶה עָלֶיךָ — Eccl. 10:4
וּמֹשְׁלוֹ 51 אַדִּירוֹ מִמֶּנּוּ וּמֹשְׁלוֹ מִקִּרְבּוֹ יֵצֵא — Jer. 30:21
מֹשְׁלָה 52 בְּחָזָק יָבוֹא וּזְרֹעוֹ מֹשְׁלָה לוֹ — Is. 40:10
מֹשְׁלִים 53 פְלִשְׁתִּים מֹשְׁלִים בְּיִשְׂרָאֵל — Jud. 14:4
54 כִּי־מֹשְׁלִים בָּנוּ פְּלִשְׁתִּים — Jud. 15:11
55 מַטֵּה רְשָׁעִים שֵׁבֶט מֹשְׁלִים — Is. 14:5
56 לִמְתָעֵב גּוֹי לְעֶבֶד מֹשְׁלִים — Is. 49:7
57 מִקַּחַת מִזַּרְעוֹ מֹשְׁלִים אֶל־זֶרַע — Jer. 33:26
58 מַטּוֹת עֹז אֶל־שִׁבְטֵי מֹשְׁלִים — Ezek. 19:11
59 וְעַל־גְּוִיֹּתֵנוּ מֹשְׁלִים — Neh. 9:37
הַמּוֹשְׁלִים 60 הָאַדִּירִים וְאֶת־הַמּוֹשְׁלִים בָּעָם — IICh. 23:20
מֹשְׁלֵי־ 61 אַנְשֵׁי לָצוֹן מֹשְׁלֵי הָעָם הַזֶּה — Is. 28:14
מֹשְׁלָיו 62 כִּי־לֻקַּח עַמִּי חִנָּם מֹשְׁלָו יְהֵילִילוּ — Is. 52:5
אֶמְשֹׁל 63 לֹא־אֶמְשֹׁל אֲנִי בָּכֶם — Jud. 8:23
תִּמְשֹׁל 64 אִם־מָשׁוֹל תִּמְשֹׁל בָּנוּ — Gen. 37:8
תִּמְשָׁל־ 65 וְאֵלֶיךָ תְּשׁוּקָתוֹ וְאַתָּה תִּמְשָׁל־בּוֹ — Gen. 4:7
יִמְשֹׁל 66 לְעַם נָכְרִי לֹא־יִמְשֹׁל לְמָכְרָהּ — Ex. 21:8
67 וְלֹא יִמְשֹׁל בְּנִי בָּכֶם — Jud. 8:23
68 יְיָ יִמְשֹׁל בָּכֶם — Jud. 8:23
69 עֶבֶד מַשְׂכִּיל יִמְשֹׁל בְּבֵן מֵבִישׁ — Prov. 17:2
70 עָשִׁיר בְּרָשִׁים יִמְשׁוֹל — Prov. 22:7
יִמְשָׁל־ 71 וְהוּא יִמְשָׁל־בָּךְ — Gen. 3:16
72 וּמֶלֶךְ עַז יִמְשָׁל־בָּם — Is. 19:4
תִּמְשׁוֹל 73 יַד־חָרוּצִים תִּמְשׁוֹל — Prov. 12:24
יִמְשְׁלוּ־ 74 וְתַעֲלוּלִים יִמְשְׁלוּ־בָם — Is. 3:4
75 אַל־יִמְשְׁלוּ־בִי — Ps. 19:14
יִמְשֹׁלוּ 76 וּמָשַׁלְתָּ...וּבְךָ לֹא יִמְשֹׁלוּ — Deut. 15:6
וַיִּמְשְׁלוּ 77 וַיִּמְשְׁלוּ בָהֶם שֹׂנְאֵיהֶם — Ps. 106:41
מְשָׁל־ 78 מְשָׁל־בָּנוּ גַּם־אַתָּה גַּם־בִּנְךָ — Jud. 8:22
הַמְשֵׁל 79 הַמְשֵׁל וָפַחַד עִמּוֹ — Job 25:2
וְהִמְשִׁילָם 80 וְהִמְשִׁילָם בָּרַבִּים — Dan. 11:39
תַּמְשִׁילֵהוּ 81 תַּמְשִׁילֵהוּ בְּמַעֲשֵׂי יָדֶיךָ — Ps. 8:7

מָשַׁל[2] פ׳ א) השמיע דברי מָשָׁל: 1-9
ב) [נפ׳ נִמְשַׁל] היה דומה: 10-14
ג) [פ׳ מִשֵּׁל] דבר משלים: 15
ד) [הת׳ הִתְמַשֵּׁל] נמשל: 16
ה) [הפ׳ הִמְשִׁיל] דמה, השוה: 17
נִמְשַׁל עִם 10, 11; נִמְשַׁל אֶל־ 12

מְשֹׁל 1 מְשֹׁל הַמָּשָׁל הַזֶּה בְּיִשְׂרָאֵל — Ezek. 18:3
לִמְשֹׁל 2 וְהִצִּגַנִי לִמְשֹׁל עַמִּים — Job 17:6
הַמּוֹשֵׁל 3 כָּל־הַמֹּשֵׁל עָלַיִךְ יִמְשֹׁל לֵאמֹר — Ezek. 16:44
מוֹשְׁלִים 4 אַתֶּם מֹשְׁלִים אֶת־הַמָּשָׁל הַזֶּה — Ezek. 18:2
הַמּוֹשְׁלִים 5 עַל־כֵּן יֹאמְרוּ הַמֹּשְׁלִים — Num. 21:27
יִמְשֹׁל 6 כָּל־הַמֹּשֵׁל עָלַיִךְ יִמְשֹׁל לֵאמֹר — Ezek. 16:44
יִמְשְׁלוּ 7 וְלֹא־יִמְשְׁלוּ אֹתוֹ עוֹד בְּיִשְׂרָאֵל — Ezek. 12:23
וּמְשֹׁל 8 חוּד חִידָה וּמְשֹׁל מָשָׁל — Ezek. 17:2
9 וּמְשֹׁל אֶל־בֵּית־הַמֶּרִי מָשָׁל — Ezek. 24:3
וְנִמְשַׁלְתִּי 10/1 וְנִמְשַׁלְתִּי עִם־י(וֹ)רְדֵי בוֹר — Ps. 28:1; 143:7

נִמְשַׁלְתָּ 12 חֻלֵּיתָ כָמוֹנוּ אֵלֵינוּ נִמְשָׁלְתָּ Is. 14:10
נִמְשַׁל 13/4 נִמְשַׁל כַּבְּהֵמוֹת נִדְמוּ Ps. 49:13, 21
מְמַשֵּׁל 15 הֲלֹא מְמַשֵּׁל מְשָׁלִים הוּא Ezek. 21:5
וָאֶתְמַשֵּׁל 16 וָאֶתְמַשֵּׁל כֶּעָפָר וָאֵפֶר Job 30:19
וְתַמְשִׁלוּנִי 17 לְמִי תְדַמְּיוּנִי וְתַשְׁווּ וְתַמְשִׁלוּנִי וְנִדְמֶה Is. 46:5

מָשָׁל¹ ז' א) דבר חכמה, פתגם, מליצה: 1, 7, 9, 15, 19,
23–34, 36–38
20–22, 35, 39
ב) ספור שיש בו לקח ומוסר: 2–6, 10–14, 16–18,
– מָשָׁל וּמְלִיצָה 7; מָשָׁל וּשְׁנִינָה 16, 18, 21, 22;
מְשַׁל הַקַּדְמֹנִי 23; אוֹת וּמְשָׁלִים 35
– מִשְׁלֵי אֵפֶר 39; מִשְׁלֵי שְׁלֹמֹה 36–38
– דִּבֵּר מָשָׁל 1; מָשַׁל (מֹשֵׁל) מָשָׁל 2, 3, 13, 14, 33;
נָשָׂא מָשָׁל 4, 5, 10, 24–32; הָיָה לְמָשָׁל 16, 20

מָשָׁל 1 וַיְדַבֵּר שְׁלֹשֶׁת אֲלָפִים מָשָׁל IK. 5:12
2 חוּד חִידָה וּמְשֹׁל מָשָׁל Ezek. 17:2
3 וּמְשֹׁל אֶל־בֵּית־הַמֶּרִי מָשָׁל Ezek. 24:3
4 בַּיּוֹם הַהוּא יִשָּׂא עֲלֵיכֶם מָשָׁל Mic. 2:4
5 הֲלוֹא־אֵלֶּה כֻלָּם עָלָיו מָשָׁל יִשָּׂאוּ Hab. 2:6
6 תְּשִׂימֵנוּ מָשָׁל בַּגּוֹיִם Ps. 44:15
7 לְהָבִין מָשָׁל וּמְלִיצָה Prov. 1:6
וּמָשָׁל 8/9 וּמָשָׁל בְּפִי כְסִילִים Prov. 26:7, 9
הַמָּשָׁל 10 וְנָשָׂאתָ הַמָּשָׁל הַזֶּה עַל־מֶלֶךְ בָּבֶל Is. 14:4
11 מָה־הַמָּשָׁל הַזֶּה לָכֶם Ezek. 12:22
12 הִשְׁבַּתִּי אֶת־הַמָּשָׁל הַזֶּה Ezek. 12:23
13 אַתֶּם מֹשְׁלִים אֶת־הַמָּשָׁל הַזֶּה Ezek. 18:2
14 מְשֹׁל הַמָּשָׁל הַזֶּה בְּיִשְׂרָאֵל Ezek. 18:3
בְּמָשָׁל 15 אֶפְתְּחָה בְמָשָׁל פִּי אַבִּיעָה חִידוֹת Ps. 78:2
לְמָשָׁל 16 וְהָיִיתָ לְשַׁמָּה לְמָשָׁל וְלִשְׁנִינָה Deut. 28:37
17 עַל־כֵּן הָיְתָה לְמָשָׁל ISh. 10:12
18 לְמָשָׁל וְלִשְׁנִינָה בְּכָל־הָעַמִּים IK. 9:7
19 אַטֶּה לְמָשָׁל אָזְנִי Ps. 49:5
20 וָאֱהִי לָהֶם לְמָשָׁל Ps. 69:12
21 וְאֶתְּנֶנּוּ לְמָשָׁל וְלִשְׁנִינָה IICh. 7:20
וּלְמָשָׁל 22 לְחֶרְפָּה וּלְמָשָׁל לִשְׁנִינָה וְלִקְלָלָה Jer. 24:9
מְשַׁל־ 23 כַּאֲשֶׁר יֹאמַר מְשַׁל הַקַּדְמֹנִי ISh. 24:13
מְשָׁלוֹ 24–30 וַיִּשָּׂא מְשָׁלוֹ וַיֹּאמַר Num. 23:7, 18
24:3, 15, 20, 21, 23
31/2 וַיֹּסֶף אִיּוֹב שְׂאֵת מְשָׁלוֹ Job 27:1; 29:1
מְשָׁלִים 33 הֲלֹא מְמַשֵּׁל מְשָׁלִים הוּא Ezek. 21:5
34 וְאִזֵּן וְחִקֵּר תִּקֵּן מְשָׁלִים הַרְבֵּה Eccl. 12:9
וְלִמְשָׁלִים 35 וַהֲשִׂמֹתִיהוּ לְאוֹת וְלִמְשָׁלִים Ezek. 14:8
מִשְׁלֵי־ 36 מִשְׁלֵי שְׁלֹמֹה בֶן־דָּוִד Prov. 1:1
37 מִשְׁלֵי שְׁלֹמֹה בֵּן חָכָם יְשַׂמַּח־אָב Prov. 10:1
38 גַּם־אֵלֶּה מִשְׁלֵי שְׁלֹמֹה Prov. 25:1
39 זִכְרֹנֵיכֶם מִשְׁלֵי־אֵפֶר Job 13:12

מָשָׁל² ש"פ עיר בנחלת אשר, היא מִשְׁאָל
1 וּמִמַּטֵּה אָשֵׁר אֶת־מָשָׁל וְאֶת־מִגְרָשֶׁהָ ICh. 6:59

מֹשֶׁל¹ ז' ממשלה: 1, 2
וּמָשְׁלוֹ 1 וּמָשְׁלוֹ מִיָּם עַד־יָם Zech. 9:10
כְּמָשְׁלוֹ 2 וְלֹא כְמָשְׁלוֹ אֲשֶׁר מָשָׁל Dan. 11:4

מֹשֶׁל² ז' דמיון, משל:
מָשְׁלוֹ 1 אֵין־עַל־עָפָר מָשְׁלוֹ Job 41:25

מִשְׁלוֹחַ ז' מסירה, העברה: 1–3
מִשְׁלוֹחַ יָד 1; מִשְׁלוֹחַ מָנוֹת 2, 3
מִשְׁלוֹחַ־ 1 אֱדוֹם וּמוֹאָב מִשְׁלוֹחַ יָדָם Is. 11:14
וּמִשְׁלוֹחַ־ 2–3 וּמִשְׁלֹחַ מָנוֹת אִישׁ לְרֵעֵהוּ Es. 9:19, 22

מִשְׁלַח* ז' משלוח, שליחה: 1–7
מִשְׁלַח יָד 1–6; מִשְׁלַח שׁוֹר 7
מִשְׁלַח־ 1 וּשְׂמַחְתֶּם בְּכֹל מִשְׁלַח יֶדְכֶם Deut. 12:7
2 וְשָׂמַחְתָּ...בְּכֹל מִשְׁלַח יָדֶךָ Deut. 12:18
3–6 (וּ)בְכֹל מִשְׁלַח יָדֶךָ Deut. 15:10
23:21; 28:8, 20
לְמִשְׁלַח־ 7 וְהָיָה לְמִשְׁלַח שׁוֹר וּלְמִרְמַס שֶׂה Is. 7:25

מִשְׁלַחַת נ' שליחות, משלוח: 1, 2
מִשְׁלַחַת 1 וְאֵין מִשְׁלַחַת בַּמִּלְחָמָה Eccl. 8:8
מִשְׁלַחַת־ 2 יְשַׁלַּח...מִשְׁלַחַת מַלְאֲכֵי רָעִים Ps. 78:49

מְשֻׁלָּם שפ"ז – שמות של שלושה עשר אנשים בירושלים בימי זרובבל, עזרא ונחמיה: 1–25
מְשֻׁלָּם 1 בֶּן־אֲצַלְיָהוּ בֶּן־מְשֻׁלָּם הַסֹּפֵר IIK. 22:3
2 וּמִבְּנֵי בְּנֵי מְשֻׁלָּם מַלּוּךְ וַעֲדָיָה Ez. 10:29
3–5 מְשֻׁלָּם בֶּן־בֶּרֶכְיָה Neh. 3:4, 30; 6:18
6 וְחַשְׁבַּדָּנָה זְכַרְיָה מְשֻׁלָּם Neh. 8:4
7 מְשֻׁלָּם אֲבִיָּה מִיָּמִן Neh. 10:8
8 מַגְפִּיעָשׁ מְשֻׁלָּם חֵזִיר Neh. 10:21
9 סַלֻּא בֶּן־מְשֻׁלָּם בֶּן־יוֹעֵד Neh. 11:7
10 שְׂרָיָה בֶן־חִלְקִיָּה בֶּן־מְשֻׁלָּם Neh. 11:11
11 לְעֶזְרָא מְשֻׁלָּם לַאֲמַרְיָה יְהוֹחָנָן Neh. 12:13
12 לְעִדּוֹא זְכַרְיָה לְגִנְּתוֹן מְשֻׁלָּם Neh. 12:16
13 עֹבַדְיָה מְשֻׁלָּם טַלְמוֹן עַקּוּב Neh. 12:25
14 וּבֶן־זְרֻבָּבֶל מְשֻׁלָּם וַחֲנַנְיָה ICh. 3:19
15 סַלּוּא בֶּן־מְשֻׁלָּם בֶּן־הוֹדַוְיָה ICh. 9:7
16 וַעֲזַרְיָה בֶּן־חִלְקִיָּה בֶּן־מְשֻׁלָּם ICh. 9:11
17 וּמַעְשַׂי בֶּן־עֲדִיאֵל...בֶּן־מְשֻׁלָּם ICh. 9:12
וּמְשֻׁלָּם 18 וּמְשֻׁלָּם וְשַׁבְּתַי הַלֵּוִי עֲזָרֻם Ez. 10:15
19 וּמְשֻׁלָּם בֶּן־בְּסוֹדְיָה Neh. 3:6
20 וַעֲזַרְיָה עֶזְרָא וּמְשֻׁלָּם Neh. 12:33
21 מִיכָאֵל וּמְשֻׁלָּם וְשֶׁבַע ICh. 5:13
22 וּזְבַדְיָה וּמְשֻׁלָּם וְחִזְקִי וָחָבֶר ICh. 8:17
23 וּמְשֻׁלָּם בֶּן־שְׁפַטְיָה... ICh. 9:8
24 וּזְכַרְיָה וּמְשֻׁלָּם מִן־בְּנֵי הַקְּהָתִים IICh. 34:12
וְלִמְשֻׁלָּם 25 וְלִזְכַרְיָה וְלִמְשֻׁלָּם רָאשִׁים Ez. 8:16

מְשִׁלֵּמוֹת שפ"ז א) איש בימי אחז מזרע אפרים: 2
ב) כהן בימי נחמיה: 1
מְשִׁלֵּמוֹת 1 ...בֶּן־מְשִׁלֵּמוֹת בֶּן־אִמֵּר Neh. 11:13
2 ...בֶּרֶכְיָהוּ בֶן־מְשִׁלֵּמוֹת IICh. 28:12

מְשֶׁלֶמְיָה שפ"ז – מן השוערים
מְשֶׁלֶמְיָה 1 זְכַרְיָה בֶּן־מְשֶׁלֶמְיָה שֹׁעֵר פֶּתַח... ICh. 9:21

מְשֶׁלֶמְיָהוּ שפ"ז – הוא מְשֶׁלֶמְיָה: 1–3
מְשֶׁלֶמְיָהוּ 1 לַקָּרְחִים מְשֶׁלֶמְיָהוּ בֶן־קֹרֵא ICh. 26:1
וְלִמְשֶׁלֶמְיָהוּ 2–3 וְלִמְשֶׁלֶמְיָהוּ בָּנִים... ICh. 26:2, 9

מְשִׁלֵּמִית שפ"ז – הוא מְשִׁלֵּמוֹת (א)
מְשִׁלֵּמִית 1 בֶּן־מְשִׁלֵּמִית בֶּן־אִמֵּר ICh. 9:12

מְשֻׁלֶּמֶת שפ"נ – אשת המלך מנשה ואמו של אמון
מְשֻׁלֶּמֶת 1 וְשֵׁם אִמּוֹ מְשֻׁלֶּמֶת בַּת־חָרוּץ IIK. 21:19

מְשַׁמָּה נ' שממה: 1–7 • שְׁמָמָה וּמְשַׁמָּה 2–5
וּמְשַׁמָּה 1 חֶרְפָּה וּגְדוּפָה מוּסָר וּמְשַׁמָּה Ezek. 5:15
2–5 שְׁמָמָה וּמְשַׁמָּה Ezek. 6:14; 33:28, 29; 35:3
מְשַׁמּוֹת 6 כִּי־מֵי נִמְרִים מְשַׁמּוֹת יִהְיוּ Is. 15:6
לִמְשַׁמּוֹת 7 כִּי גַּם־מֵי נִמְרִים לִמְשַׁמּוֹת יִהְיוּ Jer. 48:34

מִשְׁמָן* ז' מקום שמן: 1–6
מִשְׁמָן בְּשָׂרוֹ 1; מִשְׁמַנֵּי הָאָרֶץ 2, 3;
מִשְׁמַנֵּי מְדִינָה 4
וּמִשְׁמַן־ 1 וּמִשְׁמַן בְּשָׂרוֹ יֵרָזֶה Is. 17:4
מִשְׁמַנֵּי־ 2 מִשְׁמַנֵּי הָאָרֶץ יִהְיֶה מוֹשָׁבֶךָ Gen. 27:39
וּמִשְׁמַנֵּי־ 3 מִטַּל הַשָּׁמַיִם וּמִשְׁמַנֵּי הָאָרֶץ Gen. 27:28
וּבְמִשְׁמַנֵּי־ 4 בְּשַׁלְוָה וּבְמִשְׁמַנֵּי מְדִינָה יָבוֹא Dan. 11:24
בְּמִשְׁמַנָּיו 5 לָכֵן יְשַׁלַּח...בְּמִשְׁמַנָּיו רָזוֹן Is. 10:16
בְּמִשְׁמַנֵּיהֶם 6 וַיַּהֲרֹג בְּמִשְׁמַנֵּיהֶם Ps. 78:31

מִשְׁמַנָּה שפ"ז – מגבורי דוד
מִשְׁמַנָּה 1 מִשְׁמַנָּה הָרְבִיעִי ICh. 12:10(11)

מַשְׁמַנִּים ז"ר מאכלים שמנים
מַשְׁמַנִּים 1 אִכְלוּ מַשְׁמַנִּים וּשְׁתוּ מַמְתַקִּים Neh. 8:10

מִשְׁמָע*¹ ז' שמועה
לְמִשְׁמַע־ 1 וְלֹא־לְמִשְׁמַע אָזְנָיו יוֹכִיחַ Is. 11:3

מִשְׁמָע² שפ"ז א) מנשיאי ישמעאל: 1, 4
ב) מבני שמעון: 2, 3
מִשְׁמָע 1 מִשְׁמָע וְדוּמָה מַשָּׂא ICh. 1:30
2 מִבְשָׂם בְּנוֹ מִשְׁמָע בְּנוֹ ICh. 4:25
3 וּבְנֵי מִשְׁמָע חַמּוּאֵל בְּנוֹ ICh. 4:26
וּמִשְׁמָע 4 וּמִשְׁמָע וְדוּמָה וּמַשָּׂא Gen. 25:14

מִשְׁמַעַת* נ' שמיעה בקול, ציות: 1–4
מִשְׁמַעְתֶּךָ 1 וְסָר אֶל־מִשְׁמַעְתֶּךָ וְנִכְבָּד בְּבֵיתֶךָ ISh. 22:14
מִשְׁמַעְתּוֹ 2 וַיְשִׂמֵהוּ דָוִד אֶל־מִשְׁמַעְתּוֹ IISh. 23:23
3 וַיְשִׂימֵהוּ דָוִיד עַל־מִשְׁמַעְתּוֹ ICh. 11:25
מִשְׁמַעְתָּם 4 וּבְנֵי עַמּוֹן מִשְׁמַעְתָּם Is. 11:14

מִשְׁמָר ז' א) מקום שמור, מחסן, כלא: 1, 13–15, 17–19, 21, 22
ב) קבוצת שומרים: 4, 6–9, 10
ג) שמירה: 2, 3, 5, 11, 12, 16, 20
מִשְׁמַר בֵּית־ 17–19; בֵּית מִשְׁמָר 21
מִשְׁמָר 1 וַיֶּאֱסֹף אֹתָם אֶל־מִשְׁמָר Gen. 42:17
2 מִכָּל־מִשְׁמָר נְצֹר לִבֶּךָ Prov. 4:23
3 הֲיָם־אָנִי...כִּי־תָשִׂים עָלַי מִשְׁמָר Job 7:12
4 וַנַּעֲמִיד מִשְׁמָר עֲלֵיהֶם... Neh. 4:3
5 הַלַּיְלָה מִשְׁמָר וְהַיּוֹם מְלָאכָה Neh. 4:16
6–9 מִשְׁמָר לְעֻמַּת מִשְׁמָר Neh. 12:24
ICh. 26:16
10 שֹׁמְרִים שׁוֹעֲרִים מִשְׁמָר... Neh. 12:25
הַמִּשְׁמָר 11 הַחֲזִיקוּ הַמִּשְׁמָר הָקִימוּ שֹׁמְרִים Jer. 51:12
12 אֲנִי...וְאַנְשֵׁי הַמִּשְׁמָר אֲשֶׁר אַחֲרַי Neh. 4:17
בְּמִשְׁמָר 13 וַיִּהְיוּ יָמִים בְּמִשְׁמָר Gen. 40:4
בַּמִּשְׁמָר 14 וַיַּנִּיחֻהוּ בַּמִּשְׁמָר Lev. 24:12
15 וַיַּנִּיחוּ אֹתוֹ בַּמִּשְׁמָר Num. 15:34
לְמִשְׁמָר 16 וְהָיִיתָ לָהֶם לְמִשְׁמָר Ezek. 38:7
בְּמִשְׁמַר־ 17 וַיִּתֵּן אֹתָם בְּמִשְׁמַר בֵּית שַׂר הַטַּבָּחִים Gen. 40:3
18 אֲשֶׁר אִתּוֹ בְמִשְׁמַר בֵּית־אֲדֹנָיו Gen. 40:7
19 וַיִּתֵּן אֹתִי בְּמִשְׁמַר בֵּית שַׂר הַטַּבָּחִים Gen. 41:10
בְּמִשְׁמָרוֹ 20 וְהַעֲמִיד...אִישׁ בְּמִשְׁמָרוֹ Neh. 7:3
מִשְׁמַרְכֶם 21 אֲחִיכֶם...יֵאָסֵר בְּבֵית מִשְׁמַרְכֶם Gen. 42:19
וּבְמִשְׁמָרָיו 22 עָשִׂיתִי בְּבֵית אֱלֹהַי וּבְמִשְׁמָרָיו Neh. 13:14

מִשְׁמֶרֶת נ' א) שמירה: 1–13
ב) מלוי תפקיד פקוח: 14–56, 58, 59, 61–67
ג) עמדת השומר: 57, 60, 68–75
– מִשְׁמֶרֶת הָאֹהֶל 49; מ' אֹהֶל מוֹעֵד 29, 46;
מ' אֱלֹהִים 44, 50; מִשְׁמֶרֶת בֵּית־ 36–40, 45;
מ' בְּנֵי־ 17, 48, 51, 52; מ' יוֹשְׁבֵי יְרוּשָׁלַיִם 72;
מ' יְיָ 14, 24–28; מ' הַמִּזְבֵּחַ 31, 41; מ' מִצְוֹת 35;
מ' הַמִּקְדָּשׁ 21, 43; מ' מַשָּׂא 22, 23; מ' הַמִּשְׁכָּן
33, 34; מ' הָעֵדָה 16; מ' הָעֵדוּת 15; מ' הַקֹּדֶשׁ
30, 42, 47; מִשְׁמֶרֶת הַתְּרוּמוֹת 32
– בֵּית מִשְׁמֶרֶת 3; כְּלֵי מ' 23; פְּקֻדַּת מִשְׁמֶרֶת 20

– הָיָה לְמִשְׁמֶרֶת 7; הַנִּיחַ לְמִשְׁמֶרֶת 8, 13; שָׁמַר מִשְׁמֶרֶת 1, 14, 18, 19, 21, 24

– עָמַד עַל מִשְׁמַרְתּוֹ 60, 73; נִצָּב עַל מִשְׁמַרְתּוֹ 57

מִשְׁמֶרֶת 1 וְשֵׁרֵת אֶת־אֶחָיו...לִשְׁמֹר מִשְׁמֶרֶת Num. 8:26
2 כִּי־מִשְׁמֶרֶת אַתָּה עִמָּדִי ISh. 22:23
3 וַיִּקַּח...וַיִּתְּנֵם בֵּית־מִשְׁמֶרֶת IISh. 20:3
4 כִּי־עֲלֵיהֶם מִשְׁמֶרֶת ICh. 9:27
5 מִשְׁמֶרֶת לְעֻמַּת כַּקָּטֹן כַּגָּדוֹל ICh. 25:8
בְּמִשְׁמֶרֶת 6 וּפְקַדְתֶּם עֲלֵהֶם בְּמִשְׁמֶרֶת Num. 4:27
לְמִשְׁמֶרֶת 7 וְהָיָה לָכֶם לְמִשְׁמֶרֶת עַד... Ex. 12:6
8 הַנִּיחוּ לָכֶם לְמִשְׁמֶרֶת עַד־הַבֹּקֶר Ex. 16:23
10-9 לְמִשְׁמֶרֶת לְדֹרֹתֵיכֶם Ex. 16:32, 33
11 לְמִשְׁמֶרֶת לְאוֹת לִבְנֵי־מֶרִי Num. 17:25
12 וְהָיְתָה לַעֲדַת בְּ־י׳ לְמִשְׁמֶרֶת Num. 19:9
לְמִשְׁמָֽרֶת 13 וַיַּנִּיחֵהוּ אַהֲרֹן...לְמִשְׁמָֽרֶת Ex. 16:34
מִשְׁמֶרֶת־ 14 וּשְׁמַרְתֶּם אֶת־מִשְׁמֶרֶת יְיָ Lev. 8:35
15 אֶת־מִשְׁמֶרֶת מִשְׁכַּן הָעֵדוּת Num. 1:53
16 וְאֶת־מִשְׁמֶרֶת כָּל־הָעֵדָה Num. 3:7
17 וְאֶת־מִשְׁמֶרֶת בְּנֵי יִשְׂרָאֵל Num. 3:8
18/9 שֹׁמְרֵי מִשְׁמֶרֶת הַקֹּדֶשׁ Num. 3:28, 32
20 וּפְקֻדַּת מִשְׁמֶרֶת בְּנֵי מְרָרִי Num. 3:36
21 שֹׁמְרִים מִשְׁמֶרֶת הַמִּקְדָּשׁ Num. 3:38
22 וְזֹאת מִשְׁמֶרֶת מַשָּׂאָם Num. 4:31
23 ...אֶת־כְּלֵי מִשְׁמֶרֶת מַשָּׂאָם Num. 4:32
24 וְשָׁמְרוּ בְּ־י׳ אֶת־מִשְׁמֶרֶת יְיָ Num. 9:19
28-25 מִשְׁמֶרֶת יְיָ Num. 9:23
IK. 2:3 • IICh. 13:11; 23:6
29 וְשָׁמְרוּ אֶת־מִשְׁמֶרֶת אֹהֶל מוֹעֵד Num. 18:4
30 וּשְׁמַרְתֶּם אֵת מִשְׁמֶרֶת הַקֹּדֶשׁ Num. 18:5
31 וְאֵת מִשְׁמֶרֶת הַמִּזְבֵּחַ Num. 18:5
32 נָתַתִּי לְךָ אֶת־מִשְׁמֶרֶת תְּרוּמֹתָי Num. 18:8
33/4 שֹׁמְרֵי מִשְׁמֶרֶת מִשְׁכַּן יְיָ Num. 31:30, 47
35 וּשְׁמַרְתֶּם אֶת־מִשְׁמֶרֶת מִצְוַת יְיָ Josh. 22:3
36 וְשֹׁמְרֵי מִשְׁמֶרֶת בֵּית הַמֶּלֶךְ IK. 11:5
37 וּשְׁמַרְתֶּם אֶת־מִשְׁמֶרֶת הַבַּיִת IIK. 11:6
38 וְשָׁמְרוּ אֶת־מִשְׁמֶרֶת בֵּית־יְיָ IIK. 11:7
40-39 שֹׁמְרֵי מִשְׁמֶרֶת הַבָּיִת Ezek. 40:45; 44:14
41 שֹׁמְרֵי מִשְׁמֶרֶת הַמִּזְבֵּחַ Ezek. 40:46
42 וְלֹא שְׁמַרְתֶּם מִשְׁמֶרֶת קָדָשָׁי Ezek. 44:8
43 שָׁמְרוּ אֶת־מִשְׁמֶרֶת מִקְדָּשִׁי Ezek. 44:15
44 וַיִּשְׁמְרוּ מִשְׁמֶרֶת אֱלֹהֵיהֶם Neh. 12:45
45 שֹׁמְרִים מִשְׁמֶרֶת בֵּית שָׁאוּל ICh. 12:29(30)
46 וְשָׁמְרוּ אֶת־מִשְׁמֶרֶת אֹהֶל־מוֹעֵד ICh. 23:32
47 וְאֵת מִשְׁמֶרֶת הַקֹּדֶשׁ ICh. 23:32
וּמִשְׁמֶרֶת־ 48 וּמִשְׁמֶרֶת בְּנֵי־גֵרְשׁוֹן בְּאֹהֶל מוֹעֵד Num. 3:25
49 מִשְׁמַרְתְּךָ וּמִשְׁמֶרֶת כָּל־הָאֹהֶל Num. 18:3
50 מִשְׁמֶרֶת אֱלֹ׳ וּמִשְׁמֶרֶת הַטָּהֳרָה Neh. 12:45
51 וּמִשְׁמֶרֶת בְּנֵי אַהֲרֹן אֲחֵיהֶם ICh. 23:32
לְמִשְׁמֶרֶת־ 52 לְמִשְׁמֶרֶת בְּנֵי יִשְׂרָאֵל Num. 3:38
מִשְׁמַרְתִּי 53 וַיִּשְׁמֹר מִשְׁמַרְתִּי מִצְוֹתַי... Gen. 26:5
54 וּשְׁמַרְתֶּם אֶת־מִשְׁמַרְתִּי Lev. 18:30
55/6 וְשָׁמְרוּ אֶת־מִשְׁמַרְתִּי Lev. 22:9 • Ezek. 44:16
57 וְעַל־מִשְׁמַרְתִּי אָנֹכִי נִצָּב Is. 21:8
58 לְשֹׁמְרֵי מִשְׁמַרְתִּי בְּמִקְדָּשִׁי לָכֶם Ezek. 44:8
59 אֲשֶׁר שָׁמְרוּ מִשְׁמַרְתִּי Ezek. 48:11
60 עַל־מִשְׁמַרְתִּי אֶעֱמֹדָה Hab. 2:1
61 וְאִם אֶת־מִשְׁמַרְתִּי תִשְׁמֹר Zech. 3:7
מִשְׁמַרְתְּךָ 62 וְשָׁמְרוּ מִשְׁמַרְתְּךָ Num. 18:3
מִשְׁמַרְתּוֹ 63 וְשָׁמְרוּ אֶת־מִשְׁמַרְתּוֹ Num. 3:7
64 וְשָׁמַרְתָּ מִשְׁמַרְתּוֹ וְחֻקֹּתָיו Deut. 11:1
65 וּמַה־בֶּצַע כִּי שָׁמַרְנוּ מִשְׁמַרְתּוֹ Mal. 3:14

וּמִשְׁמַרְתָּם 66 וּמִשְׁמַרְתָּם הָאָרֹן וְהַשֻּׁלְחָן Num. 3:31
67 וּמִשְׁמַרְתָּם בְּיַד אִיתָמָר Num. 4:28
מִשְׁמָרוֹת 68 וָאַעֲמִידָה מִשְׁמָרוֹת לַכֹּהֲנִים Neh. 13:30
69 מִשְׁמָרוֹת לְעֻמַּת אֲחֵיהֶם ICh. 26:12
לְמִשְׁמָרוֹת 70 אֲחֵיהֶם לְנֶגְדָּם לְמִשְׁמָרוֹת Neh. 12:9
71 ...לְבֵית הָאֹהֶל לְמִשְׁמָרוֹת ICh. 9:23
מִשְׁמְרוֹת־ 72 וְהַעֲמֵד מִשְׁמְרוֹת יֹשְׁבֵי יְרוּשָׁלִַם Neh. 7:3
מִשְׁמְרוֹתָם 73 וְהַכֹּהֲנִים עַל־מִשְׁמְרוֹתָם עֹמְדִים IICh. 7:6
74 וְהַלְוִיִּם עַל־מִשְׁמְרוֹתָם IICh. 8:14
75 וַיַּעֲמֵד הַכֹּהֲנִים עַל־מִשְׁמְרוֹתָם IICh. 35:2
בְּמִשְׁמְרֹתָם 76 כָּכָה תַּעֲשֶׂה לַלְוִיִּם בְּמִשְׁמְרֹתָם Num. 8:26
77 בְּמִשְׁמְרוֹתָם כְּמַחְלְקוֹתֵיהֶם IICh. 31:16
בְּמִשְׁמְרוֹתֵיהֶם 78 בְּמִשְׁמְרוֹתֵיהֶם כְּמַחְלְקוֹתֵיהֶם IICh. 31:17

מִשְׁנֶה

ז׳ א) כֶּפֶל: 1־4, 6־8, 13, 14, 24, 27, 33
ב) הֶעְתֵּק: 25, 26
ג) השני למישהו, השני בדרגה: 5, 9, 10־12, 15־17, 19, 20, 23, 28, 29, 30־32, 34, 35
ד) החלק השני (האחורי?) של העיר: 18, 21, 22

– מִשְׁנֶה־כֶּסֶף 13; מִשְׁנֶה שִׁבָּרוֹן 14; מִשְׁנֶה שְׂכַר 4
– בֹּשֶׁת מִשְׁנֶה 6; כֹּהֵן מִשְׁנֶה 5, 17; כֹּהֲנֵי מִשְׁנֶה 16; כֶּסֶף מִשְׁנֶה 1; לֶחֶם מ׳ 3; מִרְכֶּבֶת הַמִּשְׁנֶה 15; רֶכֶב הַמִּשְׁנֶה 20
– מִשְׁנֶה הַמֶּלֶךְ 28; מ׳ עָוֹן 27; מִשְׁנֶה הַתּוֹרָה 25, 26
– אַחִים מִשְׁנִים 34

מִשְׁנֶה 1 וְכֶסֶף מִשְׁנֶה קְחוּ בְיֶדְכֶם Gen. 43:12
2 מִשְׁנֶה עַל אֲשֶׁר־יִלְקְטוּ יוֹם יוֹם Ex. 16:5
3 לֶחֶם מִשְׁנֶה שְׁנֵי הָעֹמֶר לָאֶחָד Ex. 16:22
4 מִשְׁנֶה שְׂכַר שָׂכִיר עֲבָדְךָ Deut. 15:18
5 וְאֶת־צְפַנְיָהוּ כֹּהֵן מִשְׁנֶה IIK. 25:18
6 תַּחַת בָּשְׁתְּכֶם מִשְׁנֶה Is. 61:7
7 לָכֵן בְּאַרְצָם מִשְׁנֶה יִירָשׁוּ Is. 61:7
8 גַּם־הַיּוֹם מַגִּיד מִשְׁנֶה אָשִׁיב לָךְ Zech. 9:12
9 מִשְׁנֶה לַמֶּלֶךְ אֲחַשְׁוֵרוֹשׁ Es. 10:3
10 וִיהוּדָה...עַל־הָעִיר מִשְׁנֶה Neh. 11:9
11 וּבַקְבֻּקְיָה מִשְׁנֶה מֵאֶחָיו Neh. 11:17
12 וְשִׁמְעִי אָחִיהוּ מִשְׁנֶה IICh. 31:12
וּמִשְׁנֶה 13 וּמִשְׁנֶה־כֶּסֶף לָקְחוּ בְיָדָם Gen. 43:15
14 וּמִשְׁנֶה שִׁבָּרוֹן שָׁבְרֵם Jer. 17:18
הַמִּשְׁנֶה 15 וַיַּרְכֵּב אֹתוֹ בְּמִרְכֶּבֶת הַמִּשְׁנֶה Gen. 41:43
16 ...הַכֹּהֵן הַגָּדוֹל וְאֶת־כֹּהֲנֵי הַמִּשְׁנֶה IIK. 23:4
17 וְאֶת־צְפַנְיָה כֹּהֵן הַמִּשְׁנֶה Jer. 52:24
18 מִשַּׁעַר הַדָּגִים...וִילָלָה מִן־הַמִּשְׁנֶה Zep. 1:10
19 יוֹאֵל הָרֹאשׁ וְשָׁפָם הַמִּשְׁנֶה ICh. 5:12
20 וַיַּרְכִּיבֻהוּ עַל רֶכֶב הַמִּשְׁנֶה IICh. 35:24
בַּמִּשְׁנֶה 21 וְהִיא יֹשֶׁבֶת בִּירוּשָׁלִַם בַּמִּשְׁנֶה IIK. 22:14
22 וְהִיא יוֹשֶׁבֶת בִּירוּשָׁלִַם בַּמִּשְׁנֶה IICh. 34:22
לְמִשְׁנֶה 23 וְאָנֹכִי אֶהְיֶה־לְּךָ לְמִשְׁנֶה ISh. 23:17
24 וַיֹּסֶף...כָּל־אֲשֶׁר לְאִיּוֹב לְמִשְׁנֶה Job 42:10
מִשְׁנֵה־ 25 וְכָתַב לוֹ אֶת־מִשְׁנֵה הַתּוֹרָה Deut. 17:18
26 וַיִּכְתָּב...אֵת מִשְׁנֵה תּוֹרַת מֹשֶׁה Josh. 8:32
27 וְשִׁלַּמְתִּי...מִשְׁנֵה עֲוֹנָם וְחַטָּאתָם Jer. 16:18
28 וְאֶת־אֶלְקָנָה מִשְׁנֵה הַמֶּלֶךְ IICh. 28:7
מִשְׁנֵהוּ 29 הַבְּכוֹר יוֹאֵל וְשֵׁם מִשְׁנֵהוּ אֲבִיָּה ISh. 8:2
וּמִשְׁנֵהוּ 30 אֱלִיאָב הַבְּכוֹר וּמִשְׁנֵהוּ אֲבִינָדָב ISh. 17:13
31 וּמִשְׁנֵהוּ כִלְאָב לַאֲבִיגַיִל IISh. 3:3
32 אָסָף הָרֹאשׁ וּמִשְׁנֵהוּ זְכַרְיָה ICh. 16:5
מִשְׁנִים 33 כְּפוֹרֵי כֶסֶף מִשְׁנִים Ez. 1:10
הַמִּשְׁנִים 34 וְעִמָּהֶם אֲחֵיהֶם הַמִּשְׁנִים ICh. 15:18
וְהַמִּשְׁנִים 35 וְעַל־מֵיטַב הַצֹּאן וְהַבָּקָר וְהַמִּשְׁנִים ISh. 15:9

מְשִׁסָּה

נ׳ בַּז, שלל: 1־6
קרובים: ראה בַּז / בִּזָּה / גָּזֵל / שֹׁד / שָׁלָל

מְשִׁסָּה 1 מְשִׁסָּה וְאֵין־אֹמֵר הָשַׁב Is. 42:22
לִמְשִׁסָּה 2 מִי־נָתַן לִמְשִׁסָּה (כ׳ למשוסה) יַעֲקֹב Is. 42:24
3 וְהָיוּ שֹׁאסַיִךְ לִמְשִׁסָּה Jer. 30:16
4 וְהָיָה חֵילָם לִמְשִׁסָּה Zep. 1:13
וְלִמְשִׁסָּה 5 וְהָיוּ לְבַז וְלִמְשִׁסָּה לְכָל־אֹיְבֵיהֶם IIK. 21:14
לִמְשִׁסּוֹת 6 וְהָיִיתָ לִמְשִׁסּוֹת לָמוֹ Hab. 2:7

מִשְׁעוֹל*

ז׳ שביל • קרובים: ראה דֶּרֶךְ

בְּמִשְׁעוֹל־ 1 וַיַּעֲמֹד...בְּמִשְׁעוֹל הַכְּרָמִים Num. 22:24

(מִשְׁעִי) לְמִשְׁעִי

תה״פ – באופן נקי וחלק(?)

לְמִשְׁעִי 1 וּבְמַיִם לֹא־רֻחַצְתְּ לְמִשְׁעִי Ezek. 16:4

מִשְׁעָם

שפ״ז – איש מבנימין

וּמִשְׁעָם 1 וּבְנֵי אֶלְפַּעַל עֵבֶר וּמִשְׁעָם ICh. 8:12

מִשְׁעָן

ז׳ סַעַד: 1־4
מִשְׁעַן לֶחֶם 3; מִשְׁעַן מַיִם 4

מִשְׁעָן 1 וַיְהִי יְיָ מִשְׁעָן לִי IISh. 22:19
לְמִשְׁעָן 2 וַיְהִי־יְיָ לְמִשְׁעָן לִי Ps. 18:19
מִשְׁעַן־ 3־4 כֹּל מִשְׁעַן־לֶחֶם וְכֹל מִשְׁעַן־מָיִם Is. 3:1

מַשְׁעֵן

ז׳ סַעַד

מַשְׁעֵן 1 מֵסִיר מִירוּשָׁלִַם...מַשְׁעֵן וּמַשְׁעֵנָה Is. 3:1

מַשְׁעֵנָה

נ׳ סַעַד

מַשְׁעֵנָה 1 מֵסִיר מִירוּשָׁלִַם...מַשְׁעֵן וּמַשְׁעֵנָה Is. 3:1

מִשְׁעֶנֶת

נ׳ מקל להשען עליו: 1־11
קרובים: מוֹט / מַטֶּה / מִסְעָד / מַקֵּל / מִשְׁעָן / מַשְׁעֵן / מַשְׁעֵנָה / קָנֶה
מִשְׁעֶנֶת קָנֶה 3־5; קְצֵה הַמִּשְׁעֶנֶת 1

הַמִּשְׁעֶנֶת 1 אֶת־קְצֵה הַמִּשְׁעֶנֶת אֲשֶׁר בְּיָדוֹ Jud. 6:21
2 וַיָּשֶׂם אֶת־הַמִּשְׁעֶנֶת עַל־פְּנֵי הַנַּעַר IIK. 4:31
מִשְׁעֶנֶת־ 3 בָּטַחְתָּ...עַל־מִשְׁעֶנֶת הַקָּנֶה הָרָצוּץ IIK. 18:21
4 בָּטַחְתָּ עַל־מִשְׁעֶנֶת הַקָּנֶה הָרָצוּץ Is. 36:6
5 יַעַן הֱיוֹתָם מִשְׁעֶנֶת קָנֶה לְבֵית יִשׂ׳ Ezek. 29:6
מִשְׁעַנְתִּי 6 וְקַח מִשְׁעַנְתִּי בְיָדְךָ וָלֵךְ IIK. 4:29
7 וְשַׂמְתָּ מִשְׁעַנְתִּי עַל־פְּנֵי הַנָּעַר IIK. 4:29
וּמִשְׁעַנְתֶּךָ 8 שִׁבְטְךָ וּמִשְׁעַנְתֶּךָ הֵמָּה יְנַחֲמֻנִי Ps. 23:4
מִשְׁעַנְתּוֹ 9 וְהִתְהַלֵּךְ בַּחוּץ עַל־מִשְׁעַנְתּוֹ Ex. 21:19
10 וְאִישׁ מִשְׁעַנְתּוֹ בְּיָדוֹ מֵרֹב יָמִים Zech. 8:4
בְּמִשְׁעֲנֹתָם 11 כָּרוּהָ נְדִיבֵי הָעָם בִּמְחֹקֵק בְּמִשְׁעֲנֹתָם Num. 21:18

מִשְׂפָּח

ז׳ ספחת

מִשְׂפָּח 1 וַיְקַו לְמִשְׁפָּט וְהִנֵּה מִשְׂפָּח Is. 5:7

מִשְׁפָּחָה

נ׳ א) בית־אב וכל הנלוים עליו: רוב המקראות 1־303
ב) [בהרחבה] בני שבט, בני מוצא אחד, לאום: 3, 4, 7־9, 93, 128, 129, 141, 143, 144, 179, 183־187, 193, 221־224
ג) כנ״ל בבעלי־חיים: 219

– מִשְׁפָּחָה רָעָה 7; זֶבַח מ׳ 2; בּוּז מִשְׁפָּחוֹת 135
– מִשְׁפַּחַת אָב 82, 88; מ׳ בֵּית־ 89־91, 107; מ׳ גֵּר 13; מ׳ הַכְּנַעֲנִי 141; מ׳ מַטֵּה־ 103, 111; מ׳ מִצְרַיִם 93
– מִשְׁפְּחוֹת הָאֲדָמָה 143, 144, 183; מ׳ הָאָרֶץ 184; מ׳ הָאֲרָצוֹת 193; מ׳ בֵּית־יִשְׂרָאֵל 180; מ׳ בְּנֵי־ 142, 168, 198־202, 208; מ׳ גּוֹיִם 185; מ׳ הַלְוִיִּם 206, 207; מ׳ מַטֵּה־ 203, 204; מ׳ מַמְלָכוֹת 179

מִשְׁפְּחוֹת סוֹפְרִים 190; מִשְׁפְּחוֹת עַמִּים 186, 187;
מִשְׁפְּחוֹת צָפוֹן 181; מִשְׁפְּחוֹת שִׁבְטֵי־ 178

מִשְׁפָּחָה 1 אִישׁ...אוֹ מִשְׁפָּחָה אוֹ־שֵׁבֶט Deut. 29:17
2 כִּי זֶבַח מִשְׁפָּחָה לָנוּ ISh. 20:29
3 מִשְׁפָּחָה וּמִשְׁפָּחָה מְדִינָה וּמְדִינָה Es. 9:28
וּמִשְׁפָּחָה 4 מִשְׁפָּחָה וּמִשְׁפָּחָה מְדִינָה וּמְדִינָה Es. 9:28
הַמִּשְׁפָּחָה 5 כִּי־זֶבַח הַיָּמִים שָׁם לְכָל־הַמִּשְׁפָּחָ ISh. 20:6
6 וְהִנֵּה קָמָה כָל־הַמִּשְׁפָּחָה IISh. 14:7
7 מִן־הַמִּשְׁפָּחָה הָרָעָה הַזֹּאת Jer. 8:3
8 עַל כָּל־הַמִּשְׁפָּחָה אֲשֶׁר הֶעֱלֵיתִי... Am. 3:1
9 הִנְנִי חֹשֵׁב עַל־הַמִּשְׁפָּחָה הַזֹּאת רָעָה Mic. 2:3
וְהַמִּשְׁפָּחָה 10 וְהַמִּשְׁפָּחָה...תִּקְרַב לַבָּתִּים Josh. 7:14
וּלְמִשְׁפָּחָה 11 כֹּהֵן לְשֵׁבֶט וּלְמִשְׁפָּחָה בְּיִשְׂ׳ Jud. 18:19
מִמִּשְׁפָּחָה 12 אֶחָד מֵעִיר וּשְׁנַיִם מִמִּשְׁפָּחָה Jer. 3:14
מִשְׁפַּחַת־ 13 וְנִמְכַּר...אוֹ לְעֵקֶר מִשְׁפַּחַת גֵּר Lev. 25:47
14 בְּנֵי רְאוּבֵן...מִשְׁפַּחַת הַחֲנֹכִי Num. 26:5
15 לְפַלּוּא מִשְׁפַּחַת הַפַּלֻּאִי Num. 26:5
16 לְחֶצְרֹן מִשְׁפַּחַת הַחֶצְרוֹנִי Num. 26:6
17 לְכַרְמִי מִשְׁפַּחַת הַכַּרְמִי Num. 26:6
18-81 (לְ)...מִשְׁפַּחַת הַ... Num. 3:21, 27, 33
26:12³ 13² 15³, 16², 17², 20³, 21², 23², 24², 26³, 29², 30², 31², 32², 35³, 36, 38³, 39², 40², 42, 44³; 26:45², 48², 49², 57³, 58⁵
82 עַל־מַטֵּה מִשְׁפַּחַת אֲבִיהֶן Num. 36:12
83 וַיַּקְרֵב אֶת־מִשְׁפַּחַת יְהוּדָה Josh. 7:17
84 וַיִּלְכֹּד אֵת מִשְׁפַּחַת הַזַּרְחִי Josh. 7:17
85 וַיַּקְרֵב אֶת־מִשְׁפַּחַת הַזַּרְחִי Josh. 7:17
86 וְאֶל־כָּל־מִשְׁפַּחַת בֵּית־אֲבִי אִמּוֹ Jud. 9:1
87 וַתִּלָּכֵד מִשְׁפַּחַת הַמַּטְרִי ISh. 10:21
88 מִי אָנֹכִי...מִשְׁפַּחַת אָבִי בְּיִשְׂרָאֵל ISh. 18:18
89 מִשְׁפַּחַת בֵּית־דָּוִיד לְבָד Zech. 12:12
90 מִשְׁפַּחַת בֵּית־נָתָן לְבָד Zech. 12:12
91 מִשְׁפַּחַת בֵּית־לֵוִי לְבָד Zech. 12:13
92 מִשְׁפַּחַת הַשִּׁמְעִי לְבָד Zech. 12:13
93 וְאִם־מִשְׁפַּחַת מִצְרַיִם לֹא תַעֲלֶה Zech. 14:18
וּמִשְׁפַּחַת־ 94 וּמִשְׁפַּחַת הַשִּׁמְעִי Num. 3:21
95-98 וּמִשְׁפַּחַת הַ... Num. 3:27³, 33
לְמִשְׁפַּחַת־ 99 רָאשֵׁי...לְמִשְׁפַּחַת בְּנֵי־גִלְעָד Num. 36:1
100 לְמִשְׁפַּחַת מַטֵּה אֲבִיהֶם תִּהְיֶינָה Num. 36:6
101 לִבְנֵי אַהֲרֹן לְמִשְׁפַּחַת הַקְּהָתִי ICh. 6:39
102 לְמִשְׁפַּחַת לִבְנֵי־קְהָת הַנּוֹתָרִים ICh. 6:55
מִמִּשְׁפַּחַת־ 103 לְאֶחָד מִמִּשְׁפַּחַת מַטֵּה אָבִיהָ Num. 36:8
104-105 מִמִּשְׁפַּחַת הַדָּנִי Jud. 13:2; 18:11
106 מִמִּשְׁפַּחַת יְהוּדָה Jud. 17:7
107 אִישׁ יוֹצֵא מִמִּשְׁפַּחַת בֵּית־שָׁאוּל IISh. 16:5
108 אֱלִיהוּא...מִמִּשְׁפַּחַת רָם Job 32:2
109-110 מִמִּשְׁפַּחַת אֱלִימֶלֶךְ Ruth 2:1, 3
111 הַנּוֹתָרִים מִמִּשְׁפַּחַת הַמַּטֶּה ICh. 6:46
112 מִמִּשְׁפַּחַת חֲצִי מַטֵּה מְנַשֶּׁה ICh. 6:56
מִשְׁפַּחְתִּי 113 אֶל־בֵּית אָבִי וְאֶל־מִשְׁפַּחְתִּי Gen. 24:38
114 כִּי תָבוֹא אֶל־מִשְׁפַּחְתִּי Gen. 24:41
וּמִשְׁפַּחְתִּי 115 וּמִשְׁפַּחְתִּי הַצְּעִרָה מִכָּל־מִשְׁפְּחוֹת ISh. 9:21
מִמִּשְׁפַּחְתִּי 116 וְלָקַחְתָּ...מִמִּשְׁפַּחְתִּי וּמִבֵּית אָבִי Gen. 24:40
מִשְׁפַּחְתּוֹ 117 וְאִישׁ אֶל־מִשְׁפַּחְתּוֹ תָּשֻׁבוּ Lev. 25:10
118 וְשָׁב אֶל־מִשְׁפַּחְתּוֹ Lev. 25:41
119 לָמָּה...שֵׁם־אָבִינוּ מִתּוֹךְ מִשְׁפַּחְתּוֹ Num. 27:4
120 וְאֶת־כָּל־מִשְׁפַּחְתּוֹ שִׁלֵּחוּ Jud. 1:25
וּבְמִשְׁפַּחְתּוֹ 121 בָּאִישׁ הַהוּא וּבְמִשְׁפַּחְתּוֹ Lev. 20:5
וּלְמִשְׁפַּחְתּוֹ 122 אִישׁ לְשִׁבְטוֹ וּלְמִשְׁפַּחְתּוֹ Jud. 21:24
מִמִּשְׁפַּחְתּוֹ 123 מִשְּׁאֵר בְּשָׂרוֹ מִמִּשְׁפַּחְתּוֹ יִגְאָלֶנּוּ Lev. 25:49
124 לִשְׁאֵרוֹ הַקָּרֹב אֵלָיו מִמִּשְׁפַּחְתּוֹ Num. 27:11
מִשְׁפַּחְתָּם 125 וְכֹל מִשְׁפַּחְתָּם לֹא הִרְבּוּ עַד... ICh. 4:27
מִמִּשְׁפַּחְתָּם 126 וַיִּשְׁלְחוּ בְנֵי־דָן מִמִּשְׁפַּחְתָּם Jud. 18:2
וּמִמִּשְׁפַּחְתָּם 127 וּמִמִּשְׁפַּחְתָּם אֲשֶׁר עִמָּכֶם Lev. 25:45
מִשְׁפָּחוֹת 128 עַל־הַגּוֹיִם...וְעַל מִשְׁפָּחוֹת Jer. 10:25
129 וּפָקַדְתִּי עֲלֵיהֶם אַרְבַּע מִשְׁפָּחוֹת Jer. 15:3
130/1 מִשְׁפָּחוֹת מִשְׁפָּחוֹת לְבָד Zech. 12:12
132/3 מִשְׁפָּחָה מִשְׁפָּחָה לְבָד Zech. 12:14
134 וַיָּשֶׂם כַּצֹּאן מִשְׁפָּחוֹת Ps. 107:41
135 וּבוּז־מִשְׁפָּחוֹת יְחִתֵּנִי Job 31:34
וּמִשְׁפָּחוֹת 136 הַמֹּכֶרֶת...וּמִשְׁפָּחוֹת בִּכְשָׁפֶיהָ Nah. 3:4
הַמִּשְׁפָּחוֹת 137 שְׁתֵּי הַמִּשְׁפָּחוֹת אֲשֶׁר בָּחַר יְיָ Jer. 33:24
138 כֹּל הַמִּשְׁפָּחוֹת הַנִּשְׁאָרוֹת Zech. 12:14
לְמִשְׁפָּחוֹת 139 וְהָיָה הַשֵּׁבֶט...יִקְרַב לַמִּשְׁפָּחוֹת Josh. 7:14
לְמִשְׁפָּחוֹת 140 וָאַעֲמִיד אֶת־הָעָם לְמִשְׁפָּחוֹת Neh. 4:7
מִשְׁפְּחוֹת־ 141 וְאַחַר נָפֹצוּ מִשְׁפְּחוֹת הַכְּנַעֲנִי Gen. 10:18
142 אֵלֶּה מִשְׁפְּחֹת בְּנֵי־נֹחַ... Gen. 10:32
143/4 וְנִבְרְכוּ בְךָ כֹּל (כָּל־) מִשְׁפְּחֹת הָאֲדָמָה
Gen. 12:3; 28:14
145 אֵלֶּה מִשְׁפְּחֹת רְאוּבֵן Ex. 6:14
146 אֵלֶּה מִשְׁפְּחֹת שִׁמְעוֹן Ex. 6:15
147 אֵלֶּה מִשְׁפְּחֹת הַלֵּוִי לְתֹלְדֹתָם Ex. 6:19
148-166 (וְ)אֵלֶּה (הֵם) מִשְׁפְּחֹת... Ex. 6:24
Num. 3:20, 21, 27, 33; 26:7, 14, 18, 22, 25, 27; 26:34, 37, 42, 47, 50, 58 • ICh. 4:2; 6:4
167 מִשְׁפְּחֹת הַגֵּרְשֻׁנִּי...יַחֲנוּ יָמָּה Num. 3:23
168 מִשְׁפְּחֹת בְּנֵי־קְהָת יַחֲנוּ Num. 3:29
169-177 מִשְׁפְּחֹת... Num. 4:18
4:24, 28, 33, 37, 41, 42, 45; 26:43
178 מִכֹּל־מִשְׁפְּחוֹת שִׁבְטֵי בִנְיָמִן ISh. 9:21
179 לְכָל־מִשְׁפְּחוֹת מַמְלְכוֹת צָפוֹנָה Jer. 1:15
180 וְכָל־מִשְׁפְּחוֹת בֵּית יִשְׂרָאֵל Jer. 2:4
181 אֶת־כָּל־מִשְׁפְּחוֹת צָפוֹן Jer. 25:9
182 לְכֹל מִשְׁפְּחוֹת יִשְׂרָאֵל Jer. 30:25
183 מִכֹּל מִשְׁפְּחוֹת הָאֲדָמָה Am. 3:2
184 מֵאֵת מִשְׁפְּחוֹת הָאָרֶץ Zech. 14:17
185 כָּל־מִשְׁפְּחוֹת גּוֹיִם Ps. 22:28
186/7 הָבוּ לַייָ מִשְׁפְּחוֹת עַמִּים Ps. 96:7
ICh. 16:28
188 וַאֲחֵיהֶם לְכֹל מִשְׁפְּחוֹת יִשָּׂשכָר ICh. 7:5
וּמִשְׁפְּחוֹת־ 189 וּמִשְׁפְּחוֹת קִרְיַת יְעָרִים ICh. 2:53
190 וּמִשְׁפְּחוֹת סוֹפְרִים יֹשְׁבֵי יַעְבֵּץ... ICh. 2:55
191 וּמִשְׁפְּחֹת אֲחַרְחֵל בֶּן־הָרֻם ICh. 4:8
192 וּמִשְׁפְּחוֹת בֵּית־עֲבֹדַת הַבֻּץ ICh. 4:21
כְּמִשְׁפְּחוֹת־ 193 נִהְיֶה כַגּוֹיִם כְּמִשְׁפְּחוֹת הָאֲרָצוֹת
Ezek. 20:32
לְמִשְׁפְּחוֹת־ 194 וּנְשִׂיא...לְמִשְׁפְּחֹת הַקְּהָתִי Num. 3:30
195 וּנְשִׂיא...לְמִשְׁפְּחֹת מְרָרִי Num. 3:35
196 לְמִשְׁפְּחֹת מְנַשֶּׁה בֶן־יוֹסֵף Num. 27:1
197 וַיֵּצֵא הַגּוֹרָל לְמִשְׁפְּחֹת הַקְּהָתִי Josh. 21:4
198 לְמִשְׁפְּחוֹת בְּנֵי־קְהָת הַנּוֹתָרִים Josh. 21:26
וּלְמִשְׁפְּחוֹת־ 199 וּלְמִשְׁפְּחוֹת בְּנֵי־קְהָת הַלְוִיִּם Josh. 21:20
200 וּלְמִשְׁפְּחוֹת בְּנֵי־מְרָרִי הַלְוִיִּם Josh. 21:34
מִמִּשְׁפְּחוֹת־ 201 מִמִּשְׁפְּחַת בְּנֵי יוֹסֵף Num. 36:1
202 מִמִּשְׁפְּחֹת בְּנֵי־מְנַשֶּׁה Num. 36:12
203 מִמִּשְׁפְּחֹת מַטֵּה־אֶפְרַיִם Josh. 21:5
204 מִמִּשְׁפְּחֹת מַטֵּה־יִשָּׂשכָר Josh. 21:6
205 מִמִּשְׁפְּחוֹת הַקְּהָתִי מִבְּנֵי לֵוִי Josh. 21:10
206 וְלִבְנֵי גֵרְשׁוֹן מִמִּשְׁפְּחֹת הַלְוִיִּם Josh. 21:27
207 הַנּוֹתָרִים מִמִּשְׁפְּחוֹת הַלְוִיִּם Josh. 21:38
וּמִמִּשְׁפְּחוֹת־ 208 וּמִמִּשְׁפְּחוֹת בְּנֵי קְהָת ICh. 6:51
לְמִשְׁפְּחֹתָיו 209 אִישׁ לְמִשְׁפְּחֹתָיו עַל־בֵּית אֲבֹתָיו
Num. 2:34
210 בֹּכֶה לְמִשְׁפְּחֹתָיו אִישׁ לְפֶתַח... Num. 11:10
לְמִשְׁפְּחֹתָיו 211 אֶת־שֵׁבֶט בִּנְיָמִן לְמִשְׁפְּחֹתָו ISh. 10:21
(המשך) 212 וְאֶחָיו לְמִשְׁפְּחֹתָיו בְּהִתְיַחֵשׂ לְתֹלְדוֹתָם
ICh. 5:7
מִשְׁפְּחוֹתֶיהָ 213 וְאֵת כָּל־מִשְׁפְּחוֹתֶיהָ הוֹצִיאוּ Josh. 6:23
לְמִשְׁפְּחֹתֵיכֶם 214 מִשְׁכוּ...צֹאן לְמִשְׁפְּחֹתֵיכֶם Ex. 12:21
215 וְהִתְנַחַלְתֶּם...בְּגוֹרָל לְמִשְׁפְּחֹתֵיכֶם
Num. 33:54
מִשְׁפְּחוֹתָם 216 וַיִּתְיַלְדוּ עַל־מִשְׁפְּחֹתָם Num. 1:18
בְּמִשְׁפְּחוֹתֵיהֶם 217 שְׁלֹשׁ־עֶשְׂרֵה עִיר בְּמִשְׁפְּחוֹתֵיהֶם
ICh. 6:45
בְּמִשְׁפְּחוֹתָם 218 אֵלֶּה נְשִׂיאִים...בְּמִשְׁפְּחוֹתָם ICh. 4:38
לְמִשְׁפְּחֹתֵיהֶם 219 לְמִשְׁפְּחֹתֵיהֶם יָצְאוּ מִן־הַתֵּבָה
Gen. 8:19
220 לְמַטֵּה בְּנֵי בִנְיָמִן לְמִשְׁפְּחוֹתֵיהֶם Josh. 18:21
לְמִשְׁפְּחֹתָם 221 לְמִשְׁפְּחֹתָם בְּגוֹיֵהֶם Gen. 10:5
222 אֵלֶּה בְנֵי־חָם לְמִשְׁפְּחֹתָם Gen. 10:20
223 אֵלֶּה בְנֵי־שֵׁם לְמִשְׁפְּחֹתָם Gen. 10:31
224 שְׁמוֹת אַלּוּפֵי עֵשָׂו לְמִשְׁפְּחֹתָם Gen. 36:40
225 לִבְנִי וְשִׁמְעִי לְמִשְׁפְּחֹתָם Ex. 6:17
226 רָאשֵׁי אֲבוֹת הַלְוִיִּם לְמִשְׁפְּחֹתָם Ex. 6:25
227-245 לְמִשְׁפְּחֹתָם (וּ)לְבֵית אֲבֹתָם Num. 1:2
1:20, 22, 24, 26, 28, 30, 32, 34, 36, 38, 40, 42; 4:2, 29, 34, 40, 42, 46
246/7 לְבֵית אֲבֹתָם לְמִשְׁפְּחֹתָם Num. 3:15; 4:22
248 בְּנֵי־גֵרְשׁוֹן לְמִשְׁפְּחֹתָם Num. 3:18
249-291 (וּבְ/לִבְ)בְנֵי...לְמִשְׁפְּחֹתָם Num. 3:19, 20
26:12, 15, 20, 23, 26, 28, 35, 37, 38, 41, 42², 44, 48; 26:50, 57 • Josh. 13:15, 24, 28, 29; 15:1, 12, 20; 16:5, 8; 17:2²; 18:11, 28; 19:8, 10, 23, 31, 32, 39, 40, 48; 21:7, 38 • ICh. 6:47, 48
292 כָּל־פְּקוּדֵי הַלְוִיִּם...לְמִשְׁפְּחֹתָם Num. 3:39
293/4 וַיִּהְיוּ פְקֻדֵיהֶם לְמִשְׁפְּחֹתָם Num. 4:36, 44
295 לְמִשְׁפְּחוֹתָם וּלְבֵית אֲבֹתָם Num. 4:38
296 נַחֲלַת בְּנֵי־רְאוּבֵן לְמִשְׁפְּחוֹתָם Josh. 13:23
297-301 בְּנֵי־...לְמִשְׁפְּחֹ׳ Josh. 13:31; 19:1, 16, 17, 24
302 לִגְבוּלֹתֶיהָ סָבִיב לְמִשְׁפְּחֹתָם Josh. 18:20
303 כָּל־עָרֵי הַגֵּרְשֻׁנִּי לְמִשְׁפְּחֹתָם Josh. 21:33

מִשְׁפָּט ז׳ א) דין, ענין הנדון על־ידי שופט: 2, 5, 7, 9, 10, 15, 20, 51, 54־61, 68, 72, 73 (ועוד כ־80 מקראות!)
ב) פסק־דין: 24־26, 55, 63־65, 122, 206, 213, 215, 231, 232, 236, 249, 262־269, 271־273, 275, 281
ג) דין צדק, יושר, אמונה: 1, 6, 8, 11, 16־19, 27־29, 31־50, 52, 53, 62, 66, 67, 70, 71, 74, 75, 79, 96, 98, 104־114, 116, 124, 135, 161, 162, 182, 183, 189, 227, 240, 250, 251
ד) חוק, מצוה: 3, 4, 99־101, 119, 163, 164, 166־175, 177־181, 205, 208, 292, 300
ה) מנהג, דרך: 165, 176, 212, 218־221, 223־226, 228, 229, 233־235, 245, 253־257, 277־280, 283, 284, 289, 294, 295, 335, 347, 348, 421־424
ו) [מִשְׁפָּטִים] חוקים ומצוות:
רוב המקראות 307־424
ז) [כנ״ל] דברי תוכחה, עונשים: 302־306, 357

– מִשְׁפָּט וָחֶסֶד 62, 105, 110; מ׳ צֶדֶק 74, 96, 108, 109, 112, 113, 142, 161; מ׳ וּצְדָקָה 8, 11, 22, 27, 35־50, 98, 104, 107, 114, 116, 137, 138
– אֱמֶת וּמִשְׁפָּט 111; דִּין וּמ׳ 115; חֹק וּמ׳ 99, 101, 119, 205; רִיב וּמ׳ 102; תּוֹרָה וּמִשְׁפָּט 124
– מִשְׁפָּט כָּתוּב 76; מ׳ מְעֻקָּל 64

– אוּלָם הַמִּשְׁפָּט 127; אֱלֹהֵי הַמִּ׳ 19, 132; אֹרַח מִ׳ 23; אָרְחוֹת מִ׳ 77, 83; דְּבַר מִ׳ 97, 123; חֻקַּת מִ׳3, 4; חֹשֶׁן מִשְׁפָּט 121,120,2; מֹאזְנֵי מִ׳ 82; מְלֵאֲתִי מִ׳ 14; מְקוֹם הַמִּ׳ 133; נְתִיבוֹת מִ׳ 78; רוּחַ מִ׳ 15, 128; רְצוּץ מִ׳ 55; שׁוֹמְרֵי מִ׳ 72; שׂוֹנֵא מִשְׁפָּט 95

– חֻקִּים וּמִשְׁפָּטִים 308-310, 312, 318-325, 327,329-334, 336, 350-354, 367, 368, 378; חֻקּוֹת וּמִשְׁפָּטִים 406, 412-415, 418, 420

– מִשְׁפָּטִים טוֹבִים 390; מִ׳ יְשָׁרִים 307

– מִשְׁפְּטֵי הַגּוֹיִם 347, 348; מִ׳ יְיָ 339; מִ׳ נוֹאֲפוֹת 338; מִ׳ צֶדֶק 337, 340, 342-344; מִ׳ פִּיהוּ 341, 345, 346

– אֹרַח מִשְׁפָּטָיו 381

– אָהַב מִשְׁפָּט 32, 67, 71, 107; בָּחַר מִשְׁפָּט 93; גָּזַל מִ׳ 227; דִּבֶּר מִ׳ 12,20,68; דָּרַשׁ מִ׳ 13, 16; דָּן מִ׳ 51; הֵבִין מִ׳ 87,92,113; הוֹצִיא מִ׳ 24, 25; הִטָּה מִ׳ 5, 7, 207, 216, 217, 244; הֵלִיץ מִשְׁפָּט 84; הֵסִיר מִ׳ 267, 269; הֵפֵר מִ׳ 271; חָרַץ מִ׳ 275; נָתַן מִ׳ 251, 281; עִוֵּת מִ׳ 88, 94; עָרַךְ מִ׳ 89, 91; עָשָׂה מִ׳ 1,8,10, 11,33-35, 62, 66, 73-76, 85, 86, 98, 104, 114, 210, 222, 237, 265, 287, 288, 290; פָּעַל מִ׳ 280; צִוָּה מִ׳ 65; שָׂם מִ׳ 26,101; שָׁמַע מִ׳ 9; שָׁמַר מִ׳ 27, 72, 105; שָׁפַט מִ׳ 126, 211, 238, 239, 248, 250; תָּמַךְ מִ׳ 115; תִּעֵב מִשְׁפָּט 61

– בָּא (בְּ/בַּ)מִשְׁפָּט 136, 144, 157, 158; הֵבִיא בַּמִּשְׁפָּט 148, 149, 160

– עָמַד (לְ/לַ)מִשְׁפָּט 185, 190, 191

מִשְׁפָּט

1 הַשֹּׁפֵט...לֹא יַעֲשֶׂה מִשְׁפָּט Gen. 18:25
2 וְעָשִׂיתָ חֹשֶׁן מִשְׁפָּט Ex. 28:15
3 וְהָיְתָה לִבְ״יִ לְחֻקַּת מִשְׁפָּט Num. 27:11
4 לְחֻקַּת מִשְׁפָּט לְדֹרֹתֵיכֶם Num. 35:20
5 לֹא־תַטֶּה מִשְׁפָּט Deut. 16:19
6 כִּי כָל־דְּרָכָיו מִשְׁפָּט Deut. 32:4
7 וַיִּקְחוּ־שֹׁחַד וַיַּטּוּ מִשְׁפָּט ISh. 8:3
8 עֹשֶׂה מִשְׁפָּט וּצְדָקָה לְכָל־עַמּוֹ IISh. 8:15
9 וְשָׁאַלְתָּ לְּךָ לֵב הָבִין לִשְׁמֹעַ מִשְׁפָּט IK. 3:11
10 חָכְמַת אֱלֹ׳ בְּקִרְבּוֹ לַעֲשׂוֹת מִשְׁפָּט IK. 3:28
11 לַעֲשׂוֹת מִשְׁפָּט וּצְדָקָה IK. 10:9
12 וַיְדַבְּרוּ אִתּוֹ מִשְׁפָּט IIK. 25:6
13 לִמְדוּ הֵיטֵב דִּרְשׁוּ מִשְׁפָּט Is. 1:17
14 מְלֵאֲתִי מִשְׁפָּט צֶדֶק יָלִין בָּהּ Is. 1:21
15 בְּרוּחַ מִשְׁפָּט וּבְרוּחַ בָּעֵר Is. 4:4
16 שֹׁפֵט וְדֹרֵשׁ מִשְׁפָּט וּמְהִר צֶדֶק Is. 16:5
17 וּלְרוּחַ מִשְׁפָּט לַיּוֹשֵׁב עַל-הַמִּשְׁפָּט Is. 28:6
18 וְשַׂמְתִּי מִשְׁפָּט לְקָו Is. 28:17
19 כִּי־אֱלֹהֵי מִשְׁפָּט יְיָ Is. 30:18
20 וּבְדַבֵּר אֶבְיוֹן מִשְׁפָּט Is. 32:7
21 וְשָׁכַן בַּמִּדְבָּר מִשְׁפָּט Is. 32:16
22 מִלֵּא צִיּוֹן מִשְׁפָּט וּצְדָקָה Is. 33:5
23 וַיְלַמְּדֵהוּ בְּאֹרַח מִשְׁפָּט Is. 40:14
24 מִשְׁפָּט לַגּוֹיִם יוֹצִיא Is. 42:1
25 לֶאֱמֶת יוֹצִיא מִשְׁפָּט Is. 42:3
26 עַד־יָשִׂים בָּאָרֶץ מִשְׁפָּט Is. 42:4
27 שִׁמְרוּ מִשְׁפָּט וַעֲשׂוּ צְדָקָה Is. 56:1
28 וְאֵין מִשְׁפָּט בְּמַעְגְּלֹתָם Is. 59:8
29 עַל־כֵּן רָחַק מִשְׁפָּט מִמֶּנּוּ Is. 59:9
30 וְהֻסַּג אָחוֹר מִשְׁפָּט Is. 59:14
31 וַיַּרְא יְיָ...כִּי־אֵין מִשְׁפָּט Is. 59:15
32 כִּי אֲנִי יְיָ אֹהֵב מִשְׁפָּט Is. 61:8
33 אִם־יֵשׁ עֹשֶׂה מִשְׁפָּט מְבַקֵּשׁ אֱמוּנָה Jer. 5:1

מִשְׁפָּט (המשך)

34 אִם־עָשׂוֹ תַעֲשׂוּ מִשְׁפָּט Jer. 7:5
35 עֹשֶׂה חֶסֶד מִשְׁפָּט וּצְדָקָה בָּאָרֶץ Jer. 9:23
36-50 מִשְׁפָּט וּצְדָקָה Jer. 22:3, 15
23:5; 33:15 • Ezek. 18:5, 19, 21, 27; 33:14, 15, 16;
33:19 • Ps. 99:4 • ICh. 18:14 • IICh. 9:8
51 דִּינוּ לַבֹּקֶר מִשְׁפָּט Jer. 21:12
52 הוֹי בֹּנֶה...וַעֲלִיּוֹתָיו בְּלֹא מִשְׁפָּט Jer. 22:13
53 וְאֶת־הַגֵּר עָשְׁקוּ בְּלֹא מִשְׁפָּט Ezek. 22:29
54 וְנָתַתִּי לִפְנֵיהֶם מִשְׁפָּט וּשְׁפָטוּךְ Jer. 23:24
55 עָשׁוּק אֶפְרַיִם רְצוּץ מִשְׁפָּט Hosh. 5:11
56 וּפָרַח כָּרֹאשׁ מִשְׁפָּט Hosh. 10:4
57 הַהֹפְכִים לְלַעֲנָה מִשְׁפָּט Am. 5:7
58 וְהַצִּיגוּ בַשַּׁעַר מִשְׁפָּט Am. 5:15
59 וְיִגַּל כַּמַּיִם מִשְׁפָּט Am. 5:24
60 כִּי־הֲפַכְתֶּם לְרֹאשׁ מִשְׁפָּט Am. 6:12
61 הַמְתַעֲבִים מִשְׁפָּט Mic. 3:9
62 עֲשׂוֹת מִשְׁפָּט וְאַהֲבַת חֶסֶד Mic. 6:8
63 וְלֹא־יֵצֵא לָנֶצַח מִשְׁפָּט Hab. 1:4
64 עַל־כֵּן יֵצֵא מִשְׁפָּט מְעֻקָּל Hab. 1:4
65 וְעוּרָה אֵלַי מִשְׁפָּט צִוִּיתָ Ps. 7:7
66 נוֹדַע יְיָ מִשְׁפָּט עָשָׂה Ps. 9:17
67 כִּי יְיָ אֹהֵב מִשְׁפָּט Ps. 37:28
68 וּלְשׁוֹנוֹ תְּדַבֵּר מִשְׁפָּט Ps. 37:30
69 מִשְׁפָּט לֵאלֹהֵי יַעֲקֹב Ps. 81:5
70 כִּי־עַד־צֶדֶק יָשׁוּב מִשְׁפָּט Ps. 94:15
71 וְעֹז מֶלֶךְ מִשְׁפָּט אָהֵב Ps. 99:4
72 אַשְׁרֵי שֹׁמְרֵי מִשְׁפָּט Ps. 106:3
73 מָתַי תַּעֲשֶׂה בְרֹדְפַי מִשְׁפָּט Ps. 119:84
74 עָשִׂיתִי מִשְׁפָּט וָצֶדֶק Ps. 119:121
75 עֹשֶׂה מִשְׁפָּט לָעֲשׁוּקִים Ps. 146:7
76 לַעֲשׂוֹת בָּהֶם מִשְׁפָּט כָּתוּב Ps. 149:19
77 לִנְצֹר אָרְחוֹת מִשְׁפָּט Prov. 2:8
78 בְּתוֹךְ נְתִיבוֹת מִשְׁפָּט Prov. 8:20
79 מַחְשְׁבוֹת צַדִּיקִים מִשְׁפָּט Prov. 12:5
80 וְיֵשׁ נִסְפֶּה בְּלֹא מִשְׁפָּט Prov. 13:23
81 טוֹב...מֵרֹב תְּבוּאוֹת בְּלֹא מִשְׁפָּט Prov. 16:8
82 פֶּלֶס וּמֹאזְנֵי מִשְׁפָּט לַייָ Prov. 16:11
83 ...לְהַטּוֹת אָרְחוֹת מִשְׁפָּט Prov. 17:23
84 עֵד בְּלִיַּעַל יָלִיץ מִשְׁפָּט Prov. 19:28
85 כִּי מֵאֲנוּ לַעֲשׂוֹת מִשְׁפָּט Prov. 21:7
86 שִׂמְחָה לַצַּדִּיק עֲשׂוֹת מִשְׁפָּט Prov. 21:15
87 אַנְשֵׁי־רָע לֹא־יָבִינוּ מִשְׁפָּט Prov. 28:5
88 הָאֵל יְעַוֵּת מִשְׁפָּט Job 8:3
89 הִנֵּה־נָא עָרַכְתִּי מִשְׁפָּט Job 13:18
90 אֲשַׁוַּע וְאֵין מִשְׁפָּט Job 19:7
91 אֶעֶרְכָה לְפָנָיו מִשְׁפָּט Job 23:4
92 וּזְקֵנִים יָבִינוּ מִשְׁפָּט Job 32:9
93 מִשְׁפָּט נִבְחֲרָה־לָּנוּ Job 34:4
94 וְשַׁדַּי לֹא־יְעַוֵּת מִשְׁפָּט Job 34:12
95 הַאַף שׂוֹנֵא מִשְׁפָּט יַחֲבוֹשׁ Job 34:17
96 אִם־עֹשֶׁק רָשׁ וְגֵזֶל מִשְׁפָּט וָצֶדֶק... Eccl. 5:7
97 וְעִמָּכֶם בִּדְבַר מִשְׁפָּט IICh. 19:6

וּמִשְׁפָּט

98 לַעֲשׂוֹת צְדָקָה וּמִשְׁפָּט Gen. 18:19
99 שָׂם שָׂם לוֹ חֹק וּמִשְׁפָּט Ex. 15:25
100 תּוֹרָה אַחַת וּמִשְׁפָּט אֶחָד Num. 15:16
101 וַיָּשֶׂם לוֹ חֹק וּמִשְׁפָּט בִּשְׁכֶם Josh. 24:25
102 אֲשֶׁר־יִהְיֶה־לּוֹ רִיב־וּמִשְׁפָּט IISh. 15:4
103 וּמִשְׁפָּט בָּא אֶל־אֶרֶץ הַמִּישֹׁר Jer. 48:21
104 וּמִשְׁפָּט וּצְדָקָה עֲשׂוּ Ezek. 45:9
105 חֶסֶד וּמִשְׁפָּט שְׁמֹר Hosh. 12:7
106 רוּחַ יְיָ וּמִשְׁפָּט וּגְבוּרָה Mic. 3:8
107 אֹהֵב צְדָקָה וּמִשְׁפָּט Ps. 33:5

וּמִשְׁפָּט (המשך)

108 צֶדֶק וּמִשְׁפָּט מְכוֹן כִּסְאֶךָ Ps. 89:15
109 צֶדֶק וּמִשְׁפָּט מְכוֹן כִּסְאוֹ Ps. 97:2
110 חֶסֶד־וּמִשְׁפָּט אָשִׁירָה Ps. 101:1
111 מַעֲשֵׂי יָדָיו אֱמֶת וּמִשְׁפָּט Ps. 111:7
112 לָקַחַת...צֶדֶק וּמִשְׁפָּט וּמֵשָׁרִים Prov. 1:3
113 אָז תָּבִין צֶדֶק וּמִשְׁפָּט וּמֵישָׁרִים Prov. 2:9
114 עֲשֹׂה צְדָקָה וּמִשְׁפָּט נִבְחָר לַייָ... Prov. 21:3
115 דִּין וּמִשְׁפָּט יִתְמֹכוּ Job 36:17
116 וּמִשְׁפָּט וְרֹב צְדָקָה לֹא יְעַנֶּה Job 37:23
117 וְעֵת וּמִשְׁפָּט יֵדַע לֵב חָכָם Eccl. 8:5
118 לְכָל־חֵפֶץ יֵשׁ עֵת וּמִשְׁפָּט Eccl. 8:6
119 וּלְלַמֵּד בְּיִשְׂרָאֵל חֹק וּמִשְׁפָּט Ez. 7:10

הַמִּשְׁפָּט

120 וְנָשָׂא...בְּחֹשֶׁן הַמִּשְׁפָּט עַל־לִבּוֹ Ex. 28:29
121 וְנָתַתָּ אֶל־חֹשֶׁן הַמִּשְׁפָּט Ex. 28:30
122 כִּי הַמִּשְׁפָּט לֵאלֹהִים הוּא Deut. 1:17
123 וְהִגִּידוּ לְךָ אֵת דְּבַר הַמִּשְׁפָּט Deut. 17:9
124 עַל־פִּי הַתּוֹרָה...וְעַל־הַמִּשְׁפָּט Deut. 17:11
125 וְנִגְּשׁוּ אֶל־הַמִּשְׁפָּט וּשְׁפָטוּם Deut. 25:1
126 אֶת־הַמִּשְׁפָּט אֲשֶׁר שָׁפַט הַמֶּלֶךְ IK. 3:28
127 וְאוּלָם הַכִּסֵּא...אֻלָם הַמִּשְׁפָּט עָשָׂה IK. 7:7
128 וּלְרוּחַ מִשְׁפָּט לַיּוֹשֵׁב עַל-הַמִּשְׁפָּט Is. 28:6
129 עַד־בֹּא אֲשֶׁר־לוֹ הַמִּשְׁפָּט Ezek. 21:32
130 שִׁמְעוּ־זֹאת...כִּי לָכֶם הַמִּשְׁפָּט Hosh. 5:1
131 הֲלוֹא לָכֶם לָדַעַת אֶת־הַמִּשְׁפָּט Mic. 3:1
132 אוֹ אַיֵּה אֱלֹהֵי הַמִּשְׁפָּט Mal. 2:17
133 מְקוֹם הַמִּשְׁפָּט שָׁמָּה הָרֶשַׁע Eccl. 3:16

בְּמִשְׁפָּט

134 וְתֹאחֵז בְּמִשְׁפָּט יָדִי Deut. 32:41
135 צִיּוֹן בְּמִשְׁפָּט תִּפָּדֶה Is. 1:27
136 יְיָ בְּמִשְׁפָּט יָבוֹא עִם־זִקְנֵי עַמּוֹ Is. 3:14
137 וּלְסַעֲדָהּ בְּמִשְׁפָּט וּבִצְדָקָה Is. 9:6
138 וְנִשְׁבַּעְתָּ...בֶּאֱמֶת בְּמִשְׁפָּט וּבִצְדָקָה Jer. 4:2
139 יַסְּרֵנִי יְיָ אַךְ בְּמִשְׁפָּט Jer. 10:24
140 עֹשֶׂה עֹשֶׁר וְלֹא בְמִשְׁפָּט Jer. 17:11
141 אֶרְעֶנָּה בְמִשְׁפָּט Ezek. 34:16
142 יָדִין עַמְּךָ בְצֶדֶק וַעֲנִיֶּיךָ בְמִשְׁפָּט Ps. 72:2
143 יְכַלְכֵּל דְּבָרָיו בְּמִשְׁפָּט Ps. 112:5
144 וְאַל-תָּבוֹא בְמִשְׁפָּט אֶת-עַבְדֶּךָ Ps. 143:2
145 בְּמִשְׁפָּט לֹא יִמְעַל־פִּיו Prov. 16:10
146 הַכֵּר־פָּנִים בְּמִשְׁפָּט בַּל־טוֹב Prov. 24:23
147 מֶלֶךְ בְּמִשְׁפָּט יַעֲמִיד אָרֶץ Prov. 29:4
148 וְאֹתִי תָבִיא בְמִשְׁפָּט עִמָּךְ Job 14:3
149 אֶת־כָּל־מַעֲשֶׂה הָאֱלֹהִים יָבִא בְמִשְׁפָּט Eccl. 12:14

בַּמִּשְׁפָּט

150/1 לֹא־תַעֲשׂוּ עָוֶל בַּמִּשְׁפָּט Lev. 19:15, 35
152 לֹא־תַכִּירוּ פָנִים בַּמִּשְׁפָּט Deut. 1:17
153 וַיִּגְבַּהּ יְיָ צְבָאוֹת בַּמִּשְׁפָּט Is. 5:16
154 לֹא־יָקֻמוּ רְשָׁעִים בַּמִּשְׁפָּט Ps. 1:5
155 יַדְרֵךְ עֲנָוִים בַּמִּשְׁפָּט Ps. 25:9
156 לְהַטּוֹת צַדִּיק בַּמִּשְׁפָּט Prov. 18:5
157 נָבוֹא יַחְדָּו בַּמִּשְׁפָּט Job 9:32
158 יָבוֹא עִמְּךָ בַּמִּשְׁפָּט Job 22:4
159 לַהֲלֹךְ אֶל־אֵל בַּמִּשְׁפָּט Job 34:23
160 עַל־כָּל־אֵלֶּה יְבִיאֲךָ...בַּמִּשְׁפָּט Eccl. 11:9

וּבְמִשְׁפָּט

161 וְאֵרַשְׂתִּיךְ לִי בְּצֶדֶק וּבְמִשְׁפָּט... Hosh. 2:21

כְּמִשְׁפָּט

162 כְּמִשְׁפָּט לְאֹהֲבֵי שְׁמֶךָ Ps. 119:132
163 וְעֹלַת יוֹם בְּיוֹם בְּמִסְפָּר כְּמִשְׁפָּט Ez. 3:4
164 בְּמִסְפָּר כְּמִשְׁפָּט עֲלֵיהֶם תָּמִיד ICh. 23:31

כַּמִּשְׁפָּט

165 כַּמִּשְׁפָּט הָרִאשׁוֹן אֲשֶׁר הָיִיתָ מַשְׁקֵהוּ Gen. 40:13
166 כַּמִּשְׁפָּט הַזֶּה יֵעָשֶׂה לּוֹ Ex. 21:31
167 וְאֶת־הַשֵּׁנִי יַעֲשֶׂה עֹלָה כַּמִּשְׁפָּט Lev. 5:10
168 וַיַּקְרֵב...הָעֹלָה וַיַּעֲשֶׂהָ כַּמִּשְׁפָּט Lev. 9:16

כַּמִּשְׁפָּט (המשך)
169 וּמִנְחָתוֹ וְנִסְכּוֹ כַּמִּשְׁפָּט Num. 15:24
175-170 וְלַכְּבָשִׂים בְּמִסְפָּרָם כַּמִּשְׁפָּט
Num. 29:18, 21, 24, 27, 30, 37
176 וַיָּסֹבּוּ אֶת־הָעִיר כַּמִּשְׁפָּט הַזֶּה Josh. 6:15
177 עֹמֵד עַל־הָעַמּוּד כַּמִּשְׁפָּט IIK. 11:14
178 וּבַיּוֹם הַשְּׁמִינִי עֲצֶרֶת כַּמִּשְׁפָּט Neh. 8:18
179 כִּי־לֹא דְרַשְׁנֻהוּ כַּמִּשְׁפָּט ICh. 15:13
180 וְאֶת־הַמְּנֹרוֹת...לְבַעֲרָם כַּמִּשְׁפָּט IICh. 4:20
181 וַיְבַשְּׁלוּ הַפֶּסַח בָּאֵשׁ כַּמִּשְׁפָּט IICh. 35:13
לְמִשְׁפָּט 182 וַיְקַו לְמִשְׁפָּט וְהִנֵּה מִשְׂפָּח Is. 5:7
183 וּלְשָׂרִים לְמִשְׁפָּט יָשֹׂרוּ Is. 32:1
184 וְעַל־עַם חֶרְמִי לְמִשְׁפָּט Is. 34:5
185 וְעַל־רִיב הֵמָּה יַעַמְדוּ לְמִשְׁפָּט
(כת׳ לשפט) Ezek. 44:24
186 יְיָ לְמִשְׁפָּט שַׂמְתּוֹ Hab. 1:12
187 כִּי שָׁמָּה יָשְׁבוּ כִסְאוֹת לְמִשְׁפָּט Ps. 122:5
188 וְאִם־לְמִשְׁפָּט מִי יוֹעִידֵנִי Job 9:19
189 הֲזֹאת חָשַׁבְתָּ לְמִשְׁפָּט Job 35:2
לַמִּשְׁפָּט 190/1 עַד־עָמְדוֹ לִפְנֵי הָעֵדָה לַמִּשְׁפָּט
Num. 35:12 • Josh. 20:6
192 כִּי יִפָּלֵא מִמְּךָ דָבָר לַמִּשְׁפָּט Deut. 17:8
193 וַיַּעֲלוּ אֵלֶיהָ בְּ״יְ לַמִּשְׁפָּט Jud. 4:5
194 לָבוֹא אֶל־הַמֶּלֶךְ לַמִּשְׁפָּט IISh. 15:2
195 אֲשֶׁר־יָבֹאוּ לַמִּשְׁפָּט אֶל־הַמֶּלֶךְ IISh. 15:6
196 וְיִסְּרוֹ לַמִּשְׁפָּט אֱלֹהָיו יוֹרֶנּוּ Is. 28:26
197 יַחְדָּו לַמִּשְׁפָּט נִקְרָבָה Is. 41:1
198 וְכָל־לָשׁוֹן תָּקוּם־אִתָּךְ לַמִּשְׁפָּט Is. 54:17
199 נְקַוֶּה לַמִּשְׁפָּט וָאַיִן Is. 59:11
200/1 וְיִסַּרְתִּיךָ לַמִּשְׁפָּט Jer. 30:11; 46:28
202 וְקָרַבְתִּי אֲלֵיכֶם לַמִּשְׁפָּט Mal. 3:5
203 כּוֹנֵן לַמִּשְׁפָּט כִּסְאוֹ Ps. 9:8
204 בְּקוּם־לַמִּשְׁפָּט אֱלֹהִים Ps. 76:10
וּלְמִשְׁפָּט 205 וַיְשִׂמֶהָ לְחֹק וּלְמִשְׁפָּט לְיִשְׂרָאֵל ISh. 30:25
וּמִמִּשְׁפָּט 206 מֵעֹצֶר וּמִמִּשְׁפָּט לֻקָּח Is. 53:8
מִשְׁפַּט־ 207 לֹא תַטֶּה מִשְׁפַּט אֶבְיֹנְךָ בְּרִיבוֹ Ex. 23:6
208 וְנָשָׂא...אֶת־מִשְׁפַּט בְּ״יְ עַל־לִבּוֹ Ex. 28:30
209 מִשְׁפַּט אֶחָד יִהְיֶה לָכֶם Lev. 24:22
210 עֹשֶׂה מִשְׁפַּט יָתוֹם וְאַלְמָנָה Deut. 10:18
211 וְשָׁפְטוּ אֶת־הָעָם מִשְׁפַּט־צֶדֶק Deut. 16:18
212 יִהְיֶה מִשְׁפַּט הַכֹּהֲנִים מֵאֵת הָעָם Deut. 18:3
213 וְלוֹ אֵין מִשְׁפַּט־מָוֶת Deut. 19:6
214 לוֹ מִשְׁפַּט הַבְּכֹרָה Deut. 21:17
215 וְכִי־יִהְיֶה בְאִישׁ חֵטְא מִשְׁפַּט־מָוֶת...
Deut. 21:22
216 לֹא תַטֶּה מִשְׁפַּט גֵּר יָתוֹם Deut. 24:17
217 אָרוּר מַטֶּה מִשְׁפַּט גֵּר־יָתוֹם Deut. 27:19
218 מַה־יִּהְיֶה מִשְׁפַּט הַנַּעַר וּמַעֲשֵׂהוּ Jud. 13:12
219 וְהִגַּדְתָּ לָהֶם מִשְׁפַּט הַמֶּלֶךְ ISh. 8:9
220 זֶה יִהְיֶה מִשְׁפַּט הַמֶּלֶךְ ISh. 8:11
221 וַיְדַבֵּר...אֵת מִשְׁפַּט הַמְּלֻכָה ISh. 10:25
222 לַעֲשׂוֹת מִשְׁפַּט עַבְדּוֹ IK. 8:59
223 מֶה מִשְׁפַּט הָאִישׁ אֲשֶׁר עָלָה IIK. 1:7
226-224 מִשְׁפַּט אֱלֹהֵי הָאָרֶץ IIK. 17:26[2], 27
227 וְלִגְזֹל מִשְׁפַּט עֲנִיֵּי עַמִּי Is. 10:2
228/9 דֶּרֶךְ יְיָ מִשְׁפַּט אֱלֹהֵיהֶם Jer. 5:4, 5
230 וְעַמִּי לֹא יָדְעוּ אֵת מִשְׁפַּט יְיָ Jer. 8:7
231 מִשְׁפַּט־מָוֶת לָאִישׁ הַזֶּה Jer. 26:11
232 אֵין־לָאִישׁ הַזֶּה מִשְׁפַּט־מָוֶת Jer. 26:16
233 כִּי לְךָ מִשְׁפַּט הַגְּאֻלָּה לִקְנוֹת Jer. 32:7
234 כִּי לְךָ מִשְׁפַּט הַיְרֻשָּׁה Jer. 32:8
235 עַד־הֵנָּה מִשְׁפַּט מוֹאָב Jer. 48:47
236 כִּי הָאָרֶץ מָלְאָה מִשְׁפַּט דָּמִים Ezek. 7:23

מִשְׁפַּט־ (המשך)
237 מִשְׁפַּט אֱמֶת יַעֲשֶׂה בֵּין אִישׁ לְאִישׁ Ezek. 18:8
238 יִשְׁפְּטוּ אוֹתְהֶם מִשְׁפַּט נֹאֲפוֹת Ezek. 23:45
239 מִשְׁפַּט אֱמֶת שְׁפֹטוּ Zech. 7:9
240 וּלְעוֹלָם כָּל־מִשְׁפַּט צִדְקֶךָ Ps. 119:160
241 דִּין עָנִי מִשְׁפַּט אֶבְיֹנִים Ps. 140:13
242 וּמֵיְיָ מִשְׁפַּט־אִישׁ Prov. 29:26
243 אִם־אֶמְאַס מִשְׁפַּט עַבְדִּי וַאֲמָתִי Job 31:13
244 לְהַטּוֹת מִשְׁפַּט־גָּבֶר נֶגֶד פְּנֵי עֶלְיוֹן Lam. 3:35
וּמִשְׁפַּט־ 245 וּמִשְׁפַּט הַכֹּהֲנִים אֶת־הָעָם ISh. 2:13
246 מִשְׁפַּט עַבְדּוֹ וּמִשְׁפַּט עַמּוֹ יִשְׂרָאֵל IK. 8:59
247 וּמִשְׁפַּט אֱלֹהָיו לֹא עָזָב Is. 58:2
248 וּמִשְׁפַּט אֶבְיוֹנִים לֹא שָׁפָטוּ Jer. 5:28
249 וּמִשְׁפַּט שֹׁפְכוֹת דָּם Ezek. 23:45
250 אֱמֶת וּמִשְׁפַּט שָׁלוֹם שִׁפְטוּ Zech. 8:16
251 וּמִשְׁפַּט עֲנִיִּים יִתֵּן Job 36:6
בְּמִשְׁפַּט־ 252 וְשָׁאַל לוֹ בְּמִשְׁפַּט הָאוּרִים Num. 27:21
כְּמִשְׁפַּט־ 253 כְּמִשְׁפַּט הַבָּנוֹת יַעֲשֶׂה־לָּהּ Ex. 21:9
254 כְּמִשְׁפַּט צִדֹנִים שֹׁקֵט וּבֹטֵחַ Jud. 18:7
255 הָיוּ עֹבְדִים כְּמִשְׁפַּט הַגּוֹיִם IIK. 17:33
256 כְּמִשְׁפַּט דְּבַר יוֹם בְּיוֹמוֹ Ez. 3:4
257 וַיַּעֲמֵד כְּמִשְׁפַּט דָּוִיד־אָבִיו IICh. 8:14
לְמִשְׁפַּט־ 258 הֶעֱמִיד...לְמִשְׁפַּט יְיָ וְלָרִיב IICh. 19:8
מִשְׁפָּטִי 259 וּמֵאֱלֹהַי מִשְׁפָּטִי יַעֲבוֹר Is. 40:27
260 אָכֵן מִשְׁפָּטִי אֶת־יְיָ Is. 49:4
261 מִי־בַעַל מִשְׁפָּטִי יִגַּשׁ אֵלָי Is. 50:8
262 וְרָאוּ...אֶת־מִשְׁפָּטִי אֲשֶׁר עָשִׂיתִי Ezek. 39:21
263 יָרִיב רִיבִי וְעָשָׂה מִשְׁפָּטִי Mic. 7:9
264 כִּי מִשְׁפָּטִי לֶאֱסֹף גּוֹיִם Zep. 3:8
265 כִּי־עָשִׂיתָ מִשְׁפָּטִי וְדִינִי Ps. 9:5
266 מִלְּפָנֶיךָ מִשְׁפָּטִי יֵצֵא Ps. 17:2
267 חַי־אֵל הֵסִיר מִשְׁפָּטִי Job 27:2
268 כִּמְעִיל וְצָנִיף מִשְׁפָּטִי Job 29:14
269 צָדַקְתִּי וְאֵל הֵסִיר מִשְׁפָּטִי Job 34:5
270 עַל־מִשְׁפָּטִי אֲכַזֵּב Job 34:6
271 הַאַף תָּפֵר מִשְׁפָּטִי Job 40:8
272 רָאִיתָה יְיָ עַוָּתָתִי שָׁפְטָה מִשְׁפָּטִי Lam. 3:59
וּמִשְׁפָּטִי 273 וּמִשְׁפָּטִי לְאוֹר עַמִּים אַרְגִּיעַ Is. 51:4
לְמִשְׁפָּטִי 274 הָעִירָה וְהָקִיצָה לְמִשְׁפָּטִי Ps. 35:23
מִשְׁפָּטֶךָ 275 כֵּן מִשְׁפָּטֶךָ אַתָּה חָרָצְתָּ IK. 20:40
וּמִשְׁפָּטֶךָ 276 וְהוֹצִיא...וּמִשְׁפָּטֶךָ כַּצָּהֳרָיִם Ps. 37:6
מִשְׁפָּטוֹ 277 כֹּה־עָשָׂה דָוִד וְכֹה מִשְׁפָּטוֹ ISh. 27:11
278 וְאַרְמוֹן עַל־מִשְׁפָּטוֹ יֵשֵׁב Jer. 30:18
279 מִמֶּנּוּ מִשְׁפָּטוֹ וּשְׂאֵתוֹ יֵצֵא Hab. 1:7
280 אֲשֶׁר מִשְׁפָּטוֹ פָּעָלוּ Zep. 2:3
281 בַּבֹּקֶר בַּבֹּקֶר מִשְׁפָּטוֹ יִתֵּן לָאוֹר Zep. 3:5
282 וּמֵיְיָ כָּל־מִשְׁפָּטוֹ Prov. 16:33
כְּמִשְׁפָּטוֹ 283 כְּמִשְׁפָּטוֹ אֲשֶׁר הָרְאֵיתָ בָּהָר Ex. 26:30
284 אֲשֶׁר יִהְיֶה־שָּׁם אִישׁ כְּמִשְׁפָּטוֹ IK. 5:8
וּכְמִשְׁפָּטוֹ 285 כְּחֻקַּת הַפֶּסַח וּכְמִשְׁפָּטוֹ Num. 9:14
מִשְׁפָּטָהּ 286 כִּי־נָגַע אֶל־הַשָּׁמַיִם מִשְׁפָּטָהּ Jer. 51:9
מִשְׁפָּטָם 287/8 וְשָׁמַעְתָּ...וְעָשִׂיתָ מִשְׁפָּטָם IK. 8:45, 49
289 אֲשֶׁר־אֵין מִשְׁפָּטָם לִשְׁתּוֹת הַכּוֹס Jer. 49:12
290/1 וְשָׁמַעְתָּ...וְעָשִׂיתָ מִשְׁפָּטָם IICh. 6:35, 39
כְּמִשְׁפָּטָם 292 וְנִסְכֵּיהֶם כְּמִשְׁפָּטָם Num. 29:6
293 לַפָּרִים...בְּמִסְפָּרָם כְּמִשְׁפָּטָם Num. 29:33
294 וַיִּתְגֹּדְדוּ כְּמִשְׁפָּטָם בַּחֲרָבוֹת IK. 18:28
295 כְּמִשְׁפָּטָם הָרִאשׁוֹן הֵם עֹשִׂים IIK. 17:40
296 וַיַּעַמְדוּ כְמִשְׁפָּטָם עַל־עֲבוֹדָתָם ICh. 6:17
297 לָבוֹא לְבֵית־יְיָ כְּמִשְׁפָּטָם ICh. 24:19
298 מְנֹרוֹת הַזָּהָב עֶשֶׂר כְּמִשְׁפָּטָם IICh. 4:7
299 וַיַּעַמְדוּ עַל־עָמְדָם כְּמִשְׁפָּטָם IICh. 30:16
וּכְמִשְׁפָּטָם 300 אֵינָם עֹשִׂים כְּחֻקֹּתָם וּכְמִשְׁפָּטָם IIK. 17:34

מִשְׁפָּטָן 301 וַיַּקְרֵב מֹשֶׁה אֶת־מִשְׁפָּטָן לִפְנֵי יְיָ Num. 27:5
מִשְׁפָּטִים 302 גַּם־אֲנִי אֲדַבֵּר מִשְׁפָּטִים אוֹתָם Jer. 4:12
303 אַךְ מִשְׁפָּטִים אֲדַבֵּר אוֹתָךְ Jer. 12:1
304/5 וַיְדַבֵּר אִתּוֹ מִשְׁפָּטִים Jer. 39:5; 52:9
306 וְעָשִׂיתִי בְתוֹכֵךְ מִשְׁפָּטִים Ezek. 5:8
307 מִשְׁפָּטִים יְשָׁרִים וְתוֹרוֹת אֱמֶת Neh. 9:13
וּמִשְׁפָּטִים 308 לִמַּדְתִּי אֶתְכֶם חֻקִּים וּמִשְׁפָּטִים Deut. 4:5
309 חֻקִּים וּמִשְׁפָּטִים צַדִּיקִם Deut. 4:8
310 לְלַמֵּד אֶתְכֶם חֻקִּים וּמִשְׁפָּטִים Deut. 4:14
311 וּמִשְׁפָּטִים לֹא יִחְיוּ בָּהֶם Ezek. 20:25
312 צִוִּיתִי אוֹתוֹ...חֻקִּים וּמִשְׁפָּטִים Mal. 3:22
313 וּמִשְׁפָּטִים לְכָל־עֲשׁוּקִים Ps. 103:6
314 וּמִשְׁפָּטִים בַּל־יְדָעוּם Ps. 147:20
הַמִּשְׁפָּטִים 315 וְאֵלֶּה הַמִּשְׁפָּטִים אֲשֶׁר תָּשִׂים... Ex. 21:1
316 וַיְסַפֵּר לָעָם...וְאֵת כָּל־הַמִּשְׁפָּטִים Ex. 24:3
317 וְשָׁפְטוּ...עַל הַמִּשְׁפָּטִים הָאֵלֶּה Num. 35:24
318 שְׁמַע אֶל־הַחֻקִּים וְאֶל־הַמִּשְׁפָּטִים Deut. 4:1
325-319 (וְ)אֶת־הַחֻקִּים(...)(וְ)אֶת־הַמִּשְׁפָּטִים
Deut. 5:1; 7:11; 11:32; 26:16 • IIK. 17:37 • Neh. 1:7 • ICh. 22:13(12)
326 תִּשְׁמְעוּן אֵת הַמִּשְׁפָּטִים הָאֵלֶּה Deut. 7:12
וְהַמִּשְׁפָּטִים 327 הַחֻקִּים וְהַמִּשְׁפָּטִים וְהַתּוֹרֹת Lev. 26:46
328 אֵלֶּה הַמִּצְוֹת וְהַמִּשְׁפָּטִים Num. 36:13
329 אֵלֶּה הָעֵדֹת וְהַחֻקִּים וְהַמִּשְׁפָּטִים Deut. 4:45
334-330 (וְ)הַחֻקִּים וְהַמִּשְׁפָּטִים Deut. 5:28
6:1, 20; 12:1 • IICh. 33:8
כַּמִּשְׁפָּטִים 335 הֵם עֹשִׂים כַּמִּשְׁפָּטִים הָרִאשֹׁנִים IIK. 17:34
וּלְמִשְׁפָּטִים 336 לְמִצְוָה לְחֻקִּים וּלְמִשְׁפָּטִים IICh. 19:10
מִשְׁפְּטֵי־ 337 יִשְׁאָלוּנִי מִשְׁפְּטֵי־צֶדֶק Is. 58:2
338 וּשְׁפַטְתִּיךְ מִשְׁפְּטֵי נֹאֲפוֹת Ezek. 16:38
339 מִשְׁפְּטֵי־יְיָ אֱמֶת... Ps. 19:10
340 בְּלָמְדִי מִשְׁפְּטֵי צִדְקֶךָ Ps. 119:7
341 בִּשְׂפָתַי סִפַּרְתִּי כֹּל מִשְׁפְּטֵי־פִיךָ
Ps. 119:13
344-342 מִשְׁפְּטֵי צִדְקֶךָ Ps. 119:62, 106, 164
וּמִשְׁפְּטֵי־ 345 זִכְרוּ...מֹפְתָיו וּמִשְׁפְּטֵי־פִיו Ps. 105:5
346 זִכְרוּ...מֹפְתָיו וּמִשְׁפְּטֵי־פִיהוּ ICh. 16:12
וּכְמִשְׁפְּטֵי־ 347 וּכְמִשְׁפְּטֵי הַגּוֹיִם...לֹא עֲשִׂיתֶם Ezek. 5:7
348 וּכְמִשְׁפְּטֵי הַגּוֹיִם...עֲשִׂיתֶם Ezek. 11:12
מִשְׁפָּטַי 349 אֶת־מִשְׁפָּטַי תַּעֲשׂוּ Lev. 18:4
2-350 אֶת־חֻקֹּתַי וְאֶת־מִשְׁפָּטַי Lev. 18:5, 26; 25:18
353/4 כָּל־חֻקֹּתַי וְאֶת־כָּל־מִשְׁפָּ׳ Lev. 19:37; 20:22
355 וְאִם אֶת־מִשְׁפָּטַי תִּגְעַל נַפְשְׁכֶם Lev. 26:15
356 וְאֶת־מִשְׁפָּטַי תַּעֲשֶׂה IK. 6:12
357 וְדִבַּרְתִּי מִשְׁפָּטַי אוֹתָם Jer. 1:16
358 וַתֶּמֶר אֶת־מִשְׁפָּטַי לְרִשְׁעָה Ezek. 5:6
359 וְאֶת־מִשְׁפָּטַי לֹא עֲשִׂיתֶם Ezek. 5:7
360 וְאֶת־מִשְׁפָּטַי יִשְׁמְרוּ וְעָשׂוּ אֹתָם Ezek. 11:20
361 מִשְׁפָּטַי עָשָׂה בְּחֻקּוֹתַי הָלָךְ Ezek. 18:17
362 וְאֶת־מִשְׁפָּטַי הוֹדַעְתִּי אוֹתָם Ezek. 20:11
363 וְאֶת־מִשְׁפָּטַי מָאָסוּ Ezek. 20:13
364 וְאֶת־מִשְׁפָּטַי שִׁמְרוּ וַעֲשׂוּ אוֹתָם Ezek. 20:19
365 וְאֶת־מִשְׁפָּטַי לֹא־שָׁמְרוּ לַעֲשׂוֹת Ezek. 20:21
366 יַעַן מִשְׁפָּטַי לֹא־עָשׂוּ Ezek. 20:24
וּמִשְׁפָּטַי 367 חֻקַּי וּמִשְׁפָּטַי תִּשְׁמֹר IK. 9:4
368 לַעֲשׂוֹת הַיָּשָׁר...וְחֻקֹּתַי וּמִשְׁפָּטַי IK. 11:33
369 וּמִשְׁפָּטַי לֹא עֲשִׂיתֶם Ezek. 1:12
370 וּמִשְׁפָּטַי שָׁמַר לַעֲשׂוֹת אֱמֶת Ezek. 8:9
371 וּמִשְׁפָּטַי תִּשְׁמְרוּ וַעֲשִׂיתֶם Ezek. 36:27
372 לַעֲשׂוֹת מִצְוֹתַי וּמִשְׁפָּטַי ICh. 28:7
373 וְחֻקַּי וּמִשְׁפָּטַי תִּשְׁמוֹר IICh. 7:17

בְּמִשְׁפָּטַי 374 יַעַן וּבְיַעַן בְּמִשְׁפָּטַי מָאָסוּ Lev. 26:43
375 כִּי בְמִשְׁפָּטַי מָאָסוּ Ezek. 5:6
376 יַעַן בְּמִשְׁפָּטַי מָאָסוּ Ezek. 20:16
377 יַעַמְדוּ לְמִשְׁפָּט◦ בְּמִשְׁפָּטַי יִשְׁפְּטֻהוּ◦ Ezek. 44:24
וּבְמִשְׁפָּטַי 378 וּבְמִשְׁפָּטַי יֵלֵכוּ וְחֻקֹּתַי יִשְׁמְרוּ Ezek. 37:24
379 וּבְמִשְׁפָּטַי לֹא יֵלֵכוּן Ps. 89:31
מִשְׁפָּטֶיךָ 380 יוֹרוּ מִשְׁפָּטֶיךָ לְיַעֲקֹב Deut. 33:10
381 אַף אֹרַח מִשְׁפָּטֶיךָ יְיָ קִוִּינוּךָ Is. 26:8
382 כִּי כַּאֲשֶׁר מִשְׁפָּטֶיךָ לָאָרֶץ Is. 26:9
383 מָרוֹם מִשְׁפָּטֶיךָ מִנֶּגְדּוֹ Ps. 10:5
384 מִשְׁפָּטֶיךָ תְּהוֹם רַבָּה Ps. 36:7
385 יִשְׂמַח הַר־צִיּוֹן...לְמַעַן מִשְׁפָּטֶיךָ Ps. 48:12
386 אֱלֹהִים מִשְׁפָּטֶיךָ לְמֶלֶךְ תֵּן Ps. 72:1
387 לְמַעַן מִשְׁפָּטֶיךָ יְיָ Ps. 97:8
388 גָּרְסָה נַפְשִׁי...אֶל־מִשְׁפָּטֶיךָ Ps. 119:20
389 מִשְׁפָּטֶיךָ שִׁוִּיתִי Ps. 119:30
390 כִּי מִשְׁפָּטֶיךָ טוֹבִים Ps. 119:39
391 זָכַרְתִּי מִשְׁפָּטֶיךָ מֵעוֹלָם Ps. 119:52
392 כִּי־צֶדֶק מִשְׁפָּטֶיךָ Ps. 119:75
393 צַדִּיק אַתָּה יְיָ וְיָשָׁר מִשְׁפָּטֶיךָ Ps. 119:137
וּמִשְׁפָּטֶיךָ 394 וּמִשְׁפָּטֶיךָ אוֹר יֵצֵא Hosh. 6:5
395 וּמִשְׁפָּטֶיךָ לַמְּדֵנִי Ps. 119:108
396 וּמִשְׁפָּטֶךָ יַעְזְרֻנִי Ps. 119:175
וּבְמִשְׁפָּטֶיךָ 397 וּבְמִשְׁפָּטֶיךָ חָטְאוּ־בָם Neh. 9:29
כְּמִשְׁפָּטֶךָ 398 כְּמִשְׁפָּטֶךָ חַיֵּנִי Ps. 119:149
399 כְּמִשְׁפָּטֶיךָ חַיֵּנִי Ps. 119:156
לְמִשְׁפָּטֶךָ 400 לְמִשְׁפָּטֶךָ יִחָלְתִּי Ps. 119:43
401 לְמִשְׁפָּטֶיךָ עָמְדוּ הַיּוֹם Ps. 119:91
מִמִּשְׁפָּטֶיךָ 402 מִמִּשְׁפָּטֶיךָ לֹא־סָרְתִּי Ps. 119:102
וּמִמִּשְׁפָּטֶיךָ 403 וּמִמִּשְׁפָּטֶיךָ יָרֵאתִי Ps. 119:120
404 וְסוֹר מִמִּצְוֹתֶךָ וּמִמִּשְׁפָּטֶיךָ Dan. 9:5
מִשְׁפָּטַיִךְ 405 הֵסִיר יְיָ מִשְׁפָּטַיִךְ פִּנָּה אֹיְבֵךְ Zep. 3:15
מִשְׁפָּטָיו 406 כְּכָל־חֻקֹּתָיו וּכְכָל־מִשְׁפָּטָיו Num. 9:3
407 כִּי כָל־מִשְׁפָּטָו לְנֶגְדִּי IISh. 22:23
408 לְכָל־דְּבָרָיו וּלְכָל־מִשְׁפָּטָו IK. 6:38
409 כָּל־מִשְׁפָּטָיו לְנֶגְדִּי Ps. 18:23
410/1 בְּכָל־הָאָרֶץ מִשְׁפָּטָיו Ps. 105:7 • ICh. 16:14
וּמִשְׁפָּטָיו 412 מִצְוֹתָיו וּמִשְׁפָּטָיו וְחֻקֹּתָיו Deut. 8:11
413 וְחֻקֹּתָיו וּמִשְׁפָּטָיו וּמִצְוֹתָיו Deut. 11:1
414 וְלִשְׁמֹר חֻקָּיו וּמִצְוֹתָיו וּמִשְׁפָּטָיו Deut. 26:17
415 וְלִשְׁמֹר מִצְוֹתָיו וְחֻקֹּתָיו וּמִשְׁפָּטָיו Deut. 30:16
416 צִדְקַת יְיָ עָשָׂה וּמִשְׁפָּטָיו עִם־יִשְׂרָאֵל Deut. 33:21
417 מִצְוֹתָיו וּמִשְׁפָּטָיו וְעֵדְוֹתָיו IK. 2:3
418 וְלִשְׁמֹר מִצְוֹתָיו וְחֻקָּיו וּמִשְׁפָּטָיו IK. 8:58
419 חֻקָּיו וּמִשְׁפָּטָיו לְיִשְׂרָאֵל Ps. 147:19
420 כָּל־מִצְוֹת יְיָ...וּמִשְׁפָּטָיו וְחֻקָּיו Neh. 10:30
מִשְׁפְּטֵיהֶם 421 וְאֶת־מִשְׁפְּטֵיהֶם אַל־תִּשְׁמֹרוּ Ezek. 20:18
בְּמִשְׁפְּטֵיהֶם 422 וּשְׁפָטוּךְ בְּמִשְׁפְּטֵיהֶם Ezek. 23:24
וּבְמִשְׁפְּטֵיהֶם 423 וּבְמִשְׁפְּטֵיהֶם אֶשְׁפְּטֵם Ezek. 7:27
וּכְמִשְׁפְּטֵיהֶן 424 וְכָל־מוֹצָאֵיהֶן וּכְמִשְׁפְּטֵיהֶן Ezek. 42:11

מִשְׁפְּתַיִם
ז״ז גדרות צאן(?) מקום שפיתת סירים(?): 1, 2
הַמִּשְׁפְּתָיִם 1 לָמָּה יָשַׁבְתָּ בֵּין הַמִּשְׁפְּתַיִם Jud. 5:16
הַמִּשְׁפְּתָיִם 2 חֲמֹר גָּרֶם רֹבֵץ בֵּין הַמִּשְׁפְּתָיִם Gen. 49:14

מֶשֶׁק
נהול עניני הבית
מֶשֶׁק 1 וּבֶן־מֶשֶׁק בֵּיתִי הוּא דַּמֶּשֶׂק אֱלִיעֶזֶר Gen. 15:2

מַשָּׁק*
ז׳ שקשוק, רעש
כְּמַשַּׁק־ 1 כְּמַשַּׁק גֵּבִים שֹׁקֵק בּוֹ Is. 33:4

מַשְׁקֶה
ז׳ א) נוזל לשתיה: 2, 6, 7, 8
ב) ממונה על הגשת משקאות: 3-5, 10-19
ג) מקום רווי מים: 1, 9
כְּלֵי מַשְׁקֶה 7,6; מַשְׁקֵה יִשְׂרָאֵל 9; מַשְׁקֵה הַמֶּלֶךְ 5-7; מַשְׁקֶה צָמֵא 8; שַׂר הַמַּשְׁקִים 11-17
מַשְׁקֶה 1 כִּכַּר הַיַּרְדֵּן כִּי כֻלָּהּ מַשְׁקֶה Gen. 13:10
2 וְכָל־מַשְׁקֶה אֲשֶׁר יִשָּׁתֶה Lev. 11:34
3 וַאֲנִי הָיִיתִי מַשְׁקֶה לַמֶּלֶךְ Neh. 1:11
הַמַּשְׁקֶה 4 הַמַּשְׁקֶה וְהָאֹפֶה אֲשֶׁר לְמֶלֶךְ מִצְ׳ Gen. 40:5
מַשְׁקֵה־ 5 חָטְאוּ מַשְׁקֵה מֶלֶךְ־מִצְר׳ וְהָאֹפֶה Gen. 40:1
6/7 וְכֹל כְּלֵי מַשְׁקֵה הַמֶּלֶךְ־שְׁלֹמֹה זָהָב IK. 10:21 • IICh. 9:20
וּמַשְׁקֵה־ 8 וּמַשְׁקֶה צָמֵא יַחְסִיר Is. 32:6
מִמַּשְׁקֵה־ 9 וְשֶׂה־אַחַת...מִמַּשְׁקֵה יִשְׂרָאֵל Ezek. 45:15
מַשְׁקֵהוּ 10 כַּמִּשְׁפָּט הָרִאשׁוֹן אֲשֶׁר הָיִיתָ מַשְׁקֵהוּ Gen. 40:13
11 וַיָּשֶׁב אֶת־שַׂר הַמַּשְׁקִים עַל־מַשְׁקֵהוּ Gen. 40:21
הַמַּשְׁקִים 12 וַיִּקְצֹף...עַל שַׂר הַמַּשְׁקִים Gen. 40:2
13 וַיְסַפֵּר שַׂר־הַמַּשְׁקִים אֶת־חֲלֹמוֹ Gen. 40:9
14 וַיִּשָּׂא אֶת־רֹאשׁ שַׂר הַמַּשְׁקִים... Gen. 40:20
15 וַיָּשֶׁב אֶת־שַׂר הַמַּשְׁקִים... Gen. 40:21
16 וְלֹא־זָכַר שַׂר־הַמַּשְׁקִים אֶת־יוֹסֵף Gen. 40:23
17 וַיְדַבֵּר שַׂר הַמַּשְׁקִים אֶת־פַּרְעֹה Gen. 41:9
וּמַשְׁקָיו 18 וּמוֹשַׁב עֲבָדָיו...וּמַשְׁקָיו IK. 10:5
19 וּמוֹשַׁב עֲבָדָיו...וּמַשְׁקָיו וּמַלְבּוּשֵׁיהֶם IICh. 9:4

מִשְׁקוֹל
ז׳ משקל
בְּמִשְׁקוֹל 1 וּמַאֲכָלְךָ אֲשֶׁר תֹּאכְלֶנּוּ בְּמִשְׁקוֹל Ezek. 4:10

מַשְׁקוֹף
ז׳ הקורה שמעל לפתח: 1-3
הַמַּשְׁקוֹף 1 עַל־שְׁתֵּי הַמְּזוּזֹת וְעַל־הַמַּשְׁקוֹף Ex. 12:7
2 אֶל־הַמַּשְׁקוֹף וְאֶל־שְׁתֵּי הַמְּזוּזֹת Ex. 12:22
3 עַל־הַמַּשְׁקוֹף וְעַל שְׁתֵּי הַמְּזוּזֹת Ex. 12:23

מִשְׁקָל
ז׳ א) שעור כבדו של דבר: 1, 2, 4-10, 21-49
ב) שקילה, קביעת הכובד: 3, 11-20
מֹאזְנֵי מִשְׁקָל 3; מִשְׁקַל הַזָּהָב 24,25,29; מִשְׁקַל הַכֵּלִים 25; מ׳ הַכֶּסֶף 25; מ׳ מְנוֹרָה 32; מִשְׁקַל הַנְּזָמִים 21; מ׳ הַנְּחֹשֶׁת 22,23,28; מִשְׁקַל הַשִּׁרְיוֹן 30
מִשְׁקָל 1 לֹא־הָיָה מִשְׁקָל לִנְחֹשֶׁת IIK. 25:16
2 לֹא־הָיָה מִשְׁקָל לִנְחָשְׁתָּם Jer. 52:20
3 וְלָקַחְתָּ לְךָ מֹאזְנֵי מִשְׁקָל וְחִלַּקְתָּם Ezek. 5:1
4 לַעֲשׂוֹת לָרוּחַ מִשְׁקָל Job 28:25
5 וּנְחֹשֶׁת לָרֹב אֵין מִשְׁקָל ICh. 22:3(2)
6 וְלַנְּחֹשֶׁת וְלַבַּרְזֶל אֵין מִשְׁקָל IICh. 2:14(13)
7 וְאֶת־הַזָּהָב מִשְׁקָל לְשֻׁלְחֲנוֹת... ICh. 28:16
וּמִשְׁקָל 8 וּמִשְׁקָל לִמְנֹרוֹת הַזָּהָב ICh. 28:15
9 וּמִשְׁקָל לְמִסְמְרוֹת לִשְׁקָלִים IICh. 3:9
הַמִּשְׁקָל 10 וַיִּכָּתֵב כָּל־הַמִּשְׁקָל בָּעֵת הַהִיא Ez. 8:34
בַּמִּשְׁקָל 11 בַּמִּדָּה בַּמִּשְׁקָל וּבַמְּשׂוּרָה Lev. 19:35
12 וְהֵשִׁיבוּ לַחְמְכֶם בַּמִּשְׁקָל Lev. 26:26
13 לַזָּהָב בַּמִּשְׁקָל לַזָּהָב ICh. 28:14
14 זָהָב מְזֻקָּק בַּמִּשְׁקָל ICh. 28:18
בְּמִשְׁקָל 15 וְאָכְלוּ־לֶחֶם בְּמִשְׁקָל וּבִדְאָגָה Ezek. 4:16
16 בְּמִסְפָּר בְּמִשְׁקָל לַכֹּל Ez. 8:34
17 לְכֹל כְּלֵי הַכֶּסֶף בְּמִשְׁקָל ICh. 28:14
18 וְלִמְנֹרוֹת הַכֶּסֶף בְּמִשְׁקָל ICh. 28:15
19 וְלִכְפוֹרֵי הַזָּהָב בְּמִשְׁקָל ICh. 28:17
20 וְלִכְפוֹרֵי הַכֶּסֶף בְּמִשְׁקָל ICh. 28:17
מִשְׁקַל־ 21 וַיְהִי מִשְׁקַל נִזְמֵי הַזָּהָב Jud. 8:26
22 שְׁלֹשׁ מֵאוֹת מִשְׁקַל נְחֹשֶׁת IISh. 21:16
23 לֹא נֶחְקַר מִשְׁקַל הַנְּחֹשֶׁת IK. 7:47
מִשְׁקַל־ (המשך) 24 מִשְׁקַל הַזָּהָב אֲשֶׁר־בָּא לִשְׁלֹמֹה IK. 10:14
25 מִשְׁקַל הַכֶּסֶף וְהַזָּהָב וְהַכֵּלִים Ez. 8:30
26 וַיִּמְצָאָהּ מִשְׁקַל כִּכַּר־זָהָב ICh. 20:2
27 שִׁקְלֵי זָהָב מִשְׁקָל שֵׁשׁ מֵאוֹת ICh. 21:25
28 לֹא נֶחְקַר מִשְׁקַל הַנְּחֹשֶׁת IICh. 4:18
29 מִשְׁקַל הַזָּהָב אֲשֶׁר־בָּא לִשְׁלֹמֹה IICh. 9:13
וּמִשְׁקַל־ 30 וּמִשְׁקַל הַשִּׁרְיוֹן חֲמֵשֶׁת־אֲלָפִים... ISh. 17:5
31 וּמִשְׁקַל קֵינוֹ שְׁלֹשׁ מֵאוֹת... IISh. 21:16
בְּמִשְׁקַל־ 32 בְּמִשְׁקַל־מְנוֹרָה וּמְנוֹרָה ICh. 28:15
מִשְׁקָלוֹ 33 נֶזֶם זָהָב בֶּקַע מִשְׁקָלוֹ Gen. 24:22
34 חֲמִשִּׁים שְׁקָלִים מִשְׁקָלוֹ Josh. 7:21
בְּמִשְׁקָלוֹ 35 וְהִנֵּה...כַּסְפֵּנוּ בְּמִשְׁקָלוֹ Gen. 43:21
מִשְׁקָלָהּ 36-47 שְׁלֹשִׁים וּמֵאָה מִשְׁקָלָהּ Num. 7:13
7:19, 25, 31, 37, 43, 49, 55, 61, 67, 73, 79
וּמִשְׁקָלָהּ 48 וּמִשְׁקָלָהּ כִּכַּר זָהָב IISh. 12:30
מִשְׁקָלָם 49 וּשְׁנֵי צְמִידִים...עֲשָׂרָה זָהָב מִשְׁקָלָם Gen. 24:22

מִשְׁקֹלֶת*, מִשְׁקֶלֶת
נ׳ אֲנָךְ, אבן־בדיל לקביעת זקיפות הקיר הנבנה (במליצה): 1, 2
לְמִשְׁקָלֶת 1 מִשְׁפָּט לְקָו וּצְדָקָה לְמִשְׁקָלֶת Is. 28:17
מִשְׁקֹלֶת 2 אֵת קָו שֹׁמְרוֹן וְאֶת־מִשְׁקֹלֶת בֵּית אַחְאָב IIK. 21:13

מִשְׁקָע*
ז׳ חמרים ששקעו למטה
וּמִשְׁקַע־ 1 וּמִשְׁקַע־מַיִם תִּשְׁתּוּ Ezek. 34:18

מִשְׂרָה
נ׳ שלטון, כהונה: 1, 2
הַמִּשְׂרָה 1 וַתְּהִי הַמִּשְׂרָה עַל־שִׁכְמוֹ Is. 9:5
2 לְמַרְבֵּה◦ הַמִּשְׂרָה וּלְשָׁלוֹם אֵין־קֵץ Is. 9:6

מִשְׁרָה*
נ׳ נוזל שהשרו בו צמחים
מִשְׁרַת־ 1 וְכָל־מִשְׁרַת עֲנָבִים לֹא יִשְׁתֶּה Num. 6:3

מַשְׁרוֹקִיתָא
נ׳ ארמית: חליל: 1-4
מַשְׁרוֹקִיתָא 1-3 קָל קַרְנָא מַשְׁרוֹקִיתָא Dan. 3:5, 7, 15
4 קָל קַרְנָא מַשְׁרֹקִיתָא Dan. 3:10

מֵשָׁרִים
(משלי א3) – עין מֵישָׁרִים

מִשְׁרָעִי
ת׳ המתיחס על המקום מִשְׁרָע (?)
וְהַמִּשְׁרָעִי 1 וְהַפּוּתִי וְהַשֻּׁמָתִי וְהַמִּשְׁרָעִי ICh. 2:53

מִשְׂרָפֶת*
נ׳ בערה, שרפה: 1, 2
מִשְׂרְפוֹת שִׂיד 1; מִשְׂרְפוֹת אֲבוֹתָיו 2
מִשְׂרְפוֹת־ 1 וְהָיוּ עַמִּים מִשְׂרְפוֹת שִׂיד Is. 33:12
וּבְמִשְׂרְפוֹת־ 2 וּבְמִשְׂרְפוֹת אֲבוֹתֶיךָ...יִשְׂרְפוּ... Jer. 34:5

מִשְׂרְפוֹת מַיִם
מקום ליד צידון: 1, 2
מִשְׂרְפוֹת מַיִם 1 וַיִּרְדְּפוּם...וְעַד מִשְׂרְפוֹת מַיִם Josh. 11:8
2 עַד־מִשְׂרְפֹת מַיִם כָּל־צִידֹנִים Josh. 13:6

מַשְׂרֵקָה
עיר באדום: 1-2
מִמַּשְׂרֵקָה 1-2 וַיִּמְלֹךְ תַּחְתָּיו שַׂמְלָה מִמַּשְׂרֵקָה Gen. 36:36 • ICh. 1:47

מַשְׂרֵת
נ׳ מחבת
הַמַּשְׂרֵת 1 וַתִּקַּח אֶת־הַמַּשְׂרֵת וַתִּצֹק לְפָנָיו IISh. 13:9

מְשָׁרֵת
ז׳ א) עוזר, שמש: 1-9, 15, 32-35 [עין גם שָׁרַת]
ב) עובד עבודת המקדש: 10-14, 16-31
מְשָׁרֵת אִישׁ הָאֱלֹהִים 4; מ׳ אֱלֹהִים 19, 26; מְשָׁרֵת הַבַּיִת 23; מ׳ יְיָ 24, 27; מ׳ הַמִּזְבֵּחַ 25; מְשָׁרֵת מֹשֶׁה 1, 2

מְשָׁרֵת 1 וַיַּעַן יְהוֹשֻׁעַ...מְשָׁרֵת מֹשֶׁה Num. 11:28
2 וַיֹּאמֶר יְיָ אֶל־יְהוֹשֻׁעַ...מְשָׁרֵת מֹשֶׁה Josh. 1:1
3 וְהַנַּעַר הָיָה מְשָׁרֵת אֶת־יְיָ ISh. 2:11
4 וַיַּשְׁכֵּם מְשָׁרֵת אִישׁ הָאֱלֹהִים לָקוּם IIK. 6:15
מְשָׁרְתוֹ 5 וַיָּקָם מֹשֶׁה וִיהוֹשֻׁעַ מְשָׁרְתוֹ Ex. 24:13
6 וַיִּקְרָא אֶת־נַעֲרוֹ מְשָׁרְתוֹ IISh. 13:17
7 וַיֹּצֵא אוֹתָהּ מְשָׁרְתוֹ הַחוּץ IISh. 13:18
8 וַיֹּאמֶר מְשָׁרְתוֹ מָה אֶתֵּן זֶה... IIK. 4:43
וּמְשָׁרְתוֹ 9 וּמְשָׁרְתוֹ יְהוֹשֻׁעַ בִּן־נוּן נַעַר... Ex. 33:11
מְשָׁרְתִים 10 וְהָיוּ בְמִקְדָּשִׁי מְשָׁרְתִים Ezek. 44:11
11 לְהָבִיא־לָנוּ מְשָׁרְתִים לְבֵית אֱלָהּ׳ Ez. 8:17
12 מְשָׁרְתִים לִפְנֵי מִשְׁכַּן אֹהֶל־מוֹעֵד ICh. 6:17
13 וַיִּתֵּן לִפְנֵי אֲרוֹן יְיָ...מְשָׁרְתִים ICh. 16:4
14 וְכֹהֲנִים מְשָׁרְתִים לַייָ בְּנֵי אַהֲרֹן IICh. 13:10
15 וַיִּמְצָא...מְשָׁרְתִים לַאֲחַזְיָהוּ IICh. 22:8
16 וְלִהְיוֹת לוֹ מְשָׁרְתִים וּמַקְטִרִים IICh. 29:11
הַמְשָׁרְתִים 17 וְהַכֹּהֲנִים הַמְשָׁרְתִים וְהַשּׁוֹעֲרִים Neh. 10:40
וְהַמְשָׁרְתִים 18 הַכֹּהֲנִים וְהַמְשָׁרְתִים לַלְוִיִּם IICh. 23:6
מְשָׁרְתֵי־ 19 כֹּהֲנֵי יְיָ תִּקָּרֵאוּ מְשָׁרְתֵי אֱלֹהֵינוּ Is. 61:6
20 וְאֶת־הַלְוִיִּם מְשָׁרְתֵי אֹתִי Jer. 33:22
21 לַכֹּהֲנִים מְשָׁרְתֵי הַמִּקְדָּשׁ יִהְיֶה Ezek. 45:4
22 וְהָיָה לַלְוִיִּם מְשָׁרְתֵי הַבַּיִת Ezek. 45:5
23 אֲשֶׁר יְבַשְּׁלוּ־שָׁם מְשָׁרְתֵי הַבַּיִת Ezek. 46:24
24 אָבְלוּ הַכֹּהֲנִים מְשָׁרְתֵי יְיָ Joel 1:9
25 הֵילִילוּ מְשָׁרְתֵי מִזְבֵּחַ Joel 1:13
26 בֹּאוּ לִינוּ בַשַּׂקִּים מְשָׁרְתֵי אֱלֹהָי Joel 1:13
27 יִבְכּוּ הַכֹּהֲנִים מְשָׁרְתֵי יְיָ Joel 2:17
מְשָׁרְתָי 28 וְאֶת־הַלְוִיִּם הַכֹּהֲנִים מְשָׁרְתָי Jer. 33:21
מְשָׁרְתָיו 29 וּמוֹשַׁב עֲבָדָיו וּמַעֲמַד מְשָׁרְתָו IK. 10:5
30 בָּרְכוּ...מְשָׁרְתָיו עֹשֵׂי רְצוֹנוֹ Ps. 103:21
31 מְשָׁרְתָיו אֵשׁ לֹהֵט Ps. 104:4
32 כָּל־מְשָׁרְתָיו רְשָׁעִים Prov. 29:12
33/4 נַעֲרֵי־הַמֶּלֶךְ מְשָׁרְתָיו Es. 2:2; 6:3
35 וּמוֹשַׁב עֲבָדָיו וּמַעֲמַד מְשָׁרְתָיו IICh. 9:4

משש: מָשַׁשׁ, מִשֵּׁשׁ, הֵמִישׁ

מָשַׁשׁ פ׳ א) מִשְׁמֵשׁ, העביר אצבעותיו על דבר: 1-3
ב) [פ׳ מִשֵּׁשׁ] מִשְׁמֵשׁ, גשש: 4-9
ג) [הפ׳ הֵמִשׁ] גרם שימשש: 10-12
[עיין גם מוש, מיש]

וַאֲמֻשְׁךָ 1 גְּשָׁה־נָּא וַאֲמֻשְׁךָ בְּנִי Gen. 27:21
יְמֻשֵּׁנִי 2 אוּלַי יְמֻשֵּׁנִי אָבִי Gen. 27:12
וַיְמֻשֵּׁהוּ 3 וַיִּגַּשׁ יַעֲקֹב אֶל־יִצְחָק...וַיְמֻשֵּׁהוּ Gen. 27:22
מִשַּׁשְׁתָּ 4 כִּי־מִשַּׁשְׁתָּ אֶת־כָּל־כֵּלַי Gen. 31:37
מְמַשֵּׁשׁ 5 וְהָיִיתָ מְמַשֵּׁשׁ בַּצָּהֳרַיִם Deut. 28:29
יְמַשֵּׁשׁ 6 כַּאֲשֶׁר יְמַשֵּׁשׁ הָעִוֵּר בָּאֲפֵלָה Deut. 28:29
וַיְמַשֵּׁשׁ 7 וַיְמַשֵּׁשׁ לָבָן אֶת־כָּל־הָאֹהֶל Gen. 31:34
יְמַשְׁשׁוּ 8 וְכַלַּיְלָה יְמַשְׁשׁוּ בַצָּהֳרָיִם Job 5:14
9 יְמַשְׁשׁוּ־חֹשֶׁךְ וְלֹא־אוֹר Job 12:25
וַהֲמִשֵׁנִי 10 ...וַהֲמִשֵׁנִי (כת׳ והימשני) אֶת־הָעַמֻּדִים Jud. 16:26
וְיָמֵשׁ 11 וִיהִי חֹשֶׁךְ...וְיָמֵשׁ חֹשֶׁךְ Ex. 10:21
יְמִישׁוּן 12 יְדֵיהֶם וְלֹא יְמִישׁוּן Ps. 115:7

מִשְׁתֶּה ז׳ א) סעודה חגיגית: 1-21, 23-40
ב) שתיה: 22, 41-46
– מִשְׁתֶּה גָּדוֹל 3, 16; בֵּית מִשְׁתֶּה 10, 13, 36; יוֹם מִשְׁתֶּה 18, 19; יְמֵי מִשְׁתֶּה 20, 23, 25
– מִשְׁתֵּה אֶסְתֵּר 35; מ׳ יַיִן 36-38, 40; מ׳ הַמֶּלֶךְ 39; מ׳ נָשִׁים 34; מ׳ שְׁמָנִים 32; מִשְׁתֵּה שְׁמָרִים 33
– יֵין מִשְׁתָּיו 42-44, 46

מִשְׁתֶּה 1-2 וַיַּעַשׂ לָהֶם מִשְׁתֶּה Gen. 19:3; 26:30
3 וַיַּעַשׂ אַבְרָהָם מִשְׁתֶּה גָדוֹל Gen. 21:8
4 וַיֶּאֱסֹף לָבָן...וַיַּעַשׂ מִשְׁתֶּה Gen. 29:22
5 וַיַּעַשׂ מִשְׁתֶּה לְכָל־עֲבָדָיו Gen. 40:20
6 וַיַּעַשׂ שָׁם שִׁמְשׁוֹן מִשְׁתֶּה Jud. 14:10
7 וְהִנֵּה־לוֹ מִשְׁתֶּה בְּבֵיתוֹ ISh. 25:36
8 וַיַּעַשׂ דָּוִד לְאַבְנֵר...מִשְׁתֶּה IISh. 3:20
9 וַיַּעַשׂ מִשְׁתֶּה לְכָל־עֲבָדָיו IK. 3:15
10 וּבֵית־מִשְׁתֶּה לֹא־תָבוֹא Jer. 16:8
11 וְטוֹב־לֵב מִשְׁתֶּה תָמִיד Prov. 15:15
12 וְעָשׂוּ מִשְׁתֶּה בֵּית אִישׁ יוֹמוֹ Job 1:4
13 טוֹב...מִלֶּכֶת אֶל־בֵּית מִשְׁתֶּה Eccl. 7:2
14 עָשָׂה מִשְׁתֶּה לְכָל־שָׂרָיו וַעֲבָדָיו Es. 1:3
15 עָשָׂה...מִשְׁתֶּה שִׁבְעַת יָמִים Es. 1:5
16 וַיַּעַשׂ הַמֶּלֶךְ מִשְׁתֶּה גָדוֹל Es. 2:18
17 שִׂמְחָה...מִשְׁתֶּה וְיוֹם טוֹב Es. 8:17
18/9 וְעָשֹׂה אֹתוֹ יוֹם מִשְׁתֶּה וְשִׂמְחָה Es. 9:17, 18
20 לַעֲשׂוֹת אוֹתָם יְמֵי מִשְׁתֶּה וְשִׂמְחָה Es. 9:22
וּמִשְׁתֶּה 21 שִׂמְחָה וּמִשְׁתֶּה וְיוֹם טוֹב Es. 9:19
22 וּמַאֲכָל וּמִשְׁתֶּה וָשֶׁמֶן Ez. 3:7
הַמִּשְׁתֶּה 23 שִׁבְעַת יְמֵי הַמִּשְׁתֶּה Jud. 14:12
24 שִׁבְעַת הַיָּמִ׳...הָיָה לָהֶם הַמִּשְׁתֶּה Jud. 14:17
25 וַיְהִי כִּי הִקִּיפוּ יְמֵי הַמִּשְׁתֶּה Job 1:5
26 אֶל־הַמִּשְׁתֶּה אֲשֶׁר־עָשִׂיתִי לוֹ Es. 5:4
27/8 הַמִּשְׁתֶּה אֲשֶׁר־עָשְׂתָה אֶסְתֵּר Es. 5:5; 6:14
29 אֶל־הַמִּשְׁתֶּה אֲשֶׁר אֶעֱשֶׂה לָהֶם Es. 5:8
30 אֶל־הַמִּשְׁתֶּה אֲשֶׁר־עָשָׂתָה Es. 5:12
31 וּבֹא עִם־הַמֶּלֶךְ אֶל־הַמִּשְׁתֶּה Es. 5:14
מִשְׁתֵּה־ 32/3 מִשְׁתֵּה שְׁמָנִים מִשְׁתֵּה שְׁמָרִים Is. 25:6
34 גַּם וַשְׁתִּי...עָשְׂתָה מִשְׁתֵּה נָשִׁים Es. 1:9
35 וַיַּעַשׂ הַמֶּלֶךְ...אֵת מִשְׁתֵּה אֶסְתֵּר Es. 2:18
36 וְהַמֶּלֶךְ שָׁב...אֶל־בֵּית מִשְׁתֵּה הַיַּיִן Es. 7:8
בְּמִשְׁתֵּה־ 37/8 וַיֹּאמֶר הַמֶּלֶךְ...בְּמִשְׁתֵּה הַיַּיִן Es. 5:6; 7:2
כְּמִשְׁתֵּה־ 39 מִשְׁתֶּה בְּבֵיתוֹ כְּמִשְׁתֵּה הַמֶּלֶךְ ISh. 25:36
מִמִּשְׁתֵּה־ 40 וְהַמֶּלֶךְ קָם בַּחֲמָתוֹ מִמִּשְׁתֵּה הַיַּיִן Es. 7:7
מִשְׁתֵּיכֶם 41 מִנָּה אֶת־מַאֲכַלְכֶם וְאֶת־מִשְׁתֵּיכֶם Dan. 1:10
מִשְׁתָּיו 42 מִפַּת(־)בַּג הַמֶּלֶךְ וּמִיֵּין מִשְׁתָּיו Dan. 1:5
43 בְּפַת(־)בַּג הַמֶּלֶךְ וּבְיֵין מִשְׁתָּיו Dan. 1:8
מִשְׁתֵּיהֶם 44 וְהָיָה כִנּוֹר...וָיַיִן מִשְׁתֵּיהֶם Is. 5:12
45 בְּחֻמָּם אָשִׁית אֶת־מִשְׁתֵּיהֶם Jer. 51:39
46 נֹשֵׂא אֶת־פַּת־בָּגָם וְיֵין מִשְׁתֵּיהֶם Dan. 1:16

מִשְׁתַּחֲוִיתֶם (יחזקאל ח16) – עין שחה

מִשְׁתֵּא* ז׳ ארמית משתה
מִשְׁתְּיָא 1 מַלְכְּתָא...לְבֵית מִשְׁתְּיָא עַלַּת° Dan. 5:10

מֵת ז׳ נפטר, חלל: 1-54 [עין עוד ערך מות]
– מֵת אָדָם 7; אֵשֶׁת הַמֵּת 13; נֶפֶשׁ הַמֵּת 2, 3; שֵׁם הַמֵּת 14, 15
– זִבְחֵי מֵתִים 38; בַּמֵּתִים חָפְשִׁי 48
– מְתֵי מִלְחָמָה 51; מֵתֵי עוֹלָם 52, 53

מֵת 1 אֵין בַּיִת אֲשֶׁר אֵין־שָׁם מֵת Ex. 12:30
2 וְעַל כָּל־נַפְשֹׁת מֵת לֹא יָבֹא Lev. 21:11
3 עַל־נֶפֶשׁ מֵת לֹא יָבֹא Num. 6:6
4 וְכִי־יָמוּת מֵת עָלָיו בְּפֶתַע פִּתְאֹם Num. 6:9
5 כְּאִשָּׁה...מִתְאַבֶּלֶת עַל־מֵת IISh. 14:2
6 וְלֹא־יִפְרְסוּ...לְנַחֲמוֹ עַל־מֵת Jer. 16:7
7 וְאֶל־מֵת אָדָם לֹא יָבוֹא לְטָמְאָה Ezek. 44:25
הַמֵּת 8 וְגַם אֶת־הַמֵּת יֶחֱצוּן Ex. 21:35
9 עַל־פִּי שְׁנַיִם עֵדִים...יוּמַת הַמֵּת Deut. 17:6
10 לֹא־תִהְיֶה אֵשֶׁת־הַמֵּת הַחוּצָה Deut. 25:5
הַמֵּת (המשך) 11 אֶת־אֲשֶׁר הֶחֱיָה אֶת־הַמֵּת IIK. 8:5
12 כִּי לֹא אֶחְפֹּץ בְּמוֹת הַמֵּת Ezek. 18:32
13 בְּיוֹם־קְנוֹתְךָ...אֵשֶׁת־הַמֵּת קָנִיתָ° Ruth 4:5
14/5 לְהָקִים שֵׁם הַמֵּת עַל־נַחֲלָתוֹ Ruth 4:5, 10
16 וְלֹא יִכָּרֵת שֵׁם־הַמֵּת מֵעִם אֶחָיו Ruth 4:10
וְהַמֵּת 17/8 וְהַמֵּת יִהְיֶה לּוֹ Ex. 21:34, 36
בְּמֵת 19 הַנֹּגֵעַ בְּמֵת לְכָל־נֶפֶשׁ אָדָם Num. 19:11
20 כָּל־הַנֹּגֵעַ בְּמֵת בְּנֶפֶשׁ הָאָדָם Num. 19:13
21 בַּחֲלַל־חֶרֶב אוֹ בְמֵת Num. 19:16
בְמֵת 22 אוֹ בֶחָלָל אוֹ בְמֵת אוֹ בְקָבֶר Num. 19:18
כְּמֵת 23 נִשְׁכַּחְתִּי כְּמֵת מִלֵּב Ps. 31:13
כַּמֵּת 24 אַל־נָא תְהִי כַּמֵּת Num. 12:12
לְמֵת 25 וְלֹא־נָתַתִּי מִמֶּנּוּ לְמֵת Deut. 26:14
לְמֵת 26 אַל־תִּבְכּוּ לְמֵת וְאַל־תָּנֻדוּ לוֹ Jer. 22:10
לָמֵת 27 וְלֹא־תָשִׂימוּ קָרְחָה...לָמֵת Deut. 14:1
מֵתִי 28 וְאֶקְבְּרָה מֵתִי מִלְּפָנָי Gen. 23:4
29 לִקְבֹּר אֶת־מֵתִי מִלְּפָנָי Gen. 23:8
30 וְאֶקְבְּרָה אֶת־מֵתִי שָׁמָּה Gen. 23:13
מֵתְךָ 31 וְאֶת־מֵתְךָ קְבֹר Gen. 23:15
מֵתֶךָ 32 בְּמִבְחַר קְבָרֵינוּ קְבֹר אֶת־מֵתֶךָ Gen. 23:6
33 לֹא־יִכְלֶה מִמְּךָ מִקְּבֹר מֵתֶךָ Gen. 23:6
34 הַשָּׂדֶה נָתַתִּי לָךְ...קְבֹר מֵתֶךָ Gen. 23:11
מֵתוֹ 35 וַיָּקָם אַבְרָהָם מֵעַל פְּנֵי מֵתוֹ Gen. 23:3
מֵתִים 36 מֵתִים בַּל־יִחְיוּ רְפָאִים בַּל־יָקֻמוּ Is. 26:14
37 מֵתִים אֵבֶל לֹא־תַעֲשֶׂה Ezek. 24:17
38 וַיֹּאכְלוּ זִבְחֵי מֵתִים Ps. 106:28
הַמֵּתִים 39 וַיַּעֲמֹד בֵּין־הַמֵּתִים וּבֵין הַחַיִּים Num. 17:13
40 וְשֹׁאֵל אוֹב...וְדֹרֵשׁ אֶל־הַמֵּתִים Deut. 18:11
41 בְּעַד הַחַיִּים אֶל־הַמֵּתִים Is. 8:19
42 לֹא הַמֵּתִים יְהַלְלוּ־יָהּ Ps. 115:17
43 כַּאֲשֶׁר עֲשִׂיתֶם עִם־הַמֵּתִים וְעִמָּדִי Ruth 1:8
44 ...חַסְדּוֹ אֶת־הַחַיִּים וְאֶת־הַמֵּתִים Ruth 2:20
45 וְשַׁבֵּחַ אֲנִי אֶת־הַמֵּתִים Eccl. 4:2
46 וְאַחֲרָיו אֶל־הַמֵּתִים Eccl. 9:3
וְהַמֵּתִים 47 וְהַמֵּתִים אֵינָם יוֹדְעִים מְאוּמָה Eccl. 9:5
בַּמֵּתִים 48 בַּמֵּתִים חָפְשִׁי כְּמוֹ חֲלָלִים Ps. 88:6
כַּמֵּתִים 49 כָּשַׁלְנוּ...בָּאַשְׁמַנִּים כַּמֵּתִים Is. 59:10
הֲלַמֵּתִים 50 הֲלַמֵּתִים תַּעֲשֶׂה־פֶּלֶא Ps. 88:11
מְתֵי־ 51 לֹא חַלְלֵי־חֶרֶב וְלֹא מֵתֵי מִלְחָמָה Is. 22:2
כְּמֵתֵי־ 52 הוֹשִׁיבַנִי בְמַחֲשַׁכִּים כְּמֵתֵי עוֹלָם Ps. 143:3
53 בְּמַחֲשַׁכִּים הוֹשִׁיבַנִי כְּמֵתֵי עוֹלָם Lam. 3:6
מֵתֶיךָ 54 יִחְיוּ מֵתֶיךָ נְבֵלָתִי יְקוּמוּן Is. 26:19

מַתְבֵּן ז׳ ערמת תבן
מַתְבֵּן 1 כְּהִדּוֹשׁ מַתְבֵּן בְּמוֹ° מַדְמֵנָה Is. 25:10

מֶתֶג ז׳ א) מתקן ששמים בפי הבהמה להטותה לרצון האדם: 1-2, 4, 5
ב) [בהשאלה] שלטון (?): 3
מֶתֶג 1 שׁוֹט לַסּוּס מֶתֶג לַחֲמוֹר Prov. 26:3
בְּמֶתֶג 2 בְּמֶתֶג־וָרֶסֶן עֶדְיוֹ לִבְלוֹם Ps. 32:9
מֶתֶג־ 3 וַיִּקַּח דָּוִד אֶת־מֶתֶג הָאַמָּה מִיַּד פְּלִשְׁ׳ IISh. 8:1
וּמִתְגִּי 4 חַחִי בְּאַפֶּךָ וּמִתְגִּי בִּשְׂפָתֶיךָ IIK. 19:28
5 חַחִי בְּאַפֶּךָ וּמִתְגִּי בִּשְׂפָתֶיךָ Is. 37:29

מִתּוֹךְ מ״י – עין תָּוֶךְ

מָתוֹק ת׳ שטעמו כטעם הדבש, (ובהשאלה) עָרֵב, נעים: 1-12
– מַר...מָתוֹק 5,7,9; אוֹר מָתוֹק 8; נֹפֶת מָתוֹק 4; פְּרִי מָתוֹק 6; שֵׁנָה מְתוּקָה 11

מָתוֹק 1 ...וּמֵעַז יָצָא מָתוֹק Jud. 14:14
2 מַה־מָּתוֹק מִדְּבַשׁ וּמֶה עַז מֵאֲרִי Jud. 14:18
3 מָתוֹק לַנֶּפֶשׁ וּמַרְפֵּא לָעָצֶם Prov. 16:24
4 וְנֹפֶת מָתוֹק עַל־חִכֶּךָ Prov. 24:13
5 וְנֶפֶשׁ רְעֵבָה כָּל־מַר מָתוֹק Prov. 27:7
6 וּפִרְיוֹ מָתוֹק לְחִכִּי S.ofS. 2:3
וּמָתוֹק 7 שָׂמִים מַר לְמָתוֹק וּמָתוֹק לְמָר Is. 5:20
8 וּמָתוֹק הָאוֹר וְטוֹב לַעֵינַיִם Eccl. 11:7
לְמָתוֹק 9 שָׂמִים מַר לְמָתוֹק וּמָתוֹק לְמָר Is. 5:20
10 וַתְּהִי בְּפִי כִּדְבַשׁ לְמָתוֹק Ezek. 3:3
מְתוּקָה 11 מְתוּקָה שְׁנַת הָעֹבֵד Eccl. 5:11
וּמְתוּקִים 12 וּמְתוּקִים מִדְּבַשׁ וְנֹפֶת צוּפִים Ps. 19:11

מְתוּשָׁאֵל שפ״ז – אבי למך: 1, 2
מְתוּשָׁאֵל 1 וּמְחִיָּיאֵל יָלַד אֶת־מְתוּשָׁאֵל Gen. 4:18
וּמְתוּשָׁאֵל 2 וּמְתוּשָׁאֵל יָלַד אֶת־לָמֶךְ Gen. 4:18

מְתוּשֶׁלַח שפ״ז – בן חנוך: 1-6
מְתוּשֶׁלַח 1 אַחֲרֵי הוֹלִידוֹ אֶת־מְתוּשֶׁלַח Gen. 5:22
2 וַיְחִי מְתוּשֶׁלַח...וַיּוֹלֶד אֶת־לָמֶךְ Gen. 5:25
3 וַיְחִי מְתוּשֶׁלַח אַחֲרֵי הוֹלִידוֹ אֶת־לֶמֶךְ Gen. 5:26
4 וַיִּהְיוּ כָּל־יְמֵי מְתוּשֶׁלַח... Gen. 5:27
5 חֲנוֹךְ מְתוּשֶׁלַח לָמֶךְ ICh. 1:3
מְתוּשָׁלַח 6 וַיְחִי חֲנוֹךְ...וַיּוֹלֶד אֶת־מְתוּשָׁלַח Gen. 5:21

מתח : מָתַח; אַמְתַּחַת

מָתַח פָּ׳ פָּרַשׂ, רקע
וַיִּמְתָּחֵם 1 וַיִּמְתָּחֵם כָּאֹהֶל לָשָׁבֶת Is. 40:22

מָתַי מ״ש באיזה זמן? באיזו תקופה?: 1-43
לְמָתַי 43; אַחֲרֵי מָתַי עוֹד 12; עַד מָתַי 13-42
מָתַי 1 מָתַי אֶעֱשֶׂה גַם־אָנֹכִי לְבֵיתִי Gen. 30:30
2 מָתַי יַעֲבֹר הַחֹדֶשׁ וְנַשְׁבִּירָה שֶּׁבֶר Am. 8:5
3 מָתַי יָמוּת וְאָבַד שְׁמוֹ Ps. 41:6
4 מָתַי אָבוֹא וְאֵרָאֶה פְּנֵי אֱלֹהִים Ps. 42:3
5 וּכְסִילִים מָתַי תַּשְׂכִּילוּ Ps. 94:8
6 אַשְׂכִּילָה...מָתַי תָּבוֹא אֵלָי Ps. 101:2
7 לֵאמֹר מָתַי תְּנַחֲמֵנִי Ps. 119:82
8 מָתַי תַּעֲשֶׂה בְרֹדְפַי מִשְׁפָּט Ps. 119:84
9 מָתַי תָּקוּם מִשְּׁנָתֶךָ Prov. 6:9
10 מָתַי אָקִיץ אוֹסִיף אֲבַקְשֶׁנּוּ עוֹד Prov. 23:35
11 אִם־שָׁכַבְתִּי וְאָמַרְתִּי מָתַי אָקוּם Job 7:4
12 לֹא תִטְהֲרִי אַחֲרֵי מָתַי עֹד Jer. 13:27
עַד־מָתַי 13 עַד־מָתַי מֵאַנְתָּ לֵעָנֹת מִפָּנָי Ex. 10:3
14 עַד־מָתַי יִהְיֶה זֶה לָנוּ לְמוֹקֵשׁ Ex. 10:7
15 עַד־מָתַי לָעֵדָה הָרָעָה הַזֹּאת Num. 14:27
16 עַד־מָתַי תִּשְׁתַּכָּרִין ISh. 1:14
17 עַד־מָתַי אַתָּה מִתְאַבֵּל ISh. 16:1
18 וְעַד־מָתַי לֹא־תֹאמַר לָעָם IISh. 2:26
19 עַד־מָתַי אַתֶּם פֹּסְחִים... IK. 18:21
20 וָאֹמַר עַד־מָתַי אֲדֹנָי Is. 6:11
21 עַד־מָתַי תָּלִין בְּקִרְבֵּךְ... Jer. 4:14
22 עַד־מָתַי אֶרְאֶה־נֵּס Jer. 4:21
23 עַד־מָתַי תֶּאֱבַל הָאָרֶץ Jer. 12:4
24 עַד־מָתַי הֲיֵשׁ בְּלֵב הַנְּבִאִים Jer. 23:26
25 עַד־מָתַי תִּתְחַמָּקִין Jer. 31:22(21)
26 עַד־מָתַי תִּתְגּוֹדָדִי Jer. 47:5
27 עַד־מָתַי לֹא יוּכְלוּ נִקָּיֹן Hosh. 8:5
28 הוֹי הַמַּרְבֶּה לֹּא־לוֹ עַד־מָתַי Hab. 2:6
29 עַד־מָתַי אַתָּה לֹא־תְרַחֵם Zech. 1:12
30 עַד־מָתַי אֱלֹהִים יְחָרֶף צָר Ps. 74:10
עַד־מָתַי (המשך) 31 עַד־מָתַי עָשַׁנְתָּ בִּתְפִלַּת עַמֶּךָ Ps. 80:5
32 עַד־מָתַי תִּשְׁפְּטוּ־עָוֶל Ps. 82:2
33 עַד־מָתַי רְשָׁעִים יְיָ Ps. 94:3
34 עַד־מָתַי רְשָׁעִים יַעֲלֹזוּ Ps. 94:3
35 עַד־מָתַי פְּתָיִם תְּאֵהֲבוּ פֶתִי Prov. 1:22
36 עַד־מָתַי עָצֵל תִּשְׁכָּב Prov. 6:9
37 עַד־מָתַי הֶחָזוֹן Dan. 8:13
38 עַד־מָתַי קֵץ הַפְּלָאוֹת Dan. 12:6
39 עַד־מָתַי יִהְיֶה מַהֲלָכְךָ Neh. 2:6
מָתָי 40 וְאַתָּ יְיָ עַד־מָתָי Ps. 6:4
41 שׁוּבָה יְיָ עַד־מָתָי Ps. 90:13
וּמָתַי 42 עַד־מָתַי...וּמָתַי תָּשׁוּב Neh. 2:6
לְמָתַי 43 לְמָתַי אַעְתִּיר לְךָ Ex. 8:5

מְתִים ז״ר אנשים: 1-22
עִיר מְתִים 1, 2, 4; מְתֵי אָהֳלוֹ 17; מְתֵי אָוֶן 16;
מְתֵי יִשְׂרָאֵל 10; מְתֵי מִסְפָּר 7, 8, 11, 13, 18;
מְתֵי מְעָט 19, 20; מְתֵי סוֹד 15; מְתֵי רָעָב 9;
מְתֵי שָׁוְא 14
מְתִים 1 כָּל־עִיר מְתִם וְהַנָּשִׁים וְהַטָּף Deut. 2:34
2 כָּל־עִיר מְתִם הַנָּשִׁים וְהַטָּף Deut. 3:6
3 בַּדֶּיךָ מְתִים יַחֲרִישׁוּ Job 11:3
4 מֵעִיר מְתִים יִנְאָקוּ Job 24:12
מִמְתִים 5/6 מִמְתִים־יָדְךָ יְיָ מִמְתִים מֵחֶלֶד Ps. 17:14
מְתֵי־ 7 וַאֲנִי מְתֵי מִסְפָּר Gen. 34:30
8 וְנִשְׁאַרְתֶּם מְתֵי מִסְפָּר בַּגּוֹיִם Deut. 4:27
9 וּכְבוֹדוֹ מְתֵי רָעָב Is. 5:13
10 תּוֹלַעַת יַעֲקֹב מְתֵי יִשְׂרָאֵל Is. 41:14
11 וּפְלִיטֵי חֶרֶב...מְתֵי מִסְפָּר Jer. 44:28
12 לֹא־יָשַׁבְתִּי עִם־מְתֵי־שָׁוְא Ps. 26:4
13 בִּהְיוֹתָם מְתֵי מִסְפָּר Ps. 105:12
14 כִּי־הוּא יָדַע מְתֵי־שָׁוְא Job 11:11
15 תִּעֲבוּנִי כָּל־מְתֵי סוֹדִי Job 19:19
16 אֲשֶׁר דָּרְכוּ מְתֵי־אָוֶן Job 22:15
17 אִם־לֹא אָמְרוּ מְתֵי אָהֳלִי... Job 31:31
18 בִּהְיוֹתְכֶם מְתֵי מִסְפָּר ICh. 16:19
בִּמְתֵי־ 19 וַיָּגָר שָׁם בִּמְתֵי מְעָט Deut. 26:5
20 וְנִשְׁאַרְתֶּם בִּמְתֵי מְעָט Deut. 28:62
מְתַיִךְ 21 מְתַיִךְ בַּחֶרֶב יִפֹּלוּ Is. 3:25
מְתָיו 22 יְחִי רְאוּבֵן...וִיהִי מְתָיו מִסְפָּר Deut. 33:6

מַתְכֹּנֶת* נ׳ שִׁעוּר הכמות או המדה: 1-5
מַתְכֹּנֶת הַלְּבֵנִים 1
מַתְכֹּנֶת־ 1 וְאֶת־מַתְכֹּנֶת הַלְּבֵנִים...תָּשִׂימוּ Ex. 5:8
מַתְכֻּנְתּוֹ 2 אֶל־הַחֹמֶר יִהְיֶה מַתְכֻּנְתּוֹ Ezek. 45:11
3 וַיַּעֲמִידוּ אֶת־בֵּית הָאֱל׳ עַל־מַתְכֻּנְתּוֹ IICh. 24:13
וּבְמַתְכֻּנְתּוֹ 4 וּבְמַתְכֻּנְתּוֹ לֹא תַעֲשׂוּ Ex. 30:32
בְּמַתְכֻּנְתָּהּ 5 בְּמַתְכֻּנְתָּהּ לֹא תַעֲשׂוּ לָכֶם Ex. 30:37

מַתְּלָאָה נ׳ צרה [עין תְּלָאָה]
מַתְּלָאָה 1 וַאֲמַרְתֶּם הִנֵּה מַתְּלָאָה Mal. 1:13

מְתַלְּעָה* נ׳ שֵׁן טוחנת בפי חיות: 1-3 [עין גם מַלְתָּעָה]
מְתַלְּעוֹת לָבִיא 2; מְתַלְּעוֹת עַוָּל 1
מְתַלְּעוֹת־ 1 וָאֲשַׁבְּרָה מְתַלְּעוֹת עַוָּל Job 29:17
וּמְתַלְּעוֹת־ 2 שִׁנָּיו שִׁנֵּי אַרְיֵה וּמְתַלְּעוֹת לָבִיא לוֹ Joel 1:6
מְתַלְּעֹתָיו 3 חֲרָבוֹת שִׁנָּיו וּמַאֲכָלוֹת מְתַלְּעֹתָיו Prov. 30:14

מְתֹם[1] ז׳ מקום שָׁלֵם: 1-3
אֵין מְתֹם בּוֹ 1-3
מְתֹם 1 מִכַּף־רֶגֶל וְעַד־רֹאשׁ אֵין־בּוֹ מְתֹם Is. 1:6
2 אֵין מְתֹם בִּבְשָׂרִי Ps. 38:4
3 וְאֵין מְתֹם בִּבְשָׂרִי Ps. 38:8

מְתֹם[2] נִקּוּד אחר במקום "מְתֹם" [עין ערך מְתִים]
מְתֹם 1 מֵעִיר מְתֹם עַד־בְּהֵמָה Jud. 20:48

מַתָּן[1] ז׳ מתנה, מנחה: 1-5
קרובים: ראה מַתָּנָה
מֹהַר וּמַתָּן 4; מַתַּן אָדָם 1; מַתָּן בַּסֵּתֶר 3;
אִישׁ מַתָּן 2; תְּרוּמַת מַתָּן 5
מַתָּן 1 מַתָּן אָדָם יַרְחִיב לוֹ Prov. 18:16
2 וְכָל־הָרֵעַ לְאִישׁ מַתָּן Prov. 19:6
3 מַתָּן בַּסֵּתֶר יִכְפֶּה־אָף Prov. 21:14
וּמַתָּן 4 הַרְבּוּ עָלַי מְאֹד מֹהַר וּמַתָּן Gen. 34:12
מַתָּנָם 5 וְזֶה־לְּךָ תְּרוּמַת מַתָּנָם Num. 18:11

מַתָּן[2] שפ״ז א) כהן הבעל: 1-2
ב) אבי שפטיה השׂר לצדקיהו: 3
1/2 וְאֵת מַתָּן כֹּהֵן הַבַּעַל IIK. 11:18 • IICh. 23:17
3 וַיִּשְׁמַע שְׁפַטְיָה בֶן־מַתָּן Jer. 38:1

מַתְּנָא נ׳ ארמית מתנה: 1-3
מַתְּנָן 1 מַתְּנָן וּנְבִזְבָּה וִיקָר שַׂגִּיא Dan. 2:6
וּמַתְּנָן 2 וּמַתְּנָן רַבְרְבָן שַׂגִּיאָן יְהַב־לֵהּ Dan. 2:48
מַתְּנָתָךְ 3 מַתְּנָתָךְ לָךְ לֶהֶוְיָן Dan. 5:17

מַתָּנָה[1] נ׳ א) מנחה, תשורה: 3-11, 16, 17
ב) מעשה התנדבות: 1, 2
ג) קרבן נדבה: 12-15
קרובים: אֶתְנָן / מָנָה / מִנְחָה / מַתָּן / מַתַּת / נְדָבָה / שַׁי / תְּשׁוּרָה
עֲבֹדַת מַתָּנָה 2; מַתְּנַת יָד 6; שׂוֹנֵא מַתָּנוֹת 9;
מַתְּנוֹת קֹדֶשׁ 12
מַתָּנָה 1 מַתָּנָה נְתֻנִים לַיְיָ לַעֲבֹד Num. 18:6
2 וַעֲבַדְתֶּם עֲבֹדַת מַתָּנָה Num. 18:7
3 כִּי־יִתֵּן הַנָּשִׂיא מַתָּנָה לְאִישׁ מִבָּנָיו Ezek. 46:16
4 וְכִי־יִתֵּן מַתָּנָה מִנַּחֲלָתוֹ Ezek. 46:17
5 יְהוֹלֵל חָכָם וִיאַבֵּד אֶת־לֵב מַתָּנָה Eccl. 7:7
כְּמַתְּנַת־ 6 אִישׁ כְּמַתְּנַת יָדוֹ Deut. 16:17
מַתָּנֹת 7 וְלִבְנֵי...נָתַן אַבְרָהָם מַתָּנֹת Gen. 25:6
8 לָקַחְתָּ מַתָּנוֹת בָּאָדָם Ps. 68:19
9 וְשׂוֹנֵא מַתָּנֹת יִחְיֶה Prov. 15:27
10 וַיִּתֵּן לָהֶם אֲבִיהֶם מַתָּנוֹת רַבּוֹת IICh. 21:3
וּמַתָּנוֹת 11 וּמִשְׁלֹחַ מָנוֹת...וּמַתָּנוֹת לָאֶבְיֹנִים Es. 9:22
מַתְּנוֹת־ 12 לְכָל־מַתְּנֹת קָדְשֵׁיהֶם Ex. 28:38
מַתְּנוֹתֵיכֶם 13 וּמִלְּבַד מַתְּנוֹתֵיכֶם Lev. 23:38
17 מִכֹּל מַתְּנֹתֵיכֶם תָּרִימוּ Num. 18:29
15 וּבִשְׂאֵת מַתְּנֹתֵיכֶם בְּהַעֲבִיר Ezek. 20:31
בְּמַתְּנוֹתֵיכֶם 16 לֹא תְחַלְּלוּ־עוֹד בְּמַתְּנוֹתֵיכֶם Ezek. 20:39
בְּמַתְּנוֹתָם 17 וָאֲטַמֵּא אוֹתָם בְּמַתְּנוֹתָם Ezek. 20:26

מַתָּנָה[2] תחנה במסעי בני ישראל במדבר מואב: 1, 2
מַתָּנָה 1 וּמִמִּדְבָּר מַתָּנָה Num. 21:18
וּמִמַּתָּנָה 2 וּמִמַּתָּנָה נַחֲלִיאֵל Num. 21:19

מִתְנִי ת׳ המתיחס על מקום בשם מֶתֶן(?)
הַמִּתְנִי 1 חָנָן בֶּן־מַעֲכָה וְיוֹשָׁפָט הַמִּתְנִי ICh. 11:43

מַתְּנַי שפ״ז א) כהן בימי עזרא: 1
ב) שנים שנשאו נשים נכריות: 2, 3
מַתְּנַי 1 מִבְּנֵי חָשֻׁם מַתְּנַי מַתַּתָּה... Ez. 10:33
2 מַתַּנְיָה מַתְּנַי וְיַעֲשָׂי Ez. 10:37
3 וּלְיוֹיָרִיב מַתְּנַי... Neh. 12:19

מַתַּנְיָה

שפ״ז א) דוד יהויכין מלך יהודה: 1
ב) לויים בימי זרובבל: 6־13
ג) אנשים שנשאו נשים נכריות: 2־5

מַתַּנְיָה 1 וַיַּמְלֵךְ...אֶת־מַתַּנְיָה דֹדוֹ תַּחְתָּיו IIK. 24:17
2 וּמִבְּנֵי עֵילָם מַתַּנְיָה זְכַרְיָה... Ez. 10:26
3 וּמִבְּנֵי זַתּוּא...אֶלְיָשִׁיב מַתַּנְיָה Ez. 10:27
4 מַעֲשֵׂיָה מַתַּנְיָה בְּצַלְאֵל Ez. 10:30
5 מַתַּנְיָה מַתְּנַי וְיַעֲשָׂי Ez. 10:37
6 בֶּן־מַתַּנְיָה בֶּן־מִיכָא Neh. 11:22
7 וְהַלְוִיִּם יֵשׁוּעַ...יְהוּדָה מַתַּנְיָה Neh. 12:8
8 מַתַּנְיָה וּבַקְבֻּקְיָה עֹבַדְיָה Neh. 12:25
9 בֶּן־שְׁמַעְיָה בֶּן־מַתַּנְיָה Neh. 12:35
10 חָנָן בֶּן־זַכּוּר בֶּן־מַתַּנְיָה Neh. 13:13
11 וְיַחֲזִיאֵל...בֶּן־מַתַּנְיָה הַלֵּוִי IICh. 20:14
וּמַתַּנְיָה 12 וּמַתַּנְיָה בֶּן־מִיכָא בֶּן־זַבְדִּי Neh. 11:17
13 וּמַתַּנְיָה בֶּן־מִיכָא בֶּן־זִכְרִי ICh. 9:15

מַתַּנְיָהוּ

שפ״ז א) משורר מבני הימן בימי דוד: 1, 2
ב) לוי בימי חזקיהו: 3

מַתַּנְיָהוּ 1 בְּנֵי הֵימָן בֻּקִּיָּהוּ מַתַּנְיָהוּ ICh. 25:4
2 הַתְּשִׁיעִי מַתַּנְיָהוּ... ICh. 25:16
וּמַתַּנְיָהוּ 3 וּמִן־בְּנֵי אָסָף זְכַרְיָהוּ וּמַתַּנְיָהוּ IICh. 29:13

מָתְנַיִם

ז״ז הצדדים בגוף האדם בין צלעות החזה לעצם הירך, חֲלָצַיִם: 1־22

– מָתְנַיִם חֲגוּרִים 30, 42
– אֵזוֹר מָתְנַיִם 25; זַרְזִיר מָתְנַיִם 7; מֵי מָתְנַיִם 9; מַרְאֵה מָתְנַיִם 27, 28; שִׁבְרוֹן מָתְנַיִם 3
– מָתְנֵי אָבִיו 13, 14; מָתְנֵי אִישׁ 11; מָ׳ מְלָכִים 12
– אָזַר מָתְנָיו 20; הַמְעִיד מָתְנַיִם 44 חָגַר מָ׳ 17, 18, 39; חִזֵּק מָ׳ 5; מְחַץ מָתְנַיִם 1; פִּתַּח מָתְנַיִם 12; שִׁנֵּס מָתְנָיו 24; כֹּחוֹ בְמָתְנָיו 37

מָתְנַיִם 1 מְחַץ מָתְנַיִם קָמָיו Deut. 33:11
2 וְעַל־מָתְנַיִם שָׂק Jer. 48:37
3 בְּשִׁבְרוֹן מָתְנַיִם וּבִמְרִירוּת תֵּאָנַח Ezek. 21:11
4 וְהַעֲלֵיתִי עַל־כָּל־מָתְנַיִם שָׂק Am. 8:10
5 חַזֵּק מָתְנַיִם אַמֵּץ כֹּחַ מְאֹד Nah. 2:2
6 וּפִק בִּרְכַּיִם וְחַלְחָלָה בְּכָל־מָתְנַיִם Nah.2:14
7 זַרְזִיר מָתְנַיִם אוֹ־תָיִשׁ Prov. 30:31
מָתְנָיִם 8 וְהַעֲמַדְתָּ לָהֶם כָּל־מָתְנָיִם Ezek. 29:7
9 וַיַּעֲבִרֵנִי מֵי מָתְנָיִם Ezek. 47:4
מִמָּתְנַיִם 10 מִמָּתְנַיִם וְעַד־יְרֵכַיִם יִהְיוּ Ex. 28:42
מָתְנֵי־ 11 יִדְבַּק הָאֵזוֹר אֶל־מָתְנֵי אִישׁ Jer. 13:11
וּמָתְנֵי־ 12 וּמָתְנֵי מְלָכִים אֲפַתֵּחַ Is. 45:1
מִמָּתְנֵי־ 13/4 קָטָנִּי עָבָה מִמָּתְנֵי IK. 12:10 • IICh. 10:10
מָתְנַי 15 עַל־כֵּן מָלְאוּ מָתְנַי חַלְחָלָה Is. 21:3
מָתְנָי 16 וָאֶקְנֶה אֶת־הָאֵזוֹר...וָאָשִׂם עַל־מָתְנָי Jer. 13:2
מָתְנֶיךָ 17/8 חֲגֹר מָתְנֶיךָ IIK. 4:29; 9:1
19 וּפִתַּחְתָּ הַשַּׂק מֵעַל מָתְנֶיךָ Is. 20:2
20 וְאַתָּה תֶּאְזֹר מָתְנֶיךָ Jer. 1:17
21 ...אֵזוֹר פִּשְׁתִּים וְשַׂמְתּוֹ עַל־מָתְנֶיךָ Jer. 13:1
22 אֶת־הָאֵזוֹר...אֲשֶׁר עַל־מָתְנֶיךָ Jer. 13:4
מָתְנָיו 23 חֶרֶב מְצֻמֶּדֶת עַל־מָתְנָיו IISh. 20:8
24 וַיְשַׁנֵּס מָתְנָיו וַיָּרָץ IK. 18:46
25 וְהָיָה צֶדֶק אֵזוֹר מָתְנָיו Is. 11:5
26 מִמַּרְאֵה מָתְנָיו וּלְמָעְלָה Ezek. 1:27
27 וּמִמַּרְאֵה מָתְנָיו וּלְמַטָּה Ezek. 1:27
28 מִמַּרְאֵה מָתְנָיו וּלְמַטָּה אֵשׁ Ezek. 8:2
29 אִישׁ חַרְבּוֹ אֲסוּרִים עַל־מָתְנָיו Neh. 4:12
וּמָתְנָיו 30 וּמָתְנָיו חֲגֻרִים בְּכֶתֶם אוּפָז Dan. 10:5
בְּמָתְנָיו 31 וַיָּשֶׂם שַׂק בְּמָתְנָיו Gen. 37:34
32 בַּחֲגֹרָתוֹ אֲשֶׁר בְּמָתְנָיו IK. 2:5
33 וְאֵזוֹר עוֹר אָזוּר בְּמָתְנָיו IIK. 1:8
34 וְקֶסֶת הַסֹּפֵר בְּמָתְנָיו Ezek. 9:2
35 אֲשֶׁר קֶסֶת הַסֹּפֵר בְּמָתְנָיו Ezek. 9:3
36 אֲשֶׁר הַקֶּסֶת בְּמָתְנָיו Ezek. 9:11
37 הִנֵּה־נָא כֹחוֹ בְמָתְנָיו Job 40:16
וּמִמָּתְנָיו 38 וּמִמָּתְנָיו וּלְמַעְלָה כְּמַרְאֵה־זֹהַר Ezek. 8:2
מָתְנֶיהָ 39 חָגְרָה בְעוֹז מָתְנֶיהָ Prov. 31:17
בְּמָתְנֵינוּ 40 נָשִׂימָה נָּא שַׂקִּים בְּמָתְנֵינוּ IK. 20:31
41 שַׂמְתָּ מוּעָקָה בְמָתְנֵינוּ Ps. 66:11
מָתְנֵיכֶם 42 מָתְנֵיכֶם חֲגֻרִים נַעֲלֵיכֶם בְּרַגְלֵיכֶם Ex. 12:11
מָתְנֵיהֶם 43 וּמִכְנְסֵי פִשְׁתִּים יִהְיוּ עַל־מָתְנֵיהֶם Ezek. 44:18
וּמָתְנֵיהֶם 44 וּמָתְנֵיהֶם תָּמִיד הַמְעַד Ps. 69:24
בְּמָתְנֵיהֶם 45 וַיַּחְגְּרוּ שַׂקִּים בְּמָתְנֵיהֶם IK. 20:32
46 חֲגוֹרֵי אֵזוֹר בְּמָתְנֵיהֶם Ezek. 23:15
47 וַיֶּאְסֹר אֵזוֹר בְּמָתְנֵיהֶם Job 12:18

מתק

: מָתַק, הִמְתִּיק; מָתוֹק, מֹתֶק, מֶתֶק; ש״פ מִתְקָה

מָתַק

פָ׳ א) נעשה מתוק, היה עָרֵב לחכו: 1־4
ב) עשה למתוק (ובהשאלה) הנעים: 5־6

הִמְתִּיק סוֹד 6; הִמְתִּיק רָעָה 5

מְתָקוֹ 1 יְשְׁכָּחֵהוּ רֶחֶם מְתָקוֹ רִמָּה Job 24:20
מָתְקוּ 2 מָתְקוּ־לוֹ רִגְבֵי נָחַל Job 21:33
יִמְתָּקוּ 3 מַיִם־גְּנוּבִים יִמְתָּקוּ Prov. 9:17
וַיִּמְתְּקוּ 4 וַיַּשְׁלֵךְ אֶל־הַמַּיִם וַיִּמְתְּקוּ הַמָּיִם Ex. 15:25
תַּמְתִּיק 5 אִם־תַּמְתִּיק בְּפִיו רָעָה Job 20:12
נַמְתִּיק 6 אֲשֶׁר יַחְדָּו נַמְתִּיק סוֹד Ps. 55:15

מֹתֶק*

ז׳ מתיקות, נעימות לחֵך

מָתְקִי 1 הֶחֳדַלְתִּי אֶת־מָתְקִי וְאֶת־תְּנוּבָתִי Jud. 9:11

מֶתֶק

ז׳ מותק: 1, 2

מֶתֶק רֵעֵהוּ 2; מֶתֶק שְׂפָתַיִם 1

וּמֶתֶק־ 1 וּמֶתֶק שְׂפָתַיִם יֹסִיף לֶקַח Prov. 16:21
2 וּמֶתֶק רֵעֵהוּ מֵעֲצַת־נָפֶשׁ Prov. 27:9

מִתְקָה

מתחנות בני־ישראל במסעיהם במדבר: 1, 2

בְּמִתְקָה 1 וַיִּסְעוּ מִתָּרַח וַיַּחֲנוּ בְּמִתְקָה Num. 33:28
מִמִּתְקָה 2 וַיִּסְעוּ מִמִּתְקָה וַיַּחֲנוּ בְּחַשְׁמֹנָה Num. 33:29

מִתְרְדָת

שפ״ז – גזבר לכורש מלך פרס: 1, 2

מִתְרְדָת 1 וַיּוֹצִיאֵם...עַל־יַד מִתְרְדָת הַגִּזְבָּר Ez. 1:8
2 כָּתַב בִּשְׁלָם מִתְרְדָת טָבְאֵל Ez. 4:7

מַתָּת

נ׳ מנחה, מתנה: 1־6

קרובים: ראה מַתָּנָה

מַתַּת אֱלֹהִים 4, 5; מַתַּת יָד 2, 3; מַתַּת שָׁקֶר 6

מַתָּת 1 בֹּאָה־אִתִּי...וְאֶתְּנָה לְךָ מַתָּת מ״א יג 7
מַתַּת־ 2 וְלַכְּבָשִׂים מִנְחָה מַתַּת יָדוֹ יחזקאל מו 5
3 וְלַכְּבָשִׂים מַתַּת יָדוֹ יחזקאל מו 11
4 מַתַּת אֱלֹהִים הִיא קהלת ג 13
5 זֹה מַתַּת אֱלֹהִים הִיא קהלת ה 18
בְּמַתַּת־ 6 אִישׁ מִתְהַלֵּל בְּמַתַּת־שָׁקֶר משלי כה 14

מַתַּתָּה

שפ״ז – איש בימי עזרא

מַתַּתָּה 1 מִבְּנֵי חָשֻׁם מַתְּנַי מַתַּתָּה Ez. 10:33

מַתִּתְיָה

שפ״ז א) אנשים בימי עזרא ונחמיה: 1, 2, 4
ב) לוי בימי דוד: 3

מַתִּתְיָה 1 מִבְּנֵי נְבוֹ יְעִיאֵל מַתִּתְיָה Ez. 10:43
2 וַיַּעֲמֹד אֶצְלוֹ מַתִּתְיָה וְשֶׁמַע Neh. 8:4
וּמַתִּתְיָה 3 וּמַתִּתְיָה מִן־הַלְוִיִּם ICh. 9:31
4 וִיחִיאֵל וּמַתִּתְיָה וֶאֱלִיאָב ICh. 16:5

מַתִּתְיָהוּ

שפ״ז – לויים בימי דוד: 1־4

מַתִּתְיָהוּ 1 לְאַרְבָּעָה עָשָׂר מַתִּתְיָהוּ ICh. 25:21
וּמַתִּתְיָהוּ 2/3 וּמַתִּתְיָהוּ וֶאֱלִיפְלֵהוּ ICh. 15:18, 21
4 בְּנֵי יְדוּתוּן גְּדַלְיָהוּ...וּמַתִּתְיָהוּ ICh. 25:3

נ׳ זעירא

אֹרֶ ן	Is. 44:14
וּנְבוּשַׁזְבָּ ן	Jer. 39:13
וְנִרְגָּ ן	Prov. 16:28

נ׳ רבתי

מִשְׁפָּטָ ן	Num. 27:5

ז׳ הפוכה

Num. 10:35, 36; Ps. 107:23, 24, 25, 26, 27, 28, 40

נ׳ תלויה

מְ נַ שֶּׁה	Jud. 18:30

נ׳ חסרה

בצענים	בְּצַעֲנִּים	Jud. 4:11
לי	לָנוּ	IISh. 21:4
אנו	אֲנַחְנוּ	Jer. 42:6
מפניים	מִפְּנִינִים	Prov. 3:15
ויסתר	וְנִסְתָּר	Prov. 22:3

נ׳ יתרה

מן המערה	מֵהַמְּעָרָה	ISh. 24:8
ינתן	יֻתַּן	IISh. 21:6
תתן	תֵּת	IK. 17:14
ופני	וּפִי	Prov. 15:14
מן בת	מִבַּת	Lam. 1:6

נ

נוני־ן בתורה 14 107

ן׳ (בּרבּוּי בּמלים עבריות בּמקום ם׳)

צִדֹנִין	IK. 11:33
הָרָצִין	IIK. 11:13
חִטִּין	Ezek. 4:9
הָאִיִּין	Ezek. 26:18
עִיִּין	Mic. 3:12
מְלָכִין	Prov. 31:3
	Job 4:1; 12:11; 15:13; 18:2; 26:4; 32:11, 14; 33:8, 32; 34:3; 35:4, 16; 38:2
בַּחַיִּין	Job 24:22
אֲחֵרִין	Job 31:10
שׁוֹמֵמִין	Lam. 1:4
הַיָּמִין	Dan. 12:13

כתיב נ׳ – קרי מ׳

תנין	תַּנִּים	Lam. 4:3

כתיב מ׳ – קרי נ׳

אלפים	אַלְפִין	Dan. 7:10

נָא¹ מלת קריאה

א) [אחרי פּוֹעל בּצווּי] לבקשה או לזֵרוּז: 1־240

ב) [אחרי פּוֹעל עתיד] בּיחוּד לבקשה, כּהוֹראת ״אָנָּא״: 241־345

ג) [אחרי מִליוֹת שׁוֹנוֹת] להדגשה: 346־404

אוֹי־נָא 346־348; **אַיֵּה־נָא** 349; **אַל־נָא** 350־368; **אִם־נָא** 369־377; **הִנֵּה־נָא** 378־402; **נֶגְדָה־נָּא** 403, 404

נָא (א)

1 אִמְרִי־נָא אֲחֹתִי אָתְּ — Gen. 12:13
2 הִפָּרֶד נָא מֵעָלָי — Gen. 13:9
3 שָׂא־נָא עֵינֶיךָ וּרְאֵה — Gen. 13:14
4 הַבֶּט־נָא הַשָּׁמַיְמָה — Gen. 15:5
5 בֹּא־נָא אֶל־שִׁפְחָתִי — Gen. 16:2
6 אֲדֹנַי סוּרוּ נָא אֶל־בֵּית עַבְדְּכֶם — Gen. 19:2
7 קַח־נָא אֶת־בִּנְךָ... — Gen. 22:2
8/9 שִׂים־נָא יָדְךָ תַּחַת יְרֵכִי — Gen. 24:2; 47:29
10 הַקְרֵה־נָא לְפָנַי הַיּוֹם — Gen. 24:12
11 הַטִּי־נָא כַדֵּךְ וְאֶשְׁתֶּה — Gen. 24:14
12 הַגְמִיאִינִי נָא מְעַט־מַיִם — Gen. 24:17
13 הַגִּידִי נָא לִי — Gen. 24:23
14 הַשְׁקִינִי־נָא מְעַט־מַיִם — Gen. 24:43
15 וָאֹמַר אֵלֶיהָ הַשְׁקִינִי נָא — Gen. 24:45
16 הַלְעִיטֵנִי נָא מִן־הָאָדֹם... — Gen. 25:30
17 קוּם־נָא שְׁבָה וְאָכְלָה מִצֵּידִי — Gen. 27:19
18 גְּשָׁה־נָּא וַאֲמֻשְׁךָ בְּנִי — Gen. 27:21
19 גְּשָׁה־נָּא וּשְׁקָה־לִּי בְּנִי — Gen. 27:26
20 הַצִּילֵנִי נָא מִיַּד אָחִי — Gen. 32:11
21 הַגִּידָה־נָּא שְׁמֶךָ — Gen. 32:29
22 הָבָה־נָּא אָבוֹא אֵלַיִךְ — Gen. 38:16
23 הַכֶּר־נָא לְמִי הַחֹתֶמֶת... — Gen. 38:25
24 סַפְּרוּ־נָא לִי — Gen. 40:8
25 שִׂים־נָא יָדְךָ תַּחַת יְרֵכִי — Gen. 47:29
26 מְחֵנִי נָא מִסִּפְרְךָ אֲשֶׁר כָּתָבְתָּ — Ex. 32:32
27 הָרְגֵנִי נָא הָרֹג — Num. 11:15
28 שִׁמְעוּ־נָא דְבָרָי — Num. 12:6
29/30 אֵל נָא רְפָא נָא לָהּ — Num. 12:13
31 סְלַח־נָא לַעֲוֹן הָעָם הַזֶּה — Num. 14:19
32 שִׁמְעוּ־נָא הַמֹּרִים — Num. 20:10
33 כִּי שְׁאַל־נָא לְיָמִים רִאשֹׁנִים — Deut. 4:32
34 אֱמָר־נָא שִׁבֹּלֶת — Jud. 12:6
35 הוֹאֶל־נָא וְלִין וְיִיטַב לִבֶּךָ — Jud. 19:6
36 סְעָד־נָא לְבָבְךָ — Jud. 19:8
37 סְפָחֵנִי נָא אֶל־אַחַת הַכְּהֻנּוֹת — ISh. 2:36

נָא (א) (המשך)

38 הוֹאֶל נָא וְלֵךְ אֶת־עֲבָדֶיךָ — IIK. 6:3
39 לְכוּ־נָא וְנִוָּכְחָה יֹאמַר יְיָ — Is. 1:18
40 שִׁפְטוּ־נָא בֵּינִי וּבֵין כַּרְמִי — Is. 5:3
41 אָנָּא יְיָ הוֹשִׁיעָה נָּא — Ps. 118:25
42 אָנָּא יְיָ הַצְלִיחָה נָא — Ps. 118:25
43/4 אֱזָר־נָא כְגֶבֶר חֲלָצֶיךָ — Job 38:3; 40:7
45־240 **נָא** (א) Gen. 19:2; 27:3, 9; 30:14 31:12; 33:11; 34:8; 37:6, 14, 16, 32; 45:4; 48:9; 50:4, 17^2 • Ex. 4:6, 13; 10:11, 17; 11:2; 33:13, 18; 34:9 • Num. 16:8, 26; 22:6, 17, 19; 23:13, 27 • Josh. 2:12; $7:19^2$ • Jud. 1:24; 4:19; 7:3; 8:5; 9:2, 38; 10:15; 11:19; 13:4; 16:6, 10, 28^2; 18:5; 19:9, 11 • ISh. 9:3, 18; 10:15; 14:17, 29; 15:25, 30; 16:17; 17:17; 19:2; 20:29, 36; 22:7, 12; 23:11, 22; 25:8, 28; 26:11; 28:8, 22; 30:7 • IISh. 1:4, 9; 7:2; 13:7, 13, 17, 28; $14:2^2$; 15:31; 17:5; 20:16; 24:2, 10 • IK. 2:17; 13:6; 14:2; 17:10, 11; 18:43; 20:7, 35, 37; 22:5 • IIK. 2:2, 4, 6; 4:13; 22, 26; 5:7, 15, 22; 6:17, 18; 8:4; 9:12, 34; 18:19, 23, 26; 19:19; 20:3 • Is. 7:3, 13; 29:11, 12; 36:4, 8, 11; 38:3; 47:12; 51:21; 64:8 • Jer. 5:1, 21; 7:12; $18:11^2$, 13; 21:2; 25:5; 28:7, 15; 30:6; 32:8; 35:15; 36:15, 17; 37:3, 20; 38:12, 20, 25 • Ezek. 8:5, 8; 17:12; 18:25; 33:30 • Am. 7:2, 5 • Jon. 1:8; 4:3 • Mic. 3:1, 9; 6:1, 5 • Hag. 2:2, 11, 15, 18 • Zech. 1:4; 3:8; 5:5 • Mal. 1:8, 9; 3:10 • Ps. 50:22; 80:15; 119:108 • Job 1:11; 2:5; 4:7; 5:1; 6:29; 8:8; 10:9; 12:7; 13:6; 17:3, 10; 22:21, 22; 33:1; 40:10; 42:4 • Lam. 1:18 • Eccl. 2:1 • Dan. 1:12 • Neh. 1:8, 11; 5:11 • ICh. 21:8; 29:20 • IICh. 18:4

נָא (ב)

241 יֻקַּח־נָא מְעַט־מַיִם — Gen. 18:4
242 אֵרֲדָה־נָּא וְאֶרְאֶה — Gen. 18:21
243 אוֹצִיאָה־נָּא אֶתְהֶן אֲלֵיכֶם — Gen. 19:8
244 אִמָּלְטָה נָא שָׁמָּה — Gen. 19:20
245 אִם־יֶשְׁךָ־נָּא מַצְלִיחַ דַּרְכִּי — Gen. 24:42
246 תְּהִי נָא אָלָה בֵּינוֹתֵינוּ — Gen. 26:28
247 יַעֲבָר־נָא אֲדֹנִי לִפְנֵי עַבְדּוֹ — Gen. 33:14
248 אַצִּיגָה־נָּא עִמְּךָ מִן־הָעָם — Gen. 33:15
249 וְעָשִׂיתָ־נָּא עִמָּדִי חָסֶד — Gen. 40:14
250 יְדַבֶּר־נָא עַבְדְּךָ דָבָר — Gen. 44:18
251 יֵשֶׁב־נָא עַבְדְּךָ תַּחַת הַנַּעַר — Gen. 44:33
252 יֵשְׁבוּ־נָא עֲבָדֶיךָ בְּאֶרֶץ גֹּשֶׁן — Gen. 47:4
253 אֶעֱלֶה־נָּא וְאֶקְבְּרָה אֶת־אָבִי — Gen. 50:5
254 אָסֻרָה־נָּא וְאֶרְאֶה — Ex. 3:3
255/6 נֵלֲכָה(־)נָּא דֶּרֶךְ שְׁלֹשֶׁת יָמִים — Ex. 3:18; 5:3
257 אֵלֲכָה־נָּא וְאָשׁוּבָה אֶל־אַחַי — Ex. 4:18

נָא (ב) (המשך)

258 יֵלֶךְ־נָא אֲדֹנָי בְּקִרְבֵּנוּ — Ex. 34:6
259 וְעַתָּה יִגְדַּל־נָא כֹּחַ אֲדֹנָי — Num. 14:17
260 נַעְבְּרָה־נָּא בְאַרְצֶךָ — Num. 20:17
261 אֶעְבְּרָה־נָּא וְאֶרְאֶה — Deut. 3:25
262 נַעֲשֶׂה־נָּא לָנוּ לִבְנוֹת...הַמִּזְבֵּחַ — Josh. 22:26
263 אֲנַסֶּה נָּא־רַק־הַפַּעַם בַּגִּזָּה — Jud. 6:39
264 יְהִי־נָא חֹרֶב אֶל־הַגִּזָּה לְבַדָּהּ — Jud. 6:39
265 אֶעְבְּרָה־נָּא בְאַרְצֶךָ — Jud. 11:17
266 אָחוּדָה־נָּא לָכֶם חִידָה — Jud. 14:12
267 יָקוּמוּ נָא הַנְּעָרִים וִישַׂחֲקוּ לְפָנֵינוּ — IISh. 2:14
268 אָשִׁירָה נָּא לִידִידִי — Is. 5:1
269־345 **נָא** (ב) Jud. 13:8, 15; 15:2; 19:23, 24 ISh. 16:16, 22; 20:29; 22:3; 25:24; 26:8, 19 • IISh. 13:5, 6, 24, 26; 14:11, 12, 15, 17, 18; 15:7; 16:9; 17:1; 18:19, 22; 19:38; 24:14, 17 • IK. 1:12; 8:26; 17:21; 19:20; 20:31, 32; 22:13 • IIK. 1:13; 2:9, 16; 4:10; 5:8, 17, 18; 6:2; 7:12, 13 • Is. 5:5; 19:12; 47:13 • Jer. 5:24; 17:15; 27:18; 37:20; 38:4; 40:15; 42:2 • Ps. 7:10; 118:2, 3, 4; 119:76; 122:8; 124:1; 129:1 • Job 32:21 • S.ofS. 3:2; 7:9 • Ruth 2:2, 7 • Dan. 9:16 • Ez. 10:14 • Neh. 1:6, 11; 5:10 • ICh. 21:13, 17; 22:5(4) • IICh. 6:40; 18:12

אוֹי־נָא

346 אוֹי־נָא לִי כִּי עָיְפָה נַפְשִׁי — Jer. 4:31
347 אוֹי־נָא לִי כִּי־יָסַף יְיָ יָגוֹן... — Jer. 45:3
348 אוֹי־נָא לָנוּ כִּי חָטָאנוּ — Lam. 5:16

אַיֵּה־נָא

349 אַיֵּה־נָא אֱלֹהֵיהֶם — Ps. 115:2

אַל־נָא

350 אַל־נָא תְהִי מְרִיבָה — Gen. 13:8
351 אַל־נָא תַעֲבֹר מֵעַל עַבְדֶּךָ — Gen. 18:3
352/3 אַל־נָא יִחַר לַאדֹנָי — Gen. 18:30, 32
354 אַל־נָא אַחַי תָּרֵעוּ — Gen. 19:7
355 אַל־נָא אֲדֹנָי — Gen. 19:18
356 אַל־נָא אִם־נָא מָצָאתִי חֵן... — Gen. 33:10
357 אַל־נָא תִקְבְּרֵנִי בְּמִצְרָיִם — Gen. 47:29
358 אַל־נָא תַּעֲזֹב אֹתָנוּ — Num. 10:31
359 אַל־נָא תָשֵׁת עָלֵינוּ חַטָּאת — Num. 12:11
360 אַל־נָא תְהִי כַּמֵּת — Num. 12:12
361 אַל־נָא תִמָּנַע מֵהֲלֹךְ אֵלָי — Num. 22:16
362 אַל־נָא תָמֻשׁ מִזֶּה — Jud. 6:18
363 אַל־נָא תְכַחֵד מִמֶּנִּי — ISh. 3:17
364 אַל־נָא יָשִׂים אֲדֹנִי אֶת־לִבּוֹ — ISh. 25:25
365 אַל־נָא נֵלֵךְ כֻּלָּנוּ — IISh. 13:25
366 אַל־נָא תְכַחֲדִי מִמֶּנִּי דָּבָר — IISh. 14:18
367 אַל־נָא תַעֲשׂוּ אֵת דְּבַר־הַתֹּעֵבָה — Jer. 44:4
368 אַל־נָא נֹאבְדָה בְּנֶפֶשׁ הָאִישׁ הַזֶּה — Jon. 1:14

אִם־נָא 369־377 אִם־נָא מָצָאתִי חֵן בְּעֵינֶיךָ(כֶם)
Gen. 18:3; 30:27; 33:10; 47:29; 50:4 • Ex. 33:13; 34:9 • Jud. 6:17 • ISh. 27:5

הִנֵּה־נָא 378 הִנֵּה־נָא יָדַעְתִּי כִּי... Gen. 12:11
379 הִנֵּה־נָא עֲצָרַנִי יְיָ מִלֶּדֶת Gen. 16:2
380/1 הִנֵּה־נָא הוֹאַלְתִּי לְדַבֵּר Gen. 18:27, 31
382 הִנֶּה נָּא־אֲדֹנַי Gen. 19:2
383 הִנֵּה־נָא לִי שְׁתֵּי בָנוֹת Gen. 19:8
384 הִנֵּה־נָא מָצָא עַבְדְּךָ חֵן Gen. 19:19
385 הִנֵּה־נָא הָעִיר הַזֹּאת קְרֹבָה Gen. 19:20
386 הִנֵּה־נָא זָקַנְתִּי Gen. 27:2
387 הִנֵּה־נָא אַתְּ־עֲקָרָה Jud. 13:3
388 הִנֵּה־נָא רָפָה הַיּוֹם לַעֲרוֹב Jud. 19:9
389 הִנֵּה־נָא אִישׁ־אֱלֹהִים ISh. 9:6
390 הִנֵּה־נָא רוּחַ־אֱלֹהִים רָעָה מְבַעִתֶּךָ ISh.16:15
391 הִנֵּה־נָא גֹזְזִים לְעַבְדֶּךָ IISh. 13:24
392 הִנֵּה־נָא עָשִׂיתִי אֶת־הַדָּבָר הַזֶּה IISh.14:24
393 הִנֵּה־נָא שָׁמַעְנוּ... IK. 20:31
394 הִנֵּה־נָא דִּבְרֵי הַנְּבִיאִים פֶּה־אֶחָד IK. 22:13
395 הִנֵּה־נָא יֵשׁ־אֶת־עֲבָדֶיךָ IIK. 2:16
396 הִנֵּה־נָא מוֹשַׁב הָעִיר טוֹב IIK. 2:19
397/8 הִנֵּה־נָא יָדַעְתִּי כִּי... IIK. 4:9; 5:15
399 הִנֵּה־נָא הַמָּקוֹם... צַר מִמֶּנּוּ IIK. 6:1
400 הִנֵּה־נָא עָרַכְתִּי מִשְׁפָּט Job 13:18
401 הִנֵּה־נָא פָּתַחְתִּי פִי Job 33:2
402 הִנֵּה־נָא בְהֵמוֹת אֲשֶׁר־עָשִׂיתִי Job 40:15
נֶגְדָה־נָּא 403/4 נֶגְדָה־נָּא לְכָל־עַמּוֹ Ps. 116:14, 18

נָא2
ת׳ שאינו צלוי או שאינו אפוי כל צרכו
נָא 1 אַל־תֹּאכְלוּ מִמֶּנּוּ נָא Ex. 12:9

נֹא
ש־פ – שם עיר גדולה במצרים העליונה, נקראת גם "נֹא אָמוֹן" על שם האליל אָמוֹן: 1–5
נֹא 1 וְהִכְרַתִּי אֶת־הֲמוֹן נֹא Ezek. 30:15
וְנֹא 2 וְנֹא תִּהְיֶה לְהִבָּקֵעַ Ezek. 30:16
בְּנֹא 3 וְעָשִׂיתִי שְׁפָטִים בְּנֹא Ezek. 30:14
מִנֹּא 4 הִנְנִי פוֹקֵד אֶל־אָמוֹן מִנֹּא Jer. 46:25
5 הֲתֵיטְבִי מִנֹּא אָמוֹן Nah. 3:8

נֹאד
ז׳ נבל עור לנוזלים: 1–6
קרובים: ראה נֵבֶל1
נֹאד חָלָב 2; נֹאד יַיִן 3, 5, 6; נֹאד דִּמְעָה(4)
כְּנֹאד 1 הָיִיתִי כְּנֹאד בְּקִיטוֹר Ps. 119:83
נֹאד־ 2 וַתִּפְתַּח אֶת־נֹאוד הֶחָלָב Jud. 4:19
וְנֹאד־ 3 חֲמוֹר־לֶחֶם וְנֹאד יַיִן... ISh. 16:20
בְנֹאדֶךָ 4 שִׂמָה דִמְעָתִי בְנֹאדֶךָ Ps. 56:9
נֹאדוֹת־ 5 וְאֵלֶּה נֹאדוֹת הַיַּיִן אֲשֶׁר מִלֵּאנוּ Josh. 9:13
וְנֹאדוֹת־ 6 וְנֹאדוֹת יַיִן בָּלִים וּמְבֻקָּעִים Josh. 9:4

נֶאְדָּר, נֶאְדָּרִי
ת׳ (שמות טו 6, 11) – עין אדר

נָאָה*
נ׳ נָוֶה, מקום שבת ומרעה: 1–12
נְאוֹת אֱלֹהִים 10; נ׳ דֶּשֶׁא 12; נ׳ חָמָס 9; נְאוֹת יַעֲקֹב 11; נ׳ מִדְבָּר 1,2,4־6,8; נ׳ רוֹעִים 7; נְאוֹת הַשָּׁלוֹם 3
נְאוֹת־ 1 וְעַל־נְאוֹת מִדְבָּר קִינָה Jer. 9:9
2 יָבְשׁוּ נְאוֹת מִדְבָּר Jer. 23:10
3 וְנָדַמּוּ נְאוֹת הַשָּׁלוֹם Jer. 25:37
4 כִּי־אֵשׁ אָכְלָה נְאוֹת מִדְבָּר Joel 1:19
5 וְאֵשׁ אָכְלָה נְאוֹת הַמִּדְבָּר Joel 1:20
6 כִּי דָשְׁאוּ נְאוֹת מִדְבָּר Joel 2:22
7 וְאָבְלוּ נְאוֹת הָרֹעִים Am. 1:2
נְאוֹת־ (המשך)
8 יִרְעֲפוּ נְאוֹת מִדְבָּר Ps. 65:13
9 מָלְאוּ מַחֲשַׁכֵּי־אֶרֶץ נְאוֹת חָמָס Ps. 74:20
10 נִירְשָׁה לָּנוּ אֵת נְאוֹת אֱלֹהִים Ps. 83:13
11 בִּלַּע...אֵת כָּל־נְאוֹת יַעֲקֹב Lam. 2:2
בִּנְאוֹת־ 12 בִּנְאוֹת דֶּשֶׁא יַרְבִּיצֵנִי Ps. 23:2

נָאוָה
פ׳ היה נחמד ורצוי: 1–3
נַאֲוָה 1 לְבֵיתְךָ נַאֲוָה־קֹדֶשׁ Ps. 93:5
נָאווּ 2 מַה־נָּאווּ עַל־הֶהָרִים רַגְלֵי מְבַשֵּׂר Is. 52:7
3 נָאווּ לְחָיַיִךְ בַּתֹּרִים S.ofS. 1:10

נָאוֶה
ת׳ יָפֶה, מתאים: 1–10
קרובים: ראה יָפֶה
מִדְבָּרוֹ נָאוֶה 4; מַרְאֶה נ׳ 3; נָאוָה וּמְעֻנָּגָה 10; שְׁחוֹרָה וְנָאוָה 9
נָאוֶה 1 לֹא־נָאוֶה לִכְסִיל תַּעֲנוּג Prov. 19:10
2 כֵּן לֹא־נָאוֶה לִכְסִיל כָּבוֹד Prov. 26:1
3 כִּי־קוֹלֵךְ עָרֵב וּמַרְאֵיךְ נָאוֶה S.ofS. 2:14
4 כְּחוּט הַשָּׁנִי שִׂפְתֹתַיִךְ וּמִדְבָּרֵךְ נָאוֶה S.ofS.4:3
נָאוָה 5 לַיְשָׁרִים נָאוָה תְהִלָּה Ps. 33:1
6 כִּי־נָעִים נָאוָה תְהִלָּה Ps. 147:1
7 לֹא־נָאוָה לְנָבָל שְׂפַת־יֶתֶר Prov. 17:7
8 יָפָה...כְּתִרְצָה נָאוָה כִּירוּשָׁלָםִ S.ofS. 6:4
וְנָאוָה 9 שְׁחוֹרָה אֲנִי וְנָאוָה S.ofS. 1:5
הַנָּוָה 10 הַנָּוָה וְהַמְּעֻנָּגָה דָּמִיתִי בַּת־צִיּוֹן Jer. 6:2

נְאוּם
ז׳ עין נְאֻם

נִאוּפִים
ז־ר זנות, זמה: 1, 2
נִאוּפִים 1 וָאֹמַר לַבָּלָה נִאוּפִים Ezek. 23:43
נִאֻפַיִךְ 2 נִאֻפַיִךְ וּמִצְהֲלוֹתַיִךְ זִמַּת זְנוּתֵךְ Jer. 13:27

נָאוֹר
ת׳ (תהלים עו 5) – עין אור

נָאוֹת
(בראשית לד 15) – עין אות

נֶאֱלָח
ת׳ (איוב טו 16) – עין אלח

נאם
: נָאַם, נְאֻם

נָאַם
פ׳ דִּבֵּר, השמיע דברים
קרובים: ראה אָמַר
וַיִּנְאֲמוּ 1 הַלֹּקְחִים לְשׁוֹנָם וַיִּנְאֲמוּ נְאֻם Jer. 23:31

נְאֻם
ז׳ [א׳ תמיד בקבוץ] דִּבּוּר, דברים: 1–373
נְאֻם הָאָדוֹן 275, 276; נ׳ בִּלְעָם 4, 5; נ׳ הַגֶּבֶר 370־373; נְאֻם דָּוִד 10; נְאֻם יְיָ 2, 3, 8, 9, 11־274, 277־365; נְאֻם הַמֶּלֶךְ 366־368; נְאֻם פֶּשַׁע 369; נְאֻם שֹׁמֵעַ 6, 7
נְאֻם 1 הַלֹּקְחִים לְשׁוֹנָם וַיִּנְאֲמוּ נְאֻם Jer. 23:31
נְאֻם־ 2 בִּי נִשְׁבַּעְתִּי נְאֻם־יְיָ Gen. 22:16
3 חַי־אָנִי נְאֻם־יְיָ Num. 14:28
4־5 נְאֻם בִּלְעָם בְּנוֹ בְעֹר Num. 24:3, 15
6־7 נְאֻם שֹׁמֵעַ אִמְרֵי־אֵל Num. 24:4, 16
8 לָכֵן נְאֻם יְיָ אֱלֹהֵי יִשְׂרָאֵל ISh. 2:30
9 וְעַתָּה נְאֻם־יְיָ חָלִילָה לִּי ISh. 2:30
10 נְאֻם דָּוִד בֶּן־יִשַׁי IISh. 23:1
11 רְאִיתִי אֶמֶשׁ נְאֻם־יְיָ IIK. 9:26
12־247 נְאֻם(־)יְיָ IIK. 9:26
19:33; 22:19 • Is. 14:22; 17:6; 30:1; 31:9; 37:34; 41:14; 43:10, 12; 49:18; 52:5²; 54:17; 55:8; 59:20; 66:2,17,22 • Jer. 1:8,15,19; 2:3,9,12,19,29; 3:1,10, 12, 13, 14, 16, 20; 4:1, 9, 17; 5:9, 11, 15, 18; 5:22, 29; 6:12; 7:11, 13, 19, 30, 32; 8:1, 13, 17; 9:2, 5, 8, 21, 23, 24; 12:17; 13:11, 14, 25; 15:3, 6, 9, 20; 16:5, 11, 14,
נְאֻם־ (המשך)
16; 17:24; 18:6; 19:6, 12; 21:7, 10, 13, 14; 22:5, 16, 24; 23:1,2,4,5,7,11,12,23,24²,28; 23:29,30,31,32, 33; 25:7,9,12,31; 27:8,11,15,22; 28:4; 29:9,11,14², 19²,23,32; 30:3,10,11,17,21; 31:1;(25:25),14(13), 16(15), 17(16), 20(19), 27(26); 31:28(27), 31(30), 32(31), 33(32), 34(33), 36(35), ; 31:37(36), 38(37); 32:5, 30, 44; 33:14; 34:5, 17, 22; 35:13; 39:17, 18; 42:11; 44:29; 45:5; 46:5,23,26,28; 48:12,25,30,35, 38. 43, 44, 47; 49:2, 6, 13, 16, 30, 31, 32, 37, 38, 39; 50:4,10,20,21,30,31,35,40; 51:24,25,26,39,48,52, 53 • Ezek. 13:6,7; 16:58; 37:14 • Hosh. 2:15,18,23; 11:11 • Joel 2:12 • Am. 2:11,16; 3:10,15; 4:3,6,8,9, 10,11; 6:8,14; 9:7,8,12,13 • Ob. 4,8 • Mic. 4:6; 5:9 • Zep. 1:2, 3, 10; 3:8 • Hag. 1:13; 2:4, 14, 17 • Zech. 1:4; 2:9, 10², 14; 8:17; 10:12; 11:6; 12:1, 4; 13:8 • Mal. 1:2 • Ps. 110:1 • IICh. 34:27
248 נְאֻם אֲדֹנָי יֱהֹוִה צְבָאוֹת Is. 3:15
249־274 נְאֻם יְיָ צְבָאוֹת Is. 14:22, 23
17:3; 22:25 • Jer. 8:3; 25:29; 30:8; 49:26 • Nah. 2:14; 3:5 • Zep. 2:9 • Hag. 1:9; 2:4, 8, 9, 23² • Zech. 1:3; 1:16; 3:9, 10; 5:4; 8:6, 11; 13:2, 7
275/6 נְאֻם הָאָדוֹן יְיָ צְבָאוֹת Is. 1:24; 19:4
277 נְאֻם אֲדֹנָי...מְקַבֵּץ נִדְחֵי יִשְׂרָאֵל Is. 56:8
278־365 נְאֻם־אֲדֹנָי יֱהֹוִה Jer. 2:22
49:5 • Ezek. 5:11; 11:8, 21; 12:25, 28; 13:8, 16; 14:11, 14, 16, 18, 20, 23; 15:8; 16:8, 14, 19, 23, 30; 16:43, 48, 63; 17:16; 18:3, 9, 23, 30, 32; 20:3, 31, 33; 20:36, 40, 44; 21:12, 18; 22:12, 31; 23:34; 24:14; 25:14; 26:5, 14, 21; 28:10; 29:20; 30:6; 31:18; 32:8, 14, 16; 32:31, 32; 33:11; 34:8, 15, 30, 31; 35:6, 11; 36:14, 15; 36:23, 32; 38:18, 21; 39:5, 8, 10, 13, 20, 29; 43:19, 27; 44:12, 15, 27; 45:9, 15; 47:23; 48:29 • Am. 3:13; 4:5; 8:3, 9, 11
366־368 נְאֻם־הַמֶּלֶךְ יְיָ צְבָאוֹת שְׁמוֹ
Jer. 46:18; 48:15; 51:57
369 נְאֻם־פֶּשַׁע לָרָשָׁע בְּקֶרֶב לִבִּי Ps. 36:2
370 נְאֻם הַגֶּבֶר לְאִיתִיאֵל Prov. 30:1
וּנְאֻם־ 371/2 וּנְאֻם הַגֶּבֶר שְׁתֻם הָעָיִן Num. 24:3, 15
373 וּנְאֻם הַגֶּבֶר הֻקַם עָל IISh. 23:1

נֶאֱמָן
ת׳ עין אָמַן (8־39)

נאף
: נָאַף, נֹאֵף; נֹאֶפֶת, נִאוּפִים, נַאֲפוּפִים

נָאַף
פ׳ א) זנה, עשה מעשה זִמָּה: 1–16
ב) [פ׳ נִאֵף] כנ־ל: 17–31
נֹאֵף אִשָּׁה 4; עֵין נֹאֵף 5; מִשְׁפַּט נֹאֲפוֹת 8,9; אִשָּׁה מְנָאֶפֶת 21־23; זֶרַע מְנָאֵף 20
נָאוֹף 1 נָאוֹף וְהָלֹךְ בַּשֶּׁקֶר Jer. 23:14
וְנָאֹף 2 הֲגָנֹב רָצֹחַ וְנָאֹף וְהִשָּׁבֵעַ לַשֶּׁקֶר Jer. 7:9
3 אָלֹה וְכַחֵשׁ וְרָצֹחַ וְגָנֹב וְנָאֹף Hosh. 4:2
נֹאֵף 4 נֹאֵף אִשָּׁה חֲסַר־לֵב Prov. 6:32
5 וְעֵין נֹאֵף שָׁמְרָה נֶשֶׁף Job 24:15
הַנֹּאֵף 6 מוֹת־יוּמַת הַנֹּאֵף וְהַנֹּאָפֶת Lev. 20:10
וְהַנֹּאָפֶת 7 מוֹת־יוּמַת הַנֹּאֵף וְהַנֹּאָפֶת Lev. 20:10
נֹאֲפוֹת 8 מִשְׁפְּטֵי נֹאֲפוֹת וְשֹׁפְכֹת דָּם Ezek. 16:38
9 מִשְׁפַּט נֹאֲפוֹת וּמִשְׁפַּט שֹׁפְכוֹת דָּם Ezek. 23:45
10 כִּי נֹאֲפֹת הֵנָּה וְדָם בִּידֵיהֶן Ezek. 23:45
תִּנְאָף 11 לֹא תִרְצָח לֹא תִנְאָף לֹא תִגְנֹב Ex. 20:14
12 לֹא תִרְצָח וְלֹא תִנְאָף וְלֹא תִגְנֹב Deut. 5:17

יִנְאָף 13 וְאִישׁ אֲשֶׁר יִנְאַף אֶת־אֵשֶׁת אִישׁ Lev.20:10
14 אֲשֶׁר יִנְאַף אֶת־אֵשֶׁת רֵעֵהוּ Lev.20:10
וַתִּנְאַף 15 וַתִּנְאַף אֶת־הָאֶבֶן וְאֶת־הָעֵץ Jer.3:9
וַיִּנְאָפוּ 16 וָאַשְׂבִּעַ אוֹתָם וַיִּנְאָפוּ Jer.5:7
נִאֲפָה 17 אֲשֶׁר נִאֲפָה מְשֻׁבָה יִשְׂרָאֵל Jer.3:8
נִאֵפוּ 18 כִּי נִאֵפוּ וְדָם בִּידֵיהֶן Ezek.23:37
19 וְאֶת־גִּלּוּלֵיהֶן נִאֵפוּ Ezek.23:37
מְנָאֵף 20 בְּנֵי עֹנְנָה זֶרַע מְנָאֵף וַתִּזְנֶה Is.57:3
מְנָאָפֶת 21 כֵּן דֶּרֶךְ אִשָּׁה מְנָאָפֶת Prov.30:20
וּמְנָאָפֶת 22 אֱהַב־אִשָּׁה אֲהֻבַת רֵעַ וּמְנָאָפֶת Hosh.3:1
הַמְנָאֶפֶת 23 הָאִשָּׁה הַמְנָאֶפֶת תַּחַת אִישָׁהּ Ezek.16:32
מְנָאֲפִים 24 כִּי כֻלָּם מְנָאֲפִים עֲצֶרֶת בֹּגְדִים Jer.9:1
25 כִּי מְנָאֲפִים מָלְאָה הָאָרֶץ Jer.23:10
26 כֻּלָּם מְנָאֲפִים כְּמוֹ תַנּוּר בֹּעֵרָה Hosh.7:4
27 וְעִם מְנָאֲפִים חֶלְקֶךָ Ps.50:18
וּבַמְנָאֲפִים 28 בַּמְכַשְּׁפִים וּבַמְנָאֲפִים Mal.3:5
וַיְנַאֲפוּ 29 וַיְנַאֲפוּ אֶת־נְשֵׁי רֵעֵיהֶם Jer.29:23
תְּנָאַפְנָה 30 תִּזְנֶינָה בְּנוֹתֵיכֶם וְכַלּוֹתֵי׳ תְּנָאַפְנָה Hosh.4:13
31 וְעַל־כַּלּוֹתֵיכֶם כִּי תְנָאַפְנָה Hosh.4:14

נַאֲפוּפִים* ז״ר זנות, מעשה זמה

וְנַאֲפוּפֶיהָ 1 וְתָסֵר...וְנַאֲפוּפֶיהָ מִבֵּין שָׁדֶיהָ Hosh.2:4

נאץ : נָאַץ, נִאֵץ, מִנְאָץ (=מִתְנָאֵץ); נְאָצָה, נֶאָצָה

נָאַץ פ׳ א) בזה, מאס: 1–8

ב) [פ׳ נִאֵץ] כנ״ל: 9–23

ג) [התפ׳ בינוני: מִנֹּאָץ] בזוי, מאוס: 24

קרובים: בָּז / בָּזָה / בָּחַל / גָּאַל² / גִּדֵּף / גָּעַל / חִלֵּל / חֵרֵף / לָעַג / מָאַס / קָץ / שִׁקֵּץ / תִּעֵב

נָאַץ 1 שָׂנֵאתִי מוּסָר וְתוֹכַחַת נָאַץ לִבִּי Prov.5:12
נָאֲצוּ 2 נָאֲצוּ כָּל־תּוֹכַחְתִּי Prov.1:30
נָאָצוּ 3 וַעֲצַת עֶלְיוֹן נָאָצוּ Ps.107:11
תִּנְאַץ 4 אַל־תִּנְאַץ לְמַעַן שְׁמֶךָ Jer.14:21
יִנְאַץ 5 אֱוִיל יִנְאַץ מוּסַר אָבִיו Prov.15:5
וַיִּנְאַץ 6 וַיִּנְאַץ בְּזַעַם־אַפּוֹ מֶלֶךְ וְכֹהֵן Lam.2:6
וַיִּנְאָץ 7 וַיַּרְא יְיָ וַיִּנְאָץ Deut.32:19
יִנְאָצוּן 8 וְאֶת־עַמִּי יִנְאָצוּן מִהְיוֹת עוֹד גּוֹי Jer.33:24
נִאֵץ 9 כִּי־נִאֵץ נִאַצְתָּ אֶת־אֹיְבֵי יְיָ IISh.12:14
נִאַצְתָּ 10 כִּי נִאֵץ נִאַצְתָּ אֶת־אֹיְבֵי יְיָ IISh.12:14
נִאֵץ 11 וּבֹצֵעַ בֵּרֵךְ נִאֵץ יְיָ Ps.10:3
12 עַל־מֶה נִאֵץ רָשָׁע אֱלֹהִים Ps.10:13
נִאֲצוּ 13 כִּי נִאֲצוּ הָאֲנָשִׁים הָאֵלֶּה אֶת־יְיָ Num.16:30
14 כִּי נִאֲצוּ הָאֲנָשִׁים אֵת מִנְחַת יְיָ ISh.2:17
15 נִאֲצוּ אֶת־קְדוֹשׁ יִשְׂרָאֵל Is.1:4
16 וְעַם־נָבָל נִאֲצוּ שְׁמֶךָ Ps.74:18
נִאֵצוּ 17 וְאֵת אִמְרַת קְדוֹשׁ־יִשְׂרָאֵל נִאֵצוּ Is.5:24
וְנִאֲצוּנִי 18 וְנִאֲצוּנִי וְהֵפֵר אֶת־בְּרִיתִי Deut.31:20
מְנַאֲצַי 19 וְכָל־מְנַאֲצַי לֹא יִרְאוּהָ Num.14:23
לִמְנַאֲצַי 20 אֹמְרִים אָמוֹר לִמְנַאֲצַי דִּבֶּר יְיָ Jer.23:17
מְנַאֲצָיִךְ 21 וְהִשְׁתַּחֲווּ...כָּל־מְנַאֲצָיִךְ Is.60:14
יְנָאֵץ 22 יְנָאֵץ אוֹיֵב שִׁמְךָ לָנֶצַח Ps.74:10
יְנַאֲצֻנִי 23 עַד־אָנָה יְנַאֲצֻנִי הָעָם הַזֶּה Num.14:11
מִנֹּאָץ 24 וְתָמִיד כָּל־הַיּוֹם שְׁמִי מִנֹּאָץ Is.52:5

נְאָצָה, נֶאָצָה* נ׳ חרפה, גדוף: 1–5

קרובים: ראה חֶרְפָּה

וּנְאָצָה 1 יוֹם־צָרָה וְתוֹכֵחָה וּנְאָצָה IIK.19:3
2 יוֹם צָרָה וְתוֹכֵחָה וּנְאָצָה Is.37:3
נֶאָצוֹת 3/4 וַיַּעֲשׂוּ נֶאָצוֹת גְּדוֹ(ו)לֹ(ו)ת Neh.9:18,26
נָאָצוֹתֶיךָ 5 שָׁמַעְתִּי אֶת־כָּל־נָאָצוֹתֶיךָ Ezek.35:12

נאק : נָאַק; נְאָקָה

נָאַק פ׳ נָאֲנַח, זָעַק: 1, 2

קרובים: אָנַק / זָעַק / נֶאֱנַח (אנח) / צָוַח / צָעַק / שִׁוַּע

וְנָאַק 1 וְנָאַק נַאֲקוֹת חָלָל לְפָנָיו Ezek.30:24
יִנְאָקוּ 2 מֵעִיר מְתִים יִנְאָקוּ Job24:12

נְאָקָה* נ׳ אנחה, אֲנָקָה: 1–4

קרובים: אֲנָחָה / אֲנָקָה / זְעָקָה / צְוָחָה / צְעָקָה / שַׁוְעָה

נַאֲקַת בְּנֵי יִשְׂרָאֵל 1; נַאֲקוֹת חָלָל 4

נַאֲקַת־ 1 שָׁמַעְתִּי אֶת־נַאֲקַת בְּנֵי יִשְׂרָאֵל Ex.6:5
נַאֲקָתָם 2 וַיִּשְׁמַע אֱלֹהִים אֶת־נַאֲקָתָם Ex.2:24
מִנַּאֲקָתָם 3 כִּי־יִנָּחֵם יְיָ מִנַּאֲקָתָם Jud.2:18
נַאֲקוֹת־ 4 וְנָאַק נַאֲקוֹת חָלָל לְפָנָיו Ezek.30:24

נֵאֵר פ׳ חִלֵּל, הֵפֵר: 1,2

נֵאֵר 1 זָנַח אֲדֹנָי מִזְבְּחוֹ נִאֵר מִקְדָּשׁוֹ Lam.2:7
נֵאַרְתָּה 2 נֵאַרְתָּה בְּרִית עַבְדֶּךָ Ps.89:40

נֵאָרִים ת׳ (מלאכי ג 9) – עין ארר (55)

נֶאֱשַׁר (יחזקאל ט8) – עין שָׁאַר

נֹב ש״פ – עיר כהנים בימי שאול בנחלת בנימין, צפונית לירושלים: 1–7

נֹב 1 וְאֵת נֹב עִיר־הַכֹּהֲנִים הִכָּה ISh.22:19
2 עֲנָתוֹת נֹב עֲנָנְיָה Neh.11:32
נֹבֶה 3 וַיָּבֹא דָוִד נֹבֶה אֶל־אֲחִימֶלֶךְ ISh.21:2
4 רָאִיתִי אֶת־בֶּן־יִשַׁי בָּא נֹבֶה ISh.22:9
בְּנֹב 5 כָּל־בֵּית...הַכֹּהֲנִים אֲשֶׁר בְּנֹב ISh.22:11
6 וְיִשְׁבִּי׳ בְּנֹב אֲשֶׁר בִּילִידֵי הָרָפָה IISh.21:16
7 עוֹד הַיּוֹם בְּנֹב לַעֲמֹד Is.10:32

נבא : נִבָּא, הִתְנַבֵּא; נָבִיא, נְבִיאָה, נְבוּאָה

נִבָּא נפ׳ א) השמיע דברי נבואה, הטיף: 1–87

ב) [התפ׳ הִתְנַבֵּא] כנ״ל: 88–115

קרובים: הִטִּיף (נטף) / חָזָה / נָאַם / נָשָׂא

– נִבָּא אֶל־ 2, 16, 44, 51, 59, 62, 69, 73, 78, 79, 81, 82; נִבָּא אֶת־ 14; נִבָּא בְּ־ (בְּשֵׁם) 11, 18, 19, 30, 35, 36, 38, 40, 43, 46, 50; נִבָּא עַל־ 12, 15, 26, 27, 53, 57, 60, 67, 71, 72, 77, 80, 83–87; נִבָּא לְ־ 17, 22, 31–34, 36, 39, 41, 42, 43, 54

– הִתְנַבֵּא לְ־ 95, 99; הִתְנַבֵּא בְּ־ 91, 92; הִתְנַבֵּא עַל־ 93, 102, 103, 109

לְהִנָּבֵא 1 אֲשֶׁר שְׁלָחוֹ יְיָ שָׁם לְהִנָּבֵא Jer.19:14
2 יְיָ שְׁלָחַנִי לְהִנָּבֵא אֶל־הַבַּיִת הַזֶּה Jer.26:12
3 וּבֵית־אֵל לֹא־תוֹסִיף עוֹד לְהִנָּבֵא Am.7:13
בְּהִנָּבְאוֹ 4 וּדְקָרֻהוּ...יֹלְדָיו בְּהִנָּבְאוֹ Zech.13:3
בְּהִנָּבְאוֹתוֹ 5 יֵבֹשׁוּ...אִישׁ מֵחֶזְיֹנוֹ בְּהִנָּבְאֹתוֹ Zech.13:4
כְּהִנָּבְאִי 6 וַיְהִי כְּהִנָּבְאִי וּפְלַטְיָהוּ...מֵת Ezek.11:13
7 וַיְהִי־קוֹל כְּהִנָּבְאִי וְהִנֵּה־רַעַשׁ Ezek.37:7
וְנִבֵּאתִי 8 וְנִבֵּאתִי כַּאֲשֶׁר צֻוֵּיתִי Ezek.37:7
נִבֵּאתָ 9 אֲשֶׁר־נִבֵּאתָ לָהֶם בַּשָּׁקֶר Jer.20:6
10 יָקֵם יְיָ אֶת־דְּבָרֶיךָ אֲשֶׁר נִבֵּאתָ Jer.28:6
נִבֵּיתָ 11 מַדּוּעַ נִבֵּיתָ בְשֵׁם־יְיָ לֵאמֹר Jer.26:9
וְנִבֵּאתָ 12 וּזְרֹעֲךָ חֲשׂוּפָה וְנִבֵּאתָ עָלֶיהָ Ezek.4:7
נִבָּא (עבר) 13 וַיִּרְאוּ וְהִנֵּה חֶבֶל־נְבִאִים נִבָּא ISh.10:11
14 יִרְמְיָהוּ נִבָּא אֶת־הַדְּבָרִים הָאֵלֶּה Jer.20:1
15 אֲשֶׁר נִבָּא יִרְמְיָהוּ עַל־כָּל־הַגּוֹיִם Jer.25:13
16 כִּי נִבָּא אֶל־הָעִיר הַזֹּאת Jer.26:11
17 יַעַן אֲשֶׁר נִבָּא לָכֶם סָרָה Jer.29:31
נִבְּאוּ 18 וְהַנְּבִיאִים נִבְּאוּ בַבַּעַל Jer.2:8
19 הַנְּבִאִים נִבְּאוּ בַשֶּׁקֶר Jer.5:31
20 וְאַיֵּה׳ נְבִיאֵיכֶם אֲשֶׁר־נִבְּאוּ לָכֶם Jer.37:19
נִבָּאוּ 21 לֹא־דִבַּרְתִּי אֲלֵיהֶם וְהֵם נִבָּאוּ Jer.23:21
וְנִבְּאוּ 22 וְנִבְּאוּ בְּנֵיכֶם וּבְנֹתֵיכֶם Joel3:1
נִבָּא (הוה) 23 מִיכָה׳ הַמּוֹרַשְׁתִּי הָיָה נִבָּא Jer.26:18
24 מַדּוּעַ אַתָּה נִבָּא לֵאמֹר Jer.32:3
25 וּלְעִתִּים רְחוֹקוֹת הוּא נִבָּא Ezek.12:27
הַנִּבָּא 26 אָסָף הַנִּבָּא עַל־יְדֵי הַמֶּלֶךְ ICh.25:2
27 הַנִּבָּא עַל־הוֹדוֹת וְהַלֵּל לַיְיָ ICh.25:3
נִבְּאִים 28 וַיַּרְא אֶת־לַהֲקַת הַנְּבִיאִים נִבְּאִים ISh.19:20
29 וְכָל־הַנְּבִאִים נִבְּאִים כֵּן לֵאמֹר IK.22:12
30 שֶׁקֶר הַנְּבִאִים נִבְּאִים בִּשְׁמִי Jer.14:14
31 וְהָעָם אֲשֶׁר־הֵמָּה נִבְּאִים לָהֶם Jer.14:16
32-34 שֶׁקֶר הֵם נִבְּאִים לָכֶם Jer.27:10,14,16
35 וְהֵם נִבְּאִים בִּשְׁמִי לַשָּׁקֶר Jer.27:15
36 כִּי בְשֶׁקֶר הֵם נִבְּאִים לָכֶם בִּשְׁמִי Jer.29:9
37 וְכָל־הַנְּבִאִים נִבְּאִים כֵּן לֵאמֹר IICh.18:11
הַנִּבְּאִים 38 עַל־הַנְּבִאִים הַנִּבְּאִים בִּשְׁמִי Jer.14:15
39 דִּבְרֵי הַנְּבִאִים הַנִּבְּאִים לָכֶם Jer.23:16
40 הַנְּבִאִים הַנִּבְּאִים בִּשְׁמִי שֶׁקֶר Jer.23:25
41 אַתֶּם וְהַנְּבִאִים הַנִּבְּאִים לָכֶם Jer.27:15
42 דִּבְרֵי נְבִיאֵיכֶם הַנִּבְּאִים לָכֶם Jer.27:16
43 הַנִּבְּאִים לָכֶם בִּשְׁמִי שָׁקֶר Jer.29:21
44 נְבִיאֵי יִשְׂרָאֵל הַנִּבְּאִים אֶל־יְרוּשָׁ׳ Ezek.13:16
45 הַנִּבְּאִים בַּיָּמִים הָהֵם שָׁנִים Ezek.38:17
46 הַנִּבְּאִים (כת׳ הנביאים) בְּכִנֹּרוֹת ICh.25:1
הַנִּבָּאִים 47 נְבִיאֵי יִשְׂרָאֵל הַנִּבָּאִים Ezek.13:2
נִבְּאֵי־ 48 הֲיֵשׁ בְּלֵב הַנְּבִאִים נִבְּאֵי הַשָּׁקֶר Jer.23:26
49 הִנְנִי עַל־נִבְּאֵי חֲלֹמוֹת שֶׁקֶר Jer.23:32
תִּנָּבֵא 50 לֹא תִנָּבֵא בְּשֵׁם יְיָ Jer.11:21
51 וְאַתָּה תִּנָּבֵא אֲלֵיהֶם Jer.25:30
52 בְּרַח־לְךָ...וְשָׁם תִּנָּבֵא Am.7:12
53 לֹא תִנָּבֵא עַל־יִשְׂרָאֵל Am.7:16
יִנָּבֵא 54 הַנָּבִיא אֲשֶׁר יִנָּבֵא לְשָׁלוֹם Jer.28:9
55 אֲדֹנָי יְיָ דִּבֶּר מִי לֹא יִנָּבֵא Am.3:8
56 וְהָיָה כִּי־יִנָּבֵא אִישׁ עוֹד Zech.13:3
וַיִּנָּבֵא 57 וַיִּנָּבֵא עַל־הָעִיר הַזֹּאת Jer.26:20
תִּנָּבְאוּ 58 צִוִּיתֶם לֵאמֹר לֹא תִּנָּבְאוּ Am.2:12
וַיִּנָּבְאוּ 59 וַיִּנָּבְאוּ אֶל־אֲרָצוֹת רַבּוֹת Jer.28:8
הִנָּבֵא 60 לָכֵן הִנָּבֵא עֲלֵיהֶם Ezek.11:4
61 הִנָּבֵא בֶּן־אָדָם Ezek.11:4
62 בֶּן־אָדָם הִנָּבֵא אֶל־נְבִיאֵי יִשְׂר׳ Ezek.13:2
63/4 בֶּן־אָדָם הִנָּבֵא וְאָמַרְתָּ Ezek.21:14; 30:2
65 וְאַתָּה בֶן־אָדָם הִנָּבֵא Ezek.21:19
66 וְאַתָּה בֶן־אָדָם הִנָּבֵא וְאָמַרְתָּ Ezek.21:33
67 בֶּן־אָדָם הִנָּבֵא עַל־רוֹעֵי יִשְׂר׳ Ezek.34:2
68 הִנָּבֵא וְאָמַרְתָּ אֲלֵיהֶם לָרֹעִים Ezek.34:2
69 וְאַתָּה בֶן־אָדָם הִנָּבֵא אֶל־הָרֵי יִשׂ׳ Ezek.36:1
70 לָכֵן הִנָּבֵא וְאָמַרְתָּ Ezek.36:3
71 לָכֵן הִנָּבֵא עַל־אַדְמַת יִשְׂרָאֵל Ezek.36:6
72 הִנָּבֵא עַל־הָעֲצָמוֹת הָאֵלֶּה Ezek.37:4
73 הִנָּבֵא אֶל־הָרוּחַ Ezek.37:9
74 הִנָּבֵא בֶן־אָדָם וְאָמַרְתָּ אֶל־הָרוּחַ Ezek.37:9
75 לָכֵן הִנָּבֵא וְאָמַרְתָּ אֲלֵיהֶם Ezek.37:12
76 הִנָּבֵא בֶן־אָדָם וְאָמַרְתָּ לְגוֹג Ezek.38:14
77 וְאַתָּה בֶן־אָדָם הִנָּבֵא עַל־גּוֹג Ezek.39:1
78 לֵךְ הִנָּבֵא אֶל־עַמִּי יִשְׂרָאֵל Am.7:15
וְהִנָּבֵא 79 שִׂים פָּנֶיךָ...וְהִנָּבֵא אֲלֵיהֶם Ezek.6:2
80 שִׂים פָּנֶיךָ...וְהִנָּבֵא עֲלֵיהֶן Ezek.13:17
81 וְהַטֵּף...וְהִנָּבֵא אֶל־יַעַר הַשָּׂדֶה Ezek.21:2
82 וְהַטֵּף...וְהִנָּבֵא אֶל־אַדְמַת יִשׂ׳ Ezek.21:7
83 שִׂים פָּנֶיךָ אֶל...וְהִנָּבֵא עֲלֵיהֶם Ezek.25:2
84 שִׂים פָּנֶיךָ אֶל...וְהִנָּבֵא עָלֶיהָ Ezek.28:21

וְהִנָּבֵא (המשך) 85 וְהִנָּבֵא עָלָיו וְעַל־מִצְרַיִם כֻּלָּהּ Ezek. 29:2
86 שִׂים פָּנֶיךָ עַל־הַר...וְהִנָּבֵא עָלָיו Ezek. 35:2
87 שִׂים פָּנֶיךָ אֶל־גּוֹג...וְהִנָּבֵא עָלָיו Ezek. 38:2
מֵהִתְנַבּוֹת 88 וַיְכַל מֵהִתְנַבּוֹת וַיָּבֹא הַבָּמָה ISh. 10:13
וְהִנַּבֵּאתִי 89 וְהִנַּבֵּאתִי כַּאֲשֶׁר צִוָּנִי Ezek. 37:10
וְהִתְנַבִּיתָ 90 וְצָלְחָה עָלֶיךָ רוּחַ יְיָ וְהִתְנַבִּיתָ עִמָּם ISh. 10:6
הִנַּבְּאוּ 91 הִנַּבְּאוּ בַבַּעַל וַיַּתְעוּ אֶת־עַמִּי Jer. 23:13
מִתְנַבֵּא 92 וְגַם־אִישׁ הָיָה מִתְנַבֵּא בְּשֵׁם־יְיָ Jer. 26:20
93 כִּי אֵינֶנּוּ מִתְנַבֵּא עָלַי לְטוֹבָה IICh. 18:7
וּמִתְנַבֵּא 94 לְכָל־אִישׁ מְשֻׁגָּע וּמִתְנַבֵּא Jer. 29:26
הַמִּתְנַבֵּא 95 בְּיִרְמְיָהוּ...הַמִּתְנַבֵּא לָכֶם Jer. 29:27
מִתְנַבְּאִים 96 אֶלְדָּד וּמֵידָד מִתְנַבְּאִים בַּמַּחֲנֶה Num. 11:27
97 וְלִפְנֵיהֶם נֵבֶל...וְהֵמָּה מִתְנַבְּאִים ISh. 10:5
98 וְכָל־הַנְּבִיאִים מִתְנַבְּאִים לִפְנֵיהֶם IK. 22:10
99 חֲזוֹן שֶׁקֶר...הֵמָּה מִתְנַבְּאִים לָכֶם Jer. 14:14
100 וְכָל־הַנְּבִיאִים מִתְנַבְּאִים לִפְנֵיהֶם IICh. 18:9
הַמִּתְנַבְּאוֹת 101 בְּנוֹת עַמְּךָ הַמִּתְנַבְּאוֹת מִלִּבְּהֶן Ezek. 13:17
יִתְנַבֵּא 102 לֹא־יִתְנַבֵּא עָלַי טוֹב כִּי אִם־רָע IK. 22:8
103 לוֹא־יִתְנַבֵּא עָלַי טוֹב כִּי אִם־רָע IK. 22:18
104 לֹא־יִתְנַבֵּא...טוֹב כִּי אִם־לְרָע IICh. 18:17
וַיִּתְנַבֵּא 105 וַתִּצְלַח עָלָיו רוּחַ אֱלֹהִים וַיִּתְנַבֵּ׳ ISh. 10:10
106 וַיִּתְנַבֵּא בְתוֹךְ־הַבַּיִת ISh. 18:10
107 וַיֵּלֶךְ הָלוֹךְ וַיִּתְנַבֵּא ISh. 19:23
108 וַיִּתְנַבֵּא גַם־הוּא לִפְנֵי שְׁמוּאֵל ISh. 19:24
109 וַיִּתְנַבֵּא...עַל־יְהוֹשָׁפָט לֵאמֹר IICh. 20:37
וַיִּתְנַבְּאוּ 110 וַיִּתְנַבְּאוּ וְלֹא יָסָפוּ Num. 11:25
111 וַתָּנַח...הָרוּחַ...וַיִּתְנַבְּאוּ בַּמַּחֲנֶה Num. 11:26
112-114 וַיִּתְנַבְּאוּ גַּם־הֵמָּה ISh. 19:20, 21²
115 וַיִּתְנַבְּאוּ עַד לַעֲלוֹת הַמִּנְחָה IK. 18:29

(נבא) הִתְנַבִּי הת׳ ארמית: התנבא
וְהִתְנַבִּי 1 וְהִתְנַבִּי חַגַּי נְבִיָּא...עַל־יְהוּדָיֵא Ez. 5:1

נבה (ש״א י 6, 13; ירמיה כו 9) – עין נבא

נֹבֶה (ש״א כא 2) – עין נב

נְבוֹ¹ ז׳ מאלילי בבל
נְבוֹ 1 כֹּרַע בֵּל קֹרֵס נְבוֹ Is. 46:1

נְבוֹ² ש״פ א) ראש הפסגה של הרי העברים בארץ מואב: 2-4
ב) שם עיר בארץ מואב, שנכבשה ע״י שבט ראובן: 1, 5-7, 10-12
ג) עיר בנחלת יהודה(?): 8, 9
אַנְשֵׁי נְבוֹ 10; בְּנֵי נְבוֹ 8, 9; הַר נְבוֹ 3, 4
נְבוֹ 1 וְאֶת־נְבוֹ וְאֶת־בַּעַל מְעוֹן Num. 32:38
2 בְּהָרֵי הָעֲבָרִים לִפְנֵי נְבוֹ Num. 33:47
3 אֶל־הַר הָעֲבָרִים הַזֶּה הַר־נְבוֹ Deut. 32:49
4 ...מֵעַרְבֹת מוֹאָב אֶל־הַר נְבוֹ Deut. 34:1
5 עַל־נְבוֹ וְעַל מֵידְבָא מוֹאָב יְיֵלִיל Is. 15:2
6 הוֹי אֶל־נְבוֹ כִּי שֻׁדָּדָה Jer. 48:1
7 וְעַל־דִּיבוֹן וְעַל־נְבוֹ Jer. 48:22
8 בְּנֵי נְבוֹ חֲמִשִּׁים וּשְׁנָיִם Ez. 2:29
9 מִבְּנֵי נְבוֹ יְעִיאֵל מַתִּתְיָה Ez. 10:43
10 אַנְשֵׁי נְבוֹ אַחֵר חֲמִשִּׁים וּשְׁנָיִם Neh. 7:33
11 וְעַד־נְבוֹ וּבַעַל מְעוֹן ICh. 5:8
וּנְבוֹ 12 וּשְׂבָם וּנְבוֹ וּבְעֹן Num. 32:3

נְבוּאָה¹ נ׳ חזון, דבר הנביא: 1-3
נְבוּאַת אֲחִיָּה 3
הַנְּבוּאָה 1 כִּי הַנְּבוּאָה דִּבֶּר עָלַי Neh. 6:12
וְהַנְּבוּאָה 2 וְכִשְׁמֹעַ...וְהַנְּבוּאָה עֹדֵד הַנָּבִיא IICh. 15:8
נְבוּאַת־ 3 וְעַל־נְבוּאַת אֲחִיָּה הַשִּׁילוֹנִי IICh. 9:29

נְבוּאָה²* נ׳ ארמית, כמו בעברית
בִּנְבוּאַת־ 1 בִּנְבוּאַת חַגַּי נְבִיָּא וּזְכַרְיָה Ez. 6:14

נָבוּב ת׳ חלול, ריק: 1-4
אִישׁ נָבוּב 2; נְבוּב לֻחֹת 3, 4
נָבוּב 1 וְעָבְיוֹ אַרְבַּע אֶצְבָּעוֹת נָבוּב Jer. 52:21
2 וְאִישׁ נָבוּב יִלָּבֵב Job 11:12
נְבוּב־ 3 נְבוּב לֻחֹת תַּעֲשֶׂה אֹתוֹ Ex. 27:8
4 נְבוּב לֻחֹת עָשָׂה אֹתוֹ Ex. 38:7

נְבוּזַרְאֲדָן שפ״ז – שר צבא נבוכדנאצר מלך בבל: 1-15
נְבוּזַרְאֲדָן 1 בָּא נְבוּזַרְאֲדָן רַב־טַבָּחִים IIK. 25:8
2-15 נְבוּזַרְאֲדָן רַב(־)טַבָּחִים IIK. 25:11, 20
Jer. 39:9, 10, 11, 13; 40:1; 41:10; 43:6; 52:12, 15; 52:16, 26, 30

נָבוֹךְ ת׳ – עין בוך

נְבוּכַדְנֶאצַּר שפ״ז – מלך בבל, כובש ירושלים: 1-58
יַד נְבוּכַדְנֶאצַּר 9, 17; מַלְכוּת נ׳ 23
נְבוּכַדְנֶאצַּר 1-7 נְבֻכַדְנֶאצַּר מֶלֶךְ־בָּבֶל IIK. 24:1, 10
24:11; 25:1, 8 • Jer. 28:11, 14
8 וְהָעָם...אֲשֶׁר הִשְׁאִיר נְבוּכַדְנֶאצַּר IIK. 25:22
9 נָתַתִּי...בְּיַד נְבוּכַדְנֶאצַּר מֶלֶךְ־בָּבֶל Jer. 27:6
10-15 נְבוּכַדְנֶאצַּר מֶלֶךְ־בָּבֶל Jer. 27:8, 20
28:3; 29:3 • Dan. 1:1 • IICh. 36:6
16 אֲשֶׁר הֶגְלָה נְבוּכַדְנֶאצַּר מִירוּשָׁלַםִ בָּבֶלָה Jer. 29:1
17 בְּהַגְלוֹת יְיָ...בְּיַד נְבֻכַדְנֶאצַּר ICh. 5:41
18 וּמִכְּלֵי בֵּית יְיָ הֵבִיא נְבוּכַדְנֶאצַּר IICh. 36:7
19 שָׁלַח הַמֶּלֶךְ נְבוּכַדְנֶאצַּר...בָּבֶלָה IICh. 36:10
20 וְגַם בַּמֶּלֶךְ נְבוּכַדְנֶאצַּר מָרָד IICh. 36:13
נְבוּכַדְנֶצַּר 21 אֲשֶׁר הֶגְלָה נְבוּכַדְנֶצַּר מֶלֶךְ בָּבֶל Es. 2:6
22 וַיְבִיאֵם...לִפְנֵי נְבֻכַדְנֶצַּר Dan. 1:18
23 וּבִשְׁנַת שְׁתַּיִם לְמַלְכוּת נְבֻכַדְנֶצַּר Dan. 2:1
24 חָלַם נְבֻכַדְנֶצַּר חֲלֹמוֹת Dan. 2:1
25 ...וְהוֹדַע לְמַלְכָּא נְבוּכַדְנֶצַּר Dan. 2:28
26 מַלְכָּא נְבוּכַדְנֶצַּר נְפַל עַל־אַנְפּוֹהִי Dan. 2:46
27 נְבוּכַדְנֶצַּר מַלְכָּא עֲבַד צְלֵם Dan. 3:1
28-35 נְבוּכַדְנֶצַּר מַלְכָּא Dan. 3:2, 3, 5, 7
3:24, 31; 4:25, 28
36 נְבוּכַדְנֶצַּר (כ׳ נבוכדנוצר) מֶלֶךְ בָּבֶל Ez. 2:1
37-38 נְבוּכַדְנֶצַּר מֶלֶךְ־בָּבֶל Ez. 5:12
Neh. 7:6
39-52 נְבוּכַדְנֶצַּר Dan. 3:13, 14, 16, 19
3:26, 28; 4:1, 15, 30, 31; 5:2 • Ez. 1:7; 5:14; 6:5
53-55 נְבֻכַדְנֶצַּר Dan. 3:3; 4:34; 5:11
וּנְבוּכַדְנֶצַּר 56 וּנְבוּכַדְנֶצַּר מַלְכָּא שְׁלַח לְמִכְנַשׁ Dan. 3:2
לִנְבוּכַדְנֶצַּר 57 עֲנוֹ וְאָמְרִין לִנְבוּכַדְנֶצַּר מַלְכָּא Dan. 3:9
58 מַלְכוּתָא...יְהַב לִנְבֻכַדְנֶצַּר אֲבוּךְ Dan. 5:18

נְבוּכַדְרֶאצַּר שפ״ז – הוא נבוכדנאצר: 1-33
נְבוּכַדְרֶאצַּר 1 נְבוּכַדְרֶאצַּר מֶלֶךְ־בָּבֶל נִלְחָם עָלֵינוּ Jer. 21:2
2-8 (וּ)בְיַד נְבוּכַדְרֶאצַּר מֶלֶךְ־בָּבֶל Jer. 21:7
22:25; 29:21; 44:30; 32:28; 46:26 • Ezek. 30:10
9-25 נְבוּכַדְרֶאצַּר מֶלֶךְ־בָּבֶל Jer. 24:1
25:9; 35:11; 37:1; 39:1, 5, 11; 43:10; 46:2, 13; 49:30; 50:17; 51:34; 52:4, 12 • Ezek. 26:7; 29:18
26 אֲשֶׁר הִכָּה נְבוּכַדְרֶאצַּר (כת׳ נבוכדראצור) Jer. 49:28
27 הָעָם אֲשֶׁר הֶגְלָה נְבוּכַדְרֶאצַּר Jer. 52:28
וּנְבוּכַדְרֶאצַּר 28 וּנְבוּכַדְרֶאצַּר מֶלֶךְ־בָּבֶל Jer. 34:1
לִנְבוּכַדְרֶ׳ 29 הַשָּׁנָה הָרִאשֹׁנִית לִנְבוּכַדְרֶאצַּר Jer. 25:1
30-32 לִנְבוּכַדְרֶאצַּר Jer. 32:1; 52:29, 30
33 לִנְבוּכַדְרֶאצַּר מֶלֶךְ־בָּבֶל Ezek. 29:19

נְבוּשַׁזְבָּן שפ״ז – רב סריס של נבוכדנאצר מלך בבל
וּנְבוּשַׁזְבָּן 1 וַיִּשְׁלַח...וּנְבוּשַׁזְבָּן רַב־סָרִיס Jer. 39:13

נָבוֹת שפ״ז – בעל כרם ביזרעאל בימי אחאב: 1-22
נָבוֹת הַיִּזְרְעֵאלִי 3-7, 19, 20, 22; דַּם נָבוֹת 18; דְּמֵי נ׳ 21; כֶּרֶם נ׳ 17; שְׂדֵה נָבוֹת 20
נָבוֹת 1 וַיְדַבֵּר אַחְאָב אֶל־נָבוֹת לֵאמֹר IK. 21:2
2 וַיֹּאמֶר נָבוֹת אֶל־אַחְאָב IK. 21:3
3 ...אֲשֶׁר דִּבֶּר אֵלָיו נָבוֹת הַיִּזְרְעֵאלִי IK. 21:4
4-7 נָבוֹת הַיִּזְרְעֵאלִי IK. 21:6, 7, 15, 16
8 אֶל־הַזְּקֵנִים...הַיֹּשְׁבִים אֶת־נָבוֹת IK. 21:8
9-10 וְהוֹשִׁיבוּ אֶת־נָבוֹת בְּרֹאשׁ הָעָם IK. 21:9, 12
11 וַיְעִדֻהוּ אַנְשֵׁי הַבְּלִיַּעַל אֶת־נָבוֹת IK. 21:13
12 בֵּרַךְ נָבוֹת אֱלֹהִים וָמֶלֶךְ IK. 21:13
13-14 סֻקַּל נָבוֹת וַיָּמֹת IK. 21:14, 15
15 כִּי אֵין נָבוֹת חַי כִּי־מֵת IK. 21:15
16 וַיְהִי כִשְׁמֹעַ אַחְאָב כִּי מֵת נָבוֹת IK. 21:16
17 הִנֵּה בְּכֶרֶם נָבוֹת...לְרִשְׁתּוֹ IK. 21:18
18 לָקְקוּ הַכְּלָבִים אֶת־דַּם נָבוֹת IK. 21:19
19 וַיִּמְצָאֻהוּ בְּחֶלְקַת נָבוֹת הַיִּזְרְעֵאלִי IIK. 9:21
20 בְּחֶלְקַת שְׂדֵה נָבוֹת הַיִּזְרְעֵאלִי IIK. 9:25
21 אִם־לֹא אֶת־דְּמֵי נָבוֹת...רָאִיתִי IIK. 9:26
לְנָבוֹת 22 כֶּרֶם הָיָה לְנָבוֹת הַיִּזְרְעֵאלִי IK. 21:1

נְבִזְבָּה, נְבִזְבְּזָה* נ׳ ארמית: מתנה, משאת: 1, 2
וּנְבִזְבָּה 1 מַתְּנָן וּנְבִזְבָּה וִיקָר שַׂגִּיא Dan. 2:6
וּנְבִזְבְּיָתָךְ 2 וּנְבִזְבְּיָתָךְ לְאָחֳרָן הַב Dan. 5:17

נִבְזֶה ת׳ – עין בָּזָה

נָבַח פ׳ השמיע (כלב) קול
לִנְבֹּחַ 1 כְּלָבִים אִלְּמִים לֹא יוּכְלוּ לִנְבֹּחַ Is. 56:10

נֹבַח¹ שפ״ז – איש משבט מנשה
וְנֹבַח 1 וְנֹבַח הָלַךְ וַיִּלְכֹּד אֶת־קְנָת Num. 32:42

נֹבַח² ש״פ – עיר במואב: 1, 2
נֹבַח 1 וַיִּקְרָא לָהּ נֹבַח בִּשְׁמוֹ Num. 32:42
לְנֹבַח 2 מִקֶּדֶם לְנֹבַח וְיָגְבֳּהָה Jud. 8:11

נִבְחַז שפ״ז – מאלילי אשור
נִבְחַז 1 וְהָעַוִּים עָשׂוּ נִבְחַז וְאֶת־תַּרְתָּק IIK. 17:31

נִבְחַר ת׳ – עין בָּחַר (167-172)

נבט : נְבָט, הִבִּיט; מַבָּט

(נבט) נִבַּט נפ׳ א) ראה, הסתכל: 1
ב) [הפ׳ הִבִּיט] התבונן, ראה: 2-69
קרובים: חָזָה/הִתְבּוֹנֵן(בין)/צָפָה/הִשְׁקִיף(שקף)/רָאָה/שׁוּר
הִבִּיט אֶל־ 3-6, 11-14, 17, 19, 21, 32, 33, 35, 65, 66, 68; הִבִּיט אֶת־ 7, 9, 20, 22, 28, 34; הִבִּיט (מֵ)אַחֲרֵי 16, 27, 40, 44; הִבִּיט בְּ־ 45; הִבִּיט לְ־ 18, 25, 37, 48, 49, 52; הִבִּיט עַל־ 2
וְנִבַּט 1 וְנִבַּט לָאָרֶץ וְהִנֵּה־חֹשֶׁךְ Is. 5:30
הַבִּיט 2 לְמַעַן הַבִּיט עַל־מְעוֹרֵיהֶם Hab. 2:15
וְהַבִּיט 3 וְהַבִּיט אֶל־עָמָל לֹא תוּכָל Hab. 1:13
לְהַבִּיט 4 אַךְ אוֹסִיף לְהַבִּיט אֶל־הֵיכַל קָדְשֶׁךָ Jon. 2:5
מֵהַבִּיט 5 כִּי יָרֵא מֵהַבִּיט אֶל־הָאֱלֹהִים Ex. 3:6
בְּהַבִּיטִי 6 בְּהַבִּיטִי אֶל־כָּל־מִצְוֹתֶיךָ Ps. 119:6

לְהַבִּיטָם 7 פְּנֵי יְיָ חִלְּקָם לֹא יוֹסִיף לְהַבִּיטָם Lam.4:16
וְהִבַּטְתָּ 8 וְהִבַּטְתָּ צַר מָעוֹן ISh.2:32
הִבִּיט 9 לֹא־הִבִּיט אָוֶן בְּיַעֲקֹב Num.23:21
10 מִשָּׁמַיִם הִבִּיט יְיָ Ps.33:13
11 יְיָ מִשָּׁמַיִם אֶל־אֶרֶץ הִבִּיט Ps.102:20
וְהִבִּיט 12 וְהִבִּיט אֶל־נְחַשׁ הַנְּחֹשֶׁת וָחָי Num.21:9
הִבַּטְתֶּם 13 וְלֹא הִבַּטְתֶּם אֶל־עֹשֶׂיהָ Is.22:11
הִבִּיטוּ 14 הִבִּיטוּ אֵלָיו וְנָהָרוּ Ps.34:6
15 הִבִּיטוּ אָרְחוֹת תֵּמָא Job6:19
וְהִבִּיטוּ 16 וְהִבִּיטוּ אַחֲרֵי מֹשֶׁה Ex.33:8
17 וְהִבִּיטוּ אֵלַי אֵת אֲשֶׁר־דָּקָרוּ Zech.12:10
הַמַּבִּיט 18 הַמַּבִּיט לָאָרֶץ וַתִּרְעָד Ps.104:32
אַבִּיט 19 אִם־אַבִּיט אֵלֶיךָ וְאִם־אֶרְאֶךָּ IIK.3:14
20 לֹא־אַבִּיט אָדָם עוֹד Is.38:11
21 וְאֶל־זֶה אַבִּיט אֶל־עָנִי וּנְכֵה־רוּחַ Is.66:2
22 וְשֶׁלֶם מְרִיאֵיכֶם לֹא אַבִּיט Am.5:22
וְאַבִּיט 23 וְאַבִּיט וְאֵין עֹזֵר Is.63:5
וְאַבִּיטָה 24 אֶשְׁקֳטָה וְאַבִּיטָה בִמְכוֹנִי Is.18:4
25 וְאַבִּיטָה אֹרְחֹתֶיךָ Ps.119:15
26 גַּל־עֵינַי וְאַבִּיטָה נִפְלָאוֹת Ps.119:18
תַּבִּיט 27 אַל־תַּבִּיט אַחֲרֶיךָ Gen.19:17
28 לָמָּה תַרְאֵנִי אָוֶן וְעָמָל תַּבִּיט Hab.1:3
29 לָמָּה תַבִּיט בּוֹגְדִים Hab.1:13
30 כִּי־אַתָּה עָמָל וָכַעַס תַּבִּיט Ps.10:14
31 רַק בְּעֵינֶיךָ תַבִּיט Ps.91:8
תַּבֵּט 32 אַל־תַּבֵּט אֶל־מַרְאֵהוּ ISh.16:7
וַתַּבֵּט ז׳ 33 וַתַּבֵּט...אֶל־נֶשֶׁק בֵּית הַיָּעַר Is.22:8
יַבִּיט 34 וּתְמֻנַת יְיָ יַבִּיט Num.12:8
35 וְאֶל־אֶרֶץ יַבִּיט וְהִנֵּה צָרָה Is.8:22
36 אִם־יֹצֵר עַיִן הֲלֹא יַבִּיט Ps.94:9
37 כִּי־הוּא לִקְצוֹת־הָאָרֶץ יַבִּיט Job28:24
38 אֱנוֹשׁ יַבִּיט מֵרָחוֹק Job36:25
וַיַּבֵּט 39 וַיַּבֵּט הַפְּלִשְׁתִּי וַיִּרְאֶה ISh.17:42
40 וַיַּבֵּט שָׁאוּל אַחֲרָיו ISh.24:8
41 וַיַּעַל וַיַּבֵּט וַיֹּאמֶר אֵין מְאוּמָה IK.18:43
42 וַיַּבֵּט וְהִנֵּה מְרַאֲשֹׁתָיו עֻגַת רְצָפִים IK.19:6
43 וַיַּבֵּט אָרְנָן וַיַּרְא אֶת־דָּוִיד ICh.21:21
וַתַּבֵּט ג׳ 44 וַתַּבֵּט אִשְׁתּוֹ מֵאַחֲרָיו Gen.19:26
45 וַתַּבֵּט עֵינִי בְּשׁוּרָי Ps.92:12
יַבִּיטוּ 46 וְאֵת פֹּעַל יְיָ לֹא יַבִּיטוּ Is.5:12
47 הֵמָּה יַבִּיטוּ יִרְאוּ־בִי Ps.22:18
48 עֵינֶיךָ לְנֹכַח יַבִּיטוּ Prov.4:25
49 לְמֵרָחוֹק עֵינָיו יַבִּיטוּ Job39:29
הַבֵּט 50 עֲלֵה־נָא הַבֵּט דֶּרֶךְ־יָם IK.18:43
51 הַבֵּט מִשָּׁמַיִם וּרְאֵה Is.63:15
52 הַבֵּט לַבְּרִית כִּי־מָלְאוּ... Ps.74:20
53 שׁוּב נָא הַבֵּט מִשָּׁמַיִם וּרְאֵה Ps.80:15
54 הַבֵּיט יָמִין וּרְאֵה Ps.142:5
55 הַבֵּט שָׁמַיִם וּרְאֵה Job35:5
הַבֶּט־ 56 הַבֶּט־נָא הַשָּׁמַיְמָה Gen.15:5
57 הֵן הַבֶּט־נָא עַמְּךָ כֻלָּנוּ Is.64:8
וְהַבֵּט 58 וְהַבֵּט פְּנֵי מְשִׁיחֶךָ Ps.84:10
הַבִּיטָה 59 הַבִּיטָה עֲנֵנִי יְיָ אֱלֹהָי Ps.13:4
60 שִׁבְתָּם וְקִימָתָם הַבִּיטָה Lam.3:63
61 הַבִּיטָה (כת׳ הביט) וּרְאֵה אֶת־חֶרְפָּתֵנוּ Lam.5:1
וְהַבִּיטָה 62/3 רְאֵה יְיָ וְהַבִּיטָה Lam.1:11; 2:20
הַבִּיטוּ 64 וְהַעִוְרִים הַבִּיטוּ לִרְאוֹת Is.42:18
65 הַבִּיטוּ אֶל־צוּר חֻצַּבְתֶּם Is.51:1
66 הַבִּיטוּ אֶל־אַבְרָהָם אֲבִיכֶם Is.51:2
67 הַבִּיטוּ...אִם־יֵשׁ מַכְאוֹב כְּמַכְאֹבִי Lam.1:12
וְהַבִּיטוּ 68 וְהַבִּיטוּ אֶל־הָאָרֶץ מִתַּחַת Is.51:6
69 רְאוּ בַגּוֹיִם וְהַבִּיטוּ Hab.1:5

נְבָט

שפ״ז – אבי ירבעם המלך הראשון לישראל: 1-25

נְבָט 1 וְיָרָבְעָם בֶּן־נְבָט אֶפְרָתִי IK.11:26
2-25 יָרָבְעָם בֶּן־נְבָט IK.12:2, 15; 15:1
16:3, 26, 31; 21:22; 22:53 • IIK.3:3; 9:9; 10:29; 13:2, 11; 14:24; 15:9, 18, 24, 28; 17:21; 23:15 • IICh.9:29; 10:2, 15; 13:6

נָבִיא

ז׳ מטיף דבר ה׳, חוזה: 1-315

קרובים: חֹזֶה / מַטִּיף / רֹאֶה

– כֹּהֵן וְנָבִיא 15, 16, 30, 31, 88, 162, 163, 165, 227, 230, 241, 250, 252, 254-256, 308, 314, 315; שֹׁפֵט וְנָבִיא 28; נָבִיא וְזָקֵן 58, 61; הַנַּעַר הַנָּבִיא 73

– בֶּן־נָבִיא 22; דְּבַר (דִּבְרֵי) הַנָּבִיא 33, 98, 99; מִדְרַשׁ הַנָּבִיא 148; עֲוֹן נָבִיא 134; עִיר הַנָּבִיא 61; עַצְמוֹת הַנָּבִיא 85

– אֲחִיָּה הַנָּבִיא 56, 62; אֵלִיָּהוּ הַנָּבִיא 66, 145, 150; אֱלִישָׁע הַנָּ׳ 71, 72; גָּד הַנָּ׳ 38, 55; זְכַרְיָה הַנָּ׳ 143, 144; חֲבַקּוּק הַנָּ׳ 136, 137; חַגַּי הַנָּ׳ 138-142; חֲנַנְיָה הַנָּ׳ 91, 93,95,100,129, 130; יֵהוּא הַנָּ׳ 64,65; יוֹנָה הַנָּ׳ 74; יִרְמְיָה(וּ) הַנָּ׳ 86, 90, 92-96, 101-128; יְשַׁעְיָהוּ הַנָּבִיא 75-84; נָתָן הַנָּבִיא 39-54; הַנָּבִיא עִדּוֹ 148; עוֹדֵד הַנָּבִיא 149; שְׁמוּאֵל הַנָּבִיא 152; שְׁמַעְיָה הַנָּבִיא 146, 147

– הַנְּבִיאִים הָרִאשֹׁנִים 238-240

– בְּנֵי הַנְּבִיאִים 186-195; דִּבְרֵי הַנְּ׳ 214, 249, 311; חֶבֶל נְ׳ 169, 170; חַטֹּאת הַנְּ׳ 305; יַד הַנְּ׳ 178, 234, 294, 299; יֶתֶר הַנְּבִיאִים 245; לֵב הַנְּ׳ 217; לַהֲקַת נְ׳ 177; עַצְמוֹת הַנְּ׳ 207; פִּי הַנְּבִיאִים 242, 291, 295, 297, 298; קֶשֶׁר הַנְּבִיאִים 302

– נְבִיאֵי אָבִיו 271; נְ׳ אִמּוֹ 272; נְ׳ הַבַּעַל 269, 270, 273, 280, 284; נְ׳ יְיָ 267, 268, 286; נְ׳ יְרוּשָׁלַיִם 275, 283; נְ׳ יִשְׂרָאֵל 276-278; נְ׳ מִלִּבָּם 285; נְבִיאֵי שֹׁמְרוֹן 282; נְבִיאֵי תַרְמִית 281

נָבִיא 1 כִּי־נָבִיא הוּא וְיִתְפַּלֵּל בַּעַדְךָ Gen.20:7
2 כִּי־יָקוּם בְּקִרְבְּךָ נָבִיא אוֹ חֹלֵם Deut.13:2
3 נָבִיא מִקִּרְבְּךָ מֵאַחֶיךָ כָּמֹנִי Deut.18:15
4 נָבִיא אָקִים לָהֶם מִקֶּרֶב אֲחֵיהֶם Deut.18:18
5 וְלֹא־קָם נָבִיא עוֹד בְּיִשְׂ׳ כְּמֹשֶׁה Deut.34:10
6 וַיִּשְׁלַח יְיָ אִישׁ נָבִיא אֶל־בְּ־י׳ Jud.6:8
7 גַּם־אֲנִי נָבִיא כָּמוֹךָ IK.13:18
8 אֲנִי נוֹתַרְתִּי נָבִיא לַייָ לְבַדִּי IK.18:22
9 וְהִנֵּה נָבִיא אֶחָד נִגַּשׁ אֶל־אַחְאָב IK.20:13
10/1 הַאֵין פֹּה נָבִיא לַייָ עוֹד IK.22:7 • IICh.18:6
12 הַאֵין פֹּה נָבִיא לַייָ וְנִדְרְשָׁה... IIK.3:11
13 וְיֵדַע כִּי יֵשׁ נָבִיא בְּיִשְׂרָאֵל IIK.5:8
14 נָבִיא לַגּוֹיִם נְתַתִּיךָ Jer.1:5
15 כִּי גַם־נָבִיא גַם־כֹּהֵן סָחֲרוּ Jer.14:18
16 כִּי־גַם־נָבִיא גַם־כֹּהֵן חָנֵפוּ Jer.23:11
17/8 וְיָדְעוּ כִּי נָבִיא הָיָה בְתוֹכָם Ezek.2:5; 33:33
19 וְכָשַׁל גַּם־נָבִיא עִמְּךָ לָיְלָה Hosh.4:5
20 נָבִיא פַּח יָקוֹשׁ עַל־כָּל־דְּרָכָיו Hosh.9:8
21/2 לֹא־נָבִיא אָנֹכִי וְלֹא בֶן־נָבִיא Am.7:14
23 וְאָמַר לֹא נָבִיא אָנֹכִי... Zech.13:5
24 אוֹתֹתֵינוּ לֹא־רָאִינוּ אֵין־עוֹד נָבִיא Ps.74:9
25 וַיִּשְׁלַח אֵלָיו נָבִיא וַיֹּאמֶר לוֹ IICh.25:15
26 וְשָׁם הָיָה נָבִיא לַייָ IICh.28:9
וְנָבִיא 27 וְנָבִיא אֶחָד זָקֵן יֹשֵׁב בְּבֵית־אֵל IK.13:11
28 שֹׁפֵט וְנָבִיא וְקֹסֵם וְזָקֵן Is.3:2
29 וְנָבִיא מוֹרֶה־שֶּׁקֶר הוּא הַזָּנָב Is.9:14

וְנָבִיא (המשך) 30 כֹּהֵן וְנָבִיא שָׁגוּ בַשֵּׁכָר Is.28:7
31 אִם־יֵהָרֵג בְּמִקְדַּשׁ אֲדֹנָי כֹּהֵן וְנָבִיא Lam.2:20
32 וְלַחְתֹּם חָזוֹן וְנָבִיא... Dan.9:24
הַנָּבִיא 33 לֹא תִשְׁמַע אֶל־דִּבְרֵי הַנָּבִיא הַהוּא Deut.13:4
34 אַךְ הַנָּבִיא אֲשֶׁר יָזִיד... Deut.18:20
35 וּמֵת הַנָּבִיא הַהוּא Deut.18:20
36 אֲשֶׁר יְדַבֵּר הַנָּבִיא בְּשֵׁם יְיָ Deut.18:22
37 בְּזָדוֹן דִּבְּרוֹ הַנָּבִיא... Deut.18:22
38 וַיֹּאמֶר גָּד הַנָּבִיא אֶל־דָּוִד ISh.22:5
39 וַיֹּאמֶר הַמֶּלֶךְ אֶל־נָתָן הַנָּבִיא IISh.7:2
40-54 (וּלְ/וְ) נָתָן הַנָּבִיא IISh.12:25
IK.1:8, 10, 22, 23, 32, 34, 38, 44, 45 • Ps.51:2 • ICh.17:1; 29:29 • IICh.9:29; 29:25
55 וּדְבַר־יְיָ הָיָה אֶל־גָּד הַנָּבִיא IISh.24:11
56 וַיִּמְצָא אֹתוֹ אֲחִיָּה הַשִּׁילֹנִי הַנָּבִיא IK.11:29
57 וַיְהִי דְּבַר יְיָ אֶל־הַנָּבִיא IK.13:20
58 בָּעִיר אֲשֶׁר הַנָּבִיא הַזָּקֵן יֹשֵׁב בָּהּ IK.13:25
59 וַיִּשְׁמַע הַנָּבִיא אֲשֶׁר הֱשִׁיבוֹ IK.13:26
60 וַיִּשָּׂא הַנָּבִיא אֶת־נִבְלַת אִישׁ־הָאֱלֹ׳ IK.13:29
61 וַיָּבֹא אֶל־עִיר הַנָּבִיא הַזָּקֵן IK.13:29
62 הִנֵּה־שָׁם אֲחִיָּה הַנָּבִיא IK.14:2
63 אֲשֶׁר דִּבֶּר בְּיַד עַבְדּוֹ...הַנָּבִיא IK.14:18
64 וְגַם בְּיַד יֵהוּא בֶן־חֲנָנִי הַנָּבִיא IK.16:7
65 אֲשֶׁר דִּבֶּר...בְּיַד יֵהוּא הַנָּבִיא IK.16:12
66 וַיִּגַּשׁ אֵלִיָּהוּ הַנָּבִיא וַיֹּאמַר IK.18:36
67 וַיִּגַּשׁ הַנָּבִיא אֶל־מֶלֶךְ יִשְׂרָאֵל IK.20:22
68 וַיֵּלֶךְ הַנָּבִיא וַיַּעֲמֹד...אֶל־הַדֶּרֶךְ IK.20:38
69 אַחֲלֵי אֲדֹנִי לִפְנֵי הַנָּבִיא IIK.5:3
70 דָּבָר גָּדוֹל הַנָּבִיא דִּבֶּר אֵלֶיךָ IIK.5:13
71 כִּי־אֱלִישָׁע הַנָּבִיא אֲשֶׁר בְּיִשְׂרָאֵל IIK.6:12
72 וֶאֱלִישָׁע הַנָּבִיא קָרָא
לְאַחַד מִבְּנֵי הַנְּבִיאִים IIK.9:1
73 וַיֵּלֶךְ הַנַּעַר הַנַּעַר הַנָּבִיא רָמֹת גִּלְעָד IIK.9:4
74 בְּיַד עַבְדּוֹ יוֹנָה בֶן־אֲמִתַּי הַנָּבִיא IIK.14:25
75 וַיִּשְׁלַח...אֶל־יְשַׁעְיָהוּ הַנָּבִיא בֶּן־אָמוֹץ IIK.19:2
76 וַיָּבֹא אֵלָיו יְשַׁעְיָהוּ בֶן־אָמוֹץ הַנָּבִיא IIK.20:1
77 וַיִּקְרָא יְשַׁעְיָהוּ הַנָּבִיא אֶל־יְיָ IIK.20:11
78-84 יְשַׁעְיָהוּ(...)הַנָּבִיא IIK.20:14
Is.37:2; 38:1; 39:3 • IICh.26:22; 32:20, 32
85 עַצְמוֹת הַנָּבִיא אֲשֶׁר־בָּא מִשֹּׁמְרוֹן IIK.23:18
86 וַיַּכֶּה פַשְׁחוּר אֵת יִרְמְיָהוּ הַנָּבִיא Jer.20:2
87 הַנָּבִיא אֲשֶׁר־אִתּוֹ חֲלוֹם Jer.23:28
88 ...אוֹ־הַנָּבִיא אוֹ־כֹהֵן Jer.23:33
89 כֹּה תֹאמַר אֶל־הַנָּבִיא Jer.23:37
90 אֲשֶׁר דִּבֶּר יִרְמְיָהוּ הַנָּבִיא Jer.25:2
91 אָמַר אֵלַי חֲנַנְיָה בֶן־עַזּוּר הַנָּבִיא Jer.28:1
92-95 וַיֹּאמֶר יִרְמְיָה הַנָּבִיא
אֶל־חֲנַנְיָה הַנָּבִיא Jer.28:5, 15
96 וַיֹּאמֶר יִרְמְיָה הַנָּבִיא אָמֵן Jer.28:6
97 הַנָּבִיא אֲשֶׁר יִנָּבֵא לְשָׁלוֹם Jer.28:9
98/9 בְּבֹא דְּבַר הַנָּבִיא יִוָּדַע הַנָּבִיא Jer.28:9
100 וַיִּקַּח חֲנַנְיָה הַנָּבִיא אֶת־הַמּוֹטָה Jer.28:10
101 מֵעַל צַוַּאר יִרְמְיָה הַנָּבִיא Jer.28:10
102-128 (וְ/לְ)יִרְמְיָה(וּ) הַנָּבִיא Jer.28:11, 12
29:1, 29; 32:2; 34:6; 36:8, 26; 37:2, 3, 6, 13; 38:9; 38:10, 14; 42:2, 4; 43:6; 45:1; 46:1, 13; 47:1; 49:34; 50:1; 51:59 • Dan.9:2 • IICh.36:12
129 אַחֲרֵי שְׁבוֹר חֲנַנְיָה הַנָּבִיא אֶת־הַמּוֹטָה Jer.28:12
130 וַיָּמָת חֲנַנְיָה הַנָּבִיא בַּשָּׁנָה הַהִיא Jer.28:17
131-132 וּבָא אֶל־הַנָּבִיא... Ezek.14:4, 7
133 אֲנִי יְיָ פִּתֵּיתִי אֵת הַנָּבִיא הַהוּא Ezek.14:9

הַנָּבִיא (המשך)
134 כַּעֲוֹן הַדֹּרֵשׁ כַּעֲוֹן הַנָּבִיא יִהְיֶה Ezek. 14:10
135 אֱוִיל הַנָּבִיא מְשֻׁגָּע אִישׁ הָרוּחַ Hosh. 9:7
136 הַמַּשָּׂא אֲשֶׁר חָזָה חֲבַקּוּק הַנָּבִיא Hab. 1:1
137 תְּפִלָּה לַחֲבַקּוּק הַנָּבִיא Hab. 3:1
141-138 דְּבַר־יְיָ בְּיַד־חַגַּי הַנָּבִ׳ Hag. 1:1,3; 2:1,10
142 וַיִּשְׁמַע...וְעַל־דִּבְרֵי חַגַּי הַנָּבִיא Hag. 1:12
143/4 דְבַר־יְיָ אֶל־זְכַרְיָה...הַנָּבִיא Zech. 1:1,7
145 שֹׁלֵחַ לָכֶם אֵת אֵלִיָּה הַנָּבִיא Mal. 3:23
146 וּשְׁמַעְיָה הַנָּבִיא בָּא אֶל־רְחַבְעָם IICh. 12:5
147 בְּדִבְרֵי שְׁמַעְיָה הַנָּבִיא IICh. 12:15
148 כְּתוּבִים בְּמִדְרַשׁ הַנָּבִיא עִדּוֹ IICh. 13:22
149 ...וְהַנְּבוּאָה עֹדֵד הַנָּבִיא IICh. 15:8
150 וַיָּבֹא...מִכְתָּב מֵאֵלִיָּהוּ הַנָּבִיא IICh. 21:12
151 וַיֶּחְדַּל הַנָּבִיא וַיֹּאמֶר IICh. 25:16
152 וְלֹא־נַעֲשָׂה...מִימֵי שְׁמוּאֵל הַנָּבִיא IICh. 35:18
וְהַנָּבִיא 153 וְהַנָּבִיא הַהוּא אוֹ חֹלֵם הַחֲלוֹם Deut. 13:6
154 וְהַנָּבִיא...וְהָעָם אֲשֶׁר יֹאמַר Jer. 23:34
155 וְהַנָּבִיא כִי־יְפֻתֶּה וְדִבֶּר דָּבָר Ezek. 14:9
וּבְנָבִיא 156 וּבְנָבִיא הֶעֱלָה יְיָ אֶת־יִשׂ׳ מִמִּצְ׳ Hosh. 12:14
157 וּבְנָבִיא נִשְׁמָר Hosh. 12:14
לְנָבִיא 158 כִּי־נֶאֱמָן שְׁמוּאֵל לְנָבִיא לַיְיָ ISh. 3:20
159 וְאֶת־אֱלִישָׁע...תִּמְשַׁח לְנָבִיא IK. 19:16
לַנָּבִיא 160 לַנָּבִיא הַיּוֹם יִקָּרֵא לְפָנִים הָרֹאֶה ISh. 9:9
161 לַנָּבִיא אֲשֶׁר הֱשִׁיבוֹ IK. 13:23
מִנָּבִיא 162 מִנָּבִיא וְעַד־כֹּהֵן כֻּלֹּה עֹשֶׂה שָּׁקֶר Jer. 8:10
163 תּוֹרָה מִכֹּהֵן...וְדָבָר מִנָּבִיא Jer. 18:18
164 וּבִקְשׁוּ חָזוֹן מִנָּבִיא... Ezek. 7:26
וּמִנָּבִיא 165 וּמִנָּבִיא וְעַד־כֹּהֵן כֻּלּוֹ...שָׁקֶר Jer. 6:13
נְבִיאֶךָ 166 וְאַהֲרֹן אָחִיךָ יִהְיֶה נְבִיאֶךָ Ex. 7:1
נְבִיאֲכֶם 167 אִם־יִהְיֶה נְבִיאֲכֶם יְיָ... Num. 12:6
נְבִיאִים 168 וּמִי יִתֵּן כָּל־עַם יְיָ נְבִיאִים Num. 11:29
169 חֶבֶל נְבִאִים יֹרְדִים מֵהַבָּמָה ISh. 10:5
170 וְהִנֵּה חֶבֶל־נְבִאִים לִקְרָאתוֹ ISh. 10:10
171 וַיִּרְאוּ וְהִנֵּה עִם־נְבִאִים נִבָּא ISh. 10:11
172 וַיִּקַּח עֹבַדְיָהוּ מֵאָה נְבִיאִים IK. 18:4
173 וְאִם־נְבִאִים הֵם...יִפְגְּעוּ־נָא Jer. 27:18
174 הֵקִים לָנוּ יְיָ נְבִאִים בָּבֶלָה Jer. 29:15
175 וְגַם־נְבִיאִים הֶעֱמַדְתָּ לִקְרֹא... Neh. 6:7
176 וַיִּשְׁלַח בָּהֶם נְבִאִים לַהֲשִׁיבָם IICh. 24:19
הַנְּבִיאִים 177 וַיַּרְא אֶת־לַהֲקַת הַנְּבִיאִים נִבְּאִים ISh. 19:20
178 גַּם בְּיַד הַנְּבִיאִים גַּם בַּחֲלֹמוֹת ISh. 28:15
179 וַיִּקְבֹּץ אֶת־הַנְּבִיאִים... IK. 18:20
180 הָרַג אֶת־כָּל־הַנְּבִיאִים בֶּחָרֶב IK. 19:1
181 וְאִישׁ אֶחָד מִבְּנֵי הַנְּבִיאִים... IK. 20:35
182 וַיִּקְבֹּץ מֶלֶךְ יִשׂ׳ אֶת־הַנְּבִיאִים IK. 22:6
183 וְכָל־הַנְּבִיאִים מִתְנַבְּאִים IK. 22:10
184 וְכָל־הַנְּבִאִים נִבְּאִים כֵּן IK. 22:12
185 הִנֵּה...דִּבְרֵי הַנְּבִיאִים פֶּה־אֶחָד IK. 22:13
186 וַיֵּצְאוּ בְנֵי־הַנְּבִיאִים אֲשֶׁר־בֵּית־אֵל IIK. 2:3
195-187 (וּ/לִ/בְ/מִ)בְּנֵי הַנְּבִיאִים IIK. 2:5,7,15
4:1, 38²; 5:22; 6:1; 9:1
196 וְנִקַּמְתִּי דְּמֵי עֲבָדַי הַנְּבִיאִים IIK. 9:7
204-197 עֲבָדַי (עֲבָדָיו וכד׳) הַנְּבִיאִ׳ IIK. 17:13, 23
21:10; 24:2 • Jer. 7:25; 44:4 • Am. 3:7 • Zech. 1:6
205 אֶת־הַנְּבִיאִים וְאֶת־...הַחֹזִים Is. 29:10
206 הַנְּבִאִים נִבְּאוּ בַשֶּׁקֶר Jer. 5:31
207 וְאֵת עַצְמוֹת הַנְּבִיאִים Jer. 8:1
208 וְאֶת־הַכֹּהֲנִים וְאֶת־הַנְּבִיאִים Jer. 13:13
209 הִנֵּה הַנְּבִאִים אֹמְרִים לָהֶם Jer. 14:13
210 שֶׁקֶר הַנְּבִאִים נִבְּאִים בִּשְׁמִי Jer. 14:14
211 הַנְּבִאִים הַנִּבְּאִים בִּשְׁמִי Jer. 14:15

הַנְּבִיאִים (המשך)
212 יִתַּמּוּ הַנְּבִאִים הָהֵמָּה Jer. 14:15
213 כֹּה־אָמַר יְיָ צְבָ׳ עַל־הַנְּבִאִים Jer. 23:15
214 דִּבְרֵי הַנְּבִאִים הַנִּבְּאִים לָכֶם Jer. 23:16
215 לֹא־שָׁלַחְתִּי אֶת־הַנְּבִאִים Jer. 23:21
216 הַנְּבִאִים הַנִּבְּאִים בִּשְׁמִי שֶׁקֶר Jer. 23:25
217 הֲיֵשׁ בְּלֵב הַנְּבִאִים נִבְּאֵי הַשָּׁקֶר Jer. 23:26
218 לָכֵן הִנְנִי עַל־הַנְּבִאִים Jer. 23:30
219 הִנְנִי עַל־הַנְּבִיאִם Jer. 23:31
223-220 עֲבָדָיו (עֲבָדַי) הַנְּבִאִים Jer. 25:4
26:5; 29:19; 35:15
224 אֶל־הַכֹּהֲנִים וְאֶל־הַנְּבִיאִים Jer. 26:16
225 וְאַל־תִּשְׁמְעוּ אֶל־דִּבְרֵי הַנְּבִאִים Jer. 27:14
226 הַנְּבִיאִים אֲשֶׁר הָיוּ לְפָנַי Jer. 28:8
227 וְאֶל־הַכֹּהֲנִים וְאֶל־הַנְּבִיאִים Jer. 29:1
228 הוֹי עַל־הַנְּבִיאִים הַנְּבָלִים Ezek. 13:3
229 אֶל־הַנְּבִיאִים הַחֹזִים שָׁוְא Ezek. 13:9
230 וְדִבַּרְתִּי עַל־הַנְּבִיאִים Hosh. 12:11
231 וּבְיַד הַנְּבִיאִים אֲדַמֶּה Hosh. 12:11
232 וְעַל־הַנְּבִיאִים צִוִּיתֶם לֵאמֹר Am. 2:12
233 עַל־הַנְּבִיאִים הַמַּתְעִים אֶת־עַמִּי Mic. 3:5
234 וּבָאָה הַשֶּׁמֶשׁ עַל־הַנְּבִיאִים Mic. 3:6
237-235 הַנְּבִיאִים הָרִאשֹׁנִים Zech. 1:4; 7:7, 12
238 אֶל־הַכֹּהֲנִים...וְאֶל־הַנְּבִיאִים Zech. 7:3
239 הַשֹּׁמְעִים...מִפִּי הַנְּבִיאִים Zech. 8:9
240 אֶת־הַנְּבִיאִים וְאֶת־רוּחַ הַטֻּמְאָה Zech. 13:2
241 יֵבֹשׁוּ הַנְּבִיאִים אִישׁ מֵחֶזְיֹנוֹ Zech. 13:4
244-242 עֲבָדֶיךָ (־דָיו) הַנְּבִיאִים Dan. 9:6, 10
Ez. 9:11
245 לְנוֹעַדְיָה הַנְּבִ׳ וּלְיֶתֶר הַנְּבִיאִים Neh. 6:14
246 וַיִּקְבֹּץ מֶלֶךְ יִשׂ׳ אֶת־הַנְּבִאִים IICh. 18:5
247 וְכָל־הַנְּבִיאִים מִתְנַבְּאִים לִפְנֵיהֶם IICh. 18:9
248 וְכָל־הַנְּבִאִים נִבְּאִים כֵּן IICh. 18:11
249 הִנֵּה דִּבְרֵי הַנְּבִאִים פֶּה־אֶחָד IICh. 18:12
וְהַנְּבִיאִים 250 וְהַכֹּהֲנִים וְהַנְּבִיאִים וְכָל־הָעָם IIK. 23:2
251 וְהַנְּבִיאִים נִבְּאוּ בַבַּעַל Jer. 2:8
252 וְנָשַׁמּוּ הַכֹּהֲנִים וְהַנְּבִאִים יִתְמָהוּ Jer. 4:9
253 וְהַנְּבִיאִים יִהְיוּ לְרוּחַ Jer. 5:13
254/5 הַכֹּהֲנִים וְהַנְּבִאִים Jer. 26:7, 11
256 הַכֹּהֲנִים וְהַנְּבִיאִים Jer. 26:8
257 אַתֶּם וְהַנְּבִאִים הַנִּבְּאִים לָכֶם Jer. 27:15
258 וְהַנְּבִאִים הַלְעוֹלָם יִחְיוּ Zech. 1:5
מֵהַנְּבִיאִים 259 וַיַּכֵּר...כִּי מֵהַנְּבִיאִים הוּא IK. 20:41
בַּנְּבִיאִים 260 הֲגַם שָׁאוּל בַּנְּבִיאִים ISh. 10:11
261 הֲגַם שָׁאוּל בַּנְּבִאִים ISh. 10:12
262 הֲגַם שָׁאוּל בַּנְּבִיאִם ISh. 19:24
263 וְלֹא עָנָהוּ יְיָ...גַּם בַּנְּבִיאִם ISh. 28:6
264 עַל־כֵּן חָצַבְתִּי בַּנְּבִיאִים Hosh. 6:5
לַנְּבִאִים 265 לַנְּבִאִים נִשְׁבַּר לִבִּי בְקִרְבִּי Jer. 23:9
לִנְבִיאִים 266 וָאָקִים מִבְּנֵיכֶם לִנְבִיאִים Am. 2:11
נְבִיאֵי־ 267 בְּהַכְרִית אִיזֶבֶל אֵת נְבִיאֵי יְיָ IK. 18:4
268 בַּהֲרֹג אִיזֶבֶל אֵת נְבִיאֵי יְיָ IK. 18:13
269 קְבֹץ אֵלַי...וְאֶת־נְבִיאֵי הַבַּעַל IK. 18:19
270 תִּפְשׂוּ אֶת־נְבִיאֵי הַבַּעַל IK. 18:40
271/2 אֶל־נְבִיאֵי אָבִיךָ וְאֶל־נְבִיאֵי אִמֶּךָ IIK. 3:13
273 כָּל־נְבִיאֵי הַבַּעַל כָּל־עֹבְדָיו IIK. 10:19
274 בְּיַד כָּל־נְבִיאֵי (כ׳ נביאו) כָל־חֹזֶה IIK. 17:13
275 מֵאֵת נְבִיאֵי יְרוּשָׁ׳ יָצְאָה חֲנֻפָּה Jer. 23:15
276 הִנָּבֵא אֶל־נְבִיאֵי יִשׂ׳ הַנִּבָּאִים Ezek. 13:2
277 נְבִיאֵי יִשׂ׳ הַנִּבְּאִים אֶל־יְרוּשָׁ׳ Ezek. 13:16
278 בְּיַד עֲבָדַי נְבִיאֵי יִשְׂרָאֵל Ezek. 38:17
וּנְבִיאֵי־ 279 וּנְבִיאֵי הָאֲשֵׁרָה אַרְבַּע מֵאוֹת IK. 18:19
280 וּנְבִיאֵי הַבַּעַל אַרְבַּע...וַחֲמִשִּׁים... IK. 18:22
281 וּנְבִיאֵי תַּרְמִת לִבָּם Jer. 23:26
וּבִנְבִיאֵי־ 282 וּבִנְבִיאֵי שֹׁמְרוֹן רָאִיתִי תִפְלָה Jer. 23:13
283 וּבִנְבִאֵי יְרוּשָׁ׳ רָאִיתִי שַׁעֲרוּרָה Jer. 23:14
לִנְבִיאֵי־ 284 וַיֹּאמֶר אֵלִיָּהוּ לִנְבִיאֵי הַבַּעַל IK. 18:25
285 הִנָּבֵא...וְאָמַרְתָּ לִנְבִיאֵי מִלִּבָּם Ezek. 13:2
מִנְּבִיאֵי־ 286 וָאַחְבִּא מִנְּבִיאֵי יְיָ מֵאָה אִישׁ IK. 18:13
וּבִנְבִיאַי 287 וּבִנְבִיאַי אַל־תָּרֵעוּ ICh. 16:22
וְלִנְבִיאַי 288 וְלִנְבִיאַי אַל־תָּרֵעוּ Ps. 105:15
נְבִיאֶיךָ 290-289 וְאֶת־נְבִיאֶיךָ הָרְגוּ בֶחָרֶב IK. 19:10, 14
291 רוּחַ שֶׁקֶר בְּפִי כָּל־נְבִיאֶיךָ אֵלֶּה IK. 22:23
292 כְּשֻׁעָלִים בָּחֳרָבוֹת נְבִיאֶיךָ יִשׂ׳ Ezek. 13:4
293 וְאֶת־נְבִיאֶיךָ הָרָגוּ Neh. 9:26
294 וַתָּעַד בָּם בְּרוּחֲךָ בְּיַד־נְבִיאֶיךָ Neh. 9:30
295 נָתַן יְיָ רוּחַ שֶׁקֶר בְּפִי נְבִיאֶיךָ IICh. 18:22
נְבִיאַיִךְ 296 נְבִיאַיִךְ חָזוּ לָךְ שָׁוְא וְתָפֵל Lam. 2:14
נְבִיאָיו 297 וְהָיִיתִי רוּחַ שֶׁקֶר בְּפִי כָּל־נְבִיאָיו IK. 22:22
298 לְרוּחַ שֶׁקֶר בְּפִי כָּל־נְבִיאָיו IICh. 18:21
299 כִּי בְיַד־יְיָ הַמִּצְוָה בְּיַד־נְבִיאָיו IICh. 29:25
בִּנְבִיאָיו 300 הַאֲמִינוּ בִנְבִיאָיו וְהַצְלִיחוּ IICh. 20:20
301 וּבוֹזִים דְּבָרָיו וּמִתַּעְתְּעִים בִּנְבִאָיו IICh. 36:16
נְבִיאֶיהָ 302 קֶשֶׁר נְבִיאֶיהָ בְּתוֹכָהּ Ezek. 22:25
303 נְבִיאֶיהָ פֹּחֲזִים אַנְשֵׁי בֹּגְדוֹת Zep. 3:4
304 גַּם־נְבִיאֶיהָ לֹא־מָצְאוּ חָזוֹן מֵיְיָ Lam. 2:9
305 מֵחַטֹּאת נְבִיאֶיהָ עֲוֹנוֹת כֹּהֲנֶיהָ Lam. 4:13
וּנְבִיאֶיהָ 306 וּנְבִיאֶיהָ טָחוּ לָהֶם תָּפֵל Ezek. 22:28
307 וּנְבִיאֶיהָ בְּכֶסֶף יִקְסֹמוּ Mic. 3:11
וְלִנְבִיאֵינוּ 308 לִמְלָכֵינוּ לְשָׂרֵינוּ וּלְכֹהֲנֵינוּ וְלִנְבִיאֵינוּ Neh. 9:32
נְבִיאֵיכֶם 309 אָכְלָה חַרְבְּכֶם נְבִיאֵיכֶם Jer. 2:30
310 אַל־תִּשְׁמְעוּ אֶל־נְבִיאֵיכֶם Jer. 27:9
311 אַל־תִּשְׁמְעוּ אֶל־דִּבְרֵי נְבִיאֵיכֶם Jer. 27:16
312 אַל־יַשִּׁיאוּ לָכֶם נְבִיאֵיכֶם Jer. 29:8
313 וְאַיֵּה (וְאַיּוֹ) נְבִיאֵיכֶם אֲשֶׁר־נִבְּאוּ לָכֶם Jer. 37:19
וּנְבִיאֵיהֶם 314 שָׂרֵיהֶם וְכֹהֲנֵיהֶם וּנְבִיאֵיהֶם Jer. 2:26
315 שָׂרֵיהֶם כֹּהֲנֵיהֶם וּנְבִיאֵיהֶם Jer. 32:32

נְבִיא*
ז׳ ארמית: נביא; נְבִיָּא = הנביא: 1-4

נְבִיָּא 1 וְהִתְנַבִּי חַגַּי נְבִיָּא (כת׳ נביאה) Ez. 5:1
2 וּמַצְלְחִין בִּנְבוּאַת חַגַּי נְבִיָּא (כת׳ נביאה) Ez. 6:14
נְבִיַּיָּא 3 חַגַּי...וּזְכַרְיָה...נְבִיַּיָּא (כת׳ נביאיא) Ez. 5:1
4 נְבִיַּיָּה (כת׳ נביאיא) דִּי־אֱלָהָא Ez. 5:2

נְבִיאָה
נ׳ א) חוזה, מטיפה: 1-3, 5, 6
ב) אשת נביא: 4

אִשָּׁה נְבִיאָה 1; חֻלְדָּה הַנְּבִיאָה 3, 6; מִרְיָם הַנְּבִיאָה 2; נוֹעַדְיָה הַנְּבִיאָה 5

נְבִיאָה 1 וּדְבוֹרָה אִשָּׁה נְבִיאָה... Jud. 4:4
הַנְּבִיאָה 2 וַתִּקַּח מִרְיָם הַנְּבִיאָה אֲחוֹת אַהֲרֹן Ex. 15:20
3 וַיֵּלֶךְ...אֶל־חֻלְדָּה הַנְּבִיאָה IIK. 22:14
4 וָאֶקְרַב אֶל־הַנְּבִיאָה וַתַּהַר Is. 8:3
5 לְנוֹעַדְיָה הַנְּבִיאָה וּלְיֶתֶר הַנְּבִיאִים Neh. 6:14
6 וַיֵּלֶךְ...אֶל־חֻלְדָּה הַנְּבִיאָה IICh. 34:22

נְבָיוֹת
שפ״ז — בכור ישמעאל: 1—5

אֲחוֹת נְבָיוֹת 2, 3; אֵילֵי נְבָיוֹת 4

נְבָיוֹת 1 בְּכֹר יִשְׁמָעֵאל נְבָיֹת Gen. 25:13
2 וַיִּקַּח אֶת־מָחֲלַת...אֲחוֹת נְבָיוֹת Gen. 28:9
3 וְאֶת־בָּשְׂמַת...אֲחוֹת נְבָיוֹת Gen. 36:3
4 אֵילֵי נְבָיוֹת יְשָׁרְתוּנֶךְ Is. 60:7
5 בְּכוֹר יִשְׁמָעֵאל נְבָיוֹת ICh. 1:29

נ ב ך
נֵבֶךְ*
ז׳ מעמק • נִבְכֵי־יָם 1

נִבְכֵי־ 1 הֲבָאתָ עַד־נִבְכֵי־יָם Job 38:16

נבל : נָבֵל, נֵבֶל, נָבָל, נְבָלָה, נְבֵלָה, נַבְלוּת

נָבֵל

פָּ׳ א) בָּלָה, יָבֵשׁ (גם בהשאלה): 1, 2, 4–21
ב) נהג כְּנָבָל: 3
ג) [פִּ׳ נִבֵּל] בִּזָּה, המאיס: 22–25

קרובים: בָּלָה / יָבֵשׁ / צָמַק / קָמַל / רָקַב

נָבֹל 1 נָבֹל תִּבֹּל גַּם־אַתָּה גַּם־הָעָם Ex. 18:18
כִּנְבֹל 2 כִּנְבֹל עָלֶה מִגֶּפֶן Is. 34:4
נָבַלְתָּ 3 אִם־נָבַלְתָּ בְהִתְנַשֵּׂא Prov. 30:32
נָבֵל 4–5 יָבֵשׁ חָצִיר נָבֵל צִיץ Is. 40:7, 8
6 אֵין עֲנָבִים...וְהֶעָלֶה נָבֵל Jer. 8:13
נָבְלָה 7 אָבְלָה נָבְלָה הָאָרֶץ Is. 24:4
8 אֻמְלְלָה נָבְלָה תֵּבֵל Is. 24:4
נֹבֵל 9 וְצִיץ נֹבֵל צְבִי תִפְאַרְתּוֹ Is. 28:1
10 וְהָיְתָה צִיצַת נֹבֵל צְבִי תִפְאַרְתּוֹ Is. 28:4
נֹבֶלֶת 11 כִּי תִהְיוּ כְּאֵלָה נֹבֶלֶת עָלֶהָ Is. 1:30
וּכְנֹבֶלֶת 12 כִּנְבֹל עָלֶה מִגֶּפֶן וּכְנֹבֶלֶת מִתְּאֵנָה Is. 34:4
תִּבֹּל 13 נָבֹל תִּבֹּל גַּם־אַתָּה גַּם־הָעָם Ex. 18:18
יִבּוֹל 14 וְכָל־צְבָאָם יִבּוֹל Is. 34:4
15 לֹא־יִבּוֹל עָלֵהוּ וְלֹא־יִתֹּם פִּרְיוֹ Ezek. 47:12
16 פִּרְיוֹ יִתֵּן בְּעִתּוֹ וְעָלֵהוּ לֹא־יִבּוֹל Ps. 1:3
17 וְאוּלָם הַר־נוֹפֵל יִבּוֹל Job 14:18
וַנָּבֶל 18 וַנָּבֶל כֶּעָלֶה כֻּלָּנוּ Is. 64:5
יִבֹּלוּ 19 בְּנֵי נֵכָר יִבֹּלוּ וְיַחְגְּרוּ מִמִּסְגְּרוֹתָם IISh. 22:46
20 בְּנֵי נֵכָר יִבֹּלוּ וְיַחְרְגוּ מִמִּסְגְּרוֹתֵיהֶם Ps. 18:46
יִבּוֹלוּן 21 וּכְיֶרֶק דֶּשֶׁא יִבּוֹלוּן Ps. 37:2
וְנִבַּלְתִּיךְ 22 וְהִשְׁלַכְתִּי עָלַיִךְ שִׁקֻּצִים וְנִבַּלְתִּיךְ Nah. 3:6
מְנַבֵּל 23 כִּי־בֵן מְנַבֵּל אָב Mic. 7:6
תְּנַבֵּל 24 אַל־תְּנַבֵּל כִּסֵּא כְבוֹדֶךָ Jer. 14:21
וַיְנַבֵּל 25 וַיְנַבֵּל צוּר יְשֻׁעָתוֹ Deut. 32:15

נָבָל¹

תו״ז שפל מדות, איש בליעל: 1–18

קרובים: (אִישׁ) בְּלִיַּעַל / זֵד / כִּלַי / מְעַוֵּל / מֵרֵעַ / נִבְזֶה / סוֹרֵר / עַוָּל / פּוֹחֵז / פָּרִיץ / רֵיק / רַע / רָשָׁע

– אֲבִי נָבָל 11; בְּנֵי נ׳ 12; גּוֹי נ׳ 2; חֶרְפַּת נ׳ 8; מוֹת נָבָל 3; עַם נָבָל 1, 9

– אַחַד הַנְּבָלִים 16; נְבִיאִים נ׳ 17; אַחַת הַנְּבָלוֹת 18

נָבָל 1 עַם נָבָל וְלֹא חָכָם Deut. 32:6
2 בְּגוֹי נָבָל אַכְעִיסֵם Deut. 32:21
3 הַכְּמוֹת נָבָל יָמוּת אַבְנֵר IISh. 3:33
4 כִּי נָבָל נְבָלָה יְדַבֵּר Is. 32:6
5 וּבְאַחֲרִיתוֹ יִהְיֶה נָבָל Jer. 17:11
6–7 אָמַר נָבָל בְּלִבּוֹ אֵין אֱלֹהִים Ps. 14:1; 53:2
8 חֶרְפַּת נָבָל אַל־תְּשִׂימֵנִי Ps. 39:9
9 וְעַם־נָבָל נִאֲצוּ שְׁמֶךָ Ps. 74:18
10 זְכֹר חֶרְפָּתְךָ מִנִּי־נָבָל Ps. 74:22
11 וְלֹא־יִשְׂמַח אֲבִי נָבָל Prov. 17:21
12 בְּנֵי־נָבָל גַּם־בְּנֵי בְלִי־שֵׁם Job 30:8
וְנָבָל 13 וְנָבָל כִּי יִשְׂבַּע־לָחֶם Prov. 30:22
לְנָבָל 14 לֹא יִקָּרֵא עוֹד לְנָבָל נָדִיב Is. 32:5
15 לֹא־נָאוָה לְנָבָל שְׂפַת־יֶתֶר Prov. 17:7
הַנְּבָלִים 16 וְאַתָּה תִּהְיֶה כְּאַחַד הַנְּבָלִים בְּיִשְׂ׳ IISh. 13:13
17 הוֹי עַל־הַנְּבִיאִים הַנְּבָלִים Ezek. 13:3
הַנְּבָלוֹת 18 כְּדַבֵּר אַחַת הַנְּבָלוֹת תְּדַבֵּרִי Job 2:10

נָבָל²

שם־ז – איש עשיר במָעוֹן, בעלה של אביגיל: 1–22

אֵשֶׁת נָבָל 6, 16–19; יַד נ׳ 14; לֵב נ׳ 11; רָעַת נ׳ 15

נָבָל 1 וְשֵׁם הָאִישׁ נָבָל ISh. 25:3
2 וַיִּשְׁמַע...כִּי־גֹזֵז נָבָל אֶת־צֹאנוֹ ISh. 25:4
3 וּבָאתֶם אֶל־נָבָל וּשְׁאֶלְתֶּם־לוֹ ISh. 25:5

נָבָל (המשך) 4 וַיָּבֹאוּ...וַיְדַבְּרוּ אֶל־נָבָל ISh. 25:9
5 וַיַּעַן נָבָל אֶת־עַבְדֵי דָוִד ISh. 25:10
6 וְלַאֲבִיגַיִל אֵשֶׁת נָבָל הִגִּיד ISh. 25:14
7 וּלְאִישָׁהּ נָבָל לֹא הִגִּידָה ISh. 25:19
8 אֶל־אִישׁ הַבְּלִיַּעַל הַזֶּה עַל־נָבָל ISh. 25:25
9 נָבָל שְׁמוֹ וּנְבָלָה עִמּוֹ ISh. 25:25
10 וַתָּבֹא אֲבִיגַיִל אֶל־נָבָל ISh. 25:36
11 וְלֵב נָבָל טוֹב עָלָיו ISh. 25:36
12 וַיִּגֹּף יְיָ אֶת־נָבָל וַיָּמֹת ISh. 25:38
13 וַיִּשְׁמַע דָּוִד כִּי־מֵת נָבָל ISh. 25:39
14 רָב אֶת־רִיב חֶרְפָּתִי מִיַּד נָבָל ISh. 25:39
15 וְאֵת רָעַת נָבָל הֵשִׁיב יְיָ בְּרֹאשׁוֹ ISh. 25:39
16–17 וַאֲבִיגַיִל אֵשֶׁת־נָבָל ISh. 27:3; 30:5
18–19 אֵשֶׁת נָבָל הַכַּרְמְלִי IISh. 2:2; 3:3
כְּנָבָל 20 וְעַתָּה יִהְיוּ כְנָבָל אֹיְבֶיךָ ISh. 25:26
לְנָבָל 21 כִּי אִם־נוֹתַר לְנָבָל...מַשְׁתִּין בְּקִיר ISh. 25:34
מִנָּבָל 22 וַיְהִי בַבֹּקֶר בְּצֵאת הַיַּיִן מִנָּבָל ISh. 25:37

נֵבֶל¹

ז׳ נֹאד, שַׂק עוֹר או כלי חרש לַיַּיִן או לנוזלים אחרים: 1–7

קרובים: אָסוּךְ / אוֹב / בַּקְבּוּק / גָּבִיעַ / חֵמֶת / כַּד / כּוֹס / מִזְרָק / נֹאד / סַף / סֵפֶל / קֻבַּעַת

נֵבֶל יַיִן 3, 5; נֵבֶל יוֹצְרִים 4; נִבְלֵי חֶרֶשׂ 7; נִבְלֵי שָׁמַיִם 8

נֵבֶל 1/2 כָּל־נֵבֶל יִמָּלֵא יָיִן Jer. 13:12²
נֵבֶל־ 3 וְאֶחָד נֹשֵׂא נֵבֶל־יַיִן ISh. 10:3
4 וּשְׁבָרָהּ כְּשֵׁבֶר נֵבֶל יוֹצְרִים Is. 30:14
וְנֵבֶל 5 וְאֵיפָה אַחַת קֶמַח וְנֵבֶל יַיִן ISh. 1:24
6 וּמֵאָה קַיִץ וְנֵבֶל יָיִן IISh. 16:1
נִבְלֵי־ 7 מָאתַיִם לֶחֶם וּשְׁנַיִם נִבְלֵי־יַיִן ISh. 25:18
וְנִבְלֵי־ 8 וְנִבְלֵי שָׁמַיִם מִי יַשְׁכִּיב Job 38:37
לְנִבְלֵי־ 9 אֵיכָה נֶחְשְׁבוּ לְנִבְלֵי־חֶרֶשׂ Lam. 4:2
וְנִבְלֵיהֶם 10 וְכֵלָיו יָרִיקוּ וְנִבְלֵיהֶם יְנַפֵּצוּ Jer. 48:12

נֵבֶל²

ז׳ כלי מיתרים לנגינה: 1–27 • קרובים: ראה כִּנּוֹר

– כִּנּוֹר וָנֶבֶל 1, 3, 5–7, 9, 12–16, 19–25; נֵבֶל עָשׂוֹר 10, 11; כְּלִי נֶבֶל 2, 17

– הֶמְיַת נְבָלִים 26; זִמְרַת נְבָלִים 27

נֵבֶל 1 נֵבֶל וְתֹף וְחָלִיל וְכִנּוֹר ISh. 10:5
2 גַּם־אֲנִי אוֹדְךָ בִכְלִי־נֶבֶל Ps. 71:22
נָבֶל 3 כִּנּוֹר נָעִים עִם־נָבֶל Ps. 81:3
4 עֲלֵי־עָשׂוֹר וַעֲלֵי־נָבֶל Ps. 92:4
וָנֶבֶל 5 כִּנּוֹר וָנֶבֶל תֹּף וְחָלִיל Is. 5:12
הַנֵּבֶל 6/7 עוּרָה הַנֵּבֶל וְכִנּוֹר Ps. 57:9; 108:3
הַנָּבֶל 8 הַפֹּרְטִים עַל־פִּי הַנָּבֶל Am. 6:5
בְּנֵבֶל 9 הַלְלוּהוּ בְּנֵבֶל וְכִנּוֹר Ps. 150:3
בְּנֵבֶל־ 10 בְּנֵבֶל עָשׂוֹר זַמְּרוּ־לוֹ Ps. 33:2
11 בְּנֵבֶל עָשׂוֹר אֲזַמְּרָה־לָּךְ Ps. 144:9
נְבָלִים 12 מְצִלְתַּיִם נְבָלִים וּבְכִנֹּרוֹת Neh. 12:27
13 נְבָלִים וְכִנֹּרוֹת וּמְצִלְתָּיִם ICh. 15:16
14 בִּכְלֵי נְבָלִים וּבְכִנֹּרוֹת ICh. 16:5
וּנְבָלִים 15/6 וְכִנֹּרוֹת וּנְבָלִים לַשָּׁרִים IK. 10:12 • IICh. 9:11
הַנְּבָלִים 17 וְעַד כָּל־כְּלֵי הַנְּבָלִים Is. 22:24
בִּנְבָלִים 18 וִיחִיאֵל...בִּנְבָלִים עַל־עֲלָמוֹת ICh. 15:20
19 מַשְׁמִעִים בִּנְבָלִים וְכִנֹּרוֹת ICh. 15:28
20 בְּכִנֹּרוֹת בִּנְבָלִים וּבִמְצִלְתָּיִם ICh. 25:1
21 בִּנְבָלִים וּבְכִנֹּרוֹת וּבַחֲצֹצְרוֹת IICh. 20:28
22 בִּמְצִלְתַּיִם בִּנְבָלִים וּבְכִנֹּרוֹת IICh. 29:25
וּבִנְבָלִים 23/4 וּבְכִנֹּרוֹת וּבִנְבָ׳ וּבְתֻפִּים IISh. 6:5 • ICh. 13:8
25 בִּמְצִלְתַּיִם וּבִנְבָלִים וְכִנֹּרוֹת IICh. 5:12
נְבָלֶיךָ 26 הוּרַד שְׁאוֹל גְּאוֹנֶךָ הֶמְיַת נְבָלֶיךָ Is. 14:11
27 וְזִמְרַת נְבָלֶיךָ לֹא אֶשְׁמָע Am. 5:23

(ו)נָבֵל (ישעיה סד5) – עין נָבֵל (18)

נְבָלָה

נ׳ מַעֲשֵׂה נָבָל, תּוֹעֵבָה: 1–13

קרובים: אָוֶן / זָדוֹן / זִמָּה / נַבְלוּת / עָוֶל / עַוְלָה / פִּגּוּל / רֹעַ / רֶשַׁע / שַׁעֲרוּרָה / שַׁעֲרוּרִיָּה / שִׁקּוּץ / שֶׁקֶץ / תּוֹעֵבָה

דִּבֵּר (דּוֹבֵר) נְבָלָה 4, 5; דְּבַר נְבָלָה 11; עָשָׂה נְבָלָה 1–3, 6–8, 10–13

נְבָלָה 1 כִּי נְבָלָה עָשָׂה בְיִשְׂרָאֵל Gen. 34:7
2 כִּי־עָשְׂתָה נְבָלָה בְּיִשְׂרָאֵל Deut. 22:21
3 וְכִי־עָשָׂה נְבָלָה בְּיִשְׂרָאֵל Josh. 7:15
4 וְכָל־פֶּה דֹּבֵר נְבָלָה Is. 9:16
5 כִּי נָבָל נְבָלָה יְדַבֵּר Is. 32:6
6 יַעַן אֲשֶׁר עָשׂוּ נְבָלָה בְּיִשְׂרָאֵל Jer. 29:23
7 לְבִלְתִּי עֲשׂוֹת עִמָּכֶם נְבָלָה Job 42:8
וּנְבָלָה 8 כִּי עָשׂוּ זִמָּה וּנְבָלָה בְּיִשְׂרָאֵל Jud. 20:6
9 נָבָל שְׁמוֹ וּנְבָלָה עִמּוֹ ISh. 25:25
הַנְּבָלָה 10 אַל־תַּעֲשׂוּ אֶת־הַנְּבָלָה הַזֹּאת Jud. 19:23
11 לֹא תַעֲשׂוּ דְּבַר הַנְּבָלָה הַזֹּאת Jud. 19:24
12 כְּכָל־הַנְּבָלָה אֲשֶׁר עָשָׂה בְּיִשְׂ׳ Jud. 20:10
13 אַל־תַּעֲשֵׂה אֶת־הַנְּבָלָה הַזֹּאת IISh. 13:12

נְבֵלָה

נ׳ פֶּגֶר, גּוּפַת אדם או בעלי־חיים: 1–48

נִבְלַת הָאָדָם 15; נ׳ אִיזֶבֶל 13; נ׳ אִישׁ 12; נ׳ בְּהֵמָה 18; נ׳ חַיָּה 17; נ׳ עֲבָדָיו 16; נ׳ הָעָם 14; נִבְלַת שְׁקוּצִים 20; נִבְלַת שֶׁרֶץ 19

נְבֵלָה 1 וְחֵלֶב נְבֵלָה וְחֵלֶב טְרֵפָה Lev. 7:24
2 נֶפֶשׁ אֲשֶׁר תֹּאכַל נְבֵלָה וּטְרֵפָה Lev. 17:15
3 נְבֵלָה וּטְרֵפָה לֹא יֹאכַל Lev. 22:8
4 לֹא־תֹאכְלוּ כָל־נְבֵלָה Deut. 14:21
5 כָּל־נְבֵלָה וּטְרֵפָה...לֹא יֹאכְלוּ Ezek. 44:31
וּנְבֵלָה 6 וּנְבֵלָה...לֹא־אָכַלְתִּי מִנְּעוּרַי Ezek. 4:14
הַנְּבֵלָה 7 וְהָאַרְיֵה עֹמֵד אֵצֶל הַנְּבֵלָה IK. 13:24
8 וַיִּרְאוּ אֶת־הַנְּבֵלָה מֻשְׁלֶכֶת בַּדֶּרֶךְ IK. 13:25
9 וְאֶת־הָאַרְיֵה עֹמֵד אֵצֶל הַנְּבֵלָה IK. 13:25
10 וְהַחֲמוֹר וְהָאַר׳ עֹמְדִים אֵצֶל הַנְּבֵלָה IK. 13:28
11 לֹא־אָכַל הָאַרְיֵה אֶת־הַנְּבֵלָה IK. 13:28
נִבְלַת־ 12 וַיִּשָּׂא הַנָּבִיא אֶת־נִבְלַת אִישׁ הָאֱ׳ IK. 13:29
13 וְהָיְתָה נִבְלַת אִיזֶבֶל כְּדֹמֶן... IIK. 9:37
14 וְהָיְתָה נִבְלַת הָעָם הַזֶּה לְמַאֲכָל Jer. 7:33
15 וְנָפְלָה נִבְלַת הָאָדָם כְּדֹמֶן Jer. 9:21
16 נָתְנוּ אֶת־נִבְלַת עֲבָדֶיךָ מַאֲכָל Ps. 79:2
בְּנִבְלַת־ 17 אֲשֶׁר תִּגַּע...אוֹ בְּנִבְלַת חַיָּה טְמֵאָה Lev. 5:2
18 אוֹ בְּנִבְלַת בְּהֵמָה טְמֵאָה Lev. 5:2
19 אוֹ בְּנִבְלַת שֶׁרֶץ טָמֵא Lev. 5:2
20 בְּנִבְלַת שִׁקּוּצֵיהֶם וְתוֹעֲבוֹתֵיהֶם Jer. 16:18
נְבֵלָתִי 21 יִחְיוּ מֵתֶיךָ נְבֵלָתִי יְקוּמוּן Is. 26:19
נִבְלָתְךָ 22 וְהָיְתָה נִבְלָתְךָ לְמַאֲכָל Deut. 28:26
23 לֹא־תָבוֹא נִבְלָתְךָ אֶל־קֶבֶר אֲבֹתֶיךָ IK. 13:22
נִבְלָתוֹ 24 לֹא־תָלִין נִבְלָתוֹ עַל־הָעֵץ Deut. 21:23
25 וַיֹּרִידוּ אֶת־נִבְלָתוֹ מִן־הָעֵץ Josh. 8:29
26 וַתְּהִי נִבְלָתוֹ מֻשְׁלֶכֶת בַּדֶּרֶךְ IK. 13:24
27 וַיִּמְצָא אֶת־נִבְלָתוֹ מֻשְׁלֶכֶת בַּדֶּרֶךְ IK. 13:28
28 וַיַּנַּח אֶת־נִבְלָתוֹ בְּקִבְרוֹ IK. 13:30
29 וַיַּשְׁלֵךְ אֶת־נִבְלָתוֹ אֶל־קִבְרֵי... Jer. 26:23
וְנִבְלָתוֹ 30 וְנִבְלָתוֹ תִּהְיֶה מֻשְׁלֶכֶת... Jer. 36:30
נִבְלָתָהּ 31 וְהַנֹּשֵׂא אֶת־נִבְלָתָהּ יְכַבֵּס בְּגָדָיו Lev. 11:40
בְּנִבְלָתָהּ 32 הַנֹּגֵעַ בְּנִבְלָתָהּ יִטְמָא עַד־הָעָרֶב Lev. 11:39
מִנִּבְלָתָהּ 33 וְהָאֹכֵל מִנִּבְלָתָהּ יְכַבֵּס בְּגָדָיו Lev. 11:40
נִבְלָתָם 34 וְאֶת־נִבְלָתָם תְּשַׁקֵּצוּ Lev. 11:11
35 וְהַנֹּשֵׂא אֶת־נִבְלָתָם יְכַבֵּס בְּגָדָיו Lev. 11:28
36 וַתְּהִי נִבְלָתָם כַּסּוּחָה בְּקֶרֶב חוּצוֹת Is. 5:25
37/8 וְהָיְתָה נִבְלָתָם לְמַאֲכָל... Jer. 16:4; 34:20

נְבֵלָה 39 וְנָתַתִּי אֶת־נִבְלָתָם לְמַאֲכָל... Jer. 19:7
בְּנִבְלָתָם 40-41 כָּל־הַנֹּגֵעַ בְּנִבְלָתָם... Lev. 11:24,27
42 וְנֹגֵעַ בְּנִבְלָתָם יִטְמָא Lev. 11:36
וּבְנִבְלָתָם 43/4 וּבְנִבְלָתָם לֹא תִגָּעוּ Lev. 11:8 • Deut. 14:8
מִנִּבְלָתָם 45 וְכָל־הַנֹּשֵׂא מִנִּבְלָתָם יְכַבֵּס בְּגָדָיו Lev. 11:25
46 וְכֹל אֲשֶׁר־יִפֹּל מִנִּבְלָתָם עָלָיו Lev. 11:35
47 וְכִי יִפֹּל מִנִּבְלָתָם עַל־כָּל־זֶרַע Lev. 11:37
48 ...וְנָפַל מִנִּבְלָתָם עָלָיו... Lev. 11:38

נָבְלָה (בראשית יא7) – עין בלל

נַבְלוּת נ׳ חרפה, נבלה • קרובים: ראה נְבָלָה

נַבְלֻתָהּ 1 אֲגַלֶּה אֶת־נַבְלֻתָהּ לְעֵינֵי מְאַהֲבֶיהָ Hosh. 2:12

נְבַלָּט ש״פ – עיר בנחלת בנימין

נְבַלָּט 1 חָדִיד צְבֹעִים נְבַלָּט Neh. 11:34

נבע : נָבַע, הִבִּיעַ; מַבּוּעַ

נָבַע פ׳ א) פָּרַץ, יָצָא: 1

ב) [הִפ׳ הִבִּיעַ] הוציא מפיו, בטא: 2-6, 8-11
ג) [כנ״ל] העלה אבעבועות: 7
קרובים: בִּטֵּא / הֵגָה / הִטִּיף(נטף)
הִבִּיעַ אִוֶּלֶת 5; הִבִּיעַ אֹמֶר 4; הִבִּיעַ חִידוֹת 2; הִבִּיעַ רָעוֹת 6

נֹבֵעַ 1 נַחַל נֹבֵעַ מְקוֹר חָכְמָה Prov. 18:4
אַבִּיעָה 2 אַבִּיעָה חִידוֹת מִנִּי־קֶדֶם Ps. 78:2
3 הִנֵּה אַבִּיעָה לָכֶם רוּחִי Prov. 1:23
יַבִּיעַ 4 יוֹם לְיוֹם יַבִּיעַ אֹמֶר Ps. 19:3
5 וּפִי כְסִילִים יַבִּיעַ אִוֶּלֶת Prov. 15:2
6 וּפִי רְשָׁעִים יַבִּיעַ רָעוֹת Prov. 15:28
7 יַבְאִישׁ יַבִּיעַ שֶׁמֶן רוֹקֵחַ Eccl. 10:1
יַבִּיעוּ 8 יַבִּיעוּ יְדַבְּרוּ עָתָק Ps. 94:4
9 זֵכֶר רַב־טוּבְךָ יַבִּיעוּ Ps. 145:7
יַבִּיעוּן 10 הִנֵּה יַבִּיעוּן בְּפִיהֶם Ps. 59:8
תַּבַּעְנָה 11 תַּבַּעְנָה שְׂפָתַי תְּהִלָּה Ps. 119:171

נִבְעַר ת׳ – עין בָּעַר(7)²

נִבְקָה (ישעיה יט3) – עין בָּקַק

נָבָר ת׳ (ש״ב כב27, תהלים יח27) – עין בָּרַר (11,10)

נֶבְרַשְׁתָּא נ׳ ארמית: מנורה

נֶבְרַשְׁתָּא 1 וְכָתְבָן לָקֳבֵל נֶבְרַשְׁתָּא עַל־גִּירָא Dan. 5:5

(הַ)נִּבְשָׁן עיר בצפון מדבר יהודה

וְהַנִּבְשָׁן 1 וְהַנִּבְשָׁן וְעִיר־הַמֶּלַח וְעֵין גֶּדִי Josh. 15:62

נֶגֶב ז׳ א) יובש, חורב: 25, 26, 52, 53

ב) [הַנֶּגֶב] שם חבל הארץ הנרחב והיבש בדרום ארץ־ישראל: 20-24, 28-51, 54-56
ג) [בהשאלה] צד דרום, תימן: 1-19, 27, 81
ד) [נֶגְבָּה] לצד דרום: 82-110
קרובים: דָּרוֹם / תֵּימָן
– נֶגֶב יְהוּדָה 74; נ׳ יְרוּשָׁלַיִם 80; נ׳ יְרַחְמְאֵלִי 75; נ׳ כָּלֵב 78; נ׳ כִּנְּרוֹת 73; נ׳ הַכְּרֵתִי 77; נ׳ הַקֵּינִי 76
– אֶרֶץ הַנֶּגֶב 19-21, 25, 26; בַּהֲמוֹת נֶגֶב 15; גְּבוּל נֶגֶב 9-12; זְרוֹעוֹת הַנ׳ 44; יוֹשֵׁב הַנ׳ 22; יַעַר הַנֶּגֶב 32; מֶלֶךְ הַנ׳ 37-43; עָרֵי הַנ׳ 28,30,31,34; פְּאַת־נֶגֶב 1-8; שַׁעַר נֶגֶב 17, 18

נֶגֶב 1-3 לִפְאַת נֶגֶב־תֵּימָנָה Ex. 27:9; 36:23; 38:9
4-8 פְּאַת־נֶגֶב (ופ־) Num. 34:3; 35:5
Ezek. 47:19; 48:16,28
נֶגֶב (המשך) 9 גְּבוּל נֶגֶב מִקְצֵה יָם־הַמֶּלַח Num. 34:3
10 וַיְהִי...גְּבוּל נֶגֶב מִקְצֵה יָם הַמֶּלַח Josh. 15:2
11/2 גְּבוּל נֶגֶב Josh. 15:4; 18:19
13 פָּשְׁטוּ אֶל־נֶגֶב וְאֶל־צִקְלַג ISh. 30:1
14 נָתַן...קֵדְמָה מִמּוּל נֶגֶב IK. 7:39
15 מַשָּׂא בַּהֲמוֹת נֶגֶב Is. 30:6
16 וְהִנָּבֵא אֶל־יַעַר הַשָּׂדֶה נֶגֶב Ezek. 21:2
17 יֵצֵא דֶּרֶךְ־שַׁעַר נֶגֶב Ezek. 46:9
18 וְהַבָּא דֶּרֶךְ־שַׁעַר נֶגֶב Ezek. 46:9
הַנֶּגֶב 19 וַיִּסַּע מִשָּׁם אַבְרָהָם אַרְצָה הַנֶּגֶב Gen. 20:1
20 וְהוּא יוֹשֵׁב בְּאֶרֶץ הַנֶּגֶב Gen. 24:62
21 עֲמָלֵק יוֹשֵׁב בְּאֶרֶץ הַנֶּגֶב Num. 13:29
22 מֶלֶךְ־עֲרָד יֹשֵׁב הַנֶּגֶב Num. 21:1
23 וְאֶת־הַנֶּגֶב וְאֶת־הַכִּכָּר Deut. 34:3
24 הָהָר וְאֵת כָּל־הַנֶּגֶב Josh. 11:16
25/6 אֶרֶץ הַנֶּגֶב נְתַתָּנִי Josh. 15:19 • Jud. 1:15
27 וְדָוִד קָם מֵאֵצֶל הַנֶּגֶב ISh. 20:41
28 עָרֵי הַנֶּגֶב סֻגְּרוּ וְאֵין פֹּתֵחַ Jer. 13:19
29 וּבָאוּ...וּמִן־הָהָר וּמִן־הַנֶּגֶב Jer. 17:26
30/1 (וּ)בְעָרֵי הַשְּׁפֵלָה וּבְעָ׳ הַנֶּגֶב Jer. 32:44; 33:13
32 וְאָמַרְתָּ לְיַעַר הַנֶּגֶב Ezek. 21:3
33 וְיָרְשׁוּ הַנֶּגֶב אֶת־הַר עֵשָׂו Ob. 19
34 וְגָלֻת יְרוּשָׁ׳...יָרְשׁוּ אֵת עָרֵי הַנֶּגֶב Ob. 20
35 וַתִּגְדַּל־יֶתֶר אֶל־הַנֶּגֶב Dan. 8:9
36 וְיֶחֱזַק מֶלֶךְ־הַנֶּגֶב וּמִן־שָׂרָיו Dan. 11:5
37-43 (וּ)מֶלֶךְ־הַנֶּגֶב Dan. 11:6,9,11,14,25²,40
44 וּזְרֹעוֹת הַנֶּגֶב לֹא יַעֲמֹדוּ Dan. 11:15
וְהַנֶּגֶב 45/6 הָהָר וְהַנֶּגֶב וְהַשְּׁפֵלָה Josh. 10:40 • Jud. 1:9
47 וְהַנֶּגֶב וְהַשְּׁפֵלָה יֹשֵׁב Zech. 7:7
48 בְּעָרֵי הַשְּׁפֵלָה וְהַנֶּגֶב לִיהוּדָה IICh. 28:18
בַּנֶּגֶב 49 עֲלוּ זֶה בַּנֶּגֶב וַעֲלִיתֶם אֶת־הָהָר Num. 13:17
50 וַיַּעֲלוּ בַנֶּגֶב וַיָּבֹא עַד־חֶבְרוֹן Num. 13:22
51 וְהוּא־יֹשֵׁב בַּנֶּגֶב בְּאֶרֶץ כְּנָעַן Num. 33:40
52 כְּסוּפוֹת בַּנֶּגֶב לַחֲלוֹף Is. 21:1
53 שׁוּבָה...כַּאֲפִיקִים בַּנֶּגֶב Ps. 126:4
54 לַמּוֹעֵד יָשׁוּב וּבָא בַנֶּגֶב Dan. 11:29
וּבַנֶּגֶב 55/6 בָּהָר וּבַשְּׁפֵלָה...וּבַנֶּגֶב Deut. 1:7 • Josh. 12:8
מִנֶּגֶב 57 וַיֵּלֶךְ...מִנֶּגֶב וְעַד־בֵּית־אֵל Gen. 13:3
58 הַגְּבוּל מִנֶּגֶב לְמַעֲלֵה עַקְרַבִּים Num. 34:4
59 תּוֹצְאֹתָיו מִנֶּגֶב לְקָדֵשׁ בַּרְנֵעַ Num. 34:4
60 וְיָצָא אֶל־מִנֶּגֶב לְמַעֲלֵה עַקְרַבִּים Josh. 15:3
61 וְעָלָה מִנֶּגֶב לְקָדֵשׁ בַּרְנֵעַ Josh. 15:3
62 אֲשֶׁר מִנֶּגֶב לַנָּחַל Josh. 15:7
63 וְעָלָה...אֶל־כֶּתֶף הַיְבוּסִי מִנֶּגֶב Josh. 15:8
64 יְהוּדָה יַעֲמֹד עַל־גְּבוּלוֹ מִנֶּגֶב Josh. 18:5
65 עַל־הָהָר אֲשֶׁר מִנֶּגֶב לְבֵית־חֹרוֹן Josh. 18:13
66 וּפָגַע בִּזְבֻלוּן מִנֶּגֶב Josh. 19:34
67 וְהָאֶחָד מִנֶּגֶב מוּל גָּבַע ISh. 14:5
68 וְנִצְרְבוּ־בָהּ...מִנֶּגֶב צָפוֹנָה Ezek. 21:3
69 אֶל־כָּל־בָּשָׂר מִנֶּגֶב צָפוֹן Ezek. 21:9
70 וְעָלָיו כְּמִבְנֵה־עִיר מִנֶּגֶב Ezek. 40:2
71 וְהַמַּיִם יֹרְדִים...מִנֶּגֶב לַמִּזְבֵּחַ Ezek. 47:1
וּמִנֶּגֶב 72 אֲשֶׁר מִצְּפוֹנָה...וּמִנֶּגֶב לִלְבוֹנָה Jud. 21:19
נֶגֶב־ 73 נֶגֶב כִּנְרוֹת וּבַשְּׁפֵלָה Josh. 11:2
74/5 עַל־נֶגֶב יְהוּדָה...נֶגֶב הַיְּרַחְמְאֵלִי ISh. 27:10
76 וְאֶל־נֶגֶב הַקֵּינִי ISh. 27:10
77 אֲנַחְנוּ פָּשַׁטְנוּ נֶגֶב הַכְּרֵתִי ISh. 30:14
78 וְעַל־נֶגֶב כָּלֵב ISh. 30:14
79 וַיֵּצְאוּ אֶל־נֶגֶב יְהוּדָה בְּאֵר שָׁבַע IISh. 24:7
80 מִגֶּבַע לְרִמּוֹן נֶגֶב יְרוּשָׁלָם Zech. 14:10
בְּנֶגֶב־ 81 מִדְבַּר יְהוּדָה אֲשֶׁר בְּנֶגֶב עֲרָד Jud. 1:16
נֶגְבָּה 82 לִפְאַת נֶגְבָּה תֵימָנָה Ex. 26:18
נֶגְבָּה (המשך) 83 עַל יֶרֶךְ הַמִּשְׁכָּן נֶגְבָּה Ex. 40:24
84 מִדְבַּר־צִן נֶגְבָּה מִקְצֵה תֵימָן Josh. 15:1
85 מִן־הַלָּשֹׁן הַפֹּנֶה נֶגְבָּה Josh. 15:2
86 וּפְאַת־נֶגְבָּה מִקְצֵה קִרְיַת יְעָרִים Josh. 18:15
87 וְאֵת פְּאַת־תֵּימָנָה נֶגְבָּה Ezek. 47:19
88 וּפְאַת־נֶגְבָּה חֲמֵשׁ מֵאוֹת...מִדָּה Ezek. 48:33
89-100 נֶגְבָּה Josh. 17:9,10; 18:13,14²,16,19
IK. 7:25 • Zech. 14:4 • ICh. 26:15 • IICh. 4:4,10
וְנֶגְבָּה 101 וְנֶגְבָּה אֹרֶךְ חֲמִשָּׁה וְעֶשְׂרִים אָלֶף Ezek. 48:10
102 וְנֶגְבָּה חֲמִשִּׁים וּמָאתָיִם Ezek. 48:17
וָנֶגְבָּה 103 צָפֹנָה וָנֶגְבָּה וָקֵדְמָה וָיָמָּה Gen. 13:14
104 יָמָּה וָקֵדְמָה וְצָפֹנָה וָנֶגְבָּה Gen. 28:14
105/6 יָמָּה (וְ)צָפוֹנָה וָנֶגְבָּה Dan. 8:4 • ICh. 9:24
הַנֶּגְבָּה 107 וַיִּסַּע אַבְ׳ הָלוֹךְ וְנָסוֹעַ הַנֶּגְבָּה Gen. 12:9
108 וַיַּעַל אַבְרָם...וְלוֹט עִמּוֹ הַנֶּגְבָּה Gen. 13:1
בַּנֶּגְבָּה 109 אֶל־גְּבוּל אֱדוֹם בַּנֶּגְבָּה Josh. 15:21
לַנֶּגְבָּה 110 לַנֶּגְבָּה לַיּוֹם אַרְבָּעָה ICh. 26:17

נגד : הִגִּיד, הֻגַּד; נָגִיד, נֶגֶד; אר׳: נְגַד, נֶגֶד

(נגד) הִגִּיד הפ׳ א) הודיע, ספר: 1-334

ב) [הָפ׳ הֻגַּד] סֻפַּר, נמסר דבר שלא היה ידוע: 335-369
קרובים: ראה אָמַר
הִגִּיד רוב המקראות 1-334; הִגִּיד אֶת־ 51, 138, 216, 234, 294, 328; הִגִּיד עַל־ 76, 160; הֻגַּד לְ־ 335-339, 341-346, 348-369; הֻגַּד לְ־ אֶת־ 340, 347

הַגֵּד 1 אִם־הַגֵּד תַּגִּידוּ אוֹתָהּ לִי Jud. 14:12
2 הַגֵּד הִגִּיד לָנוּ ISh. 10:16
3 כִּי־הַגֵּד יַגִּיד לְשָׁאוּל ISh. 22:22
4 וַיֹּאמְרוּ...הַגֵּיד נַגִּיד לַמֶּלֶךְ Jer. 36:16
לְהַגִּיד 5 וָאֶשְׁלְחָה לְהַגִּיד לַאדֹנִי Gen. 32:5
6 לְהַגִּיד לָאִישׁ הַעוֹד לָכֶם אָח Gen. 43:6
7 לְהַגִּיד לָכֶם אֶת־דְּבַר יְיָ Deut. 5:5
8 וְאִם־לֹא תוּכְלוּ לְהַגִּיד לִי Jud. 14:13
9 וְלֹא יָכְלוּ לְהַגִּיד הַחִידָה Jud. 14:14
10 וְהָאִישׁ בָּא לְהַגִּיד בָּעִיר ISh. 4:13
11 וַיִּרְאוּ עַבְדֵי דָוִד לְהַגִּיד לוֹ IISh. 12:18
12 עַד־בּוֹא דָבָר מֵעִמָּכֶם לְהַגִּיד לִי IISh. 15:28
13 לְהַגִּיד לָהֶם מִי יֵשֵׁב עַל־כִּסֵּא... IK. 1:20
14 וּבָאתִי לְהַגִּיד לְאַחְאָב IK. 18:12
15 לָלֶכֶת לְהַגִּיד (כת׳ לגיד) בְּיִזְרְעֶאל IIK. 9:15
16 לְהַגִּיד בְּצִיּוֹן אֶת־נִקְמַת יְיָ אֱלֹ׳ Jer. 50:28
17 לְהַגִּיד לְמֶ׳ בָּבֶל כִּי־נִלְכְּדָה עִירוֹ Jer. 51:31
18 לְהַגִּיד לְיַעֲקֹב פִּשְׁעוֹ Mic. 3:8
19 לְהַגִּיד בַּבֹּקֶר חַסְדֶּךָ Ps. 92:3
20 לְהַגִּיד כִּי־יָשָׁר יְיָ Ps. 92:16
21-24 וָאִמָּלְטָה...לְהַגִּיד לָךְ Job 1:15,16,17,19
25 לְהַגִּיד לְאָדָם יָשְׁרוֹ Job 33:23
26 לְהַגִּיד לַמֶּלֶךְ חֲלֹמֹתָיו Dan. 2:2
27 בָּאתִי לְהַגִּיד כִּי חֲמוּדוֹת אָתָּה Dan. 9:23
28 וְלֹא יָכְלוּ לְהַגִּיד בֵּית־אֲבוֹתָם Ez. 2:59
29 וְלֹא יָכְלוּ לְהַגִּיד בֵּית־אֲבֹתָם Neh. 7:61
וּלְהַגִּיד 30 לְהַרְאוֹת אֶת־אֶסְתֵּר וּלְהַגִּיד לָהּ Es. 4:8
מֵהַגִּיד 31 וּשְׁמוּאֵל יָרֵא מֵהַגִּיד אֶת־הַמַּרְאָה ISh. 3:15
הִגַּדְתִּי 32 הִגַּדְתִּי הַיּוֹם לַיְיָ אֱלֹהֶיךָ Deut. 26:3
33 הִגַּדְתִּי לָכֶם הַיּוֹם...אָבֹד תֹּאבֵדוּן Deut. 30:18
34 הִנֵּה לְאָבִי וּלְאִמִּי לֹא הִגַּדְתִּי Jud. 14:16
35 אֲשֶׁר שָׁמַעְתִּי...הִגַּדְתִּי לָכֶם Is. 21:10
36 אָנֹכִי הִגַּדְתִּי וְהוֹשַׁעְתִּי וְהִשְׁמַעְתִּי Is. 43:12
37 הָרִאשֹׁנוֹת מֵאָז הִגַּדְתִּי Is. 48:3
38 לָכֵן הִגַּדְתִּי וְלֹא אָבִין Job 42:3

הִגַּדְתִּי (המשך) 39 וְלֹא־הִגַּדְתִּי לְאָדָם... Neh. 2:12
40 וְלַיְּהוּדִים...עַד־כֵּן לֹא הִגַּדְתִּי Neh. 2:16
וְהִגַּדְתִּי 41 וּדְבַר מַה־יַּרְאֵנִי וְהִגַּדְתִּי לָךְ Num. 23:3
42 וְהִגַּדְתִּי לוֹ כִּי־שֹׁפֵט אֲנִי ISh. 3:13
43 וְרָאִיתִי מָה וְהִגַּדְתִּי לָךְ ISh. 19:3
44 הֲלֹא מֵאָז הִשְׁמַעְתִּיךָ וְהִגַּדְתִּי Is. 44:8
הִגַּדְתָּ 45 לָמָּה לֹא־הִגַּדְתָּ לִּי Gen. 12:18
46 וְגַם־אַתָּה לֹא־הִגַּדְתָּ לִּי Gen. 21:26
47 וַתִּגְנֹב אֹתִי וְלֹא־הִגַּדְתָּ לִּי Gen. 31:27
48 וְלֹא־הִגַּדְתָּ לִּי בַּמֶּה כֹּחֲךָ גָדוֹל Jud. 16:15
49 וְאַתָּה° הִגַּדְתָּ הַיּוֹם... ISh. 24:18
50 כִּי הִגַּדְתָּ הַיּוֹם כִּי אֵין לְךָ שָׂרִים IISh. 19:7
51 אֶת־מִי הִגַּדְתָּ מִלִּין Job 26:4
הִגַּדְתָּה 52 הַחִידָה חַדְתָּה...וְלִי לֹא הִגַּדְתָּה Jud. 14:16
וְהִגַּדְתָּ 53 וְהִגַּדְתָּ לְבִנְךָ בַּיּוֹם הַהוּא Ex. 13:8
54 וְהִגַּדְתָּ לָהֶם מִשְׁפַּט הַמֶּלֶךְ ISh. 8:9
הִגִּיד 55 מִי הִגִּיד לְךָ כִּי עֵירֹם אָתָּה Gen. 3:11
56 עַל־בְּלִי הִגִּיד לוֹ כִּי בֹרֵחַ הוּא Gen. 31:20
57 אֲשֶׁר הָאֵל׳ עֹשֶׂה הִגִּיד לְפַרְעֹה Gen. 41:25
58 וְאֶת־שְׁמוֹ לֹא־הִגִּיד לִי Jud. 13:6
59 וְלֹא־הִגִּיד לְאָבִיו וּלְאִמּוֹ Jud. 14:6
60 וְלֹא־הִגִּיד לָהֶם Jud. 14:9
61 כִּי־הִגִּיד לָהּ אֶת־כָּל־לִבּוֹ Jud. 16:18
62 כִּי הִגִּיד לִי° אֶת־כָּל־לִבּוֹ Jud. 16:18
63 הַגֵּד הִגִּיד לָנוּ כִּי נִמְצְאוּ הָאֲתֹנוֹת ISh. 10:16
64 דְּבַר הַמְּלוּכָה לֹא־הִגִּיד לוֹ ISh. 10:16
65 וּלְאָבִיו לֹא הִגִּיד ISh. 14:1
66 הִגִּיד נַעַר־אֶחָד מֵהַנְּעָרִים ISh. 25:14
67 וְדָוִד הִגִּיד לֵאמֹר IISh. 15:31
68 לֹא־הָיָה דָבָר...אֲשֶׁר לֹא הִגִּיד לָהּ IK. 10:3
69 וַיְיָ הֶעְלִים מִמֶּנִּי וְלֹא הִגִּיד לִי IIK. 4:27
70 מִי־הִגִּיד מֵרֹאשׁ וְנֵדָעָה Is. 41:26
71 מִי בָהֶם הִגִּיד אֶת־אֵלֶּה Is. 48:14
72 כִּי־יָדְעוּ...כִּי הִגִּיד לָהֶם Jon. 1:10
73 הִגִּיד לְךָ אָדָם מַה־טּוֹב Mic. 6:8
74 כֹּחַ מַעֲשָׂיו הִגִּיד לְעַמּוֹ Ps. 111:6
75 כִּי־הִגִּיד לָהֶם אֲשֶׁר־הוּא יְהוּדִי Es. 3:4
76 הִגִּיד מָרְדֳּכַי עַל־בִּגְתָנָא וָתֶרֶשׁ Es. 6:2
77 וְלֹא־נֶעְלַם...אֲשֶׁר לֹא הִגִּיד לָהּ IICh. 9:2
וְהִגִּיד 78 וּבָא...וְהִגִּיד לַכֹּהֵן לֵאמֹר Lev. 14:35
79 וְהִגִּיד לָנוּ אֶת־דַּרְכֵּנוּ ISh. 9:8
80 וְהִגִּיד לְךָ יְיָ כִּי־בַיִת יַעֲשֶׂה־לְּךָ IISh. 7:11
הִגִּידָהּ 81 מִי הִשְׁמִיעַ זֹאת...מֵאָז הִגִּידָהּ Is. 45:21
הִגִּידָה 82 וּלְאִשָּׁה נָבָל לֹא הִגִּידָה ISh. 25:19
83 וְלֹא־הִגִּידָה לוֹ דָּבָר ISh. 25:36
84 לֹא־הִגִּידָה אֶסְתֵּר אֶת־עַמָּהּ Es. 2:10
85 כִּי־הִגִּידָה אֶסְתֵּר מַה הוּא־לָהּ Es. 8:1
וְהִגִּידָה 86 וְהָלְכָה הַשִּׁפְחָה וְהִגִּידָה לָהֶם IISh. 17:17
וְהִגַּדְתֶּם 87 וְהִגַּדְתֶּם לְאָבִי אֶת־כָּל־כְּבוֹדִי Gen. 45:13
הִגִּידוּ 88 וּלְכָל־הָעָם הִגִּידוּ לֵאמֹר IISh. 19:9
89 וְחַטָּאתָם כִּסְדֹם הִגִּידוּ לֹא כִחֵדוּ Is. 3:9
90 הִגִּידוּ הַשָּׁמַיִם צִדְקוֹ Ps. 97:6
91 כִּי־הִגִּידוּ לוֹ אֶת־עַם מָרְדֳּכָי Es. 3:6
וְהִגִּידוּ 92 וְהִגִּידוּ לְךָ אֵת דְּבַר הַמִּשְׁפָּט Deut. 17:9
93 וְהֵם יֵלְכוּ וְהִגִּידוּ לַמֶּלֶךְ דָּוִד IISh. 17:17
94 וְהִגִּידוּ אֶת־כְּבוֹדִי בַּגּוֹיִם Is. 66:19
מַגִּיד 95 וָאֹמַר אֶל־הַחַרְטֻמִּים וְאֵין מַגִּיד לִי Gen. 41:24
96 אַף אֵין־מַגִּיד אַף אֵין מַשְׁמִיעַ Is. 41:26
97 וַחֲדָשׁוֹת אֲנִי מַגִּיד Is. 42:9
98 דֹּבֵר צֶדֶק מַגִּיד מֵישָׁרִים Is. 45:19
99 מַגִּיד מֵרֵאשִׁית אַחֲרִית Is. 46:10

מַגִּיד (המשך) 100 כִּי קוֹל מַגִּיד מִדָּן Jer. 4:15
101 רָץ...וּמַגִּיד לִקְרַאת מַגִּיד Jer. 51:31
102 מַגִּיד מִשְׁנֶה אָשִׁיב לָךְ Zech. 9:12
103 וּמַעֲשֵׂה יָדָיו מַגִּיד הָרָקִיעַ Ps. 19:2
104 מַגִּיד דְּבָרָו לְיַעֲקֹב Ps. 147:19
וּמַגִּיד 105 רָץ...וּמַגִּיד לִקְרַאת מַגִּיד Jer. 51:31
106 וּמַגִּיד לְאָדָם מַה־שֵּׂחוֹ Am. 4:13
הַמַּגִּיד 107/8 וַיֹּאמֶר דָּוִד אֶל הַנַּעַר הַמַּגִּיד... IISh. 1:5,13
109 וַיֹּאמֶר הַנַּעַר הַמַּגִּיד לוֹ IISh. 1:6
110 הַמַּגִּיד לִי לֵאמֹר הִנֵּה־מֵת שָׁאוּל IISh. 4:10
111 וַיָּבֹא הַמַּגִּיד אֶל־דָּוִד לֵאמֹר IISh. 15:13
112 וַיֹּאמֶר יוֹאָב לָאִישׁ הַמַּגִּיד לוֹ IISh. 18:11
לְמַגִּידֵי־ 113 וַיִּתֵּן הַחֲלִיפוֹת לְמַגִּידֵי הַחִידָה Jud. 14:19
מַגֶּדֶת 114 אֵין אֶסְתֵּר מַגֶּדֶת מוֹלַדְתָּהּ Es. 2:20
אַגִּיד 115 לְאָבִי...לֹא הִגַּדְתִּי וְלָךְ אַגִּיד Jud. 14:16
116 וְכֹל אֲשֶׁר בִּלְבָבְךָ אַגִּיד לָךְ ISh. 9:19
117 אִם־יָדֹעַ אֵדַע...וְלֹא אַתָּה אַגִּיד לָךְ ISh. 20:9
118 אֲנִי אַגִּיד צִדְקָתֵךְ Is. 57:12
119 כִּי אַגִּיד לְךָ הֲלוֹא...תְּמִיתֵנִי Jer. 38:15
120 וְהָיָה כָּל־הַדָּבָר...אַגִּיד לָכֶם Jer. 42:4
121 כִּי־עֲוֹנִי אַגִּיד אֶדְאַג מֵחַטָּאתִי Ps. 38:19
122 וְעַד־הֵנָּה אַגִּיד נִפְלְאוֹתֶיךָ Ps. 71:17
123 עַד־אַגִּיד זְרוֹעֲךָ לְדוֹר Ps. 71:18
124 וַאֲנִי אַגִּיד לְעֹלָם Ps. 75:10
125 צָרָתִי לְפָנָיו אַגִּיד Ps. 142:3
126 אֲבָל אַגִּיד לְךָ אֶת־הָרָשׁוּם... Dan. 10:21
127 וְעַתָּה אֱמֶת אַגִּיד לָךְ Dan. 11:2
וָאַגִּיד 128 וָאַגִּיד לְךָ מֵאָז Is. 48:5
129 וָאַגִּד לָכֶם הַיּוֹם וְלֹא שְׁמַעְתֶּם Jer. 42:21
130 וָאַגִּיד לָהֶם אֶת־יַד אֱלֹהַי Neh. 2:18
131 וָאַגִּד לָךְ וּבַיִת יִבְנֶה־לְּךָ יְיָ ICh. 17:10
אַגִּידָה 132 אַגִּידָה־נָּא לָכֶם אֵת אֲשֶׁר־עָשׂוּ IIK. 7:12
133 אַגִּידָה וַאֲדַבֵּרָה עָצְמוּ מִסַּפֵּר Ps. 40:6
וְאַגִּידָה 134 אֶעֱלֶה וְאַגִּידָה לְפַרְעֹה Gen. 46:31
135 הֵאָסְפוּ וְאַגִּידָה לָכֶם Gen. 49:1
136 הֶרֶף וְאַגִּידָה לְּךָ ISh. 15:16
137 וְאַגִּידָה לְּךָ גְּדֹלוֹת וּבְצֻרוֹת Jer. 33:3
אַגִּידֶנּוּ 138 מִסְפַּר צְעָדַי אַגִּידֶנּוּ Job 31:37
תַּגִּיד 139 מַדּוּעַ אַתָּה...הֲלוֹא תַּגִּיד לִי IISh. 13:4
140 וְהָיָה כָּל־הַדָּבָר...תַּגִּיד לְצָדוֹק IISh. 15:35
141 וְהָיָה כִּי תַגִּיד לָעָם הַזֶּה Jer. 16:10
142 הֲלֹא־תַגִּיד לָנוּ מָה־אֵלֶּה לָּנוּ Ezek. 24:19
143 הֲלוֹא־תַגִּיד לָנוּ מָה־אֵלֶּה לָּךְ Ezek. 37:18
וְתַגִּיד 144 תֹאמַר לְבֵית יַעֲקֹב וְתַגֵּיד לִבְ׳ י׳ Ex. 19:3
תַּגִּידִי 145 וְאִם־תַּגִּידִי אֶת־דְּבָרֵנוּ זֶה Josh. 2:20
יַגִּיד 146 אִם־לוֹא יַגִּיד וְנָשָׂא עֲוֹנוֹ Lev. 5:1
147 אוּלַי יַגִּיד לָנוּ אֶת־דַּרְכֵּנוּ ISh. 9:6
148 וַיֹּאמֶר דָּוִד...מִי יַגִּיד לִי... ISh. 20:10
149 כִּי־הַגֵּד יַגִּיד לְשָׁאוּל ISh. 22:22
150 הוּא יַגִּיד לָךְ מַה־יִּהְיֶה לַנָּעַר IK. 14:3
151 אֱלִישָׁע...יַגִּיד לְמֶלֶךְ יִשְׂרָאֵל IIK. 6:12
152 הָעֲמֵד הַמְצַפֶּה אֲשֶׁר יִרְאֶה יַגִּיד Is. 21:6
153 מִי בָהֶם יַגִּיד זֹאת Is. 43:9
154 בְּעֵצוֹ יִשְׁאָל וּמַקְלוֹ יַגִּיד לוֹ Hosh. 4:12
155 וּפִי יַגִּיד תְּהִלָּתֶךָ Ps. 51:17
156 יָפִיחַ אֱמוּנָה יַגִּיד צֶדֶק Prov. 12:17
157 אָלָה יִשְׁמַע וְלֹא יַגִּיד Prov. 29:24
158 לְחֵלֶק יַגִּיד רֵעִים Job 17:5
159 מִי־יַגִּיד עַל־פָּנָיו דַּרְכּוֹ Job 21:31
160 יַגִּיד עָלָיו רֵעוֹ Dob 36:33
161 וְהוּא יַגִּיד לָךְ אֵת אֲשֶׁר תַּעֲשִׂין Ruth 3:4
162 אֲשֶׁר מִי־יַגִּיד לָאָדָם מַה־יִּהְיֶה Eccl. 6:12

יַגִּיד (המשך) 163 כִּי כַּאֲשֶׁר יִהְיֶה מִי יַגִּיד לוֹ Eccl. 8:7
164 וַאֲשֶׁר יִהְיֶה מֵאַחֲרָיו מִי יַגִּיד לוֹ Eccl. 10:14
יַגֵּיד 165 וּבַעַל כְּנָפַיִם° יַגֵּיד דָּבָר Eccl. 10:20
הֲיַגִּיד 166 הֲיוֹדְךָ עָפָר הֲיַגִּיד אֲמִתֶּךָ Ps. 30:10
וְיַגֶּד־ 167 פַּתִּי...וְיַגֶּד־לָנוּ אֶת־הַחִידָה Jud. 14:15
168 וְיַגֶּד־לָנוּ יְיָ אֱלֹהֶיךָ אֶת־הַדֶּרֶךְ Jer. 42:3
169 וְיַגֶּד־לְךָ תַּעֲלֻמוֹת חָכְמָה Job 11:6
170 שְׁאַל־נָא...וְעוֹף הַשָּׁמַיִם וְיַגֶּד־לָךְ Job 12:7
וַיַּגֵּד 171 וַיַּרְא...וַיַּגֵּד לִשְׁנֵי־אֶחָיו בַּחוּץ Gen. 9:22
172 וַיָּבֹא...וַיַּגֵּד לְאַבְרָם הָעִבְרִי Gen. 14:13
173 וַיַּגֵּד יַעֲקֹב לְרָחֵל Gen. 29:12
174 וַיַּחֲלֹם יוֹסֵף חֲלוֹם וַיַּגֵּד לְאֶחָיו Gen. 37:5
175 וַיָּבֹא יוֹסֵף וַיַּגֵּד לְפַרְ׳ וַיֹּאמֶר Gen. 47:1
176 וַיַּגֵּד לְיַעֲקֹב וַיֹּאמֶר Gen. 48:2
177 וַיַּגֵּד מֹשֶׁה לְאַהֲרֹן...כָּל־דִּבְרֵי יְיָ Ex. 4:28
178 וַיַּגֵּד מֹשֶׁה אֶת־דִּבְרֵי הָעָם אֶל־יְיָ Ex. 19:9
179 וַיָּרָץ הַנַּעַר וַיַּגֵּד לְמֹשֶׁה Num. 11:27
180 וַיַּגֵּד לָכֶם אֶת־בְּרִיתוֹ Deut. 4:13
181 וַיַּעַל וַיַּגֵּד לְאָבִיו וּלְאִמּוֹ Jud. 14:2
182-201 וַיַּגֵּד לְ־ ISh. 4:14; 19:2; 22:21
IISh. 11:18, 22; 17:18; 18:10, 25 • IK. 19:1 • IIK. 5:4; 9:18, 20; 22:10 • Jer. 36:13; 38:27 • Ps. 52:2 • Job 36:9 • Es. 2:22; 4:9 • IICh. 34:18
וַיַּגֶּד־ 202 וַיַּגֶּד־לָהּ כִּי הֱצִיקַתְהוּ Jud. 14:17
203 וַיַּגֶּד־לָהּ אֶת־כָּל־לִבּוֹ Jud. 16:17
204 וַיַּגֶּד־לוֹ שְׁמוּאֵל אֶת־כָּל־הַדְּבָרִים ISh. 3:18
205-215 וַיַּגֶּד־לוֹ (לָהּ) ISh. 14:43; 19:7, 18
IISh. 14:33; 24:13 • IK. 10:3; 18:16 • IIK. 4:31; 10:8 • Es. 4:7 • IICh. 9:2
וְיַגֶּדְךָ 216 שְׁאַל אָבִיךָ וְיַגֵּדְךָ Deut. 32:7
וְיַגִּידֶהָ 217 וּמִי־כָמוֹנִי יִקְרָא וְיַגִּידֶהָ Is. 44:7
וְיַגִּדָהּ 218 וַאֲשֶׁר דִּבֶּר פִּי־יְיָ אֵלָיו וְיַגִּדָהּ Jer. 9:11
תַּגִּיד 219 צִוָּה עָלֶיהָ אֲשֶׁר לֹא־תַגִּיד Es. 2:10
וַתַּגֵּד 220 וַתַּגֵּד לְבֵ׳ אִמָּהּ כַּדְּבָרִים הָאֵלֶּה Gen. 24:28
221 וַתָּרָץ וַתַּגֵּד לְאָבִיהָ Gen. 29:12
222 וַתָּרָץ וַתַּגֵּד לְאִישָׁהּ Jud. 13:10
223 וַתַּגֵּד הַחִידָה לִבְנֵי עַמָּהּ Jud. 14:17
224 וַתַּגֵּד לְדָוִד מִיכַל אִשְׁתּוֹ לֵאמֹר ISh. 19:11
225 וַתִּשְׁלַח וַתַּגֵּד לְדָוִד וַתֹּאמֶר IISh. 11:5
226 וַתָּבֹא וַתַּגֵּד לְאִישׁ הָאֱלֹהִים IIK. 4:7
227 וַתַּגֵּד לַחֲמוֹתָהּ אֵת אֲשֶׁר־עָשְׂתָה Ruth 2:19
וַתַּגֶּד־ 228 וַתַּגֶּד־לוֹ אִשְׁתּוֹ אֶת־הַדְּבָרִים ISh. 25:37
229 וַתַּגֶּד־לָהּ אֵת כָּל־אֲשֶׁר עָשָׂה־לָהּ Ruth 3:16
נַגִּיד 230 הַגֵּיד נַגִּיד לַמֶּלֶךְ... Jer. 36:16
וַנַּגֶּד־ 231 וַנַּגֶּד־לוֹ עַל־פִּי הַדְּבָרִים Gen. 43:7
232 וַנַּגֶּד־לוֹ אֵת דִּבְרֵי אֲדֹנִי Gen. 44:24
וְנַגִּידָה 233 וְנָבֹאָה וְנַגִּידָה בֵּית הַמֶּלֶךְ IIK. 7:9
וְנַגִּידֶנּוּ 234 כִּי שָׁמַעְתִּי...הַגִּידוּ וְנַגִּידֶנּוּ Jer. 20:10
תַּגִּידוּ 235 אִם לֹא תַגִּידוּ אֶת־דְּבָרֵנוּ זֶה Josh. 2:14
236 אִם־הַגֵּד תַּגִּידוּ אוֹתָהּ לִי... Jud. 14:12
237 אַל־תַּגִּידוּ בְגַת IISh. 1:20
238 הֲלוֹא תַגִּידוּ לִי מִי מִשֶּׁלָּנוּ... IIK. 6:11
239 שָׁמַעְתָּ...וְאַתֶּם הֲלוֹא תַגִּידוּ Is. 48:6
240 בְּגַת אַל־תַּגִּידוּ בָּכוֹ אַל־תִּבְכּוּ Mic. 1:10
241 אִם־תִּמְצְאוּ...מַה־תַּגִּידוּ לוֹ S. of S. 5:8
יַגִּידוּ 242 עַל־פִּי הַדָּבָר אֲשֶׁר יַגִּידוּ לְךָ Deut. 17:10
243 מִן־הַדָּבָר אֲשֶׁר־יַגִּידוּ לְךָ Deut. 17:11
244 פֶּן־יַגִּדוּ עָלֵינוּ לֵאמֹר... ISh. 27:11
245 וּתְהִלָּתוֹ בָּאִיִּים יַגִּידוּ Is. 42:12
246 וַאֲשֶׁר תָּבֹאנָה יַגִּידוּ לָמוֹ Is. 44:7
247 דּוֹר לְדוֹר...וּגְבוּרֹתֶיךָ יַגִּידוּ Ps. 145:4
248 אֲשֶׁר־חֲכָמִים יַגִּידוּ Job 15:18

וְיַגִּידוּ 249 שְׁאַל אֶת־נְעָרֶיךָ וְיַגִּידוּ לָךְ ISh.25:8
250 אַיָּם...וְיַגִּידוּ נָא לָךְ Is.19:12
251 וְיַגִּידוּ לָנוּ אֵת אֲשֶׁר תִּקְרֶינָה Is.41:22
252 יָבֹאוּ וְיַגִּידוּ צִדְקָתוֹ לְעַם נוֹלָד Ps.22:32
וַיַּגִּדוּ 253 וַיַּגִּדוּ לוֹ עַל־אֹדוֹת הַבְּאֵר Gen.26:32
254 וַיַּגִּידוּ לוֹ אֵת כָּל־הַקֹּרֹת אֹתָם Gen.42:29
255 וַיַּגִּדוּ לוֹ לֵאמֹר Gen.45:26
256 וַיָּבֹאוּ...וַיַּגִּידוּ לְמֹשֶׁה Ex.16:22
257 וַיַּגִּדוּ לְסִיסְרָא כִּי עָלָה בָּרָק Jud.4:12
258 וַיַּגִּדוּ לְיוֹתָם וַיֵּלֶךְ וַיַּעֲמֹד... Jud.9:7
259 וַיֵּצֵא הָעָם...וַיַּגִּדוּ לַאֲבִימֶלֶךְ Jud.9:42
260-287 וַיַּגִּ(י)דוּ לְ־ ISh.11:9; 14:33; 18:20,24,26; 19:21; 23:1,25; 24:2; 25:12 • IISh.2:4; 3:23; 10:5; 11:10; 17:21 • IK.1:23; 2:39; 20:17 • IIK.7:10,15; 9:36; 18:37 • Is.36:22 • Es.3:4; 4:4,12 • ICh.19:5 • IICh.20:2
288 וַיַּגִּידוּ בֵּית הַמֶּלֶךְ פְּנִימָה IIK.7:11
289 וַיַּגִּידוּ בְּאָזְנֵי הַמֶּלֶךְ Jer.36:20
290 וַיַּגִּידוּ שָׁמַיִם צִדְקוֹ Ps.50:6
291 וַיַּגִּידוּ פֹּעַל אֱלֹהִים Ps.64:10
הַגֵּד 292 לֵךְ הַגֵּד לַמֶּלֶךְ אֲשֶׁר רָאִיתָה IISh.18:21
293 הַגֵּד אֶת־כָּל־אֲשֶׁר־אַתָּה רֹאֶה Ezek.40:4
294 הַגֵּד אֶת־בֵּית־יִשׂ׳ אֶת־הַבַּיִת Ezek.43:10
295 הַגֵּד אִם־יָדַעְתָּ בִינָה Job38:4
296 הַגֵּד אִם־יָדַעְתָּ כֻלָּהּ Job38:18
הַגֶּד־ 297 יְיָ...הַגֶּד־נָא לְעַבְדֶּךָ ISh.23:11
298 מֶה־הָיָה הַדָּבָר הַגֶּד־נָא לִי IISh.1:4
299 וַיֹּאמְרוּ שֶׁקֶר הַגֶּד־נָא לָנוּ IIK.9:12
300 הַגֶּד־נָא לָנוּ אֵיךְ כָּתַבְתָּ... Jer.36:17
301 כֵּן הַגֶּד־לָנוּ וְעָשִׂינוּ Jer.42:20
וְהַגֵּד 302 וְהַגֵּד לְעַמִּי פִּשְׁעָם Is.58:1
303 וְהַגֵּד לָהֶן אֵת תּוֹעֲבוֹתֵיהֶן Ezek.23:36
וְהַגֶּד־ 304 וְהַגֶּד־נָא לִי מֶה עָשִׂיתָ Josh.7:19
הַגִּידָה 305 הַגִּידָה לִּי מַה־מַּשְׂכֻּרְתֶּךָ Gen.29:15
306 הַגִּידָה לִּי בַּמֶּה תֵּאָסֵר Jud.16:13
307 הַגִּידָה לִּי מֶה עָשִׂיתָה ISh.14:43
308 הַגִּידָה לִּי שֶׁאָהֲבָה נַפְשִׁי S.ofS.1:7
309 וְאִם־לֹא יִגְאַל הַגִּידָה לִּי Ruth4:4
הַגִּידָה־נָּא 310 וַיֹּאמֶר הַגִּידָה־נָּא שְׁמֶךָ Gen.32:29
311 הַגִּידָה־נָּא לִי אֵיפֹה הֵם רֹעִים Gen.37:16
312 הַגִּידָה־נָּא לִי בַּמֶּה כֹּחֲךָ גָדוֹל Jud.16:6
313 הַגִּידָה־נָּא לִי בַּמֶּה תֵּאָסֵר Jud.16:10
314 הַגִּידָה־נָּא לִי אֵי־זֶה בֵּית הָרֹאֶה ISh.9:18
315 הַגִּידָה־נָּא לִי מָה־אָמַר לָכֶם ISh.10:15
316 הַגִּידָה־נָּא לָנוּ מַה־דִּבַּרְתָּ Jer.38:25
317 הַגִּידָה־נָּא לָנוּ...מַה־מְּלַאכְתְּךָ Jon.1:8
הַגִּידִי 318 הַגִּידִי נָא לִי הֲיֵשׁ בֵּית־אָבִיךְ Gen.24:23
319 הַגִּידִי לִי מַה־יֶּשׁ־לָכִי בַּבָּיִת IIK.4:2
הַגִּידוּ 320 אִם־יֶשְׁכֶם עֹשִׂים חֶסֶד...הַגִּידוּ לִי Gen.24:49
321 וְאִם־לֹא הַגִּידוּ לִי Gen.24:49
322 הָרִאשֹׁנוֹת מָה הֵנָּה הַגִּידוּ Is.41:22
323 הַגִּידוּ הָאֹתִיּוֹת לְאָחוֹר Is.41:23
324 הַגִּידוּ וְהַגִּישׁוּ אַף יִוָּעֲצוּ יַחְדָּו Is.45:21
325 הַגִּידוּ הַשְׁמִיעוּ זֹאת Is.48:20
326 הַגִּידוּ בִיהוּדָה וּבִירוּשָׁ׳ הַשְׁמִיעוּ Jer.4:5
327 הַגִּידוּ זֹאת בְּבֵית יַעֲקֹב Jer.5:20
328 כִּי שָׁמַעְתִּי...הַגִּידוּ וְנַגִּידֶנּוּ Jer.20:10
329 הַגִּידוּ בְמִצְ׳ וְהַשְׁמִיעוּ בְמִגְדּוֹל Jer.46:14
330 הַגִּידוּ בְאַרְנוֹן כִּי שֻׁדַּד מוֹאָב Jer.48:20
331 הַגִּידוּ בַגּוֹיִם וְהַשְׁמִיעוּ Jer.50:2
332 הַגִּידוּ בָעַמִּים עֲלִילוֹתָיו Ps.9:12
וְהַגִּידוּ 333 שִׁלְחוּ מְהֵרָה וְהַגִּידוּ לְדָוִד IISh.17:16
334 וְהַגִּידוּ בָאִיִּים מִמֶּרְחָק Jer.31:10(9)

הֻגֵּד 335 כִּי הֻגֵּד הֻגַּד לַעֲבָדֶיךָ Josh.9:24
336 הֻגֵּד הֻגַּד לִי כֹּל אֲשֶׁר־עָשִׂית Ruth2:11
הֻגַּד 337 כִּי הֻגֵּד הֻגַּד לַעֲבָדֶיךָ Josh.9:24
338 וּלְשָׁאוּל הֻגַּד כִּי־נִמְלַט דָּוִד ISh.23:13
339 וְהִנֵּה לֹא הֻגַּד־לִי הַחֵצִי IK.10:7
340 הֲלֹא־הֻגַּד לַאדֹנִי אֵת אֲשֶׁר־עָשִׂיתִי IK.18:13
341 חָזוּת קָשָׁה הֻגַּד־לִי Is.21:2
342 הֲלוֹא הֻגַּד מֵרֹאשׁ לָכֶם Is.40:21
343 הֻגֵּד הֻגַּד לִי כֹּל אֲשֶׁר־עָשִׂית Ruth2:11
344 לֹא הֻגַּד־לִי חֲצִי מַרְבִּית חָכְמָתֶךָ IICh.9:6
וְהֻגַּד 345 וְהֻגַּד־לְךָ וְשָׁמָעְתָּ... Deut.17:4
וַיֻּגַּד 346 וַיֻּגַּד לְאַבְרָהָם לֵאמֹר Gen.22:20
347 וַיֻּגַּד לְרִבְקָה אֶת־דִּבְרֵי עֵשָׂו Gen.27:42
348 וַיֻּגַּד לְלָבָן בַּיּוֹם הַשְּׁלִישִׁי Gen.31:22
349 וַיֻּגַּד לְתָמָר לֵאמֹר Gen.38:13
350 וַיֻּגַּד לִיהוּדָה לֵאמֹר Gen.38:24
351 וַיֻּגַּד לְמֶלֶךְ מִצְרַיִם כִּי בָרַח הָעָם Ex.14:5
352 וַיֻּגַּד לִיהוֹשֻׁעַ לֵאמֹר Josh.10:17
353-369 וַיֻּגַּד לְ־ Jud.9:25,47 • ISh.15:12; 19:19; 23:7; 27:4 • IISh.6:12; 10:17; 19:2; 21:11 • IK.1:51; 2:29,41 • IIK.6:13; 8:7 • Is.7:2 • ICh.19:17

נֶגֶד 1 מ״י א) מול, נכח, לפני־, לעיני־: 1-73, 98-131, 133-137, 140-151
ב) לעומת, בהשואה ל־: 132
ג) [מִנֶּגֶד] מן הצד, ברחוק מקום מן־: 74-97
ד) [כְּנֶגְדּוֹ] לעומתו: 138, 139
קרובים: לְעֻמַּת / לִקְרַאת / מוּל / נֹכַח / קֳבֵל

נֶגֶד 1 נֶגֶד אַחֵינוּ הַכֶּר־לְךָ מָה עִמָּדִי Gen.31:32
2 שִׂים כֹּה נֶגֶד אַחַי וְאַחֶיךָ Gen.31:37
3 רְאוּ כִּי רָעָה נֶגֶד פְּנֵיכֶם Ex.10:10
4 וַיִּחַן־שָׁם יִשְׂרָאֵל נֶגֶד הָהָר Ex.19:2
5 נֶגֶד כָּל־עַמְּךָ אֶעֱשֶׂה נִפְלָאֹת Ex.34:10
6 וְהוֹקַע אוֹתָם לַייָ נֶגֶד הַשָּׁמֶשׁ Num.25:4
7 תִּקְרָא...נֶגֶד כָּל־יִשׂ׳ בְּאָזְנֵיהֶם Deut.31:11
8 וְהָעָם עָבְרוּ נֶגֶד יְרִיחוֹ Josh.3:16
9 עָלוּ וַיִּגְּשׁוּ וַיָּבֹאוּ נֶגֶד הָעִיר Josh.8:11
10 עֹמְדִים...נֶגֶד הַכֹּהֲנִים הַלְוִיִּם Josh.8:33
11 נֶגֶד כָּל־קְהַל יִשְׂרָאֵל Josh.8:35
12 הִנְנִי עֲנוּ בִי נֶגֶד יְיָ ISh.12:3
13 כַּבְּדֵנִי נָא נֶגֶד זִקְנֵי־עַמִּי ISh.15:30
14 וַיֹּאמֶר אַךְ נֶגֶד יְיָ מְשִׁיחוֹ ISh.16:6
15 וַאֲנִי אֶעֱשֶׂה...נֶגֶד כָּל־יִשְׂרָאֵל IISh.12:12
16 וַיַּעֲמֹד...נֶגֶד כָּל־קְהַל יִשְׂרָאֵל IK.8:22
17 וַיְעִדֻהוּ...נֶגֶד הָעָם לֵאמֹר IK.21:13
18 יַצְמִיחַ...נֶגֶד כָּל־הַגּוֹיִם Is.61:11
19 פֶּתַח נֶגֶד פָּתַח Ezek.40:13
20 וְשַׁעַר...נֶגֶד הַשַּׁעַר... Ezek.40:23
21 נֶגֶד הַסַּף שְׂחִיף עֵץ סָבִיב Ezek.41:16
22 אֶל־הַלִּשְׁכָּה אֲשֶׁר נֶגֶד הַגִּזְרָה Ezek.42:1
23 וַאֲשֶׁר־נֶגֶד הַבִּנְיָן אֶל־הַצָּפוֹן Ezek.42:1
24 נֶגֶד הָעֶשְׂרִים...לֶחָצֵר הַפְּנִימִי Ezek.42:3
25 סְבָבוּם מַעַלְלֵיהֶם נֶגֶד פָּנַי הָיוּ Hosh.7:2
26 הֲלוֹא נֶגֶד עֵינֵינוּ אֹכֶל נִכְרָת Joel1:16
27 נְדָרַי אֲשַׁלֵּם נֶגֶד יְרֵאָיו Ps.22:26
28 תַּעֲרֹךְ לְפָנַי שֻׁלְחָן נֶגֶד צֹרְרָי Ps.23:5
29 פָּעַלְתָּ...נֶגֶד בְּנֵי אָדָם Ps.31:20
30 וַאֲקַוֶּה שִׁמְךָ כִּי־טוֹב נֶגֶד חֲסִידֶיךָ Ps.52:11
31 נֶגֶד אֲבוֹתָם עָשָׂה פֶלֶא Ps.78:12
32 יִהְיוּ נֶגֶד־יְיָ תָּמִיד Ps.109:15
33 וַאֲדַבְּרָה בְעֵדֹתֶיךָ נֶגֶד מְלָכִים Ps.119:46
34 נֶגֶד אֱלֹהִים אֲזַמְּרֶךָּ Ps.138:1

נֶגֶד (המשך) 35 שְׁאוֹל וַאֲבַדּוֹן נֶגֶד יְיָ Prov.15:11
36 קְנֵה נֶגֶד הַיֹּשְׁבִים Ruth4:4
37 לְהַטּוֹת...נֶגֶד פְּנֵי עֶלְיוֹן Lam.3:35
38 מַה־לֶּעָנִי יוֹדֵעַ לַהֲלֹךְ נֶגֶד הַחַיִּים Eccl.6:8
39 עַד־נֶגֶד קִבְרֵי דָוִיד Neh.3:16
40 אַחֲרָיו הֶחֱזִיק...נֶגֶד בֵּיתָם Neh.3:23
41 עַד נֶגֶד שַׁעַר הַמַּיִם לַמִּזְרָח Neh.3:26
42 אַחֲרָיו הֶחֱזִיק...נֶגֶד בֵּיתוֹ Neh.3:29
43 אַחֲרָיו הֶחֱזִיק...נֶגֶד נִשְׁכָּתוֹ Neh.3:30
44 נֶגֶד שַׁעַר הַמִּפְקָד Neh.3:31
45 אִישׁ בְּמִשְׁמָרוֹ וְאִישׁ נֶגֶד בֵּיתוֹ Neh.7:3
46 וַיִּקְרָא־בוֹ...נֶגֶד הָאֲנָשִׁים... Neh.8:3
47 מַדּוּעַ אַתֶּם לֵנִים נֶגֶד הַחוֹמָה Neh.13:21
48/9 נֶגֶד אֲחֵיהֶם יָשְׁבוּ ICh.8:32; 9:38
50/1 נֶגֶד כָּל־קְהַל יִשְׂרָאֵל IICh.6:12,13
52 לְהַלֵּל וּלְשָׁרֵת נֶגֶד הַכֹּהֲנִים IICh.8:14
וְנֶגֶד 53 נֶגֶד יְיָ וְנֶגֶד מְשִׁיחוֹ ISh.12:3
54 נֶגֶד זִקְנֵי־עַמִּי וְנֶגֶד יִשְׂרָאֵל ISh.15:30
55 נֶגֶד כָּל־יִשְׂרָאֵל וְנֶגֶד הַשָּׁמֶשׁ IISh.12:12
56 וְנֶגֶד זְקֵנָיו כָּבוֹד Is.24:23
57 נֶגֶד הַיֹּשְׁבִים וְנֶגֶד זִקְנֵי עַמִּי Ruth4:4
58 וְנֶגֶד פְּנֵיהֶם נְבֹנִים Is.5:21
59 וְנֶגֶד רִצְפָה...לֶחָצֵר הַחִיצוֹנָה Ezek.42:3
60 וְעַל־יָדָם הֶחֱזִיק...וְנֶגֶד בֵּיתוֹ Neh.3:10
לְנֶגֶד 61 כְּבֹרִי לְנֶגֶד עֵינָיו IISh.22:25
62 וַיִּכְרַע עַל־בִּרְכָּיו לְנֶגֶד אֵלִיָּהוּ IIK.1:13
63 לֹא־יִתְיַצְּבוּ הוֹלְלִים לְנֶגֶד עֵינֶיךָ Ps.5:6
64 כְּבֹר יָדַי לְנֶגֶד עֵינָיו Ps.18:25
65 כִּי־חַסְדְּךָ לְנֶגֶד עֵינָי Ps.26:3
66 אֵין־פַּחַד אֱלֹהִים לְנֶגֶד עֵינָיו Ps.36:2
67 לֹא־אָשִׁית לְנֶגֶד עֵינַי דְּבַר־בְּלִיָּעַל Ps.101:3
68 לֹא־יִכּוֹן לְנֶגֶד עֵינָי Ps.101:7
69 אֵין חָכְמָה...לְנֶגֶד יְיָ Prov. 21:30
70 תְּמוּנָה לְנֶגֶד עֵינָי Job4:16
71 הֶחֱזִיקוּ...אִישׁ לְנֶגֶד בֵּיתוֹ Neh.3:28
72 כִּי הִכְעִיסוּ לְנֶגֶד הַבּוֹנִים Neh.3:37
73 לְנֶגֶד מְלֶאכֶת בֵּית־הָאֱלֹהִים Neh.11:22
מִנֶּגֶד 74 וַתֵּלֶךְ וַתֵּשֶׁב לָהּ מִנֶּגֶד Gen.21:16
75 וַתֵּשֶׁב מִנֶּגֶד וַתִּשָּׂא אֶת־קֹלָהּ Gen.21:16
76 מִנֶּגֶד סָבִיב לְאֹהֶל־מוֹעֵד יַחֲנוּ Num.2:2
77 וְהָיוּ חַיֶּיךָ תְּלֻאִים לְךָ מִנֶּגֶד Deut.28:66
78 כִּי מִנֶּגֶד תִּרְאֶה אֶת־הָאָרֶץ Deut.32:52
79 וַיַּשְׁלֵךְ אֶת־נַפְשׁוֹ מִנֶּגֶד Jud.9:17
80 וַיָּבֹאוּ מִנֶּגֶד לַגִּבְעָה Jud.20:34
81 אַל־יִפֹּל דָּמִי אַרְצָה מִנֶּגֶד פְּנֵי יְיָ ISh.26:20
82 וְאַתָּה תִּתְיַצֵּב מִנֶּגֶד IISh.18:13
83 וַיַּעַמְדוּ מִנֶּגֶד מֵרָחוֹק IIK.2:7
84 וַיִּרְאֻהוּ...אֲשֶׁר־בִּירִיחוֹ מִנֶּגֶד IIK.2:15
85 וַיִּרְאוּ מוֹאָב מִנֶּגֶד אֶת־הַמַּיִם IIK.3:22
86 כִּרְאוֹת אִישׁ־הָאֱלֹהִים אֹתָהּ מִנֶּגֶד IIK.4:25
87 הָסִירוּ רֹעַ מַעַלְלֵיכֶם מִנֶּגֶד עֵינָי Is.1:16
88 וְלֹא־נִצְפַּן עֲוֹנָם מִנֶּגֶד עֵינָי Jer.16:17
89 וְאִם־יִסָּתְרוּ מִנֶּגֶד עֵינַי Am.9:3
90 בְּיוֹם עֲמָדְךָ מִנֶּגֶד... Ob.11
91 וַאֲנִי אָמַרְתִּי נִגְרַשְׁתִּי מִנֶּגֶד עֵינֶיךָ Jon.2:5
92 וַאֲנִי אָמַרְתִּי...נִגְרַזְתִּי מִנֶּגֶד עֵינֶיךָ Ps.31:23
93 אֹהֲבַי...מִנֶּגֶד נִגְעִי יַעֲמֹדוּ Ps.38:12
94 לֵךְ מִנֶּגֶד לְאִישׁ כְּסִיל Prov.14:7
95 וַיְחַזֵּק...מִנֶּגֶד עֲלֹת הַנֶּשֶׁק הַמִּקְצֹעַ Neh.3:19
96 מִנֶּגֶד הַמִּקְצוֹעַ וְהַמִּגְדָּל Neh.3:25
97 הֶחֱזִיקוּ...מִנֶּגֶד הַמִּגְדָּל הַגָּדוֹל Neh.3:27
נֶגְדָה 98/9 נֶגְדָה־נָּא לְכָל־עַמּוֹ Ps.116:14,18

נֶגְדִּי 100 חוֹמֹתַיִךְ נֶגְדִּי תָּמִיד Is.49:16
101 וּמַכְאוֹבִי נֶגְדִּי תָמִיד Ps.38:18
102 כָּל־הַיּוֹם כְּלִמָּתִי נֶגְדִּי Ps.44:16
103 וְחַטָּאתִי נֶגְדִּי תָמִיד Ps.51:5
104 וְכִסְאוֹ כַשֶּׁמֶשׁ נֶגְדִּי Ps.89:37
105 תְּחַדֵּשׁ עֵדֶיךָ נֶגְדִּי Job 10:17
לְנֶגְדִּי 106 כִּי־יָרַט הַדֶּרֶךְ לְנֶגְדִּי Num.22:32
107 כִּי כָל־מִשְׁפָּטָו לְנֶגְדִּי IISh.22:23
108 וְשֹׁד וְחָמָס לְנֶגְדִּי Hab.1:3
109 שִׁוִּיתִי יְיָ לְנֶגְדִּי תָמִיד Ps.16:8
110 כִּי כָל־מִשְׁפָּטָיו לְנֶגְדִּי Ps.18:23
111 בְּעֹד רָשָׁע לְנֶגְדִּי Ps.39:2
112 וְעוֹלֹתֶיךָ לְנֶגְדִּי תָמִיד Ps.50:8
113 וְהִנֵּה עֹמֵד לְנֶגְדִּי כְּמַרְאֵה־גָבֶר Dan.8:15
114 וְשַׂר מַלְכוּת פָּרַס עֹמֵד לְנֶגְדִּי Dan.10:13
115 וָאֹמְרָה אֶל־הָעֹמֵד לְנֶגְדִּי Dan.10:16
מִנֶּגְדִּי 116 הָסֵבִּי עֵינַיִךְ מִנֶּגְדִּי S.ofS.6:5
נֶגְדְּךָ 117 אֲדֹנָי נֶגְדְּךָ כָל־תַּאֲוָתִי Ps.38:10
118 נֶגְדְּךָ כָּל־צוֹרְרָי Ps.69:20
נֶגְדֶּךָ 119 וְלָמָּה נָמוּת נֶגְדֶּךָ Gen.47:15
120 כִּי־רַבּוּ פְשָׁעֵינוּ נֶגְדֶּךָ Is.59:12
121 וְחֶלְדִּי כְאַיִן נֶגְדֶּךָ Ps.39:6
122 יוֹם־צָעַקְתִּי בַלַּיְלָה נֶגְדֶּךָ Ps.88:2
123 כִּי כָל־דְּרָכַי נֶגְדֶּךָ Ps.119:168
124 וְעַפְעַפֶּיךָ יַיְשִׁרוּ נֶגְדֶּךָ Prov.4:25
לְנֶגְדֶּךָ 125 נִסְעָה וְנֵלֵכָה וְאֵלְכָה לְנֶגְדֶּךָ Gen.33:12
126 שַׁתָּ עֲוֹנֹתֵינוּ לְנֶגְדֶּךָ Ps.90:8
נֶגְדּוֹ 127 וְעָלוּ הָעָם אִישׁ נֶגְדּוֹ Josh.6:5
128 וַיַּעַל הָעָם הָעִירָה אִישׁ נֶגְדּוֹ Josh.6:20
129 מִנֹּגַהּ נֶגְדּוֹ בָּעֲרוּ גַּחֲלֵי־אֵשׁ IISh.22:13
130 וְהוֹשִׁיבוּ...בְנֵי־בְלִיַּעַל נֶגְדּוֹ IK.21:10
131 וַיָּבֹאוּ...וַיֵּשְׁבוּ נֶגְדּוֹ וַיְעִדֻהוּ IK.21:13
132 כָּל־הַגּוֹיִם כְּאַיִן נֶגְדּוֹ Is.40:17
133 אֵין־גַּחֶלֶת...אוּר לָשֶׁבֶת נֶגְדּוֹ Is.47:14
134 וְיָצָא עוֹד קַו הַמִּדָּה נֶגְדּוֹ Jer.31:39(38)
135 מִנֹּגַהּ נֶגְדּוֹ עָבָיו עָבְרוּ Ps.18:13
136 עָרוֹם שְׁאוֹל נֶגְדּוֹ Job 26:6
137 הַשְּׁנַיִם יַעַמְדוּ נֶגְדּוֹ Eccl.4:12
כְּנֶגְדּוֹ 138 אֶעֱשֶׂה־לּוֹ עֵזֶר כְּנֶגְדּוֹ Gen.2:18
139 וּלְאָדָם לֹא־מָצָא עֵזֶר כְּנֶגְדּוֹ Gen.2:20
לְנֶגְדּוֹ 140 וְהִנֵּה־אִישׁ עֹמֵד לְנֶגְדּוֹ Josh.5:13
מִנֶּגְדּוֹ 141 מָרוֹם מִשְׁפָּטֶיךָ מִנֶּגְדּוֹ Ps.10:5
נֶגְדָּהּ 142 וּפְרָצִים תֵּצֶאנָה אִשָּׁה נֶגְדָּהּ Am.4:3
לְנֶגְדְּכֶם 143 אַדְמַתְכֶם לְנֶגְדְּכֶם זָרִים אֹכְלִים Is.1:7
נֶגְדָּם 144 וַיַּחֲנוּ בְנֵי־יִשְׂרָאֵל נֶגְדָּם IK.20:27
145 וְהַכֹּהֲנִים מַחְצְרִים נֶגְדָּם IICh.7:6
וְנֶגְדָּם 146 וְנֶגְדָּם עָלוּ עַל־מַעֲלוֹת עִיר דָּוִיד Neh.12:37
לְנֶגְדָּם 147 לֹא שָׂמוּ אֱלֹהִים לְנֶגְדָּם Ps.54:5
148 וְלֹא שָׂמוּךָ לְנֶגְדָּם Ps.86:14
149 אֲחֵיהֶם לְנֶגְדָּם לְמִשְׁמָרוֹת Neh.12:9
150 וַאֲחֵיהֶם לְנֶגְדָּם לְהַלֵּל לְהוֹדוֹת Neh.12:24
151 וּבְנֵי־גָד לְנֶגְדָּם יָשְׁבוּ בְּאֶ׳ הַבָּשָׁן ICh.5:11

נֶגֶד² מ״י ארמית כמו בעברית
נֶגֶד 1 וְכַוִּין פְּתִיחָן לֵהּ...נֶגֶד יְרוּשְׁלֶם Dan.6:11

נְגַד פ׳ ארמית: מָשַׁךְ, זָרַם
נָגֵד 1 נְהַר דִּי־נוּר נָגֵד וְנָפֵק... Dan.7:10

נגה : נָגַהּ, הִגִּיהַּ: נֹגַהּ, נְגֹהוֹת

נָגַהּ פ׳ א) זרח, האיר: 1-3
ב) [הִפ׳ הִגִּיהַּ] הֵאִיר: 4-6
נָגַהּ 1 אוֹר נָגַהּ עֲלֵיהֶם Is.9:1
2 וְעַל־דְּרָכֶיךָ נָגַהּ אוֹר Job 22:28
יִגַּהּ 3 וְלֹא־יִגַּהּ שְׁבִיב אִשּׁוֹ Job 18:5
יַגִּיהַּ 4 וַייָ יַגִּיהַּ חָשְׁכִּי IISh.22:29
5 וְיָרֵחַ לֹא־יַגִּיהַּ אוֹרוֹ Is.13:10
6 יְיָ אֱלֹהַי יַגִּיהַּ חָשְׁכִּי Ps.18:29

נֹגַהּ¹ ז׳ זוהר, בָּרָק: 1—20
קרובים: אוֹר / אוֹרָה / בָּרָק / זֹהַר / זִיו / זֶרַח / נְהָרָה
נֹגַהּ אֵשׁ 14; נ׳ בָּרָק 16; נ׳ זַרְחוֹ 15; נ׳ הַיָּרֵחַ 17; נֹגַהּ כְּבוֹד יְיָ 13; אוֹר נֹגַהּ 3; מַרְאֵה נֹגַהּ 8
נֹגַהּ 1 אֲשֶׁר הָלַךְ חֲשֵׁכִים וְאֵין נֹגַהּ לוֹ Is.50:10
2 וְאָפֵל וְלֹא־נֹגַהּ לוֹ Am.5:20
3 וְאֹרַח צַדִּיקִים כְּאוֹר נֹגַהּ Prov.4:18
וְנֹגַהּ 4/5 וְנֹגַהּ לוֹ סָבִיב Ezek.1:4,27
6 וְנֹגַהּ לָאֵשׁ וּמִן־הָאֵשׁ יוֹצֵא בָרָק Ezek.1:13
7 וְנֹגַהּ כָּאוֹר תִּהְיֶה Hab.3:4
הַנֹּגַהּ 8 כֵּן מַרְאֵה הַנֹּגַהּ סָבִיב Ezek.1:28
כַּנֹּגַהּ 9 עַד־יֵצֵא כַנֹּגַהּ צִדְקָהּ Is.62:1
מִנֹּגַהּ 10 מִנֹּגַהּ נֶגְדּוֹ בָּעֲרוּ גַּחֲלֵי־אֵשׁ IISh.22:13
11 מִנֹּגַהּ מִמָּטָר דֶּשֶׁא מֵאָרֶץ IISh.23:4
12 מִנֹּגַהּ נֶגְדּוֹ עָבָיו עָבְרוּ Ps.18:13
נֹגַהּ־ 13 וְהֶחָצֵר מָלְאָה אֶת־נֹגַהּ כְּבוֹד יְיָ Ezek.10:4
וְנֹגַהּ־ 14 וְנֹגַהּ אֵשׁ לֶהָבָה לָיְלָה Is.4:5
לְנֹגַהּ־ 15 וְהָלְכוּ...וּמְלָכִים לְנֹגַהּ זַרְחֵךְ Is.60:3
16 לְנֹגַהּ בְּרַק חֲנִיתֶךָ Hab.3:11
וּלְנֹגַהּ־ 17 וּלְנֹגַהּ הַיָּרֵחַ לֹא־יָאִיר לָךְ Is.60:19
נָגְהָם 18/9 וְכוֹכָבִים אָסְפוּ נָגְהָם Joel 2:10; 4:15
לַנְּגֹהוֹת 20 לַנְּגֹהוֹת בָּאֲפֵלוֹת נְהַלֵּךְ Is.59:9

נֹגַהּ² שפ״ז – מבני דוד: 1, 2
וְנֹגַהּ 1/2 וְנֹגַהּ וָנֶפֶג וְיָפִיעַ ICh.3:7; 14:6

נָגְהָא ז׳ ארמית: נֹגַהּ, אור השחר
בִּנְגְהָא 1 מַלְכָּא בִּשְׁפַרְפָּרָא יְקוּם בִּנָגְהָא Dan.6:20

נְגֹהוֹת – עין נֹגַהּ¹ (20)

נָגוּעַ ת׳ – עין נָגַע

נגח : נָגַח, נַגָּח, הִתְנַגַּח; נִגֵּחַ

נָגַח פ׳ א) פגע בקרניו: 1-4
ב) [פִּ׳ נִגַּח] הכה, חבט: 5-10
ג) [הת׳ הִתְנַגַּח] נאבק, נלחם: 11
יִגַּח 1 וְכִי־יִגַּח שׁוֹר אֶת־אִישׁ Ex.21:28
2 אִם־עֶבֶד יִגַּח הַשּׁוֹר אוֹ אָמָה Ex.21:32
יִגָּח 3-4 אוֹ־בֵן יִגָּח אוֹ־בַת יִגָּח Ex.21:31
מְנַגֵּחַ 5 רָאִיתִי אֶת־הָאַיִל מְנַגֵּחַ יָמָּה... Dan.8:4
תְּנַגַּח 6/7 בְּאֵלֶּה תְּנַגַּח אֶת־אֲרָם IK.22:11 • IICh.18:10
יְנַגַּח 8 בָּהֶם עַמִּים יְנַגַּח יַחְדָּו Deut.33:17
נְנַגֵּחַ 9 בְּךָ צָרֵינוּ נְנַגֵּחַ Ps.44:6
תְּנַגְּחוּ 10 וּבְקַרְנֵיכֶם תְּנַגְּחוּ כָּל־הַנַּחְלוֹת Ezek.34:21
יִתְנַגַּח 11 יִתְנַגַּח עִמּוֹ מֶלֶךְ הַנֶּגֶב Dan.11:40

נַגָּח ת׳ מוּעָד לנגיחה: 1, 2
נַגָּח 1 וְאִם־שׁוֹר נַגָּח הוּא מִתְּמֹל שִׁלְשֹׁם Ex.21:29
2 אוֹ נוֹדַע כִּי שׁוֹר נַגָּח הוּא Ex.21:36

נָגִיד ז׳ מושל, מנהיג, ראש: 1-44
קרובים: אַלּוּף / גָּדוֹל / זָקֵן / מוֹשֵׁל (משל) / מְצַוֶּה(צוה) / נָשִׂיא / סֶגֶן / פֶּחָה / פָּקִיד / רֹאשׁ / רוֹזֵן / שָׁלִישׁ / שַׁלִּיט / שַׂר
– מְשִׁיחַ נָגִיד 13; עַם נָגִיד 14; פָּקִיד נָגִיד 10
– נְגִיד הַבַּיִת 37; נְ׳ בֵּית הָאֱלֹהִים 35, 38, 44; נְגִיד בְּרִית 34; נְ׳ הָעָם 33; נְ׳ צֹר 39
– קוֹל נְגִידִים 42; רוּחַ נְגִידִים 40; דִּבֶּר נְגִידִים 41
נָגִיד 1 לְצַוֹּת אֹתִי נָגִיד עַל־עַם יְיָ IISh.6:21
2 לִהְיוֹת נָגִיד עַל־עַמִּי עַל־יִשְׂרָאֵל IISh.7:8
3 לִהְיוֹת נָגִיד עַל־יִשְׂ׳ וְעַל־יְהוּדָה IK.1:35
4-8 נָגִיד עַל עַמִּי יִשְׂרָאֵל IK.14:7; 16:2
ICh.11:2; 17:7 • IICh.6:5
9 נָגִיד וּמְצַוֵּה לְאֻמִּים Is.55:4
10 וְהוּא־פָקִיד נָגִיד בְּבֵית יְיָ Jer.20:1
11 נָגִיד חֲסַר תְּבוּנוֹת Prov.28:16
12 כְּמוֹ־נָגִיד אֲקָרֲבֶנּוּ Job 31:37
13 וְלִבְנוֹת יְרוּשָׁלַםִ עַד־מָשִׁיחַ נָגִיד Dan.9:25
14 יַשְׁחִית עַם נָגִיד הַבָּא Dan.9:26
15 נָגִיד הָיָה עֲלֵיהֶם לְפָנִים ICh.9:20
16 שָׂרֵי הָאֲלָפִים וְהַמֵּאוֹת לְכָל־נָגִיד ICh.13:1
17 וּשְׁבֻאֵל...נָגִיד עַל־הָאֹצָרוֹת ICh.26:24
18 לָראוּבֵנִי נָגִיד אֱלִיעֶזֶר בֶּן־זִכְרִי ICh.27:16
19 וַעֲלֵיהֶם נָגִיד כָּנַנְיָהוּ הַלֵּוִי IICh.31:12
וְנָגִיד 20 וַיַּכְחֵד כָּל־גִּבּוֹר חַיִל וְנָגִיד וְשָׂר IICh.32:21
הַנָּגִיד 21 וִיהוֹיָדָע הַנָּגִיד לְאַהֲרֹן ICh.12:27(28)
22 וּמַחְלְקְתּוֹ וּמִקְלוֹת הַנָּגִיד ICh.27:4
23 וּזְבַדְיָהוּ...הַנָּגִיד לְבֵית־יְהוּדָה IICh.19:11
לְנָגִיד 24 וּמְשַׁחְתּוֹ לְנָגִיד עַל־עַמִּי יִשְׂרָאֵל ISh.9:16
25 מְשָׁחֲךָ יְיָ עַל־נַחֲלָתוֹ לְנָגִיד ISh.10:1
26 וַיְצַוֵּהוּ יְיָ לְנָגִיד עַל־עַמּוֹ ISh.13:14
27 וְצִוְּךָ לְנָגִיד עַל־יִשְׂרָאֵל ISh.25:30
28 וְאַתָּה תִּהְיֶה לְנָגִיד עַל־יִשְׂרָאֵל IISh.5:2
29 כִּי בִיהוּדָה בָּחַר לְנָגִיד ICh.28:4
30 וַיִּמְשְׁחוּ לַייָ לְנָגִיד וּלְצָדוֹק לְכֹהֵן ICh.29:22
31 וַיַּעֲמֵד לָרֹאשׁ...לְנָגִיד בְּאֶחָיו IICh.11:22
וּלְנָגִיד 32 יְהוּדָה גָּבַר בְּאֶחָיו וּלְנָגִיד מִמֶּנּוּ ICh.5:2
נְגִיד־ 33 וְאָמַרְתָּ אֶל־חִזְקִיָּהוּ נְגִיד־עַמִּי IIK.20:5
34 וּזְרֹעוֹת הַשֶּׁטֶף...וְגַם נְגִיד בְּרִית Dan.11:22
35 שְׂרָיָה...נְגִד בֵּית הָאֱלֹהִים Neh.11:11
36 וַעֲזַרְיָה...נְגִיד בֵּית הָאֱלֹהִים ICh.9:11
37 וְאֶת־עַזְרִיקָם נְגִיד הַבָּיִת IICh.28:7
38 וַעֲזַרְיָהוּ נְגִיד בֵּית־הָאֱלֹהִים IICh.31:13
לִנְגִיד־ 39 בֶּן־אָדָם אֱמֹר לִנְגִיד צֹר Ezek.28:2
נְגִידִים 40 יִבְצֹר רוּחַ נְגִידִים Ps.76:13
41 שִׁמְעוּ כִּי־נְגִידִים אֲדַבֵּר Prov.8:6
42 קוֹל־נְגִידִים נֶחְבָּאוּ Job 29:10
43 וַיְחַזֵּק...וַיִּתֵּן בָּהֶם נְגִידִים IICh.11:11
נְגִידֵי־ 44 נְגִידֵי בֵּית הָאֱלֹהִים IICh.35:8

נְגִינָה נ׳ א) השמעת קולות כלי שיר, זמרה: 1, 2, 5, 7-14
ב) השמעת שירי התול ולעג: 3, 4, 6
קרובים: זִמְרָה / מִזְמוֹר / מַנְגִּינָה / רֹן / רִנָּה / רְנָנָה / שִׁיר / שִׁירָה
נְגִינַת־ 1 לַמְנַצֵּחַ עַל־נְגִינַת לְדָוִד Ps.61:1
נְגִינָתִי 2 אֶזְכְּרָה נְגִינָתִי בַּלָּיְלָה Ps.77:7
נְגִינָתָם 3 וְעַתָּה נְגִינָתָם הָיִיתִי Job 30:9
4 שְׂחֹק לְכָל־עַמִּי נְגִינָתָם כָּל־הַיּוֹם Lam.3:14
מִנְּגִינָתָם 5 זְקֵנִים...שָׁבָתוּ בַּחוּרִים מִנְּגִינָתָם Lam.5:14
וּנְגִינוֹת־ 6 יָשִׂיחוּ...וּנְגִינוֹת שׁוֹתֵי שֵׁכָר Ps.69:13

בִּנְגִינוֹת 7-8 לַמְנַצֵּחַ בִּנְגִינוֹת Ps.4:1; 6:1
9-12 לַמְנַצֵּחַ בִּנְגִינַת Ps.54:1; 55:1; 67:1; 77:1
וּנְגִינוֹתַי 13 וּנְגִינוֹתַי נְנַגֵּן כָּל־יְמֵי חַיֵּינוּ Is.38:20
בִּנְגִינוֹתָי 14 לַמְנַצֵּחַ בִּנְגִינוֹתָי Hab.3:19

נִגְלוּ
(ישעיה לח 4) — עין גלל

נגן
: נִגֵּן, נַגָּן; נְגִינָה, מַנְגִּינָה

נִגֵּן
פ׳ א) השמיע קולות בכלי שיר: 1
ב) [פ׳ נִגֵּן] כנ״ל: 2-15

נֹגְנִים 1 קִדְּמוּ שָׁרִים אַחַר נֹגְנִים Ps.68:26
נַגֵּן 2 יֹדֵעַ נַגֵּן וְגִבּוֹר חַיִל ISh.16:18
3 הֵיטִיבִי נַגֵּן הַרְבִּי־שִׁיר Is.23:16
4 יְפֵה קוֹל וּמֵטִב נַגֵּן Ezek.33:32
5 הֵיטִיבוּ נַגֵּן בִּתְרוּעָה Ps.33:3
כְּנַגֵּן 6 וְהָיָה כְּנַגֵּן הַמְנַגֵּן IIK.3:15
לְנַגֵּן 7 רְאוּ־נָא לִי אִישׁ מֵיטִיב לְנַגֵּן ISh.16:17
וְנִגֵּן 8 וְנִגֵּן בְּיָדוֹ וְטוֹב לָךְ ISh.16:16
9 וְלָקַח דָּוִד אֶת־הַכִּנּוֹר וְנִגֵּן בְּיָדוֹ ISh.16:23
מְנַגֵּן 10 אִישׁ יֹדֵעַ מְנַגֵּן בַּכִּנּוֹר ISh.16:16
11 וְדָוִד מְנַגֵּן בְּיָדוֹ ISh.18:10
12 וְדָוִד מְנַגֵּן בְּיָד ISh.19:9
13 וְעַתָּה קְחוּ־לִי מְנַגֵּן IIK.3:15
הַמְנַגֵּן 14 וְהָיָה כְּנַגֵּן הַמְנַגֵּן וַתְּהִי עָלָיו יַד יְיָ IIK.3:15
נְנַגֵּן 15 וּנְגִינוֹתַי נְנַגֵּן כָּל־יְמֵי חַיֵּינוּ Is.38:20

נגע
: נָגַע, נִפ׳ נִגַּע, פ׳ נִגַּע, נֻגַּע, הִגִּיעַ; נֶגַע

נָגַע
פ׳ א) קרב אל דבר ללא רוח ביניהם (גם בהשאלה): 1, 2, 4, 8, 10-15, 22-26, 28-31, 33-39, 42-54, 56-59, 62-73, 78-86, 88-96, 99-104
ב) פגע ב־ לרעה: 3, 5-7, 9, 16-21, 27, 32, 40, 41, 55, 74-77, 87, 97, 98, 105-107
ג) [נָגוּעַ] מֻכֶּה, מדוכא: 60, 61
ד) [נִפ׳ נִגַּע] נגף, הכה: 108
ה) [פ׳ נִגַּע] נגף, הכה: 109, 111
ו) [פ׳ נֻגַּע] הֻכָּה בנגעים: 112
ז) [הִפ׳ הִגִּיעַ] גרם שֶׁיִּגַּע, הביא עד־: 116, 118, 121, 125, 138, 143-145
ח) [כנ״ל] בא עד דבר ללא רוח ביניהם (ובהשאלה:) בא, קרב, השׂיג: 113-115, 117, 119, 120, 122-124, 126-137, 139-142, 146-150
— נָגַע בְּ־ 1, 3, 5, 6, 8-10, 17-19, 24-28, 31-54, 56-58, 62-80, 82, 84, 87-90, 92-100, 104, 105; נָגַע אֶל־ 2, 13, 15, 29, 59, 81, 103, 107; נָגַע אֶת־ 7, 21, 101; נָגַע עַד 12, 14, 20, 22, 23, 91; נָגַע עַל־ 11, 30, 55
— הִגִּיעַ אֶל־ 115, (129), 130, 136, 140, 149; הִגִּיעַ לְ־ 134, 135, 137, 141, 142, 147; הִגִּיעַ אֵצֶל־ 133; הִגִּיעַ עַד־ 139, 145, 150; הִגִּיעַ עַל־ 143, 144

וּנְגֹעַ 1 הִשָּׁמְרוּ... עֲלוֹת בָּהָר וּנְגֹעַ בְּקָצֵהוּ Ex.19:12
לִנְגֹּעַ 2 לֹא־נְתַתִּיךָ לִנְגֹּעַ אֵלֶיהָ Gen.20:6
3 וְעַתָּה לֹא נוּכַל לִנְגֹּעַ בָּהֶם Josh.9:19
4 מֵאֲנָה לִנְגּוֹעַ נַפְשִׁי Job6:7
כְּגַעַת 5 הֲלוֹא כְּגַעַת בָּהּ רוּחַ הַקָּדִים Ezek.17:10
לָגַעַת 6 וְלֹא־יֹסִיף עוֹד לָגַעַת בָּךְ IISh.14:10
נָגְעֵךְ 7 הֲלוֹא צִוִּיתִי... לְבִלְתִּי נָגְעֵךְ Ruth 2:9
בְּנָגְעוֹ 8 בְּנָגְעוֹ־בוֹ יִטְמָא עַד־הָעָרֶב Lev.15:23
נָגַע 9 כִּי נָגַע בְּכַף־יֶרֶךְ יַעֲקֹב Gen.32:32
10 הַחַיִל אֲשֶׁר־נָגַע אֱלֹהִים בְּלִבָּם ISh.10:26
11 הִנֵּה נָגַע זֶה עַל־שְׂפָתֶיךָ Is.6:7
12 כִּי נָגַע עַד־לִבֵּךְ Jer.4:18
13 כִּי־נָגַע אֶל־הַשָּׁמַיִם מִשְׁפָּטָהּ Jer. 51:9
14 נָגַע עַד־שַׁעַר עַמִּי Mic.1:9
וְנָגַע 15 וְנָגַע בִּכְנָפוֹ אֶל־הַלֶּחֶם Hag.2:12
נָגְעָה 16 כִּי רָאָה כִּי־נָגְעָה עָלָיו הָרָעָה Jud.20:41
17 וְיָדַעְנוּ כִּי לֹא יָדוֹ נָגְעָה בָּנוּ ISh.6:9
18 כִּי יַד־אֱלוֹהַּ נָגְעָה בִּי Job19:21
19 וְהִנֵּה־יָד נָגְעָה בִּי וַתְּנִיעֵנִי Dan.10:10
וְנָגְעָה 20 וְנָגְעָה חֶרֶב עַד־הַנָּפֶשׁ Jer.4:10
נְגַעֲנוּךָ 21 כַּאֲשֶׁר לֹא נְגַעֲנוּךָ Gen.26:29
נָגָעוּ 22 עַד־יַעְזֵר נָגָעוּ תָּעוּ מִדְבָּר Is.16:8
23 עַד יָם יַעְזֵר נָגָעוּ Jer.48:32
24 וְדָמִים בְּדָמִים נָגָעוּ Hosh.4:2
נֹגֵעַ 25 כֹּל הֹרֵג נֶפֶשׁ וְכֹל נֹגֵעַ בֶּחָלָל Num.31:19
26 וְהִנֵּה־זֶה מַלְאָךְ נֹגֵעַ בּוֹ IK.19:5
27 הַנֹּגֵעַ בָּכֶם נֹגֵעַ בְּבָבַת עֵינוֹ Zech. 2:12
28 צְפִיר־הָעִזִּים... וְאֵין נוֹגֵעַ בָּאָרֶץ Dan. 8:5
29 וְהָאִישׁ... מֻעָף בִּיעָף נֹגֵעַ אֵלַי Dan.9:21
30 כִּדְמוּת... נֹגֵעַ עַל־שְׂפָתָי Dan.10:16
וְנֹגֵעַ 31 וְנֹגֵעַ בְּנִבְלָתָם יִטְמָא Lev.11:36
הַנֹּגֵעַ 32 הַנֹּגֵעַ בָּאִישׁ הַזֶּה וּבְאִשְׁתּוֹ Gen.26:11
33 כָּל־הַנֹּגֵעַ בָּהָר מוֹת יוּמָת Ex.19:12
34 כָּל־הַנֹּגֵעַ בַּמִּזְבֵּחַ יִקְדָּשׁ Ex.29:37
35 כָּל־הַנֹּגֵעַ בָּהֶם יִקְדָּשׁ Ex.30:29
36-37 כָּל־הַנֹּגֵעַ בְּנִבְלָתָם יִטְמָא Lev.11:24,27
38 וְכָל־הַנּוֹגֵעַ בָּם יִטְמָא Lev.15:27
39 הַנּוֹגֵעַ בָּאָרֶץ וַתָּמוֹג Am.9:5
40 הַנֹּגֵעַ בָּכֶם נֹגֵעַ בְּבָבַת עֵינוֹ Zech.2:12
41 לֹא יִנָּקֶה כָּל־הַנֹּגֵעַ בָּהּ Prov.6:29
42-51 (כָּל־)הַנֹּגֵעַ בְּ־ Lev.11:26,31,39
15:10,19,21,22 • Num.19:11,13,18
וְהַנֹּגֵעַ 52 וְהַנֹּגֵעַ בִּבְשַׂר הַזָּב יְכַבֵּס בְּגָדָיו Lev.15:7
53 וְהַנֹּגֵעַ בְּכָל־טְמֵא־נֶפֶשׁ Lev.22:4
54 וְהַנֹּגֵעַ בְּמֵי הַנִּדָּה יִטְמָא Num.19:21
נֹגַעַת 55 כִּי־נֹגַעַת עֲלֵיהֶם הָרָעָה Jud.20:34
56 וּכְנַף הַכְּרוּב הַשֵּׁנִי נֹגַעַת בַּקִּיר הַשֵּׁנִי IK.6:27
הַנֹּגַעַת 57 וְהַנֶּפֶשׁ הַנֹּגַעַת תִּטְמָא Num.19:22
הַנֹּגְעִים 58 הַנֹּגְעִים בַּנַּחֲלָה אֲשֶׁר־הִנְחַלְתִּי Jer.12:14
נֹגְעֹת 59 וְכַנְפֵיהֶם... נֹגְעֹת כָּנָף אֶל־כָּנָף IK.6:27
נָגוּעַ 60 נָגוּעַ מֻכֵּה אֱלֹהִים וּמְעֻנֶּה Is.53:4
61 וָאֱהִי נָגוּעַ כָּל־הַיּוֹם Ps.73:14
יִגַּע 62 אוֹ כִי יִגַּע בְּטֻמְאַת אָדָם Lev.5:3
63 כֹּל אֲשֶׁר־יִגַּע בָּהֶם יִקְדָּשׁ Lev.6:11
64 כֹּל אֲשֶׁר־יִגַּע בִּבְשָׂרָהּ יִקְדָּשׁ Lev.6:20
65 וְהַבָּשָׂר אֲשֶׁר־יִגַּע בְּכָל־טָמֵא Lev.7:19
66 וְאִישׁ אֲשֶׁר יִגַּע בְּמִשְׁכָּבוֹ Lev.15:5
67 וְכֹל אֲשֶׁר יִגַּע־בּוֹ הַזָּב Lev.15:11
68 וּכְלִי־חֶרֶשׂ אֲשֶׁר־יִגַּע־בּוֹ הַזָּב Lev.15:12
69 אוֹ־אִישׁ אֲשֶׁר יִגַּע בְּכָל־שֶׁרֶץ Lev.22:5
70 וְכֹל אֲשֶׁר־יִגַּע... בַּחֲלַל־חֶרֶב Num.19:16
71 וְכֹל אֲשֶׁר־יִגַּע־בּוֹ הַטָּמֵא Num.19:22
72 וְאִישׁ יִגַּע בָּהֶם יִמָּלֵא בַרְזֶל IISh.23:7
73 אִם־יִגַּע טְמֵא־נֶפֶשׁ בְּכָל־אֵלֶּה Hag.2:13
74 יִגַּע בֶּהָרִים וְיֶעֱשָׁנוּ Ps.104:32
75 וּבְשֶׁבַע לֹא־יִגַּע בְּךָ רָע Jo5:19
וְיִגַּע 76 כָּל־מַכֵּה יְבֻסִי וְיִגַּע בַּצִּנּוֹר IISh.5:8
וַיִּגַּע 77 וַיִּגַּע בְּכַף־יְרֵכוֹ Gen.32:25
78 וַיִּשְׁלַח... וַיִּגַּע בַּבָּשָׂר וּבַמַּצּוֹת Jud.6:21
79 וַיָּשָׁב מַלְאַךְ יְיָ שֵׁנִית וַיִּגַּע־בּוֹ IK.19:7
80 וַיֵּלֶךְ וַיִּגַּע הָאִישׁ בְּעַצְמוֹת אֱלִישָׁע IIK.13:21
81 וַיִּגַּע הַדָּבָר אֶל־מֶלֶךְ נִינְוֵה Jon.3:6
82 וַיִּגַּע בְּאַרְבַּע פִּנּוֹת הַבַּיִת Job1:19
83 וַיִּגַּע־בִּי וַיַּעֲמִידֵנִי עַל־עָמְדִי Dan.8:18
84 וַיֹּסֶף וַיִּגַּע־בִּי... וַיְחַזְּקֵנִי Dan.10:18
85/6 וַיִּגַּע הַחֹדֶשׁ הַשְּׁבִיעִי Ez.3:1 • Neh.7:72
תִּגַּע נ׳ 87 לֹא־תִגַּע בּוֹ יָד Ex.19:13
88 אוֹ נֶפֶשׁ אֲשֶׁר תִּגַּע בְּכָל־דָּבָר טָמֵא Lev.5:2
89 וְנֶפֶשׁ כִּי־תִגַּע בְּכָל־טָמֵא Lev.7:21
90 נֶפֶשׁ אֲשֶׁר תִּגַּע־בּוֹ וְטָמְאָה Lev.22:6
91 תִּגַּע עָדֶיךָ וַתִּבָּהֵל Job4:5
תִּגָּע 92 בְּכָל־קֹדֶשׁ לֹא־תִגָּע Lev.12:4
וַתִּגַּע 93 וַתִּגַּע כְּנַף־הָאֶחָד בַּקִּיר IK.6:27
94 וַתִּקְרַב...וַתִּגַּע בְּרֹאשׁ הַשַּׁרְבִיט Es.5:2
תִּגְּעוּ 95 לֹא תֹאכְלוּ מִמֶּנּוּ וְלֹא תִגְּעוּ בּוֹ Gen.3:3
96 וְאַל־תִּגְּעוּ בְּכָל־אֲשֶׁר לָהֶם Num.16:26
97/8 אַל־תִּגְּעוּ בִּמְשִׁיחָי Ps.105:15 • ICh.16:22
תִּגָּעוּ 99-100 וּבְנִבְלָתָם לֹא תִגָּעוּ Lev.11:8 • Deut.14:8
101 סוּרוּ...טָמֵא אַל־תִּגָּעוּ Is.52:11
102 סוּרוּ סוּרוּ אַל־תִּגָּעוּ Lam.4:15
יִגְּעוּ 103 וְלֹא־יִגְּעוּ אֶל־הַקֹּדֶשׁ Num.4:15
104 בְּלֹא יוּכְלוּ יִגְּעוּ בִּלְבֻשֵׁיהֶם Lam.4:14
גַּע 105 גַּע בֶּהָרִים וְיֶעֱשָׁנוּ Ps.144:5
וְגַע 106 שְׁלַח־נָא יָדְךָ וְגַע בְּכָל־אֲשֶׁר־לוֹ Job1:11
107 וְגַע אֶל־עַצְמוֹ וְאֶל־בְּשָׂרוֹ Job2:5
וַיִּנָּגְעוּ 108 וַיִּנָּגְעוּ יְהוֹשֻׁעַ וְכָל־יִשׂ׳ לִפְנֵיהֶם Josh.8:15
נִגְּעוֹ 109 נִדְחַף לָצֵאת כִּי נִגְּעוֹ יְיָ IICh.26:20
וַיְנַגַּע 110 וַיְנַגַּע יְיָ אֶת־פַּרְעֹה Gen.12:17
111 וַיְנַגַּע יְיָ אֶת־הַמֶּלֶךְ IIK.15:5
יְנֻגָּעוּ 112 וְעִם־אָדָם לֹא יְנֻגָּעוּ Ps.73:5
וּבְהַגִּיעַ 113 וּבְהַגִּיעַ תֹּר נַעֲרָה וְנַעֲרָה Es.2:12
114 וּבְהַגִּיעַ תֹּר־אֶסְתֵּר Es.2:15
הַגִּיעֵנוּ 115 דֹּמּוּ עַד־הַגִּיעֵנוּ אֲלֵיכֶם ISh.14:9
וְהִגַּעְתִּיהוּ 116 וְהָרַסְתִּי...וְהִגַּעְתִּיהוּ אֶל־הָאָ׳ Ezek.13:14
הִגַּעַתְּ 117 אִם־לְעֵת כָּזֹאת הִגַּעַתְּ לַמַּלְכוּת Es.4:14
הִגִּיעַ 118 הִגִּיעַ לָאָרֶץ עַד־עָפָר Is.25:12
119 בָּא הָעֵת הִגִּיעַ הַיּוֹם Ezek.7:12
120 עֵת הַזָּמִיר הִגִּיעַ S.ofS.2:12
121 מִבְצְרֵי בַת־יְהוּדָה הִגִּיעַ לָאָרֶץ Lam.2:2
122 ...אֲשֶׁר הִגִּיעַ דְּבַר־הַמֶּלֶךְ Es.9:1
123 וּמָה הִגִּיעַ אֲלֵיהֶם Es.9:26
124 בְּזַעַף עַד לַשָּׁמַיִם הִגִּיעַ IICh.28:9
וְהִגַּעְתֶּם 125 וְהִגַּעְתֶּם אֶל־הַמַּשְׁקוֹף Ex.12:22
הִגִּיעוּ 126 וְחַיַּי לִשְׁאוֹל הִגִּיעוּ Ps.88:4
127 וְסָרִיסֵי הַמֶּלֶךְ הִגִּיעוּ Es.6:14
וְהִגִּיעוּ 128 וְהִגִּיעוּ שָׁנִים אֲשֶׁר תֹּאמַר Eccl.12:1
מַגִּיעַ 129 וְרֹאשׁוֹ מַגִּיעַ הַשָּׁמָיְמָה Gen.28:12
130 מַגִּיעַ אֲלֵהֶם כְּמַעֲשֵׂה הָרְשָׁעִים Eccl.8:14
131/2 דְּבַר־הַמֶּלֶךְ וְדָתוֹ מַגִּיעַ Es.4:3; 8:17
133 וּרְאִיתִיו מַגִּיעַ אֵצֶל הָאַיִל Dan.8:7
134 מַגִּיעַ לִכְנַף הַכְּרוּב הָאַחֵר IICh.3:11
135 וּכְנַף הַכְּרוּב...מַגִּיעַ לְקִיר הַבָּיִת IICh.3:12
שֶׁמַּגִּיעַ 136 וְיֵשׁ רְשָׁעִים שֶׁמַּגִּיעַ אֲלֵיהֶם Eccl.8:14
מַגַּעַת 137 כְּנַף הָאֶחָד...מַגַּעַת לְקִיר הַבַּיִת IICh.3:11
מַגִּיעֵי־ 138 הוֹי מַגִּיעֵי בַיִת בְּבַיִת Is.5:8
יַגִּיעַ 139 שָׁטַף וְעָבַר עַד־צַוָּאר יַגִּיעַ Is.8:8
140 כִּי־יַגִּיעַ גֵּי־הָרִים אֶל־אָצַל Zech.14:5
141 וְרֹאשׁוֹ לָעָב יַגִּיעַ Job20:6
וְיַגִּיעַ 142 אַשְׁרֵי הַמְחַכֶּה וְיַגִּיעַ לְיָמִים... Dan.12:12
וַיַּגַּע 143 וַיַּגַּע עַל־פִּי וַיֹּאמֶר Is.6:7
144 וַיִּשְׁלַח יְיָ אֶת־יָדוֹ וַיַּגַּע עַל־פִּי Jer.1:9
יַגִּיעֶנָּה 145 יַשְׁפִּילֶנָּה...יַגִּיעֶנָּה עַד־עָפָר Is.26:5
תַּגִּיעַ 146 וְאִם־לֹא תַגִּיעַ יָדוֹ דֵּי שֶׂה Lev.5:7
וַתַּגַּע 147 וַתִּכְרֹת...וַתַּגַּע לְרַגְלָיו Ex.4:25
יַגִּיעוּ 148 וּמַלְאָכָיו חָנֵס יַגִּיעוּ Is.30:4
149 מַיִם רַבִּים אֵלָיו לֹא יַגִּיעוּ Ps.32:6
וַיַּגִּיעוּ 150 וַיַּגִּיעוּ עַד־שַׁעֲרֵי מָוֶת Ps.107:18

נָגַע

נָ֫גַע ז׳ א) מכה, חַבָּלָה, מחלה: 1-5,8,9,12-68,70,71,73-78
ב) פגע, צרה: 6, 7, 10, 11, 69, 72

קרובים: חַבּוּרָה/מַגֵּפָה/מַחַץ/מַכָּה/נֶגֶף/פֶּגַע/פֶּצַע

– נֶגַע לְבָבוֹ 69; נֶגַע הַנֶּתֶק 67,68; נֶגַע צָרַעַת 55-66, 70, 71; מַרְאֵה הַנֶּגַע 13; עוֹר הַנֶּגַע 25; רֹאשׁ הַנֶּגַע 74; שְׂאֵת הַנֶּגַע 28
– כֵּהָה הַנֶּגַע 17,18; פָּרַח הַנֶּ׳ 32; פָּשָׂה הַנֶּ׳ 16,19-24,51
– נְגָעִים גְּדֹלִים 76; נִגְעֵי בְּנֵי אָדָם 78

נֶגַע 1 עוֹד נֶגַע אֶחָד אָבִיא עַל־פַּרְעֹה Ex. 11:1
2 וְטִמֵּא הַכֹּהֵן אֹתוֹ נֶגַע הוּא Lev. 13:22
3 נֶגַע לָבָן אֲדַמְדָּם Lev. 13:42
4 בֵּין־דִּין לְדִין וּבֵין נֶגַע לָנֶגַע Deut. 17:8
5 כָּל־נֶגַע כָּל־מַחֲלָה IK. 8:37
6 מִפֶּשַׁע עַמִּי נֶגַע לָמוֹ Is. 53:8
7 נֶגַע־וְקָלוֹן יִמְצָא Prov. 6:33
8 כָּל־נֶגַע וְכָל־מַחֲלָה IICh. 6:28
נָ֑גַע 9 וְאִישׁ אוֹ־אִשָּׁה כִּי יִהְיֶה־בוֹ נָגַע Lev. 13:29
10 וְעַל־פִּיהֶם...כָּל־רִיב וְכָל־נָגַע Deut. 21:5
וְנֶגַע 11 וְנֶגַע לֹא־יִקְרַב בְּאָהֳלֶךָ Ps. 91:10
הַנֶּגַע 12 וְרָאָה...אֶת־הַנֶּגַע בְּעוֹר־הַבָּשָׂר Lev. 13:3
13 וּמַרְאֵה הַנֶּגַע עָמֹק מֵעוֹר בְּשָׂרוֹ Lev. 13:3
14 וְהִסְגִּיר הַכֹּהֵן אֶת־הַנֶּגַע Lev. 13:4
15 וְהִנֵּה הַנֶּגַע עָמַד בְּעֵינָיו Lev. 13:5
16 לֹא־פָשָׂה הַנֶּגַע בָּעוֹר Lev. 13:5
17-18 וְהִנֵּה כֵּהָה הַנֶּגַע Lev. 13:6,56
19-24 (לֹא) פָּשָׂה הַנֶּגַע Lev. 13:6,51,53; 14:39,44,48
25 וְכִסְּתָה...אֵת כָּל־עוֹר הַנֶּגַע Lev. 13:12
26 וְהִנֵּה נֶהְפַּךְ הַנֶּגַע לְלָבָן Lev. 13:17
27 וְטִהַר הַכֹּהֵן אֶת־הַנֶּגַע Lev. 13:17
28 וְהִנֵּה שְׂאֵת־הַנֶּגַע לְבָנָה Lev. 13:43
29 צָרַעַת מַמְאֶרֶת הַנֶּגַע Lev. 13:51
30 וְרָאָה...אַחֲרֵי הֻכַּבֵּס אֶת־הַנֶּגַע Lev. 13:55
31 וְהִנֵּה לֹא־הָפַךְ הַנֶּגַע אֶת־עֵינוֹ Lev. 13:55
32 וְאִם־יָשׁוּב הַנֶּגַע וּפָרַח בַּבַּיִת Lev. 14:43
33-42 הַנֶּגַע Lev. 13:30,32
13:45,46,49,50,51; 14:36,37²
הַנָּ֑גַע 43 וְרָאָה...וְטִהַר אֶת־הַנָּגַע Lev. 13:13
44 וְרָאָה הַכֹּהֵן אֶת־הַנָּגַע Lev. 13:50
45 אֲשֶׁר־יִהְיֶה בּוֹ הַנָּגַע Lev. 13:52
46-50 הַנָּגַע Lev. 13:54,57,58; 14:40,48
וְהַנֶּגַע 51 וְהַנֶּגַע לֹא־פָשָׂה Lev. 13:55
בַּנֶּגַע 52 וְשֵׂעָר בַּנֶּגַע הָפַךְ לָבָן Lev. 13:3
כְּנֶגַע 53 כְּנֶגַע נִרְאָה לִי בַּבָּיִת Lev. 14:35
לָנֶגַע 54 בֵּין־דִּין לְדִין וּבֵין נֶגַע לָנֶגַע Deut. 17:8
נֶגַע־ 55-56 נֶגַע צָרַעַת הוּא Lev. 13:3,49
57 נֶגַע צָרַעַת כִּי תִהְיֶה בְּאָדָם Lev. 13:9
58-66 נֶגַע(־)צָרַעַת (־רָ־) Lev. 13:20,25,27
13:47,59; 14:3,32,34,54
67-68 אֶת־נֶגַע הַנָּתֶק Lev. 13:31²
69 אֲשֶׁר יֵדְעוּן אִישׁ נֶגַע לְבָבוֹ IK. 8:38
בְּנֶגַע־ 70 הִשָּׁמֶר בְּנֶגַע־הַצָּרַעַת לִשְׁמֹר... Deut. 24:8
לְנֶגַע־ 71 וְהָיָה בְעוֹר־בְּשָׂרוֹ לְנֶגַע צָרָעַת Lev. 13:2
נִגְעִי 72 אֹהֲבַי וְרֵעַי מִנֶּגֶד נִגְעִי יַעֲמֹדוּ Ps. 38:12
נִגְעֶךָ 73 הָסֵר מֵעָלַי נִגְעֶךָ Ps. 39:11
נִגְעוֹ 74 טָמֵא יְטַמְּאֶנּוּ הַכֹּהֵן בְּרֹאשׁוֹ נִגְעוֹ Lev. 13:44
75 אֲשֶׁר יֵדְעוּ אִישׁ נִגְעוֹ וּמַכְאֹבוֹ IICh. 6:29
נְגָעִים 76 וַיְנַגַּע יְיָ אֶת־פַּרְעֹה נְגָעִים גְּדֹלִים Gen. 12:17
וּבִנְגָעִים 77 וּפָקַדְתִּי...וּבִנְגָעִים עֲוֹנָם Ps. 89:33
וּבְנִגְעֵי־ 78 וְהֹכַחְתִּיו...וּבְנִגְעֵי בְּנֵי אָדָם IISh. 7:14

נגף

נגף : נָגַף, נִגַּף, הִתְנַגֵּף; נֶגֶף, מַגֵּפָה

נָגַף פָּ׳ א) הִכָּה, הביא מגפה: 1-11, 13-22, 24, 25
ב) הנחיל מפלה, הביס: 12, 23
ג) [נפ׳ נִגַּף] הֻכָּה, הובס: 26-48
ד) [הת׳ הִתְנַגֵּף] נֶחְבַּל, נפגע: 49

נָגַף (אֶת־) 1-25; נִגַּף לִפְנֵי 26-32, 34-39, 41-47; הִתְנַגֵּף עַל־ 49

נָגֹף 1 וְנָגַף יְיָ אֶת־מִצְרַיִם נָגֹף וְרָפוֹא Is. 19:22
לִנְגֹּף 2 וְעָבַר יְיָ לִנְגֹּף אֶת־מִצְרַיִם Ex. 12:23
3 וְלֹא יִתֵּן...לָבֹא אֶל־בָּתֵּיכֶם לִנְגֹּף Ex. 12:23
בְּנָגְפּוֹ 4 אֲשֶׁר פָּסַח...בְּנָגְפּוֹ אֶת־מִצְרַיִם Ex. 12:27
נָגַף 5 וְהָאֱלֹהִים נָגַף אֶת־יָרָבְעָם IICh. 13:15
וְנָגַף 6 וְנָגַף יְיָ אֶת־מִצְרַיִם נָגֹף וְרָפוֹא Is. 19:22
נְגָפוֹ 7 נְגָפוֹ יְיָ בְּמֵעָיו לָחֳלִי IICh. 21:18
נְגָפָנוּ 8 לָמָּה נְגָפָנוּ יְיָ הַיּוֹם לִפְנֵי פְלִשְׁתִּים ISh. 4:3
וְנָגְפוּ 9 וְנָגְפוּ אִשָּׁה הָרָה וְיָצְאוּ יְלָדֶיהָ Ex. 21:22
נוֹגֵף 10 נֹגֵף אֶת־כָּל־גְּבוּלְךָ בַּצְפַרְדְּעִים Ex. 7:27
11 הִנֵּה יְיָ נֹגֵף מַגֵּפָה גְדוֹלָה IICh. 21:14
אֶגּוֹף 12 וְכַתּוֹתִי...וּמְשַׂנְאָיו אֶגּוֹף Ps. 89:24
וָאֶגֹּף 13 וָאֶשְׁלַח...וָאֶגֹּף אֶת־מִצְרַיִם Josh. 24:5
תִּגֹּף 14 פֶּן־תִּגֹּף בָּאֶבֶן רַגְלֶךָ Ps. 91:12
15 וְרַגְלְךָ לֹא תִגּוֹף Prov. 3:23
יִגֹּף 16 וְכִי־יִגֹּף שׁוֹר־אִישׁ Ex. 21:35
17/8 הַמַּגֵּפָה אֲשֶׁר יִגֹּף יְיָ Zech. 14:12,18
וַיִּגֹּף 19 וַיִּגֹּף יְיָ אֶת־הָעָם Ex. 32:35
20 וַיִּגֹּף יְיָ אֶת־בִּנְיָמִן לִפְנֵי יִשְׂרָאֵל Jud. 20:35
21 וַיִּגֹּף יְיָ אֶת־נָבָל וַיָּמֹת ISh. 25:38
22 וַיִּגֹּף יְיָ אֶת־הַיֶּלֶד...וַיֵּאָנַשׁ IISh. 12:15
23 וַיִּגֹּף יְיָ אֶת־הַכּוּשִׁים לִפְנֵי אָסָא IICh. 14:11
וַיִּגְּפֵהוּ 24 וַיִּגְּפֵהוּ יְיָ וַיָּמֹת IICh. 13:20
יִגָּפֶנּוּ 25 חַי־יְיָ כִּי אִם־יְיָ יִגָּפֶנּוּ ISh. 26:10
נִגּוֹף 26 אַךְ נִגּוֹף נִגָּף הוּא לְפָנֵינוּ Jud. 20:39
בְּהִנָּגֵף 27 בְּהִנָּגֵף עַמְּךָ יִשְׂרָאֵל לִפְנֵי אוֹיֵב IK. 8:33
נִגַּף 28 וַיַּרְא אֲרָם כִּי נִגַּף לִפְנֵי יִשְׂרָאֵל IISh. 10:15
וְנִגַּפְתֶּם 29 וְנִגַּפְתֶּם לִפְנֵי אֹיְבֵיכֶם Lev. 26:17
נִגְּפוּ 30 וַיִּרְאוּ...כִּי נִגְּפוּ לִפְנֵי יִשְׂרָאֵל IISh. 10:19
31 וַיַּרְא אֲרָם כִּי נִגְּפוּ לִפְנֵי יִשְׂרָאֵל ICh. 19:16
32 וַיִּרְאוּ...כִּי נִגְּפוּ לִפְנֵי יִשְׂרָאֵל ICh. 19:19
נִגָּפוּ 33 וַיִּרְאוּ בְנֵי־בִנְיָמִן כִּי נִגָּפוּ Jud. 20:36
נִגָּף 34 יִתֶּנְךָ יְיָ נִגָּף לִפְנֵי אֹיְבֶיךָ Deut. 28:25
35 אַךְ נִגּוֹף נִגָּף הוּא לְפָנֵינוּ Jud. 20:39
נִגָּפִים 36 יִתֵּן יְיָ אֶת־אֹיְבֶיךָ...נִגָּפִים לְפָנֶיךָ Deut. 28:7
37 נִגָּפִים הֵם לְפָנֵינוּ כְּבָרִאשֹׁנָה Jud. 20:32
יִנָּגֵף 38 וְאִם־יִנָּגֵף עַמְּךָ יִשְׂרָאֵל לִפְנֵי אוֹיֵב IICh. 6:24
וַיִּנָּ֣גֶף 39 וַיִּנָּגֶף יִשְׂרָאֵל לִפְנֵי פְלִשְׁתִּים ISh. 4:2
40 וַיִּנָּגֶף יִשְׂרָאֵל וַיָּנֻסוּ אִישׁ לְאֹהָלָיו ISh. 4:10
41 וַיִּנָּגֶף...לִפְנֵי עַבְדֵי דָוִד IISh. 2:17
42/3 וַיִּנָּגֶף יְהוּדָה לִפְנֵי יִשְׂ׳ IIK. 14:12; IICh. 25:22
תִּנָּגְפוּ 44 וְלֹא תִּנָּגְפוּ לִפְנֵי אֹיְבֵיכֶם Num. 14:42
45 וְלֹא תִּנָּגְפוּ לִפְנֵי אֹיְבֵיכֶם Deut. 1:42
וַיִּנָּגְפוּ 46 וַיִּנָּגְפוּ לִפְנֵי יִשְׂרָאֵל ISh. 7:10
47 וַיִּנָּגְפוּ שָׁם עַם יִשְׂ׳ לִפְנֵי עַבְדֵי דָוִד IISh. 18:7
48 נָתַן יְיָ מְאָרְבִים...וַיִּנָּגֵפוּ IICh. 20:22
יִתְנַגְּפוּ 49 יִתְנַגְּפוּ רַגְלֵיכֶם עַל־הָרֵי נָשֶׁף Jer. 13:16

נֶ֫גֶף ז׳ א) מגפה, דבר: 1-3, 5-7 ב) מפגע, מכשול: 4
נֶגֶף לְמַשְׁחִית 1; אֶבֶן נֶגֶף 4 • קרובים: ראה נגע

נֶגֶף 1 וְלֹא־יִהְיֶה בָכֶם נֶגֶף לְמַשְׁחִית Ex. 12:13
2 וְלֹא־יִהְיֶה בָהֶם נֶגֶף בִּפְקֹד אֹתָם Ex. 30:12
3 וְלֹא יִהְיֶה בִּבְנֵי יִשְׂרָאֵל נֶגֶף Num. 8:19
4 וּלְאֶבֶן נֶגֶף וּלְצוּר מִכְשׁוֹל Is. 8:14
הַנֶּגֶף 5 וְהִנֵּה הֵחֵל הַנֶּגֶף בָּעָם Num. 17:12
6 וַיְהִי הַנֶּגֶף בַּעֲדַת יְיָ Josh. 22:17
הַנָּ֑גֶף 7 כִּי־יָצָא הַקֶּצֶף...הֵחֵל הַנָּגֶף Num. 17:11

נגר

נגר : נִגַּר, הִגִּיר, הֻגַּר

נִגַּר נפ׳ א) נשפך, נזל: 1-4
ב) [הפ׳ הִגִּיר] שפך, הפיל: 5-9
ג) [הָפ׳ הֻגַּר] נשפך: 10

יָדִי נִגָּרָה 1; עֵינִי נִגְּרָה 2; מַיִם נִגָּרִים 3; מַיִם מֻגָּרִים 10

נִגָּרָה 1 יָדִי לַיְלָה נִגְּרָה וְלֹא תָפוּג Ps. 77:3
2 עֵינִי נִגְּרָה וְלֹא תִדְמֶה Lam. 3:49
הַנִּגָּרִים 3 וְכַמַּיִם הַנִּגָּרִים אָרְצָה IISh. 14:14
נִגָּרוֹת 4 יִגֶל יְבוּל בֵּיתוֹ נִגָּרוֹת בְּיוֹם אַפּוֹ Job 20:28
וְהִגַּרְתִּי 5 וְהִגַּרְתִּי לַגַּי אֲבָנֶיהָ וִיסֹדֶיהָ אֲגַלֶּה Mic. 1:6
וַתַּגֵּר 6 וַתַּגֵּר אֶת־בְּ״יִ׳ עַל־יְדֵי־חָרֶב Ezek. 35:5
יַגִּירֻהוּ 7 יַגִּירֻהוּ עַל־יְדֵי־חָרֶב Ps. 63:11
וַיַּגֵּר 8 וְיַיִן חָמַר מָלֵא מֶסֶךְ וַיַּגֵּר מִזֶּה Ps. 75:9
וְהַגִּרֵם 9 וְהַגִּרֵם עַל־יְדֵי־חָרֶב Jer. 18:21
מֻגָּרִים 10 כְּמַיִם מֻגָּרִים בְּמוֹרָד Mic. 1:4

נגשׂ

נגשׂ : נָגַשׂ, נִגַּשׂ; נוֹגֵשׂ

נָגַשׂ פָּ׳ א) לָחַץ, דחק: 1-19
ב) [נפ׳ נִגַּשׂ] נלחץ: 20-23

קוֹל נוֹגֵשׂ 5; תְּשֻׁאוֹת נוֹגֵשׂ 6; נֹגְשֵׂי הָעָם 11; נֹגְשֵׂי פַרְעֹה 12

נָגַשׂ 1 אִישׁ כְּעֶרְכּוֹ נָגַשׂ אֶת־הַכֶּסֶף IIK. 23:35
נוֹגֵשׂ 2 אֵיךְ שָׁבַת נֹגֵשׂ שָׁבְתָה מַדְהֵבָה Is. 14:4
3 וְלֹא־יַעֲבֹר עֲלֵיהֶם עוֹד נֹגֵשׂ Zech. 9:8
4 מִמֶּנּוּ יֵצֵא כָל־נוֹגֵשׂ יַחְדָּו Zech. 10:4
5 לֹא שָׁמְעוּ קוֹל נֹגֵשׂ Job 3:18
6 תְּשֻׁאוֹת נוֹגֵשׂ לֹא יִשְׁמָע Job 39:7
7 וְעָמַד עַל־כַּנּוֹ מַעֲבִיר נוֹגֵשׂ Dan. 11:20
הַנּוֹגֵשׂ 8 וְאֵת מַטֵּה שִׁכְמוֹ שֵׁבֶט הַנֹּגֵשׂ בּוֹ Is. 9:3
הַנֹּגְשִׂים 9 אֶת־הַנֹּגְשִׂים בָּעָם וְאֶת־שֹׁטְרָיו Ex. 5:6
וְהַנֹּגְשִׂים 10 וְהַנֹּגְשִׂים אָצִים לֵאמֹר... Ex. 5:13
נֹגְשֵׂי־ 11 וַיֵּצְאוּ נֹגְשֵׂי הָעָם וְשֹׁטְרָיו Ex. 5:10
12 אֲשֶׁר־שָׂמוּ עֲלֵהֶם נֹגְשֵׂי פַרְעֹה Ex. 5:14
וְנֹגְשַׂיִךְ 13 פְקֻדָּתֵךְ שָׁלוֹם וְנֹגְשַׂיִךְ צְדָקָה Is. 60:17
נֹגְשָׂיו 14 וְאֶת־צַעֲקָתָם שָׁמַעְתִּי מִפְּנֵי נֹגְשָׂיו Ex. 3:7
15 עַמִּי נֹגְשָׂיו מְעוֹלֵל Is. 3:12
בְּנֹגְשֵׂיהֶם 16 וְהָיוּ שֹׁבִים לְשֹׁבֵיהֶם וְרָדוּ בְּנֹגְשֵׂיהֶם Is. 14:2
תִּגֹּשׂ 17 אֶת־הַנָּכְרִי תִּגֹּשׂ Deut. 15:3
יִגֹּשׂ 18 לֹא־יִגֹּשׂ אֶת־רֵעֵהוּ Deut. 15:2
תִּנְגֹּשׂוּ 19 וְכָל־עַצְּבֵיכֶם תִּנְגֹּשׂוּ Is. 58:3
נִגַּשׂ 20 כִּי צַר־לוֹ כִּי נֻגַּשׂ הָעָם ISh. 13:6
21 וְאִישׁ־יִשְׂרָאֵל נִגַּשׂ בַּיּוֹם הַהוּא ISh. 14:24
22 נִגַּשׂ וְהוּא נַעֲנֶה וְלֹא יִפְתַּח־פִּיו Is. 53:7
וְנִגַּשׂ 23 וְנִגַּשׂ הָעָם אִישׁ בְּאִישׁ Is. 3:5

נגשׁ

נגשׁ : גֶּשֶׁת, נִגַּשׁ, הִתְנַגֵּשׁ, הִגִּישׁ, הֻגַּשׁ

(נגש) גֶּ֫שֶׁת, יִגַּשׁ פָּ׳ א) [מקור, עתיד וצווי] קָרַב, בָּא אֶל־: 1-68
ב) [נפ׳ נִגַּשׁ – עבר והוה] כנ״ל: 69-85
ג) [הפ׳ הִגִּישׁ] הקריב, הביא אל־: 86-122
ד) [הָפ׳ הֻגַּשׁ] הוקרב, הובא: 123, 124
ה) [הת׳ הִתְנַגֵּשׁ] התקרב: 125

נִגַּשׁ אֶל־ (לְ) רוב המקראות 1-85; נִגַּשׁ עַל־ 4, 38; נִגַּשׁ אֶת־ 9, 23, 26; נִגַּשׁ בְּ־ 10

בְּגֶשֶׁת 1 בְּגֶשֶׁת בְּנֵי־יִשְׂרָאֵל אֶל־הַקֹּדֶשׁ Num. 8:19
לָגֶשֶׁת 2 הַאוֹסִיף לָגֶשֶׁת לַמִּלְחָמָה Jud. 20:23
3 מִי...עָרַב אֶת־לִבּוֹ לָגֶשֶׁת אֵלַי Jer. 30:21

וְלָגֶשֶׁת 4 וְלָגֶשֶׁת עַל־כָּל־קָדָשַׁי Ezek.44:13
מִגֶּשֶׁת 5 וַיִּירְאוּ מִגֶּשֶׁת אֵלָיו Ex.34:30
גִּשְׁתּוֹ 6 עַד־גִּשְׁתּוֹ עַד־אָחִיו Gen.33:3
בְּגִשְׁתָּם 7-8 בְּגִשְׁתָּם אֶל־הַמִּזְבֵּחַ Ex.28:43; 30:20
9 בְּגִשְׁתָּם אֶת־קֹדֶשׁ הַקֳּדָשִׁים Num.4:19
תִּגַּשׁ־ 10 אַל־תִּגַּשׁ־בִּי כִּי קְדַשְׁתִּיךָ Is.65:5
יִגַּשׁ 11 מִי־בַעַל דְּבָרִים יִגַּשׁ אֲלֵהֶם Ex.24:14
12-13 לֹא יִגַּשׁ לְהַקְרִיב Lev.21:21[2]
14 וְאֶל־הַמִּזְבֵּחַ לֹא יִגַּשׁ Lev.21:23
15 מִי־בַעַל מִשְׁפָּטִי יִגַּשׁ אֵלָי Is.50:8
יִגָּשׁ 16 יִפֹּל מִצִּדְּךָ...אֵלֶיךָ לֹא יִגָּשׁ Ps.91:7
וַיִּגַּשׁ 17 וַיִּגַּשׁ אַבְרָהָם וַיֹּאמַר Gen.18:23
18 וַיִּגַּשׁ יַעֲקֹב אֶל־יִצְחָק אָבִיו Gen.27:22
19 וַיִּגַּשׁ וַיִּשַּׁק־לוֹ Gen.27:27
20 וַיִּגַּשׁ יַעֲקֹב וַיָּגֶל אֶת־הָאֶבֶן Gen.29:10
21 וַיִּגַּשׁ אֵלָיו יְהוּדָה וַיֹּאמֶר Gen.44:18
22 וַיִּגַּשׁ עַד־פֶּתַח הַמִּגְדָּל Jud.9:52
23 וַיִּגַּשׁ שָׁאוּל אֶת־שְׁמוּאֵל בְּתוֹךְ הַשָּׁעַר ISh.9:18
24 וַיִּגַּשׁ הַפְּלִשְׁתִּי הַשְׁכֵּם וְהַעֲרֵב ISh.17:16
25 וַיִּגַּשׁ אֶל־הַפְּלִשְׁתִּי ISh.17:40
26 וַיִּגַּשׁ דָּוִד אֶת־הָעָם ISh.30:21
27 וַיִּגַּשׁ יוֹאָב...לַמִּלְחָמָה בַּאֲרָם IISh.10:13
28 וַיִּגַּשׁ אֵלִיָּהוּ אֶל־כָּל־הָעָם IK.18:21
29 וַיִּגַּשׁ אֵלִיָּהוּ הַנָּבִיא וַיֹּאמַר IK.18:36
30 וַיִּגַּשׁ הַנָּבִיא אֶל־מֶלֶךְ יִשְׂרָאֵל IK.20:22
31 וַיִּגַּשׁ אִישׁ הָאֱלֹהִים וַיֹּאמֶר... IK.20:28
32 וַיִּגַּשׁ צִדְקִיָּהוּ...וַיַּכֶּה...עַל־הַלֶּחִי IK.22:24
33 וַיִּגַּשׁ גֵּיחֲזִי לְהָדְפָהּ IIK.4:27
34 וַיִּגַּשׁ יוֹאָב...לִפְנֵי אֲרָם לַמִּלְחָמָה ICh.19:14
35 וַיִּגַּשׁ צִדְקִיָּהוּ...וַיַּךְ אֶת־מִיכָיְהוּ IICh.18:23
וַתִּגַּשׁ 36 וַתִּגַּשׁ גַּם־לֵאָה וִילָדֶיהָ Gen.33:7
תִּגְּשׁוּ 37 אַל־תִּגְּשׁוּ אֶל־אִשָּׁה Ex.19:15
תִּגָּשׁוּ 38 וְעַל־כָּל־אִישׁ...אַל־תִּגָּשׁוּ Ezek.9:6
יִגְּשׁוּ 39 יִגְּשׁוּ אָז יְדַבֵּרוּ Is.41:1
40 וְלֹא־יִגְּשׁוּ אֵלַי לְכַהֵן לִי Ezek.44:13
41 יִגְּשׁוּ יַעֲלוּ כֹּל אַנְשֵׁי הַמִּלְחָמָה Joel 4:9
יִגָּשׁוּ 42 וְנִגַּשׁ מֹשֶׁה...וְהֵם לֹא יִגָּשׁוּ Ex.24:2
יִגָּשׁוּ 43 אֶחָד בְּאֶחָד יִגַּשׁוּ... Job 41:8
וַיִּגְּשׁוּ 44 וַיִּגְּשׁוּ לִשְׁבֹּר הַדָּלֶת Gen.19:9
45 וַיִּגְּשׁוּ אֶל־הָאִישׁ...וַיְדַבְּרוּ אֵלָיו Gen.43:19
46 וַיִּגְּשׁוּ אֵלָיו וַיֹּאמְרוּ... Num.32:16
47 עָלוּ וַיִּגְּשׁוּ וַיָּבֹאוּ נֶגֶד הָעִיר Josh.8:11
48 וַיִּגְּשׁוּ בְנֵי־יְהוּדָה אֶל־יְהוֹשֻׁעַ Josh.14:6
49 וַיִּגְּשׁוּ רָאשֵׁי...הַלְוִיִּם אֶל־אֶלְעָזָר Josh.21:1
50 וַיִּגְּשׁוּ כָל־הָעָם אֵלָיו IK.18:30
51 וַיִּגְּשׁוּ בְנֵי־הַנְּבִיאִים...אֶל־אֱלִישָׁע IIK.2:5
52 וַיִּגְּשׁוּ עֲבָדָיו וַיְדַבְּרוּ אֵלָיו IIK.5:13
53 וַיִּגְּשׁוּ כָּל־שָׂרֵי הַחֲיָלִים... Jer.42:1
54 וַיִּגְּשׁוּ אֶל־זְרֻבָּבֶל וְאֶל־רָאשֵׁי הָאָ׳ Ez.4:2
וַיִּגָּשׁוּ 55 וַיֹּאמֶר...גְּשׁוּ־נָא אֵלַי וַיִּגָּשׁוּ Gen.45:4
וַתִּגַּשְׁןָ 56 וַתִּגַּשְׁןָ הַשְּׁפָחוֹת הֵנָּה וְיַלְדֵיהֶן Gen.33:6
גַּשׁ 57 וַיִּקְרָא...וַיֹּאמֶר גַּשׁ פְּגַע־בּוֹ IISh.1:15
גֶּשׁ־ 58 וַיֹּאמְרוּ גֶּשׁ־הָלְאָה Gen.19:9
גְּשָׁה־ 59 גְּשָׁה־נָּא וַאֲמֻשְׁךָ בְּנִי Gen.27:21
60 גְּשָׁה־נָּא וּשְׁקָה־לִּי בְּנִי Gen.27:26
61 צַר־לִי הַמָּקוֹם גְּשָׁה־לִּי וְאֵשֵׁבָה Is.49:20
גֹּשִׁי 62 גֹּשִׁי הֲלֹם וְאָכַלְתְּ מִן־הַלֶּחֶם Ruth 2:14
גְּשׁוּ 63 וַיֹּאמֶר...גְּשׁוּ־נָא אֵלַי וַיִּגָּשׁוּ Gen.45:4
64 וַיֹּאמֶר...לְכָל־הָעָם גְּשׁוּ אֵלַי IK.18:30
גֹּשׁוּ 65 וַיֹּאמֶר...גֹּשׁוּ הֵנָּה וְשִׁמְעוּ Josh.3:9
66 גֹּשׁוּ הֲלֹם כֹּל פִּנּוֹת הָעָם ISh.14:38
67 גֹּשׁוּ וְהָבִיאוּ זְבָחִים וְתוֹדוֹת IICh.29:31

וּגְשׁוּ 68 עִרְכוּ...וּגְשׁוּ לַמִּלְחָמָה Jer.46:3
נִגַּשׁ 69 וְאַחַר נִגַּשׁ יוֹסֵף וְרָחֵל Gen.33:7
70 וּמֹשֶׁה נִגַּשׁ אֶל־הָעֲרָפֶל Ex.20:18
71 וְהִנֵּה נָבִיא אֶחָד נִגַּשׁ אֶל־אַחְאָב IK.20:13
72 יַעַן כִּי נִגַּשׁ הָעָם הַזֶּה Is.29:13
וְנִגַּשׁ 73 וְנִגַּשׁ מֹשֶׁה לְבַדּוֹ אֶל־יְיָ Ex.24:2
74 וְנִגַּשׁ הַכֹּהֵן וְדִבֶּר אֶל־הָעָם Deut.20:2
75 וְהִקְרַבְתִּיו וְנִגַּשׁ אֵלָי Jer.30:21
76 וְנִגַּשׁ חוֹרֵשׁ בַּקֹּצֵר Am.9:13
וְנִגְּשָׁה 77 וְנִגְּשָׁה יְבִמְתּוֹ...לְעֵינֵי הַזְּקֵנִים Deut.25:9
נִגַּשְׁתֶּם 78 מַדּוּעַ נִגַּשְׁתֶּם אֶל־הָעִיר IISh.11:20
79 לָמָּה נִגַּשְׁתֶּם אֶל־הַחוֹמָה IISh.11:21
נִגְּשׁוּ 80 וְאַחֲרֵי־כֵן נִגְּשׁוּ כָּל־בְּנֵי יִשְׂרָאֵל Ex.34:32
81 וּפְלִשְׁתִּים נִגְּשׁוּ לַמִּלְחָמָה בְּיִשְׂרָאֵל ISh.7:10
82 נִגְּשׁוּ אֵלַי הַשָּׂרִים לֵאמֹר Ez.9:1
וְנִגְּשׁוּ 83 וְנִגְּשׁוּ הַכֹּהֲנִים בְּנֵי לֵוִי Deut.21:5
84 וְנִגְּשׁוּ אֶל־הַמִּשְׁפָּט וּשְׁפָטוּם Deut.25:1
הַנִּגָּשִׁים 85 הַכֹּהֲנִים הַנִּגָּשִׁים אֶל־יְיָ יִתְקַדָּשׁוּ Ex.19:22
וְהִגִּישׁוֹ 86 וְהִגִּישׁוֹ אֲדֹנָיו אֶל־הָאֱלֹהִים Ex.21:6
87 וְהִגִּישׁוֹ אֶל־הַדֶּלֶת אוֹ אֶל־הַמְּזוּזָה Ex.21:6
וְהִגִּישָׁהּ 88 וְהִקְרִיבָהּ...וְהִגִּישָׁהּ אֶל־הַמִּזְבֵּחַ Lev.2:8
הִגַּשְׁתֶּם 89 הַזְּבָחִים וּמִנְחָה הִגַּשְׁתֶּם־לִי בַמִּדְבָּר Am.5:25
הִגִּישׁוּ 90 וּדְבַשׁ וְחֶמְאָה...הִגִּישׁוּ לְדָוִד IISh.17:29
וּמַגִּישׁ 91 וּמַגִּישׁ מִנְחָה לַייָ צְבָאוֹת Mal.2:12
מַגִּשִׁים 92 מַגִּשִׁים מִנְחָה וְעֹבְדִים אֶת־שְׁלֹמֹה IK.5:1
93 הֵם מַגִּישִׁים אֵלֶיהָ וְהִיא מוּצָּקֶת IK.4:5
94 מַגִּישִׁים עַל־מִזְבְּחִי לֶחֶם מְגֹאָל Mal.1:7
מַגִּישֵׁי־ 95 וְהָיוּ לַייָ מַגִּישֵׁי מִנְחָה בִּצְדָקָה Mal.3:3
יַגֵּשׁ 96 הָעֹשׂוֹ יַגֵּשׁ חַרְבּוֹ Job 40:19
וַיַּגֵּשׁ 97 וַיַּגֵּשׁ אֹתָם אֵלָיו וַיִּשַּׁק לָהֶם Gen.48:10
98 וַיִּקַּח יוֹסֵף...וַיַּגֵּשׁ אֵלָיו Gen.48:13
99 וַיַּגֵּשׁ אֵת פַּר הַחַטָּאת Lev.8:14
100 וַיַּגֵּשׁ אֶבְיָתָר אֶת־הָאֵפוֹד ISh.30:7
וַיַּגַּשׁ 101 וַיּוֹצֵא...אֶל־תַּחַת הָאֵלָה וַיַּגַּשׁ Jud.6:19
וַיַּגֶּשׁ־ 102 וַיַּגֶּשׁ־לוֹ וַיֹּאכַל Gen.27:25
תַּגִּישׁ 103 לֹא־תַגִּישׁ וְתַקְדִּים בַּעֲדֵינוּ הָרָעָה Am.9:10
וַתַּגֵּשׁ 104 וַתַּגֵּשׁ לִפְנֵי־שָׁאוּל...וַיֹּאכֵלוּ ISh.28:25
105 וַתַּגֵּשׁ אֵלָיו לֶאֱכֹל IISh.13:11
תַגִּישׁוּ 106 וְכִי תַגִּישׁוּ פִּסֵּחַ וְחֹלֶה Mal.1:8
תַגִּשׁוּן 107 וְכִי־תַגִּשׁוּן עִוֵּר לִזְבֹּחַ Mal.1:8
וַתַּגִּישׁוּן 108 וַתַּגִּשׁוּן שֶׁבֶת חָמָס Am.6:3
יַגִּישׁוּ 109 יַגִּישׁוּ וְיַגִּידוּ לָנוּ...אֲשֶׁר תִּקְרֶינָה Is.41:22
וַיַּגִּשׁוּ 110 וַיַּעֲלוּ עֹלֹת וַיַּגִּשׁוּ שְׁלָמִים Ex.32:6
111 וַיַּגִּשׁוּ כָל־הָעָם אִישׁ שׁוֹרוֹ ISh.14:34
112 וַיַּגִּישׁוּ אֶת־שְׂעִירֵי הַחַטָּאת IICh.29:23
הַגִּשָׁה 113 וַיֹּאמֶר הַגִּשָׁה לִי וְאֹכְלָה Gen.27:25
114 וַיֹּאמֶר...הַגִּישָׁה אֲרוֹן הָאֱלֹהִים ISh.14:18
115 וַיֹּאמֶר...הַגִּישָׁה הָאֵפוֹד ISh.23:9
116 וַיֹּאמֶר...הַגִּישָׁה־נָּא לִי הָאֵפוֹד ISh.30:7
117 וַתֹּאמֶר...הַגִּישָׁה אֵלַי עוֹד כֶּלִי IIK.4:6
הַגִּשׁוּ 118 הַגִּשׁוּ אֵלַי הָעֹלָה וְהַשְּׁלָמִים ISh.13:9
119 הַגִּישׁוּ אֵלַי אִישׁ שׁוֹרוֹ ISh.14:34
120 הַגִּישׁוּ אֵלַי אֶת־אֲגַג ISh.15:32
121 קָרְבוּ...הַגִּישׁוּ עֲצֻמוֹתֵיכֶם Is.41:21
וְהַגִּישׁוּ 122 הַגִּידוּ וְהַגִּישׁוּ אַף יִוָּעֲצוּ יַחְדָּו Is.45:21
הֻגָּשׁוּ 123 וְרַגְלֶיךָ לֹא־לִנְחֻשְׁתַּיִם הֻגָּשׁוּ IISh.3:34
מֻגָּשׁ 124 וּבְכָל־מָקוֹם מֻקְטָר מֻגָּשׁ לִשְׁמִי Mal.1:11
הִתְנַגְּשׁוּ 125 הִקָּבְצוּ וָבֹאוּ הִתְנַגְּשׁוּ יַחְדָּו Is.45:20

נֵד

ז׳ א) תֵּל, קִיר: 1-3, 5, 6 ב) נָד, חלף(?): 4

נֵד 1 נִצְּבוּ כְמוֹ־נֵד נֹזְלִים Ex.15:8
2 הַמַּיִם...וְיַעַמְדוּ נֵד אֶחָד Josh.3:13
נֵד (המשך) 3 וַיַּעַמְדוּ הַמַּיִם...קָמוּ נֵד־אֶחָד Josh.3:16
4 (?)נֵד קָצִיר בְּיוֹם נַחֲלָה Is.17:11
5 וַיַּצֶּב־מַיִם כְּמוֹ־נֵד Ps.78:13
כַּנֵּד 6 כֹּנֵס כַּנֵּד מֵי הַיָּם Ps.33:7

נָד

ת׳ – עין (נוד) **נֹד** ז׳ עין נוֹד1

נדא

כתיב, וקרי וַיַּדַּח (מ״ב יז 21) – עין נדח

נדב

: נָדַב, הִתְנַדֵּב; נְדָבָה; ש״פ נָדָב, נְדַבְיָה; אר׳ הִתְנַדַּב

נָדַב

פ׳ א) נתן מתוך רצון, התעורר: 1-3
ב) [הת׳ הִתְנַדֵּב] התעורר מרצונו: 4-17

נָדַב 1 אֲשֶׁר נָדַב לִבָּם אֹתָם לְהָבִיא Ex.35:29
נָדְבָה 2 וְכֹל אֲשֶׁר נָדְבָה רוּחוֹ...הֵבִיאוּ Ex.35:21
יִדְּבֶנּוּ 3 מֵאֵת כָּל־אִישׁ אֲשֶׁר יִדְּבֶנּוּ לִבּוֹ Ex.25:2
הִתְנַדֵּב 4 לְבַד עַל־כָּל־הִתְנַדֵּב Ez.1:6
בְּהִתְנַדֵּב 5 בְּהִתְנַדֵּב עָם בָּרְכוּ יְיָ Jud.5:2
לְהִתְנַדֵּב 6 כִּי־נַעְצֹר כֹּחַ לְהִתְנַדֵּב כָּזֹאת ICh.29:14
לְהִתְנַדֶּב־ 7 רָאִיתִי בְשִׂמְחָה לְהִתְנַדֶּב־לָךְ ICh.29:17
הִתְנַדְּבָם 8 וַיִּשְׂמְחוּ הָעָם עַל־הִתְנַדְּבָם ICh.29:9
הִתְנַדַּבְתִּי 9 בְּיֹשֶׁר לְבָבִי הִתְנַדַּבְתִּי כָל־אֵלֶּה ICh.29:17
הִתְנַדְּבוּ 10 הִתְנַדְּבוּ לְבֵית הָאֱלֹהִים Ez.2:68
11 כִּי בְּלֵב שָׁלֵם הִתְנַדְּבוּ לַייָ ICh.29:9
מִתְנַדֵּב 12 וּלְכֹל מִתְנַדֵּב נְדָבָה לַייָ Ez.3:5
13 וּמִי מִתְנַדֵּב לְמַלֹּאות יָדוֹ...לַייָ ICh.29:5
הַמִּתְנַדֵּב 14 וְעַל־יָדוֹ עֲמַסְיָה...הַמִּתְנַדֵּב לַייָ IICh.17:16
הַמִּתְנַדְּבִים 15 לְחוֹקְקֵי יִשׂ׳ הַמִּתְנַדְּבִים בָּעָם Jud.5:9
16 הַמִּתְנַדְּבִים לָשֶׁבֶת בִּירוּשָׁלָ͏ִם Neh.11:2
וַיִּתְנַדְּבוּ 17 וַיִּתְנַדְּבוּ שָׂרֵי הָאָבוֹת ICh.29:6

(נְדַב) הִתְנַדַּב

התפ׳ ארמית התנדב: 1-4

הִתְנַדָּבוּת 1 עִם הִתְנַדָּבוּת עַמָּא וְכָהֲנַיָּא Ez.7:16
הִתְנַדַּבוּ 2 וְיָעֲטוֹהִי הִתְנַדַּבוּ לֶאֱלָהּ יִשְׂרָאֵל Ez.7:15
מִתְנַדַּב 3 דִּי כָל־מִתְנַדַּב...לִמְהָךְ לִירוּשְׁלֶם Ez.7:13
מִתְנַדְּבִין 4 עַמָּא...מִתְנַדְּבִין לְבֵית אֱלָהֲהֹם Ez.7:16

נָדָב

שפ״ז א) בכור אהרן הכֹּהן: 1-12
ב) מלך ישׂראל, בן ירבעם: 13, 14, 17, 18
ג) איש משבט יהודה: 15, 16
ד) איש מבנימין 19, 20

נָדָב 1 וַתֵּלֶד־לוֹ אֶת־נָדָב וְאֶת־אֲבִיהוּא Ex.6:23
2/3 נָדָב וַאֲבִיהוּא וְשִׁבְעִים מִזִּקְנֵי יִשׂ׳ Ex.24:1,9
4 נָדָב וַאֲבִיהוּא...בְּנֵי אַהֲרֹן Ex.28:1
5-11 נָדָב וַאֲבִיהוּ(א) Lev.10:1; 3:2,4
Num.26:61 • ICh.5:29; 24:1,2
12 וַיִּוָּלֵד לְאַהֲרֹן אֶת־נָדָב וְאֶת־אֲבִיהוּא Num.26:60
13 וַיִּמְלֹךְ נָדָב בְּנוֹ תַּחְתָּיו IK.14:20
14 וְיֶתֶר דִּבְרֵי נָדָב וְכָל־אֲשֶׁר עָשָׂה IK.15:31
15 וּבְנֵי שַׁמַּי נָדָב וַאֲבִישׁוּר ICh.2:28
16 וּבְנֵי נָדָב סֶלֶד וְאַפָּיִם ICh.2:30
וְנָדָב 17 וְנָדָב בֶּן־יָרָבְעָם מָלַךְ עַל־יִשְׂרָאֵל IK.15:25
18 וְנָדָב וְכָל־יִשְׂרָאֵל צָרִים עַל־גִּבְּתוֹן IK.15:27
19 וְצוּר וְקִישׁ וּבַעַל וְנָדָב ICh.8:30
20 וְצוּר וְקִישׁ וּבַעַל וְנֵר וְנָדָב ICh.9:36

נְדָבָה

נ׳ א) תרומה או קרבן מרצון: 1-7, 9-17, 21-26
ב) נדיבות, חֵפץ לב: 18-20

קרובים: ראה קָרְבָּן

– נֶדֶר וּנְדָבָה 3, 12, 14, 24-26

– נִדְבַת יָד 16; נִדְבוֹת הָאֱלֹהִים 21; נִדְבוֹת פֶּה 20; גֶּשֶׁם נְדָבוֹת 18

נְדָבָה 1 הֵבִיאוּ בְנֵי־יִשְׂרָאֵל נְדָבָה לַיָי Ex. 35:29
2 הֵבִיאוּ אֵלָיו עוֹד נְדָבָה בַּבֹּקֶר Ex. 36:3
3 וְאִם־נֶדֶר אוֹ נְדָבָה זֶבַח קָרְבָּנוֹ Lev. 7:16
4 נְדָבָה תַּעֲשֶׂה אֹתוֹ Lev. 22:23
5 כַּאֲשֶׁר נָדַרְתָּ לַיָי אֱלֹהֶיךָ נְדָבָה Deut. 23:24
6 וְכִי־יַעֲשֶׂה הַנָּשִׂיא נְדָבָה Ezek. 46:12
7 עוֹלָה אוֹ־שְׁלָמִים נְדָבָה לַיָי Ezek. 46:12
8 אֶרְפָּא מְשׁוּבָתָם אֹהֲבֵם נְדָבָה Hosh. 14:5
9 וּלְכֹל מִתְנַדֵּב נְדָבָה לַיָי Ez. 3:5
10 וְהַכֶּסֶף וְהַזָּהָב נְדָבָה לַיָי Ez. 8:28
הַנְּדָבָה 11 עִם־הַנְּדָבָה לְבֵית הָאֱלֹהִים Ez. 1:4
בִּנְדָבָה 12 לְפַלֵּא־נֶדֶר אוֹ בִנְדָבָה Num. 15:3
13 בִּנְדָבָה אֶזְבְּחָה־לָּךְ Ps. 54:8
לִנְדָבָה 14 לְפַלֵּא־נֶדֶר אוֹ לִנְדָבָה Lev. 22:21
15 וְשָׂרָיו לִנְדָבָה לָעָם...הֵרִימוּ IICh. 35:8
נִדְבַת־ 16 מִסַּת נִדְבַת יָדְךָ אֲשֶׁר תִּתֵּן Deut. 16:10
נְדָבוֹת 17 וְקִרְאוּ נְדָבוֹת הַשְׁמִיעוּ Am. 4:5
18 גֶּשֶׁם נְדָבוֹת תָּנִיף אֱלֹהִים Ps. 68:10
19 עַמְּךָ נְדָבֹת בְּיוֹם חֵילֶךָ Ps. 110:3
נִדְבוֹת־ 20 נִדְבוֹת־פִּי רְצֵה־נָא יְיָ Ps. 119:108
21 וְקוֹרֵא...עַל נִדְבוֹת הָאֱלֹהִים IICh. 31:14
וְנִדְבוֹתֶיךָ 22 וְנִדְבֹתֶיךָ וּתְרוּמַת יָדֶךָ Deut. 12:17
נִדְבוֹתֵיכֶם 23 וּמִלְּבַד כָּל־נִדְבֹתֵיכֶם Lev. 23:38
וְנִדְבוֹתֵיכֶם 24 לְבַד מִנִּדְרֵיכֶם וְנִדְבֹתֵיכֶם Num. 29:39
25 וְנִדְרֵיכֶם וְנִדְבֹתֵיכֶם וּבְכֹרֹת... Deut. 12:6
נִדְבוֹתָם 26 לְכָל־נִדְרֵיהֶם וּלְכָל־נִדְבוֹתָם Lev. 22:18

נְדַבְיָה
שפ״ז – בן יכניה מלך יהודה
וּנְדַבְיָה 1 ...יְקַמְיָה הוֹשָׁמָע וּנְדַבְיָה ICh. 3:18

נִדְבָּךְ
ז׳ ארמית טור אבנים בבנין: 1, 2
וְנִדְבָּךְ 1 וְנִדְבָּךְ דִּי־אָע חֲדַת Ez. 6:4
נִדְבָּכִין 2 נִדְבָּכִין דִּי־אֶבֶן גְּלָל תְּלָתָא Ez. 6:4

נדד
: נָדַד, נוֹדֵד, הִתְנוֹדֵד, הֵנֵד, הוּנַד; נָדוּד, נְדוּדִים; אר׳ נְדַד

נָדַד¹
פ׳ א) עבר ממקום למקום: 1, 2, 4–10, 12–20, 22, 23
ב) עבר, חלף: 3, 21
ג) טלטל: 11
ד) [פ׳ נוֹדֵד] נדד, נמלט: 24
ה) [הפ׳ הֵנֵד] הרחיק, טלטל: 25
ו) [הפ׳ הוּנַד] הורחק: 26
ז) [הפ׳² הֵדֵד] כנ״ל: 27
נָדְדָה שֵׁנָה 3, 21; נֹדֵד כָּנָף 11; קוֹץ מוּנָד 26
נֹדֵד 1 הִנֵּה אַרְחִיק נְדֹד Ps. 55:8
נָדְדָה 2 נָדְדָה מַדְמֵנָה Is. 10:31
3 בַּלַּיְלָה הַהוּא נָדְדָה שְׁנַת הַמֶּלֶךְ Es. 6:1
נָדְדוּ 4 כָּל־קְצִינַיִךְ נָדְדוּ יַחַד Is. 22:3
5 מִקּוֹל הָמוֹן נָדְדוּ עַמִּים Is. 33:3
6 מֵעוֹף הַשָּׁמַיִם...נָדְדוּ הָלָכוּ Jer. 9:9
7 אוֹי לָהֶם כִּי־נָדְדוּ מִמֶּנִּי Hosh. 7:13
8 רֹאַי בַּחוּץ נָדְדוּ מִמֶּנִּי Ps. 31:12
נָדָדוּ 9 כִּי־מִפְּנֵי חֲרָבוֹת נָדָדוּ Is. 21:15
10 וְכָל־עוֹף הַשָּׁמַיִם נָדָדוּ Jer. 4:25
נוֹדֵד 11 וְלֹא הָיָה נֹדֵד כָּנָף וּפֹצֶה פֶה Is. 10:14
12 וְהָיָה כְעוֹף־נוֹדֵד קֵן מְשֻׁלָּח Is. 16:2
13 סַתְּרִי נִדָּחִים נֹדֵד אַל־תְּגַלִּי Is. 16:3
14 בְּלַחְמוֹ קִדְּמוּ נֹדֵד Is. 21:14
15 כֵּן־אִישׁ נוֹדֵד מִמְּקוֹמוֹ Prov. 27:8
16 נֹדֵד הוּא לַלֶּחֶם אַיֵּה Job 15:23
לַנֹּדֵד 17 וְנִדַּחְתֶּם...וְאֵין מְקַבֵּץ לַנֹּדֵד Jer. 49:5
נוֹדֶדֶת 18 כְּצִפּוֹר נוֹדֶדֶת מִן־קִנָּהּ Prov. 27:8
נֹדְדִים 19 וְיִהְיוּ נֹדְדִים בַּגּוֹיִם Hosh. 9:17
יִדּוֹד 20 וְהָיָה כָל־רֹאַיִךְ יִדּוֹד מִמֵּךְ Nah. 3:7
וַתִּדַּד 21 וַתִּדַּד שְׁנָתִי מֵעֵינָי Gen. 31:40
יִדֹּדוּן 22/3 מַלְכֵי צְבָאוֹת יִדֹּדוּן יִדֹּדוּן Ps. 68:13
וְנוֹדַד 24 שֶׁמֶשׁ זָרְחָה וְנוֹדַד... Nah. 3:17
יְנִדֻּהוּ 25 יֶהְדְּפֻהוּ...וּמִתֵּבֵל יְנִדֻּהוּ Job 18:18
מֻנָד 26 וּבְלִיַּעַל כְּקוֹץ מֻנָד כֻּלְּהַם IISh. 23:6
וְיֻדַּד 27 וְיֻדַּד כְּחֶזְיוֹן לָיְלָה Job 20:8

נְדַד²
פ׳ ארמית נְדַד; נַדַּת = נדדה
נַדַּת 1 וְשִׁנְתֵהּ נַדַּת עֲלוֹהִי Dan. 6:19

נדה
: נִדָּה; נִדָּה

נִדָּה¹
פ׳ הרחיק: 1, 2
הַמְנַדִּים 1 הַמְנַדִּים לְיוֹם רָע Am. 6:3
מְנַדֵּיכֶם 2 אָמְרוּ אֲחֵיכֶם שֹׂנְאֵיכֶם מְנַדֵּיכֶם Is. 66:5

נִדָּה²
ג׳ א) מצב האשה בימי הוסת: 6, 10–12, 18, 19, 21–30
ב) [בהשאלה] זוהמה, טומאה: 7, 13–16, 20
ג) טומאת משכבי זמה: 1
ד) [מֵי נִדָּה] נוזלים להסרת טומאה: 2–5, 8, 9, 17
– אֶרֶץ נִדָּה 7; טֻמְאַת נִדָּה 10, 11, 26; יְמֵי נ׳ 18, 24; מֵי נִדָּה 2–5, 8, 9; מִשְׁכַּב נִדָּה 25; עֵת נִדָּה 22
– נִדַּת דְּוֹתָהּ 18; נִדַּת טֻמְאָתָהּ 19; נִדַּת עַמֵּי הָאֲרָצוֹת 20
נִדָּה 1 אֲשֶׁר יִקַּח אֶת־אֵשֶׁת אָחִיו נִדָּה הִוא Lev. 20:21
2 וְהָיְתָה...לְמֵי נִדָּה חַטָּאת הִוא Num. 19:9
3-4 מֵי נִדָּה לֹא־זֹרַק עָלָיו Num. 19:13,20
5 אַךְ בְּמֵי נִדָּה יִתְחַטָּא Num. 31:23
6 וְאֶל־אִשָּׁה נִדָּה לֹא יִקְרָב Ezek. 18:6
7 הָאָרֶץ...אֶרֶץ נִדָּה הִיא Ez. 9:11
הַנִּדָּה 8 וּמַזֵּה מֵי־הַנִּדָּה יְכַבֵּס בְּגָדָיו Num. 19:21
9 וְהַנֹּגֵעַ בְּמֵי הַנִּדָּה יִטְמָא Num. 19:21
10 טְמֵאַת הַנִּדָּה עִנּוּ־בָךְ Ezek. 22:10
11 כְּטֻמְאַת הַנִּדָּה הָיְתָה דַרְכָּם Ezek. 36:17
12 וְהוֹצִיאוּ אֶת־הַנִּדָּה מִן־הַקֹּדֶשׁ IICh. 29:5
לְנִדָּה 13 וּזְהָבָם לְנִדָּה יִהְיֶה Ezek. 7:19
14 עַל־כֵּן נְתַתִּיו לָהֶם לְנִדָּה Hosh. 7:20
15 הָיְתָה יְרוּשָׁלַם לְנִדָּה בֵּינֵיהֶם Lam. 1:17
לְנִידָה 16 עַל־כֵּן לְנִידָה הָיָתָה Lam. 1:8
וּלְנִדָּה 17 מָקוֹר נִפְתָּח...לְחַטַּאת וּלְנִדָּה Zech. 13:1
נִדַּת־ 18 כִּימֵי נִדַּת דְּוֹתָהּ תִּטְמָא Lev. 12:2
בְּנִדַּת־ 19 וְאֶל־אִשָּׁה בְּנִדַּת טֻמְאָתָהּ לֹא תִקְרַב Lev. 18:19
20 בְּנִדַּת עַמֵּי הָאֲרָצוֹת Ez. 9:11
נִדָּתָהּ 21 וּתְהִי נִדָּתָהּ עָלָיו וְטָמֵא Lev. 15:24
22 יָזוּב זוֹב דָּמָהּ...בְּלֹא עֶת־נִדָּתָהּ Lev. 15:25
23 אוֹ כִי־תָזוּב עַל־נִדָּתָהּ Lev. 15:25
24 כִּימֵי נִדָּתָהּ תִּהְיֶה Lev. 15:25
25 כְּמִשְׁכַּב נִדָּתָהּ יִהְיֶה־לָּהּ Lev. 15:26
26 טָמֵא יִהְיֶה כְּטֻמְאַת נִדָּתָהּ Lev. 15:26
בְּנִדָּתָהּ 27 שִׁבְעַת יָמִים תִּהְיֶה בְנִדָּתָהּ Lev. 15:19
28 וְכֹל אֲשֶׁר תִּשְׁכַּב עָלָיו בְּנִדָּתָהּ Lev. 15:20
29 וְהַדָּוָה בְּנִדָּתָהּ וְהַזָּב אֶת־זוֹבוֹ Lev. 15:33
כְּנִדָּתָהּ 30 וְטָמְאָה שְׁבֻעַיִם כְּנִדָּתָהּ Lev. 12:5

נֵדֶה
ז׳ אתנן
נֵדֶה 1 לְכָל־זֹנוֹת יִתְּנוּ־נֵדֶה Ezek. 16:33

נִדְהָם
ת׳ מֻכֵּה תמהון
1 לָמָּה תִהְיֶה כְּאִישׁ נִדְהָם Jer. 14:9

נְדוּדִים
ז״ר נְדִידַת שֵׁנָה
נְדוּדִים 1 וְשָׂבַעְתִּי נְדֻדִים עֲדֵי־נָשֶׁף Job 7:4

נדח
: נָדַח, נִדַּח, נִדַּח, הִדִּיחַ, הֻדַּח; מַדּוּחִים

נָדַח
פ׳ א) דחף, הניף: 1 [עין גם דחה]
ב) [נפ׳ נִדַּח] נדחק, הורחק: 5, 6
ג) [כנ״ל] גורש, הוגלה: 2, 7–9
ד) [כנ״ל] הותעה מדרך הישר: 3, 4
ה) [כנ״ל בינוני: נִדָּח] אובד, גולה: 10–26
ו) [פ׳ בינוני: מְנֻדָּח] מעוּבה, דחוס: 27
ז) [הפ׳ הִדִּיחַ] סלק, הרחיק, הגלה: 28, 29, 32–41, 43–48, 52, 54
ח) [כנ״ל] התעה: 30, 31, 49–51, 53
ט) [כנ״ל] הפיל, הטיל: 42
י) [הפ׳ בינוני: מֻדָּח] מורדף, תועה: 55
נִדְחֵי יִשְׂרָאֵל 23–25; נִדְחֵי עֵילָם 22
לִנְדֹּחַ 1 לֹא־תַשְׁחִית...לִנְדֹּחַ עָלָיו גַּרְזֶן Deut. 20:19
יִדַּח 2 לְבִלְתִּי יִדַּח מִמֶּנּוּ נִדָּח IISh. 14:14
וְנִדַּחְתָּ 3 וְנִדַּחְתָּ וְהִשְׁתַּחֲוִיתָ לָהֶם Deut. 4:19
4 וְנִדַּחְתָּ וְהִשְׁתַּחֲוִיתָ לֵאלֹ׳ אֲחֵרִים Deut. 30:17
נִדָּחָה 5 וְתֻשִׁיָּה נִדְּחָה מִמֶּנִּי Job 6:13
וְנִדְּחָה 6 וְנִדְּחָה יָדוֹ בַגַּרְזֶן לִכְרֹת הָעֵץ Deut. 19:5
וְנִדַּחְתֶּם 7 וְנִדַּחְתֶּם אִישׁ לְפָנָיו... Jer. 49:5
נִדְּחוּ 8 מִכָּל־הַמְּקֹמוֹת אֲשֶׁר נִדְּחוּ־שָׁם Jer. 40:12
9 מִכָּל־הַגּוֹיִם אֲשֶׁר נִדְּחוּ־שָׁם Jer. 43:5
נִדָּח 10 לְבִלְתִּי יִדַּח מִמֶּנּוּ נִדָּח IISh. 14:14
נִדַּחֲךָ 11 אִם־יִהְיֶה נִדַּחֲךָ בִּקְצֵה הַשָּׁמָיִם Deut. 30:4
נִדָּחוֹ 12 לְבִלְתִּי הָשִׁיב הַמֶּלֶךְ אֶת־נִדְּחוֹ IISh. 14:13
נִדַּחֲכֶם 13 אִם־יִהְיֶה נִדַּחֲכֶם בִּקְצֵה הַשָּׁמַיִם Neh. 1:9
נִדָּחָה 14 כִּי־נִדָּחָה קָרְאוּ לָךְ צִיּוֹן הִיא Jer. 30:17
וְהַנִּדָּחָה 15 אֹסְפָה הַצֹּלֵעָה וְהַנִּדָּחָה אֲקַבֵּצָה Mic. 4:6
16 וְהוֹשַׁעְתִּי...הַצֹּלֵעָה וְהַנִּדָּחָה אֲקַבֵּץ Zep. 3:19
הַנִּדַּחַת 17 וְאֶת־הַנִּדַּחַת לֹא הֲשֵׁבֹתֶם Ezek. 34:4
18 אֶת־הָאֹבֶדֶת...וְאֶת־הַנִּדַּחַת... Ezek. 34:16
נִדָּחִים 19 שׁוֹר אָחִיךָ אוֹ אֶת־שֵׂיוֹ נִדָּחִים Deut. 22:1
20 סַתְּרִי נִדָּחִים נֹדֵד אַל־תְּגַלִּי Is. 16:3
וְהַנִּדָּחִים 21 הָאֹבְדִים...וְהַנִּדָּחִים בְּא׳ מִצְרָיִם Is. 27:13
נִדְחֵי־ 22 אֲשֶׁר לֹא־יָבוֹא שָׁם נִדְחֵי עֵילָם Jer. 49:36
נִדְחֵי־ 23 וְאָסַף נִדְחֵי יִשְׂרָאֵל Is. 11:12
24 מְקַבֵּץ נִדְחֵי יִשְׂרָאֵל Is. 56:8
25 נִדְחֵי יִשְׂרָאֵל יְכַנֵּס Ps. 147:2
נִדָּחַי 26 יָגוּרוּ בָךְ נִדָּחַי מוֹאָב Is. 16:4
מְנֻדָּח 27 מְעוּף צוּקָה וַאֲפֵלָה מְנֻדָּח Is. 8:22
לְהַדִּיחַ 28 אַךְ מִשְּׂאֵתוֹ יָעֲצוּ לְהַדִּיחַ Ps. 62:5
הַדִּיחִי 29 לְמַעַן הַדִּיחִי אֶתְכֶם וַאֲבַדְתֶּם Jer. 27:15
לְהַדִּיחֲךָ 30 לְהַדִּיחֲךָ מִן־הַדֶּרֶךְ Deut. 13:6
31 לְהַדִּיחֲךָ מֵעַל יְיָ אֱלֹהֶיךָ Deut. 13:11
הִדַּחְתִּי 32 אֲשֶׁר־הִדַּחְתִּי אֹתָם שָׁם Jer. 23:3
33 אֲשֶׁר הִדַּחְתִּי אֶתְכֶם שָׁם Jer. 29:14
וְהִדַּחְתִּי 34 וְהִדַּחְתִּי אֶתְכֶם וַאֲבַדְתֶּם Jer. 27:10
הִדַּחְתִּיךָ 35 בְּכָל־הַגּוֹיִם אֲשֶׁר הִדַּחְתִּיךָ שָׁמָּה Jer. 46:28
וְהִדַּחְתִּיו 36 וְהִדַּחְתִּיו אֶל־אֶרֶץ צִיָּה וּשְׁמָמָה Joel 2:20
הִדַּחְתִּים 37 בְּכָל־הַמְּקֹמוֹת...אֲשֶׁר־הִדַּחְתִּים שָׁם Jer. 8:3
38 וּמִכֹּל הָאֲרָצוֹת אֲשֶׁר הִדַּחְתִּים שָׁם Jer. 23:8
39 בְּכָל־הַגּוֹיִם אֲשֶׁר הִדַּחְתִּים שָׁם Jer. 29:18
40 מִכָּל־הָאֲרָצוֹת אֲשֶׁר הִדַּחְתִּים Jer. 32:37
הִדַּחְתָּם 41 בְּכָל־הָאֲרָצוֹת אֲשֶׁר הִדַּחְתָּם שָׁם Dan. 9:7
וְהִדִּיחַ 42 וְהִדִּיחַ עָלֵינוּ אֶת־הָרָעָה IISh. 15:14
הִדִּיחֲךָ 43 אֲשֶׁר הִדִּיחֲךָ יְיָ אֱלֹהֶיךָ שָׁמָּה Deut. 30:1
הִדִּיחָם 44 וּמִכֹּל הָאֲרָצוֹת אֲשֶׁר הִדִּיחָם שָׁמָּה Jer. 16:15
הִדַּחְתֶּם 45 הֲלֹא הִדַּחְתֶּם אֶת־כֹּהֲנֵי יְיָ IICh. 13:9
הִדִּיחוּ 46 שֶׂה פְזוּרָה יִשְׂרָאֵל אֲרָיוֹת הִדִּיחוּ Jer. 50:17
אַדִּיחֵם 47 בְּכָל־הַמְּקֹמוֹת אֲשֶׁר־אַדִּיחֵם שָׁם Jer. 24:9
48 בַּגּוֹיִם אֲשֶׁר אַדִּיחֵם שָׁם Ezek. 4:13

וַיִּדַּח 49 וַיִּדַּח (כת׳ וידא) יָרָבְעָם אֶת־יִשְׂרָאֵל IIK.17:21
50 וַיִּזֶן...וַיַּדַּח אֶת־יְהוּדָה IICh.21:11
תַּדִּיחֶנּוּ 51 בְּחֵלֶק שְׂפָתֶיהָ תַּדִּיחֶנּוּ Prov.7:21
וַתַּדִּחוּם 52 הֲפִצֹתֶם אֶת־צֹאנִי וַתַּדִּחוּם Jer.23:2
וַיַּדִּיחוּ 53 וַיַּדִּיחוּ אֶת־יֹשְׁבֵי עִירָם Deut.13:14
הַדִּיחֵמוֹ 54 בְּרֹב פִּשְׁעֵיהֶם הַדִּיחֵמוֹ Ps.5:11
מֻדָּח 55 כִּצְבִי מֻדָּח וּכְצֹאן וְאֵין מְקַבֵּץ Is.13:14

נָדֹח
תו״ז תּוֹעֶה, גּוֹלֶה – עין נִדָּח

נָדִיב
תו״ז א) טוֹב לֵב, עוֹזֵר לזולת ברצון: 1,2,4,5,7-12
ב) אָצִיל, נִכְבָּד: 3, 6, 13-26
– בֵּית נָדִיב 4; בַּת נָדִיב 6; פְּנֵי נָדִיב 2
– נְדִיב לֵב 10-12; פִּתְחֵי נְדִיבִים 14; נְדִיבֵי עַם (עַמִּים) 23-25

נָדִיב 1 לֹא־יִקָּרֵא עוֹד לְנָבָל נָדִיב Is.32:5
2 רַבִּים יְחַלּוּ פְנֵי־נָדִיב Prov.19:6
3 טוֹב...מֵהַשְׁפִּילְךָ לִפְנֵי נָדִיב Prov.25:7
4 כִּי תֹאמְרוּ אַיֵּה בֵית־נָדִיב Job 21:28
5 מַרְכְּבוֹת עַמִּי נָדִיב S.ofS.6:12
6 מַה־יָּפוּ פְעָמַיִךְ בַּנְּעָלִים בַּת־נָדִיב S.ofS.7:2
7 לְכָל־נָדִיב בַּחָכְמָה לְכָל־עֲבוֹדָה ICh.28:21
וְנָדִיב 8 וְנָדִיב נְדִיבוֹת יָעָץ Is.32:8
לְנָדִיב 9 אַף כִּי־לְנָדִיב שְׂפַת־שָׁקֶר Prov.17:7
נְדִיב־ 10 כֹּל נְדִיב לִבּוֹ יְבִיאֶהָ Ex.35:5
11 כֹּל נְדִיב לֵב הֵבִיאוּ Ex.35:22
12 וַיָּבִיאוּ...וְכָל־נְדִיב לֵב עֹלוֹת IICh.29:31
נְדִיבִים 13 לְהוֹשִׁיב עִם־נְדִיבִים ISh.2:8
14 הָנִיפוּ יָד וְיָבֹאוּ פִּתְחֵי נְדִיבִים Is.13:2
15 שֹׁפֵךְ בּוּז עַל־נְדִיבִים Ps.107:40
16 לְהוֹשִׁיבִי עִם־נְדִיבִים Ps.113:8
17 לְהַכּוֹת נְדִיבִים עַל־יֹשֶׁר Prov.17:26
18 שׁוֹפֵךְ בּוּז עַל־נְדִיבִים Job 12:21
19 הַאֹמֵר...רָשָׁע אֶל־נְדִיבִים Job 34:18
וּנְדִיבִים 20 וּנְדִיבִים כָּל־שֹׁפְטֵי אָרֶץ Prov.8:16
בִּנְדִיבִים 21 טוֹב לַחֲסוֹת בַּיְיָ מִבְּטֹחַ בִּנְדִיבִים Ps.118:9
22 אַל־תִּבְטְחוּ בִנְדִיבִים Ps.146:3
נְדִיבֵי־ 23 חֲפָרוּהָ שָׂרִים כָּרוּהָ נְדִיבֵי הָעָם Ps.21:18
24 נְדִיבֵי עַמִּים נֶאֱסָפוּ Ps.47:10
25 עִם־נְדִיבִים עִם־נְדִיבֵי עַמּוֹ Ps.113:8
נְדִיבֵמוֹ 26 שִׁיתֵמוֹ נְדִיבֵמוֹ כְּעֹרֵב וְכִזְאֵב Ps.83:12

נְדִיבָה
נ׳ חֶסֶד, נְדִיבוּת: 1-4
נְדִיבָה 1 וְרוּחַ נְדִיבָה תִסְמְכֵנִי Ps.51:14
נְדִבָתִי 2 תִּרְדֹּף כָּרוּחַ נְדִבָתִי Job 30:15
נְדִיבוֹת 3 וְנָדִיב נְדִיבוֹת יָעָץ Is.32:8
4 וְהוּא עַל־נְדִיבוֹת יָקוּם Is.32:8

נִדְמוּ
(ירמיה כה 37) – עין דמם

נָדָן1*
ז׳ תַּעַר החרב
נְדָנָהּ 1 וַיָּשֶׁב חַרְבּוֹ אֶל־נְדָנָהּ ICh.21:27

נָדָן2*
ז׳ אֶתְנָן, מתנת מאהב
נְדָנַיִךְ 1 נָתַתְּ אֶת־נְדָנַיִךְ לְכָל־מְאַהֲבַיִךְ Ezek.16:33

נִדְנֶה
ז׳ ארמית: נָדָן, תער לחרב
נִדְנֶה 1 אֶתְכְּרִיַּת רוּחִי...בְּגוֹא נִדְנֶה Dan.7:15

נדף : נָדַף, נִדַּף

נָדַף
פ׳ א) הָדַף, הֵפִיץ: 1-3
ב) [נפ׳ הִנָּדֵף, נִדַּף] פִּזֵּר, הוּפַץ: 4-9
הֶבֶל נִדָּף 8; עָלֶה נִדָּף 6, 9; קַשׁ נִדָּף 7

תִּנְדֹּף 1 כְּהִנְדֹּף עָשָׁן תִּנְדֹּף Ps.68:3
יִדְּפֶנּוּ 2 אֵל יִדְּפֶנּוּ לֹא־אִישׁ Job 32:13
תִּדְּפֶנּוּ 3 כִּי אִם־כַּמֹּץ אֲשֶׁר־תִּדְּפֶנּוּ רוּחַ Ps.1:4
כְּהִנְדֹּף 4 כְּהִנְדֹּף עָשָׁן תִּנְדֹּף Ps.68:3
נִדַּף 5 מִזְרַע יְאוֹר יִיבַשׁ נִדַּף וְאֵינֶנּוּ Is.19:7
נִדָּף 6 וְרָדַף אֹתָם קוֹל עָלֶה נִדָּף Lev.26:36
7 יִתֵּן...כְּקַשׁ נִדָּף קַשְׁתּוֹ Is.41:2
8 הֶבֶל נִדָּף מְבַקְשֵׁי־מָוֶת Prov.21:6
9 הֶעָלֶה נִדָּף תַּעֲרוֹץ Job 13:25

נדר : נָדַר; נֶדֶר

נָדַר
פ׳ התחיב בשבועה לעשות משהו: 1-31
לִנְדֹּר 1 כִּי יַפְלִא לִנְדֹּר נֶדֶר נָזִיר Num.6:2
2 וְכִי תֶחְדַּל לִנְדֹּר Deut.23:23
נָדַרְתִּי 3 וַאֲשַׁלֵּם אֶת־נִדְרִי אֲשֶׁר־נָדַרְתִּי לַיְיָ IISh.15:7
4 אֲשֶׁר נָדַרְתִּי אֲשַׁלֵּמָה Jon.2:10
נָדַרְתָּ 5 אֲשֶׁר נָדַרְתָּ לִּי שָׁם נֶדֶר Gen.31:13
6 וְעָשִׂיתָ כַּאֲשֶׁר נָדַרְתָּ לַיְיָ אֱלֹהֶיךָ Deut.23:24
נָדַר 7 כִּי־נֵדֶר נָדַר עַבְדְּךָ IISh.15:8
8 נִשְׁבַּע לַיְיָ נָדַר לַאֲבִיר יַעֲקֹב Ps.132:2
נָדָר 9 וַיַּעַשׂ לָהּ אֶת־נִדְרוֹ אֲשֶׁר נָדָר Jud.11:39
נָדָרָה 10 וְאִם־בֵּית אִישָׁהּ נָדָרָה Num.30:11
נָדַרְנוּ 11 אֶת־נְדָרֵינוּ אֲשֶׁר נָדַרְנוּ לְקַטֵּר... Jer.44:25
וְנָדְרוּ 12 וְנָדְרוּ־נֵדֶר לַיְיָ וְשִׁלֵּמוּ Is.19:21
וְנוֹדֵר 13 וְנֹדֵר וְזֹבֵחַ מָשְׁחָת לַאדֹנָי Mal.1:14
הַנֹּדֵר 14 עַל־פִּי אֲשֶׁר תַּשִּׂיג יַד הַנֹּדֵר Lev.27:8
תִּדֹּר 15 וְכָל־נְדָרֶיךָ אֲשֶׁר תִּדֹּר Deut.12:17
16 כִּי־תִדֹּר נֶדֶר לַיְיָ אֱלֹהֶיךָ Deut.23:22
17 כַּאֲשֶׁר תִּדֹּר נֶדֶר לֵאלֹהִים Eccl.5:3
18 אֵת אֲשֶׁר־תִּדֹּר שַׁלֵּם Eccl.5:3
19 טוֹב אֲשֶׁר לֹא־תִדֹּר... Eccl.5:4
מִשֶּׁתִּדּוֹר 20 ...מִשֶּׁתִּדּוֹר וְלֹא תְשַׁלֵּם Eccl.5:4
יִדֹּר 21 אֲשֶׁר יִדֹּר קָרְבָּנוֹ לַיְיָ עַל־נִזְרוֹ Num.6:21
22 כְּפִי נִדְרוֹ אֲשֶׁר יִדֹּר Num.6:21
23 אִישׁ כִּי־יִדֹּר נֶדֶר לַיְיָ Num.30:3
וַיִּדַּר 24 וַיִּדַּר יַעֲקֹב נֶדֶר לֵאמֹר Gen.28:20
25 וַיִּדַּר יִשְׂרָאֵל נֶדֶר לַיְיָ וַיֹּאמַר Num.21:2
26 וַיִּדַּר יִפְתָּח נֶדֶר לַיְיָ וַיֹּאמַר Jud.11:30
תִּדֹּר 27 וְאִשָּׁה כִּי־תִדֹּר נֶדֶר לַיְיָ Num.30:4
וַתִּדֹּר 28 וַתִּדֹּר נֶדֶר וַתֹּאמַר ISh.1:11
תִּדְּרוּ 29 מִבְחַר נִדְרֵיכֶם אֲשֶׁר תִּדְּרוּ לַיְיָ Deut.12:11
וַיִּדְּרוּ 30 וַיִּזְבְּחוּ־זֶבַח לַיְיָ וַיִּדְּרוּ נְדָרִים Jon.1:16
נִדְרוּ 31 נִדְרוּ וְשַׁלְּמוּ לַיְיָ אֱלֹהֵיכֶם Ps.76:12

נֶדֶר
ז׳ התחיבות לעשות משהו: 1-60
קרובים: אָלָה / אִסָּר / שְׁבוּעָה
– נֶדֶר וְאִסָּר 17, 28; נֶדֶר וּנְדָבָה 3, 4, 6, 58-60
– נֵדֶר אַלְמָנָה 23; נֵדֶר גְּרוּשָׁה 23; נ׳ נָזִיר 21; נֶדֶר נִזְרוֹ 22
– נְדָרִים וֶאֱסָרִים 48, 49; מִבְחַר נְדָרִים 55
– בַּר נְדָרַי 38
– נָדַר נֶדֶר 1, 2, 8-10, 12-14, 16, 18, 19, 25, 26, 30, 40, 55; נָשָׂא נ׳ 43; עָשָׂה נ׳ 26,53,57; פִּלֵּא נ׳ 7,6,4; הִפְלִיא נֶדֶר 5; הֵפֵר נ׳ 29; הֵקִים נ׳ 50, 56; שִׁלֵּם נֶדֶר 24, 32-37, 41, 44, 45; שֻׁלַּם נֶדֶר 15

נֶדֶר 1 וַיִּדַּר יַעֲקֹב נֶדֶר לֵאמֹר Gen.28:20
2 אֲשֶׁר נָדַרְתָּ לִּי שָׁם נֶדֶר Gen.31:13
3 וְאִם־נֶדֶר אוֹ נְדָבָה זֶבַח קָרְבָּנוֹ Lev.7:16
4 לְפַלֵּא־נֶדֶר אוֹ לִנְדָבָה Lev.22:21
5 אִישׁ כִּי יַפְלִא נֶדֶר Lev.27:2
6 לְפַלֵּא־נֶדֶר אוֹ בִנְדָבָה Num.15:3
נֶדֶר (המשך) 7 לְפַלֵּא־נֶדֶר אוֹ־שְׁלָמִים לַיְיָ Num.15:8
8 וַיִּדַּר יִשְׂרָאֵל נֶדֶר לַיְיָ וַיֹּאמַר Num.21:2
9 אִישׁ כִּי־יִדֹּר נֶדֶר לַיְיָ Num.30:3
10 וְאִשָּׁה כִּי־תִדֹּר נֶדֶר לַיְיָ Num.30:4
11 לֹא־תָבִיא...בֵּית יְיָ...לְכָל־נֶדֶר Deut.23:19
12 כִּי־תִדֹּר נֶדֶר לַיְיָ אֱלֹהֶיךָ Deut.23:22
13 וַיִּדַּר יִפְתָּח נֶדֶר לַיְיָ וַיֹּאמַר Jud.11:30
14 וַתִּדֹּר נֶדֶר וַתֹּאמַר ISh.1:11
15 וּלְךָ יְשֻׁלַּם־נֶדֶר Ps.65:2
16 כַּאֲשֶׁר תִּדֹּר נֶדֶר לֵאלֹהִים... Eccl.5:3
נֵדֶר 17 כָּל־נֵדֶר וְכָל־שְׁבֻעַת אִסָּר Num.30:14
18 כִּי־נֵדֶר נָדַר עַבְדְּךָ IISh.15:8
19 וְנָדְרוּ־נֵדֶר לַיְיָ וְשִׁלֵּמוּ Is.19:21
וּלְנֵדֶר 20 נְדָבָה...וּלְנֵדֶר לֹא יֵרָצֶה Lev.22:23
נֶדֶר־ 21 כִּי יַפְלִא לִנְדֹּר נֶדֶר נָזִיר Num.6:2
22 כָּל־יְמֵי נֶדֶר נִזְרוֹ Num.6:5
וְנֵדֶר־ 23 וְנֵדֶר אַלְמָנָה וּגְרוּשָׁה... Num.30:10
נִדְרִי 24 וַאֲשַׁלֵּם אֶת־נִדְרִי אֲשֶׁר־נָדַרְתִּי IISh.15:7
נִדְרוֹ 25 כְּפִי נִדְרוֹ אֲשֶׁר יִדֹּר Num.6:21
26 וַיַּעַשׂ לָהּ אֶת־נִדְרוֹ אֲשֶׁר נָדָר Jud.11:39
27 אֶת־זֶבַח הַיָּמִים וְאֶת־נִדְרוֹ ISh.1:21
נִדְרָהּ 28 וְשָׁמַע אָבִיהָ אֶת־נִדְרָהּ וֶאֱסָרָהּ Num.30:5
29 וְהֵפֵר אֶת־נִדְרָהּ אֲשֶׁר עָלֶיהָ Num.30:9
נְדָרִים 30 וַיִּזְבְּחוּ־זֶבַח לַיְיָ וַיִּדְּרוּ נְדָרִים Jon.1:16
31 וְאַחַר נְדָרִים לְבַקֵּר Prov.20:25
נְדָרַי 32 נְדָרַי אֲשַׁלֵּם נֶגֶד יְרֵאָיו Ps.22:26
33 לְשַׁלְּמִי נְדָרַי יוֹם יוֹם Ps.61:9
34-35 נְדָרַי לַיְיָ אֲשַׁלֵּם Ps.116:14, 18
נְדָרָי 36 אָבוֹא...אֲשַׁלֵּם לְךָ נְדָרָי Ps.66:13
37 הַיּוֹם שִׁלַּמְתִּי נְדָרָי Prov.7:14
38 מַה־בְּרִי...וּמֶה בַּר־נְדָרָי Prov.31:2
לִנְדָרָי 39 כִּי־אַתָּה אֱלֹהִים שָׁמַעְתָּ לִנְדָרָי Ps.61:6
נְדָרֶיךָ 40 וְכָל־נְדָרֶיךָ אֲשֶׁר תִּדֹּר Deut.12:17
41 וְשַׁלֵּם לְעֶלְיוֹן נְדָרֶיךָ Ps.50:14
42 עָלַי אֱלֹהִים נְדָרֶיךָ Ps.56:13
וּנְדָרֶיךָ 43 רַק קָדָשֶׁיךָ...וּנְדָרֶיךָ תִּשָּׂא Deut.12:26
44 תַּעְתִּיר...וּנְדָרֶיךָ תְשַׁלֵּם Job 22:27
נְדָרָיִךְ 45 חָגִּי יְהוּדָה חַגַּיִךְ שַׁלְּמִי נְדָרָיִךְ Nah.2:1
נְדָרֶיהָ 46-47 וְקָמוּ כָּל־נְדָרֶיהָ Num.30:5, 12
48 כָּל־נְדָרֶיהָ וֶאֱסָרֶיהָ...לֹא יָקוּם Num.30:6
49 וְקָמוּ נְדָרֶיהָ וֶאֱסָרֶהָ...יָקֻמוּ Num.30:8
50 וְהֵקִים אֶת־כָּל־נְדָרֶיהָ Num.30:15
וּנְדָרֶיהָ 51 וְאִם...תִהְיֶה לְאִישׁ וּנְדָרֶיהָ עָלֶיהָ Num.30:7
לִנְדָרֶיהָ 52 כָּל־מוֹצָא שְׂפָתֶיהָ לִנְדָרֶיהָ Num.30:13
נְדָרֵינוּ 53 עָשֹׂה נַעֲשֶׂה אֶת־נְדָרֵינוּ Jer.44:25
נִדְרֵיכֶם 54 וּמִלְּבַד כָּל־נִדְרֵיכֶם Lev.23:38
55 מִבְחַר נִדְרֵיכֶם אֲשֶׁר תִּדְּרוּ לַיְיָ Deut.12:11
56 הָקֵים תָּקִימְנָה אֶת־נִדְרֵיכֶם Jer.44:25
57 וְעָשֹׂה תַעֲשֶׂינָה אֶת־נִדְרֵיכֶם Jer.44:25
וְנִדְרֵיכֶם 58 וְנִדְרֵיכֶם וְנִדְבֹתֵיכֶם וּבְכֹרֹת... Deut.12:6
מִנִּדְרֵיכֶם 59 לְבַד מִנִּדְרֵיכֶם וְנִדְבֹתֵיכֶם Num.29:39
נִדְרֵיהֶם 60 לְכָל־נִדְרֵיהֶם וּלְכָל־נִדְבוֹתָם Lev.22:18

נֶדֶת
(דניאל ו 19) – עין נָדַד

נֹהַּ
ז׳ מִסְפֵּד
נֹהַּ 1 לֹא מֵהֶם...וְלֹא מֵהֱמֵהֶם וְלֹא־נֹהַּ בָּהֶם Ezek.7:11

נהג : נָהַג, נִהֵג; מִנְהָג

נָהַג1
פ׳ א) הוֹלִיךְ, הוֹבִיל: 1-20
ב) [פִּ׳ נִהֵג] כנ״ל: 21-30
קרובים: אִשֵּׁר / הִדְרִיךְ (דרך) / הוֹבִיל (יבל) / הוֹלִיךְ (הלך) / נִהֵל / נָחָה / הִנְחָה

נָהַג 1 אוֹתִי נָהַג וַיֹּלַךְ חֹשֶׁךְ וְלֹא־אוֹר Lam.3:2
נָהֲגוּ 2 נָהֲגוּ לִפְנֵי הַמִּקְנֶה הַהוּא ISh.30:20
נֹהֵג 3 וְנַעַר קָטֹן נֹהֵג בָּם Is.11:6
4 רֹעֵה יִשְׂרָאֵל...נֹהֵג כַּצֹּאן יוֹסֵף Ps.80:2
5 וְלִבִּי נֹהֵג בַּחָכְמָה וְלֶאֱחֹז בְּסִכְלוּת Eccl.2:3
נֹהֲגִים 6 נֹהֲגִים אֶת־הָעֲגָלָה חֲדָשָׁה IISh.6:3
7 וְעֻזָּא וְאַחְיוֹ נֹהֲגִים בָּעֲגָלָה ICh.13:7
נְהוּגִים 8 חֵיל גּוֹיִם וּמַלְכֵיהֶם נְהוּגִים Is.60:11
אֶנְהָגְךָ 9 אֶנְהָגְךָ אֲבִיאֲךָ אֶל־בֵּית אִמִּי S.ofS.8:2
יִנְהַג 10 כֵּן־יִנְהַג...אֶת־שְׁבִי מִצְרַיִם Is.20:4
יִנְהָג 11 כִּי בְשִׁגָּעוֹן יִנְהָג IIK.9:20
וַיִּנְהַג 12 וַיִּנְהַג אֶת־כָּל־מִקְנֵהוּ Gen.31:18
13 וַיִּנְהַג אֶת־הַצֹּאן אַחַר הַמִּדְבָּר Ex.3:1
14 וַיִּלָּחֶם...וַיִּנְהַג אֶת־מִקְנֵיהֶם ISh.23:5
15 וַיִּנְהַג יוֹאָב אֶת־חֵיל הַצָּבָא ICh.20:1
16 וַיִּנְהַג אֶת־עַמּוֹ וַיֵּלֶךְ גֵּיא הַמֶּלַח IICh.25:11
יִנְהָגוּ 17 חֲמוֹר יְתוֹמִים יִנְהָגוּ Job24:3
וַיִּנְהֲגוּ 18 וַיִּנְהֲגוּ וַיֵּלֵכוּ ISh.30:22
וַיִּנְהֲגוּ 19 וַיִּנְהֲגוּ וַיֵּלְכוּ לְדַרְכָּם ISh.30:2
נְהַג 20 וַתֹּאמֶר אֶל־נַעֲרָהּ נְהַג וָלֵךְ IIK.4:24
נִהַגְתָּ 21 כַּבְּהֵמָה...כֵּן נִהַגְתָּ עַמְּךָ Is.63:14
נִהַג 22 וַיְיָ נִהַג רוּחַ־קָדִים בָּאָרֶץ Ex.10:13
וַתְּנַהֵג 23 וַתְּנַהֵג אֶת־בְּנֹתַי כִּשְׁבֻיוֹת חָרֶב Gen.31:26
יְנַהֶג 24 אֲשֶׁר יְנַהֶג יְיָ אֶתְכֶם שָׁמָּה Deut.4:27
וַיְנַהֵג 25 יַסַּע קָדִים...וַיְנַהֵג בְּעֻזּוֹ תֵימָן Ps.78:26
יְנַהֲגֵנוּ 26 הוּא יְנַהֲגֵנוּ עַל־מוּת Ps.48:15
יְנַהֶגְךָ 27 אֲשֶׁר־יְנַהֶגְךָ יְיָ שָׁמָּה Deut.28:37
וַיְנַהֲגֵהוּ 28 וַיָּסַר...וַיְנַהֲגֵהוּ בִּכְבֵדֻת Ex.14:25
יְנַהֲגֵם 29 כִּי־מְרַחֲמָם יְנַהֲגֵם Is.49:10
וַיְנַהֲגֵם 30 וַיְנַהֲגֵם כָּעֵדֶר בַּמִּדְבָּר Ps.78:52

נָהַג² פ׳ הגה, נהם
מְנַהֲגוֹת 1 וְאַמְהֹתֶיהָ מְנַהֲגוֹת כְּקוֹל יוֹנִים Nah.2:8

נהה : נָהָה, נִהְיָה; נְהִי, נִי, הִי
נָהָה פ׳ א) קונן, אָבַל: 1, 2
ב) [נפ׳ נִהְיָה] נִכְסַף: 3
וְנָהָה 1 וְנָהָה נְהִי נִהְיָה Mic.2:4
נְהֵה 2 נְהֵה עַל־הֲמוֹן מִצְרַיִם Ezek.32:18
וַיִּנָּהוּ 3 וַיִּנָּהוּ כָּל־בֵּית יִשְׂרָאֵל אַחֲרֵי יְיָ ISh.7:2

נְהוֹר* ז׳ ארמית: אוֹר; נְהוֹרָא = האור
וּנְהוֹרָא 1 וּנְהוֹרָא (כת׳ ונהירא) עִמֵּהּ שְׁרֵא Dan.2:22

נְהִי ז׳ קינה, בכי: 1-7 • קרובים: ראה אֵבֶל
– קוֹל נְהִי 2
– יוֹדְעֵי נֶהִי 6; לַמֵּד נְ׳ 5; נָהָה נְהִי 1; נָשָׂא נְהִי 7,4
נְהִי 1 וְנָהָה נְהִי נִהְיָה Mic.2:4
2 כִּי קוֹל נְהִי נִשְׁמַע מִצִּיּוֹן Jer.9:18
3 קוֹל...נְהִי בְּכִי תַמְרוּרִים Jer.31:15(14)
נֶהִי 4 וּתְמַהֵרְנָה וְתִשֶּׂנָה עָלֵינוּ נֶהִי Jer.9:17
5 וְלַמֵּדְנָה בְנוֹתֵיכֶם נֶהִי Jer.9:19
6 וּמִסְפֵּד אֶל־יוֹדְעֵי נֶהִי Am.5:16
וָנֶהִי 7 עַל־הֶהָרִים אֶשָּׂא בְכִי וָנֶהִי Jer.9:9

נִהְיָה נ׳ נְהִי, מספד
נִהְיָה 1 וְנָהָה נְהִי נִהְיָה Mic.2:4

נַהִירוּ נ׳ ארמית: אורה: 1, 2
נַהִירוּ 1 נַהִירוּ וְשָׂכְלְתָנוּ וְחָכְמָה Dan.5:11
וְנַהִירוּ 2 וְנַהִירוּ וְשָׂכְלְתָנוּ וְחָכְמָה יַתִּירָה Dan.5:14

נהל : נִהֵל, הִתְנַהֵל
נִהֵל פ׳ א) נהג, הוביל: 1-9
ב) [הת׳ הִתְנַהֵל] התהלך: 10
קרובים: ראה נָהַג
נֵהַלְתָּ 1 נֵהַלְתָּ בְעָזְּךָ אֶל־נְוֵה קָדְשֶׁךָ Ex.15:13
מְנַהֵל 2 אֵין־מְנַהֵל לָהּ מִכָּל־בָּנִים יָלָדָה Is.51:18
וּתְנַהֲלֵנִי 3 וּלְמַעַן שִׁמְךָ תַּנְחֵנִי וּתְנַהֲלֵנִי Ps.31:4
יְנַהֵל 4 וּבְחֵיקוֹ יִשָּׂא עָלוֹת יְנַהֵל Is.40:11
יְנַהֲלֵנִי 5 עַל־מֵי מְנֻחוֹת יְנַהֲלֵנִי Ps.23:2
יְנַהֲלֵם 6 וְעַל־מַבּוּעֵי מַיִם יְנַהֲלֵם Is.49:10
וַיְנַהֲלֵם 7 וַיְנַהֲלֵם בַּלֶּחֶם בְּכָל־מִקְנֵהֶם Gen.47:17
8 וַיּוֹשַׁע יְיָ...וַיְנַהֲלֵם מִסָּבִיב IICh.32:22
וַיְנַהֲלוּם 9 וַיְנַהֲלוּם בַּחֲמֹרִים לְכָל־כּוֹשֵׁל IICh.28:15
אֶתְנַהֲלָה 10 אֶתְנַהֲלָה לְאִטִּי לְרֶגֶל הַמְּלָאכָה Gen.33:14

נַהֲלָא* ת׳ נדחה, מורחק
וְהַנַּהֲלָאָה 1 וְשַׂמְתִּי...וְהַנַּהֲלָאָה לְגוֹי עָצוּם Mic.4:7

נַהֲלוֹל* ז׳ צמח קוצני
הַנַּהֲלֹלִים 1 וּבְכֹל הַנַּעֲצוּצִים וּבְכֹל הַנַּהֲלֹלִים Is.7:19

נַהֲלָל, נַהֲלֹל ישוב בנחלת זבולון: 1-3
נַהֲלָל 1 אֶת־נַהֲלָל וְאֶת־מִגְרָשֶׁהָ Josh.21:35
נַהֲלֹל 2 לֹא הוֹרִישׁ...וְאֶת־יוֹשְׁבֵי נַהֲלֹל Jud.1:30
וְנַהֲלָל 3 וְקַטָּת וְנַהֲלָל וְשִׁמְרוֹן Josh.19:15

נַהֲלֹלִים ז״ר – עין נַהֲלוֹל

נהם : נָהַם; נַהַם, נְהָמָה
נָהַם פ׳ א) המה, השמיע קול [גם בהשאלה]: 3-5
ב) רגז, הצטער: 1-2
וְנָהַמְתָּ 1 וְנָהַמְתָּ בְאַחֲרִיתֶךָ Prov.5:11
וּנְהַמְתֶּם 2 וּנְהַמְתֶּם אִישׁ אֶל־אָחִיו Ezek.24:23
נֹהֵם 3 אֲרִי־נֹהֵם וְדֹב שׁוֹקֵק Prov.28:15
וְיִנְהֹם 4 יִשְׁאַג כַּכְּפִירִים וְיִנְהֹם Is.5:29
5 וְיִנְהֹם עָלָיו...כְּנַהֲמַת־יָם Is.5:30

נַהַם ז׳ המיה, קול רוגז: 1, 2
נַהַם 1 נַהַם כַּכְּפִיר זַעַף מֶלֶךְ Prov.19:12
2 נַהַם כַּכְּפִיר אֵימַת מֶלֶךְ Prov.20:2

נְהָמָה נ׳ שאון, רוגז: 1, 2
נַהֲמַת יָם 1; נַהֲמַת לֵב 2
כְּנַהֲמַת־ 1 וְיִנְהֹם עָלָיו...כְּנַהֲמַת־יָם Is.5:30
מִנַּהֲמַת־ 2 שָׁאַגְתִּי מִנַּהֲמַת לִבִּי Ps.38:9

נַהֲפוֹךְ (אסתר ט1) – עין הֵפֶךְ (56)

נהק
נָהַק פ׳ השמיע קול, נאק: 1, 2
הֲיִנְהַק 1 הֲיִנְהַק־פֶּרֶא עֲלֵי־דֶשֶׁא Job6:5
יִנְהָקוּ 2 בֵּין־שִׂיחִים יִנְהָקוּ Job30:7

נהר : נָהַר¹, נָהַר²; נָהָר, נְהָרָה, מִנְהָרָה; אר׳ נְהַר; נְהוֹרָא, נַהִירוּ
נָהַר¹ פ׳ נמשך: 1-4
נָהַר אֶל 1, 2, 4; נָהַר עַל־ 3
וְנָהֲרוּ 1 וְנָהֲרוּ אֵלָיו כָּל־הַגּוֹיִם Is.2:2
2 וּבָאוּ...וְנָהֲרוּ אֶל־טוּב יְיָ Jer.31:12(11)
3 וְנָהֲרוּ עָלָיו עַמִּים Mic.4:1
יִנְהֲרוּ 4 וְלֹא־יִנְהֲרוּ אֵלָיו עוֹד גּוֹיִם Jer.51:44

נָהַר² פ׳ זרח, נעשה אור: 1, 2
וְנָהַרְתְּ 1 אָז תִּרְאִי וְנָהַרְתְּ...וְרָחַב לְבָבֵךְ Is.60:5
וְנָהָרוּ 2 הִבִּיטוּ אֵלָיו וְנָהָרוּ Ps.34:6

נָהָר ז׳ זרם מים גדול הנמשך והולך בדרך כלל אל הים: 1-117
קרובים: אֲגַם / אָפִיק / אֶשֶׁד / בְּרֵכָה / זֶרֶם / יְאוֹר / יָבָל / יוּבַל / מִיכַל / מַעְיָן / נַחַל / עַיִן / פֶּלֶג / שֶׁטֶף / תְּעָלָה
– מֵי נָהָר 3; עֶבְרֵי נָהָר 2
– הַנָּהָר הַגָּדוֹל 16, 20, 22, 39, 52, 74; עֵבֶר הַנָּהָר 23-34; מֵעֵבֶר לַנָּהָר 49; שִׁבֹּלֶת הַנָּהָר 38
– נְהַר (הַנְּהַר) אַהֲוָא 75; נְ׳ גּוֹזָן 61, 62, 69; נְ׳ כְּבָר 63-68, 71, 72; נְהַר מִצְרַיִם 74; נְהַר (הַנְּהַר) פְּרָת 16, 20, 22, 42, 52-60, 70, 73
– מִבְּכִי נְהָרוֹת 98
– נַהֲרוֹת אֵיתָן 109; נְ׳ בָבֶל 110; נְ׳ דַּמֶּשֶׂק 108; נַהֲרֵי כוּשׁ 83; נַהֲרֵי נַחְלֵי...81; מֵעֵבֶר לְנַהֲרֵי...83
נָהָר 1 כִּנְחָלִים נִטָּיוּ כְּגַנֹּת עֲלֵי נָהָר Num.24:6
2 בְּעֶבְרֵי נָהָר בְּמֶלֶךְ אַשּׁוּר Is.7:20
3 וּמַה־לָּךְ...לִשְׁתּוֹת מֵי נָהָר Jer.2:18
4 וּלְמִנִּי מָצוֹר וְעַד־נָהָר Mic.7:12
5 נָהָר פְּלָגָיו יְשַׂמְּחוּ עִיר־אֱלֹהִים Ps.46:5
6 תְּשַׁלַּח...וְאֶל־נָהָר יוֹנְקוֹתֶיהָ Ps.80:12
7 הָלְכוּ בַּצִּיּוֹת נָהָר Ps.105:41
8 נָהָר יוּצַק יְסוֹדָם Job22:16
9 הֵן יַעֲשֹׁק נָהָר וְלֹא יַחְפּוֹז Job40:23
וְנָהָר 10 וְנָהָר יֹצֵא מֵעֵדֶן לְהַשְׁקוֹת אֶת־הַגָּן Gen.2:10
11-12 וְנָהָר יֶחֱרַב וְיָבֵשׁ Is.19:5 • Job14:11
13 וַתַּשְׁלִיכֵנִי מְצוּלָה...וְנָהָר יְסֹבְבֵנִי Jon.2:4
הַנָּהָר 14 וְשֵׁם־הַנָּהָר הַשֵּׁנִי גִּיחוֹן Gen.2:13
15 וְשֵׁם הַנָּהָר הַשְּׁלִישִׁי חִדֶּקֶל Gen.2:14
16 עַד־הַנָּהָר הַגָּדֹל נְהַר־פְּרָת Gen.15:18
17 וַיָּקָם וַיַּעֲבֹר אֶת־הַנָּהָר Gen.31:21
18 וּמִמִּדְבָּר עַד־הַנָּהָר Ex.23:31
19 אֲשֶׁר עַל־הַנָּהָר אֶרֶץ בְּנֵי־עַמּוֹ Num.22:5
20 עַד־הַנָּהָר הַגָּדֹל נְהַר־פְּרָת Deut.1:7
21 מִן־הַנָּהָר נְהַר־פְּרָת Deut.11:24
22 וְעַד־הַנָּהָר הַגָּדוֹל נְהַר־פְּרָת Josh.1:4
23 בְּעֵבֶר הַנָּהָר יָשְׁבוּ אֲבוֹתֵיכֶם Josh.24:2
24 וָאֶקַּח אֶת־אֲבִיכֶם...מֵעֵבֶר הַנָּהָר Josh.24:3
25-34 (בְּ/מֵ)עֵבֶר הַנָּהָר Josh.24:14,15
IISh.10:16 • IK.5:4² • Ez.8:36 • Neh.2:7,9; 3:7 • ICh.19:16
35 מִן־הַנָּהָר אֶרֶץ פְּלִשְׁתִּים IK.5:1
36 אֶת־מֵי הַנָּהָר הָעֲצוּמִים וְהָרַבִּים Is.8:7
37 וְהֵנִיף יָדוֹ עַל־הַנָּהָר Is.11:15
38 מִשִּׁבֹּלֶת הַנָּהָר עַד־נַחַל מִצְרָיִם Is.27:12
39 עַל־יַד הַנָּהָר הַגָּדוֹל הוּא חִדָּקֶל Dan.10:4
40 וָאֶקְבְּצֵם אֶל־הַנָּהָר הַבָּא אֶל־אַהֲוָא Ez.8:15
41 וָאֶקְרָא שָׁם צוֹם עַל־הַנָּהָר אַהֲוָא Ez.8:21
42 עַד־לְבוֹא מִדְבָּרָה לְמִן־הַנָּהָר פְּרָת ICh.5:9
43 מִן־הַנָּהָר וְעַד־אֶרֶץ פְּלִשְׁתִּים IICh.9:26
וְהַנָּהָר 44 וְהַנָּהָר הָרְבִיעִי הוּא פְרָת Gen.2:14
בַּנָּהָר 45 בַּנָּהָר יַעַבְרוּ בְרָגֶל Ps.66:6
כְּנָהָר 46 הִנְנִי נֹטֶה־אֵלֶיהָ כְּנָהָר שָׁלוֹם Is.66:12
כַּנָּהָר 47 וַיְהִי כַנָּהָר שְׁלוֹמֶךָ Is.48:18
48 כִּי־יָבוֹא כַנָּהָר צָר Is.59:19
לַנָּהָר 49 וּנְתָשׁ...וְזֵרָם מֵעֵבֶר לַנָּהָר IK.14:15
וּמִנָּהָר 50/1 וּמִנָּהָר עַד־אַפְסֵי־אָרֶץ Zech.9:10 • Ps.72:8
נְהַר־ 52 עַד־הַנָּהָר הַגָּדֹל נְהַר־פְּרָת Gen.15:18
53-60 נְהַר(־)פְּרָת Deut.1:7; 11:24
Josh.1:4 • IIK.23:29; 24:7 • Jer.46:2,6,10
61-62 נְהַר גּוֹזָן וְעָרֵי מָדָי IIK.17:6; 18:11
63-66 עַל־נְהַר(־)כְּבָר Ezek.1:1,3; 3:23; 10:22
67-68 אֶל־נְהַר(־)כְּבָר Ezek.3:15; 43:3

וּנְהַר־ 69 וַיְבִיאֵם לַחְלַח...וּנְהַר גּוֹזָן ICh.5:26
בִּנְהַר־ 70 בְּלֶכְתּוֹ לְהָשִׁיב יָדוֹ בִּנְהַר־פְּרָת° IISh.8:3
71/2 אֲשֶׁר רָאִיתִי(...)בִּנְהַר־כְּבָר Ezek.10:15,20
73 בְּלֶכְתּוֹ לְהַצִּיב יָדוֹ בִּנְהַר פְּרָת ICh.18:3
מִנְּהַר־ 74 מִנְּהַר מִצְרַיִם עַד־הַנָּהָר הַגָּדֹל Gen.15:18
75 וַנִּסְעָה מִנְּהַר אַהֲוָא... Ez.8:31
נְהָרִים 76/7 אֲשֶׁר־בָּזְאוּ נְהָרִים אַרְצוֹ Is.18:2,7
78 מְקוֹם־נְהָרִים יְאֹרִים רַחֲבֵי יָדָיִם Is.33:21
בַּנְּהָרִים 79 אִם בַּנְּהָרִים אַפֶּךָ Hab.3:8
הֲבִנְהָרִים 80 הֲבִנְהָרִים חָרָה יְיָ Hab.3:8
נַהֲרֵי־ 81 נַהֲרֵי נַחֲלֵי דְּבַשׁ וְחֶמְאָה Job 20:17
לְנַהֲרֵי־ 82 אֲשֶׁר מֵעֵבֶר לְנַהֲרֵי־כוּשׁ Is.18:1
83 מֵעֵבֶר לְנַהֲרֵי־כוּשׁ...יוֹבִלוּן מִנְחָתִי Zep.3:10
נְהָרוֹת 84 וְהֶאֶזְנִיחוּ נְהָרוֹת Is.19:6
85 אֶפְתַּח עַל־שְׁפָיִים נְהָרוֹת Is.41:18
86 וְשַׂמְתִּי נְהָרוֹת לָאִיִּים Is.42:15
87 אָשִׂים...בִּישִׁמוֹן נְהָרוֹת Is.43:19
88 בַּמִּדְבָּר מַיִם נְהָרוֹת בִּישִׁימֹן Is.43:20
89 גַּלִּי־שׁוֹק עִבְרִי נְהָרוֹת Is.47:2
90 אָשִׂים נְהָרוֹת מִדְבָּר Is.50:2
91 נְהָרוֹת תְּבַקַּע־אָרֶץ Hab.3:9
92 וְעַל־נְהָרוֹת יְכוֹנְנֶהָ Ps.24:2
93 נָשְׂאוּ נְהָרוֹת יְיָ Ps.93:3
94 נָשְׂאוּ נְהָרוֹת קוֹלָם Ps.93:3
95 יִשְׂאוּ נְהָרוֹת דָּכְיָם Ps.93:3
96 נְהָרוֹת יִמְחֲאוּ־כָף Ps.98:8
97 יָשֵׂם נְהָרוֹת לְמִדְבָּר Ps.107:33
98 מִבְּכִי נְהָרוֹת חִבֵּשׁ Job 28:11
וּנְהָרוֹת 99 מַיִם רַבִּים...וּנְהָרוֹת לֹא יִשְׁטְפוּהָ S.ofS.8:7
הַנְּהָרוֹת 100 עַל־הַנְּהָרֹת עַל־הַיְאֹרִים Ex.8:1
101 וְכָל־הַנְּהָרוֹת הֶחֱרִיב Nah.1:4
102 שַׁעֲרֵי הַנְּהָרוֹת נִפְתָּחוּ Nah.2:7
וּבַנְּהָרוֹת 103 וּבַנְּהָרוֹת לֹא יִשְׁטְפוּךָ Is.43:2
104 וְשַׂמְתִּי בַיָּם יָדוֹ וּבַנְּהָרוֹת יְמִינוֹ Ps.89:26
כַּנְּהָרוֹת 105 כַּנְּהָרוֹת יִתְגָּעֲשׁוּ מֵימָיו Jer.46:7
106 וַיּוֹרֶד כַּנְּהָרוֹת מָיִם Ps.78:16
וְכַנְּהָרוֹת 107 וְכַנְּהָרוֹת יִתְגֹּעֲשׁוּ מָיִם Jer.46:8
נַהֲרוֹת־ 108 אֲמָנָה° וּפַרְפַּר נַהֲרוֹת דַּמֶּשֶׂק IIK.5:12
109 אַתָּה הוֹבַשְׁתָּ נַהֲרוֹת אֵיתָן Ps.74:15
110 עַל־נַהֲרוֹת בָּבֶל שָׁם יָשַׁבְנוּ Ps.137:1
בְּנַהֲרוֹתֶיךָ 111 וַתָּגַח בְּנַהֲרוֹתֶיךָ וַתִּדְלַח־מַיִם Ezek.32:2
וְנַהֲרֹתַיִךְ 112 ...לַצּוּלָה חֳרָבִי וְנַהֲרֹתַיִךְ אוֹבִישׁ Is.44:27
נַהֲרֹתֶיהָ 113 נַהֲרֹתֶיהָ הֹלֵךְ סְבִיבוֹת מַטָּעָהּ Ezek.31:4
114 וָאֶמְנַע נַהֲרוֹתֶיהָ וַיִּכָּלְאוּ מַיִם Ezek.31:15
נַהֲרֹתָם 115 עַל־נַהֲרֹתָם עַל־יְאֹרֵיהֶם... Ex.7:19
116 וַתִּדְלַח־מַיִם...וַתִּרְפֹּס נַהֲרוֹתָם Ezek.32:2
וְנַהֲרוֹתָם 117 וְנַהֲרוֹתָם כַּשֶּׁמֶן אוֹלִיךְ Ezek.32:14

נְהַר
ז׳ ארמית נהר: נַהֲרָא=הַנָּהָר
נְהַר דִּי־נוּר 1; עֲבַר נַהֲרָה 2-15

נְהַר 1 נְהַר דִּי־נוּר נָגֵד וְנָפֵק... Dan.7:10
נַהֲרָה 2-3 וּשְׁאָר עֲבַר־נַהֲרָה Ez.4:10,17
4 עַבְדָךְ° אֱנָשׁ עֲבַר־נַהֲרָה Ez.4:11
5 חֲלָק בַּעֲבַר נַהֲרָא לָא אִיתַי לָךְ Ez.4:16
6 וְשַׁלִּיטִין בְּכֹל עֲבַר נַהֲרָה Ez.4:20
7-15 (בַּ)עֲבַר־נַהֲרָה Ez.5:3,6²; 6:6²,8,13; 7:21,25

נְהָרָה
נ׳ אור
נְהָרָה 1 וְאַל־תּוֹפַע עָלָיו נְהָרָה Job 3:4

נַהֲרַיִם
עין אֲרַם נַהֲרַיִם

נוא
: הֵנִיא; נָא; תְּנוּאָה

(נוא) הֵנִיא הפ׳ מנע, עכב: 1-8
קרובים: מָנַע / עָצַר / הֵפִיר, הֵפֵר (פרר)

הֵנִיא 1 וְאִם־הֵנִיא אָבִיהָ אֹתָהּ בְּיוֹם שָׁמְעוֹ Num.30:6
2 כִּי־הֵנִיא אָבִיהָ אֹתָהּ Num.30:6
3 וְהֶחֱרִשׁ לָהּ לֹא הֵנִיא אֹתָהּ Num.30:12
4 יְיָ הֵפִיר...הֵנִיא מַחְשְׁבוֹת עַמִּים Ps.33:10
יָנִיא 5 וְאִם בְּיוֹם שְׁמֹעַ אִישָׁהּ יָנִיא אוֹתָהּ Num.30:9
יָנִי (?) 6 ...שֶׁמֶן רֹאשׁ אַל־יָנִי רֹאשִׁי Ps.141:5
תְּנִיאוּן 7 וְלָמָּה תְנִיאוּן (כת׳ תנואון)
אֶת־לֵב בְּ״יִ מֵעֲבֹר Num.32:7
וַיָּנִיאוּ 8 וַיָּנִיאוּ אֶת־לֵב בְּ״יִ לְבִלְתִּי־בֹא Num.32:9

נוֹאָלוּ
(ישעיה יט 13) – עין יאל

נוֹאֵף
ז׳ זוֹנֶה, עושה מעשה זמה – עין נָאַף (4–10)

נוֹאָשׁ
(ישעיה נז 10) – עין יאש

נוב
: נָב, נוֹבֵב; נִיב, תְּנוּבָה; ש״פ נֵיבַי

(נוב) נָב פ׳ א) צמח (גם בהשאלה): 1-3
ב) [פ׳ נוֹבֵב] הפריה: 4

יָנוּב 1 חַיִל כִּי־יָנוּב אַל־תָּשִׁיתוּ לֵב Ps.62:11
2 פִּי־צַדִּיק יָנוּב חָכְמָה Prov.10:31
יְנוּבוּן 3 עוֹד יְנוּבוּן בְּשֵׂיבָה Ps.92:15
יְנוֹבֵב 4 וְתִירוֹשׁ יְנוֹבֵב בְּתֻלוֹת Zech.9:17

נוֹב
– עין נֹב

נוֹבַי
שפ״ז (נחמיה י 20) כתיב, והקרי: נֵיבַי

נוֹבַל
ת׳ עין נבל

נוֹגֵן
ז׳ עין נָגַן   נוֹגֵשׂ – עין נָגַשׂ

נוד
: נָד, הֵנִיד, הִנּוֹד, הִתְנוֹדֵד; נַד, נוֹד, נִיד, מָנוֹד; ש״פ נוֹד; אר׳ נוד

(נוד) נָד פ׳ א) נע, נטלטל ממקום למקום: 1, 2, (4), 5-8, 16, 18, 19
ב) הניע ראש בצער: 3, 9, 11-15, 17
ג) התנועע: 10
ד) [הת׳ הִתְנוֹדֵד] התנועע, הודעזע: 20-23
ה) [הפ׳ הֵנִיד] טלטל: 24, 26
ו) (כנ״ל] הֵנִיעַ: 25
נָע וָנָד 6, 7; נַד לוֹ 3, 9, 11-15, 17

לָנוּד 1 וָאֲקַוֶּה לָנוּד וָאַיִן Ps.69:21
2 כַּצִּפּוֹר לָנוּד כַּדְּרוֹר לָעוּף Prov.26:2
3 לָבוֹא לָנוּד־לוֹ וּלְנַחֲמוֹ Job 2:11
נֵד 4 (?)נֵד קָצִיר בְּיוֹם נַחֲלָה Is.17:11
נָדוּ 5 מֵאָדָם וְעַד־בְּהֵמָה נָדוּ הָלָכוּ Jer.50:3
וָנָד 6 נָע וָנָד תִּהְיֶה בָאָרֶץ Gen.4:12
7 וְהָיִיתִי נָע וָנָד בָּאָרֶץ Gen.4:14
תָּנוּד 8 אִם־תָּשׁוּב יִשְׂרָאֵל...וְלֹא תָנוּד Jer.4:1
תָּנֹד 9 וְאַל־תֵּלֵךְ לִסְפּוֹד וְאַל־תָּנֹד לָהֶם Jer.16:5
יָנוּד 10 כַּאֲשֶׁר יָנוּד הַקָּנֶה בַּמַּיִם IK.14:15
11 מִי יָנוּד לָךְ...מִי אֲנַחֲמֵךְ Is.51:19
12 מִי־יַחְמֹל...וּמִי יָנוּד לָךְ Jer.15:5
13 שָׁדְּדָה נִינְוֵה מִי יָנוּד לָהּ Nah.3:7
תָּנֻדוּ 14 אַל־תִּבְכּוּ לְמֵת וְאַל־תָּנֻדוּ לוֹ Jer.22:10
וַיָּנֻדוּ 15 וַיָּנֻדוּ לוֹ וַיְנַחֲמוּ אֹתוֹ Job 42:11
נוּדִי 16 נוּדִי (כת׳ נודו) הַרְכֶם צִפּוֹר Ps.11:1
נֻדוּ 17 נֻדוּ לוֹ כָּל־סְבִיבָיו Jer.48:17
18 נֻסוּ נֻדוּ מְאֹד הֶעְמִיקוּ לָשֶׁבֶת Jer.49:30
19 נֻדוּ מִתּוֹךְ בָּבֶל Jer.50:8
וְהִתְנוֹדְדָה 20 נוֹעַ תָּנוּעַ...וְהִתְנוֹדְדָה כַּמְּלוּנָה Is.24:20
מִתְנוֹדֵד 21 שָׁמַעְתִּי אֶפְרַיִם מִתְנוֹדֵד Jer.31:18(17)
תִּתְנוֹדָד 22 כִּי־מִדֵּי דְבָרֶיךָ בּוֹ תִּתְנוֹדָד Jer.48:27
יִתְנוֹדְדוּ 23 יִתְנוֹדְדוּ כָּל־רֹאֵה בָם Ps.64:9
לְהָנִיד 24 לְהָנִיד רֶגֶל יִשְׂרָאֵל מִן־הָאֲדָמָה... IIK.21:8
וְיָנִיד 25 יִשֹּׁם וְיָנִיד בְּרֹאשׁוֹ Jer.18:16
תְּנִדֵנִי 26 וְיַד רְשָׁעִים אַל־תְּנִדֵנִי Ps.36:12

נוד
ארמית פ׳, כמו בעברית
תְּנֻד 1 תְּנֻד חֵיוְתָא מִן־תַּחְתּוֹהִי Dan.4:11

נוֹד*1
ז׳ נדודים
נֹדִי 1 נֹדִי סָפַרְתָּה אָתָּה Ps.56:9

נוֹד2
שֵׁם הארץ שישב בה קַיִן
נוֹד 1 וַיֵּשֶׁב בְּאֶרֶץ נוֹד קִדְמַת־עֵדֶן Gen.4:16

נוֹדָב
שפ״ז – מראשי האומות לבני ישמעאל
וְנוֹדָב 1 וִיטוּר וְנָפִישׁ וְנוֹדָב ICh.5:19

נוֹדֵד
תו״ז – עין נָדַד

נוֹדַע
ת׳ – עין יָדַע

נוה
: נָוֶה, הִנְוָה; נָוֶה(?) נָוָה(?)

נָוָה
פ׳ א) דר, שכן: 1
ב) [הפ׳ הִנְוָה] שבח, הלל: 2

יִנְוֶה 1 גֶּבֶר יָהִיר וְלֹא יִנְוֶה Hab.2:5
וְאַנְוֵהוּ 2 זֶה אֵלִי וְאַנְוֵהוּ Ex.15:2

נָוֶה
ז׳ א) מקום לרועים ולעדריהם (ובהשאלה) מעון, משכן: 1-31
קרובים: ראה בַּיִת

– נְוֵה טוֹב 6; נ׳ מְשֻׁלָּח 1; נ׳ נֶעֱזָב 1; נְוֵה שַׁאֲנָן 2
– נְוֵה אֵיתָן 12,13; נ׳ גְמַלִּים 20; נ׳ חָכָם 18; נ׳ צֹאן 19; נ׳ צַדִּיק 15, 21; נ׳ צֶדֶק 10, 14; נְוֵה קֹדֶשׁ 8; נְוֵה רֹעִים 11; נְוֵה שָׁלוֹם 16; נְוֵה תַנִּים 9, 17

נָוֶה 1 נָוֶה מְשֻׁלָּח וְנֶעֱזָב כַּמִּדְבָּר Is.27:10
2 נָוֶה שַׁאֲנָן אֹהֶל בַּל־יִצְעָן Is.33:20
3 אִם־לֹא יַשִּׁים עֲלֵיהֶם נָוֶה Jer.50:45
הַנָּוֶה 4 לְקַחְתִּיךָ מִן־הַנָּוֶה מֵאַחַר הַצֹּאן IISh.7:8
5 לְקַחְתִּיךָ מִן־הַנָּוֶה מִן־אַחֲרֵי הַצֹּאן ICh.17:7
בְּנָוֶה 6 תִּרְבַּצְנָה בְּנָוֶה טוֹב Ezek.34:14
7 כַּאֲשֶׁר־רָאִיתִי לְצוֹר שְׁתוּלָה בְנָוֶה Hosh.9:13
נְוֵה־ 8 נֵהַלְתָּ בְעָזְּךָ אֶל־נְוֵה קָדְשֶׁךָ Ex.15:13
9 וְהָיְתָה נְוֵה תַנִּים Is.34:13
10 נְוֵה־צֶדֶק הַר הַקֹּדֶשׁ Jer.31:23(22)
11 נְוֵה רֹעִים מַרְבִּצִים צֹאן Jer.33:12
12/3 מִגְּאוֹן הַיַּרְדֵּן אֶל־נְוֵה אֵיתָן Jer.49:19; 50:44
14 נְוֵה־צֶדֶק וּמִקְוֵה אֲבוֹתֵיהֶם יְיָ Jer.50:7
וּנְוֵה־ 15 וּנְוֵה צַדִּיקִים יְבָרֵךְ Prov.3:33
בִּנְוֵה־ 16 וְיָשַׁב עַמִּי בִּנְוֵה שָׁלוֹם Is.32:18
17 בִּנְוֵה תַנִּים רִבְצָהּ Is.35:7
18 אוֹצָר נֶחְמָד וָשֶׁמֶן בִּנְוֵה חָכָם Prov.21:20
לִנְוֵה־ 19 וְהָיָה הַשָּׁרוֹן לִנְוֵה־צֹאן Is.65:10
20 וְנָתַתִּי אֶת־רַבָּה לִנְוֵה גְמַלִּים... Ezek.25:5
21 אַל־תֶּאֱרֹב רָשָׁע לִנְוֵה צַדִּיק Prov.24:15
נָוְךָ 22 וּפָקַדְתָּ נָוְךָ וְלֹא תֶחֱטָא Job 5:24
נָוֵהוּ 23 וְהִרְאַנִי אֹתוֹ וְאֶת־נָוֵהוּ IISh.15:25
24/5 וְאֶת־נָוֵהוּ הֵשַׁמּוּ Jer.10:25 • Ps.79:7
26 שָׁאֹג יִשְׁאַג עַל־נָוֵהוּ Jer.25:30
27 וְשֹׁבַבְתִּי אֶת־יִשְׂרָאֵל אֶל־נָוֵהוּ Jer.50:19
28 וָאֶקּוֹב נָוֵהוּ פִתְאֹם Job 5:3
29 יְזֹרֶה עַל־נָוֵהוּ גָפְרִית Job 18:15

נְוֵהֶם 30 אִם־לֹא־יַשִּׁים עֲלֵיהֶם נְוֵהֶם Jer.49:20
31 וּבְהָרֵי מְרוֹם־יִשְׂרָאֵל יִהְיֶה נְוֵהֶם Ezek.34:14
נְוֵהֶן 32 וַהֲשִׁבֹתִי אֶתְהֶן עַל־נְוֵהֶן Jer.23:3

נָוָה

נ׳ צורת משנה של ״נָוֶה״ – מעון, משכן: 1-3

קרובים: ראה בַּיִת

נְוַת בַּיִת 2; נְוַת צֶדֶק 1; נְוֹת...רֹעִים 3

נְוַת־ 1 וְשִׁלַּם נְוַת צִדְקֶךָ Job 8:6
וּנְוַת־ 2 וּנְוַת־בַּיִת תְּחַלֵּק שָׁלָל Ps.68:13
נְוֹת 3 נְוֹת כְּרֹת רֹעִים וְגִדְרוֹת צֹאן Zep.2:6

נוח

: נָח, הֵנִיחַ, הִנִּיחַ, הוּנַח, הֻנַּח; נוֹחַ, מָנוֹחַ, מְנוּחָה, הֲנָחָה; נִיחוֹחַ(?), נַחַת; ש״פ נֹחַ, יָנוֹחַ, נוֹחָה, מָנוֹחַ, מָנַחַת

(נוח) נָח פ׳ א) שָׁקַט, מצא מנוחה: 1-3, 6, 9, 12, 15, 17, 19-20, 21, 23, 25, 27, 32-34

ב) חנה, נשאר, שהה (גם בהשאלה): 4, 5, 7, 8, 10-14, 16, 18, 22, 26, 28-31

ג) [הפ״י הֵנִיחַ] נתן מנוחה, הרגיע: 35, 36, 39, 40, 44-62, 65-67

ד) [כנ״ל] החנה, שׂם: 37, 38, 41-43, 63, 64

ה) [הפ״ב הִנִּיחַ] שׂם, השאיר: 69-83, 86-96, 98, 104-129, 131, 132, 134-136, 138, 139

ו) [כנ״ל] הרפה, עזב (ובהשאלה) אפשר: 84, 85, 97, 99-103, 130, 133, 137

ז) [הפ״י הוּנַח] הֻשקט: 68

ח) [הפ״ב הֻנַּח] הוּשׂם: 140-143

וְנוֹחַ 1 וְנוֹחַ מֵאֹיְבֵיהֶם וְהָרוֹג בְּשֹׂנְאֵיהֶם Es.9:16
2 וְנוֹחַ בְּאַרְבָּעָה עָשָׂר בּוֹ Es.9:17
3 וְנֹחַ בַּחֲמִשָּׁה עָשָׂר בּוֹ Es.9:18
כְּנוֹחַ 4 וַיְהִי כְּנוֹחַ עֲלֵיהֶם הָרוּחַ Num.11:25
5 וְהָיָה כְּנוֹחַ כַּפּוֹת רַגְלֵי הַכֹּהֲנִים Josh.3:13
וּכְנוֹחַ 6 וּכְנוֹחַ לָהֶם יָשׁוּבוּ לַעֲשׂוֹת רַע Neh.9:28
לָנוּחַ 7 וְלֹא־נָתְנָה עוֹף הַשָּׁמַיִם לָנוּחַ עֲלֵיהֶם IISh.21:10
וּבְנֻחֹה 8 וּבְנֻחֹה יֹאמַר שׁוּבָה יְיָ Num.10:36
נָחְתִּי 9 וְלֹא־שָׁקַטְתִּי וְלֹא־נָחְתִּי Job 3:26
נָחָה 10 נָחָה רוּחַ אֵלִיָּהוּ עַל־אֱלִישָׁע IIK.2:15
11 נָחָה אֲרָם עַל־אֶפְרָיִם Is.7:2
12 נָחָה שָׁקְטָה כָּל־הָאָרֶץ Is.14:7
וְנָחָה 13 וְנָחָה עָלָיו רוּחַ יְיָ Is.11:2
וְנַחְנוּ 14 וְנַחְנוּ עָלָיו כַּאֲשֶׁר יִפֹּל הַטַּל... IISh.17:12
נָחוּ 15 אֲשֶׁר־נָחוּ בָהֶם הַיְּהוּדִים מֵאֹיְבֵיהֶם Es.9:22
וְנָחוּ 16 וּבָאוּ וְנָחוּ כֻלָּם בְּנַחֲלֵי הַבַּתּוֹת Is.7:19
אָנוּחַ 17 אֲשֶׁר אָנוּחַ לְיוֹם צָרָה Hab.3:16
וְתָנוּחַ 18 וְתָנוּחַ וְתַעֲמֹד לְגֹרָלְךָ לְקֵץ הַיָּמִין Dan.12:13
יָנוּחַ 19 לְמַעַן יָנוּחַ שׁוֹרְךָ וַחֲמֹרֶךָ Ex.23:12
20 לְמַעַן יָנוּחַ עַבְדְּךָ וַאֲמָתְךָ Deut.5:14
21 גַּם־שָׁם לֹא־יָנוּחַ לָךְ Is.23:12
22 לֹא יָנוּחַ שֵׁבֶט הָרֶשַׁע עַל גּוֹרַל... Ps.125:3
23 בִּקְהַל רְפָאִים יָנוּחַ Prov.21:16
24 כִּי־עַתָּה...יָשַׁנְתִּי אָז יָנוּחַ לִי Job 3:13
25 כִּי כַעַס בְּחֵיק כְּסִילִים יָנוּחַ Eccl.7:9
וַיָּנַח 26 וַיָּנַח בְּכֹל גְּבוּל מִצְרָיִם Ex.10:14
27 וַיָּנַח בַּיּוֹם הַשְּׁבִיעִי Ex.20:11
תָּנוּחַ 28 כִּי־תָנוּחַ יַד־יְיָ בָּהָר הַזֶּה Is.25:10
29 בְּלֵב נָבוֹן תָּנוּחַ חָכְמָה Prov.14:33
וַתָּנַח 30 וַתָּנַח הַתֵּבָה...עַל הָרֵי אֲרָרָט Gen.8:4
31 וַתָּנַח עֲלֵהֶם הָרוּחַ...וַיִּתְנַבְּאוּ Num.11:26
יָנוּחוּ 32 יָבוֹא שָׁלוֹם יָנוּחוּ עַל־מִשְׁכְּבוֹתָם Is.57:2
33 וְשָׁם יָנוּחוּ יְגִיעֵי כֹחַ Job 3:17
וַיָּנוּחוּ 34 וַיָּבֹאוּ נַעֲרֵי דָוִד...וַיָּנוּחוּ ISh.25:9

הָנִיחַ 35 בְּיוֹם הָנִיחַ יְיָ לְךָ מֵעָצְבְּךָ Is.14:3
בְּהָנִיחַ 36 בְּהָנִיחַ יְיָ אֱלֹהֶיךָ לְךָ מִכָּל־אֹיְבֶיךָ Deut.25:19
לְהָנִיחַ 37 לְהָנִיחַ בְּרָכָה אֶל־בֵּיתֶךָ Ezek.44:30
הֲנִיחִי 38 עַד־הֲנִיחִי אֶת־חֲמָתִי בָּךְ Ezek.24:13
וַהֲנִחֹתִי 39 פָּנַי־יֵלֵכוּ וַהֲנִחֹתִי לָךְ Ex.33:14
40 וַהֲנִיחֹתִי לְךָ מִכָּל־אֹיְבֶיךָ IISh.7:11
41 וַהֲנִחוֹתִי חֲמָתִי בָּם Ezek.5:13
42 וַהֲנִחֹתִי חֲמָתִי בָּךְ Ezek.16:42
43 אַכֶּה כַפִּי...וַהֲנִחֹתִי חֲמָתִי Ezek.21:22
44 וַהֲנִיחוֹתִי לוֹ מִכָּל־אוֹיְבָיו ICh.22:9(8)
הֵנִיחַ 45 וְעַתָּה הֵנִיחַ יְיָ אֱלֹהֵיכֶם לַאֲחֵיכֶם Josh.22:4
46 הֵנִיחַ יְיָ לְיִשְׂרָאֵל מִכָּל־אֹיְבֵיהֶם Josh.23:1
47 וַיְיָ הֵנִיחַ־לוֹ מִסָּבִיב מִכָּל־אֹיְבָיו IISh.7:1
48 וְעַתָּה הֵנִיחַ יְיָ אֱלֹהַי לִי מִסָּבִיב IK.5:18
49 הֵנִיחַ יְיָ אֱלֹהֵי־יִשְׂרָאֵל לְעַמּוֹ ICh.23:25
50 כִּי־הֵנִיחַ יְיָ לוֹ IICh.14:5
וְהֵנִיחַ 51 וְהֵנִיחַ לָכֶם מִכָּל־אֹיְבֵיכֶם Deut.12:10
52 וְהֵנִיחַ לָכֶם מִסָּבִיב ICh.22:18(17)
הֵנִיחוּ 53 הֵנִיחוּ אֶת־רוּחִי בְּאֶרֶץ צָפוֹן Zech.6:8
מֵנִיחַ 54 יְיָ אֱלֹהֵיכֶם מֵנִיחַ לָכֶם Josh.1:13
יָנִיחַ 55 וְכַאֲשֶׁר יָנִיחַ יָדוֹ וְגָבַר עֲמָלֵק Ex.17:11
56/7 עַד אֲשֶׁר־יָנִיחַ יְיָ לַאֲחֵיכֶם כָּכֶם Deut.3:20 • Josh.1:15
58 כֹּל מַעֲבַר...אֲשֶׁר יָנִיחַ יְיָ עָלָיו Is.30:32
וַיָּנַח 59 וַיָּנַח יְיָ לָהֶם מִסָּבִיב Josh.21:42
60 דְּרַשְׁנוּ וַיָּנַח לָנוּ מִסָּבִיב IICh.14:6
61 וַיָּנַח יְיָ לָהֶם מִסָּבִיב IICh.15:15
62 וַיָּנַח לוֹ אֱלֹהָיו מִסָּבִיב IICh.20:30
וַיְנִיחֵנִי 63 וַיְנִיחֵנִי בְּתוֹךְ הַבִּקְעָה Ezek.37:1
64 וַיְנִיחֵנִי אֶל־הַר גָּבֹהַּ מְאֹד Ezek.40:2
וִינִיחֶךָ 65 יַסֵּר בִּנְךָ וִינִיחֶךָ Prov.29:17
תְּנִיחֶנּוּ 66 רוּחַ יְיָ תְּנִיחֶנּוּ Is.63:14
הָנִיחוּ 67 זֹאת הַמְּנוּחָה הָנִיחוּ לֶעָיֵף Is.28:12
הוּנַח 68 יָגַעְנוּ וְלֹא הוּנַח־לָנוּ Lam.5:5
לְהַנִּיחוֹ 69 וְיָסַף עוֹד לְהַנִּיחוֹ בַּמִּדְבָּר Num.32:15
לְהַנִּיחָם 70 וְלַמֶּלֶךְ אֵין־שֹׁוֶה לְהַנִּיחָם Es.3:8
וְהִנַּחְתִּי 71 וְהֹצֵאתִי...מִנְחָתִי וְהִנַּחְתִּי לְפָנֶיךָ Jud.6:18
72 וְהִנַּחְתִּי וְהִתַּכְתִּי אֶתְכֶם Ezek.22:20
73 וְהִנַּחְתִּי אֶתְכֶם עַל־אַדְמַתְכֶם Ezek.37:14
וְהִנַּחְתִּיו 74 וְהִנַּחְתִּיו עַל־אַדְמָתוֹ Jer.27:11
וְהִנַּחְתָּ 75 תּוֹצִיא...וְהִנַּחְתָּ בִּשְׁעָרֶיךָ Deut.14:28
וְהִנַּחְתּוֹ 76 וְהִנַּחְתּוֹ לִפְנֵי יְיָ אֱלֹהֶיךָ Deut.26:10
וְהִנַּחְתָּם 77 וְהִנַּחְתָּם בְּאֹהֶל מוֹעֵד Num.17:19
הִנִּיחַ 78 וְאֵלֶּה הַגּוֹיִם אֲשֶׁר־הִנִּיחַ יְיָ Jud.3:1
79 אֲשֶׁר הִנִּיחַ לִשְׁמוֹר הַבָּיִת IISh.16:21
80 אֲשֶׁר הִנִּיחַ לִשְׁמֹר הַבַּיִת IISh.20:3
81 אֲשֶׁר הִנִּחַ שָׁם מֹשֶׁה בְּחֹרֵב IK.8:9
82 כְּזֶרֶם מַיִם...הִנִּיחַ לָאָרֶץ בְּיָד Is.28:2
83 אֲשֶׁר הִנִּיחַ...אֶת־גְּדַלְיָהוּ Jer.43:6
84 לֹא־הִנִּיחַ אָדָם לְעָשְׁקָם Ps.105:14
85 לֹא־הִנִּיחַ לְאִישׁ לְעָשְׁקָם ICh.16:21
וְהִנִּיחַ 86 וְהִנִּיחַ מִחוּץ לַמַּחֲנֶה בְּמָקוֹם טָהוֹר Num.19:9
וְהִנִּיחוֹ 87 וְהִנִּיחוֹ לִפְנֵי מִזְבַּח יְיָ אֱלֹהֶיךָ Deut.26:4
וְהִנַּחְתֶּם 88 וְהִנַּחְתֶּם אוֹתָם בַּמָּלוֹן Josh.4:3
89 וְהִנַּחְתֶּם שִׁמְכֶם לִשְׁבוּעָה לִבְחִירַי Is.65:15
הִנִּיחוּ 90 אֲשֶׁר הִנִּיחוּ עָלֶיהָ אֵת אֲרוֹן יְיָ ISh.6:18
91 וּצְדָקָה לָאָרֶץ הִנִּיחוּ Am.5:7
וְהִנִּיחוּ 92 וְהִנִּיחוּ אוֹתָם בְּלִשְׁכֹת הַקֹּדֶשׁ Ezek.44:19
93 וְהִנִּיחוּ יִתְרָם לְעוֹלְלֵיהֶם Ps.17:14
וְהִנִּיחוּךְ 94 וְהִנִּיחוּךְ עֵירֹם וְעֶרְיָה Ezek.16:39
וְהִנִּיחָם 95 וּפָשַׁט אֶת־בִּגְדֵי הַבָּד...וְהִנִּיחָם שָׁם Lev.16:23
96 וְהִנִּיחָם עַל־אַדְמָתָם Is.14:1

מַנִּיחַ 97 וְהַשָּׂבָע לֶעָשִׁיר אֵינֶנּוּ מַנִּיחַ לוֹ לִישׁוֹן Eccl.5:11
שֶׁאַנִּיחֶנּוּ 98 שֶׁאַנִּיחֶנּוּ לָאָדָם שֶׁיִּהְיֶה אַחֲרָי Eccl.2:18
תַּנַּח 99 וְגַם־מִזֶּה אַל־תַּנַּח אֶת־יָדֶךָ Eccl.7:18
100 מְקוֹמְךָ אַל־תַּנַּח Eccl.10:4
101 וְלָעֶרֶב אַל־תַּנַּח יָדֶךָ Eccl.11:6
תַּנִּיחֵנִי 102 בַּל־תַּנִּיחֵנִי לְעֹשְׁקָי Ps.119:121
תַּנִּחֵנוּ 103 וְאַתָּה בְקִרְבֵּנוּ יְיָ...אַל־תַּנִּחֵנוּ Jer.14:9
יַנִּיחַ 104 לֹא־יַנִּיחַ מִמֶּנּוּ עַד־בֹּקֶר Lev.7:15
105 כִּי מַרְפֵּא יַנִּיחַ חֲטָאִים גְּדוֹלִים Eccl.10:4
וַיַּנַּח 106 וַיַּנַּח מֹשֶׁה אֶת־הַמַּטֹּת לִפְנֵי יְיָ Num.17:22
107 וַיַּנַּח יְיָ אֶת־הַגּוֹיִם הָאֵלֶּה Jud.2:23
108 וַיִּכְתֹּב בַּסֵּפֶר וַיַּנַּח לִפְנֵי יְיָ ISh.10:25
109 וַיַּנַּח שְׁלֹמֹה אֶת־כָּל־הַכֵּלִים מֵרֹב IK.7:47
110 וַיַּנַּח אֶת־נִבְלָתוֹ בְּקִבְרוֹ IK.13:30
111 וַיַּנַּח אֶת־נַעֲרוֹ שָׁם IK.19:3
112 וַיַּנַּח בַּהֵיכָל חֲמִשָּׁה מִיָּמִין IICh.4:8
וַיַּנִּחֵהוּ 113 וַיַּנִּחֵהוּ בְגַן־עֵדֶן לְעָבְדָהּ... Gen.2:15
114 וַיַּנִּיחֵהוּ אַהֲרֹן לִפְנֵי הָעֵדֻת Ex.16:34
115 וַיַּנִּחֵהוּ אֶל־הַחֲמוֹר וַיְשִׁיבֵהוּ IK.13:29
וַיַּנִּחֵם 116/7 וַיַּנִּחֵם בְּעָרֵי הָרֶכֶב IICh.1:14, 9:25
וַתַּנַּח 118 וַתַּנַּח בִּגְדוֹ אֶצְלָהּ Gen.39:16
יַנִּיחוּ 119 שָׁם יַנִּיחוּ קָדְשֵׁי הַקֳּדָשִׁים Ezek.42:13
120 וְשָׁם יַנִּיחוּ בִגְדֵיהֶם Ez.42:14
וְיַנִּיחוּ 121 וְיַנִּיחוּ אֶת־הַכֵּלִים Ezek.40:42
וַיַּנִּיחוּ 122 וַיַּנִּיחוּ אֹתוֹ עַד־הַבֹּקֶר Ex.16:24
123 וַיַּנִּיחוּ אֹתוֹ בַּמִּשְׁמָר Num.15:34
124 וַיַּנִּיחוּ בְּבֵית הַבָּמוֹת IIK.17:29
וְיַנִּיחֻהוּ 125 וְיַנִּיחֻהוּ תַחְתָּיו וְיַעֲמֹד מִמְּקוֹמוֹ Is.46:7
וַיַּנִּחֻהוּ 126 וַיֹּצִאֻהוּ וַיַּנִּחֻהוּ מִחוּץ לָעִיר Gen.19:16
127 וַיַּנִּיחֻהוּ בַּמִּשְׁמָר Lev.24:12
וַיַּנִּחוּם 128 וַיַּעֲבִרוּם עִמָּם...וַיַּנִּחוּם שָׁם Josh.4:8
129 וַיַּנִּיחוּם מִחוּץ לְמַחֲנֵה יִשְׂרָאֵל Josh.6:23
הַנַּח 130 חֲבוּר עֲצַבִּים אֶפְרָיִם הַנַּח־לוֹ Hosh.4:17
וְהַנַּח 131 וְהַנַּח אֹתוֹ לִפְנֵי יְיָ לְמִשְׁמֶרֶת Ex.16:33
132 וְהַנַּח אֶל־הַסֶּלַע הַלָּז Jud.6:20
הַנִּיחָה 133 וְעַתָּה הַנִּיחָה לִּי...וַאֲכַלֵּם Ex.32:10
134 הַנִּיחָה אוֹתִי וַהֲמִשֵׁנִי אֶת־הָעַמֻּדִים Jud.16:26
הַנִּיחוּ 135 אֲחִיכֶם הָאֶחָד הַנִּיחוּ אִתִּי Gen.42:33
136 הַנִּיחוּ לָכֶם לְמִשְׁמֶרֶת עַד־הַבֹּקֶר Ex.16:23
137 הַנִּחוּ לוֹ וִיקַלֵּל IISh.16:11
138 אֵצֶל עַצְמֹתָיו הַנִּיחוּ אֶת־עַצְמֹתָי IK.13:31
139 הַנִּיחוּ לוֹ אִישׁ אַל־יָנַע עַצְמֹתָיו IIK.23:18
וְהֻנִּיחָה 140 וְהֻנִּיחָה שָּׁם עַל־מְכֻנָתָהּ Zech.5:11
מֻנָּח 141 וַאֲשֶׁר מֻנָּח בֵּית צְלָעוֹת Ezek.41:9
הַמֻּנָּח 142 וְרֹחַב מְקוֹם הַמֻּנָּח Ezek.41:11
לַמֻּנָּח 143 וּפֶתַח הַצֵּלָע לַמֻּנָּח Ezek.41:11

נֹחַ*

ז׳ מנוחה, שלוה

לְנוּחֶךָ 1 וְעַתָּה קוּמָה יְיָ אֱלֹהִים לְנוּחֶךָ IICh.6:41

נוֹחָה

שפ״ז – בנו הרביעי של בנימין

נוֹחָה 1 נוֹחָה הָרְבִיעִי וְרָפָא הַחֲמִישִׁי ICh.8:2

נוֹחֲלָה (יחזקאל יט 5) – עין יחל

(נוט) נָט

פ׳ התמוטט, נע

תָּנוּט 1 יִרְגְּזוּ עַמִּים...תָּנוּט הָאָרֶץ Ps.99:1

נוֹכַח (איוב כג 7) – עין יכח

נוֹכֵל

ז׳ רמאי, בן בליעל • קרובים: ראה רָשָׁע

נוֹכֵל 1 וְאָרוּר נוֹכֵל וְיֵשׁ בְּעֶדְרוֹ זָכָר Mal.1:14

נוֹלָד (קהלת ד 14) – עין ילד

נְוָלוּ ג' ארמית: הֶרֶס

נְוָלוּ 1 וּבַיְתֵהּ נְוָלוּ יִתְעֲבֵד עַל־דְּנָה Ez.6:11

נְוָלִי ג' ארמית: הֶרֶס, 1, 2

נְוָלִי 1 וּבָתֵּיכוֹן נְוָלִי יִתְּשָׂמוּן Dan.2:5

2 וּבַיְתֵהּ נְוָלִי יִשְׁתַּוֵּה Dan.3:29

נום : נָם; נוּמָה, תְּנוּמָה; ש״פ יָנוּם

(נום) נָם פ' ישן שֵׁנָה קלה: 1-6

לָנוּם 1 הֹזִים שֹׁכְבִים אֹהֲבֵי לָנוּם Is.56:10

נָמוּ 2 נָמוּ רֹעֶיךָ...יִשְׁכְּנוּ אַדִּירֶיךָ Nah.3:18

3 אֶשְׁתּוֹלְלוּ...נָמוּ שְׁנָתָם Ps.76:6

יָנוּם 4 אֵין־עָיֵף...לֹא יָנוּם וְלֹא יִישָׁן Is.5:27

5 אַל־יָנוּם שֹׁמְרֶךָ Ps.121:3

6 הִנֵּה לֹא־יָנוּם וְלֹא יִישָׁן Ps.121:4

נוּמָה ג' שֵׁנָה

נוּמָה 1 וּקְרָעִים תַּלְבִּישׁ נוּמָה Prov.23:21

נוּן, נוֹן שפ״ז – אבי יהושע יורש משה: 1-30

נוּן 1 וּמְשָׁרְתוֹ יְהוֹשֻׁעַ בִּן־נוּן Ex.33:11

2-25 (וי/לי)יְהוֹשֻׁעַ בִּן־נוּן Num.11:28

14:6, 30, 38; 26:65; 27:18; 32:12, 28; 34:17 • Deut. 1:38; 31:23; 34:9 • Josh. 1:1; 2:1, 23; 6:6; 14:1; 17:4; 19:49, 51; 21:1; 24:29 • Jud. 2:8 • IK. 16:34

26 לְמַטֵּה אֶפְרָיִם הוֹשֵׁעַ בִּן־נוּן Num.13:8

27 וַיִּקְרָא...לְהוֹשֵׁעַ בִּן־נוּן יְהוֹשֻׁעַ Num.13:16

28 וַיְדַבֵּר...הוּא וְהוֹשֵׁעַ בִּן־נוּן Deut.32:44

29 יֵשׁוּעַ בִּן־נוּן Neh.8:17

נוֹן 30 נוֹן בְּנוֹ יְהוֹשֻׁעַ בְּנוֹ ICh.7:27

נון : יִנּוֹן; נִין (?)

(נון) יִנּוֹן נפ' עתיד: יתקיים? יגדל?

יִנּוֹן 1 לִפְנֵי שֶׁמֶשׁ יִנּוֹן (כת' ינין) שְׁמוֹ Ps.72:17

נוס : נָס, הֵנִיס; מָנוֹס, מְנוּסָה

(נוס) נָס פ' א) ברח, נמלט: 1-20, 22-52, 54-59, 63-74, 76-105, 107-154

ב) פַּג (בהשאלה) חלף, נסע: 21, 53, 60-62, 75, 106

ג) [הפ' הֵנִיס] הבריח: 155-157

קרובים: בָּרַח / חָמַק / נִמְלַט (מלט) / עָרַק

נָס אֶל־, לְ־ 5, 6, 7, 20, 23, 28, 30, 34-36, 41, 48, 52, 65, 68, 76-79, 87, 88, 96, 97, 100, 115, 116, 128, 129, 136, 137; נָס לִפְנֵי 15, 27, 42, 43, 69, 74, 114, 120; נָס מִן־ 18, 22, 26, 38, 66, 67, 149, 153, 154; נָס מִפְּנֵי 16, 29, 39, 47, 58, 73, 82, 89, 94, 95, 101, 102, 112, 117, 118, 130-135, 138-140; נָס עַל־ 111

נוּס 1 כִּי אִם־נוּס נָנוּס... IISh.18:3

לָנוּס 2 הָעִיר...קְרֹבָה לָנוּס שָׁמָּה Gen.19:20

3 לָנֻס שָׁמָּה הָרֹצֵחַ Num.35:6

4 לָנוּס שָׁמָּה כָּל־מַכֵּה־נֶפֶשׁ Num.35:15

5 לָנוּס אֶל־עִיר מִקְלָטוֹ Num.35:32

6 לָנֻס שָׁמָּה רוֹצֵחַ Deut.4:42

7 וְהָיָה לָנוּס שָׁמָּה כָּל־רֹצֵחַ Deut.19:3

8 וְלֹא־הָיָה...יָדַיִם לָנוּס הֵנָּה וָהֵנָּה Josh.8:20

9 לָנוּס שָׁמָּה רוֹצֵחַ מַכֵּה־נֶפֶשׁ Josh.20:3

10 לָנוּס שָׁמָּה כָּל־מַכֵּה־נֶפֶשׁ Josh.20:9

11 וַיְהִי בְּחָפְזָהּ לָנוּס וַיִּפֹּל וַיִּפָּסֵחַ IISh.4:4

12 לַעֲלוֹת בַּמֶּרְכָּבָה לָנוּס יְרוּשָׁלִָם IK.12:18

13 הִפְנְתָה לָנוּס וְרֶטֶט הֶחֱזִיקָה Jer.49:24

14 לַעֲלוֹת בַּמֶּרְכָּבָה לָנוּס יְרוּשָׁלִָם IICh.10:18

נֻסְךָ 15 נֻסְךָ לִפְנֵי־צָרֶיךָ וְהוּא רֹדְפֶךָ IISh.24:13

בְּנֻסָם 16 וַיְהִי בְּנֻסָם מִפְּנֵי יִשְׂרָאֵל Josh.10:11

17 הַנִּכְלָמִים בְּנוּסָם בַּמִּלְחָמָה IISh.19:4

נַסְתִּי 18 וַאֲנִי מִן־הַמַּעֲרָכָה נַסְתִּי ISh.4:16

וְנַסְתָּה 19 וּפָתַחְתָּ הַדֶּלֶת וְנַסְתָּה וְלֹא תְחַכֶּה IIK.9:3

נָס 20 אֶל־עִיר מִקְלָטוֹ אֲשֶׁר־נָס שָׁמָּה Num.35:25

21 לֹא־כָהֲתָה עֵינוֹ וְלֹא־נָס לֵחֹה Deut.34:7

22 אֶל־הָעִיר אֲשֶׁר־נָס מִשָּׁם Josh.20:6

23 וְסִיסְרָא נָס...אֶל־אֹהֶל יָעֵל Jud.4:17

24 נָס יִשְׂרָאֵל לִפְנֵי פְלִשְׁתִּים ISh.4:17

25 וְדָוִד נָס וַיִּמָּלֵט בַּלַּיְלָה הוּא ISh.19:10

26 אֲשֶׁר־נָס הָעָם מִן־הַמִּלְחָמָה IISh.1:4

27 וּבְנֵי עַמּוֹן רָאוּ כִּי־נָס אֲרָם IISh.10:14

28 וְיִשְׂרָאֵל נָס אִישׁ לְאֹהָלָיו IISh.19:9

29 וְהָעָם נָס מִפְּנֵי פְלִשְׁתִּים IISh.23:11

30 כִּי נָס יוֹאָב אֶל־אֹהֶל יְיָ IK.2:29

31 וּבֶן־הֲדַד נָס וַיָּבֹא אֶל־הָעִיר IK.20:30

32 וּבְנֵי עַמּוֹן רָאוּ כִּי־נָס אֲרָם ICh.19:15

וְנָס 33 וְנָס שָׁמָּה רֹצֵחַ מַכֵּה־נֶפֶשׁ Num.35:11

34 וְנָס אֶל־אַחַת מִן־הֶעָרִים הָאֵל Deut.4:42

35 וְנָס אֶל־אַחַת הֶעָרִים הָאֵל Deut.19:11

36 וְנָס אֶל־אַחַת מֵהֶעָרִים הָאֵלֶּה Josh.20:4

37 וְנָס כָּל־הָעָם אֲשֶׁר־אִתּוֹ IISh.17:2

38 וְנֻעַר בּוֹ וְנָס מִמֶּרְחָק Is.17:13

39 וְנָס לוֹ מִפְּנֵי־חֶרֶב Is.31:8

נָסָה 40 חָרְדָה הָרָמָה גִּבְעַת שָׁאוּל נָסָה Is.10:29

נַסְנוּ 41 אֲשֶׁר נַסְנוּ שָׁם לְעֶזְרָה לְהִנָּצֵל Is.20:6

וְנַסְנוּ 42/3 וְנַסְנוּ לִפְנֵיהֶם Josh.8:5,6

נַסְתֶּם 44 וְנַסְתֶּם כַּאֲשֶׁר נַסְתֶּם מִפְּנֵי הָרַעַשׁ Zech.14:5

וְנַסְתֶּם 45 וְנַסְתֶּם וְאֵין־רֹדֵף אֶתְכֶם Lev.26:17

46 וְנַסְתֶּם גֵּיא־הָרַי Zech.14:5

47 וְנַסְתֶּם כַּאֲשֶׁר נַסְתֶּם מִפְּנֵי הָרַעַשׁ Zech.14:5

נָסוּ 48 וְהַנִּשְׁאָרִים הֶרָה נָּסוּ Gen.14:10

49 וְכָל־יִשְׂרָאֵל...נָסוּ לְקֹלָם Num.16:34

50 שָׁמְעוּ כִּי־נָסוּ פְּלִשְׁתִּים ISh.14:22

51 וַיִּרְאוּ...כִּי־נָסוּ אַנְשֵׁי יִשְׂרָאֵל ISh.31:7

52 וְכָל־יִשְׂרָאֵל נָסוּ אִישׁ לְאֹהָלָו IISh.18:17

53 נָסוּ יָגוֹן וַאֲנָחָה Is.51:11

54 וּמָנוֹס נָסוּ וְלֹא הִפְנוּ Jer.46:5

55 הִפְנוּ נָסוּ יַחְדָּיו לֹא עָמָדוּ Jer.46:21

56 נָסוּ וְאֵין־רֹדֵף רָשָׁע Prov.28:1

57 וַיִּרְאוּ...כִּי נָסוּ וְכִי־מֵתוּ... ICh.10:7

58 וְהָעָם נָסוּ מִפְּנֵי פְלִשְׁתִּים ICh.11:13

וְנָסוּ 59 וְנָסוּ מְנֻסַת־חֶרֶב Lev.26:36

60 וְנָסוּ יָגוֹן וַאֲנָחָה Is.35:10

61/2 וְנָסוּ הַצְּלָלִים S.ofS.2:17; 4:6

נָס 63 שַׁאֲלִי־נָס וְנִמְלָטָה Jer.48:19

64 לֹא־יָנוּס לָהֶם נָס Am.9:1

הַנָּס 65 וְהָעָם הַנָּס הַמִּדְבָּר Josh.8:20

66 וְהָיָה הַנָּס מִקּוֹל הַפַּחַד Is.24:18

67 הַנָּס (כת' הניס) מִפְּנֵי הַפַּחַד Jer.48:44

נָסִים 68 וּמִצְרַיִם נָסִים לִקְרָאתוֹ Ex.14:27

69 נָסִים לְפָנֵינוּ כַּאֲשֶׁר בָּרִאשֹׁנָה Josh.8:6

70 עָמְדוּ מִכֹּחַ נָסִים Jer.48:45

71 קוֹל נָסִים וּפְלֵטִים מֵאֶרֶץ בָּבֶל Jer.50:28

72 וְהֵמָּה נָסִים...וְאֵין מַפְנֶה Nah.2:9

אָנוּסָה 73 אָנוּסָה מִפְּנֵי יִשְׂרָאֵל Ex.14:25

תָּנוּס 74 וּבְשִׁבְעָה דְרָכִים תָּנוּס לְפָנָיו Deut.28:25

75 מַה־לְּךָ הַיָּם כִּי תָנוּס Ps.114:5

יָנוּס 76 ...מָקוֹם אֲשֶׁר יָנוּס שָׁמָּה Ex.21:13

77 עִיר מִקְלָטוֹ אֲשֶׁר יָנוּס שָׁמָּה Num.35:26

78 הָרֹצֵחַ אֲשֶׁר־יָנוּס שָׁמָּה וָחָי Deut.19:4

79 יָנוּס אֶל־אַחַת הֶעָרִים־הָאֵלֶּה Deut.19:5

80 אַל־יָנוּס הַקַּל וְאַל־יִמָּלֵט הַגִּבּוֹר Jer.46:6

81 עָרוֹם יָנוּס בַּיּוֹם־הַהוּא Am.2:16

יָנוּס (המשך) 82 כַּאֲשֶׁר יָנוּס אִישׁ מִפְּנֵי הָאֲרִי Am.5:19

83 לֹא־יָנוּס לָהֶם נָס Am.9:1

84 עַד־בּוֹר יָנוּס אַל־יִתְמְכוּ־בוֹ Prov.28:17

וַיָּנָס 85/6 וַיָּנָס וַיֵּצֵא הַחוּצָה Gen.39:12,15

87/8 וַיָּנָס הַחוּצָה Gen.39:13,18

89 וַיָּנָס מֹשֶׁה מִפָּנָיו Ex.4:3

90 וַיָּנָס אֲדֹנִי בֶזֶק וַיִּרְדְּפוּ אַחֲרָיו Jud.1:6

91 וַיֵּרֶד...וַיָּנָס בְּרַגְלָיו Jud.4:15

92 וַיָּנָס הַמַּחֲנֶה עַד־בֵּית הַשִּׁטָּה Jud.7:22

93 וַיָּנָס יוֹתָם וַיִּבְרַח וַיֵּלֶךְ בְּאֵרָה Jud.9:21

94 וַיִּרְדְּפֵהוּ אֲבִימֶלֶךְ וַיָּנָס מִפָּנָיו Jud.9:40

95 וַיָּנָס אֲרָם מִפְּנֵי יִשְׂרָאֵל IISh.10:18

96 וַיָּנָס יוֹאָב אֶל־אֹהֶל יְיָ IK.2:28

97 וַיָּנָס הָעָם לְאֹהָלָיו IIK.8:21

98 וַיָּנָס דֶּרֶךְ בֵּית הַגָּן IIK.9:27

99 וַיָּנָס מְגִדּוֹ וַיָּמָת שָׁם IIK.9:27

100 וַיִּקְשְׁרוּ עָלָיו...וַיָּנָס לָכִישָׁה IIK.14:19

101 וַיָּנָס אִישׁ־יִשְׂרָאֵל מִפְּנֵי פְלִשְׁתִּים ICh.10:1

102 וַיָּנָס אֲרָם מִלִּפְנֵי יִשְׂרָאֵל ICh.19:18

103 וַיִּקְשְׁרוּ עָלָיו...וַיָּנָס לָכִישָׁה IICh.25:27

וַיָּנֹס 104 וַיִּפְתַּח הַדֶּלֶת וַיָּנֹס IIK.9:10

105 וַיַּהֲפֹךְ יְהוֹרָם יָדָיו וַיָּנֹס IIK.9:23

106 הַיָּם רָאָה וַיָּנֹס Ps.114:3

וַתָּנֹס 107 וַתִּשָּׂאֵהוּ אֹמַנְתּוֹ וַתָּנֹס IISh.4:4

נָנוּס 108 כִּי אִם־נֹס נָנוּס... IISh.18:3

109 לֹא־כִי עַל־סוּס נָנוּס Is.30:16

נָנוּסָה 110 נָנוּסָה וּנְתַקְנוּהוּ מִן־הָעִיר Jud.20:32

תָּנוּסוּ 111 עַל־מִי תָּנוּסוּ לְעֶזְרָה Is.10:3

112 מִפְּנֵי גַּעֲרַת חֲמִשָּׁה תָּנֻסוּ Is.30:17

תְּנוּסוּן 113 עַל־סוּס נָנוּס עַל־כֵּן תְּנוּסוּן Is.30:16

יָנוּסוּ 114 וּבְשִׁבְעָה דְרָכִים יָנוּסוּ לְפָנֶיךָ Deut.28:7

115 וְאִישׁ אֶל־אַרְצוֹ יָנוּסוּ Is.13:14

116 וְאִישׁ לְאַרְצוֹ יָנֻסוּ Jer.50:16

וְיָנֻסוּ 117 וְיָנֻסוּ מְשַׂנְאֶיךָ מִפָּנֶיךָ Num.10:35

118 וְיָנוּסוּ מְשַׂנְאָיו מִפָּנָיו Ps.68:2

וַיָּנֻסוּ 119 וַיָּנֻסוּ מֶלֶךְ־סְדֹם וַעֲמֹרָה Gen.14:10

120 וַיָּנֻסוּ לִפְנֵי אַנְשֵׁי הָעָי Josh.7:4

121 וַיָּנֻסוּ דֶּרֶךְ הַמִּדְבָּר Josh.8:15

122 וַיָּנֻסוּ חֲמֵשֶׁת הַמְּלָכִים הָאֵלֶּה Josh.10:16

123 וַיָּרִיעוּ וַיָּנוּסוּ (כת' ויניסו) Jud.7:21

124 וַיָּנֻסוּ...וַיִּרְדֹּף אַחֲרֵיהֶם Jud.8:12

125 וַיָּנֻסוּ שָׁמָּה כָּל־הָאֲנָשִׁים Jud.9:51

126/7 וַיִּפְנוּ וַיָּנֻסוּ הַמִּדְבָּרָה Jud.20:45,47

128/9 וַיָּנֻסוּ אִישׁ לְאֹהָלָיו ISh.4:10 • IICh.25:22

130-135 וַיָּנֻסוּ...מִפָּנָיו (מִפְּנֵיהֶם וכד') ISh.17:24

19:8; 31:1 • IISh.10:13,14 • IIK.3:24

136 וַיַּעַזְבוּ...וַיָּנֻסוּ אֶל־נַפְשָׁם IIK.7:7

137 וַיָּנֻסוּ אִישׁ לְאֹהָלָו IIK.14:12

138 וַיִּגַּשׁ יוֹאָב...וַיָּנוּסוּ מִפָּנָיו ICh.19:14

139 וַיָּנוּסוּ גַם־הֵם מִפְּנֵי אַבְשַׁי ICh.19:15

140 וַיָּנוּסוּ בְ״י מִפְּנֵי יְהוּדָה IICh.13:16

141-148 וַיָּנֻסוּ ISh.17:51; 30:17; 31:7

IISh.13:29; 20:20,30 • ICh.10:7 • IICh.14:11

יְנוּסוּן 149 מִן־גַּעֲרָתְךָ יְנוּסוּן Ps.104:7

נֻסוּ 150 נֻסוּ מַלְּטוּ נַפְשְׁכֶם Jer.48:6

151 נֻסוּ הָפְנוּ הֶעְמִיקוּ לָשֶׁבֶת Jer.49:8

152 נֻסוּ נֻּדוּ מְאֹד Jer.49:30

153 נֻסוּ מִתּוֹךְ בָּבֶל Jer.51:6

וְנֻסוּ 154 הוֹי הוֹי וְנֻסוּ מֵאֶרֶץ צָפוֹן Zech.2:10

לְהָנִיס 155 לְהָנִיס מִפְּנֵי מִדְיָן Jud.6:11

הֵנִיס 156 הֵנִיס אֶת־עֲבָדָיו...אֶל־הַבָּתִּים Ex.9:20

יָנִיסוּ 157 וּשְׁנַיִם יָנִיסוּ רְבָבָה Deut.32:30

נוֹסְדוּ (תהלים ב2) – עין יסד

נוֹסֵס פ׳ – עין נסס

נוֹסַף (ירמיה לו32) – עין יסף

נִוַּסְּרוּ (יחזקאל כג 48) – עין יסר

נוע
: נָע, נִנּוֹעַ, הֵנִיעַ; ש״פ נֵעָה, נוֹעָה

(נוע) נָע פָ׳ א) רָעַד, התנודד, זָע: 1,3,8,13,18-20,22-24
ב) נָדַד: 2, 4-7, 9-12, 14-17, 21
ג) [נפ׳ נִנּוֹעַ] נטלטל: 25, 26
ד) [הִפ׳ הֵנִיעַ] טלטל, הניד: 27-40

– נָע לְבָבוֹ 19; נָע וָנָד 16, 17
– הֵנִיעַ יָד 32; הֵנִיעַ רֹאשׁ 28, 29, (30), 36, 37, 39

נוֹעַ 1 נוֹעַ תָּנוּעַ אֶרֶץ כַּשִּׁכּוֹר Is.24:20
וְנוֹעַ 2 וְנוֹעַ יָנוּעוּ בָנָיו וְשִׁאֵלוּ Ps.109:10
כְּנוֹעַ 3 כְּנוֹעַ עֲצֵי־יַעַר מִפְּנֵי־רוּחַ Is.7:2
לָנוּעַ 4-6 וְהָלַכְתִּי לָנוּעַ עַל־הָעֵצִים Jud.9:9,11,13
7 כֵּן אָהֲבוּ לָנוּעַ רַגְלֵיהֶם לֹא חָשָׂכוּ Jer.14:10
נָעוּ 8 שָׁכְרוּ וְלֹא־יַיִן נָעוּ וְלֹא שֵׁכָר Is.29:9
9 נָעוּ מַעְגְּלֹתֶיהָ לֹא תֵדָע Prov.5:6
10 דַּלּוּ מֵאֱנוֹשׁ נָעוּ Job28:4
11 נָעוּ עִוְרִים בַּחוּצוֹת Lam.4:14
12 כִּי נָצוּ גַּם־נָעוּ Lam.4:15
וְנָעוּ 13 וְנָעוּ אֱלִילֵי מִצְרַיִם מִפָּנָיו Is.19:1
14 וְנָעוּ שְׁתַּיִם שָׁלֹשׁ עָרִים אֶל־עִיר... Am.4:8
15 וְנָעוּ מִיָּם עַד־יָם Am.8:12
נָע 16 נָע וָנָד תִּהְיֶה בָאָרֶץ Gen.4:12
17 וְהָיִיתִי נָע וָנָד בָּאָרֶץ Gen.4:14
נָעוֹת 18 רַק שְׂפָתֶיהָ נָעוֹת וְקוֹלָהּ לֹא יִשָּׁמֵעַ ISh.1:13
וַיָּנַע 19 וַיָּנַע לְבָבוֹ וּלְבַב עַמּוֹ... Is.7:2
תָּנוּעַ 20 נוֹעַ תָּנוּעַ אֶרֶץ כַּשִּׁכּוֹר Is.24:20
יָנוּעוּ 21 וְנוֹעַ יָנוּעוּ בָנָיו וְשִׁאֵלוּ Ps.109:10
וְיָנוּעוּ 22 יָחוֹגּוּ וְיָנוּעוּ כַּשִּׁכּוֹר Ps.107:27
וַיָּנֻעוּ 23 וַיַּרְא הָעָם וַיָּנֻעוּ וַיַּעַמְדוּ מֵרָחֹק Ex.20:15
24 וַיָּנֻעוּ אַמּוֹת הַסִּפִּים מִקּוֹל הַקּוֹרֵא Is.6:4
יִנּוֹעַ 25 כַּאֲשֶׁר יִנּוֹעַ בַּכְּבָרָה Am.9:9
יִנּוֹעוּ 26 אִם־יִנּוֹעוּ וְנָפְלוּ עַל־פִּי אוֹכֵל Nah.3:12
וַהֲנִעוֹתִי 27 וַהֲנִעוֹתִי בְכָל־הַגּוֹיִם אֶת־בֵּית יִשׂ׳ Am.9:9
הֵנִיעָה 28 אַחֲרֶיךָ רֹאשׁ הֵנִיעָה בַּת יְרוּשָׁלָ‍ִם IIK.19:21
29 אַחֲרֶיךָ רֹאשׁ הֵנִיעָה בַּת יְרוּשָׁלָ‍ִם Is.37:22
וְאָנִיעָה 30 וְאָנִיעָה עֲלֵיכֶם בְּמוֹ רֹאשִׁי Job16:4
אֲנִיעֲךָ 31 וְהַיּוֹם אֲנִיעֲךָ (כ׳ אנועך) עִמָּנוּ לָלֶכֶת IISh.15:20
יָנִיעַ 32 יִשְׁרֹק יָנִיעַ יָדוֹ Zep.2:15
יָנַע 33 אִישׁ אַל־יָנַע עַצְמֹתָיו IIK.23:18
וַיְנִעֵם 34 וַיְנִעֵם בַּמִּדְבָּר אַרְבָּעִים שָׁנָה Num.32:13
וַתְּנִיעֵנִי 35 וַתְּנִיעֵנִי עַל־בִּרְכַּי וְכַפּוֹת יָדָי Dan.10:10
יָנִיעוּ 36 יַפְטִירוּ בְשָׂפָה יָנִיעוּ רֹאשׁ Ps.22:8
וַיָּנִעוּ 37 שָׁרְקוּ וַיָּנִעוּ רֹאשָׁם Lam.2:15
יְנִיעוּן 38 הֵמָּה יְנִיעוּן (כ׳ ינועון) לֶאֱכֹל Ps.59:16
39 יִרְאוּנִי יְנִיעוּן רֹאשָׁם Ps.109:25
הֲנִיעֵמוֹ 40 הֲנִיעֵמוֹ בְחֵילְךָ וְהוֹרִידֵמוֹ Ps.59:12

נוֹעֲדוּ (תהלים מח5) – עין יעד

נוֹעַדְיָה א) שפ״ז – לוי בימי עזרא: 1
ב) שפ״נ – נביאת שקר בימי נחמיה: 2

וְנוֹעַדְיָה 1 ...וְנוֹעַדְיָה בֶן־בִּנּוּי הַלְוִיִּם Ez.8:33
לְנוֹעַדְיָה 2 לְנוֹעַדְיָה הַנְּבִיאָה וּלְיֶתֶר הַנְּבִיאִים Neh.6:14

נוֹעָה שפ״נ – עין נֵעָה

נוֹעָז ת׳ עז־רוח, אכזר

1 אֶת־עַם נוֹעָז לֹא תִרְאֶה Is.33:19

נוֹעַץ (ישעיה מ14) – עין יעץ

נוף
: נָף, נוֹפֵף, הֵנִיף, הוּנַף; נוֹף, נָפָה, נֹפֶת(?), תְּנוּפָה;
ש״פ נָפַת?

(נוף) נָף פָ׳ א) הִזָּה, פִּזֵּר: 1
ב) [פִּ׳ נוֹפֵף] הניע: 2
ג) [הפ׳ הֵנִיף] הניע, הרים, הגבִּיהַ (גם בהשאלה): 3-36
ד) [הָפ׳ הוּנַף] הורם, הוּגבַּה: 37

קרובים: דָּלָה / נָשָׂא / הֶעֱלָה (עלה) / הֵרִים (רום)

הֵנִיף בַּרְזֶל 16, 30; הֵ׳ גֶּשֶׁם 31; הֵ׳ חֶרְמֵשׁ 29; הֵ׳ חֶרֶב 9; הֵ׳ יָד 8, 24, 25, 27, 36; הֵ׳ מִנְחָה 21; הֵ׳ מַשּׂוֹר 28; הֵ׳ הָעֹמֶר 7, 19, 35; הֵ׳ שֵׁבֶט 3; הֵנִיף תְּנוּפָה 4, 10-15, 17, 18, 20, 22, 23, 32-34

נַפְתִּי 1 נַפְתִּי מִשְׁכָּבִי מֹר אֲהָלִים Prov.7:17
יְנֹפֵף 2 יְנֹפֵף יָדוֹ הַר בַּת־צִיּוֹן Is.10:32
כְּהָנִיף 3 כְּהָנִיף שֵׁבֶט וְאֶת־מְרִימָיו Is.10:15
לְהָנִיף 4 לְהָנִיף אֹתוֹ תְּנוּפָה לִפְנֵי יְיָ Lev.7:30
5 לְהָנִיף תְּנוּפָה לִפְנֵי יְיָ Lev.10:15
לַהֲנָפָה 6 לַהֲנָפָה גוֹיִם בְּנָפַת שָׁוְא Is.30:28
הֲנִיפְכֶם 7 בְּיוֹם הֲנִיפְכֶם אֶת־הָעֹמֶר Lev.23:12
הֲנִיפוֹתִי 8 אִם־הֲנִיפוֹתִי עַל־יָתוֹם יָדִי Job31:21
הֵנַפְתָּ 9 כִּי חַרְבְּךָ הֵנַפְתָּ עָלֶיהָ וַתְּחַלְלֶהָ Ex.20:22
וְהֵנַפְתָּ 10 וְהֵנַפְתָּ אֹתָם תְּנוּפָה לִפְנֵי יְיָ Ex.29:24
11 וְהֵנַפְתָּ אֹתוֹ תְּנוּפָה לִפְנֵי יְיָ Ex.29:26
12 וְהֵנַפְתָּ אֹתָם תְּנוּפָה לַייָ Num.8:13
13 וְהֵנַפְתָּ אֹתָם תְּנוּפָה Num.8:15
הֵנִיף 14 אֲשֶׁר הֵנִיף תְּנוּפַת זָהָב לַייָ Ex.35:22
15 הֵנִיף אַהֲרֹן תְּנוּפָה לִפְנֵי יְיָ Lev.9:21
16 אֲשֶׁר לֹא־הֵנִיף עֲלֵיהֶן בַּרְזֶל Josh.8:31
וְהֵנִיף 17 וְהֵנִיף אֹתָם תְּנוּפָה לִפְנֵי יְיָ Lev.14:12
18 וְהֵנִיף אֹתָם הַכֹּהֵן תְּנוּפָה לִפְנֵי יְיָ Lev.14:24
19 וְהֵנִיף אֶת־הָעֹמֶר לִפְנֵי יְיָ Lev.23:11
20 וְהֵנִיף...אֹתָם...תְּנוּפָה לִפְנֵי יְיָ Lev.23:20
21 וְהֵנִיף אֶת־הַמִּנְחָה לִפְנֵי יְיָ Num.5:25
22 וְהֵנִיף אוֹתָם הַכֹּהֵן תְּנוּפָה לִפְנֵי יְיָ Num.6:20
23 וְהֵנִיף אַהֲרֹן אֶת־הַלְוִיִּם תְּנוּפָה Num.8:11
24 וְהֵנִיף יָדוֹ אֶל־הַמָּקוֹם IIK.5:11
25 וְהֵנִיף יָדוֹ עַל־הַנָּהָר בַּעְיָם רוּחוֹ Is.11:15
מֵנִיף 26 ...אֲשֶׁר־הוּא מֵנִיף עָלָיו Is.19:16
27 כִּי הִנְנִי מֵנִיף אֶת־יָדִי עֲלֵיהֶם Zech.2:13
מְנִיפוֹ 28 אִם־יִתְגַּדֵּל הַמַּשּׂוֹר עַל־מְנִיפוֹ Is.10:15
תָנִיף 29 וְחֶרְמֵשׁ לֹא תָנִיף עַל קָמַת רֵעֶךָ Deut.23:26
30 לֹא־תָנִיף עֲלֵיהֶם בַּרְזֶל Deut.27:5
31 גֶּשֶׁם נְדָבוֹת תָּנִיף אֱלֹהִים Ps.68:10
וַיָּנֶף 32 וַיָּנֶף אֹתָם תְּנוּפָה לִפְנֵי יְיָ Lev.8:27
33 וַיָּנֶף אַהֲרֹן אֹתָם תְּנוּפָה לִפְנֵי יְיָ Num.8:21
וַיְנִיפֵהוּ 34 וַיְנִיפֵהוּ תְנוּפָה לִפְנֵי יְיָ Lev.8:29
יְנִיפֶנּוּ 35 מִמָּחֳרַת הַשַּׁבָּת יְנִיפֶנּוּ הַכֹּהֵן Lev.23:11
הָנִיפוּ 36 הָרִימוּ קוֹל לָהֶם הָנִיפוּ יָד Is.13:2
הוּנַף 37 אֲשֶׁר הוּנַף וַאֲשֶׁר הוּרָם Ex.29:27

נוֹף ז׳ מקום נשׂא • יְפֵה נוֹף 1

נוֹף 1 יְפֵה נוֹף מְשׂוֹשׂ כָּל־הָאָרֶץ Ps.48:3

נוֹפֵף עין נוף **נוץ** עין נצץ

נוֹצָה נ׳ צמיחה קרנית שֵׂעָרָה בעור העופות: 1-4

נוֹצָה 1 גְּדוֹל כְּנָפַיִם וְרַב נוֹצָה Ezek.17:7
וְנֹצָה 2 אִם־אֶבְרָה חֲסִידָה וְנֹצָה Job39:13
הַנּוֹצָה 3 אֶרֶךְ הָאֵבֶר מָלֵא הַנּוֹצָה Ezek.17:3
בְּנֹצָתָהּ 4 וְהֵסִיר אֶת־מֻרְאָתוֹ בְּנֹצָתָהּ Lev.1:16

נוֹצָר (ישעיה מג 10) – עין יצר

נוֹצְרִים (ירמיה ד16) – עין נצר **נוק** עין ינק

נוֹקֵד ז׳ מְגַדֵּל צאן: 1, 2

נוֹקֵד 1 וּמֵישַׁע מֶלֶךְ־מוֹאָב הָיָה נֹקֵד IIK.3:4
בַּנּוֹקְדִים 2 עָמוֹס אֲשֶׁר־הָיָה בַנֹּקְדִים מִתְּקוֹעַ Am.1:1

נוֹקֵשׁ (תהלים ט17) – עין יקש, ואולי: נָקַשׁ

נוֹקַשׁ עין יקש

נור
: נֵר, מְנוֹרָה, תַּנּוּר, מָנוֹר(?); אר׳ נוּר; ש״פ נֵר, נֵרִיָּה

נוּר ז׳ ארמית: אֵשׁ • נְהַר דִּי־נוּר 4; רֵיחַ נוּר 1

נוּר 1 וְרֵיחַ נוּר לָא עֲדָת בְּהוֹן Dan.3:27
2 כָּרְסְיֵהּ שְׁבִיבִין דִּי־נוּר Dan.7:9
3 גַּלְגִּלּוֹהִי נוּר דָּלִק Dan.7:9
4 נְהַר דִּי־נוּר נָגֵד וְנָפֵק... Dan.7:10
נוּרָא 5-11 אַתּוּן(־)נוּרָא יָקִדְתָּא Dan.3:6
3:11,15,17,21,23,26
12 לְמִרְמֵא לְאַתּוּן נוּרָא יָקִדְתָּא Dan.3:20
13 קַטִּל הִמּוֹן שְׁבִיבָא דִּי נוּרָא Dan.3:22
14 גֻּבְרִין תְּלָתָה רְמֵינָא לְגוֹא־נוּרָא Dan.3:24
15 גֻּבְרִין...שְׁרַיִן מַהְלְכִין בְּגוֹא־נוּרָא Dan.3:25
16 בֵּאדַיִן נָפְקִין...מִן גּוֹא־נוּרָא Dan.3:26
17 דִּי־לָא שְׁלֵט נוּרָא בְּגֶשְׁמְהוֹן Dan.3:27

נוֹרָא ת׳ א) אָיֹם, מפחיד (וּבהשאלה בִּיחוּד על אלהים) נשׂגב: 1-35
ב) [נוֹרָאוֹת] דברים איוּמים ונשׂגבים: 36-47

– נוֹרָא הוֹד 16; נוֹרָא עֲלִילָה 11; נוֹרָא תְהִלֹּת 2
– אָיֹם וְנוֹרָא 19; (הַ)גָּדוֹל(...)וְ(הַ)נּוֹרָא 17, 18, 21, 25-27, 29-34; נִכְבָּד וְנוֹרָא 28; קָדוֹשׁ וְנוֹרָא 22
– מִדְבָּר נוֹרָא 25, 26; מָקוֹם נוֹרָא 1; עַם נוֹרָא 5, 6; קֶרַח נוֹרָא 24; שֵׁם נוֹרָא 8
– אֶרֶץ נוֹרָאָה 35
– גְּדֹלוֹת וְנוֹרָאוֹת 42; גְּדוֹלוֹת...נוֹרָאוֹת 43
– עֱזוּז נוֹרְאוֹתֶיו 44

נוֹרָא 1 מַה־נּוֹרָא הַמָּקוֹם הַזֶּה Gen.28:17
2 נוֹרָא תְהִלֹּת עֹשֵׂה פֶלֶא Ex.15:11
3 אֶת־מַעֲשֵׂה יְיָ כִּי־נוֹרָא הוּא Ex.34:10
4 כְּמַרְאֵה מַלְאַךְ הָאֱל׳ נוֹרָא מְאֹד Jud.13:6
5 אֶל־עַם נוֹרָא מִן־הוּא וָהָלְאָה Is.18:2
6 וּמֵעַם נוֹרָא מִן־הוּא וָהָלְאָה Is.18:7
7 נוֹרָא יְיָ עֲלֵיהֶם Zep.2:11
8 וּשְׁמִי נוֹרָא בַגּוֹיִם Mal.1:14
9 כִּי־יְיָ עֶלְיוֹן נוֹרָא Ps.47:3
10 אִמְרוּ לֵאל׳ מַה־נּוֹרָא מַעֲשֶׂיךָ Ps.66:3
11 נוֹרָא עֲלִילָה עַל־בְּנֵי אָדָם Ps.66:5
12 נוֹרָא אֱלֹהִים מִמִּקְדָּשֶׁיךָ... Ps.68:36
13 אַתָּה נוֹרָא אַתָּה Ps.76:8
14 נוֹרָא לְמַלְכֵי־אָרֶץ Ps.76:13
15 נוֹרָא הוּא עַל־כָּל־אֱלֹהִים Ps.96:4
16 עַל־אֱלוֹהַּ נוֹרָא הוֹד Job37:22
וְנוֹרָא 17 אֵל גָּדוֹל וְנוֹרָא Deut.7:21
18 גָּדוֹל יוֹם־יְיָ וְנוֹרָא מְאֹד Joel2:11
19 אָיֹם וְנוֹרָא הוּא Hab.1:7
20 וְנוֹרָא עַל־כָּל־סְבִיבָיו Ps.89:8
21 יוֹדוּ שִׁמְךָ גָּדוֹל וְנוֹרָא Ps.99:3
22 קָדוֹשׁ וְנוֹרָא שְׁמוֹ Ps.111:9
23 וְנוֹרָא הוּא עַל־כָּל־אֱלֹהִים ICh.16:25
הַנּוֹרָא 24 וּדְמוּת...כְּעֵין הַקֶּרַח הַנּוֹרָא Ezek.1:22
וְהַנּוֹרָא 25 אֵת כָּל־הַמִּדְבָּר הַגָּדוֹל וְהַנּוֹרָא Deut.1:19
26 הַמּוֹלִיכְךָ בַּמִּדְבָּר הַגָּדֹל וְהַנּוֹרָא Deut.8:15
27 הָאֵל הַגָּדֹל הַגִּבֹּר וְהַנּוֹרָא Deut.10:17

וְהַנּוֹרָא (המשך)
28 לְיִרְאָה...הַשֵּׁם הַנִּכְבָּד וְהַנּוֹרָא Deut. 28:58
29 לִפְנֵי בּוֹא יוֹם יְיָ הַגָּדוֹל וְהַנּוֹרָא Joel 3:4
30 לִפְנֵי בּוֹא יוֹם יְיָ הַגָּדוֹל וְהַנּוֹרָא Mal. 3:23
31 אָנָּא אֲדֹנָי הָאֵל הַגָּדוֹל וְהַנּוֹרָא Dan. 9:4
32 אָנָּא...הָאֵל הַגָּדוֹל וְהַנּוֹרָא Neh. 1:5
33 אֶת־אֲדֹנָי הַגָּדוֹל וְהַנּוֹרָא זְכֹרוּ Neh. 4:8
34 אֱלֹהֵינוּ הָאֵל הַגָּדוֹל...וְהַנּוֹרָא Neh. 9:32
נוֹרָאָה 35 מִמִּדְבָּר בָּא מֵאֶרֶץ נוֹרָאָה Is. 21:1
נוֹרָאוֹת 36 בַּעֲשׂוֹתְךָ נוֹרָאוֹת לֹא נְקַוֶּה Is. 64:2
37 וְתוֹרְךָ נוֹרָאוֹת יְמִינֶךָ Ps. 45:5
38 נוֹרָאוֹת בְּצֶדֶק תַּעֲנֵנוּ Ps. 65:6
39 נִפְלָאוֹת...נוֹרָאוֹת עַל־יַם־סוּף Ps. 106:22
40 אוֹדְךָ עַל כִּי נוֹרָאוֹת נִפְלֵיתִי Ps. 139:14
וְנוֹרָאוֹת 41 וְלַעֲשׂוֹת...הַגְּדוּלָּה וְנֹרָאוֹת לְאַרְצֶךָ IISh. 7:23
42 לָשׂוּם לְךָ שֵׁם גְּדֻלּוֹת וְנֹרָאוֹת ICh. 17:21
הַנּוֹרָאוֹת 43 אֶת־הַגְּדֹלֹת וְאֶת־הַנּוֹרָאֹת הָאֵלֶּה Deut. 10:21
נוֹרְאֹתֶיךָ 44 וֶעֱזוּז נוֹרְאֹתֶיךָ יֹאמֵרוּ Ps. 145:6

(נוש) נָשׁ פ׳ היה אנוש, נחלש
וָאָנוּשָׁה 1 חֶרְפָּה שָׁבְרָה לִבִּי וָאָנוּשָׁה Ps. 69:21

נוֹשָׂא, נוֹשְׂא־כֵלִים – עין נָשָׂא

נוֹשָׁב נפ׳ – עין ישב

נוֹשֶׁה ז׳ – עין נָשָׁה **נוֹשַׁן** נפ׳ – עין (ישן)²

נוֹשַׁע (ישעיה מה17) – עין ישע

נוֹשֵׁק ז׳ נושא נֶשֶׁק: 1-3 • נֹשְׁקֵי קֶשֶׁת 1-3
נוֹשְׁקֵי־ 1 בְּנֵי־אֶפְרַיִם נוֹשְׁקֵי רוֹמֵי־קָשֶׁת Ps. 78:9
2 נֹשְׁקֵי קֶשֶׁת מַיְמִינִים וּמַשְׂמְאִלִים ICh. 12:2
3 וְעִמּוֹ נֹשְׁקֵי־קֶשֶׁת וּמָגֵן IICh. 17:17

נוֹתַר ת׳ – עין יתר

נזה : יַזֶּה (עתיד), הַזֵּה; ש״פ יִזֶּה

נָזָה פ׳ א) נורק, נִתַּז: 1-4
ב) [הפ׳ הִזָּה] זרק, התיז: 5-20, 22-24
ג) [כּוּ״ל] הקפיץ: 21
יִזֶּה 1 וַאֲשֶׁר יִזֶּה מִדָּמָהּ עַל־הַבֶּגֶד Lev. 6:20
2 אֲשֶׁר יִזֶּה עָלֶיהָ Lev. 6:20
וְיֵז 3 וְיֵז נִצְחָם עַל־בְּגָדַי Is. 63:3
וַיִּז 4 וַיִּז מִדָּמָהּ אֶל־הַקִּיר IIK. 9:33
וְהִזֵּיתָ 5 וְהִזֵּיתָ עַל־אַהֲרֹן וְעַל־בְּגָדָיו Ex. 29:21
וְהִזָּה 6 וְהִזָּה מִן־הַדָּם שֶׁבַע פְּעָמִים Lev. 4:6
7 וְהִזָּה שֶׁבַע פְּעָמִים לִפְנֵי יְיָ Lev. 4:17
8 וְהִזָּה מִדַּם הַחַטָּאת עַל־קִיר הַמִּזְבֵּחַ Lev. 5:9
9 וְהִזָּה עַל הַמִּטַּהֵר...שֶׁבַע פְּעָמִים Lev. 14:7
10 וְהִזָּה מִן־הַשֶּׁמֶן בְּאֶצְבָּעוֹ Lev. 14:16
11 וְהִזָּה הַכֹּהֵן בְּאֶצְבָּעוֹ הַיְמָנִית Lev. 14:27
12 וְהִזָּה אֶל־הַבַּיִת שֶׁבַע פְּעָמִים Lev. 14:51
13 וְהִזָּה בְאֶצְבָּעוֹ עַל־פְּנֵי הַכַּפֹּרֶת Lev. 16:14
14 וְהִזָּה אֹתוֹ עַל־הַכַּפֹּרֶת Lev. 16:15
15 וְהִזָּה עָלָיו מִן־הַדָּם בְּאֶצְבָּעוֹ Lev. 16:19
16 וְהִזָּה אֶל־נֹכַח פְּנֵי אֹהֶל־מוֹעֵד Num. 19:4
17 וְהִזָּה עַל־הָאֹהֶל Num. 19:18
18 וְהִזָּה הַטָּהֹר עַל־הַטָּמֵא Num. 19:19
וּמַזֵּה־ 19 וּמַזֵּה מֵי־הַנִּדָּה יְכַבֵּס בְּגָדָיו Num. 19:21
יַזֶּה 20 וְלִפְנֵי הַכַּפֹּרֶת יַזֶּה שֶׁבַע־פְּעָמִים Lev. 16:14
21 כֵּן יַזֶּה גּוֹיִם רַבִּים Is. 52:15
וַיַּז 22 וַיַּז מִמֶּנּוּ עַל־הַמִּזְבֵּחַ Lev. 8:11
23 וַיַּז עַל־אַהֲרֹן עַל־בְּגָדָיו Lev. 8:30
הַזֵּה 24 הַזֵּה עֲלֵיהֶם מֵי חַטָּאת Num. 8:7

נזח עין זחח

נָזִיד ז׳ תבשיל של ירקות: 1-6
סִיר הַנָּזִיד 3; נְזִיד עֲדָשִׁים 6
נָזִיד 1 וַיָּזֶד יַעֲקֹב נָזִיד Gen. 25:29
2 וּבַשֵּׁל נָזִיד לִבְנֵי הַנְּבִיאִים IIK. 4:38
הַנָּזִיד 3 וַיָּבֹא וַיְפַלַּח אֶל־סִיר הַנָּזִיד IIK. 4:39
4 וְנָגַע בִּכְנָפוֹ אֶל־הַלֶּחֶם וְאֶל־הַנָּזִיד Hag. 2:12
מֵהַנָּזִיד 5 וַיְהִי כְּאָכְלָם מֵהַנָּזִיד... IIK. 4:40
וּנְזִיד־ 6 לֶחֶם וּנְזִיד עֲדָשִׁים Gen. 25:34

נָזִיר ז׳ א) פרוש ממותרות החברה: 1-6, 9-13, 16
ב) נכבד, נושא נֵזֶר: 7, 8
ג) כנוי לגפן שלא נזמרה: 14, 15
כַּפֵּי הַנָּזִיר 4; נֶדֶר נָ׳ 1; תּוֹרַת הַנָּזִיר 2, 6; נְזִיר אֶחָיו 7, 8; נְ׳ אֱלֹהִים 9-11; עִנְּבֵי נְזִירִים 14
נָזִיר 1 לִנְדֹּר נֶדֶר נָזִיר לְהַזִּיר לַייָ Num. 6:2
הַנָּזִיר 2 וְזֹאת תּוֹרַת הַנָּזִיר Num. 6:13
3 וְגִלַּח הַנָּזִיר...אֶת־רֹאשׁ נִזְרוֹ Num. 6:18
4 וְנָתַן עַל־כַּפֵּי הַנָּזִיר Num. 6:19
5 וְאַחַר יִשְׁתֶּה הַנָּזִיר יָיִן Num. 6:20
6 זֹאת תּוֹרַת הַנָּזִיר אֲשֶׁר יִדֹּר Num. 6:21
נְזִיר־ 7/8 וּלְקָדְקֹד נְזִיר אֶחָיו Gen. 49:26 • Deut. 33:16
9 נְזִיר אֱלֹהִים יִהְיֶה הַנַּעַר מִן הַבָּטֶן Jud. 13:5
10 נְזִיר אֱלֹהִים...מִן־הַבֶּטֶן עַד־יוֹם... Jud. 13:7
11 נְזִיר אֱלֹהִים אֲנִי מִבֶּטֶן אִמִּי Jud. 16:17
הַנְּזִרִים 12 וַתַּשְׁקוּ אֶת־הַנְּזִרִים יָיִן Am. 2:12
לִנְזִרִים 13 וָאָקִים...וּמִבַּחוּרֵיכֶם לִנְזִרִים Am. 2:11
נְזִירֶךָ 14 וְאֶת־עִנְּבֵי נְזִירֶךָ לֹא תִבְצֹר Lev. 25:5
נְזִרֶיהָ 15 וְלֹא תִבְצְרוּ אֶת־נְזִרֶיהָ Lev. 25:11
נְזִירֶיהָ 16 זַכּוּ נְזִירֶיהָ מִשֶּׁלֶג צַחוּ מֵחָלָב Lam. 4:7

נזל : נָזַל, הִזִּיל

נָזַל פ׳ א) זב, נגר (גם בהשאלה): 1-17
ב) [הפ׳ הִזִּיל] טפטף, גרם שיזול: 18
נָזְלוּ 1 (?)הָרִים נָזְלוּ מִפְּנֵי יְיָ Jud. 5:5
נָזֹלּוּ 2/3 (?)מִפָּנֶיךָ הָרִים נָזֹלּוּ Is. 63:19; 64:2
נוֹזְלִים 4 נִצְּבוּ כְמוֹ־נֵד נֹזְלִים Ex. 15:8
5 מַיִם זָרִים קָרִים נוֹזְלִים Jer. 18:14
6 וַיּוֹצִא נוֹזְלִים מִסָּלַע Ps. 78:16
וְנוֹזְלִים 7 כִּי אֶצָּק־מַיִם...וְנוֹזְלִים עַל־יַבָּשָׁה Is. 44:3
8 שְׁתֵה־מַיִם...וְנֹזְלִים מִתּוֹךְ בְּאֵרֶךָ Prov. 5:15
9 בְּאֵר מַיִם חַיִּים וְנֹזְלִים מִן־לְבָנוֹן S.of S. 4:15
וְנֹזְלֵיהֶם 10 וְנֹזְלֵיהֶם בַּל־יִשְׁתָּיוּן Ps. 78:44
יִזַּל 11 יִזַּל־מַיִם מִדָּלְיָו Num. 24:7
תִּזַּל 12 יַעֲרֹף...תִּזַּל כַּטַּל אִמְרָתִי Deut. 32:2
יִזְּלוּ 13 הַרְעִיפוּ...וּשְׁחָקִים יִזְּלוּ־צֶדֶק Is. 45:8
14 וְעַפְעַפֵּינוּ יִזְּלוּ־מָיִם Jer. 9:17
15 יַשֵּׁב רוּחוֹ יִזְּלוּ־מָיִם Ps. 147:18
16 אֲשֶׁר־יִזְּלוּ שְׁחָקִים Job 36:28
17 הָפִיחִי גַנִּי יִזְּלוּ בְשָׂמָיו S.of S. 4:16
הִזִּיל 18 מַיִם מִצּוּר הִזִּיל לָמוֹ Is. 48:21

נָזֹלּוּ (ישעיה סג19) – עין נזל קל או זלל נפ׳

נֶזֶם ז׳ תכשיט כעין טבעת לאף: 1-17
קרובים: אֶצְעָדָה / חָח / חֲלִי / חֶלְיָה / חֲרוּזִים / טַבַּעַת / כּוּמָז / לְחָשִׁים / מִטְפַּחַת / נְטִיפוֹת / עָגִיל / עֲדִי / עֲטָרָה / עֶכֶס / עֲנָק / צִיץ / צָמִיד / צְעָדָה / קִשֻּׁרִים / רָבִיד / רְדִיד / שְׁבִיס / שַׂהֲרֹן
נֶזֶם זָהָב 5-7, 10-13; נִזְמֵי הָאַף 14
נֶזֶם 1 וָאֶתֵּן נֶזֶם עַל־אַפֵּךְ Ezek. 16:12
וָנֶזֶם 2 חָח וָנֶזֶם וְטַבַּעַת וְכוּמָז Ex. 35:22
הַנֶּזֶם 3 אֶת־הַנֶּזֶם וְאֶת־הַצְּמִדִים Gen. 24:30
4 וָאָשִׂם הַנֶּזֶם עַל־אַפָּהּ Gen. 24:47
נֶזֶם־ 5 נֶזֶם זָהָב בְּאַף חֲזִיר Prov. 11:22
6 נֶזֶם זָהָב וַחֲלִי־כָתֶם Prov. 25:12
7 וְאִישׁ נֶזֶם זָהָב אֶחָד Job 42:11
נִזְמָהּ 8 וַתַּעַד נִזְמָהּ וְחֶלְיָתָהּ Hosh. 2:15
הַנְּזָמִים 9 וְאֶת־הַנְּזָמִים אֲשֶׁר בְּאָזְנֵיהֶם Gen. 35:4
נִזְמֵי־ 10 פָּרְקוּ נִזְמֵי הַזָּהָב אֲשֶׁר בְּאָזְנֵי נְשֵׁיכֶם Ex. 32:2
11 וַיִּתְפָּרְקוּ...אֶת־נִזְמֵי הַזָּהָב Ex. 32:3
12 כִּי־נִזְמֵי זָהָב לָהֶם Jud. 8:24
13 וַיְהִי מִשְׁקַל נִזְמֵי הַזָּהָב Jud. 8:26
וְנִזְמֵי־ 14 הַטַּבָּעוֹת וְנִזְמֵי הָאָף Is. 3:21

נְזַק פ׳ ארמית: א) [בינוני: נָזִק] נזק, נפסד: 1
ב) [הפ׳ הַנְזִק] הזיק, גרם רעה: 2-4
נָזִק 1 וּמַלְכָּא לָא־לֶהֱוֵא נָזִק Dan. 6:3
וּמְהַנְזְקַת 2 וּמְהַנְזְקַת מַלְכִין וּמְדִנָן Ez. 4:15
לְהַנְזָקַת 3 יִשְׂגֵּא חֲבָלָא לְהַנְזָקַת מַלְכִין Ez. 4:22
תְּהַנְזִק 4 וְאַפְּתֹם מַלְכִים תְּהַנְזִק Ez. 4:13

נֵזֶק* ז׳ הֶפְסֵד
בְּנֵזֶק־ 1 כִּי אֵין הַצָּר שֹׁוֶה בְּנֵזֶק הַמֶּלֶךְ Es. 7:4

נזר : נָזַר, הִזִּיר; נֵזֶר, נָזִיר, מִנְזָר

נָזַר נפ׳ א) נבדל, פרש מן־: 1-4
ב) [הפ׳ הִזִּיר] הבדיל, הפריש: 5-10
הִנָּזֵר 1 הַנָּזֵר כַּאֲשֶׁר עָשִׂיתִי זֶה כַּמֶּה שָׁנִים Zech. 7:3
וְיִנָּזֵר 2 וְיִנָּזֵר מֵאַחֲרַי וְיַעַל גִּלּוּלָיו אֶל־לִבּוֹ Ezek. 14:7
וְיִנָּזְרוּ 3 וְיִנָּזְרוּ מִקָּדְשֵׁי בְנֵי־יִשְׂרָאֵל Lev. 22:2
וַיִּנָּזְרוּ 4 הֵמָּה בָּאוּ בַעַל־פְּעוֹר וַיִּנָּזְרוּ לַבֹּשֶׁת Hosh. 9:10
לְהַזִּיר 5 לִנְדֹּר נֶדֶר נָזִיר לְהַזִּיר לַייָ Num. 6:2
הַזִּירוֹ 6 כָּל־יְמֵי הַזִּירוֹ לַייָ Num. 6:6
וְהִזִּיר 7 וְהִזִּיר לַייָ אֶת־יְמֵי נִזְרוֹ Num. 6:12
וְהִזַּרְתֶּם 8 וְהִזַּרְתֶּם אֶת־בְּ״יִ מִטֻּמְאָתָם Lev. 15:31
יַזִּיר 9 מִיַּיִן וְשֵׁכָר יַזִּיר Num. 6:3
10 עַד־מְלֹאת הַיָּמִם אֲשֶׁר־יַזִּיר לַייָ Num. 6:5

נֵזֶר ז׳ א) כתר, תכשיט על ראש מלך או כהן גדול וכד׳: 1-8, 10, 24, 25
ב) כנוי לשערו הארוך של הנזיר: 9, 11, 17-21
ג) נזירות: 12-16, 22, 23
קרובים: כֶּתֶר / עֲטָרָה / צִיץ / צְפִירָה
– נֵזֶר אֱלֹהִים 9; נֵזֶר הַקֹּדֶשׁ 6, 7, 10
– אַבְנֵי נֵזֶר 1; יְמֵי נִזְרוֹ 12-16; נֶדֶר נִזְרוֹ 13; רֹאשׁ נִזְרוֹ 17, 19, 20; תּוֹרַת נִזְרוֹ 23
נֵזֶר 1 אַבְנֵי־נֵזֶר מִתְנוֹסְסוֹת עַל־אַדְמָתוֹ Zech. 9:16
2 וְאִם־נֵזֶר לְדוֹר וָדוֹר° Prov. 27:24
הַנֵּזֶר 3 וָאֶקַּח הַנֵּזֶר אֲשֶׁר עַל־רֹאשׁוֹ IISh. 1:10
4 וַיִּתֵּן עָלָיו אֶת־הַנֵּזֶר וְאֶת־הָעֵדוּת IIK. 11:12
5 וַיִּתְּנוּ עָלָיו אֶת־הַנֵּזֶר וְאֶת־הָעֵדוּת IICh. 23:11
נֵזֶר־ 6 וְנָתַתָּ אֶת־נֵזֶר הַקֹּדֶשׁ עַל־הַמִּצְנָפֶת Ex. 29:6
7 אֵת צִיץ הַזָּהָב נֵזֶר הַקֹּדֶשׁ Lev. 8:9
8 כִּי נֵזֶר שֶׁמֶן מִשְׁחַת אֱלֹהָיו עָלָיו Lev. 21:12
9 כִּי נֵזֶר אֱלֹהָיו עַל־רֹאשׁוֹ Num. 6:7
נֵזֶר־ 10 וַיַּעֲשׂוּ אֶת־צִיץ נֵזֶר־הַקֹּדֶשׁ Ex. 39:30
נִזְרֵךְ 11 גָּזִּי נִזְרֵךְ וְהַשְׁלִיכִי Jer. 7:29
נִזְרוֹ 12 כֹּל יְמֵי נִזְרוֹ...לֹא יֹאכֵל Num. 6:4
13 כָּל־יְמֵי נֶדֶר נִזְרוֹ Num. 6:5
14-16 יְמֵי נִזְרוֹ Num. 6:8, 12, 13
17 וְטִמֵּא רֹאשׁ נִזְרוֹ Num. 6:9
18 כִּי טָמֵא נִזְרוֹ Num. 6:12
19 וְלָקַח אֶת־שְׂעַר רֹאשׁ נִזְרוֹ Num. 6:18
20 וְגִלַּח הַנָּזִיר...אֶת־רֹאשׁ נִזְרוֹ Num. 6:18

נִזְרוֹ (המשך)
21 אַחַר הִתְגַּלְּחוֹ אֶת־נִזְרוֹ Num. 6:19
22 יִדֹּר קָרְבָּנוֹ לַיְיָ עַל־נִזְרוֹ Num. 6:21
23 כֵּן יַעֲשֶׂה עַל תּוֹרַת נִזְרוֹ Num. 6:21
24 חִלַּלְתָּ לָאָרֶץ נִזְרוֹ Ps. 89:40
25 וְעָלָיו יָצִיץ נִזְרוֹ Ps. 132:18

נָזֹרוּ
(ישעיה א4, יחזקאל יד5) – עין זור

נֹחַ
שפ״ז – בן למך בן מתושלח: 1-46
בְּנֵי נֹחַ 10-12, 15-18; חַיֵּי נֹחַ 9; יְמֵי נֹחַ 19; מֵי נֹחַ 20, 21; תּוֹלְדוֹת נֹחַ 5

נֹחַ 1 וַיִּקְרָא אֶת־שְׁמוֹ נֹחַ לֵאמֹר... Gen. 5:29
2 וַיְחִי־לֶמֶךְ אַחֲרֵי הוֹלִידוֹ אֶת־נֹחַ Gen. 5:30
3 וַיְהִי־נֹחַ בֶּן־חֲמֵשׁ מֵאוֹת שָׁנָה Gen. 5:32
4 וַיּוֹלֶד נֹחַ אֶת־שֵׁם אֶת־חָם וְאֶת־יָפֶת Gen. 5:32
5 אֵלֶּה תּוֹלְדֹת נֹחַ Gen. 6:9
6 נֹחַ אִישׁ צַדִּיק תָּמִים הָיָה בְּדֹרֹתָיו Gen. 6:9
7 אֶת־הָאֱלֹהִים הִתְהַלֶּךְ־נֹחַ Gen. 6:9
8 וַיּוֹלֶד נֹחַ שְׁלֹשָׁה בָנִים... Gen. 6:10
9 בִּשְׁנַת שֵׁשׁ־מֵאוֹת שָׁנָה לְחַיֵּי־נֹחַ Gen. 7:11
10/1 בָּא נֹחַ וְשֵׁם־וְחָם וָיֶפֶת בְּנֵי־נֹחַ Gen. 7:13
12 וְאֵשֶׁת נֹחַ...אֶל־הַתֵּבָה Gen. 7:13
13 וַיִּשָּׁאֶר אַךְ־נֹחַ וַאֲשֶׁר אִתּוֹ בַּתֵּבָה Gen. 7:23
14 וַיִּזְכֹּר אֱלֹהִים אֶת־נֹחַ Gen. 8:1
15-18 בְּנֵי(־)נֹחַ Gen. 9:18, 19; 10:1, 32
19 וַיִּהְיוּ כָּל־יְמֵי־נֹחַ... Gen. 9:29
20 כִּי־מֵי נֹחַ זֹאת לִי אֲשֶׁר נִשְׁבַּעְתִּי Is. 54:9
21 מֵעֲבֹר מֵי־נֹחַ עוֹד עַל־הָאָרֶץ Is. 54:9
22 וְהָיוּ...בְּתוֹכָהּ נֹחַ דָּנִיאֵל° וְאִיּוֹב Ezek. 14:14
23 נֹחַ שֵׁם חָם וָיָפֶת ICh. 1:4
24-41 נֹחַ Gen. 6:22; 7:5, 7, 9², 15
8:6, 11, 13, 15, 18, 20; 9:1, 8, 17, 20, 24, 28
וְנֹחַ 42 וְנֹחַ מָצָא חֵן בְּעֵינֵי יְיָ Gen. 6:8
43 וְנֹחַ בֶּן־שֵׁשׁ מֵאוֹת שָׁנָה... Gen. 7:6
44 וְנֹחַ דָּנִיאֵל° וְאִיּוֹב בְּתוֹכָהּ Ezek. 14:20
לְנֹחַ 45 וַיֹּאמֶר אֱ׳ לְנֹחַ קֵץ כָּל־בָּשָׂר... Gen. 6:13
46 וַיֹּאמֶר יְיָ לְנֹחַ בֹּא...אֶל־הַתֵּבָה Gen. 7:1

נַחְבִּי
שפ״ז – בן וָפְסִי, ראש שבט נפתלי, משנים עשר המרגלים ששלח משה
נַחְבִּי 1 לְמַטֵּה נַפְתָּלִי נַחְבִּי בֶּן־וָפְסִי Num. 13:14

נחה : נָחָה, הִנְחָה; נַחַת²
נָחָה
פָּ׳ א) נהג, נהל: 1-11
ב) [הִפ׳ הִנְחָה] הדריך, הוביל: 12-39
קרובים: ראה נָהַג

נָחִיתָ 1 נָחִיתָ בְחַסְדְּךָ עַם־זוּ גָּאָלְתָּ Ex. 15:13
2 נָחִיתָ כַצֹּאן עַמֶּךָ בְּיַד־מֹשֶׁה Ps. 77:21
וְנָחֲךָ 3 וְנָחֲךָ יְיָ תָּמִיד Is. 58:11
נָחַנִי 4 בַּדֶּרֶךְ נָחַנִי יְיָ בֵּית אֲחֵי אֲדֹנִי Gen. 24:27
5/6 מִי נָחַנִי עַד־אֱדוֹם Ps. 60:11; 108:11
נָחָם 7 וְלֹא־נָחָם אֱלֹהִים דֶּרֶךְ אֶ׳ פְּלִשְׁתִּים Ex. 13:17
נְחֵה 8 נְחֵה אֶת־הָעָם אֶל אֲשֶׁר־דִּבַּרְתִּי Ex. 32:34
נְחֵנִי 9 יְיָ נְחֵנִי בְצִדְקָתֶךָ לְמַעַן שׁוֹרְרָי Ps. 5:9
וּנְחֵנִי 10 הוֹרֵנִי יְיָ דַּרְכֶּךָ וּנְחֵנִי בְּאֹרַח מִישׁוֹר Ps. 27:11
11 וּנְחֵנִי בְּדֶרֶךְ עוֹלָם Ps. 139:24
לְהַנְחֹתָם 12 בְּיוֹמָם לְהַנְחֹתָם בְּהַדֶּרֶךְ Neh. 9:19
לַנְחֹתָם 13 יוֹמָם בְּעַמּוּד עָנָן לַנְחֹתָם הַדֶּרֶךְ Ex. 13:21
הִנְחִיתָם 14 וּבְעַמּוּד עָנָן הִנְחִיתָם יוֹמָם Neh. 9:12
הִנְחַנִי 15 אֲשֶׁר הִנְחַנִי בְּדֶרֶךְ אֱמֶת Gen. 24:48
וְאַנְחֵהוּ 16 וְאַנְחֵהוּ וַאֲשַׁלֵּם נִחֻמִים לוֹ Is. 57:18
אַנְחֶנָּה 17 וּמִבֶּטֶן אִמִּי אַנְחֶנָּה Job 31:18
תַּנְחֵנִי 18 וּלְמַעַן שִׁמְךָ תַּנְחֵנִי וּתְנַהֲלֵנִי Ps. 31:4
19 בְּצוּר־יָרוּם מִמֶּנִּי תַנְחֵנִי Ps. 61:3
20 בַּעֲצָתְךָ תַנְחֵנִי וְאַחַר כָּבוֹד תִּקָּחֵנִי Ps. 73:24
21 תַּנְחֵנִי בְּאֶרֶץ מִישׁוֹר Ps. 143:10
תַּנְחֵם 22 וּלְאֻמִּים בָּאָרֶץ תַּנְחֵם Ps. 67:5
23 וְעַיִשׁ עַל־בָּנֶיהָ תַנְחֵם Job 38:32
יַנְחֵנִי 24 מִן־אֲרָם יַנְחֵנִי בָלָק Num. 23:7
25 יַנְחֵנִי בְמַעְגְּלֵי־צֶדֶק לְמַעַן שְׁמוֹ Ps. 23:3
יַנְחֶנּוּ 26 יְיָ בָּדָד יַנְחֶנּוּ וְאֵין עִמּוֹ אֵל נֵכָר Deut. 32:12
27 וְלִפְנֵי גְדֹלִים יַנְחֶנּוּ Prov. 18:16
יַנְחֵם 28 וּבִתְבוּנוֹת כַּפָּיו יַנְחֵם Ps. 78:72
וַיַּנְחֵם 29 וַיַּנְחֵם אֶת־פְּנֵי מֶלֶךְ מוֹאָב ISh. 22:4
30 וַיַּנְחֵם בְּעָרֵי הָרֶכֶב IK. 10:26
31 וַיַּנְחֵם בַּחְלַח וּבְחָבוֹר IIK. 18:11
32 וַיַּנְחֵם בֶּעָנָן יוֹמָם Ps. 78:14
33 וַיַּנְחֵם לָבֶטַח וְלֹא פָחָדוּ Ps. 78:53
34 וַיַּנְחֵם אֶל־מְחוֹז חֶפְצָם Ps. 107:30
35 שֹׁטֵחַ לַגּוֹיִם וַיַּנְחֵם Job 12:23
תַּנְחֶה ג׳ 36 בְּהִתְהַלֶּכְךָ תַּנְחֶה אֹתָךְ Prov. 6:22
תַּנְחֵנִי 37 גַּם־שָׁם יָדְךָ תַנְחֵנִי Ps. 139:10
תַּנְחֵם 38 תֻּמַּת יְשָׁרִים תַּנְחֵם Prov. 11:3
יַנְחוּנִי 39 שְׁלַח־אוֹרְךָ וַאֲמִתְּךָ הֵמָּה יַנְחוּנִי Ps. 43:3

נְחוּם
שפ״ז – מן העולים עם זרובבל, הוא רְחוּם
נְחוּם 1 הַבָּאִים...בִּגְוַי נְחוּם בַּעֲנָה Neh. 7:7

נַחוּם
שפ״ז – האלקשי, נביא ישראל
נַחוּם 1 סֵפֶר חֲזוֹן נַחוּם הָאֶלְקֹשִׁי Nah. 1:1

נִחוּמִים
ז״ר א) דברי רצון ופיוסים: 1-2
ב) רחמים: 3
דְּבָרִים נִחוּמִים 2; נִכְמְרוּ נִחוּמָיו 3
נִחֻמִים 1 וַאֲשַׁלֵּם נִחֻמִים לוֹ וְלַאֲבֵלָיו Is. 57:18
2 דְּבָרִים טוֹבִים דְּבָרִים נִחֻמִים Zech. 1:13
נִחוּמָי 3 יַחַד נִכְמְרוּ נִחוּמָי Hosh. 11:8

נָחוּץ
ת׳ דחוף
נָחוּץ 1 כִּי־הָיָה דְבַר־הַמֶּלֶךְ נָחוּץ ISh. 21:9

נָחוֹר
שפ״ז א) אבי תרח אבי אברהם: 1-4
ב) בן תרח ואחי אברהם: 5-18
אֲבִי נָחוֹר 13; אֱלֹהֵי נָ׳ 12; אֵשֶׁת נָ׳ 7, 9; בֶּן נָ׳ 10, 11; עִיר נָחוֹר 8
נָחוֹר 1 וַיְחִי שְׂרוּג...וַיּוֹלֶד אֶת־נָחוֹר Gen. 11:22
2 וַיְחִי...אַחֲרֵי הוֹלִידוֹ אֶת־נָחוֹר Gen. 11:23
3 וַיְחִי נָחוֹר...וַיּוֹלֶד אֶת־תָּרַח Gen. 11:24
4 וַיְחִי...אַחֲרֵי הוֹלִידוֹ אֶת־תֶּרַח Gen. 11:25
5/6 אֶת־נָחוֹר וְאֶת־הָרָן Gen. 11:26, 27
7 וְשֵׁם אֵשֶׁת־נָחוֹר מִלְכָּה Gen. 11:29
8 אֶל־אֲרַם נַהֲרַיִם אֶל־עִיר נָחוֹר Gen. 24:10
9 אֵשֶׁת נָחוֹר אֲחִי אַבְרָהָם Gen. 24:15
10 בַּת־בְּתוּאֵל בֶּן־נָחוֹר Gen. 24:47
11 הַיְדַעְתֶּם אֶת־לָבָן בֶּן־נָחוֹר Gen. 29:5
12 אֱלֹהֵי אַבְרָהָם וֵאלֹהֵי נָחוֹר Gen. 31:53
13 תֶּרַח אֲבִי אַבְרָהָם וַאֲבִי נָחוֹר Josh. 24:2
14 שְׂרוּג נָחוֹר תָּרַח ICh. 1:26
וְנָחוֹר 15 וַיִּקַּח אַבְרָם וְנָחוֹר לָהֶם נָשִׁים Gen. 11:29
לְנָחוֹר 16 יָלְדָה מִלְכָּה...בָּנִים לְנָחוֹר אָחִיךָ Gen. 22:20
17 אֵלֶּה יָלְדָה מִלְכָּה לְנָחוֹר Gen. 22:23
18 בֶּן־מִלְכָּה אֲשֶׁר יָלְדָה לְנָחוֹר Gen. 24:24

נָחוּשׁ
ת׳ קשה כנחושת
נָחוּשׁ 1 אִם כֹּחַ־אֲבָנִים...אִם־בְּשָׂרִי נָחוּשׁ Job 6:12

נְחוּשָׁה
נ׳ נחושת
אֲפִיקֵי נְחוּשָׁה 8; דַּלְתוֹת נְ׳ 2; מֵצַח נְחוּשָׁה 3; קֶשֶׁת נְחוּשָׁה 1, 5
נְחוּשָׁה 1 וְנִחַת קֶשֶׁת־נְחוּשָׁה זְרוֹעֹתָי IISh. 22:35
2 דַּלְתוֹת נְחוּשָׁה אֲשַׁבֵּר Is. 45:2
3 וְגִיד בַּרְזֶל עָרְפֶּךָ וּמִצְחֲךָ נְחוּשָׁה Is. 48:4
4 וּפַרְסֹתַיִךְ אָשִׂים נְחוּשָׁה Mic. 4:13
5 וְנִחֲתָה קֶשֶׁת־נְחוּשָׁה זְרוֹעֹתָי Ps. 18:35
6 תַּחְלְפֵהוּ קֶשֶׁת נְחוּשָׁה Job 20:24
7 וְאֶבֶן יָצוּק נְחוּשָׁה Job 28:2
8 עֲצָמָיו אֲפִיקֵי נְחֻשָׁה Job 40:18
9 יַחְשֹׁב...לְעֵץ רִקָּבוֹן נְחוּשָׁה Job 41:19
כַּנְּחֻשָׁה 10 וְנָתַתִּי...וְאֶת־אַרְצְכֶם כַּנְּחֻשָׁה Lev. 26:19

נְחִילוֹת
נ״ר כלי־זמר קדום(?)
נְחִילוֹת 1 לַמְנַצֵּחַ אֶל־הַנְּחִילוֹת מִזְמוֹר לְדָוִד Ps. 5:1

נְחִירַיִם*
ז״ז נקבי האף
מִנְּחִירָיו 1 מִנְּחִירָיו יֵצֵא עָשָׁן Job 41:12

נחל : נָחַל, נִחֵל, הִתְנַחֵל, הִנְחִיל, הָנְחַל; נַחַל, נַחֲלָה
נָחַל
פָּ׳ א) ירש, קבל נחלתו: 1, 2, 4, 6-9, 12, 17-19, 22-24, 25, 27-30
ב) [בהשאלה] זכה, קבל: 3, 5, 10, 11, 18, 23, 26
ג) [פִּ׳ נִחֵל] הוריש, נתן נחלה: 31-34
ד) [הת׳ הִתְנַחֵל] קבל נחלה: 35-41
ה) [הִפ׳ הִנְחִיל] הוריש, נתן נחלה (גם בהשאלה): 42-58
ו) [הָפ׳ הָנְחַל] קבל נחלה: 59

לִנְחֹל 1 וּנְשִׂיא...תִּקְחוּ לִנְחֹל אֶת־הָאָרֶץ Num. 34:18
2 וַיְכַלּוּ לִנְחֹל אֶת־הָא׳ לִגְבוּלֹתֶיהָ Josh. 19:49
נָחַלְתִּי 3 נָחַלְתִּי עֵדְוֹתֶיךָ לְעוֹלָם Ps. 119:111
וְנָחַלְתָּ 4 תִּפְרֶה וְנָחַלְתָּ אֶת־הָאָרֶץ Ex. 23:30
וּנְחַלְתָּנוּ 5 וְסָלַחְתָּ לַעֲוֹנֵנוּ וּלְחַטָּאתֵנוּ וּנְחַלְתָּנוּ Ex. 34:9
וְנָחַל 6 וְנָחַל יְיָ אֶת־יְהוּדָה חֶלְקוֹ... Zech. 2:16
וּנְחַלְתֶּם 7 וּנְחַלְתֶּם אוֹתָהּ אִישׁ כְּאָחִיו Ezek. 47:14
נָחֲלוּ 8 וְאֵלֶּה אֲשֶׁר־נָחֲלוּ בְ״י בְּאֶרֶץ כְּנָעַן Josh. 14:1
9 בְּנוֹת מְנַשֶּׁה נָחֲלוּ נַחֲלָה בְּתוֹךְ בָּנָיו Josh. 17:6
10 אַךְ־שֶׁקֶר נָחֲלוּ אֲבוֹתֵינוּ Jer. 16:19
11 נָחֲלוּ פְתָאיִם אִוֶּלֶת Prov. 14:18
וְנָחֲלוּ 12 וְכָל־הָאָרֶץ הַזֹּאת...וְנָחֲלוּ לְעֹלָם Ex. 32:13
תִּנְחַל 13 בְּנַחֲלָתְךָ אֲשֶׁר תִּנְחַל בָּאָרֶץ Deut. 19:14
14 לֹא־תִנְחַל בְּבֵית־אָבִינוּ Jud. 11:2
15 כִּי־אַתָּה תִנְחַל בְּכָל־הַגּוֹיִם Ps. 82:8
תִּנְחָל 16 בְּאַרְצָם לֹא תִנְחָל Num. 18:20
יִנְחַל־ 17 וְהַחוֹסֶה בִי יִנְחַל־אֶרֶץ Is. 57:13
18 עֹכֵר בֵּיתוֹ יִנְחַל־רוּחַ Prov. 11:29
נִנְחַל 19 לֹא נִנְחַל אִתָּם מֵעֵבֶר לַיַּרְדֵּן Num. 32:19
יִנְחֲלוּ 20 וּבְתוֹךְ בְּ״י לֹא יִנְחֲלוּ נַחֲלָה Num. 18:23
21 בְּתוֹךְ בְּ״י לֹא יִנְחֲלוּ נַחֲלָה Num. 18:24
22 אֲשֶׁר־יִנְחֲלוּ לָכֶם אֶת־הָאָרֶץ Num. 34:17
23 וּתְמִימִים יִנְחֲלוּ־טוֹב Prov. 28:10
יִנְחָלוּ 24 לִשְׁמוֹת מַטּוֹת־אֲבֹתָם יִנְחָלוּ Num. 26:55
25 אִישׁ כְּפִי נַחֲלָתוֹ אֲשֶׁר יִנְחָלוּ Num. 35:8
26 כָּבוֹד חֲכָמִים יִנְחָלוּ Prov. 3:35
וַיִּנְחֲלוּ 27 וַיִּנְחֲלוּ בְנֵי־יוֹסֵף מְנַשֶּׁה וְאֶפְרָיִם Josh. 16:4
28 וַיִּנְחֲלוּ בְנֵי־שִׁמְעוֹן בְּתוֹךְ נַחֲלָתָם Josh. 19:9
יִנְחָלוּהָ 29 וְזֶרַע עֲבָדָיו יִנְחָלוּהָ Ps. 69:37
יִנְחָלוּם 30 וְיֶתֶר גּוֹיִ° יִנְחָלוּם Zep. 2:9
לְנַחֵל 31 לְנַחֵל אֶת־בְּ״י בְּאֶרֶץ כְּנָעַן Num. 34:29
נִחַל 32 אֵלֶּה אֲשֶׁר־נִחַל מֹשֶׁה Josh. 13:32

נִחֲלוּ 33 אֲשֶׁר נִחֲלוּ אוֹתָם אֶלְעָזָר הַכֹּהֵן... Josh. 14:1
34 הַנַּחֲלֹת אֲשֶׁר־נִחֲלוּ אֶלְעָזָר הַכֹּהֵן Josh. 19:51
הִתְנַחֵל 35 עַד הִתְנַחֵל בְּ״י אִישׁ נַחֲלָתוֹ Num. 32:18
וְהִתְנַחַלְתֶּם 36 וְהִתְנַחַלְתֶּם אֹתָם לִבְנֵיכֶם Lev. 25:46
37 וְהִתְנַחַלְתֶּם אֶת־הָאָרֶץ בְּגוֹרָל Num. 33:54
וְהִתְנַחֲלוּם 38 וְהִתְנַחֲלוּם בֵּית־יִשׂ׳...לַעֲבָדִים Is. 14:2
תִּתְנַחֲלוּ 39 אֲשֶׁר תִּתְנַחֲלוּ אֹתָהּ בְּגוֹרָל Num. 34:13
40 אֲשֶׁר תִּתְנַחֲלוּ אֶת־הָאָרֶץ Ezek. 47:13
תִּתְנֶחָלוּ 41 לְמַטּוֹת אֲבֹתֵיכֶם תִּתְנֶחָלוּ Num. 33:54
בְּהַנְחֵל 42 בְּהַנְחֵל עֶלְיוֹן גּוֹיִם Deut. 32:8
לְהַנְחִיל 43 לְהַנְחִיל נְחָלוֹת שֹׁמֵמוֹת Is. 49:8
44 לְהַנְחִיל אֹהֲבַי יֵשׁ וְאֹצְרֹתֵיהֶם אֲמַלֵּא Prov. 8:21
הַנְחִילוֹ 45 וְהָיָה בְּיוֹם הַנְחִילוֹ אֶת־בָּנָיו Deut. 21:16
הִנְחַלְתִּי 46 אֲשֶׁר הִנְחַלְתִּי אֶת־אֲבוֹתֵיכֶם Jer. 3:18
47 אֲשֶׁר הִנְחַלְתִּי אֶת־עַמִּי אֶת־יִשְׂר׳ Jer. 12:14
וְהִנְחַלְתִּי 48 וְהִנְחַלְתִּי אֶת־שְׁאֵרִית הָעָם הַזֶּה Zech. 8:12
וְהִנְחַלְתֶּם 49 וְהִנְחַלְתֶּם לִבְנֵיכֶם אַחֲרֵיכֶם ICh. 28:8
מַנְחִיל 50 אֲשֶׁר־יְיָ אֱלֹהֵיכֶם מַנְחִיל אֶתְכֶם Deut. 12:10
תַּנְחִיל 51 כִּי אַתָּה תַּנְחִיל אֶת־הָעָם הַזֶּה Josh. 1:6
תַּנְחִילֶנָּה 52 וְאַתָּה תַּנְחִילֶנָּה אוֹתָם Deut. 31:7
יַנְחִיל 53 וְהוּא יַנְחִיל אוֹתָם אֶת־הָאָרֶץ Deut. 3:28
54 מֵאֲחֻזָּתוֹ יַנְחִל אֶת־בָּנָיו Ezek. 46:18
55 טוֹב יַנְחִיל בְּנֵי־בָנִים Prov. 13:22
יַנְחִילְךָ 56 אַרְצְךָ אֲשֶׁר יַנְחִילְךָ יְיָ אֱלֹהֶיךָ Deut. 19:3
יַנְחִלֶנָּה 57 כִּי־הוּא יַנְחִלֶנָּה אֶת־יִשְׂרָאֵל Deut. 1:38
יַנְחִלֵם 58 וְכִסֵּא כָבוֹד יַנְחִלֵם ISh. 2:8
הָנְחַלְתִּי 59 כֵּן הָנְחַלְתִּי לִי יַרְחֵי־שָׁוְא Job 7:3

נַ חַל

ז׳ א) עמק או גיא המושכים מים כל השנה או רק בימות הגשמים: 1-91, 93-130, 134-137
ב) [בהשאלה] שפע, רוב: 92, 131, 132, 133

– נַחַל אֵיתָן 1, 45; נ׳ גָּפְרִית 104; נ׳ נֹבֵעַ 5; נ׳ עֲדָנִים 92; נ׳ הָעֲרָבָה 91; נ׳ הָעֲרָבִים 89; נַחַל קְדוּמִים 81; נַחַל שׁוֹטֵף 44, 47, 48
– נַחַל אַרְנוֹן 13, 60-68, 107, 108; נ׳ אֶשְׁכּוֹל 53-56; נ׳ הַבְּשׂוֹר 83, 84, 96; נ׳ גְּרָר 93; נ׳ זֶרֶד 94; נ׳ יַבֹּק 69; נ׳ כְּרִית 101, 102; נ׳ מִצְרַיִם 70-74, 109; נ׳ קִדְרוֹן 85-88, 97-100, 105, 106; נ׳ קִישׁוֹן 77-81, 103; נ׳ קָנָה 49, 75, 76; נ׳ שׂוֹרֵק 95; נַחַל שִׁטִּים 90
– אִבֵּי הַנַּחַל 34; חַלְּקֵי נ׳ 2; סוֹף הַנּ׳ 28; עֹרְבֵי נַחַל 6; עַרְבֵי נ׳ 8, 11; רִגְבֵי נ׳ 10; שְׂפַת הַנַּחַל 16, 26, 32, 64-68; תּוֹךְ הַנַּחַל 13, 16, 18, 19
– אֲפִיק נְחָלִים 112; עֲרוּץ נְחָלִים 114; צוּר נ׳ 113
– נַחֲלֵי בְלִיַּעַל 129, 133; נ׳ הַבַּתּוֹת 134; נ׳ גָּעַשׁ 135, 136; נַחֲלֵי דְבַשׁ 132; נַחֲלֵי מַיִם 127, 128, 130; נַחֲלֵי שֶׁמֶן 131; נַהֲרֵי נַחֲלֵי 132

נַחַל 1 וְהוֹרִדוּ...הָעֶגְלָה אֶל־נַחַל אֵיתָן Deut. 21:4
2 בְּחַלְּקֵי־נַחַל חֶלְקֵךְ Is. 57:6
3 נַחַל אֲשֶׁר לֹא־אוּכַל לַעֲבֹר Ezek. 47:5
4 נַחַל אֲשֶׁר לֹא־יֵעָבֵר Ezek. 47:5
5 נַחַל נֹבֵעַ מְקוֹר חָכְמָה Prov. 18:4
6 עַיִן תִּלְעַג לְאָב...יִקְּרוּהָ עֹרְבֵי־נַחַל Prov. 30:17
7 פָּרַץ נַחַל מֵעִם־גָּר Job 28:4
נָחַל 8 וַעֲנַף עֵץ־עָבֹת וְעַרְבֵי־נָחַל Lev. 23:40
9 אַחַי בָּגְדוּ כְמוֹ־נָחַל Job 6:15
10 מָתְקוּ־לוֹ רִגְבֵי נָחַל Job 21:33
11 יְסֻבּוּהוּ עַרְבֵי־נָחַל Job 40:22
וָנָחַל 12 אַתָּה בָקַעְתָּ מַעְיָן וָנָחַל Ps. 74:15
הַנַּחַל 13 וְעַד־נַחַל אַרְנֹן תּוֹךְ הַנַּחַל וּגְבֻל Deut. 3:16
14 וְעַד יַבֹּק הַנַּחַל Deut. 3:16
15 אֶל־הַנַּחַל הַיֹּרֵד מִן־הָהָר Deut. 9:21

הַנַּחַל (המשך)
16 עַל־שְׂפַת־נַחַל אַרְנוֹן וְתוֹךְ הַנַּחַל Josh. 12:2
17 וְעַד יַבֹּק הַנַּחַל Josh. 12:2
18/9 וְהָעִיר אֲשֶׁר בְּתוֹךְ־הַנַּחַל Josh. 13:9, 16
20 וּפָגַע אֶל־הַנַּחַל... Josh. 19:11
21 חֲמִשָּׁה חַלֻּקֵי אֲבָנִים מִן־הַנַּחַל ISh. 17:40
22 וְסָחַבְנוּ אֹתוֹ עַד־הַנַּחַל IISh. 17:13
23 אֲשֶׁר בְּתוֹךְ־הַנַּחַל הַגָּד IISh. 24:5
24 וּמִן־הַנַּחַל יִשְׁתֶּה IK. 17:6
25 עָשֹׂה הַנַּחַל הַזֶּה גֵּבִים גֵּבִים IIK. 3:16
26 וְהִנֵּה אֶל־שְׂפַת הַנַּחַל עֵץ רַב Ezek. 47:7
27 וְעַל־הַנַּחַל יַעֲלֶה עַל־שְׂפָתוֹ... Ezek. 47:12
28 וּמְצָאתֶם אֹתָם בְּסוֹף הַנַּחַל IICh. 20:16
29 וְאֶת־הַנַּחַל הַשּׁוֹטֵף בְּתוֹךְ־הָאָרֶץ IICh. 32:4
הַנָּחַל 30 וַיִּקָּחֵם וַיַּעֲבִרֵם אֶת־הַנָּחַל Gen. 32:23
31 וַיְהִי מִקֵּץ יָמִים וַיִּיבַשׁ הַנָּחַל IK. 17:7
32 וַיְשִׁבֵנִי שְׂפַת הַנָּחַל Ezek. 47:6
33 כֹּל אֲשֶׁר יָבוֹא־שָׁמָּה הַנָּחַל Ezek. 47:9
34 לִרְאוֹת בְּאִבֵּי הַנָּחַל S.ofS. 6:11
וְהַנַּחַל 35 וְהַנַּחַל הַהוּא יִמָּלֵא מָיִם IIK. 3:17
מֵהַנַּחַל 36 וְהָיָה מֵהַנַּחַל תִּשְׁתֶּה IK. 17:4
בַּנַּחַל 37 וְהָעִיר אֲשֶׁר בַּנַּחַל Deut. 2:36
38 וָאֱהִי עֹלֶה בַנַּחַל לַיְלָה Neh. 2:15
39 מַעְרָבָה לְגִיחוֹן בַּנַּחַל IICh. 33:14
בַּנָּחַל 40 וַיַּחְפְּרוּ עַבְדֵי־יִצְחָק בַּנָּחַל Gen. 26:19
41 וְעָרְפוּ־שָׁם אֶת־הָעֶגְלָה בַּנָּחַל Deut. 21:4
42 עַל־הָעֶגְלָה הָעֲרוּפָה בַנָּחַל Deut. 21:6
43 וַיָּבֹא שָׁאוּל...וַיָּרֶב בַּנָּחַל ISh. 15:5
כְּנַחַל 44 וְרוּחוֹ כְּנַחַל שׁוֹטֵף Is. 30:28
45 וְיִגַּל...וּצְדָקָה כְּנַחַל אֵיתָן Am. 5:24
כַּנַּחַל 46 הוֹרִידִי כַנַּחַל דִּמְעָה Lam. 2:18
וּכְנַחַל 47 וּכְנַחַל שׁוֹטֵף כְּבוֹד גּוֹיִם Is. 66:12
לְנַחַל 48 וְהָיוּ לְנַחַל שׁוֹטֵף Jer. 47:2
לַנַּחַל 49 וְיָרַד הַגְּבוּל נַחַל קָנָה נֶגְבָּה לַנַּחַל Josh. 17:9
50 וּגְבוּל מְנַשֶּׁה מִצְּפוֹן לַנַּחַל Josh. 17:9
לַנָּחַל 51 אֲשֶׁר מִנֶּגֶב לַנָּחַל Josh. 15:7
מִנַּחַל 52 מִנַּחַל בַּדֶּרֶךְ יִשְׁתֶּה Ps. 110:7
נַחַל־ 53/4 וַיָּבֹא(וּ) עַד־נַחַל אֶשְׁכֹּל Num. 13:23 • Deut. 1:24
55/6 נַחַל אֶשְׁכּוֹל Num. 13:24; 32:9
57-59 נַחַל זֶרֶד(זָ־) Deut. 2:13², 14
60-63 נַחַל אַרְנֹן Deut. 2:24; 3:12, 16 • IIK. 10:33
64-68 עַל־שְׂפַת־נַחַל אַרְנֹן(־נוֹן) Deut. 2:36 4:48 • Josh. 12:2; 13:9, 16
69 כָּל־יַד נַחַל יַבֹּק... Deut. 2:37
70-74 נַחַל מִצְרַיִם(רָ־) Josh. 15:4, 47 IK. 8:65 • Is. 27:12 • IICh. 7:8
75-76 נַחַל קָנָה Josh. 16:8; 17:9
77-79 נַחַל קִישׁוֹן Jud. 4:7, 13 • IK. 18:40
80 נַחַל קִישׁוֹן גְּרָפָם Jud. 5:21
81 נַחַל קְדוּמִים נַחַל קִישׁוֹן Jud. 5:21
83-84 נַחַל הַבְּשׂוֹר ISh. 30:9, 10
85-88 נַחַל קִדְרוֹן IK. 2:37 • IIK. 23:6, 12 Jer. 31:40(39)
89 עַל נַחַל הָעֲרָבִים יִשָּׂאוּם Is. 15:7
90 וְהִשְׁקָה אֶת־נַחַל הַשִּׁטִּים Joel 4:18
91 מִלְּבוֹא חֲמָת עַד־נַחַל הָעֲרָבָה Am. 6:14
וְנַחַל־ 92 וְנַחַל עֲדָנֶיךָ תַשְׁקֵם Ps. 36:9
בְּנַחַל־ 93 וַיִּחַן בְּנַחַל־גְּרָר וַיֵּשֶׁב שָׁם Gen. 26:17
94 וַיַּחֲנוּ בְּנַחַל זָרֶד Num. 21:12
95 וַיֶּאֱהַב אִשָּׁה בְּנַחַל שׂוֹרֵק Jud. 16:4
96 וַיֹּשִׁיבֻם בְּנַחַל הַבְּשׂוֹר ISh. 30:21
97-100 בְּנַחַל קִדְרוֹן IISh. 15:23 IK. 15:13 • IIK. 23:6 • IICh. 15:16

101/2 בְּנַחַל כְּרִית IK. 17:3, 5
103 כְּסִיסְרָא כְיָבִין בְּנַחַל קִישׁוֹן Ps. 83:10
כְּנַחַל־ 104 נִשְׁמַת יְיָ כְּנַחַל גָּפְרִית בֹּעֲרָה בָּהּ Is. 30:33
לְנַחַל־ 105/6 לְנַחַל(־)קִדְרוֹן IICh. 29:16; 30:14
מִנַּחַל־ 107 מִנַּחַל אַרְנֹן עַד־הַר חֶרְמוֹן Deut. 3:8
108 מִנַּחַל אַרְנוֹן עַד־הַר חֶרְמוֹן Josh. 12:1
109 מִנַּחַל מִצְרַיִם עַד־נְהַר פְּרָת IIK. 24:7
נַחֲלַיִם 110 אֶל כָּל־אֲשֶׁר יָבוֹא שָׁם נַחֲלַיִם Ezek. 47:9
נְחָלִים 111 וְהִכָּהוּ לְשִׁבְעָה נְחָלִים Is. 11:15
112 כַּאֲפִיק נְחָלִים יַעֲבֹרוּ Job 6:15
113 וּבְצוּר נְחָלִים אוֹפִיר Job 22:24
114 בַּעֲרוּץ נְחָלִים לִשְׁכֹּן... Job 30:6
וּנְחָלִים 115 בַמִּדְבָּר מַיִם וּנְחָלִים בָּעֲרָבָה Is. 35:6
116 וַיָּזוּבוּ מַיִם וּנְחָלִים יִשְׁטֹפוּ Ps. 78:20
הַנְּחָלִים 117 וְאֶת־הַנְּחָלִים אַרְנוֹן Num. 21:14
118 וְאֶשֶׁד הַנְּחָלִים...נָטָה לְשֶׁבֶת עָר Num. 21:15
119 אֶל...הַמַּיִם וְאֶל כָּל־הַנְּחָלִים IK. 18:5
120 כָּל־הַנְּחָלִים הֹלְכִים אֶל־הַיָּם Eccl. 1:7
שֶׁהַנְּחָלִים 121 אֶל־מְקוֹם שֶׁהַנְּחָלִים הֹלְכִים... Eccl. 1:7
בַּנְּחָלִים 122 שֹׁחֲטֵי הַיְלָדִים בַּנְּחָלִים Is. 57:5
123 הַמְשַׁלֵּחַ מַעְיָנִים בַּנְּחָלִים Ps. 104:10
וּבַנְּחָלִים 124 בַּמַּיִם בַּיַּמִּים וּבַנְּחָלִים Lev. 11:9
125 בַּיַּמִּים וּבַנְּחָלִים Lev. 11:10
כִּנְחָלִים 126 כִּנְחָלִים נִטָּיוּ כְּגַנֹּת עֲלֵי נָהָר Num. 24:6
נַחֲלֵי־ 127 אֶרֶץ נַחֲלֵי מָיִם עֲיָנֹת וּתְהֹמֹת Deut. 8:7
128 יָטְבָתָה אֶרֶץ נַחֲלֵי־מָיִם Deut. 10:7
129 נַחֲלֵי בְלִיַּעַל יְבַעֲתֻנִי IISh. 22:5
130 אוֹלִיכֵם אֶל־נַחֲלֵי מַיִם Jer. 31:9(8)
131 הֲיִרְצֶה...בְּרִבְבוֹת נַחֲלֵי־שָׁמֶן Mic. 6:7
132 נַהֲרֵי נַחֲלֵי דְּבַשׁ וְחֶמְאָה Job 20:17
וְנַחֲלֵי־ 133 וְנַחֲלֵי בְלִיַּעַל יְבַעֲתוּנִי Ps. 18:5
בְּנַחֲלֵי־ 134 בְּנַחֲלֵי הַבַּתּוֹת וּבִנְקִיקֵי הַסְּלָעִים Is. 7:19
מִנַּחֲלֵי־ 135 הֲדַי מִנַּחֲלֵי גָעַשׁ IISh. 23:30
136 חוּרַי מִנַּחֲלֵי־גָעַשׁ ICh. 11:32
נְחָלֶיהָ 137 וְנֶהֶפְכוּ נְחָלֶיהָ לְזֶפֶת Is. 34:9

נְחַל

(יחזקאל כה 3) – עין חלל

נַ חֲלָה

ז׳ צורת־משנה של נַחַל: 1–4

נַחְלָה 1 מֵעַצְמוֹן נַחְלָה מִצְרָיִם Num. 34:5
2 נַחְלָה עָבַר עַל־נַפְשֵׁנוּ Ps. 124:4
נַחֲלָה 3 נַחֲלָה אֶל־הַיָּם הַגָּדוֹל Ezek. 47:19
4 נַחֲלָה עַל־הַיָּם הַגָּדוֹל Ezek. 48:28

נַחֲלָה

נ׳ אחוזה, קנין אדמה: 1–218
קרובים: אֲחֻזָּה / יְרֻשָּׁה / יְרֵשָׁה / מוֹרָשָׁה

– נַחֲלָה מְבֹהֶלֶת 35; חֵלֶק וְנַחֲלָה 38-43
– נַחֲלַת אָבוֹת 80, 100, 101, 107, 115; נ׳ אָבִיו 76; נ׳ אֲחֻזָּתוֹ 114; נַחֲלַת אֱלֹהִים 116; נ׳ בְּנֵי... 81, 82; נ׳ גּוֹיִם 105; נַחֲלַת יְיָ 98, 99, 106, 112; נ׳ יַעֲקֹב 103; נ׳ (בֵּית) יִשְׂרָאֵל 97, 113; נ׳ הַמַּטֶּה (מַטֵּה) 78, 79, 84-96, 111, 118; נ׳ עֲבָדָיו 102; נַחֲלַת הָעָם 117; נ׳ עָרִיצִים 109; נ׳ צְבִי 104; נ׳ שָׂדֶה 75; נַחֲלַת שַׁדַּי 110
– אֲחֻזַּת נַחֲלָה 4, 190; גְּבוּל נ׳ 164, 165; גּוֹרַל נ׳ 191, 203; הַר נ׳ 130; חֶבֶל נ׳ 161, 194, 195; צֹאן נ׳ 134; שְׁאֵרִית נ׳ 172; שֵׁבֶט (שִׁבְטֵי) נ׳ 133, 137, 167, 168
– נְחָלוֹת שׁוֹמֵמוֹת 220

נַחֲלָה 1 וּבְתוֹךְ בְּ״י לֹא יִנְחֲלוּ נַחֲלָה Num. 18:23
2 בְּתוֹךְ בְּ״י לֹא יִנְחֲלוּ נַחֲלָה Num. 18:24
3 לֹא־נִתַּן לָהֶם נַחֲלָה בְּתוֹךְ בְּ״י Num. 26:62
4 נָתֹן תִּתֵּן לָהֶם אֲחֻזַּת נַחֲלָה Num. 27:7
5 וְלֹא־תִסֹּב נַחֲלָה לִבְ״י Num. 36:7

נַחֲלָה (המשך)
6 וְכָל־בַּת יֹרֶשֶׁת נַחֲלָה Num. 36:8
7 וְלֹא־תִסֹּב נַחֲלָה מִמַּטֶּה לְמַטֶּה... Num. 36:9
8 לִהְיוֹת לוֹ לְעַם נַחֲלָה כַּיּוֹם הַזֶּה Deut. 4:20
9-16 אֲשֶׁר יְיָ אֱלֹהֶיךָ נֹתֵן לְךָ נַחֲלָה Deut. 4:21
15:4; 19:10; 20:16; 21:23; 24:4; 25:19; 26:1
17 לָתֶת־לְךָ אֶת־אַרְצָם נַחֲלָה Deut. 4:38
18 רַק לְשֵׁבֶט הַלֵּוִי לֹא נָתַן נַחֲלָה Josh. 13:14
19 וּלְשֵׁבֶט הַלֵּוִי לֹא־נָתַן מֹשֶׁה נַחֲלָה Josh. 13:33
20 וְלַלְוִיִּם לֹא־נָתַן נַחֲלָה בְּתוֹכָם Josh. 14:3
21 לָתֶת־לָנוּ נַחֲלָה בְּתוֹךְ אַחֵינוּ Josh. 17:4
22 וַיִּתֵּן לָהֶם אֶל־פִּי יְיָ נַחֲלָה Josh. 17:4
23 בְּנוֹת מְנַשֶּׁה נָחֲלוּ נַחֲלָה בְּתוֹךְ בָּנָיו Josh. 17:6
24 מַדּוּעַ נָתַתָּה לִּי נַחֲלָה גּוֹרָל אֶחָד Josh. 17:14
25 וַיִּתְּנוּ בְ־יְ נַחֲלָה לִיהוֹשֻׁעַ..בְּתוֹכָם Josh. 19:49
26 מְבַקֶּשׁ־לוֹ נַחֲלָה לָשֶׁבֶת Jud. 18:1
27 וְלֹא נַחֲלָה־לָנוּ בְּבֶן־יִשַׁי IISh. 20:1
28/9 וְלֹא־נַחֲלָה בְּבֶן־יִשַׁי IK. 12:16 • IICh. 10:16
30 וַיְגָרֶשׁ...וַיַּפִּילֵם בְּחֶבֶל נַחֲלָה Ps. 78:55
31 וְנָתַן אַרְצָם נַחֲלָה Ps. 135:12
32 נַחֲלָה לְיִשְׂרָאֵל עַמּוֹ Ps. 135:12
33 נַחֲלָה לְיִשְׂרָאֵל עַבְדּוֹ Ps. 136:22
34 וּבְתוֹךְ אַחִים יַחֲלֹק נַחֲלָה Prov. 17:2
35 נַחֲלָה מְבֹהֶלֶת בָּרִאשֹׁנָה... Prov. 20:21
36 וַיִּתֵּן לָהֶם...נַחֲלָה בְּתוֹךְ אֲחֵיהֶם Job 42:15
37 טוֹבָה חָכְמָה עִם־נַחֲלָה Eccl. 7:11

וְנַחֲלָה
38 הַעוֹד לָנוּ חֵלֶק וְנַחֲלָה בְּבֵית אָבִינוּ Gen. 31:14
39 חֵלֶק וְנַחֲלָה עִם־אֶחָיו Deut. 10:9
40 כִּי אֵין לוֹ חֵלֶק וְנַחֲלָה אִתְּכֶם Deut. 12:12
41/2 אֵין(־)לוֹ חֵלֶק וְנַחֲלָה עִמָּךְ Deut. 14:27,29
43 חֵלֶק וְנַחֲלָה עִם־יִשְׂרָאֵל Deut. 18:1
44 וְנַחֲלָה לֹא יִהְיֶה־לּוֹ בְּקֶרֶב אֶחָיו Deut. 18:2

הַנַּחֲלָה
45 לֹא־בָאתֶם...אֶל־הַמְּנוּחָה וְאֶל־הַנַּחֲלָה Deut. 12:9

בְּנַחֲלָה
46 לָאֵלֶּה תֵּחָלֵק הָאָרֶץ בְּנַחֲלָה Num. 26:53
47 הָאָרֶץ אֲשֶׁר תִּפֹּל לָכֶם בְּנַחֲלָה Num. 34:2
48 לָתֵת אֶת־הָאָרֶץ בְּנַחֲלָה בְּגוֹרָל Num. 36:2
49 רַק הַפִּלֶהָ לְיִשְׂרָאֵל בְּנַחֲלָה Josh. 13:6
50 חַלֵּק אֶת־הָאָרֶץ הַזֹּאת בְּנַחֲלָה Josh. 13:7
51 הִפַּלְתִּי לָכֶם...בְּנַחֲלָה לְשִׁבְטֵיכֶם Josh. 23:4
52 כִּי לֹא־נָפְלָה לוֹ...בְּנַחֲלָה Jud. 18:1
53 וּבְהַפִּילְכֶם אֶת־הָאָרֶץ בְּנַחֲלָה Ezek. 45:1
54 אֲחֻזָּתָם הִיא בְּנַחֲלָה Ezek. 46:16
55 וְנָפְלָה הָאָרֶץ...לָכֶם בְּנַחֲלָה Ezek. 47:14
56 וְהָיָה תַּפִּלוּ אוֹתָהּ בְּנַחֲלָה לָכֶם Ezek. 47:22
57 אִתְּכֶם יִפְּלוּ בְנַחֲלָה Ezek. 47:22

בַּנַּחֲלָה
58 הַנֹּגְעִים בַּנַּחֲלָה אֲשֶׁר־הִנְחַלְתִּי Jer. 12:14

לְנַחֲלָה
59 נָתַתִּי כָּל־מַעֲשֵׂר בְּיִשְׂ׳ לְנַחֲלָה Num. 18:21
60 נָתַתִּי לַלְוִיִּם לְנַחֲלָה Num. 18:24
61 וַנִּתְּנָהּ לְנַחֲלָה לָרְאוּבֵנִי Deut. 29:7
62 וַיִּתְּנָהּ יְהוֹשֻׁעַ לְנַחֲלָה לְיִשְׂרָאֵל Josh. 11:23
63 לְךָ תִהְיֶה לְנַחֲלָה וּלְבָנֶיךָ Josh. 14:9
64 וַיִּתֵּן...לְכָלֵב בֶּן־יְפֻנֶּה לְנַחֲלָה Josh. 14:13
65 הָיְתָה־חֶבְרוֹן לְכָלֵב...לְנַחֲלָה Josh. 14:14
66 וַיִּהְיוּ לִבְנֵי־יוֹסֵף לְנַחֲלָה Josh. 24:32
67/8 נָתַתָּה לְעַמְּךָ לְנַחֲלָה IK. 8:36 • IICh. 6:27
69 הִבְדַּלְתָּם לְךָ לְנַחֲלָה מִכֹּל עַמֵּי הָאָ׳ IK. 8:53
70 וִירֵשׁוּךָ וְהָיִיתָ לָהֶם לְנַחֲלָה Ezek. 36:12
71 וְהָיְתָה לָהֶם לְנַחֲלָה Ezek. 44:28
72 הָעָם בָּחַר לְנַחֲלָה לוֹ Ps. 33:12
73 וְנָתַן אַרְצָם לְנַחֲלָה Ps. 136:21

מִנַּחֲלָה
74 תַּפִּילוּ מִנַּחֲלָה לְשִׁבְטֵי יִשְׂרָאֵל Ezek. 48:29

נַחֲלַת־
75 וַתִּתֶּן־לָנוּ נַחֲלַת שָׂדֶה וָכָרֶם Num. 16:14
76 וְהַעֲבַרְתָּ אֶת־נַחֲלַת אֲבִיהֶן לָהֶן Num. 27:7
77 לָתֵת אֶת־נַחֲלַת...אָחִינוּ לִבְנֹתָיו Num. 36:2
78 וְנוֹסַף עַל נַחֲלַת הַמַּטֶּה Num. 36:3
79 וְנוֹסְפָה נַחֲלָתָן עַל נַחֲלַת הַמַּטֶּה Num. 36:4
80 יִירְשׁוּ בְּ־יְ אִישׁ נַחֲלַת אֲבֹתָיו Num. 36:8
81 זֹאת נַחֲלַת בְּנֵי־רְאוּבֵן Josh. 13:23
82 זֹאת נַחֲלַת בְּנֵי־גָד Josh. 13:28
83 נַחֲלַת שְׁנֵי הַמַּטּוֹת וַחֲצִי הַמַּטֶּה Josh. 14:3
84 זֹאת נַחֲלַת מַטֵּה בְנֵי־יְהוּדָה Josh. 15:20
85-96 נַחֲלַת (מַטֵּה) בְּנֵי... Josh. 16:8,9
18:20,28; 19:1,8,9,16,23,31,39,48
97 בְּכָל־שְׂדֵה נַחֲלַת יִשְׂרָאֵל Jud. 20:6
98 לָמָּה תְבַלַּע נַחֲלַת יְיָ IISh. 20:19
99 וּבָרְכוּ אֶת־נַחֲלַת יְיָ IISh. 21:3
100 מִתִּתִּי אֶת־נַחֲלַת אֲבֹתַי לָךְ IK. 21:3
101 לֹא־אֶתֵּן לְךָ אֶת־נַחֲלַת אֲבוֹתָי IK. 21:4
102 זֹאת נַחֲלַת עַבְדֵי יְיָ Is. 54:17
103 וְהַאֲכַלְתִּיךָ נַחֲלַת יַעֲקֹב אָבִיךָ Is. 58:14
104 אֶרֶץ חֶמְדָּה נַחֲלַת צְבִי צִבְאוֹת גּוֹיִם Jer. 3:19
105 לָתֵת לָהֶם נַחֲלַת גּוֹיִם Ps. 111:6
106 הִנֵּה נַחֲלַת יְיָ בָּנִים Ps. 127:3
107 בַּיִת וָהוֹן נַחֲלַת אָבוֹת Prov. 19:14

וְנַחֲלַת־
108 זֶה חֵלֶק...וְנַחֲלַת אִמְרוֹ מֵאֵל Job 20:29
109 וְנַחֲלַת עָרִיצִים מִשַּׁדַּי יִקָּחוּ Job 27:13
110 וְנַחֲלַת שַׁדַּי מִמְּרֹמִים Job 31:2

בְּנַחֲלַת־
111 אִישׁ בְּנַחֲלַת מַטֵּה אֲבֹתָיו Num. 36:7
112 גֵּרְשׁוּנִי...מֵהִסְתַּפֵּחַ בְּנַחֲלַת יְיָ ISh. 26:19

לְנַחֲלַת־
113 כְּשִׂמְחָתְךָ לְנַחֲלַת בֵּית־יִשְׂ׳ Ezek. 35:15

מִנַּחֲלַת־
114 וְנָתְנוּ לַלְוִיִּם מִנַּחֲלַת אֲחֻזָּתָם Num. 35:2
115 וְנִגְרְעָה נַחֲלָתָן מִנַּחֲלַת אֲבֹתֵינוּ Num. 36:3
116 לְהַשְׁמִיד אֹתִי...מִנַּחֲלַת אֱלֹהִים IISh. 14:16
117 וְלֹא־יִקַּח הַנָּשִׂיא מִנַּחֲלַת הָעָם Ezek. 46:18

וּמִנַּחֲלַת־
118 וּמִנַּחֲלַת מַטֵּה אֲבֹתֵינוּ יִגָּרַע... Num. 36:4

נַחֲלָתִי
119 וְנָטַשְׁתִּי אֵת שְׁאֵרִית נַחֲלָתִי IIK. 21:14
120 קָצַפְתִּי עַל־עַמִּי חִלַּלְתִּי נַחֲלָתִי Is. 47:6
121 עָזַבְתִּי...בֵּיתִי נָטַשְׁתִּי אֶת־נַחֲלָתִי Jer. 12:7
122 הָיְתָה־לִּי נַחֲלָתִי כְּאַרְיֵה בַיָּעַר Jer. 12:8
123 הַעַיִט צָבוּעַ נַחֲלָתִי לִי Jer. 12:9
124 וְתוֹעֲבוֹתֵיהֶם מָלְאוּ אֶת־נַחֲלָתִי Jer. 16:18
125 כִּי תִשְׂמְחוּ...שֹׁסֵי נַחֲלָתִי Jer. 50:11
126 פֶּן־אַשְׁחִית אֶת־נַחֲלָתִי Ruth 4:6

וְנַחֲלָתִי
127 עַמִּי מִצְרַיִם...וְנַחֲלָתִי יִשְׂרָאֵל Is. 19:25
128 וְנַחֲלָתִי שַׂמְתֶּם לְתוֹעֵבָה Jer. 2:7
129 עַל־עַמִּי וְנַחֲלָתִי יִשְׂרָאֵל Joel 4:2

נַחֲלָתְךָ
130 תְּבִאֵמוֹ וְתִטָּעֵמוֹ בְּהַר נַחֲלָתְךָ Ex. 15:17
131 וְאַל־תִּתֵּן נַחֲלָתְךָ לְחֶרְפָּה Joel 2:17
132 נַחֲלָתְךָ וְנִלְאָה אַתָּה כוֹנַנְתָּהּ Ps. 68:10

נַחֲלָתֶךָ
133 לְמַעַן עֲבָדֶיךָ שִׁבְטֵי נַחֲלָתֶךָ Is. 63:17
134 רְעֵה עַמְּךָ...צֹאן נַחֲלָתֶךָ Mic. 7:14
135 וְאֶתְּנָה גוֹיִם נַחֲלָתֶךָ Ps. 2:8
136 וּבָרֵךְ אֶת־נַחֲלָתֶךָ Ps. 28:9
137 גָּאַלְתָּ שֵׁבֶט נַחֲלָתֶךָ Ps. 74:2
138 לְהִתְהַלֵּל עִם־נַחֲלָתֶךָ Ps. 106:5

וְנַחֲלָתְךָ
139 אֲנִי חֶלְקְךָ וְנַחֲלָתְךָ בְּתוֹךְ בְּ־יְ Num. 18:20
140 אַל־תַּשְׁחֵת עַמְּךָ וְנַחֲלָתְךָ Deut. 9:26
141 כִּי־עַמְּךָ וְנַחֲלָתְךָ הֵם IK. 8:51
142 עַמְּךָ יְיָ יְדַכְּאוּ וְנַחֲלָתְךָ יְעַנּוּ Ps. 94:5

וְנַחֲלָתֶךָ
143 וְהֵם עַמְּךָ וְנַחֲלָתֶךָ Deut. 9:29

בְּנַחֲלָתְךָ
144 בְּנַחֲלָתְךָ אֲשֶׁר תִּנְחַל בָּאָרֶץ Deut. 19:14

בְּנַחֲלָתֶךָ
145 אֱלֹהִים בָּאוּ גוֹיִם בְּנַחֲלָתֶךָ Ps. 79:1

מִנַּחֲלָתְךָ
146 וְשָׁמַטְתָּה וּבְךָ מִנַּחֲלָתְךָ Jer. 17:4

נַחֲלָתוֹ
147 לָרַב תַּרְבֶּה נַחֲלָתוֹ Num. 26:54
148 וְלַמְעַט תַּמְעִיט נַחֲלָתוֹ Num. 26:54
149 אִישׁ לְפִי פְקֻדָיו יֻתַּן נַחֲלָתוֹ Num. 26:54
150 עַל־פִּי הַגּוֹרָל תֵּחָלֵק נַחֲלָתוֹ Num. 26:56
151 וְהַעֲבַרְתֶּם אֶת־נַחֲלָתוֹ לְבִתּוֹ Num. 27:8
152-4 וּנְתַתֶּם אֶת־נַחֲלָתוֹ לְ... Num. 27:9,10,11
155 עַד הִתְנַחֵל בְּ־יְ אִישׁ נַחֲלָתוֹ Num. 32:18
156 לָרַב תַּרְבּוּ אֶת־נַחֲלָתוֹ Num. 33:54
157 וְלַמְעַט תַּמְעִיט אֶת־נַחֲלָתוֹ Num. 33:54
158 אִישׁ כְּפִי נַחֲלָתוֹ אֲשֶׁר יִנְחָלוּ Num. 35:8
159/60 יְיָ הוּא נַחֲלָתוֹ Deut. 10:9; 18:2
161 חֵלֶק יְיָ עַמּוֹ יַעֲקֹב חֶבֶל נַחֲלָתוֹ Deut. 32:9
162 אִשֵּׁי יְיָ אֱלֹהֵי יִשׂ׳ הוּא נַחֲלָתוֹ Josh. 13:14
163 כִּי־כְהֻנַּת יְיָ נַחֲלָתוֹ Josh. 18:7
164 וַיִּקְבְּרוּ אֹתוֹ בִּגְבוּל נַחֲלָתוֹ Josh. 24:30
165 וַיִּקְבְּרוּ אוֹתוֹ בִּגְבוּל נַחֲלָתוֹ Jud. 2:9
166 כִּי־מְשָׁחֲךָ יְיָ עַל־נַחֲלָתוֹ לְנָגִיד ISh. 10:1
167 וְיִשְׂרָאֵל שֵׁבֶט נַחֲלָתוֹ Jer. 10:16
168 חֵלֶק יַעֲקוֹב...וְשֵׁבֶט נַחֲלָתוֹ Jer. 51:19
169 נַחֲלָתוֹ הִיא לְבָנָיו תִּהְיֶה Ezek. 46:16
170 אַךְ נַחֲלָתוֹ בָּנָיו לָהֶם תִּהְיֶה Ezek. 46:17
171 שָׁם תִּתְּנוּ נַחֲלָתוֹ Ezek. 47:23
172 נֹשֵׂא עָוֹן...לִשְׁאֵרִית נַחֲלָתוֹ Mic. 7:18
173 וְאֶת־נַחֲלָתוֹ לְתַנּוֹת מִדְבָּר Mal. 1:3
174 בְּיַעֲקֹב עַמּוֹ וּבְיִשְׂרָאֵל נַחֲלָתוֹ Ps. 78:71
175 וַיִּחַר־אַף יְיָ...וַיְתָעֵב אֶת־נַחֲלָתוֹ Ps. 106:40
176/7 לְהָקִים שֵׁם־הַמֵּת עַל־נַחֲלָתוֹ Ruth 4:5,10

וְנַחֲלָתוֹ
178 אִשֵּׁי יְיָ וְנַחֲלָתוֹ יֹאכֵלוּן Deut. 18:1
179 וְעָשְׁקוּ גֶּבֶר וּבֵיתוֹ וְאִישׁ וְנַחֲלָתוֹ Mic. 2:2
180 וְנַחֲלָתוֹ לֹא יַעֲזֹב Ps. 94:14

בְּנַחֲלָתוֹ
181 אִישׁ בְּנַחֲלָתוֹ יִדְבְּקוּ מַטּוֹת בְּ־יְ Num. 36:9
182 וּשְׁאָר יִשְׂרָאֵל...אִישׁ בְּנַחֲלָתוֹ Neh. 11:20

וּבְנַחֲלָתוֹ
183 וַיַּסְגֵּר לַחֶרֶב...וּבְנַחֲלָתוֹ הִתְעַבָּר Ps. 78:62

לְנַחֲלָתוֹ
184 וַיְשַׁלַּח יְהוֹשֻׁעַ...אִישׁ לְנַחֲלָתוֹ Josh. 24:28
185 וַיֵּלְכוּ בְ־יְ אִישׁ לְנַחֲלָתוֹ Jud. 2:6
186 וַיֵּצְאוּ מִשָּׁם אִישׁ לְנַחֲלָתוֹ Jud. 21:24
187 אִישׁ לְנַחֲלָתוֹ וְאִישׁ לְאַרְצוֹ Jer. 12:15

מִנַּחֲלָתוֹ
188 וְכִי־יִתֵּן מַתָּנָה מִנַּחֲלָתוֹ Ezek. 46:17

נַחֲלָתֵנוּ
189 כִּי בָאָה נַחֲלָתֵנוּ אֵלֵינוּ Num. 32:19
190 וְאִתָּנוּ אֲחֻזַּת נַחֲלָתֵנוּ Num. 32:32
191 וּמִגֹּרַל נַחֲלָתֵנוּ יִגָּרֵעַ Num. 36:3
192 יִבְחַר־לָנוּ אֶת־נַחֲלָתֵנוּ Ps. 47:5
193 נַחֲלָתֵנוּ נֶהֶפְכָה לְזָרִים Lam. 5:2

נַחֲלַתְכֶם
194 אֶת־אֶרֶץ כְּנָעַן חֶבֶל נַחֲלַתְכֶם Ps. 105:11
195 אֶרֶץ־כְּנָעַן חֶבֶל נַחֲלַתְכֶם ICh. 16:18

בְּנַחֲלַתְכֶם
196 נָתַתִּי לָכֶם מֵאִתָּם בְּנַחֲלַתְכֶם Num. 18:26

נַחֲלָתָם
197 וַחֲצִי מַטֵּה מְנַשֶּׁה לָקְחוּ נַחֲלָתָם Num. 34:14
198-201 לָקְחוּ (אֶת־) נַחֲלָתָם Num. 34:15
Josh. 13:8; 18:2,7
202 יְיָ אֱלֹהֵי יִשְׂרָאֵל הוּא נַחֲלָתָם Josh. 13:33
203 בְּגוֹרַל נַחֲלָתָם Josh. 14:2
204 וַיְהִי גְּבוּל נַחֲלָתָם מִזְרָחָה Josh. 16:5
205 וַיִּכְתְּבוּ אוֹתָהּ לְפִי נַחֲלָתָם Josh. 18:4
206 וַיְהִי נַחֲלָתָם בְּתוֹךְ נַחֲלַת־יְהוּדָה Josh. 19:1
207 וַיִּנְחֲלוּ בְנֵי־שִׁמְעוֹן בְּתוֹךְ נַחֲלָתָם Josh. 19:9
208/9 וַיְהִי גְּבוּל נַחֲלָתָם Josh. 19:10,41
210 וַיֵּלְכוּ וַיָּשׁוּבוּ אֶל־נַחֲלָתָם Jud. 21:23
211 וְהָיְתָה לָהֶם לְנַחֲלָה אֲנִי נַחֲלָתָם Ezek. 44:28

וְנַחֲלָתָם
212 וְנַחֲלָתָם לְעוֹלָם תִּהְיֶה Ps. 37:18

בְּנַחֲלָתָם
213 עַל שֵׁם אֲחֵיהֶם יִקָּרְאוּ בְּנַחֲלָתָם Gen. 48:6
214 וַיְהִי לָהֶם בְּנַחֲלָתָם בְּאֵר־שֶׁבַע Josh. 19:2

מִנַּחֲלָתָם 215 וַיִּתְּנוּ בְ״י לַלְוִיִּם מִנַּחֲלָתָם Josh.21:3
נַחֲלָתָן 216 וְנִגְרְעָה נַחֲלָתָן מִנַּחֲלַת אֲבֹתֵינוּ Num.36:3
217 וְנוֹסְפָה נַחֲלָתָן עַל נַחֲלַת הַמַּטֶּה Num.36:4
218 וּמִנַּחֲלַת מַטֵּה...יִגָּרַע נַחֲלָתָן Num.36:4
219 וַתְּהִי נַחֲלָתָן עַל־מַטֵּה... Num.36:12
נְחָלוֹת 220 לְהַנְחִיל נְחָלוֹת שֹׁמֵמוֹת Is.49:8
הַנְּחָלֹת 221 אֵלֶּה הַנְּחָלֹת אֲשֶׁר־נִחֲלוּ Josh.19:51

נַחֲלָה (ישעיה יז 11), **נַחְלָה** (ירמיה י 19) – עין חָלָה

נֶחֱלוּ (יחזקאל ז 24) – עין חָלַל (7)

נַחֲלִיאֵל תחנה בארץ מואב במסעי ישראל ממצרים: 2,1
נַחֲלִיאֵל 1 וּמִמַּתָּנָה נַחֲלִיאֵל Num.21:19
וּמִנַּחֲלִיאֵל 2 וּמִנַּחֲלִיאֵל בָּמוֹת Num.21:19

נֶחֱלָמִי ת׳ מתושבי המקום נֶחֱלָם: 1–3
הַנֶּחֱלָמִי 1 וְאֶל־שְׁמַעְיָהוּ הַנֶּחֱלָמִי תֹּאמַר Jer.29:24
2-3 שְׁמַעְיָה הַנֶּחֱלָמִי Jer.29:31,32

נַחֲלַת נ׳ צורה קדומה של נַחֲלָה
נַחֲלַת 1 אַף־נַחֲלַת שָׁפְרָה עָלָי Ps.16:6

נחם : נִחַם נפ׳, נִחַם פ׳, נֻחַם, הִתְנַחֵם; נֹחַם, נִחוּמִים, נֶחָמָה, תַּנְחוּמִים, תַּנְחוּמוֹת; ש״פ נַחוּם, נַחַם, מְנַחֵם, נְחֶמְיָה, נַחֲמָנִי, תַּנְחֻמֶת

נִחַם נפ׳ א) התחרט: 1, 3, 5–14, 16–27, 29–35, 37, 38, 40–45, 47,48
ב) קבל תנחומים, נרגע: 2, 4, 15, 36, 39, 46
ג) התנקם: 28
ד) [פ׳ נִחַם] הרגיע, השמיע דברי תנחומים (גם בהשאלה): 49–99
ה) [פ׳ נֻחַם] מצא נחמה, נרגע: 100, 101
ו) [הת׳ הִתְנַחֵם] קבל תנחומים: 102/3, 105–107
ז) [כנ״ל] שאף נקמה: 104
ח) [כנ״ל] התחרט: 108
– נפ׳ נִחַם 1–3, 5–8, 10, 19; נִחַם אֶל־ 9, 13, 35, 41, 42, 45; נִחַם עַל־ 4, 11, 12, 14–17, 21, 24–27, 29, 40, 43, 44, 47, 48; נִחַם לְ־ 18; נִחַם אַחֲרֵי־ 36
– הִתְנַחֵם עַל־ 106, 107; הִתְנַחֵם לְ־ 104

הִנָּחֵם 1 וְאַשְׁחִיתֵךְ נִלְאֵיתִי הִנָּחֵם Jer.15:6
2 מֵאֲנָה הִנָּחֵם נַפְשִׁי Ps.77:3
לְהִנָּחֵם 3 לֹא אָדָם הוּא לְהִנָּחֵם ISh.15:29
4 מֵאֲנָה לְהִנָּחֵם עַל־בָּנֶיהָ Jer.31:15(14)
נִחַמְתִּי 5 כִּי נִחַמְתִּי כִּי עֲשִׂיתִם Gen.6:7
6 נִחַמְתִּי כִּי־הִמְלַכְתִּי אֶת־שָׁאוּל ISh.15:11
7 וְלֹא נִחַמְתִּי וְלֹא־אָשׁוּב מִמֶּנָּה Jer.4:28
8 כִּי־אַחֲרֵי שׁוּבִי נִחַמְתִּי Jer.31:19(18)
9 כִּי נִחַמְתִּי אֶל־הָרָעָה Jer.42:10
נִחָמְתִּי 10 כַּאֲשֶׁר זָמַמְתִּי...וְלֹא נִחָמְתִּי Zech.8:14
וְנִחַמְתִּי 11 וְנִחַמְתִּי עַל־הָרָעָה Jer.18:8
12 וְנִחַמְתִּי עַל־הַטּוֹבָה Jer.18:10
13 וְנִחַמְתִּי אֶל־הָרָעָה Jer.26:3
14 אֶמְאַס וְנִחַמְתִּי עַל־עָפָר וָאֵפֶר Job42:6
נִחַם 15 כִּי־נִחַם עַל־אַמְנוֹן כִּי־מֵת IISh.13:39
16/7 נִחַם יְיָ עַל־זֹאת Am.7:3,6
נִחָם (עבר) 18 וְהָעָם נִחָם לְבִנְיָמִן Jud.21:15
19 וַייָ נִחָם כִּי־הִמְלִיךְ אֶת־שָׁאוּל ISh.15:35
20 אֲשֶׁר־הָפַךְ יְיָ וְלֹא נִחָם Jer.20:16
וְנִחַם 21 וְנִחַם עַל־כָּל־הֲמוֹנֹה Ezek.32:31
22 מִי־יוֹדֵעַ יָשׁוּב וְנִחַם הָאֱלֹהִים Jon.3:9
וְנִחָם 23 מִי יוֹדֵעַ יָשׁוּב וְנִחָם Joel2:14
וְנִחַמְתֶּם 24 וְנִחַמְתֶּם עַל־הָרָעָה Ezek.14:22
נִחָם (הוה) 25 אֵין אִישׁ נִחָם עַל־רָעָתוֹ Jer.8:6
וְנִחָם 26/7 וְרַב־חֶסֶד וְנִחָם עַל־הָרָעָה Joel2:13 • Jon.4:2
אֶנָּחֵם 28 אֶנָּחֵם מִצָּרַי וְאִנָּקְמָה מֵאוֹיְבָי Is.1:24
29 הַעַל אֵלֶּה אֶנָּחֵם Is.57:6
30 וְלֹא אָחוּס וְלֹא אֶנָּחֵם Ezek.24:14
יִנָּחֵם 31 פֶּן־יִנָּחֵם הָעָם...וְשָׁבוּ מִצְרָיְמָה Ex.13:17
32 כִּי־יִנָּחֵם יְיָ מִנַּאֲקָתָם Jud.2:18
33 נֵצַח יִשְׂרָאֵל לֹא יְשַׁקֵּר וְלֹא יִנָּחֵם ISh.15:29
34 נִשְׁבַּע יְיָ וְלֹא יִנָּחֵם Ps.110:4
וְיִנָּחֵם 35 וְיִנָּחֵם יְיָ אֶל־הָרָעָה אֲשֶׁר דִּבֶּר Jer.26:13
וַיִּנָּחֵם 36 וַיִּנָּחֵם יִצְחָק אַחֲרֵי אִמּוֹ Gen.24:67
37 וַיִּנָּחֵם כְּרֹב חֲסָדָו Ps.106:45
וַיִּנָּחֶם 38 וַיִּנָּחֶם יְיָ כִּי־עָשָׂה אֶת־הָאָדָם Gen.6:6
39 וַתָּמָת בַּת־שׁוּעַ...וַיִּנָּחֶם יְהוּדָה Gen.38:12
40 וַיִּנָּחֶם יְיָ עַל־הָרָעָה Ex.32:14
41/2 וַיִּנָּחֶם יְיָ אֶל־הָרָעָה IISh.24:16 • Jer.26:19
43 וַיִּנָּחֶם הָאֱלֹהִים עַל־הָרָעָה Jon.3:10
44 רָאָה יְיָ וַיִּנָּחֶם עַל־הָרָעָה ICh.21:15
וַיִּנָּחֲמוּ 45 וַיִּנָּחֲמוּ בְ״י אֶל־בִּנְיָמִן אָחִיו Jud.21:6
46 וַיִּנָּחֲמוּ בְּאֶרֶץ תַּחְתִּית Ezek.31:16
וְהִנָּחֵם 47 וְהִנָּחֵם עַל־הָרָעָה לְעַמֶּךָ Ex.32:12
48 וְהִנָּחֵם עַל־עֲבָדֶיךָ Ps.90:13
לְנַחֵם 49 לְנַחֵם כָּל־אֲבֵלִים Is.61:2
לְנַחֲמֵנִי 50 אַל־תָּאִיצוּ לְנַחֲמֵנִי עַל־שֹׁד... Is.22:4
51 יְהִי־נָא חַסְדְּךָ לְנַחֲמֵנִי Ps.119:76
בְּנַחֲמֵךְ 52 וְנִכְלַמְתְּ...בְּנַחֲמֵךְ אֹתָן Ezek.16:54
לְנַחֲמוֹ 53 וַיָּקֻמוּ כָל־בָּנָיו...לְנַחֲמוֹ Gen.37:35
54 וַיִּשְׁלַח דָּוִד לְנַחֲמוֹ...אֶל־אָבִיו IISh.10:2
55 וְלֹא־יִפְרְסוּ לָהֶם...לְנַחֲמוֹ עַל־מֵת Jer.16:7
56 וַיִּתְאַבֵּל...וַיָּבֹאוּ אֶחָיו לְנַחֲמוֹ ICh.7:22
57 וַיִּשְׁלַח דָּוִיד...לְנַחֲמוֹ עַל־אָבִיו ICh.19:2
58 וַיָּבֹאוּ...אֶל־חָנוּן לְנַחֲמוֹ ICh.19:2
וּלְנַחֲמוֹ 59 לָבוֹא לָנוּד־לוֹ וּלְנַחֲמוֹ Job2:11
וְנִחַמְתִּים 60 וְנִחַמְתִּים וְשִׂמַּחְתִּים מִיגוֹנָם Jer.31:13(12)
נִחַמְתָּנִי 61 כִּי נִחַמְתָּנִי וְכִי דִבַּרְתָּ עַל־לֵב Ruth2:13
וְנִחַמְתָּנִי 62 כִּי־אַתָּה יְיָ עֲזַרְתַּנִי וְנִחַמְתָּנִי Ps.86:17
נִחַם 63 כִּי־נִחַם יְיָ עַמּוֹ וַעֲנִיָּו יְרַחֵם Is.49:13
64/5 כִּי־נִחַם יְיָ צִיּוֹן נִחַם כָּל־חָרְבֹתֶיהָ Is.51:3
66 כִּי־נִחַם יְיָ עַמּוֹ גָּאַל יְרוּשָׁלִָם Is.52:9
וְנִחַם 67 וְנִחַם יְיָ עוֹד אֶת־צִיּוֹן Zech.1:17
וְנִחֲמוּ 68 וְנִחֲמוּ אֶתְכֶם כִּי־תִרְאוּ...דַּרְכָּם Ezek.14:23
מְנַחֵם 69 אֵין־לָהּ מְנַחֵם מִכָּל־אֹהֲבֶיהָ Lam.1:2
70–71 אֵין מְנַחֵם לָהּ Lam.1:9,17
72 כִּי־רָחַק מִמֶּנִּי מְנַחֵם מֵשִׁיב נַפְשִׁי Lam.1:16
73 נֶאֱנָחָה אָנִי אֵין מְנַחֵם לִי Lam.1:21
74/5 וְאֵין לָהֶם מְנַחֵם Eccl.4:1²
מְנַחֶמְכֶם 76 אָנֹכִי אָנֹכִי הוּא מְנַחֶמְכֶם Is.51:12
מְנַחֲמִים 77 הַמְכַבֵּד דָּוִד...כִּי־שָׁלַח לְךָ מְנַחֲמִ׳ IISh.10:3
78 מֵאַיִן אֲבַקֵּשׁ מְנַחֲמִים לָךְ Nah.3:7
79 הַמְכַבֵּד דָּוִיד...כִּי־שָׁלַח...מְנַחֲמִים ICh.19:3
וְלַמְנַחֲמִים 80 וָאֲקַוֶּה...וְלַמְנַחֲמִים וְלֹא מָצָאתִי Ps.69:21
מְנַחֲמֵי־ 81 מְנַחֲמֵי עָמָל כֻּלְּכֶם Job16:2
אֲנַחֲמֵךְ 82 מִי יָנוּד לָךְ...מִי אֲנַחֲמֵךְ Is.51:19
וַאֲנַחֲמֵךְ 83 מָה אַשְׁוֶה־לָּךְ וַאֲנַחֲמֵךְ Lam.2:13
אֲנַחֶמְכֶם 84 כֵּן אָנֹכִי אֲנַחֶמְכֶם Is.66:13
תְּנַחֲמֵנִי 85 תֶּרֶב גְּדֻלָּתִי וְתִסֹּב תְּנַחֲמֵנִי Ps.71:21
86 לֵאמֹר מָתַי תְּנַחֲמֵנִי Ps.119:82
וּתְנַחֲמֵנִי 87 יָשֹׁב אַפְּךָ וּתְנַחֲמֵנִי Is.12:1
יְנַחֵם 88 וְאֵשֵׁב רֹאשׁ...כַּאֲשֶׁר אֲבֵלִים יְנַחֵם Job29:25
וַיְנַחֵם 89 וַיְנַחֵם אוֹתָם וַיְדַבֵּר עַל־לִבָּם Gen.50:21
90 וַיְנַחֵם דָּוִד אֵת בַּת־שֶׁבַע אִשְׁתּוֹ IISh.12:24
יְנַחֲמֵנוּ 91 זֶה יְנַחֲמֵנוּ מִמַּעֲשֵׂנוּ Gen.5:29
תְּנַחֲמֵנִי 92 כִּי־אָמַרְתִּי תְּנַחֲמֵנִי עַרְשִׂי Job7:13
תְּנַחֲמֶנּוּ 93 כְּאִישׁ אֲשֶׁר אִמּוֹ תְּנַחֲמֶנּוּ Is.66:13
תְּנַחֲמוּנִי 94 וְאֵיךְ תְּנַחֲמוּנִי הָבֶל Job21:34
יְנַחֵמוּן 95 וַחֲלֹמוֹת הַשָּׁוְא יְדַבֵּרוּ הֶבֶל יְנַחֵמוּן Zech.10:2
וַיְנַחֲמוּ 96 וַיָּנֻדוּ לוֹ וַיְנַחֲמוּ אֹתוֹ Job42:11
יְנַחֲמֻנִי 97 שִׁבְטְךָ וּמִשְׁעַנְתֶּךָ הֵמָּה יְנַחֲמֻנִי Ps.23:4
נַחֲמוּ 98/9 נַחֲמוּ נַחֲמוּ עַמִּי יֹאמַר אֱלֹהֵיכֶם Is.40:1
נֻחָמָה 100 עֲנִיָּה סֹעֲרָה לֹא נֻחָמָה Is.54:11
תְּנֻחָמוּ 101 אֲנַחֶמְכֶם וּבִירוּשָׁלִַם תְּנֻחָמוּ Is.66:13
לְהִתְנַחֵם 102 וַיָּקֻמוּ...לְנַחֲמוֹ וַיְמָאֵן לְהִתְנַחֵם Gen.37:35
וְהִנֶּחָמְתִּי 103 וַהֲנִחוֹתִי חֲמָתִי בָּם וְהִנֶּחָמְתִּי Ezek.5:13
מִתְנַחֵם 104 עֵשָׂו אָחִיךָ מִתְנַחֵם לְךָ לְהָרְגֶךָ Gen.27:42
וָאֶתְנֶחָם 105 זָכַרְתִּי מִשְׁפָּטֶיךָ...וָאֶתְנֶחָם Ps.119:52
יִתְנֶחָם 106/7 כִּי־יָדִין יְיָ עַמּוֹ וְעַל־עֲבָדָיו יִתְנֶחָם Deut.32:36 • Ps.135:14
וְיִתְנֶחָם 108 לֹא אִישׁ אֵל וִיכַזֵּב
וּבֶן־אָדָם וְיִתְנֶחָם Num.23:19

נֹחַם חרטה
נֹחַם 1 נֹחַם יִסָּתֵר מֵעֵינָי Hosh.13:14

נַ֫חַם שפ־ז – איש משבט יהודה
נַחַם 1 אֲחוֹת נַחַם אֲבִי קְעִילָה ICH.4:19

נֶחְמָד ת׳ חביב, חשוק: 1–4 [עין גם חָמַד]
נֶחְמָד 1 כָּל־עֵץ נֶחְמָד לְמַרְאֶה Gen.2:9
2 אוֹצָר נֶחְמָד וָשֶׁמֶן בִּנְוֵה חָכָם Prov.21:20
וְנֶחְמָד 3 וְנֶחְמָד הָעֵץ לְהַשְׂכִּיל Gen.3:6
הַנֶּחֱמָדִים 4 הַנֶּחֱמָדִים מִזָּהָב וּמִפַּז רָב Ps.19:11

נֶחָמָה* נ׳ עידוד, הפגת צער: 2,1
נֶחָמָתִי 1 זֹאת נֶחָמָתִי בְעָנְיִי Ps.119:50
2 וּתְהִי־עוֹד נֶחָמָתִי Job 6:10

נְחֶמְיָה שפ־ז א) מן העולים עם זרובבל: 4,1
ב) הַפֶּחָה, בֶּן חֲכַלְיָה: 2, 5–8
ג) שר חצי פלך בימי נחמיה: 3
נְחֶמְיָה 1 אֲשֶׁר־בָּאוּ עִם־זְרֻבָּבֶל יֵשׁוּעַ נְחֶמְיָה Ez.2:2
2 דִּבְרֵי נְחֶמְיָה בֶּן־חֲכַלְיָה Neh.1:1
3 אַחֲרָיו הֶחֱזִיק נְחֶמְיָה בֶן־עַזְבּוּק Neh.3:16
4 הַבָּאִים עִם־זְרֻבָּבֶל יֵשׁוּעַ נְחֶמְיָה Neh.7:7
5 נְחֶמְיָה הוּא הַתִּרְשָׁתָא Neh.8:9
6 וְעַל הַחֲתוּמִים נְחֶמְיָה הַתִּרְשָׁתָא Neh.10:2
7 וּבִימֵי נְחֶמְיָה הַפֶּחָה וְעֶזְרָא Neh.12:26
8 בִּימֵי זְרֻבָּבֶל וּבִימֵי נְחֶמְיָה Neh.12:47

נֶחָמִים (ישעיה נז 5) – עין חמם

נַחֲמָנִי שפ־ז – מעולי הגולה עם זרובבל
נַחֲמָנִי 1 עֲזַרְיָה רַעַמְיָה נַחֲמָנִי Neh.7:7

נַ֫חְנוּ מ־ג צורה מקוצרת במקום "אֲנַחְנוּ": 1–5
נַחְנוּ 1 נַחְנוּ נַעֲבֹר חֲלוּצִים לִפְנֵי יְיָ Num.32:32
2 נַחְנוּ פָשַׁעְנוּ וּמָרִינוּ Lam.3:42
נָ֫חְנוּ 3 כֻּלָּנוּ בְּנֵי אִישׁ־אֶחָד נָחְנוּ Gen.42:11
וְנַחְנוּ 4 וְנַחְנוּ מָה כִּי תַלִּינוּ עָלֵינוּ Ex.16:7
5 וְנַחְנוּ מָה לֹא־עָלֵינוּ תְלֻנֹּתֵיכֶם Ex.16:8

נֶחֱנַתְּ (ירמיה כב 23) – עין חָנַן

נחר : נַחַר, נַחְרָה, נָחִיר; ש״פ נָחוֹר, נַחְרַי

נַ֫חַר* ז׳ נַחֲרָה
נַחְרוֹ 1 הוֹד נַחְרוֹ אֵימָה Job39:20

נָחַר (ירמיה ו 29), **נִחַר** (תהלים סט 4) – עין (חרר)

נַחְרָה* נ׳ קול חרחור באף או בגרון
נַחְרַת־ 1 מִדָּן נִשְׁמַע נַחְרַת סוּסָיו ירמיה ח16

נַחֲרוֹ (שה״ש א 6) – עין חָרָה (83)

נַחֲרַי שפ״ז – מגבורי דוד: 1, 2

נַחְרַי 1 צֶלֶק הָעַמּוֹנִי נַחְרַי הַבְּאֵרֹתִי IISh.23:37
2 צֶלֶק הָעַמּוֹנִי נַחְרַי הַבֵּרֹתִי ICh.11:39

נחש : נַחַשׁ; נַחַשׁ, נָחָשׁ, נְחֹשֶׁת, נְחֻשְׁתָּן; ש״פ נָחָשׁ, נַחַשׁ, נַחְשׁוֹן, נְחֻשְׁתָּא

נחשׁ פ׳ קסם, פתר נסתרות בלחשים וכד׳: 1–11

נַחֵשׁ 1 וְהוּא נַחֵשׁ יְנַחֵשׁ בּוֹ Gen.44:5
2 כִּי־נַחֵשׁ יְנַחֵשׁ אִישׁ אֲשֶׁר כָּמֹנִי Gen.44:15
נִחַשְׁתִּי 3 נִחַשְׁתִּי וַיְבָרְכֵנִי יְיָ בִּגְלָלֶךָ Gen.30:27
וְנִחֵשׁ 4 וְעוֹנֵן וְנִחֵשׁ וְעָשָׂה אוֹב וְיִדְּעֹנִים IIK.21:6
5 וְעוֹנֵן וְנִחֵשׁ וְכִשֵּׁף וְעָשָׂה אוֹב IICh.33:6
וּמְנַחֵשׁ 6 קֹסֵם קְסָמִים מְעוֹנֵן וּמְנַחֵשׁ Deut.18:10
יְנַחֵשׁ 7 וְהוּא נַחֵשׁ יְנַחֵשׁ בּוֹ Gen.44:5
8 כִּי־נַחֵשׁ יְנַחֵשׁ אִישׁ אֲשֶׁר כָּמֹנִי Gen.44:15
תְּנַחֲשׁוּ 9 לֹא תְנַחֲשׁוּ וְלֹא תְעוֹנֵנוּ Lev.19:26
יְנַחֲשׁוּ 10 וְהָאֲנָשִׁים יְנַחֲשׁוּ וַיְמַהֲרוּ וַיַּחְלְטוּ IK.20:33
וַיְנַחֲשׁוּ 11 וַיִּקְסְמוּ קְסָמִים וַיְנַחֲשׁוּ IIK.17:17

נַ֫חַשׁ ז׳ קֶסֶם בלחשים: 1, 2

נַחַשׁ 1 כִּי לֹא־נַחַשׁ בְּיַעֲקֹב Num.23:23
נְחָשִׁים 2 וְלֹא־הָלַךְ...לִקְרַאת נְחָשִׁים Num.24:1

נָחָשׁ¹ ז׳ בעל־חיים ממחלקת הזוחלים, בעל גוף ארוך וגלילי; נחשים רבים הם ארסיים: 1–26, 30, 31
קרובים: אֶפְעֶה / עַכְשׁוּב / צֶפַע / צִפְעוֹנִי / שְׁפִיפֹן / שָׂרָף
– נָחָשׁ בָּרִחַ 4, 9; נ׳ עֲקַלָּתוֹן 5; נ׳ צִפְעוֹנִי 30; נָחָשׁ שָׂרָף 2, 31
– דֶּרֶךְ נָחָשׁ 8; חֲמַת נָחָשׁ 6; שֹׁרֶשׁ נָחָשׁ 3
– נְחַשׁ הַנְּחֹשֶׁת 27–29

נָחָשׁ 1 יְהִי־דָן נָחָשׁ עֲלֵי־דֶרֶךְ Gen.49:17
2 נָחָשׁ שָׂרָף וְעַקְרָב וְצִמָּאוֹן Deut.8:15
3 כִּי־מִשֹּׁרֶשׁ נָחָשׁ יֵצֵא צֶפַע Is.14:29
4 יִפְקֹד יְיָ...עַל לִוְיָתָן נָחָשׁ בָּרִחַ Is.27:1
5 וְעַל לִוְיָתָן נָחָשׁ עֲקַלָּתוֹן Is.27:1
6 חֲמַת־לָמוֹ כִּדְמוּת חֲמַת־נָחָשׁ Ps.58:5
7 שָׁנְנוּ לְשׁוֹנָם כְּמוֹ־נָחָשׁ Ps.140:4
8 דֶּרֶךְ נָחָשׁ עֲלֵי צוּר Prov.30:19
9 חֹלְלָה יָדוֹ נָחָשׁ בָּרִחַ Job26:13
10 וּפֹרֵץ גָּדֵר יִשְּׁכֶנּוּ נָחָשׁ Eccl.10:8
וְנָחָשׁ 11 וְנָחָשׁ עָפָר לַחְמוֹ Is.65:25
הַנָּחָשׁ 12 וַתֹּאמֶר הָאִשָּׁה אֶל־הַנָּחָשׁ Gen.3:2
13 וַיֹּאמֶר הַנָּחָשׁ אֶל־הָאִשָּׁה Gen.3:4
14 הַנָּחָשׁ הִשִּׁיאַנִי וָאֹכֵל Gen.3:13
15 וַיֹּאמֶר יְיָ אֱלֹהִים אֶל־הַנָּחָשׁ Gen.3:14
16 וְיָסֵר מֵעָלֵינוּ אֶת־הַנָּחָשׁ Num.21:7
17 וְהָיָה אִם־נָשַׁךְ הַנָּחָשׁ אֶת־אִישׁ Num.21:9
18 וְסָמַךְ יָדוֹ עַל־הַקִּיר וּנְשָׁכוֹ הַנָּחָשׁ Am.5:19
19 מִשָּׁם אֲצַוֶּה אֶת־הַנָּחָשׁ וּנְשָׁכָם Am.9:3
20 אִם־יִשֹּׁךְ הַנָּחָשׁ בְּלוֹא־לָחַשׁ Eccl.10:11
וְהַנָּחָשׁ 21 וְהַנָּחָשׁ הָיָה עָרוּם מִכֹּל חַיַּת הַשָּׂדֶה Gen.3:1
כְּנָחָשׁ 22 אַחֲרִיתוֹ כְּנָחָשׁ יִשָּׁךְ Prov.23:32
כַּנָּחָשׁ 23 קוֹלָהּ כַּנָּחָשׁ יֵלֵךְ Jer.46:22
24 יְלַחֲכוּ עָפָר כַּנָּחָשׁ Mic.7:17
לְנָחָשׁ 25 וַיַּשְׁלִכֵהוּ אַרְצָה וַיְהִי לְנָחָשׁ Ex.4:3
26 וְהַמַּטֶּה אֲשֶׁר־נֶהְפַּךְ לְנָחָשׁ Ex.7:15
נְחַשׁ־ 27 וַיַּעַשׂ מֹשֶׁה נְחַשׁ נְחֹשֶׁת Num.21:9
28 וְהִבִּיט אֶל־נְחַשׁ הַנְּחֹשֶׁת וָחָי Num.21:9
29 וְכִתַּת נְחַשׁ הַנְּחֹשֶׁת IIK.18:4
נְחָשִׁים 30 נְחָשִׁים צִפְעֹנִים...אֵין־לָהֶם לָחַשׁ Jer.8:17
הַנְּחָשִׁים 31 וַיְשַׁלַּח יְיָ...אֵת הַנְּחָשִׁים הַשְּׂרָפִים Num.21:6

נָחָשׁ² שפ״ז א) מלך בני עמון: 1–5, 8
ב) אבי אביגיל אחות צרויה: 6
ג) אדם שישב ברבת עמון: 7

נָחָשׁ 1 וַיַּעַל נָחָשׁ הָעַמּוֹנִי וַיִּחַן עַל־יָבֵישׁ גִּלְ׳ ISh.11:1
2 וַיֹּאמְרוּ כָּל־אַנְשֵׁי יָבֵישׁ אֶל־נָחָשׁ ISh.11:1
3 וַיֹּאמֶר אֲלֵיהֶם נָחָשׁ הָעַמּוֹנִי ISh.11:2
4 וַתִּרְאוּ כִּי נָחָשׁ...בָּא עֲלֵיכֶם ISh.12:12
5/6 אֶעֱשֶׂה־חֶסֶד עִם־חָנוּן בֶּן־נָחָשׁ IISh.10:2; ICh.19:2
7 אֲשֶׁר־בָּא אֶל־אֲבִיגַל בַּת־נָחָשׁ IISh.17:25
8 וְשֹׁבִי בֶן־נָחָשׁ מֵרַבַּת בְּנֵי־עַמּוֹן IISh.17:27
9 וַיָּמָת נָחָשׁ מֶלֶךְ בְּנֵי־עַמּוֹן ICh.19:1

(עִיר־) נָחָשׁ עיר בנחלת יהודה

נָחָשׁ 1 וְאֶת־תְּחִנָּה אֲבִי עִיר־נָחָשׁ ICh.4:12

נְחָשׁ ז׳ ארמית: נחושת; נְחָשָׁא = הנחושת: 1–9

נְחָשׁ 1 מְעוֹהִי וְיַרְכָתֵהּ דִּי נְחָשׁ Dan.2:32
2 וְטִפְרַהּ דִּי־נְחָשׁ Dan.7:19
וּנְחָשׁ 3/4 וּבֶאֱסוּר דִּי־פַרְזֶל וּנְחָשׁ Dan.4:12,20
נְחָשָׁא 5 פַּרְזְלָא חַסְפָּא נְחָשָׁא Dan.2:35
6 וּמַלְכוּ תְלִיתָאָה אָחֳרִי דִּי נְחָשָׁא Dan.2:39
7 פַּרְזְלָא נְחָשָׁא חַסְפָּא Dan.2:45
8/9 נְחָשָׁא פַרְזְלָא אָעָא וְאַבְנָא Dan.5:4,23

נַחְשׁוֹן שפ״ז – נשיא לבני יהודה: 1–10
אֲחוֹת נַחְשׁוֹן 1; קָרְבַּן נַחְשׁוֹן 6

נַחְשׁוֹן 1 וַיִּקַּח אַהֲרֹן אֶת־אֱלִי׳...אֲחוֹת נַחְשׁוֹן Ex.6:23
2 לִיהוּדָה נַחְשׁוֹן בֶּן־עַמִּינָדָב Num.1:7
3-5 נַחְשׁוֹן בֶּן־עַמִּינָדָב Num.2:3; 7:12; 10:14
6 זֶה קָרְבַּן נַחְשׁוֹן בֶּן־עַמִּינָדָב Num.7:17
7/8 וְעַמִּינָ׳ הוֹלִיד אֶת־נַחְשׁוֹן Ruth4:20 • ICh.2:10
וְנַחְשׁוֹן 9 וְנַחְשׁוֹן הוֹלִיד אֶת־שַׂלְמָה Ruth4:20
10 וְנַחְשׁוֹן הוֹלִיד אֶת־שַׂלְמָא ICh.2:11

נְחֹשֶׁת נ׳ מתכת אדמדמה או צהובה, נוחה לרקוע: 1–133
קרובים: בְּדִיל / בַּרְזֶל / זָהָב / חָרוּץ / כֶּסֶף / כֶּתֶם / סִיגִים / עוֹפֶרֶת / פָּז
– נְחֹשֶׁת־בַּרְזֶל 1, 16, 34, 35, 38, 80, 81, 86, 102,103, 126, 127; נְחֹשֶׁת־זָהָב 110, 123; נְחֹשֶׁת־כֶּסֶף 23, 78, 82, 83, 117, 119–122
– נְחֹשֶׁת מְמֹרָט 32; נ׳ מֻצְהָב 44; נְחֹשֶׁת מָרוּק 49; נְחֹשֶׁת קָלָל 37,43; נ׳ רַבָּה 46; נְחֹשֶׁת הַתְּנוּפָה 79
– אַדְנֵי נְחֹשֶׁת 3; אוֹפַנֵּי נְחֹשֶׁת 29; בְּרִיחַ נ׳ 25; דַּלְתוֹת נ׳ 42; הָרֵי נ׳ 41; חוֹמַת (חוֹמוֹת) נ׳ 34, 36; חוֹרֵשׁ נ׳ 1, 26; חָרָשֵׁי נ׳ 86; טַבְּעוֹת נ׳ 8; יָם הַנּ׳ 108, 112, 114; כִּידוֹן נ׳ 20; כִּיּוֹר (כִּיּוֹרוֹת) נ׳ 9, 10, 31, 50; כְּלִי (כְּלֵי) נ׳ 12, 16, 23, 39, 44, 109, 113, 115; מָגִנֵּי נ׳ 33, 51; מוּצָק נ׳ 28; מַחְתּוֹת הַנּ׳ 100; מִזְבַּח הַנּ׳ 47, 91–99; מִכְבַּר נ׳ 87–90; מִצְחַת נ׳ 19; מְצִלְתַּיִם נ׳ 45; מָצָק נ׳ 28; מַרְאֵה נ׳ 40; מִשְׁקַל הַנּ׳ 104, 116; נְחַשׁ הַנּ׳ 13, 101, 106; סַרְנֵי נ׳ 30; עַמּוּדֵי נ׳ 107, 111; קוֹבַע נ׳ 21; קַרְסֵי נ׳ 2, 11; רֶשֶׁת נ׳ 6, 7; שְׁקָלִים נְחֹשֶׁת 18

נְחֹשֶׁת 1 לֹטֵשׁ כָּל־חֹרֵשׁ נְחֹשֶׁת וּבַרְזֶל Gen.4:22
2 וְעָשִׂיתָ קַרְסֵי נְחֹשֶׁת חֲמִשִּׁים Ex.26:11
3 וְיָצַקְתָּ לָהֶם חֲמִשָּׁה אַדְנֵי נְחֹשֶׁת Ex.26:37
4 וְצִפִּיתָ אֹתוֹ נְחֹשֶׁת Ex.27:2
5 לְכָל־כֵּלָיו תַּעֲשֶׂה נְחֹשֶׁת Ex.27:3
6/7 מִכְבַּר מַעֲשֵׂה רֶשֶׁת נְחֹשֶׁת Ex.27:4; 38:4
8 וְעָשִׂיתָ...אַרְבַּע טַבְּעֹת נְחֹשֶׁת Ex.27:4
9-10 וְעָשִׂיתָ כִּיּוֹר נְחֹשֶׁת וְכַנּוֹ נְחֹשֶׁת Ex.30:18
11 וַיַּעַשׂ קַרְסֵי נְחֹשֶׁת חֲמִשִּׁים Ex.36:18

נְחֹשֶׁת (המשך)
12 וְאִם־בִּכְלִי נְחֹשֶׁת בֻּשָּׁלָה Lev.6:21
13 וַיַּעַשׂ מֹשֶׁה נְחַשׁ נְחֹשֶׁת Num.21:9
14 וּמֵהֲרָרֶיהָ תַּחְצֹב נְחֹשֶׁת Deut.8:9
15 וְהָיוּ שָׁמֶיךָ...נְחֹשֶׁת Deut.28:23
16 וּכְלֵי נְחֹשֶׁת וּבַרְזֶל Josh.6:19
17 וְכוֹבַע נְחֹשֶׁת עַל־רֹאשׁוֹ ISh.17:5
18 חֲמֵשֶׁת־אֲלָפִים שְׁקָלִים נְחֹשֶׁת ISh.17:5
19 וּמִצְחַת נְחֹשֶׁת עַל־רַגְלָיו ISh.17:6
20 וְכִידוֹן נְחֹשֶׁת בֵּין כְּתֵפָיו ISh.17:6
21 וְנָתַן קוֹבַע נְחֹשֶׁת עַל־רֹאשׁוֹ ISh.17:38
22 לָקַח...נְחֹשֶׁת הַרְבֵּה מְאֹד IISh.8:8
23 כְּלֵי־כֶסֶף וּכְלֵי־זָהָב וּכְלֵי נְחֹשֶׁת IISh.8:10
24 שְׁלֹשׁ מֵאוֹת מִשְׁקַל נְחֹשֶׁת IISh.21:16
25 עָרִים גְּדֹלוֹת חוֹמָה וּבְרִיחַ נְחֹשֶׁת IK.4:13
26 וְאָבִיו אִישׁ־צֹרִי חֹרֵשׁ נְחֹשֶׁת IK.7:14
27 וַיָּצַר אֶת־שְׁנֵי הָעַמּוּדִים נְחֹשֶׁת IK.7:15
28 וּשְׁתֵּי כֹתָרֹת...מֻצַק נְחֹשֶׁת IK.7:16
29 וְאַרְבָּעָה אוֹפַנֵּי נְחֹשֶׁת לַמְּכוֹנָה IK.7:30
30 וְסַרְנֵי נְחֹשֶׁת IK.7:30
31 וַיַּעַשׂ עֲשָׂרָה כִיֹּרוֹת נְחֹשֶׁת IK.7:38
32 וְאֵת כָּל־הַכֵּלִים...נְחֹשֶׁת מְמֹרָט IK.7:45
33 וַיַּעַשׂ...תַּחְתָּם מָגִנֵּי נְחֹשֶׁת IK.14:27
34 וּלְעַמּוּד בַּרְזֶל וּלְחֹמוֹת נְחֹשֶׁת Jer.1:18
35 הֹלְכֵי רָכִיל נְחֹשֶׁת וּבַרְזֶל Jer.6:28
36 וּנְתַתִּיךָ...לְחוֹמַת נְחֹשֶׁת בְּצוּרָה Jer.15:20
37 וְנֹצְצִים כְּעֵין נְחֹשֶׁת קָלָל Ezek.1:7
38 נְחֹשֶׁת וּבְדִיל וּבַרְזֶל וְעוֹפֶרֶת Ezek.22:17
39 וּכְלֵי נְחֹשֶׁת נָתְנוּ מַעֲרָבֵךְ Ezek.27:13
40 וְהִנֵּה־אִישׁ מַרְאֵהוּ כְּמַרְאֵה נְחֹשֶׁת Ezek.40:3
41 וְהֶהָרִים הָרֵי נְחֹשֶׁת Zech.6:1
42 כִּי־שִׁבַּר דַּלְתוֹת נְחֹשֶׁת Ps.107:16
43 וּזְרֹעֹתָיו...כְּעֵין נְחֹשֶׁת קָלָל Dan.10:6
44 וּכְלֵי נְחֹשֶׁת מֻצְהָב טוֹבָה Ez.8:27
45 בִּמְצִלְתַּיִם נְחֹשֶׁת לְהַשְׁמִיעַ ICh.15:19
46 לָקַח דָּוִיד נְחֹשֶׁת רַבָּה מְאֹד ICh.18:8
47 וַיַּעַשׂ מִזְבַּח נְחֹשֶׁת... IICh.4:1
48 וְדַלְתוֹתֵיהֶם צִפָּה נְחֹשֶׁת IICh.4:9
49 וְאֶת־כָּל־כְּלֵיהֶם...נְחֹשֶׁת מָרוּק IICh.4:16
50 כִּי־עָשָׂה שְׁלֹמֹה כִּיּוֹר נְחֹשֶׁת IICh.6:13
51 וַיַּעַשׂ...תַּחְתֵּיהֶם מָגִנֵּי נְחֹשֶׁת IICh.12:10
52-75 נְחֹשֶׁת Ex.27:6,10,11,17,18,19 36:38; 38:2,3,6,8², 10,11,17,19,20 • IK.7:27 • IIK.25:17² • Is.60:17 • Jer.52:20,22²
וּנְחֹשֶׁת 76/7 זָהָב וָכֶסֶף וּנְחֹשֶׁת Ex.25:3; 35:5
78 כָּל־מֵרִים תְּרוּמַת כֶּסֶף וּנְחֹשֶׁת Ex.35:24
79 וּנְחֹשֶׁת הַתְּנוּפָה שִׁבְעִים כִּכָּר Ex.38:29
80 בַּרְזֶל וּנְחֹשֶׁת מִנְעָלֶךָ Deut.33:25
81 ...בַּרְזֶל מִצָּפוֹן וּנְחֹשֶׁת Jer.15:12
82 קְבֻצַת כֶּסֶף וּנְחֹשֶׁת Ezek.22:20
83 וְכֹל כְּלֵי זָהָב וָכֶסֶף וּנְחֹשֶׁת ICh.18:10
84 וּנְחֹשֶׁת לָרֹב אֵין מִשְׁקָל ICh.22:3(2)
85 וּנְחֹשֶׁת רִבּוֹ וּשְׁמוֹנַת אֲלָ׳ כִּכָּרִים ICh.29:7
86 וְגַם לְחָרָשֵׁי בַרְזֶל וּנְחֹשֶׁת IICh.24:12
הַנְּחֹשֶׁת 87-89 וְאֶת־מִכְבַּר הַנְּחֹשֶׁת אֲשֶׁר־לוֹ Ex.35:16; 38:30; 39:39
90 אַרְבַּע טַבָּעֹת...לְמִכְבַּר הַנְּחֹשֶׁת Ex.38:5
91 וְאֵת מִזְבַּח הַנְּחֹשֶׁת Ex.38:30
92-99 (וּ)מִזְבַּח הַנְּחֹשֶׁת Ex.39:39 • IK.8:64 IIK.16:14,15 • Ezek.9:2 • IICh.1:5,6; 7:7
100 אֵת מַחְתּוֹת הַנְּחֹשֶׁת Num.17:4
101 וְהִבִּיט אֶל־נְחַשׁ הַנְּחֹשֶׁת וָחָי Num.21:9
102 אֶת־הַנְּחֹשֶׁת אֶת־הַבַּרְזֶל Num.31:22

הַנְּחֹשֶׁת (המשך) 103 וּכְלֵי הַנְּחֹשֶׁת וְהַבַּרְזֶל Josh.6:24
104 לֹא נֶחְקַר מִשְׁקַל הַנְּחֹשֶׁת IK.7:47
105 הוֹרִד מֵעַל הַבָּקָר הַנְּחֹשֶׁת IIK.16:17
106 וְכִתַּת נְחַשׁ הַנְּחֹשֶׁת IIK.18:4
107 וְאֶת־עַמּוּדֵי הַנְּחֹשֶׁת אֲשֶׁר בֵּית־יְיָ IIK.25:13
108 וְאֶת־יָם הַנְּחֹשֶׁת אֲשֶׁר־בְּבֵית־יְיָ IIK.25:13
109 וְאֵת כָּל־כְּלֵי הַנְּחֹשֶׁת IIK.25:14
110 תַּחַת הַנְּחֹשֶׁת אָבִיא זָהָב Is.60:17
111 עַמּוּדֵי הַנְּחֹשֶׁת אֲשֶׁר לְבֵית־יְיָ Jer.52:17
112 וְאֶת־יָם הַנְּחֹשֶׁת אֲשֶׁר בְּבֵית־יְיָ Jer.52:17
113 וְאֵת כָּל־כְּלֵי הַנְּחֹשֶׁת... Jer.52:18
114 בָּהּ עָשָׂה שְׁלֹמֹה אֶת־יָם הַנְּחֹשֶׁת ICh.18:8
115 וְאֶת־הָעַמּוּדִים וְאֵת כְּלֵי הַנְּחֹשֶׁת ICh.18:8
116 לֹא נֶחְקַר מִשְׁקַל הַנְּחֹשֶׁת IICh.4:18
וְהַנְּחֹשֶׁת 117 וְהַכֶּסֶף לַכֶּסֶף וְהַנְּחֹשֶׁת לַנְּחֹשֶׁת... ICh.29:2
בַּנְּחֹשֶׁת 118 לַעֲשׂוֹת כָּל־מְלָאכָה בַּנְּחֹשֶׁת IK.7:14
119 בַּזָּהָב־וּבַכֶּסֶף בַּנְּחֹשֶׁת... IICh.2:13
וּבַנְּחֹשֶׁת 120/1 בַּזָּהָב וּבַכֶּסֶף וּבַנְּחֹשֶׁת Ex.31:4; 35:32
122 בַּזָּהָב וּבַכֶּסֶף וּבַנְּחֹשֶׁת... IICh.2:6
וּבִנְחֹשֶׁת 123 בְּכֶסֶף וּבְזָהָב וּבִנְחֹשֶׁת Josh.22:8
לִנְחֹשֶׁת 124 לֹא־הָיָה מִשְׁקָל לִנְחֹשֶׁת כָּל־הַכֵּל IIK.25:16
לַנְּחֹשֶׁת 125 וְהַכֶּסֶף לַכֶּסֶף וְהַנְּחֹשֶׁת לַנְּחֹשֶׁת ICh.29:2
וְלַנְּחֹשֶׁת 126 וְלַנְּחֹשֶׁת וְלַבַּרְזֶל אֵין מִשְׁקָל ICh.22:14(13)
127 וְלַנְּחֹשֶׁת וְלַבַּרְזֶל אֵין מִסְפָּר ICh.22:16(15)
נְחָשְׁתִּי 128 גָּדַר בַּעֲדִי...הִכְבִּיד נְחָשְׁתִּי Lam.3:7
נְחֻשְׁתֵּךְ 129 יַעַן הִשָּׁפֵךְ נְחֻשְׁתֵּךְ וַתִּגָּלֶה עֶרְוָתֵךְ Ezek.16:36
נְחֻשְׁתָּהּ 130 לְמַעַן תֵּחַם וְחָרָה נְחֻשְׁתָּהּ Ezek.24:11
נְחֻשְׁתָּם 131 וַיִּשְׂאוּ אֶת־נְחֻשְׁתָּם בָּבֶלָה IIK.25:13
132 וַיִּשְׂאוּ אֶת־כָּל־נְחֻשְׁתָּם בָּבֶלָה Jer.52:17
לִנְחֻשְׁתָּם 133 לֹא־הָיָה מִשְׁקָל לִנְחֻשְׁתָּם Jer.52:20

נְחֻשְׁתָּא שפ־נ – אם יהויכין מלך יהודה

נְחֻשְׁתָּא 1 וְשֵׁם אִמּוֹ נְחֻשְׁתָּא בַּת־אֶלְנָתָן IIK.24:8

נְחֻשְׁתַּיִם ז־ז כבלי נחושת: 1–7

בַּנְחֻשְׁתַּיִם 1 וַיַּאַסְרוּהוּ בַּנְחֻשְׁתַּיִם וַיְהִי טוֹחֵן... Jud.16:21
2 וַיַּאַסְרֻהוּ בַּנְחֻשְׁתַּיִם וַיְבִאֻהוּ בָּבֶל IIK.25:7
3–6 וַיַּאַסְרֵהוּ (וַיַּאַסְרֻהוּ) בַּנְחֻשְׁתַּיִם Jer.38:7
52:11 • IICh.33:11; 36:6
לִנְחֻשְׁתַּיִם 7 וְרַגְלֶיךָ לֹא־לִנְחֻשְׁתַּיִם הֻגָּשׁוּ IISh.3:34

נְחֻשְׁתָּן ז' נחש הנחושת שעשה משה

נְחֻשְׁתָּן 1 וְכִתַּת נְחַשׁ הַנְּחֹשֶׁת...וַיִּקְרָא־לוֹ נְחֻשְׁתָּן IIK.18:4

נחת : נָחֵת, נֶחַת, נַחַת, הַנְחִית; נָחֵת, נַחַת, תַּחַת?; אר׳ נְחֵת

נחת פ' א) ירד, נח: 1–5

ב) [נפ' נִחַת] נתקע: 6 [עין גם נַחַת]
ג) [פִּ' נִחֵת] הוריד, הכריע: 7–9
ד) [הפ' הִנְחִית] הוריד, הפיל: 10

יֵחַת 1 מִי־יֵחַת...וּמִי יָבוֹא בִּמְעוֹנוֹתֵינוּ Jer.21:13
תֵּחַת 2 תֵּחַת גְּעָרָה בְמֵבִין Prov.17:10
נָחַת(=נחת) 3 אִם־יַחַד עַל־עָפָר נָחַת Job17:16
יֵחָתּוּ 4 וּבְרֶגַע שְׁאוֹל יֵחָתּוּ Job21:13
וַתִּנְחַת 5 וַתִּנְחַת עָלַי יָדֶךָ Ps.38:3
נִחֲתוּ 6 כִּי־חִצֶּיךָ נִחֲתוּ בִי Ps.38:3
וְנִחַת 7 וְנִחַת קֶשֶׁת־נְחוּשָׁה זְרוֹעֹתָי IISh.22:35
וְנִחֲתָה 8 וְנִחֲתָה קֶשֶׁת־נְחוּשָׁה זְרוֹעֹתָי Ps.18:35
נַחֵת 9 תְּלָמֶיהָ רַוֵּה נַחֵת גְּדוּדֶיהָ Ps.65:11
הַנְחַת 10 שָׁמָּה הַנְחַת יְיָ גִּבּוֹרֶיךָ Joel4:11

נחת פ' ארמית א) ירד: 1, 2

ב) [הפ' הַחַת] הוריד: 3–5
ג) [הפ' הָנְחַת] הורד: 6

נָחִת 1 עִיר וְקַדִּישׁ מִן־שְׁמַיָּא נָחִת Dan.4:10
2 עִיר וְקַדִּישׁ נָחִת מִן־שְׁמַיָּא Dan.4:20
מְהַחֲתִין 3 דִּי גִנְזַיָּא מְהַחֲתִין תַּמָּה בְּבָבֶל Ez.6:1
אֲחֵת 4 שֵׂא אֱזֶל־אֲחֵת הִמּוֹ בְּהֵיכְלָא... Ez.5:15
וְתַחֵת 5 וְתַחֵת בְּבֵית אֱלָהָא Ez.6:5
הָנְחַת 6 הָנְחַת מִן־כָּרְסֵא מַלְכוּתֵהּ Dan.5:20

נָחֵת* ת' חונה

נְחִתִּים 1 הִשָּׁמֶר...כִּי־שָׁם אֲרָם נְחִתִּים IIK.6:9

נַחַת1 נ' הֲנָחָה, הורדה: 1, 2

וְנַחַת־ 1 וְנַחַת זְרוֹעוֹ יַרְאֶה בְּזַעַף אַף Is.30:30
2 וְנַחַת שֻׁלְחָנְךָ מָלֵא דָשֶׁן Job36:16

נַחַת2 נ' שלוה, מנוחה, מתינות: 1–5

נַחַת 1 נַחַת לָזֶה מִזֶּה Eccl.6:5
נָחַת 2 וְרָגַז וְשָׂחַק וְאֵין נָחַת Prov.29:9
3 טוֹב מְלֹא כַף נָחַת Eccl.4:6
וָנַחַת 4 בְּשׁוּבָה וָנַחַת תִּוָּשֵׁעוּן Is.30:15
בְּנַחַת 5 דִּבְרֵי חֲכָמִים בְּנַחַת נִשְׁמָעִים Eccl.9:17

נַחַת3 שפ־ז א) אחד מאלופי אדום: 1–3

ב) שני לויים שונים: 4, 5

נַחַת 1 וְאֵלֶּה בְּנֵי רְעוּאֵל נַחַת וָזֶרַח Gen.36:13
2 אַלּוּף נַחַת אַלּוּף זֶרַח Gen.36:17
3 בְּנֵי רְעוּאֵל נַחַת זֶרַח שַׁמָּה וּמִזָּה ICh.1:37
וְנַחַת 4 בְּנֵי אֶלְקָנָה צוֹפַי בְּנוֹ וְנַחַת בְּנוֹ ICh.6:11
5 וִיחִיאֵל וַעֲזַזְיָהוּ וְנַחַת IICh.31:13

נחת (מלאכי ב 5) – עין חתת

נטה : נָטָה, נִטָּה, הִטָּה; נָטוּי, מַטֶּה, מִטָּה, מַטָּה, מֻטֶּה [עין עוד נָטוּי]

נָטָה פ' א) פָּנָה, סָר (גם בהשאלה): 1, 4–6, 8, 11–13,

27, 31, 36, 46, 49, 62, 63, 69, 79, 90–95
ב) רצה ב־, הסכים: 3, 29, 30, 82, 87, 96
ג) שָׁלַח: 2, 7, 9, 10, 14–23, 26, 37, 45, 52, 54,
65, 70–78, 80, 83, 86, 97–107
ד) פֵּרַשׂ, מתח: 24, 25, 28, 32–35, 38–44, 47, 48,
50, 51, 53, 55–61, 64, 66–68, 81, 84, 85, 88, 89
ה) [נפ' נִטָּה] נפרש, נמתח: 108–110
ו) [הפ' הִטָּה] הפנה (גם בהשאלה): 112, 117–
132, 137–141, 145–157, 160–162, 164, 175, 177–185
ז) [כנ"ל] עוות, סלף: 111, 113–116, 133–136,
142–144, 159, 161, 162
ח) [כנ"ל] פרש, מתח: 158, 163, 176
– נָטָה אֹהֶל 24, 28, 40–42, 53, 66, 67, 81, 88, 89;
נ' חֶסֶד 70; נ' יָדוֹ 2, 7, 9, 10, 14, 16–22, 26, 32,
37, 54, 65, 72, 73, 76–78, 97, 99–102, 106, 107;
נָטָה הַיּוֹם 1; נ' לִבּוֹ 12, 31, 82; נָטָה מַטֶּה 74, 75;
נָטָה צֵל 8; נ' קָו 33, 38, 39, 43; נ' רָעָה 48;
נָטָה שְׁכֶם 71; נ' שָׁלוֹם 52; נָטָה שָׁמַיִם 34, 35,
47, 50, 51, 55–57, 60, 61, 84, 85; נָטָה שַׁפְרִיר 44
– נָטָה אַחֲרֵי 29, 30, 82, 96; נָטָה אֶל־ 52, 69, 70,
80, 87, 103; נָטָה (לְ־) 63, 64; נָטָה מִן־ 62, 79,
90, 91, 93; נָטָה עַל־ 59, 65, 76–78, 86, 99–102, 105–107
– נִטּוּ צְלָלִים 110; נִטָּה קָו 109
– הִטָּה אֹהֶל 163; הִטָּה אֹזֶן 118, 119, 123, 124,
127–132, 138, 166–174, 177–179, 181, 183, 184;
הִטָּה דֶּרֶךְ 159; הִטָּה חֶסֶד 120, 150; הִטָּה יָד 137,
140, 148; הִטָּה יְרִיעוֹת 158; הִטָּה לֵב (לֵבָב) 112,
121, 125, 145, 147, 149, 157, 164, 175, 185; הִטָּה
מִדְיָן 113; הִטָּה מִשְׁפָּט 114–116, 134, 142–144, 162;
הִטָּה עֲקַלְקַלּוֹת 135

נְטוֹת 1 וְהִתְמַהְמְהוּ עַד־נְטוֹת הַיּוֹם Jud.19:8
כִּנְטוֹת 2 וַיָּרוּצוּ כִּנְטוֹת יָדוֹ Josh.8:19
לִנְטֹת 3 וְלֹא־תַעֲנֶה עַל־רִב לִנְטֹת Ex.23:2
לִנְטוֹת 4 אֵין־דֶּרֶךְ לִנְטוֹת יָמִין וּשְׂמֹאול Num.22:26
5 נָקֵל לַצֵּל לִנְטוֹת עֶשֶׂר מַעֲלוֹת IIK.20:10
6 עֵינֵיהֶם יָשִׁיתוּ לִנְטוֹת בָּאָרֶץ Ps.17:11
בִּנְטֹתִי 7 בִּנְטֹתִי אֶת־יָדִי עַל־מִצְרָיִם Ex.7:5
כִּנְטוֹתוֹ 8 כְּצֵל כִּנְטוֹתוֹ נֶהֱלָכְתִּי Ps.109:23
נָטִיתִי 9 נָטִיתִי יָדִי עָלַיִךְ וָאֶגְרַע חֻקֵּךְ Ezek.16:27
10 הִנְנִי נָטִיתִי אֶת־יָדִי עָלֶיךָ Ezek.25:7
11 מִתּוֹרָתְךָ לֹא נָטִיתִי Ps.119:51
12 נָטִיתִי לִבִּי לַעֲשׂוֹת חֻקֶּיךָ Ps.119:112
13 מֵעֵדְוֹתֶיךָ לֹא נָטִיתִי Ps.119:157
14 נָטִיתִי יָדִי וְאֵין מַקְשִׁיב Prov.1:24
וְנָטִיתִי 15 וְנָטִיתִי עַל־יְרוּשָׁלִַם אֵת קָו שֹׁמְרוֹן IIK.21:13
16 וְנָטִיתִי אֶת־יָדִי עָלֶיךָ וְגִלְגַּלְתִּיךָ Jer.51:25
17 וְנָטִיתִי אֶת־יָדִי עֲלֵיהֶם Ezek.6:14
18–21 וְנָטִיתִי (אֶת־)יָדִי עַל... Ezek.14:9,13
35:3 • Zep.1:4
22 וְנָטִיתִי יָדִי עַל־אֱדוֹם Ezek.25:13
נָטִיתָ 23 נָטִיתָ יְמִינְךָ תִּבְלָעֵמוֹ אָרֶץ Ex.15:12
נָטָה 24 אֲשֶׁר נָטָה־שָׁם אָהֳלוֹ Gen.33:19
25 אֲשֶׁר נָטָה לְשֶׁבֶת עָר Num.21:15
26 לֹא־הֵשִׁיב יָדוֹ אֲשֶׁר נָטָה בַּכִּידוֹן Josh.8:26
27 וְלֹא־נָטָה לָלֶכֶת עַל־הַיָּמִין... IISh.2:19
28 בְּתוֹךְ הָאֹהֶל אֲשֶׁר נָטָה־לוֹ דָוִד IISh.6:17
29 כִּי יוֹאָב נָטָה אַחֲרֵי אֲדֹנִיָּה IK.2:28
30 וְאַחֲרֵי אַבְשָׁלוֹם לֹא נָטָה IK.2:28
31 כִּי־נָטָה לְבָבוֹ מֵעִם יְיָ אֱלֹהֵי יִשׂ' IK.11:9
32 יָדוֹ נָטָה עַל־הַיָּם הִרְגִּיז מַמְלָכוֹת Is.23:11
33 נָטָה קָו יְתָאֲרֵהוּ בַשֶּׂרֶד Is.44:13
34/5 וּבִתְבוּנָתוֹ נָטָה שָׁמָיִם Jer.10:12; 51:15
36 כְּגֵר בָּאָרֶץ וּכְאֹרֵחַ נָטָה לָלוּן Jer.14:8
37 כִּי־נָטָה אֶל־אֵל יָדוֹ Job15:25
38 מִי־נָטָה עָלֶיהָ קָו... Job38:5
39 חָשַׁב יְיָ לְהַשְׁחִית...נָטָה קָו Lam.2:8
40 בְּתוֹךְ הָאֹהֶל אֲשֶׁר נָטָה־לוֹ דָוִיד ICh.16:1
41 כִּי נָטָה־לוֹ אֹהֶל בִּירוּשָׁלִָם IICh.1:4
וְנָטָה 42 יִקַּח...הָאֹהֶל וְנָטָה־לוֹ מִחוּץ לַמַּחֲנֶה Ex.33:7
43 וְנָטָה עָלֶיהָ קַו־תֹהוּ וְאַבְנֵי־בֹהוּ Is.34:11
44 וְנָטָה אֶת־שַׁפְרִירוֹ עֲלֵיהֶם Jer.43:10
45 וְנָטָה אוֹתָהּ אֶל־אֶרֶץ מִצְרָיִם Ezek.30:25
נָטְתָה 46 אוּלַי נָטְתָה מִפָּנַי... Num.22:33
נָטוּ 47 אֲנִי יָדַי נָטוּ שָׁמַיִם Is.45:12
48 כִּי־נָטוּ עָלֶיךָ רָעָה Ps.21:12
נָטָיוּ 49 אֲנִי כִּמְעַט נָטָיוּ (כת' נטוי) רַגְלָי Ps.73:2
נוֹטֶה 50 אָנֹכִי יְיָ...נֹטֶה שָׁמַיִם לְבַדִּי Is.44:24
51 נוֹטֶה שָׁמַיִם וְיֹסֵד אָרֶץ Is.51:13
52 הִנְנִי נֹטֶה־אֵלֶיהָ כְּנָהָר שָׁלוֹם Is.66:12
53 אֵין־נֹטֶה עוֹד אָהֳלִי... Jer.10:20
54 הִנְנִי נוֹטֶה יָדִי עַל־פְּלִשְׁתִּים Ezek.25:16
55 נֹטֶה שָׁמַיִם וְיֹסֵד אָרֶץ Zech.12:1
56 נוֹטֶה שָׁמַיִם כַּיְרִיעָה Ps.104:2
57 נֹטֶה שָׁמַיִם לְבַדּוֹ Job9:8
58 נֹטֶה צָפוֹן עַל־תֹּהוּ Job26:7
59 שָׁלוֹשׁ אֲנִי נֹטֶה עָלֶיךָ ICh.21:10
הַנּוֹטֶה 60 הַנּוֹטֶה כַדֹּק שָׁמַיִם Is.40:22
וְנוֹטֵיהֶם 61 יְיָ בּוֹרֵא הַשָּׁמַיִם וְנוֹטֵיהֶם Is.42:5

תֵּט 62 וְאַל־תֵּט מֵאִמְרֵי־פִי Prov.4:5
63 אַל־תֵּט־יָמִין וּשְׂמֹאול Prov.4:27
יִטֶּה 64 וְלֹא־יִטֶּה לָאָרֶץ מִנְלָם Job 15:29
וְיֵט 65 וְיֵט יָדוֹ עַל־צָפוֹן Zep.2:13
וַיֵּט 66 וַיַּעְתֵּק מִשָּׁם...וַיֵּט אָהֳלֹה Gen.12:8
67 וַיֵּט אָהֳלֹה מֵהָלְאָה לְמִגְדַּל־עֵדֶר Gen.35:21
68 וַיֵּט עַד־אִישׁ עֲדֻלָּמִי Gen.38:1
69 וַיֵּט אֵלֶיהָ אֶל־הַדֶּרֶךְ Gen.38:16
70 וַיֵּט אֵלָיו חָסֶד Gen.39:21
71 וַיֵּט שִׁכְמוֹ לִסְבֹּל Gen.49:15
72/3 וַיֵּט אַהֲרֹן אֶת־יָדוֹ Ex.8:2,13
74/5 וַיֵּט מֹשֶׁה אֶת־מַטֵּהוּ Ex.9:23; 10:13
76 וַיֵּט מֹשֶׁה אֶת־יָדוֹ עַל־הַשָּׁמָיִם Ex.10:22
77/8 וַיֵּט מֹשֶׁה אֶת־יָדוֹ עַל־הַיָּם Ex.14:21,27
79 וַיֵּט יִשְׂרָאֵל מֵעָלָיו Num.20:21
80 וַיֵּט יְהוֹשֻׁעַ בַּכִּידוֹן...אֶל־הָעִיר Josh.8:18
81 וַיֵּט אָהֳלוֹ עַד־אֵלוֹן בְּצַעֲנַנִּים Jud.4:11
82 וַיֵּט לִבָּם אַחֲרֵי אֲבִימֶלֶךְ Jud.9:3
83 וַיֵּט בְּכֹחַ וַיִּפֹּל הַבַּיִת Jud.16:30
84/5 וַיֵּט שָׁמַיִם וַיֵּרַד IISh.22:10 • Ps.18:10
86 וַיֵּט יָדוֹ עָלָיו וַיַּכֵּהוּ Is.5:25
87 וַיֵּט אֵלַי וַיִּשְׁמַע שַׁוְעָתִי Ps.40:2
וַיֶּט־ 88 וַיֶּט־שָׁם אָהֳלוֹ Gen.26:25
89 וַיָּכֶן מָקוֹם...וַיֶּט־לוֹ אֹהֶל ICh.15:1
תִּטֶּה 90 אִם תִּטֶּה אַשֻּׁרִי מִנִּי הַדָּרֶךְ Job31:7
וַתֵּט 91 וַתֵּט הָאָתוֹן מִן־הַדֶּרֶךְ Num.22:23
92 וַתִּרְאַנִי הָאָתוֹן וַתֵּט לְפָנַי Num.22:33
93 וַתֵּט אֲשֻׁרֵינוּ מִנִּי אָרְחֶךָ Ps.44:19
נִטֶּה 94 לֹא נִטֶּה יָמִין וּשְׂמֹאול Num.20:17
95 לֹא נִטֶּה בְּשָׂדֶה וּבְכֶרֶם Num.21:22
וַיִּטּוּ 96 וַיִּטּוּ אַחֲרֵי הַבָּצַע ISh.8:3
נְטֵה 97 נְטֵה אֶת־יָדְךָ בְּמַטֶּךָ Ex.8:1
98 נְטֵה אֶת־מַטְּךָ וְהַךְ אֶת־עֲפַר הָאָ׳ Ex.8:12
99 נְטֵה אֶת־יָדְךָ עַל־הַשָּׁמַיִם Ex.9:22
100 נְטֵה יָדְךָ עַל־אֶרֶץ מִצְ׳ בָּאַרְבֶּה Ex.10:12
101 נְטֵה יָדְךָ עַל־הַשָּׁמַיִם Ex.10:21
102 נְטֵה אֶת־יָדְךָ עַל־הַיָּם Ex.14:26
103 נְטֵה בַּכִּידוֹן...אֶל־הָעַי Josh.8:18
104 נְטֵה לָךְ הִנְנִי עִמְּךָ כִּלְבָבֶךָ ISh.14:7
105 נְטֵה לְךָ עַל־יְמִינְךָ IISh.2:21
וּנְטֵה 106 וּנְטֵה־יָדְךָ עַל־מֵימֵי מִצְרַיִם Ex.7:19
107 וּנְטֵה אֶת־יָדְךָ עַל־הַיָּם Ex.14:16
נִטָּיוּ 108 כִּנְחָלִים נִטָּיוּ כְּגַנֹּת עֲלֵי נָהָר Num.24:6
יִנָּטֶה 109 וְקָו׳ יִנָּטֶה עַל־יְרוּשָׁלָם Zech.1:16
יִנָּטוּ 110 כִּי־יִנָּטוּ צִלְלֵי־עָרֶב Jer.6:4
לְהַטֹּת 111 לֹא־תִהְיֶה...אַחֲרֵי רַבִּים לְהַטֹּת Ex.23:2
112 לְהַטּוֹת לְבָבֵנוּ אֵלָיו IK.8:58
113 לְהַטּוֹת מִדִּין דַּלִּים Is.10:2
114 לְהַטּוֹת אָרְחוֹת מִשְׁפָּט Prov.17:23
115 לְהַטּוֹת צַדִּיק בַּמִּשְׁפָּט Prov.18:5
116 לְהַטּוֹת מִשְׁפַּט־גָּבֶר Lam.3:35
לְהַטֹּתָהּ 117 וַיַּךְ...לְהַטֹּתָהּ הַדָּרֶךְ Num.22:23
הִטִּיתִי 118 וְלִמְלַמְּדַי לֹא־הִטִּיתִי אָזְנִי Prov.5:13
הִטָּה 119 כִּי־הִטָּה אָזְנוֹ לִי Ps.116:2
120 וְעָלַי הִטָּה־חֶסֶד לִפְנֵי הַמֶּלֶךְ Ez.7:28
הִטָּהוּ 121 רֹעֶה אֵפֶר לֵב הוּתַל הִטָּהוּ Is.44:20
הִטַּתּוּ 122 הִטַּתּוּ בְּרֹב לִקְחָהּ Prov.7:21
הִטִּיתֶם 123/4 וְלֹא(־)הִטִּיתֶם אֶת־אָזְנְכֶם Jer.25:4; 35:15
הִטּוּ 125 הִטּוּ אֶת־לְבָבוֹ אַחֲרֵי אֱלֹ׳ אֲחֵרִים IK.11:4
126 עֲוֹנוֹתֵיכֶם הִטּוּ־אֵלֶּה Jer.5:25
132-127 וְלֹא(־)הִטּוּ אֶת־אָזְנָם Jer.7:24,26 11:8; 17:23; 34:14; 44:5

133 וְאֶבְיוֹנִים בַּשַּׁעַר הִטּוּ Am.5:12
מַטֵּה 134 אָרוּר מַטֶּה מִשְׁפַּט גֵּר־יָתוֹם Deut.27:19
וְהַמַּטִּים 135 וְהַמַּטִּים עֲקַלְקַלּוֹתָם יוֹלִיכֵם יְיָ Ps.125:5
וּמַטֵּי־ 136 וּמַטֵּי־גֵר וְלֹא יְרֵאוּנִי Mal.3:5
אַטֶּה 137 כִּי־אַטֶּה אֶת־יָדִי Jer.6:12
138 אַטֶּה לְמָשָׁל אָזְנִי Ps.49:5
אָט 139 דַּרְכּוֹ שָׁמַרְתִּי וְלֹא־אָט Job23:11
וָאַט 140 וָאַט אֶת־יָדִי עָלַיִךְ Jer.15:6
וְאַט 141 וְאַט אֵלָיו אוֹכִיל Hosh.11:4
תַטֶּה 142 לֹא תַטֶּה מִשְׁפַּט אֶבְיֹנְךָ בְּרִיבוֹ Ex.23:6
143 לֹא־תַטֶּה מִשְׁפָּט Deut.16:19
144 לֹא תַטֶּה מִשְׁפַּט גֵּר יָתוֹם Deut.24:17
145 תַּטֶּה לִבְּךָ לַתְּבוּנָה Prov.2:2
תַּט 146 אַל תַּט־בְּאַף עַבְדֶּךָ Ps.27:9
147 אַל־תַּט־לִבִּי לְדָבָר רָע Ps.141:4
יַטֶּה 148 וַיְיָ יַטֶּה יָדוֹ וְכָשַׁל עוֹזֵר Is.31:3
וַיַּט 149 וַיַּט אֶת־לְבַב כָּל־אִישׁ־יְהוּדָה IISh.19:15
150 וַיַּט־עָלֵינוּ חֶסֶד לִפְנֵי מַלְכֵי פָרַס Ez.9:9
יַטֶּךָּ 151 וְרָב־כֹּפֶר אַל־יַטֶּךָּ Job36:18
יַטֶּנּוּ 152 עַל־כָּל־אֲשֶׁר יַחְפֹּץ יַטֶּנּוּ Prov.21:1
וַיַּטֵּהוּ 153 וַיַּטֵּהוּ יוֹאָב אֶל־תּוֹךְ הַשַּׁעַר IISh.3:27
154 וַיַּטֵּהוּ דָוִד בֵּית עֹבֵד־אֱדֹם IISh.6:10
155 וַיַּטֵּהוּ אֶל־בֵּית עֹבֵד־אֱדֹם ICh.13:13
וַתַּטֵּהוּ 156 וַתַּטֵּהוּ לָהּ אֶל־הַצּוּר IISh.21:10
יַטּוּ 157 יַטּוּ אֶת־לְבַבְכֶם אַחֲרֵי אֱלֹהֵיהֶם IK.11:2
158 וִירִיעוֹת...יַטּוּ אַל־תַּחְשֹׂכִי Is.54:2
159 וְדֶרֶךְ עֲנָוִים יַטּוּ Am.2:7
160 וְעַל־בְּגָדִים חֲבֻלִים יַטּוּ Am.2:8
161 יַטּוּ אֶבְיֹנִים מִדָּרֶךְ Job24:4
וַיַּטּוּ 162 וַיִּקְחוּ־שֹׁחַד וַיַּטּוּ מִשְׁפָּט ISh.8:3
163 וַיַּטּוּ לְאַבְשָׁלוֹם הָאֹהֶל עַל־הַגָּג IISh.16:22
164 וַיַּטּוּ נָשָׁיו אֶת־לִבּוֹ IK.11:3
165 וַיַּטּוּ בַתֹּהוּ צַדִּיק Is.29:21
הַטֵּה 166 הַטֵּה יְיָ אָזְנְךָ וּשְׁמָע IIK.19:16
167 הַטֵּה יְיָ אָזְנְךָ וּשְׁמָע Is.37:17
168 הַטֵּה אֵלַי אָזְנְךָ מְהֵרָה הַצִּילֵנִי Ps.31:3
169 הַטֵּה־אֵלַי אָזְנְךָ וְהוֹשִׁיעֵנִי Ps.71:2
170 הַטֵּה־יְיָ אָזְנְךָ עֲנֵנִי Ps.86:1
171 הַטֵּה אָזְנְךָ לְרִנָּתִי Ps.88:3
172 בְּיוֹם צַר לִי הַטֵּה־אֵלַי אָזְנֶךָ Ps.102:3
173 הַטֵּה אֱלֹהַי אָזְנְךָ וּשְׁמָע Dan.9:18
הַט 174 הַט־אָזְנְךָ לִי שְׁמַע אִמְרָתִי Ps.17:6
175 הַט־לִבִּי אֶל־עֵדְוֹתֶיךָ Ps.119:36
176 יְיָ הַט־שָׁמֶיךָ וְתֵרֵד Ps.144:5
177 לַאֲמָרַי הַט־אָזְנֶךָ Prov.4:20
178 לִתְבוּנָתִי הַט־אָזְנֶךָ Prov.5:1
179 הַט אָזְנְךָ וּשְׁמַע דִּבְרֵי חֲכָמִים Prov.22:17
הַטִּי 180 הַטִּי־נָא כַדֵּךְ וְאֶשְׁתֶּה Gen.24:14
וְהַטִּי 181 שִׁמְעִי־בַת וּרְאִי וְהַטִּי אָזְנֵךְ Ps.45:11
הַטּוּ 182 סוּרוּ מִנֵּי־דֶרֶךְ הַטּוּ מִנֵּי־אֹרַח Is.30:11
183 הַטּוּ אָזְנְכֶם וּלְכוּ אֵלַי Is.55:3
184 הַטּוּ אָזְנְכֶם לְאִמְרֵי־פִי Ps.78:1
וְהַטּוּ 185 וְהַטּוּ אֶת־לְבַבְכֶם אֶל־יְיָ Josh.24:23

נָטוּי

ת׳ א) שָׁלוּחַ, פָּרוּשׂ: 1, 4–29

ב) כָּפוּף, פּוֹנֶה לְמַטָּה: 2, 3

– נְטוּי גָּרוֹן 29; צֵל נָטוּי 3; קִיר נָטוּי 2

– זְרוֹעַ (אֶזְרוֹעַ) נְטוּיָה 4–11, 18, 20–26; חֶרֶב נְטוּיָה 19; יָד נְטוּיָה 12–17, 27, 28

נָטוּי 1 נָטוּי עַל־רָאשֵׁיהֶם מִלְמָעְלָה Ezek.1:22
2 כְּקִיר נָטוּי גָּדֵר הַדְּחוּיָה Ps.62:4
3 יָמַי כְּצֵל נָטוּי Ps.102:12

נְטוּיָה 4 בִּזְרוֹעַ נְטוּיָה וּבִשְׁפָטִים גְּדֹלִים Ex.6:6
5 וּבְיָד חֲזָקָה וּבִזְרוֹעַ נְטוּיָה Deut.4:34
11-6 וּבִזְרֹ(וֹ)עַ נְטוּיָה Deut.5:15; 26:8
IIK.17:36 • Ezek.20:33,34 • Ps.136:12
16-12 וְעוֹד יָדוֹ נְטוּיָה Is.5:25; 9:11,16,20; 10:4
17 בְּיָד נְטוּיָה וּבִזְרוֹעַ חֲזָקָה Jer.21:5
18 וּבְיָד חֲזָקָה וּבְאֶזְרוֹעַ נְטוּיָה Jer.32:21
19 וְחַרְבּוֹ...נְטוּיָה עַל־יְרוּשָׁלָם ICh.21:16
הַנְּטוּיָה 20 וְהַיָּד הַחֲזָקָה וְהַזְּרֹעַ הַנְּטוּיָה Deut.7:19
21 בְּכֹחֲךָ הַגָּדֹל וּבִזְרֹעֲךָ הַנְּטוּיָה Deut.9:29
26-22 וּזְרוֹעוֹ (וּזְרוֹעֲךָ וכד׳) הַנְּטוּיָה Deut.11:2
IK.8:42 • Jer.27:5; 32:17 • IICh.6:32
27 וְזֹאת הַיָּד הַנְּטוּיָה עַל־כָּל־הַגּוֹיִם Is.14:26
28 וְיָדוֹ הַנְּטוּיָה וּמִי יְשִׁיבֶנָּה Is.14:27
נְטוּיוֹת 29 וַתֵּלַכְנָה נְטוּיוֹת (כת׳ נטוות) גָּרוֹן Is.3:16

נָטוּעַ

ת׳ עין נָטַע

נְטוֹפָה

עיר ביהודה: 2, 1

נְטוֹפָה 1 אַנְשֵׁי נְטֹפָה חֲמִשִּׁים וְשִׁשָּׁה Ez.2:22
וּנְטֹפָה 2 אַנְשֵׁי בֵית־לֶחֶם וּנְטֹפָה... Neh.7:26

נְטוֹפָתִי

ת׳ מתושבי נטופה: 1–11

נְטֹפָתִי 1 וַיֵּאָסְפוּ...וּמִן־חַצְרֵי נְטֹפָתִי Neh.12:28
2 הַיּוֹשֵׁב בְּחַצְרֵי נְטוֹפָתִי ICh.9:16
וּנְטוֹפָתִי 3 בְּנֵי שַׂלְמָא בֵּית לֶחֶם וּנְטוֹפָתִי ICh.2:54
הַנְּטוֹפָתִי 4 מַהְרַי הַנְּטֹפָתִי IISh.23:28
5 חֵלֶב בֶּן־בַּעֲנָה הַנְּטֹפָתִי IISh.23:29
8-6 הַנְּטֹפָתִי IIK.25:23 • Jer.40:8 • ICh.11:30
11-9 הַנְּטוֹפָתִי ICh.11:30; 27:13,15

נָטוּשׁ

ת׳ עין נָטַשׁ

נָטִיל*

ת׳ עמוס, מלא

נְטִילֵי־ 1 נִכְרְתוּ כָּל־נְטִילֵי כָסֶף Zep.1:11

נָטִיעַ*

ז׳ נֶטַע, שתיל

כִּנְטִיעִים 1 אֲשֶׁר בָּנֵינוּ כִּנְטִעִים מְגֻדָּלִים Ps.144:12

נְטִיפָה*

נ׳ עדי הנשים (בצורת טִפָּה?): 1, 2

הַנְּטִיפוֹת 1 הַנְּטִפוֹת וְהַשֵּׁרוֹת וְהָרְעָלוֹת Is.3:19
וְהַנְּטִיפוֹת 2 לְבַד מִן־הַשַּׂהֲרֹנִים וְהַנְּטִיפוֹת Jud.8:26

נְטִישָׁה*

נ׳ ענף ארוך נטוי לקרקע: 1–3

הַנְּטִישׁוֹת 1 וְאֶת־הַנְּטִישׁוֹת הֵסִיר הֵתַז Is.18:5
נְטִישׁוֹתַיִךְ 2 נְטִישֹׁתַיִךְ עָבְרוּ יָם Jer.48:32
נְטִישׁוֹתֶיהָ 3 עֲלוּ...הָסִירוּ נְטִישׁוֹתֶיהָ Jer.5:10

נטל

: נָטַל, נִטַּל; נְטַל, נְטִיל, נְטִיל; אר׳ נְטַל

נָטַל

פ׳ א) שָׂם, הֵטִיל: 1–3

ב) [פ׳ נִטֵּל] נָשָׂא, הֵרִים: 4

נָטַל 1 יֵשֵׁב בָּדָד וְיִדֹּם כִּי נָטַל עָלָיו Lam.3:28
נוֹטֵל 2 שָׁלֹשׁ אָנֹכִי נוֹטֵל עָלֶיךָ IISh.24:12
יִטּוֹל 3 הֵן אִיִּים כַּדַּק יִטּוֹל Is.40:15
וַיְנַטְּלֵם 4 וַיְנַטְּלֵם וַיְנַשְּׂאֵם כָּל־יְמֵי עוֹלָם Is.63:9

נְטַל

פ׳ ארמית: נשא, הרים: 2, 1

נִטְלֵת 1 אֲנָה...עַיְנַי לִשְׁמַיָּא נִטְלֵת Dan.4:31
וּנְטִילַת 2 וּנְטִילַת מִן־אַרְעָא Dan.7:4

נֵטֶל

ז׳ מַשָּׂא

וְנֵטֶל־ 1 כֹּבֶד־אֶבֶן וְנֵטֶל הַחוֹל Prov.27:3

נִטְמִינוּ

(איוב יח3) – עין טמה

נטע : נָטַע, נִטַּע, נְטִיעַ, מַטָּע; ש״פ נְטָעִים

נָטַע פ׳ א) שתל, שם בקרקע [ובהשאלה] נטה, תקע, יסד: 1-57
ב) [נפ׳ נִטַּע] נשקל: 58

נָטַע אֹהֶל 46; נָטַע אֹזֶן 33; נָטַע גַּן 47, 56, 57; נ׳ כֶּרֶם 8, 20, 24-26, 29, 31, 32, 39, 40, 42, 48, 50-55; נ׳ נְטָעִים 41; נָטַע עֵץ (אֶרֶז, אֹרֶן, זַיִת וכד׳) 10, 17, 21, 22, 27, 38, 49, 50; נָטַע שָׁמַיִם 1

לִנְטֹעַ 1 לִנְטֹעַ שָׁמַיִם וְלִיסֹד אָרֶץ Is.51:16
וְלִנְטוֹעַ 2/3 לִבְנוֹת וְלִנְטוֹעַ Jer.1:10; 31:28(27)
4 לִבְנוֹת וְלִנְטֹעַ Jer.18:9
לָטַעַת 5 עֵת לָטַעַת וְעֵת לַעֲקוֹר נָטוּעַ Eccl.3:2
נָטַעְתִּי 6 וְאֵת אֲשֶׁר־נָטַעְתִּי אֲנִי נֹתֵשׁ Jer.45:4
7 בָּנִיתִי הַנֶּהֱרָסוֹת נָטַעְתִּי הַנְּשַׁמָּה Ezek.36:36
8 בָּנִיתִי לִי בָּתִּים נָטַעְתִּי לִי כְּרָמִים Eccl.2:4
וְנָטַעְתִּי 9 וְנָטַעְתִּי אֶתְכֶם וְלֹא אֶתּוֹשׁ Jer.42:10
10 וְנָטַעְתִּי בָהֶם עֵץ כָּל־פֶּרִי Eccl.2:5
נְטַעְתִּיךְ 11 וְאָנֹכִי נְטַעְתִּיךְ שׂוֹרֵק Jer.2:21
וּנְטַעְתִּיו 12 וּנְטַעְתִּיו וְשָׁכַן תַּחְתָּיו IISh.7:10
וּנְטַעְתִּיהוּ 13 וּנְטַעְתִּיהוּ וְשָׁכַן תַּחְתָּיו ICh.17:9
וּנְטַעְתִּים 14 וּנְטַעְתִּים וְלֹא אֶתּוֹשׁ Jer.24:6
15 וּנְטַעְתִּים בָּאָרֶץ הַזֹּאת בֶּאֱמֶת Jer.32:41
16 וּנְטַעְתִּים עַל־אַדְמָתָם Am.9:15
נָטָעְתָּ 17 וְזֵיתִים אֲשֶׁר לֹא־נָטָעְתָּ Deut.6:11
נְטַעְתָּם 18 נְטַעְתָּם גַּם־שֹׁרָשׁוּ Jer.12:2
נָטַע 19 כַּאֲהָלִים נָטַע יְיָ Num.24:6
20 אֲשֶׁר נָטַע כֶּרֶם וְלֹא חִלְּלוֹ Deut.20:6
21 נָטַע אֹרֶן וְגֶשֶׁם יְגַדֵּל Is.44:14
נָטָע 22 אַרְזֵי לְבָנוֹן אֲשֶׁר נָטָע Ps.104:16
נָטְעָה 23 וְכַנָּה אֲשֶׁר־נָטְעָה יְמִינֶךָ Ps.80:16
24 מִפְּרִי כַפֶּיהָ נָטְעָ° כָּרֶם Prov.31:16
נְטַעְתֶּם 25 כְּרָמִים...אֲשֶׁר לֹא־נְטַעְתֶּם Josh.24:13
26 כַּרְמֵי־חֶמֶד נְטַעְתֶּם וְלֹא תִשְׁתּוּ Am.5:11
וּנְטַעְתֶּם 27 וּנְטַעְתֶּם כָּל־עֵץ מַאֲכָל Lev.19:23
נָטְעוּ 28 נָטְעוּ נֹטְעִים וְחִלֵּלוּ Jer.31:5(4)
וְנָטְעוּ 29 וְנָטְעוּ כְרָמִים וְאָכְלוּ פִּרְיָם Is.65:21
30 וּבָנוּ בָתִּים וְנָטְעוּ כְרָמִים Ezek.28:26
31 וְנָטְעוּ כְרָמִים וְשָׁתוּ אֶת־יֵינָם Am.9:14
32 וְנָטְעוּ כְרָמִים וְלֹא יִשְׁתּוּ אֶת־יֵינָם Zep.1:13
הֲנֹטַע 33 הֲנֹטַע אֹזֶן הֲלֹא יִשְׁמָע Ps.94:9
הַנּוֹטֵעַ 34 וַיְיָ צְבָאוֹת הַנּוֹטֵעַ אוֹתָךְ Jer.11:17
נֹטְעִים 35 נָטְעוּ נֹטְעִים וְחִלֵּלוּ Jer.31:5(4)
נָטוּעַ 36 עֵת לָטַעַת וְעֵת לַעֲקוֹר נָטוּעַ Eccl.3:2
נְטוּעִים 37 כַּדָּרְבֹנוֹת וּכְמַשְׂמְרוֹת נְטוּעִים Eccl.12:11
תִּטַּע 38 לֹא־תִטַּע לְךָ אֲשֵׁרָה Deut.16:21
39 כֶּרֶם תִּטַּע וְלֹא תְחַלְּלֶנּוּ Deut.28:30
40 כְּרָמִים תִּטַּע וְעָבָדְתָּ Deut.28:39
תִּטְּעִי 41 עַל־כֵּן תִּטְּעִי נִטְעֵי נַעֲמָנִים Is.17:10
42 עוֹד תִּטְּעִי כְרָמִים Jer.31:5(4)
וַתִּטָּעֶהָ 43 תְּגָרֵשׁ גּוֹיִם וַתִּטָּעֶהָ Ps.80:9
וְתִטָּעֵמוֹ 44 תְּבִאֵמוֹ וְתִטָּעֵמוֹ בְּהַר נַחֲלָתְךָ Ex.15:17
וַתִּטָּעֵם 45 גּוֹיִם הוֹרַשְׁתָּ וַתִּטָּעֵם Ps.44:3
וְיִטַּע 46 וְיִטַּע אָהֳלֵי אַפַּדְנוֹ בֵּין יַמִּים Dan.11:45
וַיִּטַּע 47 וַיִּטַּע יְיָ אֱלֹהִים גַּן בְּעֵדֶן Gen.2:8
48 וַיָּחֶל נֹחַ...וַיִּטַּע כָּרֶם Gen.9:20
49 וַיִּטַּע אֶשֶׁל בִּבְאֵר שָׁבַע Gen.21:33
וַיִּטָּעֵהוּ 50 וַיְעַזְּקֵהוּ...וַיִּטָּעֵהוּ שֹׂרֵק Is.5:2
תִטָּעוּ 51 וְכֶרֶם לֹא־תִטָּעוּ וְלֹא יִהְיֶה לָכֶם Jer.35:7
יִטְּעוּ 52 לֹא יִטְּעוּ וְאַחֵר יֹאכֵל Is.65:22
וַיִּטְּעוּ 53 וַיִּזְרְעוּ שָׂדוֹת וַיִּטְּעוּ כְרָמִים Ps.107:37
וְנִטְעוּ 54 וְנִטְעוּ כְרָמִים וְאִכְלוּ פִּרְיָם IIK.19:29
55 וְנִטְעוּ כְרָמִים וְאָכְלוּ° פִּרְיָם Is.37:30
56 וְנִטְעוּ גַנּוֹת וְאִכְלוּ אֶת־פִּרְיָן Jer.29:5
57 וְנִטְעוּ גַנּוֹת וְאִכְלוּ אֶת־פְּרִיהֶן Jer.29:28
נִטָּעוּ 58 אַף בַּל־נִטָּעוּ אַף בַּל־זֹרָעוּ Is.40:24

נֶטַע* ז׳ שתיל: 1-4
קרובים: זֶרַע / מַטָּע / נְטִיעַ / צֶמַח / שָׁתִיל
נֶטַע שַׁעֲשׁוּעִים 2; נִטְעֵי נַעֲמָנִים 4

נָטַע 1 וְעָשָׂה קָצִיר כְּמוֹ־נָטַע Job 14:9
נְטַע־ 2 וְאִישׁ יְהוּדָה נְטַע שַׁעֲשׁוּעָיו Is.5:7
נִטְעֵךְ 3 בְּיוֹם נִטְעֵךְ תְּשַׂגְשֵׂגִי Is.17:11
נִטְעֵי־ 4 עַל־כֵּן תִּטְּעִי נִטְעֵי נַעֲמָנִים Is.17:10

נְטָעִים ש״פ — ישוב בנחלת יהודה
נְטָעִים 1 וְיֹשְׁבֵי נְטָעִים וּגְדֵרָה ICh.4:23

נטף : נָטַף, הִטִּיף; נָטָף, נֶטֶף, נְטִיפָה; ש״פ נְטוֹפָה

נָטַף פ׳ א) נזל, טפטף: 1-5, 7
ב) [בהשאלה] הביע: 6, 8, 9
ג) [הפ׳ הִטִּיף] טפטף: 10
ד) [כנ״ל בהשאלה] הביע: 11-18
קרובים: דָּלַף / זָב / זָרַם / נָבַע / נָגַר / עָרַף² / פִּכָּה / שָׁטַף
– נָטַף מוֹר 3, 5; נָטַף מַיִם 1, 2; נָטַף נֹפֶת 8, 9; נָטַף עָסִיס 7
– נָטְפָה מִלָּתוֹ 6
– נָטְפוּ הָרִים 7; נ׳ עָבִים 1; נָטְפוּ שָׁמַיִם 2, 4; נָטְפוּ שְׂפָתַיִם 8, 9; הִטִּיפוּ הֶהָרִים 10
– הִטִּיף אֶל־ 17, 18; הִט׳ ל־ 12, 15; הִטִּיף עַל־ 13

נָטְפוּ 1 גַּם־עָבִים נָטְפוּ מָיִם Jud.5:4
2 אֶרֶץ רָעָשָׁה אַף־שָׁמַיִם נָטְפוּ... Ps.68:9
3 וְיָדַי נָטְפוּ־מוֹר S.ofS.5:5
נָטָפוּ 4 אֶרֶץ רָעָשָׁה גַּם־שָׁמַיִם נָטָפוּ Jud.5:4
נֹטְפוֹת 5 שִׂפְתוֹתָיו שׁוֹשַׁנִּים נֹטְפוֹת מוֹר עֹבֵר S.ofS.5:13
תִּטֹּף 6 וְעָלֵימוֹ תִּטֹּף מִלָּתִי Job 29:22
יִטְּפוּ 7 יִטְּפוּ הֶהָרִים עָסִיס Joel 4:18
תִּטֹּפְנָה 8 כִּי נֹפֶת תִּטֹּפְנָה שִׂפְתֵי זָרָה Prov.5:3
9 נֹפֶת תִּטֹּפְנָה שִׂפְתוֹתַיִךְ כַּלָּה S.ofS.4:11
וְהִטִּיפוּ 10 וְהִטִּיפוּ הֶהָרִים עָסִיס... Am.9:13
מַטִּיף 11 וְהָיָה מַטִּיף הָעָם הַזֶּה Mic.2:11
אַטִּף 12 אַטִּף לְךָ לַיַּיִן וְלַשֵּׁכָר Mic.2:11
תַטִּיף 13 וְלֹא תַטִּיף עַל־בֵּית יִשְׂחָק Am.7:16
תַּטִּפוּ 14 אַל־תַּטִּפוּ יַטִּיפוּן... Mic.2:6
יַטִּפוּ 15 לֹא־יַטִּפוּ לָאֵלֶּה לֹא יִסַּג כְּלִמּוֹת Mic.2:6
יַטִּיפוּן 16 אַל־תַּטִּפוּ יַטִּיפוּן... Mic.2:6
וְהַטֵּף 17 וְהַטֵּף אֶל־דָּרוֹם וְהִנָּבֵא Ezek.21:2
18 וְהַטֵּף אֶל־מִקְדָּשִׁים וְהִנָּבֵא Ezek.21:7

נָטָף ז׳ אחד ממיני הבשמים
קרובים: בֹּשֶׂם / חֶלְבְּנָה / כַּרְכֹּם / לְבוֹנָה / מוֹר / מָר־דְּרוֹר / נֵרְדְּ / סַמִּים / צֳרִי / קִדָּה / קְטֹרֶת / קִנָּמוֹן / שְׁחֵלֶת
נָטָף 1 נָטָף וּשְׁחֵלֶת וְחֶלְבְּנָה Ex.30:34

נֵטֶף ז׳ טפה
קרובים: אֶגֶל / מַר² / רְסִיס • נִטְפֵי מַיִם 1
נִטְפֵי־ 1 כִּי יְגָרַע נִטְפֵי־מָיִם Job 36:27

נְטֹפָה עין נְטוֹפָה

נטר : נָטַר; ש״פ מַטָּרָה; אר׳ נְטַר

נָטַר פ׳ א) שמר (גם בהשאלה): 1, 3-5
ב) [בהשאלה] שמר שנאה: 2, 6-9
קרובים: נָצַר / שָׁמַר • נֹקֵם וְנֹטֵר 2, 7

נָטָרְתִּי 1 כַּרְמִי שֶׁלִּי לֹא נָטָרְתִּי S.ofS.1:6
וְנוֹטֵר 2 נֹקֵם...וְנוֹטֵר הוּא לְאֹיְבָיו Nah.1:2
נֹטֵרָה 3 שָׂמֻנִי נֹטֵרָה אֶת־הַכְּרָמִים S.ofS.1:6
לְנֹטְרִים 4 וּמָאתַיִם לְנֹטְרִים אֶת־פִּרְיוֹ S.ofS.8:12
לַנֹּטְרִים 5 נָתַן אֶת־הַכֶּרֶם לַנֹּטְרִים S.ofS.8:11
אֶטּוֹר 6 לֹא אֶטּוֹר לְעוֹלָם Jer.3:12
תִּטֹּר 7 לֹא־תִקֹּם וְלֹא־תִטֹּר אֶת־בְּנֵי עַמֶּךָ Lev.19:18
יִטּוֹר 8 לֹא־לָנֶצַח יָרִיב וְלֹא לְעוֹלָם יִטּוֹר Ps.103:9
הֲיִנְטֹר 9 הֲיִנְטֹר לְעוֹלָם אִם־יִשְׁמֹר לָנֶצַח Jer.3:5

נְטַר פ׳ ארמית: שמר
נִטְרֵת 1 וּמִלְּתָא בְּלִבִּי נִטְרֵת Dan.7:28

נטש : נָטַשׁ, נִטּוֹשׁ, נִטַּשׁ, נֻטַּשׁ; נְטִישָׁה

נָטַשׁ פ׳ א) עזב, זנח: 1-8, 10-13, 16-21, 23-28, 30-33
ב) הניח, נתן: 9
ג) התפשט, התרחב: 14, 15, 22, 29
ד) [נפ׳ נִטַּשׁ] התפשט, השתרע: 34, 35, 37-39
ה) [כנ״ל] נעזב: 36
ו) [פ׳ נֻטַּשׁ] נעזב: 40

נָטַשְׁתִּי 1 עָזַבְתִּי...נָטַשְׁתִּי אֶת־נַחֲלָתִי Jer.12:7
וְנָטַשְׁתִּי 2 וְנָטַשְׁתִּי אֵת שְׁאֵרִית נַחֲלָתִי IIK.21:14
3/4 וְנָטַשְׁתִּי אֶתְכֶם Jer.23:33,39
וּנְטַשְׁתִּיךָ 5 וּנְטַשְׁתִּיךָ הַמִּדְבָּרָה Ezek.29:5
6 וּנְטַשְׁתִּיךָ בָאָרֶץ Ezek.32:4
נָטַשְׁתָּ 7 וְעַל־מִי נָטַשְׁתָּ מְעַט הַצֹּאן ISh.17:28
נָטַשְׁתָּה 8 כִּי נָטַשְׁתָּה עַמְּךָ בֵּית יַעֲקֹב Is.2:6
נְטַשְׁתַּנִי 9 וְלֹא נְטַשְׁתַּנִי לְנַשֵּׁק לְבָנַי Gen.31:28
וּנְטַשְׁתָּהּ 10 וְהַשְּׁבִיעִת תִּשְׁמְטֶנָּה וּנְטַשְׁתָּהּ Ex.23:11
נָטַשְׁתְּ 11 אַתְּ נָטַשְׁתְּ אֹתִי...אָחוֹר תֵּלֵכִי Jer.15:6
נָטַשׁ 12 נָטַשׁ אָבִיךָ אֶת־דִּבְרֵי הָאֲתֹנוֹת ISh.10:2
נְטָשָׁנוּ 13 נְטָשָׁנוּ יְיָ וַיִּתְּנֵנוּ בְּכַף מִדְיָן Jud.6:13
נְטוּשָׁה 14 מִפְּנֵי חֶרֶב נְטוּשָׁה Is.21:15
נְטֻשִׁים 15 וְהִנֵּה נְטֻשִׁים עַל־פְּנֵי כָל־הָאָרֶץ ISh.30:16
תִּטֹּשׁ 16/7 וְאַל־תִּטֹּשׁ תּוֹרַת אִמֶּךָ Prov.1:8; 6:20
תִּטְּשֵׁנִי 18 אַל־תִּטְּשֵׁנִי וְאַל־תַּעַזְבֵנִי Ps.27:9
יִטֹּשׁ 19 כִּי לֹא־יִטֹּשׁ יְיָ אֶת־עַמּוֹ ISh.12:22
20 וְדָמָיו עָלָיו יִטּוֹשׁ Hosh.12:15
21 כִּי לֹא־יִטֹּשׁ יְיָ עַמּוֹ Ps.94:14
וַיִּטֹּשׁ 22 וַיָּגָז שַׂלְוִים...וַיִּטֹּשׁ עַל־הַמַּחֲנֶה Num.11:31
23 וַיִּטֹּשׁ אֱלוֹהַּ עָשָׂהוּ Deut.32:15
24 וַיִּטֹּשׁ אֶת־הַצֹּאן עַל־שֹׁמֵר ISh.17:20
25 וַיִּטֹּשׁ דָּוִד אֶת־הַכֵּלִים מֵעָלָיו ISh.17:22
26 וַיִּטֹּשׁ אֶת־דּוֹר עֶבְרָתוֹ Jer.7:29
27 וַיִּטֹּשׁ מִשְׁכַּן שִׁלוֹ Ps.78:60
יִטְּשֵׁנוּ 28 אַל־יַעַזְבֵנוּ וְאַל־יִטְּשֵׁנוּ IK.8:57
וַתִּטֹּשׁ 29 וַתִּטֹּשׁ הַמִּלְחָמָה וַיִּנָּגֶף יִשְׂרָאֵל ISh.4:2
וְנִטֹּשׁ 30 וְנִטֹּשׁ אֶת־הַשָּׁנָה הַשְּׁבִיעִית Neh.10:32
וַיִּטְּשֻׁהוּ 31 וַיִּכְרְתֻהוּ...וַיִּטְּשֻׁהוּ אֶל־הֶהָרִים Ezek.31:12
32 וַיֵּרְדוּ מִצִּלּוֹ...וַיִּטְּשֻׁהוּ Ezek.31:12
נְטוֹשׁ 33 וְלִפְנֵי הִתְגַּלַּע הָרִיב נְטוֹשׁ Prov.17:14
נִטְּשָׁה 34 נִטְּשָׁה עַל־אַדְמָתָהּ אֵין מְקִימָהּ Am.5:2
נִטְּשׁוּ 35 שְׁלֻחוֹתֶיהָ נִטְּשׁוּ עָבְרוּ יָם Is.16:8
36 נִטְּשׁוּ חֲבָלָיִךְ בַּל־יְחַזְּקוּ...תָרְנָם Is.33:23
וַיִּנָּטְשׁוּ 37 וַיַּעֲלוּ פְלִשְׁתִּים...וַיִּנָּטְשׁוּ בַּלֶּחִי Jud.15:9
38/9 ...וַיִּנָּטְשׁוּ בְּעֵמֶק רְפָאִים IISh.5:18,22
נֻטָּשׁ 40 כִּי־אַרְמוֹן נֻטָּשׁ Is.32:14

נִי* ז׳ נהי, קינה

בְּנִיהֶם 1 וְנָשְׂאוּ אֵלַיִךְ בְּנִיהֶם קִינָה Ezek. 27:32

נִיב ז׳ פרי (ובהשאלה) דבּוּר, מלה: 1, 2

נִיב שְׂפָתַיִם 1

נִיב 1 בּוֹרֵא נִיב (כת׳ נוב) שְׂפָתָיִם Is. 57:19

וְנִיבוֹ 2 וְנִיבוֹ נִבְזֶה אָכְלוֹ Mal. 1:12

נֵיבַי* שפ־ז – מן החותמים על האמָנה

נֵיבָי 1 חָרִיף עֲנָתוֹת נֵיבָי (כת׳ נובי) Neh. 10:20

נִיד ז׳ נדנוד

וְנִיד־ 1 וְנִיד שְׂפָתַי יַחְשֹׂךְ Job 16:5

נִידָה (איכה א8) – עין נִדָּה

נָיוֹת שֵׁם אזור מגורים בעיר רמה: 1-6

נָיוֹת 1 וַיֵּלֶךְ שָׁם אֶל נָיוֹת (כת׳ נוית) בָּרָמָה ISh. 19:23

בְּנָיוֹת 2 וַיֵּלֶךְ...וַיֵּשְׁבוּ בְּנָיוֹת (כת׳ בנוית) ISh. 19:18

3-5 בְּנָיוֹת (כת׳ בנוית) בָּרָמָה ISh. 19:19, 22, 23

מִנָּיוֹת 6 וַיִּבְרַח דָּוִד מִנָּיוֹת (כת׳ מנוית) ISh. 20:1

נִיחוֹחַ[1] ז׳ [רק כסומך אל ״רֵיחַ־״] נוֹעם, טעם נעים: 1-43

נִיחוֹחַ 1 רֵיחַ נִיחוֹחַ אִשֶּׁה לַיְיָ הוּא Ex. 29:18

2 לְרֵיחַ נִיחוֹחַ לִפְנֵי יְיָ Ex. 29:25

3 לְרֵיחַ נִיחֹחַ אִשֶּׁה לַיְיָ Ex. 29:41

4 אִשֵּׁה רֵיחַ־נִיחוֹחַ לַיְיָ Lev. 1:9

5-16 אִשֵּׁה רֵיחַ(-) נִיחֹחַ לַיְיָ Lev. 1:13, 17; 2:2, 9

ג 5 3:5; 23:18 • Num. 15:10, 13, 14; 28:8, 24; 29:36

17 וְאֶל־הַמִּזְבֵּחַ לֹא־יַעֲלוּ לְרֵיחַ נִיחֹחַ Lev. 2:12

18-19 אִשֶּׁה לְרֵיחַ נִיחֹחַ Lev. 3:16 • Num. 18:17

20-34 (לְ)רֵיחַ נִיחֹחַ(...)לַיְיָ Lev. 4:31; 6:8, 14

17:6; 8:21, 28 • Num. 15:3, 7, 24; 28:6, 13, 27; 29:2, 6, 13

35 אִשֶּׁה לַיְיָ רֵיחַ נִיחֹחַ Lev. 23:13

36 עֹלָה לַיְיָ רֵיחַ נִיחֹחַ Num. 29:8

37 אֲשֶׁר נָתְנוּ־שָׁם רֵיחַ נִיחֹחַ לְכֹל גִּלּוּלֵיהֶם Ezek. 6:13

38 וּנְתַתִּיהוּ לִפְנֵיהֶם לְרֵיחַ נִיחֹחַ Ezek. 16:19

39 בְּרֵיחַ נִיחֹחַ אֶרְצֶה אֶתְכֶם Ezek. 20:41

הַנִּיחֹחַ 40 וַיָּרַח יְיָ אֶת־רֵיחַ הַנִּיחֹחַ Gen. 8:21

נִיחֹחִי 41 קָרְבָּנִי לַחְמִי לְאִשַּׁי רֵיחַ נִיחֹחִי Num. 28:2

נִיחוֹחֲכֶם 42 וְלֹא אָרִיחַ בְּרֵיחַ נִיחֹחֲכֶם Lev. 26:31

נִיחוֹחֵיהֶם 43 וַיָּשִׂימוּ שָׁם רֵיחַ נִיחוֹחֵיהֶם Ezek. 20:28

נִיחוֹחַ* ז׳ ארמית קטורת: 1, 2

נִיחוֹחִין 1 מְהַקְרְבִין נִיחוֹחִין לֶאֱלָהּ שְׁמַיָּא Ez. 6:10

וְנִיחוֹחִין 2 וּמִנְחָה וְנִיחֹחִין אֲמַר לְנַסָּכָה לֵהּ Dan. 2:46

נִין ז׳ בן, צאצא (בצרוף עם ״נֶכֶד״): 1–3

נִין 1 לֹא־נִין לוֹ וְלֹא־נֶכֶד בְּעַמּוֹ Job 18:19

וְנִין 2 וְהִכְרַתִּי לְבָבֶל שֵׁם וּשְׁאָר וְנִין וָנֶכֶד Is. 14:22

וּלְנִינִי 3 אִם־תִּשְׁקֹר לִי וּלְנִינִי וּלְנֶכְדִּי Gen. 21:23

נִינְוֵה עיר הבירה של מלכי אשור: 1–17

אַנְשֵׁי נִינְוֵה 6; מֶלֶךְ נִינְוֵה 7; מַשָּׂא נִינְוֵה 9

נִינְוֵה 1 ...יָצָא אַשּׁוּר וַיִּבֶן אֶת־נִינְוֵה Gen. 10:11

2 וְאֶת־רֶסֶן בֵּין נִינְוֵה וּבֵין כָּלַח Gen. 10:12

3/4 קוּם לֵךְ אֶל־נִינְוֵה הָעִיר הַגְּדוֹלָ׳ Jon. 1:2; 3:2

5 וַיֵּלֶךְ אֶל־נִינְוֵה כִּדְבַר יְיָ Jon. 3:3

6 וַיַּאֲמִינוּ אַנְשֵׁי נִינְוֵה בֵּאלֹהִים Jon. 3:5

7 וַיִּגַּע הַדָּבָר אֶל־מֶלֶךְ נִינְוֵה Jon. 3:6

8 וַאֲנִי לֹא אָחוּס עַל־נִינְוֵה... Jon. 4:11

נִינְוֵה (המשך) 9 מַשָּׂא נִינְוֵה סֵפֶר חֲזוֹן נַחוּם הָאֶלְקֹשִׁי Nah. 1:1

10 שָׁדְדָה נִינְוֵה מִי יָנוּד לָהּ Nah. 3:7

11 וְיָשֵׂם אֶת־נִינְוֵה לִשְׁמָמָה Zep. 2:13

וְנִינְוֵה 12 וְנִינְוֵה הָיְתָה עִיר־גְּדוֹלָה לֵאלֹהִים Jon. 3:3

13 עוֹד אַרְבָּעִים יוֹם וְנִינְוֵה נֶהְפָּכֶת Jon. 3:4

14 וְנִינְוֵה כִבְרֵכַת־מַיִם מִימֵי הִיא Nah. 2:9

בְּנִינְוֵה 15 וַיֵּשֶׁב סַנְחֵרִיב...וַיֵּשֶׁב בְּנִינְוֵה IIK. 19:36

16 וַיֵּשֶׁב סַנְחֵרִיב...וַיֵּשֶׁב בְּנִינְוֵה Is. 37:37

17 וַיַּזְעֵק וַיֹּאמֶר בְּנִינְוֵה... Jon. 3:7

נִינָם (תהלים עד8) – עין ינה

נִיסָן שֵׁם החודש הראשון, חודש האביב: 1, 2

נִיסָן 1 בַּחֹדֶשׁ הָרִאשׁוֹן הוּא־חֹדֶשׁ נִיסָן Es. 3:7

2 וַיְהִי בְּחֹדֶשׁ נִיסָן שְׁנַת עֶשְׂרִים Neh. 2:1

נִיצוֹץ ז׳ שביב אש

קרובים: זִיקָה / כִּידוֹד / רֶשֶׁף / שְׁבִיב

לְנִיצוֹץ 1 וְהָיָה הֶחָסֹן לִנְעֹרֶת וּפֹעֲלוֹ לְנִיצוֹץ Is. 1:31

ניר : נָר; נִיר

נֵיר ז׳ (ש״ב כב29) – עין נֵר

(ניר) נָר פ׳ חָרַשׁ: 1, 2

נִירוּ 1 נִירוּ לָכֶם נִיר וְאַל־תִּזְרְעוּ אֶל־קֹצִים Jer. 4:3

2 זִרְעוּ...קִצְרוּ...נִירוּ לָכֶם נִיר Hosh. 10:12

נִיר ז׳ שדה חרוש לזריעה: 1–8

נִיר רָאשִׁים 7; נִיר רְשָׁעִים 8;

נִיר 1 לְמַעַן הֱיוֹת־נִיר לְדָוִיד־עַבְדִּי IK. 11:36

2 נָתַן יְיָ אֱלֹהָיו לוֹ נִיר בִּירוּשָׁלָםִ IK. 15:4

3 לָתֵת לוֹ נִיר לְבָנָיו IIK. 8:19

4 נִירוּ לָכֶם נִיר וְאַל־תִּזְרְעוּ אֶל־קֹצִים Jer. 4:3

5 זִרְעוּ...קִצְרוּ...נִירוּ לָכֶם נִיר Hosh. 10:12

6 לָתֵת לוֹ נִיר וּלְבָנָיו IICh. 21:7

נִיר־ 7 רָב־אֹכֶל נִיר רָאשִׁים Prov. 13:23

8 נִר רְשָׁעִים חַטָּאת Prov. 21:4

נִירָם (במדבר כא30) – עין ירה

נֵךְ ת׳ – עין נֵכֶה

נכא : נִכָּא; נָכֵא; נְכָאִים

נִכָּא* נפ׳ נשמד

נִכְּאוּ 1 בְּנֵי־נָבָל...נִכְּאוּ מִן־הָאָרֶץ Job 30:8

נָכֵא* ת׳ מדוכא: 1-3

רוּחַ נְכֵאָה 1-3

נְכֵאָה 1 וּבְעַצְּבַת־לֵב רוּחַ נְכֵאָה Prov. 15:13

2 וְרוּחַ נְכֵאָה תְּיַבֶּשׁ־גָּרֶם Prov. 17:22

3 וְרוּחַ נְכֵאָה מִי יִשָּׂאֶנָּה Prov. 18:14

נִכְאֶה ת׳ (תהלים קט16) – עין כאה

נְכָאִים ז״ר עצב, יגון

נְכָאִים 1 תֶּהְגּוּ אַךְ־נְכָאִים Is. 16:7

נְכֹאת נ׳ מין ממיני הבשמים • בֵּית נְכֹאת 3, 4

נְכֹאת 1 נֹשְׂאִים נְכֹאת וּצְרִי וָלֹט Gen. 37:25

2 נְכֹאת וָלֹט בָּטְנִים וּשְׁקֵדִים Gen. 43:11

נְכֹתֹה 3 וַיַּרְאֵם אֶת־כָּל־בֵּית נְכֹתֹה IIK. 20:13

4 וַיַּרְאֵם אֶת־בֵּית נְכֹתֹה Is. 39:2

נִכְבָּד תו״ז – עין כָּבֵד פ׳

נֶ֫כֶד ז׳ בֶּן־הבן: 1–3 [רק אחרי ״נִין״!]

נֶכֶד 1 לֹא־נִין לוֹ וְלֹא־נֶכֶד בְּעַמּוֹ Job 18:19

וָנֶכֶד 2 שֵׁם וּשְׁאָר וְנִין וָנֶכֶד Is. 14:22

וּלְנֶכְדִּי 3 אִם־תִּשְׁקֹר לִי וּלְנִינִי וּלְנֶכְדִּי Gen. 21:23

נכה : נִכָּה נפ׳, נֻכָּה, הִכָּה, הֻכָּה; נָכֶה, נֵכֶה, מַכָּה

נִכָּה נפ׳ א) נפגע קשה: 1

ב) [פ׳ נֻכָּה] נחבט, נפגע: 2, 3

ג) [הִפ׳ הִכָּה] חבט, הלקה (על־פי־רוב בהשאלה) פגע קשה באדם או בחי או בדומם או במקום, נגף, המית, לכד: רוב המקראות: 4-488 [ועין עוד הצרופים]

ד) [הָפ׳ הֻכָּה] לקה, ספג מכות: 489, 491, 492, 499, 503, 504 [ובהשאלה] נפגע, נחבל, הומת, נכבש: 490, 493-498, 500-502

– בֶּן־הַכּוֹת 9; הִכָּה אַרְצָה 240, 478; הִכָּה גַּלִּים 141; הִכָּה כַף 417; הִכָּה הַכַּפְתּוֹר 479; הִכָּה כַף אֶל כַּף 233, 482; הִכָּה מַיִם 265-267, 275; הִכָּהוּ נֶפֶשׁ 13, 35, 156, 157, 193-195, 197, 198, 204, 351, 403; הִכָּה שָׁרָשָׁיו 273

– הִכָּה בַּדֶּבֶר 239, 242; הִכָּה בַּיֵּרָקוֹן 49, 50; הִכָּה בַּטְּחוֹרִים 289; הִכָּה בַּכַּף 476; הִכָּה בַּסַּנְוֵרִים 168, 389, 477; הִכָּה בָּעִוָּרוֹן 235, 348; הִכָּה בַּשִּׁגָּעוֹן 348; הִכָּה בַּשִּׁדָּפוֹן 49, 50; הִכָּה בַּתִּמָּהוֹן 234; הִכָּה בַּשְּׁחִין 349; הִכָּה בַּשַּׁחֶפֶת 346

– הִכָּה לְפִי־חֶרֶב 162, 172, 173, 461, 462, 467

– הִכָּהוּ (אֶל) הַחֹמֶשׁ 362, 365; הִכָּהוּ חֵרֶם 58; הִכָּהוּ (עַל) לֶחִי 72, 263, 407; הִכָּהוּ בַּלָּשׁוֹן 404; הִכָּהוּ (הִכַּתּוּ) הַשֶּׁמֶשׁ 352, 382, 399; הִכָּהוּ שׁוֹק עַל יָרֵךְ 286; הִכָּהוּ שָׁרָב 382

וְנִכָּה 1 וְשַׁבְתֶּם מֵאַחֲרָיו וְנִכָּה וָמֵת IISh. 11:15

נֻכָּתָה 2 וְהַפִּשְׁתָּה וְהַשְּׂעֹרָה נֻכָּתָה Ex. 9:31

נֻכּוּ 3 וְהַחִטָּה וְהַכֻּסֶּמֶת לֹא נֻכּוּ Ex. 9:32

הַכֵּה 4 הַכֵּה תַכֶּה אֶת־יֹשְׁבֵי הָעִיר Deut. 13:16

5 וַיַּכֵּהוּ הָאִישׁ הַכֵּה וּפָצֹעַ IK. 20:37

6 הַכֵּה הִכִּיתָ אֶת־אֱדוֹם... IIK. 14:10

הַכּוֹת 7 לְבִלְתִּי הַכּוֹת־אֹתוֹ כָּל־מֹצְאוֹ Gen. 4:15

8 אַחֲרֵי הַכּוֹת־יְיָ אֶת־הַיְאֹר Ex. 7:25

9 וְהָיָה אִם־בִּן הַכּוֹת הָרָשָׁע Deut. 25:2

10 בְּיוֹם הַכּוֹת פְּלִשְׁתִּים אֶת־שָׁאוּל IISh. 21:12

וְהַכּוֹת 11 וַיַּכּוּ°־בָהּ וְהַכּוֹת אֶת־מוֹאָב IIK. 3:24

לְהַכּוֹת 12 וְלֹא־אֹסִף...לְהַכּוֹת אֶת־כָּל־חַי Gen. 8:21

13 לְהַכּוֹת נֶפֶשׁ דָּם נָקִי Deut. 27:25

14 וַיָּחֵלּוּ לְהַכּוֹת מֵהָעָם Jud. 20:31

15 הֵחֵל לְהַכּוֹת חֲלָלִים בְּאִישׁ־יִשְׂ׳ Jud. 20:39

16 לְהַכּוֹת בַּחֲנִית בְּדָוִד וּבַקִּיר ISh. 19:10

17 לְהַכּוֹת בְּמַחֲנֵה פְלִשְׁתִּים IISh. 5:24

18 וַיֹּאמֶר לְהַכּוֹת אֶת־דָּוִד IISh. 21:16

19 וַיֹּאמֶר לְהַכּוֹת חָמֵשׁ אוֹ־שֵׁשׁ פְּעָמִים IIK. 13:19

20 לְהַכּוֹת אֶת־אֶרֶץ מִצְרָיִם Jer. 46:13

21 לְהַכּוֹת נְדִיבִים עֲלֵי־יֹשֶׁר Prov. 17:26

22 לְהַכּוֹת אֶת־מַחֲנֵה פְלִשְׁתִּים ICh. 14:15

וּלְהַכּוֹת 23 וּלְהַכּוֹת בְּאֶגְרֹף רֶשַׁע Is. 58:4

מֵהַכּוֹת 24 אַחֲרֵי שׁוּבוֹ מֵהַכּוֹת אֶת־כְּדָרְלָ׳ Gen. 14:17

25 וּכְשׁוּב דָּוִד מֵהַכּוֹת אֶת־הַפְּלִשְׁתִּי ISh. 17:57

26 בְּשׁוּב דָּוִד מֵהַכּוֹת אֶת־הַפְּלִשְׁתִּי ISh. 18:6

27 וְדָוִד שָׁב מֵהַכּוֹת אֶת־הָעֲמָלֵק IISh. 1:1

28 ...מֵהַכּוֹת כְּסִיל מֵאָה Prov. 17:10

29 אַחֲרֵי בוֹא...מֵהַכּוֹת אֶת־אֲדוֹמִים IICh. 25:14

הַכֹּתִי 1/30 בְּיוֹם הַכֹּתִי כָל־בְּכוֹר Num. 3:13; 8:17

בְּהַכֹּתִי	32	בְּהַכֹּתִי בְּאֶרֶץ מִצְרָיִם	Ex. 12:13
	33	בְּהַכּוֹתִי אֶת־כָּל־יוֹשְׁבֵי בָהּ	Ezek. 32:15
הַכּוֹתֶךָ	34	וְגַם־אֲנִי הֶחֱלֵיתִי הַכּוֹתֶךָ	Mic. 6:13
לְהַכֹּתְךָ	35	שָׁלַח אֶת־יִשְׁמָעֵאל...לְהַכֹּתְךָ נֶפֶשׁ	Jer. 40:14
הַכֹּתוֹ	36	אַחֲרֵי הַכֹּתוֹ אֵת סִיחֹן	Deut. 1:4
לְהַכֹּתוֹ	37	פֶּן־יֹסִיף לְהַכֹּתוֹ עַל־אֵלֶּה	Deut. 25:3
	38	וַיָּטֶל שָׁאוּל אֶת־הַחֲנִית...לְהַכֹּתוֹ	ISh. 20:33
	39	וַיְמָאֵן הָאִישׁ לְהַכֹּתוֹ	IK. 20:35
מֵהַכּוֹתוֹ	40	בְּשֻׁבוֹ מֵהַכּוֹתוֹ אֶת־אֲרָם	IISh. 8:13
לְהַכֹּתָהּ	41	וַתִּלָּחֵץ...וַיֹּסֶף לְהַכֹּתָהּ	Num. 22:25
כְּהַכּוֹתָם	42	וַיְהִי כְּהַכּוֹתָם וְנֵאשֲׁאַר אָנִי	Ezek. 9:8
לְהַכּוֹתָם	43	לְהַכּוֹתָם מַכָּה גְדוֹלָה־מְאֹד	Josh. 10:20
	44	וַיְבַקֵּשׁ שָׁאוּל לְהַכֹּתָם	IISh. 21:2
הִכֵּיתִי	45	בִּלְחִי הַחֲמוֹר הִכֵּיתִי אֶלֶף אִישׁ	Jud. 15:16
	46	לַשָּׁוְא הִכֵּיתִי אֶת־בְּנֵיכֶם	Jer. 2:30
	47	אֲשֶׁר־הִכֵּיתִי בְאַפִּי וּבַחֲמָתִי	Jer. 33:5
	48	וְהִנֵּה הִכֵּיתִי כַפִּי אֶל־בִּצְעֵךְ	Ezek. 22:13
	49	הִכֵּיתִי אֶתְכֶם בַּשִּׁדָּפוֹן וּבַיֵּרָקוֹן	Am. 4:9
	50	הִכֵּיתִי אֶתְכֶם בַּשִּׁדָּפוֹן וּבַיֵּרָקוֹן	Hag. 2:17
וְהִכֵּיתִי	51	וְהִכֵּיתִי אֶת־מִצְרַיִם בְּכֹל נִפְלְאֹתַי	Ex. 3:20
	52	וְהִכֵּיתִי כָל־בְּכוֹר בְּאֶ׳ מִצְרַיִם	Ex. 12:12
	53	וְהִכֵּיתִי אֶתְכֶם גַּם־אָנִי	Lev. 26:24
	54	וְהִכֵּיתִי אֶת־הַמֶּלֶךְ לְבַדּוֹ	IISh. 17:2
	55	וְהִכֵּיתִי אֶת־יוֹשְׁבֵי הָעִיר הַזֹּאת	Jer. 21:6
	56	וְהִכֵּיתִי קַשְׁתְּךָ מִיַּד שְׂמֹאולֶךָ	Ezek. 39:3
	57	וְהִכֵּיתִי בֵית־הַחֹרֶף עַל־בֵּית הַקָּיִץ	Am. 3:15
	58	פֶּן־אָבוֹא וְהִכֵּיתִי אֶת־הָאָ׳ חֵרֶם	Mal. 3:24
וְהִכֵּיתִי	59	הַאֵלֵךְ וְהִכֵּיתִי בַּפְּלִשְׁתִּים הָאֵלֶּה	ISh. 23:2
וְהִכִּתִיךָ	60	וְהִכִּתִיךָ וַהֲסִרֹתִי אֶת־רֹאשְׁךָ	ISh. 17:46
הִכִּיתִיךְ	61	כִּי בְקִצְפִּי הִכִּיתִיךְ	Is. 60:10
	62	מַכַּת אוֹיֵב הִכִּיתִיךְ מוּסַר אַכְזָרִי	Jer. 30:14
וְהִכִּיתִיו	63	וְאִם־אֲנִי אוּכַל־לוֹ וְהִכִּיתִיו	ISh. 17:9
	64	וְיָצָאתִי...וְהִכִּתִיו וְהִצַּלְתִּי מִפִּיו	ISh. 17:35
	65	וְהֶחֱזַקְתִּי בִּזְקָנוֹ וְהִכִּתִיו	ISh. 17:35
הִכִּיתָ	66	וּמַטְּךָ אֲשֶׁר הִכִּיתָ בּוֹ אֶת־הַיְאֹר	Ex. 17:5
	67	עַל־מָה הִכִּיתָ אֶת־אֲתֹנְךָ	Num. 22:32
	68	אֲשֶׁר־הִכִּיתָ בְּעֵמֶק הָאֵלָה	ISh. 21:10
	69	אֵת אוּרִיָּה הַחִתִּי הִכִּיתָ בַחֶרֶב	IISh. 12:9
	70	אָז הִכִּיתָ אֶת־אֲרָם עַד־כַּלֵּה	IIK. 13:19
	71	הַכֵּה הִכִּיתָ אֶת־אֱדוֹם	IIK. 14:10
	72	כִּי־הִכִּיתָ אֶת־כָּל־אֹיְבַי לֶחִי	Ps. 3:8
	73	כִּי־אַתָּה אֲשֶׁר־הִכִּיתָ רָדָפוּ	Ps. 69:27
	74	אָמַרְתָּ הִנֵּה הִכִּיתָ אֶת־אֱדוֹם	IICh. 25:19
הִכִּיתָה	75	הִכִּיתָה אֹתָם וְלֹא־חָלוּ	Jer. 5:3
וְהִכִּיתָ	76	וְהִכִּיתָ בַצּוּר וְיָצְאוּ מִמֶּנּוּ מַיִם	Ex. 17:6
	77	לֵךְ וְהִכִּיתָ בַפְּלִשְׁתִּים	ISh. 23:2
וְהִכִּיתָ	78	וְהִכִּיתָ אֶת־כָּל־זְכוּרָהּ	Deut. 20:13
	79	וְהִכִּיתָ אֶת־מִדְיָן כְּאִישׁ אֶחָד	Jud. 6:16
	80	וְהִכִּיתָ אֶת־אֲרָם...עַד־כַּלֵּה	IIK. 13:17
וְהִכִּיתָה	81	לֵךְ וְהִכִּיתָה אֶת־עֲמָלֵק	ISh. 15:3
	82	וְהִכִּיתָה אֶת־בֵּית אַחְאָב אֲדֹנֶיךָ	IIK. 9:7
הִכִּיתַנִי	83	כִּי הִכִּיתַנִי זֶה שָׁלֹשׁ רְגָלִים	Num. 22:28
הִכִּיתָנוּ	84	מַדּוּעַ הִכִּיתָנוּ וְאֵין לָנוּ מַרְפֵּא	Jer. 14:19
הִכִּיתוֹ	85	וּמַדּוּעַ לֹא־הִכִּיתוֹ שָׁם	IISh. 18:11
וְהִכִּיתָם	86	וּנְתָנָם יְיָ אֱלֹהֶיךָ לְפָנֶיךָ וְהִכִּיתָם	Deut. 7:2
הִכָּה	87	וְאֵת כָּל־עֵשֶׂב הַשָּׂדֶה הִכָּה הַבָּרָד	Ex. 9:25
	88	וַיְיָ הִכָּה כָל־בְּכוֹר בְּאֶ׳ מִצְרַיִם	Ex. 12:29
	89	הָאָרֶץ אֲשֶׁר הִכָּה יְיָ	Num. 32:4
	90	אֲשֶׁר הִכָּה יְיָ בָּהֶם כָּל־בְּכוֹר	Num. 33:4
	91	אֲשֶׁר הִכָּה מֹשֶׁה וּבְנֵי יִשְׂרָאֵל	Deut. 4:46
	92	וְאֶת־מַלְכָּהּ הִכָּה בֶחָרֶב	Josh. 11:10
	93	אֲשֶׁר הִכָּה יְהוֹשֻׁעַ וּבְנֵי יִשְׂרָאֵל	Josh. 12:7
הִכָּה (המשך)	94	אֲשֶׁר הִכָּה מֹשֶׁה אֹתוֹ	Josh. 13:21
	95	בִּבְלִי־דַעַת הִכָּה אֶת־רֵעֵהוּ	Josh. 20:5
	96	כִּי־הִכָּה יְיָ בָּעָם מַכָּה גְדוֹלָה	ISh. 6:19
	97	הִכָּה שָׁאוּל אֶת־נְצִיב פְּלִשְׁתִּים	ISh. 13:4
	98	אֲשֶׁר הִכָּה יוֹנָתָן וְנֹשֵׂא כֵלָיו	ISh. 14:14
	99	גַּם־הַדּוֹב הִכָּה עַבְדֶּךָ	ISh. 17:36
	100-102	הִכָּה שָׁאוּל בַּאֲלָפָו	ISh. 18:7; 21:12; 29:5
	103	וְאֵת נֹב...הִכָּה לְפִי־חֶרֶב	ISh. 22:19
	104	הֵן הִכָּה־צוּר וַיָּזוּבוּ מַיִם	Ps. 78:20
	105-129	הִכָּה	IISh. 8:9; 10:18; 11:21; 13:30 21:18; 23:20,21 • IK. 15:29; 16:7,11,16 • IIK 10:9; 14:7; 18:8 • Jer. 41:3, 9, 16, 18; 46:2; 49:28 • ICh. 11:22,23; 18:9,12; 20:4
וְהִכָּה	130	וְהִכָּה־אִישׁ אֶת־רֵעֵהוּ	Ex. 21:18
	131	וְהִכָּה בַכִּיּוֹר אוֹ בַדּוּד	ISh. 2:14
	132	וְהִכָּה דָוִד אֶת־הָאָרֶץ	ISh. 27:9
	133	וְהִכָּה הָעִיר לְפִי־חָרֶב	IISh. 15:14
	134	וְהוּא יָרַד וְהִכָּה אֶת־הָאֲרִי	IISh. 23:20
	135	וְהִכָּה יְיָ אֶת־יִשְׂרָאֵל	IK. 14:15
	136	וְהִכָּה בַּאֲרָם מַכָּה גְדוֹלָה	IK. 20:21
	137	וְהִכָּה־אֶרֶץ בְּשֵׁבֶט פִּיו	Is. 11:4
	138	וּבָא וְהִכָּה אֶת־אֶרֶץ מִצְרָיִם	Jer. 43:11
	139	וְהִכָּה הַבַּיִת הַגָּדוֹל רְסִיסִים	Am. 6:11
	140	וְהִכָּה בַיָּם חֵילָהּ	Zech. 9:4
	141	וְהִכָּה בַיָּם גַּלִּים	Zech. 10:11
	142	וְהוּא יָרַד וְהִכָּה אֶת־הָאֲרִי	ICh. 11:22
שֶׁהִכָּה	143	שֶׁהִכָּה בְּכוֹרֵי מִצְרָיִם	Ps. 135:8
	144	שֶׁהִכָּה גּוֹיִם רַבִּים	Ps. 135:10
וְהִכַּנִי	145	פֶּן־יָבוֹא וְהִכַּנִי אֵם עַל־בָּנִים	Gen. 32:11
וְהִכָּנִי	146	אִם־יוּכַל לְהִלָּחֵם אִתִּי וְהִכָּנִי	ISh. 17:9
וְהִכְּךָ	147	הִנְּךָ הוֹלֵךְ מֵאִתִּי וְהִכְּךָ הָאַרְיֵה	IK. 20:36
הִכָּהוּ	148	וְאִם־בִּכְלִי בַרְזֶל הִכָּהוּ	Num. 35:16
	149	וְאִם בְּאֶבֶן יָד...הִכָּהוּ	Num. 35:17
	150	אוֹ בִּכְלִי עֵץ־יָד...הִכָּהוּ	Num. 35:18
	151	אוֹ בְאֵיבָה הִכָּהוּ בְיָדוֹ וַיָּמֹת	Num. 35:21
	152	לֹא נוֹדַע מִי הִכָּהוּ	Deut. 21:1
	153	שָׁלֹשׁ פְּעָמִים הִכָּהוּ יוֹאָשׁ	IIK. 13:25
	154	הַכְּמַכַּת מַכֵּהוּ הִכָּהוּ	Is. 27:7
וְהִכָּהוּ	155	יָבוֹא...אֶל־הַמַּחֲנֶה הָאַחַת וְהִכָּהוּ	Gen. 32:8
	156	וְהִשִּׂיגוֹ...וְהִכָּהוּ נָפֶשׁ	Deut. 19:6
	157	וְקָם עָלָיו וְהִכָּהוּ נֶפֶשׁ וָמֵת	Deut. 19:11
	158	וְהִפִּילוֹ הַשֹּׁפֵט וְהִכָּהוּ לְפָנָיו	Deut. 25:2
	159	וְהִכָּהוּ לְשִׁבְעָה נְחָלִים	Is. 11:15
הִכָּם	160	עַל־כֵּן הִכָּם אַרְיֵה מִיַּעַר	Jer. 5:6
וְהִכָּם	161	וְהִגְלָם בָּבֶלָה וְהִכָּם בֶּחָרֶב	Jer. 20:4
	162	וְהִכָּם לְפִי־חֶרֶב	Jer. 21:7
	163	וְהִכָּם לְעֵינֵיכֶם	Jer. 29:21
הִכִּיתֶם	164	כִּי אִם־הִכִּיתֶם כָּל־חֵיל כַּשְׂדִּים	Jer. 37:10
וְהִכִּיתֶם	165	צָרוֹר...הַמִּדְיָנִים וְהִכִּיתֶם אוֹתָם	Num. 25:17
	166	וְהִכִּיתֶם אֶת־יוֹשְׁבֵי יָבֵשׁ גִּלְ׳	Jud. 21:10
	167	וְהִכִּיתֶם כָּל־עִיר מִבְצָר	IIK. 3:19
הִכּוּ	168	וְאֶת־הָאֲנָשִׁים...הִכּוּ בַּסַּנְוֵרִים	Gen. 19:11
	169	אֶת־כָּל־הָאָדָם הִכּוּ לְפִי־חֶרֶב	Josh. 11:14
	170	וְאֵלֶּה מַלְכֵי הָאָרֶץ אֲשֶׁר הִכּוּ בְ־׳	Josh. 12:1
	171	וְעַבְדֵי דָוִד הִכּוּ מִבִּנְיָמִן...	IISh. 2:31
	172/3	וְאֶת־הַנְּעָרִים הִכּוּ לְפִי־חָרֶב	Job 1:15, 17
	174	בְּחֶרְפָּה הִכּוּ לְחָיָי	Job 16:10
	175	וְגַם־אָהֳלֵי מִקְנֶה הִכּוּ	IICh. 14:14
וְהִכּוּ	176	וַיִּקְצְפוּ הַשָּׂרִים...וְהִכּוּ אֹתוֹ	Jer. 37:15
	177	וְיָצְאוּ וְהִכּוּ בָעִיר	Ezek. 9:7
הִכּוּנִי	178	הִכּוּנִי בַל־חָלִיתִי	Prov. 23:35
	179	מְצָאֻנִי...הִכּוּנִי פְצָעוּנִי	S.ofS. 5:7
וְהִכּוּנִי	180	וְנֶאֶסְפוּ עָלַי וְהִכּוּנִי וְנִשְׁמַדְתִּי	Gen. 34:30
הִכֻּהוּ	181	עֲבָדָיו הִכֻּהוּ וַיָּמֹת	IIK. 12:22
	182/3	וְאַדְרַמֶּלֶךְ וְשַׂרְאֶצֶר בָּנָיו הִכֻּהוּ בַחֶרֶב	IIK. 19:37 • Is. 37:38
	184	כִּי הַמַּכִּים אֲשֶׁר הִכֻּהוּ בָרָמָה...	IICh. 22:6
הִכּוּם	185	וְלֹא הִכּוּם בְּנֵי יִשְׂרָאֵל	Josh. 9:18
	186	מֹשֶׁה עֶבֶד־יְיָ וּבְ־׳ הִכּוּם	Josh. 12:6
מַכֶּה	187	מַכֶּה אִישׁ־עִבְרִי מֵאֶחָיו	Ex. 2:11
	188	הִנֵּה אָנֹכִי מַכֶּה בַּמַּטֶּה	Ex. 7:17
	189	הַאֲשֶׁר שָׁבִיתָ...אַתָּה מַכֶּה	IIK. 6:22
	190	מַכֶּה עַמִּים בְּעֶבְרָה	Is. 14:6
	191	וִידַעְתֶּם כִּי אֲנִי יְיָ מַכֶּה	Ezek. 7:9
מַכֵּה־	192	מַכֵּה אִישׁ וָמֵת מוֹת יוּמָת	Ex. 21:12
	193	רֹצֵחַ מַכֵּה־נֶפֶשׁ בִּשְׁגָגָה	Num. 35:11
	194	כָּל־מַכֵּה־נֶפֶשׁ בִּשְׁגָגָה	Num. 35:15
	195	כָּל־מַכֵּה־נֶפֶשׁ לְפִי עֵדִים	Num. 35:30
	196	אָרוּר מַכֵּה רֵעֵהוּ בַּסָּתֶר	Deut. 27:24
	197	רוֹצֵחַ מַכֵּה־נֶפֶשׁ בִּשְׁגָגָה	Josh. 20:3
	198	כָּל־מַכֵּה־נֶפֶשׁ בִּשְׁגָגָה	Josh. 20:9
	199	כָּל־מַכֵּה יְבֻסִי וְיִגַּע בַּצִּנּוֹר	IISh. 5:8
	200	תְּנוּ אֶת־מַכֵּה אָחִיו וּנְמִתֵהוּ	IISh. 14:7
	201	שׁוֹחֵט הַשּׁוֹר מַכֵּה־אִישׁ	Is. 66:3
	202	כָּל־מַכֵּה יְבוּסִי בָרִאשׁוֹנָה	ICh. 11:6
וּמַכֵּה	203	וּמַכֵּה אָבִיו וְאִמּוֹ מוֹת יוּמָת	Ex. 21:15
	204	וּמַכֵּה נֶפֶשׁ־בְּהֵמָה יְשַׁלְּמֶנָּה	Lev. 24:18
	205	וּמַכֵּה בְהֵמָה יְשַׁלְּמֶנָּה	Lev. 24:21
	206	וּמַכֵּה אָדָם יוּמָת	Lev. 24:21
הַמַּכֶּה	207	הַמַּכֶּה אֶת־מִדְיָן בִּשְׂדֵה מוֹאָב	Gen. 36:35
	208	אִם־יָקוּם...וְנִקָּה הַמַּכֶּה	Ex. 21:19
	209	מוֹת־יוּמַת הַמַּכֶּה רֹצֵחַ הוּא	Num. 35:21
	210	בֵּין הַמַּכֶּה וּבֵין גֹּאֵל הַדָּם	Num. 35:24
	211	בִּרְאֹתוֹ אֶת־הַמַּלְאָךְ הַמַּכֶּה בָעָם	IISh. 24:17
	212	הַמַּכֶּה אֶת־מִדְיָן בִּשְׂדֵה מוֹאָב	ICh. 1:46
לְמַכֵּה	213	לְמַכֵּה מִצְרַיִם בִּבְכוֹרֵיהֶם	Ps. 136:10
	214	לְמַכֵּה מְלָכִים גְּדֹלִים	Ps. 136:17
מַכֵּךְ	215	כִּי נִשְׁבַּר שֵׁבֶט מַכֵּךְ	Is. 14:29
מַכֵּהוּ	216	לְהַצִּיל אֶת־אִישָׁהּ מִיַּד מַכֵּהוּ	Deut. 25:11
	217	לֹא־יוֹסִיף...לְהִשָּׁעֵן עַל־מַכֵּהוּ	Is. 10:20
	218	הַכְּמַכַּת מַכֵּהוּ הִכָּהוּ	Is. 27:7
הַמַּכֵּהוּ	219	וְהָעָם לֹא־שָׁב עַד־הַמַּכֵּהוּ	Is. 9:12
לְמַכֵּהוּ	220	יִתֵּן לְמַכֵּהוּ לֶחִי יִשְׂבַּע בְּחֶרְפָּה	Lam. 3:30
הַמַּכִּים	221	הַמַּכִּים אֶת־מִצְרַיִם בְּכָל־מַכָּה	ISh. 4:8
	222/3	הַמַּכִּים אֲשֶׁר יַכֻּהוּ אֲרַמִּים	IIK. 8:29; 9:15
	224	הַמַּכִּים אֶת־הַמֶּלֶךְ אָבִיו	IIK. 14:5
	225	וְאֶת־בְּנֵי הַמַּכִּים לֹא הֵמִית	IIK. 14:6
	226	כִּי הַמַּכִּים אֲשֶׁר הִכֻּהוּ בָרָמָה	IICh. 22:6
	227	הַמַּכִּים אֶת־הַמֶּלֶךְ אָבִיו	IICh. 25:3
	228	וַיִּזְבַּח לֵאלֹ׳ דַרְמֶשֶׂק הַמַּכִּים בּוֹ	IICh. 28:23
לְמַכִּים	229	גֵּוִי נָתַתִּי לְמַכִּים וּלְחָיַי לְמֹרְטִים	Is. 50:6
מַכּוֹת(?)	230	נָתַתִּי חִטִּים מַכּוֹת לַעֲבָדֶיךָ	IICh. 2:9
אַכֶּה	231	וַיֹּאמֶר אַכֶּה בְדָוִד וּבַקִּיר	ISh. 18:11
	232	הַאַכֶּה אַכֶּה אָבִי	IIK. 6:21
	233	וְגַם־אֲנִי אַכֶּה כַפִּי אֶל־כַּפִּי	Ezek. 21:22
	234	אַכֶּה כָל־סוּס בַּתִּמָּהוֹן	Zech. 12:4
	235	וְכֹל סוּס הָעַמִּים אַכֶּה בַּעִוָּרוֹן	Zech. 12:4
הַאַכֶּה	236	הַאַכֶּה אַכֶּה אָבִי	IIK. 6:21
וְאַכֶּה	237	אֵלְכָה נָּא וְאַכֶּה אֶת־יִשְׁמָעֵאל	Jer. 40:15
וָאַכֶּה	238	וָאַכֶּה מֵהֶם אֲנָשִׁים וָאֶמְרְטֵם	Neh. 13:25
וָאַךְ	239	וָאַךְ אוֹתְךָ וְאֶת־עַמְּךָ בַּדָּבֶר	Ex. 9:15
אַכֶּכָּה	240	סוּר...לָמָּה אַכֶּכָּה אַרְצָה	IISh. 2:22
וְאַכֵּהוּ	241	בַּעֲוֹן בִּצְעוֹ קָצַפְתִּי וְאַכֵּהוּ	Is. 57:17
אַכֶּנּוּ	242	אַכֶּנּוּ בַדֶּבֶר וְאוֹרִשֶׁנּוּ	Num. 14:12

243 אַכֶּנּוּ נָא בַּחֲנִית וּבָאָרֶץ ISh. 26:8
תַּכֶּה 244 וַיֹּאמֶר לָרָשָׁע לָמָּה תַכֶּה רֵעֶךָ Ex. 2:13
245 הַכֵּה תַכֶּה אֶת־יֹשְׁבֵי הָעִיר Deut. 13:16
246 וַיֹּאמֶר לֹא תַכֶּה... IIK. 6:22
247 שָׁלֹשׁ פְּעָמִים תַּכֶּה אֶת־אֲרָם IIK. 13:19
248 תַּכֶּה בַחֶרֶב סְבִיבוֹתֶיהָ Ezek. 5:2
249 לֵץ תַּכֶּה וּפֶתִי יַעְרִם Prov. 19:25
תַּכֶּנּוּ 250 כִּי־תַכֶּנּוּ בַשֵּׁבֶט לֹא יָמוּת Prov. 23:13
251 אַתָּה בַּשֵּׁבֶט תַּכֶּנּוּ Prov. 23:14
יַכֶּה 252 וְכִי־יַכֶּה אִישׁ אֶת־עַבְדּוֹ Ex. 21:20
253 וְכִי־יַכֶּה אִישׁ אֶת־עֵין עַבְדּוֹ Ex. 21:26
254 וְאִישׁ כִּי יַכֶּה כָּל־נֶפֶשׁ אָדָם Lev. 24:17
255 אֲשֶׁר יַכֶּה אֶת־רֵעֵהוּ בִּבְלִי־דַעַת Deut. 19:4
256/7 אֲשֶׁר־יַכֶּה אֶת־קִרְיַת־סֵפֶר וּלְכָדָהּ
Josh. 15:16 • Jud. 1:12
258 אֲשֶׁר יַכֶּה אֶת־הַפְּלִשְׁתִּי הַלָּז ISh. 17:26
259 אָז יַכֶּה־מְנַחֵם אֶת־תִּפְסַח IIK. 15:16
260 יֵחַת אַשּׁוּר בַּשֵּׁבֶט יַכֶּה Is. 30:31
261 בְּטֶרֶם יַכֶּה פַרְעֹה אֶת־עַזָּה Jer. 47:1
וַיַּכֶּה 262 וַיַּכֶּה יְהוֹשֻׁעַ אֶת־כָּל־הָאָרֶץ Josh. 10:40
263 וַיַּכֶּה אֶת־מִיכָיְהוּ עַל־הַלְּחִי IK. 22:24
264 וַיַּכֶּה אֶת־מֶלֶךְ יִשְׂרָאֵל IIK. 22:34
265/6 וַיַּכֶּה אֶת־הַמַּיִם וַיֵּחָצוּ IIK. 2:8, 14
267 וַיַּכֶּה אֶת־הַמַּיִם וַיֹּאמַר IIK. 2:14
268 וַיַּכֶּה אֶת־אֱדוֹם הַסֹּבֵב אֵלָיו IIK. 8:21
269 וַיַּכֶּה בְּמַחֲנֵה אַשּׁוּר Is. 37:36
270 וַיַּכֶּה פַשְׁחוּר אֵת יִרְמְיָהוּ Jer. 20:2
271 וַיַּכֶּה אוֹתָם מֶלֶךְ בָּבֶל Jer. 52:27
יַךְ 272 הוּא טָרָף וְיִרְפָּאֵנוּ יַךְ וְיַחְבְּשֵׁנוּ Hosh. 6:1
וְיַךְ 273 וְיַךְ שָׁרָשָׁיו כַּלְּבָנוֹן Hosh. 14:6
וַיַּךְ 274 וַיַּךְ אֶת־הַמִּצְרִי Ex. 2:12
275 וַיַּךְ אֶת־הַמַּיִם אֲשֶׁר בַּיְאֹר Ex. 7:20
276 וַיַּךְ אֶת־עֲפַר הָאָרֶץ Ex. 8:13
277 וַיַּךְ הַבָּרָד בְּכָל־אֶרֶץ מִצְרַיִם Ex. 9:25
278 וַיַּךְ יְיָ בָּעָם מַכָּה רַבָּה Num. 11:33
279 וַיַּךְ אֶת־הַסֶּלַע בְּמַטֵּהוּ Num. 20:11
280 וַיַּךְ בִּלְעָם אֶת־הָאָתוֹן Num. 22:23
281 וַיַּךְ אֶת־הָאָתוֹן בַּמַּקֵּל Num. 22:27
282 וַיֵּלֶךְ וַיַּךְ אֶת־יִשְׂרָאֵל Jud. 3:13
283 וַיַּךְ אֶת־פְּלִשְׁ׳...בְּמַלְמַד הַבָּקָר Jud. 3:31
284 וַיַּעַל...וַיַּךְ אֶת־הַמַּחֲנֶה Jud. 8:11
285 וַיַּךְ מֵהֶם שְׁלֹשִׁים אִישׁ Jud. 14:19
286 וַיַּךְ אוֹתָם שׁוֹק עַל־יָרֵךְ Jud. 15:8
287 וַיַּךְ־בָּהּ אֶלֶף אִישׁ Jud. 15:15
288 וַיַּךְ אֶת־כָּל־הָעִיר לְפִי־חָרֶב Jud. 20:37
289 וַיַּךְ אֹתָם בַּטְּחֹרִים° ISh. 5:6
290 וַיַּךְ אֶת־הַחֲנִית בַּקִּיר ISh. 19:10
291/2 וַיַּךְ לֵב־דָּוִד אֹתוֹ ISh. 24:5 • IISh. 24:10
293 וַיַּךְ שָׁלֹשׁ־פְּעָמִים וַיַּעֲמֹד IIK. 13:18
294 כִּי לֹא פָתַח וַיַּךְ IIK. 15:16
295 וַיַּךְ גַּפְנָם וּתְאֵנָתָם Ps. 105:33
296 וַיַּךְ אֶת־מִיכָיְהוּ עַל־הַלֶּחִי IICh. 18:23
297-345 וַיַּךְ ISh. 5:9; 6:19[2]; 13:3; 14:48; 15:7
17:49, 50; 18:27; 19:5, 8; 23:5 • IISh. 5:25; 8:1, 2; 8:3, 5; 21:17, 19; 23:10, 12 • IK. 11:15; 15:20; 20:21 • IIK. 9:24; 10:11, 17; 14:5; 15:14; 19:35; 21:24; 25:21 • Ps. 60:2; 78:51, 66; 105:36 • Job 2:7 • Dan. 8:7 • ICh. 18:1, 2, 3, 5; 20:1, 5; 21:7 • IICh. 18:33; 21:9; 25:11; 28:5
יַכְּכָה 346 יַכְּכָה יְיָ בַּשַּׁחֶפֶת Deut. 28:22
347 יַכְּכָה יְיָ בִּשְׁחִין מִצְרַיִם Deut. 28:27
348 יַכְּכָה יְיָ בְּשִׁגָּעוֹן וּבְעִוָּרוֹן Deut. 28:28

349 יַכְּכָה יְיָ בִּשְׁחִין רָע Deut. 28:35
יַכֶּכָּה 350 בַּשֵּׁבֶט יַכֶּכָּה וּמַטֵּהוּ יִשָּׂא־עָלֶיךָ Is. 10:24
351 לָמָּה יַכְּכָה נֶּפֶשׁ Jer. 40:15
352 יוֹמָם הַשֶּׁמֶשׁ לֹא־יַכֶּכָּה Ps. 121:6
וַיַּכּוּ 353 וַיַּכּוּ הָאֶחָד אֶת־הָאֶחָד IISh. 14:6
יַכֶּנּוּ 354 אַרְבָּעִים יַכֶּנּוּ לֹא יֹסִיף Deut. 25:3
355 וְהָיָה הָאִישׁ אֲשֶׁר־יַכֶּנּוּ ISh. 17:25
356 כֹּה יֵעָשֶׂה לָאִישׁ אֲשֶׁר יַכֶּנּוּ ISh. 17:27
וַיַּכֵּהוּ 357 וַיַּכֵּהוּ יִשְׂרָאֵל לְפִי־חָרֶב Num. 21:24
358 וַיַּכֵּהוּ יְהוֹשֻׁעַ וְאֶת־עַמּוֹ Josh. 10:33
359 וַיַּכֵּהוּ וַיִּפֹּל וַיַּהַפְכֵהוּ לְמַעְלָה Jud. 7:13
360 גַּשׁ פְּגַע־בּוֹ וַיַּכֵּהוּ וַיָּמֹת IISh. 1:15
361 וַיַּכֵּהוּ אַבְנֵר בְּאַחֲרֵי הַחֲנִית IISh. 2:23
362 וַיַּכֵּהוּ שָׁם הַחֹמֶשׁ וַיָּמָת IISh. 3:27
363 וַיַּכֵּהוּ שָׁם הָאֱלֹהִים עַל־הַשַּׁל IISh. 6:7
364 עַל אֲשֶׁר נִלְחַם בַּהֲדַדְעֶזֶר וַיַּכֵּהוּ IISh. 8:10
365 וַיַּכֵּהוּ בָהּ אֶל־הַחֹמֶשׁ IISh. 20:10
366 וַיַּכֵּהוּ יְהוֹנָתָן בֶּן־שִׁמְעָה° IISh. 21:21
367 וַיַּכֵּהוּ בַעְשָׁא בְּגִבְּתוֹן IK. 15:27
368 וַיָּבֹא זִמְרִי וַיַּכֵּהוּ וַיְמִיתֵהוּ IK. 16:10
369 וַיִּמְצָאֵהוּ הָאַרְיֵה וַיַּכֵּהוּ IK. 20:36
370 וַיַּכֵּהוּ הָאִישׁ הַכֵּה וּפָצֹעַ IK. 20:37
371-378 וַיַּכֵּהוּ IIK. 15:10, 25, 30
Is. 5:25 • Jer. 26:23 • ICh. 13:10; 18:10; 20:7
וַיַּכֶּהָ 379-381 וַיַּכֶּהָ לְפִי־חֶרֶב Josh. 10:28, 30, 32
יַכֵּם 382 וְלֹא־יַכֵּם שָׁרָב וָשָׁמֶשׁ Is. 49:10
וַיַּכֵּם 383 וַיַּכֵּם וַיִּרְדְּפֵם עַד־חוֹבָה Gen. 14:15
384 וַיַּכֵּם מַכָּה־גְדוֹלָה בְּגִבְעוֹן Josh. 10:10
385 וַיַּכֵּם עַד־עֲזֵקָה Josh. 10:10
386 וַיַּכֵּם יְהוֹשֻׁעַ אַחֲרֵי־כֵן וַיְמִיתֵם Josh. 10:26
387 וַיַּכֵּם יְהוֹשֻׁעַ מִקָּדֵשׁ בַּרְנֵעַ Josh. 10:41
388 וַיַּכֵּם לְפִי־חֶרֶב הֶחֱרִים אוֹתָם Josh. 11:12
389 וַיַּכֵּם בַּסַּנְוֵרִים כִּדְבַר אֱלִישָׁע IIK. 6:18
390-397 וַיַּכֵּם Josh. 11:17; 13:12
Jud. 9:43; 11:33 • ISh. 30:17 • IISh. 5:20 • IIK. 10:32 • ICh. 14:11
וַתַּךְ 398 וַתַּךְ אֶת־הַקִּיקָיוֹן וַיִּיבָשׁ Jon. 4:7
399 וַתַּךְ הַשֶּׁמֶשׁ עַל־רֹאשׁ יוֹנָה Jon. 4:8
נַכֶּה־ 400 אוּלַי אוּכַל נַכֶּה־בּוֹ... Num. 22:6
וְנַכֶּה 401 וְעִזְרֻנִי וְנַכֶּה אֶת־גִּבְעוֹן Josh. 10:4
וַנַּךְ 402 וַנַּךְ אֹתוֹ וְאֶת־בָּנָו... Deut. 2:33
נַכֶּנּוּ 403 וַיֹּאמֶר לֹא נַכֶּנּוּ נָפֶשׁ Gen. 37:21
וְנַכֵּהוּ 404 לְכוּ וְנַכֵּהוּ בַלָּשׁוֹן... Jer. 18:18
וַנַּכֵּהוּ 405 וַנַּכֵּהוּ עַד־בִּלְתִּי הִשְׁאִיר...שָׂרִיד Deut. 3:3
וַנַּכֵּם 406 וַיֵּצֵא סִיחֹן...לַמִּלְחָמָה וַנַּכֵּם Deut. 29:6
יַכּוּ 407 בַּשֵּׁבֶט יַכּוּ עַל־הַלְּחִי Mic. 4:14
וְיַכּוּ 408 יַעֲלוּ וְיַכּוּ אֶת־הָעָי Josh. 7:3
וַיַּכּוּ 409 וַיַּכּוּ אֶת־רְפָאִים Gen. 14:5
410 וַיַּכּוּ אֶת־כָּל־שְׂדֵה הָעֲמָלֵקִי Gen. 14:7
411 וַיַּכּוּ אֹתוֹ וְאֶת־בָּנָיו Num. 21:35
412 וַיַּכּוּ מֵהֶם אַנְשֵׁי הָעַי Josh. 7:5
413 וַיַּכּוּ אֶת־אַנְשֵׁי הָעָי Josh. 8:21
414 וַיַּכּוּ אוֹתָם עַד־בִּלְתִּי הִשְׁאִיר לוֹ Josh. 8:22
415 וַיַּכּוּ אֹתָהּ לְפִי־חָרֶב Josh. 8:24
416 וַיַּכּוּ(כ׳ ויבו)־בָהּ וְהַכּוֹת אֶת־מוֹאָב IIK. 3:24
417 וַיַּכּוּ כָף וַיֹּאמְרוּ יְחִי הַמֶּלֶךְ IIK. 11:12
418-455 וַיַּכּוּ Josh. 11:11; 19:47 • Jud. 1:5
1:10, 17, 25; 3:29; 12:4; 18:27; 20:45 • ISh. 4:2; 11:11; 14:31; 30:1; 31:2 • IISh. 18:15 • IK. 20:20, 29 • IIK. 3:23, 24; 8:28; 12:21; 25:25 • Jer. 41:2 • Es. 9:5 • ICh. 4:41.43; 10:2; 11:14; 14:16 • IICh. 13:17; 14:13; 16:4; 22:5; 25:13; 28:5, 17; 33:25

יַכּוּךְ 456 חֲדַל־לָךְ לָמָּה יַכּוּךְ IICh. 25:16
יַכּוּהוּ 457 אֲשֶׁר יַכֻּהוּ אֲרַמִּים בָּרָמָה IIK. 8:29
458 מִן־הַמַּכִּים אֲשֶׁר יַכֻּהוּ אֲרַמִּים IIK. 9:15
וַיַּכֻּהוּ 459 וְהִנֵּה בָאוּ...וַיַּכֻּהוּ אֶל־הַחֹמֶשׁ IISh. 4:6
460 וַיָּבֹאוּ הַבַּיִת...וַיַּכֻּהוּ וַיְמִתֻהוּ IISh. 4:7
וַיַּכּוּהָ 461-462 וַיַּכּוּהָ(־)לְפִי־חֶרֶב Josh. 10:35, 37
463 וַיַּכּוּהָ לְפִי־חָרֶב Jud. 1:8
464 וַיָּסֹבּוּ הַקַּלָּעִים וַיַּכּוּהָ IIK. 3:25
וַיַּכּוּם 465 וַיַּכּוּם וַיַּכְּתוּם עַד־הַחָרְמָה Num. 14:45
466 וַיִּרְדְּפוּם...וַיַּכּוּם בַּמּוֹרָד Josh. 7:5
467 וַיַּכּוּם לְפִי־חֶרֶב Josh. 10:39
468 וַיַּכּוּם וַיִּרְדְּפוּם עַד־צִידוֹן רַבָּה Josh. 11:8
469 וַיַּכֻּם עַד־בִּלְתִּי הִשְׁאִיר־לָהֶם Josh. 11:8
470-475 וַיַּכּוּם Jud. 1:4
9:44; 11:21; 20:48 • ISh. 7:11 • IIK. 10:25
הַכֵּה 476 הַכֵּה בְכַפְּךָ וּרְקַע בְּרַגְלְךָ Ezek. 6:11
הַךְ 477 הַךְ־נָא...בַּסַּנְוֵרִים IIK. 6:18
478 וַיֹּאמֶר לְמֶלֶךְ־יִשְׂרָאֵל הַךְ אַרְצָה IIK. 13:18
479 הַךְ הַכַּפְתּוֹר וְיִרְעֲשׁוּ הַסִּפִּים Am. 9:1
480 הַךְ אֶת־הָרֹעֶה וּתְפוּצֶיןָ הַצֹּאן Zech. 13:7
וְהַךְ 481 וְהַךְ אֶת־עֲפַר הָאָרֶץ Ex. 8:12
482 הִנָּבֵא וְהַךְ כַּף אֶל־כָּף Ezek. 21:19
הַכֵּינִי 483/4 הַכֵּינִי נָא IK. 20:35, 37
הַכּוּ 485 הַכּוּ אֶת־אַמְנוֹן וַהֲמִתֶּם אֹתוֹ IISh. 13:28
וְהַכּוּ 486 עִבְרוּ בָעִיר אַחֲרָיו וְהַכּוּ... Ezek. 9:5
הַכֻּהוּ 487 גַּם־אֹתוֹ הַכֻּהוּ אֶל־הַמֶּרְכָּבָה IIK. 9:27
הַכּוּם 488 בֹּאוּ הַכּוּם אִישׁ אַל־יֵצֵא IIK. 10:25
הֻכֵּיתִי 489 אֲשֶׁר הֻכֵּיתִי בֵּית מְאַהֲבָי Zech. 13:6
הֻכָּה 490 אֲשֶׁר הֻכָּה אֶת־הַמִּדְיָנִית Num. 25:14
491 הֻכָּה אֶפְרַיִם שָׁרְשָׁם יָבֵשׁ Hosh. 9:16
(הוּכָּה) 492 הוּכָּה כָעֵשֶׂב וַיִּבַשׁ לִבִּי Ps. 102:5
וְהֻכָּה 493 אִם...יִמָּצֵא הַגַּנָּב וְהֻכָּה וָמֵת Ex. 22:1
הֻכְּתָה 494 ...לֵאמֹר הֻכְּתָה הָעִיר Ezek. 33:21
495 אַחַר אֲשֶׁר הֻכְּתָה הָעִיר Ezek. 40:1
הֻכּוּ 496 אֲשֶׁר לֹא־מֵתוּ הֻכּוּ בַּטְּחֹרִים° ISh. 5:12
הַמֻּכֶּה 497 וְשֵׁם אִישׁ יִשְׂרָאֵל הַמֻּכֶּה Num. 25:14
מֻכֵּה־ 498 נָגוּעַ מֻכֵּה אֱלֹהִים וּמְעֻנֶּה Is. 53:4
מֻכִּים 499 וְהִנֵּה עֲבָדֶיךָ מֻכִּים° Ex. 5:16
מֻכֵּי־ 500 בַּחוּרֵיהֶם מֻכֵּי־חֶרֶב בַּמִּלְחָמָה Jer. 18:21
הַמֻּכָּה 501 וְשֵׁם הָאִשָּׁה הַמֻּכָּה הַמִּדְיָנִית Num. 25:15
502 הַמֻּכָּה בְיוֹם־הַמַּגֵּפָה Num. 25:18
תֻכּוּ 503 עַל מֶה תֻכּוּ עוֹד תּוֹסִיפוּ סָרָה Is. 1:5
וַיֻּכּוּ 504 וַיֻּכּוּ שֹׁטְרֵי בְּנֵי יִשְׂרָאֵל Ex. 5:14

נָכֶה*
ת׳ נגוע, מֻכֶּה (גם בהשאלה): 1–3
נְכֵה רַגְלַיִם 1, 2; נְכֵה רוּחַ 3
נְכֵה־ 1 וְלִיהוֹנָתָן...בֵּן נְכֵה רַגְלָיִם IISh. 4:4
2 עוֹד בֵּן לִיהוֹנָתָן נְכֵה רַגְלָיִם IISh. 9:3
וּנְכֵה־ 3 וְאֶל־זֶה אַבִּיט אֶל־עָנִי וּנְכֵה־רוּחַ Is. 66:2

נֵכֶה*
ת׳ זֵד, רשע
נֵכִים 1 נֶאֶסְפוּ עָלַי נֵכִים וְלֹא יָדַעְתִּי Ps. 35:15

נְכֹה, נְכוֹ
שפ״ז – מלך מצרים בימי יאשיהו: 1–8
פַּרְעֹה נְכֹה 1–5; דִּבְרֵי נְכוֹ 7
נְכֹה 1 פַּרְעֹה נְכֹה מֶלֶךְ־מִצְרַיִם IIK. 23:29
2 וַיַּאַסְרֵהוּ פַרְעֹה נְכֹה בְרִבְלָה IIK. 23:33
3 וַיַּמְלֵךְ פַּרְעֹה נְכֹה אֶת־אֶלְיָקִים IIK. 23:34
4 נָגַשׂ אֶת־הַכֶּסֶף...לָתֵת לְפַרְעֹה נְכֹה IIK. 23:35
נְכוֹ 5 עַל־חֵיל פַּרְעֹה נְכוֹ מֶלֶךְ מִצְרַיִם Jer. 46:2
6 עָלָה נְכוֹ מֶלֶךְ־מִצְרַיִם IICh. 35:20
7 וְלֹא שָׁמַע אֶל־דִּבְרֵי נְכוֹ IICh. 35:22
8 וְאֶת־יוֹאָחָז אָחִיו לָקַח נְכוֹ IICh. 36:4

נָכוֹחַ ת' – עין נֹכַח   **נְכוֹחָה** נ' – עין נְכֹחָה

נָכוֹן ת' – עין (כון) נָכוֹן

(גֹּרֶן) נָכוֹן – עין ערך גֹּרֶן נָכוֹן

נֹכַח מ"י מול, נגד: 1-25 • קרובים: ראה מול

נֹכַח יְיָ 6; נֹכַח עֵינֵי־ 16; נֹכַח פְּנֵי־ 3,11-14,17; לְנֹכַח 21-23; נִכְחוֹ 24, 25

נֹכַח 1 וְאֶת־הַמְּנֹרָה נֹכַח הַשֻּׁלְחָן Ex.26:35
2 וַיָּשֶׂם אֶת־הַמְּנֹרָה...נֹכַח הַשֻּׁלְחָן Ex.40:24
3 וְהִזָּה אֶל־נֹכַח פְּנֵי אֹהֶל־מוֹעֵד Num.19:4
4 אֲשֶׁר־נֹכַח לְמַעֲלֵה אֲדֻמִּים Josh.15:7
5 אֲשֶׁר־נֹכַח מַעֲלֵה אֲדֻמִּים Josh.18:17
6 לְכוּ לְשָׁלוֹם נֹכַח יְיָ דַּרְכְּכֶם Jud.18:6
7 וַיָּבֹא עַד־נֹכַח יְבוּס Jud.19:10
8 עַד נֹכַח הַגִּבְעָה מִמִּזְרַח־שָׁמֶשׁ Jud.20:43
9 וַיַּחֲנוּ אֵלֶּה נֹכַח־אֵלֶּה IK.20:29
10 הָיָה מָעֳמָד בַּמֶּרְכָּבָה נֹכַח אֲרָם IK.22:35
11 מוֹצָא שְׂפָתַי נֹכַח פָּנֶיךָ הָיָה Jer.17:16
12 וּמִכְשׁוֹל עֲוֹנָם נָתְנוּ נֹכַח פְּנֵיהֶם Ezek.14:3
13/4 וּמִכְשׁוֹל עֲוֹנוֹ יָשִׂים נֹכַח פָּנָיו Ezek.14:4,7
15 עַד־נֹכַח לְבוֹא חֲמָת Ezek.47:20
16 כִּי נֹכַח עֵינֵי יְיָ דַּרְכֵי־אִישׁ Prov.5:21
17 שִׁפְכִי כַמַּיִם לִבֵּךְ נֹכַח פְּנֵי אֲדֹנָי Lam.2:19
18 וַתַּעֲמֹד...נֹכַח בֵּית הַמֶּלֶךְ Es.5:1
19 וְהַמֶּלֶךְ יוֹשֵׁב...נֹכַח פֶּתַח הַבָּיִת Es.5:1
20 הָיָה מַעֲמִיד בַּמֶּרְכָּבָה נֹכַח אֲרָם IICh.18:34
לְנֹכַח 21 וַיֶּעְתַּר יִצְחָק לַייָ לְנֹכַח אִשְׁתּוֹ Gen.25:21
22 תָּבֹאןָ הַצֹּאן לִשְׁתּוֹת לְנֹכַח הַצֹּאן Gen.30:38
23 עֵינֶיךָ לְנֹכַח יַבִּיטוּ Prov.4:25
נִכְחוֹ 24 נִכְחוֹ תַחֲנוּ עַל־הַיָּם Ex.14:2
25 לֹא יָשׁוּב...כִּי נִכְחוֹ יֵצֵא• Ezek.46:9

נָכֹחַ ת' יָשָׁר, טוב: 1-4

הוֹלֵךְ נְכֹחוֹ 1; דְּבָרִים נְכֹחִים 3, 4

נְכֹחוֹ 1 יָבוֹא שָׁלוֹם...הֹלֵךְ נְכֹחוֹ Is.57:2
נְכֹחִים 2 כֻּלָּם נְכֹחִים לַמֵּבִין Prov.8:9
3 מֵשִׁיב דְּבָרִים נְכֹחִים Prov.24:26
וּנְכֹחִים 4 דְּבָרֶיךָ טוֹבִים וּנְכֹחִים IISh.15:3

נְכֹחָה נ' יושר, אמת: 1-4 • אֶרֶץ נְכֹחוֹת 3

נְכֹחָה 1 וְלֹא־יָדְעוּ עֲשׂוֹת־נְכֹחָה Am.3:10
וּנְכֹחָה 2 וּנְכֹחָה לֹא־תוּכַל לָבוֹא Is.59:14
נְכֹחוֹת 3 בְּאֶרֶץ נְכֹחוֹת יְעַוֵּל Is.26:10
4 לֹא־תֶחֱזוּ־לָנוּ נְכֹחוֹת Is.30:10

(ו)נֹכַחַת (בראשית כ 16) – עין יכח

נכל : נָכַל, הִתְנַכֵּל; נוֹכֵל, נֵכֶל

נָכַל פ' א) זמם רעה: 1
ב) [הת' הִתְנַכֵּל] כנ"ל: 2, 3

נִכְּלוּ 1 בְּנִכְלֵיהֶם אֲשֶׁר־נִכְּלוּ לָכֶם Num.25:18
לְהִתְנַכֵּל 2 לִשְׂנֹא עַמּוֹ לְהִתְנַכֵּל בַּעֲבָדָיו Ps.105:25
וַיִּתְנַכְּלוּ 3 וַיִּתְנַכְּלוּ אֹתוֹ לַהֲמִיתוֹ Gen.37:18

נֵכֶל* ז' מזמה רעה

בְּנִכְלֵיהֶם 1 בְּנִכְלֵיהֶם אֲשֶׁר־נִכְּלוּ לָכֶם Num.25:18

נִכְלָם ת' – עין (כלם) נִכְלָם

נֶכֶס* ז' רכוש, קנין: 1-5

נְכָסִים רַבִּים 5; עֹשֶׁר וּנְכָסִים 1-4

נְכָסִים 1 וְלֹא־שָׁאַלְתָּ עֹשֶׁר נְכָסִים וְכָבוֹד IICh.1:11
וּנְכָסִים 2 נָתַן־לוֹ הָאֱלֹהִים עֹשֶׁר וּנְכָסִים Eccl.5:18
3 עֹשֶׁר וּנְכָסִים וְכָבוֹד Eccl.6:2
4 וְעֹשֶׁר וּנְכָסִים וְכָבוֹד אֶתֶּן־לָךְ IICh.1:12
בִּנְכָסִים 5 בִּנְכָסִים רַבִּים..וּבְמִקְנֶה רַב־מְאֹד Josh.22:8

נְכַס* ז' ארמית: נֶכֶס: 1, 2

נִכְסִין 1 הֵן־לַעֲנָשׁ נִכְסִין וְלֶאֱסוּרִין Ez.7:26
וּמִנִּכְסֵי־ 2 וּמִנִּכְסֵי מַלְכָּא דִּי מִדַּת עֲבַר נַהֲרָה Ez.6:8

נכר : נִכַּר, נִכֵּר, הִתְנַכֵּר, הִכִּיר; נֵכָר, נֹכֶר, נֶכֶר, נָכְרִי, הַכָּרָה, מַכָּר

נָכַר נפ' א) נודע, נראה, נבחן: 1-3
ב) [פ' נִכֵּר] עשה לזר: 5-7
ג) [כנ"ל] מסר, הסגיר: 4
ד) [הת' הִתְנַכֵּר] עשה עצמו לזר: 8, 9, 11
ה) [כנ"ל] נבחן, נתן להכירו: 10
ו) [הפ' הִכִּיר] גלה זהותו, ידע מי הוא: 15-17, 20-23, 27, 33-42, 44, 46-49
ז) [כנ"ל] הבחין, ידע: 12-14, 18, 19, 24-26, 29, 30, 43, 45

הִכִּיר פָּנִים 12, 13, 29, 45

נִכַּר 1 וְלֹא נִכַּר־שׁוֹעַ לִפְנֵי־דָל Job 34:19
נִכְּרוּ 2 לֹא נִכְּרוּ בַּחוּצוֹת Lam.4:8
יִנָּכֵר 3 בִּשְׂפָתָיו יִנָּכֵר שׂוֹנֵא Prov.26:24
נִכַּר 4 נִכַּר אֹתוֹ אֱלֹהִים בְּיָדִי ISh.23:7
תְנַכֵּרוּ 5 וְאֹתֹתָם לֹא תְנַכֵּרוּ Job 21:29
יְנַכְּרוּ 6 פֶּן־יְנַכְּרוּ צָרֵימוֹ Deut.32:27
וַיְנַכְּרוּ 7 עֲזָבֻנִי וַיְנַכְּרוּ אֶת־הַמָּקוֹם הַזֶּה Jer.19:4
מִתְנַכֵּרָה 8 וַיְהִי כְבֹאָהּ וְהִיא מִתְנַכֵּרָה IK.14:5
9 לָמָּה זֶּה אַתְּ מִתְנַכֵּרָה IK.14:6
יִתְנַכֶּר־ 10 גַּם בְּמַעֲלָלָיו יִתְנַכֶּר־נָעַר Prov.20:11
וַיִּתְנַכֵּר 11 וַיִּתְנַכֵּר...וַיְדַבֵּר אִתָּם קָשׁוֹת Gen.42:7
הַכֵּר 12 הַכֵּר־פָּנִים בְּמִשְׁפָּט בַּל־טוֹב Prov.24:23
13 הַכֵּר־פָּנִים לֹא־טוֹב Prov.28:21
לְהַכִּירֵנִי 14 מָצָאתִי חֵן בְּעֵינֶיךָ לְהַכִּירֵנִי Ruth 2:10
הִכִּיר 15 וְאֶת־אֶחָיו לֹא הִכִּיר Deut.33:9
הִכִּירוֹ 16 וְלֹא הִכִּירוֹ כִּי־הָיוּ יָדָיו...שְׂעִרֹת Gen.27:23
הִכִּירוּ 17 וְהֵמָּה הִכִּירוּ אֶת־קוֹל הַנַּעַר Jud.18:3
18 וְכָל־הָעָם הִכִּירוּ וַיִּיטַב בְּעֵינֵיהֶם IISh.3:36
19 לֹא־הִכִּירוּ דְרָכָיו Job 24:13
הִכִּרֻהוּ 20 וַיַּכֵּר יוֹסֵף...וְהֵם לֹא הִכִּרֻהוּ Gen.42:8
21 וַיִּשְׂאוּ...מֵרָחוֹק וְלֹא הִכִּירֻהוּ Job 2:12
מַכִּיר 22 הַבֵּיט יָמִין וּרְאֵה וְאֵין־לִי מַכִּיר Ps.142:5
מַכִּירֵךְ 23 יְהִי מַכִּירֵךְ בָּרוּךְ Ruth 2:19
מַכִּירִים 24 וְאֵין הָעָם מַכִּירִים קוֹל תְּרוּעַת... Ez.3:13
25 וְאֵינָם מַכִּירִים לְדַבֵּר יְהוּדִית Neh.13:24
אַכִּיר 26 כֵּן אַכִּיר אֶת־גָּלוּת יְהוּדָה Jer.24:5
27 יַעֲמֹד וְלֹא־אַכִּיר מַרְאֵהוּ Job 4:16
וָאַכִּירָה 28 וָאַכִּירָה וְהִנֵּה לֹא־אֱלֹהִים שְׁלָחוֹ Neh.6:12
תַכִּיר 29 לֹא תַטֶּה מִשְׁפָּט לֹא תַכִּיר פָּנִים Deut.16:19
יַכִּיר 30 כִּי אֶת־הַבְּכֹר בֶּן־הַשְּׂנוּאָה יַכִּיר Deut.21:17
31 כִּי־יַכִּיר בַּלְהוֹת צַלְמָוֶת Job 24:17
32 לָכֵן יַכִּיר מַעְבָּדֵיהֶם Job 34:25
33 בְּטֶרֶם יַכִּיר אִישׁ אֶת־רֵעֵהוּ Ruth 3:14
34 עִם־אֱלוֹהַּ נֵכָר אֲשֶׁר יַכִּיר• Dan.11:39
וַיַּכֵּר 35 וַיַּכֵּר יְהוּדָה וַיֹּאמֶר Gen.38:26
36 וַיַּכֵּר יוֹסֵף אֶת־אֶחָיו Gen.42:8
37 וַיַּכֵּר שָׁאוּל אֶת־קוֹל דָּוִד ISh.26:17
38 וַיַּכֵּר אֹתוֹ מֶלֶךְ יִשְׂרָאֵל IK.20:41
וַיַּכִּרֵהוּ 39 וַיַּכִּרֵהוּ וַיִּפֹּל עַל־פָּנָיו IK.18:7
יַכִּירֶנּוּ 40 וְלֹא־יַכִּירֶנּוּ עוֹד מְקוֹמוֹ Ps.103:16
41 וְלֹא־יַכִּירֶנּוּ עוֹד מְקֹמוֹ Job 7:10
וַיַּכִּירָהּ 42 וַיַּכִּירָהּ וַיֹּאמֶר כְּתֹנֶת בְּנִי Gen.37:33
יַכִּירָנוּ 43 וְיִשְׂרָאֵל לֹא יַכִּירָנוּ Is.63:16
וַיַּכִּרֵם 44 וַיַּרְא יוֹסֵף אֶת־אֶחָיו וַיַּכִּרֵם Gen.42:7
תַכִּירוּ 45 לֹא־תַכִּירוּ פָנִים בַּמִּשְׁפָּט Deut.1:17
יַכִּירוּם 46 כָּל־רֹאֵיהֶם יַכִּירוּם Is.61:9
הַכֶּר־ 47 הַכֶּר־לְךָ מָה עִמָּדִי Gen.31:32
48 הַכֶּר־נָא הַכְּתֹנֶת בִּנְךָ הִוא Gen.37:32
49 הַכֶּר־נָא לְמִי הַחֹתֶמֶת Gen.38:25

נֵכָר ז' זרות, דבר זר: 1-36

– אַדְמַת נֵכָר 24; אֵל נ' 7, 22, 23; אֱלוֹהַּ נ' 25; אֱלֹהֵי הַנֵּכָר 8, 20, 27-32, 36; בֶּן־נֵכָר 1-6, 33; בְּנֵי נֵכָר 10-19, 34; הַבְלֵי נ' 21; מִזְבְּחוֹת נ' 35
– נֵכַר הָאָרֶץ 36

נֵכָר 1 וּמִקְנַת־כֶּסֶף מִכֹּל בֶּן־נֵכָר Gen.17:12
2-6 בֶּן־נֵכָר Gen.17:27
Ex.12:43 • Lev.22:25 • Ezek.44:9²
7 וְאֵין עִמּוֹ אֵל נֵכָר Deut.32:12
8 וַעֲבַדְתֶּם אֱלֹהֵי נֵכָר Josh.24:20
9 בְּנֵי נֵכָר יִתְכַּחֲשׁוּ־לִי IISh.22:45
10-19 (וּ)בְנֵי־נֵכָר IISh.22:46
Is.60:10; 61:5; 62:8 • Ezek.44:7 • Ps.18:45,46; 144:7,11 • Neh.9:2
20 וַתַּעַבְדוּ אֱלֹהֵי נֵכָר בְּאַרְצְכֶם Jer.5:19
21 בְּפְסִלֵיהֶם בְּהַבְלֵי נֵכָר Jer.8:19
22 וּבָעַל בַּת־אֵל נֵכָר Mal.2:11
23 וְלֹא תִשְׁתַּחֲוֶה לְאֵל נֵכָר Ps.81:10
24 אֵיךְ נָשִׁיר...עַל אַדְמַת נֵכָר Ps.137:4
25 לְמִבְצְרֵי מָעֻזִּים עִם־אֱלוֹהַּ נֵכָר Dan.11:39
26 וְטִהַרְתִּים מִכָּל־נֵכָר Neh.13:30
הַנֵּכָר 27 הָסִרוּ אֶת־אֱלֹהֵי הַנֵּכָר Gen.35:2
28-32 אֱלֹהֵי הַנֵּכָר Gen.35:4
Josh.24:23 • Jud.10:16 • ISh.7:3 • IICh.33:15
33 וְאַל־יֹאמַר בֶּן־הַנֵּכָר הַנִּלְוָה אֶל־יְיָ Is.56:3
34 וּבְנֵי הַנֵּכָר הַנִּלְוִים עַל־יְיָ Is.56:6
35 וַיָּסַר אֶת־מִזְבְּחוֹת הַנֵּכָר IICh.14:2
נֵכַר־ 36 וְזָנָה אַחֲרֵי אֱלֹהֵי נֵכַר־הָאָרֶץ Deut.31:16

נֹכֶר ז' פגע, צרה: 1, 2

וְנֵכֶר 1 אֵיד לְעַוָּל וְנֵכֶר לְפֹעֲלֵי אָוֶן Job 31:3
נָכְרוֹ 2 וְאַל־תֵּרֶא בְיוֹם אָחִיךָ בְּיוֹם נָכְרוֹ Ob.12

נָכְרִי ת"ו-ז א) בן עם זר: 1-6, 8-20, 28-45
ב) זר, אחר: 7, 21-27

– אִישׁ נָכְרִי 2, 9; בֵּית נָכְרִי 6; מַלְבּוּשׁ נ' 5; עִיר נָכְרִי 3; עַם נָכְרִי 1
– אֶרֶץ נָכְרִיָּה 19, 20; חֵיק נ' 23; לָשׁוֹן נָכְרִיָּה 24
– יַלְדֵי נָכְרִים 31; נָשִׁים נָכְרִיּוֹת 35-45

נָכְרִי 1 לְעַם נָכְרִי לֹא־יִמְשֹׁל לְמָכְרָהּ Ex.21:8
2 אִישׁ נָכְרִי אֲשֶׁר לֹא־אָחִיךָ הוּא Deut.17:15
3 עִיר נָכְרִי אֲשֶׁר לֹא מִבְּ־יִ הֵנָּה Jud.19:12
4 כִּי־נָכְרִי אַתָּה IISh.15:19
5 וְעַל כָּל־הַלֹּבְשִׁים מַלְבּוּשׁ נָכְרִי Zep.1:8
6 וַעֲצָבֶיךָ בְּבֵית נָכְרִי Prov.5:10
7 יְהַלֶּלְךָ...נָכְרִי וְאַל־שְׂפָתֶיךָ Prov.27:2
8 נָכְרִי הָיִיתִי בְעֵינֵיהֶם Job 19:15
9 כִּי אִישׁ נָכְרִי יֹאכְלֶנּוּ Eccl.6:2
וְנָכְרִי 10 מוּזָר...וְנָכְרִי לִבְנֵי אִמִּי Ps.69:9

הַנָּכְרִי 11 אֶת־הַנָּכְרִי תִּגֹּשׂ Deut.15:3
12 הַנָּכְרִי אֲשֶׁר לֹא מֵעַמְּךָ יִשְׂרָאֵל הוּא IK.8:41
13 כְּכֹל אֲשֶׁר־יִקְרָא אֵלֶיךָ הַנָּכְרִי IK.8:43
14 הַנָּכְרִי אֲשֶׁר לֹא־מֵעַמְּךָ יִשְׂרָאֵל IICh.6:32
15 כְּכֹל אֲשֶׁר־יִקְרָא אֵלֶיךָ הַנָּכְרִי IICh.6:33
וְהַנָּכְרִי 16 וְהַנָּכְרִי אֲשֶׁר יָבֹא מֵאֶרֶץ רְחוֹקָה Deut.29:21
לְנָכְרִי 17 לַגֵּר...תִּתְּנֶנָּה...אוֹ מָכֹר לְנָכְרִי Deut.14:21
לַנָּכְרִי 18 לַנָּכְרִי תַשִּׁיךְ וּלְאָחִיךָ לֹא תַשִּׁיךְ Deut.23:21
נָכְרִיָּה 19–20 גֵּר הָיִיתִי בְּאֶרֶץ נָכְרִיָּה Ex.2:22; 18:3
21 זָר מַעֲשֵׂהוּ...נָכְרִיָּה עֲבֹדָתוֹ Is.28:21
22 נֶהְפַּכְתְּ לִי סוּרֵי הַגֶּפֶן נָכְרִיָּה Jer.2:21
23 וּתְחַבֵּק חֵק נָכְרִיָּה Prov.5:20
24 לִשְׁמָרְךָ...מֵחֶלְקַת לָשׁוֹן נָכְרִיָּה Prov.6:24
25 וּבְעַד נָכְרִיָּה (כת׳ נכרים) חַבְלֵהוּ Prov.20:16
26 וּבְאֵר צָרָה נָכְרִיָּה Prov.23:27
27 וּבְעַד נָכְרִיָּה חַבְלֵהוּ Prov.27:13
28 מָצָאתִי חֵן...לְהַכִּירֵנִי וְאָנֹכִי נָכְרִיָּה Ruth 2:10
מִנָּכְרִיָּה 29–30 מִנָּכְרִיָּה אֲמָרֶיהָ הֶחֱלִיקָה Prov.2:16; 7:5
נָכְרִים 31 וּבְיַלְדֵי נָכְרִים יַשְׂפִּיקוּ Is.2:6
וְנָכְרִים 32 עֲמָדְךָ מִנֶּגֶד...וְנָכְרִים בָּאוּ שְׁעָרָו Ob.11
לְנָכְרִים 33 נַחֲלָתֵנוּ...לְזָרִים בָּתֵּינוּ לְנָכְרִים Lam.5:2
נָכְרִיּוֹת 34 הֲלוֹא נָכְרִיּוֹת נֶחְשַׁבְנוּ לוֹ Gen.31:15
35 אָהַב נָשִׁים נָכְרִיּוֹת רַבּוֹת IK.11:1
36 וַנֹּשֶׁב נָשִׁים נָכְרִיּוֹת מֵעַמֵּי הָאָרֶץ Ez.10:2
37–42 נָשִׁים נָכְרִיּוֹת Ez.10:10,14,17,18,44
Neh.13:27
הַנָּכְרִיּוֹת 43 וְכֵן עָשָׂה לְכָל־נָשָׁיו הַנָּכְרִיּוֹת IK.11:8
44 וְהִבָּדְלוּ...וּמִן־הַנָּשִׁים הַנָּכְרִיּוֹת Ez.10:11
45 גַּם־אוֹתוֹ הֶחֱטִיאוּ הַנָּשִׁים הַנָּכְרִיּוֹת Neh.13:26

נלה עין ערך כַּנְּלֹתְךָ (באות כ׳)

נָלוֹז ת׳ – עין לוז

נִמְבְזָה ת׳ [סתום] נבזה, פשוט (?)
נִמְבְזָה 1 הַמְּלָאכָה נְמִבְזָה וְנָמֵס אֹתָהּ הֶחֱרִימוּ ISh.15:9

נִמְהָר ת׳ – עין מהר²

נְמוּאֵל שפ״ז א) בן אליאב נכד ראובן: 3,1
ב) מבני שמעון: 2
נְמוּאֵל 1 וּבְנֵי אֱלִיאָב נְמוּאֵל וְדָתָן Num.26:9
2 בְּנֵי שִׁמְעוֹן נְמוּאֵל וְיָמִין ICh.4:24
לִנְמוּאֵל 3 לִנְמוּאֵל מִשְׁפַּחַת הַנְּמוּאֵלִי Num.26:12

נְמוּאֵלִי ת׳ המתיחס על בני נמואל
הַנְּמוּאֵלִי 1 לִנְמוּאֵל מִשְׁפַּחַת הַנְּמוּאֵלִי Num.26:12

נָמוֹג (ש״א יד16) – עין (מוג)

נָמוֹל (בראשית יז26) – עין (מול)

נְמָלָה נ׳ חרק החי בחבורות בקנים בעקר באדמה: 2,1
נְמָלָה 1 לֵךְ־אֶל־נְמָלָה עָצֵל...וַחֲכָם Prov.6:6
הַנְּמָלִים 2 הַנְּמָלִים עַם לֹא־עָז Prov.30:25

נִמַּלְתֶּם (בראשית יז11) – עין (מול)(24)

נָמֵס (ש״א טו9) – עין (מסס)

נָמַקּוּ (ישעיה לד4) – עין (מקק) (4-2)

נָמֵר ז׳ חית טרף שעורה מנומר: 1–6
הַרְרֵי נְמֵרִים 5
נָמֵר 1 נָמֵר שֹׁקֵד עַל־עָרֵיהֶם Jer.5:6
וְנָמֵר 2 וְנָמֵר עִם־גְּדִי יִרְבָּץ Is.11:6
3 הֲיַהֲפֹךְ...וְנָמֵר חֲבַרְבֻּרֹתָיו Jer.13:23
כְּנָמֵר 4 כְּנָמֵר עַל־דֶּרֶךְ אָשׁוּר Hosh.13:7
נְמֵרִים 5 מִמְּעֹנוֹת אֲרָיוֹת מֵהַרְרֵי נְמֵרִים S.ofS.4:8
מִנְּמֵרִים 6 וְקַלּוּ מִנְּמֵרִים סוּסָיו Hab.1:8

נְמַר ז׳ ארמית: נמר
כִּנְמַר 1 חָזֵה הֲוֵית וַאֲרוּ אָחֳרִי כִּנְמַר Dan.7:6

נָמַר (ירמיה מח11) – עין (מור) (1)

נִמְרָה עיר בנחלת גד [עין גם בֵּית נִמְרָה באות ב׳]
וְנִמְרָה 1 עֲטָרוֹת וְדִיבֹן וְיַעְזֵר וְנִמְרָה Num.32:3

נִמְרוֹד שפ״ז – בן כוש, מבני חם בן נח: 1–4
נִמְרוֹד 1 וְכוּשׁ יָלַד אֶת־נִמְרֹד Gen.10:8
2 וְרָעוּ...וְאֶת־אֶרֶץ נִמְרוֹד בִּפְתָחֶיהָ Mic.5:5
3 וְכוּשׁ יָלַד אֶת־נִמְרוֹד ICh.1:10
כְּנִמְרוֹד 4 כְּנִמְרֹד גִּבּוֹר צַיִד לִפְנֵי יְיָ Gen.10:9

נִמְרִים עיר בארץ מואב: 1, 2
(מֵי) נִמְרִים 1 כִּי־מֵי נִמְרִים מְשַׁמּוֹת יִהְיוּ Is.15:6
2 כִּי גַּם־מֵי נִמְרִים לִמְשַׁמּוֹת יִהְיוּ Jer.48:34

נִמְשִׁי שפ״ז – אבי יהוא מלך ישראל: 1–5
נִמְשִׁי 1 וְאֵת יֵהוּא בֶן־נִמְשִׁי תִּמְשַׁח לְמֶלֶךְ IK.19:16
2–3 יֵהוּא בֶּן־יְהוֹשָׁפָט בֶּן־נִמְשִׁי IIK.9:2,14
4 וְהַמִּנְהָג כְּמִנְהַג יֵהוּא בֶן־נִמְשִׁי IIK.9:20
5 אֶל־יֵהוּא בֶן־נִמְשִׁי אֲשֶׁר מְשָׁחוֹ יְיָ IICh.22:7

נֵס ז׳ א) מוט, תורן: 1, 14, 15
ב) דגל: 2–13, 18–21
ג) מופת: 16, 17
– הֵרִים נֵס 21,7; הִתְנוֹסֵס נֵס 13; נָשָׂא נֵס 2–5,8,10–12
– הָיָה לְנֵס 16; שָׂם עַל נֵס 1, 14
נֵס 1 עֲשֵׂה לְךָ שָׂרָף וְשִׂים אֹתוֹ עַל־נֵס Num.21:8
2 וְנָשָׂא־נֵס לַגּוֹיִם מֵרָחוֹק Is.5:26
3 וְנָשָׂא נֵס לַגּוֹיִם Is.11:12
4 עַל הַר־נִשְׁפֶּה שְׂאוּ־נֵס Is.13:2
5 כִּנְשֹׂא־נֵס הָרִים תִּרְאוּ Is.18:3
6 בַּל־פָּרְשׂוּ נֵס Is.33:23
7 הָרִימוּ נֵס עַל־הָעַמִּים Is.62:10
8 שְׂאוּ־נֵס צִיּוֹנָה Jer.4:6
9 עַד־מָתַי אֶרְאֶה־נֵּס Jer.4:21
10 הַשְׁמִיעוּ וּשְׂאוּ־נֵס Jer.50:2
11 אֶל־חוֹמֹת בָּבֶל שְׂאוּ־נֵס Jer.51:12
12 שְׂאוּ־נֵס בָּאָרֶץ Jer.51:27
13 נָתַתָּה לִּירֵאֶיךָ נֵּס לְהִתְנוֹסֵס Ps.60:6
הַנֵּס 14 וַיְשִׂמֵהוּ עַל־הַנֵּס Num.21:9
וְכַנֵּס 15 כַּתֹּרֶן...וְכַנֵּס עַל־הַגִּבְעָה Is.30:17
לְנֵס 16 בַּאֲכֹל הָאֵשׁ...וַיִּהְיוּ לְנֵס Num.26:10
17 אֲשֶׁר עֹמֵד לְנֵס עַמִּים Is.11:10
18 הָיָה מִפְרָשֵׂךְ לִהְיוֹת לָךְ לְנֵס Ezek.27:7
מִנֵּס 19 וְחַתּוּ מִנֵּס שָׂרָיו Is.31:9
נִסִּי 20 וַיִּקְרָא שְׁמוֹ יְיָ נִסִּי Ex.17:15
21 וְאֶל־עַמִּים אָרִים נִסִּי Is.49:22

נָסַב (במדבר לד4), **נְסַבָּה** (יחזקאל מא7) – עין סבב

נְסִבָּה נ׳ סבה
נְסִבָּה 1 הָיְתָה נְסִבָּה מֵעִם הָאֱלֹהִים IICh.10:15

נסג פ׳ – עין (סוג)

נסה : נִסָּה; מַסָּה

נִסָּה פ׳ בָּחַן, בָּדַק טיב, נאמנות וכד׳: 1–36
קרובים: בָּחַן | חָקַר | חִקֵּר
נַסּוֹת 1 לְבַעֲבוּר נַסּוֹת אֶתְכֶם בָּא הָאֱלֹהִים Ex.20:17
2 לְמַעַן נַסּוֹת בָּם אֶת־יִשְׂרָאֵל Jud.2:22
לְנַסּוֹת 3–4 לְנַסּוֹת בָּם אֶת־יִשְׂרָאֵל Jud.3:1,4
5 וַתָּבוֹא לְנַסּוֹת אֶת־שְׁלֹמֹה בְחִידוֹת IICh.9:1
נַסֹּתֶךָ 6 לְמַעַן עַנֹּתְךָ וּלְמַעַן נַסֹּתֶךָ Deut.8:16
לְנַסֹּתְךָ 7 לְמַעַן עַנֹּתְךָ לְנַסֹּתְךָ לָדַעַת... Deut.8:2
לְנַסֹּתוֹ 8 וַתָּבֹא לְנַסֹּתוֹ בְּחִידוֹת IK.10:1
9 לְנַסּוֹתוֹ לָדַעַת כָּל־בִּלְבָבוֹ IICh.32:31
נַסֹּתָם 10 וְעַל נַסֹּתָם אֶת־יְיָ לֵאמֹר... Ex.17:7
נִסִּיתִי 11 לֹא אוּכַל...כִּי לֹא נִסִּיתִי ISh.17:39
12 כָּל־זֹה נִסִּיתִי בַחָכְמָה Eccl.7:23
נִסִּיתוֹ 13 אֲשֶׁר נִסִּיתוֹ בְּמַסָּה Deut.33:8
נִסָּה 14 וְהָאֱלֹהִים נִסָּה אֶת־אַבְרָהָם Gen.22:1
15 וַיֹּאֶל לָלֶכֶת כִּי לֹא־נִסָּה ISh.17:39
הֲנִסָּה 16 אוֹ הֲנִסָּה אֱלֹהִים לָבוֹא לָקַחַת לוֹ Deut.4:34
17 הֲנִסָּה דָבָר אֵלֶיךָ תִּלְאֶה Job 4:2
נִסָּהוּ 18 שָׂם שָׂם לוֹ חֹק...וְשָׁם נִסָּהוּ Ex.15:25
נִסְּתָה 19 לֹא־נִסְּתָה כַף־רַגְלָהּ הַצֵּג עַל־הָאָרֶץ Deut.28:56
נִסִּיתֶם 20 לֹא תְנַסּוּ...כַּאֲשֶׁר נִסִּיתֶם בַּמַּסָּה Deut.6:16
נִסּוּנִי 21 אֲשֶׁר נִסּוּנִי אֲבוֹתֵיכֶם בְּחָנוּנִי... Ps.95:9
מְנַסֶּה 22 כִּי מְנַסֶּה יְיָ אֱלֹהֵיכֶם אֶתְכֶם Deut.13:4
אֲנַסֶּה 23 אֲנַסֶּה נָּא־רַק־הַפַּעַם Jud.6:39
24 לֹא־אֶשְׁאַל וְלֹא־אֲנַסֶּה אֶת־יְיָ Is.7:12
אֲנַסְּכָה(=אֲנַסְּךָ) 25 לְכָה־נָּא אֲנַסְּכָה בְשִׂמְחָה Eccl.2:1
אֲנַסֶּנּוּ 26 לְמַעַן אֲנַסֶּנּוּ הֲיֵלֵךְ בְּתוֹרָתִי Ex.16:4
וַיְנַסֵּם 27 וַיְנַסֵּם יָמִים עֲשָׂרָה Dan.1:14
תְנַסּוּ 28 לֹא תְנַסּוּ אֶת־יְיָ אֱלֹהֵיכֶם Deut.6:16
תְּנַסּוּן 29 ...מַה־תְּנַסּוּן אֶת־יְיָ Ex.17:2
וַיְנַסּוּ 30 וַיְנַסּוּ אֹתִי זֶה עֶשֶׂר פְּעָמִים Num.14:22
31 וַיְנַסּוּ־אֵל בִּלְבָבָם לִשְׁאָל־אֹכֶל Ps.78:18
32 וַיָּשׁוּבוּ וַיְנַסּוּ אֵל Ps.78:41
33 וַיְנַסּוּ וַיַּמְרוּ אֶת־אֱלֹהִים עֶלְיוֹן Ps.78:56
34 וַיִּתְאַוּוּ...וַיְנַסּוּ אֵל בִּישִׁימוֹן Ps.106:14
נַס 35 נַס־נָא אֶת־עֲבָדֶיךָ יָמִים עֲשָׂרָה Dan.1:12
וְנַסֵּנִי 36 בְּחָנֵנִי יְיָ וְנַסֵּנִי Ps.26:2

נְסָה פ׳ צורת־משנה של ״נשא״, הרים
נְסָה 1 נְסָה עָלֵינוּ אוֹר פָּנֶיךָ יְיָ Ps.4:7

נָסוֹג (תהלים פ19) – עין (סוג)

נָסוּךְ ת׳ – עין נָסַךְ

נסח : נָסַח, נִסַּח; אר׳: נְסַח

נָסַח פ׳ א) עקר, תלש: 1, 2, 3(?)
ב) [נפ׳ נִסַּח] נֶעְקַר: 4
יִסַּח 1 בֵּית גֵּאִים יִסַּח יְיָ Prov.15:25
וְיִסָּחֲךָ 2 יַחְתְּךָ וְיִסָּחֲךָ מֵאֹהֶל Ps.52:7
יִסְּחוּ 3 וּבוֹגְדִים יִסְּחוּ מִמֶּנָּה Prov.2:22
וְנִסַּחְתֶּם 4 וְנִסַּחְתֶּם מֵעַל הָאֲדָמָה Deut.28:63

(נסח) אִתְנְסַח הת׳ ארמית: נעקר
יִתְנְסַח 1 יִתְנְסַח אָע מִן־בַּיְתֵהּ Ez.6:11

נְסִיךְ¹ ז׳ צורת־משנה של ״נֶסֶךְ״
נְסִיכָם 1 יִשְׁתּוּ יֵין נְסִיכָם Deut.32:38

נָסִיךְ² ז׳ שַׂר, שליט: 1–5
קרובים: אַלּוּף | אָצִיל | טִפְסָר | מוֹשֵׁל | נָגִיד | נְצִיב | נָשִׂיא | סֶרֶן | פֶּחָה | פַּרְתְּמִים | קָצִין | רֹאשׁ | רוֹזֵן | שׁוֹעַ | שַׁלִּיט | שַׂר
נְסִיכֵי אָדָם 3; נ׳ סִיחוֹן 1; נְסִיכֵי צָפוֹן 2
נְסִיכֵי־ 1 וּנְסִיכֵי סִיחוֹן יֹשְׁבֵי הָאָרֶץ Josh.13:21
2 שָׁמָּה נְסִיכֵי צָפוֹן כֻּלָּם Ezek.32:30
3 שִׁבְעָה רֹעִים וּשְׁמֹנָה נְסִיכֵי אָדָם Mic.5:4
נְסִיכֵיהֶם 4 וְגַם אֱלֹהֵיהֶם עִם־נְסִיכֵיהֶם Dan.11:8
נְסִיכֵמוֹ 5 וּכְזֶבַח וּכְצַלְמֻנָּע כָּל־נְסִיכֵמוֹ Ps.83:12

נסך
: נָסַךְ, נִסַּךְ, נִסֵּךְ, הִסִּיךְ, הֻסַּךְ; נֵסֶךְ, נָסִיךְ, מַסֵּכָה;
אר׳ נְסַךְ פ׳, נְסַךְ ז׳

נָסַךְ
פָּ׳ א) יצק משקה לעבודת אלהים: 1, 7, 8
ב) יצק שמן לסיכה, מָשַׁח: 2
ג) [בהשאלה] השרה, אָצַל: 3
ד) התיך: 4-6
ה) [נפ׳ נִסַּךְ] נמשח: 9
ו) [פִּ׳ נִסֵּךְ] יצק נוזלים לעבודת אלהים: 10
ז) [הִפ׳ הִסִּיךְ] כנ״ל: 11-24
ח) [הָפ׳ הֻסַּךְ] נוצק לעבודת אלהים: 25, 26
קרובים: הִזָּה (נזה) / זָרַק / יָצַק / מָשַׁח / סָךְ (סוך) / שָׁפַךְ
– נָסַךְ מֶלֶךְ 2; נָ׳ יַיִן 8; נָ׳ מַסֵּכָה 1, 6; נָ׳ נֶסֶךְ 7; נָסַךְ פֶּסֶל 4, 5; נָסַךְ רוּחַ 3
– נִסֵּךְ מַיִם 10
– הִסִּיךְ מַיִם 21; הִסִּיךְ נֶסֶךְ (נְסָכִים) 11-20, 22-24

וְלִנְסֹךְ 1 וְלִנְסֹךְ מַסֵּכָה וְלֹא רוּחִי Is.30:1
נָסַכְתִּי 2 וַאֲנִי נָסַכְתִּי מַלְכִּי עַל־צִיּוֹן Ps.2:6
נָסַךְ 3 כִּי־נָסַךְ עֲלֵיכֶם יְיָ רוּחַ תַּרְדֵּמָה Is.29:10
4 הַפֶּסֶל נָסַךְ חָרָשׁ Is.40:19
נָסָךְ 5 מִי־יָצַר אֵל וּפֶסֶל נָסָךְ Is.44:10
הַנְּסוּכָה 6 וְהַמַּסֵּכָה הַנְּסוּכָה עַל־כָּל־הַגּוֹיִם Is.25:7
תִּסְּכוּ 7 וְנֶסֶךְ לֹא תִסְּכוּ עָלָיו Ex.30:9
יִסְּכוּ 8 לֹא־יִסְּכוּ לַייָ יַיִן Hosh.9:4
נִסַּכְתִּי 9 מֵעוֹלָם נִסַּכְתִּי מֵרֹאשׁ... Prov. 8:23
וַיְנַסֵּךְ 10 וַיִּשְׁאֲבוּ־מַיִם...וַיְנַסֵּךְ אֹתָם לַייָ ICh.11:18
וְהַסֵּךְ 11/2 וְהַסֵּךְ נְסָכִים לֵאל׳ אֲחֵרִים Jer.7:18; 19:13
13 לְקַטֵּר...וְהַסֵּיךְ־לָהּ נְסָכִים Jer.44:17
14/5 ...וְהַסֵּךְ(־)לָהּ נְסָכִים Jer.44:18, 19
וּלְהַסֵּךְ 16/7 ...וּלְהַסֵּךְ לָהּ נְסָכִים Jer.44:19, 25
וְהִסִּיכוּ 18 וְהִסִּכוּ נְסָכִים לֵאלֹהִים אֲחֵרִים Jer.32:29
אַסִּיךְ 19 בַּל־אַסִּיךְ נִסְכֵּיהֶם מִדָּם Ps.16:4
וַיַּסֵּךְ 20 וַיַּסֵּךְ עָלֶיהָ נֶסֶךְ וַיִּצֹק...שָׁמֶן Gen.35:14
21 וַיִּשְׁאֲבוּ־מַיִם...וַיַּסֵּךְ אֹתָם לַייָ IISh.23:16
22 וַיַּקְטֵר...וַיַּסֵּךְ אֶת־נִסְכּוֹ IIK.16:13
וַיַּסִּיכוּ 23 וַיַּסִּיכוּ שָׁם אֶת־נִסְכֵּיהֶם Ezek.20:28
הַסֵּךְ 24 וְנִסְכּוֹ...הַסֵּךְ נֶסֶךְ שֵׁכָר לַייָ Num.28:7
יֻסַּךְ 25 וּמְנַקִּיֹּתָיו אֲשֶׁר יֻסַּךְ בָּהֵן Ex.25:29
26 וְאֶת־הַקְּשָׂוֹת אֲשֶׁר יֻסַּךְ בָּהֵן Ex.37:16

נְסַךְ
פַּ׳ ארמית, כמו בעברית: נִסֵּךְ
לְנַסָּכָה 1 וּמִנְחָה וְנִיחֹחִין אֲמַר לְנַסָּכָה לֵהּ Dan.2:46

נֵסֶךְ, נֶסֶךְ
ז׳ יציקת נוזלים לעבודת אלהים: 1-64
– מִנְחָה וָנֶסֶךְ (וּנְסָכִים) 5-7, 9, 20, 22, 25, 27-33, 42, 44, 48-56, 59-62, 64; נֶסֶךְ שֵׁכָר 13
– הִסִּיךְ נֶסֶךְ (נְסָכִים) 1, 13, 16, 34-41, 46, 47; נָסַךְ נֶסֶךְ 4; שָׁפַךְ נֶסֶךְ 2

נֶסֶךְ 1 וַיַּסֵּךְ עָלֶיהָ נֶסֶךְ וַיִּצֹק...שָׁמֶן Gen.35:14
2 גַּם־לָהֶם שָׁפַכְתְּ נֶסֶךְ Is.57:6
וְנֶסֶךְ 3 וְנֶסֶךְ רְבִיעִת הַהִין יָיִן Ex.29:40
4 וְנֶסֶךְ לֹא תִסְּכוּ עָלָיו Ex.30:9
וָנֶסֶךְ 5 הָכְרַת מִנְחָה וָנֶסֶךְ מִבֵּית יְיָ Joel 1:9
6 מִנְחָה וָנֶסֶךְ לַייָ אֱלֹהֵיכֶם Joel 2:14
וָנֶסֶךְ 7 נִמְנַע מִבֵּית אֱלֹהֵיכֶם מִנְחָה וָנֶסֶךְ Joel 1:13
הַנָּסֶךְ 8 וְאֶת־הַמְּנַקִּית וְאֵת קְשׂוֹת הַנָּסֶךְ Num.4:7
וְהַנֶּסֶךְ 9 הָעוֹלוֹת הַמִּנְחָה וְהַנֶּסֶךְ Ezek.45:17
לַנֶּסֶךְ 10 וְיַיִן לַנֶּסֶךְ רְבִיעִית הַהִין Num.15:5
11 וְיַיִן לַנֶּסֶךְ שְׁלִשִׁית הַהִין Num.15:7
12 וְיַיִן תַּקְרִיב לַנֶּסֶךְ חֲצִי הַהִין Num.15:10
נֶסֶךְ־ 13 הַסֵּךְ נֶסֶךְ שֵׁכָר לַייָ Num.28:7
וּנְסָכַי 14 עֲצַבַּי עָשָׂם וּפִסְלִי וְנִסְכִּי צִוָּם Is.48:5
נִסְכּוֹ 15 וְעָשָׂה...אֶת־מִנְחָתוֹ וְאֶת־נִסְכּוֹ Num.6:17
16 וַיַּקְטֵר...וַיַּסֵּךְ אֶת־נִסְכּוֹ IIK.16:13
17/8 כִּי שֶׁקֶר נִסְכּוֹ וְלֹא־רוּחַ בָּם Jer.10:14; 51:17
וְנִסְכֹּה 19 וְנִסְכֹּה יַיִן רְבִיעִת הַהִין Lev.23:13
וְנִסְכּוֹ 20 וּמִנְחָתוֹ וְנִסְכּוֹ כַּמִּשְׁפָּט Num.15:24
21 וְנִסְכּוֹ רְבִיעִת הַהִין... Num.28:7
22 מִנְחָה בְּלוּלָה בַשֶּׁמֶן וְנִסְכּוֹ Num.28:9
23 עַל־עֹלַת הַתָּמִיד יֵעָשֶׂה וְנִסְכּוֹ Num.28:15
24 עַל־עוֹלַת הַתָּמִיד יֵעָשֶׂה וְנִסְכּוֹ Num.28:24
וּכְנִסְכּוֹ 25 כְּמִנְחַת הַבֹּקֶר וּכְנִסְכּוֹ... Num.28:8
וְנִסְכָּהּ 26 עַל־עֹלַת הַתָּמִיד וְנִסְכָּהּ Num.28:10
27-32 (וּ)מִנְחָתָהּ וְנִסְכָּהּ Num.29:16, 22, 25, 28, 34, 38
וּכְנִסְכָּהּ 33 כְּמִנְחַת הַבֹּקֶר וּכְנִסְכָּהּ... Ex.29:41
נְסָכִים 34/5 וְהַסֵּךְ נְסָכִים לֵאל׳ אֲחֵרִים Jer.7:18; 19:13
36 וְהִסִּכוּ נְסָכִים לֵאלֹהִים אֲחֵרִים Jer.32:29
37 לְקַטֵּר...וְהַסֵּיךְ־לָהּ נְסָכִים Jer.44:17
38-39 וְהַסֵּךְ(־)לָהּ נְסָכִים Jer.44:18, 19
40-41 וּלְהַסֵּךְ לָהּ נְסָכִים Jer.44:19, 25
וּנְסָכִים 42 עֹלָה וּמִנְחָה זֶבַח וּנְסָכִים Lev.23:37
וּבַנְּסָכִים 43 בְּחֶלְבֵי הַשְּׁלָמִים וּבַנְּסָכִים לָעֹלָה IICh.29:35
וּנְסָכֶיהָ 44 מִנְחָתָהּ וּנְסָכֶיהָ Num.29:31
נִסְכֵּיהֶם 45 רוּחַ וָתֹהוּ נִסְכֵּיהֶם Is.41:29
46 וַיַּסִּיכוּ שָׁם אֶת־נִסְכֵּיהֶם Ezek.20:28
47 בַּל־אַסִּיךְ נִסְכֵּיהֶם מִדָּם Ps.16:4
וְנִסְכֵּיהֶם 48 וּמִנְחָתָם וְנִסְכֵּיהֶם Lev.23:18
49-56 (וּ)מִנְחָתָם וְנִסְכֵּיהֶם Num.6:15
29:18, 21, 24, 27, 30, 37 • IIK.16:15
57 וְנִסְכֵּיהֶם חֲצִי הַהִין Num.28:14
58 תְּמִימִם יִהְיוּ־לָכֶם וְנִסְכֵּיהֶם Num.28:31
59 וּמִנְחָתָהּ וְנִסְכֵּיהֶם כְּמִשְׁפָּטָם Num.29:6
60-61 וּמִנְחָתָהּ וְנִסְכֵּיהֶם Num.29:11, 19
62 וּמִנְחָתָם וְנִסְכֵּהֶם Num.29:33
63 כְּבָשִׂים אֶלֶף וְנִסְכֵּיהֶם ICh.29:21
וּלְנִסְכֵּיכֶם 64 וּלְמִנְחֹתֵיכֶם וּלְנִסְכֵּיכֶם Num.29:39

נְסַךְ*
ז׳ ארמית: נֶסֶךְ
וְנִסְכֵּיהוֹן 1 תּוֹרִין...וּמִנְחָתְהוֹן וְנִסְכֵּיהוֹן Ez.7:17

נִסְמָן
ת׳ מוגדר, מסומן
נִסְמָן 1 וּשְׂעֹרָה נִסְמָן וְכֻסֶּמֶת גְּבֻלָתוֹ Is.28:25

נסס
: א) נָסַס
ב) נוֹסֵס, הִתְנוֹסֵס; נֵס

נָסַס1
פָּ׳ הרקיב (?)
נֹסֵס 1 וְעַד־בָּשָׂר יְכַלֶּה וְהָיָה כִּמְסֹס נֹסֵס Is.10:18

(נסס)2 נוֹסֵס
פִּ׳ א) הניף, עורר: 1
ב) [הת׳ הִתְנוֹסֵס] התנופף: 2
ג) [כנ״ל] התנוצץ: 3
נוֹסְסָה 1 רוּחַ יְיָ נֹסְסָה בוֹ Is.59:19
לְהִתְנוֹסֵס 2 נָתַתָּה לִּירֵאֶיךָ נֵּס לְהִתְנוֹסֵס Ps.60:6
מִתְנוֹסְסוֹת 3 אַבְנֵי־נֵזֶר מִתְנוֹסְסוֹת עַל־אַדְמָתוֹ Zech.9:16

נסע
: נָסַע, נִסַּע, הִסִּיעַ; מַסַּע

נָסַע
פָּ׳ א) עבר ממקום למקום (ברכב או ברגל): 1-9, 11-37, 39-44, 46, 48, 49, 51-136
ב) [בהשאלה על דומם] התקדם: 10, 45
ג) עָקַר: 38, 47, 50
ד) [נִפ׳ נִסַּע] נעקר: 137, 138
ה) [הִפ׳ הִסִּיעַ] העביר: 141-144
ו) [כנ״ל] עָקַר, העתיק ממקומו: 139, 140, 145, 146

וְנָסוֹעַ 1 וַיִּסַּע...הָלוֹךְ וְנָסוֹעַ הַנֶּגְבָּה Gen.12:9
בִּנְסֹעַ 2-3 ...בִּנְסֹעַ הַמַּחֲנֶה Num.4:5, 15
4 וַיְהִי בִּנְסֹעַ הָאָרֹן וַיֹּאמֶר מֹשֶׁה Num.10:35
5 וַיְהִי בִּנְסֹעַ הָעָם מֵאָהֳלֵיהֶם Josh.3:14
וּבִנְסֹעַ 6 וּבִנְסֹעַ הַמִּשְׁכָּן יוֹרִידוּ אֹתוֹ Num.1:51
בְּנָסְעָם 7 וַיְהִי בְּנָסְעָם מִקֶּדֶם וַיִּמְצְאוּ... Gen.11:2
8 בְּנָסְעָם מִן־הַמַּחֲנֶה Num.10:34
נָסַע 9 וְיַעֲקֹב נָסַע סֻכֹּתָה Gen.33:17
10 וְרוּחַ נָסַע מֵאֵת יְיָ Num.11:31
11 וְהָעָם לֹא נָסַע עַד הֵאָסֵף מִרְיָם Num.12:15
12/3 שָׁמַע כִּי נָסַע מִלָּכִישׁ IIK.19:8 • Is.37:8
14 וּמַשְׁחִית גּוֹיִם נָסַע יָצָא מִמְּקֹמוֹ Jer.4:7
וְנָסַע 15 וְנָסַע אֹהֶל־מוֹעֵד מַחֲנֵה הַלְוִיִּם Num.2:17
16-18 וְנָסַע דֶּגֶל מַחֲנֵה... Num.10:18, 22, 25
נָסְעוּ 19 וַיֹּאמֶר הָאִישׁ נָסְעוּ מִזֶּה Gen.37:17
20 מִקִּבְרוֹת...נָסְעוּ הָעָם חֲצֵרוֹת Num.11:35
21 וְאַחַר נָסְעוּ הָעָם מֵחֲצֵרוֹת Num.12:16
22 וּבְ״יִ נָסְעוּ מִבְּאֵרֹת בְּנֵי־יַעֲקָן Deut.10:6
23 מִשָּׁם נָסְעוּ הַגֻּדְגֹּדָה Deut.10:7
24 עַל־כֵּן נָסְעוּ כְמוֹ־צֹאן Zech.10:2
נָסָעוּ 25 כֵּן־חָנוּ לְדִגְלֵיהֶם וְכֵן נָסָעוּ Num.2:34
26 מִשָּׁם נָסָעוּ וַיַּחֲנוּ בְּנַחַל זָרֶד Num.21:12
27 מִשָּׁם נָסָעוּ וַיַּחֲנוּ מֵעֵבֶר אַרְנוֹן Num.21:13
וְנָסְעוּ 28/9 וְנָסְעוּ הַמַּחֲנוֹת... Num.10:5, 6
30 וְנָסְעוּ בְנֵי־גֵרְשׁוֹן Num.10:17
31 וְנָסְעוּ הַקְּהָתִים נֹשְׂאֵי הַמִּקְדָּשׁ Num.10:21
32 אִכָּרִים וְנָסְעוּ בָּעֵדֶר Jer.31:24(23)
וְנָסָעוּ 33 וְנַעֲלָה הֶעָנָן בַּבֹּקֶר וְנָסָעוּ... Num.9:21
34 וְנַעֲלָה הֶעָנָן וְנָסָעוּ Num.9:21
נֹסֵעַ 35 וְהִנֵּה מִצְרַיִם נֹסֵעַ אַחֲרֵיהֶם Ex.14:10
36 וַאֲרוֹן בְּרִית־יְיָ נֹסֵעַ לִפְנֵיהֶם Num.10:33
נֹסְעִים 37 נֹסְעִים אֲנַחְנוּ אֶל־הַמָּקוֹם Num.10:29
יִסַּע 38 בַּל־יִסַּע יְתֵדֹתָיו לָנֶצַח Is.33:20
וַיִּסַּע 39 וַיִּסַּע אַבְרָם הָלוֹךְ וְנָסוֹעַ Gen.12:9
40 וַיִּסַּע לוֹט מִקֶּדֶם Gen.13:11
41 וַיִּסַּע מִשָּׁם אַבְרָהָם אַרְצָה הַנֶּגֶב Gen.20:1
42 וַיִּסַּע יִשְׂרָאֵל וַיֵּט אָהֳלֹה... Gen.35:21
43 וַיִּסַּע יִשְׂרָאֵל וְכָל־אֲשֶׁר־לוֹ Gen.46:1
44 וַיִּסַּע מַלְאַךְ הָאֱ׳...וַיֵּלֶךְ מֵאַחֲרֵיהֶם Ex.14:19
45 וַיִּסַּע עַמּוּד הֶעָנָן מִפְּנֵיהֶם Ex.14:19
46 וַיִּסַּע דֶּגֶל מַחֲנֵה בְנֵי־יְהוּדָה Num.10:14
47 וַיִּסַּע אֶת־הַיְתַד הָאֶרֶג... Jud.16:14
48/9 וַיִּסַּע וַיֵּלֶךְ וַיָּשָׁב סַנְחֵרִיב IIK.19:36 • Is.37:37
וַיִּסָּעֵם 50 וַיִּסָּעֵם עִם־הַבְּרִיחַ Jud.16:3
וַנִּסַּע 51 וַנִּסַּע מֵחֹרֵב וַנֵּלֶךְ Deut.1:19
52 וַנֵּפֶן וַנִּסַּע הַמִּדְבָּרָה Deut.2:1
נִסְעָה 53 נִסְעָה וְנֵלֵכָה וְאֵלְכָה לְנֶגְדֶּךָ Gen.33:12
וַנִּסְעָה 54 וַנִּסְעָה מִנְּהַר אַהֲוָא Ez.8:31
תִּסְעוּ 55 וְאַתֶּם תִּסְעוּ מִמְּקוֹמְכֶם Josh.3:3
יִסְעוּ 56 וּבְהֵעָלוֹת הֶעָנָן...יִסְעוּ בְּנֵי יִשְׂרָאֵל Ex.40:36
57 וְלֹא יִסְעוּ עַד־יוֹם הֵעָלֹתוֹ Ex.40:37
58 לָאַחֲרֹנָה יִסְעוּ לְדִגְלֵיהֶם Num.2:31
59 וְאַחֲרֵי כֵן יִסְעוּ בְּנֵי יִשְׂרָאֵל Num.9:17
60 עַל־פִּי יְיָ יִסְעוּ בְּנֵי יִשְׂרָאֵל Num.9:18
יִסָּעוּ 61 ...רִאשֹׁנָה יִסָּעוּ Num.2:9
62 ...וּשְׁנִיִּם יִסָּעוּ Num.2:16
63 כַּאֲשֶׁר יַחֲנוּ כֵּן יִסָּעוּ Num.2:17
64 ...וּשְׁלִשִׁים יִסְעוּ Num.2:24
65 וְשָׁמְרוּ...מִשְׁמֶרֶת יְיָ וְלֹא יִסָּעוּ Num.9:19
66-67 וְעַל־פִּי יְיָ יִסָּעוּ Num.9:20, 23
68 יַחֲנוּ בְנֵי־יִשְׂרָאֵל וְלֹא יִסָּעוּ Num.9:22
69 וּבְהֵעָלֹתוֹ יִסָּעוּ Num.9:22

וַיִּסְעוּ 70 דַּבֵּר אֶל־בְּנֵי־יִשְׂרָאֵל וְיִסָּעוּ Ex. 14:15
וַיִּסְעוּ 71 וַיִּסְעוּ מִבֵּית אֵל... Gen. 35:16
72 וַיִּסְעוּ ב״י מֵרַעְמְסֵס סֻכֹּתָה Ex. 12:37
73 וַיִּסְעוּ מִסֻּכֹּת וַיַּחֲנוּ בְאֵתָם Ex. 13:20
74 וַיִּסְעוּ מֵאֵילִם וַיָּבֹאוּ... Ex. 16:1
75 וַיִּסְעוּ כָּל־עֲדַת בְּ״יִ מִמִּדְבַּר־סִין Ex. 17:1
76 וַיִּסְעוּ מֵרְפִידִים וַיָּבֹאוּ... Ex. 19:2
77 וַיִּסְעוּ ב״י לְמַסְעֵיהֶם Num. 10:12
78 וַיִּסְעוּ בָּרִאשֹׁנָה עַל־פִּי יְיָ Num. 10:13
79 וַיִּסְעוּ מֵהַר יְיָ דֶּרֶךְ שְׁלֹשֶׁת יָמִים Num. 10:33
80 וַיִּסְעוּ מִקָּדֵשׁ וַיָּבֹאוּ...הֹר הָהָר Num. 20:22
81 וַיִּסְעוּ מֵהֹר הָהָר דֶּרֶךְ יַם־סוּף Num. 21:4
82 וַיִּסְעוּ ב״י וַיַּחֲנוּ בְּאֹבֹת Num. 21:10
125-83 וַיִּסְעוּ...וַיַּחֲנוּ Num. 21:11; 22:1
33:5, 6, 7, 8, 9, 10, 11, 12, 13, 14, 15, 16, 17, 18; 33:19, 33:20, 21, 22, 23, 24, 25, 26, 27, 28, 29, 30, 31, 32, 33, 34, 35, 36, 37, 41, 42, 43, 44, 45, 46, 47, 48
126 וַיִּסְעוּ מֵרַעְמְסֵס בַּחֹדֶשׁ הָרִאשׁוֹן Num. 33:3
127 וַיִּסְעוּ מֵהַשִּׁטִּים וַיָּבֹאוּ עַד־הַיַּרְדֵּן Josh. 3:1
128 וַיִּסְעוּ ב״י וַיָּבֹאוּ אֶל־עָרֵיהֶם Josh. 9:17
129 וַיִּסְעוּ מִשָּׁם מִמִּשְׁפַּחַת הַדָּנִי Jud. 18:11
130 וַיִּסְעוּ מֵעָלָיו וַיָּשֻׁבוּ לָאָרֶץ IIK. 3:27
וַיִּסָּעוּ 131 וַיִּסָּעוּ וַיְהִי חִתַּת אֱלֹהִים... Gen. 35:5
132 אֵלֶּה מַסְעֵי בְנֵי־יִשְׂרָאֵל...וַיִּסָּעוּ Num. 10:28
סְעוּ 133 קוּמוּ סְּעוּ וְעִבְרוּ אֶת־נַחַל... Deut. 2:24
וּסְעוּ 134 פְּנוּ וּסְעוּ לָכֶם הַמִּדְבָּר Num. 14:25
135 פְּנוּ וּסְעוּ לָכֶם וּבֹאוּ Deut. 1:7
136 פְּנוּ לָכֶם וּסְעוּ הַמִּדְבָּרָה Deut. 1:40
נִסַּע 137 דּוֹרִי נִסַּע וְנִגְלָה מִנִּי Is. 38:12
138 הֲלֹא־נִסַּע יִתְרָם בָּם Job 4:21
מַסִּיעַ 139 מַסִּיעַ אֲבָנִים יֵעָצֵב בָּהֶם Eccl. 10:9
תַּסִּיעַ 140 גֶּפֶן מִמִּצְרַיִם תַּסִּיעַ Ps. 80:9
תַּסִּיעִי 141 וְיָצַקְתְּ...וְהַמָּלֵא תַּסִּיעִי IIK. 4:4
יַסַּע 142 יַסַּע קָדִים בַּשָּׁמָיִם Ps. 78:26
וַיַּסַּע 143 וַיַּסַּע מֹשֶׁה אֶת־יִשְׂרָאֵל מִיַּם־סוּף Ex. 15:22
144 וַיַּסַּע כַּצֹּאן עַמּוֹ וַיְנַהֲגֵם Ps. 78:52
145 וַיַּסַּע כָּעֵץ תִּקְוָתִי Job 19:10
וַיַּסִּעוּ 146 וַיַּסִּעוּ אֲבָנִים גְּדֹלוֹת IK. 5:31

נסק : נָסַק (אֶסַּק); אר׳ הַנְסֵק, הַסֵּק

נָסַק פ׳ עלה
אֶסַּק 1 אִם־אֶסַּק שָׁמַיִם שָׁם אָתָּה Ps. 139:8

(נסק) הַנְסֵק הפ׳ ארמית א) הֶעלה: 1, 2
ב) [הָפ׳ הֻסַּק] הועלה: 3
הַסִּקוּ 1 גֻּבְרַיָּא אִלֵּךְ דִּי הַסִּקוּ לְשַׁדְרַךְ Dan. 3:22
לְהַנְסָקָה 2 וּלְדָנִיֵּאל אֲמַר לְהַנְסָקָה מִן־גֻּבָּא Dan. 6:24
וְהֻסַּק 3 וְהֻסַּק דָּנִיֵּאל מִן־גֻּבָּא Dan. 6:24

נִסְרֹךְ שפ־ז — מאלילי האשורים: 1, 2
נִסְרֹךְ 1/2 מִשְׁתַּחֲוֶה בֵּית נִסְרֹךְ אֱלֹהָיו IIK. 19:37; Is. 37:38

נָע פ׳ — עין נוע   **נֶעְדָּר** ת׳ — עין עדר²

נֵעָה ש־פ — עיר בגבול מטה זבולון
הַנֵּעָה 1 וְיָצָא רִמּוֹן הַמְּתֹאָר הַנֵּעָה Josh. 19:13

נֹעָה שפ־נ — שם אחת מחמש בנות צלפחד: 1—4
נֹעָה 1/2 וְאֵלֶּה שְׁמוֹת בְּנֹתָיו מַחְלָה (וְ)נֹעָה... Num. 27:1; Josh. 17:3
וְנֹעָה 3 וְשֵׁם בְּנוֹת צְלָפְחָד מַחְלָה וְנֹעָה... Num. 26:33
4 ...וּמִלְכָּה וְנֹעָה בְּנוֹת צְלָפְחָד Num. 36:11

נַאֲוָה (משלי יב8) — עין עָוָה

נָעוּל ת׳ סגור, חסום: 1—3 [עין גם נָעַל¹]
גַּל נָעוּל 2; גַּן נָעוּל 1; דְּלָתוֹת נְעוּלוֹת 3
נָעוּל 1 גַּן נָעוּל אֲחֹתִי כַלָּה S.ofS. 4:12
2 גַּל נָעוּל מַעְיָן חָתוּם S.ofS. 4:12
נְעֻלוֹת 3 וְהִנֵּה דַּלְתוֹת הָעֲלִיָּה נְעֻלוֹת Jud. 3:24

נָעוֹר (זכריה ב17) — עין (עור)

נָעוֹר ת׳ — עין נָעַר

נְעוּרוֹת* נ־ר — ימי הנוער
מִנְּעֻרֹתֵיהֶם 1 עֹשִׂים הָרַע בְּעֵינַי מִנְּעֻרֹתֵיהֶם Jer. 32:30

נְעוּרִים ז־ר ימי הנוער: 1—46
קרובים: בְּחוּרוֹת / בְּחוּרִים / נֹעַר / נְעוּרוֹת / עֲלוּמִים
— אַלּוּף נְעוּרִים 3, 37; אֵשֶׁת נ׳ 1, 16—18; בְּנֵי הַנ׳ 2; בַּעַל נ׳ 36; זִמַּת נ׳ 24; חַטֹּאת נ׳ 4; חֶסֶד נ׳ 20; חֶרְפַּת נ׳ 5; יְמֵי נ׳ 21—23, 34, 35; עֲוֹנוֹת נ׳ 6; שְׁדֵי נְעוּרֶיהָ 25
— בִּנְעוּרָיו 30, 38—40, 45, 46; כִּנְעוּרָיו 41; מִנְּעוּרָיו 7—15, 19, 26—28, 31—33, 42—44
נְעוּרִים 1 וְאֵשֶׁת נְעוּרִים כִּי תִמָּאֵס Is. 54:6
הַנְּעוּרִים 2 כְּחִצִּים בְּיַד־גִּבּוֹר כֵּן בְּנֵי הַנְּעוּרִים Ps. 127:4
נְעֻרַי 3 אַלּוּף נְעֻרַי אָתָּה Jer. 3:4
4 חַטֹּאות נְעוּרַי וּפְשָׁעַי Ps. 25:7
נְעוּרָי 5 כִּי נָשָׂאתִי חֶרְפַּת נְעוּרָי Jer. 31:19(18)
6 וְתוֹרִישֵׁנִי עֲוֹנוֹת נְעוּרָי Job 13:26
מִנְּעֻרַי 7 מִנְּעֻרַי עַד־הַיּוֹם הַזֶּה ISh. 12:2
8 לֹא־אָכַלְתִּי מִנְּעוּרַי וְעַד־עַתָּה Ezek. 4:14
9 רַבַּת צְרָרוּנִי מִנְּעוּרָי Ps. 129:1
10 כִּי מִנְּעוּרַי גְּדֵלַנִי כְאָב Job 31:18
מִנְּעֻרָי 11 וְעַבְדְּךָ יָרֵא אֶת־יְיָ מִנְּעֻרָי IK. 18:12
12 כִּי־אָדָם הִקְנַנִי מִנְּעוּרָי Zech. 13:5
13 אֲדֹנָי־יֱהוִה מִבְטַחִי מִנְּעוּרָי Ps. 71:5
14 אֱלֹהִים לִמַּדְתַּנִי מִנְּעוּרָי Ps. 71:17
15 רַבַּת צְרָרוּנִי מִנְּעוּרָי Ps. 129:2
נְעוּרֶיךָ 16 בֵּינְךָ וּבֵין אֵשֶׁת נְעוּרֶיךָ Mal. 2:14
17 וּבְאֵשֶׁת נְעוּרֶיךָ אַל־יִבְגֹּד Mal. 2:15
18 וּשְׂמַח מֵאֵשֶׁת נְעוּרֶךָ Prov. 5:18
מִנְּעוּרֶיךָ 19 בָּאָה עָלֶיךָ מִנְּעֻרֶיךָ עַד־עָתָּה IISh. 19:8
נְעוּרַיִךְ 20 זָכַרְתִּי לָךְ חֶסֶד נְעוּרַיִךְ Jer. 2:2
21 לֹא־זָכַרְתְּ אֶת־יְמֵי נְעוּרָיִךְ Ezek. 16:43
נְעוּרָיִךְ 22 לֹא זָכַרְתְּ אֶת־יְמֵי נְעוּרָיִךְ Ezek. 16:22
23 אֶת־בְּרִיתִי אוֹתָךְ בִּימֵי נְעוּרָיִךְ Ezek. 16:60
24 וַתִּפְקְדִי אֵת זִמַּת נְעוּרָיִךְ Ezek. 23:21
25 לְמַעַן שְׁדֵי נְעוּרָיִךְ Ezek. 23:21
מִנְּעוּרַיִךְ 26 סֹחֲרַיִךְ מִנְּעוּרַיִךְ אִישׁ לְעֶבְרוֹ תָּעוּ Is. 47:15
27 זֶה דַרְכֵּךְ מִנְּעוּרַיִךְ Jer. 22:21
מִנְּעוּרָיִךְ 28 בַּאֲשֶׁר יָגַעַתְּ מִנְּעוּרָיִךְ Is. 47:12
נְעוּרָיְכִי 29 תִּתְחַדֵּשׁ כַּנֶּשֶׁר נְעוּרָיְכִי Ps. 103:5
בִּנְעוּרָיו 30 טוֹב לַגֶּבֶר כִּי־יִשָּׂא עֹל בִּנְעוּרָיו Lam. 3:27
מִנְּעֻרָיו 31 יֵצֶר לֵב הָאָדָם רַע מִנְּעֻרָיו Gen. 8:21
32 וְהוּא אִישׁ מִלְחָמָה מִנְּעֻרָיו ISh. 17:33
33 שַׁאֲנַן מוֹאָב מִנְּעוּרָיו Jer. 48:11
נְעוּרֶיהָ 34 לִזְכֹּר אֶת־יְמֵי נְעוּרֶיהָ Ezek. 23:19
35 וְעָנְתָה שָׁמָּה כִּימֵי נְעוּרֶיהָ Hosh. 2:17
36 חֲגֻרַת־שַׂק עַל־בַּעַל נְעוּרֶיהָ Joel 1:8
37 הַעֹזֶבֶת אַלּוּף נְעוּרֶיהָ Prov. 2:17
בִּנְעוּרֶיהָ 38 בְּבֵית אָבִיהָ בִּנְעֻרֶיהָ Num. 30:4
39 בִּנְעֻרֶיהָ בֵּית אָבִיהָ Num. 30:17
40 כִּי אוֹתָהּ שָׁכְבוּ בִנְעוּרֶיהָ Ezek. 23:8
כִּנְעוּרֶיהָ 41 וְשָׁבָה אֶל־בֵּית אָבִיהָ כִּנְעוּרֶיהָ Lev. 22:13
מִנְּעוּרֵינוּ 42 אַנְשֵׁי מִקְנֶה...מִנְּעוּרֵינוּ וְעַד־עַתָּה Gen. 46:34
43 אֶת־יְגִיעַ אֲבוֹתֵינוּ מִנְּעוּרֵינוּ Jer. 3:24
44 מִנְּעוּרֵינוּ וְעַד־הַיּוֹם הַזֶּה Jer. 3:25
בִּנְעוּרֵיהֶם 45 כִּנְטִעִים מְגֻדָּלִים בִּנְעוּרֵיהֶם Ps. 144:12
בִּנְעוּרֵיהֶן 46 וַתִּזְנֶינָה בְמִצְרַיִם בִּנְעוּרֵיהֶן זָנוּ Ezek. 23:3

נְעִיאֵל ש־פ — עיר בנחלת אשר
וּנְעִיאֵל 1 וּפָגַע...בֵּית הָעֵמֶק וּנְעִיאֵל Josh. 19:27

נָעִים ת׳ עָרֵב, מענג: 1—13
קרובים: חָמוּד / טוֹב / נֶחְמָד / נֶאֱמָן / עָרֵב / רָצוּי
הוֹן נָעִים 7; כִּנּוֹר נָעִים 1; דְּבָרִים נְעִימִים 9; נְעִים זְמִרוֹת 8
נָעִים 1 כִּנּוֹר נָעִים עִם־נָבֶל Ps. 81:3
2 זַמְּרוּ לִשְׁמוֹ כִּי נָעִים Ps. 135:3
3 הִנְּךָ יָפֶה דוֹדִי אַף נָעִים S.ofS. 1:16
4 הִנֵּה מַה־טּוֹב וּמַה־נָּעִים Ps. 133:1
5 כִּי־נָעִים נָאוָה תְהִלָּה Ps. 147:1
6 כִּי־נָעִים כִּי־תִשְׁמְרֵם בְּבִטְנֶךָ Prov. 22:18
וְנָעִים 7 כָּל־הוֹן יָקָר וְנָעִים Prov. 24:4
וּנְעִים־ 8 וּנְעִים זְמִרוֹת יִשְׂרָאֵל IISh. 23:1
הַנְּעִימִים 9 וְשִׁחַתָּ דְּבָרֶיךָ הַנְּעִימִים Prov. 23:8
וְהַנְּעִימִם 10 הַנֶּאֱהָבִים וְהַנְּעִימִם בְּחַיֵּיהֶם IISh. 1:23
בַּנְּעִמִים 11 חֲבָלִים נָפְלוּ־לִי בַּנְּעִמִים Ps. 16:6
12 יְכַלּוּ יְמֵיהֶם בַּטּוֹב וּשְׁנֵיהֶם בַּנְּעִימִים Job 36:11
נְעִמוֹת 13 נְעִמוֹת בִּימִינְךָ נֶצַח Ps. 16:11

נעל : א) נָעַל, נָעוּל; מַנְעוּל
ב) נָעַל, הִנְעִיל; נַעַל, מִנְעָל(?)

נָעַל¹ פ׳ סגר במנעול: 1, 2, 3 [עין גם נָעוּל]
וְנָעַל 1 וַיֹּצֵא אוֹתָהּ...וְנָעַל הַדֶּלֶת אַחֲרֶיהָ IISh. 13:18
וְנָעָל 2 וַיִּסְגֹּר דַּלְתוֹת הָעֲלִיָּה בַּעֲדוֹ וְנָעָל Jud. 3:23
וּנְעֹל 3 וּנְעֹל הַדֶּלֶת אַחֲרֶיהָ IISh. 13:17

נָעַל² פ׳ א) שם נעל על הרגל: 1
ב) [הפ׳ הִנְעִיל] כנ״ל: 2
וָאֶנְעֲלֵךְ 1 וָאַלְבִּשֵׁךְ רִקְמָה וָאֶנְעֲלֵךְ תָּחַשׁ Ezek. 16:10
וַיַּנְעִלוּם 2 וַיַּלְבִּשׁוּם וַיַּנְעִלוּם וַיַּאֲכִלוּם IICh. 28:15

נַעַל נ׳ לבוש לרגל: 1—22
— חֲלוּץ הַנַּעַל 2; שְׂרוֹךְ נַעַל 1, 18; נַעַל בָּלָה 19, 22; נַעַל מִטְלָאָה 22
— הִשְׁלִיךְ נַעַל 3, 4; חָלַץ נַעַל 7, 8; שָׁלַף נ׳ 9, 10; שָׂם נ׳ 17; שַׁל נַעַלְךָ (נְעָלֶיךָ) 5, 16
נַעַל 1 אִם־מִחוּט וְעַד־שְׂרוֹךְ־נַעַל Gen. 14:23
הַנָּעַל 2 וְנִקְרָא...בֵּית חֲלוּץ הַנָּעַל Deut. 25:10
נַעֲלִי 4-3 עַל־אֱדוֹם אַשְׁלִיךְ נַעֲלִי Ps. 60:10; 108:10
נַעַלְךָ 5 שַׁל־נַעַלְךָ מֵעַל רַגְלֶךָ Josh. 5:15
וְנַעַלְךָ 6 וְנַעַלְךָ לֹא־בָלְתָה מֵעַל רַגְלֶךָ Deut. 29:4
7 וְנַעַלְךָ תַחֲלֹץ מֵעַל רַגְלֶךָ Is. 20:2
נַעֲלוֹ 8 וְחָלְצָה נַעֲלוֹ מֵעַל רַגְלוֹ Deut. 25:9
9 לְקַיֵּם כָּל־דָּבָר שָׁלַף אִישׁ נַעֲלוֹ Ruth 4:7
10 וַיֹּאמֶר...קְנֵה־לָךְ וַיִּשְׁלֹף נַעֲלוֹ Ruth 4:8
וּבְנַעֲלוֹ 11 בַּחֲגֹרָתוֹ...וּבְנַעֲלוֹ אֲשֶׁר בְּרַגְלָיו IK. 2:5
נַעֲלָיִם 13-12 וְאֶבְיוֹן בַּעֲבוּר נַעֲלָיִם Am. 2:6; 8:6
בַּנְּעָלִים 14 וְהִכָּהוּ לְשִׁבְעָה נְחָלִים וְהִדְרִיךְ בַּנְּעָלִים Is. 11:15
15 מַה־יָּפוּ פְעָמַיִךְ בַּנְּעָלִים S.ofS. 7:2
נְעָלֶיךָ 16 שַׁל־נְעָלֶיךָ מֵעַל רַגְלֶיךָ Ex. 3:5
וּנְעָלֶיךָ 17 וּנְעָלֶיךָ תָּשִׂים בְּרַגְלֶיךָ Ezek. 24:17

נְעָלָיו 18 וְלֹא נִתַּק שְׂרוֹךְ נְעָלָיו Is.5:27
וּנְעָלֵינוּ 19 וְאֵלֶּה שַׂלְמוֹתֵינוּ וּנְעָלֵינוּ בָּלוּ Josh.9:13
נַעֲלֵיכֶם 20 נַעֲלֵיכֶם בְּרַגְלֵיכֶם וּמַקֶּלְכֶם בְּיֶדְכֶם Ex.12:11
וְנַעֲלֵיכֶם 21 וּפְאֵרְכֶם...וְנַעֲלֵיכֶם בְּרַגְלֵיכֶם Ezek.24:23
וּנְעָלוֹת 22 וּנְעָלוֹת בָּלוֹת וּמְטֻלָּאוֹת Josh.9:5

נעם

: נָעֵם; נָעִים, נְעִימוֹת, נֹעַם, נַעֲמָנִים, מַנְעַמִּים; ש״פ נַעַם, נֹעַם, נַעֲמָה, נָעֳמִי, נַעֲמָתִי, נַעֲמָן

נָעֵם

פָּ׳ היה נָעִים, היה רצוי מאד: 1–8

נָעַמְתָּ 1 אָחִי יְהוֹנָתָן נָעַמְתָּ לִּי מְאֹד IISh.1:26
נָעָמְתָּ 2 מִמִּי נָעָמְתָּ רְדָה וְהָשְׁכְּבָה... Ezek.32:19
נָעַמְתְּ 3 מַה־יָּפִית וּמַה־נָּעַמְתְּ אַהֲבָה S.ofS.7:7
נָעֵמָה 4 וַיַּרְא...וְאֶת־הָאָרֶץ כִּי נָעֵמָה Gen.49:15
נָעֵמוּ 5 וְשָׁמְעוּ אֲמָרַי כִּי נָעֵמוּ Ps.141:6
יִנְעָם 6 וְדַעַת לְנַפְשְׁךָ יִנְעָם Prov.2:10
7 וְלֶחֶם סְתָרִים יִנְעָם Prov.9:17
8 וְלַמּוֹכִיחִים יִנְעָם Prov.24:25

נֹעַם

ז׳ נעימות, רצון וחסד: 1–7

נֹעַם יְיָ 6, 7; אִמְרֵי נֹעַם 4, 5; דַּרְכֵי נֹעַם 3

נֹעַם 1 לְאַחַד קָרָאתִי נֹעַם Zech.11:7
2 וָאֶקַּח אֶת־מַקְלִי אֶת־נֹעַם Zech.11:10
3 דְּרָכֶיהָ דַרְכֵי־נֹעַם Prov.3:17
4 וּטְהֹרִים אִמְרֵי־נֹעַם Prov.15:26
5 צוּף־דְּבַשׁ אִמְרֵי־נֹעַם Prov.16:24
נֹעַם־ 6 וִיהִי נֹעַם אֲדֹנָי אֱלֹהֵינוּ עָלֵינוּ Ps.90:17
בְּנֹעַם־ 7 לַחֲזוֹת בְּנֹעַם־יְיָ וּלְבַקֵּר בְּהֵיכָלוֹ Ps.27:4

נַעַם*

שפ־ז – מבני כלב בן יפונה

נָעַם 1 וּבְנֵי כָּלֵב...עִירוּ אֵלָה וָנָעַם ICh.4:15

נַעֲמָה[1]

שפ־נ א) אחות תובל קין: 1
ב) אם המלך רחבעם: 2–4

נַעֲמָה 1 וַאֲחוֹת תּוּבַל־קַיִן נַעֲמָה Gen.4:22
2-3 וְשֵׁם אִמּוֹ נַעֲמָה הָעַמֹּנִית IK.14:21,31
4 וְשֵׁם אִמּוֹ נַעֲמָה הָעַמֹּנִית IICh.12:13

נַעֲמָה[2]

ש־פ א) עיר בשפלת יהודה: 1
ב) עיר בארץ אדום – עין נַעֲמָתִי

וְנַעֲמָה 1 וּגְדֵרוֹת בֵּית־דָּגוֹן וְנַעֲמָה Josh.15:41

נָעֳמִי

שפ־נ – אשת אלימלך מבית־לחם: 1–21

אִישׁ נָעֳמִי 2; יַד נָעֳמִי 9, 10

נָעֳמִי 1 וְשֵׁם אִשְׁתּוֹ נָעֳמִי Ruth1:2
2 וַיָּמָת אֱלִימֶלֶךְ אִישׁ נָעֳמִי Ruth1:3
3 וַתֹּאמֶר נָעֳמִי לִשְׁתֵּי כַלֹּתֶיהָ Ruth1:8
4 וַתֹּאמֶר נָעֳמִי שֹׁבְנָה בְנֹתַי Ruth1:11
5 וַתֹּאמַרְנָה הֲזֹאת נָעֳמִי Ruth1:19
6 אַל־תִּקְרֶאנָה לִי נָעֳמִי Ruth1:20
7 לָמָּה תִקְרֶאנָה לִי נָעֳמִי Ruth1:21
8 וַתָּשָׁב נָעֳמִי וְרוּת הַמּוֹאֲבִיָּה Ruth1:22
9 בְּיוֹם־קְנוֹתְךָ הַשָּׂדֶה מִיַּד נָעֳמִי Ruth4:5
10 כִּי קָנִיתִי...מִיַּד נָעֳמִי Ruth4:9
11-19 נָעֳמִי Ruth2:2,6,20[2],22; 3:1; 4:3,14,16
לְנָעֳמִי 20 יֻלַּד־בֵּן לְנָעֳמִי Ruth4:17
וּלְנָעֳמִי 21 וּלְנָעֳמִי מוֹדַע לְאִישָׁהּ...וּשְׁמוֹ בֹּעַז Ruth2:1

נַעֲמִי

ת׳ המתיחס על בני נַעֲמָן

הַנַּעֲמִי 1 לְנַעֲמָן מִשְׁפַּחַת הַנַּעֲמִי Num.26:40

נַעֲמָן*[1]

ז׳ דבר נעים • נִטְעֵי נַעֲמָנִים

נַעֲמָנִים 1 עַל־כֵּן תִּטְּעִי נִטְעֵי נַעֲמָנִים Is.17:10

נַעֲמָן[2]

שפ־ז א) שַׂר צבא מלך ארם: 1–10, 13
ב) איש מבנימין: 11–12, 14–16

אֵשֶׁת נַעֲמָן 1; צָרַעַת נַעֲמָן 10

נַעֲמָן 1 וַתְּהִי לִפְנֵי אֵשֶׁת נַעֲמָן IIK.5:2
2 הִנֵּה שָׁלַחְתִּי אֵלֶיךָ אֶת־נַעֲמָן עַבְדִּי IIK.5:6
3 וַיָּבֹא נַעֲמָן בְּסוּסָו וּבְרִכְבּוֹ IIK.5:9
4 וַיִּקְצֹף נַעֲמָן וַיֵּלַךְ IIK.5:11
5 וַיֹּאמֶר נַעֲמָן וָלֹא יֻתַּן־נָא... IIK.5:17
6 נַעֲמָן הָאֲרַמִּי הַזֶּה IIK.5:20
7 וַיִּרְדֹּף גֵּיחֲזִי אַחֲרֵי נַעֲמָן IIK.5:21
8 וַיִּרְאֶה נַעֲמָן רָץ אַחֲרָיו IIK.5:21
9 וַיֹּאמֶר נַעֲמָן הוֹאֵל קַח כִּכָּרָיִם IIK.5:23
10 וְצָרַעַת נַעֲמָן תִּדְבַּק־בְּךָ IIK.5:27
וְנַעֲמָן 11 וּבְנֵי בִנְיָמִן...גֵּרָא וְנַעֲמָן Gen.46:21
12 בְנֵי־בֶלַע אַרְדְּ וְנַעֲמָן Num.26:40
13 וְנַעֲמָן שַׂר־צְבָא מֶלֶךְ־אֲרָם IIK.5:1
14 וַאֲבִישׁוּעַ וְנַעֲמָן וַאֲחוֹחַ ICh.8:4
15 וְנַעֲמָן וַאֲחִיָּה וְגֵרָא ICh.8:7
לְנַעֲמָן 16 לְנַעֲמָן מִשְׁפַּחַת הַנַּעֲמִי Num.26:40

נַעֲמָתִי

ת׳ תושב מקום בשם נַעֲמָה (בארץ אדום?): 1–4

הַנַּעֲמָתִי 1 וּבִלְדַּד הַשּׁוּחִי וְצוֹפַר הַנַּעֲמָתִי Job2:11
2/3 וַיַּעַן צֹ(ו)פַר הַנַּעֲמָתִי וַיֹּאמַר Job11:1; 20:1
4 וּבִלְדַּד הַשּׁוּחִי צֹפַר הַנַּעֲמָתִי Job42:9

נַעֲנָה

ת׳ (ישעיה נג 7) – עין עָנָה[3]

נַעֲצוּץ

ז׳ שִׂיחַ קוֹצָנִי: 1–2 • קרובים: ראה חוח

הַנַּעֲצוּץ 1 תַּחַת הַנַּעֲצוּץ יַעֲלֶה בְרוֹשׁ Is.55:13
הַנַּעֲצוּצִים 2 וּבְכֹל הַנַּעֲצוּצִים וּבְכֹל הַנַּהֲלֹלִים Is.7:19

נער

: א) נַעַר
ב) נָעַר, נָעוּר, נִנְעַר, נִעֵר, הִתְנַעֵר; נֹעַר, נַעַר, נַעֲרָה, נְעוּרִים, נְעוּרוֹת, נְעֹרֶת; ש״פ נַעֲרָה, נַעֲרַי, נְעַרְיָה, נַעֲרָן

נָעַר[1]

פָּ׳ שָׁאַג, השמיע קול

נָעֲרוּ 1 כַּכְּפִרִים יִשְׁאָגוּ נָעֲרוּ כְּגוֹרֵי אֲרָיוֹת Jer.51:38

נָעַר[2]

פָּ׳ א) הניע, נענע כדי להרחיק: 1–4
ב) [נפ׳ נִנְעַר] נטלטל: 5, 7
ג) [כנ״ל] התעורר: 6
ד) [פ׳ נִעֵר] טלטל, הניע: 8–10
ה) [התפ׳ הִתְנַעֵר] טלטל עצמו: 11

נָעַר חָצְנוֹ 1; נ׳ כַּפָּיו 2; נָעוּר וָרֵק 4

נָעַרְתִּי 1 גַּם־חָצְנִי נָעַרְתִּי וָאֹמְרָה Neh.5:13
נֹעֵר 2 נֹעֵר כַּפָּיו מִתְּמֹךְ בַּשֹּׁחַד Is.33:15
וְנֹעֵר 3 וְנֹעֵר בָּשָׁן וְכַרְמֶל Is.33:9
נָעוּר 4 וְכָכָה יִהְיֶה נָעוּר וָרֵק Neh.5:13
נִנְעַרְתִּי 5 נִנְעַרְתִּי כָּאַרְבֶּה Ps.109:23
וְאִנָּעֵר 6 אֵצֵא כְּפַעַם בְּפַעַם וְאִנָּעֵר Jud.16:20
וְיִנָּעֲרוּ 7 וְיִנָּעֲרוּ רְשָׁעִים מִמֶּנָּה Job38:13
וְנִעֵר 8 וְנִעֵר פַּרְעֹה וְחֵילוֹ בְיַם־סוּף Ps.136:15
יְנַעֵר 9 כָּכָה יְנַעֵר הָאֱלֹהִים אֶת־כָּל־הָאִישׁ...
מִבֵּיתוֹ וּמִיגִיעוֹ Neh.5:13
וַיְנַעֵר 10 וַיְנַעֵר יְיָ אֶת־מִצְרַיִם בְּתוֹךְ הַיָּם Ex.14:27
הִתְנַעֲרִי 11 הִתְנַעֲרִי מֵעָפָר קוּמִי שְּׁבִי יְרוּשָׁלָםִ Is.52:2

נַעַר

ז׳ א) ילד, תינוק: 1, 3, 15, 16, 20, 23, 30–32, 34–39, 41–46, 56–59, 66–69, 86–93, 103, 105–108, 112–117, 120–122, 128–130, 132–135, 172, 176, 179, 180, 190, 226, 239
ב) אדם צעיר לימים, טרם יהיה לאיש: 5–9, 14, 17–19, 21, 22, 24–29, 33, 47–52, 85, 96–99, 104, 118, 119, 125–127, 170, 171, 173, 182, 183
ג) משרת, עבד: 2, 4, 10, 11, 40, 53–55, 60–65, 70–84, 94, 95, 100–102, 123, 124, 131, 136–166, 169–178, 181, 182, 184–187, 191–213, 224–238, 240
ד) איש־צבא, לוחם: 12, 13, 54, 55, 81–84, 167, 168, 188, 189, 214–223

קרובים: בָּחוּר / וָלָד / טַף / יֶלֶד / מְעוֹלֵל / עוּל / עֶלֶם / פִּרְחָח / צָעִיר

– נַעַר וְזָקֵן 23, 34, 96; זָקֵן וָנַעַר (זְקֵנִים וּנְעָרִים) 39, 172, 174
נַעַר בֵּית שָׁאוּל 141; נ׳ גִּבּוֹר־חַיִל 24; נ׳ חֲסַר־לֵב 22; נ׳ כֹּהֵן 136, 137; נ׳ לֵוִי 64; נ׳ מְפִיבֹשֶׁת 140; נ׳ מִצְרִי 11; נ׳ מְשֻׁלָּח 38; נ׳ עִבְרִי 2; נַעַר קָטֹן (קָטָן) 14–16, 35–37
– אִישׁ נַעַר 12; לֶב־נַעַר 32; מִשְׁפַּט הַנַּעַר 58; פְּנֵי הַנַּעַר 89
– חַטַּאת הַנְּעָרִים 182; כְּלֵי הַנְּעָרִים 186
– נַעֲרֵי אַבְשָׁלוֹם 213; נַעֲרֵי בְּנֵי יִשְׂרָאֵל 209; נ׳ דָּוִד 210, 211; נ׳ מֶלֶךְ אַשּׁוּר 217, 218; נ׳ הַמֶּלֶךְ 219–221; נ׳ שָׂרֵי הַמְּדִינוֹת 214–216; בִּנְעָרֵינוּ וּבִזְקֵנֵינוּ 239

נַעַר 1 וְהוּא נַעַר אֶת־בְּנֵי בִלְהָה Gen.37:2
2 וְשָׁם אִתָּנוּ נַעַר עִבְרִי Gen.41:12
3 וַתִּרְאֵהוּ אֶת־הַיֶּלֶד וְהִנֵּה־נַעַר Ex.2:6
4 וּמְשָׁרְתוֹ יְהוֹשֻׁעַ בִּן־נוּן נַעַר Ex.33:11
5 וַיִּלְכָּד־נַעַר מֵאַנְשֵׁי סֻכּוֹת Jud.8:14
6 וַיְהִי־נַעַר מִבֵּית לֶחֶם יְהוּדָה Jud.17:7
7 נַעַר חָגוּר אֵפוֹד בָּד ISh.2:18
8 לֹא תוּכַל...כִּי־נַעַר אַתָּה ISh.17:33
9 הָיָה נַעַר וְאַדְמֹנִי עִם־יְפֵה מַרְאֶה ISh.17:42
10 הִגִּיד נַעַר־אֶחָד מֵהַנְּעָרִים ISh.25:14
11 נַעַר מִצְרִי אָנֹכִי עֶבֶד לְאִישׁ עֲמָלֵקִי ISh.30:13
12 כִּי אִם־אַרְבַּע מֵאוֹת אִישׁ־נַעַר ISh.30:17
13 וַיַּרְא אֹתָם נַעַר וַיַּגֵּד לְאַבְשָׁלֹם IISh.17:18
14 וְאָנֹכִי נַעַר קָטֹן לֹא אֵדַע צֵאת וָבֹא IK.3:7
15 וַהֲדַד נַעַר קָטָן IK.11:17
16 וַיָּשָׁב בְּשָׂרוֹ כִּבְשַׂר נַעַר קָטֹן IIK.5:14
17 לֹא־יָדַעְתִּי דַּבֵּר כִּי־נַעַר אָנֹכִי Jer.1:6
18 אַל־תֹּאמַר נַעַר אָנֹכִי Jer.1:7
19 כִּי נַעַר יִשְׂרָאֵל וָאֹהֲבֵהוּ Hosh.11:1
20 נַעַר הָיִיתִי גַּם־זָקַנְתִּי Ps.37:25
21 בַּמֶּה יְזַכֶּה־נַּעַר אֶת־אָרְחוֹ Ps.119:9
22 אָבִינָה בַבָּנִים נַעַר חֲסַר־לֵב Prov.7:7
23 שָׁכְבוּ לָאָרֶץ חוּצוֹת נַעַר וְזָקֵן Lam.2:21
24 וְצָדוֹק נַעַר גִּבּוֹר חָיִל ICh.12:28(29)
25 שְׁלֹמֹה בְנִי נַעַר וָרָךְ ICh.22:5(4)
26 בָּחַר־בּוֹ אֱלֹהִים נַעַר וָרָךְ ICh.29:1
27 וּרְחַבְעָם הָיָה נַעַר וְרַךְ־לֵבָב IICh.13:7
28 וְהוּא עוֹדֶנּוּ נַעַר IICh.34:3
נָעַר 29 כִּי יָרֵא כִּי עוֹדֶנּוּ נָעַר Jud.8:20
30 וַתַּעֲלֵהוּ עִמָּהּ...וְהַנַּעַר נָעַר ISh.1:24
31 גַּם בְּמַעֲלָלָיו יִתְנַכֶּר־נָעַר Prov.20:11
32 אִוֶּלֶת קְשׁוּרָה בְלֶב־נָעַר Prov.22:15
33 אִי־לָךְ אֶרֶץ שֶׁמַּלְכֵּךְ נָעַר Eccl.10:16
וְנַעַר 34 לֹא־יִשָּׂא פָנִים לְזָקֵן וְנַעַר לֹא יָחֹן Deut.28:50
35 וַיֵּצֵא...וְנַעַר קָטֹן עִמּוֹ ISh.20:35
36 מִסְפָּר יִהְיוּ וְנַעַר יִכְתְּבֵם Is.10:19
37 וְנַעַר קָטֹן נֹהֵג בָּם Is.11:6
38 וְנַעַר מְשֻׁלָּח מֵבִישׁ אִמּוֹ Prov.29:15

תָּעַר 39 וְנִפַּצְתִּי בְךָ זָקֵן וָנָעַר Jer. 51:22
הַנַּעַר 40 וַיִּקַּח בֶּן־בָּקָר...וַיִּתֵּן אֶל־הַנַּעַר Gen. 18:7
41 אַל־יֵרַע בְּעֵינֶיךָ עַל־הַנַּעַר Gen. 21:12
42 וַיִּשְׁמַע אֱלֹהִים אֶת־קוֹל הַנַּעַר Gen. 21:17
43 כִּי־שָׁמַע אֱלֹ׳ אֶל־קוֹל הַנַּעַר Gen. 21:17
44 קוּמִי שְׂאִי אֶת־הַנַּעַר Gen. 21:18
45 וַיְהִי אֱלֹהִים אֶת־הַנַּעַר Gen. 21:20
46 אַל־תִּשְׁלַח יָדְךָ אֶל־הַנַּעַר Gen. 22:12
47 וְלֹא־אֵחַר הַנַּעַר לַעֲשׂוֹת הַדָּבָר Gen. 34:19
48 שִׁלְחָה הַנַּעַר אִתִּי Gen. 43:8
49 לֹא־יוּכַל הַנַּעַר לַעֲזֹב אֶת־אָבִיו Gen. 44:22
50 וְהָיָה כִּרְאוֹתוֹ כִּי־אֵין הַנַּעַר Gen. 44:31
51 כִּי עַבְדְּךָ עָרַב אֶת־הַנַּעַר Gen. 44:32
52 יֵשֶׁב־נָא עַבְדְּךָ תַּחַת הַנַּעַר Gen. 44:33
53 וַיָּרָץ הַנַּעַר וַיַּגֵּד לְמֹשֶׁה Num. 11:27
54 וְלֹא־שָׁלַף הַנַּעַר חַרְבּוֹ Jud. 8:20
55 וַיִּקְרָא...אֶל־הַנַּעַר נֹשֵׂא כֵלָיו Jud. 9:54
56/7 נְזִיר אֱלֹהִים יִהְיֶה הַנַּעַר Jud. 13:5, 7
58 מַה־יִּהְיֶה מִשְׁפַּט־הַנַּעַר Jud. 13:12
59 וַיִּגְדַּל הַנַּעַר וַיְבָרְכֵהוּ יְיָ Jud. 13:24
60 ...אֶל־הַנַּעַר הַמַּחֲזִיק בְּיָדוֹ Jud. 16:26
61 וַיְהִי הַנַּעַר לוֹ כְּאַחַד מִבָּנָיו Jud. 17:11
62 וַיְהִי־לוֹ הַנַּעַר לְכֹהֵן Jud. 17:12
63 וְהֵמָּה הִכִּירוּ אֶת־קוֹל הַנַּעַר Jud. 18:3
64 וַיָּבֹאוּ אֶל־בֵּית־הַנַּעַר הַלֵּוִי Jud. 18:15
65 וַיֹּאמֶר הַנַּעַר אֶל־אֲדֹנָיו Jud. 19:11
66 עַד יִגָּמֵל הַנַּעַר וַהֲבִאֹתִיו ISh. 1:22
67 וַיָּבִאוּ אֶת־הַנַּעַר אֶל־עֵלִי ISh. 1:25
68 אֶל־הַנַּעַר הַזֶּה הִתְפַּלָּלְתִּי ISh. 1:27
69 וַיִּגְדַּל הַנַּעַר שְׁמוּאֵל עִם־יְיָ ISh. 2:21
70 וַיֹּסֶף הַנַּעַר לַעֲנוֹת אֶת־שָׁאוּל ISh. 9:8
71/2 וַיֹּאמֶר...אֶל־הַנַּעַר נֹשֵׂא כֵלָיו ISh. 14:1, 6
73 בֶּן־מִי־זֶה הַנַּעַר אַבְנֵר ISh. 17:55
74 וְהִנֵּה אֶשְׁלַח אֶת־הַנַּעַר ISh. 20:21
75 הַנַּעַר רָץ וְהוּא־יָרָה הַחֵצִי ISh. 20:36
76 וַיָּבֹא הַנַּעַר עַד־מְקוֹם הַחֵצִי ISh. 20:37
77/8 וַיִּקְרָא יְהוֹנָתָן אַחֲרֵי הַנַּעַר ISh. 20:37, 38
79 וַיִּתֵּן...אֶל־הַנַּעַר אֲשֶׁר־לוֹ ISh. 20:40
80 הַנַּעַר בָּא וְדָוִד קָם מֵאֵצֶל הַנֶּגֶב ISh. 20:41
81/2 וַיֹּאמֶר דָּוִד אֶל־הַנַּעַר IISh. 1:5, 13
83 וַיֹּאמֶר הַנַּעַר הַמַּגִּיד לוֹ IISh. 1:6
84 וַיִּשָּׂא הַנַּעַר הַצֹּפֶה אֶת־עֵינָו IISh. 13:34
85 וְלֵךְ הָשֵׁב אֶת־הַנַּעַר IISh. 14:21
86 וַיַּרְא שְׁלֹמֹה אֶת־הַנַּעַר IK. 11:28
87 וַיֹּאמֶר אֶל־הַנַּעַר שָׂאֵהוּ אֶל־אִמּוֹ IIK. 4:19
88 וַתֹּאמֶר אֵם הַנַּעַר חַי־יְיָ... IIK. 4:30
89 וַיָּשֶׂם אֶת־הַמִּשְׁעֶנֶת עַל־פְּנֵי הַנַּעַר IIK. 4:31
90 וְהִנֵּה הַנַּעַר מֵת מֻשְׁכָּב עַל־מִטָּתוֹ IIK. 4:32
91 וַיְזוֹרֵר הַנַּעַר עַד־שֶׁבַע פְּעָמִים IIK. 4:35
92 וַיִּפְקַח הַנַּעַר אֶת־עֵינָיו IIK. 4:35
93 וַיִּפְקַח יְיָ אֶת־עֵינֵי הַנַּעַר IIK. 6:17
94/5 וַיֵּלֶךְ הַנַּעַר הַנַּעַר הַנָּבִיא IIK. 9:4
96 יִרְהֲבוּ הַנַּעַר בַּזָּקֵן... Is. 3:5
97/8 כִּי בְּטֶרֶם יֵדַע הַנַּעַר... Is. 7:16; 8:4
99 כִּי הַנַּעַר בֶּן־מֵאָה שָׁנָה יָמוּת Is. 65:20
100 רֻץ דַּבֵּר אֶל־הַנַּעַר הַלָּז לֵאמֹר Zech. 2:8
101 הַנַּעַר לֹא־יְבַקֵּשׁ Zech. 11:16
102 וַיַּעַן הַנַּעַר הַנִּצָּב עַל־הַקּוֹצְרִים Ruth 2:6
הַנַּעַר 103 וַתַּשְׁקְ אֶת־הַנַּעַר Gen. 21:19
104 בֶּן־מִי אַתָּה הַנַּעַר ISh. 17:58
105 וַיְבַקֵּשׁ דָּוִד...בְּעַד הַנָּעַר IISh. 12:16
106 וְשַׂמְתְּ מִשְׁעַנְתִּי עַל־פְּנֵי הַנַּעַר IIK. 4:29

107 לֹא הֵקִיץ הַנָּעַר IIK. 4:31
וְהַנַּעַר 108 וַאֲנִי וְהַנַּעַר נֵלְכָה עַד־כֹּה Gen. 22:5
109 וְהַנַּעַר אֵינֶנּוּ אִתָּנוּ Gen. 44:30
110 וְהַנַּעַר יַעַל עִם־אֶחָיו Gen. 44:33
111 וְהַנַּעַר אֵינֶנּוּ אִתִּי Gen. 44:34
112 וַתַּעֲלֵהוּ עִמָּהּ...וְהַנַּעַר נָעַר ISh. 1:24
113 וְהַנַּעַר הָיָה מְשָׁרֵת אֶת־יְיָ ISh. 2:11
114 וְהַנַּעַר שְׁמוּאֵל הֹלֵךְ וְגָדֵל וָטוֹב ISh. 2:26
115 וְהַנַּעַר שְׁמוּאֵל מְשָׁרֵת אֶת־יְיָ ISh. 3:1
116 וְהַנַּעַר לֹא־יָדַע מְאוּמָה ISh. 20:39
117 הִיא בָּאָה בְסַף־הַבַּיִת וְהַנַּעַר מֵת IK. 14:17
בַּנַּעַר 118 שִׁמְרוּ־מִי בַּנַּעַר בְּאַבְשָׁלוֹם IISh. 18:12
כַּנַּעַר 119 יִהְיוּ כַנַּעַר אֹיְבֵי אֲדֹנִי הַמֶּלֶךְ IISh. 18:32
לְנַעַר 120 לָתֵת...לְנַעַר דַּעַת וּמְזִמָּה Prov. 1:4
לַנַּעַר 121 מַה־נַּעֲשֶׂה לַנַּעַר הַיּוּלָּד Jud. 13:8
122 וַתִּקְרָא לַנַּעַר אִי־כָבוֹד ISh. 4:21
123 אֱמֹר לַנַּעַר וְיַעֲבֹר לְפָנֵינוּ ISh. 9:27
124 אִם־אָמֹר אֹמַר לַנַּעַר... ISh. 20:21
125 לְאַט־לִי לַנַּעַר לְאַבְשָׁלוֹם IISh. 18:5
126 שָׁלוֹם לַנַּעַר לְאַבְשָׁלוֹם IISh. 18:29
127 הֲשָׁלוֹם לַנַּעַר לְאַבְשָׁלוֹם IISh. 18:32
128 חֲנֹךְ לַנַּעַר עַל־פִּי דַרְכּוֹ Prov. 22:6
לַנָּעַר 129 וַיָּבֶן עֵלִי כִּי יְיָ קֹרֵא לַנָּעַר ISh. 3:8
130 הוּא יַגִּיד לָךְ מַה־יִּהְיֶה לַנָּעַר IK. 14:3
וְלַנַּעַר 131 יֵשׁ־לִי...וְלַנַּעַר עִם־עֲבָדֶיךָ Jud. 19:19
מִנַּעַר 132 מִנַּעַר וְעַד־זָקֵן כָּל־הָעָם מִקָּצֶה Gen. 19:4
133 מֵאִישׁ וְעַד־אִשָּׁה מִנַּעַר וְעַד־זָקֵן Josh. 6:21
134 אַל־תִּמְנַע מִנַּעַר מוּסָר Prov. 23:13
135 מִנַּעַר וְעַד־זָקֵן טַף וְנָשִׁים Es. 3:13
נַעַר־ 136/7 וּבָא נַעַר הַכֹּהֵן ISh. 2:13, 15
138 וַיְלַקֵּט נַעַר יְהוֹנָתָן אֶת־הַחִצִּים ISh. 20:38
139 וַיִּקְרָא הַמֶּלֶךְ אֶל־צִיבָא נַעַר שָׁאוּ׳ IISh. 9:9
140 וְהִנֵּה צִיבָא נַעַר מְפִיבֹשֶׁת לִקְרָא׳ IISh. 16:1
141 וְצִיבָא נַעַר בֵּית שָׁאוּל IISh. 19:18
142 וַיֹּאמֶר גֵּיחֲזִי נַעַר אֱלִישָׁע IIK. 5:20
143 אֶל־גֵּחֲזִי נַעַר אִישׁ־הָאֱלֹהִים IIK. 8:4
נַעַרְךָ 144 רֵד אַתָּה וּפֻרָה נַעַרְךָ Jud. 7:10
נַעֲרוֹ 145 וַיֵּרֶד הוּא וּפֻרָה נַעֲרוֹ Jud. 7:11
146 וַיִּדְקְרֵהוּ נַעֲרוֹ וַיָּמֹת Jud. 9:54
147 וַיִּקַּח שְׁמוּאֵל אֶת־שָׁאוּל וְאֶת־נַעֲרוֹ ISh. 9:22
148 וַיֹּאמֶר דּוֹד שָׁאוּל אֵלָיו וְאֶל־נַעֲרוֹ ISh. 10:14
149 וַיִּקְרָא אֶת־נַעֲרוֹ מְשָׁרְתוֹ IISh. 13:17
150 וַיֹּאמֶר אֶל־נַעֲרוֹ עֲלֵה־נָא IK. 18:43
151 וַיַּנַּח אֶת־נַעֲרוֹ שָׁם IK. 19:3
152/3 וַיֹּאמֶר אֶל־גֵּיחֲזִי נַעֲרוֹ IIK. 4:12, 25
154 וַיֹּאמֶר נַעֲרוֹ אֵלָיו אֲהָהּ אֲדֹנִי IIK. 6:15
155 וַיִּשְׁלַח...פַּעַם חֲמִישִׁית אֶת־נַעֲרוֹ Neh. 6:5
וְנַעֲרוֹ 156 וְנַעֲרוֹ עִמּוֹ וְצֶמֶד חֲמֹרִים Jud. 19:3
157 וַיָּקָם...הוּא וּפִילַגְשׁוֹ וְנַעֲרוֹ Jud. 19:9
158 אִישׁ וְנַעֲרוֹ יָלִינוּ בְּתוֹךְ יְרוּשָׁלִָם Neh. 4:16
לְנַעֲרוֹ 159 וַיֹּאמֶר לְנַעֲרוֹ לְךָ וְנִקְרְבָה Jud. 19:13
160 וְשָׁאוּל אָמַר לְנַעֲרוֹ אֲשֶׁר־עִמּוֹ ISh. 9:5
161/2 וַיֹּאמֶר שָׁאוּל לְנַעֲרוֹ ISh. 9:7, 10
163 וַיֹּאמֶר לְנַעֲרוֹ רֻץ מְצָא־נָא ISh. 20:36
164 וַיֹּאמֶר לְנַעֲרוֹ שְׁפֹת הַסִּיר IIK. 4:38
165 וַיֹּאמֶר בֹּעַז לְנַעֲרוֹ הַנִּצָּב... Ruth 2:5
נַעֲרָהּ 166 וַתֹּאמֶר אֶל־נַעֲרָהּ נְהַג וָלֵךְ IIK. 4:24
נְעָרִים 167 וַיִּשְׁלַח דָּוִד עֲשָׂרָה נְעָרִים ISh. 25:5
168 עֲשָׂרָה נְעָרִים נֹשְׂאֵי כְּלֵי יוֹאָב IISh. 18:15
169 שְׁנֵי־נְעָרִים מֵהַר אֶפְרָיִם IIK. 5:22
170 וְנָתַתִּי נְעָרִים שָׂרֵיהֶם Is. 3:4
171 וּקְשָׁתוֹת נְעָרִים תְּרַטַּשְׁנָה Is. 13:18

נְעָרִים (המשך) 172 כֵּן יִנְהַג...נְעָרִים וּזְקֵנִים Is. 20:4
173 וְיִעֲפוּ נְעָרִים וְיִגָעוּ Is. 40:30
174 זְקֵנִים עִם־נְעָרִים Ps. 148:12
175 רָאוּנִי נְעָרִים וְנֶחְבָּאוּ Job 29:8
וּנְעָרִים 176 וּנְעָרִים קְטַנִּים יָצְאוּ מִן־הָעִיר IIK. 2:23
177 וּנְעָרִים בָּעֵץ כָּשָׁלוּ Lam. 5:13
הַנְּעָרִים 178 רַק אֲשֶׁר אָכְלוּ הַנְּעָרִים... Gen. 14:24
179 וַיִּגְדְּלוּ הַנְּעָרִים Gen. 25:27
180 הַמַּלְאָךְ...יְבָרֵךְ אֶת־הַנְּעָרִים Gen. 48:16
181 וַיָּבֹאוּ הַנְּעָרִים הַמְרַגְּלִים וַיֹּצִיאוּ Josh. 6:23
182 וַתְּהִי חַטַּאת הַנְּעָרִים גְּדוֹלָה מְאֹד ISh. 2:17
183 וַיֹּאמֶר...הֲתַמּוּ הַנְּעָרִים ISh. 16:11
184 וְאֶת־הַנְּעָרִים יוֹדַעְתִּי אֶל־מְקוֹם ISh. 21:3
185 אִם־נִשְׁמְרוּ הַנְּעָרִים אַךְ מֵאִשָּׁה ISh. 21:5
186 וַיִּהְיוּ כְלֵי־הַנְּעָרִים קֹדֶשׁ ISh. 21:6
187 וְיִמְצְאוּ הַנְּעָרִים חֵן בְּעֵינֶיךָ ISh. 25:8
188 יָקוּמוּ נָא הַנְּעָרִים וִישַׂחֲקוּ לְפָנֵינוּ IISh. 2:14
189 וַיְצַו דָּוִד אֶת־הַנְּעָרִים וַיַּהַרְגוּם IISh. 4:12
190 אֵת כָּל־הַנְּעָרִים בְּנֵי־הַמֶּלֶךְ IISh. 13:32
191 וְהַלֶּחֶם וְהַקַּיִץ לֶאֱכוֹל הַנְּעָרִים IISh. 16:2
192 שִׁלְחָה נָא לִי אֶחָד מִן־הַנְּעָרִים IIK. 4:22
193/4 וְאֶת־הַנְּעָרִים הִכּוּ לְפִי־חָרֶב Job 1:15, 17
195 וַיִּפֹּל עַל־הַנְּעָרִים וַיָּמוּתוּ Job 1:19
196 הֲלוֹא צִוִּיתִי אֶת־הַנְּעָרִים Ruth 2:9
197 וְשָׁתִית מֵאֲשֶׁר יִשְׁאֲבוּן הַנְּעָרִים Ruth 2:9
198 עִם־הַנְּעָרִים אֲשֶׁר־לִי תִּדְבָּקִין Ruth 2:21
מֵהַנְּעָרִים 199 קַח־נָא אִתְּךָ אֶת־אַחַד מֵהַנְּעָרִים ISh. 9:3
200 וַיַּעַן אֶחָד מֵהַנְּעָרִים וַיֹּאמֶר ISh. 16:18
201 הִגִּיד נַעַר־אֶחָד מֵהַנְּעָרִים ISh. 25:14
202 וַיַּעֲבֹר אֶחָד מֵהַנְּעָרִים וַיִּקָּחֶהָ ISh. 26:22
203 וַיִּקְרָא דָוִד לְאַחַד מֵהַנְּעָרִים IISh. 1:15
204 וֶאֱחֹז לְךָ אֶחָד מֵהַנְּעָרִים IISh. 2:21
וּבַנְּעָרִים 205 וַתִּבְעַר בַּצֹּאן וּבַנְּעָרִים Job 1:16
לַנְּעָרִים 206 וַיֹּאמֶר דָּוִד לַנְּעָרִים עֲלוּ ISh. 25:5
207 לַנְּעָרִים הַמִּתְהַלְּכִים בְּרַגְלֵי אֲדֹנִי ISh. 25:27
208 עֲרָבָה לוֹ לֶחֶם לַנְּעָרִים Job 24:5
נַעֲרֵי־ 209 וַיִּשְׁלַח אֶת־נַעֲרֵי בְּנֵי יִשְׂרָאֵל Ex. 24:5
210 וַיָּבֹאוּ נַעֲרֵי דָוִד וַיְדַבְּרוּ ISh. 25:9
211 וַיַּהַפְכוּ נַעֲרֵי־דָוִד לְדַרְכָּם ISh. 25:12
212 לֹא רָאִיתִי אֶת־נַעֲרֵי אֲדֹנִי ISh. 25:25
213 וַיַּעֲשׂוּ נַעֲרֵי אַבְשָׁלוֹם לְאַמְנוֹן IISh. 13:29
214 וַיִּפְקֹד אֶת־נַעֲרֵי שָׂרֵי הַמְּדִינוֹת IK. 20:15
215 וַיֵּצְאוּ נַעֲרֵי שָׂרֵי הַמְּדִינוֹת IK. 20:17
216 יָצְאוּ מִן־הָעִיר נַעֲרֵי שָׂרֵי הַמְּדִינוֹ׳ IK. 20:19
217 גִּדְּפוּ נַעֲרֵי מֶלֶךְ־אַשּׁוּר אֹתִי IIK. 19:6
218 גִּדְּפוּ נַעֲרֵי מֶלֶךְ־אַשּׁוּר אוֹתִי Is. 37:6
219/20 וַיֹּאמְרוּ נַעֲרֵי(־)הַמֶּלֶךְ מְשָׁרְתָיו Es. 2:2; 6:3
221 וַיֹּאמְרוּ נַעֲרֵי הַמֶּלֶךְ אֵלָיו Es. 6:5
בְּנַעֲרֵי־ 222 בְּנַעֲרֵי שָׂרֵי הַמְּדִינוֹת IK. 20:14
מִנַּעֲרֵי־ 223 וְאִישׁ עָמַד עָלָיו מִנַּעֲרֵי יוֹאָב IISh. 20:11
נְעָרַי 224 חֲצִי נְעָרַי עֹשִׂים בַּמְּלָאכָה Neh. 4:10
225 וְכָל־נְעָרַי קְבוּצִים שָׁם Neh. 5:16
נְעָרָי 226 בְּעוֹד שַׁדַּי עִמָּדִי סְבִיבוֹתַי נְעָרָי Job 29:5
וּנְעָרַי 227 וְאֵין אֲנִי וְאַחַי וּנְעָרַי... Neh. 4:17
228 וְגַם־אֲנִי אַחַי וּנְעָרַי נֹשִׁים בָּהֶם Neh. 5:10
וּמִנְּעָרַי 229 וּמִנְּעָרַי הֶעֱמַדְתִּי עַל־הַשְּׁעָרִים Neh. 13:19
נְעָרֶיךָ 230 שְׁאַל אֶת־נְעָרֶיךָ וְיַגִּידוּ לָךְ ISh. 25:8
נְעָרָיו 231 וַיִּקַּח אֶת־שְׁנֵי נְעָרָיו אִתּוֹ Gen. 22:3
232 וַיֹּאמֶר אַבְרָהָם אֶל־נְעָרָיו Gen. 22:5
233 וַיָּשָׁב אַבְרָהָם אֶל־נְעָרָיו Gen. 22:19
234 וּשְׁנֵי נְעָרָיו עִמּוֹ Num. 22:22
235 וַיְצַו אַבְשָׁלוֹם אֶת־נְעָרָיו IISh. 13:28

וַיִּתֵּן 236 וַיִּתֵּן אֶל־שְׁנֵי נְעָרָיו IIK.5:23
237 וַיְצַו בֹּעַז אֶת־נְעָרָיו לֵאמֹר Ruth 2:15
לִנְעָרֶיהָ 238 וַתֹּאמֶר לִנְעָרֶיהָ עִבְרוּ לְפָנַי ISh.25:19
בִּנְעָרֵינוּ 239 בִּנְעָרֵינוּ וּבִזְקֵנֵינוּ נֵלֵךְ Ex.10:9
נַעֲרֵיהֶם 240 גַּם נַעֲרֵיהֶם שָׁלְטוּ עַל־הָעָם Neh.5:15

נֹעַר ז׳ ימי הנעורים: 1–4 • קרובים: ראה נְעוּרִים
בַּנֹּעַר 1 תָּמֹת בַּנֹּעַר נַפְשָׁם Job 36:14
מִנֹּעַר 2 עָנִי אֲנִי וְגֹוֵעַ מִנֹּעַר Ps.88:16
3 מְפַנֵּק מִנֹּעַר עַבְדּוֹ Prov.29:21
4 רֻטֲפַשׁ בְּשָׂרוֹ מִנֹּעַר Job 33:25

נַעֲרָה[1] נ׳ [בתורה הכתיב "נַעַר", "הַנַּעַר" – בלי ה"א, חוץ מן דברים כב19]
א) עלמה צעירה, בחורה (לפני נשואיה): 1–48
ב) שפחה, משרתת: 49–63
קרובים: בַּחוּרָה / בְּתוּלָה / יַלְדָּה / עַלְמָה
– נַעֲרָה בְתוּלָה 1–4,8,47; נַעֲרָה טוֹבַת מַרְאֶה 38; נַעֲרָה יָפָה 5, 39; נ׳ יְפַת תֹּאַר 41; נ׳ מְאֹרָשָׂה 22, 23; נַעֲרָה מוֹאֲבִיָּה 7
– אֲבִי הַנַּעֲרָה 17, 19, 24–31; בְּתוּלֵי הַנַּעֲרָה 18; לֵב הַנַּעֲרָה 15; תֹּר הַנַּעֲרָה 9, 10
– נַעֲרוֹת אֶסְתֵּר 50; נַעֲרוֹת בֹּעַז 51

נַעַר 1 נַעַר בְתוּלָה מְאֹרָשָׂה לְאִישׁ Deut.22:23
2 נַעַר בְתוּלָה אֲשֶׁר לֹא־אֹרָשָׂה Deut.22:28
נַעֲרָה 3 אַרְבַּע מֵאוֹת נַעֲרָה בְתוּלָה Jud.21:12
4 יְבַקְשׁוּ לַאדֹנִי הַמֶּלֶךְ נַעֲרָה בְתוּלָה IK.1:2
5 וַיְבַקְשׁוּ נַעֲרָה יָפָה בְּכֹל גְּבוּל יִשְׂרָאֵל IK.1:3
6 וַיִּשְׁבּוּ מֵאֶרֶץ יִשְׂרָאֵל נַעֲרָה IIK.5:2
7 נַעֲרָה מוֹאֲבִיָּה הִיא... Ruth 2:6
8 וְיִקְבְּצוּ אֶת־כָּל־נַעֲרָה־בְתוּלָה Es.2:3
9 וּבְהַגִּיעַ תֹּר נַעֲרָה וְנַעֲרָה Es.2:12
וְנַעֲרָה 10 וּבְהַגִּיעַ תֹּר נַעֲרָה וְנַעֲרָה Es.2:12
הַנַּעַר 11 וְהָיָה הַנַּעַר אֲשֶׁר אֹמַר אֵלֶיהָ Gen.24:14
12 וַתָּרָץ הַנַּעַר וַתַּגֵּד לְבֵית אִמָּהּ Gen.24:28
13 תֵּשֵׁב הַנַּעַר אִתָּנוּ יָמִים... Gen.24:55
14 וַיֶּאֱהַב אֶת־הַנַּעַר Gen.34:3
15 וַיְדַבֵּר עַל־לֵב הַנַּעַר Gen.34:3
16 וּתְנוּ־לִי אֶת־הַנַּעַר לְאִשָּׁה Gen.34:12
17 וְלָקַח אֲבִי הַנַּעַר וְאִמָּהּ Deut.22:15
18 וְהוֹצִיאוּ אֶת־בְּתוּלֵי הַנַּעַר Deut.22:15
19 וְאָמַר אֲבִי הַנַּעַר אֶל־הַזְּקֵנִים Deut.22:16
20 וְהוֹצִיאוּ אֶת־הַנַּעַר Deut.22:21
21 וּסְקַלְתֶּם אֹתָם...אֶת־הַנַּעַר... Deut.22:24
22 יִמְצָא הָאִישׁ אֶת־הַנַּעַר הַמְאֹרָשָׂה Deut.22:25
23 צָעֲקָה הַנַּעַר הַמְאֹרָשָׂה Deut.22:27
24 וְנָתַן הָאִישׁ...לַאֲבִי הַנַּעַר Deut.22:29
הַנַּעֲרָה 25 וְעָנְשׁוּ...וְנָתְנוּ לַאֲבִי הַנַּעֲרָה Deut.22:19
26 וַיִּרְאֵהוּ אֲבִי הַנַּעֲרָה וַיִּשְׂמַח Jud.19:3
27 וַיֶּחֱזַק־בּוֹ חֹתְנוֹ אֲבִי הַנַּעֲרָה Jud.19:4
28 וַיֹּאמֶר אֲבִי הַנַּעֲרָה אֶל־חֲתָנוֹ Jud.19:5
29 וַיֹּאמֶר אֲבִי הַנַּעֲרָה אֶל־הָאִישׁ Jud.19:6
30 וַיֹּאמֶר אֲבִי הַנַּעֲרָה סְעָד־נָא Jud.19:8
31 וַיֹּאמֶר לוֹ חֹתְנוֹ אֲבִי הַנַּעֲרָה Jud.19:9
32 כָּזֹאת וְכָזֹאת דִּבְּרָה הַנַּעֲרָה IIK.5:4
33 וְאִישׁ וְאָבִיו יֵלְכוּ אֶל־הַנַּעֲרָה Am.2:7
34 לְמִי הַנַּעֲרָה הַזֹּאת Ruth 2:5
35 יִתֵּן יְיָ לְךָ מִן־הַנַּעֲרָה הַזֹּאת Ruth 4:12
36 וַתִּיטַב הַנַּעֲרָה בְעֵינָיו Es.2:9
37 וּבָזֶה הַנַּעֲרָה בָּאָה אֶל־הַמֶּלֶךְ Es.2:13
וְהַנַּעַר 38 וְהַנַּעַר טֹבַת מַרְאֶה מְאֹד Gen.24:16
וְהַנַּעֲרָה 39 וְהַנַּעֲרָה יָפָה עַד־מְאֹד IK.1:4
40 וְהַנַּעֲרָה אֲשֶׁר תִּיטַב בְּעֵינֵי הַמֶּלֶךְ Es.2:4
41 וְהַנַּעֲרָה יְפַת־תֹּאַר... Es.2:7
לַנַּעַר 42 נִקְרָא לַנַּעַר וְנִשְׁאֲלָה אֶת־פִּיהָ Gen.24:57
43 לֹא־נִמְצְאוּ בְתוּלִים לַנַּעַר Deut.22:20
44 אֵין לַנַּעַר חֵטְא מָוֶת Deut.22:26
וְלַנַּעַר 45 וְלַנַּעַר לֹא־תַעֲשֶׂה דָבָר Deut.22:26
נְעָרוֹת 46 וְהֵמָּה מָצְאוּ נְעָרוֹת יֹצְאוֹת ISh.9:11
47 נְעָרוֹת בְּתוּלוֹת טוֹבוֹת מַרְאֶה Es.2:2
48 וּבְהִקָּבֵץ נְעָרוֹת רַבּוֹת Es.2:8
הַנְּעָרוֹת 49 שֶׁבַע הַנְּעָרוֹת הָרְאֻיוֹת לָתֶת־לָהּ Es.2:9
נַעֲרוֹת־ 50 וַתְּבוֹאנָה° נַעֲרוֹת אֶסְתֵּר וְסָרִיסֶיהָ Es.4:4
בְּנַעֲרוֹת־ 51 וַתִּדְבַּק בְּנַעֲרוֹת בֹּעַז לְלַקֵּט Ruth 2:23
נַעֲרֹתָי 52 וְכֹה תִדְבָּקִין עִם־נַעֲרֹתָי Ruth 2:8
וְנַעֲרֹתַי 53 גַּם־אֲנִי וְנַעֲרֹתַי אָצוּם כֵּן Es.4:16
לְנַעֲרוֹתֶיךָ 54 לְלֶחֶם בֵּיתֶךָ וְחַיִּים לְנַעֲרוֹתֶיךָ Prov.27:27
55 הַתְשַׂחֶק־בּוֹ...וְתִקְשְׁרֶנּוּ לְנַעֲרוֹתֶיךָ Job 40:29
נַעֲרוֹתָיו 56 טוֹב בִּתִּי כִּי תֵצְאִי עִם־נַעֲרוֹתָיו Ruth 2:22
57 אֲשֶׁר הָיִית אֶת־נַעֲרוֹתָיו Ruth 3:2
נַעֲרֹתֶיהָ 58 וְחָמֵשׁ נַעֲרֹתֶיהָ הַהֹלְכֹת לְרַגְלָהּ ISh.25:42
59 וַיְשַׁנֶּהָ וְאֶת־נַעֲרוֹתֶיהָ לְטוֹב Es.2:9
60 שָׁלְחָה נַעֲרֹתֶיהָ תִקְרָא Prov.9:3
וְנַעֲרוֹתֶיהָ 61 וַתָּקָם רִבְקָה וְנַעֲרֹתֶיהָ Gen.24:61
62 וְנַעֲרֹתֶיהָ הֹלְכֹת עַל־יַד הַיְאֹר Ex.2:5
לְנַעֲרוֹתֶיהָ 63 טֶרֶף לְבֵיתָהּ וְחֹק לְנַעֲרֹתֶיהָ Prov.31:15

נַעֲרָה[2] שפ״נ – אשת אשחור מבית יהודה: 1–3
נַעֲרָה 1 וַתֵּלֶד לוֹ נַעֲרָה אֶת־אֲחֻזָּם... ICh.4:6
2 אֵלֶּה בְּנֵי נַעֲרָה ICh.4:6
וְנַעֲרָה 3 וּלְאַשְׁחוּר...שְׁתֵּי נָשִׁים חֶלְאָה וְנַעֲרָה ICh.4:5

נַעֲרָה[3] ש״פ – ישוב בעמק הירדן, היא כנראה נַעֲרָן
וְנַעֲרָתָה 1 וְיָרַד מִיָּנוֹחָה עֲטָרוֹת וְנַעֲרָתָה Josh.16:7

נַעֲרַי שפ״ז – אחד מגבורי דוד
נַעֲרַי 1 נַעֲרַי בֶּן־אֶזְבָּי ICh.11:37

נְעַרְיָה שפ״ז – א) איש מזרע זרובבל: 1, 2
ב) איש מזרע שמעון: 3
נְעַרְיָה 1 וּבֶן־נְעַרְיָה אֶלְיוֹעֵינַי וְחִזְקִיָּה ICh.3:23
וּנְעַרְיָה 2 וּבְנֵי שְׁמַעְיָה...וּנְעַרְיָה וְשָׁפָט ICh.3:22
3 וּפְלַטְיָה וּנְעַרְיָה וּרְפָיָה ICh.4:42

נַעֲרָן ש״פ – ישוב בעמק הירדן על גבול אפרים
נַעֲרָן 1 וְלַמִּזְרָח נַעֲרָן וְלַמַּעֲרָב גֶּזֶר ICh.7:28

נַעֲרָץ ת׳ מכובד ביותר, נשגב [עין גם עָרַץ]
נַעֲרָץ 1 אֵל נַעֲרָץ בְּסוֹד־קְדֹשִׁים רַבָּה Ps.89:8

נְעֹרֶת נ׳ פסולת הפשתן: 1, 2
הַנְּעֹרֶת 1 כַּאֲשֶׁר יִנָּתֵק פְּתִיל־הַנְּעֹרֶת Jud.16:9
לִנְעֹרֶת 2 וְהָיָה הֶחָסֹן לִנְעֹרֶת וּפֹעֲלוֹ לְנִיצוֹץ Is.1:31

נַעֲרָתָה עין נַעֲרָה[3]

נֹף מן הערים הגדולות בארץ מצרים, היא מֹף: 1–7
בְּנֵי נֹף 2; שָׂרֵי נֹף 1
נֹף 1 נוֹאֲלוּ שָׂרֵי צֹעַן נִשְּׁאוּ שָׂרֵי נֹף Is.19:13
2 גַּם־בְּנֵי־נֹף וְתַחְפַּנְחֵס° Jer.2:16
3 כִּי־נֹף לְשַׁמָּה תִהְיֶה Jer.46:19
וְנֹף 4 וְנֹף צָרֵי יוֹמָם Ezek.30:16
בְּנֹף 5 וְהַשְׁמִיעוּ בְנֹף וּבְתַחְפַּנְחֵס Jer.46:14
וּבְנֹף 6 בְּמִגְדֹּל וּבְתַחְפַּנְחֵס וּבְנֹף Jer.44:1
מִנֹּף 7 וְהִשְׁבַּתִּי אֱלִילִים מִנֹּף Ezek.30:13

נַעְתָּר ת׳ – עין עָתַר

נֶפֶג שפ״ז – א) מבני יצהר בן קהת: 1
ב) מבני דוד המלך: 2–4
וָנֶפֶג 1 וּבְנֵי יִצְהָר קֹרַח וָנֶפֶג וְזִכְרִי Ex.6:21
וָנֶפֶג 2 וְיִבְחָר וֶאֱלִישׁוּעַ וָנֶפֶג וְיָפִיעַ IISh.5:15
3–4 וְנֹגַהּ וָנֶפֶג וְיָפִיעַ ICh.3:7; 14:6

נָפָה*[1] נ׳ כברה
בְּנָפַת־ 1 לַהֲנָפָה גוֹיִם בְּנָפַת שָׁוְא Is.30:28

נָפָה*[2] נ׳ פלך, מחוז(?) רמה(?): 1–3
נָפַת־ 1 בֶּן־אֲבִינָדָב כָּל־נָפַת דֹּאר IK.4:11
לְנָפַת־ 2 מֶלֶךְ דּוֹר לְנָפַת דּוֹר אֶחָד Josh.12:23
וּבְנָפוֹת־ 3 וּבְנָפוֹת דּוֹר מִיָּם Josh.11:2

נְפוּגֹתִי (תהלים לח9) – עין (פוג)

נָפוּחַ ת׳ – עין נָפַח

נְפוּסִים שפ״ז – שמות של נתינים מעולי הגולה [עין גם נְפִישְׁסִים]
נְפוּסִים 1 בְּנֵי מְעוּנִים° בְּנֵי נְפוּסִים (כת׳ נפיסים) Ez.2:50

נְפוֹץ (ירמיה כב28), **נָפוֹץ** (שופטים ז19) – עין נָפַץ

נְפוּצוֹת נ״ר פזור
וּנְפוּצוֹת־ 1 וּנְפֻצוֹת יְהוּדָה יְקַבֵּץ Is.11:12

נפח: נָפַח, נָפוּחַ, נֻפַּח, הִפִּיחַ; מַפָּח, מַפּוּחַ; ש״פ נֹפַח

נָפַח פ׳ א) נשב, הזרים רוח: 1–3, 5–9
ב) הוציא רוח מקרבו: 4
ג) [פ׳ נֻפַּח] הורם אליו אויר: 10
ד) [הפ׳ הִפִּיחַ] הזרים רוח: 11, 12
נָפַח אֵשׁ 1, 2; נ׳ נַפְשׁוֹ 4; דּוּד נָפוּחַ 7; סִיר נָפוּחַ 6; הִפִּיחַ נֶפֶשׁ 11
לָפַחַת 1 לָפַחַת־עָלָיו אֵשׁ לְהַנְתִּיךְ Ezek.22:20
וְנָפַחְתִּי 2 וְנָפַחְתִּי עֲלֵיכֶם בְּאֵשׁ עֶבְרָתִי Ezek.22:21
3 וַהֲבֵאתֶם הַבַּיִת וְנָפַחְתִּי Hag.1:9
נָפְחָה 4 אֻמְלְלָה...נָפְחָה נַפְשָׁהּ Jer.15:9
נֹפֵחַ 5 חָרָשׁ נֹפֵחַ בְּאֵשׁ פֶּחָם Is.54:16
נָפוּחַ 6 סִיר נָפוּחַ אֲנִי רֹאֶה Jer.1:13
7 כְּדוּד נָפוּחַ וְאַגְמֹן Job 41:12
וַיִּפַּח 8 וַיִּפַּח בְּאַפָּיו נִשְׁמַת חַיִּים Gen.2:7
וּפְחִי 9 בֹּאִי הָרוּחַ וּפְחִי בַּהֲרוּגִים הָאֵלֶּה Ezek.37:9
נֻפָּח 10 תְּאָכְלֵהוּ אֵשׁ לֹא־נֻפָּח Job 20:26
הִפָּחְתִּי 11 וְנֶפֶשׁ בְּעָלֶיהָ הִפָּחְתִּי Job 31:39
וְהִפַּחְתֶּם 12 הִנֵּה מַתְּלָאָה וְהִפַּחְתֶּם אוֹתוֹ Mal.1:13

נֹפַח ש״פ – עיר במואב, היא נֹבַח
נֹפַח 1 עַד־נֹפַח אֲשֶׁר עַד־מֵידְבָא Num.21:30

נְפִלִים ז״ר כנוי לענקים אגדיים קדמונים: 1–3
הַנְּפִלִים 1 הַנְּפִלִים הָיוּ בָאָרֶץ בַּיָּמִים הָהֵם Gen.6:4
2 וְשָׁם רָאִינוּ אֶת־הַנְּפִילִים Num.13:33
3 בְּנֵי עֲנָק מִן־הַנְּפִלִים Num.13:33

נָפִישׁ שפ״ז – מבני ישמעאל: 1–3
נָפִישׁ 1 יְטוּר נָפִישׁ וָקֵדְמָה Gen.25:15
2 יְטוּר נָפִישׁ וָקֵדְמָה ICh.1:31
וְנָפִישׁ 3 וִיטוּר וְנָפִישׁ וְנוֹדָב ICh.5:19

נְפִישְׁסִים שפ״ז – שמות של נתינים מעולי הגולה [עין גם נְפוּסִים]
נְפִישְׁסִים 1 בְּנֵי־מְעוּנִים בְּנֵי נְפִישְׁסִים (כת׳ נפושסים) Neh.7:52

נֹפֶךְ ז׳ אבן יקרה כחולה־ירוקה : 1-4

קרובים: ראה אֹדֶם

נֹפֶךְ 1-2 נֹפֶךְ סַפִּיר וְיָהֲלֹם Ex.28:18; 39:11

3 סַפִּיר נֹפֶךְ וּבָרְקַת וְזָהָב Ezek.28:13

בְּנֹפֶךְ 4 בְּנֹפֶךְ אַרְגָּמָן וְרִקְמָה Ezek.27:16

נפל : נָפַל, נִפְלַל, הִתְנַפֵּל, הִפִּיל; נֵפֶל, נְפִילִים, מַפָּל, מַפָּלָה, מַפֵּלָה; אר׳ נְפַל

נָפַל פָּ׳ א) הוטל לְמַטה, צנח, ירד ונח על־ (כפשוטו וגם בהשאלה): רוב המקראות 5-367 [להוציא:]

ב) [בהשאלה] הוכרע, הובס, נכנע: 1-4, 7, 8, 10-18, 21, 22, 28-30, 45, 48, 54-60, 67-70, 74, 76, 78, 82, 83, 85-88, 94, 102, 105, 107, 110-114, 117, 119, 125, 128, 153-159, 163, 164, 166-168, 179-183, 197, 201, 241, 243, 245, 264, 274, 299, 305, 315, 316, 318, 319, 321-334, 347, 350-356, 361-364

ג) נכשל: 205-208, 213, 214, 317

ד) כרע, השתחוה: 31, 106, 253, 261, 339-346

ה) [נָפַל אֶל־, עַל־] נכנע, התמסר לאחרים: 56, 89-91, 95, 138, 139, 160, 162, 219, 298

ו) [נָפַל מִן־] חסר, נעדר: 23-25, 32, 195

[עין עוד הצרופים המיוחדים להלן]

ז) [נפ׳ נִפְלַל] נפל: 368

ח) [הת׳ הִתְנַפֵּל] השתער: 369

ט) [כנ״ל] השתטח: 370-373

י) [הפ׳ הִפִּיל] הטיל למטה, הוריד (גם בהשאלה) 380-383, 385, 391-393, 395, 397, 399-401, 403-407, 409, 412-419, 421-431, 433, 434

יא) [כנ״ל] הכריע, השמיד: 384, 386-389, 394, 402, 408, 420

יב) [כנ״ל] החסיר: 390, 398, 411, 432

– נָפַל גּוֹרָל (עַל־) 36, 258, 266; נָ׳ דָּבָר 53; נָ׳ הֵידָד 46; נָ׳ חָלָל 3, 94, 112, 119, 125, 350, 353, 354, 362, 364; נָ׳ (עָלָיו) לִבּוֹ 190; נָ׳ פַּחַד (עַל־) 38-41, 215, 247, 271

– נָפַל בְּאֶחָת 214; נָפַל בַּחֶרֶב 10, 55, 82, 85, 102, 107, 111, 117, 154, 163, 164, 179, 197, 201, 299, 311, 313, 316, 321, 324, 326-329, 331, 332, 334, 359; נָפַל בְּיַד־ 7, 18, 175, 176, 357, 361, 363; נָפַל בְּנַחֲלָה 81; נָפַל בְּעֵינָיו 360; נָפַל בְּרָע (בְּרָעָה) 207, 208, 213

– נָפַל לְאַפָּיו 249, 284; נָ׳ לַחֶרֶב 113; נָ׳ לְמִשְׁכָּב 49; נָפַל עַל־פָּנָיו 132, 170-174, 225, 226, 231, 234-238, 265, 294, 341-346; נָפַל אֶל פָּנָיו 239, 240; נָפַל עַל־צַוָּארָיו 227-229

– נָפְלָה אֵשׁ 71; נָפְלָה חוֹמָה 74, 76; נָ׳ יָרֵךְ 75, 148; נָ׳ עֲטָרָה 72; נָ׳ תְּחִנָּתוֹ 273, 277, 278

– נָפְלָה עָלָיו אֵימָה 62, 99, 147, 271; נָפְלָה עָלָיו חֲרָדָה 73; נָפְלָה עָלָיו יַד־ 291; נָ׳ עָלָיו רוּחַ 292; נָפְלָה עָלָיו תַּרְדֵּמָה 5, 6, 61, 64

– נָפְלוּ אָשְׁיוֹת 93; נָפְלוּ זְרוֹעוֹת 365; נָפְלוּ חֲבָלִים 97, 349; נָפְלוּ פָנָיו 84, 337

– הִתְנַפֵּל עַל־ 369; הִתְנַפֵּל לִפְנֵי־ 371-373

– הִפִּיל אוֹר פָּנָיו 432; הִפִּיל גּוֹרָל (גּוֹרָלוֹת) 391, 397, 399, 400, 410, (417), 421, (423-425), 427-431, (433), (434); הִפִּיל דָּבָר 390, 411; הִפִּיל חֲלָלִים 384, 396; הִפִּיל יָרֵךְ 380; הִפִּיל פּוּר 392, 393; הִפִּיל פָּנָיו בְּ־ 407; הִפִּיל תַּחֲנוּנָיו 406; הִפִּיל תְּחִנָּתוֹ 376, 404, 405; הִפִּיל תַּרְדֵּמָה (עַל־) 413, 419

נָפוֹל 1 כִּי־נָפוֹל תִּפּוֹל לְפָנָיו Es.6:13

בִּנְפֹל 2 בְּיוֹם הֶרֶג רָב בִּנְפֹל מִגְדָּלִים Is.30:25

3 בִּנְפֹל חָלָל בְּמִצְרָיִם Ezek.30:4

4 בִּנְפֹל אוֹיִבְךָ° אַל־תִּשְׂמָח Prov.24:17

5-6 בִּנְפֹל תַּרְדֵּמָה עַל־אֲנָשִׁים Job4:13; 33:15

7 בִּנְפֹל עַמָּהּ בְּיַד־צָר Lam.1:7

כִּנְפֹל 8 כִּנְפוֹל לִפְנֵי בְנֵי־עַוְלָה נָפָלְתָּ IISh.3:34

9 וְהָיָה כִּנְפֹל בָּהֶם בַּתְּחִלָּה IISh.17:9

לִנְפֹּל 10 ...מֵבִיא אֹתָנוּ...לִנְפֹּל בַּחֶרֶב Num.14:3

11 גַּם־בָּבֶל לִנְפֹּל חַלְלֵי יִשְׂרָאֵל Jer.51:49

12 דָּחֹה דְחִיתַנִי לִנְפֹּל Ps.118:13

13 אֲשֶׁר הַחִלּוֹתָ לִנְפֹּל לְפָנָיו Es.6:13

נָפְלוֹ 14 מִיּוֹם נָפְלוֹ עַד־הַיּוֹם הַזֶּה ISh.29:3

נִפְלוֹ 15 כִּי לֹא יִחְיֶה אַחֲרֵי נִפְלוֹ IISh.1:10

נִפְלָם 16 מִקּוֹל נִפְלָם רָעֲשָׁה הָאָרֶץ Jer.49:21

נָפַלְתִּי 17 אַל־תִּשְׂמְחִי...כִּי נָפַלְתִּי קָמְתִּי Mic.7:8

וְנָפַלְתִּי 18 ...וְנָפַלְתִּי בְּיַד הָעֲרֵלִים Jud.15:18

נָפַלְתָּ 19 אֵיךְ נָפַלְתָּ מִשָּׁמַיִם... Is.14:12

נָפָלְתָּ 20 כִּנְפוֹל לִפְנֵי בְנֵי־עַוְלָה נָפָלְתָּ IISh.3:34

וְנָפַלְתָּה 21 וְנָפַלְתָּה אַתָּה וִיהוּדָה עִמָּךְ IIK.14:10

וְנָפַלְתָּ 22 וְנָפַלְתָּ אַתָּה וִיהוּדָה עִמָּךְ IICh.25:19

נָפַל 23 לֹא־נָפַל דָּבָר מִכֹּל הַדָּבָר הַטּוֹב Josh.21:43

24 לֹא־נָפַל דָּבָר אֶחָד מִכֹּל הַדְּבָרִים Josh.23:14

25 לֹא־נָפַל מִמֶּנּוּ דָּבָר אֶחָד Josh.23:14

26 בֵּין רַגְלֶיהָ כָּרַע נָפַל שָׁכָב Jud.5:27

27 בַּאֲשֶׁר כָּרַע שָׁם נָפַל שָׁדוּד Jud.5:27

28 וְגַם־הַרְבֵּה נָפַל מִן־הָעָם IISh.1:4

29 נָפַל שָׁם עֲשָׂהאֵל וַיָּמֹת IISh.2:23

30 כִּי־שַׂר וְגָדוֹל נָפַל...בְּיִשְׂרָאֵל IISh.3:38

31 וְשִׁמְעִי...נָפַל לִפְנֵי הַמֶּלֶךְ IISh.19:19

32 לֹא־נָפַל דָּבָר אֶחָד מִכֹּל דְּבָרוֹ IK.8:56

33 וְאֶת־הַבַּרְזֶל נָפַל אֶל־הַמָּיִם IIK.6:5

34 גַּם־נָפַל אִישׁ אֶל־רֵעֵהוּ Jer.46:16

35 וְהִנֵּה נָפַל הַקִּיר Ezek.13:12

36 לֹא־נָפַל עָלֶיהָ גּוֹרָל Ezek.24:6

37 הֵילֵל בְּרוֹשׁ כִּי־נָפַל אֶרֶז Zech.11:2

38 כִּי־נָפַל פַּחְדָּם עֲלֵיהֶם Ps.105:38

39 כִּי־נָפַל פַּחַד־הַיְּהוּדִים עֲלֵיהֶם Es.8:17

40 כִּי־נָפַל פַּחְדָּם עַל־כָּל־הָעַמִּים Es.9:2

41 כִּי־נָפַל פַּחַד־מָרְדֳּכַי עֲלֵיהֶם Es.9:3

נָפָל 42 עַל־פְּנֵי כָל־אֶחָיו נָפָל Gen.25:18

43 בֵּין רַגְלֶיהָ כָּרַע נָפָל Jud.5:27

44 וַיֹּאמֶר אִישׁ־הָאֱלֹהִים אָנָה נָפָל IIK.6:6

45 כִּי כָשְׁלָה יְרוּשָׁלַם וִיהוּדָה נָפָל Is.3:8

46 כִּי עַל־קֵיצֵךְ...הֵידָד נָפָל Is.16:9

47 עַל־קֵיצֵךְ...שֹׁדֵד נָפָל Jer.48:32

וְנָפַל 48 פֶּן־יֶהֶרְסוּ...וְנָפַל מִמֶּנּוּ רָב Ex.19:21

49 וְלֹא יָמוּת וְנָפַל לְמִשְׁכָּב Ex.21:18

50 וְנָפַל־שָׁמָּה שּׁוֹר אוֹ חֲמוֹר Ex.21:33

51 וְנָפַל מִנִּבְלָתָם עָלָיו Lev.11:38

52 וַיַּהַפְכֵהוּ לְמַעְלָה וְנָפַל הָאֹהֶל Jud.7:13

53 דָּבָר שָׁלַח...וְנָפַל בְּיִשְׂרָאֵל Is.9:7

54 וְכָשַׁל עוֹזֵר וְנָפַל עָזֻר Is.31:3

55 וְנָפַל אַשּׁוּר בְּחֶרֶב לֹא־אִישׁ Is.31:8

56 וְהַיּוֹצֵא וְנָפַל עַל־הַכַּשְׂדִּים Jer.21:9

57 וְכָשַׁל זָדוֹן וְנָפַל וְאֵין לוֹ מֵקִים Jer.50:32

58 וְנָפַל חָלָל בְּתוֹכְכֶם Ezek.6:7

59 וְנָפַל בַּעֲצוּמָיו חֵלְכָּאִים° Ps.10:10

60 וְנִכְשַׁל וְנָפַל וְלֹא יִמָּצֵא Dan.11:19

נָפְלָה 61 וְתַרְדֵּמָה נָפְלָה עַל־אַבְרָם Gen.15:12

62 וְכִי־נָפְלָה אֵימַתְכֶם עָלֵינוּ Josh.2:9

63 כִּי לֹא־נָפְלָה לּוֹ...בְּנַחֲלָה Jud.18:1

נָפְלָה (המשך) 64 כִּי תַּרְדֵּמַת יְיָ נָפְלָה עֲלֵיהֶם ISh.26:12

65/6 אַדֶּרֶת אֵלִיָּהוּ אֲשֶׁר נָפְלָה מֵעָלָיו IIK.2:13,14

67/8 נָפְלָה נָפְלָה בָּבֶל Is.21:9

69 פִּתְאֹם נָפְלָה בָבֶל וַתִּשָּׁבֵר Jer.51:8

70 נָפְלָה לֹא־תוֹסִיף קוּם בְּתוּלַת יִשְׂ׳ Am.5:2

71 אֵשׁ אֱלֹהִים נָפְלָה מִן־הַשָּׁמַיִם Job1:16

72 נָפְלָה עֲטֶרֶת רֹאשֵׁנוּ Lam.5:16

73 אֲבָל חֲרָדָה גְדֹלָה נָפְלָה עֲלֵיהֶם Dan.10:7

נָפָלָה 74 גַּם־חוֹמַת בָּבֶל נָפָלָה Jer.51:44

וְנָפְלָה 75 וְצָבְתָה בִטְנָהּ וְנָפְלָה יְרֵכָהּ Num.5:27

76 וְנָפְלָה חוֹמַת הָעִיר תַּחְתֶּיהָ Josh.6:5

77 וְנִגְדְּעָה וְנָפְלָה וְנִכְרַת הַמַּשָּׂא Is.22:25

78 וְנָפְלָה וְלֹא־תֹסִיף קוּם Is.24:20

79 וְנָפְלָה נִבְלַת הָאָדָם כְּדֹמֶן Jer.9:21

80 וְנָפְלָה וּכְלִיתֶם בְּתוֹכָהּ Ezek.13:14

81 וְנָפְלָה הָאָרֶץ הַזֹּאת...בְּנַחֲלָה Ezek.47:14

וּנְפַלְתֶּם 82 וּנְפַלְתֶּם בֶּחָרֶב Num.14:43

83 וּנְפַלְתֶּם כִּכְלִי חֶמְדָּה Jer.25:34

נָפְלוּ 84 לָמָּה חָרָה לָךְ וְלָמָּה נָפְלוּ פָנֶיךָ Gen.4:6

85 וְעַל־בֵּית יִשְׂרָאֵל כִּי נָפְלוּ בֶּחָרֶב IISh.1:12

86-87 אֵיךְ נָפְלוּ גִבּוֹרִים IISh.1:19,27

88 אֵיךְ נָפְלוּ גִבֹּרִים בְּתוֹךְ הַמִּלְחָמָה IISh.1:25

89 אֲשֶׁר נָפְלוּ עַל־הַמֶּלֶךְ בָּבֶל IIK.25:11

90 אֲשֶׁר נָפְלוּ אֶל־הַכַּשְׂדִּים Jer.38:19

91 וְאֶת־הַנֹּפְלִים אֲשֶׁר נָפְלוּ עָלָיו Jer.39:9

92 יַחְדָּיו נָפְלוּ שְׁנֵיהֶם Jer.46:12

93 נָפְלוּ אָשְׁיוֹתֶיהָ° נֶהֶרְסוּ חוֹמוֹתֶיהָ Jer.50:15

94 גַּם-לְבָבֶל נָפְלוּ חַלְלֵי כָל-הָאָרֶץ Jer.51:49

95 אֲשֶׁר נָפְלוּ אֶל־מֶלֶךְ בָּבֶל Jer.52:15

96 וּבְכָל־גֵּאָיוֹת נָפְלוּ דָלִיּוֹתָיו Ezek.31:12

97 חֲבָלִים נָפְלוּ־לִי בַּנְּעִמִים Ps.16:6

98 שָׁם נָפְלוּ פֹּעֲלֵי אָוֶן Ps.36:13

99 וְאֵימוֹת מָוֶת נָפְלוּ עָלָי Ps.55:5

100 כָּרוּ לְפָנַי שִׁיחָה נָפְלוּ בְתוֹכָהּ Ps.57:7

101 וְחֶרְפּוֹת חוֹרְפֶיךָ נָפְלוּ עָלָי Ps.69:10

102 בְּתוּלֹתַי וּבַחוּרַי נָפְלוּ בֶחָרֶב Lam.2:21

103 וּמִמְּנַשֶּׁה נָפְלוּ עַל־דָּוִיד ICh.12:20(19)

104 נָפְלוּ עָלָיו מִמְּנַשֶּׁה... ICh.12:21(20)

105 כִּי־נָפְלוּ עָלָיו מִיִּשְׂרָאֵל לָרֹב IICh.15:9

106 נָפְלוּ לִפְנֵי יְיָ לְהִשְׁתַּחֲוֺת לַייָ IICh.20:18

107 וְהִנֵּה נָפְלוּ אֲבוֹתֵינוּ בֶּחָרֶב IICh.29:9

נָפָלוּ 108 לְבֵנִים נָפָלוּ וְגָזִית נִבְנֶה Is.9:9

109 וְכָל־קְהָלֵךְ בְּתוֹכֵךְ נָפָלוּ Ezek.27:34

110 כָּל־מַלְכֵיהֶם נָפָלוּ Hosh.7:7

111 כֹּהֲנָיו בַּחֶרֶב נָפָלוּ Ps.78:64

112 כִּי־חֲלָלִים רַבִּים נָפָלוּ ICh.5:22

וְנָפְלוּ 113 וְנָפְלוּ לִפְנֵיכֶם לֶחָרֶב Lev.26:7

114 וְנָפְלוּ אֹיְבֵיכֶם לִפְנֵיכֶם לֶחָרֶב Lev.26:8

115 וְנָסוּ...וְנָפְלוּ וְאֵין רֹדֵף Lev.26:36

116 וְנָפְלוּ וְנִשְׁבָּרוּ וְנוֹקְשׁוּ וְנִלְכָּדוּ Is.8:15

117 וְנָפְלוּ בְּחֶרֶב אֹיְבֵיהֶם Jer.20:4

118 יִדַּחוּ וְנָפְלוּ בָהּ Jer.23:12

119 וְנָפְלוּ חֲלָלִים בְּאֶרֶץ כַּשְׂדִּים Jer.51:4

120 וְנָפְלוּ סֹמְכֵי מִצְרַיִם Ezek.30:6

121 וְנֶהֶרְסוּ הֶהָרִים וְנָפְלוּ הַמַּדְרֵגוֹת Ezek.38:20

122 וְנִגְדְּעוּ...וְנָפְלוּ לָאָרֶץ Am.3:14

123 וְנָפְלוּ וְלֹא־יָקוּמוּ עוֹד Am.8:14

124 אִם־יִנּוֹעוּ וְנָפְלוּ עַל־פִּי אוֹכֵל Nah.3:12

125 וְנָפְלוּ חֲלָלִים רַבִּים Dan.11:26

וְנָפָלוּ 126 עַל־יַד נְהַר־פְּרָת כָּשְׁלוּ וְנָפָלוּ Jer.46:6

127 הֵמָּה כָּרְעוּ וְנָפָלוּ... Ps.20:9

128 הֵמָּה כָשְׁלוּ וְנָפָלוּ Ps.27:2

נֹפֵל 129-130 נֹפֵל וּגְלוּי עֵינָיִם Num. 24:4, 16

131 כִּי־יִמָּצֵא חָלָל...נֹפֵל בַּשָּׂדֶה Deut. 21:1

132 לָמָּה זֶּה אַתָּה נֹפֵל עַל־פָּנֶיךָ Josh. 7:10

133 אֲדֹנֵיהֶם נֹפֵל אַרְצָה מֵת Jud. 3:25

134 וְהִנֵּה סִיסְרָא נֹפֵל מֵת Jud. 4:22

135-136 וְהִנֵּה דָגוֹן נֹפֵל לְפָנָיו ISh. 5:3,4

137 כְּפֶרֶץ נֹפֵל נִבְעֶה בְּחוֹמָה Is. 30:13

138 אֶל־הַכַּשְׂדִּים אַתָּה נֹפֵל Jer. 37:13

139 אֵינֶנִּי נֹפֵל עַל־הַכַּשְׂדִּים Jer. 37:14

140-141 לֹא־נֹפֵל אָנֹכִי מִכֶּם Job 12:3; 13:2

142 וְאוּלָם הַר־נוֹפֵל יִבּוֹל Job 14:18

143 וְהָמָן נֹפֵל עַל־הַמִּטָּה... Es. 7:8

וְנֹפֵל 144 וְנֹפֵל בַּחֶרֶב וַחֲסַר־לָחֶם IISh. 3:29

הַנֹּפֵל 145 כִּי־יִפֹּל הַנֹּפֵל מִמֶּנּוּ Deut. 22:8

146 חֵיל כַּחַיִל הַנֹּפֵל מֵאוֹתָךְ IK. 20:25

נֹפֶלֶת 147 אֵימָה חֲשֵׁכָה גְדֹלָה נֹפֶלֶת עָלָיו Gen. 15:12

148 אֶת־יְרֵכֵךְ נֹפֶלֶת...בִּטְנֵךְ צָבָה Num. 5:21

149 פִּילַגְשׁוֹ נֹפֶלֶת פֶּתַח הַבַּיִת Jud. 19:27

הַנֹּפֶלֶת 150 אָקִים אֶת־סֻכַּת דָּוִיד הַנֹּפֶלֶת Am. 9:11

נֹפְלִים 151 חֲמוֹר אָחִיךָ אוֹ שׁוֹרוֹ נֹפְלִים Deut. 22:4

152 וּמִדְיָן וַעֲמָלֵק...נֹפְלִים בָּעֵמֶק Jud. 7:12

153 וַיִּמְצְאוּ...נֹפְלִים בְּהַר הַגִּלְבֹּעַ ISh. 31:8

154 כֻּלָּם חֲלָלִים נֹפְלִים בַּחֶרֶב Ezek. 32:23

155 אֶת־גִּבּוֹרִים נֹפְלִים מֵעֲרֵלִים Ezek. 32:27

156 וַיִּמְצְאוּ...נֹפְלִים בְּהַר גִּלְבֹּעַ ICh. 10:8

157 וְהִנָּם פְּגָרִים נֹפְלִים אַרְצָה IICh. 20:24

הַנֹּפְלִים 158 וַיְהִי כָל־הַנֹּפְלִים בַּיּוֹם הַהוּא Josh. 8:25

159 וַיְהִי כָל־הַנֹּפְלִים מִבִּנְיָמִן Jud. 20:46

160 הַנֹּפְלִים אֲשֶׁר נָפְלוּ עַל־הַמֶּלֶךְ IIK. 25:11

161 וְאֶת־הַנֹּפְלִים אֲשֶׁר נָפְלוּ עָלָיו Jer. 39:9

162 הַנֹּפְלִים אֲשֶׁר נָפְלוּ אֶל־מֶ׳ בָּבֶל Jer. 52:15

163 כֻּלָּם חֲלָלִים הַנֹּפְלִים בֶּחָרֶב Ezek. 32:22

164 כֻּלָּם חֲלָלִים הַנֹּפְלִים בַּחֶרֶב Ezek. 32:24

165 סוֹמֵךְ יְיָ לְכָל־הַנֹּפְלִים... Ps. 145:14

וְהַנֹּפְלִים 166 וְהַנֹּפְלִים מֵאָה וְעֶשְׂרִים אֶלֶף אִישׁ Jud. 8:10

בַּנֹּפְלִים 167-168 לָכֵן יִפְּלוּ בַנֹּפְלִים... Jer. 6:15; 8:12

אֶפֹּל 169 ...וּבְיַד־אָדָם אַל־אֶפֹּל ICh. 21:13

וָאֶפֹּל 170-171 וָאֶפֹּל עַל־פָּנַי Ezek. 1:28; 11:13

172 וָאֶפֹּל עַל־פָּנָי Ezek. 3:23

173-174 וָאֶפֹּל אֶל־פָּנָי Ezek. 43:3; 44:4

אֶפְּלָה 175 אֶפְּלָה־נָּא בְיַד־יְיָ ICh. 21:13

אֶפֹּלָה 176 ...וּבְיַד־אָדָם אַל־אֶפֹּלָה IISh. 24:14

וָאֶפְּלָה 177 וָאֶפְּלָה עַל־פָּנַי וָאֶזְעַק Ezek. 9:8

178 נִבְעַתִּי וָאֶפְּלָה עַל־פָּנָי Dan. 8:17

תִּפֹּל 179 ...וּבַחֶרֶב לֹא תִפֹּל Jer. 39:18

180/1 עַל־פְּנֵי הַשָּׂדֶה תִּפּוֹל Ezek. 29:5; 39:5

182 עַל־הָרֵי יִשְׂרָאֵל תִּפּוֹל Ezek. 39:4

183 כִּי־נָפוֹל תִּפּוֹל לְפָנָיו Es. 6:13

יִפֹּל 184 וְכֹל אֲשֶׁר־יִפֹּל עָלָיו מֵהֶם Lev. 11:32

185 אֲשֶׁר־יִפֹּל מֵהֶם אֶל־תּוֹכוֹ Lev. 11:33

186 אֲשֶׁר־יִפֹּל מִנִּבְלָתָם עָלָיו Lev. 11:35

187 וְכִי יִפֹּל מִנִּבְלָתָם עַל־כָּל־זֶרַע Lev. 11:37

188 כִּי־יִפֹּל הַנֹּפֵל מִמֶּנּוּ Deut. 22:8

189 אִם־יִפֹּל מִשַּׂעֲרַת רֹאשׁוֹ אַרְצָה ISh. 14:45

190 אַל־יִפֹּל לֵב־אָדָם עָלָיו ISh. 17:32

191 וְעַתָּה אַל־יִפֹּל דָּמִי אַרְצָה ISh. 26:20

192 אִם־יִפֹּל מִשַּׂעֲרַת בִּנְךָ אָרְצָה IISh. 14:11

193 כַּאֲשֶׁר יִפֹּל הַטַּל עַל־הָאֲדָמָה IISh. 17:12

194 לֹא־יִפֹּל מִשַּׂעֲרָתוֹ אָרְצָה IK. 1:52

195 כִּי לֹא יִפֹּל מִדְּבַר יְיָ אַרְצָה IIK. 10:10

196 וְהַלְּבָנוֹן בְּאַדִּיר יִפּוֹל Is. 10:34

197 וְכָל־הַנִּסְפֶּה יִפּוֹל בֶּחָרֶב Is. 13:15

יִפֹּל (המשך) 198 וְהָיָה הַנָּס...יִפֹּל אֶל־הַפַּחַת Is. 24:18

199 מִי־גָר אִתָּךְ עָלַיִךְ יִפּוֹל Is. 54:15

200 הַנָּס...יִפֹּל אֶל־הַפַּחַת Jer. 48:44

201 וְהַקָּרוֹב בַּחֶרֶב יִפּוֹל Ezek. 6:12

202 וְלֹא־יִפּוֹל צְרוֹר אָרֶץ Am. 9:9

203 כִּי־יִפֹּל לֹא־יוּטָל Ps. 37:24

204 יִפֹּל מִצִּדְּךָ אֶלֶף... Ps. 91:7

205 וּבְרִשְׁעָתוֹ יִפֹּל רָשָׁע Prov. 11:5

206 בּוֹטֵחַ בְּעָשְׁרוֹ הוּא יִפֹּל Prov. 11:28

207 מַלְאָךְ רָשָׁע יִפֹּל בְּרָע Prov. 13:17

208 וְנֶהְפָּךְ בִּלְשׁוֹנוֹ יִפּוֹל בְּרָעָה Prov. 17:20

209 זְעוּם יְיָ יִפָּל(כ׳ יִפּוֹל)־שָׁם Prov. 22:14

210 כִּי שֶׁבַע יִפּוֹל צַדִּיק וָקָם Prov. 24:16

211 כֹּרֶה־שַּׁחַת בָּהּ יִפֹּל Prov. 26:27

212 בִּשְׁחוּתוֹ הוּא־יִפּוֹל Prov. 28:10

213 וּמַקְשֶׁה לִבּוֹ יִפּוֹל בְּרָעָה Prov. 28:14

214 וְנֶעְקַשׁ דְּרָכַיִם יִפּוֹל בְּאֶחָת Prov. 28:18

215 וּפַחְדּוֹ יִפֹּל עֲלֵיכֶם Job 13:11

216 עַד אֲשֶׁר תֵּדְעִין אֵיךְ יִפֹּל דָּבָר Ruth 3:18

217 חֹפֵר גּוּמָּץ בּוֹ יִפּוֹל Eccl. 10:8

218 וְאִם־יִפּוֹל עֵץ בַּדָּרוֹם Eccl. 11:3

219 יִפּוֹל אֶל־אֲדֹנָיו שָׁאוּל ICh. 12:19(20)

יִפָּל־ 220 וְרִשְׁתּוֹ...בְּשׁוֹאָה יִפָּל־בָּהּ Ps. 35:8

221 בְּאֵין תַּחְבֻּלוֹת יִפָּל־עָם Prov. 11:14

וְיִפֹּל 222 וְיַעַל וְיִפֹּל בְּרָמֹת גִּלְעָד IK. 22:20

223 אֱמֹר אֶל־טָחֵי תָפֵל וְיִפֹּל Ezek. 13:11

224 וְיַעַל וְיִפֹּל בְּרָמוֹת גִּלְעָד IICh. 18:19

וַיִּפֹּל 225 וַיִּפֹּל אַבְרָם עַל־פָּנָיו Gen. 17:3

226 וַיִּפֹּל אַבְרָהָם עַל־פָּנָיו וַיִּצְחָק Gen. 17:17

227 וַיִּפֹּל עַל־צַוָּארָו וַיִּשָּׁקֵהוּ Gen. 33:4

228 וַיִּפֹּל עַל־צַוְּארֵי בִנְיָמִן Gen. 45:14

229 וַיֵּרָא אֵלָיו וַיִּפֹּל עַל־צַוָּארָיו Gen. 46:29

230 ...וַיִּפֹּל רֹכְבוֹ אָחוֹר Gen. 49:17

231 וַיִּפֹּל יוֹסֵף עַל־פְּנֵי אָבִיו Gen. 50:1

232 וַיִּפֹּל מִן־הָעָם בַּיּוֹם הַהוּא Ex. 32:28

233 וַיִּפֹּל מֹשֶׁה וְאַהֲרֹן עַל־פְּנֵיהֶם Num. 14:5

234-238 וַיִּפֹּל(...)עַל פָּנָיו Num. 16:4

Josh. 7:6 • ISh. 17:49 • IISh. 9:6 • IK. 18:7

239/40 וַיִּפֹּל...אֶל־פָּנָיו אַרְצָה Josh. 5:14 • IISh. 14:22

241 וַיִּפֹּל...מַחֲנֵה סִיסְרָא לְפִי־חֶרֶב Jud. 4:16

242 וַיַּכֵּהוּ וַיִּפֹּל וַיַּהַפְכֵהוּ לְמַעְלָה Jud. 7:13

243 וַיִּפֹּל בָּעֵת הַהִיא מֵאֶפְרַיִם... Jud. 12:6

244 וַיִּפֹּל הַבַּיִת עַל־הַסְּרָנִים Jud. 16:30

245 וַיִּפֹּל מִיִּשְׂרָאֵל שְׁלֹשִׁים אֶלֶף רַגְלִי ISh. 4:10

246 וַיִּפֹּל מֵעַל־הַכִּסֵּא אֲחֹרַנִּית ISh. 4:18

247 וַיִּפֹּל פַּחַד־יְיָ עַל־הָעָם ISh. 11:7

248 וַיִּפֹּל עָרֹם כָּל־הַיּוֹם הַהוּא ISh. 19:24

249 וַיִּפֹּל לְאַפָּיו אַרְצָה ISh. 20:41

250 וַיִּפֹּל מְלֹא־קוֹמָתוֹ אַרְצָה ISh. 28:20

251 וַיִּקַּח שָׁאוּל אֶת־הַחֶרֶב וַיִּפֹּל עָלֶיהָ ISh. 31:4

252 וַיִּפֹּל גַּם־הוּא עַל־חַרְבּוֹ ISh. 31:5

253 וַיִּפֹּל אַרְצָה וַיִּשְׁתָּחוּ IISh. 1:2

254 וַיְהִי בְּחָפְזָהּ לָנוּס וַיִּפֹּל וַיִּפָּסֵחַ IISh. 4:4

255 וַיִּפֹּל מִן־הָעָם מֵעַבְדֵי דָוִד IISh. 11:17

256 וַיִּפֹּל אֲחַזְיָה בְּעַד הַשְּׂבָכָה IIK. 1:2

257 וַיִּפֹּל מֵעַל הַמֶּרְכָּבָה לִקְרָאתוֹ IIK. 5:21

258 וַיִּפֹּל הַגּוֹרָל עַל־יוֹנָה Jon. 1:7

259 ...וַיִּפֹּל בְּשַׁחַת יִפְעָל Ps. 7:16

260 וַיִּפֹּל עַל־הַנְּעָרִים וַיָּמוּתוּ Job 1:19

261 וַיִּפֹּל אַרְצָה וַיִּשְׁתָּחוּ Job 1:20

262 וַיִּקַּח שָׁאוּל אֶת־הַחֶרֶב וַיִּפֹּל עָלֶיהָ ICh. 10:4

263 וַיִּפֹּל גַּם־הוּא עַל־הַחֶרֶב ICh. 10:5

וַיִּפֹּל (המשך) 264 וַיִּפֹּל מִיִּשְׂ׳ שִׁבְעִים אֶלֶף אִישׁ ICh. 21:14

265 וַיִּפֹּל דָּוִיד וְהַזְּקֵנִים...עַל־פְּנֵיהֶם ICh. 21:16

266 וַיִּפֹּל הַגּוֹרָל מִזְרָחָה לְשֶׁלֶמְיָהוּ ICh. 26:14

267 וַיִּפֹּל מִכּוּשִׁים לְאֵין־לָהֶם מִחְיָה IICh. 14:12

וַיִּפָּל־ 268 וַיִּפָּל־שָׁם וַיָּמָת תַּחְתָּו IISh. 2:23

שֶׁיִּפֹּל 269 וְאִילוֹ הָאֶחָד שֶׁיִּפּוֹל Eccl. 4:10

270 מְקוֹם שֶׁיִּפּוֹל הָעֵץ שָׁם יְהוּא Eccl. 11:3

תִּפֹּל 271 תִּפֹּל עֲלֵיהֶם אֵימָתָה וָפַחַד Ex. 15:16

272 אֲשֶׁר תִּפֹּל לָכֶם בְּנַחֲלָה Num. 34:2

273 אוּלַי תִּפֹּל תְּחִנָּתָם לִפְנֵי יְיָ Jer. 36:7

274 וְאַחֲרִיתֵךְ בַּחֶרֶב תִּפּוֹל Ezek. 23:25

275 וְכָל־חוֹמָה לָאָרֶץ תִּפּוֹל Ezek. 38:20

276 כְּתֵפִי מִשִּׁכְמָה תִפּוֹל Job 31:22

תִּפָּל־ 277 תִּפָּל־נָא תְחִנָּתִי לְפָנֶיךָ Jer. 37:20

278 תִּפָּל־נָא תְחִנָּתֵנוּ לְפָנֶיךָ Jer. 42:2

הֲתִפֹּל 279 הֲתִפֹּל צִפּוֹר עַל־פַּח הָאָרֶץ Am. 3:5

וְתִפֹּל 280 וְתִפֹּל עָלַיִךְ הֹוָה Is. 47:11

וַתִּפֹּל 281 וַתֵּרֶא...וַתִּפֹּל מֵעַל הַגָּמָל Gen. 24:64

282 וַתִּפֹּל הַחוֹמָה תַּחְתֶּיהָ Josh. 6:20

283 וַתִּפֹּל פֶּתַח בֵּית־הָאִישׁ Jud. 19:26

284 וַתִּפֹּל לְאַפֵּי דָוִד עַל־פָּנֶיהָ ISh. 25:23

285 וַתִּפֹּל עַל־רַגְלָיו וַתֹּאמֶר ISh. 25:24

286 וַתִּפֹּל עַל־אַפֶּיהָ אַרְצָה IISh. 14:4

287 וְעָלָו חֲגוֹר חֶרֶב...וְהוּא יָצָא וַתִּפֹּל IISh. 20:8

288 וַתִּפֹּל אֵשׁ־יְיָ וַתֹּאכַל... IK. 18:38

289 וַתִּפֹּל הַחוֹמָה עַל...הַנּוֹתָרִים IK. 20:30

290 וַתָּבֹא וַתִּפֹּל עַל־רַגְלָיו IIK. 4:37

291 וַתִּפֹּל עָלַי שָׁם יַד אֲדֹנָי יֱהֹוִה Ezek. 8:1

292 וַתִּפֹּל עָלַי רוּחַ יְיָ וַיֹּאמֶר אֵלַי Ezek. 11:5

293 וַתִּפֹּל שְׁבָא וַתִּקָּחֵם Job 1:15

294 וַתִּפֹּל עַל־פָּנֶיהָ וַתִּשְׁתַּחוּ אָרְצָה Ruth 2:10

295 וַתִּפֹּל לִפְנֵי רַגְלָיו וַתֵּבְךְּ Es. 8:3

כְּשֶׁתִּפּוֹל 296 לְעֵת...כְּשֶׁתִּפּוֹל עֲלֵיהֶם פִּתְאֹם Eccl. 9:12

נִפְּלָה־ 297 נִפְּלָה־נָּא בְיַד־יְיָ... IISh. 24:14

וְנִפְּלָה 298 לְכוּ וְנִפְּלָה אֶל־מַחֲנֵה אֲרָם IIK. 7:4

תִּפֹּלוּ 299 בַּחֶרֶב תִּפֹּלוּ Ezek. 11:10

300 וּכְאַחַד הַשָּׂרִים תִּפֹּלוּ Ps. 82:7

תִּפֹּלְנָה 301 וְאַתֵּנָה אַבְנֵי אֶלְגָּבִישׁ תִּפֹּלְנָה Ezek. 13:11

יִפְּלוּ 302 וְהַיָּמִים הָרִאשֹׁנִים יִפְּלוּ Num. 6:12

303 בַּמִּדְבָּר הַזֶּה יִפְּלוּ פִגְרֵיכֶם Num. 14:29

304 וּפִגְרֵיכֶם אַתֶּם יִפְּלוּ בַּמִּדְבָּר Num. 14:32

305 וּבַל־יִפְּלוּ יֹשְׁבֵי תֵבֵל Is. 26:18

306/7 לָכֵן יִפְּלוּ בַנֹּפְלִים Jer. 6:15; 8:12

308/9 יִפְּלוּ בַחוּרֶיהָ בִּרְחֹבֹתֶיהָ Jer. 49:26; 50:30

310 וְכָל־חֲלָלֶיהָ יִפְּלוּ בְתוֹכָהּ Jer. 51:47

311 בַּחֶרֶב יִפְּלוּ סְבִיבוֹתָיִךְ Ezek. 5:12

312 יִפְּלוּ בְּלֵב יַמִּים בְּיוֹם מַפַּלְתֵּךְ Ezek. 27:27

313 בַּחֶרֶב יִפְּלוּ־בָהּ Ezek. 30:6

314 חַלְלֵי־חֶרֶב יִפְּלוּ בָהֶם Ezek. 35:8

315 אִתְּכֶם יִפְּלוּ בְּנַחֲלָה Ezek. 47:22

316 יִפְּלוּ בַחֶרֶב שָׂרֵיהֶם מִזַּעַם לְשׁוֹנָם Hosh. 7:16

317 יִפְּלוּ מִמֹּעֲצוֹתֵיהֶם Ps. 5:11

318 יִפְּלוּ תַּחַת רַגְלָי Ps. 18:39

319 עַמִּים תַּחְתֶּיךָ יִפְּלוּ Ps. 45:6

320 יִפְּלוּ בְמַכְמֹרָיו רְשָׁעִים Ps. 141:10

יִפֹּלוּ 321 מְתַיִךְ בַּחֶרֶב יִפֹּלוּ Is. 3:25

322 וְתַחַת הֲרוּגִים יִפֹּלוּ Is. 10:4

323 וְתַמּוּ כֹּל בְּאֶרֶץ מִצְרַיִם יִפֹּלוּ Jer. 44:12

324 בַּחֶרֶב בָּרָעָב וּבַדֶּבֶר יִפֹּלוּ Ezek. 6:11

325 ...בְּכָל־אֲגַפָּיו בַּחֶרֶב יִפֹּלוּ Ezek. 17:21

326-328 בַּחֶרֶב יִפֹּלוּ Ezek. 24:21; 25:13; 30:17

329 אִתָּם בַּחֶרֶב יִפֹּלוּ Ezek. 30:5

יִפֹּלוּ (המשך) 330 בְּתוֹךְ חַלְלֵי־חֶרֶב יִפֹּלוּ Ezek. 32:20
331 אֲשֶׁר בֶּחֳרָבוֹת בַּחֶרֶב יִפֹּלוּ Ezek. 33:27
332 בַּחֶרֶב יִפְּלוּ עֹלְלֵיהֶם יְרֻטָּשׁוּ Hosh. 14:1
333 וּבְעַד הַשֶּׁלַח יִפֹּלוּ Joel 2:8
334 וּבָנֶיךָ וּבְנֹתֶיךָ בַּחֶרֶב יִפֹּלוּ Am. 7:17
335 כִּי אִם־יִפֹּלוּ הָאֶחָד יָקִים Eccl. 4:10
הֲיִפְּלוּ 336 הֲיִפְּלוּ וְלֹא יָקוּמוּ Jer. 8:4
וַיִּפְּלוּ 337 וַיִּחַר לְקַיִן מְאֹד וַיִּפְּלוּ פָּנָיו Gen. 4:5
338 וַיָּנֻסוּ...וַיִּפְּלוּ־שָׁמָּה Gen. 14:10
339 וַיִּפְּלוּ לְפָנָיו אָרְצָה Gen. 44:14
340 וַיֵּלְכוּ גַּם־אֶחָיו וַיִּפְּלוּ לְפָנָיו Gen. 50:18
341 וַיָּרֹנּוּ וַיִּפְּלוּ עַל־פְּנֵיהֶם Lev. 9:24
342-346 וַיִּפְּלוּ עַל־פְּנֵיהֶם Num. 16:22
17:10; 20:6 • Jud. 13:20 • IK. 18:39
347 וַיִּפְּלוּ כֻלָּם לְפִי־חֶרֶב Josh. 8:24
348 וַיָּבֹא...פִּתְאֹם וַיִּפְּלוּ בָּהֶם Josh. 11:7
349 וַיִּפְּלוּ חַבְלֵי־מְנַשֶּׁה עֲשָׂרָה Josh. 17:5
350 וַיִּפְּלוּ חֲלָלִים רַבִּים Jud. 9:40
351 וַיִּפְּלוּ מִבִּנְיָמִן שְׁמֹנָה־עָשָׂר אֶלֶף Jud. 20:44
352 וַיִּפְּלוּ לִפְנֵי יוֹנָתָן ISh. 14:13
353 וַיִּפְּלוּ חַלְלֵי פְלִשְׁתִּים ISh. 17:52
354 וַיִּפְּלוּ חֲלָלִים בְּהַר הַגִּלְבֹּעַ ISh. 31:1
355 וַיַּחֲזִקוּ אִישׁ בְּרֹאשׁ...וַיִּפְּלוּ יַחְדָּו IISh. 2:16
356 וַיִּפְּלוּ שְׁבַעְתָּם° יָחַד IISh. 21:9
357 וַיִּפְּלוּ בְיַד־דָּוִד וּבְיַד עֲבָדָיו IISh. 21:22
358 וַיִּפְּלוּ תַּחַת רַגְלָי IISh. 22:39
359 וַיִּפְּלוּ בַחֶרֶב כֻּלָּם Ezek. 39:23
360 וַיִּפְּלוּ מְאֹד בְּעֵינֵיהֶם Neh. 6:16
361 עָשׂוּ מִלְחָמָה...וַיִּפְּלוּ בְּיָדָם ICh. 5:10
362 וַיִּפְּלוּ חֲלָלִים בְּהַר גִּלְבֹּעַ ICh. 10:1
363 וַיִּפְּלוּ בְיַד־דָּוִיד וּבְיַד־עֲבָדָיו ICh. 20:8
364 וַיִּפְּלוּ חֲלָלִים מִיִּשְׂרָאֵל... IICh. 13:17
תִּפֹּלְנָה 365 וּזְרֹעוֹת פַּרְעֹה תִּפֹּלְנָה Ezek. 30:25
נִפְלוּ 366 וְאָמְרוּ...וְלַגְּבָעוֹת נִפְלוּ עָלֵינוּ Hosh. 10:8
וּנְפְלוּ 367 שְׁתוּ...וּנְפְלוּ וְלֹא תָקוּמוּ Jer. 25:27
וְנִפְלַל 368 וְנִפְלַל חָלָל בְּתוֹכָהּ Ezek. 28:23
וּלְהִתְנַפֵּל 369 לְהִתְגֹּלֵל עָלֵינוּ וּלְהִתְנַפֵּל עָלֵינוּ Gen. 43:18
הִתְנַפָּלְתִּי 370 אַרְבָּעִים הַלַּיְלָה אֲשֶׁר הִתְנַפָּלְתִּי Deut. 9:25
וּמִתְנַפֵּל 371 בֹּכֶה וּמִתְנַפֵּל לִפְנֵי בֵּית הָאֱלֹהִים Ez. 10:1
וָאֶתְנַפַּל 372/3 וָאֶתְנַפַּל לִפְנֵי יְיָ Deut. 9:18, 25
לְהַפִּיל 374 לְהַפִּיל אֶת־דָּוִד בְּיַד־פְּלִשְׁתִּים ISh. 18:25
375 מַשְׁחִיתִם לְהַפִּיל הַחוֹמָה IISh. 20:15
376 לְהַפִּיל תְּחִנַּתְכֶם לְפָנָיו Jer. 42:9
377 לְהַפִּיל עָנִי וְאֶבְיוֹן Ps. 37:14
378 לְהַפִּיל אוֹתָם בַּמִּדְבָּר Ps. 106:26
וּלְהַפִּיל 379 וּלְהַפִּיל זַרְעָם בַּגּוֹיִם Ps. 106:27
וְלַנְפִּל 380 לַצְבּוֹת בֶּטֶן וְלַנְפִּל יָרֵךְ Num. 5:22
וּבְהַפִּילְכֶם 381 וּבְהַפִּילְכֶם אֶת־הָאָרֶץ בְּנַחֲלָה Ezek. 45:1
הִפַּלְתִּי 382 רְאוּ הִפַּלְתִּי לָכֶם...בְּנַחֲלָה Josh. 23:4
383 הִפַּלְתִּי עָלֶיהָ פִּתְאֹם עִיר וּבֶהָלוֹת Jer. 15:8
וְהִפַּלְתִּי 384 וְהִפַּלְתִּי חַלְלֵיכֶם לִפְנֵי גִּלּוּלֵיכֶם Ezek. 6:4
385 וְהִפַּלְתִּי אֶת־הַחֶרֶב מִיָּדוֹ Ezek. 30:22
וְהִפַּלְתִּיו 386/7 וְהִפַּלְתִּיו בַּחֶרֶב בְּאַרְצוֹ IIK. 19:7 • Is. 37:7
וְהִפַּלְתִּים 388 וְהִפַּלְתִּים בַּחֶרֶב לִפְנֵי אֹיְבֵיהֶם Jer. 19:7
הִפַּלְתָּם 389 הִפַּלְתָּם לְמַשּׁוּאוֹת Ps. 73:18
הִפִּיל 390 וְלֹא־הִפִּיל מִכָּל־דְּבָרָיו אָרְצָה ISh. 3:19
391 וְהוּא־הִפִּיל לָהֶן גּוֹרָל... Is. 34:17
392 הִפִּיל פּוּר הוּא הַגּוֹרָל Es. 3:7
וְהִפִּל 393 וְהִפִּל פּוּר הוּא הַגּוֹרָל Es. 9:24
394 וְהִפִּיל רִבֹּאוֹת וְלֹא יָעוֹז Dan. 11:12
וְהִפִּילוֹ 395 וְהִפִּילוֹ הַשֹּׁפֵט וְהִכָּהוּ לְפָנָיו Deut. 25:2
הִפִּילָה 396 כִּי־רַבִּים חֲלָלִים הִפִּילָה Prov. 7:26

הִפַּלְנוּ 397 וְהַגּוֹרָלוֹת הִפַּלְנוּ עַל־קֻרְבַּן... Neh. 10:35
הִפִּילוּ 398 לֹא הִפִּילוּ מִמַּעַלְלֵיהֶם Jud. 2:19
399 וּשְׁאָר הָעָם הִפִּילוּ גוֹרָלוֹת Neh. 11:1
400 וּזְכַרְיָהוּ בְנוֹ...הִפִּילוּ גוֹרָלוֹת ICh. 26:14
וְהִפִּילוּ 401 וְכָרְתוּ...וְהִפִּילוּ עַל־הָאֵשׁ Jer. 22:7
הִפִּילֻהוּ 402 וּמִיצִיאֵי מֵעָיו...הִפִּילֻהוּ בֶחָרֶב IICh. 32:21
מַפִּיל 403 וַיְהִי הָאֶחָד מַפִּיל הַקּוֹרָה IIK 6:5
404 מַפִּיל־אֲנִי תְחִנָּתִי לִפְנֵי הַמֶּלֶךְ Jer. 38:26
וּמַפִּיל 405 וּמַפִּיל תְּחִנָּתִי לִפְנֵי יְיָ Dan. 9:20
מַפִּילִים 406 אֲנַחְנוּ מַפִּילִים תַּחֲנוּנֵינוּ לְפָנֶיךָ Dan. 9:18
אַפִּיל 407 לוֹא־אַפִּיל פָּנַי בָּכֶם Jer. 3:12
408 בְּחַרְבוֹת גִּבּוֹרִים אַפִּיל הֲמוֹנֵךְ Ezek. 32:12
409 וְחִצֶּיךָ מִיַּד יְמִינְךָ אַפִּיל Ezek. 39:3
תַּפִּיל ז׳ 410 גּוֹרָלְךָ תַּפִּיל בְּתוֹכֵנוּ Prov. 1:14
תַּפֵּל 411 אַל־תַּפֵּל דָּבָר מִכֹּל אֲשֶׁר דִּבַּרְתָּ Es. 6:10
יַפִּיל 412 וְאִם־שֵׁן עַבְדּוֹ...יַפִּיל Ex. 21:27
וַיַּפֵּל 413 וַיַּפֵּל יְיָ אֱל׳ תַּרְדֵּמָה עַל־הָאָדָם Gen. 2:21
414 אוֹ בְכָל־אֶבֶן...וַיַּפֵּל עָלָיו וַיָּמֹת Num. 35:23
415 וַיַּפֵּל בְּקֶרֶב מַחֲנֵהוּ Ps. 78:28
יַפִּלֵם 416 יִמּוֹטוּ° עֲלֵיהֶם גֶּחָלִים בָּאֵשׁ יַפִּלֵם Ps. 140:11
וַיַּפִּילֵם 417 וַיְגָרֶשׁ..גּוֹיִם וַיַּפִּילֵם בְּחֶבֶל נַחֲלָה Ps. 78:55
תַּפִּיל נ׳ 418 וָאָרֶץ רְפָאִים תַּפִּיל Is. 26:19
419 עַצְלָה תַּפִּיל תַּרְדֵּמָה Prov. 19:15
וַתַּפֵּל 420 וַתַּפֵּל אַרְצָה מִן־הַצָּבָא... Dan. 8:10
וְנַפִּילָה 421 לְכוּ וְנַפִּילָה גוֹרָלוֹת Jon. 1:7
תַּפִּילוּ 422 וְכָל־עֵץ טוֹב תַּפִּילוּ IIK. 3:19
423 תַּפִּלוּ אוֹתָהּ בְּנַחֲלָה לָכֶם Ezek. 47:22
424 אֲשֶׁר־תַּפִּילוּ מִנַּחֲלָה Ezek. 48:29
425 אַף־עַל־יָתוֹם תַּפִּילוּ Job 6:7
יַפִּילוּ 426 וְכָל־עֵץ־טוֹב יַפִּילוּ IIK. 3:25
427 וְעַל־לְבוּשִׁי יַפִּילוּ גוֹרָל Ps. 22:19
וַיַּפִּלוּ 428 וַיַּפִּלוּ גּוֹרָלוֹת וַיִּפֹּל הַגּוֹרָל Jon. 1:7
429 וַיַּפִּילוּ גַם־הֵם גּוֹרָלוֹת ICh. 24:31
430 וַיַּפִּילוּ גּוֹרָלוֹת מִשְׁמֶרֶת ICh. 25:8
431 וַיַּפִּילוּ גוֹרָלוֹת כַּקָּטֹן כַּגָּדוֹל ICh. 26:13
יַפִּילוּן 432 וְאוֹר פָּנַי לֹא יַפִּילוּן Job 29:24
הַפִּלֶהָ 433 רַק הַפִּלֶהָ לְיִשְׂרָאֵל בְּנַחֲלָה Josh. 13:6
הַפִּילוּ 434 הַפִּילוּ בֵּינִי וּבֵין יוֹנָתָן בְּנִי ISh. 14:42

נְפַל
פ׳ ארמית: נְפַל: 1-11
נְפַל 1 מַלְכָּא...נְפַל עַל־אַנְפּוֹהִי Dan. 2:46
2 קָל מִן־שְׁמַיָּא נְפַל Dan. 4:28
וּנְפַלָה 3 וּנְפַלָה (כת׳ ונפלו) מִן־קֳדָמַהּ° תְּלָת Dan. 7:20
נְפַלוּ 4 נְפַלוּ לְגוֹא־אַתּוּן־נוּרָא יָקִדְתָּא Dan. 3:23
נָפְלִין 5 נָפְלִין כָּל־עַמְמַיָּא...סָגְדִין... Dan. 3:7
יִפֵּל 6/7 וּמַן־דִּי־לָא יִפֵּל וְיִסְגֻּד Dan. 3:6, 11
8 יִפֵּל וְיִסְגֻּד לְצֶלֶם דַּהֲבָא Dan. 3:10
יִפֶּל 9 דִּי יִפֶּל־לָךְ לְמִנְתַּן Ez. 7:20
תִּפְּלוּן 10 תִּפְּלוּן וְתִסְגְּדוּן לְצֶלֶם דַּהֲבָא Dan. 3:5
11 תִּפְּלוּן וְתִסְגְּדוּן לְצַלְמָא דִי־עַבְדֵת Dan. 3:15

נֵפֶל
ז׳ ולד שהופל מרחם אמו: 1-3
נֵפֶל 1 נֵפֶל אֵשֶׁת בַּל־חָזוּ שָׁמֶשׁ Ps. 58:9
הַנָּפֶל 2 אָמַרְתִּי טוֹב מִמֶּנּוּ הַנָּפֶל Eccl. 6:3
כְּנֵפֶל 3 אוֹ כְנֵפֶל טָמוּן לֹא אֶהְיֶה Job 3:16

נִפְלָא
ת׳ – עין (פלא)

נִפְלָאוֹת
נ״ר דברי פלא, נסים: 1-44 [עין גם פֶּלֶא]

– נִפְלָאוֹת גְּדֹלוֹת 9; גְּדוֹלוֹת וְנִפְלָאוֹת 16; דִּבְרֵי נִפְלְאוֹתֶיךָ 25; עֱזוּזוֹ נִפְ׳ 36; נִפְלְאוֹת אֵל 17
– דְּבַר נִפְלָאוֹת 13; הִבִּיט נִ׳ 8; הִגִּיד נִ׳ 22; הֶרְאָה נִ׳ 37, 3; הִרְעִים נִ׳ 11; הִשְׁחִית נִ׳ 15; הִשְׂכִּיל נִ׳ 24; הִתְבּוֹנֵן נִ׳ 17; זָכַר נִ׳ 26, 32; סִפֵּר נִ׳ 19, 20, 23, 30, 35; עָשָׂה נִפְלָאוֹת 1, 2, 4-6, 9, 32, 34, 36

נִפְלָאוֹת 1 נֶגֶד כָּל־עַמְּךָ אֶעֱשֶׂה נִפְלָאֹת Ex. 34:10
2 מָחָר יַעֲשֶׂה יְיָ בְּקִרְבְּכֶם נִפְלָאוֹת Josh. 3:5
3 כִּימֵי צֵאתְךָ...אַרְאֶנּוּ נִפְלָאוֹת Mic. 7:15
4 עֹשֵׂה נִפְלָאוֹת לְבַדּוֹ Ps. 72:18
5 כִּי־גָדוֹל אַתָּה וְעֹשֵׂה נִפְלָאוֹת Ps. 86:10
6 שִׁירוּ לַייָ...כִּי־נִפְלָאוֹת עָשָׂה Ps. 98:1
7 נִפְלָאוֹת בְּאֶרֶץ חָם Ps. 206:22
8 וְאַבִּיטָה נִפְלָאוֹת מִתּוֹרָתֶךָ Ps. 119:18
9 לְעֹשֵׂה נִפְלָאוֹת גְּדֹלוֹת לְבַדּוֹ Ps. 136:4
10 נִפְלָאוֹת עַד־אֵין מִסְפָּר Job 5:9
11 יַרְעֵם אֵל בְּקוֹלוֹ נִפְלָאוֹת Job 37:5
12 נִפְלָאוֹת מִמֶּנִּי וְלֹא אֵדָע Job 42:3
13 וְעַל אֵל אֵלִים יְדַבֵּר נִפְלָאוֹת Dan. 11:36
וְנִפְלָאוֹת 14 וְנִפְלָאוֹת עַד־אֵין מִסְפָּר Job 9:10
15 וְנִפְלָאוֹת יַשְׁחִית וְהִצְלִיחַ וְעָשָׂה Dan. 8:24
וּבְנִפְלָאוֹת 16 בִּגְדֹלוֹת וּבְנִפְלָאוֹת מִמֶּנִּי Ps. 131:1
נִפְלְאוֹת־ 17 עֲמֹד וְהִתְבּוֹנֵן נִפְלְאוֹת אֵל Job 37:14
נִפְלְאֹתַי 18 וְהִכֵּיתִי...בְּכֹל נִפְלְאֹתַי אֲשֶׁר אֶעֱשֶׂה Ex. 3:20
נִפְלְאוֹתֶיךָ 19 אֲסַפְּרָה כָּל־נִפְלְאוֹתֶיךָ Ps. 9:2
20 וּלְסַפֵּר כָּל־נִפְלְאוֹתֶיךָ Ps. 26:7
21 נִפְלְאֹתֶיךָ וּמַחְשְׁבֹתֶיךָ אֵלֵינוּ Ps. 40:6
22 וְעַד־הֵנָּה אַגִּיד נִפְלְאוֹתֶיךָ Ps. 71:17
23 הוֹדִינוּ לְּךָ...סִפְּרוּ נִפְלְאוֹתֶיךָ Ps. 75:2
24 לֹא־הִשְׂכִּילוּ נִפְלְאוֹתֶיךָ Ps. 106:7
25 וְדִבְרֵי נִפְלְאֹתֶיךָ אָשִׂיחָה Ps. 145:5
26 וְלֹא־זָכְרוּ נִפְלְאֹתֶיךָ Neh. 9:17
בְּנִפְלְאוֹתֶיךָ 27 וְאָשִׂיחָה בְּנִפְלְאוֹתֶיךָ Ps. 119:27
נִפְלְאוֹתָיו 28 וְאַיֵּה כָל־נִפְלְאוֹתָיו Jud. 6:13
29 אוּלַי יַעֲשֶׂה...כְּכָל־נִפְלְאֹתָיו Jer. 21:2
30 סַפְּרוּ...בְּכָל־הָעַמִּים נִפְלְאוֹתָיו Ps. 96:3
31 שִׂיחוּ בְּכָל־נִפְלְאוֹתָיו Ps. 105:2
32 זִכְרוּ נִפְלְאוֹתָיו אֲשֶׁר־עָשָׂה Ps. 105:5
33 שִׂיחוּ בְּכָל־נִפְלְאוֹתָיו ICh. 16:9
34 זִכְרוּ נִפְלְאֹתָיו אֲשֶׁר עָשָׂה ICh. 16:12
35 סַפְּרוּ...בְּכָל־הָעַמִּים נִפְלְאֹתָיו ICh. 16:24
וְנִפְלְאוֹתָיו 36 וֶעֱזוּזוֹ וְנִפְלְאוֹתָיו אֲשֶׁר עָשָׂה Ps. 78:4
37 וְנִפְלְאוֹתָיו אֲשֶׁר הֶרְאָם Ps. 78:11
38-41 יוֹדוּ לַייָ חַסְדּוֹ וְנִפְלְאוֹתָיו לִבְנֵי אָדָם
Ps. 107:8, 15, 21, 31
42 מַעֲשֵׂי יְיָ וְנִפְלְאוֹתָיו בִּמְצוּלָה Ps. 107:24
בְּנִפְלְאוֹתָיו 43 וְלֹא הֶאֱמִינוּ בְּנִפְלְאוֹתָיו Ps. 78:32
לְנִפְלְאוֹתָיו 44 זֵכֶר עָשָׂה לְנִפְלְאוֹתָיו Ps. 111:4

נִפְלַל
(יחזקאל כא23) – עין נָפַל (368)

נפץ
: נָפַץ, נָפוֹץ, נִפַּץ, נִפֵּץ; נֻפַּץ, מַפָּץ, מַפֵּץ

נָפַץ
פ׳ א) שָׁבַר, פִּצֵּץ: 1, 3, 5
ב) התפזר: 2, 3, 4 [עין גם פוץ]
ג) [פ׳ נִפֵּץ] שָׁבַר, הרס: 6-20
ד) [פ׳ נֻפַּץ] שֻׁבַּר, פּוֹצַץ: 21

וְנָפוֹץ 1 וְנָפוֹץ הַכַּדִּים אֲשֶׁר בְּיָדָם Jud. 7:19
נָפַץ 2 כִּי־נָפַץ הָעָם מֵעָלַי ISh. 13:11
נָפְצָה 3 וּמֵאֵלֶּה נָפְצָה כָל־הָאָרֶץ Gen. 9:19
נָפְצוּ 4 מֵרוֹמְמֻתֶךָ נָפְצוּ גּוֹיִם Is. 33:3
נָפוּץ 5 הַעֶצֶב נִבְזֶה נָפוּץ הָאִישׁ הַזֶּה Jer. 22:28
נַפֵּץ 6 וּכְכַלּוֹת נַפֵּץ יַד־עַם־קֹדֶשׁ Dan. 12:7
וְנִפַּצְתִּי 7 וְנִפַּצְתִּי בְךָ גּוֹיִם Jer. 51:20
8 וְנִפַּצְתִּי בְךָ סוּס וְרֹכְבוֹ Jer. 51:21
9 וְנִפַּצְתִּי בְךָ רֶכֶב וְרֹכְבוֹ Jer. 51:21
10-15 וְנִפַּצְתִּי בְךָ... Jer. 51:22^3, 23^3
וְנִפַּצְתִּים 16 וְנִפַּצְתִּים שָׁם וְאַתָּה תִשָּׂא IK. 5:23
17 וְנִפַּצְתִּים אִישׁ אֶל־אָחִיו Jer. 13:14

וְנִפֵּץ 18 וְנִפֵּץ אֶת־עֹלָלַיִךְ אֶל־הַסָּלַע Ps. 237:9
תְּנַפְּצֵם 19 תְּרֹעֵם...כִּכְלִי יוֹצֵר תְּנַפְּצֵם Ps. 2:9
יְנַפֵּצוּ 20 וְכֵלָיו יָרִיקוּ וְנִבְלֵיהֶם יְנַפֵּצוּ Jer. 48:12
מְנֻפָּצוֹת 21 בְּשׂוּמוֹ...כְּאַבְנֵי־גִר מְנֻפָּצוֹת Is. 27:9

נֶ֫פֶץ ז׳ התרסקות

נֶפֶץ 1 נֶפֶץ וָזֶרֶם וְאֶבֶן בָּרָד Is. 30:30

נְפַק פ׳ ארמית א) יְצָא: 1-6

ב) [הַפ׳ הַנְפֵּק] הוציא: 7-11

נְפַק 1 לְאַרְיוֹךְ...דִּי נְפַק לְקַטָּלָה Dan. 2:14
נֶפְקַת 2 וְדָתָא נֶפְקַת וְחַכִּימַיָּא מִתְקַטְּלִין Dan. 2:13
נְפַקָה 3 נְפַקָה (כת׳ נפקו) אֶצְבְּעָן...וְכָתְבָן Dan. 5:5
וְנָפֵק 4 נְגַד וְנָפֵק מִן־קֳדָמוֹהִי Dan. 7:10
נָפְקִין 5 בֵּאדַיִן נָפְקִין...מִן־גּוֹא נוּרָא Dan. 3:26
פוּקוּ 6 שַׁדְרַךְ מֵישַׁךְ...פֻּקוּ וֶאֱתוֹ Dan. 3:26
הַנְפֵּק 7 דִּי הַנְפֵּק...מִן־הֵיכְלָא Dan. 5:2
8/9 דִּי...הַנְפֵּק מִן־הֵיכְלָא Ez. 5:14; 6:5
10 הַנְפֵּק הִמּוֹ...מִן־הֵיכְלָא Ez. 5:14
הַנְפִּיקוּ 11 דִּי הַנְפִּקוּ מִן־הֵיכְלָא Dan. 5:3

נִפְקְתָא נ׳ ארמית: הוצאה: 1, 2

נִפְקְתָא 1 נִפְקְתָא תֶּהֱוֵא מִתְיַהֲבָא Ez. 6:8
וְנִפְקְתָא 2 וְנִפְקְתָא מִן־בֵּית מַלְכָּא תִּתְיְהִב Ez. 6:4

נִפְרָד ת׳ – עין פָּרַד   נִפְרָץ ת׳ – עין פָּרַץ

נפש : נָפַשׁ (יִנָּפֵשׁ); נֶפֶשׁ

נָפַשׁ נפ׳ נח, נרגע: 1-3

וְיִנָּפֵשׁ 1 וְיִנָּפֵשׁ בֶּן־אֲמָתְךָ וְהַגֵּר Ex. 23:12
וַיִּנָּפֵשׁ 2 וַיָּבֹא הַמֶּלֶךְ...וַיִּנָּפֵשׁ שָׁם IISh. 16:14
וַיִּנָּפַשׁ 3 וּבַיּוֹם הַשְּׁבִיעִי שָׁבַת וַיִּנָּפַשׁ Ex. 31:17

נֶ֫פֶשׁ

נ׳ א) נשמה, רוח החיים בכל חי, יצור חי: 1-12, 33, 45-48, 50, 164, 209

ב) כנוי ביחוד לאדם, ילוד אשה: 13-32, 34-44, 49, 61-63, 68, 70, 78-81, 84, 102-131, 133-138, 142-144, 149-154, 160, 162, 165, 169-171, 174, 179, 181, 182, 185, 190, 212-214, 226, 227, 231, 238, 239, 704-710, 714, 718-722, 730

ג) [בסמיכות, בכנויים, בצרופים: נֶפֶשׁ־, נַפְשִׁי, נַפְשְׁךָ וכו׳] האדם, עצמו – חושיו, רגשותיו וכד׳: 51-60, 64-67, 69, 71-77, 82, 83, 85-101, 132, 139-141, 145-148, 155-159, 161, 163, 166-168 ועוד למעלה מ־500 מקראות (עין הצרופים)

קרובים: חַי / יֵצֶר / נְשָׁמָה / רוּחַ

– נֶפֶשׁ תַּחַת נָפֶשׁ 80, 81; נֶפֶשׁ בְּנֶפֶשׁ 46

– נֶפֶשׁ חוֹטֵאת 143, 144; נֶ׳ (הַ)חַיָּה 1-12, 164; נֶ׳ חֲפֵצָה 163; נֶ׳ יְבֵשָׁה 633; נֶ׳ יְקָרָה 70; נֶ׳ מָרָה 159; נֶ׳ נַעֲנָה 105; נֶ׳ עֲיֵפָה 58,73; נֶ׳ צְרוּרָה 186; נֶ׳ קְשׁוּרָה 594; נֶ׳ רֵיקָה 532; נֶ׳ רְעֵבָה 106, 107; נֶ׳ שְׂבֵעָה 74; נֶ׳ שׁוֹגֶגֶת 130; נֶ׳ שׁוֹקֵקָה 69, 595; נֶפֶשׁ שׁוֹרֶצֶת 33

– נֶפֶשׁ הָאָב 236; נֶ׳ אֶבְיוֹן 196; נֶ׳ (הָ)אָדָם 173, 182, 212-214, 226, 227, 231, 238, 239; נֶ׳ אֲדֹנָיו 186, 223; נֶ׳ אוֹיְבִים 187, 192, 234; נֶ׳ אָחִיו 229; נֶ׳ אִישׁ 206, 232; נֶ׳ בְּהֵמָה 180,205; נֶ׳ בּוֹגְדִים 220; נֶ׳ בֵּיתוֹ 215,440; נֶ׳ הַבֵּן 191, 236/7; נֶ׳ בָּנִים וּבָנוֹת 174,190; נֶ׳ בְּעָלָיו 202, 225; נֶ׳ בְּרָכָה 204; נֶ׳ הַבָּשָׂר 176-178; נֶ׳ הַגֵּר 175; נֶ׳ דָּוִד 189,228; נֶ׳ (כָּל־)חַי 209; נֶ׳ חֲלָלִים 224; נֶ׳ חָרוּצִים 221; נֶ׳ יְהוֹנָתָן 216; נֶ׳ הַיֶּלֶד 193, 194; נֶ׳ הַכֹּהֲנִים 197; נֶ׳ מֵת 181; נֶ׳ נָשָׁיו 217; נֶ׳ עֲבָדָיו 198, 219; נֶ׳ עוֹלָלִים 210; נֶ׳ הָעָם 188; נֶ׳ עָמֵל 207; נֶ׳ פִּילַגְשָׁיו 218; נֶפֶשׁ צַדִּיק 201,203,233; נֶ׳ צָרָיו 233; נֶ׳ רוֹצֵחַ 240; נֶ׳ רְמִיָּה 222; נֶ׳ רָעֵב 195; נֶ׳ רָשָׁע 208; נֶ׳ שׂוֹנְאִים(־וֹת) 211, 230; נֶפֶשׁ תּוֹרוֹ 199

– אַגְמֵי נֶפֶשׁ 88; אַהֲבַת נֶ׳ 522; אַוַּת נֶ׳ 436, 438, 450, 472, 479, 515, 628; אִסַּר נֶ׳ 625; בִּזֵּה נֶ׳ 56; בְּכָל נֶ׳ 55, 287, 438, 530,593,648-651,695,696; בַּעַל נֶ׳ 72; בָּתֵּי הַנֶּ׳ 140; גֹּעַל נֶ׳ 504; דַּאֲבוֹן נֶ׳ 86; דַּם נֶ׳ 96; הַוַּת נֶ׳ 551; הֵלֶךְ נֶ׳ 101; חַטַּאת נֶ׳ 293; טְמֵא נֶ׳ 34, 68; יְדִידוּת נֶ׳ 284; כֹּפֶר נֶ׳ 206, 513; מְדִיבוֹת נֶ׳ 82; מוֹקֵשׁ נֶ׳ 572; מַחְמַל נֶ׳ 657; מַפַּח נֶ׳ 99; מַר נֶפֶשׁ 52, 65, 274, 388, 392 מָרֵי נֶ׳ 51, 97, 98; מָרַת נֶ׳ 87, 569; מַשָּׂא נֶ׳ 680; מֵשִׁיב נֶ׳ 76, 92, 405; עַזֵּי נֶ׳ 57; עֲמַל נֶ׳ 535; עֲצַת נֶ׳ 95; פִּדְיוֹן נֶ׳ 512, 683; צָרַת נֶ׳ 511; רְחַב נֶ׳ 75; רִיבֵי נֶ׳ 409; שְׁאָט נֶ׳ 66(157); שֹׂבַע נֶ׳ 568; שְׂנוּאֵי נֶ׳ 189; שֶׁרֶץ נֶ׳ 1; תַּאֲוַת נֶ׳ 89, 554; תּוֹעֲבַת נֶפֶשׁ 561

– בְּכָל־נַפְשׁוֹ 287, 434, 435, 467-471,530,593,662,663, 695, 696; חֵי נַפְשְׁךָ 441-448, 476, 481; אֵין נַפְשִׁי אֶל־ 286; יֵשׁ (אֶת) נַפְשְׁכֶם 646, 653

– אָהַב נֶפֶשׁ (נַפְשׁוֹ) 573; אָכַל נ׳ 64; אָסַף נ׳ 440; בִּקֵּשׁ נ׳ 256-257, 267, 268, 312, 315, 316, 326, 339, 342, 350, 456, 466, 477, 478, 480, 488, 489, 503, 523, 540, 541, 578, 667-671, 675, 676; בֵּרַךְ נ׳ 557; גָּאַל נ׳ 341, 684; גָּמַל נ׳ 565; גָּנַב נ׳ 49; דּוֹמֵם נ׳ 376; הֶאֱבִיד נ׳ 128; הֶאֱדִיב נ׳ (82), 475; הֶאֱרִיךְ נ׳ 387; הוֹגָה נ׳ 394; הוֹצִיא נ׳ 379, 383; הֶחֱיָה נ׳ 242; הֶחֱרִים נ׳ 50; הִכָּה(וּ) נ׳ 39-43, 45, 60,77,85,90,180,184; הֵמַר נ׳ 395; הֶעֱלָה נ׳ 307; הֶעֱרָה נ׳ 536; הֵפִיק נ׳ 485; הִצִּיל נ׳ 301, 349, 372, 459-461, 597, 665, 679, 682; הִרְוָה נ׳ 58; הִרְחִיב נ׳ 553, 627; הִשְׂבִּיעַ נ׳ 69, 486; הִשְׁחִית נ׳ 563; הֵשִׁיב נ׳ 76, 92, 314, 405, 589, 690; הִשְׁלָה נ׳ 583; הִשְׁלִיךְ נ׳ 518; זָנַח נ׳ 352, 406; חָבַל נ׳ 48; חָטָא נ׳ 492, 575; חִיָּה נ׳ 483, 596; חִלֵּץ נ׳ 296, 363; חָמַס נ׳ 564; חִסֵּר נ׳ 410; חָשַׂךְ נ׳ 586, 685; חָשַׁק נ׳ 275; טָרַף נ׳ 582; יָדַע נ׳ 205,390,404; כָּפַף נ׳ 333; לָקַח נ׳ 266, 292, 310; מָאַס נ׳ 570; מִלֵּא נ׳ 562; מִלֵּט נ׳ 191,361,449,452,502,543,544, 546, 548, 549, 558, 656; נָפַח נ׳ 630; נִצֵּל נ׳ 678; נָצַר נ׳ 462; נָשָׂא נ׳ 53, 303, 304, 348, 382, 494, 547; נִשָּׂא נ׳ 672, 673; סָמַךְ נ׳ 327; עָזַב נ׳ 299; עִנָּה נ׳ 83,313,537,635; עֵרָה נ׳ 378; עָשָׂה נ׳ 108,141; פָּדָה נ׳ 198,263,265,325,328,415,588; פִּלֵּט נ׳ 300; צָד נ׳ 70; צָדָה נ׳ 258; צִדֵּק נ׳ 585, 629; צָרַר נ׳ 384; קָבַע נ׳ 94; קִוָּה נ׳ 329; קִלַּע נ׳ 187; קָנָה נ׳ 35; רָדַף נ׳ 298, 380; רִוָּה נ׳ 197; רָפָא נ׳ 317; רָצַח נ׳ 47; שָׁאַל נ׳ 192,525,550,584; שָׁבָה נ׳ 193/4; שִׂבַּע נ׳ 677; שׁוֹבֵב נ׳ 302; שָׂטַן נ׳ 344; שָׂם נ׳ 253, 261,417,453,521,639; שִׂמַּח נ׳ 200; שָׁמַר נ׳ 305,343, 347, 433, 493, 566, 571, 574,576,577,581; שָׂנֵא נ׳ 579; שִׁעֲשַׁע נ׳ 354; שָׁפַט נ׳ 560; שָׁפַךְ נַפְשׁוֹ 255, 320

– אָבְלָה נֶפֶשׁ (נַפְשׁוֹ) 598; אָהֲבָה נ׳ 398-402; אִוְּתָה נ׳ 273, 294, 437, 439, 474, 479, 482, 599; אָמְרָה נ׳ 408; אָשְׁמָה נ׳ 129; בָּאָה נ׳ 247, 559; בָּחֲלָה נ׳ 681; בָּכְתָה נ׳ 285; בִּקְשָׁה נ׳ 411; בֵּרְכָה נ׳ 244/5,355-359,464,465; גָּדְלָה נ׳ 260,451; גָּלָה נ׳ 277,414; גָּעֲלָה נ׳ 249, 250, 487, 647, 661; גָּרְסָה נ׳ 364; דָּאֲבָה נ׳ 59; דָּבְקָה נ׳ 365, 509; דָּלְפָה נ׳ 366; דָּמְמָה נ׳ 335; דָּרְכָה נ׳ 252; הִלְלָה נ׳ 385; הִרְחִיבָה נ׳ 627; הִשְׁתּוֹחֲחָה נ׳ 321-324; הִשְׁתַּפְּכָה נ׳ 396, 691; הִתְאַוְּתָה נ׳ 567; הִתְהַלְלָה נ׳ 311; הִתְמוֹגְגָה נ׳ 688; הִתְנַקְּמָה נ׳ 280-282; הִתְעַטְּפָה נ׳ 291, 686; הִתְעַנְּגָה נ׳ 654; חָיְתָה נ׳ 241, 243, 269, 371, 490, 491, 655; חִכְּתָה נ׳ 636; חָפְצָה נ׳ 666; חָסְיָה נ׳ 331; חָשְׁקָה נ׳ 510; יָבְשָׁה נ׳ 633; יָדְעָה נ׳ 416; יָצְאָה נ׳ 403, 615; יָקְרָה נ׳ 259, 270, 271; יָרְעָה נ׳ 531; יָשְׁרָה נ׳ 552; כָּלְתָה נ׳ 346, 367; לָהֲטָה נ׳ 590; לָנָה נ׳ 556; מִלְּאַתּוּ נ׳ 248; מָרָה נ׳ 626; מֵתָה נ׳ 251, 254, 689; נִבְהֲלָה נ׳ 413; נִכְסְפָה נ׳ 346; נִכְרְתָה נ׳ 110,113-125,131; נִמְלְאָה נ׳ 145; נִצְּלָה נ׳ 246; נִצְרְרָה נ׳ 369; נָקְטָה נ׳ 391; נָקְעָה נ׳ 283, 289, 290, 505, 506, 631; נִתְּנָה נ׳ 412; עָגְמָה נ׳ 397; עָיְפָה נ׳ 279; עִוְּתָה נ׳ 126; עָרְגָה נ׳ 318; צָמְאָה נ׳ 319, 336; קִוְּתָה נ׳ 329,374; קָצָה נ׳ 644; קָצְרָה נ׳ 183,295,519,520; קָרְבָה נ׳ 587; רָצְתָה נ׳ 276; שָׁאֲלָה נ׳ 773; שָׂבְעָה נ׳ 337,351,542,601,640; שָׁבָה נ׳ 193,194,362; שָׁחָה נ׳ 407; שָׁכְנָה נ׳ 353, 373; שָׁמְעָה נ׳ 278; שָׁמְרָה נ׳ 370; שָׂנְאָה נ׳ 272,555; תְּעַבָה נַפְשׁוֹ 687

– נָס אֶל נַפְשׁוֹ 664; עָמַד עַל נַ׳ 693; קִיֵּם עַל נַ׳ 694

– מִכְסַת נְפָשׁוֹת 704; מִסְפַּר נְפָשׁוֹת 730

– נַפְשׁוֹת אֶבְיוֹנִים 723, 725; נַ׳ בֵּיתוֹ 720; נַ׳ חֲסִידָיו 724; נַ׳ מֵת 721; נַ׳ עֶרְכּוֹ 722

– אִבֵּד נְפָשׁוֹת 710; הֶחֱיָה נְ׳ 708; הִכְרִית נְ׳ 709; הֵמִית נְ׳ 707; הִצִּיל נְ׳ 712, 727; הִשִּׂיא נְ׳ 742; טִמֵּא נְ׳ 734; לָקַח נְ׳ 711; עִנָּה נְ׳ 735-739; צוֹדֵד נְ׳ 706, 716, 717; שִׁלַּח נְ׳ 718; שָׁמַר נְ׳ 724; שִׁקֵּץ נְפָשׁוֹת 741

– נִכְרְתוּ נְפָשׁוֹת 714

נֶפֶשׁ 1 יִשְׁרְצוּ הַמַּיִם שֶׁרֶץ נֶפֶשׁ חַיָּה Gen. 1:20
2 וְאֵת כָּל־נֶפֶשׁ הַחַיָּה הָרֹמֶשֶׂת Gen. 1:21
3 תּוֹצֵא הָאָרֶץ נֶפֶשׁ חַיָּה לְמִינָהּ Gen. 1:24
4-12 נֶפֶשׁ (הַ)חַיָּה Gen. 1:30; 2:19
9:10, 12, 15, 16 • Lev. 11:10, 46 • Ezek. 47:9
13 כָּל־נֶפֶשׁ אַרְבָּעָה עָשָׂר Gen. 46:22
14 וַתֵּלֶד...כָּל־נֶפֶשׁ שִׁבְעָה Gen. 46:25
15 כָּל־נֶפֶשׁ שִׁשִּׁים וָשֵׁשׁ Gen. 46:26
16 וּבְנֵי יוֹסֵף...נֶפֶשׁ שְׁנָיִם Gen. 46:27
17 וַיְהִי כָּל־נֶפֶשׁ יֹצְאֵי יֶרֶךְ־יַעֲקֹב Ex. 1:5
18 אַךְ אֲשֶׁר יֵאָכֵל לְכָל־נֶפֶשׁ Gen. 12:16
19 נֶפֶשׁ כִּי־תֶחֱטָא בִשְׁגָגָה Lev. 4:2
20 וְאִם־נֶפֶשׁ אַחַת תֶּחֱטָא בִשְׁגָגָה Lev. 4:27
21-32 נֶפֶשׁ Ex. 21:23 • Lev. 5:2, 4, 15
5:17, 21; 7:27; 17:12, 15; 22:6 24:18 • Num. 15:27
33 וּלְכָל־נֶפֶשׁ הַשֹּׁרֶצֶת עַל־הָאָרֶץ Lev. 11:46
34 וְהַנֹּגֵעַ בְּכָל־טְמֵא־נֶפֶשׁ Lev. 22:4
35 וְכֹהֵן כִּי־יִקְנֶה נֶפֶשׁ Lev. 22:11
36 כֹּל הֹרֵג נֶפֶשׁ...תִּתְחַטְּאוּ Num. 31:19
37 אֶחָד נֶפֶשׁ מֵחֲמֵשׁ הַמֵּאוֹת Num. 31:28
38 כָּל־נֶפֶשׁ שְׁנַיִם וּשְׁלֹשִׁים אָלֶף Num. 31:35
39 רֹצֵחַ מַכֵּה־נֶפֶשׁ בִּשְׁגָגָה Num. 35:11
40-43 מַכֵּה־נֶפֶשׁ Num. 35:15, 30 • Josh. 20:3, 9
44 בְּשִׁבְעִים נֶפֶשׁ יָרְדוּ אֲבֹתֶיךָ מִצְרָ׳ Deu. 10:22
45 וְקָם עָלָיו וְהִכָּהוּ נֶפֶשׁ וָמֵת Deut. 19:11
46 נֶפֶשׁ בְּנֶפֶשׁ עַיִן בְּעַיִן Deut. 19:21
47 כַּאֲשֶׁר יָקוּם...וּרְצָחוֹ נֶפֶשׁ Deut. 22:26
48 כִּי־נֶפֶשׁ הוּא חֹבֵל Deut. 24:6
49 כִּי־יִמָּצֵא אִישׁ גֹּנֵב נֶפֶשׁ מֵאֶחָיו Deut. 24:7
50 וַיַּחֲרִימוּ אֶת־כָּל־נֶפֶשׁ אֲשֶׁר־בָּהּ Josh. 10:39
51 פֶּן־יִפְגְּעוּ בָכֶם אֲנָשִׁים מָרֵי נֶפֶשׁ Jud. 18:25
52 וְכָל־אִישׁ מַר־נֶפֶשׁ ISh. 22:2
53 וְלֹא־יִשָּׂא אֱלֹהִים נֶפֶשׁ IISh. 14:14

נֶפֶשׁ (המשך)	54 כִּי גִבֹּרִים הֵמָּה וּמָרֵי נֶפֶשׁ	IISh. 17:8
	55 וְלִשְׁמֹר...בְּכָל־לֵב וּבְכָל־נֶפֶשׁ	IIK. 23:3
	56 לִבְזֹה־נֶפֶשׁ לִמְתָעֵב גּוֹי	Is. 49:7
	57 וְהַכְּלָבִים עַזֵּי־נֶפֶשׁ	Is. 56:11
	58 כִּי הִרְוֵיתִי נֶפֶשׁ עֲיֵפָה	Jer. 31:25(24)
	59 וְכָל־נֶפֶשׁ דָּאֲבָה מִלֵּאתִי	Jer. 31:25(24)
	60 לָמָּה יַכֶּכָּה נֶּפֶשׁ	Jer. 40:15
	61 מִירוּשָׁלַםִ נֶפֶשׁ שְׁמֹנֶה מֵאוֹת...	Jer. 52:29
	62 הֶגְלָה...נֶפֶשׁ שְׁבַע מֵאוֹת...	Jer. 52:30
	63 כָּל־נֶפֶשׁ אַרְבַּעַת אֲלָפִים...	Jer. 52:30
	64 כַּאֲרִי שׁוֹאֵג...נֶפֶשׁ אָכָלוּ	Ezek. 22:25
	65 וּבָכוּ אֵלַיִךְ בְּמַר־נֶפֶשׁ	Ezek. 27:31
	66 בְּשִׂמְחַת כָּל־לֵבָב בִּשְׁאָט נֶפֶשׁ	Ezek. 36:5
	67 אֲפָפוּנִי מַיִם עַד־נֶפֶשׁ	Jon. 2:6
	68 אִם־יִגַּע טְמֵא־נֶפֶשׁ בְּכָל־אֵלֶּה	Hag. 2:13
	69 כִּי־הִשְׂבִּיעַ נֶפֶשׁ שֹׁקֵקָה	Ps. 107:9
	70 וְאֵשֶׁת אִישׁ נֶפֶשׁ יְקָרָה תָצוּד	Prov. 6:26
	71 גַּם בְּלֹא־דַעַת נֶפֶשׁ לֹא־טוֹב	Prov. 19:2
	72 אִם־בַּעַל נֶפֶשׁ אָתָּה	Prov. 23:2
	73 מַיִם קָרִים עַל־נֶפֶשׁ עֲיֵפָה	Prov. 25:25
	74 נֶפֶשׁ שְׂבֵעָה תָּבוּס נֹפֶת	Prov. 27:7
	75 רְחַב־נֶפֶשׁ יְגָרֶה מָדוֹן	Prov. 28:25
	76 וְהָיָה לָךְ לְמֵשִׁיב נֶפֶשׁ	Ruth 4:15
נָפֶשׁ	77 וַיֹּאמֶר לֹא נַכֶּנּוּ נָפֶשׁ	Gen. 37:21
	78 וַתֵּלֶד...שֵׁשׁ עֶשְׂרֵה נָפֶשׁ	Gen. 46:18
	79 שִׁבְעִים נָפֶשׁ	Ex. 1:5
	80/1 נֶפֶשׁ תַּחַת נָפֶשׁ	Ex. 21:23 • Lev. 24:18
	82 מְכַלּוֹת עֵינַיִם וּמְדִיבֹת נָפֶשׁ	Lev. 26:16
	83 וְכָל־שְׁבֻעַת אִסָּר לְעַנֹּת נָפֶשׁ	Num. 30:14
	84 וּמִכְסָם לַיָי שְׁנַיִם וּשְׁלֹשִׁים נָפֶשׁ	Num. 31:40
	85 וְהִשִּׂיגוֹ...וְהִכָּהוּ נָפֶשׁ	Deut. 19:6
	86 וְכִלְיוֹן עֵינַיִם וְדַאֲבוֹן נָפֶשׁ	Deut. 28:65
	87 וְהִיא מָרַת נָפֶשׁ וַתִּתְפַּלֵּל	ISh. 1:10
	88 כָּל־עֹשֵׂי שֶׂכֶר אַגְמֵי־נָפֶשׁ	Is. 19:10
	89 לְשִׁמְךָ וּלְזִכְרְךָ תַּאֲוַת־נָפֶשׁ	Is. 26:8
	90 בַּעֲלִיס...שָׁלַח...לְהַכֹּתְךָ נָפֶשׁ	Jer. 40:14
	91 וַתָּבוֹא חֶרֶב וַתִּקַּח מֵהֶם נָפֶשׁ	Ezek. 33:6
	92 תּוֹרַת יְיָ תְּמִימָה מְשִׁיבַת נָפֶשׁ	Ps. 19:8
	93 כִּי בָאוּ מַיִם עַד־נָפֶשׁ	Ps. 69:2
	94 וְקָבַע אֶת־קֹבְעֵיהֶם נָפֶשׁ	Prov. 22:23
	95 וּמֶתֶק רֵעֵהוּ מֵעֲצַת־נָפֶשׁ	Prov. 27:9
	96 אָדָם עָשֻׁק בְּדַם־נָפֶשׁ	Prov. 28:17
	97 תְּנוּ־שֵׁכָר לְאוֹבֵד וְיַיִן לְמָרֵי נָפֶשׁ	Prov. 31:6
	98 לָמָּה יִתֵּן...וְחַיִּים לְמָרֵי נָפֶשׁ	Job 3:20
	99 וְתִקְוָתָם מַפַּח־נָפֶשׁ	Job 11:20
	100 נָתְנוּ...בְּאֹכֶל לְהָשִׁיב נָפֶשׁ	Lam. 1:11
	101 טוֹב מַרְאֵה עֵינַיִם מֵהֲלָךְ־נָפֶשׁ	Eccl. 6:9
וְנֶפֶשׁ	102 וְנֶפֶשׁ כִּי־תַקְרִיב קָרְבַּן מִנְחָה	Lev. 2:1
	103 וְנֶפֶשׁ כִּי־תֶחֱטָא...	Lev. 5:1
	104 וְנֶפֶשׁ כִּי־תִגַּע בְּכָל־טָמֵא	Lev. 7:21
	105 וְנֶפֶשׁ נַעֲנָה תַּשְׂבִּיעַ	Is. 58:10
	106 וְנֶפֶשׁ רְעֵבָה מִלֵּא־טוֹב	Ps. 107:9
	107 וְנֶפֶשׁ רְעֵבָה כָּל־מַר מָתוֹק	Prov. 27:7
הַנֶּפֶשׁ	108 וְאֶת־הַנֶּפֶשׁ אֲשֶׁר־עָשׂוּ בְחָרָן	Gen. 12:5
	109 תֶּן־לִי הַנֶּפֶשׁ וְהָרְכֻשׁ קַח־לָךְ	Gen. 14:21
	110 וְנִכְרְתָה הַנֶּפֶשׁ הַהִוא מֵעַמֶּיהָ	Gen. 17:14
	111 כָּל־הַנֶּפֶשׁ הַבָּאָה לְיַעֲקֹב	Gen. 46:26
	112 כָּל־הַנֶּפֶשׁ לְבֵית־יַעֲקֹב	Gen. 46:27
	113 וְנִכְרְתָה הַנֶּפֶשׁ הַהִוא מִיִּשְׂרָאֵל	Ex. 12:15
	114-125 וְנִכְרְתָה הַנֶּפֶשׁ (הַהִוא)	Ex. 12:19

31:14 • Lev. 7:20, 21, 25, 27; 19:8; 22:3 •
Num. 9:13; 15:30; 19:13, 20

הַנֶּפֶשׁ (המשך)	126 כָּל־הַנֶּפֶשׁ אֲשֶׁר לֹא־תְעֻנֶּה	Lev. 23:29
	127 הַנֶּפֶשׁ אֲשֶׁר תַּעֲשֶׂה כָּל־מְלָאכָה	Lev. 23:30
	128 וְהַאֲבַדְתִּי אֶת־הַנֶּפֶשׁ הַהִוא...	Lev. 23:30
	129 וְאָשְׁמָה הַנֶּפֶשׁ הַהִוא	Num. 5:6
	130 וְכִפֶּר הַכֹּהֵן עַל־הַנֶּפֶשׁ הַשֹּׁגֶגֶת	Num. 15:28
	131 הִכָּרֵת תִּכָּרֵת הַנֶּפֶשׁ הַהִוא	Num. 15:31
	132 הַנֶּפֶשׁ עִם־הַבָּשָׂר	Deut. 12:23
	133-138 וְאֶת(־)כָּל־הַנֶּפֶשׁ אֲשֶׁר־בָּהּ	Josh. 10:28, 30, 32, 35, 37[2]
	139 וַיַּכּוּ אֶת־כָּל־הַנֶּפֶשׁ אֲשֶׁר־בָּהּ	Josh. 11:11
	140 ...וּבָתֵּי הַנֶּפֶשׁ וְהַלְּחָשִׁים	Is. 3:20
	141 עָשָׂה־לָנוּ אֶת־הַנֶּפֶשׁ הַזֹּאת	Jer. 38:16
	142 כָּל־הַנֶּפֶשׁ אֲשֶׁר הִנִּיחַ נְבוּזַרְאֲדָן	Jer. 43:6
	143/4 הַנֶּפֶשׁ הַחֹטֵאת הִיא תָמוּת	Ezek. 18:4, 20
	145 וְגַם־הַנֶּפֶשׁ לֹא תִמָּלֵא	Eccl. 6:7
הַנָּפֶשׁ	146 וְכִפֶּר...מֵאֲשֶׁר חָטָא עַל־הַנָּפֶשׁ	Num. 6:11
	147 כִּי הַדָּם הוּא הַנָּפֶשׁ	Deut. 12:23
	148 וְנָגְעָה חֶרֶב עַד־הַנָּפֶשׁ	Jer. 4:10
וְהַנֶּפֶשׁ	149 וְהַנֶּפֶשׁ הָאֹכֶלֶת מִמֶּנּוּ עֲוֹנָהּ תִּשָּׂא	Lev. 7:18
	150 וְהַנֶּפֶשׁ אֲשֶׁר־תֹּאכַל בָּשָׂר	Lev. 7:20
	151 וְהַנֶּפֶשׁ אֲשֶׁר תִּפְנֶה אֶל־הָאֹבֹת	Lev. 20:6
	152 וְהַנֶּפֶשׁ אֲשֶׁר־תַּעֲשֶׂה בְּיָד רָמָה	Num. 15:30
	153 וְהַנֶּפֶשׁ הַנֹּגַעַת תִּטְמָא	Num. 19:22
בְּנֶפֶשׁ	154 וְעֵד אֶ׳ לֹא־יַעֲנֶה בְנֶפֶשׁ לָמוּת	Num. 35:30
	155 נֶפֶשׁ בְּנֶפֶשׁ עַיִן בְּעַיִן	Deut. 19:21
	156 וַתִּשְׂמַח בְּכָל־שָׁאטְךָ בְּנֶפֶשׁ	Ezek. 25:6
	157 וַיִּנָּקְמוּ נָקָם בִּשְׁאָט בְּנֶפֶשׁ	Ezek. 25:15
	158 אֹיְבַי בְּנֶפֶשׁ יַקִּיפוּ עָלָי	Ps. 17:9
	159 וְזֶה יָמוּת בְּנֶפֶשׁ מָרָה	Job 21:25
בַּנֶּפֶשׁ	160 וְנָתַתִּי פָנַי בַּנֶּפֶשׁ הָאֹכֶלֶת אֶת־הַדָּם	Lev. 17:10
	161 כִּי־הַדָּם הוּא בַּנֶּפֶשׁ יְכַפֵּר	Lev. 17:11
	162 וְנָתַתִּי אֶת־פָּנַי בַּנֶּפֶשׁ הַהִוא	Lev. 20:6
וּבְנֶפֶשׁ	163 בְּלֵב שָׁלֵם וּבְנֶפֶשׁ חֲפֵצָה	ICh. 28:9
לְנֶפֶשׁ	164 וַיְהִי הָאָדָם לְנֶפֶשׁ חַיָּה	Gen. 2:7
	165 לְנֶפֶשׁ לֹא יִטַּמָּא בְּעַמָּיו	Lev. 21:1
	166 טוֹב יְיָ לְקֹוָו לְנֶפֶשׁ תִּדְרְשֶׁנּוּ	Lam. 3:25
לְנָפֶשׁ	167 תַּאֲוָה נִהְיָה תֶּעֱרַב לְנָפֶשׁ	Prov. 13:19
לַנֶּפֶשׁ	168 מָתוֹק לַנֶּפֶשׁ וּמַרְפֵּא לָעָצֶם	Prov. 16:24
לָנֶפֶשׁ	169 וְשֶׂרֶט לָנֶפֶשׁ לֹא תִתְּנוּ בִּבְשַׂרְכֶם	Lev. 19:28
	170 אִישׁ אִישׁ כִּי־יִהְיֶה טָמֵא לָנֶפֶשׁ	Num. 9:10
לָנָפֶשׁ	171 כָּל־צָרוּעַ...וְכֹל טָמֵא לָנָפֶשׁ	Num. 5:2
מִנֶּפֶשׁ	172 מִנֶּפֶשׁ וְעַד־בָּשָׂר יְכַלֶּה	Is. 10:18
נֶפֶשׁ־	173 אֶדְרֹשׁ אֶת־נֶפֶשׁ הָאָדָם	Gen. 9:5
	174 כָּל־נֶפֶשׁ בָּנָיו וּבְנוֹתָיו	Gen. 46:15
	175 וְאַתֶּם יְדַעְתֶּם אֶת־נֶפֶשׁ הַגֵּר	Ex. 23:9
	176 כִּי־נֶפֶשׁ הַבָּשָׂר בַּדָּם הִוא	Lev. 17:11
	177 כִּי־נֶפֶשׁ כָּל־בָּשָׂר דָּמוֹ בְנַפְשׁוֹ	Lev. 17:14
	178 כִּי נֶפֶשׁ כָּל־בָּשָׂר דָּמוֹ הִוא	Lev. 17:14
	179 וְאִישׁ כִּי יַכֶּה כָּל־נֶפֶשׁ אָ,ם	Lev. 24:17
	180 וּמַכֵּה נֶפֶשׁ־בְּהֵמָה יְשַׁלְּמֶנָּה	Lev. 24:18
	181 עַל־נֶפֶשׁ מֵת לֹא יָבֹא	Num. 6:6
	182 הַנֹּגֵעַ בְּמֵת לְכָל־נֶפֶשׁ אָדָם	Num. 19:11
	183 וַתִּקְצַר נֶפֶשׁ־הָעָם בַּדָּרֶךְ	Num. 21:4
	184 לְהַכּוֹת נֶפֶשׁ דַּם נָקִי	Deut. 27:25
	185 אָנֹכִי סַבֹּתִי בְּכָל־נֶפֶשׁ בֵּית אָבִיךָ	ISh. 22:22
	186/7 וְהָיְתָה נֶפֶשׁ אֲדֹנִי צְרוּרָה בִּצְרוֹר הַחַיִּים...וְאֵת נֶפֶשׁ אֹיְבֶיךָ יְקַלְּעֶנָּה	ISh. 25:29
	188 כִּי־מָרָה נֶפֶשׁ כָּל־הָעָם	ISh. 30:6
	189 וְאֶת־הַפִּסְחִים...שְׂנֻאֵי° נֶפֶשׁ דָּוִד	IISh. 5:8
	190 וְאֵת נֶפֶשׁ בָּנֶיךָ וּבְנֹתֶיךָ	IISh. 19:6
	191 וּמַלְּטִי אֶת־נַפְשֵׁךְ וְאֶת־נֶפֶשׁ בְּנֵךְ	IK. 1:12
	192 וְלֹא־שָׁאַלְתָּ נֶפֶשׁ אֹיְבֶיךָ	IK. 3:11

נֶפֶשׁ־ (המשך)	193 תָּשָׁב־נָא נֶפֶשׁ־הַיֶּלֶד הַזֶּה	IK. 17:21
	194 וַתָּשָׁב נֶפֶשׁ־הַיֶּלֶד עַל־קִרְבּוֹ	IK. 17:22
	195 לְהָרִיק נֶפֶשׁ רָעֵב	Is. 32:6
	196 כִּי הִצִּיל אֶת־נֶפֶשׁ אֶבְיוֹן	Jer. 20:13
	197 וְרִוֵּיתִי נֶפֶשׁ הַכֹּהֲנִים דָּשֶׁן	Jer. 31:14(13)
	198 פּוֹדֶה יְיָ נֶפֶשׁ עֲבָדָיו	Ps. 34:23
	199 אַל־תִּתֵּן לְחַיַּת נֶפֶשׁ תּוֹרֶךָ	Ps. 74:19
	200 שַׂמֵּחַ נֶפֶשׁ עַבְדֶּךָ	Ps. 86:4
	201 יָגוֹדּוּ עַל־נֶפֶשׁ צַדִּיק	Ps. 94:21
	202 אֶת־נֶפֶשׁ בְּעָלָיו יִקָּח	Prov. 1:19
	203 לֹא־יַרְעִיב יְיָ נֶפֶשׁ צַדִּיק	Prov. 10:3
	204 נֶפֶשׁ־בְּרָכָה תְדֻשָּׁן	Prov. 11:25
	205 יוֹדֵעַ צַדִּיק נֶפֶשׁ בְּהֶמְתּוֹ	Prov. 12:10
	206 כֹּפֶר נֶפֶשׁ־אִישׁ עָשְׁרוֹ	Prov. 13:8
	207 נֶפֶשׁ עָמֵל עָמְלָה לּוֹ	Prov. 16:26
	208 נֶפֶשׁ רָשָׁע אִוְּתָה־רָע	Prov. 21:10
	209 אֲשֶׁר בְּיָדוֹ נֶפֶשׁ כָּל־חָי	Job 12:10
	210 שְׂאִי אֵלָיו כַּפַּיִךְ עַל־נֶפֶשׁ עוֹלָלַיִךְ	Lam. 2:19
	211 וְלֹא־שָׁאַלְתָּ...וְאֵת נֶפֶשׁ שֹׂנְאֶיךָ	IICh. 1:11
וְנֶפֶשׁ־	212 וְנֶפֶשׁ אָדָם מִן־הַנָּשִׁים	Num. 31:35
	213/4 וְנֶפֶשׁ אָדָם שִׁשָּׁה עָשָׂר אָלֶף	Num. 31:40, 46
	215 וְאָסַפְתָּה נַפְשְׁךָ וְנֶפֶשׁ בֵּיתֶךָ	Jud. 18:25
	216 וְנֶפֶשׁ יְהוֹנָתָן נִקְשְׁרָה בְּנֶפֶשׁ דָּוִד	ISh. 18:1
	217/8 וְנֶפֶשׁ נָשֶׁיךָ וְנֶפֶשׁ פִּלַגְשֶׁיךָ	IISh. 19:6
	219 תִּיקַר־נָא נַפְשִׁי וְנֶפֶשׁ עֲבָדֶיךָ	IIK. 1:13
	220 וְנֶפֶשׁ בֹּגְדִים חָמָס	Prov. 13:2
	221 וְנֶפֶשׁ חָרֻצִים תְּדֻשָּׁן	Prov. 13:4
	222 וְנֶפֶשׁ רְמִיָּה תִרְעָב	Prov. 19:15
	223 וְנֶפֶשׁ אֲדֹנָיו יָשִׁיב	Prov. 25:13
	224 וְנֶפֶשׁ־חֲלָלִים תְּשַׁוֵּעַ	Job 24:12
	225 וְנֶפֶשׁ בְּעָלֶיהָ הִפָּחְתִּי	Job 31:39
	226 וְנֶפֶשׁ אָדָם מֵאָה אָלֶף	ICh. 5:21
בְּנֶפֶשׁ־	227 כָּל־הַנֹּגֵעַ בְּמֵת בְּנֶפֶשׁ הָאָדָם	Num. 19:13
	228 וְנֶפֶשׁ יְהוֹנָתָן נִקְשְׁרָה בְּנֶפֶשׁ דָּוִד	ISh. 18:1
	229 וּנְמִתֵהוּ בְּנֶפֶשׁ אָחִיו אֲשֶׁר הָרָג	IISh. 14:7
	230 וָאֶתְּנֵךְ בְּנֶפֶשׁ שֹׂנְאוֹתַיִךְ	Ezek. 16:27
	231 בְּנֶפֶשׁ אָדָם...נָתְנוּ מַעֲרָבֵךְ	Ezek. 27:13
	232 אַל־נָא נֹאבְדָה בְּנֶפֶשׁ הָאִישׁ הַזֶּה	Jon. 1:14
	233 אַל־תִּתְּנֵנִי בְּנֶפֶשׁ צָרָי	Ps. 27:12
	234 וְאַל־תִּתְּנֵהוּ בְּנֶפֶשׁ אֹיְבָיו	Ps. 41:3
כְּנֶפֶשׁ־	235 אָשִׂים...כְּנֶפֶשׁ אַחַד מֵהֶם	IK. 19:2
	236 כְּנֶפֶשׁ הָאָב וּכְנֶפֶשׁ הַבֵּן לִי־הֵנָּה	Ezek. 18:4
וּכְנֶפֶשׁ־	237 כְּנֶפֶשׁ הָאָב וּכְנֶפֶשׁ הַבֵּן לִי־הֵנָּה	Ezek. 18:4
לְנֶפֶשׁ־	238/9 טְמֵאִים לְנֶפֶשׁ אָדָם	Num. 9:6, 7
	240 וְלֹא־תִקְחוּ כֹפֶר לְנֶפֶשׁ רֹצֵחַ	Num. 35:31
נַפְשִׁי	241 וְחָיְתָה נַפְשִׁי בִּגְלָלֵךְ	Gen. 12:13
	242 לְהַחֲיוֹת אֶת־נַפְשִׁי	Gen. 19:19
	243 הֲלֹא מִצְעָר הִוא וּתְחִי נַפְשִׁי	Gen. 19:20
	244 בַּעֲבוּר תְּבָרֶכְךָ נַפְשִׁי	Gen. 27:4
	245 לְמַעַן תְּבָרֶכְךָ נַפְשִׁי	Gen. 27:25
	246 כִּי־רָאִיתִי אֱלֹהִים...וַתִּנָּצֵל נַפְשִׁי	Gen. 32:31
	247 בְּסֹדָם אַל־תָּבֹא נַפְשִׁי	Gen. 49:6
	248 אֶרְדֹּף אַשִּׂיג...תִּמְלָאֵמוֹ נַפְשִׁי	Ex. 15:9
	249 וְלֹא־תִגְעַל נַפְשִׁי אֶתְכֶם	Lev. 26:11
	250 וְגָעֲלָה נַפְשִׁי אֶתְכֶם	Lev. 26:30
	251 תָּמֹת נַפְשִׁי מוֹת יְשָׁרִים	Num. 23:10
	252 תִּדְרְכִי נַפְשִׁי עֹז	Jud. 5:21
	253 וָאָשִׂימָה נַפְשִׁי בְכַפִּי	Jud. 12:3
	254 תָּמוֹת נַפְשִׁי עִם־פְּלִשְׁתִּים	Jud. 16:30
	255 וָאֶשְׁפֹּךְ אֶת־נַפְשִׁי לִפְנֵי יְיָ	ISh. 1:15
	256 כִּי מְבַקֵּשׁ אֶת־נַפְשִׁי	ISh. 20:1
	257 כִּי אֲשֶׁר־יְבַקֵּשׁ אֶת־נַפְשִׁי...	ISh. 22:23

נַפְשִׁי (המשך)

258 וְאַתָּה צֹדֶה אֶת־נַפְשִׁי לְקַחְתָּהּ ISh. 24:11
259 תַּחַת אֲשֶׁר יָקְרָה נַפְשִׁי בְּעֵינֶיךָ ISh. 26:21
260 כֵּן־תִּגְדַּל נַפְשִׁי בְּעֵינֵי יְיָ ISh. 26:24
261 וָאָשִׂים נַפְשִׁי בְּכַפִּי ISh. 28:21
262 כִּי־כָל־עוֹד נַפְשִׁי בִּי IISh. 1:9
263 אֲשֶׁר־פָּדָה אֶת־נַפְשִׁי מִכָּל־צָרָה IISh. 4:9
264 הִנֵּה בְנִי...מְבַקֵּשׁ אֶת־נַפְשִׁי IISh. 16:11
265 אֲשֶׁר־פָּדָה אֶת־נַפְשִׁי מִכָּל־צָרָה IK. 1:29
266 רַב עַתָּה יְיָ קַח נַפְשִׁי IK. 19:4
267/8 וַיְבַקְשׁוּ אֶת־נַפְשִׁי לְקַחְתָּהּ IK. 19:10, 14
269 עַבְדְּךָ...אָמַר תְּחִי־נָא נַפְשִׁי IK. 20:32
270 תִּיקַר־נָא נַפְשִׁי...בְּעֵינֶיךָ IIK. 1:13
271 וְעַתָּה תִּיקַר נַפְשִׁי בְּעֵינֶיךָ IIK. 1:14
272 חָדְשֵׁיכֶם וּמוֹעֲדֵיכֶם שָׂנְאָה נַפְשִׁי Is. 1:14
273 נַפְשִׁי אִוִּיתִךָ בַּלַּיְלָה... Is. 26:9
274 אֶדַּדֶּה כָל־שְׁנוֹתַי עַל־מַר נַפְשִׁי Is. 38:15
275 חָשַׁקְתָּ נַפְשִׁי מִשַּׁחַת בְּלִי Is. 38:17
276 בְּחִירִי רָצְתָה נַפְשִׁי Is. 42:1
277 תָּגֵל נַפְשִׁי בֵּאלֹהַי Is. 61:10
278 קוֹל שׁוֹפָר שָׁמַעַתְּ֯ נַפְשִׁי Jer. 4:19
279 כִּי־עָיְפָה נַפְשִׁי לְהֹרְגִים Jer. 4:31
280-282 לֹא תִתְנַקֵּם נַפְשִׁי Jer. 5:9, 29; 9:8
283 פֶּן־תֵּקַע נַפְשִׁי מִמֵּךְ Jer. 6:8
284 נָתַתִּי אֶת־יְדִדוּת נַפְשִׁי בְּכַף אֹיְבֶיהָ Jer. 12:7
285 בְּמִסְתָּרִים תִּבְכֶּה־נַפְשִׁי Jer. 13:17
286 אֵין נַפְשִׁי אֶל־הָעָם הַזֶּה Jer. 15:1
287 בְּכָל־לִבִּי וּבְכָל־נַפְשִׁי Jer. 32:41
288 הִנֵּה נַפְשִׁי לֹא מְטֻמָּאָה Ezek. 4:14
289 וַתֵּקַע נַפְשִׁי מֵעָלֶיהָ Ezek. 23:18
290 נָקְעָה נַפְשִׁי מֵעַל אֲחוֹתָהּ Ezek. 23:18
291 בְּהִתְעַטֵּף עָלַי נַפְשִׁי Jon. 2:8
292 קַח־נָא אֶת־נַפְשִׁי מִמֶּנִּי Jon. 4:3
293 הַאֶתֵּן...פְּרִי בִטְנִי חַטַּאת נַפְשִׁי Mic. 6:7
294 בִּכּוּרָה אִוְּתָה נַפְשִׁי Mic. 7:1
295 וַתִּקְצַר נַפְשִׁי בָּהֶם Zech. 11:8
296 שׁוּבָה יְיָ חַלְּצָה נַפְשִׁי Ps. 6:5
297 פֶּן־יִטְרֹף כְּאַרְיֵה נַפְשִׁי Ps. 7:3
298 יִרַדֹּף אוֹיֵב נַפְשִׁי Ps. 7:6
299 כִּי לֹא־תַעֲזֹב נַפְשִׁי לִשְׁאוֹל Ps. 16:10
300 פַּלְּטָה נַפְשִׁי מֵרָשָׁע חַרְבֶּךָ Ps. 17:13
301 הַצִּילָה מֵחֶרֶב נַפְשִׁי Ps. 22:21
302 נַפְשִׁי יְשׁוֹבֵב יַנְחֵנִי בְמַעְגְּלֵי־צֶדֶק Ps. 23:3
303 לֹא־נָשָׂא לַשָּׁוְא נַפְשִׁי (כת׳ נפשו) Ps. 24:4
304 אֵלֶיךָ יְיָ נַפְשִׁי אֶשָּׂא Ps. 25:1
305 שָׁמְרָה נַפְשִׁי וְהַצִּילֵנִי Ps. 25:20
306 אַל־תֶּאֱסֹף עִם־חַטָּאִים נַפְשִׁי Ps. 26:9
307 יְיָ הֶעֱלִיתָ מִן־שְׁאוֹל נַפְשִׁי Ps. 30:4
308 יָדַעְתָּ בְּצָרוֹת נַפְשִׁי Ps. 31:8
309 עָשְׁשָׁה בְכַעַס עֵינִי נַפְשִׁי וּבִטְנִי Ps. 31:10
310 לָקַחַת נַפְשִׁי זָמָמוּ Ps. 31:14
311 בַּיְיָ תִּתְהַלֵּל נַפְשִׁי Ps. 34:3
312 יֵבֹשׁוּ וְיִכָּלְמוּ מְבַקְשֵׁי נַפְשִׁי Ps. 35:4
313 עִנֵּיתִי בַצּוֹם נַפְשִׁי Ps. 35:13
314 הָשִׁיבָה נַפְשִׁי מִשֹּׁאֵיהֶם Ps. 35:17
315 וַיְנַקְשׁוּ מְבַקְשֵׁי נַפְשִׁי Ps. 38:13
316 יֵבֹשׁוּ...מְבַקְשֵׁי נַפְשִׁי לִסְפּוֹתָהּ Ps. 40:15
317 רְפָאָה נַפְשִׁי כִּי־חָטָאתִי לָךְ Ps. 41:5
318 כֵּן נַפְשִׁי תַעֲרֹג אֵלֶיךָ אֱלֹהִים Ps. 42:2
319 צָמְאָה נַפְשִׁי לֵאלֹהִים Ps. 42:3
320 אֵלֶּה אֶזְכְּרָה וְאֶשְׁפְּכָה עָלַי נַפְשִׁי Ps. 42:5
321-323 מַה־תִּשְׁתּוֹחֲחִי נַפְשִׁי Ps. 42:6, 12; 43:5
324 אֱלֹהַי עָלַי נַפְשִׁי תִשְׁתּוֹחָח Ps. 42:7

נַפְשִׁי (המשך)

325 אֱלֹהִים יִפְדֶּה־נַפְשִׁי מִיַּד שְׁאוֹל Ps. 49:16
326 וְעָרִיצִים בִּקְשׁוּ נַפְשִׁי Ps. 54:5
327 ...אֲדֹנָי בְּסֹמְכֵי נַפְשִׁי Ps. 54:6
328 פָּדָה בְשָׁלוֹם נַפְשִׁי מִקְּרָב־לִי Ps. 55:19
329 עֲקֵבַי יִשְׁמֹרוּ כַּאֲשֶׁר קִוּוּ נַפְשִׁי Ps. 56:7
330 כִּי הִצַּלְתָּ נַפְשִׁי מִמָּוֶת Ps. 56:14
331 כִּי בְךָ חָסָיָה נַפְשִׁי Ps. 57:2
332 נַפְשִׁי בְּתוֹךְ לְבָאִם אֶשְׁכְּבָה Ps. 57:5
333 כָּפַף נַפְשִׁי כָּרוּ לְפָנַי שִׁיחָה Ps. 57:7
334 אַךְ אֶל־אֱלֹהִים דּוּמִיָּה נַפְשִׁי Ps. 62:2
335 אַךְ לֵאלֹהִים דּוֹמִּי נַפְשִׁי Ps. 62:6
336 צָמְאָה לְךָ נַפְשִׁי כָּמַהּ לְךָ בְשָׂרִי Ps. 63:2
337 כְּמוֹ חֵלֶב וָדֶשֶׁן תִּשְׂבַּע נַפְשִׁי Ps. 63:6
338 דָּבְקָה נַפְשִׁי אַחֲרֶיךָ Ps. 63:9
339 וְהֵמָּה לְשׁוֹאָה יְבַקְשׁוּ נַפְשִׁי Ps. 63:10
340 וָאֶבְכֶּה בַצּוֹם נַפְשִׁי Ps. 69:11
341 קָרְבָה אֶל־נַפְשִׁי גְאָלָהּ Ps. 69:19
342 יֵבֹשׁוּ וְיַחְפְּרוּ מְבַקְשֵׁי נַפְשִׁי Ps. 70:3
343 וְשֹׁמְרֵי נַפְשִׁי נוֹעֲצוּ יַחְדָּו Ps. 71:10
344 יֵבֹשׁוּ יִכְלוּ שֹׂטְנֵי נַפְשִׁי Ps. 71:13
345 מֵאֲנָה הִנָּחֵם נַפְשִׁי Ps. 77:3
346 נִכְסְפָה וְגַם־כָּלְתָה נַפְשִׁי Ps. 84:3
347 שָׁמְרָה נַפְשִׁי כִּי־חָסִיד אָנִי Ps. 86:2
348 כִּי־אֵלֶיךָ אֲדֹנָי נַפְשִׁי אֶשָּׂא Ps. 86:4
349 וְהִצַּלְתָּ נַפְשִׁי מִשְּׁאוֹל תַּחְתִּיָּה s. 86:13
350 וַעֲדַת עָרִיצִים בִּקְשׁוּ נַפְשִׁי Ps. 86:14
351 כִּי־שָׂבְעָה בְרָעוֹת נַפְשִׁי Ps. 88:4
352 לָמָה יְיָ תִּזְנַח נַפְשִׁי Ps. 88:15
353 כִּמְעַט שָׁכְנָה דוּמָה נַפְשִׁי Ps. 94:17
354 תַּנְחוּמֶיךָ יְשַׁעַשְׁעוּ נַפְשִׁי Ps. 94:19
355-9 בָּרְכִי נַפְשִׁי אֶת־יְיָ Ps. 103:1, 2, 22; 104:1, 35
360 וְהַדֹּבְרִים רָע עַל־נַפְשִׁי Ps. 109:20
361 אָנָּה יְיָ מַלְּטָה נַפְשִׁי Ps. 116:4
362 שׁוּבִי נַפְשִׁי לִמְנוּחָיְכִי Ps. 116:7
363 כִּי חִלַּצְתָּ נַפְשִׁי מִמָּוֶת Ps. 116:8
364 גָּרְסָה נַפְשִׁי לְתַאֲבָה Ps. 119:20
365 דָּבְקָה לֶעָפָר נַפְשִׁי Ps. 119:25
366 דָּלְפָה נַפְשִׁי מִתּוּגָה Ps. 119:28
367 כָּלְתָה לִתְשׁוּעָתְךָ נַפְשִׁי Ps. 119:81
368 נַפְשִׁי בְכַפִּי תָמִיד Ps. 119:109
369 עַל־כֵּן נְצָרָתַם נַפְשִׁי Ps. 119:129
370 שָׁמְרָה נַפְשִׁי עֵדֹתֶיךָ Ps. 119:167
371 תְּחִי־נַפְשִׁי וּתְהַלְלֶךָּ Ps. 119:175
372 הַצִּילָה נַפְשִׁי מִשְּׂפַת־שֶׁקֶר Ps. 120:2
373 רַבַּת שָׁכְנָה־לָּהּ נַפְשִׁי Ps. 120:6
374 קִוִּיתִי יְיָ קִוְּתָה נַפְשִׁי Ps. 130:5
375 נַפְשִׁי לַאדֹנָי מִשֹּׁמְרִים לַבֹּקֶר Ps. 130:6
376 וְדוֹמַמְתִּי נַפְשִׁי כְּגָמֻל עֲלֵי אִמּוֹ Ps. 131:2
377 כַּגָּמֻל עָלַי נַפְשִׁי Ps. 131:2
378 בְּכָה חָסִיתִי אַל־תְּעַר נַפְשִׁי Ps. 141:8
379 הוֹצִיאָה מִמַּסְגֵּר נַפְשִׁי Ps. 142:8
380 כִּי רָדַף אוֹיֵב נַפְשִׁי Ps. 143:3
381 נַפְשִׁי כְּאֶרֶץ־עֲיֵפָה לְךָ Ps. 143:6
382 כִּי־אֵלֶיךָ נָשָׂאתִי נַפְשִׁי Ps. 143:8
383 תּוֹצִיא מִצָּרָה נַפְשִׁי Ps. 143:11
384 וְהַאֲבַדְתָּ כָּל־צֹרְרֵי נַפְשִׁי Ps. 143:12
385 הַלְלִי נַפְשִׁי אֶת־יְיָ Ps. 146:1
386 מֵאֲנָה לִנְגּוֹעַ נַפְשִׁי Job 6:7
387 וּמַה־קִּצִּי כִּי־אַאֲרִיךְ נַפְשִׁי Job 6:11
388 אָשִׂיחָה בְּמַר נַפְשִׁי Job 7:11
389 וַתִּבְחַר מַחֲנָק נַפְשִׁי Job 7:15
390 תָּם־אָנִי לֹא־אֵדַע נַפְשִׁי Job 9:21

נַפְשִׁי (המשך)

391 נָקְטָה נַפְשִׁי בְּחַיָּי Job 10:1
392 אֲדַבְּרָה בְּמַר נַפְשִׁי Job 10:1
393 לוּ יֵשׁ נַפְשְׁכֶם תַּחַת נַפְשִׁי Job 16:4
394 עַד־אָנָה תּוֹגְיוּן נַפְשִׁי Job 19:2
395 וְשַׁדַּי הֵמַר נַפְשִׁי Job 27:2
396 וְעַתָּה עָלַי תִּשְׁתַּפֵּךְ נַפְשִׁי Job 30:16
397 עָגְמָה נַפְשִׁי לָאֶבְיוֹן Job 30:25
398 הַגִּידָה לִּי שֶׁאָהֲבָה נַפְשִׁי S. of S. 1:7
399-402 אֵת שֶׁאָהֲבָה נַפְשִׁי S. of S. 3:1, 2, 3, 4
403 נַפְשִׁי יָצְאָה בְדַבְּרוֹ S. of S. 5:6
404 לֹא יָדַעְתִּי נַפְשִׁי שָׂמַתְנִי S. of S. 6:12
405 כִּי־רָחַק מִמֶּנִּי מְנַחֵם מֵשִׁיב נַפְשִׁי Lam. 1:16
406 וַתִּזְנַח מִשָּׁלוֹם נַפְשִׁי Lam. 3:17
407 זָכוֹר תִּזְכּוֹר וְתָשׁוֹחַ֯ עָלַי נַפְשִׁי Lam. 3:20
408 חֶלְקִי יְיָ אָמְרָה נַפְשִׁי Lam. 3:24
409 רַבְתָּ אֲדֹנָי רִיבֵי נַפְשִׁי Lam. 3:58
410 וּמְחַסֵּר אֶת־נַפְשִׁי מִטּוֹבָה Eccl. 4:8
411 עוֹד־בִּקְשָׁה נַפְשִׁי וְלֹא מָצָאתִי Eccl. 7:28
412 תִּנָּתֶן־לִי נַפְשִׁי בִּשְׁאֵלָתִי Es. 7:3

וְנַפְשִׁי

413 וְנַפְשִׁי נִבְהֲלָה מְאֹד Ps. 6:4
414 וְנַפְשִׁי תָּגִיל בַּיְיָ תָּשִׂישׂ בִּישׁוּעָתוֹ Ps. 35:9
415 תְּרַנֵּנָּה...וְנַפְשִׁי אֲשֶׁר פָּדִיתָ Ps. 71:23
416 וְנַפְשִׁי יֹדַעַת מְאֹד Ps. 139:14
417 עַל־מָה...וְנַפְשִׁי אָשִׂים בְּכַפִּי Job 13:14

בְּנַפְשִׁי

418 מִתְנַקֵּשׁ בְּנַפְשִׁי לַהֲמִיתֵנִי ISh. 28:9
419 אוֹ־עָשִׂיתִי בְנַפְשִׁי (כת׳ בנפשו) שֶׁקֶר IISh. 18:13
420 עַד־אָנָה אָשִׁית עֵצוֹת בְּנַפְשִׁי Ps. 13:3
421 תַּרְהִבֵנִי בְנַפְשִׁי עֹז Ps. 138:3

וּבְנַפְשִׁי

422 כַּאֲשֶׁר בִּלְבָבִי וּבְנַפְשִׁי יַעֲשֶׂה ISh. 2:35

לְנַפְשִׁי

423 כִּי־כָרוּ שׁוּחָה לְנַפְשִׁי Jer. 18:20
424 אֹמְרִים לְנַפְשִׁי אֵין יְשׁוּעָתָה לּוֹ Ps. 3:3
425 אֵיךְ תֹּאמְרוּ לְנַפְשִׁי נוּדִי֯ הַרְכֶם Ps. 11:1
426 אֱמֹר לְנַפְשִׁי יְשֻׁעָתֵךְ אָנִי Ps. 35:3
427 חִנָּם חָפְרוּ לְנַפְשִׁי Ps. 35:7
428 יְשַׁלְּמוּנִי רָעָה...שְׁכוֹל לְנַפְשִׁי Ps. 35:12
429 כִּי הִנֵּה אָרְבוּ לְנַפְשִׁי Ps. 59:4
430 וַאֲסַפְּרָה...אֲשֶׁר עָשָׂה לְנַפְשִׁי Ps. 66:16
431 אֵין דּוֹרֵשׁ לְנַפְשִׁי Ps. 142:5
432 עֵינִי עוֹלְלָה לְנַפְשִׁי Lam. 3:51

נַפְשְׁךָ

433 הִשָּׁמֶר לְךָ וּשְׁמֹר נַפְשְׁךָ מְאֹד Deut. 4:9
434/5 בְּכָל־לְבָבְךָ וּבְכָל־נַפְשְׁךָ Deut. 6:5; 30:6
436 רַק בְּכָל־אַוַּת נַפְשְׁךָ תִּזְבַּח Deut. 12:15
437 כִּי־תְאַוֶּה נַפְשְׁךָ לֶאֱכֹל בָּשָׂר Deut. 12:20
438 בְּכָל־אַוַּת נַפְשְׁךָ תֹּאכַל בָּשָׂר Deut. 12:20
439 בְּכֹל אֲשֶׁר־תְּאַוֶּה נַפְשְׁךָ Deut. 14:26
440 וְאָסַפְתָּה נַפְשְׁךָ וְנֶפֶשׁ בֵּיתֶךָ Jud. 18:25
441 חֵי נַפְשְׁךָ אֲדֹנִי אֲנִי הָאִשָּׁה... ISh. 1:26
442-448 (וְ)חֵי(־)נַפְשְׁךָ ISh. 17:55; 25:26 IISh. 14:19 • IIK. 2:2, 4, 6; 4:30
449 אִם־אֵינְךָ מְמַלֵּט אֶת־נַפְשְׁךָ ISh. 19:11
450 לְכָל־אַוַּת נַפְשְׁךָ הַמֶּלֶךְ לָרֶדֶת רֵד ISh. 23:20
451 כַּאֲשֶׁר גָּדְלָה נַפְשְׁךָ...בְּעֵינָי ISh. 26:24
452 הַמְמַלְּטִים אֶת־נַפְשְׁךָ הַיּוֹם IISh. 19:6
453 אָשִׂים אֶת־נַפְשְׁךָ כְּנֶפֶשׁ אַחַד מֵהֶם IK. 19:2
454/5 וְהָיְתָה נַפְשְׁךָ תַּחַת נַפְשׁוֹ IK. 20:39, 42
456 הַמְבַקְשִׁים אֶת־נַפְשְׁךָ Jer. 11:21
457 וְהָיְתָה לְךָ נַפְשְׁךָ לְשָׁלָל Jer. 39:18
458 וְנָתַתִּי לְךָ אֶת־נַפְשְׁךָ לְשָׁלָל Jer. 45:5
459/60 וְאַתָּה אֶת־נַפְשְׁךָ הִצַּלְתָּ Ezek. 3:19, 21
461 וְאַתָּה נַפְשְׁךָ הִצַּלְתָּ Ezek. 33:9
462 וְנֹצֵר נַפְשְׁךָ הוּא יֵדָע Prov. 24:12

נַפְשֶׁךָ

463 וַיֹּאמֶר הִמָּלֵט עַל־נַפְשֶׁךָ Gen. 19:17

נַפְשְׁךָ (המשך)
464 בַּעֲבוּר תְּבָרְכַנִּי נַפְשֶׁךָ Gen.27:19
465 בַּעֲבֻר תְּבָרְכַנִּי נַפְשֶׁךָ Gen.27:31
466 כִּי־מֵתוּ...הַמְבַקְשִׁים אֶת־נַפְשֶׁךָ Ex.4:19
467-471 בְּכָל־לְבָבְךָ וּבְכָל־נַפְשֶׁךָ
Deut.4:29; 10:12; 26:16; 30:2, 10
472 וְאָכַלְתָּ...בְּכֹל אַוַּת נַפְשֶׁךָ Deut.12:21
473 וּבְכֹל אֲשֶׁר תִּשְׁאָלְךָ נַפְשֶׁךָ Deut.14:26
474 וְקַח־לְךָ כַּאֲשֶׁר תְּאַוֶּה נַפְשֶׁךָ ISh.2:16
475 וּלְאַדִיב אֶת־נַפְשֶׁךָ ISh.2:33
476 וְאוּלָם חַי־יְיָ וְחֵי נַפְשֶׁךָ ISh.20:3
477 ...יְבַקֵּשׁ אֶת־נַפְשֶׁךָ ISh.22:23
478 לִרְדָפְךָ וּלְבַקֵּשׁ אֶת־נַפְשֶׁךָ ISh.25:29
479 וּמָלַכְתָּ בְּכֹל אֲשֶׁר־תְּאַוֶּה נַפְשֶׁךָ IISh.3:21
480 אֹיִבְךָ אֲשֶׁר בִּקֵּשׁ אֶת־נַפְשֶׁךָ IISh.4:8
481 חַיֶּךָ וְחֵי נַפְשֶׁךָ אִם־אֶעֱשֶׂה... IISh.11:11
482 וּמָלַכְתָּ בְּכֹל אֲשֶׁר־תְּאַוֶּה נַפְשֶׁךָ IK.11:37
483 אוּלַי יְחַיֶּה אֶת־נַפְשֶׁךָ IK.20:31
484 וְאֶתֵּן...וּלְאֻמִּים תַּחַת נַפְשֶׁךָ Is.43:4
485 וְתָפֵק לָרָעֵב נַפְשֶׁךָ Is.58:10
486 וְהִשְׂבִּיעַ בְּצַחְצָחוֹת נַפְשֶׁךָ Is.58:11
487 אִם־בְּצִיּוֹן גָּעֲלָה נַפְשֶׁךָ Jer.14:19
488 וּנְתַתִּיךָ בְּיַד מְבַקְשֵׁי נַפְשֶׁךָ Jer.22:25
489 אֲשֶׁר מְבַקְשִׁים אֶת־נַפְשֶׁךָ Jer.38:16
490 יָצֹא תֵצֵא...וְחָיְתָה נַפְשֶׁךָ Jer.38:17
491 וְיִיטַב לְךָ וּתְחִי נַפְשֶׁךָ Jer.38:20
492 קְצוֹת־עַמִּים רַבִּים וְחוֹטֵא נַפְשֶׁךָ Hab.2:10
493 יְיָ...יִשְׁמֹר אֶת־נַפְשֶׁךָ Ps.121:7
494 וְאֶל־הֲמִיתוֹ אַל־תִּשָּׂא נַפְשֶׁךָ Prov.19:18
כְּנַפְשְׁךָ 495 אוֹ רֵעֲךָ אֲשֶׁר כְּנַפְשְׁךָ Deut.13:7
496 וְאָכַלְתָּ עֲנָבִים כְּנַפְשְׁךָ שָׂבְעֶךָ Deut.23:25
לְנַפְשְׁךָ 497 וְדַעַת לְנַפְשְׁךָ יִנְעָם Prov.2:10
לְנַפְשֶׁךָ 498 וְיִהְיוּ חַיִּים לְנַפְשֶׁךָ Prov.3:22
499 וְלָקַחְתָּ מוֹקֵשׁ לְנַפְשֶׁךָ Prov.22:25
500 כֵּן דְּעֶה חָכְמָה לְנַפְשֶׁךָ Prov.24:14
501 וְיִתֵּן מַעֲדַנִּים לְנַפְשֶׁךָ Prov.29:17
נַפְשֵׁךְ 502 וּמַלְּטִי אֶת־נַפְשֵׁךְ IK.1:12
503 מָאֲסוּ־בָךְ עֹגְבִים נַפְשֵׁךְ יְבַקֵּשׁוּ Jer.4:30
504 וַתֻּשְׁלְכִי...בְּגֹעַל נַפְשֵׁךְ Ezek.16:5
505/6 ...אֲשֶׁר־נָקְעָה נַפְשֵׁךְ מֵהֶם Ezek.23:22, 28
בְנַפְשֵׁךְ 507 אַל־תְּדַמִּי בְנַפְשֵׁךְ לְהִמָּלֵט Es.4:13
לְנַפְשֵׁךְ 508 אֲשֶׁר־אָמְרוּ לְנַפְשֵׁךְ שְׁחִי וְנַעֲבֹרָה Is.51:23
נַפְשׁוֹ 509 וַתִּדְבַּק נַפְשׁוֹ בְּדִינָה... Gen.34:3
510 שְׁכֶם בְּנִי חָשְׁקָה נַפְשׁוֹ בְּבִתְּכֶם Gen.34:8
511 אֲשֶׁר רָאִינוּ צָרַת נַפְשׁוֹ Gen.42:21
512 וְנָתַן פִּדְיֹן נַפְשׁוֹ Ex.21:30
513 וְנָתְנוּ אִישׁ כֹּפֶר נַפְשׁוֹ לַייָ Ex.30:12
514 לֶאְסֹר אִסָּר עַל־נַפְשׁוֹ Num.30:3
515 וּבָא בְּכָל־אַוַּת נַפְשׁוֹ Deut.18:6
516 וְאֵלָיו הוּא נֹשֵׂא אֶת־נַפְשׁוֹ Deut.24:15
517 זְבֻלוּן עַם חֵרֵף נַפְשׁוֹ לָמוּת Jud.5:18
518 וַיַּשְׁלֵךְ אֶת־נַפְשׁוֹ מִנֶּגֶד Jud.9:17
519 וַתִּקְצַר נַפְשׁוֹ בַּעֲמַל יִשְׂרָאֵל Jud.10:16
520 וַתִּקְצַר נַפְשׁוֹ לָמוּת Jud.16:16
521 וַיָּשֶׂם אֶת־נַפְשׁוֹ בְכַפּוֹ ISh.19:5
522 כִּי־אַהֲבַת נַפְשׁוֹ אֲהֵבוֹ ISh.20:17
523 כִּי־יָצָא שָׁאוּל לְבַקֵּשׁ אֶת־נַפְשׁוֹ ISh.23:15
524 וַיַּרְא וַיָּקָם וַיֵּלֶךְ אֶל־נַפְשׁוֹ IK.19:3
525 וַיִּשְׁאַל אֶת־נַפְשׁוֹ לָמוּת IK.19:4
526/7 וְהָיְתָה נַפְשְׁךָ תַּחַת נַפְשׁוֹ IK.20:39, 42
528/9 נַפְשְׁךָ תַּחַת נַפְשׁוֹ IIK.10:24
530 בְּכָל־לְבָבוֹ וּבְכָל־נַפְשׁוֹ IIK.23:25
531 נַפְשׁוֹ יָרְעָה לוֹ Is.15:4

נַפְשׁוֹ (המשך)
532 ...וְהֵקִיץ וְרֵקָה נַפְשׁוֹ Is.29:8
533 וְלֹא־יַצִּיל אֶת־נַפְשׁוֹ Is.44:20
534 אִם־תָּשִׂים אָשָׁם נַפְשׁוֹ Is.53:10
535 מֵעֲמַל נַפְשׁוֹ יִרְאֶה יִשְׂבָּע Is.53:11
536 תַּחַת אֲשֶׁר הֶעֱרָה לַמָּוֶת נַפְשׁוֹ Is.53:12
537 יוֹם עַנּוֹת אָדָם נַפְשׁוֹ Is.58:5
538/9 וְהָיְתָה־לּוֹ נַפְשׁוֹ לְשָׁלָל Jer.21:9; 38:2
540 בְּיַד אֹיְבָיו וּבְיַד מְבַקְשֵׁי נַפְשׁוֹ Jer.44:30
541 בְּיַד...אֹיְבוֹ וּמְבַקֵּשׁ נַפְשׁוֹ Jer.44:30
542 וְהַגִּלְעָד תִּשְׂבַּע נַפְשׁוֹ Jer.50:19
543 נֻסוּ...וּמַלְּטוּ אִישׁ נַפְשׁוֹ Jer.51:6
544 צְאוּ...וּמַלְּטוּ אִישׁ אֶת־נַפְשׁוֹ Jer.51:45
545 הוּא אֶת־נַפְשׁוֹ יְחַיֶּה Ezek.18:27
546 וְהוּא נִזְהָר נַפְשׁוֹ מִלֵּט Ezek.33:5
547 וְאֶל־עֲוֹנָם יִשְׂאוּ נַפְשׁוֹ Hosh.4:8
548 וְגִבּוֹר לֹא־יְמַלֵּט נַפְשׁוֹ Am.2:14
549 וְרֹכֵב הַסּוּס לֹא יְמַלֵּט נַפְשׁוֹ Am.2:15
550 וַיִּשְׁאַל אֶת־נַפְשׁוֹ לָמוּת Jon.4:8
551 וְהַגָּדוֹל דֹּבֵר הַוַּת נַפְשׁוֹ Mic.7:3
552 הִנֵּה עֻפְּלָה לֹא־יָשְׁרָה נַפְשׁוֹ בּוֹ Hab.2:4
553 אֲשֶׁר הִרְחִיב כִּשְׁאוֹל נַפְשׁוֹ Hab.2:5
554 כִּי־הִלֵּל רָשָׁע עַל־תַּאֲוַת נַפְשׁוֹ Ps.10:3
555 וְאֹהֵב חָמָס שָׂנְאָה נַפְשׁוֹ Ps.11:5
556 נַפְשׁוֹ בְּטוֹב תָּלִין Ps.25:13
557 כִּי־נַפְשׁוֹ בְּחַיָּיו יְבָרֵךְ Ps.49:19
558 יְמַלֵּט נַפְשׁוֹ מִיַּד־שְׁאוֹל Ps.89:49
559 בַּרְזֶל בָּאָה נַפְשׁוֹ Ps.105:18
560 לְהוֹשִׁיעַ מִשֹּׁפְטֵי נַפְשׁוֹ Ps.109:31
561 וְשֶׁבַע תּוֹעֲבַת* נַפְשׁוֹ Prov.6:16
562 לְמַלֵּא נַפְשׁוֹ כִּי יִרְעָב Prov.6:30
563 מַשְׁחִית נַפְשׁוֹ הוּא יַעֲשֶׂנָּה Prov.6:32
564 וְחֹטְאִי חֹמֵס נַפְשׁוֹ Prov.8:36
565 גֹּמֵל נַפְשׁוֹ אִישׁ חָסֶד Prov.11:17
566 נֹצֵר פִּיו שֹׁמֵר נַפְשׁוֹ Prov.13:3
567 מִתְאַוָּה וָאַיִן נַפְשׁוֹ עָצֵל Prov.13:4
568 צַדִּיק אֹכֵל לְשֹׂבַע נַפְשׁוֹ Prov.13:25
569 לֵב יוֹדֵעַ מָרַּת נַפְשׁוֹ Prov.14:10
570 פּוֹרֵעַ מוּסָר מוֹאֵס נַפְשׁוֹ Prov.15:32
571 שֹׁמֵר נַפְשׁוֹ נֹצֵר דַּרְכּוֹ Prov.16:17
572 וּשְׂפָתָיו מוֹקֵשׁ נַפְשׁוֹ Prov.18:7
573 קֹנֶה־לֵּב אֹהֵב נַפְשׁוֹ Prov.19:8
574 שֹׁמֵר מִצְוָה שֹׁמֵר נַפְשׁוֹ Prov.19:16
575 מִתְעַבְּרוֹ חוֹטֵא נַפְשׁוֹ Prov.20:2
576 שֹׁמֵר פִּיו...שֹׁמֵר מִצָּרוֹת נַפְשׁוֹ Prov.21:23
577 שׁוֹמֵר נַפְשׁוֹ יִרְחַק מֵהֶם Prov.22:5
578 וִישָׁרִים יְבַקְשׁוּ נַפְשׁוֹ Prov.29:10
579 חוֹלֵק עִם־גַּנָּב שׂוֹנֵא נַפְשׁוֹ Prov.29:24
580 וְכֹל אֲשֶׁר לָאִישׁ יִתֵּן בְּעַד נַפְשׁוֹ Job 2:4
581 אַךְ אֶת־נַפְשׁוֹ שְׁמֹר Job 2:6
582 טֹרֵף נַפְשׁוֹ בְּאַפּוֹ Job 18:4
583 כִּי יֵשֶׁל אֱלוֹהַּ נַפְשׁוֹ Job 27:8
584 לִשְׁאֹל בְּאָלָה נַפְשׁוֹ Job 31:30
585 עַל־צַדְּקוֹ נַפְשׁוֹ מֵאֱלֹהִים Job 32:2
586 יַחְשֹׂךְ נַפְשׁוֹ (כת׳ נפשי) מִנִּי־שָׁחַת Job 33:18
587 וַתִּקְרַב לַשַּׁחַת נַפְשׁוֹ Job 33:22
588 פָּדָה נַפְשׁוֹ מֵעֲבֹר בַּשָּׁחַת Job 33:28
589 לְהָשִׁיב נַפְשׁוֹ מִנִּי־שָׁחַת Job 33:30
590 נַפְשׁוֹ גֶּחָלִים תְּלַהֵט Job 41:13
591 וְהֶרְאָה אֶת־נַפְשׁוֹ טוֹב בַּעֲמָלוֹ Eccl.2:24
592 לְבַקֵּשׁ עַל־נַפְשׁוֹ מֵאֶסְתֵּר הַמַּלְכָּה Es.7:7
593 בְּכָל־לְבָבוֹ וּבְכָל־נַפְשׁוֹ IICh.34:31
וְנַפְשׁוֹ 594 וְנַפְשׁוֹ קְשׁוּרָה בְנַפְשׁוֹ Gen.44:30

וְנַפְשׁוֹ (המשך)
595 וְהִנֵּה עָיֵף וְנַפְשׁוֹ שׁוֹקֵקָה Is.29:8
596 וְנַפְשׁוֹ לֹא חִיָּה Ps.22:30
597 וְנַפְשׁוֹ מִשְּׁאוֹל תַּצִּיל Prov.23:14
598 וְנַפְשׁוֹ עָלָיו תֶּאֱבָל Job 14:22
599 וְנַפְשׁוֹ אִוְּתָה וַיָּעַשׂ Job 23:13
600 וְזִהֲמַתּוּ...וְנַפְשׁוֹ מַאֲכַל תַּאֲוָה Job 33:20
601 וְנַפְשׁוֹ לֹא־תִשְׂבַּע מִן־הַטּוֹבָה Eccl.6:3
בְּנַפְשׁוֹ 602 בָּשָׂר בְּנַפְשׁוֹ דָמוֹ לֹא תֹאכֵלוּ Gen.9:4
603 וְנַפְשׁוֹ קְשׁוּרָה בְנַפְשׁוֹ Gen.44:30
604 דָּמוֹ בְנַפְשׁוֹ הוּא Lev.17:14
605 כִּי בְנַפְשׁוֹ דִּבֶּר אֲדֹנִיָּהוּ IK.2:23
606 נִשְׁבַּע יְיָ צְבָאוֹת בְּנַפְשׁוֹ Jer.51:14
607 נִשְׁבַּע אֲדֹנָי יֱהוִֹה בְּנַפְשׁוֹ Am.6:8
608 לֶאְסֹר שָׂרָיו בְּנַפְשׁוֹ Ps.105:22
609 וְלֹא יָדַע כִּי־בְנַפְשׁוֹ הוּא Prov.7:23
610 כִּי כְּמוֹ־שָׁעַר בְּנַפְשׁוֹ כֶּן הוּא Prov.23:7
כְּנַפְשׁוֹ 611 וַיֶּאֱהָבֵהוּ* יְהוֹנָתָן כְּנַפְשׁוֹ ISh.18:1
612 ...בְּאַהֲבָתוֹ אֹתוֹ כְּנַפְשׁוֹ ISh.18:3
לְנַפְשׁוֹ 613 וְחָרְדוּ לִרְגָעִים אִישׁ לְנַפְשׁוֹ Ezek.32:10
614 וְאֵינֶנּוּ חָסֵר לְנַפְשׁוֹ מִכֹּל Eccl.6:2
נַפְשָׁהּ 615 וַיְהִי בְּצֵאת נַפְשָׁהּ כִּי מֵתָה Gen.35:18
616-623 ...אֲשֶׁר(־) אָסְרָה עַל־נַפְשָׁהּ
Num.30:5², 6, 7, 8, 9, 10, 12
624 אוֹ־אָסְרָה אִסָּר עַל־נַפְשָׁהּ Num.30:11
625 ...לִנְדָרֶיהָ וּלְאִסַּר נַפְשָׁהּ Num.30:13
626 כִּי־נַפְשָׁהּ מָרָה־לָהּ IIK.4:27
627 לָכֵן הִרְחִיבָה שְּׁאוֹל נַפְשָׁהּ Is.5:14
628 בְּאַוַּת נַפְשָׁהּ (כ׳ נפשו) שָׁאֲפָה רוּחַ Jer.2:24
629 צִדְּקָה נַפְשָׁהּ מְשֻׁבָה יִשְׂרָאֵל Jer.3:11
630 אֻמְלְלָה...נָפְחָה נַפְשָׁהּ... Jer.15:9
631 וַתֵּקַע נַפְשָׁהּ מֵהֶם Ezek.23:17
לְנַפְשָׁהּ 632 אִם־לֹא חָפַצְתָּ...וְשִׁלַּחְתָּהּ לְנַפְשָׁהּ Deut.21:14
נַפְשֵׁנוּ 633 וְעַתָּה נַפְשֵׁנוּ יְבֵשָׁה אֵין כֹּל Num.11:6
634 נַפְשֵׁנוּ תַחְתֵּיכֶם לָמוּת Josh.2:14
635 עִנִּינוּ נַפְשֵׁנוּ וְלֹא תֵדָע Is.58:3
636 נַפְשֵׁנוּ חִכְּתָה לַייָ Ps.33:20
637 אַל־יֹאמְרוּ בְלִבָּם הֶאָח נַפְשֵׁנוּ Ps.35:25
639 הַשָּׂם נַפְשֵׁנוּ בַּחַיִּים Ps.66:9
640 רַבַּת שָׂבְעָה־לָּהּ נַפְשֵׁנוּ Ps.123:4
641 נַחְלָה עָבַר עַל־נַפְשֵׁנוּ Ps.124:4
642 עָבַר עַל־נַפְשֵׁנוּ הַמַּיִם הַזֵּידוֹנִים Ps.124:5
643 נַפְשֵׁנוּ כְּצִפּוֹר נִמְלְטָה מִפַּח Ps.124:7
וְנַפְשֵׁנוּ 644 וְנַפְשֵׁנוּ קָצָה בַּלֶּחֶם הַקְּלֹקֵל Num.21:5
בְּנַפְשֵׁנוּ 645 בְּנַפְשֵׁנוּ נָבִיא לַחְמֵנוּ Lam.5:9
נַפְשְׁכֶם 646 אִם־יֵשׁ אֶת־נַפְשְׁכֶם לִקְבֹּר Gen.23:8
647 וְאִם אֶת־מִשְׁפָּטַי תִּגְעַל נַפְשְׁכֶם Lev.26:15
648-651 בְּכָל־לְבַבְכֶם וּבְכָל־נַפְשְׁכֶם
Deut.11:13; 13:4 • Josh.22:5; 23:14
652 עַל־לְבַבְכֶם וְעַל־נַפְשְׁכֶם Deut.11:18
653 אִם־יֵשׁ נַפְשְׁכֶם אַל־יֵצֵא פָּלִיט... IIK.9:15
654 וְתִתְעַנַּג בַּדֶּשֶׁן נַפְשְׁכֶם Is.55:2
655 שִׁמְעוּ וּתְחִי נַפְשְׁכֶם Is.55:3
656 נֻסוּ מַלְּטוּ נַפְשְׁכֶם Jer.48:6
657 מַחְמַד עֵינֵיכֶם וּמַחְמַל נַפְשְׁכֶם Ezek.24:21
658 לוּ יֵשׁ נַפְשְׁכֶם תַּחַת נַפְשִׁי Job 16:4
וְנַפְשְׁכֶם 659 תְּנוּ לְבַבְכֶם וְנַפְשְׁכֶם לִדְרוֹשׁ ICh.22:19 (18)
לְנַפְשְׁכֶם 660 וּמִצְאוּ מַרְגּוֹעַ לְנַפְשְׁכֶם Jer.6:16
נַפְשָׁם 661 וְאֶת־חֻקֹּתַי גָּעֲלָה נַפְשָׁם Lev.26:43
662/3 בְּכָל־לְבָבָם וּבְכָל־נַפְשָׁם IK.2:4; 8:48
664 וַיָּקוּמוּ...וַיָּנֻסוּ אֶל־נַפְשָׁם IIK.7:7
665 לֹא־יַצִּילוּ אֶת־נַפְשָׁם Is.47:14
666 וּבְשִׁקּוּצֵיהֶם נַפְשָׁם חָפֵצָה Is.66:3

נַפְשָׁם (המשך) 670-667 ...בְּיַד מְבַקְשֵׁי נַפְשָׁם Jer. 19:7; 21:7; 34:20, 21
671 אֹיְבֵיהֶם וּמְבַקְשֵׁי נַפְשָׁם Jer. 19:9
672/3 מְנַשְּׂאִים אֶת־נַפְשָׁם לָשׁוּב Jer. 22:27; 44:14
674 וְהָיְתָה נַפְשָׁם כְּגַן רָוֶה Jer. 31:12(11)
675 וּנְתַתִּים בְּיַד מְבַקְשֵׁי נַפְשָׁם Jer. 46:26
676 לִפְנֵי אֹיְבֵיהֶם וְלִפְנֵי מְבַקְשֵׁי נַפְשָׁם Jer. 49:37
677 נַפְשָׁם לֹא יְשַׂבֵּעוּ Ezek. 7:19
678 הֵמָּה בְצִדְקָתָם יְנַצְּלוּ נַפְשָׁם Ezek. 14:14
679 הֵמָּה בְּצִדְקָתָם יַצִּילוּ נַפְשָׁם Ezek. 14:20
680 אֶת־מַחְמַד עֵינֵיהֶם וְאֶת־מַשָּׂא נַפְשָׁם Ezek. 24:25
681 וְגַם־נַפְשָׁם בָּחֲלָה בִי Zech. 11:8
682 לְהַצִּיל מִמָּוֶת נַפְשָׁם Ps. 33:19
683 וְיֵקַר פִּדְיוֹן נַפְשָׁם Ps. 49:9
684 מִתּוֹךְ וּמֵחָמָס יִגְאַל נַפְשָׁם Ps. 72:14
685 לֹא־חָשַׂךְ מִמָּוֶת נַפְשָׁם Ps. 78:50
686 נַפְשָׁם בָּהֶם תִּתְעַטָּף Ps. 107:5
687 כָּל־אֹכֶל תְּתַעֵב נַפְשָׁם Ps. 107:18
688 נַפְשָׁם בְּרָעָה תִתְמוֹגָג Ps. 107:26
689 תָּמֹת בַּנֹּעַר נַפְשָׁם Job 36:14
690 וְיָשִׁיבוּ אֶת־נַפְשָׁם Lam. 1:19
691 בְּהִשְׁתַּפֵּךְ נַפְשָׁם אֶל־חֵיק אִמֹּתָם Lam. 2:12
692 לְהִקָּהֵל וְלַעֲמֹד עַל־נַפְשָׁם Es. 8:11
693 נִקְהֲלוּ וְעָמֹד עַל־נַפְשָׁם Es. 9:16
694 קִיְּמוּ עַל־נַפְשָׁם וְעַל־זַרְעָם Es. 9:31
695 בְּכָל־לִבָּם וּבְכָל־נַפְשָׁם IICh. 6:38
696 בְּכָל־לְבָבָם וּבְכָל־נַפְשָׁם IICh. 15:12
וְנַפְשָׁם 697 וְנַפְשָׁם בַּשְּׁבִי הָלָכָה Is. 46:2
בְּנַפְשָׁם 698 וַיְשַׁלַּח רָזוֹן בְּנַפְשָׁם Ps. 106:15
לְנַפְשָׁם 699 אוֹי לְנַפְשָׁם כִּי־גָמְלוּ לָהֶם רָעָה Is. 3:9
700 אֲשֶׁר־שִׁלַּחְתֶּם חָפְשִׁים לְנַפְשָׁם Jer. 34:16
701 לַחְמָם לְנַפְשָׁם לֹא יָבוֹא בֵּית יְיָ Hosh. 9:4
702 וַיְנַסּוּ־אֵל...לִשְׁאָל־אֹכֶל לְנַפְשָׁם Ps. 78:18
נְפָשִׁים 703 מְצֹדְדוֹת אֶת־נְפָשִׁים לְפֹרְחוֹת Ezek. 13:20
נְפָשׁוֹת 704 וְלָקְחוּ...בְּמִכְסַת נְפָשֹׁת Ex. 12:4
705 בְּעֶרְכְּךָ נְפָשֹׁת לַייָ Lev. 27:2
706 הַמְסַפְּחוֹת...לְצוֹדֵד נְפָשׁוֹת Ezek.13:18
707 לְהָמִית נְפָשׁוֹת אֲשֶׁר לֹא־תְמוּתֶנָה Ezek.13:19
708 וּלְחַיּוֹת נְפָשׁוֹת אֲשֶׁר לֹא־תִחְיֶינָה Ezek. 13:19
709 לְהַכְרִית נְפָשׁוֹת רַבּוֹת Ezek. 17:17
710 לִשְׁפָּךְ־דָּם לְאַבֵּד נְפָשׁוֹת Ezek. 22:27
711 וְלֹקֵחַ נְפָשׁוֹת חָכָם Prov. 11:30
712 מַצִּיל נְפָשׁוֹת עֵד אֱמֶת Prov. 14:25
וּנְפָשׁוֹת 713 וּנְפָשׁוֹת לָכֶנָה תְחַיֶּינָה Ezek. 13:18
הַנְּפָשׁוֹת 714 וְנִכְרְתוּ הַנְּפָשׁוֹת הָעֹשֹׂת מִקֶּרֶב... Lev. 18:29
715 וְעַל־הַנְּפָשׁוֹת אֲשֶׁר הָיוּ־שָׁם Num. 19:18
716 הַנְּפָשׁוֹת תְּצוֹדֵדְנָה לְעַמִּי Ezek. 13:18
717 מְצֹדְדוֹת שָׁם אֶת־הַנְּפָ׳ לְפֹרְחוֹת Ezek. 13:20
718 וְשִׁלַּחְתִּי אֶת־הַנְּפָשׁוֹת Ezek. 13:20
719 הֵן כָּל־הַנְּפָשׁוֹת לִי הֵנָּה Ezek. 18:4
נַפְשׁוֹת־ 720 וְאֶת־כָּל־נַפְשׁוֹת בֵּיתוֹ Gen. 36:6
721 וְעַל כָּל־נַפְשֹׁת מֵת לֹא יָבֹא Lev. 21:11
722 אִישׁ כֶּסֶף נַפְשׁוֹת עֶרְכּוֹ IIK. 12:5
723 דַּם נַפְשׁוֹת אֶבְיוֹנִים נְקִיִּים Jer. 2:34
724 שֹׁמֵר נַפְשׁוֹת חֲסִידָיו Ps. 97:10
וְנַפְשׁוֹת־ 725 וְנַפְשׁוֹת אֶבְיוֹנִים יוֹשִׁיעַ Ps. 72:13
נַפְשֹׁתֵינוּ 726 לְכַפֵּר עַל־נַפְשֹׁתֵינוּ לִפְנֵי יְיָ Num. 31:50
727 וְהִצַּלְתֶּם אֶת־נַפְשֹׁתֵינוּ מִמָּוֶת Josh. 2:13
728 עֹשִׂים רָעָה גְדוֹלָה עַל־נַפְשׁוֹתֵינוּ Jer. 26:19
לְנַפְשֹׁתֵינוּ 729 וַנִּירָא מְאֹד לְנַפְשֹׁתֵינוּ מִפְּנֵיכֶם Josh. 9:24
נַפְשֹׁתֵיכֶם 730 עֹמֶר לַגֻּלְגֹּלֶת מִסְפַּר נַפְשֹׁתֵיכֶם Ex. 16:16

נַפְשֹׁתֵיכֶם (המשך) 731/2 לְכַפֵּר עַל־נַפְשֹׁתֵיכֶם Ex. 30:15, 16
733 אַל־תְּשַׁקְּצוּ אֶת־נַפְשֹׁתֵיכֶם Lev. 11:43
734 וְלֹא תְטַמְּאוּ אֶת־נַפְשֹׁתֵיכֶם Lev. 11:44
735 תְּעַנּוּ אֶת־נַפְשֹׁתֵיכֶם Lev. 16:29
739-736 וְעִנִּיתֶם אֶת־נַפְשֹׁתֵיכֶם Lev. 16:31; 23:27, 32 • Num. 29:7
740 לְכַפֵּר עַל־נַפְשֹׁתֵיכֶם Lev. 17:11
741 וְלֹא־תְשַׁקְּצוּ אֶת־נַפְשֹׁתֵיכֶם Lev. 20:25
742 אַל־תַּשִּׁאוּ נַפְשֹׁתֵיכֶם לֵאמֹר Jer. 37:9
743 עֹשִׂים רָעָה גְדוֹלָה אֶל־נַפְשֹׁתֶכֶם Jer. 44:7
בְּנַפְשׁוֹתֵיכֶם 744 כֹּה אָמַר יְיָ הִשָּׁמְרוּ בְּנַפְשׁוֹתֵיכֶם Jer. 17:21
745 כִּי הִתְעֵיתֶם׳ בְּנַפְשׁוֹתֵיכֶם Jer. 42:20
לְנַפְשֹׁתֵיכֶם 746 אֶת־דִּמְכֶם לְנַפְשֹׁתֵיכֶם אֶדְרֹשׁ Gen. 9:5
747/8 וְנִשְׁמַרְתֶּם מְאֹד לְנַפְשֹׁתֵיכֶם Deut. 4:15
Josh. 23:11
בְּנַפְשֹׁתָם 749 הַחַטָּאִים הָאֵלֶּה בְּנַפְשֹׁתָם Num. 17:3
750 הֲדַם הָאֲנָשִׁים הַהֹלְכִים בְּנַפְשׁוֹתָ׳ IISh. 23:17
751 הֲדַם הָאֲנָשִׁים...אֶשְׁתֶּה בְנַפְשׁוֹתָם ICh. 11:19
752 כִּי בְנַפְשׁוֹתָם הֱבִיאוּם ICh. 11:19
לְנַפְשֹׁתָם 753 וְהֵם לְדָמָם יֶאֱרֹבוּ יִצְפְּנוּ לְנַפְשֹׁתָם Prov. 1:18

נָפְשׁוּ (נחום ג18) – עין (פוש)

נִפְשַׁע ת׳ (משלי יח19) – עין פָּשַׁע

נֹפֶת ז׳ עסיס דבש: 1-5
נֹפֶת מָתוֹק 4; נֹפֶת צוּפִים 5
נֹפֶת 1 נֹפֶת תִּטֹּפְנָה שִׂפְתֵי זָרָה Prov. 5:3
2 נֶפֶשׁ שְׂבֵעָה תָּבוּס נֹפֶת Prov. 27:7
3 נֹפֶת תִּטֹּפְנָה שִׂפְתוֹתַיִךְ כַּלָּה S.ofS. 4:11
וְנֹפֶת 4 וְנֹפֶת מָתוֹק עַל־חִכֶּךָ Prov. 24:13
וְנֹפֶת־ 5 וּמְתוּקִים מִדְּבַשׁ וְנֹפֶת צוּפִים Ps. 19:11

נֶפֶת* נ׳ נָפָה, נוֹף
הַנָּפֶת 1 וְיֹשְׁבֵי מְגִדּוֹ וּבְנוֹתֶיהָ שְׁלֹשֶׁת הַנָּפֶת Josh. 17:11

נֶפְתּוֹחַ ש״פ מקום במערב ירושלים: 1, 2
נֶפְתּוֹחַ 1/2 ...אֶל־מַעְיַן מֵי נֶפְתּוֹחַ Josh. 15:9; 18:15

נַפְתֻּחִים שפ״ז – שבט מצאצאי חם בן נח: 1, 2
נַפְתֻּחִים 1 וּמִצְרַיִם יָלַד...וְאֶת־נַפְתֻּחִים Gen. 10:13
2 וּמִצְרַיִם יָלַד...וְאֶת־נַפְתֻּחִים ICh. 1:11

נַפְתּוּלִים ז״ר מאבק
נַפְתּוּלֵי־ 1 נַפְתּוּלֵי אֱלֹהִים נִפְתַּלְתִּי עִם־אֲחֹתִי Gen. 30:8

נִפְתָּל ת׳ (משלי ח3) – עין פתל

נַפְתָּלִי שפ״ז א) בן יעקב ובלהה: 1-4, 37, 40-42, 49
ב) כנוי לבני השבט המתיחסים על הנ״ל
וכן לנחלתם בארץ כנען: 5-36, 38, 39, 43-48, 50, 51
אֶרֶץ נַפְתָּלִי 30, 32; בְּנֵי נ׳ 2, 4, 6-16; הַר נ׳ 21;
מַטֵּה נ׳ 5, 17, 22-26; מִשְׁפְּחוֹת נ׳ 18; עָרֵי נ׳ 38;
קֶדֶשׁ נַפְתָּלִי 28; שַׁעַר נ׳ 35; שָׂרֵי נ׳ 36
נַפְתָּלִי 1 וַתִּקְרָא שְׁמוֹ נַפְתָּלִי Gen. 30:8
2 וּבְנֵי נַפְתָּלִי יַחְצְאֵל וְגוּנִי... Gen. 46:24
3 נַפְתָּלִי אַיָּלָה שְׁלֻחָה Gen. 49:21
4 בְּנֵי נַפְתָּלִי תּוֹלְדֹתָם לְמִשְׁפְּחֹתָם Num. 1:42
5 פְּקֻדֵיהֶם לְמַטֵּה נַפְתָּלִי Num. 1:43
6/7 וּמַטֵּה נַפְתָּלִי וְנָשִׂיא לִבְנֵי נַפְתָּלִי Num. 2:29
16-8 (מ/ל)בְנֵי נַפְתָּלִי Num. 7:78; 10:27; 26:48
34:28 • Josh. 19:32², 39 • Jud. 4:6 • ICh. 7:13
17 לְמַטֵּה נַפְתָּלִי נַחְבִּי בֶּן־וָפְסִי Num. 13:14
18 אֵלֶּה מִשְׁפְּחֹת נַפְתָּלִי לְמִשְׁפְּחֹתָם Num. 26:50
19 נַפְתָּלִי שְׂבַע רָצוֹן Deut. 33:23
20 וְאֵת כָּל־נַפְתָּלִי Deut. 34:2
21 אֶת־קֶדֶשׁ בַּגָּלִיל בְּהַר נַפְתָּלִי Josh. 20:7

נַפְתָּלִי (המשך) 22 וּמִמַּטֵּה־אָשֵׁר וּמִמַּטֵּה נַפְתָּלִי Josh. 21:6
26-23 (ו)מִמַּטֵּה נַפְתָּלִי Josh. 21:32
IK. 7:14 • ICh. 6:47, 61
27 נַפְתָּלִי לֹא־הוֹרִישׁ אֶת־יֹשְׁבֵי... Jud. 1:33
28 וַתִּקְרָא לְבָרָק...מִקֶּדֶשׁ נַפְתָּלִי Jud. 4:6
29 וַיַּזְעֵק בָּרָק אֶת־זְבוּלֻן וְאֶת־נַפְתָּלִי Jud. 4:10
30 עַל כָּל־אֶרֶץ נַפְתָּלִי IK. 15:20
31 וַיִּקַּח...כֹּל אֶרֶץ נַפְתָּלִי IIK. 15:29
32 אַרְצָה זְבֻלוּן וְאַרְצָה נַפְתָּלִי Is. 8:23
33 וְעַל גְּבוּל אָשֵׁר...נַפְתָּלִי אֶחָד Ezek. 48:3
34 וְעַל גְּבוּל נַפְתָּלִי...מְנַשֶּׁה אֶחָד Ezek. 48:4
35 שַׁעַר נַפְתָּלִי אֶחָד Ezek. 48:34
36 שָׂרֵי זְבֻלוּן שָׂרֵי נַפְתָּלִי Ps. 68:28
37 נַפְתָּלִי גָּד וְאָשֵׁר ICh. 2:2
38 וְאֵת כָּל־מִסְכְּנוֹת עָרֵי נַפְתָּלִי IICh. 16:4
39 וּבְעָרֵי מְנַשֶּׁה...וְעַד־נַפְתָּלִי IICh. 34:6
וְנַפְתָּלִי 40 וּבְנֵי בִלְהָה...דָּן וְנַפְתָּלִי Gen. 35:25
41 דָּן וְנַפְתָּלִי גָּד וְאָשֵׁר Ex. 1:4
42 וּזְבוּלֻן דָּן וְנַפְתָּלִי Deut. 27:13
43 וְנַפְתָּלִי עַל מְרוֹמֵי שָׂדֶה Jud. 5:18
44 עַד־יִשָּׂשכָר וּזְבֻלוּן וְנַפְתָּלִי ICh. 12:40(41)
בְּנַפְתָּלִי 45 אֲחִימַעַץ בְּנַפְתָּלִי IK. 4:15
וּבְנַפְתָּלִי 46 בְּאָשֵׁר וּבִזְבֻלוּן וּבְנַפְתָּלִי Jud. 6:35
לְנַפְתָּלִי 47 לְנַפְתָּלִי אֲחִירַע בֶּן־עֵינָן Num. 1:15
48 לְנַפְתָּלִי יְרִימוֹת בֶּן־עַזְרִיאֵל ICh. 27:19
וּלְנַפְתָּלִי 49 וּלְנַפְתָּלִי אָמַר נַפְתָּלִי שְׂבַע רָצוֹן Deut. 33:23
מִנַּפְתָּלִי 50 וַיִּצָּעֵק אִישׁ־יִשְׂרָאֵל מִנַּפְתָּלִי Jud. 7:23
וּמִנַּפְתָּלִי 51 וּמִנַּפְתָּלִי שָׂרִים אָלֶף ICh. 12:34(35)

נֵץ¹ ז׳ עוף דורס ממשפחת הבזים: 1-3
נֵץ 1 הֲמִבִּינָתְךָ יַאֲבֶר־נֵץ... Job 39:26
הַנֵּץ 2/3 וְאֶת־הַנֵּץ לְמִינֵהוּ Lev. 11:16 • Deut. 14:15

נֵץ² נ׳ (בראשית מ10) – עין נִצָּה(3)

נָצָא פ׳ (מקור): יָצָא(?) עוּף(?)
נָצֹא 1 תְּנוּ־צִיץ לְמוֹאָב כִּי נָצֹא תֵּצֵא Jer. 48:9

נָצַב עין יצב

נְצִב¹ ז׳ ממונה, פקיד: 1-8
נְצִב מֶלֶךְ 2; שָׂרֵי הַנִּצָּבִים 6-8
נְצִב 1 וְהוּא נִצָּב עַל־עַבְדֵי־שָׁאוּל ISh. 22:9
2 וּמֶלֶךְ אֵין בֶּאֱדוֹם נִצָּב מֶלֶךְ IK. 22:48
נִצָּבִים 3 שְׁנֵים עָשָׂר נִצָּבִים עַל־כָּל־יִשְׂרָאֵל IK. 4:7
הַנִּצָּבִים 4 וַעֲזַרְיָהוּ בֶן־נָתָן עַל־הַנִּצָּבִים IK. 4:5
5 וְכִלְכְּלוּ הַנִּצָּבִים הָאֵלֶּה אֶת־הַמֶּלֶךְ IK. 5:7
6 לְבַד מִשָּׂרֵי הַנִּצָּבִים לִשְׁלֹמֹה IK. 5:30
7 שָׂרֵי הַנִּצָּבִים אֲשֶׁר עַל־הַמְּלָאכָה IK. 9:23
8 וְאֵלֶּה שָׂרֵי הַנִּצָּבִים׳ אֲשֶׁר לַמֶּלֶךְ IICh. 8:10

נִצָּב² ז׳ קת, ידית
הַנִּצָּב 1 וַיָּבֹא גַם־הַנִּצָּב אַחַר הַלַּהַב Jud. 3:22

נִצְבְּתָא נ׳ קושי, חוזק
נִצְבְּתָא 1 וּמִן־נִצְבְּתָא דִי־פַרְזְלָא לֶהֱוֵא־בַהּ Dan. 2:41

נצג עין יצג

נִצְדּוּ (צפניה ג6) – עין צָדָה

נִצָּה נ׳ כפתור הפרח, נִצָּן: 1-3
[נִצָּה = נִצָּתָהּ?]
נִצָּה 1 וּבֹסֶר גֹּמֵל יִהְיֶה נִצָּה Is. 18:5
נִצָּתוֹ 2 ...וְיַשְׁלֵךְ כַּזַּיִת נִצָּתוֹ Job 15:33
נִצָּה 3 וְהִוא כְפֹרַחַת עָלְתָה נִצָּהּ Gen. 40:10

נצה
נצה : נָצָה, נָאָה, הִצָּה; מַצָּה, מַצּוּת

נָצָה
פָּ׳ א) נדד, גָלה: 1
ב) חרב, שמם: 2
ג) [נפ׳ נִצָּה] רב, התקוטט: 3, 9-6
ד) [כנ־ל, בינוני] חרב: 4, 5
ה) [הפ׳ הִצָּה] עורר ריב, נלחם: 10-12

נָצוּ 1 סוּרוּ טָמֵא...כִּי נָצוּ גַּם־נָעוּ Lam. 4:15
תִּצֶּינָה 2 עָרַיִךְ תִּצֶּינָה מֵאֵין יוֹשֵׁב Jer. 4:7
נִצִּים 3 וְהִנֵּה שְׁנֵי־אֲנָשִׁים עִבְרִים נִצִּים Ex. 2:13
4 לְהַשׁוֹת גַּלִּים נִצִּים עָרִים בְּצֻרוֹת IIK. 19:25
5 לְהַשְׁאוֹת גַּלִּים נִצִּים עָרִים בְּצֻרוֹת Is. 37:26
יִנָּצוּ 6 וְכִי־יִנָּצוּ אֲנָשִׁים וְנָגְפוּ אִשָּׁה הָרָה Ex. 21:22
7 כִּי־יִנָּצוּ אֲנָשִׁים יַחְדָּו Deut. 25:11
וַיִּנָּצוּ 8 וַיִּנָּצוּ בַּמַּחֲנֶה בֶּן הַיִּשְׂ׳ וְאִישׁ הַיִּשְׂ׳ Lev. 24:10
9 וַיִּנָּצוּ שְׁנֵיהֶם בַּשָּׂדֶה וְאֵין מַצִּיל IISh. 14:6
בְּהַצּוֹתוֹ 10 בְּהַצּוֹתוֹ אֶת אֲרַם נַהֲרַיִם Ps. 60:2
בְּהַצֹּתָם 11 אֲשֶׁר הִצּוּ...בְּהַצֹּתָם עַל־יְיָ Num. 26:9
הִצּוּ 12 אֲשֶׁר הִצּוּ עַל־מֹשֶׁה וְעַל־אַהֲרֹן Num. 26:9

נָצוּר[1]
ת׳ עין א) נָצַר ב) (צור) צָרִי

נָצוּר*[2]
ז׳ מחבוא
וּבַנְּצוּרִים 1 הַיֹּשְׁבִים בַּקְּבָרִים וּבַנְּצוּרִים יָלִינוּ Is. 65:4

נצח
נצח : נִצַּח נפ׳, נִצַּח פִּ׳; נֶצַח, נֵצַח, מְנַצֵּחַ; ש־פ נְצִיחַ; אר׳ אִתְנַצַּח

נִצַּח
א) נפ׳ [רק בינוני: נִצַּחַת] ממושך: 1
ב) [פִּ׳ נִצַּח] נִהֵל, פקד: 2-6
ג) [מְנַצֵּחַ] מלוה בנגינה(?) סימן בנגינה(?): 7-62
ד) [כנ־ל] מפקד, מנהל: 63-65

מְשׁוּבָה נִצַּחַת 1; נִצַּח עַל־ 2-5, 64; נִצַּח לְ־ 65; לַמְנַצֵּחַ (בְּ/אֶל/עַל) 7-62

נִצַּחַת 1 מַדּוּעַ שׁוֹבְבָה...מְשֻׁבָה נִצַּחַת Jer. 8:5
לְנַצֵּחַ 2 לְנַצֵּחַ עַל־מְלֶאכֶת בֵּית־יְיָ Ez. 3:8
3 לְנַצֵּחַ עַל־עֹשֵׂה הַמְּלָאכָה Ez. 3:9
4 בְּכִנֹּרוֹת עַל־הַשְּׁמִינִית לְנַצֵּחַ ICh. 15:21
5 לְנַצֵּחַ עַל־מְלֶאכֶת בֵּית־יְיָ ICh. 23:4
6 וּמְשֻׁלָּם מִן־בְּנֵי הַקְּהָתִים לְנַצֵּחַ ICh. 34:12
לַמְנַצֵּחַ 7 לַמְנַצֵּחַ בִּנְגִינוֹתָי Hab. 3:19
8 לַמְנַצֵּחַ בִּנְגִינוֹת מִזְמוֹר לְדָוִד Ps. 4:1
9 לַמְנַצֵּחַ אֶל־הַנְּחִילוֹת מִזְמוֹר לְדָוִד Ps. 5:1
10 לַמְנַצֵּחַ בִּנְגִינוֹת עַל־הַשְּׁמִינִית Ps. 6:1
11 לַמְנַצֵּחַ עַל־הַגִּתִּית מִזְמוֹר לְדָוִד Ps. 8:1
12 לַמְנַצֵּחַ עַל־מוּת לַבֵּן מִזְמוֹר לְדָ׳ Ps. 9:1
13/4 לַמְנַצֵּחַ לְדָוִד Ps. 11:1; 14:1
15 לַמְנַצֵּחַ עַל־הַשְּׁמִינִית מִזְמוֹר לְדָ׳ Ps. 12:1
16-24 לַמְנַצֵּחַ מִזְמוֹר לְדָוִד Ps. 13:1
19:1; 21:1; 31:1; 41:1; 51:1; 66:3; 140:1
25-62 לַמְנַצֵּחַ Ps. 18:1; 22:1; 36:1; 39:1
40:1; 42:1; 44:1; 45:1; 46:1; 47:1; 49:1; 52:1; 53:1;
54:1; 55:1; 56:1; 57:1; 58:1; 59:1; 60:1; 61:1; 62:1;
65:1; 66:1; 67:1; 68:1; 69:1; 70:1; 75:1; 76:1; 77:1;
80:1; 81:1; 84:1; 85:1; 88:1; 109:1; 139:1
מְנַצְּחִים 63 מְנַצְּחִים לְהַעֲבִיד אֶת־הָעָם IICh. 2:17
וּמְנַצְּחִים 64 וּמְנַצְּחִים עֲלֵיהֶם שְׁלֹשֶׁת אֲלָפִים IICh. 2:1
65 וּמְנַצְּחִים לְכֹל עֹשֵׂה מְלָאכָה IICh. 34:13

(נצח) אִתְנַצַּח
אתפ׳ ארמית התגבר, התחזק: 1
מִתְנַצַּח 1 הֲוָא מִתְנַצַּח עַל־סָרְכַיָּא Dan. 6:4

נֵצַח, נֶצַח
ז׳ א) תוקף, קיום: 8, 40, 42
ב) כנוי לדם: 43, 44
ג) [תה־פ] לעולם: 1-7, 9-39, 41
– לָנֶצַח 9-39; עַד נֶצַח 6,7; לְנֵצַח נְצָחִים 41(45); נֵצַח יִשְׂרָאֵל 40; מַשֻּׁאוֹת נֶצַח 5
– אָבַד נִצְחוֹ 42; הוֹרִיד נִצְחוֹ 44; יֵז נִצְחוֹ 43

נֶצַח 1 לָמָּה הָיָה כְאֵבִי נֶצַח Jer. 15:18
2 וְעֶבְרָתוֹ שְׁמָרָה נֶצַח Am. 1:11
3 עַד־אָנָה יְיָ תִּשְׁכָּחֵנִי נֶצַח Ps. 13:2
4 נְעִמוֹת בִּימִינְךָ נֶצַח Ps. 16:11
5 הָרִימָה פְעָמֶיךָ לְמַשֻּׁאוֹת נֶצַח Ps. 74:3
6 אָבִי יִבָּחֵן אִיּוֹב עַד־נֶצַח Job 34:36
נֵצַח 7 עַד־נֵצַח לֹא יִרְאוּ־אוֹר Ps. 49:20
וְהַנֵּצַח 8 וְהַתִּפְאֶרֶת וְהַנֵּצַח וְהַהוֹד ICh. 29:11
לָנֶצַח 9 לֹא־תֵשֵׁב לָנֶצַח Is. 13:20
10 בִּלַּע הַמָּוֶת לָנֶצַח Is. 25:8
11 כִּי לֹא לָנֶצַח אָדוֹשׁ יְדוּשֶׁנּוּ Is. 28:28
12 בַּל־יִסַּע יְתֵדֹתָיו לָנֶצַח Is. 33:20
13 וְלֹא לָנֶצַח אֶקְּצוֹף Is. 57:16
14 הֲיִנְטֹר לְעוֹלָם אִם־יִשְׁמֹר לָנֶצַח Jer. 3:5
15 וְלֹא־תֵשֵׁב עוֹד לָנֶצַח Jer. 50:39
16 אִם־אֶשְׁכַּח לָנֶצַח כָּל־מַעֲשֵׂיהֶם Am. 8:7
17 וְלֹא־יֵצֵא לָנֶצַח מִשְׁפָּט Hab. 1:4
18 הָאוֹיֵב תַּמּוּ חֳרָבוֹת לָנֶצַח Ps. 9:7
19 כִּי לֹא לָנֶצַח יִשָּׁכַח אֶבְיוֹן Ps. 9:19
20 הִסְתִּיר פָּנָיו בַּל־רָאָה לָנֶצַח Ps. 10:11
21 הָקִיצָה אַל־תִּזְנַח לָנֶצַח Ps. 44:24
22 וִיחִי־עוֹד לָנֶצַח Ps. 49:10
23 גַּם־אֵל יִתָּצְךָ לָנֶצַח Ps. 52:7
24 אַף־יְיָ יִשְׁכֹּן לָנֶצַח Ps. 68:17
25 לָמָה אֱלֹהִים זָנַחְתָּ לָנֶצַח Ps. 74:1
26 עַד־מָתַי...יְנָאֵץ אוֹיֵב...לָנֶצַח Ps. 74:10
27 חַיַּת עֲנִיֶּיךָ אַל־תִּשְׁכַּח לָנֶצַח Ps. 74:19
28 הֶאָפֵס לָנֶצַח חַסְדּוֹ Ps. 77:9
29 עַד־מָה יְיָ תֶּאֱנַף לָנֶצַח Ps. 79:5
30 עַד־מָה יְיָ תִּסָּתֵר לָנֶצַח Ps. 89:47
31 לֹא־לָנֶצַח יָרִיב Ps. 103:9
32 וְאִישׁ שׁוֹמֵעַ לָנֶצַח יְדַבֵּר Prov. 21:28
33 מִבְּלִי מֵשִׂים לָנֶצַח יֹאבֵדוּ Job 4:20
34 תִּתְקְפֵהוּ לָנֶצַח וַיַּהֲלֹךְ Job 14:20
35 כְּגֶלְלוֹ לָנֶצַח יֹאבֵד Job 20:7
36 וַאֲפַלְּטָה לָנֶצַח מִשֹּׁפְטִי Job 23:7
37 וַיֹּשִׁיבֵם לָנֶצַח וַיִּגְבָּהוּ Job 36:7
38 לָמָּה לָנֶצַח תִּשְׁכָּחֵנוּ Lam. 5:20
הֲלָנֶצַח 39 הֲלָנֶצַח תֹּאכַל חֶרֶב IISh. 2:26
נֵצַח־ 40 נֵצַח יִשְׂרָאֵל לֹא יְשַׁקֵּר ISh. 15:29
לְנֵצַח־ 41 מִדּוֹר לְדוֹר תֶּחֱרָב לְנֵצַח נְצָחִים Is. 34:10
נִצְחִי 42 אָבַד נִצְחִי וְתוֹחַלְתִּי מֵיְ׳ Lam. 3:18
נִצְחָם 43 וְיֵז נִצְחָם עַל־בְּגָדַי Is. 63:3
44 וְאוֹרִיד לָאָרֶץ נִצְחָם Is. 63:6
נְצָחִים 45 מִדּוֹר לְדוֹר תֶּחֱרָב לְנֵצַח נְצָחִים Is. 34:10

נְצִיב[1]
ז׳ גוש, עמוד
נְצִיב־ 1 וַתַּבֵּט...וַתְּהִי נְצִיב מֶלַח Gen. 19:26

נְצִיב[2]
ז׳ נִצָּב, פקיד ממונה: 1-10 • קרובים: ראה נִצָּב
נְצִיב פְּלִשְׁתִּים 2, 3, 4; נְצִבֵי פְלִשְׁתִּים 10

וּנְצִיב 1 וּנְצִיב אֶחָד אֲשֶׁר בָּאָרֶץ IK. 4:19
נְצִיב־ 2 וַיַּךְ יוֹנָתָן אֵת נְצִיב פְּלִשְׁתִּים ISh. 13:3
3 הִכָּה שָׁאוּל אֶת־נְצִיב פְּלִשְׁתִּים ISh. 13:4
וּנְצִיב־ 4 וּנְצִיב פְּלִשְׁתִּים אָז בְּבֵית לָחֶם ICh. 11:16
נְצִבִים 5 וַיָּשֶׂם דָּוִד נְצִבִים בַּאֲרַם דַּמֶּשֶׂק IISh. 8:6
6 וַיָּשֶׂם בֶּאֱדוֹם נְצִבִים IISh. 8:14
7 בְּכָל־אֱדוֹם שָׂם נְצִבִים IISh. 8:14
8 וַיָּשֶׂם בֶּאֱדוֹם נְצִיבִים ICh. 18:13
9 וַיִּתֵּן נְצִיבִים בְּאֶרֶץ יְהוּדָה IICh. 17:2
נְצִבֵי־ 10 אֲשֶׁר־שָׁם נְצִבֵי פְלִשְׁתִּים ISh. 10:5

נְצִיב[3]
עיר בנחלת יהודה
וּנְצִיב 1 וְיִפְתָּח וְאַשְׁנָה וּנְצִיב Josh. 15:43

נְצִיחַ
שפ־ז – מעולי בבל: 1, 2
נְצִיחַ 1/2 בְּנֵי נְצִיחַ בְּנֵי חֲטִיפָא Ez. 2:54 • Neh. 7:56

נצל
נצל : נִצַּל, נִצֵּל, הִתְנַצֵּל, הִצִּיל, הַצֵּל, הַצָּלָה

נָצַל
נפ׳ א) נמלט, נחלץ: 1-15
ב) [פִּ׳ נִצֵּל] מלט: 17
ג) [כנ־ל] הוציא, הריק: 16, 18, 19
ד) [הת׳ הִתְנַצֵּל] פרק מעצמו: 20
ה) [הפ׳ הִצִּיל] מִלֵּט, חִלֵּץ מצרה: 21-54, 56-128, 130-141, 143-211
ו) [כנ־ל] הוציא, הפריד: 55, 129, 142
ז) [הפ׳ הַצֵּל] הוצא, חלץ: 212, 213

לְהִנָּצֵל 1 לְהִנָּצֵל מִפְּנֵי מֶלֶךְ אַשּׁוּר Is. 20:6
2 לְהִנָּצֵל מִכַּף־רָע Hab. 2:9
נִצַּלְנוּ 3 וּבָאתֶם...וַאֲמַרְתֶּם נִצַּלְנוּ Jer. 7:10
אִנָּצְלָה 4 אִנָּצְלָה מִשֹּׂנְאַי וּמִמַּעֲמַקֵּי־מָיִם Ps. 69:15
תִּנָּצֵל 5/6 שָׁמַעְתָּ...וְאַתָּה תִּנָּצֵל IIK. 19:11 • Is. 37:11
תִּנָּצֵלִי 7 שָׁם תִּנָּצֵלִי שָׁם יִגְאָלֵךְ יְיָ Mic. 4:10
יִנָּצֵל 8 אֲשֶׁר־יִנָּצֵל אֵלֶיךָ מֵעִם אֲדֹנָיו Deut. 23:16
9 גִּבּוֹר לֹא־יִנָּצֵל בְּרָב־כֹּחַ Ps. 33:16
וַתִּנָּצֵל 10 כִּי־רָאִיתִי...וַתִּנָּצֵל נַפְשִׁי Gen. 32:30
יִנָּצְלוּ 11 כֵּן יִנָּצְלוּ בְּנֵי יִשְׂרָאֵל Am. 3:12
יִנָּצֵלוּ 12 הֵמָּה לְבַדָּם יִנָּצֵלוּ Ezek. 14:16
13 כִּי הֵם לְבַדָּם יִנָּצֵלוּ Ezek. 14:18
הִנָּצֵל 14 הִנָּצֵל כִּצְבִי מִיָּד Prov. 6:5
וְהִנָּצֵל 15 עֲשֵׂה זֹאת אֵפוֹא בְּנִי וְהִנָּצֵל Prov. 6:3
וְנִצַּלְתֶּם 16 וְנִצַּלְתֶּם אֶת־מִצְרָיִם Ex. 3:22
יְנַצְּלוּ 17 הֵמָּה בְצִדְקָתָם יְנַצְּלוּ נַפְשָׁם Ezek. 14:14
וַיְנַצְּלוּ 18 וַיְנַצְּלוּ אֶת־מִצְרָיִם Ex. 12:36
19 וַיְנַצְּלוּ לָהֶם לְאֵין מַשָּׂא IICh. 20:25
וַיִּתְנַצְּלוּ 20 וַיִּתְנַצְּלוּ בְ׳ יִ׳ אֶת־עֶדְיָם Ex. 33:6
הַצֵּל 21/2 הַצֵּל יַצִּילֵנוּ יְיָ IIK. 18:30 • Is. 36:15
הַהַצֵּל 23 הַהַצֵּל הִצִּילוּ אֱלֹהֵי הַגּוֹיִם IIK. 18:33
וְהַצֵּל 24 וְהַצֵּל לֹא־הִצַּלְתָּ אֶת־עַמֶּךָ Ex. 5:23
25 כִּי־הַשֵּׂג תַּשִּׂיג וְהַצֵּל תַּצִּיל ISh. 30:8
הַצִּיל 26 לְמַעַן הַצִּיל אֹתוֹ מִיָּדָם Gen. 37:22
לְהַצִּיל 27 לְהַצִּיל אֶת־אִישָׁהּ מִיַּד מַכֵּהוּ Deut. 25:11
28 לְהַצִּיל אֶת־אֲמָתוֹ מִכַּף הָאִישׁ IISh. 14:16
29/30 לֹא יוּכַל לְהַצִּיל אֶתְכֶם IIK. 18:29 • Is. 36:14
31 וְאִם־אֵין־בִּי כֹחַ לְהַצִּיל Is. 50:2
32 לְהַצִּיל לוֹ מֵרָעָתוֹ Jon. 4:6
33 לְהַצִּיל מִמָּוֶת נַפְשָׁם Ps. 33:19
34 לְהַצִּיל אֶת־אַרְצָם מִיָּדִי IICh. 32:13
35 אֲשֶׁר יָכוֹל לְהַצִּיל אֶת־עַמּוֹ מִיָּדִי IICh. 32:14
36 לְהַצִּיל אֶתְכֶם מִיָּדִי IICh. 32:14
37 כִּי־לֹא יוּכַל...לְהַצִּיל עַמּוֹ מִיָּדִי IICh. 32:15
וּלְהַצִּיל 38 וּלְהַצִּיל אֶתְכֶם מִיָּדוֹ Jer. 42:11
לְהַצִּילֵנִי 39 רְצֵה יְיָ לְהַצִּילֵנִי Ps. 40:14
40 אֱלֹהִים לְהַצִּילֵנִי יְיָ לְעֶזְרָתִי חוּשָׁה Ps. 70:2
לְהַצִּילְךָ 41 לְהַצִּילְךָ וְלָתֵת אֹיְבֶיךָ לְפָנֶיךָ Deut. 23:15
42 לְהַצִּילְךָ מִדֶּרֶךְ רָע Prov. 2:12
43 לְהַצִּילְךָ מֵאִשָּׁה זָרָה Prov. 2:16

לְהַצִּלֶךָ 44 כִּי־אִתְּךָ אֲנִי לְהַצִּלֶךָ Jer. 1:8
45 כִּי־אִתְּךָ אֲנִי...לְהַצִּילֶךָ Jer. 1:19
וּלְהַצִּילֶךָ 46 אִתְּךָ אֲנִי לְהוֹשִׁיעֲךָ וּלְהַצִּילֶךָ Jer. 15:20
לְהַצִּילוֹ 47 וָאֵרֵד לְהַצִּילוֹ מִיַּד מִצְרַיִם Ex. 3:8
לְהַצִּילָם 48 כַּסְפָּם וּזְהָבָם לֹא־יוּכַל לְהַצִּילָם Ezek. 7:19
49 גַּם־זְהָבָם לֹא־יוּכַל לְהַצִּילָם Zep. 1:18
וְהִצַּלְתִּי 50 וְהִצַּלְתִּי אֶתְכֶם מֵעֲבֹדָתָם Ex. 6:6
51/2 וְהִצַּלְתִּי אֶת־עַמִּי מִיֶּדְכֶן Ezek. 13:21, 23
53 וְהִצַּלְתִּי צֹאנִי מִפִּיהֶם Ezek. 34:10
54 וְהִצַּלְתִּי אֶתְהֶם מִכָּל־הַמְּקוֹמֹת Ezek. 34:12
55 וְהִצַּלְתִּי צַמְרִי וּפִשְׁתִּי Hosh. 2:11
וְהִצַּלְתִּי 56 וְהִכִּתִיו וְהִצַּלְתִּי מִפִּיו ISh. 17:35
הִצַּלְתִּיךָ 57 וְאָנֹכִי הִצַּלְתִּיךָ מִיַּד שָׁאוּל IISh. 12:7
וְהִצַּלְתִּיךָ 58 וְהִצַּלְתִּיךָ מִיַּד רָעִים Jer. 15:21
59 וְהִצַּלְתִּיךָ בַיּוֹם־הַהוּא נְאֻם־יְיָ Jer. 39:17
וְהִצַּלְתִּים 60 וְהִצַּלְתִּים מִיַּד הָעֹבְדִים בָּהֶם Ezek. 34:27
הִצַּלְתָּ 61 וְהַצֵּל לֹא־הִצַּלְתָּ אֶת־עַמֶּךָ Ex. 5:23
62/3 וְאַתָּה אֶת־נַפְשְׁךָ הִצַּלְתָּ Ezek. 3:19, 21
64 וְאַתָּה נַפְשְׁךָ הִצַּלְתָּ Ezek. 33:9
65 כִּי הִצַּלְתָּ נַפְשִׁי מִמָּוֶת Ps. 56:14
וְהִצַּלְתָּ 66 וְהִצַּלְתָּ נַפְשִׁי מִשְּׁאוֹל תַּחְתִּיָּה Ps. 86:13
הִצִּיל 67 אֲשֶׁר הִצִּיל אֱלֹהִים מֵאָבִינוּ Gen. 31:16
68 אֲשֶׁר פָּסַח...וְאֶת־בָּתֵּינוּ הִצִּיל Ex. 12:27
69 אֲשֶׁר הִצִּיל אֶתְכֶם מִיַּד מִצְרַיִם Ex. 18:10
70 הִצִּיל אֶת־הָעָם מִתַּחַת יַד־מִצְרָ' Ex. 18:10
71 וְאֶת־גְּבוּלָן הִצִּיל יִשְׂרָאֵל ISh. 7:14
72 וְאֶת־שְׁתֵּי נָשָׁיו הִצִּיל דָּוִד ISh. 30:18
73 בְּיוֹם הִצִּיל יְיָ אֹתוֹ מִכַּף כָּל־אֹיְבָיו IISh. 22:1
74 כִּי הִצִּיל אֶת־נֶפֶשׁ אֶבְיוֹן Jer. 20:13
75 הִצִּיל־יְיָ אוֹתוֹ מִכַּף כָּל־אֹיְבָיו Ps. 18:1
וְהִצִּיל 76 מָצָא לוֹ עָרִים בְּצֻרוֹת וְהִצִּיל עֵינֵנוּ IISh. 20:6
77 גָּנוֹן וְהִצִּיל פָּסֹחַ וְהִמְלִיט Is. 31:5
78 וְהִצִּיל מֵאַשּׁוּר כִּי־יָבוֹא בְאַרְצֵנוּ Mic. 5:5
הִצִּלַנִי 79 יְיָ אֲשֶׁר הִצִּלַנִי מִיַּד הָאֲרִי ISh. 17:37
הִצִּילָנִי 80 וּמִכָּל־מְגוּרוֹתַי הִצִּילָנִי Ps. 34:5
81 כִּי מִכָּל־צָרָה הִצִּילָנִי Ps. 54:9
הִצִּילוּ 82 אֲשֶׁר הִצִּילוּ מִיַּד מִצְרָיִם Ex. 18:9
הִצִּילָנוּ 83 אִישׁ מִצְרִי הִצִּילָנוּ מִיַּד הָרֹעִים Ex. 2:19
84 הַמֶּלֶךְ הִצִּילָנוּ מִכַּף אֹיְבֵינוּ IISh. 19:10
הִצִּילָם 85 וּמִכָּל־צָרוֹתָם הִצִּילָם Ps. 34:18
וְהִצִּילָם 86 וְיִשְׁלַח לָהֶם מוֹשִׁיעַ וָרָב וְהִצִּילָם Is. 19:20
הִצַּלְנוּ 87 לֹא־נִתֵּן לָהֶם מֵהַשָּׁלָל אֲשֶׁר הִצַּלְ' ISh. 30:22
הִצַּלְתֶּם 88 אָז הִצַּלְתֶּם אֶת־בְּ"י מִיַּד יְיָ Josh. 22:31
89 וּמַדּוּעַ לֹא־הִצַּלְתֶּם בָּעֵת הַהִיא Jud. 11:26
וְהִצַּלְתֶּם 90 וְהִצַּלְתֶּם אֶת־נַפְשֹׁתֵינוּ מִמָּוֶת Josh. 2:13
הִצִּילוּ 91 הַהַצֵּל הִצִּילוּ אֱלֹהֵי הַגּוֹיִם IIK. 18:33
92/3 הִצִּילוּ אֶת־שֹׁמְרוֹן מִיָּדִי IIK. 18:34 • Is. 36:19
94/5 הִצִּילוּ אֶת־אַרְצָם מִיָּדִי IIK. 18:35 • Is. 36:20
96 לֹא־הִצִּילוּ אֶת־עַמָּם מִיָּדֶךָ IICh. 25:15
97 אֲשֶׁר לֹא־הִצִּילוּ עַמָּם מִיָּדִי IICh. 32:17
הַהִצִּילוּ 98 הַהִצִּילוּ אֹתָם אֱלֹהֵי הַגּוֹיִם IIK. 19:12
99 הַהִצִּילוּ אֱלֹהֵי הַגּוֹיִם...אֶת־אַרְצוֹ Is. 36:18
100 הַהִצִּילוּ אוֹתָם אֱלֹהֵי הַגּוֹיִם Is. 37:12
וְהִצִּילוּ 101 וְהִצִּילוּ הָעֵדָה אֶת־הָרֹצֵחַ Num. 35:25
מַצִּיל 102/3 וְאֵין מִיָּדִי מַצִּיל Deut. 32:39 • Is. 43:13
104 וְאֵין מַצִּיל כִּי רְחוֹקָה־הִיא Jud. 18:28
105 וַיִּנָּצוּ...וְאֵין מַצִּיל בֵּינֵיהֶם IISh. 14:6
106 וְיַפְלִיט וְאֵין מַצִּיל Is. 5:29
107-112 וְאֵין מַצִּיל Is. 42:22
Hosh. 5:14 • Mic. 5:7 • Ps. 7:3; 50:22 • Job 5:4
113 מַצִּיל עָנִי מֵחָזָק מִמֶּנּוּ Ps. 35:10
114 רִדְפוּ וְתִפְשׂוּהוּ כִּי־אֵין מַצִּיל Ps. 71:11

מַצִּיל (המשך) 115 מַצִּיל נְפָשׁוֹת עֵד אֱמֶת Prov. 14:25
116 וְאֵין מִיָּדְךָ מַצִּיל Job 10:7
117 וְאֵין מַצִּיל מִיָּדוֹ Dan. 8:4
118 וְלֹא־הָיָה מַצִּיל לָאַיִל מִיָּדוֹ Dan. 8:7
הַמַּצִּיל 119 הַמַּצִּיל אוֹתָם מִיַּד כָּל־אֹיְבֵיהֶם Jud. 8:34
אַצִּיל 120 וְלֹא אַצִּיל מִיָּדָם Zech. 11:6
וָאַצִּל 121 וָאַצִּל אֶתְכֶם מִיָּדוֹ Josh. 24:10
122 וָאַצִּל אֶתְכֶם מִיַּד מִצְרַיִם Jud. 6:9
123 וָאַצִּיל אֶתְכֶם מִיַּד מִצְרַיִם ISh. 10:18
אַצִּילֶךָ 124/5 וּמִכַּף מֶ' אַשּׁוּר אַצִּילֶךָ IIK. 20:6 • Is. 38:6
תַּצִּיל 126 כִּי־הַשֵּׂג תַּשִּׂיג וְהַצֵּל תַּצִּיל ISh. 30:8
127 כִּי אִם־תַּצִּיל וְעוֹד תּוֹסִף Prov. 19:19
128 וְנַפְשׁוֹ מִשְּׁאוֹל תַּצִּיל Prov. 23:14
תַּצֵּל 129 וְאַל־תַּצֵּל מִפִּי דְבַר־אֱמֶת Ps. 119:43
תַּצִּילֵנִי 130 מֵאִישׁ חֲמָסִים תַּצִּילֵנִי IISh. 22:49
131 מֵאִישׁ חָמָס תַּצִּילֵנִי Ps. 18:49
132 בְּצִדְקָתְךָ תַּצִּילֵנִי וּתְפַלְּטֵנִי Ps. 71:2
וְתַצִּילֵם 133 וְתַצִּילֵם כְּרַחֲמֶיךָ רַבּוֹת עִתִּים Neh. 9:28
יַצִּיל 134 יַצִּיל אֶתְכֶם מִיַּד כָּל־אֹיְבֵיכֶם IIK. 17:39
135/6 יַצִּיל יְיָ אֶת־יְרוּשָׁ' מִיָּדִי IIK. 18:35 • Is. 36:20
137 וְלֹא־יַצִּיל אֶת־נַפְשׁוֹ Is. 44:20
138 כַּאֲשֶׁר יַצִּיל הָרֹעֶה מִפִּי הָאֲרִי Am. 3:12
139 כִּי־יַצִּיל אֶבְיוֹן מְשַׁוֵּעַ Ps. 72:12
140 כֵּן לֹא־יַצִּיל...עַמּוֹ מִיָּדִי IICh. 32:17
וְיַצֵּל 141 וְיַצֵּל אֶתְכֶם מִיַּד פְּלִשְׁתִּים ISh. 7:3
וַיַּצֵּל 142 וַיַּצֵּל אֱלֹהִ' אֶת־מִקְנֵה אֲבִיכֶם Gen. 31:9
143 וַיַּצֵּל אוֹתָם מִיַּד בְּנֵי־יִשְׂרָאֵל Josh. 9:26
144 וַיַּצֵּל אֶתְכֶם מִיַּד מִדְיָן Jud. 9:17
145 וַיַּצֵּל אֶתְכֶם מִיַּד אֹיְבֵיכֶם ISh. 12:11
146 וַיַּצֵּל אֶת־יִשְׂרָאֵל מִיַּד שֹׁסֵהוּ ISh. 14:48
147 וַיַּצֵּל דָּוִד אֵת כָּל־אֲשֶׁר לָקְחוּ ISh. 30:18
יַצִּילֵנִי 148 הוּא יַצִּילֵנִי מִיַּד הַפְּלִשְׁתִּי הַזֶּה ISh. 17:37
149/50 יַצִּילֵנִי מֵאֹיְבִי עָז IISh. 22:18 • Ps. 18:18
וַיַּצִּלֵנִי 151 וַיַּצִּלֵנִי מֵחֶרֶב פַּרְעֹה Ex. 18:4
וְיַצִּלֵנִי 152 וְיַצִּלֵנִי מִכָּל־צָרָה ISh. 26:24
יַצִּילְךָ 153 כִּי הוּא יַצִּילְךָ מִפַּח יָקוּשׁ Ps. 91:3
יַצִּילֶךָּ 154 בְּשֵׁשׁ צָרוֹת יַצִּילֶךָּ Job 5:19
יַצִּילֶנּוּ 155 וּמִכֻּלָּם יַצִּילֶנּוּ יְיָ Ps. 34:20
יַצִּילֵהוּ 156 יַצִּילֵהוּ כִּי חָפֵץ בּוֹ Ps. 22:9
וַיַּצִּלֵהוּ 157 וַיִּשְׁמַע רְאוּבֵן וַיַּצִּלֵהוּ מִיָּדָם Gen. 37:21
וַיַּצִּילֶהָ 158 וַיִּתְיַצֵּב בְּתוֹךְ־הַחֶלְקָה וַיַּצִּילֶהָ IISh. 23:12
יַצִּילֶנָּה 159 וְאִישׁ לֹא־יַצִּילֶנָּה מִיָּדִי Hosh. 2:12
יַצִּילֵנוּ 160 מִי יַצִּילֵנוּ מִיַּד הָאֱלֹהִים הָאַדִּירִים ISh. 4:8
161/2 הַצֵּל יַצִּילֵנוּ יְיָ IIK. 18:30 • Is. 36:15
163 כִּי־יַסִּית אֶתְכֶם לֵאמֹר יְיָ יַצִּילֵנוּ IIK. 18:32
164 פֶּן־יַסִּית...לֵאמֹר יְיָ יַצִּילֵנוּ Is. 36:18
165 יְיָ אֱלֹהֵינוּ יַצִּילֵנוּ מִכַּף מֶ' אַשּׁוּר IICh. 32:11
וַיַּצִּילֵנוּ 166 וַיַּצִּילֵנוּ מִכַּף אוֹיֵב וְאוֹרֵב Ez. 8:31
יַצִּילֵם 167 מִיַּד רְשָׁעִים יַצִּילֵם Ps. 97:10
168 פְּעָמִים רַבּוֹת יַצִּילֵם Ps. 106:43
169 מִמְּצוּקוֹתֵיהֶם יַצִּילֵם Ps. 107:6
170 וּפִי יְשָׁרִים יַצִּילֵם Prov. 12:6
וַיַּצִּלֵם 171 אֵת כָּל־הַתְּלָאָה...וַיַּצִּלֵם יְיָ Ex. 18:8
תַּצִּיל ב' 172/3 וּצְדָקָה תַּצִּיל מִמָּוֶת Prov. 10:2; 11:4
תַּצִּילֶנּוּ 174 צִדְקַת הַצַּדִּיק לֹא תַצִּילֶנּוּ... Ezek. 33:12
תַּצִּילֵם 175 צִדְקַת יְשָׁרִים תַּצִּילֵם Prov. 11:6
יַצִּילוּ 176 אֲשֶׁר לֹא־יוֹעִילוּ וְלֹא יַצִּילוּ ISh. 12:21
177 לֹא־יַצִּילוּ אֶת־נַפְשָׁם Is. 47:14
178 אִם־בָּנִים וְאִם־בָּנוֹת יַצִּילוּ Ezek. 14:16
179 לֹא יַצִּילוּ בָּנִים וּבָנוֹת Ezek. 14:18
180 אִם־בֵּן אִם־בַּת יַצִּילוּ Ezek. 14:20
181 הֵמָּה בְצִדְקָתָם יַצִּילוּ נַפְשָׁם Ezek. 14:20

182 לֹא־יַצִּילוּ אֶתְכֶם מִיָּדִי IICh. 32:15
יַצִּילֻךְ 183 בְּזַעֲקֵךְ יַצִּילֻךְ קִבּוּצַיִךְ Is. 57:13
וַיַּצִּילוּהָ 184 וַיִּתְיַצְּבוּ בְתוֹךְ־הַחֶלְקָה וַיַּצִּילוּהָ ICh. 11:14
הַצֵּל 185 הַצֵּל לְקֻחִים לַמָּוֶת Prov. 24:11
הַצִּילָה 186 הַצִּילָה מֵחֶרֶב נַפְשִׁי Ps. 22:21
187 יְיָ הַצִּילָה נַפְשִׁי מִשְּׂפַת־שֶׁקֶר Ps. 120:2
הַצִּילֵנִי 188 הַצִּילֵנִי נָא מִיַּד אָחִי Gen. 32:11
189 הַצִּילֵנִי כִּי אֵלִי אָתָּה Is. 44:17
190 הַטֵּה אֵלַי אָזְנְךָ מְהֵרָה הַצִּילֵנִי Ps. 31:3
191 הַצִּילֵנִי מִיַּד־אוֹיְבַי וּמֵרֹדְפָי Ps. 31:16
192 מִכָּל־פְּשָׁעַי הַצִּילֵנִי Ps. 39:9
193 הַצִּילֵנִי מִדָּמִים אֱלֹהִים Ps. 51:16
194 הַצִּילֵנִי מֵאֹיְבַי אֱלֹהָי Ps. 59:2
195 הַצִּילֵנִי מִפֹּעֲלֵי אָוֶן Ps. 59:3
196 הַצִּילֵנִי מִטִּיט וְאַל־אֶטְבָּעָה Ps. 69:15
197 כִּי־טוֹב חַסְדְּךָ הַצִּילֵנִי Ps. 109:21
198 כְּאִמְרָתְךָ הַצִּילֵנִי Ps. 119:170
199 הַצִּילֵנִי מֵרֹדְפַי כִּי אָמְצוּ מִמֶּנִּי Ps. 142:7
200 הַצִּילֵנִי מֵאֹיְבַי יְיָ Ps. 143:9
וְהַצִּילֵנִי 201 הוֹשִׁיעֵנִי מִכָּל־רֹדְפַי וְהַצִּילֵנִי Ps. 7:2
202 שָׁמְרָה נַפְשִׁי וְהַצִּילֵנִי Ps. 25:20
203 פְּצֵנִי וְהַצִּילֵנִי מִמַּיִם רַבִּים Ps. 144:7
204 פְּצֵנִי וְהַצִּילֵנִי מִיַּד בְּנֵי־נֵכָר Ps. 144:11
הַצִּילֵנוּ 205 אַךְ הַצִּילֵנוּ נָא הַיּוֹם הַזֶּה Jud. 10:15
206 וְעַתָּה הַצִּילֵנוּ מִיַּד אֹיְבֵינוּ ISh. 12:10
וְהַצִּילֵנוּ 207 וְהַצִּילֵנוּ וְכַפֵּר עַל־חַטֹּאתֵינוּ Ps. 79:9
208 וְקַבְּצֵנוּ וְהַצִּילֵנוּ מִן־הַגּוֹיִם ICh. 16:35
הַצִּילוּ 209 פַּלְּטוּ...מִיַּד רְשָׁעִים הַצִּילוּ Ps. 82:4
וְהַצִּילוּ 210 וְהַצִּילוּ גָזוּל מִיַּד עוֹשֵׁק Jer. 21:12
211 וְהַצִּילוּ גָזוּל מִיַּד עָשׁוֹק Jer. 22:3
מֻצָּל 212 וַתִּהְיוּ כְּאוּד מֻצָּל מִשְּׂרֵפָה Am. 4:11
213 הֲלוֹא זֶה אוּד מֻצָּל מֵאֵשׁ Zech. 3:2

(נצל) הַצֵּל הפ' ארמית, כמו בעברית: 1-3

וּמַצִּל 1 מְשֵׁיזִב וּמַצִּל וְעָבֵד אָתִין... Dan. 6:28
לְהַצָּלָה 2 לָא אִיתַי...דִּי־יִכֻּל לְהַצָּלָה כִּדְנָה Dan. 3:29
לְהַצָּלוּתֵהּ 3 הֲוָה מִשְׁתַּדַּר לְהַצָּלוּתֵהּ Dan. 6:15

נִצָּן* ז' ציץ, פרח

הַנִּצָּנִים 1 הַנִּצָּנִים נִרְאוּ בָאָרֶץ S.ofS. 2:12

נצץ : נָצַץ, נוֹצֵץ, הֵנֵץ; נֵץ, נִצָּה, נִצָּן; נִיצוֹץ(?)

נָצַץ פ' א) הבריק, הזהיר: 1

ב) [הפ' הֵנֵץ] הפריח, הוציא נצנים: 2-4

וְנֹצְצִים 1 וְנֹצְצִים כְּעֵין נְחֹשֶׁת קָלָל Ezek. 1:7
הֵנֵצוּ 2 הֲפָרְחָה הַגֶּפֶן הֵנֵצוּ הָרִמֹּנִים S.ofS. 6:11
3 פָּתַח הַסְּמָדַר הֵנֵצוּ הָרִמּוֹנִים S.ofS. 7:13
וְיָנֵאץ=(וְיָנֵץ) 4 וְיָנֵאץ הַשָּׁקֵד וְיִסְתַּבֵּל הֶחָגָב Eccl. 12:5

נצר : נָצַר; נָצוּר; נֵצֶר

נָצַר פ' א) שָׁמַר: 1-61

ב) [נָצוּר] שָׁמוּר: 24, 25 [עין גם (צור) צָר]

קרובים: נָטַר / שָׁמַר

נָצוּר 1 עָלָה מֵפִיץ...נָצוֹר מְצֻרָה Nah. 2:2
לִנְצֹר 2 לִנְצֹר אָרְחוֹת מִשְׁפָּט Prov. 2:8
נָצָרְתִּי 3 כִּי עֵדֹתֶיךָ נָצָרְתִּי Ps. 119:22
4-5 כִּי פִקּוּדֶיךָ נָצָרְתִּי Ps. 119:56, 100
נְצָרָתַם 6 עַל־כֵּן נְצָרָתַם נַפְשִׁי Ps. 119:129
נָצְרוּ 7 עֵינֵי יְיָ נָצְרוּ דָעַת Prov. 22:12

נוֹצֵר 8 נֹצֵר חֶסֶד לָאֲלָפִים Ex. 34:7
9 אֱמוּנִים נֹצֵר יְיָ Ps. 31:24
10 נֹצֵר פִּיו שֹׁמֵר נַפְשׁוֹ Prov. 13:3
11 שֹׁמֵר נַפְשׁוֹ נֹצֵר דַּרְכּוֹ Prov. 16:17
12 נֹצֵר תְּאֵנָה יֹאכַל פִּרְיָהּ Prov. 27:18
13 נוֹצֵר תּוֹרָה בֵּן מֵבִין Prov. 28:7
14 מָה אֶפְעַל לָךְ נֹצֵר הָאָדָם Job 7:20
15 וּכְסֻכָּה עָשָׂה נֹצֵר Job 27:18
וְנוֹצֵר 16 וְנֹצֵר נַפְשְׁךָ הוּא יֵדָע Prov. 24:12
נֹצְרָהּ 17 אֲנִי יְיָ נֹצְרָהּ לִרְגָעִים אַשְׁקֶנָּה Is. 27:3
נוֹצְרִים 18/9 מִמִּגְדַּל נוֹצְרִים עַד־עִיר ... IIK. 17:9; 18:8
20 נֹצְרִים בָּאִים מֵאֶרֶץ הַמֶּרְחָק Jer. 4:16
21 יֶשׁ־יוֹם קָרְאוּ נֹצְרִים Jer. 31:6(5)
נוֹצְרֵי־ 22 אַשְׁרֵי נֹצְרֵי עֵדֹתָיו Ps. 119:2
לְנוֹצְרֵי־ 23 לְנֹצְרֵי בְרִיתוֹ וְעֵדֹתָיו Ps. 25:10
וְהַנָּצוּר(?) 24 וְהַנִּשְׁאָר וְהַנָּצוּר בָּרָעָב יָמוּת Ezek. 6:12
נְצוּרָה(?) 25 וְנוֹתְרָה בַת־צִיּוֹן...כְּעִיר נְצוּרָה Is. 1:8
וּנְצֻרַת־ 26 שִׁית זוֹנָה וּנְצֻרַת לֵב Prov. 7:10
וּנְצוּרֵי־ 27 וּנְצוּרֵי (כתי ונצירי) יִשְׂרָאֵל לְהָשִׁיב Is. 49:6
וּנְצֻרוֹת 28 חֲדָשׁוֹת...וּנְצֻרוֹת וְלֹא יְדַעְתָּם Is. 48:6
אֶצֹּר 29 אֲנִי בְּכָל־לֵב אֶצֹּר פִּקּוּדֶיךָ Ps. 119:69
אֶצֹּרָה 30 קָרָאתִי בְכָל־לֵב...חֻקֶּיךָ אֶצֹּרָה Ps. 119:145
וְאֶצְּרָה 31 הֲבִינֵנִי וְאֶצְּרָה תוֹרָתֶךָ Ps. 119:34
32 סוּרוּ...וְאֶצְּרָה מִצְוֹת אֱלֹהָי Ps. 119:115
וְאֶצָּרְךָ 33 וְאֶצָּרְךָ וְאֶתֶּנְךָ לִבְרִית עָם Is. 42 5
אֶצֳּרֶנָּה 34 לַיְלָה וָיוֹם אֶצֳּרֶנָּה Is. 27:3
וְאֶצְּרֶנָּה 35 הוֹרֵנִי יְיָ...וְאֶצְּרֶנָּה עֵקֶב Ps. 119:33
תִּצֹּר 36 יֵצֶר סָמוּךְ תִּצֹּר שָׁלוֹם שָׁלוֹם Is. 26:3
37 מִפַּחַד אוֹיֵב תִּצֹּר חַיָּי Ps. 64:2
תִּנְצְרֵנִי 38-39 מֵאִישׁ חֲמָסִים תִּנְצְרֵנִי Ps. 140:2, 5
תִּצְּרֵנִי 40 אַתָּה סֵתֶר לִי מִצַּר תִּצְּרֵנִי Ps. 32:7
תִּצְּרֶנּוּ 41 תִּצְּרֶנּוּ מִן־הַדּוֹר זוּ לְעוֹלָם Ps. 12:8
יִצֹּר 42 וּמִצְוֹתַי יִצֹּר לִבֶּךָ Prov. 3:1
יִצְּרֶנְהוּ 43 יִצְּרֶנְהוּ כְּאִישׁוֹן עֵינוֹ Deut. 32:10
תִּצֹּר 44 צְדָקָה תִּצֹּר תָּם־דָּרֶךְ Prov. 13:6
תִּנְצְרֶכָּה 45 מְזִמָּה תִּשְׁמֹר עָלֶיךָ תְּבוּנָה תִנְצְרֶכָּה Prov. 2:11
וְתִצְּרֶךָּ 46 אַל־תַּעַזְבֶהָ וְתִשְׁמְרֶךָּ אֱהָבֶהָ וְתִצְּרֶךָּ Prov. 4:6
יִנְצֹרוּ 47 כִּי שָׁמְרוּ אִמְרָתֶךָ וּבְרִיתְךָ יִנְצֹרוּ Deut. 33:9
48 וְלֹא יִשְׁכְּחוּ...וּמִצְוֹתָיו יִנְצֹרוּ Ps. 78:7
49 יִשְׁמְרוּ חֻקָּיו וְתוֹרֹתָיו יִנְצֹרוּ Ps. 105:45
50 לִשְׁמֹר מְזִמּוֹת וְדַעַת שְׂפָתֶיךָ יִנְצֹרוּ Prov. 5:2
יִצְּרוּ 51 חֶסֶד וֶאֱמֶת יִצְּרוּ־מֶלֶךְ Prov. 20:28
יִצְּרוּנִי 52 תֹּם־וָיֹשֶׁר יִצְּרוּנִי Ps. 25:21
53 חַסְדְּךָ וַאֲמִתְּךָ תָּמִיד יִצְּרוּנִי Ps. 40:12
יִנְצְרֻהוּ 54 חֶסֶד וֶאֱמֶת מַן יִנְצְרֻהוּ Ps. 61:8
תִּצֹּרְנָה 55 וְעֵינֶיךָ דְּרָכַי תִּצֹּרְנָה (כתי תרצנה) Prov. 23:26
נְצֹר 56 נְצֹר לְשׁוֹנְךָ מֵרָע Ps. 34:14
57 נְצֹר תֻּשִׁיָּה וּמְזִמָּה Prov. 3:21
58 מִכָּל־מִשְׁמָר נְצֹר לִבֶּךָ Prov. 4:23
59 נְצֹר בְּנִי מִצְוַת אָבִיךָ Prov. 6:20
נִצְּרָה 60 נִצְּרָה עַל־דַּל שְׂפָתָי Ps. 141:3
נִצְּרֶהָ 61 נִצְּרֶהָ כִּי־הִיא חַיֶּיךָ Prov. 4:13

נֵצֶר

ז׳ ענף רך היוצא מן השורש: 1-4

קרובים: בַּד / גֶּזַע / זַלְזַל / זְמוֹרָה / חֹטֶר / יוֹנֵק / יוֹנֶקֶת / נְטִישָׁה / סְעִיף / סְעַפָּה / עָנָף / עֳפָאִים / שְׁלוּחָה / שֹׁרֶשׁ

נֵצֶר מַטָּעַיִם 3; נֵצֶר נִתְעָב 2; נֵצֶר שָׁרָשִׁים 4

וְנֵצֶר 1 וְיָצָא חֹטֶר...וְנֵצֶר מִשָּׁרָשָׁיו יִפְרֶה Is. 11:1
כְּנֵצֶר 2 הָשְׁלַכְתָּ מִקִּבְרְךָ כְּנֵצֶר נִתְעָב Is. 14:19
נֵצֶר־ 3 נֵצֶר מַטָּעַי מַעֲשֵׂה יָדַי לְהִתְפָּאֵר Is. 60:21
מִנֵּצֶר־ 4 וְעָמַד מִנֵּצֶר שָׁרָשֶׁיהָ כַּנּוֹ Dan. 11:7

נִצְּרָה

נ׳ (תהלים קמא 3) – צווי מארך מן נָצַר (מס׳ 60)

נקא

ת׳ ארמית: נקי

נְקֵא

נְקֵא 1 וּשְׂעַר רֵאשֵׁהּ כַּעֲמַר נְקֵא Dan. 7:9

נקב

: נָקַב, נָקוּב, נֶקֶב; נֶגֶב, נְקֵבָה, מַקֶּבֶת

נָקַב

פָּ׳ א) נקר, עשה חור: 2-4, 6, 8, 9, 11
ב) [בהשאלה] קבע, פֵּרֵשׁ: 7, 12, 13
ג) [עין גם קבב] קִלֵּל, חִלֵּל: 1, 5, 10
ד) [נפ׳ נִקַּב] נקבע, פורש: 14-19

נָקַב שְׂכָר 13; נָקַב שֵׁם 1, 5, 10, 12; צְרוֹר נָקוּב 6; נִקְּבוּ בְּשֵׁמוֹת 14-19

בְּנָקְבוֹ 1 כַּגֵּר כָּאֶזְרָח בְּנָקְבוֹ־שֵׁם יוּמָת Lev. 24:16
נָקַבְתָּ 2 נָקַבְתָּ בְמַטָּיו רֹאשׁ פְּרָזָו Hab. 3:14
וּנְקָבָהּ 3/4 ...וּבָא בְכַפּוֹ וּנְקָבָהּ IIK. 18:21 • Is. 36:6
וְנֹקֵב 5 וְנֹקֵב שֵׁם־יְיָ מוֹת יוּמָת Lev. 24:16
נָקוּב 6 מִשְׂתַּכֵּר אֶל־צְרוֹר נָקוּב Hag. 1:6
נְקֻבֵי־ 7 נְקֻבֵי רֵאשִׁית הַגּוֹיִם Am. 6:1
תִּקֹּב 8 וּבְחוֹחַ תִּקֹּב לֶחֱיוֹ Job 40:26
יִנְקָב־ 9 בְּמוֹקְשִׁים יִנְקָב־אָף Job 40:24
וַיִּקֹּב 10 וַיִּקֹּב בֶּן־הָאִשָּׁה...אֶת־הַשֵּׁם Lev. 24:11
11 וַיִּקֹּב חֹר בְּדַלְתּוֹ IIK. 12:10
יִקֳּבֶנּוּ 12 שֵׁם חָדָשׁ אֲשֶׁר פִּי יְיָ יִקֳּבֶנּוּ Is. 62:2
נָקְבָה 13 נָקְבָה שְׂכָרְךָ עָלַי וְאֶתֵּנָה Gen. 30:28
נִקְּבוּ 14 הָאֲנָשִׁים...אֲשֶׁר נִקְּבוּ בְּשֵׁמוֹת Num. 1:17
15 כֻּלָּם נִקְּבוּ בְשֵׁמוֹת Ez. 8:20
16/7 אֲשֶׁר נִקְּבוּ בִּשְׁמוֹת ICh. 12:31(32); 16:41
18 הָאֲנָשִׁים אֲשֶׁר־נִקְּבוּ בְשֵׁמוֹת IICh. 28:15
19 אֲנָשִׁים אֲשֶׁר נִקְּבוּ בְּשֵׁמוֹת IICh. 31:19

נֶקֶב*[1]

ז׳ חור

וּנְקָבֶיךָ 1 מְלֶאכֶת תֻּפֶּיךָ וּנְקָבֶיךָ בָּךְ Ezek. 28:13

נֶקֶב[2] (הַנֶּקֶב)

ש״פ מקום בנחלת נפתלי

הַנֶּקֶב 1 וַיְהִי גְבוּלָם...וַאֲדָמִי הַנֶּקֶב וְיַבְנְאֵל Josh. 19:33

נְקֵבָה

נ׳ בת זוגו של הזכר – באדם ובכל חי: 1-22

זָכָר – נְקֵבָה 1, 2, 8, 10, 12-19

נְקֵבָה 1 אִם־זָכָר אִם־נְקֵבָה תָּמִים יַקְרִיבֶנּוּ Lev. 3:1
2 זָכָר אוֹ נְקֵבָה תָּמִים יַקְרִיבֶנּוּ Lev. 3:6
3 שְׂעִירַת עִזִּים תְּמִימָה נְקֵבָה Lev. 4:28
4 נְקֵבָה תְמִימָה יְבִיאֶנָּה Lev. 4:32
5 נְקֵבָה מִן־הַצֹּאן...לְחַטָּאת Lev. 5:6
6 וְאִם־נְקֵבָה תֵלֵד וְטָמְאָה שְׁבֻעַיִם Lev. 12:5
7 וְאִם־נְקֵבָה הִוא וְהָיָה עֶרְכְּךָ... Lev. 27:4
8 מִזָּכָר עַד־נְקֵבָה תְּשַׁלֵּחוּ Num. 5:3
9 הַחִיִּיתֶם כָּל־נְקֵבָה Num. 31:15
10 פֶּסֶל...תַּבְנִית זָכָר אוֹ נְקֵבָה Deut. 4:16
11 נְקֵבָה תְּסוֹבֵב גָּבֶר Jer. 31:22(21)
וּנְקֵבָה 12 זָכָר וּנְקֵבָה בָּרָא אֹתָם Gen. 1:27
13 זָכָר וּנְקֵבָה בְּרָאָם Gen. 5:2
14-17 זָכָר וּנְקֵבָה Gen. 6:19; 7:3, 9, 16
לַנְּקֵבָה 18 תּוֹרַת הַיֹּלֶדֶת לַזָּכָר אוֹ לַנְּקֵבָה Lev. 12:7
וְלַנְּקֵבָה 19 וְהַדָּוָה...וְהַזָּב...לַזָּכָר וְלַנְּקֵבָה Lev. 15:33
20 וְלַנְּקֵבָה עֲשֶׂרֶת שְׁקָלִים Lev. 27:5
21 וְלַנְּקֵבָה עֶרְכְּךָ שְׁלֹשֶׁת שְׁקָלִים כָּסֶף Lev. 27:6
22 וְלַנְּקֵבָה עֲשָׂרָה שְׁקָלִים Lev. 27:7

נקד

: נֹקֵד, נָקֹד, נְקֻדָּה, נִקֻּדִים; ש״פ מִקֵּדָה (?)

נָקֹד

ת׳ זרוע כתמים קטנים כעין נקודות: 1-9

נָקֹד 1 כָּל־שֶׂה נָקֹד וְטָלוּא Gen. 30:32
2 אֲשֶׁר־אֵינֶנּוּ נָקֹד וְטָלוּא בָּעִזִּים Gen. 30:33
וְנָקֹד 3 וְטָלוּא וְנָקֹד בָּעִזִּים Gen. 30:32
נְקֻדִּים 4 עֲקֻדִּים נְקֻדִּים וּטְלֻאִים Gen. 30:39
5 אִם־כֹּה יֹאמַר נְקֻדִּים יִהְיֶה שְׂכָרֶךָ Gen. 31:8
6 וְיָלְדוּ כָל־הַצֹּאן נְקֻדִּים Gen. 31:8
7-8 עֲקֻדִּים נְקֻדִּים וּבְרֻדִּים Gen. 31:10, 12
הַנְּקֻדּוֹת 9 כָּל־הָעִזִּים הַנְּקֻדּוֹת וְהַטְּלֻאֹת Gen. 30:35

נֹקֵד

ז׳ עין נוֹקֵד

נְקֻדָּה*

נ׳ סימן עגול קטן

נְקֻדּוֹת־ 1 תּוֹרֵי זָהָב...עִם נְקֻדּוֹת הַכָּסֶף S.ofS. 1:11

נקה

: נָקָה, נִקָּה נפ׳, נִקָּה פ׳; נָקִי, נָקִיא, נִקָּיוֹן; מְנַקִּית*

נָקָה

פָּ׳ א) [רק מקור] הָיָה נָקִי: 1
ב) [נפ׳ נִקָּה] טָהַר, זָכָה מאשמה: 2-26
ג) [פ׳ נִקָּה] טִהֵר, זִכָּה: 27-44

נַקֵּה 1 וְאַתָּה הוּא נַקֵּה תִּנָּקֶה... Jer. 49:12
הִנָּקֵה 2 וְאַתֶּם הִנָּקֵה תִנָּקוּ Jer. 25:29
נִקֵּיתִי 3 נִקֵּיתִי הַפַּעַם מִפְּלִשְׁתִּים Jud. 15:3
4 וַתֹּאמְרִי כִּי נִקֵּיתִי... Jer. 2:35
וְנִקֵּיתִי 5 אָז אֵיתָם וְנִקֵּיתִי מִפֶּשַׁע רָב Ps. 19:14
וְנִקִּיתָ 6 וְנִקִּיתָ מִשְּׁבֻעָתִי זֹאת Gen. 24:8
נִקָּה 7 כָּל־הַגֹּנֵב מִזֶּה כָּמוֹהָ נִקָּה Zech. 5:3
8 וְכָל־הַנִּשְׁבָּע מִזֶּה כָּמוֹהָ נִקָּה Zech. 5:3
וְנִקָּה 9 וְנִקָּה הַמַּכֶּה רַק שִׁבְתּוֹ יִתֵּן Ex. 21:19
10 וְנִקָּה הָאִישׁ מֵעָוֺן Num. 5:31
11 מִי שָׁלַח יָדוֹ בִּמְשִׁיחַ יְיָ וְנִקָּה ISh. 26:9
וְנִקְּתָה 12 וְנִקְּתָה וְנִזְרְעָה זָרַע Num. 5:28
וְנִקָּתָה 13 וְנִקָּתָה לָאָרֶץ תֵּשֵׁב Is. 3:26
תִּנָּקֶה 14 אָז תִּנָּקֶה מֵאָלָתִי Gen. 24:41
15/6 וְאַתָּה הוּא נַקֵּה תִּנָּקֶה לֹא תִנָּקֶה Jer. 49:12
יִנָּקֶה 17 לֹא יִנָּקֶה כָּל־הַנֹּגֵעַ בָּהּ Prov. 6:29
18 יָד לְיָד לֹא־יִנָּקֶה רָּע Prov. 11:21
19 יָד לְיָד לֹא יִנָּקֶה Prov. 16:5
20 שָׂמֵחַ לְאֵיד לֹא יִנָּקֶה Prov. 17:5
21/2 עֵד שְׁקָרִים לֹא יִנָּקֶה Prov. 19:5, 9
23 וְאָץ לְהַעֲשִׁיר לֹא יִנָּקֶה Prov. 28:20
תִּנָּקוּ 24/5 וְאַתֶּם הִנָּקֵה תִנָּקוּ לֹא תִנָּקוּ Jer. 25:29
הִנָּקִי 26 הִנָּקִי מִמֵּי הַמָּרִים הַמְאָרְרִים Num. 5:19
וְנַקֵּה 27/8 נֹשֵׂא עָוֺן...וְנַקֵּה לֹא יְנַקֶּה Ex.34:7 • Num.4:18
29/30 וְיִסַּרְתִּיךָ...וְנַקֵּה לֹא אֲנַקֶּךָּ Jer. 30:11; 46:28
31 יְיָ אֶרֶךְ אַפַּיִם...וְנַקֵּה לֹא יְנַקֶּה Nah. 1:3
נִקֵּיתִי 32 וְנִקֵּיתִי דָּמָם לֹא־נִקֵּיתִי Joel 4:21
וְנִקֵּיתִי 33 וְנִקֵּיתִי דָּמָם לֹא־נִקֵּיתִי Joel 4:21
אֲנַקֶּךָּ 34-35 וְנַקֵּה לֹא אֲנַקֶּךָּ Jer. 30:11; 46:28
תְנַקֵּנִי 36 יָדַעְתִּי כִּי־לֹא תְנַקֵּנִי Job 9:28
37 וּמֵעֲוֺנִי לֹא תְנַקֵּנִי Job 10:14
תְּנַקֵּהוּ 38 וְעַתָּה אַל־תְּנַקֵּהוּ IK. 2:9
יְנַקֶּה 39/40 כִּי לֹא יְנַקֶּה יְיָ... Ex. 20:7 • Deut. 5:11
41/2 נֹשֵׂא עָוֺן...וְנַקֵּה לֹא יְנַקֶּה Ex.34:7 • Num.14:18
43 יְיָ אֶרֶךְ אַפַּיִם...וְנַקֵּה לֹא יְנַקֶּה Nah. 1:3
נַקֵּנִי 44 מִנִּסְתָּרוֹת נַקֵּנִי Ps. 19:13

נְקוֹדָא

שפ״ז – מן הנתינים שעלו בימי עזרא: 1-4

נְקוֹדָא 1 בְּנֵי־רְצִין בְּנֵי־נְקוֹדָא בְּנֵי גַזָּם Ez. 2:48
2/3 בְּנֵי־דְלָיָה...בְּנֵי נְקוֹדָא Ez.2:60 • Neh.7:62
4 בְּנֵי־רְאָיָה בְנֵי־רְצִין בְּנֵי נְקוֹדָא Neh. 7:50

נִקֻּדִים

ז״ר מזון יבש: 1-3

נִקֻּדִים 1 וְכֹל לֶחֶם צֵידָם יָבֵשׁ הָיָה נִקֻּדִים Josh. 9:5
2 וְעַתָּה הִנֵּה יָבֵשׁ וְהָיָה נִקֻּדִים Josh. 9:12
וְנִקֻּדִים 3 עֲשָׂרָה לֶחֶם וְנִקֻּדִים וּבַקְבֻּק דְּבַשׁ IK. 14:3

נָקְטָה (איוב י 1) – עין קוט

נָקֹטּוּ (יחזקאל ו 9) – עין (קוט)

נָקִי, נָקִיא ת׳ א) טהור, חף מפשע: 3,4,6-9,11-35,41-43
ב) חפשי, פטור: 1, 2, 5, 10, 36-40
קרובים: בַּר / זַךְ / חַף / חָפְשִׁי / טָהוֹר / צַח / תָּם / תָּמִים
– אִי־נָקִי 23; אֵין נָקִי 10; דָּם נָקִי 3,4,6, 7, 11-19, 25, 26, 31; דַּם נָקִי 30, 32, 33; כִּסְאוֹ נָקִי 9
– נְקִי כַפַּיִם 35
– אֶבְיוֹנִים נְקִיִּים 41; דַּם נ׳ 41, 42; מַסַּת נְקִיִּם 43

נָקִי 1 וְהָיִיתָ נָקִי מֵאָלָתִי Gen. 24:41
2 וּבַעַל הַשּׁוֹר נָקִי Ex. 21:28
3 וְלֹא יִשָּׁפֵךְ דָּם נָקִי בְּקֶרֶב אַרְצְךָ Deut. 19:10
4 וְאַל־תִּתֵּן דָּם נָקִי בְּקֶרֶב עַמְּךָ Deut. 21:8
5 נָקִי יִהְיֶה לְבֵיתוֹ שָׁנָה אֶחָת Deut. 24:5
6 לְהַכּוֹת נֶפֶשׁ דַּם נָקִי Deut. 27:25
7 וְלָמָּה תֶחֱטָא בְּדָם נָקִי ISh. 19:5
8 נָקִי אָנֹכִי וּמַמְלַכְתִּי מֵעִם יְיָ IISh. 3:28
9 וְהַמֶּלֶךְ וְכִסְאוֹ נָקִי IISh. 14:9
10 הִשְׁמִיעַ אֶת־כָּל־יְהוּדָה אֵין נָקִי IK. 15:22
11 וְגַם דָּם נָקִי שָׁפַךְ מְנַשֶּׁה IIK. 21:16
12-19 (וְ)דָם(־)נָקִי IIK. 24:4 • Is. 59:7
Jer. 7:6; 22:3; 26:15 • Ps. 94:21; 106:38
Prov. 6:17
20 בַּמִּסְתָּרִים יַהֲרֹג נָקִי Ps. 10:8
21 וְשֹׁחַד עַל־נָקִי לֹא־לָקָח Ps. 15:5
22 זְכָר־נָא מִי הוּא נָקִי אָבָד Job 4:7
23 יְמַלֵּט אִי־נָקִי Job 22:30
24 וְכֶסֶף נָקִי יַחֲלֹק Job 27:17
נָקִיא 25 אֲשֶׁר־שָׁפְכוּ דָם־נָקִיא בְּאַרְצָם Joel 4:19
26 וְאַל־תִּתֵּן עָלֵינוּ דָּם נָקִיא Jon. 1:14
וְנָקִי 27 וְנָקִי וְצַדִּיק אַל־תַּהֲרֹג Ex. 23:7
28 וְנָקִי עַל־חָנֵף יִתְעֹרָר Job 17:8
29 וְנָקִי יִלְעַג־לָמוֹ Job 22:19
הַנָּקִי 30 וּבִעַרְתָּ דַם־הַנָּקִי מִיִּשְׂרָאֵל Deut. 19:13
31 וְאַתָּה תְּבַעֵר הַדָּם הַנָּקִי מִקִּרְבֶּךָ Deut. 21:9
32 וְגַם דַּם־הַנָּקִי אֲשֶׁר שָׁפָךְ IIK. 24:4
33 וְעַל דַּם־הַנָּקִי לִשְׁפּוֹךְ Jer. 22:17
לְנָקִי 34 נִצְפְּנָה לְנָקִי חִנָּם Prov. 1:11
נְקִי־ 35 נְקִי כַפַּיִם וּבַר־לֵבָב Ps. 24:4
נְקִיִּם 36 וְאַתֶּם תִּהְיוּ נְקִיִּם Gen. 44:10
37 וִהְיִיתֶם נְקִיִּם מֵיְיָ וּמִיִּשְׂרָאֵל Num. 32:22
38 נְקִיִּם אֲנַחְנוּ מִשְּׁבֻעָתֵךְ הַזֶּה Josh. 2:17
39 דָּמוֹ בְרֹאשׁוֹ וַאֲנַחְנוּ נְקִיִּם Josh. 2:19
40 וְהָיִינוּ נְקִיִּם מִשְּׁבֻעָתֵךְ Josh. 2:20
41 דַּם נַפְשׁוֹת אֶבְיוֹנִים נְקִיִּים Jer. 2:34
42 וּמָלְאוּ...דַּם נְקִיִּם Jer. 19:4
43 לְמַסַּת נְקִיִּם יִלְעָג Job 9:23

נִקָּיוֹן ז׳ טהר: 1–5 • קרובים: בֹּר / טֹהַר
נִקְיוֹן כַּפַּיִם (2, 3), 5; נִקְיוֹן שִׁנַּיִם 4
נִקָּיֹן 1 עַד־מָתַי לֹא יוּכְלוּ נִקָּיֹן Hosh. 8:5
בְּנִקָּיוֹן 2 אֶרְחַץ בְּנִקָּיוֹן כַּפָּי Ps. 26:6
3 וָאֶרְחַץ בְּנִקָּיוֹן כַּפָּי Ps. 73:13
נִקְיוֹן־ 4 נִקְיוֹן שִׁנַּיִם...וְחֹסֶר לֶחֶם Am. 4:6
וּבְנִקְיֹן־ 5 בְּתָם־לְבָבִי וּבְנִקְיֹן כַּפַּי Gen. 20:5

נָקִיק* ז׳ בְּקִיעַ: 1-3
קרובים: בְּקִיעַ / חָגוּ / חוֹר / חָרִיץ / נִקְרָה / סָעִיף
נְקִיק סֶלַע 1; נְקִיקֵי הַסְּלָעִים 2, 3
בִּנְקִיק־ 1 וְטָמְנֵהוּ שָׁם בִּנְקִיק הַסָּלַע Jer. 13:4
וּבִנְקִיקֵי־ 2 בְּנַחֲלֵי הַבַּתּוֹת וּבִנְקִיקֵי הַסְּלָעִים Is. 7:19
וּמִנְּקִיקֵי־ 3 מֵעַל כָּל־הַר...וּמִנְּקִיקֵי הַסְּלָעִים Jer. 16:16

נָקַל, נְקַלָּה – עין קלל

נִקְלֶה ת׳ בזוי, נחות: 1-3 [עין גם קלה]
נִקְלֶה 1 טוֹב נִקְלֶה וְעֶבֶד לוֹ Prov. 12:9
וְנִקְלֶה 2 וְאָנֹכִי אִישׁ־רָשׁ וְנִקְלֶה ISh. 18:23
וְהַנִּקְלֶה 3 יִרְהֲבוּ הַנַּעַר בַּזָּקֵן וְהַנִּקְלֶה בַּנִּכְבָּד Is. 3:5

נקם : נָקַם, נִקַּם, נִקֵּם, הִתְנַקֵּם, הֻקַּם; נָקָם, נְקָמָה

נָקַם פ׳ א) שִׁלֵּם לעושה רע כגמולו: 1-13
ב) [נפ׳ נִקַּם] כנ״ל: 14-25
ג) [פ׳ נִקֵּם] תבע עלבונו־, נקם: 26, 27
ד) [הת׳ הִתְנַקֵּם] כנ״ל: 28-32
ה) [הפ׳ הֻקַּם] נקמו את נקמתו: 33-35
– נֹקֵם נָקָם (נְקָמָה) 2, 3, 13; קַנּוֹא וְנֹקֵם 7; חֶרֶב נֹקֶמֶת 9
– נָקַם (אֶת־) 4, 11, 12; נָקַם (אֶת־) מִן־ 4, 13; נָקַם לְ־ 2, 6
– נפ׳ נִקַּם בְּ־ 14,17,19,25; נ׳ לְ־ 24; נ׳ מִן־ 15,16, 18,20,21; פ׳ נִקֵּם (אֶת־) 26,27; הִתְנַקֵּם בְּ־ 28-32

נָקֹם 1 וּמֵת תַּחַת יָדוֹ נָקֹם יִנָּקֵם Ex. 21:20
בִּנְקֹם 2 בִּנְקֹם נָקָם לְבֵית יְהוּדָה Ezek. 25:12
לִנְקֹם 3 לְהַעֲלוֹת חֵמָה לִנְקֹם נָקָם Ezek. 24:8
וּנְקָמַנִי 4 וּנְקָמַנִי יְיָ מִמֶּךָּ ISh. 24:12
נֹקֵם 5 נֹקֵם יְיָ וּבַעַל חֵמָה Nah. 1:2
6 נֹקֵם יְיָ לְצָרָיו Nah. 1:2
וְנֹקֵם 7 אֵל קַנּוֹא וְנֹקֵם יְיָ Nah. 1:2
8 וְנֹקֵם עַל־עֲלִילוֹתָם Ps. 99:8
נֹקֶמֶת 9 חֶרֶב נֹקֶמֶת נְקַם־בְּרִית Lev. 26:25
תִּקֹּם 10 לֹא־תִקֹּם וְלֹא־תִטֹּר Lev. 19:18
יִקּוֹם 11 כִּי דַם־עֲבָדָיו יִקּוֹם Deut. 32:43
12 עַד־יִקֹּם גּוֹי אֹיְבָיו Josh. 10:13
נְקֹם 13 נְקֹם נִקְמַת בְּ־י מֵאֵת הַמִּדְיָנִים Num. 31:2
לְהִנָּקֵם 14 לְהִנָּקֵם בְּאֹיְבֵי הַמֶּלֶךְ ISh. 18:25
15 יוֹם נְקָמָה לְהִנָּקֵם מִצָּרָיו Jer. 46:10
16 עֲתִידִים...לְהִנָּקֵם מֵאֹיְבֵיהֶם Es. 8:13
נִקַּמְתִּי 17 כִּי אִם־נִקַּמְתִּי בָכֶם וְאַחַר אֶחְדָּל Jud. 15:7
וְנִקַּמְתִּי 18 ...וְנִקַּמְתִּי מֵאֹיְבַי ISh. 14:24
וְנִקְּמוּ 19 וַיֶּאְשְׁמוּ אָשׁוֹם וְנִקְּמוּ בָהֶם Ezek. 25:12
וְאִנָּקְמָה 20 וְאִנָּקְמָה נְקַם־אַחַת מִשְּׁתֵי עֵינַי Jud. 16:28
21 אֶנָּחֵם מִצָּרַי וְאִנָּקְמָה מֵאוֹיְבָי Is. 1:24
יִנָּקֵם 22 וּמֵת תַּחַת יָדוֹ נָקֹם יִנָּקֵם Ex. 21:20
וַיִּנָּקְמוּ 23 וַיִּנָּקְמוּ נָקָם בִּשְׁאָט בְּנֶפֶשׁ Ezek. 25:15
וְהִנָּקֶם 24 וּפָקְדֵנִי וְהִנָּקֶם לִי מֵרֹדְפַי Jer. 15:15
הִנָּקְמוּ 25 כִּי נִקְמַת יְיָ הִיא הִנָּקְמוּ בָהּ Jer. 50:15
וְנִקַּמְתִּי 26 וְנִקַּמְתִּי דְּמֵי עֲבָדַי הַנְּבִיאִים IIK. 9:7
27 וְנִקַּמְתִּי אֶת־נִקְמָתֵךְ Jer. 51:36
וּמִתְנַקֵּם 28 לְהַשְׁבִּית אוֹיֵב וּמִתְנַקֵּם Ps. 8:3
29 מִפְּנֵי אוֹיֵב וּמִתְנַקֵּם Ps. 44:17
תִּתְנַקֵּם 30-32 (וְ)אִם בְּגוֹי אֲשֶׁר־כָּזֶה לֹא תִתְנַקֵּם נַפְשִׁי Jer. 5:9, 29; 9:8
יֻקַּם 33 כִּי שִׁבְעָתַיִם יֻקַּם־קָיִן Gen. 4:24
34 לֹא יֻקַּם כִּי כַסְפּוֹ הוּא Ex. 21:21
יֻקָּם 35 כָּל־הֹרֵג קַיִן שִׁבְעָתַיִם יֻקָּם Gen. 4:15

נָקָם ז׳ גמול על מעשה רע: 1-17
– נָקָם וְשִׁלֵּם 1; בִּגְדֵי נָקָם 6; יוֹם נָקָם 3, 7, 8, 14
– נָקָם אַחַת מִן... 17; נֹקֵם בְּרִית 16
– הֵשִׁיב נָקָם 2, 15; חָזָה נָקָם 13; לָקַח נָקָם 5; נָקַם (נִקֵּם) נָקָם 9, 10, 17; עָשָׂה נָקָם 12
נָקָם 1 לִי נָקָם וְשִׁלֵּם Deut. 32:35
2 אָשִׁיב נָקָם לְצָרָי Deut. 32:41
3 כִּי יוֹם נָקָם לַייָ שְׁנַת שִׁלּוּמִים Is. 34:8

נָקָם (המשך) 4 הִנֵּה אֱלֹהֵיכֶם נָקָם יָבוֹא Is. 35:4
5 נָקָם אֶקָּח וְלֹא אֶפְגַּע אָדָם Is. 47:3
6 וַיִּלְבַּשׁ בִּגְדֵי נָקָם תִּלְבֹּשֶׁת Is. 59:17
7 שְׁנַת־רָצוֹן לַייָ וְיוֹם נָקָם לֵאלֹהֵינוּ Is. 61:2
8 כִּי יוֹם נָקָם בְּלִבִּי Is. 63:4
9 לְהַעֲלוֹת חֵמָה לִנְקֹם נָקָם Ezek. 24:8
10 בִּנְקֹם נָקָם לְבֵית יְהוּדָה Ezek. 25:12
11 וַיִּנָּקְמוּ נָקָם בִּשְׁאָט בְּנֶפֶשׁ Ezek. 25:15
12 וְעָשִׂיתִי...נָקָם אֶת־הַגּוֹיִם Mic. 5:14
13 יִשְׂמַח צַדִּיק כִּי־חָזָה נָקָם Ps. 58:11
14 וְלֹא־יַחְמוֹל בְּיוֹם נָקָם Prov. 6:34
וְנָקָם 15 וְנָקָם יָשִׁיב לְצָרָיו Deut. 32:43
נְקַם־ 16 חֶרֶב נֹקֶמֶת נְקַם־בְּרִית Lev. 26:25
17 וְאִנָּקְמָה נְקַם־אַחַת מִשְּׁתֵי עֵינַי Jud. 16:28

נְקָמָה נ׳ נָקָם, גמול לעושה רע: 1-27
– יוֹם נְקָמָה 1; עֵת נְקָמָה 2
– נִקְמַת בְּנֵי יִשְׂרָאֵל 5; נ׳ דָּם 12; נ׳ הֵיכָלוֹ 9, 11; נִקְמַת יְיָ 6-8, 10; נְקָמוֹת גְּדוֹלוֹת 24; אֵל נ׳ 26, 27
– לָקַח נְקָמָה 19; נָקַם (נִקֵּם) נִקְמַת 5, 7, 18; נָתַן נְקָמָה 6, 13, 15, 23, 25; עָשָׂה נ׳ 3, 21, 24; רָאָה נְקָמָה 16, 17, 20; עָשָׂה בִּנְקָמָה 4
נְקָמָה 1 יוֹם נְקָמָה לְהִנָּקֵם מִצָּרָיו Jer. 46:10
2 כִּי עֵת נְקָמָה הִיא לַייָ Jer. 51:6
3 לַעֲשׂוֹת נְקָמָה בַּגּוֹיִם Ps. 149:7
בִּנְקָמָה 4 יַעַן עֲשׂוֹת פְּלִשְׁתִּים בִּנְקָמָה Ezek. 25:15
נִקְמַת־ 5 נְקֹם נִקְמַת בְּ־י מֵאֵת הַמִּדְיָנִים Num. 31:2
6 לָתֵת נִקְמַת־יְיָ בְּמִדְיָן Num. 31:3
7 כִּי נִקְמַת יְיָ הִיא הִנָּקְמוּ בָהּ Jer. 50:15
8 לְהַגִּיד בְּצִיּוֹן...נִקְמַת יְיָ אֱלֹהֵינוּ Jer. 50:28
9 נִקְמַת הֵיכָלוֹ Jer. 50:28
10/1 נִקְמַת יְיָ הִיא נִקְמַת הֵיכָלוֹ Jer. 51:11
12 נִקְמַת דַּם־עֲבָדֶיךָ הַשָּׁפוּךְ Ps. 79:10
נִקְמָתִי 13 וְנָתַתִּי אֶת־נִקְמָתִי בֶּאֱדוֹם Ezek. 25:14
14 וְיָדְעוּ אֶת־נִקְמָתִי Ezek. 25:14
15 בְּתִתִּי אֶת־נִקְמָתִי בָּם Ezek. 25:17
נִקְמָתְךָ 16-17 אֶרְאֶה נִקְמָתְךָ מֵהֶם Jer. 11:20; 20:12
נִקְמָתֵךְ 18 וְנִקַּמְתִּי אֶת־נִקְמָתֵךְ Jer. 51:36
נִקְמָתֵנוּ 19 וְנִקְחָה נִקְמָתֵנוּ מִמֶּנּוּ Jer. 20:10
נִקְמָתָם 20 רָאִיתָה כָּל־נִקְמָתָם Lam. 3:60
נְקָמוֹת 21 ...עָשָׂה לְךָ יְיָ נְקָמוֹת מֵאֹיְבֶיךָ Jud. 11:36
22 וַיִּתֵּן...נְקָמוֹת...מִשָּׁאוּל וּמִזַּרְעוֹ IISh. 4:8
23 הָאֵל הַנֹּתֵן נְקָמֹת לִי IISh. 22:48
24 וְעָשִׂיתִי בָם נְקָמוֹת גְּדֹלוֹת Ezek. 25:17
25 הָאֵל הַנּוֹתֵן נְקָמוֹת לִי Ps. 18:48
26 אֵל־נְקָמוֹת יְיָ Ps. 94:1
27 אֵל נְקָמוֹת הוֹפִיעַ Ps. 94:1

נָקַע פ׳ רחק, סטה: 1–3
נָקְעָה נַפְשׁוֹ מִן־ 1-3
נָקְעָה 1 נָקְעָה נַפְשִׁי מֵעַל אֲחוֹתָהּ Ezek. 23:18
2-3 אֲשֶׁר־נָקְעָה נַפְשֵׁךְ מֵהֶם Ezek. 23:22, 28

נקף : א) נָקַף, הִקִּיף; תְּקוּפָה (?)
ב) נֹקֶף; נִקֶּף, נִקְפָּה

נָקַף פ׳ א) סבב וחזר: 1
ב) [הפ׳ הִקִּיף] כִּתֵּר, היה סביב לְ־: 2-17
קרובים: חָג(חוג) / כִּתֵּר / סָבַב / עָטַר
הִקִּיף אֶת־ 2,(3),5-9,14-17; הִקִּיף עַל־ 4,6,7,15,16
יִנְקֹפוּ 1 סְפוּ שָׁנָה עַל־שָׁנָה חַגִּים יִנְקֹפוּ Is. 29:1
הַקֵּף 2 הַקֵּף אֶת־הָעִיר פַּעַם אֶחָת Josh. 6:3
3 וַיַּסֵּב...אֶת־הָעִיר הַקֵּף פַּעַם אֶחָת Josh. 6:11

הִקִּיף 4 וּמְצוּדוֹ עָלַי הִקִּיף Job 19:6
הִקִּיפָה 5 הִקִּיפָה הַזְּעָקָה אֶת־גְּבוּל מוֹאָב Is. 15:8
וְהִקַּפְתֶּם 6 וְהִקַּפְתֶּם עַל־הַמֶּלֶךְ סָבִיב IIK. 11:8
הִקִּיפוּ 7 סַבּוּנִי...הִקִּיפוּ עָלַי יָחַד Ps. 88:18
הִקִּיפוּ 8 וַיְהִי כִּי הִקִּיפוּ יְמֵי הַמִּשְׁתֶּה Job 1:5
וְהִקִּיפוּ 9 וְהִקִּיפוּ הַלְוִיִּם אֶת־הַמֶּלֶךְ IICh. 23:7
הִקִּיפוּנִי 10 עֲדַת מְרֵעִים הִקִּיפוּנִי Ps. 22:17
מַקִּיפִים 11 מַקִּיפִים אֶת־הַיָּם סָבִיב IK. 7:24
12 מַקִּיפִים אֶת־הַיָּם סָבִיב IICh. 4:3
וַיַּקַּף 13 בָּנָה עָלַי וַיַּקַּף רֹאשׁ וּתְלָאָה Lam. 3:5
תַקִּפוּ 14 לֹא תַקִּפוּ פְּאַת רֹאשְׁכֶם Lev. 19:27
יַקִּיפוּ 15 אֹיְבַי בְּנֶפֶשׁ יַקִּיפוּ עָלָי Ps. 17:9
וַיַּקִּפוּ 16 וַיָּבֹאוּ לַיְלָה וַיַּקִּפוּ עַל־הָעִיר IIK. 6:14
וְהַקִּיפוּהָ 17 סֹבּוּ צִיּוֹן וְהַקִּיפוּהָ Ps. 48:13

נָקַף² פ׳ הכה, חבט: 1, 2
וְנִקַּף 1 וְנִקַּף סִבְכֵי הַיַּעַר בַּבַּרְזֶל Is. 10:34
נִקְּפוּ 2 וְאַחַר עוֹרִי נִקְּפוּ־זֹאת Job 19:26

נֹקֶף ז׳ חבוט: 1, 2 • נֹקֶף זַיִת 1, 2
כְּנֹקֶף־ 1 וְנִשְׁאַר־בּוֹ עוֹלֵלוֹת כְּנֹקֶף זַיִת Is. 17:6
כְּנֹקֶף 2 כְּנֹקֶף זַיִת כְּעוֹלֵלֹת אִם־כָּלָה בָצִיר Is. 24:13

נִקְפָּה נ׳ מכה, פצע
נִקְפָּה 1 וְתַחַת חֲגוֹרָה נִקְפָּה Is. 3:24

נקר : נָקַר, נִקֵּר, נֻקַּר; נִקְרָה

נָקַר פ׳ א) דקר ועקר: 1, 2 ב) [פ׳ נִקֵּר] כנ״ל: 3־5
ג) [פ׳ נֻקַּר] נחפר, נחצב: 6
נָקַר עַיִן 1, 2; נִקֵּר עֵינָיו 4, 5; נִקֵּר עֲצָמָיו 3
בִּנְקוֹר 1 בִּנְקוֹר לָכֶם כָּל־עֵין יָמִין ISh. 11:2
יִקְּרוּהָ 2 עַיִן...יִקְּרוּהָ עֹרְבֵי־נַחַל Prov. 30:17
נִקַּר 3 לַיְלָה עֲצָמַי נִקַּר מֵעָלָי Job 30:17
תְּנַקֵּר 4 הַעֵינֵי הָאֲנָשִׁים הָהֵם תְּנַקֵּר Num. 16:14
וַיְנַקְּרוּ 5 וַיֹּאחֲזוּהוּ...וַיְנַקְּרוּ אֶת־עֵינָיו Jud. 16:21
נֻקַּרְתֶּם 6 וְאֶל־מַקֶּבֶת בּוֹר נֻקַּרְתֶּם Is. 51:1

נִקְרָה* נ׳ נקיק: 1, 2 • קרובים: ראה נָקִיק
נִקְרַת צוּר 1, 2
בְּנִקְרַת־ 1 וְשַׂמְתִּיךָ בְּנִקְרַת הַצּוּר Ex. 33:22
בְּנִקְרוֹת־ 2 בְּנִקְרוֹת הַצֻּרִים וּבִסְעִפֵי הַסְּלָעִים Is. 2:21

נקשׁ : נוֹקֵשׁ, נָקַשׁ (הַנְּקַשׁ), נָקַשׁ, הִתְנַקֵּשׁ; אר׳ נְקַשׁ

נָקַשׁ פ׳ א) לכד, הפיל בפח: 1 [ואולי יקש נפ״י?]
ב) [נפ׳ נוֹקַשׁ] נלכד: 2
ג) [פ׳ נִקֵּשׁ] לכד, הכשיל: 3, 4
ד) [הת׳ הִתְנַקֵּשׁ] זמם ללכוד: 5
נוֹקֵשׁ (?) 1 בְּפֹעַל כַּפָּיו נוֹקֵשׁ רָשָׁע Ps. 9:17
תִּנָּקֵשׁ 2 הִשָּׁמֶר לְךָ פֶּן־תִּנָּקֵשׁ אַחֲרֵיהֶם Deut. 12:30
יְנַקֵּשׁ 3 יְנַקֵּשׁ נוֹשֶׁה לְכָל־אֲשֶׁר־לוֹ Ps. 109:11
וַיְנַקְשׁוּ 4 וַיְנַקְשׁוּ מְבַקְשֵׁי נַפְשִׁי Ps. 38:13
מִתְנַקֵּשׁ 5 וְלָמָה אַתָּה מִתְנַקֵּשׁ בְּנַפְשִׁי לַהֲמִיתֵנִי ISh. 28:9

נְקַשׁ פ׳ ארמית: דפק, הלם
נָקְשָׁן 1 וְאַרְכֻבָּתֵהּ דָּא לְדָא נָקְשָׁן Dan. 5:6

נִקְשֶׁה ת׳ קשה יום, מסכן [עין גם קשה]
נִקְשֶׁה 1 וְעָבַר בָּהּ נִקְשֶׁה וְרָעֵב Is. 8:21

נֵר¹ ז׳ א) חומר או כלי למאור: 1, 2, 5, 6, 11, 12, 18־44
ב) [בהשאלה] אור, הצלחה, ישועה: 3, 4, 7־10, 13־17
– נֵר אֱלֹהִים 11; נֵר יְיָ 8; נֵר יִשְׂרָאֵל 7; נֵר מִצְוָה 4;
נֵר רְשָׁעִים 9, 10, 12; נֵר תָּמִיד 5, 6; אוֹר נֵר 1;
נֵרוֹת הַמַּעֲרָכָה 30; נֵר לְרַגְלוֹ 2
– דָּעַךְ נֵר 9, 10, 12, 15, 17; הֵאִיר נֵר 14, 24; הֵהֵל נֵר 16; הֵיטִיב נֵר 19; הֶעֱלָה נֵר 5, 6, 20, 23, 32, 33, 35; כָּבָה נֵר 18; כִּבָּה נֵר 7, 25; עָרַךְ נֵר 3, 22
– חִפֵּשׂ בַּנֵּרוֹת 28
נֵר 1 קוֹל רֵחַיִם וְאוֹר נֵר Jer. 25:10
2 נֵר־לְרַגְלִי דְבָרֶךָ Ps. 119:105
3 עָרַכְתִּי נֵר לִמְשִׁיחִי Ps. 132:17
4 כִּי נֵר מִצְוָה וְתוֹרָה אוֹר Prov. 6:23
נֵר־ 5 שֶׁמֶן זַיִת...לְהַעֲלֹת נֵר תָּמִיד Ex. 27:20
6 שֶׁמֶן זַיִת...לְהַעֲלֹת נֵר תָּמִיד Lev. 24:2
7 וְלֹא תְכַבֶּה אֶת־נֵר יִשְׂרָאֵל IISh. 21:17
8 נֵר יְיָ נִשְׁמַת אָדָם Prov. 20:27
9 נֵר רְשָׁעִים יִדְעָךְ Prov. 24:20
10 כַּמָּה נֵר־רְשָׁעִים יִדְעָךְ Job 21:17
וְנֵר־ 11 וְנֵר אֱלֹהִים טֶרֶם יִכְבֶּה ISh. 3:3
12 וְנֵר רְשָׁעִים יִדְעָךְ Prov. 13:9
נֵרִי 13 כִּי־אַתָּה נֵירִי יְיָ IISh. 22:29
14 כִּי־אַתָּה תָּאִיר נֵרִי Ps. 18:29
נֵרוֹ 15 יִדְעַךְ נֵרוֹ בֶּאֱשׁוּן חֹשֶׁךְ Prov. 20:20
16 בְּהִלּוֹ נֵרוֹ עֲלֵי רֹאשִׁי Job 29:3
וְנֵרוֹ 17 וְנֵרוֹ עָלָיו יִדְעָךְ Job 18:6
נֵרָהּ 18 לֹא־יִכְבֶּה בַלַּיְלָה נֵרָהּ Prov. 31:18
הַנֵּרוֹת 19 בְּהֵיטִיבוֹ אֶת־הַנֵּרֹת יַקְטִירֶנָּה Ex. 30:7
20 וּבְהַעֲלֹת אַהֲרֹן אֶת־הַנֵּרֹת Ex. 30:8
21 וַיַּעַל הַנֵּרֹת לִפְנֵי יְיָ Ex. 40:25
22 עַל הַמְּנֹרָה...יַעֲרֹךְ אֶת־הַנֵּרוֹת Lev. 24:4
23 בְּהַעֲלֹתְךָ אֶת־הַנֵּרֹת Num. 8:2
24 יָאִירוּ שִׁבְעַת הַנֵּרוֹת Num. 8:2
25 וַיְכַבּוּ אֶת־הַנֵּרוֹת IICh. 29:7
וְהַנֵּרוֹת 26 וְהַפֶּרַח וְהַנֵּרֹת וְהַמֶּלְקַחַיִם זָהָב IK. 7:49
27 וְהַפֶּרַח וְהַנֵּרוֹת וְהַמֶּלְקַחַיִם זָהָב IICh. 4:21
בַּנֵּרוֹת 28 אֲחַפֵּשׂ אֶת־יְרוּשָׁלַםִ בַּנֵּרוֹת Zep. 1:12
לַנֵּרוֹת 29 וְשִׁבְעָה מוּצָקוֹת לַנֵּרוֹת Zech. 4:2
נֵרוֹת־ 30 אֶת־נֵרֹתֶיהָ נֵרֹת הַמַּעֲרָכָה Ex. 39:37
נֵרוֹתֶיהָ 31 וְעָשִׂיתָ אֶת־נֵרֹתֶיהָ שִׁבְעָה Ex. 25:37
32 וְהֶעֱלָה אֶת־נֵרֹתֶיהָ Ex. 25:37
33 וְהַעֲלֵיתָ אֶת־נֵרֹתֶיהָ Ex. 40:4
34 אֶת־מְנֹרַת הַמָּאוֹר וְאֶת־נֵרֹתֶיהָ Num. 4:9
35 מוּל פְּנֵי הַמְּנוֹרָה הֶעֱלָה נֵרֹתֶיהָ Num. 8:3
36־39 נֵרֹתֶיהָ Ex. 35:14; 37:23; 39:37 • Zech. 4:2
וְנֵרוֹתֶיהָ 40 בְּמִשְׁקַל־מְנוֹרָה וּמְנוֹרָה וְנֵרֹתֶיהָ ICh. 28:15
41 בְּמִשְׁקָל לַמְּנוֹרָה וְנֵרֹתֶיהָ ICh. 28:15
42 וּמְנוֹרַת הַזָּהָב וְנֵרֹתֶיהָ IICh. 13:11
וְנֵרוֹתֵיהֶם 43 וְנֵרֹתֵיהֶם זָהָב ICh. 28:15
44 וְאֶת־הַמְּנֹרוֹת וְנֵרֹתֵיהֶם IICh. 4:20

נֵר² שפ״ז – אבי אבנר שר צבא שאול: 1־16
נֵר 1 אֲבִינֵר בֶּן־נֵר דּוֹד שָׁאוּל ISh. 14:50
2 וְאַבְנֵר בֶּן־נֵר שַׂר־צְבָאוֹ ISh. 26:5
3־12 (ה/ל)אַבְנֵר בֶּן־נֵר ISh. 26:14 • IISh. 2:8, 12; 3:23, 25, 28, 37 • IK. 2:5, 32 • ICh. 26:28
וְנֵר 13 וְנֵר אֲבִי־אַבְנֵר בֶּן־אֲבִיאֵל ISh. 14:51
14־15 וְנֵר הוֹלִיד אֶת־קִישׁ ICh. 8:33; 9:39
16 וְקִישׁ וּבַעַל וְנֵר וְנָדָב ICh. 9:36

נֵרְגַל שפ״ז – אליל הכותים
נֵרְגַל 1 וְאַנְשֵׁי־כוּת עָשׂוּ אֶת־נֵרְגַל IIK. 17:30

נֵרְגַל שַׂרְאֶצֶר שפ״ז ראש הקוסמים של נבוכדנצר: 1־3
נֵרְגַל 1 נֵרְגַל שַׂרְאֶצֶר סַמְגַּר־נְבוֹ Jer. 39:3
2 נֵרְגַל שַׂרְאֶצֶר רַב־מָג Jer. 39:3
וְנֵרְגַל 3 וְנֵרְגַל שַׂרְאֶצֶר רַב־מָג Jer. 39:13

נִרְגָּן ת׳ מתאונן, מחרחר ריב: 1־4
נִרְגָּן 1־2 דִּבְרֵי נִרְגָּן כְּמִתְלַהֲמִים Prov. 18:8; 26:22
3 וּבְאֵין נִרְגָּן יִשְׁתֹּק מָדוֹן Prov. 26:20
וְנִרְגָּן 4 וְנִרְגָּן מַפְרִיד אַלּוּף Prov. 16:28

נֵרְדְּ ז׳ צמח־בושם משובח: 1־3
נֵרְדְּ 1 נֵרְדְּ וְכַרְכֹּם קָנֶה וְקִנָּמוֹן S.ofS. 4:14
נִרְדִּי 2 נִרְדִּי נָתַן רֵיחוֹ S.ofS. 1:12
נְרָדִים 3 כְּפָרִים עִם־נְרָדִים S.ofS. 4:13

נֵרִיָּה שפ״ז א) אביו של ברוך, הסופר לירמיהו הנביא: 1־6
ב) אבי של שְׂרָיָה שר מנוחה לצדקיהו: 7
נֵרִיָּה 1־6 בָּרוּךְ בֶּן־נֵרִיָּה Jer. 32:12,16;36:4, 8;43:3;45:1
7 אֶת־שְׂרָיָה בֶן־נֵרִיָּה בֶּן־מַחְסֵיָה Jer. 51:59

נֵרִיָּהוּ שפ״ז – הוא נֵרִיָּה אבי ברוך: 1־3
נֵרִיָּהוּ 1־3 בָּרוּךְ בֶּן־נֵרִיָּהוּ Jer. 36:14, 32; 43:6

נִרְפֶּה ת׳ עצל – עין רפה

נשׂא : נָשָׂא, נִשָּׂא, נִשֵּׂא, הִתְנַשֵּׂא, הִשִּׂיא; נָשִׂיא, נְשׂוּאָה, נִשֵּׂאת, מַשָּׂא, מַשָּׂאָה, מַשְׂאֵת, מַשְׂאוֹת, שׂוֹא, שִׂיא, שְׂאֵת; ש״פ שִׂיאוֹן

נָשָׂא פ׳ א) הרים, העביר, טלטל (גם במליצה ובהשאלה): 3, 6, 9־11, 14־18, 20־29, 31, 34־36, 38־44, 46, 48, 50, 51, 54־62, 65, 66, 70, 73־76, 79, 80, 83־90, 93־95 וכן רוב שאר המקראות 97־594 (עין בצרופים)
ב) לקח, קבל: 52, 81, 105/6, 133, 146, 161, 281, 431/2
ג) החזיק, הכיל: 19, 82
ד) סָלַח: 4, 68, 69, 71, 72, 77, 78, 164, 165, 189, 190, 193, 253, 266, 300, 304, 313, 318, 321, 335, 347, 348, 3,412, 54־545, 547, 548, 558, 594
ה) סָבַל: 5, 7, 8, 13, 30, 32, 33, 37, 45, 47, 53, 63, 64, 67, 91, 92, 96, 111־117, 136, 155, 158־160, 162, 259, 263, 266, 282, 299, 316, 328, 330, 336, 337, 339, 357, 358, 418, 420, 421, 439־442, 449, 452־454, 456, 464, 466, 473, 474, 503־511, 567
ו) מָנָה, סָפַר – עין "נָשָׂא רֹאשׁ" (בצרופים)
ז) בִּכֵּר, נתן יתרון – עין "נָשָׂא פָנִים" (בצרופים)
ח) [נפ׳ נִשָּׂא] הִתְרוֹמֵם, גָּבַהּ (גם בהשאלה): 595, 596, 601־626
ט) [כנ״ל] הֻעֲבַר, טֻלְטַל, נִתַּן: 597־600
י) [פ׳ נִשֵּׂא, נִשָּׂא] רוֹמֵם, העלה: 627, 630־638
יא) [הת׳ הִתְנַשֵּׂא] התרומם: 639־648
יב) [הפ׳ הִשִּׂיא] העביר: 649, 650
– נָשָׂא אִימִים 64; נָ׳ (אִשָּׁה) 107, 147, 410, 411, 447, 448, 494, 514; נָ׳ בְּכִי 265; נָ׳ בְּרִית 326; נָ׳ בְּרָכָה 363; נָ׳ בְּשָׂרוֹ בְּשִׁנָּיו 277; נָ׳ דֵעוֹ 279; נָ׳ הוֹד 362; נָ׳ זִמָּה 567; נָ׳ זִמְרָה 587; נָ׳ חֵטְא 33, 92, 116, 306, 339, 442, 452, 454, 474; נָ׳ חַטָּאתוֹ 304, 545, 547, 552; נָ׳ חֶלְקוֹ 44; נָ׳ חֵן 133, 209, 432; נָ׳ חֶסֶד 431, 432; נָ׳ חֶרֶב 349, 467; נָ׳ חֶרְפָּה 45, 53, 63, 102, 330, 449; נָ׳ יָדוֹ 50, 51, 55־62, 73, 85, 140, 260, 264, 288, 289, 408, 538; נָ׳ יָדָיו 48, 99, 392, 589; נָ׳ כְּלִמָּה 136, 160, 162, 328, 464, 477, 509־511, 566, 570; נָ׳ כְּנָפָיו 17, 275; נָ׳ כַּפָּיו 271, 283, 568; נָ׳ לִבּוֹ 84, 126־129, 438; נָ׳ מַדְבְּרוֹתָיו 346; נָ׳ מִסְפָּר 106, 556; נָ׳ מַעֲשֵׂר 39; נָ׳ מַשָּׂא 11, 87; נָ׳ מָשָׁל 14, 15, 75, 359, 393־399, 478; נָ׳ מַתָּנוֹת 18; נָ׳ נְהִי 265, 534; נָ׳ נֵס 6, 120, 121, 577, 580, 583, 584, 591; נָשָׂא נַפְשׁוֹ 66, 103, 166, 270, 272, 320, 348, 466; נָשָׂא עָוֹן 30, 71, 72, 77, 78, 111־115, 117, 155, 158, 159, 164, 165, 189, 316, 318, 336, 337, 420, 421, 439־441, 453, 456, 473; נָשָׂא עֵינָיו 65, 93־95, 274, 284, 287, 290, 296־309, 324, 325, 329, 370־383, 423

424, 444, 480, 484, 496, 513, 539-541, 551, 557, 563-565, 578, 579, 582; נָשָׂא עַל 366; נ׳ עָנָף 122; נ׳ עֹנֶשׁ 193; נ׳ פָּנִים 12, 49, 104, 148, 187, 218, 261, 278, 280, 286, 305, 322, 323, 331, 338, 343, 345, 364, 368, 369, 406, 409, 446, 450, 451; נ׳ פְּרִי 43, 97, 445; נ׳ פֶּשַׁע 321, 543, 544; נ׳ קוֹל 141, 144, 384, 386, 400, 402-404, 422, 459, 488, 490-493, 536, 537; נ׳ קִינָה 156, 157, 188, 552-555, 569; נ׳ רֹאשׁ 1, 2, 35, 88, 89, 101, 139, 142, 276, 303, 307, 332, (333), 546, 572, 573, 585, 586; נ׳ רַגְלָיו 385; נ׳ רוּחַ 355, 413, 427, 428, 433, 434, 437; נ׳ רִנָּה 314, 315; נ׳ שָׁלוֹם 468; נ׳ שֵׁם (לַשָּׁוְא) 269, 301, 310, 334, 342; נ׳ שֶׁמַע 302; נ׳ תְּפִלָּה 74, 76, 314, 315

– נוֹשֵׂא אֲלֻמּוֹת 192; נ׳ אֵפוֹד 173, 184; נוֹשֵׂא כֵלִים 167, 171, 172, 174-182, 185, 195, 197-201, 207, 243, 244; נוֹשֵׂא מָגֵן 249; נוֹשֵׂא סַבָּל 186, 243, 244; נוֹשֵׂא צִנָּה 183, 196, 202, 246

– נוֹשְׂאֵי הָאָרוֹן 226-239; נוֹשְׂאֵי מִנְחָה 240-242, 247/8

– נְשׂוּא עָוֹן 252; נְשׂוּא פָנִים 254-257; נְשׂוּי פֶּשַׁע 253

– נָשָׂא אֶת נַפְשׁוֹ 632, 633

נָשׂוֹא 1 נָשֹׂא אֶת־רֹאשׁ בְּנֵי קְהָת Num. 4:2
2 נָשֹׂא אֶת־רֹאשׁ בְּנֵי גֵרְשׁוֹן Num. 4:22
3 נָשׂוֹא יִנָּשׂוּא כִּי־לֹא יִצְעָדוּ Jer. 10:5
4 כִּי נָשֹׂא אֶשָּׂא לָהֶם Hosh. 1:6
נְשֹׂא 5 הָיוּ עָלַי לָטֹרַח נִלְאֵיתִי נְשֹׂא Is. 1:14
כִּנְשֹׂא 6 כִּנְשֹׂא־נֵס הָרִים תִּרְאוּ Is. 18:3
מִנְּשֹׂא 7 גָּדוֹל עֲוֺנִי מִנְּשֹׂא Gen. 4:13
שְׂאֵת 8 הֲלוֹא אִם־תֵּיטִיב שְׂאֵת Gen. 4:7
9 מַלֵּא...כַּאֲשֶׁר יוּכְלוּן שְׂאֵת Gen. 44:1
10 לֹא־אוּכַל לְבַדִּי שְׂאֵת אֶתְכֶם Deut. 1:9
11 וּלְבִלְתִּי שְׂאֵת מַשָּׂא...בְּיוֹם הַשַּׁבָּת Jer. 17:27
12 שְׂאֵת פְּנֵי־רָשָׁע לֹא־טוֹב Prov. 18:5
13 וְתַחַת אַרְבַּע לֹא־תוּכַל שְׂאֵת Prov. 30:21
14/5 וַיֹּסֶף אִיּוֹב שְׂאֵת מְשָׁלוֹ Job 27:1; 29:1
בִּשְׂאֵת 16 וְהָיוּ הַבַּדִּים...בִּשְׂאֵת אֹתוֹ Ex. 27:7
וּבִשְׂאֵת 17 וּבִשְׂאֵת הַכְּרוּבִים אֶת־כַּנְפֵיהֶם Ezek. 10:16
18 וּבִשְׂאֵת מַתְּנֹתֵיכֶם בְּהַעֲבִיר בְּנֵיכֶ׳ Ezek. 20:31
לָשֵׂאת 19 וְלֹא יָכְלָה...לָשֵׂאת אֹתָם Gen. 36:7
20 וַיַּרְא אֶת־הָעֲגָלוֹת...לָשֵׂאת אֹתוֹ Gen. 45:27
21 אֲשֶׁר־שָׁלַח פַּרְעֹה לָשֵׂאת אֹתוֹ Gen. 46:5
22/3 לָשֵׂאת אֶת־הָאָרֹן Ex. 25:14; 37:5
24-26 לָשֵׂאת אֶת־הַשֻּׁלְחָן Ex. 25:27; 37:14, 15
27 לָשֵׂאת אֹתוֹ בָּהֵמָּה Ex. 30:4
28/9 לָשֵׂאת אֹתוֹ בָּהֶם Ex. 37:27; 38:7
30 לָשֵׂאת אֶת־עֲוֺן הָעֵדָה Lev. 10:17
31 וְאַחֲרֵי־כֵן יָבֹאוּ בְנֵי־קְהָת לָשֵׂאת Num. 4:15
32 לֹא־אוּכַל...לָשֵׂאת אֶת־כָּל־הָעָם Num. 11:14
33 וְלֹא־יִקְרְבוּ...לָשֵׂאת חֵטְא לָמוּת Num. 18:22
34 לָשֵׂאת אֶת־אֲרוֹן בְּרִית־יְיָ Deut. 10:8
35 וְלֹא יָסְפוּ לָשֵׂאת רֹאשָׁם Jud. 8:28
36 וּבָחֹר אֹתוֹ...לָשֵׂאת אֵפוֹד לְפָנַי ISh. 2:28
37 וְלֹא־יוּכַל יְיָ עוֹד לָשֵׂאת Jer. 44:22
38 הֲלָבֹז בַּז...לָשֵׂאת כֶּסֶף וְזָהָב Ezek. 38:13
39 לָשֵׂאת מַעְשַׂר הַחֹמֶר הַבַּת Ezek. 45:11
40/1 לָשֵׂאת אֶת־אֲרוֹן הָאֱלֹהִים (יְיָ) ICh. 15:2²
42 אֵין־לָשֵׂאת אֶת־הַמִּשְׁכָּן ICh. 23:26
וְלָשֵׂאת 43 לַעֲשׂוֹת עָנָף וְלָשֵׂאת פֶּרִי Ezek. 17:8
44 לֶאֱכֹל מִמֶּנּוּ וְלָשֵׂאת אֶת־חֶלְקוֹ Eccl. 5:18
לְמַשְׂאוֹת 44א (עיין ערך מַשְׂאוֹת באות מ׳) Ezek. 17:9
שְׂאֵתִי 45 דַּע שְׂאֵתִי עָלֶיךָ חֶרְפָּה Jer. 15:15
46 שְׂאֵתִי בְחֵיקִי כָּל־רַבִּים עַמִּים Ps. 89:51
שְׂאֵתוֹ 47 כִּי לֹא תוּכַל שְׂאֵתוֹ Deut. 14:24
בִּנְשְׂאִי 48 בְּנָשְׂאִי יָדַי אֶל־דְּבִיר קָדְשֶׁךָ Ps. 28:2

נָשָׂאתִי 49 הִנֵּה נָשָׂאתִי פָנֶיךָ גַּם לַדָּבָר הַזֶּה Gen. 19:21
50 אֲשֶׁר נָשָׂאתִי אֶת־יָדִי לָתֵת אֹתָהּ... Ex. 6:8
51 נָשָׂאתִי אֶת־יָדִי לְשַׁכֵּן אֶתְכֶם Num. 14:30
52 לֹא חֲמוֹר אֶחָד מֵהֶם נָשָׂאתִי Num. 16:15
53 כִּי נָשָׂאתִי חֶרְפַּת נְעוּרָי Jer. 31:19(18)
54 עַל־כָּתֵף נָשָׂאתִי לְעֵינֵיהֶם Ezek. 12:7
55 נָשָׂאתִי יָדִי לָהֶם לְהוֹצִיאָם Ezek. 20:6
56 נָשָׂאתִי יָדִי לָהֶם בַּמִּדְבָּר Ezek. 20:15
57 נָשָׂאתִי אֶת־יָדִי לָהֶם בַּמִּדְבָּר Ezek. 20:23
58/9 נָשָׂאתִי אֶת־יָדִי לָתֵת אוֹתָהּ Ezek. 20:28, 42
60/1 אֲנִי נָשָׂאתִי אֶת־יָדִי... Ezek. 36:7; 47:14
62 עַל־כֵּן נָשָׂאתִי יָדִי עֲלֵיהֶם Ezek. 44:12
63 כִּי־עָלֶיךָ נָשָׂאתִי חֶרְפָּה Ps. 69:8
64 נָשָׂאתִי אֵמֶיךָ אָפוּנָה Ps. 88:16
65 אֵלֶיךָ נָשָׂאתִי אֶת־עֵינַי Ps. 123:1
66 כִּי־אֵלֶיךָ נָשָׂאתִי נַפְשִׁי Ps. 143:8
67 כִּי אֶל־אֵל הֶאָמַר נָשָׂאתִי Job 34:31
וְנָשָׂאתִי 68 וְנָשָׂאתִי לְכָל־הַמָּקוֹם בַּעֲבוּרָם Gen. 18:26
נָשָׂאתָה 69 וְכַאֲשֶׁר נָשָׂאתָה לָעָם הַזֶּה Num. 14:19
נָשָׂאתָ 70 כִּי־נָשָׂאתָ אֶת־אֲרוֹן אֲדֹנָי יֶהוִֹה IK. 2:26
71 וְאַתָּה נָשָׂאתָ עֲוֺן חַטָּאתִי Ps. 32:5
72 נָשָׂאתָ עֲוֺן עַמֶּךָ Ps. 85:3
73 אֲשֶׁר־נָשָׂאתָ אֶת־יָדְךָ לָתֵת לָהֶם Neh. 9:15
וְנָשָׂאתָ 74 וְנָשָׂאתָ תְפִלָּה בְּעַד הַשְּׁאֵרִית... IIK. 19:4
75 וְנָשָׂאתָ הַמָּשָׁל הַזֶּה עַל־מֶלֶךְ בָּבֶל Is. 14:4
76 וְנָשָׂאתָ תְפִלָּה בְּעַד הַשְּׁאֵרִית... Is. 37:4
77 וְנָשָׂאתָ עֲוֺן בֵּית־יִשְׂרָאֵל Ezek. 4:5
78 וְנָשָׂאתָ אֶת־עֲוֺן בֵּית־יְהוּדָה Ezek. 4:6
נְשָׂאתַנִי 79 כִּי נְשָׂאתַנִי וַתַּשְׁלִיכֵנִי Ps. 102:11
וּנְשָׂאתַנִי 80 וּנְשָׂאתַנִי מִמִּצְרַיִם וּקְבַרְתַּנִי... Gen. 47:30
נְשָׂאתִים 81 וְאֶת־תּוֹעֲבוֹתַיִךְ אַתְּ נְשָׂאתִים Ezek. 16:58
נָשָׂא 82 וְלֹא־נָשָׂא אֹתָם הָאָ׳ לָשֶׁבֶת יַחְדָּו Gen. 13:6
83 וְרוּחַ הַקָּדִים נָשָׂא אֶת־הָאַרְבֶּה Ex. 10:13
84 אֲשֶׁר נָשָׂא לִבָּן אֹתָנָה בְּחָכְמָה Ex. 35:26
85 אִישׁ...נָשָׂא יָדוֹ בַּמֶּלֶךְ בְּדָוִד IISh. 20:21
86 אֲשֶׁר־נָשָׂא זָהָב מֵאוֹפִיר IK. 10:11
87 וַיְיָ נָשָׂא עָלָיו אֶת־הַמַּשָּׂא הַזֶּה IIK. 9:25
88/9 נָשָׂא...רֹאשׁ יְהוֹיָכִין IIK. 25:27 • Jer. 52:31
90 וְעֵילָם נָשָׂא אַשְׁפָּה Is. 22:6
91 אָכֵן חֳלָיֵנוּ הוּא נָשָׂא Is. 53:4
92 וְהוּא חֵטְא־רַבִּים נָשָׂא Is. 53:12
93/4 וְעֵינָיו לֹא נָשָׂא אֶל־גִּלּוּלֵי... Ezek. 18:6, 15
95 וְאֶל־הַגִּלּוּלִים נָשָׂא עֵינָיו Ezek. 18:12
96 מַדֻּעַ לֹא־נָשָׂא הַבֵּן בַּעֲוֺן הָאָב Ezek. 18:19
97 כִּי־עֵץ נָשָׂא פִרְיוֹ Joel 2:22
98 כְּדַבֵּר אֶפְרַיִם...נָשָׂא הוּא בְּיִשְׂרָאֵ׳ Hosh. 13:1
99 נָתַן תְּהוֹם קוֹלוֹ רוֹם יָדֵיהוּ נָשָׂא Hab. 3:10
100 וְעֵץ הַזַּיִת לֹא נָשָׂא Hag. 2:19
101 כְּפִי־אִישׁ לֹא־נָשָׂא רֹאשׁוֹ Zech. 2:4
102 וְחֶרְפָּה לֹא־נָשָׂא עַל־קְרֹבוֹ Ps. 15:3
103 אֲשֶׁר לֹא נָשָׂא לַשָּׁוְא נַפְשִׁי Ps. 24:4
104 אֲשֶׁר לֹא־נָשָׂא פְּנֵי שָׂרִים Job 34:19
105 וְהַזָּהָב אֲשֶׁר נָשָׂא מִכָּל־הַגּוֹיִם ICh. 18:11
106 וְלֹא־נָשָׂא דָוִיד מִסְפָּרָם ICh. 27:23
107 כִּי נָשִׁים שְׁמוֹנֶה־עֶשְׂרֵה נָשָׂא IICh. 11:21
וְנָשָׂא 108 וְנָשָׂא אַהֲרֹן אֶת־שְׁמוֹתָם Ex. 28:12
109 וְנָשָׂא...אֶת־שְׁמוֹת בְּ״י...עַל־לִבּוֹ Ex. 28:29
110 וְנָשָׂא...אֶת־מִשְׁפַּט בְּ״י עַל־לִבּוֹ Ex. 28:30
111 וְנָשָׂא אַהֲרֹן אֶת־עֲוֺן הַקֳּדָשִׁים Ex. 28:38
112 אִם־לוֹא יַגִּיד וְנָשָׂא עֲוֺנוֹ Lev. 5:1
113 וְלֹא־יָדַע וְאָשֵׁם וְנָשָׂא עֲוֺנוֹ Lev. 5:17
114 וְנָשָׂא הַשָּׂעִיר עָלָיו...כָּל־עֲוֺנֹתָם Lev. 16:22

וְנָשָׂא (המשך) 115 וְאִם לֹא יְכַבֵּס...וְנָשָׂא עֲוֺנוֹ Lev. 17:16
116 כִּי־יְקַלֵּל אֱלֹהָיו וְנָשָׂא חֶטְאוֹ Lev. 24:15
117 וְאִם־הָפֵר יָפֵר...וְנָשָׂא אֶת־עֲוֺנָהּ Num. 30:16
118 וּבָא הָאֲרִי...וְנָשָׂא שֶׂה מֵהָעֵדֶר ISh. 17:34
119 וְנָשָׂא אֶת־עֲפָרָם בֵּית־אֵל IIK. 23:4
120 וְנָשָׂא־נֵס לַגּוֹיִם מֵרָחוֹק Is. 5:26
121 וְנָשָׂא נֵס לַגּוֹיִם Is. 11:12
122 וְנָשָׂא עָנָף וְעָשָׂה פֶרִי Ezek. 17:23
123 וְנָשָׂא הֲמֹנָהּ וְשָׁלַל שְׁלָלָהּ Ezek. 29:19
124 וְנָשָׂא אֶתְכֶם אֵלָיו Mal. 2:3
נְשָׂאֲךָ 125 אֲשֶׁר נְשָׂאֲךָ יְיָ אֱלֹהֶיךָ... Deut. 1:31
וּנְשָׂאֲךָ 126 הַכִּיתָ אֶת־אֱדוֹם וּנְשָׂאֲךָ לִבֶּךָ IIK. 14:10
127 הִכִּיתָ אֶת־אֱדוֹם וּנְשָׂאֲךָ לִבְּךָ IICh. 25:19
נְשָׂאוֹ 128 כָּל־אִישׁ אֲשֶׁר־נְשָׂאוֹ לִבּוֹ Ex. 35:21
129 כֹּל אֲשֶׁר נְשָׂאוֹ לִבּוֹ לְקָרְבָה... Ex. 36:2
130 פֶּן־נְשָׂאוֹ רוּחַ יְיָ וַיַּשְׁלִכֵהוּ IIK. 2:16
וּנְשָׂאוֹ 131 וּנְשָׂאוֹ בְּדֶרֶךְ מִצְרָיִם Is. 10:26
132 וּנְשָׂאוֹ דּוֹדוֹ וּמְסָרְפוֹ Am. 6:10
נְשָׂאָה 133 נְשָׂאָה חֵן בְּעֵינָיו Es. 5:2
נְשָׂאַתְנִי 134 וְרוּחַ נְשָׂאַתְנִי וַתִּקָּחֵנִי Ezek. 3:14
135 וְרוּחַ נְשָׂאַתְנִי וַתְּבִאֵנִי כַשְׂדִּימָה Ezek. 11:24
נְשָׂאתֶם 136 יַעַן כְּלִמַּת גּוֹיִם נְשָׂאתֶם Ezek. 36:6
וּנְשָׂאתֶם 137 וּנְשָׂאתֶם אֶת־אֲבִיכֶם וּבָאתֶם Gen. 45:19
138 וּנְשָׂאתֶם אֵת סִכּוּת מַלְכְּכֶם Am. 5:26
נָשְׂאוּ 139 נָשְׂאוּ אֶת־רֹאשׁ אַנְשֵׁי הַמִּלְחָמָה Num. 31:49
140 נָשְׂאוּ אֶת־יָדָם בַּאדֹנִי הַמֶּלֶךְ IISh. 18:28
141 קוֹל צֹפַיִךְ נָשְׂאוּ קוֹל Is. 52:8
142 וּמְשַׂנְאֶיךָ נָשְׂאוּ רֹאשׁ Ps. 83:3
143 נָשְׂאוּ נְהָרוֹת יְיָ Ps. 93:3
144 נָשְׂאוּ נְהָרוֹת קוֹלָם Ps. 93:3
145 וּרְעֵבִים נָשְׂאוּ עֹמֶר Job 24:10
146 נָשְׂאוּ אֶת־רְדִידִי מֵעָלַי S.ofS. 5:7
147 כִּי־נָשְׂאוּ מִבְּנֹתֵיהֶם לָהֶם Ez. 9:2
נָשָׂאוּ 148 פְּנֵי כֹהֲנִים לֹא נָשָׂאוּ Lam. 4:16
149 בַּחוּרִים טְחוֹן נָשָׂאוּ Lam. 5:13
נָשֻׂא(=נָשְׂאוּ) 150 נָשֻׂא לַשָּׁוְא עָרֶיךָ Ps. 139:20
וְנָשְׂאוּ 151 וְהָקֵל מֵעָלֶיךָ וְנָשְׂאוּ אִתָּךְ Ex. 18:22
152 וְנָשְׂאוּ אֶת־יְרִיעֹת הַמִּשְׁכָּן Num. 4:25
153 וְנָשְׂאוּ אִתְּךָ בְּמַשָּׂא הָעָם Num. 11:17
154 וְנָשְׂאוּ אֶת־זְנוּתֵיכֶם Num. 14:33
155 וְנָשְׂאוּ עֲוֺנָם כַּעֲוֺן הַדֹּרֵשׁ Ezek. 14:10
156 וְנָשְׂאוּ עָלַיִךְ קִינָה וְאָמְרוּ לָךְ Ezek. 26:17
157 וְנָשְׂאוּ אֵלַיִךְ בְּנִיהֶם קִינָה Ezek. 27:32
158/9 וְנָשְׂאוּ עֲוֺנָם Ezek. 44:10, 12
160 וְנָשְׂאוּ כְּלִמָּתָם וְתוֹעֲבוֹתָם Ezek. 44:13
וְנָשָׂאוּ 161 וְחָמְדוּ...וּבָתִּים וְנָשָׂאוּ Mic. 2:2
וְנָשׁוּ (=וְנָשְׂאוּ) 162 וְנָשׁוּ אֶת־כְּלִמָּתָם Ezek. 39:26
וּנְשָׂאוּם 163 בָּאוּ הָרָצִים וּנְשָׂאוּם IICh. 12:11
נֹשֵׂא 164 נֹשֵׂא עָוֺן וָפֶשַׁע וְחַטָּאָה Ex. 34:7
165 נֹשֵׂא עָוֺן וָפָשַׁע Num. 14:18
166 וְאֵלָיו הוּא נֹשֵׂא אֶת־נַפְשׁוֹ Deut. 24:15
167 וַיִּקְרָא...אֶל־הַנַּעַר נֹשֵׂא כֵלָיו Jud. 9:54
168 אֶחָד נֹשֵׂא שְׁלֹשָׁה גְדָיִים ISh. 10:3
169 וְאֶחָד נֹשֵׂא שְׁלֹשֶׁת כִּכְּרוֹת לֶחֶם ISh. 10:3
170 וְאֶחָד נֹשֵׂא נֵבֶל־יָיִן ISh. 10:3
171/2 וַיֹּאמֶר...אֶל־הַנַּעַר נֹשֵׂא כֵלָיו ISh. 14:1, 6
173 כֹּהֵן יְיָ בְּשִׁלוֹ נֹשֵׂא אֵפוֹד ISh. 14:3
174 וַיֹּאמֶר לוֹ נֹשֵׂא כֵלָיו ISh. 14:7
175-182 נֹשֵׂא(־)כֵלָיו (כֵּלִים) ISh. 14:12²
16:21; 31:4, 5 • ICh. 10:4², 5
183 וְהָאִישׁ נֹשֵׂא הַצִּנָּה לְפָנָיו ISh. 17:41
184 שְׁמֹנִים...אִישׁ נֹשֵׂא אֵפוֹד בָּד ISh. 22:18

נוֹשֵׂא (המשך)

185 נֹשֵׂא (כ׳ נשאי) כְּלֵי יוֹאָב בֶּן־צְרֻיָה IISh. 23:37

186 שִׁבְעִים אֶלֶף נֹשֵׂא סַבָּל IK. 5:29

187 לוּלֵי פְּנֵי־יְהוֹשָׁפָט...אֲנִי נֹשֵׂא IIK. 3:14

188 אֲשֶׁר אָנֹכִי נֹשֵׂא עֲלֵיכֶם קִינָה Am. 5:1

189 נֹשֵׂא עָוֹן וְעֹבֵר עַל־פֶּשַׁע Mic. 7:18

190 אֵל נֹשֵׂא הָיִיתָ לָהֶם Ps. 99:8

191 הָלוֹךְ יֵלֵךְ וּבָכֹה נֹשֵׂא מֶשֶׁךְ־הַזָּרַע Ps. 126:6

192 בֹּא־יָבֹא בְרִנָּה נֹשֵׂא אֲלֻמֹּתָיו Ps. 126:6

193 גְּדָל־חֵמָה נֹשֵׂא עֹנֶשׁ Prov. 19:19

194 וַיְהִי הַמֶּלְצַר נֹשֵׂא אֶת־פַּת־בָּגָם Dan. 1:16

195 נֹשֵׂא כְּלֵי יוֹאָב בֶּן־צְרוּיָה ICh. 11:39

196 חַיִל נֹשֵׂא צִנָּה וָרֹמַח IICh. 14:7

וְנֹשֵׂא־ 197 וַיַּעַל יוֹנָתָן...וְנֹשֵׂא כֵלָיו אַחֲרָיו ISh. 14:13

198 וְנֹשֵׂא כֵלָיו מְמוֹתֵת אַחֲרָיו ISh. 14:13

201-199 וְנֹשֵׂא כֵלָיו ISh. 14:14, 17; 31:6

202 וְנֹשֵׂא הַצִּנָּה הֹלֵךְ לְפָנָיו ISh. 17:7

הַנֹּשֵׂא 203 הַנֹּשֵׂא מִנִּבְלָתָם יְכַבֵּס בְּגָדָיו Lev. 11:25

וְהַנֹּשֵׂא 204 וְהַנֹּשֵׂא אֶת־נִבְלָתָם יְכַבֵּס בְּגָדָיו Lev. 11:28

205 וְהַנֹּשֵׂא אֶת־נִבְלָתָהּ יְכַבֵּס בְּגָדָיו Lev. 11:40

206 וְהַנּוֹשֵׂא אוֹתָם יְכַבֵּס בְּגָדָיו Lev. 15:10

לְנֹשֵׂא־ 207 וַיֹּאמֶר שָׁאוּל לְנֹשֵׂא כֵלָיו ISh. 31:4

נֹשְׂאַת 208 אֳנִי תַרְשִׁישׁ נֹשְׂאַת זָהָב וָכֶסֶף IK. 10:22

נֹשֵׂאת 209 וַתְּהִי אֶסְתֵּר נֹשֵׂאת חֵן בְּעֵינֵי... Es. 2:15

נֹשְׂאִים 210 וּגְמַלֵּיהֶם נֹשְׂאִים נְכֹאת... Gen. 37:25

211 עֲשָׂרָה חֲמֹרִים נֹשְׂאִים מִטּוּב מִצְרָיִם Gen. 45:23

212 וְהַכֹּהֲנִים הַלְוִיִּם נֹשְׂאִים אֹתוֹ Josh. 3:3

213 נֹשְׂאִים שִׁבְעָה שׁוֹפְרוֹת הַיּוֹבְלִים Josh. 6:8

214 נֹשְׂאִים שִׁבְעָה שׁוֹפְרוֹת הַיֹּבְלִים Josh. 6:13

215 נֹשְׂאִים אֶת־אֲרוֹן בְּרִית הָאֱלֹהִים IISh.15:24

216 גְּמַלִּים נֹשְׂאִים בְּשָׂמִים וְזָהָב IK. 10:2

217 וּגְמַלִּים נֹשְׂאִים בְּשָׂמִים וְזָהָב IICh. 9:1

וְנֹשְׂאִים 218 וְנֹשְׂאִים פָּנִים בַּתּוֹרָה Mal. 2:9

הַנֹּשְׂאִים 219 הַנֹּשְׂאִים אֶת־אֲרוֹן בְּרִית יְיָ Deut. 31:9

220 הַנֹּשְׂאִים אֶת־עֵץ פִּסְלָם Is. 45:20

221 הַנֹּשְׂאִים קֶרֶן אֶל־אֶרֶץ יְהוּדָה Zech. 2:4

222 וְכָל־הַלְוִיִּם הַנֹּשְׂאִים אֶת־הָאָרוֹן ICh. 15:27

וְהַנֹּשְׂאִים 223 וְהַנֹּשְׂאִים בַּסֶּבֶל עֹמְשִׂים Neh. 4:11

נֹשְׂאֵי־ 224 וְנָסְעוּ...נֹשְׂאֵי הַמִּשְׁכָּן Num. 10:17

225 וְנָסְעוּ הַקְּהָתִים נֹשְׂאֵי הַמִּקְדָּשׁ Num. 10:21

226 נֹשְׂאֵי אֲרוֹן בְּרִית־יְיָ Deut. 31:25

239-227 נֹשְׂאֵי אֲרוֹן־(הָאָרוֹן) Josh. 3:8, 13, 14

3:15[2], 17; 4:9, 10, 16, 18; 8:33 • IISh. 6:13 • ICh. 15:26

240 וַיְשַׁלַּח אֶת־הָעָם נֹשְׂאֵי הַמִּנְחָה Jud. 3:18

241 וַתְּהִי מוֹאָב לְדָ׳ לַעֲבָדִים נֹשְׂאֵי מִנְחָ׳ IISh. 8:2

242 וַתְּהִי אֲרָם...לַעֲבָדִים נוֹשְׂאֵי מִנְחָ׳ IISh. 8:6

243 עֲשָׂרָה נְעָרִים נֹשְׂאֵי כְּלֵי יוֹאָב IISh. 18:15

244 הִבָּרוּ נֹשְׂאֵי כְּלֵי יְיָ Is. 52:11

245 אֲנָשִׁים נֹשְׂאֵי מָגֵן וְחֶרֶב ICh. 5:18

246 נֹשְׂאֵי צִנָּה וָרֹמַח ICh. 12:24(25)

247 וַיִּהְיוּ...עֲבָדִים לְדָוִיד נֹשְׂאֵי מִנְחָה ICh. 18:2

248 וַיְהִי...לְדָוִיד עֲבָדִים נֹשְׂאֵי מִנְחָה ICh. 18:6

249 נֹשְׂאֵי מָגֵן וְדֹרְכֵי קֶשֶׁת IICh. 14:7

נֹשְׂאוֹת 250 וְעֶשֶׂר אֲתֹנֹת נֹשְׂאֹת בָּר Gen. 45:23

251 אֳנִיּוֹת תַּרְשִׁישׁ נֹשְׂאוֹת זָהָב IICh. 9:21

נְשֻׂא־ 252 הָעָם הַיֹּשֵׁב בָּהּ נְשֻׂא עָוֹן Is. 33:24

נְשׂוּי־ 253 אַשְׁרֵי נְשׂוּי־פֶּשַׁע כְּסוּי חֲטָאָה Ps. 32:1

וּנְשֻׂא־ 254 הָיָה אִישׁ גָּדוֹל...וּנְשֻׂא פָנִים IIK. 5:1

255 שַׂר־חֲמִשִּׁים וּנְשׂוּא פָנִים Is. 3:3

256 זָקֵן וּנְשׂוּא־פָנִים Is. 9:14

257 וּנְשׂוּא פָנִים יֵשֶׁב בָּהּ Job 22:8

הַנְּשֻׂאִים 258 הַנְּשֻׂאִים מִנִּי־רָחַם Is. 46:3

אֶשָּׂא 259 אֵיכָה אֶשָּׂא לְבַדִּי טָרְחֲכֶם Deut. 1:12

260 כִּי־אֶשָּׂא אֶל־שָׁמַיִם יָדִי Deut. 32:40

261 וְאֵיךְ אֶשָּׂא פָנַי אֶל־יוֹאָב IISh. 2:22

262 אֵת אֲשֶׁר־תִּתֵּן עָלַי אֶשָּׂא IIK. 18:14

263 וַאֲנִי אֶשָּׂא וַאֲנִי אֶסְבֹּל Is. 46:4

264 הִנֵּה אֶשָּׂא אֶל־גּוֹיִם יָדִי Is. 49:22

265 עַל־הֶהָרִים אֶשָּׂא בְכִי וָנֶהִי Jer. 9:9

266 כִּי־נָשֹׂא אֶשָּׂא לָהֶם Hosh. 1:6

267 אֶטְרֹף וְאֵלֵךְ אֶשָּׂא וְאֵין מַצִּיל Hosh. 5:14

268 זַעַף יְיָ אֶשָּׂא כִּי חָטָאתִי לוֹ Mic. 7:9

269 וּבַל־אֶשָּׂא אֶת־שְׁמוֹתָם עַל־שְׂפָתָי Ps. 16:4

270 אֵלֶיךָ יְיָ נַפְשִׁי אֶשָּׂא Ps. 25:1

271 אֲבָרֶכְךָ בְחַיָּי בְּשִׁמְךָ אֶשָּׂא כַפָּי Ps. 63:5

272 כִּי־אֵלֶיךָ אֲדֹנָי נַפְשִׁי אֶשָּׂא Ps. 86:4

273 כּוֹס־יְשׁוּעוֹת אֶשָּׂא Ps. 116:13

274 אֶשָּׂא עֵינַי אֶל־הֶהָרִים Ps. 121:1

275 אֶשָּׂא כַנְפֵי־שָׁחַר Ps. 139:9

276 וְצָדַקְתִּי לֹא־אֶשָּׂא רֹאשִׁי Job 10:15

277 עַל־מָה אֶשָּׂא בְשָׂרִי בְשִׁנָּי Job 13:14

278 אַל־נָא אֶשָּׂא פְנֵי־אִישׁ Job 32:21

279 אֶשָּׂא דֵעִי לְמֵרָחוֹק Job 36:3

280 כִּי אִם־פָּנָיו אֶשָּׂא Job 42:8

281 כִּי לֹא־אֶשָּׂא אֲשֶׁר־לְךָ לַייָ ICh. 21:24

וְאֶשָּׂא 282 כִּי לֹא־אוֹיֵב יְחָרְפֵנִי וְאֶשָּׂא Ps. 55:13

283 וְאֶשָּׂא־כַפַּי אֶל־מִצְוֹתֶיךָ Ps. 119:48

וָאֶשָּׂא 284 וָאֶשָּׂא עֵינַי וָאֵרֶא Gen. 31:10

285 וָאֶשָּׂא אֶתְכֶם עַל־כַּנְפֵי נְשָׁרִים Ex. 19:4

286 שָׁמַעְתִּי בְקוֹלֵךְ וָאֶשָּׂא פָּנָיִךְ ISh. 25:35

287 וָאֶשָּׂא עֵינַי דֶּרֶךְ צָפוֹנָה Ezek. 8:5

288 וָאֶשָּׂא יָדִי לְזֶרַע בֵּית יַעֲקֹב Ezek. 20:5

289 וָאֶשָּׂא יָדִי לָהֶם לֵאמֹר... Ezek. 20:5

290 וָאֶשָּׂא אֶת־עֵינַי וָאֵרֶא Zech. 2:1

296-291 וָאֶשָּׂא (אֶת־) עֵינַי Zech. 2:5

5:1, 9; 6:1 • Dan. 8:3; 10:5

297 וָאֶשָּׂא אֶת־הַיַּיִן וָאֶתְּנָה לַמֶּלֶךְ Neh. 2:1

אֶשָּׂאֶנּוּ 298 אִם־לֹא עַל־שִׁכְמִי אֶשָּׂאֶנּוּ Job 31:36

וְאֶשָּׂאֶנּוּ 299 אַךְ זֶה חֳלִי וְאֶשָּׂאֶנּוּ Jer. 10:19

תִּשָּׂא 300 הַאַף תִּסְפֶּה וְלֹא־תִשָּׂא לַמָּקוֹם Gen. 18:24

301 לֹא תִשָּׂא אֶת־שֵׁם־יְיָ אֱלֹהֶיךָ לַשָּׁוְא Ex. 20:7

302 לֹא תִשָּׂא שֵׁמַע שָׁוְא Ex. 23:1

303 כִּי תִשָּׂא אֶת־רֹאשׁ בְּנֵי־ Ex. 30:12

304 וְעַתָּה אִם־תִּשָּׂא חַטָּאתָם Ex. 32:32

305 לֹא־תִשָּׂא פְנֵי־דָל Lev. 19:15

306 וְלֹא־תִשָּׂא עָלָיו חֵטְא Lev. 19:17

307 וְאֶת־רֹאשָׁם לֹא תִשָּׂא Num. 1:49

308 ...וְלֹא־תִשָּׂא אַתָּה לְבַדֶּךָ Num. 11:17

309 וּפֶן־תִּשָּׂא עֵינֶיךָ הַשָּׁמַיְמָה Deut. 4:19

310 לֹא תִשָּׂא אֶת־שֵׁם־יְיָ...לַשָּׁוְא Deut. 5:11

311 רַק קָדָשֶׁיךָ...תִּשָּׂא וּבָאתָ Deut. 12:26

312 וְנִפַּצְתִּים שָׁם וְאַתָּה תִשָּׂא IK. 5:23

313 וַיִּשַּׁח אָדָם...וְאַל־תִּשָּׂא לָהֶם Is. 2:9

314/5 וְאַל־תִּשָּׂא בַעֲדָם רִנָּה וּתְפִ׳ Jer. 7:16; 11:14

316 מִסְפַּר הַיָּמִים...תִּשָּׂא אֶת־עֲוֺנָם Ezek. 4:4

317 לְעֵינֵיהֶם עַל־כָּתֵף תִּשָּׂא Ezek. 12:6

318 כָּל־תִּשָּׂא עָוֹן וְקַח־טוֹב Hosh. 14:3

319 וְלַצְתָּ לְבַדְּךָ תִשָּׂא Prov. 9:12

320 וְאֶל־הֲמִיתוֹ אַל־תִּשָּׂא נַפְשֶׁךָ Prov. 19:18

321 וּמֶה לֹא־תִשָּׂא פִשְׁעִי Job 7:21

322 כִּי־אָז תִּשָּׂא פָנֶיךָ מִמּוּם Job 11:15

וְתִשָּׂא 323 וְתִשָּׂא אֶל־אֱלוֹהַּ פָּנֶיךָ Job 22:26

וַתִּשָּׂא 324/5 וַתִּשָּׂא מָרוֹם עֵינֶיךָ IIK. 19:22 • Is. 37:23

326 וַתִּשָּׂא בְרִיתִי עֲלֵי־פִיךָ Ps. 50:16

תִּשָּׂאֵנִי 327 תִּשָּׂאֵנִי אֶל־רוּחַ תַּרְכִּיבֵנִי Job 30:22

תִּשְׂאִי 328 לְמַעַן תִּשְׂאִי כְלִמָּתֵךְ Ezek. 16:54

329 וְלֹא־תִשְׂאִי עֵינַיִךְ אֲלֵיהֶם Ezek. 23:27

330 וְחֶרְפַּת עַמִּים לֹא תִשְׂאִי־עוֹד Ezek. 36:15

יִשָּׂא 331 אוּלַי יִשָּׂא פָנָי Gen. 32:20

332 יִשָּׂא פַרְעֹה אֶת־רֹאשֶׁךָ Gen. 40:13

333 יִשָּׂא פַרְעֹה אֶת־רֹאשְׁךָ מֵעָלֶיךָ Gen. 40:19

334 אֵת אֲשֶׁר־יִשָּׂא אֶת־שְׁמוֹ לַשָּׁוְא Ex. 20:7

335 כִּי לֹא יִשָּׂא לְפִשְׁעֲכֶם Ex. 23:21

336 וְאֹכְלָיו עֲוֺנוֹ יִשָּׂא Lev. 19:8

337 עֶרְוַת אֲחֹתוֹ גִּלָּה עֲוֺנוֹ יִשָּׂא Lev. 20:17

338 יִשָּׂא יְיָ פָּנָיו אֵלֶיךָ Num. 6:26

339 חֶטְאוֹ יִשָּׂא הָאִישׁ הַהוּא Num. 9:13

340 כַּאֲשֶׁר יִשָּׂא הָאֹמֵן אֶת־הַיֹּנֵק Num. 11:12

341 כַּאֲשֶׁר יִשָּׂא־אִישׁ אֶת־בְּנוֹ Deut. 1:31

342 אֵת אֲשֶׁר־יִשָּׂא אֶת־שְׁמוֹ לַשָּׁוְא Deut. 5:11

343 אֲשֶׁר לֹא־יִשָּׂא פָנִים Deut. 10:17

344 יִשָּׂא יְיָ עָלֶיךָ גּוֹי מֵרָחֹק Deut. 28:49

345 אֲשֶׁר לֹא־יִשָּׂא פָנִים לְזָקֵן Deut. 28:50

346 תֻּכּוּ לְרַגְלֶךָ יִשָּׂא מִדַּבְּרֹתֶיךָ Deut. 33:3

347 לֹא־יִשָּׂא לְפִשְׁעֲכֶם וּלְחַטֹּאותֵי׳ Josh. 24:19

348 וְלֹא־יִשָּׂא אֱלֹהִים נֶפֶשׁ IISh. 14:14

349 לֹא־יִשָּׂא גוֹי אֶל־גּוֹי חֶרֶב Is. 2:4

350 יִשָּׂא בַיּוֹם הַהוּא לֵאמֹר Is. 3:7

351 יִשָּׂא אֶת־חֵיל דַּמֶּשֶׂק... Is. 8:4

352 וּמַטֵּהוּ יִשָּׂא־עָלֶיךָ בְּדֶרֶךְ מִצְרָ׳ Is. 10:24

353 יְקַבֵּץ טְלָאִים וּבְחֵיקוֹ יִשָּׂא Is. 40:11

354 לֹא יִצְעַק וְלֹא יִשָּׂא Is. 42:2

355 וְאֶת־כֻּלָּם יִשָּׂא־רוּחַ יִקַּח־הָבֶל Is. 57:13

356 וְהַנָּשִׂיא...אֶל־כָּתֵף יִשָּׂא Ezek. 12:12

357 בֵּן לֹא־יִשָּׂא בַּעֲוֺן הָאָב Ezek. 18:20

358 וְאָב לֹא יִשָּׂא בַּעֲוֺן הַבֵּן Ezek. 18:20

359 בַּיּוֹם הַהוּא יִשָּׂא עֲלֵיכֶם מָשָׁל Mic. 2:4

360 וַיְהִי רִיב וּמָדוֹן יִשָּׂא Hab. 1:3

361 הֵן יִשָּׂא־אִישׁ...בִּכְנַף בִּגְדוֹ Hag. 2:12

362 וְהוּא־יִשָּׂא הוֹד Zech. 6:13

363 יִשָּׂא בְרָכָה מֵאֵת יְיָ Ps. 24:5

364 לֹא יִשָּׂא פְּנֵי כָל־כֹּפֶר Prov. 6:35

365 יִשָּׂא בְשִׂיחִי מִשְׁכָּבִי Job 7:13

366 טוֹב...כִּי־יִשָּׂא עֹל בִּנְעוּרָיו Lam. 3:27

367 וּמְאוּמָה לֹא־יִשָּׂא בַעֲמָלוֹ Eccl. 5:14

הֲיִשָּׂא 368 הֲיִרְצְךָ אוֹ הֲיִשָּׂא פָנֶיךָ Mal. 1:8

369 הֲיִשָּׂא מִכֶּם פָּנִים Mal. 1:9

וַיִּשָּׂא 370 וַיִּשָּׂא־לוֹט אֶת־עֵינָיו וַיַּרְא Gen. 13:10

383-371 וַיִּשָּׂא(...)עֵינָיו Gen. 18:2; 22:4, 13

24:63; 33:1, 5; 43:29 • Num. 24:2 • Josh. 5:13 • Jud. 19:17 • IISh. 13:34; 18:24 • ICh. 21:16

384 וַיִּשָּׂא עֵשָׂו קֹלוֹ וַיֵּבְךְּ Gen. 27:38

385 וַיִּשָּׂא יַעֲקֹב רַגְלָיו וַיֵּלֶךְ Gen. 29:1

386 וַיִּשָּׂא אֶת־קֹלוֹ וַיֵּבְךְּ Gen. 29:11

387 וַיִּשָּׂא אֶת־בָּנָיו וְאֶת־נָשָׁיו Gen. 31:17

388 וַיִּשָּׂא אֶת־רֹאשׁ שַׂר הַמַּשְׁקִים Gen. 40:20

389 וַיִּשָּׂא מַשְׂאֹת מֵאֵת פָּנָיו Gen. 43:34

390 וַיִּשָּׂא אֶת־הָאַרְבֶּה Ex. 10:19

391 וַיִּשָּׂא הָעָם אֶת־בְּצֵקוֹ Ex. 12:34

392 וַיִּשָּׂא אַהֲרֹן אֶת־יָדָו אֶל־הָעָם Lev. 9:22

399-393 וַיִּשָּׂא מְשָׁלוֹ וַיֹּאמַר Num. 23:7, 18

24:3, 15, 20, 21, 23

400 וַיִּשָּׂא קוֹלוֹ וַיִּקְרָא Jud. 9:7

401 וַיַּשְׁכֵּם דָּוִד...וַיִּשָּׂא וַיֵּלֶךְ ISh. 17:20

402 וַיִּשָּׂא שָׁאוּל קֹלוֹ וַיֵּבְךְּ ISh. 24:17

וַיִּשָּׂא (המשך)
403 וַיִּשָּׂא דָוִד וְהָעָם...אֶת־קוֹלָם ISh. 30:4
404 וַיִּשָּׂא הַמֶּלֶךְ אֶת־קוֹלוֹ וַיֵּבְךְּ IISh. 3:32
405 וַיִּשָּׂא הַנָּבִיא אֶת־נִבְלַת... IK. 13:29
406 וַיִּשָּׂא פָנָיו אֶל־הַחַלּוֹן וַיֹּאמֶר IIK. 9:32
407 וַיִּשָּׂא וַיִּתֵּן אֶל...לְבֻשׁ הַבַּדִּים Ezek. 10:7
408 וַיִּשָּׂא יָדוֹ לָהֶם לְהַפִּיל אוֹתָם Ps. 106:26
409 וַיִּשָּׂא יְיָ אֶת־פְּנֵי אִיּוֹב Job 42:9
410 וַיִּשָּׂא־לוֹ נָשִׁים אַרְבַּע עֶשְׂרֵה IICh. 13:21
411 וַיִּשָּׂא־לוֹ יְהוֹיָדָע נָשִׁים שְׁתָּיִם IICh. 24:3
יִשָּׂאֵנִי
412 כִּמְעַט יִשָּׂאֵנִי עֹשֵׂנִי Job 32:22
יִשָּׂאֲךָ
413 וְרוּחַ יְיָ יִשָּׂאֲךָ עַל אֲשֶׁר לֹא־אֵדָע IK. 18:12
יִשָּׂאֵהוּ
414 יִקָּחֵהוּ יִשָּׂאֵהוּ עַל־אֶבְרָתוֹ Deut. 32:11
415 יִשָּׂאֵהוּ קָדִים וְיֵלַךְ Job 27:21
וַיִּשָּׂאֵהוּ
416 וַיִּשָּׂאֵהוּ וַיְבִיאֵהוּ אֶל־אִמּוֹ IIK. 4:20
וַיִּשָּׂאֶהָ
417 וַיִּשָּׂאֶהָ וַיָּשֶׂם עַל־שִׁכְמוֹ Jud. 9:48
יִשָּׂאֶנָּה
418 וְרוּחַ נְכֵאָה מִי יִשָּׂאֶנָּה Prov. 18:14
וַיִּשָּׂאֵם
419 וַיִּשָּׂאֵם דָּוִד וַאֲנָשָׁיו IISh. 5:21
תִּשָּׂא
420 וְהַנֶּפֶשׁ הָאֹכֶלֶת מִמֶּנּוּ עֲוֹנָהּ תִּשָּׂא Lev. 7:18
421 וְהָאִשָּׁה הַהִוא תִּשָּׂא אֶת־עֲוֹנָהּ Num. 5:31
וַתִּשָּׂא
422 וַתִּשָּׂא אֶת־קֹלָהּ וַתֵּבְךְּ Gen. 21:16
423 וַתִּשָּׂא רִבְקָה אֶת־עֵינֶיהָ וַתֵּרֶא Gen. 24:64
424 וַתִּשָּׂא...אֶת־עֵינֶיהָ אֶל־יוֹסֵף Gen. 39:7
425 וַתִּשָּׂא כָּל־הָעֵדָה וַיִּתְּנוּ אֶת־קוֹלָם Num. 14:1
426 וַתִּשָּׂא אֶת־בְּנָהּ וַתֵּצֵא IIK. 4:37
427-428 וַתִּשָּׂא אֹתִי רוּחַ Ezek. 8:3; 11:1
429 וַתִּשָּׂא הָאָרֶץ מִפָּנָיו Nah. 1:5
430 וַתִּשָּׂא וַתָּבוֹא הָעִיר Ruth 2:18
431 וַתִּשָּׂא חֶסֶד לְפָנָיו Es. 2:9
432 וַתִּשָּׂא־חֵן וָחֶסֶד לְפָנָיו Es. 2:17
וַתִּשָּׂאֵנִי
433 וַתִּשָּׂאֵנִי רוּחַ וָאֶשְׁמַע אַחֲרַי... Ezek. 3:12
434 וַתִּשָּׂאֵנִי רוּחַ וַתְּבִיאֵנִי אֶל־הֶחָצֵר Ezek. 43:5
וַתִּשָּׂאֵהוּ
435 וַתִּשָּׂאֵהוּ אֹמַנְתּוֹ וַתָּנֹס IISh. 4:4
תִּשָּׂאֵם
436 וּסְעָרָה כַּקַּשׁ תִּשָּׂאֵם Is. 40:24
437 תִּזְרֵם וְרוּחַ תִּשָּׂאֵם Is. 41:16
נִשָּׂא
438 נִשָּׂא לְבָבֵנוּ אֶל־כַּפָּיִם Lam. 3:41
תִּשְׂאוּ
439 תִּשְׂאוּ אֶת־עֲוֹנֹתֵיכֶם אַרְבָּעִים שָׁנָ׳ Num. 14:34
440 תִּשְׂאוּ אֶת־עֲוֹן הַמִּקְדָּשׁ Num. 18:1
441 תִּשְׂאוּ אֶת־עֲוֹן כְּהֻנַּתְכֶם Num. 18:1
442 וְלֹא־תִשְׂאוּ עָלָיו חֵטְא Num. 18:32
443 וְאַל־תִּשְׂאוּ מַשָּׂא בְּיוֹם הַשַּׁבָּת Jer. 17:21
444 וְעֵינְכֶם תִּשְׂאוּ אֶל־גִּלּוּלֵיכֶם Ezek. 33:25
445 וּפֶרְיְכֶם תִּשְׂאוּ לְעַמִּי יִשְׂרָאֵל Ezek. 36:8
446 תִּשְׁפְּטוּ־עָוֶל וּפְנֵי רְשָׁעִים תִּשְׂאוּ Ps. 82:2
447 וּבְנֹתֵיהֶם אַל־תִּשְׂאוּ לִבְנֵיכֶם Ez. 9:12
448 וְאִם־תִּשְׂאוּ מִבְּנֹתֵיהֶם לִבְנֵיכֶם Neh. 13:25
תִּשָּׂאוּ
449 וְחֶרְפַּת עַמִּי תִּשָּׂאוּ Mic. 6:16
תִּשָּׂאוּן
450 הֲפָנָיו תִּשָּׂאוּן אִם־לָאֵל תְּרִיבוּן Job 13:8
451 אִם־בַּסֵּתֶר פָּנִים תִּשָּׂאוּן Job 13:10
תִּשֶּׂאינָה
452 וַחֲטָאֵי גִלּוּלֵיכֶן תִּשֶּׂאינָה Ezek. 23:49
יִשְׂאוּ
453 וְלֹא־יִשְׂאוּ עָוֹן וָמֵתוּ Ex. 28:43
454 וְלֹא־יִשְׂאוּ עָלָיו חֵטְא Lev. 22:9
455 הֵמָּה יִשְׂאוּ אֶת־הַמִּשְׁכָּן Num. 1:50
456 וְהֵם יִשְׂאוּ עֲוֹנָם Num. 18:23
457/8 יִשְׂאוּ שִׁבְעָה שׁוֹפְרוֹת (ה)יּוֹבְלִים Josh. 6:4,6
459 הֵמָּה יִשְׂאוּ קוֹלָם יָרֹנּוּ Is. 24:14
460 יִשְׂאוּ עַל־כֶּתֶף עֲיָרִים• חֵילֵיהֶם Is. 30:6
461 יִשְׂאוּ דְּבֶלֶת תְּאֵנִים וְיִמְרְחוּ Is. 38:21
462 יִשְׂאוּ מִדְבָּר וְעָרָיו Is. 42:11
463 וּגְמַלֵּיהֶם יִשְׂאוּ לָהֶם Jer. 49:29
464 וְלֹא־יִשְׂאוּ עוֹד כְּלִמַּת הַגּוֹיִם Ezek. 34:29
465 וְלֹא־יִשְׂאוּ עֵצִים מִן־הַשָּׂדֶה Ezek. 39:10
466 וְאֶל־עֲוֹנָם יִשְׂאוּ נַפְשׁוֹ Hosh. 4:8

יִשְׂאוּ (המשך)
467 לֹא־יִשְׂאוּ גוֹי אֶל־גּוֹי חֶרֶב Mic. 4:3
468 יִשְׂאוּ הָרִים שָׁלוֹם לָעָם Ps. 72:3
469 יִשְׂאוּ נְהָרוֹת דָּכְיָם Ps. 93:3
470 ...בְּמֹאזְנַיִם יִשְׂאוּ־יָחַד Job 6:2
471 יִשְׂאוּ כְּתֹף וְכִנּוֹר Job 21:12
472 כִּי־בוּל הָרִים יִשְׂאוּ־לוֹ Job 40:20
יִשָּׂאוּ
473 אֶת־שְׁאֵרוֹ הֶעֱרָה עֲוֹנָם יִשָּׂאוּ Lev. 20:19
474 חֶטְאָם יִשָּׂאוּ עֲרִירִים יָמֻתוּ Lev. 20:20
475 עֲבֹדַת הַקֹּדֶשׁ...בַּכָּתֵף יִשָּׂאוּ Num. 7:9
476 כֻּלָּם...זָהָב וּלְבוֹנָה יִשָּׂאוּ Is. 60:6
477 הֵמָּה כְּלִמָּתָם יִשָּׂאוּ Ezek. 36:7
478 הֲלוֹא־אֵלֶּה כֻלָּם עָלָיו מָשָׁל יִשָּׂאוּ Hab. 2:6
וַיִּשְׂאוּ
479 וַיִּרְבּוּ הַמַּיִם וַיִּשְׂאוּ אֶת־הַתֵּבָה Gen. 7:17
480 וַיִּשְׂאוּ עֵינֵיהֶם וַיִּרְאוּ Gen. 37:25
481 וַיִּשְׂאוּ אֶת־שִׁבְרָם עַל־חֲמֹרֵיהֶם Gen. 42:26
482 וַיִּשְׂאוּ בְ״י אֶת־יַעֲקֹב אֲבִיהֶם Gen. 46:5
483 וַיִּשְׂאוּ אֹתוֹ בָנָיו אַרְצָה כְּנַעַן Gen. 50:13
484 וַיִּשְׂאוּ בְנֵי־יִשְׂרָאֵל אֶת־עֵינֵיהֶם Ex. 14:10
485 וַיִּשְׂאוּ אֶת־אֲרוֹן הַבְּרִית Josh. 3:6
486 וַיִּשְׂאוּ שְׁתֵּי־עֶשְׂרֵה אֲבָנִים Josh. 4:8
487 וַיִּשְׂאוּ הַכֹּהֲנִים אֶת־אֲרוֹן יְיָ Josh. 6:12
488 וַיִּשְׂאוּ הָעָם אֶת־קוֹלָם וַיִּבְכּוּ Jud. 2:4
489 וַיִּשְׂאוּ אֹתוֹ וַיַּעֲלוּ וַיִּקְבְּרוּ אוֹתוֹ Jud. 16:31
490-493 וַיִּשְׂאוּ(...)קוֹלָם וַיִּבְכּוּ Jud. 21:2
ISh. 11:4 • IISh. 13:36 • Job 2:12
494 וַיִּשְׂאוּ נָשִׁים לְמִסְפָּרָם Jud. 21:23
495 וַיִּשְׂאוּ מִשָּׁם אֵת אֲרוֹן בְּרִית־יְיָ... ISh. 4:4
496 וַיִּשְׂאוּ אֶת־עֵינֵיהֶם וַיִּרְאוּ ISh. 6:13
497 וַיִּשְׂאוּ אֶת־עֲשָׂהאֵל וַיִּקְבְּרֻהוּ IISh. 2:32
498 וַיִּשְׁאֲבוּ־מַיִם...וַיִּשְׂאוּ וַיָּבִאוּ אֶל־דָּ׳ IISh.23:16
499 וַיִּשְׂאוּ הַכֹּהֲנִים אֶת־הָאָרוֹן IK. 8:3
500 וַיִּשְׂאוּ אֶת־אַבְנֵי הָרָמָה IK. 15:22
501 וַיִּתֵּן אֶל־שְׁנֵי נְעָרָיו וַיִּשְׂאוּ לְפָנָיו IIK. 5:23
502 וַיִּשְׂאוּ מִשָּׁם כֶּסֶף וְזָהָב וּבְגָדִים IIK. 7:8
503 וַיִּשְׂאוּ מִשָּׁם וַיֵּלְכוּ וַיַּטְמִנוּ IIK. 7:8
504 וַיִּשְׂאוּ אֹתוֹ עַל־הַסּוּסִים IIK. 14:20
505 וַיִּשְׂאוּ אֶת־נְחֻשְׁתָּם בָּבֶלָה IIK. 25:13
506 וַיִּשְׂאוּ אֶת־כָּל־נְחֻשְׁתָּם בָּבֶלָה Jer. 52:17
507/8 וַיִּשְׂאוּ הַכְּרוּבִים אֶת־כַּנְפֵיהֶם
Ezek. 10:19; 11:22
509-511 וַיִּשְׂאוּ כְלִמָּתָם אֶת־יוֹרְדֵי בוֹר
Ezek. 32:24, 25, 30
512 וַיִּשְׂאוּ אֶת־יוֹנָה וַיְטִלֻהוּ אֶל־הַיָּם Jon. 1:15
513 וַיִּשְׂאוּ אֶת־עֵינֵיהֶם מֵרָחוֹק Job 2:12
514 וַיִּשְׂאוּ לָהֶם נָשִׁים מֹאֲבִיּוֹת Ruth 1:4
515 וַיִּשְׂאוּ אֶת־רֹאשׁוֹ וְאֶת־כֵּלָיו ICh. 10:9
516 וַיִּשְׂאוּ אֶת־גּוּפַת שָׁאוּל ICh. 10:12
517 וַיִּשְׂאוּ וַיָּבִאוּ אֶל־דָּוִיד ICh. 11:18
518 וַיִּשְׂאוּ בְנֵי־הַלְוִיִּם אֵת אֲרוֹן הָאֱלֹ׳ ICh. 15:15
519 וַיִּשְׂאוּ הַלְוִיִּם אֶת־הָאָרוֹן IICh. 5:4
520 וַיִּשְׂאוּ שָׁלָל הַרְבֵּה מְאֹד IICh. 14:12
521 וַיִּשְׂאוּ אֶת־אַבְנֵי הָרָמָה IICh. 16:6
יִשָּׂאוּנְךָ
522 עַל־כַּפַּיִם יִשָּׂאוּנְךָ Ps. 91:12
יִשָּׂאֻהוּ
523 יִשָּׂאֻהוּ עַל־כָּתֵף יִסְבְּלֻהוּ Is. 46:7
וְיִשָּׂאוּהוּ
524 וְיִשָּׂאֻהוּ וִישִׁיבֻהוּ אֶל־מְקֹמוֹ IICh. 24:11
וַיִּשָּׂאוּהוּ
525 וַיִּשָּׂאֻהוּ בַמּוֹט בִּשְׁנָיִם Num. 13:23
526/7 וַיִּשָּׂאֻהוּ מִבֵּית אֲבִינָדָב IISh. 6:3, 4
528 וַיִּשָּׂאֻהוּ עַל־הַסּוּסִים IICh. 25:28
יִשָּׂאֻנוּ
529 וַעֲוֹנֵנוּ כָּרוּחַ יִשָּׂאֻנוּ Is. 64:5
יִשָּׂאוּם
530 יִשָּׂאוּם הָרָצִים וֶהֱשִׁיבוּם אֶל־תָּא IK. 14:28
531 עַל נַחַל הָעֲרָבִים יִשָּׂאוּם Is. 15:7
וַיִּשָּׂאוּם
532 וַיִּשָּׂאֻם בְּכֻתֳּנֹתָם אֶל־מִחוּץ לַמַּחֲנֶה Lev. 10:5
533 וַיִּשָּׂאוּם בְּנֵי־קִישׁ אֲחֵיהֶם ICh. 23:22
וְתִשֶּׂאנָה
534 וּתְמַהֵרְנָה וְתִשֶּׂנָה עָלֵינוּ נֶהִי Jer. 9:17
וַתִּשֶּׂאנָה
535 וַתִּשֶּׂאנָה אֶת־הָאֵיפָה Zech. 5:9
536 וַתִּשֶּׂאנָה קוֹלָן וַתִּבְכֶּינָה Ruth 1:9
537 וַתִּשֶּׂנָה קוֹלָן וַתִּבְכֶּינָה עוֹד Ruth 1:14
נְשָׂא
538 קוּמָה יְיָ אֵל נְשָׂא יָדֶךָ Ps. 10:12
שָׂא
539-541 שָׂא(־)נָא עֵינֶיךָ וּרְאֵה
Gen. 13:14; 31:12 • Zech. 5:5
542 וְעַתָּה שָׂא־נָא כֵלֶיךָ... Gen. 27:3
543 אָנָּא שָׂא נָא פֶּשַׁע אַחֶיךָ Gen. 50:17
544 שָׂא נָא לְפֶשַׁע עַבְדֵי... Gen. 50:17
545 שָׂא נָא חַטָּאתִי אַךְ הַפַּעַם Ex. 10:17
546 שָׂא אֵת רֹאשׁ מַלְקוֹחַ הַשְּׁבִי Num. 31:26
547 וְעַתָּה שָׂא נָא אֶת־חַטָּאתִי ISh. 15:25
548 שָׂא נָא לְפֶשַׁע אֲמָתֶךָ ISh. 25:28
549-550 שָׂא הַשְׁלִכֵהוּ בְּחֶלְקַת(־קָה) IIK. 9:25,26
551 שָׂא־נָא עֵינֶיךָ דֶּרֶךְ צָפוֹנָה Ezek. 8:5
552 שָׂא קִינָה אֶל־נְשִׂיאֵי יִשְׂרָאֵל Ezek. 19:1
553 שָׂא עַל־צֹר קִינָה Ezek. 27:2
554 שָׂא קִינָה עַל־מֶלֶךְ צוֹר Ezek. 28:12
555 שָׂא קִינָה עַל־פַּרְעֹה... Ezek. 32:2
וְשָׂא
556 וְשָׂא אֵת מִסְפַּר שְׁמֹתָם Num. 3:40
557 וְשָׂא עֵינֶיךָ יָמָּה וְצָפֹנָה וְתֵימָנָה Deut. 3:27
558 וְשָׂא לְכָל־חַטֹּאותָי Ps. 25:18
שָׂאֵהוּ
559 כִּי־תֹאמַר אֵלַי שָׂאֵהוּ בְחֵיקֶךָ Num. 11:12
560 וַיֹּאמֶר אֶל־הַנַּעַר שָׂאֵהוּ אֶל־אִמּוֹ IIK. 4:19
שְׂאִי
561 קוּמִי שְׂאִי אֶת־הַנַּעַר Gen. 21:18
562 וַיֹּאמֶר שְׂאִי בְנֵךְ IIK. 4:36
563/4 שְׂאִי(־)סָבִיב עֵינַיִךְ וּרְאִי Is. 49:18; 60:4
565 שְׂאִי־עֵינַיִךְ עַל־שְׁפָיִם Jer. 3:2
566 גַּם־אַתְּ שְׂאִי כְלִמָּתֵךְ Ezek. 16:52
567 וְגַם־אַתְּ שְׂאִי זִמָּתֵךְ... Ezek. 23:35
568 קוּמִי...שְׂאִי אֵלָיו כַּפַּיִךְ Lam. 2:19
וּשְׂאִי
569 וּשְׂאִי עַל־שְׁפָיִם קִינָה Jer. 7:29
570 וְגַם־אַתְּ בּוֹשִׁי וּשְׂאִי כְלִמָּתֵךְ Ezek. 16:52
שְׂאוּ
571 שְׂאוּ אֶת־אֲחֵיכֶם...מִחוּץ לַמַּחֲנֶה Lev. 10:4
572/3 שְׂאוּ אֶת־רֹאשׁ כָּל־עֲדַת בְּ״י Num. 1:2; 26:2
574/5 שְׂאוּ אֶת־אֲרוֹן הַבְּרִית Josh. 3:6; 6:6
576 שְׂאוּ־לָכֶם מִזֶּה מִתּוֹךְ הַיַּרְדֵּן Josh. 4:3
577 עַל הַר־נִשְׁפֶּה שְׂאוּ־נֵס Is. 13:2
578 שְׂאוּ־מָרוֹם עֵינֵיכֶם וּרְאוּ Is. 40:26
579 שְׂאוּ לַשָּׁמַיִם עֵינֵיכֶם... Is. 51:6
580 שְׂאוּ־נֵס צִיּוֹנָה Jer. 4:6
581 וְעַל־בֵּית הַכֶּרֶם שְׂאוּ מַשְׂאֵת Jer. 6:1
582 שְׂאוּ (כת׳ שאי) עֵינֵיכֶם וּרְאוּ• Jer. 13:20
583 אֶל־חוֹמֹת בָּבֶל שְׂאוּ־נֵס Jer. 51:12
584 שְׂאוּ־נֵס בָּאָרֶץ תִּקְעוּ שׁוֹפָר Jer. 51:27
585/6 שְׂאוּ שְׁעָרִים רָאשֵׁיכֶם Ps. 24:7, 9
587 שְׂאוּ־זִמְרָה וּתְנוּ־תֹף Ps. 81:3
588 שְׂאוּ־מִנְחָה וּבֹאוּ לְחַצְרוֹתָיו Ps. 96:8
589 שְׂאוּ־יְדֵכֶם קֹדֶשׁ וּבָרְכוּ אֶת־יְיָ Ps. 134:2
590 שְׂאוּ מִנְחָה וּבֹאוּ לְפָנָיו ICh. 16:29
וּשְׂאוּ
591 וְהַשְׁמִיעוּ וּשְׂאוּ־נֵס Jer. 50:2
592 וּשְׂאוּ פִּתְחֵי עוֹלָם Ps. 24:9
שָׂאוּנִי
593 שָׂאוּנִי וַהֲטִילֻנִי אֶל־הַיָּם Jon. 1:12
594 שָׂאוּנִי וְאָנֹכִי אֲדַבֵּר Job 21:3
וּבְהִנָּשֵׂא
595 וּבְהִנָּשֵׂא הַחַיּוֹת מֵעַל הָאָרֶץ Ezek. 1:19
וּבְהִנָּשְׂאָם
596 וּבְהִנָּשְׂאָם מֵעַל הָאָרֶץ Ezek. 1:21
נִשָּׂא נפ׳
597 אִם־נִשֵּׂאת נִשָּׂא לָנוּ IISh. 19:43
וְנִשָּׂא
598 וְנִשָּׂא־בָם אֶת־הַשֻּׁלְחָן Ex. 25:28
599 וְנִשָּׂא כָּל־אֲשֶׁר בְּבֵיתֶךָ IIK. 20:17

וְנִשָּׂא 600 וְנִשָּׂא כָּל־אֲשֶׁר בְּבֵיתֶךָ Is. 39:6
(המשיח) 601 יָרוּם וְנִשָּׂא וְגָבַהּ מְאֹד Is. 52:13
602 וְנִשָּׂא עַד־שְׁחָקִים Jer. 51:9
603 וְנִשָּׂא הֶהָמוֹן וְרָם לְבָבוֹ Dan. 11:12
נִשֵּׂאת(עבר) 604 כִּי־נִשֵּׂאת לְמַעְלָה מַלְכוּתוֹ IChr. 14:2
נִשָּׂא 605 וְעַל כָּל־נִשָּׂא וְשָׁפֵל Is. 2:12
וְנִשָּׂא 606 נָכוֹן יִהְיֶה...וְנִשָּׂא מִגְּבָעוֹת Is. 2:2
607 יֹשֵׁב עַל־כִּסֵּא רָם וְנִשָּׂא Is. 6:1
608 עַל הַר־גָּבֹהַּ וְנִשָּׂא Is. 57:7
609 רָם וְנִשָּׂא שֹׁכֵן עַד Is. 57:15
610 נָכוֹן...וְנִשָּׂא הוּא מִגְּבָעוֹת Mic. 4:1
נִשָּׂאָה 611 וְעַל כָּל־גִּבְעָה נִשָּׂאָה Is. 30:25
נִשֵּׂאת(הוה) 612 וְהִנֵּה כִּכַּר עֹפֶרֶת נִשֵּׂאת Zech. 5:7
וְהַנִּשָּׂאִים 613 אַרְזֵי הַלְּבָנוֹן הָרָמִים וְהַנִּשָּׂאִים Is. 2:13
הַנִּשָּׂאוֹת 614 וְעַל כָּל־הַגְּבָעוֹת הַנִּשָּׂאוֹת Is. 2:14
אֶנָּשֵׂא 615 עַתָּה אֵרוֹמָם עַתָּה אֶנָּשֵׂא Is. 33:10
יִנָּשֵׂא 616 כָּל־גֶּיא יִנָּשֵׂא Is. 40:4
תִּנָּשֵׂאוּ 617 עַל־צַד תִּנָּשֵׂאוּ Is. 66:12
יִנָּשְׂאוּ 618 וּבְהִנָּשֵׂא...יִנָּשְׂאוּ הָאוֹפַנִּים Ezek. 1:19
619 וְהָאוֹפַנִּים יִנָּשְׂאוּ לְעֻמָּתָם Ezek. 1:20
620 וּבְהִנָּשְׂאָם...יִנָּשְׂאוּ הָאוֹפַנִּים Ezek. 1:21
יִנָּשֵׂאוּ 621 וְעַפְעַפָּיו יִנָּשֵׂאוּ Prov. 30:13
יִנָּשׂוּא 622 נָשׂוֹא יִנָּשׂוּא כִּי־לֹא יִצְעָדוּ Jer. 10:5
תִּנָּשֶׂאנָה 623 וּבְנֹתַיִךְ עַל־כָּתֵף תִּנָּשֶׂאנָה Is. 49:22
הִנָּשֵׂא 624 הִנָּשֵׂא בְּעַבְרוֹת צוֹרְרָי Ps. 7:7
625 הִנָּשֵׂא שֹׁפֵט הָאָרֶץ Ps. 94:2
וְהִנָּשְׂאוּ 626 וְהִנָּשְׂאוּ פִּתְחֵי עוֹלָם Ps. 24:7
נִשֵּׂא פ׳ 627 וְכִי נִשֵּׂא מַמְלַכְתּוֹ בַּעֲבוּר עַמּוֹ IISh. 5:12
נִשָּׂא פ׳ 628 נִשָּׂא אֶת־שְׁלֹמֹה בַּעֲצֵי אֲרָזִים IK. 9:11
וְנִשָּׂא 629 וְנִשָּׂא אֶתְכֶם בְּצִנּוֹת Am. 4:2
נִשְּׂאוֹ 630 וְאֵת אֲשֶׁר נִשְּׂאוֹ עַל־הַשָּׂרִים Es. 5:11
וְנִשְּׂאוּ 631 וְנִשְּׂאוּ אֶת־הָעָם וְאֶת־בֵּית הָאֵל׳ Ez. 8:36
מְנַשְּׂאִים 632/3 מְנַשְּׂאִים אֶת־נַפְשָׁם לָשׁוּב Jer. 22:27; 44:14
634 מְנַשְּׂאִים אֶת־הַיְּהוּדִים Es. 9:3
וַיְנַשְּׂאֵהוּ 635 גִּדַּל...אֶת־הָמָן...וַיְנַשְּׂאֵהוּ Es. 3:1
וַיְנַשְּׂאֵם 636 וַיְנַטְּלֵם וַיְנַשְּׂאֵם כָּל־יְמֵי עוֹלָם Is. 63:9
יְנַשְּׂאוּהוּ 637 יְנַשְּׂאוּהוּ אַנְשֵׁי מְקֹמוֹ בְּכֶסֶף Ez. 1:4
וְנַשְּׂאֵם 638 וּרְעֵם וְנַשְּׂאֵם עַד־הָעוֹלָם Ps. 28:9
הִתְנַשֵּׂא 639 מַמְלָכָה שְׁפָלָה לְבִלְתִּי הִתְנַשֵּׂא Ezek. 17:14
בְהִתְנַשֵּׂא 640 אִם־נָבַלְתָּ בְהִתְנַשֵּׂא Prov. 30:32
מִתְנַשֵּׂא 641 וַאֲדֹנִיָּה...מִתְנַשֵּׂא לֵאמֹר אֲנִי אֶמְלֹךְ IK. 1:5
וְהַמִּתְנַשֵּׂא 642 וְהַמִּתְנַשֵּׂא לְכֹל לְרֹאשׁ IChr. 29:11
יִתְנַשָּׂא 643 כְּלָבִיא יָקוּם וְכַאֲרִי יִתְנַשָּׂא Num. 23:24
וַיִּנַּשֵּׂא 644 וַיִּנַּשֵּׂא לְעֵינֵי כָּל־הַגּוֹיִם IIChr. 32:23
תִתְנַשֵּׂא 645 וְלֹא תִתְנַשֵּׂא עוֹד עַל־הַגּוֹיִם Ezek. 29:15
וְתִנַּשֵּׂא 646 וְיָרֹם מֵאֲגַג מַלְכּוֹ וְתִנַּשֵּׂא מַלְכֻתוֹ Num. 24:7
תִּתְנַשְּׂאוּ 647 וּמַדּוּעַ תִּתְנַשְּׂאוּ עַל־קְהַל יְיָ Num. 16:3
יִנַּשְּׂאוּ 648 פָּרִיצֵי עַמְּךָ יִנַּשְּׂאוּ לְהַעֲמִיד חָזוֹן Dan. 11:14
וְהִשִּׂיאוּ 649 וְהִשִּׂיאוּ אוֹתָם עֲוֹן אַשְׁמָה Lev. 22:16
650 וְהִשִּׂיאוּ...אֶל־הָעִיר הַהִיא חֲבָל׳ IISh. 17:13

נְשָׂא

פ׳ ארמית א) נשא, הרים: 1, 2
ב) [אִתְפְּ׳ אִתְנַשָּׂא] התנשא: 3

וּנְשָׂא 1 וּנְשָׂא הִמּוֹן רוּחָא Dan. 2:35
שֵׂא 2 שֵׂא אֵזֶל־אֲחֵת הִמּוֹ בְּהֵיכְלָא Ez. 5:15
מִתְנַשְּׂאָה 3 מִן־יוֹמָת עָלְמָא עַל־מַלְכִין מִתְנַשְּׂאָה Ez. 4:19

נשא

א) נָשָׁא; מַשָּׁא
ב) נָשָׁא, הִשָּׁא; מַשָּׁאָה, מַשָּׁאוֹן

נָשָׁא¹

פ׳ צורת־משנה של נָשָׁה:
א) שכח: 1
ב) תבע חוב, דרש: 2-5

נָשָׁא 1 לָכֵן הִנְנִי וְנָשִׁיתִי אֶתְכֶם נָשֹׁא Jer. 23:39
וְנָשָׁא 2/3 וְנָשָׁא־בוֹ אָלָה לְהַאֲלֹתוֹ IK. 8:31 • IIChr. 6:22
נֹשֵׁא 4 וְכָל־אִישׁ אֲשֶׁר־לוֹ נֹשֵׁא ISh. 22:2
5 כַּנֹּשֶׁה כַּאֲשֶׁר נֹשֵׁא בוֹ Is. 24:2

נָשָׁא²

נפ׳ א) התפתה לרע: 1
ב) [הִפ׳ הִשִּׁיא] הסית, פתה: 2-16

קרובים: הִדִּיחַ (נדח) / הֵסִית (סות) / פִּתָּה

הִשִּׁיא (אֶת־) 4-7, 10, 12-15; הִשִּׁיא לְ־ 16,9,8,3,2

נִשְּׁאוּ 1 נוֹאֲלוּ שָׂרֵי צֹעַן נִשְּׁאוּ שָׂרֵי נֹף Is. 19:13
הַשֵּׁא 2 אָכֵן הַשֵּׁא הִשֵּׁאתָ לָעָם הַזֶּה Jer. 4:10
הִשֵּׁאתָ 3 אָכֵן הַשֵּׁא הִשֵּׁאתָ לָעָם הַזֶּה Jer. 4:10
הִשִּׁיא 4 תִּפְלַצְתְּךָ הִשִּׁיא אֹתָךְ זְדוֹן לִבֶּךָ Jer. 49:16
הִשִּׁיאַנִי 5 הַנָּחָשׁ הִשִּׁיאַנִי וָאֹכֵל Gen. 3:13
הִשִּׁיאֶךָ 6 זְדוֹן לִבְּךָ הִשִּׁיאֶךָ Ob. 3
הִשִּׁיאוּךָ 7 הִשִּׁיאוּךָ יָכְלוּ לְךָ אַנְשֵׁי שְׁלֹמֶךָ Ob. 7
יַשִּׁיא 8/9 אַל־יַשִּׁא לָכֶם חִזְקִיָּהוּ IIK. 18:29 • Is. 36:14
10 יַשִּׁיא מָוֶת (כת׳ ישימות) עָלֵימוֹ... Ps. 55:16
11 לֹא־יַשִּׁא אוֹיֵב בּוֹ... Ps. 89:23
12 אַל־יַשִּׁיא אֶתְכֶם חִזְקִיָּהוּ IIChr. 32:15
יַשִּׁאֲךָ 13/4 אַל־יַשִּׁאֲךָ אֱלֹהֶיךָ... IIK. 19:10 • Is. 37:10
תַּשִּׁאוּ 15 אַל־תַּשִּׁאוּ נַפְשֹׁתֵיכֶם לֵאמֹר Jer. 37:9
יַשִּׁיאוּ 16 אַל־יַשִּׁיאוּ לָכֶם נְבִיאֵיכֶם Jer. 29:8

נַשֵּׂאת

נ׳ מַשְׂאֵת, תרומה(?)

נִשֵּׂאת 1 הֶאָכוֹל אָכַלְנוּ...אִם־נִשֵּׂא נִשָּׂא לָנוּ IISh. 19:43

נָשַׁב

פ׳ א) נפח: 1
ב) [הִפ׳ הִשִּׁיב] הפיח, הזרים רוח: 2, 3

קרובים: נפח / נשף

נָשְׁבָה 1 כִּי רוּחַ יְיָ נָשְׁבָה בּוֹ Is. 40:7
יַשֵּׁב 2 יַשֵּׁב רוּחוֹ יִזְּלוּ־מָיִם Ps. 147:18
וַיַּשֵּׁב 3 וַיֵּרֶד הָעַיִט...וַיַּשֵּׁב אֹתָם אַבְרָם Gen. 15:11

(נשג) הִשִּׂיג

הפ׳ א) הדביק, הגיע עד־ (גם בהשאלה): 1-5, 8-16, 18-27, 36, 38-47, 50-56
ב) [הִשִּׂיגָה יָדוֹ] היה ביכלתו: 6,7,17,28-35,37
ג) [הִשִּׂיג גְּבוּל] הסיג, הזיז: 45

הַשֵּׂג 1 הַשֵּׂג תַּשִּׂיג וְהַצֵּל תַּצִּיל ISh. 30:8
וְהִשַּׂגְתָּם 2 קוּם רְדֹף אַחֲרֵי הָאֲנָשִׁים וְהִשַּׂגְתָּם Gen. 44:4
וְהִשִּׂיג 3 וְהִשִּׂיג לָכֶם דַּיִשׁ אֶת־בָּצִיר Lev. 26:5
וְהִשִּׂיגוֹ 4 פֶּן־יִרְדֹּף גֹּאֵל הַדָּם...וְהִשִּׂיגוֹ Deut. 19:6
וְהִשִּׂגֵנוּ 5 פֶּן־יְמַהֵר וְהִשִּׂגֵנוּ... IISh. 15:14
הִשִּׂיגָה 6 אוֹ־הִשִּׂיגָה יָדוֹ וְנִגְאָל Lev. 25:49
וְהִשִּׂיגָה 7 וְהִשִּׂיגָה יָדוֹ וּמָצָא כְּדֵי גְאֻלָּתוֹ Lev. 25:26
הִשִּׂיגוּ 8 וְלֹא הִשִּׂיגוּ אֶת־יְמֵי שְׁנֵי חַיֵּי אֲבֹתַי Gen. 47:9
9 אַךְ דְּבָרַי...הֲלוֹא הִשִּׂיגוּ אֲבֹתֵיכֶם Zech. 1:6
הִשִּׂיגוּנִי 10 אָפְפוּ־עָלַי רָעוֹת...הִשִּׂיגוּנִי עֲוֹנֹתַי Ps. 40:13
וְהִשִּׂיגֻךָ 11 וּבָאוּ...כָּל־הַבְּרָכוֹת...וְהִשִּׂיגֻךָ Deut. 28:2
12 וּבָאוּ...כָּל־הַקְּלָלוֹת...וְהִשִּׂיגוּךָ Deut. 28:15
13 וּרְדָפוּךָ וְהִשִּׂיגוּךָ עַד הִשָּׁמְדָךְ Deut. 28:45
הִשִּׂיגוּהָ 14 כָּל־רֹדְפֶיהָ הִשִּׂיגוּהָ בֵּין הַמְּצָרִים Lam. 1:3
מַשִּׂיג 15 וְאֵין־מַשִּׂיג יָדוֹ אֶל־פִּיו ISh. 14:26
מַשִּׂיגֵהוּ 16 מַשִּׂיגֵהוּ חֶרֶב בְּלִי תָקוּם Job 41:18
מַשֶּׂגֶת 17 וְאִם־דַּל הוּא וְאֵין יָדוֹ מַשֶּׂגֶת Lev. 14:21
לְמַשֶּׂגֶת 18 וְחֶרֶב אוֹיְבֶיךָ לְמַשֶּׂגֶת IChr. 21:12
אַשִּׂיג 19 אֶרְדֹּף אַשִּׂיג אֲחַלֵּק שָׁלָל Ex. 15:9
הַאַשִּׂגֶנּוּ 20 אֶרְדֹּף אַחֲרֵי הַגְּדוּד־הַזֶּה הַאַשִּׂגֶנּוּ ISh. 30:8
וְאַשִּׂיגֵם 21 אֶרְדּוֹף אוֹיְבַי וְאַשִּׂיגֵם Ps. 18:38
תַּשִּׂיג 22 הַשֵּׂג תַּשִּׂיג וְהַצֵּל תַּצִּיל ISh. 30:8
יַשִּׂיג 23 וּבָצִיר יַשִּׂיג אֶת־זָרַע Lev. 26:5
וְיַשֵּׂג 24 וְיַשֵּׂג וְיִרְמֹס לָאָרֶץ חַיָּי Ps. 7:6
וַיַּשֵּׂג 25 וַיַּשֵּׂג לָבָן אֶת־יַעֲקֹב Gen. 31:25
יַשִּׂיגֵם 26 וַחֲרוֹן אַפְּךָ יַשִּׂיגֵם Ps. 69:25
וַיַּשִּׂגֵם 27 וַיַּשִּׂגֵם וַיְדַבֵּר אֲלֵהֶם Gen. 44:6
תַּשִּׂיג 28 וְאִם־לֹא תַשִּׂיג יָדוֹ לִשְׁתֵּי תֹרִים Lev. 5:11
29 וּשְׁתֵּי תֹרִים...אֲשֶׁר תַּשִּׂיג יָדוֹ Lev. 14:22
30-35 תַּשִּׂיג יָדוֹ (יָד...) Lev. 14:30, 31, 32
25:47; 27:8 • Num. 6:21
36 וְהָיְתָה הַחֶרֶב...שָׁם תַּשִּׂיג אֶתְכֶם Jer. 42:16
37 וְאֵיפָה לַפָּר כַּאֲשֶׁר תַּשִּׂיג יָדוֹ Ezek. 46:7
38 וְרִדְּפָה...וְלֹא־תַשִּׂיג אֹתָם Hosh. 2:9
תַּשִּׂיגֵהוּ 39 תַּשִּׂיגֵהוּ כַמַּיִם בַּלָּהוֹת Job 27:20
תַשִּׂיגֵנוּ 40 וְלֹא תַשִּׂיגֵנוּ צְדָקָה Is. 59:9
תַּשִּׂיגֵם 41 לֹא־תַשִּׂיגֵם בַּגִּבְעָה מִלְחָמָה Hosh. 10:9
תַּשִּׂיגוּם 42 רִדְפוּ מַהֵר אַחֲרֵיהֶם כִּי תַשִּׂיגוּם Josh. 2:5
יַשִּׂיגוּ 43 שָׂשׂוֹן וְשִׂמְחָה יַשִּׂיגוּ Is. 35:10
44 וְלֹא־יַשִּׂיגוּ אָרְחוֹת חַיִּים Prov. 2:19
45 גְּבֻלוֹת יַשִּׂיגוּ עֵדֶר גָּזְלוּ וַיִּרְעוּ Job 24:2
יַשִּׂיגוּן 46 שָׂשׂוֹן וְשִׂמְחָה יַשִּׂיגוּן Is. 51:11
וַיַּשִּׂיגוּ 47 וַיַּשִּׂיגוּ אוֹתָם חֹנִים עַל־הַיָּם Ex. 14:9
48 וַיַּשִּׂגוּ אֹתוֹ בְּעַרְבוֹת יְרֵחוֹ IIK. 25:5
49 וַיַּשִּׂגוּ אֶת־צִדְקִיָּהוּ בְּעַרְבוֹת יְרֵחוֹ Jer. 39:5
50 וַיַּשִּׂיגוּ אֶת־צִדְקִיָּהוּ בְּעַרְבֹת יְרֵחוֹ Jer. 52:8

נְשַׁדְּנוּ

(מיכה ב4) – עיין שדד

נשה

א) נָשָׁה, נָשָׁה נפ׳, נָשָׁה פ׳, הִשָּׁה; נְשִׁי, נְשִׁיָּה; ש־פ יְשִׁיָּה, מְנַשֶּׁה
ב) נָשָׁה, הִשָּׁה; נוֹשֶׁה, מַשֶּׁה

נָשָׁה¹

פ׳ א) שכח: 1-3
ב) [נפ׳ נִשָּׁה] נשכח: 4
ג) [פ׳ נִשָּׁה] השכיח: 5
ד) [הפ׳ הִשָּׁה] השכיח, החסיר: 6, 7

נָשִׁיתִי 1 וַתִּזְנַח מִשָּׁלוֹם נַפְשִׁי נָשִׁיתִי טוֹבָה Lam. 3:17
וְנָשִׁיתִי 2 לָכֵן הִנְנִי וְנָשִׁיתִי אֶתְכֶם נָשֹׁא Jer. 23:39
תֶּשִׁי 3 צוּר יְלָדְךָ תֶּשִׁי Deut. 32:18
תִנָּשֵׁנִי 4 אַתָּה יִשְׂרָאֵל לֹא תִנָּשֵׁנִי Is. 44:21
נַשַּׁנִי 5 כִּי־נַשַּׁנִי אֱלֹהִים אֶת־כָּל־עֲמָלִי Gen. 41:51
הִשָּׁהּ 6 כִּי־הִשָּׁהּ אֱלוֹהַּ חָכְמָה Job 39:17
יַשֶּׁה 7 כִּי־יַשֶּׁה לְךָ אֱלוֹהַּ מֵעֲוֹנֶךָ Job 11:6

נָשָׁה²

פ׳ א) תבע חוב: 1-11
ב) [הפ׳ הִשָּׁה] כנ״ל: 13

נָשָׁה בּ־ 1-3, 7-10; הִשָּׁה בּ־ 12, 13

נָשִׁיתִי 1 לֹא־נָשִׁיתִי וְלֹא־נָשׁוּ־בִי Jer. 15:10
נָשׁוּ 2 לֹא־נָשִׁיתִי וְלֹא־נָשׁוּ־בִי Jer. 15:10
נֹשֶׁה 3 וְהָאִישׁ אֲשֶׁר אַתָּה נֹשֶׁה בוֹ Deut. 24:11
4 יְנַקֵּשׁ נוֹשֶׁה לְכָל־אֲשֶׁר־לוֹ Ps. 109:11
וְהַנֹּשֶׁה 5 וְהַנֹּשֶׁה בָּא לָקַחַת...לַעֲבָדִים IIK. 4:1
כְּנֹשֶׁה 6 לֹא־תִהְיֶה לוֹ כְּנֹשֶׁה Ex. 22:24
כַּנֹּשֶׁה 7 כַּנֹּשֶׁה כַּאֲשֶׁר נֹשֵׁא בוֹ Is. 24:2
נֹשִׁים 8 מַשָּׁא אִישׁ־בְּאָחִיו אַתֶּם נֹשִׁים (כת׳ נשאים) Neh. 5:7
9 נֹשִׁים בָּהֶם כֶּסֶף וְדָגָן Neh. 5:10
10 אֲשֶׁר אַתֶּם נֹשִׁים בָּהֶם Neh. 5:11
מִנּוֹשַׁי 11 מִי מִנּוֹשַׁי אֲשֶׁר־מָכַרְתִּי אֶתְכֶם לוֹ Is. 50:1
תַשֶּׁה 12 כִּי־תַשֶּׁה בְרֵעֲךָ מַשַּׁאת מְאוּמָה Deut. 24:10
יַשֶּׁה 13 שָׁמוֹט...אֲשֶׁר יַשֶּׁה בְּרֵעֵהוּ Deut. 15:2

נָשֶׁה

ז׳ גִּיד הַנָּשֶׁה, עֲצַב השת: 1, 2

הַנָּשֶׁה 1-2 עַל־כֵּן לֹא־יֹאכְלוּ בְ־יִ׳ אֶת־גִּיד הַנָּשֶׁה...
כִּי נָגַע בְּכַף־יֶרֶךְ יַעֲקֹב בְּגִיד הַנָּשֶׁה Gen. 32:32

נְשׂוּאָה* נ׳ מַשָּׂא, מִטְעָן

נְשׂוּאֹתֵיכֶם 1 נְשֻׂאֹתֵיכֶם עֲמוּסוֹת מַשָּׂא לַעֲיֵפָה — Is. 46:1

נְשִׁי* ז׳ חוֹב

נִשְׁיֵךְ 1 מִכְרִי...וְשַׁלְּמִי אֶת־נִשְׁיֵךְ (כת׳ נשיכי) — IIK. 4:7

נָשִׂיא1 ז׳ ראש שבט, ראש עדה, מושל, מלך וכד׳: 1-129

קרובים: ראה נָגִיד

– נְשִׂיא אֱלֹהִים 69; נ׳ הָאָרֶץ 70; נ׳ בֵּית אָב 72, 78, 79, 81; נ׳ בְּנֵי יְהוּדָה 77; נְשִׂיא יִשְׂרָאֵל 74; נ׳ יִשָּׂשכָר 71; נ׳ מִדְיָן 73; נְשִׂיא רֹאשׁ 75, 76

– נְשִׂיאֵי הָאָבוֹת 113, 121; נ׳ הָאָרֶץ 119; נ׳ הַיָּם 117; נְשִׂיאֵי יִשְׂרָאֵל 104, 106, 114-116, 120, 122-123; נ׳ הַלֵּוִי 103; נ׳ מִדְיָן 112; נ׳ מַטּוֹת 102, 105; נְשִׂיאֵי הָעֵדָה 101, 107-111, 124, 125; נְשִׂיאֵי קֵדָר 118

נָשִׂיא 1 אֲשֶׁר נָשִׂיא יֶחֱטָא...וְאָשֵׁם — Lev. 4:22
2-3 נָשִׂיא אֶחָד לַיּוֹם — Num. 7:11²
4 נָשִׂיא לִבְנֵי זְבוּלֻן — Num. 7:24
5 נָשִׂיא לִבְנֵי רְאוּבֵן — Num. 7:30
6-13 נָשִׂיא לִבְנֵי... — Num.7:36,42,48,54,60,66,72,78
14 אִישׁ אֶחָד...כֹּל נָשִׂיא בָהֶם — Num. 13:2
15 וְנָשִׂיא אֶחָד נָשִׂיא אֶחָד מִמַּטֶּה — Num. 34:18
16 וּלְמַטֵּה בְנֵי־דָן נָשִׂיא... — Num. 34:22
17-22 (ו)לְמַטֵּה בְנֵי...נָשִׂיא... — Num. 34:23, 24, 34:25, 26, 27, 28
23/4 נָשִׂיא אֶחָד נָשִׂיא אֶחָד לְבֵית אָב — Josh. 22:14
25 כִּי נָשִׂיא אֲשִׁתֶנּוּ כֹּל יְמֵי חַיָּיו — IK. 11:34
26 וְעַבְדִּי דָוִד נָשִׂיא בְתוֹכָם — Ezek. 34:24
27 וְדָוִד עַבְדִּי נָשִׂיא לָהֶם לְעוֹלָם — Ezek. 37:25
28 נָשִׂיא הוּא יֵשֶׁב־בּוֹ לֶאֱכָל־לֶחֶם — Ezek. 44:3
29 הוּא נָשִׂיא לָראוּבֵנִי — ICh. 5:6
30 וּלְכָל נָשִׂיא לְכָל־יִשְׂרָאֵל — IICh. 1:2
וְנָשִׂיא 31 וְנָשִׂיא בְעַמְּךָ לֹא תָאֹר — Ex. 22:27
32 וְנָשִׂיא לִבְנֵי יְהוּדָה — Num. 2:3
33-43 וְנָשִׂיא לִבְנֵי... — Num. 2:5, 7, 10, 2:12, 14, 18, 20, 22, 25, 27, 29
44 וְנָשִׂיא אֶחָד נָשִׂיא אֶחָד מִמַּטֶּה — Num. 34:18
45 וְנָשִׂיא יִלְבַּשׁ שְׁמָמָה — Ezek. 7:27
46 וְנָשִׂיא מֵאֶרֶץ־מִצְ׳ לֹא יִהְיֶה־עוֹד — Ezek. 30:13
הַנָּשִׂיא 47 הַנָּשִׂיא הַמַּשָּׂא הַזֶּה בִּירוּשָׁלִַם — Ezek. 12:10
48 אֶת־הַנָּשִׂיא נָשִׂיא הוּא יֵשֶׁב־בּוֹ — Ezek. 44:3
49 וְעַל־הַנָּשִׂיא יִהְיֶה הָעוֹלוֹת — Ezek. 45:17
50 וְעָשָׂה הַנָּשִׂיא בַּיּוֹם הַהוּא — Ezek. 45:22
51 וּבָא הַנָּשִׂיא דֶּרֶךְ אוּלָם הַשַּׁעַר — Ezek. 46:2
52 וְהָעֹלָה אֲשֶׁר־יַקְרִב הַנָּשִׂיא לַיְיָ — Ezek. 46:4
53 הַנָּשִׂיא דֶּרֶךְ אוּלָם הַשַּׁעַר יָבוֹא — Ezek. 46:8
54 וְכִי־יַעֲשֶׂה הַנָּשִׂיא נְדָבָה — Ezek. 46:12
55 כִּי־יִתֵּן הַנָּשִׂיא מַתָּנָה — Ezek. 46:16
56 וְלֹא־יִקַּח הַנָּשִׂיא מִנַּחֲלַת הָעָם — Ezek. 46:18
57 וַיִּסְפְּרֵם לְשֵׁשְׁבַּצַּר הַנָּשִׂיא לִיהוּדָה — Ez. 1:8
וְהַנָּשִׂיא 58 וְהַנָּשִׂיא אֲשֶׁר־בְּתוֹכָם — Ezek. 12:12
59 וְהַנָּשִׂיא בְּתוֹכָם בְּבוֹאָם יָבוֹא — Ezek. 46:10
לְנָשִׂיא 1/60 מַטֶּה לְנָשִׂיא אֶחָד — Num. 17:21²
לַנָּשִׂיא 62 הַתְּרוּמָה הַזֹּאת לַנָּשִׂיא בְּיִשְׂרָאֵל — Ezek. 45:16
63 וְכִי־יִתֵּן מַתָּנָה...וְשָׁבַת לַנָּשִׂיא — Ezek. 46:17
64 וְהַנּוֹתָר לַנָּשִׂיא מִזֶּה וּמִזֶּה — Ezek. 48:21
65 לְעֻמַּת חֲלָקִים לַנָּשִׂיא — Ezek. 48:21
66 וּמֵאֲחֻזַּת הַלְוִיִּם...לַנָּשִׂיא יִהְיֶה — Ezek. 48:22
67 בֵּין גְּבוּל יְהוּדָה...לַנָּשִׂיא יִהְיֶה — Ezek. 48:22
וְלַנָּשִׂיא 68 וְלַנָּשִׂיא מִזֶּה וּמִזֶּה לִתְרוּמַת הַקֹּדֶשׁ — Ezek. 45:7
נְשִׂיא־ 69 נְשִׂיא אֱלֹהִים אַתָּה בְּתוֹכֵנוּ — Gen. 23:6

נְשִׂיא־ (המשך) 70 בֶּן־חֲמוֹר הַחִוִּי נְשִׂיא הָאָרֶץ — Gen. 34:2
71 נְתַנְאֵל...נְשִׂיא יִשָּׂשכָר — Num. 7:18
72 נְשִׂיא בֵית־אָב לַשִּׁמְעֹנִי — Num. 25:14
73 כָּזְבִּי בַת־נְשִׂיא מִדְיָן — Num. 25:18
74 חָלָל רָשָׁע נְשִׂיא יִשְׂרָאֵל — Ezek. 21:30
75/6 נְשִׂיא רֹאשׁ מֶשֶׁךְ וְתֻבָל — Ezek. 38:2; 39:1
77 אֶת־נַחְשׁוֹן נְשִׂיא בְּנֵי יְהוּדָה — ICh. 2:10
וּנְשִׂיא־ 78 וּנְשִׂיא בֵית־אָב לַגֵּרְשֻׁנִּי — Num. 3:24
79 וּנְשִׂיא בֵ־אָב לְמִשְׁפְּחֹת הַקְּהָתִי — Num. 3:30
80 וּנְשִׂיא נְשִׂיאֵי הַלֵּוִי אֶלְעָזָר... — Num. 3:32
81 וּנְשִׂיא בֵית־אָב לְמִשְׁפְּחֹת מְרָרִי — Num. 3:35
נְשִׂיאִם 82 שְׁנֵים־עָשָׂר נְשִׂיאִם יוֹלִיד — Gen. 17:20
83 שְׁנֵים־עָשָׂר נְשִׂיאִם לְאֻמֹּתָם — Gen. 25:16
84 וַעֲשָׂרָה נְשִׂאִים עִמּוֹ — Josh. 22:14
85 אֵלֶּה...נְשִׂיאִים בְּמִשְׁפְּחוֹתָם — ICh. 4:38
הַנְּשִׂאִים 86 אַהֲרֹן וְכָל־הַנְּשִׂאִים בָּעֵדָה — Ex. 34:31
87 עֲגָלָה עַל־שְׁנֵי הַנְּשִׂאִים — Num. 7:3
88 וַיַּקְרִיבוּ הַנְּשִׂאִים אֵת חֲנֻכַּת... — Num. 7:10
89 וַיַּקְרִיבוּ הַנְּשִׂיאִם אֶת־קָרְבָּנָם — Num. 7:10
90 וְנוֹעֲדוּ אֵלֶיךָ הַנְּשִׂיאִים — Num. 10:4
91 וְלִפְנֵי הַנְּשִׂיאִם וְכָל־הָעֵדָה — Num. 27:2
92 לִפְנֵי מֹשֶׁה וְלִפְנֵי הַנְּשִׂאִים — Num. 36:1
93 וַיִּלֹּנוּ כָל־הָעֵדָה עַל־הַנְּשִׂיאִים — Josh. 9:18
94 וַיֹּאמְרוּ כָל־הַנְּשִׂיאִים — Josh. 9:19
95 וַיֹּאמְרוּ אֲלֵיהֶם הַנְּשִׂיאִים יִחְיוּ — Josh. 9:21
96 כַּאֲשֶׁר דִּבְּרוּ לָהֶם הַנְּשִׂיאִים — Josh. 9:21
97 לִפְנֵי אֶלְעָזָר...וְלִפְנֵי הַנְּשִׂיאִים — Josh. 17:4
98 גִּבּוֹרֵי חֲיָלִים רָאשֵׁי הַנְּשִׂיאִים — ICh. 7:40
וְהַנְּשִׂאִים 99 וְהַנְּשִׂאִם הֵבִיאוּ אֵת אַבְנֵי הַשֹּׁהַם — Ex. 35:27
100 וַיָּשָׁב פִּינְחָס...וְהַנְּשִׂיאִים — Josh. 22:32
נְשִׂיאֵי־ 101 וַיָּבֹאוּ כָּל־נְשִׂיאֵי הָעֵדָה — Ex. 16:22
102 אֵלֶּה...נְשִׂיאֵי מַטּוֹת אֲבוֹתָם — Num. 1:16
103 וּנְשִׂיא נְשִׂיאֵי הַלֵּוִי אֶלְעָזָר... — Num. 3:32
104 וַיַּקְרִיבוּ נְשִׂיאֵי יִשְׂרָאֵל — Num. 7:2
105 הֵם נְשִׂיאֵי הַמַּטֹּת — Num. 7:2
106 מֵאֵת נְשִׂיאֵי יִשְׂרָאֵל — Num. 7:84
107 נְשִׂיאֵי עֵדָה קְרִאֵי מוֹעֵד — Num. 16:2
108 מֹשֶׁה...וְכָל־נְשִׂיאֵי הָעֵדָה — Num. 31:13
109-111 נְשִׂיאֵי הָעֵדָה — Num. 32:2 • Josh. 9:15, 18
112 אֹתוֹ וְאֶת־נְשִׂיאֵי מִדְיָן — Josh. 13:21
113 נְשִׂיאֵי הָאָבוֹת לִבְנֵי יִשְׂרָאֵל — IK. 8:1
114 שָׂא קִינָה אֶל־נְשִׂיאֵי יִשְׂרָאֵל — Ezek. 19:1
115 הִיא בְּכָל־נְשִׂיאֵי יִשְׂרָאֵל — Ezek. 21:17
116 נְשִׂיאֵי יִשְׂ׳ אִישׁ לִזְרֹעוֹ הָיוּ בָךְ — Ezek. 22:6
117 וְיָרְדוּ...כֹּל נְשִׂיאֵי הַיָּם — Ezek. 26:16
118 עֲרַב וְכָל־נְשִׂיאֵי קֵדָר — Ezek. 27:21
119 וְדַם־נְשִׂיאֵי הָאָרֶץ תִּשְׁתּוּ — Ezek. 39:18
120 רַב־לָכֶם נְשִׂיאֵי יִשְׂרָאֵל — Ezek. 45:9
121 נְשִׂיאֵי הָאָבוֹת לִבְנֵי יִשְׂרָאֵל — IICh. 5:2
וּנְשִׂיאֵי־ 122/3 מֹשֶׁה וְאַ׳ וּנְשִׂיאֵי יִשְׂרָאֵל — Num. 1:44; 4:46
124 מֹשֶׁה וְאַהֲרֹן וּנְשִׂיאֵי הָעֵדָה — Num. 4:34
125 פִּינְחָס הַכֹּהֵן וּנְשִׂיאֵי הָעֵדָה — Josh. 22:30
נְשִׂיאַי 126 וְלֹא־יוֹנוּ עוֹד נְשִׂיאַי אֶת־עַמִּי — Ezek. 45:8
נְשִׂיאֶיהָ 127 שָׁמָּה אֱדוֹם מְלָכֶיהָ וְכָל־נְשִׂיאֶיהָ — Ezek. 32:29
נְשִׂיאֵהֶם 128 כָּל־נְשִׂיאֵהֶם לְבֵית אֲבֹתָם — Num. 17:17
129 וַיִּתְּנוּ אֵלָיו כָּל־נְשִׂיאֵיהֶם — Num. 17:21

נְשִׂיאִים2 ז״ר עַנְנֵי גֶשֶׁם: 1-4

נְשִׂאִים 1 וַיַּעֲלֶה נְשִׂאִים מִקְצֵה אָרֶץ° — Jer. 10:13
2 וַיַּעַל נְשִׂאִים מִקְצֵה־אָרֶץ — Jer. 51:16
3 מַעֲלֶה נְשִׂאִים מִקְצֵה הָאָרֶץ — Ps. 135:7
4 נְשִׂיאִים וְרוּחַ וְגֶשֶׁם אָיִן — Prov. 25:14

נְשִׁיָּה נ׳ שִׁכְחָה

נְשִׁיָּה 1 הֲיִוָּדַע...וְצִדְקָתְךָ בְּאֶרֶץ נְשִׁיָּה — Ps. 88:13

נָשִׁים נ״ר – עיין אִשָּׁה

נְשִׁין נ״ר ארמית: נָשִׁים

נְשֵׁיהוֹן 1 רְמוֹ אִנּוּן בְּנֵיהוֹן וּנְשֵׁיהוֹן — Dan. 6:25

נְשִׁיקָה* נ׳ מַגָּע אוֹ מְצִיצָה בִּשְׂפָתַיִם: 1, 2

נְשִׁיקוֹת פֶּה 2; נְשִׁיקוֹת שׂוֹנֵא 1

נְשִׁיקוֹת־ 1 וְנַעְתָּרוֹת נְשִׁיקוֹת שׂוֹנֵא — Prov. 27:6
מִנְּשִׁיקוֹת־ 2 יִשָּׁקֵנִי מִנְּשִׁיקוֹת פִּיהוּ — S.ofS. 1:2

נשך : נָשַׁךְ, נֶשֶׁךְ, הִשִּׁיךְ; נֶשֶׁךְ

נָשַׁךְ פָּ׳ א) נָעַץ שִׁנָּיו: 1
ב) [בהשאלה] לקח נֶשֶׁךְ, עָשַׁק: 9
ג) [פִּ׳ נִשֵּׁךְ] נָשַׁךְ: 12, 13
ד) [הִפ׳ הִשִּׁיךְ] הלוה בְּנֶשֶׁךְ: 14-16

נָשַׁךְ 1 וְהָיָה אִם־נָשַׁךְ הַנָּחָשׁ — Num. 21:9
וּנְשָׁכוֹ 2 וְסָמַךְ יָדוֹ עַל־הַקִּיר וּנְשָׁכוֹ הַנָּחָשׁ — Am. 5:19
וּנְשָׁכָם 3 מִשָּׁם אֲצַוֶּה אֶת־הַנָּחָשׁ וּנְשָׁכָם — Am. 9:3
הַנֹּשֵׁךְ 4 הַנֹּשֵׁךְ עִקְּבֵי־סוּס — Gen. 49:17
הַנֹּשְׁכִים 5 הַנֹּשְׁכִים בְּשִׁנֵּיהֶם וְקָרְאוּ שָׁלוֹם — Mic. 3:5
נֹשְׁכֶיךָ 6 הֲלוֹא פֶתַע יָקוּמוּ נֹשְׁכֶיךָ — Hab. 2:7
הַנָּשׁוּךְ 7 וְהָיָה כָּל־הַנָּשׁוּךְ וְרָאָה אֹתוֹ וָחָי — Num. 21:8
יִשֹּׁךְ 8 אִם־יִשֹּׁךְ הַנָּחָשׁ בְּלוֹא־לָחַשׁ — Eccl. 10:11
יִשָּׁךְ 9 כָּל־דָּבָר אֲשֶׁר יִשָּׁךְ — Deut. 23:20
10 אַחֲרִיתוֹ כְּנָחָשׁ יִשָּׁךְ — Prov. 23:32
יִשְּׁכֶנּוּ 11 וּפֹרֵץ גָּדֵר יִשְּׁכֶנּוּ נָחָשׁ — Eccl. 10:8
וְנִשְּׁכוּ 12 מְשַׁלֵּחַ בָּכֶם נְחָשִׁים...וְנִשְּׁכוּ אֶתְכֶם — Jer. 8:17
וַיְנַשְּׁכוּ 13 וַיְשַׁלַּח יְיָ בָּעָם...וַיְנַשְּׁכוּ אֶת־הָעָם — Num. 21:6
תַשִּׁיךְ 14 לֹא־תַשִּׁיךְ לְאָחִיךָ נֶשֶׁךְ כֶּסֶף — Deut. 23:20
15/6 לַנָּכְרִי תַשִּׁיךְ וּלְאָחִיךָ לֹא תַשִּׁיךְ — Deut. 23:21

נֶשֶׁךְ ז׳ רִבִּית: 1-12

נֶשֶׁךְ וְתַרְבִּית 2-4,7-9; נֶשֶׁךְ אֹכֶל 11; נֶשֶׁךְ כֶּסֶף 10

נֶשֶׁךְ 1 לֹא־תְשִׂימוּן עָלָיו נֶשֶׁךְ — Ex. 22:24
2 אַל־תִּקַּח מֵאִתּוֹ נֶשֶׁךְ וְתַרְבִּית — Lev. 25:36
3 נֶשֶׁךְ וְתַרְבִּית לֹא לָקָח — Ezek. 18:17
4 נֶשֶׁךְ וְתַרְבִּית לָקַחַתְּ — Ezek. 22:12
בְּנֶשֶׁךְ 5 אֶת־כַּסְפְּךָ לֹא־תִתֵּן לוֹ בְּנֶשֶׁךְ — Lev. 25:37
6 כַּסְפּוֹ לֹא־נָתַן בְּנֶשֶׁךְ — Ps. 15:5
7 מַרְבֶּה הוֹנוֹ בְּנֶשֶׁךְ וְתַרְבִּית° — Prov. 28:8
בַּנֶּשֶׁךְ 8 בַּנֶּשֶׁךְ לֹא־יִתֵּן וְתַרְבִּית לֹא יִקָּח — Ezek. 18:8
9 בַּנֶּשֶׁךְ נָתַן וְתַרְבִּית לָקָח — Ezek. 18:13
נֶשֶׁךְ־ 10-12 לֹא־תַשִּׁיךְ לְאָחִיךָ נֶשֶׁךְ כֶּסֶף נֶשֶׁךְ אֹכֶל
נֶשֶׁךְ כָּל־דָּבָר אֲשֶׁר יִשָּׁךְ — Deut. 23:20

נִשְׁכָּה נ׳ לִשְׁכָּה: 1-3

נִשְׁכָּה 1 לַעֲשׂוֹת לוֹ נִשְׁכָּה בְּחַצְרֵי בֵּית הָאֱ׳ — Neh. 13:7
נִשְׁכָּתוֹ 2 אַחֲרָיו הֶחֱזִיק...נֶגֶד נִשְׁכָּתוֹ — Neh. 3:30
הַנְּשָׁכוֹת 3 וַיִּפָּקְדוּ...אֲנָשִׁים עַל־הַנְּשָׁכוֹת — Neh. 12:44

נשל : נָשַׁל, נִשַּׁל; שַׁל(?)

נָשַׁל פָּ׳ א) הִפִּיל, הֵסִיר, הִרְחִיק: 1, 2, 5, 6
ב) נָפַל: 3, 4
ג) [פִּ׳ נִשֵּׁל] גֵּרַשׁ: 7

וְנָשַׁל 1 וְנָשַׁל גּוֹיִם־רַבִּים מִפָּנֶיךָ — Deut. 7:1
2 וְנָשַׁל...אֶת־הַגּוֹיִם הָאֵל מִפָּנֶיךָ — Deut. 7:22
3 וְנָשַׁל הַבַּרְזֶל מִן־הָעֵץ — Deut. 19:5
יִשַּׁל 4 וְשֶׁמֶן לֹא תָסוּךְ כִּי יִשַּׁל זֵיתֶךָ — Deut. 28:40

שַׁל 5 שַׁל־נְעָלֶיךָ מֵעַל רַגְלֶיךָ Ex. 3:5
6 שַׁל־נַעַלְךָ מֵעַל רַגְלֶךָ Josh. 5:15
וַיְנַשֵּׁל 7 וַיְנַשֵּׁל אֶת־הַיְּהוּדִים מֵאֵילוֹת IIK. 16:6

נשם : נָשַׁם; נְשָׁמָה

נָשַׁם פ׳ נשף רוח (גם בהשאלה): 1-7
אֶשֹּׁם 1 אֶשֹּׁם וְאֶשְׁאַף יָחַד Is. 42:14
יִשֹּׁם 2 כָּל־עֹבֵר עָלָיו יִשֹּׁם וְשָׁרָק IK. 9:8
3 יִשֹּׁם וְיָנִיד בְּרֹאשׁוֹ Jer. 18:16
4 יִשֹּׁם וְיִשְׁרֹק עַל־כָּל־מַכֹּתֶהָ Jer. 19:8
5/6 יִשֹּׁם וְיִשְׁרֹק עַל־כָּל־מַכּוֹתֶ(י)הָ Jer. 49:17; 50:13
7 וְהַבַּיִת...לְכָל־עֹבֵר עָלָיו יִשֹּׁם IICh. 7:21

נִשְׁמָא* נ׳ ארמית: נשמה ; נִשְׁמְתָא=הנשמה
נִשְׁמְתָךְ 1 וְלֵאלָהָא דִּי־נִשְׁמְתָךְ בִּידֵהּ... Dan. 5:23

נְשָׁמָה נ׳ א) רוח החיים בכל חי: 5-8, 11, 12, 14, 17-22, 24
ב) [בהשאלה] כל יצור חי: 1-4, 9, 10
ג) נשיבה, מפח רוח: 13, 18-21
קרובים: נֶפֶשׁ / רוּחַ

נִשְׁמַת אָדָם 14; נִשְׁמַת אֵל 21; נ׳ אֱלוֹהַּ 20; נ׳ חַיִּים 11; נ׳ יְיָ 13; נ׳ מִי 15; נ׳ רוּחַ 12, 18, 19; נִשְׁמַת שַׁדַּי 16, 17

נְשָׁמָה 1 לֹא תְחַיֶּה כָּל־נְשָׁמָה Deut. 20:16
2 לֹא נוֹתַר כָּל־נְשָׁמָה Josh. 11:11
3 לֹא הִשְׁאִירוּ כָּל־נְשָׁמָה Josh. 11:14
4 לֹא־הִשְׁאִיר כָּל־נְשָׁמָה לְיָרָבְעָם IK. 15:29
5 לֹא־נוֹתְרָה־בּוֹ נְשָׁמָה IK. 17:17
6 מִן־הָאָדָם אֲשֶׁר נְשָׁמָה בְּאַפּוֹ Is. 2:22
7 נֹתֵן נְשָׁמָה לָעָם עָלֶיהָ Is. 42:5
וּנְשָׁמָה 8 וּנְשָׁמָה לֹא נִשְׁאֲרָה־בִי Dan. 10:17
הַנְּשָׁמָה 9 וְאֵת כָּל־הַנְּשָׁמָה הֶחֱרִים Josh. 10:40
10 כֹּל הַנְּשָׁמָה תְּהַלֵּל יָהּ Ps. 150:6
נִשְׁמַת־ 11 וַיִּפַּח בְּאַפָּיו נִשְׁמַת חַיִּים Gen. 2:7
12 כֹּל אֲשֶׁר נִשְׁמַת־רוּחַ בְּאַפָּיו Gen. 7:22
13 נִשְׁמַת יְיָ כְּנַחַל גָּפְרִית בֹּעֲרָה בָּהּ Is. 30:33
14 נֵר יְיָ נִשְׁמַת אָדָם Prov. 20:27
וְנִשְׁמַת־ 15 וְנִשְׁמַת־מִי יָצְאָה מִמֶּךָּ Job 26:4
16 וְנִשְׁמַת שַׁדַּי תְּבִינֵם Job 32:8
17 וְנִשְׁמַת שַׁדַּי תְּחַיֵּנִי Job 33:4
מִנִּשְׁמַת־ 18 בְּגַעֲרַת יְיָ מִנִּשְׁמַת רוּחַ אַפּוֹ IISh. 22:16
19 מִגַּעֲרָתְךָ יְיָ מִנִּשְׁמַת רוּחַ אַפֶּךָ Ps. 18:16
20 מִנִּשְׁמַת אֱלוֹהַּ יֹאבֵדוּ Job 4:9
21 מִנִּשְׁמַת־אֵל יִתֶּן־קָרַח Job 37:10
נִשְׁמָתִי 22 כִּי־כָל־עוֹד נִשְׁמָתִי בִי Job 27:3
וְנִשְׁמָתוֹ 23 רוּחוֹ וְנִשְׁמָתוֹ אֵלָיו יֶאֱסֹף Job 34:14
וּנְשָׁמוֹת 24 רוּחַ מִלְּפָנַי...וּנְשָׁמוֹת אֲנִי עָשִׂיתִי Is. 57:16

נַשַּׁנִי (בראשית מא51) – עין נשה

נָשַׁסּוּ (זכריה יד2) – עין שסס

נשף : נָשַׁף; נֶשֶׁף

נָשַׁף פ׳ נָשַׁם, הוציא רוח: 1, 2
נָשַׁפְתָּ 1 נָשַׁפְתָּ בְרוּחֲךָ כִּסָּמוֹ יָם Ex. 15:10
נָשַׁף 2 וְגַם נָשַׁף בָּהֶם וַיִּבָשׁוּ Is. 40:24

נֶשֶׁף ז׳ א) ערב: 1, 4-7, 11, 12
ב) השעות המאוחרות של הלילה, קודם זריחת השמש: 3, 8, 10
ג) חושך: 2, 9
קרובים: אֹפֶל / אֲפֵלָה / חֹשֶׁךְ / לַיְלָה / עֲלָטָה / עֶרֶב

נֶשֶׁף חִשְׁקִי 11; הָרֵי נֶשֶׁף 2; כּוֹכְבֵי נֶשֶׁף 12

נֶשֶׁף 1 וְעֵין נֹאֵף שָׁמְרָה נֶשֶׁף Job 24:15
נָשֶׁף 2 יִתְנַגְּפוּ רַגְלֵיכֶם עַל־הָרֵי נָשֶׁף Jer. 13:16
3 וְשָׂבַעְתִּי נְדֻדִים עֲדֵי־נָשֶׁף Job 7:4
בְּנֶשֶׁף 4 בְּנֶשֶׁף־בְּעֶרֶב יוֹם Prov. 7:9
בַּנֶּשֶׁף 5 וַיָּקֻמוּ בַנֶּשֶׁף לָבוֹא אֶל־מַחֲנֵה אֲרָם IIK. 7:5
6 וַיָּקוּמוּ וַיָּנוּסוּ בַנֶּשֶׁף IIK. 7:7
7 מְאַחֲרֵי בַנֶּשֶׁף יַיִן יַדְלִיקֵם Is. 5:11
8 קִדַּמְתִּי בַנֶּשֶׁף וָאֲשַׁוֵּעָה Ps. 119:14
כַּנֶּשֶׁף 9 כָּשַׁלְנוּ בַצָּהֳרַיִם כַּנֶּשֶׁף Is. 59:10
מֵהַנֶּשֶׁף 10 מֵהַנֶּשֶׁף וְעַד־הָעֶרֶב לְמָחֳרָתָם ISh. 30:17
נֶשֶׁף־ 11 אֵת נֶשֶׁף חִשְׁקִי שָׂם לִי לַחֲרָדָה Is. 21:4
נִשְׁפּוֹ 12 יֶחְשְׁכוּ כּוֹכְבֵי נִשְׁפּוֹ Job 3:9

נִשְׁפֶּה ת׳ תָּלוּל וְחָלָק [עין גם שפה]
1 עַל הַר־נִשְׁפֶּה שְׂאוּ נֵס Is. 13:2

(נשק) נָשַׂק נפ׳ א) נדלק, הוצת: 1
ב) [הפ׳ הִשִּׂיק] הדליק: 2, 3
נִשְּׂקָה 1 וְאֵשׁ נִשְּׂקָה בְיַעֲקֹב Ps. 78:21
יַשִּׂיק 2 אַף־יַשִּׂיק וְאָפָה לָחֶם Is. 44:15
וְהִשִּׂיקוּ 3 וּבִעֲרוּ וְהִשִּׂיקוּ בְּנֶשֶׁק וּמָגֵן Ezek. 39:9

נשק : א) נָשַׁק, נִשֵּׁק; נְשִׁיקָה·
ב) נוֹשֵׁק; נֶשֶׁק

נָשַׁק1 פ׳ א) הצמיד שפתיו אל אחר לאות אהבה: 1-4, 6-26
ב) [בהשאלה] התלכד: 5
ג) [פ׳ נִשֵּׁק] כנ"ל: 27-31
ד) [הפ׳ הִשִּׁיק] נגע, דבק: 32

נָשַׁק אֶת־ 7, 18-20, 24, 26; נָשַׁק לְ־ 1-4, 6, 10-17, 21-23, 25; נִשֵּׁק לְ־ 27-30; נִשֵּׁק (אֶת־) 31; הִשִּׁיק אֶל־ 32

לִנְשֹׁק־ 1 וַתֹּאחֶז...בִּזְקַן עֲמָשָׂא לִנְשָׁק־לוֹ IISh. 20:9
נָשַׁק 2 וְכָל־הַפֶּה אֲשֶׁר לֹא־נָשַׁק לוֹ IK. 19:18
וְנָשַׁק 3 וְהֶחֱזִיק לוֹ וְנָשַׁק לוֹ IISh. 15:5
וְנָשְׁקָה 4 וְהֶחֱזִיקָה בּוֹ וְנָשְׁקָה לּוֹ Prov. 7:13
נָשָׁקוּ 5 צֶדֶק וְשָׁלוֹם נָשָׁקוּ Ps. 85:11
אֶשְּׁקָה 6 אֶשְּׁקָה־נָּא לְאָבִי וּלְאִמִּי IK. 19:20
אֶשָּׁקְךָ 7 אֶמְצָאֲךָ בַחוּץ אֶשָּׁקְךָ S.ofS. 8:1
יִשַּׁק 8 וְעַל־פִּיךָ יִשַּׁק כָּל־עַמִּי Gen. 41:40
יִשָּׁק 9 שְׂפָתַיִם יִשָּׁק מֵשִׁיב דְּבָרִים נְכֹחִים Prov. 24:26
וַיִּשַּׁק 10 וַיִּגַּשׁ וַיִּשַּׁק־לוֹ Gen. 27:27
11 וַיִּשַּׁק יַעֲקֹב לְרָחֵל Gen. 29:11
12 וַיִּשַּׁק לָהֶם וַיְחַבֵּק לָהֶם Gen. 48:10
13 וַיֵּבְךְּ עָלָיו וַיִּשַּׁק־לוֹ Gen. 50:1
14 וַיֵּלֶךְ וַיִּפְגְּשֵׁהוּ...וַיִּשַּׁק־לוֹ Ex. 4:27
15 וַיִּשְׁתַּחוּ וַיִּשַּׁק־לוֹ Ex. 18:7
16 וַיִּשַּׁק הַמֶּלֶךְ לְאַבְשָׁלוֹם IISh. 14:33
17 וַיִּשַּׁק הַמֶּלֶךְ לְבַרְזִלַּי וַיְבָרְכֵהוּ IISh. 19:40
יִשָּׁקֵנִי 18 יִשָּׁקֵנִי מִנְּשִׁיקוֹת פִּיהוּ S.ofS. 1:2
וַיִּשָּׁקֵהוּ 19 וַיִּפֹּל עַל־צַוָּארָו וַיִּשָּׁקֵהוּ Gen. 33:4
20 וַיִּצֹק עַל־רֹאשׁוֹ וַיִּשָּׁקֵהוּ ISh. 10:1
וַתִּשַּׁק 21 וַיִּפְתְּ בַּסֵּתֶר לִבִּי וַתִּשַּׁק יָדִי לְפִי Job 31:27
22 וַתִּשַּׁק לָהֶן וַתִּשֶּׂאנָה קוֹלָן Ruth 1:9
23 וַתִּשַּׁק עָרְפָּה לַחֲמוֹתָהּ Ruth 1:14
וַיִּשְּׁקוּ 24 וַיִּשְּׁקוּ אִישׁ אֶת־רֵעֵהוּ ISh. 20:41
יִשָּׁקוּן 25 זֹבְחֵי אָדָם עֲגָלִים יִשָּׁקוּן Hosh. 13:2
וּשְׁקָה 26 גְּשָׁה־נָּא וּשְׁקָה־לִּי בְּנִי Gen. 27:26
לְנַשֵּׁק 27 וְלֹא נְטַשְׁתַּנִי לְנַשֵּׁק לְבָנַי וְלִבְנֹתָי Gen. 31:28
וַיְנַשֵּׁק 28 וַיְנַשֵּׁק לְבָנָיו וְלִבְנוֹתָיו Gen. 31:55
29 וַיְנַשֵּׁק לְכָל־אֶחָיו וַיֵּבְךְּ עֲלֵהֶם Gen. 45:15
וַיְנַשֶּׁק־ 30 וַיְחַבֶּק־לוֹ וַיְנַשֶּׁק־לוֹ Gen. 29:13
נַשְּׁקוּ 31 נַשְּׁקוּ־בַר פֶּן־יֶאֱנַף Ps. 2:12
מַשִּׁיקוֹת 32 כַּנְפֵי...מַשִּׁיקוֹת אִשָּׁה אֶל־אֲחוֹתָהּ Ezek. 3:13

נָשַׁק2 פ׳ [בינוני נֹשֵׁק] חוגר נשק – עין נושק

נֶשֶׁק ז׳ שם כולל לכלי מלחמה: 1-10

נֶשֶׁק בֵּית הַיַּעַר 9; נ׳ בַּרְזֶל 10; יוֹם נֶשֶׁק 2

נֶשֶׁק 1 כְּלֵי כֶסֶף...נֵשֶׁק וּבְשָׂמִים IICh. 9:24
נָשֶׁק 2 סַכֹּתָה לְרֹאשִׁי בְּיוֹם נָשֶׁק Ps. 140:8
3 יֵצֵא לִקְרַאת־נָשֶׁק Job 39:21
וָנֶשֶׁק 4 כְּלֵי־כֶסֶף...וְנֵשֶׁק וּבְשָׂמִים IK. 10:25
הַנֶּשֶׁק 5 מִנֶּגֶד עֲלֹת הַנֶּשֶׁק הַמִּקְצֹעַ Neh. 3:19
וְהַנָּשֶׁק 6 הָרֶכֶב וְהַסּוּסִים וְעִיר מִבְצָר וְהַנָּשֶׁק IIK. 10:2
בְּנֶשֶׁק 7 וְהִשִּׂיקוּ בְּנֶשֶׁק וּמָגֵן וְצִנָּה Ezek. 39:9
בַּנֶּשֶׁק 8 כִּי בַנֶּשֶׁק יְבַעֲרוּ־אֵשׁ Ezek. 39:10
נֶשֶׁק־ 9 וַתַּבֵּט...אֶל־נֶשֶׁק בֵּית הַיָּעַר Is. 22:8
מִנֵּשֶׁק־ 10 יִבְרַח מִנֵּשֶׁק בַּרְזֶל Job 20:24

נֶשֶׁר ז׳ מגדולי העופות הדורסים: 1-26
קרובים: אַיָּה / דַּיָּה / נֵץ / עָזְנִיָּה / עַיִט / פֶּרֶס / רָאָה / רָחָם / תַּחְמָס

בְּנֵי נֶשֶׁר 4; דֶּרֶךְ נֶשֶׁר 9; פְּנֵי נֶשֶׁר 1, 3; כַּנְפֵי נְשָׁרִים 22; נִשְׁרֵי שָׁמַיִם 26

נֶשֶׁר 1 וּפְנֵי־נֶשֶׁר לְאַרְבַּעְתָּן Ezek. 1:10
2 וַיְהִי נֶשֶׁר־אֶחָד גָּדוֹל Ezek. 17:7
נָשֶׁר 3 וְהָרְבִיעִי פְּנֵי־נָשֶׁר Ezek. 10:14
4 וְיֹאכְלוּהָ בְנֵי־נָשֶׁר Prov. 30:17
5 אִם־עַל־פִּיךָ יַגְבִּיהַּ נָשֶׁר Job 39:27
הַנֶּשֶׁר 6 אֶת־הַנֶּשֶׁר וְאֶת־הַפֶּרֶס Lev. 11:13
7 הַנֶּשֶׁר וְהַפֶּרֶס וְהָעָזְנִיָּה Deut. 14:12
8 הַנֶּשֶׁר הַגָּדוֹל גְּדוֹל הַכְּנָפַיִם Ezek. 17:3
9 דֶּרֶךְ הַנֶּשֶׁר בַּשָּׁמַיִם Prov. 30:19
הַנָּשֶׁר 10 יִשָּׂא יְיָ...כַּאֲשֶׁר יִדְאֶה הַנָּשֶׁר Deut. 28:49
כְּנֶשֶׁר 11 כְּנֶשֶׁר יָעִיר קִנּוֹ Deut. 32:11
12 יָעֻפוּ כְּנֶשֶׁר חָשׁ לֶאֱכוֹל Hab. 1:8
13 כְּנֶשֶׁר יָעוּף הַשָּׁמָיִם Prov. 23:5
14 כְּנֶשֶׁר יָטוּשׂ עֲלֵי־אֹכֶל Job 9:26
כַּנֶּשֶׁר 15 הִנֵּה כַנֶּשֶׁר יִדְאֶה וּפָרַשׂ כְּנָפָיו Jer. 48:40
16 כִּי־תַגְבִּיהַּ כַּנֶּשֶׁר קִנֶּךָ Jer. 49:16
17 כַּנֶּשֶׁר יַעֲלֶה וְיִדְאֶה וְיִפְרֹשׂ כְּנָפָיו Jer. 49:22
18 (?)אֶל־חִכְּךָ שֹׁפָר כַּנֶּשֶׁר עַל־בֵּית יְיָ Hosh. 8:1
19 אִם־תַּגְבִּיהַּ כַּנֶּשֶׁר Ob. 4
20 הַרְחִבִי קָרְחָתֵךְ כַּנֶּשֶׁר Mic. 1:16
21 תִּתְחַדֵּשׁ כַּנֶּשֶׁר נְעוּרָיְכִי Ps. 130:5
נְשָׁרִים 22 וָאֶשָּׂא אֶתְכֶם עַל־כַּנְפֵי נְשָׁרִים Ex. 19:4
כַּנְּשָׁרִים 23 יַעֲלוּ אֵבֶר כַּנְּשָׁרִים Is. 40:31
מִנְּשָׁרִים 24 מִנְּשָׁרִים קַלּוּ מֵאֲרָיוֹת גָּבֵרוּ IISh. 1:23
25 קַלּוּ מִנְּשָׁרִים סוּסָיו Jer. 4:13
מִנִּשְׁרֵי־ 26 קַלִּים הָיוּ רֹדְפֵינוּ מִנִּשְׁרֵי שָׁמָיִם Lam. 4:19

נְשַׁר ז׳ ארמית: נֶשֶׁר: 1, 2
נְשַׁר 1 וְגַפִּין דִּי־נְשַׁר לַהּ Dan. 7:4
כְּנִשְׁרִין 2 עַד דִּי שַׂעְרֵהּ כְּנִשְׁרִין רְבָה Dan. 4:30

נָשַׁת פ׳ א) יבש, חרב: 1, 2
ב) [נפ׳ נִשַּׁת] כנ"ל: 3

נָשְׁתָה גְבוּרָתוֹ 1; נָשַׁתָּה לְשׁוֹנוֹ 2; נִשְּׁתוּ מַיִם 3

נָשְׁתָה 1 נָשְׁתָה גְבוּרָתָם הָיוּ לְנָשִׁים Jer. 51:30
נָשָׁתָּה 2 לְשׁוֹנָם בַּצָּמָא נָשָׁתָּה Is. 41:17
וְנִשְּׁתוּ 3 וְנִשְּׁתוּ־מַיִם מֵהַיָּם Is. 19:5

נִשְׁתְּוָן ז׳ אגרת: 1, 2
הַנִּשְׁתְּוָן 1 וּכְתָב הַנִּשְׁתְּוָן כָּתוּב אֲרָמִית Ez. 4:7
2 וְזֶה פַּרְשֶׁגֶן הַנִּשְׁתְּוָן Ez. 7:11

נִשְׁתְּוָנָא
ז׳ ארמית: נִשְׁתְּוָן, אגרת: 1-3

נִשְׁתְּוָנָא 1 נִשְׁתְּוָנָא דִּי שְׁלַחְתּוּן עֲלֶינָא — Ez. 4:18
2 מִן־דִּי פַּרְשֶׁגֶן נִשְׁתְּוָנָא — Ez. 4:23
3 יְתִיבוּן נִשְׁתְּוָנָא עַל־דְּנָה — Ez. 5:5

נָתוּן
ת׳ - עין נָתַן

נָתוּק
ת׳ שנעקרו קשרי אשכיו [עין עוד נָתַק]

וְנָתוּק 1 וּמָעוּךְ וְכָתוּת וְנָתוּק וְכָרוּת — Lev. 22:24

נתח : נִתַּח; נֵתַח

נִתַּח
פ׳ חָתַךְ, גָּזַר: 1-9

קרובים: בָּתַר / בִּתֵּר / גָּזַר / כָּרַת / פִּלַּח / שִׁסַּע

נִתַּח 1 וְאֶת־הָאַיִל נִתַּח לִנְתָחָיו — Lev. 8:20
וְנִתַּח 2 וְהִפְשִׁיט...וְנִתַּח אֹתָהּ לִנְתָחֶיהָ — Lev. 1:6
3 וְנִתַּח אֹתוֹ לִנְתָחָיו — Lev. 1:12
וָאֲנַתְּחֶהָ 4 וָאֹחֵז בְּפִילַגְשִׁי וָאֲנַתְּחֶהָ — Jud. 20:6
תְּנַתֵּחַ 5 וְאֶת־הָאַיִל תְּנַתֵּחַ לִנְתָחָיו — Ex. 29:17
וַיְנַתַּח 6 וַיְנַתַּח אֶת־הַפָּר — IK. 18:33
וַיְנַתְּחֵהוּ 7 וַיִּקַּח צֶמֶד בָּקָר וַיְנַתְּחֵהוּ — ISh. 11:7
וַיְנַתְּחֶהָ 8 וַיַּחֲזֵק בְּפִילַגְשׁוֹ וַיְנַתְּחֶהָ לַעֲצָמֶיהָ — Jud. 19:29
וִינַתְּחֻהוּ 9 וְיִבְחֲרוּ לָהֶם הַפָּר הָאֶחָד וִינַתְּחֻהוּ — IK. 18:23

נֵתַח
ז׳ חתיכה: 1-13

קרובים: בֶּתֶר / גֶּזֶר / פֶּלַח / שֶׁסַע

נֵתַח 1 כָּל־נֵתַח טוֹב יָרֵךְ וְכָתֵף — Ezek. 24:4
נְתָחִים 2 וַיְנַתְּחֶהָ...לִשְׁנֵים עָשָׂר נְתָחִים — Jud. 19:29
הַנְּתָחִים 3 אֵת הַנְּתָחִים אֶת־הָרֹאשׁ וְאֶת־הַפָּדֶר — Lev. 1:8
4 אֶת־הָרֹאשׁ וְאֶת־הַנְּתָחִים — Lev. 8:20
נְתָחָיו 5 וְנָתַתָּ עַל־נְתָחָיו וְעַל־רֹאשׁוֹ — Ex. 29:17
לִנְתָחָיו 6 וְאֶת־הָאַיִל תְּנַתֵּחַ לִנְתָחָיו — Ex. 29:17
7 וְנִתַּח אֹתוֹ לִנְתָחָיו — Lev. 1:12
8 וְאֶת־הָאַיִל נִתַּח לִנְתָחָיו — Lev. 8:20
נְתָחֶיהָ 9 אֱסֹף נְתָחֶיהָ אֵלֶיהָ — Ezek. 24:4
לִנְתָחֶיהָ 10 וְהִפְשִׁיט...וְנִתַּח אֹתָהּ לִנְתָחֶיהָ — Lev. 1:6
11 וְאֶת־הָעֹלָה הִמְצִיאוּ...לִנְתָחֶיהָ — Lev. 9:13
12/3 לִנְתָחֶיהָ לִנְתָחֶיהָ הוֹצִיאָהּ — Ezek. 24:6

נָתִיב
ז׳ שְׁבִיל, דרך (גם בהשאלה): 1-5

קרובים: אֹרַח / דֶּרֶךְ / מְסִלָּה / מַסְלוּל / מִשְׁעוֹל / נְתִיבָה / שְׁבִיל

נְתִיב מִצְוֹת 5; יָאִיר נָתִיב 4; פִּלֵּס נָתִיב 1

נָתִיב 1 יְפַלֵּס נָתִיב לְאַפּוֹ — Ps. 78:50
2 וּמַלְכֻּדְתּוֹ עֲלֵי נָתִיב — Job 18:10
3 נָתִיב לֹא־יְדָעוֹ עָיִט — Job 28:7
4 אַחֲרָיו יָאִיר נָתִיב — Job 41:24
בִּנְתִיב־ 5 הַדְרִיכֵנִי בִּנְתִיב מִצְוֹתֶיךָ — Ps. 119:35

נְתִיבָה
נ׳ נתיב: 1-21 • קרובים: ראה נָתִיב

– דֶּרֶךְ נְתִיבָה 2; בֵּית נְתִיבוֹת 10; הוֹלְכֵי נ׳ 7; נְתִיבוֹת בֵּיתוֹ 13; נ׳ מִשְׁפָּט 12; נ׳ עוֹלָם 14
– נָתַס נְתִיבָה 4; עִוָּה נ׳ 16; שׁוֹבֵב נְתִיבוֹת 8

נְתִיבָה 1 בַּיָּם דָּרֶךְ וּבְמַיִם עַזִּים נְתִיבָה — Is. 43:16
2 וְדֶרֶךְ נְתִיבָה אַל־מָוֶת — Prov. 12:28
נְתִיבָתִי 3 וְאַתָּה יָדַעְתָּ נְתִיבָתִי — Ps. 142:4
4 נָתְסוּ נְתִיבָתִי לְהַוָּתִי יֹעִילוּ — Job 30:13
לִנְתִיבָתִי 5 נֵר־לְרַגְלִי...וְאוֹר לִנְתִיבָתִי — Ps. 119:105
מִנְּתִיבָתָם 6 מְנַע רַגְלְךָ מִנְּתִיבָתָם — Prov. 1:15
נְתִיבוֹת 7 וְהֹלְכֵי נְתִיבוֹת יֵלְכוּ אֳרָחוֹת עֲקַלְקַלּוֹת — Jud. 5:6
נְתִיבוֹת 8 מְשֹׁבֵב נְתִיבוֹת לָשָׁבֶת — Is. 58:12
(המשך) 9 לָלֶכֶת נְתִיבוֹת דֶּרֶךְ לֹא סְלוּלָה — Jer. 18:15
10 בֵּית נְתִיבוֹת נִצָּבָה — Prov. 8:2
בִּנְתִיבוֹת 11 בִּנְתִיבוֹת לֹא־יָדְעוּ אַדְרִיכֵם — Is. 42:16
נְתִיבוֹת־ 12 בְּתוֹךְ נְתִיבוֹת מִשְׁפָּט — Prov. 8:20
13 וְכִי תָבִין נְתִיבוֹת בֵּיתוֹ — Job 38:20
לִנְתִיבוֹת־ 14 וְשַׁאֲלוּ לִנְתִבוֹת עוֹלָם — Jer. 6:16
נְתִיבוֹתַי 15 וְעַל־נְתִיבוֹתַי חֹשֶׁךְ יָשִׂים — Job 19:8
16 גָּדַר דְּרָכַי בְּגָזִית נְתִיבֹתַי עִוָּה — Lam. 3:9
בִּנְתִיבוֹתָיו 17 וְלֹא יָשְׁבוּ בִּנְתִיבֹתָיו — Job 24:13
נְתִיבוֹתֶיהָ 18 וְכָל־נְתִיבוֹתֶיהָ שָׁלוֹם — Prov. 3:17
וּנְתִיבוֹתֶיהָ 19 וּנְתִיבוֹתֶיהָ לֹא תִמְצָא — Hosh. 2:8
בִּנְתִיבוֹתֶיהָ 20 אַל־תֵּתַע בִּנְתִיבוֹתֶיהָ — Prov. 7:25
נְתִיבוֹתֵיהֶם 21 נְתִיבוֹתֵיהֶם עִקְּשׁוּ לָהֶם — Is. 59:8

נָתִין*
ז׳ – מְשָׁרֵת הַהֵיכָל: 1-17 • בֵּית הַנְּתִינִים 8

נְתִינִים 1 נְתִינִים מָאתַיִם וְעֶשְׂרִים — Ez. 8:20
הַנְּתִינִים 2/3 הַנְּתִינִים בְּנֵי־צִ(י)חָא — Ez. 2:43 • Neh. 7:46
4/5 הַנְּתִינִים וּבְנֵי עַבְדֵי שְׁלֹמֹה — Ez. 2:58 • Neh. 7:60
6 הַנְּתִינִים (כת׳ הנתונים) בְּכָסִפְיָא — Ez. 8:17
7 וּמִן־הַנְּתִינִים שֶׁנָּתַן דָּוִיד — Ez. 8:20
8 עַד־בֵּית הַנְּתִינִים וְהָרֹכְלִים — Neh. 3:31
9 הַשּׁוֹעֲרִים הַמְשֹׁרְרִים הַנְּתִינִים — Neh. 10:29
10 וְצִיחָא וְגִשְׁפָּא עַל־הַנְּתִינִים — Neh. 11:21
וְהַנְּתִינִים 11 וְהַמְשֹׁרְרִים וְהַשּׁוֹעֲרִים וְהַנְּתִינִים — Ez. 2:70
12 וְהַמְשֹׁרְרִים וְהַשֹּׁעֲרִים וְהַנְּתִינִים — Ez. 7:7
13 וְהַנְּתִינִים הָיוּ יֹשְׁבִים בָּעֹפֶל — Neh. 3:26
14 וְהַמְשֹׁרְרִים וּמִן־הָעָם וְהַנְּתִינִים — Neh. 7:72
15 הַכֹּהֲנִים וְהַלְוִיִּם וְהַנְּתִינִים — Neh. 11:3
16 וְהַנְּתִינִים יֹשְׁבִים בָּעֹפֶל — Neh. 11:21
17 הַכֹּהֲנִים הַלְוִיִּם וְהַנְּתִינִים — ICh. 9:2

נְתִין*
ז׳ ארמית: נתין, משרת ההיכל; נְתִינַיָּא = הנתינים

נְתִינַיָּא 1 זַמָּרַיָּא תָרָעַיָּא נְתִינַיָּא... — עזרא ז 24

נתך : נָתַךְ, נִתַּךְ, הִתִּיךְ, הֻתַּךְ; הִתּוּךְ

נָתַךְ
פ׳ א) [רק עתיד: יִתַּךְ] נשפך (גם בהשאלה): 1-7
ב) [נפ׳ נִתַּךְ] כנ״ל: 8-15
ג) [הפ׳ הִנְתִּיךְ, הִתִּיךְ] יצק מתכת (גם בהשאלה): 16-20
ד) [הפ׳ הֻתַּךְ] נוצק: 21

– נִתַּךְ אַפּוֹ 5, 10, 15; נִתַּךְ מָטָר 8; נִתַּךְ מַיִם 9
– נִתְּכָה אָלָה 6; נִתְּכָה (וַתִּתַּךְ) חֲמָתוֹ 1, 3, 4, 5, 10-12, 15; נ׳ שְׁבוּעָה 6; נִתְּכוּ מַיִם (7), 9; נִתְּכוּ שַׁאֲגֹתָיו 7; הִתִּיךְ כֶּסֶף 18, 20

תִּתַּךְ 1 כֵּן תִּתַּךְ חֲמָתִי עֲלֵיכֶם — Jer. 42:18
2 וְעַד־כָּלָה וְנֶחֱרָצָה תִּתַּךְ עַל־שֹׁמֵם — Dan. 9:27
3 וְלֹא־תִתַּךְ חֲמָתִי בִּירוּשָׁלִַם — IICh. 12:7
וְתִתַּךְ 4 וְתִתַּךְ חֲמָתִי בַּמָּקוֹם הַזֶּה — IICh. 34:25
וַתִּתַּךְ 5 וַתִּתַּךְ חֲמָתִי וְאַפִּי — Jer. 44:6
6 וַתִּתַּךְ עָלֵינוּ הָאָלָה וְהַשְּׁבֻעָה — Dan. 9:11
וַיִּתְּכוּ 7 וַיִּתְּכוּ כַמַּיִם שַׁאֲגֹתָי — Job 3:24
נִתַּךְ 8 וּמָטָר לֹא־נִתַּךְ אָרְצָה — Ex. 9:33
9 עַד נִתַּךְ־מַיִם עֲלֵיהֶם — IISh. 21:10
10 כַּאֲשֶׁר נִתַּךְ אַפִּי וַחֲמָתִי — Jer. 42:18
נִתְּכָה 11 חֲמָתוֹ נִתְּכָה כָאֵשׁ — Nah. 1:6
12 חֲמַת־יְיָ אֲשֶׁר נִתְּכָה בָנוּ — IICh. 34:21
וְנִתְּכָה 13 וְנִתְּכָה בְתוֹכָהּ טֻמְאָתָהּ — Ezek. 24:11
וְנִתַּכְתֶּם 14 וְנָפַחְתִּי(...)וְנִתַּכְתֶּם בְּתוֹכָהּ — Ezek. 22:21
נִתֶּכֶת 15 אַפִּי וַחֲמָתִי נִתֶּכֶת אֶל־הַמָּקוֹם הַזֶּה — Jer. 7:20
לְהַנְתִּיךְ 16 לָפַחַת־עָלָיו אֵשׁ לְהַנְתִּיךְ — Ezek. 22:20
וְהִתַּכְתִּי 17 וְהִנַּחְתִּי וְהִתַּכְתִּי אֶתְכֶם — Ezek. 22:20
הִתִּיכוּ 18 הִתִּיכוּ עֲבָדֶיךָ אֶת־הַכֶּסֶף — IIK. 22:9
תַּתִּיכֵנִי 19 הֲלֹא כֶחָלָב תַּתִּיכֵנִי — Job 10:10
וַיַּתִּיכוּ 20 וַיַּתִּיכוּ אֶת־הַכֶּסֶף — IICh. 34:17
תֻּתְּכוּ 21 כְּהִתּוּךְ כֶּסֶף...כֵּן תֻּתְּכוּ בְתוֹכָהּ — Ezek. 22:22

נתן
: נָתַן, נִתַּן, יֻתַּן; נָתוּן, נָתִין, מַתָּן, מַתָּנָה, מַתָּת; ש״פ נָתָן, נְתַנְאֵל, נְתַנְיָה(וּ), מַתַּתָּה, מַתְּנַי, מַתַּנְיָה, מַתִּתְיָה(וּ), אֶלְנָתָן; נְתַן־מֶלֶךְ; אר׳ נְתַן; נְתִין

נָתַן
פ׳ א) מסר לאחר, הפך מן ״לָקַח״ (גם בהשאלה – עין להלן בצרופים): רוב המקראות 1-1921
ב) שָׂם, קָבַע, הטיל: 22, 31, 41, 49, 67, 137, 144, 146, 149, 150, 162, 218, 220, 221, 229, 231, 297, 299, 302, 303, 307, 316-318, 321, 326, 331, 332, 334, 343 ועוד כ־80 מקראות
ג) מִנָּה, הפקיד: 7, 46, 396, 495, 680, 683, 684, 817, 818, 863, 1214, 1215, 1220, 1287, 1498, 1644, 1690, 1724
ד) השיא (בִּתּוֹ) 20, 21, 34, 35, 142, 153, 168, 178, 184, 207, 312, 313, 681, 862, 886, 1152, 1234, 1252, 1427, 1428, 1456, 1664, 1714, 1717, 1722, 1727, 1750, 1751, 1876, 1883, 1896, 1908, 1917
ה) הרשה, התיר: 14, 23, 24, 151, 233, 397, 490, 664, 821-824, 839, 887, 1277, 1323, 1640
ו) חָשַׁב ל־: 156, 692, 735, 740, 1260, 1474
ז) [נפ׳ נִתַּן] נמסר, הָעֳבַר: 1922, 1923, 1927-1936, 1939-1956, 1959-1985, 1987, 2000
ח) [כנ״ל] הוּשַׂם, נקבע: 1924-1926, 1937, 1938, 1957, 1958, 1986, 2001
ט) [הָפ׳ רק עתיד: יֻתַּן] ינָתן, יִמָּסר: 2005-2010
י) [כנ״ל] יוּשַׂם: 2004, 2011

– נָתַן אוֹת 783, 1484; נ׳ אַחֲרִית 55; נ׳ בִּינָה 720; נ׳ בְּרָכָה 132, 345, 1865; נ׳ גְּאֻלָּה 1733; נ׳ גָּדֵר 138; נ׳ דְּמֵי 1745; נ׳ דֹּפִי 1290; נ׳ דַּרְכּוֹ 50, 68; נ׳ הָדָר 901; נ׳ זְמִירוֹת 1044; נ׳ זְמַן 1206; נ׳ זֶרַע 15, 469, 1422; נ׳ חֵילוֹ 914, 1275; נ׳ חָכְמָה 189, 659, 660, 685, 723, 1404; נ׳ חֵן 656, 1391, 1435/6, 1468, 1476; נ׳ חֲנִינָה 1122; נ׳ חִתִּית 900, 908-910; נ׳ יָד 702, 854, 860, 930, 1633, 1915; נ׳ יָד וָשֵׁם 324; נ׳ יְקָר 1772; נ׳ יִרְאָתוֹ 1130; נ׳ יְשׁוּעוֹת 1388; נ׳ יֶשַׁע 1291; נ׳ יָתֵד 137; נ׳ כָּבוֹד 60, 351, 877, 1042, 1115/6, 1391, 1849, 1907; נ׳ כֹּחַ 16, 1023, 1049; נ׳ כָּפְרוֹ 213; נ׳ כָּתֵף 1791; נ׳ לִבּוֹ (לְבָבוֹ) 11, 234, 355, 463, 790, 1203, 1278, 1881, 1914; נ׳ לֶקַח 232; נ׳ מְגִנַּת־לֵב 1276; נ׳ מַהְלְכִים 354; נ׳ מוֹט 1389; נ׳ מוּם 1340/1; נ׳ מוֹפֵת 353, 749, 783, 797, 1484, 1897; נ׳ מוֹקֵשׁ 1405; נ׳ מִחְיָה 129, 170; נ׳ מְנוּחָה 689; נ׳ מְנָת 70; נ׳ מַצָּה 1401; נ׳ מָקוֹם 947; נ׳ מִשְׁפָּט 1418; נ׳ נְקָמָה (נְקָמוֹת) 43, 145, 342, 1054; נ׳ עֹז 1036, 1386, 1455, 1880, 1910; נ׳ עֵינוֹ 1403; נ׳ עִנְיָן 724/5; נ׳ עַצֶּבֶת 1398; נ׳ עָרְמָה 64; נ׳ עֹרֶף 297, 478, 491; נ׳ פִּדְיוֹן 755; נ׳ פּוּגַת 1319; נ׳ פַּחְדּוֹ 17, 731; נ׳ פִּיו 1277; נ׳ פְּלֵטָה 525; נ׳ פָּנָיו 220, 236, 299, 300, 304, 339/40, 1204, 1512; נ׳ פְּעֻלָּתוֹ 325; נ׳ פְּרִי 805, 858, 1342, 1343, 1383; נ׳ פִּתְחוֹן פֶּה 1136; נ׳ צְבִי 344; נ׳ צֶדֶק 1147; נ׳ קוֹל 704, 706, 892, 896, 915, 921, 1385, 1446, 1475, 1491, 1704, 1771, 1782, 1786, 1792, 1893; נ׳ קִנְאָתוֹ 341; נ׳ רֹאשׁ 1724; נ׳ רוּחוֹ 212, 745, 1349; נ׳ רֵיחוֹ 721, 898, 918/9; נ׳ רַחֲמִים 784, 1160, 1321; נ׳ רְפוּאוֹת 59; נ׳ שְׁאֵלָתוֹ 66, 1360; נ׳ שְׁכָבְתּוֹ 1244, 1246, 1339; נ׳ שִׁלּוּחִים 1666; נ׳ שָׁלוֹם 302, 1144, 1149;

נָ' שִׂמְחָה 477; נָ' שְׁנַת 1145; נָ' שֶׁקֶט 1149; נָ' שֹׁרֶשׁ 1400; נָ' תַּאֲוָתוֹ 479, 1399; נָ' תּוֹדָה 1859, 1913; נָ' תַּעֲצוּמוֹת 1036; נָ' תְּפִלָּה 719; נָ' תִּקְוָה 55; נָתַן תְּשׁוּעָה 323, 460, 698, 1055

– נְתָנוֹ בַּלָּהוֹת 1217; נְ' חָרְבָּה 448; נְ' חֶרְפָּה 420, 1141; נְ' טֶרֶף 834; נְ' יְרֻשָּׁה 442; נְ' מַאֲכָל 1117; נְ' מִחְיָה 169; נְ' מְשַׁמָּה 418; נְתָנוֹ שְׁמָמָה 418, 1132

– נָתַן אֶל־לִבּוֹ 1425, 1510; נָתַן בְּיַד־ (בְּיָדוֹ) 5, 6, 26, 27, 44, 45, 51, 52, 57, 61, 124, 148, 154, 159, 200-205, 414, 435, 452, 453, 457, 459, 460, 492, 560, 670, 671, 673-679, 682, 728, 733, 734, 748, 750, 788, 789, 796, 798-800, 810, 825-827, 831, 832, 835-838, 864, 1018-1020, 1030-1032, 1059, 1061, 1108, 1124-1126, 1131, 1167, 1168, 1221, 1222, 1232, 1236, 1237, 1250, 1259, 1312-1316, 1357, 1362, 1449, 1465, 1467, 1469, 1485-1490, 1492, 1495, 1675-1680, 1682, 1684-1686, 1688, 1707, 1765, 1869; נָ' בְּלִבּוֹ 658, 660, 726, 730; נָ' בְּנֶשֶׁךְ 707; נָ' בִּפְלִילִים 754; נָ' בְּקוֹלוֹ 708, 853; נָתַן בְּרֹאשׁוֹ 436

– נְתָנוֹ לָאוֹר 1381; נְ' לְאַיִן 1051; נְ' לְאָלָה וְלִשְׁבוּעָה 1347; נְ' לָבַז 10, 416, 1123, 1129; נְ' לְבִזָּה 1887; נְ' לְזַעֲוָה 10, 334, 454-456, 1693; נְ' לְחֹק 1841; נְ' לְחָרְבָּה 54; נְתָנוֹ לַחֵרֶם 1192; נְתָנוֹ לְטוֹב 65; נְתָנוֹ לַמּוֹט 709; נְתָנוֹ לְמוֹרָשָׁה 447, (1953-1954); נְ' לַמָּוֶת 814; נְ' לָמַס 1785; נְ' לְמָשָׁל וְלִשְׁנִינָה 1223; נְתָנוֹ לְנִדָּה 430; נְתָנוֹ לִקְלָלָה 1128; נְ' לְרַאֲוָה 406; נְ' לְרֹאשׁ 820; נְ' לְרַחֲמִים 1885; נְ' לְשַׁמָּה 54, 143, 1693-1694; נְתָנוֹ לִשְׁרֵקָה 1693

– מִי יִתֵּן 1326, 1348, 1351, 1355-1357, 1363, 1370, 1384, 1388, 1408, 1410-1417, (1433), (1438); מִי יִתְּנֵנִי 1638, 1639, 1641; מִי יִתֶּנְךָ 1643

– נִתַּן חִתִּית 1935; נִתַּן בְּיַד־ 1922, 1923, 1941, 1943, 1947-1951, 1955, 1959, 1964-1966, 1973, 1978-1980, 1983, 1991-1996, 2002, 2003; נִתַּן כָּבוֹד 1930

– נִתְּנָה דָּת 1957/8, 2001; נִתְּנָה לְאִשָּׁה 1944, 1945

נָתוֹן 1 נָתֹן תִּתֵּן אֶת־הָעָם הַזֶּה בְּיָדִי Num. 21:2
2 נָתֹן תִּתֵּן לָהֶם אֲחֻזַּת נַחֲלָה Num. 27:7
3 נָתוֹן תִּתֵּן לוֹ וְלֹא־יֵרַע לְבָבְךָ Deut. 15:10
4 וַיֹּאמְרוּ נָתוֹן נִתֵּן Jud. 8:25
5 נָתוֹן תִּתֵּן אֶת־בְּנֵי עַמּוֹן בְּיָדִי Jud. 11:30
6 נָתֹן אֶתֵּן אֶת־הַפְּלִשְׁתִּים בְּיָדֶךָ IISh. 5:19
וְנָתוֹן 7 וְנָתוֹן אֹתוֹ עַל כָּל־אֶרֶץ מִצְרָיִם Gen. 41:43
8 וְנָתֹן אֶת־אֱלֹהֵיהֶם בָּאֵשׁ Is. 37:19
9 וְנָתֹן לוֹ כִכַּר־לֶחֶם לַיּוֹם Jer. 37:21
10 וְנָתֹן אֶתְהֶן לְזַעֲוָה וָלָבַז Ezek. 23:46
11 וְנָתוֹן אֶת־לִבִּי לְכָל־מַעֲשֶׂה... Eccl. 8:9
12 וְיִקְבְּצוּ...וְנָתוֹן תַּמְרוּקֵיהֶן Es. 2:3
13 וְנָתוֹן הַלְּבוּשׁ וְהַסּוּס עַל־יַד־אִישׁ Es. 6:9
נְתֹן 14 וַיְמָאֵן אֱדוֹם נְתֹן אֶת־יִשְׂרָאֵל עֲבֹר בִּגְבֻלוֹ Num. 20:21
נְתָן־ 15 לְבִלְתִּי נְתָן־זֶרַע לְאָחִיו Gen. 38:9
תֵּת 16 לֹא־תֹסֵף תֵּת־כֹּחָהּ לָךְ Gen. 4:12
17 אָחֵל תֵּת פַּחְדְּךָ וְיִרְאָתְךָ Deut. 2:25
18 הַחִלֹּתִי תֵּת לְפָנֶיךָ אֶת־סִיחֹן Deut. 2:31
19 בְּיוֹם תֵּת יְיָ אֶת־הָאֱמֹרִי Josh. 10:12
20 לְבִלְתִּי תֵּת־לָהֶם מִבְּנוֹתֵינוּ Jud. 21:7
21 וַיְהִי בְּעֵת תֵּת אֶת־מֵרַב...לְדָוִד ISh. 18:19
22 עַד־תֵּת יְיָ אֹתָם תַּחַת כַּפּוֹת רַגְלָיו IK. 5:17
23/4 לְבִלְתִּי תֵּת י(וֹ)צֵא וָבָא IK. 15:17 • IICh. 16:1
25 עַד יוֹם תֵּת (כת׳ תתן)־יְיָ גֶּשֶׁם IK. 17:14

תֵּת (המשך) 26 לְבִלְתִּי תֶּת־אֹתוֹ בְיַד־הָעָם Jer. 26:24
27 לְמַעַן תֵּת אֹתָנוּ בְיַד־הַכַּשְׂדִּים Jer. 43:3
28 הֲגַם־לֶחֶם יוּכַל תֵּת Ps. 78:20
29 וְהַפֶּשַׁע שֹׁמֵם תֵּת וְקֹדֶשׁ וְצָבָא... Dan. 8:13
בְּתֵת 30 בְּתֵת יְיָ לָכֶם בָּעֶרֶב בָּשָׂר Ex. 16:8
31 בְּתֵת יְיָ אֶת־יְרֵכֵךְ נֹפֶלֶת Num. 5:21
32 וְהָיָה בְּתֵת־יְיָ לָנוּ אֶת־הָאָרֶץ Josh. 2:14
33 בְּתֵת יְיָ אֶת־זֶבַח...בְּיָדִי Jud. 8:7
לָתֵת 34 לָתֵת הַצְּעִירָה לִפְנֵי הַבְּכִירָה Gen. 29:26
35 לָתֵת אֶת־אֲחֹתֵנוּ לְאִישׁ Gen. 34:14
36 לָתֵת מִסְפּוֹא לַחֲמֹרוֹ Gen. 42:27
37 לֹא תֹאסִפוּן לָתֵת תֶּבֶן לָעָם Ex. 5:7
38 לָתֵת לָהֶם אֶת־אֶרֶץ כְּנָעַן Ex. 6:4
39 לָתֵת אֹתָהּ לְאַבְרָהָם לְיִצְחָק Ex. 6:8
40 לָתֵת אֶת־תְּרוּמַת יְיָ Ex. 30:15
41 לָתֵת עַל־הַמִּצְנֶפֶת מִלְמָעְלָה Ex. 39:31
42 אֲשֶׁר צִוָּה יְיָ לָתֵת לָהֶם Lev. 7:36
43 לָתֵת נִקְמַת־יְיָ בְּמִדְיָן Num. 31:3
44/5 לָתֵת אֹתָנוּ בְּיַד הָאֱמֹרִי Deut. 1:27 Josh. 7:7
46 לֹא תוּכַל לָתֵת עָלֶיךָ אִישׁ נָכְרִי Deut. 17:15
47 לָתֵת מְטַר־אַרְצְךָ בְּעִתּוֹ Deut. 28:12
48 לָתֵת לֶחֶם בֵּיתִי IK. 5:23
49 לָתֵת עַל־רָאשֵׁי הָעַמּוּדִים IK. 7:16
50 לְהַרְשִׁיעַ רָשָׁע לָתֵת דַּרְכּוֹ בְּרֹאשׁוֹ IK. 8:32
51-52 לָתֵת אוֹתָם בְּיַד(־)מוֹאָב IIK. 3:10, 13
53 לָתֵת אֶת־הַכֶּסֶף עַל־פִּי פַרְעֹה IIK. 23:35
54 לָתֵת אֹתָם לְחָרְבָּה לְשַׁמָּה Jer. 25:18
55 לָתֵת לָכֶם אַחֲרִית וְתִקְוָה Jer. 29:11
56 לָתֵת לְאִישׁ כִּדְרָכָיו Jer. 32:19
57 לָתֵת אוֹתָהּ בְּיַד־הוֹרֵג Ezek. 21:16
58 לָתֵת אוֹתָךְ אֶל...חַלְלֵי רְשָׁעִים Ezek. 21:34
59 לָתֵת רְפֻאוֹת לָשׂוּם חִתּוּל Ezek. 30:21
60 אִם־לֹא תִשְׁמְעוּ...לָתֵת כָּבוֹד לִשְׁמִי Mal. 2:2
61 עָמָל וָכַעַס תַּבִּיט לָתֵת בְּיָדֶךָ Ps. 10:14
62 אֵלֶיךָ יְשַׂבֵּרוּן לָתֵת אָכְלָם בְּעִתּוֹ Ps. 104:27
63 לָתֵת לָהֶם נַחֲלַת גּוֹיִם Ps. 111:6
64 לָתֵת לִפְתָאיִם עָרְמָה Prov. 1:4
65 לָתֵת לְטוֹב לִפְנֵי הָאֱלֹהִים Eccl. 2:26
66 לָתֵת אֶת־שְׁאֵלָתִי Es. 5:8
67 לָתֵת עָלֵינוּ שְׁלִשִׁית הַשֶּׁקֶל Neh. 10:33
68 לְהָשִׁיב לְרָשָׁע לָתֵת דַּרְכּוֹ בְּרֹאשׁוֹ IICh. 6:23
69 לָתֵת לָהֶם לֵב אֶחָד IICh. 30:12
70 לָתֵת מְנָת הַכֹּהֲנִים וְהַלְוִיִּם IICh. 31:4
71 לָתֵת תְּרוּמַת יְיָ IICh. 31:14
72 לָתֵת אֶתְכֶם לָמוּת בְּרָעָב IICh. 32:11
73-104 לָתֵת (אֶת־) לְ... Lev. 25:38

Num. 11:13; 34:13; 36:2^2 • Deut. 1:8, 35; 10:11 11:9, 21; 19:8; 30:20; 31:7 • Josh. 1:6; 9:24; 21:41 • IIK. 8:19; 12:16; 15:20; 23:35 • Is. 61:3 • Jer. 11:5; 32:22 • Ezek. 20:28, 42 • Neh. 9:8^2, 15 • IICh. 21:7; 31:15, 19

לָתֶת 105 לָתֶת לְךָ אֶת־הָאָרֶץ הַזֹּאת Gen. 15:7
106 אֲשֶׁר נִשְׁבַּע לַאֲבֹתֶיךָ לָתֶת לָךְ Ex. 13:5
107-123 לָתֶת לְךָ (לוֹ וכד׳) Deut. 4:38

6:10, 23; 7:13; 10:18; 21:17; 26:3; 28:11 • Josh. 5:6 • Jud. 21:18 • IISh. 18:11 • IK. 8:32 • IIK. 18:23 • Is. 36:8 • Es. 2:9 • IICh. 6:23; 25:9

לָתֶת־ 124 לָתֶת־חֶרֶב בְּיָדָם לְהָרְגֵנוּ Ex. 5:21
125 לָתֶת־לָנוּ נַחֲלָה בְּתוֹךְ אַחֵינוּ Josh. 17:4
126 לָתֶת־לָנוּ עָרִים לָשֶׁבֶת Josh. 21:2
127 אֲשֶׁר מֵאֵן לָתֶת־לְךָ בְכֶסֶף IK. 21:15

לָתֶת־ (המשך) 128 לָתֶת־לוֹ סוּסִים וְעַם־רָב Ezek. 17:15
129 הָרְאֻיוֹת לָתֶת־לָהּ מִבֵּית הַמֶּלֶךְ Es. 2:9
130 וַיַּט־עָלֵינוּ חֶסֶד...לָתֶת־לָנוּ מִחְיָה Ez. 9:9
לְתִתֵּן(?) 131 לְתִתֵּן שָׁם אֶת־אֲרוֹן בְּרִית יְיָ IK. 6:19
וְלָתֵת 132 וְלָתֵת לָהֶם צֵדָה לַדָּרֶךְ Gen. 42:25
133 וְלָתֵת עֲלֵיכֶם הַיּוֹם בְּרָכָה Ex. 32:29
134 לְהַצִּילְךָ וְלָתֵת אֹיְבֶיךָ לְפָנֶיךָ Deut. 23:15
135 וְלָתֵת לְאִישׁ כִּדְרָכָו Jer. 17:10
136 וְלָתֵת אֶת־הָעִיר הַזֹּאת כְּתֹפֶת Jer. 19:12
137 וְלָתֵת שִׁקּוּץ שֹׁמֵם Dan. 12:11
וְלָתֶת־ 138 וְלָתֶת־לָנוּ יָתֵד בִּמְקוֹם קָדְשׁוֹ Ez. 9:8
139 וְלָתֶת־לָנוּ גָדֵר בִּיהוּדָה Ez. 9:9
מִתֵּת 140 מִתֵּת לְאַחַד מֵהֶם מִבְּשַׂר בָּנָיו Deut. 28:55
141 וְקָרוֹב לִשְׁמֹעַ מִתֵּת הַכְּסִילִים זָבַח Eccl. 4:17
תִּתִּי 142 טוֹב תִּתִּי אֹתָהּ לָךְ Gen. 29:19
143 אַחֲרֵי תִתִּי אֶת־סֵפֶר הַמִּקְנָה Jer. 32:16
144 לְמַעַן תִּתִּי אֹתְךָ לְשַׁמָּה Mic. 6:16
בְּתִתִּי 145 בְּתִתִּי אֶת־נִקְמָתִי בָּם Ezek. 25:17
146 בְּתִתִּי אֹתָךְ עִיר נֶחֱרֶבֶת Ezek. 26:19
147 בְּתִתִּי־אֵשׁ בְּמִצְרַיִם Ezek. 30:8
148 בְּתִתִּי חַרְבִּי בְּיַד מֶלֶךְ־בָּבֶל Ezek. 30:25
149 בְּתִתִּי אֶת־אֶרֶץ מִצְרַיִם שְׁמָמָה Ezek. 32:15
150 בְּתִתִּי אֶת־הָאָ' שְׁמָמָה וּמְשַׁמָּה Ezek. 33:29
לְתִתִּי 151 מֵאֵן יְיָ לְתִתִּי לַהֲלֹךְ עִמָּכֶם Num. 22:13
152 אֲשֶׁר לְתִתִּי־לוֹ בְּשֹׂרָה IISh. 4:10
מִתִּתִּי 153 טוֹב...מִתִּתִּי אֹתָהּ לְאִישׁ אַחֵר Gen. 29:19
154 רַב הָעָם...מִתִּתִּי אֶת־מִדְיָן בְּיָדָם Jud. 7:2
155 חָלִילָה...מִתִּתִּי אֶת־נַחֲלַת אֲבֹתַי לָךְ IK. 21:3
תִּתְּךָ 156 יַעַן תִּתְּךָ אֶת־לְבָבְךָ כְּלֵב אֱלֹ' Ezek. 28:6
בְּתִתְּךָ 157 וְלֹא־יֵרַע לְבָבְךָ בְּתִתְּךָ לוֹ Deut. 15:10
158 בְּתִתְּךָ לוֹ לֶחֶם וְחֶרֶב ISh. 22:13
לְתִתְּךָ 159 לְתִתְּךָ בְּיַד־פְּלִשְׁתִּים Jud. 15:12
160 לְתִתְּךָ עַל־כִּסֵּא יִשְׂרָאֵל IK. 10:9
161 לְתִתְּךָ עַל־כִּסְאוֹ לְמֶלֶךְ IICh. 9:8
וּלְתִתְּךָ 162 וּלְתִתְּךָ עֶלְיוֹן עַל כָּל־הַגּוֹיִם Deut. 26:19
וּבְתִתֵּךְ 163 וּבְתִתֵּךְ אֶתְנָן...וַתְּהִי לְהֶפֶךְ Ezek. 16:34
תִּתּוֹ 164 לְמַעַן תִּתּוֹ בְיָדְךָ כַּיּוֹם הַזֶּה Deut. 2:30
165/6 לְקוֹל תִּתּוֹ הֲמוֹן מַיִם בַּשָּׁמַיִם Jer. 10:13; 51:16
בְּתִתּוֹ 167 בְּתִתּוֹ מִזַּרְעוֹ לַמֹּלֶךְ Lev. 20:4
לְתִתָּהּ 168 אִם־מָאֵן יְמָאֵן אָבִיהָ לְתִתָּהּ לוֹ Ex. 22:16
169 נָשָׂאתִי...יָדִי לְתִתָּהּ לַאֲבֹתֵיכֶם Ezek. 47:14
וּלְתִתֵּנוּ 170 וּלְתִתֵּנוּ מִחְיָה מְעַט בְּעַבְדֻתֵנוּ Ez. 9:8
תִּתָּם 171 מֵהָאֱלֹהִים הִיא לְמַעַן תִּתָּם בְּיָד IICh. 25:20
בְּתִתָּם 172 בְּתִתָּם סִפָּם אֶת־סִפִּי Ezek. 43:8
לְתִתָּם 173 לְתִתָּם לְמִפְלַגּוֹת לְבֵית־אָבוֹת IICh. 35:12
נָתַתִּי 174 הִנֵּה נָתַתִּי לָכֶם אֶת־כָּל־עֵשֶׂב Gen. 1:29
175 כְּיֶרֶק עֵשֶׂב נָתַתִּי לָכֶם אֶת־כֹּל Gen. 9:3
176 אֶת־קַשְׁתִּי נָתַתִּי בֶּעָנָן Gen. 9:13
177 לְזַרְעֲךָ נָתַתִּי אֶת־הָאָ' הַזֹּאת Gen. 15:18
178 אָנֹכִי נָתַתִּי שִׁפְחָתִי בְּחֵיקֶךָ Gen. 16:5
179 וְגַם נָתַתִּי מִמֶּנָּה לְךָ בֵּן Gen. 17:16
180 הִנֵּה נָתַתִּי אֶלֶף כֶּסֶף לְאָחִיךְ Gen. 20:16
181 הַשָּׂדֶה נָתַתִּי לָךְ Gen. 23:11
182 נָתַתִּי כֶּסֶף הַשָּׂדֶה קַח מִמֶּנִּי Gen. 23:13
183 כָּל־אֶחָיו נָתַתִּי לוֹ לַעֲבָדִים Gen. 27:37
184 אֲשֶׁר־נָתַתִּי שִׁפְחָתִי לְאִישִׁי Gen. 30:18
185 הָאָרֶץ אֲשֶׁר נָתַתִּי לְאַבְרָהָם Gen. 35:12
186 נָתַתִּי אֹתְךָ עַל כָּל־אֶרֶץ מִצְ' Gen. 41:41
187 וַאֲנִי נָתַתִּי לְךָ שְׁכֶם אַחַד... Gen. 48:22
188 וַאֲנִי הִנֵּה נָתַתִּי אִתּוֹ אֵת אָהֳלִיאָב Ex. 31:6
189 וּבְלֵב כָּל־חֲכַם־לֵב נָתַתִּי חָכְמָה Ex. 31:6
190 חֶלְקָם נָתַתִּי אֹתָהּ מֵאִשָּׁי Lev. 6:10

נָתַתִּי (המשך)

191 נָתַתִּי לְךָ אֶת־מִשְׁמֶרֶת תְּרוּמֹתָי Num. 18:8
192 נָתַתִּי לְךָ וּלְבָנֶיךָ וְלִבְנֹתֶיךָ Num. 18:19
193 וְלִבְנֵי לֵוִי הִנֵּה נָתַתִּי...לְנַחֲלָה Num. 18:21
194 מַעְשַׂר...נָתַתִּי לַלְוִיִּם לְנַחֲלָה Num. 18:24
195 נָתַתִּי לָכֶם מֵאִתָּם בְּנַחֲלַתְכֶם Num. 18:26
196 אֶל־הָאָרֶץ אֲשֶׁר־נָתַתִּי לָהֶם Num. 20:12
197/8 בְיָדְךָ נָתַתִּי אֹתוֹ Num. 21:34 • Deut. 3:2
199 רְאֵה נָתַתִּי לִפְנֵיכֶם אֶת־הָאָרֶץ Deut. 1:8
200 רְאֵה נָתַתִּי בְיָדְךָ אֶת־סִיחֹן Deut. 2:24
201-205 נָתַתִּי(־)בְיָדְךָ (בְּיָדוֹ וכו׳) Josh. 6:2; 8:1
Jud. 1:2 • Jer. 27:6; 44:30
206 וְלָראוּבֵנִי...נָתַתִּי מִן־הַגִּלְעָד Deut. 3:16
207 אֶת־בִּתִּי נָתַתִּי לָאִישׁ הַזֶּה Deut. 22:16
208 וְלֹא־נָתַתִּי מִמֶּנּוּ לְמֵת Deut. 26:14
209 הַבְּרָכָה וְהַקְּלָלָה...נָתַתִּי לְפָנֶיךָ Deut. 30:1
210 רְאֵה נָתַתִּי לְפָנֶיךָ הַיּוֹם... Deut. 30:15
211 הַחַיִּים וְהַמָּוֶת נָתַתִּי לְפָנֶיךָ Deut. 30:19
212 הֵן עַבְדִּי...נָתַתִּי רוּחִי עָלָיו Is. 42:1
213 נָתַתִּי כָפְרְךָ מִצְרַיִם Is. 43:3
214 כִּי־נָתַתִּי בַמִּדְבָּר מַיִם Is. 43:20
215 גֵּוִי נָתַתִּי לְמַכִּים וּלְחָיַי לְמֹרְטִים Is. 50:6
216 הִנֵּה נָתַתִּי דְבָרַי בְּפִיךָ Jer. 1:9
217 נָתַתִּי אֶת־יְדִדוּת נַפְשִׁי Jer. 12:7
218 עֹל בַּרְזֶל נָתַתִּי עַל־צַוַּאר... Jer. 28:14
219 נָתַתִּי אֶת־תּוֹרָתִי בְּקִרְבָּם Jer. 31:33(32)
220 הִנֵּה נָתַתִּי אֶת־פָּנֶיךָ חֲזָקִים Ezek. 3:8
221 כְּשָׁמִיר חָזָק מִצֹּר נָתַתִּי מִצְחֶךָ Ezek. 3:9
222 וְהִנֵּה נָתַתִּי עָלֶיךָ עֲבוֹתִים Ezek. 4:8
223/4 דַּרְכָּם בְּרֹאשָׁם נָתַתִּי Ezek. 11:21; 22:31
225 כֵּן נָתַתִּי אֶת־יֹשְׁבֵי יְרוּשָׁלִָם Ezek. 15:6
226 וְגַם־אֲנִי...דַּרְכֵּךְ בְּרֹאשׁ נָתַתִּי Ezek. 16:43
227 אֶל־הָאָרֶץ אֲשֶׁר־נָתַתִּי Ezek. 20:15
228 עַל כָּל־שַׁעֲרֵיהֶם נָתַתִּי אִבְחַת־חָרֶב
Ezek. 21:20
229 נָתַתִּי אֶת־דָּמָהּ עַל־צְחִיחַ סָלַע Ezek. 24:8
230 נָתַתִּי אֶת־חִתִּיתִי° בְּאֶרֶץ חַיִּים Ezek. 32:32
231 וְגַם־אֲנִי נָתַתִּי אֶתְכֶם נִבְזִים... Mal. 2:9
232 כִּי לֶקַח טוֹב נָתַתִּי לָכֶם Prov. 4:2
233 וְלֹא־נָתַתִּי לַחֲטֹא חִכִּי Job 31:30
234 נָתַתִּי אֶת־לִבִּי לָדַעַת חָכְמָה Eccl. 8:16
235 כִּי אֶת־כָּל־זֶה נָתַתִּי אֶל־לִבִּי Eccl. 9:1
236 נָתַתִּי פָנַי אַרְצָה וְנֶאֱלָמְתִּי Dan. 10:15
237 רְאֵה נָתַתִּי הַבָּקָר לָעֹלוֹת... ICh. 21:23
238 נָתַתִּי חִטִּים מַכּוֹת לַעֲבָדֶיךָ IICh. 2:9
239-288 נָתַתִּי (אֶת־) Num. 20:24; 27:12; 33:53
Deut. 2:5, 9; 3:12, 13, 15, 19, 20; 9:23 • ISh. 9:23 •
IISh. 9:9 • IK. 3:12, 13; 9:6, 7 • IIK. 21:8 • Jer. 7:7,
14; 9:12; 16:15; 17:4; 23:39; 24:10; 26:4; 27:6;
28:14; 30:3; 35:15; 44:10 • Ezek. 4:5, 15; 16:17, 19;
20:12, 25; 28:25; 29:20; 36:28; 37:25 • Hosh. 2:10
• Am. 4:6; 9:15 • Zech. 3:9 • Es. 8:7 • ICh. 29:3 •
IICh. 7:19, 20; 25:9

נָתָתִּי

289 דַּרְכָּם בְּרֹאשָׁם נָתָתִּי Ezek. 9:10
290 וְהַחִטִּים לַמִּנְחָה הַכֹּל נָתָתִּי ICh. 21:23

וְנָתַתִּי

291 וְנָתַתִּי לְךָ וּלְזַרְעֲךָ אַחֲרֶיךָ Gen. 17:8
292 וְנָתַתִּי לְזַרְעֲךָ אֵת כָּל־הָאֲרָצֹת Gen. 26:4
293 וְנָתַתִּי אֶת־הָאָרֶץ הַזֹּאת לְזַרְעֲךָ Gen. 48:4
294 וְנָתַתִּי אֶת־חֵן הָעָם־הַזֶּה בְּעֵינֵי מִצְרָיִם
Ex. 3:21
295 וְנָתַתִּי אֹתָהּ לָכֶם מוֹרָשָׁה Ex. 6:8
296 וְנָתַתִּי אֶת־יָדִי בְּמִצְרָיִם Ex. 7:4
297 וְנָתַתִּי אֶת־כָּל־אֹיְבֶיךָ אֵלֶיךָ עֹרֶף Ex. 23:27

וְנָתַתִּי (המשך)

298 וְנָתַתִּי נֶגַע צָרַעַת בְּבֵית... Lev. 14:34
299 וְנָתַתִּי פָנַי בַּנֶּפֶשׁ הָאֹכֶלֶת... Lev. 17:10
300 וְנָתַתִּי אֶת־פָּנַי בַּנֶּפֶשׁ הַהִוא Lev. 20:6
301 וְנָתַתִּי גִשְׁמֵיכֶם בְּעִתָּם Lev. 26:4
302 וְנָתַתִּי שָׁלוֹם בָּאָרֶץ Lev. 26:6
303 וְנָתַתִּי מִשְׁכָּנִי בְּתוֹכְכֶם Lev. 26:11
304 וְנָתַתִּי פָנַי בָּכֶם וְנִגַּפְתֶּם... Lev. 26:17
305 וְנָתַתִּי אֶת־שְׁמֵיכֶם כַּבַּרְזֶל Lev. 26:19
306 וְנָתַתִּי אֶת־פִּגְרֵיכֶם עַל־פִּגְרֵי גִּלּוּלֵיכֶם
Lev. 26:30
307 וְנָתַתִּי אֶת־עָרֵיכֶם חָרְבָּה Lev. 26:31
308 וְאִם־מֵימֶיךָ נִשְׁתֶּה...וְנָתַתִּי מִכְרָם Num. 20:19
309 וְנָתַתִּי מְטַר־אַרְצְכֶם בְּעִתּוֹ Deut. 11:14
310 וְנָתַתִּי עֵשֶׂב בְּשָׂדְךָ לִבְהֶמְתֶּךָ Deut. 11:15
311 וְנָתַתִּי דְבָרַי בְּפִיו וְדִבֶּר אֲלֵיהֶם Deut. 18:18
312-313 וְנָתַתִּי לוֹ אֶת־עַכְסָה בִתִּי לְאִשָּׁה
Josh. 15:16 • Jud. 1:12
314 וְנָתַתִּי אֶת־מִדְיָן בְּיָדֶךָ Jud. 7:7
315 וְנָתַתִּי לָכֶם שְׁלֹשִׁים סְדִינִים Jud. 14:12
316-317 וְנָתַתִּי אֶת־בֵּיתְךָ כְּבֵית יָרָבְעָם...
IK. 16:3; 21:22
318 וְנָתַתִּי עַל־הָעֵצִים וְאֵשׁ לֹא אָשִׂים IK. 18:23
319 וְנָתַתִּי אֶת־כָּל־הֶהָמוֹן...בְּיָדֶךָ IK. 20:28
320 וְנָתַתִּי אֶת־בֵּית אַחְאָב כְּבֵית יָרָבְ׳ IIK. 9:9
321 וְנָתַתִּי נְעָרִים שָׂרֵיהֶם... Is. 3:4
322 וְנָתַתִּי מַפְתֵּחַ בֵּית־דָּוִד עַל־שִׁכְמוֹ Is. 22:22
323 וְנָתַתִּי בְצִיּוֹן תְּשׁוּעָה Is. 46:13
324 וְנָתַתִּי לָהֶם בְּבֵיתִי...יָד וָשֵׁם Is. 56:5
325 וְנָתַתִּי פְעֻלָּתָם בֶּאֱמֶת Is. 61:8
326 וְנָתַתִּי אֶת־יְרוּשָׁלִַם לְגַלִּים Jer. 9:10
327 וְנָתַתִּי אֶת־נִבְלָתָם לְמַאֲכָל Jer. 19:7
328 וְנָתַתִּי אֶת־כָּל־חֹסֶן הָעִיר הַזֹּאת Jer. 20:5
329 וְנָתַתִּי עֲלֵיכֶם חֶרְפַּת עוֹלָם Jer. 23:40
330 וְנָתַתִּי לָהֶם לֵב לָדַעַת Jer. 24:7
331 וְנָתַתִּי אֶת־הַבַּיִת הַזֶּה כְּשִׁלֹה Jer. 26:6
332 וְנָתַתִּי אוֹתָם כַּתְּאֵנִים הַשֹּׁעָרִים Jer. 29:17
333 וְנָתַתִּי לָהֶם לֵב אֶחָד וְדֶרֶךְ אֶחָד Jer. 32:39
334 וְנָתַתִּי אֶתְכֶם לְזַעֲוָה° Jer. 34:17
335 וְנָתַתִּי לְךָ אֶת־נַפְשְׁךָ לְשָׁלָל Jer. 45:5
336 וְנָתַתִּי לָכֶם אֶת־אַדְמַת יִשְׂרָאֵל Ezek. 11:17
337 וְנָתַתִּי לָהֶם לֵב אֶחָד... Ezek. 11:19
338 וְנָתַתִּי לָהֶם לֵב בָּשָׂר Ezek. 11:19
339 וְנָתַתִּי פָנַי בָּאִישׁ הַהוּא Ezek. 14:8
340 וְנָתַתִּי אֶת־פָּנַי בָּהֶם Ezek. 15:7
341 וְנָתַתִּי קִנְאָתִי בָּךְ Ezek. 23:25
342 וְנָתַתִּי אֶת־נִקְמָתִי בֶּאֱדוֹם Ezek. 25:14
343 וְנָתַתִּי אוֹתָהּ לִצְחִיחַ סָלַע Ezek. 26:4
344 וְנָתַתִּי צְבִי בְּאֶרֶץ חַיִּים Ezek. 26:20
345 וְנָתַתִּי אוֹתָם...בְּרָכָה Ezek. 34:26
346 וְנָתַתִּי לָכֶם לֵב חָדָשׁ Ezek. 36:26
347 וְנָתַתִּי לָכֶם לֵב בָּשָׂר Ezek. 36:26
348 וְנָתַתִּי עֲלֵיכֶם גִּידִים Ezek. 37:6
349 וְנָתַתִּי בָכֶם רוּחַ וִחְיִיתֶם Ezek. 37:6
350 וְנָתַתִּי רוּחִי בָכֶם וִחְיִיתֶם Ezek. 37:14
351 וְנָתַתִּי אֶת־כְּבוֹדִי בַּגּוֹיִם Ezek. 39:21
352 וְנָתַתִּי אוֹתָם שֹׁמְרֵי מִשְׁמֶרֶת הַבָּ׳ Ezek. 44:14
353 וְנָתַתִּי מוֹפְתִים בַּשָּׁמַיִם וּבָאָרֶץ Joel 3:3
354 וְנָתַתִּי לְךָ מַהְלְכִים בֵּין הָעֹמְדִים Zech. 3:7
355 וְנָתַתִּי אֶת־לִבִּי לִדְרוֹשׁ... Eccl. 1:13
356-394 וְנָתַתִּי ISh. 9:8; 17:46; 25:11
IISh. 12:11 • IK. 11:31, 38 • Is. 46:13 • Jer. 3:15;
34:18, 20 • Ezek. 3:20; 6:5, 14; 7:3, 8; 11:9; 15:8;
16:39, 61; 23:24, 31; 25:5; 29:4, 10, 12; 30:12, 13, 14,
16; 30:24; 32:5, 8; 33:28; 35:7; 37:19, 26; 38:4 •
Hosh. 2:17 • IICh. 12:7

וְנָתָתִּי

395 וְלָקַחְתִּי...מִצַּמֶּרֶת הָאֶרֶז...וְנָתָתִּי Ezek. 17:22

נְתַתִּיךָ

396 כִּי אַב־הֲמוֹן גּוֹיִם נְתַתִּיךָ Gen. 17:5
397 עַל־כֵּן לֹא־נְתַתִּיךָ לִנְגֹּעַ אֵלֶיהָ Gen. 20:6
398 רְאֵה נְתַתִּיךָ אֱלֹהִים לְפַרְעֹה Ex. 7:1
399 נָבִיא לַגּוֹיִם נְתַתִּיךָ Jer. 1:5
400 הִנֵּה נְתַתִּיךָ הַיּוֹם לְעִיר מִבְצָר Jer. 1:18
401 בָּחוֹן נְתַתִּיךָ בְעַמִּי מִבְצָר Jer. 6:27
402 קָטֹן נְתַתִּיךָ בַּגּוֹיִם בָּזוּי בָּאָדָם Jer. 49:15
403/4 צֹפֶה נְתַתִּיךָ לְבֵית יִשְׂרָאֵל Ezek. 3:17; 33:7
405 כִּי־מוֹפֵת נְתַתִּיךָ לְבֵית יִשְׂרָאֵל Ezek. 12:6
406 לִפְנֵי מְלָכִים נְתַתִּיךָ לְרַאֲוָה Ezek. 28:17
407 לְחַיַּת הָאָרֶץ...נְתַתִּיךָ לְאָכְלָה Ezek. 29:5
408 לְעֵיט צִפּוֹר...נְתַתִּיךָ לְאָכְלָה Ezek. 39:4
409 הִנֵּה קָטֹן נְתַתִּיךָ בַּגּוֹיִם Ob. 2

וּנְתַתִּיךָ

410 וְהִפְרֵתִי אֹתְךָ...וּנְתַתִּיךָ לְגוֹיִם Gen. 17:6
411 הִנְנִי מַפְרְךָ...וּנְתַתִּיךָ לִקְהַל עַמִּים Gen. 48:4
412 וּנְתַתִּיךָ לְאוֹר גּוֹיִם Is. 49:6
413 וּנְתַתִּיךָ לָעָם הַזֶּה לְחוֹמַת נְחֹשֶׁת Jer. 15:20
414 וּנְתַתִּיךָ בְּיַד מְבַקְשֵׁי נַפְשֶׁךָ Jer. 22:25
415 וּנְתַתִּיךָ לְהַר שְׂרֵפָה Jer. 51:25
416 וּנְתַתִּיךָ לְבַז° לַגּוֹיִם Ezek. 25:7
417 וּנְתַתִּיךָ בְּהַר קֹדֶשׁ אֱלֹהִים הָיִיתָ Ezek. 28:14
418 וּנְתַתִּיךָ שְׁמָמָה וּמְשַׁמָּה Ezek. 35:3

נְתַתִּיךְ

419 רְבָבָה כְּצֶמַח הַשָּׂדֶה נְתַתִּיךְ Ezek. 16:7
420 עַל־כֵּן נְתַתִּיךְ חֶרְפָּה לַגּוֹיִם Ezek. 22:4

וּנְתַתִּיךְ

421 וּנְתַתִּיךְ דַּם חֵמָה וְקִנְאָה Ezek. 16:38
422 וּנְתַתִּיךְ בְּיַד אֲנָשִׁים בֹּעֲרִים Ezek. 21:36
423 וּנְתַתִּיךְ לִצְחִיחַ סֶלַע Ezek. 26:14

נְתַתִּיו

424 וַאֲנִי נְתַתִּיו לָכֶם עַל־הַמִּזְבֵּחַ Lev. 17:11
425 וְגַם נְתַתִּיו לַלֵּוִי וְלַגֵּר... Deut. 26:13
426 כָּל־מָקוֹם אֲשֶׁר תִּדְרֹךְ...לָכֶם נְתַתִּיו
Josh. 1:3
427 קוּם רֵד בַּמַּחֲנֶה כִּי נְתַתִּיו בְּיָדֶךָ Jud. 7:9
428 הֵן עֵד לְאוּמִּים נְתַתִּיו Is. 55:4
429 יוֹם לַשָּׁנָה יוֹם לַשָּׁנָה נְתַתִּיו לָךְ Ezek. 4:6
430 עַל־כֵּן נְתַתִּיו לָהֶם לְנִדָּה Ezek. 7:20
431 אֲשֶׁר־נְתַתִּיו לָאֵשׁ לְאָכְלָה Ezek. 15:6
432 לַחַיָּה נְתַתִּיו לְאָכְלוֹ Ezek. 33:27

וּנְתַתִּיו

433 וְהִפְרֵיתִי אֹתוֹ...וּנְתַתִּיו לְגוֹי גָּדוֹל Gen. 17:20
434 וּנְתַתִּיו לַיָי כָּל־יְמֵי חַיָּיו ISh. 1:11
435 וּנְתַתִּיו בְּיַד־הַזָּרִים לָבַז Ezek. 7:21
436 וּבְרִיתִי אֲשֶׁר הֵפִיר וּנְתַ׳ בְּרֹאשׁוֹ Ezek. 17:19
437 עַד־בֹּא אֲשֶׁר־לוֹ הַמִּשְׁפָּט וּנְתַתִּיו Ezek. 21:32

וּנְתַתִּיהוּ

438 ...אֶת־סִיסְרָא...וּנְתַתִּיהוּ בְּיָדֶךָ Jud. 4:7

נְתַתִּיהָ

439 הַשָּׂדֶה...וְהַמְּעָרָה...לְךָ נְתַתִּיהָ Gen. 23:11
440 לְעֵינֵי בְנֵי־עַמִּי נְתַתִּיהָ לָּךְ Gen. 23:11
441 כִּי־עַל־כֵּן לֹא־נְתַתִּיהָ לְשֵׁלָה בְנִי Gen. 38:26
442 כִּי לִבְנֵי־לוֹט נְתַתִּיהָ יְרֻשָּׁה Deut. 2:19
443 לָכֵן נְתַתִּיהָ בְּיַד־מְאַהֲבֶיהָ Ezek. 23:9

וּנְתַתִּיהָ

444 קָרֹעַ אֶקְרַע...וּנְתַתִּיהָ לְעַבְדֶּךָ IK. 11:11
445 וְלָקַחְתִּי הַמְּלוּכָה...וּנְתַתִּיהָ לְּךָ IK. 11:35
446 וּנְתַתִּיהָ לַאֲשֶׁר יָשַׁר בְּעֵינָי Jer. 27:5
447 לִבְנֵי־קֶדֶם...וּנְתַתִּיהָ לְמוֹרָשָׁה Ezek. 25:10
448 וּנְתַתִּיהָ חָרְבָּה מִתֵּימָן Ezek. 25:13

נְתַתִּים

449 לְךָ נְתַתִּים לְמָשְׁחָה Num. 18:8
450 לְךָ נְתַתִּים וּלְבָנֶיךָ וְלִבְנֹתֶיךָ Num. 18:11
451 אֲשֶׁר־יִתְּנוּ לַיָי לְךָ נְתַתִּים Num. 18:12
452 אַל־תִּירָא מֵהֶם כִּי בְיָדְךָ נְתַתִּים Josh. 10:8

וּנְתַתִּים

453 וּנְתַתִּים בְּיַד אֹיְבֵיהֶם IIK. 21:14

וּנְתַתִּים (המשך)
454-456 וּנְתַתִּים לְזַעֲוָה° Jer. 15:4; 24:9; 29:18
457 וּנְתַתִּים בְּיַד מְבַקְשֵׁי נַפְשָׁם Jer. 46:26
458 וּנְתַתִּים וְהִרְבֵּיתִי אוֹתָם Ezek. 37:26
459 עֲלֵה וּנְתַתִּים בְּיָדֶךָ ICh. 14:10

נָתַתָּ
460 נָתַתָּ בְיַד־עַבְדְּךָ אֶת־הַתְּשׁוּעָה Jud. 15:18
461 אֶל־הָאֲדָמָה אֲשֶׁר נָתַתָּ לַאֲבוֹתָם IK. 8:34
462 נָתַתָּ יְרֻשַּׁת יִרְאֵי שְׁמֶךָ Ps. 61:6
463 אֲשֶׁר נָתַתָּ אֶת־לִבְּךָ לְהָבִין Dan. 10:12
464 וְלֶחֶם מִשָּׁמַיִם נָתַתָּה לָהֶם Neh. 9:15
465 וְרוּחֲךָ הַטּוֹבָה נָתַתָּ לְהַשְׂכִּילָם Neh. 9:20
466 וּבְטוּבְךָ הָרָב אֲשֶׁר־נָתַתָּ לָהֶם Neh. 9:35
467 וּבְאֶרֶץ הָרְחָבָה...נָתַתָּ לִפְנֵיהֶם Neh. 9:35

נָתַתָּה
468 הָאִשָּׁה אֲשֶׁר נָתַתָּה עִמָּדִי Gen. 3:12
469 הֵן לִי לֹא נָתַתָּה זָרַע Gen. 15:3
470 פְּרִי הָאֲדָמָה אֲשֶׁר־נָתַתָּה לִּי יְיָ Deut. 26:10
471 וְאֵת הָאֲדָמָה אֲשֶׁר נָתַתָּה לָנוּ Deut. 26:15
472 מַדּוּעַ נָתַתָּה לִּי נַחֲלָה גּוֹרָל אֶחָד Josh. 17:14
473 אֲשֶׁר־נָתַתָּה לְעַמְּךָ לְנַחֲלָה IK. 8:36
474 הָאֲדָמָה אֲשֶׁר נָתַתָּה לַאֲבֹתֵינוּ IK. 8:40
475 דֶּרֶךְ אַרְצָם אֲשֶׁר־נָתַתָּה לַאֲבוֹתָם IK. 8:48
476 מָה הֶעָרִים הָאֵלֶּה אֲשֶׁר־נָתַתָּה לִּי IK. 9:13
477 נָתַתָּה שִׂמְחָה בְלִבִּי Ps. 4:8
478 וְאֹיְבַי נָתַתָּה לִּי עֹרֶף Ps. 18:41
479 תַּאֲוַת לִבּוֹ נָתַתָּה לּוֹ Ps. 21:3
480 חַיִּים שָׁאַל מִמְּךָ נָתַתָּה לוֹ Ps. 21:5
481 הִנֵּה טְפָחוֹת נָתַתָּה יָמַי Ps. 39:6
482 נָתַתָּה לִּירֵאֶיךָ נֵּס לְהִתְנוֹסֵס Ps. 60:6
483 וּמַיִם נָתַתָּה לָהֶם לִצְמָאָם Neh. 9:20
484 וְהָאָרֶץ אֲשֶׁר־נָתַתָּה לַאֲבֹתֵינוּ Neh. 9:36
485 לַמְּלָכִים אֲשֶׁר־נָתַתָּה עָלֵינוּ Neh. 9:37
486 אֶל־הָאֲדָמָה אֲשֶׁר־נָתַתָּה לָהֶם IICh. 6:25
487 אֲשֶׁר נָתַתָּה לְעַמְּךָ לְנַחֲלָה IICh. 6:27
488 הָאֲדָמָה אֲשֶׁר נָתַתָּה לַאֲבֹתֵינוּ IICh. 6:31
489 דֶּרֶךְ אַרְצָם אֲשֶׁר־נָתַתָּה לַאֲבוֹתָם IICh. 6:38
490 לֹא־נָתַתָּה לְיִשְׂרָאֵל לָבוֹא בָהֶם IICh. 20:10

תַּתָּה
491 וְאֹיְבַי תַּתָּה לִּי עֹרֶף IISh. 22:41

וְנָתַתָּ
492 וְנָתַתָּ כוֹס־פַּרְעֹה בְּיָדוֹ Gen. 40:13
493 וְנָתַתָּ אֶל־הָאָרֹן אֵת הָעֵדֻת Ex. 25:16
494 וְנָתַתָּ אֶת־הַכַּפֹּרֶת עַל־הָאָרֹן Ex. 25:21
495 וְנָתַתָּ אֹתוֹ עַל־עֲבֹדַת אֹהֶל מוֹעֵד Ex. 30:16
496 וְנָתַתָּ עַל־הַמַּעֲרֶכֶת לְבֹנָה זַכָּה Lev. 24:7
497 וְנָתַתָּ לְעַבְדְּךָ לֵב שֹׁמֵעַ IK. 3:9
498 וְנָתַתָּ לָאִישׁ כְּכָל־דְּרָכָיו IK. 8:39
499-512 וְנָתַתָּ Ex. 25:26, 30; 26:34; 28:23, 30; 29:3, 6, 17; 30:18²; 40:7², 8 • Lev. 2:15

וְנָתַתָּה
513 וְנָתַתָּה נֶפֶשׁ תַּחַת נָפֶשׁ Ex. 21:23
514 וְנָתַתָּה עַל אַרְבַּע פַּעֲמֹתָיו Ex. 25:12
515 וְנָתַתָּה אֶת־הַלְוִיִּם לְאַהֲרֹן וּלְבָנָיו Num. 3:9
516 וְנָתַתָּה מֵהוֹדְךָ עָלָיו Num. 27:20
517 וְנָתַתָּה...הַבְּרָכָה עַל־הַר גְּרִזִים Deut. 11:29
518 וְנָתַתָּה בַּכָּסֶף וְצַרְתָּ הַכֶּסֶף Deut. 14:25
519 וְנָתַתָּה הַכֶּסֶף בְּכֹל אֲשֶׁר־תְּאַוֶּה Deut. 14:26
520 וְנָתַתָּה בְאָזְנוֹ וּבַדֶּלֶת Deut. 15:17
521 וְנָתַתָּה אֹתוֹ אֶל־הַמַּהְפֶּכֶת Jer. 29:26
522 וְנָתַתָּה עָלֶיהָ מָצוֹר... Ezek. 4:2
523 וְנָתַתָּה עָלֶיהָ מַחֲנוֹת... Ezek. 4:2
524 וְנָתַתָּה אוֹתָהּ קִיר בַּרְזֶל בֵּינְךָ... Ezek. 4:3
525 וְנָתַתָּה לָּנוּ פְלֵיטָה כָּזֹאת Ez. 9:13
526 וְנָתַתָּה מָטָר עַל־אַרְצְךָ IICh. 6:27
527 וְנָתַתָּה לָאִישׁ כְּכָל־דְּרָכָיו IICh. 6:30
528-553 וְנָתַתָּה Ex. 26:32, 33; 27:5; 28:14, 24, 25, 27; 29:12, 20; 30:6, 36; 40:5, 6 • Num. 3:48; 7:5; 31:29, 30 • Deut. 26:12 • Josh. 15:19 • Jud. 1:15 • ISh. 1:11 • IK. 8:66 • Ezek. 4:1, 9; 43:19, 20

נְתַתָּנִי
554 כִּי אֶרֶץ הַנֶּגֶב נְתַתָּנִי Josh. 15:19
555 כִּי אֶרֶץ הַנֶּגֶב נְתַתָּנִי Jud. 1:15

וּנְתַתָּם
556 וְאָנַפְתָּ בָם וּנְתַתָּם לִפְנֵי אוֹיֵב IK. 8:46
557 וּנְתַתָּם לְרַחֲמִים לִפְנֵי שֹׁבֵיהֶם IK. 8:50
558 וּנְתַתָּם עַל־צַוָּארֶךָ Jer. 27:2
559 וּנְתַתָּם בִּכְלִי־חָרֶשׂ Jer. 32:14
560 הַאֶעֱלֶה עַל־פְּלִשְׁתִּים° וּנְתַתָּם בְּיָדִי ICh. 14:10
561 וְאָנַפְתָּ בָם וּנְתַתָּם לִפְנֵי אוֹיֵב IICh. 6:36

נָתַתְּ
562 וּקְטָרְתִּי נָתַתְּ (כ׳ נתתי) לִפְנֵיהֶם Ezek. 16:18
563 וְאַתְּ נָתַתְּ אֶת־נְדָנַיִךְ Ezek. 16:33
564 וְכִדְמֵי בָנַיִךְ אֲשֶׁר נָתַתְּ לָהֶם Ezek. 16:36

וּנְתַתִּיהוּ׳
565 וּנְתַתִּיהוּ לִפְנֵיהֶם לְרֵיחַ נִיחֹחַ Ezek. 16:19

נָתַן
566 וּמִגְדָּנֹת נָתַן לְאָחִיהָ וּלְאִמָּהּ Gen. 24:53
567 וְלִבְנֵי...נָתַן אַבְרָהָם מַתָּנֹת Gen. 25:6
568 וְיַעֲקֹב נָתַן לְעֵשָׂו לֶחֶם Gen. 25:34
569 אֲשֶׁר־נָתַן אֱלֹהִים לְאַבְרָהָם Gen. 28:4
570 נָתַן אֱלֹהִים שְׂכָרִי Gen. 30:18
571 וְכָל־יֶשׁ־לוֹ נָתַן בְּיָדוֹ Gen. 39:4
572 וְכֹל אֲשֶׁר־יֶשׁ־לוֹ נָתַן בְּיָדִי Gen. 39:8
573 אֹכֶל שְׂדֵה־הָעִיר...נָתַן בְּתוֹכָהּ Gen. 41:48
574 וֵאלֹהֵי אֲבִיכֶם נָתַן לָכֶם מַטְמוֹן Gen. 43:23
575-654 נָתַן(אֶת־)לְ־ Gen. 45:22²; 46:18, 25; 47:22; 48:9 • Ex. 16:15 • Num. 7:7, 8; 32:7, 9 • Deut. 2:12; 3:18; 8:10; 12:1, 15, 21; 16:17; 18:14; 20:14; 26:11; 28:52, 53 • Josh. 1:14, 15; 2:9; 6:16; 13:8², 14, 33; 14:3²; 15:13; 18:3, 7; 22:4, 7²; 23:13, 15, 16 • ISh. 22:10²; 30:23 • IISh. 24:23 • IK. 5:21, 25; 9:12; 10:13²; 11:18; 14:15; 15:4; 18:26 • IIK. 22:10; 23:35 • Is. 8:18 • Jer. 25:5 • Ps. 78:24 • S.of S. 8:11 • Ruth 3:17 • Eccl. 5:17; 5:18; 8:15; 9:9 • Es. 4:8; 8:1, 11 • Ez. 1:2; 7:11 • Neh. 7:70 • ICh. 28:5 • IICh. 2:11; 8:2, 9; 9:12; 32:29; 34:18; 36:23
655 וַיְיָ נָתַן קֹלֹת וּבָרָד... Ex. 9:23
656 וַיְיָ נָתַן אֶת־חֵן הָעָם בְּעֵינֵי מִצְרַיִם Ex. 12:36
657 רְאוּ כִּי־יְיָ נָתַן לָכֶם הַשַּׁבָּת Ex. 16:29
658 וּלְהוֹרֹת נָתַן בְּלִבּוֹ Ex. 35:34
659 אֲשֶׁר נָתַן יְיָ חָכְ׳ וּתְבוּנָה בָּהֵמָּה Ex. 36:1
660 אֲשֶׁר נָתַן יְיָ חָכְמָה בְּלִבּוֹ Ex. 36:2
661 נָתַן לָכֶם לָשֵׂאת אֶת־עֲוֹן הָעֵדָה Lev. 10:17
662 כִּי מִזַּרְעוֹ נָתַן לַמֹּלֶךְ Lev. 20:3
663 אֲשֶׁר נָתַן יְיָ בֵּינוֹ וּבֵין בְּ־י Lev. 26:46
664 וְלֹא־נָתַן סִיחֹן אֶת־יִשְׂרָאֵל עֲבֹר בִּגְבֻלוֹ Num. 21:23
665 נָתַן בָּנָיו פְּלֵיטִם Num. 21:29
666 רְאֵה נָתַן יְיָ אֱלֹהֶיךָ לְפָנֶיךָ... Deut. 1:21
667 אֶת־הַכֹּל נָתַן יְיָ אֱלֹהֵינוּ לְפָנֵינוּ Deut. 2:36
668 נָתַן יְיָ אֵלַי אֶת־שְׁנֵי לֻחֹת הָאֲבָנִים Deut. 9:11
669 וְלֹא־נָתַן יְיָ לָכֶם לֵב לָדַעַת Deut. 29:3
670 כִּי־נָתַן יְיָ בְּיָדֵנוּ אֶת־כָּל־הָאָרֶץ Josh. 2:24
671 אֵת כָּל־אֹיְבֵיהֶם נָתַן יְיָ בְּיָדָם Josh. 21:42
672 וּגְבוּל נָתַן־יְיָ בֵּינֵנוּ וּבֵינֵיכֶם Josh. 22:25
673 נָתַן יְיָ אֶת־אֹיְבֵיכֶם...בְּיֶדְכֶם Jud. 3:28
674 אֲשֶׁר נָתַן יְיָ אֶת־סִיסְרָא בְּיָדֶךָ Jud. 4:14
675 נָתַן הָאֱלֹהִים בְּיָדוֹ אֶת־מִדְיָן Jud. 7:14
676 נָתַן יְיָ בְּיֶדְכֶם אֶת־מַחֲנֵה מִדְיָן Jud. 7:15
677 בְּיֶדְכֶם נָתַן אֱלֹ׳ אֶת־שָׂרֵי מִדְיָן Jud. 8:3
678/9 נָתַן אֱלֹהֵינוּ בְּיָדֵנוּ... Jud. 16:23, 24
680 וְהִנֵּה נָתַן יְיָ עֲלֵיכֶם מֶלֶךְ ISh. 12:13
681 וְשָׁאוּל נָתַן אֶת־מִיכַל...לְפַלְטִי ISh. 25:44
682 וְאֵת יֶתֶר הָעָם נָתַן בְּיַד אַבְשַׁי IISh. 10:10

נָתַן (המשך)
683 אֲשֶׁר נָתַן הַיּוֹם יֹשֵׁב עַל־כִּסְאִי IK. 1:48
684 וְאֶת־צָדוֹק הַכֹּהֵן נָתַן...תַּחַת אֶבְיָתָר IK. 2:35
685 וַיְיָ נָתַן חָכְמָה לִשְׁלֹמֹה... IK. 5:26
686 כִּי מִגְרָעוֹת נָתַן לַבַּיִת סָבִיב IK. 6:6
687 וְאֶת־הַיָּם נָתַן מִכֶּתֶף הַבַּיִת IK. 7:39
688 וְאֶת־הַכֵּלִים נָתַן בְּאֹצְרוֹת בֵּית יְיָ IK. 7:51
689 בָּרוּךְ יְיָ אֲשֶׁר נָתַן מְנוּחָה לְעַמּוֹ IK. 8:56
690 וּמִבְּ־י לֹא־נָתַן שְׁלֹמֹה עָבֶד IK. 9:22
691 חָכְמָתוֹ אֲשֶׁר־נָתַן אֱלֹהִים בְּלִבּוֹ IK. 10:24
692 וְאֵת הָאֲרָזִים נָתַן כַּשִּׁקְמִים IK. 10:27
693 וּמֵעֻלּוֹ הַכָּבֵד אֲשֶׁר־נָתַן עָלֵינוּ IK. 12:4
694 מִן־הָעֹל אֲשֶׁר־נָתַן אָבִיךָ עָלֵינוּ IK. 12:9
695 וְאֶת־הָאֶחָד נָתַן בְּדָן IK. 12:29
696 כַּמּוֹפֵת אֲשֶׁר נָתַן אִישׁ הָאֱלֹהִים IK. 13:5
697 נָתַן יְיָ רוּחַ שֶׁקֶר בְּפִי כָּל־נְבִיאֶיךָ IK. 22:23
698 כִּי־בוֹ נָתַן־יְיָ תְּשׁוּעָה לַאֲרָם IIK. 5:1
699 מִי־נָתַן לִמְשִׁסָּה° יַעֲקֹב... Is. 42:24
700 אֲדֹנָי יֱהוִה נָתַן לִי לְשׁוֹן לִמּוּדִים Is. 50:4
701 נָתַן מֶלֶךְ־בָּבֶל שְׁאֵרִית לִיהוּדָה Jer. 40:11
702 וְהִנֵּה נָתַן יָדוֹ וְכָל־אֵלֶּה עָשָׂה Ezek. 17:18
703 בַּנֶּשֶׁךְ נָתַן וְתַרְבִּית לָקַח וָחָי Ezek. 18:13
704 וַיְיָ נָתַן קוֹלוֹ לִפְנֵי חֵילוֹ Joel 2:11
705 כִּי־נָתַן לָכֶם אֶת־הַמּוֹרֶה לִצְדָקָה Joel 2:23
706 נָתַן תְּהוֹם קוֹלוֹ רוֹם יָדֵיהוּ נָשָׂא Hab. 3:10
707 כַּסְפּוֹ לֹא־נָתַן בְּנֶשֶׁךְ Ps. 15:5
708 נָתַן בְּקוֹלוֹ תָּמוּג אָרֶץ Ps. 46:7
709 וְלֹא־נָתַן לַמּוֹט רַגְלֵנוּ Ps. 66:9
710 חֶרְפַּת עוֹלָם נָתַן לָמוֹ Ps. 78:66
711 שָׁמְרוּ עֵדֹתָיו וְחֹק נָתַן־לָמוֹ Ps. 99:7
712 נָתַן גִּשְׁמֵיהֶם בָּרָד Ps. 105:32
713 טֶרֶף נָתַן לִירֵאָיו Ps. 111:5
714 פִּזַּר נָתַן לָאֶבְיוֹנִים Ps. 112:9
715 וְהָאָרֶץ נָתַן לִבְנֵי־אָדָם Ps. 115:16
716 חָק־נָתַן וְלֹא יַעֲבוֹר Ps. 148:6
717 כִּי־נָתַן מִלַּחְמוֹ לַדָּל Prov. 22:9
718 יְיָ נָתַן וַיְיָ לָקָח Job 1:21
719 וְלֹא־נָתַן תִּפְלָה לֵאלֹהִים Job 1:22
720 אוֹ מִי־נָתַן לַשֶּׂכְוִי בִינָה Job 38:36
721 נִרְדִּי נָתַן רֵיחוֹ S.of S. 1:12
722 עִנְיַן רָע נָתַן אֱלֹהִים לִבְנֵי הָאָדָם Eccl. 1:13
723 לְאָדָם שֶׁטּוֹב לְפָנָיו נָתַן חָכְמָה Eccl. 2:26
724 וְלַחוֹטֶא נָתַן עִנְיָן לֶאֱסוֹף Eccl. 2:26
725 הָעִנְיָן אֲשֶׁר נָתַן אֱלֹה׳ לִבְנֵי הָאָדָם Eccl. 3:10
726 גַּם אֶת־הָעֹלָם נָתַן בְּלִבָּם Eccl. 3:11
727 נָתַן לָהֶם הָאֱלֹהִים מַדָּע וְהַשְׂכֵּל Dan. 1:17
728 אֲשֶׁר־נָתַן לְפָנֵינוּ בְּיַד עֲבָדָיו Dan. 9:10
729 בְּתוֹרַת מֹשֶׁה אֲשֶׁר־נָתַן יְיָ Ez. 7:6
730 אֲשֶׁר נָתַן כָּזֹאת בְּלֵב הַמֶּלֶךְ Ez. 7:27
731 וַיְיָ נָתַן אֶת־פַּחְדּוֹ עַל־כָּל־הַגּוֹיִם ICh. 14:17
732 אָז נָתַן דָּוִיד בָּרֹאשׁ לְהֹדוֹת לַיְיָ ICh. 16:7
733 נָתַן בְּיַד אַבְשַׁי אָחִיו ICh. 19:11
734 נָתַן בְּיָדִי אֵת יֹשְׁבֵי הָאָרֶץ ICh. 22:18(17)
735 וְאֶת־הָאֲרָזִים נָתַן כַּשִּׁקְמִים IICh. 1:15
736 וְאֶת־הַיָּם נָתַן מִכֶּתֶף הַיְמָנִית IICh. 4:10
737 נָתַן בְּאֹצְרוֹת בֵּית הָאֱלֹהִים IICh. 5:1
738 שְׁנֵי הַלֻּחוֹת אֲשֶׁר־נָתַן מֹשֶׁה IICh. 5:10
739 חָכְמָתוֹ אֲשֶׁר־נָתַן הָאֱלֹ׳ בְּלִבּוֹ IICh. 9:23
740 וְאֶת הָאֲרָזִים נָתַן כַּשִּׁקְמִים IICh. 9:27
741 וּמֵעֻלּוֹ הַכָּבֵד אֲשֶׁר־נָתַן עָלֵינוּ IICh. 10:4
742 מִן־הָעֹל אֲשֶׁר־נָתַן אָבִיךָ עָלֵינוּ IICh. 10:9
743 נָתַן מַמְלָכָה לְדָוִיד עַל־יִשְׂרָאֵל IICh. 13:5
744 מִלְּבַד אֲשֶׁר־נָתַן הַמֶּלֶךְ בְּעָרֵי... IICh. 17:19

נָתַן (המשך)
745 נָתַן יְיָ רוּחַ שֶׁקֶר בְּפִי נְבִיאֶיךָ IICh. 18:22
746 נָתַן יְיָ מְאָרְבִים עַל־בְּנֵי עַמּוֹן IICh. 20:22
747 וְאֶת־הַמַּמְלָכָה נָתַן לִיהוֹרָם IICh. 21:3
748 וַייָ נָתַן בְּיָדָם חַיִל לָרֹב מְאֹד IICh. 24:24
749 וַיֹּאמֶר לוֹ וּמוֹפֵת נָתַן לוֹ IICh. 32:24
750 הַכֹּל נָתַן בְּיָדוֹ IICh. 36:17

נָתָן
751 וְלִבְנֵי קְהָת לֹא נָתָן Num. 7:9
752 לַחְמוֹ לְרָעֵב נָתָן Ezek. 18:16

וְנָתַן
753 וְנָתַן־לִי לֶחֶם לֶאֱכֹל Gen. 28:20
754 עָנוֹשׁ יֵעָנֵשׁ...וְנָתַן בִּפְלִלִים Ex. 21:22
755 וְנָתַן פִּדְיֹן נַפְשׁוֹ Ex. 21:30
756 וְיָצַק עָלֶיהָ שֶׁמֶן וְנָתַן עָלֶיהָ לְבֹנָה Lev. 2:1
757 וְנָתַן הַכֹּהֵן מִן־הַדָּם עַל... Lev. 4:7
758-760 וְנָתַן עַל־קַרְנֹת מִזְבַּח הָעֹלָה Lev. 4:25, 30, 34
761 וְנָתַן אֹתוֹ לַכֹּהֵן Lev. 5:16
762 וְנָתַן הַכֹּהֵן עַל־תְּנוּךְ אֹזֶן... Lev. 14:14
763-775 וְנָתַן (אֶת־) עַל־ Lev. 14:25, 28
16:8, 13, 18, 21 • Num. 5:18; 6:18, 19; 19:17 • Deut. 28:48; 30:7 • ISh. 17:38
776 וְנָתַן לַכֹּהֵן אֶת־הַקֹּדֶשׁ Lev. 22:14
777 וְנָתַן אֶת־הָעֶרְכְּךָ...קֹדֶשׁ לַייָ Lev. 27:23
778 וְנָתַן לַאֲשֶׁר אָשַׁם לוֹ Num. 5:7
779 וּמִן־הֶעָפָר...וְנָתַן אֶל־הַמָּיִם Num. 5:17
780 וְנָתַן יְיָ לָכֶם בָּשָׂר וַאֲכַלְתֶּם Num. 11:18
781 וְדִבַּרְתֶּם אֶל־הַסֶּלַע...וְנָתַן מֵימָיו Num. 20:8
782 וְנָתַן מַלְכֵיהֶם בְּיָדֶךָ Deut. 7:24
783 וְנָתַן אֵלֶיךָ אוֹת אוֹ מוֹפֵת Deut. 13:2
784 וְנָתַן־לְךָ רַחֲמִים וְרִחַמְךָ Deut. 13:18
785 וְנָתַן לַכֹּהֵן הַזְּרֹעַ וְהַלְּחָיַיִם Deut. 18:3
786 וְנָתַן לְךָ אֶת־כָּל־הָאָרֶץ Deut. 19:8
787 וְנָתַן...לַאֲבִי הַנַּעֲר חֲמִשִּׁים כָּסֶף Deut. 22:29
788/9 וְנָתַן בְּיָדָהּ וְשִׁלְּחָהּ מִבֵּיתוֹ Deut. 24:1, 3
790 וְנָתַן יְיָ לְךָ שָׁם לֵב רַגָּז Deut. 28:65
791 וְנָתַן לָכֶם אֶת־הָאָרֶץ הַזֹּאת Josh. 1:13
792 וְנָתַן יְיָ אוֹתָם לְפָנָי Jud. 11:9
793 וְנָתַן לִפְנִנָּה אִשְׁתּוֹ...מָנוֹת ISh. 1:4
794 וְזֵיתֵיכֶם...יִקָּח וְנָתַן לַעֲבָדָיו ISh. 8:14
795 ...יַעְשֹׂר וְנָתַן לְסָרִיסָיו וְלַעֲבָדָיו ISh. 8:15
796 וְנָתַן אֶתְכֶם בְּיָדֵנוּ ISh. 17:47
797 וְנָתַן בַּיּוֹם הַהוּא מוֹפֵת IK. 13:3
798/9 וְנָתַן יְיָ בְּיַד הַמֶּלֶךְ IK. 22:12, 15
800 וְנָתַן אֶת־מוֹאָב בְּיֶדְכֶם IIK. 3:18
801 וְנָתַן לָכֶם אֲדֹנָי לֶחֶם צָר Is. 30:20
802 וְנָתַן מְטַר זַרְעֲךָ אֲשֶׁר־תִּזְרַע Is. 30:23
803 וְנָתַן זֶרַע לַזֹּרֵעַ וְלֶחֶם לָאֹכֵל Is. 55:10
804 וְנָתַן עָלַיִךְ דָּיֵק Ezek. 26:8
805 וְנָתַן עֵץ הַשָּׂדֶה אֶת־פִּרְיוֹ Ezek. 34:27
806 וְלָקַח...וְנָתַן אֶל־מְזוּזַת הַבַּיִת Ezek. 45:19
807/8 וְנָתַן אַרְצָם (לְ)נַחֲלָה Ps. 135:12; 136:21
809 שָׁלַף אִישׁ נַעֲלוֹ וְנָתַן לְרֵעֵהוּ Ruth 4:7
810 עֲלֵה...וְנָתַן יְיָ בְּיַד הַמֶּלֶךְ IICh. 18:11

שֶׁנָּתַן
811 וּמִן־הַנְּתִינִים שֶׁנָּתַן דָּוִיד Ez. 8:20

נְתָנַנִי
812 נְתָנַנִי שֹׁמֵמָה כָּל־הַיּוֹם דָּוָה Lam. 1:13
813 נְתָנַנִי אֲדֹנָי בִּידֵי לֹא־אוּכַל קוּם Lam. 1:14

נְתָנָנִי
814 יַסֹּר יִסְּרַנִּי יָּהּ וְלַמָּוֶת לֹא נְתָנָנִי Ps. 118:18

נְתָנְךָ
815 אֵת אֲשֶׁר־נְתָנְךָ יְיָ הַיּוֹם בְּיָדִי ISh. 24:10
816 אֲשֶׁר נְתָנְךָ יְיָ הַיּוֹם בְּיָד ISh. 26:23
817 יְיָ נְתָנְךָ כֹהֵן תַּחַת יְהוֹיָדָע הַכֹּהֵן Jer. 29:26
818 בְּאַהֲבַת יְיָ...נְתָנְךָ עֲלֵיהֶם מֶלֶךְ IICh. 2:10

וּנְתָנְךָ
819 וּנְתָנְךָ יְיָ אֱלֹהֶיךָ עֶלְיוֹן... Deut. 28:1
820 וּנְתָנְךָ יְיָ לְרֹאשׁ וְלֹא לְזָנָב Deut. 28:13

נְתָנוֹ
821 וְלֹא־נְתָנוֹ אֵל׳ לְהָרַע עִמָּדִי Gen. 31:7
822 כִּי־לֹא נְתָנוֹ לָרֶדֶת לָעֵמֶק Jud. 1:34
823 וְלֹא־נְתָנוֹ אָבִיהָ לָבוֹא Jud. 15:1
824 וְלֹא נְתָנוֹ לָשׁוּב בֵּית אָבִיו ISh. 18:2
825 וְלֹא־נְתָנוֹ אֱלֹהִים בְּיָדוֹ ISh. 23:14

וּנְתָנוֹ
826 וּנְתָנוֹ יְיָ אֱלֹהֶיךָ בְּיָדֶךָ Deut. 21:10

נְתָנָהּ
827 כִּי־נְתָנָהּ אֱלֹהִים בְּיֶדְכֶם Jud. 18:10
828 וְהָרוּחַ תָּשׁוּב אֶל־הָאֵל׳ אֲשֶׁר נְתָנָהּ Eccl. 12:7

וּנְתָנָהּ
829 יְבִאֲךָ יְיָ אֶל־אֶרֶץ...וּנְתָנָהּ לָךְ Ex. 13:11
830 וְהֵבִיא אֹתָנוּ...וּנְתָנָהּ לָנוּ Num. 14:8
831 וּנְתָנָהּ יְיָ אֱלֹהֶיךָ בְּיָדֶךָ Deut. 20:13
832 וּנְתָנָהּ יְיָ אֱלֹהֵיכֶם בְּיֶדְכֶם Josh. 8:7
833 וּנְתָנָהּ לְרֵעֲךָ הַטּוֹב מִמֶּךָּ ISh. 15:28

נְתָנָנוּ
834 בָּרוּךְ יְיָ שֶׁלֹּא נְתָנָנוּ טֶרֶף Ps. 124:6

נְתָנָם
835 כִּי נְתָנָם יְיָ אֱלֹהֵיכֶם בְּיֶדְכֶם Josh. 10:19
836 וְלֹא נְתָנָם בְּיַד יְהוֹשֻׁעַ Jud. 2:23
837 כִּי־נְתָנָם יְיָ בְּיָדֵנוּ ISh. 14:10
838 כִּי־נְתָנָם יְיָ בְּיַד יִשְׂרָאֵל ISh. 14:12
839 וְלֹא נְתָנָם לָקוּם אֶל־שָׁאוּל ISh. 24:7
840 הֶחֱרִימָם נְתָנָם לַטָּבַח Is. 34:2
841 הָרְשָׁעִים נְתָנָם לַחֶרֶב Jer. 25:31
842 וּבְהִשָּׁעֶנְךָ עַל־יְיָ נְתָנָם בְּיָדֶךָ IICh. 16:8
843 הִנֵּה בַּחֲמַת יְיָ...נְתָנָם בְּיֶדְכֶם IICh. 28:9

וּנְתָנָם
844 שְׁתֵּי תֹרִים...וּנְתָנָם אֶל־הַכֹּהֵן Lev. 15:14
845/6 וּנְתָנָם יְיָ אֱלֹהֶיךָ לְפָנֶיךָ Deut. 7:2, 23
847 וְהֵסִיר...וּנְתָנָם בְּכָל־שֹׂנְאֶיךָ Deut. 7:15
848 וּנְתָנָם יְיָ לִפְנֵיכֶם Deut. 31:5

נָתְנָה
849 הִוא נָתְנָה־לִּי מִן־הָעֵץ וָאֹכֵל Gen. 3:12
850 וְלֹא־נָתְנָה עוֹף הַשָּׁמַיִם לָנוּחַ IISh. 21:10
851/2 נָתְנָה מַלְכַּת־שְׁבָא לַמֶּלֶךְ שְׁלֹמֹה IK. 10:10 • IICh. 9:9
853 נָתְנָה עָלַי בְּקוֹלָהּ עַל־כֵּן שְׂנֵאתִיהָ Jer. 12:8
854 הָרִיעוּ עָלֶיהָ סָבִיב נָתְנָה יָדָהּ Jer. 50:15
855 אֶרֶץ נָתְנָה יְבוּלָהּ Ps. 67:7
856 וַחֲגוֹר נָתְנָה לַכְּנַעֲנִי Prov. 31:24

נָתָנָה
857 מַיִם שָׁאַל חָלָב נָתָנָה Jud. 5:25

וְנָתְנָה
858 וְנָתְנָה הָאָרֶץ פִּרְיָהּ Lev. 25:19
859 וְנָתְנָה הָאָרֶץ יְבוּלָהּ Lev. 26:4

נָתַנּוּ
860 מִצְרַיִם נָתַנּוּ יָד Lam. 5:6
861 כִּי־מִמְּךָ הַכֹּל וּמִיָּדְךָ נָתַנּוּ לָךְ ICh. 29:14

וְנָתַנּוּ
862 וְנָתַנּוּ אֶת־בְּנֹתֵינוּ לָכֶם Gen. 34:16

נְתַנּוּךָ
863 הַלְיוֹעֵץ לַמֶּלֶךְ נְתַנּוּךָ IICh. 25:16

וּנְתַנּוּךָ
864 אָסֹר נֶאֱסָרְךָ וּנְתַנּוּךָ בְיָדָם Jud. 15:13

נְתַתֶּם
865 כִּי לֹא אַתֶּם נְתַתֶּם לָהֶם Jud. 21:22
866 כִּי־נְתַתֶּם אוֹתִי אֶל־בֵּית הַכֶּלֶא Jer. 37:18

וּנְתַתֶּם
867 וּנְתַתֶּם חֲמִישִׁית לְפַרְעֹה Gen. 47:24
868 וּנְתַתֶּם עֲלֵיהֶם קְטֹרֶת Num. 16:17
869 וּנְתַתֶּם מִמֶּנּוּ...תְּרוּמַת יְיָ לְאַהֲרֹן Num. 18:28
870 וּנְתַתֶּם אֹתָהּ אֶל־אֶלְעָזָר הַכֹּהֵן Num. 19:3
871 וּנְתַתֶּם אֶת־נַחֲלָתוֹ לְאֶחָיו Num. 27:9
872 וּנְתַתֶּם אֶת־נַחֲלָתוֹ לַאֲחֵי אָבִיו Num. 27:10
873 וּנְתַתֶּם אֶת־נַחֲלָתוֹ לִשְׁאֵרוֹ Num. 27:11
874 וּנְתַתֶּם לָהֶם אֶת־אֶרֶץ הַגִּלְעָד Num. 32:29
875 וּנְתַתֶּם לִי אוֹת אֱמֶת Josh. 2:12
876 וּנְתַתֶּם אַתֶּם לִי שְׁלֹשִׁים סְדִינִים Jud. 14:13
877 וּנְתַתֶּם לֵאלֹהֵי יִשְׂרָאֵל כָּבוֹד ISh. 6:5
878 וּנְתַתֶּם אֹתוֹ אֶל־הָעֲגָלָה ISh. 6:8

נָתְנוּ
879 נָתְנוּ עַל־שְׁתֵּי הַמִּשְׁבְּצֹת Ex. 39:18
880 הַכֶּסֶף...נָתְנוּ אוֹצַר בֵּית־יְיָ Josh. 6:24
881 וְלֹא־נָתְנוּ חֵלֶק לַלְוִיִּם בָּאָרֶץ Josh. 14:4
882 עַל־פִּי יְיָ נָתְנוּ לוֹ אֶת־הָעִיר Josh. 19:50
883 וּמֵעֵבֶר...נָתְנוּ אֶת־בֶּצֶר בַּמִּדְבָּר Josh. 20:8

נָתְנוּ (המשך)
884 נָתְנוּ לְכָלֵב...בַּאֲחֻזָּתוֹ Josh. 21:12
885 נָתְנוּ אֶת־עִיר מִקְלַט הָרֹצֵחַ Josh. 21:13
886 וְאֶת־בְּנוֹתֵיהֶם נָתְנוּ לִבְנֵיהֶם Jud. 3:6
887 וְלֹא־נָתְנוּ אִישׁ לַעֲבֹר Jud. 3:28
888 נָתְנוּ לְדָוִד רְבָבוֹת ISh. 18:8
889 וְלִי נָתְנוּ הָאֲלָפִים ISh. 18:8
890 הַכְּמָרִים אֲשֶׁר נָתְנוּ מַלְכֵי יְהוּדָה IIK. 23:5
891 אֲשֶׁר נָתְנוּ מַלְכֵי יְהוּדָה לַשֶּׁמֶשׁ IIK. 23:11
892 עָלָיו יִשְׁאֲגוּ כְפִרִים נָתְנוּ קוֹלָם Jer. 2:15
893 נָתְנוּ...לְמִדְבַּר שְׁמָמָה Jer. 12:10
894 וְלֹא־נָתְנוּ אֹתוֹ בֵּית הַכְּלוּא° Jer. 37:4
895 כִּי־נָתְנוּ אֶת־יִרְמְיָהוּ אֶל־הַבּוֹר Jer. 38:7
896 עַד־יַהַץ נָתְנוּ קוֹלָם Jer. 48:34
897 הִנֵּה נָתְנוּ עָלֶיךָ עֲבוֹתִים Ezek. 3:25
898 אֲשֶׁר נָתְנוּ־שָׁם רֵיחַ נִיחֹחַ Ezek. 6:13
899 וּמִכְשׁוֹל עֲוֹנָם נָתְנוּ נֹכַח פְּנֵיהֶם Ezek. 14:3
900 נָתְנוּ חִתִּיתָם לְכָל־יוֹשְׁבֶיהָ Ezek. 26:17
901 הֵמָּה נָתְנוּ הֲדָרֵךְ Ezek. 27:10
902-904 ...נָתְנוּ עִזְבוֹנָיִךְ Ezek. 27:12, 14, 22
905-906 ...נָתְנוּ מַעֲרָבֵךְ Ezek. 27:13, 17
907 וְרָאמֹת וְכַדְכֹּד נָתְנוּ בְּעִזְבוֹנָיִךְ Ezek. 27:16
908 נָתְנוּ חִתִּית בְּאֶרֶץ חַיִּים Ezek. 32:23
909/10 נָתְנוּ חִתִּיתָם בְּאֶרֶץ חַיִּים Ezek. 32:24, 26
911 בְּתוֹךְ חֲלָלִים נָתְנוּ מִשְׁכָּב לָהּ Ezek. 32:25
912 נָתְנוּ־אֶת־אַרְצִי לָהֶם לְמוֹרָשָׁה Ezek. 36:5
913 אֲשֶׁר נָתְנוּ־לִי מְאַהֲבַי Hosh. 2:14
914 תְּאֵנָה וָגֶפֶן נָתְנוּ חֵילָם Joel 2:22
915 קוֹל נָתְנוּ שְׁחָקִים Ps. 77:18
916 נָתְנוּ...נִבְלַת עֲבָדֶיךָ מַאֲכָל Ps. 79:2
917 נָתְנוּ רְשָׁעִים פַּח לִי Ps. 119:110
918 וְהַגְּפָנִים סְמָדַר נָתְנוּ רֵיחַ S.of S. 2:13
919 הַדּוּדָאִים נָתְנוּ־רֵיחַ S.of S. 7:14
920 נָתְנוּ מַחֲמַדֵּיהֶם° בְּאֹכֶל Lam. 1:11
921 קוֹל נָתְנוּ בְּבֵית־יְיָ כְּיוֹם מוֹעֵד Lam. 2:7
922 וְלֹא־נָתְנוּ עָלָיו הוֹד מַלְכוּת Dan. 11:21
923 כְּכֹחָם נָתְנוּ לְאוֹצַר הַמְּלָאכָה Ez. 2:69
924 וּמִקְצָת...נָתְנוּ לַמְּלָאכָה Neh. 7:69
925 נָתְנוּ לְאוֹצַר הַמְּלָאכָה זָהָב Neh. 7:70
926 וַאֲשֶׁר נָתְנוּ שְׁאֵרִית הָעָם Neh. 7:71
927 נָתְנוּ לְכָלֵב בֶּן־יְפֻנֶּה ICh. 6:41
928 וְלִבְנֵי אַהֲרֹן נָתְנוּ אֶת־עָרֵי הַמִּקְלָט ICh. 6:42
929 נָתְנוּ לְאוֹצַר בֵּית־יְיָ ICh. 29:8
930 נָתְנוּ יָד תַּחַת שְׁלֹמֹה הַמֶּלֶךְ ICh. 29:24
931 לַכֹּהֲנִים נָתְנוּ לַפְּסָחִים אַלְפַּיִם... IICh. 35:8

נָתָנוּ
932 וְדָן וְיָוָן...בְּעִזְבוֹנַיִךְ נָתָנוּ Ezek. 27:19

וְנָתְנוּ
933 וְנָתְנוּ עַל־שְׁתֵּי הַמְּזוּזֹת Ex. 12:7
934 וְנָתְנוּ אִישׁ כֹּפֶר נַפְשׁוֹ Ex. 30:12
935 וְנָתְנוּ...אֵשׁ עַל־הַמִּזְבֵּחַ Lev. 1:7
936 וְנָתְנוּ עָלָיו כְּסוּי עוֹר תַּחַשׁ Num. 4:6
937 וְנָתְנוּ עָלָיו אֶת־הַקְּעָרֹת Num. 4:7
938 וְנָתְנוּ...אֶל־מִכְסֵה עוֹר תָּחַשׁ Num. 4:10
939/40 וְנָתְנוּ עַל־הַמּוֹט Num. 4:10, 12
941 וְנָתְנוּ אֶל־בֶּגֶד תְּכֵלֶת Num. 4:12
942 וְנָתְנוּ עָלָיו אֶת־כָּל־כֵּלָיו Num. 4:14
943 וְנָתְנוּ עַל־צִיצִת הַכָּנָף פְּתִיל Num. 15:38
944 וְנָתְנוּ לַלְוִיִּם מִנַּחֲלַת אֲחֻזָּתָם Num. 35:2
945 וְנָתְנוּ אֹתוֹ בְּיַד גֹּאֵל הַדָּם Deut. 19:12
946 וְעָנְשׁוּ...וְנָתְנוּ לַאֲבִי הַנַּעֲרָה Deut. 22:19
947 וְנָתְנוּ־לוֹ מָקוֹם וְיָשַׁב עִמָּם Josh. 20:4
948 וְנָתְנוּ לְךָ שְׁתֵּי־לֶחֶם ISh. 10:4
949 וְנָתְנוּ־שָׁמָּה...אֶת־כָּל־הַכֶּסֶף IIK. 12:10
950 וְנָתְנוּ אֶת־הַכֶּסֶף הַמְתֻכָּן IIK. 12:12

וְנָתְנוּ (המשך)

951 וְנָתְנוּ אֶת־אֱלֹהֵיהֶם בָּאֵשׁ IIK. 19:18
952 וְנָתְנוּ אִישׁ כִּסְאוֹ פֶּתַח שַׁעֲרֵי יְרוּ׳ Jer. 1:15
953 וְנָתְנוּ אוֹתוֹ בֵּית הָאֵסוּר Jer. 37:15
954 וְנָתְנוּ זִמָּתְכֶנָה עֲלֵיכֶן Ezek. 23:49
955 וְנָתְנוּ בָךְ מִשְׁכְּנֵיהֶם Ezek. 25:4
956 וְנָתְנוּ אֹתוֹ לָהֶם לְצֹפֶה Ezek. 33:2
957 וְהֵסִירוּ הַתָּמִיד וְנָתְנוּ הַשִּׁקּוּץ Dan. 11:31

נֹתֵן

958 אֲשֶׁר־אֲנִי נֹתֵן בֵּינִי וּבֵינֵיכֶם Gen. 9:12
959 אֵינֶנִּי נֹתֵן לָכֶם תֶּבֶן Ex. 5:10
960 הוּא נֹתֵן לָכֶם...לֶחֶם יוֹמָיִם Ex. 16:29
961 אֲשֶׁר־יְיָ אֱלֹהֶיךָ נֹתֵן לָךְ Ex. 20:12
962 אֲשֶׁר אֲנִי נֹתֵן לָכֶם לַאֲחֻזָּה Lev. 14:34
963/4 הָאָרֶץ אֲשֶׁר אֲנִי נֹתֵן לָכֶם Lev. 23:10; 25:2
965–1012 ...נֹתֵן(־)לְ־ Num. 13:2; 15:2

Deut. 1:20, 25; 2:29; 3:20; 4:1, 21, 40; 5:16, 28; 7:16; 9:6; 11:17, 31; 12:9; 13:13; 15:4, 7; 16:5, 18, 20; 17:2, 14; 18:9; 19:1, 2, 10, 14; 20:16; 21:1, 23; 24:4; 26:1, 2; 27:2, 3; 28:8; 32:49, 52 • Josh. 1:2, 11, 15 • Jud. 21:18 • IK. 5:24 • Ezek. 29:19

1013 הִנְנִי נֹתֵן לוֹ אֶת־בְּרִיתִי שָׁלוֹם Num. 25:12
1014/5 אֲשֶׁר אָנֹכִי נֹתֵן לִפְנֵיכֶם הַיּוֹם Deut. 4:8; 11:32
1016 רְאֵה אָנֹכִי נֹתֵן לִפְנֵיכֶם הַיּוֹם Deut. 11:26
1017 אָנֹכִי נֹתֵן אֶת־כֻּלָּם חֲלָלִים Josh. 11:6
1018 אֲנִי נֹתֵן אֶת־פְּלִשְׁתִּים בְּיָדֶךָ ISh. 23:4
1019 אָנֹכִי נֹתֵן אֶת־אֹיִבְךָ בְּיָדֶךָ ISh. 24:4
1020 אַתָּה נֹתֵן אֶת־עַבְדְּךָ בְּיַד־אַחְאָב IK. 18:9
1021 הִנְנִי נֹתֵן בּוֹ רוּחַ...וְשָׁב IIK. 19:7
1022 הִנְנִי נוֹתֵן בּוֹ רוּחַ...וְשָׁב Is. 37:7
1023 נֹתֵן לַיָּעֵף כֹּחַ... Is. 40:29
1024 נֹתֵן נְשָׁמָה לָעָם עָלֶיהָ Is. 42:5
1025 הִנְנִי נֹתֵן דְּבָרַי בְּפִיךָ לְאֵשׁ Jer. 5:14
1026 הִנְנִי נֹתֵן אֶל־הָעָם הַזֶּה מִכְשֹׁלִים Jer. 6:21
1027 הִנְנִי נֹתֵן לִפְנֵיכֶם אֶת־דֶּרֶךְ הַחַיִּים Jer. 21:8
1028 הִנְנִי נֹתֵן אֹתָם בְּיַד נְבוּכַדְרֶאצַּר Jer. 29:21
1029 נֹתֵן שֶׁמֶשׁ לְאוֹר יוֹמָם Jer. 31:35(34)
1030–1032 הִנְנִי נֹתֵן אֶת־הָעִיר הַזֹּאת בְּיַד...

Jer. 32:3, 28; 34:2

1032א הִנְנִי נֹתֵן אֶת־פַּרְעֹה...בְּיַד... Jer. 44:30
1033 וֶאֱכֹל אֵת אֲשֶׁר־אֲנִי נֹתֵן אֵלֶיךָ Ezek. 2:8
1034 הַמְּגִלָּה...אֲשֶׁר אֲנִי נֹתֵן אֵלֶיךָ Ezek. 3:3
1035 נֹתֵן בְּאוֹצָרוֹת תְּהוֹמוֹת Ps. 33:7
1036 הוּא נֹתֵן עֹז וְתַעֲצֻמוֹת לָעָם Ps. 68:36
1037 נֹתֵן לֶחֶם לְכָל־בָּשָׂר Ps. 136:25
1038 וְאַתָּה נוֹתֵן־לָהֶם אֶת־אָכְלָם Ps. 145:15
1039 נֹתֵן לֶחֶם לָרְעֵבִים Ps. 146:7
1040 נוֹתֵן לִבְהֵמָה לַחְמָהּ Ps. 147:9
1041 נֹתֵן לְעָשִׁיר אַךְ־לְמַחְסוֹר Prov. 22:16
1042 כֵּן־נוֹתֵן לִכְסִיל כָּבוֹד Prov. 26:8
1043 נוֹתֵן לָרָשׁ אֵין מַחְסוֹר Prov. 28:27
1044 נֹתֵן זְמִרוֹת בַּלָּיְלָה Job 35:10
1045 מָה אֱלֹהַי נֹתֵן אֶל־לִבִּי לַעֲשׂוֹת Neh. 2:12

וְנוֹתֵן

1046 וְצַדִּיק חוֹנֵן וְנוֹתֵן Ps. 37:21
1047 וְנֹתֵן לָהֶם זֵרְעֹנִים Dan. 1:16

הַנֹּתֵן

1048 נַפְתָּלִי...הַנֹּתֵן אִמְרֵי־שָׁפֶר Gen. 49:21
1049 הַנֹּתֵן לְךָ כֹּחַ לַעֲשׂוֹת חָיִל Deut. 8:18
1050 הָאֵל הַנֹּתֵן נְקָמֹת לִי IISh. 22:48
1051 הַנּוֹתֵן רוֹזְנִים לְאָיִן Is. 40:23
1052 כֹּה אָמַר יְיָ הַנּוֹתֵן בַּיָּם דָּרֶךְ Is. 43:16
1053 הַנֹּתֵן גֶּשֶׁם יֹרֶה וּמַלְקוֹשׁ Jer. 5:24
1054 הָאֵל הַנּוֹתֵן נְקָמוֹת לִי Ps. 18:48
1055 הַנּוֹתֵן תְּשׁוּעָה לַמְּלָכִים Ps. 144:10
1056 הַנֹּתֵן שֶׁלֶג כַּצָּמֶר Ps. 147:16
1057 הַנֹּתֵן מָטָר עַל־פְּנֵי־אָרֶץ Job 5:10

נֹתֶנְךָ

1058 הִנְנִי נֹתֶנְךָ לְמָגוֹר לְךָ Jer. 20:4

נֹתְנָךְ

1059 הִנְנִי נֹתְנָךְ בְּיַד אֲשֶׁר שָׂנֵאת Ezek. 23:28
1060 הִנְנִי נֹתְנָךְ לִבְנֵי־קֶדֶם לְמוֹרָשָׁה Ezek. 25:4

נֹתְנוֹ

1061 הִנְנִי נֹתְנוֹ בְיָדְךָ הַיּוֹם IK. 20:13

נֹתְנִים

1062 כִּי־דָם נָקִי אַתֶּם נֹתְנִים עֲלֵיכֶם Jer. 26:15
1063 נֹתְנִים מְנָיוֹת הַמְשֹׁרְרִים... Neh. 12:47
1064 וְשָׁם הָיוּ לְפָנִים נֹתְנִים אֶת־הַמִּנְחָה Neh. 13:5

הַנֹּתְנִים

1065 הַנֹּתְנִים...לְבָבָם לְבַקֵּשׁ אֶת־יְיָ IICh. 11:16

נֹתְנֵי־

1066 מְאַהֲבַי נֹתְנֵי לַחְמִי וּמֵימַי Hosh. 2:7

נָתוּן

1067 הַכֶּסֶף נָתוּן לָךְ Es. 3:11
1068 נָתוּן בְּלִשְׁכַּת בֵּית־אֱלֹהֵינוּ Neh. 13:4
1069 הַחָכְמָה וְהַמַּדָּע נָתוּן לָךְ IICh. 1:12

נְתוּנִים

1070/1 נְתוּנִם נְתוּנִם הֵמָּה לוֹ Num. 3:9
1072/3 כִּי נְתֻנִים נְתֻנִים הֵמָּה לִי Num. 8:16
1074 נְתֻנִים לְאַהֲרֹן וּלְבָנָיו Num. 8:19
1075 לָכֶם מַתָּנָה נְתֻנִים לַיְיָ לַעֲבֹד Num. 18:6
1076 בָּנֶיךָ וּבְנֹתֶיךָ נְתֻנִים לְעַם אַחֵר Deut. 28:32
1077 נְתוּנִים לְכָל־עֲבוֹדַת מִשְׁכַּן... ICh. 6:32

נְתוּנוֹת

1078 צֹאנְךָ נְתֻנוֹת לְאֹיְבֶיךָ Deut. 28:31

אֶתֵּן

1079/80 לְזַרְעֲךָ אֶתֵּן אֶת־הָאָרֶץ הַזֹּאת

Gen. 12:7; 24:7

1081 אֶתֵּן אֶת־כָּל־הָאֲרָצֹת הָאֵל Gen. 26:3
1082 וַאֲשֶׁר תֹּאמְרוּ אֵלַי אֶתֵּן Gen. 34:11
1083 וּלְזַרְעֲךָ אַחֲרֶיךָ אֶתֵּן אֶת־הָאָ׳ Gen. 35:12
1084 אֶת־אֲחִיכֶם אֶתֵּן לָכֶם Gen. 42:34
1085 וַאֲנִי אֶתֵּן אֶת־שְׂכָרֵךְ Ex. 2:9
1086 כִּי אֶתֵּן בְּיֶדְכֶם אֵת יֹשְׁבֵי הָאָרֶץ Ex. 23:31
1087/8 הָעֵדֻת אֲשֶׁר אֶתֵּן אֵלֶיךָ Ex. 25:16, 21
1089 וְכָל־הָאָרֶץ...אֶתֵּן לְזַרְעֲכֶם Ex. 32:13
1090 וַאֲנִי אֶתֵּן אֶת־פָּנַי בָּאִישׁ הַהוּא Lev. 20:3
1091–1105 אֶתֵּן (אֶת־) לְ־ Num. 10:29; 11:21

Deut. 1:36; 2:5, 9 • Jud. 17:10 • IK. 5:20; 11:13, 36; 21:4, 6, 7 • Jer. 8:10 • Ps. 105:11 • ICh. 16:18

1106 עֲבֹדַת מַתָּנָה אֶתֵּן אֶת־כְּהֻנַּתְכֶם Num. 18:7
1107 לֹא־אֶתֵּן מֵאֶ׳ בְּנֵי־עַמּוֹן...יְרֻשָּׁה Deut. 2:19
1108 נָתֹן אֶתֵּן אֶת־הַפְּלִשְׁתִּים בְּיָדֶךָ IISh. 5:19
1109 וַיֹּאמֶר הַמֶּלֶךְ אֲנִי אֶתֵּן IISh. 21:6
1110 בִּנְךָ אֲשֶׁר אֶתֵּן תַּחְתֶּיךָ IK. 5:19
1111 מָה אֶתֵּן זֶה לִפְנֵי מֵאָה אִישׁ IIK. 4:43
1112 וּמֶמְשַׁלְתְּךָ אֶתֵּן בְּיָדוֹ Is. 22:21
1113 אֶתֵּן בַּמִּדְבָּר אֶרֶז שִׁטָּה וַהֲדַס Is. 41:19
1114 וְלִירוּשָׁלַ͏ִם מְבַשֵּׂר אֶתֵּן Is. 41:27
1115/6 וּכְבוֹדִי לְאַחֵר לֹא־אֶתֵּן Is. 42:8; 48:11
1117 אִם־אֶתֵּן אֶת־דְּגָנֵךְ עוֹד מַאֲכָל Is. 62:8
1118 וְאֶת־עָרֵי יְהוּדָה אֶתֵּן שְׁמָמָה Jer. 9:10
1119 כִּי־שְׁלוֹם אֱמֶת אֶתֵּן לָכֶם Jer. 14:13
1120 לַחֶרֶב אֶתֵּן לִפְנֵי אֹיְבֵיהֶם Jer. 15:9
1121 חֵילְךָ וְאוֹצְרוֹתֶיךָ לָבַז אֶתֵּן Jer. 15:13
1122 אֲשֶׁר לֹא־אֶתֵּן לָכֶם חֲנִינָה Jer. 16:13
1123 חֵילְךָ כָל־אוֹצְרוֹתֶיךָ לָבַז אֶתֵּן Jer. 17:3
1124 אֶתֵּן בְּיַד מֶלֶךְ־בָּבֶל Jer. 20:4
1125 כָּל־אוֹצְרוֹת...אֶתֵּן בְּיַד אֹיְבֵיהֶם Jer. 20:5
1126 אֶתֵּן אֶת־צִדְקִיָּהוּ...בְּיַד נְבוּכַדְרֶ׳ Jer. 21:7
1127 כֵּן אֶתֵּן אֶת־צִדְקִיָּהוּ Jer. 24:8
1128 וְאֶת־הָעִיר הַזֹּאת אֶתֵּן לִקְלָלָה Jer. 26:6
1129 וְכָל־בֹּזְזַיִךְ אֶתֵּן לָבַז Jer. 30:16
1130 וְאֶת־יִרְאָתִי אֶתֵּן בִּלְבָבָם Jer. 32:40
1131 וְאֶת־שָׂרָיו אֶתֵּן בְּיַד אֹיְבֵיהֶם Jer. 34:21
1132 וְאֶת־עָרֵי יְהוּדָה אֶתֵּן שְׁמָמָה Jer. 34:22
1133 כִּי דְרָכַיִךְ עָלַיִךְ אֶתֵּן Ezek. 7:4
1134 כִּדְרָכַיִךְ עָלַיִךְ אֶתֵּן Ezek. 7:9

אֶתֵּן (המשך)

1135 וְרוּחַ חֲדָשָׁה אֶתֵּן בְּקִרְבְּכֶם Ezek. 11:19
1136 וּלְךָ אֶתֵּן פִּתְחוֹן־פֶּה בְּתוֹכָם Ezek. 29:21
1137 וְרוּחַ חֲדָשָׁה אֶתֵּן בְּקִרְבְּכֶם Ezek. 36:26
1138 וְאֶת־רוּחִי אֶתֵּן בְּקִרְבְּכֶם Ezek. 36:27
1139 וְלֹא־אֶתֵּן עֲלֵיכֶם רָעָב Ezek. 36:29
1140 אֶתֵּן לְגוֹג מְקוֹם־שָׁם קֶבֶר Ezek. 39:11
1141 וְלֹא־אֶתֵּן אֶתְכֶם עוֹד חֶרְפָּה Joel 2:19
1142 וַאֲשֶׁר תְּפַלֵּט לַחֶרֶב אֶתֵּן Mic. 6:14
1143 כִּי־אֶתֵּן אֶתְכֶם לְשֵׁם וְלִתְהִלָּה Zep. 3:20
1144 וּבַמָּקוֹם הַזֶּה אֶתֵּן שָׁלוֹם Hag. 2:9
1145 אִם־אֶתֵּן שְׁנָת לְעֵינָי Ps. 132:4
1146 לֵךְ וָשׁוּב וּמָחָר אֶתֵּן Prov. 3:28
1147 וּלְפֹעֲלִי אֶתֵּן־צֶדֶק Job 36:3
1148 שָׁם אֶתֵּן אֶת־דֹּדַי לָךְ S.ofS. 7:13
1149 וְשָׁלוֹם וָשֶׁקֶט אֶתֵּן עַל־יִשְׂרָאֵל ICh. 22:9(8)

אֶתֶּן־

1150 וַיֹּאמֶר מָה אֶתֶּן־לָךְ Gen. 30:31
1151 מָה הָעֵרָבוֹן אֲשֶׁר אֶתֶּן־לָּךְ Gen. 38:18
1152 אֹתָהּ אֶתֶּן־לְךָ לְאִשָּׁה ISh. 18:17
1153/4 שְׁאַל מָה אֶתֶּן־לָךְ IK. 3:5 • IICh. 1:7
1155 שֵׁם עוֹלָם אֶתֶּן־לוֹ... Is. 56:5
1156 אֶתֶּן־לְךָ מֶלֶךְ בְּאַפִּי Hosh. 13:11
1157 וְעֹשֶׁר וּנְכָסִים וְכָבוֹד אֶתֶּן־לָךְ IICh. 1:12

הַאֶתֵּן

1158 הַאֶתֵּן בְּכוֹרִי פִּשְׁעִי Mic. 6:7

וְאֶתֵּן

1159 וְאֶתֵּן אָדָם תַּחְתֶּיךָ Is. 43:4
1160 וְאֶתֵּן לָכֶם רַחֲמִים Jer. 42:12

וְאֶתֶּן־

1161 וְאֶתֶּן־לָךְ אֶרֶץ חֶמְדָּה Jer. 3:19

וָאֶתֵּן

1162 וָאֶתֵּן...הַכּוֹס עַל־כַּף פַּרְעֹה Gen. 40:11
1163 וָאֶתֵּן אֹתָם לְאַהֲרֹן הַכֹּהֵן Lev. 7:34
1164 וָאֶתֵּן אוֹתָם רָאשִׁים עֲלֵיכֶם Deut. 1:15
1165 וָאֶתֵּן לְיִצְחָק אֶת־יַעֲקֹב Josh. 24:4
1166 וָאֶתֵּן לְעֵשָׂו אֶת־הַר שֵׂעִיר Josh. 24:4
1167/8 וָאֶתֵּן אוֹתָם בְּיֶדְכֶם Josh. 24:8, 11
1169 וָאֶתֵּן לָכֶם אֶרֶץ...לֹא־יָגַעְתָּ בָּהּ Josh. 24:13
1170 וָאֶתֵּן אֶת־סֵפֶר כְּרִיתֻתֶיהָ אֵלֶיהָ Jer. 3:8
1171 וָאֶתֵּן לָהֶם יַעַבְרוּם Jer. 8:13
1172 וָאֶתֵּן אֶת־הַסֵּפֶר...אֶל־בָּרוּךְ Jer. 32:12
1173 וָאֶתֵּן לִפְנֵי...הָרֵכָבִים גְּבִעִים Jer. 35:5
1174 וָאֶתֵּן נֶזֶם עַל־אַפֵּךְ Ezek. 16:12
1175 וָאֶתֵּן לָהֶם אֶת־חֻקּוֹתַי Ezek. 20:11
1176 וָאֶתֵּן עֲלֵיהֶם קְהִלָּה גְדוֹלָה Neh. 5:7

וָאֶתֶּן־

1177 וָאֶתֶּן־לוֹ אֶת־יִצְחָק Josh. 24:3

אֶתְּנָה

1178 אֶתְּנָה־לְךָ כֶּסֶף מְחִיר זֶה IK. 21:2
1179 אֶתְּנָה־לְךָ כֶרֶם תַּחְתָּיו IK. 21:6

וְאֶתְּנָה

1180 וְאֶתְּנָה בְרִיתִי בֵּינִי וּבֵינֶךָ Gen. 17:2
1181 וְאֶתְּנָה כַּאֲשֶׁר תֹּאמְרוּ אֵלָי Gen. 34:12
1182 וְאֶתְּנָה לָכֶם אֶת־טוּב אֶרֶץ מִצְ׳ Gen. 45:18
1183 וְאֶתְּנָה לָכֶם בְּמִקְנֵיכֶם Gen. 47:16
1184 וְאֶתְּנָה לְךָ אֶת־לֻחֹת הָאֶבֶן Ex. 24:12
1185 אֱסֹף...הָעָם וְאֶתְּנָה לָהֶם מָיִם Num. 21:16
1186 וְאֶתְּנָה אֶת־בְּשָׂרְךָ לְעוֹף הַשָּׁמַיִם ISh. 17:44
1187 בֹּאָה־אִתִּי...וְאֶתְּנָה לְךָ מַתָּת IK. 13:7
1188 וְאֶתְּנָה מָטָר עַל־פְּנֵי הָאֲדָמָה IK. 18:1
1189 וְאֶתְּנָה לְךָ תַחְתָּיו כֶּרֶם טוֹב מִמֶּנּוּ IK. 21:2
1190 וְאֶתְּנָה לְךָ אַלְפַּיִם סוּסִים IIK. 18:23
1191 וְאֶתְּנָה לְךָ אַלְפַּיִם סוּסִים Is. 36:8
1192 וְאֶתְּנָה לַחֵרֶם יַעֲקֹב Is. 43:28
1193 שְׁאַל מִמֶּנִּי וְאֶתְּנָה גוֹיִם נַחֲלָתֶךָ Ps. 2:8

וְאֶתֵּנָה

1194 נָקְבָה שְׂכָרְךָ עָלַי וְאֶתֵּנָה Gen. 30:28
1195 כִּי לֹא־תַחְפֹּץ זֶבַח וְאֶתֵּנָה Ps. 51:18

וָאֶתְּנָה

1196 וָאֶתְּנָה אֶת־הַלְוִיִּם נְתֻנִים לְאַהֲרֹן Num. 8:19
1197 וָאֶתְּנָה לָכֶם אֶת־אַרְצָם Jud. 6:9
1198 וָאֶתְּנָה לְבֵית אָבִיךָ...כָּל־אִשֵּׁי... ISh. 2:28

וָאֶתְּנָה (המשך)
1199 וָאֶתְּנָה לְךָ אֶת־בֵּית אֲדֹנֶיךָ IISh. 12:8
1200 וָאֶתְּנָה לְךָ אֶת־בֵּית יִשְׂרָ׳ וִיהוּדָה IISh. 12:8
1201 וָאֶתְּנָה צְמִידִים עַל־יָדַיִךְ Ezek. 16:11
1202 וָאֶתְּנָה לְבוּשִׁי שָׂק Ps. 69:12
1203 וָאֶתְּנָה לִבִּי לָדַעַת חָכְמָה Eccl. 1:17
1204 וָאֶתְּנָה...פָּנַי אֶל־אֲדֹנָי הָאֱלֹהִים Dan. 9:3
1205 וָאֶשָּׂא אֶת־הַיַּיִן וָאֶתְּנָה לַמֶּלֶךְ Neh. 2:1
1206 וַיִּשְׁלָחֵנִי וָאֶתְּנָה לוֹ זְמָן Neh. 2:6
1207 וָאֶתְּנָה לָהֶם אֵת אִגְּרוֹת הַמֶּלֶךְ Neh. 2:9

אֶתֶּנְךָ
1208 וְאִם־אֶתֶּנְךָ בְּיַד הָאֲנָשִׁים Jer. 38:16
1209 שִׁמְמוֹת עוֹלָם אֶתֶּנְךָ Ezek. 35:9
1210 אֵיךְ אֶתֶּנְךָ אֶפְרַיִם אֲמַגֶּנְךָ יִשְׂרָאֵל Hosh. 11:8
1211 אֵיךְ אֶתֶּנְךָ כְאַדְמָה Hosh. 11:8

וְאֶתֶּנְךָ
1212/3 וְאֶצָּרְךָ וְאֶתֶּנְךָ לִבְרִית עָם Is. 42:6; 49:8

וָאֶתֶּנְךָ
1214/5 וָאֶתֶּנְךָ נָגִיד עַל עַמִּי יִשְׂרָאֵל IK. 14:7; 16:2
1216 וָאֶתֶּנְךָ לְאֵפֶר עַל־הָאָרֶץ Ezek. 28:18

אֶתְּנֵךְ
1217 בַּלָּהוֹת אֶתְּנֵךְ וְאֵינֵךְ Ezek. 26:21

וְאֶתְּנֵךְ
1218 וְאֶתְּנֵךְ לְחָרְבָּה וּלְחֶרְפָּה Ezek. 5:14

וָאֶתְּנֵךְ
1219 וָאֶתְּנֵךְ בְּנֶפֶשׁ שֹׂנְאוֹתַיִךְ Ezek. 16:27

אֶתְּנֵהוּ
1220 אַף־אָנִי בְּכוֹר אֶתְּנֵהוּ Ps. 89:28

וְאֶתְּנֵהוּ
1221 וְאֶתְּנֵהוּ בְּיַד אֵיל גּוֹיִם Ezek. 31:11

אֶתְּנֶנּוּ
1222 עֲלוּ כִּי מָחָר אֶתְּנֶנּוּ בְיָדֶךָ Jud. 20:28

וְאֶתְּנֶנּוּ
1223 וְאֶתְּנֶנּוּ לְמָשָׁל וְלִשְׁנִינָה IICh. 7:20

אֶתְּנֶנָּה
1224 לְךָ אֶתְּנֶנָּה וּלְזַרְעֲךָ עַד־עוֹלָם Gen. 13:15
1225 כִּי לְךָ אֶתְּנֶנָּה Gen. 13:17
1226 לְךָ אֶתְּנֶנָּה וּלְזַרְעֶךָ Gen. 28:13
1227 וְאֶת־הָאָרֶץ...לְךָ אֶתְּנֶנָּה Gen. 35:12
1228/9 לְזַרְעֲךָ אֶתְּנֶנָּה Ex. 33:1 • Deut. 34:4
1230 וַאֲנִי אֶתְּנֶנָּה לָכֶם לָרֶשֶׁת אֹתָהּ Lev. 20:24
1231 וְלָהֶם אֶתְּנֶנָּה וְהֵם יִירָשׁוּהָ Deut. 1:39
1232 כִּי בְיָדְךָ אֶתְּנֶנָּה Josh. 8:18
1233 אֶתְּנֶנָּה לּוֹ וּתְהִי־לוֹ לְמוֹקֵשׁ ISh. 18:21

וָאֶתְּנֶנָּה
1234 שָׂנֹא שְׂנֵאתָהּ וָאֶתְּנֶנָּה לְמֵרֵעֶךָ Jud. 15:2

וָאֶתְּנֶהָ
1235 וָאֶקְרַע אֶת־הַמַּמְלָכָה...וָאֶתְּנֶהָ לָךְ IK. 14:8

וָאֶתְּנֵם
1236 קָצַפְתִּי עַל־עַמִּי...וָאֶתְּנֵם בְּיָדֵךְ Is. 47:6
1237 וָאֶתְּנֵם בְּיַד צָרֵיהֶם Ezek. 39:23
1238 וָאֶתְּנֵם־לוֹ מוֹרָא וַיִּירָאֵנִי Mal. 2:5

תִּתֵּן
1239 אִם־תִּתֵּן עֵרָבוֹן עַד שָׁלְחֶךָ Gen. 38:17
1240 גַּם־אַתָּה תִּתֵּן בְּיָדֵנוּ זְבָחִים Ex. 10:25
1241 וְאֶל־הָאָרֹן תִּתֵּן אֶת־הָעֵדֻת Ex. 25:21
1242 וְהַשֻּׁלְחָן תִּתֵּן עַל־צֶלַע צָפוֹן Ex. 26:35
1243 תִּתֵּן עַל־שְׁתֵּי הַמִּשְׁבְּצוֹת Ex. 28:25
1244 לֹא־תִתֵּן שְׁכָבְתְּךָ לְזָרַע Lev. 18:20
1245 וּמִזַּרְעֲךָ לֹא־תִתֵּן... לַמֹּלֶךְ Lev. 18:21
1246 וּבְכָל־בְּהֵמָה לֹא־תִתֵּן שְׁכָבְתְּךָ Lev. 18:23
1247 וְלִפְנֵי עִוֵּר לֹא תִתֵּן מִכְשֹׁל Lev. 19:14
1248 אֶת־כַּסְפְּךָ לֹא־תִתֵּן לוֹ בְּנֶשֶׁךְ Lev. 25:37
1249 וּבְמַרְבִּית לֹא־תִתֵּן אָכְלֶךָ Lev. 25:37
1250 אִם־נָתֹן תִּתֵּן אֶת־הָעָם...בְּיָדִי Num. 21:2
1251 נָתֹן תִּתֵּן לָהֶם אֲחֻזַּת נַחֲלָה Num. 27:7
1252 בִּתְּךָ לֹא־תִתֵּן לִבְנוֹ Deut. 7:3
1253 וְרָעָה עֵינְךָ...וְלֹא תִתֵּן לוֹ Deut. 15:9
1254 נָתוֹן תִּתֵּן לוֹ וְלֹא־יֵרַע לְבָבְךָ Deut. 15:10
1255 מִסַּת נִדְבַת יָדְךָ אֲשֶׁר תִּתֵּן Deut. 16:19
1256 וְאַל־תִּתֵּן דָּם נָקִי בְּקֶרֶב עַמְּךָ Deut. 21:8
1257 וְאֶל־כֶּלְיְךָ לֹא תִתֵּן Deut. 23:25
1258 בְּיוֹמוֹ תִתֵּן שְׂכָרוֹ Deut. 24:15
1259 אִם־נָתוֹן תִּתֵּן אֶת...עַמּוֹן בְּיָדִי Jud. 11:30
1260 אַל־תִּתֵּן...אֲמָתְךָ לִפְנֵי בַּת־בְּלִיָּעַל ISh. 1:16
1261 וְאָמַר לוֹ כִּי עַתָּה תִתֵּן ISh. 2:16
1262 וְנָשֶׁיךָ וּבָנֶיךָ לִי תִתֵּן IK. 20:5
1263 אֲשֶׁר־תִּתֵּן עָלַי אֶשָּׂא IIK. 18:14

תִּתֵּן (המשך)
1264 תֵּן־לָהֶם יְיָ מַה־תִּתֵּן Hosh. 9:14
1265 וְאַל־תִּתֵּן נַחֲלָתְךָ לְחֶרְפָּה Joel 2:17
1266 וְאַל־תִּתֵּן עָלֵינוּ דָּם נָקִיא Jon. 1:14
1267 תִּתֵּן אֱמֶת לְיַעֲקֹב חֶסֶד לְאַבְרָהָם Mic. 7:20
1268 לֹא־תִתֵּן חֲסִידְךָ לִרְאוֹת שָׁחַת Ps. 16:10
1269 אַל־תִּתֵּן לְחַיַּת נֶפֶשׁ תּוֹרֶךָ Ps. 74:19
1270 תִּתֵּן לָהֶם יִלְקֹטוּן Ps. 104:28
1271 אַל־תִּתֵּן יְיָ מַאֲוַיֵּי רָשָׁע Ps. 140:9
1272 לַתְּבוּנָה תִּתֵּן קוֹלֶךָ Prov. 2:3
1273 פֶּן־תִּתֵּן לַאֲחֵרִים הוֹדֶךָ Prov. 5:9
1274 אַל־תִּתֵּן שֵׁנָה לְעֵינֶיךָ Prov. 6:4
1275 אַל־תִּתֵּן לַנָּשִׁים חֵילֶךָ Prov. 31:3
1276 תִּתֵּן לָהֶם מְגִנַּת־לֵב Lam. 3:65
1277 אַל־תִּתֵּן אֶת־פִּיךָ לַחֲטִיא...בְּשָׂרֶךָ Eccl. 5:5
1278 לְכָל־הַדְּבָרִים...אַל־תִּתֵּן לִבֶּךָ Eccl. 7:21
1279 וּכְרַחֲמֶיךָ...תִּתֵּן לָהֶם מוֹשִׁיעִים Neh. 9:27

תִּתֶּן־
1280 אֲדֹנָי יְיָ מַה־תִּתֶּן־לִי Gen. 15:2
1281 וְכֹל אֲשֶׁר תִּתֶּן־לִי עַשֵּׂר אֲעַשְּׂרֶנּוּ Gen. 28:22
1282 לֹא־תִתֶּן־לִי מְאוּמָה Gen. 30:31
1283 מַה־תִּתֶּן־לִי כִּי תָבוֹא אֵלָי Gen. 38:16
1284 בְּכוֹר בָּנֶיךָ תִּתֶּן־לִי Ex. 22:28
1285 וּמַיִם בַּכֶּסֶף תִּתֶּן־לִי Deut. 2:28
1286 אֲשֶׁר בֵּרַכְךָ יְיָ...תִּתֶּן־לוֹ Deut. 15:14
1287 שֹׁפְטִים וְשֹׁטְרִים תִּתֶּן־לְךָ Deut. 16:18
1288 וְרֵאשִׁית גֵּז צֹאנְךָ תִּתֶּן־לוֹ Deut. 18:4
1289 אִם־תִּתֶּן־לִי אֶת־חֲצִי בֵיתֶךָ... IK. 13:8
1290 בְּבֶן־אִמְּךָ תִּתֶּן־דֹּפִי Ps. 50:20
1291 וְיֶשְׁעֲךָ תִּתֶּן־לָנוּ Ps. 85:8
1292 רֵאשׁ וָעֹשֶׁר אַל־תִּתֶּן־לִי Prov. 30:8
1293 אִם־צָדַקְתָּ מַה־תִּתֶּן־לוֹ Job 35:7

הֲתִתֵּן
1294 הֲתִתֵּן לַסּוּס גְּבוּרָה Job 39:19

וַתִּתֵּן
1295 וַתִּתֵּן לָהֶם אֶת־הָאָרֶץ הַזֹּאת Jer. 32:22
1296 וַתִּתֵּן לִבְּךָ כְּלֵב אֱלֹהִים Ezek. 28:2
1297 וַתִּתֵּן אֹתֹת וּמֹפְתִים בְּפַרְעֹה Neh. 9:10
1298 וַתִּתֵּן לָהֶם מִשְׁפָּטִים יְשָׁרִים Neh. 9:13
1299 וַתִּתֵּן לָהֶם מַמְלָכוֹת וַעֲמָמִים Neh. 9:22
1300 וַתִּתֵּן אֶת־עַמְּךָ יִשְׂרָאֵל לְךָ לְעָם ICh. 17:22

וַתִּתֶּן־
1301 וַתִּתֶּן־לָנוּ נַחֲלַת שָׂדֶה וָכָרֶם Num. 16:14
1302/3 וַתִּתֶּן־לִי מָגֵן יִשְׁעֶךָ IISh. 22:36 • Ps. 18:36
1304 וַתִּתֶּן־לוֹ בֵן יֹשֵׁב עַל־כִּסְאוֹ IK. 3:6

תִּתְּנֵנִי
1305 אַל־תִּתְּנֵנִי בְּנֶפֶשׁ צָרָי Ps. 27:12

תִּתְּנוֹ
1306 בַּיּוֹם הַשְּׁמִינִי תִּתְּנוֹ־לִי Ex. 22:29

תִּתְּנֵהוּ
1307 וְאַל־תִּתְּנֵהוּ בְּנֶפֶשׁ אֹיְבָיו Ps. 41:3

תִּתְּנֶנּוּ
1308 תִּתְּנֶנּוּ מַאֲכָל לְעָם לְצִיִּים Ps. 74:14

תִּתְּנֶנָּה
1309 לַגֵּר אֲשֶׁר־בִּשְׁעָרֶיךָ תִּתְּנֶנָּה Deut. 14:21

וַתִּתְּנָהּ
1310 וַתִּתְּנָהּ לְזֶרַע אַבְרָהָם אֹהַבְךָ IICh. 20:7

תִּתְּנֵנוּ
1311 תִּתְּנֵנוּ כְּצֹאן מַאֲכָל Ps. 44:12

הֲתִתְּנֵם
1312 הַאֵרֵד...הֲתִתְּנֵם בְּיַד יִשְׂרָאֵל ISh. 14:37
1313 הַאֶעֱלֶה...הֲתִתְּנֵם בְּיָדִי IISh. 5:19

וַתִּתְּנֵם
1314 וַתַּכְנַע לִפְנֵיהֶם...וַתִּתְּנֵם בְּיָדָם Neh. 9:24
1315 וַתִּתְּנֵם בְּיַד צָרֵיהֶם Neh. 9:27
1316 וַתִּתְּנֵם בְּיַד עַמֵּי הָאֲרָצֹת Neh. 9:30

תִּתְּנִי
1317 וְגַם־אֶתְנַן לֹא תִתְּנִי־עוֹד Ezek. 16:41
1318 תִּתְּנִי שִׁלּוּחִים עַל מוֹרֶשֶׁת גַּת Mic. 1:14
1319 אַל־תִּתְּנִי פוּגַת לָךְ Lam. 2:18

וַתִּתְּנִים
1320 וַתִּתְּנִים בְּהַעֲבִיר אוֹתָם לָהֶם Ezek. 16:21

יִתֵּן
1321 וְאֵל שַׁדַּי יִתֵּן לָכֶם רַחֲמִים Gen. 43:14
1322 וְהוּא יִתֵּן מַעֲדַנֵּי־מֶלֶךְ Gen. 49:20
1323 כִּי לֹא־יִתֵּן אֶתְכֶם...לַהֲלֹךְ Ex. 3:19
1324 וְלֹא יִתֵּן הַמַּשְׁחִית לָבֹא... Ex. 12:23
1325 אֶל־הָאָרֶץ אֲשֶׁר יִתֵּן יְיָ לָכֶם Ex. 12:25
1326 מִי־יִתֵּן מוּתֵנוּ בְיַד־יְיָ Ex. 16:3

יִתֵּן (המשך)
1327 רַק שִׁבְתּוֹ יִתֵּן וְרַפֹּא יְרַפֵּא Ex. 21:19
1328 שְׁלֹשִׁים שְׁקָלִים יִתֵּן לַאדֹנָיו Ex. 21:32
1329/30 כִּי־יִתֵּן אִישׁ אֶל־רֵעֵהוּ... Ex. 22:6, 9
1331 מִבֶּן עֶשְׂרִים...יִתֵּן תְּרוּמַת יְיָ Ex. 30:14
1332 וַאֲשֶׁר יִתֵּן מִמֶּנּוּ עַל־זָר Ex. 30:33
1333 וּמִן־הַדָּם יִתֵּן עַל־קַרְנֹת הַמִּזְבֵּחַ Lev. 4:18
1334 וְלֹא־יִתֵּן עָלֶיהָ לְבֹנָה Lev. 5:11
1335 יִתֵּן הַכֹּהֵן עַל־תְּנוּךְ אֹזֶן... Lev. 14:17
1336/7 יִתֵּן עַל־רֹאשׁ הַמִּטַּהֵר Lev. 14:18, 29
1338 אֲשֶׁר יִתֵּן מִזַּרְעוֹ לַמֹּלֶךְ Lev. 20:2
1339 אֲשֶׁר יִתֵּן שְׁכָבְתּוֹ בִּבְהֵמָה Lev. 20:15
1340 כִּי־יִתֵּן מוּם בַּעֲמִיתוֹ Lev. 24:19
1341 כַּאֲשֶׁר יִתֵּן מוּם בָּאָדָם Lev. 24:20
1342 וְעֵץ הַשָּׂדֶה יִתֵּן פִּרְיוֹ Lev. 26:4
1343 וְעֵץ הָאָרֶץ לֹא יִתֵּן פִּרְיוֹ Lev. 26:20
1344 כֹּל אֲשֶׁר יִתֵּן מִמֶּנּוּ לַיְיָ Lev. 27:9
1345 אִישׁ אֲשֶׁר־יִתֵּן לַכֹּהֵן לוֹ יִהְיֶה Num. 5:10
1346 וְלֹא־יִתֵּן עָלָיו לְבֹנָה Num. 5:15
1347 יִתֵּן יְיָ אוֹתָךְ לְאָלָה וְלִשְׁבֻעָה Num. 5:21
1348 וּמִי יִתֵּן כָּל־עַם יְיָ נְבִיאִים Num. 11:29
1349 כִּי־יִתֵּן יְיָ אֶת־רוּחוֹ עֲלֵיהֶם Num. 11:29
1350 אִישׁ...יִתֵּן מֵעָרָיו לַלְוִיִּם Num. 35:8
1351 מִי־יִתֵּן וְהָיָה לְבָבָם זֶה לָהֶם Deut. 5:26
1352 פַּחְדְּכֶם...יִתֵּן...עַל־פְּנֵי כָל־הָאָ׳ Deut. 11:25
1353 יִתֵּן יְיָ אֶת־אֹיְבֶיךָ...נִגָּפִים Deut. 28:7
1354 יִתֵּן יְיָ אֶת־מְטַר אַרְצְךָ אָבָק Deut. 28:24
1355 בַּבֹּקֶר תֹּאמַר מִי־יִתֵּן עֶרֶב Deut. 28:67
1356 וּבָעֶרֶב תֹּאמַר מִי־יִתֵּן בֹּקֶר Deut. 28:67
1357 וּמִי יִתֵּן אֶת־הָעָם הַזֶּה בְּיָדִי Jud. 9:29
1358 אִישׁ...לֹא־יִתֵּן בִּתּוֹ לְבִנְיָמִן Jud. 21:1
1359 וּלְחַנָּה יִתֵּן מָנָה אַחַת אַפָּיִם ISh. 1:5
1360 וֵאלֹהֵי יִשְׂרָאֵל יִתֵּן אֶת־שֵׁלָתֵךְ ISh. 1:17
1361 גַּם־לְכֻלְּכֶם יִתֵּן בֶּן־יִשַׁי שָׂדוֹת ISh. 22:7
1362 יִתֵּן יְיָ בְּיַד־פְּלִשְׁתִּים ISh. 28:19
1363 מִי־יִתֵּן מוּתִי אֲנִי תַחְתֶּיךָ IISh. 19:1
1364 יַרְעֵם...וְעֶלְיוֹן יִתֵּן קוֹלוֹ IISh. 22:14
1365 כֹּה־יִתֵּן שְׁלֹמֹה לְחִירָם... IK. 5:25
1366 אָז יִתֵּן הַמֶּלֶךְ שְׁלֹמֹה לְחִירָם IK. 9:11
1367 יִתֵּן אֲדֹנָי הוּא לָכֶם אוֹת Is. 7:14
1368 יִתֵּן לְפָנָיו גּוֹיִם וּמְלָכִים יַרְדְּ Is. 41:2
1369 יִתֵּן כֶּעָפָר חַרְבּוֹ Is. 41:2
1370 מִי־יִתֵּן רֹאשִׁי מַיִם Jer. 8:23
1371 וּמִמְּעוֹן קָדְשׁוֹ יִתֵּן קוֹלוֹ Jer. 25:30
1372 אֲשֶׁר לֹא־יִתֵּן אֶת־צַוָּארוֹ בְּעֹל Jer. 27:8
1373 לַחְמוֹ לְרָעֵב יִתֵּן Ezek. 18:7
1374 בַּנֶּשֶׁךְ לֹא־יִתֵּן וְתַרְבִּית לֹא יִקָּח Ezek. 18:8
1375 וּמְחִי קָבָלּוֹ יִתֵּן בְּחֹמוֹתָיִךְ Ezek. 26:9
1376 כִּי־יִתֵּן הַנָּשִׂיא מַתָּנָה Ezek. 46:16
1377 וְכִי־יִתֵּן מַתָּנָה מִנַּחֲלָתוֹ Ezek. 46:17
1378/9 וּמִירוּשָׁלַםִ יִתֵּן קוֹלוֹ Joel 4:16 • Am. 1:2
1380 וַאֲשֶׁר לֹא־יִתֵּן עַל־פִּיהֶם... Mic. 3:5
1381 מִשְׁפָּטוֹ יִתֵּן לָאוֹר לֹא נֶעְדָּר Zep. 3:5
1382 וּמְטַר־גֶּשֶׁם יִתֵּן לָהֶם Zech. 10:1
1383 אֲשֶׁר פִּרְיוֹ יִתֵּן בְּעִתּוֹ Ps. 1:3
1384 מִי יִתֵּן מִצִּיּוֹן יְשׁוּעַת יִשְׂרָאֵל Ps. 14:7
1385 וַיַּרְעֵם...וְעֶלְיוֹן יִתֵּן קֹלוֹ Ps. 18:14
1386 יְיָ עֹז לְעַמּוֹ יִתֵּן Ps. 29:11
1387 ...לֹא־יִתֵּן לֵאלֹהִים כָּפְרוֹ Ps. 49:8
1388 מִי יִתֵּן מִצִּיּוֹן יְשֻׁעוֹת יִשְׂרָאֵל Ps. 53:7
1389 לֹא־יִתֵּן לְעוֹלָם מוֹט לַצַּדִּיק Ps. 55:23
1390 הֵן יִתֵּן בְּקוֹלוֹ קוֹל עֹז Ps. 68:34
1391 חֵן וְכָבוֹד יִתֵּן יְיָ Ps. 84:12

יִתֵּן (המשך)

1392 גַּם־יְיָ יִתֵּן הַטּוֹב Ps. 85:13
1393 מַה־יִּתֵּן לְךָ וּמַה־יֹּסִיף לָךְ Ps. 120:3
1394 אַל־יִתֵּן לַמּוֹט רַגְלֶךָ Ps. 121:3
1395 כֵּן יִתֵּן לִידִידוֹ שֵׁנָא Ps. 127:2
1396 כִּי־יְיָ יִתֵּן חָכְמָה Prov. 2:6
1397 אֶת־כָּל־הוֹן בֵּיתוֹ יִתֵּן Prov. 6:31
1398 קֹרֵץ עַיִן יִתֵּן עַצָּבֶת Prov. 10:10
1399 וְתַאֲוַת צַדִּיקִים יִתֵּן Prov. 10:24
1400 וְשֹׁרֶשׁ צַדִּיקִים יִתֵּן Prov. 12:12
1401 רַק־בְּזָדוֹן יִתֵּן מַצָּה Prov. 13:10
1402 וְצַדִּיק יִתֵּן וְלֹא יַחְשֹׂךְ Prov. 21:26
1403 כִּי־יִתֵּן בַּכּוֹס עֵינוֹ Prov. 23:31
1404 שֵׁבֶט וְתוֹכַחַת יִתֵּן חָכְמָה Prov. 29:15
1405 חֶרְדַּת אָדָם יִתֵּן מוֹקֵשׁ Prov. 29:25
1406 וְכֹל אֲשֶׁר לָאִישׁ יִתֵּן בְּעַד נַפְשׁוֹ Job 2:4
1407 לָמָּה יִתֵּן לְעָמֵל אוֹר Job 3:20
1408 מִי־יִתֵּן תָּבוֹא שֶׁאֱלָתִי Job 6:8
1409 וְתִקְוָתִי יִתֵּן אֱלוֹהַּ Job 6:8
1410 וְאוּלָם מִי־יִתֵּן אֱלוֹהַּ דַּבֵּר Job 11:5
1411 מִי־יִתֵּן הַחֲרֵשׁ תַּחֲרִישׁוּן Job 13:5
1412 מִי־יִתֵּן טָהוֹר מִטָּמֵא לֹא אֶחָד Job 14:4
1413 מִי יִתֵּן בִּשְׁאוֹל תַּצְפִּנֵנִי Job 14:13
1414 מִי־יִתֵּן אֵפוֹ וְיִכָּתְבוּן מִלָּי Job 19:23
1415 מִי־יִתֵּן בַּסֵּפֶר וְיֻחָקוּ Job 19:23
1416 מִי־יִתֵּן יָדַעְתִּי וְאֶמְצָאֵהוּ Job 23:3
1417 מִי־יִתֵּן מִבְּשָׂרוֹ לֹא נִשְׂבָּע Job 31:31
1418 וּמִשְׁפַּט עֲנִיִּים יִתֵּן Job 36:6
1419 אִם־יִתֵּן אִישׁ...כָּל־הוֹן בֵּיתוֹ בָּאַהֲבָה S.ofS. 8:7
1420 יִתֵּן יְיָ לָכֶם וּמְצֶאןָ מְנוּחָה Ruth 1:9
1421 יִתֵּן יְיָ אֶת־הָאִשָּׁה...כְּרָחֵל... Ruth 4:11
1422 מִן־הַזֶּרַע אֲשֶׁר יִתֵּן יְיָ לְךָ Ruth 4:12
1423 יִתֵּן בֶּעָפָר פִּיהוּ Lam. 3:29
1424 יִתֵּן לְמַכֵּהוּ לֶחִי יִשְׂבַּע בְּחֶרְפָּה Lam. 3:30
1425 וְהַחַי יִתֵּן אֶל־לִבּוֹ Eccl. 7:2
1426 וּמַלְכוּתָהּ יִתֵּן הַמֶּלֶךְ לִרְעוּתָהּ Es. 1:19

יִתֶּן־

1427 אִם־אֲדֹנָיו יִתֶּן־לוֹ אִשָּׁה Ex. 21:4
1428 וְאֶת־בִּתּוֹ יִתֶּן־לוֹ ISh. 17:25
1429/30 אִם־יִתֶּן־לִי...מְלֹא בֵיתוֹ Num. 22:18; 24:13
1431 וּפֹעֲלוֹ לֹא יִתֶּן־לוֹ Jer. 22:13
1432 יִתֶּן־לְךָ כִלְבָבֶךָ Ps. 20:5
1433 מִי־יִתֶּן לִי אֵבֶר כַּיּוֹנָה Ps. 55:7
1434 אֲדֹנָי יִתֶּן־אֹמֶר... Ps. 68:12
1435 וְלַעֲנָיִים° יִתֶּן־חֵן Prov. 3:34
1436 שֵׂכֶל־טוֹב יִתֶּן־חֵן Prov. 13:15
1437 יִתֶּן־לוֹ לָבֶטַח וְיִשָּׁעֵן Job 24:23
1438 מִי יִתֶּן־לִי שֹׁמֵעַ לִי Job 31:35
1439 יִתֶּן־אֹכֶל לְמַכְבִּיר Job 36:31
1440 מִנִּשְׁמַת־אֵל יִתֶּן־קָרַח Job 37:10
1441 אִישׁ אֲשֶׁר יִתֶּן־לוֹ הָאֱלֹהִים Eccl. 6:2
1442 וּבַת הַנָּשִׁים יִתֶּן־לוֹ לְהַשְׁחִיתָהּ Dan. 11:17
1443 אֲשֶׁר יִתֶּן־לִי עֵצִים לְקָרוֹת... Neh. 2:8
1444 אַךְ יִתֶּן־לְךָ יְיָ שֵׂכֶל ICh. 22:12(11)

הֲיִתֵּן

1445 הֲיִתֵּן כְּפִיר קוֹלוֹ מִמְּעֹנָתוֹ Am. 3:4

וְיִתֵּן

1446 וְיִתֵּן קֹלוֹת וּמָטָר ISh. 12:17
1447 וְיִתֵּן יְיָ...אֶת־יִשְׂ׳...בְּיַד־פְּלִשְׁתִּים ISh. 28:19
1448 וְיִתֵּן אֶת־יִשְׂרָאֵל בִּגְלַל חַטֹּאות יָרָ׳ IK. 14:16
1449 עֲלֵה וְיִתֵּן אֲדֹנָי בְּיַד הַמֶּלֶךְ IK. 22:6
1450 וְיִתֵּן מַעֲדַנִּים לְנַפְשֶׁךָ Prov. 29:17
1451 עֲלֵה וְיִתֵּן הָאֱלֹהִים בְּיַד הַמֶּלֶךְ IICh. 18:5

וְיִתֶּן־

1452 וְיִתֶּן־לִי אֶת־מְעָרַת הַמַּכְפֵּלָה Gen. 23:9
1453 וְיִתֶּן־לְךָ הָאֱלֹ׳ מִטַּל הַשָּׁמַיִם Gen. 27:28
1454 וְיִתֶּן־לְךָ אֶת־בִּרְכַּת אַבְרָהָם Gen. 28:4

וְיִתֶּן־ (המשך)

1455 וְיִתֶּן־עֹז לְמַלְכּוֹ ISh. 2:10
1456 וְיִתֶּן־לִי אֶת־אֲבִישַׁג...לְאִשָּׁה IK. 2:17
1457 וְיִתֶּן־לְךָ מִשְׁאֲלֹת לִבֶּךָ Ps. 37:4
1458 וְיִתֶּן־לוֹ מִזְּהַב שְׁבָא Ps. 72:15

וַיִּתֵּן

1459 וַיִּתֵּן אֹתָם אֱלֹהִים בִּרְקִיעַ הַשָּׁ׳ Gen. 1:17
1460 וַיִּתֵּן אִישׁ־בִּתְרוֹ לִקְרַאת רֵעֵהוּ Gen. 15:10
1461 וַיִּקַּח בֶּן־בָּקָר...וַיִּתֵּן אֶל־הַנַּעַר Gen. 18:7
1462 וַיִּקַּח חֶמְאָה...וַיִּתֵּן לִפְנֵיהֶם Gen. 18:8
1463 וַיִּקַּח אֲבִימֶלֶךְ צֹאן...וַיִּתֵּן לְאַבְרָהָם Gen. 20:14
1464 וַיִּקַּח־לֶחֶם...וַיִּתֵּן אֶל־הָגָר Gen. 21:14
1465 וַיָּסַר...וַיִּתֵּן בְּיַד־בָּנָיו Gen. 30:35
1466 וַיִּתֵּן פְּנֵי הַצֹּאן אֶל־עָקֹד Gen. 30:40
1467 וַיִּתֵּן בְּיַד־עֲבָדָיו עֵדֶר Gen. 32:16
1468 וַיִּתֵּן חִנּוֹ בְּעֵינֵי שַׂר בֵּית־הַסֹּ׳ Gen. 39:21
1469 וַיִּתֵּן שַׂר בֵּית־הַסֹּ׳ בְּיַד־יוֹסֵף Gen. 39:22
1470 וַיִּתֵּן אֹתָם בְּמִשְׁמַר... Gen. 40:3
1471 וַיִּתֵּן הַכּוֹס עַל־כַּף פַּרְעֹה Gen. 40:21
1472 וַיִּתֵּן אֹתִי בְּמִשְׁמַר... Gen. 41:10
1473 וַיִּתֵּן אֹתָהּ עַל־יַד יוֹסֵף Gen. 41:42
1474 וַיִּתֵּן אֹתָנוּ כִּמְרַגְּלִים Gen. 42:30
1475 וַיִּתֵּן אֶת־קֹלוֹ בִּבְכִי Gen. 45:2
1476 וַיִּתֵּן יְיָ אֶת־חֵן הָעָם בְּעֵינֵי מִצְ׳ Ex. 11:3
1477 וַיִּתֵּן אֹתָם רָאשִׁים עַל־הָעָם Ex. 18:25
1478 וַיִּתֵּן אֶל־מֹשֶׁה כְּכַלֹּתוֹ לְדַבֵּר Ex. 31:18
1479 וַיִּתֵּן עַל־פָּנָיו מַסְוֶה Ex. 34:33
1480 וַיִּתֵּן אֶת־הַטַּבָּעֹת עַל...הַפֵּאֹת Ex. 37:13
1481 וַיָּאצֶל...וַיִּתֵּן עַל־שִׁבְעִים אִישׁ Num. 11:25
1482 וַיִּתֵּן אֶת־הַכְּנַעֲנִי וַיַּחֲרֵם אֶתְהֶם Num. 21:3
1483 וַיִּתֵּן יְיָ אֱלֹהֵינוּ בְּיָדֵנוּ גַּם אֶת־עוֹג Deut. 3:3
1484 וַיִּתֵּן יְיָ אוֹתֹת וּמֹפְתִים Deut. 6:22
1485 וַיִּתֵּן יְיָ גַּם־אוֹתָהּ בְּיַד יִשְׂרָאֵל Josh. 10:30
1486 וַיִּתֵּן יְיָ אֶת־לָכִישׁ בְּיַד יִשְׂרָאֵל Josh. 10:32
1487 וַיִּתֵּן יְיָ אֶת־הַכְּנַעֲנִי...בְּיָדָם Jud. 1:4
1488 וַיִּתֵּן יְיָ בְּיָדוֹ אֶת־כּוּשַׁן רִשְׁעָתַיִם Jud. 3:10
1489 וַיִּתֵּן שׁוֹפָרוֹת בְּיַד־כֻּלָּם Jud. 7:16
1490 וַיִּתֵּן...אֶת־סִיחוֹן...בְּיַד יִשְׂרָ׳ Jud. 11:21
1491 וַיִּתֵּן יְיָ קֹלֹת וּמָטָר בַּיּוֹם הַהוּא ISh. 12:18
1492 וַיִּתֵּן אֶת־הַגְּדוּד...בְּיָדֵנוּ ISh. 30:23
1493 וַיִּתֵּן יְיָ לַאדֹנִי הַמֶּלֶךְ נְקָמוֹת IISh. 4:8
1494 וַיִּתֵּן אֶת־אוּרִיָּה אֶל־הַמָּקוֹם... IISh. 11:16
1495 וַיִּתֵּן יְיָ אֶת־הַמְּלוּכָה בְּיַד... IISh. 16:8
1496 וַיִּתֵּן יְיָ דֶּבֶר בְּיִשְׂרָאֵל IISh. 24:15
1497 וַיִּתֵּן דְּמֵי מִלְחָמָה בַּחֲגֹרָתוֹ IK. 2:5
1498 וַיִּתֵּן הַמֶּ׳ אֶת־בְּנָיָהוּ...עַל־הַצָּבָא IK. 2:35
1499 וַיִּתֵּן אֶת־כִּסְאוֹ מֵעַל כִּסֵּא הַמְּלָכִים IIK. 25:28
1500 וַיִּתֵּן אֶת־רְשָׁעִים קִבְרוֹ Is. 53:9
1501 וַיִּתֵּן אֹתוֹ עַל־הַמַּהְפֶּכֶת Jer. 20:2
1502 הַמְאַזְּרֵנִי חָיִל וַיִּתֵּן תָּמִים דַּרְכִּי Ps. 18:33
1503 וַיִּתֵּן בְּפִי שִׁיר חָדָשׁ Ps. 40:4
1504 וַיִּתֵּן לַשְּׁבִי עֻזּוֹ Ps. 78:61
1505 וַיִּתֵּן לָהֶם שֶׁאֱלָתָם Ps. 106:15
1506 וַיִּתֵּן אוֹתָם לְרַחֲמִים לִפְנֵי... Ps. 106:46
1507 וַיִּתֵּן מַשְׂאֵת כְּיַד הַמֶּלֶךְ Es. 2:18
1508 וַיִּתֵּן אֲדֹנָי בְּיָדוֹ אֶת־יְהוֹיָקִים Dan. 1:2
1509 וַיִּתֵּן הָאֱלֹהִים אֶת־דָּנִיֵּאל לְחֶסֶד Dan. 1:9
1510 וַיִּתֵּן אֱלֹהַי אֶל־לִבִּי וָאֶקְבְּצָה... Neh. 7:5
1511 וַיִּתֵּן עָלָיו הוֹד מַלְכוּת ICh. 29:25
1512 וַיִּתֵּן יְהוֹשָׁפָט אֶת־פָּנָיו לִדְרוֹשׁ IICh. 20:3
1513–1581 וַיִּתֵּן (אֶת־) לְ־, אֶל־ Gen. 21:27
24:32, 53; 25:5; 29:24, 29; 43:24; 45:21²; 47:11, 17 • Ex. 2:21; 40:18², 20, 30, 33 • Lev. 8:8 • Num. 3:51;

וַיִּתֵּן (המשך)

7:6; 31:41, 47; 32:33, 40 • Deut. 9:10 • 13:15, 24, 29; 14:13; 17:4; 21:41 • Jud. 14:9, 19 • ISh. 1:27; 9:22; 20:4: • IISh. 24:9 • IK. 5:9; 19:21 • IIK. 4:44; 5:23; 8:6; 10:15; 11:10; 12:10; 13:5; 15:19; 22:8 • Jer. 39:10 • Ezek. 10:7; 21:16; 31:10 • Ps. 78:46; 105:44 • Job 42:15 • Ruth 4:13 • ICh. 2:35; 16:4; 21:5, 25; 25:5; 28:11 • IICh. 4:6; 11:23; 21:3; 23:9; 28:21; 34:15

1582–1610 וַיִּתֵּן (אֶת־) עַל־, בְּ־ Ex. 40:20, 22
Lev. 8:7², 15, 23, 24, 27; 9:9 • Num. 5:20; 17:12 • IK. 6:27; 7:39; 10:27 • IIK. 11:12; 16:14, 17; 18:15 • Jer. 52:32 • Jon. 1:3 • ICh. 21:14 • IICh. 1:15; 3:16²; 4:7; 9:27; 11:11; 17:2; 32:6

וַיִּתֶּן־

1611 וַיִּתֶּן־לוֹ מַעֲשֵׂר מִכֹּל Gen. 14:20
1612 וַיִּתֶּן־לוֹ צֹאן וּבָקָר Gen. 24:35
1613 וַיִּתֶּן־לוֹ אֶת־כָּל־אֲשֶׁר־לוֹ Gen. 24:36
1614 וַיִּתֶּן־לוֹ אֶת־רָחֵל בִּתּוֹ Gen. 29:28
1615 וַיִּתֶּן־לִי גַּם־אֶת־זֶה Gen. 29:33
1616 דָּנַנִּי אֱלֹהִים...וַיִּתֶּן־לִי בֵּן Gen. 30:6
1617–1632 וַיִּתֶּן־לִי (לוֹ, לָהּ, לָנוּ) Gen. 31:9
38:18; 41:45 • Deut. 26:9 • Josh. 15:17, 19 • Jud. 1:13, 15 • ISh. 18:27; 21:7; 27:6 • IK. 11:18, 19 • Jer. 40:5 • Ez. 7:6 • Neh. 2:8

1633 וַיְהִי בְלִדְתָּהּ וַיִּתֶּן־יָד Gen. 38:28
1634 וַיִּקְבֹּץ...וַיִּתֶּן־אֹכֶל בֶּעָרִים Gen. 41:48
1635 וַיִּתֶּן־מַיִם וַיִּרְחֲצוּ רַגְלֵיהֶם Gen. 43:24
1636 וַיִּתֶּן־עֹנֶשׁ עַל־הָאָרֶץ IIK. 23:33
1637 וַיִּתֶּן־חַיִל בְּכָל־עָרֵי יְהוּדָה IICh. 17:2

יִתְּנֵנִי

1638 מִי־יִתְּנֵנִי שָׁמִיר שַׁיִת Is. 27:4
1639 מִי־יִתְּנֵנִי בַמִּדְבָּר מְלוֹן אֹרְחִים Jer. 9:1
1640 לֹא־יִתְּנֵנִי הָשֵׁב רוּחִי Job 9:18
1641 מִי־יִתְּנֵנִי כְיַרְחֵי־קֶדֶם Job 29:2

יִתֶּנְךָ

1642 יִתֶּנְךָ יְיָ נִגָּף לִפְנֵי אֹיְבֶיךָ Deut. 28:25
1643 מִי יִתֶּנְךָ כְּאָח לִי S.ofS. 8:1

וַיִּתֶּנְךָ

1644 וַיִּתֶּנְךָ עֲלֵיהֶם לְמֶלֶךְ IICh. 9:8

וַיִּתְּנֵהוּ

1645 וַיִּתְּנֵהוּ אֶל־בֵּית הַסֹּהַר Gen. 39:20
1646 וַיִּתְּנֵהוּ יְיָ אֱלֹהֵינוּ לְפָנֵינוּ Deut. 2:33
1647 וַיִּתְפַּשֵּׁט...וַיִּתְּנֵהוּ לְדָוִד ISh. 18:4
1648 וַיִּתְּנֵהוּ יְיָ לָאַרְיֵה וַיְשַׁבְּרֵהוּ IK. 13:26
1649 וַיֹּרִדֵהוּ...וַיִּתְּנֵהוּ לְאִמּוֹ IK. 17:23
1650 וַיִּתְּנֵהוּ בְבֵית°־הַפְּקֻדֹּת Jer. 52:11
1651 וַיִּקַּח...וַיִּתְּנֵהוּ בִּשְׂדֵה־זָרַע Ezek. 17:5
1652 וַיִּתְּנֵהוּ אֱלֹהִים מֶלֶךְ עַל־כָּל־יִשְׂ׳ Neh. 13:26
1653 וַיִּתְּנֵהוּ בְּתוֹךְ הָעֲזָרָה IICh. 6:13
1654 וַיִּתְּנֵהוּ בֵּית הַמַּהְפֶּכֶת IICh. 16:10
1655 וַיִּתְּנֵהוּ...אֶל־עוֹשֵׂה מְלָאכֶת... IICh. 24:12
1656 וַיִּתְּנֵהוּ יְיָ אֱלֹהָיו בְּיַד מֶלֶךְ אֲרָם IICh. 28:5

יִתְּנֶנּוּ

1657 לַאֲשֶׁר הוּא לוֹ יִתְּנֶנּוּ Lev. 5:24
1658 וּלְאָדָם שֶׁלֹּא עָמַל...יִתְּנֶנּוּ חֶלְקוֹ Eccl. 2:21

יִתְּנֶנָּה

1659 בְּכֶסֶף מָלֵא יִתְּנֶנָּה לִּי Gen. 23:9

וַיִּתְּנָהּ

1660 וַיִּתְּנָהּ אֶל־הַכֹּהֲנִים בְּנֵי לֵוִי Deut. 31:9
1661 וַיִּתְּנָהּ יְהוֹשֻׁעַ לְנַחֲלָה לְיִשְׂרָאֵל Josh. 11:23
1662 וַיִּתְּנָהּ מֹשֶׁה...יְרֻשָּׁה לָראוּבֵנִי... Josh. 12:6
1663 וַיִּתְּנָהּ יְהוֹשֻׁעַ לְשִׁבְטֵי יִשְׂרָאֵל Josh. 12:7
1664 לָקַח...אִשְׁתּוֹ וַיִּתְּנָהּ לְמֵרֵעֵהוּ Jud. 15:6
1665 וַיִּקְרַע יְיָ...וַיִּתְּנָהּ לְרֵעֲךָ לְדָוִד ISh. 28:17
1666 וַיִּתְּנָהּ שִׁלֻּחִים לְבִתּוֹ אֵשֶׁת שְׁלֹמֹה IK. 9:16
1667 לָקַח מְגִלָּה...וַיִּתְּנָהּ אֶל־בָּרוּךְ Jer. 36:32
1668 וַיָּסַר...וַיִּתְּנָהּ לְהָמָן בֶּן־הַמְּדָתָא Es. 3:10
1669 וַיָּסַר...וַיִּתְּנָהּ לְמָרְדֳּכָי Es. 8:2

וַיִּתְּנֵנוּ

1670 נְטָשָׁנוּ יְיָ וַיִּתְּנֵנוּ בְּכַף מִדְיָן Jud. 6:13

יִתְּנֵם 1671 לָכֵן יִתְּנֵם עַד־עֵת יוֹלֵדָה יָלָדָה Mic. 5:2
וַיִּתְּנֵם 1672 וַיִּכְתְּבֵם...וַיִּתְּנֵם אֵלָי Deut. 5:19
1673 וַיִּכְתֹּב עַל־הַלֻּחֹת...וַיִּתְּנֵם יְיָ אֵלָי Deut. 10:4
1674 וַיִּתְּנֵם יְהוֹשֻׁעַ...חֹטְבֵי עֵצִים Josh. 9:27
1675 וַיִּתְּנֵם יְיָ בְּיַד־יִשְׂרָאֵל וַיַּכּוּם Josh. 11:8
1676 וַיִּתְּנֵם בְּיַד שֹׁסִים וַיָּשֹׁסּוּ אוֹתָם Jud. 2:14
1677 וַיִּתְּנֵם יְיָ בְּיַד־מִדְיָן שֶׁבַע שָׁנִים Jud. 6:1
1678 וַיִּתְּנֵם יְיָ בְּיָדוֹ Jud. 11:32
1679 וַיִּתְּנֵם יְיָ בְּיָדִי Jud. 12:3
1680 וַיִּתְּנֵם יְיָ בְּיַד־פְּלִשְׁתִּים Jud. 13:1
1681 וַיִּתְּנֵם בֵּית־מִשְׁמֶרֶת וַיְכַלְכְּלֵם IISh. 20:3
1682 וַיִּתְּנֵם בְּיַד הַגִּבְעֹנִים וַיֹּקִיעֻם IISh. 21:9
1683 וַיִּתְּנֵם הַמֶּלֶךְ בֵּית יַעַר הַלְּבָנוֹן IK. 10:17
1684 וַיִּתְּנֵם בְּיַד עֲבָדָיו וַיִּשְׁלָחֵם... IK. 15:18
1685 וַיִּתְּנֵם בְּיַד חֲזָאֵל...כָּל־הַיָּמִים IIK. 13:3
1686 וַיְעַנֵּם וַיִּתְּנֵם בְּיַד־שֹׁסִים IIK. 17:20
1687 קִצַּץ חִזְקִיָּה...וַיִּתְּנֵם לְמֶלֶךְ אַשּׁוּר IIK. 18:16
1688 וַיִּתְּנֵם בְּיַד־גּוֹיִם Ps. 106:41
1689 וַיִּתְּנֵם בְּבֵית אֱלֹהָיו Ez. 1:7
1690 וַיִּתְּנֵם בְּרָאשֵׁי הַגְּדוּד ICh. 12:18(19)
1691 וַיִּתְּנֵם הַמֶּלֶךְ בְּבֵית יַעַר הַלְּבָנוֹן IICh. 9:16
1692 וַיָּנוּסוּ...וַיִּתְּנֵם אֱלֹהִים בְּיָדָם IICh. 13:16
1693 וַיִּתְּנֵם לְזַעֲוָה° לְשַׁמָּה וְלִשְׁרֵקָה IICh. 29:8
1694 וַיִּתְּנֵם לְשַׁמָּה כַּאֲשֶׁר אַתֶּם רֹאִים IICh. 30:7
1695 וַיִּתְּנֵם בְּהֵיכָלוֹ בְּבָבֶל IICh. 36:7
תִּתֵּן נ׳ 1696 וְלֹא־תִתֵּן אַרְצְכֶם אֶת־יְבוּלָהּ Lev. 26:20
1697 וְהָאֲדָמָה לֹא תִתֵּן אֶת־יְבוּלָהּ Deut. 11:17
1698 וְהָאָרֶץ תִּתֵּן יְבוּלָהּ Ezek. 34:27
1699 הַגֶּפֶן תִּתֵּן פִּרְיָהּ Zech. 8:12
1700 וְהָאָרֶץ תִּתֵּן אֶת־יְבוּלָהּ Zech. 8:12
1701 וְאַרְצֵנוּ תִּתֵּן יְבוּלָהּ Ps. 85:13
1702 בָּרְחֹבוֹת תִּתֵּן קוֹלָהּ Prov. 1:20
1703 תִּתֵּן לְרֹאשְׁךָ לִוְיַת־חֵן Prov. 4:9
1704 וּתְבוּנָה תִּתֵּן קוֹלָהּ Prov. 8:1
וַתִּתֵּן נ׳ 1705 וַתִּתֵּן גַּם־לְאִישָׁהּ עִמָּהּ וַיֹּאכַל Gen. 3:6
1706 וַתִּתֵּן אֹתָהּ לְאַבְרָם...לוֹ לְאִשָּׁה Gen. 16:3
1707 וַתִּתֵּן...הַמַּטְעַמִּים...בְּיַד־יַעֲקֹב Gen. 27:17
1708 וַתִּתֵּן אֹתָהּ לְיַעֲקֹב לְאִשָּׁה Gen. 30:9
1709 וַתִּתֵּן לַמֶּלֶךְ...כִּכַּר זָהָב וּבְשָׂמִים IK. 10:10
1710 וַתִּתֵּן תַּזְנוּתֶיהָ עֲלֵיהֶם Ezek. 23:7
1711 וַתִּתֵּן טֶרֶף לְבֵיתָהּ Prov. 31:15
1712 וַתִּתֵּן לַמֶּלֶךְ...כִּכַּר זָהָב וּבְשָׂמִים IICh. 9:9
1713 וַתִּתֵּן אֹתוֹ...בַּחֲדַר הַמִּטּוֹת IICh. 22:11
וַתִּתֶּן־ נ׳ 1714 וַתִּתֶּן־לוֹ אֶת־בִּלְהָה...לְאִשָּׁה Gen. 30:4
1715 וַתִּתֶּן־לָהּ אֵת אֲשֶׁר־הוֹתִרָה Ruth 2:18
וַתִּתְּנֵהוּ נ׳ 1716 וַתִּקַּח אִמּוֹ...וַתִּתְּנֵהוּ לַצּוֹרֵף Jud. 17:4
נִתֵּן 1717 וְאֶת־בְּנֹתֵינוּ נִתֵּן לָהֶם Gen. 34:21
1718 כִּי־נִתֵּן לִצְבָאֲךָ לָחֶם Jud. 8:6
1719 כִּי נִתֵּן לַאֲנָשֶׁיךָ הַיְּעֵפִים לָחֶם Jud. 8:15
1720 וַיֹּאמְרוּ נָתוֹן נִתֵּן Jud. 8:25
1721 לֹא־נִתֵּן לָהֶם מֵהַשָּׁלָל ISh. 30:22
1722 לֹא־נִתֵּן בְּנֹתֵינוּ לְעַמֵּי הָאָרֶץ Neh. 10:31
נִתֶּן־ 1723 נִתֶּן־לָךְ אִישׁ אֶלֶף...כָּסֶף Jud. 16:5
נִתְּנָה 1724 נִתְּנָה רֹאשׁ וְנָשׁוּבָה מִצְרָיְמָה Num. 14:4
וְנִתְּנָה 1725 וְנִתְּנָה לְךָ גַּם־אֶת־זֹאת Gen. 29:27
וַנִּתְּנָהּ 1726 וַנִּתְּנָהּ לְנַחֲלָה לָראוּבֵנִי וְלַגָּדִי Deut. 29:7
תִּתְּנוּ 1727 בְּנֹתֵיכֶם תִּתְּנוּ־לָנוּ Gen. 34:9
1728 תִּתְּנוּ תְרוּמָה לַכֹּהֵן Lev. 7:32
1729 וְשֶׂרֶט לָנֶפֶשׁ לֹא תִתְּנוּ בִּבְשַׂרְכֶם Lev. 19:28
1730 וּכְתֹבֶת קַעֲקַע לֹא תִתְּנוּ בָּכֶם Lev. 19:28
1731 וְאִשֶּׁה לֹא־תִתְּנוּ מֵהֶם Lev. 22:22
1732 כָּל־נִדְבֹתֵיכֶם אֲשֶׁר תִּתְּנוּ לַייָ Lev. 23:38

תִּתְּנוּ (המשך) 1733 גְּאֻלָּה תִּתְּנוּ לָאָרֶץ Lev. 25:24
1734 וְאֶבֶן מַשְׂכִּית לֹא תִתְּנוּ בְּאַרְצְכֶם Lev. 26:1
1735 מֵרֵאשִׁית...תִּתְּנוּ לַייָ תְּרוּמָה Num. 15:21
1736 וּמִגְרָשׁ לֶעָרִים...תִּתְּנוּ לַלְוִיִּם Num. 35:2
1737 וּמִגְרְשֵׁי...אֲשֶׁר תִּתְּנוּ לַלְוִיִּם Num. 35:4
1738 וְאֵת הֶעָרִים אֲשֶׁר תִּתְּנוּ לַלְוִיִּם Num. 35:6
1739 אֲשֶׁר תִּתְּנוּ לָנֻס שָׁמָּה הָרֹצֵחַ Num. 35:6
1740 תִּתְּנוּ אַרְבָּעִים וּשְׁתַּיִם עִיר Num. 35:6
1741 כָּל־הֶעָרִים אֲשֶׁר תִּתְּנוּ לַלְוִיִּם Num. 35:7
1742 וְהֶעָרִים...תִּתְּנוּ מֵאֲחֻזַּת בְּ־י׳ Num. 35:8
1743 שְׁלֹשׁ הֶעָרִים תִּתְּנוּ מֵעֵבֶר לַיַּרְ׳ Num. 35:14
1744 שְׁלֹשׁ הֶעָרִים תִּתְּנוּ בְּאֶ׳ כְּנָעַן Num. 35:14
1745 וְאַל־תִּתְּנוּ דֳמִי לוֹ Is. 62:7
1746 וַאֲחֻזָּה לֹא־תִתְּנוּ לָהֶם בְּיִשְׂ׳ Ezek. 44:28
1747 וְרֵאשִׁית עֲרִיסוֹתֵיכֶם תִּתְּנוּ Ezek. 44:30
1748 וַאֲחֻזַּת הָעִיר תִּתְּנוּ Ezek. 45:6
1749 שָׁם תִּתְּנוּ נַחֲלָתוֹ Ezek. 47:23
1750 בְּנוֹתֵיכֶם אַל־תִּתְּנוּ לִבְנֵיהֶם Ez. 9:12
1751 אִם־תִּתְּנוּ בְנֹתֵיכֶם לִבְנֵיהֶם Neh. 13:25
תִּתֵּנוּ 1752 וְתֹכֶן לְבֵנִים תִּתֵּנוּ Ex. 5:18
1753 וְהֶעָרִים אֲשֶׁר תִּתֵּנוּ Num. 35:13
1754 עַנְפְּכֶם תִּתֵּנוּ וּפֶרְיְכֶם תִּשְׂאוּ Ezek. 36:8
תִּתְּנֻהוּ 1755 כִּי־לְבֶדֶק הַבַּיִת תִּתְּנֻהוּ IIK. 12:8
תִּתְּנוּם 1756 אַל־תִּתְּנוּם לָבוֹא אֶל־עָרֵיהֶם Josh. 10:19
יִתְּנוּ 1757 וְאִם־לֹא יִתְּנוּ לָךְ וְהָיִיתָ נָקִי Gen. 24:41
1758 זֶה יִתְּנוּ כָּל־הָעֹבֵר עַל־הַפְּקֻדִים Ex. 30:13
1759 רֵאשִׁיתָם אֲשֶׁר־יִתְּנוּ לַייָ Num. 18:12
1760 יִתְּנוּ־לִי מָקוֹם בְּאַחַת עָרֵי הַשָּׂדֶה ISh. 27:5
1761 אֲשֶׁר יִתְּנוּ אֶת־הַכֶּסֶף עַל־יָדָם IIK. 12:16
1762 אֲשֶׁר־יִתְּנוּ אֹתוֹ אֶל־יוֹדֵעַ סֵפֶר° Is. 29:11
1763 יִתְּנוּ עֵדֵיהֶם וְיִצְדָּקוּ Is. 43:9
1764 וְאִם־הַשָּׁמַיִם יִתְּנוּ רְבִבִים Jer. 14:22
1765 פֶּן־יִתְּנוּ אֹתִי בְּיָדָם Jer. 38:19
1766 לְכָל־זֹנוֹת יִתְּנוּ־נֵדֶה Ezek. 16:33
1767 וְלֹא־יִתְּנוּ אֶת־צַמַּרְתָּם אֶל־בֵּין עֲבֹתִים Ezek. 31:14
1768 וְהָאָרֶץ יִתְּנוּ לְבֵית־יִשְׂרָאֵל Ezek. 45:8
1769 לֹא יִתְּנוּ מַעַלְלֵיהֶם לָשׁוּב אֶל־אֱלֹ׳ Hosh. 5:4
1770 וְהַשָּׁמַיִם יִתְּנוּ טַלָּם Zech. 8:12
1771 מִבֵּין עֳפָאיִם יִתְּנוּ־קוֹל Ps. 104:12
1772 וְכָל־הַנָּשִׁים יִתְּנוּ יְקָר לְבַעְלֵיהֶן Es. 1:20
1773 אִגְּרוֹת יִתְּנוּ־לִי עַל־פַּחֲווֹת... Neh. 2:7
יִתֵּנוּ 1774 וַיֹּאמֶר יִרְמְיָהוּ לֹא יִתֵּנוּ Jer. 38:20
וְיִתְּנוּ 1775 וְיִתְּנוּ־לָנוּ שְׁנַיִם פָּרִים IK. 18:23
1776 וְיִתְּנוּ אֹתוֹ לְעֹשֵׂי הַמְּלָאכָה IIK. 22:5
1777 וְיִתְּנוּ־לָנוּ מִן־הַזֵּרֹעִים וְנֹאכְלָה Dan. 1:12
וַיִּתְּנוּ 1778 וַיִּתְּנוּ אֶל־יַעֲקֹב אֵת כָּל... Gen. 35:4
1779 וַיִּתְּנוּ־לִי וָאַשְׁלִכֵהוּ בָאֵשׁ Ex. 32:24
1780 וַיִּתְּנוּ אֶת־שְׁתֵּי הַטַּבְּעֹת עַל... Ex. 39:16
1781 וַיִּקְחוּ...אִישׁ מַחְתָּתוֹ וַיִּתְּנוּ בָהֵן אֵשׁ Lev. 10:1
1782 וַיִּתְּנוּ אֶת־קוֹלָם וַיִּבְכּוּ Num. 14:1
1783 וַיִּקְחוּ...וַיִּתְּנוּ עֲלֵיהֶם אֵשׁ Num. 16:18
1784 וַיִּתְּנוּ עָלֵינוּ עֲבֹדָה קָשָׁה Deut. 26:6
1785 וַיִּתְּנוּ אֶת־הַכְּנַעֲנִי לָמַס Josh. 17:13
1786 וַיִּתְּנוּ עַל־עָרֵי יְהוּדָה קוֹלָם Jer. 4:16
1787 וַיְמָאֲנוּ לְהַקְשִׁיב וַיִּתְּנוּ כָתֵף סֹרָרֶ׳ Zech. 7:11
1788 וַיִּתְּנוּ בְּבָרוּתִי רֹאשׁ Ps. 69:22
1789 וַיִּתְּנוּ יָדָם לְהוֹצִיא נְשֵׁיהֶם Ez. 10:19
1790 וַיִּתְּנוּ־רֹאשׁ לָשׁוּב לְעַבְדֻתָם Neh. 9:17
1791 וַיִּתְּנוּ כָתֵף סוֹרֶרֶת וְעָרְפָּם הִקְשׁוּ Neh. 9:29
1792 וַיִּתְּנוּ־קוֹל בִּיהוּדָה וּבִירוּשָׁלִַם IICh. 24:9
1793 וַיַּסֵּבּוּ פְנֵיהֶם...וַיִּתְּנוּ־עֹרֶף IICh. 29:6

וַיִּתְּנוּ (המשך) 1794-1817 וַיִּתְּנוּ (אֶת־) לְ־ Josh. 19:49
21:3, 8, 9, 11, 21 • Jud. 1:20; 9:4; 20:36; 21:14 • ISh. 30:11, 12 • Jer. 39:14 • Job 42:11 • Ez. 3:7; 8:36 • ICh. 6:40, 49, 52; 29:7 • IICh. 17:5; 26:8; 27:5; 34:11
1818-1832 וַיִּתְּנוּ (אֶת־) עַל־, בְּ־ Ex. 39:17, 25, 31 • Num. 17:21 • Ezek. 19:8; 20:28; 23:42; 32:27 • Joel 4:3 • ICh. 6:50 • IICh. 23:11; 31:6; 34:9, 10[2]
יִתְּנֻהוּ 1833 כִּי־לְעֹשֵׂי הַמְּלָאכָה יִתְּנֻהוּ IIK. 12:15
וְיִתְּנֻהוּ 1834 וְיִתְּנֻהָ עַל־יַד עֹשֵׂי הַמְּלָאכָה IIK. 22:5
וַיִּתְּנֻהוּ 1835 וַיִּתְּנֻהוּ עַל־יַד עֹשֵׂי הַמְּלָאכָה IIK. 22:9
1836 וַיִּתְּנֻהוּ בַסּוּגַר בַּחַחִים Ezek. 19:9
1837 וַיִּתְּנֻהוּ בְּשַׁעַר בֵּית־יְיָ חוּצָה IICh. 24:8
1838 וַיִּתְּנוּהוּ עַל־יַד הַמֻּפְקָדִים IICh. 34:17
וַיִּתְּנֻם 1839 וַיִּתְּנֻם עַל־כִּתְפֹת הָאֵפֹד Ex. 39:18
1840 וַיִּתְּנֻם עַל־שְׁתֵּי כִתְפֹת הָאֵפֹד Ex. 39:20
1841 וַיִּתְּנוּם לְחֹק עַל־יִשְׂרָאֵל IICh. 35:25
תֵּן 1842-1843 תֵּן לָעָם וְיֹאכֵלוּ IIK. 4:42, 43
1844 תֵּן אֶת־בְּנֵיהֶם לָרָעָב Jer. 18:21
1845 תֵּן־לָהֶם יְיָ מַה־תִּתֵּן Hosh. 9:14
1846 תֵּן־לָהֶם רֶחֶם מַשְׁכִּיל Hosh. 9:14
1847 כְּמַעֲשֵׂה יְדֵיהֶם תֵּן לָהֶם Ps. 28:4
1848 אֱלֹהִים מִשְׁפָּטֶיךָ לְמֶלֶךְ תֵּן Ps. 72:1
1849 לֹא לָנוּ...כִּי־לְשִׁמְךָ תֵּן כָּבוֹד Ps. 115:1
1850 תֵּן לְחָכָם וְיֶחְכַּם־עוֹד Prov. 9:9
1851 וְלִשְׁלֹמֹה בְנִי תֵּן לֵבָב שָׁלֵם ICh. 29:19
תֶּן־ 1852 תֶּן־לִי הַנֶּפֶשׁ וְהָרְכֻשׁ קַח־לָךְ Gen. 14:21
1853 תֶּן־לָהֶם כְּפָעֳלָם Ps. 28:4
1854 תֶּן־חֵלֶק לְשִׁבְעָה וְגַם לִשְׁמוֹנָה Eccl. 11:2
1855 עַתָּה חָכְמָה וּמַדָּע תֶּן־לִי IICh. 1:10
וְתֶן־ 1856 וְתֶן־זֶרַע וְנִחְיֶה וְלֹא נָמוּת Gen. 47:19
1857 וְתֶן־שָׁמָּה מְלֹא־הָעֹמֶר Ex. 16:33
1858 וְתֶן־עָלֶיהָ אֵשׁ מֵעַל הַמִּזְבֵּחַ Num. 17:11
1859 וְתֶן־לוֹ תוֹדָה וְהַגֶּד־נָא לִי Josh. 7:19
תְּנָה 1860 תְּנָה אֶת־נָשַׁי וְאֶת־יְלָדַי Gen. 30:26
1861 תְּנָה אֹתוֹ עַל־יָדִי Gen. 42:37
1862 תְּנָה־לָּנוּ בָשָׂר וְנֹאכֵלָה Num. 11:13
1863 תְּנָה־לָּנוּ אֲחֻזָּה Num. 27:4
1864 תְּנָה־לִּי אֶת־הָהָר הַזֶּה Josh. 14:12
1865 וַתֹּאמֶר תְּנָה־לִּי בְרָכָה Josh. 15:19
1866 תְּנָה בָשָׂר לִצְלוֹת לַכֹּהֵן ISh. 2:15
1867 תְּנָה־לָּנוּ מֶלֶךְ לְשָׁפְטֵנוּ ISh. 8:6
1868 תְּנָה אֶת־הַמָּנָה אֲשֶׁר נָתַתִּי לָךְ ISh. 9:23
1869 מַה־יֵּשׁ תַּחַת־יָדְךָ...תְּנָה בְיָדִי ISh. 21:4
1870 תְּנָה־נָּא אֵת אֲשֶׁר תִּמְצָא יָדְךָ... ISh. 25:8
1871 תְּנָה אֶת־אִשְׁתִּי...אֲשֶׁר אֵרַשְׂתִּי לִי IISh. 3:14
1872/3 תְּנָה־לִּי אֶת־כַּרְמְךָ IK. 21:2, 6
1874 תְּנָה־נָּא לָהֶם כִּכַּר־כֶּסֶף IIK. 5:22
1875 יֵשׁ וָיֵשׁ תְּנָה אֶת־יָדֶךָ IIK. 10:15
1876 תְּנָה אֶת־בִּתְּךָ לִבְנִי לְאִשָּׁה IIK. 14:9
1877 תְּנָה־לִּי מֶלֶךְ וְשָׂרִים Hosh. 13:10
1878 אֲשֶׁר־תְּנָה הוֹדְךָ עַל־הַשָּׁמָיִם Ps. 8:2
1879 תְּנָה־עָוֹן עַל־עֲוֹנָם Ps. 69:28
1880 תְּנָה־עֻזְּךָ לְעַבְדֶּךָ Ps. 86:16
1881 תְּנָה־בְנִי לִבְּךָ לִי Prov. 23:26
1882 תְּנָה־לִּי מְקוֹם הַגֹּרֶן ICh. 21:22
1883 תְּנָה אֶת־בִּתְּךָ לִבְנִי לְאִשָּׁה IICh. 25:18
תְּנֵהוּ 1884 בְּכֶסֶף מָלֵא תְּנֵהוּ לִי ICh. 21:22
וּתְנֵהוּ 1885 וּתְנֵהוּ לְרַחֲמִים לִפְנֵי הָאִישׁ הַזֶּה Neh. 1:11
תְּנֶנָּה 1886 אֵין כָּמוֹהָ תְּנֶנָּה לִּי ISh. 21:10
וּתְנֵם 1887 וּתְנֵם לְבִזָּה בְּאֶרֶץ שִׁבְיָה Neh. 3:36

תְּנִי 1888 תְּנִי־נָא לִי מִדּוּדָאֵי בְּנֵךְ Gen. 30:14
1889 תְּנוּ אֶת־מַכֵּה אָחִיו IISh. 14:7
1890 וַיֹּאמֶר אֵלֶיהָ תְּנִי־לִי אֶת־בְּנֵךְ IK. 17:19
1891/2 תְּנִי אֶת־בְּנֵךְ וְנֹאכְלֶנּוּ IIK. 6:28, 29
1893 וּבַבָּשָׁן תְּנִי קוֹלֵךְ Jer. 22:20
תֵּנִי 1894 אֹמַר לַצָּפוֹן תֵּנִי Is. 43:6
תְּנוּ 1895 תְּנוּ לִי אֲחֻזַּת־קֶבֶר עִמָּכֶם Gen. 23:4
1896 תְּנוּ נָא אֹתָהּ לוֹ לְאִשָּׁה Gen. 34:8
1897 כִּי יְדַבֵּר...תְּנוּ לָכֶם מוֹפֵת Ex. 7:9
1898 תְּנוּ־לָנוּ מַיִם וְנִשְׁתֶּה Ex. 17:2
1899 תְּנוּ לָכֶם אֶת־עָרֵי הַמִּקְלָט Josh. 20:2
1900 תְּנוּ־נָא כִּכְּרוֹת לֶחֶם לָעָם Jud. 8:5
1901 תְּנוּ אֶת־הָאֲנָשִׁים...וּנְמִיתֵם Jud. 20:13
1902 תְּנוּ הָאֲנָשִׁים וּנְמִיתֵם ISh. 11:12
1903 תְּנוּ־לִי אִישׁ וְנִלָּחֲמָה יָחַד ISh. 17:10
1904 תְּנוּ־אֹתוֹ לְבַדּוֹ וְאֵלְכָה IISh. 20:21
1905/6 תְּנוּ־לָהּ אֶת־הַיָּלוּד הַחַי IK. 3:26, 27
1907 תְּנוּ לַיְיָ אֱלֹהֵיכֶם כָּבוֹד Jer. 13:16
1908 וְאֶת־בְּנוֹתֵיכֶם תְּנוּ לַאֲנָשִׁים Jer. 29:6
1909 תְּנוּ־צִיץ לְמוֹאָב Jer. 48:9
1910 תְּנוּ עֹז לֵאלֹהִים Ps. 68:35
1911 תְּנוּ־שֵׁכָר לְאוֹבֵד Prov. 31:6
1912 תְּנוּ־לָהּ מִפְּרִי יָדֶיהָ Prov. 31:31
1913 וְעַתָּה תְּנוּ תוֹדָה לַיְיָ Ez. 10:11
1914 תְּנוּ לְבַבְכֶם וְנַפְשְׁכֶם לִדְרוֹשׁ לַיְיָ
ICh. 22:19(18)
1915 תְּנוּ־יָד לַיְיָ וּבֹאוּ לְמִקְדָּשׁוֹ IICh. 30:8
1916 תְּנוּ אֶת־אֲרוֹן־הַקֹּדֶשׁ בַּבַּיִת IICh. 35:3
וּתְנוּ 1917 וּתְנוּ־לִי אֶת־הַנַּעֲרָ לְאִשָּׁה Gen. 34:12
1918 וּתְנוּ־בָהֵן אֵשׁ Num. 16:7
1919 וּתְנוּ־לִי אִישׁ נֶזֶם שְׁלָלוֹ Jud. 8:24
1920 וּתְנוּ אֶת־הַחֲצִי לְאַחַת IK. 3:25
1921 שְׂאוּ־זִמְרָה וּתְנוּ־תֹף Ps. 81:3
הִנָּתֹן 1922 כִּי־הִנָּתֹן יִנָּתֵן בְּיַד מֶלֶךְ־בָּבֶל Jer. 32:4
1923 הִנָּתֹן תִּנָּתֵן...בְּיַד חֵיל מֶ־בָּבֶל Jer. 38:3
לְהִנָּתֵן 1924/5 לְהִנָּתֵן דָּת בְּכָל־מְדִינָה וּמְדִינָה
Es. 3:14; 8:13
נִתַּן 1926 אוֹ חֻפְשָׁה לֹא נִתַּן־לָהּ Lev. 19:20
1927 כִּי לֹא־נִתַּן לָהֶם נַחֲלָה Num. 26:62
1928 אֲשֶׁר נִתַּן־לוֹ בְּהַר אֶפְרָיִם Josh. 24:33
1929 כִּי־יֶלֶד יֻלַּד־לָנוּ בֵּן נִתַּן־לָנוּ Is. 9:5
1930 כְּבוֹד הַלְּבָנוֹן נִתַּן־לָהּ Is. 35:2
1931 אַיֵּה הָעֵדֶר נִתַּן־לָךְ Jer. 13:20
1932 וְהָמוּ גַלֵּיהֶם...נִתַּן שְׁאוֹן קוֹלָם Jer. 51:55
1933 הִנֵּה לָאֵשׁ נִתַּן לְאָכְלָה Ezek. 15:4
1934 וְאֶתְנַן לֹא נִתַּן־לָךְ Ezek. 16:34
1935 כִּי־נִתַּן חִתִּיתָם בְּאֶרֶץ חַיִּים Ezek. 32:25
1936 נִתַּן הַסֶּכֶל בַּמְּרוֹמִים רַבִּים Eccl. 10:6
1937 כְּתָב־הַדָּת אֲשֶׁר־נִתַּן בְּשׁוּשָׁן Es. 4:8
1938 וַאֲשֶׁר נִתַּן כֶּתֶר מַלְכוּת בְּרֹאשׁוֹ Es. 6:8
1939 כֹּל אֲשֶׁר־נִתַּן בְּיַד־עֲבָדֶיךָ IICh. 34:16
נִתָּן 1940 בְּתוֹךְ חֲלָלִים נִתָּן Ezek. 32:25
1941 וְגַם בְּיַד־מֶלֶךְ יִשְׂרָאֵל נִתָּן IICh. 28:5
וְנִתַּן 1942 וְנִתַּן הַסֵּפֶר עַל אֲשֶׁר לֹא־יָדַע סֵ׳ Is. 29:12
1943 וְנִתַּן הֶהָמוֹן בְּיָדוֹ Dan. 11:11
נִתְּנָה 1944 וְהוּא לֹא־נִתְּנָה לוֹ לְאִשָּׁה Gen. 38:14
1945 וְהִיא נִתְּנָה לְעַדְרִיאֵל...לְאִשָּׁה ISh. 18:19
1946 וַאֲרֻחָתוֹ...נִתְּנָה־לּוֹ מֵאֵת הַמֶּלֶךְ IIK. 25:30
1947/8 וְהָעִיר נִתְּנָה בְּיַד הַכַּשְׂדִּים Jer. 32:24, 25
1949 הָעִיר...נִתְּנָה בְּיַד מֶלֶךְ־בָּבֶל Jer. 32:36
1950 שְׁמָמָה הִיא...נִתְּנָה בְּיַד הַכַּשְׂדִּים Jer. 32:43
1951 נִתְּנָה בְּיַד עַם־צָפוֹן Jer. 46:24

נִתְּנָה (המשך) 1952 וַאֲרֻחָתוֹ...נִתְּנָה־לּוֹ מֵאֵת מֶלֶךְ־בָּבֶל
Jer. 52:34
1953 לָנוּ הִיא נִתְּנָה הָאָרֶץ לְמוֹרָשָׁה Ezek. 11:15
1954 לָנוּ נִתְּנָה הָאָרֶץ לְמוֹרָשָׁה Ezek. 33:24
1955 אֶרֶץ נִתְּנָה בְיַד־רָשָׁע Job 9:24
1956 לָהֶם לְבַדָּם נִתְּנָה הָאָרֶץ Job 15:19
1957/8 וְהַדָּת נִתְּנָה בְּשׁוּשַׁן הַבִּירָה Es. 3:15; 8:14
1959 בְּתוֹרַת הָאֱלֹ׳ אֲשֶׁר נִתְּנָה בְּיַד מֹשֶׁה Neh. 10:30
1960 נִתְּנָה בְּכֹרָתוֹ לִבְנֵי יוֹסֵף ICh. 5:1
נִתָּנָה 1961 חֶרֶב נִתָּנָה מָשְׁכוּ אוֹתָהּ Ezek. 32:20
1962 כִּי־מְנָיוֹת הַלְוִיִּם לֹא נִתָּנָה Neh. 13:10
וְנִתְּנָה 1963 וְנִתְּנָה לַנְּעָרִים הַמִּתְהַלְּכִים ISh. 25:27
1964 וְנִתְּנָה הָעִיר...בְּיַד הַכַּשְׂדִּים Jer. 38:18
נִתַּנּוּ 1965 נִתַּנּוּ...בְּיַד מַלְכֵי הָאֲרָצוֹת Ez. 9:7
וְנִתַּתֶּם 1966 וְנִתַּתֶּם בְּיַד־אוֹיֵב Lev. 26:25
נִתְּנוּ 1967 נִתְּנוּ מִזִּבְחֵי שַׁלְמֵי בְּנֵי יִשְׂרָאֵל Lev. 10:14
1968 כִּי כֻלָּם נִתְּנוּ לַמָּוֶת Ezek. 31:14
1969 נִתְּנוּ קִבְרֹתֶיהָ בְּיַרְכְּתֵי־בוֹר Ezek. 32:23
1970 אֲשֶׁר־נִתְּנוּ...אֶת־חַלְלֵי־חָרֶב Ezek. 32:29
1971 לָנוּ נִתְּנוּ לְאָכְלָה Ezek. 35:12
1972 דִּבְרֵי חֲכָמִים...נִתְּנוּ מֵרֹעֶה אֶחָד Eccl. 12:11
נִתָּנוּ 1973 וּבְכָל־דְּגֵי הַיָּם בְּיֶדְכֶם נִתָּנוּ Gen. 9:2
1974 וּגְבָאָיו...לְמֶלַח נִתָּנוּ Ezek. 47:11
נִתָּן 1975 תֶּבֶן אֵין נִתָּן לַעֲבָדֶיךָ Ex. 5:16
1976 לַחְמוֹ נִתָּן מֵימָיו נֶאֱמָנִים Is. 33:16
הַנִּתָּן 1977 הַכֶּסֶף הַנִּתָּן עַל־יָדָם IIK. 22:7
תִּנָּתֵן 1978 תָּפֹשׂ תִּתָּפֵשׂ וּבְיָדוֹ תִּנָּתֵן Jer. 34:3
1979 בְּיַד מֶלֶךְ־בָּבֶל תִּנָּתֵן Jer. 37:17
1980 וְלֹא תִנָּתֵן בְּיַד הָאֲנָשִׁים Jer. 39:17
יִנָּתֵן 1981 וְתֶבֶן לֹא־יִנָּתֵן לָכֶם Ex. 5:18
1982 וּמִבֶּן־אָדָם חָצִיר יִנָּתֵן Is. 51:12
1983 כִּי־הִנָּתֹן יִנָּתֵן בְּיַד מֶלֶךְ־בָּבֶל Jer. 32:4
1984 אֵת כָּל־אֲשֶׁר תֹּאמַר יִנָּתֵן לָהּ Es. 2:13
1985 יִנָּתֵן גַּם־מָחָר לַיְּהוּדִים Es. 9:13
יִנָּ תֶן־ 1986 כַּאֲשֶׁר יִתֵּן מוּם בָּאָדָם כֵּן יִנָּתֶן בּוֹ
Lev. 24:20
1987 אֲשֶׁר יִנָּתֶן־לוֹ עִם־חֲכָמֶיךָ IICh. 2:13
וְיִנָּ תֵן 1988 עַד־חֲצִי הַמַּלְכוּת וְיִנָּתֵן לָךְ Es. 5:3
1989/90 (ו)מַה־שְּׁאֵלָתֵךְ וְיִנָּתֵן לָךְ Es. 5:6; 9:12
תִּנָּתֵן 1991 וְלֹא תִנָּתֵן אֶת־הָעִיר הַזֹּאת בְּיַד... IIK. 18:30
1992/3 לֹא תִנָּתֵן יְרוּשָׁלַםִ בְּיַד... IIK. 19:10
Is. 37:10
1994 לֹא תִנָּתֵן הָעִיר הַזֹּאת בְּיַד... Is. 36:15
1995 בְּיַד מֶלֶךְ־בָּבֶל תִּנָּתֵן Jer. 21:10
1996 הִנָּתֹן תִּנָּתֵן הָעִיר הַזֹּאת בְּיַד... Jer. 38:3
1997 וְצָבָא תִּנָּתֵן עַל־הַתָּמִיד Dan. 8:12
תִּנָּ תֶן 1998 תִּנָּתֶן־לִי נַפְשִׁי בִּשְׁאֵלָתִי Es. 7:3
וְתִנָּתֵן 1999 וְתִנָּתֵן הִיא וּמְבִיאֶיהָ Dan. 11:6
וְתִנָּ תֵן 2000 מַה־שְּׁאֵלָתֵךְ...וְתִנָּתֵן לָךְ Es. 7:2
וַתִּנָּתֵן 2001 וַתִּנָּתֵן דָּת בְּשׁוּשָׁן Es. 9:14
וְיִנָּתְנוּ 2002 עֲלוּ וְהַצְלִיחוּ וְיִנָּתְנוּ בְּיֶדְכֶם IICh. 18:14
וַיִּנָּתְנוּ 2003 וַיִּנָּתְנוּ בְיָדָם הַהַגְרִיאִים ICh. 5:20
יֻתַּן 2004 וְכִי יֻתַּן־מַיִם עַל־זֶרַע Lev. 11:38
2005 אִישׁ לְפִי פְקֻדָיו יֻתַּן נַחֲלָתוֹ Num. 26:54
2006 יֻתַּן אֶת־הָאָרֶץ הַזֹּאת לַעֲבָדֶיךָ Num. 32:5
2007 יֻתַּן (כת׳ ינתן)־לָנוּ שִׁבְעָה אֲנָשִׁים IISh. 21:6
2008 יֻתַּן אֶת־אֲבִישַׁג...לַאֲדֹנִיָּהוּ IK. 2:21
2009 יֻתַּן־נָא לְעַבְדְּךָ מַשָּׂא...אֲדָמָה IIK. 5:17
2010 לֹא־יֻתַּן סְגוֹר תַּחְתֶּיהָ Job 28:15
וַיֻּתַּן 2011 וַיֻּתַּן בֵּין הַשָּׁמַיִם וּבֵין הָאָרֶץ IISh. 18:9

נְתַן
ארמית: כמו בעברית: נָתַן; לְמִנְתַּן = לתת: 1-7
לְמִנְתַּן 1 חַשְׁחוּת...דִּי יִפֶּל־לָךְ לְמִנְתַּן Ez. 7:20
תִּנְתֵּן 2 תִּנְתֵּן מִן־בֵּית גִּנְזֵי מַלְכָּא Ez. 7:20
יִנְתֵּן 3 וּבְעָא...דִּי זְמָן יִנְתֵּן־לֵהּ Dan. 2:16
יִתְּנִנַּהּ 4-6 וּלְמַן־דִּי יִצְבֵּא יִתְּנִנַּהּ Dan. 4:14, 22, 29
יִנְתְּנוּן 7 מִנְדָּה־בְלוֹ וַהֲלָךְ לָא יִנְתְּנוּן Ez. 4:13

נָתָן
שפ״ז א) נביא בימי דוד ושלמה: 1-21, 29, 30, 32-37, 41
ב) אבי אחד מגבורי דוד: 22
ג) אחי יואל מגבורי דוד: 27
ד) מבני דוד: 25, 28, 31, 40
ה) אבי זבוד הכהן בימי שלמה: 24, 39
ו) אבי אחד מנצבי שלמה: 23
ז) מבני ירחע העבד המצרי: 26
ח) שני אנשים בימי עזרא: 38, 42

נָתָן הַנָּבִיא 1, 6, 29, 30, 33-37, 41; אֲחִי נָתָן 27; בֵּית נָ׳ 25; בֶּן נָ׳ 22-24; דִּבְרֵי נָ׳ 29, 30; יַד נָתָן 6
נָתָן 1 וַיֹּאמֶר הַמֶּלֶךְ אֶל־נָתָן הַנָּבִיא IISh. 7:2
2 וַיֹּאמֶר נָתָן אֶל־הַמֶּלֶךְ IISh. 7:3
3 וַיְהִי דְּבַר־יְיָ אֶל־נָתָן לֵאמֹר IISh. 7:4
4 כֵּן דִּבֶּר נָתָן אֶל־דָּוִד IISh. 7:17
5 וַיִּשְׁלַח יְיָ אֶת־נָתָן אֶל־דָּוִד IISh. 12:1
6 וַיִּשְׁלַח בְּיַד נָתָן הַנָּבִיא IISh. 12:25
7-21 נָתָן IISh. 12:5, 7, 13², 15 • IK. 1:10
1:11, 23, 24, 44 • Ps. 51:2 • ICh. 17:1, 2, 3, 15
22 יִגְאָל בֶּן־נָתָן מִצֹּבָה IISh. 23:36
23 וַעֲזַרְיָהוּ בֶן־נָתָן עַל־הַנִּצָּבִים IK. 4:5
24 וְזָבוּד בֶּן־נָתָן כֹּהֵן רֵעֶה הַמֶּלֶךְ IK. 4:5
25 מִשְׁפַּחַת בֵּית־נָתָן לְבָד Zech. 12:12
26 וְעַתַּי הוֹלִיד אֶת־נָתָן ICh. 2:36
27 יוֹאֵל אֲחִי נָתָן ICh. 11:38
28 שַׁמּוּעַ וְשׁוֹבָב נָתָן וּשְׁלֹמֹה ICh. 14:4
29 וְעַל־דִּבְרֵי נָתָן הַנָּבִיא ICh. 29:29
30 הֵם כְּתוּבִים עַל־דִּבְרֵי נָתָן הַנָּבִיא IICh. 9:29
וְנָתָן 31 שַׁמּוּעַ וְשׁוֹבָב וְנָתָן וּשְׁלֹמֹה IISh. 5:14
32 וְנָתָן הַנָּבִיא וְשִׁמְעִי וְרֵעִי IK. 1:8
33-37 וְנָתָן הַנָּבִיא IK. 1:22, 34, 38, 45 • IICh. 29:25
38 וּשְׁלֶמְיָה וְנָתָן וַעֲדָיָה Ez. 10:39
39 וְנָתָן הוֹלִיד אֶת־זָבָד ICh. 2:36
40 שִׁמְעָא וְשׁוֹבָב וְנָתָן וּשְׁלֹמֹה ICh. 3:5
וּלְנָתָן 41 לְצָדוֹק הַכֹּהֵן וּלְנָתָן הַנָּבִיא IK. 1:32
42 וּלְנָתָן וְלִזְכַרְיָה וְלִמְשֻׁלָּם Ez. 8:16

נְתַן־מֶלֶךְ
שפ״ז – סריס מעבדי המלך יאשיהו
נְתַן־מֶלֶךְ 1 אֶל־לִשְׁכַּת נְתַן־מֶלֶךְ הַסָּרִיס IIK. 23:11

נְתַנְאֵל
שפ״ז א) נשיא מטה יששכר: 1-5
ב) הרביעי מאחי דוד: 9
ג) כהנים וסופרים בימי דוד: 10-12
ד) משרי יהושפט: 14
ה) משרי הלויים בימי יאשיהו: 13
ו) אנשים בימי זרובבל ועזרא: 6-8
נְתַנְאֵל 1-5 נְתַנְאֵל בֶּן־צוּעָר Num. 1:8; 2:5; 7:18, 23; 10:15
6 וּמִבְּנֵי פַּשְׁחוּר...יִשְׁמָעֵאל נְתַנְאֵל Ez. 10:22
7 לִידַעְיָה נְתַנְאֵל Neh. 12:21
8 נְתַנְאֵל וִיהוּדָה חֲנָנִי בִּכְלֵי־שִׁיר Neh. 12:36
9 נְתַנְאֵל הָרְבִיעִי ICh. 2:14
10 שְׁמַעְיָה בֶן־נְתַנְאֵל הַסּוֹפֵר ICh. 24:6
וּנְתַנְאֵל 11 וּשְׁבַנְיָהוּ וְיוֹשָׁפָט וּנְתַנְאֵל ICh. 15:24
12 וּנְתַנְאֵל הַחֲמִישִׁי ICh. 26:4
13 וּשְׁמַעְיָהוּ וּנְתַנְאֵל אֶחָיו IICh. 35:9
וְלִנְתַנְאֵל 14 שָׁלַח לְשָׂרָיו...וְלִנְתַנְאֵל וּלְמִיכָיָהוּ IICh. 17:7

נְתַנְיָה שם־ז א) אבי ישמעאל, רוצחו של גדליהו בן אחיקם: 1-14
ב) מבני יוסף המשורר בימי דוד: 15

נְתַנְיָה 1 וַיָּבֹאוּ...וְיִשְׁמָעֵאל בֶּן־נְתַנְיָה IIK.25:23
2 בָּא יִשְׁמָעֵאל בֶּן־נְתַנְיָה IIK.25:25
3-14 (וְ)יִשְׁמָעֵאל בֶּן־נְתַנְיָה Jer.40:14, 15; 41:1,2,6,7,10,11,12,15,16,18
וּנְתַנְיָה 15 לִבְנֵי אָסָף זַכּוּר וְיוֹסֵף וּנְתַנְיָה ICh.25:2

נְתַנְיָהוּ שם־ז א) אבי יהודי, מעבדי המלך יהויקים: 1
ב) אבי ישמעאל, הוא נתניה: 2, 3
ג) לוי בימי יהושפט: 5
ד) מבני יוסף המשורר בימי דוד: 4

נְתַנְיָהוּ 1 וַיִּשְׁלְחוּ...אֶת־יְהוּדִי בֶּן־נְתַנְיָהוּ Jer.36:14
2 וַיָּבֹאוּ...וְיִשְׁמָעֵאל בֶּן־נְתַנְיָהוּ Jer.40:8
3 מִלֵּא יִשְׁמָעֵאל בֶּן־נְתַנְיָהוּ חֲלָלִים Jer.41:9
4 הַחֲמִישִׁי נְתַנְיָהוּ ICh.25:12
וּנְתַנְיָהוּ 5 וְעִמָּהֶם הַלְוִיִּם שְׁמַעְיָהוּ וּנְתַנְיָהוּ IICh.17:8

נָתַס פ׳ נתץ, הרס
נָתְסוּ 1 נָתְסוּ נְתִיבָתִי לְהַוָּתִי יֹעִילוּ Job30:13

נָתַע נפ׳ נִתַּץ, נשבר
נִתָּעוּ 1 וְשִׁנֵּי כְפִירִים נִתָּעוּ Job4:10

נָתַץ פ׳ א) הָרַס, החריב, שבר: 1-31
ב) [נפ׳ נִתַּץ] נהרס: 32, 33
ג) [פ׳ נִתֵּץ] נִתַּץ, הרס: 34-40
ד) [פ׳ נֻתַּץ] נהרס: 41
ה) [הפ׳ הֻתַּץ] נֻתַּץ, נהרס: 42
קרובים: הָרַס / הֶחֱרִיב (חרב) / כִּתֵּת / נָתַשׁ / פָּרַץ / קִרְקֵר / הִשְׁמִיד (שמד)

וְלִנְתוֹץ 1-2 לִנְתוֹשׁ וְלִנְתוֹץ וּלְהַאֲבִיד Jer.1:10; 18:7
3 לִנְתוֹשׁ וְלִנְתוֹץ וְלַהֲרֹס Jer.31:28(27)
נָתַץ 4 כִּי נָתַץ אֶת־מִזְבַּח הַבַּעַל Jud.6:30
5-6 כִּי נָתַץ אֶת־מִזְבְּחוֹ Jud.6:31,32
7 וְאֶת־הַמִּזְבְּחוֹת...נָתַץ הַמֶּלֶךְ IIK.23:12
נָתָץ 8 וְאֶת־מִגְדַּל פְּנוּאֵל נָתָץ Jud.8:17
9 וְאֶת־הַבָּמָה נָתָץ IIK.23:15
וְנָתַץ 10 וְנָתַץ אֶת־הַבַּיִת אֶת־אֲבָנָיו Lev.14:45
11 וְנָתַץ אֶת־בָּמוֹת הַשְּׁעָרִים IIK.23:8
נָתְצוּ 12/3 נָתְצוּ כָּל־חֵיל כַּשְׂדִּים IIK.25:10 • Jer.52:14
נָתָצוּ 14 וְאֶת־חֹמוֹת יְרוּשָׁלִַם נָתָצוּ Jer.39:8
הַנְּתֻצִים 15 וְעַל־בָּתֵּי מַלְכֵי יְהוּדָה הַנְּתֻצִים Jer.33:4
אֶתֹּץ 16 בְּשׁוּבִי...אֶתֹּץ אֶת־הַמִּגְדָּל הַזֶּה Jud.8:9
יִתֹּץ 17 וּמִגְדְּלֹתַיִךְ יִתֹּץ בְּחַרְבוֹתָיו Ezek.26:9
וַיִּתֹּץ 18 וַיִּתֹּץ אֶת־הָעִיר וַיִּזְרָעֶהָ מֶלַח Jud.9:45
19 וַיִּתֹּץ אֶת־בָּתֵּי הַקְּדֵשִׁים IIK.23:7
יִתְּצֵנִי 20 יִתְּצֵנִי סָבִיב וָאֵלַךְ Job19:10
יִתָּצְךָ 21 גַּם־אֵל יִתָּצְךָ לָנֶצַח Ps.52:7
תִּתֹּצוּ 22 מִזְבְּחֹתֵיהֶם תִּתֹּצוּ Deut.7:5
תִּתֹּצוּן 23 כִּי אֶת־מִזְבְּחֹתָם תִּתֹּצוּן Ex.34:13
24 מִזְבְּחוֹתֵיהֶם תִּתֹּצוּן Jud.2:2
וַתִּתְצוּ 25 וַתִּתְצוּ הַבָּתִּים לְבַצֵּר הַחוֹמָה Is.22:10
יִתֹּצוּ 26 וּבָתֵּי חֶמְדָּתֵךְ יִתֹּצוּ Ezek.26:12
וַיִּתְּצוּ 27 וַיִּתְּצוּ אֵת מַצְּבַת הַבָּעַל IIK.10:27
28 וַיִּתְּצוּ אֶת־בֵּית הַבַּעַל IIK.10:27
וַיִּתְּצֻהוּ 29 וַיָּבֹאוּ...בֵּית־הַבַּעַל וַיִּתְּצֻהוּ IIK.11:18
30 וַיָּבֹאוּ...בֵּית־הַבַּעַל וַיִּתְּצֻהוּ IICh.23:17
נְתָץ 31 מַלְתְּעוֹת כְּפִירִים נְתֹץ יְיָ Ps.58:7
נִתְּצוּ 32 וְכָל־עָרָיו נִתְּצוּ מִפְּנֵי יְיָ Jer.4:26
33 וְהַצֻּרִים נִתְּצוּ מִמֶּנּוּ Nah.1:6
נִתַּץ 34 אֶת־הַבָּמוֹת אֲשֶׁר נִתַּץ יְחִזְקִיָּהוּ IICh.33:3
וְנִתַּצְתֶּם 35 וְנִתַּצְתֶּם אֶת־מִזְבְּחֹתָם Deut.12:3
וְנִתְּצוּ 36 וְהָרְסוּ גַבֵּךְ וְנִתְּצוּ רָמֹתַיִךְ Ezek.16:39
וַיְנַתֵּץ 37 וַיְנַתֵּץ אֶת־הַמִּזְבְּחוֹת IICh.34:7
וַיְנַתְּצוּ 38 וַיְנַתְּצוּ...הַבָּמוֹת וְאֶת־הַמִּזְבְּחֹת IICh.31:1
39 וַיְנַתְּצוּ...אֵת מִזְבְּחוֹת הַבְּעָלִים IICh.34:4
40 וַיְנַתְּצוּ אֵת חוֹמַת יְרוּשָׁלִָם IICh.36:19
נֻתַּץ 41 וְהִנֵּה נֻתַּץ מִזְבַּח הַבַּעַל Jud.6:28
יֻתָּץ 42 תַּנּוּר וְכִירַיִם יֻתָּץ Lev.11:35

נתק : נָתַק, נִתַּק, נִתֵּק, הִתִּיק, הָנְתַּק; נָתוּק; ש־ס נֶתֶק

נָתַק פ׳ א) סלק, הרחיק: 1, 2
ב) [נפ׳ נִתַּק] נעקר, נתלש: 3-12
ג) [פ׳ נִתֵּק] קרע ותלש: 13-23
ד) [הפ׳ הִתִּיק] הרחיק: 24, 25
ה) [הפ׳ הָנְתַּק] הורחק: 26

וּנְתַקְנוּהוּ 1 וּנְתַקְנוּהוּ מִן־הָעִיר אֶל־הַמְסִלּוֹת Jud.20:32
אֶתְּקֶנְךָּ 2 כִּי מִשָּׁם אֶתְּקֶנְךָּ Jer.22:24
נִתַּק 3 וְלֹא נִתַּק שְׂרוֹךְ נְעָלָיו Is.5:27
נִתְּקוּ 4 נִתְּקוּ כַּפּוֹת רַגְלֵי הַכֹּהֲנִים Josh.4:18
5 יָמַי עָבְרוּ זִמֹּתַי נִתְּקוּ מוֹרָשֵׁי לְבָבִי Job17:11
נִתָּקוּ 6 וְרָעִים לֹא נִתָּקוּ Jer.6:29
7 וְכָל־מֵיתָרַי נִתָּקוּ Jer.10:20
יִנָּתֵק 8 כַּאֲשֶׁר יִנָּתֵק פְּתִיל־הַנְּעֹרֶת Jud.16:9
9 יִנָּתֵק מֵאָהֳלוֹ מִבְטַחוֹ Job18:14
10 וְהַחוּט הַמְשֻׁלָּשׁ לֹא בִמְהֵרָה יִנָּתֵק Eccl.4:12
יִנָּתֵקוּ 11 וְכָל־חֲבָלָיו בַּל־יִנָּתֵקוּ Is.33:20
וַיִּנָּתְקוּ 12 וַיִּרְדְּפוּ...וַיִּנָּתְקוּ מִן־הָעִיר Josh.8:16
נִתַּקְתִּי 13 שָׁבַרְתִּי עֻלֵּךְ נִתַּקְתִּי מוֹסְרוֹתַיִךְ Jer.2:20
נִתְּקוּ 14 יַחְדָּו שָׁבְרוּ עֹל נִתְּקוּ מוֹסֵרוֹת Jer.5:5
אֲנַתֵּק 15 אֶשְׁבֹּר עֻלּוֹ...וּמוֹסְרוֹתֶיךָ אֲנַתֵּק Jer.30:8
16 אֶשְׁבֹּר מֹטֵהוּ...וּמוֹסְרֹתַיִךְ אֲנַתֵּק Nah.1:13
תְּנַתֵּקִי 17 וְשָׁתִית אוֹתָהּ...וְשָׁדַיִךְ תְּנַתֵּקִי Ezek.23:34
יְנַתֵּק 18 הֲלוֹא אֶת־שָׁרָשֶׁיהָ יְנַתֵּק Ezek.17:9
19 יוֹצִיאֵם...וּמוֹסְרוֹתֵיהֶם יְנַתֵּק Ps.107:14
וַיְנַתֵּק 20 וַיְנַתֵּק אֶת־הַיְתָרִים Jud.16:9
וַיְנַתְּקֵם 21 וַיְנַתְּקֵם מֵעַל זְרֹעֹתָיו כַּחוּט Jud.16:12
נְנַתְּקָה 22 נְנַתְּקָה אֶת־מוֹסְרוֹתֵימוֹ Ps.2:3
תְּנַתֵּקוּ 23 וְכָל־מוֹטָה תְּנַתֵּקוּ Is.58:6
הַתִּיקֵנוּ 24 עַד הַתִּיקֵנוּ אוֹתָם מִן־הָעִיר Josh.8:6
הַתִּקֵם 25 הַתִּקֵם כְּצֹאן לְטִבְחָה Jer.12:3
הָנְתְּקוּ 26 וַיֵּצְאוּ...הָנְתְּקוּ מִן־הָעִיר Jud.20:31

נֶתֶק ז׳ נגע צרעת בשער הראש או בזקן: 1-14
קרובים: בֹּהַק / בַּהֶרֶת / גַּבַּחַת / גָּרָב / דַּלֶּקֶת / חַרְחוּר / חֶרֶס / יַבֶּלֶת / יַלֶּפֶת / מִסְפַּחַת / נֶגַע / סַפַּחַת / צָרַעַת / שְׂאֵת / שְׁחִין
– מַרְאֵה הַנֶּתֶק 5; נֶגַע הַנֶּתֶק 2, 3
– גִּלַּח הַנֶּתֶק 6; נִרְפָּא הַנֶּ׳ 13; פָּשָׂה הַנֶּתֶק 4, 9-11

נֶתֶק 1 נֶתֶק הוּא צָרַעַת הָרֹאשׁ Lev.13:30
הַנֶּתֶק 2 וְכִי־יִרְאֶה הַכֹּהֵן אֶת־נֶגַע הַנֶּתֶק Lev.13:31
3 וְהִסְגִּיר הַכֹּהֵן אֶת־נֶגַע הַנֶּתֶק Lev.13:31
4 וְהִנֵּה לֹא־פָשָׂה הַנֶּתֶק Lev.13:32
5 וּמַרְאֵה הַנֶּתֶק אֵין עָמֹק מִן־הָעוֹר Lev.13:32
6 וְהִתְגַּלָּח וְאֶת־הַנֶּתֶק לֹא יְגַלֵּחַ Lev.13:33
7 וְהִסְגִּיר הַכֹּהֵן אֶת־הַנֶּתֶק Lev.13:33
8 וְרָאָה...אֶת־הַנֶּתֶק בַּיּוֹם הַשְּׁבִיעִי Lev.13:34
9 וְהִנֵּה לֹא־פָשָׂה הַנֶּתֶק בָּעוֹר Lev.13:34
10 וְאִם־פָּשֹׂה יִפְשֶׂה הַנֶּתֶק בָּעוֹר Lev.13:35
11 וְהִנֵּה פָּשָׂה הַנֶּתֶק בָּעוֹר Lev.13:36
12 וְאִם־בְּעֵינָיו עָמַד הַנֶּתֶק Lev.13:37
13 נִרְפָּא הַנֶּתֶק טָהוֹר הוּא Lev.13:37
וְלַנָּתֶק 14 לְכָל־נֶגַע הַצָּרַעַת וְלַנָּתֶק Lev.14:54

נָתַר פ׳ א) קפץ, נרתע: 1
ב) [פ׳ נִתֵּר] קפץ: 2
ג) [הפ׳ הִתִּיר] פתח קשר: 3-8

וְיִתַּר 1 יֶחֱרַד לִבִּי וְיִתַּר מִמְּקוֹמוֹ Job37:1
לְנַתֵּר 2 לְנַתֵּר בָּהֵן עַל־הָאָרֶץ Lev.11:21
הַתֵּר 3 פַּתֵּחַ...הַתֵּר אֲגֻדּוֹת מוֹטָה Is.58:6
מַתִּיר 4 יְיָ מַתִּיר אֲסוּרִים Ps.146:7
יַתֵּר 5 יַתֵּר יָדוֹ וִיבַצְּעֵנִי Job6:9
וַיַּתֵּר 6 וַיַּתֵּר תְּמִים דַּרְכִּי IISh.22:33
7 רָאָה וַיַּתֵּר גּוֹיִם Hab.3:6
וַיַּתִּירֵהוּ 8 שָׁלַח מֶלֶךְ וַיַּתִּירֵהוּ Ps.105:20

נֶתֶר ז׳ מלח מנקה: 1, 2
נָתֶר 1 חֹמֶץ עַל־נָתֶר Prov.25:20
בַּנֶּתֶר 2 תְּכַבְּסִי בַּנֶּתֶר וְתַרְבִּי־לָךְ בֹּרִית Jer.2:22

נָתַשׁ פ׳ א) הרס, נתץ: 1-16
ב) [נפ׳ נִתַּשׁ] נעקר, נהרס: 17-20
ג) [הפ׳ הֻתַּשׁ] נעקר: 21
קרובים: ראה נָתַץ

נָתוֹשׁ 1 וְנָתַשְׁתִּי...נָתוֹשׁ וְאַבֵּד Jer.12:17
לִנְתוֹשׁ 2/3 לִנְתוֹשׁ וְלִנְתוֹץ וּלְהַאֲבִיד Jer.1:10; 18:7
4 לִנְתוֹשׁ וְלִנְתוֹץ וְלַהֲרֹס Jer.31:28(27)
נָתְשִׁי 5 וְהָיָה אַחֲרֵי נָתְשִׁי אוֹתָם Jer.12:15
וְנָתַשְׁתִּי 6 וְנָתַשְׁתִּי אֶת־הַגּוֹי הַהוּא Jer.12:17
7 וְנָתַשְׁתִּי אֲשֵׁירֶיךָ מִקִּרְבֶּךָ Mic.5:13
וּנְתַשְׁתִּים 8 וּנְתַשְׁתִּים מֵעַל אַדְמָתִי IICh.7:20
נָתַשְׁתָּ 9 תַּמּוּ חֳרָבוֹת לָנֶצַח וְעָרִים נָתַשְׁתָּ Ps.9:7
וְנָתַשׁ 10 וְנָתַשׁ אֶת־יִשְׂרָאֵל מֵעַל הָאֲדָמָה IK.14:15
נֹתֵשׁ 11 וְאֵת אֲשֶׁר־נָטַעְתִּי אֲנִי נֹתֵשׁ Jer.45:4
נֹתְשָׁם 12 הִנְנִי נֹתְשָׁם מֵעַל אַדְמָתָם Jer.12:14
אֶתּוֹשׁ 13 וְאֶת־בֵּית יְהוּדָה אֶתּוֹשׁ מִתּוֹכָם Jer.12:14
14 וּנְטַעְתִּים וְלֹא אֶתּוֹשׁ Jer.24:6
15 וְנָטַעְתִּי אֶתְכֶם וְלֹא אֶתּוֹשׁ Jer.42:10
וַיִּתְּשֵׁם 16 וַיִּתְּשֵׁם יְיָ מֵעַל אַדְמָתָם Deut.29:27
יִנָּתֵשׁ 17 לֹא־יִנָּתֵשׁ וְלֹא־יֵהָרֵס Jer.31:40(39)
תִּנָּתֵשׁ 18 כִּי תִנָּתֵשׁ מַלְכוּתוֹ Dan.11:4
יִנָּתְשׁוּ 19 אִם־יִנָּתְשׁוּ מַיִם זָרִים קָרִים נוֹזְלִים Jer.18:14
20 וְלֹא יִנָּתְשׁוּ עוֹד מֵעַל אַדְמָתָם Am.9:15
וַתֻּתַּשׁ 21 וַתֻּתַּשׁ בְּחֵמָה לָאָרֶץ הֻשְׁלָכָה Ezek.19:12

נָתַתִּי, נָתַתָּ וכד׳ – עין נָתַן

ס׳ זעירא	
בְּסוּפָה	Nah. 1:4
ס׳ רבתי	
וַיַּהַס	Num. 13:30
סוֹף	Eccl. 12:13

כתיב ש׳ ועיקרו ס׳		
וְשַׂכֹּתִי	(וְסַכֹּתִי)	Ex. 33:22
וַיִּשָּׂתְרוּ	(וַיִּסָּתְרוּ)	ISh. 5:9
נָשׂוֹג	(נָסוֹג)	IISh. 1:22
וְשִׂפַּח	(וְסִפַּח)	Is. 3:17

מסורה מסורה מסורה
מסורה מסורה מסורה
מסורה מסורה מסורה
מסורה מסורה
מסורה מסורה
מסורה ס מסורה
מסורה מסורה
מסורה מסורה
מסורה מסורה
מסורה מסורה
מסורה מסורה מסורה
מסורה מסורה מסורה
מסורה מסורה מסורה

סמכי״ן בתורה 1833

בְּשׂוּרִי	(בְּסוּרִי)	Hosh. 9:12
כַּעַשׂ	(כַּעַס)	Job 5:2
כַּעְשִׂי	(כַּעְסִי)	Job 6:2
כַּעַשְׂךָ	(כַּעַסְךָ)	Job 10:17
מִכַּעַשׂ	(מִכַּעַס)	Job 17:7
שֻׂכּוֹ	(סֻכּוֹ)	Lam. 2:6

שָׂתַם	(סָתַם)	Lam. 3:8
וּכְמַשְׂמְרוֹת	(וּכְמַסְמְרוֹת)	Eccl. 12:11
כתיב ס׳ ועיקרו ש׳		
וְסֹכְרִים	(וְשֹׂכְרִים)	Ez. 4:5

סְאָה ג׳ מדת היָבש, שליש אֵיפה: 1-9

סְאָה 1 כְּעֵת מָחָר סְאָה־סֹלֶת בְּשֶׁקֶל IIK. 7:1
2 וַיְהִי סְאָה־סֹלֶת בְּשֶׁקֶל IIK. 7:16
וּסְאָה 3 וּסְאָה־סֹלֶת בְּשֶׁקֶל יִהְיֶה... IIK. 7:18
סָאתַיִם 4 וַיַּעַשׂ תְּעָלָה כְּבֵית סָאתַיִם זֶרַע... IK. 18:32
5 סָאתַיִם שְׂעֹרִים בְּשֶׁקֶל IIK. 7:18
וְסָאתַיִם 6-7 וְסָאתַיִם שְׂעֹרִים בְּשֶׁקֶל IIK. 7:1, 16
סְאִים 8 מַהֲרִי שְׁלֹשׁ סְאִים קֶמַח סֹלֶת Gen. 18:6
9 וְחָמֵשׁ סְאִים קָלִי ISh. 25:18

סְאוֹן ז׳ נַעַל? שָׁאוֹן?

סְאוֹן 1 כִּי כָל־סְאוֹן סֹאֵן בְּרַעַשׁ Is. 9:4

סָאַן פָּ׳ פָּסַע, צָעַד(?) רָעַשׁ(?)

סֹאֵן 1 כִּי כָל־סְאוֹן סֹאֵן בְּרַעַשׁ Is. 9:4

סַאסְאָה נ׳ סְאָה כפולה(?)

בְּסַאסְּאָה 1 בְּסַאסְּאָה בְּשַׁלְחָהּ תְּרִיבֶנָּה Is. 27:8

סבא : סָבָא פ׳; סֹבֵא, סָבוּא, סָבָא ז׳, סֹבֶא; ש״פ סְבָא

סָבָא פָּ׳ שתה לְשָׁכרה: 1-6

קרובים: גָּמָא / גָּמַע / עִלַּע / רָוָה / שָׁכַר / שָׁתָה

זוֹלֵל וְסוֹבֵא (2), 3; סוֹבְאֵי יַיִן 4

וּכְסָבְאָם 1 סִירִים סְבֻכִים וּכְסָבְאָם סְבוּאִים Nah. 1:10
סוֹבֵא 2 כִּי־סֹבֵא וְזוֹלֵל יִוָּרֵשׁ Prov. 23:21
וְסוֹבֵא 3 סוֹרֵר וּמֹרֶה...זוֹלֵל וְסֹבֵא Deut. 21:20
בְּסוֹבְאֵי־ 4 אַל־תְּהִי בְסֹבְאֵי־יָיִן Prov. 23:20
סְבוּאִים 5 סִירִים סְבֻכִים וּכְסָבְאָם סְבוּאִים Nah. 1:10
וְנִסְבְּאָה 6 אֵתָיוּ אֶקְחָה־יַיִן וְנִסְבְּאָה שֵׁכָר Is. 56:12

סָבָא* ז׳ שֵׁם עם?

סָבָאִים 1 מוּבָאִים סָבָאִים (כת׳ סובאים) מִמִּדְבָּר
Ezek. 23:42

סֹבֶא* ז׳ מַשְׁקֶה חריף: 1, 2

סָבְאֵךְ 1 סָבְאֵךְ מָהוּל בַּמָּיִם Is. 1:22
סָבְאָם 2 סָר סָבְאָם הַזְנֵה הִזְנוּ Hosh. 4:18

סְבָא שפ״ז א) בכורו של כּוּשׁ בן חם: 1, 2

ב) עם אפריקאי המתיחס על סְבָא: 3-5

סְבָא 1/2 וּבְנֵי כוּשׁ סְבָא וַחֲוִילָה Gen. 10:7 • ICh. 1:9
וּסְבָא 3 נָתַתִּי...כּוּשׁ וּסְבָא תַּחְתֶּיךָ Is. 43:3
4 מַלְכֵי שְׁבָא וּסְבָא אֶשְׁכָּר יַקְרִיבוּ Ps. 72:10
וּסְבָאִים 5 וּסְחַר־כּוּשׁ וּסְבָאִים אַנְשֵׁי מִדָּה Is. 45:14

סבב : סָבַב, סַב, נָסַב, סִבֵּב, סוֹבֵב, הֵסֵב, הוּסַב; סִבָּה, סָבִיב, מֵסַב, מוּסָב, מְסִבָּה, נְסִבָּה

סָבַב פָּ׳ א) הלך מסביב, הקיף: 1,2,6-38,54-59,62,66-81, 87-90]

ב) נע מסביב ל־: 63
ג) פנה, סר: 39-53, 60, 61, 64, 82-86
ד) גרם: 3, 4, 5
ה) ישב אל שולחן: 65
ו) [נפ׳ נָסַב] פנה לכאן ולכאן: 91-100, 105-110
ז) [כנ״ל] הקיף, סָבַב: 101-103; הוּעבר: 104
ח) [פ׳ סִבֵּב] שִׁנה, גרם: 111
ט) [פ׳ סוֹבֵב] הִקיף, כִּתֵּר: 112-123
י) [הִפ׳ הֵסֵב] הִפנה: 124-135, 139-148, 156
יא) [כנ״ל] העביר מסביב: 136,137, 138, 149-155
יב) [הָפ׳ הוּסַב] הוּקף, הָעבר, הוּפנה: 157-162

– סָבַב, סָבַב אֶת־ רוֹב המקראות 1-90; סָבַב אֶל־, לְ־ 6, 9, 30, 33, 34,39,42,44, 51,60, 61, 84, 85; סָבַב עַל־ 62, 63, 68, 72, 78; סָבַב בְּ־ 3; סָבַב מֵאֵצֶל־ 48; סָבַב מֵעַל־ 45; סָבַב מִפְּנֵי־ 49
– נָסַב הַגְּבוּל 91, 92, 94, 95, 97
– הֵסֵב לִבּוֹ 127, 131; הֵסֵב עֵינָיו 156; הֵסֵב פָּנָיו 126, 130, 139-142, 151, 153; הֵסֵב שְׁמוֹ 143-145
– מוּסַבּוֹת שֵׁם 160

סֹב 1 רַב־לָכֶם סֹב אֶת־הָהָר Deut. 2:3
לִסְבֹב 2 וַיִּסְעוּ...לִסְבֹב אֶת־אֶרֶץ אֱדוֹם Num. 21:4
סַבֹּתִי 3 אָנֹכִי סַבֹּתִי בְּכָל־נֶפֶשׁ בֵּית אָבִיךָ ISh. 22:22
4 סַבּוֹתִי אֲנִי וְלִבִּי לָדַעַת וְלָתוּר Eccl. 7:25
וְסַבּוֹתִי 5 וְסַבּוֹתִי אֲנִי לְיַאֵשׁ אֶת־לִבִּי Eccl. 2:20
סָבַב 6 סָבַב אֶל־רוּחַ הַיָּם Ezek. 42:19
וְסָבַב 7 וְהָלַךְ...וְסָבַב בֵּית־אֵל ISh. 7:16
8 וְסָבַב אֹתָהּ וּבָנָה עָלֶיהָ מְצוֹדִים Eccl. 9:14
9 בָּנָה חוֹמָה...וְסָבַב לָעֹפֶל IICh. 33:14
וְסַבֹּתֶם 10 וְסַבֹּתֶם אֶת־הָעִיר...הַקֵּיף אֶת־הָעִיר Josh. 6:3
סָבְבוּ 11 סָבְבוּ אֶת־הָעִיר שֶׁבַע פְּעָמִים Josh. 6:15
וְסָבְבוּ 12 וְסָבְבוּ בַשּׁוּק הַסּוֹפְדִים Eccl. 12:5
סְבָבֻנִי 13 סְבָבֻנִי בְכַחַשׁ אֶפְרַיִם Hosh. 12:1
14 חֶבְלֵי שְׁאוֹל סְבָבוּנִי Ps. 18:6
15 סְבָבוּנִי פָּרִים רַבִּים Ps. 22:13
16 כִּי סְבָבוּנִי כְּלָבִים Ps. 22:17
17 וְדִבְרֵי שִׂנְאָה סְבָבוּנִי Ps. 109:3
18 כָּל־גּוֹיִם סְבָבוּנִי Ps. 118:10
סַבּוּנִי 19 סַבּוּנִי גַם־סְבָבוּנִי Ps. 118:11
20 חֶבְלֵי שְׁאוֹל סַבֻּנִי IISh. 22:6
21 סַבּוּנִי כַמַּיִם...הִקִּיפוּ עָלַי יָחַד Ps. 88:18
22 סַבּוּנִי גַם־סְבָבוּנִי Ps. 118:11
23 סַבּוּנִי כִדְבֹרִים Ps. 118:12
סְבָבֻהוּ 24 מִפְּנֵי הַמִּלְחָמָה אֲשֶׁר סְבָבֻהוּ IK. 5:17
סְבָבוּנוּ 25 אַשֻּׁרֵנוּ עַתָּה סְבָבוּנוּ (כת׳ סבבוני) Ps. 17:11
סְבָבוּם 26 עַתָּה סְבָבוּם מַעַלְלֵיהֶם Hosh. 7:2
סוֹבֵב 27 וְהִנֵּה־חַיִל סוֹבֵב אֶת־הָעִיר IIK. 6:15
28/9 סוֹבֵב סֹבֵב הוֹלֵךְ הָרוּחַ Eccl. 1:6
וְסוֹבֵב 30 הוֹלֵךְ אֶל־דָּרוֹם וְסוֹבֵב אֶל־צָפוֹן Eccl. 1:6
הַסּוֹבֵב 31 הוּא הַסֹּבֵב אֵת כָּל־א׳ הַחֲוִילָה Gen. 2:11
32 הוּא הַסּוֹבֵב אֵת כָּל־אֶרֶץ כּוּשׁ Gen. 2:13
33 וַיַּכֶּה אֶת־אֱדוֹם הַסֹּבֵיב אֵלָיו IIK. 8:21
34 וַיַּךְ אֶת־אֱדוֹם הַסּוֹבֵב אֵלָיו IICh. 21:9
סוֹבְבִים 35 וּפְקָעִים...סָבִיב סֹבְבִים אֹתוֹ IK. 7:24
36 סָבִיב סָבִיב סוֹבְבִים אֹתוֹ IICh. 4:3
הַסּוֹבְבִים 37/8 הַשֹּׁמְרִים הַסֹּבְבִים בָּעִיר S.ofS. 3:3; 5:7
תִּסֹּב 39 הַיַּרְדֵּן תִּסֹּב לְאָחוֹר Ps. 114:5
וְתִסֹּב 40 תֶּרֶב גְּדֻלָּתִי וְתִסֹּב תְּנַחֲמֵנִי Ps. 71:21
יִסֹּב 41 גַּת יִסֹּב אֲרוֹן אֱלֹהֵי יִשְׂרָאֵל ISh. 5:8
42 יִסֹּב אֶל־בֵּיתוֹ וּפָנַי לֹא יִרְאֶה IISh. 14:24
43 יִסּוֹב כָּל־הָאָרֶץ כָּעֲרָבָה Zech. 14:10
44 הַיַּרְדֵּן יִסֹּב לְאָחוֹר Ps. 114:3
וַיִּסֹּב 45 וַיִּסֹּב מֵעֲלֵיהֶם וַיֵּבְךְּ Gen. 42:24
46 וַיִּסֹּב וַיַּעֲבֹר וַיֵּרֶד הַגִּלְגָּל ISh. 15:12
47 וַיִּסֹּב שְׁמוּאֵל לָלֶכֶת ISh. 15:27
48 וַיִּסֹּב מֵאֶצְלוֹ אֶל־מוּל אַחֵר ISh. 17:30
49 וַיִּסֹּב דָּוִד מִפָּנָיו פַּעֲמָיִם ISh. 18:11
50 וַיִּסֹּב דּוֹאֵג° הָאֲדֹמִי וַיִּפְגַּע... ISh. 22:18
51 וַיִּסֹּב אַבְשָׁלוֹם אֶל־בֵּיתוֹ IISh. 14:24
52 וַיִּסֹּב וַיַּעֲמֹד IISh. 18:30
53 וַיִּסֹּב דָּוִיד לְבָרֵךְ אֶת־בֵּיתוֹ ICh. 16:43
יָסֹב 54 וְחוּט...יָסֹב אֶת־הָעַמּוּד הַשֵּׁנִי IK. 7:15
55/6 וְקָו°...יָסֹב אֹתוֹ סָבִיב IK. 7:23 • IICh. 4:2
וַיָּסָב 57 וַיָּסָב אֶת־אֶרֶץ אֱדוֹם Jud. 11:18
יְסֻבֵּנִי 58 עֲוֹן עֲקֵבַי יְסֻבֵּנִי Ps. 49:6
יְסֻבֶּנּוּ 59 וְחוּט שְׁתֵּים־עֶשְׂרֵה אַמָּה יְסֻבֶּנּוּ Jer. 52:21
תִסֹּב 60 וְלֹא־תִסֹּב נַחֲלָה לִבְ״יִ מִמַּטֶּה Num. 36:7
61 וְלֹא־תִסֹּב נַחֲלָה מִמַּטֶּה לְמַטֶּה Num. 36:9
62 תִּסּוֹב עָלֶיךָ כּוֹס יְמִין יְיָ Hab. 2:16
63 הַדֶּלֶת תִּסּוֹב עַל־צִירָהּ Prov. 26:14
וַתִּסֹּב 64 וַתִּסֹּב הַמְּלוּכָה וַתְּהִי לְאָחִי IK. 2:15
נָסֹב 65 כִּי לֹא־נָסֹב עַד־בֹּאוֹ פֹה ISh. 16:11
וַנָּסָב 66 וַנָּסָב אֶת־הַר־שֵׂעִיר יָמִים רַבִּים Deut. 2:1
תָּסֹבּוּ 67 תָּסֹבּוּ אֶת־הָעִיר שֶׁבַע פְּעָמִים Josh. 6:4
יָסֹבּוּ 68 יָסֹבּוּ עָלַי רַבָּיו Job 16:13
וַיָּסֹבּוּ 69-70 וַיָּסֹבּוּ אֶת־הָעִיר Josh. 6:14, 15
71 וַיָּסֹבּוּ וַיֶּאֶרְבוּ־לוֹ כָל־הַלַּיְלָה Jud. 16:2
72 וַיָּסֹבּוּ עָלַי אֶת־הַבַּיִת Jud. 20:5
73 וַיָּסֹבּוּ עֲשָׂרָה נְעָרִים...וַיַּכּוּ... IISh. 18:15
74 וַיָּסֹבּוּ דֶּרֶךְ שִׁבְעַת יָמִים IIK. 3:9
75 וַיָּסֹבּוּ הַקַּלָּעִים וַיַּכּוּהָ IIK. 3:25
76 וַיָּסֹבּוּ כָּל־הָעָם...וַיָּשֻׁבוּ וַיֵּלְכוּ Jer. 41:14
77 וַיָּסֹבּוּ בְּכָל־עָרֵי יְהוּדָה IICh. 17:9
78 וַיָּסֹבּוּ עָלָיו לְהִלָּחֵם IICh. 18:31
79 וַיָּסֹבּוּ בִּיהוּדָה...וַיָּבֹאוּ אֶל־יְרוּשָׁ׳ IICh. 23:2
יְסֻבּוּהוּ 80 יְסֻכֻּהוּ...יְסֻבּוּהוּ עַרְבֵי־נָחַל Job 40:22
תְּסֻבֶּינָה 81 וְהִנֵּה תְסֻבֶּינָה אֲלֻמֹּתֵיכֶם Gen. 37:7
סֹב 82 סֹב אַתָּה וּפְגַע בַּכֹּהֲנִים ISh. 22:18
83 וַיֹּאמֶר הַמֶּלֶךְ סֹב הִתְיַצֵּב כֹּה IISh. 18:30
84-85 סֹב אֶל־אַחֲרָי IIK. 9:18, 19
86 סֹב דְּמֵה־לְךָ דוֹדִי לִצְבִי S.ofS. 2:17
סֹבִּי 87 סֹבִּי עִיר זוֹנָה נִשְׁכָּחָה Is. 23:16
סֹבּוּ 88 סֹבּוּ וְהָמִיתוּ כֹּהֲנֵי יְיָ ISh. 22:17
89 סֹבּוּ צִיּוֹן וְהַקִּיפוּהָ Ps. 48:13
וְסֹבּוּ 90 עִבְרוּ וְסֹבּוּ אֶת־הָעִיר Josh. 6:7
וְנָסַב 91 וְנָסַב לָכֶם הַגְּבוּל מִנֶּגֶב... Num. 34:4
92 וְנָסַב הַגְּבוּל מֵעַצְמוֹן Num. 34:5
93 וְעָלָה אַדָּרָה וְנָסַב הַקַּרְקָעָה Josh. 15:3
94 וְנָסַב הַגְּבוּל מִבַּעֲלָה יָמָּה Josh. 15:10
95 וְנָסַב הַגְּבוּל מִזְרָחָה Josh. 16:6

וְנָסַב (המשך) 96 וְנָסַב לִפְאַת־יָם נֶגְבָּה Josh. 18:14
97 וְנָסַב אֹתוֹ הַגְּבוּל מִצָּפוֹן Josh. 19:14
98 וְיָצָא עוֹד...וְנָסַב גֹּעָתָה Jer. 31:39(38)
נָסֵבָּה 99 נִשְׁבְּרָה דַּלְתוֹת הָעַמִּים נָסֵבָּה אֵלָי Ezek. 26:2
וְנָסְבָה 100 וְרָחֲבָה וְנָסְבָה לְמַעְלָה לְמַעְלָה Ezek. 41:7
נָסַבּוּ 101 וְאַנְשֵׁי הָעִיר...נָסַבּוּ עַל־הַבַּיִת Gen. 19:4
102 אַנְשֵׁי הָעִיר...נָסַבּוּ אֶת־הַבַּיִת Jud. 19:22
וְנָסַבּוּ 103 וְיִשְׁמְעוּ הַכְּנַעֲנִי...וְנָסַבּוּ עָלֵינוּ Josh. 7:9
104 וְנָסַבּוּ בָתֵּיהֶם לַאֲחֵרִים Jer. 6:12
יִסַּבּוּ 105-109 לֹא־יִסַּבּוּ בְּלֶכְתָּן(ם) Ezek. 1:9, 12, 17; 10:11²
110 לֹא־יִסַּבּוּ הָאוֹפַנִּים...מֵאֶצְלָם Ezek. 10:16
סַבֵּב 111 לְבַעֲבוּר סַבֵּב אֶת־פְּנֵי הַדָּבָר IISh. 14:20
וַאֲסֹבְבָה 112 וַאֲסֹבְבָה אֶת־מִזְבַּחֲךָ יְיָ Ps. 26:6
113 אָקוּמָה נָּא וַאֲסוֹבְבָה בָעִיר S.ofS. 3:2
תְּסוֹבְבֵנִי 114 רָנֵּי פַלֵּט תְּסוֹבְבֵנִי Ps. 32:7
יְסֹבְבֵנִי 115 וַתַּשְׁלִיכֵנִי מְצוּלָה...וְנָהָר יְסֹבְבֵנִי Jon. 2:4
116 אֲפָפוּנִי מַיִם...תְּהוֹם יְסֹבְבֵנִי Jon. 2:6
יְסוֹבְבֶנּוּ 117 וְהַבּוֹטֵחַ בַּיְיָ חֶסֶד יְסוֹבְבֶנּוּ Ps. 32:10
יְסֹבְבֶנְהוּ 118 יְסֹבְבֶנְהוּ יְבוֹנְנֵהוּ יִצְּרֶנְהוּ... Deut. 32:10
תְּסוֹבֵב 119 נְקֵבָה תְּסוֹבֵב גָּבֶר Jer. 31:22(21)
תְּסוֹבְבֶךָּ 120 וַעֲדַת לְאֻמִּים תְּסוֹבְבֶךָּ Ps. 7:8
וִיסוֹבְבוּ 121/2 יֶהֱמוּ כַכָּלֶב וִיסוֹבְבוּ עִיר Ps. 59:7, 15
יְסוֹבְבֻהָ 123 יוֹמָם וָלַיְלָה יְסוֹבְבֻהָ Ps. 55:11
לְהָסֵב 124 לְהָסֵב אֵלֶיךָ אֶת־כָּל־יִשְׂרָאֵל IISh. 3:12
125 לְהָסֵב מַלְכוּת שָׁאוּל אֵלָיו ICh. 12:23(24)
וַהֲסִבּוֹתִי 126 וַהֲסִבּוֹתִי פָנַי מֵהֶם... Ezek. 7:22
הֲסִבֹּתָ 127 וְאַתָּה הֲסִבֹּתָ אֶת־לִבָּם אֲחֹרַנִּית IK. 18:37
הֵסֵב 128 וְאֶת־מְבוֹא הַמֶּלֶךְ...הֵסֵב בֵּית יְיָ IIK. 16:18
129 הֵסֵב...הַמַּאְרָב לָבוֹא מֵאַחֲרֵיהֶם IICh. 13:13
130 וְלֹא־הֵסֵב יֹאשִׁיָּהוּ פָנָיו מִמֶּנּוּ IICh. 35:22
וְהֵסֵב 131 וְהֵסֵב לֵב מֶלֶךְ־אַשּׁוּר עֲלֵיהֶם Ez. 6:22
הֵסַבּוּ 132 וַיְהִי אַחֲרֵי הֵסַבּוּ אֹתוֹ... ISh. 5:9
133 הֵסַבּוּ אֵלַי אֶת־אֲרוֹן אֱלֹהֵי יִשְׂרָאֵל ISh. 5:10
מֵסֵב 134 הִנְנִי מֵסֵב אֶת־כְּלֵי הַמִּלְחָמָה Jer. 21:4
מְסִבָּי 135 רֹאשׁ מְסִבָּי עֲמַל שְׂפָתֵימוֹ יְכַסֵּמוֹ Ps. 140:10
וַיַּסֵּב 136 וַיַּסֵּב אֱלֹ׳ אֶת־הָעָם דֶּרֶךְ הַמִּדְבָּר Ex. 13:18
137 וַיַּסֵּב אֲרוֹן־יְיָ אֶת־הָעִיר Josh. 6:11
138 וַיַּסֵּב...עֲמָשָׂא מִן־הַמְסִלָּה הַשָּׂ׳ IISh. 20:12
139/40 וַיַּסֵּב הַמֶּלֶךְ אֶת־פָּנָיו IK. 8:14 • IICh. 6:3
141 וַיַּסֵּב אֶת־פָּנָיו וְלֹא־אָכַל לָחֶם IK. 21:4
142 וַיַּסֵּב אֶת־פָּנָיו אֶל־הַקִּיר IIK. 20:2
143/4 וַיַּסֵּב אֶת־שְׁמוֹ יְהוֹיָקִים IIK. 23:34 • IICh. 36:4
145 וַיַּסֵּב אֶת־שְׁמוֹ צִדְקִיָּהוּ IIK. 24:17
146 וַיַּסֵּב חִזְקִיָּהוּ פָּנָיו אֶל־הַקִּיר Is. 38:2
147 וַיַּסֵּב אֶת־הַמְּלוּכָה לְדָוִיד ICh. 10:14
וַיְסִבֵּנִי 148 וַיְסִבֵּנִי דֶּרֶךְ חוּץ אֶל־שַׁעַר הַחוּץ Ezek. 47:2
וְנָסֵב 149 וְנָסֵב חוֹמָה וּמִגְדָּלִים IICh. 14:6
וְנָסֵבָּה 150 וְנָסֵבָּה אֶת־אֲרוֹן אֱלֹהֵינוּ אֵלֵינוּ ICh. 13:3
וַיַּסֵּבּוּ 151 וַיִּקְרְאוּ אֶל־בְּנֵי־דָן וַיַּסֵּבּוּ פְּנֵיהֶם Jud. 18:23
152 וַיַּסֵּבּוּ אֶת־אֲרוֹן אֱלֹהֵי יִשְׂרָאֵל ISh. 5:8
153 וַיַּסֵּבּוּ פְנֵיהֶם מִמִּשְׁכַּן יְיָ IICh. 29:6
הָסֵב 154 הָסֵב אֶל־אַחֲרֵיהֶם וּבָאתָ לָהֶם IISh. 5:23
155 הָסֵב מֵעֲלֵיהֶם וּבָאתָ לָהֶם ICh. 14:14
הָסֵבִּי 156 הָסֵבִּי עֵינַיִךְ מִנֶּגְדִּי S.ofS. 6:5
מוּסַבּוֹת 157/8 מֻסַבֹּת מִשְׁבְּצ(וֹ)ת זָהָב Ex. 28:11; 39:6
159 מוּסַבֹּת מִשְׁבְּצוֹת זָהָב Ex. 39:13
160 וְאֶת־נְבוֹ וְאֶת־בַּעַל...מוּסַבֹּת שֵׁם Num. 32:38
161 שְׁתַּיִם מוּסַבּוֹת דְּלָתוֹת Ezek. 41:24
יוּסַב 162 וְאוֹפַן עֲגָלָה עַל־כַּמֹּן יוּסָּב Is. 28:27

סִבָּה
ג׳ גרם, עלה

סִבָּה 1 כִּי־הָיְתָה סִבָּה מֵעִם יְיָ IK. 12:15

סָבוּךְ
ת׳ - עין סבך

סָבִיב
א) תה״פ מכל עבר: רוב המקראות 1-250
ב) ז׳ הֶקֵּף: 208, 251
ג) [סְבִיבִים, סְבִיבוֹת] סָבִיב:
רוב המקראות 264-333
ד) [כנ״ל] המקומות או האנשים שמסביב: 252-263,
272, 277, 279-282, 286, 292, 298, 308, 310-312,
314-319, 334

– סָבִיב לְ־ 128-148; ס׳ עַל־ 149, 150;
סָבִיב אֶל־ 207; סָבִיב סָבִיב 152-205; מִסָּבִיב
210-250; מִסָּבִיב לְ־ 209
– סְבִיב הָאָרֶץ 251; ס׳ הֶחָלָל 268; ס׳ שָׁנָיו 278
– סְבִיבֵי יְרוּשָׁלִַם 252, 253
– סְבִיבוֹת הָאֹהֶל 265; ס׳ בֵּית הָאֱלֹהִים 285;
ס׳ גִּבְעָה 284; ס׳ גְּרָר 282; ס׳ הַיְאוֹר 264;
ס׳ יְהוּדָה 283; ס׳ יְרוּשָׁלִַם 277, 279, 280, 286;
ס׳ מִזְבְּחוֹת 272, 273; ס׳ מַחֲנֶה 266, 267, 270;
סְבִיבוֹת מַטָּעוֹ 274; סְבִיבוֹת הֶעָרִים 269, 281;
סְבִיבוֹת קְבוּרָתוֹ 275, 276

סָבִיב 1 אֲשֶׁר בְּכָל־גְּבֻלוֹ סָבִיב Gen. 23:17
2 וְהִגְבַּלְתָּ אֶת־הָעָם סָבִיב Ex. 19:12
3-8 זֵר זָהָב סָבִיב Ex. 25:11, 24; 30:3; 37:2, 11, 26
9-10 מִסְגֶּרֶת טֹפַח סָבִיב... Ex. 25:25; 37:12
11/2 זֵר־זָהָב לְמִסְגַּרְתּוֹ סָבִיב Ex. 25:25; 37:12
13 כָּל־עַמּוּדֵי הֶחָצֵר סָבִיב Ex. 27:17
14 שָׂפָה יִהְיֶה לְפִיו סָבִיב Ex. 28:32
15 רִמֹּנֵי תְכֵלֶת...עַל־שׁוּלָיו סָבִיב Ex. 28:33
16 וּפַעֲמֹנֵי זָהָב בְּתוֹכָם סָבִיב Ex. 28:33
17-19 עַל־שׁוּלֵי הַמְּעִיל סָבִיב Ex. 28:34; 39:25, 26
20 וְזָרַקְתָּ עַל־הַמִּזְבֵּחַ סָבִיב Ex. 29:16
21 וְאֶת־הַבַּיִת יַקְצִעַ מִבַּיִת סָבִיב Lev. 14:41
22 הָאָרֶץ לִגְבֻלֹתֶיהָ סָבִיב Num. 34:12
23 מִקִּיר הָעִיר...אֶלֶף אַמָּה סָבִיב Num. 35:4
24 וַיִּלָּחֶם סָבִיב בְּכָל־אֹיְבָיו ISh. 14:47
25 וַיְשַׁלְּחוּ בְאֶרֶץ־פְּלִשְׁתִּים סָבִיב ISh. 31:9
26 וַיִּבֶן דָּוִד סָבִיב מִן־הַמִּלּוֹא וָבָיְתָה IISh. 5:9
27 וְאֶת־חוֹמַת יְרוּשָׁלִַם סָבִיב IK. 3:1
28 וַיְהִי־שְׁמוֹ בְכָל־הַגּוֹיִם סָבִיב IK. 5:11
29 מִגְרָעוֹת נָתַן לַבַּיִת סָבִיב חוּצָה IK. 6:6
30 וְהִקַּפְתֶּם עַל־הַמֶּלֶךְ סָבִיב IIK. 11:8
31 וַיַּעַמְדוּ...עַל־הַמֶּלֶךְ סָבִיב IIK. 11:11
32 וַיִּבְנוּ עָלֶיהָ דָּיֵק סָבִיב IIK. 25:1
33 וְכַשְׂדִּים עַל־הָעִיר סָבִיב IIK. 25:4
34/5 שְׂאִי(־)סָבִיב עֵינַיִךְ וּרְאִי Is. 49:18; 60:4
36 וְעַל כָּל־חוֹמֹתֶיהָ סָבִיב Jer. 1:15
37/8 וְנֹגַהּ לוֹ סָבִיב Ezek. 1:4, 27
39 וְגַבֹּתָם מְלֵאֹת עֵינַיִם סָבִיב Ezek. 1:18
40 כְּמַרְאֵה־אֵשׁ בֵּית־לָהּ סָבִיב Ezek. 1:27
41 וַיִּתְּנוּ עָלָיו גּוֹיִם סָבִיב מִמְּדִינוֹת Ezek. 19:8
42 סָבִיב רְשָׁעִים יִתְהַלָּכוּן Ps. 12:9
43 וּתְלַהֵט סָבִיב צָרָיו Ps. 97:3
44 יָדֶיךָ עִצְּבוּנִי וַיַּעֲשׂוּנִי יַחַד סָבִיב Job 10:8
45 סָבִיב בִּעֲתֻהוּ בַלָּהוֹת Job 18:11
46 יִתְּצֵנִי סָבִיב וָאֵלַךְ Job 19:10
47-127 סָבִיב Ex. 29:20; 30:3; 37:26; 38:16
38:20, 31²; 39:23; 40:8 • Lev. 1:5, 11; 3:2, 8, 13; 7:2;
8:15, 19, 24; 9:12, 18; 16:18; 25:31 • Num. 3:26, 37;
4:26, 32; 32:33 • Jud. 20:29 • ISh. 14:21 • IK. 6:5²;
7:12, 20, 23², 24², 35, 36 • IIK. 25:10, 17 • Jer. 6:3;

סָבִיב (המשך) 25:9; 50:14, 15, 29; 52:4, 7, 14, 22, 23 • Ezek. 1:28;
4:2; 10:12; 23:24; 27:11²; 42:16, 17; 43:13, 17, 20;
45:1, 2²; 46:23²; 48:35 • Zech. 2:9; 12:2, 6; 14:14 •
Ps. 3:7 • Lam. 2:3 • ICh. 10:9; 28:12 • IICh. 4:2², 3;
23:7, 10; 34:6

סָבִיב לְ־ 128 הָיְתָה שִׁכְבַת הַטַּל סָבִיב לַמַּחֲנֶה Ex. 16:13
129 וַיָּקֶם אֶת־הֶחָצֵר סָבִיב לַמִּשְׁכָּן Ex. 40:33
130 יַחֲנוּ סָבִיב לְמִשְׁכַּן הָעֵדֻת Num. 1:53
131 סָבִיב לְאֹהֶל־מוֹעֵד יַחֲנוּ Num. 2:2
132 גְּבוּל...יְהוּדָה סָבִיב לְמִשְׁפְּחֹתָם Josh. 15:12
133 לִגְבוּלֹתֶיהָ סָבִיב לְמִשְׁפְּחֹתָם Josh. 18:20
134 וַיַּעַמְדוּ אִישׁ תַּחְתָּיו סָבִיב לַמַּחֲנֶה Jud. 7:21
135 קִירוֹת הַבַּיִת סָבִיב לַהֵיכָל וְלַדְּבִיר IK. 6:5
136 כְּבֵית סָאתַיִם זֶרַע סָבִיב לַמִּזְבֵּחַ IK. 18:32
137 וַיֵּלְכוּ הַמַּיִם סָבִיב לַמִּזְבֵּחַ IK. 18:35
138 עֶשְׂרִים אַמָּה סָבִיב לַבַּיִת Ezek. 41:10
139 וְהָאַתִּיקִים סָבִיב לִשְׁלָשְׁתָּם Ezek. 41:16
140 וְטוּר...בָּהֶם סָבִיב לְאַרְבַּעְתָּם Ezek. 46:23
141 הַיֹּשְׁבָה בַּיְאֹרִים מַיִם סָבִיב לָהּ Nah. 3:8
142 חֹנֶה מַלְאַךְ־יְיָ סָבִיב לִירֵאָיו Ps. 34:8
143 וַיַּפֵּל...סָבִיב לְמִשְׁכְּנֹתָיו Ps. 78:28
144 יְרוּשָׁלִַם הָרִים סָבִיב לָהּ Ps. 125:2
145 וַיְיָ סָבִיב לְעַמּוֹ Ps. 125:2
146 בָּנֶיךָ...סָבִיב לְשֻׁלְחָנֶךָ Ps. 128:3
147 וַיַּחֲנוּ סָבִיב לְאָהֳלִי Job 19:12
148 שִׁשִּׁים גִּבֹּרִים סָבִיב לָהּ S.ofS. 3:7
סָבִיב עַל־ 149 וּשְׁנֵי טוּרִים סָבִיב עַל־הַשְּׂבָכָה IK. 7:18
150 הַעַיִט סָבִיב עָלֶיהָ Jer. 12:9
סָבִיב אֶת־ 151 וְהַגְּבוּל סָבִיב אוֹתָהּ חֲצִי הָאַמָּה Ezek. 43:17
סָבִיב סָבִיב 152/3 מְחֻקֶּה עַל־הַקִּיר סָבִיב סָבִי׳ Ezek. 8:10
154/5 וְהֶעֱבִירַנִי עֲלֵיהֶם סָבִיב סָבִיב Ezek. 37:2
156/7 חוֹמָה מִחוּץ לַבַּיִת סָבִיב סָבִיב Ezek. 40:5
158/9 אֵיל הֶחָצֵר הַשַּׁעַר סָבִיב סָבִיב Ezek. 40:14
160/1 לִפְנִימָה לַשַּׁעַר סָבִיב סָבִיב Ezek. 40:16
162/3 וְחַלּוֹנוֹת סָבִיב סָבִיב לִפְנִימָה Ezek. 40:16
164/5 וְרִצְפָה עָשׂוּי לֶחָצֵר סָבִיב סָבִיב Ezek. 40:17
166-205 סָבִיב סָבִיב Ezek. 40:25, 29, 30
40:33, 36, 43; 41:5, 6, 7, 8, 10, 11, 12, 16, 17, 19; 42:15,
20; 43:12 • IICh. 4:3
וְסָבִיב 206 וְסָבִיב לַמִּשְׁכָּן יַחֲנוּ Num. 1:50
207 וַיָּבֹאוּ דָּנָה יַעַן וְסָבִיב אֶל־צִידוֹן IISh. 24:6
הַסָּבִיב 208 וַיִּבֶן...מִן־הַמִּלּוֹא וְעַד־הַסָּבִיב ICh. 11:8
מִסָּבִיב 209 הֵעָלוּ מִסָּבִיב לְמִשְׁכַּן־קֹרַח Num. 16:24
210 וַיֵּעָלוּ מֵעַל מִשְׁכַּן־קֹרַח...מִסָּבִיב Num. 16:27
211 וְהֵנִיחַ לָכֶם מִכָּל־אֹיְבֵיכֶם מִסָּבִיב Deut. 12:10
212 בְּהָנִיחַ...מִכָּל־אֹיְבֶיךָ מִסָּבִיב Deut. 25:19
213 וַיָּנַח יְיָ לָהֶם מִסָּבִיב Josh. 21:42
214 וַתְּלַהֲטֵהוּ מִסָּבִיב וְלֹא יָדָע Is. 42:25
215 כְּשֹׁמְרֵי שָׂדַי הָיוּ עָלֶיהָ מִסָּבִיב Jer. 4:17
216-221 מָגוֹר מִסָּבִיב Jer. 6:25; 20:3, 10
46:5; 49:29 • Ps. 31:14
222 כִּי־הָיוּ עָלֶיהָ מִסָּבִיב Jer. 51:2
223-250 מִסָּבִיב Josh. 23:1
Jud. 2:14; 8:34 • ISh. 12:11 • IISh. 7:1 • IK. 5:4, 18
• Ezek. 16:33, 37, 57; 23:22; 28:23; 36:3, 4, 7; 37:21;
39:17 • Joel 4:11, 12 • Job 1:10 • Lam. 2:22 • ICh.
11:8; 22:9(8), 18(17) • IICh. 14:6; 15:15; 20:30;
32:22
וּסְבִיב־ 251 לָכֵן...צַר וּסְבִיב הָאָרֶץ Am. 3:11
וּבִסְבִיבֵי־ 252/3 וּבִסְבִיבֵי יְרוּשָׁלִָם Jer. 32:44; 33:13
סְבִיבֶיךָ 254 כִּי־אָכְלָה חֶרֶב סְבִיבֶיךָ Jer. 46:14
סְבִיבָיִךְ 255 פַּחַד...מִכָּל־סְבִיבָיִךְ Jer. 49:5

סְבִיבָיו 256 נֻדוּ לוֹ כָּל־סְבִיבָיו וְכֹל יֹדְעֵי שְׁמוֹ Jer. 48:17
257 וְלִמְחִתָּה לְכָל־סְבִיבָיו Jer. 48:39
258 נִדְרוּ וְשַׁלְּמוּ לַיי...כָּל־סְבִיבָיו Ps. 76:12
259 וְנוֹרָא עַל־כָּל־סְבִיבָיו Ps. 89:8
260 עָנָן וַעֲרָפֶל סְבִיבָיו Ps. 97:2
261 צִוָּה יְיָ לְיַעֲקֹב סְבִיבָיו צָרָיו Lam. 1:17
וּסְבִיבָיו 262 וּסְבִיבָיו נִשְׂעֲרָה מְאֹד Ps. 50:3
סְבִיבֶיהָ 263 וְהִצַּתִּי אֵשׁ...וְאָכְלָה כָּל־סְבִיבֶיהָ Jer. 21:14
סְבִיבוֹת־ 264 וַיַּחְפְּרוּ כָל־מִצְרַיִם סְבִיבֹת הַיְאֹר Ex. 7:24
265 וַיַּעֲמֵד אֹתָם סְבִיבֹת הָאֹהֶל Num. 11:24
266 וּכְדֶרֶךְ יוֹם כֹּה סְבִיבוֹת הַמַּ׳ Num. 11:31
267 וַיִּשְׁטְחוּ...סְבִיבוֹת הַמַּחֲנֶה Num. 11:32
268 אֶל־הֶעָרִים אֲשֶׁר סְבִיבֹת הֶחָלָל Deut. 21:2
269 אֲשֶׁר סְבִיבוֹת הֶעָרִים הָאֵלֶּה Josh. 19:8
270 וּתְקַעְתֶּם...סְבִיבוֹת כָּל־הַמַּחֲנֶה Jud. 7:18
271 סוּסִים וְרֶכֶב אֵשׁ סְבִיבֹת אֱלִישָׁע IIK. 6:17
272 וְזֵרִיתִי...סְבִיבוֹת מִזְבְּחוֹתֵיכֶם Ezek. 6:5
273 חַלְלֵיהֶם...סְבִיבוֹת מִזְבְּחוֹתֵיהֶם Ezek. 6:13
274 נְהָרֹתֶיהָ הֹלֵךְ סְבִיבוֹת מַטָּעָהּ Ezek. 31:4
275 וַיְהִי קְהָלָהּ סְבִיבוֹת קְבֻרָתָהּ Ezek. 32:23
276 וְכָל־הֲמוֹנָהּ סְבִיבוֹת קְבֻרָתָהּ Ezek. 32:24
277 שָׁפְכוּ...סְבִיבוֹת יְרוּשָׁלִָם Ps. 79:3
278 סְבִיבוֹת שִׁנָּיו אֵימָה Job 41:6
279 וּמִן־הַכִּכָּר סְבִיבוֹת יְרוּשָׁלִַם Neh. 12:28
280 חֲצֵרִים בָּנוּ...סְבִיבוֹת יְרוּשָׁלִָם Neh. 12:29
281 אֲשֶׁר סְבִיבוֹת הֶעָרִים הָאֵלֶּה ICh. 4:33
282 אֵת כָּל־הֶעָרִים סְבִיבוֹת גְּרָר IICh. 14:13
283 הָאֲרָצוֹת אֲשֶׁר סְבִיבוֹת יְהוּדָה IICh. 17:10
וּסְבִיבוֹת־ 284 וּסְבִיבוֹת גִּבְעָתִי בְּרָכָה Ezek. 34:26
285 וּסְבִיבוֹת בֵּית־הָאֱלֹהִים יָלִינוּ ICh. 9:27
וּמִסְּבִיבוֹת־ 286 מֵעָרֵי־יְהוּדָה וּמִסְּבִיבוֹת יְרוּשָׁ׳ Jer. 17:26
סְבִיבוֹתַי 287 יָרוּם רֹאשִׁי עַל אֹיְבַי סְבִיבוֹתַי Ps. 27:6
288 בְּעוֹד שַׁדַּי עִמָּדִי סְבִיבוֹתַי נְעָרָי Job 29:5
סְבִיבֹתָי 289 כְּכָל־הַגּוֹיִם אֲשֶׁר סְבִיבֹתָי Deut. 17:14
סְבִיבוֹתֶיךָ 290 מִי־כָמוֹךָ...וֶאֱמוּנָתְךָ סְבִיבוֹתֶיךָ Ps. 89:9
291 עַל־כֵּן סְבִיבוֹתֶיךָ פַחִים Job 22:10
סְבִיבוֹתַיִךְ 292 וְהַשְּׁלִשִׁית בַּחֶרֶב יִפְּלוּ סְבִיבוֹתָיִךְ Ezek. 5:12
293 וּלְחֶרְפָּה בַּגּוֹיִם אֲשֶׁר סְבִיבוֹתָיִךְ Ezek. 5:14
294 מוּסָר...לַגּוֹיִם אֲשֶׁר סְבִיבוֹתָיִךְ Ezek. 5:15
סְבִיבֹתָיו 295 וְהָעָם חֹנִים סְבִיבֹתָו ISh. 26:5
296 וְהָעָם שֹׁכְבִים סְבִיבֹתָו ISh. 26:7
297 וַיָּשֶׁת חֹשֶׁךְ סְבִיבֹתָיו IISh. 22:12
298 וְאָכְלָה כָּל־סְבִיבֹתָיו Jer. 50:32
299 וְכֹל אֲשֶׁר סְבִיבֹתָיו Ezek. 12:14
300 וְכָל־קְהָלָהּ סְבִיבוֹתָיו קִבְרֹתָיו Ezek. 32:22
301 בְּכָל־הֲמוֹנָהּ סְבִיבוֹתָיו קִבְרֹתֶהָ Ezek. 32:25
302 וְכָל־הֲמוֹנָהּ סְבִיבוֹתָיו קִבְרוֹתֶיהָ Ezek. 32:26
303 יָשֶׁת...סְבִיבוֹתָיו סֻכָּתוֹ Ps. 18:12
304 וְעַל־סְבִיבֹתָיו שָׁב הָרוּחַ Eccl. 1:6
סְבִיבֹתֶיהָ 305 שְׂדֵה־הָעִיר אֲשֶׁר סְבִיבֹתֶיהָ Gen. 41:48
306 וְאֶת־מִגְרָשֶׁהָ סְבִיבֹתֶיהָ Josh. 21:11
307 עִיר עִיר וּמִגְרָשֶׁיהָ סְבִיבֹתֶיהָ Josh. 21:40
308 תַּכֶּה בַחֶרֶב סְבִיבוֹתֶיהָ Ezek. 5:2
309 מִן־הָאֲרָצוֹת אֲשֶׁר סְבִיבוֹתֶיהָ Ezek. 5:6
310 וְכָל־סְבִיבוֹתֶיהָ בְּנוֹת פְּלִשְׁתִּים Ezek. 16:57
311 יְרוּשָׁלִַם...וְעָרֶיהָ סְבִיבֹתֶיהָ Zech. 7:7
312 וְאֶת־מִגְרָשֶׁיהָ סְבִיבֹתֶיהָ ICh. 6:40
וּסְבִיבוֹתֶיהָ 313 זֹאת יְרוּשָׁ׳...וּסְבִיבוֹתֶיהָ אֲרָצוֹת Ezek. 5:5
סְבִיבֹתֵינוּ 314 יְלַחֲכוּ הַקָּהָל אֶת־כָּל־סְבִיבֹתֵינוּ Num. 22:4
315 לְחֶרְפָּה לְכָל־סְבִיבֹתֵינוּ Dan. 9:16
316 מִן־הַגּוֹיִם אֲשֶׁר־סְבִיבֹתֵינוּ Neh. 5:17
317 כָּל־הַגּוֹיִם אֲשֶׁר סְבִיבֹתֵינוּ Neh. 6:16
לִסְבִיבוֹתֵינוּ 318/9 לַעַג וָקֶלֶס לִסְבִיבוֹתֵינוּ Ps. 44:14; 79:4
סְבִיבֹתֵיכֶם 320 מֵאֵת הַגּוֹיִם אֲשֶׁר סְבִיבֹתֵיכֶם Lev. 25:44
321 מֵאֱלֹהֵי הָעַמִּים אֲשֶׁר סְבִיבוֹתֵיכֶם Deut. 6:14
322 מֵאֱלֹהֵי הָעַ׳ אֲשֶׁר סְבִיבֹתֵיכֶם Deut. 13:8
323 הֲמָנְכֶם מִן־הַגּ׳ אֲשֶׁר סְבִיבוֹתֵיכֶם Ezek. 5:7
324/5 הַגּוֹיִם אֲשֶׁר סְבִיבוֹתֵיכֶם Ezek. 5:7; 11:12
326 הַגּוֹיִם אֲשֶׁר יִשָּׁאֲרוּ סְבִיבוֹתֵיכֶם Ezek. 36:36
סְבִיבֹתָם 327 וְאַחֲרֵי הַגּוֹיִם אֲשֶׁר סְבִיבֹתָם IIK. 17:15
328 מִכֹּל סְבִיבֹתָם הַשָּׁאטִים אוֹתָם Ezek. 28:24
מִסְּבִיבוֹתָם 329 בְּכֹל הַשָּׁאטִים אֹתָם מִסְּבִיבוֹתָם Ezek. 28:26
סְבִיבוֹתֵיהֶם 330 הֶעָרִים אֲשֶׁר סְבִיבוֹתֵיהֶם Gen. 35:5
331 וְכָל־יִשְׂרָאֵל אֲשֶׁר סְבִיבֹתֵיהֶם Num. 16:34
332 וּמִגְרָשׁ לֶעָרִים סְבִיבֹתֵיהֶם... Num. 35:2
333 מֵאֱלֹהֵי הָעַמִּים אֲשֶׁר סְבִיבוֹתֵיהֶם Jud. 2:12
334 וְכָל־סְבִיבֹתֵיהֶם חִזְּקוּ בִידֵיהֶם Ez. 1:6

סבך : סָבוּךְ, סָבַךְ; סְבַךְ, סְבֹךְ; ש״פ סִבְּכַי

סָבַךְ
פ׳ א) [בינוני סָבוּךְ] אחוז ומשולב זה בזה: 1
ב) [פ׳ סֻבַּךְ] נאחז, השתלב: 2

סְבֻכִים 1 כִּי עַד־סִירִים סְבֻכִים Nah. 1:10
יְסֻבָּכוּ 2 עַל־גַּל שָׁרָשָׁיו יְסֻבָּכוּ Job 8:17

סְבַךְ
ז׳ השתרגות של ענפים ושיחים: 1-3
סִבְכֵי הַיַּעַר 2, 3

בִּסְבַךְ 1 נֶאֱחַז בַּסְּבַךְ בְּקַרְנָיו Gen. 22:13
סִבְכֵי־ 2 וְנִקַּף סִבְכֵי הַיַּעַר בַּבַּרְזֶל Is. 10:34
בְּסִבְכֵי־ 3 וַתִּצַּת בְּסִבְכֵי הַיַּעַר Is. 9:17

סְבֹךְ
ז׳ צורת־משנה של סְבַךְ: 1, 2

בִּסְבָךְ־ 1 כְּמֵבִיא...בִּסְבָךְ־עֵץ קַרְדֻּמּוֹת Ps. 74:5
מִסֻּבְּכוֹ 2 עָלָה אַרְיֵה מִסֻּבְּכוֹ Jer. 4:7

סַבְּכָא
נ׳ ארמית: כִּנּוֹר משולש [גם שַׂבְּכָא]

סַבְּכָא 1 סַבְּכָא פְּסַנְתֵּרִין סוּמְפֹּנְיָה Dan. 3:5

סִבְּכַי
שפ״ז – מגבורי דוד: 1-4

סִבְּכַי 1 אָז הִכָּה סִבְּכַי הַחֻשָׁתִי IISh. 21:18
2-4 סִבְּכַי הַחֻשָׁתִי ICh. 11:29; 20:4; 27:11

סבל : סָבַל, מְסֻבָּל, הִסְתַּבֵּל; סֵבֶל, סַבָּל, סֹבֶל, סִבְלָה; אר׳ מְסוֹבַל

סָבַל
פ׳ א) נשא משא כבד (גם בהשאלה): 1-7
ב) [פ׳ בינוני: מְסֻבָּל] עמוס: 8
ג) [הת׳ הִסְתַּבֵּל] היה לסבל: 9
סָבַל מַכְאוֹבָיו 2; ס׳ עֲוֹנוֹתָיו 3, 6

לִסְבֹּל 1 וַיֵּט שִׁכְמוֹ לִסְבֹּל Gen. 49:15
סְבָלָם 2 חֳלָיֵנוּ הוּא נָשָׂא וּמַכְאֹבֵינוּ סְבָלָם Is. 53:4
סָבָלְנוּ 3 וַאֲנַחְנוּ° עֲוֹנֹתֵיהֶם סָבָלְנוּ Lam. 5:7
אֶסְבֹּל 4 וְעַד־שֵׂיבָה אֲנִי אֶסְבֹּל Is. 46:4
5 וַאֲנִי אֶסְבֹּל וַאֲמַלֵּט Is. 46:4
יִסְבֹּל 6 וַעֲוֹנֹתָם הוּא יִסְבֹּל Is. 53:11
יִסְבְּלֻהוּ 7 יִשָּׂאֻהוּ עַל־כָּתֵף יִסְבְּלֻהוּ Is. 46:7
מְסֻבָּלִים 8 אַלּוּפֵינוּ מְסֻבָּלִים Ps. 144:14
וְיִסְתַּבֵּל 9 וְיָנֵאץ הַשָּׁקֵד וְיִסְתַּבֵּל הֶחָגָב Eccl. 12:5

(סבל)
ארמית [פ׳ בינוני מְסוֹבַל] – מורם

מְסוֹבְלִין 1 בַּיְתָא יִתְבְּנֵא...וְאֻשּׁוֹהִי מְסוֹבְלִין Ez. 6:3

סֵבֶל
ז׳ משא כבד (גם בהשאלה): 1-9
קרובים: אֵכֶף / כֹּבֶד / מַעֲמָסָה / מַשָּׂא / נֵטֶל
סֵבֶל בֵּית יוֹסֵף 1; סִבְלוֹת מִצְרַיִם 4, 5

סֵבֶל־ 1 וַיַּפְקֵד אֹתוֹ לְכָל־סֵבֶל בֵּית יוֹסֵף IK. 11:28
בַּסֵּבֶל 2 וְהַנֹּשְׂאִים בַּסֵּבֶל עֹמְשִׂים Neh. 4:11
מִסֵּבֶל 3 הֲסִירוֹתִי מִסֵּבֶל שִׁכְמוֹ Ps. 81:7
סִבְלֹת־ 4 וְהוֹצֵאתִי...מִתַּחַת סִבְלֹת מִצְרַיִם Ex. 6:6
5 הַמּוֹצִיא...מִתַּחַת סִבְלוֹת מִצְרָיִם Ex. 6:7
לְסִבְלֹתֵיכֶם 6 לָמָּה...תַּפְרִיעוּ...לְכוּ לְסִבְלֹתֵיכֶם Ex. 5:4
בְּסִבְלֹתָם 7 ...לְמַעַן עַנֹּתוֹ בְּסִבְלֹתָם Ex. 1:11
8 וַיֵּצֵא אֶל־אֶחָיו וַיַּרְא בְּסִבְלֹתָם Ex. 2:11
מִסִּבְלֹתָם 9 וְהִשְׁבַּתֶּם אֹתָם מִסִּבְלֹתָם Ex. 5:5

סַבָּל
ז׳ נוֹשֵׂא מַשָּׂא: 1-5
אִישׁ סַבָּל 2; כֹּחַ הַסַּבָּל 4; נוֹשֵׂא סַבָּל 1

סַבָּל 1 שִׁבְעִים אֶלֶף נֹשֵׂא סַבָּל IK. 5:29
2 שִׁבְעִים אֶלֶף אִישׁ סַבָּל IICh. 2:1
3 וַיַּעַשׂ מֵהֶם שִׁבְעִים אֶלֶף סַבָּל IICh. 2:17
הַסַּבָּל 4 כָּשַׁל כֹּחַ הַסַּבָּל וְהֶעָפָר הַרְבֵּה Neh. 4:4
הַסַּבָּלִים 5 וְעַל־הַסַּבָּלִים וּמְנַצְּחִים... IICh. 34:13

סֹבֶל
ז׳ כּוֹבֶד, מעמסה: 1-3 • עֹל סֻבֳּלוֹ 1

סֻבֳּלוֹ 1 אֶת־עֹל סֻבֳּלוֹ וְאֵת מַטֵּה שִׁכְמוֹ Is. 9:3
2 יָסוּר סֻבֳּלוֹ מֵעַל שִׁכְמֶךָ Is. 10:27
וְסֻבֳּלוֹ 3 וְסֻבֳּלוֹ מֵעַל שִׁכְמוֹ יָסוּר Is. 14:25

סִבְלָה
נ׳ – עין סֵבֶל

סִבֹּלֶת
נ׳ מבטא צפוני במקום ׳שִׁבֹּלֶת׳

סִבֹּלֶת 1 אֱמָר־נָא שִׁבֹּלֶת וַיֹּאמֶר סִבֹּלֶת Jud. 12:6

סְבַר
פ׳ ארמית חשב, התכוון

וְיִסְבַּר 1 וְיִסְבַּר לְהַשְׁנָיָה זִמְנִין וְדָת Dan. 7:25

סִבְרַיִם
עיר בארם בין דמשק לחמת

סִבְרַיִם 1 חֲמָת בֵּרוֹתָה סִבְרַיִם Ezek. 47:16

סַבְתָּא, סַבְתָּה
שפ״ז – מבני כוש בן חָם: 1, 2

וְסַבְתָּה 1 וְסַבְתָּה וְרַעְמָה וְסַבְתְּכָא Gen. 10:7
וְסַבְתָּא 2 וְסַבְתָּא וְרַעְמָא וְסַבְתְּכָא ICh. 1:9

סַבְתְּכָא
שפ״ז – מבני כוש בן חָם: 1, 2

וְסַבְתְּכָא 1 וְסַבְתָּה וְרַעְמָה וְסַבְתְּכָא Gen. 10:7
2 וְסַבְתָּא וְרַעְמָא וְסַבְתְּכָא ICh. 1:9

סגד : סָגַד; אר׳ סְגִד

סָגַד
פ׳ כרע ברך (בפולחן אלים): 1-4

אֶסְגּוֹד 1 לְבוּל עֵץ אֶסְגּוֹד Is. 44:19
יִסְגָּד־ 2 יִסְגָּד־°לוֹ וְיִשְׁתַּחוּ וְיִתְפַּלֵּל אֵלָיו Is. 44:17
וַיִּסְגָּד־ 3 עָשָׂהוּ פֶסֶל וַיִּסְגָּד־לָמוֹ Is. 44:15
יִסְגְּדוּ 4 וְיַעֲשֵׂהוּ אֵל יִסְגְּדוּ אַף־יִשְׁתַּחֲווּ Is. 46:6

סְגִד
פ׳ ארמית: כרע, השתחוה: 1-12

סְגִד 1 נְפַל עַל־אַנְפּוֹהִי וּלְדָנִיֵּאל סְגִד Dan. 2:46
סָגְדִין 2 כָּל־עַמְמַיָּא...סָגְדִין לְצֶלֶם דַּהֲבָא Dan. 3:7
3-4 וּלְצֶלֶם דַּהֲבָא...לָא סָגְדִין Dan. 3:12, 14
וְיִסְגֻּד 5-6 מַן־דִּי־לָא יִפֵּל וְיִסְגֻּד Dan. 3:6, 11
7 יִפֵּל וְיִסְגֻּד לְצֶלֶם דַּהֲבָא Dan. 3:10
נִסְגֻּד 8 וּלְצֶלֶם דַּהֲבָא...לָא נִסְגֻּד Dan. 3:18
תִסְגְּדוּן 9 וְהֵן לָא תִסְגְּדוּן...תִתְרְמוֹן... Dan. 3:15
וְתִסְגְּדוּן 10 תִּפְּלוּן וְתִסְגְּדוּן לְצֶלֶם דַּהֲבָא Dan. 3:5
11 תִּפְּלוּן וְתִסְגְּדוּן לְצַלְמָא Dan. 3:15
יִסְגְּדוּן 12 וְלָא־יִסְגְּדוּן לְכָל־אֱלָהּ Dan. 3:28

סְגוֹר
ז׳ א) כִּסּוּי, מסגרת: 2
ב) זהב סגור ומזוקק: 1

סְגוֹר 1 לֹא־יֻתַּן סְגוֹר תַּחְתֶּיהָ Job 28:15
סְגוֹר־ 2 וְאֶקְרַע סְגוֹר לִבָּם Hosh. 13:8

סְגִים עין סִיגִים

סְגֻלָּה נ׳ דבר חֶמדה, אוצר יקר (גם בהשאלה): 1-8
קרובים: חֶמְדָּה / שְׂכִיָּה
עַם סְגֻלָּה 2, 3, 4; סְגֻלַּת מְלָכִים 7

סְגֻלָּה 1 וִהְיִיתֶם לִי סְגֻלָּה מִכָּל־הָעַמִּים Ex. 19:5
2-3 לִהְיוֹת לוֹ לְעַם סְגֻלָּה מִכֹּל הָעַמִּים Deut. 7:6; 14:2
4 הֶאֱמִירְךָ...לִהְיוֹת לוֹ לְעַם סְגֻלָּה Deut. 26:18
5 וְהָיוּ...לַיּוֹם אֲשֶׁר אֲנִי עֹשֶׂה סְגֻלָּה Mal. 3:17
6 יֶשׁ־לִי סְגֻלָּה זָהָב וָכָסֶף ICh. 29:3
וּסְגֻלַּת־ 7 וּסְגֻלַּת מְלָכִים וְהַמְּדִינוֹת Eccl. 2:8
לִסְגֻלָּתוֹ 8 יַעֲקֹב בָּחַר לוֹ יָהּ יִשׂ׳ לִסְגֻלָּתוֹ Ps. 135:4

סָגָן* ז׳ סוכן ממונה, פקיד ממשלתי גבוה: 1-17
חֹרִים וּסְגָנִים 6-9, 15; פַּחוֹת וּסְ׳ 2-5, 16, 17; שָׂרִים וּסְגָנִים 12

סְגָנִים 1 וְיָבֹא סְגָנִים כְּמוֹ־חֹמֶר Is. 41:25
וּסְגָנִים 2 וְנִפַּצְתִּי בְךָ פַּחוֹת וּסְגָנִים Jer. 51:23
3 לְבֻשֵׁי תְכֵלֶת פַּחוֹת וּסְגָנִים Ezek. 23:6
4 פַּחוֹת וּסְגָנִים קְרֹבִים לְבֻשֵׁי מִכְלוֹל Ezek. 23:12
5 פַּחוֹת וּסְגָנִים כֻּלָּם שָׁלִשִׁים Ezek. 23:23
הַסְּגָנִים 6-7 וָאֹמַר אֶל־הַחֹרִים וְאֶל־הַסְּגָנִים Neh. 4:8, 13
8 וָאָרִיבָה אֶת־הַחֹרִים וְאֶת־הַסְּגָנִים Neh. 5:7
9 וָאֶקְבְּצָה אֶת־הַחֹרִים וְאֶת־הַסְּגָנִים Neh. 7:5
10 וַאֲנִי וַחֲצִי הַסְּגָנִים עִמִּי Neh. 12:40
11 וָאָרִיבָה אֶת־הַסְּגָנִים וָאֹמְרָה Neh. 13:11
וְהַסְּגָנִים 12 וְיַד הַשָּׂרִים וְהַסְּגָנִים הָיְתָה בַּמַּעַל... Ez. 9:2
13 וְהַסְּגָנִים לֹא יָדְעוּ אָנָה הָלַכְתִּי Neh. 2:16
14 וְהַיְּהוּדִים וְהַסְּגָנִים מֵאָה וַחֲמִשִּׁים Neh. 5:17
וְלַסְּגָנִים 15 וְלַכֹּהֲנִים וְלַחֹרִים וְלַסְּגָנִים Neh. 2:16
סְגָנֶיהָ 16 אֶת־פַּחוֹתֶיהָ וְאֶת־כָּל־סְגָנֶיהָ Jer. 51:28
וּסְגָנֶיהָ 17 פַּחוֹתֶיהָ וּסְגָנֶיהָ וְגִבּוֹרֶיהָ Jer. 51:57

סְגַן* ז׳ ארמית, כמו בעברית: 1-5

סִגְנִין 1 וְרַב־סִגְנִין עַל כָּל־חַכִּימֵי בָבֶל Dan. 2:48
סִגְנַיָּא 2-3 סִגְנַיָּא וּפַחֲוָתָא Dan. 3:2, 27
4 בֵּאדַיִן מִתְכַּנְּשִׁין...סִגְנַיָּא Dan. 3:3
5 סִגְנַיָּא וַאֲחַשְׁדַּרְפְּנַיָּא Dan. 6:8

סגר : סָגַר, סָגוּר, נִסְגַּר, סִגֵּר, סִגַּר, הִסְגִּיר; סְגוֹר, סוֹגֵר, מַסְגֵּר, מִסְגֶּרֶת, סַגְרִיר; אר׳ סְגַר

סָגַר פָּ׳ א) נָעַל, הֵגִיף (דלת, שער): רוב המקראות 1-42
ב) סתם, חסם: 4, 7, 11, 34, 43
ג) [נפ׳ נִסְגַּר] ננעל, הוגף: 46, 49, 50, 51
ד) [כנ״ל] נעצר, נכלא: 45, 47, 48, 52
ה) [פִּ׳ סִגֵּר] מסר, העביר לרשות־: 53-56
ו) [פִּ׳ סִגַּר] ננעל: 57, 58, 60, 61
ז) [כנ״ל] נכלא: 59
ח) [הפ׳ הִסְגִּיר] צִוָּה לסגור ולבודד: 67, 70-78, 87
ט) [כנ״ל] סִגֵּר, מסר: 62-66, 68, 69, 79-86, 88-91
– סָגַר (אֶת־) רוב המקראות 1-42; סָ׳ אַחֲרֵי־ 3; סָגַר בְּעַד 6, 33-36, 38, 39, 41, 42; סָגַר עַל־ 4; סָגַר לִקְרַאת 43
– זָהָב סָגוּר 17-24; סוֹגֶרֶת וּמְסֻגֶּרֶת 16
– הִסְגִּיר (אֶת־) 65, 67, 70-79, 81, 83, 87-90
– הִסְגִּיר (אֶת־) לְ־ 62, 64, 68, 84, 85
הִסְגִּיר (אֶת־) בְּיַד־ 63, 66, 69, 82; הִסְגִּיר אֶל־ 80, 86

לִסְגּוֹר 1 וַיְהִי הַשַּׁעַר לִסְגּוֹר בַּחֹשֶׁךְ Josh. 2:5
וְסָגַרְתְּ 2 וּבָאת וְסָגַרְתְּ הַדֶּלֶת בַּעֲדֵךְ IIK. 4:4
סָגַר 3 וְהַדֶּלֶת סָגַר אַחֲרָיו Gen. 19:6
4 סָגַר עֲלֵיהֶם הַמִּדְבָּר Ex. 14:3
5 וַיָי סָגַר רַחְמָהּ ISh. 1:5
6 כִּי־סָגַר יְיָ בְּעַד רַחְמָהּ ISh. 1:6
7 סָגַר אֶת־פֶּרֶץ עִיר דָּוִד IK. 11:27
8 כִּי לֹא סָגַר דַּלְתֵי בִטְנִי Job 3:10
וְסָגַר 9 וְסָגַר וְאֵין פֹּתֵחַ Is. 22:22
10 וְיָצָא וְסָגַר אֶת־הַשַּׁעַר Ezek. 46:12
סָגְרוּ 11 חֶלְבָּמוֹ סָּגְרוּ פִּימוֹ Ps. 17:10
12 גַּם סָגְרוּ דַּלְתוֹת הָאוּלָם IICh. 29:7
סָגָרוּ 13 וְאֶת־הַדֶּלֶת סָגָרוּ Gen. 19:10
14 וְהָאֲנָשִׁים רָדְפוּ...וְהַשַּׁעַר סָגָרוּ Josh. 2:7
סוֹגֵר 15 וּפָתַח וְאֵין סֹגֵר Is. 22:22
סוֹגֶרֶת 16 וִירִיחוֹ סֹגֶרֶת וּמְסֻגֶּרֶת Josh. 6:1
סָגוּר 17 וַיְצַפֵּהוּ זָהָב סָגוּר IK. 6:20
18 וַיְצַף...מִפְּנִימָה זָהָב סָגוּר IK. 6:21
19 וְאֶת־הַמְּנֹרוֹת...זָהָב סָגוּר IK. 7:49
20-24 זָהָב סָגוּר IK. 7:50; 10:21 • IICh. 4:20, 22; 9:20
25 דֶּרֶךְ שַׁעַר הַמִּקְדָּשׁ...וְהוּא סָגוּר Ezek. 44:1
26 הַשַּׁעַר הַזֶּה סָגוּר יִהְיֶה לֹא יִפָּתֵחַ Ezek. 44:2
27 וְאִישׁ לֹא־יָבֹא בוֹ...וְהָיָה סָגוּר Ezek. 44:2
28 שַׁעַר הֶחָצֵר...יִהְיֶה סָגוּר Ezek. 46:1
29 סְגוּר חוֹתָם צָר Job 41:7
יִסְגֹּר 30 יִסְגֹּר עַל־אִישׁ וְלֹא יִפָּתֵחַ Job 12:14
וְיִסְגֹּר 31 מִי גַם־בָּכֶם וְיִסְגֹּר דְּלָתַיִם Mal. 1:10
וַיִּסְגֹּר 32 וַיִּסְגֹּר בָּשָׂר תַּחְתֶּנָּה Gen. 2:21
33 וַיִּסְגֹּר יְיָ בַּעֲדוֹ Gen. 7:16
34 וַיִּסְגֹּר הַחֵלֶב בְּעַד הַלַּהַב Jud. 3:22
35 וַיִּסְגֹּר דַּלְתוֹת הָעֲלִיָּה בַּעֲדוֹ וְנָעָל Jud. 3:23
36 וַיִּסְגֹּר הַדֶּלֶת בְּעַד שְׁנֵיהֶם IIK. 4:33
37 וַיִּסְגֹּר אֶת־דַּלְתוֹת בֵּית־יְיָ IICh. 28:24
וַתִּסְגֹּר 38 וַתִּסְגֹּר הַדֶּלֶת בַּעֲדָהּ IIK. 4:5
39 וַתִּסְגֹּר בַּעֲדוֹ וַתֵּצֵא IIK. 4:21
וְנִסְגְּרָה 40 וְנִסְגְּרָה דַּלְתוֹת הַהֵיכָל Neh. 6:10
וַיִּסְגְּרוּ 41 וַיָּנֻסוּ שָׁמָּה...וַיִּסְגְּרוּ בַּעֲדָם Jud. 9:51
וּסְגֹר 42 בֹּא בַחֲדָרֶיךָ וּסְגֹר דְּלָתְךָ בַּעֲדֶךָ Is. 26:20
43 וְהָרֵק חֲנִית וּסְגֹר לִקְרַאת רֹדְפָי Ps. 35:3
סִגְרוּ 44 כְּבֹא הַמַּלְאָךְ סִגְרוּ הַדֶּלֶת IIK. 6:32
נִסְגַּר 45 נִסְגַּר לָבוֹא בְּעִיר דְּלָתַיִם וּבְרִיחַ ISh. 23:7
יִסָּגֵר 46 וְהַשַּׁעַר לֹא־יִסָּגֵר עַד־הָעָרֶב Ezek. 46:2
תִּסָּגֵר 47 תִּסָּגֵר שִׁבְעַת יָמִים מִחוּץ לַמַּחֲנֶה Num. 12:14
וַתִּסָּגֵר 48 וַתִּסָּגֵר מִרְיָם מִחוּץ לַמַּחֲנֶה Num. 12:15
יִסָּגֵרוּ 49 לִפְתֹּחַ...וּשְׁעָרִים לֹא יִסָּגֵרוּ Is. 45:1
50 וּפִתְּחוּ שְׁעָרַיִךְ...לֹא יִסָּגֵרוּ Is. 60:11
וַיִּסָּגְרוּ 51 וָאֹמְרָה וַיִּסָּגְרוּ הַדְּלָתוֹת Neh. 13:19
הִסָּגֵר 52 בֹּא הִסָּגֵר בְּתוֹךְ בֵּיתֶךָ Ezek. 3:24
סִגַּר 53 סִגַּר...אֶת־אוֹיִבְךָ בְּיָדֶךָ ISh. 26:8
54 אֲשֶׁר סִגַּר אֶת־הָאֲנָשִׁים IISh. 18:28
סִגְּרַנִי 55 אֵת אֲשֶׁר סִגְּרַנִי יְיָ בְּיָדְךָ ISh. 24:18
יְסַגֶּרְךָ 56 הַיּוֹם הַזֶּה יְסַגֶּרְךָ יְיָ בְּיָדִי ISh. 17:46
סֻגַּר 57 סֻגַּר כָּל־בַּיִת מִבּוֹא Is. 24:10
סֻגְּרוּ 58 עָרֵי הַנֶּגֶב סֻגְּרוּ וְאֵין פֹּתֵחַ Jer. 13:19
וְסֻגְּרוּ 59 וְאֻסְּפוּ...וְסֻגְּרוּ עַל־מַסְגֵּר Is. 24:22
60 וְסֻגְּרוּ דְלָתַיִם בַּשּׁוּק Eccl. 12:4
וּמְסֻגֶּרֶת 61 וִירִיחוֹ סֹגֶרֶת וּמְסֻגֶּרֶת Josh. 6:1
לְהַסְגִּיר 62 עַל־הַגְלוֹתָם...לְהַסְגִּיר לֶאֱדוֹם Am. 1:6
הַסְגִּירוֹ 63 וְלָנוּ הַסְגִּירוֹ בְּיַד הַמֶּלֶךְ ISh. 23:20
הַסְגִּירָם 64 עַל־הַסְגִּירָם גָּלוּת שְׁלֵמָה לֶאֱדוֹם Am. 1:9
וְהִסְגַּרְתִּי 65 וְהִסְגַּרְתִּי עִיר וּמְלֹאָהּ Am. 6:8
הִסְגַּרְתַּנִי 66 וְלֹא הִסְגַּרְתַּנִי בְּיַד־אוֹיֵב Ps. 31:9
הִסְגִּיר 67 כָּל־יְמֵי הִסְגִּיר אֹתוֹ Lev. 14:46
68 וְחַיָּתָם לַדֶּבֶר הִסְגִּיר Ps. 78:50
69 הִסְגִּיר בְּיַד־אוֹיֵב Lam. 2:7
וְהִסְגִּיר 70 וְהִסְגִּיר הַכֹּהֵן אֶת־הַנֶּגַע Lev. 13:4
71 וְהִסְגִּיר הַכֹּהֵן אֶת־נֶגַע הַנֶּתֶק Lev. 13:31
72 וְהִסְגִּיר הַכֹּהֵן אֶת־הַנֶּתֶק Lev. 13:33
73 וְהִסְגִּיר אֶת־הַנֶּגַע שִׁבְעַת יָמִים Lev. 13:50
74 וְהִסְגִּיר אֶת־הַבַּיִת שִׁבְעַת יָמִים Lev. 14:38
וְהִסְגִּירוֹ 75/6 וְהִסְגִּירוֹ הַכֹּהֵן שִׁבְעַת יָמִים Lev. 13:5, 26
77 וְהִסְגִּירוֹ הַכֹּהֵן שִׁבְעַת יָמִים Lev. 13:21
78 וְהִסְגִּירוֹ שִׁבְעַת־יָמִים שֵׁנִית Lev. 13:54
הִסְגִּירָם 79 כִּי־צוּרָם מְכָרָם וַיְיָ הִסְגִּירָם Deut. 32:30
תַּסְגִּיר 80 לֹא־תַסְגִּיר עֶבֶד אֶל־אֲדֹנָיו Deut. 23:16
תַּסְגֵּר 81 וְאַל־תַּסְגֵּר שְׂרִידָיו בְּיוֹם צָרָה Ob. 14
תַּסְגִּרֵנִי 82 וְאִם־תַּסְגִּרֵנִי בְּיַד־אֲדֹנִי ISh. 30:15
וְיַסְגִּיר 83 אִם־יַחֲלֹף וְיַסְגִּיר וְיַקְהִיל Job 11:10
וַיַּסְגֵּר 84 וַיַּסְגֵּר לַבָּרָד בְּעִירָם Ps. 78:48
85 וַיַּסְגֵּר לַחֶרֶב עַמּוֹ Ps. 78:62
יַסְגִּירֵנִי 86 יַסְגִּירֵנִי אֵל אֶל עֲוִיל Job 16:11
יַסְגִּרֶנּוּ 87 לֹא יַסְגִּרֶנּוּ כִּי טָמֵא הוּא Lev. 13:11
יַסְגִּרוּ 88 וְלֹא־יַסְגִּרוּ אֶת־הָרֹצֵחַ... Josh. 20:5
89 וַיֹּאמֶר יְיָ יַסְגִּירוּ ISh. 23:12
הֲיַסְגִּרוּ 90 הֲיַסְגִּרוּ בַּעֲלֵי קְעִילָה אֹתִי.. ISh. 23:12
הֲיַסְגִּירוּנִי 91 הֲיַסְגִּרֻנִי בַעֲלֵי קְעִילָה בְיָדוֹ ISh. 23:11

סְגַר ת׳ ארמית: סָגַר

וּסְגַר 1 וּסְגַר פֻּם אַרְיָוָתָא וְלָא חַבְּלוּנִי Dan. 6:23

סַגְרִיר ז׳ גשם עז

סַגְרִיר 1 דֶּלֶף טוֹרֵד בְּיוֹם סַגְרִיר Prov. 27.15

סַד ז׳ כלי ענויים לרגלים: 1, 2

בַּסַּד 1 וְתָשֵׂם בַּסַּד רַגְלַי Job 13:27
2 יָשֵׂם בַּסַּד רַגְלָי Job 33:11

סדום עין סְדֹם

סָדִין ז׳ יריעה להתעטף בה: 1-4

סָדִין 1 סָדִין עָשְׂתָה וַתִּמְכֹּר Prov. 31:24
סְדִינִים 2/3 שְׁלֹשִׁים סְדִינִים Jud. 14:12, 13
וְהַסְּדִינִים 4 הַגִּלְיֹנִים וְהַסְּדִינִים וְהַצְּנִיפוֹת Is. 3:23

סְדֹם ש״פ א) שם עיר כנענית קדומה בדרום ים המלח שנהפכה יחד עם העיר עֲמֹרָה: 1-18, 20-23, 28-39
ב) כנוי ומשל לרשע ולחוטא: 19, 24-27
– סְדֹם וַעֲמֹרָה 5, 10, 12, 15-17, 20-23, 31, 36
– אַנְשֵׁי סְדֹם 3, 14; גֶּפֶן סְ׳ 18; זַעֲקַת סְ׳ 12; חַטַּאת סְ׳ 30; מַהְפֵּכַת סְ׳ 17, 20-23; מֶלֶךְ סְ׳ 4-9; קְצִינֵי סְ׳ 19; רְכוּשׁ סְ׳ 10; שְׁבוּת סְ׳ 28; שַׁעַר סְדֹם 13

סְדֹם 1 לִפְנֵי שַׁחֵת יְיָ אֶת־סְדֹם... Gen. 13:10
2 ...וַיֶּאֱהַל עַד־סְדֹם Gen. 13:12
3 וְאַנְשֵׁי סְדֹם רָעִים וְחַטָּאִים לַיְיָ Gen. 13:13
4 עָשׂוּ מִלְחָמָה אֶת־בֶּרַע מֶלֶךְ סְדֹם Gen. 14:2
5 וַיֵּצֵא מֶלֶךְ־סְדֹם וּמֶלֶךְ עֲמֹרָה Gen. 14:8
6-9 מֶלֶךְ־סְדֹם Gen. 14:10, 17, 21, 22
10 וַיִּקְחוּ...רְכֻשׁ סְדֹם וַעֲמֹרָה Gen. 14:11
11 וַיָּקֻמוּ...וַיַּשְׁקִפוּ עַל־פְּנֵי סְדֹם Gen. 18:16
12 זַעֲקַת סְדֹם וַעֲמֹרָה כִּי־רָבָּה Gen. 18:20
13 וְלוֹט יֹשֵׁב בְּשַׁעַר־סְדֹם Gen. 19:1
14 אַנְשֵׁי סְדֹם נָסַבּוּ עַל־הַבַּיִת Gen. 19:4
15 וַיְיָ הִמְטִיר עַל־סְדֹם וְעַל־עֲמֹרָה Gen. 19:24
16 וַיַּשְׁקֵף עַל־פְּנֵי סְדֹם וַעֲמֹרָה Gen. 19:28
17 כְּמַהְפֵּכַת סְדֹם וַעֲמֹרָה Deut. 29:22
18 כִּי־מִגֶּפֶן סְדֹם גַּפְנָם... Deut. 32:32
19 שִׁמְעוּ דְבַר־יְיָ קְצִינֵי סְדֹם Is. 1:10

22-20 כְּמַהְפֵּכַת אֱלֹהִים אֶת־סְדֹם וְאֶת־עֲמֹרָה
Is. 13:19 • Jer. 50:40 • Am. 4:11
23 כְּמַהְפֵּכַת סְדֹם וַעֲמֹרָה וּשְׁכֵנֶיהָ Jer. 49:18
24 וַאֲחוֹתֵךְ הַקְּטַנָּה...סְדֹם וּבְנוֹתֶיהָ Ezek. 16:46
27-25 סְדֹם אֲחוֹתֵךְ Ezek. 16:48,49,56
28 אֶת־שְׁבוּת° סְדֹם וּבְנוֹתֶיהָ Ezek. 16:53
29 סְדֹם וּבְנוֹתֶיהָ תָּשֹׁבְןָ לְקַדְמָתָן Ezek. 16:55
30 וַיִּגְדַּל עֲוֹן בַּת־עַמִּי מֵחַטַּאת סְדֹם Lam. 4:6
סְדֹמָה 31 בֹּאֲכָה סְדֹמָה וַעֲמֹרָה Gen. 10:19
32 וַיִּפְנוּ מִשָּׁם...וַיֵּלְכוּ סְדֹמָה Gen. 18:22
33 וַיָּבֹאוּ שְׁנֵי הַמַּלְאָכִים סְדֹמָה Gen. 19:1
בִּסְדֹם 34 וְהוּא יֹשֵׁב בִּסְדֹם Gen. 14:12
35 אִם־אֶמְצָא בִסְדֹם חֲמִשִּׁים צַדִּיקִם Gen. 18:26
כִּסְדֹם 36 כִּסְדֹם הָיִינוּ לַעֲמֹרָה דָּמִינוּ Is. 1:9
37 וְחַטָּאתָם כִּסְדֹם הִגִּידוּ Is. 3:9
38 הָיוּ־לִי כֻלָּם כִּסְדֹם Jer. 23:14
39 כִּי מוֹאָב כִּסְדֹם תִּהְיֶה Zep. 2:9

סֵדֶר* ז' מערכת טובה
סְדָרִים 1 אֶרֶץ...צַלְמָוֶת וְלֹא סְדָרִים Job 10:22

סַהַר ז' עגול • אַגַּן הַסַּהַר 1
הַסַּהַר 1 שָׁרְרֵךְ אַגַּן הַסַּהַר אַל־יֶחְסַר הַמָּזֶג S.ofS. 7:3

סֹהַר ז' [בצרוף: בֵּית־הַסֹּהַר] כֶּלֶא, מַעְצָר: 1-8
הַסֹּהַר 1 וַיִּתְּנֵהוּ אֶל־בֵּית הַסֹּהַר Gen. 39:20
2 וַיְהִי־שָׁם בְּבֵית הַסֹּהַר Gen. 39:20
3 וַיִּתֵּן חִנּוֹ בְּעֵינֵי שַׂר בֵּית־הַסֹּהַר Gen. 39:21
5-4 שַׂר בֵּית־הַסֹּהַר Gen. 39:22,23
8-6 (בְּ)בֵית הַסֹּהַר Gen. 39:22; 40:3,5

סוֹא שפ־ז – מלך מצרים בימי הוֹשֵׁעַ בֶּן אֵלָה
סוֹא 1 אֲשֶׁר שָׁלַח מַלְאָכִים אֶל־סוֹא... IIK. 17:4

(סוג) סָג פ' א) סָר, סטה: 1
ב) [נפ' נָסוֹג] נבדל, התרחק: 2-16
ג) [הפ' הִסִּיג] הסיט, הזיז: 17-23
ד) [הָפ' הֻסַּג] הוטה, הורחק: 24
– נָסוֹג אָחוֹר 3-5, 7-9, 12-15; נָסוֹג מֵאַחַר 2; נָסוֹג מֵאַחֲרֵי 10; נָסוֹג מִן־ 6
– הִסִּיג גְּבוּל 17-21, 23; הֻסַּג אָחוֹר 24
סָג 1 כֻּלּוֹ סָג יַחְדָּו נֶאֱלָחוּ Ps. 53:4
וְנָסוֹג 2 פָּשֹׁעַ...וְנָסוֹג מֵאַחַר אֱלֹהֵינוּ Is. 59:13
נְסוּגֹתִי 3 לֹא מָרִיתִי אָחוֹר לֹא נְסוּגֹתִי Is. 50:5
נָסוֹג 4 לֹא־נָסוֹג אָחוֹר לִבֵּנוּ Ps. 44:19
(נָשׂוֹג) 5 קֶשֶׁת יְהוֹנָתָן לֹא נָשׂוֹג אָחוֹר IISh. 1:22
נָסוֹג 6 וְלֹא־נָסוֹג מִמֶּךָּ Ps. 80:19
נָסֹגוּ 7 נָסֹגוּ אָחוֹר יֵבֹשׁוּ בֹשֶׁת Is. 42:17
8 הָטְבְּעוּ בַבֹּץ רַגְלֶךָ נָסֹגוּ אָחוֹר Jer. 38:22
נְסוֹגִים 9 הֵמָּה חַתִּים נְסֹגִים אָחוֹר Jer. 46:5
הַנְּסוֹגִים 10 וְאֶת־הַנְּסוֹגִים מֵאַחֲרֵי יְיָ Zep. 1:6
יִסַּג 11 אַל־תַּטִּפוּ...לֹא יִסַּג כְּלִמּוֹת Mic. 2:6
יִסֹּגוּ 12 יִסֹּגוּ אָחוֹר וְיַחְפְּרוּ Ps. 35:4
14-13 יִסֹּגוּ אָחוֹר וְיִכָּלְמוּ Ps. 40:15; 70:3
וְיִסֹּגוּ 15 יֵבֹשׁוּ וְיִסֹּגוּ אָחוֹר Ps. 129:5
וַיִּסֹּגוּ 16 וַיִּסֹּגוּ וַיִּבְגְּדוּ כַּאֲבוֹתָם Ps. 78:57
מַסִּיג 17 אָרוּר מַסִּיג גְּבוּל רֵעֵהוּ Deut. 27:17
כְּמַסִּיגֵי 18 הָיוּ שָׂרֵי יְהוּדָה כְּמַסִּיגֵי גְּבוּל Hosh. 5:10
תַסִּיג 19 לֹא תַסִּיג גְּבוּל רֵעֲךָ... Deut. 19:14
תַּסֵּג 21-20 אַל־תַּסֵּג גְּבוּל עוֹלָם Prov. 22:28; 23:10
וְתַסֵּג 22 וְתַסֵּג וְלֹא תַפְלִיט Mic. 6:14
(יַשִּׂיגוּ) 23 גְּבֻלוֹת יַשִּׂיגוּ עֵדֶר גָּזְלוּ וַיִּרְעוּ Job 24:2
וְהֻסַּג 24 וְהֻסַּג אָחוֹר מִשְׁפָּט Is. 59:14

סוּג ת' א) סָר, סוטה: 1 ב) גָּדוּר: 2
סוּג 1 מִדְּרָכָיו יִשְׂבַּע סוּג לֵב Prov. 14:14
סוּגָה 2 עֲרֵמַת חִטִּים סוּגָה בַּשּׁוֹשַׁנִּים S.ofS. 7:3

סוּגַר ז' כלוב ברזל
בַּסּוּגַר 1 וַיִּתְּנֻהוּ בַסּוּגַר בַּחַחִים Ezek. 19:9

סוֹד ז' א) דבר סֵתֶר: 3-5, 8, 19
ב) שיחה, מועצה: 1, 2, 6, 7, 9-18, 20, 21
– סוֹד אַחֵר 8; ס' אֱלוֹהַּ 14, 15; ס' בַּחוּרִים 6; סוֹד יְיָ 7, 10; סוֹד יְשָׁרִים 13; סוֹד מְרֵעִים 16; סוֹד מְשַׂחֲקִים 9; סוֹד עַמִּי 11; סוֹד קְדוֹשִׁים 12
– מְתֵי סוֹדוֹ 17
– גָּלָה (גִּלָּה) סוֹד 3, 5, 19; הַמְתִּיק ס' 1; הֶעֱרִים סוֹד 2; בָּא בְסוֹד 21; יָשַׁב בְּסוֹד 9
סוֹד 1 אֲשֶׁר יַחְדָּו נַמְתִּיק סוֹד Ps. 55:15
2 עַל־עַמְּךָ יַעֲרִימוּ סוֹד Ps. 83:4
3 הוֹלֵךְ רָכִיל מְגַלֶּה־סּוֹד Prov. 11:13
4 הָפֵר מַחֲשָׁבוֹת בְּאֵין סוֹד Prov. 15:22
5 גּוֹלֶה־סּוֹד הוֹלֵךְ רָכִיל Prov. 20:19
סוֹד־ 6 וְעַל סוֹד בַּחוּרִים יַחְדָּו Jer. 6:11
7 סוֹד יְיָ לִירֵאָיו וּבְרִיתוֹ לְהוֹדִיעָם Ps. 25:14
וְסוֹד־ 8 וְסוֹד אַחֵר אַל־תְּגָל Prov. 25:9
בְּסוֹד־ 9 לֹא־יָשַׁבְתִּי בְסוֹד־מְשַׂחֲקִים Jer. 15:17
10 כִּי מִי עָמַד בְּסוֹד יְיָ Jer. 23:18
11 בְּסוֹד עַמִּי לֹא־יִהְיוּ Ezek. 13:9
12 אֵל נַעֲרָץ בְּסוֹד־קְדֹשִׁים רַבָּה Ps. 89:8
13 אוֹדֶה יְיָ...בְּסוֹד יְשָׁרִים וְעֵדָה Ps. 111:1
14 בְּסוֹד אֱלוֹהַּ עֲלֵי אָהֳלִי Job 29:4
הַבְסוֹד־ 15 הַבְסוֹד אֱלוֹהַּ תִּשְׁמָע Job 15:8
מִסּוֹד־ 16 תַּסְתִּירֵנִי מִסּוֹד מְרֵעִים Ps. 64:3
סוֹדִי 17 תִּעֲבוּנִי כָּל־מְתֵי סוֹדִי Job 19:19
בְּסוֹדִי 18 וְאִם־עָמְדוּ בְּסוֹדִי וְיַשְׁמִעוּ דְבָרַי Jer. 23:22
סוֹדוֹ 19 כִּי אִם־גָּלָה סוֹדוֹ אֶל־עֲבָדָיו Am. 3:7
20 וְאֶת־יְשָׁרִים סוֹדוֹ Prov. 3:32
בְּסֹדָם 21 בְּסֹדָם אַל־תָּבֹא נַפְשִׁי Gen. 49:6

סוֹדִי שפ־ז – אבי הנשיא גדיאל למטה זבולון
סוֹדִי 1 לְמַטֵּה זְבוּלֻן גַּדִּיאֵל בֶּן־סוֹדִי Num. 13:10

סוּחַ שפ־ז – איש משבט אשר
סוּחַ 1 בְּנֵי צוֹפַח סוּחַ וְחַרְנֶפֶר... ICh. 7:36

סוּחָה נ' טיט, בוץ
כַּסּוּחָה 1 וַתְּהִי נִבְלָתָם כַּסּוּחָה בְּקֶרֶב חוּצוֹת Is. 5:25

סוֹחֵף ת' – עין סָחַף

סוֹחֵר ז' תַּגָּר, עוסק במסחר: 1-13 [עין גם סָחַר]
– אֳנִיּוֹת סוֹחֵר 1; סוֹחֵר צִידוֹן 2; עוֹבֵר לַסֹּחֵר 3
– סֹחֲרֵי יָדוֹ 8; ס' הַמֶּלֶךְ 7, 9; ס' תַּרְשִׁישׁ 10
סוֹחֵר 1 הָיְתָה כָּאֳנִיּוֹת סוֹחֵר Prov. 31:14
סֹחֵר־ 2 סֹחֵר צִידוֹן עֹבֵר יָם מִלְאוּךְ Is. 23:2
לַסֹּחֵר 3 שֶׁקֶל כֶּסֶף עֹבֵר לַסֹּחֵר Gen. 23:16
סֹחֲרִים 4 וַיַּעַבְרוּ אֲנָשִׁים מִדְיָנִים סֹחֲרִים Gen. 37:28
5 סֹחֲרִים בָּעַמִּים שָׁרְקוּ עָלַיִךְ Ezek. 27:36
וְהַסֹּחֲרִים 6 לְבַד מֵאַנְשֵׁי הַתָּרִים וְהַסֹּחֲרִים IICh. 9:14
סֹחֲרֵי־ 7 סֹחֲרֵי הַמֶּלֶךְ יִקְחוּ מִקְוֵה בִּמְחִיר IK. 10:28
8 עֲרַב...הֵמָּה סֹחֲרֵי יָדֵךְ Ezek. 27:21
9 סֹחֲרֵי הַמֶּלֶךְ מִקְוֵא יִקְחוּ בִּמְחִיר IICh. 1:16
וְסֹחֲרֵי־ 10 שְׁבָא וּדְדָן וְסֹחֲרֵי תַרְשִׁישׁ Ezek. 38:13
סֹחֲרַיִךְ 11 סֹחֲרַיִךְ מִנְּעוּרַיִךְ אִישׁ לְעֶבְרוֹ תָּעוּ Is. 47:15
סֹחֲרָיִךְ 12 בְּכָרִים וְאֵילִם...בָם סֹחֲרָיִךְ Ezek. 27:21
סֹחֲרֶיהָ 13 סֹחֲרֶיהָ שָׂרִים כִּנְעָנֶיהָ נִכְבַּדֵּי־אָרֶץ Is. 23:8

סוֹחֵרָה נ' מגן
וְסֹחֵרָה 1 צִנָּה וְסֹחֵרָה אֲמִתּוֹ Ps. 91:4

סוֹחֶרֶת¹* נ' עוסקת במסחר: 1-3
סֹחַרְתֵּךְ 1 תַּרְשִׁישׁ סֹחַרְתֵּךְ מֵרֹב כָּל־הוֹן Ezek. 27:12
2 אֲרָם סֹחַרְתֵּךְ מֵרֹב מַעֲשָׂיִךְ Ezek. 27:16
3 דַּמֶּשֶׂק סֹחַרְתֵּךְ בְּרֹב מַעֲשַׂיִךְ Ezek. 27:18

סוֹחֶרֶת² נ' – אחד ממיני השיש
וְסֹחָרֶת 1 עַל רִצְפַת בַּהַט־וָשֵׁשׁ וְדַר וְסֹחָרֶת Es. 1:6

סוֹטַי שפ־ז – מעולי הגולה עם זרובבל: 1, 2
סוֹטַי 1 בְּנֵי־סֹטַי בְּנֵי־הַסֹּפֶרֶת Ez. 2:55
2 בְּנֵי־סוֹטַי בְּנֵי־סֹפֶרֶת Neh. 7:57

(סוך) סָךְ פ' א) מָשַׁח, מֵרַח: 1-9 [עין גם יסך]
ב) [הפ' הֵסִיךְ] כנ"ל: 10-12
וָסוֹךְ 1 וְסוֹךְ לֹא־סָכְתִּי Dan. 10:3
סָכְתִּי 2 וְסוֹךְ לֹא־סָכְתִּי Dan. 10:3
וָסַכְתְּ 3 וְרָחַצְתְּ וָסַכְתְּ וְשַׂמְתְּ שִׂמְלֹתַיִךְ° עָלַיִךְ Ruth 3:3
וָאֲסֻכֵךְ 4 וָאֶרְחָצֵךְ בַּמַּיִם...וָאֲסֻכֵךְ בַּשָּׁמֶן Ezek. 16:9
תָסוּךְ 5 זֵיתִים יִהְיוּ לְךָ...וְשֶׁמֶן לֹא תָסוּךְ Deut. 28:40
6 תִדְרֹךְ־זַיִת וְלֹא־תָסוּךְ שֶׁמֶן Mic. 6:15
תָּסוּכִי 7 וְאַל־תָּסוּכִי שֶׁמֶן IISh. 14:2
וַיְסֻכוּם 8 וַיַּאֲכִלוּם וַיַּשְׁקוּם וַיְסֻכוּם IICh. 28:15
יִיסָךְ 9 עַל־בְּשַׂר אָדָם לֹא יִיסָךְ Ex. 30:32
לְהָסֵךְ 10 וַיָּבֹא שָׁאוּל לְהָסֵךְ אֶת־רַגְלָיו ISh. 24:3
מֵסִיךְ 11 אַךְ מֵסִיךְ הוּא אֶת־רַגְלָיו Jud. 3:24
וַיָּסֶךְ 12 וַיִּרְחַץ וַיָּסֶךְ וַיְחַלֵּף שִׂמְלֹתָו IISh. 12:20

סוֹכֵךְ ז' אחד מסוגי המגנים [עין עוד סָכַךְ]
הַסֹּכֵךְ 1 יְמַהֲרוּ חוֹמָתָהּ וְהֻכַן הַסֹּכֵךְ Nah. 2:6

סוֹכֵן ז' סוֹכֶנֶת נ' ממונה על כלכלת הבית: 1-3
הַסֹּכֵן 1 לֶךְ־בֹּא אֶל־הַסֹּכֵן הַזֶּה Is. 22:15
סֹכֶנֶת 2 וְעָמְדָה לִפְנֵי הַמֶּלֶךְ וּתְהִי־לוֹ סֹכֶנֶת IK. 1:2
3 וַתְּהִי לַמֶּלֶךְ סֹכֶנֶת וַתְּשָׁרְתֵהוּ IK. 1:4

סוֹלְלָה נ' תל עפר למצור על עיר: 1-11 • קרוב: דָּיֵק
שָׁפַךְ סוֹלְלָה 1-9
סֹלְלָה 1 וַיִּשְׁפְּכוּ סֹלְלָה אֶל־הָעִיר IISh. 20:15
2 וְלֹא־יִשְׁפֹּךְ עָלֶיהָ סֹלְלָה IIK. 19:32
3 וְלֹא־יִשְׁפֹּךְ עָלֶיהָ סֹלְלָה Is. 37:33
4 וְשִׁפְכוּ עַל־יְרוּשָׁלִַם סֹלְלָה Jer. 6:6
5 וּבָנִיתָ...דָּיֵק וְשָׁפַכְתָּ עָלֶיהָ סֹלְלָה Ezek. 4:2
6 בִּשְׁפֹּךְ סֹלְלָה וּבִבְנוֹת דָּיֵק Ezek. 17:17
7 לִשְׁפֹּךְ סֹלְלָה לִבְנוֹת דָּיֵק Ezek. 21:27
8 וְנָתַן...דָּיֵק וְשָׁפַךְ עָלַיִךְ סֹלְלָה Ezek. 26:8
9 וְיִשְׁפֹּךְ סוֹלְלָה וְלָכַד עִיר מִבְצָרוֹת Dan. 11:15
הַסֹּלְלוֹת 10 הַסֹּלְלוֹת בָּאוּ הָעִיר לְלָכְדָהּ Jer. 32:24
11 הַנְּתֻצִים אֶל־הַסֹּלְלוֹת וְאֶל־הֶחָרֶב Jer. 33:4

סוּמְפּוֹנְיָה נ' כלי־זמר קדום: 1-3
סוּמְפֹּנְיָה 1 סַבְּכָא פְּסַנְתֵּרִין סוּמְפֹּנְיָה Dan. 3:5
וְסוּמְפֹּנְיָה 2 שַׂבְּכָא פְּסַנְתֵּרִין וְסוּמְפֹּנְיָה Dan. 3:15
וְסוּפֹּנְיָה 3 שַׂבְּכָא פְּסַנְתֵּרִין וְסוּפֹּנְיָה (כ' וסיפניה) Dan. 3:10

סְוֵנֵה ש"פ – עיר במצרים העליונה מול האי יב: 1, 2
סְוֵנֵה 1 מִמִּגְדֹּל סְוֵנֵה וְעַד־גְּבוּל כּוּשׁ Ezek. 29:10
2 מִמִּגְדֹּל סְוֵנֵה בַּחֶרֶב יִפְּלוּ־בָהּ Ezek. 30:6

סוּס¹ ז' בהמת הבית לרכיבה ולמשא: 1-137
– סוּס וָרֶכֶב 5, 9, 14, 19, 21-23, 28-30, 42, 46, 51, 58, 109, 112, 113, 115, 130, 131, 137; סוּס וְרֹכְבוֹ 2, 3, 12, 49; סוּס וָפֶרֶד 7, 34, 45, 74

– סוּס אָדֹם 16; סוּס אָסוּר 31; סוּס דֹּהֵר 24; סוּס שׁוֹטֵף 43
– גְּבוּרַת הַסּוּס 37; מַגֵּפַת הַסּוּס 34; מְצִלּוֹת סוּס 35; עִקְּבֵי סוּס 1, 6; קוֹל סוּס 9; רֹכֵב סוּס 10
– סוּס הָעַמִּים 54; סוּס פַּרְעֹה 52, 53
– סוּסִים וּפָרָשִׁים 74, 75, 106; ס' אֲדֻמִּים 80; ס' בְּרֻדִּים 83; ס' לְבָנִים 79, 82; ס' מְיֻזָּנִים 65; סוּסִים שְׁחֹרִים 81, 100; ס' שְׂרֻקִּים 79
– אֻרְוֹת (-וֺת) סוּסִים 56, 87; זִרְמַת סוּס 71; מְבוֹא הַס' 93; מוֹצָא הַס' 102; מַרְאֵה ס' 76; נַחֲרַת סוּס 125; פַּרְסוֹת סוּס 123, 128; רֹכְבֵי סוּסִים 69,70,72,73,84; רֶכֶב ס' 60; שְׁבִי ס' 132; שַׁעַר הַסּוּסִים 97, 101, 103; שִׁפְעַת סוּסִים 127
– סוּסֵי אֵשׁ 115

סוס 1 הַנֹּשֵׁךְ עִקְּבֵי־סוּס Gen.49:17
2-3 סוּס וְרֹכְבוֹ רָמָה בַיָּם Ex.15:1,21
4 וְלֹא־יָשִׁיב...לְמַעַן הַרְבּוֹת סוּס Deut.17:16
5 וְרָאִיתָ סוּס וָרֶכֶב Deut.20:1
6 אָז הָלְמוּ עִקְּבֵי־סוּס Jud.5:22
7 וּנְחַיֶּה סוּס וָפֶרֶד IK.18:5
8 וַיִּמָּלֵט...עַל־סוּס וּפָרָשִׁים IK.20:20
9 קוֹל רֶכֶב קוֹל סוּס IIK.7:6
10 וַיִּשְׁלַח רֹכֵב סוּס שֵׁנִי IIK.9:19
11 לֹא־כִי עַל־סוּס נָנוּס Is.30:16
12 וְנִפַּצְתִּי בְךָ סוּס וְרֹכְבוֹ Jer.51:21
13 הַעֲלוּ־סוּס כְּיֶלֶק סָמָר Jer.51:27
14 סוּס וָרֶכֶב...וְכָל־אִישׁ מִלְחָמָה Ezek.39:20
15 עַל־סוּס לֹא נִרְכָּב Hosh.14:4
16 וְהִנֵּה־אִישׁ רֹכֵב עַל־סוּס אָדֹם Zech.1:8
17 אַכֶּה כָל־סוּס בַּתִּמָּהוֹן Zech.12:4
18 סוּס מוּכָן לְיוֹם מִלְחָמָה Prov.21:31
וסוס 19 וְסוּס וָרֶכֶב רַב־מְאֹד Josh.11:4
20 וְסוּס בַּחֲמִשִּׁים וּמֵאָה IK.10:29
21 וּשְׁלֹשִׁים וּשְׁנַיִם מֶלֶךְ אִתּוֹ וְסוּס וָרָכֶב IK.20:1
22 וְסוּס כַּסּוּס וְרֶכֶב כָּרֶכֶב IK.20:25
23 וְהִנֵּה־חַיִל...וְסוּס וָרָכֶב IIK.6:15
24 וְסוּס דֹּהֵר וּמֶרְכָּבָה מְרַקֵּדָה Nah.3:2
25 וְהִכְרַתִּי...וְסוּס מִירוּשָׁלִַם Zech.9:10
26 וְסוּס אֲשֶׁר רָכַב עָלָיו הַמֶּלֶךְ Es.6:8
27 וְסוּס בַּחֲמִשִּׁים וּמֵאָה IICh.1:17
וָסוּס 28 רֶכֶב־וָסוּס חַיִל וְעִזּוּז Is.43:17
29 מִגַּעֲרָתְךָ...נִרְדָּם וְרֶכֶב וָסוּס Ps.76:7
הַסּוּס 30 וַיַּךְ אֶת־הַסּוּס וְאֶת־הָרֶכֶב IK.20:21
31 כִּי אִם־הַסּוּס אָסוּר IIK.7:10
32 וַיֵּלֶךְ רֹכֵב הַסּוּס לִקְרָאתוֹ IIK.9:18
33 וְרֹכֵב הַסּוּס לֹא יְמַלֵּט נַפְשׁוֹ Am.2:15
34 מַגֵּפַת הַסּוּס הַפֶּרֶד הַגָּמָל Zech.14:15
35 יִהְיֶה עַל־מְצִלּוֹת הַסּוּס קֹדֶשׁ לַיי Zech.14:20
36 שֶׁקֶר הַסּוּס לִתְשׁוּעָה Ps.33:17
37 לֹא בִגְבוּרַת הַסּוּס יֶחְפָּץ Ps.147:10
38 וְהִרְכִּיבֻהוּ עַל־הַסּוּס Es.6:9
39/40 אֶת־הַלְּבוּשׁ וְאֶת־הַסּוּס Es.6:10,11
וְהַסּוּס 41 וְנָתוֹן הַלְּבוּשׁ וְהַסּוּס עַל־יַד־אִישׁ Es.6:9
בְּסוּס 42 בְּסוּס וּבְרֶכֶב וּבְפָרָשִׁים Ezek.26:7
כְּסוּס 43 כְּסוּס שׁוֹטֵף בַּמִּלְחָמָה Jer.8:6
44 כְּסוּס הוֹדוֹ בַּמִּלְחָמָה Zech.10:3
45 כְּסוּס כְּפֶרֶד אֵין הָבִין Ps.32:9
כַּסּוּס 46 וְסוּס כַּסּוּס וְרֶכֶב כָּרֶכֶב IK.20:25
47 כַּסּוּס בַּמִּדְבָּר לֹא יִכָּשֵׁלוּ Is.63:13
לַסּוּס 48 שׁוֹט לַסּוּס מֶתֶג לַחֲמוֹר Prov.26:3
49 תִּשְׂחַק לַסּוּס וּלְרֹכְבוֹ Job39:18
50 הֲתִתֵּן לַסּוּס גְּבוּרָה Job39:19

סוּס־ 51 כָּל־סוּס רֶכֶב פַּרְעֹה וּפָרָשָׁיו Ex.14:9
52 כֹּל סוּס פַּרְעֹה רִכְבּוֹ וּפָרָשָׁיו Ex.14:23
53 כִּי בָא סוּס פַּרְעֹה...בַּיָּם Ex.15:19
54 סוּס הָעַמִּים אַכֶּה בַּעִוָּרוֹן Zech.12:4
סוּסִים 55 רַק לֹא־יַרְבֶּה־לּוֹ סוּסִים Deut.17:16
56 אַרְבָּעִים אֶלֶף אֻרְוֹת סוּסִים IK.5:6
57 וָנֶשֶׁק וּבְשָׂמִים סוּסִים וּפְרָדִים IK.10:25
58 וַיִּשְׁלַח שָׁמָּה סוּסִים וָרֶכֶב IIK.6:14
59 וְהִנֵּה הָהָר מָלֵא סוּסִים IIK.6:17
60 וַיִּקְחוּ שְׁנֵי רֶכֶב סוּסִים IIK.7:14
61 וְאֶתְּנָה לְךָ אַלְפַּיִם סוּסִים IIK.18:23
62 וַתִּמָּלֵא אַרְצוֹ סוּסִים Is.2:7
63 עַל־סוּסִים יִשָּׁעֵנוּ Is.31:1
64 וְאֶתְּנָה לְךָ אַלְפַּיִם סוּסִים Is.36:8
65 סוּסִים מְיֻזָּנִים• מַשְׁכִּים הָיוּ Jer.5:8
66/7 וְעַל־סוּסִים יִרְכָּבוּ Jer.6:23; 50:42
68 לָתֶת־לוֹ סוּסִים וְעַם־רָב Ezek.17:15
69-70 פָּרָשִׁים רֹכְבֵי סוּסִים Ezek.23:6,12
71 וְזִרְמַת סוּסִים זִרְמָתָם Ezek.23:20
72/3 רֹכְבֵי סוּסִים כֻּלָּם Ezek.23:23; 38:15
74 סוּסִים וּפָרָשִׁים וּפְרָדִים Ezek.27:14
75 וְאֶת־כָּל־חֵילֶךָ סוּסִים וּפָרָשִׁים Ezek.38:4
76 כְּמַרְאֵה סוּסִים מַרְאֵהוּ Joel2:4
77 הַיְרֻצוּן בַּסֶּלַע סוּסִים Am.6:12
78 וְיָרְדוּ סוּסִים וְרֹכְבֵיהֶם Hag.2:22
79 סוּסִים אֲדֻמִּים שְׂרֻקִּים וּלְבָנִים Zech.1:8
80 בַּמֶּרְכָּבָה הָרִאשֹׁנָה סוּסִים אֲדֻמִּים Zech.6:2
81 וּבַמֶּרְכָּבָה הַשֵּׁנִית סוּסִים שְׁחֹרִים Zech.6:2
82 וּבַמֶּרְכָּבָה הַשְּׁלִשִׁית סוּסִים לְבָנִים Zech.6:3
83 וּבַמֶּרְכָּבָה הָרְבִעִית סוּסִים בְּרֻדִּים Zech.6:3
84 וְהֹבִישׁוּ רֹכְבֵי סוּסִים Zech.10:5
85 רָאִיתִי עֲבָדִים עַל־סוּסִים Eccl.10:7
86 נֶשֶׁק וּבְשָׂמִים סוּסִים וּפְרָדִים IICh.9:24
87 אֻרְוֹת סוּסִים וּמַרְכָּבוֹת IICh.9:25
88 וּמוֹצִיאִים סוּסִים מִמִּצְרַיִם לִשְׁלֹמֹה IICh.9:28
וְסוּסִים 89 וַיַּעַשׂ לוֹ אַבְשָׁלוֹם מֶרְכָּבָה וְסֻסִים IISh.15:1
הַסּוּסִים 90 וּמוֹצָא הַסּוּסִים...מִמִּצְרָיִם IK.10:28
91 חֲמִשָּׁה מִן־הַסּוּסִים הַנִּשְׁאָרִים IIK.7:13
92 וַיִּז מִדָּמָהּ אֶל־הַקִּיר וְאֶל־הַסּוּסִים IIK.9:33
93 וַתָּבוֹא דֶרֶךְ־מְבוֹא הַסּוּסִים IIK.11:16
94 וַיִּשְׂאוּ אֹתוֹ עַל־הַסּוּסִים IIK.14:20
95 וַיַּשְׁבֵּת אֶת־הַסּוּסִים אֲשֶׁר נָתְנוּ IIK.23:11
96 וְאֵיךְ תְּתַחֲרֶה אֶת־הַסּוּסִים Jer.12:5
97 עַד־פִּנַּת שַׁעַר הַסּוּסִים Jer.31:39
98 אִסְרוּ הַסּוּסִים וַעֲלוּ הַפָּרָשִׁים Jer.46:4
99 עֲלוּ הַסּוּסִים וְהִתְהֹלְלוּ הָרֶכֶב Jer.46:9
100 אֲשֶׁר־בָּהּ הַסּוּסִים הַשְּׁחֹרִים Zech.6:6
101 מֵעַל שַׁעַר הַסּוּסִים הֶחֱזִיקוּ... Neh.3:28
102 וּמוֹצָא הַסּוּסִים...מִמִּצְרָיִם IICh.1:16
103 אֶל־מְבוֹא שַׁעַר־הַסּוּסִים IICh.23:15
104 וַיִּשָּׂאֻהוּ עַל־הַסּוּסִים IICh.25:28
וְהַסּוּסִים 105 וְאִתְּכֶם הָרֶכֶב וְהַסּוּסִים IIK.10:2
בְּסוּסִים 106 וְלֹא אוֹשִׁיעֵם...בְּסוּסִים וּבְפָרָשִׁים Hosh.1:7
בַּסּוּסִים 107 וַיִּתֵּן לָהֶם יוֹסֵף לֶחֶם בַּסּוּסִים Gen.47:17
108 יַד־יי הוֹיָה...בַּסּוּסִים בַּחֲמֹרִים Ex.9:3
109 מִנְחָה לַיי בַּסּוּסִים וּבָרֶכֶב Is.66:20
110 אֵלֶּה בָרֶכֶב וְאֵלֶּה בַסּוּסִים Ps.20:8
111 הָרָצִים בַּסּוּסִים רֹכְבֵי הָרֶכֶשׁ Es.8:10
וּבַסּוּסִים 112/3 רֹכְבִים בָּרֶכֶב וּבַסּוּסִים Jer.17:25; 22:4
לַסּוּסִים 114 וְהַשְּׂעֹרִים וְהַתֶּבֶן לַסּוּסִים וְלָרֶכֶשׁ IK.5:8
וְסוּסֵי־ 115 וְהִנֵּה רֶכֶב־אֵשׁ וְסוּסֵי אֵשׁ IIK.2:11
כְּסוּסַי 116/7 כְּעַמִּי כְעַמֶּךָ כְּסוּסַי כְּסוּסֶיךָ IK.22:4• IIK.3:7

סוּסֶיךָ 118 וְהִכְרַתִּי סוּסֶיךָ מִקִּרְבֶּךָ Mic.5:9
119 כִּי תִרְכַּב עַל־סוּסֶיךָ Hab.3:8
120 דָּרַכְתָּ בַיָּם סוּסֶיךָ Hab.3:15
כְּסוּסֶיךָ 121/2 כְּעַמִּי כְעַמֶּךָ כְּסוּסַי כְּסוּסֶיךָ IK.22:4• IIK.3:7
סוּסָיו 123 פַּרְסוֹת סוּסָיו כַּצַּר נֶחְשָׁבוּ Is.5:28
124 קַלּוּ מִנְּשָׁרִים סוּסָיו Jer.4:13
125 מִדָּן נִשְׁמַע נַחְרַת סוּסָיו Jer.8:16
126 חֶרֶב אֶל־סוּסָיו וְאֶל־רִכְבּוֹ Jer.50:37
127 מִשִּׁפְעַת סוּסָיו יְכַסְּךָ אֲבָקָם Ezek.26:10
128 בְּפַרְסוֹת סוּסָיו יִרְמֹס Ezek.26:11
129 וְקַלּוּ מִנְּמֵרִים סוּסָיו Hab.1:8
בְּסוּסָו 130 וַיָּבֹא נַעֲמָן בְּסוּסָו וּבְרִכְבּוֹ IIK.5:9
לְסוּסָיו 131 לְחֵיל מִצְרַיִם לְסוּסָיו וּלְרִכְבּוֹ Deut.11:4
סוּסֵיכֶם 132 בַּחוּרֵיכֶם עִם שְׁבִי סוּסֵיכֶם Am.4:10
סוּסֵיהֶם 133 אֶת־סוּסֵיהֶם תְּעַקֵּר Josh.11:6
134 אֶת־סוּסֵיהֶם עִקֵּר Josh.11:9
135 וְאֶת־סוּסֵיהֶם וְאֶת־חֲמֹרֵיהֶם IIK.7:7
136 סוּסֵיהֶם שְׁבַע מֵאוֹת שְׁלֹשִׁים וְשִׁשָּׁה Ez.2:66
וְסוּסֵיהֶם 137 וְסוּסֵיהֶם בָּשָׂר וְלֹא־רוּחַ Is.31:3

סוּס²
ז' צוּרַת־מִשְׁנֶה שֶׁל סִיס (סְנוּנִית?)
כְּסוּס 1 כְּסוּס עָגוּר כֵּן אֲצַפְצֵף Is.38:14

סוּסָה
נ' נְקֵבַת הַסּוּס
לְסֻסָתִי 1 לְסֻסָתִי בְּרִכְבֵי פַרְעֹה S.ofS.1:9

סוּסִי
שפ־ז – אבי גדי, נשיא מנשה
סוּסִי 1 לְמַטֵּה מְנַשֶּׁה גַּדִּי בֶּן־סוּסִי Num.13:11

(חֲצַר) סוּסִים
– עין חֲצַר סוּסִים (באות ח')

סוֹעָה•
ת' סוֹעֵר
סֹעָה 1 אָחִישָׁה מִפְלָט לִי מֵרוּחַ סֹעָה מִסָּעַר Ps.55:9

(סוּף) סָף
פ' א) תַּם, אָבַד: 1-3
ב) [הפ' הֵסִיף] כִּלָּה: 4-7
קרובים: אבד / גז / גמר / כלה / תם
סָפוּ 1 סָפוּ תַמּוּ מִן־בַּלָּהוֹת Ps.73:19
יָסוּף 2 וְזִכְרָם לֹא־יָסוּף מִזַּרְעָם Es.9:28
יָסֻפוּ 3 אֹכְלֵי בְּשַׂר הַחֲזִיר...יַחְדָּו יָסֻפוּ Is.66:17
אָסֵף 4 אָסֹף אָסֵף כֹּל מֵעַל פְּנֵי הָאֲדָמָה Zep.1:2
5 אָסֵף אָדָם וּבְהֵמָה Zep.1:3
6 אָסֵף עוֹף־הַשָּׁמַיִם וּדְגֵי הַיָּם Zep.1:3
אֲסִיפֵם 7 אָסֹף אֲסִיפֵם נְאֻם־יי Jer.8:13

(סוּף) סָף
פ' ארמית א) כלה, שם קץ: 1
ב) [אפ' אֲסֵף] כִּלָּה: 2
סָפַת 1 מִלְּתָא סָפַת עַל־נְבוּכַדְנֶצַּר Dan.4:30
וְתָסֵף 2 תַּדִּק וְתָסֵף כָּל־אִלֵּין מַלְכְוָתָא Dan.2:44

סוֹף¹
ז' א) קֵץ: 1-3 ב) קְצָה: 4, 5
סוֹף כָּל־אָדָם 2; סוֹף דָּבָר 3; סוֹף הַנַּחַל 4
מֵרֹאשׁ וְעַד־סוֹף 1
סוֹף 1 אֲשֶׁר לֹא־יִמְצָא...מֵרֹאשׁ וְעַד־סוֹף Eccl.3:11
סוֹף־ 2 בַּאֲשֶׁר הוּא סוֹף כָּל־הָאָדָם Eccl.7:2
3 סוֹף דָּבָר הַכֹּל נִשְׁמָע Eccl.12:13
בְּסוֹף־ 4 וּמְצָאתֶם אֹתָם בְּסוֹף הַנַּחַל IICh.20:16
וְסֹפוֹ 5 וְסֹפוֹ אֶל־הַיָּם הָאַחֲרוֹן Joel2:20

סוֹף²
ז' ארמית, כמו בעברית: 1-5
סוֹף אַרְעָא 2,1; סוֹפָא דִי מִלְּתָא 5; עַד סוֹפָא 3
לְסוֹף־ 1 וַחֲזוֹתֵהּ לְסוֹף כָּל־אַרְעָא Dan.4:8
2 וְשָׁלְטָנָךְ לְסוֹף אַרְעָא Dan.4:19
סוֹפָא 3 וְשָׁלְטָנֵהּ עַד־סוֹפָא Dan.6:27
4 לְהַשְׁמָדָה וּלְהוֹבָדָה עַד־סוֹפָא Dan.7:26
5 עַד־כָּה סוֹפָא דִי־מִלְּתָא Dan.7:28

סוּף¹
ז' צמח נחלים ובצות: 1-4

סוּף 1 סוּף חָבוּשׁ לְרֹאשִׁי Jon. 2:6
וָסוּף 2 קָנֶה וָסוּף קָמֵלוּ Is. 19:6
הַסּוּף 3 וַתֵּרֶא אֶת־הַתֵּבָה בְּתוֹךְ הַסּוּף Ex. 2:5
בַּסּוּף 4 וַתָּשֶׂם בַּסּוּף עַל־שְׂפַת הַיְאֹר Ex. 2:3

סוּף²
שֵׁם מקום במדבר (ואולי ים־סוף?)

סוּף 1 בַּמִּדְבָּר בָּעֲרָבָה מוֹל סוּף Deut. 1:1

(יַם)־סוּף
— הוא הנקרא בימינו "הַיָּם הָאָדֹם" עין ערך יָם (מס' 275-297)

סוּפָה¹
נ' סערה, רוח עזה: 1-15 • קרובים: ראה סַעַר

סוּפָה וּסְעָרָה 2, 9; יוֹם סוּפָה 3; סוּפוֹת בַּנֶּגֶב 15

סוּפָה 1 וּכְגַלְגַּל לִפְנֵי סוּפָה Is. 17:13
2 סוּפָה וּסְעָרָה וְלַהַב אֵשׁ אוֹכֵלָה Is. 29:6
3 בְּסַעַר בְּיוֹם סוּפָה Am. 1:14
4 כַּעֲבוֹר סוּפָה וְאֵין רָשָׁע Prov. 10:25
5 וּכְמֹץ גְּנָבַתּוּ סוּפָה Job 21:18
6 לַיְלָה גְּנָבַתּוּ סוּפָה Job 27:20
7 מִן־הַחֶדֶר תָּבוֹא סוּפָה Job 37:9
וְסוּפָתָה 8 כִּי רוּחַ יִזְרָעוּ וְסוּפָתָה יִקְצֹרוּ Hosh. 8:7
בְּסוּפָה 9 יְיָ בְּסוּפָה וּבִשְׂעָרָה דַּרְכּוֹ Nah. 1:3
כְּסוּפָה 10 וְאֵידְכֶם כְּסוּפָה יֶאֱתֶה Prov. 1:27
כַּסּוּפָה 11 וְגַלְגִּלָּיו כַּסּוּפָה Is. 5:28
וְכַסּוּפָה 12 בָּאֵשׁ יָבוֹא וְכַסּוּפָה מַרְכְּבֹתָיו Is. 66:15
13 כַּעֲנָנִים יַעֲלֶה וְכַסּוּפָה מַרְכְּבוֹתָיו Jer. 4:13
וּבְסוּפָתְךָ 14 תִּרְדְּפֵם בְּסַעֲרֶךָ וּבְסוּפָתְךָ תְבַהֲלֵם Ps. 83:16
כְּסוּפוֹת 15 כְּסוּפוֹת בַּנֶּגֶב לַחֲלוֹף Is. 21:1

סוּפָה²
ש"פ — אזור במואב בקרבת ארנון (?)

בְּסוּפָה 1 אֶת־וָהֵב בְּסוּפָה Num. 21:14

סוּפֹנְיָה
נ' — עין סוּמְפֹּנְיָה

סוֹפֵר
ז' א) מזכיר, כותב דברים: 1-8, 10-35, 43-54
ב) חכם המעתיק את ספר התורה: 9, 36-42

– סוֹפֵר מָהִיר 4, 5; ס' דְּבָרִים 9; ס' הַמֶּלֶךְ 7, 10, 53, 54; סוֹפֵר שַׂר הַצָּבָא 8
– לִשְׁכַּת הַסּוֹפֵר 25; עֵט ס' 4; קֶסֶת הַס' 34, 35; שֵׁבֶט סוֹפֵר 1; תַּעַר הַסּוֹפֵר 29
– אֲחִיָּה הַסּוֹפֵר 49; אֱלִיחֹרֶף הַס' 49; אֱלִישָׁמָע הַסּוֹפֵר 26-28; בָּרוּךְ הַסּוֹפֵר 30, 31; יְהוֹנָתָן הַס' 32, 33; יְעִיאֵל הַס' 45; עֶזְרָא הַסּוֹפֵר 37-42; צָדוֹק הַס' 43; שֶׁבְנָא הַס' 12-17, 24; שְׁוָא ס' 3; שִׁישָׁא ס' 6; שָׁפָן הַס' 18-23, 46-48; שְׂרָיָה סוֹפֵר 2

סוֹפֵר 1 וּמִזְּבוּלֻן מֹשְׁכִים בְּשֵׁבֶט סֹפֵר Jud. 5:14
2 וְצָדוֹק...כֹּהֲנִים וּשְׂרָיָה סוֹפֵר IISh. 8:17
3 וּשְׁיָא סֹפֵר וְצָדוֹק וְאֶבְיָתָר כֹּהֲנִים IISh. 20:25
4 לְשׁוֹנִי עֵט סוֹפֵר מָהִיר Ps. 45:2
5 וְהוּא־סֹפֵר מָהִיר בְּתוֹרַת מֹשֶׁה Ez. 7:6
6 וְצָדוֹק...כֹּהֲנִים וְשַׁוְשָׁא סוֹפֵר ICh. 18:16
סוֹפֵר־ 7 סֹפֵר הַמֶּלֶךְ וְהַכֹּהֵן הַגָּדוֹל IIK. 12:11
8 וְאֵת סֹפֵר שַׂר הַצָּבָא Jer. 52:25
9 סֹפֵר דִּבְרֵי מִצְוֹת־יְיָ Ez. 7:11
10 סוֹפֵר הַמֶּלֶךְ וּפְקִיד כֹּהֵן הָרֹאשׁ IICh. 24:11
וְסוֹפֵר 11 אִישׁ־מֵבִין וְסוֹפֵר הוּא ICh. 27:32
הַסּוֹפֵר 12 וְשֶׁבְנָה הַסֹּפֵר וְיוֹאָח...הַמַּזְכִּיר IIK. 18:18
13-17 וְשֶׁבְנָא הַסֹּפֵר IIK. 18:37; 19:2; Is. 36:3,22; 37:2
18 שָׁלַח הַמֶּלֶךְ אֶת־שָׁפָן...הַסֹּפֵר IIK. 22:3

הַסּוֹפֵר (המשך) 19-23 שָׁפָן הַסֹּפֵר IIK. 22:8,9,10,12 • Jer. 36:10
24 וְאֵת הַסֹּפֵר שַׂר הַצָּבָא... IIK. 25:19
25 וַיֵּרֶד...עַל־לִשְׁכַּת הַסֹּפֵר Jer. 36:12
26-28 אֱלִישָׁמָע הַסֹּפֵר Jer. 36:12,20,21
29 יִקְרָעֶהָ בְּתַעַר הַסֹּפֵר Jer. 36:23
30 לָקַחַת אֶת־בָּרוּךְ הַסֹּפֵר Jer. 36:26
31 אֶל־בָּרוּךְ בֶּן־נֵרִיָּהוּ הַסֹּפֵר Jer. 36:32
32/3 בֵּית יְהוֹנָתָן הַסֹּפֵר Jer. 37:15,20
34 וְקֶסֶת הַסֹּפֵר בְּמָתְנָיו Ezek. 9:2
35 אֲשֶׁר קֶסֶת הַסֹּפֵר בְּמָתְנָיו Ezek. 9:3
36 אֲשֶׁר נָתַן...לְעֶזְרָא הַכֹּהֵן הַסֹּפֵר Ez. 7:11
37 וַיֹּאמְרוּ לְעֶזְרָא הַסֹּפֵר Neh. 8:1
38 וַיַּעֲמֹד ע' הַסֹּפֵר עַל־מִגְדַּל־עֵץ Neh. 8:4
39 וְעֶזְרָא הַכֹּהֵן הַסֹּפֵר וְהַלְוִיִּם Neh. 8:9
40 נֶאֶסְפוּ...אֶל־עֶזְרָא הַסֹּפֵר Neh. 8:13
41 וְעֶזְרָא הַכֹּהֵן הַסּוֹפֵר Neh. 12:26
42 וְעֶזְרָא הַסּוֹפֵר לִפְנֵיהֶם Neh. 12:36
43 שֶׁלֶמְיָה הַכֹּהֵן וְצָדוֹק הַסּוֹפֵר Neh. 13:13
44 וַיִּכְתְּבֵם שְׁמַעְיָה...הַסּוֹפֵר מִן־הַלֵּוִי ICh. 24:6
45 ...בְּיַד יְעִיאֵל הַסּוֹפֵר IICh. 26:11
46-48 שָׁפָן הַסּוֹפֵר IICh. 34:15, 18, 20
סֹפְרִים 49 אֱלִיחֹרֶף וַאֲחִיָּה...סֹפְרִים IK. 4:3
50 עֵט שֶׁקֶר סֹפְרִים Jer. 8:8
51 וּמִשְׁפְּחוֹת סֹפְרִים יֹשְׁבֵי יַעְבֵּץ ICh. 2:55
52 וּמֵהַלְוִיִּם סוֹפְרִים וְשֹׁטְרִים IICh. 34:13
סֹפְרֵי־ 53/4 וַיִּקָּרְאוּ סֹפְרֵי(־)הַמֶּלֶךְ Es. 3:12; 8:9

סור
: סָר, סוֹרֵר, הֵסִיר, הוּסַר; סָר, סוּר, סָרָה; ש"פ סִירָה

(סוּר) סָר
פ' א) פנה, נטה (מן־, אל־):
רוב המקראות 1-161 [להוציא:]
ב) פסק, חדל: 44, 49-58, 69-75, 81, 105, 109, 115, 118, 123-125, 134
ג) [פ' סוֹרֵר] הסה, עוּת: 162
ד) [הפ' הֵסִיר] סלק, הוריד: 163-295
ה) [הפ' הוּסַר] סלק, הורד: 296-300

– סָר מֵרָע 7, 9-11, 87-90, 141; סָרַת טַעַם 92; סָרֵי סוֹרְרִים 93
– סָר, סָר מִן־ רוב המקראות 1-161; סָר מֵעַל 16, 20-22, 25, 26, 32, 33, 43, 46, 53, 56, 82, 105, 106, 119, 125, 151; סָר מֵאַחֲרֵי 31, 40, 48, 79, 83, 141; סָר מֵעִם 24, 55; סָר אֶל (ל־) 85, 117, 121, 126-128, 136, 147, 148, 150; סָר בְּ־ 135; סָר עַל־ 140
– הֵסִיר (אֶת־) מִן־ 175, 180-182, 185-188, 190, 215, 216, 221, 222, 230, 237, 239, 255, 259, 268, 271; הֵסִיר (אֶת־) מֵעַל־ 170, 172, 173, 176, 184, 189, 192, 208, 210, 219, 236, 238, 240, 247, 249, 266, 267, 269, 270, 280, 281, 286, 293, 296; הֵסִיר (אֶת־) מֵעִם 177, 223, 257; הֵסִיר (אֶת־) מֵאַחֲרֵי 234; הֵסִיר (אֶת־) מִלִּפְנֵי 178; הֵס' (אֶת־) מִתּוֹךְ־ 229

וְסוֹר 1 וְסוֹר מִמִּצְוֹתֶךָ וּמִמִּשְׁפָּטֶיךָ Dan. 9:5
2 וְסוֹר לְבִלְתִּי שְׁמוֹעַ בְּקֹלֶךָ Dan. 9:11
סוּר 3 וּלְבִלְתִּי סוּר מִן־הַמִּצְוָה Deut. 17:20
4 לְבִלְתִּי סוּר־מִמֶּנּוּ יָמִין וּשְׂמֹאול Josh. 23:6
5 לְמִיּוֹם סוּר־אֶפְרַיִם מֵעַל יְהוּדָה Is. 7:17
6 לְבִלְתִּי סוּר מֵעָלָי Jer. 32:40
7 וְתוֹעֲבַת כְּסִילִים סוּר מֵרָע Prov. 13:19
8 לְמַעַן סוּר מִשְּׁאוֹל מָטָּה Prov. 15:24
9 וּבְיִרְאַת יְיָ סוּר מֵרָע Prov. 16:6
10 מְסִלַּת יְשָׁרִים סוּר מֵרָע Prov. 16:17
וְסוּר 11 וְסוּר מֵרָע בִּינָה Job 28:28
לָסוּר 12 וְלֹא־אָבָה עֲשָׂהאֵל לָסוּר IISh. 2:21
13 וַיְמָאֵן לָסוּר וַיַּכֵּהוּ אַבְנֵר IISh. 2:23
14-15 לָסוּר מִמֹּקְשֵׁי מָוֶת Prov. 13:14; 14:27
16 אֵין לָהֶם לָסוּר מֵעַל עֲבֹדָתָם IICh. 35:15
(בְּשׂוּרִי) 17 אוֹי לָהֶם בְּשׂוּרִי מֵהֶם Hosh. 9:12
סָרְתִּי 18 מִמִּשְׁפָּטֶיךָ לֹא־סָרְתִּי Ps. 119:102
סָר 19 וַיַּרְא יְיָ כִּי סָר לִרְאוֹת Ex. 3:4
20 וְהֶעָנָן סָר מֵעַל הָאֹהֶל Num. 12:10
21 לַחְמֵנוּ הֵם סָר צִלָּם מֵעֲלֵיהֶם Num. 14:9
22 לֹא יָדַע כִּי יְיָ סָר מֵעָלָיו Jud. 16:20
23 אָכֵן סָר מַר־הַמָּוֶת ISh. 15:32
24 כִּי־הָיָה יְיָ עִמּוֹ וּמֵעִם שָׁאוּל סָר ISh. 18:12
25 וֵאלֹהִים סָר מֵעָלַי ISh. 28:15
26 וַיְיָ סָר מֵעָלֶיךָ וַיְהִי עָרֶךָ ISh. 28:16
27 וְלֹא־סָר מִכֹּל אֲשֶׁר צִוָּהוּ IK. 15:5
28 וְהִנֵּה־אִישׁ סָר וַיָּבֵא אֵלַי אִישׁ IK. 20:39
29 וַיֵּלֶךְ...לֹא־סָר מִמֶּנּוּ IK. 22:43
30 בְּחַטֹּאות...דָּבֵק לֹא־סָר מִמֶּנָּה IIK. 3:3
31 לֹא־סָר יֵהוּא מֵאַחֲרֵיהֶם IIK. 10:29
32/3 לֹא סָר מֵעַל חַטֹּאות יָרָבְ' IIK. 10:31; 15:18
34 וַיֵּלֶךְ...לֹא־סָר מִמֶּנָּה IIK. 13:2
35/6 לֹא־סָר מִכָּל־חַטֹּאות יָרָבְ' IIK. 13:11; 14:24
37/8 לֹא סָר מֵחַטֹּאות יָרָבְעָם IIK. 15:9,24
39 לֹא סָר מִן־חַטֹּאות יָרָבְעָם IIK. 15:28
40 וַיִּדְבַּק בַּיְיָ לֹא־סָר מֵאַחֲרָיו IIK. 18:6
41/2 וְלֹא־סָר יָמִין וּשְׂמֹאול IIK. 22:2 • IICh. 34:2
43 אֶת־לִבָּם הַזּוֹנֶה אֲשֶׁר־סָר מֵעָלַי Ezek. 6:9
44 סָר סָבְאָם הַזְנֵה הִזְנוּ Hosh. 4:18
45 הַכֹּל סָר יַחְדָּו נֶאֱלָחוּ Ps. 14:3
46 עַמּוּד הֶעָנָן לֹא־סָר מֵעֲלֵיהֶם Neh. 9:19
47 וַיֵּלֶךְ...וְלֹא־סָר מִמֶּנָּה... IICh. 20:32
48 אֲשֶׁר־סָר אֲמַצְיָהוּ מֵאַחֲרֵי יְיָ IICh. 25:27
וְסָר 49 וְסָר הֶעָרֹב מִפַּרְעֹה...מָחָר Ex. 8:25
50 וְסָר מֵהֶם הַנָּגַע Lev. 13:58
51 אִם־גֻּלַּחְתִּי וְסָר מִמֶּנִּי כֹחִי Jud. 16:17
52 וְסָר עֲוֹנֶךָ וְחַטָּאתְךָ תְּכֻפָּר Is. 6:7
53 וְסָר מֵעֲלֵיהֶם עֻלּוֹ Is. 14:25
54 וְסָר מִרְזַח סְרוּחִים Am. 6:7
סָרָה 55 וְרוּחַ יְיָ סָרָה מֵעִם שָׁאוּל ISh. 16:14
וְסָרָה 56 וְסָרָה מֵעָלָיו רוּחַ הָרָעָה ISh. 16:23
57 וְסָרָה קִנְאַת אֶפְרַיִם Is. 11:13
58 וְסָרָה קִנְאָתִי מִמֵּךְ Ezek. 16:42
סַרְתֶּם 59 סַרְתֶּם מַהֵר מִן־הַדֶּרֶךְ Deut. 9:16
60 וְאַתֶּם סַרְתֶּם מִן־הַדֶּרֶךְ Mal. 2:8
61 לְמִימֵי אֲבֹתֵיכֶם סַרְתֶּם מֵחֻקַּי Mal. 3:7
וְסַרְתֶּם 62 וְסַרְתֶּם וַעֲבַדְתֶּם אֱלֹהִים אֲחֵרִים Deut. 11:16
63-64 וְסַרְתֶּם מִן־הַדֶּרֶךְ Deut. 11:28; 31:29
סָרוּ 65-67 סָרוּ מַהֵר מִן־הַדֶּרֶךְ Ex. 32:8; Deut. 9:12 • Jud. 2:17
68 וְלֹא־סָרוּ יָמִין וּשְׂמֹאול ISh. 6:12
69 וְהַבָּמוֹת לֹא־סָרוּ IK. 15:14
70/1 אַךְ הַבָּמוֹת לֹא־סָרוּ IK. 22:44 • IICh. 20:33
72-75 רַק הַבָּמוֹת לֹא(־)סָרוּ IIK. 12:4; 14:4; 15:4,35
76 לֹא־סָרוּ מֵחַטֹּאת בֵּית־יָרָבְעָם IIK. 13:6
77 וַיֵּלְכוּ...לֹא־סָרוּ מִמֶּנָּה IIK. 17:22
78 סָרוּ וַיֵּלֵכוּ Jer. 5:23
79 אֲשֶׁר עַל־כֵּן סָרוּ מֵאַחֲרָיו Job 34:27
80 וְלֹא סָרוּ מִצְוַת הַמֶּלֶךְ... IICh. 8:15
81 וְהַבָּמוֹת לֹא־סָרוּ מִיִּשְׂרָאֵל IICh. 15:17
82 כִּי סָרוּ מֵעֲלֵיהֶם וְלֹא הִשְׁמִידוּם IICh. 20:10
83 לֹא סָרוּ מֵאַחֲרֵי יְיָ אֱלֹהֵי אֲבוֹתֵי' IICh. 34:33
וְסָרוּ 84 וְסָרוּ הַצְפַרְדְּעִים מִמְּךָ Ex. 8:7

וְסָר (הוה) 85 וְסָר אֶל־מִשְׁמַעְתֶּךָ וְנִכְבָּד בְּבֵיתֶךָ ISh. 22:14
86 וְסָר מֵרָע מִשְׁתּוֹלֵל Is. 59:15
87 חָכָם יָרֵא וְסָר מֵרָע Prov. 14:16
88-90 (וְ)יְרֵא אֱלֹהִים וְסָר מֵרָע Job 1:1,8; 2:3
סָרָה 91 מַכֵּה עַמִּים...מַכַּת בִּלְתִּי סָרָה Is. 14:6
וְסָרַת־ 92 אִשָּׁה יָפָה וְסָרַת טָעַם Prov. 11:22
סָרֵי 93 כֻּלָּם סָרֵי סוֹרְרִים Jer. 6:28
אָסוּר 94 לֹא אָסוּר יָמִין וּשְׂמֹאול Deut. 2:27
95 וְחֻקֹּתָיו לֹא־אָסוּר מִמֶּנָּה IISh. 22:23
אָסֻרָה 96 אָסֻרָה־נָּא וְאֶרְאֶה אֶת־הַמַּרְאֶה Ex. 3:3
תָּסוּר 97 לֹא תָסוּר מִן־הַדָּבָר...יָמִין וּשְׂמֹאל Deut. 17:11
98 וְלֹא תָסוּר מִכָּל־הַדְּבָרִים Deut. 28:14
99 אַל־תָּסוּר מִמֶּנּוּ יָמִין וּשְׂמֹאול Josh. 1:7
יָסוּר 100 לֹא־יָסוּר שֵׁבֶט מִיהוּדָה Gen. 49:10
101 וְלֹא יָסוּר לְבָבוֹ Deut. 17:17
102 וְחַסְדִּי לֹא־יָסוּר מִמֶּנּוּ IISh. 7:15
103 יָסֻר שָׁמָּה לֶאֱכָל־לָחֶם IIK. 4:8
104 וְהָיָה בְּבֹאוֹ אֵלֵינוּ יָסוּר שָׁמָּה IIK. 4:10
105 יָסוּר סֻבֳּלוֹ מֵעַל שִׁכְמֶךָ Is. 10:27
106 וְסֻבֳּלוֹ מֵעַל שִׁכְמוֹ יָסוּר Is. 14:25
107 וּמִי יָסוּר לִשְׁאֹל לְשָׁלֹם לָךְ Jer. 15:5
108 וּמִן־יְיָ יָסוּר לִבּוֹ Jer. 17:5
109 וְשֵׁבֶט מִצְרַיִם יָסוּר Zech. 10:11
110 לֵבָב עִקֵּשׁ יָסוּר מִמֶּנִּי Ps. 101:4
111/2 מִי־פֶתִי יָסֻר הֵנָּה Prov. 9:4,16
113 גַּם כִּי־יַזְקִין לֹא־יָסוּר מִמֶּנָּה Prov. 22:6
114 לֹא־יָסוּר מִנִּי־חֹשֶׁךְ Job 15:30
וְיָסוּר 115 וְיָסוּר בְּרוּחַ פִּיו Job 15:30
וַיָּסַר 116 וַיָּסַר הֶעָרֹב מִפַּרְעֹה Ex. 8:27
117 וַיָּסַר אֵלֶיהָ הָאֹהֱלָה Jud. 4:18
118 וַיָּסַר לִרְאוֹת אֵת מַפֶּלֶת הָאַרְיֵה Jud. 14:8
119 וַיָּסַר כֹּחוֹ מֵעָלָיו Jud. 16:19
120 וַיָּסַר קֵינִי מִתּוֹךְ עֲמָלֵק ISh. 15:6
121 וַיָּסַר אֶל־הָעֲלִיָּה וַיִּשְׁכַּב־שָׁמָּה IIK. 4:11
122 וַיֹּאמֶר סוּרָה...וַיָּסַר וַיֵּשֵׁב Ruth 4:1
תָּסוּר ג׳ 123 לָמָּה לֹא־תָסוּר יָדוֹ מִכֶּם ISh. 6:3
124 לֹא־תָסוּר חֶרֶב מִבֵּיתְךָ עַד־עוֹלָם IISh. 12:10
125 לֹא־תָסוּר מֵעָלָיו אִוַּלְתּוֹ Prov. 27:22
נָסוּר 126 לֹא נָסוּר אֶל־עִיר נָכְרִי Jud. 19:12
127 ...וְלֹא נָסוּר אִישׁ לְבֵיתוֹ Jud. 20:8
וְנָסוּרָה 128 לְכָה־נָּא וְנָסוּרָה אֶל־עִיר־הַיְבוּסִי Jud. 19:11
תָּסוּרוּ 129 ...לֹא תָסֻרוּ יָמִין וּשְׂמֹאל Deut. 5:29
130 אַךְ אַל־תָּסוּרוּ מֵאַחֲרֵי יְיָ ISh. 12:20
131 וְלֹא תָּסוּרוּ כִּי אַחֲרֵי הַתֹּהוּ... ISh. 12:21
132 וְאַל־תָּסוּרוּ מֵאִמְרֵי־פִי Prov. 5:7
יָסוּרוּ 133 לֹא יָסֻרוּ מִמֶּנּוּ Ex. 25:15
134 וּפֶן־יָסוּרוּ מִלְּבָבְךָ כֹּל יְמֵי חַיֶּיךָ Deut. 4:9
135 עַל־דָּגָן...יִתְגּוֹרָרוּ יָסוּרוּ בִי Hosh. 7:14
וַיָּסוּרוּ 136 וַיָּסֻרוּ אֵלָיו וַיָּבֹאוּ אֶל־בֵּיתוֹ Gen. 19:3
137 וַיָּסוּרוּ שָׁם וַיֹּאמְרוּ לוֹ Jud. 18:3
138 וַיָּסוּרוּ שָׁמָּה וַיָּבֹאוּ אֶל־בֵּית Jud. 18:15
139 וַיָּסֻרוּ שָׁם לָבוֹא לָלוּן בַּגִּבְעָה Jud. 19:15
140 וַיָּסֻרוּ עָלָיו לְהִלָּחֵם IK. 22:32
סוּר 141 סוּר לְךָ מֵאַחֲרָי IISh. 2:22
142/3 סוּר מֵרָע וַעֲשֵׂה־טוֹב Ps. 34:15; 37:27
144 וַיֹּאמְרוּ לָאֵל סוּר מִמֶּנּוּ Job 21:14
145 הָאֹמְרִים לָאֵל סוּר מִמֶּנּוּ Job 22:17
וְסוּר 146 יְרָא אֶת־יְיָ וְסוּר מֵרָע Prov. 3:7
סוּרָה 147/8 סוּרָה אֲדֹנִי סוּרָה אֵלַי... Jud. 4:18
סוּרָה 149 סוּרָה שְׁבָה־פֹּה פְּלֹנִי אַלְמֹנִי Ruth 4:1
סוּרוּ 150 סוּרוּ נָא אֶל־בֵּית עַבְדְּכֶם Gen. 19:2
151 סוּרוּ נָא מֵעַל אָהֳלֵי הָאֲנָשִׁים... Num. 16:26

סוּרוּ (המשך) 152 לְכוּ סֻרוּ רְדוּ מִתּוֹךְ עֲמָלֵקִי ISh. 15:6
153 סוּרוּ מִנֵּי־דֶרֶךְ Is. 30:11
154/5 סוּרוּ סוּרוּ צְאוּ מִשָּׁם Is. 52:11
156 סוּרוּ מִמֶּנִּי כָּל־פֹּעֲלֵי אָוֶן Ps. 6:9
157 סוּרוּ מִמֶּנִּי מְרֵעִים Ps. 119:115
158 וְאַנְשֵׁי דָמִים סוּרוּ מֶנִּי Ps. 139:19
159 סוּרוּ טָמֵא קָרְאוּ לָמוֹ Lam. 4:15
160/1 סוּרוּ סוּרוּ אַל־תִּגָּעוּ Lam. 4:15
סוֹרֵר 162 דְּרָכַי סוֹרֵר וַיְפַשְּׁחֵנִי Lam. 3:11
הָסֵר 163 הָסֵר מִשָּׁם כָּל־שֶׂה נָקֹד וְטָלוּא Gen. 30:32
164 הָסֵר מְשׂוּכָּתוֹ וְהָיָה לְבָעֵר Is. 5:5
הָסִיר 165 וְזֶה כָּל־פְּרִי הָסִר חַטָּאתוֹ Is. 27:9
166 הָסִיר הַמִּצְנֶפֶת וְהָרֵים הָעֲטָרָה Ezek. 21:31
לְהָסִיר 167 לְהָסִיר אֹתָהּ מֵעַל רֹאשׁ־אֶפְרַיִם Gen. 48:17
168 לְהָסִיר אֵלָיו אֶת־אֲרוֹן יְיָ IISh. 6:10
169 כִּי־שָׁלַח...לְהָסִיר אֶת־רֹאשִׁי IIK. 6:32
170 עַל־פִּי יְיָ הָיְתָה...לְהָסִיר מֵעַל פָּנָיו IIK. 24:3
171 לְהָסִיר אָדָם מַעֲשֶׂה Job 33:17
172 לְהָסִיר אֶת־רֶגֶל יִשׂ׳ מֵעַל הָאֲדָ׳ IICh. 33:8
וּלְהָסִיר 173 ...וּלְהָסִיר שַׂקּוֹ מֵעָלָיו Es. 4:4
הֱסִירְךָ 174 כִּי אִם־הֱסִירְךָ הַעִוְרִים וְהַפִּסְחִים IISh. 5:6
הֲסִירְכֶם 175 עַד־הֲסִירְכֶם הַחֵרֶם מִקִּרְבְּכֶם Josh. 7:13
לַהֲסִירָהּ 176 לַהֲסִירָהּ מֵעַל פָּנָי Jer. 32:31
הֲסִירֹתִי 177 וְחַסְדִּי...כַּאֲשֶׁר הֲסִרֹתִי מֵעִם שָׁאוּל IISh. 7:15
178 אֲשֶׁר הֲסִרֹתִי מִלְּפָנֶיךָ IISh. 7:15
179 כַּאֲשֶׁר הֲסִרֹתִי אֶת־יִשְׂרָאֵל IIK. 23:27
180 הֲסִירוֹתִי מִסֵּבֶל שִׁכְמוֹ Ps. 81:7
181 כַּאֲשֶׁר הֲסִירוֹתִי מֵאֲשֶׁר הָיָה לְפָנֶיךָ ICh. 17:13
וַהֲסִירֹתִי 182 וַהֲסִרֹתִי מַחֲלָה מִקִּרְבֶּךָ Ex. 23:25
183 וַהֲסִרֹתִי אֶת־כַּפִּי וְרָאִיתָ... Ex. 33:23
184 וַהֲסִרֹתִי אֶת־רֹאשְׁךָ מֵעָלֶיךָ ISh. 17:46
185 וַהֲסִרֹתִי לֵב הָאֶבֶן מִבְּשָׂרָם Ezek. 11:19
186 וַהֲסִרֹתִי אֶת־לֵב הָאֶ׳ מִבְּשַׂרְכֶם Ezek. 36:26
187 וַהֲסִרֹתִי אֶת־שְׁמוֹת הַבְּעָלִים מִפִּיהָ Hosh. 2:19
188 וַהֲסִרֹתִי דָמָיו מִפִּיו Zech. 9:7
וַהֲסִירֹתָ 189 וַהֲסִירֹתָ דְּמֵי חִנָּם...מֵעָלַי IK. 2:31
הֵסִיר 190 לֹא־הֵסִיר דָּבָר מִכֹּל אֲשֶׁר־צִוָּה יְיָ Josh. 11:15
191 וְשָׁאוּל הֵסִיר הָאֹבוֹת ISh. 28:3
192 הֵסִיר יְיָ אֶת־יִשְׂרָאֵל מֵעַל פָּנָיו IIK. 17:23
193 הוּא הֵסִיר אֶת־הַבָּמוֹת IIK. 18:4
194 אֲשֶׁר הֵסִיר חִזְקִיָּהוּ אֶת־בָּמֹתָיו IIK. 18:22
195 כָּל־בָּתֵּי הַבָּמוֹת...הֵסִיר יֹאשִׁיָּהוּ IIK. 23:19
196 וְאֶת־הַנְּטִישׁוֹת הֵסִיר הֵתַז Is. 18:5
197 וְאֶת־דְּבָרָיו לֹא הֵסִיר Is. 31:2
198 אֲשֶׁר הֵסִיר חִזְקִיָּהוּ אֶת־בָּמֹתָיו Is. 36:7
199 הֵסִיר יְיָ מִשְׁפָּטַיִךְ פִּנָּה אֹיְבֵךְ Zep. 3:15
200 אֲשֶׁר לֹא־הֵסִיר תְּפִלָּתִי Ps. 66:20
201 חַי־אֵל הֵסִיר מִשְׁפָּטִי Job 27:2
202 וְאֵל הֵסִיר מִשְׁפָּטִי Job 34:5
203 וְלֹא־הֵסִיר דָּוִיד אֶת־הָאָרוֹן אֵלָיו ICh. 13:13
204 וְעוֹד הֵסִיר אֶת־הַבָּמוֹת IICh. 17:6
205 יְחִזְקִיָּהוּ הֵסִיר אֶת־בָּמֹתָיו IICh. 32:12
וְהֵסִיר 206 וְהֵסִיר אֶת־מֻרְאָתוֹ בְּנֹצָתָהּ Lev. 1:16
207 וְהֵסִיר יְיָ מִמְּךָ כָּל־חֹלִי Deut. 7:15
208 וְהֵסִיר חֶרְפָּה מֵעַל יִשְׂרָאֵל ISh. 17:26
הֱסִירָהּ 209 וְגַם־מַעֲכָה...הֱסִירָהּ מִגְּבִירָה IICh. 15:16
וְהֵסִירָה 210 וְהֵסִירָה...שִׂמְלַת שִׁבְיָהּ מֵעָלֶיהָ Deut. 21:13
הֵסִירוּ 211 וְאֵת כָּל־הַמְקַטְּרוֹת הֵסִירוּ IICh. 30:14
וְהֵסִירוּ 212 וְהֵסִירוּ אֶת־כָּל־שִׁקּוּצֶיהָ Ezek. 11:18
213 וְהֵסִירוּ אֶת־מְעִילֵיהֶם Ezek. 26:16
214 וְהֵסִירוּ הַתָּמִיד וְנָתְנוּ הַשִּׁקּוּץ Dan. 11:31
מֵסִיר 215 מֵסִיר מִירוּשָׁלַםִ וּמִיהוּדָה מַשְׁעֵן Is. 3:1

מֵסִיר (המשך) 216 מֵסִיר אָזְנוֹ מִשְּׁמֹעַ תּוֹרָה Prov. 28:9
217 מֵסִיר שָׂפָה לְנֶאֱמָנִים Job 12:20
218 מֵסִיר לֵב רָאשֵׁי עַם־הָאָרֶץ Job 12:24
אָסִיר 219 גַּם אֶת־יְהוּדָה אָסִיר מֵעַל פָּנַי IIK. 23:27
220 אָסִיר מִקִּרְבֵּךְ עַלִּיזֵי גַּאֲוָתֵךְ Zep. 3:11
221 וְחֻקֹּתָיו לֹא־אָסִיר מֶנִּי Ps. 18:23
222 לֹא־אָסִיר תֻּמָּתִי מִמֶּנִּי Job 27:5
223 וְחַסְדִּי לֹא־אָסִיר מֵעִמּוֹ ICh. 17:13
וְאָסִיר 224 וְאָסִיר גְּבוּלֹת עַמִּים Is. 10:13
וָאָסִיר 225 וָאָסִיר אֶתְהֶן כַּאֲשֶׁר רָאִיתִי Ezek. 16:50
וְאָסִירָה 226 וּמִי יִתֵּן...וְאָסִירָה אֶת־אֲבִימֶלֶךְ Jud. 9:29
227 אֶעְבְּרָה־נָּא וְאָסִירָה אֶת־רֹאשׁוֹ IISh. 16:9
228 וְאֶצְרֹף...וְאָסִירָה כָּל־בְּדִילָיִךְ Is. 1:25
תָּסִיר 229 אִם־תָּסִיר מִתּוֹכְךָ מוֹטָה Is. 58:9
230 וְאִם־תָּסִיר שִׁקּוּצֶיךָ מִפָּנַי Jer. 4:1
יָסִיר 231 וּבְבֹא מֹשֶׁה...יָסִיר אֶת־הַמַּסְוֶה Ex. 34:34
232/3 וְאֶת־כָּל־חֶלְבָּהּ יָסִיר Lev. 4:31,35
234 כִּי־יָסִיר אֶת־בִּנְךָ מֵאַחֲרַי Deut. 7:4
235 יָסִיר אֲדֹנָי אֵת תִּפְאֶרֶת הָעֲכָסִים Is. 3:18
236 וְחֶרְפַּת עַמּוֹ יָסִיר מֵעַל...הָאָרֶץ Is. 25:8
237 וְלֹא־יָסִיר פָּנִים מִכֶּם IICh. 30:9
יָסֵר 238 יָסֵר מֵעָלַי שִׁבְטוֹ Job 9:34
וְיָסֵר 239 וְיָסֵר הַצְפַרְדְּעִים מִמֶּנִּי וּמֵעַמִּי Ex. 8:4
240 וְיָסֵר מֵעָלַי רַק אֶת־הַמָּוֶת הַזֶּה Ex. 10:17
241 וְיָסֵר מֵעָלֵינוּ אֶת־הַנָּחָשׁ Num. 21:7
וַיָּסַר 242 וַיָּסַר נֹחַ אֶת־מִכְסֵה הַתֵּבָה Gen. 8:13
243 וַיָּסַר...אֶת־הַתְּיָשִׁים הָעֲקֻדִּים Gen. 30:35
244 וַיָּסַר פַּרְעֹה אֶת־טַבַּעְתּוֹ Gen. 41:42
245 וַיָּסַר אֵת אֹפַן מַרְכְּבֹתָיו Ex. 14:25
246 וַיָּסַר אֶת־כָּל־הַגִּלֻּלִים IK. 15:12
247 וַיָּסַר אֶת־הָאֲפֵר מֵעֲלֵי עֵינָיו IK. 20:41
248 וַיָּסַר אֶת־מַצְּבַת הַבַּעַל IIK. 3:2
249 וַיָּסַר מֵעֲלֵיהֶם אֶת־ה־כִּיֹּר... IIK. 16:17
250 וַיָּסַר עֲטֶרֶת רֹאשִׁי Job 19:9
251/2 וַיָּסַר הַמֶּלֶךְ אֶת־טַבַּעְתּוֹ Es. 3:10; 8:2
253 וַיָּסַר אֶת־מִזְבְּחוֹת הַנֵּכָר IICh. 14:2
254 וַיָּסַר מִכָּל־עָרֵי יְהוּדָה אֶת־הַבָּמוֹת IICh. 14:4
255 וַיָּסַר אֶת־אֱלֹהֵי הַנֵּכָר...מִבֵּית יְיָ IICh. 33:15
256 וַיָּסַר יֹאשִׁיָּהוּ אֶת־כָּל־הַתּוֹעֵבוֹת IICh. 34:33
וַיְסִרֵהוּ 257 וַיְסִרֵהוּ שָׁאוּל מֵעִמּוֹ ISh. 18:13
258 וַיְסִירֵהוּ מֶלֶךְ־מִצְרַיִם בִּירוּשָׁלָםִ IICh. 36:3
וַיְסִרֶהָ 259 וְגַם אֶת־מַעֲכָה אִמּוֹ וַיְסִרֶהָ מִגְּבִירָה IK. 15:13
יְסִירֶנָּה 260-264 וְאֶת־הַיֹּתֶרֶת עַל־הַכָּבֵד...יְסִירֶנָּה Lev. 3:4,10,15; 4:9; 7:4
265 לְעֻמַּת הֶעָצֶה יְסִירֶנָּה Lev. 3:9
וַיְסִרֵם 266 וַיְסִרֵם דָּוִד מֵעָלָיו ISh. 17:39
267 וַיִּתְאַנַּף יְיָ...וַיְסִרֵם מֵעַל פָּנָיו IIK. 17:18
וְתָסֵר 268 וְתָסֵר זְנוּנֶיהָ מִפָּנֶיהָ Hosh. 2:4
וַתָּסַר 269 וַתָּסַר בִּגְדֵי אַלְמְנוּתָהּ מֵעָלֶיהָ Gen. 38:14
270 וַתָּסַר צְעִיפָהּ מֵעָלֶיהָ... Gen. 38:19
יָסִירוּ 271 וְצִדְקַת צַדִּיקִים יָסִירוּ מִמֶּנּוּ Is. 5:23
272 אַפֵּךְ וְאָזְנַיִךְ יָסִירוּ Ezek. 23:25
וְיָסִירוּ 273 וְיָסִירוּ אַבִּיר לֹא בְיָד Job 34:20
וַיָּסִירוּ 274 וַיָּסִירוּ אֶת־אֱלֹהֵי הַנֵּכָר מִקִּרְבָּם Jud. 10:16
275 וַיָּסִירוּ בְּנֵי יִשְׂרָאֵל אֶת־הַבְּעָלִים ISh. 7:4
276 וַיְמִתֻהוּ וַיָּסִירוּ אֶת־רֹאשׁוֹ IISh. 4:7
277 וַיָּקֻמוּ וַיָּסִירוּ אֶת־הַמִּזְבְּחוֹת IICh. 30:14
278 וַיָּסִירוּ הָעֹלָה לְתִתָּם לְמִפְלַגּוֹת IICh. 35:12
הָסֵר 279 הָסֵר הַמְּלָכִים אִישׁ מִמְּקֹמוֹ IK. 20:24
280 הָסֵר מֵעָלַי הֲמוֹן שִׁרֶיךָ Am. 5:23
281 הָסֵר מֵעָלַי נִגְעֶךָ Ps. 39:11
282 דֶּרֶךְ־שֶׁקֶר הָסֵר מִמֶּנִּי Ps. 119:29

283 הָסֵר מִמְּךָ עִקְּשׁוּת פֶּה Prov.4:24
284 הָסֵר רַגְלְךָ מֵרָע Prov.4:27
וְהָסֵר 285 וְהָסֵר כַּעַס מִלִּבֶּךָ Eccl.11:10
הָסִירִי 286 הָסִירִי אֶת־יֵינֵךְ מֵעָלָיִךְ ISh.1:14
הָסִרוּ 287 הָסִרוּ אֶת־אֱלֹהֵי הַנֵּכָר Gen.35:2
288/9 הָסִירוּ אֶת-אֱלֹהֵי הַנֵּכָר Josh.24:23 • ISh.7:3
290 הָסִירוּ רֹעַ מַעַלְלֵיכֶם מִנֶּגֶד עֵינָי Is.1:16
291 הָסִירוּ נְטִישׁוֹתֶיהָ Jer.5:10
292 חָמָס וָשֹׁד הָסִירוּ Ezek.45:9
293 הָסִירוּ הַבְּגָדִים הַצֹּאִים מֵעָלָיו Zech.3:4
וְהָסִירוּ 294 וְהָסִירוּ אֶת־אֱלֹהִים אֲשֶׁר עָבְדוּ אֲבוֹתֵיכֶם בְּעֵבֶר הַנָּהָר Josh.24:14
295 וְהָסִרוּ עָרְלוֹת לְבַבְכֶם Jer.4:4
הוּסַר 296 כַּאֲשֶׁר הוּסַר חֵלֶב מֵעַל־זֶבַח.. Lev.4:31
297 וּמֵעֵת הוּסַר הַתָּמִיד Dan.12:11
מוּסָר 298 הִנֵּה דַמֶּשֶׂק מוּסָר מֵעִיר Is.17:1
הַמּוּסָרִים 299 לֶחֶם הַפָּנִים הַמּוּסָרִים מִלִּפְנֵי יְיָ ISh.21:7
יוּסַר 300 כַּאֲשֶׁר יוּסַר חֵלֶב־הַכֶּשֶׂב Lev.4:35

סוּר[1] ת׳ [פעול מן (סור) סָר] נסוג, מורחק: 1, 2
וְסוּרָה 1 שְׁכוּלָה וְגַלְמוּדָה גֹּלָה וְסוּרָה Is.49:21
וְסוּרַי 2 וְסוּרַי (כת׳ יסורי) בָּאָרֶץ יִכָּתֵבוּ Jer.17:13

סוּר*[2] ז׳ ענף פגום (?)
סוּרֵי־ 1 וְאֵיךְ נֶהְפַּכְתְּ לִי סוּרֵי הַגֶּפֶן נָכְרִיָּה Jer.2:21

סוּר[3] שם אחד משערי ירושלים [דה״ב כג 5: הַיְסוֹד]
סוּר 1 וְהַשְּׁלִשִׁית בְּשַׁעַר סוּר IIK.11:6

סוֹרֵר ת׳ מורד, עִקֵּשׁ: 1-16 • [עין גם סָרַר]
(בֵּן) סוֹרֵר וּמוֹרֶה 1,2; דּוֹר סוֹרֵר 5; לֵב סוֹרֵר 4; עַם סוֹרֵר 3; כָּתֵף סוֹרֶרֶת 7,8; פָּרָה סוֹרֵרָה 6; בָּנִים סוֹרְרִים 11; שָׂרִים סו׳ 10, 13; סָרֵי סו׳ 12
סוֹרֵר 1 כִּי־יִהְיֶה לְאִישׁ בֵּן סוֹרֵר וּמוֹרֶה Deut.21:18
2 בְּנֵנוּ זֶה סוֹרֵר וּמֹרֶה Deut.21:20
3 פֵּרַשְׂתִּי יָדַי...אֶל־עַם סוֹרֵר Is.65:2
4 וְלָעָם הַזֶּה הָיָה לֵב סוֹרֵר וּמוֹרֶה Jer.5:23
5 דּוֹר סוֹרֵר וּמֹרֶה Ps.78:8
סוֹרֵרָה 6 כִּי כְּפָרָה סֹרֵרָה סָרַר יִשְׂרָאֵל Hosh.4:16
סוֹרֶרֶת 7 וַיִּתְּנוּ כָתֵף סוֹרֶרֶת Neh.9:29
סוֹרָרֶת 8 וַיִּתְּנוּ כָתֵף סֹרָרֶת Zech.7:11
וְסוֹרָרֶת 9 הֹמִיָּה הִיא וְסֹרָרֶת Prov.7:11
סוֹרְרִים 10 שָׂרַיִךְ סוֹרְרִים וְחַבְרֵי גַּנָּבִים Is.1:23
11 הוֹי בָּנִים סוֹרְרִים Is.30:1
12 כֻּלָּם סָרֵי סוֹרְרִים הֹלְכֵי רָכִיל Jer.6:28
13 כָּל־שָׂרֵיהֶם סוֹרְרִים Hosh.9:15
14 אַךְ סוֹרְרִים שָׁכְנוּ צְחִיחָה Ps.68:7
15 וְאַף סוֹרְרִים לִשְׁכֹּן יָהּ אֱלֹהִים Ps.68:19
הַסּוֹרְרִים 16 הַסּוֹרְרִים אַל־יָרוּמוּ לָמוֹ Ps.66:7

סוּת נ׳ כסות, בגד
סוּתֹה 1 כִּבֵּס בַּיַּיִן לְבֻשׁוֹ וּבְדַם-עֲנָבִים סוּתֹה Gen.49:11

(סות) הֵסִית הפ׳ פִּתָּה, הִשִּׁיא: 1-18
הֵסִית אֶת־ 2-4,6, 8-10, 12-15, 17,18; הֵסִית אֶת־ בְּ־ 1, 5, 7, 11; הֵסִית אֶת־ מִן־ 16
הֱסִיתְךָ 1 אִם־יְיָ הֱסִיתְךָ בִי יָרַח מִנְחָה ISh.26:19
הֲסִיתְךָ 2 וְאַף הֲסִיתְךָ מִפִּי־צָר Job36:16
הֵסַתָּה 3 אֲשֶׁר־הֵסַתָּה אֹתוֹ אִיזֶבֶל אִשְׁתּוֹ IK.21:25
הִסִּיתוּךְ 4 הִסִּיתוּךְ וְיָכְלוּ לְךָ אַנְשֵׁי שְׁלֹמֶךָ Jer.38:22
מַסִּית 5 כִּי בָרוּךְ...מַסִּית אֹתְךָ בָּנוּ Jer.43:3
6 הֲלֹא יְחִזְקִיָּהוּ מַסִּית אֶתְכֶם IICh.32:11
וַתְּסִיתֵנִי 7 וַתְּסִיתֵנִי בוֹ לְבַלְּעוֹ חִנָּם Job2:3

יַסִּית 8 כִּי־יַסִּית אֶתְכֶם לֵאמֹר IIK.18:32
9 פֶּן־יַסִּית אֶתְכֶם חִזְקִיָּהוּ Is.36:18
10 וְאַל־יַסִּית אֶתְכֶם כָּזֹאת IICh.32:15
וַיָּסֶת 11 וַיָּסֶת אֶת־דָּוִד בָּהֶם לֵאמֹר IISh.24:1
12 וַיָּסֶת אֶת-דָּוִיד לִמְנוֹת אֶת-יִשְׂרָאֵל ICh.21:1
יְסִיתְךָ 13 כִּי יְסִיתְךָ אָחִיךָ...לֵאמֹר Deut.13:7
14 כִּי־חֵמָה פֶּן־יְסִיתְךָ בְשָׂפֶק Job36:18
וַיְסִיתֵהוּ 15 וַיְסִיתֵהוּ לַעֲלוֹת אֶל־רָמֹת גִּלְעָד IICh.18:2
וַיְסִיתֵם 16 וַיְיָ עֲזָרוֹ וַיְסִיתֵם אֱלֹהִים מִמֶּנּוּ IICh.18:31
וַתְּסִיתֵהוּ 17/8 וַתְּסִיתֵהוּ לִשְׁא(וֹ)ל מֵאֵת־אָבִיהָ (הַ)שָּׂדֶה Josh.15:18 • Jud.1:14

סחב : סָחַב; סְחָבָה

סָחַב פ׳ גרר, משך: 1-5
קרובים: גָּרַף / גָּרַר / טִלְטֵל / מָשַׁךְ / סָחַף
סָחוֹב 1 סָחוֹב וְהַשְׁלֵךְ מֵהָלְאָה לְשַׁעֲרֵי יְרוּשָׁלָםִ Jer.22:19
לִסְחֹב 2 וְאֶת־הַכְּלָבִים לִסְחֹב Jer.15:3
וְסָחַבְנוּ 3 וְסָחַבְנוּ אֹתוֹ עַד־הַנַּחַל IISh.17:13
יִסְחָבוּם 4/5 יִסְחָבוּם צְעִירֵי הַצֹּאן Jer.49:20; 50:45

סְחָבָה* נ׳ בגד קרוע ובָלֶה: 1, 2
סְחָבוֹת 1 בְּלוֹיֵ סְחָבוֹת (כת׳ הסחבות) Jer.38:11
הַסְּחָבוֹת 2 בְּלוֹאֵי הַסְּחָבוֹת וְהַמְּלָחִים Jer.38:12

סחה : סָחָה; סְחִי

סָחָה פ׳ גרף, הסיר
וְסִחֵיתִי 1 וְסִחֵיתִי עֲפָרָהּ מִמֶּנָּה Ezek.26:4

סְחוֹרָה* נ׳ קִנְיָן
סְחוֹרַת־ 1 אִיִּים רַבִּים סְחֹרַת יָדֵךְ Ezek.27:15

סְחִי ז׳ טיט, רפש
סְחִי 1 סְחִי וּמָאוֹס תְּשִׂימֵנוּ Lam.3:45

סָחִישׁ ז׳ שבלים שצמחו מזרעים שנָשרו [עין גם שָׁחִיס]
סָחִישׁ 1 הַשָּׁנָה סָפִיחַ וּבַשָּׁנָה הַשֵּׁנִית סָחִישׁ IIK.19:29

סחף : סָחַף, נִסְחַף

סָחַף פ׳ א) סחב, גרף: 1
ב) [נפ׳ נִסְחַף] נסחב, נגרף: 2
סוֹחֵף 1 מָטָר סֹחֵף וְאֵין לָחֶם Prov.28:3
נִסְחַף 2 מַדּוּעַ נִסְחַף אַבִּירֶיךָ Jer.46:15

סחר : סָחַר; סוֹחֵר, סוֹחֶרֶת, סְחוֹרָה, סַחַר, מִסְחָר, סְחַרְחַר; סוֹחֵרָה(?) סוֹחֶרֶת(?)

סָחַר פ׳ א) סָבַב, חָזַר: 1
ב) עסק במסחר: 2-4
סָחֲרוּ 1 סָחֲרוּ אֶל־אֶרֶץ וְלֹא יָדָעוּ Jer.14:18
וּסְחָרוּהָ 2 שְׁבוּ וּסְחָרוּהָ וְהֵאָחֲזוּ בָּהּ Gen.34:10
תִּסְחָרוּ 3 וְאֶת־הָאָרֶץ תִּסְחָרוּ Gen.42:34
וְיִסְחֲרוּ 4 וְיֵשְׁבוּ בָאָרֶץ וְיִסְחֲרוּ אֹתָהּ Gen.34:21

סַחַר* ז׳ א) מסחר, מקח וממכר: 1, 2
ב) סחורה: 3-7
סְחַר גּוֹיִם 1; סְחַר כּוּשׁ 2; סְחַר כֶּסֶף 3
סְחַר־ 1 וַתְּהִי סְחַר גּוֹיִם Is.23:3
וּסְחַר־ 2 יְגִיעַ מִצְרַיִם וּסְחַר־כּוּשׁ Is.45:14
מִסְּחַר־ 3 כִּי טוֹב סַחְרָהּ מִסְּחַר־כָּסֶף Prov.3:14
סַחְרָהּ 4 וְהָיָה סַחְרָהּ וְאֶתְנַנָּהּ קֹדֶשׁ לַיְיָ Is.23:18
5 כִּי לַיֹּשְׁבִים לִפְנֵי יְיָ יִהְיֶה סַחְרָהּ Is.23:18
6 כִּי טוֹב סַחְרָהּ מִסְּחַר־כָּסֶף Prov.3:14
7 טָעֲמָה כִּי־טוֹב סַחְרָהּ Prov.31:18

סֹחֵר ז׳ – עין סוֹחֵר

סְחֹרָה נ׳ – עין סְחוֹרָה **סֹחֵרָה** נ׳ – עין סוֹחֵרָה

סְחַרְחַר ת׳ נע, מסתובב
סְחַרְחַר 1 לִבִּי סְחַרְחַר עֲזָבַנִי כֹחִי Ps.38:11

סֹחֶרֶת נ׳ – עין סוֹחֶרֶת

סֵטִים ז״ר דברי אָוֶן [עין גם שֵׂט]
סֵטִים 1 עֲשֹׂה־סֵטִים שָׂנֵאתִי Ps.101:3

סִיג ז׳ פסולת של מתכת: 1-8
לְסִיג 1 הָיוּ-לִי בֵית-יִשְׂ׳ לְסִיג (כת׳ לסוג) Ezek.22:18
סִיגִים 2 סִיגִים כֶּסֶף הָיוּ Ezek.22:18
3 סִגִים הִשְׁבַּתָּ כָל־רִשְׁעֵי־אָרֶץ Ps.119:119
4 הָגוֹ סִיגִים מִכָּסֶף Prov.25:4
5 כֶּסֶף סִיגִים מְצֻפֶּה עַל־חָרֶשׂ Prov.26:23
לְסִיגִים 6 כַּסְפֵּךְ הָיָה לְסִיגִים Is.1:22
7 יַעַן הֱיוֹת כֻּלְּכֶם לְסִגִים Ezek.22:19
סִיגָיִךְ 8 וְאֶצְרֹף כַּבֹּר סִיגָיִךְ Is.1:25

סִיוָן ז׳ שם החודש השלישי מניסן
סִיוָן 1 בַּחֹדֶשׁ הַשְּׁלִישִׁי הוּא־חֹדֶשׁ סִיוָן Es.8:9

סִיחוֹן שפ״ז – מלך האֱמורי שישב בחשבון: 1-37
אֶרֶץ סִיחוֹן 16, 27; נְסִיכֵי ס׳ 23; עִיר סִיחוֹן 4, 5; קִרְיַת סִיחוֹן 6
סִיחוֹן מֶלֶךְ הָאֱמֹרִי 1, 7-9, 16-20, 27, 30, 31, 36, 37; ס׳ מֶלֶךְ חֶשְׁבּוֹן 10-13, 21, 22, 32, 35
סִיחוֹן 1 וַיִּשְׁלַח...אֶל-סִיחֹן מֶלֶךְ-הָאֱמֹרִי Num.21:21
2 וְלֹא־נָתַן סִיחֹן...עֲבֹר בִּגְבֻלוֹ Num.21:23
3 וַיֶּאֱסֹף סִיחֹן אֶת־כָּל־עַמּוֹ Num.21:23
4 כִּי חֶשְׁבּוֹן עִיר סִיחֹן Num.21:26
5 תִּבָּנֶה וְתִכּוֹנֵן עִיר סִיחוֹן Num.21:27
6 לֶהָבָה מִקִּרְיַת סִיחֹן Num.21:28
7 בַּשְּׁבִית לְמֶלֶךְ אֱמֹרִי סִיחוֹן Num.21:29
8 מַמְלֶכֶת סִיחֹן מֶלֶךְ הָאֱמֹרִי Num.32:33
9 אַחֲרֵי הַכֹּתוֹ אֵת סִיחֹן מֶלֶךְ הָאֱמֹרִי Deut.1:4
10 סִיחֹן מֶלֶךְ־חֶשְׁבּוֹן הָאֱמֹרִי Deut.2:24
11 וָאֶשְׁלַח...אֶל־סִיחוֹן מֶלֶךְ חֶשְׁבּוֹן Deut.2:26
12-13 סִיחֹן מֶלֶךְ(־)חֶשְׁבּוֹן Deut.2:30; 29:6
14 ...אֶת־סִיחֹן וְאֶת־אַרְצוֹ Deut.2:31
15 וַיֵּצֵא סִיחֹן לִקְרָאתֵנוּ Deut.2:32
16 בְּאֶרֶץ סִיחֹן מֶלֶךְ הָאֱמֹרִי Deut.4:46
17-20 סִיחוֹן מֶלֶךְ הָאֱמֹרִי Josh.12:2; 13:10,21 Jud.11:19
21/2 סִיחוֹן מֶלֶךְ(־)חֶשְׁבּוֹן Josh.12:5; 13:27
23 נְסִיכֵי סִיחוֹן יֹשְׁבֵי הָאָרֶץ Josh.13:21
24 וְלֹא-הֶאֱמִין סִיחוֹן אֶת-יִשְׂרָ׳ עֲבֹר Jud.11:20
25 וַיֶּאֱסֹף סִיחוֹן אֶת־כָּל־עַמּוֹ Jud.11:20
26 אֶת־סִיחוֹן וְאֶת־כָּל־עַמּוֹ Jud.11:20
27 אֶרֶץ סִיחוֹן מֶלֶךְ הָאֱמֹרִי IK.4:19
28 וְלֶהָבָה מִבֵּין סִיחוֹן Jer.48:45
29 וַיִּירְשׁוּ אֶת־אֶרֶץ סִיחוֹן Neh.9:22
לְסִיחוֹן 30/1 כַּאֲשֶׁר עָשִׂיתָ לְסִיחֹן מֶלֶךְ הָאֱמֹרִי Num.21:34 • Deut.3:2
32 כַּאֲשֶׁר עָשִׂינוּ לְסִיחֹן מֶ׳ חֶשְׁבּוֹן Deut.3:6
33 כַּאֲשֶׁר עָשָׂה לְסִיחוֹן וּלְעוֹג Deut.31:4
34 וַאֲשֶׁר עֲשִׂיתֶם...לְסִיחֹן וּלְעוֹג Josh.2:10
35 לְסִיחוֹן מֶלֶךְ חֶשְׁבּוֹן וּלְעוֹג... Josh.9:10
36/7 לְסִיחוֹן מֶלֶךְ הָאֱמֹרִי Ps.135:11; 136:19

סִין
ש״פ א) שם המדבר בין אילים להר סיני: 1-4
ב) עיר בצפון מצרים: 5-6

מִדְבַּר־סִין 1 וַיָּבֹאוּ...אֶל־מִדְבַּר־סִין Ex. 16:1
2 וַיִּסְעוּ...מִמִּדְבַּר־סִין לְמַסְעֵיהֶם Ex. 17:1
3 וַיִּסְעוּ...וַיַּחֲנוּ בְּמִדְבַּר־סִין Num. 33:11
4 וַיִּסְעוּ מִמִּדְבַּר־סִין Num. 33:12
סִין 5 עַל־סִין מָעוֹז מִצְרָיִם Ezek. 30:15
6 חוּל תָּחוּל° סִין Ezek. 30:16

סִינַי
ש״פ א) ההר שעליו נתנו למשה לוחות הברית: 2-12, 17, 19, 22-27, 35
ב) שם המדבר הגדול בחצי האי סיני שבין ארץ כנען למצרים: 1, 13-16, 20, 21, 28-34
הַר סִינַי 2-12, 22-27; מִדְבַּר סִינַי 1, 13-16, 21, 28-34

סִינַי 1 וַיִּסְעוּ...וַיָּבֹאוּ מִדְבַּר סִינַי Ex. 19:2
2 וְהַר סִינַי עָשַׁן כֻּלּוֹ Ex. 19:18
3 וַיֵּרֶד יְיָ עַל־הַר סִינַי Ex. 19:20
4 וַיִּשְׁכֹּן כְּבוֹד־יְיָ עַל־הַר סִינַי Ex. 24:16
5 כְּכַלֹּתוֹ לְדַבֵּר אִתּוֹ בְּהַר סִינַי Ex. 31:18
6-12 (בְּ/מֵ)הַר סִינַי Ex. 34:2,4,29
Lev. 25:1; 26:46 • Num. 28:6 • Neh. 9:13
13-15 וַיְדַבֵּר...בְּמִדְבַּר(־)סִינַי Num. 1:1;3:14;9:1
16 וַיָּמָת נָדָב וַאֲבִיהוּא...בְּמִדְבַּר סִינַי Num. 3:4
17 הָרִים נָזְלוּ...זֶה סִינַי מִפְּנֵי יְיָ... Jud. 5:5
18 ...מִפְּנֵי אֱלֹהִים זֶה סִינַי Ps. 68:9
19 אֲדֹנָי בָם סִינַי בַּקֹּדֶשׁ Ps. 68:18
סִינָי 20 אֲשֶׁר בֵּין־אֵילִם וּבֵין סִינָי Ex. 16:1
21 בַּיּוֹם הַזֶּה בָּאוּ מִדְבַּר סִינָי Ex. 19:1
22 יֵרֵד יְיָ...עַל־הַר סִינָי Ex. 19:11
23-27 (בְּ)הַר סִינָי Ex. 19:23; 34:32
Lev. 7:38; 27:34 • Num. 3:1
28 בְּיוֹם צַוֹּתוֹ...בְּמִדְבַּר סִינָי Lev. 7:38
29-34 (בְּ/מִ)מִדְבַּר סִינָי Num. 1:19; 9:5
10:12; 26:64; 33:15,16
מִסִּינַי 35 יְיָ מִסִּינַי בָּא וְזָרַח מִשֵּׂעִיר לָמוֹ Deut. 33:2

סִינִי
ת׳ א) המתיחס על שבט מבני כנען: 1, 2
ב) תושב של ארץ רחוקה מארץ־ישראל: 3

הַסִּינִי 1/2 וְאֶת־הָעַרְקִי וְאֶת־הַסִּינִי Gen. 10:17 • ICh. 1:15
סִינִים 3 וְאֵלֶּה מֵאֶרֶץ סִינִים Is. 49:12

סִיס
ז׳ צפור הדומה לסנונית

וְסִיס 1 וְתֹר וְסִיס (כת׳ וסוס) וְעָגוּר
שָׁמְרוּ אֶת־עֵת בֹּאָנָה Jer. 8:7

סִיסְרָא
שפ״ז א) שר צבא יבין מלך חצור: 1-15, 18-21
ב) מן הנתינים שעלו עם זרובבל: 16, 17
אֵם סִיסְרָא 14; בְּנֵי ס׳ 16, 17; יַד סִיסְרָא 15; מַחֲנֵה סִיסְרָא 8

סִיסְרָא 1 יָבִין...וְשַׂר־צְבָאוֹ סִיסְרָא Jud. 4:2
2 אֶת־סִיסְרָא שַׂר־צְבָא יָבִין Jud. 4:7
3 בְּיַד־אִשָּׁה יִמְכֹּר יְיָ אֶת־סִיסְרָא Jud. 4:9
4 וַיַּזְעֵק סִיסְרָא אֶת־כָּל־רִכְבּוֹ Jud. 4:13
5 אֲשֶׁר נָתַן יְיָ אֶת־סִיסְרָא בְּיָדֶךָ Jud. 4:14
6 וַיָּהָם יְיָ אֶת־סִיסְרָא... Jud. 4:15
7 וַיֵּרֶד סִיסְרָא מֵעַל הַמֶּרְכָּבָה Jud. 4:15
8 וַיִּפֹּל כָּל־מַחֲנֵה סִיסְרָא לְפִי־חֶרֶב Jud. 4:16
9 וַתֵּצֵא יָעֵל לִקְרַאת סִיסְרָא Jud. 4:18
10 וְהִנֵּה בָרָק רֹדֵף אֶת־סִיסְרָא... Jud. 4:22
11 וְהִנֵּה סִיסְרָא נֹפֵל מֵת Jud. 4:22
12 הַכּוֹכָבִים...נִלְחֲמוּ עִם סִיסְרָא Jud. 5:20

סִיסְרָא (המשך) 13 וְהָלְמָה סִיסְרָא מָחֲקָה רֹאשׁוֹ Jud. 5:26
14 וַתְּיַבֵּב אֵם סִיסְרָא Jud. 5:28
15 וַיִּמְכֹּר אֹתָם בְּיַד סִיסְרָא ISh. 12:9
16/7 בְּנֵי־בַרְקוֹס בְּנֵי־סִיסְרָא Ez. 2:53 • Neh. 7:55
וְסִיסְרָא 18 וְסִיסְרָא נָס...אֶל־אֹהֶל יָעֵל Jud. 4:17
כְּסִיסְרָא 19 עֲשֵׂה־לָהֶם...כְּסִיסְרָא כְיָבִין Ps. 83:10
לְסִיסְרָא 20 וַיַּגִּדוּ לְסִיסְרָא כִּי עָלָה בָּרָק... Jud. 4:12
21 שְׁלַל צְבָעִים לְסִיסְרָא Jud. 5:30

סִיעָא, סִיעֲהָא
שפ״ז – איש מן הנתינים עולי הגולה: 1,2

סִיעָא 1 בְּנֵי־קֵירֹס בְּנֵי־סִיעָא Neh. 7:47
סִיעֲהָא 2 בְּנֵי־קֵרֹס בְּנֵי־סִיעֲהָא Ez. 2:44

סִיר¹
ז׳ (נ׳-4) א) קדרה, פָּרוּר לבשול: 1-18, 29
ב) מכלי המקדש שהיו גורפים לתוכו את הדשן מן המזבח: 19-28
קרובים: א) דּוּד / פָּרוּר / קַלַּחַת
ב) מִזְרָק / יָעֶה / מַחְתָּה / מְנַקִּית
סִיר הַבָּשָׂר 15; סִיר גְּדוֹלָה 4; סִיר נָזִיד 16; סִיר נָפוּחַ 1; סִיר רַחַץ 17, 18

סִיר 1 סִיר נָפוּחַ אֲנִי רֹאֶה... Jer. 1:13
2 סִיר אֲשֶׁר חֶלְאָתָה בָהּ Ezek. 24:6
3 וְהָיָה כָּל־סִיר...קֹדֶשׁ לַיְיָ צְבָאוֹת Zech. 14:21
הַסִּיר 4 שְׁפֹת הַסִּיר הַגְּדוֹלָה וּבַשֵּׁל... IIK. 4:38
5 וּקְחוּ־קֶמַח וַיַּשְׁלֵךְ אֶל־הַסִּיר IIK. 4:41
6 הִיא הַסִּיר וַאֲנַחְנוּ הַבָּשָׂר Ezek. 11:3
7 הֵמָּה הַבָּשָׂר וְהִיא הַסִּיר Ezek. 11:7
8 שְׁפֹת הַסִּיר שְׁפֹת... Ezek. 24:3
9 כְקוֹל הַסִּירִים תַּחַת הַסִּיר Eccl. 7:6
בַּסִּיר 10 מָוֶת בַּסִּיר אִישׁ הָאֱלֹהִים IIK. 4:40
11 וְלֹא הָיָה דָּבָר רָע בַּסִּיר IIK. 4:41
12 וּפָרְשׂוּ כַּאֲשֶׁר בַּסִּיר Mic. 3:3
כַּסִּיר 13 יַרְתִּיחַ כַּסִּיר מְצוּלָה Job 41:23
לְסִיר 14 הִיא לֹא־תִהְיֶה לָכֶם לְסִיר Ezek. 11:11
סִיר־ 15 בְּשִׁבְתֵּנוּ עַל־סִיר הַבָּשָׂר Ex. 16:3
16 וַיָּבֹא וַיְפַלַּח אֶל־סִיר הַנָּזִיד IIK. 4:39
17-18 מוֹאָב סִיר רַחְצִי Ps. 60:10; 108:10
הַסִּירֹת 19/20 (וְ)אֶת־הַסִּירֹת וְאֶת־הַיָּעִים Ex. 38:3
IIK. 25:14
21/2 וְאֶת־הַסִּירוֹת וְאֶת־הַיָּעִים IK. 7:45
IICh. 4:16
23 וְאֶת־הַסִּרוֹת וְאֶת־הַיָּעִים Jer. 52:18
24 וְאֶת־הַסִּירוֹת וְאֶת־הַמְּנֹרוֹת Jer. 52:19
25 וְהָיָה הַסִּירוֹת...כַּמִּזְרָקִים Zech. 14:20
26 וַיַּעַשׂ חוּרָם אֶת־הַסִּירוֹת IICh. 4:11
בַּסִּירוֹת 27 בַּסִּירוֹת וּבַדְּוָדִים וּבַצֵּלָחוֹת IICh. 35:13
סִירֹתָיו 28 וְעָשִׂיתָ סִּירֹתָיו לְדַשְּׁנוֹ Ex. 27:3
סִירוֹתֵיכֶם 29 בְּטֶרֶם יָבִינוּ סִירֹתֵיכֶם אָטָד Ps. 58:10

סִיר*²
ז׳ אחד ממיני הקוצים: 1-4
קרובים: ראה חוֹחַ • סִירִים סְבֻכִים 2

סִירִים 1 וְעָלְתָה אַרְמְנֹתֶיהָ סִירִים Is. 34:13
2 כִּי עַד־סִירִים סְבֻכִים Nah. 1:10
הַסִּירִים 3 כִּי כְקוֹל הַסִּירִים תַּחַת הַסִּיר Eccl. 7:6
בַּסִּירִים 4 הִנְנִי־שָׂךְ אֶת־דַּרְכֵּךְ בַּסִּירִים Hosh. 2:8

סִירָה*
נ׳ כלי שיט (?)

בְּסִירוֹת־ 1 וְנִשָּׂא...בְּצִנּוֹת...בְּסִירוֹת דּוּגָה Am. 4:2

סָךְ
ז׳ קהל רב, המון (?)

בַּסָּךְ 1 כִּי אֶעֱבֹר בַּסָּךְ אֶדַּדֵּם עַד... Ps. 42:5

סֹךְ*
ז׳ א) מקום סבך במעבה היער: 1, 3
ב) סֻכָּה: 2, 4

סֻכּוֹ 1 עָזַב כַּכְּפִיר סֻכּוֹ Jer. 25:38
2 וַיְהִי בְשָׁלֵם סֻכּוֹ וּמְעוֹנָתוֹ בְצִיּוֹן Ps. 76:3
בְסֻכֹּה 3 יֶאֱרֹב בַּמִּסְתָּר כְּאַרְיֵה בְסֻכֹּה Ps. 10:9
4 כִּי יִצְפְּנֵנִי בְּסֻכֹּה בְּיוֹם רָעָה Ps. 27:5

סֻכָּה
נ׳ א) מבנה ארעי למסתור ולצל (גם בהשאלה): 1-3, 5-31
ב) סֹךְ, סבך: 4
קרובים: ראה בַּיִת
סֻכַּת דָּוִיד 7; חַג הַסֻּכּוֹת 15-23; תְּשֻׁאוֹת סֻכָּתוֹ 9

סֻכָּה 1 וַיַּעַשׂ לוֹ שָׁם סֻכָּה וַיֵּשֶׁב...בַּצֵּל Jon. 4:5
וְסֻכָּה 2 וְסֻכָּה תִּהְיֶה לְצֵל־יוֹמָם Is. 4:6
בְּסֻכָּה 3 תִּצְפְּנֵם בְּסֻכָּה מֵרִיב לְשֹׁנוֹת Ps. 31:21
בַסֻּכָּה 4 יֵשְׁבוּ בַסֻּכָּה לְמוֹ־אָרֶב Job 38:40
כְּסֻכָּה 5 וְנוֹתְרָה בַת־צִיּוֹן כְּסֻכָּה בְכָרֶם Is. 1:8
וּכְסֻכָּה 6 וּכְסֻכָּה עָשָׂה נֹצֵר Job 27:18
סֻכַּת־ 7 אָקִים אֶת־סֻכַּת דָּוִיד הַנֹּפֶלֶת Am. 9:11
סֻכָּתוֹ 8 יָשֶׁת...סְבִיבוֹתָיו סֻכָּתוֹ Ps. 18:12
9 מִפְרְשֵׂי־עָב תְּשֻׁאוֹת סֻכָּתוֹ Job 36:29
סֻכֹּת 10 וּלְמִקְנֵהוּ עָשָׂה סֻכֹּת Gen. 33:17
11 וַיָּשֶׁת חֹשֶׁךְ סְבִיבֹתָיו סֻכּוֹת IISh. 22:12
12 לַעֲשֹׂת סֻכֹּת כַּכָּתוּב Neh. 8:15
13 וַיַּעֲשׂוּ לָהֶם סֻכּוֹת אִישׁ עַל־גַּגּוֹ Neh. 8:16
14 וַיַּעֲשׂוּ כָל־הַקָּהָל...סֻכּוֹת Neh. 8:17
הַסֻּכּוֹת 15 חַג הַסֻּכּוֹת שִׁבְעַת יָמִים לַיְיָ Lev. 23:34
16 חַג הַסֻּכֹּת תַּעֲשֶׂה לְךָ שִׁבְעַת יָ׳ Deut. 16:13
17 בְּחַג הַמַּצּוֹת...וּבְחַג הַסֻּכּוֹת Deut. 16:16
18 בְּמֹעֵד שְׁנַת הַשְּׁמִטָּה בְּחַג הַסֻּכּוֹת Deut. 31:10
19-21 (וְ)לָחֹג אֶת־חַג הַסֻּכּוֹת Zech. 14:16,18,19
22 וַיַּעֲשׂוּ אֶת־חַג הַסֻּכּוֹת כַּכָּתוּב Ez. 3:4
23 בְּחַג הַמַּצּוֹת...וּבְחַג הַסֻּכּוֹת IICh. 8:13
בַּסֻּכֹּת 24 בַּסֻּכֹּת תֵּשְׁבוּ שִׁבְעַת יָמִים Lev. 23:42
25 כָּל־הָאֶזְרָח בְּיִשְׂרָאֵל יֵשְׁבוּ בַּסֻּכֹּת Lev. 23:42
26 כִּי בַסֻּכּוֹת הוֹשַׁבְתִּי אֶת־בְּ־יִ׳... Lev. 23:43
27 וְיִשְׂרָאֵל וִיהוּדָה יֹשְׁבִים בַּסֻּכּוֹת IISh. 11:11
28 הוּא וְהַמְּלָכִים בַּסֻּכּוֹת IK. 20:12
29 שֹׁתֶה שִׁכּוֹר בַּסֻּכּוֹת IK. 20:16
30 אֲשֶׁר יֵשְׁבוּ בְ־יִ׳ בַּסֻּכּוֹת Neh. 8:14
31 וַיַּעֲשׂוּ...סֻכּוֹת וַיֵּשְׁבוּ בַּסֻּכּוֹת Neh. 8:17

סֻכּוֹת
ש״פ א) עיר בעבר הירדן המזרחי מדרום לנחל יבּוֹק: 1-8, 10, 11, 13, 14
ב) מקום בכּכר הירדן: 9, 12
ג) תחנה במסעי בני ישראל בצאתם ממצרים: 15-18
אַנְשֵׁי סֻכּוֹת 2, 4, 5, 7, 8; עֵמֶק סֻכּוֹת 10, 11; שָׂרֵי סֻכּוֹת 3

סֻכּוֹת 1 עַל־כֵּן קָרָא שֵׁם־הַמָּקוֹם סֻכּוֹת Gen. 33:17
2 וַיֹּאמֶר לְאַנְשֵׁי סֻכּוֹת תְּנוּ־נָא... Jud. 8:5
3 וַיֹּאמֶר שָׂרֵי סֻכּוֹת... Jud. 8:6
4 כַּאֲשֶׁר עָנוּ אַנְשֵׁי סֻכּוֹת Jud. 8:8
5 וַיִּלְכָּד־נַעַר מֵאַנְשֵׁי סֻכּוֹת Jud. 8:14
6 וַיִּכְתֹּב אֵלָיו אֶת־שָׂרֵי סֻכּוֹת Jud. 8:14
7 וַיָּבֹא אֶל־אַנְשֵׁי סֻכּוֹת Jud. 8:15
8 וַיֹּדַע בָּהֶם אֵת אַנְשֵׁי סֻכּוֹת Jud. 8:16
9 בֵּין סֻכּוֹת וּבֵין צָרְתָן IK. 7:46
10-11 וְעֵמֶק סֻכּוֹת אֲמַדֵּד Ps. 60:8; 108:8
12 בֵּין סֻכּוֹת וּבֵין צְרֵדָתָה IICh. 4:17
וְסֻכּוֹת 13 וּבֵית נִמְרָה וְסֻכּוֹת וְצָפוֹן Josh. 13:27

סֻכּוֹת (המשך)

סֻכֹּתָה 14 וְיַעֲקֹב נָסַע סֻכֹּתָה Gen. 33:17
15 וַיִּסְעוּ בְ״יִ מֵרַעְמְסֵס סֻכֹּתָה Ex. 12:37
בְּסֻכּוֹת 16 וַיִּסְעוּ בְ״יִ מֵרַעְמְסֵס וַיַּחֲנוּ בְּסֻכֹּת Num. 33:5
מִסֻּכּוֹת 17 וַיִּסְעוּ מִסֻּכֹּת וַיַּחֲנוּ בְאֵתָם Ex. 13:20
18 וַיִּסְעוּ מִסֻּכֹּת וַיַּחֲנוּ בְאֵתָם Num. 33:6

סֻכּוֹת בְּנוֹת, מאלילי בבל (?)

סֻכּוֹת בְּנוֹת 1 וְאַנְשֵׁי בָבֶל עָשׂוּ אֶת־סֻכּוֹת בְּנוֹת IIK. 17:30

סִכּוּת שם אליל קדום

סִכּוּת 1 וּנְשָׂאתֶם אֵת סִכּוּת מַלְכְּכֶם Am. 5:26

סֻכִּיִּים שפ״ז – מן השבטים הקדומים באפריקה

סֻכִּיִּים 1 לוּבִים סֻכִּיִּים וְכוּשִׁים IICh. 12:3

סכך : סָכַךְ (סַךְ), סוֹכֵךְ, הֵסֵךְ; סֹךְ, סָךְ, סֻכָּה, מָסָךְ, מוּסָךְ, מְסֻכָּה; ש״פ סְכָכָה, סֻכִּיִּים, סֻכּוֹת, סִכּוּת

סָכַךְ פָּ׳ א) כִּסה, צִפּה: 1 [עין גם סוֹכֵךְ]
ב) [הפ׳ הֵסֵךְ] שׂם מסך, כסה: 14-19

(וְשַׂכֹּתִי) 1 וְשַׂכֹּתִי כַפִּי עָלֶיךָ עַד־עָבְרִי Ex. 33:22
סַכּוֹתָה 2 סַכּוֹתָה לְרֹאשִׁי בְּיוֹם נָשֶׁק Ps. 140:8
3 סַכּוֹתָה בָאַף וַתִּרְדְּפֵנוּ Lam. 3:43
4 סַכֹּתָה בֶעָנָן לָךְ מֵעֲבוֹר תְּפִלָּה Lam. 3:44
וְסַכּוֹתָ 5 וְסַכֹּתָ עַל־הָאָרֹן אֶת־הַפָּרֹכֶת Ex. 40:3
הַסּוֹכֵךְ 6 אַתְּ־כְּרוּב מִמְשַׁח הַסּוֹכֵךְ Ezek. 28:14
7 וָאַבֶּדְךָ כְּרוּב הַסֹּכֵךְ Ezek. 28:16
סוֹכֲכִים 8/9 סֹכְכִים בְּכַנְפֵיהֶם עַל־הַכַּפֹּרֶת Ex. 25:20; 37:9
וְסוֹכְכִים 11 וְסֹכְכִים עַל־אֲרוֹן בְּרִית־יְיָ ICh. 28:18
תְּסֻכֵּנִי 12 תְּסֻכֵּנִי בְּבֶטֶן אִמִּי Ps. 139:13
וַיָּסֹכּוּ 13 וַיָּסֹכּוּ הַכְּרֻבִים עַל־הָאָרוֹן IK. 8:7
יְסֻכֻּהוּ 14 יְסֻכֻּהוּ צֶאֱלִים צִלְלוֹ Job 40:22
וְתָסֵךְ 15 לְעוֹלָם יְרַנֵּנוּ וְתָסֵךְ עָלֵימוֹ Ps. 5:12
יָסֶךְ 16 בְּאֶבְרָתוֹ יָסֶךְ לָךְ Ps. 91:4
וַיָּסֶךְ 17 וַיָּסֶךְ עַל אֲרוֹן הָעֵדוּת Ex. 40:21
18 וַיָּסֶךְ אֱלוֹהַּ בַּעֲדוֹ Job 3:23
19 וַיָּסֶךְ בִּדְלָתַיִם יָם Job 38:8

סְכָכָה ש״פ – מקום במדבר יהודה

וּסְכָכָה 1 בֵּית הָעֲרָבָה מִדִּין וּסְכָכָה Josh. 15:61

סכל : נִסְכַּל, סִכֵּל, הִסְכִּיל; סָכָל, סֶכֶל, סִכְלוּת

סָכַל (נִסְכַּל) נפ׳ א) נוֹאַל, נהג באוֶלת: 1-4
ב) [פִּ׳ סִכֵּל] שׂם להֶבל, בִּטל: 5, 6
ג) [הפ׳ הִסְכִּיל] נסכל, נואל: 7, 8

נִסְכַּלְתִּי 1 הַעֲבֶר־נָא...כִּי נִסְכַּלְתִּי מְאֹד IISh. 24:10
2 הַעֲבֶר־נָא...כִּי נִסְכַּלְתִּי מְאֹד ICh. 21:8
נִסְכַּלְתָּ 3 נִסְכַּלְתָּ עַל־זֹאת... IICh. 16:9
נִסְכָּלְתָּ 4 וַיֹּאמֶר שְׁמוּאֵל אֶל־שָׁאוּל נִסְכָּלְתָּ ISh. 13:13
יְסַכֵּל 5 מֵשִׁיב חֲכָמִים אָחוֹר וְדַעְתָּם יְסַכֵּל Is. 44:25
סַכֶּל־ 6 סַכֶּל־נָא אֶת־עֲצַת אֲחִיתֹפֶל IISh. 15:31
הִסְכַּלְתִּי 7 הִנֵּה הִסְכַּלְתִּי וָאֶשְׁגֶּה הַרְבֵּה מְאֹד ISh. 26:21
הִסְכַּלְתָּ 8 עַתָּה הִסְכַּלְתָּ עֲשׂוֹ Gen. 31:28

סָכָל ת׳ כּסיל, אֱוִיל: 1-7 • קרובים: ראה אֱוִיל
עַם סָכָל 1; בָּנִים סְכָלִים 7

סָכָל 1 עַם סָכָל וְאֵין לֵב Jer. 5:21
2 וּמִי יוֹדֵעַ הֶחָכָם יִהְיֶה אוֹ סָכָל Eccl. 2:19
3 אַל־תִּרְשַׁע הַרְבֵּה וְאַל־תְּהִי סָכָל Eccl. 7:17
4 לִבּוֹ חָסֵר וְאָמַר לַכֹּל סָכָל הוּא Eccl. 10:3
וְהַסָּכָל 5 וְהַסָּכָל יַרְבֶּה דְבָרִים Eccl. 10:14
כְּשֶׁסָּכָל 6 וְגַם־בַּדֶּרֶךְ כְּשֶׁסָּכָל (כת׳ כשהסכל)
הֹלֵךְ לִבּוֹ חָסֵר Eccl. 10:3
סְכָלִים 7 בָּנִים סְכָלִים הֵמָּה Jer. 4:22

סֶכֶל ז׳ אוֶלת • קרובים: ראה סִכְלוּת

הַסֶּכֶל 1 נִתַּן הַסֶּכֶל בַּמְּרוֹמִים רַבִּים... Eccl. 10:6

סִכְלוּת נ׳ סֶכל, אוֶלת: 1-6 [עין גם שִׂכְלוּת]
קרובים: אִוֶּלֶת/הֶבֶל/כְּסִילוּת/כִּסְלָה/סֶכֶל/פְּתַיּוּת

סִכְלוּת 1 יָקָר מֵחָכְמָה מִכָּבוֹד סִכְלוּת מְעָט Eccl. 10:1
2 תְּחִלַּת דִּבְרֵי־פִיהוּ סִכְלוּת Eccl. 10:13
וְסִכְלוּת 3 לִרְאוֹת חָכְמָה וְהוֹלֵלוֹת וְסִכְלוּת Eccl. 2:12
הַסִּכְלוּת 4 שֶׁיֵּשׁ יִתְרוֹן לַחָכְמָה מִן־הַסִּכְלוּת Eccl. 2:13
וְהַסִּכְלוּת 5 וְהַסִּכְלוּת הוֹלֵלוֹת Eccl. 7:25
בְּסִכְלוּת 6 וְלִבִּי נֹהֵג בַּחָכְמָה וְלֶאֱחֹז בְּסִכְלוּת Eccl. 2:3

סכן : סָכַן; נִסְכַּן, הִסְכִּין; סוֹכֵן, סוֹכֶנֶת; מְסֻכָּן(?) מִסְכֵּן, מִסְכֵּנוּת(?) מִסְכְּנוֹת(?)

סָכַן פָּ׳ א) הוֹעיל: 1-5 [עין גם מְסֻכָּן, סוֹכֵן, סוֹכֶנֶת]
ב) [נפ׳ נִסְכַּן] נפגע: 6
ג) [הפ׳ הִסְכִּין] היה רגיל בדבר: 7-10

יִסְכֹּן 1 הוֹכֵחַ בְּדָבָר לֹא יִסְכּוֹן Job 9:3
2 כִּי־יִסְכֹּן עָלֵימוֹ מַשְׂכִּיל Job 22:2
יִסְכָּן־ 3 הַלְאֵל יִסְכָּן־גָּבֶר Job 22:2
4 לֹא יִסְכָּן־גָּבֶר בִּרְצֹתוֹ עִם־אֱלֹהִים Job 34:9
5 מַה־יִּסְכָּן־לָךְ מָה־אֹעִיל מֵחַטָּאתִי Job 35:3
יִסָּכֶן 6 בּוֹקֵעַ עֵצִים יִסָּכֶן בָּם Eccl. 10:9
הַהַסְכֵּן 7 הַהַסְכַּנְתִּי לַעֲשׂוֹת לְךָ כֹּה Num. 22:30
הִסְכַּנְתִּי 8 הַהַסְכֵּן הִסְכַּנְתִּי לַעֲשׂוֹת לְךָ כֹּה Num. 22:30
הִסְכַּנְתָּה 9 וְכָל־דְּרָכַי הִסְכַּנְתָּה Ps. 139:3
הַסְכֶּן־ 10 הַסְכֶּן־נָא עִמּוֹ וּשְׁלָם Job 22:21

סִכְסֵךְ פִּ׳ גֵּרה, חרחר ריב: 1, 2

וְסִכְסַכְתִּי 1 וְסִכְסַכְתִּי מִצְרַיִם בְּמִצְרַיִם Is. 19:2
יְסַכְסֵךְ 2 ...וְאֶת־אֹיְבָיו יְסַכְסֵךְ Is. 9:10

סָכַר נפ׳ א) נסגר, נסתם: 1, 2
ב) [פִּ׳ סִכֵּר] סִגר, מסר: 3

יִסָּכֵר 1 כִּי יִסָּכֵר פִּי דוֹבְרֵי־שָׁקֶר Ps. 63:12
וַיִּסָּכְרוּ 2 וַיִּסָּכְרוּ מַעְיְנֹת תְּהוֹם וַאֲרֻבֹּת הַשָּׁמָיִם Gen. 8:2
וְסִכַּרְתִּי 3 וְסִכַּרְתִּי אֶת־מִצְרַיִם בְּיַד אֲדֹנִים Is. 19:4

סֹכְרִים (עזרא ד5) – עין שָׂכַר

(סכת) הִסְכִּית הפ׳ הקשיב

הַסְכֵּת 1 הַסְכֵּת וּשְׁמַע יִשְׂרָאֵל Deut. 27:9

סַל ז׳ טנא, כלי לשׂאת בו דברים: 1-15
קרובים: טֶנֶא / כְּלוּב / כְּלִי
סַל הַמִּלֻּאִים 11; סַל מַצּוֹת 8-13; סַלֵּי חֹרִי 15

סַל 1 וְנָתַתָּ אוֹתָם עַל־סַל אֶחָד Ex. 29:3
הַסַּל 2 וְהָעוֹף אֹכֵל אֹתָם מִן־הַסַּל Gen. 40:17
3 וְחַלַּת מַצָּה אַחַת מִן־הַסַּל Num. 6:19
בַּסַּל 4 הַבָּשָׂר שָׂם בַּסַּל Jud. 6:19
בַּסָּל 5 וְהִקְרַבְתָּ אֹתָם בַּסָּל Ex. 29:3
6 וְאֶת־הַלֶּחֶם אֲשֶׁר בַּסָּל Ex. 29:32
וּבַסַּל 7 וּבַסַּל הָעֶלְיוֹן מִכֹּל מַאֲכַל פַּרְעֹה Gen. 40:17
סַל־ 8 וְאֵת סַל הַמַּצּוֹת Lev. 8:2
9 זֶבַח שְׁלָמִים לַיְיָ עַל סַל הַמַּצּוֹת Num. 6:17
וְסַל־ 10 וְסַל מַצּוֹת סֹלֶת Num. 6:15
בְּסַל־ 11 הַלֶּחֶם אֲשֶׁר בְּסַל הַמִּלֻּאִים Lev. 8:31
מִסַּל־ 12 מִסַּל הַמַּצּוֹת אֲשֶׁר לִפְנֵי יְיָ Ex. 29:23
וּמִסַּל־ 13 וּמִסַּל הַמַּצּוֹת אֲשֶׁר לִפְנֵי יְיָ Lev. 8:26
הַסַּלִּים 14 שְׁלֹשֶׁת הַסַּלִּים שְׁלֹשֶׁת יָמִים הֵם Gen. 40:18
סַלֵּי־ 15 וְהִנֵּה שְׁלֹשָׁה סַלֵּי חֹרִי עַל־רֹאשִׁי Gen. 40:16

סלא : סָלָא; ש״פ סִלָּא, סָלוּא, סַלּוּא

סָלָא פֻּ׳ נשקל, נֶערך

הַמְסֻלָּאִים 1 בְּנֵי צִיּוֹן הַיְקָרִים הַמְסֻלָּאִים בַּפָּז Lam. 4:2

סִלָּא ש״פ – שם כפר בסביבות ירושלים

סִלָּא 1 בֵּית מִלֹּא הַיֹּרֵד סִלָּא IIK. 12:21

סלד : סִלֵּד; ש״פ סֶלֶד

סִלֵּד פִּ׳ נרתע לאחור (?)

וַאֲסַלְּדָה 1 וַאֲסַלְּדָה בְחִילָה לֹא יַחְמוֹל Job 6:10

סֶלֶד שפ״ז – איש ממטה יהודה: 1, 2

סֶלֶד 1 וּבְנֵי נָדָב סֶלֶד וְאַפָּיִם ICh. 2:30
2 וַיָּמָת סֶלֶד לֹא בָנִים ICh. 2:30

סלה : סָלָה, סֻלָּה; סִלָּה; סֶלָה

סָלָה פָּ׳ א) דָּחה: 1
ב) [פִּ׳ סִלָּה] כנ״ל: 2

סָלִיתָ 1 סָלִיתָ כָּל־שׁוֹגִים מֵחֻקֶּיךָ Ps. 119:118
סִלָּה 2 סִלָּה כָל־אַבִּירַי אֲדֹנָי בְּקִרְבִּי Lam. 1:15

סֻלָּה פֻּ׳ [צורת משנה של סֻלָּא] נשקל, נערך: 1, 2

תְסֻלֶּה 1 לֹא־תְסֻלֶּה בְּכֶתֶם אוֹפִיר Job 28:16
2 בְּכֶתֶם טָהוֹר לֹא תְסֻלֶּה Job 28:19

סֶלָה מ״ק מונח מוסיקלי לסיום מזמור
או סימן נגינה למנַצח: 1-74

1-74 סֶלָה חבקוק ג3,9,13 • תהלים ג3,5,9
ד3, 5 ז6 ט17, 21 כ4 כא3 כד6, 10 לב4, 5, 7
לט6, 12 מד9 מו4, 8, 12 מז5 מח9 מט14, 16 נ6
נב5, 7 נד5 נה8, 20 נז4, 7 נט6, 14 ס6 סא5 סב5, 9
סו4, 7, 15 סז2, 5 סח8, 20, 33 עה4 עו4, 10
עז4, 10, 16 פא8 פב2 פג9 פד5, 9 פה3 פז3, 6
פח8, 11 פט5, 38, 46, 49 קמ4, 6, 9 קמג6

סַלּוּ שפ״ז – כֹּהן מעולי הגולה עם זרובבל

סַלּוּ 1 סַלּוּ עָמוֹק חִלְקִיָּה יְדַעְיָה Neh. 12:7

סָלוּא שפ״ז – אבי זמרי, נשׂיא לבית אב השמעוני

סָלוּא 1 וְשֵׁם אִישׁ יִשְׂרָאֵל...זִמְרִי בֶּן־סָלוּא Num. 25:14

סַלּוּא שפ״ז – מבני בנימין מעולי הגולה: 1, 2

סַלּוּא 1 סַלָּא בֶּן־מְשֻׁלָּם בֶּן־יוֹעֵד Neh. 11:7
2 סַלּוּא בֶּן־מְשֻׁלָּם בֶּן־הוֹדַוְיָה ICh. 9:7

סָלוּל* ת׳ – עין סָלַל

סִלּוֹן, סַלּוֹן* ז׳ צמח קוֹצני: 1, 2
קרובים: ראה חוֹחַ • סִלּוֹן מַמְאִיר 1

סִלּוֹן 1 סִלּוֹן מַמְאִיר וְקוֹץ מַכְאִב Ezek. 28:24
וְסַלּוֹנִים 2 כִּי סָרָבִים וְסַלּוֹנִים אוֹתָךְ Ezek. 2:6

סלח : סָלַח, נִסְלַח; סַלָּח, סְלִיחָה

סָלַח פָּ׳ א) מחל על חטא: 1-33
ב) [נפ׳ נִסְלַח] נמחל: 34-46

קרובים: חָנַן / כִּפֵּר / נָשָׂא / הֶעֱבִיר (עבר)

סְלֹחַ 1 לֹא־יֹאבֶה יְיָ סְלֹחַ לוֹ Deut. 29:19
לִסְלֹחַ 2 וְלֹא־אָבָה יְיָ לִסְלֹחַ IIK. 24:4
3 וְיָשֹׁב אֶל־יְיָ...כִּי־יַרְבֶּה לִסְלוֹחַ Is. 55:7
סָלַחְתִּי 4 וַיֹּאמֶר יְיָ סָלַחְתִּי כִּדְבָרֶךָ Num. 14:20
וְסָלַחְתִּי 5 וְסָלַחְתִּי לְכָל־עֲוֹנוֹתֵיהֶם Jer. 33:8
6 וְסָלַחְתִּי לַעֲוֹנָם וּלְחַטָּאתָם Jer. 36:3

סְלַחְתָּ 7 נַחְנוּ פָשַׁעְנוּ...אַתָּה לֹא סָלָחְתָּ Lam.3:42
וְסָלַחְתָּ 8 וְסָלַחְתָּ לַעֲוֹנֵנוּ וּלְחַטָּאתֵנוּ Ex.34:9
9 וְסָלַחְתָּ לְחַטַּאת עַמְּךָ יִשְׂרָאֵל IK.8:34
10/1 וְסָלַחְתָּ לְחַטַּאת עֲבָדֶיךָ IK.8:36 • IICh.6:27
12/3 וְאַתָּה תִּשְׁמַע...וְסָלָחְתָּ IK.8:39 • IICh.6:30
14 וְסָלַחְתָּ לְעַמְּךָ אֲשֶׁר חָטְאוּ־לָךְ IK.8:50
15 וְסָלַחְתָּ לַעֲוֹנִי כִּי רַב־הוּא Ps.25:11
16 וְסָלַחְתָּ לְחַטַּאת עַמְּךָ יִשְׂרָאֵל IICh.6:25
17 וְסָלַחְתָּ לְעַמְּךָ אֲשֶׁר חָטְאוּ־לָךְ IICh.6:39
וְסָלָחְתָּ 18/9 תִּשְׁמַע...וְשָׁמַעְתָּ וְסָלָחְתָּ IK.8:30 • IICh.6:21
הַסֹּלֵחַ 20 הַסֹּלֵחַ לְכָל־עֲוֹנֵכִי Ps.103:3
אֶסְלַח 21 כִּי אֶסְלַח לַעֲוֹנָם Jer.31:34(33)
22 כִּי אֶסְלַח לַאֲשֶׁר אַשְׁאִיר Jer.50:20
23 אֵי לָזֹאת אֶסְלַח (כ׳ אסלוח)־לָךְ Jer.5:7
וְאֶסְלַח 24 אִם־תִּמְצְאוּ...וְאֶסְלַח לָהּ Jer.5:1
25 וַאֲנִי אֶשְׁמַע...וְאֶסְלַח לְחַטָּאתָם IICh.7:14
יִסְלַח 26-28 וַיְיָ יִסְלַח־לָהּ Num.30:6,9,13
29 לַדָּבָר הַזֶּה יִסְלַח יְיָ לְעַבְדֶּךָ... IIK.5:18
30 יִסְלַח־נָא יְיָ לְעַבְדְּךָ בַּדָּבָר־הַזֶּה IIK.5:18
סְלַח 31 סְלַח־נָא לַעֲוֹן הָעָם הַזֶּה Num.14:19
32 סְלַח־נָא מִי יָקוּם יַעֲקֹב Am.7:2
סְלָחָה 33 אֲדֹנָי שְׁמָעָה אֲדֹנָי סְלָחָה Dan.9:19
וְנִסְלַח 34 וְכִפֶּר עֲלֵהֶם הַכֹּהֵן וְנִסְלַח לָהֶם Lev.4:20
35-42 וְכִפֶּר עָלָיו...וְנִסְלַח לוֹ Lev.4:26
4:31,35; 5:10,13,18,26; 19:22
43 וְהַכֹּהֵן יְכַפֵּר עָלָיו...וְנִסְלַח לוֹ Lev.5:16
44 וְכִפֶּר הַכֹּהֵן...וְנִסְלַח לָהֶם Num.15:25
45 וְנִסְלַח לְכָל־עֲדַת בְּ־יִ... Num.15:26
46 וְכִפֶּר...לְכַפֵּר עָלָיו וְנִסְלַח לוֹ Num.15:28

סַלָּח ת׳ מרבה לסלוח
וְסַלָּח 1 כִּי־אַתָּה אֲדֹנָי טוֹב וְסַלָּח Ps.86:5

סַלַּי שפ־ז א) איש מבנימין בימי נחמיה: 1
ב) הוא סַלּוּ הַכֹּהֵן: 2
סַלָּי 1 וְאַחֲרָיו גַּבַּי סַלָּי... Neh.11:8
לְסַלַּי 2 לְסַלַּי קַלָּי לְעָמוֹק עֵבֶר Neh.12:20

סְלִיחָה נ׳ מחילת עוון: 1-3 • אֱלוֹהַּ סְלִיחוֹת 2
הַסְּלִיחָה 1 כִּי־עִמְּךָ הַסְּלִיחָה לְמַעַן תִּוָּרֵא Ps.130:4
סְלִיחוֹת 2 וְאַתָּה אֱלוֹהַּ סְלִיחוֹת חַנּוּן וְרַחוּם Neh.9:17
וְהַסְּלִיחוֹת 3 לַאדֹנָי אֱלֹהֵינוּ הָרַחֲמִים וְהַסְּלִחוֹת Dan.9:9

סַלְכָה ש־פ – עיר בדרום ממלכת עוג מלך הבשן: 1-4
סַלְכָה 1 וְכָל־הַבָּשָׁן עַד־סַלְכָה וְאֶדְרֶעִי Deut.3:10
2 וְכָל־הַבָּשָׁן עַד־סַלְכָה Josh.13:11
3 בְּאֶרֶץ הַבָּשָׁן עַד־סַלְכָה ICh.5:11
וּבְסַלְכָה 4 וּמשֵׁל...וּבְסַלְכָה וּבְכָל־הַבָּשָׁן Josh.12:5

סלל : סָלַל; סָלוּל, סִלְסֵל, הִסְתּוֹלֵל; סַל, סוֹלְלָה, סַלְסִלָּה, מְסִלָּה, מַסְלוּל, סֻלָּם(?), סִלּוֹן, סַלּוֹן;
ש־פ סַלּוּ, סַלַּי

סָלַל פ׳ א) דרך, כבש דרך (גם בהשאלה): 1-9
ב) לחץ: 10
ג) [הת׳ הִסְתּוֹלֵל] רמס, נגש: 11
סְלוּלָה 1 לָלֶכֶת נְתִיבוֹת דֶּרֶךְ לֹא סְלוּלָה Jer.18:15
2 וְאֹרַח יְשָׁרִים סְלֻלָה Prov.15:19
וַיָּסֹלּוּ 3 יַחַד יָבֹאוּ גְדוּדָיו וַיָּסֹלּוּ עָלַי דַּרְכָּם Job 19:12
4 וַיָּסֹלּוּ עָלַי אָרְחוֹת אֵידָם Job 30:12
סֹלּוּ 5-6 סֹלּוּ־סֹלּוּ פַּנּוּ־דָרֶךְ Is.57:14
7-8 סֹלּוּ סֹלּוּ הַמְסִלָּה סַקְּלוּ מֵאֶבֶן Is.62:10
9 סֹלּוּ לָרֹכֵב בָּעֲרָבוֹת Ps.68:5

סָלּוּהָ 10 סָלּוּהָ כְמוֹ־עֲרֵמִים וְהַחֲרִימוּהָ Jer.50:26
מִסְתּוֹלֵל 11 עוֹדְךָ מִסְתּוֹלֵל בְּעַמִּי Ex.9:17

סֹלְלָה נ׳ – עין סוֹלְלָה

סֻלָּם ז׳ כלי בעל שלבים לעלות בו
סֻלָּם 1 וְהִנֵּה סֻלָּם מֻצָּב אַרְצָה Gen.28:12

סִלְסֵל פ׳ כִּבֵּד, הוֹקִיר
סַלְסְלֶהָ 1 (קְנֵה בִינָה) סַלְסְלֶהָ וּתְרוֹמְמֶךָּ Prov.4:8

סַלְסִלָּה נ׳ זַלְזַל(?) סַל קטן(?)
סַלְסִלּוֹת 1 הָשֵׁב יָדְךָ כְּבוֹצֵר עַל־סַלְסִלּוֹת Jer.6:9

סֶלַע[1] ז׳ א) גוש אבן גדול: 1-41, 47-56
ב) [בהשאלה] כנוי לאלהים
שהוא מצודה ומחסה למשורר: 42-46
קרובים: ראה אֶבֶן
– סֶלַע כָּבֵד 1; סֶלַע עֵיטָם 10, 11
– חַגְוֵי סֶלַע 5, 25, 26; יְדֵי ס׳ 7; יוֹשְׁבֵי ס׳ 2; יַעֲלֵי ס׳ 15; נְקִיק סֶלַע 30; סְעִיף ס׳ 10, 11; פְּנֵי ס׳ 28; צְחִיחַ ס׳ 3, 4, 14; צֵל ס׳ 1; רֹאשׁ סֶלַע 27, 32; שֵׁן סֶלַע 9, 21, 22
– מְצָדוֹת סְלָעִים 49; נְקִיקֵי ס׳ 52, 54; סְעִיפֵי סְלָעִים 51, 53
סֶלַע 1 כְּצֵל סֶלַע־כָּבֵד בְּאֶרֶץ עֲיֵפָה Is.32:2
2 יָרֹנּוּ יֹשְׁבֵי סֶלַע Is.42:11
3 דָּמָהּ...עַל־צְחִיחַ סֶלַע שָׂמָתְהוּ Ezek.24:7
4 וּנְתַתִּיךְ לִצְחִיחַ סֶלַע Ezek.26:14
5 שֹׁכְנִי בְחַגְוֵי־סֶלַע מְרוֹם שִׁבְתּוֹ Ob.3
6 וַיָּקֶם עַל־סֶלַע רַגְלַי Ps.40:3
7 נִשְׁמְטוּ בִידֵי־סֶלַע שֹׁפְטֵיהֶם Ps.141:6
8 סֶלַע יִשְׁכֹּן וְיִתְלֹנָן Job39:28
9 עַל־שֶׁן־סֶלַע וּמְצוּדָה Job39:28
סֶלַע־ 10 וַיֵּשֶׁב בִּסְעִיף סֶלַע עֵיטָם Jud.15:8
11 וַיֵּרְדוּ...אֶל־סְעִיף סֶלַע עֵיטָם Jud.15:11
סָלַע 12 ...וּכְפַטִּישׁ יְפֹצֵץ סָלַע Jer.23:29
13 נָתַתִּי אֶת־דָּמָהּ עַל־צְחִיחַ סָלַע Ezek.24:8
14 וּנְתַתִּי אוֹתָךְ לִצְחִיחַ סֶלַע Ezek.26:4
15 הֲיָדַעְתָּ עֵת לֶדֶת יַעֲלֵי־סָלַע Job39:1
הַסֶּלַע 16 וְדִבַּרְתֶּם אֶל־הַסֶּלַע לְעֵינֵיהֶם Num.20:8
17 וְהוֹצֵאתָ לָהֶם מַיִם מִן־הַסֶּלַע Num.20:8
18 הֲמִן הַסֶּלַע הַזֶּה נוֹצִיא לָכֶם מָיִם Num.20:10
19 וַיַּךְ אֶת־הַסֶּלַע בְּמַטֵּהוּ Num.20:11
20 קַח...וְהַנַּח אֶל־הַסֶּלַע הַלָּז Jud.6:20
21 שֵׁן־הַסֶּלַע מֵהָעֵבֶר מִזֶּה ISh.14:4
22 וְשֵׁן־הַסֶּלַע מֵהָעֵבֶר מִזֶּה ISh.14:4
23 וַיַּגִּדוּ לְדָוִד וַיֵּרֶד הַסֶּלַע ISh.23:25
24 וְתָפַשׂ אֶת־הַסֶּלַע בַּמִּלְחָמָה IK.14:7
25 שֹׁכְנִי בְּחַגְוֵי הַסֶּלַע... Jer.49:16
26 יוֹנָתִי בְּחַגְוֵי הַסֶּלַע... S.ofS.2:14
27 וַיַּשְׁלִיכוּם מֵרֹאשׁ הַסֶּלַע... IICh.25:12
הַסָּלַע 28 וַיַּקְהִלוּ...אֶל־פְּנֵי הַסָּלַע Num.20:10
29 וַיַּאַסְרֻהוּ...וַיַּעֲלוּהוּ מִן־הַסָּלַע Jud.15:13
30 וְטָמְנֵהוּ שָׁם בִּנְקִיק הַסָּלַע Jer.13:4
31 וְנִפֵּץ אֶת־עֹלָלַיִךְ אֶל־הַסָּלַע Ps.137:9
32 וַיְבִיאוּם לְרֹאשׁ הַסָּלַע IICh.25:12
בַּסֶּלַע 33 אֵיתָן מוֹשָׁבֶךָ וְשִׂים בַּסֶּלַע קִנֶּךָ Num.24:21
34 חֹקְקִי בַסֶּלַע מִשְׁכָּן לוֹ Is.22:16
35 עִזְבוּ עָרִים וְשִׁכְנוּ בַּסֶּלַע Jer.48:28
36 הַיְרֻצוּן בַּסֶּלַע סוּסִים Am.6:12
37 שְׁפַנִּים...וַיָּשִׂימוּ בַסֶּלַע בֵּיתָם Prov.30:26

מִסֶּלַע 38 וַיֵּנִקֵהוּ דְבַשׁ מִסֶּלַע... Deut.32:13
39 חִזְּקוּ פְנֵיהֶם מִסֶּלַע Jer.5:3
40 וּמַיִם מִסֶּלַע הוֹצֵאתָ לָהֶם Neh.9:15
מִסָּלַע 41 וַיּוֹצִא נוֹזְלִים מִסָּלַע Ps.78:16
סַלְעִי 42 יְיָ סַלְעִי וּמְצֻדָתִי וּמְפַלְטִי־לִי IISh.22:2
43 יְיָ סַלְעִי וּמְצוּדָתִי וּמְפַלְטִי Ps.18:3
44/5 כִּי־סַלְעִי וּמְצוּדָתִי אָתָּה Ps.31:4; 71:3
46 אוֹמְרָה לְאֵל סַלְעִי לָמָה שְׁכַחְתָּנִי Ps.42:10
וְסַלְעוֹ 47 וְסַלְעוֹ מִמָּגוֹר יַעֲבוֹר Is.31:9
סְלָעִים 48 מְפָרֵק הָרִים וּמְשַׁבֵּר סְלָעִים IK.19:11
49 מְצָדוֹת סְלָעִים מִשְׂגַּבּוֹ Is.33:16
50 סְלָעִים מַחְסֶה לַשְׁפַנִּים Ps.104:18
הַסְּלָעִים 51 בְּנִקְרוֹת הַצֻּרִים וּבִסְעִפֵי הַסְּלָעִים Is.2:21
52 בְּנַחֲלֵי הַבַּתּוֹת וּבִנְקִיקֵי הַסְּלָעִים Is.7:19
53 בַּנְּחָלִים תַּחַת סְעִפֵי הַסְּלָעִים Is.57:5
54 מֵעַל כָּל־הַר...וּמִנְּקִיקֵי הַסְּלָעִים Jer.16:16
55 וְגִלְגַּלְתִּיךָ מִן־הַסְּלָעִים Jer.51:25
וּבַסְּלָעִים 56 בַּמְּעָרוֹת וּבַחֲוָחִים וּבַסְּלָעִים ISh.13:6

סֶלַע[2] ש־פ – בירת ממלכת אדום (היא פֶּטְרָה בימינו): 1-3
הַסֶּלַע 1 וְתָפַשׂ אֶת־הַסֶּלַע בַּמִּלְחָמָה IIK.14:7
מִסֶּלַע 2 שִׁלְחוּ־כַר...מִסֶּלַע מִדְבָּרָה Is.16:1
מֵהַסֶּלַע 3 מִמַּעֲלֵה עַקְרַבִּים מֵהַסֶּלַע וָמָעְלָה Jud.1:36

סֶלַע הַמַּחְלְקוֹת ש־פ–מקום במדבר יהודה שבו עמד שאול ללכוד את דוד
סֶלַע הַמַּחְלְקוֹת 1 עַל־כֵּן קָרְאוּ לַמָּקוֹם הַהוּא סֶלַע הַמַּחְלְקוֹת ISh.23:28

סֶלַע רִמּוֹן ש־פ – ישוב בנחלת בנימין: 1-4
סֶלַע ר׳ 2/1 וַיָּנֻסוּ...אֶל־סֶלַע הָרִמּוֹן Jud.20:45,47
בְּסֶלַע ר׳ 3 וַיֵּשְׁבוּ בְּסֶלַע רִמּוֹן... Jud.20:47
4 אֶל־בְּנֵי בִנְיָמִן אֲשֶׁר בְּסֶלַע רִמּוֹן Jud.21:13

סָלְעָם ז׳ אחד ממיני הארבה • קרובים: ראה אַרְבֶּה
הַסָּלְעָם 1 וְאֶת־הַסָּלְעָם לְמִינֵהוּ Lev.11:22

סלף : סִלֵּף; סֶלֶף

סִלֵּף פ׳ עִקֵּם, עִוֵּת: 1-7
מְסַלֵּף 1 מְסַלֵּף רְשָׁעִים לָרָע Prov.21:12
יְסַלֵּף 2 מוֹלִיךְ...שׁוֹלָל וְאֵיתָנִים יְסַלֵּף Job12:19
וִיסַלֵּף 3 וִיסַלֵּף דִּבְרֵי צַדִּיקִים Ex.23:8
4 וִיסַלֵּף דִּבְרֵי צַדִּקִם Deut.16:19
וַיְסַלֵּף 5 וַיְסַלֵּף דִּבְרֵי בֹגֵד Prov.22:12
תְּסַלֵּף 6 וְרִשְׁעָה תְּסַלֵּף חַטָּאת Prov.13:6
7 אִוֶּלֶת אָדָם תְּסַלֵּף דַּרְכּוֹ Prov.19:3

סֶלֶף ז׳ סֵרוּס, מרמה: 1, 2
וְסֶלֶף 1 וְסֶלֶף בָּהּ שֶׁבֶר בְּרוּחַ Prov.15:4
2 וְסֶלֶף בּוֹגְדִים יְשָׁדֵּם Prov.11:3

סְלֵק פ׳ ארמית: עָלָה: 1-5
סִלְקַת 1 וְאָחֳרִי דִּי סִלְקַת Dan.7:20
סִלְקָת 2 קֶרֶן אָחֳרִי זְעֵירָה סִלְקָת בֵּינֵיהֵן Dan.7:8
סְלִקוּ 3 רַעְיוֹנָךְ עַל־מִשְׁכְּבָךְ סְלִקוּ Dan.2:29
4 דִּי יְהוּדָיֵא דִּי סְלִקוּ מִן־לְוָתָךְ Ez.4:12
סָלְקָן 5 חֵיוָן רַבְרְבָן סָלְקָן מִן־יַמָּא Dan.7:3

סֹלֶת נ׳ קמח מנופה: 1-52
– סֹלֶת בְּלוּלָה 4, 12-29; סֹלֶת(...) וָשֶׁמֶן 38, 39, 42, 51; סֹלֶת חַלּוֹת 44, 46; סֹלֶת מִנְחָה 45, 47-50
– מִנְחָה סֹלֶת 30-32; קֶמַח סֹלֶת 1

סֹלֶת

סֹלֶת 1 מַהֲרִי שְׁלֹשׁ סְאִים קֶמַח סֹלֶת Gen. 18:6
2 וְעִשָּׂרֹן סֹלֶת בָּלוּל בְּשֶׁמֶן כָּתִית Ex. 29:40
3 סֹלֶת יִהְיֶה קָרְבָּנוֹ Lev. 2:1
4 סֹלֶת בְּלוּלָה בַשֶּׁמֶן מַצָּה תִהְיֶה Lev. 2:5
5 סֹלֶת בַּשֶּׁמֶן תֵּעָשֶׂה Lev. 2:7
6 עֲשִׂירִת הָאֵפָה סֹלֶת לְחַטָּאת Lev. 5:11
7 וּשְׁלֹשָׁה עֶשְׂרֹנִים סֹלֶת Lev. 14:10
8 וְעִשָּׂרוֹן סֹלֶת אֶחָד...לְמִנְחָה Lev. 14:21
9-10 שְׁנֵי עֶשְׂרֹנִים סֹלֶת Lev. 23:13, 17
11 וְלָקַחְתָּ סֹלֶת וְאָפִיתָ אֹתָהּ...חַלּוֹת Lev. 24:5
12-29 סֹלֶת בְּלוּלָה בַשֶּׁמֶן(-שֶּׁ) Num. 7:13
7:19, 25, 31, 37, 43, 49, 55, 61, 67, 73, 79; 8:8; 28:20
28:28; 29:3, 9, 14
30-32 מִנְחָה סֹלֶת Num. 15:4, 6, 9
33 וַעֲשִׂירִית הָאֵיפָה סֹלֶת לְמִנְחָה Num. 28:5
34 שְׁלֹשִׁים כֹּר סֹלֶת IK. 5:2
35/6 סְאָה-סֹלֶת בְּשֶׁקֶל IIK. 7:1, 16
37 וּסְאָה-סֹלֶת בְּשֶׁקֶל יִהְיֶה IIK. 7:18
38 סֹלֶת וּדְבַשׁ וָשֶׁמֶן אָכָלְתְּ* Ezek. 16:13
39 סֹלֶת וָשֶׁמֶן וּדְבַשׁ הֶאֱכַלְתִּיךְ Ezek. 16:19
וְסֹלֶת 40 וְסֹלֶת מֻרְבֶּכֶת חַלֹּת... Lev. 7:12
הַסֹּלֶת 41 וְשֶׁמֶן...לָרֹס אֶת-הַסֹּלֶת Ezek. 46:14
42 וְעַל-הַסֹּלֶת וְהַיַּיִן וְהַשֶּׁמֶן ICh. 9:29
וּלְסֹלֶת 43 וּלְסֹלֶת לְמִנְחָה וְלִרְקִיקֵי הַמַּצּוֹת ICh. 23:29
סֹלֶת- 44 סֹלֶת חַלּוֹת מַצֹּת בְּלוּלֹת בַּשֶּׁמֶן Lev. 2:4
45 עֲשִׂירִת הָאֵפָה סֹלֶת מִנְחָה תָּמִיד Lev. 6:13
46 וְסַל מַצּוֹת סֹלֶת חַלֹּת Num. 6:15
47/8 וּשְׁנֵי עֶשְׂרֹנִים סֹלֶת מִנְחָה Num. 28:9, 12
49 וּשְׁלֹשָׁה עֶשְׂרֹנִים סֹלֶת מִנְחָה... Num. 28:12
50 וְעִשָּׂרֹן עִשָּׂרוֹן סֹלֶת מִנְחָה... Num. 28:13
מִסֹּלֶת- 51 מִסֹּלֶת הַמִּנְחָה וּמִשַּׁמְנָהּ Lev. 6:8
מִסָּלְתָּהּ 52 מְלֹא קֻמְצוֹ מִסָּלְתָּהּ וּמִשַּׁמְנָהּ Lev. 2:2

סַם*
נ' – עין סַמִּים

סַמְגַּר-נְבוֹ*
שפ״ז – משרי נבוכדנאצר מלך בבל

סַמְגַּר-נְבוֹ 1 נֵרְגַל שַׂרְאֶצֶר סַמְגַּר-נְבוֹ Jer. 39:3

סְמָדַר
ז' פרי הגפן בראשית התפתחותו: 1-3

סְמָדַר 1 וְהַגְּפָנִים סְמָדַר נָתְנוּ רֵיחַ S.ofS. 2:13
2 וּכְרָמֵינוּ סְמָדַר S.ofS. 2:15
הַסְּמָדַר 3 אִם-פָּרְחָה הַגֶּפֶן פִּתַּח הַסְּמָדַר S.ofS. 7:13

סַמִּים
ז״ר מיני בשמים: 1-16

קְטֹרֶת סַמִּים 1, 4-16

סַמִּים 1 וְהִקְטִיר עָלָיו אַהֲרֹן קְטֹרֶת סַמִּים Ex. 30:7
2 קַח-לְךָ סַמִּים נָטָף וּשְׁחֵלֶת וְחֶלְבְּנָה Ex. 30:34
3 סַמִּים וּלְבֹנָה זַכָּה Ex. 30:34
4 וַיַּקְטֵר עָלָיו קְטֹרֶת סַמִּים Ex. 40:27
5 וּמְלֹא חָפְנָיו קְטֹרֶת סַמִּים דַּקָּה Lev. 16:12
6 לְהַקְטִיר לְפָנָיו קְטֹרֶת-סַמִּים IICh. 2:3
7 וּמַקְטִרִים לַיְיָ...וּקְטֹרֶת-סַמִּים IICh. 13:11
הַסַּמִּים 8-9 לַשֶּׁמֶן...וְלִקְטֹרֶת הַסַּמִּים Ex. 25:6; 35:8
10-16 (וּ/לִ)קְטֹרֶת הַסַּמִּים Ex. 31:11
35:15, 28; 37:29; 39:38 • Lev. 4:7 • Num. 4:16

סמך
: סָמַךְ, נִסְמַךְ, סִמֵּךְ; ש״פ סְמַכְיָהוּ, אֲחִיסָמָךְ

סָמַךְ
פָּ' א) תָּמַךְ, השעין: 2, 3, 5-16, 20-23, 33, 34, 37-40
ב) [בהשאלה] חִזק, עָזַר: 1, 9/18, 24-32, 35/6, 41
ג) נָגַע, קרב: 4, 17
ד) [נפ' נִסְמַךְ] נשען (גם בהשאלה): 42-47
ה) [פִּ' סִמֵּךְ] תמך: 48

קרובים: סָעַד / עָזַר / תָּמַךְ

– סָמַךְ יָדוֹ (עַל-) 2, 3, 5-16, 20-23, 25, 33, 34, 37-40; יֵצֶר סָמוּךְ 30; סָמוּךְ לִבּוֹ 31
– סָמַךְ (אֶת-) 1-3, 5-16, 18-25, 27-29, 33-41; סָמַךְ אֶל- 4; סָמַךְ לְ- 26; נִסְמַךְ עַל- 42-47

סְמַכְתִּיו 1 וְדָגָן וְתִירֹשׁ סְמַכְתִּיו Gen. 27:37
וְסָמַכְתָּ 2 וְסָמַכְתָּ אֶת-יָדְךָ עָלָיו Num. 27:18
סָמַךְ 3 כִּי-סָמַךְ מֹשֶׁה אֶת-יָדָיו עָלָיו Deut. 34:9
4 סָמַךְ מֶלֶךְ-בָּבֶל אֶל-יְרוּשָׁלִַם Ezek. 24:2
וְסָמַךְ 5-6 וְסָמַךְ אַהֲרֹן וּבָנָיו אֶת-יְדֵיהֶם Ex. 29:10, 19
7 וְסָמַךְ יָדוֹ עַל רֹאשׁ הָעֹלָה Lev. 1:4
8 וְסָמַךְ יָדוֹ עַל-רֹאשׁ קָרְבָּנוֹ Lev. 3:2
9-14 וְסָמַךְ (אֶת-)יָדוֹ עַל רֹאשׁ... Lev. 3:8, 13
4:4, 24, 29, 33
15 וְסָמַךְ אַהֲרֹן אֶת-שְׁתֵּי יָדוֹ Lev. 16:21
16 וְסָמַךְ יָדוֹ עַל-הַקִּיר Am. 5:19
סָמְכָה 17 עָלַי סָמְכָה חֲמָתֶךָ Ps. 88:8
סְמָכָתְנִי 18 וַחֲמָתִי הִיא סְמָכָתְנִי Is. 63:5
סְמָכָתְהוּ 19 וְצִדְקָתוֹ הִיא סְמָכָתְהוּ Is. 59:16
וְסָמְכוּ 20-23 וְסָמְכוּ...אֶת-יְדֵיהֶם עַל-... Ex. 29:15
Lev. 4:15; 24:14 • Num. 8:10
סוֹמֵךְ 24 וְאֶשְׁתּוֹמֵם וְאֵין סוֹמֵךְ Is. 63:5
25 ...לֹא-יוּטָל כִּי-יְיָ סוֹמֵךְ יָדוֹ Ps. 37:24
26 סוֹמֵךְ יְיָ לְכָל-הַנֹּפְלִים Ps. 145:14
וְסוֹמֵךְ 27 וְסוֹמֵךְ צַדִּיקִים יְיָ Ps. 37:17
סֹמְכֵי- 28 וְנָפְלוּ סֹמְכֵי מִצְרַיִם Ezek. 30:6
בְּסֹמְכֵי- 29 אֱלֹהִים עֹזֵר לִי אֲדֹנָי בְּסֹמְכֵי נַפְשִׁי Ps. 54:6
סָמוּךְ 30 יֵצֶר סָמוּךְ תִּצֹּר שָׁלוֹם שָׁלוֹם Is. 26:3
31 סָמוּךְ לִבּוֹ לֹא יִירָא Ps. 112:8
סְמוּכִים 32 סְמוּכִים לָעַד לְעוֹלָם Ps. 111:8
וַיִּסְמֹךְ 33 וַיִּסְמֹךְ אַהֲרֹן וּבָ' אֶת-יְדֵיהֶם עַל... Lev. 8:14
34 וַיִּסְמֹךְ אֶת-יָדָיו עָלָיו Num. 27:23
יִסְמְכֵנִי 35 הֱקִיצוֹתִי כִּי יְיָ יִסְמְכֵנִי Ps. 3:6
תִסְמְכֵנִי 36 וְרוּחַ נְדִיבָה תִסְמְכֵנִי Ps. 51:14
יִסְמְכוּ 37 וְהַלְוִיִּם יִסְמְכוּ אֶת-יְדֵיהֶם עַל-... Num. 8:12
וַיִּסְמְכוּ 38/9 וַיִּסְמְכוּ אַהֲרֹן וּבָנָיו אֶת-יְדֵיהֶם עַל-... Lev. 8:18, 22
40 וַיִּסְמְכוּ יְדֵיהֶם עֲלֵיהֶם IICh. 29:23
סָמְכֵנִי 41 סָמְכֵנִי כְאִמְרָתְךָ וְאֶחְיֶה Ps. 119:116
נִסְמַכְתִּי 42 עָלֶיךָ נִסְמַכְתִּי מִבֶּטֶן Ps. 71:6
נִסְמָכוּ 43 וְעַל-אֱלֹהֵי יִשְׂרָאֵל נִסְמָכוּ Is. 48:2
יִסָּמֵךְ 44/5 אֲשֶׁר יִסָּמֵךְ אִישׁ עָלָיו IIK. 18:21 • Is. 36:6
וַיִּסָּמֵךְ 46 וַיִּלְפֹּת שִׁמְשׁוֹן...וַיִּסָּמֵךְ עֲלֵיהֶם Jud. 16:29
וַיִּסָּמְכוּ 47 וַיִּסָּמְכוּ הָעָם עַל-דִּבְרֵי יְחִזְקִיָּהוּ IICh. 32:8
סַמְּכוּנִי 48 סַמְּכוּנִי בָּאֲשִׁישׁוֹת רַפְּדוּנִי בַּתַּפּוּחִים S.ofS. 2:5

סְמַכְיָהוּ
שפ״ז – מן השוערים גבורי החיל של דוד

וּסְמַכְיָהוּ 1 בְּנֵי שְׁמַעְיָה...אֱלִיהוּ וּסְמַכְיָהוּ ICh. 26:7

סֶמֶל
ז' דמות, צורה: 1-5

פֶּסֶל הַסֶּמֶל 2; סֵמֶל הַקִּנְאָה 4, 5

סָמֶל 1 פֶּסֶל תְּמוּנַת כָּל-סָמֶל Deut. 4:16
הַסֶּמֶל 2 וַיָּשֶׂם אֶת-פֶּסֶל הַסֶּמֶל...בְּבֵית הָאֱל' IICh. 33:7
3 וַיָּסַר...וְאֶת-הַסֶּמֶל מִבֵּית יְיָ IICh. 33:15
סֵמֶל- 4 שָׁם מוֹשַׁב סֵמֶל הַקִּנְאָה הַמַּקְנֶה Ezek. 8:3
5 סֵמֶל הַקִּנְאָה הַזֶּה בַּבִּאָה Ezek. 8:5

(סמן) נִסְמָן
נפ' – עין נִסְמָן (באות נ')

סמר
: סָמַר, סִמֵּר; סָמָר, מַסְמֵר

סָמַר
פָּ' א) התקשה: 1 ב) [פִּ' סִמֵּר] הִקשה: 2

סָמַר 1 סָמַר מִפַּחְדְּךָ בְשָׂרִי Ps. 119:120
תְּסַמֵּר 2 תְּסַמֵּר שַׂעֲרַת בְּשָׂרִי Job 4:15

סָמָר
ת' קָשֶׁה

סָמָר 1 הַעֲלוּ-סוּס כְּיֶלֶק סָמָר Jer. 51:27

סְנָאָה
ש״פ – עיר בככר הירדן לרגלי הר שומרון: 1-3

סְנָאָה 1/2 בְּנֵי סְנָאָה שְׁלֹשֶׁת אֲלָפִים Ez. 2:35 • Neh. 7:38
הַסְּנָאָה 3 וְאֵת שַׁעַר הַדָּגִים בָּנוּ בְּנֵי הַסְּנָאָה Neh. 3:3

סַנְבַלַּט
שפ״ז – החורוני, מצורריו של נחמיה: 1-10

סַנְבַלַּט 1-2 וַיִּשְׁמַע סַנְבַלַּט הַחֹרֹנִי Neh. 2:10, 19
3-4 וַיְהִי כַּאֲשֶׁר שָׁמַע סַנְבַלַּט Neh. 3:33; 4:1
5 וַיִּשְׁלַח סַנְבַלַּט וְגֶשֶׁם אֵלַי לֵאמֹר Neh. 6:2
6 וַיִּשְׁלַח אֵלַי סַנְבַלַּט...אֶת-נַעֲרוֹ Neh. 6:5
וְסַנְבַלַּט 7 וְטוֹבִיָּה וְסַנְבַלַּט שְׂכָרוֹ Neh. 6:12
לְסַנְבַלַּט 8 וַיְהִי כַאֲשֶׁר נִשְׁמַע לְסַנְבַלַּט... Neh. 6:1
9 חָתָן לְסַנְבַלַּט הַחֹרֹנִי Neh. 13:28
וּלְסַנְבַלַּט 10 זָכְרָה אֱלֹהַי לְטוֹבִיָּה וּלְסַנְבַלַּט Neh. 6:14

סְנֶה
ז' שיח קוצני, שמתוכו התגלה אלהים למשה: 1-6

שֹׁכְנִי סְנֶה 1

סְנֶה 1 וּרְצוֹן שֹׁכְנִי סְנֶה Deut. 33:16
הַסְּנֶה 2 וַיֵּרָא מַלְאַךְ יְיָ אֵלָיו...מִתּוֹךְ הַסְּנֶה Ex. 3:2
3 וַיַּרְא וְהִנֵּה הַסְּנֶה בֹּעֵר בָּאֵשׁ Ex. 3:2
4 מַדּוּעַ לֹא-יִבְעַר הַסְּנֶה Ex. 3:3
5 וַיִּקְרָא אֵלָיו אֱלֹהִים מִתּוֹךְ הַסְּנֶה Ex. 3:4
וְהַסְּנֶה 6 וְהַסְּנֶה אֵינֶנּוּ אֻכָּל Ex. 3:2

סֶנֶּה
ש״פ – צוק סלע בין מכמש לגבע

סֶנֶּה 1 ...וְשֵׁם הָאֶחָד סֶנֶּה ISh. 14:4

סְנוּאָה
שפ״ז – איש מזרע בנימין: 1, 2

הַסְּנוּאָה 1 וִיהוּדָה בֶן-הַסְּנוּאָה...מִשְׁנֶה Neh. 11:9
2 ...בֶּן-הוֹדַוְיָה בֶּן-הַסְּנֻאָה ICh. 9:7

סַנְוֵרִים
ז״ר עִוָּרוֹן זמני: 1-3

בַּסַּנְוֵרִים 1 וְאֶת-הָאֲנָשִׁים...הִכּוּ בַּסַּנְוֵרִים Gen. 19:11
2 הַךְ-נָא אֶת-הַגּוֹי-הַזֶּה בַּסַּנְוֵרִים IIK. 6:18
3 וַיַּכֵּם בַּסַּנְוֵרִים כִּדְבַר אֱלִישָׁע IIK. 6:18

סַנְחֵרִיב
שפ״ז–מלך אשור בימי חזקיהו מלך יהודה: 1-13

דִּבְרֵי סַנְחֵרִיב 2, 11; יַד סַנְחֵרִיב 13

סַנְחֵרִיב 1 עָלָה סַנְחֵרִיב מֶלֶךְ-אַשּׁוּר IIK. 18:13
2 וּשְׁמַע אֵת דִּבְרֵי סַנְחֵרִיב IIK. 19:16
3 סַנְחֵרִב מֶלֶךְ-אַשּׁוּר IIK. 19:20
4-10 סַנְחֵרִיב מֶלֶךְ-אַשּׁוּר IIK. 19:36
Is. 36:1; 37:21, 37 • IICh. 32:1, 9, 10
11 וּשְׁמַע אֵת כָּל-דִּבְרֵי סַנְחֵרִיב Is. 37:17
12 וַיַּרְא יְחִזְקִיָּהוּ כִּי-בָא סַנְחֵרִיב IICh. 32:2
13 וַיּוֹשַׁע...מִיַּד סַנְחֵרִיב מֶלֶךְ-אַשּׁוּר IICh. 32:22

סַנְסִן*
ז' כפת התומר

בְּסַנְסִנָּיו 1 אֶעֱלֶה בְתָמָר אֹחֲזָה בְּסַנְסִנָּיו S.ofS. 7:9

סַנְסַנָּה
ש״פ – עיר בנגב יהודה

וְסַנְסַנָּה 1 וְצִקְלַג וּמַדְמַנָּה וְסַנְסַנָּה Josh. 15:31

סְנַפִּיר
ז' אבר התנועה של הדגים: 1-5

סְנַפִּיר 1 כֹּל אֲשֶׁר-לוֹ סְנַפִּיר וְקַשְׂקֶשֶׂת Lev. 11:9
2/3 (וְ)כֹל אֲשֶׁר אֵין-לוֹ סְנַפִּיר וְקַשְׂקֶשֶׂת Lev. 11:10, 12
4 כֹּל אֲשֶׁר-לוֹ סְנַפִּיר וְקַשְׂקֶשֶׂת Deut. 14:9
5 וְכֹל אֲשֶׁר אֵין-לוֹ סְנַפִּיר וְקַשְׂקֶשֶׂת Deut. 14:10

סָס
ז' אחד ממיני העש

סָס 1 וְכַצֶּמֶר יֹאכְלֵם סָס Is. 51:8

סִסְמַי
שפ״ז – איש משבט יהודה: 1, 2

סִסְמָי 1 וְאֶלְעָשָׂה הוֹלִיד אֶת-סִסְמָי ICh. 2:40
וְסִסְמַי 2 וְסִסְמַי הוֹלִיד אֶת-שַׁלּוּם ICh. 2:40

סעד : סָעַד; מִסְעָד; אר׳ סְעַד

סָעַד פ׳ תמך, חזק: 1-12

סָעַד לִבּוֹ 3, 8, 12

וּלְסַעֲדָהּ 1 לְהָכִין אֹתָהּ וּלְסַעֲדָהּ בְּמִשְׁפָּט Is.9:6
וְסָעַד 2 וְסָעַד בַּחֶסֶד כִּסְאוֹ Prov.20:28
יִסְעָד 3 וְלֶחֶם לְבַב־אֱנוֹשׁ יִסְעָד Ps.104:15
יִסְעָדֵנִי 4 חַסְדְּךָ יְיָ יִסְעָדֵנִי Ps.94:18
יִסְעָדֶךָּ 5 יִשְׁלַח־עֶזְרְךָ מִקֹּדֶשׁ וּמִצִּיּוֹן יִסְעָדֶךָּ Ps.20:3
יִסְעָדֶנּוּ 6 יְיָ יִסְעָדֶנּוּ עַל־עֶרֶשׂ דְּוָי Ps.41:4
תִסְעָדֵנִי 7 וִימִינְךָ תִסְעָדֵנִי Ps.18:36
סְעָד 8 סְעָד לִבְּךָ פַּת־לֶחֶם Jud.19:5
9 סְעָד־נָא לְבָבְךָ Jud.19:8
וּסְעָדָה 10 בֹּאָה־אִתִּי הַבַּיְתָה וּסְעָדָה IK.13:7
סְעָדֵנִי 11 סְעָדֵנִי וְאִוָּשֵׁעָה Ps.119:117
וְסַעֲדוּ 12 וְאֶקְחָה פַת־לֶחֶם וְסַעֲדוּ לִבְּכֶם Gen.18:5

סְעַד פ׳ ארמית: סעד, עזר

מְסַעֲדִין 1 נְבִיַּיָּא דִּי־אֱלָהָא מְסַעֲדִין לְהוֹן Ez.5:2

סעה עין סוֹעָה

סָעִיף* ז׳ א) נקיק: 1-4 ב) ענף: 5, 6

סְעִיף־ 1 וַיֵּרְדוּ...אֶל־סְעִיף סֶלַע עֵיטָם Jud.15:11
בִּסְעִיף־ 2 וַיֵּשֶׁב בִּסְעִיף סֶלַע עֵיטָם Jud.15:8
סְעִפֵי־ 3 בַּנְּחָלִים תַּחַת סְעִפֵי הַסְּלָעִים Is.57:5
וּבִסְעִפֵי־ 4 בְּנִקְרוֹת הַצֻּרִים וּבִסְעִפֵי הַסְּלָעִים Is.2:21
סְעִפֶיהָ 5 שָׁם יִרְעֶה עֵגֶל...וְכִלָּה סְעִפֶיהָ Is.27:10
בִּסְעִפֶיהָ 6 אַרְבָּעָה חֲמִשָּׁה בִּסְעִפֶיהָ פֹּרִיָּה Is.17:6

סעף : סֵעֵף; סְעִיף, סֵעֵף, סְעַפָּה

סֵעֵף פ׳ קצץ ענפים

מְסָעֵף 1 יְיָ צְבָאוֹת מְסָעֵף פֻּארָה בְּמַעֲרָצָה Is.10:33

סֵעֵף* ז׳ שאינו יציב בדעתו

סֵעֲפִים 1 סֵעֲפִים שָׂנֵאתִי וְתוֹרָתְךָ אָהָבְתִּי Ps.119:113

סְעִף* ז׳ צורת־משנה של סעיף, ענף

הַסְּעִפִּים 1 אַתֶּם פֹּסְחִים עַל־שְׁתֵּי הַסְּעִפִּים IK.18:21

סְעַפָּה* נ׳ סָעִף, ענף: 1, 2

סְעַפֹּתָיו 1 בְּרֹשִׁים לֹא דָמוּ אֶל־סְעַפֹּתָיו Ezek.31:8
בִסְעַפֹּתָיו 2 בִסְעַפֹּתָיו קִנְנוּ כָּל־עוֹף הַשָּׁמַיִם Ezek.31:6

סער : סָעַר, נִסְעַר, סֹעֵר; סַעַר, סְעָרָה

סָעַר פ׳ א) רעש, רגז: 1-3
ב) [נפ׳ נִסְעַר] גרעש: 4
ג) [פ׳ סֵעֵר] הפיץ: 5
ד) [פ׳ סֹעַר] הופץ, פוזר: 6, 7

וְסֹעֵר 1 כִּי הַיָּם הוֹלֵךְ וְסֹעֵר Jon.1:11
2 כִּי הַיָּם הוֹלֵךְ וְסֹעֵר עֲלֵיהֶם Jon.1:13
יִסְעֲרוּ 3 ...רֹאשׁ פְּרָזָו יִסְעֲרוּ לַהֲפִיצֵנִי Hab.3:14
וַיִּסָּעֵר 4 וַיִּסָּעֵר לֵב מֶלֶךְ־אֲרָם IIK.6:11
וְאֵסָעֲרֵם 5 וְאֵסָעֲרֵם עַל כָּל־הַגּוֹיִם... Zech.7:14
סֹעֲרָה 6 עֲנִיָּה סֹעֲרָה לֹא נֻחָמָה Is.54:11
יְסֹעַר 7 כְּמֹץ יְסֹעֵר מִגֹּרֶן וּכְעָשָׁן מֵאֲרֻבָּה Hosh.13:3

סַעַר ז׳ רוח חזקה, רעש (גם בהשאלה): 1-8

קרובים: נֶפֶץ / סוּפָה / סְעָרָה / רַעַשׁ

סַעַר 1 סַעֲרַת יְיָ...סַעַר מִתְגּוֹרֵר Jer.30:23
2 וַיְהִי סַעַר־גָּדוֹל בַּיָּם Jon.1:4
וְסַעַר 3 סַעֲרַת יְיָ...וְסַעַר מִתְחוֹלֵל Jer.23:19
4 וְסַעַר גָּדוֹל יֵעוֹר מִיַּרְכְּתֵי־אָרֶץ Jer.25:32
הַסַּעַר 5 כִּי בְשֶׁלִּי הַסַּעַר הַגָּדוֹל הַזֶּה עֲלֵיכֶם Jon.1:12
בְּסַעַר 6 בְּיוֹם מִלְחָמָה בְּסַעַר בְּיוֹם סוּפָה Am.1:14
מִסָּעַר 7 אָחִישָׁה מִפְלָט לִי מֵרוּחַ סֹעָה מִסָּעַר Ps.55:9
בְּסַעֲרֶךָ 8 כֵּן תִּרְדְּפֵם בְּסַעֲרֶךָ Ps.83:16

סְעָרָה נ׳ סַעַר, רעש: 1-16 • קרובים: ראה סַעַר

רוּחַ סְעָרָה 2, 4; סַעֲרַת יְיָ 12, 13; רוּחַ סְעָרוֹת 14, 15; סַעֲרוֹת תֵּימָן 16

סְעָרָה 1 וְהִנֵּה רוּחַ סְעָרָה בָּאָה מִן־הַצָּפוֹן Ezek.1:4
2 וַיַּעֲמֵד רוּחַ סְעָרָה וַתְּרוֹמֵם גַּלָּיו Ps.107:25
3 יָקֵם סְעָרָה לִדְמָמָה וַיֶּחֱשׁוּ גַּלֵּיהֶם Ps.107:29
4 רוּחַ סְעָרָה עֹשָׂה דְבָרוֹ Ps.148:8
5 וַיַּעַן־יְיָ אֶת־אִיּוֹב מִן סְעָרָה (כת׳ מנסערה) Job 40:6
וּסְעָרָה 6 סוּפָה וּסְעָרָה וְלַהַב אֵשׁ אוֹכֵלָה Is.29:6
7 וּסְעָרָה כַּקַּשׁ תִּשָּׂאֵם Is.40:24
8 וּסְעָרָה תָּפִיץ אֹתָם Is.41:16
הַסְּעָרָה 9 וַיַּעַן־יְיָ אֶת־אִיּוֹב מִן הַסְּעָרָה (כת׳ מנהסערה) Job 38:1
בַּסְּעָרָה 10 בְּהַעֲלוֹת יְיָ אֶת־אֵלִיָּהוּ בַּסְעָרָה הַשָּׁמָיִם IIK.2:1
11 וַיַּעַל אֵלִיָּהוּ בַּסְעָרָה הַשָּׁמָיִם IIK.2:11
סַעֲרַת־ 12-13 סַעֲרַת יְיָ חֵמָה יָצְאָה Jer.23:19; 30:23
סְעָרוֹת 14 וְרוּחַ סְעָרוֹת תְּבַקֵּעַ Ezek.13:11
15 וּבִקַּעְתִּי רוּחַ־סְעָרוֹת בַּחֲמָתִי Ezek.13:13
בְּסַעֲרוֹת־ 16 וְהָלַךְ בְּסַעֲרוֹת תֵּימָן Zech.9:14

סַף1 ז׳ מפתן: 1-25

– סַף הַבַּיִת 16; סַף הַשַּׁעַר 14; שֹׁמֵר הַסַּף 3-10,12
– אַמּוֹת הַסִּפִּים 19; שֹׁמְרֵי הַסִּפִּים 22; שֹׁעֲרֵי הַסִּפִּים 24,(25)

סַף 1 וְאֵת סַף אֶחָד קָנֶה אֶחָד רֹחַב Ezek.40:6
הַסַּף 2 נֹפֶלֶת פֶּתַח הַבַּיִת וְיָדֶיהָ עַל־הַסַּף Jud.19:27
3 הַכֹּהֲנִים שֹׁמְרֵי הַסַּף IIK.12:10
4-9 (מ)שֹׁמְרֵי הַסַּף IIK.22:4; 23:4
Jer.52:24 • Es.2:21; 6:2 • IICh.34:9
10 מַעֲשֵׂיָהוּ...שֹׁמֵר הַסַּף Jer.35:4
11 נֶגֶד הַסַּף שְׂחִיף עֵץ סָבִיב סָבִיב Ezek.41:16
הַסַּף 12 וְאֶת־שְׁלֹשֶׁת שֹׁמְרֵי הַסַּף IIK.25:18
בַּסַּף 13 חֹרֶב בַּסַּף כִּי אַרְזָה עֵרָה Zep.2:14
סַף־ 14 וַיָּמָד אֶת־סַף הַשַּׁעַר Ezek.40:6
וְסַף־ 15 וְסַף הַשַּׁעַר מֵאֵצֶל אֻלָם הַשַּׁעַר Ezek.40:7
בְּסַף־ 16 הִיא בָּאָה בְסַף־הַבַּיִת IK.14:17
סִפִּי 17 בְּתִתָּם סִפָּם אֶת־סִפִּי Ezek.43:8
סִפָּם 18 בְּתִתָּם סִפָּם אֶת־סִפִּי Ezek.43:8
הַסִּפִּים 19 וַיָּנֻעוּ אַמּוֹת הַסִּפִּים מִקּוֹל הַקּוֹרֵא Is.6:4
20 הַסִּפִּים וְהַחַלּוֹנִים הָאֲטֻמוֹת Ezek.41:16
21 הַךְ הַכַּפְתּוֹר וְיִרְעֲשׁוּ הַסִּפִּים Am.9:1
22 שֹׁמְרֵי הַסִּפִּים לָאֹהֶל ICh.9:19
23 וַיְחַף אֶת־הַבַּיִת הַקֹּרוֹת הַסִּפִּים IICh.3:7
24 לַכֹּהֲנִים וְלַלְוִיִּם לְשֹׁעֲרֵי הַסִּפִּים IICh.23:4
בַּסִּפִּים 25 כֻּלָּם הַבְּרוּרִים לְשֹׁעֲרִים בַּסִּפִּים ICh.9:22

סַף2 ז׳ סֵפֶל: 1-6 • קרובים: ראה סֵפֶל

סַף רַעַל 3; סִפּוֹת כֶּסֶף 5

בַּסַּף 1 ...וּטְבַלְתֶּם בַּדָּם אֲשֶׁר־בַּסַּף Ex.12:22
בַּסַּף 2 וְהִגַּעְתֶּם...מִן־הַדָּם אֲשֶׁר בַּסַּף Ex.12:22
סַף־ 3 סַף־רַעַל לְכָל־הָעַמִּים סָבִיב Zech.12:2
הַסִּפִּים 4 וְאֶת־הַסִּפִּים וְאֶת־הַמַּחְתּוֹת Jer.52:19
סִפּוֹת־ 5 סִפּוֹת כֶּסֶף מְזַמְּרוֹת IIK.12:14
וְהַסִּפּוֹת 6 וְהַסִּפּוֹת וְהַמְזַמְּרוֹת וְהַמִּזְרָקוֹת IK.7:50

סַף3 שפ״ז – איש מילידי הָרָפָה, הוא סִפַּי

סַף 1 ...אֶת־סַף אֲשֶׁר בִּילִדֵי הָרָפָה IISh.21:18

ספד : סָפַד, נִסְפַּד; מִסְפֵּד

סָפַד פ׳ א) בכה, התאבל: 1-28
ב) [נפ׳ נִסְפַּד] בכו עליו: 29, 30

קרובים: ראה אָבַל

סָפַד 1, 2, 4-6, 10-12, 14, 19, 22, 25, 27, 28; סָפַד לְ־ 3, 7, 15-18, 20, 21, 24; סָפַד עַל־ 8, 9, 13, 23

וְסָפוֹד 1 כִּי־צַמְתֶּם וְסָפוֹד בַּחֲמִישִׁי וּבַשְּׁבִיעִי Zech.7:5
סְפוֹד 2 עֵת סְפוֹד וְעֵת רְקוֹד Eccl.3:4
לִסְפֹּד 3 וַיָּבֹא...לִסְפֹּד לְשָׂרָה וְלִבְכֹּתָהּ Gen.23:2
4 לִסְפֹּד וּלְקָבְרוֹ IK.13:29
5 וְאַל־תֵּלֵךְ לִסְפּוֹד וְאַל־תָּנֹד לָהֶם Jer.16:5
וְסָפְדָה 6 וְסָפְדָה הָאָרֶץ מִשְׁפָּחוֹת מִשְׁפָּחוֹת Zech.12:12
וְסָפְדוּ 7 וְסָפְדוּ־לוֹ כָל־יִשְׂרָאֵל וְקָבְרוּ אֹתוֹ IK.14:13
8 וְסָפְדוּ עָלָיו כְּמִסְפֵּד עַל־הַיָּחִיד Zech.12:10
סֹפְדִים 9 עַל־שָׁדַיִם סֹפְדִים... Is.32:12
הַסּוֹפְדִים 10 וְסָבְבוּ בַשּׁוּק הַסּוֹפְדִים Eccl.12:5
אֶסְפְּדָה 11 עַל־זֹאת אֶסְפְּדָה וְאֵילִילָה Mic.1:8
תִסְפֹּד 12 וְלֹא תִסְפֹּד וְלֹא תִבְכֶּה Ezek.24:16
וַתִּסְפֹּד 13 וַתִּשְׁמַע...וַתִּסְפֹּד עַל־בַּעְלָהּ IISh.11:26
תִסְפְּדוּ 14 לֹא תִסְפְּדוּ וְלֹא תִבְכּוּ Ezek.24:23
יִסְפְּדוּ 15 וְלֹא־יִסְפְּדוּ לָהֶם וְלֹא יִתְגֹּדַד... Jer.16:6
16 לֹא־יִסְפְּדוּ לוֹ הוֹי אָחִי וְהוֹי אָחוֹת Jer.22:18
17 לֹא־יִסְפְּדוּ לוֹ הוֹי אָדוֹן וְהוֹי הֹדֹה Jer.22:18
18 וְהוֹי אָדוֹן יִסְפְּדוּ־לָךְ Jer.34:5
וַיִּסְפְּדוּ 19 וַיִּסְפְּדוּ־שָׁם מִסְפֵּד גָּדוֹל Gen.50:10
20 וַיִּסְפְּדוּ־לוֹ וַיִּקְבְּרֻהוּ בְּבֵיתוֹ ISh.25:1
21 וַיִּסְפְּדוּ־לוֹ כָּל־יִשְׂרָאֵל ISh.28:3
22 וַיִּסְפְּדוּ וַיִּבְכּוּ וַיָּצֻמוּ IISh.1:12
23 וַיִּסְפְּדוּ עָלָיו הוֹי אָחִי IK.13:30
24 וַיִּסְפְּדוּ־לוֹ כָּל־יִשְׂרָאֵל IK.14:18
סִפְדוּ 25 חִגְרוּ שַׂקִּים סִפְדוּ וְהֵילִילוּ Jer.4:8
וְסִפְדוּ 26 וְחִגְרוּ שַׂקִּים וְסִפְדוּ לִפְנֵי אַבְנֵר IISh.3:31
27 חִגְרוּ וְסִפְדוּ הַכֹּהֲנִים Joel 1:13
סְפֹדְנָה 28 חֲגֹרְנָה שַׂקִּים סְפֹדְנָה Jer.49:3
יִסָּפְדוּ 29 לֹא יִסָּפְדוּ וְלֹא יִקָּבֵרוּ Jer.16:4
30 לֹא יִסָּפְדוּ וְלֹא יֵאָסְפוּ וְלֹא יִקָּבֵרוּ Jer.25:33

ספה : א) סָפָה, הִסְפָּה; ב) סָפָה, נִסְפָּה

סָפָה1 פ׳ א) הוסיף, יסף: 1-3
ב) [הפ׳ הִסְפָּה] הוסיף, הרבה: 6

סְפוֹת 1 לְמַעַן סְפוֹת הָרָוָה אֶת־הַצְּמֵאָה Deut.29:18
2 לְמַעַן סְפוֹת חַטָּאת עַל־חַטָּאת Is.30:1
לִסְפּוֹת 3 לִסְפּוֹת עוֹד עַל חֲרוֹן אַף־יְיָ Num.32:14
סְפוּ 4 סְפוּ שָׁנָה עַל־שָׁנָה חַגִּים יִנְקֹפוּ Is.29:1
5 עֹלוֹתֵיכֶם סְפוּ עַל־זִבְחֵיכֶם Jer.7:21
אַסְפֶּה 6 אַסְפֶּה עָלֵימוֹ רָעוֹת Deut.32:23

סָפָה2 פ׳ א) כלה, השמיד: 1-6
ב) [נפ׳ נִסְפָּה] כלה, נשמד: 7-15

קרובים: ראה אָבַד

לִסְפּוֹתָהּ 1 יֵבֹשׁוּ...מְבַקְשֵׁי נַפְשִׁי לִסְפּוֹתָהּ Ps.40:15
סָפְתָה 2 ...סָפְתָה בְהֵמוֹת וָעוֹף Jer.12:4
וְסָפוּ 3 וְאָבְדוּ...וְסָפוּ בָּתִּים רַבִּים Am.3:15
תִּסְפֶּה 4 הַאַף תִּסְפֶּה צַדִּיק עִם־רָשָׁע Gen.18:23
5 הַאַף תִּסְפֶּה וְלֹא־תִשָּׂא לַמָּקוֹם Gen.18:24
6 וְגַם אֶת־הַזָּקָן תִּסְפֶּה Is.7:20
וְנִסְפָּה 7 אוֹ בַמִּלְחָמָה יֵרֵד וְנִסְפָּה ISh.26:10
נִסְפֶּה 8 וְיֵשׁ נִסְפֶּה בְּלֹא מִשְׁפָּט Prov.13:23
9 שְׁלֹשָׁה חֳדָשִׁים נִסְפֶּה מִפְּנֵי־צָרֶיךָ ICh.21:12
הַנִּסְפֶּה 10 וְכָל־הַנִּסְפֶּה יִפּוֹל בֶּחָרֶב Is.13:15
אֶסָּפֶה 11 עַתָּה אֶסָּפֶה יוֹם־אֶחָד בְּיַד־שָׁאוּל ISh.27:1
תִּסָּפֶה 12 פֶּן־תִּסָּפֶה בַּעֲוֺן הָעִיר Gen.19:15

13 הָהָרָה הִמָּלֵט פֶּן־תִּסָּפֶה Gen. 19:17
תִּסָּפוּ 14 פֶּן־תִּסָּפוּ בְּכָל־חַטֹּאתָם Num. 16:26
תִּסָּפוּ 15 גַּם־אַתֶּם גַּם־מַלְכְּכֶם תִּסָּפוּ ISh. 12:25

סַפָּה* נ׳ מטה
וְסַפּוֹת 1 מִשְׁכָּב וְסַפּוֹת וּכְלִי יוֹצֵר IISh. 17:28

סִפּוּן ז׳ תקרה
הַסִּפֻּן 1 מִקַּרְקַע הַבַּיִת עַד־קִירוֹת הַסִּפֻּן IK. 6:15

סָפוּן ת׳ – עין ספן

ספח : סָפַח, נִסְפַּח, סִפֵּחַ (שִׁפֵּחַ), סֻפַּח, הִסְתַּפֵּחַ; סַפַּחַת, סָפִיחַ, מִסְפַּחַת

סָפַח פ׳ א) חבר, צרף: 1
ב) [נפ׳ נִסְפַּח] התחבר: 2
ג) [פ׳ סִפֵּחַ] צרף,הוסיף: 3
ד) [פ׳ סֻפַּח] חֻבַּר: 4
ה) [הת׳ הִסְתַּפֵּחַ] התחבר: 5
סָפַח אֶל־ 1; נִסְפַּח עַל־ 2; הִסְתַּפֵּחַ בְּ־ 5
סְפָחֵנִי 1 סְפָחֵנִי נָא אֶל־אַחַת הַכְּהֻנּוֹת ISh. 2:36
וְנִסְפְּחוּ 2 וְנִלְוָה...וְנִסְפְּחוּ עַל־בֵּית יַעֲקֹב Is. 14:1
מְסַפֵּחַ 3 מְסַפֵּחַ חֲמָתְךָ וְאַף שַׁכֵּר Hab. 2:15
יְסֻפָּחוּ 4 תַּחַת חָרוּל יְסֻפָּחוּ Job 30:7
מֵהִסְתַּפֵּחַ 5 גֵּרְשׁוּנִי הַיּוֹם מֵהִסְתַּפֵּחַ בְּנַחֲלַת יְיָ ISh. 26:19

סַפַּחַת נ׳ נגע שדבק בעור: 1, 2
סַפַּחַת 1 שְׂאֵת אוֹ־סַפַּחַת אוֹ בַהֶרֶת Lev. 13:2
וְלַסַּפַּחַת 2 וְלַשְׂאֵת וְלַסַּפַּחַת וְלַבֶּהָרֶת Lev. 14:56

סִפַּי שפ״ז – איש מילידי הרפאים, הוא סַף 3
סִפַּי 1 הִכָּה סִבְּכַי...אֶת־סִפַּי מִילִידֵי הָרְפָאִים ICh. 20:4

סָפִיחַ ז׳ תבואה שצמחה משירי הזרעים של השנה שעברה: 1-5
סְפִיחַ קְצִירְךָ 3
סָפִיחַ 1/2 אָכוֹל הַשָּׁנָה סָפִיחַ IIK. 19:29 • Is. 37:30
סְפִיחַ־ 3 אֵת סְפִיחַ קְצִירְךָ לֹא תִקְצוֹר Lev. 25:5
סְפִיחֶיהָ 4 וְלֹא תִקְצְרוּ אֶת־סְפִיחֶיהָ Lev. 25:11
5 תִּשְׁטֹף־סְפִיחֶיהָ עֲפַר־אָרֶץ Job 14:19

סְפִינָה נ׳ אניה
קרובים: אֳנִי / אֳנִיָּה / דֹּבְרָה / מַעְבָּרָה / סִירָה / צִי / צִנָּה
הַסְּפִינָה 1 וְיוֹנָה יָרַד אֶל־יַרְכְּתֵי הַסְּפִינָה Jon. 1:5

סַפִּיר ז׳ אבן יקרה כחולה, מאבני החושן: 1-11
קרובים: ראה אֹדֶם
אֶבֶן סַפִּיר 4,3; לִבְנַת הַסַּפִּיר 9; מְקוֹם סַפִּיר 6
סַפִּיר 1-2 נֹפֶךְ סַפִּיר וְיָהֲלֹם Ex. 28:18; 39:11
3 כְּמַרְאֵה אֶבֶן־סַפִּיר דְּמוּת כִּסֵּא Ezek. 1:26
4 כְּאֶבֶן סַפִּיר כְּמַרְאֵה דְּמוּת כִּסֵּא Ezek. 10:1
5 סַפִּיר נֹפֶךְ וּבָרְקַת וְזָהָב Ezek. 28:13
6 מְקוֹם־סַפִּיר אֲבָנֶיהָ Job 28:6
7 זַכּוּ נְזִירֶיהָ...סַפִּיר גִּזְרָתָם Lam. 4:7
וְסַפִּיר 8 לֹא־תְסֻלֶּה...בְּשֹׁהַם יָקָר וְסַפִּיר Job 28:16
הַסַּפִּיר 9 כְּמַעֲשֵׂה לִבְנַת הַסַּפִּיר Ex. 24:10
סַפִּירִים 10 מֵעָיו עֶשֶׁת שֵׁן מְעֻלֶּפֶת סַפִּירִים S.ofS. 5:14
בַּסַּפִּירִים 11 וִיסַדְתִּיךְ בַּסַּפִּירִים Is. 54:11

סֵפֶל ז׳ קערה לנוזלים: 1, 2
קרובים: אַגָּן / אָסוּךְ / בַּקְבֻּק / גָּבִיעַ / כַּד / כּוֹס / פַּךְ / צְלוֹחִית / צִנְצֶנֶת / קֻבַּעַת
סֵפֶל אַדִּירִים 2; מְלוֹא הַסֵּפֶל 1
הַסֵּפֶל 1 וַיִּמֶץ...מְלוֹא הַסֵּפֶל מָיִם Jud. 6:38
בְּסֵפֶל־ 2 בְּסֵפֶל אַדִּירִים הִקְרִיבָה חֶמְאָה Jud. 5:25

ספן : סָפַן, סָפוּן (שָׂפוּן); סִפּוּן, סְפִינָה

סָפַן פ׳ א) צִפָּה, כסה: 2-4, 6
ב) [בינוני: סָפוּן] טמון, צפון: 1, 5
סָפוּן 1 כִּי־שָׁם חֶלְקַת מְחֹקֵק סָפוּן Deut. 33:21
וְסָפֻן 2 וְסָפֻן בָּאֶרֶז מִמַּעַל עַל־הַצְּלָעֹת IK. 7:3
וְסָפוּן 3 וְסָפוּן בָּאֶרֶז מֵהַקַּרְקַע עַד־הַקַּרְקַע IK. 7:7
4 וְסָפוּן בָּאָרֶז וּמָשׁוֹחַ בַּשָּׁשַׁר Jer. 22:14
סְפוּנִים 5 הַעֵת לָכֶם...לָשֶׁבֶת בְּבָתֵּיכֶם סְפוּנִים Hag. 1:4
וַיִּסְפֹּן 6 וַיִּסְפֹּן אֶת־הַבַּיִת גֵּבִים IK. 6:9

ספף : הִסְתּוֹפֵף; סַף, סַפָּה

(ספף) הִסְתּוֹפֵף הת׳ ישב על הסף
הִסְתּוֹפֵף 1 בָּחַרְתִּי הִסְתּוֹפֵף בְּבֵית אֱלֹהַי Ps. 84:11

ספק : סָפַק

סָפַק פ׳ הכה, דפק: 1-7 [עין גם שָׂפַק]
סָפַקְתִּי 1 וְאַחֲרֵי הִוָּדְעִי סָפַקְתִּי עַל־יָרֵךְ Jer. 31:19(18)
וְסָפַק 2 וְסָפַק מוֹאָב בְּקִיאוֹ Jer. 48:26
סְפָקָם 3 תַּחַת־רְשָׁעִים סְפָקָם Job 34:26
סָפְקוּ 4 סָפְקוּ עָלַיִךְ כַּפַּיִם Lam. 2:15
יִסְפּוֹק 5 בֵּינֵינוּ יִסְפּוֹק וְיֶרֶב אֲמָרָיו לָאֵל Job 34:37
וַיִּסְפֹּק 6 וַיִּחַר־אַף בָּלָק...וַיִּסְפֹּק אֶת־כַּפָּיו Num. 24:10
סְפֹק 7 לָכֵן סְפֹק אֶל־יָרֵךְ Ezek. 21:17

ספר : סָפַר, נִסְפַּר, סִפֵּר, סֻפַּר; סוֹפֵר, סֵפֶר, סְפוֹר, סְפָר, סִפְרָה, סְפֹרוֹת, מִסְפָּר; ש״פ סֶפֶר, סֹפֶרֶת; אר׳ סְפַר; סָפַר

סָפַר פ׳ א) מנה, קבע מספר: 1-27
ב) [נפ׳ נִסְפַּר] נמנה: 28-35
ג) [פ׳ סִפֵּר] מנה: 37, 38, 41, 43, 52
ד) [כנ״ל] הרצה, פֵּרֵט דברים: 36, 39, 40, 42, 44-51, 53-102
ה) [פ׳ סֻפַּר] הֻרצה, פֹּרַט 103-107
קרובים: חָשַׁב / מָנָה / פָּקַד; וראה עוד: אָמַר
לִסְפֹּר 1 אִם־תּוּכַל לִסְפֹּר אֹתָם Gen. 15:5
2 עַד כִּי־חָדַל לִסְפֹּר Gen. 41:49
3 תָּחֵל לִסְפֹּר שִׁבְעָה שָׁבֻעוֹת Deut. 16:9
סָפַרְתָּה 4 נֹדִי סָפַרְתָּה אָתָּה Ps. 56:9
וְסָפַרְתָּ 5 וְסָפַרְתָּ לְךָ שֶׁבַע שַׁבְּתֹת שָׁנִים Lev. 25:8
סָפַר 6 אַחֲרֵי־כֵן סָפַר אֶת־הָעָם IISh. 24:10
וְסָפַר 7 וְסָפַר לוֹ שִׁבְעַת יָמִים Lev. 15:13
סְפָרָם 8 אַחֲרֵי הַסְּפָר אֲשֶׁר סְפָרָם דָּוִיד IICh. 2:16
וְסָפְרָה 9 וְסָפְרָה־לָּהּ שִׁבְעַת יָמִים Lev. 15:28
סְפַרְתֶּם 10 וְאֶת־בָּתֵּי יְרוּשָׁלַםִ סְפַרְתֶּם Is. 22:10
וּסְפַרְתֶּם 11 וּסְפַרְתֶּם לָכֶם מִמָּחֳרַת הַשַּׁבָּת Lev. 23:15
סוֹפֵר 12 אַיֵּה סֹפֵר אַיֵּה שֹׁקֵל Is. 33:18
13 אַיֵּה סֹפֵר אֶת־הַמִּגְדָּלִים Is. 33:18
אֶסְפְּרֵם 14 אֶסְפְּרֵם מֵחוֹל יִרְבּוּן Ps. 139:18
תִּסְפּוֹר 15 כִּי־עַתָּה צְעָדַי תִּסְפּוֹר Job 14:16
תִּסְפֹּר 16 תִּסְפֹּר יְרָחִים תְּמַלֶּאנָה Job 39:2
תִּסְפָּר־ 17 שִׁבְעָה שָׁבֻעֹת תִּסְפָּר־לָךְ Deut. 16:9
יִסְפֹּר 18 יְיָ יִסְפֹּר בִּכְתוֹב עַמִּים Ps. 87:6
19 וְכָל־צְעָדַי יִסְפּוֹר Job 31:4
וַיִּסְפֹּר 20 וַיִּסְפֹּר שְׁלֹמֹה שִׁבְעִים אֶלֶף אִישׁ IICh. 2:1
21 וַיִּסְפֹּר שְׁלֹמֹה כָּל־הָאֲנָשִׁים הַגֵּירִים IICh. 2:16
וַיִּסְפְּרֵם 22 וַיִּסְפְּרֵם לְשֵׁשְׁבַּצַּר הַנָּשִׂיא לִיהוּדָה Ez. 1:8
תִּסְפְּרוּ 23 עַד מִמָּחֳרַת...תִּסְפְּרוּ חֲמִשִּׁים יוֹם Lev. 23:16
יִסְפְּרוּ 24 שִׁבְעַת יָמִים יִסְפְּרוּ־לוֹ Ezek. 44:26
וּסְפֹר 25 הַבֶּט־נָא...וּסְפֹר הַכּוֹכָבִים Gen. 15:5
סִפְרוּ 26 סֹבּוּ צִיּוֹן...סִפְרוּ מִגְדָּלֶיהָ Ps. 48:13
27 לְכוּ סִפְרוּ אֶת־יִשְׂרָאֵל ICh. 21:2
יִסָּפֵר 28 אַרְבֶּה...וְלֹא יִסָּפֵר מֵרֹב Gen. 16:10
29 אֲשֶׁר לֹא־יִסָּפֵר מֵרֹב Gen. 32:12
30 אֲשֶׁר לֹא־יִמָּנֶה וְלֹא יִסָּפֵר מֵרֹב IK. 3:8
31 אֲשֶׁר לֹא־יִסָּפֵר צְבָא הַשָּׁמַיִם Jer. 33:22
32 אֲשֶׁר לֹא־יִמַּד וְלֹא יִסָּפֵר Hosh. 2:1
יִסָּפְרוּ 33/4 לֹא־יִסָּפְרוּ וְלֹא יִמָּנוּ מֵרֹב IK. 8:5 • IICh. 5:6
וַיִּסָּפְרוּ 35 וַיִּסָּפְרוּ הַלְוִיִּם מִבֶּן שְׁלֹשִׁים שָׁנָה ICh. 23:3
סַפֵּר 36 וּלְמַעַן סַפֵּר שְׁמִי בְּכָל־הָאָרֶץ Ex. 9:16
לְסַפֵּר 37 מַה־לְּךָ לְסַפֵּר חֻקָּי Ps. 50:16
38 לְסַפֵּר כָּל־מַלְאֲכוֹתֶיךָ Ps. 73:28
39 לְסַפֵּר בְּצִיּוֹן שֵׁם יְיָ Ps. 102:22
וּלְסַפֵּר 40 לַשְׁמִעַ...וּלְסַפֵּר כָּל־נִפְלְאוֹתֶיךָ Ps. 26:7
מִסַּפֵּר 41 אַגִּידָה וַאֲדַבֵּרָה עָצְמוּ מִסַּפֵּר Ps. 40:6
סִפַּרְתִּי 42 בִּשְׂפָתַי סִפַּרְתִּי כֹּל מִשְׁפְּטֵי־פִיךָ Ps. 119:13
43 דְּרָכַי סִפַּרְתִּי וַתַּעֲנֵנִי Ps. 119:26
סִפְּרוּ 44 אֲשֶׁר סִפְּרוּ־לָנוּ אֲבוֹתֵינוּ לֵאמֹר Jud. 6:13
45/6 (וַ)אֲבוֹתֵינוּ סִפְּרוּ־לָנוּ Ps. 44:2; 78:3
47 הוֹדִינוּ לְּךָ...סִפְּרוּ נִפְלְאוֹתֶיךָ Ps. 75:2
מְסַפֵּר 48 וְהִנֵּה אִישׁ מְסַפֵּר לְרֵעֵהוּ חֲלוֹם Jud. 7:13
49 וַיְהִי הוּא מְסַפֵּר לַמֶּלֶךְ IIK. 8:5
מְסַפְּרִים 50 הַשָּׁמַיִם מְסַפְּרִים כְּבוֹד־אֵל Ps. 19:2
51 מְסַפְּרִים תְּהִלּוֹת יְיָ וֶעֱזוּזוֹ Ps. 78:4
אֲסַפֵּר 52 אֲסַפֵּר כָּל־עַצְמוֹתָי Ps. 22:18
וַאֲסַפֵּר 53 לֹא־אָמוּת...וַאֲסַפֵּר מַעֲשֵׂי יָהּ Ps. 118:17
אֲסַפְּרָה 54 אֲסַפְּרָה אֶל חֹק יְיָ אָמַר אֵלַי... Ps. 2:7
55 אוֹדֶה...אֲסַפְּרָה כָּל־נִפְלְאוֹתֶיךָ Ps. 9:2
56 לְמַעַן אֲסַפְּרָה כָּל־תְּהִלָּתֶיךָ Ps. 9:15
57 אֲסַפְּרָה שִׁמְךָ לְאֶחָי Ps. 22:23
58 אִם־אָמַרְתִּי אֲסַפְּרָה כְמוֹ... Ps. 73:15
וַאֲסַפְּרָה 59 לְכוּ־שִׁמְעוּ וַאֲסַפְּרָה Ps. 66:16
וַאֲסַפֵּרָה 60 וְזֶה־חָזִיתִי וַאֲסַפֵּרָה Job 15:17
אֲסַפְּרֶנָּה 61 וּגְדוּלָּתְךָ° אֲסַפְּרֶנָּה Ps. 145:6
תְּסַפֵּר 62 וּלְמַעַן תְּסַפֵּר בְּאָזְנֵי בִנְךָ Ex. 10:2
יְסַפֵּר 63 אֲשֶׁר־אִתּוֹ חֲלוֹם יְסַפֵּר חֲלוֹם Jer. 23:28
64 פִּי יְסַפֵּר צִדְקָתֶךָ Ps. 71:15
65 מִי־יְסַפֵּר שְׁחָקִים בְּחָכְמָה Job 38:37
וַיְסַפֵּר 66 וַיְסַפֵּר הָעֶבֶד לְיִצְחָק Gen. 24:66
67 וַיְסַפֵּר לְלָבָן אֵת כָּל־הַדְּבָרִים Gen. 29:13
68 וַיַּחֲלֹם...וַיְסַפֵּר אֹתוֹ לְאֶחָיו Gen. 37:9
69 וַיְסַפֵּר אֶל־אָבִיו וְאֶל־אֶחָיו Gen. 37:10
70 וַיְסַפֵּר...אֶת־חֲלֹמוֹ לְיוֹסֵף Gen. 40:9
71 וַיְסַפֵּר פַּרְעֹה לָהֶם אֶת־חֲלֹמוֹ Gen. 41:8
72 וַיְסַפֵּר מֹשֶׁה לְחֹתְנוֹ Ex. 18:8
73 וַיְסַפֵּר לָעָם אֵת כָּל־דִּבְרֵי יְיָ Ex. 24:3
74 וַיְסַפֵּר לָהֶם הָמָן אֶת־כְּבוֹד עָשְׁרוֹ Es. 5:11
75 וַיְסַפֵּר...אֵת כָּל־אֲשֶׁר קָרָהוּ Es. 6:13
וַיְסַפֶּר־ 76 וַיְסַפֶּר־לוֹ אֶת־כָּל־הַמַּעֲשֶׂה IK. 13:11
וַיְסַפְּרָהּ 77 אָז רָאָהּ וַיְסַפְּרָהּ Job 28:27
וַתְּסַפֶּר־ 78 וַיִּשְׁאַל הַמֶּלֶךְ לָאִשָּׁה וַתְּסַפֶּר־לוֹ IIK. 8:6
נְסַפֵּר 79 לְדוֹר וָדֹר נְסַפֵּר תְּהִלָּתֶךָ Ps. 79:13
וַנְּסַפֶּר־ 80 וַנְּסַפֶּר־לוֹ וַיִּפְתָּר־לָנוּ Gen. 41:12
וּנְסַפְּרָה 81 וּנְסַפְּרָה בְצִיּוֹן אֶת־מַעֲשֵׂה יְיָ אֱלֹ׳ Jer. 51:10
תְּסַפְּרוּ 82 לְמַעַן תְּסַפְּרוּ לְדוֹר אַחֲרוֹן Ps. 48:14
יְסַפְּרוּ 83 בַּחֲלוֹמֹתָם אֲשֶׁר יְסַפְּרוּ... Jer. 23:27
84 יְסַפְּרוּ אֶת־כָּל־תּוֹעֲבוֹתֵיהֶם Ezek. 12:16
85 יְסַפְּרוּ לִטְמוֹן מוֹקְשִׁים Ps. 64:6
יְסַפֵּרוּ 86 עַם־זוּ יָצַרְתִּי לִי תְּהִלָּתִי יְסַפֵּרוּ Is. 43:21
87 וּמֵאָלָה וּמִכַּחַשׁ יְסַפֵּרוּ Ps. 59:13
88 וְאֶל־מַכְאוֹב חֲלָלֶיךָ יְסַפֵּרוּ Ps. 69:27
וִיסַפְּרוּ 89 יָקֻמוּ וִיסַפְּרוּ לִבְנֵיהֶם Ps. 78:6
90 וִיסַפְּרוּ מַעֲשָׂיו בְּרִנָּה Ps. 107:22
91 וִיסַפְּרוּ לְךָ דְּגֵי הַיָּם Job 12:8

וַיְסַפְּרוּ 92 וַיְסַפְּרוּ־לוֹ וַיֹּאמְרוּ Num. 13:27
93 וַיְסַפְּרוּ־לוֹ אֵת כָּל־הַמֹּצְאוֹת אוֹתָם Josh. 2:23
94 וַיְסַפְּרוּ־לוֹ אֶת־דִּבְרֵי אַנְשֵׁי יָבֵישׁ ISh. 11:5
וַיְסַפְּרוּם 95 אֶת־הַדְּבָרִים...וַיְסַפְּרוּם לַאֲבִיהֶם IK. 13:11
96 נִבְּאֵי חֲלֹמוֹת שֶׁקֶר...וַיְסַפְּרוּם Jer. 23:32
סַפֵּר 97 סַפֵּר אַתָּה לְמַעַן תִּצְדָּק Is. 43:26
סַפְּרָה־ 98 סַפְּרָה־נָּא לִי אֵת כָּל־הַגְּדֹלוֹת IIK. 8:4
סַפְּרוּ 99 לֵאלֹהִים פִּתְרֹנִים סַפְּרוּ־נָא לִי Gen. 40:8
100 סַפְּרוּ בַגּוֹיִם כְּבוֹדוֹ Ps. 96:3
101 סַפְּרוּ בַגּוֹיִם אֶת־כְּבוֹדוֹ ICh. 16:24
סַפֵּרוּ 102 עָלֶיהָ לִבְנֵיכֶם סַפֵּרוּ Joel 1:3
סֻפַּר 103 אֲשֶׁר לֹא־סֻפַּר לָהֶם רָאוּ Is. 52:15
יְסֻפַּר 104 יְסֻפַּר לַאדֹנָי לַדּוֹר Ps. 22:31
יְסֻפָּר 105 לֹא תַאֲמִינוּ כִּי יְסֻפָּר Hab. 1:5
הַיְסֻפַּר 106 הַיְסֻפַּר בַּקֶּבֶר חַסְדֶּךָ Ps. 88:12
107 הַיְסֻפַּר־לוֹ כִּי אֲדַבֵּר Job 37:20

סֵפֶר

ז׳ א) מגילה כתובה: רוב המקראות 1-185
ב) מכתב, אגרת, תעודה: 4-6, 24-28, 41, 45, 58, 59, 67, 73, 74, 119, 121-124, 155, 166-171, 173-184
ג) ידיעה קרא וכתוב: 8-10, 20
ד) ספּור, פּרשה: 71

– דִּבְרֵי סֵפֶר 11, 30-35, 38, 145; יוֹדֵעַ סֵפֶר 8; מִדְרַשׁ סֵפֶר 142; מְגִלַּת סֵפֶר 14, 15, 18, 19

– סֵפֶר הַבְּרִית 72, 116, 117, 145; ס׳ הַגָּלוּי 124; ס׳ דִּבְרֵי־ 79-113, 128, 156; ס׳ זִכָּרוֹן 126; ס׳ הַזִּכְרֹנוֹת 127; ס׳ חֲזוֹן־ 125; ס׳ חַיִּים 162; הַסּ׳ הֶחָתוּם 38, (123); ס׳ הַיַּחַשׂ 129; ס׳ יְיָ 118; ס׳ הַיָּשָׁר 78; ס׳ כְּרִיתוּת 73, 74, 119, 120; ס׳ מִלְחֲמוֹת יְיָ 146; ס׳ מַלְכֵי־ 132-139; ס׳ הַמְּלָכִים 142; ס׳ הַמִּקְנָה 41, 121-123, 155; ס׳ מֹשֶׁה 160, 161; ס׳ תּוֹלְדוֹת־ 71; ס׳ הַתּוֹרָה (תּוֹרַת...) 75, 76, 114, 115, 130, 131, 141, 143, 144, 147-154, 157, 158

סֵפֶר 1 וְכָתַב לוֹ...עַל־סֵפֶר Deut. 17:18
2 לִכְתֹּב אֶת־דִּבְרֵי...עַל־סֵפֶר Deut. 31:24
3 וַיִּכְתְּבוּהָ לֶעָרִים...עַל־סֵפֶר Josh. 18:9
4 וַיִּכְתֹּב דָּוִד סֵפֶר אֶל־יוֹאָב IISh. 11:14
5 וְאֶשְׁלְחָה סֵפֶר אֶל־מֶלֶךְ יִשְׂרָאֵל IIK. 5:5
6 וַיִּכְתֹּב אֲלֵיהֶם סֵפֶר שֵׁנִית לֵאמֹר IIK. 10:6
7 סֵפֶר נָתַן לִי חִלְקִיָּה הַכֹּהֵן IIK. 22:10
8 יִתְּנוּ אֹתוֹ אֶל־יוֹדֵעַ סֵפֶר (כת׳ הספר) Is. 29:11
9 וְנִתַּן הַסֵּפֶר עַל אֲשֶׁר לֹא־יָדַע סֵפֶר Is. 29:12
10 וְאָמַר לֹא יָדַעְתִּי סֵפֶר Is. 29:12
11 וְשָׁמְעוּ...הַחֵרְשִׁים דִּבְרֵי־סֵפֶר Is. 29:18
12 בּוֹא כָתְבָהּ...וְעַל־סֵפֶר חֻקָּהּ Is. 30:8
13 כְּתָב...כָּל־הַדְּבָרִים...אֶל־סֵפֶר Jer. 30:2
14 קַח־לְךָ מְגִלַּת־סֵפֶר Jer. 36:2
15 וַיִּכְתֹּב בָּרוּךְ...עַל־מְגִלַּת־סֵפֶר Jer. 36:4
16 בְּכָתְבוֹ אֶת־הַדְּבָרִים...עַל־סֵפֶר Jer. 45:1
17 וַיִּכְתֹּב...אֶל־סֵפֶר אֶחָד Jer. 51:60
18 וְהִנֵּה־בוֹ מְגִלַּת־סֵפֶר Ezek. 2:9
19 בָּאתִי בִּמְגִלַּת־סֵפֶר כָּתוּב עָלָי Ps. 40:8
20 וּלְלַמְּדָם סֵפֶר וּלְשׁוֹן כַּשְׂדִּים Dan. 1:4
21 מַדָּע וְהַשְׂכֵּל בְּכָל־סֵפֶר וְחָכְמָה Dan. 1:17
22 סֵפֶר נָתַן לִי חִלְקִיָּהוּ הַכֹּהֵן IICh. 34:18
וְסֵפֶר 23 וְסֵפֶר כָּתַב אִישׁ רִיבִי Job 31:35
הַסֵּפֶר 24-25 וַיָּבֵא הַסֵּפֶר אֶל־מֶלֶךְ יִשְׂרָאֵל לֵאמֹר
וְעַתָּה כְּבוֹא הַסֵּפֶר הַזֶּה אֵלֶיךָ IIK. 5:6...
26 וַיְהִי כִּקְרֹא מֶלֶךְ־יִשְׂרָאֵל אֶת־הַסֵּפֶר IIK. 5:7
27 וְעַתָּה כְּבֹא הַסֵּפֶר הַזֶּה אֲלֵיכֶם IIK. 10:2

הַסֵּפֶר (המשך) 28 וַיְהִי כְּבֹא הַסֵּפֶר אֲלֵיהֶם... IIK. 10:7
29 וַיִּתֵּן חִלְקִיָּה אֶת־הַסֵּפֶר אֶל־שָׁפָן IIK. 22:8
30 דִּרְשׁוּ...עַל־דִּבְרֵי הַסֵּפֶר הַנִּמְצָא IIK. 22:13
31-35 דִּבְרֵי הַסֵּפֶר IIK. 22:13,16
Jer. 29:1; 36:32 • IICh. 34:21
36 הַכְּתֻבִים עַל־הַסֵּפֶר הַזֶּה IIK. 23:3
37 הַכְּתֻבִים עַל־הַסֵּפֶר אֲשֶׁר מָצָא... IIK. 23:24
38 כְּדִבְרֵי הַסֵּפֶר הֶחָתוּם Is. 29:11
39 וְנִתַּן הַסֵּפֶר עַל אֲשֶׁר לֹא־יָדַע ס׳ Is. 29:12
40 וַיִּקְרָא...אֶת־הַסֵּפֶר הַזֶּה... Jer. 29:29
41 וָאֶתֵּן אֶת־הַסֵּפֶר הַמִּקְנָה אֶל־בָּרוּךְ Jer. 32:12
42 וַיִּשְׁמַע...כָּל־דִּבְרֵי יְיָ מֵעַל־הַסֵּפֶר Jer. 36:11
43 וַאֲנִי כֹּתֵב עַל־הַסֵּפֶר בַּדְּיוֹ Jer. 36:18
44 כְּכַלֹּתְךָ לִקְרֹא אֶת־הַסֵּפֶר הַזֶּה Jer. 51:63
45 וּבְבֹאָהּ...אָמַר עִם־הַסֵּפֶר Es. 9:25
46 סְתֹם הַדְּבָרִים וַחֲתֹם הַסֵּפֶר Dan. 12:4
47 וַיִּפְתַּח עֶזְרָא הַסֵּפֶר לְעֵינֵי כָל־הָעָם Neh. 8:5
48 וַיִּתֵּן חִלְקִיָּהוּ אֶת־הַסֵּפֶר אֶל־שָׁפָן IICh. 34:15
49 וַיָּבֵא שָׁפָן אֶת־הַסֵּפֶר אֶל־הַמֶּלֶךְ IICh. 34:16
50 כְּכָל־הַכָּתוּב עַל־הַסֵּפֶר הַזֶּה IICh. 34:21
51 הָאָלוֹת הַכְּתוּבוֹת עַל־הַסֵּפֶר IICh. 34:24
52 הַכְּתוּבִים עַל־הַסֵּפֶר הַזֶּה IICh. 34:31
בַּסֵּפֶר 53 כְּתֹב זֹאת זִכָּרוֹן בַּסֵּפֶר Ex. 17:14
54 וְכָתַב אֶת־הָאָלֹת...בַּסֵּפֶר Num. 5:23
55 הַכְּתֻבִים בַּסֵּפֶר הַזֶּה Deut. 28:58
56 הַכְּתוּבָה בַּסֵּפֶר הַזֶּה Deut. 29:19
57 הַכְּתוּבָה בַּסֵּפֶר הַזֶּה Deut. 29:26
58 וַיִּכְתֹּב בַּסֵּפֶר וַיַּנַּח לִפְנֵי יְיָ ISh. 10:25
59 וַיִּכְתֹּב בַּסֵּפֶר לֵאמֹר... IISh. 11:15
60 אֵת כָּל־הַכָּתוּב בַּסֵּפֶר הַזֶּה Jer. 25:13
61 וָאֶכְתֹּב בַּסֵּפֶר וָאֶחְתֹּם Jer. 32:10
62 וְכָתוֹב בַּסֵּפֶר וְחָתוֹם Jer. 32:44
63 לִקְרֹא בַסֵּפֶר דִּבְרֵי יְיָ Jer. 36:8
64 וַיִּקְרָא בָרוּךְ בַּסֵּפֶר אֶת־דִּבְרֵי... Jer. 36:10
65 בִּקְרֹא בָרוּךְ בַּסֵּפֶר בְּאָזְנֵי הָעָם Jer. 36:13
66 מִי־יִתֵּן בַּסֵּפֶר וְיֻחָקוּ Job 19:23
67 וּמַאֲמַר אֶסְתֵּר...וְנִכְתָּב בַּסֵּפֶר Es. 9:32
68 כָּל־הַנִּמְצָא כָּתוּב בַּסֵּפֶר Dan. 12:1
69 וַיִּקְרְאוּ בַסֵּפֶר בְּתוֹרַת הָאֱלֹהִים Neh. 8:8
כַּסֵּפֶר 70 וְנָגֹלּוּ כַסֵּפֶר הַשָּׁמָיִם Is. 34:4
סֵפֶר־ 71 זֶה סֵפֶר תּוֹלְדֹת אָדָם Gen. 5:1
72 וַיִּקַּח סֵפֶר הַבְּרִית וַיִּקְרָא Ex. 24:7
73/4 וְכָתַב לָהּ סֵפֶר כְּרִיתֻת Deut. 24:1,3
75 לָקֹחַ אֵת סֵפֶר הַתּוֹרָה הַזֶּה Deut. 31:26
76 לֹא־יָמוּשׁ סֵפֶר הַתּוֹרָה הַזֶּה מִפִּיךָ Josh. 1:8
77 הֲלֹא־הִיא כְתוּבָה עַל־סֵפֶר הַיָּשָׁר Josh. 10:13
78 הִנֵּה כְתוּבָה עַל־סֵפֶר הַיָּשָׁר IISh. 1:18
79 כְּתֻבִים עַל־סֵפֶר דִּבְרֵי שְׁלֹמֹה IK. 11:41
80-113 עַל־סֵפֶר דִּבְרֵי הַיָּמִים IK. 14:19
14:29; 15:7, 23, 31; 16:5, 14, 20, 27; 22:39, 46 • IIK. 1:18; 8:23; 10:34; 12:20; 13:8, 12; 14:15, 18, 28; 15:6, 11, 15, 21, 26, 31, 36; 16:19; 20:20; 21:17, 25; 23:28; 24:5 • Neh. 12:23
114 סֵפֶר הַתּוֹרָה מָצָאתִי בְּבֵית יְיָ IIK. 22:8
115 אֶת־דִּבְרֵי סֵפֶר הַתּוֹרָה IIK. 22:11
116 אֶת־כָּל־דִּבְרֵי סֵפֶר הַבְּרִית IIK. 23:2
117 כַּכָּתוּב עַל סֵפֶר הַבְּרִית הַזֶּה IIK. 23:21
118 דִּרְשׁוּ מֵעַל־סֵפֶר יְיָ וּקְרָאוּ Is. 34:16
119 אֵי זֶה סֵפֶר כְּרִיתוּת אִמְּכֶם Is. 50:1
120 וָאֶתֵּן אֶת־סֵפֶר כְּרִיתֻתֶיהָ אֵלֶיהָ Jer. 3:8
121-122 אֶת־סֵפֶר הַמִּקְנָה Jer. 32:11,16
123 אֶת סֵפֶר הַמִּקְנָה הַזֶּה וְאֵת הֶחָתוּם Jer. 32:14

סֵפֶר־ (המשך) 124 וְאֵת סֵפֶר הַגָּלוּי הַזֶּה Jer. 32:14
125 סֵפֶר חֲזוֹן נַחוּם הָאֶלְקֹשִׁי Nah. 1:1
126 וַיִּכָּתֵב סֵפֶר זִכָּרוֹן לְפָנָיו Mal. 3:16
127 אֶת־סֵפֶר הַזִּכְרֹנוֹת דִּבְרֵי הַיָּמִים Es. 6:1
128 כְּתוּבִים עַל־סֵפֶר דִּבְרֵי הַיָּמִים Es. 10:2
129 וָאֶמְצָא סֵפֶר הַיַּחַשׂ Neh. 7:5
130 לְהָבִיא אֶת־סֵפֶר תּוֹרַת מֹשֶׁה Neh. 8:1
131 וְאָזְנֵי כָל־הָעָם אֶל־סֵפֶר הַתּוֹרָה Neh. 8:3
132-139 עַל(־)סֵפֶר מַלְכֵי־... ICh. 9:1
IICh. 20:34; 25:26; 27:7; 28:26; 32:32; 35:27; 36:8
140 הִנָּם כְּתוּבִים עַל־סֵפֶר הַמְּלָכִים IICh. 16:11
141 וְעִמָּהֶם סֵפֶר תּוֹרַת יְיָ IICh. 17:9
142 עַל־מִדְרַשׁ סֵפֶר הַמְּלָכִים IICh. 24:27
143 אֶת־סֵפֶר תּוֹרַת־יְיָ בְּיַד־מֹשֶׁה IICh. 34:14
144 סֵפֶר הַתּוֹרָה מָצָאתִי בְּבֵית יְיָ IICh. 34:15
145 אֶת־כָּל־דִּבְרֵי סֵפֶר הַבְּרִית IICh. 34:30
בְּסֵפֶר־ 146 עַל־כֵּן יֵאָמַר בְּסֵפֶר מִלְחֲמֹת יְיָ Num. 21:14
147 אֲשֶׁר לֹא כָתוּב בְּסֵפֶר הַתּוֹרָה Deut. 28:61
148/9 הַכְּתוּבָה בְּסֵפֶר הַתּוֹרָה הַזֶּה Deut. 29:20; 30:10
150-152 (הַ/כַּ)כָּתוּב בְּסֵפֶר תּוֹרַת מֹשֶׁה
Josh. 8:31; 23:6 • IIK. 14:6
153 כְּכָל־הַכָּתוּב בְּסֵפֶר הַתּוֹרָה Josh. 8:34
154 וַיִּכְתֹּב...בְּסֵפֶר תּוֹרַת אֱלֹהִים Josh. 24:26
155 ...הַכֹּתְבִים בְּסֵפֶר הַמִּקְנָה Jer. 32:12
156 וַיִּכָּתֵב בְּסֵפֶר דִּבְרֵי הַיָּמִים Es. 2:23
157 וַיִּקְרָא בְּסֵפֶר תּוֹרַת הָאֱלֹהִים Neh. 8:18
158 וַיִּקְרְאוּ בְּסֵפֶר תּוֹרַת יְיָ אֱלֹהֵיהֶם Neh. 9:3
159 בַּיּוֹם הַהוּא נִקְרָא בְּסֵפֶר מֹשֶׁה Neh. 13:1
160 כַּכָּתוּב בַּתּוֹרָה בְּסֵפֶר מֹשֶׁה IICh. 25:4
161 לְהַקְרִיב לַייָ כַּכָּתוּב בְּסֵפֶר מֹשֶׁה IICh. 35:12
מִסֵּפֶר־ 162 יִמָּחוּ מִסֵּפֶר חַיִּים... Ps. 69:29
מִסִּפְרִי 163 מִי אֲשֶׁר חָטָא־לִי אֶמְחֶנּוּ מִסִּפְרִי Ex. 32:33
סִפְרְךָ 164 וְעַל־סִפְרְךָ כֻּלָּם יִכָּתֵבוּ Ps. 139:16
מִסִּפְרְךָ 165 מְחֵנִי נָא מִסִּפְרְךָ אֲשֶׁר כָּתָבְתָּ Ex. 32:32
סְפָרִים 166 וַתִּכְתֹּב סְפָרִים בְּשֵׁם אַחְאָב IK. 21:8
167 וַתִּשְׁלַח סְפָרִים (כת׳ הספרים) אֶל... IK. 21:8
168 וַיִּכְתֹּב יֵהוּא סְפָרִים וַיִּשְׁלַח שֹׁמְרוֹן IIK. 10:1
169/70 שָׁלַח...סְפָרִים וּמִנְחָה אֶל־חִזְקִיָּהוּ
IIK. 20:12 • Is. 39:1
171 שָׁלַחְתָּ בְשִׁמְכָה סְפָרִים Jer. 29:25
172 עֲשׂוֹת סְפָרִים הַרְבֵּה אֵין קֵץ Eccl. 12:12
173 וַיִּשְׁלַח סְפָרִים אֶל־כָּל־מְדִינוֹת הַמּ׳ Es. 1:22
174 וְנִשְׁלוֹחַ סְפָרִים בְּיַד הָרָצִים Es. 3:13
175 וַיִּשְׁלַח סְפָרִים בְּיַד הָרָצִים Es. 8:10
176/7 וַיִּשְׁלַח סְפָרִים אֶל־כָּל־הַיְּהוּ׳ Es. 9:20,30
וּסְפָרִים 178 וּסְפָרִים כָּתַב לְחָרֵף לַייָ IICh. 32:17
הַסְּפָרִים 179 וַיִּקַּח חִזְקִיָּהוּ אֶת־הַסְּפָרִים IIK. 19:14
180 וַיִּקַּח חִזְקִיָּהוּ אֶת־הַסְּפָרִים Is. 37:14
181 לָקוֹחַ אֶת־הַסְּפָרִים הָאֵלֶּה Jer. 32:14
182 לְהָשִׁיב אֶת־הַסְּפָרִים מַחֲשֶׁבֶת הָמָן Es. 8:5
בַּסְּפָרִים 183 וַתִּכְתֹּב בַּסְּפָרִים לֵאמֹר IK. 21:9
184 כַּאֲשֶׁר כָּתוּב בַּסְּפָרִים אֲשֶׁר שָׁלְחָה IK. 21:11
185 אֲנִי דָּנִיֵּאל בִּינֹתִי בַּסְּפָרִים Dan. 9:2

סָפַר

ז׳ ארמית: סוֹפֵר: 1-6; סָפְרָא = הסופר
סָפַר 1-2 סָפַר דָּתָא דִּי(־)אֱלָהּ שְׁמַיָּא Ez. 7:12,21
סָפְרָא 3-6 וְשִׁמְשַׁי סָפְרָא Ez. 4:8,9,17,23

סְפַר

ז׳ ארמית: סֵפֶר: 1-5
סְפַר דָּכְרָנַיָּא 2,3; סְפַר מֹשֶׁה 1; בֵּית סִפְרַיָּא 5
סְפַר־ 1 וַהֲקִימוּ...כִּכְתָב סְפַר מֹשֶׁה Ez. 6:18
בִּסְפַר־ 2 דִּי־יְבַקַּר בִּסְפַר דָּכְרָנַיָּא דִּי אֲבָהָתָךְ Ez. 4:15

3 וּתְהַשְׁכַּח בִּסְפַר דָּכְרָנַיָּא Ez. 4:15

וְסִפְרִין 4 דִּינָא יְתִב וְסִפְרִין פְּתִיחוּ Dan. 7:10

סִפְרַיָּא 5 וּבַקַּרוּ בְּבֵית סִפְרַיָּא דִּי גִנְזַיָּא Ez. 6:1

סְפָר¹ ז׳ ספירה

הַסְּפָר 1 אַחֲרֵי הַסְּפָר אֲשֶׁר סְפָרָם דָּוִיד IICh. 2:16

סְפָר² שֵׁם ישוב בדרום עָרָב

סְפָרָה 1 בֹּאֲכָה סְפָרָה הַר הַקֶּדֶם Gen. 10:30

סְפָרַד ש״פ – ארץ שישבו בה גולי ירושלים, אספמיה(?)

בִּסְפָרַד 1 וְגָלֻת יְרוּשָׁלַ͏ִם אֲשֶׁר בִּסְפָרַד Ob. 20

סִפְרָה* נ׳ סֵפֶר

בְּסִפְרָתֶךָ 1 שִׂימָה דִמְעָתִי בְנֹאדֶךָ הֲלֹא בְּסִפְרָתֶךָ Ps. 56:9

סְפַרְוַיִם ש״פ – מן העָרים שכבש מלך אשור: 1-6

סְפַרְוַיִם 1 אַיֵּה אֱלֹהֵי סְפַרְוַיִם הֵנַע וְעִוָּה IIK. 18:34

סְפַרְוָיִם 2 לְאַדְרַמֶּלֶךְ וַעֲנַמֶּלֶךְ אֱלֹהֵי° סְפַרְוָיִם (כת׳ ספרים) IIK. 17:31

3 אַיּוֹ...וּמֶלֶךְ לָעִיר סְפַרְוָיִם IIK. 19:13

4 אַיֵּה אֱלֹהֵי סְפַרְוָיִם Is. 36:19

5 אַיֵּה...וּמֶלֶךְ לָעִיר סְפַרְוָיִם Is. 37:13

וּמִסְּפַרְוַיִם 6 וַיָּבֵא...מִבָּבֶל...וּמֵחֲמָת וּמִסְּפַרְוַיִם (כת׳ וספרוים) IIK. 17:24

סְפַרְוִים ת״ר בְּנֵי ספרוַיִם

וְהַסְפַרְוִים 1 וְהַסְפַרְוִים שֹׂרְפִים אֶת־בְּנֵיהֶם בָּאֵשׁ IIK. 17:31

סְפֹרוֹת נ״ר ספירה

סְפֹרוֹת 1 כִּי לֹא יָדַעְתִּי סְפֹרוֹת Ps. 71:15

סֹפֶרֶת שפ״ז – משפחה מעבדי שלמה: 1, 2

סֹפֶרֶת 1 בְּנֵי־סֹפֶרֶת בְּנֵי פְרִידָא Neh. 7:57

הַסֹּפֶרֶת 2 בְּנֵי־הַסֹּפֶרֶת בְּנֵי פְרוּדָא Ez. 2:55

סקל : סָקַל, נִסְקַל, סִקֵּל, סֻקַּל

סָקַל פָּ׳ א) רגם באבנים: 1-12

ב) [נפ׳ נִסְקַל] נרגם: 13-16

ג) [פִּ׳ סִקֵּל] זרק אבנים: 17, 18

ד) [כנ״ל] פִּנָּה מאבנים: 19, 20

ה) [פֻּ׳ סֻקַּל] נרגם: 21, 22

סָקוֹל 1 כִּי־סָקוֹל יִסָּקֵל אוֹ־יָרֹה יִיָּרֶה Ex. 19:13

2 סָקוֹל יִסָּקֵל הַשּׁוֹר... Ex. 21:28

לְסָקְלוֹ 3 כִּי־אָמְרוּ הָעָם לְסָקְלוֹ... ISh. 30:6

וּסְקַלְתּוֹ 4 וּסְקַלְתּוֹ בָאֲבָנִים וָמֵת Deut. 13:11

וּסְקַלְתָּם 5 וּסְקַלְתָּם בָּאֲבָנִים וָמֵתוּ Deut. 17:5

וּסְקַלְתֶּם 6 וּסְקַלְתֶּם אֹתָם בָּאֲבָנִים וָמֵתוּ Deut. 22:24

וּסְקָלֻנִי 7 עוֹד מְעַט וּסְקָלֻנִי Ex. 17:4

וּסְקָלוּהָ 8 וּסְקָלוּהָ אַנְשֵׁי עִירָהּ בָּאֲבָנִים Deut. 22:21

וַיִּסְקְלוּ 9 וַיִּסְקְלוּ אֹתָם בָּאֲבָנִים Josh. 7:25

וַיִּסְקְלֻהוּ 10 וַיִּסְקְלֻהוּ בָאֲבָנִים וַיָּמֹת IK. 21:13

יִסְקְלֻנוּ 11 הֵן נִזְבַּח...וְלֹא יִסְקְלֻנוּ Ex. 8:22

וְסִקְלֻהוּ 12 וְהוֹצִיאֻהוּ וְסִקְלֻהוּ וְיָמֹת IK. 21:10

יִסָּקֵל 13 כִּי־סָקוֹל יִסָּקֵל אוֹ־יָרֹה יִיָּרֶה Ex. 19:13

14 סָקוֹל יִסָּקֵל הַשּׁוֹר... Ex. 21:28

15 הַשּׁוֹר יִסָּקֵל וְגַם־בְּעָלָיו יוּמָת Ex. 21:29

16 כֶּסֶף...יִתֵּן לַאדֹנָיו וְהַשּׁוֹר יִסָּקֵל Ex. 21:32

וַיְסַקֵּל 17 וַיְסַקֵּל בָּאֲבָנִים אֶת־דָּוִד IISh. 16:6

18 וַיְסַקֵּל בָּאֲבָנִים לְעֻמָּתוֹ IISh. 16:13

וַיְסַקְּלֵהוּ 19 וַיְעַזְּקֵהוּ וַיְסַקְּלֵהוּ וַיִּטָּעֵהוּ שֹׂרֵק Is. 5:2

סַקְּלוּ 20 סֹלּוּ סֹלּוּ הַמְסִלָּה סַקְּלוּ מֵאֶבֶן Is. 62:10

סֻקַּל 21/2 סֻקַּל נָבוֹת וַיָּמֹת IK. 21:14, 15

סַר ת׳ רוגז, זועף: 1-3

סַר 1 וַיֵּלֶךְ מֶלֶךְ־יִשְׂרָאֵל...סַר וְזָעֵף IK. 20:43

2 וַיָּבֹא אַחְאָב אֶל־בֵּיתוֹ סַר וְזָעֵף IK. 21:4

סָרָה 3 מַה־זֶּה רוּחֲךָ סָרָה IK. 21:5

סָרָב* ז׳ קוץ דוקר [לדעה אחרת: מורד, סורר]

סָרָבִים 1 כִּי סָרָבִים וְסַלּוֹנִים אוֹתָךְ Ezek. 2:6

סַרְבָּל* ז׳ ארמית מעיל (מכנסים?): 1, 2

וְסַרְבָּלֵיהוֹן 1 וְסַרְבָּלֵיהוֹן לָא שְׁנוֹ Dan. 3:27

בְּסַרְבָּלֵיהוֹן 2 גֻּבְרַיָּא אִלֵּךְ כְּפִתוּ בְּסַרְבָּלֵיהוֹן Dan. 3:21

סַרְגוֹן שפ״ז – מלך אשור

סַרְגוֹן 1 בִּשְׁלֹחַ אֹתוֹ סַרְגוֹן מֶלֶךְ אַשּׁוּר Is. 20:1

סֶרֶד שפ״ז – מבני זבולון: 1, 2

סֶרֶד 1 וּבְנֵי זְבֻלוּן סֶרֶד וְאֵלוֹן Gen. 46:14

לְסֶרֶד 2 לְסֶרֶד מִשְׁפַּחַת הַסַּרְדִּי Num. 26:26

סַרְדִּי ת׳ המתיַחס על בית סֶרֶד

הַסַּרְדִּי 1 לְסֶרֶד מִשְׁפַּחַת הַסַּרְדִּי Num. 26:26

סָרָה נ׳ מֶרד, מרי: 1-8

דִּבֶּר סָרָה 1, 6-8; הוֹסִיף סָ׳ 3; הֶעֱמִיק סָ׳ 5; עָנָה סָרָה 2; מַכַּת בִּלְתִּי סָרָה 4

סָרָה 1 כִּי דִבֶּר־סָרָה עַל־יְיָ אֱלֹהֵיכֶם Deut. 13:6

2 כִּי־יָקוּם...לַעֲנוֹת בּוֹ סָרָה Deut. 19:16

3 עַל מֶה תֻכּוּ עוֹד תּוֹסִיפוּ סָרָה Is. 1:5

4 ?מַכֶּה עַמִּים...מַכַּת בִּלְתִּי סָרָה Is. 14:6

5 שׁוּבוּ לַאֲשֶׁר הֶעְמִיקוּ סָרָה בְּ״י Is. 31:6

6 כִּי־סָרָה דִבַּרְתָּ אֶל־יְיָ Jer. 28:16

7 כִּי־סָרָה דִבֶּר עַל־יְיָ Jer. 29:32

וְסָרָה 8 פָּשֹׁעַ...דַּבֶּר־עֹשֶׁק וְסָרָה Is. 59:13

סִרָה ש״פ – עין בּוֹר הַסִּרָה (בּאות ב׳)

סרח : סָרַח, סָרוּחַ, נִסְרַח; סֶרַח

סָרַח פָּ׳ א) נגרר, השׂתרע: 1-6

ב) [נפ׳ נִסְרַח] נסחב (בהשאלה): 7 .

גֶּפֶן סֹרַחַת 1; מִרְזַח סְרוּחִים 3; סְרוּחֵי טְבוּלִים 5; נִסְרְחָה חָכְמָתוֹ 7

סֹרַחַת 1 וַיְהִי לְגֶפֶן סֹרַחַת שִׁפְלַת קוֹמָה Ezek. 17:6

סָרוּחַ 2 ...סָרוּחַ עַל־צִדֵּי הַמִּשְׁכָּן Ex. 26:13

סְרוּחִים 3 וְסָר מִרְזַח סְרוּחִים Am. 6:7

וּסְרֻחִים 4 הַשֹּׁכְבִים...וּסְרֻחִים עַל־עַרְשׂוֹתָם Am. 6:4

סְרוּחֵי־ 5 סְרוּחֵי טְבוּלִים בְּרָאשֵׁיהֶם Ezek. 23:15

תִּסְרַח 6 תִּסְרַח עַל אֲחֹרֵי הַמִּשְׁכָּן Ex. 26:12

נִסְרְחָה 7 אָבְדָה עֵצָה מִבָּנִים נִסְרְחָה חָכְמָתָם Jer. 49:7

סֶרַח ז׳ חלק עודף

וְסֶרַח־ 1 וְסֶרַח הָעֹדֵף בִּירִיעֹת הָאֹהֶל Ex. 26:12

סִרְיוֹן* ז׳ שִׁרְיוֹן, מגן: 1, 2

בְּסִרְיֹנוֹ 1 וְאֶל־יִתְעַל בְּסִרְיֹנוֹ Jer. 51:3

הַסִּרְיֹנוֹת 2 מִרְקוּ הָרְמָחִים לִבְשׁוּ הַסִּרְיֹנוֹת Jer. 46:4

סָרִיס ז׳ א) זָכָר שנכרתוּ אשכיו: 6, 8, 17, 31

ב) כנ״ל עבד או שׂר ממונה בחצר המלכים לשמירה על הרמון הנשים: 11-13, 15, 16, 19-22, 33-38, 42

ג) כנוי לשׂרים ולפקידים שונים: 1-5, 7, 9, 10, 14, 18, 23-30, 39-41

סְרִיס הַמֶּלֶךְ 11-13; סְרִיס פַּרְעֹה 9, 10; יַד הַסָּרִיסִים 20, 21; שַׂר הַסָּרִיסִים 23-28; סָרִיסֵי הַמֶּלֶךְ 33-36; סְרִיסֵי פַרְעֹה 32

סָרִיס 1 וַיִּקְרָא מֶלֶךְ יִשְׂרָאֵל אֶל־סָרִיס אֶחָד IK. 22:9

2 וַיִּתֶּן־לָהּ הַמֶּלֶךְ סָרִיס אֶחָד IIK. 8:6

3-5 סָרִיס אֶחָד IIK. 25:19 • Jer. 52:25 • IICh. 18:8

6 עֶבֶד־מֶלֶךְ הַכּוּשִׁי אִישׁ סָרִיס Jer. 38:7

הַסָּרִיס 7 אֶל־לִשְׁכַּת נְתַן־מֶלֶךְ הַסָּרִיס IIK. 23:11

8 וְאַל־יֹאמַר הַסָּרִיס הֵן אֲנִי עֵץ יָבֵשׁ Is. 56:3

סְרִיס־ 9-10 סְרִיס פַּרְעֹה שַׂר הַטַּבָּחִים Gen. 37:36; 39:1

11-12 סְרִיס(־)הַמֶּלֶךְ שֹׁמֵר הַנָּשִׁים Es. 2:3, 15

13 סְרִיס הַמֶּלֶךְ שֹׁמֵר הַפִּילַגְשִׁים Es. 2:14

סָרִיסִים 14 וַיַּשְׁקִיפוּ אֵלָיו שְׁנַיִם שְׁלֹשָׁה סָרִיסִים IIK. 9:32

15/6 סָרִיסִים בְּהֵיכַל מֶ׳ בָּבֶל IIK. 20:18 • Is. 39:7

וְסָרִיסִים 17 גְּבָרִים...וְנָשִׁים וְטַף וְסָרִסִים Jer. 41:16

הַסָּרִיסִים 18 שָׂרֵי יְהוּדָה...הַסָּרִסִים וְהַכֹּהֲנִים Jer. 34:19

19 שִׁבְעַת הַסָּרִיסִים הַמְשָׁרְתִים... Es. 1:10

20 בִּדְבַר הַמֶּלֶךְ אֲשֶׁר בְּיַד הַסָּרִיסִים Es. 1:12

21 אֶת־מַאֲמַר הַמֶּלֶךְ...בְּיַד הַסָּרִיסִים Es. 1:15

22 אֶחָד מִן־הַסָּרִיסִים לִפְנֵי הַמֶּלֶךְ Es. 7:9

23 וַיָּשֶׂם לָהֶם שַׂר הַסָּרִיסִים שֵׁמוֹת Dan. 1:7

24-28 (מ)שַּׂר הַסָּרִיסִים... Dan. 1:8, 9, 10, 11, 18

29 עִם־הַסָּרִיסִים וְהַגִּבּוֹרִים ICh. 28:1

וְהַסָּרִיסִים 30 יְכָנְיָה הַמֶּ׳ וְהַגְּבִירָה וְהַסָּרִיסִים Jer. 29:2

לַסָּרִיסִים 31 לַסָּרִיסִים אֲשֶׁר יִשְׁמְרוּ אֶת־שַׁבְּתוֹתַי Is. 56:4

סְרִיסֵי־ 32 וַיִּשְׁאַל אֶת־סְרִיסֵי פַרְעֹה... Gen. 40:7

סָרִיסֵי־ 33/4 שְׁנֵי(־)סָרִיסֵי הַמֶּלֶךְ Es. 2:21; 6:2

וְסָרִיסֵי־ 35 וְסָרִיסֵי הַמֶּלֶךְ הִגִּיעוּ Es. 6:14

מִסָּרִיסֵי־ 36 מִסָּרִיסֵי הַמֶּ׳ אֲשֶׁר הֶעֱמִיד לְפָנֶיהָ Es. 4:5

סָרִיסָיו 37 וַיִּקְצֹף פַּרְעֹה עַל שְׁנֵי סָרִיסָיו Gen. 40:2

38 וְאֶת־נְשֵׁי הַמֶּלֶךְ וְאֶת־סָרִיסָיו IIK. 24:15

39 וַיֹּאמֶר הַמֶּלֶךְ לְאַשְׁפְּנַז רַב סָרִיסָיו Dan. 1:3

וְסָרִיסָיו 40 וַעֲבָדָיו וְשָׂרָיו וְסָרִיסָיו IIK. 24:12

לְסָרִיסָיו 41 וְנָתַן לְסָרִיסָיו וְלַעֲבָדָיו ISh. 8:15

וְסָרִיסֶיהָ 42 וַתָּבוֹאנָה° נַעֲרוֹת אֶסְתֵּר וְסָרִיסֶיהָ Es. 4:4

סָרַךְ* ז׳ ארמית שׂר, פקיד גבוה במלכות פרס: 1-5

סָרְכִין 1 וְעֵלָּא מִנְּהוֹן סָרְכִין תְּלָתָה Dan. 6:3

סָרְכַיָּא 2-4 סָרְכַיָּא וַאֲחַשְׁדַּרְפְּנַיָּא Dan. 6:4, 5, 7

סָרְכֵי־ 5 אִתְיָעַטוּ כֹּל סָרְכֵי מַלְכוּתָא Dan. 6:8

סֶרֶן*¹ ז׳ שׂר במלכות הפלשתים: 1-21

סַרְנֵי פְלִשְׁתִּים 4-20; עֵינֵי הַסְּרָנִים 3

הַסְּרָנִים 1 וַיִּפֹּל הַבַּיִת עַל־הַסְּרָנִים Jud. 16:30

2 וְעַכְבְּרֵי הַזָּהָב...לַחֲמֵשֶׁת הַסְּרָנִים ISh. 6:18

3 וּבְעֵינֵי הַסְּרָנִים לֹא־טוֹב אָתָּה ISh. 29:6

סַרְנֵי־ 4/5 חֲמֵשֶׁת סַרְנֵי פְלִשְׁתִּים Josh. 13:3 • Jud. 3:3

6-14 סַרְנֵי(־)פְלִשְׁתִּים Jud. 16:5, 8

16:18, 27 • ISh. 5:8, 11; 6:16; 7:7 • ICh. 12:19(20)

15 מִסְפַּר סַרְנֵי פְ׳ חֲמִשָּׁה טְחֹרֵי° זָהָב ISh. 6:4

16 וְלֹא־תַעֲשֶׂה רָע בְּעֵינֵי סַרְנֵי פְ׳ ISh. 29:7

וְסַרְנֵי־ 17 וְסַרְנֵי פְלִשְׁתִּים נֶאֶסְפוּ לִזְבֹּחַ Jud. 16:23

18 וְסַרְנֵי פְלִשְׁתִּים הֹלְכִים אַחֲרֵיהֶם ISh. 6:12

19 וְסַרְנֵי פְ׳ עֹבְרִים לְמֵאוֹת וְלַאֲלָפִים ISh. 29:2

לְסַרְנֵי־ 20 וַתִּקְרָא לְסַרְנֵי פְלִשְׁתִּים לֵאמֹר Jud. 16:18

וּלְסַרְנֵיכֶם 21 כִּי־מַגֵּפָה אַחַת לְכֻלָּם וּלְסַרְנֵיכֶם ISh. 6:4

סֶרֶן*² ז׳ צִיר האוֹפן

וְסַרְנֵי־ 1 אוֹפַנֵּי נְחֹשֶׁת...וְסַרְנֵי נְחֹשֶׁת IK. 7:30

סַרְעַפָּה* נ׳ ענף, בד • קרובים: ראה עָנָף

סַרְעַפֹּתָיו 1 וַתִּרְבֶּינָה סַרְעַפֹּתָיו וַתֶּאֱרַכְנָה פֹארֹתָו Ezek. 31:5

(סרף) מְסָרֵף ז׳ מְשָׂרֵף (?); קרוב משפחה?

וּמְסָרְפוֹ 1 וּנְשָׂאוֹ דּוֹדוֹ וּמְסָרְפוֹ לְהוֹצִיא עֲצָמִים Am. 6:10

סִרְפַּד ז׳ צמח צורב • קרובים: ראה חוֹחַ

הַסִּרְפַּד 1 וְתַחַת° הַסִּרְפַּד יַעֲלֶה הֲדַס Is. 55:13

סרר : סָרַר, סוֹרֵר, סַר, סָרָה

סָרַר פָּ' מרד – עין סור, סורר (מס' 164)

סָתוּם ת' – עין סָתַם

סְתוּר שפ"ז – נשיא למטה אשר

סְתוּר 1 לְמַטֵּה אָשֵׁר סְתוּר בֶּן־מִיכָאֵל Num.13:13

סְתָיו ז' חורף, ימות הגשמים

הַסְּתָיו 1 כִּי־הִנֵּה הַסְּתָיו (כת' הסתו) עָבָר S.ofS.2:11

סתם : סָתַם, נִסְתַּם, סִתֵּם; סָתוּם

סָתַם פָּ' א) אטם, חסם: 1, 2, 6–8
ב) [בינוני פָּעוּל: סָתוּם] נסתר, מכוסה: 3–5
ג) (בהשאלה) העלים, כסה: 9, 10
ד) [נִפ' נִסְתַּם] נאטם: 11
ה) [פִּ' סִתֵּם] חסם, אטם: 12, 13

לִסְתּוֹם 1 לִסְתּוֹם אֶת־מֵימֵי הָעֲיָנוֹת IICh.32:3
סָתַם 2 סָתַם אֶת־מוֹצָא מֵימֵי גִיחוֹן IICh.32:30
סָתוּם 3 כָּל־סָתוּם לֹא עֲמָמוּךָ Ezek.28:3
וּבְסָתֻם 4 וּבְסָתֻם חָכְמָה תוֹדִיעֵנִי Ps.51:8
סְתֻמִים 5 כִּי־סְתֻמִים וַחֲתֻמִים הַדְּבָרִים Dan.12:9
תִּסְתֹּמוּ 6 וְכָל־מַעְיְנֵי־מַיִם תִּסְתֹּמוּ IIK.3:19
יִסְתְּמוּ 7 וְכָל־מַעְיַן־מַיִם יִסְתְּמוּ IIK.3:25
וַיִּסְתְּמוּ 8 וַיִּסְתְּמוּ אֶת־כָּל־הַמַּעְיָנוֹת IICh.32:4
סְתֹם 9 וְאַתָּה סְתֹם הֶחָזוֹן Dan.8:26
10 סְתֹם הַדְּבָרִים וַחֲתֹם הַסֵּפֶר Dan.12:4
לְהִסָּתֵם 11 כִּי־הֵחֵלּוּ הַפְּרֻצִים לְהִסָּתֵם Neh.4:1
סִתְּמוּם 12 סִתְּמוּם פְּלִשְׁתִּים וַיְמַלְאוּם עָפָר Gen.26:15
וַיְסַתְּמוּם 13 בְּאֵרֹת הַמַּיִם...וַיְסַתְּמוּם פְּלִשְׁתִּים Gen.26:18

סתר : נִסְתַּר, סִתֵּר, סָתַר, הִסְתַּתֵּר, הִסְתִּיר; סֵתֶר, סִתְרָה, מִסְתָּר, מִסְתּוֹר; ש"פ סְתוּר, סִתְרִי; אר' סְתַר

(סתר) נִסְתַּר נִפ' א) נחבא: 1–30
ב) [פִּ' סִתֵּר] החביא: 31
ג) [בינוני פּ' מְסֻתָּר] מכוסה, שאינו בלוי: 32
ד) [הת' הִסְתַּתֵּר] התחבא: 33–37
ה) [הפ' הִסְתִּיר] החביא: 38–82

– נִסְתַּר נֹחַם 24; נִסְתָּרָה אַנְחָתוֹ 8; נִס' דַּרְכּוֹ 7, 9
– אַהֲבָה מְסֻתֶּרֶת 32; הִסְתַּתְּרָה בִּינָתוֹ 37
– הִסְתִּיר דָּבָר 40; הִסְתִּיר עֵצָה 41; הִסְתִּיר פָּנָיו 38, 42–49, 51–67, 74–76, 82

לְהִסָּתֵר 1 אֵין־חֹשֶׁךְ...לְהִסָּתֶר שָׁם פֹּעֲלֵי אָוֶן Job34:22
וְנִסְתַּרְתִּי 2 וְשִׁלַּחְתַּנִי וְנִסְתַּרְתִּי בַּשָּׂדֶה ISh.20:5
נִסְתַּרְתָּ 3 אֲשֶׁר־נִסְתַּרְתָּ שָּׁם בְּיוֹם הַמַּעֲשֶׂה ISh.20:19
וְנִסְתַּרְתָּ 4 וְנִסְתַּרְתָּ בְּנַחַל כְּרִית IK.17:3
נִסְתָּר 5 עָרוּם רָאָה רָעָה נִסְתָּר Prov.27:12
וְנִסְתָּר 6 עָרוּם רָאָה רָעָה וְנִסְתָּר (כת' ויסתר) Prov.22:3
נִסְתְּרָה 7 נִסְתְּרָה דַרְכִּי מֵיְיָ Is.40:27
נִסְתָּרָה 8 וְאַנְחָתִי מִמְּךָ לֹא־נִסְתָּרָה Ps.38:10
9 לְגֶבֶר אֲשֶׁר־דַּרְכּוֹ נִסְתָּרָה Job3:23
10 וּמֵעוֹף הַשָּׁמַיִם נִסְתָּרָה Job28:21
וְנִסְתְּרָה 11 וְנִסְתְּרָה וְהִיא נִטְמָאָה Num.5:13
נִסְתָּרְנוּ 12 שַׂמְנוּ כָזָב מַחְסֵנוּ וּבַשֶּׁקֶר נִסְתָּרְנוּ Is.28:15
נִסְתְּרוּ 13 כִּי נִשְׁכְּחוּ...וְכִי נִסְתְּרוּ מֵעֵינָי Is.65:16
14 לֹא נִסְתְּרוּ מִלְּפָנָי וְלֹא־נִצְפַּן עֲוֹנָם Jer.16:17
נִסְתָּר 15 וְאֵין נִסְתָּר מֵחַמָּתוֹ Ps.19:7
וְהַנִּסְתָּרִים 16 הַנִּשְׁאָרִים וְהַנִּסְתָּרִים מִפָּנֶיךָ Deut.7:20
הַנִּסְתָּרֹת 17 הַנִּסְתָּרֹת לַיְיָ אֱלֹהֵינוּ Deut.29:28
מִנִּסְתָּרוֹת 18 שְׁגִיאוֹת מִי־יָבִין מִנִּסְתָּרוֹת נַקֵּנִי Ps.19:13
אֶסָּתֵר 19 הֵן גֵּרַשְׁתָּ אֹתִי...וּמִפָּנֶיךָ אֶסָּתֵר Gen.4:14
20 אָז מִפָּנֶיךָ לֹא אֶסָּתֵר Job13:20
וְאֶסָּתֵר 21 לֹא־מְשַׂנְאִי...וְאֶסָּתֵר מִמֶּנּוּ Ps.55:13
תִּסָּתֵר 22 עַד־מָה יְיָ תִּסָּתֵר לָנֶצַח Ps.89:47
יִסָּתֵר 23 אִם־יִסָּתֵר אִישׁ בַּמִּסְתָּרִים Jer.23:24
24 נֹחַם יִסָּתֵר מֵעֵינָי Hosh.13:14
25 בְּקוּם רְשָׁעִים יִסָּתֵר אָדָם Prov.28:28
וַיִּסָּתֵר 26 וַיִּסָּתֵר דָּוִד בַּשָּׂדֶה ISh.20:24
נִסָּתֵר 27 כִּי נִסָּתֵר אִישׁ מֵרֵעֵהוּ Gen.31:49
תִּסָּתְרוּ 28 אוּלַי תִּסָּתְרוּ בְּיוֹם אַף־יְיָ Zep.2:3
יִסָּתְרוּ 29 וְאִם־יִסָּתְרוּ מִנֶּגֶד עֵינַי בְּקַרְקַע הַיָּם Am.9:3
הִסָּתֵר 30 לֵךְ הִסָּתֵר אַתָּה וְיִרְמְיָהוּ Jer.36:19
סַתְּרִי 31 סַתְּרִי נִדָּחִים נֹדֵד אַל־תְּגַלִּי Is.16:3
מְסֻתָּרֶת 32 טוֹבָה תּוֹכַחַת מְגֻלָּה מֵאַהֲבָה מְסֻתָּרֶת Prov.27:5
מִסְתַּתֵּר 33 הֲלוֹא דָוִד מִסְתַּתֵּר עִמָּנוּ בַמְּצָדוֹת ISh.23:19
34 הֲלוֹא דָוִד מִסְתַּתֵּר בְּגִבְעַת הַחֲכִילָה ISh.26:1
35 אָכֵן אַתָּה אֵל מִסְתַּתֵּר Is.45:15
36 הֲלֹא דָוִד מִסְתַּתֵּר עִמָּנוּ Ps.54:2
תִּסְתַּתָּר 37 וְאָבְדָה...וּבִינַת נְבֹנָיו תִּסְתַּתָּר Is.29:14
הַסְתֵּר 38 וְאָנֹכִי הַסְתֵּר אַסְתִּיר פָּנַי... Deut.31:18
39 קָצַפְתִּי וְאַכֵּהוּ הַסְתֵּר וְאֶקְצֹף Is.57:17
40 כְּבֹד אֱלֹהִים הַסְתֵּר דָּבָר Prov.25:2
לַסְתִּיר 41 הַמַּעֲמִיקִים מֵיְיָ לַסְתִּר עֵצָה Is.29:15
הִסְתַּרְתִּי 42 פָּנַי לֹא הִסְתַּרְתִּי מִכְּלִמּוֹת וָרֹק Is.50:6
43 הִסְתַּרְתִּי פָנַי רֶגַע מִמֵּךְ Is.54:8
44 וַאֲשֶׁר הִסְתַּרְתִּי פָנַי מֵהָעִיר הַזֹּאת Jer.33:5
וְהִסְתַּרְתִּי 45 וַעֲזַבְתִּים וְהִסְתַּרְתִּי פָנַי מֵהֶם Deut.31:17
הִסְתַּרְתָּ 46 כִּי־הִסְתַּרְתָּ פָנֶיךָ מִמֶּנּוּ Is.64:6
47 הִסְתַּרְתָּ פָנֶיךָ הָיִיתִי נִבְהָל Ps.30:8
הִסְתִּיר 48 הִסְתִּיר פָּנָיו בַּל־רָאָה לָנֶצַח Ps.10:11
49 וְלֹא־הִסְתִּיר פָּנָיו מִמֶּנּוּ Ps.22:25
הִסְתִּירָנִי 50 ...הֶחְבִּיאָנִי...בְּאַשְׁפָּתוֹ הִסְתִּירָנִי Is.49:2
הִסְתִּירוּ 51 וְחַטֹּאותֵיכֶם הִסְתִּירוּ פָנִים מִכֶּם Is.59:2
הַמַּסְתִּיר 52 הַמַּסְתִּיר פָּנָיו מִבֵּית יַעֲקֹב Is.8:17
וּכְמַסְתֵּר 53 וּכְמַסְתֵּר פָּנִים מִמֶּנּוּ Is.53:3
אַסְתִּיר 54 וְאָנֹכִי הַסְתֵּר אַסְתִּיר פָּנַי Deut.31:18
55 וְלֹא־אַסְתִּיר עוֹד פָּנַי מֵהֶם Ezek.39:29
וָאַסְתִּר 56/7 וָאַסְתִּר פָּנַי מֵהֶם Ezek.39:23,24
אַסְתִּירָה 58 וַיֹּאמֶר אַסְתִּירָה פָנַי מֵהֶם Deut.32:20
תַּסְתִּיר 59 עַד־אָנָה תַּסְתִּיר אֶת־פָּנֶיךָ מִמֶּנִּי Ps.13:2
60/1 לָמָּה־פָנֶיךָ תַסְתִּיר Ps.44:25 • Job13:24
62 לָמָה...תַּסְתִּיר פָּנֶיךָ מִמֶּנִּי Ps.88:15
63 תַּסְתִּיר פָּנֶיךָ יִבָּהֵלוּן Ps.104:29
תַּסְתֵּר 64–66 אַל־תַּסְתֵּר פָּנֶיךָ מִמֶּנִּי Ps.27:9; 102:3; 143:7
67 וְאַל־תַּסְתֵּר פָּנֶיךָ מֵעַבְדֶּךָ Ps.69:18
68 אַל־תַּסְתֵּר מִמֶּנִּי מִצְוֹתֶיךָ Ps.119:19
תַּסְתִּירֵנִי 69 בְּצֵל כְּנָפֶיךָ תַּסְתִּירֵנִי Ps.17:8
70 תַּסְתִּירֵנִי מִסּוֹד מְרֵעִים Ps.64:3
71 תַּסְתִּירֵנִי עַד־שׁוּב אַפֶּךָ Job14:13
תַּסְתִּירֵם 72 תַּסְתִּירֵם בְּסֵתֶר פָּנֶיךָ מֵרֻכְסֵי אִישׁ Ps.31:21
יַסְתִּיר 73 וּמַדּוּעַ יַסְתִּיר אָבִי מִמֶּנִּי ISh.20:2
וְיַסְתֵּר 74 וְיַסְתֵּר פָּנָיו מֵהֶם בָּעֵת הַהִיא Mic.3:4
75 וְיַסְתֵּר פָּנִים וּמִי יְשׁוּרֶנּוּ Job34:29
וַיַּסְתֵּר 76 וַיַּסְתֵּר מֹשֶׁה פָּנָיו כִּי יָרֵא מֵהַבִּיט Ex.3:6
77 וַיַּסְתֵּר עָמָל מֵעֵינָי Job3:10
יַסְתִּרֵנִי 78 יַסְתִּרֵנִי בְּסֵתֶר אָהֳלוֹ Ps.27:5
וַיַּסְתִּרֵם 79 וַיְצַוֶּה הַמֶּלֶךְ...וַיַּסְתִּרֵם יְיָ Jer.36:26
וַתַּסְתִּירֵהוּ 80 וַתַּסְתִּירֵהוּ יְהוֹשַׁבְעַת בַּת־הַמֶּלֶךְ IICh.22:11
וַיַּסְתִּרוּ 81 וַיַּסְתִּרוּ אֹתוֹ מִפְּנֵי עֲתַלְיָהוּ IIK.11:2
הַסְתֵּר 82 הַסְתֵּר פָּנֶיךָ מֵחֲטָאָי Ps.51:11

סְתַר א) פָּ' ארמית: הָרַס: 1
ב) [פָּ' סַתַּר] הסתיר; מְסַתְּרָתָא = נסתרות: 2

סַתְרֵהּ 1 וּבַיְתָה דְנָה סַתְרֵהּ Ez.5:12
וּמְסַתְּרָתָא 2 הוּא גָּלֵא עַמִּיקָתָא וּמְסַתְּרָתָא Dan.2:22

סֵתֶר ז' א) מקום נסתר, מחבוא (גם בהשאלה): 2–4, 7, 22–35
ב) [בַּסֵּתֶר] בהחבא, באין רואה או שומע: 6, 8–21
ג) סוד, דבר נעלם: 1, 5

– סֵתֶר אָהֳלוֹ 26; ס' הַר 25; ס' זֶרֶם 23; ס' כְּנָפָיו 28; ס' מַיִם 22; ס' הַמַּדְרֵגָה 32; ס' עֶלְיוֹן 30; סֵתֶר פָּנָיו 24, 27; סֵתֶר קָנֶה 31
– דְּבַר סֵתֶר 1; לְשׁוֹן סֵתֶר 5; לֶחֶם סְתָרִים 35

סֵתֶר 1 דְּבַר־סֵתֶר לִי אֵלֶיךָ הַמֶּלֶךְ Jud.3:19
2 הֱוִי־סֵתֶר לָמוֹ מִפְּנֵי שׁוֹדֵד Is.16:4
3 אַתָּה סֵתֶר לִי־מִצַּר תִּצְּרֵנִי Ps.32:7
4 עָבִים סֵתֶר־לוֹ וְלֹא יִרְאֶה Job22:14
סָתֶר 5 ...וּפָנִים נִזְעָמִים לְשׁוֹן סָתֶר Prov.25:23
בַּסֵּתֶר 6 כִּי יְסִיתְךָ אָחִיךָ...בַּסֵּתֶר לֵאמֹר Deut.13:7
7 וְיָשַׁבְתָּ בַסֵּתֶר וְנַחְבֵּאתָ ISh.19:2
8 לֹא בַסֵּתֶר דִּבַּרְתִּי... Is.45:19
9 לֹא מֵרֹאשׁ בַּסֵּתֶר דִּבַּרְתִּי Is.48:16
10 וַיִּשְׁאָלֵהוּ הַמֶּלֶךְ בְּבֵיתוֹ בַּסֵּתֶר Jer.37:17
11 וַיִּשָּׁבַע הַמֶּלֶךְ...בַּסֵּתֶר לֵאמֹר Jer.38:16
12 וְיוֹחָנָן...אָמַר אֶל־גְּדַלְיָהוּ בַסֵּתֶר Jer.40:15
13 מְלָשְׁנִי° בַסֵּתֶר רֵעֵהוּ Ps.101:5
14 ...אֲשֶׁר־עֻשֵּׂיתִי בַסֵּתֶר Ps.139:15
15 מַתָּן בַּסֵּתֶר יִכְפֶּה־אָף Prov.21:14
16 אִם־בַּסֵּתֶר פָּנִים תִּשָּׂאוּן Job13:10
17 וַיִּפְתְּ בַּסֵּתֶר לִבִּי Job31:27
בַּסָּתֶר 18 אֲשֶׁר יַעֲשֶׂה פֶסֶל...וְשָׂם בַּסָּתֶר Deut.27:15
19 אָרוּר מַכֵּה רֵעֵהוּ בַּסָּתֶר Deut.27:24
20 כִּי־תֹאכְלֵם בְּחֹסֶר־כֹּל בַּסָּתֶר Deut.28:57
21 כִּי אַתָּה עָשִׂיתָ בַסָּתֶר... IISh.12:12
וְסֵתֶר־ 22 ...וְסֵתֶר מַיִם יִשְׁטֹפוּ Is.28:17
23 כְּמַחֲבֵא־רוּחַ וְסֵתֶר זָרֶם Is.32:2
24 ...וְסֵתֶר פָּנִים יָשִׂים Job24:15
בְּסֵתֶר־ 25 רֹכֶבֶת...וְיֹרֶדֶת בְּסֵתֶר הָהָר ISh.25:20
26 יַסְתִּרֵנִי בְּסֵתֶר אָהֳלוֹ Ps.27:5
27 תַּסְתִּירֵם בְּסֵתֶר פָּנֶיךָ Ps.31:21
28 אֶחֱסֶה בְסֵתֶר כְּנָפֶיךָ Ps.61:5
29 אֶעֶנְךָ בְּסֵתֶר רַעַם Ps.81:8
30 יֹשֵׁב בְּסֵתֶר עֶלְיוֹן בְּצֵל שַׁדַּי Ps.91:1
31 יִשְׁכָּב בְּסֵתֶר קָנֶה וּבִצָּה Job40:21
32 בְּחַגְוֵי הַסֶּלַע בְּסֵתֶר הַמַּדְרֵגָה S.ofS.2:14
סִתְרִי 33 סִתְרִי וּמָגִנִּי אָתָּה Ps.119:114
סִתְרוֹ 34 יָשֶׁת חֹשֶׁךְ סִתְרוֹ Ps.18:12
סְתָרִים 35 מַיִם־גְּנוּבִים יִמְתָּקוּ וְלֶחֶם סְתָרִים יִנְעָם Prov.9:17

סִתְרָה נ' סתר

סִתְרָה 1 יְהִי עֲלֵיכֶם סִתְרָה Deut.32:38

סִתְרִי שפ"ז – בן עֻזִּיאֵל בן קהת בן לוי

וְסִתְרִי 1 מִישָׁאֵל וְאֶלְצָפָן וְסִתְרִי Ex.6:22

ע׳ רבתי
שְׁמַע יִשְׂרָאֵל Deut. 6:4
עַל־כֵּן Ps. 18:50

ע

עיני״ן בתורה 11 244

ע׳ זעירא
לְעַוֵּת Lam. 3:36

עָב¹, עֹב* ז׳ קורה עָבֶה? בסיס?: 1-3

וָעָב 1 וְעַמֻּדִים וְעָב עַל־פְּנֵיהֶם IK. 7:6
2 וְעָב עֵץ אֶל־פְּנֵי הָאוּלָם Ezek. 41:25
וְהָעֻבִּים 3 וְצַלְעוֹת הַבַּיִת וְהָעֻבִּים Ezek. 41:26

עָב²

זו״נ א) עָנָן: 1-23, 25-31
ב) מעבה יער: 24

קרוב: עָנָן

– עָב טַל 8; עָב קְטַנָּה 1; עָב קַל 3; עַב הֶעָנָן 15
– בָּמֳתֵי עָב 2; מִפְלְשֵׂי עָב 7; מִפְרְשֵׂי עָב 5; צֵל עָב 4
– עָבֵי שְׁחָקִים 26, 27; בֹּקֶר לֹא עָבוֹת 30

עָב 1 הִנֵּה־עָב קְטַנָּה...עֹלָה מִיָּם IK. 18:44
2 אֶעֱלֶה עַל־בָּמֳתֵי עָב Is. 14:14
3 הִנֵּה יְיָ רֹכֵב עַל־עָב קַל Is. 19:1
4 חֹרֶב בְּצֵל עָב Is. 25:5
5 אִם־יָבִין מִפְרְשֵׂי־עָב Job 36:29
6 אַף־בְּרִי יַטְרִיחַ עָב Job 37:11
7 הֲתֵדַע עַל־מִפְלְשֵׂי־עָב Job 37:16
כְּעָב 8 כְּעָב טַל בְּחֹם קָצִיר Is. 18:4
9 וּרְצוֹנוֹ כְּעָב מַלְקוֹשׁ Prov. 16:15
כָעָב 10 מָחִיתִי כָעָב פְּשָׁעֶיךָ Is. 44:22
11 מִי־אֵלֶּה כָּעָב תְּעוּפֶינָה Is. 60:8
וּכְעָב 12 וּכְעָב עָבְרָה יְשֻׁעָתִי Job 30:15
לָעָב 13 וְרֹאשׁוֹ לָעָב יַגִּיעַ Job 20:6
14 הֲתָרִים לָעָב קוֹלֶךָ Job 38:34
בְּעַב־ 15 הִנֵּה אָנֹכִי בָּא אֵלֶיךָ בְּעַב הֶעָנָן Ex. 19:9
עָבִים 16 גַּם־עָבִים נָטְפוּ מָיִם Jud. 5:4
17 וְהַשָּׁמַיִם הִתְקַדְּרוּ עָבִים IK. 18:45
18 הַשָּׂם־עָבִים רְכוּבוֹ Ps. 104:3
19 עָבִים סֵתֶר־לוֹ וְלֹא יִרְאֶה Job 22:14
הֶעָבִים 20 וְעַל הֶעָבִים אֲצַוֶּה מֵהַמְטִיר עָלָיו Is. 5:6
21 אִם־יִמָּלְאוּ הֶעָבִים גֶּשֶׁם...יָרִיקוּ Eccl. 11:3
22 וְשָׁבוּ הֶעָבִים אַחַר הַגָּשֶׁם Eccl. 12:2
בְּעָבִים 23 הַמְכַסֶּה שָׁמַיִם בְּעָבִים Ps. 147:8
בֶּעָבִים 24 בָּאוּ בֶּעָבִים וּבַכֵּפִים עָלוּ Jer. 4:29
25 וְרֹאֶה בֶעָבִים לֹא יִקְצוֹר Eccl. 11:4
עָבֵי־ 26 חַשְׁרַת־מַיִם עָבֵי שְׁחָקִים IISh. 22:12
27 חֶשְׁכַת־מַיִם עָבֵי שְׁחָקִים Ps. 18:12
עָבָיו 28 מִנֹּגַהּ נֶגְדּוֹ עָבָיו עָבְרוּ Ps. 18:13
בְּעָבָיו 29 צֹרֵר מַיִם בְּעָבָיו Job 26:8
עָבוֹת 30 וּכְאוֹר בֹּקֶר...בֹּקֶר לֹא עָבוֹת IISh. 23:4
31 זֹרְמוּ מַיִם עָבוֹת Ps. 77:18

עבד

: עָבַד, נֶעֱבַד, עֻבַּד, הֶעֱבִיד; עֶבֶד, עֲבוֹדָה, עֲבֻדָּה, עֲבָד, עַבְדוּת, מַעְבָּד; ש״פ עֶבֶד, עַבְדָּא, עַבְדְּאֵל, עַבְדּוֹן, עַבְדִּי, עַבְדִּיאֵל, עוֹבֵד, עוֹבַדְיָה(וּ), עֶבֶד מֶלֶךְ, עוֹבֵד אֱדוֹם, עֲבֵד נְגוֹ; אר׳ עֲבַד, אִתְעֲבֵד; עֲבֵד, עֲבִידָא, מַעֲבָד

עָבַד

פָּ׳ א) עשה מלאכה: 5, 6, 8-20, 22, 33, 40, 48, 51, 56, 57, 61, 62, 70-72, 80, 82, 108, 116, 120, 122-125, 127-129, 138, 139, 147, 149-151, 154, 158, 163-166, 169, 170, 178

ב) [עָבַד אֶת־ מִישֶׁהוּ] עשה מלאכה לאַחר, היה משועבד לו: 1, 27, 34-36, 47-50, 53-55, 60, 63, 67, 73-76, 78, 79, 93, 94, 99, 102-106, 110, 112-114, 126, 132, 144, 146, 148, 162, 168, 190, 193-199, 202-205, 214, 215, 217, 224-227, 229, 230, 246-251, 262, 263, 271-273

ג) [עָבַד אֶת־ אֱלֹהִים] קִיֵּם מצוותיו, ערך פולחן לו: 2, 7, 21, 23-26, 28-32, 37-39, 41-46, 52, 58, 59, 64-66, 68, 69, 77, 81, 83-92, 96-98, 101, 102, 107, 109, 111, 115, 121, 130, 131, 134-137, 140, 141, 143, 152, 155-157, 159-161, 171-177, 179-189, 191, 192, 200, 201, 207-214, 218, 228, 231, 245, 252-261, 264-270, 274, 275

ד) [עָבַד בְּמִישֶׁהוּ] הטיל עליו עבודה: 3, 4, 95, 100, 106, 133, 153, 167, 206, 216

ה) [נפ׳ נֶעֱבַד] נעשתה בו מלאכה: 276-279

ו) [פֻּ׳ עֻבַּד] כנ״ל: 280, 281

ז) [הִפ׳ הֶעֱבִיד] הטיל עבודה, שעבד: 282-289

קרובים: יָגַע / עָמַל / עָשָׂה / פָּעַל

– עָבַד אֲדָמָה 5, 6, 61, 147; עָבַד עֲבוֹדָה 8-16, 18-20, 33, 53, 57, 129, 149
– עוֹבֵד אֲדָמָה 116,120,122,123; עוֹבֵד אֱלֹהִים 121
– מַס עוֹבֵד 117-119; שְׁנַת עוֹבֵד 127
– עוֹבְדֵי הַבַּעַל 135-137, 141; ע׳ הָעִיר (128),142; עוֹבְדֵי פֶסֶל 140; עוֹבְדֵי פִשְׁתִּים 138

עֲבֹד 1 כִּי טוֹב לָנוּ עֲבֹד אֶת־מִצְרַיִם Ex. 14:12
2 אֲמַרְתֶּם שָׁוְא עֲבֹד אֱלֹהִים... Mal. 3:14
עֲבָד־ 3 לְבִלְתִּי עֲבָד־בָּם בִּיהוּדִי אָחִיהוּ Jer. 34:9
4 לְבִלְתִּי עֲבָד־בָּם עוֹד Jer. 34:10
לַעֲבֹד 5-6 לַעֲבֹד אֶת־הָאֲדָמָה Gen. 2:5; 3:23
7 לַעֲבֹד אֶת־יְיָ אֱלֹהֵינוּ Ex. 10:26
8-9 לַעֲבֹד אֶת־עֲבֹדַת הַמִּשְׁכָּן Num. 3:7,8
10 לַעֲבֹד עֲבֹדָה בְּאֹהֶל מוֹעֵד Num. 4:23
11 זֹאת עֲבֹדַת...לַעֲבֹד וּלְמַשָּׂא Num. 4:24
12-14 לַעֲבֹד אֶת־עֲבֹדַת אֹהֶל מוֹעֵד Num. 4:30; 7:5; 18:6
15 לַעֲבֹד עֲבֹדַת עֲבֹדָה... Num. 4:47
16 וְהָיוּ לַעֲבֹד אֶת־עֲבֹדַת יְיָ Num. 8:11
17 יָבֹאוּ הַלְוִיִּם לַעֲבֹד אֶת־אֹהֶל מ׳ Num. 8:15
18 לַעֲבֹד אֶת־עֲבֹדַת בְּ״יִ... Num. 8:19
19 לַעֲבֹד אֶת־עֲבֹדָתָם בְּא׳ מוֹעֵד Num. 8:22
20 לַעֲבֹד אֶת־עֲבֹדַת מִשְׁכַּן יְיָ Num. 16:9
21 לַעֲבֹד אֶת־אֱלֹהֵי הַגּוֹיִם הָהֵם Deut. 29:17
22 לַעֲבֹד אֶת־עֲבֹדַת יְיָ לְפָנָיו Josh. 22:27
23 וְאִם רַע בְּעֵינֵיכֶם לַעֲבֹד אֶת־יְיָ Josh. 24:15
24 חָלִילָה לָּנוּ...לַעֲבֹד אֱל׳ אֲחֵרִים Josh. 24:16
25 לֹא תוּכְלוּ לַעֲבֹד אֶת־יְיָ Josh. 24:19
26 בְּחַרְתֶּם לָכֶם אֶת־יְיָ לַעֲבֹד אוֹתוֹ Josh. 24:22
27 לַעֲבֹד אֶת־נְבֻכַדְנֶאצַּר Jer. 28:14
28 לַעֲבֹד לֵאלֹהִים אֲחֵרִים Jer. 44:3
29 בְּהִקָּבֵץ...לַעֲבֹד אֶת־יְיָ Ps. 102:23
30 לַעֲבוֹד אֶת־יְיָ אֱלֹהֵי יִשְׂרָאֵל IICh. 33:16
31 לַעֲבוֹד אֶת־יְיָ אֱלֹהֵיהֶם IICh. 34:33
וְלַעֲבֹד 32 וְלַעֲבֹד אֶת־יְיָ אֱלֹהֶיךָ Deut. 10:12
33 וְלַעֲבֹד עֲבֹדָתוֹ נָכְרִיָּה עֲבֹדָתוֹ Is. 28:21
מֵעֲבוֹד 34 אַל־תִּירְאוּ מֵעֲבוֹד הַכַּשְׂדִּים Jer. 40:9
עָבְדֶךָ 35 הֲיֹאבֶה רֵּים עָבְדֶךָ... Job 39:9
לְעָבְדוֹ 36 אֶת־חַיַּת הַשָּׂדֶה נָתַתִּי לוֹ לְעָבְדוֹ Jer. 27:6
37 לְעָבְדוֹ שְׁכֶם אֶחָד Zep. 3:9
38/9 וּלְעָבְדוֹ בְּכָל־לְבַבְכֶם וּבְכָל־נַפְשְׁכֶם Deut. 11:13 • Josh. 22:5
לְעָבְדָהּ 40 וַיַּנִּחֵהוּ בְגַן־עֵדֶן לְעָבְדָהּ וּלְשָׁמְרָהּ Gen. 2:15
לְעָבְדָם 41-46 לָלֶכֶת (הָלְכוּ, תֵּלְכוּ, וכו׳) אַחֲרֵי אֱלֹהִים אֲחֵרִים לְעָבְדָם Deut. 28:14
Jud. 2:19 • Jer. 11:10; 13:10; 25:6; 35:15
מֵעָבְדֵנוּ 47 כִּי־שִׁלַּחְנוּ אֶת־יִשְׂרָאֵל מֵעָבְדֵנוּ Ex. 14:5
עָבַדְתִּי 48 הֲלֹא בְרָחֵל עָבַדְתִּי עִמָּךְ Gen. 29:25
49 אֲשֶׁר עָבַדְתִּי אֹתְךָ בָּהֵן Gen. 30:26
50 בְּכָל־כֹּחִי עָבַדְתִּי אֶת־אֲבִיכֶן Gen. 31:6
51 כַּאֲשֶׁר עָבַדְתִּי לִפְנֵי אָבִיךָ IISh. 16:19
וְעָבַדְתִּי 52 אִם־יָשׁוֹב יְשִׁיבַנִי...וְעָבַדְתִּי אֶת־יְיָ IISh. 15:8
עֲבַדְתִּיךָ 53 אֶת־עֲבֹדָתִי אֲשֶׁר עֲבַדְתִּיךָ Gen. 30:26
54 אַתָּה יָדַעְתָּ אֵת אֲשֶׁר עֲבַדְתִּיךָ Gen. 30:29
55 עֲבַדְתִּיךָ...בִּשְׁתֵּי בְנֹתֶיךָ Gen. 31:41
עָבַדְתָּ 56 תַּחַת אֲשֶׁר לֹא־עָבַדְתָּ...בְּשִׂמְחָה Deut. 28:47
וְעָבַדְתָּ 57 וְעָבַדְתָּ אֶת־הָעֲבֹדָה הַזֹּאת Ex. 13:5
58/9 וְעָבַדְתָּ שָּׁם אֱלֹהִים אֲחֵרִים Deut. 28:36,64
60 וְעָבַדְתָּ אֶת־אֹיְבֶיךָ...בְּרָעָב Deut. 28:48
61 וְעָבַדְתָּ לּוֹ אֶת־הָאֲדָמָה IISh. 9:10
וְעָבָדְתָּ 62 כְּרָמִים תִּטַּע וְעָבָדְתָּ Deut. 28:39
וַעֲבַדְתַּנִי 63 הֲכִי־אָחִי אַתָּה וַעֲבַדְתַּנִי חִנָּם Gen. 29:15
וַעֲבַדְתָּם 64 וְהִשְׁתַּחֲוִיתָ לָהֶם וַעֲבַדְתָּם Deut. 4:19
65 וַעֲבַדְתָּם וְהִשְׁתַּחֲוִיתָ לָהֶם Deut. 8:19
66 וְהִשְׁתַּחֲוִיתָ לֵאל׳ אֲחֵרִים וַעֲבַדְתָּם Deut. 30:17
67 תִּהְיֶה־עֶבֶד לָעָם הַזֶּה וַעֲבַדְתָּם IK. 12:7
עָבַד 68 אַחְאָב עָבַד אֶת־הַבַּעַל מְעָט IIK. 10:18
69 אֶת־הַגִּלֻּלִים אֲשֶׁר־עָבַד אָבִיו IIK. 21:21
70 עַל־הָעֲבֹדָה אֲשֶׁר־עָבַד עָלֶיהָ Ezek. 29:18
71 פְּעֻלָּתוֹ אֲשֶׁר־עָבַד בָּהּ Ezek. 29:20
וְעָבַד 72 וְעָבַד הַלֵּוִי הוּא אֶת־עֲבֹדַת... Num. 18:23
עֲבָדְךָ 73 כִּי מִשְׁנֶה שְׂכַר שָׂכִיר עֲבָדְךָ Deut. 15:18
וַעֲבָדְךָ 74 כִּי־יִמָּכֵר לְךָ...וַעֲבָדְךָ שֵׁשׁ שָׁנִים Deut. 15:12
75 וַעֲבָדְךָ שֵׁשׁ שָׁנִים וְשִׁלַּחְתּוֹ חָפְשִׁי Jer. 34:14
עֲבָדוֹ 76 וַיִּמְרֹד בְּמֶלֶךְ־אַשּׁוּר וְלֹא עֲבָדוֹ IIK. 18:7
77 בֵּין עֹבֵד אֱלֹהִים לַאֲשֶׁר לֹא עֲבָדוֹ Mal. 3:18
וַעֲבָדוֹ 78 וְרָצַע אֲדֹנָיו...וַעֲבָדוֹ לְעֹלָם Ex. 21:6
79 יָבִיא אֶת־צַוָּארוֹ בְּעֹל מֶלֶךְ־בָּבֶל וַעֲבָדוֹ Jer. 27:11
וַעֲבָדָהּ 80 וַעֲבָדָהּ וְיָשַׁב בָּהּ Jer. 27:11
וַעֲבַדְתֶּם 81 וַעֲבַדְתֶּם אֵת יְיָ אֱלֹהֵיכֶם Ex. 23:25
82 תִּשְׁמְרוּ אֶת־כְּהֻנַּתְכֶם...וַעֲבַדְתֶּם Num. 18:7
83 וַעֲבַדְתֶּם־שָׁם אֱל׳ מַעֲשֵׂה יְדֵי אָדָם Deut. 4:28
84-88 וַעֲבַדְתֶּם(...)אֱלֹהִים אֲחֵרִים Deut. 11:16
Josh. 23:16 • IK. 9:6 • Jer. 16:13 • IICh. 7:19
89 וַעֲבַדְתֶּם אֱלֹהֵי נֵכָר Josh. 24:20

וַעֲבַדְתֶּם (המשך) 90 וַעֲבַדְתֶּם אֹתוֹ וּשְׁמַעְתֶּם בְּקֹלוֹ ISh. 12:14
91 וַעֲבַדְתֶּם אֶת־יְיָ בְּכָל־לְבַבְכֶם ISh. 12:20
92 וַעֲבַדְתֶּם אֹתוֹ בֶּאֱמֶת... ISh. 12:24
93 וִהְיִיתֶם לָנוּ לַעֲבָדִים וַעֲבַדְתֶּם אֹתָנוּ ISh. 17:9
עָבְדוּ 94 שְׁתֵּים עֶשְׂרֵה שָׁנָה עָבְדוּ אֶת־כְּדָרְלָ׳ Gen. 14:4
95 אֲשֶׁר־עָבְדוּ בָהֶם בְּפָרֶךְ Ex. 1:14
96 אֲשֶׁר עָבְדוּ־שָׁם הַגּוֹיִם... Deut. 12:2
97/8 אֶת־אֱלֹהִים אֲשֶׁר(־) עָבְדוּ אֲבוֹתֵיכֶם Josh. 24:14, 15
99 פֶּן תַּעַבְדוּ...כַּאֲשֶׁר עָבְדוּ לָכֶם ISh. 4:9
100 כִּי עָבְדוּ־בָם...גּוֹיִם רַבִּים Jer. 25:14
וְעָבְדוּ 101 וְעָבְדוּ אֱלֹהִים אֲחֵרִים Deut. 7:4
102 וְעָבְדוּ זֶבַח וּמִנְחָה Is. 19:21
103 וְעָבְדוּ מִצְרַיִם אֶת־אַשּׁוּר Is. 19:23
104 וְעָבְדוּ הַגּוֹיִם...שִׁבְעִים שָׁנָה Jer. 25:11
105 וְעָבְדוּ אֹתוֹ כָּל־הַגּוֹיִם Jer. 27:7
106 וְעָבְדוּ בוֹ גּוֹיִם רַבִּים Jer. 27:7
107 וְעָבְדוּ אֵת יְיָ אֱלֹהֵיהֶם Jer. 30:9
וְעָבֵדוּ 108 וְאֵת כָּל־אֲשֶׁר יֵעָשֶׂה לָהֶם וְעָבָדוּ Num. 4:26
עֲבָדוּךָ 109 וְהֵם בְּמַלְכוּתָם...לֹא עֲבָדוּךָ Neh. 9:35
וַעֲבָדוּךָ 110 יִהְיוּ לְךָ לָמַס וַעֲבָדוּךָ Deut. 20:11
עֲבָדוּהוּ 111 וַיַּעַזְבוּ אֶת־יְיָ וְלֹא עֲבָדוּהוּ Jud. 10:6
וַעֲבָדֻהוּ 112 לַעֲבֹד אֶת־נְבֻכַדְנֶאצַּר...וַעֲבָדֻהוּ Jer. 28:14
עֲבָדוּם 113 אֲשֶׁר אֲהֵבוּם וַאֲשֶׁר עֲבָדוּם Jer. 8:2
וַעֲבָדוּם 114 וַעֲבָדוּם וְעִנּוּ אֹתָם Gen. 15:13
115 וּפָנָה אֶל־אֵל׳ אֲחֵרִים וַעֲבָדוּם Deut. 31:20
עוֹבֵד 116 וְקַיִן הָיָה עֹבֵד אֲדָמָה Gen. 4:2
117 וַיֵּט שִׁכְמוֹ...וַיְהִי לְמַס־עֹבֵד Gen. 49:15
118 וַיֵּשֶׁב הַכְּנַעֲנִי...וַיְהִי לְמַס־עֹבֵד Josh. 16:10
119 וַיַּעֲלֵם שְׁלֹמֹה לְמַס־עֹבֵד IK. 9:21
120 אִישׁ־עֹבֵד אֲדָמָה אָנֹכִי Zech. 13:5
121 בֵּין עֹבֵד אֱלֹהִים לַאֲשֶׁר לֹא עֲבָדוֹ Mal. 3:18
122/3 עֹבֵד אַדְמָתוֹ יִשְׂבַּע־לָחֶם Prov. 12:11; 28:19
הָעוֹבֵד 124/5 כָּל־הָעֹבֵד בְּאֹהֶל מוֹעֵד Num. 4:37, 41
126 יַחְמֹל אִישׁ עַל־בְּנוֹ הָעֹבֵד אֹתוֹ Mal. 3:17
127 מְתוּקָה שְׁנַת הָעֹבֵד Eccl. 5:11
וְהָעוֹבֵד 128 וְהָעֹבֵד הָעִיר יַעַבְדוּהוּ Ezek. 48:19
עוֹבְדִים 129 חֵלֶף עֲבֹדָתָם אֲשֶׁר־הֵם עֹבְדִים Num. 18:21
130 וְאֶת־אֱלֹהֵיהֶם הָיוּ עֹבְדִים IIK. 17:33
131 וְאֶת־פְּסִילֵיהֶם הָיוּ עֹבְדִים IIK. 17:41
וְעוֹבְדִים 132 מַגִּשִׁים מִנְחָה וְעֹבְדִים אֶת־שְׁלֹמֹה... IK. 5:1
הָעוֹבְדִים 133 וְהִצַּלְתִּים מִיַּד הָעֹבְדִים בָּהֶם Ezek. 34:27
עוֹבְדֵי־ 134 לְמַעַן הַאֲבִיד אֶת־עֹבְדֵי הַבָּעַל IIK. 10:19
135 וַיָּבֹאוּ כָּל־עֹבְדֵי הַבַּעַל IIK. 10:21
136 הוֹצֵא לְבוּשׁ לְכֹל עֹבְדֵי הַבָּעַל IIK. 10:22
137 כִּי אִם־עֹבְדֵי הַבַּעַל לְבַדָּם IIK. 10:23
138 וּבֹשׁוּ עֹבְדֵי פִשְׁתִּים שְׂרִיקוֹת Is. 19:9
139 וְהָאֲלָפִים וְהָעֲיָרִים עֹבְדֵי הָאֲדָמָה Is. 30:24
140 יֵבֹשׁוּ כָּל־עֹבְדֵי פֶסֶל Ps. 97:7
לְעוֹבְדֵי־ 141 וַיֹּאמֶר לְעֹבְדֵי הַבַּעַל IIK. 10:23
142 לְלֶחֶם לְעֹבְדֵי הָעִיר Ezek. 48:18
עוֹבְדָיו 143 כָּל־עֹבְדָיו וְכָל־כֹּהֲנָיו קִרְאוּ אֵלַי IIK. 10:19
(לְעוֹבְדֵיהֶם) 144 שָׁלָל לְעַבְדֵיהֶם (לְעֹבְדֵיהֶם) Zech. 2:13
אֶעֱבֹד 145 וְהַשֵּׁנִית לְמִי אֲנִי אֶעֱבֹד... IISh. 16:19
אֶעֱבָדְךָ 146 אֶעֱבָדְךָ שֶׁבַע שָׁנִים בְּרָחֵל Gen. 29:18
תַּעֲבֹד 147 כִּי תַעֲבֹד אֶת־הָאֲדָמָה Gen. 4:12
148 וְאֶת־אָחִיךָ תַּעֲבֹד Gen. 27:40
149 בַּעֲבֹדָה אֲשֶׁר תַּעֲבֹד עִמָּדִי Gen. 29:27
150-151 שֵׁשֶׁת יָמִים תַּעֲבֹד Ex. 20:9; 34:21
152 כִּי תַעֲבֹד אֶת־אֱלֹהֵיהֶם Ex. 23:33
153 לֹא־תַעֲבֹד בּוֹ עֲבֹדַת עָבֶד Lev. 25:39
154 שֵׁשֶׁת יָמִים תַּעֲבֹד... Deut. 5:13

תַּעֲבֹד (המשך) 155 וְאֹתוֹ תַעֲבֹד וּבִשְׁמוֹ תִּשָּׁבֵעַ Deut. 6:13
156 וְלֹא תַעֲבֹד אֶת־אֱלֹהֵיהֶם Deut. 7:16
157 אֹתוֹ תַעֲבֹד וּבוֹ תִדְבָּק Deut. 10:20
158 לֹא תַעֲבֹד בִּבְכֹר שׁוֹרֶךָ Deut. 15:19
תָעָבְדֵם 159 לֹא־תִשְׁתַּחֲוֶה לָהֶם וְלֹא תָעָבְדֵם Ex. 20:5
160 לֹא־תִשְׁתַּחֲוֶה לֵאל׳ וְלֹא תָעָבְדֵם Ex. 23:24
161 לֹא־תִשְׁתַּחֲוֶה לָהֶם וְלֹא תָעָבְדֵם Deut. 5:9
יַעֲבֹד 162 וְרַב יַעֲבֹד צָעִיר Gen. 25:23
163 שֵׁשׁ שָׁנִים יַעֲבֹד Ex. 21:2
164 עַד־שְׁנַת הַיֹּבֵל יַעֲבֹד Lev. 25:40
165 ...יָשׁוּב...וְלֹא יַעֲבֹד עוֹד Num. 8:25
166 וְשֵׁרֵת...וַעֲבֹדָה לֹא יַעֲבֹד Num. 8:26
167 בְּרֵעֵהוּ יַעֲבֹד חִנָּם... Jer. 22:13
168 אֲשֶׁר לֹא־יַעַבְדוּ אֶת־מֶלֶךְ בָּבֶל Jer. 27:13
וַיַּעֲבֹד 169 וַיַּעֲבֹד יַעֲקֹב בְּרָחֵל Gen. 29:20
170 וַיַּעֲבֹד עִמּוֹ עוֹד שֶׁבַע־שָׁנִים... Gen. 29:30
171 וַיֵּלֶךְ וַיַּעֲבֹד אֱלֹהִים אֲחֵרִים Deut. 17:3
172 וַיַּעֲבֹד יִשְׂרָאֵל אֶת־יְיָ Josh. 24:31
173 וַיֵּלֶךְ וַיַּעֲבֹד אֶת־הַבַּעַל IK. 16:31
174 וַיַּעֲבֹד אֶת־הַבַּעַל וַיִּשְׁתַּחֲוֶה לוֹ IK. 22:54
175/6 וַיִּשְׁתַּחוּ לְכָל־צְבָא הַשָּׁמַיִם
וַיַּעֲבֹד אֹתָם IIK. 21:3 • IICh. 33:3
177 וַיַּעֲבֹד אֶת־הַגִּלֻּלִים... IIK. 21:21
178 וַיַּעֲבֹד יִשְׂרָאֵל בְּאִשָּׁה... Hosh. 12:13
וְיַעַבְדֵנִי 179 שַׁלַּח אֶת־בְּנִי וְיַעַבְדֵנִי Ex. 4:23
יַעַבְדֶנּוּ 180 יֵהוּא יַעַבְדֶנּוּ הַרְבֵּה IIK. 10:18
181 זֶרַע יַעַבְדֶנּוּ יְסֻפַּר לַאדֹנָי לַדּוֹר Ps. 22:31
וַיַּעַבְדֵם 182 וּלְכָל־הַפְּסִילִים...זִבַּח...וַיַּעַבְדֵ׳ IICh. 33:22
נַעֲבֹד 183 לֹא־נֵדַע מַה־נַּעֲבֹד אֶת־יְיָ Ex. 10:26
184 וְאָנֹכִי וּבֵיתִי נַעֲבֹד אֶת־יְיָ Josh. 24:15
185 גַּם־אֲנַחְנוּ נַעֲבֹד אֶת־יְיָ Josh. 24:18
186 לֹא כִּי אֶת־יְיָ נַעֲבֹד Josh. 24:21
187 אֶת־יְיָ אֱלֹהֵינוּ נַעֲבֹד Josh. 24:24
וַנַּעֲבֹד 188/9 ...וַנַּעֲבֹד אֶת־הַבְּעָלִים Jud. 10:10 • ISh. 12:10
וְנַעַבְדָה 190 חֲדַל מִמֶּנּוּ וְנַעַבְדָה אֶת־מִצְרָיִם Ex. 14:12
191/2 נֵלְכָה וְנַעַבְדָה אֱלֹהִים אֲחֵרִים Deut. 13:7, 14
וְנַעַבְדֶךָּ 193 כְּרָת־לָנוּ בְרִית וְנַעַבְדֶךָּ ISh. 11:1
194 הַצִּילֵנוּ מִיַּד אֹיְבֵינוּ וְנַעַבְדֶךָּ ISh. 12:10
195 הָקֵל מֵעֲבֹדַת אָבִיךָ...וְנַעַבְדֶךָּ IK. 12:4
196 הָקֵל מֵעֲבוֹדַת אָבִיךָ...וְנַעַבְדֶךָּ IICh. 10:4
נַעַבְדֶנּוּ 197 מִי־אֲבִימֶ׳ וּמִי־שְׁכֶם כִּי נַעַבְדֶנּוּ Jud. 9:28
198 וּמַדּוּעַ נַעַבְדֶנּוּ אֲנָחְנוּ Jud. 9:28
199 מִי אֲבִימֶלֶךְ כִּי נַעַבְדֶנּוּ Jud. 9:38
200 מַה־שַּׁדַּי כִּי־נַעַבְדֶנּוּ Job 21:15
וְנָעָבְדֵם 201 נֵלְכָה אַחֲרֵי אֵל׳ אֲחֵרִים...וְנָעָבְדֵ׳ Deut. 13:3
תַּעַבְדוּ 202 פֶּן תַּעַבְדוּ לָעִבְרִים... ISh. 4:9
203 כֵּן תַּעַבְדוּ זָרִים בְּאֶרֶץ לֹא לָכֶם Jer. 5:19
204/5 לֹא תַעַבְדוּ אֶת־מֶלֶךְ בָּבֶל Jer. 27:9, 14
תַּעֲבֹדוּ 206 ...לְעֹלָם בָּהֶם תַּעֲבֹדוּ Lev. 25:46
207 וְאֹתוֹ תַעֲבֹדוּ וּבוֹ תִדְבָּקוּן Deut. 13:5
וַתַּעַבְדוּ 208 עֲזַבְתֶּם אוֹתִי וַתַּעַבְדוּ אֵל׳ אֲחֵרִים Jud. 10:13
209 וַתַּעַבְדוּ אֱלֹהֵי נֵכָר בְּאַרְצְכֶם Jer. 5:19
תַּעַבְדוּן 210 תַּעַבְדוּן אֶת־הָאֱלֹהִים עַל הָהָר Ex. 3:12
תַּעֲבֹדוּן 211 בַּחֲרוּ...אֶת־מִי תַעֲבֹדוּן Josh. 24:15
תַעַבְדוּם 212 וְלֹא תַעַבְדוּם וְלֹא תִשְׁתַּחֲווּ לָהֶם Josh. 23:7
213 וְלֹא־תִשְׁתַּחֲווּ לָהֶם וְלֹא תַעַבְדוּם IIK. 17:35
יַעַבְדוּ 214 אֵיכָה יַעַבְדוּ הַגּוֹיִם הָאֵלֶּה Deut. 12:30
215 אֲשֶׁר לֹא־יַעַבְדוּ אֹתוֹ Jer. 27:8
216 וְלֹא־יַעַבְדוּ־בוֹ עוֹד זָרִים Jer. 30:8
יַעֲבֹדוּ 217 אֶת־הַגּוֹי אֲשֶׁר יַעֲבֹדוּ דָּן אָנֹכִי Gen. 15:14
וְיַעַבְדוּ 218 וְיַעַבְדוּ אֶת־יְיָ אֱלֹהֵיהֶם Ex. 10:7
וְיַעֲבֹדוּ 219 אִם־יִשְׁמְעוּ וְיַעֲבֹדוּ Job 36:11

וַיַּעַבְדוּ 220-222 וַיַּעַבְדוּ אֱלֹהִים אֲחֵרִים Deut. 29:25
Josh. 24:2 • ISh. 8:8
223 וַיַּעַבְדוּ...אֶת־יְיָ כֹּל יְמֵי יְהוֹשֻׁעַ Jud. 2:7
224-226 וַיַּעַבְדוּ אֶת־הַבְּעָלִים Jud. 2:11; 3:7; 10:6
227 וַיַּעַבְדוּ לַבַּעַל וְלָעַשְׁתָּרוֹת Jud. 2:13
228 וַיַּעַבְדוּ אֶת־אֱלֹהֵיהֶם Jud. 3:6
229 וַיַּעַבְדוּ בְ־יִ׳ אֶת־כּוּשַׁן רִשְׁעָתַיִם Jud. 3:8
230 וַיַּעַבְדוּ בְ־יִ׳ אֶת־עֶגְלוֹן Jud. 3:14
231 וַיָּסִירוּ...וַיַּעַבְדוּ אֶת־יְיָ Jud. 10:16
232 וַיָּסִירוּ...וַיַּעַבְדוּ אֶת־יְיָ לְבַדּוֹ ISh. 7:4
233 וַיַּעַבְדוּ הַגִּלֻּלִים IIK. 17:12
234 וַיַּעַבְדוּ אֶת־הַבָּעַל IIK. 17:16
235 וַיַּעַבְדוּ אֶת־עֲצַבֵּיהֶם Ps. 106:36
236 וַיַּעַבְדוּ אֶת־הָאֲשֵׁרִים וְאֶת... IICh. 24:18
יַעַבְדוּנִי 237 עַם לֹא־יָדַעְתִּי יַעַבְדֻנִי IISh. 22:44
238 שָׁם יַעַבְדֻנִי כָּל־בֵּית יִשְׂרָאֵל Ezek. 20:40
239 עַם לֹא־יָדַעְתִּי יַעַבְדוּנִי Ps. 18:44
וְיַעַבְדוּנִי 240 שַׁלַּח אֶת־עַמִּי וְיַעַבְדֻנִי בַּמִּדְבָּר Ex. 7:16
241-5 שַׁלַּח...עַמִּי וְיַעַבְדֻ׳ Ex. 7:26; 8:16; 9:1, 13; 10:3
יַעַבְדוּךָ 246 יַעַבְדוּךָ עַמִּים וְיִשְׁתַּחֲוֻ לְךָ... Gen. 27:29
יַעַבְדוּךְ 247 ...אֲשֶׁר לֹא־יַעַבְדוּךְ יֹאבֵדוּ Is. 60:12
יַעַבְדוּהוּ 248 וְהָעֹבֵד הָעִיר יַעַבְדוּהוּ... Ezek. 48:19
249 כָּל־גּוֹיִם יַעַבְדוּהוּ Ps. 72:11
וַיַּעַבְדֻהוּ 250 וַיַּשְׁלִימוּ עִם־דָּוִיד וַיַּעַבְדֻהוּ ICh. 19:19
וַיַּעַבְדוּם 251 וַיַּשְׁלִמוּ אֶת־יִשְׂרָאֵל וַיַּעַבְדוּם IISh. 10:19
252 וַיִּשְׁתַּחֲוֻ לָהֶם וַיַּעַבְדֻם IK. 9:9
253 וַיַּעַבְדוּם וַיִּשְׁתַּחֲווּ לָהֶם Jer. 16:11
254 וַיִּשְׁתַּחֲווּ לֵאל׳ אֲחֵרִים וַיַּעַבְדוּם Jer. 22:9
255 וַיִּשְׁתַּחֲווּ לָהֶם וַיַּעַבְדוּם IICh. 7:22
עֲבֹד 256 לֵךְ עֲבֹד אֱלֹהִים אֲחֵרִים ISh. 26:19
וְעָבְדֵהוּ 257 דַּע אֶת־אֱלֹהֵי אָבִיךָ וְעָבְדֵהוּ ICh. 28:9
עִבְדוּ 258 וְעַתָּה לְכוּ עִבְדוּ Ex. 5:18
259/60 לְכוּ עִבְדוּ אֶת־יְיָ Ex. 10:8, 24
261 וּלְכוּ עִבְדוּ אֶת־יְיָ כְּדַבֶּרְכֶם Ex. 12:31
262 עִבְדוּ אֶת־אַנְשֵׁי חֲמוֹר Jud. 9:28
263 עִבְדוּ אֶת־מֶלֶךְ בָּבֶל וִחְיוּ Jer. 27:17
264 עִבְדוּ אֶת־יְיָ בְּיִרְאָה Ps. 2:11
265 עִבְדוּ אֶת־יְיָ בְּשִׂמְחָה Ps. 100:2
266 עִבְדוּ אֶת־יְיָ אֱלֹהֵיכֶם IICh. 35:3
עֲבֹדוּ 267 אִישׁ גִּלּוּלָיו לְכוּ עֲבֹדוּ Ezek. 20:39
וְעִבְדוּ 268 לְכוּ־נָא הַגְּבָרִים וְעִבְדוּ אֶת־יְיָ Ex. 10:11
269 וְעִבְדוּ אֹתוֹ בְּתָמִים וּבֶאֱמֶת Josh. 24:14
270 וְהָסִירוּ...וְעִבְדוּ אֶת־יְיָ Josh. 24:14
271 וְעִבְדוּ אֶת־מֶלֶךְ בָּבֶל וְיִטַב לָכֶם IIK. 25:24
272 וְעִבְדוּ אֹתוֹ וְעַמּוֹ וִחְיוּ Jer. 27:12
273 וְעִבְדוּ אֶת־מֶלֶךְ בָּבֶל וְיִיטַב לָכֶם Jer. 40:9
274 וְעִבְדוּ אֶת־יְיָ אֱלֹהֵיכֶם IICh. 30:8
וְעִבְדֻהוּ 275 וְהָכִינוּ לְבַבְכֶם אֶל־יְיָ וְעִבְדֻהוּ לְבַדּוֹ ISh. 7:3
נֶעֱבָד 276 מֶלֶךְ לְשָׂדֶה נֶעֱבָד Eccl. 5:8
וְנֶעֱבַדְתֶּם 277 וּפָנִיתִי אֲלֵיכֶם וְנֶעֱבַדְתֶּם וְנִזְרַעְתֶּם Ezek. 36:9
יֵעָבֵד 278 אֲשֶׁר לֹא־יֵעָבֵד בּוֹ וְלֹא יִזָּרֵעַ Deut. 21:4
תֵּעָבֵד 279 וְהָאָרֶץ הַנְּשַׁמָּה תֵּעָבֵד Ezek. 36:34
עֻבַּד 280 עֶגְלַת בָּקָר אֲשֶׁר לֹא־עֻבַּד בָּהּ Deut. 21:3
281 הָעֲבֹדָה הַקָּשָׁה אֲשֶׁר עֻבַּד־בָּךְ Is. 14:3
לְהַעֲבִיד 282 מְנַצְּחִים לְהַעֲבִיד אֶת־הָעָם IICh. 2:17
הֶעֱבַדְתִּיךָ 283 לֹא הֶעֱבַדְתִּיךָ בְּמִנְחָה Is. 43:23
וְהַעֲבַדְתִּיךָ 284 וְהַעֲבַדְתִּיךָ אֶת־אֹיְבֶיךָ Jer. 17:4
הֶעֱבַדְתַּנִי 285 אַךְ הֶעֱבַדְתַּנִי בְּחַטֹּאותֶיךָ Is. 43:24
הֶעֱבִיד 286 הֶעֱבִיד אֶת־חֵילוֹ עֲבֹדָה גְדוֹלָה Ezek. 29:18
מַעֲבִדִים 287 ...אֲשֶׁר מִצְרַיִם מַעֲבִדִים אֹתָם Ex. 6:5
וַיַּעֲבֵד 288 וַיַּעֲבֵד אֶת־כָּל־הַנִּמְצָא בְּיִשְׂרָ׳ IICh. 34:33
וַיַּעֲבִדוּ 289 וַיַּעֲבִדוּ מִצְרַיִם אֶת־בְּ־יִ׳ בְּפָרֶךְ Ex. 1:13

עֲבַד פּ׳ ארמית א) עֲבַד,יָצַר,עָשָׂה: 19-1 [לְמֶעְבַּד=לַעֲבֹד]
ב) [אִתְפְּ׳ אִתְעֲבֵד] נעשׂה: 28-20

לְמֶעְבַּד 1 וּזְהִירִין...לְמֶעְבַּד עַל־דְּנָה Ez.4:22
2 בִּשְׁאָר כַּסְפָּא וְדַהֲבָה לְמֶעְבַּד Ez.7:18
עַבְדֵת 3 תִּפְּלוּן וְתִסְגְּדוּן לְצַלְמָא דִי־עַבְדֵת Dan.3:15
4 קָדָמָךְ° מַלְכָּא חֲבוּלָה לָא עַבְדֵת Dan.6:23
עֲבַדְתְּ 5 ...וְיֵאמַר לֵהּ מָה עֲבַדְתְּ Dan.4:32
עֲבַד 6 נְבוּכַדְנֶצַּר...עֲבַד צְלֵם דִּי־דְהַב Dan.3:1
7 אָתַיָּא...דִּי עֲבַד עִמִּי אֱלָהָא עִלָּאָה° Dan.3:32
8 בֵּלְשַׁאצַּר מַלְכָּא עֲבַד לְחֶם רַב Dan.5:1
עֲבַדוּ 9 אֱלָהַיָּא דִּי־שְׁמַיָּא וְאַרְקָא לָא עֲבַדוּ Jer.10:11
10 כְּנֵמָא אָסְפַּרְנָא עֲבַדוּ Ez.6:13
וַעֲבַדוּ 11 וַעֲבַדוּ בְ־י...חֲנֻכַּת בֵּית־אֱלָהָא Ez.6:16
עָבֵד 12 וּכְמִצְבְּיֵהּ עָבֵד בְּחֵיל שְׁמַיָּא Dan.4:32
13 דִּי־הֲוָא עָבֵד מִן־קַדְמַת דְּנָה Dan.6:11
14 וְכָל־דִּי־לָא לֶהֱוֵא עָבֵד דָּתָא Ez.7:26
וְעָבֵד 15 וְעָבֵד אָתִין וְתִמְהִין בִּשְׁמַיָּא Dan.6:28
עָבְדָא 16 וְקַרְנָא דִכֵּן עָבְדָא קְרָב... Dan.7:21
עָבְדִין 17 וְאֶשְׁתַּדּוּר עָבְדִין בְּגַוַּהּ... Ez.4:15
תַּעַבְדוּן 18 לְמָא דִי־תַעַבְדוּן עִם־שָׂבֵי יְהוּדָיֵא Ez.6:8
19 כִּרְעוּת אֱלָהֲכֹם תַּעַבְדוּן Ez.7:18
מִתְעֲבֵד 20 דִּינָה לֶהֱוֵא מִתְעֲבֵד מִנֵּהּ Ez.7:26
מִתְעֲבֶד־ 21 וּמְרַד וְאֶשְׁתַּדּוּר מִתְעֲבֶד־בַּהּ Ez.4:19
מִתְעַבְדָא 22 וַעֲבִידְתָּא דָךְ אָסְפַּרְנָא מִתְעַבְדָא Ez.5:8
יִתְעֲבֵד 23 הַדָּמִין יִתְעֲבֵד וּבַיְתֵהּ נְוָלִי יִשְׁתַּוֵּה Dan.3:29
24 וּבַיְתֵהּ נְוָלוּ יִתְעֲבֵד עַל־דְּנָה Ez.6:11
25 יִתְעֲבֵד אַדְרַזְדָּא לְבֵית אֱלָהּ שְׁמַיָּא Ez.7:23
יִתְעֲבִד 27-26 אָסְפַּרְנָא יִתְעֲבִד Ez.6:12; 7:21
תִּתְעַבְדוּן 28 הַדָּמִין תִּתְעַבְדוּן וּבָתֵּיכוֹן נְוָלִי... Dan.2:5

עֶבֶד[1] ז׳ א) אדם שהוא קִנְיָנוֹ של מישהו ומשועבד לו כָּל חייו: רוב המקראות 799-1
ב) [בהשאלה] משועבד, סר למָרוּת אחֵר: 11-8, 495,^73-449,432-426,417-409,407-396,20-18,13
ג) [כנ״ל] כנוי לנאמן לאלהים: 21, 22, 84-65, 90, 93, 95, 100, 101, 349, 354, 355, 362, 366-364, 373-368, 379-384, 388, 408, 456, 512, 521-518, 550, 588, 628-620, 635, 638, 639, 688-686, 694-696, 700, 702
ד) [עַבְדִּי] כנוי בפי אלהים לאדם נאמן לו: 103-106, 108, 109, 111-126, 128-168, 557-570, 573
ה) [עַבְדְּךָ, עַבְדּוֹ, עֲבָדֶיךָ וכד׳] כנוי של ענוה בפי אדם לגדול וחשוב ממנו: 178-169, 180-346, 348, 353, 356-361, 391-394, 583-574, 590-598, 600-604, 607, 608, 612-645, 649-664

– עֶבֶד–אָמָה 6, 7, 179, 218, 309, 345, 389, 390, 689, 796-798; עֶבֶד–שִׁפְחָה 33, 54, 429, 434-439, 448, 455, 457-459, 795
– עֶבֶד אֱוִיל 35; עֶ׳ חָפְשִׁי 38; עֶ׳ מִצְרִי 24; עֶ׳ מַשְׂכִּיל 23, 57; עֶ׳ עִבְרִי 5, 49; עֶ׳ עַמּוֹנִי 52,51
– עֶבֶד אָבִיו 86; עֶ׳ אַבְרָהָם 60-62; עֶ׳ אֲדוֹנָיו 91; עֶ׳ אִישׁ 63; עֶ׳ אֱלֹהִים 90, 92, 93; עֶ׳ יְיָ 65-84, 97, 100, 101; עֶ׳ מוֹשְׁלִים 99; עֶ׳ הַמֶּלֶךְ 87-89, 96; עֶבֶד עֲבָדִים 59, (395); עֶ׳ עוֹלָם 64, 98, 102; עֶבֶד שָׁאוּל 85
– מִמְכֶּרֶת עֶבֶד 30; עֲבוֹדַת עֶבֶד 29
– אֹזֶן עַבְדּוֹ 194, 230; אַף עַ׳ 294; בֵּית עַ׳ 190, 193, 197, 198, 227, 231, 394; בְּרִית עַ׳ 297; דְּבַר עַ׳ 282, 372; יַד עַ׳ 182, 369, 370; יְמֵי עַבְדּוֹ 299; מִשְׁפַּט עַ׳ 153, 363; נֶפֶשׁ עַ׳ 296; עֲוֹן עַ׳ 205; עֵין עַ׳ 351; קוֹל עַ׳374; שֵׂיבַת עַ׳176; שְׁלוֹם עַ׳378; תַּחֲנוּנֵי עַ׳ 234; תְּחִנַּת עַ׳ 210/1; תְּפִלַּת עַבְדּוֹ 209, 223-225, 233
– בֵּית עֲבָדִים 399-407, 411-414; עֵינֵי עֲבָדִים 422
– עַבְדֵי אָבִיו 467, 548; עַ׳ אֲבִימֶלֶךְ 466; עַבְדֵי אַבְשָׁלוֹם 498, 508; עַ׳ אִישׁ בֹּשֶׁת 535; עַ׳ אֲדֹנָיו 492,496,497,509,510,513,514,517,534,538; עַ׳ אָכִישׁ 482; עַ׳ אֱלֹהִים 472; עַ׳ אָמוֹן 515; עַ׳ בָּלָק 475; עַ׳ דָּוִד 484-491, 494, 528, 529, 536, 537, 544-546; עַ׳ הֲדַדְעֶזֶר 493, 495, 527, 530; עַ׳ חוּרָם 532, 533; עַ׳ יְיָ 512, 518-521, 550; עַ׳ יִצְחָק 468-470; עַ׳ כַּשְׂדִּים 551; עַ׳ הַמֶּלֶךְ 483, 499-507, 539, 540, 547, 549; עַ׳ נְבוּכַדְנֶצַּר 516; עַ׳ פַּרְעֹה 471, 473, 474; עַ׳ שָׁאוּל 476-481, 543; עַבְדֵי שְׁלֹמֹה 511, 522-526, 531, 541
– בֵּית עֲבָדָיו 680; בְּנֵי עֲ׳ 627; דַּם עֲ׳ 622, 688; חַטַּאת עֲ׳ 608, 639; זֶרַע עֲ׳ 700; חֶרְפַּת עֲ׳ 623; יַד עֲ׳ 570,632,641,667,690,691,693-697,702,704,705; לֵב עֲ׳ 602, 683; מוֹשַׁב עֲ׳ 692, 706; נִבְלַת עֲ׳ 621; נֶפֶשׁ עֲ׳ 612, 699; עֵינֵי עֲ׳ 672, 675, 677, 679; שְׂכַר עֲבָדָיו 606; תְּפִלַּת עֲבָדָיו 635

עֶבֶד 2-1 וִיהִי כְנַעַן עֶבֶד לָמוֹ Gen.9:26,27
3 נַעַר עִבְרִי עֶבֶד לְשַׂר הַטַּבָּחִים Gen.41:12
4 תַּחַת הַנַּעַר עֶבֶד לַאדֹנִי Gen.44:33
5 כִּי תִקְנֶה עֶבֶד עִבְרִי Ex.21:2
6 אִם־עֶבֶד יִגַּח הַשּׁוֹר אוֹ אָמָה Ex.21:32
7 מֵהֶם תִּקְנוּ עֶבֶד וְאָמָה Lev.25:44
10-8 וְזָכַרְתָּ כִּי(־)עֶבֶד הָיִיתָ בְּאֶרֶץ מִצְרַיִם Deut.5:15; 15:15; 24:22
11 וְזָכַרְתָּ כִּי־עֶבֶד הָיִיתָ בְּמִצְרָיִם Deut.16:12
12 לֹא־תַסְגִּיר עֶבֶד אֶל־אֲדֹנָיו Deut.23:16
13 וְזָכַרְתָּ כִּי עֶבֶד הָיִיתָ בְּמִצְרַיִם Deut.24:18
14 וְלֹא־יִכָּרֵת מִכֶּם עֶבֶד Josh.9:23
15 נַעַר...עֶבֶד לְאִישׁ עֲמָלֵקִי ISh.30:13
16 וּלְבֵית שָׁאוּל עֶבֶד וּשְׁמוֹ צִיבָא IISh.9:2
17 וְיָרָבְעָם...עֶבֶד לִשְׁלֹמֹה IK.11:26
18 אִם־הַיּוֹם תִּהְיֶה־עֶבֶד לָעָם הַזֶּה IK.12:7
19 וַיְהִי־לוֹ הוֹשֵׁעַ עֶבֶד IIK.17:3
20 וַיְהִי־לוֹ יְהוֹיָקִים עֶבֶד שָׁלֹשׁ שָׁנִים IIK.24:1
21 יְצַרְתִּיךָ עֶבֶד־לִי Is.44:21
22 נָקֵל מִהְיוֹתְךָ לִי עֶבֶד Is.49:6
23 עֶבֶד־מַשְׂכִּיל יִמְשֹׁל בְּבֵן מֵבִישׁ Prov.17:2
24 וּלְשֵׁשָׁן עֶבֶד מִצְרִי ICh.2:34
25 אַל־תַּלְשֵׁן עֶבֶד אֶל־אֲדֹנָו Prov.30:10
26 תַּחַת עֶבֶד כִּי יִמְלוֹךְ Prov.30:22
עָבֶד 27 אֲשֶׁר יִמָּצֵא אִתּוֹ יִהְיֶה־לִּי עָבֶד Gen.44:10
28 הוּא יִהְיֶה־לִּי עָבֶד Gen.44:17
29 לֹא־תַעֲבֹד בּוֹ עֲבֹדַת עָבֶד Lev.25:39
30 לֹא יִמָּכְרוּ מִמְכֶּרֶת עָבֶד Lev.25:42
31 וּמִבְּ״יִ לֹא־נָתַן שְׁלֹמֹה עָבֶד IK.9:22
32 בִּדְבָרִים לֹא־יִוָּסֶר עָבֶד Prov.29:19
וְעֶבֶד 33 וַיְהִי־לִי שׁוֹר...וְעֶבֶד וְשִׁפְחָה Gen.32:5
34 בֵּן יְכַבֵּד אָב וְעֶבֶד אֲדֹנָיו Mal.1:6
35 וְעֶבֶד אֱוִיל לַחֲכַם־לֵב Prov.11:29
36 טוֹב נִקְלֶה וְעֶבֶד לוֹ Prov.12:9
37 וְעֶבֶד לֹוֶה לְאִישׁ מַלְוֶה Prov.22:7
38 וְעֶבֶד חָפְשִׁי מֵאֲדֹנָיו Job 3:19
הַעֶבֶד 39 הַעֶבֶד יִשְׂרָאֵל אִם־יְלִיד בַּיִת הוּא Jer.2:14
הָעֶבֶד 40 וַיֹּאמֶר אֵלָיו הָעֶבֶד... Gen.24:5
41 וַיָּשֶׂם הָעֶבֶד אֶת־יָדוֹ Gen.24:9
42 וַיִּקַּח הָעֶבֶד עֲשָׂרָה גְמַלִּים Gen.24:10
43 וַיָּרָץ הָעֶבֶד לִקְרָאתָהּ Gen.24:17
44 וַיּוֹצֵא הָעֶבֶד כְּלֵי־כֶסֶף Gen.24:53
45 וַיִּקַּח הָעֶבֶד אֶת־רִבְקָה Gen.24:61
46 וַתֹּאמֶר אֶל־הָעֶבֶד מִי־הָאִישׁ Gen.24:65

הָעֶבֶד (המשך) 47 וַיֹּאמֶר הָעֶבֶד הוּא אֲדֹנִי Gen.24:65
48 וַיְסַפֵּר הָעֶבֶד לְיִצְחָק Gen.24:66
49 בָּא אֵלַי הָעֶבֶד הָעִבְרִי Gen.39:17
50 וְאִם־אָמֹר יֹאמַר הָעֶבֶד Ex.21:5
51 וְטוֹבִיָּה הָעֶבֶד הָעַמֹּנִי Neh.2:10
52 וְטֹבִיָּה הָעֶבֶד הָעַמּוֹנִי Neh.2:19
כְּעֶבֶד 53 כְּעֶבֶד יִשְׁאַף־צֵל Job 7:2
כַּעֶבֶד 54 כַּעֶבֶד כַּאדֹנָיו כַּשִּׁפְחָה כַּגְּבִרְתָּהּ Is.24:2
לְעֶבֶד 55 יֹצְרִי מִבֶּטֶן לְעֶבֶד לוֹ Is.49:5
56 לְעֶבֶד נִמְכַּר יוֹסֵף Ps.105:17
57 רְצוֹן־מֶלֶךְ לְעֶבֶד מַשְׂכִּיל Prov.14:35
58 אַף כִּי־לְעֶבֶד מְשֹׁל בְּשָׂרִים Prov.19:10
עֶבֶד־ 59 עֶבֶד עֲבָדִים יִהְיֶה לְאֶחָיו Gen.9:25
60 עֶבֶד אַבְרָהָם אָנֹכִי Gen.24:34
61 וַיְהִי כַּאֲשֶׁר שָׁמַע עֶבֶד אַבְרָהָם Gen.24:52
62 וְאֶת־עֶבֶד אַבְרָהָם וְאֶת־אֲנָשָׁיו Gen.24:59
63 וְכָל־עֶבֶד אִישׁ מִקְנַת־כָּסֶף Ex.12:44
64 וְהָיָה לְךָ עֶבֶד עוֹלָם Deut.15:17
65 וַיָּמָת שָׁם מֹשֶׁה עֶבֶד־יְיָ Deut.34:5
66 וַיְהִי אַחֲרֵי מוֹת מֹשֶׁה עֶבֶד יְיָ Josh.1:1
82-67 מֹשֶׁה עֶבֶד(־)יְיָ Josh.1:13,15
8:31, 33; 11:12; 12:6[2]; 13:8 14:7; 18:7; 22:2, 4, 5 •
IIK. 18:12 • IICh. 1:3; 24:6
83 וַיָּמָת יְהוֹשֻׁעַ בִּן־נוּן עֶבֶד יְיָ Josh.24:29
84 וַיָּמָת יְהוֹשֻׁעַ בִּן־נוּן עֶבֶד יְיָ Jud.2:8
85 הֲלוֹא־זֶה דָוִד עֶבֶד שָׁאוּל ISh.29:3
86 עֶבֶד אָבִיךָ וַאֲנִי מֵאָז IISh.15:34
87 לִשְׁלֹחַ אֶת־עֶבֶד הַמֶּלֶךְ יוֹאָב IISh.18:29
88 וְאֵת עֲשָׂיָה עֶבֶד־הַמֶּלֶךְ IIK.22:12
89 נְבוּזַרְאֲדָן...עֶבֶד מֶלֶךְ־בָּבֶל IIK.25:8
90 בְּתוֹרַת מֹשֶׁה עֶבֶד־הָאֱלֹהִים Dan.9:11
91 וְהֵיךְ יוּכַל עֶבֶד אֲדֹנִי זֶה... Dan.10:17
92 בְּיַד מֹשֶׁה עֶבֶד־הָאֱלֹהִים Neh.10:30
93 אֲשֶׁר־צִוָּה מֹשֶׁה עֶבֶד הָאֱלֹהִים ICh.6:34
94 וַיָּקָם יָרָבְעָם...עֶבֶד שְׁלֹמֹה IICh.13:6
95 מַשְׂאַת מֹשֶׁה עֶבֶד־הָאֱלֹהִים IICh.24:9
96 וְאֵת עֲשָׂיָה עֶבֶד־הַמֶּלֶךְ IICh.34:20
כְּעֶבֶד־ 97 מִי עִוֵּר כִּמְשֻׁלָּם וְעִוֵּר כְּעֶבֶד יְיָ Is.42:19
לְעֶבֶד־ 98 וְהָיָה לִי לְעֶבֶד עוֹלָם ISh.27:12
99 לִמְתָעֵב גּוֹי לְעֶבֶד מֹשְׁלִים Is.49:7
100/1 לַמְנַצֵּחַ לְעֶבֶד(־)יְיָ לְדָוִד Ps.18:1; 36:1
102 תִּקָּחֶנּוּ לְעֶבֶד עוֹלָם Job 40:28
עַבְדִּי 103 בַּעֲבוּר אַבְרָהָם עַבְדִּי Gen.26:24
104 לֹא־כֵן עַבְדִּי מֹשֶׁה Num.12:7
105 מֹשֶׁה עַבְדִּי מֵת Josh.1:2
106 הַתּוֹרָה אֲשֶׁר צִוְּךָ מֹשֶׁה עַבְדִּי Josh.1:7
107 הֵקִים בְּנִי אֶת־עַבְדִּי עָלַי לְאֹרֵב ISh.22:8
108 בְּיַד דָּוִד עַבְדִּי הוֹשִׁיעַ אֶת־עַמִּי IISh.3:18
109 לֵךְ וְאָמַרְתָּ אֶל־עַבְדִּי אֶל־דָּוִד IISh.7:5
110 אֲדֹנִי הַמֶּלֶךְ עַבְדִּי רִמָּנִי IISh.19:27
112-111 לְמַעַן דָּוִד עַבְדִּי IK.11:13,34
113 לְמַעַן עַבְדִּי דָוִד IK.11:32
126-114 (וּ/לְ) דָּוִ(י)ד (־)עַבְדִּי IK.11:36,38
IIK. 19:34; 20:6 • Is. 37:35 • Jer. 33:21, 22, 26 •
Ezek. 37:25 • Ps. 89:4, 21 • ICh. 17:4
127 שָׁלַחְתִּי אֵלֶיךָ אֶת־נַעֲמָן עַבְדִּי IIK.5:6
128 אֲשֶׁר־צִוָּה אֹתָם עַבְדִּי מֹשֶׁה IIK.21:8
129 כַּאֲשֶׁר הָלַךְ עַבְדִּי יְשַׁעְיָהוּ Is.20:3
130 וְאַתָּה יִשְׂרָאֵל עַבְדִּי Is.41:8
131 וָאֹמַר לְךָ עַבְדִּי־אַתָּה Is.41:9
132 הֵן עַבְדִּי אֶתְמָךְ־בּוֹ Is.42:1
133 מִי עִוֵּר כִּי אִם־עַבְדִּי Is.42:19

עַבְדִּי (המשך)

134 וְעַתָּה שְׁמַע יַעֲקֹב עַבְדִּי Is. 44:1
135 אַל־תִּירָא עַבְדִּי יַעֲקֹב Is. 44:2
136 זְכָר־אֵלֶּה...כִּי עַבְדִּי־אָתָּה Is. 44:21
137 לְמַעַן עַבְדִּי יַעֲקֹב וְיִשְׂר׳ בְּחִירִי Is. 45:4
138 וַיֹּאמֶר לִי עַבְדִּי־אָתָּה Is. 49:3
139 הִנֵּה יַשְׂכִּיל עַבְדִּי Is. 52:13
140 יַצְדִּיק צַדִּיק עַבְדִּי לָרַבִּים Is. 53:11
141-143 מֶלֶךְ־בָּבֶל עַבְדִּי Jer. 25:9; 27:6; 43:10
144-146 אַל־תִּירָא עַבְדִּי יַעֲקֹב Jer. 30:10; 46:27,28
147 וַהֲקִמֹתִי...אֶת עַבְדִּי דָוִיד Ezek. 34:23
148 זְרֻבָּבֶל בֶּן־שְׁאַלְתִּיאֵל עַבְדִּי Hag. 2:23
149 כִּי־הִנְנִי מֵבִיא אֶת־עַבְדִּי צֶמַח Zech. 3:8
150 זִכְרוּ תּוֹרַת מֹשֶׁה עַבְדִּי Mal. 3:22
151/2 הֲשַׂמְתָּ לִבְּךָ עַל־עַבְדִּי אִיּוֹב Job 1:8; 2:3
153 אִם־אֶמְאַס מִשְׁפַּט עַבְדִּי Job 31:13
154 וּלְכוּ אֶל־עַבְדִּי אִיּוֹב Job 42:8
155 וְאִיּוֹב עַבְדִּי יִתְפַּלֵּל עֲלֵיכֶם Job 42:8

וְעַבְדִּי
156 וְעַבְדִּי כָלֵב...וַהֲבִיאֹתִיו אֶל־הָאָ׳ Num. 14:24
157 אַתֶּם עֵדַי...וְעַבְדִּי אֲשֶׁר בָּחָרְתִּי Is. 43:10
158 וְעַבְדִּי דָוִד נָשִׂיא בְתוֹכָם Ezek. 34:24
159 וְעַבְדִּי דָוִד מֶלֶךְ עֲלֵיהֶם Ezek. 37:24

בְּעַבְדִּי
160 לֹא יְרֵאתֶם לְדַבֵּר בְּעַבְדִּי בְמֹשֶׁה Num. 12:8

כְּעַבְדִּי
161 וְלֹא הָיִיתָ כְּעַבְדִּי דָוִד IK. 14:8
162/3 לֹא דִבַּרְתֶּם אֵלַי...כְּעַבְדִּי אִיּוֹב Job 42:7,8

לְעַבְדִּי
164 כֹּה־תֹאמַר לְעַבְדִּי לְדָוִד IISh. 7:8
165/6 אֲשֶׁר נָתַתִּי לְעַבְ׳ לְיַעֲקֹב Ezek. 28:25; 37:25
167 לְעַבְדִּי קָרָאתִי וְלֹא יַעֲנֶה Job 19:16
168 כֹּה־תֹאמַר לְעַבְדִּי לְדָוִיד ICh. 17:7

עַבְדְּךָ
169 הִנֵּה...מָצָא עַבְדְּךָ חֵן בְּעֵינֶיךָ Gen. 19:19
170 כֹּה אָמַר עַבְדְּךָ יַעֲקֹב Gen. 32:4
171 גַּם הִנֵּה עַבְדְּךָ יַעֲקֹב אַחֲרֵינוּ Gen. 32:20
172 יְדַבֶּר־נָא עַבְדְּךָ דָבָר Gen. 44:18
173 וַיְהִי כִּי עָלִינוּ אֶל־עַבְדְּךָ אָבִי Gen. 44:24
174/5 עַבְדְּךָ אָבִי Gen. 44:27,30
176 וְהוֹרִידוּ...אֶת־שֵׂיבַת עַבְדְּךָ אָבִינוּ Gen. 44:31
177 כִּי עַבְדְּךָ עָרַב אֶת־הַנַּעַר Gen. 44:32
178 יֵשֶׁב־נָא עַבְדְּךָ תַּחַת הַנַּעַר Gen. 44:33
179 עַבְדְּךָ וַאֲמָתְךָ וּבְהֶמְתֶּךָ Ex. 20:10
180 הַחִלּוֹתָ לְהַרְאוֹת אֶת־עַבְדְּךָ Deut. 3:24
181 לְמַעַן יָנוּחַ עַבְדְּךָ וַאֲמָתְךָ כָּמוֹךָ Deut. 5:14
182 אַתָּה נָתַתָּ בְיַד־עַבְדְּךָ... Jud. 15:18
183 עַבְדְּךָ יֵלֵךְ וְנִלְחַם עִם־הַפְּלִשְׁתִּי ISh. 17:32
184 רֹעֶה הָיָה עַבְדְּךָ לְאָבִיו בַּצֹּאן ISh. 17:34
185 בֶּן־עַבְדְּךָ יִשַׁי בֵּית הַלַּחְמִי ISh. 17:58
186 הֵבֵאתָ אֶת־עַבְדְּךָ עִמָּךְ ISh. 20:8
187 כִּי לֹא־יָדַע עַבְדְּךָ בְּכָל־זֹאת ISh. 22:15
188 שָׁמֹעַ שָׁמַע עַבְדְּךָ כִּי־מְבַקֵּשׁ שָׁאוּל ISh. 23:10
189 וְלָמָּה יֵשֵׁב עַבְדְּךָ...עִמָּךְ ISh. 27:5
190 וַתְּדַבֵּר גַּם אֶל־בֵּית־עַבְדְּךָ IISh. 7:19
191 וְאַתָּה יָדַעְתָּ אֶת־עַבְדְּךָ IISh. 7:20
192 אֲשֶׁר דִּבַּרְתָּ עַל־עַבְדְּךָ וְעַל־בֵּיתוֹ IISh. 7:25
193 וּבֵית עַבְדְּךָ דָוִד יִהְיֶה נָכוֹן לְפָנֶיךָ IISh. 7:26
194 כִּי־אַתָּה...גָּלִיתָה אֶת־אֹזֶן עַבְדְּךָ IISh. 7:27
195 מָצָא עַבְדְּךָ אֶת־לִבּוֹ לְהִתְפַּלֵּל IISh. 7:27
196 וַתְּדַבֵּר אֶל־עַבְדְּךָ אֶת־הַטּוֹבָה IISh. 7:28
197 וְעַתָּה הוֹאֵל וּבָרֵךְ אֶת־בֵּית עַבְדְּךָ IISh. 7:29
198 יְבֹרַךְ בֵּית־עַבְדְּךָ לְעוֹלָם IISh. 7:29
199/200 גַּם עַבְדְּךָ אוּרִיָּה הַחִתִּי מֵת IISh. 11:21,24
201 כִּדְבַר עַבְדְּךָ כֵּן הָיָה IISh. 13:35
202 כִּי־עַבְדְּךָ יוֹאָב הוּא צִוָּנִי IISh. 14:19
203 עָשָׂה עַבְדְּךָ יוֹאָב אֶת־הַדָּבָר הַזֶּה IISh. 14:20
204 הַיּוֹם יָדַע עַבְדְּךָ כִּי־מָצָאתִי חֵן... IISh. 14:22

עַבְדְּךָ (המשך)

205 הַעֲבֶר־נָא אֶת־עֲוֹן עַבְדְּךָ IISh. 24:10
206/7 וְלִשְׁלֹמֹה עַבְדְּךָ לֹא קָרָא IK. 1:19,26
208 וְלֹא הוֹדַעְתָּ אֶת־עַבְדְּךָ (כת׳ עבדיך) IK. 1:27
209 וּפָנִיתָ אֶל־תְּפִלַּת עַבְדְּךָ IK. 8:28
210 וְשָׁמַעְתָּ אֶל־תְּחִנַּת עַבְדְּךָ IK. 8:30
211 עֵינֶיךָ פְתֻחֹת אֶל־תְּחִנַּת עַבְדְּךָ IK. 8:52
212 עַבְדְּךָ בֶן־הֲדַד אָמַר IK. 20:32
213 עַבְדְּךָ אִישִׁי מֵת וְאַתָּה יָדַעְתָּ IIK. 4:1
214 כִּי עַבְדְּךָ הָיָה יָרֵא אֶת־יְיָ IIK. 4:1
215 כִּי מָה עַבְדְּךָ הַכֶּלֶב... IIK. 8:13
216 וַיִּשְׁלַח...לֵאמֹר עַבְדְּךָ וּבִנְךָ אָנִי IIK. 16:7
217 הוֹשַׁע עַבְדְּךָ אַתָּה אֱלֹהַי Ps. 86:2
218 אֲנִי־עַבְדְּךָ בֶּן־אֲמָתֶךָ Ps. 116:16
219 גְּמֹל עַל־עַבְדְּךָ אֶחְיֶה Ps. 119:17
220 עֲרֹב עַבְדְּךָ לְטוֹב... Ps. 119:122
221 עֲשֵׂה עִם־עַבְדְּךָ כְחַסְדֶּךָ Ps. 119:124
222 עַבְדְּךָ־אָנִי הֲבִינֵנִי Ps. 119:125
223 שְׁמַע אֱלֹהֵינוּ אֶל־תְּפִלַּת עַבְדְּךָ Dan. 9:17
224 לִשְׁמֹעַ אֶל־תְּפִלַּת עַבְדְּךָ Neh. 1:6
225 אָזְנְךָ־קַשֶּׁבֶת אֶל־תְּפִלַּת עַבְדְּךָ Neh. 1:11
226 וְאִם־יִיטַב עַבְדְּךָ לְפָנֶיךָ Neh. 2:5
227 וַתְּדַבֵּר עַל־בֵּית־עַבְדְּךָ לְמֵרָחוֹק ICh. 17:17
228 יְיָ בַּעֲבוּר עַבְדְּךָ וּכְלִבְּךָ עָשִׂיתָ ICh. 17:19
229 וּבֵית־דָּוִיד עַבְדְּךָ נָכוֹן לְפָנֶיךָ ICh. 17:24
230 אַתָּה אֱלֹהַי גָּלִיתָ אֶת־אֹזֶן עַבְדְּךָ ICh. 17:25
231 הוֹאַלְתָּ לְבָרֵךְ אֶת־בֵּית עַבְדְּךָ ICh. 17:27
232 הַעֲבֶר־נָא אֶת־עֲוֹן עַבְדְּךָ ICh. 21:8
233 וּפָנִיתָ אֶל־תְּפִלַּת עַבְדְּךָ IICh. 6:19
234 וְשָׁמַעְתָּ אֶל־תַּחֲנוּנֵי עַבְדְּךָ IICh. 6:21
235-264 עַבְדְּךָ IISh. 15:8; 19:20,21
19:27, 29, 36^{2}, 37, 38^{2} • IK. 3:6, 7; 8:28, 29; 18:9; 20:9, 39, 40 • IIK. 5:17, 25 • Ps. 19:12; 119:23, 65 • Eccl. 7:21 • ICh. 17:18, 23, 25, 26 • IICh. 6:19, 20

עַבְדֶּךָ
265 אַל־נָא תַעֲבֹר מֵעַל עַבְדֶּךָ Gen. 18:3
266 ...אֲשֶׁר עָשִׂיתָ אֶת־עַבְדֶּךָ Gen. 32:10
267 אֲשֶׁר־חָנַן אֱלֹהִים אֶת־עַבְדֶּךָ Gen. 33:5
268 כַּדְּבָרִים הָאֵלֶּה עָשָׂה לִי עַבְדֶּךָ Gen. 39:19
269 גַּם מֵאָז דַּבֶּרְךָ אֶל־עַבְדֶּךָ Ex. 4:10
270 דַּבֵּר יְיָ כִּי שֹׁמֵעַ עַבְדֶּךָ ISh. 3:9
271 דַּבֵּר כִּי שֹׁמֵעַ עַבְדֶּךָ ISh. 3:10
272 גַּם־הַדּוֹב הִכָּה עַבְדֶּךָ ISh. 17:36
273 וְעָשִׂיתָ חֶסֶד עַל־עַבְדֶּךָ ISh. 20:8
274 הֲיֵרֵד שָׁאוּל כַּאֲשֶׁר שָׁמַע עַבְדֶּךָ ISh. 23:11
275 אֵת אֲשֶׁר־יַעֲשֶׂה עַבְדֶּךָ ISh. 28:2
276 לְהוֹדִיעַ אֶת־עַבְדֶּךָ IISh. 7:21
277 הַאַתָּה צִיבָא וַיֹּאמֶר עַבְדֶּךָ IISh. 9:2
278 וַיֹּאמֶר הִנֵּה עַבְדֶּךָ IISh. 9:6
279 וַיִּשְׁתַּחוּ וַיֹּאמֶר מֶה עַבְדֶּךָ IISh. 9:8
280 כֵּן יַעֲשֶׂה עַבְדֶּךָ IISh. 9:11
281 יֵלֶךְ־נָא...עִם־עַבְדֶּךָ IISh. 13:24
282 עָשָׂה הַמֶּ׳ אֶת־דְּבַר עַבְדֶּךָ (כ׳ עבדו) IISh. 14:22
283 מֵאַחַד שִׁבְטֵי־יִשְׂרָאֵל עַבְדֶּךָ IISh. 15:2
284 כִּי־שָׁם יִהְיֶה עַבְדֶּךָ IISh. 15:21
285 וְעַתָּה וַאֲנִי עַבְדֶּךָ IISh. 15:34
286 לִשְׁלֹחַ...וְאֶת־עַבְדֶּךָ IISh. 18:29
287 כִּי פִסֵּחַ עַבְדֶּךָ IISh. 19:27
288 וְלִי אֲנִי־עַבְדֶּךָ...לֹא קָרָא IK. 1:26
289 כֵּן יַעֲשֶׂה עַבְדֶּךָ IK. 2:38
290 כַּאֲשֶׁר דִּבַּרְתָּ בְּיַד מֹשֶׁה עַבְדֶּךָ IK. 8:53
291 אַתָּה אֱלֹהִים בְּיִשְׂרָאֵל וַאֲנִי עַבְדֶּךָ IK. 18:36
292 קַח־נָא בְרָכָה מֵאֵת עַבְדֶּךָ IIK. 5:15

עַבְדֶּךָ (המשך)

293 גַּם מִזֵּדִים חֲשֹׂךְ עַבְדֶּךָ Ps. 19:14
294 אַל תַּט־בְּאַף עַבְדֶּךָ Ps. 27:9
295 הָאִירָה פָנֶיךָ עַל־עַבְדֶּךָ Ps. 31:17
296 שַׂמֵּחַ נֶפֶשׁ עַבְדֶּךָ Ps. 86:4
297 נֵאַרְתָּה בְּרִית עַבְדֶּךָ Ps. 89:40
298 אָנָּה יְיָ כִּי־אֲנִי עַבְדֶּךָ Ps. 116:16
299 כַּמָּה יְמֵי־עַבְדֶּךָ Ps. 119:84
300 תָּעִיתִי כְּשֶׂה אֹבֵד בַּקֵּשׁ עַבְדֶּךָ Ps. 119:176
301 בַּעֲבוּר דָּוִד עַבְדֶּךָ Ps. 132:10
302 וְאַל־תָּבוֹא בְמִשְׁפָּט אֶת־עַבְדֶּךָ Ps. 143:2
303 וְהַאֲבַדְתָּ...כִּי אֲנִי עַבְדֶּךָ Ps. 143:12
304/5 אֲשֶׁר צִוִּיתָ אֶת־מֹשֶׁה עַבְדֶּךָ Neh. 1:7,8
306 צִוִּיתָ לָהֶם בְּיַד מֹשֶׁה עַבְדֶּךָ Neh. 9:14
307 מַה־יּוֹסִיף...לְכָבוֹד אֶת־עַבְדֶּךָ ICh. 17:18
308 זָכְרָה לְחַסְדֵי דָּוִיד עַבְדֶּךָ IICh. 6:42

וְעַבְדְּךָ
309 וְעַבְדְּךָ וַאֲמָתְךָ אֲשֶׁר יִהְיוּ־לָךְ Lev. 25:44
310-313 אַתָּה...וְעַבְדְּךָ(־)וַאֲמָתֶךָ Deut. 5:14; 12:18; 16:11, 14
314 וְעַבְדְּךָ בְּתוֹךְ עַמְּךָ אֲשֶׁר בָּחָרְתָּ IK. 3:8
315 וְעַבְדְּךָ יָרֵא אֶת־יְיָ מִנְּעֻרָי IK. 18:12
316 קָמוּ וַיֵּבֹשׁוּ וְעַבְדְּךָ יִשְׂמָח Ps. 109:28
317 צְרוּפָה...וְעַבְדְּךָ אֲהֵבָהּ Ps. 119:140

בְּעַבְדְּךָ
318 וּמַה־מָּצָאתָ בְעַבְדְּךָ ISh. 29:8
319 וַיְרַגֵּל בְּעַבְדְּךָ אֶל־אֲדֹנִי הַמֶּלֶךְ IISh. 19:28

בְּעַבְדֶּךָ
320 וְאַל־יִחַר אַפְּךָ בְּעַבְדֶּךָ Gen. 44:18
321 פָּנֶיךָ הָאֵר בְּעַבְדֶּךָ Ps. 119:135

לְעַבְדְּךָ
322 אֹתָהּ הֹכַחְתָּ לְעַבְדְּךָ לְיִצְחָק Gen. 24:14
323 וְאָמַרְתָּ לְעַבְדְּךָ לְיַעֲקֹב Gen. 32:18
324 שָׁלוֹם לְעַבְדְּךָ לְאָבִינוּ Gen. 43:28
325 וְנָתַתָּ לְעַבְדְּךָ לֵב שֹׁמֵעַ IK. 3:9
326 אֲשֶׁר שָׁמַרְתָּ לְעַבְדְּךָ דָּוִד אָבִי IK. 8:24
327 שְׁמֹר לְעַבְדְּךָ דָוִד אָבִי IK. 8:25
328 אֲשֶׁר דִּבַּרְתָּ לְעַבְדְּךָ דָּוִד אָבִי IK. 8:26
329 יֻתַּן־נָא לְעַבְדְּךָ מַשָּׂא...אֲדָמָה IIK. 5:17
330 יִסְלַח־נָא יְיָ לְעַבְדְּךָ בַּדָּבָר הַזֶּה IIK. 5:18
331 הָקֵם לְעַבְדְּךָ אִמְרָתֶךָ Ps. 119:38
332 וְהַצְלִיחָה־נָּא לְעַבְדְּךָ הַיּוֹם Neh. 1:11
333 אֲשֶׁר שָׁמַרְתָּ לְעַבְדְּךָ דָּוִיד אָבִי IICh. 6:15
334 שְׁמֹר לְעַבְדְּךָ דָוִיד אָבִי IICh. 6:16
335 אֲשֶׁר דִּבַּרְתָּ לְעַבְדְּךָ לְדָוִיד IICh. 6:17

לְעַבְדֶּךָ
336 לָמָה הֲרֵעֹתָ לְעַבְדֶּךָ Num. 11:11
337 טוֹב שָׁלוֹם לְעַבְדֶּךָ ISh. 20:7
338 הַגֶּד־נָא לְעַבְדֶּךָ ISh. 23:11
339 הִנֵּה־נָא גֹזְזִים לְעַבְדֶּךָ IISh. 13:24
340 קָרֹעַ אֶקְרַע...וּנְתַתִּיהָ לְעַבְדֶּךָ IK. 11:11
341 לַדָּבָר הַזֶּה יִסְלַח יְיָ לְעַבְדֶּךָ IIK. 5:18
342 תְּנָה־עֻזְּךָ לְעַבְדֶּךָ Ps. 86:16
343 זְכָר־דָּבָר לְעַבְדֶּךָ Ps. 119:49
344 לְנַחֲמֵנִי כְּאִמְרָתְךָ לְעַבְדֶּךָ Ps. 119:76

וּלְעַבְדְּךָ
345 לְךָ וּלְעַבְדְּךָ וְלַאֲמָתֶךָ Lev. 25:6

מֵעַבְדֶּךָ
346 וְאַל־תַּסְתֵּר פָּנֶיךָ מֵעַבְדֶּךָ Ps. 69:18

עַבְדּוֹ
347 וַיֹּאמֶר אַבְרָהָם אֶל־עַבְדּוֹ זְקַן בֵּיתוֹ Gen. 24:2
348 יַעֲבָר־נָא אֲדֹנִי לִפְנֵי עַבְדּוֹ Gen. 33:14
349 וַיַּאֲמִינוּ בַּיְיָ וּבְמֹשֶׁה עַבְדּוֹ Ex. 14:31
350 וְכִי־יַכֶּה אִישׁ אֶת־עַבְדּוֹ Ex. 21:20
351 וְכִי־יַכֶּה אִישׁ אֶת־עֵין עַבְדּוֹ Ex. 21:26
352 וְאִם־שֵׁן עַבְדּוֹ...יַפִּיל Ex. 21:27
353 מָה אֲדֹנִי מְדַבֵּר אֶל־עַבְדּוֹ Josh. 5:14
354 אֵת אֲשֶׁר צִוָּה...אֶת־מֹשֶׁה עַבְדּוֹ Josh. 9:24
355 כַּאֲשֶׁר צִוָּה יְיָ אֶת־מֹשֶׁה עַבְדּוֹ Josh. 11:15
356 וְאֶת־עַבְדּוֹ חָשַׂךְ מֵרָעָה ISh. 25:39

עַבְדּוֹ (המשך)
357 לָמָּה זֶּה אֲדֹנִי רֹדֵף אַחֲרֵי עַבְדּוֹ ISh.26:18
358 יִשְׁמַע־נָא...אֵת דִּבְרֵי עַבְדּוֹ ISh.26:19
359 כְּכֹל אֲשֶׁר יְצַוֶּה...אֶת־עַבְדּוֹ IISh.9:11
360 מַדּוּעַ בָּא אֲדֹנִי־הַמֶּלֶךְ אֶל־עַבְדּוֹ IISh.24:21
361 אִם־יָמִית אֶת־עַבְדּוֹ בֶּחָרֶב IK.1:51
362 אֲשֶׁר דִּבֶּר בְּיַד מֹשֶׁה עַבְדּוֹ IK.8:56
363 לַעֲשׂוֹת מִשְׁפַּט עַבְדּוֹ IK.8:59
364 אֲשֶׁר עָשָׂה יְיָ לְדָוִד עַבְדּוֹ IK.8:66
365 בְּיַד־עַבְדּוֹ אֲחִיָּהוּ הַנָּבִיא IK.14:18
366 בְּיַד־עַבְדּוֹ אֲחִיָּה הַשִּׁילֹנִי IK.15:29
367 וַיִּקְשֹׁר עָלָיו עַבְדּוֹ זִמְרִי IK.16:9
368 לְמַעַן דָּוִד עַבְדּוֹ IIK.8:19
369/70 אֲשֶׁר דִּבֶּר בְּיַד(־)עַבְדּוֹ אֵלִיָּהוּ IIK.9:36; 10:10
371 בְּיַד־עַבְדּוֹ יוֹנָה בֶן־אֲמִתַּי הַנָּבִיא IIK.14:25
372 מֵקִים דְּבַר עַבְדּוֹ Is.44:26
373 גָּאַל יְיָ עַבְדּוֹ יַעֲקֹב Is.48:20
374 יְרֵא יְיָ שֹׁמֵעַ בְּקוֹל עַבְדּוֹ Is.50:10
375/6 לְשַׁלַּח אִישׁ אֶת־עַבְדּוֹ Jer.34:9,10
377 וַתָּשֻׁבוּ אִישׁ אֶת־עַבְדּוֹ Jer.34:16
378 הֶחָפֵץ שְׁלוֹם עַבְדּוֹ Ps.35:27
379 וַיִּבְחַר בְּדָוִד עַבְדּוֹ Ps.78:70
380 זֶרַע אַבְרָהָם עַבְדּוֹ Ps.105:6
381 שָׁלַח מֹשֶׁה עַבְדּוֹ Ps.105:26
382 כִּי־זָכַר...אֶת־אַבְרָהָם עַבְדּוֹ Ps.105:42
383 נַחֲלָה לְיִשְׂרָאֵל עַבְדּוֹ Ps.136:22
384 הַפּוֹצֶה אֶת־דָּוִד עַבְדּוֹ מֵחֶרֶב Ps.144:10
385 מְפַנֵּק מִנֹּעַר עַבְדּוֹ Prov.29:21
386 וַיִּתֵּן...לְיַרְחָע עַבְדּוֹ לְאִשָּׁה ICh.2:35
387 זֶרַע יִשְׂרָאֵל עַבְדּוֹ ICh.16:13
388 וְעוֹד דִּבְּרוּ...וְעַל יְחִזְקִיָּהוּ עַבְדּוֹ IICh.32:16
וְעַבְדּוֹ 389 וְעַבְדּוֹ וַאֲמָתוֹ וְשׁוֹרוֹ וַחֲמֹרוֹ Ex.20:14
390 וְעַבְדּוֹ וַאֲמָתוֹ שׁוֹרוֹ וַחֲמֹרוֹ Deut.5:18
בְּעַבְדּוֹ 391 אַל־יֶחֱטָא הַמֶּלֶךְ בְּעַבְדּוֹ ISh.19:4
392 אַל־יָשֵׂם הַמֶּלֶךְ בְּעַבְדּוֹ דָבָר IISh.22:15
עַבְדְּכֶם 393 כִּי־עַל־כֵּן עֲבַרְתֶּם עַל־עַבְדְּכֶם Gen.18:5
394 סוּרוּ נָא אֶל־בֵּית עַבְדְּכֶם Gen.19:2
עֲבָדִים 395 עֶבֶד עֲבָדִים יִהְיֶה לְאֶחָיו Gen.9:25
396 הִנֶּנּוּ עֲבָדִים לַאדֹנִי Gen.44:16
397 אֲנַחְנוּ וְאַדְמָתֵנוּ עֲבָדִים לְפַרְעֹה Gen.47:19
398 וְהָיִינוּ עֲבָדִים לְפַרְעֹה Gen.47:25
399-400 מִמִּצְרַיִם מִבֵּית עֲבָדִים Ex.13:3,14
401-407 מֵאֶרֶץ מִצְרַיִם מִבֵּית עֲבָדִים Ex.20:2
Deut.5:6; 6:12; 8:14; 13:11 • Josh.24:17
Jer.34:13
408 כִּי־לִי בְנֵי־יִשְׂרָאֵל עֲבָדִים Lev.25:55
409 הוֹצֵאתִי...מִהְיֹת לָהֶם עֲבָדִים Lev.26:13
410 עֲבָדִים הָיִינוּ לְפַרְעֹה בְּמִצְרָיִם Deut.6:21
411 וַיִּפְדְּךָ מִבֵּית עֲבָדִים Deut.7:8
412-414 (וּ)מִבֵּית עֲבָדִים Deut.13:6
Jud.6:8 • Mic.6:4
415 וְאַתֶּם עֲבָדִים לְשָׁאוּל ISh.17:8
416 הַיּוֹם רַבּוּ עֲבָדִים הַמִּתְפָּרְצִים ISh.25:10
417 וַיְהִי כָל־אֱדוֹם עֲבָדִים לְדָוִד IISh.8:14
418 חֲמִשָּׁה עָשָׂר בָּנִים וְעֶשְׂרִים עֲבָדִים IISh.9:10
419 וְכֹל...בֵּית־צִיבָא עֲבָדִים לִמְפִיבֹשׁ' IISh.9:12
420 וַיִּבְרְחוּ שְׁנֵי־עֲבָדִים לְשִׁמְעִי IK.2:39
421 וְהָיוּ לְךָ עֲבָדִים כָּל־הַיָּמִים IK.12:7
422 כְּעֵינֵי עֲבָדִים אֶל־יַד אֲדוֹנֵיהֶם Ps.123:2
423 עֲבָדִים מָשְׁלוּ בָנוּ Lam.5:8
424 קָנִיתִי עֲבָדִים וּשְׁפָחוֹת Eccl.2:7
425 רָאִיתִי עֲבָדִים עַל־סוּסִים Eccl.10:7
426 כִּי־עֲבָדִים אֲנַחְנוּ Ez.9:9

עֲבָדִים (המשך)
427 הִנֵּה אֲנַחְנוּ הַיּוֹם עֲבָדִים Neh.9:36
428 הִנֵּה אֲנַחְנוּ עֲבָדִים עָלֶיהָ Neh.9:36
429 וַיִּהְיוּ מוֹאָב עֲבָדִים לְדָוִיד ICh.18:2
430 וַיְהִי אֲרָם לְדָוִיד עֲבָדִים ICh.18:6
431 וַיִּהְיוּ כָל־אֱדוֹם עֲבָדִים לְדָוִיד ICh.18:13
432 וְהָיוּ לְךָ עֲבָדִים כָּל־הַיָּמִים IICh.10:7
הָעֲבָדִים 433 לֹא תֵצֵא כְּצֵאת הָעֲבָדִים Ex.21:7
434 אֶת־הָעֲבָדִים וְאֶת־הַשְּׁפָחוֹת Jer.34:11
435 עַל־הָעֲבָדִים וְעַל־הַשְּׁפָחוֹת Joel 3:2
וַעֲבָדִים 436 צֹאן־וּבָקָר...וַעֲבָדִים וּשְׁפָחֹת Gen.12:16
437 צֹאן וּבָקָר וַעֲבָדִים וּשְׁפָחֹת Gen.20:14
438 צֹאן וּבָקָר...וַעֲבָדִם וּשְׁפָחֹת Gen.24:35
439 צֹאן רַבּוֹת וּשְׁפָחוֹת וַעֲבָדִים Gen.30:43
440 כִּי אֵין לְךָ שָׂרִים וַעֲבָדִים IISh.19:7
441 וְצֹאן וּבָקָר וַעֲבָדִים וּשְׁפָחוֹת IIK.5:26
442 אֳנִיּוֹת וַעֲבָדִים יוֹדְעֵי יָם IICh.8:18
כַּעֲבָדִים 443 וְשָׂרִים הֹלְכִים כַּעֲבָדִים עַל־הָאָרֶץ Eccl.10:7
לַעֲבָדִים 444 כָּל־אֶחָיו נָתַתִּי לוֹ לַעֲבָדִים Gen.27:37
445 וְלָקַחַת אֹתָנוּ לַעֲבָדִים Gen.43:18
446 וְגַם־אֲנַחְנוּ נִהְיֶה לַאדֹנִי לַעֲבָדִים Gen.44:9
447 הִנֶּנּוּ לְךָ לַעֲבָדִים Gen.50:18
448 וְהִתְמַכַּרְתֶּם...לַעֲבָדִים וְלִשְׁפָחוֹת Deut.28:68
449 וְאַתֶּם תִּהְיוּ־לוֹ לַעֲבָדִים ISh.8:17
450 אִם־יוּכַל...וְהָיִינוּ לָכֶם לַעֲבָדִים ISh.17:9
451 וִהְיִיתֶם לָנוּ לַעֲבָדִים וַעֲבַדְתֶּם אֹתָנוּ ISh.17:9
452 וַתְּהִי מוֹאָב לְדָוִד לַעֲבָדִים IISh.8:2
453 וַתְּהִי אֲרָם לְדָוִד לַעֲבָדִים IISh.8:6
454 לָקַחַת אֶת־שְׁנֵי יְלָדַי לוֹ לַעֲבָדִים IIK.4:1
455 וְהִתְנַחֲלוּם...לַעֲבָדִים וְלִשְׁפָחוֹת Is.14:2
456 הַנִּלְוִים עַל־יְיָ...לִהְיוֹת לוֹ לַעֲבָדִים Is.56:6
457 וַיִּכְבְּשׁוּם לַעֲבָדִים וְלִשְׁפָחוֹת Jer.34:11
458 לִהְיוֹת לָכֶם לַעֲבָדִים וְלִשְׁפָחוֹת Jer.34:16
459 וְאִלּוּ לַעֲבָדִים וְלִשְׁפָחוֹת נִמְכַּרְנוּ Es.7:4
460 כֹּבְשִׁים אֶת־בָּנֵינוּ...לַעֲבָדִים Neh.5:5
461 הֲלֹא...כֻּלָּם לַאדֹנִי לַעֲבָדִים ICh.21:3
462 אֲשֶׁר לֹא־נָתַן...לַעֲבָדִים לִמְלַאכְתּוֹ IICh.8:9
463 כִּי יִהְיוּ־לוֹ לַעֲבָדִים IICh.12:8
464 לִכְבֹּשׁ לַעֲבָדִים וְלִשְׁפָחוֹת IICh.28:10
465 וַיִּהְיוּ־לוֹ וּלְבָנָיו לַעֲבָדִים IICh.36:20
עַבְדֵי־ 466 אֲשֶׁר גָּזְלוּ עַבְדֵי אֲבִימֶלֶךְ Gen.21:25
467 אֲשֶׁר חָפְרוּ עַבְדֵי אָבִיו Gen.26:15
468 וַיַּחְפְּרוּ עַבְדֵי־יִצְחָק בַּנָּחַל Gen.26:19
469 וַיִּכְרוּ־שָׁם עַבְדֵי־יִצְחָק בְּאֵר Gen.26:25
470 וַיָּבֹאוּ עַבְדֵי יִצְחָק וַיַּגִּדוּ לוֹ... Gen.26:32
471 כָּל־עַבְדֵי פַרְעֹה זִקְנֵי בֵיתוֹ Gen.50:7
472 שָׂא נָא לְפֶשַׁע עַבְדֵי אֱלֹהֵי אָבִיךָ Gen.50:17
473 וַיֹּאמְרוּ עַבְדֵי פַרְעֹה אֵלָיו Ex.10:7
474 גָּדוֹל מְאֹד...בְּעֵינֵי עַבְדֵי־פַרְעֹה Ex.11:3
475 וַיֹּאמֶר אֶל־עַבְדֵי בָלָק... Num.22:18
476 וַיֹּאמְרוּ עַבְדֵי־שָׁאוּל אֵלָיו ISh.16:15
477-481 עַבְדֵי(־)שָׁאוּל ISh.18:5,23,24,30; 22:9
482 וַיֹּאמְרוּ עַבְדֵי אָכִישׁ אֵלָיו ISh.21:12
483 וְלֹא־אָבוּ עַבְדֵי הַמֶּלֶךְ ISh.22:17
484 וַיַּעַן נָבָל אֶת־עַבְדֵי־דָוִד ISh.25:10
485-491 עַבְדֵי דָוִד ISh.25:40
IISh.2:17; 3:22; 10:4; 12:18; 18:7,9
492 לִרְחֹץ רַגְלֵי עַבְדֵי אֲדֹנִי ISh.25:41
493 אֲשֶׁר הָיוּ אֶל עַבְדֵי הֲדַדְעָזֶר IISh.8:7
494 וַיָּבֹאוּ עַבְדֵי דָוִד אֶרֶץ בְּנֵי עַמּוֹן IISh.10:2
495 וַיִּרְאוּ כָל־הַמְּלָכִים עַבְדֵי הֲדַדְעֶ' IISh.10:19
496 אֵת כָּל־עַבְדֵי אֲדֹנָיו IISh.11:9
497 לִשְׁכַּב בְּמִשְׁכָּבוֹ עִם־עַבְדֵי אֲדֹנָיו IISh.11:13

עַבְדֵי־ (המשך)
498 וַיַּצִּתוּ עַבְדֵי אַבְשָׁלוֹם אֶת־הַחֶלְקָה IISh.14:30
499 וַיֹּאמְרוּ עַבְדֵי־הַמֶּלֶךְ אֶל־הַמֶּלֶךְ IISh.15:15
500-507 עַבְדֵי הַמֶּלֶךְ IISh.16:6
IK.1:9,47 • IIK.19:5 • Is.37:5 • Es.3:2,3; 4:11
508 וַיָּבֹאוּ עַבְדֵי אַבְשָׁלוֹם אֶל־הָאִשָּׁה IISh.17:20
509 קַח אֶת־עַבְדֵי אֲדֹנֶיךָ IISh.20:6
510 קְחוּ עִמָּכֶם אֶת־עַבְדֵי אֲדֹנֵיכֶם IK.1:33
511 וַיִּשְׁלַח...עִם־עַבְדֵי שְׁלֹמֹה IK.9:27
512 וְנִקַּמְתִּי...וּדְמֵי כָּל־עַבְדֵי יְיָ IIK.9:7
513 וְיֵהוּא יָצָא אֶל־עַבְדֵי אֲדֹנָיו IIK.9:11
514 פַּחַת אַחַד עַבְדֵי אֲדֹנִי הַקְּטַנִּים IIK.18:24
515 וַיִּקְשְׁרוּ עַבְדֵי־אָמוֹן עָלָיו IIK.21:23
516 בָּעֵת הַהִיא עָלוּ° עַבְדֵי נְבֻכַדְנֶאצַּר IIK.24:10
517 פַּחַת אַחַד עַבְדֵי אֲדֹנִי הַקְּטַנִּים Is.36:9
518 זֹאת נַחֲלַת עַבְדֵי יְיָ Is.54:17
519-520 הַלְלוּ עַבְדֵי יְיָ Ps.113:1; 135:1
521 הִנֵּה בָּרְכוּ אֶת־יְיָ כָּל־עַבְדֵי יְיָ Ps.134:1
522 בְּנֵי עַבְדֵי שְׁלֹמֹה Ez.2:55
523 כָּל־הַנְּתִינִים וּבְנֵי עַבְדֵי שְׁלֹמֹה Ez.2:58
524-526 (וּ)בְנֵי עַבְדֵי שְׁלֹמֹה Neh.7:57,60; 11:3
527 אֲשֶׁר הָיוּ עַל עַבְדֵי הֲדַדְעָזֶר ICh.18:7
528 וַיָּבֹאוּ עַבְדֵי־דָוִיד...לְנַחֲמוֹ ICh.19:2
529 וַיִּקַּח חָנוּן אֶת־עַבְדֵי דָוִיד ICh.19:4
530 וַיִּרְאוּ עַבְדֵי הֲדַדְעֶזֶר כִּי נִגְּפוּ ICh.19:19
531 וַיָּבֹאוּ עִם־עַבְדֵי שְׁלֹמֹה אוֹפִירָה IICh.8:18
532 וְגַם עַבְדֵי חוּרָם וְעַבְדֵי שְׁלֹמֹה IICh.9:10
533 הֹלְכוֹת תַּרְשִׁישׁ עִם עַבְדֵי חוּרָם IICh.9:21
וְעַבְדֵי־ 534 וְעַבְדֵי אֲדֹנֶיךָ אֲשֶׁר־בָּאוּ אִתָּךְ ISh.29:10
535 וְעַבְדֵי אִישׁ־בֹּשֶׁת בֶּן־שָׁאוּל IISh.2:12
536 וְיוֹאָב...וְעַבְדֵי דָוִד יָצְאוּ IISh.2:13
537 וְעַבְדֵי דָוִד הִכּוּ מִבִּנְיָמִן IISh.2:31
538 וְעַבְדֵי אֲדֹנִי עַל־פְּנֵי הַשָּׂדֶה IISh.11:11
539 וְעַבְדֵי מֶלֶךְ־אֲרָם אָמְרוּ אֵלָיו IK.20:23
540 עַל־הַשָּׂרִים וְעַבְדֵי הַמֶּלֶךְ Es.5:11
541 וְגַם עַבְדֵי חוּרָם וְעַבְדֵי שְׁלֹמֹה IICh.9:10
מֵעַבְדֵי־ 542 הַיָּרֵא אֶת־דְּבַר יְיָ מֵעַבְדֵי פַּרְעֹה Ex.9:20
543 וְשָׁם אִישׁ מֵעַבְדֵי שָׁאוּל ISh.21:8
544 וּשְׁנַיִם עָשָׂר מֵעַבְדֵי דָוִד IISh.2:15
545 וַיִּפָּקְדוּ מֵעַבְדֵי דָוִד IISh.2:30
546 וַיִּפֹּל מִן־הָעָם מֵעַבְדֵי דָוִד IISh.11:17
547 וַיָּמוּתוּ מֵעַבְדֵי הַמֶּלֶךְ IISh.11:24
548 וַאֲנָשִׁים...מֵעַבְדֵי אָבִיו אִתּוֹ IK.11:17
549 וַיַּעַן אֶחָד מֵעַבְדֵי מֶלֶךְ־יִשְׂרָאֵל IIK.3:11
550 פֶּן־יֶשׁ־פֹּה עִמָּכֶם מֵעַבְדֵי יְיָ IIK.10:23
551 אַל־תִּירְאוּ מֵעַבְדֵי הַכַּשְׂדִּים IIK.25:24
עֲבָדַי 552 כִּי־עֲבָדַי הֵם...לֹא יִמָּכְרוּ Lev.25:42
553 כִּי־לִי ב"י עֲבָדִים עֲבָדַי הֵם Lev.25:55
554 עֲבָדַי יֹרִדוּ מִן־הַלְּבָנוֹן יָמָּה IK.5:23
555 אֶשְׁלַח אֶת־עֲבָדַי אֵלֶיךָ IK.20:6
556 יֵלְכוּ עֲבָדַי עִם־עֲבָדֶיךָ בָּאֳנִיּוֹת IK.22:50
557 וְנִקַּמְתִּי דְּמֵי עֲבָדַי הַנְּבִיאִים IIK.9:7
558-564 עֲבָדַי הַנְּבִ(י)אִים IIK.17:13
Jer.7:25; 26:5; 29:16; 35:15; 44:4 • Zech.1:6
565 כֵּן אֶעֱשֶׂה לְמַעַן עֲבָדַי Is.65:8
566 עֲבָדַי יֹאכֵלוּ וְאַתֶּם תִּרְעָבוּ Is.65:13
567 עֲבָדַי יִשְׁתּוּ וְאַתֶּם תִּצְמָאוּ Is.65:13
568 עֲבָדַי יִשְׂמָחוּ וְאַתֶּם תֵּבֹשׁוּ Is.65:13
569 הִנֵּה עֲבָדַי יָרֹנּוּ מִטּוּב לֵב Is.65:14
570 בְּיַד עֲבָדַי נְבִיאֵי יִשְׂרָאֵל Ezek.38:17
571 וְהִנֵּה עֲבָדַי עִם־עֲבָדֶיךָ IICh.2:7
וַעֲבָדַי 572 וַעֲבָדַי יִהְיוּ עִם־עֲבָדֶיךָ IK.5:20
573 וַעֲבָדַי יִשְׁכְּנוּ־שָׁמָּה Is.65:9

עֲבָדֶיךָ 574 לֹא־הָיוּ עֲבָדֶיךָ מְרַגְּלִים Gen.42:11
575 שְׁנֵים עָשָׂר עֲבָדֶיךָ אַחִים אֲנַחְנוּ Gen.42:13
576 הָאֱלֹהִים מָצָא אֶת־עֲוֹן עֲבָדֶיךָ Gen.44:16
577/8 וַתֹּאמֶר אֶל־עֲבָדֶיךָ Gen.44:21,23
579 וְהוֹרִידוּ עֲבָדֶיךָ אֶת־שֵׂיבַת... Gen.44:31
580 אַנְשֵׁי מִקְנֶה הָיוּ עֲבָדֶיךָ Gen.46:34
581 רֹעֵה צֹאן עֲבָדֶיךָ Gen.47:3
582 יֵשְׁבוּ־נָא עֲבָדֶיךָ בְּאֶרֶץ גֹּשֶׁן Gen.47:4
583 וְהִנֵּה עֲבָדֶיךָ מֻכִּים Ex.5:16
584 וְעָלוּ...וּבְבֵית עֲבָדֶיךָ וּבְעַמֶּךָ Ex.7:28
585 וּבְכָה וּבְעַמְּךָ וּבְכָל־עֲבָדֶיךָ Ex.7:29
586 וּמָלְאוּ בָתֶּיךָ וּבָתֵּי כָל־עֲבָדֶיךָ Ex.10:6
587 וְיָרְדוּ כָל־עֲבָדֶיךָ אֵלֶּה אֵלַי Ex.11:8
588 לְאַבְרָהָם לְיִצְחָק וּלְיִשְׂ׳ עֲבָדֶיךָ Ex.32:13
589 עֲבָדֶיךָ נָשְׂאוּ אֶת־רֹאשׁ... Num.31:49
590 עֲבָדֶיךָ יַעֲשׂוּ כַּאֲשֶׁר אֲדֹנִי מְצַוֶּה Num.32:25
591 אֵת אֲשֶׁר דִּבֶּר יְיָ אֶל־עֲבָדֶיךָ Num.32:31
592 וַיֹּאמְרוּ אֶל־יְהוֹשֻׁעַ עֲבָדֶיךָ אֲנָחְנוּ Josh.9:8
593 מֵאֶרֶץ רְחוֹקָה מְאֹד בָּאוּ עֲבָדֶיךָ Josh.9:9
594 יֵשׁ־לִי...וְלַנַּעַר עִם־עֲבָדֶיךָ Jud.19:19
595 הִתְפַּלֵּל בְּעַד־עֲבָדֶיךָ אֶל־יְיָ אֱלֹ׳ ISh.12:19
596 יֹאמַר־נָא אֲדֹנֵנוּ עֲבָדֶיךָ לְפָנֶיךָ ISh.16:16
597 וּמִי בְּכָל־עֲבָדֶיךָ כְּדָוִד נֶאֱמָן ISh.22:14
598 וַיֹּרְאוּ הַמּוֹרְאִים אֶל־עֲבָדֶיךָ IISh.11:24
599 לָמָּה הִצִּיתוּ עֲבָדֶיךָ אֶת־הַחֶלְקָה IISh.14:31
600 כְּכֹל אֲשֶׁר־יִבְחַר...הִנֵּה עֲבָדֶיךָ IISh.15:15
601 הֹבַשְׁתָּ הַיּוֹם אֶת־פְּנֵי כָל־עֲבָדֶיךָ IISh.19:6
602 וְדַבֵּר עַל־לֵב עֲבָדֶיךָ IISh.19:8
603 שׁוּב אַתָּה וְכָל־עֲבָדֶיךָ IISh.19:15
604 וַיַּגִּידוּ...הִנֵּה עֲבָדֶיךָ בְּגַת IK.2:39
605 ...וַעֲבָדַי יִהְיוּ עִם־עֲבָדֶיךָ IK.5:20
606 וּשְׂכַר עֲבָדֶיךָ אֶתֵּן לְךָ IK.5:20
607 וְשָׁפַטְתָּ אֶת־עֲבָדֶיךָ IK.8:32
608 וְסָלַחְתָּ לְחַטַּאת עֲבָדֶיךָ IK.8:36
609 אַשְׁרֵי אֲנָשֶׁיךָ אַשְׁרֵי עֲבָדֶיךָ אֵלֶּה IK.10:8
610 וְחִפְּשׂוּ אֶת־בֵּיתְךָ וְאֵת בָּתֵּי עֲבָדֶיךָ IK.20:6
611 יֵלְכוּ עֲבָדַי עִם־עֲבָדֶיךָ בָּאֳנִיּוֹת IK.22:50
612 תִּיקַר־נָא נַפְשִׁי וְנֶפֶשׁ עֲבָדֶיךָ IIK.1:13
613 הִנֵּה־נָא יֵשׁ־אֶת־עֲבָדֶיךָ... IIK.2:16
614 הוֹאֶל נָא וְלֵךְ אֶת־עֲבָדֶיךָ IIK.6:3
615 וַיִּשְׁלַח...לֵאמֹר עֲבָדֶיךָ אֲנַחְנוּ IIK.10:5
616 דַּבֶּר־נָא אֶל־עֲבָדֶיךָ אֲרָמִית IIK.18:26
617 הִתִּיכוּ עֲבָדֶיךָ אֶת־הַכֶּסֶף IIK.22:9
618 דַּבֶּר־נָא אֶל־עֲבָדֶיךָ אֲרָמִית Is.36:11
619 בְּיַד עֲבָדֶיךָ חֵרַפְתָּ אֲדֹנָי Is.37:24
620 שׁוּב לְמַעַן עֲבָדֶיךָ שִׁבְטֵי נַחֲלָתֶךָ Is.63:17
621 נָתְנוּ אֶת־נִבְלַת עֲבָדֶיךָ מַאֲכָל Ps.79:2
622 נִקְמַת דַּם־עֲבָדֶיךָ הַשָּׁפוּךְ Ps.79:10
623 זְכֹר אֲדֹנָי חֶרְפַּת עֲבָדֶיךָ Ps.89:51
624 שׁוּבָה...וְהִנָּחֵם עַל־עֲבָדֶיךָ Ps.90:13
625 יֵרָאֶה אֶל־עֲבָדֶיךָ פָעֳלֶךָ Ps.90:16
626 כִּי־רָצוּ עֲבָדֶיךָ אֶת־אֲבָנֶיהָ Ps.102:15
627 בְּנֵי־עֲבָדֶיךָ יִשְׁכּוֹנוּ Ps.102:29
628 כִּי הַכֹּל עֲבָדֶיךָ Ps.119:91
629 נַס־נָא אֶת־עֲבָדֶיךָ יָמִים עֲשָׂרָה Dan.1:12
630 וְכַאֲשֶׁר תִּרְאֵה עֲשֵׂה עִם־עֲבָדֶיךָ Dan.1:13
631 וְלֹא שָׁמַעְנוּ אֶל־עֲבָדֶיךָ הַנְּבִיאִים Dan.9:6
632 אֲשֶׁר צִוִּיתָ בְּיַד עֲבָדֶיךָ הַנְּבִיאִים Ez.9:11
633 אָנֹכִי מִתְפַּלֵּל...עַל־בְּנֵי־יִ׳ עֲבָדֶיךָ Neh.1:6
634 וְהֵם עֲבָדֶיךָ וְעַמֶּךָ... Neh.1:10
635 תְּפִלַּת עֲבָדֶיךָ הַחֲפֵצִים לְיִרְאָה Neh.1:11
636 עֲבָדֶיךָ יוֹדְעִים לִכְרוֹת עֲצֵי לְבָנוֹן IICh.2:7

עֲבָדֶיךָ (המשך) 637 וְהִנֵּה עֲבָדַי עִם עֲבָדֶיךָ IICh.2:7
638 וְשָׁפַטְתָּ אֶת־עֲבָדֶיךָ IICh.6:23
639 וְסָלַחְתָּ לְחַטַּאת עֲבָדֶיךָ וְעַמְּךָ IICh.6:27
640 אַשְׁרֵי אֲנָשֶׁיךָ וְאַשְׁרֵי עֲבָדֶיךָ אֵלֶּה IICh.9:7
641 כֹּל אֲשֶׁר־נִתַּן בְּיַד־עֲבָדֶיךָ IICh.34:16
וַעֲבָדֶיךָ 642 וַעֲבָדֶיךָ בָּאוּ לִשְׁבָּר־אֹכֶל Gen.42:10
643 וְאַתָּה וַעֲבָדֶיךָ יָדַעְתִּי... Ex.9:30
644 וַעֲבָדֶיךָ יַעַבְרוּ...לִפְנֵי יְיָ Num.32:27
645 וְעָבַדְתָּ לּוֹ...אַתָּה וּבָנֶיךָ וַעֲבָדֶיךָ IISh.9:10
646 שְׁמַע...אַתָּה וַעֲבָדֶיךָ וְעַמְּךָ Jer.22:2
וּבַעֲבָדֶיךָ 647 הִנְנִי מַשְׁלִיחַ בְּךָ וּבַעֲבָדֶיךָ... Ex.8:17
648 אֶל־לִבְּךָ וּבַעֲבָדֶיךָ וּבְעַמֶּךָ Ex.9:14
לַעֲבָדֶיךָ 649 חָלִילָה לַעֲבָדֶיךָ מֵעֲשׂוֹת... Gen.44:7
650 אֵין מִרְעֶה לַצֹּאן אֲשֶׁר לַעֲבָדֶיךָ Gen.47:4
651 לָמָּה תַעֲשֶׂה כֹה לַעֲבָדֶיךָ Ex.5:15
652 תֶּבֶן אֵין נִתָּן לַעֲבָדֶיךָ... Ex.5:16
653 יֻתַּן...לַעֲבָדֶיךָ לַאֲחֻזָּה Num.32:5
654 זְכֹר לַעֲבָדֶיךָ לְאַבְרָהָם... Deut.9:27
655 הֻגֵּד הֻגַּד לַעֲבָדֶיךָ... Josh.9:24
656 תְּנָה־נָּא...לַעֲבָדֶיךָ וּלְבִנְךָ לְדָוִד ISh.25:8
657/8 לַעֲבָדֶיךָ הַהֹלְכִים לְפָנֶיךָ IK.8:23 • IICh.6:14
659 נָתַתִּי חִטִּים מַכּוֹת לַעֲבָדֶיךָ IICh.2:9
וְלַעֲבָדֶיךָ 660 לְמָתַי אַעְתִּיר לְךָ וְלַעֲבָדֶיךָ Ex.8:5
661 אֶרֶץ מִקְנֶה הוּא וְלַעֲבָדֶיךָ מִקְנֶה Num.32:4
662 מֶה חָטָאתִי לְךָ וְלַעֲבָדֶיךָ Jer.37:18
מֵעֲבָדֶיךָ 663 אֲשֶׁר יִמָּצֵא אִתּוֹ מֵעֲבָדֶיךָ Gen.44:9
664 אַל־תֶּרֶף יָדֶיךָ מֵעֲבָדֶיךָ Josh.10:6
וּמֵעֲבָדֶיךָ 665 וְסָרוּ...מִמְּךָ וּמִבָּתֶּיךָ וּמֵעֲבָדֶיךָ Ex.8:7
עֲבָדָיו 666 וַיַּשְׁכֵּם...וַיִּקְרָא לְכָל־עֲבָדָיו Gen.20:8
667 וַיִּתֵּן בְּיַד־עֲבָדָיו עֵדֶר עֵדֶר Gen.32:16
668 וַיֹּאמֶר אֶל־עֲבָדָיו עִבְרוּ לְפָנַי Gen.32:16
669 וַיַּעַשׂ מִשְׁתֶּה לְכָל־עֲבָדָיו Gen.40:20
670 וַיִּשָּׂא אֶת־רֹאשׁ...בְּתוֹךְ עֲבָדָיו Gen.40:20
671 פַּרְעֹה קָצַף עַל־עֲבָדָיו Gen.41:10
672 בְּעֵינֵי פַרְעֹה וּבְעֵינֵי...עֲבָדָיו Gen.41:37
673 וַיֹּאמֶר פַּרְעֹה אֶל־עֲבָדָיו Gen.41:38
674 אֲדֹנִי שָׁאַל אֶת־עֲבָדָיו... Gen.44:19
675 בְּעֵינֵי פַרְעֹה וּבְעֵינֵי עֲבָדָיו Gen.45:16
676 וַיְצַו יוֹסֵף אֶת־עֲבָדָיו Gen.50:2
677 בְּעֵינֵי פַרְעֹה וּבְעֵינֵי עֲבָדָיו Ex.5:21
678 לִפְנֵי פַרְעֹה וְלִפְנֵי עֲבָדָיו Ex.7:10
679 לְעֵינֵי פַרְעֹה וּלְעֵינֵי עֲבָדָיו Ex.7:20
680 בֵּיתָה פַרְעֹה וּבֵית עֲבָדָיו Ex.8:20
681 הֵנִיס אֶת־עֲבָדָיו...אֶל־הַבָּתִּים Ex.9:20
682 וַיַּעֲזֹב אֶת־עֲבָדָיו...בַּשָּׂדֶה Ex.9:21
683 הִכְבַּדְתִּי אֶת־לִבּוֹ וְאֶת־לֵב עֲבָדָיו Ex.10:1
684 הוּא וְכָל־עֲבָדָיו וְכָל־מִצְרַיִם Ex.12:30
685 לְפַרְעֹה וּלְכָל־עֲבָדָיו Deut.29:1
686/7 וְעַל־עֲבָדָיו יִתְנֶחָם Deut.32:36 • Ps.135:14
688 כִּי־דַם־עֲבָדָיו יִקּוֹם... Deut.32:43
689 נִגְלָה הַיּוֹם לְעֵינֵי אַמְהוֹת עֲבָדָיו IISh.6:20
690 וַיִּשְׁלַח דָּוִד לְנַחֲמוֹ בְּיַד־עֲבָדָיו IISh.10:2
691 וַיִּפְּלוּ בְיַד־דָּוִד וּבְיַד עֲבָדָיו IISh.21:22
692 וּמוֹשַׁב עֲבָדָיו וּמַעֲמַד מְשָׁרְתָו IK.10:5
693 וַיִּקַּח...וַיִּתְּנֵם בְּיַד עֲבָדָיו IK.15:18
694 בְּיַד כָּל־עֲבָדָיו הַנְּבִיאִים IIK.17:23
695/6 בְּיַד(־)עֲבָדָיו הַנְּבִיאִים IIK.21:10; 24:2
697 וּבְיַד נְבוּכַדְרֶאצַּר...וּבְיַד עֲבָדָיו Jer.46:26
698 גָּלָה סוֹדוֹ אֶל־עֲבָדָיו הַנְּבִיאִים Am.3:7
699 פּוֹדֶה יְיָ נֶפֶשׁ עֲבָדָיו Ps.34:23
700 וְזֶרַע עֲבָדָיו יִנְחָלוּהָ Ps.69:37
701 בְּפַרְעֹה וּבְכָל־עֲבָדָיו Ps.135:9

עֲבָדָיו (המשך) 702 נָתַן...בְּיַד עֲבָדָיו הַנְּבִיאִים Dan.9:10
703 וַאֲנַחְנוּ עֲבָדָיו נָקוּם וּבָנִינוּ Neh.2:20
704 וַיִּפְּלוּ בְיַד־דָּוִיד וּבְיַד־עֲבָדָיו ICh.20:8
705 וַיִּשְׁלַח־לוֹ חוּרָם בְּיַד־עֲבָדָיו... IICh.8:18
706 וּמוֹשַׁב עֲבָדָיו וּמַעֲמַד מְשָׁרְתָיו IICh.9:4
763-707 עֲבָדָיו Deut.34:11
ISh.16:17; 18:22^{2}, 26; 19:1; 21:15; 22:6; 28:7, 23; 28:25 • IISh.3:38; 10:3; 11:1; 12:19^{2}, 21; 13:31, 36; 14:30; 15:14, 18; 16:11; 19:18; 24:20 • IK.1:2; 2:40^{2}; 3:15; 5:15; 9:27; 20:12, 31; 22:3 • IIK.5:13; 6:8, 11; 7:12; 9:28; 12:21, 22; 14:5; 23:30 • Is.66:14 • Jer.21:7; 25:4, 19; 36:24, 31 • Neh.9:10 • ICh.19:3 • IICh.24:25; 25:3; 32:9, 16; 33:24; 35:24
וַעֲבָדָיו 764 וַיֵּחָלֵק עֲלֵיהֶם...הוּא וַעֲבָדָיו Gen.14:15
765 וַיַּכְבֵּד לִבּוֹ הוּא וַעֲבָדָיו Ex.9:34
766 וַיֵּהָפֵךְ לְבַב פַּרְעֹה וַעֲבָדָיו Ex.14:5
767 וְהוּא יָצָא וַעֲבָדָיו בָּאוּ וַיִּרְאוּ Jud.3:24
768 יֵלֶךְ־נָא הַמֶּלֶךְ וַעֲבָדָיו IISh.13:24
769 וַיֵּרֶד דָּוִד וַעֲבָדָיו עִמּוֹ IISh.21:15
770 וַעֲבָדָיו וְשָׂרָיו וְשָׁלִישָׁיו IK.9:22
771 וַעֲבָדָיו צָרִים עָלֶיהָ IIK.24:11
772 הוּא וְאִמּוֹ וַעֲבָדָיו וְשָׂרָיו וְסָרִיסָיו IIK.24:12
773 הוּא וַעֲבָדָו וְעַמּוֹ Jer.22:4
774 וְלֹא שָׁמַע הוּא וַעֲבָדָיו וְעַם הָאָרֶץ Jer.37:2
775 עָשָׂה מִשְׁתֶּה לְכָל־שָׂרָיו וַעֲבָדָיו Es.1:3
776 מִשְׁתֶּה גָדוֹל לְכָל־שָׂרָיו וַעֲבָדָיו Es.2:18
בַּעֲבָדָיו 777 לִשְׂנֹא עַמּוֹ לְהִתְנַכֵּל בַּעֲבָדָיו Ps.105:25
778 הֵן בַּעֲבָדָיו לֹא יַאֲמִין Job 4:18
לַעֲבָדָיו 779 וְאֶת־שְׂדוֹתֵיכֶם...יִקָּח וְנָתַן לַעֲבָדָיו ISh.8:14
780 וַיֹּאמֶר שָׁאוּל לַעֲבָדָיו הַנִּצָּבִים עָלָיו ISh.22:7
781 וַיֹּאמֶר שָׁאוּל לַעֲבָדָיו בַּקְּשׁוּ־לִי... ISh.28:7
782 הַחִטִּים וְהַשְּׂעֹרִים...יִשְׁלַח לַעֲבָדָיו IICh.2:14
783 וַיֹּאמֶר הַמֶּלֶךְ לַעֲבָדָיו הַעֲבִירוּנִי IICh.35:23
וְלַעֲבָדָיו 784 ...וְנָתַן לְסָרִיסָיו וְלַעֲבָדָיו ISh.8:15
785 וְלַעֲבָדָיו יִקְרָא שֵׁם אַחֵר Is.65:15
מֵעֲבָדָיו 786/7 מִפַּרְעֹה מֵעֲבָדָיו וּמֵעַמּוֹ Ex.8:25,27
788 וַיִּקַּח גִּדְעוֹן עֲשָׂרָה אֲנָשִׁים מֵעֲבָדָיו Jud.6:27
789 וַיֹּאמֶר אַחַד מֵעֲבָדָיו... IIK.6:12
790 וַיַּעַן אֶחָד מֵעֲבָדָיו וַיֹּאמֶר IIK.7:13
791 וְכִי־יִתֵּן מַתָּנָה...לְאַחַד מֵעֲבָדָיו Ezek.46:17
וַעֲבָדֶיהָ 792 וַתֵּלֶךְ לְאַרְצָהּ הִיא וַעֲבָדֶיהָ IK.10:13
793 וַתֵּלֶךְ לְאַרְצָהּ הִיא וַעֲבָדֶיהָ IICh.9:12
עַבְדֵיכֶם 794 וַאֲמַרְתֶּם אֲלֵיהֶם עַבְדֵיכֶם אֲנָחְנוּ Josh.9:11
795 וְאֶת־עַבְדֵיכֶם וְאֶת־שִׁפְחוֹתֵיכֶם...יִקָּח ISh.8:16
וְעַבְדֵיכֶם 796 וּשְׂמַחְתֶּם...וְעַבְדֵיכֶם וְאַמְהֹתֵיכֶם Deut.12:12
עַבְדֵיהֶם 797 מִלְּבַד עַבְדֵיהֶם וְאַמְהֹתֵיהֶם Ez.2:65
798 מִלְּבַד עַבְדֵיהֶם וְאַמְהֹתֵיהֶם אֵלֶּה Neh.7:67
לְעַבְדֵיהֶם 799 וְהָיוּ שָׁלָל לְעַבְדֵיהֶם Zech.2:13

עֶבֶד² שפ״ז א) אבי געל בימי אבימלך: 1-5

ב) ראש בית־אב מעולי הגולה בימי עזרא: 6

עֶבֶד 1-4 גַּעַל בֶּן־עֶבֶד Jud.9:26,28,31,35
5 וּמִבְּנֵי עָדִין עֶבֶד בֶּן־יוֹנָתָן Ez.8:6
עָבֶד 6 גַּעַל בֶּן־עָבֶד Jud.9:30

עֲבֵד ז׳ ארמית: עֲבֵד: 1-7

עֲבֵד 1 דָּנִיֵּאל עֲבֵד אֱלָהָא חַיָּא Dan.6:21
עַבְדָּךְ 2 עַבְדָּךְ (כת׳ עבדיך) אֱנָשׁ עֲבַר־נַהֲרָה Ez.4:11
לְעַבְדָּךְ 3 אֱמַר חֶלְמָא לְעַבְדָּךְ (כת׳ לעבדיך). Dan.2:4
עַבְדוֹהִי 4 עַבְדוֹהִי דִּי־אֱלָהָא עִלָּאָה Dan.3:26
5 עַבְדוֹהִי דִּי־אֱלָהּ שְׁמַיָּא Ez.5:11
לְעַבְדוֹהִי 6 מַלְכָּא חֶלְמָא יֵאמַר לְעַבְדוֹהִי Dan.2:7
7 דִּי־שְׁלַח מַלְאֲכֵהּ וְשֵׁיזִב לְעַבְדוֹהִי Dan.3:28

עֶבֶד* ז׳ מעשה

וַעֲבָדֵיהֶם 1 וְהַחֲכָמִים וַעֲבָדֵיהֶם בְּיַד הָאֱלֹהִים Eccl. 9:1

עֹבֵד שפ״ז – עין עוֹבֵד

עֹבֵד אֱדֹם שפ״ז – עין עוֹבֵד אֱדוֹם

עֶבֶד מֶלֶךְ שפ״ז – הכּוּשִׁי, מאנשי המלך צדקיהו: 1-6

עֶבֶד־מֶלֶךְ 1-3 עֶבֶד־מֶלֶךְ הַכּוּשִׁי Jer. 38:7, 10, 12
4 וַיֵּצֵא עֶבֶד־מֶלֶךְ מִבֵּית הַמֶּלֶךְ Jer. 38:8
5 וַיִּקַּח עֶבֶד־מֶלֶךְ אֶת־הָאֲנָשִׁים Jer. 38:11
לְעֶבֶד מֶלֶךְ 6 הָלוֹךְ וְאָמַרְתָּ לְעֶבֶד־מֶלֶךְ הַכּוּשִׁי Jer. 39:16

עֲבֵד נְגוֹ שפ״ז – משלושת רֵעי דניאל, הוא עֲזַרְיָה: 1-15

עֲבֵד נְגוֹ 1 וַיָּשֶׂם...וְלַעֲזַרְיָה עֲבֵד נְגוֹ Dan. 1:7
וַעֲבֵד נְגוֹ 2-14 (לְ)שַׁדְרַךְ מֵישַׁךְ וַעֲבֵד נְגוֹ Dan. 2:49
3:12, 13, 14, 16, 19, 20, 22, 23, 26², 28, 30
15 שַׁדְרַךְ מֵישַׁךְ וַעֲבֵד נְגוֹא Dan. 3:29

עַבְדָּא שפ״ז א) אבי אֲדֹנִירָם, שר המס למלך שלמה: 1

ב) לֵוִי מעולי הגולה: 2
עַבְדָּא 1 וַאֲדֹנִירָם בֶּן־עַבְדָּא עַל־הַמַּס IK. 4:6
וְעַבְדָּא 2 וְעַבְדָּא בֶּן־שַׁמּוּעַ...בֶּן־יְדוּתוּן° Neh. 11:17

עַבְדְּאֵל שפ״ז – אבי שֶׁלֶמְיָהוּ השר למלך צדקיהו

עַבְדְּאֵל 1 וְאֶת־שֶׁלֶמְיָהוּ בֶּן־עַבְדְּאֵל Jer. 36:26

עֲבֹדָה נ׳ – עין עֲבוֹדָה

עֲבֻדָּה נ׳ כלל העבדים והשפחות: 1, 2

וַעֲבֻדָּה 1 וַיְהִי־לוֹ...צֹאן...וַעֲבֻדָּה רַבָּה Gen. 26:14
2 וַיְהִי מִקְנֵהוּ...וַעֲבֻדָּה רַבָּה מְאֹד Job 1:3

עַבְדּוֹן¹ ש״פ – עיר בנחלת אָשֵׁר: 1, 2

עַבְדּוֹן 1 אֶת־עַבְדּוֹן וְאֶת־מִגְרָשֶׁהָ Josh. 21:30
2 וְאֶת־עַבְדּוֹן וְאֶת־מִגְרָשֶׁיהָ ICh. 6:59

עַבְדּוֹן² שפ״ז א) השופט השנים־עשר בימי השופטים: 2,1

ב) בכורו של אבי גבעון מבנימין: 3-4
ג) מראשי האבות לבני בנימין: 6
ד) משרי המלך יאשיהו: 5
עַבְדּוֹן 1-2 עַבְדּוֹן בֶּן־הִלֵּל הַפִּרְעָתוֹנִי Jud. 12:13, 15
3-4 וּבְנוֹ הַבְּכוֹר עַבְדּוֹן ICh. 8:30; 9:36
5 וַיְצַו...וְאֶת־עַבְדּוֹן בֶּן־מִיכָה IICh. 34:20
וְעַבְדּוֹן 6 וְעַבְדּוֹן וְזִכְרִי וְחָנָן ICh. 8:23

עַבְדוּת* נ׳ מצבו של העבד: 1-3

בְּעַבְדוּתֵנוּ 1 וּלְתִתֵּנוּ מִחְיָה מְעַט בְּעַבְדֻתֵנוּ Ez. 9:8
וּבְעַבְדוּתֵנוּ 2 וּבְעַבְדֻתֵנוּ לֹא עֲזָבָנוּ אֱלֹהֵינוּ Ez. 9:9
לְעַבְדוּתָם 3 וַיִּתְּנוּ רֹאשׁ לָשׁוּב לְעַבְדֻתָם בְּמִרְיָם Neh. 9:17

עַבְדִּי שפ״ז א) מבני מְרָרִי הלוי: 1, 2

ב) איש מבני עֵילָם בימי עזרא: 3
עַבְדִּי 1 אֵיתָן בֶּן־קִישִׁי בֶּן־עַבְדִּי ICh. 6:29
2 וּמִן־בְּנֵי מְרָרִי קִישׁ בֶּן־עַבְדִּי IICh. 29:12
וְעַבְדִּי 3 וִיחִיאֵל וְעַבְדִּי וִירֵמוֹת... Ez. 10:26

עַבְדִּיאֵל שפ״ז – ראש בית אב לבני גד

עַבְדִּיאֵל 1 אֲחִי בֶּן־עַבְדִּיאֵל בֶּן־גּוּנִי ICh. 5:15

עֲבַדְיָה עין עוֹבַדְיָה   עֲבַדְיָהוּ עין עוֹבַדְיָהוּ

עבה : עָבָה; עֳבִי, מַעֲבֶה

עָבָה פ׳ נעשה גדול וגס: 1-3

עָבִיתָ 1 שָׁמַנְתָּ עָבִיתָ כָּשִׂיתָ Deut. 32:15
עָבָה 2/3 קָטָנִּי עָבָה מִמָּתְנֵי אָבִי IK. 12:10 • IICh. 10:10

עֲבוֹדָה נ׳ א) מלאכה, עשיה הדורשת מאמץ גופני: רוב המקראות: 1-145

ב) שֵׁרוּת, תפקיד (ביחוד בפולחן דתי): 29-31, 35, 41, 42, 44-49, 51-56, 58-90, 92, 97, 110-118, 125, 126, 129-144

קרובים: יְגִיעַ / מְלָאכָה / מַעֲשֶׂה / מַעְבָּד / מַעֲלָל / מִפְעָל / עֶבֶד / עֲלִילָה / עָמָל / פֹּעַל / פְּעֻלָּה

– עֲבוֹדָה גְּדוֹלָה 17; עֲ׳ נָכְרִיָּה 120; עֲ׳ קָשָׁה 16, 36, 43, 50
– כְּלֵי עֲבוֹדָה 19, 20, 40, 129; מְלֶאכֶת עֲבוֹדָה 2-13, 32, 39, 52, 53; עֲבוֹדַת עֲ׳ 15; צְבָא עֲבוֹדָה 35
– עֲבוֹדַת אָבִיו 107, 108; עֲ׳ הָאָדָם 96; עֲ׳ אֲדָמָה 103; עֲ׳ אֲדֹנָיו 93; עֲ׳ הָאֹהֶל 73; עֲ׳ אֹהֶל מוֹעֵד 51, 75, 76, 92; עֲ׳ הַבּוּץ 78; עֲ׳ בֵּית הָאֱלֹהִים 80, 81, 85, 94, 98, 102, 104; עֲ׳ בֵּית יְיָ 82, 84, 86, 87, 99-101, 105; עֲ׳ בְּנֵי... 64, 71; עֲ׳ יְיָ 70, 77, 88; עֲ׳ הַלְוִיִּם 54, 97; עֲ׳ הַמֶּלֶךְ 106; עֲ׳ מַמְלָכוֹת 91; עֲ׳ מַשָּׂא 89; עֲ׳ הַמִּשְׁכָּן 55, 56, 58, 59, 79; עֲבוֹדַת מְנוֹרָה 95; עֲ׳ מַתָּנָה 74; עֲ׳ עֶבֶד 57; עֲבוֹדַת עֲבוֹדָה 15; עֲ׳ הַצְּדָקָה 90; עֲבוֹדַת הַקֹּדֶשׁ 52, 53, 69

עֲבוֹדָה 1 ...וּבִלְבֵנִים וּבְכָל־עֲבֹדָה בַּשָּׂדֶה Ex. 1:14
2-13 כָּל־מְלֶאכֶת עֲבֹדָה לֹא תַעֲשׂוּ Lev. 23:7
23:8, 21, 25, 35, 36 • Num. 28:18, 25, 26; 29:1, 12, 35
14 לַעֲבֹד עֲבֹדָה בְּאֹהֶל מוֹעֵד Num. 4:23
15 כָּל־הַבָּא לַעֲבֹד עֲבֹדַת עֲבֹדָה Num. 4:47
16 וַיִּתְּנוּ עָלֵינוּ עֲבֹדָה קָשָׁה Deut. 26:6
17 הֶעֱבִיד...חֵילוֹ עֲבֹדָה גְדוֹלָה Ezek. 29:18
18 גָּלְתָה יְהוּדָה מֵעֹנִי וּמֵרֹב עֲבֹדָה Lam. 1:3
19-20 לְכָל־כְּלֵי עֲבוֹדָה וַעֲבוֹדָה ICh. 28:14²
21 לְכָל־נָדִיב בַּחָכְמָה לְכָל־עֲבוֹדָה ICh. 28:21
וַעֲבוֹדָה 22 וְשֵׁרֵת...וַעֲבֹדָה לֹא יַעֲבֹד Num. 8:26
23-24 לְכָל־כְּלֵי עֲבוֹדָה וַעֲבוֹדָה ICh. 28:14²
25 לְכֹל עֹשֵׂה מְלָאכָה לַעֲבוֹדָה וַעֲבוֹדָה IICh. 34:13
הָעֲבֹדָה 26 וַיֵּאָנְחוּ בְ״יִ מִן־הָעֲבֹדָה וַיִּזְעָקוּ Ex. 2:23
27 וַתַּעַל שַׁוְעָתָם...מִן־הָעֲבֹדָה Ex. 2:23
28 תִּכְבַּד הָעֲבֹדָה עַל־הָאֲנָשִׁים Ex. 5:9
29 וּשְׁמַרְתֶּם אֶת־הָעֲבֹדָה הַזֹּאת Ex. 12:25
30 מָה הָעֲבֹדָה הַזֹּאת לָכֶם Ex. 12:26
31 וְעָבַדְתָּ אֶת־הָעֲבֹדָה הַזֹּאת Ex. 13:5
32 עֲצֵי שִׁטִּים לְכָל־מְלֶאכֶת הָעֲבֹדָה Ex. 35:24
33 מַרְבִּים...מִדֵּי הָעֲבֹדָה לַמְּלָאכָה Ex. 36:5
34 כֵּן עָשׂוּ בְּ״יִ אֵת כָּל־הָעֲבֹדָה Ex. 39:42
35 יָשׁוּב מִצְּבָא הָעֲבֹדָה Num. 8:25
36 הָעֲבֹדָה הַקָּשָׁה אֲשֶׁר עֻבַּד־בָּךְ Is. 14:3
37 הָעֲבֹדָה אֲשֶׁר־עָבַד עָלֶיהָ Ezek. 29:18
38 כִּי־כָבְדָה הָעֲבֹדָה עַל־הָעָם Neh. 5:18
39 וְשַׁלּוּם...עַל מְלֶאכֶת הָעֲבוֹדָה ICh. 9:19
40 וּמֵהֶם עַל־כְּלֵי הָעֲבוֹדָה ICh. 9:28
41 וַתִּכּוֹן הָעֲבוֹדָה IICh. 35:10
בַּעֲבוֹדָה 42 בַּעֲבֹדָה אֲשֶׁר תַּעֲבֹד עִמָּדִי Gen. 29:27
43 וַיְמָרְרוּ אֶת־חַיֵּיהֶם בַּעֲבֹדָה קָשָׁה Ex. 1:14
לַעֲבוֹדָה 44-46 כָּל־הַבָּא לַצָּבָא לַעֲבֹדָה Num. 4:35, 39, 43
47 וַיַּבְדֵּל...לַעֲבֹדָה לִבְנֵי אָסָף... ICh. 25:1
48 אִישׁ־חַיִל בַּכֹּחַ לַעֲבֹדָה ICh. 26:8
49 לְכֹל עֹשֵׂה מְלָאכָה לַעֲבוֹדָה IICh. 34:13
וּמֵעֲבוֹדָה 50 מִקֹּצֶר רוּחַ וּמֵעֲבֹדָה קָשָׁה Ex. 6:9
עֲבוֹדַת־ 51 וְנָתַתָּ אֹתוֹ עַל־עֲבֹדַת אֹהֶל מוֹעֵד Ex. 30:16
52 אֶת־כָּל־מְלֶאכֶת עֲבֹדַת הַקֹּדֶשׁ Ex. 36:1
53 ...לִמְלֶאכֶת עֲבֹדַת הַקֹּדֶשׁ... Ex. 36:3
54 עֲבֹדַת הַלְוִיִּם בְּיַד אִיתָמָר Ex. 38:21
55 כָּל־עֲבֹדַת מִשְׁכַּן אֹהֶל מוֹעֵד Ex. 39:32
56 כְּלֵי עֲבֹדַת הַמִּשְׁכָּן לְאֹהֶל מוֹעֵד Ex. 39:40
57 לֹא־תַעֲבֹד בּוֹ עֲבֹדַת עָבֶד Lev. 25:39
58/9 לַעֲבֹד אֶת־עֲבֹדַת הַמִּשְׁכָּן Num. 3:7, 8
60 זֹאת עֲבֹדַת בְּנֵי־קְהָת בְּאֹהֶל מ׳ Num. 4:4
61-63 זֹאת עֲבֹדַת מִשְׁפְּחֹת... Num. 4:24, 28, 33
64 כָּל־עֲבֹדַת בְּנֵי הַגֵּרְשֻׁנִּי Num. 4:27
65-67 לַעֲבֹד אֶת־עֲבֹדַת אֹהֶל מוֹעֵד Num. 4:30; 7:5; 18:6
68 כָּל־הַבָּא לַעֲבֹד עֲבֹדַת עֲבֹדָה Num. 4:47
69 כִּי־עֲבֹדַת הַקֹּדֶשׁ עֲלֵהֶם... Num. 7:9
70 וְהָיוּ לַעֲבֹד אֶת־עֲבֹדַת יְיָ Num. 8:11
71 לַעֲבֹד אֶת־עֲבֹדַת בְּ״יִ בְּאֹהֶל מ׳ Num. 8:19
72 לַעֲבֹד אֶת־עֲבֹדַת מִשְׁכַּן יְיָ Num. 16:9
73 וְשָׁמְרוּ...לְכֹל עֲבֹדַת הָאֹהֶל Num. 18:4
74 עֲבֹדַת מַתָּנָה אֶתֵּן אֶת־כְּהֻנַּתְכֶם Num. 18:7
75 עֹבְדִים אֶת־עֲבֹדַת אֹהֶל מוֹעֵד Num. 18:21
76 וְעָבַד...אֶת־עֲבֹדַת אֹהֶל מוֹעֵד Num. 18:23
77 לַעֲבֹד אֶת־עֲבֹדַת יְיָ לְפָנָיו Josh. 22:27
78 וּמִשְׁפְּחוֹת בֵּית־עֲבֹדַת הַבֻּץ ICh. 4:21
79 לְכָל־עֲבוֹדַת מִשְׁכַּן בֵּית הָאֱלֹהִים ICh. 6:33
80 מְלֶאכֶת עֲבוֹדַת בֵּית הָאֱלֹהִים ICh. 9:13
81 וּמַעֲשֵׂה עֲבֹדַת בֵּית הָאֱלֹהִים ICh. 23:28
82 וּלְכָל־מְלֶאכֶת עֲבוֹדַת בֵּית־יְיָ ICh. 28:13
83 וּלְכָל־כְּלֵי עֲבוֹדַת בֵּית־יְיָ ICh. 28:13
84 כָּל־מְלֶאכֶת עֲבוֹדַת בֵּית־יְיָ ICh. 28:20
85 לְכָל־עֲבוֹדַת בֵּית הָאֱלֹהִים ICh. 28:21
86 עוֹשֵׂה מְלֶאכֶת עֲבוֹדַת בֵּית־יְיָ IICh. 24:12
87 וַתִּכּוֹן עֲבוֹדַת בֵּית־יְיָ IICh. 29:35
88 וַתִּכּוֹן כָּל־עֲבוֹדַת יְיָ IICh. 35:16
וַעֲבוֹדַת־ 89 עֲבֹדַת עֲבֹדָה וַעֲבֹדַת מַשָּׂא Num. 4:47
90 וַעֲבֹדַת הַצְּדָקָה הַשְׁקֵט וָבֶטַח Is. 32:17
91 וַעֲבוֹדַת מַמְלְכוֹת הָאֲרָצוֹת IICh. 12:8
בַּעֲבוֹדַת־ 92 לִצְבֹא צָבָא בַּעֲבֹדַת אֹהֶל מוֹעֵד Num. 8:24
93 לֹא־הֵבִיאוּ צַוָּרָם בַּעֲבֹדַת אֲדֹנֵיהֶם Neh. 3:5
94 בַּעֲבוֹדַת בֵּית־הָאֱלֹהִים IICh. 31:21
כַּעֲבוֹדַת־ 95 כַּעֲבוֹדַת מְנוֹרָה וּמְנוֹרָה ICh. 28:15
לַעֲבוֹדַת־ 96 וְעֵשֶׂב לַעֲבֹדַת הָאָדָם Ps. 104:14
97 וְהַשָּׂרִים לַעֲבֹדַת הַלְוִיִּם Ez. 8:20
98 לָתֵת עָלֵינוּ...לַעֲבֹדַת בֵּית אֱלֹהֵינוּ Neh. 10:33
99-101 לַעֲבֹדַת בֵּית יְיָ ICh. 23:24, 28, 32
102 לַעֲבֹדַת בֵּית הָאֱלֹהִים ICh. 25:6
103 מְלֶאכֶת הַשָּׂדֶה לַעֲבֹדַת הָאֲדָמָה ICh. 27:26
104 וַיִּתְּנוּ לַעֲבוֹדַת בֵּית־הָאֱלֹהִים ICh. 29:7
105 וַיְחַזְּקֵם לַעֲבוֹדַת בֵּית יְיָ IICh. 35:2
וְלַעֲבוֹדַת־ 106 לְכֹל מְלֶאכֶת יְיָ וְלַעֲבֹדַת הַמֶּלֶךְ ICh. 26:30
מֵעֲבוֹדַת־ 107 הָקֵל מֵעֲבֹדַת אָבִיךָ הַקָּשָׁה IK. 12:4
108 הָקֵל מֵעֲבוֹדַת אָבִיךָ הַקָּשָׁה IICh. 10:4
עֲבוֹדָתִי 109 אֶת־עֲבֹדָתִי אֲשֶׁר עֲבַדְתִּיךָ Gen. 30:26
110 וְיֵדְעוּ עֲבוֹדָתִי IICh. 12:8
עֲבוֹדָתוֹ 111 לְכֹל כְּלֵי הַמִּשְׁכָּן בְּכֹל עֲבֹדָתוֹ Ex. 27:19
112 לִמְלֶאכֶת אֹהֶל מ׳ וּלְכָל־עֲבֹדָתוֹ Ex. 35:21
113 וְאֶת מֵיתָרָיו לְכֹל עֲבֹדָתוֹ Num. 3:26
114 וְהַמָּסָךְ וְכֹל עֲבֹדָתוֹ Num. 3:31
115 וְכָל־כֵּלָיו וְכֹל עֲבֹדָתוֹ Num. 3:36
116 אִישׁ אִישׁ עַל־עֲבֹדָתוֹ וְאֶל־מַשָּׂאוֹ Num. 4:19
117 אִישׁ אִישׁ עַל־עֲבֹדָתוֹ וְעַל־מַשָּׂאוֹ Num. 4:49

עֲבוֹדָתוֹ (המשך) 118 ...אִישׁ כְּפִי עֲבֹדָתוֹ Num. 7:5
119/20 וְלַעֲבֹד עֲבֹדָתוֹ נָכְרִיָּה עֲבֹדָתוֹ Is. 28:21
121 לְכֹל עֲבֹדָתוֹ וּלְכֹל אֲשֶׁר יֵעָשֶׂה Ezek. 44:14
122 אִישׁ כְּפִי עֲבֹדָתוֹ IICh. 31:2
לַעֲבוֹדָתוֹ 123 וְאֶת־כָּל־כֵּלָיו לַעֲבֹדָתוֹ ICh. 23:26
וְלַעֲבוֹדָתוֹ 124 יֵצֵא אָדָם לְפָעֳלוֹ וְלַעֲבֹדָתוֹ Ps. 104:23
עֲבוֹדָתֵנוּ 125 הַלְוִיִּם...בְּכֹל עָרֵי עֲבֹדָתֵנוּ Neh. 10:38
עֲבוֹדַתְכֶם 126 חֵלֶף עֲבֹדַתְכֶם בְּאֹהֶל מוֹעֵד Num. 18:31
מֵעֲבוֹדַתְכֶם 127 כִּי אֵין נִגְרָע מֵעֲבֹדַתְכֶם דָּבָר Ex. 5:11
עֲבוֹדָתָם 128 כָּל־עֲבֹדָתָם אֲשֶׁר־עָבְדוּ בָהֶם Ex. 1:14
129 וְאֶת־כָּל־כְּלֵי עֲבֹדָתָם Num. 4:26
130 לְכָל־מַשָּׂאָם וּלְכֹל עֲבֹדָתָם Num. 4:27
131/2 לְכָל־עֲבֹדָתָם בְּאֹהֶל מוֹעֵד Num. 4:31, 33
133 לְכָל־כְּלֵיהֶם וּלְכֹל עֲבֹדָתָם Num. 4:32
134/5 כְּפִי עֲבֹדָתָם Num. 7:7, 8
136 לַעֲבֹד אֶת־עֲבֹדָתָם בְּאֹהֶל מוֹעֵד Num. 8:22
137 חֵלֶף עֲבֹדָתָם אֲשֶׁר־הֵם עֹבְדִים Num. 18:21
138 כְּמִשְׁפָּטָם עַל־עֲבוֹדָתָם ICh. 6:17
139 הַכֹּהֲנִים עַל־עֲבֹדָתָם IICh. 8:14
140 אֵין לָהֶם לָסוּר מֵעַל עֲבֹדָתָם IICh. 35:15
בַּעֲבוֹדָתָם 141 וַיֶּחָלְקֵם...לִפְקֻדָּתָם בַּעֲבֹדָתָם ICh. 24:3
לַעֲבוֹדָתָם 142 אֵלֶּה פְקֻדָּתָם לַעֲבֹדָתָם ICh. 24:19
143 אַנְשֵׁי מְלָאכָה לַעֲבֹדָתָם ICh. 25:1
144 לַעֲבוֹדָתָם בְּמִשְׁמְרוֹתָם IICh. 31:16
מֵעֲבוֹדָתָם 145 וְהִצַּלְתִּי אֶתְכֶם מֵעֲבֹדָתָם Ex. 6:6

עֲבוֹט
ז׳ משכון, ערבון: 1-4

הָעֲבוֹט 1 יוֹצִיא אֵלֶיךָ אֶת־הָעֲבוֹט הַחוּצָה Deut. 24:11
2 הָשֵׁב תָּשִׁיב לוֹ אֶת־הָעֲבוֹט Deut. 24:13
עֲבוֹטוֹ 3 לֹא־תָבֹא אֶל־בֵּיתוֹ לַעֲבֹט עֲבֹטוֹ Deut. 24:10
בַּעֲבוֹטוֹ 4 לֹא תִשְׁכַּב בַּעֲבֹטוֹ Deut. 24:12

עֲבוּר[1]
ז׳ יבול, תבואה: 1, 2

מֵעֲבוּר־ 1 וַיֹּאכְלוּ מֵעֲבוּר הָאָרֶץ...מַצּוֹת Josh. 5:11
2 וַיִּשְׁבֹּת הַמָּן...בְּאָכְלָם מֵעֲבוּר הָאָרֶץ Josh. 5:12

עֲבוּר[2]
מ״י – עין בַּעֲבוּר (באות ב׳)

עֲבוֹת
זו״נ א) חבל קלוע: 1-10, 17-24
ב) סבך ענפים: 11-14

קרובים: א) חֶבֶל / חוּט / יֶתֶר / כֶּבֶל / מֵיתָר / פְּתִיל
ב) ראה עָנָף

– עֲבוֹת עֲגָלָה 5; עֲ׳ רְשָׁעִים 4; מַעֲשֵׂה עֲבוֹת 1-3
– עֲבוֹתִים חֲדָשִׁים 7, 8, 16
– עֲבוֹתוֹת אַהֲבָה 24; עֲבוֹתוֹת זָהָב 22, 23
– שַׁרְשְׁרוֹת עֲבוֹתוֹת 19

עֲבוֹת 1 מִגְבָּלֹת...מַעֲשֵׂה עֲבֹת Ex. 28:14
2 שַׁרְשֹׁת גַּבְלֻת מַעֲשֵׂה עֲבֹת Ex. 28:22
3 שַׁרְשְׁרֹת גַּבְלֻת מַעֲשֵׂה עֲבֹת Ex. 39:15
עֲבוֹת־ 4 יְיָ צַדִּיק קִצֵּץ עֲבוֹת רְשָׁעִים Ps. 129:4
וְכַעֲבוֹת־ 5 וְכַעֲבוֹת הָעֲגָלָה חַטָּאָה Is. 5:18
עֲבוֹתוֹ 6 הֲתִקְשָׁר־רֵים בְּתֶלֶם עֲבֹתוֹ Job 39:10
עֲבוֹתִים 7 וַיַּאַסְרֻהוּ בִּשְׁנַיִם עֲבֹתִים חֲדָשִׁים Jud. 15:13
8 וַתִּקַּח דְּלִילָה עֲבֹתִים חֲדָשִׁים Jud. 16:12
9 נָתְנוּ עָלֶיךָ עֲבוֹתִים וַאֲסָרוּךָ בָּהֶם Ezek. 3:25
10 וְהִנֵּה נָתַתִּי עָלֶיךָ עֲבוֹתִים Ezek. 4:8
11 וַתִּגְבַּהּ קוֹמָתוֹ עַל־בֵּין עֲבֹתִים Ezek. 19:11
12 וּבֵין עֲבֹתִים הָיְתָה צַמַּרְתּוֹ Ezek. 31:3
13 וַיִּתֵּן צַמַּרְתּוֹ אֶל־בֵּין עֲבוֹתִים Ezek. 31:10
14 צַמַּרְתָּם אֶל־בֵּין עֲבֹתִים Ezek. 31:14
הָעֲבוֹתִים 15 הָעֲבֹתִים אֲשֶׁר עַל־זְרוֹעוֹתָיו Jud. 15:14
בַּעֲבוֹתִים 16 אִם...יַאַסְרוּנִי בַּעֲבֹתִים חֲדָשִׁים Jud. 16:11
17 אִסְרוּ־חַג בַּעֲבֹתִים עַד־קַרְנוֹת הַמִּזְבֵּחַ Ps. 118:27
עֲבוֹתֵימוֹ 18 וְנַשְׁלִיכָה מִמֶּנּוּ עֲבֹתֵימוֹ Ps. 2:3
הָעֲבוֹתוֹת 19 אֶת־שַׁרְשְׁרֹת הָעֲבֹתֹת Ex. 28:14
20/1 שְׁתֵּי קְצוֹת שְׁתֵּי הָעֲבֹתֹת Ex. 28:25; 39:18
22 שְׁתֵּי הָעֲבֹתֹת הַזָּהָב Ex. 39:17
עֲבוֹתוֹת־ 23 אֶת־שְׁתֵּי עֲבֹתֹת הַזָּהָב Ex. 28:24
בַּעֲבוֹתוֹת 24 בְּחַבְלֵי אָדָם...בַּעֲבֹתוֹת אַהֲבָה Hosh. 11:4

עָבַט
פָּ׳ א) לקח משכון מן הלוה: 1
ב) לָוה תמורת משכון: 2
ג) [פִּ׳ עִבֵּט] עִוֵּת: 3
ד) [הִפ׳ הֶעֱבִיט] נָתן תמורת משכון: 4-6

לַעֲבֹט 1 לֹא־תָבֹא אֶל־בֵּיתוֹ לַעֲבֹט עֲבֹטוֹ Deut. 24:10
תַּעֲבֹט 2 וְהַעֲבַטְתָּ...וְאַתָּה לֹא תַעֲבֹט Deut. 15:6
יְעַבְּטוּן 3 וְלֹא יְעַבְּטוּן אֹרְחוֹתָם Joel 2:7
וְהַעֲבֵט 4 וְהַעֲבֵט תַּעֲבִיטֶנּוּ דֵּי מַחְסֹרוֹ Deut. 15:8
וְהַעֲבַטְתָּ 5 וְהַעֲבַטְתָּ גּוֹיִם רַבִּים Deut. 15:6
תַּעֲבִיטֶנּוּ 6 וְהַעֲבֵט תַּעֲבִיטֶנּוּ דֵּי מַחְסֹרוֹ Deut. 15:8

עַבְטִיט
ז׳ עבוט, משכון

עַבְטִיט 1 וּמַכְבִּיד עָלָיו עַבְטִיט Hab. 2:6

עֳבִי*
ז׳ מקום עבה ודחוס: 1, 2
עֳבִי הָאֲדָמָה 2

בַּעֲבִי־ 1 בַּעֲבִי גַּבֵּי מָגִנָּיו Job 15:26
2 בְּכִכַּר הַיַּרְדֵּן...בַּעֲבִי הָאֲדָמָה IICh. 4:17

עֳבִי*
ז׳ שעור הנפח: 1-3

וְעָבְיוֹ 1/2 וְעָבְיוֹ טֶפַח... IK. 7:26 • IICh. 4:5
3 וְעָבְיוֹ אַרְבַּע אֶצְבָּעוֹת נָבוּב Jer. 52:21

עֲבִידָא*
נ׳ ארמית: עבודה: 1-6; עֲבִידְתָּא = העבודה
עֲבִידַת אֱלָהָא 5; עֲבִידַת בֵּית אֱלָהָא 4, 6;
עֲבִידַת מְדִינַת בָּבֶל 3

עֲבִידְתָּא 1 וּמַנִּי עַל עֲבִידְתָּא דִּי מְדִינַת בָּבֶל Dan. 2:49
וַעֲבִידְתָּא 2 וַעֲבִידְתָּא דָךְ אָסְפַּרְנָא מִתְעַבְדָא Ez. 5:8
עֲבִידַת־ 3 דִּי מַנִּיתָ...עַל־עֲבִידַת מְדִינַת בָּבֶל Dan. 3:12
4 בְּטֵלַת עֲבִידַת בֵּית־אֱלָהָא Ez. 4:24
5 וַהֲקִימוּ...עַל־עֲבִידַת אֱלָהָא Ez. 6:18
לַעֲבִידַת־ 6 שְׁבֻקוּ לַעֲבִידַת בֵּית־אֱלָהָא דֵךְ Ez. 6:7

עבר
: א) עָבַר, נֶעֱבַר, עִבֵּר, הֶעֱבִיר; עֵבֶר, עֲבָרָה, עִבְרִי, עֲבוּר, מַעְבָּר, מַעְבָּרָה; ש״פ עֵבֶר, עֶבְרוֹן, עַבְרוֹנָה, עִבְרִי, עֲבָרִים; אר׳ עֲבַר
ב) הִתְעַבֵּר; עֶבְרָה

עָבַר[1]
פָּ׳ א) הלך הלאה – אל העבר השני:
רוב המקראות 1-464
ב) הלך לכאן ולכאן [גם בהשאלה]: 27, 63, 77, 160, 180-196, 198, 330, 450, 452, 456, 457
ג) חלף, תם: 10, 11, 78, 80, 84, 88, 89, 111-113, 118, 152, 310, 312-318, 321, 348, 399, 403, 411
ד) רץ והקדים את מישהו: 3, 350
ה) [בהשאלה] התחמק מן־, לא קִים: 12-14, 51, 52, 65, 133, 134, 139, 140, 142, 143, 153, 207, 243, 245, 368, 428
ו) [בהשאלה] סלח, מחל: 6-8, 209
ז) [נפ׳ נֶעֱבַר] נִתַּן לעבור בו: 465
ח) [פִּ׳ עִבֵּר] הביא אל תוך, חִבּר: 467
ט) [כנ״ל] (בהשאלה) הזריע זרע: 466
י) [הִפ׳ הֶעֱבִיר] הביא אל העבר השני,
העתיק: רוב המקראות 468-541
יא) [כנ״ל] שלח, מסר: 469, 472, 475, 492, 495-497, 515, 532, 537
יב) [כנ״ל, ביחוד: הֶעֱבִיר מִן־] הסיר, בִּטל: 473, 477, 482, 491, 494, 518-520, 543-546
יג) [כנ״ל] הפיץ, פרסם: 478, 487, 507, 521, 522, 531, 534, 538

קרובים: גָּז / הָלַךְ / חָלַף / חָמַק / נָסַב (סבב) / נָסַע / נֶעְלַם (עלם) / פָּג (פוג)

– עָבַר (אֶת־) 12-16, 17, 24, 30, 34, 36, 45-47, 50, 52, 59, 61, 64, 65, 67, 70, 71, 114, 115, 122, 129, 133-143, 145, 147, 153, 154, 161-165, 178, 180, 200, 207, 216-218, 225-229, 243, 245, 247, 254, 256-260, 262, 263, 282, 285, 286, 300, 323, 328, 329, 336, 337, 345, 347, 350-352, 364, 366-368, 379, 380, 383, 384, 391, 395, 402, 419, 424-426, 428, 434, 439, 461, 462, 464; עָבַר בְּ־ 2, 3, 5, 26, 27, 29, 32, 33, 38, 41, 42, 55, 76, 77, 83, 109, 110, 117, 121, 123, 124, 128, 170, 181, 202, 219, 230, 241, 251, 255, 261, 265, 272, 273, 276, 283, 289, 290, 309, 322, 327, 330, 340-342, 354, 356, 369, 371-373, 378, 385, 386, 400, 401, 408, 412, 416, 418, 422, 427, 430, 441, 459; עָבַר אֶל־ (לְ־, ־ָה) 6, 7, 23, 28, 66, 93-97, 99-103, 106, 107, 160, 220-223, 232, 262, 271, 280, 282, 320, 338, 339, 353, 355, 358, 359, 387, 388, 453; עָבַר עַל־ 8, 20, 31, 53, 54, 63, 81, 82, 91, 116, 126, 148, 155-158, 171, 174-176, 186-189, 198, 208-212, 239, 269, 270, 295, 297, 299, 311, 326, 370, 374, 405; עָבַר מִן (מִ/מֵ) 21, 51, 56, 69, 74, 84, 98, 104, 105, 231, 244, 291, 306, 307, 333-335, 382, 399, 403, 420, 449; עָבַר לִפְנֵי־ 62, 75, 131, 166-168, 213, 296, 298, 319, 324, 332, 360, 381, 390, 392, 415, 438, 448, 451, 454, 463; עָבַר בְּקֶרֶב־ 127, 264, 414, 450; עָבַר בֵּין־ 60, 246, 429; עָבַר עַל פְּנֵי־ 236, 331, 375; עָבַר עִם־ 365; עָבַר נֶגֶד־ 130; עָבַר עַל־יַד־ 235, 436; עָבַר עַד־ 125; עָבַר אַחֲרֵי־ 73; עָבַר מֵעַל־ 281; עָבַר תַּחַת־ 25, 85, 294

– הֶעֱבִיר אֶת־ 470, 477, 479, 480, 487, 491, 493, 501, 502, 506, 507, 510, 511, 515-517, 530, 539, 543-545; הֶעֱבִיר (אֶת־) אֶת־ 474, 485, 512, 526, 528, 529, 536; הֶעֱבִיר (אֶת־) בְּ־ 471, 475, 478, 481, 483, 495-498, 505, 509, 521, 522, 524, 525, 531-535, 537, 538; הֶעֱבִיר (אֶת־) אֶל־ (לְ־) 469, 472, 476, 486, 488, 490, 500, 503, 523, 541; הֶעֱבִיר (אֶת־) עַל־ 489, 499, 504, 508, 514; הֶעֱבִיר (אֶת־) מִן־ 473, 482, 494, 510, 518-520, 540, 546; הֶעֱבִיר (אֶת־) מֵעַל־ 482; הֶעֱבִיר (אֶת־) לִפְנֵי־ 527, 542, 546; הֶעֱבִיר בְּ־ 492

– עָבַר בְּרִית 133, 134, 142, 143; עָ׳ פִּיו 12, 13, 216; עָבַר(ה) רוּחַ 74, 84, 91, 117, 119, 370; עָבַר תּוֹרָה 153; עֲבָרוֹ יַיִן 114

– עֹבֵר אֹרַח 180, 200; עוֹבֵר דֶּרֶךְ 254, 256-260; עוֹבֵר וָשָׁב 195, 214, 215; עוֹבֵר יָם 178; עוֹבֵר לַסּוֹחֵר 160; עוֹבֵר מִצְוֹת 243

– כֶּסֶף עוֹבֵר 177; מוֹץ ע׳ 179; מוֹר ע׳ 204, 205; (כְּ)צֵל עוֹבֵר 201; קַשׁ ע׳ 185; שֶׁטֶף עוֹבֵר 197

– הֶעֱבִיר בָּאֵשׁ 471, 475, 495, 497, 505, 532, 533, 537; הֶעֱ׳ חֶרְפָּתוֹ 543; הֶעֱ׳ הַמּוֹעֵד 493; הֶעֱ׳ עָוֹן 511; הֶעֱ׳ קוֹל 478, 535, 538; הֶעֱ׳ רָעָה 477, 546; הֶעֱבִיר שׁוֹפָר 487, 531

עָבוֹר 1 אַל־תָּלֶן...וְגַם עָבוֹר תַּעֲבוֹר IISh. 17:16
עֲבֹר 2 נְתֹן אֶת־יִשְׂרָאֵל עֲבֹר בִּגְבֻלוֹ Num. 20:21
3 וְלֹא־נָתַן...אֶת־יִשׂ׳ עֲבֹר בִּגְבֻלוֹ Num. 21:23
4 וַיּוֹסֶף מַלְאַךְ־יְיָ עֲבוֹר Num. 22:26
5 וְלֹא־הֶאֱמִין סִיחוֹן...עֲבֹר בִּגְבֻלוֹ Jud. 11:20
6/7 לֹא־אוֹסִיף עוֹד עֲבוֹר לוֹ Am. 7:8; 8:2
8 וְתִפְאַרְתּוֹ עֲבֹר עַל־פָּשַׁע Prov. 19:11
בַּעֲבֹר 9 וְהָיָה בַּעֲבֹר כְּבֹדִי Ex. 33:22
כַּעֲבֹר 10 וַיְהִי כַּעֲבֹר הַצָּהֳרַיִם IK. 18:29
11 כַּעֲבוֹר סוּפָה וְאֵין רָשָׁע Prov. 10:25
לַעֲבֹר 12/3 לֹא אוּכַל לַעֲבֹר אֶת־פִּי יְיָ Num. 22:18; 24:13
14 יַעֲשֶׂה אֶת־הָרַע...לַעֲבֹר בְּרִיתוֹ Deut. 17:2
15 וַיְהִי בִּנְסֹעַ...לַעֲבֹר אֶת־הַיַּרְדֵּן Josh. 3:14
16/7 לַעֲבוֹר אֶת־הַיַּרְדֵּן Josh. 3:17; 4:1
18 כַּאֲשֶׁר־תַּם כָּל־הָעָם לַעֲבֹר Josh. 4:11
19 וְלֹא־נָתְנוּ אִישׁ לַעֲבֹר Jud. 3:28
20 לַעֲבֹר עַל־מַצַּב פְּלִשְׁתִּים ISh. 14:4
21 עַד־תֹּם...לַעֲבוֹר מִן־הָעִיר IISh. 15:24
22 דֶּרֶךְ לַעֲבֹר גְּאוּלִים Is. 51:10
23 וַיֵּלֶךְ לַעֲבֹר אֶל־בְּנֵי עַמּוֹן Jer. 41:10
24 נַחַל אֲשֶׁר לֹא־אוּכַל לַעֲבֹר Ezek. 47:5
25 וְאֵין־מָקוֹם לַבְּהֵמָה לַעֲבֹר תַּחְתָּי Neh. 2:14
לַעֲבָר־ 26 וַיְחַלְּקוּ לָהֶם אֶת־הָאָרֶץ לַעֲבָר־בָּהּ IK. 18:6
27 לֹא יוֹסִף עוֹד לַעֲבָר (כ׳ לעבור)־בָּךְ Nah. 2:1
מֵעֲבֹר 28 וְלָמָּה תנִיאוּן...מֵעֲבֹר אֶל־הָאָרֶץ Num. 32:7
29 פִּגְּרוּ מֵעֲבֹר אֶת־נַחַל הַבְּשׂוֹר ISh. 30:10
30 הִשָּׁמֶר מֵעֲבֹר הַמָּקוֹם הַזֶּה IIK. 6:9
31 נִשְׁבַּעְתִּי מֵעֲבֹר מֵי־נֹחַ עוֹד עַל־הָא׳ Is. 54:9
32 יַחְשֹׂךְ...וְחַיָּתוֹ מֵעֲבֹר בַּשָּׁלַח Job 33:18
33 פָּדָה נַפְשׁוֹ מֵעֲבֹר בַּשָּׁחַת Job 33:28
34 סַכֹּתָה...מֵעֲבוֹר תְּפִלָּה Lam. 3:44
עָבְרִי 35 וְשַׂכֹּתִי כַפִּי עָלֶיךָ עַד־עָבְרִי Ex. 33:22
36 לְבִלְתִּי עָבְרִי אֶת־הַיַּרְדֵּן Deut. 4:21
בְּעָבְרֶךָ 37 וְכָתַבְתָּ עֲלֵיהֶן...בְּעָבְרֶךָ Deut. 27:3
לְעָבְרְךָ 38 לְעָבְרְךָ בִּבְרִית יְיָ אֱלֹהֶיךָ Deut. 29:11
עָבְרוֹ 39 וַיְהִי מִדֵּי עָבְרוֹ יָסֻר שָׁמָּה IIK. 4:8
40 מִדֵּי עָבְרוֹ יִקַּח אֶתְכֶם Is. 28:19
בְּעָבְרוֹ 41 בְּעָבְרוֹ בַּיַּרְדֵּן נִכְרְתוּ מֵי הַיַּרְדֵּן Josh. 4:7
42 נָפַל לִפְנֵי הַמֶּלֶךְ בְּעָבְרוֹ בַּיַּרְדֵּן IISh. 19:19
עָבְרֵנוּ 43 אֲשֶׁר־הוֹבִישׁ מִפָּנֵינוּ עַד־עָבְרֵנוּ Josh. 4:23
עָבְרְכֶם 44 אֲשֶׁר־הוֹבִישׁ...עַד־עָבְרְכֶם Josh. 4:23
בְּעָבְרְכֶם 45/6 בְּעָבְרְכֶם אֶת־הַיַּרְדֵּן Deut. 27:4, 12
47 בְּעָבְרְכֶם אֶת־בְּרִית יְיָ אֱלֹהֵיכֶם Josh. 23:16
עָבְרָם 48 אֲשֶׁר־הוֹבִישׁ...עַד־עָבְרָם (כ׳ עברנו) Josh. 5:1
כְּעָבְרָם 49 וַיְהִי כְעָבְרָם וְאֵלִיָּהוּ אָמַר אֶל־אֱלִישָׁע IIK. 2:9
עָבַרְתִּי 50 בְּמַקְלִי עָבַרְתִּי אֶת־הַיַּרְדֵּן הַזֶּה Gen. 32:11
51 לֹא־עָבַרְתִּי מִמִּצְוֹתֶיךָ Deut. 26:13
52 כִּי־עָבַרְתִּי אֶת־פִּי־יְיָ ISh. 15:24
53 וַאֲנִי עָבַרְתִּי עַל־טוּב צַוָּארָהּ Hosh. 10:11
עָבָרְתִּי 54 עַל־שְׂדֵה אִישׁ־עָצֵל עָבָרְתִּי Prov. 24:30
וְעָבַרְתִּי 55 וְעָבַרְתִּי בְאֶרֶץ־מִצְרַיִם Ex. 12:12
שֶׁעָבַרְתִּי 56 כִּמְעַט שֶׁעָבַרְתִּי מֵהֶם S. of S. 3:4
עָבַרְתָּ 57 מַדּוּעַ עָבַרְתָּ לְהִלָּחֵם בִּבְנֵי־עַמּוֹן Jud. 12:1
58 אִם־עָבַרְתָּ אִתִּי וְהָיִתָ עָלַי לְמַשָּׂא IISh. 15:33
וְעָבַרְתָּ 59 וְעָבַרְתָּ אֶת־נַחַל קִדְרוֹן IK. 2:37
עָבַר 60 אֲשֶׁר עָבַר בֵּין הַגְּזָרִים הָאֵלֶּה Gen. 15:17
61 כַּאֲשֶׁר עָבַר אֶת־פְּנוּאֵל Gen. 32:31
62 וְהוּא עָבַר לִפְנֵיהֶם Gen. 33:3
63 אוֹ־עָבַר עָלָיו רוּחַ־קִנְאָה Num. 5:14
64 בַּיַּבָּשָׁה עָבַר יִשְׂרָאֵל אֶת־הַיַּרְדֵּן Josh. 4:22
65 כִּי עָבַר אֶת־בְּרִית יְיָ Josh. 7:15
66 וּמִשָּׁם עָבַר קֵדְמָה מִזְרָחָה Josh. 19:13

עָבַר (המשך) 67 וְהוּא עָבַר אֶת־הַפְּסִילִים Jud. 3:26
68 וּמִמִּצְפֵּה גִלְעָד עָבַר בְּנֵי עַמּוֹן Jud. 11:29
69 וְדָוִד עָבַר מְעַט מֵהָרֹאשׁ IISh. 16:1
70 אֲשֶׁר לֹא־עָבַר אֶת־הַיַּרְדֵּן IISh. 17:22
71 וְאַבְשָׁלֹם עָבַר אֶת־הַיַּרְדֵּן IISh. 17:24
72 וַיַּעֲבֹר...וְכִמְהָן עָבַר עִמּוֹ IISh. 19:41
73 עָבַר כָּל־אִישׁ אַחֲרֵי יוֹאָב IISh. 20:13
74 אֵי־זֶה עָבַר רוּחַ־יְיָ מֵאִתִּי IK. 22:24
75 וְגֵחֲזִי עָבַר לִפְנֵיהֶם IIK. 4:31
76 בָּא עַל־עַיַּת עָבַר בְּמִגְרוֹן Is. 10:28
77 בְּאֶרֶץ לֹא־עָבַר בָּהּ אִישׁ Jer. 2:6
78 עָבַר קָצִיר כָּלָה קָיִץ Jer. 8:20
79 אֲשֶׁר אִם־עָבַר וְרָמַס וְטָרַף Mic. 5:7
80 בְּטֶרֶם לֶדֶת חֹק כְּמֹץ עָבַר יוֹם Zep. 2:2
81 נַחְלָה עָבַר עַל־נַפְשֵׁנוּ Ps. 124:4
82 עָבַר עַל־נַפְשֵׁנוּ הַמַּיִם הַזֵּידוֹנִים Ps. 124:5
83 וְלֹא־עָבַר זָר בְּתוֹכָם Job 15:19
84 אֵי זֶה הַדֶּרֶךְ עָבַר רוּחַ־יְיָ מֵאִתִּי IICh. 18:23
עָבָר 85 וְהַפֶּרֶד אֲשֶׁר־תַּחְתָּיו עָבָר IISh. 18:9
86 וַיַּעֲבֹר כָּל־הָעָם...וְהַמֶּלֶךְ עָבָר IISh. 19:40
87 זֶרֶם מַיִם עָבָר Hab. 3:10
88 כִּי־הִנֵּה הַסְּתָו עָבָר S. of S. 2:11
89 פָּתַחְתִּי...וְדוֹדִי חָמַק עָבָר S. of S. 5:6
וְעָבַר 90 וְעָבַר יְיָ לִנְגֹּף אֶת־מִצְרַיִם Ex. 12:23
91 וְעָבַר עָלָיו רוּחַ־קִנְאָה Num. 5:14
92 וְעָבַר לָכֶם כָּל־חָלוּץ Num. 32:21
93 וְנָסַב לָכֶם הַגְּבוּל...וְעָבַר צִנָה Num. 34:4
94 וְיָצָא חֲצַר־אַדָּר וְעָבַר עַצְמֹנָה Num. 34:4
95 וְיָצָא אֶל־מִנֶּגֶב...וְעָבַר צִנָה Josh. 15:3
96 וְעָבַר חֶצְרוֹן וְעָלָה אַדָּרָה Josh. 15:3
97 וְעָבַר עַצְמוֹנָה וְיָצָא נַחַל מִצְרַיִם Josh. 15:4
98 וְעָבַר מִצָּפוֹן לְבֵית הָעֲרָבָה Josh. 15:6
99 וְעָבַר הַגְּבוּל אֶל־מֵי עֵין־שֶׁמֶשׁ Josh. 15:7
100 וְנָסַב...וְעָבַר אֶל־כֶּתֶף הַר־יְעָרִים Josh. 15:10
101 וְיָרַד בֵּית־שֶׁמֶשׁ וְעָבַר תִּמְנָה Josh. 15:10
102 וְעָבַר הַר־הַבַּעֲלָה וְיָצָא יַבְנְאֵל Josh. 15:11
103 וְיָצָא...וְעָבַר אֶל־גְּבוּל הָאַרְכִּי Josh. 16:2
104 וְעָבַר אוֹתוֹ מִמִּזְרַח יָנוֹחָה Josh. 16:6
105 וְעָבַר מִשָּׁם הַגְּבוּל לוּזָה Josh. 18:13
106 וְעָבַר אֶל־כֶּתֶף מוּל־הָעֲרָבָה Josh. 18:18
107 וְעָבַר הַגְּבוּל אֶל־כֶּתֶף בֵּית־חָגְלָה Josh. 18:19
108 וְחָלַף בִּיהוּדָה שָׁטַף וְעָבַר Is. 8:8
109 וְעָבַר בָּהּ נִקְשֶׁה וְרָעֵב Is. 8:21
110 וְעָבַר בַּיָּם צָרָה Zech. 10:11
וְעָבָר 111 וְכֵן נָגוֹזּוּ וְעָבָר Nah. 1:12
112 וּבָא בוֹא וְשָׁטַף וְעָבָר Dan. 11:10
113 וּבָא בָאֲרָצוֹת וְשָׁטַף וְעָבָר Dan. 11:40
עֲבָרוֹ 114 כְּאִישׁ שִׁכּוֹר וּכְגֶבֶר עֲבָרוֹ יָיִן Jer. 23:9
עָבְרָה 115 וְהַמִּלְחָמָה עָבְרָה אֶת־בֵּית אָוֶן ISh. 14:23
116 עַל־מִי לֹא־עָבְרָה רָעָתְךָ תָּמִיד Nah. 3:19
117 כִּי רוּחַ עָבְרָה־בּוֹ וְאֵינֶנּוּ Ps. 103:16
118 וּכְעָב עָבְרָה יְשֻׁעָתִי Job 30:15
119 וְרוּחַ עָבְרָה וַתְּטַהֲרֵם Job 37:21
וְעָבְרָה 120 וְעָבְרָה...לַעֲבִיר אֶת־בֵּית הַמֶּלֶךְ IISh. 19:19
עָבַרְנוּ 121/א הָאָרֶץ אֲשֶׁר עָבַרְנוּ בָהּ Num. 13:32; 14:7
122 עַד אֲשֶׁר־עָבַרְנוּ אֶת־נַחַל זֶרֶד Deut. 2:14
123 וְאֵת אֲשֶׁר־עָבַרְנוּ בְּקֶרֶב הַגּוֹיִם Deut. 29:15
124 הָעַמִּים אֲשֶׁר עָבַרְנוּ בְּקִרְבָּם Josh. 24:17
וְעָבַרְנוּ 125 לֹא נָסוּר...וְעָבַרְנוּ עַד־גִּבְעָה Jud. 19:12
עֲבַרְתֶּם 126 עַל־כֵּן עֲבַרְתֶּם עַל־עַבְדְּכֶם Gen. 18:5
127 בְּקֶרֶב הַגּוֹיִם אֲשֶׁר עֲבַרְתֶּם Deut. 29:15
128 לֹא עֲבַרְתֶּם בַּדֶּרֶךְ מִתְּמוֹל שִׁלְשׁוֹם Josh. 3:4

וַעֲבַרְתֶּם 129 וַעֲבַרְתֶּם אֶת־הַיַּרְדֵּן Deut. 12:10
עָבְרוּ 130 וְהָעָם עָבְרוּ נֶגֶד יְרִיחוֹ Josh. 3:16
131 עָבְרוּ לִפְנֵי יְיָ לַמִּלְחָמָה Josh. 4:13
132 עָבְרוּ וְתָקְעוּ בַּשּׁוֹפָרוֹת Josh. 6:8
133 וְגַם עָבְרוּ אֶת־בְּרִיתִי Josh. 7:11
134 יַעַן אֲשֶׁר עָבְרוּ...אֶת־בְּרִיתִי Jud. 2:20
135 וְעִבְרִים עָבְרוּ אֶת־הַיַּרְדֵּן ISh. 13:7
136 עָבְרוּ מִיכַל הַמָּיִם IISh. 17:20
137 עָבְרוּ מַעְבָּרָה גֶּבַע מָלוֹן לָנוּ Is. 10:29
138 שְׁלֻחוֹתֶיהָ נִטְּשׁוּ עָבְרוּ יָם Is. 16:8
139 כִּי־עָבְרוּ תוֹרֹת חָלְפוּ חֹק Is. 24:5
140 גַּם עָבְרוּ דִבְרֵי־רָע Jer. 5:28
141 נְטִישֹׁתַיִךְ עָבְרוּ יָם Jer. 48:32
142 וְהֵמָּה כְּאָדָם עָבְרוּ בְרִית Hosh. 6:7
143 יַעַן עָבְרוּ בְרִיתִי Hosh. 8:1
144 מִנֹּגַהּ נֶגְדּוֹ עָבָיו עָבְרוּ Ps. 18:13
145 כִּי עֲוֹנֹתַי עָבְרוּ רֹאשִׁי Ps. 38:5
146 נוֹעֲדוּ עָבְרוּ יַחְדָּו Ps. 48:5
147 עָבְרוּ מַשְׂכִּיּוֹת לֵבָב Ps. 73:7
148 עָלַי עָבְרוּ חֲרוֹנֶיךָ Ps. 88:17
149 וּפְתָיִים עָבְרוּ וְנֶעֱנָשׁוּ Prov. 22:3
150 פְּתָאִים עָבְרוּ נֶעֱנָשׁוּ Prov. 27:12
151 כְּמַיִם עָבְרוּ תִזְכֹּר Job 11:16
152 יָמַי עָבְרוּ זִמֹּתַי נִתְּקוּ Job 17:11
153 וְכָל־יִשְׂרָאֵל עָבְרוּ אֶת־תּוֹרָתֶךָ Dan. 9:11
154 אֲשֶׁר עָבְרוּ אֶת־הַיַּרְדֵּן ICh. 12:15(16)
155 וְהָעִתִּים אֲשֶׁר עָבְרוּ עָלָיו ICh. 29:30
עָבָרוּ 156 כָּל־מִשְׁבָּרֶיךָ וְגַלֶּיךָ עָלַי עָבָרוּ Jon. 2:4
157 כָּל־מִשְׁבָּרֶיךָ וְגַלֶּיךָ עָלַי עָבָרוּ Ps. 42:8
וְעָבְרוּ 158 וְעָבְרוּ גּוֹיִם רַבִּים עַל־הָעִיר Jer. 22:8
159 וְעָבְרוּ הָעֹבְרִים בָּאָרֶץ Ezek. 39:15
עוֹבֵר 160 שֶׁקֶל כֶּסֶף עֹבֵר לַסֹּחֵר Gen. 23:16
161 אַתָּה עֹבֵר הַיּוֹם אֶת־גְּבוּל מוֹאָב Deut. 2:18
162 אֲשֶׁר אַתָּה עֹבֵר שָׁמָּה Deut. 3:21
163 אֵינֶנִּי עֹבֵר אֶת־הַיַּרְדֵּן Deut. 4:22
164 אַתָּה עֹבֵר הַיּוֹם אֶת־הַיַּרְדֵּן Deut. 9:1
165 אֲשֶׁר אַתָּה עֹבֵר אֶת־הַיַּרְדֵּן Deut. 30:18
166 יְיָ אֱלֹהֶיךָ הוּא עֹבֵר לְפָנֶיךָ Deut. 31:3
167 יְהוֹשֻׁעַ הוּא עֹבֵר לְפָנֶיךָ Deut. 31:3
168 אֲרוֹן הַבְּרִית...עֹבֵר לִפְנֵיכֶם Josh. 3:11
169 עֹבֵר הוּא וּשְׁלֹשׁ־מֵאוֹת הָאִישׁ Jud. 8:4
170 וְהַמֶּלֶךְ עֹבֵר בְּנַחַל קִדְרוֹן IISh. 15:23
171 כָּל־עֹבֵר עָלָיו יִשֹּׁם וְשָׁרַק IK. 9:8
172 וְהִנֵּה יְיָ עֹבֵר וְרוּחַ...לִפְנֵי יְיָ IK. 19:11
173 וַיְהִי הַמֶּלֶךְ עֹבֵר וְהוּא צָעַק IK. 20:39
174 אִישׁ אֱלֹהִים...עֹבֵר עָלֵינוּ תָּמִיד IIK. 4:9
175 וַיְהִי...עֹבֵר עַל־הַחֹמָה IIK. 6:26
176 וְהוּא עֹבֵר עַל־הַחֹמָה IIK. 6:30
177 כָּל כֶּסֶף הַקֳּדָשִׁים...כֶּסֶף עוֹבֵר IIK. 12:5
178 סֹחֵר צִידוֹן עֹבֵר יָם מִלְאוּךְ Is. 23:2
179 וּכְמֹץ עֹבֵר הֲמוֹן עָרִיצִים Is. 29:5
180 נָשַׁמּוּ מְסִלּוֹת שָׁבַת עֹבֵר אֹרַח Is. 33:8
181 לְנֵצַח נְצָחִים אֵין עֹבֵר בָּהּ Is. 34:10
182 עֲזוּבָה וּשְׂנוּאָה וְאֵין עוֹבֵר Is. 60:15
183 כִּי נִצְּתוּ מִבְּלִי־אִישׁ עֹבֵר Jer. 9:9
184 נִצְּתָה כַמִּדְבָּר מִבְּלִי עֹבֵר Jer. 9:11
185 וַאֲפִיצֵם כְּקַשׁ עוֹבֵר Jer. 13:24
186 כֹּל עוֹבֵר עָלֶיהָ יִשֹּׁם Jer. 18:16
187/8 כֹּל עֹבֵר עָלֶיהָ יִשֹּׁם Jer. 19:8; 49:17
189 כֹּל עֹבֵר עַל־בָּבֶל יִשֹּׁם Jer. 50:13
190 וְאֶתְּנֵךְ לְחָרְבָּה...לְעֵינֵי כָּל־עוֹבֵר Ezek. 5:14
191 וְהָיְתָה שְׁמָמָה מִבְּלִי עוֹבֵר Ezek. 14:15

עֹבֵר (המשך)
192 וַתִּשְׁפְּכִי...עַל־כָּל־עוֹבֵר Ezek. 16:15
193 וַתְּפַשְּׂקִי...רַגְלַיִךְ לְכָל־עוֹבֵר Ezek. 16:25
194 וְשָׁמְמוּ הָרֵי יִשְׂרָאֵל מֵאֵין עוֹבֵר Ezek. 33:28
195 וְהִכְרַתִּי מִמֶּנּוּ עֹבֵר וָשָׁב Ezek. 35:7
196 שְׁמָמָה לְעֵינֵי כָּל־עוֹבֵר Ezek. 36:34
197 וּבְשֶׁטֶף עֹבֵר כָּלָה יַעֲשֶׂה מְקוֹמָהּ Nah. 1:8
198 כֹּל עוֹבֵר עָלֶיהָ יִשְׁרֹק Zep. 2:15
199 הֶחֱרַבְתִּי חוּצוֹתָם מִבְּלִי עוֹבֵר Zep. 3:6
200 עֹבֵר אָרְחוֹת יַמִּים Ps. 8:9
201 יָמָיו כְּצֵל עוֹבֵר Ps. 144:4
202 עֹבֵר בַּשּׁוּק אֵצֶל פִּנָּהּ Prov. 7:8
203 עֹבֵר מִתְעַבֵּר עַל־רִיב לֹּא־לוֹ Prov. 26:17
204 וְאֶצְבְּעֹתַי מוֹר עֹבֵר S.ofS. 5:5
205 שׁוֹשַׁנִּים נֹטְפוֹת מוֹר עֹבֵר S.ofS. 5:13
206 וְהִנֵּה הַגֹּאֵל עֹבֵר Ruth 4:1
207 מַדּוּעַ אַתָּה עוֹבֵר אֵת מִצְוַת הַמֶּלֶךְ Es. 3:3
208 לְכָל־עֹבֵר עָלָיו יִשֹּׁם IICh. 7:21
וְעֹבֵר 209 נֹשֵׂא עָוֹן וְעֹבֵר עַל־פֶּשַׁע Mic. 7:18
הָעֹבֵר 210/1 כָּל(־)הָעֹבֵר עַל־הַפְּקֻדִים Ex. 30:13, 14
212 לְכֹל הָעֹבֵר עַל־הַפְּקֻדִים Ex. 38:26
213 כִּי יְיָ אֱלֹהֶיךָ הוּא־הָעֹבֵר לְפָנֶיךָ Deut. 9:3
מֵעֹבֵר 214 וְהָאָרֶץ נָשַׁמָּה...מֵעֹבֵר וּמִשָּׁב Zech. 7:14
215 וְחָנִיתִי לְבֵיתִי מִצָּבָה מֵעֹבֵר וּמִשָּׁב Zech. 9:8
עֹבְרִים 216 לָמָּה זֶּה אַתֶּם עֹבְרִים אֶת־פִּי יְיָ Num. 14:41
217/8 אַתֶּם עֹבְרִים אֶת־הַיַּרְדֵּן Num. 33:51; 35:10
219 אַתֶּם עֹבְרִים בִּגְבוּל אֲחֵיכֶם Deut. 2:4
220-223 אֲשֶׁר אַתֶּם עֹבְרִים שָׁמָּה לְרִשְׁתָּהּ Deut. 4:14; 6:1; 11:8, 11
224 וְאַתֶּם עֹבְרִים וִירִשְׁתֶּם אֶת־הָאָ׳ Deut. 4:22
225-228 עֹבְרִים אֶת־הַיַּרְדֵּן Deut. 4:26 11:31; 31:13; 32:47
229 אַתֶּם עֹבְרִים אֶת־הַיַּרְדֵּן הַזֶּה Josh. 1:11
230 וְכָל־יִשְׂרָאֵל עֹבְרִים בֶּחָרָבָה Josh. 3:17
231 עֹבְרִים אֲנַחְנוּ מִבֵּית־לֶחֶם Jud. 19:18
232 הִנֵּה אֲנַחְנוּ עֹבְרִים אֶל־הָאֲנָשִׁים ISh. 14:8
233 וְסַרְנֵי פְלִשְׁתִּים עֹבְרִים לְמֵאוֹת... ISh. 29:2
234 וְדָוִד וַאֲנָשָׁיו עֹבְרִים בָּאַחֲרֹנָה ISh. 29:2
235 וְכָל־עֲבָדָיו עֹבְרִים עַל־יָדוֹ IISh. 15:18
236 הַגִּתִּים...עֹבְרִים עַל־פְּנֵי הַמֶּלֶךְ IISh. 15:18
237-238 וְכָל־הָעָם עֹבְרִים IISh. 15:23²
239 וַיַּרְא אֶת־הַמֶּלֶךְ...עֹבְרִים עָלָיו IISh. 24:20
240 וְהִנֵּה אֲנָשִׁים עֹבְרִים וַיִּרְאוּ... IK. 13:25
241 וְאַנְשֵׁי תָמִיד יַבְדִּילוּ עֹבְרִים בָּאָ׳ Ezek. 39:14
242 וְשֹׂכֵר כְּסִיל וְשֹׂכֵר עֹבְרִים Prov. 26:10
243 לָמָה אַתֶּם עֹבְרִים אֶת־מִצְוֹת יְיָ IICh. 24:20
244 וַיִּהְיוּ הָרָצִים עֹבְרִים מֵעִיר לָעִי׳ IICh. 30:10
הָעֹבְרִים 245 הָאֲנָשִׁים הָעֹבְרִים אֶת־בְּרִתִי Jer. 34:18
246 הָעֹבְרִים בֵּין בִּתְרֵי הָעֵגֶל Jer. 34:19
247 גֵּי הָעֹבְרִים קִדְמַת הַיָּם Ezek. 39:11
248 וְחֹסֶמֶת הִיא אֶת־הָעֹבְרִים Ezek. 39:11
249 מְקַבְּרִים אֶת־הָעֹבְרִים Ezek. 39:14
250 וְעָבְרוּ הָעֹבְרִים בָּאָרֶץ Ezek. 39:15
251 וְלֹא אָמְרוּ הָעֹבְרִים בִּרְכַּת יְיָ Ps. 129:8
לַעֹבְרִים 252 וַתָּשִׂימִי כָאָרֶץ גֵּוֵךְ וְכַחוּץ לַעֹבְרִים Is. 51:23
מֵעֹבְרִים 253 מֵעֹבְרִים בֶּטַח שׁוּבֵי מִלְחָמָה Mic. 2:8
עֹבְרֵי 254 וְאָרוּהָ כָּל־עֹבְרֵי דָרֶךְ Ps. 80:13
255 עֹבְרֵי בְּעֵמֶק הַבָּכָא Ps. 84:7
256 שַׁסֻּהוּ כָּל־עֹבְרֵי דָרֶךְ Ps. 89:42
257 לוֹא אֲלֵיכֶם כָּל־עֹבְרֵי דֶרֶךְ Lam. 1:12
258 סָפְקוּ...כַּפַּיִם כָּל־עֹבְרֵי דֶרֶךְ Lam. 2:15
259 הֲלֹא שְׁאֶלְתֶּם עוֹבְרֵי דָרֶךְ Job 21:29
לְעֹבְרֵי־ 260 לִקְרֹא לְעֹבְרֵי־דָרֶךְ Prov. 9:15

אֶעֱבֹר 261 אֶעֱבֹר בְּכָל־צֹאנְךָ הַיּוֹם Gen. 30:32
262 לֹא־אֶעֱבֹר אֵלֶיךָ אֶת־הַגַּל Gen. 31:52
263 עַד אֲשֶׁר־אֶעֱבֹר אֶת־הַיַּרְדֵּן Deut. 2:29
264 כִּי־אֶעֱבֹר בְּקִרְבְּךָ אָמַר יְיָ Am. 5:17
265 כִּי אֶעֱבֹר בַּסָּךְ Ps. 42:5
266 יַחַד אָנֹכִי עַד־אֶעֱבוֹר Ps. 141:10
267 אָרְחִי גָדַר וְלֹא אֶעֱבוֹר Job 19:8
268 וַתֹּאמְרִי לֹא אֶעֱבוֹר (כ׳ אעבוד) Jer. 2:20
וָאֶעֱבֹר 269/70 וָאֶעֱבֹר עָלַיִךְ וָאֶרְאֵךְ Ezek. 16:6, 8
271 וָאֶעֱבֹר אֶל־שַׁעַר הָעַיִן Neh. 2:14
אֶעְבְּרָה 272 אֶעְבְּרָה בְאַרְצֶךָ לֹא נִטֶּה בְּשָׂדֶה Num. 21:22
273 אֶעְבְּרָה בְאַרְצֶךָ...בַּדֶּרֶךְ אֵלֵךְ Deut. 2:27
274 רַק אֶעְבְּרָה בְרַגְלָי Deut. 2:28
275 אֶעְבְּרָה־נָּא וְאֶרְאֶה אֶת־הָאָרֶץ Deut. 3:25
276 אֶעְבְּרָה־נָּא בְאַרְצֶךָ Jud. 11:17
277 אֶעְבְּרָה־נָּא וְאָסִירָה אֶת־רֹאשׁוֹ IISh. 16:9
אֶעֱבֹרָה 278 רַק אֵין־דָּבָר בְּרַגְלַי אֶעֱבֹרָה Num. 20:19
279 וְהָיָה כִּי יֹאמְרוּ...אֶעֱבֹרָה Jud. 12:5
וָאֶעְבְּרָה 280 וָאֶעְבְּרָה אֶל־בְּנֵי עַמּוֹן Jud. 12:3
תַּעֲבֹר 281 אַל־נָא תַעֲבֹר מֵעַל עַבְדֶּךָ Gen. 18:3
282 לֹא־תַעֲבֹר אֵלַי אֶת־הַגַּל הַזֶּה Gen. 31:52
283 וַיֹּאמֶר...אֱדוֹם לֹא תַעֲבֹר בִּי Num. 20:18
284 וַיֹּאמֶר לֹא תַעֲבֹר Num. 20:20
285/6 לֹא תַעֲבֹר אֶת־הַיַּרְדֵּן הַזֶּה Deut. 3:27; 31:2
287 וְשָׁמָּה לֹא תַעֲבֹר Deut. 34:4
288 אַל־תָּלֶן...וְגַם עָבוֹר תַּעֲבוֹר IISh. 17:16
289 כִּי־תַעֲבֹר בַּמַּיִם אִתְּךָ אָנִי Is. 43:2
תַּעֲבָר־ 290 פְּרָעֵהוּ אַל־תַּעֲבָר־בּוֹ Prov. 4:15
תַּעֲבוּרִי 291 וְגַם לֹא תַעֲבוּרִי מִזֶּה Ruth 2:8
יַעֲבֹר 292 עַד־יַעֲבֹר עַמְּךָ יְיָ Ex. 15:16
293 עַד־יַעֲבֹר עַם־זוּ קָנִיתָ Ex. 15:16
294 כֹּל אֲשֶׁר־יַעֲבֹר תַּחַת הַשָּׁבֶט Lev. 27:32
295 תַּעַר לֹא־יַעֲבֹר עַל־רֹאשׁוֹ Num. 6:5
296 כִּי־הוּא יַעֲבֹר לִפְנֵי הָעָם Deut. 3:28
297 וְלֹא־יַעֲבֹר עָלָיו לְכָל־דָּבָר Deut. 24:5
298 וְהֶחָלוּץ יַעֲבֹר לִפְנֵי אֲרוֹן יְיָ Josh. 6:7
299 כָּל־אֲשֶׁר־יַעֲבֹר עֲלֵיהֶם בַּדָּרֶךְ Jud. 9:25
300 כִּמְעַט יַעֲבֹר עַבְדְּךָ אֶת־הַיַּרְדֵּן IISh. 19:37
301 וְהִנֵּה עַבְדְּךָ כִמְהָם יַעֲבֹר IISh. 19:38
302 אִתִּי יַעֲבֹר כִּמְהָם IISh. 19:39
303 שׁוֹט׳ שׁוֹטֵף כִּי־יַעֲבֹר (כת׳ עבר) Is. 28:15
304 שׁוֹט שׁוֹטֵף כִּי יַעֲבֹר Is. 28:18
305 כִּי־בַבֹּקֶר בַּבֹּקֶר יַעֲבֹר Is. 28:19
306 וְסַלְעוֹ מִמָּגוֹר יַעֲבוֹר Is. 31:9
307 וּמֵאֱלֹהַי מִשְׁפָּטִי יַעֲבוֹר Is. 40:27
308 יִרְדְּפֵם יַעֲבוֹר שָׁלוֹם Is. 41:3
309 וְלֹא־יַעֲבֹר בָּהֵן בֶּן־אָדָם Jer. 51:43
310 מָתַי יַעֲבֹר הַחֹדֶשׁ וְנַשְׁבִּירָה שֶּׁבֶר Am. 8:5
311 וְלֹא־יַעֲבֹר עֲלֵיהֶם עוֹד נֹגֵשׂ Zech. 9:8
312 וּבְצֵל...אֶחְסֶה עַד יַעֲבֹר הַוּוֹת Ps. 57:2
313 כְּיוֹם אֶתְמוֹל כִּי יַעֲבֹר Ps. 90:4
314 חָק־נָתַן וְלֹא יַעֲבוֹר Ps. 148:6
315 הֵן יַעֲבֹר עָלַי וְלֹא אֶרְאֶה Job 9:11
316 חֻקּוֹ עָשִׂיתָ וְלֹא יַעֲבֹר Job 14:5
317 וְיִכָּתֵב בְּדָתֵי פָרַס...וְלֹא יַעֲבוֹר Es. 1:19
318 קִיְּמוּ וְקִבְּלוּ...וְלֹא יַעֲבוֹר Es. 9:27
יַעֲבָר־ 319 יַעֲבָר־נָא אֲדֹנִי לִפְנֵי עַבְדּוֹ Gen. 33:14
320 מִי יַעֲבָר־לָנוּ אֶל־עֵבֶר הַיָּם Deut. 30:13
321 חֲבִי...עַד־יַעֲבָר־(כ׳ יעבור) זָעַם Is. 26:20
322 וְדֶבֶר וָדָם יַעֲבָר־בָּךְ Ezek. 5:17
323 זַמֹּתִי בַּל־יַעֲבָר־פִּי Ps. 17:3
וְיַעֲבֹר 324 אֱמֹר לַנַּעַר וְיַעֲבֹר לְפָנֵינוּ ISh. 9:27

325 וְיַעֲבֹר אֶחָד מֵהַנְּעָרִים וְיִקָּחֶהָ ISh. 26:22
326 וַאֲדַבְּרָה־אָנִי וְיַעֲבֹר עָלַי מָה Job 13:13
וַיַּעֲבֹר 327 וַיַּעֲבֹר אַבְרָם בָּאָרֶץ Gen. 12:6
328 וַיָּקָם וַיַּעֲבֹר אֶת־הַנָּהָר Gen. 31:21
329 וַיַּעֲבֹר אֵת מַעֲבַר יַבֹּק Gen. 32:23
330 וַיַּעֲבֹר בְּכָל־אֶרֶץ מִצְרָיִם Gen. 41:46
331 וַיַּעֲבֹר יְיָ עַל־פָּנָיו וַיִּקְרָא Ex. 34:6
332 וַיַּעֲבֹר אֲרוֹן־יְיָ...לִפְנֵי הָעָם Josh. 4:11
333 וַיַּעֲבֹר יְהוֹשֻׁעַ...מִמַּקֵּדָה לִבְנָה Josh. 10:29
334 וַיַּעֲבֹר יְהוֹשֻׁעַ...מִלִּבְנָה לָכִישָׁה Josh. 10:31
335 וַיַּעֲבֹר יְהוֹשֻׁעַ...מִלָּכִישׁ עֶגְלֹנָה Josh. 10:34
336 וַיַּעֲבֹר אֶת־הַגִּלְעָד וְאֶת־מְנַשֶּׁה Jud. 11:29
337 וַיַּעֲבֹר אֶת־מִצְפֵּה גִלְעָד Jud. 11:29
338 וַיַּעֲבֹר יִפְתָּח אֶל־בְּנֵי עַמּוֹן Jud. 11:32
339 וַיִּצָּעֵק...וַיַּעֲבֹר צָפוֹנָה Jud. 12:1
340 וַיַּעֲבֹר בְּהַר־אֶפְרַיִם ISh. 9:4
341 וַיַּעֲבֹר בְּאֶרֶץ־שָׁלִשָׁה ISh. 9:4
342 וַיַּעֲבֹר בְּאֶרֶץ־יְמִינִי וְלֹא מָצָאוּ ISh. 9:4
343 אֱמֹר לַנַּעַר...וַיַּעֲבֹר ISh. 9:27
344 וַיִּסֹּב וַיַּעֲבֹר וַיֵּרֶד הַגִּלְגָּל ISh. 15:12
345 וַיַּעֲבֹר דָּוִד הָעֵבֶר ISh. 26:13
346 וַיָּקָם דָּוִד וַיַּעֲבֹר הוּא וְשֵׁשׁ־מֵאוֹת אִישׁ ISh.27:2
347 וַיַּעֲבֹר אֶת־הַיַּרְדֵּן IISh. 10:17
348 וַיַּעֲבֹר הָאֵבֶל וַיִּשְׁלַח דָּוִד IISh. 11:27
349 וַיַּעֲבֹר אִתַּי הַגִּתִּי וְכָל־אֲנָשָׁיו IISh. 15:22
350 וַיָּרָץ...וַיַּעֲבֹר אֶת־הַכּוּשִׁי IISh. 18:23
351 וַיַּעֲבֹר אֶת־הַמֶּלֶךְ הַיַּרְדֵּן IISh. 19:32
352 וַיַּעֲבֹר כָּל־הָעָם אֶת־הַיַּרְדֵּן IISh. 19:40
353 וַיַּעֲבֹר הַמֶּלֶךְ הַגִּלְגָּלָה IISh. 19:41
354 וַיַּעֲבֹר בְּכָל־שִׁבְטֵי יִשְׂרָאֵל IISh. 20:14
355 וַיַּעֲבֹר אֵלִיָּהוּ אֵלָיו IK. 19:19
356 וַיַּעֲבֹר הָרִנָּה בַּמַּחֲנֶה...לֵאמֹר IK. 22:36
357 וַיֵּחָצוּ הֵנָּה וָהֵנָּה וַיַּעֲבֹר אֱלִישָׁע IIK. 2:14
358 וַיַּעֲבֹר אֱלִישָׁע אֶל־שׁוּנֵם IIK. 4:8
359 וַיַּעֲבֹר יוֹרָם צָעִירָה IIK. 8:21
360 וַיַּעֲבֹר מַלְכָּם לִפְנֵיהֶם Mic. 2:13
361 אָז חָלַף רוּחַ וַיַּעֲבֹר וְאָשֵׁם Hab. 1:11
362 וַיַּעֲבֹר וְהִנֵּה אֵינֶנּוּ... Ps. 37:36
363 וַיַּעֲבֹר מָרְדֳּכָי וַיַּעַשׂ כְּכֹל אֲשֶׁר... Es. 4:17
364 וַיַּעֲבֹר הַיַּרְדֵּן וַיָּבֹא אֲלֵהֶם ICh. 19:17
365 וַיַּעֲבֹר יְהוֹרָם עִם־שָׂרָיו IICh. 21:9
יַעַבְרֶנּוּ 366 וְצִי אַדִּיר לֹא יַעַבְרֶנּוּ Is. 33:21
367 לֹא־יַעַבְרֶנּוּ טָמֵא וְהוּא־לָמוֹ Is. 35:8
יַעַבְרֶנְהוּ 368 חָק־עוֹלָם וְלֹא יַעַבְרֶנְהוּ Jer. 5:22
תַּעֲבֹר 369 וְחֶרֶב לֹא־תַעֲבֹר בְּאַרְצְכֶם Lev. 26:6
370 אֲשֶׁר תַּעֲבֹר עָלָיו רוּחַ קִנְאָה Num. 5:30
371 וְאָמַרְתִּי חֶרֶב תַּעֲבֹר בָּאָרֶץ Ezek. 14:17
תַּעֲבָר־ 372 לֹא תַעֲבָר־בָּהּ רֶגֶל אָדָם Ezek. 29:11
373 וְרֶגֶל בְּהֵמָה לֹא תַעֲבָר־בָּהּ Ezek. 29:11
374 גַּם־עָלַיִךְ תַּעֲבָר־כּוֹס Lam. 4:21
וַתַּעֲבֹר 375 וַתַּעֲבֹר הַמִּנְחָה עַל־פָּנָיו Gen. 32:21
376/7 וַתַּעֲבֹר חַיַּת הַשָּׂדֶה IIK. 14:9 • IICh. 25:18
נַעֲבֹר 378 לֹא נַעֲבֹר בְּשָׂדֶה וּבְכֶרֶם Num. 20:17
379-380 עַד אֲשֶׁר־נַעֲבֹר גְּבֻלֶךָ Num. 20:17; 21:22
381 נַחְנוּ נַעֲבֹר חֲלוּצִים לִפְנֵי יְיָ Num. 32:32
וַנַּעֲבֹר 382 וַנַּעֲבֹר מֵאֵת אַחֵינוּ בְנֵי־עֵשָׂו Deut. 2:8
383 וַנֵּפֶן וַנַּעֲבֹר דֶּרֶךְ מִדְבַּר מוֹאָב Deut. 2:8
384 וַנַּעֲבֹר אֶת־נַחַל זָרֶד Deut. 2:13
נַעְבְּרָה־ 385 נַעְבְּרָה־נָּא בְאַרְצֶךָ Num. 20:17
386 נַעְבְּרָה־נָּא בְאַרְצְךָ עַד־מְקוֹמִי Jud. 11:19
וְנַעְבְּרָה 387 לְכָה וְנַעְבְּרָה אֶל־מַצַּב פְּלִשְׁתִּים ISh.14:1
388 לְכָה וְנַעְבְּרָה אֶל־מַצַּב הָעֲרֵלִים ISh. 14:6

וְנַעֲבֹרָה	389	אֲשֶׁר־אָמְרוּ לְנַפְשֵׁךְ שְׁחִי וְנַעֲבֹרָה	Is. 51:23
תַּעַבְרוּ	390	חֲלוּצִים תַּעַבְרוּ לִפְנֵי אֲחֵיכֶם	Deut. 3:18
	391	בַּיּוֹם אֲשֶׁר תַּעַבְרוּ אֶת־הַיַּרְדֵּן	Deut. 27:2
	392	תַּעַבְרוּ חֲמֻשִׁים לִפְנֵי אֲחֵיכֶם	Josh. 1:14
תַּעֲבֹרוּ	393	וְסַעֲדוּ לִבְּכֶם אַחַר תַּעֲבֹרוּ	Gen. 18:5
	394	וּבְאֵר שֶׁבַע לֹא תַעֲבֹרוּ	Am. 5:5
וַתַּעַבְרוּ	395	וַתַּעַבְרוּ אֶת־הַיַּרְדֵּן	Josh. 24:11
יַעַבְרוּ	396	וַעֲבָדֶיךָ יַעַבְרוּ כָּל־חֲלוּץ צָבָא	Num. 32:27
	397	אִם־יַעַבְרוּ בְנֵי־גָד...אִתְּכֶם	Num. 32:29
	398	וְאִם־לֹא יַעַבְרוּ חֲלוּצִים	Num. 32:30
	399	וּבְשַׂר־קֹדֶשׁ יַעַבְרוּ מֵעָלָיִךְ	Jer. 11:15
	400	וְזָרִים לֹא־יַעַבְרוּ־בָהּ	Joel 4:17
	401	בַּנָּהָר יַעַבְרוּ בְרָגֶל	Ps. 66:6
	402	וּמַיִם לֹא יַעַבְרוּ־פִיו	Prov. 8:29
	403	לֹא יַעַבְרוּ מִתּוֹךְ הַיְּהוּדִים	Es. 9:28
יַעֲבֹרוּ	404	וַיָּלִנוּ שָׁם טֶרֶם יַעֲבֹרוּ	Josh. 3:1
	405	עָלַיִךְ יַעֲבֹרוּ וְלָךְ יִהְיוּ	Is. 45:14
	406	אַחֲרַיִךְ יֵלֵכוּ בַּזִּקִּים יַעֲבֹרוּ	Is. 45:14
	407	כַּאֲפִיק נְחָלִים יַעֲבֹרוּ	Job 6:15
	408	וְאִם־לֹא יִשְׁמְעוּ בְּשֶׁלַח יַעֲבֹרוּ	Job 36:12
וְיַעֲבֹרוּ	409	יְגֹעֲשׁוּ עָם וְיַעֲבֹרוּ	Job 34:20
וַיַּעַבְרוּ	410	וַיַּעַבְרוּ אֲנָשִׁים מִדְיָנִים סֹחֲרִים	Gen. 37:28
	411	וַיַּעַבְרוּ יְמֵי בְכִיתוֹ	Gen. 50:4
	412	וַיַּעַבְרוּ בְתוֹךְ־הַיָּם הַמִּדְבָּרָה	Num. 33:8
	413	וַיַּעַבְרוּ וַיָּבֹאוּ אֶל־יְהוֹשֻׁעַ...	Josh. 2:23
	414	וַיַּעַבְרוּ הַשֹּׁטְרִים בְּקֶרֶב הַמַּחֲנֶה	Josh. 3:2
	415	וַיַּעַבְרוּ בְּנֵי־רְאוּבֵן...לִפְנֵי בְּ״יְ	Josh. 4:12
	416	וַיַּעַבְרוּ בָאָרֶץ וַיִּכְתְּבוּהָ לֶעָרִים	Josh. 18:9
	417	וַיַּעַבְרוּ וַיַּחֲנוּ בְּעֵמֶק יִזְרְעֶאל	Jud. 6:33
	418	וַיָּבֹא גַּעַל...וְאֶחָיו וַיַּעַבְרוּ בִּשְׁכֶם	Jud. 9:26
	419	וַיַּעַבְרוּ בְנֵי־עַמּוֹן אֶת־הַיַּרְדֵּן	Jud. 10:9
	420	וַיַּעַבְרוּ מִשָּׁם הַר־אֶפְרָיִם	Jud. 18:13
	421	וַיַּעַבְרוּ וַיֵּלֵכוּ...	Jud. 19:14
	422	וַיַּעַבְרוּ בְאֶרֶץ שַׁעֲלִים וָאַיִן	ISh. 9:4
	423	וַיָּקֻמוּ וַיַּעַבְרוּ בְמִסְפָּר	IISh. 2:15
	424־426	וַיַּעַבְרוּ אֶת־הַיַּרְ׳	IISh. 2:29; 17:22;24:5
	427	וַיַּעַבְרוּ שְׁנֵיהֶם בֶּחָרָבָה	IIK. 2:8
	428	וַיַּעַבְרוּ אֶת־בְּרִיתוֹ	IIK. 18:12
	429	וַיַּעַבְרוּ בֵּין בְּתָרָיו	Jer. 34:18
	430	וַיַּעַבְרוּ בְתוֹךְ־הַיָּם בַּיַּבָּשָׁה	Neh. 9:11
וַיַּעֲבֹרוּ	431	וַיְמַהֲרוּ הָעָם וַיַּעֲבֹרוּ	Josh. 4:10
	432	פָּרְצוּ וַיַּעֲבֹרוּ שַׁעַר וַיֵּצְאוּ בוֹ	Mic. 2:13
יַעֲבֹרוּן	433	גְּבוּל־שַׂמְתָּ בַּל־יַעֲבֹרוּן	Ps. 104:9
יַעַבְרוּנְהוּ	434	וְהָמוּ גַלָּיו וְלֹא־יַעַבְרֻנְהוּ	Jer. 5:22
יַעַבְרוּם	435	וָאֶתֵּן לָהֶם יַעַבְרוּם	Jer. 8:13
תַּעֲבֹרְנָה	436	עֹד תַּעֲבֹרְנָה הַצֹּאן עַל־יְדֵי מוֹנֶה	Jer. 33:13
	437	כַּפָּיו מִדּוּד תַּעֲבֹרְנָה	Ps. 81:7
עֲבֹר	438	עֲבֹר לִפְנֵי הָעָם	Ex. 17:5
	439	קוּם עֲבֹר אֶת־הַיַּרְדֵּן הַזֶּה	Josh. 1:2
	440	אַתָּה עֲבֹר אִתִּי וְכִלְכַּלְתִּי אֹתְךָ	IISh. 19:34
	441	עֲבֹר בְּתוֹךְ הָעִיר בְּתוֹךְ יְרוּשָׁלָ͏ִם	Ezek. 9:4
וַעֲבֹר	442	וַיֹּאמֶר דָּוִד אֶל־אִתַּי לֵךְ וַעֲבֹר	IISh. 15:22
	443	שְׂטֵה מֵעָלָיו וַעֲבֹר	Prov. 4:15
עִבְרִי	444	עִבְרִי אַרְצֵךְ כַּיְאֹר בַּת־תַּרְשִׁישׁ	Is. 23:10
	445	גַּלִּי־שׁוֹק עִבְרִי נְהָרוֹת	Is. 47:2
	446	עִבְרִי לָכֶם יוֹשֶׁבֶת שָׁפִיר	Mic. 1:11
עֲבֹרִי	447	כִּתִּים° קוּמִי עֲבֹרִי	Is. 23:12
עִבְרוּ	448	וַיֹּאמֶר אֶל־עֲבָדָיו עִבְרוּ לְפָנַי	Gen. 32:16
	449	עִבְרוּ וָשׁוּבוּ מִשַּׁעַר לָשַׁעַר	Ex. 32:27
	450	עִבְרוּ בְּקֶרֶב הַמַּחֲנֶה	Josh. 1:11
	451	עִבְרוּ לִפְנֵי אֲרוֹן יְיָ אֱלֹהֵיכֶם	Josh. 4:5
	452	עִבְרוּ וְסֹבּוּ אֶת־הָעִיר	Josh. 6:7
עִבְרוּ (המשך)	453	עִבְרוּ לָכֶם אֶל־אֶרֶץ אֲחֻזַּת יְיָ	Josh. 22:19
	454	עִבְרוּ לְפָנַי הִנְנִי אַחֲרֵיכֶם בָּאָה	ISh. 25:19
	455	עִבְרוּ תַּרְשִׁישָׁה הֵילִילוּ יֹשְׁבֵי אִי	Is. 23:6
	456/7	עִבְרוּ עִבְרוּ בַּשְּׁעָרִים	Is. 62:10
	458	כִּי עִבְרוּ אִיֵּי כִתִּיִּים וּרְאוּ	Jer. 2:10
	459	עִבְרוּ בָעִיר אַחֲרָיו וְהַכּוּ	Ezek. 9:5
	460	עִבְרוּ כַלְנֵה וּרְאוּ...	Am. 6:2
וְעִבְרוּ	461	קֻמוּ וְעִבְרוּ לָכֶם אֶת־נַחַל זָרֶד	Deut. 2:13
	462	קוּמוּ סְּעוּ וְעִבְרוּ אֶת־נַחַל אַרְנֹן	Deut. 2:24
	463	שְׂאוּ...וְעִבְרוּ לִפְנֵי הָעָם	Josh. 3:6
	464	קוּמוּ וְעִבְרוּ מְהֵרָה אֶת־הַמַּיִם	IISh. 17:21
יֵעָבֵר	465	נַחַל אֲשֶׁר לֹא־יֵעָבֵר	Ezek. 47:5
עִבַּר	466	שׁוֹרוֹ עִבַּר וְלֹא יַגְעִל	Job 21:10
וַיְעַבֵּר	467	וַיְעַבֵּר בְּרַתּוּקוֹת° זָהָב	IK. 6:21
הַעֲבִיר	468	לָמָה הֶעֱבַרְתָּ הַעֲבִיר...אֶת־הַיַּרְדֵּן	Josh. 7:7
בְּהַעֲבִיר	469	וַתִּתְּנִים בְּהַעֲבִיר אוֹתָם לָהֶם	Ezek. 16:21
	470	בְּהַעֲבִיר כָּל־פֶּטֶר רָחַם	Ezek. 20:26
	471	בְּהַעֲבִיר בְּנֵיכֶם בָּאֵשׁ	Ezek. 20:31
לְהַעֲבִיר	472	וּמִזַּרְעֲךָ לֹא־תִתֵּן לְהַעֲבִיר לַמֹּלֶךְ	Lev. 18:21
	473	לְהַעֲבִיר הַמַּמְלָכָה מִבֵּית שָׁאוּל	IISh. 3:10
	474	לְהַעֲבִיר אֶת־הַמֶּלֶךְ אֶת־הַיַּרְ׳	IISh. 19:16
	475	לְהַעֲבִיר אִישׁ אֶת־בְּנוֹ...בָּאֵשׁ לַמֹּלֶ׳	IIK. 23:10
	476	לְהַעֲבִיר אֶת־בְּנֵיהֶם...לַמֹּלֶךְ	Jer. 32:35
	477	לְהַעֲבִיר אֶת־רָעַת הָמָן	Es. 8:3
	478	לְהַעֲבִיר קוֹל בְּכָל־יִשְׂרָאֵל	IICh. 30:5
לַעֲבִיר	479	...לַעֲבִיר אֶת־בֵּית הַמֶּלֶךְ	IISh. 19:19
לְהַעֲבִירוֹ	480	וְהוּא־יָרָה הַחֵצִי לְהַעֲבִרוֹ	ISh. 20:36
הַעֲבִירֵנוּ	481	וְלֹא אָבָה סִיחֹן...הַעֲבִרֵנוּ בּוֹ	Deut. 2:30
הֶעֱבַרְתִּי	482	רְאֵה הֶעֱבַרְתִּי מֵעָלֶיךָ עֲוֹנֶךָ	Zech. 3:4
וְהַעֲבַרְתִּי	483	וְהַעֲבַרְתִּי אֶת־אֹיְבֶיךָ בְּאֶרֶץ לֹא יָדָעְתָּ	Jer. 15:14
	484	וְהַעֲבַרְתִּי אֶתְכֶם תַּחַת הַשָּׁבֶט	Ezek. 20:37
הֶעֱבַרְתָּ	485	לָמָה הֶעֱבַרְתָּ הַעֲבִיר...אֶת־הַיַּרְדֵּן	Josh. 7:7
וְהַעֲבַרְתָּ	486	וְהַעֲבַרְתָּ כָל־פֶּטֶר־רֶחֶם לַייָ	Ex. 13:12
	487	וְהַעֲבַרְתָּ שׁוֹפַר תְּרוּעָה	Lev. 25:9
	488	וְהַעֲבַרְתָּ אֶת־נַחֲלַת אֲבִיהֶן לָהֶן	Num. 27:7
	489	תַּעַר הַגַּלָּבִים...וְהַעֲבַרְתָּ עַל־רֹאשְׁךָ	Ezek. 5:1
הֶעֱבִיר	490	וְאֶת־הָעָם הֶעֱבִיר אֹתוֹ לֶעָרִים	Gen. 47:21
	491	גַּם־יְיָ הֶעֱבִיר חַטָּאתְךָ	IISh. 12:13
	492	וְגַם אֶת־בְּנוֹ הֶעֱבִיר בָּאֵשׁ	IIK. 16:3
	493	פַּרְעֹה...הֶעֱבִיר הַמּוֹעֵד	Jer. 46:17
	494	אֶת־טַבַּעְתּוֹ אֲשֶׁר הֶעֱבִיר מֵהָמָן	Es. 8:2
	495	וְהוּא הֶעֱבִיר אֶת־בָּנָיו בָּאֵשׁ	IICh. 33:6
וְהֶעֱבִיר	496	וְהֶעֱבִיר אוֹתָם בַּמַּלְבֵּן°	IISh. 12:31
	497	וְהֶעֱבִיר אֶת־בְּנוֹ בָּאֵשׁ	IIK. 21:6
	498	וְהֶעֱבִיר יִשְׂרָאֵל בְּתוֹכוֹ	Ps. 136:14
וְהֶעֱבִירַנִי	499	וְהֶעֱבִירַנִי עֲלֵיהֶם סָבִיב	Ezek. 37:2
וְהַעֲבַרְתֶּם	500	וְהַעֲבַרְתֶּם אֶת־נַחֲלָתוֹ לְבִתּוֹ	Num. 27:8
	501	וְהַעֲבַרְתֶּם אוֹתָם עִמָּכֶם	Josh. 4:3
הֶעֱבִירוּ	502	הֶעֱבִירוּ (כת׳ ויעבירו) אֶת־הַמֶּלֶ׳	IISh. 19:41
	503	אֶת־בְּנֵיהֶן...הֶעֱבִירוּ לָהֶם לְאָכְלָ׳	Ezek. 23:37
וְהֶעֱבִירוּ	504	וְהֶעֱבִירוּ תַעַר עַל־כָּל־בְּשָׂרָם	Num. 8:7
מַעֲבִיר	505	מַעֲבִיר בְּנוֹ־וּבִתּוֹ בָּאֵשׁ	Deut. 18:10
	506	מַעֲבִיר נוֹגֵשׂ הֶדֶר מַלְכוּת	Dan. 11:20
מַעֲבִרִים	507	לוֹא־טוֹבָה הַשְּׁמֻעָה..מַעֲבִרִים עַם־יְיָ	ISh. 2:24
אַעֲבִיר	508	אֲנִי אַעֲבִיר כָּל־טוּבִי עַל־פָּנֶיךָ	Ex. 33:19
	509	לוּ־חַיָּה רָעָה אַעֲבִיר בָּאָרֶץ	Ezek. 14:15
	510	וְאֶת־רוּחַ הַטֻּמְאָה אַעֲבִיר מִן הָאָ׳	Zech. 13:2
וְתַעֲבִיר	511	וְתַעֲבִיר אֶת־עֲוֹנִי	Job 7:21
תַּעֲבִרֵנוּ	512	אַל־תַּעֲבִרֵנוּ אֶת־הַיַּרְדֵּן	Num. 32:5
יַעֲבִיר	513	וְלֹא יַעֲבִיר (כ׳ יעבור) רֵאשִׁית הָאָ׳	Ezek. 48:14
וַיַּעֲבֵר	514	וַיַּעֲבֵר אֱלֹהִים רוּחַ עַל־הָאָרֶץ	Gen. 8:1
וַיַּעֲבֵר (המשך)	515	...וַיַּעֲבֵר אֶת־אֲשֶׁר־לוֹ	Gen. 32:24
	516	וַיַּעֲבֵר יִשַׁי שַׁמָּה	ISh. 16:9
	517	וַיַּעֲבֵר יִשַׁי שִׁבְעַת בָּנָיו	ISh. 16:10
	518	וַיַּעֲבֵר הַקְּדֵשִׁים מִן־הָאָרֶץ	IK. 15:12
	519	וַיַּעֲבֵר אַדַּרְתּוֹ מֵעָלָיו	Jon. 3:6
	520	וַיַּעֲבֵר הַשִּׁקּוּצִים מִכָּל־אֶ׳ יְהוּדָה	IICh. 15:8
וַיַּעֲבֶר־	521/2	וַיַּעֲבֶר־קוֹל בְּכָל־מַלְכוּתוֹ	Ez. 1:1 • IICh. 36:22
וַיַּעֲבִרֵנִי	523	וַיַּעֲבִרֵנִי אֶל־אַרְבַּעַת מִקְצוֹעֵי...	Ezek. 46:21
	524	וַיַּעֲבִרֵנִי בַמַּיִם מֵי אָפְסָיִם	Ezek. 47:3
	525	וַיַּעֲבִרֵנִי בַמַּיִם מַיִם בִּרְכָּיִם	Ezek. 47:4
	526	וַיַּעֲבִרֵנִי מֵי מָתְנָיִם	Ezek. 47:4
וַיַּעֲבִירֵהוּ	527	...וַיַּעֲבִרֵהוּ לִפְנֵי שְׁמוּאֵל	ISh. 16:8
	528	לָקַח...וַיַּעֲבִרֵהוּ מַחֲנָיִם	IISh. 2:8
וַיַּעֲבִירֵם	529	וַיִּקָּחֵם וַיַּעֲבִרֵם אֶת־הַנָּחַל	Gen. 32:23
	530	בָּקַע יָם וַיַּעֲבִירֵם	Ps. 78:13
תַּעֲבִירוּ	531	תַּעֲבִירוּ שׁוֹפָר בְּכָל־אַרְצְכֶם	Lev. 25:9
	532	אֲשֶׁר־יָבֹא בָאֵשׁ תַּעֲבִירוּ בָאֵשׁ	Num. 31:23
	533	לֹא־יָבֹא בָּאֵשׁ תַּעֲבִירוּ בַמָּיִם	Num. 31:23
וְיַעֲבִירוּ	534	יַשְׁמִיעוּ וְיַעֲבִירוּ קוֹל בְּכָל־עָרֵיהֶם	Neh. 8:15
וַיַּעֲבִירוּ	535	וַיַּעֲבִירוּ קוֹל בַּמַּחֲנֶה לֵאמֹר	Ex. 36:6
	536	וַיַּעֲבִרוּ אֶת־הַמֶּלֶךְ...אֶת־הַיַּרְדֵּן	IISh. 19:42
	537	וַיַּעֲבִירוּ אֶת־בְּנֵיהֶם...בָּאֵשׁ	IIK. 17:17
	538	וַיַּעֲבִירוּ קוֹל בִּיהוּדָה...	Ez. 10:7
יַעֲבִירוּנִי	539	יַעֲבִירוּנִי עַד...אָבוֹא אֶל־יְהוּדָה	Neh. 2:7
וַיַּעֲבִירֻהוּ	540	וַיַּעֲבִירֻהוּ עֲבָדָיו מִן־הַמֶּרְכָּבָה	IICh. 35:24
וַיַּעֲבִרוּם	541	וַיַּעֲבִרוּם עִמָּם אֶל־הַמָּלוֹן	Josh. 4:8
הַעֲבֵר	542	הַעֲבֵר עֵינַי מֵרְאוֹת שָׁוְא	Ps. 119:37
	543	הַעֲבֵר חֶרְפָּתִי אֲשֶׁר יָגֹרְתִּי	Ps. 119:39
הַעֲבֶר־	544	הַעֲבֶר־נָא אֶת־עֲוֹן עַבְדְּךָ	IISh. 24:10
	545	הַעֲבֶר־נָא אֶת־עֲוֹן עַבְדְּךָ	ICh. 21:8
וְהַעֲבֵר	546	וְהַעֲבֵר רָעָה מִבְּשָׂרֶךָ	Eccl. 11:10
הַעֲבִירוּנִי	547	הַעֲבִירוּנִי כִּי הָחֳלֵיתִי מְאֹד	IICh. 35:23

(עבר)2 הִתְעַבֵּר הת׳ התקצף: 1־8

קרובים: אָנַף / חָרָה / כָּהָה / כָּעַס / קָצַף / רָגַז

הִתְעַבֵּר 3, 5, 7, 8; הִתְעַבֵּר בְּ־ 2, 6; הִתְעַבֵּר עַל־ 4; הִתְעַבֵּר עִם 1

הִתְעַבַּרְתָּ	1	הִתְעַבַּרְתָּ עִם־מְשִׁיחֶךָ	Ps. 89:39
הִתְעַבָּר	2	וּבְנַחֲלָתוֹ הִתְעַבָּר	Ps. 78:62
מִתְעַבֵּר	3	וּכְסִיל מִתְעַבֵּר וּבוֹטֵחַ	Prov. 14:16
	4	עֹבֵר מִתְעַבֵּר עַל־רִיב לֹא־לוֹ	Prov. 26:17
מִתְעַבְּרוֹ	5	מִתְעַבְּרוֹ חוֹטֵא נַפְשׁוֹ	Prov. 20:2
וַיִּתְעַבֵּר	6	וַיִּתְעַבֵּר יְיָ בִּי לְמַעַנְכֶם	Deut. 3:26
וַיִּתְעַבָּר	7	לָכֵן שָׁמַע יְיָ וַיִּתְעַבָּר	Ps. 78:21
	8	שָׁמַע אֱלֹהִים וַיִּתְעַבָּר	Ps. 78:59

עֵבֶר1 ז׳ צַד: 1־90

קרובים: יָרֵךְ / כָּנָף / כָּתֵף / צַד / צֵלָע / קֶרֶן / רוּחַ

– עֵבֶר הָאֵפוֹד 28, 29; עֵ׳ אַרְנוֹן 73, 77; עֵ׳ בְּנֵי יִשְׂרָאֵל 33; עֵ׳ הַיָּם 75,32; עֵ׳ הַיַּרְדֵּן 30, 31, 36, 44־69, 71, 78; עֵ׳ הַמִּדְבָּר 82; עֵ׳ הַנָּהָר 34, 35, 40־43, 70, 72, 79, 83; עֵ׳ הָעֵמֶק 74; עֵ׳ פָּנָיו 27, 37־39; עֵבֶר הַשְּׂבָכָה 76

– מֵעֵבֶר לְ־(לַ־) 7־26; מֵעֵבֶר לַיָּם 12, 23; מֵעֵבֶר לְיָקְמְעָם 19; מֵעֵ׳ לַיַּרְדֵּן 7־11, 13־18, 24־26; מֵעֵבֶר לַנָּהָר (לַנְּהָרִי) 20־22

– עֶבְרֵי נָהָר 86; עֵ׳ פִּי פַחַת 87

הָעֵבֶר	1	וַיַּעֲבֹר דָּוִד הָעֵבֶר...	ISh. 26:13
מֵהָעֵבֶר	2	שֵׁן־הַסֶּלַע מֵהָעֵבֶר מִזֶּה	ISh. 14:4
	3	וְשֵׁן־הַסֶּלַע מֵהָעֵבֶר מִזֶּה	ISh. 14:4
לְעֵבֶר	4	אַתֶּם תִּהְיוּ לְעֵבֶר אֶחָד	ISh. 14:40

5 וַאֲנִי וְיוֹנָתָן בְּנִי נִהְיֶה לְעֵבֶר אֶחָד ISh. 14:40
מֵעֵבֶר 6 מַצַּב פְּלִשְׁתִּים אֲשֶׁר מֵעֵבֶר הַלָּז ISh. 14:1
7/8 מֵעֵבֶר לְיַרְדֵּן יְרֵחוֹ Num. 22:1; 34:15
9 מֵעֵבֶר לַיַּרְדֵּן וָהָלְאָה Num. 32:19
10 אֲחֻזַּת נַחֲלָתֵנוּ מֵעֵבֶר לַיַּרְדֵּן Num. 32:32
11 שְׁלֹשׁ הֶעָרִים...מֵעֵבֶר לַיַּרְדֵּן Num. 35:14
12 וְלֹא־מֵעֵבֶר לַיָּם הִוא Deut. 30:13
13 מֵעֵבֶר לְיַרְדֵּן יְרִיחוֹ מִזְרָחָה Josh. 13:32
14-18 מֵעֵבֶר לַיַּרְדֵּן Josh. 14:3; 17:5; 18:7 Jud. 7:25 • ICh. 26:30
19 עַד מֵעֵבֶר לְיָקְמְעָם IK. 4:12
20 וְזֵרָם מֵעֵבֶר לַנָּהָר IK. 14:15
21 אֲשֶׁר מֵעֵבֶר לְנַהֲרֵי־כוּשׁ Is. 18:1
22 מֵעֵבֶר לְנַהֲרֵי־כוּשׁ...יוֹבִלוּן מִנְחָתִי Zep. 3:10
23 הָמוֹן רָב מֵעֵבֶר לַיָּם מֵאֲרָם IICh. 20:2
וּמֵעֵבֶר 24 וּמֵעֵבֶר לְיַרְדֵּן יְרִיחוֹ מִזְרָחָה Josh. 20:8
25 וּמֵעֵבֶר לְיַרְדֵּן יְרֵחוֹ לְמִזְרַח הַיּ׳ ICh. 6:63
26 וּמֵעֵבֶר לַיַּרְדֵּן מִן־הָראוּבֵנִי ICh. 12:38
עֵבֶר־ 27 וְהֵאִיר עַל־עֵבֶר פָּנֶיהָ Ex. 25:37
28/9 אֶל־עֵבֶר הָאֵפֹ(ו)ד בָּיְתָה Ex. 28:26; 39:19
30/1 עֵבֶר הַיַּרְדֵּן מִזְרָחָה Deut. 4:49 • Josh. 13:27
32 מִי יַעֲבָר־לָנוּ אֶל־עֵבֶר הַיָּם Deut. 30:13
33 אֶל־גְּלִילוֹת הַיַּרְדֵּן אֶל־עֵבֶר בְּ״י Josh. 22:11
34 כִּי־הוּא רֹדֶה בְּכָל־עֵבֶר הַנָּהָר IK. 5:4
35 בְּכָל־מַלְכֵי עֵבֶר הַנָּהָר IK. 5:4
36 דֶּרֶךְ הַיָּם עֵבֶר הַיַּרְדֵּן גְּלִיל הַגּוֹיִם Is. 8:23
37/8 אִישׁ אֶל־עֵבֶר פָּנָיו יֵלֵכוּ Ezek. 1:9; 10:22
39 וְאִישׁ אֶל־עֵבֶר פָּנָיו יֵלֵכוּ Ezek. 1:12
40 וּפַחֲוֹות עֵבֶר הַנָּהָר Ez. 8:36
41/2 פַּחֲוֹות עֵבֶר הַנָּהָר Neh. 2:7, 9
43 לְכִסֵּא פַּחַת עֵבֶר הַנָּהָר Neh. 3:7
בְּעֵבֶר־ 44 גֹּרֶן הָאָטָד אֲשֶׁר בְּעֵבֶר הַיַּרְדֵּן Gen. 50:10
45-69 בְּעֵבֶר הַיַּרְדֵּן Gen. 50:11
Deut. 1:1, 5; 3:8, 20, 25; 4:41, 46, 47; 11:30 • Josh. 1:14, 15; 2:10; 5:1; 7:7; 9:1, 10; 12:1, 7; 13:8; 22:4; 24:8 • Jud. 5:17; 10:8 • ISh. 31:7
70 בְּעֵבֶר הַנָּהָר יָשְׁבוּ אֲבוֹתֵיהֶם Josh. 24:2
71 בְּעֵבֶר (כת׳ מעבר) הַיַּרְדֵּן יָמָּה Josh. 22:7
72 בְּעֵבֶר הַנָּהָר וּבְמִצְרָיִם Josh. 24:14
73 וַיֵּלֶךְ...וַיַּחֲנוּן בְּעֵבֶר אַרְנוֹן Jud. 11:18
74 אַנְשֵׁי־יִשְׂרָאֵל אֲשֶׁר־בְּעֵבֶר הָעֵמֶק ISh. 31:7
75 מַלְכֵי הָאִי אֲשֶׁר בְּעֵבֶר הַיָּם Jer. 25:22
לְעֵבֶר־ 76 אֲשֶׁר לְעֵבֶר הַשְּׂבָכָה IK. 7:20
מֵעֵבֶר־ 77 וַיַּחֲנוּ מֵעֵבֶר אַרְנוֹן Num. 21:13
78 מֵעֵבֶר הַיַּרְדֵּן מִזְרָחָה Num. 32:19
79 וָאֶקַּח אֶת־אֲבִיכֶם...מֵעֵבֶר הַנָּהָר Josh. 24:3
80 אֶת־אֲרָם אֲשֶׁר מֵעֵבֶר הַנָּהָר IISh. 10:16
81 מֵעֵבֶר אִישׁ לְיוֹת IK. 7:30
82 רוּחַ גְּדוֹלָה בָּאָה מֵעֵבֶר הַמִּדְבָּר Job 1:19
83 אֶת־אֲרָם אֲשֶׁר מֵעֵבֶר הַנָּהָר ICh. 19:16
לְעֶבְרוֹ 84 אִישׁ לְעֶבְרוֹ תָּעוּ Is. 47:15
מֵעֲבָרִים 85 וְצַעֲקִי מֵעֲבָרִים Jer. 22:20
בְּעֶבְרֵי־ 86 בְּעֶבְרֵי נָהָר בְּמֶלֶךְ אַשּׁוּר Is. 7:20
87 כַּיּוֹנָה תְּקַנֵּן בְּעֶבְרֵי פִי־פָחַת Jer. 48:28
עֲבָרָיו 88 וְשָׁלוֹם הָיָה לוֹ מִכָּל־עֲבָרָיו מִסָּבִיב IK. 5:4
89 וּמִכָּל־עֲבָרָיו אָבִיא אֶת־אֵידָם Jer. 49:32
עֶבְרֵיהֶם 90 לֻחֹת כְּתֻבִים מִשְּׁנֵי עֶבְרֵיהֶם Ex. 32:15

עֵבֶר² שפ״ז א) בן שֶׁלַח בן אַרְפַּכְשַׁד בן שֵׁם: 1-6, 9, 10, 13, 14
ב) כנוי לעם העברים: 7
ג) מן הכֹּהנים עולי הגולה: 8
ד) מצאצאי בנימין: 11
ה) מצאצאי גד: 12

עֵבֶר 1 וּלְשֵׁם...אֲבִי כָּל־בְּנֵי עֵבֶר Gen. 10:21
2 וְשֶׁלַח יָלַד אֶת־עֵבֶר Gen. 10:24
3 וְשֶׁלַח חַי...וַיּוֹלֶד אֶת־עֵבֶר Gen. 11:14
4 וַיְחִי־שֵׁם אַחֲרֵי הוֹלִידוֹ אֶת־עֵבֶר Gen. 11:15
5 וַיְחִי־עֵבֶר...וַיּוֹלֶד אֶת־פָּלֶג Gen. 11:16
6 וַיְחִי־עֵבֶר אַחֲרֵי הוֹלִידוֹ אֶת־פֶּלֶג Gen.11:17
7 וְעִנּוּ אַשּׁוּר וְעִנּוּ־עֵבֶר Num. 24:24
8 לְסַלַּי קַלָּי לַעֲמוֹק עֵבֶר Neh. 12:20
9 וְשֶׁלַח יָלַד אֶת־עֵבֶר ICh. 1:18
10 עֵבֶר פֶּלֶג רְעוּ ICh. 1:25
11 וּבְנֵי אֶלְפַּעַל עֵבֶר וּמִשְׁעָם וָשָׁמֶד ICh. 8:12
וָעֵבֶר 12 מִיכָאֵל וּמְשֻׁלָּם...וְזִיעַ וָעֵבֶר ICh. 5:13
13/4 וּלְעֵבֶר יֻלַּד שְׁנֵי בָנִים Gen. 10:25 • ICh. 1:19

עֲבַר ז׳ ארמית: עֵבֶר (רק בצרוף עֲבַר נַהֲרָה = עבר הנהר) 1-13
עֲבַר־ 1/2 וּשְׁאָר עֲבַר־נַהֲרָה Ez. 4:10, 17
3 עַבְדָּךְ° אֱנָשׁ עֲבַר־נַהֲרָה Ez. 4:11
4-8 עֲבַר(־)נַהֲרָה Ez. 4:20; 5:3; 6:6, 8, 13
בַּעֲבַר־ 9 חֲלָק בַּעֲבַר נַהֲרָא לָא אִיתַי לָךְ Ez. 4:16
10-13 דִּי בַּעֲבַר נַהֲרָה Ez. 5:6; 6:6; 7:21, 25

עֶבְרָה נ׳ כַּעַס: 1-34
קרובים: אַף / זַעַם / זַעַף / חֵמָה / חָרוֹן / חֳרִי / כַּעַס / כַּעַשׂ / מְרִי / מַשְׂטֵמָה / קֶצֶף / שִׂיחַ
– יוֹם עֶבְרָה 1, 3; עֶבְרַת זָדוֹן 11; עֶבְרַת יְיָ 7-10
– אֵשׁ עֶבְרָתוֹ 14-16; דּוֹר ע׳ 23; עַם עֶבְרָתוֹ 12; שֵׁבֶט עֶבְרָתוֹ 25, 26
– יוֹם עֲבָרוֹת 32; עַבְרוֹת אַפּוֹ 33; עַבְרוֹת צוֹרְרִים 34

עֶבְרָה 1 יוֹם עֶבְרָה הַיּוֹם הַהוּא Zep. 1:15
2 יְשַׁלַּח־בָּם...עֶבְרָה וָזַעַם וְצָרָה Ps. 78:49
3 לֹא־יוֹעִיל הוֹן בְּיוֹם עֶבְרָה Prov. 11:4
4 תִּקְוַת רְשָׁעִים עֶבְרָה Prov. 11:23
וְעֶבְרָה 5 אַכְזָרִי וְעֶבְרָה וַחֲרוֹן אַף Is. 13:9
בְּעֶבְרָה 6 מַכֶּה עַמִּים בְּעֶבְרָה Is. 14:6
עֶבְרַת־ 7/8 בְּיוֹם עֶבְרַת יְיָ Ezek. 7:19 • Zep. 1:18
בְּעֶבְרַת־ 9 בְּעֶבְרַת יְיָ צְבָאוֹת נֶעְתַּם אָרֶץ Is. 9:18
10 בְּעֶבְרַת יְיָ צְבָאוֹת וּבְיוֹם חֲרוֹן אַפּוֹ Is. 13:13
11 זֵד...עוֹשֶׂה בְּעֶבְרַת זָדוֹן Prov. 21:24
עֶבְרָתִי 12 וְעַל־עַם עֶבְרָתִי אֲצַוֶּנּוּ Is. 10:6
13 בְּאֵשׁ עֶבְרָתִי אָפִיחַ עָלָיִךְ Ezek. 21:36
14 וְנָפַחְתִּי עֲלֵיכֶם בְּאֵשׁ עֶבְרָתִי Ezek. 22:21
15 בְּאֵשׁ עֶבְרָתִי כִּלִּיתִים Ezek. 22:31
16 וּבְקִנְאָתִי בְאֵשׁ־עֶבְרָתִי דִּבַּרְתִּי Ezek. 38:19
17 עֲלֵיהֶם אֶשְׁפּוֹךְ כַּמַּיִם עֶבְרָתִי Hosh. 5:10
בְּעֶבְרָתִי 18 אֶתֶּן־לְךָ מֶלֶךְ בְּאַפִּי וְאֶקַּח בְּעֶבְ׳ Hosh. 13:11
עֶבְרָתֶךָ 19 אִם־בַּיָּם עֶבְרָתֶךָ Hab. 3:8
20 אָסַפְתָּ כָל־עֶבְרָתֶךָ Ps. 85:4
21 וּכְיִרְאָתְךָ עֶבְרָתֶךָ Ps. 90:11
בְּעֶבְרָתֶךָ 22 כָל־יָמֵינוּ פָּנוּ בְעֶבְרָתֶךָ Ps. 90:9
עֶבְרָתוֹ 23 וַיִּטֹּשׁ אֶת־דּוֹר עֶבְרָתוֹ Jer. 7:29
24 אֲנִי יָדַעְתִּי...עֶבְרָתוֹ וְלֹא־כֵן Jer. 48:30
25 וְשֵׁבֶט עֶבְרָתוֹ יִכְלֶה Prov. 22:8
26 אֲנִי הַגֶּבֶר רָאָה עֳנִי בְּשֵׁבֶט עֶבְרָתוֹ Lam. 3:1
וְעֶבְרָתוֹ 27 גַּאֲוָתוֹ וּגְאוֹנוֹ וְעֶבְרָתוֹ Is. 16:6
28 וְעֶבְרָתוֹ שְׁמָרָה נֶצַח Am. 1:11
29 וְעֶבְרָתוֹ תִּהְיֶה מֵבִישׁ Prov. 14:35
בְּעֶבְרָתוֹ 30 הָרַס בְּעֶבְרָתוֹ מִבְצְרֵי בַת־יְהוּדָה Lam. 2:2
וְעֶבְרָתָם 31 אַפָּם כִּי עָז וְעֶבְרָתָם כִּי קָשָׁתָה Gen. 49:7
עֲבָרוֹת 32 לְיוֹם עֲבָרוֹת יוּבָלוּ Job 21:30
עַבְרוֹת־ 33 הָפֵץ עַבְרוֹת אַפֶּךָ Job 40:11
בְּעַבְרוֹת־ 34 הִנָּשֵׂא בְּעַבְרוֹת צוֹרְרָי Ps. 7:7

עֲבָרָה נ׳ מַעֲבָר
הָעֲבָרָה 1 וְעָבְרָה הָעֲבָרָה לַעֲבִיר אֶת־בֵּית הַמֶּ׳ IISh.19:19

עֶבְרוֹן היא כנראה עבדון, עיר בנחלת אָשֵׁר
וְעֶבְרוֹן 1 וְעֶבְרֹן וּרְחֹב וְחַמּוֹן וְקָנָה Josh. 19:28

עַבְרֹנָה מתחנות בני־ישראל במסעיהם במדבר: 1-2
בְּעַבְרֹנָה 1 וַיִּסְעוּ מִיָּטְבָתָה וַיַּחֲנוּ בְּעַבְרֹנָה Num. 33:37
מֵעַבְרֹנָה 2 וַיִּסְעוּ מֵעַבְרֹנָה וַיַּחֲנוּ בְּעֶצְיֹן גָּבֶר Num. 33:35

עִבְרִי¹ ת׳ כל אחד מצאצאי עֵבֶר נכד שֵׁם, יהודי, בן־ישראל: 1-34
קרובים: יְהוּדִי / יִשְׂרְאֵלִי
– אַבְרָם הָעִבְרִי 6; אָחִיו הָע׳ 8,10; אִישׁ עִבְרִי 1, 3; נַעַר ע׳ 2; עֶבֶד עִבְרִי 4, 7
– אֱלֹהֵי הָעִבְרִים 19-23; אֲנָשִׁים עִבְרִים 13; אֶרֶץ הָעִבְרִים 16; יַלְדֵי הָעִבְרִים 18; מַחֲנֵה הָע׳ 24
– אֱלֹהֵי הָעִבְרִיִּים 28; מְיַלְּדוֹת עִבְרִיּוֹת 31

עִבְרִי 1 רְאוּ הֵבִיא לָנוּ אִישׁ עִבְרִי Gen. 39:14
2 וְשָׁם אִתָּנוּ נַעַר עִבְרִי Gen. 41:12
3 אִישׁ מִצְרִי מַכֶּה אִישׁ־עִבְרִי מֵאֶחָיו Ex. 2:11
4 כִּי תִקְנֶה עֶבֶד עִבְרִי Ex. 21:2
5 עִבְרִי אָנֹכִי וְאֶת־יְיָ...אֲנִי יָרֵא Jon. 1:9
הָעִבְרִי 6 וַיָּבֹא הַפָּלִיט וַיַּגֵּד לְאַבְרָם הָעִבְרִי Gen.14:13
7 בָּא אֵלַי הָעֶבֶד הָעִבְרִי...לְצַחֶק בִּי Gen. 39:17
8 כִּי־יִמָּכֵר לְךָ אָחִיךָ הָעִבְרִי Deut. 15:12
9 לְשַׁלַּח...הָעִבְרִי וְהָעִבְרִיָּה חָפְשִׁים Jer. 34:9
10 תְּשַׁלְּחוּ אִישׁ אֶת־אָחִיו הָעִבְרִי Jer. 34:14
הָעִבְרִיָּה 11 אָחִיךָ הָעִבְרִי אוֹ הָעִבְרִיָּה Deut. 15:12
וְהָעִבְרִיָּה 12 לְשַׁלַּח...הָעִבְרִי וְהָעִבְרִיָּה חָפְשִׁים Jer. 34:9
עִבְרִים 13 וְהִנֵּה שְׁנֵי־אֲנָשִׁים עִבְרִים נִצִּים Ex. 2:13
14 הִנֵּה עִבְרִים יֹצְאִים מִן־הַחֹרִים ISh. 14:11
וְעִבְרִים 15 וְעִבְרִים עָבְרוּ אֶת־הַיַּרְדֵּן ISh. 13:7
הָעִבְרִים 16 כִּי־גֻנֹּב גֻּנַּבְתִּי מֵאֶרֶץ הָעִבְרִים Gen. 40:15
17 לֹא יוּכְלוּן...לֶאֱכֹל אֶת־הָעִבְרִים לֶחֶם Gen. 43:32
18 וַתֹּאמֶר מִיַּלְדֵי הָעִבְרִים זֶה Ex. 2:6
19 אֱלֹהֵי הָעִבְרִים נִקְרָא עָלֵינוּ Ex. 5:3
20 יְיָ אֱלֹהֵי הָעִבְרִים שְׁלָחַנִי אֵלֶיךָ Ex. 7:16
21-23 כֹּה־אָמַר יְיָ אֱלֹהֵי הָעִבְ׳ Ex. 9:1, 13; 10:3
24 מֶה קוֹל הַתְּרוּעָה...בְּמַחֲנֵה הָעִבְרִים ISh.4:6
25 וְשָׁאוּל תָּקַע...לֵאמֹר יִשְׁמְעוּ הָעִבְ׳ ISh. 13:3
26 פֶּן יַעֲשׂוּ הָעִבְרִים חֶרֶב אוֹ חֲנִית ISh. 13:19
27 וַיֹּאמְרוּ...מָה הָעִבְרִים הָאֵלֶּה ISh. 29:3
הָעִבְרִיִּים 28 אֱלֹהֵי הָעִבְרִיִּים נִקְרָה עָלֵינוּ Ex. 3:18
וְהָעִבְרִים 29 וְהָעִבְרִים הָיוּ...כְּאֶתְמוֹל שִׁלְשׁוֹם ISh. 14:21
לָעִבְרִים 30 הִתְחַזְּקוּ...פֶּן תַּעַבְדוּ לָעִבְרִים ISh. 4:9
הָעִבְרִיּוֹת 31 וַיֹּאמֶר...לַמְיַלְּדֹת הָעִבְרִיֹּת Ex. 1:15
32 בְּיַלֶּדְכֶן אֶת־הָעִבְרִיּוֹת... Ex. 1:16
33 לֹא כַנָּשִׁים הַמִּצְרִיֹּת הָעִבְרִיֹּת Ex. 1:19
34 אִשָּׁה מֵינֶקֶת מִן הָעִבְרִיֹּת Ex. 2:7

עִבְרִי² שפ״ז – איש לוי מבני מְרָרִי
וְעִבְרִי 1 וְשֹׁהַם וְזַכּוּר וְעִבְרִי Ch. 24:27

עֲבָרִים ש״פ – שם רכס של הרי מוֹאב מוּל ירִיחוֹ: 1-5

הָעֲבָרִים 1 עֲלֵה אֶל־הַר הָעֲבָרִים הַזֶּה Num. 27:12
2 וַיַּחֲנוּ בְּהָרֵי הָעֲבָרִים לִפְנֵי נְבוֹ Num. 33:47
3 וַיִּסְעוּ מֵהָרֵי הָעֲבָרִים Num. 33:48
4 אֶל־הַר הָעֲבָרִים הַזֶּה הַר־נְבוֹ Deut. 32:49
מֵעֲבָרִים 5 וּבַבָּשָׁן תְּנִי קוֹלֵךְ וְצַעֲקִי מֵעֲבָרִים Jer. 22:20

עֶבְרֹן עין עֶבְרוֹן **עַבְרֹנָה** עין עַבְרוֹנָה

עָבַשׁ פ׳ יבש, נרקב

עָבְשׁוּ 1 עָבְשׁוּ פְרֻדוֹת תַּחַת מֶגְרְפֹתֵיהֶם Joel 1:17

עִבֵּת פ׳ עוּת

וַיְעַבְּתוּהָ 1 הַשַּׂר שֹׁאֵל וְהַשֹּׁפֵט בַּשִּׁלּוּם...וַיְעַבְּתוּהָ Mic. 7:3

עָבֹת ת׳ מסוּבך, מסוּעף: 1-4

עֵץ עָבֹת 1-3; אֵלָה עֲבֻתָּה 4

עָבֹת 1 כַּפֹּת תְּמָרִים וַעֲנַף עֵץ־עָבֹת Lev. 23:40
2 כָּל־גִּבְעָה רָמָה וְכָל־עֵץ עָבוֹת Ezek. 20:28
3 וַעֲלֵי תְמָרִים וַעֲלֵי עֵץ עָבֹת Neh. 8:15
עֲבֻתָּה 4 וְתַחַת כָּל־אֵלָה עֲבֻתָּה Ezek. 6:13

עֲבֹת ז׳ – עין עֲבוֹת

עגב : עָגַב; עוֹגֵב, עַגְבָה, עֲגָבִים

עָגַב פ׳ חשק, התעלס באהבים: 1-7

עָגַב 1, 4; עָגַב אֶל־ 3; עָגַב עַל־ 2, 5-7

עָגְבָה 1 וּבְכֹל אֲשֶׁר־עָגְבָה...נִטְמָאָה Ezek. 23:7
2 בְּנֵי אַשּׁוּר אֲשֶׁר עָגְבָה עֲלֵיהֶם Ezek. 23:9
עָגָבָה 3 אֶל־בְּנֵי אַשּׁוּר עָגָבָה Ezek. 23:12
עוֹגְבִים 4 מָאֲסוּ־בָךְ עֹגְבִים נַפְשֵׁךְ יְבַקֵּשׁוּ Jer. 4:30
וַתַּעְגַּב 5 וַתַּעְגַּב עַל־מְאַהֲבֶיהָ Ezek. 23:5
וַתַּעְגְּבָה 6 וַתַּעְגְּבָ° עֲלֵיהֶם לְמַרְאֵה עֵינֶיהָ Ezek. 23:16
7 וַתַּעְגְּבָה עַל פִּלַגְשֵׁיהֶם Ezek. 23:20

עַגְבָה* נ׳ תאוַת זִמה

עַגְבָתָהּ 1 וַתַּשְׁחֵת עַגְבָתָהּ מִמֶּנָּה Ezek. 23:11

עֲגָבִים ז״ר מזמוּטי אהבה: 1, 2

שִׁיר עֲגָבִים 2

עֲגָבִים 1 כִּי־עֲגָבִים בְּפִיהֶם הֵמָּה עֹשִׂים Ezek. 33:31
2 וְהִנְּךָ לָהֶם כְּשִׁיר עֲגָבִים Ezek. 33:32

עֻגָה נ׳ – עין עוּגָה

עָגוּר ז׳ עוֹף בִּצָּה דומה לחסידה: 1, 2

עָגוּר 1 כְּסוּס עָגוּר כֵּן אֲצַפְצֵף Is. 38:14
וְעָגוּר 2 וְתֹר וְסִיס° וְעָגוּר שָׁמְרוּ אֶת־עֵת בֹּאָנָה Jer. 8:7

עָגִיל ז׳ טבעת־קשוּט לאוזן: 1, 2

קרובים: ראה עֲדִי

עָגִיל 1 טַבַּעַת עָגִיל וְכוּמָז Num. 31:50
וַעֲגִילִים 2 נֶזֶם עַל־אַפֵּךְ וַעֲגִילִים עַל־אָזְנָיִךְ Ezek. 16:12

עָגֹל ת׳ שהֶקפו כהֶקף כדוּר: 1-6

עָגֹל 1 וַיַּעַשׂ אֶת־הַיָּם...עָגֹל סָבִיב IK. 7:23
2 וּפִיהָ עָגֹל מַעֲשֵׂה־כֵן IK. 7:31
3 חֲצִי הָאַמָּה קוֹמָה עָגֹל סָבִיב IK. 7:35
4 וְרֹאשׁ עָגֹל לַכִּסֵּה מֵאַחֲרָיו IK. 10:19
5 וַיַּעַשׂ אֶת־הַיָּם...עָגוֹל סָבִיב IICh. 4:2
עֲגֻלּוֹת 6 וּמִסְגְּרֹתֵיהֶם מְרֻבָּעוֹת לֹא עֲגֻלּוֹת IK. 7:31

עֵגֶל ז׳ פַּר צעיר: 1-35

– עֵגֶל חַטָּאת 18; עֵ׳ מַרְבֵּק 20; עֵ׳ מַסֵּכָה 16, 17, 19, 22; עֵגֶל שׁוֹמְרוֹן 21

– בִּתְרֵי עֵגֶל 14; רֶגֶל עֵגֶל 3

– עֶגְלֵי זָהָב 30-32; עֶגְלֵי מַרְבֵּק 34, 35; עֶגְלֵי עַמִּים 33

עֵגֶל 1 קַח־לְךָ עֵגֶל בֶּן־בָּקָר לְחַטָּאת Lev. 9:2
2 שָׁם יִרְעֶה עֵגֶל וְשָׁם יִרְבָּץ Is. 27:10
3 וְכַף רַגְלֵיהֶם כְּכַף רֶגֶל עֵגֶל Ezek. 1:7
4 וַיַּרְקִידֵם כְּמוֹ־עֵגֶל Ps. 29:6
5 יַעֲשׂוּ־עֵגֶל בְּחֹרֵב Ps. 106:19
וְעֵגֶל 6 וְעֵגֶל וָכֶבֶשׂ בְּנֵי־שָׁנָה...לְעֹלָה Lev. 9:3
7 וְעֵגֶל וּכְפִיר וּמְרִיא יַחְדָּו Is. 11:6
הָעֵגֶל 8 וַיַּרְא אֶת־הָעֵגֶל וּמְחֹלֹת Ex. 32:19
9 וַיִּקַּח אֶת־הָעֵגֶל אֲשֶׁר עָשׂוּ Ex. 32:20
10 וָאַשְׁלִכֵהוּ בָאֵשׁ וַיֵּצֵא הָעֵגֶל הַזֶּה Ex. 32:24
11 עַל אֲשֶׁר עָשׂוּ אֶת־הָעֵגֶל Ex. 32:35
12 וְאֶת־חַטַּאתְכֶם...אֶת־הָעֵגֶל לָקַחְתִּי Deut. 9:21
13 הָעֵגֶל אֲשֶׁר כָּרְתוּ לִשְׁנַיִם... Jer. 34:18
14 הָעֹבְרִים בֵּין בִּתְרֵי הָעֵגֶל Jer. 34:19
כְּעֵגֶל 15 יִסַּרְתַּנִי...כְּעֵגֶל לֹא לֻמָּד Jer. 31:18(17)
עֵגֶל־ 16 וַיָּצַר אֹתוֹ בַּחֶרֶט וַיַּעֲשֵׂהוּ עֵגֶל מַסֵּכָה Ex. 32:4
17 עָשׂוּ לָהֶם עֵגֶל מַסֵּכָה Ex. 32:8
18 וַיִּשְׁחַט אֶת־עֵגֶל הַחַטָּאת אֲשֶׁר־לוֹ Lev. 9:8
19 עֲשִׂיתֶם לָכֶם עֵגֶל מַסֵּכָה Deut. 9:16
20 וְלָאִשָּׁה עֵגֶל־מַרְבֵּק בַּבַּיִת ISh. 28:24
21 כִּי־שְׁבָבִים יִהְיֶה עֵגֶל שֹׁמְרוֹן Hosh. 8:6
22 עָשׂוּ לָהֶם עֵגֶל מַסֵּכָה Neh. 9:18
עֶגְלֵךְ 23 זָנַח עֶגְלֵךְ שֹׁמְרוֹן Hosh. 8:5
עֲגָלִים 24 וַיַּעֲשׂוּ לָהֶם מַסֵּכָה שְׁנֵי° עֲגָלִים IIK. 17:16
25 זֹבְחֵי אָדָם עֲגָלִים יִשָּׁקוּן Hosh. 13:2
וַעֲגָלִים 26 וַעֲגָלִים מִתּוֹךְ מַרְבֵּק Am. 6:4
בַּעֲגָלִים 27 הַאֲקַדְּמֶנּוּ בְעוֹלוֹת בַּעֲגָלִים בְּנֵי שָׁנָה Mic. 6:6
לָעֲגָלִים 28 לְזַבֵּחַ לָעֲגָלִים אֲשֶׁר עָשָׂה IK. 12:32
וְלָעֲגָלִים 29 כֹּהֲנִים...וְלָעֲגָלִים אֲשֶׁר־עָשָׂה IICh. 11:15
עֶגְלֵי־ 30 וַיַּעַשׂ שְׁנֵי עֶגְלֵי זָהָב IK. 12:28
31 עֶגְלֵי הַזָּהָב אֲשֶׁר בֵּית־אֵל וַאֲשֶׁר... IIK. 10:29
32 וְעִמָּכֶם עֶגְלֵי זָהָב IICh. 13:8
בְּעֶגְלֵי־ 33 עֲדַת אַבִּירִים בְּעֶגְלֵי עַמִּים Ps. 68:31
כְּעֶגְלֵי־ 34 גַּם־שְׂכִרֶיהָ בְקִרְבָּהּ כְּעֶגְלֵי מַרְבֵּק Jer. 46:21
35 וִיצָאתֶם וּפִשְׁתֶּם כְּעֶגְלֵי מַרְבֵּק Mal. 3:20

עֶגְלָה[1] נ׳ פָּרָה צְעִירָה: 1-14

– עֶגְלָה דָשָׁה 7; עֶ׳ יְפֵה־פִיָּה 2; עֶ׳ מְלֻמָּדָה 3; עֶ׳ מְשֻׁלֶּשֶׁת 1; עֶגְלָה עֲרוּפָה 6

– עֶגְלַת בָּקָר 8-10; עֶ׳ שְׁלִשִׁיָּה 11, 12; עֶגְלוֹת בֵּית אָוֶן 14

עֶגְלָה 1 קְחָה לִי עֶגְלָה מְשֻׁלֶּשֶׁת Gen. 15:9
2 עֶגְלָה יְפֵה־פִיָּה מִצְרָיִם Jer. 46:20
3 וְאֶפְרַיִם עֶגְלָה מְלֻמָּדָה Hosh. 10:11
הָעֶגְלָה 4 וְהוֹרִדוּ...אֶת־הָעֶגְלָה אֶל־נַחַל אֵיתָן Deut. 21:4
5 וְעָרְפוּ־שָׁם אֶת־הָעֶגְלָה Deut. 21:4
6 ...עַל־הָעֶגְלָה הָעֲרוּפָה בַנָּחַל Deut. 21:6
כְּעֶגְלָה 7 כִּי תָפוּשׁוּ° כְּעֶגְלָה דָשָׁה Jer. 50:11
עֶגְלַת־ 8 עֶגְלַת בָּקָר אֲשֶׁר לֹא־עֻבַּד בָּהּ Deut. 21:3
9 עֶגְלַת בָּקָר תִּקַּח בְּיָדֶךָ ISh. 16:2
10 יְחַיֶּה־אִישׁ עֶגְלַת־בָּקָר וּשְׁתֵּי־צֹאן Is. 7:21
11 בְּרִיחֶהָ עַד־צֹעַר עֶגְלַת שְׁלִשִׁיָּה Is. 15:5
12 מִזַּעֲקַת חֶשְׁבּוֹן...עֶגְלַת שְׁלִשִׁיָּה Jer. 48:34
בְּעֶגְלָתִי 13 לוּלֵא חֲרַשְׁתֶּם בְּעֶגְלָתִי... Jud. 14:18
לְעֶגְלוֹת־ 14 לְעֶגְ׳ בֵּית אָוֶן יָגוּרוּ שְׁכַן שֹׁמְרוֹן Hosh. 10:5

עֶגְלָה[2] שפ״נ – מנשי דוד המלך: 1, 2

לְעֶגְלָה 1 וְהַשִּׁשִּׁי יִתְרְעָם לְעֶגְלָה אֵשֶׁת דָּוִד IISh. 3:5
2 הַשִּׁשִּׁי יִתְרְעָם לְעֶגְלָה אִשְׁתּוֹ ICh. 3:3

עֲגָלָה נ׳ רֶכֶב־מַשָּׂא נגרר על־ידי בהמה אוֹ אדם: 1-25

קרובים: כִּרְכָּרָה / מֶרְכָּבָה / רֶכֶב

– עֲגָלָה חֲדָשָׁה 2, 3, 5, 9; אוֹפַן עֲגָלָה 4; גִּלְגַּל עֲגָלָה 16; עֲבֹות עֲ׳ 10; עֲצֵי עֲ׳ 8; עֶגְלוֹת צָב 25

עֲגָלָה 1 עֲגָלָה עַל־שְׁנֵי הַנְּשִׂאִים Num. 7:3
2 קְחוּ וַעֲשׂוּ עֲגָלָה חֲדָשָׁה אֶחָת ISh. 6:7
3 וַיַּרְכִּבוּ...אֶל־עֲגָלָה חֲדָשָׁה IISh. 6:3
4 וְאוֹפַן עֲגָלָה עַל־כַּמֹּן יוּסָּב Is. 28:27
5 וַיַּרְכִּיבוּ...עַל־עֲגָלָה חֲדָשָׁה ICh. 13:7
הָעֲגָלָה 6 וּנְתַתֶּם אֹתוֹ אֶל־הָעֲגָלָה ISh. 6:8
7 וַיָּשִׂמוּ אֶת־אֲרוֹן יְיָ אֶל־הָעֲגָלָה ISh. 6:11
8 וַיְבַקְּעוּ אֶת־עֲצֵי הָעֲגָלָה ISh. 6:14
9 נֹהֲגִים אֶת־הָעֲגָלָה חֲדָשָׁה IISh. 6:3
10 וְכַעֲבוֹת הָעֲגָלָה חַטָּאָה Is. 5:18
11 כַּאֲשֶׁר תָּעִיק הָעֲגָלָה הַמְלֵאָה לָהּ Am. 2:13
וְהָעֲגָלָה 12 וְהָעֲגָלָה בָּאָה אֶל־שְׂדֵה יְהוֹשֻׁעַ ISh. 6:14
בָּעֲגָלָה 13 וַאֲסַרְתֶּם אֶת־הַפָּרוֹת בָּעֲגָלָה ISh. 6:7
14 שְׁתֵּי פָרוֹת עָלוֹת וַיַּאַסְרוּם בָּעֲגָלָה ISh. 6:10
15 וְעֻזָּא וְאַחְיוֹ נֹהֲגִים בָּעֲגָלָה ICh. 13:7
עֶגְלָתוֹ 16 וְהָמַם גִּלְגַּל עֶגְלָתוֹ Is. 28:28
עֲגָלוֹת 17 עֲגָלוֹת לְטַפְּכֶם וְלִנְשֵׁיכֶם Gen. 45:19
18 וַיִּתֵּן לָהֶם יוֹסֵף עֲגָלוֹת Gen. 45:21
19 עֲגָלוֹת יִשְׂרֹף בָּאֵשׁ Ps. 46:10
הָעֲגָלוֹת 20 וַיַּרְא אֶת־הָעֲגָלוֹת...לָשֵׂאת אֹתוֹ Gen. 45:27
21 ...אֶת־הָעֲגָלֹת וְאֶת־הַבָּקָר Num. 7:6
22 אֵת שְׁתֵּי הָעֲגָלֹת Num. 7:7
23 וְאֵת אַרְבַּע הָעֲגָלֹת Num. 7:8
בָּעֲגָלוֹת 24 וַיִּשְׂאוּ ב״י אֶת־יַעֲקֹב...בָּעֲגָלוֹת Gen. 46:5
עֶגְלוֹת־ 25 שֵׁשׁ־עֶגְלֹת צָב וּשְׁנֵי־עָשָׂר בָּקָר Num. 7:3

עֶגְלוֹן[1] ש״פ – עיר מלוּכה אמוֹרית קדוּמה בשפלת יהודה: 1-8

עֶגְלוֹן 1 וַיִּשְׁלַח...וְאֶל־דְּבִיר מֶלֶךְ־עֶגְלוֹן Josh. 10:3
2 מֶלֶךְ־לָכִישׁ מֶלֶךְ־עֶגְלוֹן Josh. 10:5
3 אֶת־מֶלֶךְ לָכִישׁ אֶת־מֶלֶךְ עֶגְלוֹן Josh. 10:23
4 מֶלֶךְ עֶגְלוֹן אֶחָד Josh. 12:12
וְעֶגְלוֹן 5 לָכִישׁ וּבָצְקַת וְעֶגְלוֹן Josh. 15:39
לְעֶגְלוֹן 6 כְּכֹל אֲשֶׁר־עָשָׂה לְעֶגְלוֹן Josh. 10:37
עֶגְלוֹנָה 7 וַיַּעֲבֹר...מִלָּכִישׁ עֶגְלֹנָה Josh. 10:34
מֵעֶגְלוֹנָה 8 וַיַּעַל יְהוֹשֻׁעַ...מֵעֶגְלוֹנָה חֶבְרוֹנָה Josh. 10:36

עֶגְלוֹן[2] שפ״ז – מלך מוֹאב: 1-5

עֶגְלוֹן 1-2 אֶת־עֶגְלוֹן מֶלֶךְ־מוֹאָב Jud. 3:12, 14
וְעֶגְלוֹן 3 וְעֶגְלוֹן אִישׁ בָּרִיא מְאֹד Jud. 3:17
לְעֶגְלוֹן 4 מִנְחָה לְעֶגְלוֹן מֶלֶךְ מוֹאָב Jud. 3:15
5 וַיַּקְרֵב אֶת־הַמִּנְחָה לְעֶגְלוֹן מֶ׳ מוֹאָב Jud. 3:17

עֶגְלַיִם – עין עֵין עֶגְלַיִם

עָגַם פ׳ נעצב, הצטער

עָגְמָה 1 עָגְמָה נַפְשִׁי לָאֶבְיוֹן Job 30:25

(עגן) נֶעֱגַן נפ׳ נשאר כבוּל, נעצר

תֵּעָגֵנָה 1 הֲלָהֵן תֵּעָגֵנָה לְבִלְתִּי הֱיוֹת לְאִישׁ Ruth 1:13

עַד¹ מ״י [עֲדֵי־, עָדַי, עָדֶיךָ וכו׳]: 1-1269

א) מלה המצַינת גבול אחרון של מקום, של גוף, של דבר וכד׳: 1-316, 1023-1189

ב) כנ״ל לציון זמן, מועד או מצב אחרון: 317-543, 1190-1205

ג) [לפני פועל ועל־פי־רוב לפני מקור נסמך] מלה המצַינת גמר פעולה או השגת מטרה מסוימת וכד׳: 544-732, 1206-1214

ד) במשך־, בעוד: 587, 591

ה) בצרופים שונים – ר׳ להלן בצרופים ובמקראות

– מִן...עַד 27-116, 494-502, 1009; מִן...וְעַד 1023-1161, 1195-1205, 1222-1244; **עַד אֶחָד** 733-735; **עַד אַחַד** 736; **עַד אַחַר** 737; **עַד אֵין** 738-741; **עַד אֶל־** 742; **עַד אֵלֶּה** 743; **עַד אִם** 744-747; **עַד אָן** 748; **עַד אָנָה** 749-760, 1215; **עַד אַרְגִּיעָה** 1216; **עַד אֲשֶׁר** 761-801; **עַד אֲשֶׁר אִם** 802, 803; **עַד אֲשֶׁר לֹא** 804, 805; **עַד בּוֹשׁ** 806-808; **עַד בְּלִי** 809, 810; **עַד בִּלְתִּי** 811-816; **עַד דּוֹר** 817-819, 1217; **עַד דַּכָּא** 820; **עַד הֲלוֹם** 821, 822; **עַד הֵם** 823, 1212; **עַד הֵנָּה** 824-832, 1218, 1219; **עַד כֹּה** 833-835; **עַד כֹּה וְעַד כֹּה** 836; **עַד כִּי** 837-841; **עַד כָּל־** 842; **עַד כַּלֵּה** 588, 589, 592; **עַד כַּמֶּה** 833, 834; **עַד כֵּן** 845; **עַד לְ־** 847-872; **עַד לֹא** 874, 875; **עַד לְאֵין** 873; **עַד לְהַשְׁחִית** 866; **עַד לְכַלֵּה** 862, 870; **עַד לִמְאֹד** 860; **עַד לָמוּת** 872; **עַד לְמַעְלָה** 859, 861, 864; **עַד לְמֵרָחוֹק** 847, 865; **עַד לְעוֹלָם** 855, 856; **עַד לִפְנֵי** 876; **עַד לָרוֹב** 871; **עַד מְאֹד** 877-893; **עַד מָה** 894-897; **עַד מֶה** 898; **עַד מְהֵרָה** 899; **עַד מָוֶת** 900; **עַד מֵעַל־** 901; **עַד מֵרָחוֹק** 902; **עַד מָתַי** 903-930, 1221; **עַד נֶגֶד** 931, 932; **עַד נֵצַח** 933, 934; **עַד־עוֹלָם** 935-998, 1222-1236; **עַד עוֹלְמֵי עַד** 999; **עַד עֵת** 1000-1006, 1237, 1238; **עַד עַתָּה** 1007-1012, 1239-1243; **עַד פֹּה** 1011; **עַד רָחוֹק** 1012; **עַד שֶׁ־** 1013-1022; **עַד תֹּם** (תֻּמָּם) 571, 573, 576, 580, 581, 583, 585

– **עֲדֵי אֹבֵד** 1244, 1245; **עֲ׳ אֶרֶץ** 1253; **עֲ׳ נֶשֶׁף** 1254; **עֲדֵי עַד** 1246-1251; **עֲ׳ עֶרֶב** 1252; **עֲדֵי רֶגַע** 1255

עַד (א)

1 בֹּאֲכָה סְדֹמָה...עַד־לָשַׁע Gen. 10:19
2 וַיָּבֹאוּ עַד־חָרָן Gen. 11:31
3 וַיַּעֲבֹר אַבְרָם...עַד מְקוֹם שְׁכֶם Gen. 12:6
4 עַד אֵלוֹן מוֹרֶה Gen. 12:6
5 עַד־הַמָּקוֹם אֲשֶׁר־הָיָה שָׁם Gen. 13:3
6 וַיֶּאֱהַל עַד־סְדֹם Gen. 13:12
7 עַד אֵיל פָּארָן Gen. 14:6
8 וַיִּרְדֹּף עַד־דָּן Gen. 14:14
9 וַיִּרְדְּפֵם עַד־חוֹבָה Gen. 14:15
10 עַד הָאֱלֹהִים יָבֹא דְּבַר־שְׁנֵיהֶם Ex. 22:8
11 וַיַּכּוּם וַיַּכְּתוּם עַד־הַחָרְמָה Num. 14:45
12 וַיַּכְּתוּ אֶתְכֶם בְּשֵׂעִיר עַד־חָרְמָה Deut. 1:44
13 לֹא־אֶתֵּן...עַד מִדְרַךְ כַּף־רָגֶל Deut. 2:5
14 בֹּעֵר בָּאֵשׁ עַד־לֵב הַשָּׁמַיִם Deut. 4:11
15/6 וְשַׁבְתָּ עַד־יְיָ אֱלֹהֶיךָ Deut. 4:30; 30:2
17 וַתִּיקַד עַד־שְׁאוֹל תַּחְתִּית Deut. 32:22
18 כִּי־בָאוּ בָנִים עַד־מַשְׁבֵּר IIK. 19:3
19 כִּי־בָאוּ בָנִים עַד־מַשְׁבֵּר Is. 37:3
20 אֲפָפוּנִי מַיִם עַד־נֶפֶשׁ Jon. 2:6
21 כִּי בָאוּ מַיִם עַד־נָפֶשׁ Ps. 69:2
22 כִּי־עַד־צֶדֶק יָשׁוּב מִשְׁפָּט Ps. 94:15
23 בְּעַד־אִשָּׁה זוֹנָה עַד־כִּכַּר לָחֶם Prov. 6:26
24 עַד־חֲצִי הַמַּלְכוּת וְיִנָּתֵן לָךְ Es. 5:3
25/6 עַד־חֲצִי הַמַּלְכוּת וְתֵעָשׂ Es. 5:6; 7:2

מִן...עַד(א) 27-30 מֵאָדָם עַד־בְּהֵמָה עַד־רֶמֶשׂ Gen. 6:7; 7:23
31 מִצִּידֹן...עַד־עַזָּה Gen. 10:19
32 מִנְּהַר מִצְ׳ עַד־הַנָּהָר הַגָּדֹל Gen. 15:18
33 פֶּן־תְּדַבֵּר...מִטּוֹב עַד־רָע Gen. 31:24
34 הִשָּׁמֶר לְךָ מִדַּבֵּר...מִטּוֹב עַד־רָע Gen. 31:29
35 מִבְּכוֹר...עַד בְּכוֹר הַשִּׁפְחָה Ex. 11:5
36 מִבְּכֹר...עַד בְּכוֹר הַשְּׁבִי Ex. 12:29
37/8 מִשּׁוֹר עַד־חֲמוֹר עַד־שֶׂה... Ex. 22:3
39 וּמִמִּדְבָּר עַד־הַנָּהָר Ex. 23:31
40 מֵאָדָם עַד־בְּהֵמָה לִי יִהְיוּ Num. 3:13
41 מִבֶּן־שְׁלֹשִׁים שָׁנָה...עַד בֶּן־חֲמִשִּׁים Num. 4:23
42 מִזָּכָר עַד־נְקֵבָה תְּשַׁלֵּחוּ Num. 5:3
43 מֵאַרְנֹן עַד־יַבֹּק Num. 21:24
44 מִבֵּית הַיְשִׁמֹת עַד אָבֵל הַשִּׁטִּים Num. 33:49
45 מִנַּחַל אַרְנֹן עַד־הַר חֶרְמוֹן Deut. 3:8
46 מֵחֹטֵב עֵצֶיךָ עַד שֹׁאֵב מֵימֶיךָ Deut. 29:10
47/8 מֵעִיר...עַד־בְּהֵמָה עַד כָּל־... Jud. 20:48
49 וְהֵמַתָּה מֵאִישׁ עַד־אִשָּׁה ISh. 15:3
50 וּמִמַּסָּד עַד־הַטְּפָחוֹת IK. 7:9

51-116 מִ(ן)...עַד...(א) Gen. 25:18
Num. 13:21; 21:24 • Josh. 12:1; 13:4, 5, 6, 26[2]; 19:33 • Jud. 3:3; 19:18 • IISh. 5:25 • IK. 4:12; 6:15, 16; 7:7, 9, 23; 8:65 • IIK. 11:11; 14:25; 17:9; 18:8; 23:8; 24:7 • Is. 27:12 • Ezek. 43:14[2]; 47:19, 20; 48:2, 4, 5, 7, 8[2], 21, 23, 24, 25, 26, 27 • Am. 6:14; 8:12 • Mic. 6:5 • Zech. 9:10[2]; 14:10[2] • Ps. 50:1; 72:8[2]; 113:3; 135:8 • Es. 2:13 • Neh. 3:20, 24; 11:30 • ICh. 5:23; 23:10 • IICh. 7:8; 19:4; 25:23

117-316 עַד (א) Gen. 38:1; 49:26; 50:10
Ex. 27:5; 38:4 • Lev. 11:42 • Num. 8:4[2]; 13:22; 13:23; 21:24, 26, 30[3]; 32:9 • Deut. 1:2, 7, 19, 20, 24, 31; 2:23; 3:10, 14; 9:7; 11:5; 34:1, 2, 3 • Josh. 3:1, 8, 15; 7:5; 10:10, 11; 11:8; 12:3, 5; 13:4, 9, 10, 11, 25, 27; 15:5, 47; 16:3, 5; 19:8, 10, 28 • Jud. 4:11, 16; 6:4; 7:13, 22[2], 24[2]; 9:40, 52[2]; 11:16, 19; 14:5; 15:14; 17:8; 18:2, 13; 19:10, 12; 18; 20:43, 45 • ISh. 6:12; 7:11; 9:9; 10:3; 14:20; 15:5; 17:52; 19:22; 20:28, 37; 30:9 • IISh. 2:24; 3:16; 4:6; 6:6; 10:4; 11:23; 15:32; 16:5; 17:13; 19:16 • IK. 2:28; 4:12; 5:23; 12:30; 18:46; 19:8 • IIK. 2:2; 4:22; 6:2; 7:5, 8, 15; 9:22; 10:25; 14:13; 18:8 • Is. 8:8; 9:12; 15:4, 5, 8; 16:8; 19:22; 25:12; 26:5[2]; 30:28; 48:20; 49:6; 57:9 • Jer. 4:10, 18; 25:31[38(37)], 39[2]; 43:7; 48:32, 34[3]; 51:9 • Ezek. 10:5; 41:16 • Hosh. 14:2 • Am. 6:14 • Ob. 7, 20 • Mic. 1:9[3], 15; 4:3, 10; 5:3 • Nah. 1:10 • Hab. 3:13 • Zech. 14:10 • Ps. 36:6; 42:5; 46:10; 57:11; 60:11; 71:19; 80:12; 107:18; 108:11; 118:27; 137:7 • Prov. 28:17 • Job 11:7; 22:23; 23:3; 26:10; 31:12; 32:11; 38:11, 16, 18 • Lam. 3:40 • Dan. 8:6, 10; 9:25; 11:10, 45 • Neh. 3:1, 8, 13, 31, 38 • ICh. 4:27, 33; 5:11, 22; 7:28, 40(41); 13:9; 15:29; 19:4; 21:21 • IICh. 12:4; 14:8

עַד (ב)

317 הָלוֹךְ וְחָסוֹר עַד הַחֹדֶשׁ הָעֲשִׂירִי Gen. 8:5
318 הוּא אֲבִי־מוֹאָב עַד־הַיּוֹם Gen. 19:37
319-324 עַד הַיּוֹם Gen. 19:38; 35:20
IIK. 10:27 • Ezek. 20:31 • IICh. 20:26; 35:25
325 שֵׁם...בְּאֵר שֶׁבַע עַד הַיּוֹם הַזֶּה Gen. 26:33
326 לֹא־יֹאכְלוּ...עַד הַיּוֹם הַזֶּה Gen. 32:32
327 לְחֹק עַד־הַיּוֹם הַזֶּה Gen. 47:26
328 מֵעוֹדִי עַד־הַיּוֹם הַזֶּה Gen. 48:15

עַד (ב) (המשך)

329-404 עַד(...)הַיּוֹם הַזֶּה Ex. 10:6
Lev. 23:14 • Num. 22:30 • Deut. 2:22; 3:14; 10:8; 11:4; 29:3; 34:6 • Josh. 4:9; 5:9; 6:25; 7:26[2]; 8:28, 29; 9:27; 10:27; 13:13; 15:63; 16:10; 14:14; 22:3, 17; 23:8, 9 • Jud. 1:21, 26; 6:24; 10:4; 15:19; 18:12; 19:30 • ISh. 5:5; 6:18; 12:2; 27:6; 29:3, 6, 8; 30:25 • IISh. 4:3; 6:8; 18:18 • IK. 8:8; 9:13, 21; 10:12; 12:19 • IIK. 2:22; 8:22; 14:7; 16:6; 17:23; 17:34, 41; 20:17 • Is. 39:6 • Jer. 7:25; 11:7; 32:20; 35:14; 44:10 • Ezek. 2:3; 20:29 • Ez. 9:7 • Neh. 9:32 • ICh. 4:41, 43; 5:26; 13:11; 17:5 • IICh. 5:9; 8:8; 10:19; 21:10
405 לְמִשְׁמֶרֶת עַד אַרְבָּעָה עָשָׂר יוֹם Ex. 12:6
406 וְלֹא־תוֹתִירוּ מִמֶּנּוּ עַד־בֹּקֶר Ex. 12:10
407-429 עַד (הַ)בֹּקֶר Ex. 12:10, 22
16:19, 20, 23, 24; 23:18; 29:34 • Lev. 6:2; 7:15; 19:13; 22:30 • Num. 9:12, 15 • Jud. 6:31; 19:25 • ISh. 3:15; 25:22 • IIK. 10:8 • Is. 38:13 • Prov. 7:18 • Ruth 3:13, 14
430 עַד יוֹם הָאֶחָד וְעֶשְׂרִים Ex. 12:18
431 וְלֹא יִסְעוּ עַד־יוֹם הֵעָלֹתוֹ Ex. 40:37
432 עַד יוֹם מְלֹאת יְמֵי מִלֻּאֵיכֶם Lev. 8:33
433-449 וְטָמֵא עַד הָעָרֶב (־עָ) Lev. 11:25
11:28, 32, 40[2]; 15:5, 6, 7, 8, 10, 11, 16, 17, 21, 22, 27; 17:15
450-476 עַד (הָ)עָרֶב Lev. 11:24, 27, 31, 39
14:46; 15:10, 18, 19, 23; 22:6 • Num. 19:7, 8, 10; 19:21, 22 • Josh. 7:6; 10:26 • Jud. 20:23, 26; 21:2 • ISh. 14:24; 20:5 • IISh. 1:12 • Ezek. 46:2 • Ruth 2:17 • Dan. 8:14 • IICh. 18:34
477 עַד הַשָּׁנָה הַתְּשִׁיעִת Lev. 25:22
478-483 עַד שְׁנַת הַיּ(וֹ)בֵל Lev. 25:28, 40
25:50, 52; 27:18, 23
484-489 עַד אוֹר הַבֹּקֶר Jud. 16:2
ISh. 14:36; 25:34, 36 • IISh. 17:22 • IIK. 7:9
490 מִיּוֹם הָרִאשֹׁן עַד־יוֹם הַשְּׁבִעִי Ex. 12:15
491 מִן־הַבֹּקֶר עַד־הָעָרֶב Ex. 18:13
492 מִן־בֹּקֶר עַד־עָרֶב Ex. 18:14
493 מִן־הָעוֹלָם עַד־הָעוֹלָם Neh. 9:5
494-502 מִ(ן)...עַד...(ב) Ex. 27:21
Lev. 23:32; 24:3 • Num. 9:21 • Jud. 13:7 • Is. 38:12, 13 • Dan. 12:1 • Neh. 8:3
503-543 עַד (ב) Lev. 19:6; 23:16
Num. 11:20 • Josh. 6:10 • Jud. 16:2, 3; 18:1, 30; 19:26 • ISh. 14:36; 15:35 • IISh. 6:23; 19:25; 20:3 • IK. 3:2; 17:14 • IIK. 4:20, 35; 15:5; 18:4; 25:2 • Jer. 27:22; 38:28; 52:5, 11, 34 • Ezek. 22:4; 46:17 • Ps. 49:20[2]; 71:18 • Dan. 1:21 • Ez. 9:4; 10:17 • Neh. 6:1; 8:17, 18 • IICh. 8:16; 15:19; 26:21; 35:14

עַד (ג)

544 עַד שׁוּבְךָ אֶל־הָאֲדָמָה Gen. 3:19
545 יָצוֹא וָשׁוֹב עַד־יְבֹשֶׁת הַמַּיִם Gen. 8:7
546 עַד בֹּאֲךָ שָׁמָּה Gen. 19:22
547 עַד־שׁוּב אַף־אָחִיךָ מִמְּךָ Gen. 27:45
548 וַיֵּאָבֵק...עַד עֲלוֹת הַשָּׁחַר Gen. 32:24
549 וַיִּשְׁתַּחוּ...עַד־גִּשְׁתּוֹ עַד־אָחִיו Gen. 33:3
550 וְהֶחֱרִשׁ יַעֲקֹב עַד־בֹּאָם Gen. 34:5
551 עַד יִגְדַּל שֵׁלָה בְנִי Gen. 38:11
552 אִם־תִּתֵּן עֵרָבוֹן עַד שָׁלְחֶךָ Gen. 38:17
553 עַד־בּוֹא אֲדֹנָיו אֶל־בֵּיתוֹ Gen. 39:16
554 וַיָּכִינוּ...עַד־בּוֹא יוֹסֵף... Gen. 43:25
555 עַד־בֹּאִי אֵלֶיךָ מִצְרַיְמָה Gen. 48:5
556 עַד־בֹּאֵנוּ שָׁמָּה Ex. 10:26

עד־(ג) (המשך)

557 עַד־יַעֲבֹר עַמְּךָ יְיָ Ex. 15:16

558 עַד־יַעֲבֹר עַם־זוּ קָנִיתָ Ex. 15:16

559 עַד־בֹּאָם אֶל־אֶרֶץ נוֹשָׁבֶת... Ex. 16:35

560 עַד־בֹּאָם אֶל־קְצֵה אֶרֶץ כְּנָעַן Ex. 16:35

561 וַיְהִי יָדָיו אֱמוּנָה עַד־בֹּא הַשָּׁמֶשׁ Ex. 17:12

562 עַד־בֹּא הַשֶּׁמֶשׁ תְּשִׁיבֶנּוּ לוֹ Ex. 22:25

563 וְהִבִּיטוּ...עַד־בֹּאוֹ הָאֹהֱלָה Ex. 33:8

564 וְשַׂכֹּתִי כַפִּי עָלֶיךָ עַד־עָבְרִי Ex. 33:22

565 יָסִיר...הַמַּסְוֶה עַד־צֵאתוֹ Ex. 34:34

566 עַד־בֹּאוֹ לְדַבֵּר אִתּוֹ Ex. 34:35

567 עַד־מְלֹאת יְמֵי טָהֳרָהּ Lev. 12:4

568 וְכָל־אָדָם לֹא־יִהְיֶה...עַד־צֵאתוֹ Lev. 16:17

569 עַד הֲבִיאֲכֶם אֶת־קָרְבַּן... Lev. 23:14

570 וְהָעָם לֹא נָסַע עַד הֵאָסֵף מִרְיָם Num. 12:15

571 עַד־תֹּם פִּגְרֵיכֶם בַּמִּדְבָּר Num. 14:33

572 לֹא יִשְׁכַּב עַד־יֹאכַל טֶרֶף Num. 23:24

573 עַד־תֹּם כָּל־הַדּוֹר... Num. 32:13

574 עַד הִתְנַחֵל בְּנֵי יִשְׂרָאֵל... Num. 32:18

575 עַד הוֹרִישׁוֹ אֶת־אֹיְבָיו מִפָּנָיו Num. 32:21

576 לְהֻמָּם...עַד תֻּמָּם Deut. 2:15

577 עַד־אֲבֹד הַנִּשְׁאָרִים... Deut. 7:20

578 וְהָמָם...עַד הִשָּׁמְדָם Deut. 7:23

579 עַד הִשְׁמִדְךָ אֹתָם Deut. 7:24

580 לִכְתֹּב...עַד תֻּמָּם Deut. 31:24

581 וַיְדַבֵּר...עַד תֻּמָּם Deut. 31:30

582 וַיֵּשְׁבוּ שָׁם...עַד־שָׁבוּ הָרֹדְפִים Josh. 2:22

583 וַיִּפְּלוּ כֻלָּם לְפִי־חֶרֶב עַד־תֻּמָּם Josh. 8:24

584 עַד־יִקֹּם גּוֹי אֹיְבָיו Josh. 10:13

585 לְהַכּוֹתָם...עַד־תֻּמָּם Josh. 10:20

586 וַיְהִי עַד דִּבֶּר שָׁאוּל...וְהֶהָמוֹן... ISh. 14:19

587 וַיִּבְכּוּ אִישׁ...עַד־דָּוִד הִגְדִּיל ISh. 20:41

588 וְהִכִּיתָ אֶת־אֲרָם...עַד־כַּלֵּה IIK. 13:17

589 אָז הִכִּיתָ אֶת־אֲרָם עַד־כַּלֵּה IIK. 13:19

590 עַד־תֻּמָּם מֵעַל הָאֲדָמָה Jer. 24:10

591 עוֹד זֶה מְדַבֵּר וְזֶה בָּא Job 1:18

592 הֲלוֹא תֶאֱנַף־בָּנוּ עַד־כַּלֵּה Ez. 9:14

593–732 עַד (ג) Lev. 25:22, 29, 30 • Num. 6:5; 10:21; 35:12, 25, 28, 32 • Deut. 2:14; 20:20; 22:2; 28:20, 21, 22, 24, 45, 48, 51², 52, 61 • Josh. 2:16; 4:10, 23²; 5:1, 6, 8; 7:13; 8:6; 11:14; 20:6², 9; 23:13, 15 • Jud. 3:26; 6:18²; 19:8 • ISh. 1:23²; 2:5; 9:13; 10:8; 11:11; 14:9; 15:18; 16:11; 19:23 • IISh. 10:5; 15:24, 28; 21:10; 22:38 • IK. 3:1; 5:17; 6:22; 11:16, 40; 15:29; 18:28; 22:11, 27 • IIK. 3:25; 6:25; 7:3; 10:17; 16:11; 18:32; 24:20 • Is. 22:14; 26:20; 32:15; 36:17; 42:4; 62:1, 7 • Jer. 1:3²; 9:15; 23:20; 27:7, 8; 30:24; 32:5; 36:23; 37:21; 44:27; 49:37; 52:3 • Ezek. 4:8; 21:32; 24:13; 28:15; 33:22; 39:15 • Hosh. 7:4; 10:12 • Jon. 4:2 • Ps. 18:38; 57:2; 71:18; 73:17; 94:13; 110:1; 132:5; 141:10 • Prov. 4:18; 7:23; 8:26 • Job 7:19; 8:21; 14:6, 13, 14; 27:5; 32:11 • Ruth 1:19; 2:23; 3:3 • Lam. 3:50 • Dan. 10:3; 11:36 • Ez. 2:63; 8:29 • Neh. 4:15; 7:3, 65 • ICh. 4:31; 6:17 • IICh. 18:10, 26; 21:15; 29:34; 36:16, 20, 21

עַד אֶחָד 733 לֹא־מֵת...עַד־אֶחָד Ex. 9:7

734 לֹא־נִשְׁאַר בָּהֶם עַד־אֶחָד Ex. 14:28

735 לֹא נִשְׁאַר עַד־אֶחָד Jud. 4:16

עַד אַחַד 736 עַד אַחַד לֹא נֶעְדָּר IISh. 17:22

עַד אַחַר 737 לֹא יִפְתָּחוּם עַד אַחַר הַשַּׁבָּת Neh. 13:19

עַד־אֵין 738 רָעוֹת עַד־אֵין מִסְפָּר Ps. 40:13

739/40 (וְ)נִפְלָאוֹת עַד־אֵין מִסְפָּר Job 5:9; 9:10

741 עֹשֶׂה גְדֹלוֹת עַד־אֵין חֵקֶר Job 9:10

עַד אֶל־ 742 בָּא עַד־אֲלֵיהֶם וְלֹא־שָׁב IIK. 9:20

עַד אֵלֶּה 743 וְאִם־עַד־אֵלֶּה לֹא תִשְׁמְעוּ לִי Lev. 26:18

עַד אִם 744 עַד אִם־כִּלּוּ לִשְׁתֹּת Gen. 24:19

745 עַד אִם־דִּבַּרְתִּי דְּבָרָי Gen. 24:33

746 עַד אִם־נוֹתַרְתֶּם כַּתֹּרֶן... Is. 30:17

747 עַד אִם־כִּלּוּ אֵת כָּל־הַקָּצִיר Ruth 2:21

עַד אָן 748 עַד־אָן תְּמַלֶּל־אֵלֶּה Job 8:2

עַד אָנָה 749 עַד־אָנָה מֵאַנְתֶּם... Ex. 16:28

750 עַד־אָנָה יְנַאֲצֻנִי הָעָם הַזֶּה Num. 14:11

751 עַד־אָנָה אַתֶּם מִתְרַפִּים Josh. 18:3

752 עַד־אָנָה לֹא תִשְׁקֹטִי Jer. 47:6

753 עַד־אָנָה יְיָ שִׁוַּעְתִּי... Hab. 1:2

754 עַד־אָנָה יְיָ תִּשְׁכָּחֵנִי נֶצַח Ps. 13:2

755–760 עַד־אָנָה Ps. 13:2, 3²; 62:4 • Job 18:2; 19:2

עַד אֲשֶׁר 761 עַד אֲשֶׁר־תָּשׁוּב חֲמַת אָחִיךָ Gen. 27:44

762 עַד אֲשֶׁר יֵאָסְפוּ כָל־הָעֲדָרִים Gen. 29:8

763 עַד אֲשֶׁר־אָבֹא אֶל־אֲדֹנִי Gen. 33:14

764 עַד אֲשֶׁר תִּפְרֶה וְנָחַלְתָּ Ex. 23:30

765 עַד אֲשֶׁר־נָשׁוּב אֲלֵיכֶם Ex. 24:14

766 וַיִּטְחַן עַד אֲשֶׁר־דָּק Ex. 32:20

767 לֹא יֹאכַל עַד אֲשֶׁר יִטְהָר Lev. 22:4

768 עַד אֲשֶׁר־יֵצֵא מֵאַפְּכֶם Num. 11:20

769/70 עַד אֲשֶׁר־נַעֲבֹר גְּבֻלֶךָ Num. 20:17; 21:22

771 עַד אֲשֶׁר־עָבַרְנוּ אֶת־נַחַל זֶרֶד Deut. 2:14

772 עַד אֲשֶׁר־אֶעֱבֹר אֶת־הַיַּרְדֵּן Deut. 2:29

773 עַד אֲשֶׁר־יָנִיחַ יְיָ לַאֲחֵיכֶם Deut. 3:20

774 וָאֶכֹּת...עַד אֲשֶׁר־דַּק לְעָפָר Deut. 9:21

775 עַד אֲשֶׁר־יָנִיחַ יְיָ לַאֲחֵיכֶם Josh. 1:15

776 עַד אֲשֶׁר־תַּמּוּ כָּל־הַגּוֹי לַעֲבוֹר Josh. 3:17

777 עַד אֲשֶׁר הֶחֱרִים... Josh. 8:26

778–801 עַד אֲשֶׁר Josh. 17:14 • Jud. 4:24 • ISh. 22:3; 30:4 • IISh. 17:13 • IK. 10:7; 17:17 • IIK. 17:20, 23; 21:16 • Is. 6:11 • Ezek. 34:21 • Hosh. 5:15 • Mic. 7:9 • Jon. 4:5 • Ps. 112:8 • Ruth 1:13; 3:18 • Eccl. 2:3; 12:6 • Neh. 2:7; 4:5 • ICh. 19:5 • IICh. 9:6

עַד אֲשֶׁר אִם 802 עַד אֲשֶׁר אִם־עָשִׂיתִי Gen. 28:15

803 עַד אֲשֶׁר אִם־הֲבִיאֹנֻם Num. 32:17

עַד אֲשֶׁר לֹא 804 עַד אֲשֶׁר לֹא־יָבֹאוּ יְמֵי הָרָעָה Eccl. 12:1

805 עַד אֲשֶׁר לֹא־תֶחְשַׁךְ הַשֶּׁמֶשׁ Eccl. 12:2

עַד־בּוֹשׁ 806 וַיָּחִילוּ עַד־בּוֹשׁ Jud. 3:25

807 וַיִּפְצְרוּ־בוֹ עַד־בֹּשׁ IIK. 2:17

808 ...וַיָּשֶׂם עַד־בֹּשׁ IIK. 8:11

עַד־בְּלִי 809 ...בְּרָכָה עַד־בְּלִי־דָי Mal. 3:10

810 וְרֹב שָׁלוֹם עַד־בְּלִי יָרֵחַ Ps. 72:7

עַד־בִּלְתִּי 811 עַד־בִּלְתִּי הִשְׁאִיר־לוֹ שָׂרִיד Num. 21:35

812–814 עַד־בִּלְתִּי הִשְׁאִיר־לוֹ שָׂרִיד Deut. 3:3 • Josh. 8:22; 10:33

815 עַד־בִּלְתִּי הִשְׁאִיר־לָהֶם שָׂרִיד Josh. 11:8

816 וְלֹא־יָקוּם עַד־בִּלְתִּי שָׁמַיִם Job 14:12

עַד דּוֹר 817/8 וְלֹא תִשְׁכֹּ(וֹ)ן עַד־דּוֹר וָדוֹר Is. 13:20 • Jer. 50:39

819 עַד־שְׁנֵי דּוֹר וָדוֹר Joel 2:2

עַד־דַּכָּא 820 תָּשֵׁב אֱנוֹשׁ עַד־דַּכָּא Ps. 90:3

עַד הֲלֹם 821/2 כִּי הֲבִיאֹתַנִי עַד־הֲלֹם IISh. 7:18 • ICh. 17:16

עַד הֵם 823 בָּא הַמַּלְאָךְ עַד־הֵם IIK. 9:18

עַד־הֵנָּה 824 כִּי לֹא־שָׁלֵם עֲוֹן הָאֱמֹרִי עַד־הֵנָּה Gen. 15:16

825 וְלֹא רְאִיתִיו עַד־הֵנָּה Gen. 44:28

826 עַד־הֵנָּה הֵתַלְתָּ בִּי Jud. 16:13

827 מֵרֹב שִׂיחִי...דִּבַּרְתִּי עַד־הֵנָּה ISh. 1:16

עַד־הֵנָּה (המשך) 828 עַד־הֵנָּה עֲזָרָנוּ יְיָ ISh. 7:12

829 אָמְרוּ...קָרֵב עַד־הֵנָּה IISh. 20:16

830 בָּא אִישׁ הָאֱלֹהִים עַד־הֵנָּה IIK. 8:7

831 עַד־הֵנָּה מִשְׁפַּט מוֹאָב Jer. 48:47

832 עַד־הֵנָּה דִּבְרֵי יִרְמְיָהוּ Jer. 51:64

עַד כֹּה 833 וַאֲנִי וְהַנַּעַר נֵלְכָה עַד־כֹּה Gen. 22:5

834 וְהִנֵּה לֹא־שָׁמַעְתָּ עַד־כֹּה Ex. 7:16

835 עַד־כֹּה בֵּרְכַנִי יְיָ Josh. 17:14

836 וַיְהִי עַד־כֹּה וְעַד־כֹּה IK. 18:45

עַד כִּי 837 הָלוֹךְ וְגָדֵל עַד כִּי־גָדַל מְאֹד Gen. 26:13

838 ...עַד כִּי־חָדַל לִסְפֹּר Gen. 41:49

839 עַד כִּי־יָבֹא שִׁילֹה Gen. 49:10

840 עַד כִּי־יָגְעָה יָדוֹ IISh. 23:10

841 הִפְלִיא לְהֵעָזֵר עַד כִּי־חָזָק IICh. 26:15

עַד כָּל־ 842 וְכֹל...עַד כָּל־מַרְבֵּה רַגְלַיִם Lev. 11:42

עַד כַּמֶּה 843/4 עַד־כַּמֶּה פְעָמִים IK. 22:16 • IICh. 18:15

עַד כֵּן 845 וְלַיְּהוּדִים...עַד־כֵּן לֹא הִגַּדְתִּי Neh. 2:16

עַד לְ־ 846 וַיִּתְנַבְּאוּ עַד לַעֲלוֹת הַמִּנְחָה IK. 18:29

847 וְהַקּוֹל נִשְׁמַע עַד־לְמֵרָחוֹק Ez. 3:13

848 וְאַשְׁמָתֵנוּ גָדְלָה עַד לַשָּׁמָיִם Ez. 9:6

849 עַד לְהָשִׁיב חֲרוֹן אַף־אֱלֹהֵינוּ Ez. 10:14

850 עַד לַדָּבָר הַזֶּה Ez. 10:14

851 וַיֵּלְכוּ...עַד לְמִזְרַח הַגָּיְא ICh. 4:39

852 עַד־לָבוֹא מִדְבָּרָה ICh. 5:9

853 וַיָּבֹאוּ...עַד־לַמְצָד לְדָוִיד ICh. 12:17(16)

854 עַד לְמַחֲנֶה גָדוֹל כְּמַחֲנֵה אֱל׳ ICh. 12:23(22)

855 וַיִּשְׁכֹּן בִּירוּשָׁלַיִם עַד־לְעוֹלָם ICh. 23:25

856 וַהֲכִינוֹתִי אֶת־מַלְכוּתוֹ עַד־לְעוֹלָם ICh. 28:7

857 וְלֹא יַעַזְבֶךָּ עַד־לִכְלוֹת...מְלֶאכֶת ICh. 28:20

858 וַיִּרְדְּפֵם אָסָא...עַד־לִגְרָר IICh. 14:12

859 וַיֶּחֱלֶא...עַד־לְמַעְלָה חָלְיוֹ IICh. 16:12

860 שְׂרֵפָה גְּדוֹלָה עַד־לִמְאֹד IICh. 16:14

861 הֹלֵךְ וְגָדֵל עַד־לְמָעְלָה IICh. 17:12

862 וַיַּשְׁלִיכוּ לָאָרוֹן עַד־לְכַלֵּה IICh. 24:10

863 וַיֵּלֶךְ שְׁמוֹ עַד־לְבוֹא מִצְרַיִם IICh. 26:8

864 כִּי הֶחֱזִיק עַד־לְמָעְלָה IICh. 26:8

865 וַיֵּצֵא שְׁמוֹ עַד־לְמֵרָחוֹק IICh. 26:15

866 גָּבַהּ לִבּוֹ עַד־לְהַשְׁחִית IICh. 26:16

867 בְּזַעַף עַד לַשָּׁמַיִם הִגִּיעַ IICh. 28:9

868 הַכֹּל עַד לִכְלוֹת הָעֹלָה IICh. 29:28

869 וַיְהַלְלוּ עַד־לְשִׂמְחָה IICh. 29:30

870 וַיְנַתְּצוּ...עַד־לְכַלֵּה IICh. 31:1

871 אָכוֹל וְשָׂבוֹעַ וְהוֹתֵר עַד־לָרוֹב IICh. 31:10

872 חָלָה יְחִזְקִיָּהוּ עַד־לָמוּת IICh. 32:24

873 עַד־לְאֵין מַרְפֵּא IICh. 36:16

עַד לֹא 874 עַד לֹא־שַׂמְתְּ אֵלֶּה עַל־לִבֵּךְ Is. 47:7

875 עַד־לֹא עָשָׂה אֶרֶץ וְחוּצוֹת Prov. 8:26

עַד לִפְנֵי 876 וַיָּבוֹא עַד לִפְנֵי שַׁעַר־הַמֶּלֶךְ Es. 4:2

עַד־מְאֹד 877 חֲרָדָה גְּדֹלָה עַד־מְאֹד Gen. 27:33

878 צְעָקָה גְּדֹלָה וּמָרָה עַד־מְאֹד Gen. 27:34

879 וַיִּשְׂמַח...עַד־מְאֹד ISh. 11:15

880 וְהוּא שִׁכֹּר עַד־מְאֹד ISh. 25:36

881 וַתְּהִי הַמִּלְחָמָה קָשָׁה עַד־מְאֹד IISh. 2:17

882 וְהַנַּעֲרָה יָפָה עַד־מְאֹד IK. 1:4

883 אַל־תִּקְצֹף יְיָ עַד־מְאֹד Is. 64:8

884 תֶּחֱשֶׁה וּתְעַנֵּנוּ עַד־מְאֹד Is. 64:11

885–893 עַד־מְאֹד Ps. 38:7, 9 • 119:8, 43, 51, 107 • Lam. 5:22 • Dan. 8:8; 11:25

עַד מָה 894 עַד־מָה אַשּׁוּר תִּשְׁבֶּךָּ Num. 24:22

895 וְלֹא־אִתָּנוּ יוֹדֵעַ עַד־מָה Ps. 74:9

896 עַד־מָה יְיָ תֶּאֱנַף לָנֶצַח Ps. 79:5

897 עַד־מָה יְיָ תִּסָּתֵר לָנֶצַח Ps. 89:47

עַד מֶה 898 עַד־מֶה כְבוֹדִי לִכְלִמָּה Ps. 4:3
עַד־מְהֵרָה 899 עַד־מְהֵרָה יָרוּץ דְּבָרוֹ Ps. 147:15
עַד־מָוֶת 900 הֵיטֵב חָרָה־לִי עַד־מָוֶת Jon. 4:9
עַד מַעַל 901 מֵהָאָרֶץ עַד־מֵעַל הַפָּתַח Ezek. 41:20
עַד מֵרָחוֹק 902 וַתְּשַׁלְּחִי צִירַיִךְ עַד־מֵרָחֹק Is. 57:9
עַד מָתַי 903 עַד־מָתַי מֵאַנְתָּ לֵעָנֹת מִפָּנָי Ex. 10:3
930-904 עַד־מָתַי Ex. 10:7 • Num. 14:27
ISh. 1:14; 16:1 • IK. 18:21 • Is. 6:11 • Jer. 4:14, 21; 12:4; 23:26; 31:22(21); 47:5 • Hosh. 8:5 • Hab. 2:6 • Zech. 1:12 • Ps. 6:4; 74:10; 80:5; 82:2; 90:13; 94:3² • Prov. 1:22; 6:9 • Dan. 8:13; 12:6 • Neh. 2:6
עַד־נֶגֶד 931 עַד־נֶגֶד קִבְרֵי דָוִיד Neh. 3:16
932 עַד נֶגֶד שַׁעַר הַמַּיִם Neh. 3:26
עַד־נֵצַח 933 עַד־נֵצַח לֹא יִרְאוּ־אוֹר Ps. 49:20
934 אָבִי יִבָּחֵן אִיּוֹב עַד־נֶצַח Job 34:36
עַד־עוֹלָם 935 ...וּלְזַרְעֲךָ עַד־עוֹלָם Gen. 13:15
936 לְחָק־לְךָ וּלְבָנֶיךָ עַד־עוֹלָם Ex. 12:24
937 לֹא תֹסִפוּ לִרְאֹתָם עוֹד עַד־עוֹלָם Ex. 14:13
938 לְמַעַן יִיטַב לְךָ...עַד־עוֹלָם Deut. 12:28
998-939 עַד־עוֹלָם Deut. 23:4; 28:46; 29:28
Josh. 4:7; 14:9 • ISh. 1:22; 2:30; 3:13, 14; 13:13; 20:15, 23, 42 • IISh. 3:28; 7:13, 16², 24, 25, 26; 12:10; 22:51 • IK. 2:33, 45; 9:3 • Is. 30:8; 32:14, 17; 34:17 • Jer. 17:4; 35:6; 49:33 • Ezek. 27:36; 28:19; 35:6; 37:25 • Zep. 2:9 • Mal. 1:4 • Ps. 18:51; 28:9; 48:9; 89:5; 90:2; 106:31; 133:3 • Ez. 9:12² • Neh. 13:1 • ICh. 15:2; 17:12, 14², 22, 23, 24; 22:9; 23:13²; 28:8 • IICh. 7:16
999 וְלֹא תִכָּלְמוּ עַד־עוֹלְמֵי עַד Is. 45:17
עַד־עֵת 1000 תָּלָה...עַד עֵת הָעָרֶב Josh. 8:29
1001 מֵעֵת עַד־עֵת תֹּאכְלֶנּוּ Ezek. 4:10
1002 עַד־עֵת יוֹלֵדָה יָלָדָה Mic. 5:2
1003 עַד־עֵת בֹּא־דְבָרוֹ Ps. 105:19
1004 וְלַלְבֵּן עַד־עֵת קֵץ Dan. 11:35
1005 וַחֲתֹם הַסֵּפֶר עַד־עֵת קֵץ Dan. 12:4
1006 וַחֲתֻמִים הַדְּבָרִים עַד־עֵת קֵץ Dan. 12:9
עַד־עָתָּה 1007 וָאֵחַר עַד־עָתָּה Gen. 32:4
1008 כִּי לֹא־בָאתֶם עַד־עָתָּה Deut. 12:9
1009 מִנְּעֻרֶיךָ עַד־עָתָּה IISh. 19:8
1010 וְלֹא־הִשְׁלִיכָם...עַד־עָתָּה IIK. 13:23
עַד פֹּה 1011 עַד פֹּה תָבוֹא וְלֹא תֹסִיף Job 38:11
עַד־רָחוֹק 1012 וְהוֹכִיחַ לְגוֹיִם עֲצֻמִים עַד־רָחוֹק Mic. 4:3
עַד שֶׁ־ 1013 עַד שַׁקַּמְתִּי דְּבוֹרָה Jud. 5:7
עַד שֶׁ־ 1014 עֵינֵינוּ אֶל־יְיָ עַד שֶׁיְּחָנֵּנוּ Ps. 123:2
1015 עַד־שֶׁהַמֶּלֶךְ בִּמְסִבּוֹ S.ofS. 1:12
1016/7 אִם־תָּעִירוּ...עַד שֶׁתֶּחְפָּץ S.ofS. 2:7; 3:5
1018/9 עַד שֶׁיָּפוּחַ הַיּוֹם S.ofS. 2:17; 4:6
1020 עַד שֶׁמָּצָאתִי אֵת שֶׁאָהֲבָה נַפְשִׁי S.ofS. 3:4
1021 עַד־שֶׁהֲבֵיאתִיו אֶל־בֵּית אִמִּי S.ofS. 3:4
1022 מַה־תָּעִירוּ...עַד שֶׁתֶּחְפָּץ S.ofS. 8:4
וְעַד (א) 1023 וְכָל־הָעֲרָבָה...וְעַד יָם הָעֲרָבָה Deut. 4:49
1024 וַיִּרְדְּפֵם...עַד־עֲזֵקָה וְעַד־מַקֵּדָה Josh. 10:10
1150-1125 וְעַד (א) Josh. 11:8²; 12:3; 16:3
19:29 • ISh. 17:52²; 20:8; 27:8 • Ezek. 41:17 • Hag. 2:19 • Ps. 57:11; 108:5 • Neh. 3:1, 15, 16², 31 • ICh. 5:8; 9:18; 11:21 • IICh. 34:6
מִן...וְעַד(א) 1051/2 מֵאָדָם...וְעַד־עוֹף הַשָּׁמַיִם(מ)
Gen. 6:7; 7:23
1053 מִנֶּגֶב וְעַד־בֵּית־אֵל Gen. 13:3
1054 אִם־מִחוּט וְעַד שְׂרוֹךְ־נַעַל Gen. 14:23
1055/6 מִנַּעַר וְעַד־זָקֵן Gen. 19:4 • Es. 3:13

מִן...וְעַד(א) (המשך) 1064-1057 (לְ)מִקָּטֹן וְעַד־גָּדוֹל Gen. 19:11
ISh. 5:9; 30:2 • IIK. 23:2; 25:26 • Jer. 42:1, 8; 44:12
1065/6 מֵאָדָם וְעַד־בְּהֵמָה Ex. 9:25; 12:12
1067 מִיַּם־סוּף וְעַד־יָם פְּלִשְׁתִּים Ex. 23:31
1068 מִמָּתְנַיִם וְעַד־יְרֵכַיִם יִהְיוּ Ex. 28:42
1069 מֵרֹאשׁוֹ וְעַד־רַגְלָיו Lev. 13:12
1070 מִבֶּן...וְעַד בֶּן־שִׁשִּׁים שָׁנָה Lev. 27:3
1071 מִבֶּן...וְעַד בֶּן־עֶשְׂרִים שָׁנָה Lev. 27:5
1078-1072 מִבֶּן...וְעַד בֶּן... Lev. 27:6
Num. 4:3, 30, 35, 39, 43, 47
1079 מֵחַרְצַנִּים וְעַד־זָג Num. 6:4
1080/1 מִן־הַגִּלְעָד וְעַד־נַחַל אַרְנֹן...
וְעַד יַבֹּק הַנָּחַל Deut. 3:16
1083 מִכִּנֶּרֶת וְעַד יָם הָעֲרָבָה Deut. 3:17
1084 מֵעֲרֹעֵר...וְעַד־הַר שִׂיאֹן Deut. 4:48
1085 מִן־הַנָּהָר...וְעַד הַיָּם הָאַחֲרוֹן Deut. 11:24
1089-1086 מִקְצֵה (הָ)אָרֶץ וְעַד־קְצֵה הָאָרֶץ
Deut. 13:8; 28:64 • Jer. 12:12; 25:33
1090 מִכַּף רַגְלְךָ וְעַד קָדְקֳדֶךָ Deut. 28:35
1091/2 מֵהַמִּדְבָּר...וְעַד־הַנָּהָר הַגָּדוֹל...
וְעַד־הַיָּם הַגָּדוֹל Josh. 1:4
1099-1093 (לְ)מֵאִישׁ וְעַד־אִשָּׁה Josh. 6:21; 8:35
ISh. 22:19 • IISh. 6:19 • Neh. 8:2 • ICh. 16:3 • IICh. 15:13
1100/1 מִנַּעַר וְעַד־זָקֵן וְעַד שׁוֹר Josh. 6:21
1108-1102 (לְ)מִדָּן וְעַד־בְּאֵר שֶׁבַע (שָׁ־)
Jud. 20:1 • ISh. 3:20 • IISh. 3:10; 17:11; 24:2, 15 • IK. 5:5
1109/10 מֵעֹ(וֹ)לֵל וְעַד־יוֹנֵק ISh. 15:3; 22:19
1111 מִשּׁוֹר וְעַד־שֶׂה ISh. 15:3
1114-1112 מִן־הַקָּטֹן וְעַד־הַגָּדוֹל
וְעַד־בָּנִים וּבָנוֹת וּמִשָּׁלָל
וְעַד כָּל־אֲשֶׁר לָקְחוּ לָהֶם ISh. 30:19
1115 לְמֵרַע וְעַד־טוֹב IISh. 13:22
1116 מִנֶּפֶשׁ וְעַד־בָּשָׂר יְכַלֶּה Is. 10:18
1117/8 (לְ)מִקְּטַנָּם וְעַד־גְּדוֹלָם Jer. 6:13; 31:33
1119/20 (וּ)מִנָּבִיא וְעַד־כֹּהֵן Jer. 6:13; 8:10
1121 מִמִּזְרַח־שֶׁמֶשׁ וְעַד־מְבוֹאוֹ Mal. 1:11
1122 מֵרֹאשׁ וְעַד־סוֹף Eccl. 3:11
1123/4 מֵהֹדּוּ וְעַד־כּוּשׁ Es. 1:1; 8:9
1125 לְמִן־קָטֹן וְעַד־גָּדוֹל IICh. 15:13
1189-1126 מִן...וְעַד (א) Gen. 47:21
Ex. 11:7; 13:15 • Deut. 2:36; 4:32 • Josh. 10:41²; 11:17; 12:2, 7; 13:3 • Jud. 11:13², 22², 33²; 15:5² • ISh. 6:18²; 7:14; 15:3 • IISh. 14:25; 20:2; 23:19 • IK. 5:1, 4, 13; 6:24 • Is. 1:6; 22:24 • Jer. 8:10; 9:9; 33:12; 50:3; 51:62 • Ezek. 29:10; 47:10; 48:3, 6 • Am. 8:12 • Jon. 3:5 • Mic. 1:7; 7:12 • Job 2:7 • Es. 1:5, 20 • Neh. 3:21, 24, 27; 12:37, 38, 39 • ICh. 11:8; 12:30; 13:5; 14:16; 21:2 • IICh. 9:26²; 25:13; 30:5, 10; 34:30
וְעַד (ב) 1190 וְעַד־זִקְנָה אֲנִי הוּא Is. 46:4
1191 וְעַד־שֵׂיבָה אֲנִי אֶסְבֹּל Is. 46:4
1192 וְעַד קֵץ מִלְחָמָה Dan. 9:26
1193 וְעַד־מַלְכוּת דָּרְיָוֶשׁ Ez. 4:5
1194 וְעַד־יְמֵי יוֹחָנָן בֶּן־אֶלְיָשִׁיב Neh. 12:23
מִן...וְעַד(ב) 1195 מֵרֵשִׁית הַשָּׁנָה וְעַד אַחֲרִית שָׁ' Deut. 11:12
1202-1196 מִ...וְעַד־הַיּוֹם הַזֶּה ISh. 8:8
IISh. 7:6 • IIK. 21:15 • Jer. 3:25; 25:3; 32:31; 36:2
1203 מֵהַנֶּשֶׁף וְעַד־הָעֶרֶב ISh. 30:17
1204 מֵהַבֹּקֶר וְעַד־הַצָּהֳרָיִם IK. 18:26
1205 מִשְּׁנַת...וְעַד שְׁנַת שְׁלֹשִׁים וּשְׁתַּיִם Neh. 5:14

וְעַד (ג) 1206 וְעַד־אָבָדְךָ מַהֵר Deut. 28:20
1207 וְעַד־יָשִׂים אֶת־יְרוּשָׁלַםִ תְּהִלָּה Is. 62:7
1208/9 וְעַד־הֲקִימוֹ מְזִמּוֹת לִבּוֹ Jer. 23:20; 30:24
1210 וְעַד שַׂר־הַצָּבָא הִגְדִּיל Dan. 8:11
1211 וְעַד־כָּלָה וְנֶחֱרָצָה Dan. 9:27
1212 וְעַד הֵם עֹמְדִים יָגִיפוּ הַדְּלָתוֹת Neh. 7:3
1213 מוּסַד בֵּית־יְיָ וְעַד־כְּלֹתוֹ IICh. 8:16
1214 וְעַד־יִתְקַדְּשׁוּ הַכֹּהֲנִים IICh. 29:34
וְעַד אָנָה 1215 וְעַד־אָנָה לֹא־יַאֲמִינוּ בִי Num. 14:11
וְעַד אַרְגִּיעָה 1216 וְעַד־אַרְגִּיעָה לְשׁוֹן שָׁקֶר Prov. 12:19
וְעַד דּוֹר 1217 וְעַד־דֹּר וָדֹר אֱמוּנָתוֹ Ps. 100:5
וְעַד הֵנָּה 1218 מִמִּצְרַיִם וְעַד־הֵנָּה Num. 14:19
1219 מִנְּעוּרָי וְעַד־הֵנָּה אַגִּיד Ps. 71:17
וְעַד כֹּה 1220 וַיְהִי עַד־כֹּה וְעַד־כֹּה IK. 18:45
וְעַד מָתַי 1221 וְעַד־מָתַי לֹא־תֹאמַר לָעָם... IISh. 2:26
וְעַד עוֹלָם 1229-1222 מֵעַתָּה וְעַד־עוֹלָם Is. 9:6
59:21 • Mic. 4:7 • Ps. 113:2; 115:18
121:8; 125:2; 131:3
1230/1 לְמִן־עוֹלָם וְעַד־עוֹלָם Jer. 7:7; 25:5
1232 מֵהָעוֹלָם וְעַד־הָעוֹלָם Ps. 41:14
1233 וְחֶסֶד יְיָ מֵעוֹלָם וְעַד־עוֹלָם Ps. 103:17
1234 מִן־הָעוֹלָם וְעַד הָעוֹלָם Ps. 106:48
1235 מִן־הָעוֹלָם וְעַד־הָעֹלָם ICh. 16:36
1236 מֵעוֹלָם וְעַד־עוֹלָם ICh. 29:10
וְעַד־עֵת 1237 מֵהַבֹּקֶר וְעַד־עֵת מוֹעֵד IISh. 24:15
1238 יְחַשֵּׁב מַחְשְׁבֹתָיו וְעַד־עֵת Dan. 11:24
וְעַד עַתָּה 1239 מִנְּעוּרֵינוּ וְעַד־עַתָּה Gen. 46:34
1240 ...מִנְּעוּרַי וְעַד־עַתָּה Ezek. 4:14
1241 וַתַּעֲמוֹד מֵאָז הַבֹּקֶר וְעַד־עַתָּה Ruth 2:7
1242 לְמִן־הַיּוֹם הִוָּסְדָה וְעַד־עָתָּה Ex. 9:18
1243 מִיּוֹם עָזְבָה אֶת־הָאָרֶץ וְעַד־עָתָּה IIK. 8:6
עֲדֵי־ 1244 וְאַחֲרִיתוֹ עֲדֵי אֹבֵד Num. 24:20
1245 וְגַם־הוּא עֲדֵי אֹבֵד Num. 24:24
1246 בִּטְחוּ בַיְיָ עֲדֵי־עַד Is. 26:4
1247 כִּי־אִם־שִׂישׂוּ וְגִילוּ עֲדֵי־עַד Is. 65:18
1251-1248 עֲדֵי־עַד Ps. 83:18; 92:8; 132:12, 14
1252 יֵצֵא אָדָם לְפָעֳלוֹ...עֲדֵי־עָרֶב Ps. 104:23
1253 מַשְׁפִּיל רְשָׁעִים עֲדֵי־אָרֶץ Ps. 147:6
1254 וְשָׂבַעְתִּי נְדֻדִים עֲדֵי־נָשֶׁף Job 7:4
1255 וְשִׂמְחַת־חָנֵף עֲדֵי־רָגַע Job 20:5
עָדַי 1256 הַאֲזִינָה עָדַי בְּנוֹ צִפֹּר Num. 23:18
1257 שֻׁבוּ עָדַי בְּכָל־לְבַבְכֶם Joel 2:12
1262-1258 וְלֹא־שַׁבְתֶּם עָדָי Am. 4:6, 8, 9, 10, 11
עָדֶיךָ 1263 עָדֶיךָ תֵּאתֶה וּבָאָה הַמֶּמְשָׁלָה Mic. 4:8
1264 עָדֶיךָ כָּל־בָּשָׂר יָבֹאוּ Ps. 65:3
1265 תִּגַּע עָדֶיךָ וַתִּבָּהֵל Job 4:5
וְעָדֶיךָ 1266 יוֹם הוּא וְעָדֶיךָ יָבוֹא Mic. 7:12
עָדָיו 1267 עָדָיו יָבוֹא וְיֵבֹשׁוּ Is. 45:24
עָדֶיהָ 1268 בָּאוּ עָדֶיהָ וַיֶּחְפָּרוּ Job 6:20
וְעָדֵיכֶם 1269 וְעָדֵיכֶם אֶתְבּוֹנָן Job 32:12

עַד²

ז' נֶצַח, זמן לאין סוף: 1-48

לָעַד 28-48; אֲבִי עַד 1; הַרְרֵי עַד 4; מִנִּי עַד 5; עֲדֵי עַד 7-12; עוֹלְמֵי עַד 2; שׁוֹכֵן עַד 3; (לְ)עוֹלָם וָעֶד 13-27

עַד 1 אֲבִי־עַד שַׂר־שָׁלוֹם Is. 9:5
2 וְלֹא־תִכָּלְמוּ עַד־עוֹלְמֵי עַד Is. 45:17
3 שֹׁכֵן עַד וְקָדוֹשׁ שְׁמוֹ Is. 57:15
4 וַיִּתְפֹּצְצוּ הַרְרֵי־עַד Hab. 3:6
5 הֲזֹאת יָדַעְתָּ מִנִּי־עַד Job 20:4
6 (?) הֵן עַד־יָרֵחַ וְלֹא יַאֲהִיל Job 25:5

עֲדֵי־עַד 7 בִּטְחוּ בַיְיָ עֲדֵי־עַד Is. 26:4
8 כִּי־אִם־שִׂישׂוּ וְגִילוּ עֲדֵי־עַד Is. 65:18
9 יֵבֹשׁוּ וְיִבָּהֲלוּ עֲדֵי־עַד Ps. 83:18
10 לְהִשָּׁמְדָם עֲדֵי־עַד Ps. 92:8
11 בְּנֵיהֶם עֲדֵי־עַד יֵשְׁבוּ לְכִסֵּא־לָךְ Ps. 132:12
12 זֹאת־מְנוּחָתִי עֲדֵי־עַד Ps. 132:14
וָעֶד 13 יְיָ יִמְלֹךְ לְעֹלָם וָעֶד Ex. 15:18
14 בְּשֵׁם יְיָ אֱלֹהֵינוּ לְעוֹלָם וָעֶד Mic. 4:5
15-21 לְעוֹלָם וָעֶד Ps. 9:6; 45:18
119:44; 145:1, 2, 21 • Dan. 12:3
22 יְיָ מֶלֶךְ עוֹלָם וָעֶד Ps. 10:16
23 אֹרֶךְ יָמִים עוֹלָם וָעֶד Ps. 21:5
24-27 עוֹלָם וָעֶד Ps. 45:7; 48:15; 52:10; 104:5
לָעַד 28 לְיוֹם אַחֲרוֹן לָעַד עַד־עוֹלָם Is. 30:8
29 וְאַל־לָעַד תִּזְכֹּר עָוֹן Is. 64:8
30 וַיִּטְרֹף לָעַד אַפּוֹ Am. 1:11
31 לֹא־הֶחֱזִיק לָעַד אַפּוֹ Mic. 7:18
32 תִּקְוַת עֲנִיִּים° תֹּאבַד לָעַד Ps. 9:19
33 יִרְאַת יְיָ טְהוֹרָה עוֹמֶדֶת לָעַד Ps. 19:10
34 כִּי־תְשִׁיתֵהוּ בְרָכוֹת לָעַד Ps. 21:7
35 יְחִי לְבַבְכֶם לָעַד Ps. 22:27
36 וְיִשְׁכְּנוּ לָעַד עָלֶיהָ Ps. 37:29
37 כֵּן אֲזַמְּרָה שִׁמְךָ לָעַד Ps. 61:9
38 וְשַׂמְתִּי לָעַד זַרְעוֹ Ps. 89:30
39-40 וְצִדְקָתוֹ עֹמֶדֶת לָעַד Ps. 111:3; 112:3
41 סְמוּכִים לָעַד לְעוֹלָם Ps. 111:8
42 תְּהִלָּתוֹ עֹמֶדֶת לָעַד Ps. 111:10
43 צִדְקָתוֹ עֹמֶדֶת לָעַד Ps. 112:9
44 וַיַּעֲמִידֵם לָעַד לְעוֹלָם Ps. 148:6
45 שְׂפַת־אֱמֶת תִּכּוֹן לָעַד Prov. 12:19
46 מֶלֶךְ...כִּסְאוֹ לָעַד יִכּוֹן Prov. 29:14
47 לָעַד בַּצּוּר יֵחָצְבוּן Job 19:24
48 וְאִם־תַּעַזְבֶנּוּ יַזְנִיחֲךָ לָעַד ICh. 28:9

עַד³ ז' שָׁלָל: 1-3
עַד 1 בַּבֹּקֶר יֹאכַל עַד וְלָעֶרֶב...שָׁלָל Gen. 49:27
2 אָז חֻלַּק עַד־שָׁלָל מַרְבֶּה... Is. 33:23
לָעַד 3 חַכּוּ־לִי...לְיוֹם קוּמִי לְעַד Zep. 3:8

עַד⁴ מ"י ארמית, כמו בעברית: 1-35
עַד דִּי 13-24; עַד כָּה 8; עַד כְּעַן 35; עַד סוֹפָא 7,4; עַד עִדָּן וְעִדָּנִין 6; עַד עָלְמָא 25
עַד 1 עַד־דִּבְרַת דִּי יִנְדְּעוּן חַיַּיָּא Dan. 4:14
2-3 עַד־יוֹמִין תְּלָתִין Dan. 6:8, 13
4 וְשָׁלְטָנֵהּ עַד־סוֹפָא Dan. 6:27
5 וְאַרְכָה...עַד־זְמַן וְעִדָּן Dan. 7:12
6 עַד־עִדָּן וְעִדָּנִין וּפְלַג עִדָּן Dan. 7:25
7 לְהַשְׁמָדָה וּלְהוֹבָדָה עַד־סוֹפָא Dan. 7:26
8 עַד־כָּה סוֹפָא דִי־מִלְּתָא Dan. 7:28
9 עַד־מִנֵּי־טַעְמָא יִתְּשָׂם Ez. 4:21
10 וַהֲוָת בָּטְלָא עַד שְׁנַת תַּרְתֵּין... Ez. 4:24
11 עַד־טַעְמָא לְדָרְיָוֶשׁ יְהָךְ Ez. 5:5
12 עַד יוֹם תְּלָתָה לִירַח אֲדָר Ez. 6:15
עַד דִּי 13 עַד דִּי עִדָּנָא יִשְׁתַּנֵּא Dan. 2:9
14 עַד דִּי הִתְגְּזֶרֶת אֶבֶן... Dan. 2:34
15 עַד דִּי־שִׁבְעָה עִדָּנִין יַחְלְפוּן עֲלוֹהִי Dan.4:20
16/7 עַד דִּי־תִנְדַּע דִּי־שַׁלִּיט עִלָּאָה° Dan. 4:22, 29
18-24 עַד דִּי Dan. 4:30; 5:21; 6:25; 7:4, 9, 11, 22
עַד...וְעַד 25 וְיַחְסְנוּן מַלְכוּתָא עַד־עָלְמָא Dan. 7:18
26 וְעַד עָלַם עָלְמַיָּא Dan. 7:18

עַד...וְעַד (המשך) 27-30 עַד־כְּסַף כַּכְּרִין מְאָה
וְעַד־חִנְטִין כּוֹרִין מְאָה
וְעַד־חֲמַר בַּתִּין מְאָה
וְעַד־בַּתִּין מְשַׁח מְאָה Ez. 7:22
וְעַד 31 מְבָרַךְ מִן־עָלְמָא וְעַד־עָלְמָא Dan. 2:20
32 וְעַד אָחֳרֵין עַל קָדָמַי דָּנִיֵּאל Dan. 4:5
33 וְעַד מֶעָלֵי שִׁמְשָׁא הֲוָה מִשְׁתַּדַּר Dan. 6:15
34 וְעַד־עַתִּיק יוֹמַיָּא מְטָה Dan. 7:13
35 וּמִן־אֱדַיִן וְעַד־כְּעַן מִתְבְּנֵא Ez. 5:16

עֵד¹ ז' מַאֲשֶׁר דברים או עובדות שראה או ששמע (גם בהשאלה): 1-69
– עֵד אֱמוּנִים 34; עֵד אֱמֶת 36, 44; עֵד בְּלִיַּעַל 39; עֵד חָמָס 29, 31, 63; עֵד חִנָּם 41; עֵד כְּזָבִים 40; עֵד נֶאֱמָן 44, 53; עֵד שָׁוְא 30; עֵד שֶׁקֶר 20, 28, 32, 33, 35, 43, 62; עֵד שְׁקָרִים 37, 38, 43
– יַד הָעֵדִים 60; עֵינֵי הָעֵדִים 61
עֵד 1 הַגַּל הַזֶּה עֵד בֵּינִי וּבֵינְךָ Gen. 31:48
2 רְאֵה אֱלֹהִים עֵד בֵּינִי וּבֵינֶךָ Gen. 31:50
3 עֵד הַגַּל הַזֶּה וְעֵדָה הַמַּצֵּבָה Gen. 31:52
4 אִם־טָרֹף יִטָּרֵף יְבִאֵהוּ עֵד Ex. 22:12
5 וְהוּא עֵד אוֹ רָאָה אוֹ יָדָע Lev. 5:1
6 לֹא יוּמַת עַל־פִּי עֵד אֶחָד Deut. 17:6
7 לֹא־יָקוּם עֵד אֶחָד בְּאִישׁ Deut. 19:15
8-9 כִּי(־)עֵד הוּא בֵּינֵינוּ וּבֵינֵיכֶם Josh. 22:27, 28
10 כִּי־עֵד הוּא בֵּינֹתֵינוּ Josh. 22:34
11-12 עֵד יְיָ בָּכֶם...וַיֹּאמֶר עֵד ISh. 12:5
13 הֵן עֵד לְאוּמִּים נְתַתִּיו Is. 55:4
14 וְהָיִיתִי עֵד מְמַהֵר בַּמְכַשְּׁפִים... Mal. 3:5
וְעֵד 15 וְנִסְתְּרָה...וְעֵד אֵין בָּהּ Num. 5:13
16 וְעֵד אֶחָד לֹא־יַעֲנֶה בְנֶפֶשׁ לָמוּת Num. 35:30
17 עֵד יְיָ בָּכֶם וְעֵד מְשִׁיחוֹ ISh. 12:5
18 וְעֵד בַּשַּׁחַק נֶאֱמָן Ps. 89:38
וָעֵד 19 וְאָנֹכִי הַיּוֹדֵעַ° וָעֵד Jer. 29:23
הָעֵד 20 וְהִנֵּה עֵד־שֶׁקֶר הָעֵד Deut. 19:18
לְעֵד 21 וְהָיָה לְעֵד בֵּינִי וּבֵינֶךָ Gen. 31:44
22 הַשִּׁירָה הַזֹּאת לְעֵד בִּבְ־ Deut. 31:19
23 וְעָנְתָה הַשִּׁירָה...לְפָנָיו לְעֵד Deut. 31:21
24 וְהָיָה־שָׁם בְּךָ לְעֵד Deut. 31:26
25 וִיהִי אֲדֹנָי יֱהֹוִה בָּכֶם לְעֵד Mic. 1:2
26 וַתִּקְמְטֵנִי לְעֵד הָיָה Job 16:8
וּלְעֵד 27 וְהָיָה לְאוֹת וּלְעֵד לַיְיָ צְבָאוֹת Is. 19:20
עֵד־ 28 לֹא־תַעֲנֶה בְרֵעֲךָ עֵד שָׁקֶר Ex. 20:13
29 אַל־תָּשֶׁת יָדְךָ...לִהְיֹת עֵד חָמָס Ex. 23:1
30 וְלֹא־תַעֲנֶה בְרֵעֲךָ עֵד שָׁוְא Deut. 5:17
31 כִּי־יָקוּם עֵד־חָמָס בְּאִישׁ Deut. 19:16
32 וְהִנֵּה עֵד־שֶׁקֶר הָעֵד Deut. 19:18
33 יָפִיחַ כְּזָבִים עֵד שָׁקֶר Prov. 6:19
34 עֵד אֱמוּנִים לֹא יְכַזֵּב Prov. 14:5
35 וְיָפִיחַ כְּזָבִים עֵד שָׁקֶר Prov. 14:5
36 מַצִּיל נְפָשׁוֹת עֵד אֱמֶת Prov. 14:25
37/8 עֵד שְׁקָרִים לֹא יִנָּקֶה Prov. 19:5, 9
39 עֵד בְּלִיַּעַל יָלִיץ מִשְׁפָּט Prov. 19:28
40 עֵד־כְּזָבִים יֹאבֵד Prov. 21:28
41 אַל־תְּהִי עֵד־חִנָּם בְּרֵעֶךָ Prov. 24:28
42 אִישׁ־עֹנֶה בְרֵעֵהוּ עֵד שָׁקֶר Prov. 25:18
וְעֵד־ 43 וְעֵד שְׁקָרִים מִרְמָה Prov. 12:17
לְעֵד־ 44 יְהִי יְיָ בָּנוּ לְעֵד אֱמֶת וְנֶאֱמָן Jer. 42:5
עֵדִי 45 בַּשָּׁמַיִם עֵדִי וְשָׂהֲדִי בַּמְּרוֹמִים Job 16:19
עֵדִים 46 לְפִי עֵדִים יִרְצַח אֶת־הָרֹצֵחַ Num. 35:30
47/8 עַל־פִּי שְׁנַיִם עֵדִים
אוֹ שְׁלֹשָׁה עֵדִים יוּמַת הַמֵּת Deut. 17:6

עֵדִים (המשך) 49-50 עַל־פִּי שְׁנֵי עֵדִים אוֹ עַל־פִּי
שְׁלֹשָׁה־עֵדִים יָקוּם דָּבָר Deut. 19:15
51 עֵדִים אַתֶּם בָּכֶם כִּי...בְּחַרְתֶּם Josh. 24:22
52 וַיֹּאמְרוּ עֵדִים Josh. 24:22
53 וְאָעִידָה לִּי עֵדִים נֶאֱמָנִים Is. 8:2
54 וָאַחְתֹּם וָאָעֵד עֵדִים Jer. 32:10
55 קְנֵה־לְךָ...וְהָעֵד עֵדִים Jer. 32:25
56 וְכָתוֹב בַּסֵּפֶר וְהָעֵד עֵדִים Jer. 32:44
57/8 עֵדִים אַתֶּם הַיּוֹם Ruth 4:9, 10
59 וַיֹּאמְרוּ כָּל־הָעָם...עֵדִים Ruth 4:11
הָעֵדִים 60 יַד הָעֵדִים תִּהְיֶה־בּוֹ בָרִאשֹׁנָה Deut. 17:7
61 וּלְעֵינֵי הָעֵדִים הַכֹּתְבִים בְּסֵפֶר Jer. 32:12
עֵדֵי־ 62 כִּי קָמוּ־בִי עֵדֵי־שֶׁקֶר Ps. 27:12
63 יְקוּמוּן עֵדֵי חָמָס Ps. 35:11
עֵדַי 64 אַתֶּם עֵדַי נְאֻם־יְיָ Is. 43:10
65 וְאַתֶּם עֵדַי נְאֻם־יְיָ וַאֲנִי־אֵל Is. 43:12
עֵדָי 66 הִשְׁמַעְתִּיךָ וְהִגַּדְתִּי וְאַתֶּם עֵדָי Is. 44:8
עֵדֶיךָ 67 תְּחַדֵּשׁ עֵדֶיךָ נֶגְדִּי Job 10:17
עֵדֵיהֶם 68 יִתְּנוּ עֵדֵיהֶם וְיִצְדָּקוּ Is. 43:9
וְעֵדֵיהֶם 69 וְעֵדֵיהֶם הֵמָּה בַּל־יִרְאוּ Is. 44:9

עֵד²* ז' מטלית לקנוח דם הוסת
עִדִּים 1 וּכְבֶגֶד עִדִּים כָּל־צִדְקֹתֵינוּ Is. 64:5

עִדֹּא שפ־ז – אבי אחינדב נציב שלמה
עִדֹּא 1 אֲחִינָדָב בֶּן־עִדֹּא מַחֲנָיְמָה IK. 4:14

עדד – עין (עוד)²

עֵדָה¹ נ' א) נקבה מן עֵד: 1-4
ב) [עֵדוֹת, עֵדְוֹת] מצוות, חוקים ומנהגים לעדות הברית בין ה' לעמו: 5-41
וְעֵדָה 1 עֵד הַגַּל הַזֶּה וְעֵדָה הַמַּצֵּבָה Gen. 31:52
לְעֵדָה 2 בַּעֲבוּר תִּהְיֶה־לִּי לְעֵדָה Gen. 21:30
3 הִנֵּה הָאֶבֶן הַזֹּאת תִּהְיֶה־בָּנוּ לְעֵדָה Josh. 24:27
4 וְהָיְתָה בָכֶם לְעֵדָה... Josh. 24:27
הָעֵדֹת 5 אֵלֶּה הָעֵדֹת וְהַחֻקִּים וְהַמִּשְׁפָּטִים Deut. 4:45
6 מָה הָעֵדֹת וְהַחֻקִּים וְהַמִּשְׁפָּטִים Deut. 6:20
וְעֵדֹתִי 7 בְּרִיתִי וְעֵדֹתִי זוֹ אֲלַמְּדֵם Ps. 132:12
עֵדֹתֶיךָ 8 עֵדֹתֶיךָ נֶאֶמְנוּ מְאֹד Ps. 93:5
9 כִּי עֵדֹתֶיךָ נָצָרְתִּי Ps. 119:22
10 גַּם עֵדֹתֶיךָ שַׁעֲשֻׁעָי... Ps. 119:24
11 וָאָשִׁיבָה רַגְלַי אֶל־עֵדֹתֶיךָ Ps. 119:59
12 יָשׁוּבוּ־לִי יְרֵאֶיךָ וְיֹדְעֵי־עֵדֹתֶיךָ Ps. 119:79
13 עֵדֹתֶיךָ אֶתְבּוֹנָן Ps. 119:95
14 לָכֵן אָהַבְתִּי עֵדֹתֶיךָ Ps. 119:119
15 הֲבִינֵנִי וְאֵדְעָה עֵדֹתֶיךָ Ps. 119:125
16 צִוִּיתָ צֶדֶק עֵדֹתֶיךָ... Ps. 119:138
17 הוֹשִׁיעֵנִי וְאֶשְׁמְרָה עֵדֹתֶיךָ Ps. 119:146
18 שָׁמְרָה נַפְשִׁי עֵדֹתֶיךָ... Ps. 119:167
עֵדְוֺתֶיךָ 19 בְּדֶרֶךְ עֵדְוֺתֶיךָ שַׂשְׂתִּי Ps. 119:14
20 הַט־לִבִּי אֶל־עֵדְוֺתֶיךָ Ps. 119:36
21 כִּי עֵדְוֺתֶיךָ שִׂיחָה לִי Ps. 119:99
22 נָחַלְתִּי עֵדְוֺתֶיךָ לְעוֹלָם Ps. 119:111
23 פְּלָאוֹת עֵדְוֺתֶיךָ... Ps. 119:129
24 צֶדֶק עֵדְוֺתֶיךָ לְעוֹלָם... Ps. 119:144
25 לִשְׁמוֹר מִצְוֺתֶיךָ עֵדְוֺתֶיךָ וְחֻקֶּיךָ ICh. 29:19
וְעֵדֹתֶיךָ 26 שָׁמַרְתִּי פִקּוּדֶיךָ וְעֵדֹתֶיךָ Ps. 119:168
בְּעֵדֹתֶיךָ 27 וַאֲדַבְּרָה בְעֵדֹתֶיךָ נֶגֶד מְלָכִים Ps. 119:46
בְּעֵדְוֺתֶיךָ 28 דָּבַקְתִּי בְעֵדְוֺתֶיךָ יְיָ אַל־תְּבִישֵׁנִי Ps. 119:31
מֵעֵדֹתֶיךָ 29 קֶדֶם יָדַעְתִּי מֵעֵדֹתֶיךָ Ps. 119:152
מֵעֵדְוֺתֶיךָ 30 מֵעֵדְוֺתֶיךָ לֹא נָטִיתִי Ps. 119:157
וּלְעֵדְוֺתֶיךָ 31 וּלְעֵדְוֺתֶיךָ אֲשֶׁר הַעִידֹתָ בָּהֶם Neh. 9:34

עֵדֹתָיו 32 שָׁמְרוּ עֵדֹתָיו וְחֹק נָתַן־לָמוֹ Ps. 99:7
33 אַשְׁרֵי נֹצְרֵי עֵדֹתָיו... Ps. 119:2
עֵדְוֹתָיו 34 וְאֵת עֵדְוֹתָיו אֲשֶׁר הֵעִיד בָּם IIK. 17:15
35 וְאֶת־עֵדְוֹתָיו וְאֶת־חֻקֹּתָיו IIK. 23:3
וְעֵדְוֹתָיו 36 חֻקֹּתָיו מִצְוֹתָיו וּמִשְׁפָּטָיו וְעֵדְוֹתָיו IK. 2:3
37 אֶת־מִצְוֹתָיו וְעֵדְוֹתָיו וְחֻקָּיו IICh. 34:31
וְעֵדֹתָיו 38 וְעֵדֹתָיו וְחֻקָּיו אֲשֶׁר צִוָּךְ Deut. 6:17
39 לְנֹצְרֵי בְרִיתוֹ וְעֵדֹתָיו Ps. 25:10
40 וְעֵדוֹתָיו לֹא שָׁמָרוּ Ps. 78:56
וּבְעֵדְוֹתָיו 41 וּבְתֹרָתוֹ וּבְחֻקֹּתָיו וּבְעֵדְוֹתָיו Jer. 44:23

עֵדָה² נ׳ קָהָל, צִבּוּר: 1-149

קרובים: הָמוֹן / חֶבְרָה / לַהֲקָה / עַם / קָהָל / קְהִלָּה

– קָהָל וְעֵדָה 4; עֵדָה רָעָה 19, 84

– אֲבוֹת הָעֵדָה 29; זִקְנֵי הָעֵדָה 7, 36; מוֹת הָעֵ׳ 26; מַחֲצִית הָעֵ׳ 31; מְרִיבַת הָעֵ׳ 27; נְשִׂיאֵי הָעֵ׳ 1, 5, 17, 28, 32-35; עֲוֹן הָעֵ׳ 13; עֵינֵי הָעֵ׳ 21; פְּקוּדֵי הָעֵ׳ 6; קְרוּאֵי הָעֵ׳ 14; קְרִיאֵי הָעֵדָה 25

– עֲדַת אַבִּירִים 126; עֲדַת אֲבִירָם 127; עֵ׳ אֵל 136; עֵ׳ בְּנֵי יִשְׂרָאֵל 90-115, 137; עֵ׳ דְּבוֹרִים 124; עֵ׳ חָנֵף 128; עֵ׳ יְיָ 119, 133, 134, 137; עֵ׳ יִשְׂרָאֵל 87-89, 116, 118, 120-123, 138, 139; עֵ׳ לְאֻמִּים 129; עֲדַת מְרֵעִים 125; עֵ׳ עָרִיצִים 130; עֵ׳ צַדִּיקִים 135; עֲדַת קֹרַח 131, 132

עֵדָה 1 נְשִׂיאֵי עֵדָה קְרִאֵי מוֹעֵד Num. 16:2
2 וּדְעִי עֵדָה אֶת־אֲשֶׁר־בָּם Jer. 6:18
וְעֵדָה 3 בְּסוֹד יְשָׁרִים וְעֵדָה Ps. 111:1
4 בְּתוֹךְ קָהָל וְעֵדָה Prov. 5:14
הָעֵדָה 5 וַיָּבֹאוּ כָּל־נְשִׂיאֵי הָעֵדָה Ex. 16:22
6 וְכֶסֶף פְּקוּדֵי הָעֵדָה Ex. 38:25
7 וְסָמְכוּ זִקְנֵי הָעֵדָה אֶת־יְדֵיהֶם Lev. 4:15
8 וְאֵת כָּל־הָעֵדָה הַקְהֵל Lev. 8:3
9 וַתִּקָּהֵל הָעֵדָה אֶל־פֶּתַח אֹהֶל מוֹעֵד Lev. 8:4
10 וַיֹּאמֶר מֹשֶׁה אֶל־הָעֵדָה... Lev. 8:5
11 וַיִּקְרְבוּ כָּל־הָעֵדָה וַיַּעַמְדוּ לִפְנֵי יְיָ Lev. 9:5
12 וְעַל כָּל־הָעֵדָה יִקְצֹף Lev. 10:6
13 לָשֵׂאת אֶת־עֲוֹן הָעֵדָה Lev. 10:17
14 אֵלֶּה קְרוּאֵי° הָעֵדָה Num. 1:16
15 וְאֵת כָּל־הָעֵדָה הִקְהִילוּ Num. 1:18
16 וְאֶת־מִשְׁמֶרֶת כָּל־הָעֵדָה Num. 3:7
17 מֹשֶׁה וְאַהֲרֹן וּנְשִׂיאֵי הָעֵדָה Num. 4:34
18 וְהָיוּ לְךָ לְמִקְרָא הָעֵדָה Num. 10:2
19 לְכָל־הָעֵדָה הָרָעָה הַזֹּאת Num. 14:35
20 וַיִּלּוֹנוּ° עָלָיו אֶת־כָּל־הָעֵדָה Num. 14:36
21 אִם מֵעֵינֵי הָעֵדָה נֶעֶשְׂתָה לִשְׁגָגָה Num. 15:24
22 וְעָשׂוּ כָל־הָעֵדָה פַּר בֶּן־בָּקָר Num. 15:24
23 כִּי כָל־הָעֵדָה כֻּלָּם קְדֹשִׁים Num. 16:3
24 וְעַל כָּל־הָעֵדָה תִּקְצֹף Num. 16:22
25 הוּא־דָתָן וַאֲבִירָם קְרִיאֵי° הָעֵדָה Num. 26:9
26 וַתִּבְלַע אֹתָם...בְּמוֹת הָעֵדָה Num. 26:10
27 בְּמִדְבַּר־צִן בִּמְרִיבַת הָעֵדָה Num. 27:14
28 וַיֵּצְאוּ מֹשֶׁה...וְכָל־נְשִׂיאֵי הָעֵדָה Num. 31:13
29 אַתָּה...וְרָאשֵׁי אֲבוֹת הָעֵדָה Num. 31:26
30 וְחָצִיתָ...וּבֵין כָּל־הָעֵדָה Num. 31:27
31 וַתְּהִי מֶחֱצַת הָעֵדָה מִן־הַצֹּאן Num. 31:43
32 וַיֹּאמְרוּ...וְאֶל־נְשִׂיאֵי הָעֵדָה Num. 32:2
33 וַיִּשָּׁבְעוּ לָהֶם נְשִׂיאֵי הָעֵדָה Josh. 9:15
34 כִּי־נִשְׁבְּעוּ לָהֶם נְשִׂיאֵי הָעֵדָה בַּיְיָ Josh. 9:18
35 וּנְשִׂיאֵי הָעֵדָה וְרָאשֵׁי...יִשְׂרָאֵל Josh. 22:30
36 וַיֹּאמְרוּ זִקְנֵי הָעֵדָה מַה־נַּעֲשֶׂה Jud. 21:16

הָעֵדָה (המשך) 37-82 הָעֵדָה Lev. 24:14, 16; Num. 10:3; 13:26; 14:1, 2, 10; 15:33, 35, 36; 16:9, 19^2, 21, 24, 26; 17:7, 10, 11; 20:1, 8^2, 11, 22, 27, 29; 25:7; 27:2, 3, 16, 19, 21, 22; 35:12, 24, 25^2 • Josh. 9:18; 9:19, 21; 20:6, 9 • Jud. 20:1; 21:10, 13 • IK. 12:20
בָּעֵדָה 83 אַהֲרֹן וְכָל־הַנְּשִׂאִים בָּעֵדָה Ex. 34:31
לָעֵדָה 84 עַד־מָתַי לָעֵדָה הָרָעָה הַזֹּאת Num. 14:27
85 וְלֹא־הָיָה מַיִם לָעֵדָה Num. 20:2
86 חֹטְבֵי עֵצִים וְשֹׁאֲבֵי מַיִם לָעֵדָה Josh. 9:27
עֲדַת־ 87 דַּבְּרוּ אֶל־כָּל־עֲדַת יִשְׂרָאֵל Ex. 12:3
88 וְשָׁחֲטוּ אֹתוֹ כֹּל קְהַל עֲדַת־יִשְׂרָאֵל Ex. 12:6
89 כָּל־עֲדַת יִשְׂרָאֵל יַעֲשׂוּ אֹתוֹ Ex. 12:47
90 וַיָּבֹאוּ כָּל־עֲדַת בְּ״י אֶל־מִדְבַּר־סִין Ex. 16:1
91 וַיִּלּוֹנוּ° כָּל־עֲדַת בְּ״י עַל־מֹשֶׁה Ex. 16:2
92-115 עֲדַת בְּנֵי(־)יִשְׂרָאֵל Ex. 16:9, 10; 17:1; 35:1, 4, 20 • Lev. 16:5; 19:2 • Num. 1:2, 53; 8:9, 20; 13:26; 14:5, 7; 15:25, 26; 17:6; 25:6; 26:2; 27:20; 31:12 • Josh. 18:1; 22:12
116 וְאִם כָּל־עֲדַת יִשְׂרָאֵל יִשְׁגּוּ Lev. 4:13
117 וְלֹא תִהְיֶה עֲדַת יְיָ כַּצֹּאן... Num. 27:17
118 הָאָרֶץ...הִכָּה יְיָ לִפְנֵי עֲדַת יִשְׂרָ׳ Num. 32:4
119 כֹּה אָמְרוּ כֹּל עֲדַת יְיָ Josh. 22:16
120 אֶל־כָּל עֲדַת יִשְׂרָאֵל יִקְצֹף Josh. 22:18
121-123 עֲדַת יִשְׂרָאֵל Josh. 22:20 • IK. 8:5 • IICh. 5:6
124 וְהִנֵּה עֲדַת דְּבֹרִים...וּדְבָשׁ Jud. 14:8
125 עֲדַת מְרֵעִים הִקִּיפוּנִי Ps. 22:17
126 עֲדַת אַבִּירִים בְּעֶגְלֵי עַמִּים Ps. 68:31
127 וַתְּכַס עַל־עֲדַת אֲבִירָם Ps. 106:17
128 כִּי־עֲדַת חָנֵף גַּלְמוּד Job 15:34
וַעֲדַת־ 129 וַעֲדַת לְאֻמִּים תְּסוֹבְבֶךָּ Ps. 7:8
130 וַעֲדַת עָרִיצִים בִּקְשׁוּ נַפְשִׁי Ps. 86:14
בַּעֲדַת־ 131 אֲשֶׁר הִצּוּ...בַּעֲדַת־קֹרַח Num. 26:9
132 הַנּוֹעָדִים עַל־יְיָ בַּעֲדַת־קֹרַח Num. 27:3
133 וַתְּהִי הַמַּגֵּפָה בַּעֲדַת יְיָ Num. 31:16
134 וַיְהִי הַנֶּגֶף בַּעֲדַת יְיָ Josh. 22:17
135 וְחַטָּאִים בַּעֲדַת צַדִּיקִים Ps. 1:5
136 אֱלֹהִים נִצָּב בַּעֲדַת־אֵל Ps. 82:1
לַעֲדַת־ 137 וְהָיְתָה לַעֲדַת בְּ״י לְמִשְׁמֶרֶת Num. 19:9
מֵעֲדַת־ 138 וְנִכְרְתָה...מֵעֲדַת יִשְׂרָאֵל Ex. 12:19
139 הִבְדִּיל...אֶתְכֶם מֵעֲדַת יִשְׂרָאֵל Num. 16:9
עֲדָתִי 140 הֲשִׁמּוֹתָ כָּל־עֲדָתִי Job 16:7
עֲדָתְךָ 141 אַתָּה וְכָל־עֲדָתְךָ הַנֹּעָדִים עַל־יְיָ Num. 16:11
142 אַתָּה וְכָל־עֲדָתְךָ הֱיוּ לִפְנֵי יְיָ Num. 16:16
143 זְכֹר עֲדָתְךָ קָנִיתָ קֶּדֶם Ps. 74:2
עֲדָתוֹ 144 וַיְדַבֵּר אֶל־קֹרַח וְאֶל...עֲדָתוֹ Num. 16:5
145 קְחוּ...מַחְתּוֹת קֹרַח וְכָל־עֲדָתוֹ Num. 16:6
וַעֲדָתוֹ 146 וַעֲדָתוֹ לְפָנַי תִּכּוֹן Jer. 30:20
וְכַעֲדָתוֹ 147 וְלֹא־יִהְיֶה כְקֹרַח וְכַעֲדָתוֹ Num. 17:5
בַּעֲדָתָם 148 וַתִּבְעַר־אֵשׁ בַּעֲדָתָם Ps. 106:18
לַעֲדָתָם 149 אַיְסִירֵם כְּשֵׁמַע לַעֲדָתָם Hosh. 7:12

עדה

: עֵדָה, הָעֵדָה; עֲדִי, עַד (?); ש״פ עֲדָה, אֶלְעָדָה, עֲדִיאֵל, עֲדָיָה, עֲדִיתַיִם, יֶעְדּוֹ, מַעֲדַי, מַעֲדְיָה; אר׳ עֲדָה, הֶעְדִּי

עָדָה¹ פ׳ עבר

עָדָה 1 לֹא־עָדָה עָלָיו שָׁחַל Job 28:8

עָדָה² פ׳ א) ענד, התקשט (גם בהשאלה): 1-8

ב) [הפ׳ הֶעֱדָה] הלביש: 9

וְעָדִית 1 כָּחַלְתְּ עֵינַיִךְ וְעָדִית עֶדִי Ezek. 23:40
וָאֶעְדֵּךְ 2 וָאֶעְדֵּךְ עֶדִי וָאֶתְּנָה צְמִידִים Ezek. 16:11
תַּעְדִּי 3 כִּי־תַעְדִּי עֲדִי־זָהָב Jer. 4:30
4 עוֹד תַּעְדִּי תֻפַּיִךְ Jer. 31:3(4)
וַתַּעְדִּי 5 וַתַּעְדִּי זָהָב וָכֶסֶף Ezek. 16:13
תַּעְדֶּה 6 וְכַכַּלָּה תַּעְדֶּה כֵלֶיהָ Is. 61:10
וַתַּעַד 7 וַתַּעַד נִזְמָהּ וְחֶלְיָתָהּ Hosh. 2:15
עֲדֵה 8 עֲדֵה־נָא גָאוֹן וָגֹבַהּ Job 40:10
מַעֲדֶה 9 מַעֲדֶה־בֶּגֶד בְּיוֹם קָרָה Prov. 25:20

עֲדָה פ׳ ארמית: א) עבר, חלף: 1-5

ב) [הפ׳ הֶעְדִּי] העביר, הסיר: 6-9

עֲדָת 1 וְרֵיחַ נוּר לָא עֲדָת בְּהוֹן Dan. 3:27
2 מַלְכוּתָא עֲדָת מִנָּךְ Dan. 4:28
יֶעְדֵּה 3 שָׁלְטָן עָלַם דִּי־לָא יֶעְדֵּה Dan. 7:14
תֶּעְדֵּא 4/5 כְּדָת־מָדַי וּפָרַס דִּי־לָא תֶעְדֵּא Dan. 6:9, 13
הֶעְדִּיו 6 וִיקָרֵהּ הֶעְדִּיו מִנֵּהּ Dan. 5:20
7 וּשְׁאָר חֵיוָתָא הֶעְדִּיו שָׁלְטָנְהוֹן Dan. 7:12
מְהַעְדֵּה 8 מְהַעְדֵּה מַלְכִין וּמְהָקֵים מַלְכִין Dan. 2:21
יְהַעְדּוֹן 9 וְשָׁלְטָנֵהּ יְהַעְדּוֹן לְהַשְׁמָדָה Dan. 7:26

עָדָה שפ״נ א) אשת לֶמֶךְ: 1-3

ב) אשת עֵשָׂו: 4-8

עָדָה 1 שֵׁם הָאַחַת עָדָה וְשֵׁם הַשֵּׁנִית צִלָּה Gen. 4:19
2 וַתֵּלֶד עָדָה אֶת־יָבָל Gen. 4:20
3 עָדָה וְצִלָּה שְׁמַעַן קוֹלִי Gen. 4:23
4 אֶת־עָדָה בַּת־אֵילוֹן הַחִתִּי Gen. 36:2
5 וַתֵּלֶד עָדָה לְעֵשָׂו אֶת־אֱלִיפָז Gen. 36:4
6 אֱלִיפַז בֶּן־עָדָה אֵשֶׁת עֵשָׂו Gen. 36:10
7/8 אֵלֶּה בְּנֵי עָדָה Gen. 36:12, 16

עִדּוֹ, עִדּוֹא שפ״ז א) אֲבִי זְקֵנוֹ של הנביא זכריה: 1, 4-6

ב) חוזה שכתב את תולדות רחבעם: 3, 8
ג) מבני גרשום בן לוי: 2, 7
ד) מן הלויים עולי הגולה: 9

עִדּוֹ 1 זְכַרְיָה בֶּן־בֶּרֶכְיָה בֶּן־עִדּוֹ הַנָּבִיא Zech. 1:1
2 יוֹאָח בְּנוֹ עִדּוֹ בְנוֹ ICh. 6:6
3 כְּתוּבִים בְּמִדְרַשׁ הַנָּבִיא עִדּוֹ IICh. 13:22
עִדּוֹא 4 זְכַרְיָה בֶּן־בֶּ׳ בֶּן־עִדּוֹא הַנָּבִיא Zech. 1:7
5 וְהִתְנַבִּי...וּזְכַרְיָה בַר־עִדּוֹא Ez. 5:1
6 בִּנְבוּאַת חַגַּי...וּזְכַרְיָה בַּר עִדּוֹא Ez. 6:14
7 עִדּוֹא גִנְּתוֹי אֲבִיָּה Neh. 12:4
וְעִדּוֹ 8 שְׁמַעְיָה הַנָּבִיא וְעִדּוֹ הַחֹזֶה IICh. 12:15
לְעִדּוֹא 9 לְעִדּוֹא (כת׳ לעדיא) זְכַרְיָה לְגִנְּתוֹן Neh. 12:16

עֵדוּת נ׳ חֹק, אוֹת בְּרִית, עֵדָה: 1-46

– עֵדוּת יְיָ 45; עֵדוּת פִּיו 46

– אֹהֶל הָעֵדוּת 33, 36, 37, 39, 43; אֲרוֹן הָעֵ׳ 9-17, 40; לוּחוֹת הָעֵ׳ 21-23; מִשְׁכַּן הָעֵ׳ 24, 30-32, 34; פָּרֹכֶת הָעֵ׳ 29; שׁוּשַׁן עֵדוּת 1; שׁוֹשַׁנִּים עֵדוּת 3

עֵדוּת 1 לַמְנַצֵּחַ עַל־שׁוּשַׁן עֵדוּת Ps. 60:1
2 וַיָּקֶם עֵדוּת בְּיַעֲקֹב Ps. 78:5
3 לַמְנַצֵּחַ אֶל־שֹׁשַׁנִּים עֵדוּת Ps. 80:1
4 עֵדוּת בִּיהוֹסֵף שָׂמוֹ Ps. 81:6
5 שִׁבְטֵי־יָהּ עֵדוּת לְיִשְׂרָאֵל Ps. 122:4
הָעֵדוּת 6 וַיַּנִּיחֵהוּ אַהֲרֹן לִפְנֵי הָעֵדֻת Ex. 16:34
7 וְנָתַתָּ אֶל־הָאָרֹן אֵת הָעֵדֻת Ex. 25:16
8 וְאֶל־הָאָרֹן תִּתֵּן אֶת־הָעֵדֻת Ex. 25:21
9 ...אֲשֶׁר עַל־אֲרוֹן הָעֵדֻת Ex. 25:22
10 וְהֵבֵאתָ שָׁמָּה...אֵת אֲרוֹן הָעֵדוּת Ex. 26:33
11-17 אֲר(וֹ)ן הָעֵדֻת Ex. 26:34; 30:6, 26; 39:35; 40:5 • Num. 4:5; 7:89
18 מִחוּץ לַפָּרֹכֶת אֲשֶׁר עַל־הָעֵדֻת Ex. 27:21

הָעֵדוּת (המשכן) 19 לִפְנֵי הַכַּפֹּרֶת אֲשֶׁר עַל־הָעֵדֻת Ex. 30:6
20 וְנָתַתָּה מִמֶּנָּה לִפְנֵי הָעֵדֻת Ex. 30:36
21 וַיִּתֵּן אֶל־מֹשֶׁה...שְׁנֵי לֻחֹת הָעֵדֻת Ex. 31:18
22/3 לֻחֹת הָעֵדֻת Ex. 32:15; 34:29
24 פְקוּדֵי הַמִּשְׁכָּן מִשְׁכַּן הָעֵדֻת Ex. 38:21
25 וְשַׂמְתָּ שָׁם אֵת אֲרוֹן הָעֵדוּת Ex. 40:3
26 וַיִּתֵּן אֶת־הָעֵדֻת אֶל־הָאָרֹן Ex. 40:20
27 וַיָּסֶךְ עַל אֲרוֹן הָעֵדוּת Ex. 40:21
28 אֶת־הַכַּפֹּרֶת אֲשֶׁר עַל־הָעֵדוּת Lev. 16:13
29 מִחוּץ לְפָרֹכֶת הָעֵדֻת...יַעֲרֹךְ Lev. 24:3
30 הַפְקֵד...עַל־מִשְׁכַּן הָעֵדֻת Num. 1:50
31 וְהַלְוִיִּם יַחֲנוּ סָבִיב לְמִשְׁכַּן הָעֵדֻת Num. 1:53
32 אֶת־מִשְׁמֶרֶת מִשְׁכַּן הָעֵדוּת Num. 1:53
33 אֶת־הַמִּשְׁכָּן לְאֹהֶל הָעֵדֻת Num. 9:15
34 נַעֲלָה הֶעָנָן מֵעַל מִשְׁכַּן הָעֵדֻת Num. 10:11
35 לִפְנֵי הָעֵדוּת אֲשֶׁר אִוָּעֵד לָכֶם Num. 17:19
36 וַיַּנַּח...לִפְנֵי יְיָ בְּאֹהֶל הָעֵדֻת Num. 17:22
37 וַיָּבֹא מֹשֶׁה אֶל־אֹהֶל הָעֵדוּת Num. 17:23
38 הָשֵׁב...לִפְנֵי הָעֵדוּת לְמִשְׁמֶרֶת Num. 17:25
39 לִפְנֵי אֹהֶל הָעֵדֻת Num. 18:2
40 נֹשְׂאֵי אֲרוֹן הָעֵדוּת Josh. 4:16
41/2 אֶת־הַנֵּזֶר וְאֶת־הָעֵ' IIK. 11:12 • IICh. 23:11
43 לְהָבִיא...לְאֹהֶל הָעֵדוּת IICh. 24:6
לָעֵדֻת 44 וְאֶת־הָאָרֹן לָעֵדֻת Ex. 31:7
עֵדוּת־ 45 עֵדוּת יְיָ נֶאֱמָנָה מַחְכִּימַת פֶּתִי Ps. 19:8
46 וְאֶשְׁמְרָה עֵדוּת פִּיךָ Ps. 119:88

עֲדִי ז' תַּכְשִׁיט: 1-14

קרובים: אֶצְעָדָה / חַח / חֲלִי / חֶלְיָה / חָרוּז / טַבַּעַת / כּוּמָז / לַחַשׁ / נֶזֶם / נְטִיפָה / עָנִיל / עֲטָרָה / עֶכֶס / עֲנָק / פְּנִינָה / צִיץ / צָמִיד / צָנִיף / צְעָדָה / קִשֻּׁרִים / רָבִיד / רְדִיד / שֵׁירָה / שַׂהֲרוֹן

עֲדִי זָהָב 4, 5; עֲדִי עֲדָיִים 6, 14; צְבִי עֶדְיוֹ 10
הוֹרִיד עֶדְיְךָ 7; הִתְנַצֵּל עֶדְיוֹ 13; עָדָה עֲדִי 2, 5;
שָׁת עֶדְיוֹ 9

עֲדִי 1 וָאֶעְדֵּךְ עֲדִי וָאֶתְּנָה צְמִידִים... Ezek. 16:11
2 כָּחַלְתְּ עֵינַיִךְ וְעָדִית עֲדִי Ezek. 23:40
כָּעֲדִי 3 כִּי כֻלָּם כָּעֲדִי תִלְבָּשִׁי Is. 49:18
עֲדִי־ 4 הַמַּעֲלֶה עֲדִי זָהָב עַל לְבוּשְׁכֶן IISh. 1:24
5 כִּי־תַעְדִּי עֲדִי־זָהָב Jer. 4:30
בַּעֲדִי־ 6 וַתָּבֹאִי בַּעֲדִי עֲדָיִים Ezek. 16:7
עֶדְיְךָ 7 הוֹרֵד עֶדְיְךָ מֵעָלֶיךָ Ex. 33:5
עֶדְיֵךְ 8 הַמַּשְׂבִּיעַ בַּטּוֹב עֶדְיֵךְ Ps. 103:5
עֶדְיוֹ 9 וְלֹא־שָׁתוּ אִישׁ עֶדְיוֹ עָלָיו Ex. 33:4
10 וּצְבִי עֶדְיוֹ לְגָאוֹן שָׂמָהוּ Ezek. 7:20
11 בְּמֶתֶג־וָרֶסֶן עֶדְיוֹ לִבְלוֹם Ps. 32:9
עֶדְיָהּ 12 הֲתִשְׁכַּח בְּתוּלָה עֶדְיָהּ Jer. 2:32
עֶדְיָם 13 וַיִּתְנַצְּלוּ בְנֵי־י' אֶת־עֶדְיָם Ex. 33:6
עֲדָיִים 14 וַתָּבֹאִי בַּעֲדִי עֲדָיִים Ezek. 16:7

עֲדִיאֵל שפ"ז א) אבי כֹּהֵן מעולי הגולה: 1
ב) אבי שר האוצרות של דוד: 2
ג) מראשי בני שמעון בימי חזקיהו: 3

עֲדִיאֵל 1 וּמַעְשַׂי בֶּן־עֲדִיאֵל בֶּן־יַחְזֵרָה ICh. 9:12
2 וְעַל אֹצְרוֹת הַמֶּ' עַזְמָוֶת בֶּן־עֲדִיאֵל ICh. 27:25
וַעֲדִיאֵל 3 וַעֲדִיאֵל וִישִׂימִאֵל וּבְנָיָה ICh. 4:36

עֲדָיָה שפ"ז א) אבי יְדִידָה אֵם יאשיהו: 1
ב) אנשים שונים מעולי הגולה: 2-8

עֲדָיָה 1 וְשֵׁם אִמּוֹ יְדִידָה בַת־עֲדָיָה IIK. 22:1
2 וּמַעֲשֵׂיָה...בֶּן־חֲזָיָה בֶּן־עֲדָיָה Neh. 11:5
3 בֶּן־אֶתְנִי בֶּן־זֶרַח בֶּן־עֲדָיָה ICh. 6:26
וַעֲדָיָה 4 מְשֻׁלָּם מַלּוּךְ וַעֲדָיָה Ez. 10:29
5 וְשֶׁלֶמְיָה וְנָתָן וַעֲדָיָה Ez. 10:39
6 וַעֲדָיָה בֶּן־יְרֹחָם בֶּן־פְּלַלְיָה Neh. 11:12
7 וַעֲדָיָה וּבְרָאיָה וְשִׁמְרָת ICh. 8:21
8 וַעֲדָיָה בֶּן־יְרֹחָם בֶּן־פַּשְׁחוּר ICh. 9:12

עֲדָיָהוּ שפ"ז – אבי שר בימי יאשיהו

עֲדָיָהוּ 1 וַיִּקַּח...וְאֶת־מַעֲשֵׂיָהוּ בֶן־עֲדָיָהוּ IICh. 23:1

עֵדִים ז"ר – עין עֵד²

עֶדִין¹ ת' מפונק, ענוג

עֲדִינָה 1 שִׁמְעִי־זֹאת עֲדִינָה הַיּוֹשֶׁבֶת לָבֶטַח Is. 47:8

עָדִין² שפ"ז – מעולי הגולה בימי עזרא ונחמיה: 1-4

עָדִין 1 בְּנֵי עָדִין אַרְבַּע מֵאוֹת... Ez. 2:15
2 וּמִבְּנֵי עָדִין עֶבֶד בֶּן־יוֹנָתָן Ez. 8:6
3 בְּנֵי עָדִין שֵׁשׁ מֵאוֹת... Neh. 7:20
4 אֲדֹנִיָּה בִגְוַי עָדִין Neh. 10:17

עֲדִינָא שפ"ז – מראשי בני הראובני

עֲדִינָא 1 עֲדִינָא בֶן־שִׁיזָא הָראוּבֵנִי ICh. 11:42

עֲדִינוֹ שפ"ז – מראשי הגבורים של דוד

עֲדִינוֹ 1 הוּא עֲדִינוֹ הָעֶצְנִי° IISh. 23:8

עֲדִיתַיִם ש"פ – ישוב בעמק אַיָּלוֹן

וַעֲדִיתַיִם 1 וְשַׁעֲרַיִם וַעֲדִיתַיִם וְהַגְּדֵרָה Josh. 15:36

עַדְלַי* שפ"ז – ממונה על הבקר במלכות דוד

עַדְלָי 1 וְעַל־הַבָּקָר...שָׁפָט בֶּן־עַדְלָי ICh. 27:29

עֲדֻלָּם ש"פ – עיר בשפלת יהודה: 1-8

מֶלֶךְ עֲדֻלָּם 1; מְעָרַת עֲדֻלָּם 2, 3, 6

עֲדֻלָּם 1 מֶלֶךְ עֲדֻלָּם אֶחָד Josh. 12:15
2 וַיִּמָּלֵט אֶל־מְעָרַת עֲדֻלָּם ISh. 22:1
3 וַיָּבֹאוּ...אֶל־מְעָרַת עֲדֻלָּם IISh. 23:13
4 עַד־עֲדֻלָּם יָבוֹא כְּבוֹד יִשְׂרָאֵל Mic. 1:15
5 זָנֹחַ עֲדֻלָּם וְחַצְרֵיהֶם Neh. 11:30
6 וַיֵּרְדוּ...אֶל־מְעָרַת עֲדֻלָּם ICh. 11:15
7 וְאֶת־שׂוֹכוֹ וְאֶת־עֲדֻלָּם IICh. 11:7
וַעֲדֻלָּם 8 יַרְמוּת וַעֲדֻלָּם שׂוֹכֹה וַעֲזֵקָה Josh. 15:35

עֲדֻלָּמִי ת' מתושבי עדלם: 1-3

עֲדֻלָּמִי 1 וַיֵּט עַד־אִישׁ עֲדֻלָּמִי Gen. 38:1
הָעֲדֻלָּמִי 2 הוּא וְחִירָה רֵעֵהוּ הָעֲדֻלָּמִי Gen. 38:12
3 וַיִּשְׁלַח...בְּיַד רֵעֵהוּ הָעֲדֻלָּמִי Gen. 38:20

עדן : הִתְעַדֵּן; עֵדֶן, עֶדְנָה, עֲדִין, מַעֲדַנִּים, מַעֲדַנּוֹת;
ש"פ עֵדֶן, עֶדֶן, עַדְנָא, עֲדִינָא, עַדְנָה

(עדן) הִתְעַדֵּן הת' התפנק

וַיִּתְעַדְּנוּ 1 וַיֹּאכְלוּ וַיִּשְׂבְּעוּ וַיַּשְׁמִינוּ וַיִּתְעַדְּנוּ Neh. 9:25

עֲדֶן תה"פ – עדיין, עד כה: 1, 2

עֲדֶן 1 אֵת אֲשֶׁר־עֲדֶן לֹא הָיָה Eccl. 4:3
עֲדֶנָה 2 אֲשֶׁר הֵמָּה חַיִּים עֲדֶנָה Eccl. 4:2

עִדָּן ז' ארמית, עת, זמן, תקופה: 1-12

עִדָּן וְעִדָּנִין 1; זְמַן וְעִדָּן 2, 12

עִדָּן 1 עַד־עִדָּן וְעִדָּנִין וּפְלַג עִדָּן Dan. 7:25
וְעִדָּן 2 וְאַרְכָה...עַד־זְמַן וְעִדָּן Dan. 7:12
עִדָּנָא 3 יָדַע אֲנָה דִּי עִדָּנָא אַנְתּוּן זָבְנִין Dan. 2:8
4 עַד דִּי עִדָּנָא יִשְׁתַּנֵּא Dan. 2:9
בְּעִדָּנָא 5/6 בְּעִדָּנָא דִּי־תִשְׁמְעוּן...תִּפְּלוּן Dan. 3:5, 15
עִדָּנִין 7/8 (וְ)שִׁבְעָה עִדָּנִין יַחְלְפוּן עֲלוֹהִי Dan. 4:13, 20
9-10 וְשִׁבְעָה עִדָּנִין יַחְלְפוּן עֲלָךְ° Dan. 4:22, 29
וְעִדָּנִין 11 עַד־עִדָּן וְעִדָּנִין וּפְלַג עִדָּן Dan. 7:25
עִדָּנַיָּא 12 וְהוּא מְהַשְׁנֵא עִדָּנַיָּא וְזִמְנַיָּא Dan. 2:21

עֵדֶן¹* ז' עונג, נועם: 1-3

נַחַל עֲדָנִים 3

עֲדָנִים 1 הַמַּלְבִּשְׁכֶם שָׁנִי עִם־עֲדָנִים IISh. 1:24
מֵעֲדָנָי 2 מִלָּא כְרֵשׂוֹ מֵעֲדָנָי Jer. 51:34
עֲדָנֶיךָ 3 וְנַחַל עֲדָנֶיךָ תַשְׁקֵם Ps. 36:9

עֵדֶן² ש"פ – המקום שנטע בּוֹ אלהים את הגן והשכין בּוֹ את האדם: 1-14

גַּן עֵדֶן 1-3, 9, 10; עֲצֵי עֵ' 5-8; קִדְמַת עֵדֶן 4

עֵדֶן 1 וַיַּנִּחֵהוּ בְגַן־עֵדֶן לְעָבְדָהּ וּלְשָׁמְרָהּ Gen. 2:15
2 וַיְשַׁלְּחֵהוּ יְיָ אֱלֹהִים מִגַּן־עֵדֶן Gen. 3:23
3 וַיַּשְׁכֵּן מִקֶּדֶם לְגַן־עֵדֶן אֶת־הַכְּרֻבִים Gen. 3:24
4 וַיֵּשֶׁב בְּאֶרֶץ־נוֹד קִדְמַת־עֵדֶן Gen. 4:16
5 וַיְקַנְאֻהוּ כָּל־עֲצֵי־עֵדֶן Ezek. 31:9
6 כָּל־עֲצֵי־עֵדֶן מִבְחַר וְטוֹב־לְבָנוֹן Ezek. 31:16
7 אֶל־מִי דָמִיתָ כָּכָה...בַּעֲצֵי־עֵדֶן Ezek. 31:18
8 וְהוּרַדְתָּ אֶת־עֲצֵי־עֵדֶן Ezek. 31:18
9 הָאָרֶץ...הָיְתָה כְּגַן־עֵדֶן Ezek. 36:35
10 כְּגַן־עֵדֶן הָאָרֶץ לְפָנָיו Joel 2:3
בְּעֵדֶן 11 וַיִּטַּע יְיָ אֱלֹהִים גַּן בְּעֵדֶן מִקֶּדֶם Gen. 2:8
12 בְּעֵדֶן גַּן־אֱלֹהִים הָיִיתָ Ezek. 28:13
כְּעֵדֶן 13 וַיָּשֶׂם מִדְבָּרָהּ כְּעֵדֶן Is. 51:3
מֵעֵדֶן 14 וְנָהָר יֹצֵא מֵעֵדֶן לְהַשְׁקוֹת... Gen. 2:10

עֵדֶן³ שפ"ז – לוי מבני גרשון: 1, 2

עֵדֶן 1 וְעַל־יָדוֹ עֵדֶן וּמִנְיָמִן וְיֵשׁוּעַ IICh. 31:15
וָעֵדֶן 2 וּמִן־הַגֵּרְשֻׁנִּי...וְעֵדֶן בֶּן־יוֹאָח IICh. 29:12

עֶדֶן ש"פ – חבל ארץ במלכות אשור: 1-4

בֵּית עֶדֶן 3; בְּנֵי עֶדֶן 1, 2

עֶדֶן 1 וְרֶצֶף וּבְנֵי־עֶדֶן אֲשֶׁר בִּתְלַאשָּׂר IIK. 19:12
2 וְרֶצֶף וּבְנֵי־עֶדֶן אֲשֶׁר בִּתְלַשָּׂר Is. 37:12
3 וְתוֹמֵךְ שֵׁבֶט מִבֵּית עֶדֶן Am. 1:5
וָעֶדֶן 4 חָרָן וְכַנֵּה וָעֶדֶן רֹכְלֵי שְׁבָא Ezek. 27:23

עַדְנָא שפ"ז א) איש בימי נחמיה: 1
ב) מן הכהנים בימי נחמיה: 2

עַדְנָא 1 וּמִבְּנֵי פַּחַת מוֹאָב עַדְנָא וּכְלָל Ez. 10:30
2 לְחָרִים עַדְנָא לִמְרָיוֹת חֶלְקָי Neh. 12:15

עַדְנָה שפ"ז – פקיד בימי יהושפט מלך יהודה

עַדְנָה 1 לִיהוּדָה...עַדְנָה הַשָּׂר IICh. 17:14

עֶדְנָה נ' עונג, נחת

עֶדְנָה 1 אַחֲרֵי בְלֹתִי הָיְתָה־לִּי עֶדְנָה Gen. 18:12

עַדְנָח שפ"ז – מראשי מנשה שנלוו אל דוד

עַדְנָח 1 עַדְנַח וְיוֹזָבָד וִידִיעֲאֵל ICh. 12:20

עַדְעָדָה ש"פ – ישוב במדבר יהודה

וְעַדְעָדָה 1 וְקִינָה וְדִימוֹנָה וְעַדְעָדָה Josh. 15:22

עדף : עָדַף, הֶעְדִּיף; עוֹדֵף

עָדַף פ׳ א) נותר, נשאר: 1-8
ב) [הִפ׳ הֶעְדִּיף] הרבה, עשה יותר מדי: 9

הָעוֹדֵף 1 וְאֵת כָּל־הָעֹדֵף הַנִּיחוּ...לְמִשְׁמֶרֶת Ex. 16:23
2 וְסֶרַח הָעֹדֵף בִּירִיעֹת הָאֹהֶל Ex. 26:12
3 וְהֵשִׁיב אֶת־הָעֹדֵף לָאִישׁ Lev. 25:27
בָּעוֹדֵף 4 וְהָאַמָּה מִזֶּה...בָּעֹדֵף בְּאֹרֶךְ יְרִיעֹת Ex. 26:13
הָעוֹדֶפֶת 5 חֲצִי הַיְרִיעָה הָעֹדֶפֶת תִּסְרַח Ex. 26:12
הָעוֹדְפִים 6 הָעֹדְפִים עַל־הַלְוִיִּם Num. 3:46
7 פְּדוּיֵי הָעֹדְפִים בָּהֶם Num. 3:48
8 הָעֹדְפִים עַל פְּדוּיֵי הַלְוִיִּם Num. 3:49
הֶעְדִּיף 9 וְלֹא הֶעְדִּיף הַמַּרְבֶּה Ex. 16:18

עדר : א) עָדַר, נֶעְדַּר; מְעֻדָּר; עֵדֶר; ש״פ עֵדֶר, עַדְרִיאֵל
ב) נֶעְדַּר, עֵדֶר

עדר[1] פ׳ א) סדר, ערך: 1, 2
ב) [נִפ׳ נֶעְדַּר] עֻבַּד, נחרש: 3, 4

וְלַעֲדֹר 1 וְלַעֲדֹר בְּלֹא־לֵב וָלֵב ICh. 12:33(34)
עוֹדְרֵי־ 2 אַנְשֵׁי מִלְחָמָה עֹדְרֵי מַעֲרָכָה ICh. 12:38(39)
יֵעָדֵר 3 לֹא יִזָּמֵר וְלֹא יֵעָדֵר Is. 5:6
יֵעָדֵרוּן 4 וְכֹל הֶהָרִים אֲשֶׁר בַּמַּעְדֵּר יֵעָדֵרוּן Is. 7:25

(עדר[2]) נֶעְדַּר נפ׳ א) חסר, נפקד: 1-6
ב) [פִּ׳ עִדֵּר] החסיר: 7

נֶעְדַּר 1 וְלֹא נֶעְדַּר־לָהֶם מִן־הַקָּטֹן וְעַד־הַגָּ׳ ISh. 30:19
נֶעְדָּר 2 עַד־אַחַד לֹא נֶעְדָּר IISh. 17:22
3 מֵרֹב אוֹנִים...אִישׁ לֹא נֶעְדָּר Is. 40:26
4 מִשְׁפָּטוֹ יִתֵּן לָאוֹר לֹא נֶעְדָּר Zep. 3:5
נֶעְדָּרָה 5 אַחַת מֵהֵנָּה לֹא נֶעְדָּרָה Is. 34:16
נֶעְדֶּרֶת 6 וַתְּהִי הָאֱמֶת נֶעְדֶּרֶת Is. 59:15
יְעַדְּרוּ 7 וְכִלְכְּלוּ...אִישׁ חָדְשׁוֹ לֹא יְעַדְּרוּ דָּבָר IK. 5:7

עֵדֶר[1] ז׳ קבוצה של בהמות (צאן, בקר וכד׳): 1-38
– עֵדֶר יְיָ 11; עֵ׳ עִזִּים 12, 14; עֵ׳ הַקְּצוּבוֹת 13; עֵדֶר רְחֵלִים 15
– מִרְעֵה עֲדָרִים 24; שְׁרִקוֹת עֲדָרִים 23
– עֶדְרֵי בָקָר 35; עֶ׳ חֲבֵרָיו 36; עֶדְרֵי צֹאן 37,35,33

עֵדֶר 1/2 וַיִּתֵּן בְּיַד־עֲבָדָיו עֵדֶר עֵדֶר לְבַדּוֹ Gen. 32:16
3/4 וְרֶוַח תָּשִׂימוּ בֵּין עֵדֶר וּבֵין עֵדֶר Gen. 32:16
5 עֵדֶר גָּזְלוּ וַיִּרְעוּ Job 24:2
הָעֵדֶר 6 אַיֵּה הָעֵדֶר נִתַּן־לָךְ Jer. 13:20
בָּעֵדֶר 7 וְיָשְׁבוּ...אִכָּרִים וְנָסְעוּ בָּעֵדֶר Jer. 31:24(23)
מֵהָעֵדֶר 8 וּבָא הָאֲרִי...וְנָשָׂא שֶׂה מֵהָעֵדֶר ISh. 17:34
כְּעֵדֶר 9 כְּעֵדֶר בְּתוֹךְ הַדָּבְרוֹ תְּהִימֶנָה Mic. 2:12
כַּעֵדֶר 10 וַיְנַהֲגֵם כַּעֵדֶר בַּמִּדְבָּר Ps. 78:52
עֵדֶר־ 11 כִּי נִשְׁבָּה עֵדֶר יְיָ Jer. 13:17
כְּעֵדֶר־ 12 כְּעֵדֶר הָעִזִּים שֶׁגָּלְשׁוּ מֵהַר גִּלְעָד S.ofS. 4:1
13 כְּעֵדֶר הַקְּצוּבוֹת שֶׁעָלוּ מִן־הָרַחְצָה S.ofS. 4:2
14 כְּעֵדֶר הָעִזִּים שֶׁגָּלְשׁוּ מִן־הַגִּלְעָד S.ofS. 6:5
15 כְּעֵדֶר הָרְחֵלִים שֶׁעָלוּ מִן־הָרַחְצָה S.ofS. 6:6
עֶדְרוֹ 16 כְּרֹעֶה עֶדְרוֹ יִרְעֶה Is. 40:11
17 וּשְׁמָרוֹ כְּרֹעֶה עֶדְרוֹ Jer. 31:10(9)
18 כְּבַקָּרַת רֹעֶה עֶדְרוֹ Ezek. 34:12
19 כִּי־פָקַד יְיָ צְבָאוֹת אֶת־עֶדְרוֹ Zech. 10:3
וְעֶדְרוֹ 20 וְנִפַּצְתִּי בְךָ רֹעֶה וְעֶדְרוֹ Jer. 51:23
בְּעֶדְרוֹ 21 וְאָרוּר נוֹכֵל וְיֵשׁ בְּעֶדְרוֹ זָכָר Mal. 1:14
עֲדָרִים 22 וַיָּשֶׁת לוֹ עֲדָרִים לְבַדּוֹ Gen. 30:40
23 לִשְׁמֹעַ שְׁרִקוֹת עֲדָרִים Jud. 5:16
24 מְשׂוֹשׂ פְּרָאִים מִרְעֵה עֲדָרִים Is. 32:14
25 וְרָבְצוּ בְתוֹכָהּ עֲדָרִים Zep. 2:14
וַעֲדָרִים 26 וְאֻרוֹת...וַעֲדָרִים לָאֲוֵרוֹת IICh. 32:28
הָעֲדָרִים 27 מִן־הַבְּאֵר הַהִוא יַשְׁקוּ הָעֲדָרִים Gen. 29:2
28 וְנֶאֶסְפוּ־שָׁמָּה כָל־הָעֲדָרִים Gen. 29:3
29 עַד אֲשֶׁר יֵאָסְפוּ כָּל־הָעֲדָרִים Gen. 29:8
30 הַהֹלְכִים אַחֲרֵי הָעֲדָרִים Gen. 32:19
לַעֲדָרִים 31 עֲזֻבוֹת עָרֵי עֲרֹעֵר לַעֲדָרִים תִּהְיֶינָה Is. 17:2
32 שִׁית לִבְּךָ לַעֲדָרִים Prov. 27:23
עֶדְרֵי־ 33 שְׁלֹשָׁה עֶדְרֵי־צֹאן רֹבְצִים Gen. 29:2
34 מַה־נֶּאֶנְחָה בְהֵמָה נָבֹכוּ עֶדְרֵי בָקָר Joel 1:18
35 גַּם־עֶדְרֵי הַצֹּאן נֶאְשָׁמוּ Joel 1:18
36 אֶהְיֶה כְּעֹטְיָה עַל עֶדְרֵי חֲבֵרֶיךָ S.ofS. 1:7
בְּעֶדְרֵי־ 37 כִּכְפִיר בְּעֶדְרֵי־צֹאן Mic. 5:7
וְעֶדְרֵיהֶם 38 אֵלֶיהָ יָבֹאוּ רֹעִים וְעֶדְרֵיהֶם Jer. 6:3

עֵדֶר[2] שפ״ז א) מראשי אבות הלויים: 1, 2
ב) איש מזרע בנימין: 3

וְעֵדֶר 1 מַחְלִי וְעֵדֶר וִירֵמוֹת ICh. 23:23
2 מַחְלִי וְעֵדֶר וִירִימוֹת ICh. 24:30
וָעֵדֶר 3 וּזְבַדְיָה וַעֲרָד וָעֵדֶר ICh. 8:15

עֵדֶר[3] ש״פ – עיר בדרום יהודה

וְעֵדֶר 1 קַבְצְאֵל וְעֵדֶר וְיָגוּר Josh. 15:21

(מִגְדַּל) עֵדֶר – עין ערך מִגְדַּל עֵדֶר (באות מ׳)

עַדְרִיאֵל שפ״ז – חתן המלך שאול: 1, 2

לְעַדְרִיאֵל 1 וְהִיא נִתְּנָה לְעַדְרִיאֵל הַמְּחֹלָתִי ISh. 18:19
2 יָלְדָה לְעַדְרִיאֵל בֶּן־בַּרְזִלַּי הַמְּחֹלָתִי IISh. 21:8

עֲדָשִׁים ז״ר – צמח ממשפחת הקטניות: 1-4
פּוֹל וַעֲדָשִׁים 3, 4; נְזִיד עֲדָשִׁים 1

עֲדָשִׁים 1 נָתַן...לֶחֶם וּנְזִיד עֲדָשִׁים Gen. 25:34
2 חֶלְקַת הַשָּׂדֶה מְלֵאָה עֲדָשִׁים IISh. 23:11
וַעֲדָשִׁים 3 וּפוֹל וַעֲדָשִׁים וְקָלִי IISh. 17:28
4 וּפוֹל וַעֲדָשִׁים וְדֹחַן וְכֻסְּמִים Ezek. 4:9

עַוָּא ש״פ – עיר בממלכת אשור

וּמֵעַוָּא 1 וַיָּבֵא...מִבָּבֶל וּמִכּוּתָה וּמֵעַוָּא IIK. 17:24

עוב : הֵעִיב; עָב

(עוב) הֵעִיב הִפ׳ הקדיר

יָעִיב 1 אֵיכָה יָעִיב בְּאַפּוֹ...אֶת־בַּת־צִיּוֹן Lam. 2:1

עוֹבֵד שפ״ז א) אבי ישי: 1-3, 6, 7
ב) מצאצאי יַרְחָע העבד המצרי: 4, 8
ג) מגבורי דוד: 9, 10
ד) אבי עזריהו בימי יהוידע הכהן הגדול: 5

עוֹבֵד 1 עוֹבֵד הוּא אֲבִי־יִשָׁי Ruth 4:17
2/3 וּבֹעַז הוֹלִיד אֶת־עוֹ׳ Ruth 4:21 • ICh. 2:12
4 וְאֶפְלָל הוֹלִיד אֶת־עוֹבֵד ICh. 2:37
5 וַיִּקַּח...וְלַעֲזַרְיָהוּ בֶן־עוֹבֵד IICh. 23:1
וְעוֹבֵד 6 וְעֹבֵד הוֹלִיד אֶת־יִשָׁי Ruth 4:22
7 וְעוֹבֵד הוֹלִיד אֶת־יִשָׁי ICh. 2:12
8 וְעוֹבֵד הֹלִיד אֶת־יֵהוּא ICh. 2:38
9 אֱלִיאֵל וְעוֹבֵד וְיַעֲשִׂיאֵל הַמְּצֹבָיָה ICh. 11:47
10 בְּנֵי שְׁמַעְיָה עָתְנִי וּרְפָאֵל וְעוֹבֵד ICh. 26:7

עוֹבֵד אֱדוֹם שפ״ז – לוי בימי דוד, תושב גת: 1-20
בֵּית עוֹבֵד אֱדוֹם 1, 2, 4-9; בְּנֵי עוֹבֵד אֱדוֹם 10

עוֹבֵד אֶד׳ 1 וַיַּטֵּהוּ דָוִד בֵּית עֹבֵד־אֱדֹם הַגִּתִּי IISh. 6:10
2 וַיֵּשֶׁב אֲרוֹן יְיָ בֵּית עֹבֵד אֱדֹם הַגִּתִּי IISh. 6:11
3 וַיְבָרֶךְ יְיָ אֶת־עֹבֵד אֱדֹם IISh. 6:11
עוֹבֵד אֱדוֹם (המשך) 4-9 (מ)בֵּית עֹבֵד(־)אֱדֹם IISh. 6:12[2] ICh. 13:13, 14[2]; 15:25
10 כָּל־אֵלֶּה מִבְּנֵי עֹבֵד אֱדֹם ICh. 26:8
11 בְּבֵית־הָאֱלֹהִים עִם־עֹבֵד אֱדוֹם IICh. 25:24
וְעוֹבֵד אֶד׳ 12-14 וְעֹבֵד אֱדֹם וִיעִיאֵל ICh. 15:18, 21; 16:5
15 וְעֹבֵד אֱדֹם וִיחִיָּה שֹׁעֲרִים ICh. 15:24
16 וְעֹבֵד אֱדֹם וַאֲחֵיהֶם שִׁשִּׁים וּשְׁמוֹנָה ICh. 16:38
17 וְעֹבֵד אֱדֹם בֶּן־יְדִיתוּן ICh. 16:38
לְעוֹבֵד אֶד׳ 18 שִׁשִּׁים וּשְׁנַיִם לְעֹבֵד אֱדֹם ICh. 26:8
19 לְעֹבֵד אֱדֹם נֶגְבָּה... ICh. 26:15
וּלְעוֹבֵד אֶד׳ 20 וּלְעֹבֵד אֱדֹם בָּנִים... ICh. 26:4

עוֹבַדְיָה שפ״ז א) הנביא: 1
ב) מעולי הגולה עם עזרא: 2
ג) מצאצאי יהונתן בן שאול: 8, 9
ד) מצאצאי זרובבל: 5
ה) מגבורי דוד: 6
ו) איש ממטה יששכר: 7
ז) משרי יהושפט: 11
ח) לויים מן השוערים: 4, 10
ט) מהחותמים על האמנה: 3

עוֹבַדְיָה 1 חֲזוֹן עֹבַדְיָה כֹּה־אָמַר אֲדֹנָי יְיָ... Ob. 1
2 מִבְּנֵי יוֹאָב עֹבַדְיָה בֶּן־יְחִיאֵל Ez. 8:9
3 חָרִם מְרֵמוֹת עֹבַדְיָה Neh. 10:6
4 עֹבַדְיָה מְשֻׁלָּם טַלְמוֹן Neh. 12:25
5 בְּנֵי עֹבַדְיָה בְּנֵי שְׁכַנְיָה ICh. 3:21
6 עֵזֶר הָרֹאשׁ עֹבַדְיָה הַשֵּׁנִי ICh. 12:10(9)
וְעוֹבַדְיָה 7 וּבְנֵי יִזְרַחְיָה מִיכָאֵל וְעֹבַדְיָה ICh. 7:3
8-9 וּשְׁעַרְיָה וְעֹבַדְיָה וְחָנָן ICh. 8:38; 9:44
10 וְעֹבַדְיָה בֶּן־שְׁמַעְיָה בֶּן־גָּלָל ICh. 9:16
וּלְעוֹבַדְיָה 11 שָׁלַח לְשָׂרָיו לְבֶן־חַיִל וּלְעֹבַדְיָה IICh. 17:7

עוֹבַדְיָהוּ שפ״ז א) שר בית המלך אחאב: 1-5, 7, 8
ב) שר בימי דוד: 6
ג) לוי בימי יאשיהו: 9

עוֹבַדְיָהוּ 1 אֶל־עֹבַדְיָהוּ אֲשֶׁר עַל־הַבָּיִת IK. 18:3
2 וַיִּקַּח עֹבַדְיָהוּ מֵאָה נְבִיאִים וַיַּחְבִּיאֵם IK. 18:4
3 וַיֹּאמֶר אַחְאָב אֶל־עֹבַדְיָהוּ IK. 18:5
4 וַיְהִי עֹבַדְיָהוּ בַּדֶּרֶךְ IK. 18:7
5 וַיֵּלֶךְ עֹבַדְיָהוּ לִקְרַאת אַחְאָב IK. 18:16
6 לִזְבוּלֻן יִשְׁמַעְיָהוּ בֶּן־עֹבַדְיָהוּ ICh. 27:19
וְעוֹבַדְיָהוּ 7 וְעֹבַדְיָהוּ הָיָה יָרֵא אֶת־יְיָ מְאֹד IK. 18:3
8 וְעֹבַדְיָהוּ הָלַךְ בְּדֶרֶךְ־אֶחָד לְבַדּוֹ IK. 18:6
9 יַחַת וְעֹבַדְיָהוּ הַלְוִיִּם IICh. 34:12

עוֹבָל שפ״ז – בן יָקְטָן [עין גם עֵיבָל[2]]

עוֹבָל 1 וְאֶת־עוֹבָל וְאֶת־אֲבִימָאֵל... Gen. 10:28

(עוג) עוֹג שפ״ז – מלך הבשן: 1-22
עוֹג מֶלֶךְ הַבָּשָׁן 1-17, 20-22; אֶרֶץ עוֹג 15; גְּבוּל עוֹג 11; מַמְלֶכֶת עוֹג 2, 7-9; מַמְלְכוּת עוֹג 12-14

עוֹג 1 וַיֵּצֵא עוֹג מֶלֶךְ־הַבָּשָׁן לִקְרָאתָם Num. 21:33
2 וְאֶת־מַמְלֶכֶת עוֹג מֶלֶךְ הַבָּשָׁן Num. 32:33
3-6 עוֹג מֶלֶךְ(־)הַבָּשָׁן Deut. 1:4; 3:1, 3, 11
7-8 מַמְלֶכֶת עוֹג בַּבָּשָׁן Deut. 3:4, 10
9 וְכָל־הַבָּשָׁן מַמְלֶכֶת עוֹג Deut. 3:13
10 וְאֶת־אֶרֶץ עוֹג מֶלֶךְ־הַבָּשָׁן Deut. 4:47
11 וּגְבוּל עוֹג מֶלֶךְ הַבָּשָׁן Josh. 12:4
12-13 מַמְלְכוּת עוֹג בַּבָּשָׁן Josh. 13:12, 31
14 כָּל־מַמְלְכוּת עוֹג מֶלֶךְ־הַבָּשָׁן Josh. 13:30
15 וְאֶת־אֶרֶץ עוֹג מֶלֶךְ־הַבָּשָׁן Neh. 9:22

וְעוֹג 16 וַיֵּצֵא סִיחֹן...וְעוֹג מֶלֶךְ־הַבָּשָׁן Deut. 29:6

17 אֶרֶץ סִיחוֹן...וְעֹג מֶלֶךְ הַבָּשָׁן IK. 4:19

וּלְעוֹג 18 כַּאֲשֶׁר עָשָׂה לְסִיחוֹן וּלְעוֹג Deut. 31:4

19 וַאֲשֶׁר עֲשִׂיתֶם...לְסִיחֹן וּלְעוֹג Josh. 2:10

20 לְסִיחוֹן...וּלְעוֹג מֶלֶךְ־הַבָּשָׁן Josh. 9:10

21/2 וּלְעוֹג מֶלֶךְ הַבָּשָׁן Ps. 135:11; 136:20

עוג : עָג; עוּגָה, מָעוֹג

(עוג) עָג פ׳ לש ואפה עוגה

תְּעוּגֶנָה 1 בְּגֶלְלֵי צֵאַת הָאָדָם תְּעֻגֶנָה Ezek. 4:12

עוּגָב ז׳ כלי נגינה קדמון: 1-4

קוֹל עוּגָב 1; תּוֹפֵשׂ עוּגָב 2

עוּגָב 1 וְיִשְׂמְחוּ לְקוֹל עוּגָב Job 21:12

וְעוּגָב 2 אֲבִי כָּל־תֹּפֵשׂ כִּנּוֹר וְעוּגָב Gen. 4:21

3 הַלְלוּהוּ בְּמִנִּים וְעֻגָב Ps. 150:4

וְעוּגָבִי 4 וַיְהִי לְאֵבֶל כִּנֹּרִי וְעֻגָבִי לְקוֹל בֹּכִים Job 30:31

עוּגָה נ׳ חַלַּת־לֶחֶם קטנה: 1-7

עוּגָה קְטַנָּה 1; עוּגָה בְּלִי הֲפוּכָה 2; עוּגַת רְצָפִים 3; עוּגַת שְׂעֹרִים 4; עוּגוֹת מַצּוֹת 6

עוּגָה 1 עֲשִׂי־לִי מִשָּׁם עֻגָה קְטַנָּה IK. 17:13

2 אֶפְרַיִם הָיָה עֻגָה בְּלִי הֲפוּכָה Hosh. 7:8

עוּגַת־ 3 עֻגַת רְצָפִים וְצַפַּחַת מָיִם IK. 19:6

וְעוּגַת־ 4 וְעֻגַת שְׂעֹרִים תֹּאכְלֶנָּה Ezek. 4:12

עוּגוֹת 5 לוּשִׁי וַעֲשִׂי עֻגוֹת Gen. 18:6

6 וַיֹּאפוּ אֶת־הַבָּצֵק...עֻגֹת מַצּוֹת Ex. 12:39

7 וְעָשׂוּ אֹתוֹ עֻגוֹת Num. 11:8

עוד : א) הֵעִיד, הוּעַד; עֵד, עֵדָה, עֵדוּת, תְּעוּדָה; עוֹד(?) ב) עִוֵּד

ג) עוֹדֵד, הִתְעוֹדֵד; ש״פ עוֹדֵד

(עוד)1 הֵעִיד הִפ׳ א) הגיד עדות: 33-36

ב) הזמין לעֵד: 5,6,8,20-22,38

ג) הזהיר, התרה: 1,4,7,9-19,23,37,39

ד) [הָפ׳ הוּעַד] הוזהר: 40

הֵעִיד בְּ־ 1-3, 9-17, 19, 21, 24-26, 28-32, 37, 39; הֵעִיד (אֶת־) 5, 20, 22, 27, 33, 35, 36, 38; הֵעִיד בֵּין 15

הָעֵד 1 הָעֵד הֵעִד בָּנוּ הָאִישׁ Gen. 43:3

2 אַךְ כִּי־הָעֵד תָּעִיד בָּהֶם... ISh. 8:9

3 כִּי הָעֵד הַעִדֹתִי בַּאֲבוֹתֵיכֶם Jer. 11:7

וְהָעֵד 4 הַשְׁכֵּם וְהָעֵד לֵאמֹר Jer. 11:7

5 וְכָתוֹב בַּסֵּפֶר...וְהָעֵד עֵדִים Jer. 32:44

הַעִידֹתִי 6 הַעִידֹתִי בָכֶם הַיּוֹם אֶת־הַשָּׁמַיִם Deut. 4:26

7 הַעִדֹתִי בָכֶם הַיּוֹם כִּי אָבֹד תֹּאבֵדוּן Deut. 8:19

8 הַעִידֹתִי בָכֶם הַיּוֹם אֶת־הַשָּׁמַיִם Deut. 30:19

9 כִּי הָעֵד הַעִדֹתִי בַּאֲבוֹתֵיכֶם Jer. 11:7

10 כִּי־הַעִידֹתִי בָכֶם הַיּוֹם Jer. 42:19

הַעִידוֹתָ 11 וּלְעֵדְוֹתֶיךָ אֲשֶׁר הַעִידֹתָ בָּהֶם Neh. 9:34

הַעֵדֹתָה 12 כִּי־אַתָּה הַעֵדֹתָה בָּנוּ לֵאמֹר Ex. 19:23

הֵעִיד 13 הָעֵד הֵעִד בָּנוּ הָאִישׁ... Gen. 43:3

14 וְאֵת עֵדְוֹתָיו אֲשֶׁר הֵעִיד בָּם IIK. 17:15

15 יְיָ הֵעִיד בֵּינְךָ וּבֵין אֵשֶׁת נְעוּרֶיךָ Mal. 2:14

הֵעִידוּ 16 אֲשֶׁר־הֵעִידוּ בָם לַהֲשִׁיבָם אֵלֶיךָ Neh. 9:26

מֵעִיד 17 ...אֲשֶׁר אָנֹכִי מֵעִיד בָּכֶם הַיּוֹם Deut. 32:46

וָאָעִיד 18 וָאָעִיד בְּיוֹם מִכְרָם צָיִד Neh. 13:15

19 הִשְׁבַּעְתִּיךָ בַיְיָ וָאָעִד בְּךָ לֵאמֹר IK. 2:42

וָאָעֵד 20 וָאֶכְתֹּב...וָאֶחְתֹּם וָאָעֵד עֵדִים Jer. 32:10

וְאָעִידָה 21 וְאָעִידָה בָּם אֶת־הַשָּׁמַיִם וְאֶת־הָאָ׳ Deut. 31:28

22 וְאָעִידָה לִּי עֵדִים נֶאֱמָנִים Is. 8:2

וְאָעִידָה (המשך) 23 עַל־מִי אֲדַבְּרָה וְאָעִידָה Jer. 6:10

24 שִׁמְעָה...יִשְׂרָאֵל וְאָעִידָה בָּךְ Ps. 50:7

25 שְׁמַע עַמִּי וְאָעִידָה בָּךְ Ps. 81:9

וָאָעִידָה 26 וָאָעִידָה בָהֶם וָאֹמְרָה אֲלֵהֶם Neh. 13:21

אֲעִידֵךְ 27 מָה אֲעִידֵךְ (כ׳ אעודך) מָה אֲדַמֶּה... Lam. 2:13

תָּעִיד 28 אַךְ כִּי־הָעֵד תָּעִיד בָּהֶם ISh. 8:9

וַתָּעַד 29 וַתָּעַד בָּהֶם לַהֲשִׁיבָם אֶל־תּוֹרָתֶךָ Neh. 9:29

30 וַתָּעַד בָּם בְּרוּחֲךָ בְּיַד־נְבִיאֶיךָ Neh. 9:30

וַיָּעַד 31 וַיָּעַד יְיָ בְּיִשְׂרָאֵל וּבִיהוּדָה IIK. 17:13

32 וַיָּעַד מַלְאַךְ יְיָ בִּיהוֹשֻׁעַ לֵאמֹר Zech. 3:6

וַתְּעִידֵנִי 33 וְעַיִן רָאֲתָה וַתְּעִידֵנִי Job 29:11

וַיָּעִידוּ 34 וַיָּעִידוּ בָם וְלֹא הֶאֱזִינוּ IICh. 24:19

וִיעִדֻהוּ 35 וְהוֹשִׁיבוּ שְׁנַיִם אֲנָשִׁים...וִיעִדֻהוּ IK. 21:10

וַיְעִדֻהוּ 36 וַיְעִדֻהוּ אַנְשֵׁי הַבְּלִיַּעַל...לֵאמֹר IK. 21:13

הָעֵד 37 רֵד הָעֵד בָּעָם פֶּן־יֶהֶרְסוּ Ex. 19:21

וְהָעֵד 38 קְנֵה־לְךָ...וְהָעֵד עֵדִים Jer. 32:25

וְהָעִידוּ 39 שִׁמְעוּ וְהָעִידוּ בְּבֵית יַעֲקֹב Am. 3:13

וְהוּעַד 40 וְהוּעַד בִּבְעָלָיו וְלֹא יִשְׁמְרֶנּוּ Ex. 21:29

(עוד)2 עִוֵּד פ׳ חִזֵּק, קשר

עִוְּדֻנִי 1 חֶבְלֵי רְשָׁעִים עִוְּדֻנִי Ps. 119:61

(עוד)3 עוֹדֵד פ׳ א) חִזֵּק, אִמֵּץ: 1, 2

ב) [הִת׳ הִתְעוֹדֵד] התחזק: 3

מְעוֹדֵד 1 מְעוֹדֵד עֲנָוִים יְיָ Ps. 147:6

יְעוֹדֵד 2 יָתוֹם וְאַלְמָנָה יְעוֹדֵד Ps. 146:9

וַנִּתְעוֹדָד 3 וַאֲנַחְנוּ קַמְנוּ וַנִּתְעוֹדָד Ps. 20:9

עוֹד1 תה״פ, מ״י

א) נוסף על הקודם, שוב: רוב המקראות 1-365, 403, 406, 407, 410-422, 424-427, 430-435

ב) עדיין, עד כה: 35, 366-379, 408, 409, 415-419, 428, 429, 451, 455-483, 486-489

ג) [לפני פועל עתיד] יבוא הזמן ש־: 380-396, 423

ד) כבר: 397

ה) [בְּעוֹד] לאחר, בתוספת הקודם: 436-439, 442-446, 450

ו) (כנ״ל) כל זמן ש־, כשעדיין: 51, 440, 441, 447-449

ז) [כָּל־עוֹד] כל זמן ש־: 404, 405

ח) [עוֹד מְעַט] כמעט, קרוב מאד: 398-402

ט) [עוֹדִי, עוֹדֶנִּי, עוֹדְךָ וכו׳] עוד אני, עוד אתה וכו׳: 451-453, 455-461, 463-489

י) [מֵעוֹדִי, מֵעוֹדְךָ] מאז, מלפנים: 454, 462

עוֹד (א) 1 וַיֵּדַע אָדָם עוֹד אֶת־אִשְׁתּוֹ Gen. 4:25

2 לְיָמִים עוֹד שִׁבְעָה אָנֹכִי מַמְטִיר Gen. 7:4

3 וַיָּחֶל עוֹד שִׁבְעַת יָמִים אֲחֵרִים Gen. 8:10

4 וַיִּיָּחֶל עוֹד שִׁבְעַת יָמִים אֲחֵרִים Gen. 8:12

5 וְלֹא־יָסְפָה שׁוּב־אֵלָיו עוֹד Gen. 8:12

6 לֹא אֹסִף לְקַלֵּל עוֹד אֶת־הָאֲדָמָה Gen. 8:21

7 וְלֹא־אֹסִף עוֹד לְהַכּוֹת Gen. 8:21

8 עֹד כָּל־יְמֵי הָאָרֶץ...לֹא יִשְׁבֹּתוּ Gen. 8:22

9 וְלֹא־יִכָּרֵת כָּל־בָּשָׂר עוֹד Gen. 9:11

10 וְלֹא־יִהְיֶה עוֹד מַבּוּל Gen. 9:11

11 וְלֹא־יִהְיֶה עוֹד הַמַּיִם לְמַבּוּל Gen. 9:15

12 וְלֹא־יִקָּרֵא עוֹד אֶת־שִׁמְךָ אַבְרָם Gen. 17:5

13 וַיֹּסֶף עוֹד לְדַבֵּר אֵלָיו וַיֹּאמַר Gen. 18:29

14 עֹד מִי־לְךָ פֹה חָתָן וּבָנֶיךָ Gen. 19:12

15 וַתָּרָץ עוֹד אֶל־הַבְּאֵר לִשְׁאֹב Gen. 24:20

16-17 עוֹד שֶׁבַע־שָׁנִים אֲחֵרוֹת Gen. 29:27, 30

18-21 וַתַּהַר עוֹד וַתֵּלֶד Gen. 29:33, 34, 35; 30:7

22 וַתַּהַר עוֹד לֵאָה וַתֵּלֶד... Gen. 30:19

עוֹד (א) (המשך) 23 לֹא יַעֲקֹב יֵאָמֵר עוֹד שִׁמְךָ Gen. 32:28

24 וַיֵּרָא אֱלֹהִים אֶל־יַעֲקֹב עוֹד Gen. 35:9

25 לֹא־יִקָּרֵא שִׁמְךָ עוֹד יַעֲקֹב Gen. 35:10

26 וַיְהִי־עוֹד כִּבְרַת־הָאָרֶץ Gen. 35:16

27-28 וַיּוֹסִפוּ עוֹד שְׂנֹא אֹתוֹ Gen. 37:5, 8

29 וַיַּחֲלֹם עוֹד חֲלוֹם אַחֵר Gen. 37:9

30 הִנֵּה חָלַמְתִּי חֲלוֹם עוֹד Gen. 37:9

31 וַתַּהַר עוֹד וַתֵּלֶד בֵּן Gen. 38:4

32 וַתֹּסֶף עוֹד וַתֵּלֶד בֵּן Gen. 38:5

33 וְלֹא־יָסַף עוֹד לְדַעְתָּהּ Gen. 38:26

34 כִּי־עוֹד חָמֵשׁ שָׁנִים רָעָב Gen. 45:11

35 עוֹד יוֹסֵף חַי Gen. 45:26

36 רַב עוֹד־יוֹסֵף בְּנִי חָי Gen. 45:28

37 וַיֵּבְךְּ עַל־צַוָּארָיו עוֹד Gen. 46:29

38 וְלֹא־יָכְלָה עוֹד הַצְּפִינוֹ Ex. 2:3

39 וַיֹּאמֶר עוֹד אֱלֹהִים אֶל־מֹשֶׁה Ex. 3:15

40 וַיֹּאמֶר יְיָ לוֹ עוֹד Ex. 4:6

41 וְהַבָּרָד לֹא יִהְיֶה־עוֹד Ex. 9:29

42 לֹא־אֹסִף עוֹד רְאוֹת פָּנֶיךָ Ex. 10:29

43 אַל־תּוֹסֶף דַּבֵּר אֵלַי עוֹד Deut. 3:26

44 אֵין עוֹד מִלְבַדּוֹ Deut. 4:35

45 יְיָ הוּא הָאֱלֹהִים...אֵין עוֹד Deut. 4:39

46 אִם־יֹסְפִים אֲנַחְנוּ לִשְׁמֹעַ...עוֹד Deut. 5:22

47 וְלֹא־קָם נָבִיא עוֹד...כְּמֹשֶׁה Deut. 34:10

48 וּמַה־לִּי עוֹד Jud. 18:24

49 הֲכִי יֶשׁ־עוֹד אֲשֶׁר נוֹתַר לְבֵית... IISh. 9:1

50 הַאֶפֶס עוֹד אִישׁ לְבֵית שָׁאוּל IISh. 9:3

51 טוֹב לִי עֹד אֲנִי־שָׁם IISh. 14:32

52 אִם־אֶשְׁמַע עוֹד בְּקוֹל שָׁרִים וְשָׁרוֹ׳ IISh. 19:36

53 יְיָ הוּא הָאֱלֹהִים אֵין עוֹד IK. 8:60

54 וְלֹא־הָיָה בָהּ עוֹד רוּחַ IK. 10:5

55 לֹא בָא כַבֹּשֶׂם הַהוּא עוֹד לָרֹב IK. 10:10

56 לְכוּ־עֹד שְׁלֹשָׁה יָמִים IK. 12:5

57 הַגִּישָׁה אֵלַי עוֹד כֶּלִי IIK. 4:6

58 וְלֹא־יִלְמְדוּ עוֹד מִלְחָמָה Is. 2:4

59 מַה־לַּעֲשׂוֹת עוֹד לְכַרְמִי Is. 5:4

60 וְאֵין עוֹד אֶפֶס אֱלֹהִים Is. 45:14

61 וְאֵין־עוֹד אֱלֹהִים מִבַּלְעָדַי Is. 45:21

62 כִּי אֲנִי־אֵל וְאֵין עוֹד Is. 45:22

63 כִּי אָנֹכִי אֵל וְאֵין עוֹד אֱלֹהִים Is. 46:9

64-66 אֲנִי וְאַפְסִי עוֹד Is. 47:8, 10 • Zep. 2:15

67 לָכֵן עֹד אָרִיב אִתְּכֶם Jer. 2:9

68 לֹא תִטְהֲרִי אַחֲרֵי מָתַי עֹד Jer. 13:27

69 וְלֹא־יוֹסִיפוּ לְדַאֲבָה עוֹד Jer. 31:12(11)

70 זָכֹר אֶזְכְּרֶנּוּ עוֹד Jer. 31:20(19)

71 וְלֹא־יִנְהֲרוּ אֵלָיו עוֹד גּוֹיִם Jer. 51:44

72 וּמֵהֶם עוֹד תִּקָּח Ezek. 5:4

73 אֲשֶׁר־לֹא־אֶעֱשֶׂה כָמֹהוּ עוֹד Ezek. 5:9

74 עוֹד זֹאת גִּדְּפוּ אוֹתִי Ezek. 20:27

75 עוֹד זֹאת עָשׂוּ לִי Ezek. 23:38

76 עוֹד זֹאת אִדָּרֵשׁ לְבֵית־יִשְׂרָאֵל Ezek. 36:37

77 כִּי לֹא אוֹסִיף עוֹד אֲרַחֵם... Hosh. 1:6

78 וִיהוּדָה עֹד רָד עִם־אֵל Hosh. 12:1

79 עוֹד אַרְבָּעִים יוֹם וְנִינְוֵה נֶהְפָּכֶת Jon. 3:4

80 עֹד הַיֹּרֵשׁ אָבִי לָךְ Mic. 1:15

81 עוֹד הַאִשׁ בֵּית רָשָׁע... Mic. 6:10

82 כִּי עוֹד חָזוֹן לַמּוֹעֵד Hab. 2:3

83 עוֹד קְרָא לֵאמֹר כֹּה אָמַר יְיָ Zech. 1:17

84 וְלֹא־יִזָּכֵר שֵׁם־יִשְׂרָאֵל עוֹד Ps. 83:5

85 בְּכָל־זֹאת חָטְאוּ־עוֹד Ps. 78:32

86 אַשְׁרֵי יוֹשְׁבֵי בֵיתֶךָ עוֹד יְהַלְלוּךָ Ps. 84:5

87 אֲשֶׁר לֹא זְכַרְתָּם עוֹד Ps. 88:6

עוד (א) (המשך)

88 וְלֹא־יַכִּירֶנּוּ עוֹד מְקוֹמוֹ — Ps. 103:16
89 וּרְשָׁעִים עוֹד אֵינָם — Ps. 104:35
90 כִּי־עוֹד וּתְפִלָּתִי בְּרָעוֹתֵיהֶם — Ps. 141:5
91 וְלֹא־עוֹד תְּשׁוּרֶנּוּ מְקוֹמוֹ — Job 20:9
92 עוֹד לֹא־יִזָּכֵר — Job 24:20
93 כִּי לֹא עַל־אִישׁ יָשִׂים עוֹד — Job 34:23
94 כִּי־עוֹד חָזוֹן לַיָּמִים — Dan. 10:14
95 וְלֹא־עָצַר כֹּחַ יָרָבְעָם עוֹד — IICh. 13:20
96 הַאֵין פֹּה נָבִיא לַיְיָ עוֹד — IICh. 18:6
97 עוֹד אִישׁ־אֶחָד לִדְרוֹשׁ אֶת־יְיָ מֵאֹתוֹ — IICh. 18:7
98-365 עוֹד (א) — Ex. 11:1; 14:13; 36:3, 6

Lev. 13:57; 17:7; 25:51; 27:20 • Num. 8:25; 18:5, 22; 22:15; 32:14, 15 • Deut. 10:16; 13:17; 17:13, 16; 18:16; 19:9, 20; 28:68; 31:2 • Josh. 2:11; 5:1, 12 • Jud. 2:14; 9:37; 11:14; 13:8, 9, 21; 20:25, 28 • ISh. 1:18; 3:6; 7:13; 10:22^2; 16:11; 18:29; 20:3; 23:4, 22; 26:21; 27:1, 4; 28:15 • IISh. 2:22, 28^2; 3:11; 5:13^2, 22; 6:1, 22; 7:10, 19, 20; 9:3; 10:19; 12:23; 14:10, 29; 18:22; 19:29^2, 30, 36; 21:15, 17, 18, 19, 20 • IK. 22:7, 8 • IIK. 2:12, 21; 4:6; 5:17; 6:23, 33; 24:7 • Is. 1:5; 8:5; 10:20; 14:1; 23:10, 12; 26:21; 30:20; 32:5; 38:11; 45:5, 6, 18; 51:22; 52:1; 54:4, 9; 60:18, 19, 20; 62:4^2, 8; 65:19, 20 • Jer. 2:31; 3:1, 16^2, 17; 7:32; 10:20; 11:19; 16:14; 19:6, 11; 20:9; 22:10, 11; 22:12, 30; 23:4, 7, 36; 30:8; 31:29(28), 34:(33)^2, 39(38); 31:40(39); 33:24; 34:10; 38:9; 42:18; 44:22, 26; 48:2; 49:7; 50:39 • Ezek. 12:23, 24, 25, 28; 13:21, 23; 14:11^2; 15:5; 16:41, 42, 63; 18:3; 19:9; 20:39; 21:10; 23:27; 24:13; 24:27; 26:13, 14, 21; 28:24; 29:15, 16; 30:13; 32:13; 33:22; 34:10, 22, 28, 29^2; 36:12, 14^2, 15^3, 30; 37:22^3, 23; 39:7, 28, 29; 43:7; 45:8 • Hosh. 1:6; 2:18, 19; 3:1; 14:4, 9 • Joel 2:19, 27; 4:17 • Am. 7:8, 13; 8:2, 14; 9:15 • Mic. 4:3; 5:12 • Nah. 1:12, 14; 2:1, 14 • Zep. 3:11, 15 • Zech. 1:17; 2:16; 9:8; 11:6, 15; 12:6; 13:2, 3; 14:11, 21 • Mal. 2:13 • Ps. 10:18; 42:6, 12; 43:5; 49:10; 74:9; 77:8; 78:17 • Prov. 9:9; 11:24; 23:35; 31:7 • Job 6:10, 29; 7:10^2; 32:15, 16; 36:2 • Ruth 1:14 • Eccl. 4:13; 7:28; 9:5, 6; 12:9 • Es. 2:14; 9:12 • Dan. 11:2, 27, 35 • Neh. 2:17 • ICh. 14:3^2, 13, 14; 17:9, 18; 19:19; 20:5, 6 • IICh. 9:4; 10:5; 34:16

עוד (ב)

366 הֵן עוֹד הַיּוֹם גָּדוֹל — Gen. 29:7
367 עוֹד טֻמְאָתוֹ בוֹ — Num. 19:13
368 עוֹד הָעָם רָב — Jud. 7:4
369-373 עוֹד הָעָם מְזַבְּחִים(...)בַּבָּמוֹת — IK. 22:44; IIK. 12:4; 14:4; 15:4, 35
374 עוֹד הֵם מְדַבְּרִים וַאֲנִי אֶשְׁמָע — Is. 65:24
375 עוֹד אָכְלָם בְּפִיהֶם — Ps. 78:30
376/7 עוֹד זֶה מְדַבֵּר וְזֶה בָּא — Job 1:16, 17
378 ...עוֹד עָצוּר מִפְּנֵי שָׁאוּל — ICh. 12:1
379 עוֹד הָעָם זֹבְחִים בַּבָּמוֹת — IICh. 33:17

עוד (ג)

380 עוֹד יֹאמְרוּ בְאָזְנַיִךְ — Is. 49:20
381 עוֹד אֲקַבֵּץ עָלָיו לְנִקְבָּצָיו — Is. 56:8
382 עוֹד אֶבְנֵךְ וְנִבְנֵית בְּתוּלַת יִשְׂ׳ — Jer. 31:3(4)
383 עוֹד תַּעְדִּי תֻפַּיִךְ... — Jer. 31:3(4)
384 עוֹד תִּטְּעִי כְרָמִים בְּהָרֵי שֹׁמְרוֹן — Jer. 31:4(5)
385 עוֹד יֹאמְרוּ אֶת־הַדָּבָר הַזֶּה — Jer. 31:22(23)
386 עוֹד יִקָּנוּ בָתִּים וְשָׂדוֹת...בָּאָרֶץ — Jer. 32:15
387 עוֹד יִשָּׁמַע בַּמָּקוֹם־הַזֶּה... — Jer. 33:10
388 עוֹד יִהְיֶה בַּמָּקוֹם הַזֶּה... — Jer. 33:12
389 עֹד תַּעֲבֹרְנָה הַצֹּאן עַל־יְדֵי מוֹנֶה — Jer. 33:13
390-391 עוֹד תָּשׁוּב תִּרְאֶה — Ezek. 8:13, 15
392 עֹד אוֹשִׁיבְךָ בָאֳהָלִים... — Hosh. 12:10

עוד (ג) (המשך)

393 עוֹד תְּפוּצֶנָה עָרַי מִטּוֹב — Zech. 1:17
394 עֹד יֵשְׁבוּ זְקֵנִים וּזְקֵנוֹת — Zech. 8:4
395 עֹד אֲשֶׁר יָבֹאוּ עַמִּים — Zech. 8:20
396 עוֹד יְנוּבוּן בְּשֵׂיבָה — Ps. 92:15

עוד (ד)
397 עוֹד הַיּוֹם בְּנֹב לַעֲמֹד — Is. 10:32

עוֹד מְעַט
398 עוֹד מְעַט וּסְקָלֻנִי — Ex. 17:4
399 כִּי־עוֹד מְעַט מִזְעָר וְכָלָה זַעַם — Is. 10:25
400 הֲלֹא־עוֹד מְעַט...וְשָׁב לְבָנוֹן — Is. 29:17
401 עוֹד מְעַט וּבָאָה עֵת־הַקָּצִיר לָהּ — Jer. 51:33
402 כִּי־עוֹד מְעַט וּפָקַדְתִּי... — Hosh. 1:4
403 עוֹד אַחַת מְעַט הִיא... — Hag. 2:6

כָּל־עוֹד
404 כִּי־כָל־עוֹד נַפְשִׁי בִּי — IISh. 1:9
405 כִּי־כָל־עוֹד נִשְׁמָתִי בִי — Job 27:3

הַעוֹד
406 הַעוֹד לָנוּ חֵלֶק וְנַחֲלָה — Gen. 31:14
407 הַעוֹד לָכֶם אָח — Gen. 43:6
408 הַעוֹד אֲבִיכֶם חַי — Gen. 43:7
409 הַעוֹד אָבִי חָי — Gen. 45:3
410 הַעוֹד הַזֶּרַע בַּמְּגוּרָה — Hag. 2:19
411 וְאָמַר...הַעוֹד עִמָּךְ וְאָמַר אָפֶס — Am. 6:10
412 הַעוֹד־לִי בָנִים בְּמֵעַי — Ruth 1:11

וְעוֹד
413 וְעוֹד חָמֵשׁ שָׁנִים אֲשֶׁר אֵין... — Gen. 45:6
414 וְעוֹד לוֹ אַךְ הַמְּלוּכָה — ISh. 18:8
415-419 וְעוֹד יָדוֹ נְטוּיָה — Is. 5:25; 9:11, 16, 20; 10:4
420 וְעוֹד בָּהּ עֲשִׂירִיָּה — Is. 6:13
421 וְעוֹד נוֹסַף עֲלֵיהֶם דְּבָרִים — Jer. 36:32
422 וְעוֹד בַּחַיִּים חַיָּתָם — Ezek. 7:13
423 וְעוֹד תָּשׁוּב תִּרְאֶה תּוֹעֵבוֹת — Ezek. 8:6
424 וְעוֹד מְעַט וְאֵין רָשָׁע — Ps. 37:10
425 כִּי אִם־תַּצִּיל וְעוֹד תּוֹסִף — Prov. 19:19
426 אִם־יִכָּרֵת וְעוֹד יַחֲלִיף — Job 14:7
427 וְעוֹד רָאִיתִי תַּחַת הַשָּׁמֶשׁ — Eccl. 3:16
428 וְעוֹד אֲנִי מְדַבֵּר וּמִתְפַּלֵּל — Dan. 9:20
429 וְעוֹד אֲנִי מְדַבֵּר בַּתְּפִלָּה — Dan. 9:21
430 וְעוֹד בִּרְצוֹתִי בְּבֵית אֱלֹהַי — ICh. 29:3
431 וְעוֹד הֵסִיר אֶת־הַבָּמוֹת — IICh. 17:6
432 וְעוֹד הָעָם לֹא־הֵכִינוּ לְבָבָם — IICh. 20:33
433 וְעוֹד הָעָם מַשְׁחִיתִים — IICh. 27:2
434 וְעוֹד אֲדוֹמִים בָּאוּ וַיַּכּוּ בִיהוּדָה — IICh. 28:17
435 וְעוֹד דִּבְּרוּ עֲבָדָיו עַל־יְיָ — IICh. 32:16

בְּעוֹד
436/7 בְּעוֹד שְׁלֹשֶׁת יָמִים... — Gen. 40:13, 19
438 בְּעוֹד כִּבְרַת־אֶרֶץ לָבֹא אֶפְרָתָה — Gen. 48:7
439 בְּעוֹד שְׁלֹשֶׁת יָמִים אַתֶּם עֹבְרִים — Josh. 1:11
440 לְהַבְרוֹת...לֶחֶם בְּעוֹד הַיּוֹם — IISh. 3:35
441 בְּעוֹד הַיֶּלֶד חַי צַמְתִּי — IISh. 12:22
442 בְּעוֹד שָׁנָה כִּשְׁנֵי שָׂכִיר — Is. 21:16
443 בָּא׳ שִׁמְשָׁהּ בְּעֹד יוֹמָם — Jer. 15:9
444/5 בְּעוֹד שְׁנָתַיִם יָמִים — Jer. 28:3, 11
446 בְּעוֹד שְׁלֹשָׁה חֳדָשִׁים לַקָּצִיר — Am. 4:7
447 אֶשְׁמְרָה...בְּעֹד רָשָׁע לְנֶגְדִּי — Ps. 39:2
448 וַתָּקָם בְּעוֹד לַיְלָה — Prov. 31:15
449 בְּעוֹד שַׁדַּי עִמָּדִי סְבִיבוֹתַי נְעָרָי — Job 29:5

וּבְעוֹד
450 וּבְעוֹד שִׁשִּׁים וְחָמֵשׁ שָׁנָה — Is. 7:8

וְעוֹדִי
451 הֱקִיצֹתִי וְעוֹדִי עִמָּךְ — Ps. 139:18

בְּעוֹדִי
452/3 אֲזַמְּרָה לֵאלֹהַי בְּעוֹדִי — Ps. 104:33; 146:2

מֵעוֹדִי
454 מֵעוֹדִי עַד־הַיּוֹם הַזֶּה — Gen. 48:15

עוֹדֶנִּי
455 עוֹדֶנִּי הַיּוֹם חָזָק — Josh. 14:11
456 וְלֹא אִם־עוֹדֶנִּי חָי — ISh. 20:14

בְּעוֹדֶנִּי
457 הֵן בְּעוֹדֶנִּי חַי עִמָּכֶם... — Deut. 31:27

עוֹדְךָ
458 אָמוּתָה הַפָּעַם...כִּי עוֹדְךָ חָי — Gen. 46:30
459 עוֹדְךָ מִסְתּוֹלֵל בְּעַמִּי — Ex. 9:17
460 עֹדְךָ מַחֲזִיק בְּתֻמָּתֶךָ — Job 2:9

וְעוֹדְךָ
461 וְעוֹדְךָ מַחֲזִיק בָּם — Ex. 9:2

מֵעוֹדְךָ
462 מֵעוֹדְךָ עַד־הַיּוֹם הַזֶּה — Num. 22:30

עוֹדָךְ
463 הִנֵּה עוֹדָךְ מְדַבֶּרֶת שָׁם... — IK. 1:14

עוֹדֶנּוּ
464 וְאַבְרָהָם עוֹדֶנּוּ עֹמֵד לִפְנֵי יְיָ — Gen. 18:22
465 עוֹדֶנּוּ מְדַבֵּר עִמָּם וְרָחֵל בָּאָה — Gen. 29:9
466 שָׁלוֹם...לְאָבִינוּ עוֹדֶנּוּ חָי — Gen. 43:28
467 וְהוּא עוֹדֶנּוּ שָׁם — Gen. 44:14
468 הַבָּשָׂר עוֹדֶנּוּ בֵּין שִׁנֵּיהֶם — Num. 11:33
469 עַד הַיּוֹם הַזֶּה עוֹדֶנּוּ בְּעָפְרַת — Jud. 6:24
470 כִּי יָרֵא כִּי עוֹדֶנּוּ נָעַר — Jud. 8:20
471 וְשָׁאוּל עוֹדֶנּוּ בַגִּלְגָּל — ISh. 13:7
472 עוֹדֶנּוּ חַי בְּלֵב הָאֵלָה — IISh. 18:14
473 עוֹדֶנּוּ מְדַבֵּר וְהִנֵּה יוֹנָתָן...בָּא — IK. 1:42
474 וְהוּא עוֹדֶנּוּ בְמִצְרַיִם — IK. 12:2
475 עוֹדֶנּוּ מְדַבֵּר עִמָּם וְהִנֵּה... — IIK. 6:33
476 וְהוּא עוֹדֶנּוּ עָצוּר בַּחֲצַר הַמַּטָּרָה — Jer. 33:1
477 עֹדֶנּוּ בְאִבּוֹ לֹא יִקָּטֵף — Job 8:12
478 עוֹדֶנּוּ הָאָרֶץ לְפָנֵינוּ — IICh. 14:6
479 וְהוּא עוֹדֶנּוּ נַעַר הֵחֵל לִדְרוֹשׁ — IICh. 34:3

הַעוֹדֶנּוּ
480 הֲשָׁלוֹם אֲבִיכֶם...הַעוֹדֶנּוּ חָי — Gen. 43:27
481 הַעוֹדֶנּוּ חַי אָחִי הוּא — IK. 20:32

וְעוֹדֶנּוּ
482 וְעוֹדֶנּוּ לֹא־יָשׁוּב — Jer. 40:5
483 וְעֹדֶנּוּ מַחֲזִיק בְּתֻמָּתוֹ — Job 2:3

בְּעוֹדֶנּוּ
484 וַיְשַׁלְּחֵם...בְּעוֹדֶנּוּ חַי קֵדְמָה — Gen. 25:6

בְּעוֹדָהּ
485 ...בְּעוֹדָהּ בְּכַפּוֹ יִבְלָעֶנָּה — Is. 28:4

עוֹדֶנָּה
486 וְהִנֵּה עוֹדֶנָּה מְדַבֶּרֶת — IK. 1:22

עוֹדֵינוּ
487 עוֹדֵינוּ (כ׳ עודינה) תִּכְלֶינָה עֵינֵינוּ — Lam. 4:17

עוֹדָם
488 עוֹדָם מְדַבְּרִים עִמּוֹ — Es. 6:14

הַעוֹדָם
489 וְאֶרְאֶה הַעוֹדָם חַיִּים — Ex. 4:18

עוֹד²

תה״פ ארמית כמו בעברית: עוד

עוד
1 עוֹד מִלְּתָא בְּפֻם מַלְכָּא קָל...נְפַל — Dan. 4:28

עוֹדֵד¹

פ׳ – עין (עוד)³ עוֹדֵד

עוֹדֵד²

שפ״ז א) אבי עזריה הנביא בימי אסא: 1, 2
ב) נביא בימי אחז ופקח: 3

עודד
1 וַעֲזַרְיָהוּ בֶּן־עוֹדֵד
הָיְתָה עָלָיו רוּחַ אֱלֹהִים — IICh. 15:1
2 וְהַנְּבוּאָה עֹדֵד הַנָּבִיא הִתְחַזַּק — IICh. 15:8
3 וְשָׁם הָיָה נָבִיא לַיְיָ עֹדֵד שְׁמוֹ — IICh. 28:9

עוֹדֵף

– עין עָדַף

עוה

: עָוָה, נַעֲוָה, עִוָּה, הֶעֱוָה; עַוָּה, עָוֹן, עִוְעִים, עִי;
ש״פ עַוָּה, עַוִּים, עַוִּית

עָוָה

פ׳ א) חטא: 1, 2
ב) [נפ׳ נַעֲוָה] התפתל, התעקם: 3-6
ג) [פ׳ עִוָּה] עקם: 7, 8
ד) [הפ׳ הֶעֱוָה] חטא: 9-16
ה) [כנ״ל] עקם, השחית: 17

קרובים: ראה חָטָא

עָוָה עַל־ 1; נַעֲוָה לֵב 5; נַעֲוַת הַמַּרְדּוּת 6

עָוְתָה
1 לֹא עַל־הַמֶּלֶךְ לְבַדּוֹ עָוְתָה וַשְׁתִּי — Es. 1:16

וְעָוִינוּ
2 חָטָאנוּ וְעָוִינוּ הִרְשַׁעְנוּ וּמָרָדְנוּ — Dan. 9:5

נַעֲוֵיתִי
3 נַעֲוֵיתִי מִשְּׁמֹעַ נִבְהַלְתִּי מֵרְאוֹת — Is. 21:3
4 נַעֲוֵיתִי שַׁחֹתִי עַד־מְאֹד — Ps. 38:7

וְנַעֲוֵה־
5 וְנַעֲוֵה־לֵב יִהְיֶה לָבוּז — Prov. 12:8

נַעֲוַת־
6 בֶּן־נַעֲוַת הַמַּרְדּוּת — ISh. 20:30

עִוָּה
7 גָּדַר דְּרָכַי בְּגָזִית נְתִיבֹתַי עִוָּה — Lam. 3:9

וְעִוָּה
8 וְעִוָּה פָנֶיהָ וְהֵפִיץ יֹשְׁבֶיהָ — Is. 24:1

הַעֲוֵה
9 הַעֲוֵה נִלְאוּ — Jer. 9:4

בְּהַעֲוֹתוֹ 10 אֲשֶׁר בְּהַעֲוֹתוֹ וְהֹכַחְתִּיו... IISh. 7:14
הֶעֱוֵיתִי 11 הִנֵּה אָנֹכִי חָטָאתִי וְאָנֹכִי הֶעֱוֵיתִי IISh. 24:17
12 חָטָאתִי וְיָשָׁר הֶעֱוֵיתִי Job 33:27
הֶעֱוָה 13 וְאַל־תִּזְכֹּר אֵת אֲשֶׁר הֶעֱוָה עַבְדְּךָ IISh. 19:20
הֶעֱוִינוּ 14 חָטָאנוּ... הֶעֱוִינוּ הִרְשָׁעְנוּ Ps. 106:6
15 חָטָאנוּ הֶעֱוִינוּ וְרָשָׁעְנוּ IICh. 6:37
וְהֶעֱוִינוּ 16 חָטָאנוּ וְהֶעֱוִינוּ רָשָׁעְנוּ IK. 8:47
הֶעֱווּ 17 כִּי הֶעֱווּ אֶת־דַּרְכָּם Jer. 3:21

עַוָּה
ג׳ הרס, כליה: 1-3
עַוָּה 1-3 עַוָּה עַוָּה אֲשִׂימֶנָּה Ezek. 21:32

עִוָּה
ש״פ – עיר בממלכת אשור, היא עַוָּא: 1-3
וְעִוָּה 1 אַיֵּה אֱלֹהֵי סְפַרְוַיִם הֵנַע וְעִוָּה IIK. 18:34
2 וּמֶלֶךְ לָעִיר סְפַרְוָיִם הֵנַע וְעִוָּה IIK. 19:13
3 וּמֶלֶךְ לָעִיר סְפַרְוָיִם הֵנַע וְעִוָּה Is. 37:13

עָווֹן
ז׳ – עין עָוֹן

עוז :
עַז, הֵעִיז; מָעוֹז

עוֹז
ז׳ – עין עֹז

(עוז) עָז
פ׳ א) בקש מפלט: 1
ב) [הפ׳ הֵעִיז] הביא למקום מחסה: 2-5
לָעוֹז 1 לָעוֹז בְּמָעוֹז פַּרְעֹה Is. 30:2
הֵעִיזוּ 2 יֹשְׁבֵי הַגֵּבִים הֵעִיזוּ Is. 10:31
הָעֵז 3 וְעַתָּה שְׁלַח הָעֵז אֶת־מִקְנְךָ Ex. 9:19
הָעִיזוּ 4 הָעִיזוּ אַל־תַּעֲמֹדוּ Jer. 4:6
5 הָעִזוּ בְּנֵי בִנְיָמִן מִקֶּרֶב יְרוּשָׁלִַם Jer. 6:1

עוּזָּה
(תהלים סח 29) – עין עֻזָּה

עוֹטֶה
ת׳ – עין עָטָה

עֲוָיָה*
נ׳ ארמית: עוון
וַעֲוָיָתָךְ 1 וַעֲוָיָתָךְ בְּמִחַן עֲנָיִן Dan. 4:24

עֲוִיל
ז׳ עול־ימים, פרחח: 1-3
עֲוִיל 1 יַסְגִּירֵנִי אֵל אֶל עֲוִיל Job 16:11
עֲוִילִים 2 גַּם־עֲוִילִים מָאֲסוּ בִי Job 19:18
עֲוִילֵיהֶם 3 יְשַׁלְּחוּ כַצֹּאן עֲוִילֵיהֶם Job 21:11

עַוִּים
ש״פ א) שבט קדמון שישב בשפלת פלשת וגורש על־ידי הפלשתים: 1, 2
ב) תושבי העיר עַוָּא בארץ אשור: 4
ג) שם עיר בנחלת שבט בנימין: 3
וְהָעַוִּים 1 וְהָעַוִּים הַיֹּשְׁבִים בַּחֲצֵרִים עַד־עַזָּה Deut. 2:23
2 הָעַזָּתִי וְהָאַשְׁדּוֹדִי...וְהָעַוִּים Josh. 13:3
3 וְהָעַוִּים וְהַפָּרָה וְעָפְרָה Josh. 18:23
4 וְהָעַוִּים עָשׂוּ נִבְחַז וְאֶת־תַּרְתָּק IIK. 17:31

עֲוִית
ש״פ – עיר בארץ אדום: 1, 2
עֲוִית 1 וְשֵׁם עִירוֹ עֲוִית Gen. 36:35
2 וְשֵׁם עִירוֹ עֲוִית (כת׳ עיות) ICh. 1:46

עול :
עַוִּיל; עֲוֵל, עָוֶל, עַוְלָה, עוֹלָה¹

עִוֵּל
פ׳ הפיר חוק: 1, 2
מְעַוֵּל 1 פַּלְּטֵנִי...מִכַּף מְעַוֵּל וְחוֹמֵץ Ps. 71:4
יְעַוֵּל 2 בְּאֶרֶץ נְכֹחוֹת יְעַוֵּל Is. 26:10

עַוָּל
תו״ז עושה עול, חוטא: 1-5 • קרובים: ראה רָשָׁע
מִשְׁכְּנוֹת עַוָּל 2; מְתַלְּעוֹת עַוָּל 3
עַוָּל 1 וְלֹא־יוֹדֵעַ עַוָּל בֹּשֶׁת Zep. 3:5
2 אַךְ־אֵלֶּה מִשְׁכְּנוֹת עַוָּל Job 18:21
3 וָאֲשַׁבְּרָה מְתַלְּעוֹת עַוָּל Job 29:17
לְעַוָּל 4 הֲלֹא־אֵיד לְעַוָּל Job 31:3
כְעַוָּל 5 יְהִי כְרָשָׁע אֹיְבִי וּמִתְקוֹמְמִי כְעַוָּל Job 27:7

עָוֶל
ז׳ עוות דין, רשע: 1-21 • קרובים: ראה אָוֶן
אִישׁ עָוֶל 15; עוֹשֵׂה עָוֶל 3; עֲוֶל רְכֻלָּתוֹ 19
עָוֶל 1-2 לֹא־תַעֲשׂוּ עָוֶל בַּמִּשְׁפָּט Lev. 19:15, 35
3 כִּי תוֹעֲבַת יְיָ...כֹּל עֹשֵׂה עָוֶל Deut. 25:16
4 אֵל אֱמוּנָה וְאֵין עָוֶל Deut. 32:4
5 מַה־מָּצְאוּ אֲבוֹתֵיכֶם בִּי עָוֶל Jer. 2:5
6 וּבְשׁוּב צַדִּיק מִצִּדְקוֹ וְעָשָׂה עָוֶל Ezek. 3:20
7-9 (וּבְ)בְשׁוּב־צַדִּיק מִצִּדְקָתוֹ וְעָשָׂה עָוֶל Ezek. 18:24, 26; 33:18
10 בָּטַח עַל־צִדְקָתוֹ וְעָשָׂה עָוֶל Ezek. 33:13
11 לְבִלְתִּי עֲשׂוֹת עָוֶל Ezek. 33:15
12 אִם־יֶשׁ־עָוֶל בְּכַפָּי Ps. 7:4
13 הִשְׁחִיתוּ וְהִתְעִיבוּ עָוֶל Ps. 53:2
14 עַד־מָתַי תִּשְׁפְּטוּ־עָוֶל Ps. 82:2
15 תּוֹעֲבַת צַדִּיקִים אִישׁ עָוֶל Prov. 29:27
16 אִם־עָוֶל פָּעַלְתִּי לֹא אֹסִיף Job 34:32
מֵעָוֶל 17 מֵעָוֶל יָשִׁיב יָדוֹ Ezek. 18:8
18 חָלִלָה לָאֵל מֵרֶשַׁע וְשַׁדַּי מֵעָוֶל Job 34:10
בְּעֶוֶל־ 19 מֵרֹב עֲוֹנֶיךָ בְּעֶוֶל רְכֻלָּתְךָ... Ezek. 28:18
בְּעַוְלוֹ 20 בְּעַוְלוֹ אֲשֶׁר־עָשָׂה יָמוּת Ezek. 18:26
וּבְעַוְלוֹ 21 וּבְעַוְלוֹ אֲשֶׁר־עָשָׂה בּוֹ יָמוּת Ezek. 33:13

עוּל
ז׳ א) עולל, תינוק: 2
ב) [עוּל יָמִים] נער, צעיר: 1
עוּל 1 לֹא־יִהְיֶה...עוּל יָמִים וְזָקֵן Is. 65:20
עוּלָהּ 2 הֲתִשְׁכַּח אִשָּׁה עוּלָהּ Is. 49:15

עַוְלָה
נ׳ עָוֶל, רשע: 1-29
קרובים: ראה אָוֶן
– אִישׁ עַוְלָה 23; בֶּן עַוְלָה 7; בְּנֵי עַוְלָה 1, 2, 20; עוֹשֵׂי עַוְלָה 6
– דְּבַר עַוְלָה 14, 18; הָגָה ע׳ 3; הִשְׁכִּין עַוְלָה 13; זָרַע ע׳ 10; עָשָׂה ע׳ 4-6; פָּעַל ע׳ 9,19; קָצַר ע׳ 27
עַוְלָה 1 כִּנְפוֹל לִפְנֵי בְנֵי־עַוְלָה נָפָלְתָּ IISh. 3:34
2 וְלֹא־יֹסִיפוּ בְנֵי־עַוְלָה לְעַנּוֹתוֹ IISh. 7:10
3 לְשׁוֹנְכֶם עַוְלָה תֶהְגֶּה Is. 59:3
4 יְיָ צַדִּיק בְּקִרְבָּהּ לֹא יַעֲשֶׂה עַוְלָה Zep. 3:5
5 לֹא־יַעֲשׂוּ עַוְלָה וְלֹא־יְדַבְּרוּ כָזָב Zep. 3:13
6 אַל־תְּקַנֵּא בְּעֹשֵׂי עַוְלָה Ps. 37:1
7 וּבֶן־עַוְלָה לֹא יְעַנֶּנּוּ Ps. 89:23
8 וְכָל־עַוְלָה קָפְצָה פִּיהָ Ps. 107:42
9 אַף לֹא־פָעֲלוּ עַוְלָה Ps. 119:3
10 זוֹרֵעַ עַוְלָה יִקְצָר־אָוֶן Prov. 22:8
11 שֻׁבוּ־נָא אַל־תְּהִי עַוְלָה Job 6:29
12 הֲיֵשׁ־בִּלְשׁוֹנִי עַוְלָה Job 6:30
13 וְאַל־תַּשְׁכֵּן בְּאֹהָלֶיךָ עַוְלָה Job 11:14
14 הַלְאֵל תְּדַבְּרוּ עַוְלָה Job 13:7
15 אִישׁ־שֹׁתֶה כַמַּיִם עַוְלָה Job 15:16
16 תַּרְחִיק עַוְלָה מֵאָהֳלֶךָ Job 22:23
17 וַתִּשָּׁבֵר כָּעֵץ עַוְלָה Job 24:20
18 אִם־תְּדַבֵּרְנָה שְׂפָתַי עַוְלָה Job 27:4
19 וּמִי־אָמַר פָּעַלְתָּ עַוְלָה Job 36:23
20 וְלֹא־יוֹסִיפוּ בְנֵי־עַוְלָה לְבַלֹּתוֹ ICh. 17:9
21 עַוְלָה וּמַשֹּׂא פָנִים וּמִקַּח־שֹׁחַד IICh. 19:7
וְעַוְלָה 22 וְעַוְלָה לֹא־נִמְצָא בִשְׂפָתָיו Mal. 2:6
23 מֵאִישׁ־מִרְמָה וְעַוְלָה תְפַלְּטֵנִי Ps. 43:1
בְּעַוְלָה 24 בֹּנֶה צִיּוֹן בְּדָמִים וִירוּשָׁ׳ בְּעַוְלָה Mic. 3:10
25 בֹּנֶה עִיר...וְכוֹנֵן קִרְיָה בְּעַוְלָה Hab. 2:12
עַוְלָתָה 26 עַד־נִמְצָא עַוְלָתָה בָּךְ Ezek. 28:15
27 חֲרַשְׁתֶּם־רֶשַׁע עַוְלָתָה קְצַרְתֶּם Hosh. 10:13
28 כִּי־יָשָׁר יְיָ צוּרִי
וְלֹא־עַוְלָתָה (כת׳ עלתה) בּוֹ Ps. 92:16
בְּעַוְלָתָה 29 לֹא־יִשְׁלְחוּ...בְּעַוְלָתָה יְדֵיהֶם Ps. 125:3

עוֹלָה¹
נ׳ עַוְלָה, עָוֶל: 1-4
בְּעוֹלָה 1 אֹהֵב מִשְׁפָּט שֹׂנֵא גָזֵל בְּעוֹלָה Is. 61:8
וְעֹלָתָה 2 וְעֹלָתָה קָפְצָה פִּיהָ Job 5:16
עוֹלֹת 3 אַף־בְּלֵב עוֹלֹת תִּפְעָלוּן Ps. 58:3
4 יַחְפְּשׂוּ־עוֹלֹת תַּמְנוּ חֵפֶשׂ מְחֻפָּשׂ Ps. 64:7

עוֹלָה²
נ׳ קרבן העולה כולו באש על המזבח: 1-286
קרובים: ראה קָרְבָּן
– עוֹלָה וָזֶבַח (וּזְבָחִים) 2, 15, 19, 20, 25, 28, 30, 84, 95, 142, 143, 144, 227, 255, 261, 278, 281, 283, 286; עוֹלָה וְחַטָּאת 11, 12, 90, 98, 140, 141, 219; עוֹלָה וְכָלִיל 34; עוֹלָה וּמִנְחָה 17, 22, 23, 29, 57, 134, 175, 215, 285; עוֹלָה וּשְׁלָמִים 31, 91, 131, 147, 175, 216, 217, 222, 225, 226, 228, 230-232, 234, 235, 272, 284
– אֵיל הָעוֹלָה 84; דִּבְרֵי עוֹלָה 28; דַּם ע׳ 26; מִזְבַּח הָע׳ 61-76, 92, 93, 97; מִסְפַּר הָע׳ 100; מַעֲשֵׂה הָע׳ 94; מְקוֹם הָע׳ 80; עוֹר הָע׳ 82; עֲצֵי הָע׳ 1, 59; רֹאשׁ הָע׳ 78; תּוֹרַת הָעוֹלָה 81
– עֹלַת אִישׁ 177; ע׳ הַבֹּקֶר 178, 185, 197, 205; ע׳ חֹדֶשׁ 183, 196; ע׳ יוֹם 204; ע׳ הַמֶּלֶךְ 198; ע׳ הָעָם 179; ע׳ שַׁבָּת 181; עֹלַת תָּמִיד 176, 180, 182, 184, 186-195, 200-203, 205, 206
– עוֹלוֹת אֵילִים 268; עוֹלוֹת הַבֹּקֶר 271; עוֹלוֹת חִנָּם 267; עוֹלוֹת יְיָ 270; עוֹלוֹת מֵחִים 269; עוֹלוֹת הָעֶרֶב 271
עוֹלָה 1 וַיְבַקַּע עֲצֵי עֹלָה Gen. 22:3
2 וַיִּקַּח...עֹלָה וּזְבָחִים לֵאלֹהִים Ex. 18:12
3 וְהִקְטַרְתָּ...עֹלָה הוּא לַייָ Ex. 29:18
4 אִם־עֹלָה קָרְבָּנוֹ מִן־הַבָּקָר... Lev. 1:3
5 עֹלָה אִשֵּׁה רֵיחַ־נִיחוֹחַ לַייָ Lev. 1:9
6/7 עֹלָה הוּא אִשֵּׁה...לַייָ Lev. 1:13, 17
8 וְאִם מִן־הָעוֹף עֹלָה קָרְבָּנוֹ לַייָ Lev. 1:14
9 וְאֶת־הַשֵּׁנִי יַעֲשֶׂה עֹלָה כַּמִּשְׁפָּט Lev. 5:10
10 עֹלָה הוּא לְרֵיחַ־נִיחֹחַ... Lev. 8:21
11/2 אֶחָד חַטָּאת וְהָאֶחָד עֹלָה Lev. 14:22; 15:15
13/4 וְאֶת־הָאֶחָד עֹלָה Lev. 14:31; 15:30
15 אֲשֶׁר־יַעֲלֶה עֹלָה אוֹ־זָבַח Lev. 17:8
16 יִהְיוּ עֹלָה לַייָ Lev. 23:18
17 עֹלָה וּמִנְחָה זֶבַח וּנְסָכִים Lev. 23:37
18 וְאֶת־הָאֶחָד עֹלָה לַייָ Num. 8:12
19 וַעֲשִׂיתֶם אִשֶּׁה לַייָ עֹלָה אוֹ־זֶבַח Num. 15:3
20 וְכִי־תַעֲשֶׂה...עֹלָה אוֹ־זָבַח Num. 15:8
21 שְׁנַיִם לַיּוֹם עֹלָה תָמִיד Num. 28:3
22 לְהַעֲלוֹת עָלָיו עוֹלָה וּמִנְחָה Josh. 22:23
23 לֹא־לָקַח מִיָּדֵנוּ עֹלָה וּמִנְחָה Jud. 13:23
24 וַיַּעֲלֵהוּ עוֹלָה כָּלִיל לַייָ ISh. 7:9
25 עֹלָה וָזֶבַח לֵאלֹהִים אֲחֵרִים IIK. 5:17
26 וְכָל־דַּם עֹלָה...עָלָיו תִּזְרֹק IIK. 16:15
27 וְחַיָּתוֹ אֵין דֵּי עוֹלָה Is. 40:16
28 עַל־דִּבְרֵי עוֹלָה וָזָבַח Jer. 7:22
29 וְכִי יַעֲלוּ עֹלָה וּמִנְחָה Jer. 14:12
30 עוֹלָה וְזֶבַח וּמִנְחָה וּלְבוֹנָה Jer. 17:26
31 עוֹלָה אוֹ־שְׁלָמִים נְדָבָה לַייָ Ezek. 46:12
32 עוֹלָה וַחֲטָאָה לֹא שָׁאָלְתָּ Ps. 40:7
33 עוֹלָה לֹא תִרְצֶה Ps. 51:18
34 זִבְחֵי־צֶדֶק עוֹלָה וְכָלִיל Ps. 51:21

עוֹלָה (המשך) 35-46 עֹלָה Num. 28:11, 13, 19; 29:2, 8 13, 36 • Jud. 13:16 • ISh. 6:14 • IIK. 3:27 • Ezek. 43:24 • IICh. 29:35
47-56 עוֹלָה Num. 28:27 • Jud. 6:26; 11:31 Jer. 33:18 • Ezek. 43:18; 45:23; 46:13 • Job 42:8 • Ez. 8:35 • ICh. 21:24
וְעוֹלָה 57 קְטֹרֶת זָרָה וְעֹלָה וּמִנְחָה Ex. 30:9
58 וְעֹלָה לֹא־הֶעֱלוּ בַקֹּדֶשׁ IICh. 29:7
הָעוֹלָה 59 וַיִּקַּח אַבְרָהָם אֶת־עֲצֵי הָעֹלָה Gen. 22:6
60 וְהִקְטַרְתָּ...עַל־הָעֹלָה Ex. 29:25
61/2 וְאֶת־מִזְבַּח הָעֹלָה Ex. 30:28; 31:9
63-76 (וּ)מִזְבַּח הָעֹלָה Ex. 35:16 38:1; 40:6, 10, 29 • Lev. 4:7, 10, 18, 25², 30, 34 • ICh. 16:40; 21:26
77 וַיַּעַל עָלָיו אֶת־הָעֹלָה Ex. 40:29
78 וְסָמַךְ יָדוֹ עַל רֹאשׁ הָעֹלָה Lev. 1:4
79 וְהִפְשִׁיט אֶת־הָעֹלָה Lev. 1:6
80 וְשָׁחַט...בִּמְקוֹם הָעֹלָה Lev. 4:29
81 זֹאת תּוֹרַת הָעֹלָה Lev. 6:2
82 עוֹר הָעֹלָה אֲשֶׁר הִקְרִיב Lev. 7:8
83 וַיַּקְרֵב אֵת אֵיל הָעֹלָה Lev. 8:18
84 עַל־הָעֹלָה אוֹ לַזָּבַח Num. 15:5
85 וַיְהִי שְׁמוּאֵל מַעֲלֶה הָעוֹלָה ISh. 7:10
86 הַגִּשׁוּ אֵלַי הָעֹלָה וְהַשְּׁלָמִים ISh. 13:9
87 וַיַּעַל הָעֹלָה ISh. 13:9
88 וַיְכַל דָּוִד מֵהַעֲלוֹת הָעוֹלָה IISh. 6:18
89 שָׁם יָדִיחוּ אֶת־הָעֹלָה Ezek. 40:38
90 הָעוֹלָה וְהַחַטָּאת וְהָאָשָׁם Ezek. 40:39
91 וְאֶת־הָעוֹלָה וְאֶת־הַשְּׁלָמִים Ezek. 45:17
92 מַקְטִירִים עַל־מִזְבַּח הָעוֹלָה ICh. 6:34
93 וּמִזְבַּח הָעוֹלָה בָּעֵת הַהִיא ICh. 21:29
94 אֶת־מַעֲשֵׂה הָעוֹלָה יָדִיחוּ בָם IICh. 4:6
95 ...וַתֹּאכַל הָעֹלָה וְהַזְּבָחִים IICh. 7:1
96 לֹא יָכוֹל לְהָכִיל אֶת־הָעֹלָה... IICh. 7:7
97 טִהַרְנוּ...אֶת־מִזְבַּח הָעוֹלָה IICh. 29:18
98 לְכָל־יִשְׂרָאֵל...הָעוֹלָה וְהַחַטָּאת IICh. 29:24
99 וּבְעֵת הֵחֵל הָעוֹלָה IICh. 29:27
100 וַיְהִי מִסְפַּר הָעֹלָה IICh. 29:32
101 וַיָּסִירוּ הָעֹלָה לְתִתָּם לְמִפְלַגּוֹת IICh. 35:12
102 בְּהַעֲלוֹת הָעוֹלָה וְהַחֲלָבִים IICh. 35:14
103-128 הָעֹלָה Lev. 3:5; 4:24, 33; 6:3, 5, 18 7:2; 8:28; 9:12, 13, 14, 16, 24; 14:13, 19, 20 • ISh. 13:10, 12 • IK. 8:64²; 18:34, 38 • IIK. 10:25 • ICh. 16:2 • IICh. 29:27, 28
129-130 הָעוֹלָה Ezek. 40:42; 44:11
וְהָעוֹלָה 131 הַחַטָּאת וְהָעֹלָה וְהַשְּׁלָמִים Lev. 9:22
132 וְהָעֹלָה אֲשֶׁר־יַקְרִב הַנָּשִׂיא לַיְיָ Ezek. 46:4
בְּעוֹלָה 133 אֹהֵב מִשְׁפָּט שֹׂנֵא גָזֵל בְּעוֹלָה Is. 61:8
כְּעוֹלָה 134 כַּחַטָּאת כָּעֹלָה וְכַמִּנְחָה וְכַשָּׁמֶן Ezek. 45:25
לְעוֹלָה 135 וְהַעֲלֵהוּ שָׁם לְעֹלָה Gen. 22:2
136 וְאַיֵּה הַשֶּׂה לְעֹלָה Gen. 22:7
137 אֱלֹהִים יִרְאֶה־לּוֹ הַשֶּׂה לְעֹלָה Gen. 22:8
138 וַיַּעֲלֵהוּ לְעֹלָה תַּחַת בְּנוֹ Gen. 22:13
139 מִן־הַכְּשָׂבִים...לְעֹלָה Lev. 1:10
140 אֶחָד לְחַטָּאת וְאֶחָד לְעֹלָה Lev. 5:7
141 עֵגֶל...לְחַטָּאת וְאַיִל לְעֹלָה Lev. 9:2
142 לֹא לְעוֹלָה וְלֹא לְזָבַח Josh. 22:26
143 לֹא לְעוֹלָה וְלֹא לְזָבַח Josh. 22:28
144 לְעֹלָה לְמִנְחָה וּלְזָבַח Josh. 22:29
145 וְזֶה־מִזְבֵּחַ לְעֹלָה לְיִשְׂרָ׳ ICh. 22:1(21:31)
146 לְעֹלָה לַיְיָ כָּל־אֵלֶּה IICh. 29:32
147 לַכֹּהֲנִים וְלַלְוִיִּם לְעֹלָה וְלִשְׁלָמִים IICh. 31:2

לְעוֹלָה (המשך) 148-169 לְעֹלָה Lev. 9:3; 12:6, 8; 16:3, 5 22:18; 23:12 • Num. 6:11, 14; 7:15, 21, 27, 33, 39; 7:45, 51, 57, 63, 69, 75, 81; 15:24
לָעוֹלָה 170 זֹאת הַתּוֹרָה לָעֹלָה Lev. 7:37
171 כָּל־הַבָּקָר לָעֹלָה Num. 7:87
172 רְאֵה הַבָּקָר לָעֹלָה IISh. 24:22
173 וְאַרְבָּעָה שֻׁלְחָנוֹת לָעוֹלָה Ezek. 40:42
174 וּבַנְּסָכִים לָעֹלָה IICh. 29:35
וּלְעוֹלָה 175 לְמִנְחָה וּלְעוֹלָה וְלִשְׁלָמִים Ezek. 45:15
עוֹלַת־ 176 עֹלַת תָּמִיד לְדֹרֹתֵיכֶם Ex. 29:42
177 וְהַכֹּהֵן הַמַּקְרִיב אֶת־עֹלַת אִישׁ Lev. 7:8
178 מִלְּבַד עֹלַת הַבֹּקֶר Lev. 9:17
179 אֶת־עֹלָתוֹ וְאֶת־עֹלַת הָעָם Lev. 16:24
180 עֹלַת תָּמִיד הָעֲשֻׂיָה בְּהַר סִינַי Num. 28:6
181 עֹלַת שַׁבַּת בְּשַׁבַּתּוֹ Num. 28:10
182 עַל־עֹלַת הַתָּמִיד וְנִסְכָּהּ Num. 28:10
183 זֹאת עֹלַת חֹדֶשׁ בְּחָדְשׁוֹ Num. 28:14
184 עַל־עֹלַת הַתָּמִיד יֵעָשֶׂה Num. 28:15
185 ...מִלְּבַד עֹלַת הַבֹּקֶר Num. 28:23
186 עַל־עוֹלַת הַתָּמִיד יֵעָשֶׂה... Num. 28:24
187-195 מִלְּבַד עֹלַת הַתָּמִיד Num. 28:31 29:16, 19, 22, 25, 28, 31, 34, 38
196 מִלְּבַד עֹלַת הַחֹדֶשׁ... Num. 29:6
197 הַקְטֵר אֶת־עֹלַת־הַבֹּקֶר... IIK. 16:15
198 וְאֶת־עֹלַת הַמֶּלֶךְ וְאֶת־מִנְחָתוֹ IIK. 16:15
199 וְאֵת עֹלַת כָּל־עַם הָאָרֶץ IIK. 16:15
200 בַּבֹּקֶר בַּבֹּקֶר עוֹלַת תָּמִיד Ezek. 46:15
201 עֹלַת תָּמִיד וְלֶחֳדָשִׁים... Ez. 3:5
וְעוֹלַת־ 202/3 וְעֹלַת הַתָּמִיד וּמִנְחָתָהּ Num. 29:6, 11
204 וְעֹלַת יוֹם בְּיוֹם בְּמִסְפָּר Ez. 3:4
לְעוֹלַת־ 205 עֹלַת הַבֹּקֶר אֲשֶׁר לְעֹלַת הַתָּמִיד Num. 28:23
וּלְעוֹלַת־ 206 וּמִנְחַת הַתָּמִיד וּלְעוֹלַת הַתָּמִיד Neh. 10:34
עוֹלָתְךָ 207 אֶת־חַטָּאתְךָ וְאֶת־עֹלָתֶךָ Lev. 9:7
208 וַיֹּאמֶר...הִתְיַצֵּב עַל־עֹלָתֶךָ Num. 23:3
209 הִתְיַצֵּב כֹּה עַל־עֹלָתֶךָ Num. 23:15
וְעוֹלָתְךָ 210 וְעוֹלָתְךָ יְדַשְּׁנֶה סֶלָה Ps. 20:4
עוֹלָתוֹ 211 אֶת־עֹלָתוֹ וְאֶת־עֹלַת הָעָם Lev. 16:24
212 אֶת־חַטָּאתוֹ וְאֶת־עֹלָתוֹ Num. 6:16
213 וְהִנֵּה נִצָּב עַל־עֹלָתוֹ Num. 23:6
214 וְהִנּוֹ נִצָּב עַל־עֹלָתוֹ Num. 23:17
215 אֶת־עֹלָתוֹ וְאֶת־מִנְחָתוֹ IIK. 16:13
216 אֶת־עוֹלָתוֹ וְאֶת־שְׁלָמָיו Ezek. 46:2
217 אֶת־עֹלָתוֹ וְאֶת־שְׁלָמָיו Ezek. 46:12
וְעוֹלָתוֹ 218 וְעֹלָתוֹ אֲשֶׁר יַעֲלֶה בֵּית יְיָ IK. 10:5
עוֹלָתָם 219 אֶת־חַטָּאתָם וְאֶת־עֹלָתָם Lev. 10:19
עוֹלוֹת 220 וַיַּעַל עֹלֹת בַּמִּזְבֵּחַ Gen. 8:20
221 וַיַּעֲלוּ עֹלֹת וַיִּזְבְּחוּ זְבָחִים Ex. 24:5
222 וַיַּעֲלוּ עֹלֹת וַיַּגִּשׁוּ שְׁלָמִים Ex. 32:6
223 וְהַעֲלִיתָ עָלָיו עוֹלֹת לַיְיָ אֱלֹהֶיךָ Deut. 27:6
224 וַיַּעֲלוּ עָלָיו עֹלוֹת לַיְיָ Josh. 8:31
225/6 וַיַּעֲלוּ עֹלוֹת וּשְׁלָמִים Jud. 20:26; 21:4
227 הֶעֱלוּ עֹלוֹת וַיִּזְבְּחוּ זְבָחִים ISh. 6:15
228 לְהַעֲלוֹת עֹלוֹת לִזְבֹּחַ זִבְחֵי שְׁלָמִים ISh. 10:8
229 וַיַּעַל דָּוִד עֹלוֹת לִפְנֵי יְיָ IISh. 6:17
230-232 עֹלוֹת וּשְׁלָ׳ IISh. 24:25 • ICh. 16:1; 21:26
233 אֶלֶף עֹלוֹת יַעֲלֶה שְׁלֹמֹה IK. 3:4
234 וַיַּעַל עֹלוֹת וַיַּעַשׂ שְׁלָמִים IK. 3:15
235 וְהֶעֱלָה שְׁלֹמֹה...עֹלוֹת וּשְׁלָמִים IK. 9:25
236 לִשְׂרֹף...בְּנֵיהֶם בָּאֵשׁ עֹלוֹת לַבָּעַל Jer. 19:5
237 כִּי אִם־תַּעֲלוּ־לִי עֹלוֹת Am. 5:22
238 וְהֶעֱלָה עֹלוֹת מִסְפַּר כֻּלָּם Job 1:5

עוֹלוֹת (המשך) 239-253 עֹלוֹת Ez. 3:2, 3², 6; 8:35 ICh. 16:40; 23:31; 29:21 • IICh. 1:6; 8:12; 13:11; 24:14; 29:31; 30:15; 35:16
וְעוֹלוֹת 254 גַּם־אַתָּה תִּתֵּן בְּיָדֵנוּ זְבָחִים וְעֹלֹת Ex. 10:25
255 לַעֲשׂוֹת זְבָחִים וְעֹלוֹת IIK. 10:24
256 וְעֹלוֹת לַבֹּקֶר וְלָעֶרֶב IICh. 2:3
הָעוֹלוֹת 257 וְעַל־הַנָּשִׂיא יִהְיֶה הָעוֹלוֹת Ezek. 45:17
258 כִּי־עָשָׂה שָׁם הָעֹלוֹת IICh. 7:7
259 לְהַפְשִׁיט אֶת־כָּל־הָעֹלוֹת IICh. 29:34
וְהָעוֹלוֹת 260 וְהָעֹלוֹת לַשַּׁבָּתוֹת וְלֶחֳדָשִׁים IICh. 31:3
בְּעוֹלוֹת 261 הַחֵפֶץ לַיְיָ בְּעֹלוֹת וּזְבָחִים ISh. 15:22
262 הַאֲקַדְּמֶנּוּ בְעוֹלוֹת Mic. 6:6
263 אָבוֹא בֵיתְךָ בְעוֹלוֹת Ps. 66:13
לְעוֹלוֹת 264 רְאֵה נָתַתִּי הַבָּקָר לָעֹלוֹת ICh. 21:23
265 וּמְנָת הַמֶּלֶךְ מִן־רְכוּשׁוֹ לָעֹלוֹת IICh. 31:3
מֵעוֹלוֹת 266 ...וְדַעַת אֱלֹהִים מֵעֹלוֹת Hosh. 6:6
עוֹלוֹת־ 267 וְלֹא אַעֲלֶה...עֹלוֹת חִנָּם IISh. 24:24
268 שָׂבַעְתִּי עֹלוֹת אֵילִים Is. 1:11
269 עֹלוֹת מֵחִים אַעֲלֶה־לָּךְ Ps. 66:15
270 לְהַעֲלוֹת עֹלוֹת יְיָ IICh. 23:18
לְעוֹלוֹת־ 271 לְעֹלוֹת הַבֹּקֶר וְהָעֶרֶב IICh. 31:3
עוֹלוֹתֶיךָ 272 אֶת־עֹלֹתֶיךָ וְאֶת־שְׁלָמֶיךָ Ex. 20:21
273 פֶּן־תַּעֲלֶה עֹלֹתֶיךָ בְּכָל־מָקוֹם Deut. 12:13
274 שָׁם תַּעֲלֶה עֹלֹתֶיךָ Deut. 12:14
275 וְעָשִׂיתָ עֹלֹתֶיךָ הַבָּשָׂר וְהַדָּם Deut. 12:27
276 לֹא־הֵבֵיאתָ לִּי שֵׂה עֹלֹתֶיךָ Is. 43:23
וְעוֹלוֹתֶיךָ 277 וְעוֹלֹתֶיךָ לְנֶגְדִּי תָמִיד Ps. 50:8
בְּעוֹלוֹתֵינוּ 278 בְּעֹלוֹתֵינוּ וּבִזְבָחֵינוּ וּבִשְׁלָמֵינוּ Josh. 22:27
עוֹלוֹתֵיכֶם 279 וּתְקַעְתֶּם בַּחֲצֹצְרֹת עַל עֹלֹתֵיכֶם Num. 10:10
280 וַהֲבֵאתֶם שָׁמָּה עֹלֹתֵיכֶם Deut. 12:6
281 שָׁמָּה תָבִיאוּ...עוֹלֹתֵיכֶם וְזִבְחֵיכֶם Deut. 12:11
282 עֹלוֹתֵיכֶם לֹא לְרָצוֹן Jer. 6:20
283 עֹלוֹתֵיכֶם סְפוּ עַל־זִבְחֵיכֶם Jer. 7:21
284 אֶת־עוֹלוֹתֵיכֶם וְאֶת־שַׁלְמֵיכֶם Ezek. 43:27
לְעוֹלוֹתֵיכֶם 285 לְעֹלֹתֵיכֶם וּלְמִנְחֹתֵיכֶם Num. 29:39
עוֹלוֹתֵיהֶם 286 עוֹלֹתֵיהֶם וְזִבְחֵיהֶם לְרָצוֹן Is. 56:7

עוֹלָה[3] נ׳ עֲלִיָּה, מַדְרֵגָה: 1, 2
וְעוֹלָתוֹ 1 (?)וְעֹלָתוֹ אֲשֶׁר יַעֲלֶה בֵּית יְיָ IK. 10:5
עוֹלוֹתָיו 2 וּמַעֲלוֹת שִׁבְעָה עֹלוֹתָו Ezek. 40:26

עוֹלֵל ז׳ תִּינוֹק, יֶלֶד רַךְ: 1-11
עוֹלֵל וְיוֹנֵק 1-4; עוֹלְלִים וְיוֹנְקִים 5; עוֹלְלֵי טִפּוּחִים 7
עוֹלֵל 1 ...אִישׁ־וְאִשָּׁה עוֹלֵל וְיוֹנֵק Jer. 44:7
2 בֵּעָטֵף עוֹלֵל וְיוֹנֵק בִּרְחֹבוֹת קִרְיָה Lam. 2:11
מֵעוֹלֵל 3 מֵעֹלֵל וְעַד־יוֹנֵק ISh. 15:3
4 מֵעוֹלֵל וְעַד־יוֹנֵק ISh. 22:19
עוֹלְלִים 5 מִפִּי עוֹלְלִים וְיֹנְקִים יִסַּדְתָּ עֹז Ps. 8:3
כְּעוֹלְלִים 6 ...כְּעֹלְלִים לֹא־רָאוּ אוֹר Job 3:16
עוֹלְלֵי־ 7 אִם־תֹּאכַלְנָה נָשִׁים...עֹלְלֵי טִפֻּחִים Lam. 2:20
עוֹלְלֵיהֶם 8 עֹלְלֵיהֶם יְרֻטָּשׁוּ וְהָרִיּוֹתָיו יְבֻקָּעוּ Hosh. 14:1
וְעוֹלְלֵיהֶם 9 וְעֹלְלֵיהֶם תְּרַטֵּשׁ וְהָרֹתֵיהֶם תְּבַקֵּעַ IIK. 8:12
10 וְעֹלְלֵיהֶם יְרֻטְּשׁוּ לְעֵינֵיהֶם Is. 13:16
לְעוֹלְלֵיהֶם 11 וְהִנִּיחוּ יִתְרָם לְעוֹלְלֵיהֶם Ps. 17:14

עוֹלָל ז׳ תִּינוֹק, יֶלֶד רַךְ: 1-9 • נֶפֶשׁ עוֹלָלָיו 5
עוֹלָל 1 שְׁפֹךְ עַל־עוֹלָל בַּחוּץ Jer. 6:11
2 לְהַכְרִית עוֹלָל מִחוּץ Jer. 9:20
עוֹלָלִים 3 אִסְפוּ עוֹלָלִים וְיֹנְקֵי שָׁדָיִם Joel 2:16
4 עוֹלָלִים שָׁאֲלוּ לֶחֶם... Lam. 4:4

עוֹלָלַיִךְ 5 עַל־נֶפֶשׁ עוֹלָלַיִךְ הָעֲטוּפִים בְּרָעָב Lam. 2:19
6 וְנִפֵּץ אֶת־עֹלָלַיִךְ אֶל־הַסָּלַע Ps. 137:9
עוֹלָלֶיהָ 7 מֵעַל עֹלָלֶיהָ תִּקְחוּ הֲדָרִי לְעוֹלָם Mic. 2:9
8 גַּם עֹלָלֶיהָ יְרֻטְּשׁוּ בְּרֹאשׁ כָּל־חוּצוֹת Nah.3:10
9 עוֹלָלֶיהָ הָלְכוּ שְׁבִי לִפְנֵי־צָר Lam. 1:5

עוֹלֵלָה נ׳ פרי בוסר שנשאר לאחר הקטיף: 1-6
עוֹלֵלוֹת אֶפְרַיִם 5; עוֹלֵלֹת בָּצִיר 6

עוֹלֵלוֹת 1 וְנִשְׁאַר־בּוֹ עֹלֵלוֹת כְּנֹקֶף זַיִת Is. 17:6
2 אִם־בֹּצְרִים...לֹא יַשְׁאִרוּ עוֹלֵלוֹת Jer. 49:9
3 הֲלוֹא יַשְׁאִירוּ עֹלֵלוֹת Ob. 5
כְּעוֹלֵלוֹת 4 כְּעוֹלֵלֹת אִם־כָּלָה בָצִיר Is. 24:13
עוֹלְלוֹת־ 5 טוֹב עֹלְלוֹת אֶפְרַיִם מִבְצִיר אֲבִיעֶזֶר Jud. 8:2
כְּעוֹלְלוֹת־ 6 כְּאָסְפֵּי־קַיִץ כְּעֹלְלֹת בָּצִיר Mic. 7:1

עוֹלָם ז׳ א) משך זמן אין־סופי, נצחיות, הזמן מראשית ימי־קדם עד סוף כל הדורות: 1-197, 199-219, 221-226, 437
ב) [לְעוֹלָם] לָנֶצַח: 228-405
ג) [מֵעוֹלָם] מימים קדומים, מן העבר הרחוק: 227, 406-424
ד) [עוֹלָמִים] נצחיות: 426-428, 430, 432-434
ה) [כנ״ל] העבר הרחוק: 429, 431
ו) [לְעוֹלָמִים] העבר הרחוק: 435; העתיד הרחוק 436
ז) תֵּבֵל ומלואה(?): 198, 220

– עוֹלָם וָעֶד 186, 187, 190-192, 201
– אַהֲבַת עוֹלָם 168; אוֹר ע׳ 149, 150; אוֹת ע׳ 144; אֲחֻזַּת ע׳ 5, 9, 120; אֵיבַת ע׳ 174, 176; אֵל ע׳ 8; אֱלֹהֵי ע׳ 141; אֹרַח ע׳ 208; בֵּית ע׳ 425; בָּמוֹת ע׳ 178; בְּרִית ע׳ 2,4,6,7,106-117,(121); גְּאוֹן ע׳ 148; גְּאֻלַּת ע׳ 119; גְּבוּל ע׳ 206, 207; גִּבְעוֹת ע׳ 10,126,183; דּוֹרוֹת ע׳ 1; דִּרְאוֹן ע׳ 212; דֶּרֶךְ ע׳ 203; הֲלִיכוֹת ע׳ 184; הָרַת ע׳ 163; זֵכֶר ע׳ 202; זְרוֹעוֹת ע׳ 127; חַיֵּי ע׳ 211; חֶסֶד ע׳ 143; חָק ע׳ 95-105; חֻקַּת ע׳ 11, 12, 75-94; חֻקּוֹת ע׳ 179; חָרְבוֹת ע׳ 146, 147, 166, 169; חֶרְפַּת ע׳ 164, 196; יְמוֹת ע׳ 125; יְמֵי ע׳ 152, 153, 180, 182-185; יְסוֹד ע׳ 205; כְּהֻנַּת ע׳ 118, 122; כְּלִמּוֹת ע׳ 165; כְּלִמַּת ע׳ 162; לְמִן־עוֹלָם 157, 158; מוֹקְדֵי ע׳ 138; מֶלֶךְ ע׳ 159, 186; מֵתֵי ע׳ 204, 210; נְתִיבוֹת ע׳ 156; עֶבֶד ע׳ 124, 129, 209; עַד עוֹלָם 3, 13-74, 130-137; עַם ע׳ 142, 175; פִּתְחֵי ע׳ 188, 189; שְׁבִילֵי ע׳ 160; שַׁלְוֵי ע׳ 195; שֵׁם ע׳ 145, 154; שִׂמְחַת ע׳ 139, 140, 151; שִׁמְמוֹת ע׳ 167, 170, 173, 177; שְׁנַת ע׳ 171, 172; שְׁרִיקוֹת ע׳ 161; תֵּל עוֹלָם 123, 128
– מֵעַתָּה וְעַד־עוֹלָם 130-137
– חֵי הָעוֹלָם 221; מֵהָעוֹלָם 216, 227; מִן הָעוֹלָם 213,214; מִן (מֵ־) הָעוֹלָם (וְ)עַד־הָעוֹלָם 216-218, 222-225; עַד הָעוֹלָם 215, 219, 226
– לְעוֹלָם 228-230, 232-250, 253-294, 300-405; לְעוֹלָם וָעֶד 231, 251, 252, 295-299
– מֵעוֹלָם 406-417, 419, 420, 423; מֵעוֹלָם (וְ)עַד עוֹלָם 200, 418, 421, 424;
– דּוֹרוֹת עוֹלָמִים 429; מַלְכוּת ע׳ 432; צֶדֶק עֹלָמִים 433; צוּר עוֹלָמִים 427; שְׁנוֹת ע׳ 431; תְּשׁוּעַת עוֹלָמִים 428
– לְעוֹלָמִים 435, 436; עַד עוֹלְמֵי עַד 437

עוֹלָם 1 זֹאת אוֹת־הַבְּרִית...לְדֹרֹת עוֹלָם Gen. 9:12
2 בְּרִית עוֹלָם בֵּין אֱלֹהִים וּבֵין... Gen. 9:16
3 לְךָ אֶתְּנֶנָּה וּלְזַרְעֲךָ עַד־עוֹלָם Gen. 13:15

עוֹלָם (המשך)
4 וַהֲקִמֹתִי...לְדֹרֹתָם לִבְרִית עוֹלָם Gen. 17:7
5 וְנָתַתִּי לְךָ...לַאֲחֻזַּת עוֹלָם Gen. 17:8
6 בְּרִיתִי בִּבְשַׂרְכֶם לִבְרִית עוֹלָם Gen. 17:13
7 וַהֲקִמֹתִי אֶת־בְּרִיתִי אִתּוֹ לִבְרִית עוֹלָם Gen. 17:19
8 וַיִּקְרָא־שָׁם בְּשֵׁם יְיָ אֵל עוֹלָם Gen. 21:33
9 לְזַרְעֲךָ אַחֲרֶיךָ אֲחֻזַּת עוֹלָם Gen. 48:4
10 עַד־תַּאֲוַת גִּבְעֹת עוֹלָם Gen. 49:26
11 חֻקַּת עוֹלָם תְּחָגֻּהוּ Ex. 12:14
12 וּשְׁמַרְתֶּם...לְדֹרֹתֵיכֶם חֻקַּת עוֹלָם Ex. 12:17
13 לְחָק־לְךָ וּלְבָנֶיךָ עַד־עוֹלָם Ex. 12:24
17-74 (וְ)עַד־עוֹלָם Ex. 14:13
Deut. 12:28; 23:4; 28:46; 29:28 • Josh. 4:7; 14:9 • ISh. 1:22; 2:30; 3:13; 13:13; 20:15, 23, 42 • IISh. 3:28; 7:13, 16², 24, 25, 26; 12:10; 22:51 • IK. 2:33, 45; 9:3 • Is. 30:8; 32:14, 17; 34:17 • Jer. 7:7; 17:4; 25:5; 35:6; 49:33 • Ezek. 27:36; 28:19; 37:25 • Zep. 2:9 • Mal. 1:4 • Ps. 18:51; 48:9; 89:5; 90:2; 103:17; 106:31 • Ez. 9:12² • Neh. 13:1 • ICh. 15:2; 17:12, 14, 22, 23, 24; 22:10(9); 23:13²; 28:8; 29:10 • IICh. 7:16
75 חֻקַּת עוֹלָם לְדֹרֹתָם מֵאֵת בְּ״יִ Ex. 27:21
76-94 (לְ)חֻקַּת עוֹלָם Ex. 28:43; 29:9 • Lev. 3:17; 7:36; 10:9; 16:29, 31, 34; 17:7; 23:14, 21, 31; 23:41; 24:3 • Num. 10:8; 15:15; 18:23; 19:10; 19:21
95 וְהָיָה לְאַהֲרֹן וּלְבָנָיו לְחָק־עוֹלָם Ex. 29:28
96-105 (לְ)חָק־עוֹלָם Ex. 30:21 • Lev. 6:11, 15; 7:34; 10:15; 24:9 • Num. 18:8, 11, 19 • Jer. 5:22
106 לְדֹרֹתָם בְּרִית עוֹלָם Ex. 31:16
107-117 בְּרִית עוֹלָם Lev. 24:8 • IISh. 23:5 • Is. 24:5; 55:3; 61:8 • Jer. 32:40; 50:5 • Ezek. 16:60; 37:26 • Ps. 105:10 • ICh. 16:17
118 לִכְהֻנַּת עוֹלָם לְדֹרֹתָם Ex. 40:15
119 גְּאֻלַּת עוֹלָם תִּהְיֶה לַלְוִיִּם Lev. 25:32
120 כִּי־אֲחֻזַּת עוֹלָם הוּא לָהֶם Lev. 25:34
121 בְּרִית מֶלַח עוֹלָם הִוא Num. 18:19
122 וְהָיְתָה לּוֹ..בְּרִית כְּהֻנַּת עוֹלָם Num. 25:13
123 וְהָיְתָה תֵּל עוֹלָם לֹא תִבָּנֶה עוֹד Deut. 13:17
124 וְהָיָה לְךָ עֶבֶד עוֹלָם Deut. 15:17
125 זְכֹר יְמוֹת עוֹלָם Deut. 32:7
126 וּמִמֶּגֶד גִּבְעוֹת עוֹלָם Deut. 33:15
127 וּמִתַּחַת זְרֹעֹת עוֹלָם Deut. 33:27
128 וַיְשִׂימֶהָ תֵּל־עוֹלָם Josh. 8:28
129 וְהָיָה לִי לְעֶבֶד עוֹלָם ISh. 27:12
130-137 מֵעַתָּה וְעַד־עוֹלָם Is. 9:6; 59:21 • Mic. 4:7 • Ps. 113:2; 115:18; 121:8; 125:2; 131:3
138 מִי־יָגוּר לָנוּ מוֹקְדֵי עוֹלָם Is. 33:14
139/40 וְשִׂמְחַת עוֹלָם עַל־רֹאשָׁם Is. 35:10; 51:11
141 הֲלוֹא יָדַעְתָּ...אֱלֹהֵי עוֹלָם Is. 40:28
142 מִשּׂוּמִי עַם־עוֹלָם Is. 44:7
143 וּבְחֶסֶד עוֹלָם רִחַמְתִּיךְ Is. 54:8
144 לְשֵׁם לְאוֹת עוֹלָם לֹא יִכָּרֵת Is. 55:13
145 שֵׁם עוֹלָם...אֲשֶׁר לֹא יִכָּרֵת Is. 56:5
146/7 וּבָנוּ(...)חָרְבוֹת עוֹלָם Is. 58:12; 61:4
148 וְשַׂמְתִּיךְ לִגְאוֹן עוֹלָם Is. 60:15
149 וְהָיָה־לָךְ יְיָ לְאוֹר עוֹלָם Is. 60:19
150 כִּי יְיָ יִהְיֶה־לָּךְ לְאוֹר עוֹלָם Is. 60:20
151 שִׂמְחַת עוֹלָם תִּהְיֶה לָהֶם Is. 61:7
152 וַיְנַטְּלֵם וַיְנַשְּׂאֵם כָּל־יְמֵי עוֹלָם Is. 63:9
153 וַיִּזְכֹּר יְמֵי־עוֹלָם Is. 63:11
154 לַעֲשׂוֹת לוֹ שֵׁם עוֹלָם Is. 63:12
155 בָּהֶם עוֹלָם וְנִוָּשֵׁעַ Is. 64:4

עוֹלָם (המשך)
156 וְשַׁאֲלוּ לִנְתִבוֹת עוֹלָם Jer. 6:16
157/8 לְמִן־עוֹלָם Jer. 7:7; 25:5
159 הוּא־אֱלֹהִים חַיִּים וּמֶלֶךְ עוֹלָם Jer. 10:10
160 בְּדַרְכֵיהֶם שְׁבִלֵי עוֹלָם Jer. 18:15
161 לָשׂוּם...לְשַׁמָּה שְׁרִיקוֹת עוֹלָם Jer. 18:16
162 כְּלִמַּת עוֹלָם לֹא תִשָּׁכֵחַ Jer. 20:11
163 וְרַחְמָהּ הֲרַת עוֹלָם Jer. 20:17
164/5 חֶרְפַּת עוֹלָם וּכְלִמּוּת עוֹלָם Jer. 23:40
166 לְשַׁמָּה...וּלְחָרְבוֹת עוֹלָם Jer. 25:9
167 וְשַׂמְתִּי אֹתוֹ לְשִׁמְמוֹת עוֹלָם Jer. 25:12
168 וְאַהֲבַת עוֹלָם אֲהַבְתִּיךְ Jer. 31:3(2)
169 עָרֶיהָ תִהְיֶינָה לְחָרְבוֹת עוֹלָם Jer. 49:13
170 שִׁמְמוֹת עוֹלָם תִּהְיֶה Jer. 51:26
171-172 וְיָשְׁנוּ שְׁנַת־עוֹלָם Jer. 51:39, 57
173 כִּי־שִׁמְמוֹת עוֹלָם תִּהְיֶה Jer. 51:62
174 לְמַשְׁחִית אֵיבַת עוֹלָם Ezek. 25:15
175 וְהוֹרַדְתִּיךְ...אֶל־עַם עוֹלָם Ezek. 26:20
176 יַעַן הֱיוֹת לָךְ אֵיבַת עוֹלָם Ezek. 35:5
177 שִׁמְמוֹת עוֹלָם אֶתֶּנְךָ Ezek. 35:9
178 וּבָמוֹת עוֹלָם לְמוֹרָשָׁה הָיְתָה לָּנוּ Ezek. 36:2
179 מִנְחָה לַיְיָ חֻקּוֹת עוֹלָם תָּמִיד Ezek. 46:14
180 וּבְנִיתִיהָ כִּימֵי עוֹלָם Am. 9:11
181 וּמוֹצָאֹתָיו מִקֶּדֶם מִימֵי עוֹלָם Mic. 5:1
182 יִרְעוּ בָשָׁן וְגִלְעָד כִּימֵי עוֹלָם Mic. 7:14
183 וַיִּתְפֹּצְצוּ...שַׁחוּ גִּבְעוֹת עוֹלָם Hab. 3:6
184 הֲלִיכוֹת עוֹלָם לוֹ Hab. 3:6
185 כִּימֵי עוֹלָם וּכְשָׁנִים קַדְמֹנִיּוֹת Mal. 3:4
186 יְיָ מֶלֶךְ עוֹלָם וָעֶד Ps. 10:16
187 אֹרֶךְ יָמִים עוֹלָם וָעֶד Ps. 21:5
188 וְהִנָּשְׂאוּ פִּתְחֵי עוֹלָם Ps. 24:7
189 וּשְׂאוּ פִּתְחֵי עוֹלָם Ps. 24:9
190-192 עוֹלָם וָעֶד... Ps. 45:7; 48:15; 52:10
193 יֵשֵׁב עוֹלָם לִפְנֵי אֱלֹהִים Ps. 61:8
194 מֹשֵׁל בִּגְבוּרָתוֹ עוֹלָם Ps. 66:7
195 הִנֵּה־אֵלֶּה רְשָׁעִים וְשַׁלְוֵי עוֹלָם Ps. 73:12
196 חֶרְפַּת עוֹלָם נָתַן לָמוֹ Ps. 78:66
197 חַסְדֵי יְיָ עוֹלָם אָשִׁירָה Ps. 89:2
198 כִּי־אָמַרְתִּי עוֹלָם חֶסֶד יִבָּנֶה Ps. 89:3
199 כְּיָרֵחַ יִכּוֹן עוֹלָם Ps. 89:38
200 וּמֵעוֹלָם עַד־עוֹלָם אַתָּה אֵל Ps. 90:2
201 בַּל־תִּמּוֹט עוֹלָם וָעֶד Ps. 104:5
202 לְזֵכֶר עוֹלָם יִהְיֶה צַדִּיק Ps. 112:6
203 וּנְחֵנִי בְּדֶרֶךְ עוֹלָם Ps. 139:24
204 הוֹשִׁיבַנִי בְמַחֲשַׁכִּים כְּמֵתֵי עוֹלָם Ps. 143:3
205 וְצַדִּיק יְסוֹד עוֹלָם Prov. 10:25
206/7 אַל־תַּסֵּג גְּבוּל עוֹלָם Prov. 22:28; 23:10
208 הַאֹרַח עוֹלָם תִּשְׁמֹר Job 22:15
209 תִּקָּחֶנּוּ לְעֶבֶד עוֹלָם Job 40:28
210 בְּמַחֲשַׁכִּים הוֹשִׁיבַנִי כְּמֵתֵי עוֹלָם Lam. 3:6
211 יָקִיצוּ אֵלֶּה לְחַיֵּי עוֹלָם Dan. 12:2
212 וְאֵלֶּה לַחֲרָפוֹת לְדִרְאוֹן עוֹלָם Dan. 12:2
הָעוֹלָם 213 הָיוּ לְפָנַי וּלְפָנֶיךָ מִן־הָעוֹלָם Jer. 28:8
214 כָּמֹהוּ לֹא נִהְיָה מִן־הָעוֹלָם Joel 2:2
215 וְרֹעֵם וְנַשְּׂאֵם עַד־הָעוֹלָם Ps. 28:9
216 מֵהָעוֹלָם וְעַד־הָעוֹלָם Ps. 41:14
217/8 מִן־הָעוֹלָם וְעַד הָעוֹלָם Ps. 106:48
219 חַיִּים עַד־הָעוֹלָם Ps. 133:3
220 גַּם אֶת־הָעֹלָם נָתַן בְּלִבָּם Eccl. 3:11
221 וַיִּשָּׁבַע בְּחֵי הָעוֹלָם Dan. 12:7
222/3 מִן־הָעוֹלָם עַד־הָעוֹלָם Neh. 9:5
224/5 מִן־הָעוֹלָם וְעַד־הָעֹלָם ICh. 16:36
226 וְהַעֲמַדְתִּיהוּ בְּבֵיתִי...עַד־הָעוֹלָם ICh.17:14

מֵהָעוֹלָם 227 מֵהָעוֹלָם וְעַד־הָעוֹלָם Ps. 41:14
לְעוֹלָם 228 וְלָקַח...וְאָכַל וָחַי לְעֹלָם Gen. 3:22
229 לֹא־יָדוֹן רוּחִי בָאָדָם לְעֹלָם Gen. 6:3
230 זֶה־שְּׁמִי לְעֹלָם Ex. 3:15
231 יְיָ יִמְלֹךְ לְעֹלָם וָעֶד Ex. 15:18
232 וְגַם־בְּךָ יַאֲמִינוּ לְעוֹלָם Ex. 19:9
233 וְרָצַע אֲדֹנָיו...וַעֲבָדוֹ לְעֹלָם Ex. 21:6
234 בֵּינִי וּבֵין בְּנֵי־ אוֹת הִוא לְעֹלָם Ex. 31:17
235 אֶתֵּן לְזַרְעֲכֶם וְנָחֲלוּ לְעֹלָם Ex. 32:13
236 לְעֹלָם בָּהֶם תַּעֲבֹדוּ Lev. 25:46
237 לְמַעַן יִיטַב לָהֶם וְלִבְנֵיהֶם לְעֹלָם Deut. 5:26
238 לֹא־תִדְרֹשׁ...כָּל־יָמֶיךָ לְעוֹלָם Deut. 23:7
239 וְאָמַרְתִּי חַי אָנֹכִי לְעֹלָם Deut. 32:40
240 לֹא־אָפֵר בְּרִיתִי אִתְּכֶם לְעוֹלָם Jud. 2:1
241 וּבָרֵךְ...לִהְיוֹת לְעוֹלָם לְפָנֶיךָ IISh. 7:29
242 יְבֹרַךְ בֵּית־עַבְדְּךָ לְעוֹלָם IISh. 7:29
243 יְחִי אֲדֹנִי הַמֶּלֶךְ דָּוִד לְעֹלָם IK. 1:31
244 וּדְבַר אֱלֹהֵינוּ יָקוּם לְעוֹלָם Is. 40:8
245 הוֹדוּ...כִּי־לְעוֹלָם חַסְדּוֹ Jer. 33:11
246 וְאֵרַשְׂתִּיךְ לִי לְעוֹלָם Hosh. 2:21
247/8 וְלֹא־יֵבֹשׁוּ עַמִּי לְעוֹלָם Joel 2:26, 27
249 וִיהוּדָה לְעוֹלָם תֵּשֵׁב Joel 4:20
250 נֵלֵךְ בְּשֵׁם־יְיָ אֱלֹהֵינוּ לְעוֹלָם Mic. 4:5
251 שְׁמָם מָחִיתָ לְעוֹלָם וָעֶד Ps. 9:6
252 עַמִּים יְהוֹדוּךָ לְעוֹלָם וָעֶד Ps. 45:18
253 וּבָרוּךְ שֵׁם כְּבוֹדוֹ לְעוֹלָם Ps. 72:19
254 כִּי־טוֹב יְיָ לְעוֹלָם חַסְדּוֹ Ps. 100:5
255-294 כִּי לְעוֹלָם חַסְדּוֹ Ps. 106:1; 107:1
118:1, 2, 3, 4, 29; 136:1, 2, 3, 4, 5, 6, 7, 8, 9, 10, 11, 12; 136:13, 14, 15, 16, 17, 18, 19, 20, 21, 22, 23, 24, 25, 26 • Ez. 3:11 • ICh. 16:34, 41 • IICh. 5:13; 7:3, 6; 20:21
295 וְאֶשְׁמְרָה...תָמִיד לְעוֹלָם וָעֶד Ps. 119:44
296 וַאֲבָרְכָה שִׁמְךָ לְעוֹלָם וָעֶד Ps. 145:1
297-299 לְעוֹלָם וָעֶד Ps. 145:2, 21 • Dan. 12:3
300 כִּי לֹא לְעוֹלָם חֹסֶן Prov. 27:24
301 מָאַסְתִּי לֹא־לְעֹלָם אֶחְיֶה Job 7:16
302 וְהָאָרֶץ לְעוֹלָם עֹמָדֶת Eccl. 1:4
303-307 לְעֹלָם IK. 2:33; 9:5; 10:9 • Ps. 75:10; 92:9
308-402 לְעוֹלָם IIK. 5:27; 21:7; • Is. 14:20; 25:2; 34:10; 47:7; 51:6, 8; 57:16; 60:21 • Jer. 3:5, 12; 17:25; 31:40(39) • Ezek. 26:21; 37:25, 26, 28; 43:7, 9 • Ob. 10 • Jon. 2:7 • Mic. 2:9 • Ps. 5:12; 9:8; 12:8; 15:5; 29:10; 30:7, 13; 31:2; 33:11; 37:18, 27, 28; 41:13; 44:9; 48:3; 49:9, 12; 52:11; 55:23; 72:17; 73:26; 78:69; 79:13; 81:16; 86:12; 89:29, 37, 53; 102:13; 103:9; 104:31; 105:8; 110:4; 111:5, 8, 9; 112:6; 117:2; 119:89, 93, 98, 111, 112, 142, 144, 152; 125:1; 135:13; 138:8; 146:6, 10; 148:6 • Prov. 10:30 • Lam. 3:31; 5:19 • Eccl. 2:16; 3:14; 9:6 • Neh. 2:3 • ICh. 16:15; 17:27[2]; 23:25; 28:4, 7; 29:18 • IICh. 2:3; 9:8; 13:5; 20:7; 30:8; 33:4

וּלְעוֹלָם 403 וּלְעוֹלָם כָּל־מִשְׁפַּט צִדְקֶךָ Ps. 119:160
הַלְעוֹלָם 404 וְהַנְּבִאִים הַלְעוֹלָם יִחְיוּ Zech. 1:5
405 הַלְעוֹלָם תֶּאֱנַף־בָּנוּ Ps. 85:6
מֵעוֹלָם 406 הַגִּבֹּרִים אֲשֶׁר מֵעוֹלָם אַנְשֵׁי הַשֵּׁם Gen. 6:4
407 בְּעֵבֶר הַנָּהָר יָשְׁבוּ...מֵעוֹלָם Josh. 24:2
408 יֹשְׁבוֹת הָאָרֶץ אֲשֶׁר מֵעוֹלָם ISh. 27:8
409 הֶחֱשֵׁיתִי מֵעוֹלָם... Is. 42:14
410 זִכְרוּ רִאשֹׁנוֹת מֵעוֹלָם Is. 46:9
411 ...גֹּאֲלֵנוּ מֵעוֹלָם שְׁמֶךָ Is. 63:16
412 הָיִינוּ מֵעוֹלָם לֹא־מָשַׁלְתָּ בָּם Is. 63:19
413 כִּי מֵעוֹלָם שָׁבַרְתִּי עֻלֵּךְ Jer. 2:20

מֵעוֹלָם (המשך) 414 גּוֹי מֵעוֹלָם הוּא Jer. 5:15
415 בְּאֶרֶץ תַּחְתִּיּוֹת כָּחֳרָבוֹת מֵעוֹלָ׳ Ezek. 26:20
416 וַחֲסָדֶיךָ כִּי מֵעוֹלָם הֵמָּה Ps. 25:6
417 נָכוֹן כִּסְאֲךָ מֵאָז מֵעוֹלָם אָתָּה Ps. 93:2
418 וְחֶסֶד יְיָ מֵעוֹלָם וְעַד־עוֹלָם Ps. 103:17
419 זָכַרְתִּי מִשְׁפָּטֶיךָ מֵעוֹלָם Ps. 119:52
420 מֵעוֹלָם נִסַּכְתִּי מֵרֹאשׁ מִקַּדְמֵי־אָ׳ Prov. 8:23
421 בָּרוּךְ...מֵעוֹלָם וְעַד־עוֹלָם ICh. 29:10
וּמֵעוֹלָם 422 הֲלֹא אֲנִי מַחְשֶׁה וּמֵעֹלָם Is. 57:11
423 וּמֵעוֹלָם לֹא־שָׁמְעוּ לֹא הֶאֱזִינוּ Is. 64:3
424 וּמֵעוֹלָם עַד־עוֹלָם אַתָּה אֵל Ps. 90:2
עוֹלָמוֹ 425 כִּי־הֹלֵךְ הָאָדָם אֶל־בֵּית עוֹלָמוֹ Eccl. 12:5
עוֹלָמִים 426 מָכוֹן לְשִׁבְתְּךָ עוֹלָמִים IK. 8:13
427 כִּי בְּיָהּ יְיָ צוּר עוֹלָמִים Is. 26:4
428 יִשְׂרָ׳ נוֹשַׁע בַּיְיָ תְּשׁוּעַת עוֹלָמִים Is. 45:17
429 כִּימֵי קֶדֶם דּוֹרוֹת עוֹלָמִים Is. 51:9
430 אָגוּרָה בְאָהָלְךָ עוֹלָמִים... Ps. 61:5
431 יָמִים מִקֶּדֶם שְׁנוֹת עוֹלָמִים Ps. 77:6
432 מַלְכוּתְךָ מַלְכוּת כָּל־עֹלָמִים Ps. 145:13
433 וּלְהָבִיא צֶדֶק עֹלָמִים Dan. 9:24
434 וּמָכוֹן לְשִׁבְתְּךָ עוֹלָמִים IICh. 6:2
לְעוֹלָמִים 435 כְּבָר הָיָה לְעֹלָמִים אֲשֶׁר...מִלְּפָנֵנוּ Eccl. 1:10
הַלְעוֹלָמִים 436 הַלְעוֹלָמִים יִזְנַח אֲדֹנָי Ps. 77:8
עוֹלְמֵי־ 437 לֹא־תֵבֹשׁוּ...עַד־עוֹלְמֵי עַד Is. 45:17

עָוֹן

ז׳ [ארבעה מקראות: ״עָווֹן״ – 10, 36, 78, 206]

א) חֵטא, עברה: 1-6, 8-230

ב) עונש על חֵטא: 7, 89(?)

קרובים: ראה חֵטְא

– עָוֹן וְחַטָּאת 2, 5, 99, 113, 114, 146, 147, 155, 170, 171, 197, 199; עָוֹן וָפֶשַׁע 2, 4, 20; עָוֹן גָּדוֹל 89; עָוֹן פְּלִילִי 28; עָוֹן פְּלִילִים 27

– בְּלִי עָוֹן 23; יַד עָוֹן 145; כֶּבֶד עָ׳ 11; מוֹשְׁכֵי עָוֹן 33; מַזְכֶּרֶת עָ׳ 3; מִכְשׁוֹל עָ׳ 14, 17, 164, 165; נוֹשֵׂא עָוֹן ׳2, 4, 20; נְשׂוּא עָוֹן 12

– עֲוֹן אָב 83-85; עֲ׳ אָבוֹת 42, 44, 48, 49, 59, 60, 76, 81; עֲ׳ הָאֱמֹרִי 40; עֲ׳ אֶפְרַיִם 70, 71; עֲ׳ הָאִשָּׁה 54; עֲ׳ הָאָרֶץ 72; עֲ׳ אַשְׁמָה 47; עֲ׳ בֵּית־יְהוּדָה 64; עֲ׳ בֵּית יִשְׂרָאֵל 62, 63, 65; עֲ׳ בֵּית עֵלִי 53; עֲ׳ הַבֵּן 86; עֲ׳ בִּצְעוֹ 82; עֲ׳ בַּת עַמִּי 77; עֲ׳ חַטָּאת 73; עֲ׳ יַעֲקֹב 57; עֲ׳ יוֹשֵׁב הָאָרֶץ 56; עֲ׳ יִשְׂרָאֵל 61; עֲ׳ כְּהֻנַּתוֹ 51; עֲ׳ כֻּלָּנוּ 58; עֲ׳ הַמִּקְדָּשׁ 50; עֲ׳ הַנָּבִיא 87; עֲ׳ סְדוֹם 66; עֲ׳ עַבְדּוֹ 78; עֲ׳ עֵדָה 46; עֲ׳ עִיר 79; עֲ׳ הָעָם 75, 88; עֲ׳ עֲקֵבָיו 74; עֲ׳ פְּעוֹר 52; עֲ׳ קָדָשָׁיו 43; עֲוֹן קֵץ 67-69

– רֹב עֲוֹנוֹ 112-114; שְׁנֵי עֲוֹנוֹ 163

– עֲוֹנוֹת אָבוֹת 191, 196-199; עֲוֹנוֹת בְּנֵי יִשְׂרָאֵל 190; עֲ׳ חֶרֶב 194; עֲ׳ כֹּהֲנִים 195; עֲ׳ נְעוּרִים 193; עֲ׳ רִאשׁוֹנִים 192; דִּבְרֵי עֲוֹנוֹת 187

– גִּלָּה עָוֹן 127; הִזְכִּיר עָוֹן 15, 16, 91, 148; הֶעֱבִיר עָוֹן 55, 93, 106; זָכַר עָוֹן 13, 155, 170, 171; כָּבַשׁ עָוֹן 207; כִּסָּה עָוֹן 96; כִּפֶּר עָוֹן 25, 30; מָחָה עָוֹן 202; נָשָׂא עָוֹן 1, 2, 4, 12, 19, 20, 43, 46, 50, 51, 63, 64, 73, 75, 89, 119-123, 138, 140, 141, 149, 153, 162, 166-168, 214, 223; סָבַל עֲוֹנוֹת 227; פָּקַד עָוֹן 42, 44, 45, 49, 54, 56, 117, 139, 159, 161, 220; רָצָה עֲוֹנוֹ 151, 152

– בִּקֵּשׁ עָוֹן 61; גָּדַל עָוֹן 77; הִתְכַּפֵּר עָוֹן 53; כִּפֵּר עָוֹן 26, 34, 57; מָשׁ עָוֹן 72; נִרְצָה עָוֹן 142; סָר עָוֹן 107

עָוֹן 1 וְלֹא־יִשְׂאוּ עָוֹן וָמֵתוּ Ex. 28:43
2 נֹשֵׂא עָוֹן וָפֶשַׁע וְחַטָּאָה Ex. 34:7
3 מִנְחַת זִכָּרוֹן מַזְכֶּרֶת עָוֹן Num. 5:15

עָוֹן (המשך) 4 נֹשֵׂא עָוֹן וָפָשַׁע Num. 14:18
5 לְכָל־עָוֹן וּלְכָל־חַטָּאת Deut. 19:15
6 וְאִם־יֶשׁ־בִּי עָוֹן הֲמִיתֵנִי אַתָּה ISh. 20:8
7 חַי־יְיָ אִם־יִקְּרֵךְ עָוֹן בַּדָּבָר הַזֶּה ISh. 28:10
8 וְאִם־יֶשׁ־בִּי עָוֹן וֶהֱמִתָנִי IISh. 14:32
9 אַל־יַחֲשָׁב־לִי אֲדֹנִי עָוֹן... IISh. 19:20
10 וַאֲנַחְנוּ מַחְשִׁים...וּמְצָאָנוּ עָווֹן IIK. 7:9
11 הוֹי גּוֹי חֹטֵא עַם כֶּבֶד עָוֹן Is. 1:4
12 הָעָם הַיֹּשֵׁב בָּהּ נְשֻׂא עָוֹן Is. 33:24
13 וְאַל־לָעַד תִּזְכֹּר עָוֹן Is. 64:8
14 וְלֹא־יִהְיֶה לָכֶם לְמִכְשׁוֹל עָוֹן Ezek. 18:30
15 וְהוּא־מַזְכִּיר עָוֹן לְהִתָּפֵשׂ Ezek. 21:28
16 וְלֹא יִהְיֶה...לְמִבְטָח מַזְכִּיר עָוֹן Ezek. 29:16
17 וְהָיוּ לְבֵית־יִשְׂרָאֵל לְמִכְשׁוֹל עָוֹן Ezek. 44:12
18 לֹא יִמְצְאוּ־לִי עָוֹן אֲשֶׁר־חֵטְא Hosh. 12:9
19 כָּל־תִּשָּׂא עָוֹן וְקַח־טוֹב Hosh. 14:3
20 נֹשֵׂא עָוֹן וְעֹבֵר עַל־פֶּשַׁע Mic. 7:18
21 לֹא יַחְשֹׁב יְיָ לוֹ עָוֹן Ps. 32:2
22 בְּתוֹכָחוֹת עַל־עָוֹן יִסַּרְתָּ אִישׁ Ps. 39:12
23 בְּלִי־עָוֹן יְרֻצוּן וְיִכּוֹנָנוּ Ps. 59:5
24 תְּנָה־עָוֹן עַל־עֲוֹנָם Ps. 69:28
25 וְהוּא רַחוּם יְכַפֵּר עָוֹן Ps. 78:38
26 בְּחֶסֶד וֶאֱמֶת יְכֻפַּר עָוֹן Prov. 16:6
27 וְהוּא° עָוֹן פְּלִילִים Job 31:11
28 גַּם־הוּא עָוֹן פְּלִילִי Job 31:28
29 חַף אָנֹכִי וְלֹא עָוֹן לִי Job 33:9
30 לְכַלֵּא הַפֶּשַׁע...וּלְכַפֵּר עָוֹן Dan. 9:24
הֶעָוֹן 31 בִּי־אֲנִי אֲדֹנִי הֶעָוֹן ISh. 25:24
32 עָלַי אֲדֹנִי הַמֶּלֶךְ הֶעָוֹן IISh. 14:9
33 הוֹי מֹשְׁכֵי הֶעָוֹן בְּחַבְלֵי הַשָּׁוְא Is. 5:18
34 אִם־יְכֻפַּר הֶעָוֹן הַזֶּה לָכֶם Is. 22:14
35 לָכֵן יִהְיֶה לָכֶם הֶעָוֹן הַזֶּה כְּפֶרֶץ Is. 30:13
בְּעָווֹן 36 הֵן־בְּעָווֹן חוֹלָלְתִּי Ps. 51:7
בֶּעָוֹן 37 נְגֹאֲלוּ...וְאֶצְבְּעוֹתֵיכֶם בֶּעָוֹן Is. 59:3
מֵעָוֹן 38 וְנִקָּה הָאִישׁ מֵעָוֹן Num. 5:31
39 וְרַבִּים הֵשִׁיב מֵעָוֹן Mal. 2:6
עֲוֹן־ 40 כִּי לֹא־שָׁלֵם עֲוֹן הָאֱמֹרִי Gen. 15:16
41 הָאֱלֹהִים מָצָא אֶת־עֲוֹן עֲבָדֶיךָ Gen. 44:16
42 פֹּקֵד עֲוֹן אָבֹת עַל־בָּנִים Ex. 20:5
43 וְנָשָׂא אַהֲרֹן אֶת־עֲוֹן הַקֳּדָשִׁים Ex. 28:38
44/5 פֹּקֵד עֲוֹן אָבוֹת עַל־בָּנִים Ex. 34:7 • Deut. 5:9
46 לָשֵׂאת אֶת־עֲוֹן הָעֵדָה Lev. 10:17
47 וְהִשִּׂיאוּ אוֹתָם עֲוֹן אַשְׁמָה Lev. 22:16
48 וְהִתְוַדּוּ...וְאֶת־עֲוֹן אֲבֹתָם Lev. 26:40
49 פֹּקֵד עֲוֹן אָבוֹת עַל־בָּנִים Num. 14:18
50 תִּשְׂאוּ אֶת־עֲוֹן הַמִּקְדָּשׁ Num. 18:1
51 תִּשְׂאוּ אֶת־עֲוֹן כְּהֻנַּתְכֶם Num. 18:1
52 הַמְעַט־לָנוּ אֶת־עֲוֹן פְּעוֹר Josh. 22:17
53 אִם־יִתְכַּפֵּר עֲוֹן בֵּית־עֵלִי ISh. 3:14
54 וַתִּפְקֹד עָלַי עֲוֹן הָאִשָּׁה הַיּוֹם IISh. 3:8
55 הַעֲבֶר־נָא אֶת־עֲוֹן עַבְדְּךָ IISh. 24:10
56 לִפְקֹד עֲוֹן יֹשֵׁב־הָאָרֶץ Is. 26:21
57 בְּזֹאת יְכֻפַּר עֲוֹן־יַעֲקֹב Is. 27:9
58 וַיְיָ הִפְגִּיעַ בּוֹ אֵת עֲוֹן כֻּלָּנוּ Is. 53:6
59 יָדַעְנוּ יְיָ רִשְׁעֵנוּ עֲוֹן אֲבוֹתֵינוּ Jer. 14:20
60 וּמְשַׁלֵּם עֲוֹן אָבוֹת אֶל־חֵיק בְּנֵיהֶם Jer. 32:18
61 יְבֻקַּשׁ אֶת־עֲוֹן יִשְׂרָאֵל וְאֵינֶנּוּ Jer. 50:20
62 וְשַׂמְתָּ אֶת־עֲוֹן בֵּית־יִשְׂרָאֵל עָלָיו Ezek. 4:4
63 וְנָשָׂאתָ עֲוֹן בֵּית־יִשְׂרָאֵל Ezek. 4:5
64 וְנָשָׂאתָ אֶת־עֲוֹן בֵּית־יְהוּדָה Ezek. 4:6
65 עֲוֹן בֵּית־יִשְׂרָאֵל וִיהוּדָה גָּדוֹל Ezek. 9:9
66 הִנֵּה־זֶה הָיָה עֲוֹן סְדֹם אֲחוֹתֵךְ Ezek. 16:49

עָוֹן־ (המשך)
67-69 בְּעֵת עֲוֹן קֵץ — Ezek. 21:30, 34; 35:5
70 וְנִגְלָה עֲוֹן אֶפְרַיִם — Hosh. 7:1
71 צָרוּר עֲוֹן אֶפְרָיִם — Hosh. 13:12
72 וּמַשְׁתִּי אֶת־עֲוֹן הָאָרֶץ־הַהִיא — Zech. 3:9
73 וְאַתָּה נָשָׂאתָ עֲוֹן חַטָּאתִי — Ps. 32:5
74 עֲוֹן עֲקֵבַי יְסוּבֵּנִי — Ps. 49:6
75 נָשָׂאתָ עֲוֹן עַמֶּךָ — Ps. 85:3
76 יִזָּכֵר עֲוֹן אֲבֹתָיו אֶל־יְיָ — Ps. 109:14
77 וַיִּגְדַּל עֲוֹן בַּת־עַמִּי — Lam. 4:6
78 הַעֲבֶר־נָא אֶת־עֲוֹן עַבְדְּךָ — ICh. 21:8
בַּעֲוֹן־ 79 פֶּן־תִּסָּפֶה בַּעֲוֹן הָעִיר — Gen. 19:15
80 בַּעֲוֹן אֲשֶׁר־יָדַע...וְלֹא כִהָה בָּם — ISh. 3:13
81 הָכִינוּ לְבָנָיו מַטְבֵּחַ בַּעֲוֹן אֲבוֹתָם — Is. 14:21
82 בַּעֲוֹן בִּצְעוֹ קָצַפְתִּי וְאַכֵּהוּ — Is. 57:17
83 הוּא לֹא יָמוּת בַּעֲוֹן אָבִיו — Ezek. 18:17
84 מַדֻּעַ לֹא־נָשָׂא הַבֵּן בַּעֲוֹן הָאָב — Ezek. 18:19
85 בֵּן לֹא־יִשָּׂא בַּעֲוֹן הָאָב — Ezek. 18:20
86 וְאָב לֹא יִשָּׂא בַּעֲוֹן הַבֵּן — Ezek. 18:20
כַּעֲוֹן־ 87 כַּעֲוֹן הַדֹּרֵשׁ כַּעֲוֹן הַנָּבִיא יִהְיֶה — Ezek. 14:10
לַעֲוֹן־ 88 סְלַח־נָא לַעֲוֹן הָעָם הַזֶּה — Num. 14:19
עֲוֹנִי 89 גָּדוֹל עֲוֹנִי מִנְּשֹׂא — Gen. 4:13
90 מֶה־עֲוֹנִי וּמֶה־חַטָּאתִי — ISh. 20:1
91 בָּאתָ אֵלַי לְהַזְכִּיר אֶת־עֲוֹנִי — IK. 17:18
92 כִּי־עֲוֹנִי אַגִּיד אֶדְאַג מֵחַטָּאתִי — Ps. 38:19
93 לֹא־תִשָּׂא פִשְׁעִי וְתַעֲבִיר אֶת־עֲוֹנִי — Job 7:21
94 וַתִּטְפֹּל עַל־עֲוֹנִי — Job 14:17
95 לִטְמוֹן בְּחֻבִּי עֲוֹנִי — Job 31:33
וַעֲוֹנִי 96 וַעֲוֹנִי לֹא־כִסִּיתִי — Ps. 32:5
בַּעֲוֹנִי 97 כָּשַׁל בַּעֲוֹנִי כֹחִי — Ps. 31:11
לַעֲוֹנִי 98 וְסָלַחְתָּ לַעֲוֹנִי כִּי רַב־הוּא — Ps. 25:11
99 תְבַקֵּשׁ לַעֲוֹנִי וּלְחַטָּאתִי תִדְרוֹשׁ — Job 10:6
מֵעֲוֹנִי 100 וָאֶשְׁתַּמְּרָה מֵעֲוֹנִי — IISh. 22:24
101 וָאֶשְׁתַּמֵּר מֵעֲוֹנִי — Ps. 18:24
102 הֶרֶב° כַּבְּסֵנִי מֵעֲוֹנִי — Ps. 51:4
וּמֵעֲוֹנִי 103 וּמֵעֲוֹנִי לֹא תְנַקֵּנִי — Job 10:14
עֲוֹנְךָ 104 עַל רֹב עֲוֹנְךָ וְרַבָּה מַשְׂטֵמָה — Hosh. 9:7
105 כִּי יְאַלֵּף עֲוֹנְךָ פִיךָ — Job 15:5
עֲוֹנֶךָ 106 רְאֵה הֶעֱבַרְתִּי מֵעָלֶיךָ עֲוֹנֶךָ — Zech. 3:4
107 וְסָר עֲוֹנֶךָ וְחַטָּאתְךָ תְּכֻפָּר — Is. 6:7
בַּעֲוֹנֶךָ 108 שׁוּבָה...כִּי כָשַׁלְתָּ בַּעֲוֹנֶךָ — Hosh. 14:2
מֵעֲוֹנֶךָ 109 כִּי־יַשֶּׁה לְךָ אֱלוֹהַּ מֵעֲוֹנֶךָ — Job 11:6
עֲוֹנֵךְ 110 נִכְתָּם עֲוֹנֵךְ לְפָנַי — Jer. 2:22
111 אַךְ דְּעִי עֲוֹנֵךְ... — Jer. 3:13
112 בְּרֹב עֲוֹנֵךְ נִגְלוּ שׁוּלַיִךְ — Jer. 13:22
113 עַל רֹב עֲוֹנֵךְ עָצְמוּ חַטֹּאתָיִךְ — Jer. 30:14
114 עַל רֹב עֲוֹנֵךְ עָצְמוּ חַטֹּאתָיִךְ — Jer. 30:15
115 וְלֹא־גִלּוּ עַל־עֲוֹנֵךְ — Lam. 2:14
116 תַּם־עֲוֹנֵךְ בַּת־צִיּוֹן — Lam. 4:22
117 פָּקַד עֲוֹנֵךְ בַּת־אֱדוֹם — Lam. 4:22
עֲוֹנֵכִי 118 הַסֹּלֵחַ לְכָל־עֲוֹנֵכִי — Ps. 103:3
עֲוֹנוֹ 119 אִם־לוֹא יַגִּיד וְנָשָׂא עֲוֹנוֹ — Lev. 5:1
120 וְלֹא־יָדַע וְאָשֵׁם וְנָשָׂא עֲוֹנוֹ — Lev. 5:17
121 וְאִם לֹא יְכַבֵּס...וְנָשָׂא עֲוֹנוֹ — Lev. 17:16
122 וְאֹכְלָיו עֲוֹנוֹ יִשָּׂא — Lev. 19:8
123 עֶרְוַת אֲחֹתוֹ גִּלָּה עֲוֹנוֹ יִשָּׂא — Lev. 20:17
124/5 וּמִכְשׁוֹל עֲוֹנוֹ יָשִׂים נֹכַח פָּנָיו — Ezek. 14:4, 7
126 לִמְצֹא עֲוֹנוֹ לִשְׂנֹא — Ps. 36:3
127 יְגַלּוּ שָׁמַיִם עֲוֹנוֹ — Job 20:27
בַּעֲוֹנוֹ 128 וְהוּא אִישׁ אֶחָד לֹא גָוַע בַּעֲוֹנוֹ — Josh. 22:20
129 כִּי אִם־אִישׁ בַּעֲוֹנוֹ יָמוּת — Jer. 31:30(29)
130/1 הוּא רָשָׁע בַּעֲוֹנוֹ יָמוּת — Ezek. 3:18; 33:8
132-133 הוּא בַּעֲוֹנוֹ יָמוּת — Ezek. 3:19; 33:9

בַּעֲוֹנוֹ (המשך)
134 וְאִישׁ בַּעֲוֹנוֹ חַיָּתוֹ לֹא־יִתְחַזָּקוּ — Ezek. 7:13
135 וְהָיוּ אֶל־הֶהָרִים...אִישׁ בַּעֲוֹנוֹ — Ezek. 7:16
136 וְהִנֵּה־מֵת בַּעֲוֹנוֹ — Ezek. 18:18
137 הוּא בַּעֲוֹנוֹ נִלְקָח — Ezek. 33:6
עֲוֹנָהּ 138 וְהַנֶּפֶשׁ הָאֹכֶלֶת מִמֶּנּוּ עֲוֹנָהּ תִּשָּׂא — Lev. 7:18
139 וָאֶפְקֹד עֲוֹנָהּ עָלֶיהָ — Lev. 18:25
140 וְהָאִשָּׁה הַהִוא תִּשָּׂא אֶת־עֲוֹנָהּ — Num. 5:31
141 וְנָשָׂא אֶת־עֲוֹנָהּ — Num. 30:16
142 כִּי נִרְצָה עֲוֹנָהּ — Is. 40:2
(עֲוֹנָה) 143 הַנֶּפֶשׁ הַהִוא עֲוֹנָה בָהּ — Num. 15:31
בַּעֲוֹנָהּ 144 נֻסוּ...אַל־תִּדַּמּוּ בַּעֲוֹנָהּ — Jer. 51:6
עֲוֹנֵנוּ 145 וַתְּמוּגֵנוּ בְּיַד־עֲוֹנֵנוּ — Is. 64:6
146 וּמֶה עֲוֹנֵנוּ וּמֶה חַטָּאתֵנוּ — Jer. 16:10
לַעֲוֹנֵנוּ 147 וְסָלַחְתָּ לַעֲוֹנֵנוּ וּלְחַטָּאתֵנוּ — Ex. 34:9
עֲוֹנְכֶם 148 יַעַן הַזְכַּרְכֶם עֲוֹנְכֶם... — Ezek. 21:29
עֲוֹנָם 149 אֶת־שְׁאֵרוֹ הֶעֱרָה עֲוֹנָם יִשָּׂאוּ — Lev. 20:19
150 אֶת־עֲוֹנָם וְאֶת־עֲוֹן אֲבֹתָם — Lev. 26:40
151 וְאָז יִרְצוּ אֶת־עֲוֹנָם — Lev. 26:41
152 וְהֵם יִרְצוּ אֶת־עֲוֹנָם — Lev. 26:43
153 וְהֵם יִשְׂאוּ עֲוֹנָם — Num. 18:23
154 וּפָקַדְתִּי...וְעַל־רְשָׁעִים עֲוֹנָם — Is. 13:11
155 יִזְכֹּר עֲוֹנָם וְיִפְקֹד חַטֹּאתָם — Jer. 14:10
156 וְלֹא־נִצְפַּן עֲוֹנָם מִנֶּגֶד עֵינָי — Jer. 16:17
157 וְשִׁלַּמְתִּי...מִשְׁנֵה עֲוֹנָם וְחַטָּאתָם — Jer. 16:18
158 אַל־תְּכַפֵּר עַל־עֲוֹנָם — Jer. 18:23
159 אֶפְקֹד עַל־מֶ־בָּבֶל...אֶת־עֲוֹנָם — Jer. 25:12
160 וְטִהַרְתִּים מִכָּל־עֲוֹנָם — Jer. 33:8
161 וּפָקַדְתִּי עָלָיו...אֶת־עֲוֹנָם — Jer. 36:31
162 מִסְפַּר הַיָּמִים...תִּשָּׂא אֶת־עֲוֹנָם — Ezek. 4:4
163 אֶת־שְׁנֵי עֲוֹנָם לְמִסְפַּר יָמִים — Ezek. 4:5
164 כִּי־מִכְשׁוֹל עֲוֹנָם הָיָה — Ezek. 7:19
165 וּמִכְשׁוֹל עֲוֹנָם נָתְנוּ נֹכַח פְּנֵיהֶם — Ezek. 14:3
166-168 וְנָשְׂאוּ עֲוֹנָם — Ezek. 14:10; 44:10; 12
169 וְאֶל־עֲוֹנָם יִשְׂאוּ נַפְשׁוֹ — Hosh. 4:8
170 יִזְכֹּר עֲוֹנָם וְיִפְקֹד חַטֹּאתָם — Hosh. 8:13
171 יִזְכּוֹר עֲוֹנָם יִפְקוֹד חַטֹּאתָם — Hosh. 9:9
172 תְּנָה־עָוֹן עַל־עֲוֹנָם — Ps. 69:28
173 וּפָקַדְתִּי...וּבִנְגָעִים עֲוֹנָם — Ps. 89:33
174 וְאַל־תְּכַס עַל־עֲוֹנָם — Neh. 3:37
בַּעֲוֹנָם 175 וְהַנִּשְׁאָרִים בָּכֶם יִמַּקּוּ בַּעֲוֹנָם — Lev. 26:39
176 וְנָשַׁמּוּ אִישׁ וְאָחִיו וְנָמַקּוּ בַּעֲוֹנָם — Ezek. 4:17
177 כִּי בַעֲוֹנָם גָּלוּ בֵית־יִשְׂרָאֵל — Ezek. 39:23
178 וְיִשְׂרָאֵל וְאֶפְרַיִם יִכָּשְׁלוּ בַּעֲוֹנָם — Hosh. 5:5
179 יַמְרוּ בַעֲצָתָם וַיָּמֹכּוּ בַּעֲוֹנָם — Ps. 106:43
לַעֲוֹנָם 180 כִּי אֶסְלַח לַעֲוֹנָם — Jer. 31:34(33)
181 וְסָלַחְתִּי לַעֲוֹנָם וּלְחַטָּאתָם — Jer. 36:3
עֲוֹנֶיךָ 182 מֵרֹב עֲוֹנֶיךָ...חִלַּלְתָּ מִקְדָּשֶׁיךָ — Ezek. 28:18
עֲוֹנֵינוּ 183 אִם־עֲוֹנֵינוּ עָנוּ בָנוּ — Jer. 14:7
וַעֲוֹנֵינוּ 184 וַעֲוֹנֵנוּ כָּרוּחַ יִשָּׂאֻנוּ — Is. 64:5
מֵעֲוֹנֵינוּ 185 לָשׁוּב מֵעֲוֹנֵינוּ וּלְהַשְׂכִּיל בַּאֲמִתֶּךָ — Dan. 9:13
186 אֱלֹהֵינוּ חָשַׂכְתָּ לְמַטָּה מֵעֲוֹנֵינוּ — Ez. 9:13
עֲוֹנוֹת 187 דִּבְרֵי עֲוֹנֹת גָּבְרוּ מֶנִּי — Ps. 65:4
188 אִם־עֲוֹנוֹת תִּשְׁמָר־יָהּ — Ps. 130:3
189 כַּמָּה לִי עֲוֹנוֹת וְחַטָּאוֹת — Job 13:23
עֲוֹנֹת־ 190 וְהִתְוַדָּה עָלָיו אֶת־כָּל־עֲוֹנֹת בְּ״י — Lev. 16:21
191 שָׁבוּ עַל־עֲוֹנֹת אֲבוֹתָם — Jer. 11:10
192 אַל־תִּזְכָּר־לָנוּ עֲוֹנֹת רִאשֹׁנִים — Ps. 79:8
193 וְתוֹרִישֵׁנִי עֲוֹנוֹת נְעוּרָי — Job 13:26
194 כִּי־חֵמָה עֲוֹנוֹת חָרֶב — Job 19:29
195 מֵחַטֹּאת נְבִיאֶיהָ עֲוֹנֹת כֹּהֲנֶיהָ — Lam. 4:13
וַעֲוֹנֹת־ 196 עֲוֹנֹתֵיכֶם וַעֲוֹנֹת אֲבוֹתֵיכֶם — Is. 65:7
197 עַל־חַטֹּאתֵיהֶם וַעֲוֹנוֹת אֲבֹתֵיהֶם — Neh. 9:2

בַּעֲוֹנֹת־ 198 וְאַף בַּעֲוֹנֹת אֲבֹתָם אִתָּם יִמָּקּוּ — Lev. 26:39
וּבַעֲוֹנוֹת־ 199 כִּי בַחֲטָאֵינוּ וּבַעֲוֹנוֹת אֲבֹתֵינוּ... — Dan. 9:16
עֲוֹנֹתַי 200 כִּי עֲוֹנֹתַי עָבְרוּ רֹאשִׁי — Ps. 38:5
201 הִשִּׂיגוּנִי עֲוֹנֹתַי — Ps. 40:13
202 וְכָל־עֲוֹנֹתַי מְחֵה — Ps. 51:11
בַּעֲוֹנֹתֶיךָ 203 הוֹגַעְתַּנִי בַּעֲוֹנֹתֶיךָ — Is. 43:24
לַעֲוֹנֹתֶיךָ 204 רָעָתְךָ רַבָּה וְאֵין־קֵץ לַעֲוֹנֹתֶיךָ — Job 22:5
עֲוֹנֹתָיו 205 וְהוּא יִפְדֶּה אֶת־יִשְׂ׳ מִכֹּל עֲוֹנֹתָיו — Ps. 130:8
עֲווֹנוֹתָיו 206 עֲווֹנוֹתָיו יִלְכְּדֻנוֹ אֶת־הָרָשָׁע — Prov. 5:22
עֲוֹנֹתֵינוּ 207 יָשׁוּב יְרַחֲמֵנוּ יִכְבֹּשׁ עֲוֹנֹתֵינוּ... — Mic. 7:19
208 שַׁתָּ עֲוֹנֹתֵינוּ לְנֶגְדֶּךָ — Ps. 90:8
209 כִּי עֲוֹנֹתֵינוּ רָבוּ לְמַעְלָה רֹאשׁ — Ez. 9:6
וַעֲוֹנֹתֵינוּ 210 פְּשָׁעֵינוּ אִתָּנוּ וַעֲוֹנֹתֵינוּ יְדַעֲנוּם — Is. 59:12
וּבַעֲוֹנֹתֵינוּ 211 וּבַעֲוֹנֹתֵינוּ נִתַּנּוּ...בְּיַד מַלְכֵי הָאֲרָ׳ — Ez. 9:7
כַּעֲוֹנֹתֵינוּ 212 וְלֹא כַעֲוֹנֹתֵינוּ גָּמַל עָלֵינוּ — Ps. 103:10
מֵעֲוֹנֹתֵינוּ 213 מְחֹלָל מִפְּשָׁעֵנוּ מְדֻכָּא מֵעֲוֹנֹתֵינוּ — Is. 53:5
עֲוֹנֹתֵיכֶם 214 תִּשְׂאוּ אֶת־עֲוֹנֹתֵיכֶם — Num. 14:34
215 כִּי אִם־עֲוֹנֹתֵיכֶם הָיוּ מַבְדִּלִים — Is. 59:2
216 עֲוֹנֹתֵיכֶם וַעֲוֹנֹת אֲבוֹתֵיכֶם — Is. 65:7
217 עֲוֹנוֹתֵיכֶם הִטּוּ־אֵלֶּה — Jer. 5:25
218 עַל עֲוֹנֹתֵיכֶם וְעַל תּוֹעֲבוֹתֵיכֶם׳ — Ezek. 36:31
219 בְּיוֹם טַהֲרִי...מִכֹּל עֲוֹנוֹתֵיכֶם — Ezek. 36:33
220 אֶפְקֹד עֲלֵיכֶם אֵת כָּל־עֲוֹנֹתֵיכֶם — Am. 3:2
בַּעֲוֹנֹתֵיכֶם 221 הֵן בַּעֲוֹנֹתֵיכֶם נִמְכַּרְתֶּם... — Is. 50:1
222 וּנְמַקֹּתֶם בַּעֲוֹנֹתֵיכֶם — Ezek. 24:23
עֲוֹנֹתָם 223 וְנָשָׂא הַשָּׂעִיר...אֶת־כָּל־עֲוֹנֹתָם — Lev. 16:22
224 וַתְּהִי עֲוֹנֹתָם עַל־עַצְמוֹתָם — Ezek. 32:27
וַעֲוֹנֹתָם 225 וַעֲוֹנֹתָם הוּא יִסְבֹּל — Is. 53:11
עֲוֹנוֹתֵיהֶם 226 וְסָלַחְתִּי לְכֹל׳ עֲוֹנוֹתֵיהֶם — Jer. 33:8
227 וַאֲנַחְנוּ׳ עֲוֹנֹתֵיהֶם סָבָלְנוּ — Lam. 5:7
מֵעֲוֹנוֹתֵיהֶם 228 הַגֵּד...וְיִכָּלְמוּ מֵעֲוֹנוֹתֵיהֶם — Ezek. 43:10
וּמֵעֲוֹנֹתֵיהֶם 229 וּמֵעֲוֹנֹתֵיהֶם יִתְעַנּוּ — Ps. 107:17

עוֹנָה*
נ׳ זמן קבוע (למילוי חובת אישות): 1, 2
וְעֹנָתָהּ 1 שְׁאֵרָהּ כְּסוּתָהּ וְעֹנָתָהּ לֹא יִגְרָע — Ex. 21:10
עוֹנוֹתָם 2 בְּאָסְרָם לִשְׁתֵּי עוֹנוֹתָם (כת׳ עינתם) — Hosh.10:10

עוֹנֵן
ז׳ קוסם בעננים(?) – עין עָנַן

עִוְעִים
ז״ר בלבול, טרוף
עִוְעִים 1 יְיָ מָסַךְ בְּקִרְבָּהּ רוּחַ עִוְעִים — Is. 19:14

עוֹעֵר
(Is. 15:5) – עין (עור) (42)

עוף
: עָף, עוֹפֵף, הִתְעוֹפֵף, הֵעִיף, הוּעַף; עוֹף, יְעָף, מָעוּף (?); עַפְעַף (?); אר׳ עוף

(עוף) 1 עָף פ׳ א) רחף, נשא באויר: 1-18
ב) [פ׳ עוֹפֵף] עָף: 20-23
ג) [כנ״ל] הֵנִיף: 19
ד) [הת׳ הִתְעוֹפֵף] נָז, חלף: 24
ה) [הפ׳ הֵעִיף] הניף, הזיז: 25
ו) [הפ׳ הוּעַף] נשא באויר: 26
קרובים: גָּז (גוז) / דָּאָה / הֶאֱבִיר (אבר) / טָשׁ (טוש) / נָסַק / הִמְרִיא (מרא) / רִחֵף

מְגִלָּה עָפָה 4, 5; צִפֳּרִים עָפוֹת 6; שָׂרָף מְעוֹפֵף 20, 21; הִגְבִּיהַּ עוּף 1; הָעִיף עֵינָיו 25

עוּף 1 וּבְנֵי־רֶשֶׁף יַגְבִּיהוּ עוּף — Job 5:7
לָעוּף 2 כַּצִּפּוֹר לָנוּד כַּדְּרוֹר לָעוּף — Prov. 26:2
וְעָפוּ 3 וְעָפוּ בְכָתֵף פְּלִשְׁתִּים יָמָּה — Is. 11:14
עָפָה 4 וָאֶרְאֶה וְהִנֵּה מְגִלָּה עָפָה — Zech. 5:1
5 אֲנִי רֹאֶה מְגִלָּה עָפָה — Zech. 5:2
עָפוֹת 6 כְּצִפֳּרִים עָפוֹת כֵּן יָגֵן — Is. 31:5
אָעוּפָה 7 אָעוּפָה וְאֶשְׁכֹּנָה — Ps. 55:7

יָעוּף 8 לֹא־תִירָא...מֵחֵץ יָעוּף יוֹמָם Ps. 91:5
9 כְּנֶשֶׁר יָעוּף (כת׳ ועוף) הַשָּׁמָיִם Prov. 23:5
10 כַּחֲלוֹם יָעוּף וְלֹא יִמְצָאֻהוּ Job 20:8
וַיָּעֹף 11 וַיִּרְכַּב עַל־כְּרוּב וַיָּעֹף IISh. 22:11
12 יֶלֶק פָּשַׁט וַיָּעֹף Nah. 3:16
13 וַיִּרְכַּב עַל־כְּרוּב וַיָּעֹף Ps. 18:11
וַיָּעָף 14 וַיָּעָף אֵלַי אֶחָד מִן־הַשְּׂרָפִים Is. 6:6
תָּעוּף 15 צִפּוֹר כָּנָף אֲשֶׁר תָּעוּף בַּשָּׁמָיִם Deut. 4:17
וַנָּעֻפָה 16 כִּי־גָז חִישׁ וַנָּעֻפָה Ps. 90:10
יָעֻפוּ 17 יָעֻפוּ כְּנֶשֶׁר חָשׁ לֶאֱכוֹל Hab. 1:8
תְּעוּפֶינָה 18 מִי־אֵלֶּה כָּעָב תְּעוּפֶינָה... Is. 60:8
בְּעוֹפְפִי 19 בְּעוֹפְפִי חַרְבִּי עַל־פְּנֵיהֶם Ezek. 32:10
מְעוֹפֵף 20 ...וּפִרְיוֹ שָׂרָף מְעוֹפֵף Is. 14:29
21 מֵהֶם אֶפְעֶה וְשָׂרָף מְעוֹפֵף Is. 30:6
יְעוֹפֵף 22 וְעוֹף יְעוֹפֵף עַל־הָאָרֶץ Gen. 1:20
23 וּבִשְׁתַּיִם יְכַסֶּה רַגְלָיו וּבִשְׁתַּיִם יְעוֹפֵף Is. 6:2
יִתְעוֹפֵף 24 כָּעוֹף יִתְעוֹפֵף כְּבוֹדָם Hosh. 9:11
הֲתָעִיף 25 הֲתָעִיף (כת׳ התעוף) עֵינֶיךָ בּוֹ וְאֵינֶנּוּ Prov.23:5
מֻעָף 26 וְהָאִישׁ גַּבְרִיאֵל...מֻעָף בִּיעָף Dan. 9:21

(עוף) עָף² פ׳ חָשַׁךְ, קָדַר (?)

תְּעֻפָה 1 ...תָּעֻפָה כַּבֹּקֶר תִּהְיֶה Job 11:17

עוֹף¹ ז׳ שם כללי לבעלי־החיים אשר להם כנפים לעוף: 1-71

קרובים: אַח / אַיָּה / אֲנָפָה / אֶפְרֹחַ / בַּרְבּוּר / גּוֹזָל / דּוּכִיפַת / דַּיָּה / דְּרוֹר / זָמִיר / זַרְזִיר(?) / חֲסִידָה / יוֹנָה / יַנְשׁוּף / יָעֵן / כּוֹס² / נֵץ / נֶשֶׁר / סִיס / עָגוּר / עֹרֵב / עָזְנִיָּה / עַיִט / פֶּרֶס / קָאַת / קוֹרֵא / רָאָה / רָחָם / שַׁחַף / שֶׂכְוִי / שְׂלָו / שָׁלָךְ / תַּחְמָס / תֻּכִּי(?)

עוֹף טָהוֹר 2, 9, 16; עוֹף טָמֵא 16; עוֹף הָרִים 50; עוֹף כָּנָף 31, 51; עוֹף נוֹדֵד 28; עוֹף הַשָּׁמַיִם 32-49, 52-71; שֶׁרֶץ הָעוֹף 13-15, 17

עוֹף 1 צֵיד חַיָּה אוֹ־עוֹף Lev. 17:13
2 כָּל־עוֹף טָהוֹר תֹּאכֵלוּ Deut. 14:20
3 כִּכְלוּב מָלֵא עוֹף Jer. 5:27
וְעוֹף 4 וְעוֹף יְעוֹפֵף עַל־הָאָרֶץ Gen. 1:20
וָעוֹף 5 סָפְתָה בְהֵמוֹת וָעוֹף Jer. 12:4
הָעוֹף 6 וּמִן־הָעוֹף וְכֹל אֲשֶׁר־רֹמֵשׂ Gen. 7:8
7 וְכָל־הָעוֹף לְמִינֵהוּ Gen. 7:14
8 כָּל־הָרֶמֶשׂ וְכָל־הָעוֹף Gen. 8:19
9 וּמִכֹּל הָעוֹף הַטָּהֹר Gen. 8:20
10 וְאָכַל הָעוֹף אֶת־בְּשָׂרְךָ Gen. 40:19
11 וְאִם מִן־הָעוֹף עֹלָה קָרְבָּנוֹ לַיְיָ Lev. 1:14
12 וְאֶת־אֵלֶּה תְּשַׁקְּצוּ מִן־הָעוֹף Lev. 11:13
13/4 שֶׁרֶץ הָעוֹף הַהֹלֵךְ עַל־אַרְבַּע Lev. 11:20, 21
15 שֶׁרֶץ הָעוֹף אֲשֶׁר־לוֹ אַרְבַּע רַגְלָיִם Lev. 11:23
16 וּבֵין־הָעוֹף הַטָּמֵא לַטָּהֹר Lev. 20:25
17 וְכֹל שֶׁרֶץ הָעוֹף טָמֵא הוּא לָכֶם Deut. 14:19
18 וַיְדַבֵּר עַל־הַבְּהֵמָה וְעַל־הָעוֹף IK. 5:13
19 כָּל־נְבֵלָה וּטְרֵפָה מִן־הָעוֹף Ezek. 44:31
וְהָעוֹף 20 וְהָעוֹף יִרֶב בָּאָרֶץ Gen. 1:22
21 וְהָעוֹף אֹכֵל אֹתָם מִן־הַסַּל Gen. 40:17
22 זֹאת תּוֹרַת הַבְּהֵמָה וְהָעוֹף Lev. 11:46
מֵהָעוֹף 23 מֵהָעוֹף לְמִינֵהוּ Gen. 6:20
בָּעוֹף 24 כָּל־בָּשָׂר...בָּעוֹף וּבַבְּהֵמָה וּבַחַיָּה Gen. 7:21
25 מִכָּל־בָּשָׂר בָּעוֹף וּבַבְּהֵמָה Gen. 8:17
26 בָּעוֹף בַּבְּהֵמָה וּבְכָל־חַיַּת הָאָרֶץ Gen. 9:10
וּבָעוֹף 27 וְלֹא־תְשַׁקְּצוּ...בַּבְּהֵמָה וּבָעוֹף Lev. 20:25
כְּעוֹף 28 וְהָיָה כְעוֹף־נוֹדֵד קֵן מְשֻׁלָּח Is. 16:2
כָּעוֹף 29 כָּעוֹף יִתְעוֹפֵף כְּבוֹדָם Hosh. 9:11
לָעוֹף 30 וְכָל־דָּם...לָעוֹף וְלַבְּהֵמָה Lev. 7:26
עוֹף־ 31 כָּל־עוֹף כָּנָף לְמִינֵהוּ Gen. 1:21
32 וּלְכָל־עוֹף הַשָּׁמַיִם... Gen. 1:30
33 וַיִּצֶר...וְאֵת כָּל־עוֹף הַשָּׁמַיִם Gen. 2:19
34/5 עַד־רֶמֶשׂ וְעַד־עוֹף הַשָּׁמַיִם Gen. 6:7; 7:23
36-49 עוֹף הַשָּׁמַיִם (מָ) Gen. 9:2
Deut. 28:26 • IISh. 21:10 • IK. 14:11; 16:4; 21:24 •
Jer. 4:25; 15:3 • Ezek. 31:6, 13; 32:4 • Hosh. 2:20 •
Zep. 1:3 • Ps. 104:12
50 יָדַעְתִּי כָּל־עוֹף הָרִים Ps. 50:11
51 וּכְחוֹל יַמִּים עוֹף כָּנָף Ps. 78:27
52 עוֹף הַשָּׁמַיִם יוֹלִיךְ אֶת־הַקּוֹל Eccl. 10:20
וְעוֹף־ 53 וְרָעֲשׁוּ מִפָּנַי דְּגֵי הַיָּם וְעוֹף הַשָּׁ׳ Ezek. 38:20
54 שְׁאַל־נָא...וְעוֹף הַשָּׁמַיִם וְיַגֶּד־לָךְ Job 12:7
וּבְעוֹף־ 55/6 בִּדְגַת הַיָּם וּבְעוֹף הַשָּׁמַיִם Gen. 1:26, 28
57 בְּחַיַּת הַשָּׂדֶה וּבְעוֹף הַשָּׁמָיִם Hosh. 4:3
כְּעוֹף־ 58 כְּעוֹף הַשָּׁמַיִם אוֹרִידֵם Hosh. 7:12
לְעוֹף־ 59 לְעוֹף הַשָּׁמַיִם וּלְבֶהֱמַת הַשָּׂדֶה ISh. 17:44
60 לְעוֹף הַשָּׁמַיִם וּלְחַיַּת הָאָרֶץ ISh. 17:46
61-65 לְעוֹף הַשָּׁמָיִם Jer. 7:33; 16:4
19:7; 34:20 • Ps. 79:2
וּלְעוֹף־ 66 לְכָל־הַבְּהֵמָה וּלְעוֹף הַשָּׁמַיִם Gen. 2:20
67 לְחַיַּת הָאָרֶץ וּלְעוֹף הַשָּׁמַיִם Ezek. 29:5
מֵעוֹף־ 68 גַּם מֵעוֹף הַשָּׁמַיִם שִׁבְעָה שִׁבְעָה Gen. 7:3
69 מֵעוֹף הַשָּׁמַיִם וְעַד־בְּהֵמָה Jer. 9:9
וּמֵעוֹף־ 70 וּמֵעוֹף הַשָּׁמַיִם נִסְתָּרָה Job 28:21
71 וּמֵעוֹף הַשָּׁמַיִם יְחַכְּמֵנוּ Job 35:11

עוֹף² ז׳ ארמית, כמו בעברית: 1, 2

עוֹף 1 וְלַהּ גַּפִּין אַרְבַּע דִּי־עוֹף עַל־גַּבַּהּ° Dan. 7:6
וְעוֹף־ 2 וְעוֹף־שְׁמַיָּא יְהַב בִּידָךְ Dan. 2:38

עוֹפֶרֶת נ׳ מתכת רכה, אֲבָר: 1-9 • קרובים: ראה בַּרְזֶל

אֶבֶן עוֹפֶרֶת 7; כִּכַּר עוֹפֶרֶת 1

עֹפֶרֶת 1 וְהִנֵּה כִּכַּר עֹפֶרֶת נִשֵּׂאת Zech. 5:7
עֹפָרֶת 2 נִחַר מַפֻּחַ מֵאֵשׁ תַּם° עֹפָרֶת Jer. 6:29
וְעוֹפֶרֶת 3 נְחֹשֶׁת וּבְדִיל וּבַרְזֶל וְעוֹפֶרֶת Ezek. 22:18
4 וּנְחֹשֶׁת וּבַרְזֶל וְעוֹפֶרֶת וּבְדִיל Ezek. 22:20
5 בְּכֶסֶף בַּרְזֶל בְּדִיל וְעוֹפֶרֶת Ezek. 27:12
וְעֹפָרֶת 6 בְּעֵט־בַּרְזֶל וְעֹפָרֶת... Job 19:24
הָעוֹפֶרֶת 7 וַיַּשְׁלֵךְ אֶת־אֶבֶן הָעוֹפֶרֶת אֶל־פִּיהָ Zech. 5:8
הָעֹפָרֶת 8 וְאֶת־הַבְּדִיל וְאֶת־הָעֹפָרֶת Num. 31:22
כַּעוֹפֶרֶת 9 צָלֲלוּ כַּעוֹפֶרֶת בְּמַיִם אַדִּירִים Ex. 15:10

עוץ¹ פ׳ יעץ [רק בצווי, בשאר הצורות – ר׳ יעץ]: 1, 2

עֻצוּ 1 שִׂימוּ־לָכֶם עָלֶיהָ עֻצוּ וְדַבֵּרוּ Jud. 19:30
2 עֻצוּ עֵצָה וְתֻפָר Is. 8:10

עוּץ² שפ־ז א) בכור אֲרָם מבני שם: 1, 5

ב) בכור נחור אחי אברהם: 2
ג) מצאצאי שֵׂעִיר החֹרִי: 3, 4

עוּץ 1 וּבְנֵי אֲרָם עוּץ וְחוּל וְגֶתֶר Gen. 10:23
2 אֶת־עוּץ בְּכֹרוֹ וְאֶת־בּוּז אָחִיו Gen. 22:21
3 אֵלֶּה בְנֵי־דִישָׁן עוּץ וַאֲרָן Gen. 36:28
4 בְּנֵי דִישׁוֹן עוּץ וַאֲרָן ICh. 1:42
וְעוּץ 5 וְעוּץ וְחוּל וְגֶתֶר וָמֶשֶׁךְ ICh. 1:17

עוּץ³ ש־פ – חבל־ארץ בדרום מזרח הירדן, מולדת איוב: 1-3

עוּץ 1 אִישׁ הָיָה בְאֶרֶץ־עוּץ אִיּוֹב שְׁמוֹ Job 1:1
2 בַּת־אֱדוֹם יוֹשֶׁבֶת° בְּאֶרֶץ עוּץ Lam. 4:21
הָעוּץ 3 וְאֵת כָּל־מַלְכֵי אֶרֶץ הָעוּץ Jer. 25:20

עוק : הֵעִיק; עָקָה, מוּעָקָה

(עוק) הֵעִיק הפ׳ לָחַץ: 1, 2

מֵעִיק 1 הִנֵּה אָנֹכִי מֵעִיק תַּחְתֵּיכֶם Am. 2:13
תָּעִיק 2 כַּאֲשֶׁר תָּעִיק הָעֲגָלָה הַמְלֵאָה לָהּ Am. 2:13

(עור) עֵר פ׳ א) הקיץ, לא יָשֵׁן: 1-4

ב) [בהשאלה] התנער, הזדרז: 5-21
ג) [נפ׳ נֵעוֹר] הקיץ: 25, 28
ד) [כנ״ל, בהשאלה] התנער, התגבר: 22-24, 26, 27
ה) [פ׳ עוֹרֵר] הקים משנה: 29, 31, 35
ו) [כנ״ל, בהשאלה] זֵרז, הניף, המריץ: 30, 32-34, 36-43
ז) [הת׳ הִתְעוֹרֵר] (בהשאלה) התנער, התגבר: 44-48
ח) [הפ׳ הֵעִיר] עורר משנה: 64-66, 75, 79
ט) [כנ״ל, בהשאלה] עורר, זרז, המריץ: 49-63, 67-74, 76-78, 80

עֵר 1 יַכְרֵת יְיָ...עֵר וְעֹנֶה מֵאָהֳלֵי יַעֲקֹב Mal. 2:12
2 אֲנִי יְשֵׁנָה וְלִבִּי עֵר S.ofS. 5:2
יְעוּרֶנּוּ 3 לֹא־אַכְזָר כִּי יְעוּרֶנּוּ Job 41:2
עוּרָה 4 עוּרָה לָמָּה תִישַׁן אֲדֹנָי Ps. 44:24
5 עוּרָה כְבוֹדִי Ps. 57:9
6-7 עוּרָה הַנֵּבֶל וְכִנּוֹר Ps. 57:9; 108:3
8 עוּרָה לִקְרָאתִי וּרְאֵה Ps. 59:5
וְעוּרָה 9 וְעוּרָה אֵלַי מִשְׁפָּט צִוִּיתָ Ps. 7:7
עוּרִי 10/1 עוּרִי עוּרִי דְּבוֹרָה Jud. 5:12
12/3 עוּרִי עוּרִי דַּבְּרִי־שִׁיר Jud. 5:12
14/5 עוּרִי עוּרִי לִבְשִׁי־עֹז זְרוֹעַ יְיָ Is. 51:9
16 עוּרִי כִּימֵי קֶדֶם... Is. 51:9
17/8 עוּרִי עוּרִי לִבְשִׁי עֻזֵּךְ צִיּוֹן Is. 52:1
19 הוֹי אֹמֵר...עוּרִי לְאֶבֶן דּוּמָם Hab. 2:19
20 חֶרֶב עוּרִי עַל־רֹעִי Zech. 13:7
21 עוּרִי צָפוֹן וּבוֹאִי תֵימָן S.ofS. 4:16
נֵעוֹר 22 כִּי נֵעוֹר מִמְּעוֹן קָדְשׁוֹ Zech. 2:17
יֵעוֹר 23 וְגוֹי גָּדוֹל יֵעוֹר מִיַּרְכְּתֵי־אָרֶץ Jer. 6:22
24 וְסַעַר גָּדוֹל יֵעוֹר מִיַּרְכְּתֵי־אָרֶץ Jer. 25:32
25 כְּאִישׁ אֲשֶׁר־יֵעוֹר מִשְּׁנָתוֹ Zech. 4:1
יֵעֹרוּ 26 וּמְלָכִים רַבִּים יֵעֹרוּ מִיַּרְכְּתֵי־אָ׳ Jer. 50:41
27 יֵעוֹרוּ וְיַעֲלוּ הַגּוֹיִם Joel 4:12
28 לֹא יָקִיצוּ וְלֹא־יֵעֹרוּ מִשְּׁנָתָם Job 14:12
עֹרֵר 29 הָעֲתִידִים עֹרֵר לִוְיָתָן Job 3:8
וְעוֹרַרְתִּי 30 וְעוֹרַרְתִּי בָנַיִךְ צִיּוֹן עַל־בָּנַיִךְ יָוָן Zech. 9:13
עוֹרַרְתִּיךָ 31 תַּחַת הַתַּפּוּחַ עוֹרַרְתִּיךָ S.ofS. 8:5
עוֹרֵר 32-34 (וְ)הוּא(־)עוֹרֵר אֶת־חֲנִיתוֹ עַל־שְׁלֹשׁ מֵאוֹת IISh.23:18 • ICh.11:11,20
35 עוֹרֵר לְךָ רְפָאִים Is. 14:9
וְעוֹרֵר 36 וְעוֹרֵר עָלָיו יְיָ צְבָאוֹת שׁוֹט Is. 10:26
עֹרְרוּ 37 עֹרְרוּ אַרְמְנוֹתֶיהָ שָׂמָהּ לְמַפֵּלָה Is. 23:13
תְּעוֹרֵר 38 שִׂנְאָה תְּעוֹרֵר מְדָנִים Prov. 10:12
תְּעוֹרְרוּ 39-40 וְאִם־תְּעוֹרְרוּ אֶת־הָאַהֲבָה S.ofS.2:7; 3:5
41 מַה־תָּעִירוּ וּמַה־תְּעֹרְרוּ S.ofS. 8:4
(יְעֹעֵרוּ) 42 זַעֲקַת־שֶׁבֶר יְעֹעֵרוּ Is. 15:5
עוֹרְרָה 43 עוֹרְרָה אֶת־גְּבוּרָתֶךָ Ps. 80:3
וְהִתְעֹרַרְתִּי 44 וְהִתְעֹרַרְתִּי כִּי־מְצָאוֹ רָע Job 31:29
מִתְעוֹרֵר 45 וְאֵין...מִתְעוֹרֵר לְהַחֲזִיק בָּךְ Is. 64:6
יִתְעֹרָר 46 וְנָקִי עַל־חָנֵף יִתְעֹרָר Job 17:8
הִתְעוֹרְרִי 47/8 הִתְעוֹרְרִי הִתְעוֹרְרִי קוּמִי יְרוּ׳ Is. 51:17
וַיָּעַר 49 וַיָּעַר אֱלֹהֵי יִשְׂרָאֵל אֶת־רוּחַ פּוּל ICh. 5:26
50 וַיָּעַר יְיָ עַל־יְהוֹרָם...רוּחַ הַפְּלִשְׁ׳ IICh. 21:16
הַעִירוֹתִי 51 הַעִירוֹתִי מִצָּפוֹן וַיַּאת Is. 41:25

הֶעִירֹתִיהוּ 52 אָנֹכִי הַעִירֹתִהוּ בְצֶדֶק Is. 45:13
הֵעִיר 53 מִי הֵעִיר מִמִּזְרָח צֶדֶק... Is. 41:2
54 הֵעִיר יְיָ אֶת־רוּחַ מַלְכֵי מָדַי Jer. 51:11
55/6 הֵעִיר יְיָ אֶת־רוּחַ כּ(וֹ)רֶשׁ Ez. 1:1 • IICh. 36:22
57 הֵעִיר הָאֱלֹהִים אֶת־רוּחוֹ Ez. 1:5
מֵעִיר 58 הִנְנִי מֵעִיר עֲלֵיהֶם אֶת־מָדָי Is. 13:17
59 הִנֵּה אָנֹכִי מֵעִיר וּמַעֲלֶה עַל־בָּבֶל Jer. 50:9
60 הִנְנִי מֵעִיר עַל־בָּבֶל...רוּחַ מַשְׁחִית Jer. 51:1
61 הִנְנִי מֵעִיר אֶת־מְאַהֲבַיִךְ עָלַיִךְ Ezek. 23:22
62 יִשְׁבּוֹת מֵעִיר מִלּוּשׁ בָּצֵק... Hosh. 7:4
מְעִירָם 63 הִנְנִי מְעִירָם מִן־הַמָּקוֹם Joel 4:7
אָעִירָה 64/5 עוּרָה הַנֵּבֶל...אָעִירָה שָּׁחַר Ps. 57:9; 108:3
יָעִיר 66 כְּנֶשֶׁר יָעִיר קִנּוֹ עַל־גּוֹזָלָיו יְרַחֵף Deut. 32:11
67 כְּאִישׁ מִלְחָמוֹת יָעִיר קִנְאָה Is. 42:13
68 יָעִיר בַּבֹּקֶר בַּבֹּקֶר Is. 50:4
69 יָעִיר לִי אֹזֶן לִשְׁמֹעַ כַּלִּמּוּדִים Is. 50:4
70 וְלֹא־יָעִיר כָּל־חֲמָתוֹ Ps. 78:38
71 כִּי־עַתָּה יָעִיר עָלֶיךָ... Job 8:6
72 יָעִיר הַכֹּל אֵת מַלְכוּת יָוָן Dan. 11:2
וְיָעֵר 73 וְיָעֵר כֹּחוֹ וּלְבָבוֹ עַל־מֶלֶךְ הַנֶּגֶב Dan. 11:25
וַיָּעַר 74 וַיָּעַר יְיָ אֶת־רוּחַ זְרֻבָּבֶל Hag. 1:14
וַיְעִירֵנִי 75 וַיְעִירֵנִי כְּאִישׁ אֲשֶׁר־יֵעוֹר מִשְּׁנָתוֹ Zech. 4:1
תָּעִירוּ 76/7 אִם־תָּעִירוּ וְאִם־תְּעוֹרְרוּ S.ofS. 2:7; 3:5
78 מַה־תָּעִירוּ וּמַה־תְּעֹרְרוּ S.ofS. 8:4
הָעִירָה 79 הָעִירָה וְהָקִיצָה לְמִשְׁפָּטִי Ps. 35:23
הָעִירוּ 80 הָעִירוּ הַגִּבּוֹרִים יִגְּשׁוּ יַעֲלוּ Joel 4:9

(עור)² נֵעוֹר נפ׳ נגלה, נחשף [עין גם ערה]

תֵּעוֹר 1 עֶרְיָה תֵעוֹר קַשְׁתֶּךָ Hab. 3:9

עִוֵּר¹ פ׳ נקר את העיניים, סִמֵּא (גם בהשאלה): 1-5

עִוֵּר 1 וְאֶת־עֵינֵי צִדְקִיָּהוּ עִוֵּר IIK. 25:7
2-3 וְאֶת־עֵינֵי צִדְקִיָּהוּ עִוֵּר Jer. 39:7; 52:11
יְעַוֵּר 4 כִּי הַשֹּׁחַד יְעַוֵּר פִּקְחִים Ex. 23:8
5 כִּי הַשֹּׁחַד יְעַוֵּר עֵינֵי חֲכָמִים Deut. 16:19

עִוֵּר² ת׳ סומא, שנטל אור עיניו (גם בהשאלה): 1-26

– עִוֵּר וּפִסֵּחַ 3, 4, 6, 10, 21, 22
– עַם עִוֵּר 9; עֵינֵי עִוְרִים 15, 16; עֵינַיִם עִוְרוֹת 26; פּוֹקֵחַ עִוְרִים 19

עִוֵּר 1 אִלֵּם אוֹ חֵרֵשׁ אוֹ פִקֵּחַ אוֹ עִוֵּר Ex. 4:11
2 וְלִפְנֵי עִוֵּר לֹא תִתֵּן מִכְשֹׁל Lev. 19:14
3 אִישׁ עִוֵּר אוֹ פִסֵּחַ Lev. 21:18
4 ...פִּסֵּחַ אוֹ עִוֵּר Deut. 15:21
5 אָרוּר מַשְׁגֶּה עִוֵּר בַּדָּרֶךְ Deut. 27:18
6 עִוֵּר וּפִסֵּחַ לֹא יָבוֹא אֶל־הַבָּיִת IISh. 5:8
7 מִי עִוֵּר כִּי אִם־עַבְדִּי Is. 42:19
8 מִי עִוֵּר כִּמְשֻׁלָּם Is. 42:19
9 הוֹצִיא עַם־עִוֵּר וְעֵינַיִם יֵשׁ Is. 43:8
10 בָּם עִוֵּר וּפִסֵּחַ Jer. 31:8(7)
11 וְכִי־תַגִּשׁוּן עִוֵּר לִזְבֹּחַ Mal. 1:8
וְעִוֵּר 12 מִי...וְעִוֵּר כְּעֶבֶד יְיָ Is. 42:19
הָעִוֵּר 13 כַּאֲשֶׁר יְמַשֵּׁשׁ הָעִוֵּר בָּאֲפֵלָה Deut. 28:29
לַעִוֵּר 14 עֵינַיִם הָיִיתִי לַעִוֵּר Job 29:15
עִוְרִים 15 וּמֵאֹפֶל...עֵינֵי עִוְרִים תִּרְאֶינָה Is. 29:18
16 אָז תִּפָּקַחְנָה עֵינֵי עִוְרִים Is. 35:5
17 וְהוֹלַכְתִּי עִוְרִים בְּדֶרֶךְ לֹא יָדָעוּ Is. 42:16
18 צֹפָו עִוְרִים כֻּלָּם לֹא יָדָעוּ Is. 56:10
19 יְיָ פֹּקֵחַ עִוְרִים Ps. 146:8
20 נָעוּ עִוְרִים בַּחוּצוֹת Lam. 4:14
הַעִוְרִים 21 כִּי אִם־הֱסִירְךָ הַעִוְרִים וְהַפִּסְחִים IISh. 5:6
22 וְאֶת־הַפִּסְחִים וְאֶת־הַעִוְרִים IISh. 5:8
וְהַעִוְרִים 23 וְהַעִוְרִים הַבִּיטוּ לִרְאוֹת Is. 42:18
כַּעִוְרִים 24 נְגַשְׁשָׁה כַעִוְרִים קִיר Is. 59:10
25 וַהֲצֵרֹתִי לָאָדָם וְהָלְכוּ כַּעִוְרִים Zep. 1:17
עִוְרוֹת 26 לִפְקֹחַ עֵינַיִם עִוְרוֹת Is. 42:7

עוּר ז׳ ארמית מוֹץ

כְּעוּר 1 וַהֲווֹ כְּעוּר מִן־אִדְּרֵי־קַיִט Dan. 2:35

עוֹר ז׳ א) הקרום המכסה את רקמות הבשר שבגוף האדם: 11-25, 30-42, 46-48, 51, 52, 59-72, 75, 76, 78-85

ב) הקרום העבה והשעיר של בעלי־החיים למיניהם: 1-10, 26-29, 43-45, 49, 50, 53-58, 73, 74, 77, 86-99

– עוֹר וּבָשָׂר 15,16,71,74,81,99; עוֹר בְּשָׂרוֹ 52, 59-65, 67; עוֹר נֶגַע 51; עוֹר עוֹלָה 50; עוֹר פָּנָיו 46-48; עוֹר הַפָּר 49; עוֹר שִׁנָּיו 66; עוֹר תַּחַשׁ 53-58
– אֵזוֹר עוֹר 10; בַּדֵּי עוֹר 76; כְּלִי עוֹר 4-7, 27, 29; כְּסוּי עוֹר 53, 54; כָּתְנוֹת עוֹר 1; מִכְסֵה עוֹר 55-58; מְלֶאכֶת עוֹר 45
– עוֹרוֹת אֵילִם 87, 88, 91, 93-95; ע׳ גְּדָיִים 86; עוֹרוֹת תְּחָשִׁים 89, 90, 96-98

עוֹר 1 וַיַּעַשׂ...כָּתְנוֹת עוֹר וַיַּלְבִּשֵׁם Gen. 3:21
2 אוֹ בֶגֶד אוֹ־עוֹר אוֹ שָׂק Lev. 11:32
3 אוֹ בְעוֹר אוֹ בְּכָל־מְלֶאכֶת עוֹר Lev. 13:48
4-7 אוֹ (בְ)כָל־כְּלִי־עוֹר Lev. 13:49, 53, 57, 59
8 וְכָל־בֶּגֶד וְכָל־עוֹר Lev. 15:17
9 וְכָל־בֶּגֶד וְכָל־כְּלִי־עוֹר Num. 31:20
10 וְאֵזוֹר עוֹר אָזוּר בְּמָתְנָיו IIK. 1:8
11 וְקָרַמְתִּי עֲלֵיכֶם עוֹר Ezek. 37:6
12 וַיִּקְרַם עֲלֵיהֶם עוֹר מִלְמָעְלָה Ezek. 37:8
13-14 עוֹר בְּעַד־עוֹר...יִתֵּן בְּעַד נַפְשׁוֹ Job 2:4
15 עוֹר וּבָשָׂר תַּלְבִּישֵׁנִי Job 10:11
הָעוֹר 16 וְאֶת־הַבָּשָׂר וְאֶת־הָעוֹר Lev. 9:11
17 וְעָמֹק אֵין־מַרְאֶהָ מִן־הָעוֹר Lev. 13:14
18 וְהִנֵּה מַרְאֶהָ שָׁפָל מִן־הָעוֹר Lev. 13:20
19-20 וּשְׁפָלָה אֵינֶנָּה מִן־הָעוֹר Lev. 13:21, 26
21 וּמַרְאֶהָ עָמֹק מִן־הָעוֹר Lev. 13:25
22 וְהִנֵּה מַרְאֵהוּ עָמֹק מִן־הָעוֹר Lev. 13:30
23 וְהִנֵּה אֵין־מַרְאֵהוּ עָמֹק מִן־הָעוֹר Lev. 13:31
24 וּמַרְאֶה...אֵין עָמֹק מִן־הָעוֹר Lev. 13:32
25 וּמַרְאֵהוּ אֵינֶנּוּ עָמֹק מִן־הָעוֹר Lev. 13:34
26 לְכֹל אֲשֶׁר־יֵעָשֶׂה הָעוֹר לִמְלָאכָה Lev. 13:51
27 אוֹ אֶת־כָּל־כְּלִי הָעוֹר Lev. 13:52
28 מִן־הַבֶּגֶד אוֹ מִן־הָעוֹר Lev. 13:56
29 אוֹ־כָל־כְּלִי־הָעוֹר Lev. 13:58
בָּעוֹר 30 לֹא־פָשָׂה הַנֶּגַע בָּעוֹר Lev. 13:5
31 וְלֹא־פָשָׂה הַנֶּגַע בָּעוֹר Lev. 13:6
32 וְאִם־פָּשֹׂה תִפְשֶׂה הַמִּסְפַּחַת בָּעוֹר Lev. 13:7
33 וְהִנֵּה פָּשְׂתָה הַמִּסְפַּחַת בָּעוֹר Lev. 13:8
34 וְהִנֵּה שְׂאֵת־לְבָנָה בָּעוֹר Lev. 13:10
35 וְאִם־פָּרוֹחַ תִּפְרַח הַצָּרַעַת בָּעוֹר Lev. 13:12
36/7 (וְ)אִם־פָּשֹׂה תִפְשֶׂה בָּעוֹר Lev. 13:22, 27
38 הַבַּהֶרֶת...לֹא־פָשְׂתָה בָעוֹר Lev. 13:28
39 וְהִנֵּה לֹא־פָשָׂה הַנֶּתֶק בָּעוֹר Lev. 13:34
40 וְאִם־פָּשֹׂה יִפְשֶׂה הַנֶּתֶק בָּעוֹר Lev. 13:35
41 וְהִנֵּה פָּשָׂה הַנֶּתֶק בָּעוֹר Lev. 13:36
42 בֹּהַק הוּא פָּרַח בָּעוֹר Lev. 13:39
43 וְהָיָה הַנֶּגַע...בַּבֶּגֶד אוֹ בָעוֹר Lev. 13:49
44 אוֹ־בַשְּׁתִי אוֹ־בָעֵרֶב אוֹ בָעוֹר Lev. 13:51
בְּעוֹר 45 אוֹ בְעוֹר אוֹ בְּכָל־מְלֶאכֶת עוֹר Lev. 13:48
עוֹר־ 46 וּמֹשֶׁה לֹא־יָדַע כִּי קָרַן עוֹר פָּנָיו Ex. 34:29
47 וְהִנֵּה קָרַן עוֹר פָּנָיו Ex. 34:30
עוֹר־ (המשך) 48 כִּי קָרַן עוֹר פְּנֵי מֹשֶׁה Ex. 34:35
49 וְאֶת־עוֹר הַפָּר וְאֶת־כָּל־בְּשָׂרוֹ Lev. 4:11
50 עוֹר הָעֹלָה אֲשֶׁר הִקְרִיב Lev. 7:8
51 וְכִסְּתָה...אֵת כָּל־עוֹר הַנֶּגַע Lev. 13:12
52 כְּמַרְאֵה צָרַעַת עוֹר בָּשָׂר Lev. 13:43
53-54 כְּסוּי עוֹר תָּחַשׁ Num. 4:6, 14
55-58 (בְּ)מִכְסֵה עוֹר תָּחַשׁ Num. 4:8, 10, 11, 12
בְּעוֹר־ 59 כִּי־יִהְיֶה בְעוֹר־בְּשָׂרוֹ שְׂאֵת Lev. 13:2
60 וְהָיָה בְעוֹר־בְּשָׂרוֹ לְנֶגַע צָרָעַת Lev. 13:2
61 אֶת־הַנֶּגַע בְּעוֹר־הַבָּשָׂר Lev. 13:3
62 וְאִם־בַּהֶרֶת...בְּעוֹר בְּשָׂרוֹ Lev. 13:4
63 צָרַעַת נוֹשֶׁנֶת הִוא בְּעוֹר בְּשָׂרוֹ Lev. 13:11
64/5 בְעוֹר־בְּשָׂרָם בֶּהָרֹת Lev. 13:38, 39
66 וָאֶתְמַלְּטָה בְּעוֹר שִׁנָּי Job 19:20
מֵעוֹר־ 67 עָמֹק מֵעוֹר בְּשָׂרוֹ Lev. 13:3
עוֹרִי 68 עוֹרִי רָגַע וַיִּמָּאֵס Job 7:5
69 וְאַחַר עוֹרִי נִקְּפוּ־זֹאת Job 19:26
70 עוֹרִי שָׁחַר מֵעָלָי Job 30:30
וְעוֹרִי 71 בִּלָּה בְשָׂרִי וְעוֹרִי שִׁבַּר עַצְמוֹתָי Lam. 3:4
בְּעוֹרִי 72 בְּעוֹרִי וּבִבְשָׂרִי דָּבְקָה עַצְמִי Job 19:20
עוֹרוֹ 73 וְאֶת־בְּשַׂר הַפָּר וְאֶת־עֹרוֹ Ex. 29:14
74 וְאֶת־הַפָּר וְאֶת־עֹרוֹ וְאֶת־בְּשָׂרוֹ Lev. 8:17
75 הֲיַהֲפֹךְ כּוּשִׁי עוֹרוֹ Jer. 13:23
76 יֹאכַל בַּדֵּי עוֹרוֹ Job 18:13
77 הֲתְמַלֵּא בְשֻׂכּוֹת עוֹרוֹ Job 40:31
בְעוֹרוֹ 78 וּבָשָׂר כִּי־יִהְיֶה בוֹ־בְעֹרוֹ שְׁחִין Lev. 13:18
79 כִּי־יִהְיֶה בְעֹרוֹ מִכְוַת־אֵשׁ Lev. 13:24
לְעוֹרוֹ 80 הִוא שִׂמְלָתוֹ לְעֹרוֹ Ex. 22:26
עוֹרָהּ 81 אֶת־עֹרָהּ וְאֶת־בְּשָׂרָהּ Num. 19:5
עוֹרֵנוּ 82 עוֹרֵנוּ כְּתַנּוּר נִכְמָרוּ Lam. 5:10
עוֹרָם 83 גֹּזְלֵי עוֹרָם מֵעֲלֵיהֶם Mic. 3:2
84 צָפַד עוֹרָם עַל־עַצְמָם Lam. 4:8
וְעוֹרָם 85 וְעוֹרָם מֵעֲלֵיהֶם הִפְשִׁיטוּ Mic. 3:3
עוֹרוֹת־ 86 וְאֵת עֹרֹת גְּדָיֵי הָעִזִּים Gen. 27:16
87/8 מִכְסֶה לָאֹהֶל עֹרֹת אֵילִם Ex. 26:14; 36:19
89/90 וּמִכְסֵה עֹרֹת תְּחָשִׁים Ex. 26:14; 36:19
91 וְאֶת־מִכְסֵה עוֹרֹת הָאֵילִם Ex. 39:34
92 וְאֶת־מִכְסֵה עֹרֹת הַתְּחָשִׁים Ex. 39:34
וְעוֹרוֹת־ 93-95 וְעֹרֹת אֵילִם מְאָדָּמִים Ex. 25:5; 35:7, 23
96-98 וְעֹרֹת תְּחָשִׁים Ex. 25:5; 35:7, 23
עוֹרוֹתָם 99 אֶת־עֹרֹתָם וְאֶת־בְּשָׂרָם Lev. 16:27

עוֹרֵב¹ ז׳ עוֹף בעל נוצה שחורה, נכּר בקולו הצרחני (Corvus): 1-10

קרובים: ראה עוֹף

בְּנֵי עוֹרֵב 3; שָׁחוֹר כָּעוֹרֵב 6; עֹרְבֵי נַחַל 10

עוֹרֵב 1/2 (וְ)אֵת כָּל־עֹרֵב לְמִינוֹ Lev. 11:15 • Deut. 14:14
3 נוֹתֵן...לִבְנֵי עֹרֵב אֲשֶׁר יִקְרָאוּ Ps. 147:9
וְעוֹרֵב 4 וְיַנְשׁוֹף וְעֹרֵב יִשְׁכְּנוּ־בָהּ Is. 34:11
הָעוֹרֵב 5 וַיְשַׁלַּח אֶת־הָעֹרֵב Gen. 8:7
כָּעוֹרֵב 6 קְוֻצּוֹתָיו תַּלְתַּלִּים שְׁחֹרוֹת כָּעוֹרֵב S.ofS. 5:11
לָעוֹרֵב 7 מִי יָכִין לָעֹרֵב צֵידוֹ Job 38:41
הָעוֹרְבִים 8 וְאֶת־הָעֹרְבִים צִוִּיתִי לְכַלְכֶּלְךָ שָׁם IK. 17:4
וְהָעוֹרְבִים 9 וְהָעֹרְבִים מְבִיאִים לוֹ לֶחֶם וּבָשָׂר IK. 17:6
עוֹרְבֵי־ 10 עַיִן...יִקְּרוּהָ עֹרְבֵי־נַחַל Prov. 30:17

עוֹרֵב² שפ״ז – אחד מנסיכי מִדְיָן בימי השופט גדעון: 1-5

צוּר עוֹרֵב 2; רֹאשׁ עוֹרֵב 3

עוֹרֵב 1 וַיִּלְכְּדוּ...אֶת־עֹרֵב וְאֶת־זְאֵב Jud. 7:25
2 וַיַּהַרְגוּ אֶת־עוֹרֵב בְּצוּר־עוֹרֵב Jud. 7:25
3 וְרֹאשׁ־עֹרֵב וּזְאֵב הֵבִיאוּ... Jud. 7:25
4 שָׂרֵי מִדְיָן אֶת־עֹרֵב וְאֶת־זְאֵב Jud. 8:3
כְּעוֹרֵב 5 שִׁיתֵמוֹ נְדִיבֵמוֹ כְּעֹרֵב וְכִזְאֵב Ps. 83:12

עִוָּרוֹן ז׳ מומו של העִוֵּר: 1, 2

בְּעִוָּרוֹן 1 וְכָל סוּס הָעַמִּים אַכֶּה בְּעִוָּרוֹן Zech. 12:4
וּבְעִוָּרוֹן 2 יַכְּכָה יְיָ בְּשִׁגָּעוֹן וּבְעִוָּרוֹן Deut. 28:28

עוֹרֵק* ז׳ צִנּוֹר־דם בגוף

וְעֹרְקַי 1 עֲצָמַי נִקַּר מֵעָלָי וְעֹרְקַי לֹא יִשְׁכָּבוּן Job 30:17

עַוֶּרֶת נ׳ עִוָּרוֹן, מוּם העִוֵּר

עַוֶּרֶת 1 עַוֶּרֶת אוֹ שָׁבוּר אוֹ־חָרוּץ Lev. 22:22

(עוּשׁ) עָשׁ פ׳ חָשׁ, מִהֵר

עוּשׁוּ 1 עוּשׁוּ וָבֹאוּ כָל־הַגּוֹיִם מִסָּבִיב Joel 4:11

עָוַת פ׳ א) עִקֵּם, סִלֵּף: 1-9
ב) [פ׳ עֻוַּת] עֻקַּם, סֻלַּף: 10
ג) [הת׳ הִתְעַוֵּת] התפתל: 11

לְעַוֵּת 1 לְעַוֵּת אָדָם בְּרִיבוֹ אֲדֹנָי לֹא רָאָה Lam. 3:36
וּלְעַוֵּת 2 וּלְעַוֵּת מֹאזְנֵי מִרְמָה Am. 8:5
עִוְּתָנִי 3 דְּעוּ־אֵפוֹ כִּי־אֱלוֹהַּ עִוְּתָנִי Job 19:6
עִוְּתוֹ 4 לְתַקֵּן אֵת אֲשֶׁר עִוְּתוֹ Eccl. 7:13
עִוְּתוּנִי 5 יֵבֹשׁוּ זֵדִים כִּי־שֶׁקֶר עִוְּתוּנִי Ps. 119:78
יְעַוֵּת 6 וְדֶרֶךְ רְשָׁעִים יְעַוֵּת Ps. 146:9
7 הַאֵל יְעַוֵּת מִשְׁפָּט Job 8:3
8 וְשַׁדַּי לֹא־יְעַוֵּת מִשְׁפָּט Job 34:12
יְעַוֵּת־ 9 וְאִם־שַׁדַּי יְעַוֵּת־צֶדֶק Job 8:3
מְעֻוָּת 10 מְעֻוָּת לֹא־יוּכַל לִתְקֹן Eccl. 1:15
וְהִתְעַוְּתוּ 11 וְהִתְעַוְּתוּ אַנְשֵׁי הֶחָיִל Eccl. 12:3

עוּת* [מלה סתומה] לעֲנוֹת(?) לעזור(?)

לָעוּת 1 לָדַעַת לָעוּת אֶת־יָעֵף דָּבָר Is. 50:4

עַוָּתָה* נ׳ עִוּוּת דין, עָוֶל

עַוָּתָתִי 1 רָאִיתָה יְיָ עַוָּתָתִי שָׁפְטָה מִשְׁפָּטִי Lam. 3:59

עוּתַי שפ״ז – מצאצאי פֶּרֶץ בן יהודה: 1, 2

עוּתַי 1 וּמִבְּנֵי בִגְוַי עוּתַי וְזַכּוּר° Ez. 8:14
2 עוּתַי בֶּן־עַמִּיהוּד ICh. 9:4

עֵז¹ נ׳ בהמת־צאן בעלת קרנים (Capra): 1-74
קרובים: ראה צֹאן
– עֵז מְשֻׁלֶּשֶׁת 6; בְּכוֹר עֵז 5
– בְּנֵי עִזִּים 53; גְּדִי עִזִּים 11, 45-48, 59, 63; גְּדָיֵי ע׳ 8, 57; חֲלֵב ע׳ 51; חֲשִׂפֵי ע׳ 50; יְרִיעוֹת ע׳ 12, 13; כְּבִיר ע׳ 64; מַעֲשֵׂה ע׳ 43; עֵדֶר ע׳ 66, 67; צְפִיר עִזִּים 52, 68, 69; שֵׂה ע׳ 44; שְׂעִיר ע׳ 10, 14, 17-42; שְׂעִירַת עִזִּים 15, 16

עֵז 1 וְאִם־עֵז קָרְבָּנוֹ וְהִקְרִיבוֹ לִפְנֵי יְיָ Lev. 3:12
3/2 שׁוֹר אוֹ־כֶשֶׂב אוֹ־עֵז Lev. 17:3; 22:27
4 וְהִקְרִיבָה עֵז בַּת־שְׁנָתָהּ... Num. 15:27
5 אוֹ בְכוֹר כֶּשֶׂב אוֹ־בְכוֹר עֵז Num. 18:17
וְעֵז 6 עֶגְלָה מְשֻׁלֶּשֶׁת וְעֵז מְשֻׁלֶּשֶׁת Gen. 15:9
וָעֵז 7 כָּל־חֵלֶב שׁוֹר וְכֶשֶׂב וָעֵז Lev. 7:23
עִזִּים 8 שְׁנֵי גְּדָיֵי עִזִּים טֹבִים Gen. 27:9
9 עִזִּים מָאתַיִם וּתְיָשִׁים עֶשְׂרִים Gen. 32:15
10 וַיִּשְׁחֲטוּ שְׂעִיר עִזִּים Gen. 37:31
11 אֲשַׁלַּח גְּדִי־עִזִּים מִן־הַצֹּאן Gen. 38:17
12/3 יְרִיעֹת עִזִּים לְאֹהֶל... Ex. 26:7; 36:14
14 שְׂעִיר עִזִּים זָכָר תָּמִים Lev. 4:23
15 שְׂעִירַת עִזִּים תְּמִימָה Lev. 4:28
16 אוֹ־שְׂעִירַת עִזִּים לְחַטָּאת Lev. 5:6
17 שְׂעִיר־עִזִּים לְחַטָּאת Lev. 9:3
18 שְׁנֵי־שְׂעִירֵי עִזִּים לְחַטָּאת Lev. 16:5

עִזִּים (המשך) 41-19 (וּ)שְׂעִיר(־)עִזִּים Lev. 23:19
Num. 7:16, 22, 28, 34, 40, 46, 52, 58, 64, 70, 76; 7:82; 15:24; 28:15, 30; 29:5, 11, 16, 19, 25 • Ezek. 43:22; 45:23
42 וּשְׂעִירֵי עִזִּים שְׁנֵים עָשָׂר לְחַטָּאת Num. 7:87
43 וְכָל־כְּלִי־עוֹר וְכָל־מַעֲשֵׂה עִזִּים Num. 31:20
44 שֵׂה כְשָׂבִים וְשֵׂה עִזִּים Deut. 14:4
45 וַיַּעַשׂ גְּדִי־עִזִּים Jud. 6:19
48-46 (וּ/בּ)גְדִי ע׳ Jud. 13:15; 15:1 • ISh. 16:20
49 צֹאן שְׁלֹשֶׁת־אֲלָפִים וְאֶלֶף עִזִּים ISh. 25:2
50 וַיַּחֲנוּ ב״י נֶגְדָּם כִּשְׁנֵי חֲשִׂפֵי עִזִּים IK. 20:27
51 וְדֵי חֲלֵב עִזִּים לְלַחְמְךָ Prov. 27:27
52 וּצְפִירֵי עִזִּים שִׁבְעָה לְחַטָּאת IICh. 29:21
53 צֹאן כְּבָשִׂים וּבְנֵי־עִזִּים IICh. 35:7
וְעִזִּים 56-54 וְשֵׁשׁ וְעִזִּים Ex. 25:4; 35:6, 23
הָעִזִּים 57 וְאֵת עֹרֹת גְּדָיֵי הָעִזִּים Gen. 27:16
58 כָּל־הָעִזִּים הַנְּקֻדּוֹת וְהַטְּלֻאֹת Gen. 30:35
59 וַיִּשְׁלַח יְהוּדָה אֶת־גְּדִי הָעִזִּים Gen. 38:20
60 מִן־הַכְּבָשִׂים וּמִן־הָעִזִּים תִּקָּחוּ Ex. 12:5
61 וְכָל־הַנָּשִׁים...טָווּ אֶת־הָעִזִּים Ex. 35:26
62 מִן־הַכְּשָׂבִים אוֹ מִן־הָעִזִּים Lev. 1:10
63 וַיִּקַּח מָנוֹחַ אֶת־גְּדִי הָעִזִּים Jud. 13:19
64 וְאֵת כְּבִיר הָעִזִּים שָׂמָה מְרַאֲשֹׁתָיו ISh. 19:13
65 וּכְבִיר הָעִזִּים מְרַאֲשֹׁתָיו ISh. 19:16
66/7 שַׂעְרֵךְ כְּעֵדֶר הָעִזִּים S.ofS. 4:1; 6:5
68 וְהִנֵּה צְפִיר־הָעִזִּים בָּא Dan. 8:5
69 וּצְפִיר הָעִזִּים הִגְדִּיל עַד־מְאֹד Dan. 8:8
בָּעִזִּים 70 וְטָלוּא וְנָקֹד בָּעִזִּים Gen. 30:32
71 כֹּל אֲשֶׁר־אֵינֶנּוּ נָקֹד וְטָלוּא בָּעִזִּים Gen. 30:33
72 אוֹ־לַשֶּׂה בַכְּבָשִׂים אוֹ בָעִזִּים Num. 15:11
וּבָעִזִּים 73 בַּבָּקָר בַּכְּשָׂבִים וּבָעִזִּים Lev. 22:19
וְעִזֶּיךָ 74 רְחֵלֶיךָ וְעִזֶּיךָ לֹא שִׁכֵּלוּ Gen. 31:38

עֵז² נ׳ ארמית כמו בעברית: עֵז

עִזִּין 1 וּצְפִירֵי עִזִּין לְחַטָּאָה° עַל־כָּל־יִשׂ׳ Ez. 6:17

עַז ת׳ חזק, רב־כוח: 1-23
קרובים: ראה אַבִּיר
– עַז פָּנִים 3, 6; אוֹיֵב עַז 9, 10; גְּבוּל עַז 2; יֶתֶר עַז 7; מֶלֶךְ עַז 5; עַם עַז 1, 11; עַם לֹא עַז 13
– אַהֲבָה עַזָּה 17; חֵמָה עַזָּה 16; רוּחַ עַזָּה 15
– גָּאוֹן עַזִּים 19; מַיִם עַזִּים 18, 21; עַזֵּי נֶפֶשׁ 22

עַז 1 אֶפֶס כִּי־עַז הָעָם הַיֹּשֵׁב בָּאָרֶץ Num. 13:28
2 כִּי עַז גְּבוּל בְּנֵי עַמּוֹן Num. 21:24
3 גּוֹי עַז פָּנִים אֲשֶׁר לֹא־יִשָּׂא פָנִים Deut. 28:50
4 מַה־מָּתוֹק מִדְּבַשׁ וּמֶה עַז מֵאֲרִי Jud. 14:18
5 וּמֶלֶךְ עַז יִמְשָׁל־בָּם Is. 19:4
6 מֶלֶךְ עַז־פָּנִים וּמֵבִין חִידוֹת Dan. 8:23
עָז 7 יֶתֶר שְׂאֵת וְיֶתֶר עָז Gen. 49:3
8 אָרוּר אַפָּם כִּי עָז Gen. 49:7
9/10 יַצִּילֵנִי מֵאֹיְבִי עָז IISh. 22:18 • Ps. 18:18
11 עַל־כֵּן יְכַבְּדוּךָ עַם־עָז Is. 25:3
12 הַמַּבְלִיג שֹׁד עַל־עָז Am. 5:9
13 הַנְּמָלִים עַם לֹא־עָז Prov. 30:25
וּמֵעַז 14 וּמֵעַז יָצָא מָתוֹק Jud. 14:14
עַזָּה 15 וַיּוֹלֶךְ יְיָ...בְּרוּחַ קָדִים עַזָּה Ex. 14:21
16 וְשֹׁחַד בַּחֵק חֵמָה עַזָּה Prov. 21:14
17 כִּי־עַזָּה כַמָּוֶת אַהֲבָה S.ofS. 8:6
עַזִּים 18 הַנּוֹתֵן...וּבְמַיִם עַזִּים נְתִיבָה Is. 43:16
19 וְהִשְׁבַּתִּי גְּאוֹן עַזִּים Ezek. 7:24
20 יָגוּרוּ עָלַי עַזִּים Ps. 59:4
21 הִשְׁלַכְתָּ...כְּמוֹ־אֶבֶן בְּמַיִם עַזִּים Neh. 9:11
עַזֵּי־ 22 וְהַכְּלָבִים עַזֵּי־נֶפֶשׁ Is. 56:11
עַזּוֹת 23 וְעָשִׁיר יַעֲנֶה עַזּוֹת Prov. 18:23

עֹז ז׳ [הכתיב "עוז" במקראות 19, 26, 39, 40, 90] כּוֹחַ, גְּבוּרָה (גם בהשאלה): 1-93
קרובים: ראה כֹּחַ
– עֹז וְהָדָר 26; עֹז וְזִמְרָת 52-54; עֹז וְחֶדְוָה 31; עֹז וְתוּשִׁיָּה 27; עֹז וְתַעֲצֻמוֹת 17; כָּבוֹד וָעֹז 35, 36, 38; צְדָקוֹת וָעֹז 34
– עֹז אַפּוֹ 41; עֹז יְיָ 46; עֹז יְשׁוּעָתוֹ 42; עֹז מִבְטַחוֹ 43; עֹז מֶלֶךְ 44; עֹז פָּנָיו 45
– אֲרוֹן עֻזּוֹ 63, 64; בְּכָל־עֹז 4, 30; גְּאוֹן עֻזּוֹ 87-89, 91, 92; זְרוֹעַ (לֹא) עֹז 28, 58, 72; חֶבְיוֹן עֻ׳ 73; כְּלֵי עֹז 32; מִבְטַח עֹז 23; מִגְדַּל עֹז 2, 13, 24; מַטֵּה עֹז 6-8, 86; מִטְרוֹת עֻ׳ 79; מַצְּבוֹת עֻ׳ 70; מְרוֹם עֻ׳ 85; עִיר עֹז 33; צוּר עֻ׳ 51; קוֹל עֹז 15; קִרְיַת עֻזּוֹ 77, 78; רְקִיעַ עֻ׳ 76; תִּפְאֶרֶת עֻזּוֹ 93
– דָּרַךְ עֹז 1; הוֹרִיד עֹז 43; הִתְאַזֵּר עֹז 20; יִסֵּד עֹז 9; לָבַשׁ עֹז 5, 20, 69; לָן עֹז 29; נָתַן עֹז 3, 11, 16, 57

עֹז 1 תִּדְרְכִי נַפְשִׁי עֹז Jud. 5:21
2 וּמִגְדַּל־עֹז הָיָה בְתוֹךְ־הָעִיר Jud. 9:51
3 וְיִתֶּן־עֹז לְמַלְכּוֹ ISh. 2:10
4 וְדָוִד מְכַרְכֵּר בְּכָל־עֹז IISh. 6:14
5 עוּרִי עוּרִי לִבְשִׁי־עֹז זְרוֹעַ יְיָ Is. 51:9
6 אֵיכָה נִשְׁבַּר מַטֵּה־עֹז Jer. 48:17
7 וַיִּהְיוּ־לָהּ מַטּוֹת עֹז Ezek. 19:11
8 וְלֹא־הָיָה בָהּ מַטֵּה עֹז Ezek. 19:14
9 מִפִּי עוֹלְלִים וְיֹנְקִים יִסַּדְתָּ עֹז Ps. 8:3
10 יְיָ עֹז־לָמוֹ Ps. 28:8
11 יְיָ עֹז לְעַמּוֹ יִתֵּן Ps. 29:11
12 הֶעֱמַדְתָּה לְהַרְרִי עֹז Ps. 30:8
13 הָיִיתָ...מִגְדַּל־עֹז מִפְּנֵי אוֹיֵב Ps. 61:4
14 כִּי עֹז לֵאלֹהִים Ps. 62:12
15 הֵן יִתֵּן בְּקוֹלוֹ קוֹל עֹז Ps. 68:34
16 תְּנוּ עֹז לֵאלֹהִים Ps. 68:35
17 הוּא נֹתֵן עֹז וְתַעֲצֻמוֹת לָעָם Ps. 68:36
18 וְאַתָּה מַחֲסִי־עֹז Ps. 71:7
19 אַשְׁרֵי אָדָם עוֹז־לוֹ בָךְ Ps. 84:6
20 לָבֵשׁ יְיָ עֹז הִתְאַזָּר Ps. 93:1
21 עֹז וְתִפְאֶרֶת בְּמִקְדָּשׁוֹ Ps. 96:6
22 תַּרְהִבֵנִי בְנַפְשִׁי עֹז Ps. 138:3
23 בְּיִרְאַת יְיָ מִבְטַח־עֹז Prov. 14:26
24 מִגְדַּל־עֹז שֵׁם יְיָ Prov. 18:10
25 אָח נִפְשָׁע מִקִּרְיַת־עֹז Prov. 18:19
26 עוֹז־וְהָדָר לְבוּשָׁהּ Prov. 31:25
27 עִמּוֹ עֹז וְתוּשִׁיָּה Job 12:16
28 הוֹשַׁעְתָּ זְרוֹעַ לֹא־עֹז Job 26:2
29 בְּצַוָּארוֹ יָלִין עֹז Job 41:14
30 וְדָוִיד...מְשַׂחֲקִים...בְּכָל־עֹז ICh. 13:8
31 עֹז וְחֶדְוָה בִּמְקֹמוֹ ICh. 16:27
32 וּמְהַלְלִים...הַלְוִיִּם בִּכְלֵי עֹז לַייָ IICh. 30:21
עָז־ 33 עִיר עָז־לָנוּ Is. 26:1
וָעֹז 34 אַךְ בַּייָ לִי אָמַר צְדָקוֹת וָעֹז Is. 45:24
35/6 הָבוּ לַייָ כָּבוֹד וָעֹז Ps. 29:1; 96:7
37 אֱלֹהִים לָנוּ מַחֲסֶה וָעֹז Ps. 46:2
38 הָבוּ לַייָ כָּבוֹד וָעֹז ICh. 16:28
בְּעוֹז 39 חָגְרָה בְעוֹז מָתְנֶיהָ Prov. 31:17
בַּעוֹז 40 גֶּבֶר־חָכָם בַּעוֹז Prov. 24:5
עֹז־ 41 מִי־יוֹדֵעַ עֹז אַפֶּךָ Ps. 90:11
42 יֱהֹוִה אֲדֹנָי עֹז יְשׁוּעָתִי Ps. 140:8
43 וַיֹּרֶד עֹז מִבְטֶחָה Prov. 21:22

וְעֹז־ 44 וְעֹז מֶלֶךְ מִשְׁפָּט אָהֵב Ps. 99:4
45 וְעֹז פָּנָיו יְשֻׁנֶּא Eccl. 8:1
בְּעֹז־ 46 וְעָמַד וְרָעָה בְּעֹז יְיָ Mic. 5:3
עֻזִּי 47 וֵאלֹהַי הָיָה עֻזִּי Is. 49:5
48 יְיָ עֻזִּי וּמָעֻזִּי וּמְנוּסִי Jer. 16:19
49 יְיָ עֻזִּי וּמָגִנִּי Ps. 28:7
50 עֻזִּי אֵלֶיךָ אֲזַמֵּרָה Ps. 59:18
51 צוּר־עֻזִּי מַחְסִי בֵּאלֹהִים Ps. 62:8
עָזִּי 52/3 עָזִּי וְזִמְרָת יָהּ Ex. 15:2 • Ps. 118:14
54 כִּי־עָזִּי וְזִמְרָת יָהּ יְיָ... Is. 12:2
עֻזֶּךָ 55 לִרְאוֹת עֻזְּךָ וּכְבוֹדֶךָ Ps. 63:3
56 בְּרֹב עֻזְּךָ יְכַחֲשׁוּ־לְךָ אֹיְבֶיךָ Ps. 66:3
57 תְּנָה־עֻזְּךָ לְעַבְדֶּךָ Ps. 86:16
58 בִּזְרוֹעַ עֻזְּךָ פִּזַּרְתָּ אוֹיְבֶיךָ Ps. 89:11
59 מַטֵּה עֻזְּךָ יִשְׁלַח יְיָ מִצִּיּוֹן Ps. 110:2
עֻזֶּ֑ךָ 60 וַאֲנִי אָשִׁיר עֻזֶּךָ Ps. 59:17
61 צִוָּה אֱלֹהֶיךָ עֻזֶּךָ Ps. 68:29
62 הוֹדַעְתָּ בָעַמִּים עֻזֶּךָ Ps. 77:15
63/4 קוּמָה...אַתָּה וַאֲרוֹן עֻזֶּךָ Ps. 132:8
IICh. 6:41
בְּעָזְּךָ 65 נֵהַלְתָּ בְעָזְּךָ אֶל־נְוֵה קָדְשֶׁךָ Ex. 15:13
66 יְיָ בְּעָזְּךָ יִשְׂמַח־מֶלֶךְ Ps. 21:2
67 אַתָּה פוֹרַרְתָּ בְעָזְּךָ יָם Ps. 74:13
בְּעֻזֶּ֑ךָ 68 רוּמָה יְיָ בְּעֻזֶּךָ Ps. 21:14
עֻזֵּךְ 69 עוּרִי עוּרִי לִבְשִׁי עֻזֵּךְ צִיּוֹן Is. 52:1
70 וּמַצְּבוֹת עֻזֵּךְ לָאָרֶץ תֵּרֵד Ezek. 26:11
71 וְהוֹרִד מִמֵּךְ עֻזֵּךְ Am. 3:11
עֻזּוֹ 72 נִשְׁבַּע יְיָ בִּימִינוֹ וּבִזְרוֹעַ עֻזּוֹ Is. 62:8
73 וְשָׁם חֶבְיוֹן עֻזֹּה Hab. 3:4
74 עֻזּוֹ אֵלֶיךָ אֶשְׁמֹרָה Ps. 59:10
75 וַיִּתֵּן לַשְּׁבִי עֻזּוֹ Ps. 78:61
76 הַלְלוּהוּ בִּרְקִיעַ עֻזּוֹ Ps. 150:1
77/8 הוֹן עָשִׁיר קִרְיַת עֻזּוֹ Prov. 10:15; 18:11
79 וְגֶשֶׁם מִטְרוֹת עֻזּוֹ Job 37:6
וְעֻזּוֹ 80 עַל־יִשְׂרָאֵל גַּאֲוָתוֹ וְעֻזּוֹ בַּשְּׁחָקִים Ps. 68:35
81/2 דִּרְשׁוּ יְיָ וְעֻזּוֹ Ps. 105:4 • ICh. 16:11
83 וְעֻזּוֹ וְאַפּוֹ עַל כָּל־עֹזְבָיו Ez. 8:22
בְּעֻזּוֹ 84 וַיְנַהֵג בְּעֻזּוֹ תֵימָן Ps. 78:26
עֻזָּהּ 85 וְכִי תְבַצֵּר מְרוֹם עֻזָּהּ Jer. 51:53
86 מַטֵּה עֻזָּהּ אֵשׁ אֲכָלָתְהוּ Ezek. 19:12
87 וְיָרַד גְּאוֹן עֻזָּהּ Ezek. 30:6
88 וְנִשְׁבַּת־בָּהּ גְּאוֹן עֻזָּהּ Ezek. 30:18
89 וְנִשְׁבַּת גְּאוֹן עֻזָּהּ Ezek. 33:28
עוּזֵּנוּ 90 הַרְנִינוּ לֵאלֹהִים עוּזֵּנוּ Ps. 81:2
עֻזְּכֶם 91 וְשָׁבַרְתִּי אֶת־גְּאוֹן עֻזְּכֶם Lev. 26:19
92 אֶת־מִקְדָּשִׁי גְּאוֹן עֻזְּכֶם Ezek. 24:21
עֻזָּמוֹ 93 כִּי־תִפְאֶרֶת עֻזָּמוֹ אָתָּה Ps. 89:18

עֻזָּא שפ״ז א) בן אֲבִינָדָב, שנהג עם אחיו בארון אלהים ונענש: 1-2, 6-10
ב) איש מבנימין: 5
ג) מן הנתינים עולי הגולה: 3, 4
בְּנֵי עֻזָּא 3, 4; גַּן־עֻזָּא 1, 2

עֻזָּא 1 וַיִּקָּבֵר בְּגַן־בֵּיתוֹ בְּגַן־עֻזָּא IIK. 21:18
2 וַיִּקָּבֵר אֹתוֹ...בְּגַן־עֻזָּא IIK. 21:26
3/4 בְּנֵי־עֻזָּא בְּנֵי־פָסֵחַ Ez. 2:49 • Neh. 7:51
5 וְהוֹלִיד אֶת־עֻזָּא וְאֶת־אֲחִיחֻד ICh. 8:7
6 וַיִּשְׁלַח עֻזָּא אֶת־יָדוֹ לֶאֱחֹז אֶת־הָאָרוֹן ICh.13:9
וְעֻזָּא 7 וְעֻזָּא וְאַחְיוֹ בְּנֵי אֲבִינָדָב נֹהֲגִים... IISh. 6:3
8 וְעֻזָּא וְאַחְיוֹ נֹהֲגִים בָּעֲגָלָה ICh. 13:7
בְּעֻזָּא 9 וַיִּחַר־אַף יְיָ בְּעֻזָּא וַיַּכֵּהוּ ICh. 13:10
10 כִּי־פָרַץ יְיָ פֶּרֶץ בְּעֻזָּא ICh. 13:11

עֲזָאזֵל ש־פ – כנוי של צוק סלע במדבר יהודה(?): 1-4
לַעֲזָאזֵל 1 גּוֹרָל אֶחָד לַייָ וְגוֹרָל אֶחָד לַעֲזָאזֵל Lev. 16:8
2 וְהַשָּׂעִיר...עָלָיו הַגּוֹרָל לַעֲזָאזֵל Lev. 16:10
3 לְשַׁלַּח אֹתוֹ לַעֲזָאזֵל הַמִּדְבָּרָה Lev. 16:10
4 וְהַמְשַׁלֵּחַ אֶת־הַשָּׂעִיר לַעֲזָאזֵל Lev. 16:26

עזב : א) עָזַב, נֶעֱזַב, עֻזַּב; עֲזוּבָה, עִזָּבוֹן, עִזְבוֹנִים; ש״פ עֲזוּבָה
ב) עָזַב, עָזַב

עָזַב¹ פָּ' א) הניח מידו, נטש, סר מן־:
רוב המקראות 1-198
ב) השאיר: 13, 58, 73, 83, 84, 121, 122, 125, 127, 140, 141, 147-152, 171
ג) [עָזוּב] חפשי(?) נטוש?: 98-102
ד) [נפ' נֶעֱזַב] נִטַּשׁ, הֻפְקַר: 199-207
ה) [פֻּ' עֻזַּב] כנ״ל: 208
קרובים: הִנִּיחַ (נוח) / זָנַח / נָטַשׁ / נָסוֹג (סוג) / הִרְפָּה (רפה) / הִשְׁאִיר (שאר) / הִשְׁלִיךְ (שלך)

– עוֹזֵב אֹרַח 87, 89; עוֹזְבֵי בְּרִית 93; ע' יְיָ 90, 94; ע' תּוֹכַחַת 85; ע' תּוֹרָה 91, 92; מוֹדֶה וְעוֹזֵב 86
– עָצוּר(...) וְעָזוּב 98-102; אִשָּׁה עֲזוּבָה 103; עִיר עֲזוּבָה 106; בֵּיצִים עֲזוּבוֹת 108
– עָזַב אֶת־ רוב המקראות 1-199; עָזַב אֶל־ (לְ) 125, 127, 171, 180; עָזַב עַל־ 141

וְעָזוֹב 1 כִּי גַם־אַיֶּלֶת בַּשָּׂדֶה יָלְדָה וְעָזוֹב Jer. 14:5
לַעֲזֹב 2 לֹא־יוּכַל הַנַּעַר לַעֲזֹב אֶת־אָבִיו Gen. 44:22
מֵעֲזֹב 3 חָלִילָה לָּנוּ מֵעֲזֹב אֶת־יְיָ Josh. 24:16
עָזְבֵךְ 4 עָזְבֵךְ אֶת־יְיָ אֱלֹהַיִךְ Jer. 2:17
5 כִּי־רַע וָמָר עָזְבֵךְ אֶת־יְיָ אֱלֹהָיִךְ Jer. 2:19
לְעָזְבֵךְ 6 אַל־תִּפְגְּעִי־בִי לְעָזְבֵךְ Ruth 1:16
עָזְבָהּ 7 מִיּוֹם עָזְבָה אֶת־הָאָרֶץ וְעַד־עָתָּה IIK. 8:6
בַּעֲזָבְכֶם 8 בַּעֲזָבְכֶם אֶת־מִצְוֹת יְיָ IK. 18:18
עָזְבָם 9 עַל־עָזְבָם אֶת־תּוֹרָתִי Jer. 9:12
בְּעָזְבָם 10 בְּעָזְבָם אֶת־יְיָ אֱלֹהֵי אֲבוֹתָם IICh. 28:6
עָזַבְתִּי 11 עָזַבְתִּי אֶת־בֵּיתִי נָטַשְׁתִּי...נַחֲלָתִי Jer. 12:7
12 וַאֲנִי לֹא־עָזַבְתִּי פִקֻּדֶיךָ Ps. 119:87
13 וְאַף־אֲנִי עָזַבְתִּי אֶתְכֶם בְּיַד־שִׁישָׁק IICh. 12:5
עֲזַבְתִּיךְ 14 בְּרֶגַע קָטֹן עֲזַבְתִּיךְ Is. 54:7
עֲזַבְתִּים 15 הַדְּבָרִים עֲשִׂיתִם וְלֹא עֲזַבְתִּים Is. 42:16
וַעֲזַבְתִּים 16 וַעֲזַבְתִּים וְהִסְתַּרְתִּי פָנַי מֵהֶם Deut. 31:17
עָזַבְתָּ 17 כִּי לֹא־עָזַבְתָּ דֹרְשֶׁיךָ יְיָ Ps. 9:11
עֲזַבְתָּנִי 18 מִפְּנֵי רֹעַ מַעֲלָלֶיךָ אֲשֶׁר עֲזַבְתָּנִי Deut. 28:20
19 אֵלִי אֵלִי לָמָה עֲזַבְתָּנִי Ps. 22:2
עֲזַבְתָּם 20 וְאַתָּה אֱלוֹהַּ סְלִיחוֹת...וְלֹא עֲזַבְתָּם Neh. 9:17
21 לֹא עֲזַבְתָּם בַּמִּדְבָּר Neh. 9:19
22 לֹא־עֲשִׂיתָם כָּלָה וְלֹא עֲזַבְתָּם Neh. 9:31
עָזַב 23 לֹא־עָזַב חַסְדּוֹ...מֵעִם אֲדֹנִי Gen. 24:27
24 כִּרְאוֹתָהּ כִּי־עָזַב בִּגְדוֹ בְּיָדָהּ Gen. 39:13
25 מִן־הַגּוֹיִם אֲשֶׁר־עָזַב יְהוֹשֻׁעַ Jud. 2:21
26 עָזַב כַּכְּפִיר סֻכּוֹ Jer. 25:38
27/8 עָזַב יְיָ אֶת־הָאָרֶץ Ezek. 8:12; 9:9
29 כִּי־רִצַּץ עָזַב דַּלִּים Job 20:19
30 אֲשֶׁר לֹא־עָזַב חַסְדּוֹ אֶת־הַחַיִּים Ruth 2:20
31 וּכְחֶזְקָתוֹ עָזַב אֶת־תּוֹרַת יְיָ IICh. 12:1
32 כִּי עָזַב אֶת־יְיָ אֱלֹהֵי אֲבֹתָיו IICh. 21:10
עָזָ֑ב 33 וּמִשְׁפַּט אֱלֹהָיו לֹא עָזָב Is. 58:2
עֲזָבַנִי 34 עֲזָבַנִי יְיָ וַאדֹנָי שְׁכֵחָנִי Is. 49:14
35 לִבִּי סְחַרְחַר עֲזָבַנִי כֹחִי Ps. 38:11
עֲזָבָנִי 36 עָצְמוּ מִשַּׂעֲרוֹת רֹאשִׁי וְלִבִּי עֲזָבָנִי Ps. 40:13
וְעָזַב 37 וְעָזַב אֶת־אָבִיו וָמֵת Gen. 44:22

וַעֲזָבַנִי 38 וַעֲזָבַנִי וְהֵפֵר אֶת־בְּרִיתִי Deut. 31:16
עֲזָבוֹ 39 אֱלֹהִים עֲזָבוֹ רִדְפוּ וְתִפְשׂוּהוּ Ps. 71:11
40 עֲזָבוֹ הָאֱלֹהִים לְנַסּוֹתוֹ IICh. 32:31
עֲזָבָנוּ 41 וּבְעַבְדֻתֵנוּ לֹא עֲזָבָנוּ אֱלֹהֵינוּ Ez. 9:9
עָזָ֑בָה 42 וְאֶת־תַּזְנוּתֶיהָ...לֹא עָזָבָה Ezek. 23:8
עָזַבְנוּ 43 וְכִי עָזַבְנוּ אֶת־אֱלֹהֵינוּ Jud. 10:10
44 חָטָאנוּ כִּי עָזַבְנוּ אֶת־יְיָ ISh. 12:10
45 בֹשְׁנוּ מְאֹד כִּי־עָזַבְנוּ אָרֶץ Jer. 9:18
46 כִּי עָזַבְנוּ מִצְוֹתֶיךָ Ez. 9:10
עֲזַבְנֻהוּ 47 וַאֲנַחְנוּ יְיָ אֱלֹהֵינוּ וְלֹא עֲזַבְנֻהוּ IICh. 13:10
עֲזַבְתֶּם 48 לֹא־עֲזַבְתֶּם אֶת־אֲחֵיכֶם Josh. 22:3
49 וְאַתֶּם עֲזַבְתֶּם אוֹתִי וַתַּעַבְדוּ... Jud. 10:13
50 כַּאֲשֶׁר עֲזַבְתֶּם אוֹתִי וַתַּעַבְדוּ... Jer. 5:19
51 וּבְנֵיכֶם וּבְנוֹתֵיכֶם אֲשֶׁר עֲזַבְתֶּם Ezek. 24:21
52 אַתֶּם עֲזַבְתֶּם אֹתִי IICh. 12:5
53 וְאַתֶּם עֲזַבְתֶּם אֹתוֹ IICh. 13:11
54 כִּי־עֲזַבְתֶּם אֶת־יְיָ וַיַּעֲזֹב אֶתְכֶם IICh. 24:20
וַעֲזַבְתֶּם 55 וַעֲזַבְתֶּם וְלִקְּטָה וְלֹא תִגְעֲרוּ־בָהּ Ruth 2:16
56 וַעֲזַבְתֶּם חֻקּוֹתַי וּמִצְוֹתַי IICh. 7:19
עֲזַבְתֶּן 57 לָמָּה זֶּה עֲזַבְתֶּן אֶת־הָאִישׁ Ex. 2:20
עָזְבוּ 58 רַק טַפָּם...עָזְבוּ בְּאֶרֶץ גֹּשֶׁן Gen. 50:8
59 עַל אֲשֶׁר עָזְבוּ אֶת־בְּרִית יְיָ Deut. 29:24
60 עַל אֲשֶׁר עָזְבוּ אֶת־יְיָ אֱלֹהֵיהֶם IK. 9:9
61/2 כִּי־עָזְבוּ בְרִיתְךָ בְּנֵי יִשְׂרָאֵל IK. 19:10, 14
63 עָזְבוּ אֶת־יְיָ נִאֲצוּ אֶת־קְדוֹשׁ יִשׂ' Is. 1:4
64 אֲשֶׁר עָזְבוּ מִפְּנֵי בְּנֵי יִשְׂרָאֵל Is. 17:9
65 אֹתִי עָזְבוּ מְקוֹר מַיִם חַיִּים Jer. 2:13
66 עַל אֲשֶׁר־עָזְבוּ אֲבוֹתֵיכֶם אוֹתִי Jer. 16:11
67 כִּי עָזְבוּ מְקוֹר מַיִם־חַיִּים אֶת־יְיָ Jer. 17:13
68 עַל אֲשֶׁר עָזְבוּ אֶת־בְּרִית יְיָ Jer. 22:9
69 כִּי־אֶת־יְיָ עָזְבוּ לִשְׁמֹר Hosh. 4:10
70 עַל אֲשֶׁר עָזְבוּ אֶת־יְיָ IICh. 7:22
71 כִּי־עָזְבוּ הַלְוִיִּם אֶת־מִגְרְשֵׁיהֶם IICh. 11:14
72 כִּי עָזְבוּ אֶת־יְיָ אֱלֹהֵי אֲבוֹתֵיהֶם IICh. 24:24
73 כִּי־עָזְבוּ אֹתוֹ בְּמַחֲלֻיִים רַבִּים IICh. 24:25
עָזָ֑בוּ 74 וְאֹתִי עָזָבוּ וְאֶת־תּוֹרָתִי לֹא שָׁמָרוּ Jer. 16:11
75 וְאֶת־גִּלּוּלֵי מִצְרַיִם לֹא עָזָבוּ Ezek. 20:8
עֲזָבוּנִי 76 יַעַן אֲשֶׁר עֲזָבוּנִי IK. 11:33
77/8 תַּחַת אֲשֶׁר עֲזָבוּנִי IIK. 22:17 • IICh. 34:25
79 עֲזָבוּנִי וַיְקַטְּרוּ לֵאלֹהִים אֲחֵרִים Jer. 1:16
80 בָּנַיִךְ עֲזָבוּנִי וַיִּשָּׁבְעוּ בְּלֹא אֱלֹהִים Jer. 5:7
81 יַעַן אֲשֶׁר עֲזָבֻנִי Jer. 19:4
82 כִּי־אָבִי וְאִמִּי עֲזָבוּנִי Ps. 27:10
וְעָזְבוּ 83 וְעָזְבוּ לַאֲחֵרִים חֵילָם Ps. 49:11
וַעֲזָבוּךְ 84 וַעֲזָבוּךְ עֵירֹם וְעֶרְיָה Ezek. 23:29
וְעוֹזֵב 85 וְעוֹזֵב תּוֹכַחַת מַתְעֶה Prov. 10:17
86 וּמוֹדֶה וְעֹזֵב יְרֻחָם Prov. 28:13
לְעֹזֵב 87 מוּסָר רָע לְעֹזֵב אֹרַח Prov. 15:10
עֹזְבִי־ 88 הוֹי רֹעִי הָאֱלִיל עֹזְבִי הַצֹּאן Zech. 11:17
הָעֹזְבִים 89 הָעֹזְבִים אָרְחוֹת יֹשֶׁר Prov. 2:13
עֹזְבֵי־ 90 וְאַתֶּם עֹזְבֵי יְיָ Is. 65:11
91 מֵרְשָׁעִים עֹזְבֵי תּוֹרָתֶךָ Ps. 119:53
92 עֹזְבֵי תוֹרָה יְהַלְלוּ רָשָׁע Prov. 28:4
93 וְשָׁב וְיָבֵן עַל־עֹזְבֵי בְּרִית קֹדֶשׁ Dan. 11:30
וְעֹזְבֵי־ 94 וְעֹזְבֵי יְיָ יִכְלוּ Is. 1:28
עֹזְבֶיךָ 95 כָּל־עֹזְבֶיךָ יֵבֹשׁוּ Jer. 17:13
עֹזְבָיו 96 וְעֻזּוֹ וְאַפּוֹ עַל כָּל־עֹזְבָיו Ez. 8:22
הַעֹזֶבֶת 97 הַעֹזֶבֶת אַלּוּף נְעוּרֶיהָ Prov. 2:17
עָזוּב 98 וְאֶפֶס עָצוּר וְאֶפֶס עָזוּב IIK. 14:26
וְעָזוּב 99 כִּי־אָזְלַת יָד וְאֶפֶס עָצוּר וְעָזוּב Deut. 32:36
100 וְהִכְרַתִּי...עָצוּר וְעָזוּב בְּיִשְׂרָאֵל IK. 14:10
101 וְהִכְרַתִּי...וְעָצוּר וְעָזוּב בְּיִשְׂרָאֵל IK. 21:21

102 וְהִכְרַתִּי...וְעָצוּר וְעָזוּב בְּיִשְׂרָאֵל IIK. 9:8
עֲזוּבָה 103 כִּי־כְאִשָּׁה עֲזוּבָה וַעֲצוּבַת רוּחַ Is. 54:6
104 תַּחַת הֱיוֹתֵךְ עֲזוּבָה וּשְׂנוּאָה Is. 60:15
105 לֹא־יֵאָמֵר לָךְ עוֹד עֲזוּבָה Is. 62:4
106 כָּל־הָעִיר עֲזוּבָה Jer. 4:29
107 עַזָּה עֲזוּבָה תִהְיֶה Zep. 2:4
עֲזוּבוֹת 108 וְכֶאֱסֹף בֵּיצִים עֲזֻבוֹת Is. 10:14
109 עֲזֻבוֹת עָרֵי עֲרֹעֵר Is. 17:2
אֶעֱזֹב 110 וְלֹא אֶעֱזֹב אֶת־עַמִּי יִשְׂרָאֵל IK. 6:13
אֶעֱזָבְךָ 111 לֹא אֶעֱזָבְךָ עַד אֲשֶׁר אִם... Gen. 28:15
אֶעֶזְבֶךָּ 112 לֹא אַרְפְּךָ וְלֹא אֶעֶזְבֶךָּ Josh. 1:5
116-113 וְחֵי־נַפְשְׁךָ אִם־אֶעֶזְבֶךָּ IIK. 2:2, 4, 6; 4:30
אֶעֶזְבֵם 117 אֲנִי יְיָ אֶעֱנֵם...לֹא אֶעֶזְבֵם Is. 41:17
אֶעֶזְבָה 118 אֶעֶזְבָה פָנַי וְאַבְלִיגָה Job 9:27
119 אֶעֶזְבָה עָלַי שִׂיחִי Job 10:1
וְאֶעֶזְבָה 120 וְאֶעֶזְבָה אֶת־עַמִּי וְאֵלְכָה מֵאִתָּם Jer. 9:1
תַּעֲזֹב 121/2 לֶעָנִי וְלַגֵּר תַּעֲזֹב אֹתָם Lev. 19:10; 23:22
123 אַל־נָא תַּעֲזֹב אֹתָנוּ Num. 10:31
124 הִשָּׁמֶר לְךָ פֶּן־תַּעֲזֹב אֶת־הַלֵּוִי Deut. 12:19
125 כִּי לֹא־תַעֲזֹב נַפְשִׁי לִשְׁאוֹל Ps. 16:10
126 רֵעֲךָ וְרֵעַ אָבִיךָ אַל־תַּעֲזֹב Prov. 27:10
וְתַעֲזֹב 127 וְתַעֲזֹב אֵלָיו יְגִיעֶךָ Job 39:11
תַּעַזְבֵנִי 128 אַל־תִּטְּשֵׁנִי וְאַל־תַּעַזְבֵנִי Ps. 27:9
129 אַל־תַּעַזְבֵנִי יְיָ Ps. 38:22
130 כִּכְלוֹת כֹּחִי אַל־תַּעַזְבֵנִי Ps. 71:9
131 עַד־זִקְנָה...אֱלֹהִים אַל־תַּעַזְבֵנִי Ps. 71:18
132 אַל־תַּעַזְבֵנִי עַד־מְאֹד Ps. 119:8
תַּעַזְבֶנּוּ 133 וְהַלֵּוִי אֲשֶׁר־בִּשְׁעָרֶיךָ לֹא תַעַזְבֶנּוּ Deut. 14:27
134 וְאִם־תַּעַזְבֶנּוּ יַזְנִיחֲךָ לָעַד ICh. 28:9
תַּעַזְבֶהָ 135 אַל־תַּעַזְבֶהָ וְתִשְׁמְרֶךָּ Prov. 4:6
תַּעַזְבֵנוּ 136 לָמָּה...תַּעַזְבֵנוּ לְאֹרֶךְ יָמִים Lam. 5:20
וַתַּעַזְבֵם 137 וַתַּעַזְבֵם בְּיַד אֹיְבֵיהֶם Neh. 9:28
וַתַּעַזְבִי 138 וַתַּעַזְבִי אָבִיךְ וְאִמֵּךְ Ruth 2:11
יַעֲזֹב 139 יַעֲזֹב רָשָׁע דַּרְכּוֹ Is. 55:7
140 אֲשֶׁר לֹא־יַעֲזֹב לָהֶם שֹׁרֶשׁ וְעָנָף Mal. 3:19
141 עָלֶיךָ יַעֲזֹב חֵלְכָה Ps. 10:14
142 וְלֹא־יַעֲזֹב אֶת־חֲסִידָיו Ps. 37:28
143 וְנַחֲלָתוֹ לֹא יַעֲזֹב Ps. 94:14
144 וְיִרְאַת שַׁדַּי יַעֲזוֹב Job 6:14
145 וְאִם־תַּעַזְבֻהוּ יַעֲזֹב אֶתְכֶם IICh. 15:2
יַעֲזָב־ 146 יַעֲזָב־אִישׁ אֶת־אָבִיו וְאֶת־אִמּוֹ Gen. 2:24
וַיַּעֲזֹב 147 וַיַּעֲזֹב כָּל־אֲשֶׁר־לוֹ בְּיַד־יוֹסֵף Gen. 39:6
148 וַיַּעֲזֹב בִּגְדוֹ בְּיָדָהּ וַיָּנָס Gen. 39:12
149/50 וַיַּעֲזֹב בִּגְדוֹ אֶצְלִי וַיָּנָס Gen. 39:15, 18
151 וַיַּעֲזֹב אֶת־עֲבָדָיו...בַּשָּׂדֶה Ex. 9:21
152 וַיַּעֲזֹב הַמֶּלֶךְ אֵת עֶשֶׂר נָשִׁים IISh. 15:16
153/4 וַיַּעֲזֹב אֶת־עֲצַת הַזְּקֵנִים IK. 12:8, 13
155 וַיַּעֲזֹב אֶת־הַבָּקָר וַיָּרָץ אַחֲרֵי אֵלִיָּהוּ IK.19:20
156 וַיַּעֲזֹב אֶת־יְיָ אֱלֹהֵי אֲבֹתָיו IIK. 21:22
157 וַיַּעֲזֹב אֶת־עֲצַת הַזְּקֵנִים IICh. 10:8
158 וַיַּעֲזֹב...אֵת עֲצַת הַזְּקֵנִים IICh. 10:13
159 כִּי־עֲזַבְתֶּם אֶת־יְיָ וַיַּעֲזֹב אֶתְכֶם IICh. 24:20
160 וַיַּעֲזֹב הֶחָלוּץ אֶת־הַשִּׁבְיָה IICh. 28:14
וַיַּעֲזָב־ 161 וַיַּעֲזָב־שָׁם לִפְנֵי אֲרוֹן בְּרִית־יְיָ ICh. 16:37
הֲיַעֲזֹב 162 הֲיַעֲזֹב מִצּוּר שָׂדַי שֶׁלֶג לְבָנוֹן Jer. 18:14
וַיַּעַזְבֵנִי 163 וַיַּעַזְבֵנִי אֲדֹנִי כִּי חָלִיתִי ISh. 30:13
יַעַזְבֶךָּ 164/5 לֹא יַרְפְּךָ וְלֹא יַעַזְבֶךָּ Deut. 31:6, 8
166 לֹא יַרְפְּךָ וְלֹא יַעַזְבֶךָּ ICh. 28:20
יַעַזְבֶנּוּ 167 בַּחֲצִי יָמָו יַעַזְבֶנּוּ Jer. 17:11
168 יְיָ לֹא־יַעַזְבֶנּוּ בְיָדוֹ Ps. 37:33
יַעַזְבֶנָּה 169 יַחְמֹל עָלֶיהָ וְלֹא יַעַזְבֶנָּה Job 20:13

יַעַזְבֵנוּ 170 אַל־יַעַזְבֵנוּ וְאַל־יִטְּשֵׁנוּ IK. 8:57
תַּעֲזֹב 171 כִּי־תַעֲזֹב לָאָרֶץ בֵּצֶיהָ Job 39:14
נַעֲזֹב 172 וְלֹא נַעֲזֹב אֶת־בֵּית אֱלֹהֵינוּ Neh. 10:40
נַעַזְבָה־ 173 נַעַזְבָה־נָּא אֶת־הַמַּשָּׁא הַזֶּה Neh. 5:10
תַּעַזְבוּ 174 כִּי תַעַזְבוּ אֶת־יְיָ Josh. 24:20
175 וְאָנָה תַעַזְבוּ כְבוֹדְכֶם Is. 10:3
תַּעֲזֹבוּ 176 תּוֹרָתִי אַל־תַּעֲזֹבוּ Prov. 4:2
תַּעַזְבֻהוּ 177 וְאִם־תַּעַזְבֻהוּ יַעֲזֹב אֶתְכֶם IICh. 15:2
יַעַזְבוּ 178 אִם־יַעַזְבוּ בָנָיו תּוֹרָתִי Ps. 89:31
יַעֲזֹבוּ 179 מְשַׁמְּרִים הַבְלֵי־שָׁוְא חַסְדָּם יַעֲזֹבוּ Jon. 2:9
וַיַּעַזְבוּ 180 וַיַּעַזְבוּ אֶת־הָעִיר פְּתוּחָה Josh. 8:17
181 וַיַּעַזְבוּ אֶת־יְיָ אֱלֹהֵי אֲבוֹתָם Jud. 2:12
182/3 וַיַּעַזְבוּ אֶת־יְיָ Jud. 2:13; 10:6
184 וַיַּעַזְבוּ אֶת־הֶעָרִים וַיָּנֻסוּ ISh. 31:7
185 וַיַּעַזְבוּ־שָׁם אֶת־עֲצַבֵּיהֶם IISh. 5:21
186 וַיַּעַזְבוּ אֶת־אָהֳלֵיהֶם IIK. 7:7
187 וַיַּעַזְבוּ אֶת־כָּל־מִצְוֹת יְיָ אֱלֹהֵיהֶם IIK. 17:16
188 וַיַּעַזְבוּ עָרֵיהֶם וַיָּנֻסוּ ICh. 10:7
189 וַיַּעַזְבוּ־שָׁם אֶת־אֱלֹהֵיהֶם ICh. 14:12
190 וַיַּעַזְבוּ אֶת־בֵּית יְיָ אֱלֹהֵי אֲבוֹתֵיהֶם IICh. 24:18
וַיַּעַזְבוּנִי 191 וַיַּעַזְבֻנִי וַיַּעַבְדוּ אֱלֹהִים אֲחֵרִים ISh. 8:8
יַעַזְבֻךָ 192 חֶסֶד וֶאֱמֶת אַל־יַעַזְבֻךָ Prov. 3:3
וַיַּעַזְבֻהוּ 193 וְעָשׂוּ הָרַע בְּעֵינֵי יְיָ...וַיַּעַזְבֻהוּ IICh. 29:6
וַעֲזֹב 194 הֶרֶף מֵאַף וַעֲזֹב חֵמָה Ps. 37:8
עָזְבָה 195 עָזְבָה יְתֹמֶיךָ אֲנִי אֲחַיֶּה Jer. 49:11
עִזְבוּ 196 עִזְבוּ עָרִים וְשִׁכְנוּ בַּסֶּלַע Jer. 48:28
197 עִזְבוּ פְתָאיִם וִחְיוּ Prov. 9:6
עִזְבוּהָ 198 עִזְבוּהָ וְנֵלֵךְ אִישׁ לְאַרְצוֹ Jer. 51:9
נֶעֱזַב 199 מַדּוּעַ נֶעֱזַב בֵּית־הָאֱלֹהִים Neh. 13:11
נֶעֱזָבָה 200 וְלָךְ יִקָּרֵא...עִיר לֹא נֶעֱזָבָה Is. 62:12
נֶעֱזָב 201 וְלֹא־רָאִיתִי צַדִּיק נֶעֱזָב Ps. 37:25
וְנֶעֱזָב 202 נָוֶה מְשֻׁלָּח וְנֶעֱזָב כַּמִּדְבָּר Is. 27:10
הַנֶּעֱזָבוֹת 203 וְלֶחֳרָבוֹת...וְלֶעָרִים הַנֶּעֱזָבוֹת Ezek. 36:4
תֵּעָזֵב 204 וְהָאָרֶץ תֵּעָזֵב מֵהֶם Lev. 26:43
205 תֵּעָזֵב הָאֲדָמָה אֲשֶׁר־אַתָּה קָץ Is. 7:16
תֵּעָזַב 206 הַלְמַעַנְךָ תֵּעָזַב אָרֶץ Job 18:4
יֵעָזְבוּ 207 יֵעָזְבוּ יַחְדָּו לְעֵיט הָרִים Is. 18:6
עֻזָּב 208 כִּי־אַרְמוֹן נֻטָּשׁ הֲמוֹן עִיר עֻזָּב Is. 32:14

עָזַב[2]

פ׳ א) עזר: 1-3
ב) תקן: 4, 5
ג) [פ׳ עָזַב] בִּצֵּר: 6

עָזֹב 1 עָזֹב תַּעֲזֹב עִמּוֹ Ex. 23:5
מֵעֲזֹב 2 וְחָדַלְתָּ מֵעֲזֹב לוֹ... Ex. 23:5
תַּעֲזֹב 3 עָזֹב תַּעֲזֹב עִמּוֹ Ex. 23:5
וַיַּעַזְבוּ 4 וַיַּעַזְבוּ יְרוּשָׁלִַם עַד הַחוֹמָה הָרְחָבָה Neh. 3:8
הֲיַעַזְבוּ 5 הֲיַעַזְבוּ לָהֶם הֲיִזְבָּחוּ Neh. 3:34
עֻזְּבָה 6 אֵיךְ לֹא־עֻזְּבָה עִיר תְּהִלָּת Jer. 49:25

עִזְבוֹנִים*

ז״ר – סחורת יצוא: 1-7

עִזְבוֹנָיִךְ 1 בְּצֵאת עִזְבוֹנַיִךְ מִיַּמִּים Ezek. 27:33
עִזְבוֹנָיִךְ 2 בְּכֶסֶף בַּרְזֶל...נָתְנוּ עִזְבוֹנָיִךְ Ezek. 27:12
3 סוּסִים וּפָרָשִׁים...נָתְנוּ עִזְבוֹנָיִךְ Ezek. 27:14
4 בְּרֹאשׁ כָּל־בֹּשֶׂם...נָתְנוּ עִזְבוֹנָיִךְ Ezek. 27:22
וְעִזְבוֹנַיִךְ 5 הוֹנֵךְ וְעִזְבוֹנַיִךְ מַעֲרָבֵךְ... Ezek. 27:27
בְּעִזְבוֹנַיִךְ 6 וְדָן וְיָוָן מְאוּזָּל בְּעִזְבוֹנַיִךְ נָתָנּוּ Ezek. 27:19
בְּעִזְבוֹנַיִךְ 7 בְּנֹפֶךְ אַרְגָּמָן...נָתְנוּ בְּעִזְבוֹנָיִךְ Ezek. 27:16

עַזְבּוּק

שפ״ז אבי נחמיה – השר לחצי פלך בית־צור

עַזְבּוּק 1 אַחֲרָיו הֶחֱזִיק נְחֶמְיָה בֶן־עַזְבּוּק Neh. 3:16

עַזְגָּד

שפ״ז – מראשי העם בימי עזרא ונחמיה: 1-4

עַזְגָּד 1 בְּנֵי עַזְגָּד אֶלֶף מָאתַיִם... Ez. 2:12
2 וּמִבְּנֵי עַזְגָּד יוֹחָנָן בֶּן־הַקָּטָן Ez. 8:12
3 בְּנֵי עַזְגָּד אַלְפַּיִם שְׁלֹשׁ מֵאוֹת Neh. 7:17
4 בֻּנִּי עַזְגָּד בֵּבָי Neh. 10:16

עֻזָּה

שפ״ז – הוא עֻזָּא(א): 1-4

עֻזָּה 1 וַיִּשְׁלַח עֻזָּה אֶל־אֲרוֹן הָאֱלֹהִים IISh. 6:6
2 בְּנֵי מְרָרִי...שִׁמְעִי בְנוֹ עֻזָּה בְנוֹ ICh. 6:14
בְּעֻזָּה 3 וַיִּחַר־אַף יְיָ בְּעֻזָּה וַיַּכֵּהוּ שָׁם IISh. 6:7
4 עַל אֲשֶׁר פָּרַץ יְיָ פֶּרֶץ בְּעֻזָּה IISh. 6:8

עַזָּה

ש״פ – עיר־מבצר בשפלת פלשת: 1-20

חוֹמַת עַזָּה 13; פִּשְׁעֵי עַזָּה 12

עַזָּה 1 בֹּאֲכָה גְרָרָה עַד־עַזָּה Gen. 10:19
2 וְהָעַוִּים הַיֹּשְׁבִים בַּחֲצֵרִים עַד־עַזָּה Deut. 2:23
3 מִקָּדֵשׁ בַּרְנֵעַ וְעַד־עַזָּה Josh. 10:41
4 עַזָּה בְּנוֹתֶיהָ וַחֲצֵרֶיהָ Josh. 15:47
5 וַיִּלְכֹּד יְהוּדָה אֶת־עַזָּה וְאֶת־גְּבוּלָהּ Jud. 1:18
6 וַיַּחֲנוּ...עַד־בּוֹאֲךָ עַזָּה Jud. 6:4
7 מִתִּפְסַח וְעַד־עַזָּה IK. 5:4
8 הוּא־הִכָּה...עַד־עַזָּה וְאֶת־גְּבוּלֶיהָ IIK. 18:8
9 וְאֶת־עַזָּה וְאֶת־עֶקְרוֹן Jer. 25:20
10 בְּטֶרֶם יַכֶּה פַרְעֹה אֶת־עַזָּה Jer. 47:1
11 בָּאָה קָרְחָה אֶל־עַזָּה Jer. 47:5
12 עַל־שְׁלֹשָׁה פִּשְׁעֵי עַזָּה Am. 1:6
13 וְשִׁלַּחְתִּי אֵשׁ בְּחוֹמַת עַזָּה Am. 1:7
14 כִּי עַזָּה עֲזוּבָה תִהְיֶה Zep. 2:4
וְעַזָּה 15 תֵּרֶא אַשְׁקְלוֹן וְתִירָא וְעַזָּה וְתָחִיל Zech. 9:5
עַזָּתָה 16 וַיֵּלֶךְ שִׁמְשׁוֹן עַזָּתָה Jud. 16:1
17 וַיּוֹרִידוּ אוֹתוֹ עַזָּתָה Jud. 16:21
בְּעַזָּה 18 רַק בְּעַזָּה בְּגַת וּבְאַשְׁדּוֹד נִשְׁאָרוּ Josh. 11:22
לְעַזָּה 19 לְאַשְׁדּוֹד אֶחָד לְעַזָּה אֶחָד ISh. 6:17
מֵעַזָּה 20 וְאָבַד מֶלֶךְ מֵעַזָּה Zech. 9:5

עָזוּב

ת׳ – עין עָזַב

עֲזוּבָה[1]

נ׳ שממה: 1, 2

הָעֲזוּבָה 1 וְרַבָּה הָעֲזוּבָה בְּקֶרֶב הָאָרֶץ Is. 6:12
כַּעֲזוּבַת־ 2 כַּעֲזוּבַת הַחֹרֶשׁ וְהָאָמִיר Is. 17:9

עֲזוּבָה[2]

שפ״נ א) אשת כָּלֵב בן חצרון: 3, 4
ב) אם יהושפט: 1, 2

עֲזוּבָה 1/2 וְשֵׁם אִמּוֹ עֲזוּבָה בַּת־שִׁלְחִי IK.22:42 • IICh.20:31
3 וְכָלֵב...הוֹלִיד אֶת־עֲזוּבָה אִשָּׁה ICh. 2:18
4 וַתָּמָת עֲזוּבָה וַיִּקַּח־לוֹ...אֶת־אֶפְרָת ICh. 2:19

עִזּוּז

תו״ז א) חזק, גבור: 1
ב) צבא גבורים: 2

עִזּוּז 1 יְיָ עִזּוּז וְגִבּוֹר יְיָ גִּבּוֹר מִלְחָמָה Ps. 24:8
וְעִזּוּז 2 רֶכֶב־וָסוּס חַיִל וְעִזּוּז Is. 43:17

עֱזוּז

ז׳ עֹז, כּוֹחַ: 1-3

עֱזוּז מִלְחָמָה 1; עֱזוּז נוֹרְאוֹת 2; עֱזוּז נִפְלָאוֹת 3

וֶעֱזוּז־ 1 וַיִּשְׁפֹּךְ עָלָיו חֵמָה...וֶעֱזוּז מִלְחָמָה Is. 42:25
2 וֶעֱזוּז נוֹרְאוֹתֶיךָ יֹאמֵרוּ Ps. 145:6
וֶעֱזוּזוֹ 3 וֶעֱזוּזוֹ וְנִפְלְאוֹתָיו אֲשֶׁר עָשָׂה Ps. 78:4

עַזּוּר

שפ״ז א) אבי חנניה נביא השקר: 1
ב) אבי יַאֲזַנְיָה בימי יחזקאל: 2
ג) מעולי הגולה בימי נחמיה: 3

עַזּוּר 1 חֲנַנְיָה בֶן־עַזּוּר הַנָּבִיא Jer. 28:1
2 וָאֶרְאֶה...אֶת־יַאֲזַנְיָה בֶן־עַזֻּר Ezek. 11:1
3 אָטֵר חִזְקִיָּה עַזּוּר Neh. 10:18

עזז : עָזַז, הֵעֵז; עֹז, עַז, עִזּוּז, עֱזוּז; ש״פ עָזָז, עֻזָּא, עֻזָּה, עַזָּה, עֲזַזְיָהוּ, עֻזִּי, עֻזִּיָּה, עֻזִּיָּהוּ, עֲזִיזָא, עֻזִּיאֵל, עַזְבּוּק, עַזְגָּד, עַזְמָוֶת, עַזָּן

עָזַז פָּ׳ א) גבר, חָזַק: 1-9
ב) [הִפ׳ הֵעֵז] חִזק, נהג בעֹז: 10, 11
קרובים: ראה חָזַק

בַּעֲזוֹז 1 בְּאַמְּצוֹ...בַּעֲזוֹז עִינוֹת תְּהוֹם Prov. 8:28
יָעֹז 2 קוּמָה יְיָ אַל־יָעֹז אֱנוֹשׁ Ps. 9:20
3 וַיִּבְטַח בְּרֹב עָשְׁרוֹ יָעֹז בְּהַוָּתוֹ Ps. 52:9
4 וְהִפִּיל רִבֹּאוֹת וְלֹא יָעוֹז Dan. 11:12
תָּעֹז 5 תָּעֹז יָדְךָ תָּרוּם יְמִינֶךָ Ps. 89:14
6 הַחָכְמָה תָּעֹז לֶחָכָם Eccl. 7:19
וַתָּעָז 7 וַתָּעָז יָדוֹ עַל כּוּשַׁן רִשְׁעָתָיִם Jud. 3:10
8 וַתָּעָז יַד־מִדְיָן עַל־יִשְׂרָאֵל Jud. 6:2
עוּזָּה 9 עוּזָּה אֱלֹהִים זוּ פָּעַלְתָּ לָּנוּ Ps. 68:29
הֵעֵז 10 הֵעֵז אִישׁ רָשָׁע בְּפָנָיו Prov. 21:29
הֵעֵזָה 11 הֵעֵזָה פָנֶיהָ וַתֹּאמַר לוֹ Prov. 7:13

עָזָז שפ״ז – מצאצאי ראובן
עָזָז 1 וּבֶלַע בֶּן־עָזָז בֶּן־שֶׁמַע ICh. 5:8

עֲזַזְיָהוּ שפ״ז א) אבי נגיד משבט אפרים: 1
ב) מן הלויים המשוררים בימי דוד: 2
ג) לוי פָּקִיד בימי חזקיהו: 3

עֲזַזְיָהוּ 1 לִבְנֵי אֶפְרַיִם הוֹשֵׁעַ בֶּן־עֲזַזְיָהוּ ICh. 27:20
וַעֲזַזְיָהוּ 2 וִיעִיאֵל וַעֲזַזְיָהוּ בְּכִנֹּרוֹת ICh. 15:21
3 וִיחִיאֵל וַעֲזַזְיָהוּ וְנַחַת IICh. 31:13

עֻזִּי שפ״ז – שמות ששה אנשים שונים
בזמנים שונים: 1-11

עֻזִּי 1 בֶּן־זְרַחְיָה בֶן־עֻזִּי בֶּן־בֻּקִּי Ez. 7:4
2 עֻזִּי בֶן־בָּנִי בֶּן־חֲשַׁבְיָה Neh. 11:22
3 לִידַעְיָה עֻזִּי Neh. 12:19
4 וּבֻקִּי הוֹלִיד אֶת־עֻזִּי ICh. 5:31
5 בֻּקִּי בְנוֹ עֻזִּי בְנוֹ זְרַחְיָה בְנוֹ ICh. 6:36
6 וּבְנֵי תוֹלָע עֻזִּי וּרְפָיָה ICh. 7:2
7 וּבְנֵי עֻזִּי יִזְרַחְיָה ICh. 7:3
8 וְאֵלָה בֶן־עֻזִּי בֶּן־מִכְרִי ICh. 9:8
וְעֻזִּי 9 וּמַעֲשֵׂיָה...וְאֶלְעָזָר וְעֻזִּי Neh. 12:42
10 וְעֻזִּי הוֹלִיד אֶת־זְרַחְיָה ICh. 5:32
11 וּבְנֵי בֶלַע אֶצְבּוֹן וְעֻזִּי ICh. 7:7

עֻזִּיָּא שפ״ז – מגבורי דוד
עֻזִּיָּא 1 עֻזִּיָּא הָעַשְׁתְּרָתִי ICh. 11:44

עֻזִּיאֵל שפ״ז א) מבני קהת בן לוי: 1-3, 5-7, 9-13
ב) מן הצורפים בימי נחמיה: 4
ג) נשיא משפחת שמעון בימי חזקיה: 14
ד) בן הימן המשורר בימי דוד: 8
ה) מבני ידותון הלוי: 16
ו) מבני בלע בן בנימין: 15

עֻזִּיאֵל 1 וּבְנֵי עֻזִּיאֵל מִישָׁאֵל וְאֶלְצָפָן וְסִתְרִי Ex. 6:22
2 בְּנֵי עֻזִּיאֵל דֹּד אַהֲרֹן Lev. 10:4
3 וּנְשִׂיא בֵית...אֱלִיצָפָן בֶּן־עֻזִּיאֵל Num. 3:30
4 עַל־יָדוֹ הֶחֱזִיק עֻזִּיאֵל בֶּן־חַרְהֲיָה Neh. 3:8
5 לִבְנֵי עֻזִּיאֵל עַמִּינָדָב הַשָּׂר ICh. 15:10
6-7 בְּנֵי עֻזִּיאֵל מִיכָה... ICh. 23:20; 24:24
8 בְּנֵי הֵימָן...עֻזִּיאֵל שְׁבוּאֵל... ICh. 25:4
וְעֻזִּיאֵל 9-13 עַמְרָם (וְ)יִצְהָר (וְ)חֶבְרוֹן וְעֻזִּיאֵל Ex. 6:18
Num. 3:19 • ICh. 5:28; 6:3; 23:12

וְעֻזִּיאֵל (המשך) 14 וּרְפָיָה וְעֻזִּיאֵל בְּנֵי יִשְׁעִי ICh. 4:42
15 וּבְנֵי בֶלַע אֶצְבּוֹן וְעֻזִּי וְעֻזִּיאֵל... ICh. 7:7
16 וּמִן־בְּנֵי יְדוּתוּן שְׁמַעְיָה וְעֻזִּיאֵל IICh. 29:14

עָזִּיאֵלִי ת׳ המתיַחס על בית עֻזִּיאֵל מבני קהת: 1, 2
הָעָזִּיאֵלִי 1 וְלִקְהָת...וּמִשְׁפַּחַת הָעָזִּיאֵלִי Num. 3:27
לָעָזִּיאֵלִי 2 לַחֶבְרוֹנִי לָעָזִּיאֵלִי ICh. 26:23

עֻזִּיָּה שפ״ז א) בן אמציה מלך יהודה, הוא עֻזִּיָּהוּ: 1-4, 8
ב) תושב ירושלים מבני יהודה: 5
ג) לוי מזרע קהת: 6
ד) מן הכהנים בימי עזרא: 7

עֻזִּיָּה 1 בִּשְׁנַת עֶשְׂרִים לְיוֹתָם בֶּן־עֻזִּיָּה IIK. 15:30
2 בִּימֵי עֻזִּיָּה יוֹתָם אָחָז Hosh. 1:1
3/4 בִּימֵי עֻזִּיָּה מֶלֶךְ־יְהוּדָה Am. 1:1 • Zech. 14:5
5 מִבְּנֵי יְהוּדָה עֲתָיָה בֶן־עֻזִּיָּה Neh. 11:4
6 אוּרִיאֵל בְּנוֹ עֻזִּיָּה בְנוֹ ICh. 6:9
וְעֻזִּיָּה 7 וּמִבְּנֵי חָרִם...וִיחִיאֵל וְעֻזִּיָּה Ez. 10:21
לְעֻזִּיָּה 8 בִּשְׁנַת...לְעֻזִּיָּה מֶלֶךְ יְהוּדָה IIK. 15:13

עֻזִּיָּהוּ שפ״ז א) מלך יהודה, בן אמציהו: 1-5, 7-19
ב) אבי שר האוצרות בימי דוד: 6

בֶּן עֻזִּיָּהוּ 6; דִּבְרֵי עֻזִּיָּהוּ 15; יְמֵי עֻזִּיָּהוּ 3

עֻזִּיָּהוּ 1 מָלַךְ יוֹתָם בֶּן־עֻזִּיָּהוּ מֶלֶךְ יְהוּדָה IIK. 15:32
2 כְּכֹל אֲשֶׁר־עָשָׂה עֻזִּיָּהוּ אָבִיו עָשָׂה IIK. 15:34
3 בִּימֵי עֻזִּיָּהוּ יוֹתָם אָחָז יְחִזְקִיָּהוּ Is. 1:1
4 בִּשְׁנַת־מוֹת הַמֶּלֶךְ עֻזִּיָּהוּ Is. 6:1
5 בִּימֵי אָחָז בֶּן־יוֹתָם בֶּן־עֻזִּיָּהוּ Is. 7:1
6 וְעַל הָאֹצָרוֹת...יְהוֹנָתָן בֶּן־עֻזִּיָּהוּ ICh. 27:25
7 וַיִּקְחוּ כָּל־עַם יְהוּדָה אֶת־עֻזִּיָּהוּ IICh. 26:1
8 בֶּן־שֵׁשׁ עֶשְׂרֵה שָׁנָה עֻזִּיָּהוּ בְמָלְכוֹ IICh. 26:3
9 וַיִּבֶן עֻזִּיָּהוּ מִגְדָּלִים בִּירוּשָׁלַ‍ִם IICh. 26:9
10 וַיָּכֶן לָהֶם עֻזִּיָּהוּ...מָגִנִּים... IICh. 26:14
11 וַיַּעַמְדוּ עַל־עֻזִּיָּהוּ הַמֶּלֶךְ וַיֹּאמְרוּ IICh.26:18
12 לֹא־לְךָ עֻזִּיָּהוּ לְהַקְטִיר לַייָ IICh. 26:18
13 וַיִּזְעַף עֻזִּיָּהוּ וּבְיָדוֹ מִקְטֶרֶת IICh. 26:19
14 וַיְהִי עֻזִּיָּהוּ הַמֶּלֶךְ מְצֹרָע IICh. 26:21
15 וְיֶתֶר דִּבְרֵי עֻזִּיָּהוּ IICh. 26:22
16 וַיִּשְׁכַּב עֻזִּיָּהוּ עִם־אֲבֹתָיו IICh. 26:23
17 כְּכֹל אֲשֶׁר־עָשָׂה עֻזִּיָּהוּ אָבִיו IICh. 27:2
לְעֻזִּיָּהוּ 18 וַיִּתְּנוּ הָעַמּוֹנִים מִנְחָה לְעֻזִּיָּהוּ IICh. 26:8
19 וַיְהִי לְעֻזִּיָּהוּ חַיִל עֹשֵׂה מִלְחָמָה IICh. 26:11

עֲזִיזָא שפ״ז – איש מישראל בימי עזרא
וַעֲזִיזָא 1 וּמִבְּנֵי זַתּוּא...וְזָבָד וַעֲזִיזָא Ez. 10:27

עַזְמָוֶת[1] שפ״ז א) מגבורי דוד: 1, 4, 5
ב) ממונה על אוצרות המלך: 6
ג) איש מבית שאול: 2, 3

עַזְמָוֶת 1 עַזְמָוֶת הַבַּרְחֻמִי IISh. 23:31
2-3 אֶת־עָלֶמֶת וְאֶת־עַזְמָוֶת ICh. 8:36; 9:42
4 עַזְמָוֶת הַבַּחֲרוּמִי ICh. 11:33
5 וִיזִיאֵל וָפֶלֶט בְּנֵי עַזְמָוֶת ICh. 12:3
6 וְעַל אֹצְרוֹת הַמֶּ׳ עַזְמָוֶת בֶּן־עֲדִיאֵל 27:25

עַזְמָוֶת[2] ש״פ – ישוב בסביבות ירושלים: 1-3
עַזְמָוֶת 1 בְּנֵי עַזְמָוֶת אַרְבָּעִים וּשְׁנָיִם Ez. 2:24
2 אַנְשֵׁי בֵית־עַזְמָוֶת אַרְבָּעִים וּשְׁנָיִם Neh. 7:28
וְעַזְמָוֶת 3 וּמִשְּׂדוֹת גֶּבַע וְעַזְמָוֶת Neh. 12:29

עַזָּן שפ״ז – אבי הנשיא לשבט יששכר
עַזָּן 1 נָשִׂיא פַּלְטִיאֵל בֶּן־עַזָּן Num. 34:26

עָזְנִיָּה נ׳ עוף דורס ממשפחת הבַּז: 1, 2
קרובים: ראה נֶשֶׁר

הָעָזְנִיָּה 1 אֶת־הַנֶּשֶׁר וְאֶת־הַפֶּרֶס וְאֵת הָעָזְנִיָּה Lev. 11:13
וְהָעָזְנִיָּה 2 הַנֶּשֶׁר וְהַפֶּרֶס וְהָעָזְנִיָּה Deut. 14:12

עָזַק פִּ׳ עדר הקרקע להכשירה לנטיעה
וַיְעַזְּקֵהוּ 1 וַיְעַזְּקֵהוּ וַיְסַקְּלֵהוּ וַיִּטָּעֵהוּ שֹׂרֵק Is. 5:2

עִזְקָא*נ׳ ארמית טַבַּעַת: 1, 2
וּבְעִזְקָת־ 1 וְחַתְמַהּ...וּבְעִזְקָת רַבְרְבָנוֹהִי Dan. 6:18
בְּעִזְקְתֵהּ 2 וְחַתְמַהּ מַלְכָּא בְּעִזְקְתֵהּ Dan. 6:18

עֲזֵקָה ש״פ – עיר מבצר ביהודה: 1-7
עֲזֵקָה 1 וַיַּכֵּם עַד־עֲזֵקָה וְעַד־מַקֵּדָה Josh. 10:10
2 בְּמוֹרַד בֵּית־חוֹרֹן...עַד־עֲזֵקָה Josh. 10:11
3 וַיַּחֲנוּ בֵּין־שׂוֹכֹה וּבֵין־עֲזֵקָה ISh. 17:1
4 נִלְחָמִים...אֶל־לָכִישׁ וְאֶל־עֲזֵקָה Jer. 34:7
5 לָכִישׁ וּשְׂדֹתֶיהָ עֲזֵקָה וּבְנֹתֶיהָ Neh. 11:30
6 וְאֶת־לָכִישׁ וְאֶת־עֲזֵקָה IICh. 11:9
וַעֲזֵקָה 7 יַרְמוּת וַעֲדֻלָּם שׂוֹכֹה וַעֲזֵקָה Josh. 15:35

עזר : עָזַר, נֶעֱזַר, הֶעְזִיר; עֵזֶר, עֶזְרָה, עֶזְרָת, עֲזָרָה; ש״פ עֵזֶר, עֶזְרָא, עֶזְרִי, עֲזַרְאֵל, עַזְרִיאֵל, עֲזַרְיָה, עֲזַרְיָהוּ, עַזְרִיקָם, יַעְזֵר

עָזַר פָּ׳ א) סִיַּע, תָּמַךְ, הוֹשִׁיעַ: 1-76
ב) [נפ׳ נֶעֱזַר] נוֹשַׁע, נתמך: 77-80
ג) [הִפ׳ הֶעְזִיר] עזר: 81

עָזַר (אֶת־) 1, 2, 4, 7, 9, 12-29, 33, 34, 59-63, 67-76; עָזַר לְ־ 3, 5, 6, 8, 10, 11, 35, 41-43, 45-48, 56-58; עָזַר אַחֲרֵי 66; עָזַר עִם 30; עָזַר בְּ־ 31

בְּעְזֹר 1 וַיְהִי בֶּעְזֹר הָאֱלֹהִים אֶת־הַלְוִיִּם ICh. 15:26
לַעְזֹר 2 אָז עָלָה...לַעְזֹר אֶת־לָכִישׁ Josh. 10:33
3 וַתָּבֹא אֲרַם...לַעְזֹר לַהֲדַדְעֶזֶר IISh. 8:5
4 כִּי־תִהְיֶה־לָּנוּ מֵעִיר לַעְזוֹר (כ׳ לעזיר) IISh.18:3
5 וַיָּבֹא אֲרַם...לַעְזוֹר לַהֲדַדְעֶזֶר ICh. 18:5
6 וַיְצַו...לַעְזֹר לִשְׁלֹמֹה בְנוֹ ICh. 22:17(16)
7 יְיָ אֵין־עִמְּךָ לַעְזֹר בֵּין רַב לְאֵין כֹּחַ IICh.14:10
8 הֲלָרָשָׁע לַעְזֹר וּלְשֹׂנְאֵי יְיָ תֶּאֱהָב IICh. 19:2
9 יֶשׁ־כֹּחַ בֵּאלֹהִים לַעְזוֹר וּלְהַכְשִׁיל IICh. 25:8
10 לַעְזֹר לַמֶּלֶךְ עַל־הָאוֹיֵב IICh. 26:13
11 שָׁלַח...עַל־מַלְכֵי אַשּׁוּר לַעְזֹר לוֹ IICh. 28:16
לְעָזְרֵנִי 12 תְּהִי־יָדְךָ לְעָזְרֵנִי Ps. 119:173
13 וְהִנֵּה מִיכָאֵל...בָּא לְעָזְרֵנִי Dan. 10:13
14 אִם לְשָׁלוֹם בָּאתֶם אֵלַי לְעָזְרֵנִי ICh.12:17(18)
לְעָזְרוֹ 15 יָבֹאוּ עַל־דָּוִיד לְעָזְרוֹ ICh. 12:22(23)
לְעָזְרֵנוּ 16 ...לְעָזְרֵנוּ מֵאוֹיֵב בַּדָּרֶךְ Ez. 8:22
17 וְעִמָּנוּ יְיָ אֱלֹהֵינוּ לְעָזְרֵנוּ IICh. 32:8
עֲזַרְתִּיךָ 18 אִמַּצְתִּיךָ אַף־עֲזַרְתִּיךָ Is. 41:10
19 אַל־תִּירָא אֲנִי עֲזַרְתִּיךָ Is. 41:13
20 וּבְיוֹם יְשׁוּעָה עֲזַרְתִּיךָ Is. 49:8
עֲזַרְתִּיךְ 21 אַל־תִּירְאִי...אֲנִי עֲזַרְתִּיךְ Is. 41:14
עָזַרְתָּ 22 מֶה־עָזַרְתָּ לְלֹא־כֹחַ Job 26:2
עֲזַרְתַּנִי 23 כִּי־אַתָּה יְיָ עֲזַרְתַּנִי וְנִחַמְתָּנִי Ps. 86:17
עֲזָרָנִי 24 דָּחֹה דְחִיתַנִי לִנְפֹּל וַייָ עֲזָרָנִי Ps. 118:13
עֲזָרֶךָ 25 כִּי עֲזָרְךָ אֱלֹהֶיךָ ICh. 12:18(19)
עֲזָרוֹ 26 וַיִּזְעַק יְהוֹשָׁפָט וַייָ עֲזָרוֹ IICh. 18:31
עֲזָרָנוּ 27 וַיֹּאמַר עַד־הֵנָּה עֲזָרָנוּ יְיָ ISh. 7:12
וַעֲזַרְתֶּם 28 תַּעַבְרוּ חֲמֻשִׁים...וַעֲזַרְתֶּם אוֹתָם Josh. 1:14
עָזְרוּ 29 וְהֵמָּה עָזְרוּ לְרָעָה Zech. 1:15
30 וְהֵמָּה עָזְרוּ עִם־דָּוִיד ICh. 12:21(22)
31 עָזְרוּ אִישׁ בְּרֵעֵהוּ לְמַשְׁחִית IICh. 20:23

עֲזָרֻם 32 וּמְשֻׁלָּם וְשַׁבְּתַי הַלֵּוִי עֲזָרֻם Ez. 10:15
33 בְּבֹאוֹ...לַמִּלְחָמָה וְלֹא עֲזָרֻם ICh. 12:19(20)
עוֹזֵר 34 שְׁלֹשִׁים־וּשְׁנַיִם מֶלֶךְ עֹזֵר אֹתוֹ IK. 20:16
35 וְאֵין עֹזֵר לְיִשְׂרָאֵל IIK. 14:26
36 וְכָשַׁל עוֹזֵר וְנָפַל עָזֻר Is. 31:3
37 וְאַבִּיט וְאֵין עֹזֵר Is. 63:5
38 לְהַכְרִית...כֹּל שָׂרִיד עֹזֵר Jer. 47:4
39 יָתוֹם אַתָּה הָיִיתָ עוֹזֵר Ps. 10:14
40 אַל־תִּרְחַק מִמֶּנִּי...כִּי־אֵין עוֹזֵר Ps. 22:12
41 יְיָ הֱיֵה־עֹזֵר לִי Ps. 30:11
42 הִנֵּה אֱלֹהִים עֹזֵר לִי Ps. 54:6
43 כִּי־יַצִּיל...וְעָנִי וְאֵין־עֹזֵר לוֹ Ps. 72:12
44 ...כָּשְׁלוּ וְאֵין עֹזֵר Ps. 107:12
45 כִּי־אֲמַלֵּט...וְיָתוֹם וְלֹא־עֹזֵר לוֹ Job 29:12
46 לְהַוָּתִי יֹעִילוּ לֹא עֹזֵר לָמוֹ Job 30:13
47 בִּנְפֹל עַמָּהּ...וְאֵין עוֹזֵר לָהּ Lam. 1:7
48 וּבָא עַד־קִצּוֹ וְאֵין עוֹזֵר לוֹ Dan. 11:45
לְעֹזְרֶךָ 49 שָׁלוֹם שָׁלוֹם לְךָ וְשָׁלוֹם לְעֹזְרֶךָ ICh. 12:18(19)
עֹזְרֵי־ 50 תַּחְתָּיו שָׁחֲחוּ עֹזְרֵי רָהַב Job 9:13
51 וְהֵמָּה בַּגִּבּוֹרִים עֹזְרֵי הַמִּלְחָמָה ICh. 12:1
בְּעֹזְרָי 52 יְיָ לִי בְּעֹזְרָי וַאֲנִי אֶרְאֶה בְשֹׂנְאָי Ps. 118:7
עֹזְרָיו 53 יְדַבְּרוּ־לוֹ...גִבּוֹרִים...אֶת־עֹזְרָיו Ezek. 32:21
עֹזְרֶיהָ 54 וְנִשְׁבְּרוּ כָּל־עֹזְרֶיהָ Ezek. 30:8
עָזוּר 55 וְכָשַׁל עוֹזֵר וְנָפַל עָזֻר Is. 31:3
יַעֲזָר־ 56 וַאדֹנָי יְיָ יַעֲזָר־לִי Is. 50:7
57 הֵן אֲדֹנָי יֱהֹוִה יַעֲזָר־לִי Is. 50:9
וַיַּעֲזָר־ 58 וַיַּעֲזָר־לוֹ...וַיַּךְ אֶת־הַפְּלִשְׁתִּי IISh. 21:17
יַעְזְרֶךָּ 59 יְיָ עֹשֶׂךָ וְיֹצֶרְךָ מִבֶּטֶן יַעְזְרֶךָּ Is. 44:2
וְיַעְזְרֶךָּ 60 מֵאֵל אָבִיךָ וְיַעְזְרֶךָּ Gen. 49:25
וַיַּעְזְרֵהוּ 61 וַיַּעְזְרֵהוּ הָאֱלֹהִים עַל־פְּלִשְׁתִּים IICh. 26:7
יַעְזְרֶהָ 62 יַעְזְרֶהָ אֱלֹהִים לִפְנוֹת בֹּקֶר Ps. 46:6
וַיַּעְזְרֵם 63 וַיַּעְזְרֵם יְיָ וַיְפַלְּטֵם Ps. 37:40
יַעְזֹרוּ 64 וּמִצְרַיִם הֶבֶל וָרִיק יַעְזֹרוּ Is. 30:7
65 אִישׁ אֶת־רֵעֵהוּ יַעְזֹרוּ Is. 41:6
וַיַּעְזְרוּ 66 וַיַּעְזְרוּ אַחֲרֵי אֲדֹנִיָּה IK. 1:7
יַעְזְרֻנִי 67 וּמִשְׁפָּטֶךָ יַעְזְרֻנִי Ps. 119:175
וְיַעְזְרוּנִי 68 לָהֶם אֲזַבֵּחַ וְיַעְזְרוּנִי IICh. 28:23
וַיַּעְזְרוּהוּ 69 וַיִּוָּעַץ עִם־שָׂרָיו...וַיַּעְזְרוּהוּ IICh. 32:3
וְיַעְזְרֻכֶם 70 וְיַעְזְרֻכֶם יְהִי עֲלֵיכֶם סִתְרָה Deut. 32:38
עָזְרֵנִי 71 עָזְרֵנִי יְיָ אֱלֹהָי Ps. 109:26
72 שֶׁקֶר רְדָפוּנִי עָזְרֵנִי Ps. 119:86
עָזְרֵנוּ 73 עָזְרֵנוּ אֱלֹהֵי יִשְׁעֵנוּ Ps. 79:9
74 עָזְרֵנוּ יְיָ אֱלֹהֵינוּ IICh. 14:10
וְעָזְרֵנוּ 75 עֲלֵה...וְהוֹשִׁיעָה לָּנוּ וְעָזְרֵנוּ Josh. 10:6
וְעִזְרֻנִי 76 עֲלוּ־אֵלַי וְעִזְרֻנִי וְנַכֶּה אֶת־גִּבְעוֹן Josh. 10:4
לְהֵעָזֵר 77 כִּי־הִפְלִיא לְהֵעָזֵר IICh. 26:15
וְנֶעֱזָרְתִּי 78 בּוֹ בָטַח לִבִּי וְנֶעֱזָרְתִּי Ps. 28:7
יֵעָזְרוּ 79 וּבְהִכָּשְׁלָם יֵעָזְרוּ עֵזֶר מְעָט Dan. 11:34
וַיֵּעָזְרוּ 80 וַיֵּעָזְרוּ עֲלֵיהֶם וַיִּנָּתְנוּ בְיָדָם ICh. 5:20
מַעְזְרִים 81 מַלְכֵי־אֲרָם הֵם מַעְזְרִים אֹתָם IICh. 28:23

עֵזֶר1
ז׳ משען, סיוע: 1-21 • קרובים: ראה יְשׁוּעָה

עֵזֶר כְּנֶגְדּוֹ 1, 2; עֵזֶר מְעָט 4; עֵזֶר וּמָגֵן 17, 19-21

עֵזֶר 1 אֶעֱשֶׂה־לּוֹ עֵזֶר כְּנֶגְדּוֹ Gen. 2:18
2 וּלְאָדָם לֹא־מָצָא עֵזֶר כְּנֶגְדּוֹ Gen. 2:20
3 שִׁוִּיתִי עֵזֶר עַל־גִּבּוֹר Ps. 89:20
4 וּבְהִכָּשְׁלָם יֵעָזְרוּ עֵזֶר מְעָט Dan. 11:34
וְעֵזֶר 5 וְעֵזֶר מִצָּרָיו תִּהְיֶה Deut. 33:7
לְעֵזֶר 6 לֹא לְעֵזֶר וְלֹא לְהוֹעִיל Is. 30:5
עֶזְרִי 7 עֶזְרִי וּמְפַלְטִי אַתָּה Ps. 70:6
8 אֶשָּׂא עֵינַי...מֵאַיִן יָבֹא עֶזְרִי Ps. 121:1
9 עֶזְרִי מֵעִם יְיָ עֹשֵׂה שָׁמַיִם וָאָרֶץ Ps. 121:2
בְּעֶזְרִי 10 כִּי־אֱלֹהֵי אָבִי בְּעֶזְרִי Ex. 18:4
עֶזְרְךָ 11 יִשְׁלַח־עֶזְרְךָ מִקֹּדֶשׁ Ps. 20:3
עֶזְרֶךָ 12 עַם נוֹשַׁע בַּייָ מָגֵן עֶזְרֶךָ Deut. 33:29
בְּעֶזְרֶךָ 13 רֹכֵב שָׁמַיִם בְּעֶזְרֶךָ Deut. 33:26
14 שִׁחֶתְךָ יִשְׂרָאֵל כִּי־בִי בְעֶזְרֶךָ Hosh. 13:9
עֶזְרוֹ 15 וְכֹל אֲשֶׁר סְבִיבֹתָיו עֶזְרֹה° Ezek. 12:14
בְּעֶזְרוֹ 16 אַשְׁרֵי שֶׁאֵל יַעֲקֹב בְּעֶזְרוֹ Ps. 146:5
עֶזְרֵנוּ 17 עֶזְרֵנוּ וּמָגִנֵּנוּ הוּא Ps. 33:20
18 עֶזְרֵנוּ בְּשֵׁם יְיָ Ps. 124:8
עֶזְרָם 19-21 עֶזְרָם וּמָגִנָּם הוּא Ps. 115:9, 10, 11

עֵזֶר2
שפ״ז א) מגבורי דוד: 2
ב) איש משבט יהודה: 3
ג) שר המצפה בימי נחמיה: 1
ד) איש מבני אפרים: 4
ה) מן הכהנים עולי הגולה: 5

עֵזֶר 1 עֵזֶר בֶּן־יֵשׁוּעַ שַׂר הַמִּצְפָּה Neh. 3:19
2 עֵזֶר הָרֹאשׁ עֹבַדְיָה הַשֵּׁנִי ICh. 12:9(10)
וְעֵזֶר 3 וּפְנוּאֵל...וְעֵזֶר אֲבִי חוּשָׁה ICh. 4:4
4 וְזָבָד בְּנוֹ...וְעֵזֶר וְאֶלְעָד ICh. 7:21
וָעָזֶר 5 וּמַלְכִּיָּה וְעֵילָם וָעָזֶר Neh. 12:42

עֶזְרָא
שפ״ז א) הסופר, מבית אהרן: 1-15, 18-24
ב) כהן מעולי הגולה: 16, 25
ג) איש בימי עזרא: 17

עֶזְרָא 1 עֶזְרָא בֶּן־שְׂרָיָה בֶּן־עֲזַרְיָה Ez. 7:1
2 הוּא עֶזְרָא עָלָה מִבָּבֶל Ez. 7:6
3 כִּי עֶזְרָא הֵכִין לְבָבוֹ לִדְרוֹשׁ Ez. 7:10
4 עֶזְרָא כָהֲנָא סָפַר דָּתָא Ez. 7:21
5 וְאַנְתְּ עֶזְרָא כְּחָכְמַת אֱלָהָךְ דִּי־בִידָךְ Ez. 7:25
6 וּכְהִתְפַּלֵּל עֶזְרָא וּכְהִתְוַדֹּתוֹ Ez. 10:1
7 וַיָּקָם עֶזְרָא וַיַּשְׁבַּע אֶת־שָׂרֵי הַכֹּהֲנִים Ez. 10:5
8 וַיָּקָם עֶזְרָא מִלִּפְנֵי בֵּית הָאֱלֹהִים Ez. 10:6
9 וַיָּקָם עֶזְרָא הַכֹּהֵן וַיֹּאמֶר אֲלֵהֶם Ez. 10:10
10 וַיִּבָּדְלוּ עֶזְרָא הַכֹּהֵן...רָאשֵׁי הָאָבוֹת Ez.10:16
11 וַיָּבִיא עֶזְרָא הַכֹּהֵן אֶת־הַתּוֹרָה Neh. 8:2
12 וַיַּעֲמֹד עֶזְרָא הַסֹּפֵר עַל־מִגְדַּל־עֵץ Neh. 8:4
13 וַיִּפְתַּח עֶזְרָא הַסֵּפֶר לְעֵינֵי...הָעָם Neh. 8:5
14 וַיְבָרֶךְ עֶזְרָא אֶת־יְיָ הָאֱלֹהִים Neh. 8:6
15 נֶאֶסְפוּ...אֶל־עֶזְרָא הַסֹּפֵר Neh. 8:13
16 שְׂרָיָה יִרְמְיָה עֶזְרָא Neh. 12:1
17 וַעֲזַרְיָה עֶזְרָא וּמְשֻׁלָּם Neh. 12:33
וְעֶזְרָא 18 נְחֶמְיָה...וְעֶזְרָא הַכֹּהֵן הַסֹּפֵר Neh. 8:9
19 נְחֶמְיָה...וְעֶזְרָא הַכֹּהֵן הַסּוֹפֵר Neh. 12:26
20 וְעֶזְרָא הַסּוֹפֵר לִפְנֵיהֶם Neh. 12:36
לְעֶזְרָא 21 אֲשֶׁר נָתַן...לְעֶזְרָא הַכֹּהֵן הַסֹּפֵר Ez. 7:11
22 לְעֶזְרָא כָהֲנָא סָפַר דָּתָא Ez. 7:12
23 וַיַּעַן שְׁכַנְיָה...וַיֹּאמֶר לְעֶזְרָא Ez. 10:2
24 וַיֹּאמְרוּ לְעֶזְרָא הַסֹּפֵר לְהָבִיא Neh. 8:1
25 לְעֶזְרָא מְשֻׁלָּם לַאֲמַרְיָה יְהוֹחָנָן Neh. 12:13

עֲזַרְאֵל
שפ״ז א) מגבורי דוד: 6
ב) שר לשבט דן בימי דוד: 4
ג) בן הימן המשורר, הוא עֻזִּיאֵל (ד): 3
ד) כהנים בימי נחמיה: 1, 2, 5

עֲזַרְאֵל 1 עֲזַרְאֵל וְשֶׁלֶמְיָהוּ שְׁמַרְיָה Ez. 10:41
2 וַעֲמַשְׁסַי בֶּן־עֲזַרְאֵל Neh. 11:13
3 עַשְׁתֵּי־עָשָׂר עֲזַרְאֵל ICh. 25:18
4 לְדָן עֲזַרְאֵל בֶּן־יְרֹחָם ICh. 27:22
וַעֲזַרְאֵל 5 וְאֶחָיו שְׁמַעְיָה וַעֲזַרְאֵל Neh. 12:36
6 אֶלְקָנָה וְיִשִּׁיָּהוּ וַעֲזַרְאֵל ICh. 12:6(7)

עֶזְרָה1
נ׳ עֵזֶר, ישועה: 1-26 • קרובים: ראה יְשׁוּעָה

עֶזְרַת יְיָ 13, 14; עֶזְרַת פֹּעֲלֵי אָוֶן 12

עֶזְרָה 1 עֶזְרָה בְצָרוֹת נִמְצָא מְאֹד Ps. 46:2
לְעֶזְרָה 2 עַל־מִי תָּנוּסוּ לְעֶזְרָה Is. 10:3
3 אֲשֶׁר נַסְנוּ שָׁם לְעֶזְרָה Is. 20:6
4 הוֹי הַיֹּרְדִים מִצְרַיִם לְעֶזְרָה Is. 31:1
5 חֵיל פַּרְעֹה הַיֹּצֵא לָכֶם לְעֶזְרָה Jer. 37:7
6 וַיִּתֵּן לְמֶלֶךְ אַשּׁוּר וְלֹא לְעֶזְרָה לוֹ IICh. 28:21
עֶזְרָת 7/8 הָבָה־לָּנוּ עֶזְרָת מִצָּר Ps. 60:13; 108:13
עֶזְרָתָה 9 קוּמָה עֶזְרָתָה לָּנוּ Ps. 44:27
10 כִּי־הָיִיתָ עֶזְרָתָה לִּי Ps. 63:8
11 לוּלֵי יְיָ עֶזְרָתָה לִּי Ps. 94:17
עֶזְרַת־ 12 וְקָם...וְעַל־עֶזְרַת פֹּעֲלֵי אָוֶן Is. 31:2
לְעֶזְרַת־ 13 כִּי לֹא־בָאוּ לְעֶזְרַת יְיָ Jud. 5:23
14 לְעֶזְרַת יְיָ בַּגִּבּוֹרִים Jud. 5:23
עֶזְרָתִי 15 עֶזְרָתִי הָיִיתָ אַל־תִּטְּשֵׁנִי Ps. 27:9
16 עֶזְרָתִי וּמְפַלְטִי אַתָּה Ps. 40:18
17 הַאִם אֵין עֶזְרָתִי בִי Job 6:13
18 כִּי־אֶרְאֶה בַשַּׁעַר עֶזְרָתִי Job 31:21
בְּעֶזְרָתִי 19 הַחֲזֵק מָגֵן וְצִנָּה וְקוּמָה בְּעֶזְרָתִי Ps. 35:2
לְעֶזְרָתִי 20 אֱיָלוּתִי לְעֶזְרָתִי חוּשָׁה Ps. 22:20
21 חוּשָׁה לְעֶזְרָתִי אֲדֹנָי תְּשׁוּעָתִי Ps. 38:23
22/3 יְיָ לְעֶזְרָתִי חוּשָׁה Ps. 40:14; 70:2
24 אֱלֹהַי לְעֶזְרָתִי חוּשָׁה° Ps. 71:12
בְּעֶזְרָתֵךְ 25 פּוּט וְלוּבִים הָיוּ בְּעֶזְרָתֵךְ Nah. 3:9
עֶזְרָתֵנוּ 26 תִּכְלֶינָה עֵינֵינוּ אֶל־עֶזְרָתֵנוּ הָבֶל Lam. 4:17

עֶזְרָה2
שפ״ז – איש מיהודה

עֶזְרָה 1 וּבֶן־עֶזְרָה יֶתֶר וּמֶרֶד וְעֵפֶר ICh. 4:17

עֲזָרָה
נ׳ שטח גדור, חצר; מקום כנוס העם לתפלה במקדש: 1-9

הָעֲזָרָה הַגְּדוֹלָה 2, 7, 9; הָעֲזָרָה הַקְּטַנָּה 9; פִּנּוֹת הָעֲזָרָה 3, 4

הָעֲזָרָה 1 וּמֵחֵיק הָאָרֶץ עַד־הָעֲזָרָה Ezek. 43:14
2 עַד הָעֲזָרָה הַגְּדוֹלָה Ezek. 43:14
3-4 אַרְבַּע פִּנּוֹת הָעֲזָרָה Ezek. 43:20; 45:19
5 וַיִּתְּנֵהוּ בְּתוֹךְ הָעֲזָרָה IICh. 6:13
וְהָעֲזָרָה 6 וְהָעֲזָרָה אַרְבַּע עֶשְׂרֵה אֹרֶךְ Ezek. 43:17
7 חֲצַר הַכֹּהֲנִים וְהָעֲזָרָה הַגְּדוֹלָה IICh. 4:9
לָעֲזָרָה 8 וַיַּעַשׂ...וּדְלָתוֹת לָעֲזָרָה IICh. 4:9
וּמֵהָעֲזָרָה 9 וּמֵהָעֲזָרָה הַקְּטַנָּה עַד־הָעֲזָ׳ הַגְּדוֹ׳ Ezek.43:14

עֶזְרִי
שפ״ז – שר בימי דוד

עֶזְרִי 1 עֶזְרִי בֶּן־כְּלוּב ICh. 27:26

עַזְרִיאֵל
שפ״ז א) אבי השר מנפתלי בימי דוד: 2
ב) מראשי אבות מנשה: 3
ג) אבי שריהו השר בימי יהויקים: 1

עַזְרִיאֵל 1 וַיְצַוֶּה...וְאֶת־שְׂרָיָהוּ בֶּן־עַזְרִיאֵל Jer. 36:26
2 לְנַפְתָּלִי יְרִימוֹת בֶּן־עַזְרִיאֵל ICh. 27:19
וְעַזְרִיאֵל 3 וֶאֱלִיאֵל וְעַזְרִיאֵל וְיִרְמְיָה... ICh. 5:24

עֲזַרְיָה
שפ״ז א) מלך יהודה, הוא עֻזִּיָּהוּ: 1-3, 30-32
ב) אנשים שונים בתקופות שונות: 4-29
ג) אחד מרעי דניאל: 33

עֲזַרְיָה 1 וַיִּקְחוּ כָּל־עַם יְהוּדָה אֶת־עֲזַרְיָה IIK. 14:21
2 מָלַךְ עֲזַרְיָה בֶן־אֲמַצְיָה מֶלֶךְ יְהוּדָה IIK.15:1
3 וַיִּשְׁכַּב עֲזַרְיָה עִם־אֲבֹתָיו IIK. 15:7
4 וַיֹּאמֶר עֲזַרְיָה בֶן־הוֹשַׁעְיָה Jer. 43:2
5 עֶזְרָא בֶּן־שְׂרָיָה בֶּן־עֲזַרְיָה Ez. 7:1

עֲזַרְיָה (המשך) 6 בֶּן־אֲמַרְיָה בֶּן־עֲזַרְיָה Ez. 7:3
7 אַחֲרָיו הֶחֱזִיק עֲזַרְיָה בֶן־מַעֲשֵׂיָה Neh. 3:23
8 מִבֵּית עֲזַרְיָה עַד־הַמִּקְצוֹעַ Neh. 3:24
9 יֵשׁוּעַ נְחֶמְיָה עֲזַרְיָה Neh. 7:7
10 קְלִיטָא עֲזַרְיָה יוֹזָבָד Neh. 8:7
11 שְׂרָיָה עֲזַרְיָה יִרְמְיָה Neh. 10:3
12 וּבְנֵי אֵיתָן עֲזַרְיָה ICh. 2:8
13 וְיֵהוּא הֹלִיד אֶת־עֲזַרְיָה ICh. 2:38
14 אֲמַצְיָהוּ בְנוֹ עֲזַרְיָה בְנוֹ ICh. 3:12
15 וַאֲחִימַעַץ הוֹלִיד אֶת־עֲזַרְיָה ICh. 5:35
16 וְיוֹחָנָן הוֹלִיד אֶת־עֲזַרְיָה ICh. 5:36
17 וַיּוֹלֶד עֲזַרְיָה אֶת־אֲמַרְיָה ICh. 5:37
18 וְחִלְקִיָּה הוֹלִיד אֶת־עֲזַרְיָה ICh. 5:39
19 בֶּן־אֶלְקָנָה בֶּן־יוֹאֵל בֶּן־עֲזַרְיָה ICh. 6:21
20 בְּנֵי יְהוֹשָׁפָט עֲזַרְיָה וִיחִיאֵל IICh. 21:2
וַעֲזַרְיָה 21-24 (וְלַ)חֲנַנְיָה...וַעֲזַרְיָה Dan. 1:6, 11, 19; 2:17
25 וַעֲזַרְיָה עֶזְרָא וּמְשֻׁלָּם Neh. 12:33
26 וַעֲזַרְיָה הֹלִיד אֶת־חָלֶץ ICh. 2:39
27 וַעֲזַרְיָה הוֹלִיד אֶת־יוֹחָנָן ICh. 5:35
28 וַעֲזַרְיָה הוֹלִיד אֶת־שְׂרָיָה ICh. 5:40
29 וַעֲזַרְיָה בֶּן־חִלְקִיָּה בֶּן־מְשֻׁלָּם ICh. 9:11
לַעֲזַרְיָה 30-32 ...לַעֲזַרְיָה מֶלֶךְ יְהוּדָה IIK. 15:17, 23, 27
וְלַעֲזַרְיָה 33 וַיָּשֶׂם...וְלַעֲזַרְיָה עֲבֵד נְגוֹ Dan. 1:7

עֲזַרְיָהוּ
שפ״ז א) מלך יהודה, הוא עֲזַרְיָה: 2, 10, 11, 14
ב) בן צדוק הכהן בימי שלמה: 1, 7
ג) אנשים שונים: 3-6, 8, 9, 12, 13, 15, 16

עֲזַרְיָהוּ 1 עֲזַרְיָהוּ בֶן־צָדוֹק הַכֹּהֵן IK. 4:2
2 וְיֶתֶר דִּבְרֵי עֲזַרְיָהוּ לְכָל־אֲשֶׁר עָשָׂה IIK. 15:6
3 וַיָּבֹא אַחֲרָיו עֲזַרְיָהוּ הַכֹּהֵן IICh. 26:17
4 וַיִּפֶן אֵלָיו עֲזַרְיָהוּ כֹהֵן הָרֹאשׁ IICh. 26:20
5 וַיָּקֻמוּ...עֲזַרְיָהוּ בֶן־יְהוֹחָנָן IICh. 28:12
6 וַיָּקֻמוּ הַלְוִיִּם...וְיוֹאֵל בֶּן־עֲזַרְיָהוּ IICh. 29:12
7 עֲזַרְיָהוּ הַכֹּהֵן הָרֹאשׁ לְבֵית צָדוֹק IICh. 31:10
וַעֲזַרְיָהוּ 8 וַעֲזַרְיָהוּ בֶן־נָתָן עַל־הַנִּצָּבִים IK. 4:5
9 וַעֲזַרְיָהוּ בֶּן־עוֹדֵד הָיְתָה...רוּחַ אֱלֹ׳ IICh. 15:1
10 בְּנֵי יְהוֹשָׁפָט עֲזַרְיָה...וַעֲזַרְיָהוּ IICh. 21:2
11 וַעֲזַרְיָהוּ בֶן־יְהוֹרָם מֶלֶךְ יְהוּדָה IICh. 22:6
12 וַעֲזַרְיָהוּ בֶּן־יְהַלֶּלְאֵל IICh. 29:12
13 וַעֲזַרְיָהוּ נְגִיד בֵּית־הָאֱלֹהִים IICh. 31:13
לַעֲזַרְיָהוּ 14 בִּשְׁנַת...לַעֲזַרְיָהוּ מֶלֶךְ יְהוּדָה IIK. 15:8
15 וַיִּקַּח...לַעֲזַרְיָהוּ בֶן־יְרֹחָם IICh. 23:1
וְלַעֲזַרְיָהוּ 16 וַיִּקַּח...וְלַעֲזַרְיָהוּ בֶן־עוֹבֵד IICh. 23:1

עַזְרִיקָם
שפ״ז א) מבני מררי: 1,2
ב) מזרע שאול: 3-4
ג) נגיד הבית בימי אחז: 5
ד) מזרע זרובבל: 6

עַזְרִיקָם 1/2 שְׁמַעְיָה בֶן־חַשּׁוּב בֶּן־עַזְרִיקָם Neh. 11:15
ICh. 9:14
3/4 עַזְרִיקָם בֹּכְרוּ וְיִשְׁמָעֵאל ICh. 8:38; 9:44
5 וַיַּהֲרֹג...וְאֶת־עַזְרִיקָם נְגִיד הַבָּיִת IICh. 28:7
וְעַזְרִיקָם 6 אֶלְיוֹעֵינַי וְחִזְקִיָּה וְעַזְרִיקָם ICh. 3:23

עֶזְרָת, עֶזְרָתָה – עין עֶזְרָה

עַזָּתִי
ת׳ מתושבי עַזָּה: 1, 2

הָעַזָּתִי 1 הָעַזָּתִי וְהָאַשְׁדּוֹדִי Josh. 13:3
לָעַזָּתִים 2 לָעַזָּתִים לֵאמֹר בָּא שִׁמְשׁוֹן הֵנָּה Jud. 16:2

עֵט
ז׳ חֶרֶט לכתיבה: 1-4
עֵט בַּרְזֶל 3, 4; עֵט סֹפְרִים 2; עֵט שֶׁקֶר 1

עֵט־ 1 לַשֶּׁקֶר עָשָׂה עֵט שֶׁקֶר סֹפְרִים Jer. 8:8
2 לְשׁוֹנִי עֵט סוֹפֵר מָהִיר Ps. 45:2
בְּעֵט־ 3 כְּתוּבָה בְּעֵט בַּרְזֶל בְּצִפֹּרֶן שָׁמִיר Jer. 17:1
4 בְּעֵט־בַּרְזֶל וְעֹפָרֶת...בַּצּוּר יֵחָצְבוּן Job 19:24

עֵטָא
נ׳ ארמית: עֵצָה

עֵטָא 1 הֲתִיב עֵטָא וּטְעֵם לְאַרְיוֹךְ Dan. 2:14

עטה
: עָטָה, הֶעֱטָה; מַעֲטֶה

עָטָה
פָּ׳ א) עטף, לבש (גם בהשאלה): 1-16
ב) [הפ׳ הֶעֱטָה] הלביש, העלה (בהשאלה): 17
– עָטָה אוֹר 5; עָטָה בֶגֶד 10, 12; עָטָה בְרָכוֹת 11;
עָטָה בֹשֶׁת 16; עָטָה חֶרְפָּה 15; עָטָה כְלִמָּה 15;
עָטָה קִנְאָה 13; הֶעֱטָה בוּשָׁה 17
– עָטָה (אֶת־) 1,2,4-5,10; עָטָה עַל־ 3,7,8,9,14

עָטֹה 1 הִנֵּה יְיָ מְטַלְטֶלְךָ...וְעֹטְךָ עָטֹה Is. 22:17
וְעָטָה 2 וְעָטָה אֶת־אֶרֶץ מִצְרַיִם Jer. 43:12
וְעָטוּ 3 וְעָטוּ עַל־שָׂפָם כֻּלָּם Mic. 3:7
עֹטֶה 4 וְהוּא עֹטֶה מְעִיל ISh. 28:14
5 עֹטֶה־אוֹר כַּשַּׂלְמָה Ps. 104:2
וְעוֹטְךָ 6 הִנֵּה יְיָ מְטַלְטֶלְךָ...וְעֹטְךָ עָטֹה Is. 22:17
כְּעוֹטְיָה 7 אֶהְיֶה כְּעֹטְיָה עַל עֶדְרֵי חֲבֵרֶיךָ S.ofS. 1:7
תַעְטֶה 8 וְלֹא תַעְטֶה עַל־שָׂפָם Ezek. 24:17
יַעְטֶה 9 וְעַל־שָׂפָם יַעְטֶה Lev. 13:45
10 כַּאֲשֶׁר־יַעְטֶה הָרֹעֶה אֶת־בִּגְדוֹ Jer. 43:12
11 גַּם־בְּרָכוֹת יַעְטֶה מוֹרֶה Ps. 84:7
12 תְּהִי־לוֹ כְּבֶגֶד יַעְטֶה Ps. 109:19
וַיַּעַט 13 וַיַּעַט כַּמְעִיל קִנְאָה Is. 59:17
תַעְטוּ 14 עַל־שָׂפָם לֹא תַעְטוּ Ezek. 24:22
יַעֲטוּ 15 יַעֲטוּ חֶרְפָּה וּכְלִמָּה Ps. 71:13
וְיַעֲטוּ 16 וְיַעֲטוּ כַמְעִיל בָּשְׁתָּם Ps. 109:29
הֶעֱטִיתָ 17 הֶעֱטִיתָ עָלָיו בּוּשָׁה Ps. 89:46

עָטִין*
ז׳ שַׁד של בהמה

עֲטִינָיו 1 עֲטִינָיו מָלְאוּ חָלָב Job 21:24

עֲטִישָׁה*
נ׳ עטוש, התפרצות אֲוִיר מן הנחירים

עֲטִישֹׁתָיו 1 עֲטִישֹׁתָיו תָּהֶל אוֹר Job 41:10

עֲטַלֵּף
ז׳ יונק לֵילִי המסוגל לעוף, נכלל בין העופות: 1-3

הָעֲטַלֵּף 1 וְאֶת־הַדּוּכִיפַת וְאֶת־הָעֲטַלֵּף Lev. 11:19
וְהָעֲטַלֵּף 2 וְהַדּוּכִיפַת וְהָעֲטַלֵּף Deut. 14:18
וְלָעֲטַלֵּפִים 3 יַשְׁלִיךְ...לַחְפֹּר פֵּרוֹת וְלָעֲטַלֵּפִים Is. 2:20

עטף
: א) עָטַף; מַעֲטָפָה
ב) עָטַף, נֶעֱטַף, הִתְעַטֵּף, הֶעֱטִיף

עָטַף[1]
פָּ׳ עטה, כסה (גם בהשאלה): 1-3

יַעְטֹף 1 יַעְטֹף יָמִין וְלֹא אֶרְאֶה Job 23:9
יַעֲטָף־ 2 יַעֲטָף־שִׁית חָמָס לָמוֹ Ps. 73:6
יַעַטְפוּ 3 לָבְשׁוּ...וַעֲמָקִים יַעַטְפוּ־בָר Ps. 65:14

עָטַף[2]
פָּ׳ א) נחלש, התעלף: 1-5
ב) [נפ׳ נֶעֱטַף] כנ״ל: 6
ג) [הת׳ הִתְעַטֵּף] כנ״ל: 7-12
ד) [הפ׳ הֶעֱטִיף] נחלש, רפה: 13
עָטַף לִבּוֹ 1; עָ׳ רוּחַ 4; הִתְעַטְּפָה נַפְשׁוֹ 7, 10;
הִתְעַטְּפָה רוּחוֹ 8, 11, 12

בַּעֲטֹף 1 אֵלֶיךָ אֶקְרָא בַּעֲטֹף לִבִּי Ps. 61:3
הָעֲטֻפִים 2 וְהָיָה הָעֲטֻפִים לְלָבָן Gen. 30:42
3 הָעֲטוּפִים בְּרָעָב בְּרֹאשׁ כָּל־חוּצוֹת Lam. 2:19
יַעֲטוֹף 4 כִּי־רוּחַ מִלְּפָנַי יַעֲטוֹף Is. 57:16
5 תְּפִלָּה לְעָנִי כִי־יַעֲטֹף Ps. 102:1
בֵּעָטֵף 6 בֵּעָטֵף עוֹלֵל וְיוֹנֵק בִּרְחֹבוֹת קִרְיָה Lam. 2:11
בְּהִתְעַטֵּף 7 בְּהִתְעַטֵּף עָלַי נַפְשִׁי אֶת־יְיָ זָכָרְתִּי Jon. 2:8
8 בְּהִתְעַטֵּף עָלַי רוּחִי Ps. 142:4
בְּהִתְעַטְּפָם 9 בְּהִתְעַטְּפָם כֶּחָלָל בִּרְחֹבוֹת עִיר Lam. 2:12
תִּתְעַטָּף 10 נַפְשָׁם בָּהֶם תִּתְעַטָּף Ps. 107:5
וְתִתְעַטֵּף 11 ...אָשִׂיחָה וְתִתְעַטֵּף רוּחִי Ps. 77:4
וַתִּתְעַטֵּף 12 וַתִּתְעַטֵּף עָלַי רוּחִי Ps. 143:4
וּבְהַעֲטִיף 13 וּבְהַעֲטִיף הַצֹּאן לֹא יָשִׂים Gen. 30:42

עטר
: עָטַר, עִטֵּר, הֶעֱטִיר; עֲטָרָה; ש״פ עֲטָרָה, עֲטָרוֹת,
עַטְרוֹת אַדָּר

עָטַר
פָּ׳ א) כתר, הקיף: 1, 2
ב) [פִּ׳ עִטֵּר] הקיף, הכתיר: 3-6
ג) [הִפ׳ הֶעֱטִיר] הִכתיר, שם כתר: 7

עוֹטְרִים 1 עֹטְרִים אֶל־דָּוִד...לְתָפְשָׂם ISh. 23:26
תַּעְטְרֶנּוּ 2 כַּצִּנָּה רָצוֹן תַּעְטְרֶנּוּ Ps. 5:13
עִטַּרְתָּ 3 עִטַּרְתָּ שְׁנַת טוֹבָתֶךָ Ps. 65:12
שֶׁעִטְּרָה 4 בָּעֲטָרָה שֶׁעִטְּרָה־לּוֹ אִמּוֹ S.ofS. 3:11
הַמְעַטְּרֵכִי 5 הַמְעַטְּרֵכִי חֶסֶד וְרַחֲמִים Ps. 103:4
תְּעַטְּרֵהוּ 6 וְכָבוֹד וְהָדָר תְּעַטְּרֵהוּ Ps. 8:6
הַמַּעֲטִירָה 7 מִי יָעַץ זֹאת עַל־צֹר הַמַּעֲטִירָה Is. 23:8

עֲטָרָה[1]
נ׳ כֶּתֶר: 1-23 • קרובים: ראה נֵזֶר
עֲטֶרֶת בַּעְלָהּ 10; עֲ׳ גֵּאוּת 4, 5; עֲ׳ זָהָב 19;
עֲטֶרֶת זְקֵנִים 13; עֲ׳ חֲכָמִים 11; עֲ׳ מַלְכָּם 3, 16;
עֲ׳ פָּז 8; עֲ׳ צְבִי 20; עֲ׳ רֹאשׁוֹ 14, 15; עֲ׳ תִּפְאֶרֶת
6, 7, 9, 12, 17, 18

הָעֲטָרָה 1 הָסִיר הַמִּצְנֶפֶת וְהָרִים הָעֲטָרָה Ezek. 21:31
בָּעֲטָרָה 2 בָּעֲטָרָה שֶׁעִטְּרָה־לּוֹ אִמּוֹ S.ofS. 3:11
עֲטֶרֶת־ 3 וַיִּקַּח אֶת־עֲטֶרֶת־מַלְכָּם מֵעַל רֹאשׁוֹ IISh.12:30
4 הוֹי עֲטֶרֶת גֵּאוּת שִׁכֹּרֵי אֶפְרַיִם Is. 28:1
5 עֲטֶרֶת גֵּאוּת שִׁכּוֹרֵי אֶפְרָיִם Is. 28:3
6 וְהָיִית עֲטֶרֶת תִּפְאֶרֶת בְּיַד־יְיָ Is. 62:3
7 כִּי יָרַד...עֲטֶרֶת תִּפְאַרְתְּכֶם Jer. 13:18
8 תָּשִׁית לְרֹאשׁוֹ עֲטֶרֶת פָּז Ps. 21:4
9 עֲטֶרֶת תִּפְאֶרֶת תְּמַגְּנֶךָּ Prov. 4:9
10 אֵשֶׁת־חַיִל עֲטֶרֶת בַּעְלָהּ Prov. 12:4
11 עֲטֶרֶת חֲכָמִים עָשְׁרָם Prov. 14:24
12 עֲטֶרֶת תִּפְאֶרֶת שֵׂיבָה Prov. 16:31
13 עֲטֶרֶת זְקֵנִים בְּנֵי בָנִים Prov. 17:6
14 וַיָּסַר עֲטֶרֶת רֹאשִׁי Job 19:9
15 נָפְלָה עֲטֶרֶת רֹאשֵׁנוּ Lam. 5:16
16 וַיִּקַּח דָּוִיד אֶת־עֲטֶרֶת־מַלְכָּם ICh. 20:2
וַעֲטֶרֶת־ 17 וַעֲטֶרֶת תִּפְאֶרֶת בְּרֹאשֵׁךְ Ezek. 16:12
18 וַעֲטֶרֶת תִּפְאֶרֶת עַל־רָאשֵׁיהֶן Ezek. 23:42
19 תְּכֵלֶת וָחוּר וַעֲטֶרֶת זָהָב גְּדוֹלָה Es. 8:15
לַעֲטֶרֶת־ 20 לַעֲטֶרֶת צְבִי וְלִצְפִירַת תִּפְאָרָה Is. 28:5
עֲטָרוֹת 21 וְלָקַחְתָּ כֶסֶף־וְזָהָב וְעָשִׂיתָ עֲטָרוֹת Zech. 6:11
22 אֶעֶנְדֶנּוּ עֲטָרוֹת לִי Job 31:36
וְהָעֲטָרוֹת 23 וְהָעֲטָרֹת תִּהְיֶה לְחֵלֶם...לְזִכָּרוֹן Zech. 6:14

עֲטָרָה[2]
שפ״נ – אשת יְרַחְמְאֵל למטה יהודה

עֲטָרָה 1 וּשְׁמָהּ עֲטָרָה הִיא אֵם אוֹנָם ICh. 2:26

עֲטָרוֹת[3]
ש״פ – עיר מבצר בנחלת גָּד בצפון מוֹאב: 1-4

עֲטָרוֹת 1 עֲטָרוֹת וְדִיבֹן וְיַעְזֵר וְנִמְרָה Num. 32:3
2 וַיִּבְנוּ...אֶת־דִּיבֹן וְאֶת־עֲטָרֹת Num. 32:34
3 וְעָבַר אֶל־גְּבוּל הָאַרְכִּי עֲטָרוֹת Josh. 16:2
4 וְיָרַד מִיָּנוֹחָה עֲטָרוֹת Josh. 16:7

עַטְרוֹת אַדָּר
ש״פ – ישוב בגבול בנימין ואפרים: 1, 2

עַטְרוֹת אַדָּר 1 גְּבוּל...מִזְרָחָה עַטְרוֹת אַדָּר... Josh. 16:5
2 וְיָרַד הַגְּבוּל עַטְרוֹת אַדָּר Josh. 18:13

עַטְרוֹת בֵּית יוֹאָב
ש״פ – ישוב בנחלת יהודה

עַטְרוֹת בֵּית י׳ 1 בֵּית לֶחֶם...עַטְרוֹת בֵּית יוֹאָב ICh. 2:54

עַטְרוֹת שׁוֹפָן
ש״פ – ישוב בנחלת גד

עַטְרוֹת שׁוֹ׳ 1 וְאֶת־עַטְרֹת שׁוֹפָן וְאֶת־יַעְזֵר Num. 32:35

עִי
ז׳ תל חרבות: 1-5

קרובים: גַּל / חָרְבָּה / מְעִי / מְשׁוֹאָה / תֵּל

בְּעִי 1 אַךְ לֹא־בְעִי יִשְׁלַח־יָד Job 30:24

לְעִי־ 2 לְעִי הַשָּׂדֶה לְמַטָּעֵי כָרֶם Mic. 1:6

עִיִּים 3 וִירוּשָׁלַיִם עִיִּים תִּהְיֶה Jer. 26:18

עִיִּין 4 וִירוּשָׁלַםִ עִיִּין תִּהְיֶה Mic. 3:12

לְעִיִּים 5 שָׂמוּ אֶת־יְרוּשָׁלַםִ לְעִיִּים Ps. 79:1

עַי
ש״פ א) עיר בארץ עמון, קרובה לחשבון: 1

ב) [בידוע: הָעַי] עיר קדומה

של מלכי כנען, בנחלת בנימין: 2-39

אַנְשֵׁי הָעַי 8, 12, 20-22; יוֹשְׁבֵי הָעַי 13, 27; מֶלֶךְ הָעַי 3-7

עַי 1 הֵילִילִי חֶשְׁבּוֹן כִּי שֻׁדְּדָה־עַי Jer. 49:3

הָעַי 2 וַיִּשְׁלַח יְהוֹשֻׁעַ אֲנָשִׁים מִירִיחוֹ הָעַי Josh. 7:2

3 נָתַתִּי בְיָדְךָ אֶת־מֶלֶךְ הָעַי Josh. 8:1

4-7 מֶלֶךְ(־)הָעַי Josh. 8:14, 23, 29; 12:9

8 וַיַּכּוּ מֵהֶם אַנְשֵׁי הָעַי כִּשְׁלֹשִׁים Josh. 7:5

9-10 בֵּין בֵּית־אֵל וּבֵין הָעַי Josh. 8:9, 12

11 נְטֵה בַּכִּידוֹן...אֶל־הָעַי Josh. 8:18

12 וַיִּפְנוּ אַנְשֵׁי הָעַי אַחֲרֵיהֶם Josh. 8:20

13 לַהֲרֹג אֶת־כָּל־יֹשְׁבֵי הָעַי Josh. 8:24

14 וַיָּשֻׁבוּ כָל־יִשְׂרָאֵל הָעַי Josh. 8:24

15 כִּי־לָכַד יְהוֹשֻׁעַ אֶת־הָעַי Josh. 10:1

16 וְכִי הִיא גְדוֹלָה מִן־הָעַי Josh. 10:2

הָעָי 17 בֵּין בֵּית־אֵל וּבֵין הָעָי Gen. 13:3

18 וַיַּעֲלוּ...וַיְרַגְּלוּ אֶת־הָעָי Josh. 7:2

19 יַעֲלוּ וְיַכּוּ אֶת־הָעָי Josh. 7:3

20 וַיָּנֻסוּ לִפְנֵי אַנְשֵׁי הָעָי Josh. 7:4

21/2 אַנְשֵׁי הָעָי Josh. 8:21, 25

23 קַח עִמְּךָ...וְקוּם עֲלֵה הָעָי Josh. 8:1

24 וַיָּקָם יְהוֹשֻׁעַ...לַעֲלוֹת הָעָי Josh. 8:3

25 וַיַּעַל...לִפְנֵי הָעָם הָעָי Josh. 8:10

26 וְהַגַּי בֵּינוֹ וּבֵין הָעָי Josh. 8:11

27 הֶחֱרִים אֵת כָּל־יֹשְׁבֵי הָעָי Josh. 8:26

28 וַיִּשְׂרֹף יְהוֹשֻׁעַ אֶת־הָעָי Josh. 8:28

וְהָעַי 29 בֵּית־אֵל מִיָּם וְהָעַי מִקֶּדֶם Gen. 12:8

וְהָעָי 30/1 אַנְשֵׁי בֵּית־אֵל וְהָעָי Ez. 2:28 • Neh. 7:32

בָּעַי 32 וַיִּזָּעֲקוּ...הָעָם אֲשֶׁר בָּעַי (כת׳ בעיר) Josh. 8:16

33 וְלֹא־נִשְׁאַר אִישׁ בָּעַי וּבֵית אֵל Josh. 8:17

לָעַי 34 וְעָשִׂיתָ לָעַי וּלְמַלְכָּהּ Josh. 8:2

35 וַיַּחֲנוּ מִצְּפוֹן לָעַי Josh. 8:11

36 כֵּן־עָשָׂה לָעַי וּלְמַלְכָּהּ Josh. 10:1

לָעָי 37 וַיֵּשְׁבוּ...מִיָּם לָעָי Josh. 8:9

38 וַיָּשֶׂם...אוֹרֵב...מִיָּם לָעִיר (כת׳ לעיר) Josh. 8:12

וְלָעָי 39 אֲשֶׁר עָשָׂה יְהוֹשֻׁעַ לִירִיחוֹ וְלָעָי Josh. 9:3

עַיָּא
[בקצת ספרים] – עין עַיָּה

עיב
עין (עוב)

עֵיבָל¹
ש״פ – הר בשומרון ליד העיר שכם: 1-5

עֵיבָל 1 וְאֶת־הַקְּלָלָה עַל־הַר עֵיבָל Deut. 11:29

2 תָּקִימוּ אֶת־הָאֲבָנִים...בְּהַר עֵיבָל Deut. 27:4

3 וְאֵלֶּה יַעַמְדוּ...בְּהַר עֵיבָל Deut. 27:13

4 אָז יִבְנֶה יְהוֹשֻׁעַ מִזְבֵּחַ...בְּהַר עֵיבָל Josh. 8:30

5 וְהֶחֱצְיוֹ אֶל־מוּל הַר־עֵיבָל Josh. 8:33

עֵיבָל²
שפ־ז – איש מזרע החורי: 1-3

עֵיבָל 1 וְאֶת־עֵיבָל וְאֶת־אֲבִימָאֵל ICh. 1:22

וְעֵיבָל 2/3 עַלְוָ(י)ן וּמָנַחַת וְעֵיבָל Gen. 36:23 • ICh. 1:40

עַיָּה
ש״פ – היא העיר עַי: 1, 2

עַיָּה 1 עַד־עַיָּה וּבְנֹתֶיהָ ICh. 7:28

וְעַיָּה 2 מִכְמָשׂ וְעַיָּה וּבֵית־אֵל Neh. 11:31

עִיּוֹן
ש״פ – עיר בצפון ארץ־ישראל בנחלת נפתלי: 1-3

עִיּוֹן 1 וַיַּךְ אֶת־עִיּוֹן וְאֶת־דָּן IK. 15:20

2 וַיִּקַּח אֶת־עִיּוֹן וְאֶת־אָבֵל בֵּית־מַעֲכָה IIK.15:29

3 וַיַּכּוּ אֶת־עִיּוֹן וְאֶת־דָּן IICh. 16:4

עיט
: עט (וַיַּעַט); עַיִט; ש״פ עֵיטָם

(עיט) עָט
פ׳ א) התנפל, השתער: 1, 2

ב) תקף: 3

וַתַּעַט 1 וַתַּעַט אֶל־הַשָּׁלָל ISh. 15:19

וַיַּעַט 2 וַיַּעַט (כת׳ ויעש) הָעָם אֶל־הַשָּׁלָל ISh. 14:32

וַיָּעַט 3 שָׁלַח דָּוִד מַלְאָכִים...וַיָּעַט בָּהֶם ISh. 25:14

עַיִט
ז׳ שם כולל לעופות טורפים: 1-8

קרובים: עין נֶשֶׁר

עַיִט צָבוּעַ 3; עֵיט הָרִים 7; עֵיט צִפּוֹר 8

עַיִט 1 קֹרֵא מִמִּזְרָח עַיִט Is. 46:11

עָיִט 2 נָתִיב לֹא־יְדָעוֹ עָיִט Job 28:7

הַעַיִט 3 הַעַיִט צָבוּעַ נַחֲלָתִי לִי Jer. 12:9

4 הַעַיִט סָבִיב עָלֶיהָ Jer. 12:9

הָעַיִט 5 וַיֵּרֶד הָעַיִט עַל־הַפְּגָרִים Gen. 15:11

6 וְקָץ עָלָיו הָעַיִט Is. 18:6

לְעֵיט־ 7 יֵעָזְבוּ יַחְדָּו לְעֵיט הָרִים Is. 18:6

8 לְעֵיט צִפּוֹר כָּל־כָּנָף Ezek. 39:4

עֵיטָם
ש״פ א) ישוב בנחלת יהודה

בקרבת בית־לחם: 1-3, 5

ב) ישוב בנחלת שמעון: 4

עֵיטָם 1 וַיֵּשֶׁב בִּסְעִיף סֶלַע עֵיטָם Jud. 15:8

2 וַיֵּרְדוּ...אֶל־סְעִיף סֶלַע עֵיטָם Jud. 15:11

3 וְאֵלֶּה אֲבִי עֵיטָם יִזְרְעֶאל... ICh. 4:3

4 וְחַצְרֵיהֶם עֵיטָם וָעַיִן ICh. 4:32

5 וַיִּבֶן...וְאֶת־עֵיטָם וְאֶת־תְּקוֹעַ IICh. 11:6

עִיִּים
ש״פ א) ישוב בנגב יהודה: 1

ב) מתחנות בני ישראל במדבר

על גבול מואב: 2-4 [עין גם עֲבָרִים]

וְעִיִּים 1 בַּעֲלָה וְעִיִּים וָעָצֶם Josh. 15:29

מֵעִיִּים 2 וַיִּסְעוּ מֵעִיִּים וַיַּחֲנוּ בְּדִיבֹן גָּד Num. 33:45

בְּעִיֵּי הָעֲבָרִים 3 וַיַּחֲנוּ בְּעִיֵּי הָעֲבָרִים בַּמִּדְבָּר Num. 21:11

4 וַיַּחֲנוּ בְעִיֵּי הָעֲבָרִים בִּגְבוּל מוֹאָב Num. 33:44

עֵילוֹם
ז׳ עולם

לְעֵילוֹם 1 וּבִירוּשָׁ׳...אָשִׂים אֶת־שְׁמִי לְעֵילוֹם IICh. 33:7

עִילַי
שפ־ז – מגבורי דוד

עִילַי 1 סִבְּכַי הַחֻשָׁתִי עִילַי הָאֲחוֹחִי ICh. 11:29

עֵילָם¹
שפ־ז א) בן שם בן נח: 1, 8

ב) עולי הגולה משבט בנימין: 2-7, 11

ג) מבני הלויים: 9, 10

עֵילָם 1 בְּנֵי שֵׁם עֵילָם וְאַשּׁוּר Gen. 10:22

2/3 בְּנֵי עֵילָם אֶלֶף מָאתַיִם... Ez. 2:7 • Neh. 7:12

4 וּמִבְּנֵי עֵילָם יְשַׁעְיָה בֶּן־עֲתַלְיָה Ez. 8:7

5 שְׁכַנְיָה...מִבְּנֵי עֵילָם (כת׳ עולם) Ez. 10:2

6 וּמִבְּנֵי עֵילָם מַתַּנְיָה זְכַרְיָה Ez. 10:26

7 רָאשֵׁי הָעָם...עֵילָם זַתּוּא בָּנִי Neh. 10:15

8 בְּנֵי שֵׁם עֵילָם וְאַשּׁוּר ICh. 1:17

9 עֵילָם הַחֲמִישִׁי יְהוֹחָנָן הַשִּׁשִּׁי ICh. 26:3

וְעֵילָם 10 וּמַלְכִּיָּה וְעֵילָם וָעָזֶר Neh.12:42

11 וַחֲנַנְיָה וְעֵילָם וְעַנְתֹתִיָּה ICh. 8:24

עֵילָם²
ש״פ – מדינה עתיקה בין פרס לארם נהרים: 1-15

מֶלֶךְ עֵילָם 1, 2; מַלְכֵי ע׳ 4; נִדְּחֵי עֵילָם 8; קֶשֶׁת עֵילָם 6; שְׁבוּת עֵילָם 10

עֵילָם 1-2 כְּדָרְלָעֹמֶר מֶלֶךְ עֵילָם Gen. 14:1, 9

3 עֲלִי עֵילָם צוּרִי מָדַי Is. 21:2

4 וְאֵת כָּל־מַלְכֵי עֵילָם Jer. 25:25

5 דְבַר־יְיָ אֶל־יִרְמְיָהוּ...אֶל־עֵילָם Jer. 49:34

6 הִנְנִי שֹׁבֵר אֶת־קֶשֶׁת עֵילָם Jer. 49:35

7 וְהֵבֵאתִי אֶל־עֵילָם אַרְבַּע רוּחוֹת Jer. 49:36

8 נִדְּחֵי עֵילָם (כת׳ עולם) Jer. 49:36

9 וְהַחְתַּתִּי אֶת־עֵילָם Jer. 49:37

10 אָשִׁיב° אֶת־שְׁבוּת° עֵילָם Jer. 49:39

11 שָׁם עֵילָם וְכָל־הֲמוֹנָהּ Ezek. 32:24

וְעֵילָם 12 וְעֵילָם נָשָׂא אַשְׁפָּה Is. 22:6

בְּעֵילָם 13 וְשַׂמְתִּי כִסְאִי בְּעֵילָם Jer. 49:38

14 בְּשׁוּשַׁן הַבִּירָה...בְּעֵילָם הַמְּדִינָה Dan. 8:2

וּמֵעֵילָם 15 וּמֵעֵילָם וּמִשִּׁנְעָר וּמֵחֲמָת Is. 11:11

עֵילָם אַחֵר
שפ־ז – משפחת עולי הגולה מבנימין: 1, 2

עֵילָם אַחֵר 1 בְּנֵי עֵילָם אַחֵר אֶלֶף מָאתַיִם... Ez. 2:31

2 בְּנֵי עֵילָם אַחֵר אֶלֶף מָאתַיִם... Neh. 7:34

עֲיָם*
ז׳ עֹצֶם(?)

בַּעְיָם 1 וְהֵנִיף יָדוֹ עַל־הַנָּהָר בַּעְיָם רוּחוֹ Is. 11:15

עין
: עָיַן; עַיִן, מַעְיָן; ש״פ עֵינָם, עֵינָן, אֶלְיְהוֹעֵינַי, אֶלְיוֹעֵינַי

עָיַן
פ׳ שנא

עוֹיֵן 1 וַיְהִי שָׁאוּל עוֹיֵן (כת׳ עוון) אֶת־דָּוִד ISh. 18:9

עַיִן¹
נ׳ א) אבר הראיה [ובהשאלה הראיה בכלל]: רוב המקראות 1-868

ב) תואר, מראה: 31, 32, 35, 36, 46-54, 93, 101, 703, 704

ג) [בְּעֵינֵי־, בְּעֵינַי, בְּעֵינֶיךָ...] לְפִי רְאִיַּת־, לְהַעֲרָכַת־: עין במקראות

ד) [לְעֵינֵי־, לְעֵינַי, לְעֵינֶיךָ...] לנגד, במעמד־, בנוכחות: עין במקראות

ה) בצרופים שונים – עין להלן

– עַיִן תַּחַת עַיִן 1-4; עַיִן בְּעַיִן 5-7; אִישׁוֹן עַיִן 95; בָּבַת ע׳ 97; בַּת ע׳ 16, 91; טוֹב ע׳ 12; יוֹצֵר ע׳ 10; מַחְמַדֵּי ע׳ 21; קוֹרֵץ ע׳ 11; רַע ע׳ 18, 19; שְׁתוּם עַיִן 25, 26

– עֵין אָדָם 39; ע׳ אָמָה 43; ע׳ אַיֵּה 34; ע׳ הָאָרֶץ 31, 32, 35, 36; ע׳ יְיָ 41; ע׳ יָמִין 38, 40, 44; ע׳ יַעֲקֹב 37; ע׳ נוֹאֵף 45; ע׳ עַבְדוֹ 33; ע׳ רוֹאִי 42

– כְּעֵין הַבְּדֹלַח 46; כְּעֵ׳ הַחַשְׁמַל(ה) 47, 51, 52; כְּעֵ׳ נְחֹשֶׁת 48, 54; כְּעֵ׳ הַקֶּרַח 50; כְּעֵין (אֶבֶן) תַּרְשִׁישׁ 49, 53

– עֵינַיִם עִוְּרוֹת 117; ע׳ פְּקוּחוֹת 514; עֵינַיִם פְּתוּחוֹת 430, 500-502, 535, 543; עֵינַיִם רַכּוֹת 175; עֵינַיִם רָמוֹת 127, 141

– אוֹר עֵינַיִם 418; אֵין עֵינַיִם 118; אִישׁוֹן ע׳ 525; גֹּבַהּ עֵינַיִם 124; גַּבּוֹת ע׳ 650; גִּלּוּי ע׳ 133, 134; חַכְלִילוּת ע׳ 138; חַכְלִילִי ע׳ 113; טְהוֹר ע׳ 123; יְפֵה ע׳ 116; כִּלְיוֹן ע׳ 115; כְּסוּת ע׳ 111; מְאוֹר ע׳ 128; מֵאִיר ע׳ 137, 172; מַחְמַד ע׳ 503, 517, 789, 829; מַרְאֵה ע׳ 132, 149, 496, 497, 533, 661, 759; פְּתַח ע׳ 112; רְאוּת ע׳ 682; רוּם ע׳ 129, 660; שַׁח עֵינַיִם 130; שְׁמֻרוֹת עֵינַיִם 440

– עֵינֵי אַבְרָהָם 187; עֵ׳ אַבְשָׁלוֹם 309; עֵ׳ אֲדוֹנִי (אֲדוֹנָיו) 178, 189-191, 204; עֵ׳ הָאָדָם 181, 314; עֵ׳ אָחִיו 176; עֵ׳ אִישׁ 392; עֵ׳ הָאֱלֹהִים 206,314, 323; עֵ׳ אֵלֶּה 155; עֵ׳ אַלְמָנָה 184; עֵ׳ אֲמָהוֹת 360; עֵ׳ אַמְנוֹן 308; עֵ׳ (הָ)אֲנָשִׁים 173, 363, 369; עֵ׳ בֵּית־ 331, 345; עֵ׳ בְּנֵי־ 299, 336, 337, 344, 346, 348; עֵ׳ בָּנָיו 183; עֵ׳ בַּעַל־ 313; עֵ׳ בְּעָלָיו 315; עֵ׳ בָּשָׂר 174; עֵ׳ גַּבְהוּת 157; עֵ׳ גְּבֹהִים 179; עֵ׳ הַגּוֹיִם 347, 362, 370, 374-381, 384; עֵ׳ דָּוִד 304; עֵינֵי זִקְנֵי 332; עֵ׳ זְקֵנִים 342, 353; עֵינֵי חֲכָמִים 152; עֵינֵי חֲמוֹר 192; עֵ׳ חֲתָנָיו 186; עֵ׳ חֲנַמְאֵל 367; עֵ׳ הַיְּהוּדִים 368; עֵ׳ הַיּוֹצֵר 311; עֵ׳ יְיָ 151, 165-167, 169-171, 185, 193, 194, 205, 207-296; עֵ׳ יִצְחָק 188; עֵ׳ יִשְׂרָאֵל 153, 177, 297, 298, 306, 354-359; עֵ׳ כְּבוֹדוֹ 158; עֵ׳ הַכֹּהֲנִים 364, 365; עֵינֵי כָּל־חַי 394; עֵ׳ כָּל־עוֹבֵר 371, 372; עֵ׳ כָּל־הָעָם 385, 389; עֵ׳ כָּל־הַקָּהָל 386; עֵינֵי כֹל 168; עֵ׳ כְּסִיל 180; עֵ׳ לֵאָה 175; עֵ׳ מְאַהֲבִים 383; עֵ׳ הַמֶּלֶךְ 162, 316-320; עֵ׳ מִצְרַיִם 201, 203, 351; עֵ׳ מֹשֶׁה 329, 350; עֵ׳ הַנַּעַר 154; עֵ׳ נָשִׁים 373; עֵ׳ סְרָנִים 305, 330; עֵ׳ עַבְדּוֹ (עֲבָדָיו) 197,303,325-328,334,387; עֵ׳ הָעֵדָה 349, 393; עֵינֵי הָעֵדִים 390; עֵ׳ עֲדַת־ 388; עֵ׳ עִוְרִים 159, 161; עֵינֵי הָעָם 302,307, 322, 328, 339, 343, 364, 366; עֵ׳ הָעַמִּים 352; עֵ׳ פַּרְעֹה 196, 197, 200, 310, 340, 341; עֵ׳ הַצֹּאן 338; עֵ׳ צִדְקִיָּהוּ 156, 163, 164; עֵ׳ הַקָּהָל 333; עֵ׳ רֹאִים 160, 321, 382; עֵ׳ רְשָׁעִים 182; עֵ׳ שְׁכֶם 324; עֵ׳ שְׁמוּאֵל 301; עֵינֵי הַשֶּׁמֶשׁ 361; עֵ׳ שִׁמְשׁוֹן 300; עֵינֵי שַׂר 195

– נָתַן עַיִן 98; קָרַץ עַ׳ 11,17,(723); שָׂם עַ׳ 55,57,58,65

– דָּאֲבָה עַיִן 70; דָּלְפָה עַיִן 75; דָּמְמָה עַיִן 91; דָּמְעָה עַיִן 56; הִבִּיטָה עַ׳ 71; חָסָה עַ׳ 9, 59-64, 85-87, 89, 90, 106-108; יָצְאָה עַ׳ 110; יָרְדָה עַ׳ 79-81; כָּהֲתָה עַ׳ 44, 77, 96; לָנָה עַ׳ 76; לָעֲגָה עַ׳ 13; נִגְּרָה עַ׳ 82; עוֹלְלָה עַ׳ 83; עָשְׁשָׁה עַ׳ 66, 67; רָאֲתָה עַ׳ 22-24,69,74,78,99,105; רָעָה עַ׳ 88, 94, 103; שָׁבָה עַ׳ 73; שָׂבְעָה עַ׳ 15, 100; שְׁזָפָה עַיִן 14; שָׁמְרָה עַ׳ 45; תְּשׁוּר עַ׳ 20

– גִּלָּה עֵינַיִם (עֵינָיו) 150, 421; גָּרַע עֵ׳ 678; הֵאִיר עֵ׳ 137, 172, 416, 769; הֵסֵב עֵ׳ 628; הֶעֱבִיר עֵ׳ 422; הֵעִיף עֵ׳ 527; הֶעְלִים עֵ׳ 397, 401, 672, 820, 828; הֵשַׁע עֵ׳ 689; הִשְׁפִּיל עֵ׳ 141; כָּחַל עֵ׳ 625; כִּלָּה עֵ׳ 114, 184; לָטַשׁ עֵ׳ 674; נִקֵּר עֵ׳ 173, 651; נָשָׂא עֵ׳ 405-412, 426, 434, 483, 484, 491,505,506,519, 620, 621, 624, 635-648, 664,692,693,756, 757,786-788, 790, 818, 819, 821, 832; עִוֵּר עֵ׳ 152, 156, 163, 164; עָצָה עֵ׳ 671; עִצֵּם עֵ׳ 785; פָּקַח עֵ׳ 117, 154, 415, 504, 511,526,531, 534, 658/9, 676, 755, 822; קָרַע עֵ׳ 623; שָׂם עֵ׳ 541,758; שִׂקֵּר עֵ׳ 135; שָׁת עֵינַיִם 830

– אֹרוּ עֵינַיִם (עֵינָיו) 398, 652; דַּלּוּ עֵינַיִם 402; הִבִּיטוּ עֵ׳ 524,679; זָנוּ עֵ׳ 825; חָזוּ עֵ׳ 509,521,667, 765; חָשְׁכוּ עֵ׳ 768, 831; טַחוּ עֵ׳ 823; יָרְדוּ עֵ׳ 442, 763; כָּבְדוּ עֵ׳ 177; כָּהוּ עֵ׳ 649,686; כָּלוּ עֵ׳ 182,183, 423, 424, 428, 433, 767, 824; נָמַקּוּ עֵ׳ 694; נִפְקְחוּ עֵ׳ 148, 161, 777; נָצְרוּ עֵ׳ 171, 542; צָפוּ עֵ׳ 670; צָפְנוּ עֵ׳ 666; קִדְּמוּ עֵ׳ 425; קָמוּ עֵ׳ 654, 687; רָאוּ עֵ׳ 119,122,125/6,159,176,178,400,414,432,445, 446, 490, 493-495,499,507/8,510, 523,528/9,536/7,539, 540, 663, 675, 690, 691,771,778,780,781, 784,791,833; רָזְמוּ עֵ׳ 532; רָמוּ עֵ׳ 435, 673; שָׁאֲלוּ עֵ׳ 429; שָׁבְעוּ עֵ׳ 181; שִׁבְּרוּ עֵ׳ 168; שׁוֹטְטוּ עֵ׳ 685; שָׁעוּ עֵינַיִם 160; שָׁפְלוּ עֵינַיִם 179

עַיִן
1-2 עַיִן תַּחַת עַיִן שֵׁן תַּחַת שֵׁן — Ex. 21:24
3-4 עַיִן תַּחַת עַיִן שֵׁן תַּחַת שֵׁן — Lev. 24:20
5 אֲשֶׁר־עַיִן בְּעַיִן נִרְאָה אַתָּה יְיָ — Num. 14:14
6 עַיִן בְּעַיִן שֵׁן בְּשֵׁן — Deut. 19:21
7 כִּי עַיִן בְּעַיִן יִרְאוּ — Is. 52:8
8 לֹא־שָׁמְעוּ...עַיִן לֹא־רָאָתָה — Is. 64:3
9 לֹא־חָסָה עָלַיִךְ עַיִן — Ezek. 16:5
10 אִם־יֹצֵר עַיִן הֲלֹא יַבִּיט — Ps. 94:9
11 קֹרֵץ עַיִן יִתֵּן עַצָּבֶת — Prov. 10:10
12 טוֹב־עַיִן הוּא יְבֹרָךְ — Prov. 22:9
13 עַיִן תִּלְעַג לְאָב...יִקְּרוּהָ עֹרְבֵי... — Prov. 30:17
14 עַיִן שְׁזָפַתּוּ וְלֹא תוֹסִיף — Job 20:9
15 לֹא־תִשְׂבַּע עַיִן לִרְאוֹת — Ecc. 1:8

עָיִן
16 שָׁמְרֵנִי כְּאִישׁוֹן בַּת־עָיִן — Ps. 17:8
17 שֹׂנְאַי חִנָּם יִקְרְצוּ־עָיִן — Ps. 35:19
18 אַל־תִּלְחַם אֶת־לֶחֶם רַע עָיִן — Prov. 23:6
19 נִבְהָל לַהוֹן אִישׁ רַע עָיִן — Prov. 28:22
20 לֹא־תְשׁוּרֵנִי עָיִן — Job 24:15
21 וַיַּהֲרֹג כֹּל מַחֲמַדֵּי־עָיִן — Lam. 2:4

וְעַיִן
22 אֹזֶן שֹׁמַעַת וְעַיִן רֹאָה — Prov. 20:12
23 אֶגְוַע וְעַיִן לֹא־תִרְאֵנִי — Job 10:18
24 וְעַיִן רָאֲתָה וַתְּעִידֵנִי — Job 29:11

הָעָיִן
25/6 וּנְאֻם הַגֶּבֶר שְׁתֻם הָעָיִן — Num. 24:3, 15

בְּעַיִן
27 אֲשֶׁר־עַיִן בְּעַיִן נִרְאָה אַתָּה יְיָ — Num 14:14
28 עַיִן בְּעַיִן שֵׁן בְּשֵׁן — Deut. 19:21
29 עַיִן בְּעַיִן יִרְאוּ בְּשׁוּב יְיָ צִיּוֹן — Is. 52:8

לָעַיִן
30 יַעַן אֲשֶׁר לֹא־יִרְאֶה לָעַיִן... — Ezek. 12:12

עֵין־
31 וְכִסָּה אֶת־עֵין הָאָרֶץ — Ex. 10:5
32 וַיְכַס אֶת־עֵין כָּל־הָאָרֶץ — Ex. 10:15
33 וְכִי־יַכֶּה אִישׁ אֶת־עֵין עַבְדּוֹ — Ex. 21:26
34 אוֹ־אֶת־עֵין אֲמָתוֹ וְשִׁחֲתָהּ — Ex. 21:26
35 הִנֵּה כִסָּה אֶת־עֵין הָאָרֶץ — Num. 22:5
36 וַיְכַס אֶת־עֵין הָאָרֶץ — Num. 22:11
37 (?)וַיִּשְׁכֹּן...בֶּטַח בָּדָד עֵין יַעֲקֹב — Deut. 33:28
38 בִּנְקוֹר לָכֶם כָּל־עֵין יָמִין — ISh. 11:2
39 כִּי לַיְיָ עֵין אָדָם וְכֹל שִׁבְטֵי יִשְׂרָאֵל — Zech. 9:1
40 חֶרֶב עַל־זְרוֹעוֹ וְעַל־עֵין יְמִינוֹ — Zech. 11:17
41 עֵין יְיָ אֶל־יְרֵאָיו לַמְיַחֲלִים לְחַסְדּוֹ — Ps. 33:18
42 לֹא־תְשׁוּרֵנִי עֵין רֹאִי — Job 7:8
43 וְלֹא שְׁזָפַתּוּ עֵין אַיָּה — Job 28:7

וְעֵין־
44 וְעֵין יְמִינוֹ כָּהֹה תִכְהֶה — Zech. 11:17
45 וְעֵין נֹאֵף שָׁמְרָה נֶשֶׁף — Job 24:15

כְּעֵין־
46 וְעֵינוֹ כְּעֵין הַבְּדֹלַח — Num. 11:7
47 כְּעֵין הַחַשְׁמַל מִתּוֹךְ הָאֵשׁ — Ezek. 1:4
48 וְנֹצְצִים כְּעֵין נְחֹשֶׁת קָלָל — Ezek. 1:7
49 מַרְאֵה הָאוֹפַנִּים...כְּעֵין תַּרְשִׁישׁ — Ezek. 1:16
50 וּדְמוּת...כְּעֵין הַקֶּרַח הַנּוֹרָא — Ezek. 1:22
51 כְּעֵין חַשְׁמַל כְּמַרְאֵה־אֵשׁ — Ezek. 1:27
52 כְּמַרְאֵה־זֹהַר כְּעֵין הַחַשְׁמַלָה — Ezek. 8:2
53 הָאוֹפַנִּים כְּעֵין אֶבֶן תַּרְשִׁישׁ — Ezek. 10:9
54 וּזְרֹעֹתָיו...כְּעֵין נְחֹשֶׁת קָלָל — Dan. 10:6

עֵינִי
55 וְאָשִׂימָה עֵינִי עָלָיו — Gen. 44:21
56 וְדָמֹעַ תִּדְמַע וְתֵרַד עֵינִי דִּמְעָה — Jer. 13:17
57 וְשַׂמְתִּי עֵינִי עֲלֵיהֶם לְטוֹבָה — Jer. 24:6
58 בֹּא וְאָשִׂים אֶת־עֵינִי עָלָיִךְ — Jer. 40:4
59/60 וְלֹא־תָחוֹס עֵינִי — Ezek. 5:11; 7:9
61 וְלֹא־תָחוֹס עֵינִי עָלַיִךְ — Ezek. 7:4
62/3 לֹא־תָחוֹס עֵינִי וְלֹא אֶחְמֹל — Ezek. 8:18; 9:10
64 וַתָּחָס עֵינִי עֲלֵיהֶם מִשַּׁחֲתָם — Ezek. 20:17
65 וְשַׂמְתִּי עֵינִי עֲלֵיהֶם לְרָעָה — Am. 9:4
66 עָשְׁשָׁה מִכַּעַס עֵינִי — Ps. 6:8
67 עָשְׁשָׁה בְכַעַס עֵינִי — Ps. 31:10

עֵינִי (המשך)
68 אִיעֲצָה עָלֶיךָ עֵינִי — Ps. 32:8
69 וּבְאֹיְבַי רָאֲתָה עֵינִי — Ps. 54:9
70 עֵינִי דָאֲבָה מִנִּי עֹנִי — Ps. 88:10
71 וַתַּבֵּט עֵינִי בְּשׁוּרָי... — Ps. 92:12
72 כִּי חִלַּצְתָּ...אֶת-עֵינִי מִן-דִּמְעָה — Ps. 116:8
73 לֹא־תָשׁוּב עֵינִי לִרְאוֹת טוֹב — Job 7:7
74 הֶן־כֹּל רָאֲתָה עֵינִי — Job 13:1
75 אֶל־אֱלוֹהַּ דָּלְפָה עֵינִי — Job 16:20
76 וּבְהַמְּרוֹתָם תָּלַן עֵינִי — Job 17:2
77 וַתֵּכַהּ מִכַּעַשׂ עֵינִי — Job 17:7
78 וְעַתָּה עֵינִי רָאָתְךָ — Job 42:5
79-80 עֵינִי עֵינִי יֹרְדָה מַּיִם — Lam. 1:16
81 פַּלְגֵי־מַיִם תֵּרַד עֵינִי — Lam. 3:48
82 עֵינִי נִגְּרָה וְלֹא תִדְמֶה — Lam. 3:49
83 עֵינִי עוֹלְלָה לְנַפְשִׁי — Lam. 3:51

וְעֵינִי
84 רֹאשִׁי מַיִם וְעֵינִי מְקוֹר דִּמְעָה — Jer. 8:23

עֵינְךָ
85 לֹא־תָחוֹס עֵינְךָ עֲלֵיהֶם — Deut. 7:16
86/7 (וְ)לֹא־תָחוֹס עֵינְךָ עָלָיו — Deut. 13:9; 19:13
88 וְרָעָה עֵינְךָ בְּאָחִיךָ — Deut. 15:9

עֵינֶךָ
89 וְלֹא תָחוֹס עֵינֶךָ — Deut. 19:21
90 וְקַצֹּתָה...לֹא תָחוֹס עֵינֶךָ — Deut. 25:12

עֵינֵךְ
91 אַל־תִּדֹּם בַּת־עֵינֵךְ — Lam. 2:18

עֵינוֹ
92 לַחָפְשִׁי יְשַׁלְּחֶנּוּ תַּחַת עֵינוֹ — Ex. 21:26
93 לֹא־הָפַךְ הַנֶּגַע אֶת־עֵינוֹ — Lev. 13:55
94 תֵּרַע עֵינוֹ בְאָחִיו וּבְאֵשֶׁת חֵיקוֹ — Deut. 28:54
95 יִצְּרֶנְהוּ כְּאִישׁוֹן עֵינוֹ — Deut. 32:10
96 לֹא־כָהֲתָה עֵינוֹ וְלֹא־נָס לֵחֹה — Deut. 34:7
97 הַנֹּגֵעַ בָּכֶם נֹגֵעַ בְּבָבַת עֵינוֹ — Zech. 2:12
98 כִּי־יִתֵּן בַּכּוֹס° עֵינוֹ — Prov. 23:31
99 וְכָל־יְקָר רָאֲתָה עֵינוֹ — Job 28:10
100 גַּם-עֵינוֹ (כ׳ עיניו) לֹא-תִשְׂבַּע עֹשֶׁר — Eccl. 4:8

וְעֵינוֹ
101 וְעֵינוֹ כְּעֵין הַבְּדֹלַח — Num. 11:7

בְּעֵינוֹ
102 אוֹ־דַק אוֹ תְּבַלֻּל בְּעֵינוֹ — Lev. 21:20

עֵינָהּ
103 תֵּרַע עֵינָהּ בְּאִישׁ חֵיקָהּ — Deut. 28:56

עֵינֵנוּ
104 פֶּן־מָצָא לוֹ עָרִים בְּצֻרוֹת וְהִצִּיל עֵינֵנוּ — IISh. 20:6
105 הֶאָח הֶאָח רָאֲתָה עֵינֵנוּ — Ps. 35:21

עֵינְכֶם
106 אַל°־תָּחֹס עֵינְכֶם (כת׳ עיניכם) — Ezek. 9:5

וְעֵינְכֶם
107 וְעֵינְכֶם אַל-תָּחֹס עַל-כְּלֵיכֶם — Gen. 45:20

עֵינָם
108 עַל־בָּנִים לֹא־תָחוּס עֵינָם — Is. 13:18
109 זֹאת עֵינָם בְּכָל־הָאָרֶץ — Zech. 5:6

עֵינֵמוֹ
110 יָצָא מֵחֵלֶב עֵינֵמוֹ — Ps. 73:7

עֵינַיִם
111 הִנֵּה הוּא־לָךְ כְּסוּת עֵינַיִם — Gen. 20:16
112 וַתֵּשֶׁב בְּפֶתַח עֵינַיִם — Gen. 38:14
113 חַכְלִילִי עֵינַיִם מִיָּיִן — Gen. 49:12
114 מְכַלּוֹת עֵינַיִם וּמְדִיבֹת נָפֶשׁ — Lev. 26:16
115 וְכִלְיוֹן עֵינַיִם וְדַאֲבוֹן נָפֶשׁ — Deut. 28:65
116 יְפֵה עֵינַיִם וְטוֹב רֹאִי — ISh. 16:12
117 לִפְקֹחַ עֵינַיִם עִוְרוֹת — Is. 42:7
118 וּכְאֵין עֵינַיִם נְגַשֵּׁשָׁה — Is. 59:10
119 עֵינַיִם לָהֶם וְלֹא יִרְאוּ — Jer. 5:21
120 וְגַבֹּתָם מְלֵאֹת עֵינַיִם סָבִיב — Ezek. 1:18
121 וְהָאוֹפַנִּים מְלֵאִים עֵינַיִם סָבִיב — Ezek. 10:12
122 אֲשֶׁר עֵינַיִם לָהֶם לִרְאוֹת — Ezek. 12:2
123 טְהוֹר עֵינַיִם מֵרְאוֹת רָע — Hab. 1:13
124 גְּבַהּ־עֵינַיִם וּרְחַב לֵבָב — Ps. 101:5
125/6 עֵינַיִם לָהֶם וְלֹא יִרְאוּ — Ps. 115:5; 135:16
127 עֵינַיִם רָמוֹת לְשׁוֹן שָׁקֶר — Prov. 6:17
128 מְאוֹר־עֵינַיִם יְשַׂמַּח־לֵב — Prov. 15:30
129 רוּם־עֵינַיִם וּרְחַב־לֵב — Prov. 21:4
130 וְשַׁח עֵינַיִם יוֹשִׁעַ — Job 23:29
131 עֵינַיִם הָיִיתִי לַעִוֵּר — Job 29:15

132 טוֹב מַרְאֵה עֵינַיִם מֵהֲלָךְ־נָפֶשׁ Eccl. 6:9

עֵינָיִם

133/4 נֹפֵל וּגְלוּי עֵינָיִם Num. 24:4, 16
135 נְטוּוֹת° גָּרוֹן וּמְשַׂקְּרוֹת עֵינָיִם Is. 3:19
136 עַל־אֶבֶן אַחַת שִׁבְעָה עֵינָיִם Zech. 3:9
137 מִצְוַת יְיָ בָּרָה מְאִירַת עֵינָיִם Ps. 19:6
138 לְמִי חַכְלִלוּת עֵינָיִם Prov. 23:29

וְעֵינַיִם

139 וְעֵינַיִם לִרְאוֹת וְאָזְנַיִם לִשְׁמֹעַ Deut. 29:3
140 הוֹצִיא עַם עִוֵּר וְעֵינַיִם יֵשׁ Is. 43:8
141 וְעֵינַיִם רָמוֹת תַּשְׁפִּיל Ps. 18:28

בָּעֵינַיִם

142 אַיֵּה הַקְּדֵשָׁה הִוא בָעֵינַיִם Gen. 38:21

לְעֵינָיִם

143 וְהָיִיתָ לָּנוּ לְעֵינָיִם Num. 10:31

לָעֵינַיִם

144 וְכִי תַאֲוָה־הוּא לָעֵינַיִם Gen. 3:6

לָעֵינָיִם

145 כַּחֹמֶץ לַשִּׁנַּיִם וְכֶעָשָׁן לָעֵינָיִם Prov. 10:26

לַעֵינַיִם

146 כִּי הָאָדָם יִרְאֶה לַעֵינַיִם... ISh. 16:7
147 וְטוֹב לַעֵינַיִם לִרְאוֹת אֶת־הַשָּׁמֶשׁ Eccl. 11:7

עֵינֵי־

148 וַתִּפָּקַחְנָה עֵינֵי שְׁנֵיהֶם Gen. 3:7
149 לְכָל־מַרְאֵה עֵינֵי הַכֹּהֵן Lev. 13:12
150 וַיְגַל יְיָ אֶת־עֵינֵי בִלְעָם Num. 22:31
151 תָּמִיד עֵינֵי יְיָ אֱלֹהֶיךָ בָּהּ Deut. 11:12
152 כִּי הַשֹּׁחַד יְעַוֵּר עֵינֵי חֲכָמִים Deut. 16:19
153 וְאַתָּה...עֵינֵי כָל־יִשְׂרָאֵל עָלֶיךָ IK. 1:20
154 וַיִּפְקַח יְיָ אֶת־עֵינֵי הַנַּעַר IIK. 6:17
155 יְיָ פְּקַח אֶת־עֵינֵי־אֵלֶּה IIK. 6:20
156 וְאֶת־עֵינֵי צִדְקִיָּהוּ עִוֵּר IIK. 25:7
157 עֵינֵי גַּבְהוּת אָדָם שָׁפֵל Is. 2:11
158 ...לַמְרוֹת עֵנֵי כְבוֹדוֹ Is. 3:8
159 וּמֵאֹפֶל...עֵינֵי עִוְרִים תִּרְאֶינָה Is. 29:18
160 וְלֹא תִשְׁעֶינָה עֵינֵי רֹאִים Is. 32:3
161 אָז תִּפָּקַחְנָה עֵינֵי עִוְרִים Is. 35:5
162 אֶת־עֵינֵי מֶלֶךְ־בָּבֶל תִּרְאֶינָה Jer. 34:3
163/4 וְאֶת־עֵינֵי צִדְקִיָּהוּ עִוֵּר Jer. 39:7; 52:11
165 עֵינֵי אֲדֹנָי יֱהוִה בַּמַּמְלָכָה הַחַטָּאָה Am. 9:8
166 שִׁבְעָה־אֵלֶּה עֵינֵי יְיָ הֵמָּה... Zech. 4:10
167 עֵינֵי יְיָ אֶל־צַדִּיקִים... Ps. 34:16
168 עֵינֵי־כֹל אֵלֶיךָ יְשַׂבֵּרוּ Ps. 145:15
169 כִּי נֹכַח עֵינֵי יְיָ דַּרְכֵי־אִישׁ Prov. 5:21
170 בְּכָל־מָקוֹם עֵינֵי יְיָ... Prov. 15:3
171 עֵינֵי יְיָ נָצְרוּ דָעַת Prov. 22:12
172 מֵאִיר־עֵינֵי שְׁנֵיהֶם יְיָ Prov. 29:13

הַעֵינֵי־

173 הַעֵינֵי הָאֲנָשִׁים הָהֵם תְּנַקֵּר Num. 16:14
174 הַעֵינֵי בָשָׂר לָךְ Job 10:4

וְעֵינֵי

175 וְעֵינֵי לֵאָה רַכּוֹת Gen. 29:17
176 עֵינֵיכֶם רֹאוֹת וְעֵינֵי אָחִי בִנְיָמִין Gen. 45:12
177 וְעֵינֵי יִשְׂרָאֵל כָּבְדוּ מִזֹּקֶן Gen. 48:10
178 וְעֵינֵי אֲדֹנִי־הַמֶּלֶךְ רֹאוֹת IISh. 24:3
179 וְעֵינֵי גְבֹהִים תִּשְׁפַּלְנָה Is. 5:15
180 וְעֵינֵי כְסִיל בִּקְצֵה־אָרֶץ Prov. 17:24
181 וְעֵינֵי הָאָדָם לֹא תִשְׂבַּעְנָה Prov. 27:20
182 וְעֵינֵי רְשָׁעִים תִּכְלֶינָה Job 11:20
183 וְעֵינֵי בָנָיו תִּכְלֶנָה Job 17:5
184 וְעֵינֵי אַלְמָנָה אֲכַלֶּה Job 31:16

בְּעֵינֵי־

185 וְנֹחַ מָצָא חֵן בְּעֵינֵי יְיָ Gen. 6:8
186 וַיְהִי כִמְצַחֵק בְּעֵינֵי חֲתָנָיו Gen. 19:14
187 וַיֵּרַע הַדָּבָר מְאֹד בְּעֵינֵי אַבְרָהָם Gen. 21:11
188 רָעוֹת...בְּעֵינֵי יִצְחָק אָבִיו Gen. 28:8
189 אַל־יִחַר בְּעֵינֵי אֲדֹנִי... Gen. 31:35
190 לִמְצֹא־חֵן בְּעֵינֵי אֲדֹנִי Gen. 33:8
191 אֶמְצָא־חֵן בְּעֵינֵי אֲדֹנִי Gen. 33:15
192 וַיִּיטְבוּ דִבְרֵיהֶם בְּעֵינֵי חֲמוֹר Gen. 34:18
193 וַיְהִי עֵר...רַע בְּעֵינֵי יְיָ Gen. 38:7
194 וַיֵּרַע בְּעֵינֵי יְיָ אֲשֶׁר עָשָׂה Gen. 38:10
195 וַיִּתֵּן חִנּוֹ בְּעֵינֵי שַׂר בֵּית־הַסֹּהַר Gen. 39:21

בְּעֵינֵי־ (המשך)

196 וַיִּיטַב הַדָּבָר בְּעֵינֵי פַרְעֹה Gen. 41:37
197 בְּעֵינֵי פַרְעֹה וּבְעֵינֵי עֲבָדָיו Gen. 45:16
198 נִמְצָא־חֵן בְּעֵינֵי אֲדֹנִי Gen. 47:25
199 וְנָתַתִּי אֶת־חֵן הָעָם־הַזֶּה בְּעֵינֵי מִצְ׳ Ex. 3:21
200 הִבְאַשְׁתֶּם אֶת־רֵיחֵנוּ בְּעֵינֵי פַרְעֹה Ex. 5:21
201 וַיִּתֵּן יְיָ אֶת־חֵן הָעָם בְּעֵינֵי מִצְרָיִם Ex. 11:3
202 גָּדוֹל מְאֹד...בְּעֵינֵי עַבְדֵי־פַרְעֹה Ex. 11:3
203 וַיְיָ נָתַן אֶת־חֵן הָעָם בְּעֵינֵי מִצְ׳ Ex. 12:36
204 אִם־רָעָה בְּעֵינֵי אֲדֹנֶיהָ Ex. 21:8
205 הַיִּיטַב בְּעֵינֵי יְיָ Lev. 10:19
206 אוּלַי יִישַׁר בְּעֵינֵי הָאֱלֹהִים Num. 23:27
207 כִּי טוֹב בְּעֵינֵי יְיָ לְבָרֵךְ אֶת־יִשְׂ׳ Num. 24:1
208 כָּל־הַדּוֹר הָעֹשֶׂה הָרַע בְּעֵינֵי יְיָ Num. 32:13
209–296 בְּעֵינֵי יְיָ Deut. 4:25; 6:18; 9:18
12:25, 28; 13:19; 17:2; 21:9; 31:29 • Jud. 2:11; 3:7,
12^2; 4:1; 6:1; 10:6; 13:1 • ISh. 12:17; 15:19; 26:24 •
IISh. 11:27; 15:25 • IK. 3:10; 11:6; 14:22; 15:5, 11,
26, 34; 16:7, 19, 25, 30; 21:20, 25; 22:43, 53 • IIK.
3:2, 18; 8:18, 27; 12:3; 13:2, 11; 14:3, 24; 15:3, 9, 18,
24, 28, 34; 16:2; 17:2, 17; 18:3; 21:2, 6, 16, 20;
22:2; 23:32, 37; 24:9, 19 • Is. 49:5 • Jer. 52:2 • Mal.
2:17 • Ps. 116:15 • ICh. 2:3 • IICh. 14:1; 20:32;
21:6; 22:4; 24:2; 25:2; 26:4; 27:2; 28:1; 29:2, 6;
33:2, 6, 22; 34:2; 36:5, 9, 12

297 אָחֵל גַּדֶּלְךָ בְּעֵינֵי כָּל־יִשְׂרָאֵל Josh. 3:7
298 גִּדַּל יְיָ אֶת־יְהוֹשֻׁעַ בְּעֵינֵי כָּל־יִשְׂ׳ Josh. 4:14
299 וַיִּיטַב הַדָּבָר בְּעֵינֵי בְּ״י Josh. 22:33
300 וַתִּישַׁר בְּעֵינֵי שִׁמְשׁוֹן Jud. 14:7
301 וַיֵּרַע הַדָּבָר בְּעֵינֵי שְׁמוּאֵל ISh. 8:6
302 וַיִּיטַב בְּעֵינֵי כָל־הָעָם ISh. 18:5
303 וְגַם בְּעֵינֵי עַבְדֵי שָׁאוּל ISh. 18:5
304 וַיִּשַׁר הַדָּבָר בְּעֵינֵי דָוִד ISh. 18:26
305 וְלֹא־תַעֲשֶׂה רָע בְּעֵינֵי סַרְנֵי פְלִשְׁ׳ ISh. 29:7
306 אֵת כָּל־אֲשֶׁר־טוֹב בְּעֵינֵי יִשְׂרָאֵל IISh. 3:19
307 ...בְּעֵינֵי כָל־הָעָם טוֹב IISh. 3:36
308 וַיִּפָּלֵא בְּעֵינֵי אַמְנוֹן לַעֲשׂוֹת... IISh. 13:2
309 וַיִּישַׁר הַדָּבָר בְּעֵינֵי אַבְשָׁלֹם IISh. 17:4
310 וַיִּמְצָא הֲדַד חֵן בְּעֵינֵי פַרְעֹה IK. 11:19
311 כַּאֲשֶׁר יָשַׁר בְּעֵינֵי הַיּוֹצֵר לַעֲשׂוֹת Jer. 18:4
312 כִּי יִפָּלֵא בְּעֵינֵי שְׁאֵרִית הָעָם הַזֶּה Zech. 8:6
313 מְזֹרָה הָרָשֶׁת בְּעֵינֵי כָּל־בַּעַל כָּנָף Prov. 1:17
314 וּמְצָא־חֵן...בְּעֵינֵי אֱלֹהִים וְאָדָם Prov. 3:4
315 אֶבֶן־חֵן הַשֹּׁחַד בְּעֵינֵי בְעָלָיו Prov. 17:8
316 וַיִּיטַב הַדָּבָר בְּעֵינֵי הַמֶּלֶךְ Es. 1:21
317–320 בְּעֵינֵי הַמֶּלֶךְ Es. $2:4^2$; 5:8 • IICh. 30:4
321 נֹשֵׂאת חֵן בְּעֵינֵי כָּל־רֹאֶיהָ Es. 2:15
322 כִּי־יָשַׁר הַדָּבָר בְּעֵינֵי כָל־הָעָם ICh. 13:4
323 וַיֵּרַע בְּעֵינֵי הָאֱלֹ׳ עַל־הַדָּבָר הַזֶּה ICh. 21:7

וּבְעֵינֵי־

324 בְּעֵינֵי חֲמוֹר וּבְעֵינֵי שְׁכֶם Gen. 34:18
325 בְּעֵינֵי פַ׳ וּבְעֵינֵי כָּל־עֲבָדָיו Gen. 41:37
326/7 וּבְעֵינֵי עֲבָדָיו Gen. 45:16 • Ex. 5:21
328 בְּעֵינֵי עַבְדֵי־פַרְעֹה וּבְעֵינֵי הָעָם Ex. 11:3
329 וּבְעֵינֵי מֹשֶׁה רָע Num. 11:10
330 וּבְעֵינֵי הַסְּרָנִים לֹא־טוֹב אָתָּה ISh. 29:6
331 בְּעֵינֵי יִשְׂ׳ וּבְעֵינֵי כָּל־בֵּית בִּנְיָמִן IISh. 3:19
332 וּבְעֵינֵי כָּל־זִקְנֵי יִשְׂרָאֵל IISh. 17:4
333 בְּעֵינֵי הַמֶּלֶךְ וּבְעֵינֵי כָּל־הַקָּהָל IICh. 30:4

כְּעֵינֵי־

334 כְעֵינֵי עֲבָדִים אֶל־יַד אֲדוֹנֵיהֶם Ps. 123:2
335 כְּעֵינֵי שִׁפְחָה אֶל־יַד גְּבִרְתָּהּ Ps. 123:2

לְעֵינֵי־

336 לְעֵינֵי בְנֵי־עַמִּי נְתַתִּיהָ לָּךְ Gen. 23:11
337 לְאַבְרָהָם לְמִקְנָה לְעֵינֵי בְנֵי־חֵת Gen. 23:18
338 וְשָׂם...לְעֵינֵי הַצֹּאן בָּרְהָטִים Gen. 30:41

לְעֵינֵי־ (המשך)

339 וַיַּעַשׂ הָאֹתֹת לְעֵינֵי הָעָם Ex. 4:30
340 וַיַּךְ אֶת־הַמַּיִם...לְעֵינֵי פַרְעֹה Ex. 7:20
341 וּזְרָקוֹ מֹשֶׁה הַשָּׁמַיְמָה לְעֵינֵי פַרְעֹה Ex. 9:8
342 וַיַּעַשׂ כֵּן מֹשֶׁה לְעֵינֵי זִקְנֵי יִשְׂרָאֵל Ex. 17:6
343 יֵרֵד יְיָ לְעֵינֵי כָל־הָעָם Ex. 19:11
344 וּמַרְאֵה כְּבוֹד יְיָ...לְעֵינֵי בְּ״י Ex. 24:17
345 עֲנַן יְיָ...לְעֵינֵי כָל־בֵּית־יִשְׂרָאֵל Ex. 40:38
346 וְנִכְרְתוּ לְעֵינֵי בְּנֵי עַמָּם Lev. 20:17
347 אֲשֶׁר הוֹצֵאתִי־אֹתָם...לְעֵינֵי הַגּוֹיִם Lev. 26:45
348 לְהַקְדִּישֵׁנִי לְעֵינֵי בְּ״י Num. 20:12
349 וַיַּעֲלוּ...לְעֵינֵי כָּל־הָעֵדָה Num. 20:27
350 וַיַּקְרֵב אֶל־אֶחָיו...לְעֵינֵי מֹשֶׁה Num. 25:6
351 יָצְאוּ בְ״י בְּיָד רָמָה לְעֵינֵי כָּל־מִצְ׳ Num. 33:3
352 כִּי הִוא חָכְמַתְכֶם...לְעֵינֵי הָעַמִּים Deut. 4:6
353 וְנִגְּשָׁה יְבִמְתּוֹ אֵלָיו לְעֵינֵי הַזְּקֵנִים Deut. 25:9
354 וַיֹּאמֶר אֵלָיו לְעֵינֵי כָל־יִשְׂרָאֵל Deut. 31:7
355–359 לְעֵינֵי (כָּל)־יִשְׂרָאֵל Deut. 34:12
Josh. 10:12 • IISh. 16:22 • ICh. 28:8; 29:25

360 נִגְלָה הַיּוֹם לְעֵינֵי אַמְהוֹת עֲבָדָיו IISh. 6:20
361 וְשָׁכַב...לְעֵינֵי הַשֶּׁמֶשׁ הַזֹּאת IISh. 12:11
362 חָשַׂף יְיָ...לְעֵינֵי כָּל־הַגּוֹיִם Is. 52:10
363 וְשָׁבַרְתָּ הַבַּקְבֻּק לְעֵינֵי הָאֲנָשִׁים Jer. 19:10
364 לְעֵינֵי הַכֹּהֲנִים וְכָל־הָעָם Jer. 28:1
365 וַיֹּאמֶר יִרְמְיָה...לְעֵינֵי הַכֹּהֲנִים Jer. 28:5
366 וַיֹּאמֶר חֲנַנְיָה לְעֵינֵי כָל־הָעָם Jer. 28:11
367 וָאֶתֵּן אֶת־הַסֵּפֶר...לְעֵינֵי חֲנַמְאֵל Jer. 32:12
368 לְעֵינֵי כָּל־הַיְּהוּדִים Jer. 32:12
369 קַח...לְעֵינֵי אֲנָשִׁים יְהוּדִים Jer. 43:9
370 וְעָשִׂיתִי...מִשְׁפָּטִים לְעֵינֵי הַגּוֹיִם Ezek. 5:8
371/2 לְעֵינֵי כָּל־עוֹבֵר Ezek. 5:14; 36:34
373 וְעָשׂוּ־בָךְ שְׁפָטִים לְעֵינֵי נָשִׁים רַבּ׳ Ezek. 16:41
374/5 לְבִלְתִּי הֵחֵל לְעֵינֵי הַגּוֹיִם Ezek. 20:9, 14, 22
376–381 לְעֵינֵי (כָּל־) (הַ)גּוֹיִם Ezek. 20:41
22:16; 28:25; 38:23; 39:27 • IICh. 32:23
382 וָאֶתֶּנְךָ לְאֵפֶר...לְעֵינֵי כָּל־רֹאָיִךְ Ezek. 28:18
383 אֲגַלֶּה...לְעֵינֵי מְאַהֲבֶיהָ Hosh. 2:12
384 לְעֵינֵי הַגּוֹיִם גִּלָּה צִדְקָתוֹ Ps. 98:2
385 וַיִּפְתַּח עֶזְרָא הַסֵּפֶר לְעֵינֵי כָל־הָעָם Neh. 8:5
386 וַיְבָרֶךְ...לְעֵינֵי כָּל־הַקָּהָל ICh. 29:10

וּלְעֵינֵי־

387 לְעֵינֵי פַרְעֹה וּלְעֵינֵי עֲבָדָיו Ex. 7:20
388 לְעֵינֵי מֹשֶׁה וּלְעֵינֵי כָּל־עֲדַת בְּ״י Num. 25:6
389 לְעֵינֵי הַכֹּהֲנִים וּלְעֵינֵי כָל־הָעָם Jer. 28:5
390 לְעֵינֵי חֲנַמְאֵל דֹּדִי וּלְעֵינֵי הָעֵדִים Jer. 32:12

מֵעֵינֵי־

391 וְנֶעְלַם דָּבָר מֵעֵינֵי הַקָּהָל Lev. 4:13
392 וְנֶעְלַם מֵעֵינֵי אִישָׁהּ Num. 5:13
393 אִם מֵעֵינֵי הָעֵדָה נֶעֶשְׂתָה לִשְׁגָגָה Num. 15:24
394 וְנֶעֶלְמָה מֵעֵינֵי כָל־חָי Job 28:21

עֵינַי

395 וָאֶשָּׂא עֵינַי וָאֵרֶא בַּחֲלוֹם Gen. 31:10
396 וְאִנָּקְמָה...מִשְּׁתֵי עֵינַי מִפְּלִשְׁתִּים Jud. 16:28
397 וְאַעְלִים עֵינַי בּוֹ ISh. 12:3
398 רְאוּ־נָא כִּי־אֹרוּ עֵינַי ISh. 14:29
399 וְהָיוּ עֵינַי וְלִבִּי שָׁם כָּל־הַיָּמִים IK. 9:3
400 עַד אֲשֶׁר־בָּאתִי וַתִּרְאֶינָה עֵינַי IK. 10:7
401 וּבְפָרִשְׂכֶם כַּפֵּיכֶם אַעְלִים עֵינַי מִכֶּם
Is. 1:15
402 דַּלּוּ עֵינַי לַמָּרוֹם Is. 38:14
403 תֵּרַדְנָה עֵינַי דִּמְעָה Jer. 14:17
404 כִּי עֵינַי עַל־כָּל־דַּרְכֵיהֶם Jer. 16:17
405–412 וָאֶשָּׂא (אֶת־)עֵינַי Ezek. 8:5
Zech. 2:1, 5; 5:1, 9; 6:1 • Dan. 8:3; 10:5
413 וְאִם־יִסָּתְרוּ מִנֶּגֶד עֵינַי Am. 9:3
414 עֵינַי תִּרְאֶינָה בָּהּ Mic. 7:10

עֵינַי (המשך)

415 וְעַל־בֵּית יְהוּדָה אֶפְקַח אֶת־עֵינַי Zech. 12:4
416 הָאִירָה עֵינַי פֶּן־אִישַׁן הַמָּוֶת Ps. 13:4
417 עֵינַי תָּמִיד אֶל־יְיָ Ps. 25:15
418 וְאוֹר־עֵינַי גַּם־הֵם אֵין אִתִּי Ps. 38:11
419 לֹא־אָשִׁית לְנֶגֶד עֵינַי...בְּלִיָּעַל Ps. 101:3
420 עֵינַי בְּנֶאֶמְנֵי־אֶ׳ לָשֶׁבֶת עִמָּדִי Ps. 101:6
421 גַּל־עֵינַי וְאַבִּיטָה Ps. 119:18
422 הַעֲבֵר עֵינַי מֵרְאוֹת שָׁוְא Ps. 119:37
423 כָּלוּ עֵינַי לְאִמְרָתֶךָ Ps. 119:82
424 עֵינַי כָּלוּ לִישׁוּעָתֶךָ Ps. 119:123
425 קִדְּמוּ עֵינַי אַשְׁמֻרוֹת Ps. 119:148
426 אֶשָּׂא עֵינַי אֶל־הֶהָרִים Ps. 121:1
427 וְאַחַר עֵינַי הָלַךְ לִבִּי Job 31:7
428 כָּלוּ בַדְּמָעוֹת עֵינַי Lam. 2:11
429 אֲשֶׁר שָׁאֲלוּ עֵינַי לֹא אָצַלְתִּי מֵהֶם Eccl. 2:10
430 עֵינַי יִהְיוּ פְתֻחוֹת וְאָזְנַי קַשֻּׁבוֹת IICh. 7:15
431 וְהָיוּ עֵינַי וְלִבִּי שָׁם כָּל־הַיָּמִים IICh. 7:16
432 עַד אֲשֶׁר־בָּאתִי וַתִּרְאֶינָה עֵינַי IICh. 9:6

עֵינַ֑י

433 כָּלוּ עֵינַי מְיַחֵל לֵאלֹהָי Ps. 69:4
434 אֵלֶיךָ נָשָׂאתִי אֶת־עֵינַי... Ps. 123:1
435 לֹא־גָבַהּ לִבִּי וְלֹא־רָמוּ עֵינַי Ps. 131:1

עֵינָ֑י

436 הָסִירוּ רֹעַ מַעַלְלֵיכֶם מִנֶּגֶד עֵינָי Is. 1:16
437 אֶת־הַמֶּלֶךְ יְיָ צְבָאוֹת רָאוּ עֵינָי Is. 6:5
438 וְלֹא־נִצְפַּן עֲוֹנָם מִנֶּגֶד עֵינָי Jer. 16:17
439 כִּי־חַסְדְּךָ לְנֶגֶד עֵינָי Ps. 26:3
440 אָחַזְתָּ שְׁמֻרוֹת עֵינָי Ps. 77:5
441 ...לֹא־יִכּוֹן לְנֶגֶד עֵינָי Ps. 101:7
442 פַּלְגֵי־מַיִם יָרְדוּ עֵינָי Ps. 119:136
443 כִּי אֵלֶיךָ יֱהוִה אֲדֹנָי עֵינָי Ps. 141:8
444 תְּמוּנָה לְנֶגֶד עֵינָי Job 4:16

וְעֵינַי

445 יֹשֵׁב עַל־כִּסְאִי וְעֵינַי רֹאוֹת IK. 1:48
446 וְעֵינַי רָאוּ וְלֹא־זָר Job 19:27

בְּעֵינַי

447 כִּי־מָצָאתָ חֵן בְּעֵינַי... Ex. 33:17
448 וַיִּיטַב בְּעֵינַי הַדָּבָר Deut. 1:23
449 וְטוֹב בְּעֵינַי צֵאתְךָ וּבֹאֲךָ ISh. 29:6
450 טוֹב אַתָּה בְּעֵינַי כְּמַלְאַךְ אֱלֹהִים ISh. 29:9
451 ...לַעֲשׂוֹת הָרַע בְּעֵינַי (כת׳ בעינו) IISh. 12:9
452 ...לַעֲשׂוֹת הַיָּשָׁר בְּעֵינַי IK. 11:33
453-455 ...הַיָּשָׁר בְּעֵינַי IK. 11:38
IIK. 10:30 • Jer. 34:15
456 אֲשֶׁר עָשׂוּ אֶת־הָרַע בְּעֵינַי IIK. 21:15
457-461 הָרַע בְּעֵינַי Is. 65:12; 66:4
Jer. 7:30; 18:10; 32:30
462 מֵאֲשֶׁר יָקַרְתָּ בְעֵינַי נִכְבַּדְתָּ Ezek. 43:4
463 כִּי יִפָּלֵא...גַּם־בְּעֵינַי יִפָּלֵא... Zech. 8:6

בְּעֵינָ֑י

464 וְגַם־מָצָאתָ חֵן בְּעֵינָי Ex. 33:12
465 כִּי־הִיא יָשְׁרָה בְעֵינָי Jud. 14:3
466 כִּי־מָצָא חֵן בְּעֵינָי ISh. 16:22
467 כַּאֲשֶׁר גָּדְלָה נַפְשְׁךָ...בְּעֵינָי ISh. 26:24
468 וּנְקַלֹּתִי...וְהָיִיתִי שָׁפָל בְּעֵינָי IISh. 6:22
469 ...לַעֲשׂוֹת רַק הַיָּשָׁר בְּעֵינָי IK. 14:8
470 וּנְתַתִּיהָ לַאֲשֶׁר יָשַׁר בְּעֵינָי Jer. 27:5
471 כִּי עַתָּה רָאִיתִי בְעֵינָי Zech. 9:8
472 עָמָל הוּא° בְעֵינָי Ps. 73:16

לְעֵינַי

473 וְעָשְׂתָה לְעֵינַי אֶת־הַבִּרְיָה IISh. 13:5
474 וּתְלַבֵּב לְעֵינַי שְׁתֵּי לְבִבוֹת IISh. 13:6
475 וַיֵּרוֹמּוּ מִן־הָאָרֶץ לְעֵינַי Ezek. 10:19

לְעֵינָי

476 בֹּא אֶל־בֵּינוֹת לַגַּלְגַּל...וַיָּבֹא לְעֵי׳ Ezek. 10:2
477 אִם־אֶתֵּן שְׁנַת לְעֵינָי... Ps. 132:4
478 בְּרִית כָּרַתִּי לְעֵינָי... Job 31:1

מֵעֵינָ֑י

479 וַתִּדַּד שְׁנָתִי מֵעֵינָי Gen. 31:40
480 כִּי נִשְׁכְּחוּ...וְכִי נִסְתְּרוּ מֵעֵינָי Is. 65:16
481 נֹחַם יִסָּתֵר מֵעֵינָי Hosh. 13:14
482 וַיַּסְתֵּר עָמָל מֵעֵינָי Job 3:1

עֵינֶיךָ

483/4 שָׂא(־)נָא עֵינֶיךָ וּרְאֵה Gen. 13:14; 31:12
485 וְיוֹסֵף יָשִׁית יָדוֹ עַל־עֵינֶיךָ Gen. 46:4
486 וּלְזִכָּרוֹן בֵּין עֵינֶיךָ Ex. 13:9
487 וּלְטוֹטָפֹת בֵּין עֵינֶיךָ Ex. 13:16
488 עֵינֶיךָ הָרֹאֹת אֵת כָּל־אֲשֶׁר עָשָׂה Deut. 3:21
489 וְשָׂא עֵינֶיךָ יָמָּה וְצָפֹנָה... Deut. 3:27
490 אֶת־הַדְּבָרִים אֲשֶׁר־רָאוּ עֵינֶיךָ Deut. 4:9
491 וּפֶן־תִּשָּׂא עֵינֶיךָ הַשָּׁמַיְמָה Deut. 4:19
492 וְהָיוּ לְטֹטָפֹת בֵּין עֵינֶיךָ Deut. 6:8
493/4 הַמַּסֹּ(ו)ת...אֲשֶׁר־רָאוּ עֵינֶיךָ Deut. 7:19; 29:2
495 אֶת־הַגְּדֹלֹת...אֲשֶׁר רָאוּ עֵינֶיךָ Deut. 10:21
496 וְהָיִיתָ מְשֻׁגָּע מִמַּרְאֵה עֵינֶיךָ Deut. 28:34
497 וּמִמַּרְאֵה עֵינֶיךָ אֲשֶׁר תִּרְאֶה Deut. 28:67
498 לְכַלּוֹת אֶת־עֵינֶיךָ ISh. 2:33
499 הִנֵּה הַיּוֹם הַזֶּה רָאוּ עֵינֶיךָ ISh. 24:10
500 לִהְיוֹת עֵינֶךָ פְתֻחֹת אֶל... IK. 8:29
501/2 לִהְיוֹת עֵינֶיךָ פְתֻחֹ(ו)ת IK. 8:52 • IICh. 6:20
503 כָּל־מַחְמַד עֵינֶיךָ יָשִׂימוּ בְיָדָם IK. 20:6
504 פְּקַח יְיָ עֵינֶיךָ וּרְאֵה IIK. 19:16
505/6 וַתִּשָּׂא מָרוֹם עֵינֶיךָ IIK. 19:22 • Is. 37:23
507 וְלֹא־תִרְאֶינָה עֵינֶיךָ בְּכֹל הָרָעָה IIK. 22:20
508 וְהָיוּ עֵינֶיךָ רֹאוֹת אֶת־מוֹרֶיךָ Is. 30:20
509 מֶלֶךְ בְּיָפְיוֹ תֶּחֱזֶינָה עֵינֶיךָ Is. 33:17
510 עֵינֶיךָ תִרְאֶינָה יְרוּשָׁלַ͏ִם... Is. 33:20
511 פְּקַח יְיָ עֵינְךָ וּרְאֵה Is. 37:17
512 יְיָ עֵינֶיךָ הֲלוֹא לֶאֱמוּנָה Jer. 5:3
513 אֵין עֵינֶיךָ...כִּי אִם־עַל־בִּצְעֶךָ Jer. 22:17
514 אֲשֶׁר־עֵינֶיךָ פְקֻחוֹת Jer. 32:19
515 כַּאֲשֶׁר עֵינֶיךָ רֹאוֹת אֹתָנוּ Jer. 42:2
516 שָׂא־נָא עֵינֶיךָ דֶּרֶךְ צָפוֹנָה Ezek. 8:5
517 הִנְנִי לֹקֵחַ...אֶת־מַחְמַד עֵינֶיךָ Ezek. 24:16
518 נִגְרַשְׁתִּי מִנֶּגֶד עֵינֶיךָ Jon. 2:5
519 שָׂא נָא עֵינֶיךָ וּרְאֵה Zech. 5:5
520 לֹא־יִתְיַצְּבוּ הוֹלְלִים לְנֶגֶד עֵינֶיךָ Ps. 5:6
521 עֵינֶיךָ תֶּחֱזֶינָה מֵישָׁרִים Ps. 17:2
522 נִגְרַזְתִּי מִנֶּגֶד עֵינֶיךָ Ps. 31:23
523 גָּלְמִי רָאוּ עֵינֶיךָ Ps. 139:16
524 עֵינֶיךָ לְנֹכַח יַבִּיטוּ Prov. 4:25
525 שְׁמֹר...וְתוֹרָתִי כְּאִישׁוֹן עֵינֶיךָ Prov. 7:2
526 פְּקַח עֵינֶיךָ שְׂבַע־לָחֶם Prov. 20:13
527 הֲתָעִיף° עֵינֶיךָ בּוֹ וְאֵינֶנּוּ Prov. 23:5
528 עֵינֶיךָ יִרְאוּ זָרוֹת Prov. 23:33
529 ...אֲשֶׁר רָאוּ עֵינֶיךָ Prov. 25:7
530 עֵינֶיךָ בִּי וְאֵינֶנִּי Job 7:8
531 אַף־עַל־זֶה פָּקַחְתָּ עֵינֶךָ Job 14:3
532 וּמַה־יִּרְזְמוּן עֵינֶיךָ Job 15:12
533 בְּדַרְכֵי לִבְּךָ וּבְמַרְאֵה° עֵינֶיךָ Eccl. 11:9
534 פְּקַח°־עֵינֶיךָ וּרְאֵה שֹׁמְמֹתֵינוּ Dan. 9:18
535 יִהְיוּ־נָא עֵינֶיךָ פְּתֻחוֹת IICh. 6:40
536 וְלֹא־תִרְאֶינָה עֵינֶיךָ בְּכֹל הָרָעָה IICh. 34:28

וְעֵינֶיךָ

537 וְעֵינֶיךָ רֹאוֹת וְכָלוֹת Deut. 28:32
538 וְעֵינֶיךָ עַל־רָמִים תַּשְׁפִּיל IISh. 22:28
539 וְנָפְלוּ...וְעֵינֶיךָ רֹאוֹת Jer. 20:4
540 וְעֵינֶיךָ...עֵינֵי מֶ׳־בָּבֶל תִּרְאֶינָה Jer. 34:3
541 קָחֶנּוּ וְעֵינֶיךָ שִׂים עָלָיו Jer. 39:12
542 וְעֵינֶיךָ דְּרָכַי תִּצֹּרְנָה° Prov. 23:26
543 אָזְנְךָ־קַשֶּׁבֶת וְעֵינֶיךָ פְתוּחוֹת לִשְׁמֹעַ Neh. 1:6

בְּעֵינֶיךָ

544-554 אִם(נָא)מָצָאתִי חֵן בְּעֵינֶיךָ Gen. 18:3
30:27; 33:10; 47:29 • Ex. 33:13; 34:9 • Num. 11:15
• Jud. 6:17 • ISh. 20:29; 27:5 • Es. 7:3

בְּעֵינֶיךָ (המשך)

555-566 מָצָא (לִמְצֹא, אֶמְצָא וכו׳) חֵן בְּעֵינֶיךָ
Gen. 19:19; 32:5 • Ex. 33:13, 16 • Num. 11:11; 32:5
• ISh. 20:3; 25:8 • IISh. 14:22; 16:4 • Ruth 2:10, 13
567 בַּטּוֹב בְּעֵינֶיךָ שֵׁב Gen. 20:15
568 אַל־יֵרַע בְּעֵינֶיךָ עַל־הַנַּעַר Gen. 21:12
569 אִם־רַע בְּעֵינֶיךָ אָשׁוּבָה לִּי Num. 22:34
570 וְשָׂא עֵינֶיךָ...וּרְאֵה בְעֵינֶיךָ Deut. 3:27
571 לֹא־יִקְשֶׁה בְעֵינֶךָ... Deut. 15:18
572 הֶרְאִיתִיךָ בְעֵי׳ וְשָׁמָּה לֹא תַעֲבֹר Deut. 34:4
573 כַּטּוֹב וְכַיָּשָׁר בְּעֵינֶיךָ...עֲשֵׂה Josh. 9:25
574 עֲשֵׂה...כְּכָל־הַטּוֹב בְּעֵינֶיךָ Jud. 10:15
575 תִּמְצָא שִׁפְחָתְךָ חֵן בְּעֵינֶיךָ ISh. 1:18
576 כָּל־הַטּוֹב בְּעֵינֶיךָ עֲשֵׂה ISh. 14:36
577 הַטּוֹב בְּעֵינֶיךָ עֲשֵׂה ISh. 14:40
578 אִם־קָטֹן אַתָּה בְּעֵינֶיךָ ISh. 15:17
579 וְעָשִׂיתָ לּוֹ כַּאֲשֶׁר יִטַב בְּעֵינֶיךָ ISh. 24:4
580 תַּחַת אֲשֶׁר יָקְרָה נַפְשִׁי בְּעֵינֶיךָ ISh. 26:21
581 וַתִּקְטַן עוֹד זֹאת בְּעֵינֶיךָ IISh. 7:19
582 הַמְכַבֵּד דָּוִד אֶת־אָבִיךָ בְּעֵינֶיךָ IISh. 10:3
583 אַל־יֵרַע בְּעֵי׳ אֶת־הַדָּבָר הַזֶּה IISh. 11:25
584 כִּי־אָז יָשָׁר בְּעֵינֶיךָ IISh. 19:7
585 וַעֲשֵׂה הַטּוֹב בְּעֵינֶיךָ IISh. 19:28
586 וַעֲשֵׂה־לוֹ אֵת אֲשֶׁר־טוֹב בְּעֵינֶיךָ IISh. 19:38
587 אֶעֱשֶׂה־לוֹ אֶת־הַטּוֹב בְּעֵינֶיךָ IISh. 19:39
588 אִם טוֹב בְּעֵינֶיךָ אֶתְּנָה־לְךָ כֶסֶף IK. 21:2
589 תִּיקַר־נָא נַפְשִׁי...בְּעֵינֶיךָ IIK. 1:13
590 וְעַתָּה תִּיקַר נַפְשִׁי בְּעֵינֶיךָ IIK. 1:14
591 הִנְּכָה רֹאֶה בְּעֵינֶיךָ וּמִשָּׁם לֹא תֹאכֵל IIK. 7:2
592 הִנְּךָ רֹאֶה בְּעֵינֶיךָ וּמִשָּׁם לֹא תֹאכֵל IIK. 7:19
593 הַטּוֹב בְּעֵינֶיךָ עֲשֵׂה IIK. 10:5
594 וְהַטּוֹב בְּעֵינֶיךָ עָשִׂיתִי IIK. 20:3
595 וְהַטּוֹב בְּעֵינֶיךָ עָשִׂיתִי Is. 38:3
596 אִם־טוֹב בְּעֵינֶיךָ לָבוֹא אִתִּי בָבֶל Jer. 40:4
597 וְאִם־רַע בְּעֵינֶיךָ...חֲדָל... Jer. 40:4
598 וְאֶל־הַיָּשָׁר בְּעֵינֶיךָ לָלֶכֶת שָׁמָּה לֵךְ Jer. 40:4
599 אֶל־כָּל־הַיָּשָׁר בְּעֵינֶיךָ לָלֶכֶת לֵךְ Jer. 40:5
600/1 (וּ)רְאֵה בְעֵינֶיךָ וּבְאָזְנֶיךָ שְּׁמָע Ezek. 40:4; 44:5
602 וְהָרַע בְּעֵינֶיךָ עָשִׂיתִי Ps. 51:6
603 אֶלֶף שָׁנִים בְּעֵינֶיךָ כְּיוֹם אֶתְמוֹל Ps. 90:4
604 רַק בְּעֵינֶיךָ תַבִּיט Ps. 91:8
605 אַל־תְּהִי חָכָם בְּעֵינֶיךָ Prov. 3:7
606 וּבַר הָיִיתִי בְּעֵינֶיךָ Job 11:4
607 וְהָעָם לַעֲשׂוֹת בּוֹ כַּטּוֹב בְּעֵינֶיךָ Es. 3:11
608 וַתִּקְטַן זֹאת בְּעֵינֶיךָ ICh. 17:17
609 הַמְכַבֵּד דָּוִיד אֶת־אָבִיךָ בְּעֵינֶיךָ ICh. 19:3

לְעֵינֶיךָ

610 לָמָּה נָמוּת לְעֵינֶיךָ Gen. 47:19
611 לֹא־יִרְדֶּנּוּ בְּפֶרֶךְ לְעֵינֶיךָ Lev. 25:53
612 כְּכֹל אֲשֶׁר־עָשָׂה...לְעֵינֶיךָ Deut. 4:34
613 וְנִקְלָה אָחִיךָ לְעֵינֶיךָ Deut. 25:3
614 שׁוֹרְךָ טָבוּחַ לְעֵינֶיךָ Deut. 28:31
615 וְלָקַחְתִּי אֶת־נָשֶׁיךָ לְעֵינֶיךָ IISh. 12:11
616 אוֹכִיחֲךָ וְאֶעֶרְכָה לְעֵינֶיךָ Ps. 50:21
617 אַל־תִּתֵּן שֵׁנָה לְעֵינֶיךָ Prov. 6:4

מֵעֵינֶיךָ

618 בְּנִי אַל־יָלֻזוּ מֵעֵינֶיךָ Prov. 3:21
619 אַל־יַלִּיזוּ מֵעֵינֶיךָ Prov. 4:21

עֵינַיִךְ

620/1 שְׂאִי־סָבִיב עֵינַיִךְ וּרְאִי Is. 49:18; 60:4
622 שְׂאִי־עֵינַיִךְ עַל־שְׁפָיִם וּרְאִי Jer. 3:2
623 כִּי־תִקְרְעִי בַפּוּךְ עֵינַיִךְ Jer. 4:30
624 וְלֹא־תִשְׂאִי עֵינַיִךְ אֲלֵיהֶם Ezek. 23:27
625 כָּחַלְתְּ עֵינַיִךְ וְעָדִית עֶדִי Ezek. 23:40
626/7 הִנָּךְ יָפָה עֵינַיִךְ יוֹנִים S.ofS. 1:15; 4:1
628 הָסֵבִּי עֵינַיִךְ מִנֶּגְדִּי S.ofS. 6:5

629 עֵינַיִךְ בְּרֵכוֹת בְּחֶשְׁבּוֹן S.ofS. 7:5
630 עֵינַיִךְ בַּשָּׂדֶה אֲשֶׁר־יִקְצֹרוּן Ruth 2:9
וְעֵינַיִךְ 631 מִנְעִי...וְעֵינַיִךְ מִדִּמְעָה Jer. 31:16(15)
בְּעֵינַיִךְ 632 עֲשִׂי הַטּוֹב בְּעֵינַיִךְ ISh. 1:23
בְּעֵינָיִךְ 633 עֲשִׂי־לָהּ הַטּוֹב בְּעֵינָיִךְ Gen. 16:6
מֵעֵינַיִךְ 634 לִבַּבְתִּנִי בְּאַחַת° מֵעֵינַיִךְ S.ofS. 4:9
עֵינָיו 635 וַיִּשָּׂא־לוֹט אֶת־עֵינָיו וַיַּרְא Gen. 13:10
636-648 וַיִּשָּׂא...עֵינָיו וַיַּרְא Gen. 18:2
22:4, 13; 24:63; 33:1,5; 43:29 • Num. 24:2 • Josh. 5:13 • Jud 19:17 • IISh. 13:34; 18:24 • ICh. 21:16
649 וַתִּכְהֶיןָ עֵינָיו מֵרְאֹת Gen. 27:1
650 וְאֶת־זְקָנוֹ וְאֵת גַּבֹּת עֵינָיו Lev. 14:9
651 וַיְנַקְּרוּ אֶת־עֵינָיו Jud. 16:21
652 וַיָּשֶׁב...אֶל־פִּיו וַתָּאֹרְנָה° עֵינָיו ISh. 14:27
653 וַיָּשֶׁב...כְּבֹרִי לְנֶגֶד עֵינָיו IISh. 22:25
654 כִּי קָמוּ עֵינָיו מִשֵּׂיבוֹ IK. 14:4
655 וַיִּתְחַפֵּשׂ בָּאֲפֵר עַל־עֵינָיו IK. 20:38
656 וַיָּסַר אֶת־הָאֲפֵר מֵעֲלֵי° עֵינָיו IK. 20:41
657 פִּיו עַל־פִּיו וְעֵינָיו עַל־עֵינָיו IIK. 4:34
658 וַיִּפְקַח הַנַּעַר אֶת־עֵינָיו IIK. 4:35
659 פְּקַח־נָא אֶת־עֵינָיו IIK. 6:17
660 וְעַל־תִּפְאֶרֶת רוּם עֵינָיו Is. 10:12
661 וְלֹא־לְמַרְאֵה עֵינָיו יִשְׁפּוֹט Is. 11:3
662 וְעֹצֵם עֵינָיו מֵרְאוֹת בְּרָע Is. 33:15
663 וְעֵינָיו אֶת־עֵינָו תִּרְאֶינָה Jer. 32:4
664 וְאֶל־הַגִּלּוּלִים נָשָׂא עֵינָיו Ezek. 18:12
665 אִישׁ שִׁקּוּצֵי עֵינָיו הַשְׁלִיכוּ Ezek. 20:7
666 עֵינָיו לְחֵלְכָה יִצְפֹּנוּ Ps. 10:8
667 עֵינָיו יֶחֱזוּ עַפְעַפָּיו יִבְחֲנוּ... Ps. 11:4
668 וַיָּשֶׁב...כְּבֹר יָדַי לְנֶגֶד עֵינָיו Ps. 18:25
669 אֵין־פַּחַד אֱלֹהִים לְנֶגֶד עֵינָיו Ps. 36:2
670 עֵינָיו בַּגּוֹיִם תִּצְפֶּינָה Ps. 66:7
671 עֹצֶה עֵינָיו לַחְשֹׁב תַּהְפֻּכוֹת Prov. 16:30
672 וּמַעְלִים עֵינָיו רַב־מְאֵרוֹת Prov. 28:27
673 דּוֹר מָה־רָמוּ עֵינָיו... Prov. 30:13
674 צָרִי יִלְטוֹשׁ עֵינָיו לִי Job 16:9
675 יִרְאוּ עֵינָו כִּידוֹ Job 21:20
676 עֵינָיו פָּקַח וְאֵינֶנּוּ Job 27:19
677 כִּי־עֵינָיו עַל־דַּרְכֵי־אִישׁ Job 34:21
678 לֹא־יִגְרַע מִצַּדִּיק עֵינָיו Job 36:7
679 לְמֵרָחוֹק עֵינָיו יַבִּיטוּ Job 39:29
680 עֵינָיו כְּיוֹנִים עַל־אֲפִיקֵי מָיִם S.ofS. 5:12
681 הֶחָכָם עֵינָיו בְּרֹאשׁוֹ Eccl. 2:14
682 וּמַה־כִּשְׁרוֹן לִבְעָלֶיהָ כִּי־אִם רְאוּת° עֵינָיו Eccl. 5:10
683 קֶרֶן חָזוּת בֵּין עֵינָיו Dan. 8:5
684 וְהַקֶּרֶן הַגְּדוֹלָה אֲשֶׁר בֵּין־עֵינָיו Dan. 8:21
685 כִּי יְיָ עֵינָיו מְשֹׁטְטוֹת בְּכָל־הָאָרֶץ IICh. 16:9
וְעֵינָיו 686 וְעֵינָו הֵחֵלּוּ כֵהוֹת ISh. 3:2
687 וְעֵינָיו קָמָה וְלֹא יָכוֹל לִרְאוֹת ISh. 4:15
688 פִּיו עַל־פִּיו וְעֵינָיו עַל־עֵינָיו IIK. 4:34
689 הַשְׁמֵן לֵב־הָעָם הַזֶּה...וְעֵינָיו הָשַׁע Is. 6:10
690 וְעֵינָיו אֶל־קְדוֹשׁ יִשְׂרָאֵל תִּרְאֶינָה Is. 17:7
691 וְעֵינָיו אֶת־עֵינָו תִּרְאֶינָה Jer. 32:4
692/3 וְעֵינָיו לֹא נָשָׂא אֶל־גִּלּוּלֵי בֵּ״י Ezek. 18:6, 15
694 וְעֵינָיו תִּמַּקְנָה בְחֹרֵיהֶן Zech. 14:12
695 וְעֵינָיו כְּעַפְעַפֵּי־שָׁחַר Job 41:10
696 וְעֵינָיו כְּלַפִּידֵי אֵשׁ Dan. 10:6
בְּעֵינָיו 697 וְהָיִיתִי בְעֵינָיו כִּמְתַעְתֵּעַ Gen. 27:12
698 וַיִּהְיוּ בְעֵינָיו כְּיָמִים אֲחָדִים Gen. 29:20
699 וַיִּמְצָא יוֹסֵף חֵן בְּעֵינָיו Gen. 39:4

בְּעֵינָיו (המשך)
700 וַיַּרְא יוֹסֵף...וַיֵּרַע בְּעֵינָיו Gen. 48:17
701 וְהַיָּשָׁר בְּעֵינָיו תַּעֲשֶׂה Ex. 15:26
702 וַיִּשְׁמַע מֹשֶׁה וַיִּיטַב בְּעֵינָיו Lev. 10:20
703 וְהִנֵּה הַנֶּגַע עָמַד בְּעֵינָיו Lev. 13:5
704 וְאִם־בְּעֵינָיו עָמַד הַנֶּתֶק Lev. 13:37
705 לֹא תַעֲשׂוּן...אִישׁ כָּל־הַיָּשָׁר בְּעֵי׳ Deut. 12:8
706 אִם־לֹא תִמְצָא־חֵן בְּעֵינָיו Deut. 24:1
707/8 אִישׁ הַיָּשָׁר בְּעֵינָיו יַעֲשֶׂה Jud. 17:6; 21:25
709 יְיָ הוּא הַטּוֹב בְּעֵינָו יַעֲשֶׂה ISh. 3:18
710 וַיֵּרַע בְּעֵינָיו הַדָּבָר הַזֶּה ISh. 18:8
711 וַיִּשַׁר הַדָּבָר בְּעֵינָיו ISh. 18:20
712 וְהוּא־הָיָה כִמְבַשֵּׂר בְּעֵינָיו IISh. 4:10
713 וַיְיָ יַעֲשֶׂה הַטּוֹב בְּעֵינָיו IISh. 10:12
714 יַעֲשֶׂה־לִּי כַּאֲשֶׁר טוֹב בְּעֵינָיו IISh. 15:26
715 וְלַעֲשׂוֹת הַטּוֹב בְּעֵינָו IISh. 19:19
716 וַיַּעַל אֲדֹנִי הַמֶּלֶךְ הַטּוֹב בְּעֵינָו IISh. 24:22
717 וְלֹא יָשְׁרוּ בְּעֵינָיו IK. 9:12
718 פֶּן־יִרְאֶה בְעֵינָיו וּבְאָזְנָיו יִשְׁמָע Is. 6:10
719 וַיַּרְא יְיָ וַיֵּרַע בְּעֵינָיו Is. 59:15
720 נִבְזֶה בְּעֵינָיו נִמְאָס Ps. 15:4
721 כִּי־הֶחֱלִיק אֵלָיו בְּעֵינָיו Ps. 36:3
722 וְיֵיקַר דָּמָם בְּעֵינָיו Ps. 72:14
723 קֹרֵץ בְּעֵינָו מֹלֵל בְּרַגְלָו Prov. 6:13
724 דֶּרֶךְ אֱוִיל יָשָׁר בְּעֵינָיו Prov. 12:15
725 כָּל־דַּרְכֵי־אִישׁ זַךְ בְּעֵינָיו Prov. 16:2
726 מְזָרֶה בְעֵינָיו כָּל־רָע Prov. 20:8
727 כָּל־דֶּרֶךְ־אִישׁ יָשָׁר בְּעֵינָיו Prov. 21:2
728 לֹא־יֻחַן בְּעֵינָיו רֵעֵהוּ Prov. 21:10
729 פֶּן־יִרְאֶה יְיָ וְרַע בְּעֵינָיו Prov. 24:18
730 פֶּן־יִהְיֶה חָכָם בְּעֵינָיו Prov. 26:5
731 רָאִיתָ אִישׁ חָכָם בְּעֵינָיו Prov. 26:12
732 חָכָם עָצֵל בְּעֵינָיו Prov. 26:16
733 חָכָם בְּעֵינָיו אִישׁ עָשִׁיר Prov. 28:11
734 דּוֹר טָהוֹר בְּעֵינָיו Prov. 30:12
735 וְשָׁמַיִם לֹא־זַכּוּ בְעֵינָיו Job 15:15
736 וְכוֹכָבִים לֹא־זַכּוּ בְעֵינָיו Job 25:5
737 כִּי הוּא צַדִּיק בְּעֵינָיו Job 32:1
738 בְּעֵינָיו יִקָּחֶנּוּ Job 40:24
739 אָז הָיִיתִי בְעֵינָיו כְּמוֹצְאֵת שָׁלוֹם S.ofS.8:10
740 אַחַר אֲשֶׁר אֶמְצָא־חֵן בְּעֵינָיו Ruth 2:2
741 שֵׁנָה בְּעֵינָיו אֵינֶנּוּ רֹאֶה Eccl. 8:16
742 וַתִּיטַב הַנַּעֲרָה בְעֵינָיו Es. 2:9
743 וַיִּבֶז בְּעֵינָיו לִשְׁלֹחַ יָד בְּמָרְדֳּכַי לְבַדּוֹ Es. 3:6
744 נָשְׂאָה חֵן בְּעֵינָיו Es. 5:2
745 וְטוֹבָה אֲנִי בְּעֵינָיו Es. 8:5
746 הַטּוֹב בְּעֵינָיו יַעֲשֶׂה ICh. 19:13
747 וְיַעַשׂ אֲדֹנִי הַמֶּלֶךְ הַטּוֹב בְּעֵינָיו ICh. 21:23
לְעֵינָיו 748 וְשָׂרַף אֶת־הַפָּרָה לְעֵינָיו Num. 19:5
749 וַתְּלַבֵּשׁ וַתְּלַבֵּב לְעֵינָיו IISh. 13:8
750 וְאֶת־בְּנֵי צִדְקִיָּהוּ שָׁחֲטוּ לְעֵינָיו IIK. 25:7
751/2 וַיִּשְׁחַט...אֶת־בְּנֵי צִדְקִיָּהוּ...לְעֵינָיו Jer. 39:6; 52:10
מֵעֵינָיו 753 וּמַלְאַךְ יְיָ הָלַךְ מֵעֵינָיו Jud. 6:21
וְעֵינֵיהוּ 754 וְעֵינֵיהוּ עַל־דַּרְכֵיהֶם Job 24:23
עֵינֶיהָ 755 וַיִּפְקַח אֱלֹהִים אֶת־עֵינֶיהָ וַתֵּרֶא Gen. 21:19
756 וַתִּשָּׂא רִבְקָה אֶת־עֵינֶיהָ וַתֵּרֶא Gen. 24:64
757 וַתִּשָּׂא...אֶת־עֵינֶיהָ אֶל־יוֹסֵף Gen. 39:7
758 וַתָּשֶׂם בַּפּוּךְ עֵינֶיהָ IIK. 9:30
759 וַתַּעְגְּבָה° עֲלֵיהֶם לְמַרְאֵה עֵינֶיהָ Ezek.23:16
בְּעֵינֶיהָ 760 וַתֵּקַל גְּבִרְתָּהּ בְּעֵינֶיהָ Gen. 16:4
761 וַתֵּרֶא כִּי הָרָתָה וָאֵקַל בְּעֵינֶיהָ Gen. 16:5

עֵינֵינוּ 762 בִּלְתִּי אֶל־הַמָּן עֵינֵינוּ Num. 11:6
763 וְתֵרַדְנָה עֵינֵינוּ דִּמְעָה Jer. 9:17
764 הֲלוֹא נֶגֶד עֵינֵינוּ אֹכֶל נִכְרָת Joel 1:16
765 וְתַחַז בְּצִיּוֹן עֵינֵינוּ Mic. 4:11
766 כֵּן עֵינֵינוּ אֶל־יְיָ אֱלֹהֵינוּ Ps. 123:2
767 עוֹדֵינוּ° תִּכְלֶינָה עֵינֵינוּ Lam. 4:17
768 עַל־אֵלֶּה חָשְׁכוּ עֵינֵינוּ Lam. 5:17
769 לְהָאִיר עֵינֵינוּ אֱלֹהֵינוּ Ez. 9:8
770 כִּי עָלֶיךָ עֵינֵינוּ IICh. 20:12
וְעֵינֵינוּ 771 וְעֵינֵינוּ לֹא רָאוּ Deut. 21:7
בְּעֵינֵינוּ 772 וַנְּהִי בְעֵינֵינוּ כַּחֲגָבִים Num. 13:33
773 הִיא נִפְלָאת בְּעֵינֵינוּ Ps. 118:23
לְעֵינֵינוּ 774 וַיִּתֵּן יְיָ אוֹתֹת וּמֹפְתִים...לְעֵינֵינוּ Deut. 6:22
775 וַאֲשֶׁר עָשָׂה לְעֵינֵינוּ אֶת־הָאֹתוֹת Josh. 24:17
776 יִוָּדַע בַּגּוֹיִם° לְעֵינֵינוּ Ps. 79:10
עֵינֵיכֶם 777 וְנִפְקְחוּ עֵינֵיכֶם וִהְיִיתֶם כֵּאלֹהִים Gen. 3:5
778 וְהִנֵּה עֵינֵיכֶם רֹאוֹת... Gen. 45:12
779 וְלֹא תָתוּרוּ...וְאַחֲרֵי עֵינֵיכֶם Num. 15:39
780 עֵינֵיכֶם הָרֹאוֹת אֵת אֲשֶׁר־עָשָׂה יְיָ Deut. 4:3
781 עֵינֵיכֶם הָרֹאֹת אֶת כָּל־מַעֲשֵׂה יְיָ Deut. 11:7
782 וְהָיוּ לְטוֹטָפֹת בֵּין עֵינֵיכֶם Deut. 11:18
783 וְלֹא־תָשִׂימוּ קָרְחָה בֵּין עֵינֵיכֶם Deut. 14:1
784 וַתִּרְאֶינָה עֵינֵיכֶם...אֲשֶׁר־עָשִׂיתִי Josh. 24:7
785 וַיְעַצֵּם אֶת־עֵינֵיכֶם Is. 29:10
786 שְׂאוּ־מָרוֹם עֵינֵיכֶם וּרְאוּ Is. 40:26
787 שְׂאוּ לַשָּׁמַיִם עֵינֵיכֶם Is. 51:6
788 שְׂאוּ° עֵינֵיכֶם וּרְאוּ° Jer. 13:20
789 מַחְמַד עֵינֵיכֶם וּמַחְמַל נַפְשְׁכֶם Ezek. 24:21
וְעֵינֵיכֶם 790 וְעֵינֵיכֶם תִּשְׂאוּ אֶל־גִּלּוּלֵיכֶם Ezek. 33:25
791 וְעֵינֵיכֶם תִּרְאֶינָה... Mal. 1:5
בְּעֵינֵיכֶם 792 וַעֲשׂוּ לָהֶן כַּטּוֹב בְּעֵינֵיכֶם Gen. 19:8
793 אֶמְצָא־חֵן בְּעֵינֵיכֶם Gen. 34:11
794 אַל־תֵּעָצְבוּ וְאַל־יִחַר בְּעֵינֵיכֶם Gen. 45:5
795 אִם־נָא מָצָאתִי חֵן בְּעֵינֵיכֶם Gen. 50:4
796 לְשִׂכִּים בְּעֵינֵיכֶם וְלִצְנִנִים Num. 33:55
797 וּלְשֹׁטֵט בְּצִדֵּיכֶם וְלִצְנִנִים בְּעֵינֵיכֶם Josh. 23:13
798 וְאִם רַע בְּעֵינֵיכֶם לַעֲבֹד אֶת־יְיָ Josh. 24:15
799 וַעֲשׂוּ לָהֶם הַטּוֹב בְּעֵינֵיכֶם Jud. 19:24
800 וַעֲשִׂיתֶם לָנוּ כְּכָל־הַטּוֹב בְּעֵינֵיכֶ׳ ISh. 11:10
801 הֲנְקַלָּה בְעֵינֵיכֶם הִתְחַתֵּן בַּמֶּלֶךְ ISh. 18:23
802 אֲשֶׁר־יִיטַב בְּעֵינֵיכֶם אֶעֱשֶׂה IISh. 18:4
803 הַמְעָרַת פָּרִצִים הָיָה...בְּעֵינֵיכֶם Jer. 7:11
804 עֲשׂוּ־לִי כַּטּוֹב וְכַיָּשָׁר בְּעֵינֵיכֶם Jer. 26:14
805 הֲלוֹא כָמֹהוּ כְּאַיִן בְּעֵינֵיכֶם Hag. 2:3
806 אִם־טוֹב בְּעֵינֵיכֶם הָבוּ שְׂכָרִי Zech. 11:12
807 מַדּוּעַ...נִטְמִינוּ בְּעֵינֵיכֶם Job 18:3
808 כִּתְבוּ עַל־הַיְּהוּ׳ כַּטּוֹב בְּעֵינֵיכֶם Es. 8:8
809 כַּאֲשֶׁר אַתֶּם רֹאִים בְּעֵינֵיכֶם IICh. 29:8
לְעֵינֵיכֶם 810 כְּכֹל אֲשֶׁר עָשָׂה...לְעֵינֵיכֶם Deut. 1:30
811 וָאַשְׁלִכֵם...וָאֲשַׁבְּרֵם לְעֵינֵיכֶם Deut. 9:17
812 אֵת כָּל־אֲשֶׁר עָשָׂה יְיָ לְעֵינֵיכֶם Deut. 29:1
813 אֲשֶׁר יְיָ עֹשֶׂה לְעֵינֵיכֶם ISh. 12:16
814 הִנְנִי מַשְׁבִּית...לְעֵינֵיכֶם וּבִימֵיכֶם Jer. 16:9
815 הִנְנִי נֹתֵן...וְהִכָּם לְעֵינֵיכֶם Jer. 29:21
816 אֲשֶׁר־עָשׂוּ בְצִיּוֹן לְעֵינֵיכֶם Jer. 51:24
817 בְּשׁוּבִי אֶת־שְׁבוּתֵיכֶם לְעֵינֵיכֶם Zep. 3:20
עֵינֵיהֶם 818 וַיִּשְׂאוּ עֵינֵיהֶם וַיִּרְאוּ Gen. 37:25
819 וַיִּשְׂאוּ בְ״י אֶת־עֵינֵיהֶם וְהִנֵּה... Ex. 14:10
820 וְאִם הַעְלֵם יַעְלִימוּ...אֶת־עֵינֵיהֶם Lev. 20:4
821 וַיִּשְׂאוּ אֶת־עֵינֵיהֶם וַיִּרְאוּ ISh. 6:13
822 וַיִּפְקַח יְיָ אֶת־עֵינֵיהֶם וַיִּרְאוּ IIK. 6:20

עֵינֵיהֶם (המשך)

823 כִּי טַח מֵרְאוֹת עֵינֵיהֶם Is. 44:18
824 כָּלוּ עֵינֵיהֶם כִּי־אֵין עֵשֶׂב Jer. 14:6
825 עֵינֵיהֶם הַזֹּנוֹת אַחֲרֵי גִּלּוּלֵיהֶם Ezek. 6:9
826 אֶת־שִׁקּוּצֵי עֵינֵיהֶם לֹא הִשְׁלִיכוּ Ezek. 20:8
827 וְאַחֲרֵי גִּלּוּלֵי אֲבוֹתָם הָיוּ עֵינֵיהֶם Ezek. 20:24
828 וּמִשַּׁבְּתוֹתַי הֶעְלִימוּ עֵינֵיהֶם Ezek. 22:26
829 מַחְמַד עֵינֵיהֶם...מַשָּׂא נַפְשָׁם Ezek. 24:25
830 עֵינֵיהֶם יָשִׁיתוּ לִנְטוֹת בָּאָרֶץ Ps. 17:11
831 תֶּחְשַׁכְנָה עֵינֵיהֶם מֵרְאוֹת Ps. 69:24
832 וַיִּשְׂאוּ אֶת־עֵינֵיהֶם מֵרָחוֹק Job 2:12

וְעֵינֵיהֶם 833 וְעֵינֵיכֶם תִּרְאֶינָה וְאַתֶּם תֹּאמְרוּ... Mal. 1:5

בְּעֵינֵיהֶם 834 וְכֵן הָיִינוּ בְּעֵינֵיהֶם Num. 13:33
835 לַטּוֹב בְּעֵינֵיהֶם תִּהְיֶינָה לְנָשִׁים Num. 36:6
836 וַיִּשְׁמַע...וַיִּיטַב בְּעֵינֵיהֶם Josh. 22:30
837 וַיְשַׁנּוֹ אֶת־טַעְמוֹ בְּעֵינֵיהֶם ISh. 21:14
838 וְכָל־הָעָם הִכִּירוּ וַיִּיטַב בְּעֵינֵיהֶם IISh. 3:36
839 הוֹי חֲכָמִים בְּעֵינֵיהֶם Is. 5:21
840 וְהָיָה...כִּקְסָם־שָׁוְא בְּעֵינֵיהֶם Ezek. 21:28
841 נָכְרִי הָיִיתִי בְעֵינֵיהֶם Job 19:15
842 אֲשֶׁר רָאוּ...זֶה הַבַּיִת בְּעֵינֵיהֶם Ez. 3:12
843 וַיִּפְּלוּ מְאֹד בְּעֵינֵיהֶם Neh. 6:16

לְעֵינֵיהֶם 844 וַיֶּאֱסֹר אֹתוֹ לְעֵינֵיהֶם Gen. 42:24
845 הֵן נִזְבַּח...לְעֵינֵיהֶם וְלֹא יִסְקְלֻנוּ Ex. 8:22
846 וְדִבַּרְתֶּם אֶל־הַסֶּלַע לְעֵינֵיהֶם Num. 20:8
847 לְהַקְדִּישֵׁנִי בַמַּיִם לְעֵינֵיהֶם Num. 27:14
848 וְצִוִּיתָה אֹתוֹ לְעֵינֵיהֶם Num. 27:19
849 וְעֹלְלֵיהֶם יְרֻטְּשׁוּ לְעֵינֵיהֶם Is. 13:16
850 וָאֲצַוֶּה אֶת־בָּרוּךְ לְעֵינֵיהֶם Jer. 32:13
851 בְּגֶלְלֵי צֵאַת הָאָדָם תְּעֻגֶנָה לְעֵינֵיהֶם Ezek. 4:12
852 וּגְלֵה יוֹמָם לְעֵינֵיהֶם Ezek. 12:3
853 וְגָלִיתָ...אֶל־מָקוֹם אַחֵר לְעֵינֵיהֶם Ezek. 12:3
854 וְהוֹצֵאתָ כֵלֶיךָ...יוֹמָם לְעֵינֵיהֶם Ezek. 12:4
855 וְאַתָּה תֵּצֵא בָעֶרֶב לְעֵינֵיהֶם Ezek. 12:4
856 לְעֵינֵיהֶם חֲתָר־לְךָ בַקִּיר Ezek. 12:5
857 לְעֵינֵיהֶם עַל־כָּתֵף תִּשָּׂא Ezek. 12:6
858 עַל־כָּתֵף נָשָׂאתִי לְעֵינֵיהֶם Ezek. 12:7
859 אֲשֶׁר נוֹדַעְתִּי אֲלֵיהֶם לְעֵינֵיהֶם Ezek. 20:9
860 הַגּוֹיִם אֲשֶׁר הוֹצֵאתִים לְעֵינֵיהֶם Ezek. 20:14
861 אֲשֶׁר־הוֹצֵאתִי אוֹתָם לְעֵינֵיהֶם Ezek. 20:22
862 וּבִמְרִירוּת תֵּאָנַח לְעֵינֵיהֶם Ezek. 21:11
863 בְּהִקָּדְשִׁי בָכֶם לְעֵינֵיהֶם Ezek. 36:23
864 וְהָיוּ הָעֵצִים...בְּיָדְךָ לְעֵינֵיהֶם Ezek. 37:20
865 בְּהִקָּדְשִׁי בְךָ לְעֵינֵיהֶם Ezek. 38:16
866 הוֹדַע אוֹתָם וּכְתֹב לְעֵינֵיהֶם Ezek. 43:11
867 זַרְעָם...וְצֶאֱצָאֵיהֶם לְעֵינֵיהֶם Job 21:8

בְּעֵינֵיהֶן 868 לְהַבְזוֹת בַּעְלֵיהֶן בְּעֵינֵיהֶן Es. 1:17

עַיִן[2]
נ' ארמית, כמו בעברית עַיִן: 1-5

וְעֵין־ 1 וְעֵין אֱלָהֲהֹם הֲוָת עַל־שָׂבֵי יְהוּדָיֵא Ez. 5:5
עַיְנִין 2 וַאֲלוּ עַיְנִין כְּעַיְנֵי אֲנָשָׁא Dan. 7:8
וְעַיְנִין 3 וְקַרְנָא דִכֵּן וְעַיְנִין לַהּ Dan. 7:20
כְּעַיְנֵי־ 4 עַיְנִין כְּעַיְנֵי אֲנָשָׁא בְּקַרְנָא־דָא Dan. 7:8
עַיְנַי 5 אֲנָה...עַיְנַי לִשְׁמַיָּא נִטְלֵת Dan. 4:31

עַיִן[3]
ז' מַעְיָן, מקור מים: 1-19

שַׁעַר הָעַיִן 3-5; עֵין יַעֲקֹב 14; עֵין הַמַּיִם 11-13; מֵימֵי עֲיָנוֹת 16; עֵינוֹת מַיִם 17, 18; ע' תְּהוֹם 19

עָיִן 1 בֵּן פֹּרָת עֲלֵי־עָיִן Gen. 49:22
הָעַיִן 2 וַיִּמְצָאָהּ...עַל־הָעַיִן בְּדֶרֶךְ שׁוּר Gen. 16:7
3 וָאֶעֱבֹר אֶל־שַׁעַר הָעַיִן Neh. 2:14
4 וְאֵת שַׁעַר הָעַיִן הֶחֱזִיק שַׁלּוּן Neh. 3:15
5 וְעַל שַׁעַר הָעַיִן וְנֶגְדָּם... Neh. 12:37
הָעָיִן 6 וַיָּרָץ לָבָן...הַחוּצָה אֶל־הָעָיִן Gen. 24:29
7 עֹמֵד עַל־הַגְּמַלִּים עַל־הָעָיִן Gen. 24:30
8 וָאָבֹא הַיּוֹם אֶל־הָעָיִן Gen. 24:42
הָעַיְנָה 9 וַתֵּרֶד הָעַיְנָה וַתְּמַלֵּא כַדָּהּ Gen. 24:16
10 וַתֵּרֶד הָעַיְנָה וַתִּשְׁאָב Gen. 24:45
עֵין־ 11 וַיִּמְצָאָהּ...עַל־עֵין הַמַּיִם בַּמִּדְבָּר Gen. 16:7
12/3 אָנֹכִי נִצָּב עַל־עֵין הַמָּיִם Gen. 24:13, 43
14 וַיִּשְׁכֹּן...בֶּטַח בָּדָד עֵין יַעֲקֹב Deut. 33:28
עֲיָנוֹת 15 אֶרֶץ נַחֲלֵי מָיִם עֲיָנֹת וּתְהֹמֹת Deut. 8:7
הָעֲיָנוֹת 16 לִסְתּוֹם אֶת־מֵימֵי הָעֲיָנוֹת IICh. 32:3
עֵינוֹת־ 17 וְשָׁם שְׁתֵּים עֶשְׂרֵה עֵינֹת מַיִם Ex. 15:27
18 וּבְאֵילִם שְׁתֵּים עֶשְׂרֵה עֵינֹת מַיִם Num. 33:9
עִינוֹת־ 19 בַּעֲזוֹז עִינוֹת תְּהוֹם Prov. 8:28

עַיִן[4]
ש״פ א) ישוב בנחלת שמעון: 1, 4
ב) ישוב בנחלת יהודה: 2, 3
ג) היא עֵין חֲרוֹד 5
ד) מקום מצפון לים כנרת: 6

עַיִן 1 עַיִן רִמּוֹן וָעֶתֶר וְעָשָׁן Josh. 19:7
2 וְאֶת־עַיִן וְאֶת־מִגְרָשָׁהּ Josh. 21:16
וְעַיִן 3 וּלְבָאוֹת וְשִׁלְחִים וְעַיִן וְרִמּוֹן Josh. 15:32
וָעַיִן 4 עֵיטָם וָעַיִן רִמּוֹן וְתֹכֶן ICh. 4:32
בָּעַיִן 5 חֹנִים בָּעַיִן אֲשֶׁר בְּיִזְרְעֶאל ISh. 29:1
לָעָיִן 6 וְיָרַד...הָרִבְלָה מִקֶּדֶם לָעָיִן Num. 34:11

עֵין גֶּדִי
ש״פ – נוה־מדבר וישוב על שפת ים המלח: 1-6

כַּרְמֵי עֵין־גֶּדִי 3; מִדְבַּר עֵין־גֶּדִי 2; מְצָדוֹת עֵין־גֶּדִי 1

עֵין גֶּדִי 1 וַיֵּשֶׁב בִּמְצָדוֹת עֵין־גֶּדִי ISh. 23:29
2 הִנֵּה דָוִד בְּמִדְבַּר עֵין גֶּדִי ISh. 24:1
3 אֶשְׁכֹּל הַכֹּפֶר דּוֹדִי...בְּכַרְמֵי עֵין גֶּ' S.ofS. 1:14
4 בְּחַצְצוֹן תָּמָר הִיא עֵין גֶּדִי IICh. 20:2
וְעֵין גֶּדִי 5 וְהַנִּבְשָׁן וְעִיר־הַמֶּלַח וְעֵין גֶּדִי Josh. 15:62
מֵעֵין גֶּדִי 6 מֵעֵין גֶּדִי וְעַד־עֵין עֶגְלַיִם Ezek. 47:10

עֵין גַּנִּים
ש״פ א) ישוב בשפלת יהודה: 2
ב) עיר בנחלת יששכר: 1, 3

עֵין גַּנִּים 1 אֶת־עֵין גַּנִּים וְאֶת־מִגְרָשֶׁהָ Josh. 21:29
וְעֵין גַּנִּים 2 זָנוֹחַ וְעֵין גַּנִּים תַּפּוּחַ Josh. 15:34
3 וְרֶמֶת וְעֵין־גַּנִּים וְעֵין חַדָּה Josh. 19:21

עֵין דֹּאר, עֵין דּוֹר
ש״פ – עיר בנחלת מנשה: 1-3

עֵין־דֹּר 1 וְיֹשְׁבֵי עֵין־דֹּר וּבְנוֹתֶיהָ Josh. 17:11
בְּעֵין דּוֹר 2 אֵשֶׁת בַּעֲלַת־אוֹב בְּעֵין דּוֹר ISh. 28:7
3 נִשְׁמְדוּ בְעֵין־דֹּאר Ps. 83:11

עֵין חַדָּה
ש״פ – עיר בנחלת יששכר

וְעֵין חַדָּה 1 וְעֵין גַּנִּים וְעֵין חַדָּה וּבֵית פַּצֵּץ Josh. 19:21

עֵין חָצוֹר
ש״פ – עיר בנחלת נפתלי

וְעֵין חָצוֹר 1 וְקֶדֶשׁ וְאֶדְרֶעִי וְעֵין חָצוֹר Josh. 19:37

עֵין חֲרוֹד
ש״פ – שם המעין במקום חרוד שלרגלי הר הגלבוע

עֵין חֲרוֹד 1 וַיַּחֲנוּ עַל־עֵין חֲרֹד Jud. 7:1

עֵין מִשְׁפָּט
ש״פ – מקום במדבר צין, הוא קָדֵשׁ

עֵין מִשְׁפָּט 1 וַיָּבֹאוּ אֶל־עֵין מִשְׁפָּט הוּא קָדֵשׁ Gen. 14:7

עֵין עֶגְלַיִם
ש״פ – מקום על שפת ים המלח

עֵין עֶגְלַיִם 1 מֵעֵין גֶּדִי וְעַד־עֵין עֶגְלַיִם Ezek. 47:10

עֵין הַקּוֹרֵא
ש״פ – מקום בגבול יהודה ובנימין

עֵין הַקּוֹרֵא 1 קָרָא שְׁמָהּ עֵין הַקּוֹרֵא Jud. 15:19

עֵין רֹגֵל
ש״פ – שם מעין בקרבת ירושלים: 1-4

עֵין רֹגֵל 1 וְהָיוּ תֹצְאֹתָיו אֶל־עֵין רֹגֵל Josh. 15:7
2 וְיָרַד עֵין רֹגֵל Josh. 18:16
3 אֶבֶן הַזֹּחֶלֶת אֲשֶׁר־אֵצֶל עֵין רֹגֵל IK. 1:9
בְּעֵין־ר' 4 וִיהוֹנָתָן וַאֲחִימַעַץ עֹמְדִים בְּעֵין־רֹגֵ' IISh. 17:17

עֵין רִמּוֹן
ש״פ – עיר הלויים בנחלת שמעון או יהודה

וּבְעֵין רִמּוֹן 1 וּבְעֵין רִמּוֹן וּבְצָרְעָה וּבְיַרְמוּת Neh. 11:29

עֵין שֶׁמֶשׁ
ש״פ – מקום בנחלת יהודה: 1, 2

עֵין שֶׁמֶשׁ 1 וְעָבַר הַגְּבוּל אֶל־מֵי עֵין־שֶׁמֶשׁ Josh. 15:7
2 וְתָאַר מִצָּפוֹן וְיָצָא עֵין שֶׁמֶשׁ Josh. 18:17

עֵין הַתַּנִּין
ש״פ – מקום בקרבת ירושלים, אולי הוא גיחון

עֵין הַתַּנִּין 1 וָאֵצְאָה...וְאֶל־פְּנֵי עֵין הַתַּנִּין Neh. 2:13

עֵין תַּפּוּחַ
ש״פ – מקום בנחלת מנשה [עין עוד תַּפּוּחַ]

עֵין תַּפּוּחַ 1 וְהָלַךְ הַגְּבוּל...אֶל־יֹשְׁבֵי עֵין תַּפּוּחַ Josh. 17:7

עֵינַיִם
ש״פ – עיר בנחלת יהודה, בין עֲדֻלָּם לְתִמְנָה: 1, 2

עֵינַיִם 1 וַתֵּשֶׁב בְּפֶתַח עֵינַיִם Gen. 38:14
בָעֵינַיִם 2 הִוא בָעֵינַיִם עַל־הַדָּרֶךְ Gen. 38:21

עֵינָם
ש״פ – היא עֵינַיִם

וְהָעֵינָם 1 וְעֵין גַּנִּים תַּפּוּחַ וְהָעֵינָם Josh. 15:34

עֵינָן
שפ״ז – אבי הנשיא למטה נפתלי: 1-5

עֵינָן 1 לְנַפְתָּלִי אֲחִירַע בֶּן־עֵינָן Num. 1:15
2 וְנָשִׂיא לִבְנֵי נַפְ' אֲחִירַע בֶּן־עֵינָן Num. 2:29
5-3 אֲחִירַע בֶּן־עֵינָן Num. 7:78, 83; 10:27

(חֲצַר־)עֵינָן – עין חֲצַר עֵינָן (באות ח')

עיף
: עָיֵף; עָיֵף

עָיֵף
פ' [לדעת רבים הצורה ״וַיָּעַף״, שהובאה בע' ״יָעַף״, היא עתיד מקוצר מן ״עיף״, ולפיכך הובאה גם כאן]

יָגַע, יעף, נחלש לאחר מאמץ: 1-5

קרובים: יָגַע / יָעַף / לָאָה

עָיְפָה 1 כִּי־עָיְפָה נַפְשִׁי לְהֹרְגִים Jer. 4:31
וַיָּעַף 2 וְהוּא־נִרְדָּם וַיָּעַף וַיָּמֹת Jud. 4:21
3 וַיָּעַף הָעָם ISh. 14:28
4 וַיָּעַף הָעָם מְאֹד ISh. 14:31
5 וַיִּלָּחֲמוּ אֶת־פְּלִשְׁתִּים וַיָּעַף דָּוִד IISh. 21:15

עָיֵף
ת' יָגֵעַ, חש רפיון לאחר מאמץ: 1-17

קרובים: יָגֵעַ / יָעֵף / לֵאֶה

עָיֵף וְיָגֵעַ 3; אֶרֶץ עֲיֵפָה 10; נֶפֶשׁ עֲיֵפָה 11, 13

עָיֵף 1 וַיָּבֹא עֵשָׂו מִן־הַשָּׂדֶה וְהוּא עָיֵף Gen. 25:29
2 הַלְעִיטֵנִי נָא...כִּי עָיֵף אָנֹכִי Gen. 25:30
3 וְאַתָּה עָיֵף וְיָגֵעַ Deut. 25:18
4 אֵין־עָיֵף וְאֵין־כּוֹשֵׁל בּוֹ Is. 5:27
5 וְהִנֵּה עָיֵף וְנַפְשׁוֹ שׁוֹקֵקָה Is. 29:8
6 לֹא־מַיִם עָיֵף תַּשְׁקֶה Job 22:7
וְעָיֵף 7 הָעָם רָעֵב וְעָיֵף וְצָמֵא בַּמִּדְבָּר IISh. 17:29
8 בְּאֶרֶץ־צִיָּה וְעָיֵף בְּלִי־מָיִם Ps. 63:2
לֶעָיֵף 9 זֹאת הַמְּנוּחָה הָנִיחוּ לֶעָיֵף Is. 28:12

עֲיֵפָה 10 כְּצֵל סֶלַע־כָּבֵד בְּאֶרֶץ עֲיֵפָה Is. 32:2
11 כִּי הִרְוֵיתִי נֶפֶשׁ עֲיֵפָה Jer. 31:25
12 נַפְשִׁי כְּאֶרֶץ־עֲיֵפָה לְךָ Ps. 143:6
13 מַיִם קָרִים עַל־נֶפֶשׁ עֲיֵפָה Prov. 25:25
לַעֲיֵפָה 14 נְשֻׂאֹתֵיכֶם עֲמוּסוֹת מַשָּׂא לַעֲיֵפָה Is. 46:1
עֲיֵפִים 15 וּשְׁלֹשׁ־מֵאוֹת...עֲיֵפִים וְרֹדְפִים Jud. 8:4
16 תְּנוּ־נָא...לֶחֶם...כִּי־עֲיֵפִים הֵם Jud. 8:5
17 וְכָל־הָעָם אֲשֶׁר־אִתּוֹ עֲיֵפִים IISh. 16:14

עֵיפָה[1] נ׳ חֲשֵׁכָה, קדרות(?): 1, 2

עֵיפָה 1 עֹשֵׂה שַׁחַר עֵיפָה Am. 4:13
עֵיפָתָה 2 אֶרֶץ עֵפָתָה כְּמוֹ אֹפֶל Job 10:20

עֵיפָה[2] שפ״ז א) בן מִדְיָן בן אברהם מאשתו קטורה: 1-3 ב) מבני יָהְדַּי משבט יהודה: 4

עֵיפָה 1/2 וּבְנֵי מִדְיָן עֵיפָה וָעֵפֶר Gen. 25:4 • ICh. 1:33
וְעֵיפָה 3 בִּכְרֵי מִדְיָן וְעֵיפָה Is. 60:6
4 וּבְנֵי יָהְדָּי...וָפֶלֶט וְעֵיפָה וָשָׁעַף ICh. 2:47

עֵיפָה[3] שפ״נ – פילגש כָּלֵב

וְעֵיפָה 1 וְעֵיפָה פִּילֶגֶשׁ כָּלֵב יָלְדָה אֶת־חָרָן ICh. 2:46

עֵיפַי שפ״ז – איש שבניו באו אל גְּדַלְיָהוּ בן־אחיקם

עֵיפַי 1 וּבְנֵי עֵיפַי (כת׳ עופי) הַנְּטֹפָתִי Jer. 40:8

עֵיפָתָה עין עֵיפָה[1]

עִיר[1] נ׳ מקום־ישוב מאוכלס: 1-1042

קרובים: כֹּפֶר[3] / מְדִינָה / קִרְיָה / קֶרֶת / רַבָּה / רְחוֹב

– עִיר וָאֵם 13; עִיר וּמְלוֹאָהּ 37; הָעִיר הַזֹּאת 184-229

– עִיר בְּצוּרָה 18; עִיר גְּדוֹלָה 8, 38, 74, 254-256, 497; הָעִיר הַהֲלָלָה 239; עִיר הוֹמִיָּה 16; הָעִיר הַיּוֹנָה 258; עִיר כְּלִילַת יֹפִי 265; עִיר מְבֻקָּעָה 30; עִיר נֶחֱרֶבֶת 31; ע׳ נְצוּרָה 477; ע׳ עֲזוּבָה 233; ע׳ עַלִּיזָה 257; ע׳ פְּרוּצָה 44; ע׳ פְּתוּחָה 126; ע׳ קְטַנָּה 46; הָעִיר הַקְּרוֹבָה 106; הָעִיר רַבָּתִי־עָם 264

– עִיר אֲחֻזָּה 572; עִיר אֱלֹהִים 560, 562, 579-581; עִיר הָאֱמֶת 559; עִיר בֵּית־הַבַּעַל 546; ע׳ בְּנֵי יְהוּדָה 531; ע׳ גִּבּוֹרִים 567; ע׳ דְּלָתַיִם וּבְרִיחַ 575; ע׳ הַדָּמִים 555-558; ע׳ הַהֶרֶס 550; עִיר חוֹמָה 520; ע׳ הַיְבוּסִי 538; ע׳ יְהוּדָה 583; עִיר יְיָ 553, 588; עִיר הַכֹּהֲנִים 541; עִיר מִבְחוֹר 545; ע׳ מִבְצָר 532, 544, 547, 548, 566, 573, 584, 586; ע׳ מִבְצָרוֹת 569; ע׳ מוֹאָב 524; ע׳ מוֹשָׁב 563-565 ע׳ מְלוּכָה 542; ע׳ הַמַּמְלָכָה 576; ע׳ מָצוֹר 561, 578; ע׳ מִקְלָט 525-528, 533-537, 574; ע׳ מְתוֹם 585; ע׳ מְתִים 529, 530; ע׳ הַנָּבִיא 543; ע׳ נָחוֹר 518; ע׳ נָכְרִי 539; ע׳ סִיחוֹן 522, 523; עִיר עֹז 551; ע׳ עֲמָלֵק 540; ע׳ הַצֶּדֶק 549; ע׳ קִבְרוֹת־ 570; עִיר הַקֹּדֶשׁ 552, 568, 571, 582, 587; ע׳ קָצֵה־ 521; עִיר רוֹכְלִים 577; ע׳ שְׁכֶם 519; עִיר תְּהִלּוֹת 554

– אָדָם הָעִיר 118; אֲחֻזַּת הָעִיר 243-248; אַנְשֵׁי הָעִ׳ 80, 86, 123, 144-153, 608, 613, 625, 627; בַּעֲלֵי הָעִ׳ 158; גְּדוֹלֵי הָעִ׳ 183; דֶּרֶךְ (הָ)עִ׳ 28, 171, 279; הֲמוֹן עִ׳ 19; זִקְנֵי הָעִ׳ 53, 107-116, 604-607; חוֹמַת הָעִ׳ 121, 272; חֲצִי הָעִי 261; יוֹשְׁבֵי הָעִ׳ 103, 628; יְמִין הָעִ׳ 170; כְּלִיל הָעִ׳ 162; מֵאַחֲרֵי הָעִ׳ 124; מְבוֹא הָעִ׳ 142, 143; מְבוֹאֵי עִ׳ 30; מִבְנֵי עִ׳ 33; מוֹשַׁב הָעִ׳ 178; מַעֲלֵה הָעִ׳ 165; עוֹבֵד הָעִ׳ 250; עוֹבְדֵי הָעִ׳ 249; עֲוֹן הָעִ׳ 82; עֲשַׁן הָעִ׳ 127, 129; פְּנֵי הָעִ׳ 95; פְּקֻדּוֹת הָעִ׳ 238; פֶּתַח הָעִ׳ 176, 277; קִיר הָעִ׳ 102; קְצֵה הָעִ׳ 167; רְחוֹב הָעִ׳ 159, 160, 268-270; רְחוֹבוֹת הָעִ׳ 45, 259; שְׁאָר הָעִיר 276; שְׂדֵה הָעִ׳ 98, 140, 274; שׁוֹעֵר הָעִ׳ 180; שַׁוְעַת הָעִ׳ 164; שְׁלוֹם הָעִ׳ 235; שְׁלַל הָעִ׳ 131, 169, 278; שֵׁם הָעִ׳ 85, 87-94, 598-603; שַׁעַר הָעִ׳ 117, 132-139, 594-597, 626; שַׁעֲרֵי הָעִ׳ 252; שַׂר הָעִיר 154, 177, 230, 281, 284; שָׂרֵי הָעִ׳ 282; תּוֹצְאוֹת הָעִיר 251

– עָרִים בְּצוּרוֹת 632, 633, 636, 640, 645, 650, 655, 708, 755, 758, 759, 784, 853, 856; עָ׳ גְּדוֹלוֹת 632, 635, 636, 639, 708; עָ׳ הֶחֳרֵבוֹת 754, 791; עָ׳ טוֹבוֹת 635; הֶעָ׳ הַמִּבְדָּלוֹת 787; עָרִים מְחֳרָבוֹת 648; עָ׳ נוֹשָׁבוֹת 790; עָ׳ נַחֲרָבוֹת 649; עָ׳ נִכְחָדוֹת 654; עָ׳ נֶעֱזָבוֹת 807; עָ׳ נְשַׁמּוֹת 652, 710; עָרִים עֲזוּבוֹת 854

– יוֹשְׁבֵי הֶעָרִים 715; מִגְרַשׁ הֶעָ׳ 1013, 1027; מִגְרְשֵׁי הֶעָ׳ 722, 723; סְבִיבוֹת הֶעָ׳ 748; שְׁלַל הֶעָ׳ 731, 732, 739; שְׁמוֹת הֶעָ׳ 720; שְׂדֵי הֶעָרִים 756

– עָרֵי אֲחֻזָּה 810, 901; עָרֵי אֱלֹהֵינוּ 843, 888; עָ׳ הָאֱמֹרִי 812; עָ׳ אֶפְרַיִם 952, 953; עָ׳ אֶרֶץ מוֹאָב 882; עָ׳ אַרְצְךָ 884; עָ׳ הָאָרֶץ 813; עָ׳ בְּנֵי אַהֲרֹן 834; עָ׳ בְּנֵי עַמּוֹן 844, 889; עָ׳ גְּבוּל 886; עָ׳ הַגּוֹיִם 959; עָ׳ הַגּוֹרָל 835; עָ׳ הַגִּלְעָד 829, 910, 911; עָ׳ הַגֵּרְשֻׁנִּי 836; עָ׳ הֲדַדְעֶזֶר 842 887; עָ׳ הָהָר 902, 928, 946; עָ׳ הַר עֶפְרוֹן 831; עָ׳ חֶבְרוֹן 914; עָ׳ הַחִוִּי 845; עָ׳ חֹרֶב 857; עָ׳ יְהוּדָה 841, 853, 856, 859, 860, 862, 865-879, 916, 920, 922-927, 930-937, 945, 950, 951, 954-957, 961-964; עָ׳ הַיְרַחְמְאֵלִי 912; עָ׳ יִשְׂרָאֵל 839, 849-852; עָרֵי הַכֹּהֲנִים 944; עָ׳ הַכִּכָּר 808, 908; עָ׳ הַכְּנַעֲנִי 845; עָ׳ הַלְוִיִּם 811, 837; עָ׳ מִבְצָר 814, 825, 861, 863, 864, 903, 909, 942; עָ׳ מִגְרָשִׁים 939; עָ׳ מָדַי 904, 905; עָ׳ הַמּוּעָדָה 833; עָ׳ הַמִּישֹׁר 822, 828; עָ׳ הַמְּלָכִים 826; עָ׳ הַמַּמְלָכָה 823, 824; עָ׳ מַמְלְכוּת 830; עָ׳ מְנַשֶּׁה 832, 953; עָ׳ מִסְכְּנוֹת 809, 846, 890, 891, 907; עָ׳ מָעֻזּוֹ 855; עָ׳ מָצוֹר 892, 906; עָ׳ מְצוּרָה 898; עָ׳ מְצוּרוֹת 895-897, 900; עָ׳ מִקְלָט 815-821; עָ׳ הַנֶּגֶב 880, 883, 948, 949; עָ׳ נַפְתָּלִי 899; עָ׳ סִיחוֹן 827; עָ׳ עֲבוֹדָתֵנוּ 885; עָ׳ הָעַמִּים 960; עָ׳ עֲרוֹעֵר 854; עָ׳ פְּלִשְׁתִּים 838; עָ׳ הַפְּרָזוֹת 938; עָ׳ הַפָּרָשִׁים 848, 894; עָ׳ קָדְשׁוֹ 858; עָ׳ הַקֵּינִי 913; עָ׳ הָרֶכֶב 847, 893, 915, 940, 941; עָ׳ הַשָּׂדֶה 840; עָ׳ שֹׁמְרוֹן 917-919, 921; עָרֵי הַשְּׁפֵלָה 929, 943, 947

עִיר 1 וַיְהִי בֹּנֶה עִיר Gen. 4:17
2 הָבָה נִבְנֶה־לָּנוּ עִיר Gen. 11:4
3 תִּתְּנוּ אַרְבָּעִים וּשְׁתַּיִם עִיר Num. 35:6
4 אַרְבָּעִים וּשְׁמֹנֶה עִיר Num. 35:7
5 שִׁשִּׁים עִיר כָּל־חֶבֶל אַרְגֹּב Deut. 3:4
6 כִּי־תִקְרַב אֶל־עִיר לְהִלָּחֵם עָלֶיהָ Deut. 20:10
7 כִּי־תָצוּר אֶל־עִיר...לְהִלָּחֵם Deut. 20:19
8 כִּי עִיר גְּדוֹלָה גִּבְעוֹן Josh. 10:2
9 לֹא־הָיְתָה עִיר אֲשֶׁר הִשְׁלִימָה Josh. 11:19
10 וְכָל־חַוֹּת יָאִיר...שִׁשִּׁים עִיר Josh. 13:30
11 אֵי־מִזֶּה עִיר אַתָּה IISh. 15:2
12 וְאִם־אֶל־עִיר יֵאָסֵף IISh. 17:13
13 לְהָמִית עִיר וְאֵם בְּיִשְׂרָאֵל IISh. 20:19

עִיר (המשך) 14 הֵילִילִי שַׁעַר זַעֲקִי־עִיר Is. 14:31
15 וְנִלְחֲמוּ...עִיר בְּעִיר Is. 19:2
16 עִיר הוֹמִיָּה קִרְיָה עַלִּיזָה Is. 22:2
17 קְחִי כִנּוֹר סֹבִּי עִיר Is. 23:16
18 כִּי עִיר בְּצוּרָה בָּדָד Is. 27:10
19 הֲמוֹן עִיר עֻזָּב Is. 32:14
20 יִקָּרֵא דְרוּשָׁה עִיר לֹא נֶעֱזָבָה Is. 62:12
21-23 עִיר וְיֹשְׁבֵי בָהּ Jer. 8:16; 46:8; 47:2
24 הִפַּלְתִּי עָלֶיהָ פִּתְאֹם עִיר וּבֶהָלוֹת Jer. 15:8
25 וְנִבְנְתָה עִיר עַל־תִּלָּהּ Jer. 30:18
26 וְיָבֹא שֹׁדֵד אֶל־כָּל־עִיר Jer. 48:8
27 וְחַקּוֹתָ עָלֶיהָ עִיר אֶת־יְרוּשָׁלִָם Ezek. 4:1
28 וְיָד בָּרֵא בְּרֹאשׁ דֶּרֶךְ־עִיר בָּרֵא Ezek. 21:24
29 עִיר שֹׁפֶכֶת דָּם בְּתוֹכָהּ Ezek. 22:3
30 כִּמְבוֹאֵי עִיר מְבֻקָּעָה Ezek. 26:10
31 בְּתִתִּי אֹתָךְ עִיר נֶחֱרֶבֶת Ezek. 26:19
32 וְגַם שֶׁם־עִיר הֲמוֹנָה Ezek. 39:16
33 וְעָלָיו כְּמִבְנֵה־עִיר מִנֶּגֶב Ezek. 40:2
34 וְהִמְטַרְתִּי עַל־עִיר אֶחָת Am. 4:7
35 וְעַל־עִיר אַחַת לֹא אַמְטִיר Am. 4:7
36 וְנָעוּ...אֶל־עִיר אַחַת לִשְׁתּוֹת מַיִם Am. 4:8
37 וְהִסְגַּרְתִּי עִיר וּמְלֹאָהּ Am. 6:8
38 וְנִינְוֵה הָיְתָה עִיר־גְּדוֹלָה לֵאלֹהִים Jon. 3:3
39 הוֹי בֹּנֶה עִיר בְּדָמִים Hab. 2:12
40/1 יֶהֱמוּ כַכָּלֶב וִיסוֹבְבוּ עִיר Ps. 59:7, 15
42 אִם־יְיָ לֹא־יִשְׁמָר־עִיר... Ps. 127:1
43 טוֹב...וּמֹשֵׁל בְּרוּחוֹ מִלֹּכֵד עִיר Prov. 16:32
44 עִיר פְּרוּצָה אֵין חוֹמָה Prov. 25:28
45 בְּהִתְעַטְּפָם כֶּחָלָל בִּרְחֹבוֹת עִיר Lam. 2:12
46 עִיר קְטַנָּה וַאֲנָשִׁים בָּהּ מְעָט Eccl. 9:14
47 אֲשֶׁר לֹא־יָדַע לָלֶכֶת אֶל־עִיר Eccl. 10:15
48 לַיְּהוּדִים אֲשֶׁר בְּכָל־עִיר וָעִיר Es. 8:11
49-52 (וּב)בְּכָל(־)עִיר וָעִיר Es. 8:17 IICh. 11:12; 28:25; 31:19
53 זִקְנֵי־עִיר וָעִיר וְשֹׁפְטֶיהָ Ez. 10:14
54-61 עִיר Josh. 21:33, 40[2] • Jud. 1:26 11:33 • IK. 9:11 • ICh. 2:23; 6:45
וְעִיר 62 וְיָבֹא שֹׁדֵד...וְעִיר לֹא תִמָּלֵט Jer. 48:8
63 מְדִינָה וּמְדִינָה וְעִיר וָעִיר Es. 9:28
64 וְכֻתְּתוּ גוֹי־בְּגוֹי וְעִיר בְּעִיר IICh. 15:6
וָעִיר 65 לַיְּהוּדִים אֲשֶׁר בְּכָל־עִיר וָעִיר Es. 8:11
66 וּבְכָל־מְדִינָה...וּבְכָל־עִיר וָעִיר Es. 8:17
67 מְדִינָה וּמְדִינָה וְעִיר וָעִיר Es. 9:28
68 זִקְנֵי־עִיר וָעִיר וְשֹׁפְטֶיהָ Ez. 10:14
69 וּבְכָל־עִיר וָעִיר צִנּוֹת וּרְמָחִים IICh. 11:12
70 וַיַּעֲמֵד שֹׁפְטִים...לְעִיר וָעִיר IICh. 19:5
71 וּבְכָל־עִיר וָעִיר לִיהוּדָה IICh. 28:25
72 בִּשְׂדֵי מִגְרַשׁ...בְּכָל־עִיר וָעִיר IICh. 31:19
הָעִיר 73 וַיִּקְרָא שֵׁם הָעִיר כְּשֵׁם בְּנוֹ Gen. 4:17
74 רֶסֶן...הִוא הָעִיר הַגְּדֹלָה Gen. 10:12
75 לִרְאֹת אֶת־הָעִיר וְאֶת־הַמִּגְדָּל Gen. 11:5
76 וַיַּחְדְּלוּ לִבְנֹת הָעִיר Gen. 11:8
77/8 חֲמִשִּׁים צַדִּיקִם בְּתוֹךְ הָעִיר Gen. 18:24, 26
79 הֲתַשְׁחִית בַּחֲמִשָּׁה אֶת־כָּל־הָעִיר Gen. 18:28
80 וְאַנְשֵׁי הָעִיר אַנְשֵׁי סְדֹם... Gen. 19:4
81 כִּי־מַשְׁחִית יְיָ אֶת־הָעִיר Gen. 19:14
82 פֶּן־תִּסָּפֶה בַּעֲוֹן הָעִיר Gen. 19:15
83 הִנֵּה־נָא הָעִיר הַזֹּאת קְרֹבָה Gen. 19:20
84 לְבִלְתִּי הָפְכִּי אֶת־הָעִיר Gen. 19:21
85 עַל־כֵּן קָרָא שֵׁם־הָעִיר צוֹעַר Gen. 19:22
86 וּבְנוֹת אַנְשֵׁי הָעִיר יֹצְאֹת Gen. 24:13
87 עַל־כֵּן שֵׁם־הָעִיר בְּאֵר שֶׁבַע Gen. 26:33

העיר (המשך)

88-94 (ו)שם־העיר Gen. 28:19
Jud. 1:17, 23; 18:29² • IK. 16:24 • Ezek. 48:35
95 ויחן את־פני העיר Gen. 33:15
96 ויבאו על־העיר בטח Gen. 34:25
97 באו על־החללים ויבזו העיר Gen. 34:27
98 אכל שדה־העיר...נתן בתוכה Gen. 41:48
99 הם יצאו את־העיר Gen. 44:4
100 כצאתי את־העיר Ex. 9:29
101 ויצא משה מעם פרעה את־העיר Ex. 9:33
102 מקיר העיר וחוצה אלף אמה Num. 35:4
103 את־ישבי העיר ההוא Deut. 13:16
104 ושרפת באש את־העיר Deut. 13:17
105 ובנית מצור על־העיר Deut. 20:20
106 והיה העיר הקרבה אל־החלל Deut. 21:3
107/8 ולקחו זקני העיר(־)ההוא Deut. 21:3; 22:18
109-116 (מז־)זקני העיר Deut. 21:4, 6; 22:15, 17
Josh. 20:4 • Jud. 8:16 • ISh. 16:4 • Ruth 4:2
117 והוצאתם...אל־שער העיר ההו׳ Deut. 22:24
118 הרחק מאד מאדם° העיר Josh. 3:16
119 וסבתם...העיר כל אנשי המלחמה Josh. 6:3
120 הקיף את־העיר פעם אחת Josh. 6:3
121 ונפלה חומת העיר תחתיה Josh. 6:5
122 עלו ויגשו ויבאו נגד העיר Josh. 8:11
123 ויצאו אנשי־העיר לקראת־ישר׳ Josh. 8:14
124 כי־אורב לו מאחרי העיר Josh. 8:14
125 וינתקו מן־העיר Josh. 8:16
126 ויעזבו את־העיר פתוחה Josh. 8:17
127 והנה עלה עשן העיר השמימה Josh. 8:20
128 ראו כי־לכד הארב את־העיר Josh. 8:21
129 וכי עלה עשן העיר... Josh. 8:21
130 ואלה יצאו מן־העיר לקראתם Josh. 8:22
131 רק הבהמה ושלל העיר ההיא Josh. 8:27
132 ...אל־פתח שער העיר Josh. 8:29
133-139 (ב)שער העיר Josh. 20:4
Jud. 9:35, 44; 16:2, 3 • IIK. 23:8 • IICh. 32:6
140 ואת־שדה העיר ואת־חצריה Josh. 21:12
141 ואת־העיר שלחו באש Jud. 1:8
142 הראנו נא את־מבוא העיר Jud. 1:24
143 ויראם את־מבוא העיר Jud. 1:25
144 את־בית אביו ואת־אנשי העיר Jud. 6:27
145-153 אנשי העיר Jud. 6:28, 30; 8:17 14:18;
19:22 • ISh. 5:9 • IISh. 11:17 • IIK. 2:19; 23:17
154 וישמע זבל שר העיר Jud. 9:30
155 והנם צרים את־העיר עליך Jud. 9:31
156 תשכים ופשטת על־העיר Jud. 9:33
157 ומגדל־עז היה בתוך־העיר Jud. 9:51
158 וינסו שמה...וכל בעלי העיר Jud. 9:51
159 ויבא וישב ברחוב העיר Jud. 19:15
160 וירא את־האיש...ברחוב העיר Jud. 19:17
161 והמשאת החלה לעלות מן־העיר Jud. 20:40
162 עלה כליל־העיר השמימה Jud. 20:40
163 ...ותזעק כל־העיר ISh. 4:13
164 ותעל שועת העיר השמים ISh. 5:12
165 המה עלים במעלה העיר ISh. 9:11
166 כבאכם העיר כן תמצאון אתו ISh. 9:13
167 המה יורדים בקצה העיר ISh. 9:27
168 ויהי כבאך שם העיר... ISh. 10:5
169 ושלל העיר הוציא הרבה מאד IISh. 12:30
170 ויחנו בערוער ימין העיר IISh. 24:5
171 דרך העיר אשר בחרת בה IK. 8:44
172 העיר אשר בחרת IK. 8:48
173 העיר אשר בחרתי בה IK. 11:32

העיר (המשך)

174 העיר אשר בחרתי לי IK. 11:36
175 העיר אשר־בחר יי IK. 14:21
176 ויבא אל־פתח העיר IK. 17:10
177 והשיבהו אל־אמן שר־העיר IK. 22:26
178 הנה־נא מושב העיר טוב IIK. 2:19
179 לא־זה הדרך ולא־זה העיר IIK. 6:19
180 ויבאו ויקראו אל־שער העיר IIK. 7:10
181 אל־יצא פליט מן־העיר IIK. 9:15
182 אשר־על־הבית ואשר על־העיר IIK. 10:5
183 את־גדלי העיר מגדלים אותם IIK. 10:6
184 ולא תנתן את־העיר הזאת... IIK. 18:30
185 לא יבא אל־העיר הזאת IIK. 19:32
186-229 העיר הזאת
IIK. 19:33, 34; 20:6²; 23:27 • Is. 36:15; 37:33, 34, 35; 38:6² • Jer. 17:24; 25²; 19:8, 11, 12, 15; 20:5; 21:4, 6; 22:8; 26:6, 11, 12, 15, 20; 27:17; 32:3, 28, 29², 31, 36; 33:4; 34:2, 22; 37:8, 10; 38:3, 18, 23; 39:16 • Neh. 23:8
230 פתח שער יהושע שר־העיר IIK. 23:8
231 ובשפלה תשפל העיר Is. 32:19
232 מקול פרש...ברחת כל־העיר Jer. 4:29
233 כל־העיר עזובה Jer. 4:29
234 היא העיר הפקד כלה... Jer. 6:6
235 ודרשו את־שלום העיר Jer. 29:7
236 ונבנתה העיר ליי Jer. 31:38(37)
237 בתשעה לחדש הבקעה העיר Jer. 39:2
238 ויקרא...קרבו פקדות העיר Ezek. 9:1
239 איך אבדת...העיר ההללה Ezek. 26:17
240 ...לאמר הכתה העיר Ezek. 33:21
241 ...אחר אשר הכתה העיר Ezek. 40:1
242 ...בבאי לשחת את־העיר Ezek. 43:3
243 ואחזת העיר תתנו... Ezek. 45:6
244-248 (ומ/ול) אחזת העיר Ezek. 45:7²
48:20, 21, 22
249 ללחם לעבדי העיר Ezek. 48:18
250 והעבד העיר יעבדוהו... Ezek. 48:19
251 ואלה תוצאת העיר... Ezek. 48:30
252 ושערי העיר על־שמות שבטי יש׳ Ezek. 48:31
253 העיר היצאת אלף תשאיר מאה Am. 5:3
254/5 לך אל־נינוה העיר הגדולה Jon. 1:2; 3:2
256 לא אחוס על־נינוה העיר הגדול׳ Jon. 4:11
257 זאת העיר העליזה... Zep. 2:15
258 הוי מראה ונגאלה העיר היונה Zep. 3:1
259 ורחבות העיר ימלאו ילדים Zech. 8:5
260 ונלכדה העיר ונשסו הבתים... Zech. 14:2
261 ויצא חצי העיר בגולה Zech. 14:2
262 ויתר העם לא יכרת מן־העיר Zech. 14:2
263 ותהם כל־העיר עליהן Ruth 1:19
264 איכה ישבה בדד העיר רבתי עם Lam. 1:1
265 הזאת העיר שיאמרו כלילת יפי Lam. 2:15
266 ומלט־הוא את־העיר בחכמתו Eccl. 9:15
267 ויצא בתוך העיר ויזעק... Es. 4:1
268 ויצא התך...אל־רחוב העיר Es. 4:6
269 והרכיבהו...ברחוב העיר Es. 6:9
270 וירכיבהו ברחוב העיר Es. 6:11
271 העיר בית־קברות אבתי חרבה Neh. 2:3
272 אשר־לבית ולחומת העיר Neh. 2:8
273 ויהודה...על־העיר משנה Neh. 11:9
274 ואת־שדה העיר ואת־חצריה ICh. 6:41
275 ויבן העיר מסביב... ICh. 11:8
276 ויואב יחיה את־שאר העיר ICh. 11:8
277 ויערכו מלחמה פתח העיר ICh. 19:9

העיר (המשך)

278 ושלל העיר הוציא הרבה מאד ICh. 20:2
279 והתפללו אליך דרך העיר הזאת IICh. 6:34
280 העיר אשר־בחר יי... IICh. 12:13
281 והשיבהו אל־אמון שר־העיר IICh. 18:25
282 ויאסף את שרי העיר IICh. 29:20
283 למען ילכדו את־העיר IICh. 32:18
284 ואת־מעשיהו שר־העיר IICh. 34:8
285-383 העיר Josh. 6:4, 7, 11, 14, 15²
6:16, 17, 20, 26; 8:4², 5, 6, 7, 8², 18, 19²; 19:50²; 20:6 • Jud. 1:24, 25; 9:43, 45²; 18:27, 28; 20:11, 31, 32; 20:37, 38 • ISh. 9:10, 14², 25; 20:40; 21:1; 30:3 • IISh. 10:3; 10:14; 11:16, 20, 25; 12:28²; 15:14, 24, 25, 27, 34, 37; 17:13; 19:4; 20:15, 16, 21, 22 • IK. 16:18; 20:12, 19, 30² • IIK. 2:23; 6:14, 15; 7:4, 12²; 24:10, 11; 25:2, 4², 19 • Jer. 14:18; 23:39; 32:24; 37:21; 39:4; 41:7; 52:5, 7², 25² • Ezek. 4:3; 5:2; 9:4; 10:2; 11:23; 48:15 • Jon. 4:5 • Ruth 2:18; 3:15

העירה

384 ...וישבו העירה Gen. 44:13
385 ויעל העם העירה איש נגדו Josh. 6:20
386 ואספו אתו העירה אליהם Josh. 20:4
387 לא יוכלו להראות לבוא העירה IISh. 17:17
388 בבאה רגליך העירה IK. 14:12
389 וישלח...אל־אחאב...העירה IK. 20:2
390 ויבא את־המים העירה IIK. 20:20
391 וינוסו...ויבאו העירה ICh. 19:15

והעיר

392 ...והעיר בתוך Num. 35:5
393 והעיר אשר בנחל ועד־הגלעד Deut. 2:36
394 והעיר שרפו באש... Josh. 6:24
395/6 והעיר אשר בתוך־הנחל Josh. 13:9, 16
397 וישמח כל־עם־הא׳ והעיר שקטה IIK. 11:20
398 והעיר הזאת תחרב מאין יושב Jer. 26:9
399/400 והעיר נתנה ביד הכשדים Jer. 32:24, 25
401 והעיר הזאת לא תשרף באש Jer. 38:17
402 והעיר מלאה חמס Ezek. 7:23
403 והעיר מלאה מטה Ezek. 9:9
404 והעיר שושן נבוכה Es. 3:15
405 והעיר שושן צהלה ושמחה Es. 8:15
406 והעיר אשר־נקרא שמך עליה Dan. 9:18
407 והעיר והקדש ישחית... Dan. 9:26
408 והעיר רחבת ידים וגדלה Neh. 7:4
409 והעיר אשר בחרת IICh. 6:38
410 וישמחו...והעיר שקטה IICh. 23:21

בְּעִיר

411 שני אנשים היו בעיר אחת IISh. 12:1
412 לא־בחרתי בעיר מכל שבטי ישר׳ IK. 8:16
413 ונלחמו...עיר בעיר... Is. 19:2
414 ...ולא אבוא בעיר Hosh. 11:9
415 אם־יתקע שופר בעיר...לא יחרדו Am. 3:6
416 אם־תהיה רעה בעיר... Am. 3:6
417 לא־בחרתי בעיר מכל שבטי ישר׳ IICh. 6:5
418 וכתתו גוי־בגוי ועיר בעיר IICh. 15:6

בָּעִיר

419 וכל אשר־לך בעיר הוצא Gen. 19:12
420 ואת אשר־בעיר...לקחו Gen. 34:28
421 וקם הבית אשר־בעיר Lev. 25:30
422 ברוך אתה בעיר Deut. 28:3
423 ארור אתה בעיר Deut. 28:16
424 ויחרימו את־כל־אשר בעיר Josh. 6:21
425 וישב בעיר ההיא עד־עמדו Josh. 20:6
426 ואבימלך נלחם בעיר Jud. 9:45
427 והאיש בא להגיד בעיר ISh. 4:13
428 ותהי יד־יי בעיר ISh. 5:9
429 הנה־נא איש־אלהים בעיר הזאת ISh. 9:6
430 זבח משפחה לנו בעיר ISh. 20:29

בָּעִיר (המשך)

431 וְאֶת־הַכְּנַעֲנִי הַיֹּשֵׁב בָּעִיר הָרָג IK. 9:16
432 וְאֶת־הַנִּשְׁאָרִים בָּעִיר הַזֹּאת Jer. 21:7
433-440 בָּעִיר הַזֹּאת Jer. 21:9, 10 • 27:19; 29:16; 38:2, 4 • Ezek. 11:2, 6
441 בָּעִיר אֲשֶׁר־נִקְרָא שְׁמִי עָלֶיהָ Jer. 25:29
442 בָּעִיר צַלְמָם תִּבְזֶה Ps. 73:20
443 בָּעִיר אֲמָרֶיהָ תֹאמֵר Prov. 1:21
444 וַאֲסוֹבְבָה בָעִיר בַּשְּׁוָקִים וּבָרְחֹבוֹת S.ofS. 3:2
445/6 הַשֹּׁמְרִים הַסֹּבְבִים בָּעִיר S.ofS 3:3; 5:7
447 כֹּהֲנַי וּזְקֵנַי בָּעִיר גָּוָעוּ Lam. 1:19
448-476 בָּעִיר Deut. 20:14; 22:23, 24 • IK. 13:25; 14:11; 16:4; 21:24 • IIK. 7:4; 25:3, 11, 19² • Is. 24:12 • Jer. 38:9; 39:9; 52:6, 15, 25 • Ezek. 7:15; 9:5, 7 • Joel 2:9 • Am. 7:17 • Jon. 3:4; 4:5 • Ps. 55:10 • Eccl. 7:19; 8:10 • IICh. 28:27

כְּעִיר

477 וְנוֹתְרָה בַת־צִיּוֹן...כְּעִיר נְצוּרָה Is. 1:8
478 כְּעִיר שֶׁחֻבְּרָה־לָּהּ יַחְדָּו Ps. 122:3

לְעִיר

479 וַיַּעֲמֵד שֹׁפְטִים...לְעִיר וָעִיר IICh. 19:5

לָעִיר

480 וַיַּנִּחֻהוּ מִחוּץ לָעִיר Gen. 19:16
481 וַיַּבְרֵךְ הַגְּמַלִּים מִחוּץ לָעִיר Gen. 24:11
482-488 מִחוּץ לָעִיר Lev. 14:40, 41, 45, 53 • Num. 35:5 • IK. 21:13 • IICh. 32:3
489 שִׂים־לְךָ אֹרֵב לָעִיר מֵאַחֲרֶיהָ Josh. 8:2
490 רְאוּ אַתֶּם אֹרְבִים לָעִיר Josh. 8:4
491 הַמַּחֲנֶה אֲשֶׁר מִצְּפוֹן לָעִיר Josh. 8:13
492 וְאֶת־עֲקֵבוֹ מִיָּם לָעִיר Josh. 8:13
493 מַהֵר עַתָּה כִּי הַיּוֹם בָּא לָעִיר ISh. 9:12
494 לְשַׁחֵת לָעִיר בַּעֲבוּרִי ISh. 23:10
495/6 וּמֶלֶךְ לָעִיר סְפַרְוָיִם IIK. 19:13 • Is. 37:13
497 עָשָׂה...לָעִיר הַגְּדוֹלָה הַזֹּאת Jer. 22:8
498 עַל־הָהָר אֲשֶׁר מִקֶּדֶם לָעִיר Ezek. 11:23
499 חֹל־הוּא לָעִיר לְמוֹשָׁב וּלְמִגְרָשׁ Ezek. 48:15
500 וְהָיָה מִגְרָשׁ לָעִיר צָפוֹנָה Ezek. 48:17
501 וַיֵּצֵא...וַיֵּשֶׁב מִקֶּדֶם לָעִיר Jon. 4:5
502 קוֹל יְיָ לָעִיר יִקְרָא Mic. 6:9
503 הָרָצִים עֹבְרִים מֵעִיר לָעִיר IICh. 30:10
504 וַיָּסַר...וַיַּשְׁלֵךְ חוּצָה לָעִיר IICh. 33:15

מֵעִיר

505 וְהֶאֱבִיד שָׂרִיד מֵעִיר Num. 24:19
506 כִּי־תִהְיֶה־לָּנוּ מֵעִיר לַעְזוֹר° IISh. 18:3
507 הִנֵּה דַמֶּשֶׂק מוּסָר מֵעִיר Is. 17:1
508 כִּי שַׂמְתָּ מֵעִיר לַגָּל Is. 25:2
509 אַרְמוֹן זָרִים מֵעִיר Is. 25:2
510 קוֹל שָׁאוֹן מֵעִיר קוֹל מֵהֵיכָל Is. 66:6
511 אֶחָד מֵעִיר וּשְׁנַיִם מִמִּשְׁפָּחָה Jer. 3:14
512 וְיָצִיצוּ מֵעִיר כְּעֵשֶׂב הָאָרֶץ Ps. 72:16
513 מֵעִיר מְתִים יִנְאָקוּ Job 24:12
514 וַיִּהְיוּ הָרָצִים עֹבְרִים מֵעִיר לָעִיר IICh. 30:10

מֵהָעִיר

515 וַיֵּלֶךְ הָאִישׁ מֵהָעִיר Jud. 17:8
516 וַאֲשֶׁר הִסְתַּרְתִּי פָנַי מֵהָעִיר הַזֹּאת Jer. 33:5
517 וַיֵּצְאוּ מֵהָעִיר לַיְלָה Jer. 52:7

עִיר־

518 וַיָּקָם וַיֵּלֶךְ...אֶל־עִיר נָחוֹר Gen. 24:10
519 וַיָּבֹא יַעֲקֹב שָׁלֵם עִיר שְׁכֶם Gen. 33:18
520 בֵּית־מוֹשַׁב עִיר חוֹמָה Lev. 25:29
521 בְּקָדֵשׁ עִיר קְצֵה גְבוּלֶךָ Num. 20:16
522 כִּי חֶשְׁבּוֹן עִיר סִיחֹן Num. 21:26
523 תִּבָּנֶה וְתִכּוֹנֵן עִיר סִיחוֹן Num. 21:27
524 וַיֵּצֵא לִקְרָאתוֹ אֶל־עִיר מוֹאָב Num. 22:36
525 וְהֵשִׁיבוּ...אֶל־עִיר מִקְלָטוֹ Num. 35:25
526 אֶת־גְּבוּל עִיר מִקְלָטוֹ Num. 35:26
527 מִחוּץ לִגְבוּל עִיר מִקְלָטוֹ Num. 35:27
528 לָנוּס אֶל־עִיר מִקְלָטוֹ Num. 35:32

עִיר־ (המשך)

529 וַנַּחֲרֵם אֶת־כָּל־עִיר מְתִם Deut. 2:34
530 הַחֲרֵם כָּל־עִיר מְתִם Deut. 3:6
531 קִרְיַת יְעָרִים עִיר בְּנֵי יְהוּדָה Josh. 18:14
532 ...וְעַד־עִיר מִבְצַר־צֹר Josh. 19:29
533-537 אֶת־עִיר מִקְלַט הָרֹצֵחַ Josh. 21:13, 21, 27, 32, 36
538 וְנָסוּרָה אֶל־עִיר הַיְבוּסִי הַזֹּאת Jud. 19:11
539 לֹא נָסוּר אֶל־עִיר נָכְרִי Jud. 19:12
540 וַיָּבֹא שָׁאוּל עַד־עִיר עֲמָלֵק ISh. 15:5
541 וְאֵת נֹב עִיר־הַכֹּהֲנִים הִכָּה ISh. 22:19
542 וַיִּלְכֹּד אֶת־עִיר הַמְּלוּכָה IISh. 12:26
543 וַיָּבֹא אֶל־עִיר הַנָּבִיא הַזָּקֵן IK. 13:29
544 וְהִכִּיתֶם כָּל־עִיר מִבְצָר IIK. 3:19
545 וְכָל־עִיר מִבְחוֹר IIK. 3:19
546 וַיֵּלְכוּ עַד־עִיר בֵּית־הַבָּעַל IIK. 10:25
547/8 מִמִּגְדַּל נוֹצְרִים עַד־עִיר מִבְ׳ IIK. 17:9; 18:8
549 עִיר הַצֶּדֶק קִרְיָה נֶאֱמָנָה Is. 1:26
550 עִיר הַהֶרֶס יֵאָמֵר לְאֶחָת Is. 19:18
551 עִיר עָז־לָנוּ Is. 26:1
552 יְרוּשָׁלַם עִיר הַקֹּדֶשׁ Is. 52:1
553 וְקָרְאוּ לָךְ עִיר יְיָ Is. 60:14
554 אֵיךְ לֹא־עֻזְּבָה עִיר תְּהִלָּת° Jer. 49:25
555 הֲתִשְׁפֹּט אֶת־עִיר הַדָּמִים Ezek. 22:2
556/7 אוֹי עִיר הַדָּמִים Ezek. 24:6, 9
558 הוֹי עִיר דָּמִים Nah. 3:1
559 וְנִקְרְאָה יְרוּשָׁלַם עִיר הָאֱמֶת Zech. 8:3
560 נָהָר פְּלָגָיו יְשַׂמְּחוּ עִיר־אֱלֹהִים Ps. 46:5
561 מִי יֹבִלֵנִי עִיר מָצוֹר Ps. 60:11
562 נִכְבָּדוֹת מְדֻבָּר בָּךְ עִיר הָאֱ׳ Ps. 87:3
563 עִיר מוֹשָׁב לֹא מָצָאוּ Ps. 107:4
564 לָלֶכֶת אֶל־עִיר מוֹשָׁב Ps. 107:7
565 וַיְכוֹנְנוּ עִיר מוֹשָׁב Ps. 107:36
566 מִי יֹבִלֵנִי עִיר מִבְצָר Ps. 108:11
567 עִיר גִּבֹּרִים עָלָה חָכָם Prov. 21:22
568 נֶחְתַּךְ עַל־עַמְּךָ וְעַל־עִיר קָדְשֶׁךָ Dan. 9:24
569 וְלָכַד עִיר מִבְצָרוֹת Dan. 11:15
570 אֶל־עִיר קִבְרוֹת אֲבֹתַי Neh. 2:5
571 לָשֶׁבֶת בִּירוּשָׁלַם עִיר הַקֹּדֶשׁ Neh. 11:1

וְעִיר־

572 וְיָצָא מִמְכַּר־בַּיִת וְעִיר אֲחֻזָּתוֹ בַּיֹּבֵל Lev. 25:33
573 וְעִיר מִבְצָר וְהַנָּשֶׁק IIK. 10:2

בְּעִיר־

574 כִּי בְעִיר מִקְלָטוֹ יֵשֵׁב Num. 35:28
575 נִסְגַּר לָבוֹא בְּעִיר דְּלָתַיִם וּבְרִיחַ ISh. 23:7
576 וְלָמָּה יֵשֵׁב עַבְדְּךָ בְּעִיר הַמַּמְלָכָה ISh. 27:5
577 בְּעִיר רֹכְלִים שָׂמוֹ Ezek. 17:4
578 הִפְלִיא חַסְדּוֹ לִי בְּעִיר מָצוֹר Ps. 31:22
579 בְּעִיר אֱלֹהֵינוּ הַר־קָדְשׁוֹ Ps. 48:2
580/1 בְּעִיר יְיָ־צְבָאוֹת בְּעִיר אֱלֹהֵינוּ Ps. 48:9
582 כָּל־הַלְוִיִּם בְּעִיר הַקֹּדֶשׁ Neh. 11:18
583 וַיִּקְבְּרוּ אֹתוֹ...בְּעִיר יְהוּדָה IICh. 25:28

לְעִיר־

584 נְתַתִּיךְ הַיּוֹם לְעִיר מִבְצָר Jer. 1:18

מֵעִיר־

585 מֵעִיר מְתֹם עַד־בְּהֵמָה Jud. 20:48
586 מֵעִיר מִבְצָר וְעַד כֹּפֶר הַפְּרָזִי ISh. 6:18
587 כִּי־מֵעִיר הַקֹּדֶשׁ נִקְרָאוּ Is. 48:2
588 לְהַכְרִית מֵעִיר־יְיָ כָּל־פֹּעֲלֵי אָוֶן Ps. 101:8

עִירִי

589 הוּא־יִבְנֶה עִירִי וְגָלוּתִי יְשַׁלֵּחַ Is. 45:13
590 עֵינִי עוֹלְלָה לְנַפְשִׁי מִכֹּל בְּנוֹת עִי׳ Lam. 3:51

בְּעִירִי

591 וְאָמֻת בְּעִירִי עִם קֶבֶר אָבִי וְאִ׳ IISh. 19:38

עִירְךָ

592 כִּי־שִׁמְךָ נִקְרָא עַל־עִירְךָ Dan. 9:19

מֵעִירְךָ

593 מֵעִירְךָ יְרוּשָׁלַם הַר־קָדְשֶׁךָ Dan. 9:16

עִירוֹ

594 לְכֹל בָּאֵי שַׁעַר־עִירוֹ Gen. 23:10
595 בְּכֹל בָּאֵי שַׁעַר־עִירוֹ Gen. 23:18

עִירוֹ (המשך)

596/7 כָּל־יֹצְאֵי שַׁעַר עִירוֹ Gen. 34:24²
598 וְשֵׁם עִירוֹ דִּנְהָבָה Gen. 36:32
599-603 וְשֵׁם עִירוֹ Gen. 36:35, 39 • ICh. 1:43, 46, 50
604 וְשָׁלְחוּ זִקְנֵי עִירוֹ וְלָקְחוּ Deut. 19:12
605-607 זִקְנֵי עִירוֹ Deut. 21:19, 20; 25:8
608 וּרְגָמֻהוּ כָּל־אַנְשֵׁי עִירוֹ Deut. 21:21
609 וְאֶת־עִירוֹ וְאֶת־אַרְצוֹ Josh. 8:1
610 וּבָא אֶל־עִירוֹ וְאֶל־בֵּיתוֹ Josh. 20:6
611 נִשְׁאַל...לָרוּץ בֵּית־לֶחֶם עִירוֹ ISh. 20:6
612 וַיָּקָם וַיֵּלֶךְ אֶל־בֵּיתוֹ אֶל־עִירוֹ IISh. 17:23
613 וַיַּעֲשׂוּ אַנְשֵׁי עִירוֹ הַזְּקֵנִים IK. 21:11
614 אִישׁ אֶל־עִירוֹ וְאִישׁ אֶל־אַרְצוֹ IK. 22:36
615 כִּי־נִלְכְּדָה עִירוֹ מִקָּצֶה Jer. 51:31

בְּעִירוֹ

616 וַיַּצֵּג אוֹתוֹ בְעִירוֹ בְּעָפְרָה Jud. 8:27
617 וְאֶל־הַחֹרִים אֲשֶׁר בְּעִירוֹ IK. 21:8
618 וְהַחֹרִים אֲשֶׁר הַיֹּשְׁבִים בְּעִירוֹ IK. 21:11

וּבְעִירוֹ

619 וַיִּקְבְּרֻהוּ בָרָמָה וּבְעִירוֹ ISh. 28:3

לְעִירוֹ

620 לְכוּ אִישׁ לְעִירוֹ ISh. 8:22
621/2 וַיָּשׁוּבוּ...אִישׁ לְעִירוֹ Ez. 2:1 • Neh. 7:6

מֵעִירוֹ

623 וְעָלָה הָאִישׁ הַהוּא מֵעִירוֹ ISh. 1:3
624 וַיִּשְׁלַח...אֶת־אֲחִיתֹפֶל...מֵעִירוֹ IISh. 15:12

עִירָהּ

625 וּסְקָלוּהָ אַנְשֵׁי עִירָהּ בָּאֲבָנִים Deut. 22:21

עִירָם

626 וַיָּבֹא חֲמוֹר...אֶל־שַׁעַר עִירָם Gen. 34:20
627 וַיְדַבְּרוּ אֶל־אַנְשֵׁי עִירָם לֵאמֹר Gen. 34:20
628 וַיַּדִּיחוּ אֶת־יֹשְׁבֵי עִירָם Deut. 13:14

עָרִים

629 בְּנוּ־לָכֶם עָרִים לְטַפְּכֶם Num. 32:24
630 וְנָתְנוּ לַלְוִיִּם...עָרִים לָשָׁבֶת Num. 35:2
631 וְהִקְרִיתֶם לָכֶם עָרִים Num. 35:11
632 עָרִים גְּדֹלֹת וּבְצוּרֹת בַּשָּׁמָיִם Deut. 1:28
633 כָּל־אֵלֶּה עָרִים בְּצֻרֹת Deut. 3:5
634 אָז יַבְדִּיל מֹשֶׁה שָׁלֹשׁ עָרִים Deut. 4:41
635 עָרִים גְּדֹלֹת וְטֹבֹת Deut. 6:10
636 עָרִים גְּדֹלֹת וּבְצֻרֹת בַּשָּׁמָיִם Deut. 9:1
637 שָׁלוֹשׁ עָרִים תַּבְדִּיל לָךְ Deut. 19:2
638 פֶּן־מָצָא לוֹ עָרִים בְּצֻרוֹת IISh. 20:6
639 שִׁשִּׁים עָרִים גְּדֹלוֹת IK. 4:13
640 לְהַשְׁוֹת גַּלִּים נִצִּים עָרִים בְּצֻרוֹת IIK. 19:25
641 עַד אֲשֶׁר אִם־שָׁאוּ עָרִים Is. 6:11
642 וּמָלְאוּ פְנֵי־תֵבֵל עָרִים Is. 14:21
643 חָמֵשׁ עָרִים...מְדַבְּרוֹת שְׂפַת כְּנַעַן Is. 19:18
644 מָאַס עָרִים לֹא חָשַׁב אֱנוֹשׁ Is. 33:8
645 לְהַשְׁאוֹת גַּלִּים נִצִּים עָרִים בְּצֻרוֹת Is. 37:26
646 עָרִים לֹא נוֹשָׁבוּ° Jer. 22:6
647 עִזְבוּ עָרִים וְשִׁכְנוּ בַּסֶּלַע Jer. 48:28
648 וְעָרֶיהָ בְּתוֹךְ עָרִים מָחֳרָבוֹת Ezek. 29:12
649 וְעָרָיו בְּתוֹךְ עָרִים נַחֲרָבוֹת תִּהְיֶינָ׳ Ezek. 30:7
650 וִיהוּדָה הִרְבָּה עָרִים בְּצֻרוֹת Hosh. 8:14
651 וְנָעוּ שְׁתַּיִם שָׁלֹשׁ עָרִים Am. 4:8
652 וּבָנוּ עָרִים נְשַׁמּוֹת וְיָשָׁבוּ Am. 9:14
653 יָבֹאוּ עַמִּים וְיֹשְׁבֵי עָרִים רַבּוֹת Zech. 8:20
654 וַיִּשְׁכּוֹן עָרִים נִכְחָדוֹת Job 15:28
655 וַיִּלְכְּדוּ עָרִים בְּצֻרוֹת Neh. 9:25
656-705 עָרִים Deut. 19:7, 9 • Josh. 14:4 • 15:32, 36, 41, 44, 51, 54, 57, 59, 60, 62; 17:9; 18:24, 28; 19:6, 7, 15, 22, 30, 38; 21:2, 4, 5, 6, 7, 16, 18, 19; 21:22, 24, 25, 26, 27, 29, 31, 32, 35, 37, 38, 39 • ICh. 2:22; 4:32; 6:46, 47, 48 • IICh. 11:5; 13:19; 26:6

עֲיָרִים

706 וּשְׁלֹשִׁים עֲיָרִים לָהֶם Jud. 10:4

וְעָרִים

707 גִּדְרֹת צֹאן...וְעָרִים לְטַפֵּנוּ Num. 32:16
708 וְעָרִים גְּדֹלוֹת בְּצֻרוֹת Josh. 14:12
709 וְעָרִים אֲשֶׁר לֹא־בְנִיתֶם Josh. 24:13
710 וְעָרִים נְשַׁמּוֹת יוֹשִׁיבוּ Is. 54:3

וְעָרִים (המשך)

711 וְעָרִים נָתַשְׁתָּ אָבַד זִכְרָם הֵמָּה Ps. 9:7
712 וְעָרִים בָּנָה בְּהַר יְהוּדָה IICh. 27:4
713 וְעָרִים עָשָׂה לוֹ וּמִקְנֵה־צֹאן IICh. 32:29

הֶעָרִים

714 וַיַּהֲפֹךְ אֶת־הֶעָרִים הָאֵל... Gen. 19:25
715 וְאֵת כָּל־יֹשְׁבֵי הֶעָרִים Gen. 19:25
716 וַיְשַׁלַּח...בַּהֲפֹךְ אֶת־הֶעָרִים Gen. 19:29
717 וַיְהִי חִתַּת אֱלֹהִים עַל־הֶעָרִים Gen. 35:5
718 וּמָה הֶעָרִים אֲשֶׁר־הוּא יוֹשֵׁב בָּהֵנָּה Num. 13:19
719 אֶת כָּל־הֶעָרִים הָאֵלֶּה Num. 21:25
720 שְׁמוֹת הֶעָרִים אֲשֶׁר בָּנוּ Num. 32:38
721 וְהָיוּ הֶעָרִים לָהֶם לָשָׁבֶת Num. 35:3
722 וּמִגְרְשֵׁי הֶעָרִים אֲשֶׁר תִּתְּנוּ לַלְוִיִּם Num. 35:4
723 זֶה יִהְיֶה לָהֶם מִגְרְשֵׁי הֶעָרִים Num. 35:5
724 וְאֵת הֶעָרִים אֲשֶׁר תִּתְּנוּ לַלְוִיִּם Num. 35:6
725 כָּל־הֶעָרִים אֲשֶׁר תִּתְּנוּ לַלְוִיִּם Num. 35:7
726 וְהָיוּ לָכֶם הֶעָרִים לְמִקְלָט Num. 35:12
727 שְׁלֹשׁ הֶעָרִים תִּתְּנוּ מֵעֵבֶר לַיַּרְדֵּן Num. 35:14
728 וְאֵת שְׁ׳ הֶעָרִים תִּתְּנוּ בְּאֶ׳ כְּנָעַן Num. 35:14
729 שֵׁשׁ־הֶעָרִים הָאֵלֶּה לְמִקְלָט Num. 35:15
730 וְאֶת הֶעָרִים אֲשֶׁר נָבֹא אֲלֵיהֶן Deut. 1:22
731 וּשְׁלַל הֶעָרִים אֲשֶׁר לָכָדְנוּ Deut. 2:35
732 וּשְׁלַל הֶעָרִים בַּזּוֹנוּ לָנוּ Deut. 3:7
733 וְנָס אֶל־אַחַת מִן־הֶעָרִים הָאֵל Deut. 4:42
734 הוּא יָנוּס אֶל־אַחַת הֶעָרִים־הָאֵלֶּה Deut. 19:5
735 וְנָס אֶל־אַחַת הֶעָרִים הָאֵל Deut. 19:11
736 כֵּן תַּעֲשֶׂה לְכָל־הֶעָרִים... Deut. 20:15
737 הֶעָרִים אֲשֶׁר סְבִיבֹת הֶחָלָל Deut. 21:2
738 כָּל־הֶעָרִים הָעֹמְדוֹת עַל־תִּלָּם Josh. 11:13
739 וְכֹל שְׁלַל הֶעָרִים הָאֵלֶּה... Josh. 11:14
740 זֹאת נַחֲלַת...הֶעָרִים וְחַצְרֵיהֶן Josh. 13:23
741-747 הֶעָרִים(...)וְחַצְרֵיהֶן(ם) Josh. 13:28
16:9; 19:16, 23, 31, 39, 48
748 הַחֲצֵרִים אֲשֶׁר סְבִיבוֹת הֶעָרִים Josh. 19:8
749 כָּל־הֶעָרִים הַנִּמְצָאוֹת שִׁלְּחוּ בָאֵשׁ Jud. 20:48
750 וַיִּבְנוּ אֶת־הֶעָרִים וַיֵּשְׁבוּ בָּהֶם Jud. 21:23
751 הֶעָרִים תֶּחֱרַבְנָה וְהַבָּמוֹת תִּישָׁמְנָה Ezek. 6:6
752 וְנוֹשְׁבוּ הֶעָרִים וְהֶחֳרָבוֹת תִּבָּנֶינָה Ezek. 36:10
753 וְהוֹשַׁבְתִּי אֶת־הֶעָרִים Ezek. 36:33
754 תִּהְיֶינָה הֶעָרִים הֶחֳרֵבוֹת מְלֵאוֹת Ezek. 36:38
755 יוֹם שׁוֹפָר...עַל הֶעָרִים הַבְּצֻרוֹת Zep. 1:16
756 לִכְנוֹס בָּהֶם לִשְׂדֵי הֶעָרִים Neh. 12:44
757 חַצְרֵיהֶם אֲשֶׁר סְבִיבוֹת הֶעָרִים ICh. 4:33
758 וַיִּחַן עַל־הֶעָרִים הַבְּצֻרוֹת IICh. 32:1
759 בְּכָל־הֶעָרִים הַבְּצֻרוֹת בִּיהוּדָה IICh. 33:14
760-783 הֶעָרִים Josh. 15:21; 17:12
18:21; 21:3, 8, 9, 38, 40^{2} • Jud. 11:26; 20:14 • ISh. 7:14; 31:7 • IK. 9:12, 13; 20:34; 22:39 • IIK. 13:25 • ICh. 6:49, 50 • IICh. 14:6, 13^{2}; 15:8

וְהֶעָרִים

784 וְהֶעָרִים בְּצֻרוֹת גְּדֹלֹת מְאֹד Num. 13:28
785 וְהֶעָרִים אֲשֶׁר תִּתְּנוּ מֵאֲחֻזַּת... Num. 35:8
786 וְהֶעָרִים אֲשֶׁר תִּתֵּנוּ Num. 35:13
787 וְהֶעָרִים הַמִּבְדָּלוֹת לִבְנֵי אֶפְרַיִם Josh. 16:9
788 ...וְהֶעָרִים אֲשֶׁר בָּנָה IK. 15:23
789 וְהֶעָרִים יַהֲרֹסוּ... IIK. 3:25
790 וְהֶעָרִים הַנּוֹשָׁבוֹת תֶּחֱרַבְנָה Ezek. 12:20
791 וְהֶעָ׳ הֶחֳרֵבוֹת...בְּצוּרוֹת יָשָׁבוּ Ezek. 36:35
792 וְהֶעָרִים אֲשֶׁר נָתַן חוּרָם לִשְׁלֹמֹה IICh. 8:2

מֵהֶעָרִים

793 וְנָס אֶל־אַחַת מֵהֶעָרִים הָאֵלֶּה Josh. 20:4
794 וַיִּתְפָּקְדוּ בְנֵי בִנְיָמִן...מֵהֶעָרִים Jud. 20:15
795 וַאֲשֶׁר מֵהֶעָרִים מַשְׁחִיתִים Jud. 20:42
796 הִנְנִי פֹתֵחַ...כָּתֵף מוֹאָב מֵהֶעָרִים Ezek. 25:9

בֶּעָרִים

797 וַיִּצְבְּרוּ...אֹכֶל בֶּעָרִים וְשָׁמָרוּ Gen. 41:35
798 וַיִּתֶּן־אֹכֶל בֶּעָרִים Gen. 41:48
799 וּבְנֵי יִשְׂרָאֵל בֶּעָרִים Ez. 3:1
800 וְתֵשַׁע הַיָּדוֹת בֶּעָרִים Neh. 11:1
801 בַּשָּׂדֶה בֶּעָרִים וּבַכְּפָרִים ICh. 27:25

כֶּעָרִים

802 וְהָיָה...כֶּעָרִים אֲשֶׁר־הָפַךְ יְיָ Jer. 20:16
803 כֶּעָרִים אֲשֶׁר לֹא־נוֹשָׁבוּ Ezek. 26:19

לֶעָרִים

804 וְאֶת־הָעָם הֶעֱבִיר אֹתוֹ לֶעָרִים Gen. 47:21
805 וּמִגְרָשׁ לֶעָרִים סְבִיבֹתֵיהֶם Num. 35:2
806 וַיַּעַבְרוּ בָאָרֶץ וַיִּכְתְּבוּהָ לֶעָרִים Josh. 18:9

וְלֶעָרִים

807 וְלֶחֳרָבוֹת...וְלֶעָרִים הַנֶּעֱזָבוֹת Ezek. 36:4

עָרֵי־

808 בְּשַׁחֵת אֱלֹהִים אֶת־עָרֵי הַכִּכָּר Gen. 19:29
809 וַיִּבֶן עָרֵי מִסְכְּנוֹת לְפַרְעֹה Ex. 1:11
810 ...בָּתֵּי עָרֵי אֲחֻזָּתָם Lev. 25:32
811 בָּתֵּי עָרֵי הַלְוִיִּם הִוא אֲחֻזָּתָם Lev. 25:33
812 וַיֵּשֶׁב יִשְׂרָאֵל בְּכָל־עָרֵי הָאֱמֹרִי Num. 21:25
813 ...עָרֵי הָאָרֶץ סָבִיב Num. 32:33
814 עָרֵי מִבְצָר וְגִדְרֹת צֹאן Num. 32:36
815 אֵת שֵׁשׁ־עָרֵי הַמִּקְלָט Num. 35:6
816-821 עָרֵי (הַ)מִּקְלָט Num. 35:11, 13, 14
Josh. 20:2 • ICh. 6:42, 52
822 כֹּל עָרֵי הַמִּישֹׁר וְכָל־הַגִּלְעָד Deut. 3:10
823 עָרֵי מַמְלֶכֶת עוֹג בַּבָּשָׁן Deut. 3:10
824 כְּאַחַת עָרֵי הַמַּמְלָכָה Josh. 10:2
825 וַיָּבֹאוּ אֶל־עָרֵי הַמִּבְצָר Josh. 10:20
826 וְאֶת־כָּל־עָרֵי הַמְּלָכִים־הָאֵלֶּה Josh. 11:12
827 וְכֹל עָרֵי סִיחוֹן מֶלֶךְ הָאֱמֹרִי Josh. 13:10
828 וְכֹל עָרֵי הַמִּישֹׁר Josh. 13:21
829 וְכָל־עָרֵי הַגִּלְעָד Josh. 13:25
830 עָרֵי מַמְלְכוּת עוֹג בַּבָּשָׁן Josh. 13:31
831 וְיָצָא אֶל־עָרֵי הַר־עֶפְרוֹן Josh. 15:9
832 בְּתוֹךְ עָרֵי מְנַשֶּׁה Josh. 17:9
833 אֵלֶּה הָיוּ עָרֵי הַמּוּעָדָה לְכֹל בְּ״י Josh. 20:9
834 כָּל־עָרֵי בְנֵי־אַהֲרֹן הַכֹּהֲנִים Josh. 21:19
835 וַיְהִי עָרֵי גוֹרָלָם מִמַּטֵּה אֶפְרָיִם Josh. 21:20
836 כָּל־עָרֵי הַגֵּרְשֻׁנִּי לְמִשְׁפְּחֹתָם Josh. 21:33
837 כֹּל עָרֵי הַלְוִיִּם בְּתוֹךְ אֲחֻזַּת בְּ״י Josh. 21:39
838 מִסְפַּר כָּל־עָרֵי פְלִשְׁתִּים ISh. 6:18
839 וַתֵּצֶאנָה הַנָּשִׁים מִכָּל־עָרֵי יִשְׂרָאֵל ISh. 18:6
840 יִתְּנוּ־לִי מָקוֹם בְּאַחַת עָרֵי הַשָּׂדֶה ISh. 27:5
841 הַאֶעֱלֶה בְּאַחַת עָרֵי יְהוּדָה IISh. 2:1
842 וּמִבֶּטַח וּמִבֵּרֹתַי עָרֵי הֲדַדְעָזֶר IISh. 8:8
843 בְּעַד עַמֵּנוּ וּבְעַד עָרֵי אֱלֹהֵינוּ IISh. 10:12
844 וְכֵן יַעֲשֶׂה לְכֹל עָרֵי בְנֵי־עַמּוֹן IISh. 12:31
845 וְכָל־עָרֵי הַחִוִּי וְהַכְּנַעֲנִי IISh. 24:7
846 וְאֵת כָּל־עָרֵי הַמִּסְכְּנוֹת... IK. 9:19
847/8 וְאֵת עָרֵי הָרֶכֶב וְאֵת עָרֵי הַפָּרָשִׁים IK. 9:19
849 וַיִּשְׁלַח...עַל־עָרֵי יִשְׂרָאֵל IK. 15:20
850-852 עָרֵי יִשְׂרָאֵל IIK. 13:25 • Ezek. 39:9
IICh. 16:4
853 עַל כָּל־עָרֵי יְהוּדָה הַבְּצֻרוֹת IIK. 18:13
854 עֲזֻבוֹת עָרֵי עֲרֹעֵר Is. 17:2
855 יִהְיוּ עָרֵי מָעֻזּוֹ כַּעֲזוּבַת הַחֹרֶשׁ Is. 17:9
856 עַל־כָּל־עָרֵי יְהוּדָה הַבְּצֻרוֹת Is. 36:1
857 וְחִדְּשׁוּ עָרֵי חֹרֶב Is. 61:4
858 עָרֵי קָדְשְׁךָ הָיוּ מִדְבָּר Is. 64:9
859/60 וְעַל כָּל־עָרֵי יְהוּדָה Jer. 1:15; 44:2
861 הֵאָסְפוּ וְנָבוֹאָה אֶל־עָרֵי הַמִּבְצָר Jer. 4:5
862 וַיִּתְּנוּ עַל־עָרֵי יְהוּדָה קוֹלָם Jer. 4:16
863 יְרֹשֵׁשׁ עָרֵי מִבְצָרֶיךָ... Jer. 5:17
864 הֵאָסְפוּ וְנָבוֹא אֶל־עָרֵי הַמִּבְצָר Jer. 8:14
865/6 וְאֶת־עָרֵי יְהוּדָה אֶתֵּן שְׁמָמָה Jer. 9:10; 34:22

עָרֵי־ (המשך)

Jer. 10:22; 11:12
25:18; 26:2 • Zech. 1:12 • Ps. 69:36 • Neh. 11:20 •
IICh. 14:4; 17:2, 9; 19:5; 20:4; 23:2
880 עָרֵי הַנֶּגֶב סֻגְּרוּ וְאֵין פֹּתֵחַ Jer. 13:19
881 נִשְׁאֲרוּ בְּעָרֵי יְהוּדָה עָרֵי מִבְצָר Jer. 34:7
882 וְעַל כָּל־עָרֵי אֶרֶץ מוֹאָב Jer. 48:24
883 וְגָלֻת יְרוּשָׁ׳...יִרְשׁוּ אֵת עָרֵי הַנֶּגֶב Ob. 20
884 וְהִכְרַתִּי עָרֵי אַרְצֶךָ Mic. 5:10
885 הַמְעַשְּׂרִים בְּכֹל עָרֵי עֲבֹדָתֵנוּ Neh. 10:38
886 וַיְהִי עָרֵי גְבוּלָם מִמַּטֵּה אֶפְרָיִם ICh. 6:51
887 וּמִטִּבְחַת וּמִכּוּן עָרֵי הֲדַדְעֶזֶר ICh. 18:8
888 בְּעַד־עַמֵּנוּ וּבְעַד עָרֵי אֱלֹהֵינוּ ICh. 19:13
889 וְכֵן יַעֲשֶׂה דָוִיד לְכֹל עָרֵי בְנֵי־עַמּוֹן ICh. 20:3
890/1 וְאֵת כָּל־עָרֵי הַמִּסְכְּנוֹת IICh. 8:4, 6
892 עָרֵי מָצוֹר חוֹמוֹת דְּלָתַיִם וּבְרִיחַ IICh. 8:5
893 וְאֵת כָּל־עָרֵי הָרֶכֶב IICh. 8:6
894 וְאֵת עָרֵי הַפָּרָשִׁים IICh. 8:6
895 וְאֶת־צָרְעָה...עָרֵי מְצֻרוֹת IICh. 11:10
896 לְכֹל עָרֵי הַמְּצֻרוֹת IICh. 11:23
897 וַיִּלְכֹּד אֶת־עָרֵי הַמְּצֻרוֹת IICh. 12:4
898 וַיִּבֶן עָרֵי מְצוּרָה בִּיהוּדָה IICh. 14:5
899 וְאֵת כָּל־מִסְכְּנוֹת עָרֵי נַפְתָּלִי IICh. 16:4
900 עִם־עָרֵי מְצֻרוֹת בִּיהוּדָה IICh. 21:3

וְעָרֵי־

901 וְעָרֵי הַלְוִיִּם בָּתֵּי עָרֵי אֲחֻזָּתָם Lev. 25:32
902 כָּל־יַד נַחַל יַבֹּק וְעָרֵי הָהָר Deut. 2:37
903 וְעָרֵי מִבְצָר הַצִּדִּים צֵר וְחַמַּת Josh. 19:35
904-905 נְהַר גּוֹזָן וְעָרֵי מָדָי IIK. 17:6; 18:11
906 לְמִנִּי אַשּׁוּר וְעָרֵי מָצוֹר Mic. 7:12
907 וַיִּבֶן...בִּירָנִיּוֹת וְעָרֵי מִסְכְּנוֹת IICh. 17:12

בְּעָרֵי־

908 וְלוֹט יָשַׁב בְּעָרֵי הַכִּכָּר Gen. 13:12
909 וְיָשַׁב טַפֵּנוּ בְּעָרֵי הַמִּבְצָר Num. 32:17
910 יִהְיוּ־שָׁם בְּעָרֵי הַגִּלְעָד Num. 32:26
911 וַיִּקָּבֵר בְּעָרֵי גִלְעָד Jud. 12:7
912 וְלַאֲשֶׁר בְּעָרֵי הַיְּרַחְמְאֵלִי ISh. 30:29
913 וְלַאֲשֶׁר בְּעָרֵי הַקֵּינִי ISh. 30:29
914 וַיֵּשְׁבוּ בְּעָרֵי חֶבְרוֹן IISh. 2:3
915 וַיַּנְחֵם בְּעָרֵי הָרֶכֶב IK. 10:26
916 וּבְ״י הַיֹּשְׁבִים בְּעָרֵי יְהוּדָה IK. 12:17
917 בָּתֵּי הַבָּמוֹת אֲשֶׁר בְּעָרֵי שֹׁמְרוֹן IK. 13:32
918 וַיֹּשֶׁב בְּעָרֵי שֹׁמְרוֹן תַּחַת בְּ״י IIK. 17:24
919 אֲשֶׁר הִגְלִיתָ וַתּוֹשֶׁב בְּעָרֵי שֹׁמְ׳ IIK. 17:26
920 וַיְקַטֵּר בַּבָּמוֹת בְּעָרֵי יְהוּדָה IIK. 23:5
921 בָּתֵּי הַבָּמוֹת אֲשֶׁר בְּעָרֵי שֹׁמְרוֹן IIK. 23:19
922-927 בְּעָרֵי יְהוּדָה וּבְחֻצוֹת יְרוּשָׁלָם
Jer. 7:17; 11:6; 33:10; 44:6, 17, 21
928/9 בְּעָרֵי הָהָר בְּעָרֵי הַשְּׁפֵלָה... Jer. 33:13
930 כִּי הֵנָּה נִשְׁאֲרוּ בְּעָרֵי יְהוּדָה... Jer. 34:7
931-937 בְּעָרֵי יְהוּדָה Jer. 40:5 • Lam. 5:11
IICh. 10:17; 17:7, 13; 25:13; 31:6
938 הַיֹּשְׁבִים בְּעָרֵי הַפְּרָזוֹת Es. 9:19
939 הַכֹּהֲנִים וְהַלְוִיִּם בְּעָרֵי מִגְרְשֵׁיהֶם ICh. 13:2
940/1 וַיַּנִּיחֵם בְּעָרֵי הָרֶכֶב IICh. 1:14; 9:25
942 בְּעָרֵי הַמִּבְצָר בְּכָל־יְהוּדָה IICh. 17:19
943 וּפְלִשְׁתִּים פָּשְׁטוּ בְּעָרֵי הַשְּׁפֵלָה IICh. 28:18
944 וְעַל־יָדוֹ...בְּעָרֵי הַכֹּהֲנִים בֶּאֱמוּנָה IICh. 31:15

וּבְעָרֵי־

945/6 וּבְעָרֵי יְהוּדָה וּבְעָרֵי הָהָר Jer. 32:44
947/8 וּבְעָרֵי הַשְּׁפֵלָה וּבְעָרֵי הַנֶּגֶב Jer. 32:44
949/50 וּבְעָרֵי הַנֶּגֶב...וּבְעָרֵי יְהוּדָה Jer. 33:13
951 וּבְעָרֵי יְהוּדָה יָשְׁבוּ... Neh. 11:3
952 וּבְעָרֵי אֶפְרַיִם אֲשֶׁר לָכַד אָסָא IICh. 17:2
953 וּבְעָרֵי מְנַשֶּׁה וְאֶפְרַיִם... IICh. 34:6

לְעָרֵי־

954 אִמְרִי לְעָרֵי יְהוּדָה הִנֵּה אֱלֹהֵיכֶם Is. 40:9

955 צְאוּ לְעָרֵי יְהוּדָה וְקִבְצוּ IICh. 24:5
956 כָּל־יִשְׂרָ׳ הַנִּמְצְאִים לְעָרֵי יְהוּדָה IICh. 31:1
וּלְעָרֵי־ 957 הָאֹמֵר...וּלְעָרֵי יְהוּדָה תִּבָּנֶינָה Is. 44:26
מֵעָרֵי־ 958 לְבַד מֵעָרֵי הַפְּרָזִי Deut. 3:5
959 לֹא־מֵעָרֵי הַגּוֹיִם־הָאֵלֶּה הֵנָּה Deut. 20:15
960 רַק מֵעָרֵי הָעַמִּים הָאֵלֶּה... Deut. 20:16
961 אֶת־כָּל־הַכֹּהֲנִים מֵעָרֵי יְהוּדָה IIK. 23:8
962 מֵעָרֵי יְהוּדָה וּמֵחֻצוֹת יְרוּשָׁלִָם Jer. 7:34
963 מֵעָרֵי־יְהוּדָה וּמִסְּבִיבוֹת יְרוּשָׁלִַם Jer. 17:26
964 וְכָל־הָעָם הַבָּאִים מֵעָרֵי יְהוּדָה Jer. 36:9
עָרֵי 965 עוֹד תְּפוּצֶנָה עָרַי מִטּוֹב Zech. 1:17
עָרֶיךָ 966 כִּי־תִשְׁמַע בְּאַחַת עָרֶיךָ... Deut. 13:13
967/8 מִסְפַּר עָרֶיךָ הָיוּ אֱלֹהֶיךָ Jer. 2:28; 11:13
969 עָרֶיךָ חָרְבָּה אָשִׂים Ezek. 35:4
970 אֱהִי...וְיוֹשִׁיעֲךָ בְּכָל־עָרֶיךָ Hosh. 13:10
971 וְנָתַשְׁתִּי אֲשֵׁירֶיךָ...וְהִשְׁמַדְתִּי עָרֶיךָ Mic. 5:13
וְעָרֶיךָ 972 וְעָרֶיךָ לֹא תָשֹׁבְנָה׳ Ezek. 35:9
עָרַיִךְ 973 עָרַיִךְ תִּצֶּינָה מֵאֵין יוֹשֵׁב Jer. 4:7
974 שֻׁבִי אֶל־עָרַיִךְ אֵלֶּה Jer. 31:20(21)
עָרָיו 975/6 וַנִּלְכֹּד אֶת־כָּל־עָרָיו Deut. 2:34; 3:4
977 עָרָיו נִצְּתָה מִבְּלִי יֹשֵׁב Jer. 2:15
978 וְכָל־עָרָיו נִתְּצוּ מִפְּנֵי יְיָ Jer. 4:26
979 יְהוּדָה וְכָל־עָרָיו יַחְדָּו Jer. 31:23(24)
980 וּבְכָל־עָרָיו נְוֵה רֹעִים Jer. 33:12
וְעָרָיו 981 וַחֲצִי הַר־הַגִּלְעָד וְעָרָיו Deut. 3:12
982 שָׂם תֵּבֵל כַּמִּדְבָּר וְעָרָיו הָרָס Is. 14:17
983 יִשְׂאוּ מִדְבָּר וְעָרָיו Is. 42:11
984 וְעָרָיו בְּתוֹךְ־עָרִים נַחֲרָבוֹת תִּהְיֶינָ׳ Ezek. 30:7
בְּעָרָיו 985 מַדּוּעַ...וְעַמּוֹ בְּעָרָיו יָשָׁב Jer. 49:1
986 וְהִצַּתִּי אֵשׁ בְּעָרָיו Jer. 50:32
987 וְשִׁלַּחְתִּי־אֵשׁ בְּעָרָיו Hosh. 8:14
988 וְחָלָה חֶרֶב בְּעָ׳ וְכִלְּתָה בַדָּיו Hosh. 11:6
וּבְעָרָיו 989 בְּאֶרֶץ יְהוּדָה וּבְעָרָיו Jer. 31:22(23)
מֵעָרָיו 990 אִישׁ...יִתֵּן מֵעָרָיו לַלְוִיִּם Num. 35:8
991 הִנְנִי פֹתֵחַ...מֵעָרָיו מִקָּצֵהוּ Ezek. 25:9
עָרֶיהָ 992/3 וְאֶת־מַלְכָּהּ וְאֶת־כָּל־עָרֶיהָ Josh. 10:37, 39
994 חֶשְׁבּוֹן וְכָל־עָרֶיהָ אֲשֶׁר בַּמִּישֹׁר Josh. 13:17
995 אֶל־הָעִיר הַזֹּאת וְעַל־כָּל עָרֶיהָ Jer. 19:15
996 עַל־יְרוּשָׁלִַם וְעַל־כָּל־עָרֶיהָ Jer. 34:1
997 וְכָל־עָרֶיהָ תִהְיֶינָה לְחָרָבוֹת Jer. 49:13
998 הָיוּ עָרֶיהָ לְשַׁמָּה Jer. 51:43
וְעָרֶיהָ 999 וְעָרֶיהָ לְשַׁמָּה תִהְיֶינָה Jer. 48:9
1000 שֻׁדַּד מוֹאָב וְעָרֶיהָ עָלָה Jer. 48:15
1001 וְעָרֶיהָ בְּתוֹךְ עָרִים מָחֳרָבוֹת Ezek. 29:12
1002 יֹשֶׁבֶת וּשְׁלֵוָה וְעָרֶיהָ סְבִיבֹתֶיהָ Zech. 7:7
בְּעָרֶיהָ 1003 וַיִּרְשׁוּ אֶת־שֹׁמְרוֹן וַיֵּשְׁבוּ בְּעָרֶיהָ IIK. 17:24
לְעָרֶיהָ 1004 הָאָרֶץ לְעָרֶיהָ בִּגְבֻלֹת Num. 32:33
בְּעָרֵינוּ 1005 שָׂרֵינוּ...וְכֹל אֲשֶׁר בֶּעָרֵינוּ Ez. 10:14
עָרֵיכֶם 1006 ...וְנֶאֱסַפְתֶּם אֶל־עָרֵיכֶם Lev. 26:25
1007 וְנָתַתִּי אֶת־עָרֵיכֶם חָרְבָּה Lev. 26:31
1008 אַרְצְכֶם שְׁמָמָה עָרֵיכֶם שְׂרֻפוֹת אֵשׁ Is. 1:7
1009 נָתַתִּי...נִקְיוֹן שִׁנַּיִם בְּכָל־עָרֵיכֶם Am. 4:6
וְעָרֵיכֶם 1010 וְעָרֵיכֶם יִהְיוּ חָרְבָּה Lev. 26:33
בְּעָרֵיכֶם 1011 יֵשְׁבוּ בְּעָרֵיכֶם אֲשֶׁר נָתַתִּי לָכֶם Deut. 3:19
1012 וּשְׁבוּ בְּעָרֵיכֶם אֲשֶׁר־תְּפַשְׂתֶּם Jer. 40:10
עָרֵיהֶם 1013 וּשְׂדֵה מִגְרַשׁ עָרֵיהֶם לֹא יִמָּכֵר Lev. 25:34
1014 וְהַחֲרַמְתִּי אֶת־עָרֵיהֶם Num. 21:2
1015 וַיַּחֲרֵם אֶתְהֶם וְאֶת־עָרֵיהֶם Num. 21:3
1016 וְאֵת כָּל־עָרֵיהֶם בְּמוֹשְׁבֹתָם Num. 31:10
1017 וַיִּסְעוּ בְּ־י וַיָּבֹאוּ אֶל־עָרֵיהֶם Josh. 9:17
1018 אַל־תִּתְּנוּם לָבוֹא אֶל־עָרֵיהֶם Josh. 10:19
1019 עִם־עָרֵיהֶם הֶחֱרִימָם יְהוֹשֻׁעַ Josh. 11:21

עָרֵיהֶם (המשך)
1020 וַיִּבְנוּ לָהֶם בָּמוֹת בְּכָל־עָרֵיהֶם IIK. 17:9
1021 נָמֵר שֹׁקֵד עַל־עָרֵיהֶם Jer. 5:6
1022 נִצְדּוּ עָרֵיהֶם מִבְּלִי־אִישׁ Zep. 3:6
1023 וְיַעֲבִירוּ קוֹל בְּכָל־עָרֵיהֶם Neh. 8:15
1024 אֵלֶּה עָרֵיהֶם עַד־מְלֹךְ דָּוִיד ICh. 4:31
1025 כָּל־עָרֵיהֶם שְׁלֹשׁ־עֶשְׂרֵה עִיר ICh. 6:45
1026 וַיַּעַזְבוּ עָרֵיהֶם וַיָּנֻסוּ ICh. 10:7
1027 בִּשְׂדֵי מִגְרַשׁ עָרֵיהֶם IICh. 31:19
וְעָרֵיהֶם 1028 וְעָרֵיהֶם גִּבְעוֹן וְהַכְּפִירָה Josh. 9:17
1029 וַיֵּדַע אַלְמְנוֹתָיו וְעָרֵיהֶם הֶחֱרִיב Ezek. 19:7
בְּעָרֵיהֶם 1030 וְיָשַׁבְתָּ בְעָרֵיהֶם וּבְבָתֵּיהֶם Deut. 19:1
1031 גּוֹי גּוֹי בְּעָרֵיהֶם אֲשֶׁר הֵם יֹשְׁבִים... IIK. 17:29
1032 נִקְהֲלוּ הַיְּהוּדִים בְּעָרֵיהֶם Es. 9:2
1033 וַיֵּשְׁבוּ הַכֹּהֲנִים...וְהַנְּתִינִים בְּעָרֵיהֶם Ez. 2:70
1034 וְכָל־יִשְׂרָאֵל בְּעָרֵיהֶם Ez. 2:70
1035 וַיֵּשְׁבוּ הַכֹּהֲנִים...וְכָל־יִשׂ׳ בְּעָרֵיהֶם Neh. 7:72
1036 וַיִּגַּע הַחֹדֶשׁ הַשְּׁבִיעִי וּבְ־י בְּעָרֵיהֶם Neh. 7:72
1037 יָשְׁבוּ אִישׁ בַּאֲחֻזָּתוֹ בְּעָרֵיהֶם Neh. 11:3
1038 וְהַיּוֹשְׁבִים...בַּאֲחֻזָּתָם בְּעָרֵיהֶם ICh. 9:2
1039 מֵאֲחֵיכֶם הַיֹּשְׁבִים בְּעָרֵיהֶם IICh. 19:10
לְעָרֵיהֶם 1040 וַיָּשׁוּבוּ...אִישׁ לַאֲחֻזָּתוֹ לְעָרֵיהֶם IICh. 31:1
מֵעָרֵיהֶם 1041 כָּל־יְהוּדָה הַבָּאִים מֵעָרֵיהֶם Jer. 36:6
1042 וּבְנֵי עַמּוֹן נֶאֶסְפוּ מֵעָרֵיהֶם ICh. 19:7

עִיר[2] ז׳ עָר, צָר, אוֹיֵב: 1, 2

קרובים: ראה אוֹיֵב

עִיר 1 הִפַּלְתִּי עָלֶיהָ פִּתְאֹם עִיר וּבֶהָלוֹת Jer. 15:8
בְּעִיר 2 לֹא אֶעֱשֶׂה חֲרוֹן...וְלֹא אָבוֹא בְּעִיר Hosh. 11:9

עִיר[3] ז׳ ארמית: צִיר, מַלְאָךְ: 1-3

עִיר 1 עִיר וְקַדִּישׁ מִן־שְׁמַיָּא נָחִת Dan. 4:10
2 עִיר וְקַדִּישׁ נָחִת מִן־שְׁמַיָּא Dan. 4:20
עִירִין 3 בִּגְזֵרַת עִירִין פִּתְגָמָא Dan. 4:14

עִיר[4] שפ־ז(?) – אִישׁ מזרע בנימין

עִיר 1 וְשֻׁפִּם וְחֻפִּם בְּנֵי עִיר ICh. 7:12

עִיר דָּוִד ש־פ – שמה של מצודת ציון

לאחר שנכבשה בידי דוד: 1-44

עִיר דָּוִד 1 מְצֻדַת צִיּוֹן הִיא עִיר דָּוִד IISh. 5:7
2 וַיִּקְרָא־לָהּ עִיר דָּוִד IISh. 5:9
3 לְהָסִיר...אֶת־אֲרוֹן יְיָ עַל־עִיר דָּוִד IISh. 6:10
4 סָגַר אֶת־פֶּרֶץ עִיר דָּוִד אָבִיו IK. 11:27
5 וְאֵת בְּקִיעֵי עִיר־דָּוִד רְאִיתֶם... Is. 22:9
6-8 עִיר דָּוִד IISh. 6:12, 16 • IK. 3:1
עִיר דָּוִיד 9 עָלוּ עַל־מַעֲלוֹת עִיר דָּוִיד Neh. 12:37
10 מְצֻדַת צִיּוֹן הִיא עִיר דָּוִיד ICh. 11:5
11 וַיְחַזֵּק אֶת־הַמִּלּוֹא עִיר דָּוִיד IICh. 32:5
12-14 עִיר דָּוִיד ICh. 11:7; 13:13; 15:29
בְּעִיר דָּוִד 15 וַיִּקָּבֵר בְּעִיר דָּוִד IK. 2:10
16 וַיִּקָּבֵר בְּעִיר דָּוִד אָבִיו IK. 11:43
17-27 בְּעִיר(־)דָּוִד IK. 14:31; 15:8, 24
22:51 • IIK. 8:24; 9:28; 12:22; 14:20; 15:7, 38; 16:20
בְּעִיר דָּוִיד 28-37 בְּעִיר(־)דָּוִיד ICh. 15:1
IICh. 9:31; 12:16; 13:23; 16:14; 21:1, 20; 24:16, 25, 27:9
לְעִיר דָּוִיד 38 וַיַּשְּׁרֵם...מַעֲרָבָה לְעִיר דָּוִיד IICh. 32:30
39 חוֹמָה חִיצוֹנָה לְעִיר־דָּוִיד IICh. 33:14
מֵעִיר דָּוִד 40 לְהַעֲלוֹת...מֵעִיר דָּוִד הִיא צִיּוֹן IK. 8:1
41 בַּת־פַּרְעֹה עָלְתָה מֵעִיר דָּוִד IK. 9:24
מֵעִיר דָּוִיד 42 הַמַּעֲלוֹת הַיּוֹרְדוֹת מֵעִיר דָּוִיד Neh. 3:15
43 לְהַעֲלוֹת...מֵעִיר דָּוִיד הִיא צִיּוֹן IICh. 5:2
44 הֶעֱלָה שְׁלֹמֹה מֵעִיר דָּוִיד IICh. 8:11

עִיר הַהֶרֶס – עיין ע׳ הֶרֶס (באות ה)

עִיר הַמַּיִם ש־פ – היא מצודת רבת בני עמון

עִיר הַמָּיִם 1 גַּם־לָכַדְתִּי אֶת־עִיר הַמָּיִם IISh. 12:27

עִיר הַמֶּלַח ש־פ – עיר במדבר יהודה

בדרום יָם הַמֶּלַח

וְעִיר־הַמֶּלַח 1 וְהַנִּבְשָׁן וְעִיר־הַמֶּלַח וְעֵין גֶּדִי Josh. 15:62

עִיר נָחָשׁ ש־פ – עיר בנחלת יהודה

עִיר נָחָשׁ 1 וְאֶת־תְּחִנָּה אֲבִי עִיר־נָחָשׁ ICh. 4:12

עִיר שֶׁמֶשׁ ש־פ – היא בֵּית שֶׁמֶשׁ, בנחלת דָּן

וְעִיר שָׁמֶשׁ 1 צָרְעָה וְאֶשְׁתָּאוֹל וְעִיר שָׁמֶשׁ Josh. 19:41

עִיר הַתְּמָרִים ש־פ – היא יְרִיחוֹ: 1-4

עִיר(־)הַתְּ׳ 1 בִּקְעַת יְרֵחוֹ עִיר הַתְּמָרִים Deut. 34:3
2 וַיִּירְשׁוּ אֶת־עִיר הַתְּמָרִים Jud. 3:13
3 וַיְבִיאוּם יְרֵחוֹ עִיר־הַתְּמָרִים IICh. 28:15
מֵעִיר הַתְּ׳ 4 וּבְנֵי קֵינִי...עָלוּ מֵעִיר הַתְּמָרִים Jud. 1:16

עַיִר ז׳ חמור צעיר: 1-8

קרובים: אָתוֹן / חֲמוֹר

עַיִר 1 וְרֹכֵב עַל־חֲמוֹר וְעַל־עַיִר בֶּן־אֲתֹנוֹת Zech. 9:9
וְעַיִר 2 וְעַיִר פֶּרֶא אָדָם יִוָּלֵד Job 11:12
עִירֹה 3 אֹסְרִי לַגֶּפֶן עִירֹה Gen. 49:11
עֲיָרִים 4 בָּנִים רֹכְבִים עַל־שְׁלֹשִׁים עֲיָרִים Jud. 10:4
5 רֹכְבִים עַל־שִׁבְעִים עֲיָרִם Jud. 12:14
6 יִשְׂאוּ עַל־כֶּתֶף עֲיָרִים (כת׳ עורים) Is. 30:6
וַעְיָרִם 7 אֲתֹנֹת עֶשְׂרִים וַעְיָרִם עֲשָׂרָה Gen. 32:16
וְהָעֲיָרִים 8 וְהָאֲלָפִים וְהָעֲיָרִים עֹבְדֵי הָאֲדָמָה Is. 30:24

עִירָא שפ־ז א) מִשָּׂרֵי המלך דוד: 1

ב) מגבורי דוד: 2-6

עִירָא 1 וְגַם עִירָא הַיָּאִרִי הָיָה כֹהֵן לְדָוִד IISh. 20:26
2 עִירָא בֶן־עִקֵּשׁ הַתְּקוֹעִי IISh. 23:26
3/4 עִירָא הַיִּתְרִי גָּרֵב... IISh. 23:38 • ICh. 11:40
5/6 עִירָא בֶּן־עִקֵּשׁ הַתְּקוֹעִי ICh. 11:28; 27:9

עִירָד שפ־ז – בן חֲנוֹךְ בן קַיִן: 1, 2

עִירָד 1 וַיִּוָּלֵד לַחֲנוֹךְ אֶת־עִירָד Gen. 4:18
וְעִירָד 2 וְעִירָד יָלַד אֶת־מְחוּיָאֵל Gen. 4:18

עִירוּ שפ־ז – בן כָּלֵב בן יְפֻנֶּה

עִירוּ 1 וּבְנֵי כָּלֵב...עִירוּ אֵלָה וָנָעַם ICh. 4:15

עִירִי שפ־ז – מבני בלע בן בנימין

וְעִירִי 1 וּבְנֵי בֶלַע...וִירִימוֹת וְעִירִי ICh. 7:7

עִירָם שפ־ז – מאלופי אֱדוֹם: 1, 2

עִירָם 1 אַלּוּף מַגְדִּיאֵל אַלּוּף עִירָם Gen. 36:43
2 אַלּוּף מַגְדִּיאֵל אַלּוּף עִירָם ICh. 1:54

עֵירֹם ת׳ עָרֹם, בלי לבוש: 1-10

עֵירֹם וְעֶרְיָה 3-6

עֵירֹם 1 וָאִירָא כִּי־עֵירֹם אָנֹכִי וָאֵחָבֵא Gen. 3:10
2 מִי הִגִּיד לְךָ כִּי עֵירֹם אָתָּה Gen. 3:11
3 וְאַתְּ עֵרֹם וְעֶרְיָה Ezek. 16:7
4 בִּהְיוֹתֵךְ עֵירֹם וְעֶרְיָה Ezek. 16:22

וְהִפְשִׁיטוּ..וְהִנִּיחוּךְ עֵירֹם וְעֶרְיָה 5 Ezek. 16:39
וַעֲזָבוּךְ עֵירֹם וְעֶרְיָה 6 Ezek. 23:29
וְעֵירֹם 7 וְעֵירֹם יְכַסֶּה־בָּגֶד Ezek. 18:7
8 וְעֵרוֹם כִּסָּה־בָגֶד Ezek. 18:16
וּבְעֵירֹם 9 בְּרָעָב וּבְצָמָא וּבְעֵירֹם Deut. 28:48
עֵירֻמִּים 10 וַיֵּדְעוּ כִּי עֵירֻמִּם הֵם Gen. 3:7

עַיִשׁ
נ׳ קבוצת כוכבי־שֶׁבֶת בחלל השמים
וְעַיִשׁ 1 וְעַיִשׁ עַל־בָּנֶיהָ תַנְחֵם Job 38:32

עַיָּת
ש״פ – היא, כנראה, עַי (עין שם)
עַיָּת 1 בָּא עַל־עַיַּת עָבַר בְּמִגְרוֹן Is. 10:28

עַכְבּוֹר
שפ״ז א) אביו של בַּעַל חָנָן מאלופי אדום: 1,2,6
ב) שַׂר למלך יאשיהו: 3-5, 7
עַכְבּוֹר 2-1 בַּעַל חָנָן בֶּן־עַכְבּוֹר Gen. 36:38, 39
3 וְאֶת־עַכְבּוֹר בֶּן־מִיכָיָה IIK. 22:12
4 וַיִּשְׁלַח...אֶת־אֶלְנָתָן בֶּן־עַכְבּוֹר Jer. 26:22
5 וְאֶלְנָתָן בֶּן־עַכְבּוֹר Jer. 36:12
6 וַיִּמְלֹךְ...בַּעַל חָנָן בֶּן־עַכְבֹּר ICh. 1:49
וְעַכְבּוֹר 7 וַאֲחִיקָם וְעַכְבּוֹר וְשָׁפָן IIK. 22:14

עַכָּבִישׁ
ז׳ רמש הטוֶה קורים: 1, 2 [עין גם עַכְשׁוּב]
בֵּית עַכָּבִישׁ 2; קוּרֵי עַכָּבִישׁ 1
עַכָּבִישׁ 1 וְקוּרֵי עַכָּבִישׁ יֶאֱרֹגוּ Is. 59:5
2 וּבֵית עַכָּבִישׁ מִבְטַחוֹ Job 8:14

עַכְבָּר
ז׳ יונק מכרסם קטן: 1-6
קרובים: חֹלֶד / חֹמֶט / חֲפַרְפֵּרָה(?) / כֹּחַ / לְטָאָה
עַכְבְּרֵי זָהָב 3-5; צַלְמֵי עַכְבָּרִים 6
וְהָעַכְבָּר 1 הַחֹלֶד וְהָעַכְבָּר וְהַצָּב לְמִינֵהוּ Lev. 11:29
2 הַחֲזִיר וְהַשֶּׁקֶץ וְהָעַכְבָּר Is. 66:17
עַכְבְּרֵי־ 3 חֲמִשָּׁה טְחֹרֵי° זָהָב וַחֲמִשָּׁה עַכְ׳ זָהָב ISh. 6:4
4 וְאֵת עַכְבְּרֵי הַזָּהָב וְאֵת צַלְמֵי טְחֹרֵיהֶ׳ ISh. 6:11
וְעַכְבְּרֵי־ 5 וְעַכְבְּרֵי הַזָּהָב...לַחֲמֵשֶׁת הַסְּרָנִים ISh. 6:18
עַכְבְּרֵיכֶם 6 צַלְמֵי טְחֹרֵיכֶם° וְצַלְמֵי עַכְבְּרֵיכֶם ISh. 6:5

עַכּוֹ
ש״פ – עיר נמל בנחלת אָשֵׁר
עַכּוֹ 1 אֲשֶׁר לֹא הוֹרִישׁ אֶת־יֹשְׁבֵי עַכּוֹ Jud. 1:31

עָכוֹר
– עין עֵמֶק עָכוֹר

עָכָן
שפ״ז – בן כַּרמי למטה יהודה,
שמָעל בחרם: 1-6 [נקרא גם עָכָר]
עָכָן 1 וַיִּקַּח עָכָן בֶּן־כַּרְמִי...מִן־הַחֵרֶם Josh. 7:1
2 וַיִּלָּכֵד עָכָן בֶּן־כַּרְמִי Josh. 7:18
3 וַיֹּאמֶר יְהוֹשֻׁעַ אֶל־עָכָן Josh. 7:19
4 וַיַּעַן עָכָן אֶת־יְהוֹשֻׁעַ וַיֹּאמַר Josh. 7:20
5 וַיִּקַּח יְהוֹשֻׁעַ אֶת־עָכָן בֶּן־זֶרַח Josh. 7:24
6 הֲלוֹא עָכָן בֶּן־זֶרַח מָעַל מַעַל Josh. 22:20

עכס
: עִכֵּס; עֶכֶס; ש״פ עַכְסָה

עִכֵּס
פ׳ צלצל בשרשרות שברגלים
תְּעַכַּסְנָה 1 תֵּלַכְנָה וּבְרַגְלֵיהֶם תְּעַכַּסְנָה Is. 3:16

עֶכֶס
ז׳ תכשיט לרגלים: 1, 2
וּכְעֶכֶס 1 וּכְעֶכֶס אֶל־מוּסַר אֱוִיל Prov. 7:22
הָעֲכָסִים 2 אֵת תִּפְאֶרֶת הָעֲכָסִים וְהַשְּׁבִיסִים Is. 3:18

עַכְסָה
שפ״נ – בת כָּלֵב, אשת עָתְנִיאֵל: 1-5
עַכְסָה 1 וְנָתַתִּי לוֹ אֶת־עַכְסָה בִתִּי לְאִשָּׁה Josh. 15:16
2 וַיִּתֶּן־לוֹ אֶת־עַכְסָה בִתּוֹ לְאִשָּׁה Josh. 15:17
עַכְסָה (המשך) 3 וְנָתַתִּי לוֹ אֶת־עַכְסָה בִתִּי לְאִשָּׁה Jud. 1:12
4 וַיִּתֶּן־לוֹ אֶת־עַכְסָה בִתּוֹ לְאִשָּׁה Jud. 1:13
5 וּבַת־כָּלֵב עַכְסָה ICh. 2:49

עכר
: עָכַר, נֶעְכַּר; ש״פ עָכָר, עָכְרָן

עָכַר
פָ׳ א) דלח (וּבהשאלה) הביך, השחית: 1-12
ב) נדלח, נדכא: 13, 14
עוֹכֵר בֵּיתוֹ 7, 8; עוֹכֵר יִשְׂרָאֵל 6; ע׳ שְׁאֵרוֹ 10
כְּאֵב נֶעְכָּר 13
עֲכַרְתִּי 1 לֹא עָכַרְתִּי אֶת־יִשְׂרָ׳ כִּי אִם־אַתָּה IK. 18:18
עֲכַרְתָּנוּ 2 מֶה עֲכַרְתָּנוּ יַעְכָּרְךָ יְיָ Josh. 7:25
עָכַר 3 עָכַר אָבִי אֶת־הָאָרֶץ ISh. 14:29
עֲכַרְתֶּם 4 עֲכַרְתֶּם אֹתִי לְהַבְאִישֵׁנִי Gen. 34:30
וַעֲכַרְתֶּם 5 וְשַׂמְתֶּם...לְחֵרֶם וַעֲכַרְתֶּם אוֹתוֹ Josh. 6:18
עוֹכֵר 6 הַאַתָּה זֶה עֹכֵר יִשְׂרָאֵל IK. 18:17
7 עֹכֵר בֵּיתוֹ יִנְחַל־רוּחַ Prov. 11:29
8 עֹכֵר בֵּיתוֹ בּוֹצֵעַ בָּצַע Prov. 15:27
9 עוֹכֵר יִשְׂרָאֵל אֲשֶׁר מָעַל בַּחֵרֶם ICh. 2:7
וְעוֹכֵר 10 וְעֹכֵר שְׁאֵרוֹ אַכְזָרִי Prov. 11:17
בְּעוֹכְרָי 11 וְאַתְּ הָיִית בְּעֹכְרָי Jud. 11:35
יַעְכָּרְךָ 12 יַעְכָּרְךָ יְיָ בַּיּוֹם הַזֶּה Josh. 7:25
נֶעְכָּר 13 הֶחֱשֵׁיתִי מִטּוֹב וּכְאֵבִי נֶעְכָּר Ps. 39:3
נֶעְכֶּרֶת 14 וּבִתְבוּאַת רָשָׁע נֶעְכָּרֶת Prov. 15:6

עָכָר
שפ״ז – הוּא עָכָן
עָכָר 1 וּבְנֵי כַּרְמִי עָכָר עוֹכֵר יִשְׂרָאֵל ICh. 2:7

עָכְרָן
שפ״ז – אבי הנשׂיא פַּגְעִיאֵל למטה אָשֵׁר: 1-5
עָכְרָן 1-5 פַּגְעִיאֵל בֶּן־עָ׳ Num. 1:13; 2:27; 7:72, 77; 10:26

עַכְשׁוּב
ז׳ ממיני העכבישים הארסיים
עַכְשׁוּב 1 חֲמַת עַכְשׁוּב תַּחַת שְׂפָתֵימוֹ Ps. 140:4

עַל
ז׳ מרום, גובה: 1-6
עַל 1 וְאֶל־עַל יִקְרָאֻהוּ יַחַד לֹא יְרוֹמֵם Hosh. 11:7
עָל 2 וּנְאֻם הַגֶּבֶר הֻקַם עָל IISh. 23:1
3 יָשׁוּבוּ לֹא עָל הָיוּ כְּקֶשֶׁת רְמִיָּה Hosh. 7:16
מֵעָל 4 וּמִטַּל הַשָּׁמַיִם מֵעָל Gen. 27:39
5 בִּרְכֹת שָׁמַיִם מֵעָל Gen. 49:25
6 יִקְרָא אֶל־הַשָּׁמַיִם מֵעָל Ps. 50:4

עַל
מ״י [עַל־, עֲלֵי־, עָלַי...עֲלֵיכֶם]
א) למעלה ממקום מסוים: 1-1640, 3494-3676, 4018-4120, 4179-4191, 4214-4248, 4255, 4256, 4468-4470, 4659, 4662, 4663, 4675-4817, 5077-5083, 5108-5140, 5278-5280, 5282-5289, 5495-5520, 5758-5769
ב) אֵצֶל, לְיַד־: 1641-1754, 4818-4840, 5141-5146
ג) אחרי פעלים במשמעים שונים (אֶת־, בְּ־ בְּאֶמְצעוּת־, נֶגֶד, לְמַעַן וכד׳): 1755-2889, 3677-3948, 4121-4178, 4249-4254, 4257-4429, 4463-4563, 4582-4658, 4841-5027, 5147-5272, 5290-5328, 5386-5493, 5521-5733, 5744-5758, 5769-5771
ד) עַל־אודות, מחמת־, בְּשֶׁל־ וכד׳: 2890-2982, 3949-3968, 4376, 4389, 4564-4581, 4653-4657, 4664-4668, 5075, 5076, 5273-5277, 5772
ה) נוסף לקודם, יחד עם־: 2983-3021, 3969, 3970
ו) במשמע ״אֶל״: 3022-3046, 4005, 4006, 4425
ז) בצרופים עם מליות אחרות – עין להלן בצרופים

– עַל אודות 3047-3054, 3971; עַל־אֵלֶּה 3055-3059, 4007-4011; עַל אַף־ 3060-3062; עַל־אֲשֶׁר 3063-3093, 3972-3974; עַל־דְּבַר 3094-3102, 3975; עַל־דְּבַר אֲשֶׁר 3103-3109; עַל־זֹאת 3110-3127, 4012; עַל־זֶה 3128-3131; עַל־יַד 3132-3137, 3976-3994; עַל־יְדֵי 3138-3151, 3995-3997; עַל־כִּי 3152-3156; עַל־כָּכָה 3157; עַל־כֵּן 3158-3303; כִּי עַל כֵּן 3304-3313; עַל־מַה 3314-3316, 3998; עַל־מָה 3317-3324; עַל־מֶה 3325-3330; עַל־נְקַלָּה 3331, 3332; עַל־פִּי 3333-3371, 3999-4001; עַל־פְּנֵי 3372-3489, 4002-4004; עַל שֵׁם 3490-3493

– כְּעַל־ 4013-4017; מֵעַל 4018-4178; מֵעַל לְ־ 4179-4191; מֵעַל פְּנֵי 4192-4205; עַד־מֵעַל־ 4206; עַל מֵעַל־ 4207; עֲלֵי־ 4216-4255; מֵעֲלֵי־ 4256; עֲלֵי אֲדָמוֹת 4225

– מֵעָלַי (מֵעָלֶיךָ וכד׳) 4430-4462, 4582-4591, 4670-4673, 5084-5107, 5282-5289, 5379-5385, 5487-5493, 5734-5746

עַל־ (א) 1 אֲשֶׁר זַרְעוֹ־בוֹ עַל־הָאָרֶץ Gen. 1:11
3-2 לְהָאִיר עַל־הָאָרֶץ Gen. 1:15, 17
4 וְעוֹף יְעוֹפֵף עַל־הָאָרֶץ Gen. 1:20
8-5 הָרֹמֵשׂ עַל־הָאָרֶץ Gen. 1:26; 7:14, 21; 8:17
9 וּבְכָל־חַיָּה הָרֹמֶשֶׂת עַל־הָאָרֶץ Gen. 1:28
10 וּלְכֹל רוֹמֵשׂ עַל־הָאָרֶץ Gen. 1:30
11 כִּי לֹא הִמְטִיר...עַל־הָאָרֶץ Gen. 2:5
12 וַיַּפֵּל...תַּרְדֵּמָה עַל־הָאָדָם Gen. 2:21
13 עַל־גְּחֹנְךָ תֵלֵךְ Gen. 3:14
14 הִשְׁחִית...אֶת־דַּרְכּוֹ עַל־הָאָרֶץ Gen. 6:12
15 מֵבִיא אֶת־הַמַּבּוּל מַיִם עַל־הָאָ׳ Gen. 6:17
16 וּפָרוּ וְרָבוּ עַל־הָאָרֶץ Gen. 8:17
17 וְחִתְּכֶם יִהְיֶה עַל כָּל־חַיַּת הָאָרֶץ Gen. 9:2
18 וְתַרְדֵּמָה נָפְלָה עַל־אַבְרָם Gen. 15:12
20-19 וַיִּפֹּל אַבְרָ(הָ)ם עַל־פָּנָיו Gen. 17:3, 17
21 בֹּא אֵלֶיהָ וְתֵלֵד עַל־בִּרְכַּי Gen. 30:3
22 הַלָּבָן אֲשֶׁר עַל־הַמַּקְלוֹת Gen. 30:37
23 גִּיד הַנָּשֶׁה אֲשֶׁר עַל־כַּף הַיָּרֵךְ Gen. 32:32
24 וַיַּצֵּב יַעֲקֹב מַצֵּבָה עַל־קְבֻרָתָהּ Gen. 35:20
25 וַתַּעֲמֹדְנָה...עַל־שְׂפַת הַיְאֹר Gen. 41:3
26 הִנְנִי עֹמֵד עַל־שְׂפַת הַיְאֹר Gen. 41:17
27 וְיוֹסֵף יָשִׁית יָדוֹ עַל־עֵינֶיךָ Gen. 46:4
28 וַיִּפֹּל עַל־צַוָּארָיו Gen. 46:29
29 וַיֵּבְךְּ עַל־צַוָּארָיו עוֹד Gen. 46:29
30 וְהָיָה לְךָ לְאוֹת עַל־יָדְךָ Ex. 13:9
31 לְאוֹת עַל־יָדְכָה Ex. 13:16
32 וַיֹּאמֶר כִּי־יָד עַל־כֵּס יָהּ Ex. 17:16
33 עַל־מְקֹמוֹ יָבֹא בְשָׁלוֹם Ex. 18:23
34 לְמַעַן יַאֲרִכוּן יָמֶיךָ עַל־הָאֲדָמָה Ex. 20:12
35 הַכַּפֹּרֶת אֲשֶׁר עַל־אֲרֹן הָעֵדֻת Num. 7:89
36 וְהֶעֱבִירוּ תַעַר עַל־כָּל־בְּשָׂרָם Num. 8:7
37 פָּשְׁטוּ עַל־כָּל־אֲשֶׁר בַּשָּׂדֶה Jud. 9:44
38 פֹּסְחִים עַל־שְׁתֵּי הַסְּעִפִּים IK. 18:21
39 וְעָלָה עַל־כָּל אֲפִיקָיו Is. 8:8
40 וְהָלַךְ עַל־כָּל גְּדוֹתָיו Is. 8:8
1640-41 עַל־ (א) Gen. 7:4, 6, 8, 10, 12
7:17, 18, 19, 21, 24; 8:1, 4, 19; 9:14, 16, 17, 23; 15:11; 19:23, 24; 21:14; 22:2, 6, 9, 17; 24:15, 18, 22, 30; 24:45, 47^2, 49^2, 61; $27:16^2$; 28:18; 29:2, 3; 31:10, 12, 17, 46; 32:22, 32; 33:4; 38:28, 30; 40:11, 13, 16, 19, 21^2; 41:13; 41:41, 42^2, 43, 45, 56; 42:6, 26, 37; 44:13; $45:14^2$; 48:2, 14^2, 17^2, 18; 50:23 • Ex. 1:8, 16; 2:3; 3:12, 22; 4:20; 5:9; 7:5, 15, 17, 19^3; $8:1^3$, 2, 3; $9:9^2$, 22^2, 23^2; 10:6, 12^2, 13, 14, 21^2, 22; 11:1, 5; $12:7^2$, 13, 23^2, 27, 29, 34; 14:16, 21, 26^3, 27, 30; 16:14; 17:6, 9, ;

עַל־ (א) (המשך)

18:25; 19:4, 11, 16, 20; 20:26; 21:19; 23:18; 24:6, 8, 16; 25:12^3, 14, 19, 20, 21, 22, 26, 30, 37; 26:4, 7, 10^2, 12, 13, 24, 32^2, 34, 35^2; 27:2, 4^2, 7, 21; 28:10^2, 11, 12^2, 14, 22, 23^2, 24, 25^2, 26^2, 27, 28, 29, 30^2; 28:33^2, 34, 35, 37^2, 38^2, 43; 29:3^2, 6^2, 7, 10, 12, 13; 29:15, 16, 17, 19, 20^2, 21^2, 24, 25, 36^2, 37, 38; 30:4^2, 6^2, 10, 13, 14, 15, 16^2, 32, 33; 32:16, 27; 33:19, 21; 34:1^2, 2, 28, 33, 35; 36:11, 14, 17^2; 37:3^3, 5, 9, 13, 16, 27^2; 38:2, 7, 26; 39:4, 7, 15, 16^2, 17^2, 18^2, 19^2, 20, 21, 24, 25, 26, 31; 40:3, 19, 20^2, 21, 22, 24, 38 • Lev. 1:4, 5, 7^2, 8^3, 11^2, 12^3, 15, 17^2; 2:2, 5, 13, 16; 3:2^2, 3, 4^3, 5^3, 8, 9, 10^3, 13^2, 14, 15^3; 4:4, 7, 8^2, 9^3, 10, 12^2, 15, 18, 24, 25, 29, 30, 33, 34, 35; 5:9, 12; 6:2^2, 3^2, 5, 6, 8, 14, 20; 7:2, 4^3, 12^2, 13^2, 30; 8:9^2, 11, 12, 14, 15, 16, 18, 19, 22, 23, 24^2, 25, 26, 27, 28, 30^2; 9:9, 12, 13, 14, 17, 18, 20, 24^2; 10:15; 11:2, 20, 21, 27^2, 29, 37, 38, 41, 42^3, 44, 46; 12:5; 14:5, 6, 7^2, 14, 15, 16, 17^3, 18^2, 19, 25, 26, 27, 28^3, 29^2, 31, 50; 15:6, 23^2, 25; 16:2^2, 4, 8, 13^2, 15, 18, 21^2; 17:6, 11; 21:10; 22:22; 23:18, 20^2, 24:4, 6, 7, 14; 25:18 • Num. 1:50; 3:26, 29, 35; 4:10, 12, 26; 5:18; 6:5, 7, 17, 18, 19, 20, 21^2, 27; 8:10, 12; 9:15, 18, 19, 20, 22; 10:10; 11:9, 12, 31^2; 15:5, 9, 38^2; 17:17, 18; 18:17; 19:18, 19; 21:8, 9; 22:22, 36; 28:10, 15, 24; 33:7, 55; 34:11 • Deut. 2:36; 4:10, 13, 32, 40, 48; 5:16(15), 19(18); 6:6, 8, 9; 7:13; 9:15; 10:2^2, 4; 11:4, 9, 18^2, 20, 21^2, 29^2; 12:1, 2, 16, 19, 24, 27^2; 15:23; 17:18^2, 20; 20:20; 21:6, 22, 23; 22:5, 6^4, 12; 23:14, 21, 26; 25:15; 27:8, 12; 28:11, 23, 35, 48, 56; 30:18, 20; 31:13, 24; 32:11^2, 13, 47; 33:10, 29 • Josh. 2:6, 7, 8; 3:15; 4:5, 18; 7:6^2, 10; 8:29, 32; 10:5, 13, 24^2, 26^2, 27; 11:4, 7, 13; 12:2; 13:16; 18:5^2, 9, 13; 19:12 • Jud. 3:16; 5:10^2, 18; 6:26, 28, 37; 7:5, 6; 9:5, 9, 11, 13, 18, 25, 33, 48, 49, 51, 53; 10:4; 11:37, 38; 12:14; 13:5, 19, 20; 15:14; 16:3, 17, 19, 30; 18:19; 19:22, 27, 28; 20:19 • ISh. 1:9, 11; 2:28; 4:12, 13; 5:5; 6:12; 9:25; 10:1; 11:6; 13:5; 14:13; 17:5, 6, 22, 38, 49; 19:20; 20:25, 31; 21:14; 23:27; 24:3, 4, 24; 25:13, 18, 20, 23, 24, 42; 26:13; 27:10; 30:17, 24; 31:5 • IISh. 1:2, 6, 10^2, 16, 18, 19, 24, 25; 2:19, 21, 25; 3:29; 4:7, 11; 9:6, 7, 10, 11, 13; 11:1, 2; 12:30; 13:5, 19^2, 29; 14:4, 33; 15:32; 16:22; 17:12; 18:9, 12; 19:1; 20:8; 22:11^2; 23:2, 8, 18 • IK. 1:13, 17, 20, 23, 24, 27, 30, 33, 35, 38, 44, 46, 47, 48; 2:12, 19, 24, 26, 32; 3:4, 6; 4:20; 5:9, 19; 6:5, 8, 10, 32, 35; 7:2^2, 3^2, 6^2, 16, 17, 18^2, 19, 20^2, 25, 31, 36, 38, 39^2; 7:41^2, 43; 8:7, 20, 25, 27, 36, 54; 9:25, 26; 10:9, 16; 10:17, 20; 11:41; 12:32, 33^2; 13:1; 14:19, 23, 25, 27, 29; 15:7, 17, 23, 27, 31; 16:2, 5, 11, 14, 20, 27; 17:19, 21; 18:7, 23^2, 26, 33, 34, 39; 20:1, 12, 20, 30, 33, 38; 21:4, 27, 29; 22:10, 19, 24, 39, 46 • IIK. 1:9, 13, 18; 2:13, 15; 3:11, 21, 22, 27; 4:20, 21, 29, 31, 32, 34^4, 37; 5:18; 6:26, 30^2; 7:2, 17; 8:15, 23; 9:3, 17; 10:3, 30, 34; 11:14, 19; 12:16, 18, 20; 13:8, 12, 13, 16^2, 21; 14:15, 18, 20, 28; 15:6, 11, 12, 15, 21, 26, 31, 36; 16:12, 13, 14, 15, 17, 19; 17:10; 18:25^2, 26, 27; 19:22; 20:7, 20; 21:13, 17, 25; 22:5, 7, 9, 13, 20; 23:3^2, 6, 8, 12, 16, 17, 20, 21, 24, 28; 24:5; 25:17^2 • Is. 4:5; 6:1, 7^2; 9:5, 6; 10:26; 11:15; 13:2; 14:1, 2, 14; 15:3, 7; 16:9, 12; 19:1, 7^2; 21:8; 22:22; 23:11; 24:22^2; 25:7^2; 26:21; 28:1, 4, 27; 30:6, 8, 16, 17^2, 25, 28; 31:4^2; 32:11, 12, 13^2; 34:5; 35:10; 36:11, 12; 38:21, 22; 40:9, 22; 41:18; 44:3^4, 16, 19; 46:7; 47:1; 49:16, 22; 51:11; 52:7; 53:1; 54:9; 56:7; 57:2, 7; 58:14; 60:4, 7, 14; 62:6, 10; 63:3; 65:3, 7, 17; 66:12, 20 • Jer. 1:9; 2:20, 37; 3:2^2, 6, 18, 21; 6:6, 9, 11, 12, 16; 7:20, 29; 9:9; 10:25; 12:12; 13:1, 2, 4, 13, 16, 26, 27; 14:3, 6; 16:13, 15; 17:1, 2^2, 8, 25; 18:3; 19:3, 13; 20:2; 22:2, 4, 7, 24, 26, 28, 30; 23:8, 19; 24:6; 25:5; 27:2, 11; 28:14; 30:6, 18^2, 23; 31:18; 33:17, 21; 36:4, 18, 23^2, 28; 37:4; 42 18; 44:21; 45:1; 48:32, 37, 38; 49:22; 50:21, 35; 51:42, 50; 52:22, 23 • Ezek. 1:8, 17, 22^2, 25, 26, 28; 2:1, 2; 3:23, 24; 4:4, 6, 9; 5:1; 8:10; 9:4, 8^2; 10:1, 2, 4, 18; 11:13, 23; 12:6, 7; 13:18^2; 14:3; 16:11^2, 12^2, 46; 17:5, 10, 22; 18:15; 19:10; 20:32; 21:27; 23:14, 41, 42; 24:7^2, 8, 11, 17, 22, 23; 25:13, 16; 26:16; 27:11^2, 30; 28:7, 17^2, 18, 25; 29:14; 30:11, 15; 31:13; 32:5, 8, 9, 10; 33:3; 34:27; 36:17, 18^2; 37:10, 14, 25; 38:8, 10, 11, 12^2, 16^2, 18; 38:19, 20; 39:2, 4, 17^2, 20, 26, 28; 41:7, 15; 43:12, 20, 27; 44:18^2; 47:8, 12 • Hosh. 4:13; 5:1; 7:14^2; 8:1; 9:1, 8; 10:8, 11; 11:3, 4; 12:12; 14:4 • Joel 2:2, 5; 3:2 • Am. 3:5; 4:7, 13; 5:2, 9^2, 19; 6:4^2; 7:7, 9, 17; 8:10; 9:1, 6, 15 • Ob. 14, 16 • Jon. 1:7; 3:6; 4:2, 6, 8 • Mic. 1:3; 2:1; 3:7; 4:14; 5:8; 7:16 • Nah. 2:1; 2:2, 8; 3:5, 12, 18 • Hab. 2:1, 2, 14; 3:8 • Zep. 1:4; 1:5, 9, 12, 16; 2:13 • Hag. 1:5, 7 • Zech. 1:8, 16; 2:16; 3:1, 5^2, 9; 4:2^2, 3, 11; 5:11; 6:13^2; 9:9, 16; 11:17; 12:6, 10; 13:7^2; 14:4, 12^2, 13, 20 • Mal. 1:7; 2:2^2, 3, 16 • Ps. 4:5; 6:1; 8:1, 2; 9:1; 11:2, 6; 12:1; 14:2; 16:4; 18:11^2; 19:7; 21:13; 22:1, 10; 24:2; 29:3^2; 31:17; 36:5^2; 40:3; 41:4; 45:1, 4; 46:1; 47:9; 51:21; 53:1, 3; 55:11; 56:1; 57:6, 12; 60:1, 10; 61:1; 62:1, 8; 63:7; 68:30; 69:1; 72:6; 74:13; 80:18^2; 81:1; 84:1; 88:1; 91:12, 13; 102:8; 10311; 104:3, 5, 6; 106:17; 107:40; 108:6, 10; 109:6; 110:6; 121:5; 124:4, 5; 129:3; 132:3; 133:2^3, 3; 136:6; 137:2, 4; 141:3; 148:13; 149:5 • Prov. 3:3^2; 6:21^2, 28; 7:3^2; 9:3, 14; 16:10; 19:12; 20:8; 21:9; 22:18; 24:13; 25:22, 24; 26:11, 14^2, 23; 29:5: 31:26 • Job 1:17, 19; 2:12; 4:13; 4:15; 6:5; 8:15, 17; 9:8, 33; 12:21; 13:27; 14:3; 17:16; 18:15; 19:25; 20:11; 21:5, 26; 22:24; 23:2; 24:23; 26:7^2; 30:12; 31:21, 36; 33:15, 19; 34:15, 21; 36:32, 33; 37:3; 38:26; 39:9, 28; 41:25 • S.ofS. 2:8^2, 17; 3:1, 8; 5:5, 15; 8:5, 6^2, 14 • Ruth 2:10; 3:9; 4:5, 10 • Lam. 1:2, 14; 2:10; 3:54; 4:8, 19 • Eccl. 5:1; 8:14, 16; 9:8; 10:7^2; 11:2, 3; 12:6, 7 • Es. 1:2, 6^2; 2:23; 3:9; 5:1; 6:4, 9; 7:8, 10; 9:13, 25^2; 10:1, 2 • Dan. 1:8; 8:17, 18^2; 9:17, 19, 20; 10:9, 10, 11, 16; 11:20, 21, 38 • Ez. 1:6; 2:68; 7:11; 8:26, 31; 9:5 • Neh. 4:12, 13; 5:17, 18; 8:4^2, 7, 16; 9:3.4, 33; 10:35^2; 12:23, 37; 13:11, 13, 15, 19 • ICh. 6:34; 9:1; 10:3, 5; 12:9; 13:7, 10; 15:20, 21; 16:40; 20:2; 21:16^2, 26; 25:2; 26:11, 28; 28:2, 5, 18; 29:8, 15, 23, 26, 29 • IICh. 1:6; 2:15; 3:7. 13, 15, 16; 4:4, 12^2, 14; 5:8^2; 6:10, 13, 16, 18, 27, 33; 7:3^2, 6, 11; 8:12, 14^2, 17; 9:8, 15, 16, 18, 19, 29; 12:10; 13:11, 18; 16:7, 8, 11; 18:9, 16, 18^2, 23; 20:22, 23, 24, 34; 23:13, 20; 24:13, 25, 27; 25:26, 28; 26:9, 15, 16; 27:7; 28:26; 29:21; 30:16; 31:2; 32:5, 18, 32; 33:18, 19; 34:5, 10, 17, 21^2, 24, 31^2; 35:2, 10^2, 15, 16, 24, 25, 27; 36:8

עַל־ (ב)

1641 אֵיל פָּארָן אֲשֶׁר עַל־הַמִּדְבָּר Gen. 14:6
1642 וַיִּמְצָאָהּ...עַל־עֵין הַמַּיִם בַּמִּדְבָּר Gen. 16:7
1643 עַל־הָעַיִן בְּדֶרֶךְ שׁוּר Gen. 16:7
1644 עֲבַרְתֶּם עַל־עַבְדְּכֶם Gen. 18:5
1645 וְאַנְשֵׁי הָעִיר...נָסַבּוּ עַל־הַבַּיִת Gen. 19:4
1646/7 נִצָּב עַל־עֵין הַמָּיִם Gen. 24:13, 43

עַל־ (ב) (המשך)

1648/9 עֹמֵד עַל־הַגְּמַלִּים עַל־הָעָיִן Gen. 24:30
1650 בְּפֶתַח עֵינַיִם...עַל־דֶּרֶךְ תִּמְנָתָה Gen. 38:14
1651 ...הִוא בָעֵינַיִם עַל־הַדָּרֶךְ Gen. 38:21
1652 וְהִנֵּה עֹמֵד עַל־הַיְאֹר Gen. 41:1
1653 וַיִּשְׁתַּחוּ יִשְׂרָ׳ עַל־רֹאשׁ הַמִּטָּה Gen. 47:31
1654 וְיַרְכָתוֹ עַל־צִידֹן Gen. 49:13
1655 וַיֵּשֶׁב עַל־הַבְּאֵר Ex. 2:15
1656 נִכְחוֹ תַחֲנוּ עַל־הַיָּם Ex. 14:2
1657 וַיַּשִּׂיגוּ אוֹתָם חֹנִים עַל־הַיָּם Ex. 14:9
1658 עַל־פִּי הַחִירֹת Ex. 14:9
1659 וַיַּחֲנוּ־שָׁם עַל־הַמָּיִם Ex. 15:27
1660 בְּשִׁבְתֵּנוּ עַל־סִיר הַבָּשָׂר Ex. 16:3
1661 וְחָנוּ בְּ־יִ׳ אִישׁ עַל־מַחֲנֵהוּ Num. 1:52
1662 וְאִישׁ עַל־דִּגְלוֹ לְצִבְאֹתָם Num. 1:52
1663 אִישׁ עַל־דִּגְלוֹ בְאֹתֹת Num. 2:2
1664 וְהַכְּנַעֲנִי יוֹשֵׁב עַל־הַיָּם Num. 13:29
1665 עַל־גְּבוּל אֶרֶץ־אֱדוֹם Num. 20:23
1666 פְּתוֹרָה אֲשֶׁר עַל־הַנָּהָר Num. 22:5
1667 הִתְיַצֵּב עַל־עֹלָתֶךָ Num. 23:3
1668 וְהִנֵּה נִצָּב עַל־עֹלָתוֹ Num. 23:6
1669 הִתְיַצֵּב כֹּה עַל־עֹלָתֶךָ Num. 23:15
1670 וְהִנּוֹ נִצָּב עַל־עֹלָתוֹ Num. 23:17
1671-1677 עַל־יַרְדֵּן יְרֵחוֹ Num. 26:3, 63
31:12; 33:48, 50; 35:1; 36:13
1678 וַיַּעֲמֹד...עַל־פֶּתַח הָאֹהֶל Deut. 31:15
1679 תְּרִיבֵהוּ עַל־מֵי מְרִיבָה Deut. 33:8
1680 וְכָל־מַלְכֵי הַכְּנַעֲנִי אֲשֶׁר עַל־הַיָּם Josh. 5:1
1681 וְכָל־הַמִּישֹׁר עַל־מֵידְבָא Josh. 13:16
1682 וַיִּבְנוּ...מִזְבֵּחַ עַל־הַיַּרְדֵּן Josh. 22:10
1683 עַל־מְזוּזַת הֵיכַל יְיָ ISh. 1:9
1684 עַל־מֵי מְנֻחוֹת יְנַהֲלֵנִי Ps. 23:2
1685 עַל־נַהֲרוֹת בָּבֶל שָׁם יָשַׁבְנוּ Ps. 137:1
1686-1754 עַל־(ב) Num. 2:17
33:10, 49 • Deut. 3:12 • Jud. 5:19; 7:1, 22 • ISh. 4:1; 14:4 • IISh. 2:13^2; 4:12; 15:18 • IK. 1:38; 22:6, 38 • IIK. 2:7; 6:14; 10:33; 23:29; 25:4 • Is. 9:19^2; 11:8; 32:20; 44:4; 49:9 • Jer. 31:38(39); 46:2; 50:13, 14; 51:13; 52:7^2 • Ezek. 1:1, 3; 3:23; 10:22; 11:20; 27:3; 46:2^2, 19; 47:18; 48:21, 28 • Ps. 1:3; 81:8; 106:22, 32 • Prov. 14:19; 24:30 • Job 1:14 • S.ofS. 1:7, 8; 5:12^2; 7:5 • Dan. 8:2 • Ez. 8:21 • Neh. 3:8, 17, 19; 9:9 • ICh. 6:24, 29 • IICh. 23:13; 32:9; 35:20

עַל־ (ג)

1755 וַיְצַו יְיָ אֱלֹהִים עַל־הָאָדָם Gen. 2:16
1756 לְמַעַן הָבִיא יְיָ עַל־אַבְרָהָם Gen. 18:19
1757 הִמָּלֵט עַל־נַפְשֶׁךָ Gen. 19:17
1758 כִּי־תָבוֹא עַל־שְׂכָרִי Gen. 30:33
1759 וְלֹא שָׁתָם עַל־צֹאן לָבָן Gen. 30:40
1760 וַיְדַבֵּר עַל־לֵב הַנַּעֲרָ Gen. 34:3
1761 וַיָּבֹאוּ עַל־הָעִיר בֶּטַח Gen. 34:25
1762 בְּנֵי יַעֲקֹב בָּאוּ עַל־הַחֲלָלִים Gen. 34:27
1763 וַיְהִי חִתַּת אֱלֹהִים עַל־הֶעָרִים Gen. 35:5
1764 וַיִּתְאַבֵּל עַל־בְּנוֹ Gen. 37:34
1765 וַיַּפְקִדֵהוּ עַל־בֵּיתוֹ Gen. 39:4
1766 וַיִּקְצֹף פַּרְעֹה עַל שְׁנֵי סָרִיסָיו Gen. 40:2
1767 עַל שַׂר הַמַּשְׁקִים Gen. 40:2
1768 פַּרְעֹה קָצַף עַל־עֲבָדָיו Gen. 41:10
1769 וִישִׁיתֵהוּ עַל־אֶרֶץ מִצְרָיִם Gen. 41:33
1770 וְיַפְקֵד פְּקִדִים עַל־הָאָרֶץ Gen. 41:34
1771 אַתָּה תִּהְיֶה עַל־בֵּיתִי Gen. 41:40
1772 וַיֹּאמֶר לַאֲשֶׁר עַל־בֵּיתוֹ Gen. 43:16
1773 אֲשֶׁר עַל־בֵּית יוֹסֵף Gen. 43:19

עַל־ (ג) (המשך)

1774 וַיְצַו אֶת־אֲשֶׁר עַל־בֵּיתוֹ Gen. 44:1
1775 וְיוֹסֵף אָמַר לַאֲשֶׁר עַל־בֵּיתוֹ Gen. 44:4
1776 וְעֵינְכֶם אַל־תָּחֹס עַל־כְּלֵיכֶם Gen. 45:20
1777 וְשַׂמְתָּם...עַל־אֲשֶׁר־לִי Gen. 47:6
1778 וַיָּשֶׂם...לְחֹק...עַל־אַדְמַת מִצְ׳ Gen. 47:26
1779 שְׁכֶם אַחַד עַל־אַחֶיךָ Gen. 48:22
1780 גָּבְרוּ עַל־בִּרְכֹת הוֹרַי Gen. 49:26
1781 וַיְנַחֵם אוֹתָם וַיְדַבֵּר עַל־לִבָּם Gen. 50:21
1782 תָּכֹסּוּ עַל־הַשֶּׂה Ex. 12:4
1783 עַל־מְרֹרִים יֹאכְלֻהוּ Ex. 12:8
1784 וַתֶּחֱזַק מִצְרַיִם עַל־הָעָם Ex. 12:33
1785 וְשָׁלִשִׁם עַל־כֻּלּוֹ Ex. 14:7
1786-1788 וַיִּל(וֹ)נוּ...עַל־מֹשֶׁה וְעַל־אַהֲרֹן
Ex. 16:2 • Num. 14:2; 17:6
1789 בְּשָׁמְעוֹ אֶת־תְּלֻנֹּתֵיכֶם עַל־יְיָ Ex. 16:7
1790 לֹא־עָלֵינוּ תְלֻנֹּתֵיכֶם כִּי עַל־יְיָ Ex. 16:8
1791 וַיָּלֶן הָעָם עַל־מֹשֶׁה Ex. 17:3
1792 וַיַּעֲמֹד הָעָם עַל־מֹשֶׁה Ex. 18:13
1793-1796 פֹּקֵד עֲוֹן אָב(וֹ)ת עַל־בָּנִים Ex. 20:5
34:7 • Num. 14:18 • Deut. 5:9
1797-1799 עַל־שִׁלֵּשִׁים וְעַל־רִבֵּעִים
Ex. 20:5; 34:7 • Num. 14:18
1800 וְכִי יָזִד אִישׁ עַל־רֵעֵהוּ Ex. 21:14
1801 לֹא יִשָּׁמַע עַל־פִּיךָ Ex. 23:13
1802 וַיִּקָּהֵל הָעָם עַל־אַהֲרֹן Ex. 32:1
1803 וְהִנָּחֵם עַל־הָרָעָה לְעַמֶּךָ Ex. 32:12
1804 וַיִּנָּחֶם יְיָ עַל־הָרָעָה Ex. 32:14
1805 וַיַּעֲבֹר יְיָ עַל־פָּנָיו וַיִּקְרָא Ex. 34:6
1806 לֹא־תִשְׁחַט עַל־חָמֵץ Ex. 34:25
1807 וְנִשְׁבַּע עַל־שָׁקֶר Lev. 5:22
1808/9 עַל־אַחַת מִכֹּל אֲשֶׁר־יַעֲשֶׂה Lev. 5:22, 26
1810 לֹא תַעֲמֹד עַל־דַּם רֵעֶךָ Lev. 19:16
1811 לֹא תֹאכְלוּ עַל־הַדָּם Lev. 19:26
1812 עַל־שְׂדֵה הָאָרֶץ יֵחָשֵׁב Lev. 25:31
1813 וַיִּתְיַלְדוּ עַל־מִשְׁפְּחֹתָם Num. 1:18
1814 וְלֹא־יִהְיֶה קֶצֶף עַל־עֲדַת בְּ׳ יִ׳ Num. 1:53
1815 לְמִשְׁפְּחֹתָיו עַל־בֵּית אֲבֹתָיו Num. 2:34
1816/7 אִישׁ אִישׁ עַל־עֲבֹדָתוֹ Num. 4:19, 49
1818 ...מֵאֲשֶׁר חָטָא עַל־הַנָּפֶשׁ Num. 6:11
1819 הֵם הָעֹמְדִים עַל־הַפְּקֻדִים Num. 7:2
1820 כַּאֲשֶׁר צִוָּה יְיָ...עַל־הַלְוִיִּם... Num. 8:22
1821 עַל־מַצּוֹת וּמְרֹרִים יֹאכְלֻהוּ Num. 9:11
1822 כִּי־יְיָ דִּבֶּר־טוֹב עַל־יִשְׂרָאֵל Num. 10:29
1823 וַיִּתֵּן עַל־שִׁבְעִים אִישׁ הַזְּקֵנִים Num. 11:25
1824 לֹא עַל־הַלֶּחֶם לְבַדּוֹ יִחְיֶה הָאָדָם Deut. 8:3
1825 כִּי עַל־כָּל־מוֹצָא פִי־יְיָ Deut. 8:3
1826 לְבַד מִמְכָּרָיו עַל־הָאָבוֹת Deut. 18:8
1827 וּלְתִתְּךָ עֶלְיוֹן עַל כָּל־הַגּוֹיִם Deut. 26:19
1828 יַעַמְדוּ עַל־הַקְּלָלָה Deut. 27:13
1829 וַתְּהִי עַל־יִפְתָּח רוּחַ יְיָ Jud. 11:29
1830 וְאֶבְכֶּה עַל־בְּתוּלַי Jud. 11:37
1831 לְדַבֵּר עַל־לִבָּהּ לַהֲשִׁיבָהּ° Jud. 19:3
1832 רָחַב פִּי עַל־אוֹיְבַי ISh. 2:1
1833 לִבּוֹ חָרֵד עַל אֲרוֹן הָאֱלֹהִים ISh. 4:13
1834 וְשַׂמְתִּיהָ חֶרְפָּה עַל־כָּל־יִשְׂרָ׳ ISh. 11:2
1835 וַיֹּאכַל הָעָם עַל־הַדָּם ISh. 14:32
1836 אֲשֶׁר חָמַל הָעָם עַל־מֵיטַב הַצֹּאן ISh.15:15
1837 וַתִּסְפֹּד עַל־בַּעְלָהּ IISh. 11:26
1838 וַיִּתְאַבֵּל עַל־בְּנוֹ IISh. 13:37
1839 כִּי־נִחַם עַל־אַמְנוֹן IISh. 13:39
1840 כִּי־לֵב הַמֶּלֶךְ עַל־אַבְשָׁלוֹם IISh. 14:1
1841 וְאֶת־עֲמָשָׂא שָׂם...עַל־הַצָּבָא IISh. 17:25

עַל־ (ג) (המשך)

1842 וְעֵינֶיךָ עַל־רָמִים תַּשְׁפִּיל IISh. 22:28
1843 כִּי־נִכְמְרוּ רַחֲמֶיהָ עַל־בְּנָהּ IK. 3:26
1844 וּבְנָיָהוּ בֶן־יְהוֹיָדָע עַל־הַצָּבָא IK. 4:4
1845 הֲגַם עַל־הָאַלְמָנָה...הֲרֵעוֹתָ IK. 17:20
1846 וְהִלָּחֲמוּ עַל־בֵּית אֲדֹנֵיכֶם IIK. 10:3
1847 אֲשֶׁר יַעֲלֶה עַל לֶב־אִישׁ IIK. 12:5
1848 וּלְכֹל אֲשֶׁר־יֵצֵא עַל־הַבַּיִת IIK. 12:13
1849 וַיֵּבְךְּ עַל־פָּנָיו IIK. 13:14
1850 עַתָּה עַל־מִי בָטַחְתָּ IIK. 18:20
1851 וְגַנּוֹתִי עַל־הָעִיר הַזֹּאת IIK. 20:6
1852 אֲשֶׁר חָזָה עַל־יְהוּדָה וִירוּשָׁלָםִ Is. 1:1
1853 כִּי יוֹם לַייָ צְבָאוֹת עַל כָּל־גֵּאֶה וָרָם Is. 2:12
1854 עַל־כָּל־כָּבוֹד חֻפָּה Is. 4:5
1855 עַל־בַּחוּרָיו לֹא־יִשְׂמַח אֲדֹנָי Is. 9:16
1856 הֲיִתְפָּאֵר הַגַּרְזֶן עַל הַחֹצֵב בּוֹ Is. 10:15
1857 אִם־יִתְגַּדֵּל הַמַּשּׂוֹר עַל־מְנִיפוֹ Is. 10:15
1858 עַל־בָּנִים לֹא־תָחוּס עֵינָם Is. 13:18
1859 וְנִסְפְּחוּ עַל־בֵּית יַעֲקֹב Is. 14:1
1860 הָעֵצָה הַיְּעוּצָה עַל־כָּל־הָאָרֶץ Is. 14:26
1861 הַיָּד הַנְּטוּיָה עַל־כָּל־הַגּוֹיִם Is. 14:26
1862 כִּי קֶצֶף לַייָ עַל־כָּל־הַגּוֹיִם Is. 34:2
1863 דַּבְּרוּ עַל־לֵב יְרוּשָׁלַםִ Is. 40:2
1864 וּבְנֵי הַנֵּכָר הַנִּלְוִים עַל־יְיָ Is. 56:6
1865 וּמְשׂוֹשׂ חָתָן עַל־כַּלָּה Is. 62:5
1866 שֹׁקֵד אֲנִי עַל־דְּבָרִי לַעֲשֹׂתוֹ Jer. 1:12
1867 מְצָאתִים כִּי עַל־כָּל־אֵלֶּה Jer. 2:34
1868 כֹּה־אָמַר יְיָ עַל־הַנְּבִאִים Jer. 14:15
1869 כִּי עֵינַי עַל־כָּל־דַּרְכֵיהֶם Jer. 16:17
1870 וְיִשְׁרֹק עַל־כָּל־מַכֹּתֶהָ Jer. 19:8
1871 מַה־תִּזְעַק עַל־שִׁבְרֵךְ Jer. 30:15
1872 רָחֵל מְבַכָּה עַל־בָּנֶיהָ Jer. 31:14(13)
1873 מֵאֲנָה לְהִנָּחֵם עַל־בָּנֶיהָ Jer. 31:14(13)
1874/5 נִלְחָמִים עַל־יְרוּשָׁלַםִ... Jer. 34:1, 7
1876 אֲשֶׁר דִּבַּרְתִּי אֵלֶיךָ עַל־יִשְׂרָאֵל Jer. 36:2
1877 וְנִלְחֲמוּ עַל־הָעִיר הַזֹּאת Jer. 37:8
1878 חֲמָסִי וּשְׁאֵרִי עַל־בָּבֶל Jer. 51:35
1879/80 וְנִחָם עַל־הָרָעָה Joel 2:13 • Jon. 4:2
1881 וַהֲשִׁיבוֹתִי יָדִי עַל־עֶקְרוֹן Am. 1:8
1882 וְלֹא נֶחְלוּ עַל־שֵׁבֶר יוֹסֵף Am. 6:6
1883 וַיִּשְׂמַח יוֹנָה עַל־הַקִּיקָיוֹן Jon. 4:6
1884 וְהֵשִׁיב לֵב־אָבוֹת עַל־בָּנִים Mal. 3:24
1885 וְלֵב בָּנִים עַל־אֲבוֹתָם Mal. 3:24
1886 לֹא־רָגַל עַל־לְשֹׁנוֹ Ps. 15:3
1887 וְחֶרְפָּה לֹא־נָשָׂא עַל־קְרֹבוֹ Ps. 15:3
1888 וְשֹׁחַד עַל־נָקִי לֹא־לָקָח Ps. 15:5
1889 כְּאַיָּל תַּעֲרֹג עַל־אֲפִיקֵי־מָיִם Ps. 42:2
1890 הַשְׁלֵךְ עַל־יְיָ יְהָבְךָ Ps. 55:23
1891 כְּרַחֵם אָב עַל־בָּנִים Ps. 103:13
1892 רִחַם יְיָ עַל־יְרֵאָיו Ps. 103:13
1893/4 שָׁלוֹם עַל־יִשְׂרָאֵל Ps. 125:5; 128:6
1895 וְקֹבֵץ עַל־יָד יַרְבֶּה Prov. 13:11
1896 דָּבָר דָּבֻר עַל־אָפְנָיו Prov. 25:11
1897 עַל־הַגְּאוּלָּה וְעַל־הַתְּמוּרָה Ruth 4:7
1898 וַתְּצַוֵּהוּ עַל־מָרְדֳּכָי Es. 4:5
1899 וּלְבַקֵּשׁ מִלְּפָנָיו עַל־עַמָּהּ Es. 4:8
1900 צַדִּיק יְיָ אֱלֹהֵינוּ עַל־כָּל־מַעֲשָׂיו Dan. 9:14
1901 כָּתְבוּ שִׂטְנָה עַל־יֹשְׁבֵי יְהוּדָה Ez. 4:6
1902-2889 עַל־ (ג) Ex. 1:10; 6:26; 12:51
20:3, 17; 28:11, 21^{3}; 39:6, 14^{3} • Lev. 4:3, 28, 35; 5:13, 18; 10:16; 14:31, 53; 16:16, 34; 17:11; 19:22; 27:13 • Num. 3:46, 49; 7:3; 8:12, 19; 10:9; 14:5, 36; 15:25^{2}, 28; 16:3^{2}, 4, 11, 22; 17:7, 10, 12; 18:5; 20:2, 6; 25:13;

עַל־ (ג) (המשך)

26:9^{2}; 27:3, 16, 21; 30:5^{2}, 6, 7, 8, 9, 10, 11, 12; 31:3, 7, 8, 14, 50; 35:24; 36:3, 4, 12 • Deut. 3:14, 23; 5:7; 19:9; 20:1, 3; 21:10; 22:19, 26; 23:10; 28:1; 30:7, 9 • Josh. 9:18, 20 • Jud. 3:10, 12; 4:24; 6:2; 9:18^{2}, 22, 24, 34; 11:38; 18:27^{2} • ISh. 7:10; 9:16; 10:1; 11:1; 13:1, 13, 14; 14:33, 47, 52; 15:1^{2}, 9, 17, 26, 35; 16:1; 17:20; 18:5; 20:8, 24; 22:9; 23:17; 25:8, 25, 30; 26:16^{2}; 27:10 • IISh. 2:4, 10, 11; 3:8, 10; 5:2, 3, 5^{2}, 12, 17; 6:10, 21^{2}; 7:8, 11, 25, 26; 8:15, 16; 12:7, 28; 14:2, 7, 13; 18:18; 19:2, 3, 8, 23, 43; 20:23, 24; 21:7^{2} • IK. 1:34, 35; 2:11, 19, 26, 27, 35; 4:1, 5, 6^{2}, 7^{2}; 5:13^{2}, 21, 28, 30; 6:1; 8:16, 43, 44, 66; 9:5^{2}, 23; 10:6; 11:10, 25, 37, 42; 12:11, 14, 18, 20; 13:2, 4, 32; 14:2, 7, 14; 15:1, 9, 20^{2}, 25^{2}; 16:1, 8, 9, 15, 16, 17; 16:19, 23, 29^{2}; 18:3; 19:15, 16; 21:7; 22:6, 41, 52^{2} • IIK. 3:1, 27, 43; 6:11, 24; 7:17; 8:5, 13; 9:29; 10:5^{2}; 10:9, 10, 22, 24, 36; 11:3, 8, 11, 18; 12:18; 13:1, 10; 15:5, 8; 15:17, 19, 20^{2}, 23, 27, 30; 16:5; 17:1, 9; 18:9, 13, 14, 18, 21^{2}, 24, 37; 19:2, 8; 20:6; 21:12, 13, 24; 22:19, 20; 23:26, 29, 33; 24:11; 25:1, 4, 19 • Is. 1:1; 2:1; 7:2; 9:20; 10:12, 20^{2}, 25, 28; 13:11; 14:1, 4, 12; 15:2, 9; 17:7; 19:12; 20:3; 22:4, 15; 23:8; 24:11, 21; 25:7^{2}; 27:1; 28:6; 29:7, 8; 30:7, 8; 30:5, 6; 31:1^{2}, 2, 4, 5; 32:8, 12^{2}; 34:2, 14; 36:1, 3, 5, 6^{2}, 9, 10, 12; 37:2, 8, 9, 35; 38:5, 6, 15, 20; 42:13, 25; 45:11; 46:8; 47:6^{2}, 7; 53:9; 57:1, 4^{2}; 59:4; 65:3, 6, 7, 17; 66:2 • Jer. 1:10, 14, 16, 18; 4:16; 5:6; 6:9, 10, 19; 7:8, 22, 31; 8:6, 21; 9:24, 25; 10:19; 11:10, 21; 12:11; 14:1; 16:3, 7^{3}, 18; 18:7, 8, 9, 10, 18, 23; 19:5; 22:6, 8, 17; 23:2, 15, 30; 23:31, 32, 34, 35; 25:1, 2, 9, 12, 13, 29, 30; 26:2, 5, 19, 20; 27:8, 21; 28:15; 29:31^{2}, 32^{2}; 30:14, 15, 20; 31:12(11), 37(36); 32:2, 19, 29^{2}, 31, 32, 35; 33:1, 9; 34:1; 35:18; 36:2, 30; 37:5, 15; 39:11; 44:2, 13^{2}, 20; 45:5^{2}; 46:1, 2; 47:4; 48:26, 31, 42; 49:17; 50:9, 13; 51:1, 11, 29, 44, 46, 47, 48, 51, 52, 56; 52:4, 25 • Ezek. 7:2; 9:4; 11:10; 12:22; 13:3, 5; 14:3, 17, 22^{2}; 16:15^{2}, 36, 37, 43; 18:2; 19:11; 23:5, 20; 25:10; 26:2; 27:2; 28:12, 17; 29:2, 15, 18; 32:2, 16, 18, 27, 31; 33:13, 25, 26, 27, 29; 34:2; 35:2, 12; 36:3, 5, 6, 21; 37:4; 39:1; 40:15; 41:17; 44:13; 48:31 • Hosh. 1:4; 2:16; 4:14; 10:9; 11:11; 12:3, 11; 13:7 • Joel 1:6, 8, 11; 2:17, 18; 3:1 • Am. 1:1; 2:7; 3:1, 9^{2}, 14; 5:11; 6:5; 7:9, 16^{2} • Ob. 15 • Jon. 3:10; 4:9, 10, 11 • Mic. 1:1, 14, 16; 2:3; 3:5^{2}, 6; 5:2; 6:13; 7:3, 13, 18 • Nah. 1:11; 3:19 • Hab. 2:1, 15, 16; 3:1 • Zep. 1:8, 9, 12, 16; 2:8, 10 • Hag. 1:5, 7, 11 • Zech. 1:2, 15; 4:14; 6:5; 9:13; 10:3; 11:6; 12:1, 2^{2}, 7, 9, 10^{2}; 14:9, 16 • Mal. 2:2^{2}; 3:17, 22, 24^{2} • Ps. 2:2, 6; 3:9; 7:1, 11; 9:20; 10:3; 14:2; 18:42; 24:2; 27:6; 31:19, 24, 27; 37:4, 5, 10, 11; 39:12; 40:16; 45:5; 47:3, 9; 48:11, 15; 49:7; 50:8; 53:3; 56:8; 57:6, 12; 61:7; 62:4, 8; 66:5; 68:35; 70:4; 71:14; 72:13; 79:9; 81:6; 83:4^{2}, 14; 89:8, 20; 90:13, 16; 94:2, 21; 95:3; 96:4; 97:9^{2}; 99:2, 8; 103:11, 17; 105:16; 106:7; 109:20; 110:4, 5; 113:4^{2}; 115:1^{2}; 119:17, 62, 162, 164; 125:3; 137:6; 138:2^{2}; 145:9; 146:5 • Prov. 3:29; 8:34; 16:20; 17:4^{2}, 26; 19:11; 21:1; 23:30; 25:12, 20^{2}, 25; 26:17; 28:15, 25; 29:5, 12; 30:6; 31:29 • Job 1:6, 8, 11; 2:1^{2}; 6:27^{2}; 12:14; 14:16, 17; 17:8; 18:20; 21:31; 22:26; 27:10; 31:1, 5, 9; 33:27; 34:6, 23, 36; 37:16, 22; 39:27; 42:6, 11 • Ruth 2:5, 6, 13 • Lam. 1:7, 19; 2:14, 15, 19; 3:39; 4:22; 5:5 • Eccl. 1:12, 13, 16^{2}; 2:20; 3:18; 5:1, 5, 7; 6:1; 7:14 • Es. 1:8, 26, 17, 19; 3:9, 12; 4:5, 7; 5:4, 8, 9, 11; 6:2, 9; 7:3, 7, 9; 8:2, 3, 5, 7, 8, 11; 9:2, 13, 16, 24, 25; 9:26, 31 • Dan. 1:11; 8:12, 27; 9:1, 14, 18^{2}, 24, 27; 11:14, 25, 28, 30^{2}, 36, 37; 12:1 • Ez. 2:61; 3:8, 9, 11; 4:7; 8:17, 22, 26, 33, 35; 10:10, 19 • Neh. 1:6^{2}; 2:5, 7^{2};

עַל־ (ג) (המשך)

3:33, 37; 4:8; 5:15[2], 16, 19; 7:2, 63; 9:2, 5; 10:30, 34; 11:9, 16, 21, 23; 12:8, 22, 44[2]; 13:18 • ICh. 5:10, 16; 6:17, 34; 9:19[2], 23, 26; 9:27, 28, 29, 31, 32; 11:2, 3, 10, 11, 15, 20, 25; 12:16, 20[2], 22; 12:23, 24, 33, 39(38); 13:2; 14:2, 8, 10, 17; 16:40; 17:7, 10, 17; 17:23, 26; 18:7, 14, 15, 17; 19:2, 5; 21:1, 3, 4, 7, 15; 22:9(8); 22:10(9), 12(11); 23:1, 4, 14, 28; 25:3; 26:20, 22, 24; 26:26, 29, 30, 32; 27:2, 24; 28:4[2], 5; 29:25[2], 27 • IICh. 1:1; 1:9, 13; 2:3; 6:5, 6, 34; 7:13; 8:15; 9:5, 6, 29, 30; 10:11; 12:2, 9, 18, 33(32); 13:1, 5, 6, 7; 14:10; 15:4, 5; 16:1; 17:1, 10; 20:1, 3, 22, 23, 29, 31, 37; 21:4, 16; 22:5; 23:3, 10, 18; 24:6, 9, 18; 26:7, 13, 18, 21; 28:9, 12, 13[2], 16; 29:8, 21, 24, 36; 30:1[2], 9, 17, 22; 31:9[2], 14; 32:1, 2, 6[2], 8, 9, 16; 33:25; 34:24, 27, 28; 35:24, 25[3]; 36:4, 10, 15, 17

עַל־ (ד)

2890 הִנְּךָ מֵת עַל־הָאִשָּׁה... Gen. 20:3
2891 אַל־יֵרַע בְּעֵינֶיךָ עַל־הַנַּעַר Gen. 21:12
2892 וַיִּשָּׁבַע לוֹ עַל־הַדָּבָר הַזֶּה Gen. 24:9
2893 פֶּן־יַהַרְגֻנִי...עַל־רִבְקָה Gen. 26:7
2894 וַיִּשְׂטֹם עֵשָׂו...עַל־הַבְּרָכָה Gen. 27:41
2895 וַיִּגְנֹב...עַל־בְּלִי הִגִּיד לוֹ Gen. 31:20
2896 וַיּוֹסִפוּ עוֹד שְׂנֹא אֹתוֹ עַל־חֲלֹמֹתָיו Gen. 37:8
2897 אֲשֵׁמִים אֲנַחְנוּ עַל־אָחִינוּ Gen. 42:21
2898 מַסָּה וּמְרִיבָה עַל־רִיב בְּ־יִ' Ex. 17:7
2899 וַיִּחַדְּ יִתְרוֹ עַל כָּל־הַטּוֹבָה Ex. 18:9
2900/1 עַל־כָּל־דְּבַר־פֶּשַׁע עַל־שׁוֹר Ex. 22:8
2902-2904 עַל־חֲמוֹר עַל־שֶׂה עַל־שַׂלְמָה Ex. 22:8
2905 עַל־כָּל־אֲבֵדָה Ex. 22:8
2906 וְלֹא־תַעֲנֶה עַל־רִב לִנְטֹת Ex. 23:2
2907 עַל כָּל־הַדְּבָרִים הָאֵלֶּה Ex. 24:8
2908 עַל־נֶפֶשׁ מֵת לֹא יָבֹא Num. 6:6
2909 וְהֵם הֵבִיאוּ...עַל־שִׁגְגָתָם Num. 15:25
2910 וַיְיָ הִתְאַנַּף־בִּי עַל־דִּבְרֵיכֶם Deut. 4:21
2911 וּבֵרַכְתָּ...עַל־הָאָרֶץ הַטֹּבָה Deut. 8:10
2912 עַל כָּל־חַטַּאתְכֶם אֲשֶׁר חֲטָאתֶם Deut. 9:18
2913/4 לֹא־יוּמְתוּ אָבוֹת עַל־בָּנִים
Deut. 24:16 • IIK. 14:6
2915/6 וּבָנִים לֹא־יוּמְתוּ עַל־אָבוֹת
Deut. 24:16 • IIK. 14:6
2917 אַסְתִּיר פָּנַי...עַל כָּל־הָרָעָה Deut. 31:18
2918 וְלֹא־יִהְיֶה...קֶצֶף עַל־הַשְּׁבוּעָה Josh. 9:20
2919 וַיַּכֵּהוּ שָׁם הָאֱלֹהִים עַל־הַשַּׁל IISh. 6:7
2920 וְלָמָּה זֶּה חָרָה לְךָ עַל־הַדָּבָר הַזֶּ' IISh. 19:43
2921 צֹעֶקֶת...עַל־בֵּיתָהּ וְעַל־שָׂדָהּ IIK. 8:5
2922 נִשְׁפָּט...עַל־אָמְרֵךְ לֹא חָטָאתִי Jer. 2:35
2923 כִּי עַל־כָּל־אֹדוֹת אֲשֶׁר נִאֲפָה Jer. 3:8
2924 עַל־שֶׁבֶר בַּת־עַמִּי הָשְׁבַּרְתִּי Jer. 8:21
2925 עַל־עָזְבָם אֶת־תּוֹרָתִי Jer. 9:12
2926 הִסְתַּרְתִּי פָנַי...עַל כָּל־רָעָתָם Jer. 33:5
2927 וּפָחֲדוּ וְרָגְזוּ עַל כָּל־הַטּוֹבָה Jer. 33:9
2928 וּנְקֹטֹתֶם בִּפְנֵיכֶם עַל עֲוֹנֹתֵיכֶם Ezek. 36:31
2929 שְׂנֵאתִים עַל רֹעַ מַעַלְלֵיהֶם Hosh. 9:15
2930 עַל־עָסִיס כִּי נִכְרַת מִפִּיכֶם Joel 1:5
2931 עַל־שְׁלֹשָׁה פִּשְׁעֵי דַמֶּשֶׂק Am. 1:3
2932 עַל־דּוּשָׁם בַּחֲרֻצוֹת הַבַּרְזֶל Am. 1:3
2933 עַל־שְׁלֹשָׁה פִּשְׁעֵי עַזָּה Am. 1:6
2934 עַל־הַגְלוֹתָם גָּלוּת שְׁלֵמָה Am. 1:6
2935 עַל־שְׁלֹשָׁה פִּשְׁעֵי יִשְׂרָאֵל Am. 2:6
2936 עַל־מִכְרָם בַּכֶּסֶף צַדִּיק Am. 2:6
2937 עַל לֹא־שָׁמְרוּ תוֹרָתֶךָ Ps. 119:136
2938 עַל־דַּעְתְּךָ כִּי־לֹא אֶרְשָׁע Job 10:7
2939 עַל לֹא־חָמָס בְּכַפָּי Job 16:17

עַל־ (ד) (המשך)

2940 יְיָ הוֹגָהּ עַל־רֹב פְּשָׁעֶיהָ Lam. 1:5
2941/2 עַל־שֶׁבֶר בַּת־עַמִּי Lam. 2:11; 3:48
2943 עַל הַר־צִיּוֹן שֶׁשָּׁמֵם Lam. 5:18
2944/5 עַל(־)מַעַל הַגּוֹלָה Ez. 9:4; 10:6
2946 וְאַתָּה צַדִּיק עַל כָּל־הַבָּא עָלֵינוּ Neh. 9:33
2947 ...עַל־גָּאֳלֵי הַכְּהֻנָּה Neh. 13:29
2948 וַיִּשְׂמְחוּ הָעָם עַל־הִתְנַדְּבָם IICh. 29:9
2949 שְׂמֵחִים וְטוֹבֵי לֵב עַל־הַטּוֹבָה IICh. 7:10
2950 לֹא־יָמוּתוּ אָבוֹת עַל־בָּנִים IICh. 25:4
2951 וּבָנִים לֹא־יָמוּתוּ עַל־אָבוֹת IICh. 25:4
2952-2982 עַל־ ISh. 30:6 • IISh. 1:12, 17; 21:7 • IK. 8:66; 15:30; 16:19 • IIK. 6:11 • Jer. 10:19; 16:18 • Hosh. 9:7; 10:5 • Joel 4:2 • Am. 1:9[2], 11[2], 13[2]; 2:1[2], 4[2] • Job 32:2 • Lam. 1:22; 2:11; 3:48 • Ez. 10:9 • Neh. 1:2; 13:29 • IICh. 15:15

עַל־ (ה)

2983 וַיִּקַּח אֶת־מָחֲלַת...עַל־נָשָׁיו Gen. 28:9
2984 וְאִם־תִּקַּח נָשִׁים עַל־בְּנֹתַי Gen. 31:50
2985 פֶּן־יָבוֹא וְהִכַּנִי אֵם עַל־בָּנִים Gen. 32:11
2986 וַיַּחַץ אֶת־הַיְלָדִים עַל־לֵאָה Gen. 33:1
2987 וְנוֹסַף גַּם־הוּא עַל־שֹׂנְאֵינוּ Ex. 1:10
2988/9 בְּנֵי יִשְׂרָאֵל...עַל־צִבְאֹתָם Ex. 6:26; 12:51
2990 עַל־כְּרָעָיו וְעַל־קִרְבּוֹ Ex. 12:9
2991 וְהָיָה מִשְׁנֶה עַל אֲשֶׁר־יִלְקְטוּ... Ex. 16:5
2992 וַיָּבֹאוּ הָאֲנָשִׁים עַל־הַנָּשִׁים Ex. 35:22
2993 עַל־רֹאשׁוֹ וְעַל־כְּרָעָיו Lev. 4:11
2994-96 שֶׁבַע עַל־חַטֹּאתֵיכֶם Lev. 26:18, 24, 28
2997 פִּגְרֵיכֶם עַל־פִּגְרֵי גִּלּוּלֵיכֶם Lev. 26:30
2998 אֶת־עֹרָהּ...עַל־פִּרְשָׁהּ יִשְׂרֹף Num. 19:5
2999 ...הָרְגוּ עַל־חַלְלֵיהֶם Num. 31:8
3000 עוֹד עַל חֲרוֹן אַף־יְיָ Num. 32:14
3001 וַיַּךְ אוֹתָם שׁוֹק עַל־יָרֵךְ Jud. 15:8
3002 יָסַפְנוּ עַל־כָּל־חַטֹּאתֵינוּ רָעָה ISh. 12:19
3003 סְפוּ שָׁנָה עַל־שָׁנָה Is. 29:1
3004 לְמַעַן סְפוֹת חַטָּאת עַל־חַטָּאת Is. 30:1
3005 יָמִים עַל־שָׁנָה תִּרְגַּזְנָה Is. 32:10
3006 יֵלְכוּ בֵית־יְהוּדָה
עַל־בֵּית יִשְׂרָאֵל...יַחְדָּו Jer. 3:18
3007 שֶׁבֶר עַל־שֶׁבֶר נִקְרָא Jer. 4:20
3008 עֹלוֹתֵיכֶם סְפוּ עַל־זִבְחֵיכֶם Jer. 7:21
3009 הֵבֵאתִי לָהֶם עַל־אֵם בָּחוּר Jer. 15:8
3010 יָסַף יְיָ יָגוֹן עַל־מַכְאֹבִי Jer. 45:3
3011 הֹוָה עַל־הֹוָה תָּבוֹא Ezek. 7:26
3012 כָּל־אֲשֶׁר אָהַבְתְּ עַל כָּל־אֲשֶׁר שָׂנֵאת
Ezek. 16:37
3013 אֵם עַל־בָּנִים רֻטָּשָׁה Hosh. 10:14
3014 וְהִכֵּיתִי בֵית־הַחֹרֶף עַל־בֵּית הַקָּיִץ Am. 3:15
3015 תְּנָה־עָוֹן עַל־עֲוֹנָם Ps. 69:28
3016 יִפְרְצֵנִי פֶרֶץ עַל־פְּנֵי־פָרֶץ Job 16:14
3017 כִּי יֹסִיף עַל־חַטָּאתוֹ פֶשַׁע Job 34:37
3018 וְעַיִשׁ עַל־בָּנֶיהָ תַנְחֵם Job 38:32
3019 עֶשֶׂר יָדוֹת עַל כָּל־הַחַרְטֻמִּים Dan. 1:20
3020 לְבַד עַל־כָּל־הִתְנַדֵּב Ez. 1:6
3021 מִן־הַחֳלִי יָמִים עַל־יָמִים IICh. 21:15

עַל־ (ו)

3022 וַיַּעַל עַל־גֹּזְזֵי צֹאנוֹ Gen. 38:12
3023 וַתֵּרֶד...לִרְחֹץ עַל־הַיְאֹר Ex. 2:5
3024 וְהַיֹּרְדִים עַל יָם הָעֲרָבָה Josh. 3:16
3025 וַתִּתְפַּלֵּל עַל־יְיָ ISh. 1:10
3026 וְחַנָּה הִיא מְדַבֶּרֶת עַל־לִבָּהּ ISh. 1:13
3027 וַיֵּלֶךְ אֶלְקָנָה הָרָמָתָה עַל־בֵּיתוֹ ISh. 2:11
3028 וַיַּעַן כָּל־אִישׁ יְהוּדָה עַל־אִישׁ יִשׂ' IISh. 19:43
3029 נֶפֶשׁ־הַיֶּלֶד הַזֶּה עַל־קִרְבּוֹ IK. 17:21
3030 וַתָּשָׁב נֶפֶשׁ־הַיֶּלֶד עַל־קִרְבּוֹ IK. 17:22

עַל־ (ו) (המשך)

3031 וַיֵּלֶךְ מֶלֶךְ־יִשְׂרָאֵל עַל־בֵּיתוֹ IK. 20:43
3032/3 לְדַבֵּר...עַל־הָאֲנָשִׁים הַיֹּשְׁבִים
עַל־הַחֹמָה IIK. 18:27 Is. 36:12
3034 וַיֵּצֵא יְהוֹיָכִין...עַל־מֶלֶךְ בָּבֶל IIK. 24:12
3035 אֲשֶׁר נָפְלוּ עַל־הַמֶּלֶךְ IIK. 25:11
3036 עַל־מִי תָנוּסוּ לְעֶזְרָה Is. 10:3
3037 לֶךְ־בֹּא...עַל־שֶׁבְנָא Is. 22:15
3038 עַל־כָּל־אֲשֶׁר אֶשְׁלָחֲךָ תֵּלֵךְ Jer. 1:7
3039 וְהַיּוֹצֵא וְנָפַל עַל־הַכַּשְׂדִּים Jer. 21:9
3040 אַל־תִּשְׁמְעוּ עַל־דִּבְרֵי הַנְּבִאִים Jer. 23:16
3041 כֹּה תֹאמְרוּ אִישׁ עַל־רֵעֵהוּ Jer. 23:35
3042 הַדָּבָר אֲשֶׁר הָיָה עַל־יִרְמְיָהוּ Jer. 25:1
3043 וַיֵּרֶד בֵּית־הַמֶּ' עַל־לִשְׁכַּת הַסֹּפֵר Jer. 36:12
3044 אֵינֶנִּי נֹפֵל עַל־הַכַּשְׂדִּים Jer. 37:14
3045 וּתְפִלָּתִי עַל־חֵיקִי תָשׁוּב Ps. 35:13
3046 אִגְּרֹתֵיהֶם הוֹלְכוֹת עַל־טוֹבִיָּה Neh. 6:17

עַל־אוֹדוֹת
3047 וַיֵּרַע הַדָּבָר...עַל אוֹדֹת בְּנוֹ Gen. 21:11
3048 וְהוֹכִחַ...עַל־אֹדוֹת בְּאֵר הַמַּיִם Gen. 21:25
3049 וַיַּגִּדוּ לוֹ עַל־אֹדוֹת הַבְּאֵר Gen. 26:32
3050 וַיְסַפֵּר...עַל אוֹדֹת יִשְׂרָאֵל Ex. 18:8
3051 עַל־אֹדוֹת הָאִשָּׁה הַכֻּשִׁית Num. 12:1
3052 עַל אֹדוֹת הָאֶשְׁכּוֹל Num. 13:24
3053 אֲשֶׁר־דִּבֶּר יְיָ...עַל אֹדוֹתַי Josh. 14:6
3054 זָעֲקוּ בְ־יְ...עַל אֹדוֹת מִדְיָן Jud. 6:7

עַל־אֵלֶּה
3055 פֶּן־יֹסִיף לְהַכֹּתוֹ עַל־אֵלֶּה Deut. 25:3
3056 עַל־אֵלֶּה אֲנִי בוֹכִיָּה Lam. 1:16
3057 עַל־אֵלֶּה חָשְׁכוּ עֵינֵינוּ Lam. 5:17
3058 מִתְחַזֵּק עִמִּי עַל־אֵלֶּה Dan. 10:21
3059 הֲלוֹא עַל־אֵלֶּה חָטָא־שְׁלֹמֹה Neh. 13:26

עַל־אַף
3060 כִּי עַל־אַף יְיָ הָיְתָה בִירוּשָׁלַםִ IIK. 24:20
3061 עַל־אַף יְיָ הָיְתָה בִּירוּשָׁלַםִ Jer. 52:3
3062 עַל אַף אֹיְבַי תִּשְׁלַח יָדֶךָ Ps. 138:7

עַל אֲשֶׁר
3063 וַיִּגֹּף יְיָ...עַל אֲשֶׁר עָשׂוּ... Ex. 32:35
3064 עַל אֲשֶׁר־מְרִיתֶם אֶת־פִּי Num. 20:24
3065 עַל אֲשֶׁר עָזְבוּ אֶת־בְּרִית יְיָ Deut. 29:24
3066 עַל אֲשֶׁר מְעַלְתֶּם בִּי Deut. 32:51
3067 עַל אֲשֶׁר לֹא־קִדַּשְׁתֶּם אוֹתִי Deut. 32:51
3068 עַל אֲשֶׁר כָּרַת אֶת־כָּנָף ISh. 24:5(6)
3069 עַל אֲשֶׁר הֵמִית אֶת־עֲשָׂהאֵל IISh. 3:30
3070-3090 עַל אֲשֶׁר IISh. 6:8; 8:10; 21:1 • IK. 9:9; 18:12 • IIK. 18:12; 22:13 • Jer. 15:4; 16:11; 22:9 • Ezek. 23:30; 35:15; 39:23 • Ps. 119:49 • Job 32:3 • Es. 1:15; 8:7 • ICh. 13:10; 18:10 • IICh. 7:22; 34:21
3091 וַאֲנִי הוֹלֵךְ עַל אֲשֶׁר־אֲנִי הוֹלֵךְ IISh. 15:20
3092 וְנִתַּן...עַל אֲשֶׁר לֹא־יָדַע סֵפֶר Is. 29:12
3093 עַל אֲשֶׁר יִהְיֶה־שָׁם הָרוּחַ לָלֶכֶת Ezek. 1:20

עַל־דְּבַר
3094 וַיְנַגַּע יְיָ...עַל־דְּבַר שָׂרַי Gen. 12:17
3095 וַהֲרָגוּנִי עַל־דְּבַר אִשְׁתִּי Gen. 20:11
3096 כִּי...עָצַר...עַל־דְּבַר שָׂרָה Gen. 20:18
3097 עַל־דְּבַר הַכֶּסֶף...אֲנַחְנוּ מוּבָאִים Gen. 43:18
3098 וַיִּצְעַק מֹשֶׁה...עַל־דְּבַר הַצְפַרְדְּעִים Ex. 8:8
3099 הַמֵּתִים עַל־דְּבַר־קֹרַח Num. 17:14
3100-2 עַל־דְּבַר־פְּעוֹר Num. 25:18[2]; 31:16
3103 בְּצַוֹּת הַמֶּלֶךְ...עַל־דְּבַר אַבְשָׁלוֹם IISh. 18:5
3104 עָזְרֵנוּ...עַל־דְּבַר כְּבוֹד־שְׁמֶךָ Ps. 79:9

עַל־דְּבַר אֲשֶׁר
3105 עַל־דְּבַר אֲשֶׁר לֹא־צָעֲקָה Deut. 22:24
3106 עַל־דְּבַר אֲשֶׁר־עִנָּה אֶת־אֵשֶׁת רֵעֵהוּ
Deut. 22:24
3107 עַל־דְּבַר אֲשֶׁר לֹא קִדְּמוּ אֶתְכֶם Deut. 23:5
3108 עַל־דְּבַר אֲשֶׁר עִנָּה אֵת תָּמָר IISh. 13:22
3109 וַיָּמָת...עַל־דְּ' יְיָ אֲשֶׁר לֹא־שָׁמָר ICh. 10:13

עַל־זֹאת 3110 שֹׁמּוּ שָׁמַיִם עַל־זֹאת Jer. 2:12
3111 עַל־זֹאת חִגְרוּ שַׂקִּים Jer. 4:8
3112 עַל־זֹאת תֶּאֱבַל הָאָרֶץ Jer. 4:28
3113 עַל־זֹאת הֱקִיצֹתִי וָאֶרְאֶה Jer. 31:25(26)
3114/5 נִחַם יְיָ עַל־זֹאת Am. 7:3, 6
3116 עַל־זֹאת אֶסְפְּדָה וְאֵילִילָה Mic. 1:8
3117 עַל־זֹאת יִתְפַּלֵּל כָּל־חָסִיד Ps. 32:6
3118 יָשֹׁמּוּ יְשָׁרִים עַל־זֹאת Job 17:8
3119 וַנְּבַקְשָׁה מֵאֱלֹהֵינוּ עַל־זֹאת Ez. 8:23
3120 אֵין לַעֲמוֹד לְפָנֶיךָ עַל־זֹאת Ez. 9:15
3121 יֵשׁ־מִקְוֶה לְיִשְׂרָאֵל עַל־זֹאת Ez. 10:2
3122 אַךְ יוֹנָתָן...עָמְדוּ עַל־זֹאת Ez. 10:15
3123 זָכְרָה־לִּי אֱלֹהַי עַל־זֹאת Neh. 13:14
3124 נִסְכַּלְתָּ עַל־זֹאת IICh. 16:9
3125 כִּי־בְזַעַף עִמּוֹ עַל־זֹאת IICh. 16:10
3126 וּבָנֵינוּ...בַּשְּׁבִי עַל־זֹאת IICh. 29:9
3127 וַיִּתְפַּלֵּל יְחִזְקִיָּהוּ...עַל־זֹאת IICh. 32:20

עַל־זֶה 3128 כִּי עַל־זֶה בָּחַרְתָּ מֵעֹנִי Job 36:21
3129 עַל־זֶה הָיָה דָוֶה לִבֵּנוּ Lam. 5:17
3130 לֹא מֵחָכְמָה שָׁאַלְתָּ עַל־זֶה Eccl. 7:10
3131 מַה־נַּעֲשָׂה...לְמָרְדֳּכַי עַל־זֶה Es. 6:3

עַל־יַד 3132 וְנַעֲרֹתֶיהָ הֹלְכֹת עַל־יַד הַיְאֹר Ex. 2:5
3133 כֹּל אֲשֶׁר־עַל־יַד אַשְׁדּוֹד Josh. 15:46
3134 וְעָמַד עַל־יַד דֶּרֶךְ הַשָּׁעַר IISh. 15:2
3135 צָפוֹנָה עַל־יַד נְהַר־פְּרָת Jer. 46:6
3136 עַל־יַד הַנָּהָר הַגָּדוֹל Dan. 10:4
3137 וְהָעַרְבִים אֲשֶׁר עַל־יַד כּוּשִׁים IICh. 21:16

עַל־יְדֵי 3138 מִמִּדְבַּר־צִן עַל־יְדֵי אֱדוֹם Num. 34:3
3139 הֶעָרִים אֲשֶׁר עַל־יְדֵי אַרְנוֹן Jud. 11:26
3140 עַל יְדָ(י) עֹשֵׂי הַמְּלָאכָה IIK. 12:12
3141 וְהַגִּרֵם עַל־יְדֵי־חֶרֶב Jer. 18:21
3142-3151 עַל־יְדֵי Jer. 33:13 • Ezek. 35:5 • Ps. 63:11 • Ez. 3:10 • ICh. 6:16; 25:2, 3, 6^2 • IICh. 23:18

עַל כִּי 3152 עַל כִּי־אֵין אֱלֹהַי בְּקִרְבִּי Deut. 31:17
3153 עַל כִּי־עָשׂוּ אֶת־הָרַע Jud. 3:12
3154 עַל כִּי־דִבַּרְתִּי זַמֹּתִי Jer. 4:28
3155 עַל־כִּי־יְיָ הֵעִיד בֵּינְךָ... Mal. 2:14
3156 אוֹדְךָ עַל כִּי נוֹרָאוֹת נִפְלֵיתִי Ps. 139:14

עַל־כָּכָה 3157 וּמָה־רָאוּ עַל־כָּכָה Es. 9:26

עַל־כֵּן 3158 עַל־כֵּן יַעֲזָב־אִישׁ אֶת־אָבִיו Gen. 2:24
3159 עַל־כֵּן יֵאָמַר כְּנִמְרֹד גִּבּוֹר צַיִד Gen. 10:9
3160 עַל־כֵּן קָרָא שְׁמָהּ בָּבֶל Gen. 11:9
3161 עַל־כֵּן קָרָא לַבְּאֵר... Gen. 16:14
3162 עַל־כֵּן לֹא־יֹאכְלוּ בְנֵי־יִשׂ' Gen. 32:32
3163 עַל־כֵּן בָּאָה אֵלֵינוּ הַצָּרָה Gen. 42:21
3164 עַל־כֵּן בֵּרַךְ יְיָ אֶת־יוֹם הַשַּׁבָּת Ex. 20:11
3165 עַל־כֵּן אוֹדְךָ יְיָ בַּגּוֹיִם IISh. 22:50
3166 עַל־כֵּן מְשַׁכְתִּיךְ חָסֶד Jer. 31:3(2)
3167 עַל־כֵּן לֹא יָקֻמוּ רְשָׁעִים Ps. 1:5
3168 עַל־כֵּן אוֹדְךָ בַגּוֹיִם יְיָ Ps. 18:50
3169-3302 עַל־כֵּן Gen. 19:22; 20:6; 21:31; 25:30; 26:33; 29:34, 35; 30:6; 31:48; 33:17; 47:22; 50:11 • Ex. 5:8, 17; 13:15; 15:23; 16:29 • Lev. 17:12 • Num. 18:24; 21:14, 27 • Deut. 5:15; 10:9; 15:11, 15; 19:7; 24:18, 22 • Josh. 7:26; 14:14 • Jud. 15:19; 18:12 • ISh. 5:5; 10:12; 19:24; 20:29; 23:28; 28:18 • IISh. 5:8, 20; 7:22, 27 • IK. 9:9; 20:23 • Is. 5:25; 9:16; 13:7, 13; 15:4, 7; 16:9, 11; 17:10; 21:3; 22:4; 24:6^2, 15; 25:3; 27:11; 30:16^2; 50:7^2; 57:10; 59:9 • Jer. 5:6, 27; 10:21; 12:8; 20:11; 31:20(19); 44:23; 48:11, 31, 36^2; 51:7 • Ezek. 7:20; 22:4; 31:5; 41:7; 42:6; 44:12 • Hosh. 4:3, 13; 6:5; 13:6 • Am.

עַל־כֵּן (המשך) 3:2 • Jon. 4:2 • Hab. 1:4^2, 15, 16 • Hag. 1:10 • Zech. 10:2 • Ps. 25:8; 42:7; 45:3, 8, 18; 46:3; 110:7; 119:104, 127, 128, 129 • Prov. 6:15; 7:15 • Job 6:3; 9:22; 17:4; 20:21; 22:10; 23:15; 32:6; 34:27; 42:6 • S.ofS. 1:3 • Lam. 1:8; 3:21, 24 • Eccl. 5:1; 8:11 • Es. 9:19, 26^2 • Neh. 6:6 • ICh. 11:7; 14:11; 17:25 • IICh. 7:22; 16:7; 20:26

הַעַל־כֵּן 3303 הַעַל כֵּן יָרִיק חֶרְמוֹ Hab. 1:17

כִּי(־)עַל־כֵּן 3304 כִּי־עַל־כֵּן עֲבַרְתֶּם Gen. 18:5
3305 כִּי־עַל־כֵּן בָּאוּ בְּצֵל קֹרָתִי Gen. 19:8
3306 כִּי עַל־כֵּן רָאִיתִי פָנֶיךָ... Gen. 33:10
3307 כִּי־עַל־כֵּן לֹא־נְתַתִּיהָ לְשֵׁלָה Gen. 38:26
3308 כִּי עַל־כֵּן יָדַעְתָּ חֲנֹתֵנוּ Num. 10:31
3309 כִּי־עַל־כֵּן שַׁבְתֶּם מֵאַחֲרֵי יְיָ Num. 14:43
3310 כִּי־עַל־כֵּן רָאִיתִי מַלְאַךְ יְיָ Jud. 6:22
3311 כִּי עַל־כֵּן בֶּן־הַמֶּלֶךְ מֵת IISh. 18:20
3312 כִּי עַל־כֵּן שָׁלַח אֵלֵינוּ Jer. 29:28
3313 כִּי עַל־כֵּן הוּא־מְרַפֵּא אֶת־יְדֵי Jer. 38:4

עַל־מַה 3314 עַל־מַה־שָּׁוְא בָּרָאתָ Ps. 89:48
3315 הוֹדִיעֵנִי עַל מַה־תְּרִיבֵנִי Job 10:2
3316 עַל־מַה־זֶּה אַתָּה מְבַקֵּשׁ Neh. 2:4

עַל־מָה 3317 עַל־מָה הִכִּיתָ אֶת־אֲתֹנְךָ Num. 22:32
3318 עַל־מָה אֲנַחְנוּ יֹשְׁבִים Jer. 8:14
3319 עַל־מָה אָבְדָה הָאָרֶץ Jer. 9:11
3320 עַל־מָה אַתָּה נֶאֱנָח Ezek. 21:12
3321 וַאֲמַרְתֶּם עַל־מָה Mal. 2:14
3322 עַל־מָה אֶשָּׂא בְשָׂרִי בְשִׁנָּי Job 13:14
3323 עַל־מָה אֲדָנֶיהָ הָטְבָּעוּ Job 38:6
3324 עַל־מָה אַתֶּם בֹּטְחִים IICh. 32:10

עַל־מֶה 3325/6 עַל־מֶה עָשָׂה יְיָ כָּכָה Deut. 29:23 • IK. 9:8
3327 עַל מֶה תֻכּוּ עוֹד תּוֹסִיפוּ סָרָה Is. 1:5
3328 עַל־מֶה דִבֶּר יְיָ עָלֵינוּ Jer. 16:10
3329 עַל־מֶה עָשָׂה יְיָ כָּכָה לָעִיר Jer. 22:8
3330 עַל־מֶה נִאֵץ רָשָׁע אֱלֹהִים Ps. 10:13

עַל־נְקַלָּה 3331/2 וַיְרַפְּ(א)וּ...עַל־נְקַלָּה Jer. 6:14; 8:11

עַל־פִּי 3333 וַנַּגֶּד־לוֹ עַל־פִּי הַדְּבָרִים הָאֵלֶּה Gen. 43:7
3334 וַיִּתֵּן...עֲגָלוֹת עַל־פִּי פַרְעֹה Gen. 45:21
3335 וַיִּסְעוּ...עַל־פִּי יְיָ Ex. 17:1
3336 עַל־פִּי הַדְּבָר' הָאֵלֶּה כָּרַתִּי.. Ex. 34:27
3337 אֲשֶׁר פֻּקַּד עַל־פִּי מֹשֶׁה Ex. 38:21
3338 לִפְרֹשׁ לָהֶם עַל־פִּי יְיָ Lev. 24:12
3339 עַל־פִּי אֲשֶׁר תַּשִּׂיג יַד הַנֹּדֵר Lev. 27:8
3340 וְחִשַּׁב...עַל־פִּי הַשָּׁנִים הַנּוֹתָרֹת Lev. 27:18
3341 וַיִּפְקֹד אֹתָם...עַל־פִּי יְיָ Num. 3:16
3342 עַל־פִּי שְׁנֵי עֵדִים Deut. 19:15
3343 עַל־פִּי שְׁלֹשָׁה־עֵדִים יָקוּם Deut. 19:15
3344 חֲנֹךְ לַנַּעַר עַל־פִּי דַרְכּוֹ Prov. 22:6
3345-3371 עַל־פִּי Num. 3:39, 51; 4:27, 37; 4:41, 45, 49; 9:18, 20, 23^2; 10:13; 13:3; 26:56; 33:2, 38; 36:5 • Deut. 17:6^2, 10, 11; 34:5 • Josh. 19:50; 22:9 • IISh. 13:32 • IIK. 23:35; 24:3 • Ps. 133:2

עַל־פְּנֵי 3372 וְחֹשֶׁךְ עַל־פְּנֵי תְהוֹם Gen. 1:2
3373 וְרוּחַ אֱל' מְרַחֶפֶת עַל־פְּנֵי הַמָּיִם Gen. 1:2
3374 יְעוֹפֵף...עַל־פְּנֵי רְקִיעַ הַשָּׁמָיִם Gen. 1:20
3375 ...אֲשֶׁר עַל־פְּנֵי כָל־הָאָרֶץ Gen. 1:29
3376 הֵחֵל...לָרֹב עַל־פְּנֵי הָאֲדָמָה Gen. 6:1
3377 לְחַיּוֹת זֶרַע עַל־פְּנֵי כָל־הָאָרֶץ Gen. 7:3
3378 וַיָּמָת הָרָן עַל־פְּנֵי תֶּרַח אָבִיו Gen. 11:28
3379 וַיַּשְׁקִפוּ עַל־פְּנֵי סְדֹם Gen. 18:16
3380 וַיַּשְׁקֵף עַל־פְּנֵי סְדֹם וַעֲמֹרָה Gen. 19:28
3381 מְעָרַת...הַמַּכְפֵּלָה עַל־פְּנֵי מַמְרֵא Gen. 23:19
3382 שׁוּר אֲשֶׁר עַל־פְּנֵי מִצְרַיִם Gen. 25:18

עַל־פְּנֵי (המשך) 3383 עַל־פְּנֵי כָל אֶחָיו נָפָל Gen. 25:18
3384-3489 עַל־פְּנֵי Gen. 7:18, 23; 8:9; 11:4, 8, 9, 28; 25:9; 49:30; 50:13 • Ex. 16:14; 32:20; 33:16 • Lev. 14:7; 16:14; 17:5 • Num. 3:4; 11:31; 12:3; 19:16; 21:11, 20; 23:28; 33:7 • Deut. 2:25; 7:6; 11:25; 14:2; 21:16; 32:49; 34:1 • Josh. 13:3, 25; 15:8; 17:7; 18:14, 16; 19:11 • Jud. 16:3 • ISh. 14:25; 15:7; 24:2; 26:1, 3; 30:16 • IISh. 2:24; 11:11; 14:7; 15:18, 23; 17:19; 18:8 • IK. 6:3^2; 7:42; 8:8, 40; 11:7; 17:3, 5, 14; 18:1 • IIK. 9:37; 23:13 • Is. 18:2; 19:8; 23:17 • Jer. 8:2; 9:21; 16:4; 25:26, 33; 27:5; 35:7 • Ezek. 29:5; 32:4; 33:27; 37:2; 38:20; 39:5, 14; 42:8; 48:15, 21 • Hosh. 10:7 • Am. 5:8; 9:6 • Zech. 5:3; 14:4 • Ps. 18:43 • Prov. 8:27 • Job 5:10^2; 16:14; 18:17; 24:18; 26:10; 37:12 • Eccl. 11:1 • Dan. 8:5 • IICh. 3:4^2, 8, 17; 4:13; 5:9; 6:31; 34:4

עַל־שֵׁם 3490 עַל שֵׁם אֲחֵיהֶם יִקָּרְאוּ בְּנַחֲלָתָם Gen. 48:6
3491 יָקוּם עַל־שֵׁם אָחִיו הַמֵּת Deut. 25:6
3492 וַיִּקְרָא...עַל שֶׁם־שֶׁמֶר IK. 16:24
3493 קָרְאוּ...עַל־שֵׁם הַפּוּר Es. 9:26

וְעַל־(א) 3494 וַייָ הִמְטִיר עַל־סְדֹם וְעַל־עֲמֹרָה Gen. 19:24
3495 וַיַּשְׁקֵף...וְעַל כָּל־פְּנֵי אֶרֶץ הַכִּכָּר Gen. 19:28
3496 הִלְבִּישָׁה...וְעַל חֶלְקַת צַוָּארָיו Gen. 27:16
3497 וְעַל־פִּיךָ יִשַּׁק כָּל־עַמִּי Gen. 41:40
3498 וְשַׂמְתֶּם עַל־בְּנֵיכֶם וְעַל־בְּנֹתֵיכֶם Ex. 3:22
3499/3500 וְעַל־אַגְמֵיהֶם וְעַל...מֵימֵיהֶם Ex. 7:19
3501 וּבַחֲדַר מִשְׁכָּבְךָ וְעַל־מִטָּתֶךָ Ex. 7:28
3502 נְטֵה...עַל־הַיְאֹרִים וְעַל־הָאֲגַמִּים Ex. 8:1
3503 וְהָיָה עַל־הָאָדָם וְעַל־הַבְּהֵמָה Ex. 9:9
3504/5 וְעַל־הַבְּהֵמָה וְעַל כָּל־עֵשֶׂב הַשָּׂדֶה Ex. 9:22
3506 אָבִיא עַל־פַּרְעֹה וְעַל־מִצְרַיִם Ex. 11:1
3507 עַל־שְׁתֵּי הַמְּזוּזֹת וְעַל־הַמַּשְׁקוֹף Ex. 12:7
3508 עַל־הַמַּשְׁקוֹף וְעַל שְׁתֵּי הַמְּזוּזֹת Ex. 12:23
3509 עַל־רִכְבּוֹ וְעַל־פָּרָשָׁיו Ex. 14:26
3510 וְהָיוּ עַל־אַהֲרֹן וְעַל־בָּנָיו Ex. 28:43
3511 וְנָתַתָּ עַל־נְתָחָיו וְעַל־רֹאשׁוֹ Ex. 29:17
3512/3 וְנָתַתָּה עַל־תְּנוּךְ...וְעַל־תְּנוּךְ... Ex. 29:20
3514/5 וְעַל־בֹּהֶן...וְעַל־בֹּהֶן Ex. 29:20
3516 וְהִזֵּיתָ עַל־אַהֲרֹן וְעַל־בְּגָדָיו Ex. 29:21
3517/8 וְעַל־בָּנָיו וְעַל־בִּגְדֵי בָנָיו Ex. 29:21
3519 וְשַׂמְתָּ הַכֹּל...וְעַל כַּפֵּי בָנָיו Ex. 29:24
3520 וְכָל־נַעֲשָׂה בַמַּרְחֶשֶׁת וְעַל־מַחֲבַת Lev. 7:9
3521 וְעַל־שָׂפָם יַעְטֶה Lev. 13:45
3522 וְעַל שֻׁלְחַן הַפָּנִים יִפְרְשׂוּ... Num. 4:7
3523 וְעַל מִזְבַּח הַזָּהָב יִפְרְשׂוּ... Num. 4:11
3524 וְעַל־הָאָרֶץ הֶרְאֲךָ אֶת־אִשּׁוֹ Deut. 4:36
3525 ...וְעַל־הָאָרֶץ מִתָּחַת אֵין עוֹד Deut. 4:39
3526 בַּשָּׁמַיִם מִמַּעַל וְעַל־הָאָרֶץ מִתָּחַת Josh. 2:11
3527 וְעַל־הַגָּג כִּשְׁלֹשֶׁת אֲלָפִים אִישׁ Jud. 16:27
3528-3676 וְעַל (א) Lev. 8:23^2, 24^2, 26, 27; 8:30^2; 14:14^2, 17^2, 25^2, 28^2 • Num. 3:26; 4:26; 6:20; 19:18^3 • Deut. 12:2; 28:35 • Jud. 6:37, 39, 40; 16:30 • ISh. 14:13; 30:14 • IISh. 2:19; 22:34 • IK. 6:32; 7:22, 29^2, 35, 36; 8:7, 23; 18:34 • IIK. 16:4; 22:16, 19 • Is. 4:5; 9:6; 11:8; 14:25; 16:9; 21:8; 30:6, 8, 16, 25; 31:4; 34:5; 65:7; 66:12 • Jer. 1:15^2; 6:1, 11, 23; 7:20^3; 9:9; 10:25; 22:27; 25:9; 31:32(31); 44:2; 48:32, 37; 50:42 • Ezek. 1:26; 5:1; 34:6^2; 38:22^2; 45:19; 47:12; 48:2, 3, 4, 5, 6, 7, 8, 24, 25, 27, 28 • Hosh. 4:13 • Joel 3:2 • Am. 4:7; 8:10 • Ob. 11 • Nah. 3:10 • Hab. 3:19 • Zep. 1:4 • Hag. 1:11 • Zech. 4:11; 9:9; 11:17; 12:6, 10; 13:7 • Ps. 7:17;

וְעַל (א) (המשך)

18:34; 22:19; 24:2; 79:6; 81:15; 139:16 • Prov. 16:23, 27; 24:30 • Job 8:16; 16:16; 18:8; 19:8, 22:28; 31:9, 39:14 • S.ofS. 7:14 • Dan. 9:19, 27; 11:27 • Neh. 9:13; 12:37, 39^{2} • ICh. 6:34; 15:27; 29:29^{2} • IICh. 5:8; 9:29; 26:9^{2}, 15; 28:4; 32:9; 34:17

וְעַל (ג)

3677 וּמוֹרַאֲכֶם...וְעַל כָּל־עוֹף הַשָּׁ׳ Gen. 9:2
3678 כִּי־הֵבֵאתָ עָלַי וְעַל־מַמְלַכְתִּי Gen. 20:9
3679 וְעַל־חַרְבְּךָ תִחְיֶה Gen. 27:40
3680/1 וַיַּחַץ...וְעַל־רָחֵל וְעַל שְׁתֵּי הַשְּׁפָחוֹת Gen. 33:1
3682 בְּבֵיתוֹ וְעַל כָּל־אֲשֶׁר יֶשׁ־לוֹ Gen. 39:5
3683 וַיִּקְצֹף...וְעַל שַׂר הָאוֹפִים Gen. 40:2
3684-3686 וַיִּלֹּנוּ...עַל־מֹשֶׁה וְעַל־אַהֲרֹן
Ex. 16:2 • Num. 14:2; 17:6
3687-3689 עַל־שִׁלֵּשִׁים וְעַל־רִבֵּעִים
Ex. 20:5; 34:7 • Num. 14:18
3690 עַל־בָּנִים וְעַל־בְּנֵי בָנִים Ex. 34:7
3691 וְעַל כָּל־הָעֵדָה יִקְצֹף Lev. 10:6
3692 וַיִּקְצֹף עַל־אֶלְעָזָר וְעַל־אִיתָמָר Lev. 10:16
3693 וְעַל־כָּל־עַם הַקָּהָל יְכַפֵּר Lev. 16:33
3694 וְעַל כָּל־נַפְשֹׁת מֵת לֹא יָבֹא Lev. 21:11
3695/6 הַפְקֵד...וְעַל כָּל־כֵּלָיו
וְעַל כָּל־אֲשֶׁר־לוֹ Num. 1:50
3697 וַיִּקָּהֲלוּ עַל־מֹשֶׁה וְעַל־אַהֲרֹן Num. 16:3
3698 הִצּוּ עַל־מֹשֶׁה וְעַל־אַהֲרֹן Num. 26:9
3699-3700 וְעַל־שִׁלֵּשִׁים וְעַל־רִבֵּעִים Deut. 5:9
3701 וְעַל־הַמִּשְׁפָּט אֲשֶׁר־יֹאמְרוּ לְךָ Deut. 17:11
3702 וְעַל־פִּיהֶם יִהְיֶה כָּל־רִיב... Deut. 21:5
3703 וְנָתַן...עַל־אֹיְבֶיךָ וְעַל־שֹׂנְאֶיךָ Deut. 30:7
3704 וְעַל־עֲבָדָיו יִתְנֶחָם Deut. 32:36
3705 עָלֵינוּ וְעַל־דָּגוֹן אֱלֹהֵינוּ ISh. 5:7
3706 וְעַל־מִי נָטַשְׁתָּ מְעַט הַצֹּאן ISh. 17:28
3707 וַיִּבְכּוּ...עַל־שָׁאוּל וְעַל־יְהוֹנָתָן...' IISh.1:12
3708/9 וַיִּבְכּוּ...וְעַל־עַם יְיָ
וְעַל־בֵּית יִשְׂרָאֵל IISh. 1:12
3710 וַיְקֹנֵן...עַל־שָׁאוּל וְעַל־יְהוֹנָתָן בְּנוֹ IISh.1:17
3711/2 וַיַּמְלִכֵהוּ...וְעַל־אֶפְרַיִם
וְעַל־בִּנְיָמִן IISh. 2:9
3713 וַיְדַבֵּר עַל־הָעֵצִים...וְעַל־הָעוֹף IK. 5:13
3714/5 וְעַל־הָרֶמֶשׂ וְעַל־הַדָּגִים IK. 5:13
3716-3948 וְעַל (ג) Lev. 16:33
Num. 4:49; 10:6, 14, 15, 16, 18, 19, 20, 22, 23, 24; 10:25, 26, 27; 16:22; 17:7; 27:21 • Deut. 11:18 • Josh. 22:20 • Jud. 9:24 • ISh. 15:9^{3}; 25:17; 27:10; 30:6 • IISh. 2:9^{3}; 3:10; 7:25; 14:9; 20:23; 24:4 • IK. 1:35; 13:32 • IIK. 19:22 • Is. 2:12, 13^{2}, 14, 15, 16^{2}; 5:6; 7:17^{2}; 9:6; 10:6, 12; 13:11; 15:2; 20:3; 24:21; 27:1; 31:1, 2; 37:23; 45:11; 48:2 • Jer. 1:10; 9:3, 25^{5}; 11:2; 16:3^{3}, 7; 18:7, 9, 11; 19:15; 22:17^{3}; 23:34; 25:9^{2}, 12^{2}; 26:20; 27:19^{3}; 28:8; 29:32; 31:12(11)^{3}; 32:31; 33:4, 9, 14; 34:1, 7; 36:2^{2}, 29, 31^{3}; 37:19; 44:20^{2}; 46:25^{5}; 48:21, 22^{3}, 23^{3}, 24^{3} • Ezek. 9:6; 22:13; 29:2; 36:5, 31; 44:24; 45:17 • Hosh. 4:14 • Joel 1:11 • Am. 2:8, 12; 3:9 • Mic. 3:11 • Zep. 1:8^{2} • Hag. 1:11^{8}, 12 • Zech. 10:3; 12:4 • Ps. 2:2; 35:20; 80:16; 115:14; 135:14; 138:2 • Prov. 10:12; 19:3; 28:21 • Job 6:28; 10:3; 21:32; 24:9; 25:3; 34:29^{2} Ruth 4:7 • Eccl. 1:6; 3:17; 8:2 • Es. 1:16; 9:27^{2}, 31 • Dan. 8:25^{2}; 9:12, 27; 11:36, 37^{3} • Neh. 9:37; 10:1, 2; 12:44; 13:18 • ICh. 9:26, 29^{2}; 12:4; 17:23; 23:28^{2}; 27:2, 4^{2}, 5, 6, 7, 8, 9,

וְעַל (ג) (המשך)

10, 11, 12, 13, 14, 15, 16, 25^{2}, 26, 27^{2}, 28^{2}, 29^{2}, 30^{2}, 31; 29:30^{2} • IICh. 19:10; 26:7; 28:13; 29:21^{2}; 32:25; 34:13, 24, 27, 28; 36:15

וְעַל (ד)

3949 אַל־יֵרַע...וְעַל־אֲמָתֶךָ Gen. 21:12
3950 וַיּוֹסִפוּ עוֹד שְׂנֹא אֹתוֹ...וְעַל־דְּבָרָיו Gen. 37:8
3951 וְעַל הִשָּׁנוֹת הַחֲלוֹם...פַּעֲמָיִם Gen. 41:32
3952 מַסָּה וּמְרִיבָה...וְעַל נַסֹּתָם אֶת־יְיָ Ex. 17:7
3953 וְעַל־אַרְבָּעָה לֹא אֲשִׁיבֶנּוּ Am. 1:3
3954 צֹעֶקֶת...עַל־בֵּיתָהּ וְעַל־שָׂדָהּ IIK. 8:5
3955-3968 וְעַל־ IK. 10:6; 16:7
Am. 1:3, 6, 9, 11, 13; 2:1, 4, 6 • Es. 4:5 • Neh. 1:2 • IICh. 9:5; 32:16

וְעַל־(ה)

3969 רֹאשׁוֹ עַל־כְּרָעָיו וְעַל־קִרְבּוֹ Ex. 12:9
3970 עַל־רֹאשׁוֹ וְעַל־כְּרָעָיו Lev. 4:11
וְעַל־אֹדוֹת 3971 וְעַל־אֹדוֹתֶיךָ... Josh. 14:6
וְעַל אֲשֶׁר 3972 וְעַל־אֲשֶׁר לִיהוּדָה ISh. 30:14
3973 וְעַל אֲשֶׁר לֹא־חָמָל IISh. 12:6
3974 וְעַל אֲשֶׁר־הִכָּה אֹתוֹ IK. 16:7
וְעַל־דְּבַר 3975 נִכְּלוּ לָכֶם...וְעַל־דְּבַר כָּזְבִּי Num. 25:18
וְעַל־יַד 3976 וְהַכְּנַעֲנִי יוֹשֵׁב...וְעַל יַד הַיַּרְדֵּן Num. 13:29
3977/8 וְעַל־יָדוֹ בָנוּ...וְעַל־יָדוֹ בָנָה Neh. 3:2
3979-3994 וְעַל־יָדוֹ (יָדָם) Neh. 3:4^{3}, 5, 7, 8, 9
3:10^{2}, 12; 13:13 • IICh. 17:15, 16, 18; 26:13; 31:15
וְעַל־יְדֵי 3995 וְעַל־יְדֵי רְשָׁעִים יִרְטֵנִי Job 16:11
3996 וְעַל־יְדֵי בְנֵי־מְנַשֶּׁה ICh. 7:29
3997 וְעַל־יְדֵי כְּלֵי־דָוִיד מֶ׳ יִשְׂרָאֵל IICh. 29:27
וְעַל־מַה 3998 מַה־זֶּה וְעַל־מַה־זֶּה Es. 4:5
וְעַל־פִּי 3999 וְעַל־פִּי יְיָ יַחֲנוּ Num. 9:18
4000/1 וְעַל־פִּי יְיָ יִסָּעוּ Num. 9:20, 23
וְעַל־פְּנֵי 4002 וְעַל־פְּנֵי כָל־אֶחָיו יִשְׁכֹּן Gen. 16:12
4003 וְעַל־פְּנֵי כָל־הָעָם אֶכָּבֵד Lev. 10:3
4004 וְעַל־פְּנֵי הַשָּׁעַר Ezek. 40:15
הַעַל 4005 הַעַל אֲדֹנֶיךָ וְאֵלֶיךָ שְׁלָחַנִי... IIK. 18:27
4006 הַעַל הַמֶּלֶךְ אַתֶּם מֹרְדִים Neh. 2:19
הַעַל אֵלֶּה 4007 הַעַל אֵלֶּה אֶנָּחֵם Is. 57:6
4008 הַעַל־אֵלֶּה תִתְאַפַּק יְיָ Is. 64:11
4009 הַעַל־אֵלֶּה לוֹא־אֶפְקֹד Jer. 5:9
4010 הַעַל־אֵלֶּה לֹא־אֶפְקֹד Jer. 5:29
4011 הַעַל־אֵלֶּה לֹא־אֶפְקָד־בָּם Jer. 9:8
הַעַל זֹאת 4012 הַעַל־זֹאת לֹא־תִרְגַּז הָאָרֶץ Am. 8:8
כְּעַל 4013/4 כְּעַל גְּמֻלוֹת כְּעַל יְשַׁלֵּם Is. 59:18
4015 כְּעַל כֹּל אֲשֶׁר־גְּמָלָנוּ יְיָ Is. 63:7
4016 שַׂשְׂתִּי כְּעַל כָּל־הוֹן Ps. 119:14
4017 וַיְדַבְּרוּ...כְּעַל אֱלֹהֵי עַמֵּי הָאָרֶץ IICh. 32:19
מֵעַל (א) 4018 וַתָּרָם מֵעַל הָאָרֶץ Gen. 7:17
4019 וַיָּשֻׁבוּ הַמַּיִם מֵעַל הָאָרֶץ Gen. 8:3
4020-4028 מֵעַל הָאָרֶץ Gen. 8:7, 11, 13
Deut. 4:26; 11:17 • Josh. 23:16 • Jer. 16:13 • Ezek. 1:19, 21
4029 וַתִּפֹּל מֵעַל הַגָּמָל Gen. 24:64
4030 וּפָרַקְתָּ עֻלּוֹ מֵעַל צַוָּארֶךָ Gen. 27:40
4031/2 וְגָלֲלוּ...הָאֶבֶן מֵעַל פִּי הַבְּאֵר Gen. 29:3, 8
4033 וַיָּגֶל אֶת־הָאֶבֶן מֵעַל פִּי הַבְּאֵר Gen. 29:10
4034 וְהָעוֹף אֹכֵל אֹתָם...מֵעַל רֹאשִׁי Gen. 40:17
4035 וַיָּסַר...אֶת־טַבַּעְתּוֹ מֵעַל יָדוֹ Gen. 41:42
4036 לְהָסִיר אֹתָהּ מֵעַל רֹאשׁ־אֶפְרַיִם Gen. 48:17
4037 שַׁל־נְעָלֶיךָ מֵעַל רַגְלֶיךָ Ex. 3:5
4038 וְדִבַּרְתִּי אִתְּךָ מֵעַל הַכַּפֹּרֶת Ex. 25:22
4039/40 וְלֹא־יִזַּח הַחֹשֶׁן מֵעַל הָאֵפ(וֹ)ד
Ex. 28:28; 39:21
4041 וּבְהֵעָלוֹת הֶעָנָן מֵעַל הַמִּשְׁכָּן Ex. 40:36

מֵעַל (א) (המשך)

4042 וְלֹא תַשְׁבִּית מֶלַח...מֵעַל מִנְחָתֶךָ Lev. 2:13
4043 הוּסַר חֵלֶב מֵעַל־זֶבַח הַשְּׁלָמִים Lev. 4:31
4044 וַיִּקַּח מֹשֶׁה אֹתָם מֵעַל כַּפֵּיהֶם Lev. 8:28
4045 וְלָקַח...גַּחֲלֵי־אֵשׁ מֵעַל הַמִּזְבֵּחַ Lev. 16:12
4046 מִדַּבֵּר אֵלָיו מֵעַל הַכַּפֹּרֶת Num. 7:89
4047 וּלְפִי הֵעָלוֹת הֶעָנָן מֵעַל הָאֹהֶל Num. 9:17
4048 נַעֲלָה הֶעָנָן מֵעַל מִשְׁכַּן הָעֵדֻת Num. 10:11
4049 וְהֶעָנָן סָר מֵעַל הָאֹהֶל Num. 12:10
4050 וְתֶן־עָלֶיהָ אֵשׁ מֵעַל הַמִּזְבֵּחַ Num. 17:11
4051 וָאַשְׁלִכֵם מֵעַל שְׁתֵּי יָדָי Deut. 9:17
4052 וְחָלְצָה נַעֲלוֹ מֵעַל רַגְלוֹ Deut. 25:9
4053 עַד כַּלֹּתוֹ אֹתְךָ מֵעַל הָאֲדָמָה Deut. 28:21
4054-4069 מֵעַל הָאֲדָמָה (אַדְמָתָם, אַדְמָתוֹ וכו׳)
Deut. 28:63; 29:27 • Josh. 23:13, 15 • IK. 14:15 • IIK. 17:23; 25:21 • Jer. 12:14; 24:10; 27:10; 52:27 • Am. 7:11, 17; 9:15 • IICh. 7:20; 33:8
4070 וְנַעַלְךָ לֹא־בָלְתָה מֵעַל רַגְלֶךָ Deut. 29:4
4071 שַׁל־נַעַלְךָ מֵעַל רַגְלֶךָ Josh. 5:15
4072 בַּעֲלוֹת הַלַּהַב מֵעַל הַמִּזְבֵּחַ Jud. 13:20
4073 וַיִּמַּסּוּ אֱסוּרָיו מֵעַל יָדָיו Jud. 15:14
4074 וַיְנַתְּקֵם מֵעַל זְרֹעֹתָיו Jud. 16:12
4075 וַיִּפֹּל מֵעַל־הַכִּסֵּא אֲחֹרַנִּית ISh. 4:18
4076 וַיָּקָם דָּוִד מֵעַל מִשְׁכָּבוֹ IISh. 11:2
4077 וַיַּרְא אִשָּׁה רֹחֶצֶת מֵעַל הַגָּג IISh. 11:2
4078 וַיִּתֵּן אֶת־כִּסְאוֹ מֵעַל כִּסֵּא הַמְּלָ׳ IIK. 25:28
4079 יָסוּר סֻבֳּלוֹ מֵעַל שִׁכְמֶךָ Is. 10:27
4080 וּפִתַּחְתָּ הַשַּׂק מֵעַל מָתְנֶיךָ Is. 20:2
4081 וּמָחָה...דִּמְעָה מֵעַל כָּל־פָּנִים Is. 25:8
4082 וְחֶרְפַּת עַמּוֹ יָסִיר מֵעַל...הָאָרֶץ Is. 25:8
4083 דִּרְשׁוּ מֵעַל־סֵפֶר יְיָ Is. 34:16
4084 וַיִּשְׁמַע...דִּבְרֵי יְיָ מֵעַל־הַסֵּפֶר Jer. 36:11
4085 נַעֲלָה מֵעַל הַכְּרוּב Ezek. 9:3
4086 וַיֵּצֵא...מֵעַל מִפְתַּן הַבָּיִת Ezek. 10:18
4087 גֹּזְלֵי עוֹרָם...וּשְׁאֵרָם מֵעַל עַצְמוֹתָם Mic. 3:2
4088 כִּי־גָדוֹל מֵעַל־שָׁמַיִם חַסְדֶּךָ Ps. 108:5
4089 וְהַמַּיִם אֲשֶׁר מֵעַל הַשָּׁמָיִם Ps. 148:4
4090 כִּי גָבֹהַּ מֵעַל גָּבֹהַּ שֹׁמֵר Eccl. 5:7
4091 וַיָּשֶׂם אֶת־כִּסְאוֹ מֵעַל כָּל־הַשָּׂרִים Es. 3:1
4092 כִּי־מֵעַל כָּל־הָעָם הָיָה Neh. 8:5
4093-4120 מֵעַל (א) Josh. 10:27; 15:18
Jud. 1:14; 3:20, 21; 4:15 • IISh. 11:20, 21, 24; 12:30 • IK. 1:53; 13:4 • IIK. 5:21, 26; 16:17 • Is. 6:6; 10:27; 14:25; 20:2 • Jer. 16:16; 28:10, 11, 12; 30:8 • Ezek. 9:3; 10:4, 16 • Es. 3:10

מֵעַל (ב)

4121 וַיִּפָּרְדוּ אִישׁ מֵעַל אָחִיו Gen. 13:11
4122 וַיַּעַל אֱלֹהִים מֵעַל אַבְרָהָם Gen. 17:22
4123 אַל־נָא תַעֲבֹר מֵעַל עַבְדֶּךָ Gen. 18:3
4124 וַיְשַׁלְּחֵם מֵעַל יִצְחָק בְּנוֹ Gen. 25:6
4125 סוּרוּ נָא מֵעַל אָהֳלֵי הָאֲנָשִׁים Gen. 16:26
4126 וַיֵּעָלוּ מֵעַל מִשְׁכַּן־קֹרַח Gen. 16:27
4127 וַתֵּעָצַר הַמַּגֵּפָה מֵעַל בְּ־י׳ Num. 25:8
4128 הֵשִׁיב אֶת־חֲמָתִי מֵעַל בְּ־י׳ Num. 25:11
4129 לְהַדִּיחֲךָ מֵעַל יְיָ אֱלֹהֶיךָ Deut. 13:11
4130 וְדָוִד הֹלֵךְ וָשָׁב מֵעַל שָׁאוּל ISh. 17:15
4131 וְהֵסִיר חֶרְפָּה מֵעַל יִשְׂרָאֵל ISh. 17:26
4132 וַיָּשָׁב יוֹאָב מֵעַל בְּנֵי עַמּוֹן IISh. 10:14
4133 בָּרַח מִן־הָאָרֶץ מֵעַל אַבְשָׁלוֹם IISh. 19:10
4134 וְאֵלְכָה מֵעַל הָעִיר IISh. 20:21
4135 וְתֵעָצַר הַמַּגֵּפָה מֵעַל הָעָם IISh. 24:21
4136 הַבַּיִת...אֲשַׁלַּח מֵעַל פָּנָי IK. 9:7
4137/8 לֹא־יִכָּרֵת...מֵעַל כִּסֵּא יִשְׂרָאֵל IK. 2:4; 9:5
4139/40 לֹקֵחַ אֶת־אֲדֹנֶיךָ מֵעַל רֹאשֶׁךָ IIK. 2:3, 5

מֵעַל (ב) (המשך)
4141/2 לֹא(־)סָר מֵעַל חַטֹּאות־יָרָבְעָם IIK. 10:31; 15:18
4143 וַיַּעַל מֵעַל יְרוּשָׁלָם IIK. 12:19
4144 וְלֹא־הִשְׁלִיכָם מֵעַל־פָּנָיו IIK. 13:23
4145-4149 מֵעַל פָּנָיו IIK. 17:18, 23; 24:3, 20
Jer. 52:3
4150 כִּי־קָרַע יִשְׂרָאֵל מֵעַל בֵּית דָּוִד IIK. 17:21
4151 אֶת־יְהוּדָה אָסִיר מֵעַל פָּנַי IIK. 23:27
4152 לְמִיּוֹם סוּר־אֶפְרַיִם מֵעַל יְהוּדָה Is. 7:17
4153 הַבְדֵּל יַבְדִּילַנִי יְיָ מֵעַל עַמּוֹ Is. 56:3
4154 וְהִשְׁלַכְתִּי אֶתְכֶם מֵעַל פָּנָי Jer. 7:15
4155-4158 מֵעַל פָּנַי־(ן) Jer. 15:1; 23:39
32:31 • IICh. 7:20
4159 הַשָּׂרִים הָעֹמְדִים מֵעַל הַמֶּלֶךְ Jer. 36:21
4160 וַיַּעַל...מֵעַל תּוֹךְ הָעִיר Ezek. 11:23
4161 וְקָרַעְתִּי אֹתָם מֵעַל זְרוֹעֹתֵיכֶם Ezek. 13:20
4162 נָקְעָה נַפְשִׁי מֵעַל אֲחוֹתָהּ Ezek. 23:18
4163 הָרִימוּ גְרֻשֹׁתֵיכֶם מֵעַל עַמִּי Ezek. 45:9
4164 כִּי זָנִיתָ מֵעַל אֱלֹהֶיךָ Hosh. 9:1
4165-4178 מֵעַל (ב) IISh. 20:22; 24:25
Jer. 37:5, 11 • Ezek. 8:6; 11:15; 14:6; 32:13 • Hosh. 9:1 • Joel 4:6 • Mic. 2:9 • Neh. 3:28 • ICh. 21:22 • IICh. 35:15

מֵעַל לְ־ 4179 הַמַּיִם אֲשֶׁר מֵעַל לָרָקִיעַ Gen. 1:7
4180 וַיַּחְגֹּר...מֵעַל לְמַדָּיו ISh. 17:39
4181 וַיְהִי־קוֹל מֵעַל לָרָקִיעַ Ezek. 1:25
4182 וַיַּעַל מֵעַל לְיוֹנָה Jon. 4:6
4183 יִגְדַּל יְיָ מֵעַל לִגְבוּל יִשְׂרָאֵל Mal. 1:5
4184/5 מֵעַל לַחוֹמָה Neh. 12:31²
4186 מֵעַל לְבֵית דָּוִיד וְעַד... Neh. 12:37
4187 וַחֲצִי הָעָם מֵעַל לְהַחוֹמָה Neh. 12:38
4188 מֵעַל לְמִגְדַּל הַתַּנּוּרִים וְעַד... Neh. 12:38
4189 וַיָּקָם אֲבִיָּה מֵעַל לְהַר צְמָרַיִם IICh. 13:4
4190 וַיַּעֲמֹד מֵעַל לָעָם IICh. 24:20
4191 מֵעַל לְמִזְבַּח הַקְּטֹרֶת IICh. 26:19
מֵעַל פְּנֵי 4192 גֵּרַשְׁתָּ אֹתִי...מֵעַל פְּנֵי הָאֲדָמָה Gen. 4:14
4193 אֶמְחֶה...מֵעַל פְּנֵי הָאֲדָמָה Gen. 6:7
4194-4204 מֵעַל פְּנֵי הָאֲדָמָה Gen. 7:4; 8:8
Ex. 32:12 • Deut. 6:15 • ISh. 20:15 • IK. 9:7; 13:34 • Jer. 28:16 • Am. 9:8 • Zep. 1:2, 3
4205 וַיָּקָם אַבְרָהָם מֵעַל פְּנֵי מֵתוֹ Gen. 23:3
עַד־מֵעַל 4206 עַד־מֵעַל הַפֶּתַח Ezek. 41:20
עַל־מֵעַל 4207 עַל־מֵעַל הַפֶּתַח Ezek. 41:17
וּמֵעַל 4208/9 וּמֵעַל אֱלֹהֵיכֶם וּמֵעַל אַרְצְכֶם ISh. 6:5
4210 מֵעָלַי וּמֵעַל בֵּית אָבִי IK. 2:31
4211 וְצָדוּם...וּמֵעַל כָּל־גִּבְעָה Jer. 16:16
4212 וּמֵעַל כָּל־תּוֹעֲבֹתֵיכֶם הָשִׁיבוּ Ezek. 14:6
4213 וּמֵעַל לְשַׁעַר־אֶפְרַיִם Neh. 12:39
שֶׁעַל 4214 כַּחוֹל שֶׁעַל־שְׂפַת הַיָּם לָרֹב Jud. 7:12
4215 וּבִגְדֵי הָאַרְגָּמָן שֶׁעַל מַלְכֵי מִדְיָן Jud. 8:26
עֲלֵי־(א) 4216 יְהִי־דָן נָחָשׁ עֲלֵי־דֶרֶךְ Gen. 49:17
4217 שְׁפִיפֹן עֲלֵי־אֹרַח Gen. 49:17
4218 בֵּן פֹּרָת עֲלֵי־עָיִן Gen. 49:22
4219 בָּנוֹת צָעֲדָה עֲלֵי־שׁוּר Gen. 49:22
4220 כְּגַנֹּת עֲלֵי נָהָר Num. 24:6
4221 כַּאֲרָזִים עֲלֵי־מָיִם Num. 24:6
4222 כִּשְׂעִירִם עֲלֵי־דֶשֶׁא Deut. 32:2
4223 וְכִרְבִיבִים עֲלֵי־עֵשֶׂב Deut. 32:2
4224 כִּרְבִיבִים עֲלֵי־עֵשֶׂב Mic. 5:6
4225 קָרְאוּ בִשְׁמוֹתָם עֲלֵי אֲדָמוֹת Ps. 49:12
4226 כֹּרְתֵי בְרִיתִי עֲלֵי־זָבַח Ps. 50:5
4227 וַתִּשָּׂא בְרִיתִי עֲלֵי־פִיךָ Ps. 50:16

עֲלֵי־(א) (המשך)
4228 עֲלֵי־עָשׂוֹר וַעֲלֵי־נָבֶל Ps. 92:4
4229 עֲלֵי הִגָּיוֹן בְּכִנּוֹר Ps. 92:4
4230 כְּגָמֻל עֲלֵי אִמּוֹ Ps. 131:2
4231 בְּרֹאשׁ־מְרוֹמִים עֲלֵי־דָרֶךְ Prov. 8:2
4232 דֶּרֶךְ נָחָשׁ עֲלֵי צוּר Prov. 30:19
4233 הֲיִנְהַק־פֶּרֶא עֲלֵי־דֶשֶׁא Job 6:5
4234 הֲלֹא־צָבָא לֶאֱנוֹשׁ עֲלֵי־אָרֶץ Job 7:1
4235 כִּי צֵל יָמֵינוּ עֲלֵי־אָרֶץ Job 8:9
4236 כְּנֶשֶׁר יָטוּשׂ עֲלֵי־אֹכֶל Job 9:26
4237 וַיַּעַשׂ פִּימָה עֲלֵי־כָסֶל Job 15:27
4238 שַׂק תָּפַרְתִּי עֲלֵי גִלְדִּי Job 16:15
4239 וּמַלְכֻּדְתּוֹ עֲלֵי נָתִיב Job 18:10
4240 מִנִּי שִׂים אָדָם עֲלֵי־אָרֶץ Job 20:4
4241 בְּהִלּוֹ נֵרוֹ עֲלֵי רֹאשִׁי Job 29:3
4242 בְּסוֹד אֱלוֹהַּ עֲלֵי אָהֳלִי Job 29:4
4243 בְּצֵאתִי שַׁעַר עֲלֵי־קָרֶת Job 29:7
4244 בִּתְנוּמוֹת עֲלֵי מִשְׁכָּב Job 33:15
4245 יִרְעֲפוּ עֲלֵי אָדָם רָב Job 36:28
4246 יָפֵץ קָדִים עֲלֵי־אָרֶץ Job 38:24
4247 יִרְפַּד חָרוּץ עֲלֵי־טִיט Job 41:22
4248 הָאֱמֻנִים עֲלֵי תוֹלָע Lam. 4:5
עֲלֵי־(ג) 4249 כְּחֹם צַח עֲלֵי־אוֹר Is. 18:4
4250 מַבְלִיגִיתִי עֲלֵי יָגוֹן Jer. 8:18
4251 אָמַרְתִּי אוֹדֶה עֲלֵי פְשָׁעַי לַייָ Ps. 32:5
4252 יֹצֵר עָמָל עֲלֵי־חֹק Ps. 94:20
4253 עֲלֵי־פְלֶשֶׁת אֶתְרוֹעָע Ps. 108:10
4254 לְהַכּוֹת נְדִיבִים עֲלֵי־יֹשֶׁר Prov. 17:26
וַעֲלֵי־(א) 4255 עֲלֵי־עָשׂוֹר וַעֲלֵי־נָבֶל Ps. 92:4
מֵעֲלֵי־(א) 4256 וַיָּסַר אֶת־הָאֲפֵר מֵעֲלֵי° עֵינָיו IK. 20:41
עָלַי (ג) 4257 כִּי־הֵבֵאתָ עָלַי...חֲטָאָה גְדֹלָה Gen. 20:9
4258 וְהֵבֵאתִי עָלַי קְלָלָה Gen. 27:12
4259 עָלַי קִלְלָתְךָ בְּנִי Gen. 27:13
4260 נָקְבָה שְׂכָרְךָ עָלַי וְאֶתֵּנָה Gen. 30:28
4261 הַרְבּוּ עָלַי מְאֹד מֹהַר וּמַתָּן Gen. 34:12
4262 וְנֶאֶסְפוּ עָלַי וְהִכּוּנִי Gen. 34:30
4263 עָלַי הָיוּ כֻלָּנָה Gen. 42:36
4264 מֵתָה עָלַי רָחֵל בְּאֶרֶץ כְּנַעַן Gen. 48:7
4265 וְאַתֶּם חֲשַׁבְתֶּם עָלַי רָעָה Gen. 50:20
4266 הִתְפָּאֵר עָלַי לְמָתַי אַעְתִּיר לְךָ Ex. 8:5
4267 כִּי־יִבְכּוּ עָלַי לֵאמֹר Num. 11:13
4268 אֲשֶׁר־רָכַבְתָּ עָלַי מֵעוֹדְךָ Num. 22:30
4269 אָשִׂימָה עָלַי מֶלֶךְ Deut. 17:14
4270 פֶּן־יִתְפָּאֵר עָלַי יִשְׂרָאֵל Jud. 7:2
4271 וַיָּקֻמוּ עָלַי בַּעֲלֵי הַגִּבְעָה Jud. 20:5
4272 וַיָּסֹבּוּ עָלַי אֶת־הַבַּיִת Jud. 20:5
4273 וַיָּקָם עָלַי וְהֶחֱזַקְתִּי בִּזְקָנוֹ ISh. 17:35
4274 כִּי קְשַׁרְתֶּם כֻּלְּכֶם עָלַי ISh. 22:8
4275 וְאֵין־חֹלֶה מִכֶּם עָלַי וְגֹלֶה אֶת־אָזְנִי ISh. 22:8
4276 כִּי הֵקִים בְּנִי אֶת־עַבְדִּי עָלַי ISh. 22:8
4277 לָמָּה קְשַׁרְתֶּם עָלַי... ISh. 22:13
4278 עֲמָד־נָא עָלַי וּמֹתְתֵנִי IISh. 1:9
4279 וַתִּפְקֹד עָלַי עֲוֹן הָאִשָּׁה הַיּוֹם IISh. 3:8
4280 עָלַי אֲדֹנִי הַמֶּלֶךְ הֶעָוֹן IISh. 14:9
4281 וְהָיִתָ עָלַי לְמַשָּׂא IISh. 15:33
4282 וְכֹל אֲשֶׁר־תִּבְחַר עָלַי אֶעֱשֶׂה־לָּךְ IISh. 19:39
4283 אֲשֶׁר דִּבֶּר עָלַי לֵאמֹר IK. 2:4
4284 הוּא־דִבֶּר עָלַי לְמֶלֶךְ עַל־הָעָם IK. 14:2
4285 כִּי לֹא־יִתְנַבֵּא עָלַי טוֹב IK. 22:8
4286 לוֹא־יִתְנַבֵּא עָלַי טוֹב IK. 22:18
4287 אֵת אֲשֶׁר־תִּתֵּן עָלַי אֶשָּׂא IIK. 18:14
4288 הָיוּ עָלַי לָטֹרַח Is. 1:14
4289 עָלַי לִבִּי דַוָּי Jer. 8:18

עָלַי (ג) (המשך)
4290 כִּי־עָלַי חָשְׁבוּ מַחֲשָׁבוֹת Jer. 11:19
4291 נָתְנָה עָלַי בְּקוֹלָהּ Jer. 12:8
4292 אָבְלָה עָלַי שְׁמֵמָה Jer. 12:11
4293 כִּי־נִקְרָא שִׁמְךָ עָלַי Jer. 15:16
4294 יָדַעְתָּ אֶת־כָּל־עֲצָתָם עָלַי Jer. 18:23
4295 וְאַלְמְנוֹתֶיךָ עָלַי תִּבְטָחוּ Jer. 49:11
4296 וְיַד־יְיָ עָלַי חָזָקָה Ezek. 3:14
4297 וַתְּהִי עָלַי שָׁם יַד־יְיָ Ezek. 3:22
4298 וַתִּפֹּל עָלַי שָׁם יַד אֲדֹנָי יֱהֹוִה Ezek. 8:1
4299 וַתִּפֹּל עָלַי רוּחַ יְיָ Ezek. 11:5
4300 וַתַּגְדִּילוּ עָלַי בְּפִיכֶם Ezek. 35:13
4301 וְהַעְתַּרְתֶּם עָלַי דִּבְרֵיכֶם Ezek. 35:13
4302/3 הָיְתָה עָלַי יַד־יְיָ Ezek. 37:1; 40:1
4304 וְהֵמָּה דִּבְּרוּ עָלַי כְּזָבִים Hosh. 7:13
4305 נֶהְפַּךְ עָלַי לִבִּי Hosh. 11:8
4306 וְאִם־גֹּמְלִים אַתֶּם עָלַי Joel 4:4
4307 כָּל־מִשְׁבָּרֶיךָ וְגַלֶּיךָ עָלַי עָבָרוּ Jon. 2:4
4308 בְּהִתְעַטֵּף עָלַי נַפְשִׁי Jon. 2:8
4309 חָזְקוּ עָלַי דִּבְרֵיכֶם Mal. 3:13
4310 פָּצוּ עָלַי פִּיהֶם Ps. 22:14
4311 בִּקְרֹב עָלַי מְרֵעִים Ps. 27:2
4312 אִם־תַּחֲנֶה עָלַי מַחֲנֶה Ps. 27:3
4313 אִם־תָּקוּם עָלַי מִלְחָמָה Ps. 27:3
4314 בְּהִוָּסְדָם יַחַד עָלַי Ps. 31:14
4315 יוֹמָם וָלַיְלָה תִּכְבַּד עָלַי יָדֶךָ Ps. 32:4
4316 נֶאֶסְפוּ עָלַי נֵכִים Ps. 35:15
4317 חָרֹק עָלַי שִׁנֵּימוֹ Ps. 35:16
4318 וַיַּרְחִיבוּ עָלַי פִּיהֶם Ps. 35:21
4319 וַתִּנְחַת עָלַי יָדֶךָ Ps. 38:3
4320 בְּמוֹט רַגְלִי עָלַי הִגְדִּילוּ Ps. 38:17
4321 כִּי אָפְפוּ־עָלַי רָעוֹת Ps. 40:13
4322 יַחַד עָלַי יִתְלַחֲשׁוּ כָּל־שֹׂנְאָי Ps. 41:8
4323 עָלַי יַחְשְׁבוּ רָעָה לִי Ps. 41:8
4324 הִגְדִּיל עָלַי עָקֵב Ps. 41:10
4325 וְאֶשְׁפְּכָה עָלַי נַפְשִׁי Ps. 42:5
4326 אֱלֹהַי עָלַי נַפְשִׁי תִשְׁתּוֹחָח Ps. 42:7
4327 כָּל־מִשְׁבָּרֶיךָ וְגַלֶּיךָ עָלַי עָבָרוּ Ps. 42:8
4328 כִּי זָרִים קָמוּ עָלַי Ps. 54:5
4329 כִּי־יָמִיטוּ עָלַי אָוֶן Ps. 55:4
4330 לֹא־מְשַׂנְאִי עָלַי הִגְדִּיל Ps. 55:13
4331 עָלַי כָּל־מַחְשְׁבֹתָם לָרָע Ps. 56:6
4332 עָלַי אֱלֹהִים נְדָרֶיךָ Ps. 56:13
4333 יָגוּרוּ עָלַי עַזִּים Ps. 59:4
4334 עָלַי פְּלֶשֶׁת הִתְרוֹעָעִי Ps. 60:10
4335 וְאַל־תֶּאְטַר־עָלַי בְּאֵר פִּיהָ Ps. 69:16
4336 אֱלֹהִים זֵדִים קָמוּ־עָלַי Ps. 86:14
4337 עָלַי סָמְכָה חֲמָתֶךָ Ps. 88:8
4338 עָלַי עָבְרוּ חֲרוֹנֶיךָ Ps. 88:17
4339 הִקִּיפוּ עָלַי יָחַד Ps. 88:18
4340 בַּקָּמִים עָלַי מְרֵעִים... Ps. 92:11
4341 וּפִי־מִרְמָה עָלַי פָּתָחוּ Ps. 109:2
4342 וַיָּשִׂימוּ עָלַי רָעָה תַּחַת טוֹבָה Ps. 109:5
4343 טָפְלוּ עָלַי שֶׁקֶר זֵדִים Ps. 119:69
4344 כַּגָּמֻל עָלַי נַפְשִׁי Ps. 131:2
4345 וַתָּשֶׁת עָלַי כַּפֶּכָה Ps. 139:5
4346 בְּהִתְעַטֵּף עָלַי רוּחִי Ps. 142:4
4347 וַתִּתְעַטֵּף עָלַי רוּחִי Ps. 143:4
4348 כִּי־תָשִׂים עָלַי מִשְׁמָר Job 7:12
4349 וָאֶהְיֶה עָלַי לְמַשָּׂא Job 7:20
4350 הֵן יַעֲבֹר עָלַי וְלֹא אֶרְאֶה Job 9:11
4351 אֶעֶזְבָה עָלַי שִׂיחִי Job 10:1
4352 וַאֲדַבְּרָה־אָנִי וְיַעֲבֹר עָלַי מָה Job 13:13

עָלַי (ג) (המשך)

4353 כִּי־תִכְתֹּב עָלַי מְרֹרוֹת Job 13:26
4354 חָרַק עָלַי בְּשִׁנָּיו Job 16:9
4355 פָּעֲרוּ עָלַי בְּפִיהֶם Job 16:10
4356 יַחַד עָלַי יִתְמַלָּאוּן Job 16:10
4357 יָסֹבּוּ עָלַי רַבָּיו Job 16:13
4358 יָרֻץ עָלַי כְּגִבּוֹר Job 16:14
4359 אִם־אָמְנָם עָלַי תַּגְדִּילוּ Job 19:5
4360 וְתוֹכִיחוּ עָלַי חֶרְפָּתִי Job 19:5
4361 וּמְצוּדוֹ עָלַי הִקִּיף Job 19:6
4362 וַיַּחַר עָלַי אַפּוֹ Job 19:11
4363 וַיָּסֹלּוּ עָלַי דַּרְכָּם Job 19:12
4364 וּמְזִמּוֹת עָלַי תַּחְמֹסוּ Job 21:27
4365 בִּרְכַּת אֹבֵד עָלַי תָּבֹא Job 29:13
4366 שָׂחֲקוּ עָלַי צְעִירִים מִמֶּנִּי Job 30:1
4367 וַיָּסֹלּוּ עָלַי אָרְחוֹת אֵידָם Job 30:12
4368 הָהְפַּךְ עָלַי בַּלָּהוֹת Job 30:15
4369 וְעַתָּה עָלַי תִּשְׁתַּפֵּךְ נַפְשִׁי Job 30:16
4370 אִם־עָלַי אַדְמָתִי תִזְעָק Job 31:38
4371 הֵן תְּנוּאוֹת עָלַי יִמְצָא Job 33:10
4372 וְדִגְלוֹ עָלַי אַהֲבָה S.ofS. 2:4
4373 קָרָא עָלַי מוֹעֵד לִשְׁבֹּר בַּחוּרָי Lam. 1:15
4374 בָּנָה עָלַי וַיַּקַּף רֹאשׁ וּתְלָאָה Lam. 3:5
4375 וְתָשׁוּחַ עָלַי נַפְשִׁי Lam. 3:20
4376 שִׂפְתֵי קָמַי וְהֶגְיוֹנָם עָלַי Lam. 3:62
4377 כִּי רַע עָלַי הַמַּעֲשֶׂה Eccl. 2:17
4378 וְצוּמוּ עָלַי וְאַל־תֹּאכְלוּ Es. 4:16
4379 וְהוֹדִי נֶהְפַּךְ עָלַי לְמַשְׁחִית Dan. 10:8
4380 נֶהֶפְכוּ צִירַי עָלַי Dan. 10:16
4381 וְהוּא־פָקַד עָלַי לִבְנוֹת־לוֹ בַיִת Ez. 1:2
4382 כְּיַד־יְיָ אֱלֹהַי עָלַי Ez. 7:28
4383 אֲשֶׁר־הִיא טוֹבָה עָלָי Neh. 2:18
4384 וַיִּמָּלֵךְ לִבִּי עָלַי Neh. 5:7
4385 כִּי הַנְּבוּאָה דִּבֶּר עָלַי Neh. 6:12
4386 וְחוּסָה עָלַי כְּרֹב חַסְדֶּךָ Neh. 13:22
4387 וַיְהִי עָלַי דְּבַר־יְיָ ICh. 22:7(8)
4388 מִיַּד יְיָ עָלַי הִשְׂכִּיל ICh. 28:19
4389 אֵינֶנּוּ מִתְנַבֵּא עָלַי לְטוֹבָה IICh. 18:7
4390 לֹא־יִתְנַבֵּא עָלַי טוֹב IICh. 18:17
4391 וְהוּא־פָקַד עָלַי לִבְנוֹת־לוֹ בַיִת IICh. 36:23

עָלָי (ג)

4392 וְהַצֹּאן וְהַבָּקָר עָלוֹת עָלָי Gen. 33:13
4393 מַשָּׂא כָּל־הָעָם הַזֶּה עָלָי Num. 11:11
4394 אֲשֶׁר הֵמָּה מַלִּינִים עָלָי Num. 14:27
4395 אֲשֶׁר הֲלִינֹתֶם עָלָי Num. 14:29
4396 לְכָל־הָעֵדָה...הַנּוֹעָדִים עָלָי Num. 14:35
4397 רַק כָּל־מַחְסוֹרְךָ עָלָי Jud. 19:20
4398 כִּי־הֲבֵאתֶם...לְהִשְׁתַּגֵּעַ עָלָי ISh. 21:16
4399 כִּי חֲמַלְתֶּם עָלָי ISh. 23:21
4400 וְהוֹשִׁעֻנִי מִכַּף...הַקּוֹמִים עָלָי IIK. 16:7
4401 רוּחַ אֲדֹנָי יֱהוִה עָלָי Is. 61:1
4402 הַגְּמוּל אַתֶּם מְשַׁלְּמִים עָלָי Joel 4:4
4403 רַבִּים קָמִים עָלָי Ps. 3:2
4404 אֲשֶׁר סָבִיב שָׁתוּ עָלָי Ps. 3:7
4405 שָׁפְטֵנִי יְיָ כְּצִדְקִי וּכְתֻמִּי עָלָי Ps. 7:9
4406 עַד־אָנָה יָרוּם אֹיְבִי עָלָי Ps. 13:3
4407 אָשִׁירָה לַייָ כִּי גָמַל עָלָי Ps. 13:6
4408 אַף־נַחֲלָת שָׁפְרָה עָלָי Ps. 16:6
4409 אֹיְבַי בְּנֶפֶשׁ יַקִּיפוּ עָלָי Ps. 17:9
4410 יֵבֹשׁוּ...הַמַּגְדִּילִים עָלָי Ps. 35:26
4411 בִּמְגִלַּת־סֵפֶר כָּתוּב עָלָי Ps. 40:8
4412 כִּי לֹא־יָרִיעַ אֹיְבִי עָלָי Ps. 41:12
4413 מַה־תִּשְׁתּוֹחֲחִי נַפְשִׁי וַתֶּהֱמִי עָלָי Ps. 42:6
4414/5 ...נַפְשִׁי וּמַה־תֶּהֱמִי עָלָי Ps. 42:12; 43:5

עָלָי (ג) (המשך)

4416 וְאֵימוֹת מָוֶת נָפְלוּ עָלָי Ps. 55:5
4417 אֶקְרָא...לָאֵל גֹּמֵר עָלָי Ps. 57:3
4418 וְחֶרְפּוֹת חוֹרְפֶיךָ נָפְלוּ עָלָי Ps. 69:10
4419 כִּי־חַסְדְּךָ גָּדוֹל עָלָי Ps. 86:13
4420 כָּל־תַּגְמוּלוֹהִי עָלָי Ps. 116:12
4421 כִּי תִגְמֹל עָלָי Ps. 142:8
4422 זִבְחֵי שְׁלָמִים עָלָי Prov. 7:14
4423 כָּל־מַחְשְׁבֹתָם עָלָי Lam. 3:61
4424 כְּיַד־אֱלֹהַי הַטּוֹבָה עָלָי Neh. 2:8

וְעָלַי

4425 וְעָלַי יָבוֹא כָּל־אִישׁ...וְהִצְדַּקְתִּיו IISh. 15:4
4426 וְעָלַי לָתֶת לְךָ עֲשָׂרָה כֶסֶף IISh. 18:11
4427 וְעָלַי שָׂמוּ כָל־יִשְׂרָאֵל פְּנֵיהֶם IK. 2:15
4428 אֲנִי לְדוֹדִי וְעָלַי תְּשׁוּקָתוֹ S.ofS. 7:11
4429 וְעָלַי הִטָּה־חֶסֶד Ez. 7:28

מֵעָלַי

4430 וְיָסֵר מֵעָלַי רַק אֶת־הַמָּוֶת הַזֶּה Ex. 10:17
4431 וַהֲשִׁכֹּתִי מֵעָלַי אֶת־תְּלֻנּוֹת בְּ־י Num. 17:20
4432 וּתְכַל תְּלוּנֹּתָם מֵעָלַי Num. 17:25
4433 כִּי־נָפַץ הָעָם מֵעָלַי ISh. 13:11
4434 וֵאלֹהִים סָר מֵעָלַי ISh. 28:15
4435 הוֹצִיאוּ כָל־אִישׁ מֵעָלַי IISh. 13:9
4436 שִׁלְחוּ־נָא אֶת־זֹאת מֵעָלַי IISh. 13:17
4437 וַהֲסִירֹתָ דְּמֵי חִנָּם...מֵעָלַי IK. 2:31
4438 חָטָאתִי שׁוּב מֵעָלַי IIK. 18:14
4439 לִבָּם...אֲשֶׁר־סָר מֵעָלַי Ezek. 6:9
4440 וַיַּעַל מֵעָלַי הַמַּרְאֶה Ezek. 11:24
4441 אֲשֶׁר יִנָּזֵר מֵעָלַי Ezek. 14:5
4442 רָחֲקוּ מֵעָלַי בִּתְעוֹת יִשְׂרָאֵל Ezek. 44:10
4443 תָּעוּ מֵעָלַי אַחֲרֵי גִּלּוּלֵיהֶם Ezek. 44:10
4444 בִּתְעוֹת בְּנֵי־יִשְׂרָאֵל מֵעָלַי Ezek. 44:15
4445 הָסֵר מֵעָלַי הֲמוֹן שִׁרֶיךָ Am. 5:23
4446 הָסֵר מֵעָלַי נִגְעֶךָ Ps. 39:11
4447 גַּל מֵעָלַי חֶרְפָּה וָבוּז Ps. 119:22
4448 יָסֵר מֵעָלַי שִׁבְטוֹ Job 9:34
4449 כַּפְּךָ מֵעָלַי הַרְחַק Job 13:21
4450 כְּבוֹדִי מֵעָלַי הִפְשִׁיט Job 19:9
4451 אַחַי מֵעָלַי הִרְחִיק Job 19:13
4452 נָשְׂאוּ אֶת־רְדִידִי מֵעָלַי S.ofS. 5:7

מֵעָלָי

4453 הִפָּרֶד נָא מֵעָלָי Gen. 13:9
4454 הוֹצִיאוּ כָל־אִישׁ מֵעָלָי Gen. 45:1
4455 וַיֹּאמֶר־לוֹ פַרְעֹה לֵךְ מֵעָלָי Ex. 10:28
4456/7 וְיַעֲלֶה מֵעָלָי IK. 15:19 • IICh. 16:3
4458 כִּי רָחֲקוּ מֵעָלָי Jer. 2:5
4459 לְבִלְתִּי סוּר מֵעָלָי Jer. 32:30
4460 לַיְלָה עֲצָמַי נִקַּר מֵעָלָי Job 30:17
4461 עוֹרִי שָׁחַר מֵעָלָי Job 30:30
4462 וָאַבְרִיחֵהוּ מֵעָלָי Neh. 13:28

עָלַיִךְ

4463 וַתֹּאמֶר שָׂרַי...חֲמָסִי עָלֶיךָ Gen. 16:5
4464 מַה־פָּרַצְתָּ עָלֶיךָ פָּרֶץ Gen. 38:29
4465 כָּל־הַמַּחֲלָה...לֹא־אָשִׂים עָלֶיךָ Ex. 15:26
4466 וְכָל־הָעָם נִצָּב עָלֶיךָ... Ex. 18:14
4467 וְרַבָּה עָלֶיךָ חַיַּת הַשָּׂדֶה Ex. 23:29
4468 וְשַׂכֹּתִי כַפִּי עָלֶיךָ Ex. 33:22
4469 וּבֶגֶד כִּלְאַיִם...לֹא יַעֲלֶה עָלֶיךָ Lev. 19:19
4470 וְאָצַלְתִּי מִן־הָרוּחַ אֲשֶׁר עָלֶיךָ Num. 11:17
4471 וְיִלָּווּ עָלֶיךָ וִישָׁרְתוּךָ Num. 18:2
4472 וְנִלְווּ עָלֶיךָ וְשָׁמְרוּ Num. 18:4
4473 פֶּן־תִּרְבֶּה עָלֶיךָ חַיַּת הַשָּׂדֶה Deut. 7:22
4474 שׂוֹם תָּשִׂים עָלֶיךָ מֶלֶךְ Deut. 17:15
4475 מִקֶּרֶב אַחֶיךָ תָּשִׂים עָלֶיךָ מֶלֶךְ Deut. 17:15
4476 לֹא תוּכַל לָתֵת עָלֶיךָ אִישׁ נָכְרִי Deut. 17:15
4477 וְהָיָה עָלֶיךָ דָּמִים Deut. 19:10
4478 וַאֲשֶׁר שָׂכַר עָלֶיךָ אֶת־בִּלְעָם Deut. 23:5

עָלֶיךָ (המשך)

4479 וְלֹא יִקְרָא עָלֶיךָ אֶל־יְיָ Deut. 24:15
4480 וּבָאוּ עָלֶיךָ כָּל־הַבְּרָכוֹת Deut. 28:2
4481 אֶת־אֹיְבֶיךָ הַקָּמִים עָלֶיךָ Deut. 28:7
4482 כִּי שֵׁם יְיָ נִקְרָא עָלֶיךָ Deut. 28:10
4483/4 וּבָאוּ עָלֶיךָ כָּל־הַקְּלָלוֹת Deut. 28:15, 45
4485 מִן־הַשָּׁמַיִם יֵרֵד עָלֶיךָ Deut. 28:24
4486 וְאֶת־מַלְכְּךָ אֲשֶׁר תָּקִים עָלֶיךָ Deut. 28:36
4487 הַגֵּר...יַעֲלֶה עָלֶיךָ מַעְלָה מָּעְלָה Deut. 28:43
4488 יִשָּׂא יְיָ עָלֶיךָ גּוֹי מֵרָחֹק Deut. 28:49
4489 יַעְלֵם יְיָ עָלֶיךָ Deut. 28:61
4490 וְהָיָה כִי־יָבֹאוּ עָלֶיךָ Deut. 30:1
4491 יָשׁוּב יְיָ לָשׂוּשׂ עָלֶיךָ לְטוֹב Deut. 30:9
4492 וְהִנָּם צָרִים אֶת־הָעִיר עָלֶיךָ Jud. 9:31
4493 בֵּיתְךָ נִשְׂרֹף עָלֶיךָ בָּאֵשׁ Jud. 12:1
4494-4497 פְּלִשְׁתִּים עָלֶיךָ שִׁמְשׁוֹן Jud. 16:9, 12, 14, 20
4498 וְצָלְחָה עָלֶיךָ רוּחַ יְיָ ISh. 10:6
4499 בִּהְיוֹת עָלֶיךָ רוּחַ־אֱלֹהִים רָעָה ISh. 16:16
4500 כִּי־כָלְתָה הָרָעָה...לָבוֹא עָלֶיךָ ISh. 20:9
4501 כִּי־יֵיטִב...אֶת־הָרָעָה עָלֶיךָ ISh. 20:13
4502 וְאָמַר לַהֲרָגְךָ...וַתָּחָס עָלֶיךָ ISh. 24:10
4503 אֲשֶׁר־דִּבֶּר אֶת־הַטּוֹבָה עָלֶיךָ ISh. 25:30
4504 צַר־לִי עָלֶיךָ אָחִי יְהוֹנָתָן IISh. 1:26
4505 הִנְנִי מֵקִים עָלֶיךָ רָעָה IISh. 12:11
4506 וְלֹא נִכְבַּד עָלֶיךָ IISh. 13:25
4507 הֵשִׁיב עָלֶיךָ יְיָ כֹּל דְּמֵי בֵית־שׁ׳ IISh. 16:8
4508 הֵאָסֹף יֵאָסֵף עָלֶיךָ כָל־יִשְׂרָאֵל IISh. 17:11
4509 מִיַּד כָּל־הַקָּמִים עָלֶיךָ IISh. 18:31
4510 וְכֹל אֲשֶׁר־קָמוּ עָלֶיךָ לְרָעָה IISh. 18:32
4511 מִכָּל־הָרָעָה אֲשֶׁר־בָּאָה עָלֶיךָ IISh. 19:8
4512 שָׁלֹשׁ אָנֹכִי נוֹטֵל עָלֶיךָ IISh. 24:12
4513 עֵינֵי כָל־יִשְׂרָאֵל עָלֶיךָ IK. 1:20
4514 וְאֶת־הַמִּצְוָה אֲשֶׁר־צִוִּיתִי עָלֶיךָ IK. 2:43
4515 וְחֻקֹּתַי אֲשֶׁר צִוִּיתִי עָלֶיךָ IK. 11:11
4516 וְזָבַח עָלֶיךָ אֶת־כֹּהֲנֵי הַבָּמוֹת IK. 13:2
4517 כֹּהֲנֵי הַבָּמוֹת הַמַּקְטִרִים עָלֶיךָ IK. 13:2
4518 וְעַצְמוֹת אָדָם יִשְׂרְפוּ עָלֶיךָ IK. 13:2
4519 מֶלֶךְ אֲרָם עֹלֶה עָלֶיךָ IK. 20:22
4520 יָבִיא יְיָ עָלֶיךָ וְעַל־עַמְּךָ Is. 7:17
4521 וּמַטֵּהוּ יִשָּׂא־עָלֶיךָ Is. 10:24
4522 פַּחַד...עָלֶיךָ יוֹשֵׁב הָאָרֶץ Is. 24:17
4523 כַּאֲשֶׁר שָׁמְמוּ עָלֶיךָ רַבִּים Is. 52:14
4524 רוּחִי אֲשֶׁר עָלֶיךָ... Is. 59:21
4525 וְקִדַּשְׁתִּי עָלֶיךָ מַשְׁחִתִים Jer. 22:7
4526 וְאָשִׂים אֶת־עֵינִי עָלֶיךָ Jer. 40:4
4527 פַּחַד...עָלֶיךָ יוֹשֵׁב מוֹאָב Jer. 48:43
4528 וְנָטִיתִי אֶת־יָדִי עָלֶיךָ Jer. 51:25
4529 הִנֵּה נָתְנוּ עָלֶיךָ עֲבוֹתִים Ezek. 3:25
4530 וְהִנֵּה נָתַתִּי עָלֶיךָ עֲבוֹתִים Ezek. 4:8
4531 פְּאֵרְךָ חָבוּשׁ עָלֶיךָ Ezek. 24:17
4532 הִנְנִי נָטִיתִי אֶת־יָדִי עָלֶיךָ Ezek. 25:7
4533 הִנְנִי מֵבִיא עָלֶיךָ זָרִים Ezek. 28:7
4534 הִנְנִי עָלֶיךָ פַּרְעֹה מֶלֶךְ־מִצְרַיִם Ezek. 29:3
4535 וּבְהִשָּׁעֲנָם עָלֶיךָ תִּשָּׁבֵר Ezek. 29:7
4536 וּפָרַשְׂתִּי עָלֶיךָ אֶת־רִשְׁתִּי Ezek. 32:3
4537 וְהִשְׁכַּנְתִּי עָלֶיךָ כָּל־עוֹף Ezek. 32:4
4538 מְאוֹרֵי אוֹר...אַקְדִּירֵם עָלֶיךָ Ezek. 32:8
4539 וְנָטִיתִי יָדִי עָלֶיךָ Ezek. 35:3
4540 וְכָל־קְהָלֶךָ הַנִּקְהָלִים עָלֶיךָ Ezek. 38:7
4541 קָשַׁר עָלֶיךָ עָמוֹס Am. 7:10
4542 וְצִוָּה עָלֶיךָ יְיָ Nah. 1:14
4543 תִּסּוֹב עָלֶיךָ כּוֹס יְמִין יְיָ Hab. 2:16

עָלֶיךָ (המשך)
4544 עָלֶיךָ יַעֲזֹב חֵלְכָה Ps. 10:14
4545 טוֹבָתִי בַּל־עָלֶיךָ Ps. 16:2
4546 כִּי־נָטוּ עָלֶיךָ רָעָה Ps. 21:12
4547 עָלֶיךָ הָשְׁלַכְתִּי מֵרָחֶם Ps. 22:11
4548 וַאֲנִי עָלֶיךָ בָטַחְתִּי יְיָ Ps. 31:15
4549 אִיעֲצָה עָלֶיךָ עֵינִי Ps. 32:8
4550 עָלֶיךָ נִסְמַכְתִּי מִבֶּטֶן Ps. 71:6
4551 מְזִמָּה תִּשְׁמֹר עָלֶיךָ Prov. 2:11
4552 בְּשָׁכְבְּךָ תִּשְׁמֹר עָלֶיךָ Prov. 6:22
4553 כִּי־עַתָּה יָעִיר עָלֶיךָ Job 8:6
4554 וְאַכְפִּי עָלֶיךָ לֹא־יִכְבָּד Job 33:7
4555 אִם־רוּחַ הַמּוֹשֵׁל תַּעֲלֶה עָלֶיךָ Eccl. 10:4
4556 קוּם כִּי־עָלֶיךָ הַדָּבָר Ez. 10:4
4557 לִקְרֹא עָלֶיךָ בִירוּשָׁלַםִ Neh. 6:7
4558 שָׁלוֹשׁ אֲנִי נֹטֶה עָלֶיךָ ICh. 21:10
4559 כִּי־עָלֶיךָ נִשְׁעַנּוּ IICh. 14:10
4560 וּבָזֹאת עָלֶיךָ קֶצֶף IICh. 19:2
4561 בָּא עָלֶיךָ הָמוֹן רָב IICh. 20:2
4562 כִּי עָלֶיךָ עֵינֵינוּ IICh. 20:12
4563 לֹא־עָלֶיךָ אַתָּה הַיּוֹם... IICh. 35:21
עָלֶיךָ (ד)
4564 שָׁמַעְתִּי עָלֶיךָ לֵאמֹר Gen. 41:15
4565 וְקָרָא עָלֶיךָ אֶל־יְיָ Deut. 15:9
4566 אָנֹכִי אֲדַבֵּר עָלֶיךָ אֶל־הַמֶּלֶךְ IK. 2:18
4567 וַיְיָ דִּבֶּר עָלֶיךָ רָעָה IK. 22:23
4568 יַעַן כִּי־יָעַץ עָלֶיךָ אֲרָם רָעָה Is. 7:5
4569 דַּע שְׂאֵתִי עָלֶיךָ חֶרְפָּה Jer. 15:15
4570 כֹּה־אָמַר יְיָ עָלֶיךָ Jer. 34:4
4571 כֹּה־אָמַר יְיָ...עָלֶיךָ בָּרוּךְ Jer. 45:2
4572 כָּל־יוֹדְעֶיךָ...שָׁמְמוּ עָלֶיךָ Ezek. 28:19
4573 וַהֲשִׁמּוֹתִי עָלֶיךָ עַמִּים רַבִּים Ezek. 32:10
4574 וּמַלְכֵיהֶם יִשְׂעֲרוּ עָלֶיךָ שַׂעַר Ezek. 32:10
4575 תָּקְעוּ כַף עָלֶיךָ Nah. 3:19
4576 מַה־נִּדְבַּרְנוּ עָלֶיךָ Mal. 3:13
4577 כִּי־עָלֶיךָ הֹרַגְנוּ כָל־הַיּוֹם Ps. 44:23
4578 כִּי־עָלֶיךָ נָשָׂאתִי חֶרְפָּה Ps. 69:8
4579 עָלֶיךָ בְּרִית יִכְרֹתוּ Ps. 83:6
4580 כַּאֲשֶׁר דִּבֶּר עָלֶיךָ ICh. 22:10(11)
4581 וַיְיָ דִּבֶּר עָלֶיךָ רָעָה IICh. 18:22
מֵעָלֶיךָ
4582 יִשָּׂא פַרְעֹה אֶת־רֹאשְׁךָ מֵעָלֶיךָ Gen. 40:19
4583 וְאָכַל הָעוֹף אֶת־בְּשָׂרְךָ מֵעָלֶיךָ Gen.40:19
4584 וְהָקֵל מֵעָלֶיךָ וְנָשְׂאוּ אִתָּךְ Ex. 18:22
4585 הוֹרֵד עֶדְיְךָ מֵעָלֶיךָ Ex. 33:5
4586 שִׂמְלָתְךָ לֹא בָלְתָה מֵעָלֶיךָ Deut. 8:4
4587 קָרַע יְיָ...מֵעָלֶיךָ הַיּוֹם ISh. 15:28
4588 וַהֲסִרֹתִי אֶת־רֹאשְׁךָ מֵעָלֶיךָ ISh. 17:46
4589 וַיְיָ סָר מֵעָלֶיךָ ISh. 28:16
4590 קָרֹעַ אֶקְרַע אֶת־הַמַּמְלָכָה מֵעָלֶיךָ IK.11:11
4591 הֶעֱבַרְתִּי מֵעָלֶיךָ עֲוֺנֶךָ Zech. 3:4
עָלַיִךְ (א)
4592 וְאָשִׁיבָה יָדִי עָלַיִךְ Is. 1:25
4593 וְצַרְתִּי עָלַיִךְ מֻצָּב Is. 29:3
4594 וַהֲקִימֹתִי עָלַיִךְ מְצֻרֹת Is. 29:3
4595 עָלַיִךְ יַעֲבֹרוּ וְלָךְ יִהְיוּ Is. 45:14
4596 שְׁכוֹל וְאַלְמֹן כְּתֻמָּם בָּאוּ עָלַיִךְ Is. 47:9
4597 וּבָא עָלַיִךְ רָעָה Is. 47:11
4598 וְתִפֹּל עָלַיִךְ הֹוָה Is. 47:11
4599 וְתָבֹא עָלַיִךְ פִּתְאֹם שׁוֹאָה Is. 47:11
4600 כֵּן נִשְׁבַּעְתִּי מִקְּצֹף עָלַיִךְ Is. 54:9
4601 מִי־גָר אִתָּךְ עָלַיִךְ יִפּוֹל Is. 54:15
4602 כָּל־כְּלִי יוּצַר עָלַיִךְ לֹא יִצְלָח Is. 54:17
4603 וּכְבוֹד יְיָ עָלַיִךְ זָרָח Is. 60:1
4604 וּכְבוֹדוֹ עָלַיִךְ יֵרָאֶה Is. 60:2
4605 כִּי־יֵהָפֵךְ עָלַיִךְ הֲמוֹן יָם Is. 60:5

עָלַיִךְ (המשך)
4606 יָשִׂישׂ עָלַיִךְ אֱלֹהָיִךְ Is. 62:5
4607 לְמִלְחָמָה עָלַיִךְ בַּת־צִיּוֹן Jer. 6:23
4608 מַה־תֹּאמְרִי כִּי־יִפְקֹד עָלַיִךְ Jer. 13:21
4609 וְאַתְּ לִמַּדְתְּ אֹתָם עָלַיִךְ... Jer. 13:21
4610 כִּי מִי־יַחְמֹל עָלַיִךְ יְרוּשָׁלַםִ Jer. 15:5
4611 וָאַט אֶת־יָדִי עָלַיִךְ Jer. 15:6
4612 הִנְנִי מֵבִיא עָלַיִךְ פַּחַד Jer. 49:5
4613 עָרוּךְ...עָלַיִךְ בַּת־בָּבֶל Jer. 50:42
4614 וְעָנוּ עָלַיִךְ הֵידָד Jer. 51:14
4615 הִנְנִי עָלַיִךְ גַּם־אָנִי Ezek. 5:8
4616 וְחֶרֶב אָבִיא עָלָיִךְ Ezek. 5:17
4617 עַתָּה הַקֵּץ עָלַיִךְ Ezek. 7:3
4618/9 וְנָתַתִּי עָלַיִךְ אֵת כָּל־תּוֹעֲבוֹתָיִךְ Ezek. 7:3,8
4620 וְלֹא־תָחוֹס עֵינִי עָלַיִךְ Ezek. 7:4
4621 כִּי דְרָכַיִךְ עָלַיִךְ אֶתֵּן Ezek. 7:4
4622 אֶשְׁפּוֹךְ חֲמָתִי עָלַיִךְ Ezek. 7:8
4623 כִּדְרָכַיִךְ עָלַיִךְ אֶתֵּן Ezek. 7:9
4624/5 וָאֶעֱבֹר עָלַיִךְ וָאֶרְאֵךְ... Ezek. 16:6, 8
4626 וָאֶפְרֹשׂ כְּנָפִי עָלַיִךְ Ezek. 16:8
4627 בַּהֲדָרִי אֲשֶׁר שַׂמְתִּי עָלַיִךְ Ezek. 16:14
4628 וְהִנֵּה נָטִיתִי יָדִי עָלַיִךְ Ezek. 16:27
4629 וְקִבַּצְתִּי אֹתָם עָלַיִךְ Ezek. 16:37
4630 וְהֶעֱלוּ עָלַיִךְ קָהָל Ezek. 16:40
4631 כָּל־הַמֹּשֵׁל עָלַיִךְ יִמְשֹׁל Ezek. 16:44
4632 וְשָׁפַכְתִּי עָלַיִךְ זַעְמִי Ezek. 21:36
4633 הִנְנִי מֵעִיר אֶת־מְאַהֲבַיִךְ עָלַיִךְ Ezek. 23:22
4634 וַהֲבֵאתִים עָלַיִךְ מִסָּבִיב Ezek. 23:22
4635 וּבָאוּ עָלַיִךְ הֹצֶן רֶכֶב...וּמָגֵן Ezek. 23:24
4636 וְקוֹבַע יָשִׂימוּ עָלַיִךְ סָבִיב Ezek. 23:24
4637 הִנְנִי עָלַיִךְ צֹר Ezek. 26:3
4638 וְהַעֲלֵיתִי עָלַיִךְ גּוֹיִם רַבִּים Ezek. 26:3
4639 וְנָתַן עָלַיִךְ דָּיֵק Ezek. 26:8
4640 וְשָׁפַךְ עָלַיִךְ סֹלְלָה Ezek. 26:8
4641 וְהֵקִים עָלַיִךְ צִנָּה Ezek. 26:8
4642 בְּהַעֲלוֹת עָלַיִךְ אֶת־תְּהוֹם Ezek. 26:19
4643 וְהִשְׁמִיעוּ עָלַיִךְ בְּקוֹלָם Ezek. 27:30
4644 הִנְנִי עָלַיִךְ צִידוֹן Ezek. 28:22
4645 הִנְנִי מֵבִיא עָלַיִךְ חָרֶב Ezek. 29:8
4646 נֶאֶסְפוּ עָלַיִךְ גּוֹיִם רַבִּים Mic. 4:11
4647 וְהִשְׁלַכְתִּי עָלַיִךְ שִׁקֻּצִים Nah. 3:6
4648 יָשִׂישׂ עָלַיִךְ בְּשִׂמְחָה Zep. 3:17
4649 יָגִיל עָלַיִךְ בְּרִנָּה Zep. 3:17
4650 רֹאשֵׁךְ עָלַיִךְ כַּכַּרְמֶל S.ofS. 7:6
4651 וְשַׂמְתְּ שִׂמְלֹתֵיִךְ° עָלַיִךְ Ruth 3:3
4652 הָבִי הַמִּטְפַּחַת אֲשֶׁר־עָלַיִךְ Ruth 3:15
עָלַיִךְ (ד)
4653 וַיְיָ...דִּבֶּר עָלַיִךְ רָעָה Jer. 11:17
4654 וְנָשְׂאוּ עָלַיִךְ קִינָה Ezek. 26:17
4655 סָפְקוּ עָלַיִךְ כַּפַּיִם Lam. 2:15
4656 פָּצוּ עָלַיִךְ פִּיהֶם Lam. 2:16
4657 וַיְשַׂמַּח עָלַיִךְ אוֹיֵב Lam. 2:17
4658 גַּם־עָלַיִךְ תַּעֲבָר־כּוֹס Lam. 4:21
עָלָיִךְ (א)
4659 וְחָנִיתִי כַדּוּר עָלָיִךְ Is. 29:3
4660 מוֹדִיעִים...מֵאֲשֶׁר יָבֹאוּ עָלָיִךְ Is. 47:13
4661 לֹא־חָסָה...עַיִן...לְחֻמְלָה עָלָיִךְ Ezek. 16:5
4662 בְּאֵשׁ עֶבְרָתִי אָפִיחַ עָלָיִךְ Ezek. 21:36
4663 לַעֲשׂוֹת תֹּרֶן עָלָיִךְ Ezek. 27:5
עָלָיִךְ (ד)
4664 וַאֲנִי אֲצַוֶּה עָלָיִךְ IISh. 14:8
4665 וְחָרְדוּ לִרְגָעִים וְשָׁמְמוּ עָלָיִךְ Ezek. 26:16
4666 וְנָשְׂאוּ...קִינָה וְקוֹנְנוּ עָלָיִךְ Ezek. 27:32
4667 כֹּל יֹשְׁבֵי הָאִיִּים שָׁמְמוּ עָלָיִךְ d27:35
4668 סֹחֲרִים בָּעַמִּים שָׁרְקוּ עָלָיִךְ Ezek. 27:36
וְעָלַיִךְ (א)
4669 וְעָלַיִךְ יִזְרַח יְיָ Is. 60:2

מֵעָלָיִךְ
4670 הָסִירִי אֶת־יֵינֵךְ מֵעָלָיִךְ ISh. 1:14
4671 וּבְשַׂר־קֹדֶשׁ יַעַבְרוּ מֵעָלָיִךְ Jer. 11:15
4672 וָאֶשְׁטֹף דָּמַיִךְ מֵעָלָיִךְ Ezek. 16:9
4673 אֶשְׁבֹּר מֹטֵהוּ מֵעָלָיִךְ Nah. 1:13
עָלָיְכִי
4674 כִּי־יְיָ גָּמַל עָלָיְכִי Ps. 116:7
עָלָיו (א)
4675 אֶת־כְּתֹנֶת הַפַּסִּים אֲשֶׁר עָלָיו Gen. 37:23
4676 הַמָּקוֹם אֲשֶׁר אַתָּה עוֹמֵד עָלָיו Ex. 3:5
4677 אֲשֶׁר יָרַד עָלָיו יְיָ בָּאֵשׁ Ex. 19:19
4678 וְזָבַחְתָּ עָלָיו אֶת־עֹלֹתֶיךָ Ex. 20:21
4679 אֲשֶׁר לֹא־תִגָּלֶה עֶרְוָתְךָ עָלָיו Ex. 20:23
4680 אִם־זָרְחָה הַשֶּׁמֶשׁ עָלָיו Ex. 22:2
4681 וְעָשִׂיתָ עָלָיו זֵר זָהָב סָבִיב Ex. 25:11
4682 וְחֵשֶׁב אֲפֻדָּתוֹ אֲשֶׁר עָלָיו Ex. 28:8
4683 וּפִתַּחְתָּ עָלָיו פִּתּוּחֵי חֹתָם Ex. 28:36
4684 וְהִקְטִיר עָלָיו אַהֲרֹן Ex. 30:7
4685 לֹא־תַעֲלוּ עָלָיו קְטֹרֶת זָרָה Ex. 30:9
4686 וְנֶסֶךְ לֹא תִסְּכוּ עָלָיו Ex. 30:9
4687 וְאֶת־הַכַּפֹּרֶת אֲשֶׁר עָלָיו Ex. 31:7
4688 וְהַנֶּפֶשׁ...וְטֻמְאָתוֹ עָלָיו Lev. 7:20
4689 וַיִּתֵּן עָלָיו אֶת־הַכֻּתֹּנֶת Lev. 8:7
4690 וַיִּסְמֹךְ אֶת־יָדָיו עָלָיו Num. 27:23
4691 אוֹ־הִשְׁלִיךְ עָלָיו בִּצְדִיָּה Num. 35:20
4692 אוֹ־הִשְׁלִיךְ עָלָיו כָּל־כְּלִי Num. 35:22
4693 וַיַּפֵּל עָלָיו וַיָּמֹת Num. 35:23
4694 כִּי־סָמַךְ מֹשֶׁה אֶת־יָדָיו עָלָיו Deut. 34:9
4695 הַמָּקוֹם אֲשֶׁר אַתָּה עֹמֵד עָלָיו Josh. 5:15
4696/7 וַיָּקִימוּ עָלָיו גַּל־אֲבָנִים Josh. 7:26; 8:29
4698 וַיִּתְפַּשֵּׁט...אֶת־הַמְּעִיל אֲשֶׁר עָלָיו ISh. 18:4
4699 וַיַּחְבְּשׁוּ־לוֹ הַחֲמוֹר וַיִּרְכַּב עָלָיו IK. 13:13
4700/1 וַיִּגְהַר עָלָיו IIK. 4:34, 35
4702 אִם־יַעֲמֹד רֹאשׁ אֱלִישָׁע...עָלָיו IIK. 6:31
4703 וַיִּתֵּן עָלָיו אֶת־הַנֵּזֶר IIK. 11:12
4704 אֲצַוֶּה מֵהַמְטִיר עָלָיו מָטָר Is. 5:6
4705 וַיֵּט יָדוֹ עָלָיו Is. 5:25
4706 וּכְתֹב עָלָיו בְּחֶרֶט אֱנוֹשׁ Is. 8:1
4707 וְתָלוּ עָלָיו כֹּל כְּבוֹד בֵּית־אָבִיו Is. 22:24
4708 וְאַל־תּוֹפַע עָלָיו נְהָרָה Job 3:4
4709 תִּשְׁכָּן־עָלָיו עֲנָנָה Job 3:5
4710 לֹא־עָדָה עָלָיו שָׁחַל Job 28:8
4711 שִׂים־עָלָיו כַּפֶּיךָ Job 40:32
4712 יָצוּק עָלָיו בַּל־יִמּוֹט Job 41:15
4713 אֶלֶף הַמָּגֵן תָּלוּי עָלָיו S.ofS. 4:4
4714-4817 עָלָיו (א) Ex. 33:4; 39:5, 30
39:31; 40:19, 23, 27, 29, 35 • Lev. 8:7^{2}; 11:32,34,35, 38; 15:4^{2}, 9, 17, 20^{2}, 22, 23, 24^{2}, 26^{2}; 16:19, 21, 22; 21:12; 22:3 • Num. 4:6, 7^{2}, 13, 14^{3}, 25; 5:15^{2}; 9:22; 11:9; 19:13,15,17,20 • Deut. 20:19; 24:5, 15; 27:6 • Josh. 8:31; 22:23^{2}; 24:7 • Jud. 6:25,28,30 • ISh. 5:4; 20:33 • IISh. 17:19; 18:17; 20:12 • IK. 3:19; 7:48 • 11:30; 13:3, 4 • IIK. 16:12, 15; 25:17 • Is. 16:5; 18:6^{2}; 19:16 • Jer. 51:63; 52:22 • Ezek. 1:26; 4:4; 9:3,6; 12:13; 14:9; 15:3; 17:20; 22:20; 24:7; 37:16^{2}, 19; 38:22; 43:18; 46:14 • Es. 5:14; 6:8; 7:9 • Ez. 3:2, 3 • IICh. 1:6; 3:5, 14; 23:11; 33:16
עָלָיו (ב)
4818 וְהִנֵּה שְׁלֹשָׁה אֲנָשִׁים נִצָּבִים עָלָיו Gen. 18:2
4819 וְהִנֵּה יְיָ נִצָּב עָלָיו Gen. 28:1.
4820 וְלֹא יָכֹל...לְכֹל הַנִּצָּבִים עָלָיו Gen. 45:1
4821-4823 וְהַחֹ(ו)נִים עָלָיו... Num. 2:5, 12, 27
4824 וַיֵּצְאוּ מֵעָלָיו כָּל־הָעֹמְדִים עָלָיו Jud. 3:19
4825 לְכֹל אֲשֶׁר־עָמְדוּ עָלָיו Jud. 6:31
4826 וְכָל־עֲבָדָיו נִצָּבִים עָלָיו ISh. 22:6
4827 לַעֲבָדָיו הַנִּצָּבִים עָלָיו ISh. 22:7

עָלָיו (ב) (המשך)

4828 לָרָצִים הַנִּצָּבִים עָלָיו ISh. 22:17
4829 וָאֶעֱמֹד עָלָיו וַאֲמֹתְתֵהוּ IISh. 1:10
4830 וְאִישׁ עָמַד עָלָיו מִנַּעֲרֵי יוֹאָב IISh. 20:11
4831 כָּל־הַבָּא עָלָיו וְעָמָד IISh. 20:12
4832 וְאֶת־עֲבָדָיו עֹבְרִים עָלָיו IISh. 24:20
4833 כָּל־עֹבֵר עָלָיו יִשֹּׁם וְשָׁרָק IK. 9:8
4834 וְכָל־צְבָא הַשָּׁמַיִם עֹמֵד עָלָיו IK. 22:19
4835 אֲשֶׁר יִקָּרֵא עָלָיו מְלֹא רֹעִים Is. 31:4
4836 עָמְדוּ° עָלָיו דַּוָּגִים Ezek. 47:10
4837 הַנּוֹעָדִים עָלָיו IICh. 5:6
4838 ...וַיַּעֲמֹד עָלָיו IICh. 6:13
4839 ...לְכָל־עֹבֵר עָלָיו יִשֹּׁם IICh. 7:21
4840 וְהַכֹּהֲנִים...הִתְיַצְּבוּ עָלָיו IICh. 11:13

עָלָיו (ג)

4841 וַיְצַו עָלָיו פַּרְעֹה אֲנָשִׁים Gen. 12:20
4842 אֵימָה חֲשֵׁכָה גְדֹלָה נֹפֶלֶת עָלָיו Gen. 15:12
4843 בְּחֶמְלַת יְיָ עָלָיו Gen. 19:16
4844 וַיְצַו עָלָיו לֵאמֹר Gen. 28:6
4845 וְאָשִׂימָה עֵינִי עָלָיו Gen. 44:21
4846 וַיֵּבְךְּ עָלָיו וַיִּשַּׁק־לוֹ Gen. 50:1
4847 וַיָּשִׂימוּ עָלָיו שָׂרֵי מִסִּים Ex. 1:11
4848 וְהִנֵּה־נַעַר בֹּכֶה וַתַּחְמֹל עָלָיו Ex. 2:6
4849 אֲשֶׁר־אַתֶּם מַלִּינִם עָלָיו Ex. 16:8
4850 כַּאֲשֶׁר יָשִׁית עָלָיו בַּעַל הָאִשָּׁה Ex. 21:22
4851 אִם־כֹּפֶר יוּשַׁת עָלָיו Ex. 21:30
4852 כְּכֹל אֲשֶׁר־יוּשַׁת עָלָיו Ex. 21:30
4853 לֹא־תְשִׂימוּן עָלָיו נֶשֶׁךְ Ex. 22:24
4854 וְחִטֵּאתָ...הַמִּזְבֵּחַ בְּכַפֶּרְךָ עָלָיו Ex. 29:36
4855 אַחַת בַּשָּׁנָה יְכַפֵּר עָלָיו Ex. 30:10
4856 כִּי־הֵבֵאתָ עָלָיו חֲטָאָה גְדֹלָה Ex. 32:21
4857-4878 לְכַפֵּר (כִּפֶּר, יְכַפֵּר וכד׳) עָלָיו
Lev. 1:4; 4:26, 31, 35; 5:6, 10, 13, 16, 18, 26; 8:15; 14:18, 20, 21, 29; 15:15; 16:10, 18; 19:22 • Num. 5:8; 6:11; 15:28
4879-4882 (וַ)חֲמִ(י)שִׁ(י)תוֹ יֹסֵף עָלָיו
Lev. 5:16, 24; 27:31 • Num. 5:7
4883 מִכֹּל אֲשֶׁר־יִשָּׁבַע עָלָיו לַשֶּׁקֶר Lev. 5:24
4884/5 אֲשֶׁר עָלָה עָלָיו הַגּוֹרָל Lev. 16:9, 10
4886 וְלֹא־תִשָּׂא עָלָיו חֵטְא Lev. 19:17
4887 וְעָבַר עָלָיו רוּחַ־קִנְאָה Num. 5:14
4888 אוֹ־עָבַר עָלָיו רוּחַ־קִנְאָה Num. 5:14
4889 אֲשֶׁר תַּעֲבֹר עָלָיו רוּחַ קִנְאָה Num. 5:30
4890 וְכִי־יָמוּת מֵת עָלָיו Num. 6:9
4891 וַיָּאצֶל מִן־הָרוּחַ אֲשֶׁר עָלָיו Num. 11:25
4892 וַיַּלִּינוּ° עָלָיו אֶת־כָּל־הָעֵדָה Num. 14:36
4893 וְאַהֲרֹן מַה־הוּא כִּי תַלִּינוּ° עָלָיו Num. 16:11
4894 וַתְּהִי עָלָיו רוּחַ אֱלֹהִים Num. 24:2
4895 וְסָמַכְתָּ אֶת־יָדְךָ עָלָיו Num. 27:18
4896 וְנָתַתָּה מֵהוֹדְךָ עָלָיו Num. 27:20
4897 לֹא־תֹסֵף עָלָיו... Deut. 13:1
4898 וְלֹא־תָחוֹס עֵינְךָ עָלָיו Deut. 13:9
4899 לֹא־תֹאכַל עָלָיו חָמֵץ שִׁבְעַת יָמִים Deut. 16:3
4900 וְאָרַב לוֹ וְקָם עָלָיו Deut. 19:11
4901 יְדִיד יְיָ יִשְׁכֹּן לָבֶטַח עָלָיו Deut. 33:12
4902 חֹפֵף עָלָיו כָּל־הַיּוֹם Deut. 33:12
4903 וַתְּהִי עָלָיו רוּחַ־יְיָ Jud. 3:10
4904 וְעָלָה מִדְיָן...וְעָלוּ עָלָיו Jud. 6:3
4905 וַתֵּבְךְּ אֵשֶׁת שִׁמְשׁוֹן עָלָיו Jud. 14:16
4906 וַתִּזְנֶה עָלָיו פִּילַגְשׁוֹ Jud. 19:2
4907 אַל־יִפֹּל לֵב־אָדָם עָלָיו ISh. 17:32
4908 כִּי עָלָיו שָׁאוּל מַחֲרִישׁ הָרָעָה ISh. 23:9
4909 וְלֵב נָבָל טוֹב עָלָיו ISh. 25:36
4910 וְנָחָה עָלָיו רוּחַ יְיָ Is. 11:2

עָלָיו (ג) (המשך)

4911 כִּי־אָכַף עָלָיו פִּיהוּ Prov. 16:26
4912 יַהֲלֹךְ עָלָיו אֵמִים Job 20:25
4913 יֵשֵׁב בָּדָד וְיִדֹּם כִּי נָטַל עָלָיו Lam. 3:28
4914-5074 עָלָיו (ג) Lev. 22:9, 14; 27:15, 19, 27 • Num. 18:32 • Deut. 13:9; 16:3; 19:13 • Jud. 9:3; 14:6, 17, 19; 15:14; 26:4 • ISh. 2:10; 10:10; 15:3; 19:23; 29:4 • IISh. 3:34; 6:2; 11:21; 12:17; 14:26; 17:2, 12; 20:15 • IK. 8:5; 11:24; 13:30; 15:27; 16:9, 18; 22:32 • IIK. 3:15; 9:25; 13:19; 14:19; 15:10, 25; 17:13; 18:21[2]; 19:21; 21:23 • Is. 5:30; 9:10; 10:26; 19:16, 17; 26:21; 30:12, 32; 36:6[2]; 37:22; 42:1, 25; 52:15; 53:5; 56:8 • Jer. 2:15; 7:10, 11, 14, 30; 18:8; 32:34; 34:15; 36:31; 39:9, 12; 49:8 • Ezek. 1:3; 4:4; 17:7; 18:20[2]; 19:8[2]; 29:2; 31:15[3]; 35:2; 38:2, 21 • Hosh. 4:9; 10:5[2]; 12:15 • Am. 3:14 • Mic. 3:5; 4:1; 5:4 • Hab. 2:6, 18 • Zech. 12:10 • Ps. 21:6; 37:5, 12; 89:46; 104:34; 109:6 • Job 2:11; 14:22[2]; 18:6, 9; 26:9; 27:9, 22, 23; 33:23; 34:13, 28; 36:23, 30, 33; 38:10; 39:23; 40:30; 42:11 • Eccl. 3:14; 8:6 • Es. 4:17 • Dan. 2:1; 11:5, 21, 25, 40 • Ez. 7:6, 9 • Neh. 13:2 • ICh. 12:21(20); 29:25, 30 • IICh. 1:11; 10:14; 13:7; 15:1, 9; 18:31; 20:14; 24:21, 23, 25, 26; 24:27; 25:3, 27; 28:20; 32:17, 25[2], 31; 33:24; 36:6, 8

עָלָיו (ד)

5075 ...אֵת אֲשֶׁר־דִּבֶּר עָלָיו Gen. 18:19
5076 וּמֵעַי הָמוּ עָלָיו S.ofS. 5:4

וְעָלָיו (א)

5077 וְעָלָיו מַטֵּה מְנַשֶּׁה Num. 2:20
5078 וְעָלוֹ חֲגוֹר חֶרֶב מְצֻמֶּדֶת IISh. 20:8
5079 וְעָלָיו כְּמִבְנֵה־עִיר Ezek. 40:2
5080 וְיִרְאוּ צַדִּיקִ׳ וְיִירָאוּ וְעָלָיו יִשְׂחָקוּ Ps. 52:8
5081 וְעָלָיו יָצִיץ נִזְרוֹ Ps. 132:18
5082 רֹאשׁ לָרְאוּבֵנִי וְעָלָיו שְׁלוֹשִׁים ICh. 11:42
5083 לִפְנֵי מִזְבֵּחַ...וְעָלָיו תַּקְטִירוּ IICh. 32:12

מֵעָלָיו (ג)

5084 וַיַּעַל מֵעָלָיו אֱלֹהִים Gen. 35:13
5085 וַיֵּט יִשְׂרָאֵל מֵעָלָיו Num. 20:21
5086 וַיֵּצְאוּ מֵעָלָיו כָּל־הָעֹמְדִים עָלָיו Jud. 3:19
5087 אָז רָפְתָה רוּחָם מֵעָלָיו Jud. 8:3
5088 וַיָּסַר כֹּחוֹ מֵעָלָיו Jud. 16:19
5089 כִּי יְיָ סָר מֵעָלָיו Jud. 16:20
5090 וַיָּפֶץ הָעָם מֵעָלָיו ISh. 13:8
5091 וְסָרָה מֵעָלָיו רוּחַ הָרָעָה ISh. 16:23
5092 וַיִּטֹּשׁ דָּוִד אֶת־הַכֵּלִים מֵעָלָיו ISh. 17:22
5093 וַיְסִרֵם דָּוִד מֵעָלָיו ISh. 17:39
5094 וַיֵּצְאוּ כָל־אִישׁ מֵעָלָיו IISh. 13:9
5095/6 אַדֶּרֶת אֵלִיָּהוּ...נָפְלָה מֵעָלָיו IIK. 2:13, 14
5097 וַיִּסְעוּ מֵעָלָיו וַיָּשֻׁבוּ לָאָרֶץ IIK. 3:27
5098/9 וְכָל־חֵילוֹ נָפֹצוּ מֵעָלָיו IIK. 25:5 • Jer. 52:8
5100 וַיַּעֲבֵר אַדַּרְתּוֹ מֵעָלָיו Jon. 3:6
5101 הָסִירוּ הַבְּגָדִים הַצֹּאִים מֵעָלָיו Zech. 3:4
5102 שְׂטֵה מֵעָלָיו וַעֲבֹר Prov. 4:15
5103 וְהֵשִׁיב מֵעָלָיו אַפּוֹ Prov. 24:18
5104 לֹא־תָסוּר מֵעָלָיו אִוַּלְתּוֹ Prov. 27:22
5105 שְׁעֵה מֵעָלָיו וְיֶחְדָּל Job 14:6
5106 וּלְהָסִיר שַׂקּוֹ מֵעָלָיו Es. 4:4

וּמֵעָלָיו

5107 וּמֵעָלָיו אִישׁ טוֹב Prov. 14:14

עָלֶיהָ (א)

5108 דַּרְכִּי אֲשֶׁר־אָנֹכִי הֹלֵךְ עָלֶיהָ Gen. 24:42
5109 הָאָרֶץ אֲשֶׁר אַתָּה שֹׁכֵב עָלֶיהָ Gen. 28:13
5110 וַיַּסֵּךְ עָלֶיהָ נֶסֶךְ Gen. 35:14
5111 וַיִּצֹק עָלֶיהָ שָׁמֶן Gen. 35:14
5112 וְגַם הָאֲדָמָה אֲשֶׁר־הֵם עָלֶיהָ Ex. 8:17
5113 אֲשֶׁר עַמִּי עֹמֵד עָלֶיהָ Ex. 8:18
5114 וַיִּקְחוּ־אֶבֶן...וַיֵּשֶׁב עָלֶיהָ Ex. 17:12
5115 כִּי חַרְבְּךָ הֵנַפְתָּ עָלֶיהָ Ex. 20:22(21)
5116 הָאָרֶץ אֲשֶׁר אַתָּה בָּא עָלֶיהָ Ex. 34:12

עָלֶיהָ (א) (המשך)

5117 וְיָצַקְתָּ עָלֶיהָ שָׁמֶן Lev. 2:6
5118 וְאֶבֶן מַשְׂכִּית...לְהִשְׁתַּחֲוֹת עָלֶיהָ Lev. 26:1
5119 אֲשֶׁר לֹא־עָלָה עָלֶיהָ עֹל Num. 19:2
5120 וּכְתֹנֶת הַפַּסִּים אֲשֶׁר עָלֶיהָ קָרָעָ׳ IISh. 13:19
5121 אֶחְבְּשָׁה־לִּי הַחֲמוֹר וְאֶרְכַּב עָלֶ׳ IISh. 19:27
5122 וּכְתֹב עָלֶיהָ אֵת כָּל־הַדְּבָרִים Jer. 36:28
5123 וְחַקּוֹתָ עָלֶיהָ עִיר Ezek. 4:1
5124-5140 עָלֶיהָ (א) Lev. 2:1[2], 15; 5:11[2] • 25:19; 26:35 • Num. 13:18; 17:11 • Deut. 25:5 • ISh. 6:18; 9:6; 31:4 • Jer. 36:29, 32 • Zech. 4:2, 3 • ICh. 10:4

עָלֶיהָ (ב)

5141 שְׁלֹשָׁה עֶדְרֵי־צֹאן רֹבְצִים עָלֶיהָ Gen. 29:2
5142 וַתְּדַבֵּרְנָה הַנִּצָּבוֹת עָלֶיהָ ISh. 4:20
5143-5145 כֹּל עֹ(וֹ)בֵר עָלֶיהָ יִשֹּׁם Jer. 18:16 • 19:8; 49:17
5146 כֹּל עוֹבֵר עָלֶיהָ יִשְׁרֹק Zep. 2:15

עָלֶיהָ (ג)

5147 הַחַטָּאת אֲשֶׁר חָטְאוּ עָלֶיהָ Lev. 4:14
5148 וְהִתְוַדָּה אֲשֶׁר חָטָא עָלֶיהָ Lev. 5:5
5149 וְכִפֶּר עָלֶיהָ וְטָהֵרָה... Lev. 12:7
5150/1 וְכִפֶּר עָלֶיהָ הַכֹּהֵן Lev. 12:8; 15:30
5152 לְגַלּוֹת עֶרְוָתָהּ עָלֶיהָ בְּחַיֶּיהָ Lev. 18:18
5153 וָאֶפְקֹד עֲוֹנָהּ עָלֶיהָ Lev. 18:25
5154 כֹּל אֲשֶׁר־אָסְרָה...יָקוּם עָלֶיהָ Num. 30:10
5155/6 לְהִלָּחֵם עָלֶיהָ Deut. 20:10, 19
5157 וְעָשְׂתָה...מִלְחָמָה וְצַרְתָּ עָלֶיהָ Deut. 20:12
5158 וְהוֹצִא עָלֶיהָ שֵׁם רָע Deut. 22:14
5159 וְנִקְרָא שְׁמִי עָלֶיהָ IISh. 12:28
5160 כָּל־הַמִּתְאַבְּלִים עָלֶיהָ Is. 66:10
5161-5272 עָלֶיהָ (ג) Lev. 6:5[3], 20; 10:1 • 26:32 • Num. 5:15; 30:7, 9, 15 • Deut. 4:26; 29:26 • Josh. 10:5, 18, 31, 34[2], 36, 38 • Jud. 18:5; 19:30; 20:9 • ISh. 4:19 • IIK. 6:25; 17:5; 18:9; 19:32; 24:11; 25:11 • Is. 7:1[2]; 22:25; 24:20; 27:3; 34:11; 37:33; 42:5; 45:12 • Jer. 4:17; 6:3, 4; 11:16; 12:9; 15:8; 17:18; 19:15; 25:13, 29; 32:24; 34:22; 39:1; 48:2; 49:14; 50:3, 15, 21, 29; 51:2, 8, 27[3], 28, 56, 64; 52:4 • Ezek. 4:2[5], 3, 7; 14:13, 19, 22 • 22:3; 23:8, 41; 24:6; 28:21, 23, 26; 29:18; 33:2; 37:25 • Hosh. 2:15 • Am. 4:7 • Ob. 1 • Jon. 1:2 • Zep. 3:7, 18 • Zech. 12:3 • Ps. 37:29 • Job 20:13; 36:32; 38:5 • S.ofS. 8:9[2] • Ruth 3:15 • Eccl. 9:14 • Es. 2:1, 10, 20; 4:8; 7:8 • Dan. 1:1; 9:18 • Neh. 9:6, 36 • IICh. 8:3

עָלֶיהָ (ד)

5273 פֶּן־אָמוּת עָלֶיהָ Gen. 26:9
5274 וַיָּרִיבוּ גַּם־עָלֶיהָ Gen. 26:21
5275 וְלֹא רָבוּ עָלֶיהָ Gen. 26:22
5276 וְשָׁמְמוּ עָלֶיהָ אֹיְבֵיכֶם Lev. 26:32
5277 עָלֶיהָ לִבְנֵיכֶם סַפֵּרוּ Joel 1:3

וְעָלֶיהָ (א)

5278 וְעָלֶיהָ כְּתֹנֶת פַּסִּים IISh. 13:18
5279 וְעָלֶיהָ לַמָּרוֹם שׁוּבָה Ps. 7:8
5280 וְעָלֶיהָ יִכְרְעוּן אֲחֵרִין Job 31:10

וְהֶעָלֶיהָ

5281 אֶת־הַשּׁוֹק וְהֶעָלֶיהָ ISh. 9:24

מֵעָלֶיהָ (א)

5282 וַתּוֹרֶד כַּדָּהּ מֵעָלֶיהָ Gen. 24:46
5283 וַתָּסַר בִּגְדֵי אַלְמְנוּתָהּ מֵעָלֶיהָ Gen. 38:14
5284 וַתָּסַר צְעִיפָהּ מֵעָלֶיהָ Gen. 38:19
5285 וְהֵסִירָה...שִׂמְלַת שִׁבְיָהּ מֵעָלֶיהָ Deut. 21:13
5286 כִּי־אַרְגִּיעָה אֲרִיצֶנּוּ מֵעָלֶיהָ Jer. 49:19
5287 כִּי־אַרְגִּעָה אֲרִיצֵם מֵעָלֶיהָ Jer. 50:44
5288 וַתֵּקַע נַפְשִׁי מֵעָלֶיהָ Ezek. 23:18
5289 הַרְחֵק מֵעָלֶיהָ דַרְכֶּךָ Prov. 5:8

עָלֵינוּ (ג)

5290 וְאִישׁ אֵין בָּאָרֶץ לָבוֹא עָלֵינוּ Gen. 19:31
5291 וְהֵבֵאתָ עָלֵינוּ אָשָׁם Gen. 26:10

עָלֵינוּ (המשך) 5292 הֲמָלֹךְ תִּמְלֹךְ עָלֵינוּ Gen. 37:8

5293/4 לְהִתְגֹּלֵל עָלֵינוּ וּלְהִתְנַפֵּל עָלֵינוּ Gen. 43:18

5295 מִי שָׂמְךָ לְאִישׁ שַׂר וְשֹׁפֵט עָלֵינוּ Ex. 2:14

5296 אֱלֹהֵי הָעִבְרִיִּים נִקְרָה עָלֵינוּ Ex. 3:18

5297 אֱלֹהֵי הָעִבְרִים נִקְרָא עָלֵינוּ Ex. 5:3

5298 וְנַחְנוּ מָה כִּי תַלִּינוּ° עָלֵינוּ Ex. 16:7

5299 לֹא־עָלֵינוּ תְלֻנֹּתֵיכֶם Ex. 16:8

5300 אַל־נָא תָשֵׁת עָלֵינוּ חַטָּאת Num. 12:11

5301 כִּי־תִשְׂתָּרֵר עָלֵינוּ Num. 16:13

5302 וַיִּתְּנוּ עָלֵינוּ עֲבֹדָה קָשָׁה Deut. 26:6

5303 וְכִי־נָפְלָה אֵימַתְכֶם עָלֵינוּ Josh. 2:9

5304 וְיִשְׁמְעוּ הַכְּנַעֲנִי...וְנָסַבּוּ עָלֵינוּ Josh. 7:9

5305 וְלֹא־יִהְיֶה עָלֵינוּ קֶצֶף Josh. 9:20

5306 וַיֹּאמְרוּ לַזַּיִת מָלְכָה° עָלֵינוּ Jud. 9:8

5307 רַק יִקָּרֵא שִׁמְךָ עָלֵינוּ Is. 4:1

5308 לֹא־יַעֲלֶה הַכֹּרֵת עָלֵינוּ Is. 14:8

5309 עַד־יֵעָרֶה עָלֵינוּ רוּחַ מִמָּרוֹם Is. 32:15

5310 וְלֹא־תָבוֹא עָלֵינוּ רָעָה Jer. 5:12

5311 וִיהִי נֹעַם אֲדֹנָי אֱלֹהֵינוּ עָלֵינוּ Ps. 90:17

5312 וּמַעֲשֵׂה יָדֵינוּ כּוֹנְנָה עָלֵינוּ Ps. 90:17

5313 כִּי גָבַר עָלֵינוּ חַסְדּוֹ Ps. 117:2

5314-5378 עָלֵינוּ Jud. 9:10, 12, 14 15:10 • ISh. 5:7; 8:19; 10:19; 11:12; 12:12; 14:10; 25:16; 27:11; 30:23 • IISh. 5:2; 11:23; 15:14; 19:11 • IK. 12:4, 9 • IIK. 4:9; $7:6^2$; 22:13 • Jer. 6:26; 9:17; 14:9; 16:10; 21:2, 13; 35:6 • Ezek. 33:10 • Hosh. 10:8 • Jon. 1:14 • Mic. 3:11; 4:14 • Ps. 4:7; 33:22; 44:20; 103:10; 124:2 • Lam. 3:46; 5:22 • Dan. 9:11, 12^2, 13, 14 • Ez. 8:18, 31; 9:9, 13; 10:12 • Neh. 2:19; 4:6; 9:33, 37; $10:33^2$; 13:18 • IICh. 10:4, 9; 20:9, 11, 12; 28:13

מֵעָלֵינוּ(א) 5379 וְיָסֵר מֵעָלֵינוּ אֶת־הַנָּחָשׁ Num. 21:7

5380 וְאֶל־מִי יַעֲלֶה מֵעָלֵינוּ ISh. 6:20

5381 וְאַתָּה הָקֵל מֵעָלֵינוּ IK. 12:10

5382 אוּלַי יַעֲשֶׂה יְיָ...וְיַעֲלֶה מֵעָלֵינוּ Jer. 21:2

5383 הָלֹךְ יֵלְכוּ מֵעָלֵינוּ הַכַּשְׂדִּים Jer. 37:9

5384 וְיִשְׁתֹּק הַיָּם מֵעָלֵינוּ Jon. 1:11

5385 וְאַתָּה הָקֵל מֵעָלֵינוּ IICh. 10:10

עֲלֵיכֶם(א) 5386 יֵרֶא יְיָ עֲלֵיכֶם וְיִשְׁפֹּט Ex. 5:21

5387 וְרָאִיתִי אֶת־הַדָּם וּפָסַחְתִּי עֲלֵכֶם Ex. 12:13

5388 וְלָתֵת עֲלֵיכֶם הַיּוֹם בְּרָכָה Ex. 32:29

5389 צִוָּה יְיָ לַעֲשֹׂת לְכַפֵּר עֲלֵיכֶם Lev. 8:34

5390 כִּי־שֶׁמֶן מִשְׁחַת יְיָ עֲלֵיכֶם Lev. 10:7

5391 כִּי־בַיּוֹם הַזֶּה יְכַפֵּר עֲלֵיכֶם Lev. 16:30

5392 לְכַפֵּר עֲלֵיכֶם לִפְנֵי יְיָ Lev. 23:28

5393 וְהִפְקַדְתִּי עֲלֵיכֶם בֶּהָלָה Lev. 26:16

5394 וְיָסַפְתִּי עֲלֵיכֶם מַכָּה Lev. 26:21

5395 וְהֵבֵאתִי עֲלֵיכֶם חֶרֶב נֹקֶמֶת Lev. 26:25

5396 וּשְׂעִיר חַטָּאת...לְכַפֵּר עֲלֵיכֶם Num. 28:22

5397 יֹסֵף עֲלֵיכֶם כָּכֶם אֶלֶף פְּעָמִים Deut. 1:11

5398 וָאֶתֵּן אוֹתָם רָאשִׁים עֲלֵיכֶם Deut. 1:15

5399 כַּאֲשֶׁר־שָׂשׂ יְיָ עֲלֵיכֶם לְהֵיטִיב Deut. 28:63

5400 כֵּן יָשִׂישׂ יְיָ עֲלֵיכֶם לְהַאֲבִיד Deut. 28:63

5401 יְהִי עֲלֵיכֶם סִתְרָה Deut. 32:38

5402 אַל־טַל וְאַל־מָטָר עֲלֵיכֶם IISh. 1:21

5403/4 בְּטֶרֶם לֹא־יָבוֹא עֲלֵיכֶם... Zep. $2:2^2$

5405 יֹסֵף יְיָ עֲלֵיכֶם Ps. 115:14

5406 עֲלֵיכֶם וְעַל־בְּנֵיכֶם Ps. 115:14

5407-5486 עֲלֵיכֶם Num. 17:20; 28:30; 29:5 Deut. 9:19 • Josh. 23:14, 15^2 • Jud. 9:15, 17 • ISh. 8:11; 12:1, 12, 13, 14 • IISh. 3:17; 17:21 • IK. 12:11 • Is. 29:10 • Jer. 5:15; 6:17; 10:1; 15:14; $18:11^2$;

עֲלֵיכֶם (המשך) 21:4, 9, 14; 23:2, 17, 40; 26:13, 15^2; 29:10, 11; 37:19; 42:18, 19; $44:29^2$; 49:30 • Ezek. 5:16, 17; 6:3; 11:8; 20:33; 22:21, 22; 36:2, 10; 36:11, 12, 25, 29; $37:6^3$ • Am. 3:1, 2; 4:2; 5:1; 6:14 • Jon. 1:12 • Mic. 2:4 • Zep. 2:5 • Hag. 1:10 • Prov. 1:27 • Job 13:11; $16:4^2$; 42:8 • ICh. 12:18; 13:2 • IICh. 10:11; 13:12; 19:7, 10^2, 11; 28:11

מֵעֲלֵיכֶם 5487 לֹא־בָלוּ שַׂלְמֹתֵיכֶם מֵעֲלֵיכֶם Deut. 29:4

5488 גַּלּוֹתִי אֶת־חֶרְפַּת מִצְרַיִם מֵעֲלֵיכֶם Josh. 5:9

5489 אוּלַי יָקֵל אֶת־יָדוֹ מֵעֲלֵיכֶם ISh. 6:5

5490 חֵיל...בָּבֶל הָעֹלִים מֵעֲלֵיכֶם Jer. 34:21

5491 הַשְׁלִיכוּ מֵעֲלֵיכֶם...פִּשְׁעֵיכֶם Ezek. 18:31

5492 וְאֶת־הַצְּפוֹנִי אַרְחִיק מֵעֲלֵיכֶם Joel 2:20

5493 וְיִשְׁתֹּק הַיָּם מֵעֲלֵיכֶם Jon. 1:12

עֲלֵיכֶן 5494 וְנָשְׂאוּ זִמַּתְכֶנָה עֲלֵיכֶן Ezek. 23:49

עֲלֵיהֶם(א) 5495 הַתְּרָפִים...וַתֵּשֶׁב עֲלֵיהֶם Gen. 31:34

5496 וְיָרַד עֲלֵהֶם הַבָּרָד וָמֵתוּ Ex. 9:19

5497 וַיָּשֶׁב יְיָ עֲלֵהֶם אֶת־מֵי הַיָּם Ex. 15:19

5498 וּפִתַּחְתָּ עֲלֵיהֶם שְׁמוֹת בְּ־י Ex. 28:9

5499 וּפָרְשׂוּ עֲלֵיהֶם בֶּגֶד Num. 4:8

5500 הַזֵּה עֲלֵיהֶם מֵי חַטָּאת Num. 8:7

5501 וַעֲנַן יְיָ עֲלֵיהֶם יוֹמָם Num. 10:34

5502 וַעֲנָנְךָ עֹמֵד עֲלֵהֶם Num. 14:14

5503 וּנְתַתֶּם עֲלֵיהֶם קְטֹרֶת Num. 16:17

5504 וַיִּתְּנוּ עֲלֵיהֶם אֵשׁ Num. 16:18

5505 וַיָּשִׂימוּ עֲלֵיהֶם קְטֹרֶת Num. 16:18

5506 וְהִיא עָלְתָה עֲלֵיהֶם עַל־הַגָּג Josh. 2:8

5507 וּשְׂלָמוֹת בָּלוֹת עֲלֵיהֶם Josh. 9:5

5508 וַיְיָ הִשְׁלִיךְ עֲלֵיהֶם אֲבָנִים גְּדֹלוֹת Josh. 10:11

5509 עַד נִתַּךְ־מַיִם עֲלֵיהֶם IISh. 21:10

5510 וְלֹא־נָתְנָה...לָנוּחַ עֲלֵיהֶם IISh. 21:10

5511 וְקָלַע עֲלֵיהֶם מִקְלְעוֹת כְּרוּבִים IK. 6:32

5512 וְהַיָּם עֲלֵיהֶם מִלְמָעְלָה IK. 7:25

5513 וַיִּשְׂרֹף אֶת־עַצְמוֹת אָדָם עֲלֵיהֶם IIK. 23:20

5514 וְהִנֵּה־עֲלֵיהֶם גִּדִים... Ezek. 37:8

5515 וַיִּקְרַם עֲלֵיהֶם עוֹר מִלְמָעְלָה Ezek. 37:8

5516 אֲשֶׁר־תִּכְתֹּב עֲלֵיהֶם בְּיָדְךָ Ezek. 37:20

5517 וְלֹא־יַעֲלֶה עֲלֵיהֶם צֶמֶר Ezek. 44:17

5518 עֲלֵיהֶם עוֹף־הַשָּׁמַיִם יִשְׁכּוֹן Ps. 104:12

5519 בְּצוֹם וּבְשַׂקִּים וַאֲדָמָה עֲלֵיהֶם Neh. 9:1

5520 וְהַיָּם עֲלֵיהֶם מִלְמָעְלָה IICh. 4:4

עֲלֵיהֶם(ג) 5521 וַיֵּחָלֵק עֲלֵיהֶם לַיְלָה Gen. 14:15

5522 וְהוּא עֹמֵד עֲלֵיהֶם Gen. 18:8

5523 וַיְנַשֵּׁק לְכָל־אֶחָיו וַיֵּבְךְּ עֲלֵהֶם Gen. 45:15

5524 כִּי־חָזַק עֲלֵהֶם הָרָעָב Gen. 47:20

5525 מַתְכֹּנֶת הַלְּבֵנִים...תָּשִׂימוּ עֲלֵיהֶם Ex. 5:8

5526 אֲשֶׁר־שָׂמוּ עֲלֵהֶם נֹגְשֵׂי פַרְעֹה Ex. 5:14

5527 סָגַר עֲלֵיהֶם הַמִּדְבָּר Ex. 14:3

5528 תִּפֹּל עֲלֵיהֶם אֵימָתָה וָפַחַד Ex. 15:16

5529 וַיִּקְצֹף עֲלֵהֶם מֹשֶׁה Ex. 16:20

5530 כִּי בַדָּבָר אֲשֶׁר זָדוּ עֲלֵיהֶם Ex. 18:11

5531 וְשַׂמְתָּ עֲלֵהֶם שָׂרֵי אֲלָפִים Ex. 18:21

5532 וּפָקַדְתִּי עֲלֵהֶם חַטָּאתָם Ex. 32:34

5533 וְכִפֶּר עֲלֵהֶם הַכֹּהֵן Lev. 4:20

5534 לְכַפֵּר עֲלֵיהֶם לִפְנֵי יְיָ Lev. 10:17

5535 וּפְקַדְתֶּם עֲלֵהֶם בְּמִשְׁמֶרֶת Num. 4:27

5536 כִּי־עֲבֹדַת הַקֹּדֶשׁ עֲלֵהֶם Num. 7:9

5537 וּשְׁמוּאֵל עֹמֵד נִצָּב עֲלֵיהֶם ISh. 19:20

5538 וְעוֹד נוֹסַף עֲלֵיהֶם דְּבָרִים רַבִּים Jer. 36:32

5539 וְהֶעֱבִירַנִי עֲלֵיהֶם סָבִיב Ezek. 37:2

5540-5723 עֲלֵיהֶם (ג) Num. 8:21 11:17, 25, 26, 29; 16:19, 29, 33; 17:11 • Deut. 7:16,

עֲלֵיהֶם (המשך) 25; 27:5 • Josh. 11:7; 22:12, 33 • Jud. 6:4; 9:8, 25; 9:43, 49; 11:11; $16:26^2$, 29^2; 18:9; 20:34 • ISh. 2:8; 6:7; 8:7, 9; 22:2; 26:12 • IISh. 2:7; 11:23; 18:1 • IK. 9:9; 12:17; 18:28 • IIK. 8:20; 18:23; 20:13; 25:22 • Is. 8:7; 9:1; 13:17; 14:1, 22; 36:8; 38:16; 39:2; 63:19 • Jer. 11:8, 22; 14:16; 15:3; 17:18; 18:20, 22; 21:7; 23:4, 12; 24:6; 26:19; 31:28(27^2); 32:41, 42^2; 35:17; 36:31; 40:11; 42:17; 43:10; 44:27; 46:21; 49:20, 29, 30, 37; 50:27, 45 • Ezek. 4:15; 6:14; 10:1, 19; 11:4, 22; 16:16, 37; 18:26; 20:8, 13, 17, 21; 22:31; 23:7, 9, 16, 46; 25:2; 33:19; 34:23; 36:18; 37:24, 27; 38:17; 43:24; 44:12; 45:15 • Hosh. 5:10; 7:12; 10:10 • Am. 9:4, 12 • Jon. 1:13 • Mic. 3:6; 4:7 • Zep. 2:7, 11; 3:8 • Zech. 2:13; 9:8, 14, 15; 14:17, 18 • Mal. 3:17 • Ps. 69:25; 78:24, 27; 94:23; 105:14, 38; 140:11 • Prov. 20:26 • Job 21:9, 26; 37:15 • Eccl. 5:7; 9:12 • Es. 8:17; 9:3, 21, 27^2, 31 • Dan. 10:7; 11:34 • Ez. 3:3, 7; 4:5; 6:22 • Neh. 4:3; 5:7; 6:3; 9:10, 30; 11:9, 14, 23 • ICh. 5:20; 9:20, 27, 33; 15:15; 16:21; 23:31 • IICh. 2:1, 10; 7:14, 22; 9:8; 10:17; 14:13; 19:9; 20:16; 21:8; 27:5; 29:23; 30:10, 18; 32:26; 33:11; 36:17

וַעֲלֵיהֶם 5724 וַעֲלֵיהֶם תִּתְּנוּ אַרְבָּעִים...עִיר Num. 35:6

5725 וַעֲלֵיהֶם כְּכָל־הַדְּבָרִים... Deut. 9:10

5726 וַעֲלֵיהֶם מָאתַיִם לֶחֶם IISh. 16:1

5727 וַעֲלֵיהֶם תָּבוֹא בִרְכַּת־טוֹב Prov. 24:25

5728 וַעֲלֵיהֶם לַחֲלֹק לַאֲחֵיהֶם Neh. 13:13

5729 וַעֲלֵיהֶם לְתֹלְדוֹתָם... ICh. 7:4

5730 וְעֵצִים...הֲכִינוֹתִי וַעֲלֵיהֶם תּוֹסִיף ICh. 22:14

5731 וַעֲלֵיהֶם לֶחֶם הַפָּנִים IICh. 4:19

5732 וַעֲלֵיהֶם נָגִיד כָּנַנְיָהוּ° הַלֵּוִי IICh. 31:12

5733 וַעֲלֵיהֶם מֻפְקָדִים יַחַת וְעֹבַדְיָהוּ IICh. 34:12

מֵעֲלֵיהֶם 5734 וַיִּסֹּב מֵעֲלֵיהֶם וַיֵּבְךְּ Gen. 42:24

5735 סָר צִלָּם מֵעֲלֵיהֶם Num. 14:9

5736 וַיָּסַר מֵעֲלֵיהֶם אֶת°־הַכִּיֹּר IIK. 16:17

5737 וְסָר מֵעֲלֵיהֶם עֻלּוֹ Is. 14:25

5738 וַיָּטִלוּ...לְהָקֵל מֵעֲלֵיהֶם Jon. 1:5

5739 גֹּזְלֵי עוֹרָם מֵעֲלֵיהֶם Mic. 3:2

5740 וְעוֹרָם מֵעֲלֵיהֶם הִפְשִׁיטוּ Mic. 3:3

5741 הַמְרִיקִים מֵעֲלֵיהֶם הַזָּהָב Zech. 4:12

5742 אֶדֶר הַיְקָר אֲשֶׁר יָקַרְתִּי מֵעֲלֵיהֶם Zech. 11:13

5743 לֹא־סָר מֵעֲלֵיהֶם בְּיוֹמָם Neh. 9:19

5744 הָסֵב מֵעֲלֵיהֶם וּבָאתָ...מִמּוּל... ICh. 14:14

5745 כִּי סָרוּ מֵעֲלֵיהֶם IICh. 20:10

5746 וְהַחַמָּנִים אֲשֶׁר־לְמַעְלָה מֵעֲלֵיהֶם IICh. 34:4

עָלֵימוֹ 5747 אַסְפֶּה עָלֵימוֹ רָעוֹת Deut. 32:23

5748 וְתָסֵךְ עָלֵימוֹ Ps. 5:12

5749 יַשִּׁיא מָוֶת° עָלֵימוֹ Ps. 55:16

5750 וַיַּכְשִׁילֻהוּ עָלֵימוֹ לְשׁוֹנָם Ps. 64:9

5751 עָלֵימוֹ יִתְעַלֶּם־שָׁלֶג Job 6:16

5752 וְיַמְטֵר עָלֵימוֹ בִּלְחוּמוֹ Job 20:23

5753 וְיָבֹא עָלֵימוֹ אֵידָם Job 21:17

5754 כִּי־יִסְכֹּן עָלֵימוֹ מַשְׂכִּיל Job 22:2

5755 יִשְׂפֹּק עָלֵימוֹ כַפֵּימוֹ Job 27:23

5756 עָלֵימוֹ אָבַד כָּלַח Job 30:2

5757 יָרִיעוּ עָלֵימוֹ כַּגַּנָּב Job 30:5

וְעָלֵימוֹ 5758 וְעָלֵימוֹ תִּטֹּף מִלָּתִי Job 29:22

עֲלֵיהֶן (א) 5759/60 וְאֶת־הַחֵלֶב אֲשֶׁר עֲלֵיהֶן Ex. 29:13, 22

5761-5763 וְאֶת־הַחֵלֶב אֲשֶׁר עֲלֵהֶן Lev. 3:4, 10, 15

5764/5 וְאֶת־הַחֵלֶב אֲשֶׁר עֲלֵיהֶן Lev. 4:9; 7:4

5766 וְשִׂימוּ עֲלֵיהֶן קְטֹרֶת Num. 16:7

5767 וְכָתַבְתָּ עֲלֵיהֶן אֶת־כָּל־דִּבְרֵי... Deut. 27:3

5768 אֲשֶׁר לֹא־הֵנִיף עֲלֵיהֶן בַּרְזֶל Josh. 8:31

עֲלֵיהֶן (המשך)

5769 וְהִנָּבֵא עֲלֵיהֶן Ezek. 13:17
5770 וְרָגְמוּ עֲלֵיהֶן אֶבֶן Ezek. 23:47
5771 וְרֹעֵיהֶם לֹא יַחְמוֹל עֲלֵיהֶן Zech. 11:5
5772 וַתֵּהֹם כָּל־הָעִיר עֲלֵיהֶן Ruth 1:19

עַל²

מ״י ארמית, כמו בעברית ״עַל״
א) למעלה ממקום מסוים: 1-18, 64-103
ב) במשמע אֶל: 19-25
ג) על־אודות: 79, 80
ד) במשמעים שונים אחרי פעלים שונים: 26-53
עַל־דִּי 54, 55; עַל־דְּנָה 56-62; עַל־מָה 63

עַל(א) 1 לָא־אִיתַי אֱנָשׁ עַל־יַבֶּשְׁתָּא Dan. 2:10
2 וְחֶזְוֵי רֵאשָׁךְ עַל־מִשְׁכְּבָךְ Dan. 2:28
3 רַעְיוֹנָךְ° עַל־מִשְׁכְּבָךְ סְלִקוּ Dan. 2:29
4 וּמְחָת לְצַלְמָא עַל־רַגְלוֹהִי Dan. 2:34
5 נְפַל עַל־אַנְפּוֹהִי וּלְדָנִיֵּאל סְגִד Dan. 2:46
6 וְהַרְהֹרִין עַל־מִשְׁכְּבִי... Dan. 4:2
7 וּבֵית אֱלָהָא יִתְבְּנֵא עַל־אַתְרֵהּ Ez. 5:15
8-18 עַל (א) Dan. 4:7, 10
5:5, 7, 16, 29; 6:11; 7:1, 6, 19 • Ez. 6:7

עַל־(ב) 19 דָּנִיֵּאל עַל עַל־אַרְיוֹךְ Dan. 2:24
20 קִרְבֵת עַל־חַד מִן־קָאֲמַיָּא וְיַצִּיבָא Dan. 7:16
21 שְׁלַחוּ עֲלוֹהִי עַל־אַרְתַּחְשַׁשְׂתְּא Ez. 4:11
22 פִּתְגָמָא שְׁלַח...עַל־רְחוּם Ez. 4:17
23 אֲזַלוּ...לִירוּשְׁלֶם עַל־יְהוּדָיֵא Ez. 4:23
24 דִּי־שְׁלַח...עַל־דָּרְיָוֶשׁ מַלְכָּא Ez. 5:6
25 שְׁלִיחַ לְבַקָּרָה עַל־יְהוּד Ez. 7:14

עַל־(ג) 26 וְרַחֲמִין לְמִבְעֵא...עַל־רָזָא דְנָה Dan. 2:18
27 וְהַשְׁלְטֵהּ עַל כָּל־מְדִינַת בָּבֶל Dan. 2:48
28 וְרַב־סִגְנִין עַל כָּל־חַכִּימֵי בָבֶל Dan. 2:48
29 וּמַנִּי עַל עֲבִידְתָּא דִּי מְדִינַת בָּבֶל Dan. 2:49
30 מַנִּיתָ...עַל־עֲבִידַת מְדִינַת בָּבֶל Dan. 3:12
31 הִתְמְלִי חֱמָא...עַל־שַׁדְרַךְ Dan. 3:19
32 דִּי יֵאמַר שָׁלוּ° עַל־אֱלָהֲהוֹן Dan. 3:29
33 כֹּלָּא מְטָא עַל־נְבוּכַדְנֶצַּר Dan. 4:25
34 מִלְּתָא סָפַת עַל־נְבוּכַדְנֶצַּר Dan. 4:30
35 וְהִתְנַבִּי חַגַּי...עַל־יְהוּדָיֵא Ez. 5:1
36 וְעֵין אֱלָהֲהֹם הֲוָת עַל־שָׂבֵי יְהוּדָיֵא Ez. 5:5
37 וּכְעַן הֵן עַל־מַלְכָּא טָב Ez. 5:17
38-53 עַל (ג) Dan. 4:21, 26
6:2, 4², 7, 13, 16, 18 • 4:8, 19, 20; 6:17, 18; 7:17, 23

עַל דִּי 54 עַל־דִּבְרַת דִּי...יְהוֹדְעוּן Dan. 2:30
55 עַל דִּי חֲזֵה לְמֵזְיֵהּ Dan. 3:19
עַל־דְּנָה 56 לָא־חַשְׁחִין...עַל־דְּנָה פִּתְגָם Dan. 3:16
57 עַל־דְּנָה שְׁלַחְנָא וְהוֹדַעְנָא לְמַלְכָּא Ez. 4:14
58 עַל־דְּנָה קִרְיְתָא דָךְ הָחָרְבַת Ez. 4:15
59 וּזְהִירִין הֱווֹ שָׁלוּ לְמֶעְבַּד עַל־דְּנָה Ez. 4:22
60 וֶאֱדַיִן יְתִיבוּן נִשְׁתְּוָנָא עַל־דְּנָה Ez. 5:5
61 וּרְעוּת מַלְכָּא עַל־דְּנָה Ez. 5:17
62 וּבַיְתֵהּ נְוָלוּ יִתְעֲבֵד עַל־דְּנָה Ez. 6:11
עַל־מָה 63 עַל־מָה דָתָא מְהַחְצְפָה Dan. 2:15
וְעַל־ 64 וְעַל־מַלְכוּתִי הָתְקְנַת Dan. 4:33
65 וְעַל מָרֵא־שְׁמַיָּא הִתְרוֹמַמְתָּ Dan. 5:23
66 לָא־שָׂם עֲלָךְ°...וְעַל־אֱסָרָא... Dan. 6:14
67 וְעַל דָּנִיֵּאל שָׂם בָּל לְשֵׁיזָבוּתֵהּ Dan. 6:15
68 וְעַל־רַגְלַיִן כֶּאֱנָשׁ הֳקִימַת Dan. 7:4
69 וְעַל־קַרְנַיָּא עֲשַׂר דִּי בְרֵאשַׁהּ Dan. 7:20
70 וּמָה דִּי עֲלָךְ° וְעַל־אֶחָךְ° Ez. 7:18
עֲלַי 71 וּמַנְדְּעִי עֲלַי יְתוּב Dan. 4:31
72 בֵּהּ־זִמְנָא מַנְדְּעִי יְתוּב עֲלַי Dan. 4:33
73 הַדְרִי וְזִיוִי יְתוּב עֲלַי Dan. 4:33
74 וְזִיוַי יִשְׁתַּנּוֹן עֲלַי Dan. 7:28

עֲלָךְ 75 לָא־שָׂמוּ עֲלָךְ° מַלְכָּא טְעֵם Dan. 3:12
(כת׳ עליך) 76/7 וְשִׁבְעָה עִדָּנִין יַחְלְפוּן עֲלָךְ° Dan. 4:22, 29
78 מַלְכָּא מִלְכִּי יִשְׁפַּר עֲלָךְ° Dan. 4:24
79 וְשִׁמְעֵת עֲלָךְ° דִּי רוּחַ אֱלָהִין בָּךְ Dan. 5:14
80 וַאֲנָה שִׁמְעֵת עֲלָךְ° דִּי תִכֻּל... Dan. 5:16
81 לָא־שָׂם עֲלָךְ° מַלְכָּא טְעֵם Dan. 6:14
82 וּמָה דִי עֲלָךְ° וְעַל־אֶחָךְ° יֵיטַב Ez. 7:18
עֲלוֹהִי 83 לְעַבְדוֹהִי דִּי הִתְרְחִצוּ עֲלוֹהִי Dan. 3:28
84 וְשִׁבְעָה עִדָּנִין יַחְלְפוּן עֲלוֹהִי Dan. 4:13
85 שִׁבְעָה עִדָּנִין יַחְלְפוּן עֲלוֹהִי Dan. 4:20
86 וְזִיוֹהִי שָׁנַיִן עֲלוֹהִי Dan. 5:9
87 וְהַכְרִזוּ עֲלוֹהִי דִּי־לֶהֱוֵא שַׁלִּיט... Dan. 5:29
88 וְכָל־שָׁלוּ...לָא הִשְׁתְּכַחַת עֲלוֹהִי Dan. 6:5
89 לָהֵן הַשְׁכַּחְנָא עֲלוֹהִי בְּדָת אֱלָהֵהּ Dan. 6:6
90 מַלְכָּא...שַׂגִּיא בְּאֵשׁ עֲלוֹהִי Dan. 6:15
91 וְשִׁנְתֵּהּ נַדַּת עֲלוֹהִי Dan. 6:19
92 מַלְכָּא שַׂגִּיא טְאֵב עֲלוֹהִי Dan. 6:24
93 דִּי שְׁלַחוּ עֲלוֹהִי עַל־אַרְתַּחְשַׁשְׂתְּא Ez. 4:11
94 פִּתְגָמָא שְׁלַחוּ עֲלוֹהִי Ez. 5:7
95 וּזְקִיף יִתְמְחֵא עֲלֹהִי Ez. 6:11
עֲלַהּ 96 וּשְׁפַל אֲנָשִׁים יְקִים עֲלַהּ° (כת׳ עליה) Dan. 4:14
97 וּלְמַן־דִּי יִצְבֵּא יְהָקֵים עֲלַהּ° Dan. 5:21
עֲלֶינָא 98 יְהוּדָיֵא...עֲלֶינָא אֲתוֹ לִירוּשְׁלֶם Ez. 4:12
99 נִשְׁתְּוָנָא דִּי שְׁלַחְתּוּן עֲלֶינָא Ez. 4:18
100 וּרְעוּת מַלְכָּא...יִשְׁלַח עֲלֶינָא Ez. 5:17
עֲלֵיהוֹם 101 מִנְדָּה...לָא שַׁלִּיט לְמִרְמֵא עֲלֵיהֹם Ez. 7:24
עֲלֵיהוֹן 102 וְהִתְנַבִּי...בְּשֻׁם אֱלָהּ יִשְׂרָ׳ עֲלֵיהוֹן Ez. 5:1
103 בֵּהּ־זִמְנָא אֲתָה עֲלֵיהוֹן תַּתְּנַי Ez. 5:3

עֹל

ז׳ א) כְּלִי־רְתָמָה על צַוַּאר בהמה: 1, 2, 11
ב) [בהשאלה] נטל, מעמסה, סבל: 3, 7-10, 14-16, 19-40
– עֹל בַּרְזֶל 12, 17; עֹל כָּבֵד 3, 8, 28, 29; עֹל מֶלֶךְ בָּבֶל 14, 15, 19-20; עֹל נְבוּכַדְנֶאצַּר 16; עֹל סֻבֳּלוֹ 13; עֹל פְּשָׁעַי 18
– מוֹטוֹת הָעֹל 34, 40
– הִכְבִּיד עֹל 22, 32, 33, 37, 39; הֶעֱמִיס עֹל 8; הִקְשָׁה עֹל 30, 31; הֵרִים עֹל 6; חִבֵּל עֹל 4; נָשָׂא עֹל 7; נִשְׂקַד עֹל 18; נָתַן עֹל 12, 28, 29; סָר עֹל 25, 27; עָלָה עֹל 1, 2; פָּרַק עֹל 24; שָׁבַר עֹל 5, 14-16, 23, 26
– מָשַׁךְ בְּעֹל 11

עֹל 1 אֲשֶׁר לֹא־עָלָה עָלֶיהָ עֹל Num. 19:2
2 אֲשֶׁר לֹא־עָלָה עֲלֵיהֶם עֹל ISh. 6:7
3 אָבִי הֶעְמִיס עֲלֵיכֶם עֹל כָּבֵד IK. 12:11
4 וְחֻבַּל עֹל מִפְּנֵי־שָׁמֶן Is. 10:27
5 שָׁבְרוּ עֹל נִתְּקוּ מוֹסֵרוֹת Jer. 5:5
6 כִּמְרִימֵי עֹל עַל לְחֵיהֶם Hosh. 11:4
7 טוֹב לַגֶּבֶר כִּי־יִשָּׂא עֹל בִּנְעוּרָיו Lam. 3:27
8 אָבִי הֶעְמִיס עֲלֵיכֶם עֹל כָּבֵד IICh. 10:11
הָעֹל 9/10 הָקֵל מִן־הָעֹל אֲשֶׁר נָתַן אָבִיךָ עָלֵינוּ
IK. 12:9 • IICh. 10:9
בְּעֹל 11 אֲשֶׁר לֹא־מָשְׁכָה בְּעֹל Deut. 21:3
עֹל־ 12 וְנָתַן עֹל בַּרְזֶל עַל־צַוָּארֶךָ Deut. 28:48
13 אֶת־עֹל סֻבֳּלוֹ וְאֵת מַטֵּה שִׁכְמוֹ Is. 9:3
14 שָׁבַרְתִּי אֶת־עֹל מֶלֶךְ בָּבֶל Jer. 28:2
15 כִּי אֶשְׁבֹּר אֶת־עֹל מֶלֶךְ בָּבֶל Jer. 28:4
16 כָּכָה אֶשְׁבֹּר אֶת־עֹל נְבֻכַדְנֶאצַּר Jer. 28:11
17 עֹל בַּרְזֶל נָתַתִּי עַל־צַוַּאר... Jer. 28:14
18 נִשְׂקַד עֹל פְּשָׁעַי בְּיָדוֹ Lam. 1:14
בְּעֹל־ 19 לֹא־יִתֵּן אֶת־צַוָּארוֹ בְּעֹל מ׳ בָּבֶל Jer. 27:8
20 יָבִיא אֶת־צַוָּארוֹ בְּעֹל מ׳ בָּבֶל Jer. 27:11
21 הָבִיאוּ...צַוְּארֵיכֶם בְּעֹל מ׳ בָּבֶל Jer. 27:12
עֻלֵּךְ 22 עַל־זָקֵן הִכְבַּדְתְּ עֻלֵּךְ מְאֹד Is. 47:6
23 שָׁבַרְתִּי עֻלֵּךְ נִתַּקְתִּי מוֹסְרוֹתַיִךְ Jer. 2:20
עֻלּוֹ 24 וּפָרַקְתָּ עֻלּוֹ מֵעַל צַוָּארֶךָ Gen. 27:40
25 וְסָר מֵעֲלֵיהֶם עֻלּוֹ Is. 14:25
26 אֶשְׁבֹּר עֻלּוֹ מֵעַל צַוָּארֶךָ Jer. 30:8
וְעֻלּוֹ 27 יָסוּר סֻבֳּלוֹ...וְעֻלּוֹ מֵעַל צַוָּארֶךָ Is. 10:27
וּמֵעֻלּוֹ 28 וּמֵעֻלּוֹ הַכָּבֵד אֲשֶׁר־נָתַן עָלֵינוּ IK. 12:4
29 וּמֵעֻלּוֹ הַכָּבֵד אֲשֶׁר־נָתַן עָלֵינוּ IICh. 10:4
עֻלֵּנוּ 30/1 אָבִיךָ הִקְשָׁה אֶת־עֻלֵּנוּ IK. 12:4 • IICh. 10:4
32/3 אָבִיךָ הִכְבִּיד אֶת־עֻ׳ IK. 12:10 • IICh. 10:10
עֻלְּכֶם 34 וָאֶשְׁבֹּר מֹטֹת עֻלְּכֶם Lev. 26:13
35/6 וַאֲנִי אֹסִיף עַל־עֻלְּכֶם IK. 12:11, 14
37 אָבִי הִכְבִּיד אֶת־עֻלְּכֶם IK. 12:14
38 וַאֲנִי אֹסִיף עַל־עֻלְּכֶם IICh. 10:11
39 אַכְבִּיד אֶת־עֻלְּכֶם IICh. 10:14
עֻלָּם 40 בְּשִׁבְרִי אֶת־מֹטוֹת עֻלָּם Ezek. 34:27

עֵלָּא

תה״פ ארמית: למעלה
וְעֵלָּא 1 וְעֵלָּא מִנְּהוֹן סָרְכִין תְּלָתָה Dan. 6:3

עֻלָּא

שפ״ז – מראשי האבות לבני אשר
עֻלָּא 1 וּבְנֵי עֻלָּא אָרַח וְחַנִּיאֵל וְרִצְיָא ICh. 7:39

עִלָּאָה

ת׳ ארמית – עין עִלָּי

עַלְבוֹן

שפ״ז – עין אֲבִי־עַלְבוֹן (ע׳ אָבִי באות א׳)

עִלֵּג*

ת׳ כבד־פה
עִלְּגִים 1 וּלְשׁוֹן עִלְּגִים תְּמַהֵר לְדַבֵּר צָחוֹת Is. 32:4

עלה

: עָלָה, נַעֲלָה, הֶעֱלָה, הֹעֲלָה, הִתְעַלָּה; עַל, עָלָה, עוֹלָה, עָלֶה, עֱלִי, עִלִּית, עֲלִיָּה, עֶלְיוֹן, מַעַל, מֹעַל, מַעֲלֶה, מַעֲלָה, מַעְלָה; ש״פ עַלְוָה², עַלְיָה, עַלְוָן, עַלְיָן, עֵלִי, אֶלְעָלֵא, יָעֵל; אר׳ עַל

עָלָה

פָּ׳ א) [עָלָה אֶל־, עַל־, בְּ־, מִן־, לִקְרַאת וכו׳] הלך כלפי מעלה, התרומם על־, מִן־ וכו׳ (גם בהשאלה): רוב המקראות 1-614
ב) צָמַח, גָּדַל: 7, 20, 119, 127, 152, 156, 168, 198, 264, 265, 315, 316, 328, 422, 437
[ועין עוד בצרופים]
ג) [נִפ׳ נַעֲלָה] התרומם, נשא: 621, 625, 629
ד) [כנ״ל] סר, הסתלק: 615-620, 622-624, 626-628, 630-632
ה) [הִפ׳ הֶעֱלָה] הרים, הביא למעלה, שָׂם למעלה (גם בהשאלה): 633-885
ו) [הָפ׳ הֹעֲלָה] הורם, הושם למעלה (גם בהשאלה): 886-889
ז) [הת׳ הִתְעַלָּה] התנשא, התגאה: 890
– עָלָה אֵד 291; עָ׳ אַף 124; עָ׳ בָּאְשׁוֹ 154, 313, 446; עָ׳ בָּשָׂר 119; עָ׳ הַגְּבוּל 141-146, 148; עָ׳ גָּדִישׁ 20; עָ׳ גּוֹרָל 81, 82; עָ׳ הַכּוֹרֵת 311; עָ׳ לַהַב 10; עָ׳ מוֹרָה 89, 299, 301; עָ׳ מָוֶת 114; עָ׳ מִסְפָּר 132; עָלָה עֹל 83, 94; עָלָה עָשָׁן 85, 96, 97, 314, 359; עָלָה הַפּוֹרֵץ 121; עָ׳ שָׁאוֹן 223; עָ׳ שַׁאֲנָן 106, 107; עָלָה הַשַּׁחַר 4, 14, 16-18, 45
– עָלָה עַל לֵב 307, 317, 490; עָ׳ עַל מוֹקֵד 237; עָלָה עַל רוּחוֹ 241
– עָלְתָה אֲרוּכָה 164, 456; עָ׳ חֵמָה 9, 436, 440; עָ׳ יָדוֹ 171; עָ׳ מִנְחָה 12, 19, 35; עָ׳ מַשְׂאֵת 30; עָלְתָה צְוָחָה 166; עָלְתָה רוּחַ 442; עָלְתָה שַׁוְעָה 447, 453

– עָלְתָה עַל לֵב 159-161, 438, 445, 490

– הֶעֱלָה אֵבֶר 850; הֶעֱ׳ אַף 806; הֶעֱ׳ אֲרוּכָה 748, 780; הֶעֱ׳ בְּאֵשׁ 785; הֶעֱ׳ בָּשָׂר 682; הֶעֱ׳ גֵּרָה 760-762, 767-770, 774; הֶעֱ׳ חֵמָה 651; הֶעֱ׳ מִנְחָה 700, 705, 763; הֶעֱלָה מַס 704, 823; הֶעֱ׳ מַשְׂאֵת 674; הֶעֱלָה נֵר (נֵרוֹת) 641, 643, 644, 672, 694, 701, 717, 811; הֶעֱ׳ נְשִׂיאִים 752, 807, 825; הֶעֱלָה עוֹלָה (עוֹלוֹת) 634, 635, 640, 645-647, 652-654, 659, 662, 664, 667, 688, 695, 696, 715, 718-720, 729, 734, 735, 739, 741, 746, 773, 779, 782, 784, 789, 790, 795, 797, 799, 800, 810, 812, 817, 819, 821, 822, 826-828, 835, 837, 840, 851, 857, 858, 861, 867, 872, 873, 880; הֶעֱלָה קָהָל 633, 740; הֶעֱלָה קְטֹרֶת 848

– הֶעֱלָה אֶל לֵב 805, 809; הֶעֱלָה לְמַס 844, 845

– הֹעֲלָה עַל מִזְבֵּחַ 886; הֹעֲלָה עַל סֵפֶר 887

עָלֹה 1 וְאָנֹכִי אַעַלְךָ גַם־עָלֹה Gen. 46:4
2 עָלֹה נַעֲלֶה וְיָרַשְׁנוּ אֹתָהּ Num. 13:20
3 חָפוּ אִישׁ רֹאשׁוֹ וְעָלוּ עָלֹה וּבָכֹה IISh. 15:30
עֲלוֹת 4 וַיֵּאָבֵק...עַד עֲלוֹת הַשָּׁחַר Gen. 32:24
5 הִשָּׁמְרוּ לָכֶם עֲלוֹת בָּהָר Ex. 19:12
6 לְמִיּוֹם עֲלוֹת בְּ״יִ מֵאֶרֶץ מִצְרַיִם Jud. 19:30
7 בִּתְחִלַּת עֲלוֹת הַלָּקֶשׁ Am. 7:1
8 מִנֶּגֶד עֲלֹת הַנֶּשֶׁק הַמִּקְצֹעַ Neh. 3:19
9 עַד עֲלוֹת חֲמַת־יְיָ בְּעַמּוֹ IICh. 36:16
בַּעֲלוֹת 10 וַיְהִי בַעֲלוֹת הַלַּהַב...הַשָּׁמַיְמָה Jud. 13:20
11 בַּעֲלוֹת יוֹאָב...לְקַבֵּר אֶת־הַחֲלָלִים IK.11:15
12 וַיְהִי בַּעֲלוֹת הַמִּנְחָה וַיִּגַּשׁ אֵלִיָּהוּ IK. 18:36
13 בַּעֲלוֹת נְבוּכַדְרֶאצַּר...אֶל־הָאָרֶץ Jer. 35:11
14 בַּעֲלוֹת הַשַּׁחַר לַמָּחֳרָת Jon. 4:7
כַּעֲלוֹת 15 וַיְהִי כַּעֲלוֹת (כת׳ בעלות) הַכֹּהֲנִים...
מִתּוֹךְ הַיַּרְדֵּן Josh. 4:18
16 וַיַּשְׁכִּמוּ כַּעֲלוֹת הַשַּׁחַר Josh. 6:15
17 וַיְשַׁלְּחוּהָ כַּעֲלוֹת (כת׳ בעלות) הַשָּׁחַר Jud. 19:25
18 וַיַּשְׁכִּמוּ וַיְהִי כַּעֲלוֹת הַשַּׁחַר ISh. 9:26
19 וַיְהִי בַבֹּקֶר כַּעֲלוֹת הַמִּנְחָה IIK. 3:20
20 כַּעֲלוֹת גָּדִישׁ בְּעִתּוֹ Job 5:26
לַעֲלוֹת 21 לֹא־יוּכַל הָעָם לַעֲלֹת אֶל־הַר סִינָי Ex. 19:23
22 אַל־יֶהֶרְסוּ לַעֲלֹת אֶל־יְיָ Ex. 19:24
23 לֹא נוּכַל לַעֲלוֹת אֶל־הָעָם Num. 13:31
24 וַיַּעְפִּלוּ לַעֲלוֹת אֶל־רֹאשׁ הָהָר Num. 14:44
25 וְלֹא אֲבִיתֶם לַעֲלֹת Deut. 1:26
26 וַתָּהִינוּ לַעֲלֹת הָהָרָה Deut. 1:41
27 וַיָּקָם יְהוֹשֻׁעַ...לַעֲלוֹת הָעָי Josh. 8:3
28/9 לַעֲלוֹת עֲלֵיהֶם לַצָּבָא Josh. 22:12, 33
30 וְהַמַּשְׂאֵת הֵחֵלָּה לַעֲלוֹת מִן־הָעִיר Jud. 20:40
31 וּבָחֹר אֹתוֹ...לַעֲלוֹת עַל־מִזְבְּחִי ISh. 2:28
32 יֹצֵא לִקְרָאתָם לַעֲלוֹת הַבָּמָה ISh. 9:14
33 וַיֹּסִפוּ עוֹד פְּלִשְׁתִּים לַעֲלוֹת IISh. 5:22
34 הִתְאַמֵּץ לַעֲלוֹת בַּמֶּרְכָּבָה IK. 12:18
35 וַיִּתְנַבְּאוּ עַד לַעֲלוֹת הַמִּנְחָה IK. 18:29
36 וַיָּשֶׂם...פָּנָיו לַעֲלוֹת עַל־יְרוּשָׁלָםִ IIK. 12:18
37 לַעֲלוֹת לְעַם יְגוּדֶנּוּ Hab. 3:16
38 בְּמֹאזְנַיִם לַעֲלוֹת הֵמָּה מֵהֶבֶל יָחַד Ps. 62:10
39 לַעֲלוֹת עַמִּים תַּחְתָּם Job 36:20
40 לַעֲלוֹת לִבְנוֹת אֶת־בֵּית יְיָ Ez. 1:5
41 וָאֶקְבְּצָה...רָאשִׁים לַעֲלוֹת עִמִּי Ez. 7:28
42 הִתְאַמֵּץ לַעֲלוֹת בַּמֶּרְכָּבָה IICh. 10:18
43 וַיְסִיתֵהוּ לַעֲלוֹת אֶל־רָמֹת גִּלְעָד IICh. 18:2
מֵעֲלוֹת 44 רַב־לָכֶם מֵעֲלוֹת יְרוּשָׁלַםִ IK. 12:28
45 מֵעֲלוֹת הַשַּׁחַר עַד צֵאת הַכּוֹכָבִים Neh. 4:15

בַּעֲלֹתִי 46 בַּעֲלֹתִי הָהָרָה לָקַחַת לוּחֹת הָאֲבָנִים Deut. 9:9
בַּעֲלֹתְךָ 47 בַּעֲלֹתְךָ לֵרָאוֹת אֶת־פְּנֵי יְיָ אֱלֹהֶיךָ Ex. 34:24
עֲלֹתוֹ 48 בְּיוֹם עֲלֹתוֹ מֵאֶרֶץ מִצְרָיִם Is. 11:16
בַּעֲלוֹתוֹ 49 כִּי־לָקַח...בַּעֲלוֹתוֹ מִמִּצְרַיִם Jud. 11:13
50 בַּדֶּרֶךְ בַּעֲלֹתוֹ מִמִּצְרָיִם ISh. 15:2
עֲלֹתָהּ 51 מִדֵּי עֲלֹתָהּ בְּבֵית יְיָ ISh. 1:7
52 וּכְיוֹם עֲלוֹתָהּ מֵאֶרֶץ־מִצְרָיִם Hosh. 2:17
בַּעֲלוֹתָהּ 53 בַּעֲלוֹתָהּ אֶת־אִישָׁהּ לִזְבֹּחַ ISh. 2:19
בַּעֲלוֹתָם 54 כִּי בַּעֲלוֹתָם מִמִּצְרָיִם... Jud. 11:16
55 בְּנֵי יִשְׂרָאֵל בַּעֲלוֹתָם מִמִּצְרָיִם ISh. 15:6
עָלִיתִי 56 עָלִיתִי עַל־הַמָּקוֹם הַזֶּה IIK. 18:25
57/8 עָלִיתִי מְרוֹם הָרִים IIK. 19:23 • Is. 37:24
59 עָלִיתִי עַל־הָאָרֶץ הַזֹּאת Is. 36:10
וְעָלִיתִי 60 וְעָלִיתִי בַּיּוֹם הַשְּׁלִישִׁי בֵּית יְיָ IIK. 20:8
עָלִיתָ 61 כִּי עָלִיתָ מִשְׁכְּבֵי אָבִיךָ Gen. 49:4
62 מִטֶּרֶף בְּנִי עָלִיתָ Gen. 49:9
63-65 הַמִּטָּה אֲשֶׁר־עָלִיתָ שָּׁם... IIK. 1:4, 6, 16
66 עָלִיתָ לַמָּרוֹם שָׁבִיתָ שֶּׁבִי Ps. 68:19
וְעָלִיתָ 67 לֶךְ־רֵד וְעָלִיתָ אַתָּה וְאַהֲרֹן עִמָּךְ Ex. 19:24
68 וְעָלִיתָ בַבֹּקֶר אֶל־הַר סִינַי Ex. 34:2
69 וְקַמְתָּ וְעָלִיתָ אֶל־הַמָּקוֹם Deut. 17:8
70 וְעָלִיתָ כַּשֹּׁאָה תָבוֹא... Ezek. 38:9
71 וְעָלִיתָ עַל־עַמִּי יִשְׂרָאֵל כֶּעָנָן Ezek. 38:16
עָלִית 72 כִּי־עָלִית כֻּלָּךְ לַגַּגּוֹת Is. 22:1
73 גַּם־שָׁם עָלִית לִזְבֹּחַ זָבַח Is. 57:7
74 וְאַתְּ עָלִית עַל־כֻּלָּנָה Prov. 31:29
עָלָה 75 וּכְמוֹ הַשַּׁחַר עָלָה Gen. 19:15
76 וְהִנֵּה עָלָה קִיטֹר הָאָרֶץ Gen. 19:28
77 שַׁלְּחֵנִי כִּי עָלָה הַשָּׁחַר Gen. 32:26
78 אָז חִלַּלְתָּ יְצוּעִי עָלָה Gen. 49:4
79 וְגַם־עֵרֶב רַב עָלָה אִתָּם Ex. 12:38
80 וּמֹשֶׁה עָלָה אֶל־הָאֱלֹהִים Ex. 19:3
81/2 אֲשֶׁר עָלָה עָלָיו הַגּוֹרָל... Lev. 16:9, 10
83 אֲשֶׁר לֹא־עָלָה עָלֶיהָ עֹל Num. 19:2
84 וְהִנֵּה עָלָה עֲשַׁן הָעִיר הַשָּׁמַיְמָה Josh. 8:20
85 וְכִי עָלָה עֲשַׁן הָעִיר Josh. 8:21
86 כָּל־הַלַּיְלָה עָלָה מִן־הַגִּלְגָּל Josh. 10:9
87 אָז עָלָה הֹרָם...לַעְזֹר אֶת־לָכִישׁ Josh. 10:33
88 כִּי עָלָה בָּרָק...הַר־תָּבוֹר Jud. 4:12
89 מוֹרָה לֹא־עָלָה עַל־רֹאשִׁי Jud. 16:17
90 וְהִנֵּה עָלָה כְלִיל־הָעִיר הַשָּׁמָיְמָה Jud. 20:40
91 אֲשֶׁר לֹא־עָלָה בַקָּהָל...אֶל־יְיָ... Jud. 21:5
92 לַאֲשֶׁר לֹא־עָלָה אֶל־יְיָ הַמִּצְפָּה Jud. 21:5
93 אֲשֶׁר לֹא־עָלָה אֶל־יְיָ הַמִּצְפָּה Jud. 21:8
94 אֲשֶׁר לֹא־עָלָה עֲלֵיהֶם עֹל ISh. 6:7
95 וְשָׁאוּל עָלָה אֶל־בֵּיתוֹ גִּבְעַת שָׁאוּל ISh.15:34
96/7 עָלָה עָשָׁן בְּאַפּוֹ IISh. 22:9 • Ps. 18:9
98 פַּרְעֹה...עָלָה וַיִּלְכֹּד אֶת־גֶּזֶר IK. 9:16
99 עָלָה שִׁישַׁק°...עַל־יְרוּשָׁלָםִ IK. 14:25
100 וְאֵלִיָּהוּ עָלָה אֶל־רֹאשׁ הַכַּרְמֶל IK. 18:42
101 אִישׁ עָלָה לִקְרָאתֵנוּ וַיֹּאמֶר אֵלֵינוּ IIK. 1:6
102 הָאִישׁ אֲשֶׁר עָלָה לִקְרַאתְכֶם IIK. 1:7
103 עָלָיו עָלָה שַׁלְמַנְאֶסֶר IIK. 17:3
104 עָלָה שַׁלְמַנְאֶסֶר...עַל־שֹׁמְרוֹן IIK. 18:9
105 עָלָה סַנְחֵרִיב...עַל כָּל־עָרֵי יְהוּדָה IIK.18:13
106/7 וְשַׁאֲנַנְךָ עָלָה בְאָזְנָי IIK. 19:28 • Is. 37:29
108 בְּיָמָיו עָלָה פַרְעֹה נְכֹה IIK. 23:29
109 בְּיָמָיו עָלָה נְבֻכַדְנֶאצַּר IIK. 24:1
110 עָלָה רְצִין מֶלֶךְ־אֲרָם...יְרוּשָׁלַםִ Is. 7:1
111 עָלָה הַבַּיִת וְדִיבֹן הַבָּמוֹת לְבֶכִי Is. 15:2
112 עָלָה סַנְחֵרִיב...עַל כָּל־עָרֵי יְהוּ׳ Is. 36:1
113 עָלָה אַרְיֵה מִסֻּבְּכוֹ Jer. 4:7

עָלָה (המשך) 114 כִּי־עָלָה מָוֶת בְּחַלּוֹנֵינוּ Jer. 9:20
115 שֻׁדַּד מוֹאָב וְעָרֶיהָ עָלָה Jer. 48:15
116 כִּי־שֹׁדֵד מוֹאָב עָלָה בָךְ Jer. 48:18
117 כִּי עָלָה עָלֶיהָ גּוֹי מִצָּפוֹן Jer. 50:3
118 עָלָה עַל־בָּבֶל הַיָּם Jer. 51:42
119 וְהִנֵּה־עֲלֵיהֶם גִּדִים וּבָשָׂר עָלָה Ezek. 37:8
120 כִּי־גוֹי עָלָה עַל־אַרְצִי Joel 1:6
121 עָלָה הַפֹּרֵץ לִפְנֵיהֶם Mic. 2:13
122 עָלָה מֵפִיץ עַל־פָּנַיִךְ Nah. 2:2
123 עָלָה אֱלֹהִים בִּתְרוּעָה Ps. 47:6
124 וְגַם־אַף עָלָה בְיִשְׂרָאֵל Ps. 78:21
125 וְאַף אֱלֹהִים עָלָה בָהֶם Ps. 78:31
126 עִיר גִּבֹּרִים עָלָה חָכָם Prov. 21:22
127 וְהִנֵּה עָלָה כֻלּוֹ קִמְּשֹׂנִים Prov. 24:31
128 חוֹחַ עָלָה בְיַד־שִׁכּוֹר Prov. 26:9
129 מִי עָלָה־שָׁמַיִם וַיֵּרַד Prov. 30:4
130 וּבֹעַז עָלָה הַשַּׁעַר וַיֵּשֶׁב שָׁם Ruth 4:1
131 הוּא עֶזְרָא עָלָה מִבָּבֶל Ez. 7:6
132 וְלֹא עָלָה הַמִּסְפָּר בְּמִסְפַּר... ICh. 27:24
133 עָלָה שִׁישַׁק...עַל־יְרוּשָׁלָםִ IICh. 12:2
134 עָלָה בַּעְשָׁא...עַל־יְהוּדָה IICh. 16:1
135 עָלָה עָלָיו חֵיל אֲרָם IICh. 24:23
136 עָלָה נְכוֹ...לְהִלָּחֵם בְּכַרְכְּמִישׁ IICh. 35:20
137 עָלָיו עָלָה נְבוּכַדְנֶאצַּר IICh. 36:6
וְעָלָה 138 וְעָלָה מִן־הָאָרֶץ Ex. 1:10
139 וְעָבַר צִנָה וְעָלָה מִנֶּגֶב לְקָדֵשׁ Josh. 15:3
140 וְעָבַר חֶצְרוֹן וְעָלָה אַדָּרָה Josh. 15:3
141 וְעָלָה הַגְּבוּל בֵּית חָגְלָה Josh. 15:6
142 וְעָלָה הַגְּבוּל אֶבֶן בֹּהַן בֶּן־רְאוּבֵן Josh. 15:6
143 וְעָלָה הַגְּבוּל דְּבִרָה Josh. 15:7
144 וְעָלָה הַגְּבוּל גֵּי בֶן־הִנֹּם Josh. 15:8
145 וְעָלָה הַגְּבוּל אֶל־רֹאשׁ הָהָר Josh. 15:8
146 וְעָלָה הַגְּבוּל אֶל־כֶּתֶף יְרִיחוֹ Josh. 18:12
147 וְעָלָה בָהָר יָמָּה Josh. 18:12
148 וְעָלָה גְבוּלָם לַיָּמָּה וּמַרְעֲלָה Josh. 19:11
149 וְיָצָא אֶל־הַדָּבְרַת וְעָלָה יָפִיעַ Josh. 19:12
150 וְעָלָה מִדְיָן וַעֲמָלֵק...וְעָלוּ עָלָיו Jud. 6:3
151 וְעָלָה הָאִישׁ הַהוּא מֵעִירוֹ ISh. 1:3
152 וְעָלָה שָׁמִיר וָשָׁיִת Is. 5:6
153 וְעָלָה עַל־כָּל־אֲפִיקָיו Is. 8:7
154 וְעָלָה בָאְשׁוֹ וְתַעַל צַחֲנָתוֹ Joel 2:20
155 וְעָלָה וְעָצַם בִּמְעַט־גּוֹי Dan. 11:23
עָלְתָה 156 וְהִוא כְפֹרַחַת עָלְתָה נִצָּהּ Gen. 40:10
157 וְהִיא עָלְתָה עֲלֵיהֶם עַל־הַגָּג Josh. 2:8
158 אַךְ בַּת־פַּרְעֹה עָלְתָה...אֶל־בֵּיתָהּ IK. 9:24
159-161 וְלֹא עָלְתָה עַל־לִבִּי Jer. 7:31; 19:5; 32:35
162 מַדּוּעַ לֹא עָלְתָה אֲרֻכַת בַּת־עַמִּי Jer. 8:22
163 כִּי־עָלְתָה רָעָתָם לְפָנָי Jon. 1:2
164 כִּי־עָלְתָה אֲרוּכָה לְחֹמוֹת יְרוּשָׁלַםִ Neh. 4:1
עָלָתָה 165 וְחַנָּה לֹא עָלָתָה ISh. 1:22
166 וְצִוְחַת יְרוּשָׁלַםִ עָלָתָה Jer. 14:2
וְעָלְתָה 167 וְעָלְתָה יְבִמְתּוֹ הַשַּׁעְרָה Deut. 25:7
168 וְעָלְתָה אַרְמְנֹתֶיהָ סִירִים Is. 34:13
169 וְעָלְתָה כָאֹר כֻּלָּהּ Am. 8:8
170 וְעָלְתָה כַיְאֹר כֻּלָּהּ Am. 9:5
171 וְעָלְתָה יָדוֹ עַל־יַד רֵעֵהוּ Zech. 14:13
עָלִינוּ 172 וַיְהִי כִּי עָלִינוּ אֶל־עַבְדְּךָ אָבִי Gen. 44:24
173 לֶאֱסוֹר אֶת־שִׁמְשׁוֹן עָלִינוּ Jud. 15:10
וְעָלִינוּ 174 הִנֶּנּוּ וְעָלִינוּ אֶל־הַמָּקוֹם Num. 14:40
175 וְאִם־כֹּה יֹאמְרוּ עֲלוּ עָלֵינוּ וְעָלִי׳ ISh. 14:10
עֲלִיתֶם 176 כִּי יְרֵאתֶם...וְלֹא־עֲלִיתֶם בָּהָר Deut. 5:5
177 וְלָמָה עֲלִיתֶם אֵלַי הַיּוֹם Jud. 12:3

178 לָמָה עֲלִיתֶם עָלֵינוּ Jud. 15:10
179 לֹא עֲלִיתֶם בַּפְּרָצוֹת וַתִּגְדְּרוּ Ezek. 13:5

וַעֲלִיתֶם
180 עֲלוּ זֶה בַּנֶּגֶב וַעֲלִיתֶם אֶת-הָהָר Num. 13:17
181 וַעֲלִיתֶם אַחֲרָיו וּבָא וְיָשַׁב עַל-כִּסְאִי IK. 1:35

עָלוּ
182 וַחֲמֻשִׁים עָלוּ בְ״י מֵאֶרֶץ מִצְרָיִם Ex. 13:18
183 וּמֹשֶׁה אַהֲרֹן...עָלוּ רֹאשׁ הַגִּבְעָה Ex. 17:10
184 וְהָאֲנָשִׁים אֲשֶׁר עָלוּ עִמּוֹ Num. 13:31
185 וְהָעָם עָלוּ מִן-הַיַּרְדֵּן Josh. 4:19
186 עָלוּ וַיִּגְּשׁוּ וַיָּבֹאוּ נֶגֶד הָעִיר Josh. 8:11
187 וְאַחַי אֲשֶׁר עָלוּ עִמִּי הִמְסִיו... Josh. 14:8
188 וּבְנֵי קֵינִי...עָלוּ מֵעִיר הַתְּמָרִים Jud. 1:16
189 כִּי-עָלוּ בְנֵי-יִשְׂרָאֵל הַמִּצְפָּה Jud. 20:3
190 אֲשֶׁר עָלוּ עִמָּם בַּמַּחֲנֶה סָבִיב ISh. 14:21
191 וְדָוִד וַאֲנָשָׁיו עָלוּ עַל-הַמְּצוּדָה ISh. 24:22
192 וּפְלִשְׁתִּים עָלוּ יִזְרְעֶאל ISh. 29:11
193 כִּי-עָלוּ הַמְּלָכִים לְהִלָּחֶם בָּם IIK. 3:21
194 עָלוּ (כת׳ עלה) עַבְדֵי נְבֻכַדְנֶאצַּר IIK. 24:10
195 בָּאוּ בֶּעָבִים וּבַכֵּפִים עָלוּ Jer. 4:29
196 כִּי-הֵמָּה עָלוּ אַשּׁוּר Hosh. 8:9
197 שֶׁשָּׁם עָלוּ שְׁבָטִים שִׁבְטֵי-יָהּ Ps. 122:7
198 יִשְׂתָּרְגוּ עָלוּ עַל-צַוָּארִי Lam. 1:14
199 אֲשֶׁר עָלוּ עִם-זְרֻבָּבֶל Neh. 12:1
200 וְנֶגְדָּם עָלוּ עַל-מַעֲלוֹת עִיר דָּוִיד Neh. 12:37

וְעָלוּ
201 וְעָלוּ וּבָאוּ בְּבֵיתֶךָ Ex. 7:28
202 וְעָלוּ הָעָם אִישׁ נֶגְדּוֹ Josh. 6:5
203 וְעָלָה מִדְיָן וַעֲמָלֵק...וְעָלוּ עָלָיו Jud. 6:3
204 וְעָלוּ אֵלֶיהָ סַרְנֵי פְלִשְׁתִּים Jud. 16:18
205 חָפוּ אִישׁ רֹאשׁוֹ וְעָלוּ עָלֹה וּבָכֹה IISh. 15:30
206 וְעָלוּ מִן-הָאָרֶץ Hosh. 2:2
207 וְעָלוּ מוֹשִׁעִים בְּהַר צִיּוֹן Ob. 21
208 וְעָלוּ מִדֵּי שָׁנָה בְשָׁנָה לְהִשְׁתַּחֲוֹת Zech. 14:16

שֶׁעָלוּ
209/10 ...שֶׁעָלוּ מִן-הָרַחְצָה S.ofS. 4:2; 6:6

עוֹלֶה
211 הִנֵּה חָמִיךָ עֹלֶה תִמְנָתָה Gen. 38:13
212 וּמֻת בָּהָר אֲשֶׁר אַתָּה עֹלֶה שָׁמָּה Deut. 32:50
213 עֹלֶה מִירִיחוֹ בָּהָר בֵּית-אֵל Josh. 16:1
214 וְהִנֵּה אִישׁ הַבֵּנַיִם עוֹלֶה ISh. 17:23
215 כִּי לְחָרֵף אֶת-יִשְׂרָאֵל עֹלֶה ISh. 17:25
216 וַתֹּאמֶר אִישׁ זָקֵן עֹלֶה ISh. 28:14
217 וְדָוִד עֹלֶה בְמַעֲלֵה הַזֵּיתִים IISh. 15:30
218 עֹלֶה וּבוֹכֶה וְרֹאשׁ לוֹ חָפוּי IISh. 15:30
219 מֶלֶךְ אֲרָם עֹלֶה עָלֶיךָ IK. 20:22
220 וַיַּעַל...וְהוּא עֹלֶה בַדֶּרֶךְ IIK. 2:23
221 וַעֲתַר עֲנַן-הַקְּטֹרֶת עֹלֶה Ezek. 8:11
222 רוּחַ יְיָ מִמִּדְבָּר עֹלֶה Hosh. 13:15
223 שְׁאוֹן קָמֶיךָ עֹלֶה תָמִיד Ps. 74:23
224 מִקְנֶה אַף עַל-עוֹלֶה Job 36:33
225 וָאֱהִי עֹלֶה בַנַּחַל לַיְלָה Neh. 2:15

הָעוֹלֶה
226 מִן-הָהָר הֶחָלָק הָעוֹלֶה שֵׂעִיר Josh. 11:17
227 הָהָר הֶחָלָק הָעֹלֶה שֵׂעִירָה Josh. 12:7
228 הַרְּאִיתֶם הָאִישׁ הָעֹלֶה הַזֶּה ISh. 17:25

וְהָעוֹלֶה
229 וְהָעוֹלֶה מִתּוֹךְ הַפַּחַת יִלָּכֵד בַּפָּח Is. 24:18
230 וְהָעֹלֶה מִן-הַפַּחַת יִלָּכֵד בַּפָּח Jer. 48:44

לָעוֹלֶה
231 לָעוֹלֶה לְפֶתַח הַשַּׁעַר הַצָּפוֹנָה Ezek. 40:40

עוֹלָה
232 אֲשֶׁר אַחַת עֹלָה בֵית-אֵל Jud. 20:31
233 הִנֵּה-עָב קְטַנָּה...עֹלָה מִיָּם IK. 18:44
234/5 מִי זֹאת עֹלָה מִן-הַמִּדְבָּר S.ofS. 3:6; 8:5
236 וְהַגְּבֹהָה עֹלָה בָּאַחֲרֹנָה Dan. 8:3

הָעוֹלָה
237 הִוא הָעֹלָה עַל מוֹקְדָה Lev. 6:2
238 לִמְסִלָּה הָעֹלָה מִבֵּית-אֵל שְׁכֶמָה Jud. 21:19
239 עִם שַׁעַר שַׁלֶּכֶת בַּמְסִלָּה הָעוֹלָה ICh. 26:16

הָעוֹלָה?
240 מִי יוֹדֵעַ...הָעֹלָה הִיא לְמָעְלָה Eccl. 3:21

וְהָעוֹלָה
241 וְהָעֹלָה עַל-רוּחֲכֶם הָיוֹ לֹא תִהְיֶה Ezek. 20:32

עוֹלִים
242 מַלְאֲכֵי אֱלֹהִים עֹלִים וְיֹרְדִים בּוֹ Gen. 28:12
243 אָנָה אֲנַחְנוּ עֹלִים... Deut. 1:28
244 הֵמָּה עֹלִים בְּמַעֲלֵה הָעִיר ISh. 9:11
245 עֹלִים אֶל-הָאֱלֹהִים בֵּית-אֵל ISh. 10:3
246 אֱלֹהִים רָאִיתִי עֹלִים מִן-הָאָרֶץ ISh. 28:13
247 הִנֵּה-מַיִם עֹלִים מִצָּפוֹן Jer. 47:2
248 הִנָּם עֹלִים בְּמַעֲלֵה הַצִּיץ IICh. 20:16

הָעוֹלִים
249/50 הָעַתֻּדִים הָעֹלִים עַל-הַצֹּאן Gen. 31:10, 12
251 וְכָל-הָעֹלִים אִתּוֹ לִקְבֹּר אֶת-אָבִי״ Gen. 50:14
252 הָאֲנָשִׁים הָעֹלִים מִמִּצְרַיִם Num. 32:11
253 חֵיל מֶלֶךְ בָּבֶל הָעֹלִים מֵעֲלֵיכֶם Jer. 34:21
254 וְאֵלֶּה...הָעֹלִים מִשְּׁבִי הַגּוֹלָה Ez. 2:1
255 וְאֵלֶּה הָעֹלִים מִתֵּל מֶלַח Ez. 2:59
256 הָעֹלִים עִמִּי בְּמַלְכוּת אַרְתַּחְשַׁסְתְּא Ez. 8:1
257 סֵפֶר הַיַּחַשׂ הָעוֹלִים בָּרִאשׁוֹנָה Neh. 7:5
258 אֵלֶּה...הָעֹלִים מִשְּׁבִי הַגּוֹלָה Neh. 7:6
259 וְאֵלֶּה הָעוֹלִים מִתֵּל מֶלַח Neh. 7:61

עוֹלוֹת
260/1 מִן-הַיְאֹר עֹלֹת שֶׁבַע פָּרוֹת Gen. 41:2, 18
262/3 שֶׁבַע פָּרוֹת...עֹלוֹת אַחֲרֵיהֶן Gen. 41:3, 19
264 שֶׁבַע שִׁבֳּלִים עֹלוֹת בְּקָנֶה אֶחָד Gen. 41:5
265 שֶׁבַע שִׁבֳּלִים עֹלֹת בְּקָנֶה אֶחָד Gen. 41:22

הָעוֹלוֹת
266 וְשֶׁבַע הַפָּרוֹת...הָעֹלֹת אַחֲרֵיהֶן Gen. 41:27

אֶעֱלֶה
267 כִּי-אֵיךְ אֶעֱלֶה אֶל-אָבִי Gen. 44:34
268 אֶעֱלֶה וְאַגִּידָה לְפַרְעֹה Gen. 46:31
269 אֶעֱלֶה-נָּא וְאֶקְבְּרָה אֶת-אָבִי Gen. 50:5
270 וְעַתָּה אֶעֱלֶה אֶל-יְיָ Ex. 32:30
271 כִּי לֹא אֶעֱלֶה בְּקִרְבְּךָ Ex. 33:3
272 רֶגַע אֶחָד אֶעֱלֶה בְקִרְבְּךָ Ex. 33:5
273 וַיֹּאמֶר דָּוִד אָנָה אֶעֱלֶה... IISh. 2:1
274 ...כִּי-אֶעֱלֶה אֶת-הַמֶּלֶךְ יְרוּשָׁ׳ IISh. 19:35
275 הֲתֵלֵךְ אִתִּי...וַיֹּאמֶר אֶעֱלֶה IIK. 3:7
276 אָמַרְתָּ בִלְבָבְךָ הַשָּׁמַיִם אֶעֱלֶה Is. 14:13
277 אֶעֱלֶה עַל-בָּמֳתֵי עָב Is. 14:14
278 מָה אוֹת כִּי אֶעֱלֶה בֵּית יְיָ Is. 38:22
279 אֶעֱלֶה עַל-אֶרֶץ פְּרָזוֹת Ezek. 38:11
280 אִם-אֶעֱלֶה עַל-עֶרֶשׂ יְצוּעָי Ps. 132:3
281 אָמַרְתִּי אֶעֱלֶה בְתָמָר... S.ofS. 7:9

הַאֶעֱלֶה
282 הַאֶעֱלֶה בְּאַחַת עָרֵי יְהוּדָה IISh. 2:1
283 הַאֶעֱלֶה אֶל-פְּלִשְׁתִּים IISh. 5:19
284 הַאֶעֱלֶה עַל-פְּלִשְׁתִּים° ICh. 14:10

וָאַעַל
285 וָאַעַל הָהָרָה וּשְׁנֵי הַלֻּחֹת בְּיָדִי Deut. 10:3

תַּעֲלֶה
286 וְלֹא-תַעֲלֶה בְמַעֲלֹת עַל-מִזְבְּחִי Ex. 20:23
287 וַיִּשְׁאַל דָּוִד בַּיְיָ וַיֹּאמֶר לֹא תַעֲלֶה IISh. 5:23
288 בַּיּוֹם הַשְּׁלִישִׁי תַּעֲלֶה בֵּית יְיָ IIK. 20:5
289 לֹא תַעֲלֶה אַחֲרֵיהֶם ICh. 14:14

וַתַּעֲלִי
290 כִּי מֵאִתִּי גִּלִּית וַתַּעֲלִי Is. 57:8

יַעֲלֶה
291 וְאֵד יַעֲלֶה מִן-הָאָרֶץ Gen. 2:6
292 וְאִישׁ לֹא-יַעֲלֶה עִמָּךְ Ex. 34:3
293 שַׁעַטְנֵז לֹא יַעֲלֶה עָלֶיךָ Lev. 19:19
294 הַגֵּר...יַעֲלֶה עָלֶיךָ מַעְלָה מָּעְ׳ Deut. 28:43
295 וְלֹא-יַעֲלֶה בָהּ כָּל-עֵשֶׂב Deut. 29:22
296 מִי-יַעֲלֶה-לָּנוּ הַשָּׁמַיְמָה Deut. 30:12
297 מִי-יַעֲלֶה-לָּנוּ אֶל-הַכְּנַעֲנִי Jud. 1:1
298 וַיֹּאמֶר יְיָ יְהוּדָה יַעֲלֶה Jud. 1:2
299 וּמוֹרָה לֹא-יַעֲלֶה עַל-רֹאשׁוֹ Jud. 13:5
300 מִי יַעֲלֶה-לָּנוּ בַתְּחִלָּה לַמִּלְחָמָה Jud. 20:18
301 וּמוֹרָה לֹא-יַעֲלֶה עַל-רֹאשׁוֹ ISh. 1:11
302 אִם-דֶּרֶךְ גְּבוּלוֹ יַעֲלֶה בֵּית שֶׁמֶשׁ ISh. 6:9
303 וְאֶל-מִי יַעֲלֶה מֵעָלֵינוּ ISh. 6:20
304 בְּטֶרֶם יַעֲלֶה הַבָּמָתָה לֶאֱכֹל ISh. 9:13
305 לֹא-יַעֲלֶה עִמָּנוּ בַּמִּלְחָמָה ISh. 29:9

יַעֲלֶה (הַמְשֵׁךְ)
306 אִם-יַעֲלֶה...לַעֲשׂוֹת זְבָחִים בְּבֵי׳-יְיָ IK. 12:27
307 אֲשֶׁר יַעֲלֶה עַל לֶב-אִישׁ לְהָבִיא... IIK. 12:5
308 אָז יַעֲלֶה חֲזָאֵל...וַיִּלָּחֶם עַל-גַּת IIK. 12:18
309 אָז יַעֲלֶה רְצִין...יְרוּשָׁלַםִ IIK. 16:5
310 וּפִרְחָם כָּאָבָק יַעֲלֶה Is. 5:24
311 ...לֹא-יַעֲלֶה הַכֹּרֵת עָלֵינוּ Is. 14:8
312 מַעֲלֵה הַלּוּחִית בִּבְכִי יַעֲלֶה-בּוֹ Is. 15:5
313 וּפִגְרֵיהֶם יַעֲלֶה בָאְשָׁם Is. 34:3
314 לְעוֹלָם יַעֲלֶה עֲשָׁנָהּ Is. 34:10
315 תַּחַת הַנַּעֲצוּץ יַעֲלֶה בְרוֹשׁ Is. 55:13
316 תַּחַת° הַסִּרְפַּד יַעֲלֶה הֲדַס Is. 55:13
317 וְלֹא יַעֲלֶה עַל-לֵב Jer. 3:16
318 הִנֵּה כַּעֲנָנִים יַעֲלֶה Jer. 4:13
319 מִי-זֶה כַּיְאֹר יַעֲלֶה Jer. 46:7
320 מִצְרַיִם כַּיְאֹר יַעֲלֶה Jer. 46:8
321 מַעֲלֵה הַלּוּחִית° בִּבְכִי יַעֲלֶה-בֶּכִי Jer. 48:5
322/3 כְּאַרְיֵה יַעֲלֶה מִגְּאוֹן הַיַּרְדֵּן Jer. 49:19; 50:44
324 הִנֵּה כַנֶּשֶׁר יַעֲלֶה וְיִדְאֶה Jer. 49:22
325 וְכֵן הַתַּחְתּוֹנָה יַעֲלֶה עַל-הָעֶלְיוֹנָה Ezek. 41:7
326 וְלֹא-יַעֲלֶה עֲלֵיהֶם צָמֶר... Ezek. 44:17
327 וְעַל-הַנַּחַל יַעֲלֶה עַל-שְׂפָתוֹ Ezek. 47:12
328 קוֹץ וְדַרְדַּר יַעֲלֶה עַל-מִזְבְּחוֹתָם Hosh. 10:8
329 אֲשֶׁר לֹא-יַעֲלֶה...לְהִשְׁתַּחֲוֹת Zech. 14:17
330 מִי-יַעֲלֶה בְהַר-יְיָ... Ps. 24:3
331 כֵּן יוֹרֵד שְׁאוֹל לֹא יַעֲלֶה Job 7:9
332 אִם-יַעֲלֶה לַשָּׁמַיִם שִׂיאוֹ Job 20:6
333 אִם-יַעֲלֶה שׁוּעָל וּפָרַץ Neh. 3:35
334 כִּי יַעֲלֶה דָוִיד לְהָקִים מִזְבֵּחַ לַיְיָ ICh. 21:18
335 וַעֲלִיָּתוֹ אֲשֶׁר יַעֲלֶה בֵּית יְיָ IICh. 9:4

הֲיַעֲלֶה
336 הֲיַעֲלֶה-פַּח מִן-הָאֲדָמָה... Am. 3:5

וְיַעֲלֶה
337 הָפֵרָה אֶת-בְּרִיתְךָ...וְיַעֲלֶה מֵעָלָי IK. 15:19
338 אוּלַי יַעֲשֶׂה יְיָ...וְיַעֲלֶה מֵעָלֵינוּ Jer. 21:2
339 לֵךְ הָפֵר בְּרִיתְךָ...וְיַעֲלֶה מֵעָלָי IICh. 16:3

וַיַּעֲלֶה
340 וַיַּעֲלֶה עָמְרִי...מִגִּבְּתוֹן IK. 16:17
341 וַיַּעֲלֶה אַחְאָב לֶאֱכֹל וְלִשְׁתּוֹת IK. 18:42

יַעַל
342 וְהַנַּעַר יַעַל עִם-אֶחָיו Gen. 44:33
343 אַל-יַעַל כָּל-הָעָם Josh. 7:3

וְיַעַל
344 נְטֵה יָדְךָ...וְיַעַל עַל-אֶרֶץ מִצְרָיִם Ex. 10:12
345 וְיַעַל וְיִפֹּל בְּרָמֹת גִּלְעָד IK. 22:20
346 מִי-בָכֶם...וְיַעַל לִירוּשָׁלַםִ Ez. 1:3
347 וְיַעַל וְיִפֹּל בְּרָמוֹת גִּלְעָד IICh. 18:19

וְיָעַל
348 מִי-בָכֶם...יְיָ אֱלֹהָיו עִמּוֹ וְיָעַל IICh. 36:23

וַיַּעַל
349 וַיַּעַל אַבְרָם מִמִּצְרַיִם...הַנֶּגְבָּה Gen. 13:1
350 וַיַּעַל אֱלֹהִים מֵעַל אַבְרָהָם Gen. 17:22
351 וַיַּעַל לוֹט מִצּוֹעַר וַיֵּשֶׁב בָּהָר Gen. 19:30
352 וַיַּעַל מִשָּׁם בְּאֵר שָׁבַע Gen. 26:23
353 וַיַּעַל מֵעָלָיו אֱלֹהִים Gen. 35:13
354 וַיַּעַל עַל-גֹּזְזֵי צֹאנוֹ Gen. 38:12
355 וַיַּעַל לִקְרַאת-יִשְׂרָ׳ אָבִיו גֹּשְׁנָה Gen. 46:29
356 וַיַּעַל יוֹסֵף לִקְבֹּר אֶת-אָבִיו Gen. 50:7
357 וַיַּעַל עִמּוֹ גַּם-רֶכֶב גַּם-פָּרָשִׁים Gen. 50:9
358 וַיַּעַל הָאַרְבֶּה עַל כָּל-אֶרֶץ מִצְרַיִם Ex. 10:14
359 וַיַּעַל עֲשָׁנוֹ כְּעֶשֶׁן הַכִּבְשָׁן Ex. 19:18
360 וַיִּקְרָא יְיָ לְמֹשֶׁה...וַיַּעַל מֹשֶׁה Ex. 19:20
361 וַיַּעַל מֹשֶׁה וְאַהֲרֹן... Ex. 24:9
362 וַיַּעַל מֹשֶׁה אֶל-הַר הָאֱלֹהִים Ex. 24:13
363 וַיַּעַל מֹשֶׁה אֶל-הָהָר Ex. 24:15
364 וַיַּעַל אֶל-הָהָר Ex. 24:18
365 וַיַּשְׁכֵּם...וַיַּעַל אֶל-הַר סִינַי Ex. 34:4
366 וַיַּעַל אַהֲרֹן הַכֹּהֵן אֶל-הֹר הָהָר Num. 33:38
367 וַיַּעַל מֹשֶׁה...אֶל-הַר נְבוֹ Deut. 34:1
368 וַיַּעַל הָעָם הָעִירָה אִישׁ נֶגְדּוֹ Josh. 6:20

וַיַּעַל (המשך)

369 וַיַּעַל הוּא...לִפְנֵי הָעָם הָעָי Josh. 8:10
370 וַיַּעַל יְהוֹשֻׁעַ מִן־הַגִּלְגָּל Josh. 10:7
371 וַיַּעַל יְהוֹשֻׁעַ...מֵעֶגְלוֹנָה חֶבְרוֹנָה Josh. 10:36
372 וַיַּעַל מִשָּׁם אֶל־יֹשְׁבֵי דְּבִר Josh. 15:15
373 וַיַּעַל גּוֹרַל מַטֵּה בְנֵי־בִנְיָמִן Josh. 18:11
374 וַיַּעַל הַגּוֹרָל הַשְּׁלִישִׁי... Josh. 19:10
375 וַיַּעַל יְהוּדָה וַיִּתֵּן יְיָ...בְּיָדָם Jud. 1:4
376 וַיַּעַל מַלְאַךְ־יְיָ...אֶל־הַבֹּכִים Jud. 2:1
377 וַיַּעַל בְּרַגְלָיו עֲשֶׂרֶת אַלְפֵי אִישׁ Jud. 4:10
378 וַיַּעַל מִשָּׁם פְּנוּאֵל Jud. 8:8
379 וַיַּעַל גִּדְעוֹן דֶּרֶךְ הַשְּׁכוּנֵי בָאֳהָלִים Jud. 8:11
380 וַיַּעַל אֲבִימֶלֶךְ הַר־צַלְמוֹן Jud. 9:48
381 וַיַּעַל מַלְאַךְ־יְיָ בְּלַהַב הַמִּזְבֵּחַ Jud. 13:20
382 וַיַּעַל וַיַּגֵּד לְאָבִיו וּלְאִמּוֹ Jud. 14:2
383 וַיִּחַר אַפּוֹ וַיַּעַל בֵּית אָבִיהוּ Jud. 14:19
384 וַיַּעַל הָאִישׁ אֶלְקָנָה...לִזְבֹּחַ לַייָ ISh. 1:21
385 וַיַּעַל נָחָשׁ הָעַמּוֹנִי וַיִּחַן... ISh. 11:1
386 וַיַּעַל מִן־הַגִּלְגָּל גִּבְעַת בִּנְיָמִן ISh. 13:15
387 וַיַּעַל יוֹנָתָן עַל־יָדָיו וְעַל־רַגְלָיו ISh.14:13
388 וַיַּעַל שָׁאוּל מֵאַחֲרֵי פְּלִשְׁתִּים ISh. 14:46
389 וַיַּעַל דָּוִד מִשָּׁם ISh. 23:29
390 וַיַּעַל דָּוִד וַאֲנָשָׁיו וַיִּפְשְׁטוּ... ISh. 27:8
391 וַיַּעַל שָׁם דָּוִד וְגַם שְׁתֵּי נָשָׁיו IISh. 2:2
392 ...וַיַּעַל אֶבְיָתָר... IISh. 15:24
393 וַיַּעַל עַל־עֲלִיַּת הַשַּׁעַר וַיֵּבְךְּ IISh. 19:1
394 וַיַּעַל כָּל־אִישׁ יִשְׂרָאֵל מֵאַחֲרֵי דָוִד IISh.20:2
395 וַיַּעַל דָּוִד כִּדְבַר־גָּד IISh. 24:19
396 וַיַּעַל בְּנָיָהוּ...וַיִּפְגַּע־בּוֹ IK. 2:34
397-399 וַיַּעַל עַל־הַמִּזְבֵּחַ IK. 12:32, 33²
400 וַיַּעַל בַּעְשָׁא...עַל־יְהוּדָה IK. 15:17
401 עֲלֵה־נָא הַבֵּט...וַיַּעַל וַיַּבֵּט IK. 18:43
402 וַיַּעַל וַיָּצַר עַל־שֹׁמְרוֹן IK. 20:1
403 וַיַּעַל אֲפֵקָה לַמִּלְחָמָה... IK. 20:26
404 וַיַּעַל מֶלֶךְ־יִשְׂרָאֵל...רָמֹת גִּלְעָד IK. 22:29
405 וַיַּעַל אֵלָיו וְהִנֵּה יֹשֵׁב עַל־רֹאשׁ הָהָר IIK. 1:9
406 וַיַּעַל וַיָּבֹא שַׂר־הַחֲמִשִּׁים... IIK. 1:13
407 וַיַּעַל אֵלִיָּהוּ בַּסְּעָרָה הַשָּׁמָיִם IIK. 2:11
408 וַיַּעַל מִשָּׁם בֵּית־אֵל IIK. 2:23
409 וַיַּעַל וַיִּשְׁכַּב עַל־הַיֶּלֶד IIK. 4:34
410 וַיַּעַל וַיִּגְהַר עָלָיו IIK. 4:35
411 וַיַּעַל וַיָּצַר עַל־שֹׁמְרוֹן IIK. 6:24
412 וַיַּעַל סֹפֵר הַמֶּלֶךְ וְהַכֹּהֵן הַגָּדוֹל IIK. 12:11
413 וַיַּעַל מֵעַל יְרוּשָׁלָם IIK. 12:19
414 וַיַּעַל יְהוֹאָשׁ...וַיִּתְרָאוּ פָנִים IIK. 14:11
415 וַיַּעַל מְנַחֵם בֶּן־גָּדִי מִתִּרְצָה IIK. 15:14
416 וַיַּעַל מֶלֶךְ אַשּׁוּר אֶל־דַּמֶּשֶׂק IIK. 16:9
417 וַיַּעַל מֶלֶךְ־אַשּׁוּר בְּכָל־הָאָרֶץ IIK. 17:5
418 וַיַּעַל שֹׁמְרוֹן וַיָּצַר עָלֶיהָ IIK. 17:5
419 וַיַּעַל בֵּית יְיָ וַיִּפְרְשֵׂהוּ חִזְקִיָּהוּ IIK. 19:14
420 וַיַּעַל הַמֶּלֶךְ בֵּית־יְיָ IIK. 23:2
421 וַיַּעַל בֵּית יְיָ וַיִּפְרְשֵׂהוּ חִזְקִיָּהוּ Is. 37:14
422 וַיַּעַל כַּיּוֹנֵק לְפָנָיו Is. 53:2
423 וַיַּעַל כְּבוֹד יְיָ מֵעַל תּוֹךְ הָעִיר Ezek. 11:23
424 וַיַּעַל מֵעָלַי הַמַּרְאֶה אֲשֶׁר רָאִיתִי Ezek. 11:24
425 וַיָּבוֹא אֶל־שַׁעַר...וַיַּעַל בְּמַעֲלָתוֹ Ezek. 40:6
426 וַיְמַן...קִיקָיוֹן וַיַּעַל מֵעַל לְיוֹנָה Jon. 4:6
427 וַיַּעַל בָּרִאשׁוֹנָה יוֹאָב ICh. 11:6
428 וַיַּעַל דָּוִיד וְכָל־יִשְׂרָאֵל בַּעֲלָתָה ICh. 13:6
429 וַיַּעַל דָּוִיד בִּדְבַר־גָּד ICh. 21:19
430 וַיַּעַל שִׁישַׁק...עַל־יְרוּשָׁלַם IICh. 12:9
431 וַיַּעַל מֶ׳־יִשְׂ׳...אֶל־רָמֹת גִּלְעָד IICh. 18:28
432 וַיַּעַל יוֹאָשׁ...וַיִּתְרָאוּ פָנִים IICh. 25:21
433 וַיַּשְׁכֵּם...וַיַּעַל בֵּית יְיָ IICh. 29:20
434 וַיַּעַל הַמֶּלֶךְ בֵּית־יְיָ IICh. 34:30

יַעֲלֶנָּה
435 וּפְרִיץ חַיּוֹת בַּל־יַעֲלֶנָּה Is. 35:9

תַּעֲלֶה
436 וְהָיָה אִם־תַּעֲלֶה חֲמַת הַמֶּלֶךְ IISh. 11:20
437 עַל אַדְמַת עַמִּי...שָׁמִיר תַּעֲלֶה Is. 32:13
438 וִירוּשָׁלַםִ תַּעֲלֶה עַל־לְבַבְכֶם Jer. 51:50
439 כִּי־תַעֲלֶה בָבֶל הַשָּׁמַיִם Jer. 51:53
440 ...תַּעֲלֶה חֲמָתִי בְּאַפִּי Ezek. 38:18
441 וְאִם־מִשְׁפַּחַת מִצְרַיִם לֹא־תַעֲלֶה Zech. 14:18
442 אִם־רוּחַ הַמּוֹשֵׁל תַּעֲלֶה עָלֶיךָ Eccl. 10:4

וַתַּעֲלֶה
443 וַתַּעֲלֶה וַתֵּצֵא מֶרְכָּבָה מִמִּצְרַיִם IK. 10:29
444 וַתַּעֲלֶה הַמִּלְחָמָה בַּיּוֹם הַהוּא IK. 22:35
445 אֹתָם זָכַר יְיָ וַתַּעֲלֶה עַל־לִבּוֹ Jer. 44:21

וְתַעַל
446 וְעָלָה בָאְשׁוֹ וְתַעַל צַחֲנָתוֹ Joel 2:20

וַתַּעַל
447 וַתַּעַל שַׁוְעָתָם אֶל־הָאֱלֹהִים Ex. 2:23
448 וַתַּעַל הַצְּפַרְדֵּעַ וַתְּכַס אֶת־אֶרֶץ מ׳ Ex. 8:2
449 וַתַּעַל הַשְּׂלָו וַתְּכַס אֶת־הַמַּחֲנֶה Ex. 16:13
450 וַתַּעַל שִׁכְבַת הַטָּל Ex. 16:14
451 וַתַּעַל עִמּוֹ דְּבוֹרָה Jud. 4:10
452 וַתַּעַל הָאֵשׁ מִן־הַצּוּר וַתֹּאכַל Jud. 6:21
453 וַתַּעַל שַׁוְעַת הָעִיר הַשָּׁמָיִם ISh. 5:12
454 וַתַּעַל וַתַּשְׁכִּבֵהוּ עַל־מִטַּת... IIK. 4:21
455 וַתַּעַל הַמִּלְחָמָה בַּיּוֹם הַהוּא IICh. 18:34
456 וַתַּעַל אֲרוּכָה לַמְּלָאכָה בְּיָדָם IICh. 24:13

וַתָּעַל
457 וַתֵּרֶד...וַתְּמַלֵּא כַדָּהּ וַתָּעַל Gen. 24:16

נַעֲלֶה
458 עָלֹה נַעֲלֶה וְיָרַשְׁנוּ אֹתָהּ Num. 13:30
459-460 ...לֹא נַעֲלֶה Num. 16:12, 14
461 וַיֹּאמְרוּ אֵלָיו בְּ״יִ בַּמְסִלָּה נַעֲלֶה Num. 20:19
462 אֶת־הַדֶּרֶךְ אֲשֶׁר נַעֲלֶה־בָּהּ Deut. 1:22
463 אֲנַחְנוּ נַעֲלֶה וְנִלְחַמְנוּ Deut. 1:41
464 וְעָמַדְנוּ תַחְתֵּינוּ וְלֹא נַעֲלֶה אֲלֵיהֶם ISh. 14:9
465 וַיֹּאמֶר אֵי־זֶה הַדֶּרֶךְ נַעֲלֶה IIK. 3:8
466 נַעֲלֶה בִיהוּדָה וּנְקִיצֶנָּה Is. 7:6

וְנַעֲלֶה
467 וְנָקוּמָה וְנַעֲלֶה בֵּית־אֵל Gen. 35:3
468 קוּמָה וְנַעֲלֶה עֲלֵיהֶם Jud. 18:9
469 לְכוּ וְנַעֲלֶה אֶל־הַר־יְיָ Is. 2:3
470 קוּמוּ וְנַעֲלֶה בַצָּהֳרָיִם Jer. 6:4
471 קוּמוּ וְנַעֲלֶה בַלָּיְלָה Jer. 6:5
472 קוּמוּ וְנַעֲלֶה צִיּוֹן Jer. 31:6(5)
473 לְכוּ וְנַעֲלֶה אֶל־הַר־יְיָ Mic. 4:2

וַנַּעַל
474 וַנֵּפֶן וַנַּעַל דֶּרֶךְ הַבָּשָׁן Deut. 3:1

תַּעֲלוּ
475 אַל־תַּעֲלוּ כִּי אֵין יְיָ בְּקִרְבְּכֶם Num. 14:42
476 לֹא תַעֲלוּ וְלֹא תִלָּחֲמוּ Deut. 1:42
477 לֹא־תַעֲלוּ וְלֹא־תִלָּחֲמוּן IK. 12:24
478 וְאַל־תַּעֲלוּ בֵּית אָוֶן Hosh. 4:15
479 לֹא־תַעֲלוּ וְלֹא־תִלָּחֲמוּ IICh. 11:4

וַתַּעֲלוּ
480 וַתָּזִדוּ וַתַּעֲלוּ הָהָרָה Deut. 1:43

יַעֲלוּ
481 וּבְכָה וּבְעַמְּךָ...יַעֲלוּ הַצְפַרְדְּעִים Ex. 7:29
482 בִּמְשֹׁךְ הַיֹּבֵל הֵמָּה יַעֲלוּ בָהָר Ex. 19:13
483 וְהָעָם לֹא יַעֲלוּ עִמּוֹ Ex. 24:2
484 וְאֶל־הַמִּזְבֵּחַ לֹא־יַעֲלוּ לְרֵיחַ נִיחֹחַ Lev. 2:12
485 כְּאַלְפַּיִם אִישׁ...יַעֲלוּ וְיַכּוּ אֶת־הָעָי Josh. 7:3
486 הֵם וּמִקְנֵיהֶם יַעֲלוּ וְאָהֳלֵיהֶם Jud. 6:5
487 וּבְלוּלִּים יַעֲלוּ עַל־הַתִּיכֹנָה IK. 6:8
488 לֹא יַעֲלוּ כֹּהֲנֵי הַבָּמוֹת אֶל־מִזְבַּח יְיָ IIK.23:9
489 יַעֲלוּ עַל־רָצוֹן מִזְבְּחִי Is. 60:7
490 יַעֲלוּ דְבָרִים עַל־לְבָבֶךָ Ezek. 38:10
491 וּבְמַעֲלוֹת שֶׁבַע יַעֲלוּ־בוֹ Ezek. 40:22
492 וּבַמַּעֲלוֹת אֲשֶׁר יַעֲלוּ אֵלָיו Ezek. 40:49
493 כְּאַנְשֵׁי מִלְחָמָה יַעֲלוּ חוֹמָה Joel 2:7
494 בַּחוֹמָה יְרֻצוּן בַּבָּתִּים יַעֲלוּ Joel 2:9
495 יִגְּשׁוּ יַעֲלוּ כֹּל אַנְשֵׁי הַמִּלְחָמָה Joel 4:9

יַעֲלוּ (המשך)
496 וְאִם־יַעֲלוּ הַשָּׁמַיִם מִשָּׁם אוֹרִידֵם Am. 9:2
497/8 לֹא יַעֲלוּ לָחֹג אֶת־חַג הַסֻּכּוֹת Zech.14:18, 19
499 יַעֲלוּ הָרִים יֵרְדוּ בְקָעוֹת Ps. 104:8
500 יַעֲלוּ שָׁמַיִם יֵרְדוּ תְהוֹמוֹת Ps. 107:26
501 יַעֲלוּ בַתֹּהוּ וְיֹאבֵדוּ Job 6:19

וְיַעֲלוּ
502 צַוֵּה...וְיַעֲלוּ מִן־הַיַּרְדֵּן Josh. 4:16
503 יֵעוֹרוּ וְיַעֲלוּ הַגּוֹיִם אֶל־עֵמֶק יְהוֹשָׁ׳ Joel 4:12

וַיַּעֲלוּ
504 וַיַּעֲלוּ מִמִּצְרָיִם Gen. 45:25
505 וַיַּעֲלוּ אִתּוֹ כָּל־עַבְדֵי פַרְעֹה Gen. 50:7
506 וַיַּעֲלוּ וַיָּתֻרוּ אֶת־הָאָרֶץ Num. 13:21
507 וַיַּעֲלוּ בַנֶּגֶב וַיָּבֹא עַד־חֶבְרוֹן Num. 13:22
508 וַיַּעֲלוּ אֶל־רֹאשׁ־הָהָר Num. 14:40
509 וַיַּעֲלוּ אֶל־הֹר הָהָר Num. 20:27
510 וַיִּפְנוּ וַיַּעֲלוּ דֶּרֶךְ הַבָּשָׁן Num. 21:33
511 וַיַּעֲלוּ עַד־נַחַל אֶשְׁכּוֹל Num. 32:9
512 וַיִּפְנוּ וַיַּעֲלוּ הָהָרָה Deut. 1:24
513 וַיַּעֲלוּ הָאֲנָשִׁים וַיְרַגְּלוּ אֶת־הָעָי Josh. 7:2
514 וַיַּעֲלוּ מִן־הָעָם שָׁמָּה Josh. 7:4
515 וַיֵּאָסְפוּ וַיַּעֲלוּ חֲמֵשֶׁת מַלְכֵי הָאֱמֹרִי Josh.10:5
516 וַיַּעֲלוּ אֵלֶיהָ בְּ״יִ לַמִּשְׁפָּט Jud. 4:5
517 וּמַלְאָכִים שָׁלַח...וַיַּעֲלוּ לִקְרָאתָם Jud. 6:35
518 וַיַּעֲלוּ עַל־גַּג הַמִּגְדָּל Jud. 9:51
519 וַיַּעֲלוּ אֵלֶיהָ סַרְנֵי פְלִשְׁתִּים Jud. 16:5
520 וַיָּקֻמוּ וַיַּעֲלוּ בֵית־אֵל Jud. 20:18
521 וַיַּעֲלוּ בְ״יִ אֶל־בְּנֵי בִנְיָמִן... Jud. 20:30
522 וַיַּעֲלוּ סַרְנֵי־פְלִשְׁתִּים אֶל־יִשְׂרָאֵל ISh. 7:7
523 וַיַּעֲלוּ הָעִיר... ISh. 9:14
524 וַיַּעֲלוּ זִפִים אֶל־שָׁאוּל הַגִּבְעָתָה ISh. 23:19
525 וַיַּעֲלוּ אַחֲרֵי דָוִד... ISh. 25:13
526 וַיַּעֲלוּ מֵהַבְּאֵר וַיֵּלְכוּ וַיַּגִּדוּ לַמֶּלֶךְ IISh.17:21
527 וַיַּעֲלוּ כָל־הָעָם אַחֲרָיו IK. 1:40
528 וַיַּעֲלוּ מִשָּׁם שְׂמֵחִים IK. 1:45
529 וַיַּעֲלוּ מִבֵּית־הַמֶּלֶךְ בֵּית יְיָ Jer. 26:10
530 וַיַּעֲלוּ מִבְּנֵי־יִשְׂרָאֵל...אֶל־יְרוּשָׁלָם Ez. 7:7
531 וַיַּעֲלוּ בְּבַעַל־פְּרָצִים ICh. 14:11
532 וַיַּעֲלוּ בִיהוּדָה וַיִּבְקָעוּהָ IICh. 21:17
533-548 וַיַּעֲלוּ Josh. 19:47 • Jud. 1:22 • 15:6,9; 16:31; 18:12,17; 20:23,26 • ISh. 13:5 • IISh. 5:17; 23:9 • IIK. 18:17² • ICh. 14:8 • IICh. 1:17

תַּעֲלֶינָה
549 וְלֹא תַעֲלֶינָה עַל־לֵב Is. 65:17

וַתַּעֲלֶנָה
550 וַתַּעֲלֶנָה חָזוּת אַרְבַּע תַּחְתֶּיהָ Dan. 8:8

עֲלֵה
551 קוּם עֲלֵה בֵית־אֵל Gen. 35:1
552 עֲלֵה וּקְבֹר אֶת־אָבִיךָ Gen. 50:6
553 וְאֶל־מֹשֶׁה אָמַר עֲלֵה אֶל־יְיָ Ex. 24:1
554 עֲלֵה אֵלַי הָהָרָה Ex. 24:12
555 לֵךְ עֲלֵה מִזֶּה אַתָּה וְהָעָם Ex. 33:1
556 עֲלֵה אֶל־הַר הָעֲבָרִים Num. 27:12
557 עֲלֵה רֵשׁ כַּאֲשֶׁר דִּבֶּר יְיָ Deut. 1:21
558 עֲלֵה רֹאשׁ הַפִּסְגָּה... Deut. 3:27
559 עֲלֵה אֶל־הַר הָעֲבָרִים Deut. 32:49
560 קַח עִמְּךָ...וְקוּם עֲלֵה הָעָי Josh. 8:1
561 עֲלֵה אֵלֵינוּ מְהֵרָה וְהוֹשִׁיעָה לָּנוּ Josh. 10:6
562 עֲלֵה לְךָ הַיַּעְרָה... Josh. 17:15
563 עֲלֵה אִתִּי בְגוֹרָלִי וְנִלָּחֲמָה Jud. 1:3
564 עֲלֵה לְפָנַי הַבָּמָה ISh. 9:19
565 וַיֹּאמֶר יוֹנָתָן...עֲלֵה אַחֲרַי ISh. 14:12
566 וַיֹּאמֶר יְיָ אֵלָיו עֲלֵה IISh. 2:1
567 וַיֹּאמֶר יְיָ אֶל־דָּוִד עֲלֵה IISh. 5:19
568 עֲלֵה הָקֵם לַייָ מִזְבֵּחַ IISh. 24:18
569 עֲלֵה אֱכֹל וּשְׁתֵה IK. 18:41
570 עֲלֵה־נָא הַבֵּט דֶּרֶךְ־יָם IK. 18:43
571 עֲלֵה אֱמֹר אֶל־אַחְאָב... IK. 18:44

עָלָה (המשך)
572 הַאֵלֵךְ...וַיֹּאמְרוּ עֲלֵה IK. 22:6
573 עֲלֵה רָמֹת גִּלְעָד וְהַצְלַח IK. 22:12
574 הֲנֵלֵךְ...וַיֹּאמֶר אֵלָיו עֲלֵה וְהַצְלַח IK. 22:15
575 קוּם עֲלֵה לִקְרַאת מַלְאֲכֵי מֶ־שֹׁמְרוֹן IIK. 1:3
576-577 עֲלֵה קֵרֵחַ עֲלֵה קֵרֵחַ IIK. 2:23
578 עֲלֵה וְהוֹשִׁעֵנִי מִכַּף מֶלֶךְ־אֲרָם IIK. 16:7
579 יְיָ אָמַר אֵלַי עֲלֵה IIK. 18:25
580 עֲלֵה אֶל־חִלְקִיָּהוּ הַכֹּהֵן IIK. 22:4
581 יְיָ אָמַר אֵלַי עֲלֵה Is. 36:10
582 עַל־הָאָרֶץ מְרָתַיִם עֲלֵה עָלֶיהָ Jer. 50:21
583 כִּי טוֹב אֲמָר־לְךָ עֲלֵה הֵנָּה Prov. 25:7
584 וַיֹּאמֶר לוֹ יְיָ עֲלֵה וּנְתַתִּים בְּיָדֶךָ ICh. 14:10
585 הֲנֵלֵךְ...וַיֹּאמְרוּ עֲלֵה IICh. 18:5
586 עֲלֵה רָמֹת גִּלְעָד וְהַצְלַח IICh. 18:11
וַעֲלֵה 587 פְּסָל־לְךָ...וַעֲלֵה אֵלַי הָהָרָה Deut. 10:1
עֲלִי 588 עֲלִי בְאֵר עֱנוּ־לָהּ Num. 21:17
589 וְלָהּ אָמַר עֲלִי לְשָׁלוֹם לְבֵיתֵךְ ISh. 25:35
590 עֲלִי עֵילָם צוּרִי מָדַי Is. 21:2
591 עַל הַר־גָּבֹהַּ עֲלִי־לָךְ Is. 40:9
592 עֲלִי הַלְּבָנוֹן וּצְעָקִי Jer. 22:20
593 עֲלִי גִלְעָד וּקְחִי צֳרִי Jer. 46:11
עֲלוּ 594 וְאַתֶּם עֲלוּ לְשָׁלוֹם אֶל־אֲבִיכֶם Gen. 44:17
595 עֲלוּ זֶה בַּנֶּגֶב וַעֲלִיתֶם אֶת־הָהָר Num. 13:17
596 עֲלוּ וּרְשׁוּ אֶת־הָאָרֶץ Deut. 9:23
597 וַיְצַו יְהוֹשֻׁעַ...עֲלוּ מִן־הַיַּרְדֵּן Josh. 4:17
598 עֲלוּ וְרַגְּלוּ אֶת־הָאָרֶץ Josh. 7:2
599 עֲלוּ־אֵלַי וְעִזְרֻנִי... Josh. 10:4
600 וַתִּקְרָא...לֵאמֹר עֲלוּ הַפַּעַם... Jud. 16:18
601 וַיֹּאמֶר יְיָ עֲלוּ אֵלָיו Jud. 20:23
602 וַיֹּאמֶר יְיָ עֲלוּ... Jud. 20:28
603 וְעַתָּה עֲלוּ כִּי־אֹתוֹ כְהַיּוֹם תִּמְצְאוּן ISh. 9:13
604 וְאִם־כֹּה יֹאמְרוּ עֲלוּ עָלֵינוּ וְעָלִי ISh. 14:10
605 וַיַּעֲנוּ...וַיֹּאמְרוּ עֲלוּ אֵלֵינוּ ISh. 14:12
606 עֲלוּ כַרְמֶלָה וּבָאתֶם אֶל־נָבָל ISh. 25:5
607 עֲלוּ בְשָׁרוֹתֶיהָ וְשַׁחֵתוּ Jer. 5:10
608 עֲלוּ הַסּוּסִים וְהִתְהֹלְלוּ הָרֶכֶב Jer. 46:9
609 קוּמוּ עֲלוּ אֶל־קֵדָר Jer. 49:28
610 קוּמוּ עֲלוּ אֶל־גּוֹי שְׁלֵיו Jer. 49:31
611 עֲלוּ הָהָר וַהֲבֵאתֶם עֵץ Hag. 1:8
612 וַיֹּאמֶר עֲלוּ וְהַצְלִיחוּ IICh. 18:14
וַעֲלוּ 613 מַהֲרוּ וַעֲלוּ אֶל־אָבִי Gen. 45:9
614 אִסְרוּ הַסּוּסִים וַעֲלוּ הַפָּרָשִׁים Jer. 46:4
הֵעָלוֹת 615 וּלְפִי הֵעָלוֹת הֶעָנָן מֵעַל הָאֹהֶל Num. 9:17
616 עִם הֵעָלוֹת הַגּוֹלָה מִבָּבֶל לִירוּשָׁלָיִם Ez. 1:11
הֵעָלֹתוֹ 617 וְלֹא יִסְעוּ עַד־יוֹם הֵעָלֹתוֹ Ex. 40:37
בְּהֵעָלוֹת 618 בְּהֵעָלוֹת חֵיל הַכַּשְׂדִּים מֵעַל יְרוּשָׁלָםִ Jer. 37:11
וּבְהֵעָלוֹת 619 וּבְהֵעָלוֹת הֶעָנָן מֵעַל הַמִּשְׁכָּן Ex. 40:36
וּבְהֵעָלֹתוֹ 620 ...וּבְהֵעָלֹתוֹ יִסָּעוּ Num. 9:22
נַעֲלֵיתָ 621 מְאֹד נַעֲלֵיתָ עַל־כָּל־אֱלֹהִים Ps. 97:9
נַעֲלָה 622 נַעֲלָה הֶעָנָן מֵעַל מִשְׁכַּן הָעֵדֻת Num. 10:11
623 נַעֲלָה הָעָם אִישׁ מֵאַחֲרֵי אָחִיו IISh. 2:27
624 וּכְבוֹד אֱלֹהֵי יִשְׂ׳ נַעֲלָה מֵעַל הַכְּרוּב Ezek. 9:3
625 לֵאלֹהִים מָגִנֵּי־אֶרֶץ מְאֹד נַעֲלָה Ps. 47:10
וְנַעֲלָה 626 וְנַעֲלָה הֶעָנָן בַּבֹּקֶר וְנָסָעוּ Num. 9:21
627 וְנַעֲלָה הֶעָנָן וְנָסָעוּ Num. 9:21
יֵעָלֶה 628 וְאִם־לֹא יֵעָלֶה הֶעָנָן וְלֹא יִסְעוּ... Ex. 40:37
וַתֵּעָלוּ 629 וַתֵּעָלוּ עַל־שְׂפַת לָשׁוֹן Ezek. 36:3
וַיֵּעָלוּ 630 וַיֵּעָלוּ מֵעַל מִשְׁכַּן־קֹרַח Num. 16:27
631 וַיִּשְׁמְעוּ...וַיֵּעָלוּ מֵעַל יְרוּשָׁלָםִ Jer. 37:5
הֵעָלוּ 632 הֵעָלוּ מִסָּבִיב לְמִשְׁכַּן־קֹרַח Num. 16:24
הַעֲלֵה 633 הַעֲלֵה עֲלֵיהֶם קָהָל Ezek. 23:46

הַעֲלוֹת 634 וּלְכֹל הַעֲלוֹת עֹלוֹת לַייָ ICh. 23:31
וְהַעֲלוֹת 635 וְהַעֲלוֹת עוֹלָה חִנָּם ICh. 21:24
636 ? כְּלֵי שָׁרֵת וְהַעֲלוֹת וְכַפּוֹת IICh. 24:14
637 וְהַעֲלוֹת עֹלוֹת עַל מִזְבַּח יְיָ IICh. 35:16
בְּהַעֲלוֹת 638 בְּהַעֲלוֹת יְיָ אֶת־אֵלִיָּהוּ...הַשָּׁמַיִם IIK. 2:1
639 בְּהַעֲלוֹת עָלַיִךְ אֶת־תְּהוֹם Ezek. 26:19
640 בְּהַעֲלוֹת הָעוֹלָה וְהַחֲלָבִים IICh. 35:14
וּבְהַעֲלֹת 641 וּבְהַעֲלֹת אַהֲרֹן אֶת־הַנֵּרֹת Ex. 30:8
כְּהַעֲלוֹת 642 כְּהַעֲלוֹת הַיָּם לְגַלָּיו Ezek. 26:3
לְהַעֲלוֹת 643/4 שֶׁמֶן...לְהַעֲלֹת נֵר תָּמִיד
Ex. 27:20 • Lev. 24:2
645 לְהַעֲלוֹת עָלָיו עוֹלָה וּמִנְחָה Josh. 22:23
646 אָנֹכִי יֹרֵד אֵלֶיךָ לְהַעֲלוֹת עֹלוֹת... ISh. 10:8
647 וַיְהִי כְּכַלֹּתוֹ לְהַעֲלוֹת הָעֹלָה ISh. 13:10
648 לָמָּה הִרְגַּזְתַּנִי לְהַעֲלוֹת אֹתִי ISh. 28:15
649 לְהַעֲלוֹת מִשָּׁם אֵת אֲרוֹן הָאֱלֹהִים IISh. 6:2
650 לְהַעֲלוֹת אֶת־אֲרוֹן בְּרִית־יְיָ IK. 8:1
651 לְהַעֲלוֹת חֵמָה לִנְקֹם נָקָם Ezek. 24:8
652 לְהַעֲלוֹת עָלָיו עוֹלָה Ezek. 43:18
653 לְהַעֲלוֹת עָלָיו עֹלוֹת כַּכָּתוּב... Ez. 3:2
654 הֵחֵלּוּ לְהַעֲלוֹת עֹלוֹת לַייָ Ez. 3:6
655 לְהַעֲלוֹת מִשָּׁם אֵת אֲרוֹן הָאֱלֹהִים ICh. 13:6
656-657 לְהַעֲלוֹת אֶת־אֲרוֹן יְיָ ICh. 15:3, 14
658 לְהַעֲלוֹת אֶת־אֲרוֹן בְּרִית־יְיָ ICh. 15:25
659 לְהַעֲלוֹת עֹלוֹת לַייָ ICh. 16:40
660 לְהַעֲלוֹת אֶת־אֲרוֹן בְּרִית־יְיָ IICh. 5:2
661 לְהַעֲלוֹת כְּמִצְוַת מֹשֶׁה IICh. 8:13
662 לְהַעֲלוֹת עֹלוֹת יְיָ כַּכָּתוּב IICh. 23:18
663 לְהַעֲלוֹת עַל־מִזְבַּח יְיָ IICh. 29:21
664 לְהַעֲלוֹת הָעֹלָה לְהַמִּזְבֵּחַ IICh. 29:278
665 וּכְכַלּוֹת לְהַעֲלוֹת כָּרְעוּ IICh. 29:29
מֵהַעֲלוֹת 666 וַיְכַל דָּוִד מֵהַעֲלוֹת הָעוֹלָה IISh. 6:18
667 וַיְכַל דָּוִיד מֵהַעֲלוֹת הָעֹלָה ICh. 16:2
הַעֲלֹתִי 668 מִיּוֹם הַעֲלֹתִי אוֹתָם מִמִּצְרַיִם ISh. 8:8
669 לְמִיּוֹם הַעֲלֹתִי אֶת־בְּ־י מִמִּצְרַיִם IISh. 7:6
670 בְּיוֹם הַעֲלוֹתִי אוֹתָם מֵאֶרֶץ מִצְ׳ Jer. 11:7
וּבְהַעֲלוֹתִי 671 וּבְהַעֲלוֹתִי אֶתְכֶם מִקִּבְרוֹתֵיכֶם Ezek. 37:13
בְּהַעֲלֹתְךָ 672 בְּהַעֲלֹתְךָ אֶת־הַנֵּרֹת... Num. 8:2
וּלְהַעֲלֹתוֹ 673 וּלְהַעֲלֹתוֹ מִן־הָאָרֶץ הַהִוא Ex. 3:8
לְהַעֲלוֹתָם 674 הֶרֶב לְהַעֲלוֹתָם מַשְׂאַת הֶעָשָׁן Jud. 20:38
הֶעֱלֵיתִי 675 אָנֹכִי הֶעֱלֵיתִי אֶתְכֶם מִמִּצְרַיִם Jud. 6:8
676 אָנֹכִי הֶעֱלֵיתִי אֶת־יִשְׂרָאֵל מִמִּצְרָ׳ ISh. 10:18
677 וְאָנֹכִי הֶעֱלֵיתִי אֶתְכֶם מֵאֶרֶץ מִצְ׳ Am. 2:10
678 אֲשֶׁר הֶעֱלֵיתִי מֵאֶרֶץ מִצְרַיִם Am. 3:1
679 אֶת־יִשְׂרָאֵל הֶעֱלֵיתִי מֵאֶרֶץ מִצְ׳ Am. 9:7
680 מִן־הַיּוֹם אֲשֶׁר הֶעֱלֵיתִי אֶת־יִשְׂרָאֵל ICh. 17:5
וְהַעֲלֵיתִי 681 וְהַעֲלֵיתִי עָלַיִךְ גּוֹיִם רַבִּים Ezek. 26:3
682 וְהַעֲלֵתִי עֲלֵיכֶם בָּשָׂר Ezek. 37:6
683 וְהַעֲלֵיתִי אֶתְכֶם מִקִּבְרוֹתֵיכֶם Ezek. 37:12
684 וְהַעֲלֵיתִי עַל־כָּל־מָתְנַיִם שָׂק Am. 8:10
הֶעֱלִתִיךָ 685 כִּי הֶעֱלִתִיךָ מֵאֶרֶץ מִצְרַיִם Mic. 6:4
וְהַעֲלִיתִיךָ 686 וְהַעֲלִיתִיךָ מִתּוֹךְ יְאֹרֶיךָ Ezek. 29:4
687 וְהַעֲלִיתִיךָ מִיַּרְכְּתֵי צָפוֹן Ezek. 39:2
וְהַעֲלִיתִיהוּ 688 וְהָיָה לַייָ וְהַעֲלִיתִיהוּ עוֹלָה Jud. 11:31
וְהַעֲלִיתִים 689 וְהַעֲלִיתִים וַהֲשִׁיבֹתִים אֶל־הַמָּקוֹם הַזֶּה
Jer. 27:22
הֶעֱלֵיתָ 690 אֲשֶׁר הֶעֱלֵיתָ מֵאֶרֶץ מִצְרַיִם Ex. 32:7
הֶעֱלִיתָ 691 אֲשֶׁר הֶעֱלִיתָ מֵאֶרֶץ מִצְרָיִם Ex. 33:1
692 הֶעֱלִיתָ בְכֹחֲךָ אֶת־הָעָם הַזֶּה Num. 14:13
693 יְיָ הֶעֱלִיתָ מִן־שְׁאוֹל נַפְשִׁי Ps. 30:4
וְהַעֲלִיתָ 694 וְהַעֲלִיתָ אֶת־נֵרֹתֶיהָ Ex. 40:4
וְהַעֲלִיתָ 695 וְהַעֲלִיתָ עָלָיו עוֹלֹת לַייָ אֱלֹהֶיךָ Deut. 27:6

וְהַעֲלִיתָ (המשך)
696 וְהַעֲלִיתָ עוֹלָה בַּעֲצֵי הָאֲשֵׁרָה Jud. 6:26
697 וְהַעֲלִיתָ אֶת־יִרְמְיָהוּ הַנָּבִיא מִן־הַבּוֹר
Jer. 38:10
הֶעֱלִיתָנוּ 698 לָמָּה זֶּה הֶעֱלִיתָנוּ מִמִּצְרַיִם Ex. 17:3
699 הַמְעַט כִּי הֶעֱלִיתָנוּ מֵאֶרֶץ... Num. 16:13
הֶעֱלִית 700 שָׁפַכְתְּ נֶסֶךְ הֶעֱלִית מִנְחָה Is. 57:6
הֶעֱלָה 701 אֶל־מוּל פְּנֵי הַמְּנוֹרָה הֶעֱלָה נֵרֹתֶיהָ Num. 8:3
702 הֶעֱלָה אֶת־אֲבוֹתֵיכֶם מֵאֶרֶץ מִצְרָיִם ISh. 12:6
703 וַאֲנָשָׁיו אֲשֶׁר־עִמּוֹ הֶעֱלָה דָוִד IISh. 2:3
704 דְּבַר־הַמַּס אֲשֶׁר־הֶעֱלָה הַמֶּלֶךְ IK. 9:15
705 וְלֹא־הֶעֱלָה מִנְחָה לְמֶלֶךְ אַשּׁוּר IIK. 17:4
706 אֲשֶׁר הֶעֱלָה אֶתְכֶם מֵאֶרֶץ מִצְרַיִם IIK. 17:36
707/8 הֶעֱלָה אֶת־בְּ־י מֵאֶרֶץ מִצְ׳ Jer. 16:14; 23:7
709 הֶעֱלָה אֶת־בְּ־י מֵאֶרֶץ צָפוֹן Jer. 16:15
710 הֶעֱלָה וַאֲשֶׁר הֵבִיא...מֵאֶ׳ צָפוֹנָה Jer. 23:8
711 וּבְנָבִיא הֶעֱלָה יְיָ אֶת־יִשְׂ׳ מִמִּצְ׳ Hosh. 12:14
712 הַכֹּל הֶעֱלָה שֵׁשְׁבַּצַּר... Ez. 1:11
713 ...הֶעֱלָה דָוִיד מִקִּרְיַת יְעָרִים IICh. 1:4
714 וְאֶת־בַּת־פַּרְעֹה הֶעֱלָה שְׁלֹמֹה
מֵעִיר דָּוִיד IICh. 8:11
715 אָז הֶעֱלָה שְׁלֹמֹה עֹלוֹת לַייָ IICh. 8:12
וְהֶעֱלָה 716 וְהֶעֱלָה אֶתְכֶם מִן־הָאָרֶץ Gen. 50:24
717 וְהֶעֱלָה אֶת־נֵרֹתֶיהָ Ex. 25:37
718 וְהֶעֱלָה הַכֹּהֵן אֶת־הָעֹלָה Lev. 14:20
719 וְהֶעֱלָה שְׁלֹמֹה...עֹלוֹת וּשְׁלָמִים IK. 9:25
720 וְהֶעֱלָה עֹלוֹת מִסְפַּר כֻּלָּם Job 1:5
הֶעֶלְךָ 721 זֶה אֱלֹהֶיךָ אֲשֶׁר הֶעֶלְךָ מִמִּצְרָיִם Neh. 9:18
הֶעֱלָנוּ 722/3 אֲשֶׁר הֶעֱלָנוּ מֵאֶרֶץ מִצְרַיִם Ex. 32:1, 23
724 הֲלֹא מִמִּצְרַיִם הֶעֱלָנוּ יְיָ Jud. 6:13
וְהַעַלְתָה 725 ...וְהַעַלְתָה לוֹ מִיָּמִים יָמִימָה ISh. 2:19
הֶעֱלָתַם 726 וְהִיא הֶעֱלָתַם הַגָּגָה... Josh. 2:6
וְהַעֲלִיתֶם 727 וְהַעֲלִתֶם אֶת־עַצְמֹתַי מִזֶּה Gen. 50:25
728 וְהַעֲלִיתֶם אֶת־עַצְ׳ מִזֶּה אִתְּכֶם Ex. 13:19
729 וְהַעֲלִיתֶם עוֹלָה בַּעַדְכֶם Job 42:8
730 וְהַעֲלִיתֶם אֵת אֲרוֹן יְיָ ICh. 15:12
הֶעֱלִיתוּנוּ 731 וְלָמָּה הֶעֱלִיתֻנוּ מִמִּצְרַיִם Num. 20:5
732 לָמָּה הֶעֱלִיתֻנוּ מִמִּצְרַיִם Num. 21:5
הֶעֱלוּ 733 ...אֲשֶׁר־הֶעֱלוּ בְּ־י מִמִּצְרַיִם Josh. 24:32
734 וְאֶת־הַפָּרוֹת הֶעֱלוּ עֹלָה לַייָ ISh. 6:14
735 הֶעֱלוּ עֹלוֹת וַיִּזְבְּחוּ זְבָחִים ISh. 6:15
736 הֶעֱלוּ גִלּוּלֵיהֶם עַל־לִבָּם Ezek. 14:3
737 הֶעֱלוּ עָפָר עַל־רֹאשָׁם Lam. 2:10
738 הֶעֱלוּ אֹתָם הַכֹּהֲנִים הַלְוִיִּם IICh. 5:5
739 וְעֹלָה לֹא־הֶעֱלוּ בַקֹּדֶשׁ IICh. 29:7
וְהֶעֱלוּ 740 וְהֶעֱלוּ עָלַיִךְ קָהָל... Ezek. 16:40
741 וְהֶעֱלוּ אוֹתָם עֹלָה לַייָ Ezek. 43:24
הֶעֱלוּךָ 742/3 ...אֲשֶׁר הֶעֱלוּךָ מֵאֶרֶץ מִצְרָיִם Ex. 32:4, 8
744 ...אֲשֶׁר הֶעֱלוּךָ מֵאֶרֶץ מִצְרָיִם IK. 12:28
וְהֶעֱלוּךָ 745 וּפָרַשְׂתִּי...וְהֶעֱלוּךָ בְּחֶרְמִי Ezek. 32:3
מַעֲלֶה 746 וַיְהִי שְׁמוּאֵל מַעֲלֶה הָעוֹלָה ISh. 7:10
747 אֲדֹנָי מַעֲלֶה עֲלֵיהֶם אֶת־מֵי... Is. 8:7
748 הִנְנִי מַעֲלֶה־לָּהּ אֲרֻכָה וּמַרְפֵּא Jer. 33:6
749 מַעֲלֶה עוֹלָה וּמַקְטִיר מִנְחָה Jer. 33:18
750 מַעֲלֶה בָמָה וּמַקְטִיר לֵאלֹהָיו Jer. 48:35
751 פָּרָשׁ מַעֲלֶה וְלַהַב חֶרֶב Nah. 3:3
752 מַעֲלֶה נְשִׂאִים מִקְצֵה הָאָרֶץ Ps. 135:7
וּמַעֲלֶה 753 אָנֹכִי מֵעִיר וּמַעֲלֶה עַל־בָּבֶל Jer. 50:9
הַמַּעֲלֶה 754 אֲנִי יְיָ הַמַּעֲלֶה אֶתְכֶם מֵאֶרֶץ מִצְ׳ Lev. 11:45
755 הוּא הַמַּעֲלֶה אֹתָנוּ...מֵאֶרֶץ מִצְ׳ Josh. 24:17
756 הַמַּעֲלֶה עֲדִי זָהָב עַל לְבוּשְׁכֶן IISh. 1:24
757 הַמַּעֲלֶה אֹתָם מֵאֶרֶץ מִצְרַיִם IIK. 17:7
758 הַמַּעֲלֶה אֹתָנוּ מֵאֶרֶץ מִצְרָיִם Jer. 2:6

759 מֶלֶךְ אַשּׁוּר הַמַּעֲלֶה אֹתָנוּ פֹּה — Ez. 4:2
מַעֲלֵה־ 760/1 כִּי־מַעֲלֵה גֵרָה הוּא — Lev. 11:4, 5
762 כִּי־מַעֲלֵה גֵרָה הֵמָּה — Deut. 14:7
763 מַעֲלֵה מִנְחָה דַּם־חֲזִיר — Is. 66:3
הַמַּעַלְךָ 764/5 הַמַּעַלְךָ מֵאֶרֶץ מִצְ׳ — Deut. 20:1 • Ps. 81:11
הַמַּעֲלֵם 766 אַיֵּה הַמַּעֲלֵם מִיָּם — Is. 63:11
מַעֲלָה 767 וְגֵרָה אֵינֶנָּה מַעֲלָה — Lev. 11:26
מַעֲלַת־ 768 כֹּל...מַעֲלַת גֵּרָה בַּבְּהֵמָה — Lev. 11:3
769 כִּי־מַעֲלַת גֵּרָה הוּא — Lev. 11:6
770 וְכָל־בְּהֵמָה...מַעֲלַת גֵּרָה בַּבְּהֵמָה — Deut. 14:6
מַעֲלִים 771 וְדָוִד...מַעֲלִים אֶת־אֲרוֹן יְיָ — IISh. 6:15
772 וְכָל־יִשְׂרָאֵל מַעֲלִים אֶת־אֲרוֹן... — ICh. 15:28
773 וַיִּהְיוּ מַעֲלִים עֹלוֹת בְּבֵית־יְיָ — IICh. 24:14
מִמַּעֲלֵי־ 774 מִמַּעֲלֵי הַגֵּרָה וּמִמַּפְרִיסֵי הַפַּרְסָה — Lev. 11:4
775 מִמַּעֲלֵי הַגֵּרָה וּמִמַּפְרִיסֵי הַפַּרְסָה — Deut. 14:7
אַעֲלֶה 776 אַעֲלֶה אֶתְכֶם מֵעֳנִי מִצְרַיִם — Ex. 3:17
777 אַעֲלֶה אֶתְכֶם מִמִּצְרַיִם — Jud. 2:1
778 אֶת־מִי אַעֲלֶה־לָּךְ — ISh. 28:11
779 וְלֹא אַעֲלֶה לַייָ אֱלֹהַי עֹלוֹת חִנָּם — IISh. 24:24
780 כִּי־אַעֲלֶה אֲרֻכָה לָךְ — Jer. 30:17
781 אַעֲלֶה אֲכַסֶּה־אֶרֶץ — Jer. 46:8
782 עֹלוֹת מֵחִים אַעֲלֶה־לָּךְ — Ps. 66:15
783 אִם־לֹא אַעֲלֶה אֶת־יְרוּשָׁלַםִ
עַל רֹאשׁ שִׂמְחָתִי — Ps. 137:6
וָאַעֲלֶה 784 וָאֶתְאַפַּק וָאַעֲלֶה הָעֹלָה — ISh. 13:12
785 וָאַעֲלֶה בְּאֹשׁ מַחֲנֵיכֶם וּבְאַפְּכֶם — Am. 4:10
786 וָאַעֲלֶה אֶת־שָׂרֵי יְהוּדָה מֵעַל לַחוֹמָה — Neh. 12:31
וָאַעַל 787 וָאַעַל פַּר וָאַיִל בַּמִּזְבֵּחַ — Num. 23:4
אַעַלְךָ 788 וְאָנֹכִי אַעַלְךָ גַם־עָלֹה — Gen. 46:4
תַּעֲלֶה 789 פֶּן־תַּעֲלֶה עֹלֹתֶיךָ בְּכָל־מָקוֹם — Deut. 12:13
790 שָׁם תַּעֲלֶה עֹלֹתֶיךָ — Deut. 12:14
791 וְאַתָּה תַּעֲלֶה אֹתָם יְרוּשָׁלָםִ — IICh. 2:15
וַתַּעַל 792 וַתַּעַל מִשַּׁחַת חַיַּי יְיָ אֱלֹהָי — Jon. 2:7
תַּעֲלֵנִי 793 וּמִתְּהוֹמוֹת...תַּעֲלֵנִי (כת׳ תעלנו) — Ps. 71:20
794 אֵלִי אַל־תַּעֲלֵנִי בַּחֲצִי יָמָי — Ps. 102:25
תַּעֲלֶנָּה 795 וְאִם־תַּעֲשֶׂה עֹלָה לַייָ תַּעֲלֶנָּה — Jud. 13:16
תַּעֲלֵנוּ 796 אַל־תַּעֲלֵנוּ מִזֶּה — Ex. 33:15
יַעֲלֶה 797 אֲשֶׁר־יַעֲלֶה עֹלָה אוֹ־זָבַח — Lev. 17:8
798 כֹּל אֲשֶׁר יַעֲלֶה הַמַּזְלֵג — ISh. 2:14
799 אֶלֶף עֹלוֹת יַעֲלֶה שְׁלֹמֹה — IK. 3:4
800 וְעֹלָתוֹ אֲשֶׁר יַעֲלֶה בֵּית יְיָ — IK. 10:5
801/2 יַעֲלֶה עַל־הַצִּנָּה הָאֶ׳ — IK. 10:16 • IICh. 9:15
803/4 יַעֲלֶה עַל־הַמָּגֵן הָאֶחָת — IK. 10:17 • IICh. 9:16
805 אֲשֶׁר יַעֲלֶה אֶת־גִּלּוּלָיו אֶל־לִבּוֹ — Ezek. 14:4
806 וּדְבַר־עֶצֶב יַעֲלֶה־אָף — Prov. 15:1
וַיַּעֲלֶה 807 וַיַּעֲלֶה נְשִׂאִים מִקְצֵה הָאָרֶץ* — Jer. 10:13
וְיַעַל 808 יִקַּח וְיַעַל אֲדֹנִי הַמֶּלֶךְ — IISh. 24:22
809 וְיַעַל גִּלּוּלָיו אֶל־לִבּוֹ — Ezek. 14:7
וַיַּעַל 810 וַיַּעַל עֹלֹת בַּמִּזְבֵּחַ — Gen. 8:20
811 וַיַּעַל הַנֵּרֹת לִפְנֵי יְיָ — Ex. 40:25
812 וַיַּעַל עָלָיו אֶת־הָעֹלָה — Ex. 40:29
813 וַיַּעַל בָּלָק וּבִלְעָם פַּר וָאַיִל בַּמִּ׳ — Num. 23:2
814/5 וַיַּעַל פַּר וָאַיִל בַּמִּזְבֵּחַ — Num. 23:14, 30
816 וַיִּקַּח...וַיַּעַל עַל־הַצּוּר לַייָ — Jud. 13:19
817 הַגִּשׁוּ אֵלַי...וַיַּעַל הָעֹלָה — ISh. 13:9
818 וַיַּעַל אֶת־אֲרוֹן הָאֱלֹהִים...עִיר דָּ׳ — IISh. 6:12
819 וַיַּעַל דָּוִד עֹלוֹת לִפְנֵי יְיָ וּשְׁלָמִים — IISh. 6:17
820 וַיַּעַל מִשָּׁם אֶת־עַצְמוֹת שָׁאוּל — IISh. 21:13
821 וַיַּעַל עֹלוֹת וּשְׁלָמִים — IISh. 24:25
822 וַיַּעַל עֹלוֹת וַיַּעַשׂ שְׁלָמִים — IK. 3:15
823 וַיַּעַל הַמֶּלֶךְ שְׁלֹמֹה מַס מִכָּל־יִשְׂרָאֵל — IK. 5:27

וַיַּעַל (המשך) 824 וַיַּקְרֵב הַמֶּ׳ עַל־הַמִּזְבֵּחַ וַיַּעַל עָלָיו — IIK. 16:12
825 וַיַּעַל נְשִׂאִים מִקְצֵה־אָרֶץ — Jer. 51:16
826 וַיַּעַל עֹלוֹת וּשְׁלָמִים — ICh. 21:26
827 וַיַּעַל שְׁלֹמֹה...עַל־מִזְבַּח הַנְּחֹשֶׁת — IICh. 1:6
828 וַיַּעַל עָלָיו עֹלוֹת אָלֶף — IICh. 1:6
829 וַיַּעַל עָלָיו תִּמֹרִים וְשַׁרְשְׁרֹת — IICh. 3:5
830 וַיַּעַל עָלָיו כְּרוּבִים — IICh. 3:14
831 וַיַּעַל עַל־הַמִּגְדָּלוֹת וְלַחוּצָה — IICh. 32:5
832 וַיַּעַל עֲלֵיהֶם אֶת־מֶלֶךְ כַּשְׂדִּים* — IICh. 36:17
וַיָּעַל 833 מוֹרִיד שְׁאוֹל וַיָּעַל — ISh. 2:6
וַיַּעֲלֵנִי 834 וַיַּעֲלֵנִי מִבּוֹר שָׁאוֹן — Ps. 40:3
וַיַּעֲלֵהוּ 835 וַיַּעֲלֵהוּ לְעֹלָה תַּחַת בְּנוֹ — Gen. 22:13
836 וַיַּעֲלֵהוּ בָּמוֹת בָּעַל — Num. 22:41
837 וַיַּעֲלֶהָ עוֹלָה כָּלִיל לַייָ — ISh. 7:9
838 וַיַּעֲלֵהוּ אֶל־הָעֲלִיָּה — IK. 17:19
839 וַיַּעֲלֵהוּ עַל־הַמֶּרְכָּבָה — IK. 20:33
840 וַיַּעֲלֵהוּ עֹלָה עַל־הַחֹמָה — IIK. 3:27
841 וַיַּעֲלֵהוּ אֵלָיו אֶל־הַמֶּרְכָּבָה — IIK. 10:15
יַעְלֵם 842 גַּם כָּל־חֳלִי...יַעְלֵם יְיָ עָלֶיךָ — Deut. 28:61
וַיַּעֲלֵם 843 וַיַּעֲלֵם אֶל־רֹאשׁ הָהָר — Jud. 16:3
844 וַיַּעֲלֵם שְׁלֹמֹה לְמַס־עֹבֵד — IK. 9:21
845 וַיַּעֲלֵם שְׁלֹמֹה לְמַס עַד הַיּוֹם הַזֶּה — IICh. 8:8
וַתַּעַל 846 וַתַּעַל אֶחָד מִגֻּרֶיהָ כְּפִיר הָיָה — Ezek. 19:3
וַתַּעֲלֵהוּ 847 וַתַּעֲלֵהוּ עִמָּהּ כַּאֲשֶׁר גְּמָלַתּוּ — ISh. 1:24
תַּעֲלוּ 848 לֹא־תַעֲלוּ עָלָיו קְטֹרֶת זָרָה — Ex. 30:9
849 כִּי אִם־תַּעֲלוּ־לִי עֹלוֹת — Am. 5:22
יַעֲלוּ 850 יַעֲלוּ אֵבֶר כַּנְּשָׁרִים — Is. 40:31
851 וְכִי יַעֲלוּ עֹלָה וּמִנְחָה — Jer. 14:12
852 אָז יַעֲלוּ עַל־מִזְבַּחֲךָ פָרִים — Ps. 51:21
853 וְהַלְוִיִּם יַעֲלוּ אֶת־מַעְשַׂר הַמַּעֲשֵׂר — Neh. 10:39
וְיַעֲלוּ 854 וְיַעֲלוּ עָפָר עַל־רָאשֵׁיהֶם — Ezek. 27:30
וַיַּעֲלוּ 855 וַיִּמְשְׁכוּ וַיַּעֲלוּ אֶת־יוֹסֵף מִן־הַבּוֹר — Gen. 37:28
856 וַיַּעֲלוּ אֶת־הַצְפַרְדְּעִים עַל־אֶ׳ מִצְ׳ — Ex. 8:3
857 וַיַּעֲלוּ עֹלֹת וַיִּזְבְּחוּ זְבָחִים — Ex. 24:5
858 וַיַּעֲלוּ עֹלֹת וַיַּגִּשׁוּ שְׁלָמִים — Ex. 32:6
859 וַיַּעֲלוּ עָפָר עַל־רֹאשָׁם — Josh. 7:6
860 וַיַּעֲלוּ אֹתָם עֵמֶק עָכוֹר — Josh. 7:24
861 וַיַּעֲלוּ עָלָיו עֹלוֹת לַייָ — Josh. 8:31
862 וַיַּעֲלוּ־לָהּ...שִׁבְעָה יְתָרִים — Jud. 16:8
863 וַיַּעֲלוּ הַכֶּסֶף בְּיָדָם — Jud. 16:18
864 וַיַּעֲלוּ עֹלוֹת וּשְׁלָמִים לִפְנֵי יְיָ — Jud. 20:26
865 וַיַּעֲלוּ עֹלוֹת וּשְׁלָמִים — Jud. 21:4
866 וַיַּעֲלוּ אֶת־אֲרוֹן יְיָ וַיָּבִאוּ אֹתוֹ — ISh. 7:1
867 וַיַּעֲלוּ אֶת־אֲרוֹן יְיָ וְאֶת־אֹהֶל מוֹעֵד — IK. 8:4
868 וַיַּעֲלוּ אֹתָם הַכֹּהֲנִים וְהַלְוִיִּם — IK. 8:4
869 וַיַּעֲלוּ אֹתוֹ אֶל־מֶלֶךְ בָּבֶל — IIK. 25:6
870 וַיִּמְשְׁכוּ...וַיַּעֲלוּ אֹתוֹ מִן־הַבּוֹר — Jer. 38:13
871 וַיַּעֲלוּ אֹתוֹ אֶל־מֶלֶךְ בָּבֶל — Jer. 52:9
872 וַיַּעֲלוּ עָלָיו עֹלוֹת לַייָ — Ez. 3:3
873 וַיַּעֲלוּ עֹלוֹת לַייָ — ICh. 29:21
874 וַיַּעֲלוּ אֶת־הָאָרוֹן וְאֶת־אֹהֶל מוֹעֵד — IICh. 5:5
וַיַּעֲלוּהוּ 875 וַיַּעֲלוּהוּ מִן־הַסָּלַע — Jud. 15:13
876 וַיַּעֲלֻהוּ אֶל־נְבוּכַדְרֶאצַּר — Jer. 39:5
הַעַל 877 הַעַל אֶת־הָעָם הַזֶּה — Ex. 33:12
וְהַעַל 878 וְהַעַל אֶת־הַצְפַרְדְּעִים עַל־אֶרֶץ — Ex. 8:1
879 וְהַעַל אֹתָם הֹר הָהָר — Num. 20:25
וְהַעֲלֵהוּ 880 וְהַעֲלֵהוּ שָׁם לְעֹלָה — Gen. 22:2
הַעֲלִי 881 אֶת־שְׁמוּאֵל הַעֲלִי־לִי — ISh. 28:11
וְהַעֲלִי 882 וְהַעֲלִי לִי אֵת אֲשֶׁר־אֹמַר אֵלָיִךְ — ISh. 28:8
הַעֲלוּ 883 רְדוּ הַעֲלוּ אֹתוֹ אֲלֵיכֶם — ISh. 6:21
884 הַעֲלוּ אֹתוֹ בַמִּטָּה אֵלַי לַהֲמִתוֹ — ISh. 19:15
885 הַעֲלוּ־סוּס כְּיֶלֶק סָמָר — Jer. 51:27

הַעֲלֵה 886 וְאֵת הַפָּר הַשֵּׁנִי הַעֲלֵה
עַל־הַמִּזְבֵּחַ הַבָּנוּי — Jud. 6:28
887 אֲשֶׁר הֹעֲלָה עַל־סֵפֶר מַלְכֵי יִשְׂ׳ — IICh. 20:34
הֶעֱלָה 888 כֻּלֹּה בְּחַכָּה הֵעֲלָה יְגֹרֵהוּ בְחֶרְמוֹ — Hab. 1:15
הֹעֲלָתָה 889 וְהֻצַּב גֻּלְּתָה הֹעֲלָתָה — Nah. 2:8
יִתְעַל 890 וְאַל־יִתְעַל בְּסִרְיֹנוֹ — Jer. 51:3

עָלֶה
ז׳ כל אחד מן החלקים השטוחים והירוקים על גבעולי הצמח: 1-19

עָלֶה נָבֵל 4; עָלֶה נִדָּף 1, 3; עֲלֵה זַיִת 8; עֲלֵה תְאֵנָה 7; עֲלֵי הֲדַס 17; עֲ׳ זַיִת 15; עֲ׳ עֵץ עָבֹת 19; עֲ׳ עֵץ שֶׁמֶן 16; עֲ׳ שִׂיחַ 14; עֲלֵי תְמָרִים 18

עָלֶה 1 וְרָדַף אֹתָם קוֹל עָלֶה נִדָּף — Lev. 26:36
2 כִּנְבֹל עָלֶה מִגֶּפֶן וּכְנֹבֶלֶת מִתְּאֵנָה — Is. 34:4
הֶעָלֶה 3 הֶעָלֶה נִדָּף תַּעֲרוֹץ — Job 13:25
וְהֶעָלֶה 4 אֵין עֲנָבִים בַּגֶּפֶן...וְהֶעָלֶה נָבֵל — Jer. 8:13
כֶּעָלֶה 5 וַנָּבֶל כֶּעָלֶה כֻּלָּנוּ — Is. 64:5
וְכֶעָלֶה 6 ...וְכֶעָלֶה צַדִּיקִים יִפְרָחוּ — Prov. 11:28
עֲלֵה־ 7 וַיִּתְפְּרוּ עֲלֵה תְאֵנָה — Gen. 3:7
8 וְהִנֵּה עֲלֵה־זַיִת טָרָף בְּפִיהָ — Gen. 8:11
עָלֵהוּ 9 וְהָיָה עָלֵהוּ רַעֲנָן — Jer. 17:8
10 לֹא־יִבּוֹל עָלֵהוּ וְלֹא־יִתֹּם פִּרְיוֹ — Ezek. 47:12
וְעָלֵהוּ 11 פִּרְיוֹ לְמַאֲכָל וְעָלֵהוּ לִתְרוּפָה — Ezek. 47:12
12 פִּרְיוֹ יִתֵּן בְּעִתּוֹ וְעָלֵהוּ לֹא־יִבּוֹל — Ps. 1:3
עָלֶהָ 13 כִּי תִהְיוּ כְּאֵלָה נֹבֶלֶת עָלֶהָ — Is. 1:30
עֲלֵי־ 14 הַקֹּטְפִים מַלּוּחַ עֲלֵי־שִׂיחַ — Job 30:4
15 וְהָבִיאוּ עֲלֵי־זַיִת — Neh. 8:15
וַעֲלֵי־ 16-17 וַעֲלֵי־עֵץ שֶׁמֶן וַעֲלֵי הֲדַס — Neh. 8:15
18-19 וַעֲלֵי תְמָרִים וַעֲלֵי עֵץ עָבֹת — Neh. 8:15

עִלָּה
נ׳ ארמית: עלילה, סבה: 1-3

עִלָּה 1 הֲווֹ בָעַיִן עִלָּה לְהַשְׁכָּחָה לְדָנִיֵּאל — Dan. 6:5
2 עִלָּה...לָא־יָכְלִין לְהַשְׁכָּחָה — Dan. 6:5
עִלָּא 3 דִּי לָא נְהַשְׁכַּח...כָּל־עִלָּא — Dan. 6:6

עֲלָה*
נ׳ ארמית – עין עֲלַת

עָלָה*
ת׳ בהמה מיניקה: 1-5

עָלוֹת 1 וְהַצֹּאן וְהַבָּקָר עָלוֹת עָלָי — Gen. 33:13
2 שְׁתֵּי פָרוֹת עָלוֹת — ISh. 6:7
3 וַיִּקְחוּ שְׁתֵּי פָרוֹת עָלוֹת — ISh. 6:10
4 כְּרֹעֶה עֶדְרוֹ יִרְעֶה...עָלוֹת יְנַהֵל — Is. 40:11
5 מֵאַחַר עָלוֹת הֱבִיאוֹ לִרְעוֹת — Ps. 78:71

עַלְוָה[1]
נ׳ עַוְלָה

עַלְוָה 1 מִלְחָמָה עַל־בְּנֵי עַלְוָה — Hosh. 10:9

עַלְוָה[2]
שפ־ז – אחד מאלופי עֵשָׂו: 1, 2

עַלְוָה 1 אַלּוּף עַלְוָה אַלּוּף יְתֵת — Gen. 36:40
2 אַלּוּף עַלְוָה (כת׳ עליה) אַלּוּף יְתֵת — ICh. 1:51

עֲלוּמִים*
ז־ר ימי הנוער, נעורים: 1-5

קרובים: בחורות / בחורים / נעורות / נעורים / נער / שחרות

בֹּשֶׁת עֲלוּמִים 1; יְמֵי עֲלוּמִים 2, 4

עֲלוּמַיִךְ 1 כִּי בֹשֶׁת עֲלוּמַיִךְ תִּשְׁכָּחִי — Is. 54:4
עֲלוּמָיו 2 הִקְצַרְתָּ יְמֵי עֲלוּמָיו — Ps. 89:46
3 עַצְמוֹתָיו מָלְאוּ עֲלוּמָו — Job 20:11
4 יָשׁוּב לִימֵי עֲלוּמָיו — Job 33:25
עֲלֻמֵנוּ 5 עֲלֻמֵנוּ לִמְאוֹר פָּנֶיךָ — Ps. 90:8

עַלְוָן
שפ־ז – מבני שעיר החורי

עַלְוָן 1 עַלְוָן וּמָנַחַת וְעֵיבָל — Gen. 36:23

עֲלָוָן ארמית: רבּוּי – עין עֲוָלָה

עֲלוּקָה נ׳ תּוֹלַעַת טַפִּילִית מוֹצֶצֶת דם

לַעֲלוּקָה 1 לַעֲלוּקָה שְׁתֵּי בָנוֹת הַב הַב — Prov. 30:15

עלז : עָלַז; עַלִּיז, עָלֵז

עָלַז פָּ׳ שָׂמַח: 1-16

קרובים: גָּל (גִּיל) / חָדָה / נָהַר² / עָלַס / עָלַץ / צָהַל / שָׂמַח / שָׂשׂ

לַעֲלוֹז 1 לֹא־תוֹסִיפִי עוֹד לַעֲלוֹז — Is. 23:12
וָאֶעְלֹז 2 לֹא־יָשַׁבְתִּי בְסוֹד־מְשַׂחֲקִים וָאֶעְלֹז — Jer. 15:17
אֶעְלוֹזָה 3 וַאֲנִי בַּיְיָ אֶעְלוֹזָה — Hab. 3:18
4-5 אֱלֹהִים דִּבֶּר בְּקָדְשׁוֹ אֶעְלֹזָה — Ps. 60:8; 108:8
תַּעֲלֹזִי 6 כִּי רָעָתֵכִי אָז תַּעֲלֹזִי — Jer. 11:15
יַעֲלֹז 7 יַעֲלֹז שָׂדַי וְכָל־אֲשֶׁר־בּוֹ — Ps. 96:12
וַיַּעֲלֹז 8 וַיַּעֲלֹז לִבִּי וּמִשִּׁירִי אֲהוֹדֶנּוּ — Ps. 28:7
תַעַלְזוּ 9 כִּי תִשְׂמְחוּ° כִּי תַעַלְזוּ (כת׳ תעלזי) — Jer. 50:11
יַעְלְזוּ 10 יַעְלְזוּ חֲסִידִים בְּכָבוֹד — Ps. 149:5
יַעֲלֹזוּ 11 וְהִשְׁכַּרְתִּים לְמַעַן יַעֲלֹזוּ — Jer. 51:39
12 עַד־מָתַי רְשָׁעִים יַעֲלֹזוּ — Ps. 94:3
תַּעֲלֹזְנָה 13 פֶּן־תַּעֲלֹזְנָה בְּנוֹת הָעֲרֵלִים — IISh. 1:20
וְתַעֲלֹזְנָה 14 וְתַעֲלֹזְנָה כִלְיוֹתָי בְּדַבֵּר...מֵישָׁרִים — Prov. 23:16
וְעָלְזִי 15 שִׂמְחִי וְעָלְזִי בְּכָל־לֵב — Zep. 3:14
וְעִלְזוּ 16 סֹלּוּ...בְּיָהּ שְׁמוֹ וְעִלְזוּ לְפָנָיו — Ps. 68:5

עָלֵז ת׳ עליז, שָׂמֵח

וְעָלֵז 1 וְיָרַד הֲדָרָהּ...וְעָלֵז בָּהּ — Is. 5:14

עֲלָטָה נ׳ חֹשֶׁךְ, אפֵלה: 1–4

קרובים: ראה חֹשֶׁךְ

וַעֲלָטָה 1 וַיְהִי הַשֶּׁמֶשׁ בָּאָה וַעֲלָטָה הָיָה — Gen. 15:17
בָּעֲלָטָה 2 בָּעֲלָטָה תוֹצִיא פָּנֶיךָ תְּכַסֶּה — Ezek. 12:6
3 בָּעֲלָטָה הוֹצֵאתִי עַל־כָּתֵף — Ezek. 12:7
4 אֶל־כָּתֵף יִשָּׂא בָּעֲלָטָה וְיֵצֵא — Ezek. 12:12

עֵלִי שפ״ז – כֹּהֵן גדול בשילה: 1–33

בֵּית עֵלִי 9, 10, 15; בֶּן עֵ׳ 14; בְּנֵי עֵלִי 1, 2, 8, 12

עֵלִי 1-2 וְשָׁם שְׁנֵי בְנֵי־עֵלִי — ISh. 1:3; 4:4
3 וַיַּחְשְׁבֶהָ עֵלִי לְשִׁכֹּרָה — ISh. 1:13
4 וַיֹּאמֶר אֵלֶיהָ עֵלִי עַד־מָתַי תִּשְׁתַּכָּרִין — ISh. 1:14
5 וַיַּעַן עֵלִי וַיֹּאמֶר לְכִי לְשָׁלוֹם — ISh. 1:17
6 וַיָּבִאוּ אֶת־הַנַּעַר אֶל־עֵלִי — ISh. 1:25
7 מְשָׁרֵת אֶת־יְיָ אֶת־פְּנֵי עֵלִי הַכֹּהֵן — ISh. 2:11
8 וּבְנֵי עֵלִי בְּנֵי־בְלִיָּעַל — ISh. 2:12
9 וְלָכֵן נִשְׁבַּעְתִּי לְבֵית עֵלִי — ISh. 3:14
10 אִם־יִתְכַּפֵּר עֲוֹן בֵּית־עֵלִי — ISh. 3:14
11 יָרֵא מֵהַגִּיד אֶת־הַמַּרְאָה אֶל־עֵלִי — ISh. 3:15
12 וּשְׁנֵי בְנֵי־עֵלִי מֵתוּ — ISh. 4:11
13 וַיָּבוֹא וְהִנֵּה עֵלִי יֹשֵׁב עַל־הַכִּסֵּא — ISh. 4:13
14 וַאֲחִיָּה...בֶּן־פִּינְחָס בֶּן־עֵלִי — ISh. 14:3
15 אֲשֶׁר דִּבֶּר עַל־בֵּית עֵלִי בְּשִׁלֹה — IK. 2:27
16-27 עֵלִי — ISh. 2:20, 27; 3:1, 5, 6, 8², 9, 12, 16; 4:14, 16
וְעֵלִי 28 וְעֵלִי הַכֹּהֵן יֹשֵׁב עַל־הַכִּסֵּא — ISh. 1:9
29 וְעֵלִי שֹׁמֵר אֶת־פִּיהָ — ISh. 1:12
30 וְעֵלִי זָקֵן מְאֹד — ISh. 2:22
31 וְעֵלִי שֹׁכֵב בִּמְקוֹמוֹ — ISh. 3:2
32 וְעֵלִי בֶּן־תִּשְׁעִים וּשְׁמֹנֶה שָׁנָה — ISh. 4:15
לְעֵלִי 33 וְהָאִישׁ מִהַר וַיָּבֹא וַיַּגֵּד לְעֵלִי — ISh. 4:14

עֱלִי ז׳ גליל־ברזל לכתישה

בַּעֱלִי 1 בַּמַּכְתֵּשׁ בְּתוֹךְ הָרִיפוֹת בַּעֱלִי — Prov. 27:22

עִלִּי* ת״ז – עין עִלִּית

עִלָּי* ת׳ ארמית: עליון, נעלה: 1-10

אֱלָהָא עִלָּאָה 1, 2, 7, 8; גְּזֵרַת עִ׳ 6; צַד עִ׳ 9; שַׁלִּיט עִלָּאָה 3-5

עִלָּאָה 1 עַבְדוֹהִי דִּי־אֱלָהָא עִלָּאָה — Dan. 3:26
(כת׳ עליא) 2 דִּי עֲבַד עִמִּי אֱלָהָא עִלָּאָה — Dan. 3:32
3-5 דִּי־שַׁלִּיט עִלָּאָה — Dan. 4:14, 22, 29
6 וּגְזֵרַת עִלָּאָה הִיא — Dan. 4:21
7 אֱלָהָא עִלָּאָה מַלְכוּתָא...יְהַב — Dan. 5:18
8 דִּי־שַׁלִּיט אֱלָהָא עִלָּאָה — Dan. 5:21
9 וּמִלִּין לְצַד עִלָּאָה יְמַלִּל — Dan. 7:25
וּלְעִלָּאָה 10 וּלְעִלָּאָה בָּרְכֵת וּלְחַי עָלְמָא שַׁבְּחֵת — Dan. 4:31

עִלָּיָא ת׳ (כתיב) – קרי: עִלָּאָה

עֲלִיָּה ז׳ א) חדר בקומה עליונה: 1-12, 14-16, 18, 19
ב) מדרגה: 13
ג) כנוי לשמים: 17, 20

– דַּלְתוֹת הָעֲלִיָּה 1-3
– עֲלִיַּת אָחָז 9; עֲלִיַּת הַמְּקֵרָה 12; עֲ׳ הַפִּנָּה 10, 11; עֲלִיַּת קִיר 8; עֲלִיַּת הַשַּׁעַר 7; עֲלִיּוֹת מְרֻוָּחוֹת 15

הָעֲלִיָּה 1 וַיִּסְגֹּר דַּלְתוֹת הָעֲלִיָּה בַּעֲדוֹ — Jud. 3:23
2 וְהִנֵּה דַּלְתוֹת הָעֲלִיָּה נְעֻלוֹת — Jud. 3:24
3 וְהִנֵּה אֵינֶנּוּ פֹּתֵחַ דַּלְתוֹת הָעֲלִיָּה — Jud. 3:25
4 וַיַּעֲלֵהוּ אֶל־הָעֲלִיָּה אֲשֶׁר־הוּא יֹשֵׁב שָׁם — IK. 17:19
5 וַיֹּרִדֵהוּ מִן־הָעֲלִיָּה הַבַּיְתָה — IK. 17:23
6 וַיָּסַר אֶל־הָעֲלִיָּה וַיִּשְׁכַּב־שָׁמָּה — IIK. 4:11
עֲלִיַּת־ 7 וַיַּעַל עַל־עֲלִיַּת הַשַּׁעַר וַיֵּבְךְּ — IISh. 19:1
8 נַעֲשֶׂה־נָּא עֲלִיַּת־קִיר קְטַנָּה — IIK. 4:10
9 אֲשֶׁר עַל־הַגָּג עֲלִיַּת אָחָז — IIK. 23:12
10 וְעַד עֲלִיַּת הַפִּנָּה — Neh. 3:31
11 וּבֵין עֲלִיַּת הַפִּנָּה לְשַׁעַר הַצֹּאן — Neh. 3:32
בַּעֲלִיַּת־ 12 וְהוּא יֹשֵׁב בַּעֲלִיַּת הַמְּקֵרָה — Jud. 3:20
וַעֲלִיָּתוֹ 13 וַעֲלִיָּתוֹ אֲשֶׁר יַעֲלֶה בֵּית יְיָ — IICh. 9:4
בַּעֲלִיָּתוֹ 14 וַיִּפֹּל אֲחַזְיָה בְּעַד הַשְּׂבָכָה בַּעֲלִיָּתוֹ — IIK. 1:2
וַעֲלִיּוֹת 15 בֵּית מִדּוֹת וַעֲלִיּוֹת מְרֻוָּחִים — Jer. 22:14
וְהָעֲלִיּוֹת 16 וְהָעֲלִיּוֹת חִפָּה זָהָב — IICh. 3:9
עֲלִיּוֹתָיו 17 הַמְקָרֶה בַמַּיִם עֲלִיּוֹתָיו — Ps. 104:3
וַעֲלִיּוֹתָיו 18 בֹּנֶה בֵיתוֹ...וַעֲלִיּוֹתָיו בְּלֹא מִשְׁפָּט — Jer. 22:13
19 וְאֶת־בָּתָּיו וְגַנְזַכָּיו וַעֲלִיֹּתָיו — ICh. 28:11
מֵעֲלִיּוֹתָיו 20 מַשְׁקֶה הָרִים מֵעֲלִיּוֹתָיו — Ps. 104:13

עֶלְיוֹן ת׳ א) הגבוה ביותר, רם ביותר: 6, 7, 9, 10, 32, 35-45, 49-53
ב) כנוי לאלהים שהוא רם ונשא: 1-5, 8, 11-31, 33, 34, 46-48

קרובים: גָּבֹהַּ / מְרוֹמָם (רום) / נִשָּׂא / נִשְׂפֶּה / עִלִּי / רָם

– אֵל עֶלְיוֹן 1-4, 19; אֱלֹהִים עֶ׳ 20; בַּיִת עֶלְיוֹן 32, 40, 41; בֵּית־חוֹרוֹן עֶ׳ 9, 42; בְּנֵי עֶ׳ 21; גִּיחוֹן הָעֶלְיוֹן 45; דַּעַת עֶ׳ 5; חֶסֶד עֶ׳ 13; יְיָ עֶלְיוֹן 11, 15, 28; יְמִין עֶ׳ 17; חָצֵר עֶ׳ 38; מוֹצָא עֶ׳ 45; מִשְׁכְּנֵי עֶלְיוֹן 14; סֵתֶר עֶ׳ 25; עֲצַת עֶלְיוֹן 29; פִּי עֶלְיוֹן 31; פְּנֵי עֶלְיוֹן 30; שַׁעַר הָעֶלְיוֹן 36, 37, 39, 43, 44
– הַבְּרֵכָה הָעֶלְיוֹנָה 49-51; לְשָׁכוֹת עֶלְיוֹנוֹת 53

עֶלְיוֹן 1 וְהוּא כֹהֵן לְאֵל עֶלְיוֹן — Gen. 14:18
2 בָּרוּךְ אַבְרָם לְאֵל עֶלְיוֹן — Gen. 14:19
3 וּבָרוּךְ אֵל עֶלְיוֹן — Gen. 14:20
4 אֵל עֶלְיוֹן קֹנֵה שָׁמַיִם וָאָרֶץ — Gen. 14:22
5 שֹׁמֵעַ אִמְרֵי־אֵל וְיֹדֵעַ דַּעַת עֶלְיוֹן — Num. 24:16
6 וּלְתִתְּךָ עֶלְיוֹן עַל כָּל־הַגּוֹיִם — Deut. 26:19
7 עֶלְיוֹן עַל כָּל־גּוֹיֵי הָאָרֶץ — Deut. 28:1
8 בְּהַנְחֵל עֶלְיוֹן גּוֹיִם — Deut. 32:8
9 עַד־בֵּית חֹרוֹן עֶלְיוֹן — Josh. 16:5
10 וְהַבַּיִת הַזֶּה יִהְיֶה עֶלְיוֹן — IK. 9:8
11 וַאֲזַמְּרָה שֵׁם־יְיָ עֶלְיוֹן — Ps. 7:18
12 אֲזַמְּרָה שִׁמְךָ עֶלְיוֹן — Ps. 9:3
13 בֹּטֵחַ בַּיְיָ וּבְחֶסֶד עֶלְיוֹן — Ps. 21:8
14 עִיר־אֱלֹהִים קְדֹשׁ מִשְׁכְּנֵי עֶלְיוֹן — Ps. 46:5
15 כִּי־יְיָ עֶלְיוֹן נוֹרָא... — Ps. 47:3
16 אֶקְרָא לֵאלֹהִים עֶלְיוֹן — Ps. 57:3
17 חַלּוֹתִי הִיא שְׁנוֹת יְמִין עֶלְיוֹן — Ps. 77:11
18 וַיּוֹסִיפוּ...לַמְרוֹת עֶלְיוֹן בַּצִּיָּה — Ps. 78:17
19 אֱלֹהִים צוּרָם וְאֵל עֶלְיוֹן גֹּאֲלָם — Ps. 78:35
20 וַיְנַסּוּ וַיַּמְרוּ אֶת־אֱלֹהִים עֶלְיוֹן — Ps. 78:56
21 אֱלֹהִים אַתֶּם וּבְנֵי עֶלְיוֹן כֻּלְּכֶם — Ps. 82:6
22 עֶלְיוֹן עַל־כָּל־הָאָרֶץ — Ps. 83:19
23 וְהוּא יְכוֹנְנֶהָ עֶלְיוֹן — Ps. 87:5
24 בְּכוֹר אֶתְּנֵהוּ עֶלְיוֹן לְמַלְכֵי־אָרֶץ — Ps. 89:28
25 יֹשֵׁב בְּסֵתֶר עֶלְיוֹן — Ps. 91:1
26 עֶלְיוֹן שַׂמְתָּ מְעוֹנֶךָ — Ps. 91:9
27 לְהֹדוֹת לַיְיָ וּלְזַמֵּר לְשִׁמְךָ עֶלְיוֹן — Ps. 92:2
28 כִּי־אַתָּה יְיָ עֶלְיוֹן עַל־כָּל־הָאָרֶץ — Ps. 97:9
29 וַעֲצַת עֶלְיוֹן נָאָצוּ — Ps. 107:11
30 לְהַטּוֹת...נֶגֶד פְּנֵי עֶלְיוֹן — Lam. 3:35
31 מִפִּי עֶלְיוֹן לֹא תֵצֵא הָרָעוֹת וְהַטּוֹב — Lam. 3:38
32 וְהַבַּיִת הַזֶּה אֲשֶׁר־הָיָה עֶלְיוֹן — IICh. 7:21
וְעֶלְיוֹן 33 יַרְעֵם...וְעֶלְיוֹן יִתֵּן קוֹלוֹ — IISh. 22:14
34 וַיַּרְעֵם...וְעֶלְיוֹן יִתֵּן קֹלוֹ — Ps. 18:14
הָעֶלְיוֹן 35 וּבַסַּל הָעֶלְיוֹן מִכֹּל מַאֲכַל פַּרְעֹה — Gen. 40:17
36 אֶת־שַׁעַר בֵּית־יְיָ הָעֶלְיוֹן — IIK. 15:35
37 אֲשֶׁר בְּשַׁעַר בִּנְיָמִן הָעֶלְיוֹן — Jer. 20:2
38 בֶּחָצֵר הָעֶלְיוֹן פֶּתַח שַׁעַר בֵּית־יְיָ — Jer. 36:10
39 בָּאִים מִדֶּרֶךְ־שַׁעַר הָעֶלְיוֹן — Ezek. 9:2
40 הַיּוֹצֵא מִבֵּית הַמֶּלֶךְ הָעֶלְיוֹן — Neh. 3:25
41 אֶת־בֵּית־...הַתַּחְתּוֹן וְאֶת־הָעֶלְיוֹן — ICh. 7:24
42 אֶת־בֵּית חוֹרוֹן הָעֶלְיוֹן — IICh. 8:5
43 וַיָּבֹאוּ בְּתוֹךְ־שַׁעַר הָעֶלְיוֹן — IICh. 23:20
44 אֶת־שַׁעַר בֵּית־יְיָ הָעֶלְיוֹן — IICh. 27:3
45 אֶת־מוֹצָא מֵימֵי גִיחוֹן הָעֶלְיוֹן — IICh. 32:30
בְּעֶלְיוֹן 46 אֵיכָה יָדַע־אֵל וְיֵשׁ דֵּעָה בְעֶלְיוֹן — Ps. 73:11
לְעֶלְיוֹן 47 אֶעֱלֶה...אֶדַּמֶּה לְעֶלְיוֹן — Is. 14:14
48 וְשַׁלֵּם לְעֶלְיוֹן נְדָרֶיךָ — Ps. 50:14
הָעֶלְיוֹנָה 49 בִּתְעָלַת הַבְּרֵכָה הָעֶלְיוֹנָה — IIK. 18:17
50 אֶל־קְצֵה תְּעָלַת הַבְּרֵכָה הָעֶלְיוֹנָה — Is. 7:3
51 בִּתְעָלַת הַבְּרֵכָה הָעֶלְיוֹנָה — Is. 36:2
52 יַעֲלֶה עַל־הָעֶלְיוֹנָה לַתִּיכוֹנָה — Ezek. 41:7
הָעֶלְיוֹנוֹת 53 וְהַלְּשָׁכוֹת הָעֶלְיוֹנֹת קְצֻרוֹת — Ezek. 42:5

עֶלְיוֹן* ת׳ ארמית, כמו בעברית: 1-4

קַדִּישֵׁי עֶלְיוֹנִין 1-4

עֶלְיוֹנִין 1 וִיקַבְּלוּן מַלְכוּתָא קַדִּישֵׁי עֶלְיוֹנִין — Dan. 7:18
2 וְדִינָא יְהִב לְקַדִּישֵׁי עֶלְיוֹנִין — Dan. 7:22
3 וּלְקַדִּישֵׁי עֶלְיוֹנִין יְבַלֵּא — Dan. 7:25
4 יְהִיבַת לְעַם קַדִּישֵׁי עֶלְיוֹנִין — Dan. 7:27

עַלִּיז* ת׳ שָׂמֵחַ, עָלֵז: 1-7

עִיר עַלִּיזָה 4; קִרְיָה עַלִּיזָה 1, 3; שְׁאוֹן עַלִּיזִים 5; עַלִּיזֵי גַאֲוָה 6, 7

עַלִּיזָה 1 עִיר הוֹמִיָּה קִרְיָה עַלִּיזָה — Is. 22:2
2 הֲזֹאת לָכֶם עַלִּיזָה — Is. 23:7
3 עַל־כָּל־בָּתֵּי מָשׂוֹשׂ קִרְיָה עַלִּיזָה — Is. 32:13

הָעַלִּיזָה 4 זֹאת הָעִיר הָעַלִּיזָה הַיּוֹשֶׁבֶת לָבֶטַח Zep.2:15
עַלִּיזִים 5 חָדַל שְׁאוֹן עַלִּיזִים Is.24:8
עַלִּיזֵי־ 6 קָרָאתִי גִּבּוֹרַי לְאַפִּי עַלִּיזֵי גַּאֲוָתִי Is.13:3
7 אָסִיר מִקִּרְבֵּךְ עַלִּיזֵי גַּאֲוָתֵךְ Zep.3:11

עֲלִיל ז׳ מלה סתומה: מעשה? כּוּר?

בַּעֲלִיל 1 כֶּסֶף צָרוּף בַּעֲלִיל לָאָרֶץ Ps.12:7

עֲלִילָה נ׳ א) מעשה, פעולה: 1-4, 7-24

ב) [עֲלִילוֹת דְּבָרִים] דִּבָּה: 5, 6

קרובים: דָּבָר / מַעֲלָל / מַעֲשֶׂה / מִפְעָל / עֲלִילִיָּה / פֹּעַל / פְּעֻלָּה

– נוֹרָא עֲלִילָה 2; עֲלִילוֹת דְּבָרִים 5, 6; עֲלִילוֹת נִשְׁחָתוֹת 18
– הִשְׁחִית עֲלִילָה 1; הִתְעִיב עֲלִילָה 1; הִתְעוֹלֵל עֲלִילוֹת 4

עֲלִילָה 1 הִשְׁחִיתוּ הִתְעִיבוּ עֲלִילָה Ps.14:1
2 נוֹרָא עֲלִילָה עַל־בְּנֵי אָדָם Ps.66:5
עֲלִלוֹת 3 אֵל דֵּעוֹת יְיָ וְלוֹ׳ נִתְכְּנוּ עֲלִלוֹת ISh.2:3
4 לְהִתְעוֹלֵל עֲלִלוֹת בְּרֶשַׁע Ps.141:4
עֲלִילֹת־ 5 וְשָׂם לָהּ עֲלִילֹת דְּבָרִים Deut.22:14
6 וְהִנֵּה־הוּא שָׂם עֲלִילֹת דְּבָרִים Deut.22:17
וּבַעֲלִילוֹתֶיךָ 7 בְּכָל־פָּעֳלֶךָ וּבַעֲלִילוֹתֶיךָ אָשִׂיחָה Ps.77:13
עֲלִילוֹתַיִךְ 8 לֹא תֵבוֹשִׁי מִכֹּל עֲלִילֹתַיִךְ Zep.3:11
וְכַעֲלִילוֹתַיִךְ 9 כִּדְרָכַיִךְ וְכַעֲלִילוֹתַיִךְ שְׁפָטוּךְ Ezek.24:14
עֲלִילוֹתָיו 10 הוֹדִיעוּ בָעַמִּים עֲלִילֹתָיו Is.12:4
11 הַגִּידוּ בָעַמִּים עֲלִילוֹתָיו Ps.9:12
12 וַיִּשְׁכְּחוּ עֲלִילוֹתָיו וְנִפְלְאוֹתָיו Ps.78:11
13 יוֹדִיעַ דְּרָכָיו...לִבְנֵי־ עֲלִילוֹתָיו Ps.103:7
14 הוֹדִיעוּ בָעַמִּים עֲלִילוֹתָיו Ps.105:1
15 הוֹדִיעוּ בָעַמִּים עֲלִילֹתָיו ICh.16:8
עֲלִילוֹתֵיכֶם 16 דַּרְכֵיכֶם וְאֵת כָּל־עֲלִילוֹתֵיכֶם Ezek.20:43
17 חַטֹּאותֵיכֶם בְּכֹל עֲלִילוֹתֵיכֶם Ezek.21:29
וְכַעֲלִילוֹתֵיכֶם 18 וְכַעֲלִילוֹתֵיכֶם הַנִּשְׁחָתוֹת Ezek.20:44
עֲלִילוֹתָם 19-20 אֶת־דַּרְכָּם וְאֶת־עֲלִילוֹתָם Ezek.14:22,23
21 הִשְׁחִיתוּ כֹּל עֲלִילוֹתָם Zep.3:7
22 וְנֹקֵם עַל־עֲלִילוֹתָם Ps.99:8
וּבַעֲלִילוֹתָם 23 וַיְטַמְּאוּ אוֹתָהּ...וּבַעֲלִילוֹתָם Ezek.36:17
וְכַעֲלִילוֹתָם 24 כְּדַרְכָּם וְכַעֲלִילוֹתָם שְׁפַטְתִּים Ezek.36:19

עֲלִילִיָּה נ׳ מעשה

קרובים: ראה עֲלִילָה

הָעֲלִילִיָּה 1 גְּדֹל הָעֵצָה וְרַב הָעֲלִילִיָּה Jer.32:19

עַלְיָן שפ״ז – הוא עַלְוָן

עַלְיָן 1 עַלְיָן וּמָנַחַת וְעֵיבָל ICh.1:40

עֲלִיצוּת* נ׳ שמחה • קרובים: ראה גִּיל

עֲלִיצֻתָם 1 עֲלִיצֻתָם כְּמוֹ־לֶאֱכֹל עָנִי בַּמִּסְתָּר Hab.3:14

עִלִּית ת׳ נ׳ עליונה, הנמצאת למעלה: 1, 2

עִלִּית 1 אֵת גֻּלַּת עִלִּית וְאֵת גֻּ׳ תַּחְתִּית Jud.1:15
עִלִּיּוֹת 2 אֵת גֻּלֹּת עִלִּיּוֹת וְאֵת גֻּ׳ תַּחְתִּיּוֹת Josh.15:19

עִלִּית* נ׳ ארמית: עליה, חדר עליון

בְּעִלִּיתֵהּ 1 וְכַוִּין פְּתִיחָן לֵהּ בְּעִלִּיתֵהּ Dan.6:11

עלל : עוֹלֵל, עוֹלַל, הִתְעוֹלֵל, הִתְעַלֵּל; עַל, עוֹלֵל, עוֹלָל, עוֹלֵלָה; עֲלִיל, עֲלִילָה, עֲלִילִיָּה, מַעֲלָל, תַּעֲלוּל; אר׳ עֲלַל, הַנְעֵל, הֻעַל; עִלִּית

(עלל) עוֹלֵל פ׳ א) עשׂה, פָּעַל (בעקר: להרע): 3-6, 11-16

ב) לקט את הגרגרים האחרונים (גם בהשאלה): 1, 7-10
ג) גולל, גלגל: 2
ד) [פֻּ׳ עוֹלַל] נעשה: 12
ה) [הת׳ הִתְעוֹלֵל] פגע לרעה: 13
ו) [הת׳ הִתְעַלֵּל] התנהג באכזריות: 14-20

עוֹלֵל 1 עוֹלֵל יְעוֹלְלוּ כַגֶּפֶן שְׁאֵרִית יִשְׂרָאֵל Jer.6:9
וְעֹלַלְתִּי 2 וְעֹלַלְתִּי בֶעָפָר קַרְנִי Job16:15
עוֹלַלְתָּ 3 וְעוֹלֵל לָמוֹ כַּאֲשֶׁר עוֹלַלְתָּ לִי Lam.1:22
4 רְאֵה יְיָ וְהַבִּיטָה לְמִי עוֹלַלְתָּ כֹּה Lam.2:20
עוֹלְלָה 5 עֵינִי עוֹלְלָה לְנַפְשִׁי Lam.3:51
מְעוֹלֵל 6 עַמִּי נֹגְשָׂיו מְעוֹלֵל Is.3:12
תְעוֹלֵל 7 וְכַרְמְךָ לֹא תְעוֹלֵל Lev.19:10
8 כִּי תִבְצֹר...לֹא תְעוֹלֵל אַחֲרֶיךָ Deut.24:21
יְעוֹלְלוּ 9 עוֹלֵל יְעוֹלְלוּ כַגֶּפֶן שְׁאֵרִית יִשְׂרָאֵל Jer.6:9
וַיְעֹלְלֻהוּ 10 וַיְעֹלְלֻהוּ בַּמְסִלּוֹת חֲמֵשֶׁת אֲלָ׳ אִישׁ Jud.20:45
וְעוֹלֵל 11 וְעוֹלֵל לָמוֹ כַּאֲשֶׁר עוֹלַלְתָּ לִי Lam.1:22
עוֹלַל 12 כְּמַכְאֹבִי אֲשֶׁר עוֹלַל לִי Lam.1:12
לְהִתְעוֹלֵל 13 לְהִתְעוֹלֵל עֲלִלוֹת בְּרֶשַׁע Ps.141:4
הִתְעַלַּלְתִּי 14 אֵת אֲשֶׁר הִתְעַלַּלְתִּי בְּמִצְרַיִם Ex.10:2
הִתְעַלַּלְתְּ 15 כִּי הִתְעַלַּלְתְּ בִּי Num.22:29
הִתְעַלֵּל 16 הֲלוֹא כַּאֲשֶׁר הִתְעַלֵּל בָּהֶם וַיְשַׁלְּחוּם ISh.6:6
וְהִתְעַלְּלוּ 17 פֶּן־יָבוֹאוּ...וּדְקָרֻנִי וְהִתְעַלְּלוּ־בִי ISh.31:4
18 פֶּן־יִתְּנוּ אֹתִי בְּיָדָם וְהִתְעַלְּלוּ־בִי Jer.38:19
19 פֶּן־יָבֹאוּ...וְהִתְעַלְּלוּ־בִי ICh.10:4
וַיִּתְעַלְּלוּ 20 וַיִּתְעַלְּלוּ־בָהּ כָּל־הַלַּיְלָה Jud.19:25

עֲלַל פ׳ ארמית א) נכנס, בא: 1-7

ב) [הַפ׳ הַנְעֵל] הביא, הכניס: 8-12
ג) [הָפ׳ הֻעַל] הובא, הוכנס: 13, 14

עַל 1 וְדָנִיֵּאל עַל וּבְעָא מִן־מַלְכָּא Dan.2:16
2 דָּנִיֵּאל עַל עַל־אַרְיוֹךְ Dan.2:24
3 וְעַד אָחֳרֵין עַל קָדָמַי דָּנִיֵּאל Dan.4:5
4 וְדָנִיֵּאל...עַל לְבַיְתֵהּ Dan.6:11
עַלַּת 5 מַלְכְּתָא...לְבֵית מִשְׁתְּיָא עַלַּת (כת׳ עללת) Dan.5:10
עָלִּין 6 בֵּאדַיִן עָלִּין (כת׳ עללין) חַרְטֻמַיָּא... Dan.4:4
7 אֱדַיִן עָלִּין (כת׳ עללין) כֹּל חַכִּימֵי מַלְכָּא Dan.5:8
לְהַעָלָה 8 קְרָא מַלְכָּא בְּחַיִל לְהַעָלָה לְאָשְׁפַיָּא Dan.5:7
לְהַנְעָלָה 9 לְהַנְעָלָה קָדָמַי לְכֹל חַכִּימֵי בָבֶל Dan.4:3
הַנְעֵל 10 הַנְעֵל לְדָנִיֵּאל קֳדָם מַלְכָּא Dan.2:25
11 וְדַחֲוָן לָא־הַנְעֵל קָדָמוֹהִי Dan.6:19
הַעֵלְנִי 12 הַעֵלְנִי קֳדָם מַלְכָּא Dan.2:24
הֻעַל 13 בֵּאדַיִן דָּנִיֵּאל הֻעַל קֳדָם מַלְכָּא Dan.5:13
הֻעַלּוּ 14 וּכְעַן הֻעַלּוּ קָדָמַי חַכִּימַיָּא Dan.5:15

עֲלָלוֹת – עין עוֹלֵלָה

עלם : נֶעְלַם, הִתְעַלֵּם, הֶעְלִים; עֶלֶם, עַלְמָה, עֲלוּמִים, עֲלָמוֹת, תַּעֲלוּמָה; עוֹלָם, עֵילוֹם; ש״פ עֵילָם, עַלְמוֹן, עָלֶמֶת, יַעְלָם; אר׳ עָלַם

(עלם) נֶעְלַם נפ׳ א) נסתר: 1-11

ב) [הת׳ הִתְעַלֵּם] התנכר, הרחיק עצמו: 12-16
ג) [כנ״ל] נערם: 17
ד) [הִפ׳ הֶעְלִים] הסתיר, לא גלה: 18-27

– נֶעְלַם מִן־ 1-8; הִתְעַלֵּם מִן־ 13-16
– הֶעְלִים אָזְנוֹ 26; הֶעְלִים עֵינָיו 18, 20, 22-24, 27; הֶעְלִים עֵצָה 21

נֶעְלָם 1 וְלֹא־נֶעְלַם דָּבָר מִשְּׁלֹמֹה... IICh.9:2
וְנֶעְלַם 2 וְנֶעְלַם דָּבָר מֵעֵינֵי הַקָּהָל Lev.4:13
3 וְנֶעְלַם מִמֶּנּוּ וְהוּא טָמֵא וְאָשֵׁם Lev.5:2
4-5 וְנֶעְלַם מִמֶּנּוּ וְהוּא(־)יָדַע וְאָשֵׁם Lev.5:3,4
6 וְנֶעְלַם מֵעֵינֵי אִישָׁהּ וְנִסְתְּרָה... Num.5:13
וְנֶעֶלְמָה 7 וְנֶעֶלְמָה מֵעֵינֵי כָל־חָי... Job28:21
נֶעְלָם 8 לֹא־הָיָה דָּבָר נֶעְלָם מִן־הַמֶּלֶךְ IK.10:3
9 הָאֱלֹ׳ יָבִא בְמִשְׁפָּט עַל כָּל־נֶעְלָם Eccl.12:14
נַעֲלָמִים 10 וְעִם נַעֲלָמִים לֹא אָבוֹא Ps.26:4
נַעֲלָמָה 11 גַּם־אַתְּ תִּשְׁכְּרִי תְּהִי נַעֲלָמָה Nah.3:11
לְהִתְעַלֵּם 12 לֹא תוּכַל לְהִתְעַלֵּם Deut.22:3
וְהִתְעַלַּמְתָּ 13/4 לֹא־תִרְאֶה...וְהִתְעַלַּמְתָּ מֵהֶם Deut.22:1,4
תִּתְעַלַּם 15 וְאַל־תִּתְעַלַּם מִתְּחִנָּתִי Ps.55:2
תִּתְעַלָּם 16 וּמִבְּשָׂרְךָ לֹא תִתְעַלָּם Is.58:7
יִתְעַלֶּם־ 17 ...עָלֵימוֹ יִתְעַלֶּם־שָׁלֶג Job6:16
הַעְלֵם 18 וְאִם הַעְלֵם יַעְלִימוּ...אֶת־עֵינֵיהֶם Lev.20:4
הֶעְלִים 19 וַיְיָ הֶעְלִים מִמֶּנִּי וְלֹא הִגִּיד לִי IIK.4:27
הֶעְלִימוּ 20 וּמִשַּׁבְּתוֹתַי הֶעְלִימוּ עֵינֵיהֶם Ezek.22:26
מַעְלִים 21 מִי זֶה מַעְלִים עֵצָה בְּלִי דָעַת Job42:3
וּמַעְלִים 22 וּמַעְלִים עֵינָיו רַב־מְאֵרוֹת Prov.28:27
אַעְלִים 23 אַעְלִים עֵינַי מִכֶּם Is.1:15
וְאַעְלִים 24 לָקַחְתִּי כֹפֶר וְאַעְלִים עֵינַי בּוֹ ISh.12:3
תַּעְלִים 25 תַּעְלִים לְעִתּוֹת בַּצָּרָה Ps.10:1
תַּעְלֵם 26 אַל־תַּעְלֵם אָזְנְךָ לְרַוְחָתִי לְשַׁוְעָתִי Lam.3:56
יַעְלִימוּ 27 וְאִם הַעְלֵם יַעְלִימוּ...אֶת־עֵינֵיהֶם Lev.20:4

עָלַם ז׳ ארמית: עוֹלָם: 1-20

– מַלְכוּת עָלַם 1, 2; שָׁלְטָן עָלַם 3, 4; עַד עָלַם עָלְמַיָּא 5, 19
– חַי עָלְמָא 8; יוֹמַת עָלְמָא 10, 11; עַד עָלְמָא 9, 19; מִן עָלְמָא וְעַד עָלְמָא 6-7
– לְעָלְמִין 12-18; לְעָלְמַיָּא 20

עָלַם 1-2 מַלְכוּתֵהּ מַלְכוּת עָלַם Dan.3:33; 7:27
3-4 שָׁלְטָנֵהּ שָׁלְטָן עָלַם Dan.4:31; 7:14
5 וְיַחְסְנוּן...וְעַד עָלַם עָלְמַיָּא Dan.7:18
עָלְמָא 6-7 מְבָרַךְ מִן־עָלְמָא וְעַד־עָלְמָא Dan.2:20
8 וּלְחַי עָלְמָא שַׁבְּחֵת וְהַדְּרֵת Dan.4:31
9 וְיַחְסְנוּן מַלְכוּתָא עַד־עָלְמָא Dan.7:18
10-11 מִן־יוֹמָת עָלְמָא Ez.4:15,19
לְעָלְמִין 12-16 מַלְכָּא לְעָלְ׳ חֱיִי Dan.2:4; 3:9; 5:10; 6:7,22
17 מַלְכוּ דִּי לְעָלְמִין לָא תִתְחַבַּל Dan.2:44
18 אֱלָהָא חַיָּא וְקַיָּם לְעָלְמִין Dan.6:27
עָלְמַיָּא 19 עַד־עָלְמָא וְעַד עָלַם עָלְמַיָּא Dan.7:18
לְעָלְמַיָּא 20 וְהִיא תְּקוּם לְעָלְמַיָּא Dan.2:44

עֶלֶם ז׳ בחור, צעיר לימים: 1, 2

קרובים: ראה בָּחוּר

הָעָלֶם 1 בֶּן־מִי־זֶה הָעָלֶם ISh.17:56
לָעֶלֶם 2 וְאִם־כֹּה אֹמַר לָעֶלֶם ISh.20:22

עַלְמָה נ׳ נערה, אשה צעירה: 1-7

קרובים: אִשָּׁה / בַּת / בְּתוּלָה / יַלְדָּה / נַעֲרָה / רַעְיָה

הָעַלְמָה 1 וְהָיָה הָעַלְמָה הַיֹּצֵאת לִשְׁאֹב Gen.24:43
2 וַתֵּלֶךְ הָעַלְמָה וַתִּקְרָא אֶת־אֵם הַיָּלֶד Ex.2:8
3 הִנֵּה הָעַלְמָה הָרָה וְיֹלֶדֶת בֵּן Is.7:14
בְּעַלְמָה 4 וְדֶרֶךְ גֶּבֶר בְּעַלְמָה Prov.30:19
עֲלָמוֹת 5 בְּתוֹךְ עֲלָמוֹת תּוֹפֵפוֹת Ps.68:26
6 עַל־כֵּן עֲלָמוֹת אֲהֵבוּךָ S.ofS.1:3
וַעֲלָמוֹת 7 וַעֲלָמוֹת אֵין מִסְפָּר S.ofS.6:8

עַלְמוֹן ש״פ – עיר בנחלת בנימין

עַלְמוֹן 1 וְאֶת־עַלְמוֹן וְאֶת־מִגְרָשֶׁהָ Josh. 21:18

עַלְמֹן דִּבְלָתָיְמָה ש״פ – מתחנות בני ישראל במסעם בארץ מואב: 1, 2

בְּעַלְמֹן ד׳ 1 וַיִּסְעוּ...וַיַּחֲנוּ בְּעַלְמֹן דִּבְלָתָיְמָה Num. 33:46

מֵעַלְמֹן ד׳ 2 וַיִּסְעוּ מֵעַלְמֹן דִּבְלָתָיְמָה Num. 33:47

עַל־מוּת מלים סתומות; אולי כמשמע ״עֲלָמוֹת״ – כלי־זמר או נגון: 1, 2

עַל־מוּת 1 לַמְנַצֵּחַ עַל־מוּת לַבֵּן Ps. 9:1

2 הוּא יְנַהֲגֵנוּ עַל־מוּת Ps. 48:15

עֲלָמוֹת נ׳(?) שֵׁם כלי־זמר או נגון: 1, 2

עֲלָמוֹת 1 לַמְנַצֵּחַ...עַל־עֲלָמוֹת שִׁיר Ps. 46:1

2 וּזְכַרְיָה...בִּנְבָלִים עַל־עֲלָמוֹת ICh. 15:20

עֵלְמָי* ת׳ ארמית: מארץ עֵילם

עֵלְמָיֵא 1 בַּבְלָיֵא שׁוּשַׁנְכָיֵא דֶּהָיֵא° עֵלְמָיֵא Ez. 4:9

עָלֶמֶת[1] שפ״ז א) איש מצאצאי בנימין: 3

ב) איש ממשפחת שאול: 1, 2

עָלֶמֶת 1 וִיהוֹעַדָּה הוֹלִיד אֶת־עָלֶמֶת ICh. 8:36

2 וְיַעְרָה הוֹלִיד אֶת־עָלֶמֶת ICh. 9:42

וְעָלֶמֶת 3 וַאֲבִיָּה וַעֲנָתוֹת וְעָלָמֶת ICh. 7:8

עָלֶמֶת[2] ש״פ – עיר בנחלת בנימין, היא עַלְמוֹן

עָלֶמֶת 1 וְאֶת־עָלֶמֶת וְאֶת־מִגְרָשֶׁיהָ ICh. 6:45

עלס : עָלַס, נֶעֱלַס, הִתְעַלֵּס

עָלַס פָ׳ א) עלז, שמח: 1

ב) [נפ׳ נֶעֱלַס] שָׂמַח: 2

ג) [הת׳ הִתְעַלֵּס] התענג: 3

קרובים: ראה שָׂמַח

יַעֲלֹס 1 כְּחֵיל תְּמוּרָתוֹ וְלֹא יַעֲלֹס Job 20:18

נֶעֱלָסָה 2 כְּנַף־רְנָנִים נֶעֱלָסָה Job 39:13

נִתְעַלְּסָה 3 נִרְוֶה דֹדִים...נִתְעַלְּסָה בָּאֳהָבִים Prov. 7:18

עָלַע פִּ׳ בלע

יְעַלְעוּ 1 וְאֶפְרֹחָו יְעַלְעוּ־דָם Job 39:30

עֲלַע* נ׳ ארמית: צֵלָע

עִלְעִין 1 וּתְלָת עִלְעִין בְּפֻמַּהּ בֵּין שִׁנַּהּ° Dan. 7:5

עלף : א) עֻלַּף, הִתְעַלֵּף; עֻלְפֶּה

ב) עָלַף, הִתְעַלֵּף

עֻלַּף[1] פֻ׳ א) נחלש: 1

ב) [הת׳ הִתְעַלֵּף] נחלש: 2, 3

עֻלְּפוּ 1 בָּנַיִךְ עֻלְּפוּ שָׁכְבוּ בְּרֹאשׁ כָּל־חוּצוֹת Is. 51:20

וַיִּתְעַלָּף 2 וַתַּךְ הַשֶּׁמֶשׁ עַל־רֹאשׁ יוֹנָה וַיִּתְעַלָּף Jon. 4:8

תִּתְעַלַּפְנָה 3 תִּתְעַלַּפְנָה הַבְּתוּלֹת הַיָּפוֹת..בַּצָּמָא Am. 8:13

עֻלַּף[2] פֻ׳ א) נעטף, כֻּסה: 1

ב) [הת׳ הִתְעַלֵּף] התעטף: 2

מְעֻלֶּפֶת 1 מֵעָיו עֶשֶׁת שֵׁן מְעֻלֶּפֶת סַפִּירִים S. of S. 5:14

וַתִּתְעַלָּף 2 וַתְּכַס בַּצָּעִיף וַתִּתְעַלָּף Gen. 38:14

עֻלְפֶּה נ׳ חַלָּשׁ, מְעֻלָּף

עֻלְפֶּה 1 וְכָל־עֲצֵי הַשָּׂדֶה עָלָיו עֻלְפֶּה Ezek. 31:15

עלץ : עָלַץ; עֲלִיצוּת

עָלַץ פָ׳ שָׂמַח: 1-8 • קרובים: ראה שָׂמַח

בַּעֲלֹץ 1 בַּעֲלֹץ צַדִּיקִים רַבָּה תִפְאָרֶת Prov. 28:12

עָלַץ 2 עָלַץ לִבִּי בַּיָי רָמָה קַרְנִי בַּיָי ISh. 2:1

וְאֶעֶלְצָה 3 אֶשְׂמְחָה וְאֶעֶלְצָה בָךְ Ps. 9:3

יַעֲלֹץ 4 יַעֲלֹץ הַשָּׂדֶה וְכָל־אֲשֶׁר־בּוֹ ICh. 16:32

תַּעֲלֹץ 5 בְּטוּב צַדִּיקִים תַּעֲלֹץ קִרְיָה Prov. 11:10

יַעַלְצוּ 6 אַל־יַעַלְצוּ אוֹיְבַי לִי Ps. 25:2

7 יִשְׂמְחוּ יַעַלְצוּ לִפְנֵי אֱלֹהִים Ps. 68:4

וְיַעַלְצוּ 8 וְיַעַלְצוּ בְךָ אֹהֲבֵי שְׁמֶךָ Ps. 5:12

עֲלָת* נ׳ ארמית: עוֹלָה; עֲלָוָן = עולות

לַעֲלָוָן 1 וְדִכְרִין...לַעֲלָוָן לֶאֱלָהּ שְׁמַיָּא Ez. 6:9

עֹלָתָה נ׳ – עין עַוְלָה

עַם ז׳ א) אֻמָּה, לאום, גוֹי, קבוץ בני־אדם בעלי מוצא משותף ולשון משותפת היושבים בחבל־ארץ מסוים: 1, 3-8, 11-13, 18, 23, 31, 32, 35, 39, 41-45, 47, 54, 55, 58, 62, 66-73, 77, 79, 111, 118, 119, 123-127, 966-992, 1048-1050, 1053-1096, 1100, 1134-1136, 1138, 1143-1145, 1149, 1157-1169, 1183, 1379, 1603-1605, 1632, 1636-1638, 1647-1849

ב) המון, קהל, חבר לוחמים וכד׳: רוב המקראות 2-135, וכן 955, 956, 1003, 1101-1105, 1115, 1162-1167

ג) [עַם־, הָעָם, עַמִּי, עַמְּךָ וכו׳] כנוי לעם ישראל, עדת ישראל, קהל, כלל התושבים: רוב המקראות 136-1646

ד) אדם, כלל האנושות: 117, 1020

ה) קבוץ בעלי־חיים: 57, 64, 65

קרובים: ראה אֻמָּה

– עַם וָעָם 67, 69, 72, 118, 119

– עַם אֶחָד 1, 68, 959, 960; עַם אַחֵר 62, 73, 963; עַם אֵין־לֵב 53; עַם בּוֹטֵחַ 31, 32; עַם בָּזוּז 48; עַם גָּדוֹל 11-13, 18; עַם דַּל 59, 63; עַם חָכָם 14; עַם טְמֵא שְׂפָתַיִם 38; עַם כָּבֵד 929, 1393; עַם כֶּבֶד עָוֹן 37; עַם לֹא חָכָם 24; עַם לֹא עַז 64; עַם לֹא עָצוּם 65; עַם לוֹעֵז 1048; עַם מְאֻסָּף 56; עַם מוֹרָט 42; עַם מְמֻשָּׁךְ 42; עַם מְעַט 918; עַם מְפֻזָּר 68; עַם מְפֹרָד 68; עַם נָבוֹן 14; עַם נָבָל 24, 116; עַם נִבְרָא 117; עַם נָגִיד 71; עַם נוֹלָד 965; עַם נוֹעָז 47; עַם נוֹרָא 41, 1053; עַם נָכְרִי 961; עַם סוֹרֵר 52; עַם סָכָל 53; עַם עִוֵּר 49; עַם עָז 43, 47, 284; עַם עָנִי 34, 59, 60; עַם עָצוּם 57, 930, 956; עַם קָדוֹשׁ 15-17, 22, 28, 962; עַם קְשֵׁה עֹרֶף 5-8, 19, 20; עַם רַב 2, 9, 12, 13, 21, 26-29, 33, 36, 40, 57, 74-76, 114, 115, 326, 955; עַם רָם 11-13, 18, 24; עַם שׁוֹקֵט 32; עַם שָׁסוּי 48

– עַם אֱלֹהֵי אַבְרָהָם 1139; עַם הָאֱלֹהִים 1107, 1114; עַם אֲרָם 1138; עַם הָאָרֶץ 1151, 1152, 1157, 1162-1167; עַם אַרְצוֹ 1149; עַם בְּינוֹת 1121; עַם בְּנֵי יִשְׂרָאֵל 1096; עַם חֶרְמִי 1124; עַם יְהוּדָה 1116, 1118, 1128-1130; עַם יוֹדְעֵי־ 1156; עַם יְיָ 1098, 1099, 1106, 1108-1113; עַם יְרוּשָׁלַםִ 1150; עַם יִשְׂרָאֵל 1115, 1117, 1147, 1148; עַם כְּמוֹשׁ 1100, 1135; עַם כְּנַעַן 1145; עַם מִבְחָרָיו 1155; עַם מְדִינוֹת הַמֶּלֶךְ 1153; עַם הַמִּלְחָמָה 1102, 1104; עַם מָרְדֳּכַי 1143, 1144; עַם מְרִי 1122; עַם מַרְעִיתוֹ 1140; עַם נַחֲלָה 1158; עַם סְגֻלָּה 1159-1161; עַם עֶבְרָתוֹ 1120; עַם עוֹלָם 1125, 1137; עַם עֲמוֹרָה 1119; עַם עִמְקֵי שָׂפָה 1123, 1136; עַם הַצָּבָא 1101; עַם צָפוֹן 1134; עַם קְדוֹשִׁים 1149; עַם קֹדֶשׁ 1126, 1127, 1146; עַם הַקָּהָל 1097; עַם קְרֹבוֹ 1141; עַם שְׂרִידֵי חֶרֶב 1133; עַם תּוֹעֵי לֵבָב 1142

– אַדִּירִים עָם 84; בְּזוּי עָם 98; בְּרִית עָם 91, 92; דִּבַּת עָם 94; דְּמוּת עָם 40; חֵיל עָם 70; לֹא־עָם 80; לְשׁוֹן עָם 72, 1556; מְבוֹא עָם 93; מוֹקְשֵׁי עָם 109; מַשְׂכִּילֵי עָם 112; עֲנִיֵּי עָם 101; עֲשִׁירֵי עָם 99; קֳבָל־עָם 88; קְהַל עָם 102; קִנְאַת עָם 90; קְצִין עָם 89; רָאשֵׁי עָם 81, 82; רֹב עָם 104; רִבְבוֹת עַם 96; רִיבֵי עָם 97, 1193; רַבָּתִי עָם 110; שָׂרֵי עָם 69, 125

– הָעָם הַזֶּה 185, 195, 214-279, 369, 904, 911, 914, 926, 994-996, 1001, 1009-1019, 1046, (1421)

– אֶבְיוֹנֵי הָעָם 1440; אָזְנֵי הָעָם 147, 180, 309, 327, 340, 341, 363, 371, 380, 382-385, 414, 424; אַחַד הָעָם 130; אֱלֹהֵי הָעָם 431; אַנְשֵׁי הָעָם 1147, 1148; אַשְׁמַת הָעָם 199; אַשְׁרֵי הָעָם 404, 406, 407; בֵּית הָעָם 387; בְּכִי הָעָם 408; בְּנוֹת הָעָם 1410; בְּנֵי הָעָם 365, 374, 377, 433-436, 1168, 1183, 1411-1415, 1441, 1442, 1453, 1632, 1646; בְּעַד הָעָם 200, 208, 290, 364; דִּבְרֵי הָעָם 168, 170, 336; דַּלּוֹת הָעָם 392, 393; דֶּרֶךְ הָעָם 373, 1236; דַּרְכֵי הָעָם 1253; זֶבַח הָעָם 398; זֶה הָעָם 330, 370, 394; זִקְנֵי הָעָם 166, 280, 282, 375, 1187, 1285, 1526; חַטָּאֵי הָעָם 1267; חַטַּאת הָעָם 1262; חֵלֶק הָעָם 1270; חֵן הָעָם 138, 148, 151; חֲצִי הָעָם 358, 423, 1117; חָצִיר הָעָם 372; חֶרְפַּת הָעָם 1274, 1532; יַד הָעָם 294, 295, 378; יְדֵי הָעָם 386; יְמֵי הָעָם 1237; יֵשַׁע הָעָם 1444; יֶתֶר הָעָם 328, 342, 347, 349, 354, 366, 388, 389, 392, 393, 403, 411, 412, 426; כָּל־הָעָם 164, 165, 167, 174-176, 179, 182, 192-194, 196, 204-206, 212, 213, 286, 294, 295, 297-308, 312, 313, 317, 318, 320, 321, 331, 337, 339, 345, 351, 379-381, 383, 386, 396, 414-418, 425, 1635; לֵב הָעָם 323; לְבַב הָעָם 319, 1455, 1527; מְאַשְּׁרֵי הָעָם 369; מִסְפַּר הָעָם 352; מִפְקַד הָעָם 353, 428; מַרְבִּית הָעָם 432; מַרְכְּבוֹת הָעָם 1282; מַשָּׂא הָעָם 212, 281; נֶגֶד הָעָם 361; נְגִיד הָעָם 1219; נְדִיבֵי הָעָם 291, 1551, 1706; נוֹגְשֵׂי הָעָם 144; נַחֲלַת הָעָם 397; נֶפֶשׁ הָעָם 287, 346; נְשֵׁי הָעָם 1272; סוֹד הָעָם 1254; עוֹלַת הָעָם 207; עֲוֹן הָעָם 1450; עֵינֵי הָעָם 141, 149, 345, 379, 381, 415, 425; עֲנִי הָעָם 1171; עֲנִיֵּי הָעָם 1222, 1531; פִּנּוֹת הָעָם 331, 344; פֶּשַׁע הָעָם 1235; צֵדָה הָעָם 329; צַעֲקַת הָעָם 413; קְהַל הָעָם 376; קוֹל הָעָם 184, 334, 429; קְצֵה הָעָם 292; קְצוֹת הָעָם 355, 356; (מִ)קֶּרֶב הָעָם 1509, 1628, 1629, 1631, 1643-1645; קָרְבַּן הָעָם 201, 202; רֹאשׁ הָעָם 296, 359, 360; רָאשֵׁי הָעָם 293, 419; רְצוֹן הָעָם 1451; שְׁאֵר הָעָם 1273; שְׁאָר הָעָם 420, 422, 1528, 1529, 1533; שְׁאֵרִית הָעָם 390, 391, 399-402, 1275; שְׁבוּת הָעָם 1263, 1542, 1545; שֶׁבֶר הָעָם 1239, 1534; שׁוֹטְרֵי הָעָם 310; שְׁלוֹם הָעָם 348; שַׁעַר הָעָם 1268, 1269, 1284; שָׂרֵי הָעָם 395, 421, 427, 430, 925; (בְּ)תוֹךְ הָעָם 1218; תְּפִלַּת הָעָם 1449

– עַמִּי בְחִירִי 1230; עַמִּי (בְּנֵי) יִשְׂרָאֵל 1172, 1174, 1184, 1188-1192, 1194-1207, 1370; עַמִּי מִצְרַיִם 1224; עַמִּי נָדִיב 1282

– אַדְמַת עַמִּי 1227; אֹכְלֵי עַמִּי 1278, 1279; בַּת־עַמִּי 1225, 1238, 1240-1252; לֹא־עַמִּי 1257, 1258, 1260, 1261

– עַמְּךָ הַגָּדוֹל 1421; עַמְּךָ יִשְׂרָאֵל 1457, 1458, 1464, 1465, 1477-1480, 1485, 1493, 1494

– עַמּוֹ יִשְׂרָאֵל 1508, 1517, 1520, 1521, 1523, 1524, 1554, 1558, 1560, 1608, 1615

– בְּעַד עַמֵּנוּ 1640, 1641

– עַמִּים כֻּלָּם 1660, 1692, 1728; עַמִּים רַבִּים 1661, 1668, 1677, 1679-1688, 1695, 1729, 1730, 1820, 1821; כָּל־הָעַמִּים 1734, 1741-1778

– גְּבוּלוֹת עַמִּים 1655, 1664; חוֹבֵב עַ׳ 1656; חֶרְפַּת עַ׳ 1689; יִקְּהַת עַ׳ 1653; יֶתֶר עַ׳ 1694; כְּתוֹב עַ׳ 1716; לְחַיֵּי עַ׳ 1669; מוֹשֵׁל עַ׳ 1722; מַחְשְׁבוֹת עַ׳ 1702; מַלְכֵי עַ׳ 1649; מְשׁוֹל עַ׳ 1724; מִשְׁפְּחוֹת עַ׳ 1718; נְדִיבֵי עַ׳ 1706; נֵס עַ׳ 1665; עֶגְלֵי עַ׳ 1714; קְהַל עַמִּים 1651, 1652, 1678

– אֱלֹהֵי הָעַמִּים 1740, 1779, 1781, 1799, 1804; דַּלְתוֹת הָעַ׳ 1792; חֵיל הָעַ׳ 1782; חֻקּוֹת הָעַ׳ 1786; מִדְבַּר הָעַ׳ 1789; סוּס הָעַ׳ 1798; עֵינֵי הָעַ׳ 1738; עָרֵי הָעַ׳ 1780; פְּנֵי הָעַ׳ 1737; (בְּ)קֶרֶב הָעַמִּים 1801; רוֹכֶלֶת הָעַ׳ 1793; (בְּ)תוֹךְ הָעַמִּים 1783, 1784

– עַמֵּי הָאָרֶץ 1824-1833, 1837, 1841, 1842, 1845, 1846; עַמֵּי הָאֲרָצוֹת 1834-1836, 1838, 1840, 1843, 1844, 1847; עַמֵּי הַתּוֹעֵבוֹת 1839

– עֲמָמִים 1848; עַמְמֵי הָאָרֶץ 1849

עם
1 הֵן עַם אֶחָד וְשָׂפָה אַחַת לְכֻלָּם Gen. 11:6
2 לְהַחֲיֹת עַם־רָב Gen. 50:20
3 נָחִיתָ בְחַסְדְּךָ עַם־זוּ גָּאָלְתָּ Ex. 15:13
4 עַד־יַעֲבֹר עַם־זוּ קָנִיתָ Ex. 15:16
5-8 עַם־קְשֵׁה־עֹרֶף Ex. 32:9; 33:3,5; 34:9
9 וַיָּמָת עַם־רָב מִיִּשְׂרָאֵל Num. 21:6
10 הִנֵּה עַם יָצָא מִמִּצְרַיִם Num. 22:5
11 עַם גָּדוֹל וָרָם מִמֶּנּוּ Deut. 1:28
12/3 עַם גָּדוֹל וְרַב וָרָם כָּעֲנָקִים Deut. 2:10,21
14 רַק עַם־חָכָם וְנָבוֹן הַגּוֹי הַגָּדוֹל Deut. 4:6
15-17 עַם קָדוֹשׁ אַתָּה לַיְיָ Deut. 7:6; 14:2,21
18 עַם־גָּדוֹל וָרָם בְּנֵי עֲנָקִים Deut. 9:2
19-20 עַם־קְשֵׁה־עֹרֶף Deut. 9:6,13
21 וְרָאִיתָ...עַם רַב מִמְּךָ Deut. 20:1
22 וְלִהְיֹתְךָ עַם־קָדֹשׁ לַייָ אֱלֹהֶיךָ Deut. 26:19
23 עַם אֲשֶׁר לֹא־יָדָעְתָּ Deut. 28:33
24 עַם נָבָל וְלֹא חָכָם Deut. 32:6
25 מִי כָמוֹךָ עַם נוֹשַׁע בַּייָ Deut. 33:29
26 עַם־רָב כַּחוֹל...לָרֹב Josh. 11:4
27 וַאֲנִי עַם רָב Josh. 17:14
28 אִם־עַם־רַב אַתָּה... Josh. 17:15
29 עַם־רַב אַתָּה וְכֹחַ גָּדוֹל לָךְ Josh. 17:17
30 זְבֻלוּן עַם חֵרֵף נַפְשׁוֹ לָמוּת Jud. 5:18
31 כְּבֹאֲכֶם תָּבֹאוּ אֶל־עַם בֹּטֵחַ Jud. 18:10
32 וַיָּבֹאוּ...עַל־עַם שֹׁקֵט וּבֹטֵחַ Jud. 18:27
33 וַיַּרְא וְהִנֵּה עַם־רַב הֹלְכִים IISh. 13:34
34 וְאֶת־עַם עָנִי תּוֹשִׁיעַ IISh. 22:28
35 עַם לֹא־יָדַעְתִּי יַעַבְדֻנִי IISh. 22:44
36 עַם־רָב אֲשֶׁר לֹא־יִמָּנֶה... IK. 3:8
37 הוֹי גּוֹי חֹטֵא עַם כֶּבֶד עָוֺן Is. 1:4
38 וּבְתוֹךְ עַם־טְמֵא שְׂפָתַיִם Is. 6:5
39 הֲלוֹא־עַם אֶל־אֱלֹהָיו יִדְרֹשׁ Is. 8:19
40 קוֹל הָמוֹן בֶּהָרִים דְּמוּת עַם־רָב Is. 13:4
41 עַם־נוֹרָא מִן־הוּא וָהָלְאָה Is. 18:2
42 עַם מְמֻשָּׁךְ וּמוֹרָט Is. 18:7
43 עַל־כֵּן יְכַבְּדוּךָ עַם־עָז Is. 25:3
44 עַל־עַם לֹא־יוֹעִילוּ לָמוֹ Is. 30:5
45 עַל־עַם לֹא יוֹעִילוּ Is. 30:6
46 כִּי־עַם בְּצִיּוֹן יֵשֵׁב בִּירוּשָׁלָםִ Is. 30:19
47 אֶת־עַם נוֹעָז לֹא תִרְאֶה Is. 33:19
48 וְהוּא עַם־בָּזוּז וְשָׁסוּי Is. 42:22

עם (המשך)
49 הוֹצִיא עַם עִוֵּר וְעֵינַיִם יֵשׁ Is. 43:8
50 עַם־זוּ יָצַרְתִּי לִי Is. 43:21
51 שִׁמְעוּ אֵלַי...עַם תּוֹרָתִי בְלִבָּם Is. 51:7
52 פֵּרַשְׂתִּי יָדַי...אֶל־עַם סוֹרֵר Is. 65:2
53 עַם סָכָל וְאֵין לֵב Jer. 5:21
54 הִנֵּה עַם בָּא מֵאֶרֶץ צָפוֹן Jer. 6:22
55 הִנֵּה עַם בָּא מִצָּפוֹן Jer. 50:41
56 וְאֶל־עַם מְאֻסָּף מִגּוֹיִם Ezek. 38:12
57 עַם רַב וְעָצוּם Joel 2:2
58 וְאֵי־מִזֶּה עַם אָתָּה Jon. 1:8
59 וְהִשְׁאַרְתִּי...עַם עָנִי וָדָל Zep. 3:12
60 כִּי־אַתָּה עַם־עָנִי תוֹשִׁיעַ Ps. 18:28
61 עַם לֹא־יָדַעְתִּי יַעַבְדוּנִי Ps. 18:44
62 מִמַּמְלָכָה אֶל־עַם אַחֵר Ps. 105:13
63 מוֹשֵׁל רָשָׁע עַל עַם־דָּל Prov. 28:15
64 הַנְּמָלִים עַם לֹא־עָז Prov. 30:25
65 שְׁפַנִּים עַם לֹא־עָצוּם Prov. 30:26
66 וַתֵּלְכִי אֶל־עַם אֲשֶׁר לֹא־יָדַעַתְּ Ruth 2:11
67 וְאֶל־עַם וָעָם כִּלְשׁוֹנוֹ Es. 1:22
68 יֶשְׁנוֹ עַם־אֶחָד מְפֻזָּר וּמְפֹרָד Es. 3:8
69 וְאֶל־שָׂרֵי עַם וָעָם Es. 3:12
70 אֶת־כָּל־חֵיל עַם וּמְדִינָה Es. 8:11
71 יַשְׁחִית עַם נָגִיד הַבָּא Dan. 9:26
72 לְדַבֵּר...וְכִלְשׁוֹן עַם וָעָם Neh. 13:24
73 וּמִמַּמְלָכָה אֶל־עַם אַחֵר ICh. 16:20
74 הִמְלַכְתַּנִי עַל־עַם רַב IICh. 1:9
75 וַיֵּאָסְפוּ יְרוּשָׁלַםִ עַם־רָב IICh. 30:13
76 וַיִּקָּבְצוּ עַם־רָב וַיִּסְתְּמוּ IICh. 32:4

עָם
77 הֶן־עָם לְבָדָד יִשְׁכֹּן Num. 23:9
78 הֶן־עָם כְּלָבִיא יָקוּם Num. 23:24
79 הֲשָׁמַע עָם קוֹל אֱלֹהִים Deut. 4:33
80 וַאֲנִי אַקְנִיאֵם בְּלֹא־עָם Deut. 32:21
81 בְּהִתְאַסֵּף רָאשֵׁי עָם Deut. 33:5
82 וַיֵּתֵא רָאשֵׁי עָם Deut. 33:21
83 בְּהִתְנַדֵּב עָם בָּרְכוּ יְיָ Jud. 5:2
84 אָז יְרַד שָׂרִיד לְאַדִּירִים עָם Jud. 5:13
85 הִנֵּה־עָם יוֹרֵד מֵרָאשֵׁי הֶהָרִים Jud. 9:36
86 הִנֵּה־עָם יוֹרְדִים... Jud. 9:37
87 לֹא הִשְׁאִיר לִיהוֹאָחָז עָם IIK. 13:7
88 וַיַּכֵּהוּ קָבָל־עָם וַיְמִיתֵהוּ IIK. 15:10
89 לֹא תְשִׂימֻנִי קְצִין עָם Is. 3:7
90 יֶחֱזוּ וְיֵבֹשׁוּ קִנְאַת־עָם Is. 26:11
91/2 וְאֶתֶּנְךָ לִבְרִית עָם Is. 42:6; 49:8
93 וְיָבוֹאוּ אֵלֶיךָ כִּמְבוֹא־עָם Ezek. 33:31
94 עַל־שְׂפַת לָשׁוֹן וְדִבַּת־עָם Ezek. 36:3
95 אִסְפוּ־עָם קַדְּשׁוּ קָהָל Joel 2:16
96 לֹא־אִירָא מֵרִבְבוֹת עָם Ps. 3:7
97 תְּפַלְּטֵנִי מֵרִיבֵי עָם Ps. 18:44
98 חֶרְפַּת אָדָם וּבְזוּי עָם Ps. 22:7
99 פָּנַיִךְ יְחַלּוּ עֲשִׁירֵי עָם Ps. 45:13
100 בִּטְחוּ בוֹ בְכָל־עֵת עָם Ps. 62:9
101 יִשְׁפֹּט עֲנִיֵּי־עָם Ps. 72:4
102 וִירוֹמְמוּהוּ בִּקְהַל־עָם Ps. 107:32
103 בְּאֵין תַּחְבֻּלוֹת יִפָּל־עָם Prov. 11:14
104 בְּרָב־עָם הַדְרַת־מֶלֶךְ Prov. 14:28
105 וּבִמְשֹׁל רָשָׁע יֵאָנַח עָם Prov. 29:2
106 בְּאֵין חָזוֹן יִפָּרַע עָם Prov. 29:18
107 אָמְנָם כִּי אַתֶּם־עָם Job 12:2
108 יְגֹעֲשׁוּ עָם וְיַעֲבֹרוּ Job 34:20
109 מִמְּלֹךְ אָדָם חָנֵף מִמֹּקְשֵׁי עָם Job 34:30
110 הָעִיר רַבָּתִי עָם הָיְתָה כְּאַלְמָנָה Lam. 1:1
111 וְדָתֵיהֶם שֹׁנוֹת מִכָּל־עָם Es. 3:8
112 וּמַשְׂכִּילֵי עָם יָבִינוּ לָרַבִּים Dan. 11:33
113 הָלַךְ הָאֱלֹהִים לִפְדּוֹת לוֹ עָם ICh. 17:21

וְעָם
114 לָתֶת־לוֹ סוּסִים וְעַם־רָב Ezek. 17:15
115 בְּסוּס...וְקָהָל וְעַם־רָב Ezek. 26:7
116 וְעָם־נָבָל נִאֲצוּ שְׁמֶךָ Ps. 74:18
117 וְעָם נִבְרָא יְהַלֶּל־יָהּ Ps. 102:19
118/9 וְעָם וָעָם כִּלְשׁ(וֹ)נוֹ Es. 3:12; 8:9

וְעָם
120 וְעָם כַּחוֹל...לָרֹב ISh. 13:5
121 וְעָם לֹא־יָבִין יִלָּבֵט Hosh. 4:14
122 אִם־יִתָּקַע...וְעָם לֹא יֶחֱרָדוּ Am. 3:6

וָעָם
123 וְאֶל־עַם וָעָם כִּלְשׁוֹנוֹ Es. 1:22
124 וְאֶל־שָׂרֵי עַם וָעָם Es. 3:12
125/6 וְעָם וָעָם כִּלְשׁ(וֹ)נוֹ Es. 3:12; 8:9
127 וְכִלְשׁוֹן עַם וָעָם Neh. 13:24

הָעָם
128 וְגַם אֶת־הַנָּשִׁים וְאֶת־הָעָם Gen. 14:16
129 מִנַּעַר וְעַד־זָקֵן כָּל־הָעָם מִקָּצֶה Gen. 19:4
130 כִּמְעַט שָׁכַב אַחַד הָעָם Gen. 26:10
131 וַיְצַו אֲבִימֶלֶךְ אֶת־כָּל־הָעָם Gen. 26:11
132 וַיַּחַץ אֶת־הָעָם אֲשֶׁר־אִתּוֹ Gen. 32:7
133 אַצִּיגָה...מִן־הָעָם אֲשֶׁר אִתִּי Gen. 33:15
134 וַיִּצְעַק הָעָם אֶל־פַּרְעֹה לַלָּחֶם Gen. 41:55
135 וְאֶת־הָעָם הֶעֱבִיר אֹתוֹ לֶעָרִים Gen. 47:21
136 וַיִּרֶב הָעָם וַיַּעַצְמוּ מְאֹד Ex. 1:20
137 בְּהוֹצִיאֲךָ אֶת־הָעָם מִמִּצְרַיִם Ex. 3:12
138 וְנָתַתִּי אֶת־חֵן הָעָם־הַזֶּה Ex. 3:21
139 וְדִבֶּר־הוּא לְךָ אֶל־הָעָם Ex. 4:16
140 וְלֹא יְשַׁלַּח אֶת־הָעָם Ex. 4:21
141 וַיַּעַשׂ הָאֹתֹת לְעֵינֵי הָעָם Ex. 4:30
142 וַיַּאֲמֵן הָעָם...וַיִּקְּדוּ וַיִּשְׁתַּחֲווּ Ex. 4:31
143 ...תַּפְרִיעוּ אֶת־הָעָם מִמַּעֲשָׂיו Ex. 5:4
144 וַיֵּצְאוּ נֹגְשֵׂי הָעָם וְשֹׁטְרָיו Ex. 5:10
145 וַיָּפֶץ הָעָם בְּכָל־אֶרֶץ מִצְרָיִם Ex. 5:12
146 מֵאֵן לְשַׁלַּח הָעָם Ex. 7:14
147 דַּבֶּר־נָא בְּאָזְנֵי הָעָם Ex. 11:2
148 וַיִּתֵּן יְיָ אֶת־חֵן הָעָם בְּעֵינֵי מִצְרָיִם Ex. 11:3
149 בְּעֵינֵי עַבְדֵי־פַרְעֹה וּבְעֵינֵי הָעָם Ex. 11:3
150 וַיִּקֹּד הָעָם וַיִּשְׁתַּחֲווּ Ex. 12:27
151 וַייָ נָתַן אֶת־חֵן הָעָם... Ex. 12:36
152 וַיֻּגַּד לְמֶלֶךְ מִצְרַיִם כִּי בָרַח הָעָם Ex. 14:5
153 וַיִּירְאוּ הָעָם אֶת־יְיָ Ex. 14:31
154 וַיִּלֹּנוּ הָעָם עַל־מֹשֶׁה Ex. 15:24
155 וַיִּשְׁבְּתוּ הָעָם בַּיּוֹם הַשְּׁבִעִי Ex. 16:30
156 וְאֵין מַיִם לִשְׁתֹּת הָעָם Ex. 17:1
157 וַיָּרֶב הָעָם עִם־מֹשֶׁה Ex. 17:2
158 וַיִּצְמָא שָׁם הָעָם לַמַּיִם Ex. 17:3
159 וַיָּלֶן הָעָם עַל־מֹשֶׁה Ex. 17:3
160 וְיָצְאוּ מִמֶּנּוּ מַיִם וְשָׁתָה הָעָם Ex. 17:6
161 וַיַּעֲמֹד הָעָם עַל־מֹשֶׁה Ex. 18:13
162 כִּי־יָבֹא אֵלַי הָעָם לִדְרֹשׁ אֱלֹהִים Ex. 18:15
163 גַּם־אַתָּה גַּם־הָעָם הַזֶּה Ex. 18:18
164 וְאַתָּה תֶחֱזֶה מִכָּל־הָעָם Ex. 18:21
165 כָּל־הָעָם הַזֶּה...יָבֹא בְשָׁלוֹם Ex. 18:23
166 וַיָּבֹא מֹשֶׁה וַיִּקְרָא לְזִקְנֵי הָעָם Ex. 19:7
167 וַיַּעֲנוּ כָל־הָעָם יַחְדָּו Ex. 19:8
168 וַיָּשֶׁב מֹשֶׁה אֶת־דִּבְרֵי הָעָם Ex. 19:8
169 בַּעֲבוּר יִשְׁמַע הָעָם בְּדַבְּרִי עִמָּךְ Ex. 19:9
170 וַיַּגֵּד מֹשֶׁה אֶת־דִּבְרֵי הָעָם Ex. 19:9
171 וְהִגְבַּלְתָּ אֶת־הָעָם סָבִיב Ex. 19:12
172 וַיֵּרֶד מֹשֶׁה מִן־הָהָר אֶל־הָעָם Ex. 19:14
173 וַיֹּאמֶר אֶל־הָעָם הֱיוּ נְכֹנִים... Ex. 19:15
174 וַיֶּחֱרַד כָּל־הָעָם אֲשֶׁר בַּמַּחֲנֶה Ex. 19:16
175 לֹא־יוּכַל הָעָם לַעֲלֹת Ex. 19:23

הָעָם (המשך)

176 וְכָל־הָעָם רֹאִים אֶת־הַקּוֹלֹת... Ex. 20:15
177 וַיַּרְא הָעָם וַיָּנֻעוּ וַיַּעַמְדוּ מֵרָחֹק Ex. 20:15
178 וַיַּעֲמֹד הָעָם מֵרָחֹק Ex. 20:18
179 וַיַּעַן כָּל־הָעָם קוֹל אֶחָד Ex. 24:3
180 וַיִּקַּח...וַיִּקְרָא בְּאָזְנֵי הָעָם Ex. 24:7
181 וַיַּרְא הָעָם כִּי־בֹשֵׁשׁ מֹשֶׁה לָרֶדֶת Ex. 32:1
182 וַיִּתְפָּרְקוּ כָּל־הָעָם Ex. 32:3
183 וַיֵּשֶׁב הָעָם לֶאֱכֹל וְשָׁתוֹ Ex. 32:6
184 וַיִּשְׁמַע...אֶת־קוֹל הָעָם בְּרֵעֹה Ex. 32:17
185 מֶה־עָשָׂה לְךָ הָעָם הַזֶּה Ex. 32:21
186 אַתָּה יָדַעְתָּ אֶת־הָעָם Ex. 32:22
187 וַיַּרְא...אֶת־הָעָם כִּי פָרֻעַ הוּא Ex. 32:25
188 חָטָא הָעָם הַזֶּה חֲטָאָה גְדֹלָה Ex. 32:31
189 וְעַתָּה לֵךְ נְחֵה אֶת־הָעָם Ex. 32:34
190 וַיִּגֹּף יְיָ אֶת־הָעָם Ex. 32:35
191 וַיִּשְׁמַע הָעָם אֶת־הַדָּבָר הָרָע הַזֶּה Ex. 33:4
192 יָקוּמוּ כָּל־הָעָם וְנִצְּבוּ Ex. 33:8
193 וְרָאָה כָל־הָעָם אֶת־עַמּוּד הֶעָנָן Ex. 33:10
194 וְקָם כָּל־הָעָם וְהִשְׁתַּחֲווּ Ex. 33:10
195 הַעַל אֶת־הָעָם הַזֶּה Ex. 33:12
196 וְרָאָה כָל־הָעָם...אֶת־מַעֲשֵׂה יְיָ Ex. 34:10
197 מַרְבִּים הָעָם לְהָבִיא Ex. 36:5
198 וַיִּכָּלֵא הָעָם מֵהָבִיא Ex. 36:6
199 אִם הַכֹּהֵן...יֶחֱטָא לְאַשְׁמַת הָעָם Lev. 4:3
200 וְכַפֵּר בַּעַדְךָ וּבְעַד הָעָם Lev. 9:7
201 וַעֲשֵׂה אֶת־קָרְבַּן הָעָם Lev. 9:7
202 וַיַּקְרֵב אֵת קָרְבַּן הָעָם Lev. 9:15
203 וַיֵּצְאוּ וַיְבָרְכוּ אֶת־הָעָם Lev. 9:23
204 וַיֵּרָא כְבוֹד־יְיָ אֶל־כָּל־הָעָם Lev. 9:23
205 וַיַּרְא כָּל־הָעָם וַיָּרֹנּוּ Lev. 9:24
206 וְעַל־פְּנֵי כָל־הָעָם אֶכָּבֵד Lev. 10:3
207 וְעָשָׂה אֶת־עֹלָתוֹ וְאֶת־עֹלַת הָעָם Lev. 16:24
208 וְכִפֶּר בַּעֲדוֹ וּבְעַד הָעָם Lev. 16:24
209 וַיְהִי הָעָם כְּמִתְאֹנְנִים Num. 11:1
210 שָׁטוּ הָעָם וְלָקְטוּ וְטָחֲנוּ Num. 11:8
211 וַיִּשְׁמַע מֹשֶׁה אֶת־הָעָם בֹּכֶה Num. 11:10
212 מַשָּׂא כָּל־הָעָם הַזֶּה עָלָי Num. 11:11
213 הֶאָנֹכִי הָרִיתִי אֵת כָּל־הָעָם הַזֶּה Num. 11:12
214-279 הָעָם הַזֶּה Num. 11:13, 14
14:11, 13, 14, 15, 16, 19; 21:2; 22:6, 17; 24:14; 32:15 • Deut. 3:28; 5:25; 9:13, 27; 31:7, 16 • Josh. 1:2, 6; 7:7 • Jud. 9:29 • IK. 12:6, 9, 27[2]; 14:2 • Is. 6:10; 8:6, 11, 12; 28:11, 14; 29:13, 14 • Jer. 6:19, 21; 7:16, 33; 8:5; 9:14; 11:14; 13:10; 14:11; 15:1; 16:5; 19:11; 21:8; 23:33; 27:16; 28:15; 29:32; 32:42; 33:24; 36:7 • Mic. 2:11 • Hag. 1:2; 2:14 • Zech. 8:6, 11, 12 • Neh. 5:18, 19 • IICh. 1:10; 10:9
280 כִּי־הֵם זִקְנֵי הָעָם וְשֹׁטְרָיו Num. 11:16
281 וְנָשְׂאוּ אִתְּךָ בְּמַשָּׂא הָעָם Num. 11:17
282 שִׁבְעִים אִישׁ מִזִּקְנֵי הָעָם Num. 11:24
283 קָבְרוּ אֶת־הָעָם הַמִּתְאַוִּים Num. 11:34
284 כִּי־עַז הָעָם הַיֹּשֵׁב בָּאָרֶץ Num. 13:28
285 וַיַּהַס כָּלֵב אֶת־הָעָם Num. 13:30
286 כִּי לְכָל־הָעָם בִּשְׁגָגָה Num. 15:26
287 וַתִּקְצַר נֶפֶשׁ־הָעָם בַּדָּרֶךְ Num. 21:4
288 וַיְדַבֵּר הָעָם בֵּאלֹהִים וּבְמֹשֶׁה Num. 21:5
289 וַיָּבֹא הָעָם...וַיֹּאמְרוּ חָטָאנוּ Num. 21:7
290 וַיִּתְפַּלֵּל מֹשֶׁה בְּעַד הָעָם Num. 21:7
291 בְּאֵר...כָּרוּהָ נְדִיבֵי הָעָם Num. 21:18
292 וַיַּרְא מִשָּׁם קְצֵה הָעָם Num. 22:41
293 קַח אֶת־כָּל־רָאשֵׁי הָעָם Num. 25:4
294/5 וְיַד כָּל־הָעָם בָּאַחֲרֹנָה Deut. 13:10; 17:7

הָעָם (המשך)

296 וּפָקְדוּ שָׂרֵי צְבָאוֹת בְּרֹאשׁ הָעָם Deut. 20:9
297 וְעָנוּ כָל־הָעָם וְאָמְרוּ אָמֵן Deut. 27:15
298-308 וְאָמַר כָּל־הָעָם אָמֵן Deut. 27:16
27:17, 18, 19, 20, 21, 22, 23, 24, 25, 26
309 וַיְדַבֵּר...בְּאָזְנֵי הָעָם Deut. 32:44
310 וַיְצַו יְהוֹשֻׁעַ אֶת־שֹׁטְרֵי הָעָם Josh. 1:10
311 וַיְמַהֲרוּ הָעָם וַיַּעֲבֹרוּ Josh. 4:10
312 כִּי־מֻלִים הָיוּ כָּל־הָעָם הַיֹּצְאִים Josh. 5:5
313 וְכָל־הָעָם הַיִּלֹּדִים בַּמִּדְבָּר Josh. 5:5
314 וַיָּרַע הָעָם וַיִּתְקְעוּ בַּשֹּׁפָרוֹת Josh. 6:20
315 וַיָּרִיעוּ הָעָם תְּרוּעָה גְדוֹלָה Josh. 6:20
316 וַיַּעַל הָעָם הָעִירָה אִישׁ נֶגְדּוֹ Josh. 6:20
317 אַל־יַעַל כָּל־הָעָם כְּאַלְפַּיִם אִישׁ Josh. 7:3
318 אַל־תְּיַגַּע שָׁמָּה אֶת־כָּל־הָעָם Josh. 7:3
319 וַיִּמַּס לְבַב־הָעָם וַיְהִי לְמָיִם Josh. 7:5
320 וְכָל־הָעָם הַמִּלְחָמָה אֲשֶׁר אִתּוֹ Josh. 8:11
321 וַיִּזָּעֲקוּ כָּל־הָעָם אֲשֶׁר בָּעַי Josh. 8:16
322 לְבָרֵךְ אֶת־הָעָם יִשְׂרָ׳ בָּרִאשֹׁנָה Josh. 8:33
323 וְאַחַי...הִמְסִיו אֶת־לֵב הָעָם Josh. 14:8
324 וַיִּשְׂאוּ הָעָם אֶת־קוֹלָם וַיִּבְכּוּ Jud. 2:4
325 וַיַּעַבְדוּ הָעָם אֶת־יְיָ Jud. 2:7
326 רַב הָעָם אֲשֶׁר אִתָּךְ Jud. 7:2
327 קְרָא נָא בְּאָזְנֵי הָעָם לֵאמֹר Jud. 7:3
328 וְכֹל יֶתֶר הָעָם כָּרְעוּ עַל־בִּרְכֵיהֶם Jud. 7:6
329 וַיִּקְחוּ אֶת־צֵדָה הָעָם בְּיָדָם Jud. 7:8
330 הֲלֹא זֶה הָעָם אֲשֶׁר־מָאַסְתָּה בּוֹ Jud. 9:38
331 וַיִּתְיַצְּבוּ פִּנּוֹת כָּל־הָעָם Jud. 20:2
332 וַיְהִי מִמָּחֳרָת וַיַּשְׁכִּימוּ הָעָם Jud. 21:4
333 וַיַּךְ בָּעָם...וַיִּתְאַבְּלוּ הָעָם ISh. 6:19
334 וַיֹּאמֶר יְיָ...שְׁמַע בְּקוֹל הָעָם ISh. 8:7
335 וַיְמָאֲנוּ הָעָם לִשְׁמֹעַ בְּקוֹל שְׁמוּאֵל ISh. 8:19
336 וַיִּשְׁמַע שְׁמוּאֵל אֵת כָּל־דִּבְרֵי הָעָם ISh. 8:21
337 מִשִּׁכְמוֹ וָמַעְלָה גָּבֹהַּ מִכָּל־הָעָם ISh. 9:2
338 וַיִּתְיַצֵּב בְּתוֹךְ הָעָם ISh. 10:23
339 וַיִּגְבַּהּ מִכָּל־הָעָם מִשִּׁכְמוֹ וָמָעְלָה ISh. 10:23
340 וַיְדַבְּרוּ הַדְּבָרִים בְּאָזְנֵי הָעָם ISh. 11:4
341 וַיִּשְׂאוּ כָל־הָעָם אֶת־קוֹלָם וַיִּבְכּוּ ISh. 11:4
342 וְיֶתֶר הָעָם שִׁלַּח אִישׁ לְאֹהָלָיו ISh. 13:2
343 וַיִּצָּעֲקוּ הָעָם אַחֲרֵי שָׁאוּל ISh. 13:4
344 גֹּשׁוּ הֲלֹם כֹּל פִּנּוֹת הָעָם ISh. 14:38
345 וַיִּיטַב בְּעֵינֵי כָל־הָעָם ISh. 18:5
346 כִּי־מָרָה נֶפֶשׁ כָּל־הָעָם ISh. 30:6
347 וְאֵת יֶתֶר הָעָם נָתַן בְּיַד אַבְשַׁי IISh. 10:10
348 וַיִּשְׁאַל דָּוִד לִשְׁלוֹם...וְלִשְׁלוֹם הָעָ׳ IISh. 11:7
349 וְעַתָּה אֱסֹף אֶת־יֶתֶר הָעָם IISh. 12:28
350 כַּאֲשֶׁר יִתְגַּנֵּב הָעָם הַנִּכְלָמִים IISh. 19:4
351 וַיְהִי כָל־הָעָם נָדוֹן IISh. 19:10
352 וְיָדַעְתִּי אֵת מִסְפַּר הָעָם IISh. 24:2
353 אֶת־מִסְפַּר מִפְקַד־הָעָם ISh. 24:9
354 אֱמֹר אֶל־רְחַבְעָם...וְיֶתֶר הָעָם IK. 12:23
355 וַיַּעַשׂ כֹּהֲנִים מִקְצוֹת הָעָם IK. 12:31
356 וַיַּעַשׂ מִקְצוֹת הָעָם כֹּהֲנֵי בָמוֹת IK. 13:33
357 וַיִּשְׁמַע הָעָם הַחֹנִים לֵאמֹר IK. 16:16
358 חֲצִי הָעָם הָיָה אַחֲרֵי תִבְנִי IK. 16:21
359/60 וְהוֹשִׁיבוּ אֶת־נָבוֹת בְּרֹאשׁ הָעָם IK. 21:9, 12
361 וַיְעִדֻהוּ...אֶת־נָבוֹת נֶגֶד הָעָם IK. 21:13
362 וַתִּשְׁמַע עֲתַלְיָה אֶת־קוֹל הָרָצִין הָעָם IIK. 11:13
363 וְאַל־תְּדַבֵּר...בְּאָזְנֵי הָעָם IIK. 18:26
364 בַּעֲדִי וּבְעַד־הָעָם IIK. 22:13
365 וַיַּשְׁלֵךְ...אֶל־קֶבֶר בְּנֵי הָעָם IIK. 23:6
366 וְאֵת יֶתֶר הָעָם הַנִּשְׁאָרִים בָּעִיר IIK. 25:11
367 הָעָם הַהֹלְכִים בַּחֹשֶׁךְ Is. 9:1

הָעָם (המשך)

368 וְיָדְעוּ הָעָם כֻּלּוֹ Is. 9:8
369 מְאַשְּׁרֵי הָעָם־הַזֶּה מַתְעִים Is. 9:15
370 אֶרֶץ כַּשְׂדִּים זֶה הָעָם לֹא הָיָה Is. 23:13
371 וְאַל־תְּדַבֵּר...בְּאָזְנֵי הָעָם Is. 36:11
372 אָכֵן חָצִיר הָעָם Is. 40:7
373 עִבְרוּ...פַּנּוּ דֶּרֶךְ הָעָם Is. 62:10
374 וְעָמַדְתָּ בְּשַׁעַר בְּנֵי־הָעָם (כת׳ עם) Jer. 17:19
375 וּמִזִּקְנֵי הָעָם וּמִזִּקְנֵי הַכֹּהֲנִים Jer. 19:1
376 וַיֹּאמְרוּ אֶל־כָּל־קְהַל הָעָם Jer. 26:17
377 וַיַּשְׁלֵךְ...אֶל־קִבְרֵי בְּנֵי הָעָם Jer. 26:23
378 לְבִלְתִּי תֵת־אֹתוֹ בְיַד־הָעָם Jer. 26:24
379 לְעֵינֵי הַכֹּהֲנִים וּלְעֵינֵי כָל־הָעָם Jer. 28:5
380 בְּאָזְנֶיךָ וּבְאָזְנֵי כָּל־הָעָם Jer. 28:7
381 וַיֹּאמֶר חֲנַנְיָה לְעֵינֵי כָל־הָעָם Jer. 28:11
382 וְקָרָאתָ בַמְּגִלָּה...בְּאָזְנֵי הָעָם Jer. 36:6
383 וַיִּקְרָא...בְּאָזְנֵי כָּל־הָעָם Jer. 36:10
384 בִּקְרֹא בָרוּךְ בַּסֵּפֶר בְּאָזְנֵי הָעָם Jer. 36:13
385 אֲשֶׁר קָרָאתָ בָּהּ בְּאָזְנֵי הָעָם Jer. 36:14
386 מְרַפֵּא...וְאֶת יְדֵי כָל־הָעָם Jer. 38:4
387 וְאֶת־בֵּית הָעָם שָׂרְפוּ Jer. 39:8
388 וְאֵת יֶתֶר הָעָם הַנִּשְׁאָרִים בָּעִיר Jer. 39:9
389 וְאֵת יֶתֶר הָעָם הַנִּשְׁאָרִים Jer. 39:9
390 וַיִּשְׁבְּ...אֶת־כָּל־שְׁאֵרִית הָעָם Jer. 41:10
391 אֵת כָּל־שְׁאֵרִית הָעָם Jer. 41:16
392/3 וּמִדַּלּוֹת הָעָם וְאֶת־יֶתֶר הָעָם Jer. 52:15[2]
394 זֶה הָעָם אֲשֶׁר הֶגְלָה נְבוּכַדְרֶאצַּר Jer. 52:28
395 וָאֶרְאֶה בְתוֹכָם...שָׂרֵי הָעָם Ezek. 11:1
396 כֹּל הָעָם הָאָרֶץ יִהְיוּ אֶל־הַתְּרוּמָה Ezek. 45:16
397 וְלֹא־יִקַּח הַנָּשִׂיא מִנַּחֲלַת הָעָם Ezek. 46:18
398 אֲשֶׁר יְבַשְּׁלוּ־שָׁם...אֶת־זֶבַח הָעָם Ezek. 46:24
399 וַיִּשְׁמַע זְרֻבָּבֶל...וְכֹל שְׁאֵרִית הָעָם Hag. 1:12
400-402 (לְ)שְׁאֵרִית הָעָם Hag. 1:14; 2:2 • Neh. 7:71
403 וְיֶתֶר הָעָם לֹא יִכָּרֵת מִן־הָעִיר Zech. 14:2
404 אַשְׁרֵי הָעָם יוֹדְעֵי תְרוּעָה Ps. 89:16
405 וְאָמַר כָּל־הָעָם אָמֵן Ps. 106:48
406 אַשְׁרֵי הָעָם שֶׁכָּכָה לּוֹ Ps. 144:15
407 אַשְׁרֵי הָעָם שֶׁיְיָ אֱלֹהָיו Ps. 144:15
408 לְקוֹל בְּכִי הָעָם Ez. 3:13
409 הָעָם מְרִיעִים תְּרוּעָה גְדוֹלָה Ez. 3:13
410 לֹא־נִבְדְּלוּ הָעָם יִשְׂרָאֵל Ez. 9:1
411/2 וְאֶל־הַסְּגָנִים וְאֶל־יֶתֶר הָעָם Neh. 4:8, 13
413 וַתְּהִי צַעֲקַת הָעָם וּנְשֵׁיהֶם גְּדוֹלָה Neh. 5:1
414 וְאָזְנֵי כָל־הָעָם אֶל־סֵפֶר הַתּוֹרָה Neh. 8:3
415 וַיִּפְתַּח עֶזְרָא הַסֵּפֶר לְעֵינֵי כָל־הָעָם Neh. 8:5
416 כִּי־מֵעַל כָּל־הָעָם הָיָה Neh. 8:5
417 וּכְפִתְחוֹ עָמְדוּ כָל־הָעָם Neh. 8:5
418 וַיַּעֲנוּ כָל־הָעָם אָמֵן אָמֵן Neh. 8:6
419 רָאשֵׁי הָעָם פַּרְעֹשׁ... Neh. 10:15
420 וּשְׁאָר הָעָם הַכֹּהֲנִים הַלְוִיִּם Neh. 10:29
421 וַיֵּשְׁבוּ שָׂרֵי־הָעָם בִּירוּשָׁלָם Neh. 11:1
422 וּשְׁאָר הָעָם הִפִּילוּ גוֹרָלוֹת Neh. 11:1
423 וַחֲצִי הָעָם מֵעַל לְהַחוֹמָה Neh. 12:38
424 נִקְרָא בְּסֵפֶר מֹשֶׁה בְּאָזְנֵי הָעָם Neh. 13:1
425 כִּי־יָשַׁר הַדָּבָר בְּעֵינֵי כָל־הָעָם ICh. 13:4
426 וְאֵת יֶתֶר הָעָם נָתַן בְּיַד... ICh. 19:11
427 אֶל־יוֹאָב וְאֶל־שָׂרֵי הָעָם ICh. 21:2
428 אֶת־מִסְפַּר מִפְקַד־הָעָם ICh. 21:5
429 וַתִּשְׁמַע עֲתַלְיָהוּ אֶת־קוֹל הָעָם IICh. 23:12
430 וַיַּשְׁחִיתוּ אֶת־כָּל־שָׂרֵי הָעָם מֵעָם IICh. 24:23
431 לָמָּה דָרַשְׁתָּ אֶת־אֱלֹהֵי הָעָם IICh. 25:15
432 מַרְבִּית הָעָם...לֹא הִטֶּהָרוּ IICh. 30:18
433 וְעִמְדוּ...לַאֲחֵיכֶם בְּנֵי הָעָם IICh. 35:5

הָעָם (המשך)

434 וַיָּרֶם יֹאשִׁיָּהוּ לִבְנֵי הָעָם Ze. 35:7
435 לְמִפְלַגּוֹת לְבֵית-אָבוֹת לִבְנֵי הָעָם IICh. 35:12
436 ...וַיָּרִיצוּ לְכָל־בְּנֵי הָעָם IICh. 35:13
437-882 הָעָם Gen. 35:6; 47:23 • Ex. 5:10; 8:4, 25, 28; 9:7; 11:8; 12:33, 34; 13:3, 17^2, 18, 22; 14:5, 13; 16:4, 27; 17:5; 18:10, 13, 14, 22, 25, 26; 19:4, 10, 11, 14, 17, 25; 20:20; 23:27; 24:8; 32:1, 9, 28, 30; 33:16 • Lev. 9:22 • Num. 11:2, 18, 21, 24, 32, 35; 12:16; 13:18, 31, 32; 14:1, 39; 17:12; 20:1, 3; 21:6, 16; 22:3, 11, 12; 25:1, 2; 31:3 • Deut. 2:4, 16; 4:10; 10:11; 16:18; 17:13, 16; 18:3; 20:2, 5; 20:8, 9, 11; 27:1, 11, 12; 31:12 • Josh. 1:11; 3:3, 5, 6^2; 3:14^2; 4:2, 10, 11^2; 5:4; 6:5^2, 7, 8, 10, 16, 20; 7:4, 13; 8:5, 9; 8:10^2, 13; 10:21; 24:2, 16, 19, 21, 22, 24, 27, 28 • Jud. 1:16; 2:6; 3:18; 4:13; 7:1, 3^2, 4, 5, 7; 9:34, 36, 42, 43^2, 45, 48^2, 49; 10:18; 11:11; 16:24, 30; 18:7, 20; 20:8, 16; 20:22, 26, 31; 21:2, 9 • ISh. 2:13, 23; 4:3, 4; 8:10; 9:13, 24; 10:11, 17, 24^2, 25^2; 11:7, 11, 12, 14, 15; 12:6, 18, 19, 20; 13:6^2, 7, 8, 11, 15, 22; 14:15, 20, 24^2; 14:26^2, 27, 28^2, 30, 31, 32^2, 33, 34, 39, 40, 45^2; 15:4, 8, 15, 21, 24; 17:27, 30; 18:13; 23:8; 26:7, 14, 15; 30:6, 21^2; 31:9 • IISh. 1:24^2; 2:27, 28, 30; 3:31, 32; 3:34, 35, 36^2, 37; 6:2, 18, 19^2; 11:17; 12:29, 31^2; 14:15; 15:17, 23^2, 24, 30; 16:6, 14, 15; 17:2, 3^2, 8, 16, 22, 29; 18:1, 2^2, 3, 4, 5, 6, 16^2; 19:3^2, 4, 9^2, 40; 20:12, 15, 22; 24:2, 3, 4, 10, 15, 21 • IK. 1:39, 40; 3:2; 5:21; 8:66; 9:20; 12:5, 12, 13, 15, 16, 30; 14:7; 16:21, 22^2; 18:21^2, 22, 24, 30^2, 37, 39; 20:8, 10, 15; 22:44 • IIK. 6:30; 7:16, 17, 20; 8:21; 10:9, 18; 11:13, 17^2; 12:4, 9; 14:4; 15:4, 35; 18:36; 22:4; 23:2, 3, 21; 25:26 • Is. 3:5; 9:18; 33:24; 65:3 • Jer. 19:14; 21:7; 26:7; 20:8^2, 9, 11, 12, 16; 28:1; 29:1, 16, 25; 34:8, 10; 36:9^2; 37:4, 12; 38:1; 39:10, 14; 40:5, 6; 41:10, 13, 14; 42:1, 8; 43:1, 4; 44:15, 20^2, 24 • Ezek. 24:18, 19; 33:3; 44:19^2; 46:20 • Hag. 1:12 • Mal. 2:9 • Ps. 33:12 • Prov. 29:2 • Ruth 4:9, 11 • Eccl. 4:16; 12:9 • Es. 1:5 • Ez. 2:70; 3:1, 11, 13; 8:36; 10:1, 9, 13 • Neh. 4:7; 5:13, 15^2; 7:5, 72; 8:1, 7, 9^3, 11, 12, 13, 16; 11:2; 12:30 • ICh. 10:9; 16:2, 36, 43; 20:3^2; 21:22; 28:21; 29:9 • IICh. 2:17; 7:4, 5, 10; 8:7; 10:5, 12, 15, 16; 16:10; 20:21, 33; 23:5, 6, 10, 12, 16, 17; 24:10; 27:2; 29:36; 30:20, 27; 32:6, 8; 33:17; 34:30

וְהָעָם

883 וְהָעָם אַל־יֶהֶרְסוּ לַעֲלֹת אֶל־יְיָ Ex. 19:24
884 וְהָעָם לֹא יַעֲלוּ עִמּוֹ Ex. 24:2
885 וְהָעָם אֲשֶׁר הֶעֱלִיתָ מֵאֶרֶץ מִצְ׳ Ex. 33:1
886 וְהָעָם לֹא נָסַע עַד הֵאָסֵף מִרְיָם Num. 12:15
887 וְהָעָם עָבְרוּ נֶגֶד יְרִיחוֹ Josh. 3:16
888 וְהָעָם עָלוּ מִן־הַיַּרְדֵּן Josh. 4:19
889 וְהָעָם הַנָּס הַמִּדְבָּר נֶהְפַּךְ אֶל... Josh. 8:20
890 אַתָּה וְהָעָם אֲשֶׁר־אִתָּךְ Jud. 9:32
891/2 וְהָעָם אֲשֶׁר־אִתּוֹ Jud. 9:33, 35
893 וְהָעָם נִחָם לְבִנְיָמִן Jud. 21:15
894 וְשָׁאוּל...וְהָעָם הַנִּמְצָא עִמָּם ISh. 13:16
895 וְשָׁאוּל...וְהָעָם אֲשֶׁר עִמּוֹ ISh. 14:2
896 וְהָעָם לֹא יָדַע כִּי הָלַךְ יוֹנָתָן ISh. 14:3
897 וַיִּלָּכֵד יוֹנָתָן וְשָׁאוּל וְהָעָם יָצָאוּ ISh. 14:41
898 וַיַּחְמֹל שָׁאוּל וְהָעָם עַל־אֲגָג ISh. 15:9
899 וְהָעָם חֹנִים סְבִיבֹתָו ISh. 26:5
900 וְאַבְנֵר וְהָעָם שֹׁכְבִים סְבִיבֹתָו ISh. 26:7
901 וַיִּשָּׂא דָוִד וְהָעָם...אֶת־קוֹלָם ISh. 30:4
902 וַיִּגַּשׁ יוֹאָב וְהָעָם אֲשֶׁר עִמּוֹ IISh. 10:13
903 וְהָעָם הוֹלֵךְ וָרָב אֶת־אַבְשָׁלוֹם IISh. 15:12
904 וְהָעָם הַזֶּה וְכָל־אִישׁ יִשְׂרָאֵל IISh. 16:18

וְהָעָם (המשך)

905 וְהָעָם יָשֻׁבוּ אַחֲרָיו אַךְ לְפַשֵּׁט IISh. 23:10
906 וְהָעָם נָס מִפְּנֵי פְלִשְׁתִּים IISh. 23:11
907 וְהָעָם מְחַלְּלִים בַּחֲלִלִים IK. 1:40
908 וְהָעָם חֹנִים עַל־גִּבְּתוֹן IK. 16:15
909 וְהָעָם הַנִּשְׁאָר בְּאֶרֶץ יְהוּדָה IIK. 25:22
910 וְהָעָם לֹא־שָׁב עַד־הַמַּכֵּהוּ Is. 9:12
911 וְהָעָם הַזֶּה עֵצִים Jer. 5:14
912 וְהָעָם אֲשֶׁר־הֵמָּה נִבְּאִים לָהֶם Jer. 14:16
913 וְהַנָּבִיא וְהַכֹּהֵן וְהָעָם... Jer. 23:34
914 וְהָעָם הַזֶּה לֹא שָׁמְעוּ אֵלָי Jer. 35:16
915 וְהָעָם לֹא־נִזְהָר Ezek. 33:6
916 וְהָעָם אֲשֶׁר־זָעַם יְיָ עַד־עוֹלָם Mal. 1:4
917 וְהָעָם לַעֲשׂוֹת בּוֹ כַּטּוֹב בְּעֵינֶיךָ Es. 3:11
918 וְהָעָם מְעַט בְּתוֹכָהּ Neh. 7:4
919 וְהָעָם עַל־עָמְדָם Neh. 8:7
920 הַכֹּהֲנִים הַלְוִיִּם וְהָעָם Neh. 10:35
921 וְהָעָם נָסוּ מִפְּנֵי פְלִשְׁתִּים ICh. 11:13
922 וַיִּגַּשׁ יוֹאָב וְהָעָם אֲשֶׁר־עִמּוֹ ICh. 19:14
923 וַיִּרְדְּפֵם אָסָא וְהָעָם אֲשֶׁר־עִמּוֹ IICh. 14:12
924 וְהָעָם לֹא־נֶאֶסְפוּ לִירוּשָׁלָםִ IICh. 30:3
925 כָּל־שָׂרֵי הַכֹּהֲנִים וְהָעָם IICh. 36:14

לְהָעָם
926 אִם־תִּהְיֶה לְטוֹב לְהָעָם הַזֶּה IICh. 10:7

מֵהָעָם
927 וַיָּחֵלּוּ לְהַכּוֹת מֵהָעָם חֲלָלִים Jud. 20:31
928 וַיַּעַן אִישׁ מֵהָעָם וַיֹּאמֶר ISh. 14:28

בְּעָם
929 בְּעַם כָּבֵד וּבְיָד חֲזָקָה Num. 20:20
930 בְּעַם עָצוּם אֲהַלְלֶךָּ Ps. 35:18

בָּעָם
931 וַיְצַו...אֶת־הַנֹּגְשִׂים בָּעָם Ex. 5:6
932 רֵד הָעֵד בָּעָם פֶּן־יֶהֶרְסוּ אֶל־יְיָ Ex. 19:21
933 וְאַף יְיָ חָרָה בָעָם Num. 11:33
934 וַיַּךְ יְיָ בָּעָם מַכָּה רַבָּה מְאֹד Num. 11:33
935 וְהִנֵּה הֵחֵל הַנֶּגֶף בָּעָם Num. 17:12
936 וַיְשַׁלַּח יְיָ בָּעָם אֵת הַנְּחָשִׁים Num. 21:6
937 לְחוֹקְקֵי יִשְׂרָאֵל הַמִּתְנַדְּבִים בָּעָם Jud. 5:9
938 וְגַם מַגֵּפָה גְדוֹלָה הָיְתָה בָעָם ISh. 4:17
939 וַיַּךְ בָּעָם שִׁבְעִים אִישׁ ISh. 6:19
940 כִּי־הִכָּה יְיָ בָּעָם מַכָּה גְדוֹלָה ISh. 6:19
941 פֻּצוּ בָעָם וַאֲמַרְתֶּם לָהֶם ISh. 14:34
942 הָיְתָה מַגֵּפָה בָּעָם IISh. 17:9
943 וַיֶּרֶב הַיַּעַר לֶאֱכֹל בָּעָם IISh. 18:8
944 וַיֹּאמֶר לַמַּלְאָךְ הַמַּשְׁחִית בָּעָם IISh. 24:16
945 הַמַּלְאָךְ הַמַּכֶּה בָעָם IISh. 24:17
946/7 הָרֹדִים בָּעָם הָעֹשִׂים בַּמְּלָאכָ׳ IK. 5:30; 9:23
948 בִּינוּ בֹּעֲרִים בָּעָם Ps. 94:8
949 וָאָבִינָה בָעָם וּבַכֹּהֲנִים Ez. 8:15
950 הֲלֹא אֲנִי אָמַרְתִּי לִמְנוֹת בָּעָם ICh. 21:17
951 שָׂרֵי הַנִּצָּבִים...הָרֹדִים בָּעָם IICh. 8:10
952 וַיָּסֹבּוּ...וַיְלַמְּדוּ בָּעָם IICh. 17:9
953 וַיָּשָׁב וַיֵּצֵא בָעָם IICh. 19:4
954 וַיִּקַּח...וְאֶת־הַמּוֹשְׁלִים בָּעָם IICh. 23:20

וּבְעַם
955 וְלֹא־בִזְרֹעַ גְּדוֹלָה וּבְעַם רָב Ezek. 17:9

כְּעַם
956 כְּעַם עָצוּם עֱרוּךְ מִלְחָמָה Joel 2:5

כָּעָם
957/8 וְהָיָה כָעָם כַּכֹּהֵן Is. 24:2 • Hosh. 4:9

לְעַם
959 וְיָשַׁבְנוּ אִתְּכֶם וְהָיִינוּ לְעַם אֶחָד Gen. 34:16
960 לָשֶׁבֶת אִתָּנוּ לִהְיוֹת לְעַם אֶחָד Gen. 34:22
961 לְעַם נָכְרִי לֹא־יִמְשֹׁל לְמָכְרָהּ Ex. 21:8
962 יְקִימְךָ יְיָ לוֹ לְעַם קָדוֹשׁ Deut. 28:9
963 בָּנֶיךָ...נְתֻנִים לְעַם אַחֵר Deut. 28:32
964 לַעֲלוֹת לְעַם יְגוּדֶנּוּ Hab. 3:16
965 וְיַגִּידוּ צִדְקָתוֹ לְעַם נוֹלָד Ps. 22:32
966 תִּתְּנֶנּוּ מַאֲכָל לְעָם לְצִיִּים Ps. 74:14

לְעָם
967 גַּם־הוּא יִהְיֶה־לְּעָם Gen. 48:19
968 וְלָקַחְתִּי אֶתְכֶם לִי לְעָם Ex. 6:7

לְעָם (המשך)

969 וְאַתֶּם תִּהְיוּ־לִי לְעָם Lev. 26:12
970 הַיּוֹם הַזֶּה נִהְיֵיתָ לְעָם לַיְיָ אֱלֹהֶיךָ Deut. 27:9
971 לְמַעַן הָקִים־אֹתְךָ הַיּוֹם לוֹ לְעָם Deut. 29:12
972 לַעֲשׂוֹת אֶתְכֶם לוֹ לְעָם ISh. 12:22
973 לִפְדּוֹת־לוֹ לְעָם IISh. 7:23
974 וַתְּכוֹנֵן לְךָ אֶת־עַמְּךָ יִשְׂ׳ לְךָ לְעָם IISh. 7:24
975 לִהְיוֹת לְעָם לַיְיָ IIK. 11:17
976 וְאַתֶּם תִּהְיוּ־לִי לְעָם Jer. 7:23
977/8 וִהְיִיתֶם לִי לְעָם Jer. 11:4; 30:22
979 הִדְבַּקְתִּי אֵלַי...לִהְיוֹת לִי לְעָם Jer. 13:11
980-986 וְהָיוּ(־)לִי לְעָם Jer. 24:7; 32:38 Ezek. 11:20; 14:11; 37:23 • Zech. 2:15; 8:8
987/8 וְהֵמָּה יִהְיוּ־לִי לְעָם Jer. 31:1(30:25)32
989 וִהְיִיתֶם לִי לְעָם Ezek. 36:28
990 וְהֵמָּה יִהְיוּ־לִי לְעָם Ezek. 37:27
991 וַתִּתֵּן אֶת־עַמְּךָ יִשְׂרָאֵל לְךָ לְעָם ICh. 17:22
992 לִהְיוֹת לְעָם לַיְיָ IICh. 23:16

לָעָם
993 לֹא תֹאסִפוּן לָתֵת תֶּבֶן לָעָם Ex. 5:7
994 לָמָה הֲרֵעֹתָה לָעָם הַזֶּה Ex. 5:22
995 וּמֵאָז בָּאתִי...הֵרַע לָעָם הַזֶּה Ex. 5:23
996 מָה אֶעֱשֶׂה לָעָם הַזֶּה Ex. 17:4
997 וַיַּרְא...כָּל־אֲשֶׁר־הוּא עֹשֶׂה לָעָם Ex. 18:14
998 אֲשֶׁר אַתָּה עֹשֶׂה לָעָם Ex. 18:14
999 הֱיֵה אַתָּה לָעָם מוּל הָאֱלֹהִים Ex. 18:19
1000 וַיְסַפֵּר לָעָם אֵת כָּל־דִּבְרֵי יְיָ Ex. 24:3
1001 וְכַאֲשֶׁר נָשָׂאתָה לָעָם הַזֶּה Num. 14:19
1002 וַיִּכְרֹת יְהוֹשֻׁעַ בְּרִית לָעָם Josh. 24:25
1003 תְּנוּ־נָא...לָעָם אֲשֶׁר בְּרַגְלָי Jud. 8:5
1004 לָקַחַת צֵדָה לָעָם Jud. 20:10
1005 כִּי זֶבַח הַיּוֹם לָעָם בַּבָּמָה ISh. 9:12
1006 מַה־לָּעָם כִּי יִבְכּוּ ISh. 11:5
1007 וַיֹּאמֶר שָׁאוּל לָעָם אֲשֶׁר אִתּוֹ ISh. 14:17
1008 וְעַד־מָתַי לֹא־תֹאמַר לָעָם לָשׁוּב IISh. 2:26
1009 אִם־הַיּוֹם תִּהְיֶה־עֶבֶד לָעָם הַזֶּה IK. 12:7
1010-1019 לָעָם(־)הַזֶּה IK. 12:10 • Is. 6:9 Jer. 4:10, 11; 14:10; 15:20; 16:10; 23:32; 38:4 • IICh. 10:6
1020 נֹתֵן נְשָׁמָה לָעָם עָלֶיהָ Is. 42:5
1021 וַיֹּאמֶר...בְּמַלְאֲכוּת יְיָ לָעָם Hag. 1:13
1022 הוּא נֹתֵן עֹז וְתַעֲצֻמוֹת לָעָם Ps. 68:36
1023 יִשְׂאוּ הָרִים שָׁלוֹם לָעָם Ps. 72:3
1024 וַיְהִי לֵב לָעָם לַעֲשׂוֹת Neh. 3:38
1025 גַּם בָּעֵת הַהִיא אָמַרְתִּי לָעָם Neh. 4:16
1026 לְיַד הַמֶּלֶךְ לְכָל־דָּבָר לָעָם Neh. 11:24
1027-1043 לָעָם Lev. 9:15, 18; 16:15 • Num. 25:2; 33:14 • IK. 19:21 • IIK. 4:41, 42, 43 • Ezek. 42:14; 44:11 • IICh. 10:10; 12:3; 24:20; 29:36; 31:4; 35:8

וְלָעָם
1044 לְדָוִד וְלָעָם אֲשֶׁר־אִתּוֹ IISh. 17:29
1045 וְלָעָם הַזֶּה הָיָה לֵב סוֹרֵר Jer. 5:23
1046 לְךָ וְלַעֲבָדֶיךָ וְלָעָם הַזֶּה Jer. 37:18
1047 וַיִּזְבַּח־לוֹ...וְלָעָם אֲשֶׁר עִמּוֹ IICh. 18:2

מֵעַם
1048 בְּצֵאת...בֵּית יַעֲקֹב מֵעַם לֹעֵז Ps. 114:1

מֵעָם
1049 יֵחַת אֶפְרַיִם מֵעָם Is. 7:8
1050 וְנִשְׁמַד מוֹאָב מֵעָם Jer. 48:42
1051 הֲרִימוֹתִי בָחוּר מֵעָם Ps. 89:20
1052 וַיַּשְׁחִיתוּ אֶת־כָּל־שָׂרֵי הָעָם מֵעָם IICh. 24:23

וּמֵעָם
1053 וּמֵעָם נוֹרָא מִן־הוּא וָהָלְאָה Is. 18:7

עַם־
1054 וַיִּשְׁתַּחוּ אַבְרָהָם לִפְנֵי עַם־הָאָרֶץ Gen. 23:12
1055 וַיְדַבֵּר...בְּאָזְנֵי עַם־הָאָרֶץ Gen. 23:13
1056 הַמַּשְׁבִּיר לְכָל־עַם הָאָרֶץ Gen. 42:6

עַם־ (המשך)
1095-1057 עַם(־)הָאָרֶץ Ex. 5:5
Lev. 20:2, 4 • Num. 14:9 • IIK. 11:14, 18, 19, 20; 15:5; 16:15; 21:24²; 23:30, 35; 24:14; 25:19 • Is. 24:4 • Jer. 34:19; 52:25 • Ezek. 7:27; 12:19; 22:29; 33:2; 39:13; 45:22; 46:3, 9 • Hag. 2:4 • Zech. 7:5 • Job 12:24 • Dan. 9:6 • Ez. 4:4 • IICh. 23:13, 20, 21; 26:21; 33:25²; 36:1
1096 הִנֵּה עַם בְּ־יִ רַב וְעָצוּם מִמֶּנּוּ Ex. 1:9
1097 וְעַל־כָּל־עַם הַקָּהָל יְכַפֵּר Lev. 16:33
1098 וּמִי יִתֵּן כָּל־עַם יְיָ נְבִיאִים Num. 11:29
1099 אַתֶּם הֲמִתֶּם אֶת־עַם יְיָ Num. 17:6
1100 אָבַדְתָּ עַם־כְּמוֹשׁ Num. 21:29
1101 הַבָּז אֲשֶׁר בָּזְזוּ עַם הַצָּבָא Num. 31:32
1102 קַח עִמְּךָ אֵת כָּל־עַם הַמִּלְחָמָה Josh. 8:1
1105-1103 וְכָל־עַם הַמִּלְחָמָה Josh. 8:3; 10:7; 11:7
1106 אָז יָרְדוּ לַשְּׁעָרִים עַם־יְיָ Jud. 5:11
1107 וַיִּתְיַצְּבוּ...בִּקְהַל עַם הָאֱלֹהִים Jud. 20:2
1108 הַשְּׁמֻעָה...מַעֲבִרִים עַם־יְיָ ISh. 2:24
1113-1109 עַם יְיָ IISh. 1:12; 6:21
IIK. 9:6 • Ezek. 36:20 • Zep. 2:10
1114 חָשַׁבְתָּה כָּזֹאת עַל־עַם אֱלֹהִים IISh. 14:13
1115 וַיִּנָּגְפוּ שָׁם עַם יִשְׂרָאֵל IISh. 18:7
1116 וְכָל עַם יְהוּדָה הֶעֱבִירוּ° אֶת־הַמֶּ׳ IISh. 19:41
1117 וְגַם חֲצִי עַם יִשְׂרָאֵל IISh. 19:41
1118 וַיִּקְחוּ כָּל־עַם יְהוּדָה IIK. 14:21
1119 הַאֲזִינוּ תּוֹרַת אֱלֹהֵינוּ עַם עֲמֹרָה Is. 1:10
1120 וְעַל־עַם עֶבְרָתִי אֲצַוֶּנּוּ Is. 10:6
1121 כִּי לֹא עַם־בִּינוֹת הוּא Is. 27:11
1122 כִּי עַם מְרִי הוּא Is. 30:9
1123 עַם עִמְקֵי שָׂפָה מִשְּׁמוֹעַ Is. 33:19
1124 וְעַל־עַם חֶרְמִי לְמִשְׁפָּט Is. 34:5
1125 מִשּׂוּמִי עַם־עוֹלָם Is. 44:7
1126 עַם־הַקֹּדֶשׁ גְּאוּלֵי יְיָ Is. 62:12
1127 לַמִּצְעָר יָרְשׁוּ עַם־קָדְשֶׁךָ Is. 63:18
1128/9 עַל־כָּל־עַם יְהוּדָה Jer. 25:1, 2
1130-2 עַם(־)יְהוּדָה Jer. 26:18 • Ez. 4:4 • IICh. 26:1
1133 עַם שְׂרִידֵי חָרֶב Jer. 31:2(1)
1134 הֹבִישָׁה...נִתְּנָה בְּיַד עַם־צָפוֹן Jer. 46:24
1135 אָבַד עַם־כְּמוֹשׁ Jer. 48:46
1136 לֹא אֶל־עַם עִמְקֵי שָׂפָה... Ezek. 3:5
1137 וְהוֹרַדְתִּיךְ...אֶל־עַם עוֹלָם Ezek. 26:20
1138 וְגָלוּ עַם־אֲרָם קִירָה Am. 1:5
1139 עַם אֱלֹהֵי אַבְרָהָם Ps. 47:10
1140 וַאֲנַחְנוּ עַם מַרְעִיתוֹ Ps. 95:7
1141 עַם תֹּעֵי לֵבָב הֵם Ps. 95:10
1142 לִבְנֵי יִשְׂרָאֵל עַם קְרֹבוֹ Ps. 148:14
1143 כִּי־הִגִּידוּ לוֹ אֶת־עַם מָרְדֳּכָי Es. 3:6
1144 אֶת־כָּל־הַיְּהוּדִים...עַם מָרְדֳּכָי Es. 3:6
1145 כִּי נִדְמָה כָּל־עַם כְּנַעַן Zep. 1:11
1146 וּכְכַלּוֹת נַפֵּץ יַד־עַם־קֹדֶשׁ Dan. 12:7
1147/8 מִסְפַּר אַנְשֵׁי עַם יִשְׂרָאֵל Ez. 2:2 • Neh. 7:7
1149 בְּפַרְעֹה...וּבְכָל־עַם אַרְצוֹ Neh. 9:10
1150 וַיִּקְרְאוּ...עַל־עַם יְרוּשָׁלַםִ IICh. 32:18

וְעַם־
1151 הוּא וַעֲבָדָיו וְעַם הָאָרֶץ Jer. 37:2
1152 אַתֶּם...וְשָׂרֵיכֶם וְעַם הָאָרֶץ Jer. 44:21
1153 עַבְדֵי הַמֶּלֶךְ וְעַם מְדִינוֹת הַמֶּלֶךְ Es. 4:11
1154 וְהִשְׁחִית עֲצוּמִים וְעַם־קְדֹשִׁים Dan. 8:24
1155 וְעַם מִבְחָרָיו וְאֵין כֹּחַ לַעֲמֹד Dan. 11:15
1156 וְעַם יֹדְעֵי אֱלֹהָיו יַחֲזִקוּ וְעָשׂוּ Dan. 11:32

לְעַם־
1157 וַיִּשְׁתַּחוּ לְעַם־הָאָרֶץ לִבְנֵי־חֵת Gen. 23:7
1158 לִהְיוֹת לוֹ לְעַם נַחֲלָה Deut. 4:20
1159/60 לְעַם סְגֻלָּה מִכֹּל הָעַמִּים Deut. 7:6; 14:2

לְעַם־ (המשך)
1161 לִהְיוֹת לוֹ לְעַם סְגֻלָּה Deut. 26:18
1162 וְלֹא־הָיָה לֶחֶם לְעַם הָאָרֶץ IIK. 25:3
1163 וְלֹא־הָיָה לֶחֶם לְעַם הָאָרֶץ Jer. 52:6

וּלְעַם־
1164 לְכֹהֲנֶיהָ וּלְעַם הָאָרֶץ Jer. 1:18

מֵעַם־
1165 וְאִם־נֶפֶשׁ אַחַת...מֵעַם הָאָרֶץ Lev. 4:27
1166 וְשִׁשִּׁים אִישׁ מֵעַם הָאָרֶץ IIK. 25:19
1167 וְשִׁשִּׁים אִישׁ מֵעַם הָאָרֶץ Jer. 52:25

עַמִּי
1168 לְעֵינֵי בְנֵי־עַמִּי נְתַתִּיהָ לָּךְ Gen. 23:11
1169 וְעַל־פִּיךָ יִשַּׁק כָּל־עַמִּי Gen. 41:40
1170 אֲנִי נֶאֱסָף אֶל־עַמִּי Gen. 49:29
1171 אֶת־עֳנִי עַמִּי אֲשֶׁר בְּמִצְרָיִם Ex. 3:7
1172 וְהוֹצֵא אֶת־עַמִּי בְנֵי־יִשְׂרָאֵל Ex. 3:10
1173 שַׁלַּח אֶת־עַמִּי וְיָחֹגּוּ לִי בַּמִּדְבָּר Ex. 5:1
1174 וְהוֹצֵאתִי אֶת־צִבְאֹתַי אֶת־עַמִּי בְ־יִ Ex. 7:4
1180-1175 שַׁלַּח (אֶת־)עַמִּי וְיַעַבְדֻנִי Ex. 7:16, 26
8:16; 9:1, 13; 10:3
1181 אִם־כֶּסֶף תַּלְוֶה אֶת־עַמִּי Ex. 22:24
1182 הַאֵין בִּבְנוֹת אַחֶיךָ וּבְכָל־עַמִּי Jud. 14:3
1183 הַחִידָה חַדְתָּה לִבְנֵי עַמִּי Jud. 14:16
1184 וּמְשַׁחְתּוֹ לְנָגִיד עַל־עַמִּי יִשְׂרָאֵל ISh. 9:16
1185 וְהוֹשִׁיעַ אֶת־עַמִּי מִיַּד פְּלִשְׁתִּים ISh. 9:16
1186 כִּי רָאִיתִי אֶת־עַמִּי ISh. 9:16
1187 נֶגֶד זִקְנֵי־עַמִּי וְנֶגֶד יִשְׂרָאֵל ISh. 15:30
1188 הוֹשִׁיעַ אֶת־עַמִּי יִשְׂרָאֵל מִיַּד פְּלִשְׁ׳ IISh. 3:18
1189 אַתָּה תִרְעֶה אֶת־עַמִּי אֶת־יִשְׂרָאֵל IISh. 5:2
1190 לִרְעוֹת אֶת־עַמִּי אֶת־יִשְׂרָאֵל IISh. 7:7
1191 לִהְיוֹת נָגִיד עַל־עַמִּי עַל־יִשְׂרָאֵל IISh. 7:8
1192 אֲשֶׁר צִוִּיתִי שֹׁפְטִים עַל־עַמִּי יִשְׂר׳ IISh. 7:11
1193 וַתְּפַלְּטֵנִי מֵרִיבֵי עַמִּי IISh. 22:44
1194 וְלֹא אֶעֱזֹב אֶת־עַמִּי יִשְׂרָאֵל IK. 6:13
1195 הוֹצֵאתִי אֶת־עַמִּי אֶת־יִשְׂרָאֵל IK. 8:16
1217-1196 עַמִּי יִשְׂרָאֵל IK. 8:16; 14:7; 16:2²
Jer. 7:12; 30:3 • Ezek. 14:9; 25:14; 36:12; 38:14, 16; 39:7 • Am. 7:8, 15; 8:2; 9:14 • Dan. 9:20 • ICh. 11:2; 17:7, 10 • IICh. 6:5, 6
1218 בְּתוֹךְ עַמִּי אָנֹכִי יֹשָׁבֶת IIK. 4:13
1219 וְאָמַרְתָּ אֶל־חִזְקִיָּהוּ נְגִיד־עַמִּי IIK. 20:5
1220 יִשְׂרָאֵל לֹא יָדַע עַמִּי לֹא הִתְבּוֹנָן Is. 1:3
1221 לָכֵן גָּלָה עַמִּי מִבְּלִי־דָעַת Is. 5:13
1222 וְלִגְזֹל מִשְׁפַּט עֲנִיֵּי עַמִּי Is. 10:2
1223 אַל־תִּירָא עַמִּי יֹשֵׁב צִיּוֹן מֵאַשּׁוּר Is. 10:24
1224 בָּרוּךְ עַמִּי מִצְרַיִם Is. 19:25
1225 לְנַחֲמֵנִי עַל־שֹׁד בַּת־עַמִּי Is. 22:4
1226 לֵךְ עַמִּי בֹּא בַחֲדָרֶיךָ Is. 26:20
1227 עַל אַדְמַת עַמִּי קוֹץ שָׁמִיר תַּעֲלֶה Is. 32:13
1228 וְיָשַׁב עַמִּי בִּנְוֵה שָׁלוֹם Is. 32:18
1229 נַחֲמוּ נַחֲמוּ עַמִּי יֹאמַר אֱלֹהֵיכֶם Is. 40:1
1230 לְהַשְׁקוֹת עַמִּי בְחִירִי Is. 43:20
1231 הַקְשִׁיבוּ אֵלַי עַמִּי Is. 51:4
1232 וְלֵאמֹר לְצִיּוֹן עַמִּי־אָתָּה Is. 51:16
1233 מִצְרַיִם יָרַד־עַמִּי בָרִאשֹׁנָה Is. 52:4
1234 כִּי־לֻקַּח עַמִּי חִנָּם Is. 52:5
1235 מִפֶּשַׁע עַמִּי נֶגַע לָמוֹ Is. 53:8
1236 הָרִימוּ מִכְשׁוֹל מִדֶּרֶךְ עַמִּי Is. 57:14
1237 כִּי־כִימֵי הָעֵץ יְמֵי עַמִּי Is. 65:22
1238 רוּחַ צַח...דֶּרֶךְ בַּת־עַמִּי Jer. 4:11
1239 וַיְרַפְּאוּ אֶת־שֶׁבֶר עַמִּי Jer. 6:14
1240 בַּת־עַמִּי חִגְרִי־שָׂק Jer. 6:26
1241 וַיְרַפּוּ אֶת־שֶׁבֶר בַּת־עַמִּי Jer. 8:11
1252-1242 בַּת־עַמִּי Jer. 8:19, 21, 22, 23
9:6; 14:17 • Lam. 2:11; 3:48; 4:3, 6, 10
1253 אִם־לָמֹד יִלְמְדוּ אֶת־דַּרְכֵי עַמִּי Jer. 12:16

עַמִּי (המשך)
1254 בְּסוֹד עַמִּי לֹא־יִהְיוּ Ezek. 13:9
1255 וְהַעֲלֵיתִי אֶתְכֶם מִקִּבְרוֹתֵיכֶם עַמִּי Ezek. 37:12
1256 וּבְהַעֲלוֹתִי אֶתְכֶם מִקִּבְ׳ עַמִּי Ezek. 37:13
1257 כִּי אַתֶּם לֹא עַמִּי Hosh. 1:9
1258 אֲשֶׁר־יֵאָמֵר לָהֶם לֹא־עַמִּי אַתֶּם Hosh. 2:1
1259 אִמְרוּ לַאֲחֵיכֶם עַמִּי Hosh. 2:3
1260/1 וְאָמַרְתִּי לְלֹא־עַמִּי עַמִּי־אַתָּה Hosh. 2:25
1262 חַטַּאת עַמִּי יֹאכֵלוּ Hosh. 4:8
1263 בְּשׁוּבִי שְׁבוּת עַמִּי Hosh. 6:11
1264/5 וְלֹא־יֵבֹשׁוּ עַמִּי לְעוֹלָם Joel 2:26, 27
1266 עַל־עַמִּי וְנַחֲלָתִי יִשְׂרָאֵל Joel 4:2
1267 בַּחֶרֶב יָמוּתוּ כֹּל חַטָּאֵי עַמִּי Am. 9:10
1268 אַל־תָּבוֹא בְשַׁעַר־עַמִּי בְּיוֹם אֵידָם Ob. 13
1269 נָגַע עַד־שַׁעַר עַמִּי עַד־יְרוּשָׁלָםִ Mic. 1:9
1270 חֵלֶק עַמִּי יָמִיר Mic. 2:4
1271 וְאֶתְמוּל עַמִּי לְאוֹיֵב יְקוֹמֵם Mic. 2:8
1272 נְשֵׁי עַמִּי תְּגָרְשׁוּן מִבֵּית תַּעֲנֻגֶיהָ Mic. 2:9
1273 וַאֲשֶׁר אָכְלוּ שְׁאֵר עַמִּי Mic. 3:3
1274 וְחֶרְפַּת עַמִּי תִּשָּׂאוּ Mic. 6:16
1275 שְׁאֵרִית עַמִּי יְבָזּוּם Zep. 2:9
1276 הִנְנִי מוֹשִׁיעַ אֶת־עַמִּי Zech. 8:7
1277 אָמַרְתִּי עַמִּי הוּא Zech. 13:9
1278/9 אֹכְלֵי עַמִּי אָכְלוּ לֶחֶם Ps. 14:4; 53:5
1280 לוּ עַמִּי שֹׁמֵעַ לִי Ps. 81:14
1281 הָרוֹדֵד עַמִּי תַחְתָּי Ps. 144:2
1282 מַרְכְּבוֹת עַמִּי נָדִיב S.ofS. 6:12
1283 עַמֵּךְ עַמִּי וֵאלֹהַיִךְ אֱלֹהָי Ruth 1:16
1284 כִּי יוֹדֵעַ כָּל־שַׁעַר עַמִּי Ruth 3:11
1285 נֶגֶד הַיֹּשְׁבִים וְנֶגֶד זִקְנֵי עַמִּי Ruth 4:4
1286 וְכִי מִי אֲנִי וּמִי עַמִּי ICh. 29:14
1287 כָּמוֹנִי כָמוֹךָ וּכְעַמְּךָ עַמִּי IICh. 18:3

1347-1288 עַמִּי Ex. 8:17, 18, 19; 10:4; 12:31
ISh. 5:10, 11 • Is. 3:12², 15; 47:6; 52:6; 63:8 • Jer. 2:13, 31; 4:22; 9:1; 12:14, 16²; 15:7; 18:15; 23:2, 13; 23:22, 27, 32; 33:24; 50:6; 51:45 • Ezek. 13:10, 19; 13:21, 23; 14:8; 21:17; 33:31; 34:30; 44:23; 45:8, 9; 46:18 • Hosh. 4:6, 12 • Joel 4:3 • Mic. 3:5; 6:3, 5 • Zep. 2:8 • Ps. 50:7; 59:12; 78:1; 81:9, 12 • Lam. 3:14 • Es. 8:6 • ICh. 17:6 • IICh. 1:11; 6:5; 7:14

וְעַמִּי
1348 וַאֲנִי וְעַמִּי הָרְשָׁעִים Ex. 9:27
1349 אִישׁ רִיב הָיִיתִי אֲנִי וְעַמִּי Jud. 12:2
1350 וְעַמִּי הֵמִיר כְּבוֹדוֹ בְּלוֹא יוֹעִיל Jer. 2:11
1351 וְעַמִּי שְׁכֵחוּנִי יָמִים אֵין מִסְפָּר Jer. 2:32
1352 וְעַמִּי אָהֲבוּ כֵן Jer. 5:31
1353 וְעַמִּי לֹא יָדְעוּ אֵת מִשְׁפַּט יְיָ Jer. 8:7
1354 וְעַמִּי אֶת־טוּבִי יִשְׂבָּעוּ Jer. 31:14(13)
1355 וְעַמִּי תְלוּאִים לִמְשׁוּבָתִי Hosh. 11:7
1356 נַפְשִׁי בִּשְׁאֵלָתִי וְעַמִּי בְּבַקָּשָׁתִי Es. 7:3
1357 כִּי נִמְכַּרְנוּ אֲנִי וְעַמִּי לְהַשְׁמִיד Es. 7:4
1358 שְׁמָעוּנִי אַחַי וְעַמִּי ICh. 28:2

בְּעַמִּי
1359 עוֹדְךָ מִסְתּוֹלֵל בְּעַמִּי Ex. 9:17
1360 זֶה יַעְצֹר בְּעַמִּי ISh. 9:17
1361 וְגַלְתִּי בִירוּשָׁלַםִ וְשַׂשְׂתִּי בְעַמִּי Is. 65:19
1362 כִּי־נִמְצְאוּ בְעַמִּי רְשָׁעִים Jer. 5:26
1363 בָּחוֹן נְתַתִּיךָ בְעַמִּי מִבְצָר Jer. 6:27
1364 כִּי־הִיא הָיְתָה בְעַמִּי Ezek. 21:17
1365 וְאִם־אֲשַׁלַּח דֶּבֶר בְּעַמִּי IICh. 7:13

כְּעַמִּי
1366/7 כָּמ(וֹ)נִי כָמוֹךָ כְּעַמִּי כְעַמֶּךָ IK. 22:4 • IIK. 3:7

לְעַמִּי
1368 וְעַתָּה הִנְנִי הוֹלֵךְ לְעַמִּי Num. 24:14
1369 מֵרֵאשִׁית כָּל־מִנְחַת יִשְׂרָאֵל לְעַמִּי ISh. 2:29

לְעַמִּי (המשך)

1370 וְשַׂמְתִּי מָקוֹם לְעַמִּי לְיִשְׂרָאֵל IISh.7:10
1371 וְהַגֵּד לְעַמִּי פִּשְׁעָם Is.58:1
1372 לְעַמִּי אֲשֶׁר דְּרָשׁוּנִי Is.65:10
1373 בַּטּוֹב אֲשֶׁר־אֲנִי עֹשֶׂה־לְעַמִּי Jer.29:32
1374 הַנְּפָשׁוֹת תְּצוֹדֵדְנָה לְעַמִּי Ezek.13:18
1375 בְּכַזֶּבְכֶם לְעַמִּי שֹׁמְעֵי כָזָב Ezek.13:19
1376 וּפֶרְיְכֶם תִּשְׂאוּ לְעַמִּי Ezek.36:8
1377 וְשַׂמְתִּי מָקוֹם לְעַמִּי יִשְׂרָאֵל ICh.17:9

וּמֵעַמִּי

1378 וְיָסֵר הַצְפַרְדְּעִים מִמֶּנִּי וּמֵעַמִּי Ex.8:4

עַמְּךָ

1379 וְאַךְ אוֹתְךָ וְאֶת־עַמְּךָ בַּדָּבֶר Ex.9:15
1380 עַד־יַעֲבֹר עַמְּךָ יְיָ Ex.15:16
1381 לֶךְ־רֵד כִּי שִׁחֵת עַמְּךָ Ex.32:7
1382 וּרְאֵה כִּי עַמְּךָ הַגּוֹי הַזֶּה Ex.33:13
1383 נֶגֶד כָּל־עַמְּךָ אֶעֱשֶׂה נִפְלָאֹת Ex.34:10
1384 רֵד מַהֵר מִזֶּה כִּי שִׁחֵת עַמְּךָ Deut.9:12
1385 אַל־תַּשְׁחֵת עַמְּךָ וְנַחֲלָתְךָ Deut.9:26
1386 וְהֵם עַמְּךָ וְנַחֲלָתֶךָ Deut.9:29
1387 וְאַל־תִּתֵּן דָּם נָקִי בְּקֶרֶב עַמְּךָ יִשׂ׳ Deut.21:8
1388 וּבָרֵךְ אֶת־עַמְּךָ אֶת־יִשְׂרָאֵל Deut.26:15
1389 מִפְּנֵי עַמְּךָ אֲשֶׁר פָּדִיתָ לְּךָ IISh.7:23
1390 וַתְּכוֹנֵן לְךָ אֶת־עַמְּךָ יִשְׂרָאֵל IISh.7:24
1391 וְעַבְדְּךָ בְּתוֹךְ עַמְּךָ אֲשֶׁר בָּחָרְתָּ IK.3:8
1392 לֵב שֹׁמֵעַ לִשְׁפֹּט אֶת־עַמְּךָ IK.3:9
1393 לִשְׁפֹּט אֶת־עַמְּךָ הַכָּבֵד הַזֶּה IK.3:9
1394 בְּהִנָּגֵף עַמְּךָ יִשְׂרָאֵל לִפְנֵי אוֹיֵב IK.8:33
1395 וְסָלַחְתָּ לְחַטַּאת עַמְּךָ יִשְׂרָאֵל IK.8:34
1396-1403 עַמְּךָ יִשְׂרָאֵל IK.8:38, 52
Is.10:22 • ICh.17:22 • IICh.6:24, 25, 29; 20:7
1404 כִּי־עַמְּךָ וְנַחֲלָתְךָ הֵם IK.8:51
1405 כִּי נָטַשְׁתָּה עַמְּךָ בֵּית יַעֲקֹב Is.2:6
1406 יָבִיא יְיָ עָלֶיךָ וְעַל־עַמְּךָ Is.7:17
1407 הֵן הַבֶּט־נָא עַמְּךָ כֻלָּנוּ Is.64:8
1408 הוֹשַׁע יְיָ אֶת־עַמְּךָ Jer.31:7(6)
1409 וַתֹּצֵא אֶת־עַמְּךָ אֶת־יִשְׂרָאֵל Jer.32:21
1410 שִׂים פָּנֶיךָ אֶל־בְּנוֹת עַמְּךָ Ezek.13:17
1411 דַּבֵּר אֶל־בְּנֵי־עַמְּךָ Ezek.33:2
1412-1415 בְּנֵי(־)עַמְּךָ Ezek.33:12, 17, 30; 37:18
1416 לַיְיָ הַיְשׁוּעָה עַל־עַמְּךָ בִרְכָתֶךָ Ps.3:9
1417 וַאֲנַחְנוּ עַמְּךָ וְצֹאן מַרְעִיתֶךָ Ps.79:13
1418 עַל־עַמְּךָ יַעֲרִימוּ סוֹד Ps.83:4
1419 שָׁבֻעִים...נֶחְתַּךְ עַל־עַמְּךָ... Dan.9:24
1420 וּבְנֵי פָּרִיצֵי עַמְּךָ יִנַּשְּׂאוּ Dan.11:14
1421 מִי יִשְׁפֹּט אֶת־עַמְּךָ הַזֶּה הַגָּדוֹל IICh.1:10
1422-1436 עַמְּךָ IK.8:44 • Is.14:20
63:14 • Mic.7:14 • Nah.3:18 • Ps.44:13; 60:5; 72:2; 94:5; 110:3 • Dan.9:15; 12:1 • ICh.17:21; 29:17 • IICh.6:34

עַמֶּךָ

1437 עֲבָדֶיךָ מֻכִּים וְחָטָאת עַמֶּךָ Ex.5:16
1438 וְהַצֵּל לֹא־הִצַּלְתָּ אֶת־עַמֶּךָ Ex.5:23
1439 וְשַׂמְתִּי פְדֻת בֵּין עַמִּי וּבֵין עַמֶּךָ Ex.8:19
1440 וְאָכְלוּ אֶבְיֹנֵי עַמֶּךָ Ex.23:11
1441 לֹא־תִקֹּם...אֶת־בְּנֵי עַמֶּךָ Lev.19:18
1442 בֹּא אֶל־הַגּוֹלָה אֶל־בְּנֵי עַמֶּךָ Ezek.3:11
1443 חוּסָה יְיָ עַל־עַמֶּךָ Joel 2:17
1444 יָצָאתָ לְיֵשַׁע עַמֶּךָ Hab.3:13
1445 הוֹשִׁיעָה אֶת־עַמֶּךָ Ps.28:9
1446 אֱלֹהִים בְּצֵאתְךָ לִפְנֵי עַמֶּךָ Ps.68:8
1447 גָּאַלְתָּ בִּזְרוֹעַ עַמֶּךָ Ps.77:16
1448 נָחִיתָ כַצֹּאן עַמֶּךָ Ps.77:21
1449 עַד־מָתַי עָשַׁנְתָּ בִּתְפִלַּת עַמֶּךָ Ps.80:5
1450 נָשָׂאתָ עֲוֹן עַמֶּךָ Ps.85:3
1451 זָכְרֵנִי יְיָ בִּרְצוֹן עַמֶּךָ Ps.106:4

עַמֶּךָ (המשך)

1452 שִׁמְךָ נִקְרָא עַל־עִירְךָ וְעַל־עַמֶּךָ Dan.9:19
1453 מִיכָאֵל...הָעֹמֵד עַל־בְּנֵי עַמֶּךָ Dan.12:1
1454 לִמְלָכֵינוּ לְשָׂרֵינוּ...וּלְכָל־עַמֶּךָ Neh.9:32
1455 לְיֵצֶר מַחְשְׁבוֹת לְבַב עַמֶּךָ ICh.29:18

וְעַמְּךָ

1456 וְנִפְלֵינוּ אֲנִי וְעַמְּךָ מִכָּל־הָעָם Ex.33:16
1457 אֶל־תְּחִנַּת עַבְדְּךָ וְעַמְּךָ יִשְׂרָאֵל IK.8:30
1458 לְחַטַּאת עֲבָדֶיךָ וְעַמְּךָ יִשְׂרָאֵל IK.8:36
1459 נַפְשְׁךָ תַּחַת נַפְשׁוֹ וְעַמְּךָ תַּחַת עַמּוֹ IK.20:42
1460 אַתָּה וַעֲבָדֶיךָ וְעַמְּךָ Jer.22:2
1461 וְעַמְּךָ כִּמְרִיבֵי כֹהֵן Hosh.4:4
1462 וְעַמְּךָ יִשְׂמְחוּ־בָךְ Ps.85:7
1463 יְרוּשָׁלַם וְעַמְּךָ לְחֶרְפָּה Dan.9:16
1464 אֶל־תַּחֲנוּנֵי עַבְדְּךָ וְעַמְּךָ יִשְׂרָאֵל IICh.6:21
1465 לְחַטַּאת עֲבָדֶיךָ וְעַמְּךָ יִשְׂרָאֵל IICh.6:27

וְעַמֶּךָ

1466 מָצָאתִי חֵן בְּעֵינֶיךָ אֲנִי וְעַמֶּךָ Ex.33:16
1467 לָמָּה תָמוּתוּ אַתָּה וְעַמֶּךָ Jer.27:13
1468 וְהֵם עֲבָדֶיךָ וְעַמֶּךָ Neh.1:10

בְּעַמְּךָ

1469 וְנָשִׂיא בְעַמְּךָ לֹא תָאֹר Ex.22:27

בְּעַמֶּךָ

1470 לָמָה יְיָ יֶחֱרֶה אַפְּךָ בְּעַמֶּךָ Ex.32:11
1471 בְּעַמְּךָ וּבְבָנֶיךָ וּבְנָשֶׁיךָ IICh.21:14

וּבְעַמְּךָ

1472 וּבְכָה וּבְעַמְּךָ וּבְכָל־עֲבָדֶיךָ Ex.7:29
1473 בְּךָ וּבַעֲבָדֶיךָ וּבְעַמְּךָ וּבְבָתֶּיךָ Ex.8:17
1474 וּבְעַמְּךָ לֹא לְמַגֵּפָה ICh.21:17

וּבְעַמֶּךָ

1475 וּבְבֵית עֲבָדֶיךָ וּבְעַמֶּךָ Ex.7:28
1476 אֶל־לִבְּךָ וּבַעֲבָדֶיךָ וּבְעַמֶּךָ Ex.9:14

כְּעַמְּךָ

1477 וּמִי כְעַמְּךָ כְּיִשְׂרָאֵל גּוֹי אֶחָד IISh.7:23
1478 ...לְיִרְאָה אֹתְךָ כְּעַמְּךָ יִשְׂרָאֵל IK.8:43
1479 וּמִי כְּעַמְּךָ יִשְׂרָאֵל גּוֹי אֶחָד ICh.17:21
1480 וּלְיִרְאָה אֹתְךָ כְּעַמְּךָ יִשְׂרָאֵל IICh.6:33

כְּעַמֶּךָ

1481/2 כָּמ(וֹ)נִי כָמוֹךָ כְּעַמִּי כְעַמֶּךָ IK.22:4 • IIK.3:7

וּכְעַמְּךָ

1483 כָּמוֹנִי כָמוֹךָ וּכְעַמְּךָ עַמִּי IICh.18:3

לְעַמְּךָ

1484 אֲשֶׁר יַעֲשֶׂה הָעָם הַזֶּה לְעַמְּךָ Num.24:14
1485 כַּפֵּר לְעַמְּךָ יִשׂ׳ אֲשֶׁר־פָּדִיתָ יְיָ Deut.21:8
1486 אֲשֶׁר־נָתַתָּה לְעַמְּךָ לְנַחֲלָה IK.8:36
1487 וְסָלַחְתָּ לְעַמְּךָ אֲשֶׁר חָטְאוּ־לָךְ IK.8:50
1488 אֵת אֲשֶׁר־יִקְרָה לְעַמְּךָ Dan.10:14
1489 אֲשֶׁר־נָתַתָּה לְעַמְּךָ לְנַחֲלָה IICh.6:27
1490 וְסָלַחְתָּ לְעַמְּךָ אֲשֶׁר חָטְאוּ־לָךְ IICh.6:39

לְעַמֶּךָ

1491 וְהִנָּחֵם עַל־הָרָעָה לְעַמֶּךָ Ex.32:12

וּלְעַמְּךָ

1492 אַעְתִּיר לְךָ וְלַעֲבָדֶיךָ וּלְעַמְּךָ Ex.8:5

מֵעַמְּךָ

1493/4 לֹא־מֵעַמְּךָ יִשְׂרָאֵל הוּא IK.8:41 • IICh.6:32

וּמֵעַמֶּךָ

1495 מִמְּךָ וּמִבָּתֶּיךָ וּמֵעֲבָדֶיךָ וּמֵעַמֶּךָ Ex.8:7

עַמֵּךְ

1496 לְאָלָה וְלִשְׁבֻעָה בְּתוֹךְ עַמֵּךְ Num.5:21
1497 עַמֵּךְ בַּחֶרֶב יַהֲרֹג Ezek.26:11
1498 הִנֵּה עַמֵּךְ נָשִׁים בְּקִרְבֵּךְ Nah.3:13
1499 וְשִׁכְחִי עַמֵּךְ וּבֵית אָבִיךְ Ps.45:11
1500 עַמֵּךְ עַמִּי וֵאלֹהַיִךְ אֱלֹהָי Ruth 1:16

וְעַמֵּךְ

1501 וְעַמֵּךְ כֻּלָּם צַדִּיקִים Is.60:21

לְעַמֵּךְ

1502 כִּי־אִתָּךְ נָשׁוּב לְעַמֵּךְ Ruth 1:10

עַמּוֹ

1503 דָּן יָדִין עַמּוֹ כְּאַחַד שִׁבְטֵי יִשׂ׳ Gen.49:16
1504 וַיֹּאמֶר אֶל־עַמּוֹ Ex.1:9
1505 וַיְצַו פַּרְעֹה לְכָל־עַמּוֹ Ex.1:22
1506 וְאֶת־עַמּוֹ לָקַח עִמּוֹ Ex.14:6
1507 וַיַּחֲלֹשׁ...אֶת־עֲמָלֵק וְאֶת־עַמּוֹ Ex.17:13
1508 לְמֹשֶׁה וּלְיִשְׂרָאֵל עַמּוֹ Ex.18:1
1509 וְנִכְרַת הָאִישׁ הַהוּא מִקֶּרֶב עַמּוֹ Lev.17:4
1510 וַיִּשְׁלַח...אֶרֶץ בְּנֵי־עַמּוֹ... Num.22:5
1511 חֵלֶק יְיָ עַמּוֹ יַעֲקֹב חֶבֶל נַחֲלָתוֹ Deut.32:9
1512 כִּי־יָדִין יְיָ עַמּוֹ Deut.32:36
1513 הַרְנִינוּ גוֹיִם עַמּוֹ Deut.32:43
1514 וְכִפֶּר אַדְמָתוֹ עַמּוֹ Deut.32:43
1515 וְאֶל־עַמּוֹ תְּבִיאֶנּוּ Deut.33:7

עַמּוֹ (המשך)

1516 וְאֶת־עַמּוֹ וְאֶת־עִירוֹ וְאֶת־אַרְצוֹ Josh.8:1
1517 הוֹרִישׁ...מִפְּנֵי עַמּוֹ יִשְׂרָאֵל Jud.11:23
1518 כִּי לֹא־יִטֹּשׁ יְיָ אֶת־עַמּוֹ ISh.12:22
1519 וַיְצַוֵּהוּ יְיָ לְנָגִיד עַל־עַמּוֹ ISh.13:14
1520 לְמֶלֶךְ עַל־עַמּוֹ עַל־יִשְׂרָאֵל ISh.15:1
1521 בַּעֲבוּר עַמּוֹ יִשְׂרָאֵל IISh.5:12
1522 עֹשֶׂה מִשְׁפָּט וּצְדָקָה לְכָל־עַמּוֹ IISh.8:15
1523 מִשְׁפַּט עַבְדּוֹ וּמִשְׁ׳ עַמּוֹ יִשְׂרָאֵל IK.8:59
1524 לְדָוִד עַבְדּוֹ וּלְיִשְׂרָאֵל עַמּוֹ IK.8:66
1525 נַפְשְׁךָ תַּחַת נַפְשׁוֹ וְעַמְּךָ תַּחַת עַמּוֹ IK.20:42
1526 עִם־זִקְנֵי עַמּוֹ וְשָׂרָיו Is.3:14
1527 וַיָּנַע לְבָבוֹ וּלְבַב עַמּוֹ Is.7:2
1528 לִקְנוֹת אֶת־שְׁאָר עַמּוֹ Is.11:11
1529 וְהָיְתָה מְסִלָּה לִשְׁאָר עַמּוֹ Is.11:16
1530 אִישׁ אֶל־עַמּוֹ יִפְנוּ Is.13:14
1531 וּבָהּ יֶחֱסוּ עֲנִיֵּי עַמּוֹ Is.14:32
1532 וְחֶרְפַּת עַמּוֹ יָסִיר Is.25:8
1533 לַעֲטֶרֶת צְבִי...לִשְׁאָר עַמּוֹ Is.28:5
1534 בְּיוֹם חֲבֹשׁ יְיָ אֶת־שֶׁבֶר עַמּוֹ Is.30:26
1535/6 כִּי־נִחַם יְיָ עַמּוֹ Is.49:13; 52:9
1537 ...וֵאלֹהַיִךְ יָרִיב עַמּוֹ Is.51:22
1538 הַבְדֵּל יַבְדִּילַנִי יְיָ מֵעַל עַמּוֹ Is.56:3
1539 וַיִּזְכֹּר יְמֵי־עוֹלָם מֹשֶׁה עַמּוֹ Is.63:11
1540 כִּי רִיב לַיְיָ עִם־עַמּוֹ Mic.6:2
1541 וְהוֹשִׁיעָם יְיָ אֱלֹהֵיהֶם...כְּצֹאן עַמּוֹ Zech.9:16
1542 בְּשׁוּב יְיָ שְׁבוּת עַמּוֹ Ps.14:7
1543 יְיָ יְבָרֵךְ אֶת־עַמּוֹ בַשָּׁלוֹם Ps.29:11
1544 יִקְרָא...וְאֶל־הָאָרֶץ לָדִין עַמּוֹ Ps.50:4
1545 בְּשׁוּב אֱלֹהִים שְׁבוּת עַמּוֹ Ps.53:7
1546 לָכֵן יָשׁוּב° עַמּוֹ הֲלֹם Ps.73:10
1547 לִרְעוֹת בְּיַעֲקֹב עַמּוֹ... Ps.78:71
1548 כִּי יְדַבֵּר שָׁלוֹם אֶל־עַמּוֹ Ps.85:9
1549 כִּי לֹא־יִטֹּשׁ יְיָ עַמּוֹ Ps.94:14
1550 עַמּוֹ וְצֹאן מַרְעִיתוֹ Ps.100:3
1551 לְהוֹשִׁיבִי...עִם נְדִיבֵי עַמּוֹ Ps.113:8
1552/3 נֶגְדָה־נָּא לְכָל־עַמּוֹ Ps.116:14, 18
1554 וְנָתַן...נַחֲלָה לְיִשְׂרָאֵל עַמּוֹ Ps.135:12
1555 כִּי־יָדִין יְיָ עַמּוֹ... Ps.135:14
1556 שֹׂרֵר בְּבֵיתוֹ וּמְדַבֵּר כִּלְשׁוֹן עַמּוֹ Es.1:22
1557 מִי־בָכֶם מִכָּל־עַמּוֹ...וְיַעַל Ez.1:3
1558 בַּעֲבוּר עַמּוֹ יִשְׂרָאֵל ICh.14:2
1559 עֹשֶׂה מִשְׁפָּט...לְכָל־עַמּוֹ ICh.18:14
1560 וַיְבָרְכוּ אֶת־יְיָ וְאֵת עַמּוֹ יִשְׂרָאֵל IICh.31:8
1561 כִּי יְיָ בֵּרַךְ אֶת־עַמּוֹ IICh.31:10
1562 כִּי־חָמַל עַל־עַמּוֹ וְעַל־מְעוֹנוֹ IICh.36:15
1563 מִי־בָכֶם מִכָּל־עַמּוֹ...וְיָעַל IICh.36:23
1564-1601 עַמּוֹ Lev.20:3, 6 • Num.21:23, 33, 34, 35
Deut.2:32, 33; 3:1, 2, 3 • Josh.8:14; 10:33; 11:20, 21 • Jer.25:19; 50:16 • Hosh.10:5 • Joel 2:18 • Ps.78:52, 62; 105:24, 25; 105:43; 136:16 • Ruth 1:6 • ICh.19:7; 21:3; 22:18(17) • IICh.2:10; 7:10; 21:19; 25:11; 32:14, 15, 17; 33:10; 35:3

וְעַמּוֹ

1602 הוּא וַעֲבָדָו וְעַמּוֹ Jer.22:4
1603 וְעִבְדוּ אֹתוֹ וְעַמּוֹ וִחְיוּ Jer.27:12
1604 וְעַמּוֹ בְּעָרָיו יָשָׁב Jer.49:1
1605 הוּא וְעַמּוֹ אִתּוֹ עָרִיצֵי גוֹיִם Ezek.30:11
1606 וַיַּכּוּ בָהֶם אֲבִיָּה וְעַמּוֹ IICh.13:17
1607 וַיָּבֹא יְהוֹשָׁפָט וְעַמּוֹ לָבֹז... IICh.20:25

בְּעַמּוֹ

1608 הַבְאֵשׁ הִבְאִישׁ בְּעַמּוֹ בְיִשְׂרָאֵל ISh.27:12
1609 עַל־כֵּן חָרָה אַף־יְיָ בְּעַמּוֹ Is.5:25
1610 וַיִּחַר־אַף יְיָ בְּעַמּוֹ Ps.106:40
1611 כִּי־רוֹצֶה יְיָ בְּעַמּוֹ Ps.149:4

1612 לֹא נִין לוֹ וְלֹא־נֶכֶד בְּעַמּוֹ Job 18:19
1613 עַד עֲלוֹת חֲמַת־יְיָ בְּעַמּוֹ IICh. 36:16

לְעַמּוֹ
1614 אֲשֶׁר דִּבֶּר לַעֲשׂוֹת לְעַמּוֹ Ex. 32:14
1615 אֲשֶׁר נָתַן מְנוּחָה לְעַמּוֹ יִשְׂרָאֵל IK. 8:56
1616 וַיַּעַן יְיָ וַיֹּאמֶר לְעַמּוֹ... Joel 2:19
1617 וַייָ מַחֲסֶה לְעַמּוֹ וּמָעוֹז לִבְ־י׳ Joel 4:16
1618 יְיָ עֹז לְעַמּוֹ יִתֵּן Ps. 29:11
1619 אִם־יָכִין שְׁאֵר לְעַמּוֹ Ps. 78:20
1620 כֹּחַ מַעֲשָׂיו הִגִּיד לְעַמּוֹ Ps. 111:6
1621 פְּדוּת שָׁלַח לְעַמּוֹ Ps. 111:9
1622 וַייָ סָבִיב לְעַמּוֹ Ps. 125:2
1623 וַיָּרֶם קֶרֶן לְעַמּוֹ Ps. 148:14
1624 דֹּרֵשׁ טוֹב לְעַמּוֹ Es. 10:3
1625 הֵנִיחַ יְיָ אֱלֹהֵי־יִשְׂרָאֵל לְעַמּוֹ ICh. 23:25

וּמֵעַמּוֹ
1626/7 מִפַּרְעֹה מֵעֲבָדָיו וּמֵעַמּוֹ Ex. 8:25, 27

עַמָּהּ
1628 וְהִכְרַתִּי אֹתָהּ מִקֶּרֶב עַמָּהּ Lev. 17:10
1629 וְהַאֲבַדְתִּי...מִקֶּרֶב עַמָּהּ Lev. 23:30
1630 וְהָיְתָה...לְאָלָה בְּקֶרֶב עַמָּהּ Num. 5:27
1631 וְנִכְרְתָה הַנֶּפֶשׁ הַהִוא מִקֶּרֶב עַמָּהּ Num. 15:30
1632 וַתַּגֵּד הַחִידָה לִבְנֵי עַמָּהּ Jud. 14:17
1633 שָׁבָה יְבִמְתֵּךְ אֶל־עַמָּהּ וְאֶל־אֱלֹהֶ׳ Ruth 1:15
1634 זָכְרָה...בִּנְפֹל עַמָּהּ בְּיַד־צָר Lam. 1:7
1635 כָּל־עַמָּהּ נֶאֱנָחִים Lam. 1:11
1636 אֶת־עַמָּהּ וְאֶת־מוֹלַדְתָּהּ Es. 2:10
1637 מַגֶּדֶת מוֹלַדְתָּהּ וְאֶת־עַמָּהּ Es. 2:20
1638 וּלְבַקֵּשׁ מִלְּפָנָיו עַל־עַמָּהּ Es. 4:8

וְעַמָּהּ
1639 אֶת־יְרוּשָׁלַםִ גִּילָה וְעַמָּהּ מָשׂוֹשׂ Is. 65:18

עַמֵּנוּ
1640/1 חֲזַק וְנִתְחַזַּק(־זְקָה) בְּעַד(־)עַמֵּנוּ וּבְעַד עָרֵי אֱלֹהֵינוּ IISh. 10:12 • ICh. 19:13
1642 וְנָשׁוּבָה אֶל־עַמֵּנוּ וְאֶל...מוֹלַדְתֵּנוּ Jer. 46:16

עַמָּם
1643/4 וְנִכְרְתוּ...מִקֶּרֶב עַמָּם Lev. 18:29; 20:18
1645 וְהִכְרַתִּי אֹתוֹ...מִקֶּרֶב עַמָּם Lev. 20:5
1646 וְנִכְרְתוּ לְעֵינֵי בְּנֵי עַמָּם Lev. 20:17
1647 לֹא־הִצִּילוּ אֶת־עַמָּם IICh. 25:15
1648 אֲשֶׁר לֹא־הִצִּילוּ עַמָּם מִיָּדִי IICh. 32:17

עַמִּים
1649 מַלְכֵי עַמִּים מִמֶּנָּה יִהְיוּ Gen. 17:16
1650 יַעַבְדוּךָ עַמִּים Gen. 27:29
1651 וְהָיִיתָ לִקְהַל עַמִּים Gen. 28:3
1652 וּנְתַתִּיךָ לִקְהַל עַמִּים Gen. 48:4
1653 וְלוֹ יִקְּהַת עַמִּים Gen. 49:10
1654 שָׁמְעוּ עַמִּים יִרְגָּזוּן Ex. 15:14
1655 יַצֵּב גְּבֻלֹת עַמִּים לְמִסְפַּר בְּ־י׳ Deut. 32:8
1656 אַף חֹבֵב עַמִּים Deut. 33:3
1657 בָּהֶם עַמִּים יְנַגַּח יַחְדָּו Deut. 33:17
1658 עַמִּים הַר־יִקְרָאוּ Deut. 33:19
1659 וּמוֹרִיד עַמִּים תַּחְתֵּנִי IISh. 22:48
1660 שִׁמְעוּ עַמִּים כֻּלָּם IK. 22:28
1661 וְהָלְכוּ עַמִּים רַבִּים וְאָמְרוּ... Is. 2:3
1662 נִצָּב לָרִיב יְיָ וְעֹמֵד לָדִין עַמִּים Is. 3:13
1663 רֹעוּ עַמִּים וָחֹתּוּ Is. 8:9
1664 וְאָסִיר גְּבוּלֹת עַמִּים Is. 10:13
1665 אֲשֶׁר עֹמֵד לְנֵס עַמִּים Is. 11:10
1666 וּלְקָחוּם עַמִּים וֶהֱבִיאוּם Is. 14:2
1667 מַכֶּה עַמִּים בְּעֶבְרָה Is. 14:6
1668 הוֹי הֲמוֹן עַמִּים רַבִּים Is. 17:12
1669 וְרֶסֶן מַתְעֶה עַל לְחָיֵי עַמִּים Is. 30:28
1670 מִקּוֹל הָמוֹן נָדְדוּ עַמִּים Is. 33:3
1671 וְהָיוּ עַמִּים מִשְׂרְפוֹת שִׂיד Is. 33:12
1672 וְאֶל־עַמִּים אָרִים נִסִּי Is. 49:22
1673 וּמִשְׁפָּטִי לְאוֹר עַמִּים אַרְגִּיעַ Is. 51:4
1674 וּזְרֹעַי עַמִּים יִשְׁפֹּטוּ Is. 51:2
1675 וְאָבוּס עַמִּים בְּאַפִּי Is. 63:6

עַמִּים (המשך)
1676 וְיִגְעוּ עַמִּים בְּדֵי־רִיק Jer. 51:58
1677 אֶל־עַמִּים רַבִּים עִמְקֵי שָׂפָה Ezek. 3:6
1678 וּבָאוּ עָלַיִךְ...וּבִקְהַל עַמִּים Ezek. 23:24
1679 הִשְׂבַּעַתְּ עַמִּים רַבִּים Ezek. 27:33
1680 בִּקְהַל עַמִּים רַבִּים Ezek. 32:3
1681 וְהִכְעַסְתִּי לֵב עַמִּים רַבִּים Ezek. 32:9
1682-1688 עַמִּים רַבִּים Ezek. 32:10
38:6, 22 • Mic. 4:3, 13; 5:6, 7
1689 וְחֶרְפַּת עַמִּים לֹא תִשְׂאִי־עוֹד Ezek. 36:15
1690 וְאֻסְּפוּ עֲלֵיהֶם עַמִּים Hosh. 10:10
1691 מִפָּנָיו יָחִילוּ עַמִּים Joel 2:6
1692 שִׁמְעוּ עַמִּים כֻּלָּם Mic. 1:2
1693 וְנָהֲרוּ עָלָיו עַמִּים Mic. 4:1
1694 יְשָׁלּוּךָ כָּל־יֶתֶר עַמִּים Hab. 2:8
1695 קְצוֹת־עַמִּים רַבִּים Hab. 2:10
1696 וְיִיגְעוּ עַמִּים בְּדֵי־אֵשׁ Hab. 2:13
1697 כִּי־אָז אֶהְפֹּךְ אֶל־עַמִּים שָׂפָה Zep. 3:9
1698 יָבֹאוּ עַמִּים וְיֹשְׁבֵי עָרִים רַבּוֹת Zech. 8:20
1699 וּבָאוּ עַמִּים רַבִּים וְגוֹיִם עֲצוּמִים Zech. 8:22
1700 יְיָ יָדִין עַמִּים שָׁפְטֵנִי יְיָ Ps. 7:9
1701 וַיַּדְבֵּר עַמִּים תַּחְתָּי Ps. 18:48
1702 הֵנִיא מַחְשְׁבוֹת עַמִּים Ps. 33:10
1703 עַמִּים תַּחְתֶּיךָ יִפְּלוּ Ps. 45:6
1704 עַל־כֵּן עַמִּים יְהוֹדֻךָ לְעוֹלָם Ps. 45:18
1705 יַדְבֵּר עַמִּים תַּחְתֵּינוּ Ps. 47:4
1706 נְדִיבֵי עַמִּים נֶאֱסָפוּ Ps. 47:10
1707 בְּאַף עַמִּים הוֹרֵד אֱלֹהִים Ps. 56:8
1708 בָּרְכוּ עַמִּים אֱלֹהֵינוּ Ps. 66:8
1709/10 יוֹדוּךָ עַמִּים אֱלֹהִים Ps. 67:4, 6
1711/2 יוֹדוּךָ עַמִּים כֻּלָּם Ps. 67:4, 6
1713 כִּי־תִשְׁפֹּט עַמִּים מִישֹׁר Ps. 67:5
1714 עֲדַת אַבִּירִים בְּעֶגְלֵי עַמִּים Ps. 68:31
1715 בִּזַּר עַמִּים קְרָבוֹת יֶחְפָּצוּ Ps. 68:31
1716 יְיָ יִסְפֹּר בִּכְתוֹב עַמִּים... Ps. 87:6
1717 שְׂאֵתִי בְחֵיקִי כָּל־רַבִּים עַמִּים Ps. 89:51
1718 הָבוּ לַייָ מִשְׁפְּחוֹת עַמִּים Ps. 96:7
1719 יָדִין עַמִּים בְּמֵישָׁרִים Ps. 96:10
1720 יְיָ מָלָךְ יִרְגְּזוּ עַמִּים Ps. 99:1
1721 בְּהִקָּבֵץ עַמִּים יַחְדָּו Ps. 102:23
1722 שָׁלַח...מֹשֵׁל עַמִּים וַיְפַתְּחֵהוּ Ps. 105:20
1723 יִקְּבֻהוּ עַמִּים יִזְעָמוּהוּ לְאֻמִּים Prov. 24:24
1724 וְהִצִּגַנִי לִמְשֹׁל עַמִּים Job 17:6
1725 לַעֲלוֹת עַמִּים תַּחְתָּם Job 36:20
1726 כִּי־בָם יָדִין עַמִּים Job 36:31
1727 הָבוּ לַייָ מִשְׁפְּחוֹת עַמִּים ICh. 16:28
1728 שִׁמְעוּ עַמִּים כֻּלָּם IICh. 18:27

וְעַמִּים
1729 וְכָל־אֲגַפֶּיךָ וְעַמִּים רַבִּים אוֹתָךְ Ezek. 38:9
1730 אַתָּה וְעַמִּים רַבִּים אִתָּךְ Ezek. 38:15
1731 וְכָל־אֲגַפֶּיךָ וְעַמִּים אֲשֶׁר אִתָּךְ Ezek. 39:4
1732 יִשְׁפֹּט...וְעַמִּים בֶּאֱמוּנָתוֹ Ps. 96:13
1733 יִשְׁפֹּט...וְעַמִּים בְּמֵישָׁרִים Ps. 98:9

הָעַמִּים
1734 וִהְיִיתֶם לִי סְגֻלָּה מִכָּל־הָעַמִּים Ex. 19:5
1735 הִבְדַּלְתִּי אֶתְכֶם מִן־הָעַמִּים Lev. 20:24
1736 וָאַבְדִּל אֶתְכֶם מִן־הָעַמִּים Lev. 20:26
1737 וְיִרְאָתְךָ עַל־פְּנֵי הָעַמִּים Deut. 2:25
1738 וּבִינַתְכֶם לְעֵינֵי הָעַמִּים Deut. 4:6
1739 לְכֹל הָעַמִּים תַּחַת כָּל־הַשָּׁמָיִם Deut. 4:19
1740 מֵאֱלֹהֵי הָעַמִּים...סְבִיבוֹתֵיכֶם Deut. 6:14
1741/2 לְעַם סְגֻלָּה מִכֹּל הָעַמִּים Deut. 7:6; 14:2
1743 לֹא מֵרֻבְּכֶם מִכָּל־הָעַמִּים Deut. 7:7
1744 כִּי־אַתֶּם הַמְעַט מִכָּל־הָעַמִּים Deut. 7:7
1745 בָּרוּךְ תִּהְיֶה מִכָּל־הָעַמִּים Deut. 7:14

הָעַמִּים (המשך)
1746-1778 כָּל־ (בְּכָל/וּבְ/לְ/מִכָּל) הָעַמִּים
Deut. 7:16, 19; 10:15; 28:37, 64; 30:3 • Josh. 24:17, 18 • IK. 5:14; 9:7 • Is. 25:6, 7; 56:7 • Jer. 34:1 • Mic. 4:5 • Hab. 2:5 • Zech. 11:10; 12:2, 3, 6; 14:12 • Ps. 47:2; 49:2; 96:3; 97:6; 99:2 • Lam. 1:18 (כת׳ עמים) • Es. 1:16; 3:14; 18:13; 9:2 • ICh. 16:24 • IICh. 7:20 • ICh. 16:26
1779 מֵאֱלֹהֵי הָעַמִּים אֲשֶׁר סְבִיבֹתֵיכֶם Deut. 13:8
1780 רַק מֵעָרֵי הָעַמִּים הָאֵלֶּה Deut. 20:16
1781 מֵאֱלֹהֵי הָעַמִּים אֲשֶׁר סְבִיבוֹתֵיהֶם Jud. 2:12
1782 וַתִּמְצָא כַקֵּן יָדִי לְחֵיל הָעַמִּים Is. 10:14
1783 בְּקֶרֶב הָאָרֶץ בְּתוֹךְ הָעַמִּים Is. 24:13
1784 וְצֶאֱצָאֵיהֶם בְּתוֹךְ הָעַמִּים Is. 61:9
1785 הָרִימוּ נֵס עַל־הָעַמִּים Is. 62:10
1786 כִּי־חֻקּוֹת הָעַמִּים הֶבֶל הוּא Jer. 10:3
1787 וְקִבַּצְתִּי אֶתְכֶם מִן־הָעַמִּים Ezek. 11:17
1788 וְהוֹצֵאתִי אֶתְכֶם מִן־הָעַמִּים Ezek. 20:34
1789 וְהֵבֵאתִי אֶתְכֶם אֶל־מִדְבַּר הָעַמִּי׳ Ezek. 20:35
1790 בְּהוֹצִיאִי אֶתְכֶם מִן־הָעַמִּים Ezek. 20:41
1791 וְהִכְרַתִּיךָ מִן־הָעַמִּים Ezek. 25:7
1792 נִשְׁבְּרָה דַּלְתוֹת הָעַמִּים Ezek. 26:2
1793 רֹכֶלֶת הָעַמִּים אֶל־אִיִּים רַבִּים Ezek. 27:3
1794 מִן־הָעַמִּים אֲשֶׁר נָפֹצוּ בָם Ezek. 28:25
1795 מִן־הָעַמִּים אֲשֶׁר נָפֹצוּ שָׁמָּה Ezek. 29:13
1796 וְהוֹצֵאתִים מִן־הָעַמִּים Ezek. 34:13
1797 בְּשׁוֹבְבִי אוֹתָם מִן־הָעַמִּים Ezek. 39:27
1798 וְכֹל סוּס הָעַמִּים אַכֶּה בַּעִוָּרוֹן Zech. 12:4
1799 כִּי כָּל־אֱלֹהֵי הָעַמִּים אֱלִילִים Ps. 96:5
1800 לֹא־הִשְׁמִידוּ אֶת־הָעַמִּים Ps. 106:34
1801 סְחִי וּמָאוֹס תְּשִׂימֵנוּ בְּקֶרֶב הָעַמִּים Lam. 3:45
1802 לְהַרְאוֹת הָעַמִּים...אֶת־יָפְיָהּ Es. 1:11
1803 מְפֻזָּר וּמְפֹרָד בֵּין הָעַמִּים Es. 3:8
1804 כִּי כָּל־אֱלֹהֵי הָעַמִּים אֱלִילִים ICh. 16:26

בָּעַמִּים
1805 וְהֵפִיץ יְיָ אֶתְכֶם בָּעַמִּים Deut. 4:27
1806 הוֹדִיעוּ בָעַמִּים עֲלִילֹתָיו Is. 12:4
1807 סֹחֲרִים בָּעַמִּים שָׁרְקוּ עָלַיִךְ Ezek. 27:36
1808 כָּל־יוֹדְעֶיךָ בָּעַמִּים שָׁמְמוּ עָלֶיךָ Ezek. 28:19
1809 אֶפְרַיִם בָּעַמִּים הוּא יִתְבּוֹלָל Hosh. 7:8
1810 יֹאמְרוּ בָעַמִּים אַיֵּה אֱלֹהֵיהֶם Joel 2:17
1811 וְאֶזְרָעֵם בָּעַמִּים Zech. 10:9
1812 הַגִּידוּ בָעַמִּים עֲלִילוֹתָיו Ps. 9:12
1813 אוֹדְךָ בָעַמִּים אֲדֹנָי Ps. 57:10
1814 ...הוֹדַעְתָּ בָעַמִּים עֻזֶּךָ Ps. 77:15
1815 הוֹדִיעוּ בָעַמִּים עֲלִילוֹתָיו Ps. 105:1
1816 אוֹדְךָ בָעַמִּים יְיָ Ps. 108:4
1817 אֲנִי אָפִיץ אֶתְכֶם בָּעַמִּים Neh. 1:8
1818 הוֹדִיעוּ בָעַמִּים עֲלִילֹתָיו ICh. 16:8

כָּעַמִּים
1819 אַל־תִּשְׂמַח יִשְׂרָאֵל אֶל־גִּיל כָּעַמִּים Hosh. 9:1

לְעַמִּים
1820 וְהוֹכִיחַ לְעַמִּים רַבִּים Is. 2:4

מֵעַמִּים
1821 מְקֻבֶּצֶת מֵעַמִּים רַבִּים Ezek. 38:8
1822 וְהִיא מֵעַמִּים הוּצָאָה Ezek. 38:8

וּמֵעַמִּים
1823 וּמֵעַמִּים אֵין־אִישׁ אִתִּי Is. 63:3

עַמֵּי־
1824 וְרָאוּ כָּל־עַמֵּי הָאָרֶץ Deut. 28:10
1825 לְמַעַן דַּעַת כָּל־עַמֵּי הָאָרֶץ Josh. 4:24
1826 לְמַעַן יֵדְעוּן כָּל־עַמֵּי הָאָרֶץ IK. 8:43
1827 הִבְדַּלְתָּם...מִכֹּל עַמֵּי הָאָרֶץ IK. 8:53
1828-1833 עַמֵּי הָאָרֶץ IK. 8:60
Ezek. 31:12 • Zep. 3:20 • ICh. 5:25
IICh. 6:33; 32:19
1834 ...בְּנִדַּת עַמֵּי הָאֲרָצוֹת Ez. 9:11
1835 וַתִּתְּנֵם בְּיַד עַמֵּי הָאֲרָצֹת Neh. 9:30
1836 מֶה עָשִׂיתִי...לְכֹל עַמֵּי הָאֲרָצוֹת IICh. 32:13

וְעַמֵּי־ 1837 וְעַמֵּי הָאָרֶץ הַמְבִיאִים...לִמְכּוֹר Neh. 10:32
בְּעַמֵּי־ 1838 וְהִתְעָרְבוּ זֶרַע הַקֹּדֶשׁ בְּעַמֵּי הָאֲרָ׳ Ez. 9:2
1839 וּלְהִתְחַתֵּן בְּעַמֵּי הַתֹּעֵבוֹת הָאֵלֶּה Ez. 9:14
כְּעַמֵּי־ 1840 וַתַּעֲשׂוּ לָכֶם כֹּהֲנִים כְּעַמֵּי הָאֲרָצוֹת IICh. 13:9
לְעַמֵּי־ 1841 לֹא־נִתֵּן בְּנֹתֵינוּ לְעַמֵּי הָאָרֶץ Neh. 10:31
מֵעַמֵּי־ 1842 וְרַבִּים מֵעַמֵּי הָאָרֶץ מִתְיַהֲדִים Es. 8:17
1843 כִּי בְּאֵימָה עֲלֵיהֶם מֵעַמֵּי הָאֲרָצוֹת Ez. 3:3
1844 לֹא־נִבְדְּלוּ הָעָם...מֵעַמֵּי הָאֲרָצוֹת Ez. 9:1
1845 נָשִׁים נָכְרִיּוֹת מֵעַמֵּי הָאָרֶץ Ez. 10:2
1846 וְהִבָּדְלוּ מֵעַמֵּי הָאָרֶץ Ez. 10:11
1847 וְכָל־הַנִּבְדָּל מֵעַמֵּי הָאֲרָצוֹת Neh. 10:29
וַעֲמָמִים 1848 וַתִּתֵּן לָהֶם מַמְלָכוֹת וַעֲמָמִים Neh. 9:22
עַמְמֵי־ 1849 וְאֶת־מַלְכֵיהֶם וְאֶת־עַמְמֵי הָאָרֶץ Neh. 9:24
בַּעֲמָמֶיךָ 1850 אַחֲרֶיךָ בִנְיָמִין בַּעֲמָמֶיךָ Jud. 5:14

עַם² ז׳ קָרוֹב, בֶּן־מִשְׁפָּחָה (רק ברבוי: עַמִּים): 1-28
– נֶאֱסַף אֶל־עַמָּיו 1-3, 6-11; נִכְרַת מֵעַמָּיו 16-18, 21-28; נִכְרַת מִקֶּרֶב עַמֶּיהָ 20
– בַּעַל בְּעַמָּיו 14; זֶרַע בְּעַ׳ 15; בְּתוּלָה מֵעַמָּיו 19
עַמֶּיךָ 1 וְנֶאֱסַפְתָּ אֶל־עַמֶּיךָ גַּם־אָתָּה Num. 27:13
2 אַחַר תֵּאָסֵף אֶל־עַמֶּיךָ Num. 31:2
3 וּמֻת בָּהָר...וְהֵאָסֵף אֶל־עַמֶּיךָ Deut. 32:50
בְּעַמֶּיךָ 4 לֹא־תֵלֵךְ רָכִיל בְּעַמֶּיךָ Lev. 19:16
5 וְקָאם שָׁאוֹן בְּעַמֶּךָ Hosh. 10:14
עַמָּיו 6-9 וַיֵּאָסֶף אֶל־עַמָּיו Gen. 25:8, 17; 35:29; 49:33
10 יֵאָסֵף אַהֲרֹן אֶל־עַמָּיו Num. 20:24
11 כַּאֲשֶׁר־מֵת...וַיֵּאָסֶף אֶל־עַמָּיו Deut. 32:50
12 לֹא־טוֹב עָשָׂה בְּתוֹךְ עַמָּיו Ezek. 18:18
בְּעַמָּיו 13 לְנֶפֶשׁ לֹא־יִטַּמָּא בְּעַמָּיו Lev. 21:1
14 לֹא יִטַּמָּא בַּעַל בְּעַמָּיו Lev. 21:4
15 וְלֹא־יְחַלֵּל זַרְעוֹ בְּעַמָּיו Lev. 21:15
מֵעַמָּיו 16 אִישׁ אֲשֶׁר יִרְקַח...וְנִכְרַת מֵעַמָּיו Ex. 30:33
17 אֲשֶׁר־יַעֲשֶׂה כָמוֹהוּ...וְנִכְרַת מֵעַמָּיו Ex. 30:38
18 וְנִכְרַת הָאִישׁ הַהוּא מֵעַמָּיו Lev. 17:9
19 כִּי אִם־בְּתוּלָה מֵעַמָּיו יִקַּח אִשָּׁה Lev. 21:14
עַמֶּיהָ 20 וְנִכְרְתָה הַנֶּפֶשׁ הַהִוא מִקֶּרֶב עַמֶּיהָ Ex. 31:14
מֵעַמֶּיהָ 21-26 וְנִכְרְתָה הַנֶּפֶשׁ הַהִוא מֵעַמֶּיהָ Gen. 17:14
Lev. 7:20, 21, 27; 19:8 • Num. 9:13
27 וְנִכְרְתָה הַנֶּפֶשׁ הָאֹכֶלֶת מֵעַמֶּיהָ Lev. 7:25
28 כִּי כָל־הַנֶּפֶשׁ...וְנִכְרְתָה מֵעַמֶּיהָ Lev. 23:29

עַם³ ז׳ ארמית, כמו בעברית עם: 1-15
– עַם אֻמָּה וְלִשָּׁן 1; עַם אָחֳרָן 3; עַם קַדִּישֵׁי עֶלְיוֹנִין 4
– עַמָּא יִשְׂרָאֵל 5; עַמְמַיָּא אֻמַּיָּא וְלִשָּׁנַיָּא 9-14
עַם 1 דִּי כָל־עַם אֻמָּה וְלִשָּׁן Dan. 3:29
וְעַם 2 יְמַגַּר כָּל־מֶלֶךְ וְעַם Ez. 6:12
לְעַם 3 לְעַם אָחֳרָן לָא תִשְׁתְּבִק Dan. 2:44
4 יְהִיבַת לְעַם קַדִּישֵׁי עֶלְיוֹנִין Dan. 7:27
עַמָּא 5 כָּל־מִתְנַדַּב...מִן־עַמָּא יִשְׂרָאֵל Ez. 7:13
6 עִם־הִתְנַדָּבוּת עַמָּא Ez. 7:16
7 דִּי־לֶהֱוֺן דָּאְנִין לְכָל־עַמָּא Ez. 7:25
וְעַמָּה 8 וְעַמָּה הַגְלִי לְבָבֶל Ez. 5:12
עַמְמַיָּא 9-14 עַמְמַיָּא אֻמַּיָּא וְלִשָּׁנַיָּא
Dan. 3:4, 7, 31; 5:19; 6:26; 7:14
15 כְּדִי שָׁמְעִין כָּל־עַמְמַיָּא Dan. 3:7

עִם מ״י א) יחד, בלוית, בחברת: 1-200, 442-455, 516-540, 562-581, 607-627, 641-701, 725-730, 744, 746-842, 902-923, 934-971, 990, 993-1013, 1038, 1042-1059, 1069-1073, 1076-1091
ב) אצל, ליד־: 201-220, 972-978, 1014-1020, 1039, 1040
ג) וְ־, גם, כזה כן זה: 221-259
ד) מ״י אחרי פעלים במשמעים שונים (אֶת־, אֶל־, בְּ־, בְּקֶרֶב, נֶגֶד וכד׳): 260-438, 456-470, 541-560, 582-604, 628-640, 702-724, 745, 843-901, 979-989, 1021-1037, 1060-1068, 1074, 1075
ה) בְּעֵת־, בְּתוֹךְ־: 439-441
ו) [מֵעִם, מֵעִמִּי, מֵעִמָּדִי, מֵעִמּוֹ וכד׳] מִן, מִמֶּנִּי, מִמֶּנּוּ, מרשותו של־: 472-515, 561, 605, 606, 731-743, 924-933, 991, 992, 1041
ז) [עִם זֶה] בכל זאת: 471

עִם (א) 1/2 לֹא יִירַשׁ...עִם־בְּנִי עִם־יִצְחָק Gen. 21:10
3 שְׁבוּ־לָכֶם פֹּה עִם־הַחֲמוֹר Gen. 22:5
4 הֲתֵלְכִי עִם־הָאִישׁ הַזֶּה Gen. 24:58
5 רָחֵל בִּתּוֹ בָּאָה עִם־הַצֹּאן Gen. 29:6
6 וְרָחֵל בָּאָה עִם־הַצֹּאן Gen. 29:9
7 עִם־לָבָן גַּרְתִּי Gen. 32:5
8 וְהַנַּעַר יַעַל עִם־אֶחָיו Gen. 44:33
9 וְשָׁכַבְתִּי עִם־אֲבֹתַי Gen. 47:30
10 לֶאֱכָל־לֶחֶם עִם־חֹתֵן מֹשֶׁה Ex. 18:12
11 כָּל־שֹׁכֵב עִם־בְּהֵמָה מוֹת יוּמָת Ex. 22:18
12 שִׁבְעַת יָמִים יִהְיֶה עִם־אִמּוֹ Ex. 22:29
13 אַל־תָּשֶׁת יָדְךָ עִם־רָשָׁע Ex. 23:1
14 וַיְהִי־שָׁם עִם־יְיָ אַרְבָּעִים יוֹם Ex. 34:28
15 וַיֵּלֶךְ עִם־שָׂרֵי מוֹאָב Num. 22:21
16 לֹא הָיָה...חֵלֶק וְנַחֲלָה עִם־אֶחָיו Deut. 10:9
17 הִנְּךָ שֹׁכֵב עִם־אֲבֹתֶיךָ Deut. 31:16
18/9 כַּאֲשֶׁר הָיִיתִי עִם־מֹשֶׁה Josh. 1:5; 3:7
20 כַּאֲשֶׁר הָיָה עִם־מֹשֶׁה Josh. 1:17
21 תָּמוֹת נַפְשִׁי עִם־פְּלִשְׁתִּים Jud. 16:30
22 כִּשְׁכַב אֲדֹנִי־הַמֶּלֶךְ עִם־אֲבֹתָיו IK. 1:21
23-58 וַיִּשְׁכַּב (שָׁכַב וְכ׳) עִם אֲבֹתָיו IK. 2:10
11:21, 43; 14:20, 31; 15:8, 24; 16:6, 28; 22:40, 51 • IIK. 8:24; 10:35; 13:9, 13; 14:16, 22, 29; 15:7, 22; 15:38; 16:20; 20:21; 21:18; 24:6 • IICh. 9:31; 12:16; 13:23; 16:13; 21:1; 26:2, 23; 27:9; 28:27; 32:33; 33:20
59-69 וַיִּקָּבֵר (וַיִּקְבְּרוּ אֹתוֹ) עִם־אֲבֹתָיו
IK. 14:31; 15:24; 22:51 • IIK. 8:24; 14:20; 15:7, 38; 16:20 • IICh. 21:1; 25:28; 26:23
70 וְגָר זְאֵב עִם־כֶּבֶשׂ Is. 11:6
71 וְנָמֵר עִם־גְּדִי יִרְבָּץ Is. 11:6
72 לֹא יִהְיֶה...זִכָּרוֹן עִם שֶׁיִּהְיוּ לָאַחֲרֹנָה Eccl. 1:11
73-200 עִם (א) Lev. 15:33 • Num. 22:8, 35², 39
Deut. 18:1; 22:22²; 27:20; 27:21, 22, 23 • Josh. 1:5, 17; 3:7; 11:21; 22:7, 8 • Jud. 2:18; 4:9; 5:15; 11:11; 16:3, 13; 19:19 • ISh. 2:8; 9:24; 10:11; 13:2²; 14:21²; 18:28; 20:5, 13; 22:17; 27:3; 29:2; 30:22 • IISh. 3:22; 8:11; 11:11, 13; 12:11; 13:24; 15:19, 31; 19:17, 38; 23:9 • IK. 1:8, 37²; 5:20; 8:57; 9:27; 10:22; 22:50 • IIK. 10:15; 11:9 • Is. 38:11 • Hosh. 4:14 • Zep. 1:4 • Ps. 26:4, 9; 83:8; 87:4; 106:6; 113:8²; 120:6 • Prov. 29:24; 31:23 • Job 3:14, 15; 9:26; 26:10; 30:1; 31:5; 34:8² • Ruth 2:6, 8, 21, 22 • Eccl. 4:15; 9:9 • Es. 2:6²; 5:12², 14; 7:1 • Ez. 1:4; 2:2 • Neh. 4:7; 7:7; 10:39; 12:1 • ICh. 4:23; 8:32; 9:25, 38; 11:10, 12(13); 12:19(20); 12:39(40); 18:11; 24:5; 25:7; 27:32; 28:1; 29:30 • IICh. 2:6, 7, 13; 8:18; 17:3; 19:7, 11; 20:35, 27; 21:3, 9; 22:7; 23:8; 36:10

עִם (ב) 201 וַיֵּשֶׁב יִצְחָק עִם־בְּאֵר לַחַי רֹאִי Gen. 25:11
202 תַּחַת הָאֵלָה אֲשֶׁר עִם־שְׁכֶם Gen. 35:4
203 הָעַי אֲשֶׁר עִם־בֵּית אָוֶן Josh. 7:2
204 עִם־הַגְּבוּל מוּל יָפוֹ Josh. 19:46
205 עִם־אֵלוֹן מֻצָּב אֲשֶׁר בִּשְׁכֶם Jud. 9:6
206 הֵמָּה עִם־בֵּית מִיכָה Jud. 18:3
207 אֲשֶׁר עִם־בֵּית מִיכָה Jud. 18:22

עִם (ב) (המשך) 208 הֵם עִם־יְבוּס וְהַיּוֹם רַד מְאֹד Jud. 19:11
209 עִם־אֲרוֹן בְּרִית הָאֱלֹהִים ISh. 4:4
210 וּמָצָאתָ...עִם־קְבֻרַת רָחֵל ISh. 10:2
211 בְּבַעַל חָצוֹר אֲשֶׁר עִם־אֶפְרָיִם IISh. 13:23
212 וְאָמֻת...עִם־קֶבֶר אָבִי וְאִמִּי... IISh. 19:38
213 הֵם עִם־הָאֶבֶן הַגְּדוֹלָה IISh. 20:8
214 וּמַלְאַךְ יְיָ הָיָה עִם־גֹּרֶן הָאֲרַוְנָה° IISh. 24:16
215 וַיִּזְבַּח...עִם אֶבֶן הַזֹּחֶלֶת IK. 1:9
216 שָׁכַנְתִּי עִם־אָהֳלֵי קֵדָר Ps. 120:5
217 וָאֹמַר עִם־קִנִּי אֶגְוָע Job 29:18
218 וַיֵּשֶׁב...עִם־בֵּית עֹבֵד אֱדֹם ICh. 13:14
219 ...עֹמֵד עִם־גֹּרֶן אָרְנָן ICh. 21:15
220 עִם שַׁעַר שַׁלֶּכֶת ICh. 26:16

עִם (ג) 221 הַאַף תִּסְפֶּה צַדִּיק עִם־רָשָׁע Gen. 18:23
222 לְהָמִית צַדִּיק עִם־רָשָׁע Gen. 18:25
223 וְלֹא־תֹאכַל הַנֶּפֶשׁ עִם־הַבָּשָׂר Deut. 12:23
224 וַחֲלֵב צֹאן עִם־חֵלֶב כָּרִים Deut. 32:14
225 יוֹנֵק עִם־אִישׁ שֵׂיבָה Deut. 32:25
226 אַדְמוֹנִי עִם־יְפֵה עֵינַיִם ISh. 16:12
227 וְאַדְמֹנִי עִם־יְפֵה מַרְאֶה ISh. 17:42
228 הַמַּלְבִּשְׁכֶם שָׁנִי עִם־עֲדָנִים IISh. 1:24
229 גַּאֲוָתוֹ עִם־אָרְבּוֹת יָדָיו Is. 25:11
230 זָקֵן עִם־מְלֵא יָמִים Jer. 6:11
231 תְּאֵנִים עִם־בִּכּוּרִים Nah. 3:12
232 כִּנּוֹר נָעִים עִם־נָבֶל Ps. 81:3
233 לְךָ זְרוֹעַ עִם־גְּבוּרָה Ps. 89:14
234 חַיּוֹת קְטַנּוֹת עִם־גְּדֹלוֹת Ps. 104:25
235 פַּרְדֵּס רִמּוֹנִים עִם פְּרִי מְגָדִים S.ofS. 4:13
236 כְּפָרִים עִם־נְרָדִים S.ofS. 4:13
237 טוֹבָה חָכְמָה עִם־נַחֲלָה Eccl. 7:11
238 מֵבִין עִם־תַּלְמִיד ICh. 25:8
239-259 עִם (ג) Deut. 32:14, 24
ISh. 17:42 • Is. 34:7 • Jer. 6:11; 51:40 • Am. 4:10 • Ps. 66:15²; 115:13; 120:4; 148:12 • S.ofS. 1:11; 4:14²; 5:1³ • Eccl. 4:16 • Dan. 11:8²

עִם (ד) 260 וַעֲשֵׂה־חֶסֶד עִם אֲדֹנִי Gen. 24:12
261 כִּי־עָשִׂיתָ חֶסֶד עִם־אֲדֹנִי Gen. 24:14
262 וַיָּרִיבוּ...עִם־רֹעֵי יִצְחָק Gen. 26:20
263 נִפְתַּלְתִּי עִם־אֲחֹתִי Gen. 30:8
264 פֶּן־תְּדַבֵּר עִם־יַעֲקֹב... Gen. 31:24
265 הִשָּׁמֶר לְךָ מִדַּבֵּר עִם־יַעֲקֹב... Gen. 31:29
266 עִם אֲשֶׁר תִּמְצָא אֶת־אֱלֹהֶיךָ... Gen. 31:32
267 כִּי־שָׂרִיתָ עִם־אֱלֹ׳ וְעִם־אֲנָשִׁים Gen. 32:28
268/9 וְאָנֹכִי אֶהְיֶה עִם־פִּיךָ Ex. 4:12, 15
270/1 וַיָּרֶב הָעָם עִם־מֹשֶׁה Ex. 17:2 • Num. 20:3
272 וַיִּלָּחֶם עִם־יִשְׂרָאֵל בִּרְפִידִם Ex. 17:8
273 וְדִבֶּר עִם־מֹשֶׁה Ex. 33:9
274 וְחִשַּׁב עִם־קֹנֵהוּ Lev. 25:50
275 וְיָדַעְתָּ עִם־לְבָבֶךָ... Deut. 8:5
276/7 מַמְרִים הֱיִיתֶם עִם־יְיָ Deut. 9:7, 24
278 פֶּן־יִהְיֶה דָבָר עִם־לְבָבְךָ Deut. 15:9
279 תָּמִים תִּהְיֶה עִם יְיָ אֱלֹהֶיךָ Deut. 18:13
280 לְהִלָּחֵם לָכֶם עִם־אֹיְבֵיכֶם Deut. 20:4
281 מַמְרִים הֱיִתֶם עִם־יְיָ Deut. 31:27
282 וּמִשְׁפָּטָיו עִם־יִשְׂרָאֵל Deut. 33:21
283 וַעֲשִׂיתֶם...עִם־בֵּית אָבִי חֶסֶד Josh. 2:12
284 לְהִלָּחֵם עִם־יְהוֹשֻׁעַ Josh. 9:2
285 וַיִּלָּחֶם עִם־לִבְנָה Josh. 10:29
286-307 לְהִלָּחֵם (וַיִּלָּחֶם, נִלְחַם וכו׳) עִם...
Josh. 11:5; 19:47 • Jud. 5:20; 11:4, 5, 20 • ISh. 13:5; 17:19, 32 • IK. 12:21, 24 • IIK. 13:12; 14:15 • Jer. 41:12 • Dan. 10:20; 11:11 • IICh. 11:1, 4; 13:12; 17:10; 20:29; 27:5

עִם (המשך)

308 כַּאֲשֶׁר עִם־לְבָבִי Josh. 14:7
309/10 וַיְהִי עִם לְבַב דָּוִ(י)ד אָבִי IK. 8:17 • IICh. 6:7
311-316 הָיָה עִם לְבָבְךָ (לְבָבָהּ) IK. 8:18²; 10:2 • IICh. 6:8²; 9:1
317 אֲנִי עִם־לְבָבִי לִבְנוֹת ICh. 28:2
318 הָיְתָה זֹאת עִם־לְבָבֶךָ IICh. 1:11
319 עִם־לְבָבִי לִכְרוֹת בְּרִית IICh. 29:10
320-438 עִם־ (ד) Jud. 8:35³; 9:16, 19; 11:25
18:7, 28; 20:14, 18, 20, 23, 28, 38 • ISh. 2:21, 26²; 9:25; 14:45; 15:6; 18:28; 20:13, 16; 22:8 • IISh. 2:5²; 3:8, 17; 10:2; 13:22; 21:4, 18, 19; 22:26², 27; 23:5 • IK. 1:7, 14, 22; 3:6; 8:9, 21, 61; 11:4; 15:3, 14; 20:26; 22:45 • IIK. 8:28; 9:28 • Is. 3:14 • Jer. 32:4 • Hosh. 2:20; 4:1; 9:8; 12:1, 2, 3 • Mic. 2:7; 6:2, 8 • Ps. 18:26²; 18:27; 28:1, 3²; 77:7; 88:5; 89:39; 94:16²; 106:5; 119:65, 124; 126:2; 130:7; 143:7 • Prov. 3:30; 24:21 • Job 5:23; 9:2; 16:21; 25:4; 27:11, 13; 33:29; 34:9; 40:2 • Ruth 1:8 • Eccl. 1:16; 6:10 • Es. 9:25 • Dan. 1:13; 10:17; 11:39 • ICh. 5:10, 19; 12:21(22); 13:1; 19:2, 6, 19; 20:4; 22:7(6) • IICh. 1:8, 9; 2:2; 5:10; 6:11; 9:21; 16:9; 22:8; 23:3; 24:4; 25:7, 24; 26:19; 32:3

עִם (ה)

439 יִירָאוּךָ עִם־שָׁמֶשׁ Ps. 72:5
440 עִם הֵעָלוֹת הַגּוֹלָה מִבָּבֶל Ez. 1:11
441 יָצְאוּ מֵעָיו עִם־חָלְיוֹ IICh. 21:19

וְעִם (א)

442 וְעִם־הָאֲמָהוֹת אֲשֶׁר אָמַרְתְּ... IISh. 6:22
443 וַתִּגְדַּל עִמּוֹ וְעִם־בָּנָיו IISh. 12:3
444 וְעִם־הַמֶּלֶךְ בִּירוּשָׁלָם IK. 10:26
445 וְעִם־הַקְּדֵשׁוֹת יְזַבֵּחוּ Hosh. 4:14
446 וְעִם נַעֲלָמִים לֹא אָבוֹא Ps. 26:4
447 וְעִם־רְשָׁעִים לֹא אֵשֵׁב Ps. 26:5
448 וְעִם־אַנְשֵׁי דָמִים חַיָּי Ps. 26:9
449 וְעִם־פֹּעֲלֵי אָוֶן Ps. 28:3
450 וְעִם מְנָאֲפִים חֶלְקֶךָ Ps. 50:18
451 וְעִם צַדִּיקִים אַל־יִכָּתֵבוּ Ps. 69:29
452 וְעִם־אָדָם לֹא יְנֻגָּעוּ Ps. 73:5
453 וְעִם־קָלוֹן חֶרְפָּה Prov. 18:3
454/5 וְעִם־הַמֶּלֶךְ בִּירוּשָׁלָם IICh. 1:14; 9:25

וְעִם (ד)

456 תַּעֲשֶׂה עִמָּדִי וְעִם־הָאָרֶץ Gen. 21:23
457 כִּי־שָׂרִיתָ...וְעִם־אֲנָשִׁים Gen. 32:28
458 אֶהְיֶה עִם־פִּיךָ וְעִם־פִּיהוּ Ex. 4:15
459 לְהִלָּחֵם עִם־יְהוֹשֻׁעַ וְעִם־יִשְׂרָאֵל Josh. 9:2
460/1 עֲשִׂיתֶם עִם...וְעִם־בֵּיתוֹ Jud. 9:16, 19
462 כֶּסֶף...עִם־שָׁאוּל וְעִם־בֵּיתוֹ IISh. 21:4
463 וְעִם־עִקֵּשׁ תִּתַּפָּל IISh. 22:27
464 וַיִּהְיוּ דְבָרָיו...וְעִם אֶבְיָתָר הַכֹּהֵן IK. 1:7
465 וְעִם־שְׁאוֹל עָשִׂינוּ חֹזֶה Is. 28:15
466 בְרִית...וְעִם־עוֹף הַשָּׁמַיִם Hosh. 2:20
467 וְעִם־קְדוֹשִׁים נֶאֱמָן Hosh. 12:1
468 וְעִם־יִשְׂרָאֵל יִתְוַכָּח Mic. 6:2
469 וְעִם־עִקֵּשׁ תִּתְפַּתָּל Ps. 18:27
470 עָשָׂה טוֹבָה...וְעִם־הָאֱלֹהִים וּבֵיתוֹ IICh. 24:16

וְעִם זֶה

471 וְעִם־זֶה לֶחֶם הַפֶּחָה לֹא בִקַּשְׁתִּי Neh. 5:18

מֵעִם (א)

472 לֹא־עָזַב חַסְדּוֹ...מֵעִם אֲדֹנִי Gen. 24:27
473 נָכוֹן הַדָּבָר מֵעִם הָאֱלֹהִים Gen. 41:32
474 וּלְקַחְתֶּם...מֵעִם פָּנַי Gen. 44:29
475 עָרַב אֶת־הַנַּעַר מֵעִם אָבִי Gen. 44:32
476 וַיּוֹצֵא יוֹסֵף אֹתָם מֵעִם בִּרְכָּיו Gen. 48:12
477 וַיֵּצֵא מֹשֶׁה וְאַהֲרֹן מֵעִם פַּרְעֹה Ex. 8:8
478-479 וַיֵּצֵא מֹשֶׁה מֵעִם פַּרְעֹה Ex. 8:26; 9:33
480 וַיִּפֶן וַיֵּצֵא מֵעִם פַּרְעֹה Ex. 10:6
481 וַיֵּצֵא מֵעִם פַּרְעֹה וַיֶּעְתַּר Ex. 10:18

מֵעִם (המשך)

482 וַיֵּצֵא מֵעִם־פַּרְעֹה בָּחֳרִי־אָף Ex. 11:8
483 מֵעִם מִזְבְּחִי תִּקָּחֶנּוּ לָמוּת Ex. 21:14
484 וְכִי־יִשְׁאַל אִישׁ מֵעִם רֵעֵהוּ Ex. 22:13
485 כְּכֹל אֲשֶׁר־שָׁאַלְתָּ מֵעִם יְיָ אֱלֹהֶיךָ Deut. 18:16
486 אֲשֶׁר־יִנָּצֵל אֵלֶיךָ מֵעִם אֲדֹנָיו Deut. 23:16
487 אֲשֶׁר לְבָבוֹ פֹנֶה הַיּוֹם מֵעִם יְיָ Deut. 29:17
488 יוֹרְדִים מֵעִם טַבּוּר הָאָרֶץ Jud. 9:37
489 לֹא־אַכְרִית לְךָ מֵעִם מִזְבְּחִי ISh. 2:33
490 לָלֶכֶת מֵעִם שְׁמוּאֵל ISh. 10:9
491 וְרוּחַ יְיָ סָרָה מֵעִם שָׁאוּל ISh. 16:14
492 כִּי־כָלְתָה הָרָעָה מֵעִם אָבִי ISh. 20:9
493 וְלֹא־תַכְרִית אֶת־חַסְדְּךָ מֵעִם בֵּיתִי ISh. 20:15
494 כִּי־כָלָה הִיא מֵעִם אָבִיו ISh. 20:33
495 וַיָּקָם יְהוֹנָתָן מֵעִם הַשֻּׁלְחָן ISh. 20:34
496 בָּא מִן־הַמַּחֲנֶה מֵעִם שָׁאוּל IISh. 1:2
497 וַיִּקָּחֶהָ מֵעִם אִישׁ IISh. 3:15
498 מֵעִם פַּלְטִיאֵל בֶּן־לָיִשׁ IISh. 3:15
499 וַיֵּצֵא יוֹאָב מֵעִם דָּוִד IISh. 3:26
500 נָקִי אָנֹכִי וּמַמְלַכְתִּי מֵעִם יְיָ IISh. 3:28
501 כַּאֲשֶׁר הֲסִרֹתִי מֵעִם שָׁאוּל IISh. 7:15
502 שָׁלוֹם עַד־עוֹלָם מֵעִם יְיָ IK. 2:33
503 כִּי־נָטָה לְבָבוֹ מֵעִם יְיָ IK. 11:9
504 כִּי־הָיְתָה סִבָּה מֵעִם יְיָ IK. 12:15
505 שְׁאַל־לְךָ אוֹת מֵעִם יְיָ אֱלֹהֶיךָ Is. 7:11
506 מֵעִם יְיָ צְבָאוֹת הַשֹּׁכֵן Is. 8:18
507 מֵעִם יְיָ צְבָאוֹת יָצָאָה Is. 28:29
508 מֵעִם יְיָ צְבָאוֹת תִּפָּקֵד Is. 29:6
509 עֶזְרִי מֵעִם יְיָ Ps. 121:2
510 וַיֵּצֵא הַשָּׂטָן מֵעִם פְּנֵי יְיָ Job 1:12
511 פָּרַץ נַחַל מֵעִם־גָּר Job 28:4
512 מֵעִם יְיָ אֱלֹהֵי יִשְׂרָאֵל Ruth 2:12
513 וְלֹא־יִכָּרֵת...מֵעִם אֶחָיו Ruth 4:10
514 כִּי־הָיְתָה נְסִבָּה מֵעִם הָאֱלֹהִים IICh. 10:15

וּמֵעִם

515 וּמֵעִם שָׁאוּל סָר ISh. 18:12

עִמִּי (א)

516/7 שִׁכְבָה עִמִּי Gen. 39:7, 12
518 בָּא אֵלַי לִשְׁכַּב עִמִּי Gen. 39:14
519 אֵת אֲשֶׁר־תִּשְׁלַח עִמִּי Ex. 33:12
520 וְאַחַי אֲשֶׁר עָלוּ עִמִּי Josh. 14:8
521 אִם־תֵּלְכִי עִמִּי וְהָלָכְתִּי Jud. 4:8
522 וְאִם־לֹא תֵלְכִי עִמִּי לֹא אֵלֵךְ Jud. 4:8
523 וַאֲכַלְתֶּם עִמִּי הַיּוֹם ISh. 9:19
524 וְשׁוּב עִמִּי וְאֶשְׁתַּחֲוֶה לַייָ ISh. 15:25
525 וְשׁוּב עִמִּי וְהִשְׁתַּחֲוֵיתִי ISh. 15:30
526 וּמָחָר אַתָּה וּבָנֶיךָ עִמִּי ISh. 28:19
527 יַעַן אֲשֶׁר לֹא־הָלְכוּ עִמִּי ISh. 30:22
528 בּוֹאִי שִׁכְבִי עִמִּי אֲחוֹתִי IISh. 13:11
529 לָמָּה לֹא־הָלַכְתָּ עִמִּי IISh. 19:26
530 לָמָּה תֵלַכְנָה עִמִּי Ruth 1:11
531 וְהָאֲנָשִׁים אֲשֶׁר הָיוּ עִמִּי Dan. 10:7
532 וָאֶקְבְּצָה...רָאשִׁים לַעֲלוֹת עִמִּי Ez. 7:28
533 וְאֵלֶּה...הָעֹלִים עִמִּי Ez. 8:1
534 וַיִּשְׁלַח עִמִּי הַמֶּלֶךְ Neh. 2:9
535 אֲנִי וַאֲנָשִׁים מְעַט עִמִּי Neh. 2:12
536 וּבְהֵמָה אֵין עִמִּי Neh. 2:12
537 וַאֲנִי וַחֲצִי הַסְּגָנִים עִמִּי Neh. 12:40
538 עִם־הַחֲכָמִים אֲשֶׁר עִמִּי IICh. 2:6
539 הֲתֵלֵךְ עִמִּי רָמֹת גִּלְעָד IICh. 18:3
540 חֲדַל־לְךָ מֵאֱלֹהִים אֲשֶׁר־עִמִּי IICh. 35:21

עִמִּי (ד)

541 וְאִם־תֵּלְכוּ עִמִּי קֶרִי Lev. 26:21
542/3 וַהֲלַכְתֶּם עִמִּי (בְּ)קֶרִי Lev. 26:23, 27
544 וְאַף אֲשֶׁר־הָלְכוּ עִמִּי בְּקֶרִי Lev. 26:40
545 מַה־יֹּסֵף יְיָ דַּבֵּר עִמִּי Num. 22:19

עִמִּי (המשך)

546 שָׁאַתָּה מְדַבֵּר עִמִּי Jud. 6:17
547 הָרָעָה...אֲשֶׁר־עָשִׂיתָ עִמִּי IISh. 13:16
548 כִּי מָה־אַתָּה חָסֵר עִמִּי IK. 11:22
549 וּבַלַּיְלָה שִׁירֹה עִמִּי Ps. 42:9
550 עֲשֵׂה־עִמִּי אוֹת לְטוֹבָה Ps. 86:17
551 חֲלִיפוֹת וְצָבָא עִמִּי Job 10:17
552 לִכְבּוֹשׁ אֶת־הַמַּלְכָּה עִמִּי בַּבָּיִת Es. 7:8
553 וּבְדַבְּרוֹ עִמִּי נִרְדַּמְתִּי Dan. 8:18
554 וַיָּבֶן וַיְדַבֵּר עִמִּי Dan. 9:22
555 וּבְדַבְּרוֹ עִמִּי אֶת־הַדָּבָר הַזֶּה Dan. 10:11
556 וּבְדַבְּרוֹ עִמִּי כַּדְּבָרִים הָאֵלֶּה Dan. 10:15
557 וּכְדַבְּרוֹ עִמִּי הִתְחַזַּקְתִּי Dan. 10:19
558 וְאֵין אֶחָד מִתְחַזֵּק עִמִּי Dan. 10:21
559 וְהָיְתָה יָדְךָ עִמִּי ICh. 4:10
560 כִּי־עָשָׂה אָבִיו עִמִּי חֶסֶד ICh. 19:2

מֵעִמִּי

561 פֶּן־תִּגְזֹל אֶת־בְּנוֹתֶיךָ מֵעִמִּי Gen. 31:31

עִמָּדִי (א)

562 הָאִשָּׁה אֲשֶׁר נָתַתָּה עִמָּדִי Gen. 3:12
563 אִם־יִהְיֶה אֱלֹהִים עִמָּדִי Gen. 28:20
564 הַכֶּר־לְךָ מָה עִמָּדִי Gen. 31:32
565/6 שְׁבָה עִמָּדִי • בראשית כט19 Jud. 17:10
567 בַּעֲבֹדָה אֲשֶׁר תַּעֲבֹד עִמָּדִי Gen. 29:27
568 וֵאלֹהֵי אָבִי הָיָה עִמָּדִי Gen. 31:5
569 וַיְהִי עִמָּדִי בַּדֶּרֶךְ אֲשֶׁר הָלָכְתִּי Gen. 35:3
570 וְאַתָּה פֹּה עֲמֹד עִמָּדִי Deut. 5:28
571 הֲלֹא־הוּא כָּמֻס עִמָּדִי Deut. 32:34
572 וְאֵין אֱלֹהִים עִמָּדִי Deut. 32:39
573 כִּי־אַתָּה עִמָּדִי Ps. 23:4
574 וְזִיז שָׂדַי עִמָּדִי Ps. 50:11
575 כִּי־בְרַבִּים הָיוּ עִמָּדִי Ps. 55:19
576 עֵינַי בְּנֶאֶמְנֵי־אֶרֶץ לָשֶׁבֶת עִמָּדִי Ps. 101:6
577 כִּי חִצֵּי שַׁדַּי עִמָּדִי Job 6:4
578 וְיָם אָמַר אֵין עִמָּדִי Job 28:14
579 בְּעוֹד שַׁדַּי עִמָּדִי Job 29:5
580 וְצוּר יָצוּק עִמָּדִי פַּלְגֵי־שָׁמֶן Job 29:6
581 כְּבוֹדִי חָדָשׁ עִמָּדִי Job 29:20

עִמָּדִי (ד)

582 חַסְדְּךָ אֲשֶׁר עָשִׂיתָ עִמָּדִי Gen. 19:19
583 מַעֲשִׂים...עָשִׂיתָ עִמָּדִי Gen. 20:9
584 זֶה חַסְדֵּךְ אֲשֶׁר תַּעֲשִׂי עִמָּדִי Gen. 20:13
585 כַּחֶסֶד אֲשֶׁר...תַּעֲשֶׂה עִמָּדִי Gen. 21:23
586 וְלֹא־נְתָנוֹ אֱלֹהִים לְהָרַע עִמָּדִי Gen. 31:7
587 וְעָשִׂיתָ־נָּא עִמָּדִי חָסֶד Gen. 40:14
588 וְעָשִׂיתָ עִמָּדִי חֶסֶד וֶאֱמֶת Gen. 47:29
589 מַה־תְּרִיבוּן עִמָּדִי Ex. 17:2
590 כִּי־גֵרִים וְתוֹשָׁבִים אַתֶּם עִמָּדִי Lev. 25:23
591 וְלֹא־תַעֲשֶׂה עִמָּדִי חֶסֶד יְיָ ISh. 20:14
592 כִּי־מִשְׁמֶרֶת אַתָּה עִמָּדִי ISh. 22:23
593 כַּאֲשֶׁר עָשָׂה אָבִיו עִמָּדִי IISh. 10:2
594 וְכִלְכַּלְתִּי אֹתְךָ עִמָּדִי IISh. 19:34
595 כִּי־לֹא־כֵן אָנֹכִי עִמָּדִי Job 9:35
596 חַיִּים וָחֶסֶד עָשִׂיתָ עִמָּדִי Job 10:12
597 וְתֶרֶב כַּעַשְׂךָ עִמָּדִי Job 10:17
598 מִי־הוּא יָרִיב עִמָּדִי Job 13:19
599 אַךְ־שְׁתַּיִם אַל־תַּעַשׂ עִמָּדִי Job 13:20
600 אִם־לֹא הֲתֻלִים עִמָּדִי Job 17:1
601 הַבְּרָב־כֹּחַ יָרִיב עִמָּדִי Job 23:6
602 כִּי־יָדַע דֶּרֶךְ עִמָּדִי Job 23:10
603 אִם־אֶמְאַס...בְּרִבָם עִמָּדִי Job 31:13

וְעִמָּדִי

604 כַּאֲשֶׁר עֲשִׂיתֶם עִם־הַמֵּתִים וְעִמָּדִי Ruth 1:8

מֵעִמָּדִי

605 בְּלֶכְתְּךָ הַיּוֹם מֵעִמָּדִי ISh. 10:2
606 נִשְׁאֹל נִשְׁאַל דָּוִד מֵעִמָּדִי ISh. 20:28

עִמְּךָ (א)

607 אֱלֹהִים עִמְּךָ בְּכֹל אֲשֶׁר... Gen. 21:22
608 וְאֶהְיֶה עִמְּךָ וַאֲבָרְכֶךָּ Gen. 26:3

עִמְּךָ (המשך)

609 אַצִּיגָה־נָּא עִמְּךָ מִן־הָעָם Gen. 33:15
610 אָנֹכִי אֵרֵד עִמְּךָ מִצְרַיְמָה Gen. 46:4
611 וְהָיָה עִמְּךָ עַד דְּרֹשׁ אָחִיךָ אֹתוֹ Deut. 22:2
612 עִמְּךָ יֵשֵׁב בְּקִרְבְּךָ Deut. 23:17
613 כִּי עִמְּךָ יְיָ אֱלֹהֶיךָ Josh. 1:9
614 קַח עִמְּךָ אֵת כָּל־עַם הַמִּלְחָמָה Josh. 8:1
615 וְלָקַחְתָּ עִמְּךָ עֲשֶׂרֶת אֲלָפִים אִישׁ Jud. 4:6
616 יְיָ עִמְּךָ גִּבּוֹר הֶחָיִל Jud. 6:12
617 הִנְנִי עִמְּךָ כִּלְבָבֶךָ ISh. 14:7
618 וְיִתֵּן יְיָ גַּם אֶת־יִשְׂרָאֵל עִמְּךָ ISh. 28:19
619 וָאֶהְיֶה עִמְּךָ בְּכֹל אֲשֶׁר הָלַכְתָּ IISh. 7:9
620 וַהֲלוֹא עִמְּךָ שָׁם צָדוֹק IISh. 15:35
621 וְהִנֵּה עִמְּךָ שִׁמְעִי בֶן־גֵּרָא IK. 2:8
622 אַל־תִּירָא כִּי עִמְּךָ־אָנִי Is. 41:10
623 וְכָשַׁל גַּם־נָבִיא עִמְּךָ לָיְלָה Hosh. 4:5
624 כִּי־עִמְּךָ מְקוֹר חַיִּים Ps. 36:10
625 וָאֶהְיֶה עִמְּךָ בְּכֹל אֲשֶׁר הָלַכְתָּ ICh. 17:8
626 וְאֵין עִמְּךָ לְהִתְיַצֵּב IICh. 20:6
627 אַל־יָבוֹא עִמְּךָ צְבָא יִשְׂרָאֵל IICh. 25:7

עִמְּךָ (ג)

628 כַּחֶסֶד אֲשֶׁר־עָשִׂיתִי עִמְּךָ... Gen. 21:23
629 וְכַאֲשֶׁר עָשִׂינוּ עִמְּךָ רַק־טוֹב Gen. 26:29
630 וְיָרַדְתִּי וְדִבַּרְתִּי עִמְּךָ שָׁם Num. 11:17
631 וְעָשְׂתָה עִמְּךָ מִלְחָמָה Deut. 20:12
632 אֲשֶׁר־הִוא עֹשָׂה עִמְּךָ מִלְחָמָה Deut. 20:20
633 אֲשֶׁר יְיָ אֱלֹהֶיךָ כֹּרֵת עִמְּךָ Deut. 29:11
634 וְעָשִׂינוּ עִמְּךָ חָסֶד Jud. 1:24
635 עָשֹׂה אֶעֱשֶׂה עִמְּךָ חֶסֶד IISh. 9:7
636 כִּי־עִמְּךָ הַסְּלִיחָה Ps. 130:4
637 יָבוֹא עִמְּךָ בַּמִּשְׁפָּט Job 22:4
638 אֵין עִמְּךָ לַעְזוֹר... IICh. 14:10
639 אַל־יַעְצֹר עִמְּךָ אֱנוֹשׁ IICh. 14:10
640 כִּי מֵעַתָּה יֵשׁ עִמְּךָ מִלְחָמוֹת IICh. 16:9

עִמָּךְ ז׳(א)

641 רָאוֹ רָאִינוּ כִּי־הָיָה יְיָ עִמָּךְ Gen. 26:28
642 וְהִנֵּה אָנֹכִי עִמָּךְ Gen. 28:15
643 הֲלֹא בְרָחֵל עָבַדְתִּי עִמָּךְ Gen. 29:25
644 וְאֶהְיֶה עִמָּךְ Gen. 31:3
645 זֶה עֶשְׂרִים שָׁנָה אָנֹכִי עִמָּךְ Gen. 31:38
646 כִּי־אֶהְיֶה עִמָּךְ Ex. 3:12
647 גַּם־הָעָם הַזֶּה אֲשֶׁר עִמָּךְ Ex. 18:18
648 וִיהִי אֱלֹהִים עִמָּךְ Ex. 18:19
649 וְעָלִיתָ אַתָּה וְאַהֲרֹן עִמָּךְ Ex. 19:24
650 אִם־כֶּסֶף תַּלְוֶה...אֶת־הֶעָנִי עִמָּךְ Ex. 22:24
651 וְאִישׁ לֹא־יַעֲלֶה עִמָּךְ Ex. 34:3
652 וְלִשְׂכִירְךָ וּלְתוֹשָׁבְךָ הַגָּרִים עִמָּךְ Lev. 25:6
653 גֵּר וְתוֹשָׁב וָחַי עִמָּךְ Lev. 25:35
654 וְחֵי אָחִיךָ עִמָּךְ Lev. 25:36
655 כְּשָׂכִיר כְּתוֹשָׁב יִהְיֶה עִמָּךְ Lev. 25:40
656 וְהִתְיַצְּבוּ שָׁם עִמָּךְ Num. 11:16
657 מִי הָאֲנָשִׁים הָאֵלֶּה עִמָּךְ Num. 22:9
658 יְיָ אֱלֹהֶיךָ עִמָּךְ Deut. 2:7
659/60 אֵין(־)לוֹ חֵלֶק וְנַחֲלָה עִמָּךְ Deut. 14:27, 29
661 כִּי־טוֹב לוֹ עִמָּךְ Deut. 15:16
662 כִּי־יְיָ אֱלֹהֶיךָ עִמָּךְ Deut. 20:1
663 יְיָ אֱלֹהֶיךָ הוּא הַהֹלֵךְ עִמָּךְ Deut. 31:6
664 הוּא יִהְיֶה עִמָּךְ Deut. 31:8
665 וְאָנֹכִי אֶהְיֶה עִמָּךְ Deut. 31:23
666/7 כַּאֲשֶׁר הָיִיתִי...אֶהְיֶה עִמָּךְ Josh. 1:5; 3:7
668 רַק יִהְיֶה יְיָ אֱלֹהֶיךָ עִמָּךְ Josh. 1:17
669 הָלֹךְ אֵלֵךְ עִמָּךְ Jud. 4:9
670 כִּי אֶהְיֶה עִמָּךְ Jud. 6:16
671 זֶה לֹא־יֵלֵךְ עִמָּךְ Jud. 7:4
672 וְלָנוּ לֹא קָרָאתָ לָלֶכֶת עִמָּךְ Jud. 12:1

עִמָּךְ (המשך)

673 שִׂים אֹתָהּ עִמָּךְ ISh. 9:23
674 כִּי הָאֱלֹהִים עִמָּךְ ISh. 10:7
675 לֹא אָשׁוּב עִמָּךְ ISh. 15:26
676 וַיְיָ יִהְיֶה עִמָּךְ ISh. 17:37
677 וִיהִי יְיָ עִמָּךְ ISh. 20:13
678 אֲנִי אֵרֵד עִמָּךְ ISh. 26:6
679 יֵשֵׁב עַבְדְּךָ...עִמָּךְ ISh. 27:5
680 וְהִנֵּה יָדִי עִמָּךְ IISh. 3:12
681 כִּי יְיָ עִמָּךְ IISh. 7:3
682 לָמָּה יֵלֵךְ עִמָּךְ IISh. 13:26
683 וַיְיָ אֱלֹהֶיךָ יְהִי עִמָּךְ IISh. 14:17
684 וְהָשֵׁב אֶת־אַחֶיךָ עִמָּךְ IISh. 15:20
685 וְהָיִיתִי עִמָּךְ וּבָנִיתִי לְךָ בַיִת IK. 11:38
686 לֹא אָבֹא עִמָּךְ IK. 13:8
687 וְנָפַלְתָּה אַתָּה וִיהוּדָה עִמָּךְ IIK. 14:10
688 וְאָמַר...הַעוֹד עִמָּךְ Am. 6:10
689 כָּל־קְדֹשִׁים עִמָּךְ Zech. 14:5
690 כִּי גֵר אָנֹכִי עִמָּךְ Ps. 39:13
691 בְּהֵמוֹת הָיִיתִי עִמָּךְ Ps. 73:22
692 וַאֲנִי תָמִיד עִמָּךְ Ps. 73:23
693 הֱקִיצֹתִי וְעוֹדִי עִמָּךְ Ps. 139:18
694 וְאֶת־רֵעֶיךָ עִמָּךְ Job 35:4
695 עָלֶיךָ הַדָּבָר וַאֲנַחְנוּ עִמָּךְ Ez. 10:4
696 כִּי הָאֱלֹהִים עִמָּךְ ICh. 17:2
697 יְהִי יְיָ עִמָּךְ ICh. 22:11(10)
698 וִיהִי יְיָ עִמָּךְ ICh. 22:16(15)
699 כִּי יְיָ אֱלֹהִים אֱלֹהַי עִמָּךְ ICh. 28:20
700 דְּבָרִים טוֹבִים נִמְצְאוּ עִמָּךְ IICh. 19:3
701 וְנָפַלְתָּ אַתָּה וִיהוּדָה עִמָּךְ IICh. 25:19

עִמָּךְ (ד)

702 וְנִכְרְתָה בְרִית עִמָּךְ Gen. 26:28
703 וְאֵיטִיבָה עִמָּךְ Gen. 32:9
704 הֵיטֵב אֵיטִיב עִמָּךְ Gen. 32:12
705 יִשְׁמַע הָעָם בְּדַבְּרִי עִמָּךְ Ex. 19:9
706 אֲשֶׁר אֲנִי עֹשֶׂה עִמָּךְ Ex. 34:10
707 וּמָטָה יָדוֹ עִמָּךְ וְהֶחֱזַקְתָּ בּוֹ Lev. 25:35
708 וְכִי־יָמוּךְ אָחִיךָ עִמָּךְ Lev. 25:39
709 עַד־שְׁנַת הַיֹּבֵל יַעֲבֹד עִמָּךְ Lev. 25:40
710 וְכִי תַשִּׂיג יַד גֵּר וְתוֹשָׁב עִמָּךְ Lev. 25:47
711 וְנִמְכַּר לְגֵר תּוֹשָׁב עִמָּךְ Lev. 25:47
712 וְאִם־לֹא תַשְׁלִים עִמָּךְ Deut. 20:12
713 בִּבְרִית יְיָ הֵבֵאתָ...עִמָּךְ ISh. 20:8
714 וּבְיִשְׁרַת לֵבָב עִמָּךְ IK. 3:6
715 יַעַן אֲשֶׁר הָיְתָה־זֹּאת עִמָּךְ IK. 11:11
716 וְלִבּוֹ בַּל־עִמָּךְ Prov. 23:7
717 יָדַעְתִּי כִּי־זֹאת עִמָּךְ Job 10:13
718 וְיִפְתַּח שְׂפָתָיו עִמָּךְ Job 11:5
719 וְאֹתִי תָבִיא בְמִשְׁפָּט עִמָּךְ Job 14:3
720 וְדָבָר לָאַט עִמָּךְ Job 15:11
721 שִׂימָה־נָּא עָרְבֵנִי עִמָּךְ Job 17:3
722 תְּמִים דֵּעוֹת עִמָּךְ Job 36:4
723 בְּהֵמוֹת אֲשֶׁר־עָשִׂיתִי עִמָּךְ Job 40:15
724 הֲיִכְרֹת בְּרִית עִמָּךְ Job 40:28

עִמְּכָה

725 אֲנִי הָאִשָּׁה הַנִּצֶּבֶת עִמְּכָה בָּזֶה ISh. 1:26

וְעִמְּךָ

726 וְעִמְּךָ לֹא־חָפַצְתִּי בָאָרֶץ Ps. 73:25
727 לְךָ דָוִיד וְעִמְּךָ בֶן־יִשַׁי ICh. 12:19(18)
728 וְעִמְּךָ לָרֹב עֹשֵׂי מְלָאכָה ICh. 22:15(14)
729 וְעִמְּךָ בְכָל־מְלָאכָה ICh. 28:21
730 וּכְעַמְּךָ עַמִּי וְעִמְּךָ בַּמִּלְחָמָה IICh. 18:3

מֵעִמְּךָ

731 לִקְנוֹת מֵעִמְּךָ אֶת־הַגֹּרֶן IISh. 24:21
732 לִדְרֹשׁ דָּבָר מֵעִמְּךָ IK. 14:5

מֵעִמָּךְ ז׳

733 הִנֵּה אָנֹכִי יוֹצֵא מֵעִמָּךְ Ex. 8:25
734 וְיָצָא מֵעִמָּךְ הוּא וּבָנָיו עִמּוֹ Lev. 25:41

מֵעִמָּךְ (המשך)

735 מָה יְיָ אֱלֹהֶיךָ שֹׁאֵל מֵעִמָּךְ Deut. 10:12
736/7 תְּשַׁלְּחֶנּוּ חָפְשִׁי מֵעִמָּךְ Deut. 15:12, 13
738 לֹא אֵצֵא מֵעִמָּךְ Deut. 15:16
739 בְּשַׁלֵּחֲךָ אֹתוֹ חָפְשִׁי מֵעִמָּךְ Deut. 15:18
740 דָּרֹשׁ יִדְרְשֶׁנּוּ יְיָ אֱלֹהֶיךָ מֵעִמָּךְ Deut. 23:22
741 בְּטֶרֶם אֶלָּקַח מֵעִמָּךְ IIK. 2:9
742 וְשִׁלַּחְתּוֹ חָפְשִׁי מֵעִמָּךְ Jer. 34:14

הֲמֵעִמְּךָ

743 הֲמֵעִמְּךָ יְשַׁלְּמֶנָּה Job 34:33

עִמָּךְ נ׳

744 לָכֵן יִשְׁכַּב עִמָּךְ הַלַּיְלָה Gen. 30:15
745 וְעָשִׂינוּ עִמָּךְ חֶסֶד וֶאֱמֶת Josh. 2:14
746 הַאֲמִינוֹן אָחִיךְ הָיָה עִמָּךְ IISh. 13:20
747 אָנָה פָּנָה דוֹדֵךְ וּנְבַקְשֶׁנּוּ עִמָּךְ S.ofS. 6:1

עִמּוֹ (א)

748 וַיַּעַל...וְלוֹט עִמּוֹ הַנֶּגְבָּה Gen. 13:1
749 וּשְׁתֵּי בְנֹתָיו עִמּוֹ Gen. 19:30
750 וְנִשְׁכְּבָה עִמּוֹ Gen. 19:32
751 וּבֹאִי שִׁכְבִי עִמּוֹ Gen. 19:34
752 וַתָּקָם הַצְּעִירָה וַתִּשְׁכַּב עִמּוֹ Gen. 19:35
753 הוּא וְהָאֲנָשִׁים אֲשֶׁר־עִמּוֹ Gen. 24:54
754 וְיָשַׁבְתָּ עִמּוֹ יָמִים אֲחָדִים Gen. 27:44
755 וַיֵּשֶׁב עִמּוֹ חֹדֶשׁ יָמִים Gen. 29:14
756 וַיִּקַּח אֶת־אֶחָיו עִמּוֹ Gen. 31:23
757 וְאַרְבַּע־מֵאוֹת אִישׁ עִמּוֹ Gen. 32:6
758 וְאֶל כָּל־אֲשֶׁר עִמּוֹ Gen. 35:2
759 הוּא וְכָל־הָעָם אֲשֶׁר־עִמּוֹ Gen. 35:6
760 וַיִּשְׁתּוּ וַיִּשְׁכְּרוּ עִמּוֹ Gen. 43:34
761 וַיִּקַּח אֶת־שְׁנֵי בָנָיו עִמּוֹ Gen. 48:1
762 וַיַּעַל עִמּוֹ גַּם־רֶכֶב גַּם־פָּרָשִׁים Gen. 50:9
763 וַיִּקַּח...אֶת־עַצְמוֹת יוֹסֵף עִמּוֹ Ex. 13:19
764 ...וְאֶת־עַמּוֹ לָקַח עִמּוֹ Ex. 14:6
765 וְיָצְאָה אִשְׁתּוֹ עִמּוֹ Ex. 21:3
766 בְּעָלָיו אֵין־עִמּוֹ שַׁלֵּם יְשַׁלֵּם Ex. 22:13
767 אִם־בְּעָלָיו עִמּוֹ לֹא יְשַׁלֵּם Ex. 22:14
768 וְהָעָם לֹא יַעֲלוּ עִמּוֹ Ex. 24:2
769 וַיִּתְיַצֵּב עִמּוֹ שָׁם Ex. 34:5
770-771 הוּא וּבָנָיו עִמּוֹ Lev. 25:41, 54
772 וְהָאֲנָשִׁים אֲשֶׁר עָלוּ עִמּוֹ Num. 13:31
773 וּשְׁנֵי נְעָרָיו עִמּוֹ Num. 22:22
774 יְיָ אֱלֹהָיו עִמּוֹ Num. 23:21
775 וַיַּעַל יְהוֹשֻׁעַ וְכָל־יִשְׂרָאֵל עִמּוֹ Josh. 10:36
776 יְיָ אֱלֹהָיו עִמּוֹ וְיָעַל IICh. 36:23
777-842 עִמּוֹ (א) Josh. 7:24; 10:7, 15, 29, 31; 10:34, 38, 43; 11:7; 13:8; 22:14 • Jud. 3:27; 9:34; 9:44, 48; 11:3; 19:3, 10 • ISh. 3:19; 9:5; 10:26; 13:15; 14:2; 15:6; 16:18; 17:26; 18:12, 14; 20:35; 22:2, 4; 27:2; 28:8; 31:5 • IISh. 2:3; 5:10; 10:13; 11:1; 12:3; 18:24; 19:18, 41, 42; 21:15 • IK. 8:62, 65; 16:17 • IIK. 8:21; 18:7 • Ps. 91:15 • Job 37:18; 42:11 • ICh. 9:20; 11:9; 19:14; 21:20 • IICh. 1:1, 3; 7:8; 12:1, 3; 14:12; 15:9; 18:2; 21:9; 32:7

עִמּוֹ (ד)

843 כִּי הִתְעַשְּׂקוּ עִמּוֹ Gen. 26:20
844 וַיַּעֲבֹד עִמּוֹ עוֹד שֶׁבַע־שָׁנִים Gen. 29:30
845 אֵינֶנּוּ עִמּוֹ כִּתְמוֹל שִׁלְשׁוֹם Gen. 31:2
846 וַיֵּאָבֵק אִישׁ עִמּוֹ Gen. 32:24
847 וַתֵּקַע כַּף־יֶרֶךְ...בְּהֵאָבְקוֹ עִמּוֹ Gen. 32:25
848 עָזֹב תַּעֲזֹב עִמּוֹ Ex. 23:5
849 וּמָךְ אָחִיךָ עִמּוֹ Lev. 25:47
850 כִּימֵי שָׂכִיר יִהְיֶה עִמּוֹ Lev. 25:50
851 כִּשְׂכִיר שָׁנָה בְּשָׁנָה יִהְיֶה עִמּוֹ Lev. 25:53
852 עֵקֶב הָיְתָה רוּחַ אַחֶרֶת עִמּוֹ Num. 14:24
853 וְהָיְתָה עִמּוֹ וְקָרָא בוֹ Deut. 17:19
854 הָקֵם תָּקִים עִמּוֹ Deut. 22:4
855 וְאֵין עִמּוֹ אֵל נֵכָר Deut. 32:12

עִמּוֹ (המשך)
856 וַתַּעַל עִמּוֹ דְּבוֹרָה Jud.4:10
857 לֹא תוּכַל לָלֶכֶת...לְהִלָּחֵם עִמּוֹ ISh.17:33
858 נָבָל שְׁמוֹ וּנְבָלָה עִמּוֹ ISh.25:25
859 וְאֶעֱשֶׂה עִמּוֹ חֶסֶד בַּעֲבוּר יְהוֹנָתָן IISh.9:1
860 וְאֶעֱשֶׂה עִמּוֹ חֶסֶד אֱלֹהִים IISh.9:3
861 וַיִּלָּחֲמוּ עִמּוֹ IISh.10:17
862 יְהִי אֱלֹהָיו עִמּוֹ וְיַעַל Ez.1:3
863-901 עִמּוֹ (ד) Jer.39:12
Am.2:3 • Ps.18:24; 50:18; 78:37; 89:22,25; 130:7 • Prov.30:31 • Job 9:3,14; 12:13,16; 22:21; 23:7, 14; 25:2 • Ruth 2:19² • Es.6:3,14 • Dan.11:11; 11:17,40: • Neh.9:8 • ICh.11:10; 19:17; 28:12 • IICh.9:1; 13:3; 14:5; 15:2; 16:10; 20:36; 23:1; 24:22; 25:13; 32:8,9

וְעִמּוֹ
902 וְעִמּוֹ אַרְבַּע מֵאוֹת אִישׁ Gen.33:1
903 וְעִמּוֹ צֶמֶד חֲמוֹרִים Jud.19:10
904 וְעִמּוֹ חֲמִשִּׁים אִישׁ IIK.15:25
905 וְעִמּוֹ עַל־עָפָר תִּשְׁכָּב Job 20:11
906 וְעִמּוֹ הִתְיַחֵשׂ לִזְכָרִים מֵאָה... Ez.8:3
907 וְעִמּוֹ מָאתַיִם הַזְּכָרִים Ez.8:4
908 וְעִמּוֹ שְׁלֹשׁ מֵאוֹת הַזְּכָרִים Ez.8:5
909-923 וְעִמּוֹ Ez.8:6,7,8,9,10,11,12; 8:33 • ICh.12:28; 17:14 • IICh.17:15,16,17,18; 26:17

מֵעִמּוֹ
924 אַחֲרֵי הִפָּרֶד־לוֹט מֵעִמּוֹ Gen.13:14
925 וְאִם־גָּנֹב יִגָּנֵב מֵעִמּוֹ Ex.22:11
926 אָנֹכִי אֶדְרֹשׁ מֵעִמּוֹ Deut.18:19
927 אֲשֶׁר שָׁאַלְתְּ מֵעִמּוֹ ISh.1:17
928 אֲשֶׁר שָׁאַלְתִּי מֵעִמּוֹ ISh.1:27
929 וַיְסִרֵהוּ שָׁאוּל מֵעִמּוֹ ISh.18:13
930 כִּי־כָלְתָה הָרָעָה מֵעִמּוֹ ISh.20:7
931 וְחַסְדִּי לֹא־אָפִיר מֵעִמּוֹ Ps.89:34
932 וְחַסְדִּי לֹא־אָסִיר מֵעִמּוֹ ICh.17:13
933 כִּי־עִמָּנוּ רַב מֵעִמּוֹ IICh.32:7

עִמָּהּ (א)
934 וַתִּתֵּן גַּם־לְאִישָׁהּ עִמָּהּ Gen.3:6
935 וַיִּשְׁכַּב עִמָּהּ בַּלַּיְלָה הוּא Gen.30:16
936 לִשְׁכַּב אֶצְלָהּ לִהְיוֹת עִמָּהּ Gen.39:10
937 וְאִשְׁתְּךָ וּשְׁנֵי בָנֶיהָ עִמָּהּ Ex.18:6
938 וָאֵלֵד עִמָּהּ בַּבָּיִת IK.3:17
939 אֲשֶׁר־אֲנִי מִתְגּוֹרֵר עִמָּהּ IK.17:20
940 וְלֹא־יוֹסִף עֶצֶב עִמָּהּ Prov.10:22
941 וּשְׁתֵּי כַלֹּתֶיהָ עִמָּהּ Ruth 1:7
942 וְרוּת הַמּוֹאֲבִיָּה...עִמָּהּ Ruth 1:22
943 יִנָּתֵן לָהּ לָבוֹא עִמָּהּ Es.2:13
944-952 עִמָּהּ Ex.22:15
Deut.22:23,25,28,29 • Jud.13:9 • ISh.1:24 • IISh.11:4; 12:24

עִמָּנוּ (א)
953 אֵין אִישׁ עִמָּנוּ Gen.31:50
954 וְגַם־מִקְנֵנוּ יֵלֵךְ עִמָּנוּ Ex.10:26
955 הֲלוֹא בְּלֶכְתְּךָ עִמָּנוּ Ex.33:16
956 וְהָיָה כִּי־תֵלֵךְ עִמָּנוּ Num.10:32
957 מֵאֵן בִּלְעָם הֲלֹךְ עִמָּנוּ Num.22:14
958 אֲשֶׁר יֶשְׁנוֹ פֹּה עִמָּנוּ עֹמֵד הַיּוֹם Deut.29:14
959 וְאֵת אֲשֶׁר אֵינֶנּוּ פֹּה עִמָּנוּ הַיּוֹם Deut.29:14
960 וְיֵשׁ יְיָ עִמָּנוּ Jud.6:13
961 וְהָלַכְתָּ עִמָּנוּ וְנִלְחַמְתָּ Jud.11:8
962 שִׂים־יָדְךָ עַל־פִּיךָ וְלֵךְ עִמָּנוּ Jud.18:19
963 הָרֹעִים אֲשֶׁר־לְךָ הָיוּ עִמָּנוּ ISh.25:7
964 וְלֹא־יֵרֵד עִמָּנוּ בַּמִּלְחָמָה ISh.29:4
965 לֹא־יַעֲלֶה עִמָּנוּ בַּמִּלְחָמָה ISh.29:9
966 וְהַיּוֹם אֲנִיעֲךָ° עִמָּנוּ לָלֶכֶת IISh.15:20
967 יְהִי יְיָ אֱלֹהֵינוּ עִמָּנוּ IK.8:57
968 עִמָּנוּ אֵל Is.8:8
969 כִּי עִמָּנוּ אֵל Is.8:10
970/1 יְיָ צְבָאוֹת עִמָּנוּ Ps.46:8,12

עִמָּנוּ (ב)
972 גַּם־מִסְפּוֹא רַב עִמָּנוּ Gen.24:25
973 לֹא־יֵשֵׁב אֲרוֹן...עִמָּנוּ ISh.5:7
974/5 הֲלֹ(וֹ)א דָוִד מִסְתַּתֵּר עִמָּנוּ ISh.23:19 • Ps.54:2
976 מַה...תָּבִין וְלֹא־עִמָּנוּ הוּא Job 15:9
977 וְהִנֵּה עִמָּנוּ בָרֹאשׁ הָאֱלֹהִים IICh.13:12
978 כִּי־עִמָּנוּ רַב מֵעִמּוֹ IICh.32:7

עִמָּנוּ (ד)
979 אִם־תַּעֲשֵׂה עִמָּנוּ רָעָה Gen.26:29
980 דַּבֵּר־אַתָּה עִמָּנוּ וְנִשְׁמָעָה Ex.20:16
981 וְאַל־יְדַבֵּר עִמָּנוּ אֱלֹהִים Ex.20:16
982 אֲשֶׁר יֵיטִיב יְיָ עִמָּנוּ Num.10:32
983 יְיָ אֱלֹהֵינוּ כָּרַת עִמָּנוּ בְּרִית Deut.5:2
984 אֲשֶׁר דִּבֶּר עִמָּנוּ Josh.24:27
985 אַל־תַּשְׁמַע קוֹלְךָ עִמָּנוּ Jud.18:25
986 וְאַל־תְּדַבֵּר עִמָּנוּ יְהוּדִית IIK.18:26
987 וְשָׁם יְדַבֵּר עִמָּנוּ Hosh.12:5
988 וְהָפֵר כַּעַסְךָ עִמָּנוּ Ps.85:5
989 הִגְדִּיל יְיָ לַעֲשׂוֹת עִמָּנוּ Ps.126:3

וְעִמָּנוּ
990 וְעִמָּנוּ יְיָ אֱלֹהֵינוּ לְעָזְרֵנוּ IICh.32:8

מֵעִמָּנוּ
991 וַיֹּאמֶר אֲבִימֶלֶךְ...לֵךְ מֵעִמָּנוּ Gen.26:16
992 מִי הָלַךְ מֵעִמָּנוּ ISh.14:17

עִמָּכֶם (א)
993 לֹא־יֵרֵד בְּנִי עִמָּכֶם Gen.42:38
994 וְהָיָה אֱלֹהִים עִמָּכֶם Gen.48:21
995 יְהִי כֵן יְיָ עִמָּכֶם Ex.10:10
996 גַּם־טַפְּכֶם יֵלֵךְ עִמָּכֶם Ex.10:24
997 וְהִנֵּה אַהֲרֹן וְחוּר עִמָּכֶם Ex.24:14
998 וְלֹא־יִהְיֶה יְיָ עִמָּכֶם Num.14:43
999 מֵאֵן יְיָ לְתִתִּי לַהֲלֹךְ עִמָּכֶם Num.22:13
1000 כִּי יְיָ אֱלֹהֵיכֶם הַהֹלֵךְ עִמָּכֶם Deut.20:4
1001 לֹא אוֹסִיף לִהְיוֹת עִמָּכֶם Josh.7:12
1002 יָצֹא אֵצֵא גַּם־אֲנִי עִמָּכֶם IISh.18:2
1003 קְחוּ עִמָּכֶם אֶת־עַבְדֵי אֲדֹנֵיכֶם IK.1:33
1004 פֶּן־יֶשׁ־פֹּה עִמָּכֶם מֵעַבְדֵי יְיָ IIK.10:23
1005 לֶאֱכֹל...וְלִשְׁתּוֹת...עִמָּכֶם IIK.18:27
1006 וְלִשְׁתּוֹת אֶת־מֵימֵי רַגְלֵיהֶם עִמָּכֶם Is.36:12
1007 לֵאמֹר נֵלְכָה עִמָּכֶם Zech.8:23
1008 כִּי שָׁמַעְנוּ אֱלֹהִים עִמָּכֶם Zech.8:23
1009 וַיֹּאמֶר לַקּוֹצְרִים יְיָ עִמָּכֶם Ruth 2:4
1010 וַיֹּאמְרוּ לָהֶם נִבְנֶה עִמָּכֶם Ez.4:2
1011 הֲלֹא יְיָ אֱלֹהֵיכֶם עִמָּכֶם ICh.22:18
1012 יְיָ עִמָּכֶם בִּהְיוֹתְכֶם עִמּוֹ IICh.15:2
1013 וַייָ עִמָּכֶם IICh.20:17

עִמָּכֶם (ג)
1014 גֵּר־וְתוֹשָׁב אָנֹכִי עִמָּכֶם Gen.23:4
1015 תְּנוּ לִי אֲחֻזַּת־קֶבֶר עִמָּכֶם Gen.23:4
1016 מִבְּנֵי הַתּוֹשָׁבִים הַגָּרִים עִמָּכֶם Lev.25:45
1017 וּמִמִּשְׁפַּחְתָּם אֲשֶׁר עִמָּכֶם Lev.25:45
1018 הֵן בְּעוֹדֶנִּי חַי עִמָּכֶם Deut.31:27
1019 קְחוּ עִמָּכֶם דְּבָרִים Hosh.14:3
1020 עִמָּכֶם אֲשָׁמוֹת לַייָ אֱלֹהֵיכֶם IICh.28:10

עִמָּכֶם (ד)
1021 לַעֲשׂוֹת עִמָּכֶם רָע Gen.31:29
1022 כִּי מִן־הַשָּׁמַיִם דִּבַּרְתִּי עִמָּכֶם Ex.20:19
1023 אֲשֶׁר כָּרַת יְיָ עִמָּכֶם Ex.24:8
1024 וְהָלַכְתִּי אַף־אֲנִי עִמָּכֶם בְּקֶרִי Lev.26:24
1025 וְהָלַכְתִּי עִמָּכֶם בַּחֲמַת־קֶרִי Lev.26:28
1026 אֲשֶׁר כָּרַת עִמָּכֶם Deut.4:23
1027 פָּנִים בְּפָנִים דִּבֶּר יְיָ עִמָּכֶם Deut.5:4
1028 אֲשֶׁר־כָּרַת יְיָ עִמָּכֶם Deut.9:9
1029 אֲשֶׁר דִּבֶּר יְיָ עִמָּכֶם Deut.9:10
1030 כִּי־עָשִׂיתִי עִמָּכֶם חָסֶד Josh.2:12
1031 וְהַעֲבַרְתֶּם אוֹתָם עִמָּכֶם Josh.4:3
1032 אֵת אֲשֶׁר־הִגְדִּל עִמָּכֶם ISh.12:24

עִמָּכֶם (המשך)
1033 יַעַשׂ־יְיָ עִמָּכֶם חֶסֶד וֶאֱמֶת IISh.2:6
1034 אֲשֶׁר־עָשָׂה עִמָּכֶם לְהַפְלִיא Joel 2:26
1035 לְבִלְתִּי עֲשׂוֹת עִמָּכֶם נְבָלָה Job 42:8
1036 יַעַשׂ° יְיָ עִמָּכֶם חֶסֶד Ruth 1:8
1037 וּרְאוּ אֶת־יְשׁוּעַת יְיָ עִמָּכֶם IICh.20:17

וְעִמָּכֶם (ג)
1038 וְעִמָּכֶם תָּמוּת חָכְמָה Job 12:2
1039 וְעִמָּכֶם עֶגְלֵי זָהָב IICh.13:8
1040 וְעִמָּכֶם בִּדְבַר מִשְׁפָּט IICh.19:6

מֵעִמָּכֶם
1041 עַד־בּוֹא דָבָר מֵעִמָּכֶם IISh.15:28

עִמָּם (א)
1042 וְאַבְרָהָם הֹלֵךְ עִמָּם לְשַׁלְּחָם Gen.18:16
1043 וַיַּעַבְרוּם עִמָּם אֶל־הַמָּלוֹן Josh.4:8
1044 וְכָל־מַחֲנֵיהֶם עִמָּם Josh.11:4
1045 וְנָתְנוּ־לוֹ מָקוֹם וְיָשַׁב עִמָּם Josh.20:4
1046 וַיַּעֲלוּ בֵית־יוֹסֵף...וַייָ עִמָּם Jud.1:22
1047 וּמַחֲנֵיהֶם עִמָּם Jud.8:10
1048 וְהָעָם הַנִּמְצָא עִמָּם ISh.13:16
1049 אֲשֶׁר עָלוּ עִמָּם בַּמַּחֲנֶה ISh.14:21
1050 כָּל־יְמֵי הֱיוֹתֵנוּ עִמָּם ISh.25:16
1051 וּשְׁלַל רַב עִמָּם הֵבִיאוּ IISh.3:22
1052 וְעִם־הָאֲמָהוֹת...עִמָּם אִכָּבֵדָה IISh.6:22
1053 הִנֵּה־שָׁם עִמָּם שְׁנֵי בְנֵיהֶם IISh.15:36
1054 וַיִּקְחוּ אֲנָשִׁים עִמָּם IK.11:18
1055 וְיָרְדוּ רְאֵמִים עִמָּם Is.34:7
1056 כָּשַׁל גַּם־יְהוּדָה עִמָּם Hosh.5:5
1057 וְנִלְחֲמוּ כִּי יְיָ עִמָּם Zech.10:5
1058 גַּם־אַשּׁוּר נִלְוָה עִמָּם Ps.83:9
1059 זַרְעָם נָכוֹן לִפְנֵיהֶם עִמָּם Job 21:8

עִמָּם (ד)
1060 עוֹדֶנּוּ מְדַבֵּר עִמָּם Gen.29:9
1061 אַף־אֲנִי אֵלֵךְ עִמָּם בְּקֶרִי Lev.26:41
1062 אֲשֶׁר כָּרַת עִמָּם Deut.29:24
1063 כִּי־עֹשֶׂה אֲנִי עִמָּם רָעָה Jud.15:3
1064 וְהִתְנַבִּיתָ עִמָּם ISh.10:6
1065 וְהוּא מְדַבֵּר עִמָּם ISh.17:23
1066 עוֹדֶנּוּ מְדַבֵּר עִמָּם IIK.6:33
1067 וְנִשְׁפַּטְתִּי עִמָּם שָׁם Joel 4:2
1068 וָאָרִיב עִמָּם וָאֲקַלְלֵם Neh.13:25

עִמָּהֶם (א)
1069 לֹא תֵלֵךְ עִמָּהֶם Num.22:12
1070 כֶּסֶף וְזָהָב אֲשֶׁר עִמָּהֶם Deut.29:16
1071 לָבוֹא עִמָּהֶם תַּרְשִׁישָׁה Jon.1:3
1072 לֶאֱכֹל וְלִשְׁתּוֹת עִמָּהֶם Job 1:4
1073 וְהַגָּרִים עִמָּהֶם מֵאֶפְרַיִם... IICh.15:9

עִמָּהֶם (ד)
1074 וְדַבֵּר עִמָּהֶם מִשָּׁמַיִם Neh.9:13
1075 נִפְלְאֹתֶיךָ אֲשֶׁר עָשִׂיתָ עִמָּהֶם Neh.9:17

וְעִמָּהֶם (א)
1076 וְעִמָּהֶם שִׁשִּׁים הַזְּכָרִים Ez.8:13
1077 וְעִמָּהֶם שִׁבְעִים הַזְּכָרִים Ez.8:14
1078 וְעִמָּהֶם מֵאֲחֵיהֶם עֲשָׂרָה Ez.8:24
1079 וְעִמָּהֶם יוֹזָבָד בֶּן־יֵשׁוּעַ Ez.8:33
1080 וְעִמָּהֶם זִקְנֵי־עִיר וְעִיר Ez.10:14
1081-1090 וְעִמָּהֶם Ch.12:35; 13:2; 15:18
5:41,42 • IICh.5:12; 17:8²,9; 20:1

שֶׁעִמָּהֶם
1091 הַהַגְרִיאִים וְכָל שֶׁעִמָּהֶם Ch.5:20

עִם²
מ״י ארמית, כמו בעברית: 1—22

עִם־
1 דִּי מְדָרְהוֹן עִם־בִּשְׂרָא לָא אִיתוֹהִי Dan.2:11
2 לָא יְהֹבְדוּן...עִם־שְׁאָר חַכִּימֵי בָבֶל Dan.2:18
3 וְלָא־לֶהֱוֺן דָּבְקִין דְּנָה עִם־דְּנָה Dan.2:43
4 פַּרְזְלָא לָא מִתְעָרַב עִם־חַסְפָּא Dan.2:43
5 וְשָׁלְטָנֵהּ עִם־דָּר וְדָר Dan.3:33
6 וּמַלְכוּתֵהּ עִם־דָּר וְדָר Dan.4:31
7 וּלְבָבֵהּ עִם־חֵיוְתָא שַׁוִּיו° Dan.5:21
8 אֱדַיִן דָּנִיֵּאל עִם־מַלְכָּא מַלִּל Dan.6:22
9 חָזֵה הֲוֵית בְּחֶזְוֵי עִם־לֵילְיָא Dan.7:2

עִם־ (המשך) 10 עִם־עֲנָנֵי שְׁמַיָּא...אָתֵה הֲוָא Dan. 7:13
11 עָבְדָא קְרָב עִם־קַדִּישִׁין Dan. 7:21
12 דִּי־תַעַבְדוּן עִם־שָׂבֵי יְהוּדָיֵא Ez. 6:8
13 עִם־הִתְנַדָּבוּת עַמָּא Ez. 7:16
וְעִם־ 14 וְעִם־חֵיוְתָא חֲלָקֵהּ בַּעֲשַׂב אַרְעָא Dan. 4:12
15 וְעִם־חֵיוַת בָּרָא חֲלָקֵהּ Dan. 4:20
16 וְעִם־חֵיוַת בָּרָא לֶהֱוֵה מְדֹרָךְ Dan. 4:22
17 וְעִם־חֵיוַת בָּרָא מְדֹרָךְ Dan. 4:29
18 וְעִם־עֲרָדַיָּא מְדוֹרֵהּ Dan. 5:21
עִמִּי 19 דִּי עֲבַד עִמִּי אֱלָהָא Dan. 3:32
עִמָּךְ 20 כָּל־מִתְנַדַּב...עִמָּךְ יְהָךְ Ez. 7:13
עִמֵּהּ 21 וּנְהוֹרָא° עִמֵּהּ שְׁרֵא Dan. 2:22
וְעִמְּהוֹן 22 וְעִמְּהוֹן נְבִיַּיָּא° דִּי־אֱלָהָא Ez. 5:2

עמד : עָמַד, הֶעֱמִיד, הָעֳמַד; עֹמֶד, עֶמְדָּה, עַמּוּד, מַעֲמָד, מָעֳמָד

עָמַד פָּ' א) נִצַּב, נשאר במקומו, חָדל ללכת או לנוּע (אדם או בעל־חיים או דומם) [גם בהשאלה] רוב המקראות 24-434 [להוציא:]
ב) החזיק מעמד, התגבר: 1, 2, 9, 10, 13, 14, 16, 23, 53, 54, 59, 67, 93, 228, 245, 254, 255, 258, 261, 271, 292, 350, 426
ג) התיַצב: 3, 4, 7, 8, 15, 20-22, 28-32, 49, 61, 98, 351, 366, 379
ד) נשאר, התקַים: 33, 51, 52, 60, 173-178, 193, 226, 243, 260, 263, 271, 274, 321, 333, 334, 337, 364, 411
ה) חָדל, פָּסק: 83, 320, 339
ו) [הפ' הֶעֱמִיד] הציב, הציג: רוב המקראות 435-519 [להוציא:]
ז) [כנ"ל] כונן, קומם: 438-441, 447, 468, 476
ח) [כנ"ל] הִפקיד, קבע: 445, 462, 483-487, 489, 494, 500-502
ט) [כנ"ל] הֵמְעיד: 453
י) [הָפ' הָעֳמַד] הוצב, הוקם: 520, 521
– עָמַד אֶל־ 185, 186, 429; עָ' אֵצֶל 143, 188, 203, 412; עָמַד לִפְנֵי 5, 7, 9, 10, 13, 16, 18, 21, 22, 25, 28-31, 39-41, 61, 67, 90, 93, 107, 109, 119, 123, 126, 139, 145, 152, 153, 156, 163, 164, 165, 193, 194, 205, 207, 209, 212, 213, 216, 222, 223, 249-251, 254, 255, 335, 342, 343, 352, 366, 370, 371, 382, 383, 401, 402, 413; עָמַד בִּפְנֵי־ 53, 54, 245; עָמַד עַל־ 1, 23, 55, 89, 97, 100, 112, 114-118, 125, 128, 130, 134-136, 146, 148, 159, 161, 171, 172, 199, 201, 206, 210, 218, 226, 228, 229, 233, 256, 404-406, 408, 409, 426, 427, 431; עָמַד לְ־ 86, 257; עָמַד נֶגֶד 369; עָמַד מִ־ 83; עָמַד מֵעַל־ 215; עָמַד מִנֶּגֶד 27
– עָמַד בְּסוֹד 95; עָ' בַּפֶּרֶץ 163; עָמַד לְמִשְׁפָּט 98, 367; עָמַד עַל מִשְׁמַרְתּוֹ 229; עָמַד עַל־נַפְשׁוֹ 1, 23; עָמַד אֶת־פְּנֵי 190; עָמַד עַל־הַפֶּרֶק 237; עָמַד לְנֶגֶד 154, 155, 170; עָמַד לִימִין־ 257
– הֶעֱמִיד אֶרֶץ 476; הֶעֱ' דָּבָר 517; הֶעֱ' חָזוֹן 436; הֶעֱ' מִשְׁמָר (מִשְׁמָרוֹת) 435, 507; הֶעֱמִיד פָּנָיו 480

וְעָמֹד 1 נִקְהֲלוּ וְעָמֹד עַל־נַפְשָׁם Es. 9:16
עֲמֹד 2 וְצִוְּךָ אֱלֹהִים וְיָכָלְתָּ עֲמֹד Ex. 18:23
3 עַד עֲמֹד כֹּהֵן לְאוּרִים וּלְתֻמִּים Ez. 2:63
4 עַד עֲמֹד הַכֹּהֵן לְאוּרִים וְתֻמִּים Neh. 7:65
לַעֲמֹד 5 וְלֹא־יָכְלוּ...לַעֲמֹד לִפְנֵי מֹשֶׁה Ex. 9:11
6 וַאֲשַׁלְּחָה...וְלֹא תֹסִפוּן לַעֲמֹד Ex. 9:28
7 לַעֲמֹד לִפְנֵי יְיָ לְשָׁרְתוֹ Deut. 10:8
8 לַעֲמֹד לְשָׁרֵת בְּשֵׁם־יְיָ Deut. 18:5
9 לַעֲמֹד לִפְנֵי אוֹיְבֵיהֶם Jud. 2:14

לַעֲמֹד (המשך) 10 מִי יוּכַל לַעֲמֹד לִפְנֵי יְיָ ISh. 6:20
11 וְלֹא־יָכְלוּ...לַעֲמֹד לְשָׁרֵת IK. 8:11
12 עוֹד הַיּוֹם בְּנֹב לַעֲמֹד Is. 10:32
13 לַעֲמֹד לִפְנֵי הַכַּשְׂדִּים Jer. 40:10
14 לַעֲמֹד בַּמִּלְחָמָה בְּיוֹם יְיָ Ezek. 13:5
15 וַאֲשֶׁר כֹּחַ בָּהֶם לַעֲמֹד בְּהֵיכַל הַמֶּלֶךְ Dan. 1:4
16 וְלֹא־הָיָה כֹחַ בָּאַיִל לַעֲמֹד לְפָנָיו Dan. 8:7
17 וְאֵין כֹּחַ לַעֲמֹד Dan. 11:15
18 כִּי אֵין לַעֲמוֹד לְפָנֶיךָ עַל־זֹאת Ez. 9:15
19 וְאֵין כֹּחַ לַעֲמוֹד בַּחוּץ Ez. 10:13
20 וְלֹא־יָכְלוּ...לַעֲמוֹד לְשָׁרֵת IICh. 5:14
21 בָּחַר יְיָ לַעֲמֹד לְפָנָיו לְשָׁרְתוֹ IICh. 29:11
וְלַעֲמֹד 22 וְלַעֲמֹד לִפְנֵי הָעֵדָה לְשָׁרְתָם Num. 16:9
23 לְהִקָּהֵל וְלַעֲמֹד עַל־נַפְשָׁם Es. 8:11
24 וְלַעֲמֹד בַּבֹּקֶר בַּבֹּקֶר לְהֹדוֹת ICh. 23:30
עָמְדִי 25 זְכֹר עָמְדִי לְפָנֶיךָ לְדַבֵּר... Jer. 18:20
26 עָמְדִי לְמַחֲזִיק וּלְמָעוֹז לוֹ Dan. 11:1
עֲמָדְךָ 27 בְּיוֹם עֲמָדְךָ מִנֶּגֶד... Ob. 11
עָמְדוֹ 28 עַד־עָמְדוֹ לִפְנֵי הָעֵדָה לַמִּשְׁפָּט Num. 35:12
29 עַד־עָמְדוֹ לִפְנֵי הָעֵדָה לַמִּשְׁפָּט Josh. 20:6
30 עַד־עָמְדוֹ לִפְנֵי הָעֵדָה Josh. 20:9
בְּעָמְדוֹ 31 בֶּן־שְׁלֹשִׁים...בְּעָמְדוֹ לִפְנֵי פַּרְעֹה Gen. 41:46
וּכְעָמְדוֹ 32 וּכְעָמְדוֹ תִּשָּׁבֵר מַלְכוּתוֹ Dan. 11:4
לְעָמְדָהּ 33 לִשְׁמֹר אֶת־בְּרִיתוֹ לְעָמְדָהּ Ezek. 17:14
בְּעָמְדָם 34/5 בְּעָמְדָם תְּרַפֶּינָה כַנְפֵיהֶן Ezek. 1:24, 25
36 בְּעָמְדָם יַעֲמֹדוּ וּבְרוֹמָם יֵרוֹמּוּ Ezek. 10:17
וּבְעָמְדָם 37 בְּלֶכְתָּם יֵלֵכוּ וּבְעָמְדָם יַעֲמֹדוּ Ezek. 1:21
עָמַדְתִּי 38 וְאָנֹכִי עָמַדְתִּי בָהָר Deut. 10:10
39-42 חַי־יְיָ(...)אֲשֶׁר(־)עָמַדְתִּי לְפָנָיו IK. 17:1
18:15 • IIK. 3:14; 5:16
43 עָמַדְתִּי וַתִּתְבֹּנֶן בִּי Job 30:20
44 וּבְדַבְּרוֹ עִמִּי...עָמַדְתִּי מַרְעִיד Dan. 10:11
וְעָמַדְתִּי 45 אֵצֵא וְעָמַדְתִּי לְיַד־אָבִי בַּשָּׂדֶה... ISh. 19:3
עָמַדְתָּ 46 יוֹם אֲשֶׁר עָמַדְתָּ לִפְנֵי יְיָ אֱלֹהֶיךָ Deut. 4:10
וְעָמַדְתָּ 47 וְעָמַדְתָּ בָהָר לִפְנֵי יְיָ IK. 19:11
48 הָלֹךְ וְעָמַדְתָּ בְּשַׁעַר בְּנֵי־הָעָם° Jer. 17:19
עָמַד 49 אֲשֶׁר־עָמַד שָׁם אֶת־פְּנֵי יְיָ Gen. 19:27
50 וְלֹא־עָמַד אִישׁ אִתּוֹ בְּהִתְוַדַּע... Gen. 45:1
51 וְהִנֵּה הַנֶּגַע עָמַד בְּעֵינָיו Lev. 13:5
52 וְאִם־בְּעֵינָיו עָמַד הַנֶּתֶק Lev. 13:37
53 וְלֹא־עָמַד אִישׁ בִּפְנֵיהֶם Josh. 21:42
54 לֹא־עָמַד אִישׁ בִּפְנֵיכֶם Josh. 23:9
55 וְאִישׁ עָמַד עָלָיו מִנַּעֲרֵי יוֹאָב IISh. 20:11
56 וַיַּרְא הָאִישׁ כִּי־עָמַד כָּל־הָעָם IISh. 20:12
57 וְלֹא־עָמַד שָׁם בָּאָרֶץ IIK. 15:20
58 כִּי מִי עָמַד בְּסוֹד יְיָ Jer. 23:18
59 לֹא עָמַד כִּי יְיָ הֲדָפוֹ Jer. 46:15
60 עַל־כֵּן עָמַד טַעְמוֹ בּוֹ Jer. 48:11
61 עָמַד לִפְנֵי מֶלֶךְ־בָּבֶל בִּירוּשָׁלָםִ Jer. 52:12
62 כִּי־עָמַד מֶלֶךְ־בָּ' אֶל־אֵם הַדֶּרֶךְ Ezek. 21:26
63 עָמַד וַיְמֹדֶד אֶרֶץ Hab. 3:6
64 שֶׁמֶשׁ יָרֵחַ עָמַד זְבֻלָה Hab. 3:11
65 לוּלֵי...עָמַד בַּפֶּרֶץ לְפָנָיו Ps. 106:23
66 וְהָמָן עָמַד לְבַקֵּשׁ עַל־נַפְשׁוֹ Es. 7:7
67 וְאִישׁ לֹא־עָמַד לִפְנֵיהֶם Es. 9:2
68 וּבְצֵאתָם עָמַד יְהוֹשָׁפָט וַיֹּאמֶר IICh. 20:20
עָמָד 69 וַיִּדֹּם הַשֶּׁמֶשׁ וְיָרֵחַ עָמָד Josh. 10:13
70 וּבְדֶרֶךְ חַטָּאִים לֹא עָמָד Ps. 1:1
וְעָמַד 71 יֵרֵד עַמּוּד הֶעָנָן וְעָמַד פֶּתַח הָאֹהֶל Ex. 33:9
72 וְעָמַד וְאָמַר לֹא חָפַצְתִּי לְקַחְתָּהּ Deut. 25:8
73 וְעָמַד פֶּתַח שַׁעַר הָעִיר וְדִבֶּר Josh. 20:4
74 וְעָמַד עַל־יַד דֶּרֶךְ הַשָּׁעַר IISh. 15:2

וְעָמַד (המשך) 75 וְעָמַד וְקָרָא בְּשֵׁם־יְיָ IIK. 5:11
76 וּבָא...וְעָמַד עַל־מְזוּזַת הַשַּׁעַר Ezek. 46:2
77 וְעָמַד וְרָעָה בְּעֹז יְיָ Mic. 5:3
78 וְעָמַד מֶלֶךְ גִּבּוֹר וּמָשַׁל Dan. 11:3
79 וְעָמַד מִנֵּצֶר שָׁרָשֶׁיהָ כַּנּוֹ Dan. 11:7
80-81 וְעָמַד עַל־כַּנּוֹ... Dan. 11:20, 21
וְעָמָד 82 כָּל־הַבָּא עָלָיו וְעָמָד IISh. 20:12
עָמְדָה 83 וַתֵּרֶא לֵאָה כִּי עָמְדָה מִלֶּדֶת Gen. 30:9
84 וְגַם הָאֲשֵׁרָה עָמְדָה בְּשֹׁמְרוֹן IIK. 13:6
85 רַגְלִי עָמְדָה בְמִישׁוֹר Ps. 26:12
86 אַף חָכְמָתִי עָמְדָה לִּי Eccl. 2:9
וְעָמְדָה 87 וְעָמְדָה לִפְנֵי הַמֶּלֶךְ וּתְהִי־לוֹ סֹכֶנֶת IK. 1:2
וְעָמַדְנוּ 88 וְעָמַדְנוּ תַחְתֵּינוּ וְלֹא נַעֲלֶה אֲלֵיהֶם ISh. 14:9
עֲמַדְתֶּם 89 עֲמַדְתֶּם עַל־חַרְבְּכֶם Ezek. 33:26
וַעֲמַדְתֶּם 90 וּבָאתֶם וַעֲמַדְתֶּם לְפָנַי בַּבַּיִת הַזֶּה Jer. 7:10
עָמְדוּ 91 וַיֹּאמֶר יוֹאָשׁ לְכֹל אֲשֶׁר־עָמְדוּ עָלָיו Jud. 6:31
92 וּשְׁנֵיהֶם עָמְדוּ עַל־הַיַּרְדֵּן IIK. 2:7
93 הִנֵּה שְׁנֵי הַמְּלָכִים לֹא עָמְדוּ לְפָנָיו IIK. 10:4
94 וּפְרָאִים עָמְדוּ עַל־שְׁפָיִם Jer. 14:6
95 וְאִם־עָמְדוּ בְּסוֹדִי... Jer. 23:22
96 בְּצֵל חֶשְׁבּוֹן עָמְדוּ מִכֹּחַ נָסִים Jer. 48:45
97 וְהָיָה עָמְדוּ (כת' יעמדו) עָלָיו דַּוָּגִים Ezek. 47:10
98 לְמִשְׁפָּטֶיךָ עָמְדוּ הַיּוֹם Ps. 119:91
99 כִּי עָמְדוּ לֹא־עָנוּ עוֹד Job 32:16
100 יוֹנָתָן...וְיַחְזְיָה...עָמְדוּ עַל־זֹאת Ez. 10:15
101 וּכְפִתְחוֹ עָמְדוּ כָל־הָעָם Neh. 8:5
עָמָדוּ 102 וַיֵּלֶךְ דָּוִד...וְהַנּוֹתָרִים עָמָדוּ ISh. 30:9
103 שָׁם עָמָדוּ לֹא־תַשִּׂיגֵם...מִלְחָמָה Hosh. 10:9
104 הִפְנוּ נָסוּ יַחְדָּיו לֹא עָמָדוּ Jer. 46:21
105 וּקְרוֹבַי מֵרָחֹק עָמָדוּ Ps. 38:12
106 וִישִׁישִׁים קָמוּ עָמָדוּ Job 29:8
וְעָמְדוּ 107 וְעָמְדוּ שְׁנֵי־הָאֲנָשִׁים...לִפְנֵי יְיָ Deut. 19:17
108 וְעָמְדוּ זָרִים וְרָעוּ צֹאנְכֶם Is. 61:5
109 וְעָמְדוּ לְפָנַי לְהַקְרִיב לִי Ezek. 44:15
110 וְעָמְדוּ רַגְלָיו...עַל־הַר הַזֵּיתִים Zech. 14:4
111 וְעָמְדוּ בְּשַׁעַר הַמַּטָּרָה Neh. 12:39
עוֹמֵד 112 וְהוּא עֹמֵד עֲלֵיהֶם תַּחַת הָעֵץ Gen. 18:8
113 וְאַבְרָהָם עוֹדֶנּוּ עֹמֵד לִפְנֵי יְיָ Gen. 18:22
114 וְהִנֵּה עֹמֵד עַל־הַגְּמַלִּים Gen. 24:30
115 וְהִנֵּה עֹמֵד עַל־הַיְאֹר Gen. 41:1
116 הִנְנִי עֹמֵד עַל־שְׂפַת הַיְאֹר Gen. 41:17
117 הַמָּקוֹם אֲשֶׁר אַתָּה עוֹמֵד עָלָיו Ex. 3:5
118 אֶרֶץ גֹּשֶׁן אֲשֶׁר עַמִּי עֹמֵד עָלֶיהָ Ex. 8:18
119 הִנְנִי עֹמֵד לְפָנֶיךָ שָּׁם... Ex. 17:6
120 עַמּוּד הֶעָנָן עֹמֵד פֶּתַח הָאֹהֶל Ex. 33:10
121 וַעֲנָנְךָ עֹמֵד עֲלֵהֶם Num. 14:14
122 אָנֹכִי עֹמֵד בֵּין־יְיָ וּבֵינֵיכֶם Deut. 5:5
123 עֹמֵד הַיּוֹם לִפְנֵי יְיָ אֱלֹהֵינוּ Deut. 29:14
124 וְהִנֵּה־אִישׁ עֹמֵד לְנֶגְדּוֹ Josh. 5:13
125 הַמָּקוֹם אֲשֶׁר אַתָּה עֹמֵד עָלָיו Josh. 5:15
126 וּפִינְחָס...עֹמֵד לְפָנָיו Jud. 20:28
127 וּשְׁמוּאֵל עֹמֵד נִצָּב עֲלֵיהֶם ISh. 19:20
128 עֹמֵד עַל־שְׁנֵי עָשָׂר בָּקָר IK. 7:25
129 וְכָל־קְהַל יִשְׂרָאֵל עֹמֵד IK. 8:14
130 וְיָרָבְעָם עֹמֵד עַל־הַמִּזְבֵּחַ IK. 13:1
131 וְהַחֲמוֹר עֹמֵד אֶצְלָהּ IK. 13:24
132 וְהָאַרְיֵה עֹמֵד אֵצֶל הַנְּבֵלָה IK. 13:24
133 וְאֶת־הָאַרְיֵה עֹמֵד אֵצֶל הַנְּבֵלָה IK. 13:25
134 וְכָל־צְבָא הַשָּׁמַיִם עֹמֵד עָלָיו IK. 22:19
135 וְהַצֹּפֶה עֹמֵד עַל־הַמִּגְדָּל IIK. 9:17
136 וְהִנֵּה הַמֶּלֶךְ עֹמֵד עַל־הָעַמּוּד IIK. 11:14
137 אֲשֶׁר עֹמֵד לְנֵס עַמִּים Is. 11:10

עוֹמֵד (המשך)

138 עַל־מִצְפֶּה אֲדֹנָי אָנֹכִי עֹמֵד תָּמִיד Is.21:8
139 לֹא־יִכָּרֵת אִישׁ...עֹמֵד לְפָנַי... Jer.35:19
140 וְהִנֵּה־שָׁם כְּבוֹד־יְיָ עֹמֵד Ezek.3:23
141 וְיַאֲזַנְיָהוּ בֶן־שָׁפָן עֹמֵד בְּתוֹכָם Ezek.8:11
142 ...וְהוּא עֹמֵד בַּשָּׁעַר Ezek.40:3
143 וְאִישׁ הָיָה עֹמֵד אֶצְלִי Ezek.43:6
144 וְהוּא עֹמֵד בֵּין הַהֲדַסִּים Zech.1:8
145 יְהוֹשֻׁעַ...עֹמֵד לִפְנֵי מַלְאַךְ יְיָ Zech.3:1
146 וְהַשָּׂטָן עֹמֵד עַל־יְמִינוֹ לְשִׂטְנוֹ Zech.3:1
147 וּמַלְאַךְ יְיָ עֹמֵד Zech.3:5
148 וְהוּא עֹמֵד עַל־רַגְלָיו Zech.14:12
149 הִנֵּה־זֶה עוֹמֵד אַחַר כָּתְלֵנוּ S.ofS.2:9
150 הִנֵּה הָמָן עֹמֵד בֶּחָצֵר Es.6:5
151 הִנֵּה־הָעֵץ...עֹמֵד בְּבֵית הָמָן Es.7:9
152/3 עֹמֵד לִפְנֵי הָאֻבָל Dan.8:3,6
154 וְהִנֵּה עֹמֵד לְנֶגְדִּי כְּמַרְאֵה־גָבֶר Dan.8:15
155 וְשַׂר מַלְכוּת פָּרַס עֹמֵד לְנֶגְדִּי Dan.10:13
156 וְיַעַשׂ...וְאֵין עוֹמֵד לְפָנָיו Dan.11:16
157 וּמַלְאַךְ יְיָ עֹמֵד עִם־גֹּרֶן אָרְנָן ICh.21:15
158 עֹמֵד בֵּין הָאָרֶץ וּבֵין הַשָּׁמַיִם ICh.21:16
159 עוֹמֵד עַל־שְׁנֵים עָשָׂר בָּקָר IICh.4:4
160 וְכָל־קְהַל יִשְׂרָאֵל עוֹמֵד IICh.6:3
161 הַמֶּלֶךְ עוֹמֵד עַל־עַמּוּדוֹ בַּמָּבוֹא IICh.23:13

וְעוֹמֵד

162 נִצָּב לָרִיב יְיָ וְעֹמֵד לָדִין עַמִּים Is.3:13
163 גֹּדֵר־גָּדֵר וְעֹמֵד בַּפֶּרֶץ לְפָנַי Ezek.22:30
164 הָיָה לָבֻשׁ...וְעֹמֵד לִפְנֵי הַמַּלְאָךְ Zech.3:3

הָעוֹמֵד

165 יְהוֹשֻׁעַ בִּן־נוּן הָעֹמֵד לְפָנֶיךָ Deut.1:38
166 הָעֹמֵד לְשָׁרֶת שָׁם אֶת־יְיָ אֱלֹהֶיךָ Deut.17:12
167/8 הָעֹמֵד בֵּין(־)הַהֲדַסִּים Zech.1:10,11
169 וּמִי הָעֹמֵד בְּהֵרָאוֹתוֹ Mal.3:2
170 וָאֹמְרָה אֶל־הָעֹמֵד לְנֶגְדִּי Dan.10:16
171 מִיכָאֵל...הָעֹמֵד עַל־בְּנֵי עַמֶּךָ Dan.12:1
172 וְאָחִיו אָסָף הָעֹמֵד עַל־יְמִינוֹ ICh.6:24

עוֹמֶדֶת

173 וְרוּחִי עֹמֶדֶת בְּתוֹכְכֶם Hag.2:5
174 יִרְאַת יְיָ טְהוֹרָה עוֹמֶדֶת לָעַד Ps.19:10
175/6 וְצִדְקָתוֹ עֹמֶדֶת לָעַד Ps.111:3; 112:3
177 תְּהִלָּתוֹ עֹמֶדֶת לָעַד Ps.111:10
178 צִדְקָתוֹ עֹמֶדֶת לָעַד Ps.112:9
179 אֶסְתֵּר הַמַּלְכָּה עֹמֶדֶת בֶּחָצֵר Es.5:2

עוֹמָדֶת

180 ...וְהָאָרֶץ לְעוֹלָם עֹמָדֶת Eccl.1:4

עוֹמְדִים

181/2 עֲצֵי שִׁטִּים עֹמְדִים Ex.26:15; 36:20
183 וְהַכֹּהֲנִים...עֹמְדִים בְּתוֹךְ הַיַּרְדֵּן Josh.4:10
184 וְכָל־יִשְׂרָאֵל עֹמְדִים מִזֶּה וּמִזֶּה Josh.8:33
185 וּפְלִשְׁתִּים עֹמְדִים אֶל־הָהָר מִזֶּה ISh.17:3
186 וְיִשְׂרָאֵל עֹמְדִים אֶל־הָהָר מִזֶּה ISh.17:3
187 וִיהוֹנָתָן וַאֲחִימַ׳ עֹמ׳ בְּעֵין־רֹגֵל IISh.17:17
188 וּשְׁנַיִם אֲרָיוֹת עֹמְדִים אֵצֶל הַיָּדוֹת IK.10:19
189 וּשְׁנַיִם עָשָׂר אֲרָיִים עֹמְדִים שָׁם... IK.10:20
190 אֲשֶׁר־הָיוּ עֹמְדִים אֶת־פְּנֵי שְׁלֹמֹה IK.12:6
191 וְהַחֲמוֹר וְהָאַרְיֵה עֹמְדִים אֵצֶל הַנְּבֵלָה IK.13:28
192 שְׂרָפִים עֹמְדִים מִמַּעַל לוֹ Is.6:2
193 כַּאֲשֶׁר הַשָּׁמַיִם...עֹמְדִים לְפָנַי Is.66:22
194 וְשִׁבְעִים אִישׁ...עֹמְדִים לִפְנֵיהֶם Ezek.8:11
195 וְהַכְּרֻבִים עֹמְדִים מִימִין לַבַּיִת... Ezek.10:3
196 שְׁלֹשָׁה מְלָכִים עֹמְדִים לְפָרַס Dan.11:2
197 וְהִנֵּה שְׁנַיִם אֲחֵרִים עֹמְדִים Dan.12:5
198 וְעַד הֵם עֹמְדִים יָגִיפוּ הַדְּלָתוֹת Neh.7:3
199 וְהֵם עֹמְדִים עַל־רַגְלֵיהֶם IICh.3:13
200 וְהַלְוִיִּם...עֹמְדִים מִזְרָח לַמִּזְבֵּחַ IICh.5:12
201 וְהַכֹּהֲנִים עַל־מִשְׁמְרוֹתָם עֹמְדִים IICh.7:6
202 וְכָל־יִשְׂרָאֵל עֹמְדִים IICh.7:6
203 וּשְׁנַיִם אֲרָיוֹת עֹמְדִים אֵצֶל הַיָּדוֹת IICh.9:18

עוֹמְדִים (המשך)

204 וּשְׁנֵים עָשָׂר אֲרָיוֹת עֹמְדִים שָׁם IICh.9:19
205 הָיוּ עֹמְדִים לִפְנֵי שְׁלֹמֹה אָבִיו IICh.10:6
206 עֹמְדִים עַל־יְמִינוֹ וּשְׂמֹאלוֹ IICh.18:18
207 וְכָל־יְהוּדָה עֹמְדִים לִפְנֵי יְיָ IICh.20:13

הָעוֹמְדִים

208 הֵם הָעֹמְדִים עַל־הַפְּקֻדִים Num.7:2
209 הַלְוִיִּם הָעֹמְדִים שָׁם לִפְנֵי יְיָ Deut.18:7
210 וַיֵּצְאוּ מֵעָלָיו כָּל־הָעֹמְדִים עָלָיו Jud.3:19
211 ...אֶל־הָאֲנָשִׁים הָעֹמְדִים עִמּוֹ ISh.17:26
212 אַשְׁרֵי...הָעֹמְדִים לְפָנֶיךָ תָּמִיד IK.10:8
213 וַיִּוָּעַץ...אֲשֶׁר הָעֹמְדִים לְפָנָיו IK.12:8
214 כָּל־הָעָם הָעֹמְדִים בְּבֵית יְיָ Jer.28:5
215 הַשָּׂרִים הָעֹמְדִים מֵעַל הַמֶּלֶךְ Jer.36:21
216 וַיַּעַן וַיֹּאמֶר אֶל־הָעֹמְדִים לְפָנָיו Zech.3:4
217 וְנָתַתִּי לְךָ מַהְלְכִים בֵּין הָעֹמְדִים Zech.3:7
218 הָעֹמְדִים עַל־אֲדוֹן כָּל־הָאָרֶץ Zech.4:14
219 הָעֹמְדִים בְּבֵית־יְיָ בַּלֵּילוֹת Ps.134:1
220 וְעַל־הַלְוִיִּם הָעֹמְדִים Neh.12:44
221 וְאֵלֶּה הָעֹמְדִים וּבְנֵיהֶם... ICh.6:18
222 אַשְׁרֵי...הָעֹמְדִים לְפָנֶיךָ תָּמִיד IICh.9:7
223 אֲשֶׁר גָּדְלוּ אִתּוֹ הָעֹמְדִים לְפָנָיו IICh.10:8

שֶׁעוֹמְדִים

224 שֶׁעֹמְדִים בְּבֵית יְיָ... Ps.135:2

עוֹמְדוֹת

225 עֹמְדוֹת הָיוּ רַגְלֵינוּ בִּשְׁעָרַיִךְ יְרוּשָׁלִָם Ps.122:2

הָעוֹמְדוֹת

226 כָּל־הֶעָרִים הָעֹמְדוֹת עַל־תִּלָּם Josh.11:13
227 וְכָל־הַנָּשִׁים הָעֹמְדוֹת קָהָל גָּדוֹל Jer.44:15

וָאֶעֱמֹד

228 וָאֶעֱמֹד עָלָיו וַאֲמֹתְתֵהוּ IISh.1:10

אֶעֱמֹדָה

229 עַל־מִשְׁמַרְתִּי אֶעֱמֹדָה Hab.2:1

תַּעֲמֹד

230 וְאַל־תַּעֲמֹד בְּכָל־הַכִּכָּר Gen.19:17
231 לָמָּה תַעֲמֹד בַּחוּץ Gen.24:31
232 רְדָה אֵלַי אַל־תַּעֲמֹד Gen.45:9
233 לֹא תַעֲמֹד עַל־דַּם רֵעֶךָ Lev.19:16
234 בַּחוּץ תַּעֲמֹד וְהָאִישׁ...יוֹצִיא Deut.24:11
235 מְהֵרָה חוּשָׁה אַל־תַּעֲמֹד ISh.20:38
236 אִם־תָּשׁוּב וַאֲשִׁיבְךָ לְפָנַי תַּעֲמֹד Jer.15:19
237 וְאַל־תַּעֲמֹד עַל־הַפֶּרֶק Ob.14
238 לָמָה יְיָ תַּעֲמֹד בְּרָחוֹק Ps.10:1
239 הֵמָּה יֹאבֵדוּ וְאַתָּה תַעֲמֹד Ps.102:27
240 וּבִמְקוֹם גְּדֹלִים אַל־תַּעֲמֹד Prov.25:6
241 אַל־תַּעֲמֹד בְּדָבָר רָע Eccl.8:3

וְתַעֲמֹד

242 וְתַעֲמֹד לְגֹרָלְךָ לְקֵץ הַיָּמִין Dan.12:13

יַעֲמֹד

243 אַךְ אִם־יוֹם אוֹ יוֹמַיִם יַעֲמֹד Ex.21:21
244 וְלִפְנֵי אֶלְעָזָר הַכֹּהֵן יַעֲמֹד Num.27:21
245 לֹא־יַעֲמֹד אִישׁ מֵהֶם בְּפָנֶיךָ Josh.10:8
246 יְהוּדָה יַעֲמֹד עַל־גְּבוּלוֹ מִנֶּגֶב Josh.18:5
247 אִם־יַעֲמֹד רֹאשׁ אֱלִישָׁע...עָלָיו IIK.6:31
248 כֵּן יַעֲמֹד זַרְעֲכֶם וְשִׁמְכֶם Is.66:22
249 אִם־יַעֲמֹד מֹשֶׁה וּשְׁמוּאֵל לְפָנַי Jer.15:1
250/1 רֹעֶה אֲשֶׁר יַעֲמֹד לְפָנָי Jer.49:19; 50:44
252 כִּי־עֵת לֹא־יַעֲמֹד בְּמִשְׁבַּר בָּנ׳ Hosh.13:13
253 וְתֹפֵשׂ הַקֶּשֶׁת לֹא יַעֲמֹד Am.2:15
254 לִפְנֵי זַעְמוֹ מִי יַעֲמוֹד Nah.1:6
255 וּמִי־יַעֲמֹד לְפָנֶיךָ מֵאָז אַפֶּךָ Ps.76:8
256 וְשָׂטָן יַעֲמֹד עַל־יְמִינוֹ Ps.109:6
257 כִּי־יַעֲמֹד לִימִין אֶבְיוֹן Ps.109:31
258 אֲדֹנָי מִי יַעֲמֹד Ps.130:3
259 לִפְנֵי קָרָתוֹ מִי יַעֲמֹד Ps.147:17
260 וּבֵית צַדִּיקִים יַעֲמֹד Prov.12:7
261 וּמִי יַעֲמֹד לִפְנֵי קִנְאָה Prov.27:4
262 יַעֲמֹד וְלֹא־אַכִּיר מַרְאֵהוּ Job4:16
263 יִשָּׁעֵן עַל־בֵּיתוֹ וְלֹא יַעֲמֹד Job8:15
264 וַיִּבְרַח כַּצֵּל וְלֹא יַעֲמוֹד Job14:2
265 עִם הַיֶּלֶד הַשֵּׁנִי אֲשֶׁר יַעֲמֹד תַּחְתָּיו Eccl.4:15

יַעֲמֹד (המשך)

266 רֶוַח וְהַצָּלָה יַעֲמוֹד לַיְּהוּדִים מִמָּקוֹם אַחֵר Es.4:14
267 יַעֲמֹד מֶלֶךְ עַז־פָּנִים Dan.8:23
268 וְעַל שַׂר־שָׂרִים יַעֲמֹד Dan.8:25
269 וְלֹא יַעֲמֹד וּזְרֹעוֹ Dan.11:6
270 וְהוּא שָׁנִים יַעֲמֹד מִמֶּלֶךְ הַצָּפוֹן Dan.11:8
271 יִתְגָּרֶה לַמִּלְחָמָה...וְלֹא יַעֲמֹד Dan.11:25
272 יַעֲמֹד מִיכָאֵל הַשַּׂר הַגָּדוֹל Dan.12:1

יַעֲמָד־

273 יַעֲמָד־נָא דָוִד לְפָנַי ISh.16:22
274 מֵעַתָּה לֹא־יַעֲמָד־בִּי כֹחַ Dan.10:17

הֲיַעֲמֹד

275 הֲיַעֲמֹד לִבֵּךְ אִם־תֶּחֱזַקְנָה יָדַיִךְ Ezek.22:14

וְיַעֲמֹד

276 וְיַנִּיחֻהוּ תַחְתָּיו וְיַעֲמֹד Is.46:7
277 וְיַעֲמֹד בְּאֶרֶץ־הַצְּבִי וְכָלָה בְיָדוֹ Dan.11:16

וַיַּעֲמֹד

278 וַיִּסַּע...וַיַּעֲמֹד מֵאַחֲרֵיהֶם Ex.14:19
279 וַיַּעֲמֹד הָעָם עַל־מֹשֶׁה Ex.18:13
280 וַיַּעֲמֹד הָעָם מֵרָחֹק Ex.20:18
281 וַיַּעֲמֹד מֹשֶׁה בְּשַׁעַר הַמַּחֲנֶה Ex.32:26
282 וַיֵּרֶד יְיָ...וַיַּעֲמֹד פֶּתַח הָאֹהֶל Num.12:5
283 וַיַּעֲמֹד בֵּין־הַמֵּתִים וּבֵין הַחַיִּים Num.17:13
284 וַיַּעֲמֹד מַלְאַךְ יְיָ בְּמִשְׁעוֹל Num.22:24
285 וַיַּעֲמֹד בְּמָקוֹם צָר Num.22:26
286 וַיַּעֲמֹד עַמּוּד הֶעָנָן עַל־פֶּתַח הָאֹהֶל Deut.31:15
287 וַיַּעֲמֹד הַשֶּׁמֶשׁ בַּחֲצִי הַשָּׁמַיִם Josh.10:13
288 וַיַּעֲמֹד בְּרֹאשׁ הַר־גְּרִזִּים Jud.9:7
289 וַיַּעֲמֹד פֶּתַח שַׁעַר הָעִיר Jud.9:35
290 וַיָּבֹא דָוִד אֶל־שָׁאוּל וַיַּעֲמֹד לְפָנָיו ISh.16:21
291 וַיַּעֲמֹד וַיִּקְרָא אֶל־מַעַרְכֹת יִשְׂרָאֵל ISh.17:8
292 וַיָּרָץ דָּוִד וַיַּעֲמֹד אֶל־הַפְּלִשְׁתִּי ISh.17:51
293 וַיַּעֲמֹד עַל־רֹאשׁ־הָהָר מֵרָחֹק ISh.26:13
294 וַיַּעֲמֹד הַמֶּלֶךְ אֶל־יַד הַשַּׁעַר IISh.18:4
295 סֹב הִתְיַצֵּב כֹּה וַיִּסֹּב וַיַּעֲמֹד IISh.18:30
296 וַיַּעֲמֹד לִפְנֵי אֲרוֹן בְּרִית־אֲדֹנָי IK.3:15
297 וַיַּעֲמֹד שְׁלֹמֹה לִפְנֵי מִזְבַּח יְיָ IK.8:22
298 וַיַּעֲמֹד וַיְבָרֶךְ אֵת כָּל־קְהַל יִשְׂרָאֵל IK.8:55
299 וַיֵּצֵא וַיַּעֲמֹד פֶּתַח הַמְּעָרָה IK.19:13
300 וַיַּעֲמֹד לַמֶּלֶךְ אֶל־הַדָּרֶךְ IK.20:38
301 וַיֵּצֵא הָרוּחַ וַיַּעֲמֹד לִפְנֵי יְיָ IK.22:21
302 וַיָּשָׁב וַיַּעֲמֹד עַל־שְׂפַת הַיַּרְדֵּן IIK.2:13
303 אֵין עוֹד כֶּלִי וַיַּעֲמֹד הַשָּׁמֶן IIK.4:6
304 וַיַּעֲמֹד פֶּתַח־הַבַּיִת לֶאֱלִישָׁע IIK.5:9
305/6 וַיָּבֹא וַיַּעֲמֹד לְפָנָיו IIK.5:15; 8:9
307 וְהוּא־בָא וַיַּעֲמֹד אֶל־אֲדֹנָיו IIK.5:25
308 וַיְהִי בַבֹּקֶר וַיֵּצֵא וַיַּעֲמֹד וַיֹּאמֶר... IIK.10:9
309 וַיַּךְ שָׁלֹשׁ־פְּעָמִים וַיַּעֲמֹד IIK.13:18
310/1 וַיַּעֲמֹד רַבְשָׁקֵה וַיִּקְרָא IIK.18:28 • Is.36:13
312 וַיַּעֲמֹד הַמֶּלֶךְ עַל־הָעַמּוּד IIK.23:3
313 וַיַּעֲמֹד כָּל־הָעָם בַּבְּרִית IIK.23:3
314 וַיַּעֲמֹד בִּתְעָלַת הַבְּרֵכָה הָעֶלְיוֹנָה Is.36:2
315 וַיַּעֲמֹד בַּחֲצַר בֵּית־יְיָ Jer.19:14
316 וַיָּבֹא וַיַּעֲמֹד אֵצֶל הָאוֹפָן Ezek.10:6
317 וַיֵּצֵא...וַיַּעֲמֹד עַל־הַכְּרוּבִים Ezek.10:18
318 וַיַּעֲמֹד פֶּתַח שַׁעַר בֵּית־יְיָ Ezek.10:19
319 וַיַּעַל כְּבוֹד יְיָ...וַיַּעֲמֹד עַל־הָהָר Ezek.11:23
320 וַיַּעֲמֹד הַיָּם מִזַּעְפּוֹ Jon.1:15
321 הוּא אָמַר וַיֶּהִי הוּא־צִוָּה וַיַּעֲמֹד Ps.33:9
322 וַיַּעֲמֹד פִּינְחָס וַיְפַלֵּל Ps.106:30
323 וַיַּעֲמֹד יֵשׁוּעַ...לְנַצֵּחַ... Ez.3:9
324 וַיַּעֲמֹד עֶזְרָא הַסֹּפֵר עַל־מִגְדַּל־עֵץ Neh.8:4
325 וַיַּעֲמֹד אֶצְלוֹ מַתִּתְיָה...עַל־יְמִינוֹ Neh.8:4
326 וַיַּעֲמֹד שָׂטָן עַל־יִשְׂרָאֵל ICh.21:1
327 וַיַּעֲמֹד לִפְנֵי מִזְבַּח יְיָ IICh.6:12

וַיַּעֲמֹד (המשך) 328 וַיַּעֲמֹד עָלָיו וַיִּבְרַךְ עַל־בִּרְכָּיו IICh. 6:13
329 וַיֵּצֵא הָרוּחַ וַיַּעֲמֹד לִפְנֵי יְיָ IICh. 18:20
330 וַיַּעֲמֹד יְהוֹשָׁפָט...בְּבֵית יְיָ IICh. 20:5
331 וַיַּעֲמֹד מֵעַל לָעָם IICh. 24:20
332 וַיַּעֲמֹד הַמֶּלֶךְ עַל־עָמְדוֹ IICh. 34:31
תַּעֲמֹד 333/4 וְאִם־תַּחְתֶּיהָ תַּעֲמֹד הַבַּהֶרֶת Lev. 13:23,28
335 וְאִשָּׁה לֹא־תַעֲמֹד לִפְנֵי בְהֵמָה Lev. 18:23
336 וּצְדָקָה מֵרָחוֹק תַּעֲמֹד Is. 59:14
337 עֲצַת יְיָ לְעוֹלָם תַּעֲמֹד Ps. 33:11
338 וְלֹא תַעֲמֹד וְלֹא־לוֹ תִהְיֶה Dan. 11:17
וַתַּעֲמֹד 339 וַתַּעֲמֹד מִלֶּדֶת Gen. 29:35
340 וְהָעֲגָלָה בָּאָה...וַתַּעֲמֹד שָׁם ISh. 6:14
341 וַיִּשְׁפְּכוּ סֹלְלָה אֶל־הָעִיר וַתַּ׳ בַּחֵל IISh. 20:15
342 וַתָּבֹא...וַתַּעֲמֹד לִפְנֵי הַמֶּלֶךְ IK. 1:28
343 וַיִּקְרָא־לָהּ וַתַּעֲמֹד לְפָנָיו IIK. 4:12
344 וַיִּקְרָא־לָהּ וַתַּעֲמֹד בַּפָּתַח IIK. 4:15
345 כּוֹנַנְתָּ אֶרֶץ וַתַּעֲמֹד Ps. 119:90
346 וַתַּעֲמוֹד מֵאָז הַבֹּקֶר וְעַד־עַתָּה Ruth 2:7
347 וַתַּעֲמֹד בַּחֲצַר בֵּית־הַמֶּלֶךְ Es. 5:1
348 וַתָּקָם אֶסְתֵּר וַתַּעֲמֹד לִפְנֵי הַמֶּלֶךְ Es. 8:4
349 וַתַּעֲמֹד מִלְחָ׳ בְּגֶזֶר עִם־פְּלִשְׁתִּים ICh. 20:4
נַעֲמֹד 350 וְאֵיךְ נַעֲמֹד אֲנָחְנוּ IIK. 10:4
נַעַמְדָה 351 מִי־יָרִיב אִתִּי נַעַמְדָה יָּחַד Is. 50:8
352 נַעַמְדָה לִפְנֵי הַבַּיִת הַזֶּה וּלְפָנֶיךָ IICh. 20:9
תַּעֲמֹדוּ 353 כְּבֹאֲכֶם...בַּיַּרְדֵּן תַּעֲמֹדוּ Josh. 3:8
354 וְאַתֶּם אַל־תַּעֲמֹדוּ Josh. 10:19
355 הָעִיזוּ אַל־תַּעֲמֹדוּ Jer. 4:6
356 פְּלֵטִים מֵחֶרֶב הִלְכוּ אַל־תַּעֲמֹדוּ Jer. 51:50
וַתַּעַמְדוּן 357 וַתִּקְרְבוּן וַתַּעַמְדוּן תַּחַת הָהָר Deut. 4:11
יַעַמְדוּ 358 הָאֲנָשִׁים אֲשֶׁר יַעַמְדוּ אִתְּכֶם Num. 1:5
359 אֵלֶּה יַעַמְדוּ לְבָרֵךְ אֶת־הָעָם Deut. 27:12
360 וְאֵלֶּה יַעַמְדוּ עַל־הַקְּלָלָה בְּהַר Deut. 27:13
361 יַעַמְדוּ עַל־גְּבוּלָם מִצָּפוֹן Josh. 18:5
362 יַעַמְדוּ־נָא וְיוֹשִׁעֻךְ... Is. 47:13
363 קֹרֵא אֲנִי אֲלֵיהֶם יַעַמְדוּ יַחְדָּו Is. 48:13
364 לְמַעַן יַעַמְדוּ יָמִים רַבִּים Jer. 32:14
365 וְלֹא־יַעַמְדוּ אֲלֵיהֶם בְּגָבְהָם Ezek. 31:14
366 וְהֵמָּה יַעַמְדוּ לִפְנֵיהֶם לְשָׁרְתָם Ezek. 44:11
367 וְעַל־רִיב הֵמָּה יַעַמְדוּ לְמִשְׁפָּט Ezek. 44:24
368 עַל־הָרִים יַעַמְדוּ־מָיִם Ps. 104:6
369 הַשְּׁנַיִם יַעַמְדוּ נֶגְדּוֹ Eccl. 4:12
370 וּמִקְצָתָם יַעַמְדוּ לִפְנֵי הַמֶּלֶךְ Dan. 1:5
371 וְכָל־חַיּוֹת לֹא־יַעַמְדוּ לְפָנָיו Dan. 8:4
372 רַבִּים יַעַמְדוּ עַל־מֶלֶךְ הַנֶּגֶב Dan. 11:14
373 יַעַמְדוּ־נָא שָׂרֵינוּ לְכָל־הַקָּהָל Ez. 10:14
יַעֲמֹדוּ 374 יִתְקַבְּצוּ כֻלָּם יַעֲמֹדוּ Is. 44:11
375 בְּלֶכְתָּם יֵלֵכוּ וּבְעָמְדָם יַעֲמֹדוּ Ezek. 1:21
376 בְּעָמְדָם יַעֲמֹדוּ וּבְרוֹמָם יֵרוֹמּוּ Ezek. 10:17
377 וְיָרְדוּ...אֶל־הָאָרֶץ יַעֲמֹדוּ Ezek. 27:29
378 אֹהֲבַי וְרֵעַי מִנֶּגֶד נִגְעִי יַעֲמֹדוּ Ps. 38:12
379 וּזְרֹעוֹת הַנֶּגֶב לֹא יַעֲמֹדוּ Dan. 11:15
380 וּזְרֹעִים מִמֶּנּוּ יַעֲמֹדוּ Dan. 11:31
וְיַעַמְדוּ 381 מֵי הַיַּרְדֵּן יִכָּרֵתוּן...וְיַעַמְדוּ נֵד אֶחָד Josh. 3:13
וַיַּעַמְדוּ 382 וַיַּעַמְדוּ לִפְנֵי יוֹסֵף Gen. 43:15
383 וַיַּעַמְדוּ לִפְנֵי פַרְעֹה Ex. 9:10
384 וַיָּנֻעוּ וַיַּעַמְדוּ מֵרָחֹק Ex. 20:15
385 וַיִּקְרְבוּ...וַיַּעַמְדוּ לִפְנֵי יְיָ Lev. 9:5
386 וַיַּעַמְדוּ פֶּתַח אֹהֶל מוֹעֵד Num. 16:18
387 וַיַּעַמְדוּ הַמַּיִם הַיֹּרְדִים מִלְמַעְלָה Josh. 3:16
388 וַיַּעַמְדוּ הַכֹּהֲנִים...בְּתוֹךְ הַיַּרְדֵּן Josh. 3:17
389 וַיַּעַמְדוּ אִישׁ תַּחְתָּיו Jud. 7:21
390 וַיַּעַמְדוּ פֶּתַח שַׁעַר הָעִיר Jud. 9:44

וַיַּעַמְדוּ (המשך) 391 וַיִּרְדֹּף...וַיַּעַמְדוּ מָאתַיִם אִישׁ... ISh. 30:10
392 וַיַּעַמְדוּ עַל רֹאשׁ־גִּבְעָה אֶחָת IISh. 2:25
393 וַיַּעַמְדוּ כָּל־הָעָם וְלֹא־יִרְדְּפוּ עוֹ׳ IISh. 2:28
394 וַיַּעַמְדוּ בֵּית הַמֶּרְחָק IISh. 15:17
395 הָלְכוּ וַיַּעַמְדוּ מִנֶּגֶד מֵרָחוֹק IIK. 2:7
396 וַיִּצָּעֲקוּ...וַיַּעַמְדוּ עַל־הַגְּבוּל IIK. 3:21
397 וַיַּעַמְדוּ הָרָצִים אִישׁ וְכֵלָיו בְּיָדוֹ IIK. 11:11
398 וַיַּעַמְדוּ בִּתְעָלַת הַבְּרֵכָה הָעֶלְיוֹנָ׳ IIK. 18:17
399 וַיַּעַמְדוּ אֵצֶל מִזְבַּח הַנְּחֹשֶׁת Ezek. 9:2
400 וַיִּחְיוּ וַיַּעַמְדוּ עַל־רַגְלֵיהֶם Ezek. 37:10
401/2 וַיַּעַמְדוּ לִפְנֵי הַמֶּלֶךְ Dan. 1:19; 2:2
403 וַיַּעַמְדוּ וַיִּתְוַדּוּ עַל־חַטֹּאתֵיהֶם Neh. 9:2
404 וַיַּעַמְדוּ כְמִשְׁפָּטָם עַל־עֲבוֹדָתָם ICh. 6:17
405 וַיַּעַמְדוּ בְּנֵי עַמּוֹן וּמוֹאָב עַל... IICh. 20:23
406 וַיַּעַמְדוּ עַל־עֻזִּיָּהוּ...וַיֹּאמְרוּ IICh. 26:18
407 וַיַּעַמְדוּ הַלְוִיִּם בִּכְלֵי דָוִיד IICh. 29:26
408 וַיַּעַמְדוּ עַל־עָמְדָם כְּמִשְׁפָּטָם IICh. 30:16
409 וַיַּעַמְדוּ הַכֹּהֲנִים עַל־עָמְדָם IICh. 35:10
וַיַּעֲמֹדוּ 410 כָּל־הַבָּא אֶל־הַמָּקוֹם...וַיַּעֲמֹדוּ IISh. 2:23
הֲיַעַמְדוּ 411 לִרְאוֹת הֲיַעַמְדוּ דִּבְרֵי מָרְדֳּכַי Es. 3:4
וַתַּעֲמֹדְנָה 412 וַתַּעֲמֹדְנָה אֵצֶל הַפָּרוֹת Gen. 41:3
413 וַתַּעֲמֹדְנָה לִפְנֵי מֹשֶׁה Num. 27:2
414 אָז תָּבֹאנָה...וַתַּעֲמֹדְנָה לְפָנָיו IK. 3:16
415 וַתַּעֲמֹדְנָה אַרְבַּע תַּחְתֶּיהָ Dan. 8:22
416 וַתַּעֲמֹדְנָה...הַתּוֹדֹת בְּבֵית הָאֱלֹ׳ Neh. 12:40
יַעֲמֹדְנָה 417 אַרְבַּע מַלְכֻיוֹת מִגּוֹי יַעֲמֹדְנָה Dan. 8:22
עֲמֹד 418 וְאַתָּה פֹּה עֲמֹד עִמָּדִי Deut. 5:28
419 וַיֹּאמֶר אֵלֶיהָ עֲמֹד פֶּתַח הָאֹהֶל Jud. 4:20
420 וְאַתָּה עֲמֹד כַּיּוֹם וְאַשְׁמִיעֲךָ ISh. 9:27
421 וְאַתָּה פֹּה עֲמֹד IISh. 20:4
422 עֲמֹד בְּשַׁעַר בֵּית יְיָ וְקָרָאתָ שָּׁם Jer. 7:2
423 עֲמֹד בַּחֲצַר בֵּית־יְיָ וְדִבַּרְתָּ Jer. 26:2
424 בֶּן־אָדָם עֲמֹד עַל־רַגְלֶיךָ Ezek. 2:1
425 עֲמֹד וְהִתְבּוֹנֵן נִפְלְאוֹת אֵל Job 37:14
עֲמָד־ 426 עֲמָד־נָא עָלַי וּמֹתְתֵנִי IISh. 1:9
וַעֲמֹד 427 הִנֵּה...וַעֲמֹד עַל־עָמְדֶךָ Dan. 10:11
עִמְדִי 428 עִמְדִי־נָא בַחֲבָרַיִךְ Is. 47:12
429 אֶל־דֶּרֶךְ עִמְדִי וְצַפִּי... Jer. 48:19
עִמְדוּ 430 עִמְדוּ וְאֶשְׁמְעָה מַה־יְצַוֶּה יְיָ Num. 9:8
431 עִמְדוּ עַל־דְּרָכִים וּרְאוּ Jer. 6:16
432 עִמְדוּ וּרְאוּ אֶת־יְשׁוּעַת יְיָ IICh. 20:17
עֲמֹדוּ 433 עִמְדוּ עֲמֹדוּ וְאֵין מַפְנֶה Nah. 2:9
וְעִמְדוּ 434 וְעִמְדוּ בַקֹּדֶשׁ לִפְלֻגּוֹת בֵּית הָאָבוֹת IICh. 35:5
וְהַעֲמִיד 435 וְהַעֲמִיד מִשְׁמְרוֹת יֹשְׁבֵי יְרוּשָׁלַםִ Neh. 7:3
לְהַעֲמִיד 436 יִנָּשְׂאוּ לְהַעֲמִיד חָזוֹן וְנִכְשָׁלוּ Dan. 11:14
437 לְהַעֲמִיד אֶת־אֲחֵיהֶם הַמְשֹׁרְרִים ICh. 15:16
וּלְהַעֲמִיד 438 לְהָקִים...וּלְהַעֲמִיד אֶת־יְרוּשָׁלִָם IK. 15:4
439 לְרוֹמֵם...וּלְהַעֲמִיד אֶת־חָרְבֹתָיו Ez. 9:9
לְהַעֲמִידוֹ 440 לְהַעֲמִידוֹ עַל־מְכוֹנוֹ Ez. 2:68
441 בְּאַהֲבַת אֱלֹהַיִךְ אֶת־יִשְׂרָאֵל לְהַעֲמִידוֹ לְעוֹלָם IICh. 9:8
הֶעֱמַדְתִּי 442 דְּלָתוֹת לֹא־הֶעֱמַדְתִּי בַּשְּׁעָרִים Neh. 6:1
443 וּמִנְּעָרַי הֶעֱמַדְתִּי עַל־הַשְּׁעָרִים Neh. 13:19
444 ...הָאֲדָ׳ אֲשֶׁר הֶעֱמַדְתִּי לַאֲבוֹתֵיכֶם IICh. 33:8
הֶעֱמַדְתִּיךָ 445 וְאוּלָם בַּעֲבוּר זֹאת הֶעֱמַדְתִּיךָ Ex. 9:16
וְהַעֲמַדְתִּיהוּ 446 וְהַעֲמַדְתִּיהוּ בְּבֵיתִי וּבְמַלְכוּתִי ICh. 17:14
הֶעֱמַדְתָּה 447 בִּרְצוֹנְךָ הֶעֱמַדְתָּה לְהַרְרִי עֹז Ps. 30:8
הֶעֱמַדְתָּ 448 הֶעֱמַדְתָּ בַמֶּרְחָב רַגְלָי Ps. 31:9
449 וְגַם־נְבִיאִים הֶעֱמַדְתָּ Neh. 6:7
וְהַעֲמַדְתָּ 450 וְהַעֲמַדְתָּ אֹתוֹ לִפְנֵי אַהֲרֹן הַכֹּהֵן Num. 3:6
451 וְהַעֲמַדְתָּ אֶת־הַלְוִיִּם לִפְנֵי אַהֲרֹן Num. 8:13
452 וְהַעֲמַדְתָּ אֹתוֹ לִפְנֵי אֶלְעָזָר הַכֹּהֵן Num. 27:19

453 וְהַעֲמַדְתָּ לָהֶם כָּל־מָתְנָיִם Ezek. 29:7
הֶעֱמִיד 454 מִסָּרִיסֵי הַמֶּ׳ אֲשֶׁר הֶעֱמִיד לְפָנֶיהָ Es. 4:5
455 הֶעֱמִיד דָּוִיד עַל־יְדֵי־שִׁיר בֵּית יְיָ IICh. 6:16
456 וְגַם בִּירוּשָׁ׳ הֶעֱמִיד...מִן־הַלְוִיִּם IICh. 19:8
וְהֶעֱמִיד 457 וְהֶעֱמִיד הַכֹּהֵן הַמְטַהֵר אֶת הָאִישׁ Lev. 14:11
458 וְהֶעֱמִיד אֹתָם לִפְנֵי יְיָ Lev. 16:7
459 וְהֶעֱמִיד אֶת־הַבְּהֵמָה לִפְנֵי הַכֹּהֵן Lev. 27:11
460 וְהֶעֱמִיד הַכֹּהֵן אֶת־הָאִשָּׁה לִפְנֵי יְיָ Num. 5:18
461 וְהֶעֱמִיד אֶת־הָאִשָּׁה לִפְנֵי יְיָ Num. 5:30
462 וְהֶעֱמִ׳ בְּבֵית אֵל אֶת־כֹּהֲנֵי הַבָּמוֹת IK. 12:32
463/4 וְהֶעֱמִיד הָמוֹן רָב Dan. 11:11,13
465 וְהֶעֱמִיד הָאֲשֵׁרִים וְהַפְּסִלִים IICh. 33:19
וְהֶעֱמִידוֹ 466 וְהֶעֱמִידוֹ לִפְנֵי הַכֹּהֵן Lev. 27:8
וְהֶעֱמִדָהּ 467 וְהִקְרִיב אֹתָהּ...וְהֶעֱמִדָהּ לִפְנֵי יְיָ Num. 5:16
וְהֶעֱמַדְנוּ 468 וְהֶעֱמַדְנוּ עָלֵינוּ מִצְוֹת לָתֵת... Neh. 10:33
מַעֲמִיד 469 הָיָה מַעֲמִיד בַּמֶּרְכָּבָה נֹכַח אֲרָם IICh. 18:34
וָאַעֲמִיד 470 וָאַעֲמִיד מִתַּחְתִּיּוֹת לַמָּקוֹם Neh. 4:7
471 וָאַעֲמִיד אֶת־הָעָם לְמִשְׁפָּחוֹת Neh. 4:7
472 נִבְנְתָה הַחוֹמָה וָאַעֲמִיד הַדְּלָתוֹת Neh. 7:1
וָאַעֲמִידָה 473 וָאַעֲמִידָה שְׁתֵּי תוֹדֹת גְּדוֹלֹת Neh. 12:31
474 וָאַעֲמִידָה מִשְׁמָרוֹת לַכֹּהֲנִים Neh. 13:30
וָאַעֲמִדֵם 475 וָאֶקְבְּצֵם וָאַעֲמִדֵם עַל־עָמְדָם Neh. 13:11
יַעֲמִיד 476 מֶלֶךְ בְּמִשְׁפָּט יַעֲמִיד אָרֶץ Prov. 29:4
וַיַּעֲמִיד 477 וַיַּעֲמִיד דַּלְתֹתָיו מַנְעֻלָיו וּבְרִיחָיו Neh. 3:14
478 וַיַּעֲמִיד (כת׳ ויעמידו) דַּלְתֹתָיו Neh. 3:15
וַיַּעֲמֵד 479 וַיַּעֲמֵד אֹתָם סְבִיבֹת הָאֹהֶל Num. 11:24
480 וַיַּעֲמֵד אֶת־פָּנָיו וַיָּשֶׂם עַד־בֹּשׁ IIK. 8:11
481 וַיֹּאמֶר וַיַּעֲמֵד רוּחַ סְעָרָה Ps. 107:25
482 וַיַּעֲמֵד אֲחֵרִים תַּחְתָּם Job 34:24
483 וַיַּעֲמֵד חֹצְבִים לַחְצוֹב ICh. 22:2(1)
484 וַיַּעֲמֵד כְּמִשְׁפַּט דָּוִיד־אָבִיו IICh. 8:14
485 וַיַּעֲמֵד לָרֹאשׁ רְחַבְעָם אֶת־אֲבִיָּה IICh. 11:22
486 וַיַּעֲמֵד שֹׁפְטִים בָּאָרֶץ IICh. 19:5
487 וַיַּעֲמֵד מְשֹׁרְרִים לַיְיָ IICh. 20:21
488 וַיַּעֲמֵד אֶת־כָּל־הָעָם IICh. 23:10
489 וַיַּעֲמֵד הַשּׁוֹעֲרִים עַל־שַׁעֲרֵי... IICh. 23:19
490 וַיַּעֲמֵד אֶת־הַלְוִיִּם בֵּית יְיָ IICh. 29:25
491 וַיַּעֲמֵד...אֶת־מַחְלְקוֹת הַכֹּהֲנִים IICh. 31:2
492 וַיַּעֲמֵד אֵת כָּל־הַנִּמְצָא בִירוּ׳ IICh. 34:32
493 וַיַּעֲמֵד הַכֹּהֲנִים עַל־מִשְׁמְרוֹתָם IICh. 35:2
וַיַּעֲמֶד־ 494 וַיַּעֲמֶד־לוֹ כֹּהֲנִים לַבָּמוֹת IICh. 11:15
יַעֲמִידֵנִי 495/6 וְעַל(־)בָּמֹתַי יַעֲמִידֵנִי IISh. 22:34 • Ps. 18:34
וַיַּעֲמִידֵנִי 497 וַיִּגַּע־בִּי וַיַּעֲמִידֵנִי עַל־עָמְדִי Dan. 8:18
וַיַּעֲמִדֵהוּ 498 וַיָּבֵא...וַיַּעֲמִדֵהוּ לִפְנֵי פַרְעֹה Gen. 47:7
499 וַיִּקַּח...וַיַּעֲמִדֵהוּ לִפְנֵי אֶלְעָזָר Num. 27:22
וַיַּעֲמִידֶהָ 500/1 וַיַּעֲמִידֶהָ לְיַעֲקֹב לְחֹק Ps. 105:10
ICh. 16:17
וַיַּעֲמִידֵם 502 וַיַּעֲמִידֵם לָעַד לְעוֹלָם Ps. 148:6
503 וַיִּקְבֹּץ...וַיַּעֲמִידֵם לְבֵית־אָבוֹת IICh. 25:5
504 וַיָּבֵא...וַיַּעֲמִידֵם לוֹ לֵאלֹהִים IICh. 25:14
וַתַּעֲמִדֵנִי 505 וַתָּבֹא בִי רוּחַ...וַתַּעֲמִדֵנִי עַל־רַגְלָי Ezek. 2:2
506 וַתָּבֹא־בִי רוּחַ וַתַּעֲמִדֵנִי עַל־רַגְלָי Ezek. 3:24
וַנַּעֲמִיד 507 וַנַּעֲמִיד מִשְׁמָר עֲלֵיהֶם Neh. 4:3
וַיַּעֲמִידוּ 508 וַיַּעֲמִידוּ אוֹתוֹ בֵּין הָעַמּוּדִים Jud. 16:25
509 וַיַּעֲמִידוּ אֶת־הַלְוִיִּם...לְנַצֵּחַ... Ez. 3:8
510 וַיַּעֲמִידוּ הַכֹּהֲנִים...בַּחֲצֹצְרוֹת Ez. 3:10
511-514 וַיַּעֲמִידוּ דַּלְתֹתָיו... Neh. 3:1,3,6,13
515 וַיַּעֲמִידוּ הַלְוִיִּם אֵת הֵימָן... ICh. 15:17
516 וַיַּעֲמִידוּ אֶת־בֵּית הָאֱלֹהִים עַל־מַתְכֻּנְתּוֹ IICh. 24:13
517 וַיַּעֲמִידוּ דָבָר לְהַעֲבִיר קוֹל... IICh. 30:5
הַעֲמֵד 518 לֵךְ הַעֲמֵד הַמְצַפֶּה... Is. 21:6

וְהַעֲמִידֶהָ 519 וְהַעֲמִידֶהָ עַל־גֶּחָלֶיהָ רֵקָה Ezek.24:11
מָעֳמָד 520 וְהַמֶּלֶךְ הָיָה מָעֳמָד בַּמֶּרְכָּבָה IK.22:35
יָעֳמַד 521 וְהַשָּׂעִיר...יָעֳמַד־חַי לִפְנֵי יְיָ Lev.16:10

עֹמֶד*
ז׳ מקום עמידה: 1-9

עָמְדִי 1 וַיָּבֹא אֵצֶל עָמְדִי Dan.8:17
2 וַיַּעֲמִידֵנִי עַל־עָמְדִי Dan.8:18
עָמְדֶךָ 3 הָבֵן...וַעֲמֹד עַל־עָמְדֶךָ Dan 10:11
עָמְדוֹ 4 וַיַּעֲמֹד הַמֶּלֶךְ עַל־עָמְדוֹ IICh.34:31
עָמְדָם 5 וְהָעָם עַל־עָמְדָם Neh.8:7
6 וַיָּקוּמוּ עַל־עָמְדָם וַיִּקְרְאוּ Neh.9:3
7 וָאֲקַבְּצֵם וָאַעֲמִדֵם עַל־עָמְדָם Neh.13:11
8 וַיַּעַמְדוּ עַל־עָמְדָם כְּמִשְׁפָּטָם IICh.30:16
9 וַיַּעַמְדוּ הַכֹּהֲנִים עַל־עָמְדָם IICh.35:10

עֶמְדָּה*
נ׳ מקום עמידה

עֶמְדָּתוֹ 1 מִסְפַּד בֵּית הָאֵצֶל יִקַּח מִכֶּם עֶמְדָּתוֹ Mic.1:11

עִמָּדִי
עין עם (562-606)

עֻמָּה
ש״פ – עיר בנחלת אשר

וְעֻמָּה 1 וְעֻמָּה וַאֲפֵק וּרְחֹב Josh.19:30

עֻמָּה
– עין לְעֻמַּת (באות ל׳)

עַמּוּד
ז׳ א) עצם גבוה (על־פי־רוב גלילי) עשוי עץ או אבן וכד׳ למשען בבנין: 1-5, 8-10, 30, 31-32, 81-84, 111
ב) מקום מורם, בימה, דוכן: 6, 7, 31
ג) גוש מתנשא בדומה לעמוד(א): 11-29, 82, 83

– הָעַמּוּד הָאֶחָד 1, 2, 8; הָעַמּוּד הַיְמָנִי 4; הָעַמּוּד הַשְּׂמָאלִי 5; הָעַמּוּד הַשֵּׁנִי 3, 9, 10
– עַמּוּד אֵשׁ 18, 19, 21, 22, 27, 29; ע׳ בַּרְזֶל 30; עַמּוּד עָנָן 11-16, 20, 22-26, 28; ע׳ עָשָׁן 17
– אוּלָם הָעַמּוּדִים 48; וָוֵי הָעַ׳ 38-43; טוּרֵי הָעַ׳ 79; מְלֶאכֶת הָעַמּוּדִים 61; קוֹמַת הָעַמּוּד 1, 2, 8; רֹאשׁ הָעַמֻּדִים 67; רָאשֵׁי הָעַמּוּדִים 50-57
– עַמּוּדֵי אֲרָזִים 79; ע׳ הֶחָצֵר 75, 77, 84, 85; עַמּוּדֵי הַחֲצֵרוֹת 87; עַמּוּדֵי נְחֹשֶׁת 80, 81; עַמּוּדֵי שִׁטִּים 73, 74, 76; עַמּוּדֵי שָׁמַיִם 82; עַמּוּדֵי שֵׁשׁ 83, 86; עַמּוּדֵי הַתָּוֶךְ 78

הָעַמּוּד 1/2 קוֹמַת הָעַמּוּד הָאֶחָד IK.7:15 • IIK.25:17
3 יָסֹב אֶת־הָעַמּוּד הַשֵּׁנִי IK.7:15
4 וַיָּקֶם אֶת־הָעַמּוּד הַיְמָנִי IK.7:21
5 וַיָּקֶם אֶת־הָעַמּוּד הַשְּׂמָאלִי IK.7:21
6 וְהִנֵּה הַמֶּלֶךְ עֹמֵד עַל־הָעַמּוּד IIK.11:14
7 וַיַּעֲמֹד הַמֶּלֶךְ עַל־הָעַמּוּד IIK.23:3
8 קוֹמַתº הָעַמֻּד הָאֶחָד Jer.52:21
לָעַמּוּד 9/10 וְכָאֵלֶּה לָעַמּוּד הַשֵּׁנִי IIK.25:17 • Jer.52:22
עַמּוּד־ 11 לֹא־יָמִישׁ עַמּוּד הֶעָנָן יוֹמָם Ex.13:22
12 וַיִּסַּע עַמּוּד הֶעָנָן מִפְּנֵיהֶם Ex.14:19
13-16 עַמּוּד הֶעָנָן Ex.33:9,10 Deut.31:15 • Neh.9:19
17 הֵחֵלָּה לַעֲלוֹת...עַמּוּד עָשָׁן Jud.20:40
18 וְאֶת־עַמּוּד הָאֵשׁ בְּלַיְלָה Neh.9:19
וְעַמּוּד־ 19 לֹא־יָמִישׁ...וְעַמּוּד הָאֵשׁ לָיְלָה Ex.13:22
בְּעַמּוּד־ 20 וַיְיָ הֹלֵךְ לִפְנֵיהֶם יוֹמָם בְּעַמּוּד עָנָן Ex.13:21
21 וְלַיְלָה בְּעַמּוּד אֵשׁ Ex.13:21
22 וַיַּשְׁקֵף יְיָ...בְּעַמּוּד אֵשׁ וְעָנָן Ex.14:24
23 וַיֵּרֶד יְיָ בְּעַמּוּד עָנָן Num.12:5
24 וַיֵּרָא יְיָ בָּאֹהֶל בְּעַמּוּד עָנָן Deut.31:15
25 בְּעַמּוּד עָנָן יְדַבֵּר אֲלֵיהֶם Ps.99:7
וּבְעַמּוּד־ 26 וּבְעַמֻּד עָנָן אַתָּה הֹלֵךְ...יוֹמָם Num.14:14
27 וּבְעַמּוּד אֵשׁ לָיְלָה Num.14:14
28 וּבְעַמּוּד עָנָן הִנְחִיתָם יוֹמָם Neh.9:12
29 וּבְעַמּוּד אֵשׁ לַיְלָה לְהָאִיר Neh.9:12
וּלְעַמּוּד־ 30 לְעִיר מִבְצָר וּלְעַמּוּד בַּרְזֶל Jer.1:18
עַמּוּדוֹ 31 וְהִנֵּה הַמֶּלֶךְ עוֹמֵד עַל־עַמּוּדוֹ IICh.23:13
עַמּוּדִים 32 עַמֻּדִים שְׁנַיִם IK.7:41
33 וְאֵין לָהֶן עַמּוּדִים Ezek.42:6
34/5 עַמּוּדִים שְׁנַיִם IICh.3:15; 4:12
וְעַמּוּדִים 36 וְעַמֻּדִים וְעָב עַל־פְּנֵיהֶם IK.7:6
37 וְעַמֻּדִים אֶל־הָאֵילִים Ezek.40:49
הָעַמּוּדִים 38/9 וָוֵי הָעַמֻּדִים וַחֲשֻׁקֵיהֶם Ex.27:10,11
40-42 וָוֵי הָעַמּוּדִים Ex.38:10,11,17
43 וָוֵי הָעַמֻּדִים Ex.38:12
44 וַיַּעֲמִידוּ אוֹתוֹ בֵּין הָעַמּוּדִים Jud.16:25
45 וַהֲמִישֵׁנִיº אֶת־הָעַמֻּדִים Jud.16:26
46 וּכְרֻתוֹת אֲרָזִים עַל־הָעַמּוּדִים IK.7:2
47 עַל־הַצְּלָעֹת אֲשֶׁר עַל־הָעַמּוּדִים IK.7:3
48 וְאֵת אוּלָם הָעַמּוּדִים עָשָׂה... IK.7:6
49 וַיָּצַר אֶת־שְׁנֵי הָעַמּוּדִים נְחֹשֶׁת IK.7:15
50 לָתֵת עַל־רָאשֵׁי הָעַמּוּדִים IK.7:16
51-57 עַל־רֹאשׁ הָעַמּוּדִים IK.7:17,19 7:22,41² • IICh.4:12²
58 וַיַּעַשׂ אֶת־הָעַמּוּדִים IK.7:18
59 וְכֹתָרֹת עַל־שְׁנֵי הָעַמּוּדִים IK.7:20
60 וַיָּקֶם אֶת־הָעַמֻּדִים לְאֻלָם הַהֵיכָל IK.7:21
61 וַתִּתֹּם מְלֶאכֶת הָעַמּוּדִים IK.7:22
62 אֲשֶׁר עַל־פְּנֵי הָעַמּוּדִים IK.7:42
63 הָעַמּוּדִים שְׁנַיִם הַיָּם הָאֶחָד IIK.25:16
64 אֶל־הָעַמֻּדִים וְעַל־הַיָּם Jer.27:19
65 הָעַמּוּדִים שְׁנַיִם הַיָּם אֶחָד Jer.52:20
66 אֶת־יָם הַנְּחֹשֶׁת וְאֶת־הָעַמּוּדִים ICh.18:8
67 וַיַּעַשׂ...וַיִּתֵּן עַל־רֹאשׁ הָעַמֻּדִים IICh.3:16
68 וַיָּקֶם אֶת־הָעַמּוּדִים IICh.3:17
69 אֲשֶׁר עַל־פְּנֵי הָעַמּוּדִים IICh.4:13
וְהָעַמּוּדִים 70 וְהָעַמּוּדִים שְׁמֹנֶה עֶשְׂרֵה אַמָּה Jer.52:21
לָעַמּוּדִים 71 וְהָאֲדָנִים לָעַמֻּדִים נְחֹשֶׁת Ex.38:17
72 עָשָׂה וָוִים לָעַמּוּדִים Ex.38:28
עַמּוּדֵי־ 73 עַל־אַרְבָּעָה עַמּוּדֵי שִׁטִּים Ex.26:32
74 חֲמִשָּׁה עַמּוּדֵי שִׁטִּים Ex.26:37
75 כָּל־עַמּוּדֵי הֶחָצֵר סָבִיב Ex.27:17
76 וַיַּעַשׂ לָהּ אַרְבָּעָה עַמּוּדֵי שִׁטִּים Ex.36:36
77 כָּל עַמֻּדֵי הֶחָצֵר Ex.38:17
78 אֶת־שְׁנֵי עַמּוּדֵי הַתָּוֶךְ Jud.16:29
79 עַל אַרְבָּעָה טוּרֵי עַמּוּדֵי אֲרָזִים IK.7:2
80/1 וְאֶת־עַמּוּדֵי הַנְּחֹשֶׁת IIK.25:13 • Jer.52:17
82 עַמּוּדֵי שָׁמַיִם יְרוֹפָפוּ Job26:11
83 שׁוֹקָיו עַמּוּדֵי שֵׁשׁ S.ofS.5:15
וְעַמּוּדֵי־ 84 וְעַמֻּדֵי הֶחָצֵר סָבִיב וְאַדְנֵיהֶם Num.3:37
85 וְעַמּוּדֵי הֶחָצֵר סָבִיב וְאַדְנֵיהֶם Num.4:32
86 עַל־גְּלִילֵי כֶסֶף וְעַמּוּדֵי שֵׁשׁ Es.1:6
כְּעַמּוּדֵי־ 87 עַמּוּדִים כְּעַמּוּדֵי הַחֲצֵרוֹת Ezek.42:6
עַמּוּדָיו 88 אֶת־עַמֻּדָיו וְאֶת־אֲדָנָיו Ex.35:11
89 אֶת־עַמֻּדָיו וְאֶת־אֲדָנֶיהָ Ex.35:17
90 וְאֶת־עַמּוּדָיו חֲמִשָּׁה Ex.36:38
91 וַיָּקֶם אֶת־עַמּוּדָיו Ex.40:18
92 עַמּוּדָיו עָשָׂה כֶסֶף S.ofS.3:10
וְעַמּוּדָיו 93 וְעַמֻּדָיו עֶשְׂרִים Ex.27:10
94 וְעַמֻּדָו עֶשְׂרִים Ex.27:11
95 בְּרִיחָו וְעַמֻּדָיו וַאֲדָנָיו Ex.39:33
96 וּבְרִיחָיו וְעַמֻּדָיו וַאֲדָנָיו Num.3:36
97 וּבְרִיחָיו וְעַמּוּדָיו וַאֲדָנָיו Num.4:31
עַמּוּדֶיהָ 98 אֶת־עַמֻּדֶיהָ וְאֶת־אֲדָנֶיהָ Ex.39:40
99 אָנֹכִי תִכַּנְתִּי עַמּוּדֶיהָ Ps.75:4
100 חָצְבָה עַמּוּדֶיהָ שִׁבְעָה Prov.9:1
וְעַמּוּדֶיהָ 101 הַמַּרְגִּיז אֶרֶץ...וְעַמּוּדֶיהָ יִתְפַּלָּצוּן Job9:6
עַמּוּדֵיהֶם 102 עַמֻּדֵיהֶם עֲשָׂרָה... Ex.27:12
103-105 עַמֻּדֵיהֶם שְׁלֹשָׁה Ex.27:14,15; 38:15
106 עַמֻּדֵיהֶם אַרְבָּעָה Ex.27:16
107-108 עַמּוּדֵיהֶם עֶשְׂרִים Ex.38:10,11
109 עַמּוּדֵיהֶם עֲשָׂרָה Ex.38:12
110 עַמּוּדֵיהֶם שְׁלֹשָׁה Ex.38:14
וְעַמּוּדֵיהֶם 111 וְעַמֻּדֵיהֶם אַרְבָּעָה Ex.38:19

עַמּוֹן
שפ״ז – עם המתיחס על בֶּן־עַמִּי בן לוט וישב בעבר הירדן המזרחי
מִיַּבֹּק בצפון ועד נחל אַרְנוֹן בדרום: 1-101

בְּנֵי עַמּוֹן 1-100; אֱלֹהֵי בְנֵי עַמּוֹן 6; גְּבוּל בְּ״עַ 3; גְּדוּדֵי בְּ״עַ 8; גְּדוּפֵי בְּ״עַ 10; עָרֵי בְּ״עַ 4; פִּשְׁעֵי בְּנֵי עַמּוֹן 9; שִׁקּוּץ בְּ״עַ 5; תּוֹעֲבַת בְּ״עַ 7

עַמּוֹן 1 בֶּן־עַמִּי הוּא אֲבִי בְנֵי־עַמּוֹן Gen.19:38
2 מֵאַרְנֹן עַד־יַבֹּק עַד־בְּנֵי עַמּוֹן Num.21:24
3 כִּי עַז גְּבוּל בְּנֵי עַמּוֹן Num.21:24
4 וְכֵן יַעֲשֶׂה לְכֹל עָרֵי בְנֵי־עַמּוֹן IISh.12:31
5 וּלְמֹלֶךְ שִׁקֻּץ בְּנֵי עַמּוֹן IK.11:7
6 וּלְמִלְכֹּם אֱלֹהֵי בְנֵי־עַמּוֹן IK.11:33
7 וּלְמִלְכֹּם תּוֹעֲבַת בְּנֵי־עַמּוֹן IIK.23:13
8 וַיְשַׁלַּח...וְאֵת גְּדוּדֵי בְנֵי־עַמּוֹן IIK.24:2
9 עַל־שְׁלֹשָׁה פִּשְׁעֵי בְנֵי־עַמּוֹן Am.1:13
10 חֶרְפַּת מוֹאָב וְגִדּוּפֵי בְּנֵי עַמּוֹן Zep.2:8
11-100 (וּ/בִ/בְּ/מ/וּמ) בְּנֵי(־)עַמּוֹן Deut.2:19² 2:37; 3:16 • Josh.12:2; 13:10,25 • Jud.3:13; 10:6, 7,9,11,17,18; 11:4,5,6,8,9,12,13,14,15; 11:27,28, 29,30,31,32,33,36 • Jud.12:1,2,3 • ISh.11:11; 12:12; 14:47 • IISh.8:12; 10:1,2,3,6²,8,10,11, 14²,19; 11:1; 12:9 • Is.11:14 • Jer.9:25; 25:21; 27:3; 40:11,14; 41:10,15; 49:1,6 • Ezek.21:33; 25:2,3,5,10² • Zep.2:9 • Dan.11:41 • ICh.18:11; 19:1,2,3,6²,7,9,11; 19:12,15,19; 20:1,3 • IICh. 20:1,10,22,23; 27:5³
וְעַמּוֹן 101 גְּבָל וְעַמּוֹן וַעֲמָלֵק Ps.83:8

עַמּוֹנִי
ת׳ המתיחס על בני עמון: 1-21

– טוֹבִיָּה הָעַמּוֹנִי 9; נָחָשׁ הָעַמּוֹנִי 3, 4; הָעֶבֶד הָעַמּוֹנִי 7, 8; צֶלֶק הָעַמּוֹנִי 5, 10
– נַעֲמָה הָעַמּוֹנִית 11-13; שִׁמְעַת הָעַמּוֹנִית 14
– שִׁקּוּץ עַמּוֹנִים 15

עַמּוֹנִי 1 לֹא־יָבֹא עַמּוֹנִי וּמוֹאָבִי בִּקְהַל יְיָ Deut.23:4
2 לֹא־יָבוֹא עַמֹּנִי וּמֹאָבִי בִּקְהַל הָאֱל׳ Neh.13:1
הָעַמּוֹנִי 3 וַיַּעַל נָחָשׁ הָעַמּוֹנִי וַיִּחַן עַל־יָבֵישׁ ISh.11:1
4 וַיֹּאמֶר אֲלֵיהֶם נָחָשׁ הָעַמּוֹנִי ISh.11:2
5 צֶלֶק הָעַמּוֹנִי נַחְרַי הַבְּאֵרֹתִי IISh.23:37
6 הַחִתִּי...הָעַמֹּנִי הַמֹּאָבִי Ez.9:1
7 וְטוֹבִיָּה הָעֶבֶד הָעַמֹּנִי Neh.2:10
8 וְטֹבִיָּה הָעֶבֶד הָעַמּוֹנִי Neh.2:19
9 וְטוֹבִיָּה הָעַמֹּנִי אֶצְלוֹ Neh.3:35
10 צֶלֶק הָעַמּוֹנִי נַחְרַי הַבֵּרֹתִי ICh.11:39
הָעַמּוֹנִית 11/2 וְשֵׁם אִמּוֹ נַעֲמָה הָעַמֹּנִית IK.14:21,31
13 וְשֵׁם אִמּוֹ נַעֲמָה הָעַמֹּנִית IICh.12:13
14 זָבָד בֶּן־שִׁמְעָת הָעַמּוֹנִית IICh.24:26
עַמּוֹנִים 15 וְאַחֲרֵי מִלְכֹּם שִׁקֻּץ עַמֹּנִים IK.11:5
הָעַמּוֹנִים 16 וַיִּתְּנוּ הָעַמּוֹנִים מִנְחָה לְעֻזִּיָּהוּ IICh.26:8

וְהָעַמּוֹנִים 17 וְהָעַמֹּנִים יִקְרְאוּ לָהֶם זַמְזֻמִּים Deut. 2:20
18 וְהָעַרְבִים וְהָעַמֹּנִים וְהָאַשְׁדּוֹדִים Neh. 4:1
מֵהָעַמּוֹנִים 19 בָּאוּ...וְעִמָּהֶם מֵהָעַמּוֹנִים IICh. 20:1
עַמֳּנִיּוֹת 20 מוֹאֲבִיּוֹת עַמֳּנִיּוֹת אֲדֹמִיֹּת... IK. 11:1
21 אַשְׁדֳּדִיּוֹת° עַמֳּנִיּוֹת (כת׳ עמוניות) Neh. 13:23

עָמוֹס שפ״ז – נביא בימי עוזיהו מלך יהודה וירבעם בן יואש מלך ישראל: 1–7
דִּבְרֵי עָמוֹס 1
עָמוֹס 1 דִּבְרֵי עָמוֹס...מִתְּקוֹעַ Am. 1:1
3-2 מָה־אַתָּה רֹאֶה עָמוֹס Am. 7:8; 8:2
4 קָשַׁר עָלֶיךָ עָמוֹס Am. 7:10
5 כִּי־כֹה אָמַר עָמוֹס Am. 7:11
6 וַיֹּאמֶר אֲמַצְיָה אֶל־עָמוֹס Am. 7:12
7 וַיַּעַן עָמוֹס וַיֹּאמֶר אֶל־אֲמַצְיָה Am. 7:14

עָמוּס ת׳ – עין עָמַס

עָמוֹק שפ״ז – מן הכהנים עולי הגולה: 1, 2
עָמוֹק 1 סַלּוּ עָמוֹק חִלְקִיָּה יְדַעְיָה Neh. 12:7
לְעָמוֹק 2 לְסַלַּי קַלָּי לְעָמוֹק עֵבֶר Neh. 12:20

עַמִּיאֵל שפ״ז א) בן גמלי, נשיא מטה דן: 1
ב) אבי מָכִיר מלו־דבר: 2-4
ג) אבי בַּת־שׁוּעַ, הוא כנראה אֱלִיעָם אבי בַּת־שֶׁבַע: 5
ד) איש מבני עֹבֵד אֱדֹם: 6
עַמִּיאֵל 1 לְמַטֵּה דָן עַמִּיאֵל בֶּן־גְּמַלִּי Num. 13:12
3-2 מָכִיר בֶּן־עַמִּיאֵל (ב׳/מ׳)לוֹ דְבָר IISh. 9:4,5
4 וּמָכִיר בֶּן־עַמִּיאֵל מִלֹּא דְבָר IISh. 17:27
5 לְבַת־שׁוּעַ בַּת־עַמִּיאֵל ICh. 3:5
6 עַמִּיאֵל הַשִּׁשִּׁי יִשָּׂשכָר הַשְּׁבִיעִי ICh. 26:5

עַמִּיהוּד שפ״ז א) אבי נשיא בני אפרים: 1-6
ב) אבי נשיא בני שמעון: 7
ג) אבי נשיא נפתלי: 8
ד) אבי תַּלְמַי מלך גשור: 9
ה) בן עמרי משבט יהודה: 10
עַמִּיהוּד 1-5 אֱלִישָׁמָע בֶּן־עַמִּיהוּד Num. 1:10
2:18; 7:48,53; 10:22
6 עַמִּיהוּד בְּנוֹ אֱלִישָׁמָע בְּנוֹ ICh. 7:26
7 שְׁמוּאֵל בֶּן־עַמִּיהוּד Num. 34:20
8 פְּדַהְאֵל בֶּן־עַמִּיהוּד Num. 34:28
9 תַּלְמַי בֶּן־עַמִּיהוּד (כת׳ עמיחור) IISh. 13:37
10 עוּתַי בֶּן־עַמִּיהוּד בֶּן־עָמְרִי ICh. 9:4

עַמִּיזָבָד שפ״ז – בן בניהו בן יהוידע מגבורי דוד
עַמִּיזָבָד 1 וּמַחְלֻקְתּוֹ עַמִּיזָבָד בְּנוֹ ICh. 27:6

עַמִּיחוּר – עין עמיהוד

עַמִּינָדָב שפ״ז א) אבי אֱלִישֶׁבַע אשת אהרן ואבי נחשון נשיא מטה יהודה: 1-8, 11, 12
ב) בן קְהָת ממטה לוי: 9
ג) שר ללויים בימי דוד: 10, 13
עַמִּינָדָב 1 וַיִּקַּח אַהֲרֹן אֶת־אֱלִישֶׁבַע בַּת־עַמִּינָדָב Ex. 6:23
6-2 נַחְשׁוֹן בֶּן־עַמִּינָדָב Num. 1:7; 2:3; 7:12,17; 10:14
7/8 וְרָם הוֹלִיד אֶת־עַמִּינָדָב Ruth 4:19 • ICh. 2:10
9 בְּנֵי קְהָת עַמִּינָדָב בְּנוֹ ICh. 6:7
10 לִבְנֵי עֻזִּיאֵל עַמִּינָדָב הַשָּׂר ICh. 15:10
וְעַמִּינָדָב 11/2 וְעַמִּינָדָב הוֹלִיד אֶת־נַחְשׁוֹן Ruth 4:20
ICh. 2:10
13 שְׁמַעְיָה וֶאֱלִיאֵל וְעַמִּינָדָב ICh. 15:11

עֲמִיק ת׳ ארמית: עמוק; עֲמִיקָתָא = עמוקות
עֲמִיקָתָא 1 הוּא גָּלֵא עַמִּיקָתָא וּמְסַתְּרָתָא Dan. 2:22

עָמִיר ז׳ עומר, צרור שבלים שנקצרו: 1-4
עָמִיר 1 הָעֲגָלָה הַמְלֵאָה לָהּ עָמִיר Am. 2:13
בְּעָמִיר 2 וּכְלַפִּיד אֵשׁ בְּעָמִיר Zech. 12:6
כֶּעָמִיר 3 כִּי קִבְּצָם כֶּעָמִיר גֹּרְנָה Mic. 4:12
וּכְעָמִיר 4 וּכְעָמִיר מֵאַחֲרֵי הַקֹּצֵר Jer. 9:21

עַמִּישַׁדָּי שפ״ז – אבי הנשיא למטה דן: 1-5
עַמִּישַׁדָּי 1-5 ...אֲחִיעֶזֶר בֶּן־עַמִּישַׁדָּי Num. 1:12
2:25; 7:66,71; 10:25

עָמִית* ז׳ חָבֵר: 1-12
קרובים: חָבֵר / יְדִיד / מוֹדָע / מַכִּיר / מַכָּר / מֵרֵעַ / רֵעַ / רֵעָה
אֵשֶׁת עֲמִיתוֹ 2; גֶּבֶר עֲמִיתִי 1; יַד עֲמִיתוֹ 5
עֲמִיתִי 1 עוּרִי עַל־רֹעִי וְעַל־גֶּבֶר עֲמִיתִי Zech. 13:7
עֲמִיתְךָ 2 וְאֶל־אֵשֶׁת עֲמִיתְךָ לֹא־תִתֵּן שְׁכָבְתְּךָ Lev. 18:20
עֲמִיתֶךָ 3 בְּצֶדֶק תִּשְׁפֹּט עֲמִיתֶךָ Lev. 19:15
4 הוֹכֵחַ תּוֹכִיחַ אֶת־עֲמִיתֶךָ Lev. 19:17
5 אוֹ קָנֹה מִיַּד עֲמִיתֶךָ Lev. 25:14
6 תִּקְנֶה מֵאֵת עֲמִיתֶךָ Lev. 25:15
לַעֲמִיתֶךָ 7 וְכִי־תִמְכְּרוּ מִמְכָּר לַעֲמִיתֶךָ Lev. 25:14
עֲמִיתוֹ 8 אוֹ עָשַׁק אֶת־עֲמִיתוֹ Lev. 5:21
9 וְלֹא תוֹנוּ אִישׁ אֶת־עֲמִיתוֹ Lev. 25:17
בַּעֲמִיתוֹ 10 וְכִחֵשׁ בַּעֲמִיתוֹ בְּפִקָּדוֹן Lev. 5:21
11 וְלֹא־תְשַׁקְּרוּ אִישׁ בַּעֲמִיתוֹ Lev. 19:11
12 כִּי־יִתֵּן מוּם בַּעֲמִיתוֹ Lev. 24:19

עמל : עָמַל, עָמֵל; עָמָל

עָמַל פ׳ יָגַע, טָרַח: 1-20
קרובים: יָגַע / עָבַד / עָשָׂה / פָּעַל
יַד עָמֵל 9; נֶפֶשׁ עָמֵל 6; הַלְמוּת עֲמֵלִים 16
שֶׁעָמַלְתִּי 1 וּבֶעָמָל שֶׁעָמַלְתִּי לַעֲשׂוֹת Eccl. 2:11
2 שֶׁעָמַלְתִּי וְשֶׁחָכַמְתִּי תַּחַת הַשָּׁמֶשׁ Eccl. 2:19
3 הֶעָמָל שֶׁעָמַלְתִּי תַּחַת הַשָּׁמֶשׁ Eccl. 2:20
עָמַלְתָּ 4 אֲשֶׁר לֹא־עָמַלְתָּ בּוֹ וְלֹא גִדַּלְתּוֹ Jon. 4:10
עָמַל 5 וּלְאָדָם שֶׁלֹּא עָמַל־בּוֹ יִתְּנֶנּוּ חֶלְקוֹ Eccl. 2:21
עָמְלָה 6 נֶפֶשׁ עָמֵל עָמְלָה לּוֹ Prov. 16:26
עָמְלוּ 7 ...שָׁוְא עָמְלוּ בוֹנָיו בּוֹ Ps. 127:1
עָמֵל 8 נֶפֶשׁ עָמֵל עָמְלָה לּוֹ Prov. 16:26
9 כָּל־יַד עָמֵל תְּבֹאֶנּוּ Job 20:22
10 שֶׁאֲנִי עָמֵל תַּחַת הַשָּׁמֶשׁ Eccl. 2:18
11 שֶׁהוּא עָמֵל תַּחַת הַשָּׁמֶשׁ Eccl. 2:22
12 מַה־יִּתְרוֹן הָעוֹשֶׂה בַּאֲשֶׁר הוּא עָמֵל Eccl. 3:9
13 וּלְמִי אֲנִי עָמֵל וּמְחַסֵּר אֶת־נַפְשִׁי Eccl. 4:8
14 אֲשֶׁר־אַתָּה עָמֵל תַּחַת הַשָּׁמֶשׁ Eccl. 9:9
לְעָמֵל 15 לָמָּה יִתֵּן לְעָמֵל אוֹר Job 3:20
עֲמֵלִים 16 וִימִינָהּ לְהַלְמוּת עֲמֵלִים Jud. 5:26
יַעֲמֹל 17 בְּשֶׁל אֲשֶׁר יַעֲמֹל הָאָדָם לְבַקֵּשׁ... Eccl. 8:17
שֶׁיַּעֲמֹל 18 בְּכָל־עֲמָלוֹ שֶׁיַּעֲמֹל תַּחַת הַשָּׁמֶשׁ Eccl. 1:3
19 וּמַה־יִּתְרוֹן לוֹ שֶׁיַּעֲמֹל לָרוּחַ Eccl. 5:15
20 בְּכָל־עֲמָלוֹ שֶׁיַּעֲמֹל תַּחַת־הַשֶּׁמֶשׁ Eccl. 5:17

עָמָל¹ ז׳ א) עבודה רבה, יגיע: 4, 11, 12, 15, 16, 19, 24–55
ב) [בהשאלה] יגיע לריק, אָוֶן: 1–3, 5–10, 13, 14, 17, 18, 20–23
קרובים: א) ראה עֲבוֹדָה ב) ראה אָוֶן
– עָמָל וָאָוֶן 7, 10, 21, 22; עָ׳ וְיָגוֹן 4; עָ׳ וָכַעַס 8; עָמָל וּרְעוּת רוּחַ 20
– עָנִי וְעָמָל 40, 54; יוֹצֵר עָמָל 11; לֵילוֹת עָ׳ 15; מְנַחֲמֵי עָמָל 18
– עֲמַל אָדָם 29; עֲ׳ אֱנוֹשׁ 33; עֲ׳ כְּסִילִים 30; עֲמַל לְאֻמִּים 31; עֲ׳ נַפְשׁוֹ 34; עֲמַל שְׂפָתַיִם 28
עָמָל 1 וְלֹא־רָאָה עָמָל בְּיִשְׂרָאֵל Num. 23:21
2 וּמְכַתְּבִים עָמָל כִּתֵּבוּ Is. 10:1
3 הָרוֹ עָמָל וְהוֹלִיד אָוֶן Is. 59:4
4 לִרְאוֹת עָמָל וְיָגוֹן Jer. 20:18
5 וְהַבִּיט אֶל־עָמָל לֹא תוּכָל Hab. 1:13
6 וְהָרָה עָמָל וְיָלַד שָׁקֶר Ps. 7:15
7 תַּחַת לְשׁוֹנוֹ עָמָל וָאָוֶן Ps. 10:7
8 כִּי־אַתָּה עָמָל וָכַעַס תַּבִּיט Ps. 10:14
9 עָמָל הוּא° בְעֵינָי Ps. 73:16
10 וְרָהְבָּם עָמָל וָאָוֶן Ps. 90:10
11 יֹצֵר עָמָל עֲלֵי־חֹק Ps. 94:20
12 וַיַּסְתֵּר עָמָל מֵעֵינָי Job 3:10
13 חֹרְשֵׁי אָוֶן וְזֹרְעֵי עָמָל יִקְצְרֻהוּ Job 4:8
14 וּמֵאֲדָמָה לֹא־יִצְמַח עָמָל Job 5:6
15 וְלֵילוֹת עָמָל מִנּוּ־לִי Job 7:3
16 כִּי־אַתָּה עָמָל תִּשְׁכָּח Job 11:16
17 הָרֹה עָמָל וְיָלֹד אָוֶן Job 15:35
18 מְנַחֲמֵי עָמָל כֻּלְּכֶם Job 16:2
19 אֶת־כָּל־עָמָל וְאֵת כָּל...הַמַּעֲשֶׂה Eccl. 4:4
20 מִמְּלֹא חָפְנַיִם עָמָל וּרְעוּת רוּחַ Eccl. 4:6
וְעָמָל 21 לָמָּה תַרְאֵנִי אָוֶן וְעָמָל תַּבִּיט Hab. 1:3
22 וְאָוֶן וְעָמָל בְּקִרְבָּהּ Ps. 55:11
23 וְעָמָל שִׂפְתֵיהֶם תְּדַבֵּרְנָה Prov. 24:2
הֶעָמָל 24 עַל כָּל־הֶעָמָל שֶׁעָמַלְתִּי Eccl. 2:20
בֶּעָמָל 25 וַיַּכְנַע בֶּעָמָל לִבָּם Ps. 107:12
וּבֶעָמָל 26 וּבֶעָמָל שֶׁעָמַלְתִּי לַעֲשׂוֹת Eccl. 2:11
לְעָמָל 27 כִּי־אָדָם לְעָמָל יוּלָּד Job 5:7
עֲמַל־ 28 עֲמַל שְׂפָתֵימוֹ יְכַסֵּמוֹ° Ps. 140:10
29 כָּל־עֲמַל הָאָדָם לְפִיהוּ Eccl. 6:7
30 עֲמַל הַכְּסִילִים תְּיַגְּעֶנּוּ Eccl. 10:15
וַעֲמַל־ 31 וַעֲמַל לְאֻמִּים יִירָשׁוּ Ps. 105:44
בַּעֲמַל־ 32 וַתִּקְצַר נַפְשׁוֹ בַּעֲמַל יִשְׂרָאֵל Jud. 10:16
33 בַּעֲמַל אֱנוֹשׁ אֵינֵמוֹ Ps. 73:5
מֵעֲמַל־ 34 מֵעֲמַל נַפְשׁוֹ יִרְאֶה יִשְׂבָּע Is. 53:11
עֲמָלִי 35 כִּי־נַשַּׁנִי אֱלֹהִים אֶת־כָּל־עֲמָלִי Gen. 41:51
36 כִּי־לִבִּי שָׂמֵחַ מִכָּל־עֲמָלִי Eccl. 2:10
37 וְזֶה־הָיָה חֶלְקִי מִכָּל־עֲמָלִי Eccl. 2:10
38 וְשָׂנֵאתִי אֲנִי אֶת־כָּל־עֲמָלִי Eccl. 2:18
39 וְיִשְׁלַט בְּכָל־עֲמָלִי שֶׁעָמַלְתִּי Eccl. 2:19
וַעֲמָלִי 40 רְאֵה עָנְיִי וַעֲמָלִי Ps. 25:18
וּבַעֲמָלְךָ 41 וּבַעֲמָלְךָ אֲשֶׁר־אַתָּה עָמֵל Eccl. 9:9
עֲמָלוֹ 42 יָשׁוּב עֲמָלוֹ בְרֹאשׁוֹ Ps. 7:17
43/4 בְּכָל־עֲמָלוֹ שֶׁיַּעֲמֹל Eccl. 1:3; 5:17
45 בְּכָל־עֲמָלוֹ וּבְרַעְיוֹן לִבּוֹ Eccl. 2:22
46 וְרָאָה טוֹב בְּכָל־עֲמָלוֹ Eccl. 3:13
47 וְאֵין קֵץ לְכָל־עֲמָלוֹ Eccl. 4:8
וַעֲמָלוֹ 48 וַעֲמָלוֹ לֹא יִזְכָּר־עוֹד Prov. 31:7
בַּעֲמָלוֹ 49 וְהֶרְאָה אֶת־נַפְשׁוֹ טוֹב בַּעֲמָלוֹ Eccl. 2:24
50 וּמְאוּמָה לֹא־יִשָּׂא בַעֲמָלוֹ Eccl. 5:14
51 וְלָשֵׂאת אֶת־חֶלְקוֹ וְלִשְׂמֹחַ בַּעֲמָלוֹ Eccl. 5:18
52 וְהוּא יִלְוֶנּוּ בַעֲמָלוֹ יְמֵי חַיָּיו Eccl. 8:15
שֶׁעֲמָלוֹ 53 כִּי־יֵשׁ אָדָם שֶׁעֲמָלוֹ בְּחָכְמָה Eccl. 2:21
עֲמָלֵנוּ 54 אֶת־עָנְיֵנוּ וְאֶת־עֲמָלֵנוּ Deut. 26:7
בַּעֲמָלָם 55 אֲשֶׁר יֵשׁ־לָהֶם שָׂכָר טוֹב בַּעֲמָלָם Eccl. 4:9

עָמֵל תו״ז – עין עָמַל (16–8)

עָמָל[2]

שפ״ז – בן הֵלֶם משבט אָשֵׁר

וְעָמָל 1 וְיִמְנָע וְשֵׁלֶשׁ וְעָמָל ICh. 7:35

עֲמָלֵק

שפ״ז א) בן אֱלִיפַז בן עֵשָׂו: 1, 30
ב) על שמו העם שמושבו העקרי היה בדרום-מזרח ארץ פלשתים: 2-29, 31-39

זֵכֶר עֲמָלֵק 6, 11; מֶלֶךְ עֲמָלֵק 18, 20, 22; עִיר עֲמָלֵק 15

עֲמָלֵק 1 וַתֵּלֶד לֶאֱלִיפַז אֶת־עֲמָלֵק Gen. 36:12
2 אַלּוּף גַּעְתָּם אַלּוּף עֲמָלֵק Gen. 36:16
3 וַיָּבֹא עֲמָלֵק וַיִּלָּחֶם עִם־יִשְׂרָאֵל Ex. 17:8
4 וְכַאֲשֶׁר יָנִיחַ יָדוֹ וְגָבַר עֲמָלֵק Ex. 17:11
5 וַיַּחֲלֹשׁ יְהוֹשֻׁעַ אֶת־עֲמָלֵק...לְפִי־חָרֶב Ex. 17:13
6 מָחֹה אֶמְחֶה אֶת־זֵכֶר עֲמָלֵק Ex. 17:14
7 עֲמָלֵק יוֹשֵׁב בְּאֶרֶץ הַנֶּגֶב Num. 13:29
8 וַיַּרְא אֶת־עֲמָלֵק וַיִּשָּׂא מְשָׁלוֹ Num. 24:20
9 רֵאשִׁית גּוֹיִם עֲמָלֵק Num. 24:20
10 זָכוֹר אֵת אֲשֶׁר־עָשָׂה לְךָ עֲמָלֵק Deut. 25:17
11 תִּמְחֶה אֶת־זֵכֶר עֲמָלֵק Deut. 25:19
12 וַיַּעַשׂ חַיִל וַיַּךְ אֶת־עֲמָלֵק ISh. 14:48
13 אֵת אֲשֶׁר־עָשָׂה עֲמָלֵק לְיִשְׂרָאֵל ISh. 15:2
14 לֵךְ וְהִכִּיתָה אֶת־עֲמָלֵק ISh. 15:3
15 וַיָּבֹא שָׁאוּל עַד־עִיר עֲמָלֵק ISh. 15:5
16 וַיָּסַר קֵינִי מִתּוֹךְ עֲמָלֵק ISh. 15:6
17 וַיַּךְ שָׁאוּל אֶת־עֲמָלֵק ISh. 15:7
18 וַיִּתְפֹּשׂ אֶת־אֲגַג מֶלֶךְ־עֲמָלֵק חָי ISh. 15:8
19 וְהַחֲרַמְתָּה...אֶת־עֲמָלֵק ISh. 15:18
20 וָאָבִיא אֶת־אֲגַג מֶלֶךְ עֲמָלֵק ISh. 15:20
21 וְאֶת־עֲמָלֵק הֶחֱרַמְתִּי ISh. 15:20
22 הַגִּישׁוּ אֵלַי אֶת־אֲגַג מֶלֶךְ עֲמָלֵק ISh. 15:32
23 אֵת כָּל־אֲשֶׁר לָקְחוּ עֲמָלֵק ISh. 30:18
וַעֲמָלֵק 24 וַיֶּאֱסֹף אֵלָיו אֶת־בְּנֵי־עַמּוֹן וַעֲמָלֵק Jud. 3:13
25-26 מִדְיָן וַעֲמָלֵק וּבְנֵי־קֶדֶם Jud. 6:3, 33
27 וּמִדְיָן וַעֲמָלֵק וְכָל־בְּנֵי־קֶדֶם Jud. 7:12
28 וְצִידוֹנִים וַעֲמָלֵק וּמָעוֹן לָחֲצוּ Jud. 10:12
29 גְּבָל וְעַמּוֹן וַעֲמָלֵק Ps. 83:8
30 בְּנֵי אֱלִיפָז...קְנַז וְתִמְנָע וַעֲמָלֵק ICh. 1:36
הָעֲמָלֵק 31 וְדָוִד שָׁב מֵהַכּוֹת אֶת־הָעֲמָלֵק IISh. 1:1
בַּעֲמָלֵק 32 וְצֵא הִלָּחֵם בַּעֲמָלֵק Ex. 17:9
33 אָמַר־לוֹ מֹשֶׁה לְהִלָּחֵם בַּעֲמָלֵק Ex. 17:10
34 מִלְחָמָה לַיְיָ בַּעֲמָלֵק מִדֹּר דֹּר Ex. 17:16
35 מִנִּי אֶפְרַיִם שָׁרְשָׁם בַּעֲמָלֵק Jud. 5:14
36 וְלֹא־עָשִׂיתָ חֲרוֹן־אַפּוֹ בַּעֲמָלֵק ISh. 28:18
לַעֲמָלֵק 37 וַיַּכּוּ אֶת־שְׁאֵרִית הַפְּלֵטָה לַעֲמָלֵק ICh. 4:43
וּמֵעֲמָלֵק 38 מֵאֲרָם...וּמִפְּלִשְׁתִּים וּמֵעֲמָלֵק IISh. 8:12
39 מֵאֱדוֹם...וּמִפְּלִשְׁתִּים וּמֵעֲמָלֵק ICh. 18:11

עֲמָלֵקִי

ת׳ המתיַחס על עם עמלק: 1–12

אִישׁ עֲמָלֵקִי 2; גֵּר עֲמָלֵקִי 4; הַר הָעֲמָלֵקִי 9; שְׂדֵה הָעֲמָלֵקִי 6

עֲמָלֵקִי 1 לְכוּ סֹרוּ רְדוּ מִתּוֹךְ עֲמָלֵקִי ISh. 15:6
2 נַעַר מִצְרִי...עֶבֶד לְאִישׁ עֲמָלֵקִי ISh. 30:13
3 וָאֹמַר אֵלָיו עֲמָלֵקִי אָנֹכִי IISh. 1:8
4 בֶּן־אִישׁ גֵּר עֲמָלֵקִי אָנֹכִי IISh. 1:13
וַעֲמָלֵקִי 5 וַעֲמָלֵקִי פָּשְׁטוּ אֶל־נֶגֶב וְאֶל־צִקְלַג ISh. 30:1
הָעֲמָלֵקִי 6 וַיַּכּוּ אֶת־כָּל־שְׂדֵה הָעֲמָלֵקִי Gen. 14:7
7 הָעֲמָלֵקִי וְהַכְּנַעֲנִי שָׁם לִפְנֵיכֶם Num. 14:43
8 וַיֵּרֶד הָעֲמָלֵקִי וְהַכְּנַעֲנִי...וַיַּכּוּם Num. 14:45
9 בְּאֶרֶץ אֶפְרַיִם בְּהַר הָעֲמָלֵקִי Jud. 12:15
וְהָעֲמָלֵקִי 10 וְהָעֲמָלֵקִי וְהַכְּנַעֲנִי יוֹשֵׁב בָּעֵמֶק Num. 14:25
11 אֶל־הַגְּשׁוּרִי וְהַגִּזְרִי וְהָעֲמָלֵקִי ISh. 27:8
מֵעֲמָלֵקִי 12 וַיֹּאמֶר שָׁאוּל מֵעֲמָלֵקִי הֱבִיאוּם ISh. 15:15

עָמַם

פָּ׳ א) האפיל, הקדיר: 2
ב) [בהשאלה] הכהה, הסתיר: 1
ג) [הִפ׳ הוּעַם] פג זהרו: 3

עֲמָמוּךָ 1 כָּל־סָתוּם לֹא עֲמָמוּךָ Ezek. 28:3
עֲמָמֻהוּ 2 אֲרָזִים לֹא־עֲמָמֻהוּ בְּגַן־אֱלֹהִים Ezek. 31:8
יוּעַם 3 אֵיכָה יוּעַם זָהָב יִשְׁנֶא הַכֶּתֶם הַטּוֹב Lam. 4:1

עֲמָמִים

ז״ר – עין עַם

עִמָּנוּאֵל

שפ״ז – בנו של ישעיהו הנביא

עִמָּנוּאֵל 1 וְיֹלֶדֶת בֵּן וְקָרָאת שְׁמוֹ עִמָּנוּאֵל Is. 7:14

עמס

: עָמַס, עָמוּס, הֶעְמִיס; מַעֲמָסָה; ש״פ עָמוֹס, עֲמַסְיָה

עָמַס

פָּ׳ א) טען, שׂם משׂא: 1-3, 7
ב) [בהשאלה] נשׂא והביא: 6
ג) [עָמוּס] טעון, נשׂוא: 4, 5
ד) [הִפ׳ הֶעְמִיס] עָמס, שׂם משׂא: 8, 9

קרובים: טָעַן / נָטַל / נָשָׂא

(עוֹמְשִׂים) 1 וְהַנֹּשְׂאִים בַּסֵּבֶל עֹמְשִׂים Neh. 4:11
וְעוֹמְסִים 2 וְעֹמְסִים עַל־הַחֲמֹרִים Neh. 13:15
עוֹמְסֶיהָ 3 כָּל־עֹמְסֶיהָ שָׂרוֹט יִשָּׂרֵטוּ Zech. 12:3
הָעֲמֻסִים 4 הָעֲמֻסִים מִנִּי־בֶטֶן Is. 46:3
עֲמוּסוֹת 5 נְשֻׂאֹתֵיכֶם עֲמוּסוֹת מַשָּׂא לַעֲיֵפָה Is. 46:1
יַעֲמָס־ 6 בָּרוּךְ אֲדֹנָי יוֹם יוֹם יַעֲמָס־לָנוּ Ps. 68:20
וַיַּעֲמֹס 7 וַיַּעֲמֹס אִישׁ עַל־חֲמֹרוֹ Gen. 44:13
הֶעְמִיס 8 אָבִי הֶעְמִיס עֲלֵיכֶם עֹל כָּבֵד IK. 12:11
9 אָבִי הֶעְמִיס עֲלֵיכֶם עֹל כָּבֵד IICh. 10:11

עֲמַסְיָה

שפ״ז – שַׂר־צבא למלך יהושפט

עֲמַסְיָה 1 וְעַל־יָדוֹ עֲמַסְיָה בֶן־זִכְרִי IICh. 17:16

עַמְעָד

ש״פ – ישוב בנחלת אָשֵׁר

וְעַמְעָד 1 וְאַלַּמֶּלֶךְ וְעַמְעָד וּמִשְׁאָל Josh. 19:26

עמק

: עָמַק, הֶעֱמִיק; עָמֹק, עָמֵק, עֹמֶק, עֵמֶק, מַעֲמַקִּים; ש״פ עָמוֹק, עָמִיק

עָמַק

פָּ׳ א) היה נמוך (ובהשאלה) היה מעֵבר להשׂגה: 1
ב) [הִפ׳ הֶעְמִיק] היה עמוק מאד: 2
ג) [לפני פועל אחר] הפליג, הִרבה: 3-9

עָמְקוּ 1 מְאֹד עָמְקוּ מַחְשְׁבֹתֶיךָ Ps. 92:6
הֶעְמִיק 2 כִּי־עָרוּךְ...תָּפְתֶּה...הֶעְמִיק הִרְחִב Is. 30:33
הֶעְמִיקוּ 3 שׁוּבוּ לַאֲשֶׁר הֶעְמִיקוּ סָרָה Is. 31:6
4 נֻסוּ הָפְנוּ הֶעְמִיקוּ לָשֶׁבֶת Jer. 49:8
5 נֻסוּ נֻּדוּ מְאֹד הֶעְמִיקוּ לָשֶׁבֶת Jer. 49:30
6 וְשַׁחֲטָה שֵׂטִים הֶעְמִיקוּ Hosh. 5:2
7 הֶעְמִיקוּ שִׁחֵתוּ כִּימֵי הַגִּבְעָה Hosh. 9:9
הַמַּעֲמִיקִים 8 הוֹי הַמַּעֲמִיקִים מֵיְיָ לַסְתִּר עֵצָה Is. 29:15
הַעְמֵק 9 הַעְמֵק שְׁאָלָה אוֹ הַגְבֵּהַ לְמָעְלָה Is. 7:11

עָמֹק

ת׳ א) נמוך מאד, שהוא למטה מן השטח או מן המצוי: 1-16
ד) [בהשאלה] בלתי־ברור, זר: 17-20

– עָמֹק עָמֹק 8; לֵב עָמֹק 7; מַרְאֶה עָמֹק מִן־ 1-6; כּוֹס עֲמֻקָּה 14; שׁוּחָה עֲמֻקָּה 11, 12
– מַיִם עֲמֻקִּים 15, 16; עִמְקֵי שָׂפָה 17-19

עָמֹק 1 וּמַרְאֵה הַנֶּגַע עָמֹק מֵעוֹר בְּשָׂרוֹ Lev. 13:3
2 וּמַרְאֶהָ עָמֹק מִן־הָעוֹר Lev. 13:25
3-6 עָמֹק מִן־הָעוֹר Lev. 13:30, 31, 32, 34
7 וְקֶרֶב אִישׁ וְלֵב עָמֹק Ps. 64:7
8 וְעָמֹק עָמֹק מִי יִמְצָאֶנּוּ Eccl. 7:24
וְעָמֹק 9 וְעָמֹק אֵין־מַרְאֶהָ מִן־הָעוֹר Lev. 13:4
10 וְעָמֹק עָמֹק מִי יִמְצָאֶנּוּ Eccl. 7:24

עֲמֻקָּה 11 שׁוּחָה עֲמֻקָּה פִּי זָרוֹת Prov. 22:14
12 כִּי־שׁוּחָה עֲמֻקָּה זוֹנָה Prov. 23:27
13 עֲמֻקָּה מִשְּׁאוֹל מַה־תֵּדָע Job 11:8
הָעֲמֻקָּה 14 כּוֹס...הָעֲמֻקָּה וְהָרְחָבָה Ezek. 23:32
עֲמֻקִּים 15 מַיִם עֲמֻקִּים דִּבְרֵי פִי־אִישׁ Prov. 18:4
16 מַיִם עֲמֻקִּים עֵצָה בְלֶב־אִישׁ Prov. 20:5
עִמְקֵי־ 17 עַם עִמְקֵי שָׂפָה מִשְּׁמוֹעַ Is. 33:19
18 עַם עִמְקֵי שָׂפָה וְכִבְדֵי לָשׁוֹן Ezek. 3:5
19 עַמִּים...עִמְקֵי שָׂפָה וְכִבְדֵי לָשׁוֹן Ezek. 3:6
עֲמֻקוֹת 20 מְגַלֶּה עֲמֻקוֹת מִנִּי־חֹשֶׁךְ Job 12:22

עֹמֶק

ז׳ מעמק, הפך מן ״גֹבַהּ״

לָעֹמֶק 1 שָׁמַיִם לָרוּם וָאָרֶץ לָעֹמֶק Prov. 25:3

עֵמֶק

ז׳ שטח נרחב ונמוך מן הסביבה, מישור מוקף הרים: 1-32

קרובים: בִּקְעָה / בִּתְרוֹן / גַּיְא / מִישׁוֹר / נַחַל / שְׁפֵלָה

– אֶרֶץ הָעֵמֶק 3; יוֹשְׁבֵי הָעֵ׳ 4; יוֹשֶׁבֶת הָעֵ׳ 6; עֵבֶר הָעֵמֶק 5; שְׁאֵרִית הָעֵמֶק 33
– עֵמֶק אַיָּלוֹן 24; עֵ׳ הַבָּכָא 30; עֵ׳ חֶבְרוֹן 31; עֵ׳ הֶחָרוּץ 28, 29; עֵמֶק יִזְרְעֶאל 25-27; עֵמֶק סֻכּוֹת 22, 23
– אֱלֹהֵי עֲמָקִים 34; מִבְחַר עֲמָקִים 43; שׁוֹשַׁנַּת הָעֲמָקִים 37; עִמְקֵי שְׁאוֹל 42

הָעֵמֶק 1 וַיֵּלֶךְ יְהוֹשֻׁעַ...בְּתוֹךְ הָעֵמֶק Josh. 8:13
2 וְצֶרֶת הַשַּׁחַר בְּהַר הָעֵמֶק Josh. 13:19
3 בְּכָל-הַכְּנַעֲנִי הַיֹּשֵׁב בְּאֶרֶץ-הָעֵמֶק Josh. 17:16
4 כִּי לֹא לְהוֹרִישׁ אֶת־יֹשְׁבֵי הָעֵמֶק Jud. 1:19
5 אַנְשֵׁי־יִשְׂרָאֵל אֲשֶׁר־בְּעֵבֶר הָעֵמֶק ISh. 31:7
6 יֹשֶׁבֶת הָעֵמֶק צוּר הַמִּישֹׁר Jer. 21:13
7 וְכָל־הָעֵמֶק הַפְּגָרִים וְהַדֶּשֶׁן Jer. 31:40(39)
8 וְאָבַד הָעֵמֶק וְנִשְׁמַד הַמִּישֹׁר Jer. 48:8
בָּעֵמֶק 9 וְהָעֲמָלֵקִי וְהַכְּנַעֲנִי יוֹשֵׁב בָּעֵמֶק Num. 14:25
10 וְיִשָּׂשכָר...בָּעֵמֶק שֻׁלַּח בְּרַגְלָיו Jud. 5:15
11 מִצָּפוֹן מִגִּבְעַת הַמּוֹרֶה בָּעֵמֶק Jud. 7:1
12 וּמַחֲנֵה מִדְיָן הָיָה לוֹ מִתַּחַת בָּעֵמֶק Jud. 7:8
13 וּמִדְיָן וַעֲמָלֵק...נֹפְלִים בָּעֵמֶק Jud. 7:12
14 וְהִיא בָּעֵמֶק אֲשֶׁר לְבֵית־רְחוֹב Jud. 18:28
15 קֹצְרִים קְצִיר־חִטִּים בָּעֵמֶק ISh. 6:13
16 יַחְפְּרוּ בָעֵמֶק וְיָשִׂישׂ בְּכֹחַ Job 39:21
17 כָּל־אִישׁ יִשְׂרָאֵל אֲשֶׁר־בָּעֵמֶק ICh. 10:7
18 וַיֹּסִיפוּ...וַיִּפְשְׁטוּ בָּעֵמֶק ICh. 14:13
וּבָעֵמֶק 19 וּבָעֵמֶק בֵּית הָרָם וּבֵית נִמְרָה Josh. 13:27
כְּעֵמֶק 20 כְּעֵמֶק בְּגִבְעוֹן יִרְגָּז Is. 28:21
לָעֵמֶק 21 כִּי־לֹא נְתָנוֹ לָרֶדֶת לָעֵמֶק Jud. 1:34
וְעֵמֶק־ 22/3 וְעֵמֶק סֻכּוֹת אֲמַדֵּד Ps. 60:8; 108:8
בְּעֵמֶק־ 24 שֶׁמֶשׁ בְּגִבְעוֹן דּוֹם וְיָרֵחַ בְּעֵמֶק אַיָּלוֹן Josh. 10:12
25 וְלַאֲשֶׁר בְּעֵמֶק יִזְרְעֶאל Josh. 17:16
26 וַיַּעַבְרוּ וַיַּחֲנוּ בְּעֵמֶק יִזְרְעֶאל Jud. 6:33
27 וְשָׁבַרְתִּי אֶת-קֶשֶׁת יִשׂ׳ בְּעֵמֶק יִזְרְעֶאל Hosh. 1:5
28 הֲמוֹנִים בְּעֵמֶק הֶחָרוּץ Joel 4:14
29 כִּי קָרוֹב יוֹם יְיָ בְּעֵמֶק הֶחָרוּץ Joel 4:14
30 עֹבְרֵי בְּעֵמֶק הַבָּכָא מַעְיָן יְשִׁיתוּהוּ Ps. 84:7
מֵעֵמֶק־ 31 וַיִּשְׁלָחֵהוּ מֵעֵמֶק חֶבְרוֹן Gen. 37:14
עִמְקֵךְ 32 זָב עִמְקֵךְ הַבַּת הַשּׁוֹבֵבָה Jer. 49:4
עִמְקָם 33 נִדְמְתָה אַשְׁקְלוֹן שְׁאֵרִית עִמְקָם Jer. 47:5
עֲמָקִים 34 וְלֹא־אֱלֹהֵי עֲמָקִים הוּא IK. 20:28
35 יְשַׂדֵּד עֲמָקִים אַחֲרֶיךָ Job 39:10
וַעֲמָקִים 36 וַעֲמָקִים יַעַטְפוּ־בָר Ps. 65:14
הָעֲמָקִים 37 חֲבַצֶּלֶת הַשָּׁרוֹן שׁוֹשַׁנַּת הָעֲמָקִים S.ofS. 2:1
38 וַיַּבְרִיחוּ אֶת־כָּל־הָעֲמָקִים ICh. 12:15(16)

וְהָעֲמָקִים 39 וְנָמַסּוּ הֶהָרִים...וְהָעֲמָקִים יִתְבַּקָּעוּ Mic. 1:4
בָּעֲמָקִים 40 מַה־תִּתְהַלְלִי בָּעֲמָקִים Jer. 49:4
41 וְעַל־הַבָּקָר בָּעֲמָקִים ICh. 27:29
בְּעִמְקֵי־ 42 בְּעִמְקֵי שְׁאוֹל קְרֻאֶיהָ Prov. 9:18
עֲמָקַיִךְ 43 וַיְהִי מִבְחַר־עֲמָקַיִךְ מָלְאוּ רָכֶב Is. 22:7

(בֵּית הָ)עֵמֶק – עין בֵּית הָעֵמֶק (באות ב׳)

עֵמֶק אַיָּלוֹן – עין אַיָּלוֹן (מס׳ 1)

עֵמֶק הָאֵלָה ש״פ – שם עמק במעבר
מן השפלה להרי יהודה: 1-3
בְּעֵמֶק הָאֵ׳ 1 נֶאֶסְפוּ וַיַּחֲנוּ בְּעֵמֶק הָאֵלָה ISh. 17:2
2 וְכָל־אִישׁ יִשְׂרָאֵל בְּעֵמֶק הָאֵלָה ISh. 17:19
3 אֲשֶׁר־הִכִּיתָ בְּעֵמֶק הָאֵלָה ISh. 21:10

עֵמֶק הַבָּכָא – עין בָּכָא (מס׳ 1), וכן עֵמֶק (מס׳ 30)

עֵמֶק בְּרָכָה ש״פ – מקום בהר יהודה: 1, 2
עֵמֶק בְּרָכָה 1 עַל־כֵּן קָרְאוּ...עֵמֶק בְּרָכָה IICh. 20:26
לְעֵמֶק בְּרָכָה 2 נִקְהֲלוּ לְעֵמֶק בְּרָכָה IICh. 20:26

עֵמֶק חֶבְרוֹן – עין חֶבְרוֹן (מס׳ 4)

עֵמֶק הֶחָרוּץ – עין חָרוּץ, וכן עֵמֶק (28, 29)

עֵמֶק יְהוֹשָׁפָט ש״פ – הוא נחל קדרון בירושלים: 1, 2
עֵמֶק יְהוֹשׁ׳ 1 וְהוֹרַדְתִּים אֶל־עֵמֶק יְהוֹשָׁפָט Joel 4:2
2 וְיַעֲלוּ הַגּוֹיִם אֶל־עֵמֶק יְהוֹשָׁפָט Joel 4:12

עֵמֶק יִזְרְעֶאל – עין יִזְרְעֶאל (מס׳ 1, 2, 11), וכן עֵמֶק (מס׳ 25-27)

עֵמֶק הַמֶּלֶךְ ש״פ – מקום בדרום ירושלים (?), הוא הנקרא גם עֵמֶק שָׁוֵה
עֵמֶק הַמֶּ׳ 1 וַיֵּצֵא...אֶל־עֵמֶק שָׁוֵה הוּא עֵמֶק הַמֶּלֶךְ Gen. 14:17

עֵמֶק סֻכּוֹת – עין סֻכָּה (מס׳ 10, 11), וכן עֵמֶק (22, 23)

עֵמֶק עָכוֹר ש״פ – עמק בסביבות יריחו: 1-5
עֵמֶק עָ׳ 1 וַיַּעֲלוּ אֹתָם עֵמֶק עָכוֹר Josh. 7:24
2 קָרָא שֵׁם הַמָּקוֹם הַהוּא עֵמֶק עָכוֹר Josh. 7:26
3 וְאֶת־עֵמֶק עָכוֹר לְפֶתַח תִּקְוָה Hosh. 2:17
וְעֵמֶק עָ׳ 4 וְעֵמֶק עָכוֹר לְרֵבֶץ בָּקָר Is. 65:10
מֵעֵמֶק עָ׳ 5 וְעָלָה הַגְּבוּל דְּבִרָה מֵעֵמֶק עָכוֹר Josh. 15:7

עֵמֶק קְצִיץ ש״פ – מקום בנחלת בנימין
וְעֵמֶק קְ׳ 1 וּבֵית־חָגְלָה וְעֵמֶק קְצִיץ Josh. 18:21

עֵמֶק רְפָאִים ש״פ – עמק בדרום ירושלים: 1-8
עֵמֶק רְ׳ 1 בִּקְצֵה עֵמֶק־רְפָאִים צָפוֹנָה Josh. 15:8
בְּעֵמֶק רְ׳ 2 גֵּי בֶן־הִנֹּם אֲשֶׁר בְּעֵמֶק רְפָאִים Josh. 18:16
3/4 וַיִּנָּטְשׁוּ בְּעֵמֶק רְפָאִים IISh. 5:18, 22
5 וְחַיַּת פְּלִשְׁתִּים חֹנָה בְּעֵמֶק רְפָאִים IISh. 23:13
6 כִּמְלַקֵּט שִׁבֳּלִים בְּעֵמֶק רְפָאִים Is. 17:5
7 וּמַחֲנֵה פְלִשׁ׳ חֹנָה בְּעֵמֶק רְפָאִים ICh. 11:15
8 וַיִּפְשְׁטוּ בְּעֵמֶק רְפָאִים ICh. 14:9

עֵמֶק הַשִּׂדִּים ש״פ – עמק ים המלח לפני ההפכה: 1-3
עֵמֶק הַשִּׂ׳ 1 עֵמֶק הַשִּׂדִּים הוּא יָם הַמֶּלַח Gen. 14:3
וְעֵמֶק הַשִּׂ׳ 2 וְעֵמֶק הַשִּׂדִּים בֶּאֱרֹת בֶּ׳ חֵמָר Gen. 14:10
בְּעֵמֶק הַשִּׂ׳ 3 וַיַּעַרְכוּ...מִלְחָמָה בְּעֵמֶק הַשִּׂדִּים Gen. 14:8

עֵמֶק שָׁוֵה ש״פ – הוא עֵמֶק הַמֶּלֶךְ
עֵמֶק שָׁ׳ 1 וַיֵּצֵא מֶלֶךְ־סְדֹם...אֶל־עֵמֶק שָׁוֵה Gen. 14:17

עמר : א) עֹמֶר; עָמִיר, עָמִיר
ב) הִתְעַמֵּר

עמר[1] פ׳ קשר שבלים לעמרים
מְעַמֵּר 1 שֶׁלֹּא מִלֵּא כַפּוֹ קוֹצֵר וְחִצְנוֹ מְעַמֵּר Ps. 129:7

(עמר)[2] הִתְעַמֵּר הת׳ התעלל: 1, 2
וְהִתְעַמֶּר־ 1 גֹּנֵב נֶפֶשׁ...וְהִתְעַמֶּר־בּוֹ וּמְכָרוֹ Deut. 24:7
תִתְעַמֵּר 2 לֹא־תִתְמַכְּרֶנָּה...לֹא־תִתְעַמֵּר בָּהּ Deut. 21:14

עֹמֶר ז׳ א) כריכת שבלים: 2, 3, 13, 14
ב) עשירית האיפה: 1, 4-12
קרובים: ראה אֵיפָה
עֹמֶר רֵאשִׁית 11; עֹ׳ הַתְּנוּפָה 12; מְלֹא הָעֹמֶר 5, 6
עֹמֶר 1 לִקְטוּ מִמֶּנּוּ...עֹמֶר לַגֻּלְגֹּלֶת Ex. 16:16
2 כִּי תִקְצֹר...וְשָׁכַחְתָּ עֹמֶר בַּשָּׂדֶה Deut. 24:19
3 וּרְעֵבִים נָשְׂאוּ עֹמֶר Job 24:10
הָעֹמֶר 4 לָקְטוּ...שְׁנֵי הָעֹמֶר לָאֶחָד Ex. 16:22
5 מְלֹא הָעֹמֶר מִמֶּנּוּ לְמִשְׁמֶרֶת Ex. 16:32
6 וְתֶן־שָׁמָּה מְלֹא־הָעֹמֶר מָן Ex. 16:33
7 וְהֵנִיף אֶת־הָעֹמֶר לִפְנֵי יְיָ Lev. 23:11
8 בְּיוֹם הֲנִיפְכֶם אֶת־הָעֹמֶר Lev. 23:12
וְהָעֹמֶר 9 וְהָעֹמֶר עֲשִׂרִית הָאֵיפָה הוּא Ex. 16:36
בָּעֹמֶר 10 וַיָּמֹדּוּ בָעֹמֶר...אִישׁ לְפִי־אָכְלוֹ Ex. 16:18
עֹמֶר־ 11 אֶת־עֹמֶר רֵאשִׁית קְצִירְכֶם Lev. 23:10
12 מִיּוֹם הֲבִיאֲכֶם אֶת־עֹמֶר הַתְּנוּפָה Lev. 23:15
הָעֳמָרִים 13 גַּם בֵּין הָעֳמָרִים תְּלַקֵּט Ruth 2:15
בָּעֳמָרִים 14 אֲלַקֳּטָה־נָּא וְאָסַפְתִּי בָעֳמָרִים Ruth 2:7

עֲמַר ז׳ ארמית: צֶמֶר
כַּעֲמַר 1 וּשְׂעַר רֵאשֵׁהּ כַּעֲמַר נְקֵא Dan. 7:9

עֲמֹרָה ש״פ – העיר באזור ים המלח
שנהפכה יחד עם סדום: 1-19
סְדֹם וַעֲמֹרָה 1, 3-5, 7-17, 19; זַעֲקַת עֲ׳ 13;
מַהְפֵּכַת עֲ׳ 15, 16; מֶלֶךְ עֲ׳ 2, 3, 11; עַם עֲ׳ 6;
רְכוּשׁ עֲמֹרָה 12; שַׁדְמוֹת עֲמֹרָה 5
עֲמֹרָה 1 לִפְנֵי שַׁחֵת יְיָ אֶת־סְדֹם וְאֶת־עֲמֹרָה Gen. 13:10
2 ...וְאֶת־בִּרְשַׁע מֶלֶךְ עֲמֹרָה Gen. 14:2
3 וַיֵּצֵא מֶלֶךְ־סְדֹם וּמֶלֶךְ עֲמֹרָה Gen. 14:8
4 וַיְיָ הִמְטִיר עַל־סְדֹם וְעַל־עֲמֹרָה Gen. 19:24
5 מִגֶּפֶן סְ׳ גַּפְנָם וּמִשַּׁדְמֹת עֲמֹרָה Gen. 32:32
6 הַאֲזִינוּ תּוֹרַת אֱלֹהֵינוּ עַם עֲמֹרָה Is. 1:10
7 כְּמַהְפֵּכַת אֱלֹ׳ אֶת־סְדֹם וְאֶת־עֲמֹרָה Is. 13:19
8 אֶת־סְדֹם וְאֶת־עֲמֹרָה וְאֶת־שְׁכֵנֶיהָ Jer. 50:40
9 כְּמַהְפֵּכַת אֱלֹ׳ אֶת־סְדֹם וְאֶת־עֲמֹרָה Am. 4:11
וַעֲמֹרָה 10 בֹּאֲכָה סְדֹמָה וַעֲמֹרָה Gen. 10:19
11 וַיָּנֻסוּ מֶלֶךְ־סְדֹם וַעֲמֹרָה Gen. 14:10
12 אֶת־כָּל־רְכֻשׁ סְדֹם וַעֲמֹרָה Gen. 14:11
13 זַעֲקַת סְדֹם וַעֲמֹרָה כִּי־רָבָּה Gen. 18:20
14 וַיַּשְׁקֵף עַל־פְּנֵי סְדֹם וַעֲמֹרָה Gen. 19:28
15 כְּמַהְפֵּכַת סְדֹם וַעֲמֹרָה Deut. 29:22
16 כְּמַהְפֵּכַת סְדֹם וַעֲמֹרָה וּשְׁכֵנֶיהָ Jer. 49:18
כַּעֲמֹרָה 17 כֻּלָּם כִּסְדֹם וְיֹשְׁבֶיהָ כַּעֲמֹרָה Jer. 23:14
18 וּבְנֵי עַמּוֹן כַּעֲמֹרָה Zep. 2:9
לַעֲמֹרָה 19 כִּסְדֹם הָיִינוּ לַעֲמֹרָה דָּמִינוּ Is. 1:9

עָמְרִי שפ״ז א) מלך ישראל: 1-14
ב) איש מיהודה: 15
ג) שר צבא מיששכר בימי דוד: 16
ד) איש מבנימין: 17
בֶּן עָמְרִי 9-11, 15; בַּת עָ׳ 12, 13; דִּבְרֵי עָ׳ 7;
חֻקּוֹת עָמְרִי 14
עָמְרִי 1 וַיַּמְלִכוּ...אֶת־עָמְרִי שַׂר־צָבָא IK. 16:16
2 וַיַּעֲלֶה עָמְרִי וְכָל־יִשְׂרָאֵל עִמּוֹ IK. 16:17
3 וַיֶּחֱזַק הָעָם אֲשֶׁר אַחֲרֵי עָמְרִי IK. 16:22
4 וַיָּמָת תִּבְנִי וַיִּמְלֹךְ עָמְרִי IK. 16:22
5 בִּשְׁנַת...מָלַךְ עָמְרִי עַל־יִשְׂרָאֵל IK. 16:23
6 וַיַּעֲשֶׂה עָמְרִי הָרַע בְּעֵינֵי יְיָ IK. 16:25
7 וְיֶתֶר דִּבְרֵי עָמְרִי אֲשֶׁר עָשָׂה IK. 16:27
8 וַיִּשְׁכַּב עָמְרִי עִם־אֲבֹתָיו IK. 16:28
9 וְאַחְאָב בֶּן־עָמְרִי מָלַךְ עַל־יִשְׂרָאֵל IK. 16:29
10 וַיִּמְלֹךְ אַחְאָב בֶּן־עָמְרִי עַל־יִשְׂ׳ IK. 16:29
11 וַיַּעַשׂ אַחְ׳ בֶּן־עָמְרִי הָרַע בְּעֵינֵי יְיָ IK. 16:30
12/3 וְשֵׁם אִמּוֹ עֲתַלְיָהוּ בַּת־עָמְרִי IIK. 8:26 • IICh. 22:2
14 וְיִשְׁתַּמֵּר חֻקּוֹת עָמְרִי... Mic. 6:16
15 עוּתַי בֶּן־עַמִּיהוּד בֶּן־עָמְרִי ICh. 9:4
16 לְיִשָּׂשכָר עָמְרִי בֶּן־מִיכָאֵל ICh. 27:18
וְעָמְרִי 17 וֶאֱלִיעֶזֶר וְאֶלְיוֹעֵינַי וְעָמְרִי ICh. 7:8

עַמְרָם שפ״ז א) אבי משה ואהרן: 1-6, 8-14
ב) איש בימי עזרא: 7
אֵשֶׁת עַמְרָם 6; בְּנֵי עַמְרָם 10, 12, 13
עַמְרָם 1 וּבְנֵי קְהָת עַמְרָם וְיִצְהָר... Ex. 6:18
2 וַיִּקַּח עַמְרָם אֶת־יוֹכֶבֶד דֹּדָתוֹ Ex. 6:20
3 וּשְׁנֵי חַיֵּי עַמְרָם שֶׁבַע וּשְׁלֹשִׁים וּמְאַת... Ex. 6:20
4 עַמְרָם וְיִצְהָר חֶבְרוֹן וְעֻזִּיאֵל Num. 3:19
5 וּקְהָת הוֹלִד אֶת־עַמְרָם Num. 26:58
6 וְשֵׁם אֵשֶׁת עַמְרָם יוֹכֶבֶד Num. 26:59
7 מִבְּנֵי בָנִי מַעֲדַי עַמְרָם וְאוּאֵל Ez. 10:34
8/9 וּבְנֵי קְהָת עַמְרָם (וְ)יִצְהָר... ICh. 5:28; 6:3
10 וּבְנֵי עַמְרָם אַהֲרֹן וּמֹשֶׁה וּמִרְיָם ICh. 5:29
11 עַמְרָם יִצְהָר חֶבְרוֹן וְעֻזִּיאֵל ICh. 23:12
12 בְּנֵי עַמְרָם אַהֲרֹן וּמֹשֶׁה ICh. 23:13
13 לִבְנֵי עַמְרָם שׁוּבָאֵל ICh. 24:20
לְעַמְרָם 14 וַתֵּלֶד לְעַמְרָם אֶת־אַהֲרֹן וְאֶת־מֹשֶׁה Num. 26:59

עַמְרָמִי ת׳ המתיחס על בית עמרם: 1, 2
הָעַמְרָמִי 1 וּלִקְהָת מִשְׁפַּחַת הָעַמְרָמִי Num. 3:27
לָעַמְרָמִי 2 לָעַמְרָמִי לַיִּצְהָרִי לַחֶבְרוֹנִי ICh. 26:23

עמש – עין עמס

עֲמָשָׂא שפ״ז א) בן אחות דוד המלך,
שר צבא אבשלום: 1-12, 14-16
ב) איש מאפרים בצבא פקח מלך ישראל: 13
אֲבִי עֲמָשָׂא 8; זְקַן עֲמָשָׂא 4
עֲמָשָׂא 1 וְאֶת־עֲמָשָׂא שָׂם אַבְשָׁלֹם תַּחַת יוֹאָב IISh. 17:25
2 וַיֹּאמֶר הַמֶּלֶךְ אֶל־עֲמָשָׂא IISh. 20:4
3 וַיֵּלֶךְ עֲמָשָׂא לְהַזְעִיק אֶת־יְהוּדָה IISh. 20:5
4 וַתֹּחֶז יַד־יְמִין יוֹאָב בִּזְקַן עֲמָשָׂא IISh. 20:9
5 וַיַּסֵּב אֶת־עֲמָשָׂא מִן־הַמְסִלָּה IISh. 20:12
6 עֲמָשָׂא בֶן־יֶתֶר שַׂר־צְבָא יְהוּדָה IK. 2:32
7 וַאֲבִיגַיִל יָלְדָה אֶת־עֲמָשָׂא ICh. 2:17
8 וַאֲבִי עֲמָשָׂא יֶתֶר הַיִּשְׁמְעֵאלִי ICh. 2:17
וַעֲמָשָׂא 9 וַעֲמָשָׂא בֶן־אִישׁ וּשְׁמוֹ יִתְרָא הַיִּשְׂרְ׳ IISh. 17:25
10 וַעֲמָשָׂא בָּא לִפְנֵיהֶם IISh. 20:8
11 וַעֲמָשָׂא לֹא־נִשְׁמַר בַּחֶרֶב IISh. 20:10
12 וַעֲמָשָׂא מִתְגֹּלֵל בַּדָּם IISh. 20:12
13 וַיָּקֻמוּ...וַעֲמָשָׂא בֶּן־חַדְלָי IICh. 28:12
לַעֲמָשָׂא 14 וַיֹּאמֶר יוֹאָב לַעֲמָשָׂא הֲשָׁלוֹם אַתָּה IISh. 20:9
וְלַעֲמָשָׂא 15 וְלַעֲמָשָׂא תֹּמְרוּ...עַצְמִי וּבְשָׂרִי אַתָּה IISh. 19:4
16 אֲשֶׁר עָשָׂה...וְלַעֲמָשָׂא בֶן־יֶתֶר IK. 2:5

עֲמָשַׂי
שפ״ז א) לוי מבני קהת: 1, 3, 4
ב) כהן בימי דוד: 5
ג) מגבורי דוד: 2

עֲמָשַׂי 1 וּבְנֵי אֶלְקָנָה עֲמָשַׂי וַאֲחִימוֹת ICh. 6:10
2 וְרוּחַ לָבְשָׁה אֶת־עֲמָשַׂי ICh. 12:18(19)
3 וַיָּקֻמוּ הַלְוִיִּם מַחַת בֶּן־עֲמָשַׂי... IICh. 29:12
עֲמָשָׂי 4 בֶּן־אֶלְקָנָה בֶּן־מַחַת בֶּן־עֲמָשָׂי ICh. 6:20
וַעֲמָשַׂי 5 וַעֲמָשַׂי וּזְכַרְיָהוּ...הַכֹּהֲנִים ICh. 15:24

עֲמַשְׁסַי
שפ״ז מראשי האבות של הכהנים
וַעֲמַשְׁסַי 1 וַעֲמַשְׁסַי בֶּן־עֲזַרְאֵל... Neh. 11:13

עָמֵת
– עין לְעֻמַּת

עֵנָב
ז׳ פרי הגפן: 1–19
– דַּם עֵנָב 1; אֲשִׁישֵׁי עֲנָבִים 11; אֶשְׁכּוֹל ע׳ 6; בִּכּוּרֵי עֲנָבִים 5; דּוֹרֵךְ ע׳ 12; דַּם עֲנָבִים 3; מִשְׁרַת עֲנָבִים 4
– עִנְּבֵי נְזִירִים 17; עִנְּבֵי רוֹשׁ 18, 19

עֵנָב 1 וְדַם־עֵנָב תִּשְׁתֶּה־חָמֶר Deut. 32:14
עֲנָבִים 2 הִבְשִׁילוּ אַשְׁכְּלֹתֶיהָ עֲנָבִים Gen. 40:10
3 כִּבֵּס...וּבְדַם־עֲנָבִים סוּתֹה Gen. 49:11
4 וְכָל־מִשְׁרַת עֲנָבִים לֹא יִשְׁתֶּה Num. 6:3
5 וְהַיָּמִים יְמֵי בִּכּוּרֵי עֲנָבִים Num. 13:12
6 זְמוֹרָה וְאֶשְׁכּוֹל עֲנָבִים אֶחָד Num. 13:23
7 וְאָכַלְתָּ עֲנָבִים כְּנַפְשְׁךָ שָׂבְעֶךָ Deut. 23:25
8 וַיְקַו לַעֲשׂוֹת עֲנָבִים וַיַּעַשׂ בְּאֻשִׁים Is. 5:2
9 מַדּוּעַ קִוֵּיתִי לַעֲשׂוֹת עֲנָבִים... Is. 5:4
10 אֵין עֲנָבִים בַּגֶּפֶן וְאֵין תְּאֵנִים... Jer. 8:13
11 וְאֹהֲבֵי אֲשִׁישֵׁי עֲנָבִים Hosh. 3:1
12 וְדֹרֵךְ עֲנָבִים בְּמֹשֵׁךְ הַזָּרַע Am. 9:13
13 וְאַף־יַיִן עֲנָבִים וּתְאֵנִים Neh. 13:15
הָעֲנָבִים 14 וָאֶקַּח אֶת־הָעֲנָבִים וָאֶשְׂחַט אֹתָם Gen. 40:11
וַעֲנָבִים 15 וַעֲנָבִים לַחִים וִיבֵשִׁים לֹא יֹאכֵל Num. 6:3
כַּעֲנָבִים 16 כַּעֲנָבִים בַּמִּדְבָּר מָצָאתִי יִשְׂרָאֵל Hosh. 9:10
עִנְּבֵי־ 17 וְאֶת־עִנְּבֵי נְזִירֶךָ לֹא תִבְצֹר Lev. 25:5
18 עֲנָבֵמוֹ עִנְּבֵי־רוֹשׁ Deut. 32:32
עֲנָבֵמוֹ 19 עֲנָבֵמוֹ עִנְּבֵי־רוֹשׁ Deut. 32:32

עֲנָב
ש״פ – ישוב בהר יהודה: 1, 2
עֲנָב 1 וַיַּכְרֵת...מִן־דְּבִר מִן־עֲנָב... Josh. 11:21
וַעֲנָב 2 וַעֲנָב וְאֶשְׁתְּמֹה וְעָנִים Josh. 15:50

ענג
: מְעֻנָּג, הִתְעַנֵּג; עֹנֶג, עָנֹג, תַּעֲנוּגִים

ענג
פ׳ א) פֻּנַּק: 1
ב) [הת׳ הִתְעַנֵּג] התפנק, נהנה: 2–10
הִתְעַנֵּג בְּ־ 8; הִתְעַ׳ מִן־ 3; הִתְעַ׳ עַל־ 4–7, 9, 10

וְהַמְּעֻנָּגָה 1 הַנָּוָה וְהַמְּעֻנָּגָה דָּמִיתִי בַּת־צִיּוֹן Jer. 6:2
מֵהִתְעַנֵּג 2 הַצֵּג עַל־הָאָרֶץ מֵהִתְעַנֵּג וּמֵרֹךְ Deut. 28:56
וְהִתְעַנַּגְתֶּם 3 לְמַעַן תָּמֹצּוּ וְהִתְעַנַּגְתֶּם מִזִּיז Is. 66:11
וְהִתְעַנְּגוּ 4 וְהִתְעַנְּגוּ עַל־רֹב שָׁלוֹם Ps. 37:11
תִּתְעַנַּג 5 אָז תִּתְעַנַּג עַל־יְיָ Is. 58:14
תִּתְעַנָּג 6 כִּי־אָז עַל־שַׁדַּי תִּתְעַנָּג Job 22:26
יִתְעַנָּג 7 אִם־עַל־שַׁדַּי יִתְעַנָּג Job 27:10
וְתִתְעַנַּג 8 וְתִתְעַנַּג בַּדֶּשֶׁן נַפְשְׁכֶם Is. 55:2
תִּתְעַנָּגוּ 9 עַל־מִי תִּתְעַנָּגוּ Is. 57:4
וְהִתְעַנַּג 10 וְהִתְעַנַּג עַל־יְיָ Ps. 37:4

עָנֹג
ת׳ רך, מפונק: 1–3
וְהֶעָנֹג 1 הָאִישׁ הָרַךְ בְּךָ וְהֶעָנֹג מְאֹד Deut. 28:54
וַעֲנֻגָּה 2 לֹא...יִקְרְאוּ־לָךְ רַכָּה וַעֲנֻגָּה Is. 47:1
וְהָעֲנֻגָּה 3 הָרַכָּה בְךָ וְהָעֲנֻגָּה Deut. 28:56

עֹנֶג
ז׳ עדנה, נעם: 1, 2
קרובים: נַחַת / נֹעַם / עֵדֶן / עֶדְנָה / רֹךְ / תַּעֲנוּגִים
הֵיכְלֵי עֹנֶג 1

עֹנֶג 1 וְעָנָה...וְתַנִּים בְּהֵיכְלֵי עֹנֶג Is. 13:22
2 וְקָרָאתָ לַשַּׁבָּת עֹנֶג Is. 58:13

ענד
: עָנַד

עָנַד
פ׳ קשר, כרך: 1, 2
קרובים: חָבַשׁ / חָזַק / עָדָה / עָטַף / צָרַר / קָשַׁר / רָכַס

אֶעֶנְדֶנּוּ 1 אֶעֶנְדֶנּוּ עֲטָרוֹת לִי Job 31:36
עָנְדֵם 2 קָשְׁרֵם...עָנְדֵם עַל־גַּרְגְּרֹתֶךָ Prov. 6:21

ענה
: א) עָנָה, נַעֲנָה, עִנָּה, הֶעֱנָה; יַעַן, מַעֲנֶה, לְמַעַן(?), עִנְיָן; ש״פ עֲנָה, עֲנָיָה, עֲנָתוֹת, עַנְתֹתִיָּה; אר׳ עֲנָה
ב) עָנָה, עַנָּה
ג) עָנָה, נַעֲנָה, עִנָּה, עֻנָּה, הִתְעַנָּה; עָנָו, עֲנָוָה, עֱנוּת, עָנִי, עֳנִי, מַעֲנֶה, מַעֲנִית, תַּעֲנִית; ש״פ עֻנִּי; אר׳ עֲנֵו

עָנָה¹
פ׳ א) השיב על שאלה: 1, 3, 4, 7, 16–18, 20, 26–30, 33, 37–44, 46–56, 58, 59, 61–63, 69–78, 81, 84, 85, 89, 91, 93–208, 214, 218, 221, 222, 225–228, 230–236, 241, 242, 246, 248–252, 256–270, 272–290, 292
ב) נעתר לבקשה: 8–13, 21–25, 31, 32, 60, 64–68, 79, 80, 82, 83, 86, 87, 92, 209–213, 215–217, 220, 223, 224, 237–240, 243–245, 247, 253–255, 293–309
ג) [עָנָה בְּ־] העיד: 2, 14, 15, 19, 34–36, 45, 57, 88, 90, 219, 229, 271, 291, 310
ד) [כנ״ל] התענין, שם לב: 5, 6
ה) [נפ׳ נַעֲנָה] קבל תשובה: 315
ו) [כנ״ל] נעתר לבקשה: 311–314
ז) [הפ׳ הֶעֱנָה] נתן תשובה: 316
– עָנָה אֶת־ רוב המקראות 1–309; עָנָה בְּ־ 2, 5, 6, 14, 15, 19, 34–36, 45, 57, 88, 90, 219, 229, 271, 291, 310; עָנָה עַל־ 199
– עָנָה וְאָמַר 18, 37, 49–51, 75–78, 97, 100–179, 182–196, 198, 201, 258–262, 264, 265, 268, 274, 277, 280, 283–286, 290; עָנָה אֲמָרָיו 58; עָנָה דָּבָר 42–44; עָנָה וְדִבֵּר 13, 21, 96, 202, 203, 278

לַעֲנוֹת 1 וְלֹא־יָכְלוּ אֶחָיו לַעֲנוֹת אֹתוֹ Gen. 45:3
2 כִּי־יָקוּם...לַעֲנוֹת בּוֹ סָרָה Deut. 19:16
3 וַיֹּסֶף הַנַּעַר לַעֲנוֹת אֶת־שָׁאוּל ISh. 9:8
4 לֵב צַדִּיק יֶהְגֶּה לַעֲנוֹת Prov. 15:28
5 הוּא עִנְיַן רָע...לַעֲנוֹת בּוֹ Eccl. 1:13
6 רָאִיתִי אֶת־הָעִנְיָן...לַעֲנוֹת בּוֹ Eccl. 3:10
מֵעֲנוֹת 7 וַיִּשְׁבְּתוּ...מֵעֲנוֹת אֶת־אִיּוֹב Job 32:1
עָנִיתִי 8 אֲנִי עָנִיתִי וַאֲשׁוּרֶנּוּ Hosh. 14:9
עֲנִיתִיךָ 9 בְּעֵת רָצוֹן עֲנִיתִיךָ Is. 49:8
עֲנִיתָנִי 10 וּמִקַּרְנֵי רֵמִים עֲנִיתָנִי Ps. 22:22
11 אוֹדְךָ כִּי עֲנִיתָנִי Ps. 118:21
עֲנִיתָם 12 יְיָ אֱלֹהֵינוּ אַתָּה עֲנִיתָם Ps. 99:8
וַעֲנִיתָם 13 וַעֲנִיתָם וְדִבַּרְתָּ אֲלֵיהֶם IK. 12:7
עָנָה 14 שֶׁקֶר עָנָה בְאָחִיו Deut. 19:18
15 כִּי פִיךָ עָנָה בְךָ לֵאמֹר IISh. 1:16
16 מֶה־עָנָה יְיָ וּמַה־דִּבֶּר יְיָ Jer. 23:35
17 וּמֶה־עָנָה אֹתוֹ בִּלְעָם Mic. 6:5
18 עָנָה דוֹדִי וְאָמַר לִי S.ofS. 2:10
19 וַיְיָ עָנָה בִי וְשַׁדַּי הֵרַע־לִי Ruth 1:21
עָנָנִי 20 וְלֹא־עָנָנִי עוֹד...גַּם בַּחֲלֹמוֹת ISh. 28:15

עָנָנִי (המשך) 21 כֹּה־דִבֶּר יוֹאָב וְכֹה עָנָנִי IK. 2:30
22 קָרָאתִי יָּהּ עָנָנִי בַמֶּרְחָב יָהּ Ps. 118:5
23 קְרָאתִיו וְלֹא עָנָנִי S.ofS. 5:6
וְעָנָנִי 24 דָּרַשְׁתִּי אֶת־יְיָ וְעָנָנִי... Ps. 34:5
עָנָךְ 25 כְּשָׁמְעָתוֹ עָנָךְ Is. 30:19
26 מֶה־עָנָךְ יְיָ וּמַה־דִּבֶּר יְיָ Jer. 23:37
עָנָהוּ 27 וַיְיָ עָנָהוּ הִנֵּה הָאִישׁ... ISh. 9:17
28 וַיִּשְׁאַל...וְלֹא עָנָהוּ בַּיּוֹם הַהוּא ISh. 14:37
29 וַיִּשְׁאַל שָׁאוּל בַּיְיָ וְלֹא עָנָהוּ ISh. 28:6
30 בִּרְאוֹת דָּוִיד כִּי־עָנָהוּ יְיָ ICh. 21:28
עָנָם 31 יְשַׁעוּ...אֶל־יְיָ וְלֹא עָנָם IISh. 22:42
32 יְשַׁוְּעוּ...עַל־יְיָ וְלֹא עָנָם Ps. 18:42
עָנְתָה 33 וְלֹא עָנְתָה וְלֹא־שָׁתָה לִבָּהּ ISh. 4:20
34 הַכָּרַת פְּנֵיהֶם עָנְתָה בָּם Is. 3:9
35 וְחַטֹּאותֵינוּ עָנְתָה בָּנוּ Is. 59:12
וְעָנְתָה 36 וְעָנְתָה־בִּי צִדְקָתִי בְּיוֹם מָחָר Gen. 30:33
37 וְעָנְתָה וְאָמְרָה כָּכָה יֵעָשֶׂה לָאִישׁ Deut. 25:9
38 וְעָנְתָה הַשִּׁירָה הַזֹּאת לְפָנָיו לְעֵד Deut. 31:21
עֲנִיתֶם 39 יַעַן קָרָאתִי וְלֹא עֲנִיתֶם Is. 65:12
40 וָאֶקְרָא אֶתְכֶם וְלֹא עֲנִיתֶם Jer. 7:13
עָנוּ 41 וַיַּעֲנוּ...כַּאֲשֶׁר עָנוּ אַנְשֵׁי סֻכּוֹת Jud. 8:8
42 וְלֹא־עָנוּ הָעָם אֹתוֹ דָּבָר IK. 18:21
43 וְלֹא־עָנוּ אֹתוֹ דָּבָר IIK. 18:36
44 וַיַּחֲרִישׁוּ וְלֹא־עָנוּ אֹתוֹ דָּבָר Is. 36:21
45 אִם־עֲוֹנֵינוּ עָנוּ בָנוּ Jer. 14:7
46 וָאֶקְרָא לָהֶם וְלֹא עָנוּ Jer. 35:17
47 חַתּוּ לֹא־עָנוּ עוֹד Job 32:15
48 כִּי עָמְדוּ לֹא־עָנוּ עוֹד Job 32:16
וְעָנוּ 49 וְעָנוּ וְאָמְרוּ יָדֵינוּ לֹא שָׁפְכוּ... Deut. 21:7
50 וְעָנוּ הַלְוִיִּם וְאָמְרוּ...קוֹל רָם Deut. 27:14
51 וְעָנוּ כָל־הָעָם וְאָמְרוּ אָמֵן Deut. 27:15
עֹנֶה 52 וַיֹּאמֶר אֵלֶיהָ קוּמִי...וְאֵין עֹנֶה Jud. 19:28
53 וְאֵין קוֹל וְאֵין עֹנֶה IK. 18:26
54 וְאֵין־קוֹל וְאֵין־עֹנֶה וְאֵין קָשֶׁב IK. 18:29
55 מַדּוּעַ...קָרָאתִי וְאֵין עוֹנֶה Is. 50:2
56 יַעַן קָרָאתִי וְאֵין עוֹנֶה Is. 66:4
57 אִישׁ־עֹנֶה בְרֵעֵהוּ עֵד שָׁקֶר Prov. 25:18
58 וְהִנֵּה אֵין...עוֹנֶה אֲמָרָיו מִכֶּם Job 32:12
וְעֹנֶה 59 יַכְרֵת...עֵר וְעֹנֶה מֵאָהֳלֵי יַעֲקֹב Mal. 2:12
הָעֹנֶה 60 לָאֵל הָעֹנֶה אֹתִי בְּיוֹם צָרָתִי Gen. 35:3
עוֹנֶךָּ 61 קְרָא־נָא הֲיֵשׁ עוֹנֶךָּ Job 5:1
עֹנֵהוּ 62 וְאֵין עֹנֵהוּ מִכָּל־הָעָם ISh. 14:39
הָעֹנִים 63 וְעַל־כָּל־הָעָם הָעֹנִים אֹתוֹ דָּבָר Jer. 44:20
אֶעֱנֶה 64 טֶרֶם יִקְרָאוּ וַאֲנִי אֶעֱנֶה Is. 65:24
65 בַּיּוֹם הַהוּא אֶעֱנֶה נְאֻם־יְיָ Hosh. 2:23
66 אֶעֱנֶה אֶת־הַשָּׁמָיִם Hosh. 2:23
67 הוּא יִקְרָא בִשְׁמִי וַאֲנִי אֶעֱנֶה אֹתוֹ Zech. 13:9
68 אָז יִקְרָאֻנְנִי וְלֹא אֶעֱנֶה Prov. 1:28
69 אִם־צָדַקְתִּי לֹא אֶעֱנֶה Job 9:15
70 וּקְרָא וְאָנֹכִי אֶעֱנֶה Job 13:22
71 אַחַת דִּבַּרְתִּי וְלֹא אֶעֱנֶה Job 40:5
אַעֲנֶה 72 אַעֲנֶה אַף־אֲנִי חֶלְקִי Job 32:17
וְאֶעֱנֶה 73 וְאֶעֱנֶה חֹרְפִי דָבָר Ps. 119:42
74 אֶפְתַּח שְׂפָתַי וְאֶעֱנֶה Job 32:20
וָאַעַן 75 וָאַעַן וָאֹמַר אָמֵן יְיָ Jer. 11:5
76 וָאַעַן וָאֹמַר אֶל־הַמַּלְאָךְ Zech. 4:4; 6:4
77 וָאַעַן וָאֹמַר אֵלָיו Zech. 4:11
78 וָאַעַן שֵׁנִית וָאֹמַר אֵלָיו Zech. 4:12
אֶעֶנְךָ 79 אֶעֶנְךָ בְּסֵתֶר רַעַם Ps. 81:8
אֶעֱנֶךָּ 80 תִּקְרָא וְאָנֹכִי אֶעֱנֶךָּ Job 14:15
81 הֶן־זֹאת לֹא־צָדַקְתָּ אֶעֱנֶךָּ Job 33:12
וְאֶעֱנֶךָּ 82 קְרָא אֵלַי וְאֶעֱנֶךָּ Jer. 33:3

ואענהו 83 יקראני ואענהו עמו־אנכי בצרה Ps. 91:15
אעננו 84 אף כי־אנכי אעננו Job 9:14
85 כי לא־איש כמוני אעננו Job 9:32
אענם 86 אני יי אענם...לא אעזבם Is. 41:17
ואענם 87 כי אני יי אלהיהם ואענם Zech. 10:6
תענה 88 לא־תענה ברעך עד שקר Ex. 20:13
89 ולא־תענה על־רב לנטת Ex. 23:2
90 ולא־תענה ברעך עד שוא Deut. 5:17
91 ויקרא...הלוא תענה אבנר ISh. 26:14
92 אלהי אקרא יומם ולא תענה Ps. 22:3
93 אתה תענה אדני אלהי Ps. 38:16
94 מה־ימריצך כי תענה Job 16:3
תען 95 אל־תען כסיל כאולתו Prov. 26:4
ויענה 96 ויענה אליהו וידבר אל־שר החמ׳ IIK. 1:10
ויען 97 ויען אברהם ויאמר Gen. 18:27
98 ויען עפרון...את־אברהם Gen. 23:10
99 ויען עפרון את־אב׳ לאמר לו Gen. 23:14
100 ויען לבן ובתואל ויאמרו Gen. 24:50
101 ויען יצחק ויאמר לעשו Gen. 27:37
102 ויען יצחק אביו ויאמר אליו Gen. 27:39
179-103 ויען(...)ויאמר (־מ־) Gen. 31:31
31:36, 43; 40:18; 41:16 • Ex. 4:1 • Num. 11:28; 22:18, 23:12, 26 • Josh. 7:20; 24:16 • Jud. 7:14; 20:4 • ISh. 1:17; 4:17; 9:19, 21; 10:12; 14:28; 16:18; 22:9; 26:9, 14, 22; 29:9 • IISh. 13:32; 14:18; 19:22; 20:20 • IK. 1:28, 43; 2:22; 3:27; 13:6; 20:4, 11 • IIK. 7:13 • Is. 21:9 • Joel 2:19 • Am. 7:14 • Hag. 2:14 • Zech. 1:10, 12; 3:4; 4:5, 6; 6:5 • Job 3:2; 4:1; 6:1; 8:1; 9:1; 11:1; 12:1; 15:1; 16:1; 18:1; 19:1; 20:1; 21:1; 22:1; 23:1; 25:1; 26:1; 32:6; 34:1; 35:1; 38:1; 40:1, 3, 6 • Ruth 2:11 • Ez. 10:2 • ICh. 12:17(18) • IICh. 29:31; 34:15
180 ויען ראובן אתם לאמר Gen. 42:22
181 ויען כל־העם קול אחד... Ex. 24:3
196-182 ויען...את...ויאמר ISh. 20:28, 32
21:5, 6; 22:14; 25:10 • IISh. 15:21; 19:44 • IK. 1:36 • Job 1:7, 9; 2:2, 4; 40:3; 42:1
197 ויען כל־איש רע ובליעל ISh. 30:22
198 ויען דוד את־רכב...ויאמר להם IISh. 4:9
199 ויען כל־איש יהודה על־איש ישׂ׳ IISh. 19:43
200 ויען המלך את־העם קשה IK. 12:13
201 ויען כל־העם ויאמרו IK. 18:24
202 ויען וידבר אליו IIK. 1:11
203 ויען אליה וידבר אליהם IIK. 1:12
204 ויען אחד מעבדי מלך־ישראל IIK. 3:11
205/6 ויען השליש(...)את־איש האלהים IIK. 7:2, 19
207 ויען יי את־המלאך Zech. 1:13
208 ויען הנער הנצב על־הקוצרים Ruth 2:6
תענני 209 אני־קראתיך כי־תענני אל Ps. 17:6
210 ביום צרתי אקראך כי תענני Ps. 86:7
211 אשוע אליך ולא תענני Job 30:20
ותענני 212 דרכי ספרתי ותענני Ps. 119:26
213 ביום קראתי ותענני Ps. 138:3
תעננו 214 וכי־יברכך איש לא תעננו IIK. 4:29
תעננו 215 נוראות בצדק תעננו Ps. 65:6
תענם 216 ומחטאתם ישובון כי תענם IK. 8:35
217 מחטאתם ישובון כי תענם IICh. 6:26
יענה 218 אל׳ יענה את־שלום פרעה Gen. 41:16
219 ועד אחד לא־יענה בנפש Num. 35:30
220 וזעקתם...ולא־יענה יי אתכם ISh. 8:18
221 האלהים אשר־יענה באש IK. 18:24
222 ומה־יענה מלאכי־גוי Is. 14:32

יענה (המשך) 223 אף־יצעק אליו ולא יענה Is. 46:7
224 אז תקרא ויי יענה Is. 58:9
225 כל־הדבר אשר־יענה יי... Jer. 42:4
226 אז יזעקו אל־יי ולא יענה אותם Mic. 3:4
227 ועשיר יענה עזות Prov. 18:23
228 החכם יענה דעת־רוח Job 15:2
229 ויקם בי כחשי בפני יענה Job 16:8
230 לעבדי קראתי ולא יענה Job 19:16
231 כי כל־דבריו לא יענה Job 33:13
232 שם יצעקו ולא יענה Job 35:12
233 והכסף יענה את־הכל Eccl. 10:19
יענני 234 ורוח מבינתי יענני Job 20:3
235 אדעה מלים יענני Job 23:5
236 הן־תוי שדי יענני Job 31:35
ויענני 237 קראתי מצרה לי אל־יי ויענני Jon. 2:3
238 ויענני יי ויאמר Hab. 2:2
239 אל־יי אקרא ויענני מהר קדשו Ps. 3:5
240 אל־יי בצרתה לי קראתי ויענני Ps. 120:1
241 אם־קראתי ויענני Job 9:16
יענך 242 או מה־יענך אביך קשה ISh. 20:10
243 יענך יי ביום צרה Ps. 20:2
יענהו 244 יענהו משמי קדשו Ps. 20:7
ויענהו 245 ויזעק שמואל אל־יי...ויענהו יי ISh. 7:9
246 ויוסף עוד דוד לשאול ביי ויענהו ISh. 23:4
247 קרא לאלוה ויענהו Job 12:4
248 ויקרא אל־יי ויענהו באש :26
יעננו 249 משה ידבר והאלהים יעננו בקול Ex. 19:19
250 לא־יעננו אחת מני־אלף Job 9:3
יעננה 251 וכפיס מעץ יעננה Hab. 2:11
252 מוכיח אלוה יעננה Job 40:2
יעננו 253 יעננו ביום־קראנו Ps. 20:10
יענם 254 קראים אל־יי והוא יענם Ps. 99:6
ויענם 255 ישמע אל ויענם Ps. 55:20
ויענם 256 ויענם המלך קשה IICh. 10:13
תענה 257 והארץ תענה את־הדגן Hosh. 2:24
ותען 258 ותען רחל ולאה ותאמרנה לו Gen. 31:14
259 ותען חנה ותאמר ISh. 1:15
260 ותען האשה ותאמר IISh. 14:19
261 ותען אסתר ותאמר Es. 5:7
262 ותען אסתר המלכה ותאמר Es. 7:3
תענך 263 והיה אם־שלום תענך... Deut. 20:11
ותענו 264 ותענו אתי ותאמרו טוב־הדבר Deut. 1:14
265 ותענו ותאמרו אלי חטאנו ליי Deut. 1:41
תענהו 266 מצות המ׳ היא לאמר לא תענהו IIK. 18:36
267 מצות המ׳ היא לאמר לא תענהו Is. 36:21
יענו 268 כלם יענו ויאמרו אליך Is. 14:10
269 והם יענו את־הארץ Hosh. 2:23
270 והם יענו את־יזרעאל Hosh. 2:24
271 ירשיעך פיך...ושפתיך יענו־בך Job 15:6
ויענו 272 ויענו בני־חת את־אב׳ לאמר לו Gen. 23:5
273 ויענו בני־יעקב את־שכם Gen. 34:13
274 ויענו כל־העם יחדו ויאמרו Ex. 19:8
275 ויענו בני־גד ובני ראובן Num. 32:31
276 ויענו את־יהושע לאמר Josh. 1:16
277 ויענו את־יהושע ויאמרו Josh. 9:24
278 ויענו בני־ראובן...וידברו... Josh. 22:21
279 ויענו אותו אנשי פנואל... Jud. 8:8
280 ויענו חמשת האנשים...ויאמרו Jud. 18:14
281 ויענו אנשי המצבה את־יונתן ISh. 14:12
282 ויענו את־ירמיהו כל־האנשים Jer. 44:15
283 ויענו הכהנים ויאמרו לא Hag. 2:12
284 ויענו הכהנים ויאמרו יטמא Hag. 2:13

ויענו (המשך) 285 ויענו את־מלאך יי...ויאמרו Zech. 1:11
286 ויענו כל־הקהל ויאמרו Ez. 10:12
287 ויענו כל־העם אמן אמן Neh. 8:6
יענוכה 288 וקראת אליהם ולא יענוכה Jer. 7:27
תענינה 289 חכמות שרותיה תענינה Jud. 5:29
ותענינה 290 ותענינה אותם ותאמרנה ISh. 9:12
ענה 291 עמי מה־עשיתי לך...ענה בי Mic. 6:3
292 ענה כסיל כאולתו Prov. 26:5
עני 293/4 עני יי עני IK. 18:37
295 בקראי עני אלהי צדקי Ps. 4:2
296 הביטה עני יי אלהי Ps. 13:4
297 עני באמת ישעך Ps. 69:14
298 עני יי כי־טוב חסדך Ps. 69:17
299 כי־צר־לי מהר עני Ps. 69:18
300 הטה־יי אזנך עני Ps. 86:1
301 ביום אקרא מהר עני Ps. 102:3
302 קראתי בכל־לב עני יי Ps. 119:145
303 באמנתך עני בצדקתך Ps. 143:1
304 מהר עני יי... Ps. 143:7
ועני 305 שמע־יי...וחנני ועני Ps. 27:7
306 הקשיבה לי ועני Ps. 55:3
307/8 הושיעה ימינך ועני (כ׳ ועננו) Ps. 60:7; 108:7
עננו 309 ויקראו...לאמר הבעל עננו IK. 18:26
ענו 310 הנני ענו בי נגד יי ISh. 12:3
נעניתי 311 אני יי נעניתי לו Ezek. 14:4
נענה 312 אני יי נענה־לו בי Ezek. 14:7
אענה 313 אצעק חמס ולא אענה Job 19:7
יענה 314 גם־הוא יקרא ולא יענה Prov. 21:13
315 הרב דברים לא יענה Job 11:2
מענה 316 כי האלהים מענה בשמחת לבו Eccl. 5:19

ענה2

פ׳ א) שר, קרא: 1, 3, 5-15
ב) [בהשאלה] זעק: 2, 4
ג) [פ׳ ענה] שר בקול: 16-18

ענות 1 אין קול ענות גבורה Ex. 32:18
2 ואין קול ענות חלושה Ex. 32:18
וענית 3 וענית ואמרת לפני יי אלהיך Deut. 26:5
וענה 4 וענה איים באלמנותיו Is. 13:22
וענתה 5 וענתה שמה כימי נעוריה Hosh. 2:17
וענו 6 וענו עליך הידד Jer. 51:14
יענה 7 הידד כדרכים יענה Jer. 25:30
תען 8 תען לשוני אמרתך Ps. 119:172
ותען 9 ותען להם מרים שירו ליי Ex. 15:21
יענו 10 הלוא לזה יענו במחלות לאמר ISh. 21:12
11 אשר יענו־לו במחלות לאמר ISh. 29:5
ויענו 12 ויענו בהלל ובהודת ליי Ez. 3:11
ותענינה 13 ותענינה הנשים המשחקות ותאמרן ISh. 18:7
ענו 14 עלי באר ענו־לה Num. 21:17
15 ענו ליי בתודה Ps. 147:7
ענות 16 קול ענות אנכי שמע Ex. 32:18
לענות 17 למנצח על־מחלת לענות Ps. 88:1
ענו 18 ביום ההוא כרם חמר ענו־לה Is. 27:2

ענה3

פ׳ א) נכנע, נחלש: 1-7
ב) [נפ׳ נענה] נכנע, נלחץ: 8-11
ג) [פ׳ ענה] לחץ, הציק: 12-68
ד) [פ׳ ענה] דכא, נלחץ: 69-72
ה) [הת׳ התענה] סבל יסורים: 73-78
ו) [הפ׳ הענה] יסר, ענה: 79, 80

קרובים: דחק / דכא / העיק (עוק) / הציק (צוק) / התעלל (עלל) / התעמר (עמר) / יסר / לחץ / נגש / רצץ

עִנָּה נַפְשׁוֹ 13, 14, 23, 35-39, 63; עִנָּה (אִשָּׁה) 19, 27, 29-31, 34, 40, 41, 43, 47, 50, 59, 60

עָנִיתִי 1 אָנִי עָנִיתִי מְאֹד Ps. 116:10
וְעָנָה 2/3 וְעָנָה גְאוֹן־יִשְׂרָאֵל בְּפָנָיו Hosh. 5:5; 7:10
אֶעֱנֶה 4 טֶרֶם אֶעֱנֶה אֲנִי שֹׁגֵג Ps. 119:67
יַעֲנֶה 5 זְמִיר עָרִיצִים יַעֲנֶה Is. 25:5
6 וּמֵהֲמוֹנָם לֹא יַעֲנֶה Is. 31:4
יַעֲנוּ 7 יַעֲנוּ כִּי־אֵין רֹעֶה Zech. 10:4
לֵעָנֹת 8 עַד־מָתַי מֵאַנְתָּ לֵעָנֹת מִפָּנָי Ex. 10:3
נַעֲנֵיתִי 9 נַעֲנֵיתִי עַד־מְאֹד Ps. 119:107
נַעֲנֶה 10 נִגַּשׂ וְהוּא נַעֲנֶה Is. 53:7
נַעֲנָה 11 וְנֶפֶשׁ נַעֲנָה תַּשְׂבִּיעַ Is. 58:10
עַנֵּה 12 אִם־עַנֵּה תְעַנֶּה אֹתוֹ Is. 22:22
עַנּוֹת 13 יוֹם עַנּוֹת אָדָם נַפְשׁוֹ Is. 58:5
לְעַנֹּת 14 כָּל־נֵדֶר...לְעַנֹּת נָפֶשׁ Num. 30:14
עַנֹּתְךָ 15 לְמַעַן עַנֹּתְךָ לְנַסֹּתְךָ Deut. 8:2
16 לְמַעַן עַנֹּתְךָ וּלְמַעַן נַסֹּתֶךָ Deut. 8:16
לְעַנּוֹתֶךָ 17 ...וּבַמֶּה תֵּאָסֵר לְעַנּוֹתֶךָ Jud. 16:6
עַנֹּתוֹ 18 לְמַעַן עַנֹּתוֹ בְּסִבְלֹתָם Ex. 1:11
19 מִיּוֹם עַנֹּתוֹ אֵת תָּמָר אֲחֹתוֹ IISh. 13:32
לְעַנּוֹתוֹ 20 וּבַמֶּה נוּכַל לוֹ וַאֲסַרְנֻהוּ לְעַנּוֹתוֹ Jud. 16:5
21 וַתְגַלַּח...וַתָּחֶל לְעַנּוֹתוֹ Jud. 16:19
22 וְלֹא־יֹסִיפוּ בְנֵי־עַוְלָה לְעַנּוֹתוֹ IISh. 7:10
עִנֵּיתִי 23 עִנֵּיתִי בַצּוֹם נַפְשִׁי Ps. 35:13
וְעִנִּתִךְ 24 וְעִנִּתִךְ לֹא אֲעַנֵּךְ עוֹד Nah. 1:12
עִנִּית 25 וְכָל־מִשְׁבָּרֶיךָ עִנִּיתָ Ps. 88:8
עִנִּיתָנִי 26 צֶדֶק מִשְׁפָּטֶיךָ וֶאֱמוּנָה עִנִּיתָנִי Ps. 119:75
עִנִּיתָהּ 27 לֹא־תִתְעַמֵּר בָּהּ תַּחַת אֲשֶׁר עִנִּיתָהּ Deut. 21:14
עִנִּיתָנוּ 28 שַׂמְּחֵנוּ כִּימוֹת עִנִּיתָנוּ Ps. 90:15
עִנָּה 29 אֲשֶׁר־עִנָּה אֶת־אֵשֶׁת רֵעֵהוּ Deut. 22:24
30 עַל־דְּבַר אֲשֶׁר עִנָּה אֵת תָּמָר... IISh. 13:22
31 וְאִישׁ אֶת־אֲחֹתוֹ...עִנָּה־בָךְ Ezek. 22:11
32 עִנָּה בַדֶּרֶךְ כֹּחִי° קִצַּר יָמָי Ps. 102:24
33 כִּי לֹא עִנָּה מִלִּבּוֹ וַיַּגֶּה בְּנֵי־אִישׁ Lam. 3:33
עִנָּהּ 34 וְלוֹ־תִהְיֶה לְאִשָּׁה תַּחַת אֲשֶׁר עִנָּהּ Deut. 22:29
עִנִּינוּ 35 עִנִּינוּ נַפְשֵׁנוּ וְלֹא תֵדָע Is. 58:3
וְעִנִּיתֶם 36/8 וְעִנִּיתֶם אֶת־נַפְשֹׁתֵיכֶם Lev. 16:31; 23:27, 32
39 וְעִנִּיתֶם אֶת־נַפְשֹׁתֵיכֶם Num. 29:7
עִנּוּ 40 וְאֶת־פִּילַגְשִׁי עִנּוּ וַתָּמֹת Jud. 20:5
41 טְמֵאַת הַנִּדָּה עִנּוּ־בָךְ Ezek. 22:10
42 עִנּוּ בַכֶּבֶל רַגְלוֹ° Ps. 105:18
43 נָשִׁים בְּצִיּוֹן עִנּוּ Lam. 5:11
וְעִנּוּ 44 וַעֲבָדוּם וְעִנּוּ אֹתָם Gen. 15:13
45/6 וְעִנּוּ אַשּׁוּר וְעִנּוּ־עֵבֶר Num. 24:24
מְעַנַּיִךְ 47 וְהָלְכוּ אֵלַיִךְ שְׁחוֹחַ בְּנֵי מְעַנַּיִךְ Is. 60:14
48 הִנְנִי עֹשֶׂה אֶת־כָּל־מְעַנַּיִךְ Zep. 3:19
וַאֲעַנֶּה 49 וַאֲעַנֶּה אֶת־זֶרַע דָּוִד לְמַעַן זֹאת IK. 11:39
אֲעַנֵּךְ 50 וְעִנִּתִךְ לֹא אֲעַנֵּךְ עוֹד Nah. 1:12
תְּעַנֶּה 51 אִם־תְּעַנֶּה אֶת־בְּנֹתַי Gen. 31:50
52 אִם־עַנֵּה תְעַנֶּה אֹתוֹ Ex. 22:22
תְּעַנֵּנִי 53 אַל־אָחִי אַל־תְּעַנֵּנִי IISh. 13:12
וּתְעַנֵּנוּ 54 תֶּחֱשֶׁה וּתְעַנֵּנוּ עַד־מְאֹד Is. 64:11
יְעַנֶּה 55 וּמִשְׁפָּט וְרֹב־צְדָקָה לֹא יְעַנֶּה Job 37:23
וַיְעַנֵּנִי 56 יִתְרִי° פִתַּח וַיְעַנֵּנִי Job 30:11
וַיְעַנְּךָ 57 וַיְעַנְּךָ וַיַּרְעִבֶךָ וַיַּאֲכִלְךָ אֶת־הַמָּן Deut. 8:3
יְעַנֶּנּוּ 58 וּבֶן־עַוְלָה לֹא יְעַנֶּנּוּ Ps. 89:23
וַיְעַנֶּהָ 59 וַיִּשְׁכַּב אֹתָהּ וַיְעַנֶּהָ Gen. 34:2
60 וַיְעַנֶּהָ וַיִּשְׁכַּב אֹתָהּ IISh. 13:14
וַיְעַנֵּם 61 וַיְעַנֵּם וַיִּתְּנֵם בְּיַד־שֹׁסִים IIK. 17:20
וַתְּעַנֶּהָ 62 וַתְּעַנֶּהָ שָׂרַי וַתִּבְרַח מִפָּנֶיהָ Gen. 16:6
תְּעַנּוּ 63 בֶּעָשׂוֹר...תְּעַנּוּ אֶת־נַפְשֹׁתֵיכֶם Lev. 16:29
תְעַנּוּן 64 כָּל־אַלְמָנָה וְיָתוֹם לֹא תְעַנּוּן Ex. 22:21
יְעַנּוּ 65 וְכַאֲשֶׁר יְעַנּוּ אֹתוֹ כֵּן יִרְבֶּה... Ex. 1:12
66 עַמְּךָ יְיָ יְדַכְּאוּ וְנַחֲלָתְךָ יְעַנּוּ Ps. 94:5
וַיְעַנּוּנוּ 67 וַיָּרֵעוּ אֹתָנוּ הַמִּצְרִים וַיְעַנּוּנוּ Deut. 26:6
וְעַנּוּ 68 אוֹצִיאָה־נָּא אוֹתָם וְעַנּוּ אוֹתָם Jud. 19:24
עֻנּוֹתוֹ 69 זְכוֹר־יְיָ לְדָוִד אֵת כָּל־עֻנּוֹתוֹ Ps. 132:1
עֻנֵּיתִי 70 טוֹב־לִי כִי־עֻנֵּיתִי Ps. 119:71
וּמְעֻנֶּה 71 נָגוּעַ מֻכֵּה אֱלֹהִים וּמְעֻנֶּה Is. 53:4
תְּעֻנֶּה 72 כָּל־הַנֶּפֶשׁ אֲשֶׁר לֹא־תְעֻנֶּה Lev. 23:29
לְהִתְעַנּוֹת 73 צוֹם...לְהִתְעַנּוֹת לִפְנֵי אֱלֹהֵינוּ Ez. 8:21
וּלְהִתְעַנּוֹת 74 ...וּלְהִתְעַנּוֹת לִפְנֵי אֱלֹהֶיךָ Dan. 10:12
הִתְעַנִּיתָ 75 וְכִי הִתְעַנִּיתָ בְּכֹל אֲשֶׁר־הִתְעַנָּה IK. 2:26
הִתְעַנָּה 76 בְּכֹל אֲשֶׁר־הִתְעַנָּה אָבִי IK. 2:26
יִתְעַנּוּ 77 וּמֵעֲוֹנֹתֵיהֶם יִתְעַנּוּ Ps. 107:17
וְהִתְעַנִּי 78 שׁוּבִי...וְהִתְעַנִּי תַּחַת יָדֶיהָ Gen. 16:9
תְעַנֵּם 79/80 וּמֵחַטָּאתָם יְשׁוּבוּן כִּי תְעַנֵּם IK. 8:35 • IICh. 6:26

עֲנָה

פ׳ ארמית כמו בעברית עָנָה: 1-30

עָנַת 1 עָנַת מַלְכְּתָא וַאֲמֶרֶת Dan. 5:10
עֲנוֹ 2 עֲנוֹ תִנְיָנוּת וְאָמְרִין Dan. 2:7
3 עֲנוֹ כַשְׂדָּאֵי° קֳדָם־מַלְכָּא וְאָמְרִין Dan. 2:10
4 עֲנוֹ וְאָמְרִין לִנְבוּכַדְנֶצַּר מַלְכָּא Dan. 3:9
5 עֲנוֹ שַׁדְרַךְ מֵישַׁךְ...וְאָמְרִין Dan. 3:16
6 עֲנוֹ וְאָמְרִין קֳדָם מַלְכָּא Dan. 6:14
עָנֵה 7-9 עָנֵה מַלְכָּא וְאָמַר Dan. 2:5, 8; 4:16
10-29 עָנֵה(...)וְאָמַר Dan. 2:15, 20, 26

2:27, 47; 3:14, 19, 24, 25, 26, 28; 4:16, 27; 5:7, 13, 17
6:13, 17, 21; 7:2

עָנַיִן 30 עָנַיִן וְאָמְרִין לְמַלְכָּא Dan. 3:24

עֲנָה

שפ״ז – מבני שֵׂעִיר החורי: 1-12
בְּנֵי עֲנָה 5, 8; בַּת עֲנָה 1-3, 6

עֲנָה 1-3 אָהֳלִיבָמָה בַּת־עֲנָה... Gen. 36:2, 14, 18
4 עֲנָה אֲשֶׁר מָצָא אֶת־הַיֵּמִם Gen. 36:24
5 וְאֵלֶּה בְנֵי־עֲנָה דִּשֹׁן Gen. 36:25
6 וְאָהֳלִיבָמָה בַּת־עֲנָה Gen. 36:25
7 אַלּוּף צִבְעוֹן אַלּוּף עֲנָה Gen. 36:29
8 בְּנֵי עֲנָה דִּישׁוֹן ICh. 1:41
וַעֲנָה 9 בְנֵי־שֵׂעִיר...וְצִבְעוֹן וַעֲנָה Gen. 36:20
10 וְאֵלֶּה בְנֵי־צִבְעוֹן וְאַיָּה וַעֲנָה Gen. 36:24
11 וּבְנֵי שֵׂעִיר...וְצִבְעוֹן וַעֲנָה ICh. 1:38
12 וּבְנֵי צִבְעוֹן אַיָּה וַעֲנָה ICh. 1:40

עֹנָה

עין עוֹנָה

עָנָו

ת׳ א) צנוע, שפל רוח: 1-3, 16-21
ב) עני, נדכה: 4-15

– עָנָו מְאֹד 1; דֶּרֶךְ עֲנָוִים 4; מְחוֹנֵן עֲ׳ 15; צַעֲקַת עֲנָוִים 5; תַּאֲוַת עֲנָוִים 7; עַנְוֵי אֶרֶץ 19-21
– בַּשֵּׂר עֲנָוִים 3; הַדְרִיךְ עֲ׳ 9; הוֹשִׁיעַ עֲ׳ 20; חוֹנֵן עֲ׳ 15; לַמֵּד עֲ׳ 10; עוֹדֵד עֲ׳ 13; שָׁכַח עֲ׳ 6

עָנָו 1 וְהָאִישׁ מֹשֶׁה עָנָו מְאֹד Num. 12:3
עֲנָוִים 2 וְיָסְפוּ עֲנָוִים בַּיְיָ שִׂמְחָה Is. 29:19
3 יַעַן מָשַׁח יְיָ אֹתִי לְבַשֵּׂר עֲנָוִים Is. 61:1
4 וְדֶרֶךְ עֲנָוִים יַטּוּ Am. 2:7
5 לֹא־שָׁכַח צַעֲקַת עֲנָוִים (כת׳ עניים) Ps. 9:13
6 אַל־תִּשְׁכַּח עֲנָוִים (כת׳ עניים) Ps. 10:12
7 תַּאֲוַת עֲנָוִים שָׁמַעְתָּ יְיָ Ps. 10:16
8 יֹאכְלוּ עֲנָוִים וְיִשְׂבָּעוּ Ps. 22:27
9 יַדְרֵךְ עֲנָוִים בַּמִּשְׁפָּט Ps. 25:9
10 וִילַמֵּד עֲנָוִים דַּרְכּוֹ Ps. 25:9
11 יִשְׁמְעוּ עֲנָוִים וְיִשְׂמָחוּ Ps. 34:3
12 רָאוּ עֲנָוִים יִשְׂמָחוּ Ps. 69:33
13 מְעוֹדֵד עֲנָוִים יְיָ Ps. 147:6
14 יְפָאֵר עֲנָוִים בִּישׁוּעָה Ps. 149:4
15 וּמְחוֹנֵן עֲנָוִים (כת׳ עניים) אַשְׁרָיו Prov. 14:21
16 טוֹב שְׁפַל־רוּחַ אֶת־עֲנָוִים (כת׳ עניים) Prov. 16:19
וַעֲנָוִים 17 וַעֲנָוִים יִירְשׁוּ־אָרֶץ Ps. 37:11
וְלַעֲנָוִים 18 וְלַעֲנָוִים (כת׳ ולעניים) יִתֶּן־חֵן Prov. 3:34
עַנְוֵי־ 19 בַּקְּשׁוּ אֶת־יְיָ כָּל־עַנְוֵי הָאָרֶץ Zep. 2:3
20 בְּקוּם...לְהוֹשִׁיעַ כָּל־עַנְוֵי־אֶרֶץ Ps. 76:10
לְעַנְוֵי־ 21 וְהוֹכִיחַ בְּמִישׁוֹר לְעַנְוֵי־אָרֶץ Is. 11:4

עָנוּב

שפ״ז – בן קוֹץ לשבט יהודה

עָנוּב 1 וְקוֹץ הוֹלִיד אֶת־עָנוּב... ICh. 4:8

עֲנָוָה

נ׳ צניעות, שפלות רוח: 1-7

עֲנָוָה 1 בַּקְּשׁוּ־צֶדֶק בַּקְּשׁוּ עֲנָוָה Zep. 2:3
2/3 וְלִפְנֵי כָבוֹד עֲנָוָה Prov. 15:33; 18:12
4 עֵקֶב עֲנָוָה יִרְאַת יְיָ Prov. 22:4
וְעַנְוָה 5 עַל־דְּבַר־אֱמֶת וְעַנְוָה־צֶדֶק Ps. 45:5
וְעַנְוָתְךָ 6 וִימִינְךָ תִסְעָדֵנִי וְעַנְוָתְךָ תַרְבֵּנִי Ps. 18:36
וַעֲנֹתְךָ 7 וַתִּתֶּן־לִי מָגֵן יִשְׁעֶךָ וַעֲנֹתְךָ תַּרְבֵּנִי IISh. 22:36

עֲנוֹק

(יהושע כא11) – עין עֲנָק

עֱנוֹשׁ

ת׳ – עין עֲנַשׁ

עֱנוּת

נ׳ סבל, עֹני • עֱנוּת עָנִי 1

עֱנוּת־ 1 לֹא־בָזָה וְלֹא שִׁקַּץ עֱנוּת עָנִי Ps. 22:25

(בֵּית) עֲנוֹת

– עין בֵּית עֲנוֹת (באות ב׳)

עָנִי

תו״ז א) דל, אביון: רוב המקראות 1-75
ב) אומלל, נדכה: 4, 6, 30, 32, 56, 66-68, 75
קרובים: אֶבְיוֹן / דַּךְ / דַּכָּא / דַּל / חֵלְכָה / מָךְ / מִסְכֵּן / עָנָו / צָנוּעַ / רָשׁ

– עָנִי וְאֶבְיוֹן 2, 7-18, 39, 42, 53, 60, 65; עָ׳ וְכוֹאֵב 30; עָנִי וָרָשׁ 31
– אִישׁ עָנִי 1; גְּזֵלַת עָנִי 45; דִּין עָ׳ 7, 33; יַד עָנִי 8; יְמֵי עָנִי 34; עַם עָנִי 4, 20, 26; עֱנוּת עָ׳ 27; עֲצַת עָנִי 25; רַגְלֵי עָנִי 5
– עֲנִיִּים מְרוּדִים 64
– חַיַּת עֲנִיִּים 73; מִשְׁפַּט עֲנִיִּים 63, 66; פְּנֵי עָ׳ 57; צַעֲקַת עָ׳ 62; שֹׁד עָ׳ 60; תִּקְוַת עֲנִיִּים 59
– עֲנִיֵּי אֶרֶץ 68, 72; עָ׳ עַם 66, 67, 71; עֲנִיֵּי הַצֹּאן 69, 70

עָנִי 1 וְאִם־אִישׁ עָנִי הוּא... Deut. 24:12
2 לֹא־תַעֲשֹׁק שָׂכִיר עָנִי וְאֶבְיוֹן Deut. 24:14
3 בְּיוֹמוֹ תִתֵּן שְׂכָרוֹ...כִּי עָנִי הוּא Deut. 24:15
4 וְאֶת־עַם עָנִי תּוֹשִׁיעַ IISh. 22:28
5 רַגְלֵי עָנִי פַּעֲמֵי דַלִּים Is. 26:6
6 וְאֶל־זֶה אַבִּיט אֶל־עָנִי וּנְכֵה־רוּחַ Is. 66:2
7 דָּן דִּין־עָנִי וְאֶבְיוֹן Jer. 22:16
8 וְיַד־עָנִי וְאֶבְיוֹן לֹא הֶחֱזִיקָה Ezek. 16:49
9-18 עָנִי וְאֶבְיוֹן Ezek. 18:12
Ps. 37:14; 40:18; 70:6; 74:21; 86:1; 109:16, 22
Prov. 31:9 • Job 24:14
19 כְּמוֹ־לֶאֱכֹל עָנִי בַּמִּסְתָּר Hab. 3:14
20 וְהִשְׁאַרְתִּי בְקִרְבֵּךְ עַם עָנִי וָדָל Zep. 3:12
21 עָנִי וְרֹכֵב עַל־חֲמוֹר Zech. 9:9
22 בְּגַאֲוַת רָשָׁע יִדְלַק עָנִי Ps. 10:2
23 יֶאֱרֹב לַחֲטוֹף עָנִי Ps. 10:9
24 יַחְטֹף עָנִי בְּמָשְׁכוֹ בְרִשְׁתּוֹ Ps. 10:9
25 עֲצַת־עָנִי תָבִישׁוּ Ps. 14:6
26 כִּי־אַתָּה עַם־עָנִי תוֹשִׁיעַ Ps. 18:28
27 לֹא־בָזָה וְלֹא שִׁקַּץ עֱנוּת עָנִי Ps. 22:25
28 זֶה עָנִי קָרָא וַיְיָ שָׁמֵעַ Ps. 34:7
29 מַצִּיל עָנִי מֵחָזָק מִמֶּנּוּ Ps. 35:10
30 וַאֲנִי עָנִי וְכוֹאֵב Ps. 69:30

עָנִי (המשך)
31 עָנִי וָרָשׁ הַצְדִּיקוּ Ps. 82:3
32 עָנִי אֲנִי וְגֹוֵעַ מִנֹּעַר Ps. 88:16
33 דִּין עָנִי מִשְׁפַּט אֶבְיֹנִים Ps. 140:13
34 כָּל־יְמֵי עָנִי רָעִים Prov. 15:15
35 וְאַל־תְּדַכֵּא עָנִי בַשָּׁעַר Prov. 22:22
36 וְעַל־עָנִי יַחְבֹּלוּ Job 24:9
37 כִּי־אֲמַלֵּט עָנִי מְשַׁוֵּעַ Job 29:12
38 יְחַלֵּץ עָנִי בְעָנְיוֹ Job 36:15
וְעָנִי 39 וְעָנִי וְאֶבְיוֹן הוֹנוּ Ezek. 22:29
40 וְאַלְמָנָה וְיָתוֹם גֵּר וְעָנִי אַל־תַּעֲשֹׁקוּ Zech. 7:10
41 כִּי־יָחִיד וְעָנִי אָנִי Ps. 25:16
42 מַצִּיל...וְעָנִי וְאֶבְיוֹן מִגֹּזְלוֹ Ps. 35:10
43 כִּי־יַצִּיל...וְעָנִי וְאֵין־עֹזֵר לוֹ Ps. 72:12
הֶעָנִי 44 תַּלְוֶה אֶת־עַמִּי אֶת־הֶעָנִי עִמָּךְ Ex. 22:24
45 גְּזֵלַת הֶעָנִי בְּבָתֵּיכֶם Is. 3:14
לֶעָנִי 46/7 לֶעָנִי וְלַגֵּר תַּעֲזֹב אֹתָם Lev. 19:10; 23:22
48 תָּכִין בְּטוֹבָתְךָ לֶעָנִי אֱלֹהִים Ps. 68:11
49 כַּפָּהּ פָּרְשָׂה לֶעָנִי Prov. 31:20
50 מַה־לֶּעָנִי יוֹדֵעַ לַהֲלֹךְ נֶגֶד הַחַיִּים Eccl. 6:8
לְעָנִי 51 תְּפִלָּה לְעָנִי כִי־יַעֲטֹף Ps. 102:1
מֵעָנִי 52 מֵעָנִי הֵשִׁיב יָדוֹ... Ezek. 18:17
לַעֲנִיֶּךָ 53 לְאָחִיךָ לַעֲנִיֶּךָ וּלְאֶבְיֹנְךָ Deut. 15:11
עֲנִיָּה 54 הַקְשִׁיבִי לַיְשָׁה עֲנִיָּה עֲנָתוֹת Is. 10:30
55 לָכֵן שִׁמְעִי־נָא זֹאת עֲנִיָּה Is. 51:21
56 עֲנִיָּה סֹעֲרָה לֹא נֻחָמָה Is. 54:11
עֲנִיִּים 57 וּפְנֵי עֲנִיִּים תִּטְחָנוּ Is. 3:15
58 לְחַבֵּל עֲנִיִּים (כת׳ ענוים) בְּאִמְרֵי־שֶׁקֶר Is. 32:7
59 תִּקְוַת עֲנִיִּים (כת׳ ענוים) תֹּאבַד לָעַד Ps. 9:19
60 מִשֹּׁד עֲנִיִּים מֵאַנְקַת אֶבְיוֹנִים Ps. 12:6
61 לֶאֱכֹל עֲנִיִּים מֵאֶרֶץ Prov. 30:14
62 וְצַעֲקַת עֲנִיִּים יִשְׁמָע Job 34:28
63 וּמִשְׁפַּט עֲנִיִּים יִתֵּן Job 36:6
וַעֲנִיִּים 64 וַעֲנִיִּים מְרוּדִים תָּבִיא בָיִת Is. 58:7
הָעֲנִיִּים 65 הָעֲנִיִּים וְהָאֶבְיוֹנִים מְבַקְשִׁים מַיִם Is. 41:17
עֲנִיֵּי־ 66 וְלִגְזֹל מִשְׁפַּט עֲנִיֵּי עַמִּי Is. 10:2
67 וּבָהּ יֶחֱסוּ עֲנִיֵּי עַמּוֹ Is. 14:32
68 וְלַשְׁבִּית עֲנִיֵּי (כת׳ ענוי)־אָרֶץ Am. 8:4
69 וָאֶרְעֶה...לָכֵן עֲנִיֵּי הַצֹּאן Zech. 11:7
70 וַיֵּדְעוּ כֵן עֲנִיֵּי הַצֹּאן Zech. 11:11
71 יִשְׁפֹּט עֲנִיֵּי־עָם Ps. 72:4
72 יַחַד חֻבְּאוּ עֲנִיֵּי (כת׳ ענוי)־אָרֶץ Job 24:4
עֲנִיֶּיךָ 73 חַיַּת עֲנִיֶּיךָ אַל־תִּשְׁכַּח לָנֶצַח Ps. 74:19
וַעֲנִיֶּיךָ 74 יָדִין...וַעֲנִיֶּיךָ בְמִשְׁפָּט Ps. 72:2
וַעֲנִיָּו 75 כִּי־נִחַם יְיָ עַמּוֹ וַעֲנִיָּו יְרַחֵם Is. 49:13

עֲנֵי* ז׳ ארמית: עני
עֲנָיִן 1 ...וַעֲוָיָתָךְ בְּמִחַן עֲנָיִן Dan. 4:24

עֳנִי ז׳ א) לחץ, מצוקה: רוב המקראות 1-36
ב) דלות: 3, 10, 32
קרובים: לַחַץ / מַחְסוֹר / מִסְכֵּנוּת / מָצוֹק / מְצוּקָה / עָמָל / עֱנוּת / רִישׁ / רֵישׁ
– עֳנִי אֲבוֹתֵינוּ 15; עֳ׳ אֲמָתוֹ 16; עֳ׳ יִשְׂרָאֵל 14; עֳ׳ מִצְרַיִם 17; עֳנִי עַמִּי 13
– עָנְיוֹ וּמְרוּדוֹ (וּמְרוּדָיו) 26, 33
– אֲסִירֵי עֳנִי 1; אֶרֶץ עָנְיוֹ 19; בְּנֵי עֹנִי 6; חַבְלֵי עֹנִי 9; יְמֵי עֹנִי 7, 8; כּוּר עֹנִי 4; לֶחֶם עֹנִי 3
עֳנִי 1 אֲסִירֵי עֳנִי וּבַרְזֶל Ps. 107:10
2 אֲנִי הַגֶּבֶר רָאָה עֳנִי בְּשֵׁבֶט עֶבְרָתוֹ Lam. 3:1
עֹנִי 3 תֹּאכַל־עָלָיו מַצּוֹת לֶחֶם עֹנִי Deut. 16:3
4 בְּחַרְתִּיךָ בְּכוּר עֹנִי Is. 48:10
5 עֵינִי דָאֲבָה מִנִּי עֹנִי Ps. 88:10

עֹנִי (המשך)
6 וִישַׁנֶּה דִּין כָּל־בְּנֵי־עֹנִי Prov. 31:5
7 יֹאחֲזוּנִי יְמֵי־עֹנִי Job 30:16
8 קִדְּמֻנִי יְמֵי־עֹנִי Job 30:27
9 יִלָּכְדוּן בְּחַבְלֵי־עֹנִי Job 36:8
מֵעוֹנִי 10 וַיְשַׂגֵּב אֶבְיוֹן מֵעוֹנִי Ps. 107:41
11 כִּי עַל־זֶה בָּחַרְתָּ מֵעֹנִי Job 36:21
12 גָּלְתָה יְהוּדָה מֵעֹנִי Lam. 1:3
עֳנִי־ 13 רָאֹה רָאִיתִי אֶת־עֳנִי עַמִּי Ex. 3:7
14 אֶת־עֳנִי יִשְׂרָאֵל מֹרֶה מְאֹד IIK. 14:26
15 וַתֵּרֶא אֶת־עֳנִי אֲבֹתֵינוּ בְּמִצְרָיִם Neh. 9:9
בָּעֳנִי־ 16 אִם־רָאֹה תִרְאֶה בָּעֳנִי אֲמָתֶךָ ISh. 1:11
מֵעֳנִי־ 17 אַעֲלֶה אֶתְכֶם מֵעֳנִי מִצְרַיִם Ex. 3:17
עָנְיִי 18 אֶת־עָנְיִי וְאֶת־יְגִיעַ כַּפַּי Gen. 31:42
19 כִּי־הִפְרַנִי אֱלֹהִים בְּאֶרֶץ עָנְיִי Gen. 41:52
20 רְאֵה עָנְיִי מִשֹּׂנְאָי Ps. 9:14
21 רְאֵה עָנְיִי וַעֲמָלִי Ps. 25:18
22 אֲשֶׁר רָאִיתָ אֶת־עָנְיִי Ps. 31:8
23 רְאֵה־עָנְיִי וְחַלְּצֵנִי Ps. 119:153
24 שְׂבַע קָלוֹן וּרְאֵה עָנְיִי Job 10:15
25 רְאֵה יְיָ אֶת־עָנְיִי Lam. 1:9
26 זְכָר־עָנְיִי וּמְרוּדִי לַעֲנָה וָרֹאשׁ Lam. 3:19
בְּעָנְיִי 27 כִּי־רָאָה יְיָ בְּעָנְיִי Gen. 29:32
28 זֹאת נֶחָמָתִי בְעָנְיִי Ps. 119:50
29 לוּלֵי...אָז אָבַדְתִּי בְעָנְיִי Ps. 119:92
30 בְעָנְיִי הֲכִינוֹתִי לְבֵית־יְיָ ICh. 22:14(13)
עָנְיֵךְ 31 כִּי־שָׁמַע יְיָ אֶל־עָנְיֵךְ Gen. 16:11
בְעָנְיוֹ 32 יְחַלֵּץ עָנִי בְעָנְיוֹ Job 36:15
עָנְיָהּ 33 זָכְרָה יְרוּשָׁלַםִ יְמֵי עָנְיָהּ וּמְרוּדֶיהָ Lam. 1:7
עָנְיֵנוּ 34 אֶת־עָנְיֵנוּ וְאֶת־עֲמָלֵנוּ וְאֶת־לַחֲצֵנוּ Deut. 26:7
35 לָמָּה...תִּשְׁכַּח עָנְיֵנוּ וְלַחֲצֵנוּ Ps. 44:25
עָנְיָם 36 וְכִי רָאָה אֶת־עָנְיָם Ex. 4:31

עֻנִּי שפ״ז א) לוי בימי דוד: 2, 3
ב) לוי בימי זרובבל: 1
וְעֻנִּי 1 וּבַקְבֻּקְיָה וְעֻנִּי (כת׳ וענו) אֲחֵיהֶם Neh. 12:9
2-3 וּשְׁמִירָמוֹת וִיחִיאֵל וְעֻנִּי ICh. 15:18, 20

עֲנָיָה שפ״ז – משרי העם בימי עזרא: 1, 2
עֲנָיָה 1 פְּלַטְיָה חָנָן עֲנָיָה Neh. 10:23
וַעֲנָיָה 2 וַיַּעֲמֹד אֶצְלוֹ מַתִּתְיָה וְשֶׁמַע וַעֲנָיָה Neh. 8:4

עָנִים ש״פ – עיר בנחלת יהודה
וְעָנִים 1 וַעֲנָב וְאֶשְׁתְּמֹה וְעָנִים Josh. 15:50

עִנְיָן ז׳ עסק, פעולה: 1-8
עִנְיַן רָע 5, 6, 7; רֹב עִנְיָן 2
עִנְיָן 1 וְלַחוֹטֶא נָתַן עִנְיָן לֶאֱסֹף וְלִכְנוֹס Eccl. 2:26
2 כִּי בָּא הַחֲלוֹם בְּרֹב עִנְיָן... Eccl. 5:2
הָעִנְיָן 3 רָאִיתִי אֶת־הָעִנְיָן...לַעֲנוֹת בּוֹ Eccl. 3:10
4 אֶת־הָעִנְיָן אֲשֶׁר נַעֲשָׂה עַל־הָאָרֶץ Eccl. 8:16
עִנְיַן־ 5 הוּא עִנְיַן רָע...לַעֲנוֹת בּוֹ Eccl. 1:13
וְעִנְיַן־ 6 גַּם־זֶה הֶבֶל וְעִנְיַן רָע הוּא Eccl. 4:8
בְּעִנְיַן 7 וְאָבַד הָעֹשֶׁר הַהוּא בְּעִנְיַן רָע Eccl. 5:13
עִנְיָנוֹ 8 כָּל־יָמָיו מַכְאֹבִים וָכַעַס עִנְיָנוֹ Eccl. 2:23

עָנֵם ש״פ – עיר, היא עֵין גַּנִּים
עָנֵם 1 וְאֶת־עָנֵם וְאֶת־מִגְרָשֶׁיהָ ICh. 6:58

עֲנָמִים שפ״ז – בני עם מזרע מצרים: 1, 2
עֲנָמִים 1 וּמִצְרַיִם יָלַד אֶת־לוּדִים וְאֶת־עֲנָמִים Gen. 10:13
2 וּמִצְרַיִם יָלַד אֶת־לוּדִיים וְאֶת־עֲנָמִים ICh. 1:11

עֲנַמֶּלֶךְ שפ״ז – מאלילי בני ספרוים
וַעֲנַמֶּלֶךְ 1 ...לְאַדְרַמֶּלֶךְ וַעֲנַמֶּלֶךְ אֱלֹהֵ׳ סְפַרְוָיִם IIK. 17:31

ענן
: עִנֵּן, עוֹנֵן; עָנָן, עֲנָנָה; ש״פ עֲנָנִי, עֲנַנְיָה; אר׳ עֲנָן

עִנֵּן פ׳ א) כִּסָּה בעננים: 1
ב) [פ׳ עוֹנֵן] קסם בעננים:(?) 2-10
בְּעַנְנִי 1 וְהָיָה בְּעַנְנִי עָנָן עַל־הָאָרֶץ Gen. 9:14
וְעוֹנֵן 2 וְעוֹנֵן וְנִחֵשׁ וְעָשָׂה אוֹב וְיִדְּעֹנִים IIK. 21:6
3 וְעוֹנֵן וְנִחֵשׁ וְכִשֵּׁף וְעָשָׂה אוֹב IICh. 33:6
עֹנְנָה 4 בְּנֵי עֹנְנָה זֶרַע מְנָאֵף וַתִּזְנֶה Is. 57:3
וְעֹנְנִים 5 כִּי מָלְאוּ מִקֶּדֶם וְעֹנְנִים כַּפְּלִשְׁתִּים Is. 2:6
עוֹנְנֵיכֶם 6 וְאֶל־עֹנְנֵיכֶם וְאֶל־כַּשְּׁפֵיכֶם Jer. 27:9
מְעוֹנֵן 7 מְעוֹנֵן וּמְנַחֵשׁ וּמְכַשֵּׁף Deut. 18:10
מְעֹנְנִים 8 אֶל־מְעֹנְנִים וְאֶל־קֹסְמִים יִשְׁמָעוּ Deut. 18:14
וּמְעוֹנְנִים 9 וּמְעוֹנְנִים לֹא יִהְיוּ־לָךְ Mic. 5:11
תְעוֹנֵנוּ 10 לֹא תְנַחֲשׁוּ וְלֹא תְעוֹנֵנוּ Lev. 19:26

עָנָן1 ז׳ א) עָב, עֲרָפֶל כָּבֵד: 1-77, 80-87
ב) [בהשאלה] קִיטוֹר, עָשָׁן: 78, 79
קרובים: אֵד / נְשִׂיאִים2 / עָב / עֲבוֹתִים / עֲנָנָה / עֲרִיפִים / עֲרָפֶל / עָשָׁן / קִיטוֹר
– עָנָן וַעֲרָפֶל 5, 14, 53; אֵשׁ וְעָנָן 8, 22, 53, 73; עָנָן גָּדוֹל 8; עָנָן כָּבֵד 23
– אוֹר עָנָן 86; יוֹם עָנָן 9, 11-13; עַב הֶעָ׳ 28; עַמּוּד עָנָן 2-4, 6, 15, 20, 22, 25, 26, 33, 34, 54, 57
– עֲנַן אוֹר 80; עֲנַן בֹּקֶר 82, 83; עֲנַן יְיָ 77, 81; עֲנַן הַקְּטֹרֶת 78, 79
– קֶשֶׁת בֶּעָנָן 62-64
– הֶאֱרִיךְ עָנָן 44, 49; הָיָה עָנָן 27; יָרַד עָ׳ 33; כָּלָה עָ׳ 17; כִּסָּה עָ׳ 10, 29, 30, 39, 40, 52, 74; מָלֵא עָ׳ 21, 60, 61; נִבְקַע עָ׳ 18; נַעֲלָה עָ׳ 37, 38, 41, 47, 48, 50; סָר עָ׳ 57, 59; עָמַד עָ׳ 33, 34, 54, 84; עִנֵּן עָנָן 1; פָּרַשׂ עָנָן 16; שָׁכַן עָנָן 36, 42, 43, 51
עָנָן 1 וְהָיָה בְּעַנְנִי עָנָן עַל־הָאָרֶץ Gen. 9:14
2 הֹלֵךְ לִפְנֵיהֶם יוֹמָם בְּעַמּוּד עָנָן Ex. 13:21
3 וַיֵּרֶד יְיָ בְּעַמּוּד עָנָן Num. 12:5
4 וּבְעַמֻּד עָנָן אַתָּה הֹלֵךְ לִפְנֵיהֶם Num. 14:14
5 חֹשֶׁךְ עָנָן וַעֲרָפֶל Deut. 4:11
6 וַיֵּרָא יְיָ בָּאֹהֶל בְּעַמּוּד עָנָן Deut. 31:15
7 וּבָרָא יְיָ...עָנָן יוֹמָם וְעָשָׁן Is. 4:5
8 עָנָן גָּדוֹל וְאֵשׁ מִתְלַקַּחַת Ezek. 1:4
9 כִּי־קָרוֹב יוֹם...יוֹם עָנָן Ezek. 30:3
10 הִיא עָנָן יְכַסֶּנָּה Ezek. 30:18
11 בְּיוֹם עָנָן וַעֲרָפֶל Ezek. 34:12
12 יוֹם חֹשֶׁךְ וַאֲפֵלָה יוֹם עָנָן וַעֲרָפֶל Joel 2:2
13 יוֹם חֹשֶׁךְ וַאֲפֵלָה יוֹם עָנָן וַעֲרָפֶל Zep. 1:15
14 עָנָן וַעֲרָפֶל סְבִיבָיו Ps. 97:2
15 בְּעַמּוּד עָנָן יְדַבֵּר אֲלֵיהֶם Ps. 99:7
16 פָּרַשׂ עָנָן לְמָסָךְ Ps. 105:39
17 כָּלָה עָנָן וַיֵּלַךְ Job 7:9
18 וְלֹא־נִבְקַע עָנָן תַּחְתָּם Job 26:8
19 בְּשׂוּמִי עָנָן לְבֻשׁוֹ Job 38:9
20 וּבְעַמּוּד עָנָן הִנְחִיתָם יוֹמָם Neh. 9:12
21 וְהַבַּיִת מָלֵא עָנָן בֵּית יְיָ IICh. 5:13
וְעָנָן 22 וַיַּשְׁקֵף יְיָ...בְּעַמּוּד אֵשׁ וְעָנָן Ex. 14:24
23 וְעָנָן כָּבֵד עַל־הָהָר Ex. 19:16
24 וְעָנָן אֲבַק רַגְלָיו Nah. 1:3
הֶעָנָן 25 לֹא־יָמִישׁ עַמּוּד הֶעָנָן יוֹמָם Ex. 13:22
26 וַיִּסַּע עַמּוּד הֶעָנָן מִפְּנֵיהֶם Ex. 14:19
27 וַיְהִי הֶעָנָן וְהַחֹשֶׁךְ... Ex. 14:20
28 הִנֵּה אָנֹכִי בָּא אֵלֶיךָ בְּעַב הֶעָנָן Ex. 19:9

הֶעָנָן (המשך)
29 וַיְכַס הֶעָנָן אֶת־הָהָר Ex. 24:15
30 וַיְכַסֵּהוּ הֶעָנָן שֵׁשֶׁת יָמִים Ex. 24:16
31 וַיִּקְרָא אֶל־מֹשֶׁה...מִתּוֹךְ הֶעָנָן Ex. 24:16
32 וַיָּבֹא מֹשֶׁה בְּתוֹךְ הֶעָנָן Ex. 24:18
33 יֵרֵד עַמּוּד הֶעָנָן וְעָמַד Ex. 33:9
34 וְרָאָה...אֶת־עַמּוּד הֶעָנָן עֹמֵד... Ex. 33:10
35 וַיְכַס הֶעָנָן אֶת־אֹהֶל מוֹעֵד Ex. 40:34
36 כִּי־שָׁכַן עָלָיו הֶעָנָן Ex. 40:35
37 וּבְהֵעָלוֹת הֶעָנָן מֵעַל הַמִּשְׁכָּן Ex. 40:36
38 וְאִם־לֹא יֵעָלֶה הֶעָנָן Ex. 40:37
39 כִּסָּה הֶעָנָן אֶת־הַמִּשְׁכָּן Num. 9:15
40 הֶעָנָן יְכַסֶּנּוּ וּמַרְאֵה־אֵשׁ לָיְלָה Num. 9:16
41 וּלְפִי הֵעָלוֹת הֶעָנָן מֵעַל הָאֹהֶל... Num. 9:17
42 אֲשֶׁר יִשְׁכָּן־שָׁם הֶעָנָן Num. 9:17
43 כָּל־יְמֵי אֲשֶׁר יִשְׁכֹּן הֶעָנָן Num. 9:18
44 וּבְהַאֲרִיךְ הֶעָנָן עַל־הַמִּשְׁכָּן Num. 9:19
45/6 וְיֵשׁ אֲשֶׁר יִהְיֶה הֶעָנָן Num. 9:20, 21
47 וְנַעֲלָה הֶעָנָן בַּבֹּקֶר וְנָסָעוּ Num. 9:21
48 וְנַעֲלָה הֶעָנָן וְנָסָעוּ Num. 9:21
49 בְּהַאֲרִיךְ הֶעָנָן עַל־הַמִּשְׁכָּן Num. 9:22
50 נַעֲלָה הֶעָנָן מֵעַל מִשְׁכַּן הָעֵדֻת Num. 10:11
51 וַיִּשְׁכֹּן הֶעָנָן בְּמִדְבַּר פָּארָן Num. 10:12
52 וְהִנֵּה כִסָּהוּ הֶעָנָן Num. 17:7
53 מִתּוֹךְ הָאֵשׁ הֶעָנָן וְהָעֲרָפֶל Deut. 5:19
54 וַיַּעֲמֹד עַמּוּד הֶעָנָן Deut. 31:15
55 וְלֹא־יָכְלוּ...לְשָׁרֵת מִפְּנֵי הֶעָנָן IK. 8:11
56 וַיִּמָּלֵא הַבַּיִת אֶת־הֶעָנָן Ezek. 10:4
57 אֶת־עַמּוּד הֶעָנָן לֹא־סָר...בְּיוֹמָם Neh. 9:19
58 וְלֹא־יָכְלוּ...לְשָׁרֵת מִפְּנֵי הֶעָנָן IICh. 5:14
וְהֶעָנָן 59 וְהֶעָנָן סָר מֵעַל הָאֹהֶל Num. 12:10
60 וְהֶעָנָן מָלֵא אֶת־בֵּית יְיָ IK. 8:10
61 וְהֶעָנָן מָלֵא אֶת־הֶחָצֵר Ezek. 10:3
בֶּעָנָן 62 אֶת־קַשְׁתִּי נָתַתִּי בֶּעָנָן Gen. 9:13
63 וְנִרְאֲתָה הַקֶּשֶׁת בֶּעָנָן Gen. 9:14
64 וְהָיְתָה הַקֶּשֶׁת בֶּעָנָן Gen. 9:16
65 וְהִנֵּה כְּבוֹד יְיָ נִרְאָה בֶּעָנָן Ex. 16:10
66 וַיֵּרֶד יְיָ בֶּעָנָן וַיִּתְיַצֵּב Ex. 34:5
67 כִּי בֶּעָנָן אֵרָאֶה עַל־הַכַּפֹּרֶת Lev. 16:2
68 וַיֵּרֶד יְיָ בֶּעָנָן וַיְדַבֵּר אֵלָיו Num. 11:25
69 כְּמַרְאֵה הַקֶּשֶׁת אֲשֶׁר יִהְיֶה בֶעָנָן Ezek. 1:28
70 שֶׁמֶשׁ בֶּעָנָן אֲכַסֶּנּוּ Ezek. 32:7
71 וַיַּנְחֵם בֶּעָנָן יוֹמָם Ps. 78:14
72 סַכּוֹתָה בֶעָנָן לָךְ מֵעֲבוֹר תְּפִלָּה Lam. 3:44
וּבֶעָנָן 73 בָּאֵשׁ לַיְלָה...וּבֶעָנָן יוֹמָם Deut. 1:33
כֶּעָנָן 74 כֶּעָנָן לְכַסּוֹת הָאָרֶץ תִּהְיֶה Ezek. 38:9
75 וְעָלִיתָ...כֶּעָנָן לְכַסּוֹת הָאָרֶץ Ezek. 38:16
וְכֶעָנָן 76 מָחִיתִי...וְכֶעָנָן חַטֹּאותֶיךָ Is. 44:22
עֲנַן־ 77 כִּי עֲנַן יְיָ עַל־הַמִּשְׁכָּן יוֹמָם Ex. 40:38
78 וְכִסָּה עֲנַן הַקְּטֹרֶת אֶת־הַכַּפֹּרֶת Lev. 16:13
79 וַעֲתַר עֲנַן־הַקְּטֹרֶת עֹלֶה Ezek. 8:11
80 יָפִיץ עֲנַן אוֹרוֹ Job 37:11
וַעֲנַן־ 81 וַעֲנַן יְיָ עֲלֵיהֶם יוֹמָם Num. 10:34
כַּעֲנַן־ 82 וְחַסְדְּכֶם כַּעֲנַן־בֹּקֶר Hosh. 6:4
83 לָכֵן יִהְיוּ כַּעֲנַן־בֹּקֶר Hosh. 13:3
וַעֲנָנְךָ 84 וַעֲנָנְךָ עֹמֵד עֲלֵהֶם Num. 14:14
עֲנָנוֹ 85 פַּרְשֵׁז עָלָיו עֲנָנוֹ Job 26:9
86 וְהוֹפִיעַ אוֹר עֲנָנוֹ Job 37:15
כַּעֲנָנִים 87 הִנֵּה כַּעֲנָנִים יַעֲלֶה Jer. 4:13

עָנָן[2]
שפ״ז – מן החתומים על האמנה בימי נחמיה
עָנָן 1 וַאֲחֵיהֶם חָנָן עָנָן Neh. 10:27

עֲנָן
ז׳ ארמית, כמו בעברית: עָנָן
עֲנָנֵי־ 1 עִם־עֲנָנֵי שְׁמַיָּא כְּבַר אֱנָשׁ אָתֵה Dan. 7:13

עֲנָנָה
נ׳ גוש עננים • קרובים: ראה: עָנָן[1]
עֲנָנָה 1 תִּשְׁכָּן־עָלָיו עֲנָנָה Job 3:5

עֲנָנִי
שפ״ז – איש מבית דוד
וַעֲנָנִי 1 וְיוֹחָנָן וּדְלָיָה וַעֲנָנִי ICh. 3:24

עֲנָנְיָה[1]
שפ״ז – איש בימי נחמיה
עֲנָנְיָה 1 עֲזַרְיָה בֶּן־מַעֲשֵׂיָה בֶּן־עֲנָנְיָה Neh. 3:23

עֲנָנְיָה[2]
ש״פ – ישוב בנחלת בנימין
עֲנָנְיָה 1 עֲנָתוֹת נֹב עֲנָנְיָה Neh. 11:32

עָנָף
ז׳ בַּד נושא עלים היוצא מן הגזע: 1-7
קרובים: אָמִיר / אֶשְׁכּוֹל / בַּד / גֶּזַע / דָּלִיָּה / זַלְזַל / זְמוֹרָה / חֹטֶר / יוֹנֵק / יוֹנֶקֶת / מַטֶּה / נְטִישָׁה / נֵצֶר / סְבָךְ / סֹבֶךְ / סַנְסִן / סְעִיף / סְעַפָּה / סַרְעַפָּה / עֳפָאִים (עֳפִי) / פֹּארָה / פֻּארָה / צַמֶּרֶת / שׂוֹךְ / שׂוֹכָה / שְׁלוּחָה / שָׂרִיג / שֹׁרֶשׁ
– יְפֵה עָנָף 3; עֲנַף עֵץ עָבֹת 5
– נָשָׂא עָנָף 2; נָתַן עָנָף 6; עָשָׂה עָנָף 1
עָנָף 1 לַעֲשׂוֹת עָנָף וְלָשֵׂאת פֶּרִי Ezek. 17:8
2 וְנָשָׂא עָנָף וְעָשָׂה פֶרִי Ezek. 17:23
3 יְפֵה עָנָף וְחֹרֶשׁ מֵצַל Ezek. 31:3
וְעָנָף 4 לֹא־יַעֲזֹב לָהֶם שֹׁרֶשׁ וְעָנָף Mal. 3:19
וַעֲנַף 5 וַעֲנַף עֵץ־עָבֹת וְעַרְבֵי־נָחַל Lev. 23:40
עַנְפְּכֶם 6 עַנְפְּכֶם תִּתֵּנוּ וּפֶרְיְכֶם תִּשְׂאוּ Ezek. 36:8
וַעֲנָפֶיהָ 7 כָּסּוּ הָרִים צִלָּהּ וַעֲנָפֶיהָ אַרְזֵי־אֵל Ps. 80:11

עֲנַף
ז׳ ארמית: עָנָף: 1-4
עַנְפּוֹהִי 1 גֹּדּוּ אִילָנָא וְקַצִּצוּ עַנְפּוֹהִי Dan. 4:11
2 תְּנֻד...וְצִפְּרַיָּא מִן־עַנְפּוֹהִי Dan. 4:11
וּבְעַנְפּוֹהִי 3 וּבְעַנְפּוֹהִי יְדוּרָן˚ צִפֲּרֵי שְׁמַיָּא Dan. 4:9
4 וּבְעַנְפּוֹהִי יִשְׁכְּנָן צִפֲּרֵי שְׁמַיָּא Dan. 4:18

עָנֵף*
ת׳ בעל ענפים
וַעֲנֵפָה 1 פֹּרִיָּה וַעֲנֵפָה הָיְתָה מִמַּיִם רַבִּים Ezek. 19:10

ענק : עָנַק, הֶעֱנִיק; עֲנָק

עָנַק
פָּ׳ א) ענד (בהשאלה): 1
ב) נתן כמתנה: 2, 3
עֲנָקַתְמוֹ 1 לָכֵן עֲנָקַתְמוֹ גַאֲוָה Ps. 73:6
הַעֲנִיק 2 הַעֲנִיק תַּעֲנִיק לוֹ מִצֹּאנְךָ Deut. 15:14
תַּעֲנִיק 3 הַעֲנִיק תַּעֲנִיק לוֹ מִצֹּאנְךָ Deut. 15:14

עֲנָק[1]
ז׳ תכשיט לצואר: 1-3 • קרובים: ראה עֲדִי
עֲנָק 1 לִבַּבְתִּנִי...בְּאַחַד עֲנָק מִצַּוְּרֹנָיִךְ S.ofS. 4:9
וַעֲנָקִים 2 לִוְיַת חֵן הֵם לְרֹאשֶׁךָ וַעֲנָקִים לְגַרְגְּרֹתֶיךָ Prov. 1:9
הָעֲנָקוֹת 3 הָעֲנָקוֹת אֲשֶׁר בְּצַוְּארֵי גְמַלֵּיהֶם Jud. 8:26

עֲנָק[2]
שפ״ז א) אבי משפחת גבורים רמי קומה: 1-9
ב) [עֲנָקִים] כנוי לכל משפחת עֲנָק: 10-18
אֲבִי הָעֲנָק 5, (9); בְּנֵי עֲנָק 1, 2, 6, 8; יְלִידֵי הָעֲנָק 3, 4, 7; בְּנֵי עֲנָקִים 10, 11
עֲנָק 1 בְּנֵי עֲנָק מִן־הַנְּפִלִים Num. 13:33
2 מִי יִתְיַצֵּב לִפְנֵי בְּנֵי־עֲנָק Deut. 9:2
הָעֲנָק 3 אֲחִימַן שֵׁשַׁי וְתַלְמַי יְלִידֵי הָעֲנָק Num. 13:22
4 וְגַם־יְלִדֵי הָעֲנָק רָאִינוּ שָׁם Num. 13:28
5 אֶת־קִרְיַת אַרְבַּע אֲבִי הָעֲנָק Josh. 15:13
6 וַיֹּרֶשׁ מִשָּׁם כָּלֵב אֶת...בְּנֵי הָעֲנָק Josh. 15:14
7 אֶת־שֵׁשַׁי...יְלִידֵי הָעֲנָק Josh. 15:14
8 אֶת־שְׁלֹשָׁה בְּנֵי הָעֲנָק Jud. 1:20
הָעֲנוֹק 9 קִרְיַת אַרְבַּע אֲבִי הָעֲנוֹק Josh. 21:11
עֲנָקִים 10 וְגַם־בְּנֵי עֲנָקִים רָאִינוּ שָׁם Deut. 1:28
11 עַם־גָּדוֹל וָרָם בְּנֵי עֲנָקִים Deut. 9:2
12 לֹא־נוֹתַר עֲנָקִים בְּאֶרֶץ בְּ״י Josh. 11:22
13 כִּי־עֲנָקִים שָׁם Josh. 14:12
הָעֲנָקִים 14 וַיַּכְרֵת אֶת־הָעֲנָקִים מִן־הָהָר Josh. 11:21
בָּעֲנָקִים 15 קִרְיַת אַרְבַּע...הַגָּדוֹל בָּעֲנָקִים Josh. 14:15
כָּעֲנָקִים 16/7 עַם גָּדוֹל וְרַב וָרָם כָּעֲנָקִים Deut. 2:10, 21
18 רְפָאִים יֵחָשְׁבוּ אַף־הֵם כָּעֲנָקִים Deut. 2:11

עָנֵר[1]
שפ״ז – מבעלי ברית אברם: 1, 2
אֲחִי עָנֵר 1
עָנֵר 1 אֲחִי אֶשְׁכֹּל וַאֲחִי עָנֵר Gen. 14:13
2 עָנֵר אֶשְׁכֹּל וּמַמְרֵא Gen. 14:24

עָנֵר[2]
ש״פ – עיר־לויים בנחלת מנשה
עָנֵר 1 אֶת־עָנֵר וְאֶת־מִגְרָשֶׁהָ ICh. 6:55

ענש : עָנַשׁ, נֶעֱנַשׁ; עָנוּשׁ; עֹנֶשׁ

עָנַשׁ
פָּ׳ א) יִסֵּר, הטיל עונש: 1-6
ב) [נפ׳ נֶעֱנַשׁ] הוטל עליו עונש: 7-9
קרובים: דָּן (דין) / הוֹכִיחַ (יכח) / יִסֵּר
יֵין עֲנוּשִׁים 5
עָנוֹשׁ 1 עָנוֹשׁ יֵעָנֵשׁ...וְנָתַן בִּפְלִלִים Ex. 21:22
עֲנוֹשׁ 2 גַּם עֲנוֹשׁ לַצַּדִּיק לֹא־טוֹב Prov. 17:26
בַּעְנָשׁ־ 3 בַּעְנָשׁ־לֵץ יֶחְכַּם־פֶּתִי Prov. 21:11
וְעָנְשׁוּ 4 וְעָנְשׁוּ אֹתוֹ מֵאָה כֶסֶף Deut. 22:19
עֲנוּשִׁים 5 וְיֵין עֲנוּשִׁים יִשְׁתּוּ בֵּית אֱלֹהֵיהֶם Am. 2:8
וַיַּעֲנֹשׁ 6 וַיַּעֲנֹשׁ אֶת־הָאָרֶץ מֵאָה כִכַּר־כֶּסֶף IICh. 36:3
נֶעֱנָשׁוּ 7 פְּתָאיִם עָבְרוּ נֶעֱנָשׁוּ Prov. 27:12
וְנֶעֱנָשׁוּ 8 וּפְתָיִים עָבְרוּ וְנֶעֱנָשׁוּ Prov. 22:3
יֵעָנֵשׁ 9 עָנוֹשׁ יֵעָנֵשׁ כַּאֲשֶׁר יָשִׁית עָלָיו Ex. 21:22

עֹנֶשׁ
ז׳ גמול על חטא: 1, 2
קרובים: גְּמוּל / דִּין / מוּסָר / מִשְׁפָּט / שִׁלּוּמָה / שִׁלּוּמִים / תּוֹכֵחָה
עֹנֶשׁ 1 וַיִּתֶּן־עֹנֶשׁ עַל־הָאָרֶץ IIK. 23:33
2 גְּדָל˚־חֵמָה נֹשֵׂא עֹנֶשׁ Prov. 19:19

עֲנָשׁ
ז׳ ארמית: עונש
לַעֲנָשׁ 1 הֵן־לַעֲנָשׁ נִכְסִין וְלֶאֱסוּרִין Ez. 7:26

עֲנָת
שפ״ז – אבי השופט שַׁמְגַּר: 1, 2
עֲנָת 1-2 שַׁמְגַּר בֶּן־עֲנָת Jud. 3:31; 5:6

עֲנַת
ארמית – ר׳ כְּעֶנֶת

עֲנָתוֹת[1]
שפ״ז א) בן בנימין: 2
ב) מן החותמים על האמנה: 1
עֲנָתוֹת 1 חָרִיף עֲנָתוֹת נֵיבָי˚ Neh. 10:20
וַעֲנָתוֹת 2 וַאֲבִיָּה וַעֲנָתוֹת וְעָלָמֶת ICh. 7:8

עֲנָתוֹת[2]
ש״פ – עיר הכהנים בנחלת בנימין, מולדת הנביא ירמיה: 1-13
אַנְשֵׁי עֲנָתוֹת 4-7
עֲנָתוֹת 1 אֶת־עֲנָתוֹת וְאֶת־מִגְרָשֶׁהָ Josh. 21:18
2 עֲנָתֹת לֵךְ עַל־שָׂדֶיךָ IK. 2:26
3 הַקְשִׁיבִי לַיְשָׁה עֲנִיָּה עֲנָתוֹת Is. 10:30
4 כֹּה־אָמַר יְיָ עַל־אַנְשֵׁי עֲנָתוֹת Jer. 11:21

עֲנָתוֹת (המשך) 5 כִּי־אָבִיא רָעָה אֶל־אַנְשֵׁי עֲנָתוֹת Jer. 11:23
6/7 אַנְשֵׁי עֲנָתוֹת מֵאָה Ez. 2:23 • Neh. 7:27
8 עֲנָתוֹת נֹב עֲנָנְיָה Neh. 11:32
9 וְאֶת־עֲנָתוֹת וְאֶת־מִגְרָשֶׁיהָ ICh. 6:45
בַּעֲנָתוֹת 10 מִן־הַכֹּהֲנִים אֲשֶׁר בַּעֲנָתוֹת Jer. 1:1
11/2 ...אֶת־שָׂדִי אֲשֶׁר(־)בַּעֲנָתוֹת Jer. 32:7, 8
13 וָאֶקְנֶה אֶת־הַשָּׂדֶה...אֲשֶׁר בַּעֲנָתוֹת Jer. 32:9

עַנְּתֹתִי ת׳ תּוֹשב עֲנָתוֹת: 1־5

הָעַנְּתוֹתִי 1 אֲבִיעֶזֶר הָעַנְּתֹתִי IISh. 23:27
2 לֹא גָעַרְתָּ בְּיִרְמְיָהוּ הָעַנְּתֹתִי Jer. 29:27
3 אֲבִיעֶזֶר הָעַנְּתוֹתִי ICh. 11:28
4 וּבְרָכָה וְיֵהוּא הָעַנְּתֹתִי ICh. 12:3
5 אֲבִיעֶזֶר הָעַנְּתוֹתִי לַבֶּן יְמִינִי° ICh. 27:12

עַנְתֹתִיָּה שפ״ז – מראשי האבות למטה בנימין

וְעַנְתֹתִיָּה 1 וַחֲנַנְיָה וְעֵילָם וְעַנְתֹתִיָּה ICh. 8:24

עָסִיס ז׳ מִיץ פֵּרוֹת: 1־5 • עֲסִיס רִמֹּן 5

עָסִיס 1 עַל־עָסִיס כִּי נִכְרַת מִפִּיכֶם Joel 1:5
2 בַיּוֹם הַהוּא יִטְּפוּ הֶהָרִים עָסִיס Joel 4:18
3 וְהִטִּיפוּ הֶהָרִים עָסִיס Am. 9:13
וְכֶעָסִיס 4 וְכֶעָסִיס דָּמָם יִשְׁכָּרוּן Is. 49:26
מֵעֲסִיס־ 5 אַשְׁקְךָ מִיַּיִן הָרֶקַח מֵעֲסִיס רִמֹּנִי S.ofS. 8:2

עסם : עָסַס; עָסִיס

עַס, עָסַס פּ׳ לָחַץ

וְעַסּוֹתֶם 1 וְעַסּוֹתֶם רְשָׁעִים כִּי־יִהְיוּ אֵפֶר... Mal. 3:21

עֳפִי* ז׳ ענף • קרובים: ראה עָנָף

עֳפָאיִם 1 מִבֵּין עֳפָאיִם יִתְּנוּ־קוֹל Ps. 104:12

עֳפִי* ז׳ ארמית: ענף: 1–3

עָפְיֵהּ 1 עָפְיֵהּ שַׁפִּיר וְאִנְבֵּהּ שַׂגִּיא Dan. 4:9
2 אַתַּרוּ עָפְיֵהּ וּבַדַּרוּ אִנְבֵּהּ Dan. 4:11
וְעָפְיֵהּ 3 וְעָפְיֵהּ שַׁפִּיר וְאִנְבֵּהּ שַׂגִּיא Dan. 4:18

עפל : עָפַל, הֶעְפִּיל; עֹפֶל

עָפַל פּ׳ א) התגדל, התגאה: 1

ב) [הפ׳ הֶעְפִּיל] התרומם, התאמץ לעלות: 2

עֻפְּלָה 1 הִנֵּה עֻפְּלָה לֹא־יָשְׁרָה נַפְשׁוֹ בּוֹ Hab. 2:4
וַיַּעְפִּלוּ 2 וַיַּעְפִּלוּ לַעֲלוֹת אֶל־רֹאשׁ הָהָר Num. 14:44

עֹפֶל ז׳ א) מקום גבוה ומבוצר: 1

ב) כנוי למגדל המבוצר בדרום־מזרח להר הבית בירושלים: 2־8

עֹפֶל וָבַחַן 1; חוֹמַת הָעֹפֶל 3,4; עֹפֶל בַּת צִיּוֹן 8

עֹפֶל 1 עֹפֶל וָבַחַן הָיָה בְעַד מְעָרוֹת Is. 32:14
הָעֹפֶל 2 וַיָּבֹא אֶל־הָעֹפֶל...וַיִּפְקֹד בַּבָּיִת IIK. 5:24
3 וְעַד חוֹמַת הָעֹפֶל Neh. 3:27
4 וּבְחוֹמַת הָעֹפֶל בָּנָה לָרֹב IICh. 27:3
בָּעֹפֶל 5 וְהַנְּתִינִים הָיוּ יֹשְׁבִים בָּעֹפֶל Neh. 3:26
6 וְהַנְּתִינִים יֹשְׁבִים בָּעֹפֶל Neh. 11:21
לָעֹפֶל 7 בָּנָה חוֹמָה...וְסָבַב לָעֹפֶל IICh. 33:14
עֹפֶל־ 8 מִגְדַּל־עֵדֶר עֹפֶל בַּת־צִיּוֹן Mic. 4:8

עפלים כתיב, קרי: טְחוֹרִים – [עין טְחוֹרִים]

עָפְנִי ש״פ – כפר בנחלת בנימין

וְהָעָפְנִי 1 וּכְפַר הָעַמֹּונָה° וְהָעָפְנִי Josh. 18:24

עַפְעַפַּיִם* ז״ז א) כסוי עור הנע ומכסה את החלק הקדמי של העין: 3־10

ב) [בהשאלה] נצנוץ אור השחר: 1, 2

– עַפְעַפֵּי שָׁחַר 1, 2

– עַפְעַפָּיו בָּחֲנוּ 7; ע׳ הַיְשִׁירוּ 5; ע׳ נִזְּלוּ מַיִם 10; עַפְעַפָּיו נִשָּׂאוּ 8

בְּעַפְעַפֵּי־ 1 וְאַל־יִרְאֶה בְּעַפְעַפֵּי־שָׁחַר Job 3:9
כְּעַפְעַפֵּי־ 2 וְעֵינָיו כְּעַפְעַפֵּי־שָׁחַר Job 41:10
עַפְעַפַּי־ 3 וְעַל עַפְעַפַּי צַלְמָוֶת Job 16:16
לְעַפְעַפַּי־ 4 אֶתֵּן שְׁנַת לְעֵינָי לְעַפְעַפַּי תְּנוּמָה Ps. 132:4
וְעַפְעַפֶּיךָ 5 וְעַפְעַפֶּיךָ יַיְשִׁרוּ נֶגְדֶּךָ Prov. 4:25
לְעַפְעַפֶּיךָ 6 שֵׁנָה לְעֵינֶיךָ וּתְנוּמָה לְעַפְעַפֶּיךָ Prov. 6:4
עַפְעַפָּיו 7 עַפְעַפָּיו יִבְחֲנוּ בְּנֵי אָדָם Ps. 11:4
וְעַפְעַפָּיו 8 מָה־רָמוּ עֵינָיו וְעַפְעַפָּיו יִנָּשֵׂאוּ Prov. 30:13
בְּעַפְעַפֶּיהָ 9 וְאַל־תִּקָּחֲךָ בְּעַפְעַפֶּיהָ Prov. 6:25
וְעַפְעַפֵּינוּ 10 וְעַפְעַפֵּינוּ יִזְּלוּ־מָיִם Jer. 9:17

עפר : עִפֵּר; עָפָר

עִפַּר פּ׳ זרק עָפר

וְעִפַּר 1 וַיְסַקֵּל בָּאֲבָנִים לְעֻמָּתוֹ וְעִפַּר בֶּעָפָר IISh. 16:13

עָפָר ז׳ א) גרגרי האדמה: רוב המקראות 1־110

ב) [בהשאלה] אֵפֶר שְׂרֵפָה: 67־69, 86, 98, 99־101, 105, 106

קרובים: אָבָק / אֲדָמָה / חוֹל / קַרְקַע

– עָפָר וָאֵפֶר 4, 36, 66; אָבָק וְעָפָר 41
– אַדְמַת עָפָר 38; גּוּשׁ עָפָר 24; זֹחֲלֵי עָ׳ 6; חֹרֵי עָ׳ 31; יוֹרְדֵי עָ׳ 19; מְחִלּוֹת עָ׳ 8; עֲרֵמוֹת עָ׳ 49; שֹׁכְנֵי עָפָר 11
– עֲפַר הָאָרֶץ 82־85, 89־91, 93־96; עֲ׳ הַבַּיִת 86; עֲ׳ יַעֲקֹב 87; עֲ׳ מָוֶת 97; עֲ׳ רַגְלָיו 92; עֲ׳ שֹׁמְרוֹן 88; עֲפַר שְׂרֵפָה 98
– עַפְרוֹת זָהָב 110; עַפְרוֹת תֵּבֵל 109

עָפָר 1 וַיִּיצֶר...עָפָר מִן־הָאֲדָמָה Gen. 2:7
2/3 עָפָר אַתָּה וְאֶל־עָפָר תָּשׁוּב Gen. 3:19
4 וְאָנֹכִי עָפָר וָאֵפֶר Gen. 18:27
5 סִתְּמוּם פְּלִשְׁתִּים וַיְמַלְאוּם עָפָר Gen. 26:15
6 עִם־חֲמַת זֹחֲלֵי עָפָר Deut. 32:24
7 וַיַּעֲלוּ עָפָר עַל־רֹאשָׁם Josh. 7:6
8 בִּמְעָרוֹת צֻרִים וּבִמְחִלּוֹת עָפָר Is. 2:19
9 הִשְׁפִּיל הִגִּיעַ לָאָרֶץ עַד־עָפָר Is. 25:12
10 יַשְׁפִּילָהּ...יַגִּיעֶנָּה עַד־עָפָר Is. 26:5
11 הָקִיצוּ וְרַנְּנוּ שֹׁכְנֵי עָפָר Is. 26:19
12 רְדִי וּשְׁבִי עַל־עָפָר Is. 47:1
13 וְנָחָשׁ עָפָר לַחְמוֹ Is. 65:25
14 לֹא שְׁפָכַתְהוּ...לְכַסּוֹת עָלָיו עָפָר Ezek. 24:7
15 וְיַעֲלוּ עָפָר עַל־רָאשֵׁיהֶם Ezek. 27:30
16 בְּבֵית לְעַפְרָה עָפָר הִתְפַּלָּשְׁי° Mic. 1:10
17 יְלַחֲכוּ עָפָר כַּנָּחָשׁ כְּזֹחֲלֵי אֶרֶץ Mic. 7:17
18 וַיִּצְבֹּר עָפָר וַיִּלְכְּדָהּ Hab. 1:10
19 לְפָנָיו יִכְרְעוּ כָּל־יוֹרְדֵי עָפָר Ps. 22:30
20 הֲיוֹדְךָ עָפָר הֲיַגִּיד אֲמִתֶּךָ Ps. 30:10
21 וְאֹיְבָיו עָפָר יְלַחֵכוּ Ps. 72:9
22 זָכוּר כִּי־עָפָר אֲנָחְנוּ Ps. 103:14
23 וַיִּזְרְקוּ עָפָר עַל־רָאשֵׁיהֶם Job 2:12
24 לָבַשׁ בְּשָׂרִי רִמָּה וְגוּשׁ° עָפָר Job 7:5
25 כַחֹמֶר עֲשִׂיתָנִי וְאֶל־עָפָר תְּשִׁיבֵנִי Job 10:9
26 אִם־יַחַד עַל־עָפָר נָחַת Job 17:16
27 וְאַחֲרוֹן עַל־עָפָר יָקוּם Job 19:25
28 וְעִמּוֹ עַל־עָפָר תִּשְׁכָּב Job 20:11
29 יַחַד עַל־עָפָר יִשְׁכָּבוּ Job 21:26
עָפָר (המשך) 30 וְשִׁית־עַל־עָפָר בָּצֶר Job 22:24
31 חֹרֵי עָפָר וְכֵפִים Job 30:6
32 וְאָדָם עַל־עָפָר יָשׁוּב Job 34:15
33 בְּצֶקֶת עָפָר לַמּוּצָק Job 38:38
34 וְעַל־עָפָר תְּחַמֵּם Job 39:14
35 אֵין־עַל־עָפָר מָשְׁלוֹ Job 41:25
36 וְנִחַמְתִּי עַל־עָפָר וָאֵפֶר Job 42:6
37 הֶעֱלוּ עָפָר עַל־רֹאשָׁם Lam. 2:10
38 וְרַבִּים מִיְּשֵׁנֵי אַדְמַת־עָפָר יָקִיצוּ Dan. 12:2
וְעָפָר 39 וְעָפָר תֹּאכַל כָּל־יְמֵי חַיֶּיךָ Gen. 3:14
40 וְעָפָר אַחֵר יִקַּח וְטָח אֶת־הַבָּיִת Lev. 14:42
41 יִתֵּן יְיָ אֶת־מְטַר אַרְצְךָ אָבָק וְעָפָר Deut. 28:24
הֶעָפָר 42 וְשָׁפְכוּ אֶת־הֶעָפָר אֲשֶׁר הִקְצוּ... Lev. 14:41
43 וּמִן־הֶעָפָר...בְּקַרְקַע הַמִּשְׁכָּן Num. 5:17
44 יַעַן אֲשֶׁר הֲרִימֹתִיךָ מִן־הֶעָפָר IK. 16:2
45 וַתֹּאכַל...וְאֶת־הָאֲבָנִים וְאֶת־הֶעָפָר IK. 18:38
46 הַכֹּל הָיָה מִן־הֶעָפָר Eccl. 3:20
47 וְהַכֹּל שָׁב אֶל־הֶעָפָר Eccl. 3:20
48 וְיָשֹׁב הֶעָפָר עַל־הָאָרֶץ כְּשֶׁהָיָה Eccl. 12:7
49 הַיְחַיּוּ אֶת־הָאֲבָנִים מֵעֲרֵמוֹת הֶעָפָר Neh. 3:34
וְהֶעָפָר 50 כָּשַׁל כֹּחַ הַסַּבָּל וְהֶעָפָר הַרְבֵּה Neh. 4:4
בֶּעָפָר 51 וְשָׁפַךְ אֶת־דָּמוֹ וְכִסָּהוּ בֶּעָפָר Lev. 17:13
52 וַיְסַקֵּל בָּאֲבָנִים...וְעִפַּר בֶּעָפָר IISh. 16:13
53 בּוֹא בַצּוּר וְהִטָּמֵן בֶּעָפָר Is. 2:10
54 שֹׁכְנֵי בָתֵּי־חֹמֶר אֲשֶׁר־בֶּעָפָר יְסוֹדָם Job 4:19
55 וְעֹלַלְתִּי בֶעָפָר קַרְנִי Job 16:15
56 טָמְנֵם בֶּעָפָר יָחַד Job 40:13
57 יִתֵּן בֶּעָפָר פִּיהוּ אוּלַי יֵשׁ תִּקְוָה Lam. 3:29
וּבֶעָפָר 58 וּבֶעָפָר יָמוּת גִּזְעוֹ Job 14:8
כְּעָפָר 59 וְאֶשְׁחָקֵם כְּעָפָר עַל־פְּנֵי־רוּחַ Ps. 18:43
כֶּעָפָר 60 וַיְשִׂמֵם כֶּעָפָר לָדֻשׁ IIK. 13:7
61 יִתֵּן כֶּעָפָר חַרְבּוֹ Is. 41:2
62 וְשֻׁפַּךְ דָּמָם כֶּעָפָר Zep. 1:17
63 וַתִּצְבָּר־כֶּסֶף כֶּעָפָר Zech. 9:3
64 וַיַּמְטֵר עֲלֵיהֶם כֶּעָפָר שְׁאֵר Ps. 78:27
65 אִם־יִצְבֹּר כֶּעָפָר כָּסֶף... Job 27:16
66 וָאֶתְמַשֵּׁל כֶּעָפָר וָאֵפֶר Job 30:19
לְעָפָר 67 וָאֶכֹּת אֹתוֹ...עַד אֲשֶׁר־דַּק לְעָפָר Deut. 9:21
68 וַיִּשְׂרֹף אֹתָהּ...וַיָּדֶק לְעָפָר IIK. 23:6
69 הֵדַק לְעָפָר וְשָׂרַף אֲשֵׁרָה IIK. 23:15
לֶעָפָר 70 וּכְבוֹדִי לֶעָפָר יַשְׁכֵּן Ps. 7:6
71 כִּי שָׁחָה לֶעָפָר נַפְשֵׁנוּ Ps. 44:26
72 דָּבְקָה לֶעָפָר נַפְשִׁי Ps. 119:25
73 כִּי־עַתָּה לֶעָפָר אֶשְׁכָּב Job 7:21
מֵעָפָר 74 מֵקִים מֵעָפָר דָּל ISh. 2:8
75 הִתְנַעֲרִי מֵעָפָר קוּמִי Is. 52:2
76 מְקִימִי מֵעָפָר דָּל Ps. 113:7
77 כִּי לֹא־יֵצֵא מֵעָפָר אָוֶן Job 5:6
78 בַּרְזֶל מֵעָפָר יֻקָּח Job 28:2
וּמֵעָפָר 79 וּמֵעָפָר תִּשַּׁח אִמְרָתֵךְ Is. 29:4
80 וּמֵעָפָר אִמְרָתֵךְ תְּצַפְצֵף Is. 29:4
81 וּמֵעָפָר אַחֵר יִצְמָחוּ Job 8:19
עֲפַר־ 82 לִמְנוֹת אֶת־עֲפַר הָאָרֶץ Gen. 13:16
83 וְהַךְ אֶת־עֲפַר הָאָרֶץ Ex. 8:12
84 וַיַּךְ אֶת־עֲפַר הָאָרֶץ Ex. 8:13
85 כָּל־עֲפַר הָאָרֶץ הָיָה כִנִּים Ex. 8:13
86 וְנָתַץ...וְאֵת כָּל־עֲפַר הַבָּיִת Lev. 14:45
87 מִי מָנָה עֲפַר יַעֲקֹב Num. 23:10
88 אִם־יִשְׂפֹּק עֲפַר שֹׁמְרוֹן לִשְׁעָלִים IK. 20:10
89 וְכָל בַּשָּׁלִשׁ עֲפַר הָאָרֶץ Is. 40:12
90 הַשֹּׁאֲפִים עַל־עֲפַר־אֶרֶץ בְּרֹאשׁ דַּלִּים Am. 2:7
91 תִּשְׁטֹף־סְפִיחֶיהָ עֲפַר־אָרֶץ Job 14:19

וְעָפָר־ 92 וַעֲפַר רַגְלַיִךְ יְלַחֵכוּ Is. 49:23
כַּעֲפַר־ 93 וְשַׂמְתִּי אֶת־זַרְעֲךָ כַּעֲפַר הָאָרֶץ Gen. 13:16
94 וְהָיָה זַרְעֲךָ כַּעֲפַר הָאָרֶץ Gen. 28:14
95 וְאֶשְׁחָקֵם כַּעֲפַר־אֶרֶץ IISh. 22:43
96 ...עַל־עַם רַב כַּעֲפַר הָאָרֶץ IICh. 1:9
וְלַעֲפַר־ 97 וְלַעֲפַר־מָוֶת תִּשְׁפְּתֵנִי Ps. 22:16
מֵעֲפַר־ 98 מֵעֲפַר שְׂרֵפַת הַחַטָּאת Num. 19:17
וַעֲפָרֵךְ 99 וַאֲבָנַיִךְ וְעֵצַיִךְ וַעֲפָרֵךְ Ezek. 26:12
עֲפָרוֹ 100 וָאַשְׁלִךְ אֶת־עֲפָרוֹ אֶל־הַנַּחַל Deut. 9:21
עֲפָרָהּ 101 וַיַּשְׁלֵךְ אֶת־עֲפָרָהּ עַל־קֶבֶר IIK. 23:6
102 וְסִחֵיתִי עֲפָרָהּ מִמֶּנָּה Ezek. 26:4
103 וְאֶת־עֲפָרָהּ יְחֹנֵנוּ Ps. 102:15
וַעֲפָרָהּ 104 וְנֶהֶפְכוּ...וַעֲפָרָהּ לְגָפְרִית Is. 34:9
עֲפָרָם 105 וְנָשָׂא אֶת־עֲפָרָם בֵּית־אֵל IIK. 23:4
106 וְהִשְׁלִיךְ אֶת־עֲפָרָם אֶל־נַחַל קִדְרוֹן IIK. 23:12
107 וְאֶל־עֲפָרָם יְשׁוּבוּן Ps. 104:29
וַעֲפָרָם 108 וַעֲפָרָם מֵחֵלֶב יְדֻשָּׁן Is. 34:7
עַפְרוֹת־ 109 וְרֹאשׁ עַפְרוֹת תֵּבֵל Prov. 8:26
וְעַפְרֹת 110 וְעַפְרֹת זָהָב לוֹ Job 28:6

עֹפֶר
ז' ולד של צביה או אילה: 1-5
עֹפֶר אַיָּלִים 1-3; תְּאוֹמֵי (תָּאֳמֵי) צְבִיָּה 4, 5
לְעֹפֶר־ 1-3 ...לִצְבִי אוֹ לְעֹפֶר הָאַיָּלִים S.ofS.2:9,17; 8:14
עֳפָרִים 4 שְׁנֵי שָׁדַיִךְ כִּשְׁנֵי עֳפָרִים תְּאוֹמֵי צְבִיָּה S.ofS.4:5
5 שְׁנֵי שָׁדַיִךְ כִּשְׁנֵי עֳפָרִים תָּאֳמֵי צְבִיָּה S.ofS. 7:4

עֵפֶר
שפ־ז א) בן מדין בן אברהם: 1, 2
ב) איש משבט יהודה: 3
ג) ראש משפחה במטה מנשה: 4
וָעֵפֶר 1/2 וּבְנֵי מִדְיָן עֵיפָה וָעֵפֶר Gen. 25:4 • ICh. 1:33
וְעֵפֶר 3 יֶתֶר וּמֶרֶד וְעֵפֶר וְיָלוֹן ICh. 4:17
4 וְעֵפֶר וְיִשְׁעִי וֶאֱלִיאֵל ICh. 5:24

עָפְרָה[1]
ש־פ א) ישוב בנחלת בנימין: 1, 2
ב) מקום בנחלת מנשה: 3-7
עָפְרָה 1 אֶל־דֶּרֶךְ עָפְרָה אֶל־אֶרֶץ שׁוּעָל ISh. 13:17
וְעָפְרָה 2 וְהָעַוִּים וְהַפָּרָה וְעָפְרָה Josh. 18:23
בְּעָפְרָה 3 וַיֵּשֶׁב תַּחַת הָאֵלָה אֲשֶׁר בְּעָפְרָה Jud. 6:11
4 וַיַּצֵּג אוֹתוֹ בְעִירוֹ בְּעָפְרָה Jud. 8:27
5 וַיִּקָּבֵר...בְּעָפְרָה אֲבִי הָעֶזְרִי Jud. 8:32
עָפְרָתָה 6 וַיָּבֹא בֵית־אָבִיו עָפְרָתָה Jud. 9:5
בְּעָפְרַת־ 7 עוֹדֶנּוּ בְּעָפְרַת אֲבִי הָעֶזְרִי Jud. 6:24

עָפְרָה[2]
שפ־ז – איש מזרע יהודה
עָפְרָה 1 וּמְעוֹנֹתַי הוֹלִיד אֶת־עָפְרָה ICh. 4:14

עַפְרָה
– עין בֵּית לְעַפְרָה (באות ב')

עֶפְרוֹן[1]
שפ־ז–מראשי בני חת בחברון בימי אברהם: 1-12
עֶפְרוֹן 1 וַיַּעַן עֶפְרוֹן הַחִתִּי אֶת־אַבְרָהָם Gen. 23:10
2 וַיְדַבֵּר אֶל־עֶפְרוֹן...לֵאמֹר Gen. 23:13
3 וַיַּעַן עֶפְרוֹן אֶת־אַבְרָהָם Gen. 23:14
4 וַיִּשְׁמַע אַבְרָהָם אֶל־עֶפְרוֹן Gen. 23:16
5 וַיָּקָם שְׂדֵה עֶפְרוֹן...לְאַבְרָהָם Gen. 23:17
6 אֶל־שְׂדֵה עֶפְרֹן בֶּן־צֹחַר Gen. 25:9
7 אֲשֶׁר בִּשְׂדֵה עֶפְרוֹן הַחִתִּי Gen. 49:29
8-9 מֵאֵת עֶפְרֹן הַחִתִּי Gen. 49:30; 50:13
וְעֶפְרוֹן 10 וְעֶפְרוֹן יֹשֵׁב בְּתוֹךְ בְּנֵי־חֵת Gen. 23:10
בְּעֶפְרוֹן 11 וּפִגְעוּ־לִי בְּעֶפְרוֹן בֶּן־צֹחַר Gen. 23:8
לְעֶפְרֹן 12 וַיִּשְׁקֹל אַבְרָהָם לְעֶפְרֹן אֶת־הַכֶּסֶף Gen. 23:16

עֶפְרוֹן[2]
ש־פ – הר בגבול יהודה ובנימין
עֶפְרוֹן 1 וְיָצָא אֶל־עָרֵי הַר־עֶפְרוֹן Josh. 15:9

עֶפְרַיִן
ש־פ – עיר בגבול אפרים ובנימין
עֶפְרָיִן 1 ...וְאֶת־עֶפְרַיִן (כ' עפרון) וּבְנֹתֶיהָ IICh. 13:19

עֵפָתָה
– עין עֵיפָה

עֵץ
ז' א) אילן, צמח רב־שנתי בעל גזע וענפים: 1-3, 12, 17-21, 27-29, 31, 32, 38-44, 46, 47, 49, 51-55, 57-60, 67, 68, 70-72, 76-80, 82-96, 102, 104, 105, 113-119, 122, 125-134, 136-138, 140-144, 148-154, 156, 157, 160, 161, 164-167, 169, 172-174, 176, 182-188, 196, 198, 204, 214-224, 232, 238, 284-298, 300, 303, 312, 316-319
ב) חלקי אילן או חומר האילן לבערה, למלאכה, לבנין: שאר (168) המקראות 4-329

– עֵץ וָאֶבֶן 15, 22-24, 33, 35, 36, 81, 103; עֵץ אֶחָד 61, 62, 123, 124; עֵץ גָּבֹהַּ 51, 74; עֵץ טוֹב 28, 29, 84; עֵץ יָבֵשׁ 39, 54, 58; עֵץ לַח 53, 57; עֵץ נֶחְמָד 2, 85; עֵץ עָבֹת 11, 55, 76; עֵץ רַב 67; עֵץ רַעֲנָן 17, 27, 31, 32, 47, 49, 79; עֵץ שָׁפָל 52; עֵץ שָׁתוּל 118, 119
– עֵץ אֲפָרִים 145; עֵץ אֶרֶז 8, 9, 135, 158, 159, 170; עֵץ הָאָרֶץ 161; עֵץ בְּרוֹשִׁים 155; עֵץ הַגָּן 127-130; עֵץ הַגֶּפֶן 141, 143, 169; עֵץ הַדַּעַת 157, 173; עֵץ הָדָר 134; עֵץ זַיִת 165; עֵץ זְמוֹרָה 142; עֵץ חַיִּים 150-152, 166; עֵץ הַחַיִּים 131, 156, 172; עֵץ חֲנִית 162, 163, 168; עֵץ יָד 14; עֵץ יְהוּדָה 147; עֵץ יוֹסֵף 146; עֵץ יַעַר 138; עֵץ מַאֲכָל 133, 137, 148, 167; עֵץ פֶּסֶל 139; עֵץ פְּרִי 126, 149, 153; עֵץ רִקָּבוֹן 171; עֵץ הַשָּׂדֶה 132, 136, 140, 144, 160; עֵץ שֶׁמֶן 154, 164
– אֲרוֹן עֵץ 16; בּוּל עֵץ 37; חָרָשֵׁי עֵץ 25, 81, 101; חֲרֹשֶׁת עֵץ 5; יְמֵי הָעֵץ 102; כְּלִי עֵץ 7, 10, 13, 14; לֹא עֵץ 34; מִגְדַּל עֵץ 75; מוֹטוֹת עֵץ 48; סְבַךְ־עֵץ 70; עָב עֵץ 66; עֲלֵי עֵץ 76, 154; עֲנַף עֵץ 11; פִּשְׁתֵּי עֵץ 98; פְּרִי עֵץ 1, 77, 78, 82, 83, 93, 94, 104
– עֵצִים וַאֲבָנִים 207, 225, 242, 243, 324-328
– אֶפֶס עֵצִים 198; בּוֹקֵעַ עֵ' 200; חֹטְבֵי עֵ' 183-185, 196, 323; חָרַשׁ עֵ' 193; חָרָשֵׁי עֵ' 202; מְקֹשֵׁשׁ עֵצִים 180, 181, 189; קָרְבַּן הָעֵ' 236, 237; שׂוֹכַת עֵצִים 187
– עֲצֵי אַלְגּוּמִּים 304, 305; עֲ' אַלְמֻגִּים 281-283; עֲ' אֲרָזִים 275, 299, 301, 302, 308, 310, 311, 313-315, 320; עֲ' אֲשֵׁרָה 312; עֲ' בְּרוֹשִׁים 274, 280, 309, 314, 321; עֲ' יְיָ 297; עֲ' יַעַר 284, 296, 300, 316, 317, 319; עֲ' לְבוֹנָה 298; עֲ' לְבָנוֹן 303, 322; עֲ' מַיִם 292; עֲ' עֲגָלָה 273; עֲ' עֵדֶן 291, 294, 318; עֲ' הַשָּׂדֶה 285-290, 293; עֲצֵי שִׁטִּים 306, 307; עֲצֵי שֶׁמֶן 276-279

עֵץ 1 אֲשֶׁר־בּוֹ פְרִי־עֵץ זֹרֵעַ זָרַע Gen. 1:29
2 כָּל־עֵץ נֶחְמָד לְמַרְאֶה וְטוֹב לְמַאֲכָל Gen. 2:9
3 וְתָלָה אוֹתְךָ עַל־עֵץ Gen. 40:19
4 וַיּוֹרֵהוּ יְיָ עֵץ וַיַּשְׁלֵךְ אֶל־הַמַּיִם Ex. 15:25
5/6 וּבַחֲרֹשֶׁת אֶבֶן...וּבַחֲרֹשֶׁת עֵץ Ex. 31:5; 35:33
7 מִכָּל־כְּלִי־עֵץ אוֹ בֶגֶד Lev. 11:32
8 וְאֶת־עֵץ הָאֶרֶז...וְאֶת־הָאֵזֹב Lev. 14:6
9 אֶת־עֵץ־הָאֶרֶז וְאֶת־הָאֵזֹב Lev. 14:51
10 וְכָל־כְּלִי־עֵץ יִשָּׁטֵף בַּמָּיִם Lev. 15:12
11 וַעֲנַף עֵץ־עָבֹת וְעַרְבֵי־נָחַל Lev. 23:40
12 הֲיֵשׁ־בָּהּ עֵץ אִם־אַיִן Num. 13:20
13 וְכָל־בֶּגֶד...וְכָל־כְּלִי־עֵץ Num. 31:20

עֵץ (המשך)
14 אוֹ בִּכְלִי עֵץ־יָד...הִכָּהוּ Num. 35:18
15 מַעֲשֵׂה יְדֵי אָדָם עֵץ וָאֶבֶן Deut. 4:28
16 וְעָשִׂיתָ לְּךָ אֲרוֹן עֵץ Deut. 10:1
17 וְתַחַת כָּל־עֵץ רַעֲנָן Deut. 12:2
18 לֹא־תִטַּע לְךָ אֲשֵׁרָה כָּל־עֵץ Deut. 16:21
19 רַק עֵץ אֲשֶׁר־תֵּדַע כִּי לֹא... Deut. 20:20
20 וְתָלִיתָ אֹתוֹ עַל־עֵץ Deut. 21:22
21 בְּכָל־עֵץ אוֹ עַל־הָאָרֶץ Deut. 22:6
22/3 וְעָבַדְתָּ שָׁם...עֵץ וָאָבֶן Deut. 28:36, 64
24 גִּלֻּלֵיהֶם עֵץ וָאֶבֶן כֶּסֶף וְזָהָב Deut. 29:16
25 וְחָרָשֵׁי עֵץ וְחָרָשֵׁי אֶבֶן קִיר IISh. 5:11
26 צְפָה עֵץ מִבָּיִת IK. 6:15
27 וְתַחַת כָּל־עֵץ רַעֲנָן IK. 14:23
28 וְכָל־עֵץ טוֹב תַּפִּילוּ IIK. 3:19
29 וְכָל־עֵץ־טוֹב יַפִּילוּ IIK. 3:25
30 וַיִּקְצָב־עֵץ וַיַּשְׁלֶךְ־שָׁמָּה IIK. 6:6
31/2 וְתַחַת כָּל־עֵץ רַעֲנָן IIK. 16:4; 17:10
33 מַעֲשֵׂה יְדֵי־אָדָם עֵץ וָאָבֶן IIK. 19:18
34 כְּהָרִים מַטֶּה לֹא־עֵץ Is. 10:15
35 מַעֲשֵׂה יְדֵי־אָדָם עֵץ וָאֶבֶן Is. 37:19
36 עֵץ לֹא־יִרְקַב יִבְחָר Is. 40:20
37 לְבוּל עֵץ אֶסְגּוֹד Is. 44:19
38 יַעַר וְכָל־עֵץ בּוֹ Is. 44:23
39 הֵן אֲנִי עֵץ יָבֵשׁ Is. 56:3
40 תַּחַת כָּל־עֵץ רַעֲנָן Is. 57:5
41-43 כָּל־עֵץ רַעֲנָן Jer. 2:20; 3:6, 13
44 כִּי־עֵץ מִיַּעַר כְּרָתוֹ Jer. 10:3
45 מוּסַר הֲבָלִים עֵץ הוּא Jer. 10:8
46 נַשְׁחִיתָה עֵץ בְּלַחְמוֹ Jer. 11:19
47 וַאֲשֵׁרֵיהֶם עַל־עֵץ רַעֲנָן Jer. 17:2
48 מוֹטֹת עֵץ שָׁבָרְתָּ Jer. 28:13
49 וְתַחַת כָּל־עֵץ רַעֲנָן Ezek. 6:13
50 הֲיֻקַּח מִמֶּנּוּ עֵץ לַעֲשׂוֹת לִמְלָאכָה Ezek. 15:3
51 כִּי אֲנִי יְיָ הִשְׁפַּלְתִּי עֵץ גָּבֹהַּ Ezek. 17:24
52/3 הִגְבַּהְתִּי עֵץ שָׁפָל הוֹבַשְׁתִּי עֵץ לָח Ezek. 17:24
54 וְהִפְרַחְתִּי עֵץ יָבֵשׁ Ezek. 17:24
55 כָּל־גִּבְעָה רָמָה וְכָל־עֵץ עָבֹת Ezek. 20:28
56 לְשָׁרֵת עֵץ וָאָבֶן Ezek. 20:32
57/8 כָּל־עֵץ־לַח וְכָל־עֵץ יָבֵשׁ Ezek. 21:3
59 שֵׁבֶט בְּנִי מֹאֶסֶת כָּל־עֵץ Ezek. 21:15
60 כָּל־עֵץ בְּגַן־אֱלֹהִים Ezek. 31:8
61 קַח־לְךָ עֵץ אֶחָד וּכְתֹב עָלָיו Ezek. 37:16
62 וּלְקַח עֵץ אֶחָד וּכְתוֹב עָלָיו Ezek. 37:16
63 שְׂחִיף עֵץ סָבִיב סָבִיב Ezek. 41:16
64/5 הַמִּזְבֵּחַ עֵץ...וְקִירֹתָיו עֵץ Ezek. 41:22
66 וְעָב עֵץ אֶל־פְּנֵי הָאוּלָם Ezek. 41:25
67 אֶל־שְׂפַת הַנַּחַל עֵץ רַב מְאֹד Ezek. 47:7
68 כִּי־עֵץ נָשָׂא פִרְיוֹ Joel 2:22
69 וַהֲבֵאתֶם עֵץ וּבְנוּ הַבָּיִת Hag. 1:8
70 כְּמֵבִיא...בִּסֲבָךְ־עֵץ קַרְדֻּמּוֹת Ps. 74:5
71 וַיְשַׁבֵּר עֵץ גְּבוּלָם Ps. 105:33
72 וְאִם־יִפּוֹל עֵץ בַּדָּרוֹם Eccl. 11:3
73 וַיִּתָּלוּ שְׁנֵיהֶם עַל־עֵץ Es. 2:23
74 יַעֲשׂוּ־עֵץ גָּבֹהַּ חֲמִשִּׁים אַמָּה Es. 5:14
75 וַיַּעֲמֹד...עַל־מִגְדַּל־עֵץ Neh. 8:4
76 וַעֲלֵי תְמָרִים וַעֲלֵי עֵץ עָבֹת Neh. 8:15
77 וּבִכּוּרֵי כָּל־פְּרִי כָל־עֵץ Neh. 10:36
78 וּפְרִי כָל־עֵץ תִּירוֹשׁ וְיִצְהָר Neh. 10:38
79 וְתַחַת כָּל־עֵץ רַעֲנָן IICh. 28:4
וְעֵץ 80 וְעֵץ עֹשֶׂה־פְּרִי Gen. 1:12
וָעֵץ 81 וְחָרָשֵׁי אֶבֶן וָעֵץ ICh. 22:15(14)
הָעֵץ 82 וְאֶת־כָּל־הָעֵץ אֲשֶׁר־בּוֹ פְרִי־עֵץ Gen. 1:29

הָעֵץ (המשך)

83 וּמִפְּרִי הָעֵץ אֲשֶׁר בְּתוֹךְ־הַגָּן Gen. 3:3
84 וַתֵּרֶא הָאִשָּׁה כִּי טוֹב הָעֵץ לְמַאֲכָל Gen. 3:6
85 וְנֶחְמָד הָעֵץ לְהַשְׂכִּיל Gen. 3:6
86 הֲמִן־הָעֵץ אֲשֶׁר צִוִּיתִיךָ... Gen. 3:11
87 הִוא נָתְנָה־לִּי מִן־הָעֵץ וָאֹכֵל Gen. 3:12
88 וַתֹּאכַל מִן־הָעֵץ אֲשֶׁר צִוִּיתִיךָ... Gen. 3:17
89 וְהִשָּׁעֲנוּ תַּחַת הָעֵץ Gen. 18:4
90 וְהוּא עֹמֵד עֲלֵיהֶם תַּחַת הָעֵץ Gen. 18:8
91 וְכָל־הָעֵץ אֲשֶׁר בַּשָּׂדֶה Gen. 23:17
92 וְאָכַל אֶת־כָּל־הָעֵץ הַצֹּמֵחַ Ex. 10:5
93 וְאֵת כָּל־פְּרִי הָעֵץ Ex. 10:15
94 מִזֶּרַע הָאָרֶץ מִפְּרִי הָעֵץ Lev. 27:30
95 וְנִדְּחָה יָדוֹ בַגַּרְזֶן לִכְרֹת הָעֵץ Deut. 19:5
96 וְנָשַׁל הַבַּרְזֶל מִן־הָעֵץ Deut. 19:5
97 לֹא־תָלִין נִבְלָתוֹ עַל־הָעֵץ Deut. 21:23
98 וַתִּטְמְנֵם בְּפִשְׁתֵּי הָעֵץ Josh. 2:6
99 וְאֶת־מֶלֶךְ הָעַי תָּלָה עַל־הָעֵץ Josh. 8:29
100 וַיֹּרִידוּ אֶת־נִבְלָתוֹ מִן־הָעֵץ Josh. 8:29
101 וַיּוֹצִיאֻהוּ לְחָרָשֵׁי הָעֵץ וְלַבֹּנִים IIK. 12:12
102 כִּי־כִימֵי הָעֵץ יְמֵי עַמִּי Is. 65:22
103 וַתִּנְאַף אֶת־הָאֶבֶן וְאֶת־הָעֵץ Jer. 3:9
104 וְהִרְבֵּיתִי אֶת־פְּרִי הָעֵץ Ezek. 36:30
105 מְקוֹם שֶׁיִּפּוֹל הָעֵץ שָׁם יְהוּא Eccl. 11:3
106 וַיִּיטַב הַדָּבָר...וַיַּעַשׂ הָעֵץ Es. 5:14
107 עַל־הָעֵץ אֲשֶׁר־הֵכִין לוֹ Es. 6:4
108 גַּם הִנֵּה־הָעֵץ אֲשֶׁר־עָשָׂה הָמָן Es. 7:9
109 עַל־הָעֵץ אֲשֶׁר־הֵכִין לְמָרְדֳּכַי Es. 7:10
110 וְאֹתוֹ תָּלוּ עַל־הָעֵץ Es. 8:7
111 וְאֵת עֲשֶׂרֶת בְּנֵי־הָמָן יִתְלוּ עַל־הָעֵץ Es. 9:13
112 וְתָלוּ אֹתוֹ וְאֶת־בָּנָיו עַל־הָעֵץ Es. 9:25

בָּעֵץ
113 וְלֹא־נוֹתַר כָּל־יֶרֶק בָּעֵץ Ex. 10:15
114 וּנְעָרִים בָּעֵץ כָּשָׁלוּ Lam. 5:13

כָּעֵץ
115 וַיַּסַּע כָּעֵץ תִּקְוָתִי Job 19:10
116 וַתִּשָּׁבֵר כָּעֵץ עַוְלָה Job 24:20
117 צָפַד עוֹרָם...יָבֵשׁ הָיָה כָעֵץ Lam. 4:8

כְּעֵץ
118 וְהָיָה כְּעֵץ שָׁתוּל עַל־מַיִם Jer. 17:8
119 וְהָיָה כְּעֵץ שָׁתוּל עַל־פַּלְגֵי מָיִם Ps. 1:3

לָעֵץ
120 אֹמְרִים לָעֵץ אָבִי אַתָּה Jer. 2:27
121 הוֹי אֹמֵר לָעֵץ הָקִיצָה Hab. 2:19
122 כִּי יֵשׁ לָעֵץ תִּקְוָה Job 14:7

לְעֵץ
123 וְקָרַב אֹתָם...לְךָ לְעֵץ אֶחָד Ezek. 37:17
124 וַעֲשִׂיתָם לְעֵץ אֶחָד Ezek. 37:19

מֵעֵץ
125 אֶבֶן מִקִּיר תִּזְעָק וְכָפִיס מֵעֵץ יַעֲנֶנָּה Hab. 2:11

עֵץ־
126 עֵץ פְּרִי עֹשֶׂה פְּרִי לְמִינוֹ Gen. 1:11
127 מִכֹּל עֵץ־הַגָּן אָכֹל תֹּאכֵל Gen. 2:16
128 לֹא תֹאכְלוּ מִכֹּל עֵץ הַגָּן Gen. 3:1
129 מִפְּרִי עֵץ־הַגָּן נֹאכֵל Gen. 3:2
130 וַיִּתְחַבֵּא...בְּתוֹךְ עֵץ הַגָּן Gen. 3:8
131 לִשְׁמֹר אֶת־דֶּרֶךְ עֵץ הַחַיִּים Gen. 3:24
132 וְאֶת־כָּל־עֵץ הַשָּׂדֶה שִׁבֵּר Ex. 9:25
133 וּנְטַעְתֶּם כָּל־עֵץ מַאֲכָל Lev. 19:23
134 פְּרִי עֵץ הָדָר כַּפֹּת תְּמָרִים Lev. 23:40
135 עֵץ אֶרֶז וְאֵזוֹב וּשְׁנִי תוֹלָעַת Num. 19:6
136 כִּי הָאָדָם עֵץ הַשָּׂדֶה לָבֹא מִפָּנֶיךָ Deut. 20:19
137 כִּי לֹא־עֵץ מַאֲכָל הוּא Deut. 20:20
138 וּשְׁאָר עֵץ יַעְרוֹ מִסְפָּר יִהְיוּ Is. 10:19
139 הַנֹּשְׂאִים אֶת־עֵץ פִּסְלָם Is. 45:20
140 וְעַל־עֵץ הַשָּׂדֶה וְעַל־פְּרִי הָאֲדָמָה Jer. 7:20
141 מַה־יִּהְיֶה עֵץ־הַגֶּפֶן Ezek. 15:2
142 מִכָּל־עֵץ הַזְּמוֹרָה Ezek. 15:2
143 כַּאֲשֶׁר עֵץ־הַגֶּפֶן בְּעֵץ הַיַּעַר Ezek. 15:6
144 וְנָתַן עֵץ הַשָּׂדֶה אֶת־פִּרְיוֹ Ezek. 34:27

עֵץ־ (המשך)

145 וּכְתֹב עָלָיו...עֵץ אֶפְרַיִם Ezek. 37:16
146 הִנֵּה אֲנִי לֹקֵחַ אֶת־עֵץ יוֹסֵף Ezek. 37:19
147 וְנָתַתִּי...עָלָיו אֶת־עֵץ יְהוּדָה Ezek. 37:19
148 וְעַל־הַנַּחַל...כָּל־עֵץ־מַאֲכָל Ezek. 47:12
149 עֵץ פְּרִי וְכָל־אֲרָזִים Ps. 148:9
150 עֵץ־חַיִּים הִיא לַמַּחֲזִיקִים בָּהּ Prov. 3:18
151 פְּרִי־צַדִּיק עֵץ חַיִּים Prov. 11:30
152 מַרְפֵּא לָשׁוֹן עֵץ חַיִּים Prov. 15:4
153 וְנָטַעְתִּי בָהֶם עֵץ כָּל־פֶּרִי Eccl. 2:5
154 וְהָבִיאוּ עֲלֵי־זַיִת וַעֲלֵי־עֵץ שֶׁמֶן Neh. 8:15
155 חִפָּה עֵץ בְּרוֹשִׁים IICh. 3:5

וְעֵץ־
156 וְעֵץ הַחַיִּים בְּתוֹךְ הַגָּן Gen. 2:9
157 וְעֵץ הַדַּעַת טוֹב וָרָע Gen. 2:9
158/9 וְעֵץ אֶרֶז וּשְׁנִי תוֹלַעַת וְאֵזֹב Lev. 14:4, 49
160 וְעֵץ הַשָּׂדֶה יִתֵּן פִּרְיוֹ Lev. 26:4
161 וְעֵץ הָאָרֶץ לֹא יִתֵּן פִּרְיוֹ Lev. 26:20
162 וְעֵץ חֲנִיתוֹ כִּמְנוֹר אֹרְגִים IISh. 21:19
163 יִמָּלֵא בַרְזֶל וְעֵץ חֲנִית IISh. 23:7
164 אֶרֶז שִׁטָּה וַהֲדַס וְעֵץ שָׁמֶן Is. 41:19
165 וְעֵץ הַזַּיִת לֹא נָשָׂא Hag. 2:19
166 וְעֵץ חַיִּים תַּאֲוָה בָאָה Prov. 13:12
167 ...וְזֵיתִים וְעֵץ מַאֲכָל לָרֹב Neh. 9:25
168 וְעֵץ חֲנִיתוֹ כִּמְנוֹר אֹרְגִים ICh. 20:5

בְּעֵץ־
169 כַּאֲשֶׁר עֵץ־הַגֶּפֶן בְּעֵץ הַיַּעַר Ezek. 15:6

וּבְעֵץ־
170 וּבְעֵץ הָאֶרֶז וּבָאֵזֹב... Lev. 14:52

לְעֵץ־
171 יַחְשֹׁב...לְעֵץ רִקָּבוֹן נְחוּשָׁה Job 41:19

מֵעֵץ־
172 וְלָקַח גַּם מֵעֵץ הַחַיִּים Gen. 3:22

וּמֵעֵץ־
173 וּמֵעֵץ הַדַּעַת טוֹב וָרָע Gen. 2:17

עֵצְךָ
174 כָּל־עֵצְךָ...יְיָרֵשׁ הַצְּלָצַל Deut. 28:42

בְּעֵצוֹ
175 עַמִּי בְּעֵצוֹ יִשְׁאָל וּמַקְלוֹ יַגִּיד לוֹ Hosh. 4:12

עֵצָהּ
176 לֹא־תַשְׁחִית אֶת־עֵצָהּ Deut. 20:19

עֵצִים
177 וְעָרְכוּ עֵצִים עַל־הָאֵשׁ Lev. 1:7
178 וְשָׂרַף אֹתוֹ עַל־עֵצִים בָּאֵשׁ Lev. 4:12
179 וּבִעֵר עָלֶיהָ הַכֹּהֵן עֵצִים... Lev. 6:5
180 מְקֹשֵׁשׁ עֵצִים בְּיוֹם הַשַּׁבָּת Num. 15:32
181 הַמֹּצְאִים אֹתוֹ מְקֹשֵׁשׁ עֵצִים Num. 15:33
182 וַאֲשֶׁר יָבֹא...בַיַּעַר לַחְטֹב עֵצִים Deut. 19:5
183/4 חֹטְבֵי עֵצִים וְשֹׁאֲבֵי־מַיִם Josh. 9:21, 27
185 וְחֹטְבֵי עֵצִים וְשֹׁאֲבֵי מַיִם Josh. 9:23
186 וַיִּתְלֵם עַל חֲמִשָּׁה עֵצִים Josh. 10:26
187 וַיִּכְרֹת שׂוֹכַת עֵצִים Jud. 9:48
188 אִישׁ יֹדֵעַ לִכְרָת־עֵצִים כַּצִּדֹנִים IK. 5:20
189 אִשָּׁה אַלְמָנָה מְקֹשֶׁשֶׁת עֵצִים IK. 17:10
190 וְהִנְנִי מְקֹשֶׁשֶׁת שְׁנַיִם עֵצִים IK. 17:12
191/2 וְלִקְנוֹת עֵצִים וְאַבְנֵי מַחְצֵב IIK. 12:13; 22:6
193 חָרַשׁ עֵצִים נָטָה קָו Is. 44:13
194 הִנְנִי נֹתֵן...וְהָעָם הַזֶּה עֵצִים Jer. 5:14
195 הַבָּנִים מְלַקְּטִים עֵצִים Jer. 7:18
196 וּבְקַרְדֻּמּוֹת...כְּחֹטְבֵי עֵצִים Jer. 46:22
197 וְלֹא־יִשְׂאוּ עֵצִים מִן־הַשָּׂדֶה Ezek. 39:10
198 בְּאֶפֶס עֵצִים תִּכְבֶּה־אֵשׁ Prov. 26:20
199 לְהַשְׁקוֹת מֵהֶם יַעַר צוֹמֵחַ עֵצִים Eccl. 2:6
200 בּוֹקֵעַ עֵצִים יִסָּכֶן בָּם Eccl. 10:9
201 אֲשֶׁר יִתֶּן־לִי עֵצִים לְקָרוֹת... Neh. 2:8
202 וְחָרָשֵׁי קִיר וְחָרָשֵׁי עֵצִים ICh. 14:1
203 וּלְהָכִין לִי עֵצִים לָרֹב IICh. 2:8
204 נִכְרֹת עֵצִים מִן־הַלְּבָנוֹן IICh. 2:15

וְעֵצִים
205 מְדֻרָתָהּ אֵשׁ וְעֵצִים הַרְבֵּה Is. 30:33
206 פֶּחָם לְגֶחָלִים וְעֵצִים לְאֵשׁ Prov. 26:21
207 וְעֵצִים וַאֲבָנִים הֲכִינוֹתִי ICh. 22:14(13)
208 וְעֵצִים לַמְחַבְּרוֹת וּלְקָרוֹת... IICh. 34:11

הָעֵצִים
209 וַיִּבֶן...וַיַּעֲרֹךְ אֶת־הָעֵצִים Gen. 22:9

הָעֵצִים (המשך)

210-12 עַל־הָעֵצִים אֲשֶׁר עַל־הָאֵשׁ Lev. 1:8, 12, 17
213 אֲשֶׁר עַל־הָעֵצִים אֲשֶׁר עַל־הָאֵשׁ Lev. 3:5
214 וַיִּהְיוּ תְּלוּיִם עַל־הָעֵצִים Josh. 10:26
215 וַיֹּרִידֻם מֵעַל הָעֵצִים Josh. 10:27
216 הָלוֹךְ הָלְכוּ הָעֵצִים לִמְשֹׁחַ...מֶלֶךְ Jud. 9:8
217-19 וְהָלַכְתִּי לָנוּעַ עַל־הָעֵצִים Jud. 9:9, 11, 13
220 וַיֹּאמְרוּ הָעֵצִים לַתְּאֵנָה Jud. 9:10
221 וַיֹּאמְרוּ הָעֵצִים לַגָּפֶן Jud. 9:12
222 וַיֹּאמְרוּ כָל־הָעֵצִים אֶל־הָאָטָד Jud. 9:14
223 וַיֹּאמֶר הָאָטָד אֶל־הָעֵצִים Jud. 9:15
224 וַיְדַבֵּר עַל־הָעֵצִים מִן־הָאֶרֶז... IK. 5:13
225 וַיָּכִינוּ הָעֵצִים וְהָאֲבָנִים IK. 5:32
226 וְיָשִׂימוּ עַל־הָעֵצִים וְאֵשׁ לֹא יָשִׂימוּ IK. 18:23
227 וְנָתַתִּי עַל־הָעֵצִים וְאֵשׁ לֹא אָשִׂים IK. 18:23
228 וַיַּעֲרֹךְ אֶת־הָעֵצִים IK. 18:33
229 וַיָּשֶׂם עַל־הָעֵצִים IK. 18:33
230 וְיִצְקוּ עַל־הָעֹלָה וְעַל־הָעֵצִים IK. 18:34
231 וַתֹּאכַל אֶת־הָעֹלָה וְאֶת־הָעֵצִים IK. 18:38
232 וַיָּבֹאוּ הַיַּרְדֵּנָה וַיִּגְזְרוּ הָעֵצִים IIK. 6:4
233 וְתַחַת הָעֵצִים נְחֹשֶׁת Is. 60:17
234 הַרְבֵּה הָעֵצִים הַדְלֵק הָאֵשׁ Ezek. 24:10
235 הָעֵצִים אֲשֶׁר־תִּכְתֹּב עֲלֵיהֶם Ezek. 37:20
236 וְהַגּוֹרָלוֹת...עַל־קֻרְבַּן הָעֵצִים Neh. 10:35
237 וּלְקֻרְבַּן הָעֵצִים בְּעִתִּים מְזֻמָּנוֹת Neh. 13:31
238 לַחֹטְבִים לְכֹרְתֵי הָעֵצִים נָתַתִּי IICh. 2:9

וְהָעֵצִים
239 הִנֵּה הָאֵשׁ וְהָעֵצִים וְאַיֵּה הַשֶּׂה Gen. 22:7
240 הַבַּרְזֶל לַבַּרְזֶל וְהָעֵצִים לָעֵצִים ICh. 29:2

בְּעֵצִים
241 אֲשִׁים...כְּכִיּוֹר אֵשׁ בְּעֵצִים Zech. 12:6

וּבָעֵצִים
242 וְהָיָה דָם...וּבָעֵצִים וּבָאֲבָנִים Ex. 7:19
243 בַּנְּחֹשֶׁת בַּבַּרְזֶל בָּאֲבָנִים וּבָעֵצִים IICh. 2:13

לָעֵצִים
244 עַל־הַמִּזְבֵּחַ מִמַּעַל לָעֵצִים Gen. 22:9
245 וְהַמֹּרִגִּים וּכְלֵי הַבָּקָר לָעֵצִים IISh. 24:22
246 הַבָּקָר לָעֹלוֹת וְהַמּוֹרִגִּים לָעֵצִים ICh. 21:23
247 הַבַּרְזֶל לַבַּרְזֶל וְהָעֵצִים לָעֵצִים ICh. 29:2

עֲצֵי־
248 עֲשֵׂה לְךָ תֵּבַת עֲצֵי־גֹפֶר Gen. 6:14
249 וַיְבַקַּע עֲצֵי עֹלָה Gen. 22:3
250 וַיִּקַּח אַבְרָהָם אֶת־עֲצֵי הָעֹלָה Gen. 22:6
251 וְעָשׂוּ אֲרוֹן עֲצֵי שִׁטִּים Ex. 25:10
252-254 בַּדֵּי עֲצֵי שִׁטִּים Ex. 25:13; 27:6; 37:4
255 וְעָשִׂיתָ שֻׁלְחָן עֲצֵי שִׁטִּים Ex. 25:23
256-272 עֲצֵי שִׁטִּים Ex. 25:28
26:15, 26; 27:1; 30:1, 5; 35:24; 36:20, 31; 37:1, 10, 15
37:25, 28; 38:1, 6 • Deut. 10:3
273 וַיְבַקְּעוּ אֶת־עֲצֵי הָעֲגָלָה ISh. 6:14
274 מְשַׂחֲקִים...בְּכֹל עֲצֵי בְרוֹשִׁים IISh. 6:5
275 עֲצֵי אֲרָזִים וַעֲצֵי בְרוֹשִׁים IK. 5:24
276 שְׁנֵי כְרוּבִים עֲצֵי־שָׁמֶן IK. 6:23
277 עָשָׂה דַּלְתוֹת עֲצֵי־שָׁמֶן IK. 6:31
278 וּשְׁתֵּי דַּלְתוֹת עֲצֵי־שָׁמֶן IK. 6:32
279 וְכֵן עָשָׂה...מְזוּזוֹת עֲצֵי־שָׁמֶן IK. 6:33
280 וּשְׁתֵּי דַלְתוֹת עֲצֵי בְרוֹשִׁים IK. 6:34
281 עֲצֵי אַלְמֻגִּים הַרְבֵּה מְאֹד IK. 10:11
282 וַיַּעַשׂ הַמֶּלֶךְ אֶת־עֲצֵי הָאַלְמֻגִּים IK. 10:12
283 לֹא בָא־כֵן עֲצֵי אַלְמֻגִּים IK. 10:12
284 כְּנוֹעַ עֲצֵי־יַעַר מִפְּנֵי־רוּחַ Is. 7:2
285 וְכָל־עֲצֵי הַשָּׂדֶה יִמְחֲאוּ־כָף Is. 55:12
286-290 עֲצֵי הַשָּׂדֶה Ezek. 17:24
31:4, 5 • Joel 1:12, 19
291 וַיְקַנְאֻהוּ כָּל־עֲצֵי־עֵדֶן Ezek. 31:9
292 לֹא־יִגְבְּהוּ...כָּל־עֲצֵי־מַיִם Ezek. 31:14
293 וְכָל־עֲצֵי הַשָּׂדֶה עָלָיו עֻלְפֶּה Ezek. 31:15
294 וַיִּנָּחֲמוּ...כָּל־עֲצֵי־עֵדֶן Ezek. 31:16

עֵצֵי- (המשך)
295 וְהוּרַדְתָּ אֶת־עֲצֵי־עֵדֶן Ezek. 31:18
296 אָז יְרַנְּנוּ כָּל־עֲצֵי־יָעַר Ps. 96:12
297 יִשְׂבְּעוּ עֲצֵי יְיָ אַרְזֵי לְבָנוֹן Ps. 104:16
298 עִם כָּל־עֲצֵי לְבוֹנָה S.ofS. 4:14
299 לְהָבִיא עֲצֵי אֲרָזִים מִן־הַלְּבָנוֹן Ez. 3:7
300 אָז יְרַנְּנוּ עֲצֵי הַיָּעַר ICh. 16:33
301 עֲצֵי אֲרָזִים לָרֹב ICh. 22:4(3)
302 עֲצֵי אֲרָזִים בְּרוֹשִׁים וְאַלְגּוּמִּים IICh. 2:7
303 יוֹדְעִים לִכְרוֹת עֲצֵי לְבָנוֹן IICh. 2:7
304 הֵבִיאוּ עֲצֵי אַלְגּוּמִּים IICh. 9:10
305 וַיַּעַשׂ...אֶת־עֲצֵי הָאַלְגּוּמִּים IICh. 9:11
וַעֲצֵי- 306/7 וְעֹרֹת תְּחָשִׁים וַעֲצֵי שִׁטִּים Ex. 25:5; 35:7
308 וַיִּשְׁלַח...וַעֲצֵי אֲרָזִים וְחָרָשֵׁי עֵץ IISh. 5:11
309 עֲצֵי אֲרָזִים וַעֲצֵי בְרוֹשִׁים IK. 5:24
310 וַיִּשְׁלַח...וַעֲצֵי אֲרָזִים וְחָרָשֵׁי קִיר ICh. 14:1
311 וַעֲצֵי אֲרָזִים לְאֵין מִסְפָּר ICh. 22:4(3)
בַּעֲצֵי- 312 בַּעֲצֵי הָאֲשֵׁרָה אֲשֶׁר תִּכְרֹת Jud. 6:26
313/4 בַּעֲצֵי אֲרָזִים וּבַעֲצֵי בְרוֹשִׁים IK. 5:22; 9:11
315 וַיֶּאֱחֹז אֶת־הַבַּיִת בַּעֲצֵי אֲרָזִים IK. 6:10
316 וַיְאַמֶּץ־לוֹ בַּעֲצֵי־יָעַר Is. 44:14
317 אֲשֶׁר הָיָה בַּעֲצֵי הַיָּעַר Ezek. 15:2
318 בְּכָבוֹד וּבְגֹדֶל בַּעֲצֵי־עֵדֶן Ezek. 31:18
319 כְּתַפּוּחַ בַּעֲצֵי הַיַּעַר כֵּן דּוֹדִי S.ofS. 2:3
וּבַעֲצֵי- 320/1 בַּעֲצֵי אֲרָזִים וּבַעֲצֵי בְרוֹשִׁים IK.5:22;9:11
מֵעֲצֵי- 322 אַפִּרְיוֹן עָשָׂה לוֹ...מֵעֲצֵי הַלְּבָנוֹן S.ofS. 3:9
עֵצֶיךָ 323 מֵחֹטֵב עֵצֶיךָ עַד שֹׁאֵב מֵימֶיךָ Deut. 29:10
וְעֵצַיִךְ 324 וַאֲבָנַיִךְ וְעֵצַיִךְ וַעֲפָרֵךְ... Ezek. 26:12
עֵצָיו 325 וְנָתַץ...אֶת־אֲבָנָיו וְאֶת־עֵצָיו Lev. 14:45
326 וְכִלַּתּוּ וְאֶת־עֵצָיו וְאֶת־אֲבָנָיו Zech. 5:4
עֵצֶיהָ 327 אֶת־אַבְנֵי הָרָמָה וְאֶת־עֵצֶיהָ IK. 15:22
328 אֶת־אַבְנֵי הָרָמָה וְאֶת־עֵצֶיהָ IICh. 16:6
עֵצֵינוּ 329 עֵצֵינוּ בִּמְחִיר יָבֹאוּ Lam. 5:4

עצב

א) עָצַב, נֶעֱצַב, עִצֵּב, הִתְעַצֵּב, הֶעֱצִיב; עָצוּב, עֹצֶב, עֶצֶב, עִצָּבוֹן, עַצֶּבֶת, מַעֲצֵבָה
ב) עָצֵב; עֶצֶב, עֲצַבִּים

עָצַב1

פ׳ א) צער, נוף: 1
ב) [עָצוּב] נוגה, נדכא: 2
ג) [נפ׳ נֶעֱצַב] היה מודאג, הצטער: 3-9
ד) [פ׳ עִצֵּב] צער: 10, 11
ה) [הת׳ הִתְעַצֵּב] הצטער: 12, 13
ו) [הפ׳ הֶעֱצִיב] צער: 14, 15
עֲצוּבַת רוּחַ 2

עֲצָבוֹ 1 וְלֹא־עֲצָבוֹ אָבִיו מִיָּמָיו IK. 1:6
וַעֲצוּבַת- 2 כְּאִשָּׁה עֲזוּבָה וַעֲצוּבַת רוּחַ Is. 54:6
נֶעְצַב 3 כִּי נֶעְצַב אֶל־דָּוִד ISh. 20:34
נֶעֱצַב 4 נֶעֱצַב הַמֶּלֶךְ עַל־בְּנוֹ IISh. 19:3
יֵעָצֵב 5 אַל־יֵדַע־זֹאת יְהוֹנָתָן פֶּן־יֵעָצֵב ISh. 20:3
6 מַסִּיעַ אֲבָנִים יֵעָצֵב בָּהֶם Eccl. 10:9
תֵּעָצְבוּ 7 אַל־תֵּעָצְבוּ וְאַל־יִחַר בְּעֵינֵיכֶם Gen. 45:5
תֵּעָצֵבוּ 8 כִּי־קָדוֹשׁ הַיּוֹם...וְאַל־תֵּעָצֵבוּ Neh. 8:10
9 כִּי־הַיּוֹם קָדֹשׁ וְאַל־תֵּעָצֵבוּ Neh. 8:11
וְעִצְּבוּ 10 מָרוּ וְעִצְּבוּ אֶת־רוּחַ קָדְשׁוֹ Is. 63:10
יְעַצֵּבוּ 11 כָּל־הַיּוֹם דְּבָרַי יְעַצֵּבוּ Ps. 56:6
וַיִּתְעַצֵּב 12 וַיִּנָּחֶם יְיָ...וַיִּתְעַצֵּב אֶל־לִבּוֹ Gen. 6:6
וַיִּתְעַצְּבוּ 13 וַיִּתְעַצְּבוּ הָאֲנָשִׁים וַיִּחַר לָהֶם Gen. 34:7
לְהַעֲצִבָהּ 14 עָשִׂינוּ לָהּ כַּוָּנִים לְהַעֲצִבָהּ Jer. 44:19
יַעֲצִיבוּהוּ 15 יַמְרוּהוּ...יַעֲצִיבוּהוּ בִּישִׁימוֹן Ps. 78:40

עָצַב2

פ׳ יצר, תקן
עִצְּבוּנִי 1 יָדֶיךָ עִצְּבוּנִי וַיַּעֲשׂוּנִי Job 10:8

עָצֵב

ז׳ כאב, צער: 1-4
עֹצֶב 1 וּרְאֵה אִם־דֶּרֶךְ־עֹצֶב בִּי Ps. 139:24
בְּעֹצֶב 2 כִּי יָלַדְתִּי בְּעֹצֶב ICh. 4:9
עָצְבִּי 3 וְעָשִׂיתָ מֵּרָעָה לְבִלְתִּי עָצְבִּי ICh. 4:10
מֵעָצְבְּךָ 4 בְּיוֹם הָנִיחַ יְיָ לְךָ מֵעָצְבְּךָ וּמֵרָגְזֶךָ Is. 14:3

עָצָב*1 (עֶצֶב*)

ז׳ פסל: 1-20
עֶצֶב נִבְזֶה 1; בֵּית עֲצַבִּים 15; חֲבוּר עֲצַבִּים 3; שְׁמוֹת הָעֲצַבִּים 6; עֲצַבֵּי הַגּוֹיִם 9; עֲצַבֵּי כְנָעַן 10

הַעֶצֶב 1 הַעֶצֶב נִבְזֶה נָפוּץ הָאִישׁ הַזֶּה Jer. 22:28
עָצְבִּי 2 עָצְבִּי עָשָׂם וּפִסְלִי וְנִסְכִּי צִוָּם Is. 48:5
עֲצַבִּים 3 חֲבוּר עֲצַבִּים אֶפְרָיִם הַנַּח־לוֹ Hosh. 4:17
4 כַּסְפָּם וּזְהָבָם עָשׂוּ לָהֶם עֲצַבִּים Hosh. 8:4
5 וַיַּעֲשׂוּ לָהֶם מַסֵּכָה...כִּתְבוּנָם עֲצַ׳ Hosh. 13:2
הָעֲצַבִּים 6 אַכְרִית אֶת־שְׁמוֹת הָעֲצַבִּים Zech. 13:2
7 אֶת־הָאֲשֵׁרִים וְאֶת־הָעֲצַבִּים IICh. 24:18
לָעֲצַבִּים 8 אֶפְרַיִם מַה־לִּי עוֹד לָעֲצַבִּים Hosh. 14:9
עֲצַבֵּי- 9 עֲצַבֵּי הַגּוֹיִם כֶּסֶף וְזָהָב Ps. 135:15
לַעֲצַבֵּי- 10 אֲשֶׁר זִבְּחוּ לַעֲצַבֵּי כְנָעַן Ps. 106:38
עֲצַבֶּיהָ 11 הֹבִישׁוּ עֲצַבֶּיהָ חַתּוּ גִּלּוּלֶיהָ Jer. 50:2
12 וְכָל־עֲצַבֶּיהָ אָשִׂים שְׁמָמָה Mic. 1:7
וְלַעֲצַבֶּיהָ 13 כֵּן אֶעֱשֶׂה לִירוּשָׁלַםִ וְלַעֲצַבֶּיהָ Is. 10:11
עַצְּבֵיכֶם 14 וְכָל־עַצְּבֵיכֶם תִּנְגֹּשׂוּ Is. 58:3
עֲצַבֵּיהֶם 15 וַיְשַׁלְּחוּ...לְבַשֵּׂר בֵּית עֲצַבֵּיהֶם ISh. 31:9
16 וַיַּעַזְבוּ־שָׁם אֶת־עֲצַבֵּיהֶם IISh. 5:21
17 הָיוּ עֲצַבֵּיהֶם לַחַיָּה וְלַבְּהֵמָה Is. 46:1
18 וַיַּעַבְדוּ אֶת־עֲצַבֵּיהֶם Ps. 106:36
19 עֲצַבֵּיהֶם כֶּסֶף וְזָהָב Ps. 115:4
20 וַיְשַׁלְּחוּ...לְבַשֵּׂר אֶת־עֲצַבֵּיהֶם ICh. 10:9

עֶצֶב2

ז׳ צער, עמל: 1-6
דְּבַר עֶצֶב 3; לֶחֶם הָעֲצָבִים 5

עֶצֶב 1 וְלֹא־יוֹסִף עֶצֶב עִמָּהּ Prov. 10:22
2 בְּכָל־עֶצֶב יִהְיֶה מוֹתָר Prov. 14:23
3 וּדְבַר־עֶצֶב יַעֲלֶה־אָף Prov. 15:1
בְּעֶצֶב 4 בְּעֶצֶב תֵּלְדִי בָנִים Gen. 3:16
הָעֲצָבִים 5 אֹכְלֵי לֶחֶם הָעֲצָבִים Ps. 127:2
וַעֲצָבֶיךָ 6 וַעֲצָבֶיךָ בְּבֵית נָכְרִי Prov. 5:10

עִצָּבוֹן

ז׳ עמל, צער: 1-3 • עִצְּבוֹן יָדַיִם 2
בְּעִצָּבוֹן 1 בְּעִצָּבוֹן תֹּאכֲלֶנָּה כֹּל יְמֵי חַיֶּיךָ Gen. 3:17
וּמֵעִצְּבוֹן- 2 יְנַחֲמֵנוּ מִמַּעֲשֵׂנוּ וּמֵעִצְּבוֹן יָדֵינוּ Gen. 5:29
עִצְּבוֹנֵךְ 3 הַרְבָּה אַרְבֶּה עִצְּבוֹנֵךְ וְהֵרֹנֵךְ Gen. 3:16

עַצֶּבֶת

נ׳ צער רב, כאב: 1-5 • עַצֶּבֶת לֵב 2
עַצָּבֶת 1 קֹרֵץ עַיִן יִתֵּן עַצָּבֶת Prov. 10:10
וּבְעַצְּבַת- 2 וּבְעַצְּבַת־לֵב רוּחַ נְכֵאָה Prov. 15:13
עַצְּבֹתָי 3 יָגֹרְתִּי כָל־עַצְּבֹתָי Job 9:28
עַצְּבוֹתָם 4 יִרְבּוּ עַצְּבוֹתָם אַחֵר מָהָרוּ Ps. 16:4
לְעַצְּבוֹתָם 5 הָרֹפֵא לִשְׁבוּרֵי לֵב וּמְחַבֵּשׁ לְעַצְּבוֹתָם Ps. 147:3

עָצָה

פ׳ עצם, סגר
עֹצֶה 1 עֹצֶה עֵינָיו לַחְשֹׁב תַּהְפֻּכוֹת Prov. 16:30

עָצֶה

ז׳ החוליה התחתונה בעמוד השדרה
הֶעָצֶה 1 לְעֻמַּת הֶעָצֶה יְסִירֶנָּה Lev. 3:9

עֵצָה1

נ׳ א) הצעה, תכנית יעוצה: 1, 2, 5, 7, 8, 10-13, 15, 21-25, 30-64, 67-73, 75-84, 86-88
ב) חכמה, תושיה: 3, 4, 6, 9, 14, 16-20, 26-29, 65, 66, 74, 85
קרובים: בִּינָה / דֵּעַ / דֵּעָה / דַּעַת / הַשְׂכֵּל / חָכְמָה / טַעַם / לֶקַח / מְזִמָּה / עָרְמָה / שֵׂכֶל / תְּבוּנָה / תּוּשִׁיָּה

– עֵצָה וּגְבוּרָה 6; עֵצָה וּתְבוּנָה 18
– עֵצָה טוֹבָה 34,33; עֵצָה יְעוּצָה 25; עֵ׳ נִבְעָרָה 8; עֵצָה נִמְהָרָה 55
– אִישׁ (אַנְשֵׁי) עֵצָה 65, 66, 74; גְּדוֹל עֵצָה 26; רוּחַ עֵצָה 6
– עֲצַת אֲחִיתֹפֶל 30-34, 50, 62; עֲ׳ גּוֹיִם 44; עֲ׳ זְקֵנִים 35, 36, 48, 49, 60; עֲ׳ יְהוּדָה 39; עֲ׳ יְיָ 38, 40, 41, 45, 54, 58; עֲ׳ יְלָדִים 59, 61; עֲ׳ נֶפֶשׁ 63; עֲ׳ נִפְתָּלִים 55; עֲ׳ עֶלְיוֹן 53; עֲ׳ עָנִי 43; עֲ׳ קְדוֹשׁ יִשְׂרָאֵל 37; עֲ׳ רָע 42; עֲ׳ רְשָׁעִים 46, 47, 56, 57; עֲצַת שָׁלוֹם 52; עֲצַת שָׂרִים 60
– אָבְדָה עֵצָה 12, 22, 23; בָּאָה עֵצָה 37; הִשְׁלִיכַתְהוּ עֵ׳ 76; נֶעֶשְׂתָה עֵ׳ 73; עָמְדָה עֵ׳ 45; קָמָה עֵ׳ 54, 64; רָחֲקָה עֵצָה 47, 56
– בִּלַּע עֵצָה 77; בָּקַק עֵצָה 39; דָּלָה עֵ׳ 16; הָבָה עֵ׳ 1, 21; הֵבִיא עֵ׳ 7; הֵבִין עֵ׳ 75; הֵבִישׁ עֵ׳ 43; הֶחְשִׁיךְ עֵ׳ 19; הִסְתִּיר עֵ׳ 10; הֶעְלִים עֵ׳ 20; הִפְלִיא עֵ׳ 9; הֵפִיר עֵ׳ 31, 34, 44, 82,81; הִשְׁלִים עֵצָה 51; יָעַץ עֵ׳ 2,5,13,24,40,41,42,50; מִלֵּא עֵ׳ 71; נָאַץ עֵצָה 53; סִכֵּל עֵ׳ 30; עָזַב עֵ׳ 35, 36, 48, 49; עָשָׂה עֵ׳ 11; פָּרַע עֵ׳ 67; שָׁמַע עֵצָה 15
– אוֹבֵד עֵצוֹת 85; שֵׁת עֵצוֹת 87

עֵצָה 1 הָבוּ לָכֶם עֵצָה מַה־נַּעֲשֶׂה IISh. 16:20
2 וְעַתָּה לְכִי אִיעָצֵךְ נָא עֵצָה IK. 1:12
3/4 עֵצָה וּגְבוּרָה לַמִּלְחָמָה IIK. 18:20 • Is. 36:5
5 עֻצוּ עֵצָה וְתֻפָר Is. 8:10
6 וְנָחָה עָלָיו...רוּחַ עֵצָה וּגְבוּרָה Is. 11:2
7 הָבִיאִי עֵצָה עֲשׂוּ פְלִילָה Is. 16:3
8 חַכְמֵי יֹעֲצֵי פַרְעֹה עֵצָה נִבְעָרָה Is. 19:11
9 הִפְלִיא עֵצָה הִגְדִּיל תּוּשִׁיָּה Is. 28:29
10 הַמַּעֲמִיקִים מֵיְיָ לַסְתִּר עֵצָה Is. 29:15
11 לַעֲשׂוֹת עֵצָה וְלֹא מִנִּי Is. 30:1
12 אָבְדָה עֵצָה מִבָּנִים Jer. 49:7
13 כִּי־יָעַץ עֲלֵיכֶם...עֵצָה Jer. 49:30
14 לִי־עֵצָה וְתוּשִׁיָּה Prov. 8:14
15 שְׁמַע עֵצָה וְקַבֵּל מוּסָר Prov. 19:20
16 עֵצָה בְלֶב־אִישׁ וְאִישׁ תְּבוּנָה יִדְלֶנָּה Prov.20:5
17 אֵין חָכְמָה...וְאֵין עֵצָה לְנֶגֶד יְיָ Prov. 21:30
18 לוֹ עֵצָה וּתְבוּנָה Job 12:13
19 מִי זֶה מַחְשִׁיךְ עֵצָה בְמִלִּין Job 38:2
20 מִי זֶה מַעְלִים עֵצָה בְּלִי דָעַת Job 42:3
וְעֵצָה 21 הָבוּ לָכֶם דָּבָר וְעֵצָה הֲלֹם Jud. 20:7
22 תּוֹרָה מִכֹּהֵן וְעֵצָה מֵחָכָם Jer. 18:18
23 וְתוֹרָה תֹּאבַד מִכֹּהֵן וְעֵצָה מִזְּקֵנִים Ezek. 7:26
הָעֵצָה 24 הָעֵצָה אֲשֶׁר־יָעַץ אֲחִיתֹפֶל IISh. 17:7
25 זֹאת הָעֵצָה הַיְּעוּצָה Is. 14:26
26 גְּדֹל הָעֵצָה וְרַב הָעֲלִילִיָּה Jer. 32:19
בְּעֵצָה 27 מַחֲשָׁבוֹת בְּעֵצָה תִכּוֹן Prov. 20:18
28 בְעֵצָה שִׁלְּחֻהוּ סַרְנֵי פְלִשְׁתִּים ICh. 12:19(20)
לְעֵצָה 29 וְשֹׁמֵעַ לְעֵצָה חָכָם Prov. 12:15
עֲצַת- 30 סַכֶּל־נָא אֶת־עֲצַת אֲחִיתֹפֶל יְיָ IISh. 15:31
31 וְהֵפַרְתָּה לִי אֵת עֲצַת אֲחִיתֹפֶל IISh. 15:34

עֲצַת־ (המשך) 32 כֵּן כָּל־עֲצַת אֲחִיתֹפֶל גַּם־לְדָוִד IISh. 16:23
33 טוֹבָה עֲצַת חוּשַׁי...מֵעֲצַת אֲחִיתֹפֶל IISh. 17:14
34 לְהָפֵר אֶת־עֲצַת אֲחִיתֹפֶל הַטּוֹבָה IISh. 17:14
35/6 וַיַּעֲזֹב אֶת־עֲצַת הַזְּקֵנִים IK. 12:8, 13
37 וְתָבוֹאָה עֲצַת קְדוֹשׁ יִשְׂרָאֵל Is. 5:19
38 מִפְּנֵי עֲצַת יְיָ צְבָאוֹת Is. 19:17
39 וּבַקֹּתִי אֶת־עֲצַת יְהוּדָה Jer. 19:7
40 עֲצַת־יְיָ אֲשֶׁר יָעַץ אֶל־אֱדוֹם Jer. 49:20
41 עֲצַת־יְיָ אֲשֶׁר יָעַץ אֶל־בָּבֶל Jer. 50:45
42 וְהַיֹּעֲצִים עֲצַת־רָע בָּעִיר הַזֹּאת Ezek. 11:2
43 עֲצַת־עָנִי תָבִישׁוּ Ps. 14:6
44 יְיָ הֵפִיר עֲצַת־גּוֹיִם Ps. 33:10
45 עֲצַת יְיָ לְעוֹלָם תַּעֲמֹד Ps. 33:11
46 וְעַל־עֲצַת רְשָׁעִים הוֹפָעְתָּ Job 10:3
47 עֲצַת רְשָׁעִים רָחֲקָה מֶנִּי Job 21:16
48/9 וַיַּעֲזֹב(...)אֶת־עֲצַת הַזְּקֵנִים IICh. 10:8, 13
וַעֲצַת־ 50 וַעֲצַת אֲחִיתֹפֶל אֲשֶׁר יָעַץ IISh. 16:23
51 וַעֲצַת מַלְאָכָיו יַשְׁלִים Is. 44:26
52 וַעֲצַת שָׁלוֹם תִּהְיֶה בֵּין שְׁנֵיהֶם Zech. 6:13
53 וַעֲצַת עֶלְיוֹן נָאָצוּ Ps. 107:11
54 וַעֲצַת יְיָ הִיא תָקוּם Prov. 19:21
55 וַעֲצַת נִפְתָּלִים נִמְהָרָה Job 5:13
56 וַעֲצַת רְשָׁעִים רָחֲקָה מֶנִּי Job 22:18
בַּעֲצַת־ 57 אֲשֶׁר לֹא הָלַךְ בַּעֲצַת רְשָׁעִים Ps. 1:1
58 לְהוֹצִיא...בַּעֲצַת אֲדֹנָי וְהַחֲרֵדִים... Ez. 10:3
כַּעֲצַת־ 59 וַיְדַבֵּר אֲלֵיהֶם כַּעֲצַת הַיְלָדִים IK. 12:14
60 כַּעֲצַת הַשָּׂרִים וְהַזְּקֵנִים Ez. 10:8
61 וַיְדַבֵּר אֲלֵהֶם כַּעֲצַת הַיְלָדִים IICh. 10:14
מֵעֲצַת־ 62 טוֹבָה...מֵעֲצַת אֲחִיתֹפֶל IISh. 17:14
63 וּמֶתֶק רֵעֵהוּ מֵעֲצַת־נָפֶשׁ Prov. 27:9
עֲצָתִי 64 עֲצָתִי תָקוּם וְכָל־חֶפְצִי אֶעֱשֶׂה Is. 46:10
65 מֵאֶרֶץ מֶרְחָק אִישׁ עֲצָתִי (כ׳ עצתו) Is. 46:11
66 גַּם־עֵדֹתֶיךָ שַׁעֲשֻׁעָי אַנְשֵׁי עֲצָתִי Ps. 119:24
67 וַתִּפְרְעוּ כָל־עֲצָתִי Prov. 1:25
68 וְיִדְּמוּ לְמוֹ עֲצָתִי Job 29:21
לַעֲצָתִי 69 לֹא־אָבוּ לַעֲצָתִי Prov. 1:30
70 וְלֹא שָׁמַעְתָּ לַעֲצָתִי IICh. 25:16
עֲצָתְךָ 71 וְכָל־עֲצָתְךָ יְמַלֵּא Ps. 20:5
בַּעֲצָתְךָ 72 בַּעֲצָתְךָ תַנְחֵנִי Ps. 73:24
עֲצָתוֹ 73 רָאָה כִּי לֹא נֶעֶשְׂתָה עֲצָתוֹ IISh. 17:23
74 וְאִישׁ עֲצָתוֹ יוֹדִיעֶנּוּ Is. 40:13
75 וְלֹא הֵבִינוּ עֲצָתוֹ Mic. 4:12
76 וְתַשְׁלִיכֵהוּ עֲצָתוֹ Job 18:7
וַעֲצָתוֹ 77 וַעֲצָתוֹ אֲבַלֵּעַ Is. 19:3
לַעֲצָתוֹ 78 לֹא־חִכּוּ לַעֲצָתוֹ Ps. 106:13
מֵעֲצָתוֹ 79 וְיֵבוֹשׁ יִשְׂרָאֵל מֵעֲצָתוֹ Hosh. 10:6
עֲצָתָם 80 יָדַעְתָּ אֶת־כָּל־עֲצָתָם עָלַי לַמָּוֶת Jer. 18:23
81 וְסֹכְרִים...יוֹעֲצִים לְהָפֵר עֲצָתָם Ez. 4:5
82 וַיָּפֶר הָאֱלֹהִים אֶת־עֲצָתָם Neh. 4:9
בַּעֲצָתָם 83 וְהֵמָּה יַמְרוּ בַּעֲצָתָם Ps. 106:43
84 גַּם בַּעֲצָתָם הָלַךְ IICh. 22:5
עֵצוֹת 85 כִּי־גוֹי אֹבַד עֵצוֹת הֵמָּה Deut. 32:28
86 עֵצוֹת מֵרָחוֹק אֱמוּנָה אֹמֶן Is. 25:1
87 עַד־אָנָה אָשִׁית עֵצוֹת בְּנַפְשִׁי Ps. 13:3
עֲצָתָיִךְ 88 נִלְאֵית בְּרֹב עֲצָתָיִךְ Is. 47:13

עֵצָה²
נ׳ שם כולל לעצים

עֵצָה 1 כִּרְתוּ עֵצָה וְשִׁפְכוּ...סֹלְלָה Jer. 6:6

עָצוּב
ת׳ – עין עָצַב

עָצוּם
ת׳ כביר, גדול, רב (בכח או בכמות): 1-31

קרובים: ראה חָזָק

– עָצוּם מְאֹד 2; עָצוּם וָרָב 4; גָּדוֹל וְעָ׳ 12, 14, 16; רַב וְעָצוּם 13, 15

– גּוֹי עָצוּם 3-6, 9, 12; לֹא־עָצוּם 11; מִקְנֶה עָ׳ 2; עַם עָצוּם 7, 10, 13

– גְּדוֹלִים וַעֲצוּמִים 23, 25-27; גּוֹיִם עֲצוּמִים 19,18, 24-27; חַטֹּאת עֲצֻמִים 28; מְלָכִים עֲצוּמִים 20

עָצוּם 1 כִּי־עָצוּם הוּא מִמֶּנִּי Num. 22:6
2 וּמִקְנֶה רַב...וְלִבְנֵי־גָד עָצוּם מְאֹד Num. 32:1
3 ...לְגוֹי־עָצוּם וָרָב מִמֶּנּוּ Deut. 9:14
4 וַיְהִי־שָׁם לְגוֹי גָּדוֹל עָצוּם וָרָב Deut. 26:5
5 ...וְהַצָּעִיר לְגוֹי עָצוּם Is. 60:22
6 כִּי־גוֹי...עָצוּם וְאֵין מִסְפָּר Joel 1:6
7 כְּעַם עָצוּם עֱרוּךְ מִלְחָמָה Joel 2:5
8 כִּי עָצוּם עֹשֵׂה דְבָרוֹ Joel 2:11
9 וְהַנַּהֲלָאָה לְגוֹי עָצוּם Mic. 4:7
10 בְּעַם עָצוּם אֲהַלְלֶךָּ Ps. 35:18
11 שְׁפַנִּים עַם לֹא־עָצוּם Prov. 30:26
וְעָצוּם 12 הָיוֹ יִהְיֶה לְגוֹי גָּדוֹל וְעָצוּם Gen. 18:18
13 הִנֵּה עַם בְּ״י רַב וְעָצוּם מִמֶּנּוּ Ex. 1:9
14 ...לְגוֹי־גָּדוֹל וְעָצוּם מִמֶּנּוּ Num. 14:12
15 עַם רַב וְעָצוּם Joel 2:2
16 בְּחַיִל־גָּדוֹל וְעָצוּם עַד־מְאֹד Dan. 11:25
עֲצוּמִים 17 וְאֶת־עֲצוּמִים יְחַלֵּק שָׁלָל Is. 53:12
18 וְהוֹכִיחַ לְגוֹיִם עֲצֻמִים Mic. 4:3
19 וּבָאוּ עַמִּים רַבִּים וְגוֹיִם עֲצוּמִים Zech. 8:22
20 וְהָרַג מְלָכִים עֲצוּמִים Ps. 135:10
21 וּבֵין עֲצוּמִים יַפְרִיד Prov. 18:18
22 וְהִשְׁחִית עֲצוּמִים וְעַם־קְדֹשִׁים Dan. 8:24
וַעֲצֻמִים 23 גּוֹיִם גְּדֹלִים וַעֲצֻמִים מִמְּךָ Deut. 4:38
24 שִׁבְעָה גוֹיִם רַבִּים וַעֲצוּמִים מִמֶּךָּ Deut. 7:1
25 גּוֹיִם גְּדֹלִים וַעֲצֻמִים מִמֶּךָּ Deut. 9:1
26 גּוֹיִם גְּדֹלִים וַעֲצֻמִים מִכֶּם Deut. 11:23
27 וַיּוֹרֶשׁ...גּוֹיִם גְּדֹלִים וַעֲצוּמִים Josh. 23:9
28 רַבִּים...וַעֲצֻמִים חַטֹּאתֵיכֶם Am. 5:12
29 וַעֲצֻמִים כָּל־הֲרֻגֶיהָ Prov. 7:26
הָעֲצוּמִים 30 אֶת־מֵי הַנָּהָר הָעֲצוּמִים וְהָרַבִּים Is. 8:7
בַּעֲצוּמָיו 31 וְנָפַל בַּעֲצוּמָיו חֵל כָּאִים° Ps. 10:10

עֲצוּמָה*
נ׳ תביעה תקיפה

עֲצֻמוֹתֵיכֶם 1 קָרְבוּ...הַגִּישׁוּ עֲצֻמוֹתֵיכֶם Is. 41:21

עֲצִיב
ת׳ ארמית: עָצוּב

עֲצִיב 1 וּכְמִקְרְבֵהּ...בְּקָל עֲצִיב זְעִק Dan. 6:21

עֶצְיוֹן גֶּבֶר
ש״פ – נמל שחקים שלמה בצפון מפרץ אילת: 1-7

בְּעֶצְיוֹן גָּ׳ 1 בְּעֶצְיוֹן־גֶּבֶר אֲשֶׁר אֶת־אֵלוֹת IK. 9:26
2 וַיִּסְעוּ...וַיַּחֲנוּ בְּעֶצְיֹן גָּבֶר Num. 33:35
3 נִשְׁבְּרוּ° אֳנִיּוֹת בְּעֶצְיוֹן גָּבֶר IK. 22:49
4 וַיַּעֲשׂוּ אֳנִיּוֹת בְּעֶצְיוֹן גָּבֶר IICh. 20:36
לְעֶצְיוֹן גָּ׳ 5 אָז הָלַךְ שְׁלֹמֹה לְעֶצְיוֹן־גֶּבֶר IICh. 8:17
מֵעֶצְיֹן גָּ׳ 6 וַיִּסְעוּ מֵעֶצְיֹן גָּבֶר Num. 33:36
וּמֵעֶצְיֹן גָּ׳ 7 וַנַּעֲבֹר...מֵאֵילַת וּמֵעֶצְיֹן גָּבֶר Deut. 2:8

עצל
: נֶעֱצַל; עָצֵל, עַצְלָה, עַצְלוּת, עֲצַלְתַּיִם

(עצל) נֶעֱצַל
נפ׳ התרשל

תֵּעָצְלוּ 1 אַל־תֵּעָצְלוּ לָלֶכֶת לָבֹא לָרֶשֶׁת Jud. 18:9

עָצֵל
תו״ז נרפה, מתרשל במלאכתו: 1-14

קרוב: נִרְפֶּה (רפה)

אִישׁ עָצֵל 10; דֶּרֶךְ עָצֵל 4; תַּאֲוַת עָצֵל 8

עָצֵל 1 לֵךְ־אֶל־נְמָלָה עָצֵל Prov. 6:6
2 עַד־מָתַי עָצֵל תִּשְׁכָּב Prov. 6:9
3 מִתְאַוָּה וָאַיִן נַפְשׁוֹ עָצֵל Prov. 13:4
4 דֶּרֶךְ עָצֵל כִּמְשֻׂכַת חָדֶק Prov. 15:19
5-6 טָמַן עָצֵל יָדוֹ בַּצַּלָּחַת Prov. 19:24; 26:15
7 מֵחֹרֶף עָצֵל לֹא־יַחֲרֹשׁ Prov. 20:4
8 תַּאֲוַת עָצֵל תְּמִיתֶנּוּ Prov. 21:25
9 אָמַר עָצֵל אֲרִי בַחוּץ Prov. 22:13
10 עַל־שְׂדֵה אִישׁ־עָצֵל עָבַרְתִּי Prov. 24:30
11 אָמַר עָצֵל שַׁחַל בַּדָּרֶךְ Prov. 26:13
12 חָכָם עָצֵל בְּעֵינָיו Prov. 26:16
וְעָצֵל 13 הַדֶּלֶת...עַל־צִירָהּ וְעָצֵל עַל־מִטָּתוֹ Prov. 26:14
הֶעָצֵל 14 כַּחֹמֶץ לַשִּׁנַּיִם...כֵּן הֶעָ׳ לְשֹׁלְחָיו Prov. 10:26

עַצְלָה
נ׳ רשלנות

עַצְלָה 1 עַצְלָה תַּפִּיל תַּרְדֵּמָה Prov. 19:15

עַצְלוּת
נ׳ עצלה, חבוק ידים

עַצְלוּת 1 וְלֶחֶם עַצְלוּת לֹא תֹאכֵל Prov. 31:27

עֲצַלְתַּיִם
נ״ז עצלות

בַּעֲצַלְתַּיִם 1 בַּעֲצַלְתַּיִם יִמַּךְ הַמְּקָרֶה Eccl. 10:18

עצם
: א) עָצַם, הֶעֱצִים; עָצוּם, עֲצוּמָה, עֹצֶם, עָצְמָה, תַּעֲצֻמוֹת; ש״פ עַצְמוֹן
ב) עָצַם, עֶצֶם
ג) עִצֵּם; עֶצֶם

עָצַם¹
פ׳ א) היה חזק, היה רב: 1-16
ב) [הפ׳ הֶעֱצִים] חזק: 17

קרובים: ראה חָזַק

וּכְעָצְמוֹ 1 וּכְעָצְמוֹ נִשְׁבְּרָה הַקֶּרֶן הַגְּדֹלָה Dan. 8:8
עָצַמְתָּ 2 לֵךְ...כִּי־עָצַמְתָּ מִמֶּנּוּ מְאֹד Gen. 26:16
וְעָצַם 3 וְעָצַם כֹּחוֹ וְלֹא בְכֹחוֹ Dan. 8:24
4 וְעָלָה וְעָצַם בִּמְעַט־גּוֹי Dan. 11:23
עָצְמוּ 5 וְעַל פָּרָשִׁים כִּי־עָצְמוּ מְאֹד Is. 31:1
6 רַבּוּ פִּשְׁעֵיהֶם עָצְמוּ מְשֻׁבוֹתֵיהֶם Jer. 5:6
7 עָצְמוּ־לִי אַלְמְנוֹתָו מֵחוֹל יַמִּים Jer. 15:8
8/9 עַל רֹב עֲוֹנֵךְ עָצְמוּ חַטֹּאתָיִךְ(־ת) Jer. 30:14, 15
10 נִפְלְאֹתֶיךָ...עָצְמוּ מִסַּפֵּר Ps. 40:6
11 עָצְמוּ מִשַּׂעֲרוֹת רֹאשִׁי Ps. 40:13
12 עָצְמוּ מַצְמִיתַי אֹיְבַי שֶׁקֶר Ps. 69:5
13 מָה עָצְמוּ רָאשֵׁיהֶם Ps. 139:17
עָצֵמוּ 14 וְאֹיְבַי חַיִּים עָצֵמוּ Ps. 38:20
וַיַּעַצְמוּ 15 וַיִּרְבּוּ וַיַּעַצְמוּ בִּמְאֹד מְאֹד Ex. 1:7
16 וַיִּרֶב הָעָם וַיַּעַצְמוּ מְאֹד Ex. 1:20
וַיַּעֲצִימֵהוּ 17 וַיֶּפֶר אֶת־עַמּוֹ וַיַּעֲצִמֵהוּ מִצָּרָיו Ps. 10:5:24

עָצַם²
פ׳ א) סגר (עינים): 1
ב) [פ׳ עִצֵּם] כנ״ל: 2

וְעֹצֵם 1 וְעֹצֵם עֵינָיו מֵרְאוֹת בְּרָע Is. 33:15
וַיְעַצֵּם 2 וַיְעַצֵּם אֶת־עֵינֵיכֶם Is. 29:10

עָצַם³
פ׳ שבר, פצח

עִצְּמוֹ 1 הָרִאשׁוֹן אֲכָלוֹ...וְזֶה הָאַחֲרוֹן עִצְּמוֹ Jer. 50:17

עֹצֶם
ז׳ חוזק: 1-3 • קרובים: ראה כֹּחַ

עֹצֶם יָדוֹ 1, 2

וְעֹצֶם־ 1 כֹּחִי וְעֹצֶם יָדִי עָשָׂה לִי Deut. 8:17
בְּעֹצֶם־ 2 בְּעֹצֶם יָדְךָ תִשְׂטְמֵנִי Job 30:21
עָצְמִי 3 לֹא־נִכְחַד עָצְמִי מִמֶּךָּ Ps. 139:15

עֶצֶם¹ נ׳ א) החלק הקשה בשלד בעלי-החוליות:
רוב המקראות 1-126
ב) [בהשאלה] עִקרו של דבר, ממש: 9-12, 14-27, 29, 30
קרוב: גֶּרֶם

– עֶצֶם אָדָם 13, 28; עַצְמִי וּבְשָׂרִי (עַצְמְךָ וּבְשָׂרְךָ וכד׳) 31-33, 37, 38, 41; עֶצֶם אֶל עַצְמוֹ 2; עֶצֶם מֵעֲצָמַי 1
– (בְּ)עֶצֶם הַיּוֹם הַזֶּה 9-12, 14-27; בְּעֶצֶם תֻּמּוֹ 29, כְּעֶצֶם הַשָּׁמַיִם 30
– מִבְחַר עֲצָמִים 43; רֹב עֲצָמִים 54
– עֲצָמוֹת יְבֵשׁוֹת 66; מֹחַ עֲצָמוֹת 114; רְקַב עֲצָמוֹת 62
– עַצְמוֹת אָדָם 79, 81, 89; ע׳ אֱלִישָׁע 91; ע׳ חוֹנָךְ 88; ע׳ יְהוֹנָתָן 74, 76, 78; ע׳ יוֹסֵף 72; ע׳ יוֹשְׁבֵי יְרוּשָׁלִַם 86; ע׳ כֹּהֲנִים 84, 90; ע׳ מוּקָעִים 77; ע׳ מֶלֶךְ אֱדוֹם 87; ע׳ מְלָכִים 82; ע׳ נְבִיאִים 80, 85; ע׳ שָׁאוּל 73, 75, 78; עַצְמוֹת שָׂרִים 83
– אַדְמָה עֶצֶם 3; דָּבְקָה ע׳ 34, 35; דִּשֵּׁן ע׳ 4; חָרָה עֶצֶם 36; שָׁבַר עֶצֶם 5, 6
– בָּלוּ עֲצָמִים 49; בִּשְׁלוּ ע׳ 56; דָּר (דּוֹר) עֲצָמִים 45; הוֹצִיא ע׳ 44; נִבְהֲלוּ עֲצָמִים 48; נִפְזְרוּ עֲצָמִים 58; נִקַּר עֲצָמִים 47; עָשְׁשׁוּ עֲצָמִים 50
– אָמְרוּ עֲצָמוֹת 95; גִּלּוּ ע׳ 61; הִתְפָּרְדוּ ע׳ 99; חָיוּ ע׳ 64; יָבְשׁוּ ע׳ 118; נִחֲרוּ ע׳ 68, 102; קָרְבוּ ע׳ 39; רָחֲפוּ ע׳ 94; שֻׁפּוּ עֲצָמוֹת 115
– אָסַף עֲצָמוֹת 77; גֵּרֵם ע׳ 126; הֶחֱלִיץ ע׳ 107; הֵנִיעַ ע׳ 110; הֶעֱלָה ע׳ 92, 93; הִפְחִיד ע׳ 96; זֵרָה ע׳ 119; לָקַח ע׳ 123; מִלֵּט ע׳ 80; סִפֵּר ע׳ 100; פִּזַּר ע׳ 88; פִּצַּח ע׳ 124; קָבַר ע׳ 72, 78, 125; שִׁבֵּר ע׳ 98, 101; שָׁמַר ע׳ 112; שָׂרַף עַצְמוֹת 81, 87, 89, 90

עֶצֶם 1 עֶצֶם מֵעֲצָמַי וּבָשָׂר מִבְּשָׂרִי Gen. 2:23
2 וַתִּקְרְבוּ עֲצָמוֹת עֶצֶם אֶל-עַצְמוֹ Ezek. 37:7
3 אָדְמוּ עֶצֶם מִפְּנִינִים Lam. 4:7
עָצֶם 4 שְׁמוּעָה טוֹבָה תְּדַשֶּׁן-עָצֶם Prov. 15:30
וְעֶצֶם 5 וְעֶצֶם לֹא-תִשְׁבְּרוּ-בוֹ Ex. 12:46
6 וְעֶצֶם לֹא יִשְׁבְּרוּ-בוֹ Num. 9:12
בַּעֶצֶם 7 וְעַל-הַנֹּגֵעַ בַּעֶצֶם אוֹ בֶחָלָל Num. 19:18
לָעָצֶם 8 מָתוֹק לַנֶּפֶשׁ וּמַרְפֵּא לָעָצֶם Prov. 16:24
עֶצֶם- 9/10 עַד-עֶצֶם הַיּוֹם הַזֶּה Lev. 23:14 • Josh. 10:27
11 עַד-עֶצֶם הַיּוֹם הַזֶּה Ezek. 2:3
12 אֶת-שֵׁם הַיּוֹם אֶת-עֶצֶם הַיּוֹם הַזֶּה Ezek. 24:2
13 וְרָאָה עֶצֶם אָדָם Ezek. 39:15
בְּעֶצֶם- 14-27 בְּעֶצֶם הַיּוֹם הַזֶּה Gen. 7:13; 17:23, 26
Ex. 12:17, 41, 51 • Lev. 23:21, 28, 29, 30 • Deut. 32:48 • Josh. 5:11 • Ezek. 24:2; 40:1
28 אוֹ-בְעֶצֶם אָדָם אוֹ בְקָבֶר Num. 19:16
29 זֶה יָמוּת בְּעֶצֶם תֻּמּוֹ Job 21:23
וּכְעֶצֶם- 30 וּכְעֶצֶם הַשָּׁמַיִם לָטֹהַר Ex. 24:10
עַצְמִי 31 אַךְ עַצְמִי וּבְשָׂרִי אָתָּה Gen. 29:14
32 אַחַי אַתֶּם עַצְמִי וּבְשָׂרִי אַתֶּם IISh. 19:13
33 הֲלוֹא עַצְמִי וּבְשָׂרִי אָתָּה IISh. 19:14
34 דָּבְקָה עַצְמִי לִבְשָׂרִי Ps. 102:6
35 בְּעוֹרִי וּבִבְשָׂרִי דָּבְקָה עַצְמִי Job 19:20
וְעַצְמִי 36 וְעַצְמִי-חָרָה מִנִּי-חֹרֶב Job 30:30
עַצְמְךָ 37 הִנְנוּ עַצְמְךָ וּבְשָׂרְךָ אֲנָחְנוּ IISh. 5:1
38 הִנֵּה עַצְמְךָ וּבְשָׂרְךָ אֲנָחְנוּ ICh. 11:1
עַצְמוֹ 39 וַתִּקְרְבוּ עֲצָמוֹת עֶצֶם אֶל-עַצְמוֹ Ezek. 37:7
40 וְגַע אֶל-עַצְמוֹ וְאֶל-בְּשָׂרוֹ Job 2:5
עַצְמְכֶם 41 כִּי-עַצְמְכֶם וּבְשַׂרְכֶם אָנִי Jud. 9:2
עַצְמָם 42 צָפַד עוֹרָם עַל-עַצְמָם Lam. 4:8

עֲצָמִים 43 מִבְחַר עֲצָמִים מַלֵּא Ezek. 24:4
44 לְהוֹצִיא עֲצָמִים מִן-הַבַּיִת Am. 6:10
הָעֲצָמִים 45 וְגַם דּוּר הָעֲצָמִים תַּחְתֶּיהָ Ezek. 24:5
כַּעֲצָמִים 46 כַּעֲצָמִים בְּבֶטֶן הַמְּלֵאָה Eccl. 11:5
עֲצָמַי 47 לַיְלָה עֲצָמַי נִקַּר מֵעָלָי Job 30:17
עֲצָמָי 48 רְפָאֵנִי יְיָ כִּי נִבְהֲלוּ עֲצָמָי Ps. 6:3
49 כִּי-הֶחֱרַשְׁתִּי בָּלוּ עֲצָמָי Ps. 32:3
וַעֲצָמַי 50 כָּשַׁל בַּעֲוֹנִי כֹחִי וַעֲצָמַי עָשֵׁשׁוּ Ps. 31:11
בַּעֲצָמַי 51 יָבוֹא רָקָב בַּעֲצָמַי וְתַחְתַּי אֶרְגָּז Hab. 3:16
52 אֵין-שָׁלוֹם בַּעֲצָמַי מִפְּנֵי חַטָּאתִי Ps. 38:4
מֵעֲצָמַי 53 עֶצֶם מֵעֲצָמַי וּבָשָׂר מִבְּשָׂרִי Gen. 2:23
עֲצָמָיו 54 וְרוֹב° עֲצָמָיו אֵתָן Job 33:19
55 עֲצָמָיו אֲפִיקֵי נְחוּשָׁה Job 40:18
עֲצָמֶיהָ 56 גַּם-בָּשְׁלוּ עֲצָמֶיהָ בְּתוֹכָהּ Ezek. 24:5
לַעֲצָמֶיהָ 57 וַיְנַתְּחֶהָ לַעֲצָמֶיהָ Jud. 19:29
עֲצָמֵינוּ 58 נִפְזְרוּ עֲצָמֵינוּ לְפִי שְׁאוֹל Ps. 141:7
עֲצָמוֹת 59 וְהִיא מְלֵאָה עֲצָמוֹת Ezek. 37:1
60 וַתִּקְרְבוּ עֲצָמוֹת עֶצֶם אֶל-עַצְמוֹ Ezek. 37:7
61 תָּגֵלְנָה עֲצָמוֹת דִּכִּיתָ Ps. 51:10
62 וּרְקַב עֲצָמוֹת קִנְאָה Prov. 14:30
הָעֲצָמוֹת 63 וַיִּקַּח אֶת-הָעֲצָמוֹת מִן-הַקְּבָרִים IIK. 23:16
64 הֲתִחְיֶינָה הָעֲצָמוֹת הָאֵלֶּה Ezek. 37:3
65 הִנָּבֵא עַל-הָעֲצָמוֹת הָאֵלֶּה Ezek. 37:4
66 הָעֲצָמוֹת הַיְבֵשׁוֹת שִׁמְעוּ דְּבַר-יְיָ Ezek. 37:4
67 הָעֲצָמוֹת הָאֵלֶּה כָּל-בֵּית יִשְׂרָאֵל Ezek. 37:11
וְהָעֲצָמוֹת 68 וְהַרְקַח הַמֶּרְקָחָה וְהָעֲצָמוֹת יֵחָרוּ Ezek. 24:10
וּבַעֲצָמוֹת 69 וּבַעֲצָמוֹת וְגִידִים תְּשֹׂכְכֵנִי Job 10:11
לָעֲצָמוֹת 70 אָמַר אֲדֹנָי יֱהֹוִה לָעֲצָמוֹת הָאֵלֶּה Ezek. 37:5
עַצְמוֹת- 71 וַיִּקַּח מֹשֶׁה אֶת-עַצְמוֹת יוֹסֵף עִמּוֹ Ex. 13:19
72 וְאֶת-עַצְמוֹת יוֹסֵף...קָבְרוּ בִשְׁכֶם Josh. 24:32
73/4 אֶת-עַצְמוֹת שָׁאוּל IISh. 21:12, 13
75/6 וְאֶת-עַצְמוֹת יְהוֹנָתָן בְּנוֹ IISh. 21:12, 13
77 וַיַּאַסְפוּ אֶת-עַצְמוֹת הַמּוּקָעִים IISh. 21:13
78 וַיִּקְבְּרוּ אֶת-עַצְמוֹת שָׁאוּל וִיה׳ בְּנוֹ IISh.21:14
79 וַיְמַלֵּא אֶת-מְקוֹמָם עַצְמוֹת אָדָם IIK. 23:14
80 וַיְמַלְּטוּ...אֵת עַצְמוֹת הַנָּבִיא IIK. 23:18
81 וַיִּשְׂרֹף אֶת-עַצְמוֹת אָדָם עֲלֵיהֶם IIK. 23:20
82 יוֹצִיאוּ אֶת-עַצְמוֹת מַלְכֵי-יְהוּדָה Jer. 8:1
83/4 עַצְמוֹת שָׂרָיו...עַצְמוֹת הַכֹּהֲנִים Jer. 8:1
85 וְאֵת עַצְמוֹת הַנְּבִיאִים Jer. 8:1
86 וְאֵת עַצְמוֹת יוֹשְׁבֵי-יְרוּשָׁלִָם Jer. 8:1
87 עַל-שָׂרְפוֹ עַצְמוֹת מֶלֶךְ-אֱדוֹם לַשִּׂיד Am. 2:1
88 כִּי-אֱלֹהִים פִּזַּר עַצְמוֹת חֹנָךְ Ps. 53:6
וְעַצְמוֹת- 89 וְעַצְמוֹת אָדָם יִשְׂרְפוּ עָלֶיךָ IK. 13:2
90 וְעַצְמוֹת כֹּהֲנִים שָׂרַף IICh. 34:5
בְּעַצְמוֹת- 91 וַיִּגַּע הָאִישׁ בְּעַצְמוֹת אֱלִישָׁע IIK. 13:21
עַצְמֹתַי 92 וְהַעֲלִתֶם אֶת-עַצְמֹתַי מִזֶּה Gen. 50:25
93 וְהַעֲלִיתֶם אֶת-עַצְמֹתַי מִזֶּה אִתְּכֶם Ex. 13:19
94 רָחֲפוּ כָּל-עַצְמוֹתַי Jer. 23:9
95 כָּל-עַצְמוֹתַי תֹּאמַרְנָה Ps. 35:10
96 וְרֹב עַצְמוֹתַי הִפְחִיד Job 4:14
עַצְמֹתָי 97 אֵצֶל...הַנִּיחוּ אֶת-עַצְמֹתָי IK. 13:31
98 כַּאֲרִי כֵּן יְשַׁבֵּר כָּל-עַצְמוֹתָי Is. 38:13
99 וְהִתְפָּרְדוּ כָּל-עַצְמוֹתָי Ps. 22:15
100 אֲסַפֵּר כָּל-עַצְמוֹתָי Ps. 22:18
101 בִּלָּה בְשָׂרִי...שִׁבַּר עַצְמוֹתָי Lam. 3:4
וְעַצְמוֹתַי 102 וְעַצְמוֹתַי כְּמוֹקֵד נִחָרוּ Ps. 102:4
בְּעַצְמוֹתַי 103 בְּרֶצַח בְּעַצְמוֹתַי חֵרְפוּנִי צוֹרְרָי Ps. 42:11
104 שָׁלַח-אֵשׁ בְּעַצְמֹתַי וַיִּרְדֶּנָּה Lam. 1:13
בְּעַצְמֹתָי 105 כְּאֵשׁ בֹּעֶרֶת עָצֻר בְּעַצְמֹתָי Jer. 20:9
מֵעַצְמוֹתָי 106 וַתִּבְחַר...מָוֶת מֵעַצְמוֹתָי Job 7:15
וְעַצְמֹתֶיךָ 107 וְהִשְׂבִּיעַ...וְעַצְמֹתֶיךָ יַחֲלִיץ Is. 58:11

לְעַצְמוֹתֶיךָ 108 רִפְאוּת...לְשָׁרֶּךָ וְשִׁקּוּי לְעַצְמוֹתֶיךָ Prov. 3:8
עַצְמֹתָיו 109 אֵצֶל עַצְמֹתָיו הַנִּיחוּ אֶת-עַצְמֹתָי IK. 13:31
110 אִישׁ אַל-יָנַע עַצְמֹתָיו IIK. 23:18
111 וַיְמַלְּטוּ עַצְמֹתָיו אֵת עַצְמוֹת הַנָּבִיא IIK.23:18
112 שֹׁמֵר כָּל-עַצְמוֹתָיו Ps. 34:21
113 עַצְמוֹתָיו מָלְאוּ עֲלוּמָו Job 20:11
114 וּמֹחַ עַצְמוֹתָיו יְשֻׁקֶּה Job 21:24
115 וְשֻׁפּוּ° עַצְמֹתָיו לֹא רֻאוּ Job 33:21
בְּעַצְמוֹתָיו 116 כַמַּיִם בְּקִרְבּוֹ וְכַשֶּׁמֶן בְּעַצְמוֹתָיו Ps. 109:18
117 וּכְרָקָב בְּעַצְמוֹתָיו מְבִישָׁה Prov. 12:4
עַצְמוֹתֵינוּ 118 יָבְשׁוּ עַצְמוֹתֵינוּ וְאָבְדָה תִקְוָתֵנוּ Ezek. 37:11
עַצְמוֹתֵיכֶם 119 וְזֵרִיתִי אֶת-עַצְמוֹתֵיכֶם Ezek. 6:5
וְעַצְמוֹתֵיכֶם 120 וְעַצְמוֹתֵיכֶם כַּדֶּשֶׁא תִפְרַחְנָה Is. 66:14
עַצְמוֹתָם 121 וַתְּהִי עֲוֺנֹתָם עַל-עַצְמוֹתָם Ezek. 32:27
122 גֹּזְלֵי...וּשְׁאֵרָם מֵעַל עַצְמוֹתָם Mic. 3:2
עַצְמֹתֵיהֶם 123 וַיִּקְחוּ אֶת-עַצְמֹתֵיהֶם ISh. 31:13
124 וְאֶת-עַצְמֹתֵיהֶם פִּצֵּחוּ Mic. 3:3
125 וַיִּקְבְּרוּ אֶת-עַצְמוֹתֵיהֶם ICh. 10:12
וְעַצְמֹתֵיהֶם 126 יֹאכַל...וְעַצְמֹתֵיהֶם יְגָרֵם Num. 24:8

עֶצֶם² ש״פ – עיר בנחלת שמעון בגבול נגב יהודה: 1-3
וָעֶצֶם 1 בַּעֲלָה וְעִיִּים וָעֶצֶם Josh. 15:29
2 וַחֲצַר שׁוּעָל וּבָלָה וָעָצֶם Josh. 19:3
וּבְעֶצֶם 3 וּבְבִלְהָה וּבְעֶצֶם וּבְתוֹלָד ICh. 4:29

עָצְמָה נ׳ עוֹצֶם, חוֹזֶק: 1-3 • קרובים: ראה כֹּחַ
עָצְמַת חֲבָרַיִךְ 3
עָצְמָה 1 וּלְאֵין אוֹנִים עָצְמָה יַרְבֶּה Is. 40:29
2 כּוּשׁ עָצְמָה וּמִצְרַיִם וְאֵין קֵצֶה Nah. 3:9
בְּעָצְמַת- 3 בְּרֹב כְּשָׁפַיִךְ בְּעָצְמַת חֲבָרַיִךְ מְאֹד Is. 47:9

עַצְמוֹן ש״פ – ישוב בנחלת יהודה על גבול הנגב: 1-3
מֵעַצְמוֹן 1 וְנָסַב הַגְּבוּל מֵעַצְמוֹן נַחְלָה מִצְרָיִם Num. 34:5
עַצְמֹנָה 2 וְיָצָא חֲצַר-אַדָּר וְעָבַר עַצְמֹנָה Num. 34:4
3 וְעָבַר עַצְמוֹנָה וְיָצָא נַחַל מִצְרַיִם Josh. 15:4

עֶצְנִי ת׳ המתייחס על מקום בשם עֵצֶן(?)
הָעֶצְנִי 1 רֹאשׁ...הוּא עֲדִינוֹ הָעֶצְנִי (כת׳ העצנו) IISh. 23:8

עצר : עָצַר, נֶעֱצַר; עָצוּר, עֶצֶר, עֹצֶר, מַעְצוֹר, מַעְצָר; עֲצָרָה, עֲצֶרֶת

עָצַר פ׳ א) מנע, עכב: 1-12, 25-27, 29-36
ב) [בהשאלה] משל, שלט: 28
ג) [עָצוּר] כלוא, מנוע: 13-24
ד) [נפ׳ נֶעֱצַר] נמנע: 37-39, 41-46
ה) [כנ״ל] התעכב: 40
קרובים: בָּלַם / הֵנִיא (נוא) / כָּלָא / מָנַע

– עָצַר כֹּחַ 3-5, 8, 31, 34, 35; עָצוּר (...) (וְ)עָזוּב 13-15, 22, 23
– נֶעֶצְרָה מַגֵּפָה 39, 41-46; נֶעֶצְרוּ הַשָּׁמַיִם 37, 38
– עָצַר (אֶת-) רוב המקראות 3-36; עָצַר בְּ- 2, 11, 16, 28, 29; עָצַר בְּעַד 1; עָצַר לְ- 24, 26

עָצַר 1 כִּי-עָצֹר עָצַר יְיָ בְּעַד כָּל-רֶחֶם Gen. 20:18
וַעְצֹר 2 וַעְצֹר בְּמִלִּין מִי יוּכָל Job 4:2
לַעְצֹר 3 וְאֵין...לַעְצֹר כֹּחַ לְמַמְלָכָה IICh. 22:9
עָצַרְתִּי 4/5 וְלֹא עָצַרְתִּי כֹּחַ Dan. 10:8, 16
וְעָצַרְתִּי 6 אִם-אֲנִי הַמּוֹלִיד וְעָצַרְתִּי Is. 66:9
עָצַר 7 כִּי-עָצֹר עָצַר יְיָ בְּעַד כָּל-רֶחֶם Gen. 20:18
8 וְלֹא-עָצַר כֹּחַ יָרָבְעָם עוֹד IICh. 13:20
וְעָצַר 9 וְעָצַר אֶת-הַשָּׁמַיִם וְלֹא-יִהְיֶה מָטָר Deut. 11:17

עֲצָרַנִי 10 הִנֵּה־נָא עֲצָרַנִי יְיָ מִלֶּדֶת Gen. 16:2
עָצְרוּ 11 שָׂרִים עָצְרוּ בְמִלִּים Job. 29:9
12 וְלֹא עָצְרוּ לָלֶכֶת אֶל־תַּרְשִׁישׁ IICh. 20:37
עָצוּר 13 וְאֶפֶס עָצוּר וְעָזוּב Deut. 32:36
14 וְהִכְרַתִּי...עָצוּר וְעָזוּב בְּיִשְׂרָאֵל IK. 14:10
15 וְאֶפֶס עָצוּר וְאֶפֶס עָזוּב IIK. 14:26
16 כְּאֵשׁ בֹּעֶרֶת עָצֻר בְּעַצְמֹתָי Jer. 20:9
17/8 עָצוּר בַּחֲצַר הַמַּטָּרָה Jer. 33:1; 39:15
19 אֲנִי עָצוּר לֹא אוּכַל לָבוֹא Jer. 36:5
20 וַאֲנִי בָאתִי...וְהוּא עָצוּר Neh. 6:10
21 עוֹד עָצוּר מִפְּנֵי שָׁאוּל ICh. 12:1
וְעָצוּר 22/3 וְעָצוּר וְעָזוּב בְּיִשְׂרָאֵל IK. 21:21 • IIK. 9:8
עֲצֻרָה 24 כִּי אִם־אִשָּׁה עֲצֻרָה־לָנוּ ISh. 21:6
אֶעְצֹר 25 הֵן אֶעְצֹר הַשָּׁמַיִם וְלֹא־יִהְיֶה מָטָר IICh. 7:13
תַּעֲצָר־ 26 אַל־תַּעֲצָר־לִי לִרְכֹּב IIK. 4:24
תַּעְצְרֵנִי 27 אִם־תַּעְצְרֵנִי לֹא־אֹכַל בְּלַחְמֶךָ Jud. 13:16
יַעְצֹר 28 זֶה יַעְצֹר בְּעַמִּי ISh. 9:17
29 הֵן יַעְצֹר בַּמַּיִם וְיִבָשׁוּ Job 12:15
30 אַל־יַעְצֹר עִמְּךָ אֱנוֹשׁ IICh. 14:10
יַעֲצָר־ 31 וּמִי יַעֲצָר־כֹּחַ לִבְנוֹת־לוֹ בַיִת IICh. 2:5
יַעֲצָרְכָה 32 אֱסֹר וָרֵד וְלֹא יַעֲצָרְכָה הַגָּשֶׁם IK. 18:44
וַיַּעַצְרֵהוּ 33 וַיַּעַצְרֵהוּ...וַיַּאַסְרֵהוּ בֵּית כֶּלֶא IIK. 17:4
תַעְצֹר 34 וְלֹא־תַעְצֹר כּוֹחַ הַזְּרוֹעַ Dan. 11:6
נַעְצֹר 35 כִּי־נַעְצֹר כֹּחַ לְהִתְנַדֵּב כָּזֹאת ICh. 29:14
נַעְצְרָה 36 נַעְצְרָה־נָּא אוֹתָךְ Jud. 13:15
בְּהֵעָצֵר 37 בְּהֵעָצֵר שָׁמַיִם וְלֹא־יִהְיֶה מָטָר IK. 8:35
38 בְּהֵעָצֵר הַשָּׁמַיִם וְלֹא־יִהְיֶה מָטָר IICh. 6:26
נֶעֱצָרָה 39 וַיָּשָׁב אַהֲרֹן...וְהַמַּגֵּפָה נֶעֱצָרָה Num. 17:15
נֶעְצָר 40 וְשָׁם אִישׁ...נֶעְצָר לִפְנֵי יְיָ ISh. 21:8
וַתֵּעָצַר 41 וַתֵּעָצַר הַמַּגֵּפָה מֵעַל הָעָם IISh. 24:21
42 וַתֵּעָצַר הַמַּגֵּפָה מֵעַל הָעָם ICh. 21:22
וַתֵּעָצַר 43 וַיַּעֲמֹד...וַתֵּעָצַר הַמַּגֵּפָה Num. 17:13
44 וַתֵּעָצַר הַמַּגֵּפָה מֵעַל בְּ״יִ Num. 25:8
45 וַתֵּעָצַר הַמַּגֵּפָה מֵעַל יִשְׂרָאֵל IISh. 24:25
46 וַיַּעֲמֹד...וַתֵּעָצַר הַמַּגֵּפָה Ps. 106:30

עֶצֶר ז׳ שלטון (?) • יוֹרֵשׁ עֶצֶר 1
עֶצֶר 1 וְאֵין־מַכְלִים דָּבָר בָּאָרֶץ יוֹרֵשׁ עֶצֶר Jud. 18:7

עֹצֶר ז׳ לַחַץ (?): 1-3
עֹצֶר רַחַם 1; עֹצֶר רָעָה 3
וְעֹצֶר־ 1 שְׁאוֹל וְעֹצֶר רָחַם Prov. 30:16
מֵעֹצֶר 2 מֵעֹצֶר וּמִמִּשְׁפָּט לֻקָּח Is. 53:8
מֵעֹצֶר־ 3 וַיָּשֹׁחוּ מֵעֹצֶר רָעָה וְיָגוֹן Ps. 107:39

עֲצָרָה נ׳ אסֵפה: 1-4
עֲצָרָה 1 קַדְּשׁוּ עֲצָרָה לַבַּעַל IIK. 10:20
2-3 קַדְּשׁוּ־צוֹם קִרְאוּ עֲצָרָה Joel 1:14; 2:15
וַעֲצָרָה 4 לֹא־אוּכַל אָוֶן וַעֲצָרָה Is. 1:13

עֲצֶרֶת נ׳ א) אסֵפת חג: 1-5
ב) חבורה: 6
ג) קרבן שמקריבים באספת החג: 7
עֲצֶרֶת בֹּגְדִים 6
עֲצֶרֶת 1 מִקְרָא־קֹדֶשׁ...עֲצֶרֶת הִוא Lev. 23:36
2 בַּיּוֹם הַשְּׁמִינִי עֲצֶרֶת תִּהְיֶה לָכֶם Num. 29:35
3 וּבַיּוֹם הַשְּׁבִיעִי עֲצֶרֶת לַייָ אֱלֹהֶיךָ Deut. 16:8
4 וּבַיּוֹם הַשְּׁמִינִי עֲצֶרֶת כַּמִּשְׁפָּט Neh. 8:18
עֲצָרֶת 5 וַיַּעֲשׂוּ בַּיּוֹם הַשְּׁמִינִי עֲצָרֶת IICh. 7:9
עֲצֶרֶת־ 6 כֻּלָּם מְנָאֲפִים עֲצֶרֶת בֹּגְדִים Jer. 9:1
בְּעַצְּרוֹתֵיכֶם 7 וְלֹא אָרִיחַ בְּעַצְּרֹתֵיכֶם Am. 5:21

עקב : עָקַב, עִקֵּב; עָקֵב, עָקֹב, עֵקֶב, עָקְבָּה; ש״פ יַעֲקֹב, יַעֲקֹבָה

עָקַב פָּ׳ א) רִמָּה, הוֹנָה: 1-4
ב) [פִּ׳ עִקֵּב] עִכֵּב, מָנַע (?): 5
עָקוֹב 1 כִּי כָל־אָח עָקוֹב יַעְקֹב Jer. 9:3
עָקַב 2 בַּבֶּטֶן עָקַב אֶת־אָחִיו Hosh. 12:4
יַעְקֹב 3 כִּי כָל־אָח עָקוֹב יַעְקֹב Jer. 9:3
וַיַּעְקְבֵנִי 4 וַיַּעְקְבֵנִי זֶה פַעֲמַיִם Gen. 27:36
יְעַקְּבֵם 5 וְלֹא יְעַקְּבֵם כִּי־יִשָּׁמַע קוֹלוֹ Job 37:4

עָקֵב ז׳ א) החלק האחורי של כף הרגל: 1-5
ב) כף הרגל או פרסה של בעלי־חיים: 7, 8
ג) שטח מִדְרַךְ הרֶגל: 9-14
ד) [בהשאלה] גדוד אחוֹרִי, מַאֲרָב: 2, 6
– עֲקֵב עֵשָׂו 5; עִקְּבֵי סוּס 7, 8; עִקְּבֵי הַצֹּאן 9
– עֲוֹן עֲקֵבָיו 10; עִקְּבוֹת מָשִׁיחַ 13
– חֵרֵף עִקְּבוֹת 13; נוֹדְעוּ עִקְּבוֹתָיו 14
– נֶחְמְסוּ עֲקֵבָיו 12; שָׁמַר עֲקֵבָיו 11
עָקֵב 1 הוּא יְשׁוּפְךָ רֹאשׁ וְאַתָּה תְּשׁוּפֶנּוּ עָקֵב Gen. 3:15
2 גְּדוּד יְגוּדֶנּוּ וְהוּא יָגֻד עָקֵב Gen. 49:19
3 אִישׁ שְׁלוֹמִי...הִגְדִּיל עָלַי עָקֵב Ps. 41:10
בְּעָקֵב 4 יֹאחֵז בְּעָקֵב פָּח Job 18:9
בַּעֲקֵב־ 5 וְיָדוֹ אֹחֶזֶת בַּעֲקֵב עֵשָׂו Gen. 25:26
עֲקֵבוֹ 6 וְאֶת־עֲקֵבוֹ מִיָּם לָעִיר Josh. 8:13
עִקְּבֵי־ 7 הַנֹּשֵׁךְ עִקְּבֵי־סוּס Gen. 49:17
8 אָז הָלְמוּ עִקְּבֵי־סוּס Jud. 5:22
בְּעִקְּבֵי־ 9 צְאִי־לָךְ בְּעִקְּבֵי הַצֹּאן S.ofS. 1:8
עֲקֵבַי 10 עֲוֹן עֲקֵבַי יְסוּבֵּנִי Ps. 49:6
11 הֵמָּה עֲקֵבַי יִשְׁמֹרוּ Ps. 56:7
עֲקֵבָיִךְ 12 נִגְלוּ שׁוּלַיִךְ נֶחְמְסוּ עֲקֵבָיִךְ Jer. 13:22
עִקְּבוֹת־ 13 אֲשֶׁר חֵרְפוּ עִקְּבוֹת מְשִׁיחֶךָ Ps. 89:52
וְעִקְּבוֹתֶיךָ 14 וְעִקְּבוֹתֶיךָ לֹא נֹדָעוּ Ps. 77:20

עָקֹב א) ת׳ עקוֹם, עִקֵּשׁ: 1-2
ב) מלא עִקבות, מוּכתם: 3
לֵב עָקֹב 1; עֲקֻבָּה מִדָּם 3
עָקֹב 1 עָקֹב הַלֵּב מִכֹּל Jer. 17:9
הֶעָקֹב 2 וְהָיָה הֶעָקֹב לְמִישׁוֹר Is. 40:4
עֲקֻבָּה 3 קִרְיַת פֹּעֲלֵי אָוֶן עֲקֻבָּה מִדָּם Hosh. 6:8

עֵקֶב ת׳ א) ז׳ תוֹצאה, תמוּרה: 9, 12, 15
ב) מ״ח יען, בגלל: 1-8, 13, 14
ג) תה״פ בשלמוּת: 10, 11
– עֵקֶב אֲשֶׁר 1, 2, 6; עֵקֶב כִּי 7, 8; עֵקֶב רַב 9; עֵקֶב בָּשְׁתָּם 13, 14; עֵקֶב עֲנָוָה 15; עֵקֶב שֹׁחַד 12
עֵקֶב 1 עֵקֶב אֲשֶׁר שָׁמַעְתָּ בְּקֹלִי Gen. 22:18
2 עֵקֶב אֲשֶׁר־שָׁמַע אַבְרָהָם בְּקֹלִי Gen. 26:5
3 עֵקֶב הָיְתָה רוּחַ אַחֶרֶת עִמּוֹ Num. 14:24
4 עֵקֶב תִּשְׁמְעוּן אֵת הַמִּשְׁפָּטִים Deut. 7:12
5 עֵקֶב לֹא תִשְׁמְעוּן בְּקוֹל יְיָ Deut. 8:20
6 עֵקֶב אֲשֶׁר עָשָׂה אֶת־הַדָּבָר הַזֶּה IISh. 12:6
7 עֵקֶב כִּי בְזִתָנִי... IISh. 12:10
8 עֵקֶב כִּי־זֹאת אֶעֱשֶׂה־לָּךְ Am. 4:12
9 בְּשָׁמְרָם עֵקֶב רָב Ps. 19:12
10 הוֹרֵנִי יְיָ...וְאֶצְּרֶנָּה עֵקֶב Ps. 119:33
11 לַעֲשׂוֹת חֻקֶּיךָ לְעוֹלָם עֵקֶב Ps. 119:112
עֵקֶב־ 12 מַצְדִּיקֵי רָשָׁע עֵקֶב שֹׁחַד Is. 5:23
13 יָשֹׁמּוּ עַל־עֵקֶב בָּשְׁתָּם Ps. 40:16
14 יָשׁוּבוּ עַל־עֵקֶב בָּשְׁתָּם Ps. 70:4
15 עֵקֶב עֲנָוָה יִרְאַת יְיָ Prov. 22:4

עָקְבָּה נ׳ ערמה, מרמה
בְּעָקְבָּה 1 וְיֵהוּא עָשָׂה בְעָקְבָּה IIK. 10:19

עקד : עָקַד; עָקֹד, עֵקֶד

עָקַד פָּ׳ קשר ידים ורגלים
וַיַּעֲקֹד 1 וַיַּעֲקֹד אֶת־יִצְחָק בְּנוֹ Gen. 22:9

עָקֹד ת׳ מנוּמר ברגליו: 1-7
עָקֹד 1 וַיִּתֵּן פְּנֵי הַצֹּאן אֶל־עָקֹד Gen. 30:40
עֲקֻדִּים 2 עֲקֻדִּים נְקֻדִּים וּטְלֻאִים Gen. 30:39
3 וְאִם־כֹּה יֹאמַר עֲקֻדִּים יִהְיֶה שְׂכָרֶךָ Gen. 31:8
4 וְיָלְדוּ כָל־הַצֹּאן עֲקֻדִּים Gen. 31:8
5-6 עֲקֻדִּים נְקֻדִּים וּבְרֻדִּים Gen. 31:10, 12
הָעֲקֻדִּים 7 אֶת־הַתְּיָשִׁים הָעֲקֻדִּים וְהַטְּלֻאִים Gen. 30:35

עֵקֶד עין בֵּית עֵקֶד (באות ב׳)

עָקָה* נ׳ לַחַץ
עָקַת־ 1 מִקּוֹל אוֹיֵב מִפְּנֵי עָקַת רָשָׁע Ps. 55:4

עַקּוּב שפ״ז – ארבעה אנשים שונים מן הלויים בימי עזרא ונחמיה: 1-8
עַקּוּב 1/2 בְּנֵי־טַלְמ(וֹ)ן בְּנֵי־עַקּוּב Ez. 2:42 • Neh. 7:45
3 בְּנֵי־חֲגָבָה בְּנֵי עַקּוּב Ez. 2:45
4 יָמִין עַקּוּב שַׁבְּתַי Neh. 8:7
5 וְהַשּׁוֹעֲרִים עַקּוּב טַלְמוֹן Neh. 11:19
6 מְשֻׁלָּם טַלְמוֹן עַקּוּב Neh. 12:25
וְעַקּוּב 7 וּבְנֵי אֶלְיוֹעֵינַי...וּפְלָיָה וְעַקּוּב ICh. 3:24
8 וְהַשֹּׁעֲרִים שַׁלּוּם וְעַקּוּב וְטַלְמֹן ICh. 9:17

עקל : עֻקַּל; עֲקַלְקַל, עֲקַלָּתוֹן

עֻקַּל פֻּ׳ עֻוַּת
מְעֻקָּל 1 עַל־כֵּן יֵצֵא מִשְׁפָּט מְעֻקָּל Hab. 1:4

עֲקַלְקַל* ת׳ א) מפוּתל: 1
ב) דרך מפוּתלת: 2
עֲקַלְקַלּוֹת 1 וְהֹלְכֵי...יֵלְכוּ אֳרָחוֹת עֲקַלְקַלּוֹת Jud. 5:6
עֲקַלְקַלּוֹתָם 2 וְהַמַּטִּים עֲקַלְקַלּוֹתָם יוֹלִיכֵם Ps. 125:5

עֲקַלָּתוֹן ת׳ מתפּתל
עֲקַלָּתוֹן 1 וְעַל לִוְיָתָן נָחָשׁ עֲקַלָּתוֹן Is. 27:1

עקר : עָקַר, נֶעֱקַר, עִקֵּר; עֵקֶר, עָקָר, עֲקָרָה; אר׳ עֲקַר, עִקָּר; ש״פ עֵקֶר

עָקַר פָּ׳ א) תָּלַשׁ: 1
ב) [נפ׳ נֶעֱקַר] נתלש, נהרס: 2
ג) [פִּ׳ עִקֵּר] השחית פרסות הסוס: 3-7
לַעֲקוֹר 1 עֵת לָטַעַת וְעֵת לַעֲקוֹר נָטוּעַ Eccl. 3:2
תֵּעָקֵר 2 אַשְׁדּוֹד...יְגָרְשׁוּהָ וְעֶקְרוֹן תֵּעָקֵר Zep. 2:4
עִקֵּר 3 אֶת־סוּסֵיהֶם עִקֵּר Josh. 11:9
עִקְּרוּ 4 וּבִרְצֹנָם עִקְּרוּ־שׁוֹר Gen. 49:6
תְּעַקֵּר 5 אֶת־סוּסֵיהֶם תְּעַקֵּר... Josh. 11:6
וַיְעַקֵּר 6 וַיְעַקֵּר דָּוִד אֶת־כָּל־הָרֶכֶב IISh. 8:4
7 וַיְעַקֵּר דָּוִיד אֶת־כָּל־הָרֶכֶב ICh. 18:4

(עקר) אֶתְעֲקַר אֶתְפְּ׳ ארמית: נתלש, נעקר
אֶתְעֲקַרָה 1 וּתְלָת...אֶתְעֲקַרָה (כת׳ אתעקרו) Dan. 7:8

עֵקֶר[1] ז׳ עִקָּר, שׁוֹרֶשׁ (וּבהשאלה) צֶאֱצָא
לְעֵקֶר 1 אוֹ לְעֵקֶר מִשְׁפַּחַת גֵּר Lev. 25:47

עֵקֶר² שפ״ז – איש משבט יהודה

וָעֵקֶר 1 וַיִּהְיוּ בְנֵי־רָם...וְיָמִין וָעֵקֶר ICh. 2:27

עָקָר ת׳ א) גבר חסר כוח הולדה: 1
ב) [עֲקָרָה] אשה או נקבה בבעלי־החיים שאינה יכולה ללדת: 2-12
עֲקֶרֶת הַבַּיִת 12

עָקָר 1 לֹא־יִהְיֶה בְךָ עָקָר Deut. 7:14
עֲקָרָה 2 וַתְּהִי שָׂרַי עֲקָרָה אֵין לָהּ וָלָד Gen. 11:30
3 וַיֶּעְתַּר...כִּי עֲקָרָה הִוא Gen. 25:21
4 וְרָחֵל עֲקָרָה Gen. 29:31
5 וְאִשְׁתּוֹ עֲקָרָה וְלֹא יָלָדָה Jud. 13:2
6 הִנֵּה־נָא אַתְּ־עֲקָרָה וְלֹא יָלַדְתְּ Jud. 13:3
7 עַד־עֲקָרָה יָלְדָה שִׁבְעָה ISh. 2:5
8 רָנִּי עֲקָרָה לֹא יָלָדָה Is. 54:1
9 רֹעֶה עֲקָרָה לֹא תֵלֵד Job 24:21
וַעֲקָרָה 10 לֹא תִהְיֶה מְשַׁכֵּלָה וַעֲקָרָה בְּאַרְצֶךָ Ex. 23:26
11 לֹא־יִהְיֶה...וַעֲקָרָה וּבִבְהֶמְתֶּךָ Deut. 7:14
עֲקֶרֶת־ 12 מוֹשִׁיבִי עֲקֶרֶת הַבַּיִת אֵם הַבָּנִים Ps. 113:9

עִקַּר* ז׳ ארמית: שורש: 1-3

עִקַּר־ 1/2 עִקַּר שָׁרְשׁוֹהִי בְּאַרְעָא שְׁבֻקוּ Dan. 4:12, 20
3 לְמִשְׁבַּק עִקַּר שָׁרְשׁוֹהִי דִּי אִילָנָא Dan. 4:23

עַקְרָב ז׳ א) רמש ארסי מן העכבישים: 1, 2
ב) [בהשאלה] שוט קוצני: 3-6

וְעַקְרָב 1 נָחָשׁ שָׂרָף וְעַקְרָב Deut. 8:15
עַקְרַבִּים 2 וְאֶל־עַקְרַבִּים אַתָּה יוֹשֵׁב Ezek. 2:6
בָּעַקְרַבִּים 3/4 וַאֲנִי אֲיַסֵּר אֶתְכֶם בָּעַקְרַבִּים IK. 12:11, 14
5/6 אָבִי יִסַּר אֶתְכֶם בַּשּׁוֹטִים
וַאֲנִי בָּעַקְרַבִּים IICh. 10:11, 14

(מַעֲלֵה) עַקְרַבִּים – מקום בגבולה הדרומי של ארץ ישראל: 1-3

מַ׳ עַקְרַבִּים 1 וְנָסַב...מִנֶּגֶב לְמַעֲלֵה עַקְרַבִּים Num. 34:4
לְמַ׳ עַקְרַבִּים 2 וְיָצָא אֶל־מִנֶּגֶב לְמַעֲ׳ עַקְרַבִּים Josh. 15:3
מִמַּ׳ עַקְרַבִּים 3 וּגְבוּל הָאֱמֹרִי מִמַּעֲ׳ עַקְרַבִּים Jud. 1:36

עֶקְרוֹן ש״פ – אחת מחמש הערים של סרני פלשתים: 1-22
אֱלֹהֵי עֶקְרוֹן 10-13; גְּבוּל עֶ׳ 1; כֶּתֶף עֶ׳ 2; שַׁעֲרֵי עֶקְרוֹן 8

עֶקְרוֹן 1 וְעַד גְּבוּל עֶקְרוֹן צָפוֹנָה Josh. 13:3
2 וְיָצָא הַגְּבוּל אֶל־כֶּתֶף עֶקְרוֹן Josh. 15:11
3 עֶקְרוֹן וּבְנֹתֶיהָ וַחֲצֵרֶיהָ Josh. 15:45
4 וְאֶת־עֶקְרוֹן וְאֶת־גְּבוּלָהּ Jud. 1:18
5 וַיְשַׁלְּחוּ אֶת־אֲרוֹן הָאֱלֹהִים עֶקְרוֹן ISh. 5:10
6 וַיְהִי כְּבוֹא אֲרוֹן הָאֱלֹהִים עֶקְרוֹן ISh. 5:10
7 וַיָּשֻׁבוּ עֶקְרוֹן בַּיּוֹם הַהוּא ISh. 6:16
8 עַד־בּוֹאֲךָ גַיְא וְעַד שַׁעֲרֵי עֶקְרוֹן ISh. 17:52
9 וְעַד־גַּת וְעַד־עֶקְרוֹן ISh. 17:52
10-13 בְּבַעַל(־)זְבוּב אֱלֹהֵי עֶקְרוֹן IIK. 1:2, 3, 6, 16
14 וְאֶת־עַזָּה וְאֶת־עֶקְרוֹן Jer. 25:20
15 וַהֲשִׁיבוֹתִי יָדִי עַל־עֶקְרוֹן Am. 1:8
וְעֶקְרוֹן 16 וְאֵילוֹן וְתִמְנָתָה וְעֶקְרוֹן Josh. 19:43
17 וְעֶקְרוֹן תֵּעָקֵר Zep. 2:4
18 וְעֶקְרוֹן כִּי־הוֹבִישׁ מֶבָּטָהּ Zech. 9:5
19 כְּאַלֻּף בִּיהוּדָה וְעֶקְרוֹן כִּיבוּסִי Zech. 9:7
לְעֶקְרוֹן 20 לְגַת אֶחָד לְעֶקְרוֹן אֶחָד ISh. 6:17
מֵעֶקְרוֹן 21 מֵעֶקְרוֹן וָיָמָּה Josh. 15:46
22 וַתָּשֹׁבְנָה הֶעָרִים...מֵעֶקְרוֹן וְעַד־גַּת ISh. 7:14

עֶקְרוֹנִי ת׳ תושב עקרון: 1, 2

וְהָעֶקְרוֹנִי 1 הָאַשְׁקְלוֹנִי הַגִּתִּי וְהָעֶקְרוֹנִי Josh. 13:3
הָעֶקְרֹנִים 2 וַיִּזְעֲקוּ הָעֶקְרֹנִים לֵאמֹר ISh. 5:10

עקשׁ : עָקַשׁ, נֶעְקַשׁ, עִקֵּשׁ; עִקֵּשׁ, עִקְּשׁוּת, מַעֲקַשִּׁים; ש״פ עִקֵּשׁ

עָקַשׁ פ׳ א) עִקֵּשׁ, עִקֵּם: 1
ב) [נפ׳ נֶעְקַשׁ] התעוות: 2
ג) [פִּ׳ עִקֵּשׁ] עִקֵּם, עִוֵּת: 3-5
נֶעְקַשׁ דְּרָכַיִם 2; עִקֵּשׁ דְּרָכָיו 4; עִ׳ הַיְשָׁרָה 5; עִקֵּשׁ נְתִיבוֹת 3

וַיַּעְקְשֵׁנִי 1 תָּם־אָנִי וַיַּעְקְשֵׁנִי Job 9:20
וְנֶעְקַשׁ 2 וְנֶעְקַשׁ דְּרָכַיִם יִפּוֹל בְּאֶחָת Prov. 28:18
עִקְּשׁוּ 3 נְתִיבוֹתֵיהֶם עִקְּשׁוּ לָהֶם Is. 59:8
וּמְעַקֵּשׁ 4 וּמְעַקֵּשׁ דְּרָכָיו יִוָּדֵעַ Prov. 10:9
יְעַקֵּשׁוּ 5 וְאֵת כָּל־הַיְשָׁרָה יְעַקֵּשׁוּ Mic. 3:9

עִקֵּשׁ¹ ת׳ נפתל, הפכפך, עקשן: 1-11
– עִקֵּשׁ וּפְתַלְתֹּל 1; נִפְתָּל וְעִקֵּשׁ 6
– דּוֹר עִקֵּשׁ 1; דֶּרֶךְ עִקֵּשׁ 5; לֵבָב עִקֵּשׁ 4
– עִקֵּשׁ דְּרָכַיִם 9; עִקֶּשׁ־לֵב 7; עִקֵּשׁ שְׂפָתָיִם 8; עִקְּשֵׁי־לֵב 11
– אָרְחוֹת עִקְּשִׁים 10

עִקֵּשׁ 1 דּוֹר עִקֵּשׁ וּפְתַלְתֹּל Deut. 32:5
2 וְעִם־עִקֵּשׁ תִּתַּפָּל IISh. 22:27
3 וְעִם־עִקֵּשׁ תִּתְפַּתָּל Ps. 18:27
4 לֵבָב עִקֵּשׁ יָסוּר מִמֶּנִּי Ps. 101:4
5 צִנִּים פַּחִים בְּדֶרֶךְ עִקֵּשׁ Prov. 22:5
וְעִקֵּשׁ 6 אֵין בָּהֶם נִפְתָּל וְעִקֵּשׁ Prov. 8:8
עִקֶּשׁ־ 7 עִקֶּשׁ־לֵב לֹא יִמְצָא־טוֹב Prov. 17:20
מֵעִקֵּשׁ־ 8 טוֹב...מֵעִקֵּשׁ שְׂפָתָיו וְהוּא כְסִיל Prov. 19:1
9 טוֹב...מֵעִקֵּשׁ דְּרָכַיִם וְהוּא עָשִׁיר Prov. 28:6
עִקְּשִׁים 10 אָרְחֹתֵיהֶם עִקְּשִׁים וּנְלוֹזִים בְּמַעְגְּלוֹתָם Prov. 2:15
עִקְּשֵׁי־ 11 תּוֹעֲבַת יְיָ עִקְּשֵׁי־לֵב Prov. 11:20

עִקֵּשׁ² שפ״ז – מגבורי דוד: 1-3

עִקֵּשׁ 1 עִירָא בֶן־עִקֵּשׁ הַתְּקוֹעִי IISh. 23:26
2-3 עִירָא בֶן־עִקֵּשׁ הַתְּקוֹעִי ICh. 11:28; 27:9

עִקְּשׁוּת נ׳ תהפוכות, עקמימות: 1, 2
עִקְּשׁוּת פֶּה 1, 2

עִקְּשׁוּת־ 1 הָסֵר מִמְּךָ עִקְּשׁוּת פֶּה Prov. 4:24
2 אִישׁ אָוֶן הוֹלֵךְ עִקְּשׁוּת פֶּה Prov. 6:12

עָר¹ ז׳ אויב, צר: 1-3 • קרובים: ראה אויב

עָרֶךָ 1 וַייָ סָר מֵעָלֶיךָ וַיְהִי עָרֶךָ ISh. 28:16
עָרִים? 2 וּמָלְאוּ פְנֵי־תֵבֵל עָרִים Is. 14:21
עָרֶיךָ 3 נָשֻׂא לַשָּׁוְא עָרֶיךָ Ps. 139:20

עָר² ז׳ ארמית, כמו בעברית: שונא, אויב

לְעָרָךְ 1 חֶלְמָא לְשָׂנְאָךְ וּפִשְׁרֵהּ לְעָרָךְ (כת׳ לעריך) Dan. 4:16

עָר (מוֹאָב) ש״פ – עיר הבירה של מואב: 1-6

עָר (מו׳) 1 אֲשֶׁר נָטָה לְשֶׁבֶת עָר Num. 21:15
2 לֶהָבָה...אָכְלָה עָר מוֹאָב Num. 21:28
3 לִבְנֵי־לוֹט נָתַתִּי אֶת־עָר יְרֻשָּׁה Deut. 2:9
4 אֶת־גְּבוּל מוֹאָב אֶת־עָר Deut. 2:18
5 בְּלֵיל שֻׁדַּד עָר מוֹאָב נִדְמָה Is. 15:1
בְּעָר 6 וְהַמּוֹאָבִים הַיֹּשְׁבִים בְּעָר Deut. 2:29

עֵר שפ״ז א) בכור יהודה בן יעקב: 1-8, 10
ב) נכד יהודה בן יעקב: 9

עֵר 1 וַיִּקְרָא אֶת־שְׁמוֹ עֵר Gen. 38:3
2 וַיְהִי עֵר...רַע בְּעֵינֵי יְיָ Gen. 38:7
3 וּבְנֵי יְהוּדָה עֵר וְאוֹנָן וְשֵׁלָה Gen. 46:12
4 וַיָּמָת עֵר וְאוֹנָן בְּאֶרֶץ כְּנַעַן Gen. 46:12
5/6 בְּנֵי יְהוּדָה עֵר וְאוֹנָן Num. 26:19 • ICh. 2:3
7 וַיָּמָת עֵר וְאוֹנָן בְּאֶרֶץ כְּנַעַן Num. 26:19
8 וַיְהִי עֵר בְּכוֹר יְהוּדָה רַע בְּעֵינֵי יְיָ ICh. 2:3
9 בְּנֵי שֵׁלָה...עֵר אֲבִי לֵכָה ICh. 4:21
לְעֵר 10 וַיִּקַּח יְהוּדָה אִשָּׁה לְעֵר בְּכוֹרוֹ Gen. 38:6

ערב : א) עָרַב, הִתְעָרֵב; עֵרֶב, עָרֹב
ב) עָרַב; עָרֵב
ג) עָרַב, הֶעֱרִיב; עֶרֶב

עָרַב¹ פ׳ א) סחר, נשא ונתן: 1, 11
ב) נתן במשכון, עבט: 6-10
ג) קבל על עצמו אחריות: 2, 3, 5, 12-15
ד) [בהשאלה] העז: 4
ה) [הת׳ הִתְעָרֵב] התבולל: 16-20
ו) [כנ״ל] המרה, התחרה: 21, 22
– עָרַב אֶת־לִבּוֹ 4; עָ׳ מַעֲרָב 1, 11; עָ׳ מַשָּׁאוֹת 10
– עָרַב לְ־ 2; עָרַב (אֶת־) 3, 5-7, 12-15; עָרַב לִפְנֵי־ 8
– הִתְעָרֵב בְּ־ 16, 19, 20; הִתְעָ׳ עִם־ 18; הִתְעָ׳ לְ־ 17; הִתְעָרֵב אֶת־ 21, 22

לַעֲרֹב 1 כָּל־אֳנִיּוֹת הַיָּם...לַעֲרֹב מַעֲרָבֵךְ Ezek. 27:9
עָרַבְתָּ 2 אִם־עָרַבְתָּ לְרֵעֶךָ תָּקַעְתָּ לַזָּר כַּפֶּיךָ Prov. 6:1
עָרַב 3 עַבְדְּךָ עָרַב אֶת־הַנַּעַר מֵעִם אָבִי Gen. 44:32
4 מִי הוּא־זֶה עָרַב אֶת־לִבּוֹ לָגֶשֶׁת אֵלַי Jer. 30:21
5 רַע־יֵרוֹעַ כִּי־עָרַב זָר Prov. 11:15
6/7 (לְ)קַח־בִּגְדוֹ כִּי־עָרַב זָר Prov. 20:16; 27:13
עֹרֵב 8 עֹרֵב עֲרֻבָּה לִפְנֵי רֵעֵהוּ Prov. 17:18
עֹרְבִים 9 שְׂדֹתֵינוּ...וּבָתֵּינוּ אֲנַחְנוּ עֹרְבִים Neh. 5:3
בַּעֹרְבִים 10 בְּתֹקְעֵי־כָף בַּעֹרְבִים מַשָּׁאוֹת Prov. 22:26
וְעֹרְבֵי־ 11 מַחֲזִיקֵי בִדְקֵךְ וְעֹרְבֵי מַעֲרָבֵךְ Ezek. 27:27
אֶעֶרְבֶנּוּ 12 אָנֹכִי אֶעֶרְבֶנּוּ מִיָּדִי תְּבַקְשֶׁנּוּ Gen. 43:9
עֲרֹב 13 עֲרֹב עַבְדְּךָ לְטוֹב Ps. 119:122
עָרְבֵנִי 14 אֲדֹנָי עָשְׁקָה־לִּי עָרְבֵנִי Is. 38:14
15 שִׂימָה־נָּא עָרְבֵנִי עִמָּךְ Job 17:3
וְהִתְעָרְבוּ 16 וְהִתְעָרְבוּ זֶרַע הַקֹּדֶשׁ בְּעַמֵּי הָאֲרָצ׳ Ez. 9:2
תִּתְעָרָב 17 וּלְפֹתֶה שְׂפָתָיו לֹא תִתְעָרָב Prov. 20:19
18 עִם־שׁוֹנִים אַל־תִּתְעָרָב Prov. 24:21
יִתְעָרַב 19 וּבְשִׂמְחָתוֹ לֹא־יִתְעָרַב זָר Prov. 14:10
וַיִּתְעָרְבוּ 20 וַיִּתְעָרְבוּ בַגּוֹיִם וַיִּלְמְדוּ מַעֲשֵׂיהֶם Ps. 106:35
הִתְעָרֶב 21 וְעַתָּה הִתְעָרֶב נָא אֶת־אֲדֹנִי IIK. 18:23
22 וְעַתָּה הִתְעָרֶב נָא אֶת־אֲדֹנִי Is. 36:8

עָרֵב² פ׳ נעם: 1-8 • קרובים: מָתֹק / נָעֵם / רָצָה
עָרַב שִׂיחוֹ 6; עָרְבָה מִנְחָה 3; עָרְבָה שְׁנָתוֹ 2, 4; עָרְבָה תַאֲוָה 7; עָרְבוּ זְבָחִים 5, 8

עָרַבְתְּ 1 מְאַהֲבַיִךְ אֲשֶׁר עָרַבְתְּ עֲלֵיהֶם Ezek. 16:37
עָרְבָה 2 וּשְׁנָתִי עָרְבָה לִּי Jer. 31:26(25)
וְעָרְבָה 3 וְעָרְבָה לַייָ מִנְחַת יְהוּדָה וִירוּשָׁ׳ Mal. 3:4
4 וְשָׁכַבְתָּ וְעָרְבָה שְׁנָתֶךָ Prov. 3:24
עָרְבוּ 5 וְזִבְחֵיכֶם לֹא־עָרְבוּ לִי Jer. 6:20
יֶעֱרַב 6 יֶעֱרַב עָלָיו שִׂיחִי Ps. 104:34
תֶּעֱרַב 7 תַּאֲוָה נִהְיָה תֶּעֱרַב לְנָפֶשׁ Prov. 13:19
יֶעֶרְבוּ 8 וְלֹא יֶעֶרְבוּ־לוֹ זִבְחֵיהֶם Hosh. 9:4

עָרַב3 פ׳ א) בא הערב: 1
ב) [בהשאלה] שָׁבַת: 2
ג) [הפ׳ הֶעֱרִיב] שהה עד הערב: 3
עָרַב היום 1; עָרְבָה שִׂמְחָה 2; הַשְׁכֵּם וְהַעֲרֵב 3
לַעֲרוֹב 1 הִנֵּה נָא רָפָה הַיּוֹם לַעֲרוֹב Jud. 19:9
עָרְבָה 2 עָרְבָה כָּל־שִׂמְחָה גָּלָה מְשׂוֹשׂ הָאָ׳ Is. 24:11
וְהַעֲרֵב 3 וַיִּגַּשׁ הַפְּלִשְׁתִּי הַשְׁכֵּם וְהַעֲרֵב ISh. 17:16

עֲרַב4 ארמית פ׳ א) עֲרַב, ערבב: 1, 2
ב) [אִתְפְּ׳ אִתְעֲרַב] התערבב: 3, 4
מְעָרַב 1-2 פַּרְזְלָא מְעָרַב בַּחֲסַף טִינָא Dan. 2:41, 43
מִתְעָרַב 3 פַּרְזְלָא לָא מִתְעָרַב עִם־חַסְפָּא Dan. 2:43
מִתְעָרְבִין 4 מִתְעָרְבִין לֶהֱוֹן בִּזְרַע אֲנָשָׁא Dan. 2:43

עָרֵב ת׳ נעים, רצוי: 1, 2 • קרובים: ראה נָעִים
לֶחֶם עָרֵב 1; קוֹל עָרֵב 2
עָרֵב 1 עָרֵב לָאִישׁ לֶחֶם שָׁקֶר Prov. 20:17
2 כִּי־קוֹלֵךְ עָרֵב וּמַרְאֵיךְ נָאוֶה S.ofS. 2:14

עֶרֶב1 ז׳ ראשית שקיעת השמש,
הזמן שבין היום ובין הלילה: 1-135
קרובים: אִישׁוֹן / אֱשׁוּן / חֹשֶׁךְ / נֶשֶׁף / לַיְלָה
– עֶרֶב...בֹּקֶר 1-7, 13, 18, 19, 21, 27, 38, 40, 79, 95, 97, 101, 106, 107, 109, 113-119; מֵעֶרֶב עַד עֶרֶב 11; מֵעֶרֶב עַד־בֹּקֶר 120, 122, 123; בָּעֶרֶב יוֹם 124; מִן־בֹּקֶר עַד־עֶרֶב 21; לִפְנוֹת עֶרֶב 12, 20; עַד (הָ)עֶרֶב 19, 21, 28-35, 40, 70-72, 76-78; עֲדֵי עֶ׳ 23; לְעֵת עֶרֶב 8, 9, 14, 17, 36, 71;
– זְאֵבֵי עֶרֶב 15, 16; מְדַּד עֶ׳ 25; מוֹצָאֵי עֶרֶב 27; מִנְחַת עֶ׳ 24, 26, 37, 39, 77; מַרְאֵה עֶ׳ 38; עוֹלוֹת הָעֶרֶב 79; צִלְלֵי עֶרֶב 22
– בֵּין הָעַרְבַּיִם 125-135
עֶרֶב 1-7 וַיְהִי־עֶרֶב וַיְהִי־בֹקֶר... Gen. 1:5, 8, 13, 19, 23, 31
8 וַתָּבֹא אֵלָיו הַיּוֹנָה לְעֵת עֶרֶב Gen. 8:11
9 לְעֵת עֶרֶב לְעֵת צֵאת הַשֹּׁאֲבֹת Gen. 24:11
10 עֶרֶב וִידַעְתֶּם כִּי יְיָ הוֹצִיא אֶתְכֶם Ex. 16:6
11 מֵעֶרֶב עַד־עֶרֶב תִּשְׁבְּתוּ שַׁבַּתְּכֶם Lev. 23:32
12 וְהָיָה לִפְנוֹת־עֶרֶב יִרְחַץ בַּמָּיִם Deut. 23:12
13 בַּבֹּקֶר תֹּאמַר מִי־יִתֵּן עֶרֶב Deut. 28:67
14 לְעֵת עֶרֶב וְהִנֵּה בַלָּהָה Is. 17:14
15 ? וְקַלּוּ...וְחַדּוּ מִזְּאֵבֵי עֶרֶב Hab. 1:8
16 ? שֹׁפְטֶיהָ זְאֵבֵי עֶרֶב Zep. 3:3
17 וְהָיָה לְעֵת־עֶרֶב יִהְיֶה־אוֹר Zech. 14:7
18 עֶרֶב וָבֹקֶר וְצָהֳרַיִם אָשִׂיחָה Ps. 55:18
19 עַד עֶרֶב בֹּקֶר אַלְפַּיִם וּשְׁלֹשׁ מֵאוֹת Dan. 8:14
עָרֶב 20 לָשׂוּחַ בַּשָּׂדֶה לִפְנוֹת עָרֶב Gen. 24:63
21 נִצָּב עָלֶיךָ מִן־בֹּקֶר עַד־עָרֶב Ex. 18:14
22 כִּי־יִנָּטוּ צִלְלֵי־עָרֶב Jer. 6:4
23 יֵצֵא...וְלַעֲבֹדָתוֹ עֲדֵי־עָרֶב Ps. 104:23
24 מַשְׂאַת כַּפַּי מִנְחַת־עָרֶב Ps. 141:2
25 מָתַי אָקוּם וּמִדַּד־עָרֶב Job 7:4
26 נֹגֵעַ אֵלַי כְּעֵת מִנְחַת־עָרֶב Dan. 9:21
וָעֶרֶב 27 מוֹצָאֵי בֹקֶר וָעֶרֶב תַּרְנִין Ps. 65:9
הָעֶרֶב 28/9 וְטָמֵא עַד־הָעֶרֶב וְטָהֵר Lev. 11:32; 17:15
30 וַיִּפֹּל עַל־פָּנָיו אַרְצָה...עַד־הָעֶרֶב Josh. 7:6
31 וַיִּבְכּוּ לִפְנֵי־יְיָ עַד־הָעֶרֶב Jud. 20:23
32 וַיֵּשְׁבוּ שָׁם עַד־הָעֶרֶב Jud. 21:3
33 אֲשֶׁר־יֹאכַל לֶחֶם עַד־הָעֶרֶב ISh. 14:24
34 וְנִסְתַּרְתִּי... עַד הָעֶרֶב הַשְּׁלִשִׁית ISh. 20:5
35 מֵהַנֶּשֶׁף וְעַד־הָעֶרֶב לְמָחֳרָתָם ISh. 30:17
36 וַיְהִי לְעֵת הָעֶרֶב וַיָּקָם דָּוִד IISh. 11:2
הָעֶרֶב (המשך) 37 הַקְטֵר...וְאֶת־מִנְחַת הָעֶרֶב IIK. 16:15
38 וּמַרְאֵה הָעֶרֶב וְהַבֹּקֶר Dan. 8:26
39 וּבְמִנְחַת הָעֶרֶב קַמְתִּי מִתַּעֲנִיתִי Ez. 9:5
הָעָרֶב 40 וַיַּעֲמֹד...מִן־הַבֹּקֶר עַד־הָעָרֶב Ex. 18:13
41-70 יִטְמָא (וְטָמֵא וכד׳) עַד־הָעָרֶב Lev. 11:24
11:25, 27, 28, 31, 39, 40²; 14:46; 15:5, 6, 7, 8, 10², 11, 16, 17, 18, 19, 21, 22, 23, 27; 22:6 • Num. 19:7, 8, 10, 21, 22
71 תָּלָה עַל־הָעֵץ עַד־עֵת הָעָרֶב Josh. 8:29
72 וַיִּהְיוּ תְּלוּיִם...עַד־הָעָרֶב Josh. 10:26
73 וַיָּצוּמוּ בַיּוֹם־הַהוּא עַד־הָעָרֶב Jud. 20:26
74 וַיִּסְפְּדוּ וַיִּבְכּוּ וַיָּצֻמוּ עַד־הָעָרֶב IISh. 1:12
75 וְהַשַּׁעַר לֹא־יִסָּגֵר עַד־הָעָרֶב Ezek. 46:2
76 וַתְּלַקֵּט בַּשָּׂדֶה עַד־הָעָרֶב Ruth 2:17
77 יֹשֵׁב מְשׁוֹמֵם עַד לְמִנְחַת הָעָרֶב Ez. 9:4
78 מַעֲמִיד בַּמֶּרְכָּבָה...עַד־הָעָרֶב IICh. 18:34
וְהָעָרֶב 79 לְעֹלוֹת הַבֹּקֶר וְהָעָרֶב IICh. 31:3
בָּעֶרֶב 80 וַיָּבֹאוּ...סְדֹמָה בָּעֶרֶב Gen. 19:1
81 וַיְהִי בָעֶרֶב וַיִּקַּח אֶת־לֵאָה Gen. 29:23
82 וַיָּבֹא יַעֲקֹב מִן־הַשָּׂדֶה בָּעֶרֶב Gen. 30:16
83 בְּאַרְבָּעָה עָשָׂר יוֹם לַחֹדֶשׁ בָּעֶרֶב Ex. 12:18
84 בְּתֵת יְיָ לָכֶם בָּעֶרֶב בָּשָׂר לֶאֱכֹל Ex. 16:8
85 וַיְהִי בָעֶרֶב וַתַּעַל הַשְּׂלָו Ex. 16:13
86 בְּתִשְׁעָה לַחֹדֶשׁ בָּעֶרֶב Lev. 23:32
87 מִן־הַבָּשָׂר אֲשֶׁר תִּזְבַּח בָּעֶרֶב Deut. 16:4
88 בְּאַרְבָּעָה עָשָׂר יוֹם לַחֹדֶשׁ בָּעֶרֶב Josh. 5:10
89 בָּא...מִן־הַשָּׂדֶה בָּעֶרֶב Jud. 19:16
90 וַיֵּצֵא בָעֶרֶב לִשְׁכַּב בְּמִשְׁכָּבוֹ IISh. 11:13
91 וְהַמֶּלֶךְ הָיָה מָעֳמָד...וַיָּמָת בָּעֶרֶב IK. 22:35
92 וְאַתָּה תֵּצֵא בָעֶרֶב לְעֵינֵיהֶם Ezek. 12:4
93 וְיַד־יְיָ הָיְתָה אֵלַי בָּעֶרֶב Ezek. 33:22
94 בְּבָתֵּי אַשְׁקְלוֹן בָּעֶרֶב יִרְבָּצוּן Zep. 2:7
95 בָּעֶרֶב יָלִין בֶּכִי וְלַבֹּקֶר רִנָּה Ps. 30:6
96 בָּעֶרֶב הִיא בָאָה וּבַבֹּקֶר הִיא שָׁבָה Es. 2:14
97 בַּבֹּקֶר־בַּבֹּקֶר וּבָעֶרֶב בָּעֶרֶב IICh. 13:11
98/9 וְנֵרוֹתֶיהָ לְבָעֵר בָּעֶרֶב בָּעֶרֶב IICh. 13:11
בָּעָרֶב 100 עַד יוֹם הָאֶחָד וְעֶשְׂ׳ לַחֹדֶשׁ בָּעָרֶב Ex. 12:18
101 מַחֲצִיתָהּ בַּבֹּקֶר וּמַחֲצ׳ בָּעָרֶב Lev. 6:13
102 וְרָחַץ בַּמַּיִם וְטָהֵר בָּעָרֶב Num. 19:19
103 שָׁם תִּזְבַּח אֶת־הַפֶּסַח בָּעָרֶב Deut. 16:7
104 וְלֶחֶם וּבָשָׂר בָּעָרֶב IK. 17:6
105 וַתָּמָת אִשְׁתִּי בָּעָרֶב Ezek. 24:18
וּבָעֶרֶב 106 וּבָעֶרֶב...כְּמַרְאֵה־אֵשׁ עַד־בֹּקֶר Num. 9:15
107 וּבָעֶרֶב תֹּאמַר מִי־יִתֵּן בֹּקֶר Deut. 28:67
108 וּבָעֶרֶב חָתַרְתִּי־לִי בַקִּיר Ezek. 12:7
109 בַּבֹּקֶר־בַּבֹּקֶר וּבָעֶרֶב בָּעֶרֶב IICh. 13:11
לָעֶרֶב 110 יָשׁוּבוּ לָעֶרֶב יֶהֱמוּ כַכָּלֶב Ps. 59:7
111 וְיָשֻׁבוּ לָעֶרֶב יֶהֱמוּ כַכָּלֶב Ps. 59:15
112 לָעֶרֶב יְמוֹלֵל וְיָבֵשׁ Ps. 90:6
113 מִבֹּקֶר לָעֶרֶב יֻכַּתּוּ Job 4:20
לָעָרֶב 114 וְלַעֲמֹד בַּבֹּקֶר...וְכֵן לָעָרֶב ICh. 23:30
וְלָעֶרֶב 115 בַּבֹּקֶר...וְלָעֶרֶב יְחַלֵּק שָׁלָל Gen. 49:27
116 בַּבֹּקֶר...וְלָעֶרֶב אַל־תַּנַּח יָדֶךָ Eccl. 11:6
117 וְעֹלוֹת לַבֹּקֶר וְלָעֶרֶב IICh. 2:3
וְלָעָרֶב 118 וַיַּעַל...עֹלוֹת לַבֹּקֶר וְלָעָרֶב Ez. 3:3
119 עֹלוֹת לַיְיָ...תָּמִיד לַבֹּקֶר וְלָעָרֶב ICh. 16:40
מֵעֶרֶב 120 יַעֲרֹךְ...מֵעֶרֶב עַד־בֹּקֶר לִפְנֵי יְיָ Ex. 27:21
121 מֵעֶרֶב עַד־עֶרֶב תִּשְׁבְּתוּ שַׁבַּתְּכֶם Lev. 23:32
122 מֵעֶרֶב עַד־בֹּקֶר לִפְנֵי יְיָ תָּמִיד Lev. 24:3
123 אֲשֶׁר יִהְיֶה הֶעָנָן מֵעֶרֶב עַד־בֹּקֶר Num. 9:21
בְּעֶרֶב־ 124 בְּנֶשֶׁף־בְּעֶרֶב יוֹם Prov. 7:9
הָעַרְבַּיִם 125 בֵּין הָעַרְבַּיִם תֹּאכְלוּ בָשָׂר Ex. 16:12
הָעַרְבַּיִם (המשך) 126 בֵּין הָעַרְבַּיִם יַקְטִירֶנָּה Ex. 30:8
127-129 בְּאַרְבָּעָה עָשָׂר(־)יוֹם...בֵּין הָעַרְבַּיִם Num. 9:3, 5, 11
הָעַרְבָּיִם 130 וְשָׁחֲטוּ אֹתוֹ...בֵּין הָעַרְבָּיִם Ex. 12:6
131/2 תַּעֲשֶׂה בֵּין הָעַרְבָּיִם Ex. 29:39, 41
133 בָּא׳ עָשָׂר לַחֹדֶשׁ בֵּין הָעַרְבָּיִם Lev. 23:5
134/5 תַּעֲשֶׂה בֵּין הָעַרְבָּיִם Num. 28:4, 8

עֲרָב2 ש״פ – שם אחר לארץ עֲרָב: 1-5
מַלְכֵי הָעֲרָב 1, 3
הָעֲרָב 1 וְכָל־מַלְכֵי הָעֲרָב וּפַחוֹת הָאָרֶץ IK. 10:15
2 וְאֵת כָּל־הָעֲרָב Jer. 25:20
3 וְאֵת כָּל־מַלְכֵי הָעֲרָב Jer. 25:24
4 וְאֶל־כָּל־הָעֲרָב אֲשֶׁר בְּתוֹכָהּ Jer. 50:37
5 כּוּשׁ וּפוּט וְלוּד וְכָל־הָעֲרָב Ezek. 30:5

עֲרָב ש״פ – שם האזור בדרום מזרח לכנען: 1-5
מַלְכֵי עֲרָב 2-3
עֲרָב 1 עֲרָב וְכָל־נְשִׂיאֵי קֵדָר Ezek. 27:21
2 וְכָל־מַלְכֵי עֲרָב וּפַחוֹת הָאָרֶץ IICh. 9:14
עֲרָב 3 וְאֵת כָּל־מַלְכֵי עֲרָב Jer. 25:24
בַּעְרָב 4 בַּיַּעַר בַּעְרַב תָּלִינוּ Is. 21:13
בַּעְרָב 5 מַשָּׂא בַּעְרָב Is. 21:13

עֵרֶב1 ז׳ בליל שבטים שונים: 1, 2
עֵרֶב רַב 1
עֵרֶב 1 וְגַם־עֵרֶב רַב עָלָה אִתָּם Ex. 12:38
2 וַיַּבְדִּילוּ כָל־עֵרֶב מִיִּשְׂרָאֵל Neh. 13:3

עֵרֶב2 ז׳ חוטי הרוחב הנארגים בשתי (חוטי היסוד שבאורך): 1-9
הָעֵרֶב 1 אוֹ אֶת־הַשְּׁתִי אוֹ אֶת־הָעֵרֶב Lev. 13:52
2 אוֹ מִן־הַשְּׁתִי אוֹ מִן־הָעֵרֶב Lev. 13:56
3/4 אוֹ(־)הַשְּׁתִי אוֹ(־)הָעֵרֶב Lev. 13:58, 59
בְּעֵרֶב 5 אוֹ בִשְׁתִי אוֹ בְעֵרֶב Lev. 13:48
בָּעֵרֶב 6-9 אוֹ־בַשְּׁתִי אוֹ־בָעֵרֶב Lev. 13:49, 51, 53, 57

עָרֹב ז׳ עֵרֶב של חיות שונות, ממכות מצרים: 1-9
עָרֹב 1 לְבִלְתִּי הֱיוֹת־שָׁם עָרֹב Ex. 8:18
2 וַיָּבֹא עָרֹב כָּבֵד בֵּיתָה פַרְעֹה Ex. 8:20
3 יְשַׁלַּח בָּהֶם עָרֹב וַיֹּאכְלֵם Ps. 78:45
4 אָמַר וַיָּבֹא עָרֹב Ps. 105:31
הֶעָרֹב 5 הִנְנִי מַשְׁלִיחַ בְּךָ...אֶת־הֶעָרֹב Ex. 8:17
6 וּמָלְאוּ בָּתֵּי מִצְרַיִם אֶת־הֶעָרֹב Ex. 8:17
7 תִּשָּׁחֵת הָאָרֶץ מִפְּנֵי הֶעָרֹב Ex. 8:20
8 וְסָר הֶעָרֹב מִפַּרְעֹה...מָחָר Ex. 8:25
9 וַיָּסַר הֶעָרֹב מִפַּרְעֹה Ex. 8:27

עֲרָבָה1 נ׳ א) מדבר, מישור נרחב ובו צמחיה דלה ומנוכה: 1-6, 31-34, 41
ב) [הָעֲרָבָה] כנוי לככר הירדן מים כנרת ועד דרומו של ים המלח: 7-30, 35-40, 43-60
ג) [בהשאלה] כנוי לענני השמים: 42
קרובים: בָּתָה / יְשִׁימוֹן / מִדְבָּר / צִיָּה
– דֶּרֶךְ הָעֲרָבָה 7, 17, 19-21; יָם הָעֲרָבָה 8, 10, 11, 15, 18; נַחַל הָעֲרָבָה 23
– זְאֵב עֲרָבוֹת 41; רֹכֵב בָּעֲרָבוֹת 42
– עַרְבוֹת יְרִיחוֹ (יְרֵחוֹ) 44, 54, 57-59; עַ׳ הַמִּדְבָּר 56; עַרְבוֹת מוֹאָב 43, 45-53, 55, 60
עֲרָבָה 1 וְתָגֵל עֲרָבָה וְתִפְרַח כַּחֲבַצָּלֶת Is. 35:1
2 בַּמִּדְבָּר בְּאֶרֶץ עֲרָבָה וְשׁוּחָה Jer. 2:6
3 עֲרָבָה לוֹ לֶחֶם לַנְּעָרִים Job 24:5
4 אֲשֶׁר־שַׂמְתִּי עֲרָבָה בֵיתוֹ Job 39:6

עֲרָבָה

וַעֲרָבָה 5 אַחֲרִית גּוֹיִם מִדְבָּר צִיָּה וַעֲרָבָה Jer. 50:12
6 אֶרֶץ צִיָּה וַעֲרָבָה Jer. 51:43
הָעֲרָבָה 7 מִדֶּרֶךְ הָעֲרָבָה מֵאֵילַת וּמֵעֶצְיֹן גָּבֶר Deut. 2:8
8 מִכִּנֶּרֶת וְעַד יָם הָעֲרָבָה יָם הַמֶּלַח Deut. 3:17
9 וְכָל־הָעֲרָבָה עֵבֶר הַיַּרְדֵּן מִזְרָחָה Deut. 4:49
10 וְעַד יָם הָעֲרָבָה Deut. 4:49
11 וְהַיֹּרְדִים עַל יָם הָעֲרָבָה Josh. 3:16
12 וַיֵּצְאוּ...לַמּוֹעֵד לִפְנֵי הָעֲרָבָה Josh. 8:14
13 וְאֶת־הַשְּׁפֵלָה וְאֶת־הָעֲרָבָה Josh. 11:16
14 וְכָל־הָעֲרָבָה מִזְרָחָה Josh. 12:1
15 וְעַד יָם הָעֲרָבָה יָם־הַמֶּלַח Josh. 12:3
16 וְעָבַר אֶל־כֶּתֶף מוּל־הָעֲרָבָה Josh. 18:18
17 וַיֵּלְכוּ דֶּרֶךְ הָעֲרָבָה כָּל־הַלָּיְלָה IISh. 4:7
18 מִלְּבוֹא חֲמָת עַד־יָם הָעֲרָבָה IIK. 14:25
19 וַיֵּלֶךְ דֶּרֶךְ הָעֲרָבָה IIK. 25:4
20 וַיֵּצֵא דֶּרֶךְ הָעֲרָבָה Jer. 39:4
21 וַיֵּלְכוּ דֶּרֶךְ הָעֲרָבָה Jer. 52:7
22 יוֹצְאִים...וְיָרְדוּ עַל־הָעֲרָבָה Ezek. 47:8
23 מִלְּבוֹא חֲמָת עַד־נַחַל הָעֲרָבָה Am. 6:14
וְהָעֲרָבָה 24 וְהָעֲרָבָה וְהַיַּרְדֵּן וּגְבֻל Deut. 3:17
25 וְהָעֲרָבָה עַד־יָם כִּנְרוֹת Josh. 12:3
בָּעֲרָבָה 26 בַּמִּדְבָּר בָּעֲרָבָה מוֹל סוּף Deut. 1:1
27 בָּעֲרָבָה בָהָר וּבַשְּׁפֵלָה Deut. 1:7
28 בְּאֶרֶץ הַכְּנַעֲנִי הַיֹּשֵׁב בָּעֲרָבָה Deut. 11:30
29 בְּמִדְבַּר מָעוֹן בָּעֲרָבָה ISh. 23:24
30 הָלְכוּ בָּעֲרָבָה כָּל הַלַּיְלָה הַהוּא IISh. 2:29
31 בַּמִּדְבָּר מַיִם וּנְחָלִים בָּעֲרָבָה Is. 35:6
32 יַשְּׁרוּ בָּעֲרָבָה מְסִלָּה לֵאלֹהֵינוּ Is. 40:3
33 אָשִׂים בָּעֲרָבָה בְּרוֹשׁ תִּדְהָר Is. 41:19
34 וְהָיָה כְּעַרְעָר בָּעֲרָבָה Jer. 17:6
וּבָעֲרָבָה 35 בָּהָר וּבָעֲרָבָה נֶגֶב כִּנְרוֹת Josh. 11:2
36 בָּהָר וּבַשְּׁפֵלָה וּבָעֲרָבָה Josh. 12:8
כָּעֲרָבָה 37 הָיָה הַשָּׁרוֹן כָּעֲרָבָה Is. 33:9
38 יִסּוֹב כָּל־הָאָרֶץ כָּעֲרָבָה Zech. 14:10
הָעֲרָבָתָה 39 וְעָבַר...וְיָרַד הָעֲרָבָתָה Josh. 18:18
וְעַרְבָתָהּ 40 וַיָּשֶׂם...וְעַרְבָתָהּ כְּגַן־יְיָ Is. 51:3
עֲרָבוֹת 41 הִכָּם אַרְיֵה מִיַּעַר זְאֵב עֲרָבוֹת יְשָׁדְדֵם Jer. 5:6
בָּעֲרָבוֹת 42 סֹלּוּ לָרֹכֵב בָּעֲרָבוֹת Ps. 68:5
עַרְבוֹת־ 43 וַיָּבִאוּ...אֶל־עַרְבֹת מוֹאָב Num. 31:12
44 עָבְרוּ...אֶל עַרְבוֹת יְרִיחוֹ Josh. 4:13
בְּעַרְבוֹת־ 45 וַיַּחֲנוּ בְּעַרְבוֹת מוֹאָב Num. 22:1
46 וַיְדַבֵּר...בְּעַרְבֹת מוֹאָב Num. 26:3
47-53 בְּעַרְבֹת מוֹאָב Num. 26:63
33:48, 49, 50; 35:1; 36:13 • Deut. 34:8
54 וַיַּעֲשׂוּ אֶת־הַפֶּסַח...בְּעַרְבוֹת יְרִיחוֹ Josh. 5:10
55 אֲשֶׁר־נִחַל מֹשֶׁה בְּעַרְבוֹת מוֹאָב Josh. 13:32
56 אַל־תָּלֶן...בְּעַרְבוֹת הַמִּדְבָּר IISh. 17:16
57 וַיַּשִּׂגוּ אֹתוֹ בְּעַרְבוֹת יְרֵחוֹ IIK. 25:5
58 וַיַּשִּׂגוּ אֶת־צִדְקִיָּ׳ בְּעַרְבוֹת יְרֵחוֹ Jer. 39:5
59 וַיַּשִּׂיגוּ אֶת־צִדְקִיָּ׳ בְּעַרְבֹת יְרֵחוֹ Jer. 52:8
מֵעַרְבוֹת־ 60 וַיַּעַל מֹשֶׁה מֵעַרְבֹת מוֹאָב אֶל־הַר נְבוֹ Deut. 34:1

עֲרָבָה² נ׳ עֵץ הַצּוֹמֵחַ בִּגְדוֹת נְחָלִים: 1-5

נַחַל הָעֲרָבִים 2; עַרְבֵי נַחַל 4, 5

עֲרָבִים 1 עַל־עֲרָבִים בְּתוֹכָהּ תָּלִינוּ כִּנֹּרוֹתֵינוּ Ps. 137:2
הָעֲרָבִים 2 וּפְקֻדָּתָם עַל נַחַל הָעֲרָבִים יִשָּׂאוּם Is. 15:7
כַּעֲרָבִים 3 כַּעֲרָבִים עַל־יִבְלֵי־מָיִם Is. 44:4
וְעַרְבֵי־ 4 וַעֲנַף עֵץ־עָבֹת וְעַרְבֵי־נָחַל Lev. 23:40
עַרְבֵי־ 5 יְסֻבֻּהוּ עַרְבֵי־נָחַל Job 40:22

(בֵּית) הָעֲרָבָה – עַיֵּן עֵרֶךְ בֵּית הָעֲרָבָה (בְּאוֹת ב)

עֲרֻבָּה נ׳ דָּבָר הַנִּתָּן לְאוֹת אַחֲרָיוּת וּבִטָּחוֹן: 1-2

עֲרֻבָּה 1 עֹרֵב עֲרֻבָּה לִפְנֵי רֵעֵהוּ Prov. 17:18
עֲרֻבָּתָם 2 תִּפְקֹד לְשָׁלוֹם וְאֶת־עֲרֻבָּתָם תִּקָּח ISh. 17:18

עֵרָבוֹן ז׳ עֲבוֹט, מַשְׁכּוֹן: 1-3

קרובים: עֲבוֹט / עֲרֻבָּה

עֵרָבוֹן 1 אִם־תִּתֵּן עֵרָבוֹן עַד שָׁלְחֶךָ Gen. 38:17
הָעֵרָבוֹן 2 מָה הָעֵרָבוֹן אֲשֶׁר אֶתֶּן־לָךְ Gen. 38:18
3 לָקַחַת הָעֵרָבוֹן מִיַּד הָאִשָּׁה Gen. 38:20

עַרְבִי ת׳ תּוֹשַׁב אֶרֶץ עֲרָב: 1-9

עַרְבִי 1 וְלֹא־יַהֵל שָׁם עֲרָבִי Is. 13:20
כַּעֲרָבִי 2 עַל־דְּרָכִים...כַּעֲרָבִי בַּמִּדְבָּר Jer. 3:2
הָעַרְבִי 3 וַיִּשְׁמַע סַנְבַלַּט...וְגֶשֶׁם הָעַרְבִי Neh. 2:19
4 נִשְׁמַע לְסַנְבַלַּט...וּלְגֶשֶׁם הָעַרְבִי Neh. 6:1
הָעַרְבִיאִים 5 גַּם הָעַרְבִיאִים מְבִיאִים לוֹ... IICh. 17:11
הָעַרְבִים 6 הָעַרְבִים (כת׳ הערביים)
הַיֹּשְׁבִים בְּגוּר־בָּעַל IICh. 26:7
וְהָעַרְבִים 7 וְהָעַרְבִים וְהָעַמֹּנִים וְהָאַשְׁדּוֹדִים Neh. 4:1
8 אֶת־רוּחַ הַפְּלִשְׁתִּים וְהָעַרְבִים IICh. 21:16
בָּעַרְבִים 9 הַגְּדוּד הַבָּא בָעַרְבִים לַמַּחֲנֶה IICh. 22:1

עַרְבָתִי ת׳ מִתּוֹשְׁבֵי בֵּית־הָעֲרָבָה: 1, 2

הָעַרְבָתִי 1 אֲבִי־עַלְבוֹן הָעַרְבָתִי IISh. 23:31
2 אֲבִיאֵל הָעַרְבָתִי ICh. 11:32

עָרַג פ׳ שָׁאַף, נִכְסַף: 1-3

קרובים: בִּקֵּשׁ / הִתְאַוָּה (אוה) / חָמַד / יָאַב / כָּמַהּ / נִכְסַף (כסף) / שָׁאַל / שָׁאַף / שָׁקַק

עָרַג עַל־ 1; עָרַג אֶל־ 2, 3

תַּעֲרֹג 1 כְּאַיָּל תַּעֲרֹג עַל־אֲפִיקֵי־מָיִם Ps. 42:2
2 כֵּן נַפְשִׁי תַעֲרֹג אֵלֶיךָ אֱלֹהִים Ps. 42:2
3 גַּם־בַּהֲמוֹת שָׂדֶה תַּעֲרוֹג אֵלֶיךָ Joel 1:20

עֲרָד¹ ש״פ – עִיר כְּנַעֲנִית בַּנֶּגֶב: 1-4

מֶלֶךְ עֲרָד 1-3; נֶגֶב עֲרָד 4

עֲרָד 1/2 הַכְּנַעֲנִי מֶלֶךְ(־)עֲרָד Num. 21:1; 33:40
3 מֶלֶךְ עֲרָד אֶחָד Josh. 12:14
4 מִדְבַּר יְהוּדָה אֲשֶׁר בְּנֶגֶב עֲרָד Jud. 1:16

עֲרָד² שפ״ז – אִישׁ מִבִּנְיָמִין

וַעֲרָד 1 וּזְבַדְיָה וַעֲרָד וָעֵדֶר ICh. 8:15

עֲרָד*³ ז׳ ארמית: עָרוֹד, חֲמוֹר־בָּר

עֲרָדַיָּא 1 ...וְעִם־עֲרָדַיָּא מְדוֹרֵהּ Dan. 5:21

ערה : עָרָה, נֶעֱרָה, עֵרָה, הִתְעָרָה, הֶעֱרָה; עָרָה, עֶרְוָה, עֶרְיָה, מַעַר, מַעֲרֶה, מַעֲרָה, תַּעַר; ש״פ מַעֲרָת; אר׳ עַרְוָה

עָרָה פ׳ א) התערטל: 1

ב) [נפ׳ נַעֲרָה] נגלה: 2
ג) [פ׳ עֵרָה] גלה, חשף: 3-12
ד) [הת׳ הִתְעָרָה] התערטל: 14
ה) [כנ״ל] התדבק: 13
ו) [הפ׳ הֶעֱרָה] גלה, חשף: 15-17

קרובים: גִּלָּה / חָשַׂף

– נֶעֱרָה רוּחַ 2; עֵרָה אַרְזָה 6; ע׳ אָרוֹן 10; עֵרָה כַד 9; עֵרָה מָגֵן 5; עֵרָה פָּתְהֵן 8
– הֶעֱרָה מְקוֹרָהּ 15; הֶעֱרָה נַפְשׁוֹ (לַמָּוֶת) 17; הֶעֱרָה שְׁאֵרוֹ 16

עֹרָה 1 פְּשֹׁטָה וְעֹרָה וַחֲגוֹרָה עַל־חֲלָצָיִם Is. 32:11
יֵעָרֶה 2 עַד־יֵעָרֶה עָלֵינוּ רוּחַ מִמָּרוֹם Is. 32:15
עָרוֹת 3 עָרוֹת עַל־יְאוֹר עַל־פִּי יְאוֹר Is. 19:7
4 עָרוֹת יְסוֹד עַד־צַוָּאר Hab. 3:13
עֵרָה 5 וְקִיר עֵרָה מָגֵן Is. 22:6
6 חָרֵב בַּסַּף כִּי אַרְזָה עֵרָה Zep. 2:14
תְּעַר 7 בְּכָה חָסִיתִי אַל־תְּעַר נַפְשִׁי Ps. 141:8
יְעָרֶה 8 וְשִׂפַּח...וַיְיָ פָּתְהֵן יְעָרֶה Is. 3:17
וַתְּעַר 9 וַתְּעַר כַּדָּהּ אֶל־הַשֹּׁקֶת Gen. 24:20
וִיעָרוּ 10 וִיעָרוּ אֶת־הָאָרוֹן וְיִשָּׂאֻהוּ IICh. 24:11
עָרוּ 11-12 עָרוּ עָרוּ עַד הַיְסוֹד בָּהּ Ps. 137:7
וּמִתְעָרֶה 13 וּמִתְעָרֶה כְּאֶזְרָח רַעֲנָן Ps. 37:35
וְתִתְעָרִי 14 תִּשְׁכְּרִי וְתִתְעָרִי Lam. 4:21
הֶעֱרָה 15 אֶת־מְקֹרָהּ הֶעֱרָה Lev. 20:18
16 כִּי אֶת־שְׁאֵרוֹ הֶעֱרָה Lev. 20:19
17 תַּחַת אֲשֶׁר הֶעֱרָה לַמָּוֶת נַפְשׁוֹ Is. 53:12

עֲרוּגָה נ׳ חֶלְקַת אֲדָמָה לִצְמָחִים: 1-4

עֲרוּגַת בֹּשֶׂם 1; עֲרוּגוֹת בֹּשֶׂם 3; ע׳ מַטָּע 4; עֲרוּגוֹת צֶמַח 2

כַּעֲרוּגַת־ 1 לְחָיָו כַּעֲרוּגַת הַבֹּשֶׂם S.ofS. 5:13
עֲרוּגוֹת־ 2 עַל־עֲרֻגֹת צִמְחָהּ תִּיבָשׁ Ezek. 17:10
לַעֲרוּגוֹת־ 3 דּוֹדִי יָרַד לְגַנּוֹ לַעֲרֻגוֹת הַבֹּשֶׂם S.ofS. 6:2
מֵעֲרוּגוֹת־ 4 לְהַשְׁקוֹת אוֹתָהּ מֵעֲרֻגוֹת מַטָּעָהּ Ezek. 17:7

עָרוֹד ז׳ חֲמוֹר־בָּר

עָרוֹד 1 וּמֹסְרוֹת עָרוֹד מִי פִתֵּחַ Job 39:5

עֶרְוָה נ׳ א) מֵעֲרוּמֵי הַגּוּף: רוב המקראות 1-54

ב) מקום תורפה, חולשה: 5, 6
ג) [בהשאלה] קלון, חרפה: 24, 25, 27

– בְּשַׂר עֶרְוָה 1; בֹּשֶׁת עֶרְוָה 26
– עֶרְוַת אָב 3, 4, 7, 9, 20, 28, 30; ע׳ אָח 15, 18, 23; עֶרְוַת אָחוֹת 10, 13, 14, 21, 32; ע׳ אֵם 26, 31; ע׳ הָאָרֶץ 5, 6; ע׳ אִשָּׁה 8, 19; ע׳ בַּת 11, 12; עֶרְוַת דָּבָר 24, 25; ע׳ דּוֹד 22; עֶרְוַת זְנוּנִים 29; עֶרְוַת מִצְרַיִם 27
– גִּלָּה עֶרְוָה (עֶרְוַת־) 2, 7, 8, 13-17, 19-23, 28, 31, 32, 38, 41-46, 48-50, 53, 54
– כִּסָּה עֶרְוָה 1, 4

עֶרְוָה 1 מִכְנְסֵי־בָד לְכַסּוֹת בְּשַׂר עֶרְוָה Ex. 28:42
2 לֹא תִקְרְבוּ לְגַלּוֹת עֶרְוָה Lev. 18:6
עֶרְוַת־ 3 וַיַּרְא חָם...אֵת עֶרְוַת אָבִיו Gen. 9:22
4 וַיְכַסּוּ אֵת עֶרְוַת אֲבִיהֶם Gen. 9:23
5 לִרְאוֹת אֶת־עֶרְוַת הָאָרֶץ בָּאתֶם Gen. 42:9
6 עֶרְוַת הָאָרֶץ בָּאתֶם לִרְאוֹת Gen. 42:12
7 עֶרְוַת אָבִיךָ...לֹא תְגַלֵּה Lev. 18:7
8 עֶרְוַת אֵשֶׁת־אָבִיךָ לֹא תְגַלֵּה Lev. 18:8
9 עֶרְוַת אָבִיךָ הִוא Lev. 18:8
10 עֶרְוַת אֲחוֹתְךָ בַת־אָבִיךָ Lev. 18:9
11 עֶרְוַת בַּת־בִּנְךָ... Lev. 18:10
12 עֶרְוַת בַּת־אֵשֶׁת אָבִיךָ Lev. 18:11
13 עֶרְוַת אֲחוֹת־אָבִיךָ לֹא תְגַלֵּה Lev. 18:12
14 עֶרְוַת אֲחוֹת־אִמְּךָ לֹא תְגַלֵּה Lev. 18:13
15 עֶרְוַת אֲחִי־אָבִיךָ לֹא תְגַלֵּה Lev. 18:14
16 עֶרְוַת כַּלָּתְךָ לֹא תְגַלֵּה Lev. 18:15
17 עֶרְוַת אֵשֶׁת־אָחִיךָ לֹא תְגַלֵּה Lev. 18:16
18 עֶרְוַת אָחִיךָ הִוא Lev. 18:16
19 עֶרְוַת אִשָּׁה וּבִתָּהּ לֹא תְגַלֵּה Lev. 18:17
20 עֶרְוַת אָבִיו גִּלָּה Lev. 20:11
21 עֶרְוַת אֲחֹתוֹ גִּלָּה עֲוֹנוֹ יִשָּׂא Lev. 20:17
22 עֶרְוַת דֹּדוֹ גִּלָּה Lev. 20:20
23 עֶרְוַת אָחִיו גִּלָּה עֲרִירִים יִהְיוּ Lev. 20:21

עֶרְוַת־ (המשך) 24 וְלֹא־יֵרָאֶה בְךָ עֶרְוַת דָּבָר Deut. 23:15
25 כִּי־מָצָא בָהּ עֶרְוַת דָּבָר Deut. 24:1
26 לְבָשְׁתְּךָ וּלְבֹשֶׁת עֶרְוַת אִמֶּךָ ISh. 20:30
27 וַחֲשׂוּפַי שֵׁת עֶרְוַת מִצְרָיִם Is. 20:4
28 עֶרְוַת־אָב גִּלָּה־בָךְ Ezek. 22:10
29 וְנִגְלָה עֶרְוַת זְנוּנַיִךְ Ezek. 23:29
וְעֶרְוַת־ 30 וְעֶרְוַת אֲבִיהֶם לֹא רָאוּ Gen. 9:23
31 וְעֶרְוַת אִמְּךָ לֹא תְגַלֵּה Lev. 18:7
32 וְעֶרְוַת אֲחוֹת אִמְּךָ...לֹא תְגַלֵּה Lev. 20:19
עֶרְוָתְךָ 33 אֲשֶׁר לֹא־תִגָּלֶה עֶרְוָתְךָ עָלָיו Ex. 20:23
34 כִּי עֶרְוָתְךָ הֵנָּה Lev. 18:10
עֶרְוָתֵךְ 35 תִּגָּל עֶרְוָתֵךְ גַּם תֵּרָאֶה חֶרְפָּתֵךְ Is. 47:3
36 וָאֶפְרֹשׂ כְּנָפִי עָלַיִךְ וָאֲכַסֶּה עֶרְוָתֵךְ Ezek.16:8
37 הִשָּׁפֵךְ נְחֻשְׁתֵּךְ וַתִּגָּלֶה עֶרְוָתֵךְ Ezek. 16:36
38 וְגִלֵּיתִי עֶרְוָתֵךְ אֲלֵהֶם Ezek. 16:37
39 וְרָאוּ אֶת־כָּל־עֶרְוָתֵךְ Ezek. 16:37
עֶרְוָתוֹ 40 וְהִיא תִרְאֶה אֶת־עֶרְוָתוֹ Lev. 20:17
עֶרְוָתָהּ 41-43 לֹא תְגַלֶּה עֶרְוָתָהּ Lev. 18:7, 11, 15
44 לֹא תִקַּח לְגַלּוֹת עֶרְוָתָהּ Lev. 18:17
45 לְגַלּוֹת עֶרְוָתָהּ עָלֶיהָ בְּחַיֶּיהָ Lev. 18:18
46 לֹא תִקְרַב לְגַלּוֹת עֶרְוָתָהּ Lev. 18:19
47 וְרָאָה אֶת־עֶרְוָתָהּ Lev. 20:17
48 וְגִלָּה אֶת־עֶרְוָתָהּ Lev. 20:18
49 הֵמָּה גִּלּוּ עֶרְוָתָהּ Ezek. 23:10
50 וַתְּגַל תַּזְנוּתֶיהָ וַתְּגַל אֶת־עֶרְוָתָהּ Ezek. 23:18
51 לְכַסּוֹת אֶת־עֶרְוָתָהּ Hosh. 2:11
52 הִזִּילוּהָ כִּי־רָאוּ עֶרְוָתָהּ Lam. 1:8
עֶרְוָתָן 53/4 לֹא תְגַלֶּה עֶרְוָתָן Lev. 18:9, 10

עַרְוָה*
נ׳ ארמית: עֶרְוָה

וְעַרְוַת־ 1 וְעַרְוַת מַלְכָּא לָא־אֲרִיךְ לַנָא לְמֶחֱזֵא Ez. 4:14

עָרוּךְ
ת׳ – עין עָרַךְ

עָרוּם
ת׳ א) חכם, פִּקֵחַ: 2-8, 11
ב) בעל מזמות, חכם להרע: 1, 9, 10
קרובים: ראה חָכָם

אָדָם עָרוּם 3; חָכְמַת עָרוּם 5; לְשׁוֹן עֲרוּמִים 10; מַחְשְׁבוֹת עֲרוּמִים 9

עָרוּם 1 וְהַנָּחָשׁ הָיָה עָרוּם מִכֹּל חַיַּת הַשָּׂדֶה Gen. 3:1
2 וְכֹסֶה קָלוֹן עָרוּם Prov. 12:16
3 אָדָם עָרוּם כֹּסֶה דָּעַת Prov. 12:23
4 כָּל־עָרוּם יַעֲשֶׂה בְדָעַת Prov. 13:16
5 חָכְמַת עָרוּם הָבִין דַּרְכּוֹ Prov. 14:8
6/7 עָרוּם רָאָה רָעָה (וְ)נִסְתָּר Prov. 22:3; 27:12
וְעָרוּם 8 וְעָרוּם יָבִין לַאֲשֻׁרוֹ Prov. 14:15
עֲרוּמִים 9 מֵפֵר מַחְשְׁבוֹת עֲרוּמִים Job 5:12
10 וְתִבְחַר לְשׁוֹן עֲרוּמִים Job 15:5
וַעֲרוּמִים 11 וַעֲרוּמִים יַכְתִּרוּ דָעַת Prov. 14:18

עָרוֹם
ת׳ – עין עָרֹם

עֲרוֹעֵר[1]
ז׳ עץ או שיח חשוף־עלים
[עין גם עַרְעָר]

כַּעֲרוֹעֵר 1 וְתִהְיֶינָה כַּעֲרוֹעֵר בַּמִּדְבָּר Jer. 48:6

עֲרוֹעֵר[2]
ש״פ – עיר ואזור מצפון לנחל ארנון: 1-15

יוֹשֶׁבֶת עֲרוֹעֵר 4; עָרֵי עֲרוֹעֵר 3

עֲרוֹעֵר 1 וַיִּבְנוּ בְנֵי־גָד...וְאֵת עֲרֹעֵר Num. 32:34
2 עֲרוֹעֵר אֲשֶׁר עַל־פְּנֵי רַבָּה Josh. 13:25
3 עֲזֻבוֹת עָרֵי עֲרֹעֵר Is. 17:2
4 עִמְדִי וְצַפִּי יוֹשֶׁבֶת עֲרוֹעֵר Jer. 48:19
בַּעֲרוֹעֵר 5 וְלַאֲשֶׁר בַּעֲרֹעֵר ISh. 30:28
6 וַיַּעַבְרוּ אֶת־הַיַּרְדֵּן וַיַּחֲנוּ בַעֲרוֹעֵר IISh. 24:5
7 הוּא יוֹשֵׁב בַּעֲרֹעֵר וְעַד־נְבוֹ ICh. 5:8
מֵעֲרוֹעֵר 8/9 מֵעֲרֹעֵר אֲשֶׁר עַל־שְׂפַת־נַחַל אַרְנֹן Deut. 2:36; 4:48
10/1 מֵעֲרֹעֵר אֲשֶׁר־עַל־נַחַל אַרְנֹן Deut. 3:12 • IIK. 10:33
12-14 מֵעֲרוֹעֵר אֲשֶׁר עַל־שְׂפַת נַחַל אַרְנוֹן Josh. 12:2; 13:9, 16
15 וַיַּכֵּם מֵעֲרוֹעֵר וְעַד־בֹּאֲךָ מִנִּית Jud. 11:33

עֲרוֹעֵרִי
ת׳ מתושבי עֲרוֹעֵר

הָעֲרוֹעֵרִי 1 בְּנֵי חוֹתָם הָעֲרֹעֵרִי ICh. 11:44

עָרוּף
ת׳ – עין עָרַף[2]

עָרוּץ*
ת׳ חריץ, נקיק

בַּעֲרוּץ־ 1 בַּעֲרוּץ נְחָלִים לִשְׁכֹּן Job 30:6

עֵרִי
שפ״ז א) מבני גָד: 1
ב) ת׳ מצאצאי עֵרִי: 2, 3

עֵרִי 1 וּבְנֵי גָד...עֵרִי וַאֲרוֹדִי וְאַרְאֵלִי Gen. 46:16
הָעֵרִי 2 לְעֵרִי מִשְׁפַּחַת הָעֵרִי Num. 26:16
לְעֵרִי 3 לְעֵרִי מִשְׁפַּחַת הָעֵרִי Num. 26:16

עֶרְיָה
נ׳ מחשוף, עירום: 1-6

עֵירֹם וְעֶרְיָה 3-6

עֶרְיָה 1 יוֹשֶׁבֶת שָׁפִיר עֶרְיָה־בֹשֶׁת Mic. 1:11
2 עֶרְיָה תֵעוֹר קַשְׁתֶּךָ Hab. 3:9
וְעֶרְיָה 3 שָׁדַיִם נָכֹנוּ...וְאַתְּ עֵרֹם וְעֶרְיָה Ezek. 16:7
4 בִּהְיוֹתֵךְ עֵירֹם וְעֶרְיָה Ezek. 16:22
5 וְהִנִּיחוּךְ עֵירֹם וְעֶרְיָה Ezek. 16:39
6 וַעֲזָבוּךְ עֵרֹם וְעֶרְיָה Ezek. 23:29

עֲרִיסָה*
נ׳ בָּצֵק, עִסָּה: 1-4

רֵאשִׁית עֲרִיסוֹתָיו 1-4

עֲרִיסוֹתֵינוּ 1 וְאֶת־רֵאשִׁית עֲרִיסֹתֵינוּ וּתְרוּמֹתֵינוּ Neh.10:38
עֲרִיסוֹתֵיכֶם 2 רֵאשִׁית עֲרִסֹתֵכֶם חַלָּה Num. 15:20
3 מֵרֵאשִׁית עֲרִסֹתֵיכֶם תִּתְּנוּ...תְּרוּמָה Num.15:21
4 וְרֵאשִׁית עֲרִיסוֹתֵיכֶם תִּתְּנוּ לַכֹּהֵן Ezek. 44:30

עֲרִיפִים
ז״ר כנוי מליצי לעננים

בַּעֲרִיפֶיהָ 1 צַר וָאוֹר חָשַׁךְ בַּעֲרִיפֶיהָ Is. 5:30

עָרִיץ
תו״ז א) תקיף; זריז: 3, 16
ב) אכזר, רָשָׁע: 1, 2, 4-15, 17-20

קרובים: אַכְזָר / עַוָּל / פָּרִיץ / קָשֶׁה / רָשָׁע / תַּקִּיף

– גִּבּוֹר עָרִיץ 3; מַלְקוֹחַ עָ׳ 2; רָשָׁע עָרִיץ 4
– גַּאֲוַת עָרִיצִים 6; גּוֹיִם עָ׳ 7; הֲמוֹן עָ׳ 10; זְמִיר עָ׳ 9; יַד עָ׳ 13; כַּף עָ׳ 11; נַחֲלַת עָ׳ 14; עֲדַת עָרִיצִים 12; רוּחַ עָרִיצִים 8
– עָרִיצֵי גוֹיִם 17-20

עָרִיץ 1 כִּי־אָפֵס עָרִיץ וְכָלָה לֵץ Is. 29:20
2 וּמַלְקוֹחַ עָרִיץ יִמָּלֵט Is. 49:25
3 וַיְיָ אוֹתִי כְּגִבּוֹר עָרִיץ Jer. 20:11
4 רָאִיתִי רָשָׁע עָרִיץ Ps. 37:35
לֶעָרִיץ 5 וּמִסְפַּר שָׁנִים נִצְפְּנוּ לֶעָרִיץ Job 15:20
עָרִיצִים 6 וְגַאֲוַת עָרִיצִים אַשְׁפִּיל Is. 13:11
7 קִרְיַת גּוֹיִם עָרִיצִים יִירָאוּךָ Is. 25:3
8 כִּי רוּחַ עָרִיצִים כְּזֶרֶם קִיר Is. 25:4
9 זְמִיר עָרִיצִים יַעֲנֶה Is. 25:5
10 וּכְמֹץ עֹבֵר הֲמוֹן עָרִיצִים Is. 29:5
11 וּפְדִתִיךָ מִכַּף עָרִיצִים Jer. 15:21
עָרִיצִים (המשך) 12 וַעֲדַת עָרִיצִים בִּקְשׁוּ נַפְשִׁי Ps. 86:14
13 וּמִיַּד עָרִיצִים תִּפְדּוּנִי Job 6:23
14 וְנַחֲלַת עָרִיצִים מִשַּׁדַּי יִקָּחוּ Job 27:13
וְעָרִיצִים 15 וְעָרִיצִים בִּקְשׁוּ נַפְשִׁי Ps. 54:5
16 וְעָרִיצִים יִתְמְכוּ־עֹשֶׁר Prov. 11:16
עָרִיצֵי־ 17-20 עָרִיצֵי גוֹיִם Ezek. 28:7; 30:11; 31:12; 32:12

עֲרִירִי
ת׳ חשוּךְ־בנים: 1-4 • קרובים: גַּלְמוּד

עֲרִירִי 1 מַה־תִּתֶּן־לִי וְאָנֹכִי הוֹלֵךְ עֲרִירִי Gen. 15:2
2 כִּתְבוּ אֶת־הָאִישׁ הַזֶּה עֲרִירִי Jer. 22:30
עֲרִירִים 3 חֶטְאָם יִשָּׂאוּ עֲרִירִים יָמֻתוּ Lev. 20:20
4 עֶרְוַת אָחִיו גִּלָּה עֲרִירִים יִהְיוּ Lev. 20:21

ערך
: עָרַךְ, הֶעֱרִיךְ; עֵרֶךְ, מַעֲרָךְ, מַעֲרָכָה, מַעֲרֶכֶת

עָרַךְ
פ׳ א) סִדֵּר, התקין: 1, 3-23, 31-37, 40-48, 51, 52, 55-69
ב) דִּמָּה, השְׁוָה: 2, 38, 39, 49, 50, 53, 54
ג) [עָרוּךְ] מוכן, מסודר: 24-30
ד) [הפ׳ הֶעֱרִיךְ] אָמַד, שִׁער: 70-75

– עָרַךְ מָגֵן 68; עָ׳ מִזְבְּחוֹת 7; עָ׳ מִלְחָמָה 3, 4, 6, 12, 22, 23, 55, 56, 60, 61, 63, 65; עָ׳ מִלִּים 11; עָ׳ מַעֲרָכָה 52; עָ׳ מִשְׁפָּט 9, 32; עָ׳ נֵר 8; עָ׳ נְתָחִים 18; עָ׳ עוֹלוֹת 14; עָ׳ עֵצִים 17, 40, 41; עָרַךְ עֵרֶךְ 10; עָ׳ צִנָּה 21, 68; עָ׳ רֹמַח 21; עָרַךְ שֻׁלְחָן 1, 5, 15, 20, 34
– שֻׁלְחָן עָרוּךְ 27; עֱרוּךְ מִלְחָמָה 28; פִּשְׁתִּים עֲרוּכוֹת 30
– אֵין עֲרֹךְ אֵל־ 2;

עָרֹךְ 1 עָרֹךְ הַשֻּׁלְחָן צָפֹה הַצָּפִית Is. 21:5
עֲרֹךְ 2 אֵין עֲרֹךְ אֵלֶיךָ Ps. 40:6
לַעֲרֹךְ 3 וַיֹּסִפוּ לַעֲרֹךְ מִלְחָמָה Jud. 20:22
4 לָמָּה תֵצְאוּ לַעֲרֹךְ מִלְחָמָה ISh. 17:8
5 הֲיוּכַל אֵל לַעֲרֹךְ שֻׁלְחָן בַּמִּדְבָּר Ps. 78:19
6 יוֹצְאֵי צָבָא לַעֲרֹךְ מִלְחָמָה ICh. 12:36(37)
עָרַכְתִּי 7 אֶת־שִׁבְעַת הַמִּזְבְּחֹת עָרַכְתִּי Num. 23:4
8 עָרַכְתִּי נֵר לִמְשִׁיחִי Ps. 132:17
9 הִנֵּה־נָא עָרַכְתִּי מִשְׁפָּט Job 13:18
וְעָרַכְתָּ 10 וְהֵבֵאתָ...הַשֻּׁלְחָן וְעָרַכְתָּ אֶת־עֶרְכּוֹ Ex. 40:4
עָרַךְ 11 וְלֹא־עָרַךְ אֵלַי מִלִּין Job 32:14
12 וַיֶּאְסֹר אֲבִיָּה... [see note] IICh. 13:3
וְעָרַךְ 13 וְעָרַךְ הַכֹּהֵן אֹתָם עַל־הָעֵצִים Lev. 1:12
14 וְעָרַךְ עָלֶיהָ הָעֹלָה Lev. 6:5
עָרְכָה 15 מָסְכָה יֵינָהּ אַף עָרְכָה שֻׁלְחָנָהּ Prov. 9:2
עָרְכוּ 16 בַּמָּקוֹם אֲשֶׁר־עָרְכוּ שָׁם Jud. 20:22
וְעָרְכוּ 17 וְעָרְכוּ עֵצִים עַל־הָאֵשׁ Lev. 1:7
18 וְעָרְכוּ בְּנֵי אַהֲרֹן...אֵת הַנְּתָחִים Lev. 1:8
19 וְעָרְכוּ לָהּ מִשָּׁם תִּלָּכֵד Jer. 50:9
הָעוֹרְכִים 20 הַעֹרְכִים לַגַּד שֻׁלְחָן Is. 65:11
עוֹרְכֵי־ 21 עֹרְכֵי צִנָּה וָרֹמַח ICh. 12:8(9)
22/3 עֹרְכֵי מִלְחָמָה ICh. 12:34, 36
עָרוּךְ 24 כִּי־עָרוּךְ מֵאֶתְמוּל תָּפְתֶּה Is. 30:33
25/6 עָרוּךְ כְּאִישׁ לַמִּלְחָמָה Jer. 6:23; 50:42
27 וְשֻׁלְחָן עָרוּךְ לְפָנֶיהָ Ezek. 23:41
עֱרוּךְ־ 28 כְּעַם עָצוּם עֱרוּךְ מִלְחָמָה Joel 2:5
עֲרוּכָה 29 עֲרוּכָה בַכֹּל וּשְׁמֻרָה IISh. 23:5
הָעֲרוּכוֹת 30 בְּפִשְׁתֵּי הָעֵץ הָעֲרֻכוֹת לָהּ עַל־הַגָּג Josh. 2:6
אֶעֱרָךְ־ 31 בֹּקֶר אֶעֱרָךְ־לְךָ וַאֲצַפֶּה Ps. 5:4
אֶעֶרְכָה 32 אֶעֶרְכָה לְפָנָיו מִשְׁפָּט Job 23:4
וְאֶעֶרְכָה 33 אוֹכִיחֲךָ וְאֶעֶרְכָה לְעֵינֶיךָ Ps. 50:21
תַּעֲרֹךְ 34 תַּעֲרֹךְ לְפָנַי שֻׁלְחָן נֶגֶד צֹרְרָי Ps. 23:5

יַעֲרֹךְ 35 יַעֲרֹךְ אֹתוֹ אַהֲרֹן...לִפְנֵי יְיָ Ex. 27:21
36 יַעֲרֹךְ אֹתוֹ אַהֲרֹן...לִפְנֵי יְיָ Lev. 24:3
37 עַל הַמְּנֹרָה...יַעֲרֹךְ אֶת־הַנֵּרוֹת Lev. 24:4
38 כִּי מִי בַשַּׁחַק יַעֲרֹךְ לַייָ Ps. 89:7
הֲיַעֲרֹךְ 39 הֲיַעֲרֹךְ שׁוּעֲךָ לֹא בְצָר Job 36:19
וַיַּעֲרֹךְ 40/1 וַיַּעֲרֹךְ אֶת־הָעֵצִים Gen. 22:9 • IK. 18:33
42 וַיַּעֲרֹךְ עָלָיו עֵרֶךְ לֶחֶם לִפְנֵי יְיָ Ex. 40:23
43 וַיַּעֲרֹךְ לִקְרַאת אֲרָם IISh. 10:9
44 וַיַּעֲרֹךְ לִקְרַאת בְּנֵי עַמּוֹן IISh. 10:10
45 וַיַּעֲרֹךְ לִקְרַאת אֲרָם ICh. 19:10
46 וַיָּבֹא אֲלֵהֶם וַיַּעֲרֹךְ אֲלֵהֶם ICh. 19:17
47 וַיַּעֲרֹךְ דָּוִיד לִקְרַאת אֲרָם מִלְחָמָה ICh. 19:17
יַעַרְכֶנּוּ 48 יַעַרְכֶנּוּ לִפְנֵי יְיָ תָּמִיד Lev. 24:8
יַעַרְכֶנָּה 49 לֹא־יַעַרְכֶנָּה זָהָב וּזְכוֹכִית Job 28:17
50 לֹא־יַעַרְכֶנָּה פִּטְדַת־כּוּשׁ Job 28:19
וְיַעַרְכֶהָ 51 וְיַעַרְכֶהָ לִי מִשּׂוּמִי עַם־עוֹלָם Is. 44:7
וַתַּעֲרֹךְ 52 וַתַּעֲרֹךְ יִשְׂרָאֵל וּפְלִשְׁתִּים מַעֲרָכָה ISh. 17:21
נַעֲרֹךְ 53 לֹא־נַעֲרֹךְ מִפְּנֵי־חֹשֶׁךְ Job 37:19
תַּעַרְכוּ 54 וּמַה־דְּמוּת תַּעַרְכוּ־לוֹ Is. 40:18
וַיַּעַרְכוּ 55 וַיַּעַרְכוּ אִתָּם מִלְחָמָה Gen. 14:8
56 וַיַּעַרְכוּ אִתָּם אִישׁ־יִשְׂרָ׳ מִלְחָמָה Jud. 20:20
57 וַיַּעַרְכוּ אֶל־הַגִּבְעָה כְּפַעַם בְּפָעַם Jud. 20:30
58 וַיַּעַרְכוּ בְּבַעַל תָּמָר Jud. 20:33
59 וַיַּעַרְכוּ פְלִשְׁתִּים לִקְרַאת יִשְׂרָאֵל ISh. 4:2
60 וַיַּעַרְכוּ מִלְחָמָה לִקְרַאת פְּלִשְׁתִּים ISh.17:2
61 וַיַּעַרְכוּ מִלְחָמָה פֶּתַח הַשָּׁעַר IISh. 10:8
62 וַיַּעַרְכוּ אֲרָם לִקְרַאת דָּוִד IISh. 10:17
63 וַיַּעַרְכוּ מִלְחָמָה פֶּתַח הָעִיר ICh. 19:9
64 וַיַּעַרְכוּ לִקְרַאת בְּנֵי עַמּוֹן ICh. 19:11
65 וַיַּעַרְכוּ מִלְחָמָה בְּגֵיא צְפָתָה IICh. 14:9
יַעַרְכוּנִי 66 בִּעוּתֵי אֱלוֹהַּ יַעַרְכוּנִי Job 6:4
עֶרְכָה 67 עֶרְכָה לְפָנַי הִתְיַצָּבָה Job 33:5
עִרְכוּ 68 עִרְכוּ מָגֵן וְצִנָּה Jer. 46:3
69 עִרְכוּ עַל־בָּבֶל סָבִיב Jer. 50:14
הֶעֱרִיךְ 70 אַךְ הֶעֱרִיךְ אֶת־הָאָרֶץ IIK. 23:35
וְהֶעֱרִיךְ 71 וְהֶעֱרִיךְ אֹתוֹ הַכֹּהֵן Lev. 27:8
72 וְהֶעֱרִיךְ...אַתָּה בֵּין טוֹב וּבֵין רָע Lev. 27:12
וְהֶעֱרִיכוֹ 73 וְהֶעֱרִיכוֹ הַכֹּהֵן בֵּין טוֹב וּבֵין רָע Lev. 27:14
יַעֲרִיךְ 74 כַּאֲשֶׁר יַעֲרִיךְ אֹתוֹ הַכֹּהֵן Lev. 27:14
יַעֲרִיכֶנּוּ 75 עַל־פִּי...יַעֲרִיכֶנּוּ הַכֹּהֵן Lev. 27:8

עֵרֶךְ

ז׳ א) סדר, מערכת: 1, 2, 29
ב) שוי, חשיבות: 3, 31-33
ג) [עֶרְכְּךָ] שִׁעוּר של דבר לפי גודל,
לפי גיל, לפי יכלתו וכדומה: 4-28, 30
– עֵרֶךְ בְּגָדִים 2; עֵרֶךְ לֶחֶם 1; חִין עֶרְכּוֹ 31
– כֶּסֶף עֶרְכְּךָ 11, 13; מִכְסַת הָעֶרְכְּךָ 16

עֵרֶךְ־ 1 וַיַּעֲרֹךְ עָלָיו עֵרֶךְ לֶחֶם Ex. 40:23
וְעֵרֶךְ־ 2 וְעֵרֶךְ בְּגָדִים וּמִחְיָתֶךָ Jud. 17:10
כְּעֶרְכִּי 3 אֱנוֹשׁ כְּעֶרְכִּי אַלּוּפִי וּמְיֻדָּעִי Ps. 55:14
עֶרְכְּךָ 4-6 וְהָיָה עֶרְכְּךָ הַזָּכָר Lev. 27:3, 5, 6
7 וְהָיָה עֶרְכְּךָ חֲמִשִּׁים שֶׁקֶל כֶּסֶף Lev. 27:3
8 וְהָיָה עֶרְכְּךָ שְׁלֹשִׁים שָׁקֶל Lev. 27:4
9 וְלַנְּקֵבָה עֶרְכְּךָ שְׁלֹשֶׁת שְׁקָלִים כָּסֶף Lev. 27:6
10 וְהָיָה עֶרְכְּךָ חֲמִשָּׁה עָשָׂר שָׁקֶל Lev. 27:7
11 וְיָסַף חֲמִשִׁית כֶּסֶף־עֶרְכְּךָ עָלָיו Lev. 27:15
12 וְהָיָה עֶרְכְּךָ לְפִי זַרְעוֹ Lev. 27:16
13 וְיָסַף חֲמִשִׁית כֶּסֶף־עֶרְכְּךָ עָלָיו Lev. 27:19
14 וְכָל־עֶרְכְּךָ יִהְיֶה בְּשֶׁקֶל הַקֹּדֶשׁ Lev. 27:25
עֶרְכֶּךָ 15 וְיָסַף חֲמִשִׁתוֹ עַל־עֶרְכֶּךָ Lev. 27:13
הָעֶרְכְּךָ 16 וְחִשַּׁב־לוֹ הַכֹּ׳ אֵת מִכְסַת הָעֶרְכְּךָ Lev. 27:23
17 וְנָתַן אֶת־הָעֶרְכְּךָ בַּיּוֹם הַהוּא Lev. 27:23
בְּעֶרְכְּךָ 18 וְהֵבִיא...בְּעֶרְכְּךָ כֶּסֶף־שְׁקָלִים Lev. 5:15
20-19 אַיִל תָּמִים...בְּעֶרְכְּךָ לְאָשָׁם Lev. 5:18, 25
21 בְּעֶרְכְּךָ נְפָשֹׁת לַייָ Lev. 27:2
22 בְּעֶרְכְּךָ כֶּסֶף חֲמֵשֶׁת שְׁקָלִים Num. 18:16
בְּעֶרְכֶּךָ 23 בַּבְּהֵמָה הַטְּמֵאָה וּפָדָה בְעֶרְכֶּךָ Lev. 27:27
24 וְאִם־לֹא יִגָּאֵל וְנִמְכַּר בְּעֶרְכֶּךָ Lev. 27:27
כְּעֶרְכְּךָ 25 כְּעֶרְכְּךָ הַכֹּהֵן כֵּן יִהְיֶה Lev. 27:12
26 כְּעֶרְכְּךָ יָקוּם Lev. 27:17
מֵעֶרְכֶּךָ 27 וְאִם־מָךְ הוּא מֵעֶרְכֶּךָ Lev. 27:8
28 וְחִשַּׁב־לוֹ...וְנִגְרַע מֵעֶרְכֶּךָ Lev. 27:18
עֶרְכּוֹ 29 וְהֵבֵאתָ...הַשֻּׁלְחָן וְעָרַכְתָּ אֶת־עֶרְכּוֹ Ex. 40:4
30 ...אִישׁ כֶּסֶף נַפְשׁוֹת עֶרְכּוֹ IIK. 12:5
31 וּדְבַר־גְּבוּרוֹת וְחִין עֶרְכּוֹ Job 41:4
כְּעֶרְכּוֹ 32 אִישׁ כְּעֶרְכּוֹ נָגַשׂ אֶת־הַכֶּסֶף IIK. 23:35
עֶרְכָּהּ 33 לֹא־יָדַע אֱנוֹשׁ עֶרְכָּהּ Job 28:13

ערל

: עָרֵל, נֶעֱרַל; עָרֵל, עָרְלָה

עָרַל

פ׳ א) קבע שהוא ערלה: 1
ב) [נפ׳ נֶעֱרַל] נִרעל: 2

וַעֲרַלְתֶּם 1 וַעֲרַלְתֶּם עָרְלָתוֹ אֶת־פִּרְיוֹ Lev. 19:23
וְהֵעָרֵל 2 שְׁתֵה גַם־אַתָּה וְהֵעָרֵל Hab. 2:16

עָרֵל

ת׳ א) שלא נמול: 1-3, 5-6, 10, 13-32, 35
ב) [בהשאלה] אטום: 4, 7, 8, 9, 11, 33, 34
ג) עץ פרי שלא נזמר: 12
– עָרֵל זָכָר 3; לֵבָב עָרֵל 4; פְּלִשְׁתִּי עָ׳ 5, 6
– עֶרֶל בָּשָׂר 10; עֶרֶל לֵב 9; עֲרַל שְׂפָתַיִם 7, 8
– אָזְנָם עֲרֵלָה 11
– בְּנוֹת עֲרֵלִים 29; גּוֹיִם עֲרֵלִים 14; יַד עָ׳ 26;
מוֹתֵי עָ׳ 15; מַצַּב הָעָ׳ 27; הַפְּלִשְׁתִּים הָעֲרֵלִים 25
– עַרְלֵי בָשָׂר 35; עַרְלֵי לֵב 33, 34

עָרֵל 1 וְכָל־עָרֵל לֹא־יֹאכַל בּוֹ Ex. 12:48
2 לֹא יוֹסִיף יָבֹא־בָךְ עוֹד עָרֵל וְטָמֵא Is. 52:1
וְעָרֵל 3 וְעָרֵל זָכָר אֲשֶׁר לֹא־יִמּוֹל... Gen. 17:14
הֶעָרֵל 4 אוֹ־אָז יִכָּנַע לְבָבָם הֶעָרֵל Lev. 26:41
5-6 הַפְּלִשְׁתִּי הֶעָרֵל הַזֶּה ISh. 17:26, 36
עֲרַל־ 7 וַאֲנִי עֲרַל שְׂפָתָיִם Ex. 6:12
8 הֵן אֲנִי עֲרַל שְׂפָתַיִם Ex. 6:30
עֶרֶל־ 9 כָּל־בֶּן־נֵכָר עֶרֶל לֵב Ezek. 44:9
וְעֶרֶל־ 10 וְעֶרֶל בָּשָׂר Ezek. 44:9
עֲרֵלָה 11 הִנֵּה עֲרֵלָה אָזְנָם Jer. 6:10
עֲרֵלִים 12 שָׁלֹשׁ שָׁנִים יִהְיֶה לָכֶם עֲרֵלִים Lev. 19:23
13 כִּי־עֲרֵלִים הָיוּ כִּי לֹא־מָלוּ אוֹתָם Josh. 5:7
14 כִּי כָל־הַגּוֹיִם עֲרֵלִים Jer. 9:25
15 מוֹתֵי עֲרֵלִים תָּמוּת בְּיַד זָרִים Ezek. 28:10
16 בְּתוֹךְ עֲרֵלִים תִּשְׁכַּב Ezek. 31:18
17 רְדָה וְהָשְׁכְּבָה אֶת־עֲרֵלִים Ezek. 32:19
18 יָרְדוּ עֲרֵלִים אֶל־אֶרֶץ תַּחְתִּיּוֹת Ezek. 32:24
19 כֻּלָּם עֲרֵלִים חַלְלֵי־חֶרֶב Ezek. 32:25
20 כֻּלָּם עֲרֵלִים מְחֻלְלֵי חֶרֶב Ezek. 32:26
21 וְאַתָּה בְּתוֹךְ עֲרֵלִים תִּשָּׁבַר Ezek. 32:28
22 הֵמָּה אֶת־עֲרֵלִים יִשְׁכָּבוּ Ezek. 32:29
23 וַיִּשְׁכְּבוּ עֲרֵלִים אֶת־חַלְלֵי־חֶרֶב Ezek. 32:30
24 וְהֻשְׁכַּב בְּתוֹךְ עֲרֵלִים Ezek. 32:32
הָעֲרֵלִים 25 לָקַחַת אִשָּׁה מִפְּלִשְׁתִּים הָעֲרֵלִים Jud. 14:3
26 וְנָפַלְתִּי בְּיַד הָעֲרֵלִים Jud. 15:18
27 וְנַעְבְּרָה אֶל־מַצַּב הָעֲרֵלִים הָאֵלֶּה ISh. 14:6
28 פֶּן־יָבוֹאוּ הָעֲרֵלִים הָאֵלֶּה וּדְקָרֻנִי ISh. 31:4
29 פֶּן־תַּעֲלֹזְנָה בְּנוֹת הָעֲרֵלִים IISh. 1:20
30 שָׁכְבוּ הָעֲרֵלִים חַלְלֵי חָרֶב Ezek. 32:21
31 יָבֹאוּ הָעֲרֵלִים הָאֵלֶּה וְהִתְעַלְּלוּ ICh. 10:4
מֵעֲרֵלִים 32 וְלֹא יִשְׁכְּבוּ אֶת־גִּבּוֹרִים
נֹפְלִים מֵעֲרֵלִים Ezek. 32:27
עַרְלֵי־ 33 וְכָל־בֵּית יִשְׂרָאֵל עַרְלֵי־לֵב Jer. 9:25
34 בְּנֵי־נֵכָר עַרְלֵי־לֵב Ezek. 44:7
וְעַרְלֵי־ 35 עַרְלֵי־לֵב וְעַרְלֵי בָשָׂר Ezek. 44:7

עָרְלָה

נ׳ א) העור המכסה את אבר הזכרות:
1-3, 5-8, 10-14, 16
ב) [בהשאלה] אטימות: 4, 15
ג) [בהשאלה] פרי של עץ
בשלוש שנותיו הראשונות: 9
– בְּשַׂר עָרְלָה 5-8, 10, 11; מוּל בְּעָרְלָה 2; עָרְלַת הַבֵּן 3; עָרְלַת לֵב 4
– גִּבְעַת הָעֲרָלוֹת 12; עָרְלוֹת לֵבָב 15; עָרְלוֹת פְּלִשְׁתִּים 13, 14

עָרְלָה 1 לָתֵת...לְאִישׁ אֲשֶׁר־לוֹ עָרְלָה Gen. 34:14
בְּעָרְלָה 2 וּפָקַדְתִּי עַל־כָּל־מוּל בְּעָרְלָה Jer. 9:24
עָרְלַת־ 3 וַתִּכְרֹת אֶת־עָרְלַת בְּנָהּ Ex. 4:25
4 וּמַלְתֶּם אֵת עָרְלַת לְבַבְכֶם Deut. 10:16
עָרְלָתוֹ 5 אֲשֶׁר לֹא־יִמּוֹל אֶת־בְּשַׂר עָרְלָתוֹ Gen. 17:14
6 בְּהִמֹּלוֹ בְּשַׂר עָרְלָתוֹ Gen. 17:24
7 בְּהִמֹּלוֹ אֵת בְּשַׂר עָרְלָתוֹ Gen. 17:25
8 וּבַיּוֹם הַשְּׁמִינִי יִמּוֹל בְּשַׂר עָרְלָתוֹ Lev. 12:3
9 וַעֲרַלְתֶּם עָרְלָתוֹ אֶת־פִּרְיוֹ Lev. 19:23
עָרְלַתְכֶם 10 וּנְמַלְתֶּם אֵת בְּשַׂר עָרְלַתְכֶם Gen. 17:11
עָרְלָתָם 11 וַיָּמָל אֶת־בְּשַׂר עָרְלָתָם Gen. 17:23
הָעֲרָלוֹת 12 וַיָּמָל אֶת־בְּנֵי־יִ׳ אֶל־גִּבְעַת הָעֲרָלוֹת Josh. 5:3
עָרְלוֹת־ 13 ...כִּי בְּמֵאָה עָרְלוֹת פְּלִשְׁתִּים ISh. 18:25
14 אֵרַשְׂתִּי לִי בְּמֵאָה עָרְלוֹת פְּלִשְׁתִּים IISh. 3:14
15 הִמֹּלוּ לַייָ וְהָסִרוּ עָרְלוֹת לְבַבְכֶם Jer. 4:4
עָרְלֹתֵיהֶם 16 וַיָּבֵא דָוִד אֶת־עָרְלֹתֵיהֶם... ISh. 18:27

ערם

: א) נֶעֱרַם; עֲרֵמָה
ב) עָרַם, הֶעֱרִים; עָרְמָה

(ערם) נֶעֱרַם

נפ׳ נאסף, הצטבר

נֶעֶרְמוּ 1 וּבְרוּחַ אַפֶּיךָ נֶעֶרְמוּ מַיִם Ex. 15:8

עָרַם

פ׳ א) [רק המקור עָרוֹם] נהג בערמה: 1
ב) [הפ׳ הֶעֱרִים] נהג בערמה, חבל: 2-5
הֶעֱרִים סוֹד 5

עָרֹם 1 כִּי אָמַר אֵלַי עָרוֹם יַעְרִם הוּא ISh. 23:22
יַעְרִם 2 כִּי אָמַר אֵלַי עָרוֹם יַעְרִם הוּא ISh. 23:22
3 וְשֹׁמֵר תּוֹכַחַת יַעְרִם Prov. 15:5
4 לֵץ תַּכֶּה וּפֶתִי יַעְרִם Prov. 19:25
יַעֲרִימוּ 5 עַל־עַמְּךָ יַעֲרִימוּ סוֹד Ps. 83:4

עֵרֹם

ת׳ חשוף, מעורטל: 1-16
עֵרֹם וְיָחֵף 2-4; שׁוֹלָל וְעָרֹם 12; בִּגְדֵי עֲרוּמִּים 16

עָרֹם 1 וַיִּפְשַׁט גַּם־הוּא בְּגָדָיו...וַיִּפֹּל עָרֹם Sh. 19:24
2 וַיַּעַשׂ כֵּן הָלֹךְ עָרוֹם וְיָחֵף s. 20:2
3 כַּאֲשֶׁר הָלַךְ עַבְדִּי...עָרוֹם וְיָחֵף s. 20:3
4 כֵּן יִנְהַג...עָרוֹם וְיָחֵף וַחֲשׂוּפַי שֵׁת s. 20:4
5 כִּי־תִרְאֶה עָרֹם וְכִסִּיתוֹ s. 58:7
6 עָרוֹם יָנוּס בַּיּוֹם־הַהוּא Am. 2:16
7 עָרֹם יָצָתִי מִבֶּטֶן אִמִּי ob 1:21
8 עָרוֹם יָלִינוּ מִבְּלִי לְבוּשׁ ob 24:7
9 עָרוֹם הִלְּכוּ בְּלִי לְבוּשׁ ob 24:10
10 עָרוֹם שְׁאוֹל נֶגְדּוֹ ob 26:6
11 עָרוֹם יָשׁוּב לָלֶכֶת כְּשֶׁבָּא ccl. 5:14
וְעָרוֹם 12 אֵילְכָה שׁוֹלָל וְעָרוֹם Mic. 1:8
13 וְעָרֹם אָשׁוּב שָׁמָּה ob 1:21

עֲרֻמָּה 14 פֶּן־אַפְשִׁטֶנָּה עֲרֻמָּה...כְּיוֹם הִוָּלְדָהּ Hosh. 2:5
עֲרוּמִּים 15 וַיִּהְיוּ שְׁנֵיהֶם עֲרוּמִּים הָאָדָם וְאִשְׁתּוֹ Gen. 2:25
16 וּבִגְדֵי עֲרוּמִּים תַּפְשִׁיט Job 22:6

עָרְמָה נ׳ א) חכמה, דעת: 1-3, 6
ב) מזמה, תחבולה: 4, 5
קרובים: ראה חָכְמָה
עָרְמָה 1 לָתֵת לִפְתָאיִם עָרְמָה Prov. 1:4
2 הָבִינוּ פְתָאיִם עָרְמָה Prov. 8:5
3 אֲנִי־חָכְמָה שָׁכַנְתִּי עָרְמָה Prov. 8:12
בְּעָרְמָה 4 וְכִי־יָזִד...לְהָרְגוֹ בְעָרְמָה Ex. 21:14
5 וַיַּעֲשׂוּ גַם־הֵמָּה בְּעָרְמָה Josh. 9:4
בְּעָרְמָם 6 לֹכֵד חֲכָמִים בְּעָרְמָם Job 5:13

עֲרֵמָה נ׳ צבור, גל: 1-11
קְצֵה הָעֲרֵמָה 1; עֲרֵמַת חִטִּים 3; עֲרֵמוֹת עָפָר 11
הָעֲרֵמָה 1 וַיָּבֹא לִשְׁכַּב בִּקְצֵה הָעֲרֵמָה Ruth 3:7
עֲרֵמַת־ 2 מִהְיוֹתָם בָּא אֶל־עֲרֵמַת עֶשְׂרִים... Hag. 2:16
3 בִּטְנֵךְ עֲרֵמַת חִטִּים סוּגָה בַּשּׁוֹשַׁנִּים S.ofS. 7:3
עֲרֵמִים 4 סָלּוּהָ כְמוֹ־עֲרֵמִים וְהַחֲרִימוּהָ Jer. 50:26
עֲרֵמוֹת 5-6 הֵבִיאוּ וַיִּתְּנוּ עֲרֵמוֹת עֲרֵמוֹת IICh. 31:6
הָעֲרֵמוֹת 7 וּמְבִיאִים הָעֲרֵמוֹת וְעֹמְסִים Neh. 13:15
8 הֵחֵלּוּ הָעֲרֵמוֹת לִיסּוֹד [נ״א לְיִסּוֹד] IICh. 31:7
9 וַיָּבֹאוּ...וַיִּרְאוּ אֶת־הָעֲרֵמוֹת IICh. 31:8
10 וַיִּדְרֹשׁ יְחִזְקִיָּהוּ...עַל־הָעֲרֵמוֹת IICh. 31:9
מֵעֲרֵמוֹת־ 11 הַיְחַיּוּ...מֵעֲרֵמוֹת הֶעָפָר Neh. 3:34

עַרְמוֹן ז׳ עץ הַדֹּלֶב (Platanus): 1, 2
וְעַרְמוֹן 1 מַקֵּל לִבְנֶה לַח וְלוּז וְעַרְמוֹן Gen. 30:37
וְעַרְמֹנִים 2 וְעַרְמֹנִים לֹא־הָיוּ כְּפֹרֹאתָיו Ezek. 31:8

עֵרָן שפ״ז – מבני אפרים
לְעֵרָן 1 לְעֵרָן מִשְׁפַּחַת הָעֵרָנִי Num. 26:36

עֵרָנִי ת׳ המתיחס על בני עֵרָן
הָעֵרָנִי 1 לְעֵרָן מִשְׁפַּחַת הָעֵרָנִי Num. 26:36

עַרְעוֹר ש״פ – נוסח אחר של שם העיר עֲרוֹעֵר
וּבְעַרְעוֹר 1 בְּחֶשְׁבּוֹן...וּבְעַרְעוֹר וּבִבְנוֹתֶיהָ Jud. 11:26

עַרְעֵר פ׳ א) [רק מקור עַרְעֵר] מוטט: 1
ב) [הת׳ הִתְעַרְעֵר] התמוטט: 2
עַרְעֵר 1 חֹמוֹת בָּבֶל...עַרְעֵר תִּתְעַרְעָר Jer. 51:58
תִּתְעַרְעָר 2 חֹמוֹת בָּבֶל...עַרְעֵר תִּתְעַרְעָר Jer. 51:58

עַרְעָר ז׳ עץ מדברי יָבֵשׁ וחשׂוף [גם בהשאלה]: 1, 2
הָעַרְעָר 1 פָּנָה אֶל־תְּפִלַּת הָעַרְעָר Ps. 102:18
כְּעַרְעָר 2 וְהָיָה כְּעַרְעָר בָּעֲרָבָה Jer. 17:6

ערף : א) עָרַף; עָרִיף? עֲרָפֶל (?)
ב) עֹרֶף; עָרוּף, עֹרֶף; ש״פ עָרְפָּה

עָרַף¹ פ׳ נזל, טפטף: 1, 2
יַעֲרֹף 1 יַעֲרֹף כַּמָּטָר לִקְחִי Deut. 32:2
יַעַרְפוּ 2 אַף־שָׁמָיו יַעַרְפוּ־טָל Deut. 33:28

עָרַף² פ׳ א) שׁבר את העורף: 1-5
ב) [בהשאלה] הרס: 6
עוֹרֵף כֶּלֶב 4; עֶגְלָה עֲרוּפָה 5
וַעֲרַפְתּוֹ 1-2 וְאִם־לֹא תִפְדֶּה וַעֲרַפְתּוֹ Ex. 13:13; 34:20
וְעָרְפוּ 3 וְעָרְפוּ־שָׁם אֶת־הָעֶגְלָה Deut. 21:4
עוֹרֵף 4 זוֹבֵחַ הַשֶּׂה עֹרֵף כֶּלֶב Is. 66:3
הָעֲרוּפָה 5 עַל הָעֶגְלָה הָעֲרוּפָה בַנָּחַל Deut. 21:6
יַעֲרֹף 6 יַעֲרֹף מִזְבְּחוֹתָם יְשֹׁדֵד מַצֵּבוֹתָם Hosh. 10:2

עֹרֶף ז׳ אחורי הצואר באדם ובבעלי־החיים: 1-33
– עֹרֶף קָשֶׁה 21; קְשֵׁה עֹרֶף 2-7; עֹרֶף אוֹיְבִים 18
– הָפַךְ עֹרֶף 8; הִפְנָה ע׳ 14; הִקְשָׁה ע׳ 16, 24-33
נָתַן עֹרֶף 1, 10, 15, 17; פָּנָה עֹרֶף 9, 11
עֹרֶף 1 וְנָתַתִּי אֶת־כָּל־אֹיְבֶיךָ אֵלֶיךָ עֹרֶף Ex. 23:27
2-7 עַם־קְשֵׁה־עֹרֶף Ex. 32:9; 33:3, 5; 34:9
Deut. 9:6, 13
8 הָפַךְ יִשְׂרָאֵל עֹרֶף לִפְנֵי אֹיְבָיו Josh. 7:8
9 עֹרֶף יִפְנוּ לִפְנֵי אֹיְבֵיהֶם Josh. 7:12
10 וְאֹיְבַי תַּתָּה לִּי עֹרֶף IISh. 22:41
11 כִּי־פָנוּ אֵלַי עֹרֶף וְלֹא פָנִים Jer. 2:27
12 עֹרֶף וְלֹא־פָנִים אֶרְאֵם Jer. 18:17
13 וַיִּפְנוּ אֵלַי עֹרֶף וְלֹא פָנִים Jer. 32:33
14 אֵיךְ הִפְנָה־עֹרֶף מוֹאָב בּוֹשׁ Jer. 48:39
15 וְאֹיְבַי נָתַתָּה לִּי עֹרֶף Ps. 18:41
16 אִישׁ תּוֹכָחוֹת מַקְשֶׁה־עֹרֶף Prov. 29:1
17 וַיַּסֵּבּוּ פְנֵיהֶם...וַיִּתְּנוּ־עֹרֶף IICh. 29:6
בְּעֹרֶף־ 18 יָדְךָ בְּעֹרֶף אֹיְבֶיךָ Gen. 49:8
כְּעֹרֶף־ 19 וַיַּקְשׁוּ אֶת־עָרְפָּם כְּעֹרֶף אֲבוֹתָם IIK. 17:14
בְּעָרְפִּי 20 וְאָחַז בְּעָרְפִּי וַיְפַצְפְּצֵנִי Job 16:12
עָרְפְּךָ 21 אֶת־מֶרְיְךָ וְאֶת־עָרְפְּךָ הַקָּשֶׁה Deut. 31:27
עָרְפֶּךָ 22 וְגִיד בַּרְזֶל עָרְפֶּךָ וּמִצְחֲךָ נְחוּשָׁה Is. 48:4
עָרְפּוֹ 23 וּמָלַק אֶת־רֹאשׁוֹ מִמּוּל עָרְפּוֹ Lev. 5:8
24 וַיֶּקֶשׁ אֶת־עָרְפּוֹ וַיְאַמֵּץ אֶת־לְבָבוֹ IICh. 36:13
עָרְפְּכֶם 25 אַל־תַּקְשׁוּ עָרְפְּכֶם כַּאֲבוֹתֵיכֶם IICh. 30:8
וְעָרְפְּכֶם 26 וְעָרְפְּכֶם לֹא תַקְשׁוּ עוֹד Deut. 10:16
עָרְפָּם 27 וַיַּקְשׁוּ אֶת־עָרְפָּם כְּעֹרֶף אֲבוֹתָם IIK. 17:14
28-29 וַיַּקְשׁוּ אֶת־עָרְפָּם Jer. 7:26; 17:23
30 כִּי הִקְשׁוּ אֶת־עָרְפָּם Jer. 19:15
31-32 וַיַּקְשׁוּ אֶת־עָרְפָּם Neh. 9:16, 17
וְעָרְפָּם 33 וְעָרְפָּם הִקְשׁוּ וְלֹא שָׁמֵעוּ Neh. 9:29

עָרְפָּה שפ״נ – אשת כליון בן אלימלך: 1, 2
עָרְפָּה 1 נָשִׁים מֹאֲבִיּוֹת שֵׁם הָאַחַת עָרְפָּה Ruth 1:4
2 וַתִּשַּׁק עָרְפָּה לַחֲמוֹתָהּ Ruth 1:14

עֲרָפֶל ז׳ הצטברות אדי מים
סמוך לפני האדמה, ענן נמוך: 1-15
קרובים: ראה עָנָן
עָנָן וַעֲרָפֶל 2, 6-9, 12; יוֹם עָנָן 6-8
עֲרָפֶל 1 הַבְעַד עֲרָפֶל יִשְׁפּוֹט Job 22:13
וַעֲרָפֶל 2 חֹשֶׁךְ עָנָן וַעֲרָפֶל Deut. 4:11
3/4 וַעֲרָפֶל תַּחַת רַגְלָיו IISh. 22:10 • Ps. 18:10
5 הַחֹשֶׁךְ יְכַסֶּה־אֶרֶץ וַעֲרָפֶל לְאֻמִּים Is. 60:2
6 בְּיוֹם עָנָן וַעֲרָפֶל Ezek. 34:12
7 יוֹם חֹשֶׁךְ וַאֲפֵלָה יוֹם עָנָן וַעֲרָפֶל Joel 2:2
8 יוֹם חֹשֶׁךְ וַאֲפֵלָה יוֹם עָנָן וַעֲרָפֶל Zep. 1:15
9 עָנָן וַעֲרָפֶל סְבִיבָיו Ps. 97:2
10 עָנָן לְבֻשׁוֹ וַעֲרָפֶל חֲתֻלָּתוֹ Job 38:9
הָעֲרָפֶל 11 וּמֹשֶׁה נִגַּשׁ אֶל־הָעֲרָפֶל Ex. 20:18
וְהָעֲרָפֶל 12 מִתּוֹךְ הָאֵשׁ הֶעָנָן וְהָעֲרָפֶל Deut. 5:19
בָּעֲרָפֶל 13 יְיָ אָמַר לִשְׁכֹּן בָּעֲרָפֶל IK. 8:12
14 יְיָ אָמַר לִשְׁכּוֹן בָּעֲרָפֶל IICh. 6:1
לַעֲרָפֶל 15 וְשָׂמָהּ לְצַלְמָוֶת וְשִׁית׳ לַעֲרָפֶל Jer. 13:16

ערץ : עָרַץ, נַעֲרָץ, הֶעֱרִיץ; עָרוּץ, עָרִיץ, מַעֲרָצָה

עָרַץ פ׳ א) הפחיד, החריד: 1-3, 8
ב) פָּחַד, יָרֵא: 4-7, 9-11
ג) [נפ׳ בינוני: נַעֲרָץ] נשׂגב: 12
ד) [הפ׳ הֶעֱרִיץ] הטיל מוראו: 13
ה) [כנ״ל] ירא, התיחס ביראה: 14, 15
לַעֲרֹץ 1-2 בְּקוּמוֹ לַעֲרֹץ הָאָרֶץ Is. 2:19, 21
3 לַעֲרֹץ אֱנוֹשׁ מִן־הָאָרֶץ Ps. 10:18
אֶעֱרוֹץ 4 כִּי אֶעֱרוֹץ הָמוֹן רַבָּה Job 31:34
תַּעֲרֹץ 5 לֹא תַעֲרֹץ מִפְּנֵיהֶם Deut. 7:21
6 אַל־תַּעֲרֹץ וְאַל־תֵּחָת Josh. 1:9
7 הֶעָלֶה נִדָּף תַּעֲרוֹץ Job 13:25
תַּעֲרוֹצִי 8 אוּלַי תּוּכְלִי הוֹעִיל אוּלַי תַּעֲרוֹצִי Is. 47:12
תַּעַרְצוּ 9 וְאַל־תַּחְפְּזוּ וְאַל־תַּעַרְצוּ מִפְּנֵיהֶם Deut. 20:3
10 אַל־תִּירְאוּ וְאַל־תַּעַרְצוּ מִפְּנֵיהֶם Deut. 31:6
תַּעַרְצוּן 11 לֹא־תַעַרְצוּן וְלֹא־תִירְאוּן מֵהֶם Deut. 1:29
נַעֲרָץ 12 אֵל נַעֲרָץ בְּסוֹד־קְדֹשִׁים רַבָּה... Ps. 89:8
מַעֲרִיצְכֶם 13 וְהוּא מוֹרַאֲכֶם וְהוּא מַעֲרִיצְכֶם Is. 8:13
תַּעֲרִיצוּ 14 לֹא־תִירְאוּ וְלֹא תַעֲרִיצוּ Is. 8:12
יַעֲרִיצוּ 15 וְאֶת־אֱלֹהֵי יִשְׂרָאֵל יַעֲרִיצוּ Is. 29:23

עָרַק פ׳ נס, נמלט
הָעֹרְקִים 1 הָעֹרְקִים צִיָּה אֶמֶשׁ שׁוֹאָה וּמְשֹׁאָה Job 30:3

עַרְקִי שפ״ז – שבט כנעני: 1, 2
הָעַרְקִי 1/2 וְאֶת־הַחִוִּי וְאֶת־הָעַרְקִי Gen. 10:17 • ICh. 1:15

ערר עין עור, עורר

עֶרֶשׂ נ׳ מטה: 1-10 • קרובים: ראה מִטָּה
דְּמֶשֶׁק עֶרֶשׂ 1; עֶרֶשׂ בַּרְזֶל 2; עֶרֶשׂ דְּוַי 3;
עֶרֶשׂ יְצוּעָיו 4
עָרֶשׂ 1 בִּפְאַת מִטָּה וּבִדְמֶשֶׁק עָרֶשׂ Am. 3:12
עֶרֶשׂ־ 2 הִנֵּה עַרְשׂוֹ עֶרֶשׂ בַּרְזֶל Deut. 3:11
3 יְיָ יִסְעָדֶנּוּ עַל־עֶרֶשׂ דְּוָי Ps. 41:4
4 אִם־אֶעֱלֶה עַל־עֶרֶשׂ יְצוּעָי Ps. 132:3
עַרְשִׂי 5 בְּדִמְעָתִי עַרְשִׂי אַמְסֶה Ps. 6:7
6 מַרְבַדִּים רָבַדְתִּי עַרְשִׂי Prov. 7:16
7 כִּי־אָמַרְתִּי תְּנַחֲמֵנִי עַרְשִׂי Job 7:13
עַרְשׂוֹ 8 הִנֵּה עַרְשׂוֹ עֶרֶשׂ בַּרְזֶל Deut. 3:11
עַרְשֵׂנוּ 9 אַף־עַרְשֵׂנוּ רַעֲנָנָה S.ofS. 1:16
עַרְשׂוֹתָם 10 וּסְרֻחִים עַל־עַרְשׂוֹתָם Am. 6:4

עָשׁ¹ ז׳ חֶרֶק המכרסם בגדים: 1-7
עָשׁ 1 כַּבֶּגֶד יִבְלוּ עָשׁ יֹאכְלֵם Is. 50:9
2 כַבֶּגֶד יֹאכְלֵם עָשׁ Is. 51:8
3 יְדַכְּאוּם לִפְנֵי־עָשׁ Job 4:19
4 כְּרָקָב יִבְלֶה כְּבֶגֶד אֲכָלוֹ עָשׁ Job 13:28
כָּעָשׁ 5 וַאֲנִי כָעָשׁ לְאֶפְרָיִם Hosh. 5:12
6 וַתֶּמֶס כָּעָשׁ חֲמוּדוֹ Ps. 39:12
7 בָּנָה כָעָשׁ בֵּיתוֹ Job 27:18

עָשׁ² ז׳ נוסח אחר של "עַיִשׁ", אחד מן המזלות
עָשׁ 1 עֹשֶׂה־עָשׁ כְּסִיל וְכִימָה Job 9:9

עֵשֶׂב ז׳ שם כולל לצמחים הגדלים על־פי־רוב
בר ומשמשים בעקר למרעה: 1-33
קרובים: דֶּשֶׁא / חָצִיר / יֶרֶק
– עֵשֶׂב הָאָרֶץ 25-27, 30, 31; עֵשֶׂב הַשָּׂדֶה 19-24, 28, 29;
– דֶּשֶׁא עֵשֶׂב 1, 2; יֶרֶק עֵשֶׂב 5
– עִשְּׂבוֹת הָרִים 33
עֵשֶׂב 1-2 דֶּשֶׁא עֵשֶׂב מַזְרִיעַ זֶרַע Gen. 1:11, 12
3 אֶת־כָּל־עֵשֶׂב זֹרֵעַ זֶרַע Gen. 1:29
4 אֶת־כָּל־יֶרֶק עֵשֶׂב לְאָכְלָה Gen. 1:30
5 כְּיֶרֶק עֵשֶׂב נָתַתִּי לָכֶם אֶת־כֹּל Gen. 9:3
6 וְנָתַתִּי עֵשֶׂב בְּשָׂדְךָ לִבְהֶמְתֶּךָ Deut. 11:15
7 וְלֹא־יַעֲלֶה בָהּ כָּל־עֵשֶׂב Deut. 29:22
8 וְכִרְבִיבִים עֲלֵי־עֵשֶׂב Deut. 32:2
9 כָּלוּ עֵינֵיהֶם כִּי־אֵין עֵשֶׂב Jer. 14:6
10 כְּטַל...כִּרְבִיבִים עֲלֵי־עֵשֶׂב Mic. 5:6
11 יִתֵּן לָהֶם לְאִישׁ עֵשֶׂב בַּשָּׂדֶה Zech. 10:1

עֵשֶׂב (המשך) 12 בִּפְרֹחַ רְשָׁעִים כְּמוֹ עֵשֶׂב Ps. 92:8
13 וַיֹּאכַל כָּל־עֵשֶׂב בְּאַרְצָם Ps. 105:35
14 בְּתַבְנִית שׁוֹר אֹכֵל עֵשֶׂב Ps. 106:20
15 וּכְטַל עַל־עֵשֶׂב רְצוֹנוֹ Prov. 19:12
וְעֵשֶׂב 16 וְעֵשֶׂב לַעֲבֹדַת הָאָדָם Ps. 104:14
כָּעֵשֶׂב 17 הוּכָּה כָעֵשֶׂב וַיִּבַשׁ לִבִּי Ps. 102:5
18 וַאֲנִי כָּעֵשֶׂב אִיבָשׁ Ps. 102:12
עֵשֶׂב־ 19 וְכָל־עֵשֶׂב הַשָּׂדֶה טֶרֶם יִצְמָח Gen. 2:5
20 וְאָכַלְתָּ אֶת־עֵשֶׂב הַשָּׂדֶה Gen. 3:18
21-24 עֵשֶׂב (הַ)שָּׂדֶה Ex. 9:22, 25 IIK. 19:26 • Is. 37:27
25 וַיֹּאכַל אֶת־כָּל־עֵשֶׂב הָאָרֶץ Ex. 10:12
26-27 עֵשֶׂב הָאָרֶץ Ex. 10:15 • Am. 7:2
וְעֵשֶׂב־ 28 וְעֵשֶׂב כָּל־הַשָּׂדֶה יִיבָשׁ Jer. 12:4
וּבְעֵשֶׂב־ 29 כָּל־יֶרֶק בָּעֵץ וּבְעֵשֶׂב הַשָּׂדֶה Ex. 10:15
כְּעֵשֶׂב־ 30 וְיָצִיצוּ מֵעִיר כְּעֵשֶׂב הָאָרֶץ Ps. 72:16
31 וְצֶאֱצָאֶיךָ כְּעֵשֶׂב הָאָרֶץ Job 5:25
עֶשְׂבָּם 32 וְכָל־עֶשְׂבָּם אוֹבִישׁ Is. 42:15
עִשְּׂבוֹת־ 33 וְנֶאֶסְפוּ עִשְּׂבוֹת הָרִים Prov. 27:25

עֲשַׂב
ז׳ ארמית, עֵשֶׂב: 1-5 • עֲשַׂב אַרְעָא 1
בַּעֲשַׂב־ 1 וְעִם־חֵיוְתָא חֲלָקֵהּ בַּעֲשַׂב אַרְעָא Dan. 4:12
עִשְׂבָּא 2 עִשְׂבָּא כְתוֹרִין לָךְ יְטַעֲמוּן Dan. 4:29
3 עִשְׂבָּא כְתוֹרִין יְטַעֲמוּנֵּהּ Dan. 5:21
וְעִשְׂבָּא 4 וְעִשְׂבָּא כְתוֹרִין לָךְ יְטַעֲמוּן Dan. 4:22
5 וְעִשְׂבָּא כְתוֹרִין יֵאכֻל Dan. 4:30

עשה
: עָשָׂה, נַעֲשָׂה, עִשָּׂה, עֻשָּׂה; מַעֲשֶׂה; ש״פ יַעֲשִׂי, יַעֲשִׂיאֵל, מַעֲשַׂי, מַעֲשֵׂיָהוּ, עֲשָׂהאֵל, עֲשִׂיאֵל, עֲשָׂיָה

עָשָׂה
פ׳ א) פָּעַל, בִּצַּע עֲבוֹדָה, הִתְקִין, יָצַר, עָרַךְ, קִיֵּם: רוֹב המקראות 1-2525
ב) הִצְמִיחַ, הוֹצִיא מִקִּרְבּוֹ: 80, 86, 283, 624, 967, 972, 1059, 1143, 1295, 1296, 1820, 1821, 1982, 1983, 2180, 2183, 2323, 2336, 2351
ג) גָּרַם, סִבֵּב: 7, 9, 409, 626, 2174-2177
ד) לָחַץ: 40
ה) הִפְקִיד, מִנָּה: 620, 968, 1938
ו) [עָשָׂה לפני שֵׁם מוּפשט] קִיֵּם את התוכן הכלול במשמע השם — ראה בצרופים להלן
ז) [נפ׳ נַעֲשָׂה] בֻּצַּע, קֻיַּם, הוּצָא אל הפועל: 2526-2624
ח) [פ׳ עִשָּׂה] לָחַץ, מָעַךְ: 2625, 2626
ט) [פ׳ עֻשָּׂה] נעשה, נוצר: 2627
קרובים: בִּצַּע / בָּרָא / הִפְקִיד / חוֹלֵל / יִסֵּד / יָצַר / כּוֹנֵן / סִבֵּב / עוֹלֵל / עָרַךְ / פָּעַל / קָנָה / תִּקֵּן

— עָשָׂה אֵבֶל 1932, 2492; עָשָׂה אָוֶן 1818; עָ׳ אֱמֶת 495, 1070, 1920; עָשָׂה בֶּצַע 601; עָשָׂה בַּקָּשָׁתוֹ 268; עָשָׂה בְּרָכָה 2505, 2508; עָ׳ גַּאֲוָה 1392; עָשָׂה גְדוֹלוֹת 1310, 1311; עָשָׂה גְּדֻלָּה 265, 433; עָ׳ דְּבָרוֹ 1382, 1450, 1505, 2218; עָ׳ דְּבָרִים 76; עָ׳ דַּרְכּוֹ 78; עָ׳ דְּרָכָיו 282; עָ׳ דָּתָיו 1468; עָשָׂה הִלּוּלִים 2350; עָ׳ זִמָּה 35, 593; עָ׳ חַג 503, 1661, 1668, 1940, 2353; עָשָׂה הַוָּה 1065; עָ׳ חַיִל 74, 435, 1145, 1300, 1448, 1449, 1936, 2212, 2213, 2479; עָ׳ חֲנֻכָּה 92; עָ׳ חֹנֶף 83; עָ׳ חֶסֶד 3, 34, 327, 424, 429, 487, 494, 495, 1070, 1071, 1086, 1119, 1413-1415, 1417, 1563, 1632, 1633, 1652, 1783, 1920, 1921, 2461, 2514; עָ׳ חֶפְצוֹ 1564, 1670; עָ׳ חֲפָצָיו 26; עָ׳ חָפְשִׁי 1815; עָ׳ חֹק (חֻקִּים) 297, 312, 504; עָ׳ חֻקּוֹת 1097-1099, 1103, 1918; עָ׳ (הַ)טּוֹב 266, 267, 438, 501, 1061, 1387-1390, 1806, 1923, 2439-2441, 2472, 2473, 2476-2478, 2488, 2489, 2516; עָ׳ טוֹבָה 488, 1081; עָשָׂה יְשׁוּעָה (יְשׁוּעוֹת) 1796, 2205; עָ׳ הַיָּשָׁר 75, 501, 509, 1656, 1801, 1802, 1970-1981, 2294; עָ׳ כָּבוֹד 1148; עָ׳ כָּלָה 588, 1131, 1566; עָ׳ כְּנָפַיִם 8; עָ׳ מִדְחֶה 1823; עָ׳ מְזִמָּה (-מּוֹת) 304, 1309; עָשָׂה (בִּ)מְלָאכָה 50, 60-63, 70, 496, 500, 1377, 1404-1407, 1409, 1411, 1412, 1420-1422, 1456, 1494-1496, 1498-1501, 1507-1512, 1514, 1515, 1517, 1518, 1521-1523, 1638, 1660, 1663, 1667, 2171, 2238-2253, 2315; עָ׳ מְלוּכָה 1672; עָ׳ מִלְחָמָה 618, 1054, 1130, 1146, 1378, 1408, 1410, 1447, 1502, 1513, 2356, 2456; עָ׳ מַצּוֹת 22, 272, 275, 305, 307, 334, 965, 1053, 1100, 1105, 1108, 1126, 1270; עָ׳ מָקוֹם 2221; עָ׳ מִקְנֶה וְקִנְיָן 1308; עָ׳ מִשְׁפָּט 10, 18, 33, 37, 45, 333, 505, 508, 969-971, 1301, 1302, 1792, 2509, 2521, 2575; עָשָׂה מִשְׁפָּטִים 395, 1090, 1092, 1104, 1125, 1671, 2521; עָשָׂה נְאָצוֹת 2355; עָ׳ נְבָלָה 38, 1030, 1144, 1769; עָ׳ נֶדֶר (נְדָרִים) 6, 15, 1935, 2210, 2423; עָ׳ נוֹרָאוֹת 291; עָ׳ נְכֹחָה 32; עָ׳ נִפְלָאוֹת 1393, 1419, 1429, 1557; עָ׳ נָקָם (נְקָמָה) 30, 90, 411; עָ׳ נְקָמוֹת 405; עָ׳ סֵטִים 17; עָשָׂה עָוֶל 31, 1376, 2235, 2236; עָ׳ עוֹלָה 1109; עָ׳ עַוְלָה 1520, 2328; עָ׳ עֵצָה 82; עָ׳ פִּימָה 1984; עָשָׂה פֶלֶא 434, 1372, 1395, 1675; עָ׳ פְּלִילָה 2506; עָ׳ פֶּסַח 71, 72, 502, 964, 2339, 2347, 2348, 2354, 2506; עָ׳ צֶדֶק 333, 1418; עָ׳ צְדָקָה 18, 45, 969-971, 1302, 1398, 2509, 2513, 2519; עָ׳ צְדָקוֹת 1397; עָ׳ צְחוֹק 614; עָ׳ רַחֲמִים 2514; עָ׳ רְמִיָּה 1307, 1393, 1396; עָ׳ (הָ)רַע 47, 281, 1114, 1385, 1423, 1519, 1777, 1915-1917, 1941-1969, 2293, 2349; עָשָׂה רָעָה 93, 1084, 1085, 1094, 1428, 1767, 1788; עָשָׂה רְצוֹנוֹ 88, 1506, 1516, 2523; עָשָׂה רֶשַׁע 36; עָ׳ רִשְׁעָה 1386, 1504; עָ׳ (יוֹם) שַׁבָּת 55, 73; עָשָׂה שָׁלוֹם 1303, 1312, 1816, 1817; עָ׳ שֵׁם 84, 85, 393, 412, 1772, 1779, 1780, 1938, 2219; עָ׳ שִׂמְחָה 92, 271, 1469; עָ׳ שְׁמִטָּה 1664; עָ׳ שְׁמָמָה 1568; עָ׳ שַׁעֲרוּרִית 1035; עָ׳ שְׁפָטִים 286, 288, 289, 397, 398, 406, 407, 1274, 1559, 1567; עָ׳ שֶׁקֶר 330, 1305, 1306; עָ׳ שְׁרִירוּת 2206; עָ׳ תּוֹעֵבָה (-בוֹת) 21, 27, 284, 596, 1089, 1128, 1141, 2426; עָ׳ תּוֹעָה 270; עָשָׂה הַתּוֹרָה 275; עָשָׂה תּוּשִׁיָּה 2425; עָשָׂה תְּשׁוּעָה 619, 1937

— הִגְדִּיל לַעֲשׂוֹת 87; הִסְכִּיל עֲשׂוֹ 19; הִפְלִיא לַעֲשׂוֹת 77
— נַעֲשֶׂה וְנִשְׁמָע 2189; מַה זֶּה עוֹשֶׂה 1451
— נַעֲשָׂה יְקָר וּגְדֻלָּה 2544; נַעֲ׳ פֶּסַח 2547, 2548; נַעֲשָׂה פִּתְגָם 2537; נֶעֶשְׂתָה בַקָּשָׁתוֹ 2618; נֶעֶשְׂתָה עֲצָתוֹ 2555; נַעֲשׂוּ מִצְוֹת 2620-2624; נַעֲשׂוּ תוֹעֵבוֹת 2553, 2554, 2556, 2561, 2569

עָשֹׂה 1 כִּי־עָשֹׂה יַעֲשֶׂה יְיָ לַאדֹנִי... ISh. 25:28
2 גַּם עָשֹׂה תַעֲשִׂי וְגַם יָכֹל תּוּכָלִי ISh. 26:25
3 כִּי עָשֹׂה אֶעֱשֶׂה עִמְּךָ חֶסֶד IISh. 9:7
4 עָשֹׂה הַנַּחַל הַזֶּה גֵּבִים גֵּבִים IIK. 3:16
5 כִּי עָשֹׂה נַעֲשֶׂה אֶת־כָּל־הַדָּבָר Jer. 44:17
6 עָשֹׂה נַעֲשֶׂה אֶת־נְדָרֵינוּ Jer. 44:25
7 עָשֹׂה אֵלֶּה לָךְ בִּזְנוֹתֵךְ Ezek. 23:30
8 כִּי עָשֹׂה יַעֲשֶׂה־לּוֹ כְנָפַיִם Prov. 23:5
עָשׂוֹ 9 דַּרְכֵּךְ וּמַעֲלָלַיִךְ עָשׂוֹ אֵלֶּה לָךְ Jer. 4:18
10 אִם־עָשׂוֹ תַּעֲשׂוּ מִשְׁפָּט... Jer. 7:5
11 אִם־עָשׂוֹ תַּעֲשׂוּ אֶת־הַדָּבָר הַזֶּה Jer. 22:4
12 עָשׂוֹ יַעֲשֶׂה לוֹ כְּרִשְׁעוֹ גֵּרַשְׁתִּהוּ Ezek. 31:11
וְעָשֹׂה 13/4 וְעָשֹׂה אֹתוֹ יוֹם מִשְׁתֶּה וְשִׂמְחָה Es. 9:17, 18
15 וְעָשֹׂה תַעֲשֶׂינָה אֶת־נִדְרֵיכֶם Jer. 44:25
עֲשֹׂה 16 לְמַעַן עֲשֹׂה כַּיּוֹם הַזֶּה Gen. 50:20
17 עֲשֹׂה־סֵטִים שָׂנֵאתִי Ps. 101:3
18 עֲשֹׂה צְדָקָה וּמִשְׁפָּט נִבְחָר לַיְיָ Prov. 21:3
עֲשׂוֹ 19 עַתָּה הִסְכַּלְתָּ עֲשׂוֹ Gen. 31:28
עֲשׂוֹת 20 בְּיוֹם עֲשׂוֹת יְיָ אֱלֹהִים אֶרֶץ וְשָׁמָיִם Gen. 2:4
21 לְבִלְתִּי עֲשׂוֹת מֵחֻקּוֹת הַתּוֹעֵבֹת Lev. 18:30
22 לְבִלְתִּי עֲשׂוֹת אֶת־כָּל־מִצְוֹתַי Lev. 26:15
23 וּמַה־יָּכֹלְתִּי עֲשׂוֹת כָּכֶם Jud. 8:3
24 לְבִלְתִּי עֲשׂוֹת כָּהֶם IIK. 17:15
25 מֵרֹב עֲשׂוֹת חָלָב יֹאכַל חֶמְאָה Is. 7:22
26 עֲשׂוֹת חֲפָצֶךָ בְּיוֹם קָדְשִׁי Is. 58:13
27 לְמַעַן עֲשׂוֹת אֵת כָּל־הַתּוֹעֵבֹת Jer. 7:10
28 לְבִלְתִּי עֲשׂוֹת־בָּהּ כָּל־מְלָאכָה Jer. 17:24
29 יַעַן עֲשׂוֹת אֱדוֹם בִּנְקֹם נָקָם Ezek. 25:12
30 יַעַן עֲשׂוֹת פְּלִשְׁתִּים בִּנְקָמָה Ezek. 25:15
31 לְבִלְתִּי עֲשׂוֹת עָוֶל Ezek. 33:15
32 וְלֹא־יָדְעוּ עֲשׂוֹת־נְכֹחָה Am. 3:10
33 כִּי אִם־עֲשׂוֹת מִשְׁפָּט Mic. 6:8
34 יַעַן אֲשֶׁר לֹא זָכַר עֲשׂוֹת חָסֶד Ps. 109:16
35 כִּשְׂחוֹק לִכְסִיל עֲשׂוֹת זִמָּה Prov. 10:23
36 תּוֹעֲבַת מְלָכִים עֲשׂוֹת רֶשַׁע Prov. 16:12
37 שִׂמְחָה לַצַּדִּיק עֲשׂוֹת מִשְׁפָּט Prov. 21:15
38 לְבִלְתִּי עֲשׂוֹת עִמָּכֶם נְבָלָה Job 42:8
39 עֲשׂוֹת סְפָרִים הַרְבֵּה אֵין קֵץ Eccl. 12:12
בַּעֲשׂוֹת 40 בַּעֲשׂוֹת מִמִּצְרַיִם דַּדָּיִךְ Ezek. 23:21
לַעֲשׂוֹת 41 אֲשֶׁר־בָּרָא אֱלֹהִים לַעֲשׂוֹת Gen. 2:3
42 וְזֶה הַחִלָּם לַעֲשׂוֹת Gen. 11:6
43 כֹּל אֲשֶׁר יָזְמוּ לַעֲשׂוֹת Gen. 11:6
44 וַיְמַהֵר לַעֲשׂוֹת אֹתוֹ Gen. 18:7
45 לַעֲשׂוֹת צְדָקָה וּמִשְׁפָּט Gen. 18:19
46 כִּי לֹא אוּכַל לַעֲשׂוֹת דָּבָר Gen. 19:22
47 יֶשׁ־לְאֵל יָדִי לַעֲשׂוֹת עִמָּכֶם רָע Gen. 31:29
48 לֹא נוּכַל לַעֲשׂוֹת הַדָּבָר הַזֶּה Gen. 34:14
49 וְלֹא־אֵחַר הַנַּעַר לַעֲשׂוֹת הַדָּבָר Gen. 34:19
50 וַיָּבֹא הַבַּיְתָה לַעֲשׂוֹת מְלַאכְתּוֹ Gen. 39:11
51 לֹא נָכוֹן לַעֲשׂוֹת כֵּן Ex. 8:22
52/3 לַעֲשׂ(וֹ)ת בַּזָּהָב וּבַכָּסֶף Ex. 31:4; 35:32
54 לַעֲשׂוֹת בְּכָל־מְלָאכָה Ex. 31:5
55 וְשָׁמְרוּ...לַעֲשׂוֹת אֶת־הַשַּׁבָּת Ex. 31:16
56 אֲשֶׁר דִּבֶּר לַעֲשׂוֹת לְעַמּוֹ Ex. 32:14
57 אֲשֶׁר־צִוָּה יְיָ לַעֲשֹׂת אֹתָם Ex. 35:1
58 אֲשֶׁר צִוָּה יְיָ לַעֲשׂוֹת בְּיַד־מֹשֶׁה Ex. 35:29
59 לַעֲשׂוֹת בְּכָל־מְלֶאכֶת מַחֲשָׁבֶת Ex. 35:33
60 לַעֲשׂוֹת כָּל־מְלֶאכֶת חָרָשׁ Ex. 35:35
61 לָדַעַת לַעֲשֹׂת אֶת־כָּל־מְלֶאכֶת Ex. 36:1
62 לְקָרְבָה אֶל־הַמְּלָאכָה לַעֲשֹׂת אֹתָהּ Ex. 36:2
63 לִמְלֶאכֶת עֲבֹדַת הַקֹּדֶשׁ לַעֲשֹׂת אֹתָהּ Ex. 36:3
64 אֲשֶׁר־צִוָּה יְיָ לַעֲשֹׂת אֹתָהּ Ex. 36:5
65 וְהַמְּלָאכָה הָיְתָה דַיָּם...לַעֲשׂוֹת אֹתָהּ Ex. 36:7
66 לַעֲשׂוֹת בְּתוֹךְ הַתְּכֵלֶת Ex. 39:3
67 זֶה הַדָּבָר אֲשֶׁר־צִוָּה יְיָ לַעֲשׂוֹת Lev. 8:5
68 צִוָּה יְיָ לַעֲשֹׂת לְכַפֵּר עֲלֵיכֶם Lev. 8:34
69 ...לֹא יְבִיאֶנּוּ לַעֲשׂוֹת אֹתוֹ לַייָ Lev. 17:9
70 לַעֲשׂוֹת מְלָאכָה בְּאֹהֶל מוֹעֵד Num. 4:3
71 וַיְדַבֵּר...אֶל־בְּ״יִ לַעֲשֹׂת הַפָּסַח Num. 9:4
72 וְלֹא־יָכְלוּ לַעֲשֹׂת־הַפֶּסַח Num. 9:6
73 צִוְּךָ יְיָ...לַעֲשׂוֹת אֶת־יוֹם הַשַּׁבָּת Deut. 5:15
74 הַנֹּתֵן לְךָ כֹּחַ לַעֲשׂוֹת חָיִל Deut. 8:18
75 לַעֲשׂוֹת הַיָּשָׁר בְּעֵינֵי יְיָ Deut. 13:19
76 לַעֲשׂוֹת אֶת־כָּל־דִּבְרֵי הַתּוֹרָה Deut. 29:28

לַעֲשׂוֹת (המשך)

77 וַיַּעַל עַל־הַצּוּר...וּמַפְלִא לַעֲשׂוֹת Jud. 13:19
78 וַיָּבֹא הַר־אֶפְרַיִם...לַעֲשׂוֹת דַּרְכּוֹ Jud. 17:8
79 לַעֲשׂוֹת לְבוֹאָם לְגֶבַע בִּנְיָמִן Jud. 20:10
80 וַיְקַו לַעֲשׂוֹת עֲנָבִים וַיַּעַשׂ בְּאֻשִׁים Is. 5:2
81 מַה־לַּעֲשׂוֹת עוֹד לְכַרְמִי וְלֹא עָשִׂיתִי Is. 5:4
82 לַעֲשׂוֹת עֵצָה וְלֹא מִנִּי Is. 30:1
83 לַעֲשׂוֹת חֹנֶף וּלְדַבֵּר אֶל־יְיָ תּוֹעָה Is. 32:6
84 לַעֲשׂוֹת לוֹ שֵׁם עוֹלָם Is. 63:12
85 לַעֲשׂוֹת לְךָ שֵׁם תִּפְאָרֶת Is. 63:14
86 שְׁתוּלָה לַעֲשׂוֹת עָנָף וְלָשֵׂאת פֶּרִי Ezek. 17:8
87 כִּי הִגְדִּיל לַעֲשׂוֹת Joel 2:20
88 לַעֲשׂוֹת־רְצוֹנְךָ אֱלֹהַי חָפָצְתִּי Ps. 40:9
89 עֵת לַעֲשׂוֹת לַיְיָ הֵפֵרוּ תּוֹרָתֶךָ Ps. 119:126
90 לַעֲשׂוֹת נְקָמָה בַּגּוֹיִם Ps. 149:7
91 לַעֲשֹׂת סֻכֹּת כַּכָּתוּב Neh. 8:15
92 לַעֲשֹׂת חֲנֻכָּה וְשִׂמְחָה Neh. 12:27
93 לַעֲשׂת אֵת כָּל־הָרָעָה Neh. 13:27
260-94 לַעֲשׂוֹת Num. 9:13; 15:3; 16:28
22:18, 30; 24:13; 33:56 • Deut. 1:14; 4:1, 5, 13; 5:29; 6:1, 3, 24, 25; 8:1; 9:18; 11:32; 12:1; 13:1, 12; 15:5; 17:10; 18:9; 19:19, 20; 20:18; 24:8, 18, 22; 26:16; 27:26; 28:1, 15, 58; 31:12; 32:46; 34:11 • Josh. 1:7, 8; 9:25; 22:5, 23 • Jud. 3:12; 4:1; 10:6; 13:1; 15:10; 17:3 • ISh. 12:22 • IISh. 12:4, 9; 13:2 • IK. 3:28; 7:14, 40; 8:59; 9:1, 4; 10:9; 11:33; 12:27; 14:8, 9; 16:19, 33; 20:9; 21:20, 25; 22:43 • IIK. 4:13; 4:14; 10:24, 25, 30; 17:17, 37; 21:6, 8, 9, 16; 22:13 • Is. 5:4; 28:21 • Jer. 7:18; 11:8; 16:12; 18:4, 6, 8; 22:17; 26:3; 32:23, 35; 36:3 • Ezek. 6:10; 15:3; 16:5; 18:9; 20:21; 27:5; 36:37 • Joel 2:21 • Jon. 3:10 • Hab. 2:18 • Zech. 1:6; 2:4 • Ps. 119:112; 126:2, 3; 143:10; 149:9 • Prov. 2:14; 3:27; 21:7, 25 • Job 28:25 • Eccl. 2:11; 4:17; 8:11; 9:10 • Es. 1:8; 1:15; 3:11; 5:5; 6:6^2; 7:5; 9:13, 22, 23 • Dan. 11:6 • Ez. 10:5, 12 • Neh. 2:12; 3:38; 5:12; 6:2; 9:24, 28; 13:7 • ICh. 13:4; 22:13(12); 28:7 • IICh. 2:6, 13; 4:11; 7:11; 9:8; 20:32, 35, 36; 25:9; 30:1, 2, 5, 12, 13, 23; 33:6, 8, 9; 34:21, 31; 35:6, 16

וְלַעֲשׂוֹת

261 לִשְׁמֹר מְאֹד וְלַעֲשׂוֹת... Deut. 24:8
262 מְצַוְּךָ הַיּוֹם לִשְׁמֹר וְלַעֲשׂוֹת Deut. 28:13
263 וַחֲזַקְתֶּם מְאֹד לִשְׁמֹר וְלַעֲשׂוֹת Josh. 23:6
264 וְלַעֲשׂוֹת כְּלֵי־מִלְחַמְתּוֹ ISh. 8:12
265 וְלַעֲשׂוֹת לָכֶם הַגְּדוּלָּה IISh. 7:23
266 וְלַעֲשׂוֹת הַטּוֹב בְּעֵינָו IISh. 19:19
267 כִּי אִם־לִשְׂמוֹחַ וְלַעֲשׂוֹת טוֹב בְּחַיָּיו Eccl. 3:12
268 לָתֵת...וְלַעֲשׂוֹת אֶת־בַּקָּשָׁתִי Es. 5:8
269 לִדְרוֹשׁ אֶת־תּוֹרַת יְיָ וְלַעֲשֹׂת Ez. 7:10
270 לְהִלָּחֵם...וְלַעֲשׂוֹת לוֹ תּוֹעָה Neh. 4:2
271 וְלַעֲשׂוֹת שִׂמְחָה גְדוֹלָה Neh. 8:12
272 וְלַעֲשׂוֹת אֶת־כָּל־מִצְוֹת יְיָ Neh. 10:30
273 וְלַעֲשׂוֹת הַכֹּל וְלִבְנוֹת הַבִּירָה ICh. 29:19
274 וְלַעֲשׂוֹת כְּכֹל אֲשֶׁר צִוִּיתִיךָ IICh. 7:17
275 וְלַעֲשׂוֹת הַתּוֹרָה וְהַמִּצְוָה IICh. 14:3

מֵעֲשׂוֹת

276 חָלִלָה לְּךָ מֵעֲשֹׂת כַּדָּבָר הַזֶּה Gen. 18:25
277 חָלִילָה...מֵעֲשׂוֹת כַּדָּבָר הַזֶּה Gen. 44:7
278 חָלִילָה לִּי מֵעֲשׂוֹת זֹאת Gen. 44:17
279 וַיֵּרֶד מֵעֲשֹׂת הַחַטָּאת וְהָעֹלָה Lev. 9:22
280 כַּאֲשֶׁר יָרֵא...מֵעֲשׂוֹת יוֹמָם Jud. 6:27
281 וְשֹׁמֵר יָדוֹ מֵעֲשׂוֹת כָּל־רָע Is. 56:2
282 וְכִבַּדְתּוֹ מֵעֲשׂוֹת דְּרָכֶיךָ Is. 58:13
283 וְלֹא יָמִישׁ מֵעֲשׂוֹת פֶּרִי Jer. 17:8
284 הֲנָקֵל...מֵעֲשׂוֹת אֶת־הַתּוֹעֵבוֹת Ezek. 8:17
285 חָלִילָה לִּי מֵאֱלֹהַי מֵעֲשׂוֹת זֹאת ICh. 11:19

בַּעֲשׂוֹתִי

286 בַּעֲשׂוֹתִי בָךְ שְׁפָטִים בְּאַף Ezek. 5:15
287 בַּעֲשׂוֹתִי אִתְּכֶם לְמַעַן שְׁמִי Ezek. 20:44
288 בַּעֲשׂוֹתִי בָהּ שְׁפָטִים Ezek. 28:22
289 בַּעֲשׂוֹתִי שְׁפָטִים בְּכֹל הַשָּׁאטִים Ezek. 28:26

מֵעֲשׂוֹתִי

290 חָלִילָה לִּי יְיָ מֵעֲשֹׂתִי זֹאת IISh. 23:17

בַּעֲשׂוֹתְךָ

291 בַּעֲשׂוֹתְךָ נוֹרָאוֹת לֹא נְקַוֶּה Is. 64:2

בַּעֲשׂוֹתַיִךְ

292 בַּעֲשׂוֹתֵךְ אֶת־כָּל־אֵלֶּה... Ezek. 16:30

עֲשׂוֹהוּ

293 לֹא־תוּכַל עֲשֹׂהוּ לְבַדֶּךָ Ex. 18:18

עֲשׂוֹתוֹ

294/5 עַד־עֲשֹׂתוֹ וְעַד־הֲקִימוֹ Jer. 23:20; 30:24

בַּעֲשׂוֹתוֹ

296 שְׂמֹאול בַּעֲשֹׂתוֹ וְלֹא־אָחַז Job 23:9
297 בַּעֲשׂתוֹ לַמָּטָר חֹק Job 28:26

לַעֲשׂוֹתוֹ

298 וּמְמַהֵר הָאֱלֹהִים לַעֲשֹׂתוֹ Gen. 41:32
299 וְאָז יִקְרַב לַעֲשֹׂתוֹ Ex. 12:48
300 קָרוֹב...בְּפִיךָ וּבִלְבָבְךָ לַעֲשֹׂתוֹ Deut. 30:14
301 שֹׁקֵד אֲנִי עַל־דְּבָרִי לַעֲשֹׂתוֹ Jer. 1:12
302 כִּי לֹא יָכְלוּ לַעֲשֹׂתוֹ בָּעֵת הַהִיא IICh. 30:3

עֲשׂוֹתָה

303 אַחֲרֵי עֲשׂוֹתָהּ אֶת־כָּל־אֵלֶּה Jer. 3:7
304 עֲשׂוֹתָהּ הַמְזִמָּתָה הָרַבִּים Jer. 11:15

בַּעֲשׂוֹתָהּ

305 בַּעֲשֹׂתָהּ אַחַת מִמִּצְוֹת יְיָ Lev. 4:27

לַעֲשׂוֹתָהּ

306 אֲשֶׁר אָנֹכִי מְצַוֶּה אֶתְכֶם לַעֲשֹׂתָהּ Deut. 11:22
307 תִּשְׁמֹר...הַמִּצְוָה הַזֹּאת לַעֲשֹׂתָהּ Deut. 19:9

עֲשׂוֹתְכֶם

308 יַעַן עֲשׂוֹתְכֶם אֶת־כָּל־הַמַּעֲשִׂים Jer. 7:13

לַעֲשׂוֹתְכֶם

309 לַעֲשֹׂתְכֶם אֹתָם בָּאָרֶץ Deut. 4:14

לַעֲשׂוֹתָם

310 וּלְמַדְתֶּם אֹתָם וּשְׁמַרְתֶּם לַעֲשֹׂתָם Deut. 5:1
311 מְצַוְּךָ הַיּוֹם לַעֲשׂוֹתָם Deut. 7:11
312 וְאֶת־הַחֻקִּים הָאֵלֶּה לַעֲשֹׂתָם Deut. 17:19
313 וּלְזֹכְרֵי פִקֻּדָיו לַעֲשׂוֹתָם Ps. 103:18

עָשִׂיתִי

314 וּמָחִיתִי אֶת...הַיְקוּם אֲשֶׁר עָשִׂיתִי Gen. 7:4
315 וְלֹא־אֹסִף עוֹד...כַּאֲשֶׁר עָשִׂיתִי Gen. 8:21
316 בְּתָם־לְבָבִי...עָשִׂיתִי זֹאת Gen. 20:5
317 כַּחֶסֶד אֲשֶׁר־עָשִׂיתִי עִמְּךָ Gen. 21:23
318 עָשִׂיתִי כַּאֲשֶׁר דִּבַּרְתָּ אֵלָי Gen. 27:19
319 עַד אֲשֶׁר אִם־עָשִׂיתִי Gen. 28:15
320 וְגַם־פֹּה לֹא־עָשִׂיתִי מְאוּמָה Gen. 40:15
321 אַתֶּם רְאִיתֶם אֲשֶׁר עָשִׂיתִי לְמִצְרָיִם Ex. 19:4
322 בְּכֹל הָאֹתוֹת אֲשֶׁר עָשִׂיתִי בְּקִרְבּוֹ Num. 14:11
323 וְאֶת־אֹתֹתַי אֲשֶׁר־עָשִׂיתִי Num. 14:22
324 מֶה־עָשִׂיתִי לְךָ כִּי הִכִּיתָנִי Num. 22:28
325 וָאָשִׂם...בָּאָרוֹן אֲשֶׁר עָשִׂיתִי Deut. 10:5
326 עָשִׂיתִי כְּכֹל אֲשֶׁר צִוִּיתָנִי Deut. 26:14
327 כִּי־עָשִׂיתִי עִמָּכֶם חָסֶד Josh. 2:12
328 וְכָזֹאת וְכָזֹאת עָשִׂיתִי Josh. 7:20
329 מֶה עָשִׂיתִי מֶה־עֲוֹנִי ISh. 20:1
330 אוֹ עָשִׂיתִי בְנַפְשִׁי° שֶׁקֶר IISh. 18:13
331 מַה־לַּעֲשׂוֹת...וְלֹא עָשִׂיתִי בּוֹ Is. 5:4
332 אֲנִי עָשִׂיתִי וַאֲנִי אֶשָּׂא Is. 46:4
333 עָשִׂיתִי מִשְׁפָּט וָצֶדֶק Ps. 119:121
334 וּמִצְוֹתֶיךָ עָשִׂיתִי Ps. 119:166
335 שֵׁם הָאִישׁ אֲשֶׁר עָשִׂיתִי עִמּוֹ הַיּוֹם Ruth 2:19
392-336 עָשִׂיתִי Josh. 24:5, 7 • Jud. 1:7
8:2; 9:48; 15:11; 18:24 • ISh. 17:29; 26:18; 29:8 • IISh. 14:21; 24:10 • IK. 3:12; 18:13, 36; 19:20 • IIK. 19:25; 20:3 • Is. 10:11, 13; 33:13; 37:26; 38:3; 45:12; 48:3; 57:16 • Jer. 7:12, 14; 8:6; 27:5; 30:15; 42:10 • Ezek. 5:9; 9:11; 12:11; 14:23^2; 20:17; 24:22; 29:9; 39:21, 24 • Mic. 6:3 • Zech. 7:3 • Ps. 7:4; 51:6 • Job 40:15 • Eccl. 2:5, 6, 8 • Es. 5:4 • Neh. 5:15, 19; 13:14 • ICh. 21:8; 23:5 • IICh. 32:13

וְעָשִׂיתִי

393 וְעָשִׂתִי לְךָ שֵׁם גָּדוֹל כְּשֵׁם הַגְּדֹלִים IISh. 7:9
394 וְעָשִׂיתִי לַבַּיִת...כַּאֲשֶׁר עָ׳ לְשִׁלוֹ Jer. 7:14

וְעָשִׂיתִי (המשך)

395 וְעָשִׂיתִי בְתוֹכֵךְ מִשְׁפָּטִים Ezek. 5:8
396 וְעָשִׂיתִי בָךְ אֵת אֲשֶׁר לֹא־עָשִׂיתִי Ezek. 5:9
397 וְעָשִׂיתִי בָךְ שְׁפָטִים Ezek. 5:10
398 וְעָשִׂיתִי בָכֶם שְׁפָטִים Ezek. 11:9
399 וְעָשִׂית אוֹתָךְ כַּאֲשֶׁר עָשִׂית Ezek. 16:59
403-400 אֲנִי יְיָ דִּבַּרְתִּי וְעָשִׂיתִי
Ezek. 17:24; 22:14; 36:36; 37:14
404 אֲנִי יְיָ דִּבַּרְתִּי בָּאָה וְעָשִׂיתִי Ezek. 24:14
405 וְעָשִׂיתִי בָם נְקָמוֹת גְּדֹלוֹת Ezek. 25:17
406 וְעָשִׂיתִי שְׁפָטִים בְּנֹא Ezek. 30:14
407 וְעָשִׂיתִי שְׁפָטִים בְּמִצְרָיִם Ezek. 30:19
408 וְעָשִׂיתִי כְּאַפֵּךְ וּכְקִנְאָתְךָ Ezek. 35:11
409 וְעָשִׂיתִי אֵת אֲשֶׁר־בְּחֻקַּי תֵּלֵכוּ Ezek. 36:27
410 וְעָשִׂיתִי אֹתָם לְגוֹי אֶחָד בָּאָרֶץ Ezek. 37:22
411 וְעָשִׂיתִי בְּאַף וּבְחֵמָה נָקָם Mic. 5:14
412 וְעָשִׂיתִי לְךָ שֵׁם כְּשֵׁם הַגְּדוֹלִים ICh. 17:8

עֲשִׂיתִנִי

413 לִי יְאֹרִי וַאֲנִי עֲשִׂיתִנִי Ezek. 29:3

עֲשִׂיתִיו

414 יְצַרְתִּיו אַף־עֲשִׂיתִיו Is. 43:7
415 יָפֶה עֲשִׂיתִיו בְּרֹב דָּלִיּוֹתָיו Ezek. 31:9

וַעֲשִׂיתִיו

416 בִימֵיכֶם...אֲדַבֵּר דָּבָר וַעֲשִׂיתִיו Ezek. 12:25

וַעֲשִׂיתִיהוּ

417 וּבָאתִי וַעֲשִׂיתִיהוּ לִי וְלִבְנִי IK. 17:12

עֲשִׂיתִים

418 כִּי נִחַמְתִּי כִּי עֲשִׂיתִם Gen. 6:7
419 אֵלֶּה הַדְּבָרִים עֲשִׂיתִם Is. 42:16

וַעֲשִׂיתִים

420 וַעֲשִׂיתִם לְעֵץ אֶחָד Ezek. 37:19

עָשִׂיתָ

421 כִּי עָשִׂיתָ זֹּאת אָרוּר אַתָּה Gen. 3:14
422 וַיֹּאמֶר מֶה עָשִׂיתָ Gen. 4:10
423 מַה־זֹּאת עָשִׂיתָ לִּי Gen. 12:18
424 חַסְדְּךָ אֲשֶׁר עָשִׂיתָ עִמָּדִי Gen. 19:19
425 בְּתָם־לְבָבְךָ עָשִׂיתָ זֹּאת Gen. 20:6
426 מֶה־עָשִׂיתָ לָּנוּ Gen. 20:9
427 אֲשֶׁר לֹא־יֵעָשׂוּ עָשִׂיתָ עִמָּדִי Gen. 20:9
428 כִּי עָשִׂיתָ אֶת־הַדָּבָר הַזֶּה Gen. 20:10
429 וּבָהּ אֵדַע כִּי־עָשִׂיתָ חֶסֶד Gen. 24:14
430 מַה־זֹּאת עָשִׂיתָ לָּנוּ Gen. 26:10
431 לֹא־טוֹב הַדָּבָר הַזֶּה אֲשֶׁר עָשִׂיתָ ISh. 26:16
432 וְלֹא־עָשִׂיתָ חֲרוֹן־אַפּוֹ בַּעֲמָלֵק ISh. 28:18
433 עָשִׂיתָ אֵת כָּל־הַגְּדוּלָּה הַזֹּאת IISh. 7:21
434 אוֹדֶה שִׁמְךָ כִּי עָשִׂיתָ פֶּלֶא Is. 25:1
435 בְּחָכְמָתְךָ...עָשִׂיתָ לְּךָ חָיִל Ezek. 28:4
436 כַּאֲשֶׁר עָשִׂיתָ יֵעָשֶׂה לָּךְ Ob. 15
437 כֻּלָּם בְּחָכְמָה עָשִׂיתָ Ps. 104:24
438 טוֹב עָשִׂיתָ עִם־עַבְדְּךָ Ps. 119:65
485-439 עָשִׂיתָ Gen. 22:16; 27:45; 29:25
31:26; 32:11 • Ex. 14:11 • Num. 21:34; 23:11 • Deut. 3:22 • Josh. 7:19; 8:2 • Jud. 8:1; 15:11 • ISh. 13:11 • IISh. 12:12; 13:16 • IK. 1:6; 2:44; 3:6 • IIK. 10:30; 19:15; 23:17 • Is. 37:16 • Jer. 2:28; 14:22; 32:17 • Jon. 1:10; 1:14 • Ps. 9:5; 39:10; 40:6; 50:21; 52:11; 71:19; 86:9; 99:4 • Job 10:12; 14:5 • Lam. 1:21 • Neh. 9:6; 9:17, 33 • ICh. 17:19; 22:8(7) • IICh. 1:8; 2:2; 25:16

עָשִׂיתָה

486 הַגִּידָה לִּי מֶה עָשִׂיתָה ISh. 14:43
487 וְאַתָּה עָשִׂיתָה חֶסֶד עִם־כָּל־בְּ־י ISh. 15:6
488 אֵת אֲשֶׁר־עָשִׂיתָה אִתִּי טוֹבָה ISh. 24:18
489 יְשַׁלֶּמְךָ טוֹבָה...אֲשֶׁר עָשִׂיתָה לִי ISh. 24:20
490 וַיֹּאמֶר מֶה עָשִׂיתָה IISh. 3:24
491 מָה־הַדָּבָר הַזֶּה אֲשֶׁר עָשִׂיתָה IISh. 12:21
492 וּמִי יֹאמַר מַדּוּעַ עָשִׂיתָה כֵּן IISh. 16:10
493 וְעָשִׂיתִי כְּאַפֵּךְ...אֲשֶׁר עָשִׂיתָה Ezek. 35:11

וְעָשִׂיתָ

494 וְעָשִׂיתָ־נָּא עִמָּדִי חָסֶד Gen. 40:14
495 וְעָשִׂיתָ עִמָּדִי חֶסֶד וֶאֱמֶת Gen. 47:29
496 ...וְעָשִׂיתָ כָּל־מְלַאכְתֶּךָ Ex. 20:9

וְעָשִׂיתָ (המשך)

497 וְעָשִׂיתָ כֹּל אֲשֶׁר אֲדַבֵּר Ex. 23:22
498/9 וְעָשִׂיתָ...זֵר זָהָב סָבִיב Ex. 25:11, 24
500 וְעָשִׂיתָ כָּל־מְלַאכְתֶּךָ Deut. 5:13
501 וְעָשִׂיתָ הַיָּשָׁר וְהַטּוֹב בְּעֵינֵי יְיָ Deut. 6:18
502 וְעָשִׂיתָ פֶּסַח לַייָ אֱלֹהֶיךָ Deut. 16:1
503 וְעָשִׂיתָ חַג שָׁבֻעוֹת לַייָ אֱלֹהֶיךָ Deut. 16:10
504 וְשָׁמַרְתָּ וְעָשִׂיתָ אֶת־הַחֻקִּים הָאֵלֶּה Deut. 16:12
505-8 וְעָשִׂיתָ מִשְׁפָּטָם IK. 8:45, 49 • IICh. 6:35, 39
509 וְעָשִׂיתָ הַיָּשָׁר בְּעֵינַי IK. 11:38
510-585 וְעָשִׂיתָ Ex. 25:13, 17, 18, 23, 24; 25:25^2, 26, 28, 29, 31, 37; 26:4, 6, 7, 10, 11, 14, 15; 26:18, 26, 31, 36, 37; 27:1, 2, 3, 4^2, 6, 9; 28:2, 13, 15; 28:22, 23, 26, 27, 31, 33, 36, 39, 40; 29:35; 30:1, 3, 5; 30:18, 25, 35 • Num. 21:34 • Deut. 3:2; 10:1; 12:27; 17:10; 22:8; 23:24; 26:16; 27:10; 30:8 • Josh. 8:2 • Jud. 6:17; 9:33 • ISh. 20:8; 24:5 • IK. 2:6; 8:32, 39, 43 • Jer. 28:13 • Ezek. 4:9, 15 • Zech. 6:11 • ICh. 4:10 • IICh. 6:23, 33

עֲשִׂיתָנִי 586 זְכָר־נָא כִּי־כַחֹמֶר עֲשִׂיתָנִי Job 10:9
עֲשִׂיתָהּ 587 אַתָּה יְיָ עֲשִׂיתָהּ Ps. 109:27
עֲשִׂיתָם 588 לֹא־עֲשִׂיתָם כָּלָה וְלֹא עֲזַבְתָּם Neh. 9:31
וַעֲשִׂיתָם 589 הַמֹּפְתִים...וַעֲשִׂיתָם לִפְנֵי פַרְעֹה Ex. 4:21
עָשִׂית 590 וַיֹּאמֶר...לָאִשָּׁה מַה־זֹּאת עָשִׂית Gen. 3:13
591 רְאִי דַרְכֵּךְ בַּגַּיְא דְּעִי מֶה עָשִׂית Jer. 2:23
592 וְרָמָתֵךְ עָשִׂית (כת׳ עשיתי) בְּכָל־רְחוֹב Ezek. 16:31
593 וְלֹא עָשִׂית (כת׳ עשיתי) אֶת־הַזִּמָּה Ezek. 16:43
594 וּכְתוֹעֲבוֹתֵיהֶן עָשִׂית (כת׳ עשיתי) Ezek. 16:47
595 כַּאֲשֶׁר עָשִׂית אַתְּ וּבְנוֹתָיִךְ Ezek. 16:48
596 תּוֹעֲבֹתַיִךְ אֲשֶׁר עָשִׂית (כ׳ עשיתי) Ezek. 16:51
597 וְנִכְלַמְתְּ מִכֹּל אֲשֶׁר עָשִׂית Ezek. 16:54
598 וְעָשִׂית אוֹתָךְ כַּאֲשֶׁר עָשִׂית Ezek. 16:59
599 בְּכַפְּרִי־לָךְ לְכָל־אֲשֶׁר עָשִׂית Ezek. 16:63
600 וּבְגִלּוּלַיִךְ אֲשֶׁר־עָשִׂית טָמֵאת Ezek. 22:4
601 אֶל־בִּצְעֵךְ אֲשֶׁר עָשִׂית Ezek. 22:13
602 אֲשֶׁר־עָשִׂית אֶת־חֲמוֹתֵךְ Ruth 2:11
603 אֵיפֹה לִקַּטְתְּ הַיּוֹם וְאָנָה עָשִׂית Ruth 2:19
עָשָׂה 604 וַיַּרְא אֱלֹהִים אֶת־כָּל־אֲשֶׁר עָשָׂה Gen. 1:31
605 וַיְכַל אֱלֹהִים...מְלַאכְתּוֹ אֲשֶׁר עָשָׂה Gen. 2:2
606 וַיִּשְׁבֹּת...מִכָּל־מְלַאכְתּוֹ אֲשֶׁר עָשָׂה Gen. 2:2
607 חַיַּת הַשָּׂדֶה אֲשֶׁר עָשָׂה יְיָ אֱלֹהִים Gen. 3:1
608 בִּדְמוּת אֱלֹהִים עָשָׂה אֹתוֹ Gen. 5:1
609 כִּי־עָשָׂה אֶת־הָאָדָם בָּאָרֶץ Gen. 6:6
610 כְּכֹל אֲשֶׁר צִוָּה...אֱלֹה׳ כֵּן עָשָׂה Gen. 6:22
611 חַלּוֹן הַתֵּבָה אֲשֶׁר עָשָׂה Gen. 8:6
612 בְּצֶלֶם אֱלֹהִים עָשָׂה אֶת־הָאָדָם Gen. 9:6
613 אֵת אֲשֶׁר־עָשָׂה לוֹ בְּנוֹ הַקָּטָן Gen. 9:24
614 צְחֹק עָשָׂה לִי אֱלֹהִים Gen. 21:6
615 בַּעֲבוּר זֶה עָשָׂה יְיָ לִי Ex. 13:8
616 אֲשֶׁר עָשָׂה יְיָ בְּמִצְרַיִם Ex. 14:31
617 זָכוֹר אֵת אֲשֶׁר־עָשָׂה לְךָ עֲמָלֵק Deut. 25:17
618 יָמִים רַבִּים עָשָׂה יְהוֹשֻׁעַ...מִלְחָמָה Josh. 11:18
619 הַיּוֹם עָשָׂה־יְיָ תְּשׁוּעָה בְּיִשְׂרָאֵל ISh. 11:13
620 יְיָ אֲשֶׁר עָשָׂה אֶת־מֹשֶׁה וְאֶת־אַהֲרֹן ISh. 12:6
621/2 וְלֹא־עָשָׂה רַגְלָיו וְלֹא־עָשָׂה שְׂפָ׳ IISh. 19:25
623 יְהוֹשָׁפָט עָשָׂה (כת׳ עשר) אֳנִיּוֹת תַּרְשִׁישׁ IK. 22:49
624 וּשְׁדֵמוֹת לֹא־עָשָׂה אֹכֶל Hab. 3:17
625 זֶה־הַיּוֹם עָשָׂה יְיָ נָגִילָה...בוֹ Ps. 118:24
626 וְהָאֱלֹהִים עָשָׂה שֶׁיִּרְאוּ מִלְּפָנָיו Eccl. 3:14

עָשָׂה (המשך)

627-962 עָשָׂה Gen. 13:4; 18:8; 21:26; 24:66; 31:1; 33:17; 34:7; 38:10; 39:19; 42:28 • Ex. 18:1, 8, 9; 20:11; 31:17; 32:21, 35; 36:8, 11, 12^2; 36:14, 17, 22, 24, 25, 27, 28, 29, 34, 35; 37:7, 8, 17; 37:24, 27; 38:3, 7, 22, 28; 40:16 • Lev. 4:20; 8:34; 16:15; 24:19 • Num. 8:4; 17:26; 22:2; 33:4 • Deut. 1:30; 2:12, 22; 3:21; 4:3, 34; 7:18; 8:17; 10:21; 11:3, 4, 5, 6, 7; 24:9; 26:19; 29:1, 23; 31:4, 18; 33:21; 34:12 • Josh. 4:23; 7:15; 9:3, 9, 10; 10:1^2, 28, 30, 32; 10:35, 37, 39^3; 11:15; 23:3; 24:17, 31 • Jud. 2:7, 10; 6:29^2; 8:35; 9:56; 11:36; 14:6; 15:6, 10; 18:4, 27, 31; 20:10; 21:15 • ISh. 6:9; 12:7; 14:45^2; 15:2; 19:18; 20:2, 32; 27:11; 28:9, 18 • IISh. 3:36; 10:2; 11:27; 12:6; 14:20, 22; 23:22 • IK. 2:5^2, 24; 6:31, 33; 7:6, 7; 7:16, 18, 37, 40, 45, 51; 8:64, 66; 9:8, 26; 11:8, 38, 41; 12:32^3, 33; 13:11; 14:26, 29; 15:3, 5, 7, 23, 31; 16:5, 7; 16:14, 19, 27^2; 18:26; 19:1; 22:39, 46, 54 • IIK. 1:18; 3:2; 8:4, 23; 10:10, 19, 34; 12:20; 13:8, 12; 14:3, 15, 28; 15:3, 6, 21, 26, 31, 34, 36; 16:2, 11, 19; 17:22; 18:3, 4; 20:20; 21:3, 7, 11, 17, 20, 25; 23:12, 15, 19, 28; 24:3, 5; 24:9, 13, 19; 25:16 • Is. 12:5; 15:7; 38:15; 40:23; 44:17, 23; 53:9; 55:9, 11; 58:2 • Jer. 2:13; 5:19; 8:8; 10:13; 15:4; 22:8; 38:16; 41:9, 11, 11; 48:36; 51:12, 16; 52:2, 20 • Ezek. 3:20; 17:18; 18:11, 12, 13, 14, 17, 18, 19, 21; 18:22^2, 24^2, 26, 27, 28; 22:11; 24:24; 33:13, 16 • Hosh. 10:15 • Joel 2:26 • Am. 3:6 • Jon. 1:9; 3:10 • Zech. 1:6 • Mal. 2:15 • Ps. 9:17; 15:3; 22:32; 66:16; 78:4, 12; 96:5; 98:1; 103:10; 104:19; 105:5; 111:4; 115:3; 135:6, 7; 147:20 • Prov. 8:26; 20:12; 24:29 • Job 21:31; 27:18 • S.ofS. 3:9, 10 • Ruth 3:16 • Lam. 2:17 • Eccl. 3:11^2; 7:14, 29 • Es. 1:3, 5; 2:18; 7:9 • Dan. 9:14 • Neh. 13:7 • ICh. 11:24; 16:12, 26; 18:8; 19:2; 21:29 • IICh. 1:3, 5; 2:11; 4:11, 14^2, 16; 5:1; 6:13; 7:6, 7^2, 10, 21; 11:15; 12:9; 13:8; 21:11; 24:16, 22; 26:4; 27:2; 28:1, 2, 25; 29:2; 31:21; 32:27, 29; 33:7, 22^2; 35:18; 36:8

וְעָשָׂה 963 וְעָשָׂה לוֹ כְּתֹנֶת פַּסִּים Gen. 37:3
964 וְעָשָׂה פֶסַח לַייָ Ex. 12:48
965 וְעָשָׂה אַחַת מִכָּל־מִצְוֹת יְיָ אֱלֹהָיו Lev. 4:22
966 וְעָשָׂה הַכֹּהֵן אֶת־הַחַטָּאת Lev. 14:19
967 וְעָשָׂה פְרִי לְמָעְלָה IIK. 19:30
968 וְעָשָׂה אוֹב וְיִדְּעֹנִים IIK. 21:6
969-972 וְעָשָׂה מִשְׁפָּט וּצְדָקָה Ezek. 18:5, 21; 33:14, 19
973 וְעָשָׂה קָצִיר כְּמוֹ־נָטַע Job 14:9
974 וְעָשָׂה כִרְצֹנוֹ וְהִגְדִּיל Dan. 8:4
975-1019 וְעָשָׂה Ex. 36:1 • Lev. 4:2, 20; 14:30; 15:15, 30; 16:15, 24 • Num. 5:30; 6:11, 16, 17; 9:10, 14; 15:15 • Deut. 31:4 • ISh. 8:16 • IISh. 12:18 • Is. 25:6; 37:31; 41:4 • Jer. 18:10; 22:15; 23:5; 33:15 • Ezek. 3:20; 17:23; 18:10, 24, 26; 33:13, 18; 45:22; 46:12 • Mic. 7:9 • Dan. 8:24; 11:3, 7, 17, 24, 28, 30, 36, 39 • IICh. 33:6

עָשָׂנִי 1020 כִּי־יֹאמַר מַעֲשֶׂה לְעֹשֵׂהוּ לֹא עָשָׂנִי Is. 29:16
עָשְׂךָ 1021 הוּא עָשְׂךָ וַיְכֹנְנֶךָ Deut. 32:6
עָשָׂהוּ 1022 וַיִּטֹּשׁ אֱלוֹהַּ עָשָׂהוּ Deut. 32:15
1023 עָשָׂהוּ פֶסֶל וַיִּסְגָּד־לָמוֹ Is. 44:15
1024 כִּי מִיִּשְׂרָאֵל וְהוּא חָרָשׁ עָשָׂהוּ Hosh. 8:6
1025 אֲשֶׁר־לוֹ הַיָּם וְהוּא עָשָׂהוּ Ps. 95:5
1026 הֲלֹא־בַבֶּטֶן עֹשֵׂנִי עָשָׂהוּ Job 31:15
וְעָשָׂהוּ 1027 וְהִקְרִיב אַהֲרֹן...וְעָשָׂהוּ חַטָּאת Lev. 16:9
עָשָׂנוּ 1028 הוּא עָשָׂנוּ וְלוֹ° אֲנַחְנוּ Ps. 100:3

עָשָׂם 1029 פֶּן־תֹּאמַר עָצְבִּי עָשָׂם Is. 48:5
עָשְׂתָה 1030 כִּי־עָשְׂתָה נְבָלָה בְּיִשְׂרָאֵל Deut. 22:21
1031 וַיֻּגַּד...אֵת אֲשֶׁר־עָשְׂתָה רִצְפָּה IISh. 21:11
1032 אֲשֶׁר־עָשְׂתָה מִפְלֶצֶת לָאֲשֵׁרָה IK. 15:13
1033 כִּי יַד־יְיָ עָשְׂתָה זֹּאת Is. 41:20
1034 אֲשֶׁר עָשְׂתָה מְשֻׁבָה יִשְׂרָאֵל Jer. 3:6
1035 שַׁעֲרֻרִת עָשְׂתָה מְאֹד בְּתוּלַת יִ׳ Jer. 18:13
1036 כַּאֲשֶׁר עָשְׂתָה עֲשׂוּ־לָהּ Jer. 50:15
1037 כְּכֹל אֲשֶׁר עָשְׂתָה עֲשׂוּ־לָהּ Jer. 50:29
1038 אִם־עָשְׂתָה סְדֹם...כַּאֲשֶׁר עָשִׂית Ezek. 16:48
1039 מַרְבַדִּים עָשְׂתָה־לָּהּ Prov. 31:22
1040 סָדִין עָשְׂתָה וַתִּמְכֹּר Prov. 31:24
1041 כִּי יַד־יְיָ עָשְׂתָה זֹּאת Job 12:9
1042 וַתַּגֵּד...אֵת אֲשֶׁר־עָשְׂתָה עִמּוֹ Ruth 2:19
1043 גַּם וַשְׁתִּי...עָשְׂתָה מִשְׁתֵּה נָשִׁים Es. 1:9
1044 לֹא־עָשְׂתָה אֶת־מַאֲמַר הַמֶּלֶךְ Es. 1:15
1045/6 הַמִּשְׁתֶּה אֲשֶׁר־עָשְׂתָה אֶסְתֵּר Es. 5:5; 6:14
1047 אֲשֶׁר־עָשְׂתָה לָאֲשֵׁרָה מִפְלָצֶת IICh. 15:16
עָשָׂתָה 1048 וְאֶת־הַלֶּחֶם אֲשֶׁר עָשָׂתָה Gen. 27:17
1049 אֶת־הַלְּבִבוֹת אֲשֶׁר עָשָׂתָה IISh. 13:10
1050 וְאֶת־כָּל־אֵלֶּה יָדִי עָשָׂתָה Is. 66:2
1051 אֵת־וַשְׁתִּי וְאֵת אֲשֶׁר־עָשָׂתָה Es. 2:1
1052 אֶל־הַמִּשְׁתֶּה אֲשֶׁר־עָשָׂתָה Es. 5:12
וְעָשְׂתָה 1053 וְעָשְׂתָה אַחַת מִכָּל־מִצְוֹת יְיָ Lev. 5:17
1054 וְעָשְׂתָה עִמְּךָ מִלְחָמָה Deut. 20:12
1055 וְעָשְׂתָה אֶת־צִפָּרְנֶיהָ Deut. 21:12
1056 וְעָשְׂתָה לְעֵינַי אֶת־הַבִּרְיָה IISh. 13:5
1057 וְעָשְׂתָה גִלּוּלִים עָלֶיהָ לְטָמְאָה Ezek. 22:3
1058 וְעָשְׂתָה וְהִצְלִיחָה Dan. 8:12
וְעָשָׂת 1059 וְעָשָׂת...הַתְּבוּאָה לִשְׁלֹשׁ הַשָּׁנִים Lev. 25:21
עָשָׂתְנִי 1060 רוּחַ־אֵל עָשָׂתְנִי Job 33:4
עָשִׂינוּ 1061 וְכַאֲשֶׁר עָשִׂינוּ עִמְּךָ רַק־טוֹב Gen. 26:29
1062 מַה־זֹּאת עָשִׂינוּ כִּי שִׁלַּחְנוּ Ex. 14:5
1063 כַּאֲשֶׁר עָשִׂינוּ לְסִיחֹן מֶלֶךְ חֶשְׁבּוֹן Deut. 3:6
1064 מִדְּאָגָה מִדָּבָר עָשִׂינוּ אֶת־זֹאת Josh. 22:24
1065 וְעִם־שְׁאוֹל עָשִׂינוּ חֹזֶה Is. 28:15
1066 כַּאֲשֶׁר עָשִׂינוּ אֲנַחְנוּ וַאֲבֹתֵינוּ Jer. 44:17
1067 עָשִׂינוּ לָהּ כַּוָּנִים לְהַעֲצִבָה Jer. 44:19
וְעָשִׂינוּ 1068 זְבָחִים וְעֹלֹת וְעָשִׂינוּ לַייָ אֱלֹהֵינוּ Ex. 10:25
1069 וְאַתְּ תְּדַבֵּר...וְשָׁמַעְנוּ וְעָשִׂינוּ Deut. 5:24
1070 וְעָשִׂינוּ עִמָּךְ חֶסֶד וֶאֱמֶת Josh. 2:14
1071 וְעָשִׂינוּ עִמְּךָ חָסֶד Jud. 1:24
1072 כֵּן הַגֶּד־לָנוּ וְעָשִׂינוּ Jer. 42:20
עֲשִׂיתֶם 1073 הֲרֵעֹתֶם אֲשֶׁר עֲשִׂיתֶם Gen. 44:5
1074 מַה־הַמַּעֲשֶׂה הַזֶּה אֲשֶׁר עֲשִׂיתֶם Gen. 44:15
1075 עֲשִׂיתֶם לָכֶם עֵגֶל מַסֵּכָה Deut. 9:16
1076 וְאֶת־חַטַּאתְכֶם אֲשֶׁר־עֲשִׂיתֶם Deut. 9:21
1077 וַאֲשֶׁר עֲשִׂיתֶם לִשְׁנֵי מַלְכֵי הָאֱמֹרִי Josh. 2:10
1078 ...כַּאֲשֶׁר עֲשִׂיתֶם עַד הַיּוֹם Josh. 23:8
1079 וְלֹא־שְׁמַעְתֶּם...מַה־זֹּאת עֲשִׂיתֶם Jud. 2:2
1080 אִם־בֶּאֱמֶת וּבְתָמִים עֲשִׂיתֶם Jud. 9:16
1081 טוֹבָה עֲשִׂיתֶם עִם־יְרֻבַּעַל Jud. 9:16
1082 וְאִם־כִּגְמוּל יָדָיו עֲשִׂיתֶם לוֹ Jud. 9:16
1083 וְאִם־בֶּאֱמֶת וּבְתָמִים עֲשִׂיתֶם Jud. 9:19
1084 רָעַתְכֶם...אֲשֶׁר עֲשִׂיתֶם בְּעֵינֵי יְיָ ISh. 12:17
1085 עֲשִׂיתֶם אֵת כָּל־הָרָעָה הַזֹּאת ISh. 12:20
1086 אֲשֶׁר עֲשִׂיתֶם הַחֶסֶד הַזֶּה IISh. 2:5
1087 אֲשֶׁר עֲשִׂיתֶם הַדָּבָר הַזֶּה IISh. 2:6
1088 וּמִקְוָה עֲשִׂיתֶם בֵּין הַחֹמֹתַיִם Is. 22:11
1089 מִפְּנֵי הַתּוֹעֵבֹת אֲשֶׁר עֲשִׂיתֶם Jer. 44:22
1090 וְאֶת־מִשְׁפָּטַי לֹא עֲשִׂיתֶם Ezek. 5:7
1091 וּכְמִשְׁפְּטֵי הַגּוֹיִם...לֹא עֲשִׂיתֶם Ezek. 5:7

עֲשִׂיתֶם (המשך)
1092 וּמִשְׁפָּטַי לֹא עֲשִׂיתֶם Ezek. 11:12
1093 וּכְמִשְׁפְּטֵי הַגּוֹיִם...עֲשִׂיתֶם Ezek. 11:12
1094 בְּכָל־רָעוֹתֵיכֶם אֲשֶׁר עֲשִׂיתֶם Ezek. 20:43
1095 כּוֹכַב אֱלֹהֵיכֶם אֲשֶׁר עֲשִׂיתֶם Am. 5:26
1096 כַּאֲשֶׁר עֲשִׂיתֶם עִם־הַמֵּתִים Ruth 1:8

וַעֲשִׂיתֶם
1097-1099 וּשְׁמַרְתֶּם...חֻקֹּתַי...וַעֲשִׂיתֶם אֹתָם Lev. 19:37; 20:8, 22
1100 וּשְׁמַרְתֶּם מִצְוֹתַי וַעֲשִׂיתֶם אֹתָם Lev. 23:12
1101 וַעֲשִׂיתֶם...כֶּבֶשׂ תָּמִים...לְעֹלָה Lev. 23:12
1102 וַעֲשִׂיתֶם שְׂעִיר־עִזִּים...לְחַטָּאת Lev. 23:19
1103 וַעֲשִׂיתֶם אֶת־חֻקֹּתַי Lev. 25:18
1104 מִשְׁפָּטַי תִּשְׁמְרוּ וַעֲשִׂיתֶם אֹתָם Lev. 25:18
1105 מִצְוֹתַי תִּשְׁמְרוּ וַעֲשִׂיתֶם אֹתָם Lev. 26:3
1106 וַעֲשִׂיתֶם אִשֶּׁה לַייָ Num. 15:3
1107 וּזְכַרְתֶּם...וַעֲשִׂיתֶם אֹתָם Num. 15:39
1108 וַעֲשִׂיתֶם אֶת־כָּל־מִצְוֹתָי Num. 15:40
1109 וַעֲשִׂיתֶם עֹלָה לְרֵיחַ נִיחֹחַ לַייָ Num. 29:2
1110 וּשְׁמַרְתֶּם וַעֲשִׂיתֶם Deut. 4:6
1111/2 וַעֲשִׂיתֶם לָכֶם פֶּסֶל Deut. 4:16, 23
1113 וַעֲשִׂיתֶם פֶּסֶל תְּמוּנַת כֹּל Deut. 4:25
1114 וַעֲשִׂיתֶם הָרַע בְּעֵינֵי־יְיָ אֱלֹהֶיךָ Deut. 4:25
1115 וּשְׁמַרְתֶּם וַעֲשִׂיתֶם אֹתָם Deut. 7:12
1116 וַעֲשִׂיתֶם לוֹ כַּאֲשֶׁר זָמַם לַעֲשׂוֹת Deut. 19:19
1117 וּשְׁמַרְתֶּם...וַעֲשִׂיתֶם אֹתָם Deut. 29:8
1118 וַעֲשִׂיתֶם לָהֶם כְּכָל־הַמִּצְוָה Deut. 31:5
1119 וַעֲשִׂיתֶם גַּם־אַתֶּם...חֶסֶד Josh. 2:12
1120 וַעֲשִׂיתֶם צַלְמֵי טְחֹרֵיכֶם° ISh. 6:5
1121 וַעֲשִׂיתֶם לָנוּ כְּכָל־הַטּוֹב בְּעֵינֵיכֶם ISh. 11:10
1122 שִׁמְעוּ בְקוֹלִי וַעֲשִׂיתֶם אוֹתָם Jer. 11:4
1123 שִׁמְעוּ אֶת־דִּבְרֵי...וַעֲשִׂיתֶם אוֹתָם Jer. 11:6
1124 וַעֲשִׂיתֶם כַּאֲשֶׁר עָשִׂיתִי Ezek. 24:22
1125 וּמִשְׁפָּטַי תִּשְׁמְרוּ וַעֲשִׂיתֶם Ezek. 36:27
1126 וּשְׁמַרְתֶּם מִצְוֹתַי וַעֲשִׂיתֶם אֹתָם Neh. 1:9

עֲשִׂיתֶן
1127 מַדּוּעַ עֲשִׂיתֶן הַדָּבָר הַזֶּה Ex. 1:18
1128 עֲמַדְתֶּם...עֲשִׂיתֶן תּוֹעֵבָה Ezek. 33:26

עָשׂוּ
1129 וְאֶת־הַנֶּפֶשׁ אֲשֶׁר־עָשׂוּ בְחָרָן Gen. 12:5
1130 עָשׂוּ מִלְחָמָה אֶת־בֶּרַע Gen. 14:2
1131 הַכְּצַעֲקָתָהּ הַבָּאָה אֵלַי עָשׂוּ כָּלָה Gen. 18:21
1132 וְלֹא עָשׂוּ כַּאֲשֶׁר דִּבֶּר אֲלֵיהֶן Ex. 1:17
1133 כַּאֲשֶׁר צִוָּה יְיָ אֹתָם כֵּן עָשׂוּ Ex. 7:6
1134 עָשׂוּ אֶת־כָּל־הַמֹּפְתִים הָאֵלֶּה Ex. 11:10
1135/6 כַּאֲשֶׁר צִוָּה יְיָ...כֵּן עָשׂוּ Ex. 12:28, 50
1137 וּבְנֵי־יִשְׂרָאֵל עָשׂוּ כִּדְבַר מֹשֶׁה Ex. 12:35
1138 וְגַם־צֵדָה לֹא־עָשׂוּ לָהֶם Ex. 12:39
1139 עָשׂוּ לָהֶם עֵגֶל מַסֵּכָה Ex. 32:8
1140 וַיִּקַּח אֶת־הָעֵגֶל אֲשֶׁר עָשׂוּ Ex. 32:20
1141 תּוֹעֵבָה עָשׂוּ שְׁנֵיהֶם Lev. 20:13
1142 וְאֵלֶּה הַצֹּאן מֶה עָשׂוּ IISh. 24:17
1143 יֵלְכוּ גַּם־עָשׂוּ פֶרִי Jer. 12:2
1144 יַעַן אֲשֶׁר עָשׂוּ נְבָלָה בְּיִשְׂרָאֵל Jer. 29:23
1145 רַבּוֹת בָּנוֹת עָשׂוּ חָיִל Prov. 31:29
1146 עָשׂוּ מִלְחָמָה עִם־הַהַגְרִאִים ICh. 5:10
1147 וְלֹא־עָשׂוּ לוֹ עַמּוֹ שְׂרֵפָה IICh. 21:19
1148 וְכָבוֹד עָשׂוּ־לוֹ בְמוֹתוֹ IICh. 32:33
1149-1267 עָשׂוּ Ex. 32:35; 39:1, 4, 9, 32
39:42, 43^{2} • Lev. 18:27; 20:12, 23; 24:23 • Num. 1:54; 5:4, 7; 8:20, 22; 9:5; 32:8; 36:10 • Deut. 2:29; 9:12; 12:31; 17:5; 20:18 • Josh. 6:14; 14:5; 22:28 • Jud. 2:17; 3:12; 6:2; 8:35; 15:11; 20:6 • ISh. 8:8; 31:11 • IISh. 23:17 • IK. 14:15, 22, 24; 15:12; 21:26 • IIK. 7:12; 8:18; 15:9; 17:8, 29, 30^{3}, 31, 41; 18:12; 19:11; 21:11; 21:15;

עָשׂוּ (המשך)
23:12, 19, 32, 37 • Is. 2:8, 20; 17:8; 31:7; 37:11 • Jer. 6:15; 7:30; 8:12; 11:8, 17; 31:37(36); 32:23, 32; 37:15; 38:9; 44:3, 9; 48:30; 51:24 • Ezek. 6:9; 7:20; 8:17; 20:24; 22:7, 9; 23:10, 38, 39; 27:6^{2}; 29:20; 33:29; 43:8, 11; 44:13 • Hosh. 2:10; 6:9; 8:4 • Ps. 9:16 • Prov. 22:28 • Eccl. 8:10 • Es. 9:12 • Dan. 11:24 • Neh. 8:4, 17; 9:18, 34; 13:18 • ICh. 10:11, 19; 21:17 • IICh. 7:9; 21:6; 24:7, 11, 24; 30:5; 35:18

וְעָשׂוּ
1268 וְעָשׂוּ לִי מִקְדָּשׁ וְשָׁכַנְתִּי בְּתוֹכָם Ex. 25:8
1269 וְעָשׂוּ אֲרוֹן עֲצֵי שִׁטִּים Ex. 25:10
1270 וְעָשׂוּ אַחַת מִכָּל־מִצְוֹת יְיָ Lev. 4:13
1271 וְעָשׂוּ אֹתוֹ עֻגוֹת Num. 11:8
1272 וְעָשׂוּ כָל־הָעֵדָה פַּר בֶּן־בָּקָר Num. 15:24
1273 וְעָשׂוּ לָהֶם צִיצִת עַל־כַּנְפֵי בִגְדֵיהֶם Num. 15:38
1274 וְעָשׂוּ־בָךְ שְׁפָטִים Ezek. 16:41
1275 וְעָשׂוּ אוֹתָךְ בְּחֵמָה Ezek. 23:25
1276 וְעָשׂוּ אוֹתָךְ בְּשִׂנְאָה Ezek. 23:29
1277 וְעָשׂוּ מִשְׁתֶּה בֵּית אִישׁ יוֹמוֹ Job 1:4
1278-1291 וְעָשׂוּ Ex. 28:3, 4, 6; 31:6
Num. 17:3 • Deut. 5:28 • Ezek. 11:20; 25:14; 37:24; 43:11; 46:2 • Am. 9:14 • Dan. 11:32 • IICh. 29:6

שֶׁעָשׂוּ
1292 בְּכָל־מַעֲשַׂי שֶׁעָשׂוּ יָדַי Eccl. 2:11

עָשׂוּנִי
1293 יָדֶיךָ עָשׂוּנִי וַיְכוֹנְנוּנִי Ps. 119:73

עָשׂוּהוּ
1294 אֵת אֲשֶׁר־כְּבָר עָשׂוּהוּ Eccl. 2:12

עֹשֶׂה
1295 עֵץ פְּרִי עֹשֶׂה פְּרִי לְמִינוֹ Gen. 1:11
1296 וְעֵץ עֹשֶׂה־פְּרִי Gen. 1:12
1297 הַמְכַסֶּה אֲנִי...אֲשֶׁר אֲנִי עֹשֶׂה Gen. 18:17
1298 אֱלֹהִים עִמְּךָ בְּכֹל אֲשֶׁר־אַתָּה עֹשֶׂה Gen. 21:22
1299 וְאִם־כָּכָה אַתְּ־עֹשֶׂה לִּי Num. 11:15
1300 וְיִשְׂרָאֵל עֹשֶׂה חָיִל Num. 24:18
1301 עֹשֶׂה מִשְׁפַּט יָתוֹם וְאַלְמָנָה Deut. 10:18
1302 וַיְהִי דָוִד עֹשֶׂה מִשְׁפָּט וּצְדָקָה IISh. 8:15
1303 עֹשֶׂה שָׁלוֹם וּבוֹרֵא רָע Is. 45:7
1304 אֲנִי יְיָ עֹשֶׂה כָל־אֵלֶּה Is. 45:7
1305/6 כֻּלּוֹ עֹשֶׂה שָּׁקֶר Jer. 6:13; 8:10
1307 אָרוּר עֹשֶׂה מְלֶאכֶת יְיָ רְמִיָּה Jer. 48:10
1308 וְאֶל־עַם...עֹשֶׂה מִקְנֶה וְקִנְיָן Ezek. 38:12
1309 אַל־תִּתְחַר...בְּאִישׁ עֹשֶׂה מְזִמּוֹת Ps. 37:7
1310 עֹשֶׂה גְדֹלוֹת וְאֵין חֵקֶר Job 5:9
1311 עֹשֶׂה גְדֹלוֹת עַד־אֵין חֵקֶר Job 9:10
1312 עֹשֶׂה שָׁלוֹם בִּמְרוֹמָיו Job 25:2
1313 עֹשֶׂה גְדֹלוֹת וְלֹא נֵדָע Job 37:5
1314 בְּאַחַת יָדוֹ עֹשֶׂה בַמְּלָאכָה... Neh. 4:11
1315-1371 עֹשֶׂה Gen. 31:12; 39:3, 22, 23
41:25, 28 • Ex. 18:14^{2}, 17; 34:10 • Deut. 31:21 • Jud. 11:27; 15:3; 18:3 • ISh. 3:11; 12:16 • IISh. 3:25 • IIK. 7:2, 19 • Is. 5:5; 10:23; 43:19; 44:24; 66:22 • Jer. 5:1; 9:23; 17:11; 18:3, 4; 29:32; 32:18; 33:9^{2} • Ezek. 11:13; 12:9; 22:14; 24:19; 36:22, 32 • Am. 9:12 • Nah. 1:9 • Zep. 3:19 • Zech. 10:1 • Mal. 3:17, 21 • Ps. 104:4; 106:21; 146:6, 7 • Prov. 10:4; 11:18; 21:24 • Job 9:9 • Eccl. 8:12 • Neh. 2:16; 6:3 • ICh. 18:14

עֹשֵׂה־
1372 נוֹרָא תְהִלֹּת עֹשֵׂה־פֶלֶא Ex. 15:11
1373-1375 כִּי־תוֹעֲבַת יְיָ(...)כָּל־עֹשֵׂה אֵלֶּה Deut. 18:12; 22:5; 25:16
1376 כֹּל עֹשֵׂה עָוֶל Deut. 25:16
1377 כִּי־עֹשֵׂה מְלָאכָה הוּא IK. 11:28

עֹשֵׂה־ (המשך)
1378 מֵאָה...בָּחוּר עֹשֵׂה מִלְחָמָה IK. 12:21
1379 וַיְהִי עַבְדְּךָ עֹשֶׂה הֵנָּה וָהֵנָּה IK. 20:40
1380/1 עֹשֵׂה אֶרֶץ בְּכֹחוֹ Jer. 10:12; 51:15
1382 כִּי עָצוּם עֹשֵׂה דְבָרוֹ Joel 2:11
1383 עֹשֵׂה שַׁחַר עֵיפָה Am. 4:13
1384 עֹשֵׂה כִימָה וּכְסִיל Am. 5:8
1385 כָּל־עֹשֵׂה רָע טוֹב בְּעֵינֵי יְיָ Mal. 2:17
1386 וְכָל־עֹשֵׂה רִשְׁעָה קַשׁ Mal. 3:19
1387-1390 אֵין עֹשֵׂה־טוֹב Ps. 14:1, 3; 53:2, 4
1391 עֹשֵׂה אֵלֶּה לֹא יִמּוֹט לְעוֹלָם Ps. 15:5
1392 וּמְשַׁלֵּם עַל־יֶתֶר עֹשֵׂה גַאֲוָה Ps. 31:24
1393 כְּתַעַר מְלֻטָּשׁ עֹשֵׂה רְמִיָּה Ps. 52:4
1394 עֹשֵׂה נִפְלָאוֹת לְבַדּוֹ Ps. 72:18
1395 אַתָּה הָאֵל עֹשֵׂה פֶלֶא Ps. 77:15
1396 עֹשֵׂה רְמִיָּה דֹּבֵר שְׁקָרִים Ps. 101:7
1397 עֹשֵׂה צְדָקוֹת יְיָ Ps. 103:6
1398 עֹשֵׂה צְדָקָה בְכָל־עֵת Ps. 106:3
1399-1402 עֹשֵׂה שָׁמַיִם וָאָרֶץ Ps. 115:15
121:2; 124:8; 134:3
1403 עֹשֵׂה כֻלָּם יְיָ Prov. 22:2
1404 לְנַצֵּחַ עַל־עֹשֵׂה הַמְּלָאכָה Ez. 3:9
1405 וּלְיֶתֶר עֹשֵׂה הַמְּלָאכָה Neh. 2:16
1406 וַאֲחֵיהֶם עֹשֵׂה הַמְּלָאכָה לַבַּיִת Neh. 11:12
1407 עֹשֵׂה הַמְּלָאכָה לַעֲבֹדַת בֵּית יְיָ ICh. 23:24
1408 מֵאָה...בָּחוּר עֹשֵׂה מִלְחָמָה IICh. 11:1
1409 עוֹשֵׂה מְלֶאכֶת עֲבוֹדַת בֵּית־יְיָ IICh. 24:12
1410 חַיִל עֹשֵׂה מִלְחָמָה IICh. 26:11
1411 וַיִּתְּנוּ עַל־יַד עֹשֵׂה הַמְּלָאכָה IICh. 34:10
1412 וּמְנַצְּחִים לְכֹל עֹשֵׂה מְלָאכָה IICh. 34:13

וְעֹשֶׂה
1413/4 וְעֹשֶׂה חֶסֶד לַאֲלָפִים Ex. 20:6 • Deut. 5:10
1415 וְעֹשֶׂה־חֶסֶד לִמְשִׁיחוֹ IISh. 22:51
1416 וּמַקְטִיר מִנְחָה וְעֹשֶׂה זֶבַח Jer. 33:18
1417 וְעֹשֶׂה חֶסֶד לִמְשִׁיחוֹ Ps. 18:51

וְעֹשֵׂה־
1418 פָּגַעְתָּ אֶת־שָׂשׂ וְעֹשֵׂה צֶדֶק Is. 64:4
1419 כִּי־גָדוֹל אַתָּה וְעֹשֵׂה נִפְלָאוֹת Ps. 86:10

הָעֹשֶׂה
1420 כִּי כָּל־הָעֹשֶׂה בָהּ מְלָאכָה Ex. 31:14
1421 כָּל־הָעֹשֶׂה מְלָאכָה בְּיוֹם הַשַּׁבָּת Ex. 31:15
1422 כָּל־הָעֹשֶׂה בוֹ מְלָאכָה יוּמָת Ex. 35:2
1423 הַדּוֹר הָעֹשֶׂה הָרַע בְּעֵינֵי יְיָ Num. 32:13
1424 בֶּן־מָוֶת הָאִישׁ הָעֹשֶׂה זֹאת IISh. 12:5
1425 מַה־יִּתְרוֹן הָעוֹשֶׂה... Eccl. 3:9

הָעֹשֵׂה־
1426 הֲיִמָּלֵט הָעֹשֵׂה אֵלֶּה Ezek. 17:15

לָעֹשֶׂה
1427 תּוֹרָה אַחַת...לָעֹשֶׂה בִּשְׁגָגָה Num. 15:29

לְעֹשֵׂה־
1428 יְשַׁלֵּם יְיָ לְעֹשֵׂה הָרָעָה IISh. 3:39
1429 לְעֹשֵׂה נִפְלָאוֹת גְּדֹלוֹת לְבַדּוֹ Ps. 136:4
1430 לְעֹשֵׂה הַשָּׁמַיִם בִּתְבוּנָה Ps. 136:5
1431 לְעֹשֵׂה אוֹרִים גְּדֹלִים Ps. 136:7

עֹשֵׂנִי
1432 הֲלֹא־בַבֶּטֶן עֹשֵׂנִי עָשָׂהוּ Job 31:15
1433 כִּמְעַט יִשָּׂאֵנִי עֹשֵׂנִי Job 32:22

עֹשֶׂךָ
1434 יְיָ עֹשֶׂךָ וְיֹצֶרְךָ מִבֶּטֶן Is. 44:2
1435 וַתִּשְׁכַּח יְיָ עֹשֶׂךָ Is. 51:13

הָעֹשׂוֹ
1436 הָעֹשׂוֹ יַגֵּשׁ חַרְבּוֹ Job 40:19

עֹשֵׂהוּ
1437 יִשְׁעֶה הָאָדָם עַל־עֹשֵׂהוּ Is. 17:7
1438 עַל־כֵּן לֹא־יְרַחֲמֶנּוּ עֹשֵׂהוּ Is. 27:11
1439 וַיִּשְׁכַּח יִשְׂרָאֵל אֶת־עֹשֵׂהוּ Hosh. 8:14
1440 עֹשֵׁק דָּל חֵרֵף עֹשֵׂהוּ Prov. 14:31
1441 לֹעֵג לָרָשׁ חֵרֵף עֹשֵׂהוּ Prov. 17:5

לְעֹשֵׂהוּ
1442 כִּי־יֹאמַר מַעֲשֶׂה לְעֹשֵׂהוּ לֹא עָשָׂנִי Is. 29:16

מֵעֹשֵׂהוּ
1443 אִם מֵעֹשֵׂהוּ יִטְהַר־גָּבֶר Job 4:17

עֹשָׂהּ
1444 כֹּה־אָמַר יְיָ עֹשָׂהּ Jer. 33:2

וְעֹשָׂהּ
1445 יֹצֵר הָאָרֶץ וְעֹשָׂהּ הוּא כוֹנְנָהּ Is. 45:18

עֹשֵׂנוּ
1446 נִבְרְכָה לִפְנֵי־יְיָ עֹשֵׂנוּ Ps. 95:6

עֹשֶׂה 1447 אֲשֶׁר־הוּא עֹשֶׂה עִמְּךָ מִלְחָמָה Deut. 20:20
1448/9 יְמִין יְיָ עֹשָׂה חָיִל Ps. 118:15, 16
1450 רוּחַ סְעָרָה עֹשָׂה דְבָרוֹ Ps. 148:8
1451 וּלְשִׂמְחָה מַה־זֹּה עֹשָׂה Eccl. 2:2
1452 וְאֶת־מַאֲמַר מָרְדֳּכַי אֶסְתֵּר עֹשָׂה Es. 2:20
עוֹשִׂים 1453 אִם־יֶשְׁכֶם עֹשִׂים חֶסֶד וֶאֱמֶת Gen. 24:49
1454 וְאֵת כָּל־אֲשֶׁר עֹשִׂים שָׁם Gen. 39:22
1455 מַתְכֹּנֶת הַלְּבֵנִים אֲשֶׁר הֵם עֹשִׂים Ex. 5:8
1456 מִמְּלַאכְתּוֹ אֲשֶׁר־הֵמָּה עֹשִׂים Ex. 36:4
1457 כְּכֹל אֲשֶׁר אֲנַחְנוּ עֹשִׂים פֹּה הַיּוֹם Deut. 12:8
1458 וַיֹּאמֶר...מָה אַתֶּם עֹשִׂים Jud. 18:18
1459 כֵּן הֵמָּה עֹשִׂים גַּם־לָךְ ISh. 8:8
1460 לֹא־כֵן אֲנַחְנוּ עֹשִׂים IIK. 7:9
1461 כִּי בֶאֱמֻנָה הֵם עֹשִׂים IIK. 12:16
1462 וַיִּהְיוּ עֹשִׂים גּוֹי גּוֹי אֱלֹהָיו IIK. 17:29
1463 וַיִּהְיוּ עֹשִׂים לָהֶם בְּבֵית הַבָּמוֹת IIK. 17:32
1464 הֵם עֹשִׂים כַּמִּשְׁפָּטִים הָרִאשֹׁנִים IIK. 17:34
1465 וְאֵינָם עֹשִׂים כְּחֻקֹּתָם וּכְמִשְׁפָּטָם IIK. 17:34
1466 כְּמִשְׁפָּטָם הָרִאשׁוֹן הֵם עֹשִׂים IIK. 17:40
1467 כִּי בֶאֱמוּנָה הֵם עֹשִׂים IIK. 22:7
1468 וְאֶת־דָּתֵי הַמֶּלֶךְ אֵינָם עֹשִׂים Es. 3:8
1469 עֹשִׂים אֵת יוֹם אַרְבָּעָה עָ׳...שִׂמְחָה Es. 9:19
1470 חֲצִי נְעָרַי עֹשִׂים בַּמְּלָאכָה Neh. 4:10
1492-1471 עֹשִׂים IIK. 17:41 • Jer. 7:17
26:19; 32:30; 44:7 • Ezek. 8:6[2], 9, 12, 13; 33:31 • Eccl. 10:19 • Es. 9:21, 27 • Neh. 2:19; 3:34; 4:15; 5:9; 13:17 • IICh. 19:6; 34:10, 12, 16
וְעֹשִׂים 1493 וְשָׁמְעוּ...וְעֹשִׂים אֵינָם אוֹתָם Ezek. 33:32
הָעֹשִׂים 1494 הָעֹשִׂים אֵת כָּל־מְלֶאכֶת הַקֹּדֶשׁ Ex. 36:4
1495/6 הָרֹדִים בָּעָם הָעֹשִׂים בַּמְּלָאכָה IK. 5:30; 9:23
1497 וְלַבֹּנִים הָעֹשִׂים בֵּית יְיָ IIK. 12:12
עֹשֵׂי־ 1498 עֹשֵׂי כָּל־מְלָאכָה Ex. 35:35
1499 עַל־יְדֵי עֹשֵׂי הַמְּלָאכָה IIK. 12:12
1500/1 עַל־יַד עֹשֵׂי הַמְּלָאכָה IIK. 22:5, 9
1502 הַכֹּל גִּבּוֹרִים עֹשֵׂי מִלְחָמָה IIK. 24:16
1503 כָּל־עֹשֵׂי שֶׂכֶר אַגְמֵי־נָפֶשׁ Is. 19:10
1504 גַּם־נִבְנוּ עֹשֵׂי רִשְׁעָה Mal. 3:15
1505 מַלְאָכָיו גִּבֹּרֵי כֹחַ עֹשֵׂי דְבָרוֹ Ps. 103:20
1506 מְשָׁרְתָיו עֹשֵׂי רְצוֹנוֹ Ps. 103:21
1507 עֹשֵׂי מְלָאכָה בְּמַיִם רַבִּים Ps. 107:23
1508 אֶשְׁקוֹל עַל־יְדֵי עֹשֵׂי הַמְּלָאכָה Es. 3:9
1509 הַלְוִיִּם...עֹשֵׂי הַמְּלָאכָה Neh. 13:10
1510 וְעִמְּךָ לָרֹב עֹשֵׂי מְלָאכָה ICh. 22:15(14)
1511 וְעַל עֹשֵׂי מְלֶאכֶת הַשָּׂדֶה ICh. 27:26
1512 וַיַּעֲשׂוּ עֹשֵׂי הַמְּלָאכָה IICh. 24:13
1513 עוֹשֵׂי מִלְחָמָה בְּכֹחַ חָיִל IICh. 26:13
1514 וַיִּתְּנוּ אֹתוֹ עוֹשֵׂי הַמְּלָאכָה IICh. 34:10
1515 וְעַל־יַד עוֹשֵׂי הַמְּלָאכָה IICh. 34:17
וְעֹשֵׂי־ 1516 וְעֹשֵׂי אֱמוּנָה רְצוֹנוֹ Prov. 12:22
1517 וְעֹשֵׂי הַמְּלָאכָה אֲשֶׁר לַמֶּלֶךְ Es. 9:3
בְּעֹשֵׂי־ 1518 כָל־חֲכַם־לֵב בְּעֹשֵׂי הַמְּלָאכָה Ex. 36:8
1519 פְּנֵי יְיָ בְּעֹשֵׂי רָע Ps. 34:17
1520 אַל־תְּקַנֵּא בְּעֹשֵׂי עַוְלָה Ps. 37:1
לְעֹשֵׂי־ 1521 כִּי־לְעֹשֵׂי הַמְּלָאכָה יִתְּנֻהוּ IIK. 12:15
1522 לָתֵת לְעֹשֵׂי הַמְּלָאכָה IIK. 12:16
1523 וַיִּתְּנוּ אֹתוֹ לְעֹשֵׂי הַמְּלָאכָה IIK. 22:5
עֹשָׂי 1524 וְלֹא־אָמַר אַיֵּה אֱלוֹהַּ עֹשָׂי Job 35:10
עֹשַׂיִךְ 1525 כִּי בֹעֲלַיִךְ עֹשַׂיִךְ יְיָ צְבָאוֹת שְׁמוֹ Is. 54:5
בְּעֹשָׂיו 1526 יִשְׂמַח יִשְׂרָאֵל בְּעֹשָׂיו Ps. 149:2
עֹשֶׂיהָ 1527 וְלֹא הִבַּטְתֶּם אֶל־עֹשֶׂיהָ Is. 22:11
עֹשֵׂיהֶם 1528 שֵׂכֶל טוֹב לְכָל־עֹשֵׂיהֶם Ps. 111:10
1529/30 כְּמוֹהֶם יִהְיוּ עֹשֵׂיהֶם Ps. 115:8; 135:18

הָעֹשׂוֹת 1531 וְנִכְרְתוּ הַנְּפָשׁוֹת הָעֹשֹׂת... Lev. 18:29
וְעֹשׂוֹת 1532 וְעֹשׂוֹת הַמִּסְפָּחוֹת עַל־רֹאשׁ Ezek. 13:18
עָשׂוּי 1533 וְרִצְפָה עָשׂוּי לֶחָצֵר סָבִיב Ezek. 40:17
1534 עָשׂוּי אֶל־כָּל־הַבַּיִת סָבִיב Ezek. 41:19
1535 וּמְבַשְּׁלוֹת עָשׂוּי מִתַּחַת הַטִּירוֹת Ezek. 46:23
וְעָשׂוּי 1536 וְעָשׂוּי כְּרוּבִים וְתִמֹּרִים Ezek. 41:18
הֶעָשׂוּי 1537 וְאֶת־הֶעָשׂוּי לָכֶם בְּמִצְרָיִם Ex. 3:16
1538 כָּל־הַזָּהָב הֶעָשׂוּי לַמְּלָאכָה Ex. 38:24
הֶעָשׂוּ (=הֶעָשׂוּי) 1539 הֶעָשׂוּ לִבְלִי חָת Job 41:25
עֲשׂוּיָה 1540 עֲשׂוּיָה לְבָרָק מְעֻטָּה לְטָבַח Ezek. 21:20
וַעֲשׂוּיָה 1541 וַעֲשׂוּיָה אֲלֵיהֶן אֶל־דַּלְתוֹת... Ezek. 41:25
הָעֲשֻׂיָה 1542 עֹלַת תָּמִיד הָעֲשֻׂיָה בְּהַר סִינַי Num. 28:6
1543 וְעַד הַבְּרֵכָה הָעֲשׂוּיָה Neh. 3:16
עֲשׂוּיִים 1544 הַכְּרֻבִים וְהַתִּמֹרִים עֲשׂוּיִם Ezek. 41:20
1545 כַּאֲשֶׁר עֲשׂוּיִם לַקִּירוֹת Ezek. 41:25
1546 עֲשׂוּיִם בֶּאֱמֶת וְיָשָׁר Ps. 111:8
הָעֲשׂוּיִים 1547 הַכֵּלִים הָעֲשׂוּיִם לַבַּעַל וְלָאֲשֵׁרָה IIK. 23:4
עֲשׂוּיוֹת 1548 וְחָמֵשׁ צֹאן עֲשׂוּיוֹת (כת׳ עשוות) ISh. 25:18
אֶעֱשֶׂה 1549 אֶעֱשֶׂה־לּוֹ עֵזֶר כְּנֶגְדּוֹ Gen. 2:18
1550 לֹא אֶעֱשֶׂה בַּעֲבוּר הָאַרְבָּעִים Gen. 18:29
1551 לֹא אֶעֱשֶׂה אִם־אֶמְצָא...שְׁלֹשִׁים Gen. 18:30
1552 וּלְכָה אֵפוֹא מָה אֶעֱשֶׂה בְּנִי Gen. 27:37
1553 מָתַי אֶעֱשֶׂה גַם־אָנֹכִי לְבֵיתִי Gen. 30:30
1554 מָה־אֶעֱשֶׂה לָאֵלֶּה הַיּוֹם Gen. 31:43
1555 וְאֵיךְ אֶעֱשֶׂה הָרָעָה הַגְּדֹלָה Gen. 39:9
1556 אָנֹכִי אֶעֱשֶׂה כִדְבָרֶךָ Gen. 47:30
1557 בְּכֹל נִפְלְאֹתַי אֲשֶׁר אֶעֱשֶׂה בְּקִרְבּוֹ Ex. 3:20
1558 עַתָּה תִרְאֶה אֲשֶׁר אֶעֱשֶׂה לְפַרְעֹה Ex. 6:1
1559 וּבְכָל־אֱלֹהֵי מִצְ׳ אֶעֱשֶׂה שְׁפָטִים Ex. 12:12
1560 מָה אֶעֱשֶׂה לָעָם הַזֶּה Ex. 17:4
1561 כַּאֲשֶׁר אֶעֱשֶׂה כֵּן תַּעֲשׂוּן Jud. 7:17
1562 וְדָאַג לָכֶם לֵאמֹר מָה אֶעֱשֶׂה לִבְנִי ISh. 10:2
1563 הַיּוֹם אֶעֱשֶׂה־חֶסֶד עִם־בֵּית שָׁאוּל IISh. 3:8
1564 אֲנִי אֶעֱשֶׂה אֶת־כָּל־חֶפְצְךָ IK. 5:22
1565 וַאֲנִי אֶעֱשֶׂה אֶת־הַפָּר הָאֶחָד IK. 18:23
1566 וְכָלָה לֹא אֶעֱשֶׂה Jer. 4:27
1567 וּבְמוֹאָב אֶעֱשֶׂה שְׁפָטִים Ezek. 25:11
1568 שָׁמָּה אֶעֱשֶׂה־לָּךְ Ezek. 35:14
1624-1569 אֶעֱשֶׂה Ex. 33:5, 17; 34:10
Lev. 26:16 • Num. 14:28, 35; 22:17; 23:26; 33:56 • ISh. 24:6; 28:15 • IISh. 2:6; 3:9; 9:7; 10:2; 11:11; 12:12; 18:4; 19:39[2]; 21:3, 4 • IK. 1:30; 20:9 • IIK. 2:9; 4:2 • Is. 10:11; 44:19; 46:10; 48:11; 65:8 • Jer. 5:18; 9:6; 19:12; 30:11[2]; 46:28[2] • Ezek. 5:9; 7:27; 8:18; 35:15 • Hosh. 6:4[2]; 11:9 • Am. 4:12[2] • Mic. 1:8 • Ps. 66:15 • Prov. 24:29 • Job 31:14 • Ruth 3:5, 11 • Es. 5:8[2] • ICh. 19:2
וְאֶעֱשֶׂה 1625 וְאֶעֱשֶׂה אֹתָם מַטְעַמִּים Gen. 27:9
1626 וְאֶעֱשֶׂה־שָּׁם מִזְבֵּחַ לָאֵל Gen. 35:3
1627 וְאֶעֱשֶׂה אוֹתְךָ לְגוֹי גָּדוֹל Ex. 32:10
1628 וְאֶעֱשֶׂה אֹתְךָ לְגוֹי־גָּדוֹל Num. 14:12
1629 וְאֶעֱשֶׂה אוֹתְךָ לְגוֹי־עָצוּם Deut. 9:14
1630 אֵיכָה יַעַבְדוּ...וְאֶעֱשֶׂה־כֵּן Deut. 12:30
1631 מַה־תֹּאמַר נַפְשְׁךָ וְאֶעֱשֶׂה־לָּךְ ISh. 20:4
1632 וְאֶעֱשֶׂה עִמּוֹ חֶסֶד בַּעֲבוּר יְהוֹנָתָן IISh. 9:1
1633 וְאֶעֱשֶׂה עִמּוֹ חֶסֶד אֱלֹהִים IISh. 9:3
1634 בְּחַר־לְךָ אַחַת־מֵהֶם וְאֶעֱשֶׂה־לָּךְ IISh. 24:12
1635 לְמַעַן־אִירָא וְאֶעֱשֶׂה־כֵּן וְחָטָאתִי Neh. 6:13
1636 בְּחַר־לְךָ אַחַת...וְאֶעֱשֶׂה־לָּךְ ICh. 21:10
וָאֶעֱשֶׂה 1637 וָאֶעֱשֶׂה לְמַעַן שְׁמִי Ezek. 20:14
1638 וָאָקוּם וָאֶעֱשֶׂה אֶת־מְלֶאכֶת הַמֶּ׳ Dan. 8:27

וָאַעַשׂ 1639 וָאַעַשׂ אֲרוֹן עֲצֵי שִׁטִּים Deut. 10:3
1640 וָאַעַשׂ כֵּן כַּאֲשֶׁר צֻוֵּיתִי Ezek. 12:7
1642-1641 וָאַעַשׂ לְמַעַן שְׁמִי Ezek. 20:9, 22
1643 וָאַעַשׂ בַּבֹּקֶר כַּאֲשֶׁר צֻוֵּיתִי Ezek. 24:18
אֶעֶשְׂךָ 1644 כִּי־לְדָם אֶעֶשְׂךָ וְדָם יִרְדֳּפֶךָ Ezek. 35:6
וְאֶעֶשְׂךָ 1645 וְאֶעֶשְׂךָ לְגוֹי גָּדוֹל וַאֲבָרֶכְךָ Gen. 12:2
אֶעֱשֶׂנָּה 1646 אַךְ־בְּיָמֶיךָ לֹא אֶעֱשֶׂנָּה IK. 11:12
1647 יָצַרְתִּי אַף אֶעֱשֶׂנָּה Is. 46:11
תַּעֲשֶׂה 1648 קִנִּים תַּעֲשֶׂה אֶת־הַתֵּבָה Gen. 6:14
1649 וְזֶה אֲשֶׁר תַּעֲשֶׂה אֹתָהּ Gen. 6:15
1650 צֹהַר תַּעֲשֶׂה לַתֵּבָה Gen. 6:16
1651 כֵּן תַּעֲשֶׂה כַּאֲשֶׁר דִּבַּרְתָּ Gen. 18:5
1652 כַּחֶסֶד...תַּעֲשֶׂה עִמָּדִי Gen. 21:23
1653 אִם־תַּעֲשֶׂה־לִּי הַדָּבָר הַזֶּה Gen. 30:31
1654 אֲשֶׁר תַּעֲשֶׂה־בּוֹ אֶת־הָאֹתֹת Ex. 4:17
1655 לָמָּה תַעֲשֶׂה כֹה לַעֲבָדֶיךָ Ex. 5:15
1656 וְהַיָּשָׁר בְּעֵינָיו תַּעֲשֶׂה Ex. 15:26
1657 אִם אֶת־הַדָּבָר הַזֶּה תַּעֲשֶׂה Ex. 18:23
1658/9 לֹא־תַעֲשֶׂה־לְךָ פֶסֶל Ex. 20:4 • Deut. 5:8
1660 לֹא־תַעֲשֶׂה כָל־מְלָאכָה Ex. 20:10
1661 וְחַג שָׁבֻעֹת תַּעֲשֶׂה לְךָ Ex. 34:22
1662 נְדָבָה תַּעֲשֶׂה אֹתוֹ... Lev. 22:23
1663 לֹא־תַעֲשֶׂה כָל־מְלָאכָה Deut. 5:14
1664 מִקֵּץ שֶׁבַע־שָׁנִים תַּעֲשֶׂה שְׁמִטָּה Deut. 15:1
1665 וְאַף לַאֲמָתְךָ תַּעֲשֶׂה־כֵּן Deut. 15:17
1666 וּבֵרַכְךָ...בְּכֹל אֲשֶׁר תַּעֲשֶׂה Deut. 15:18
1667 לֹא תַעֲשֶׂה מְלָאכָה Deut. 16:8
1668 חַג הַסֻּכֹּת תַּעֲשֶׂה לְךָ Deut. 16:13
1669 גַּם עָשֹׂה תַעֲשֶׂה וְגַם יָכֹל תּוּכָל ISh. 26:25
1670 וְאַתָּה תַּעֲשֶׂה אֶת־חֶפְצִי IK. 5:23
1671 וְאֶת־מִשְׁפָּטַי תַּעֲשֶׂה IK. 6:12
1672 עַתָּה תַּעֲשֶׂה מְלוּכָה עַל־יִשְׂרָאֵל IK. 21:7
1673 הֲיֹאמַר חֹמֶר לְיֹצְרוֹ מַה־תַּעֲשֶׂה Is. 45:9
1674 וְאֵיךְ תַּעֲשֶׂה בִּגְאוֹן הַיַּרְדֵּן Jer. 12:5
1675 הֲלַמֵּתִים תַּעֲשֶׂה־פֶּלֶא Ps. 88:11
1766-1676 תַּעֲשֶׂה Ex. 20:24, 25; 22:29
23:11, 12, 24; 25:18, 29; 26:1[2], 4, 5[2], 7, 17, 19, 22; 26:23, 29; 27:3, 8; 28:11, 14, 15, 39, 40[2]; 29:1, 2, 36; 29:38, 39[2], 41[2]; 30:1, 4[2], 37; 34:17 • Num. 8:7, 26; 10:2; 15:5, 6, 8; 22:20; 28:4[2], 8[2], 21 • Deut. 12:14, 25; 12:28, 31; 14:29; 16:21; 17:11; 20:15; 21:9; 22:3[3], 12, 26; 28:20 • Josh. 6:3 • Jud. 13:16 • ISh. 10:8; 16:3; 20:14; 29:7 • IK. 2:3, 7, 9; 20:22 • IIK. 5:13; 8:12 • Ezek. 24:17; 43:25; 45:20; 46:13[2], 14 • Ps. 119:84 • Prov. 24:6; 25:8 • Job 9:12; 35:6 • Eccl. 8:4
תַּעֲשֵׂה 1767 אִם־תַּעֲשֵׂה עִמָּנוּ רָעָה... Gen. 26:29
1768 וּמַה־תַּעֲשֶׂה לְשִׁמְךָ הַגָּדוֹל Josh. 7:9
1769 אַל־תַּעֲשֵׂה אֶת־הַנְּבָלָה הַזֹּאת IISh. 13:12
1770 אַל־תַּעַשׂ אֶת־הַדָּבָר הַזֶּה Jer. 40:16
וַתַּעֲשֶׂה 1771 וַתַּעֲשֶׂה־לְּךָ אֱלֹהִים אֲחֵרִים IK. 14:9
1772 וַתַּעֲשֶׂה־לְּךָ שֵׁם כַּיּוֹם הַזֶּה Jer. 32:20
1773 וַתַּעֲשֶׂה אָדָם כִּדְגֵי הַיָּם Hab. 1:14
תַּעַשׂ 1774 וְאַל־תַּעַשׂ לוֹ מְאוּמָה Gen. 22:12
1775 וְאַל־תַּעַשׂ לוֹ מְאוּמָה רָע Jer. 39:12
1776 אַךְ־שְׁתַּיִם אַל־תַּעַשׂ עִמָּדִי Job 13:20
וַתַּעַשׂ 1777 וַתַּעַשׂ הָרַע בְּעֵינֵי יְיָ ISh. 15:19
1778 וַתַּעַשׂ זָהָב וָכֶסֶף בְּאוֹצְרוֹתֶיךָ Ezek. 28:4
1779 וַתַּעַשׂ־לְךָ שֵׁם כַּיּוֹם הַזֶּה Dan. 9:15
1780 וַתַּעַשׂ־לְךָ שֵׁם כְּהַיּוֹם הַזֶּה Neh. 9:10
תַּעֲשֶׂנּוּ 1781 כְּמַעֲשֵׂה אֵפֹד תַּעֲשֶׂנּוּ Ex. 28:15
תַּעֲשֶׂהָ 1782 תַּחְתִּיִּם שְׁנִיִּם וּשְׁלִשִׁים תַּעֲשֶׂהָ Gen. 6:16

תַּעֲשִׂי
1783 זֶה חַסְדֵּךְ אֲשֶׁר תַּעֲשִׂי עִמָּדִי Gen. 20:13
1784 וְעַתָּה דְּעִי וּרְאִי מַה־תַּעֲשִׂי I Sh. 25:17
1785 וְלָךְ וְלִבְנֵךְ תַּעֲשִׂי בָּאַחֲרֹנָה IK. 17:13
1786 וְאַתְּ° שָׁדוּד מַה־תַּעֲשִׂי Jer. 4:30

תַּעֲשִׂין
1787 וְהוּא יַגִּיד לָךְ אֵת אֲשֶׁר תַּעֲשִׂין Ruth 3:4

וַתַּעֲשִׂי
1788 וַתַּעֲשִׂי הָרָעוֹת וַתּוּכָל Jer. 3:5
1789 וַתַּעֲשִׂי־לָךְ בָּמוֹת טְלֻאוֹת Ezek. 16:16
1790 וַתַּעֲשִׂי־לָךְ צַלְמֵי זָכָר Ezek. 16:17
1791 וַתַּעֲשִׂי־לָךְ רָמָה בְּכָל־רְחוֹב Ezek. 16:24

יַעֲשֶׂה
1792 הֲשֹׁפֵט כָּל־הָאָ׳ לֹא יַעֲשֶׂה מִשְׁפָּט Gen. 18:25
1793 הַכְזוֹנָה יַעֲשֶׂה אֶת־אֲחוֹתֵנוּ Gen. 34:31
1794 יַעֲשֶׂה פַרְעֹה וְיַפְקֵד פְּקִדִים Gen. 41:34
1795 מָחָר יַעֲשֶׂה יְיָ הַדָּבָר הַזֶּה בָּאָרֶץ Ex. 9:5
1796 יְשׁוּעַת יְיָ אֲשֶׁר־יַעֲשֶׂה לָכֶם Ex. 14:13
1797 כְּמִשְׁפַּט הַבָּנוֹת יַעֲשֶׂה־לָּהּ Ex. 21:9
1798 מִכֹּל אֲשֶׁר־יַעֲשֶׂה הָאָדָם לַחֲטֹא Lev. 5:22
1799 כַּאֲשֶׁר תַּעֲשׂוּ כֵּן יַעֲשֶׂה Num. 15:14
1800 הַהוּא אָמַר וְלֹא יַעֲשֶׂה Num. 23:19
1801/2 אִישׁ הַיָּשָׁר בְּעֵינָיו יַעֲשֶׂה Jud. 17:6; 21:25
1803 וְכֵן יַעֲשֶׂה שָׁנָה בְשָׁנָה I Sh. 1:7
1804 כַּאֲשֶׁר בִּלְבָבִי וּבְנַפְשִׁי יַעֲשֶׂה I Sh. 2:35
1805 כֹּה יַעֲשֶׂה־לְּךָ אֱלֹהִים וְכֹה יוֹסִיף I Sh. 3:17
1806 יְיָ הוּא הַטּוֹב בְּעֵינָו יַעֲשֶׂה I Sh. 3:18
1807 אוּלַי יַעֲשֶׂה יְיָ לָנוּ I Sh. 14:6
1808־1814 כֹּה־יַעֲשֶׂה (לִּי) אֱלֹהִים(...)וְכֹה יוֹסִ(י)ף
I Sh. 14:44; 25:22 • II Sh. 3:35; 19:14 • IK. 2:23 • IIK. 6:31 • Ruth 1:17
1815 וְאֵת בֵּית אָבִיו יַעֲשֶׂה חָפְשִׁי בְּיִשְׂ׳ I Sh. 17:25
1816 יַחֲזֵק בְּמָעֻזִּי יַעֲשֶׂה שָׁלוֹם לִי Is. 27:5
1817 שָׁלוֹם יַעֲשֶׂה־לִּי Is. 27:5
1818 נְבָלָה יְדַבֵּר וְלִבּוֹ יַעֲשֶׂה־אָוֶן Is. 32:6
1819 אָמֵן כֵּן יַעֲשֶׂה יְיָ Jer. 28:6
1820 צֶמַח בְּלִי יַעֲשֶׂה־קֶּמַח Hosh. 8:7
1821 אוּלַי יַעֲשֶׂה זָרִים יִבְלָעֻהוּ Hosh. 8:7
1822 כִּי עָשֹׂה יַעֲשֶׂה־לּוֹ כְנָפַיִם Prov. 23:5
1823 וּפֶה חָלָק יַעֲשֶׂה מִדְחֶה Prov. 26:28
1824־1914 יַעֲשֶׂה Ex. 21:11; 25:39; 26:31
30:38 • Lev. 4:20; 5:10, 26; 6:15; 16:16; 18:5, 29 • Num. 6:17, 21; 9:14; 15:13; 24:14; 30:3 • Deut. 3:21; 3:24; 7:19; 17:2, 12; 27:15 • Josh. 3:5; 10:25 • I Sh. 20:2, 13; 22:3; 25:28, 30; 28:2 • II Sh. 3:9; 7:11; 9:11; 10:12; 12:31; 14:15; 15:26 • IK. 2:38; 7:8 • IIK. 5:17; 8:13; 20:9 • Is. 5:10; 19:15; 38:7; 48:14; 56:2; 64:3 • Jer. 21:2 • Ezek. 17:17; 18:8, 14, 24; 20:11, 13, 21; 31:11; 45:17; 23, 24, 25; 46:7, 12² • Hosh. 10:3 • Am. 3:7 • Nah. 1:8 • Zep. 1:18; 3:5 • Ps. 1:3; 37:5; 56:5, 12; 118:6; 140:13; 145:19 • Prov. 13:16; 14:17 • Job 1:5 • Eccl. 3:14; 7:20; 8:3; 11:5 • Es. 1:20 • Dan. 11:23 • Neh. 9:29 • ICh. 12:32(33); 19:13; 20:3

וַיַּעֲשֶׂה
1915 וַיַּעֲשֶׂה עָמְרִי הָרַע בְּעֵינֵי יְיָ IK. 16:25
1916/7 וַיַּעֲשֶׂה הָרַע בְּעֵינֵי יְיָ IIK. 3:2; 13:11
1918 אֵת כָּל־חֻקּוֹתַי שָׁמַר וַיַּעֲשֶׂה אֹתָם Ezek. 18:19

הֲיַעֲשֶׂה
1919 הֲיַעֲשֶׂה־לּוֹ אָדָם אֱלֹהִים Jer. 16:20

יַעַשׂ
1920 יַעַשׂ־יְיָ עִמָּכֶם חֶסֶד וֶאֱמֶת II Sh. 2:6
1921 יַעַשׂ (כת׳ יעשה) יְיָ עִמָּכֶם חֶסֶד Ruth 1:8

וְיַעַשׂ
1922 וְיַעַשׂ הַבָּא אֵלָיו כִּרְצוֹנוֹ Dan. 11:16
1923 וְיַעַשׂ אֲדֹנִי הַמֶּלֶךְ הַטּוֹב בְּעֵינָיו ICh. 21:23

וַיַּעַשׂ
1924 וַיַּעַשׂ אֱלֹהִים אֶת־הָרָקִיעַ Gen. 1:7
1925 וַיַּעַשׂ אֱלֹהִים אֶת־שְׁנֵי הַמְּאֹרֹת Gen. 1:16
1926 וַיַּעַשׂ אֱלֹהִים אֶת־חַיַּת הָאָרֶץ Gen. 1:25
1927 וַיַּעַשׂ יְיָ אֱלֹהִים...כָּתְנוֹת עוֹר Gen. 3:21

וַיַּעַשׂ (המשך)
1928 וַיַּעַשׂ נֹחַ כְּכֹל אֲשֶׁר צִוָּה אֹתוֹ Gen. 6:22
1929/30 וַיַּעַשׂ לָהֶם מִשְׁתֶּה Gen. 19:3; 26:30
1931 וַיַּעַשׂ יְיָ לְשָׂרָה כַּאֲשֶׁר דִּבֵּר Gen. 21:1
1932 וַיַּעַשׂ לְאָבִיו אֵבֶל שִׁבְעַת יָמִים Gen. 50:10
1933 וַיַּעַשׂ לָהֶם בָּתִּים Ex. 1:21
1934 וַיַּעַשׂ הָאֹתֹת לְעֵינֵי הָעָם Ex. 4:30
1935 וַיַּעַשׂ לָהּ אֶת־נִדְרוֹ אֲשֶׁר נָדָר Jud. 11:39
1936 וַיַּעַשׂ חַיִל וַיַּךְ אֶת־עֲמָלֵק I Sh. 14:48
1937 וַיַּעַשׂ יְיָ תְּשׁוּעָה גְדוֹלָה לְכָל־יִשְׂ׳ I Sh. 19:5
1938 וַיַּעַשׂ דָּוִד שֵׁם בְּשֻׁבוֹ מֵהַכּוֹתוֹ II Sh. 8:13
1939 וַיַּעַשׂ כֹּהֲנִים מִקְצוֹת הָעָם IK. 12:31
1940 וַיַּעַשׂ יָרָבְעָם חָג בַּחֹדֶשׁ הַשְּׁמִינִי IK. 12:32
1941־1969 וַיַּעַשׂ(...)הָרַע בְּעֵינֵי יְיָ IK. 14:22
15:26, 34; 16:30; 22:53 • IIK. 8:18, 27; 13:2; 14:24; 15:9, 18, 24, 28; 17:2; 21:2, 20; 23:32, 37; 24:9, 19 • Jer. 52:2 • IICh. 21:6; 22:4; 33:2, 22²; 36:5, 9, 12
1970־1981 וַיַּעַשׂ(...)הַיָּשָׁר בְּעֵינֵי יְיָ IIK. 12:3; 14:3
15:3, 34; 18:3; 22:2 • IICh. 24:2; 25:2; 26:4; 27:2; 29:2; 34:2
1982 וַיְקַו לַעֲשׂוֹת עֲנָבִים וַיַּעַשׂ בְּאֻשִׁים Is. 5:2
1983 מַדּוּעַ קִוֵּיתִי...וַיַּעַשׂ בְּאֻשִׁים Is. 5:4
1984 וַיַּעַשׂ פִּימָה עֲלֵי־כָסֶל Job 15:27
1985־2157 וַיַּעַשׂ Gen. 7:5; 21:8; 27:31; 29:22, 28
40:20; 42:25; 43:17; 44:2 • Ex. 7:6; 8:9, 20, 27; 9:6; 17:6, 10; 18:24; 36:11, 13, 14, 17, 18, 19, 20, 23, 31, 33, 35, 36, 37; 37:1, 2, 4, 6, 7, 10, 11, 12², 15, 16, 17, 23, 25, 26, 29; 38:1, 2, 3, 4, 8, 9, 30; 39:2, 8, 22; 40:16 • Lev. 8:4, 36; 16:34 • Num. 8:3, 20; 17:26; 20:27; 21:9; 23:2, 30; 27:22; 31:31 • Josh. 5:3, 15; 9:15, 26; 10:28, 30; 11:9 • Jud. 3:16; 6:19, 20, 27², 40; 8:27; 14:10; 17:5 • I Sh. 16:4; 28:17 • II Sh. 3:20; 5:25; 15:1, 6; 23:10, 12 • IK. 1:5; 3:15²; 6:4, 5, 23; 7:14, 18, 23, 27, 38, 40, 48; 8:65; 10:12, 16, 18; 11:6; 12:28, 31; 12:33²; 13:33; 14:27; 15:11; 16:33; 17:5; 18:32; 20:25; 22:11 • IIK. 16:16; 21:3; 23:19 • Is. 20:2; 36:8 • Jer. 38:12; 40:3 • Ezek. 18:27; 40:14 • Jon. 4:5 • Es. 1:21; 2:4, 18; 4:17; 5:14 • Neh. 5:13; 13:5 • ICh. 14:16; 15:1 • IICh. 2:17; 3:8, 10, 14, 15, 16²; 4:1, 2, 6, 7, 8², 9, 11, 18, 19; 7:8; 9:11, 15, 17; 12:10, 14; 14:1; 18:10; 26:15; 28:24; 31:20²; 32:5; 33:3; 35:1

וַיָּעַשׂ
2158 וְנַפְשׁוֹ אִוְּתָה וַיָּעַשׂ Job 23:13

יַעֲשֵׂהוּ
2159 יְתָאֳרֵהוּ...יַעֲשֵׂהוּ בַּמַּקְצֻעוֹת Is. 44:13

וְיַעֲשֵׂהוּ
2160 יִשְׂכְּרוּ צוֹרֵף וְיַעֲשֵׂהוּ אֵל Is. 46:6

וַיַּעֲשֵׂהוּ
2161 וַיָּצַר אֹתוֹ...וַיַּעֲשֵׂהוּ עֵגֶל מַסֵּכָה Ex. 32:4
2162 וַתִּתְּנֵהוּ לַצּוֹרֵף וַיַּעֲשֵׂהוּ פֶּסֶל וּמַסֵּ׳ Jud. 17:4
2163 וַיַּעֲשֵׂהוּ כְּתַבְנִית אִישׁ Is. 44:13
2164 וְנִשְׁחַת...וַיַּעֲשֵׂהוּ כְּלִי אַחֵר Jer. 18:4
2165 וַיַּעֲשֵׂהוּ כֵלִים לְבֵית־יְיָ IICh. 24:14

וַיַּעֲשֶׂהָ
2166 וַיַּקְרֵב אֶת־הָעֹלָה וַיַּעֲשֶׂהָ כַּמִּשְׁ׳ Lev. 9:16
2167 וַיַּעֲשֶׂהָ לָאִישׁ הַבָּא אֵלָיו II Sh. 12:4

יַעֲשֶׂנָּה
2168 יַכְרֵת יְיָ לָאִישׁ אֲשֶׁר יַעֲשֶׂנָּה Mal. 2:12
2169 מַשְׁחִית נַפְשׁוֹ הוּא יַעֲשֶׂנָּה Prov. 6:32

וְיַעֲשֵׂם
2170 יְמֵי־חַיֵּי הֶבְלוֹ וְיַעֲשֵׂם כַּצֵּל Eccl. 6:12

תַּעֲשֶׂה
2171 הַנֶּפֶשׁ אֲשֶׁר תַּעֲשֶׂה כָּל־מְלָאכָה Lev. 23:30
2172 וְהַנֶּפֶשׁ אֲשֶׁר־תַּעֲשֶׂה בְּיָד רָמָה Num. 15:30
2173 וּמְעִיל קָטֹן תַּעֲשֶׂה־לּוֹ אִמּוֹ I Sh. 2:19
2174 קִנְאַת יְיָ תַּעֲשֶׂה־זֹּאת IIK. 19:31
2175/6 קִנְאַת יְיָ צְבָאוֹת תַּעֲשֶׂה־זֹּאת Is. 9:6; 37:32
2177 הֲלוֹא־זֹאת תַּעֲשֶׂה־לָּךְ... Jer. 2:17

וַתַּעֲשֶׂה
2178 וַתֵּלֶךְ וַתַּעֲשֶׂה כִּדְבַר אֵלִיָּהוּ IK. 17:15

וַתַּעַשׂ
2179 וַתַּעַשׂ אִמּוֹ מַטְעַמִּים Gen. 27:14
2180 וַתַּעַשׂ הָאָרֶץ...לִקְמָצִים Gen. 41:47

וַתַּעַשׂ (המשך)
2181 וַתַּעַשׂ כֵּן אֵשֶׁת יָרָבְעָם IK. 14:4
2182 וַתַּעַשׂ כִּדְבַר אִישׁ הָאֱלֹהִים IIK. 8:2
2183 וַתַּעַשׂ בַּדִּים וַתְּשַׁלַּח פֹּארוֹת Ezek. 17:6
2184 וַתַּעַשׂ בְּחֵפֶץ כַּפֶּיהָ Prov. 31:13
2185 וַתַּעַשׂ כְּכֹל אֲשֶׁר־צִוַּתָּה חֲמוֹתָהּ Ruth 3:6

נַעֲשֶׂה
2186 נַעֲשֶׂה אָדָם בְּצַלְמֵנוּ כִּדְמוּתֵנוּ Gen. 1:26
2187 כֹּל אֲשֶׁר־דִּבֶּר יְיָ נַעֲשֶׂה Ex. 19:8
2188 כָּל־הַדְּבָ׳ אֲשֶׁר־דִּבֶּר יְיָ נַעֲשֶׂה Ex. 24:3
2189 כֹּל אֲשֶׁר־דִּבֶּר יְיָ נַעֲשֶׂה וְנִשְׁמָע Ex. 24:7
2190 אֵת אֲשֶׁר דִּבֶּר יְיָ...כֵּן נַעֲשֶׂה Num. 32:31
2191 כֹּל אֲשֶׁר־צִוִּיתָנוּ נַעֲשֶׂה Josh. 1:16
2192 זֹאת נַעֲשֶׂה לָהֶם וְהַחֲיֵה אוֹתָם Josh. 9:20
2193 נַעֲשֶׂה־נָּא...לִבְנוֹת אֶת־הַמִּזְבֵּחַ Josh. 22:26
2194 אִם־לֹא כִדְבָרְךָ כֵּן נַעֲשֶׂה Jud. 11:10
2195 מַה־נַּעֲשֶׂה לַנַּעַר הַיּוּלָּד Jud. 13:8
2196 זֶה הַדָּבָר אֲשֶׁר נַעֲשֶׂה לַגִּבְעָה Jud. 20:9
2197 מַה־נַּעֲשֶׂה לָהֶם לַנּוֹתָרִים Jud. 21:7
2198 מַה־נַּעֲשֶׂה לַנּוֹתָרִים לְנָשִׁים Jud. 21:16
2199 מַה־נַּעֲשֶׂה לַאֲרוֹן אֱלֹהֵי יִשְׂרָאֵל I Sh. 5:8
2200 מַה־נַּעֲשֶׂה לַאֲרוֹן יְיָ I Sh. 6:2
2201 הָבוּ לָכֶם עֵצָה מַה־נַּעֲשֶׂה II Sh. 16:20
2202 נַעֲשֶׂה־נָּא עֲלִיַּת־קִיר קְטַנָּה IIK. 4:10
2203 אֲהָהּ אֲדֹנִי אֵיכָה נַעֲשֶׂה IIK. 6:15
2204 וְכֹל אֲשֶׁר־תֹּאמַר אֵלֵינוּ נַעֲשֶׂה IIK. 10:5
2205 יְשׁוּעֹת בַּל־נַעֲשֶׂה אֶרֶץ Is. 26:18
2206 וְאִישׁ שְׁרִרוּת לִבּוֹ־הָרָע נַעֲשֶׂה Jer. 18:12
2207 וְאֶת־הַדָּבָר אֲשֶׁר נַעֲשֶׂה Jer. 42:3
2208 כְּכָל־הַדָּבָר...כֵּן נַעֲשֶׂה Jer. 42:5
2209 עָשֹׂה נַעֲשֶׂה אֶת־כָּל־הַדָּבָר Jer. 44:17
2210 עָשֹׂה נַעֲשֶׂה אֶת־נְדָרֵינוּ Jer. 44:25
2211 מַה־נַּעֲשֶׂה לָּךְ וְיִשְׁתֹּק הַיָּם מֵעָלֵינוּ Jon. 1:11
2212/3 בֵּאלֹהִים נַעֲשֶׂה־חָיִל Ps. 60:14; 108:14
2214 תּוֹרֵי זָהָב נַעֲשֶׂה־לָּךְ S.of S. 1:11
2215 מַה־נַּעֲשֶׂה לַאֲחוֹתֵנוּ S.of S. 8:8
2216 כֵּן נַעֲשֶׂה כַּאֲשֶׁר אַתָּה אוֹמֵר Neh. 5:12
2217 וַאֲנַחְנוּ לֹא נֵדַע מַה־נַּעֲשֶׂה IICh. 20:12

הֲנַעֲשֶׂה
2218 הֲנַעֲשֶׂה אֶת־דְּבָרוֹ אִם־אַיִן II Sh. 17:6

וְנַעֲשֶׂה
2219 נִבְנֶה־לָּנוּ עִיר...וְנַעֲשֶׂה־לָּנוּ שֵׁם Gen. 11:4
2220 וְנַעֲשֶׂה לְפָנֶיךָ גְּדִי עִזִּים Jud. 13:15
2221 וְנַעֲשֶׂה־לָּנוּ שָׁם מָקוֹם לָשֶׁבֶת שָׁם IIK. 6:2

וַנַּעֲשֵׂה
2222 וַנִּירָא...וַנַּעֲשֵׂה אֶת־הַדָּבָר הַזֶּה Josh. 9:24

וַנַּעַשׂ
2223 וַנַּעַשׂ כְּכֹל אֲשֶׁר־צִוָּנוּ Jer. 35:10

וְנַעֲשֶׂנָּה
2224/5 וְיַשְׁמִעֵנוּ אֹתָהּ וְנַעֲשֶׂנָּה Deut. 30:12, 13

תַּעֲשׂוּ
2226 לָאֲנָשִׁים הָאֵל אַל־תַּעֲשׂוּ דָבָר Gen. 19:8
2227 אֲשֶׁר־יֹאמַר לָכֶם תַּעֲשׂוּ Gen. 41:55
2228 אֱלֹהֵי כֶסֶף...לֹא תַעֲשׂוּ לָכֶם Ex. 20:20
2229 אֲשֶׁר אֲנִי מַרְאֶה...וְכֵן תַּעֲשׂוּ Ex. 25:9
2230 מִן־הַכַּפֹּרֶת תַּעֲשׂוּ אֶת־הַכְּרֻבִים Ex. 25:19
2231 וּבְמַתְכֻּנְתּוֹ לֹא תַעֲשׂוּ כָּמֹהוּ Ex. 30:32
2232 וְכָל־מְלָאכָה לֹא תַעֲשׂוּ Lev. 16:29
2233 כְּמַעֲשֵׂה אֶרֶץ־מִצְ׳...לֹא תַעֲשׂוּ Lev. 18:3
2234 וּכְמַעֲשֵׂה אֶרֶץ כְּנַעַן...לֹא תַעֲשׂוּ Lev. 18:3
2235/6 לֹא־תַעֲשׂוּ עָוֶל בַּמִּשְׁפָּט Lev. 19:15, 35
2237 וּבְאַרְצְכֶם לֹא תַעֲשׂוּ Lev. 22:24
2238־2242 (וְ־)כָל־מְלָאכָה לֹא תַעֲשׂוּ
Lev. 23:3, 28, 31 • Num. 29:7 • Jer. 17:22
2243־2253 כָּל־מְלֶאכֶת עֲבֹדָה לֹא תַעֲשׂוּ
Lev. 23:7, 8, 21, 25, 35, 36 • Num. 28:18, 25, 26 29:1, 12, 35
2254־2262 (וְ)לֹא תַעֲשׂוּ Ex. 30:37
Lev. 18:26; 19:4; 26:1, 14 • Num. 15:22 • Jud. 19:24 • I Sh. 30:23 • IIK. 17:12

תַּעֲשׂוּ (המשך)
2263-2292 תַּעֲשׂוּ Lev. 9:6; 18:4 Num. 9:3; 15:12², 14; 28:20, 23, 24, 31; 29:39; 32:24 • Deut. 7:5; 31:29 • Josh. 8:8 • Jud. 7:17; 18:14; 19:23; 21:11 • Is. 10:3 • Jer. 5:10, 31; 7:5; 22:4; 44:4 • Ezek. 24:24 • Hosh. 9:5 • Zech. 8:16 • Mal. 2:13 • IICh. 23:4

וַתַּעֲשׂוּ
2293 וַתַּעֲשׂוּ הָרַע בְּעֵינַי Is. 65:12
2294 וַתַּעֲשׂוּ אֶת־הַיָּשָׁר בְּעֵינַי Jer. 34:15
2295 וַתַּעֲשׂוּ כְּכֹל אֲשֶׁר־צִוָּה אֶתְכֶם Jer. 35:18
2296 וַתַּעֲשׂוּ לָכֶם כֹּהֲנ׳ כְּעַמֵּי הָאֲרָצוֹ׳ IICh. 13:9

תַּעֲשׂוּן
2297 וְהוֹרֵיתִי אֶתְכֶם אֵת אֲשֶׁר תַּעֲשׂוּן Ex. 4:15
2298 לֹא תַעֲשׂוּן אִתִּי אֱלֹהֵי כֶסֶף Ex. 20:20
2299 אִם־תַּעֲשׂוּן אֶת־הַדָּבָר הַזֶּה Num. 32:20
2300 וְאִם־לֹא תַעֲשׂוּן כֵּן Num. 32:23
2301 אֵת כָּל־הַדְּבָרִים אֲשֶׁר תַּעֲשׂוּן Deut. 1:18
2302 לֹא־תַעֲשׂוּן כֵּן לַייָ אֱלֹהֵיכֶם Deut. 12:4
2303 לֹא תַעֲשׂוּן כְּכֹל אֲשֶׁר אֲנַחְנוּ עֹשִׂים Deut. 12:8
2304 תַּשְׂכִּילוּ אֵת כָּל־אֲשֶׁר תַּעֲשׂוּן Deut. 29:8
2305 כַּאֲשֶׁר אֶעֱשֶׂה כֵּן תַּעֲשׂוּן Jud. 7:17
2306 אִם־תַּעֲשׂוּן כָּזֹאת... Jud. 15:7
2307 לָמָּה תַעֲשׂוּן כַּדְּבָרִים הָאֵלֶּה ISh. 2:23
2308 זֶה הַדָּבָר אֲשֶׁר תַּעֲשׂוּן IIK. 11:5
2309 כֹּה תַעֲשׂוּן בְּיִרְאַת יְיָ IICh. 19:9
2310 כֹּה תַעֲשׂוּן וְלֹא תֶאְשָׁמוּ IICh. 19:10

יַעֲשׂוּ
2311 כָּל־עֲדַת יִשְׂרָאֵל יַעֲשׂוּ אֹתוֹ Ex. 12:47
2312 כַּאֲשֶׁר הֶרְאָה אֹתְךָ בָּהָר כֵּן יַעֲשׂוּ Ex. 27:8
2313 וְאֵלֶּה הַבְּגָדִים אֲשֶׁר יַעֲשׂוּ Ex. 28:4
2314 כְּכֹל אֲשֶׁר צִוִּיתִךָ יַעֲשׂוּ Ex. 31:11
2315 אַל־יַעֲשׂוּ־עוֹד מְלָאכָה Ex. 36:6
2316 כִּי יַעֲשׂוּ מִכָּל־חַטֹּאת הָאָדָם Num. 5:6
2317 בֵּין הָעַרְבַּיִם יַעֲשׂוּ אֹתוֹ Num. 9:11
2318 כְּכָל־חֻקַּת הַפֶּסַח יַעֲשׂוּ אֹתוֹ Num. 9:12
2319 עֲבָדֶיךָ יַעֲשׂוּ כַּאֲשֶׁר אֲדֹנִי מְצַוֶּה Num. 32:25
2320 כִּי כֵּן יַעֲשׂוּ הַבַּחוּרִים Jud. 14:10
2321 כָּכָה יַעֲשׂוּ לְכָל־יִשְׂרָאֵל ISh. 2:14
2322 פֶּן יַעֲשׂוּ הָעִבְרִים חֶרֶב אוֹ חֲנִית ISh. 13:19
2323 עֲשֶׂרֶת צִמְדֵּי־כֶרֶם יַעֲשׂוּ בַּת אֶחָת Is. 5:10
2324 וְשָׁמְעוּ...וְאוֹתָם לֹא יַעֲשׂוּ Ezek. 33:31
2325 וּפַר בֶּן־בָּקָר...תְּמִימִים יַעֲשׂוּ Ezek. 43:25
2326 יַעֲשׂוּ הַכֹּהֲנִים...אֶת־עוֹלוֹתֵיכֶם Ezek. 43:27
2327 יַעֲשׂוּ (כת׳ ועשו) אֶת־הַכֶּבֶשׂ... עוֹלַת תָּמִיד Ezek. 46:15
2328 שְׁאֵרִית יִשְׂרָאֵל לֹא־יַעֲשׂוּ עַוְלָה Zep. 3:13
2329 יַעֲשׂוּ־עֵגֶל בְּחֹרֵב וַיִּשְׁתַּחֲווּ Ps. 106:19
2330 אֲשֶׁר יַעֲשׂוּ תַּחַת הַשָּׁמַיִם Eccl. 2:3
2331 יַעֲשׂוּ־עֵץ גָּבֹהַּ חֲמִשִּׁים אַמָּה Es. 5:14

יַעֲשׂוּן
2332 אֶת־הַמַּעֲשֶׂה אֲשֶׁר יַעֲשׂוּן Ex. 18:20
2333 אֵת כָּל־אֲשֶׁר יַעֲשׂוּן בָּנָיו לְכָל־יִשְׂ׳ ISh. 2:22
2334 כֹּה־יַעֲשׂוּן אֱלֹהִים וְכֹה יוֹסִפוּן IK. 19:2
2335 כֹּה־יַעֲשׂוּן לִי אֱלֹהִים וְכֹה יוֹסִפוּ IK. 20:10
2336 שָׁרְשָׁם יָבֵשׁ פְּרִי בַל־יַעֲשׂוּן Hosh. 9:16

וְיַעֲשׂוּ
2337 תִּכְבַּד הָעֲבֹדָה...וְיַעֲשׂוּ בָהּ... Ex. 5:9
2338 וְיַעֲשׂוּ אֵת כָּל־אֲשֶׁר צִוָּה יְיָ Ex. 35:10
2339 וְיַעֲשׂוּ בְ״יִ אֶת־הַפָּסַח בְּמוֹעֲדוֹ Num. 9:2

וַיַּעֲשׂוּ
2340 וַיִּתְפְּרוּ...וַיַּעֲשׂוּ לָהֶם חֲגֹרֹת Gen. 3:7
2341 וַיִּקְחוּ אֲבָנִים וַיַּעֲשׂוּ־גָל Gen. 31:46
2342/3 וַיַּעֲשׂוּ־כֵן Gen. 42:20; 45:21
2344 וַיַּעֲשׂוּ בָנָיו לוֹ כֵּן כַּאֲשֶׁר צִוָּם Gen. 50:12
2345 וַיַּעֲשׂוּ־כֵן כַּאֲשֶׁר צִוָּה יְיָ Ex. 7:10
2346 וַיַּעֲשׂוּ גַם־הֵם...בְּלַהֲטֵיהֶם כֵּן Ex. 7:11
2347/8 וַיַּעֲשׂוּ אֶת־הַפֶּסַח Num. 9:5 • Josh. 5:10
2349 וַיַּעֲשׂוּ בְ״יִ הָרַע בְּעֵינֵי יְיָ Jud. 6:1

וַיַּעֲשׂוּ (המשך)
2350 וַיִּדְרְכוּ וַיַּעֲשׂוּ הִלּוּלִים Jud. 9:27
2351 וַיַּעֲשׂוּ פְּרִי תְבוּאָה Ps. 107:37
2352 וַיַּעֲשׂוּ בְשֹׂנְאֵיהֶם כִּרְצוֹנָם Es. 9:5
2353 וַיַּעֲשׂוּ אֶת־חַג הַסֻּכּוֹת כַּכָּתוּב Ez. 3:4
2354 וַיַּעֲשׂוּ בְנֵי־הַגּוֹלָה אֶת־הַפָּסַח Ez. 6:19
2355 וַיַּעֲשׂוּ נֶאָצוֹת גְּדֹלוֹת Neh. 9:18
2356 וַיַּעֲשׂוּ מִלְחָמָה עִם־הַהַגְרִיאִים ICh. 5:19
2357 וַיַּעֲשׂוּ...כִּבְרִית אֱלֹהִים IICh. 34:32

2358-2419 וַיַּעֲשׂוּ Ex. 7:20, 22; 8:3, 13, 14; 12:28, 50 14:4; 16:17; 32:28, 31; 36:8; 39:1, 6, 15, 16, 19, 20, 24, 25, 27, 30, 32 • Lev. 10:7 • Num. 1:54; 2:34; 5:4 • Deut. 34:9 • Josh. 4:8; 9:4; 10:23 • Jud. 2:11; 3:7; 21:23 • ISh. 6:10 • IIShj. 13:29; 21:14 • IK. 18:26; 21:11 • IIK. 11:9' 17:11, 16², 32 • Is. 66:4 • Hosh. 13:2 • Hag. 1:14 • Job 42:9 • Ez. 6:22; 10:6 • Neh. 8:16, 17, 18; 9:26 • IICh. 7:9; 20:36; 23:8; 24:8; 24:8, 13; 30:21, 23; 35:17

וַיַּעֲשׂוּנִי
2420 יָדֶיךָ עִצְּבוּנִי וַיַּעֲשׂוּנִי Job 10:8

יַעֲשׂוּהָ
2421 בְּאוֹר הַבֹּקֶר יַעֲשׂוּהָ Mic. 2:1

תַּעֲשֶׂינָה
2422 כַּאֲשֶׁר תַּעֲשֶׂינָה הַדְּבֹרִים Deut. 1:44
2423 וְעָשֹׂה תַעֲשֶׂינָה אֶת־נִדְרֵיכֶם Jer. 44:25
2424 וְלֹא תַעֲשֶׂינָה כְּזִמַּתְכֶנָה Ezek. 23:48
2425 וְלֹא־תַעֲשֶׂינָה יְדֵיהֶם תּוּשִׁיָּה Job 5:12

וַתַּעֲשֶׂינָה
2426 וַתִּגְבְּהֶינָה וַתַּעֲשֶׂינָה תוֹעֵבָה לְפָנָי Ezek. 16:50

עֲשֵׂה
2427 עֲשֵׂה לְךָ תֵּבַת עֲצֵי גֹפֶר Gen. 6:14
2428 אֲשֶׁר אָמַר אֱל׳ אֵלֶיךָ עֲשֵׂה Gen. 31:16
2429/30 עֲשֵׂה־לָנוּ אֱלֹהִים Ex. 32:1, 23
2431 עֲשֵׂה לְךָ שְׁתֵּי חֲצוֹצְרֹת כֶּסֶף Num. 10:2
2432 עֲשֵׂה לְךָ שָׂרָף וְשִׂים...עַל-נֵס Num. 21:8
2433 עֲשֵׂה לְךָ חַרְבוֹת צֻרִים Josh. 5:2
2434 כַּטּוֹב...בְּעֵינֶיךָ לַעֲשׂוֹת לָנוּ עֲשֵׂה Josh. 9:25
2435 עֲשֵׂה-אַתָּה לָנוּ כְּכָל-הַטּוֹב בְּעֵינֶ׳ Jud. 10:15
2436 עֲשֵׂה לִי כַּאֲשֶׁר יָצָא מִפִּיךָ Jud. 11:36
2437 עֲשֵׂה לְךָ אֲשֶׁר תִּמְצָא יָדֶךָ ISh. 10:7
2438 עֲשֵׂה כָּל־אֲשֶׁר בִּלְבָבֶךָ ISh. 14:7
2439-41 הַטּוֹב בְּעֵינֶיךָ עֲשֵׂה ISh. 14:36, 40 • IIK. 10:5
2442 כֹּל אֲשֶׁר בִּלְבָבְךָ לֵךְ עֲשֵׂה IISh. 7:3
2443 עֲשֵׂה כַּאֲשֶׁר דִּבֶּר IK. 2:31
2444 וְאֶת־הַדָּבָר הַזֶּה עֲשֵׂה IK. 20:24
2445 יְיָ עֲשֵׂה לְמַעַן שְׁמֶךָ Jer. 14:7
2446 בְּעֵת אַפְּךָ עֲשֵׂה בָהֶם Jer. 18:23
2447 עֲשֵׂה לְךָ מוֹסֵרוֹת וּמֹטוֹת Jer. 27:2
2448 כַּאֲשֶׁר יְדַבֵּר...כֵּן עֲשֵׂה עִמּוֹ Jer. 39:12
2449 עֲשֵׂה הָרַתּוֹק Ezek. 7:23
2450 עֲשֵׂה לְךָ כְּלֵי גוֹלָה Ezek. 12:3
2451 עֲשֵׂה־לָהֶם כְּמִדְיָן Ps. 83:10
2452 עֲשֵׂה־עִמִּי אוֹת לְטוֹבָה Ps. 86:17
2453 עֲשֵׂה־אִתִּי לְמַעַן שְׁמֶךָ Ps. 109:21
2454 עֲשֵׂה עִם־עַבְדְּךָ כְחַסְדֶּךָ Ps. 119:124
2455 עֲשֵׂה זֹאת אֵפוֹא בְּנִי וְהִנָּצֵל Prov. 6:3
2456 וּבְתַחְבֻּלוֹת עֲשֵׂה מִלְחָמָה Prov. 20:18
2457 אֲשֶׁר תִּמְצָא...לַעֲשׂוֹת בְּכֹחֲךָ עֲשֵׂה Eccl. 9:10
2458 וְכַאֲשֶׁר תִּרְאֵה עֲשֵׂה עִם-עֲבָדֶיךָ Dan. 1:13
2459 כֹּל אֲשֶׁר בִּלְבָבְךָ עֲשֵׂה ICh. 17:2
2460 בֹּא אַתָּה עֲשֵׂה חֲזַק לַמִּלְחָמָה IICh. 25:8

וַעֲשֵׂה
2461 וַעֲשֵׂה־חֶסֶד עִם־אֲדֹנִי Gen. 24:12
2462-2463 וַעֲשֵׂה־לִי מַטְעַמִּים Gen. 27:4, 7
2464 וַעֲשֵׂה־שָׁם מִזְבֵּחַ לָאֵל Gen. 35:1
2465 וַעֲשֵׂה כְּרוּב אֶחָד מִקָּצָה מִזֶּה... Ex. 25:19
2466 וּרְאֵה וַעֲשֵׂה בְּתַבְנִיתָם Ex. 25:40
2467 וַעֲשֵׂה לָהֶם מִכְנְסֵי־בָד Ex. 28:42

וַעֲשֵׂה (המשך)
2468 וַעֲשֵׂה אֶת-חַטָּאתְךָ וְאֶת-עֹלָתֶךָ Lev. 9:7
2469 וַעֲשֵׂה אֶת־קָרְבַּן הָעָם Lev. 9:7
2470 וַעֲשֵׂה אֶת־הָאֶחָד חַטָּאת Num. 8:12
2471 וַעֲשֵׂה כַּאֲשֶׁר דִּבַּרְתָּ IISh. 7:25
2472 וַעֲשֵׂה הַטּוֹב בְּעֵינֶיךָ IISh. 19:28
2473 וַעֲשֵׂה־לוֹ אֵת אֲשֶׁר־טוֹב בְּעֵינֶיךָ IISh. 19:38
2474 צֵא וַעֲשֵׂה־כֵן IK. 22:22
2475 וַעֲשֵׂה כְּכֹל אֲשֶׁר צִוִּיתִיךָ Jer. 50:21
2476/7 סוּר מֵרָע וַעֲשֵׂה־טוֹב Ps. 34:15; 37:27
2478 בְּטַח בַּייָ וַעֲשֵׂה־טוֹב Ps. 37:3
2479 וַעֲשֵׂה־חַיִל בְּאֶפְרָתָה Ruth 4:11
2480 וַעֲשֵׂה־כֵן לְמָרְדֳּכַי הַיְּהוּדִי Es. 6:10
2481 הַקְשִׁיבָה וַעֲשֵׂה אַל־תְּאַחַר Dan. 9:19
2482 קוּם...חֲזַק וַעֲשֵׂה Ez. 10:4
2483 וַעֲשֵׂה כַּאֲשֶׁר דִּבַּרְתָּ ICh. 17:23
2484 קוּם וַעֲשֵׂה וִיהִי יְיָ עִמָּךְ ICh. 22:16(15)
2485 כִּי יְיָ בָּחַר בְּךָ...חֲזַק וַעֲשֵׂה ICh. 28:10
2486 חֲזַק וֶאֱמַץ וַעֲשֵׂה ICh. 28:20
2487 צֵא וַעֲשֵׂה־כֵן IICh. 18:21

עֲשִׂי
2488 עֲשִׂי־לָהּ הַטּוֹב בְּעֵינָיִךְ Gen. 16:6
2489 עֲשִׂי הַטּוֹב בְּעֵינַיִךְ ISh. 1:23
2490 אַל־תִּירְאִי בֹּאִי עֲשִׂי כִדְבָרֵךְ IK. 17:13
2491 אַךְ עֲשִׂי־לִי מִשָּׁם עֻגָה קְטַנָּה IK. 17:13
2492 אֵבֶל יָחִיד עֲשִׂי־לָךְ Jer. 6:26
2493 כְּלֵי גוֹלָה עֲשִׂי לָךְ Jer. 46:19

וַעֲשִׂי
2494 לוּשִׁי וַעֲשִׂי עֻגוֹת Gen. 18:6
2495 לְכִי נָא...וַעֲשִׂי־לוֹ הַבִּרְיָה IISh. 13:7

עֲשׂוּ
2496 זֹאת עֲשׂוּ וִחְיוּ Gen. 42:18
2497 אִם־כֵּן אֵפוֹא זֹאת עֲשׂוּ Gen. 43:11
2498 אֱמֹר אֶל־אַחֶיךָ זֹאת עֲשׂוּ Gen. 45:17
2499 וְאַתָּה צֻוֵּיתָה זֹאת עֲשׂוּ Gen. 45:19
2500 ...וּלְבֵנִים אֹמְרִים לָנוּ עֲשׂוּ Ex. 5:16
2501 וְזֹאת עֲשׂוּ לָהֶם וְחָיוּ Num. 4:19
2502 זֹאת עֲשׂוּ קְחוּ־לָכֶם מַחְתּוֹת Num. 16:6
2503 מַהֲרוּ עֲשׂוּ כָמוֹנִי Jud. 9:48
2504 וְעַתָּה עֲשׂוּ כִּי יְיָ אָמַר... IISh. 3:18
2505 עֲשׂוּ אִתִּי בְרָכָה וּצְאוּ אֵלַי IIK. 18:31
2506 עֲשׂוּ פֶסַח לַייָ אֱלֹהֵיכֶם IIK. 23:21
2507 הָבִיאוּ עֵצָה עֲשׂוּ (כ׳ עשי) פְלִילָה Is. 16:3
2508 עֲשׂוּ אִתִּי בְרָכָה וּצְאוּ אֵלַי Is. 36:16
2509 עֲשׂוּ מִשְׁפָּט וּצְדָקָה Jer. 22:3
2510 עֲשׂוּ־לִי כַּטּוֹב וְכַיָּשָׁר בְּעֵינֵיכֶם Jer. 26:14
2511 כַּאֲשֶׁר עָשְׂתָה עֲשׂוּ־לָהּ Jer. 50:15
2512 כְּכֹל אֲשֶׁר עָשְׂתָה עֲשׂוּ־לָהּ Jer. 50:29
2513 וּמִשְׁפָּט וּצְדָקָה עֲשׂוּ Ezek. 45:9
2514 וְחֶסֶד וְרַחֲמִים עֲשׂוּ אִישׁ אֶת-אָחִיו Zech. 7:9

וַעֲשׂוּ
2515 וַעֲשׂוּ לָהֶן כַּטּוֹב בְּעֵינֵיכֶם Gen. 19:8
2516 וַעֲשׂוּ לָהֶם הַטּוֹב בְּעֵינֵיכֶם Jud. 19:24
2517 קְחוּ וַעֲשׂוּ עֲגָלָה חֲדָשָׁה ISh. 6:7
2518 וַעֲשׂוּ רִאשֹׁנָה כִּי אַתֶּם הָרַבִּים IK. 18:25
2519 שִׁמְרוּ מִשְׁפָּט וַעֲשׂוּ צְדָקָה Is. 56:1
2520 וַעֲשׂוּ לָכֶם לֵב חָדָשׁ Ezek. 18:31
2521 וְאֶת־מִשְׁפָּטַי שִׁמְרוּ וַעֲשׂוּ אוֹתָם Ezek. 20:19
2522 וַחֲזַק כָּל־עַם הָאָרֶץ...וַעֲשׂוּ Hag. 2:4
2523 תְּנוּ תוֹדָה לַייָ...וַעֲשׂוּ רְצוֹנוֹ Ez. 10:11
2524 שִׁמְרוּ וַעֲשׂוּ IICh. 19:7
2525 חִזְקוּ וַעֲשׂוּ וִיהִי יְיָ עִם־הַטּוֹב IICh. 19:11

לְהֵעָשׂוֹת
2526 הִגִּיעַ דְּבַר־הַמֶּלֶךְ...לְהֵעָשׂוֹת Es. 9:1
2527 וַיֹּאמֶר הַמֶּלֶךְ לְהֵעָשׂוֹת כֵּן Es. 9:14

הֵעָשׂוֹתוֹ
2528 חֻקּוֹת הַמִּזְבֵּחַ בְּיוֹם הֵעָשׂוֹתוֹ Ezek. 43:18

נַעֲשָׂה
2529 ...וְכָל־נַעֲשָׂה בַמַּרְחֶשֶׁת Lev. 7:9
2530 אֲשֶׁר לֹא־נַעֲשָׂה בָהֶם מְלָאכָה Jud. 16:11

נַעֲשָׂה (המשך)

2531 לֹא־נַעֲשָׂה כֵן לְכָל־מַמְלָכוֹת IK. 10:20
2532 כִּי לֹא נַעֲשָׂה כַּפֶּסַח הַזֶּה... IIK. 23:22
2533 נַעֲשָׂה הַפֶּסַח הַזֶּה לַיְיָ בִּירוּשָׁלִָם IIK. 23:23
2534 עַל כָּל־אֲשֶׁר נַעֲשָׂה תַּחַת הַשָּׁמָיִם Eccl. 1:13
2535 אֶת־הַמַּעֲשֶׂה הָרָע אֲשֶׁר נַעֲשָׂה Eccl. 4:3
2536 לְכָל...אֲשֶׁר נַעֲשָׂה תַּחַת הַשָּׁמֶשׁ Eccl. 8:9
2537 אֵין־נַעֲשָׂה פִתְגָם מַעֲשֵׂה הָרָעָה Eccl. 8:11
2538 יֶשׁ־הֶבֶל אֲשֶׁר נַעֲשָׂה עַל־הָאָרֶץ Eccl. 8:14
2539 הָעִנְיָן אֲשֶׁר נַעֲשָׂה עַל־הָאָרֶץ Eccl. 8:16
2540 הַמַּעֲשֶׂה אֲשֶׁר נַעֲשָׂה תַחַת־הַשֶּׁמֶשׁ Eccl. 8:17
2541 זֶה רָע בְּכֹל אֲשֶׁר־נַעֲשָׂה תַּחַת הַשֶּׁ׳ Eccl. 9:3
2542 בְּכֹל אֲשֶׁר־נַעֲשָׂה תַּחַת הַשָּׁמֶשׁ Eccl. 9:6
2543 וּמָרְדֳּכַי יָדַע אֶת־כָּל־אֲשֶׁר נַעֲשָׂה Es. 4:1
2544 מַה־נַּעֲשָׂה יְקָר וּגְדוּלָּה לְמָרְדֳּכַי Es. 6:3
2545 עַל־זֶה...לֹא־נַעֲשָׂה עִמּוֹ דָּבָר Es. 6:3
2546 לֹא־נַעֲשָׂה כֵן לְכָל־מַמְלָכָה IICh. 9:19
2547 וְלֹא־נַעֲשָׂה פֶסַח כָּמֹהוּ IICh. 35:18
2548 נַעֲשָׂה הַפֶּסַח הַזֶּה IICh. 35:19
שֶׁנַּעֲשָׂה 2549 וּמַה־שֶּׁנַּעֲשָׂה הוּא שֶׁיֵּעָשֶׂה Eccl. 1:9
2550 הַמַּעֲשֶׂה שֶׁנַּעֲשָׂה תַּחַת הַשָּׁמֶשׁ Eccl. 2:17
וְנַעֲשָׂה 2551 וַיֵּחַר וְנַעֲשָׂה עוֹד לִמְלָאכָה Ezek. 15:5
נֶעֶשְׂתָה 2552 אִם מֵעֵינֵי הָעֵדָה נֶעֶשְׂתָה לִשְׁגָגָה Num. 15:24
2553 נֶעֶשְׂתָה הַתּוֹעֵבָה הַזֹּאת בְּקִרְבֶּךָ Deut. 13:15
2554 נֶעֶשְׂתָה הַתּוֹעֵבָה הַזֹּאת בְּיִשְׂרָ׳ Deut. 17:4
2555 רָאָה כִּי לֹא נֶעֶשְׂתָה עֲצָתוֹ II Sh. 17:23
2556 וְתוֹעֵבָה נֶעֶשְׂתָה בְיִשְׂרָאֵל Mal. 2:11
2557 לֹא־נֶעֶשְׂתָה תַּחַת כָּל־הַשָּׁמַיִם Dan. 9:12
2558 כַּאֲשֶׁר נֶעֶשְׂתָה בִּירוּשָׁלִָם Dan. 9:12
2559 מֵאֵת אֱלֹהֵינוּ נֶעֶשְׂתָה הַמְּלָאכָה Neh. 6:16
נֶעֱשָׂתָה 2560 כִּי נֶחֱרָצָה נֶעֱשָׂתָה Dan. 11:36
נַעֲשׂוּ 2561 הַתּוֹעֵבֹת אֲשֶׁר נַעֲשׂוּ לִפְנֵיכֶם Lev. 18:30
2562 וּמִקֶּדֶם אֲשֶׁר לֹא־נַעֲשׂוּ Is. 46:10
2563 בִּדְבַר יְיָ שָׁמַיִם נַעֲשׂוּ Ps. 33:6
2564 שׁוֹר אֶחָד...וְצִפֳּרִים נַעֲשׂוּ־לִי Neh. 5:18
שֶׁנַּעֲשׂוּ 2565 הַמַּעֲשִׂים שֶׁנַּעֲשׂוּ תַּחַת הַשָּׁמֶשׁ Eccl. 1:14
נַעֲשֶׂה 2566 וַאֲשֶׁר הָיָה נַעֲשֶׂה לְיוֹם אֶחָד Neh. 5:18
נַעֲשִׂים 2567 אֲשֶׁר נַעֲשִׂים תַּחַת הַשָּׁמֶשׁ Eccl. 4:1
וְנַעֲשִׂים 2568 וְהַיָּמִים הָאֵלֶּה נִזְכָּרִים וְנַעֲשִׂים Es. 9:28
הַנַּעֲשׂוֹת 2569 כָּל־הַתּוֹעֵבוֹת הַנַּעֲשׂוֹת בְּתוֹכָהּ Ezek. 9:4
יֵעָשֶׂה 2570 לֹא־יֵעָשֶׂה כֵן בִּמְקוֹמֵנוּ... Gen. 29:26
2571 וְכֵן לֹא יֵעָשֶׂה Gen. 34:7
2572 וַתֵּתַצַּב...לְדֵעָה מַה־יֵּעָשֶׂה לוֹ Ex. 2:4
2573 כָּל־מְלָאכָה לֹא־יֵעָשֶׂה בָהֶם... Ex. 12:16
2574 הוּא לְבַדּוֹ יֵעָשֶׂה לָכֶם Ex. 12:16
2575 כַּמִּשְׁפָּט הַזֶּה יֵעָשֶׂה לּוֹ Ex. 21:31
2576 שֵׁשֶׁת יָמִים יֵעָשֶׂה מְלָאכָה Ex. 31:15
2577 אֲשֶׁר יֵעָשֶׂה מֵאֵלֶּה לַיְיָ Lev. 2:8
2578 וְחֵלֶב...יֵעָשֶׂה לְכָל־מְלָאכָה Lev. 7:24
2579 אֲשֶׁר־יֵעָשֶׂה מְלָאכָה בָּהֶם Lev. 11:32
2580 אֲשֶׁר־יֵעָשֶׂה הָעוֹר לִמְלָאכָה Lev. 13:51
2581 כַּאֲשֶׁר עָשָׂה כֵּן יֵעָשֶׂה לּוֹ Lev. 24:19
2582 וְאֵת כָּל־אֲשֶׁר יֵעָשֶׂה לָהֶם וְעָבָדוּ Num. 4:26
2583 מִכֹּל אֲשֶׁר יֵעָשֶׂה מִגֶּפֶן הַיַּיִן... Num. 6:4
2584 כָּכָה יֵעָשֶׂה לַשּׁוֹר הָאֶחָד Num. 15:11
2585 כִּי לֹא פֹרַשׁ מַה־יֵּעָשֶׂה לוֹ Num. 15:34
2586 עַל־עֹלַת הַתָּמִיד יֵעָשֶׂה וְנִסְכּוֹ Num. 28:15
2587 עַל־עוֹלַת הַתָּמִיד יֵעָשֶׂה וְנִסְכּוֹ Num. 28:24
2588 כָּכָה יֵעָשֶׂה לָאִישׁ אֲשֶׁר לֹא־יִבְנֶה Deut. 25:9
2589 יֵעָשֶׂה לִּי הַדָּבָר הַזֶּה Jud. 11:37
2590 כֹּה יֵעָשֶׂה לִבְקָרוֹ I Sh. 11:7
2591 מַה־יֵּעָשֶׂה לָאִישׁ אֲשֶׁר יַכֶּה... I Sh. 17:26
2592 כֹּה יֵעָשֶׂה לָאִישׁ אֲשֶׁר יַכֶּנּוּ I Sh. 17:27

יֵעָשֶׂה (המשך)

2593 כִּי לֹא־יֵעָשֶׂה כֵן בְּיִשְׂרָאֵל II Sh. 13:12
2594 אַךְ לֹא יֵעָשֶׂה בֵּית יְיָ... IIK. 12:14
2595 כִּי־גְמוּל יָדָיו יֵעָשֶׂה לּוֹ Is. 3:11
2596 וְלֹא יֵעָשֶׂה עוֹד Jer. 3:16
2597 כֹּה יֵעָשֶׂה לָהֶם Jer. 5:13
2598 כַּאֲשֶׁר עָשִׂיתִי כֵּן יֵעָשֶׂה לָהֶם Ezek. 12:11
2599 בִּהְיוֹתוֹ תָמִים לֹא יֵעָשֶׂה לִמְלָ׳ Ezek. 15:5
2600 וּלְכֹל אֲשֶׁר יֵעָשֶׂה בּוֹ Ezek. 44:14
2601 כַּאֲשֶׁר עָשִׂיתָ יֵעָשֶׂה לָּךְ Ob. 15
2602 לָדַעַת...וּמַה־יֵּעָשֶׂה בָּהּ Es. 2:11
2603/4 כָּכָה יֵעָשֶׂה לָאִישׁ Es. 6:9, 11
2605 וְכַתּוֹרָה יֵעָשֶׂה Ez. 10:3
וְיֵעָשֶׂה 2606/7 אֲשֶׁר אֲדַבֵּר דָּבָר וְיֵעָשֶׂה Ezek. 12:25, 28
שֶׁיֵּעָשֶׂה 2608 וּמַה־שֶּׁנַּעֲשָׂה הוּא שֶׁיֵּעָשֶׂה Eccl. 1:9
תֵּיעָשֶׂה 2609 מִקְשָׁה תֵּיעָשֶׂה הַמְּנוֹרָה Ex. 25:31
תֵּעָשֶׂה 2610 שֵׁשֶׁת יָמִים תֵּעָשֶׂה מְלָאכָה Ex. 35:2
2611 סֹלֶת בַּשֶּׁמֶן תֵּעָשֶׂה Lev. 2:7
2612 כָּל־הַמִּנְחָה...לֹא תֵעָשֶׂה חָמֵץ Lev. 2:11
2613 עַל־מַחֲבַת בַּשֶּׁמֶן תֵּעָשֶׂה Lev. 6:14
2614 שֵׁשֶׁת יָמִים תֵּעָשֶׂה מְלָאכָה Lev. 23:3
2615 יִרְפּוּ...מִן־הַמְּלָאכָה וְלֹא תֵעָשֶׂה Neh. 6:9
וְתֵעָשׂ 2616/7 עַד־חֲצִי הַמַּלְכוּת וְתֵעָשׂ Es. 5:6; 7:2
2618 וּמַה־בַּקָּשָׁתֵךְ עוֹד וְתֵעָשׂ Es. 9:12
יֵעָשׂוּ 2619 מַעֲשִׂים אֲשֶׁר לֹא־יֵעָשׂוּ Gen. 20:9
תֵּעָשֶׂינָה 2620 מִכֹּל מִצְוֹת יְיָ אֲשֶׁר לֹא תֵעָשֶׂינָה Lev. 4:2
2621-2624 (מִ)מִּצְוֹת יְיָ(...)אֲשֶׁר לֹא(־)תֵעָשֶׂינָה
Lev. 4:13, 22, 27; 5:17
עִשּׂוּ 2625 וְשָׁם עִשּׂוּ דַּדֵּי בְּתוּלֵיהֶן Ezek. 23:3
2626 וְהֵמָּה עִשּׂוּ דַדֵּי בְתוּלֶיהָ Ezek. 23:8
עֻשֵּׂיתִי 2627 אֲשֶׁר־עֻשֵּׂיתִי בַסֵּתֶר Ps. 139:15

עֲשָׂהאֵל

שפ״ז א) אחי יואב שר־צבא דוד: 1-11, 13-17
ב) לוי בימי יהושפט: 18
ג) פקיד בימי חזקיהו: 19
ד) אבי אחד העולים בימי עזרא: 12

עֲשָׂהאֵל 1 וַיִּרְדֹּף עֲשָׂהאֵל אַחֲרֵי אַבְנֵר II Sh. 2:19
2 הַאַתָּה זֶה עֲשָׂהאֵל II Sh. 2:20
3 וְלֹא־אָבָה עֲשָׂהאֵל לָסוּר מֵאַחֲרָיו II Sh. 2:21
4 וַיֹּסֶף עוֹד אַבְנֵר לֵאמֹר אֶל־עֲשָׂהאֵל II Sh. 2:22
5 אֶל־הַמָּקוֹם אֲשֶׁר־נָפַל שָׁם עֲשָׂהאֵל II Sh. 2:23
6 וַיִּשְׂאוּ אֶת־עֲשָׂהאֵל וַיִּקְבְּרֻהוּ II Sh. 2:32
7 וַיָּמָת בְּדַם עֲשָׂהאֵל אָחִיו II Sh. 3:27
8 עַל אֲשֶׁר הֵמִית אֶת־עֲשָׂהאֵל II Sh. 3:30
9 עֲשָׂהאֵל אֲחִי־יוֹאָב בַּשְּׁלֹשִׁים II Sh. 23:24
10-11 עֲשָׂהאֵל אֲחִי יוֹאָב ICh. 11:26; 27:7
12 אַךְ יוֹנָתָן בֶּן־עֲשָׂהאֵל וְיַחְזְיָה... Ez. 10:15
וַעֲשָׂהאֵל 13/4 בְּנֵי צְרוּיָה יוֹאָב וַאֲבִישַׁי וַעֲשָׂהאֵל II Sh. 2:18
15 וַעֲשָׂהאֵל קַל בְּרַגְלָיו II Sh. 2:18
16 תִּשְׁעָה־עָשָׂר אִישׁ וַעֲשָׂהאֵל II Sh. 2:30
17 אַבְשַׁי וְיוֹאָב וַעֲשָׂה־אֵל ICh. 2:16
18 וּנְתַנְיָהוּ וּזְבַדְיָהוּ וַעֲשָׂהאֵל IICh. 17:8
19 וִיחִיאֵל וַעֲזַזְיָהוּ וְנַחַת וַעֲשָׂהאֵל IICh. 31:13

עֵשָׂו

שפ״ז – בן יצחק ורבקה, אחי יעקב: 1-96

אִיד עֵשָׂו 43; אַלּוּפֵי עֵ׳ 35; אֵם עֵ׳ 87; אֵשֶׁת עֵ׳ 30-24; בִּגְדֵי עֵ׳ 14; בֵּית עֵ׳ 48, 49; בְּכוֹר עֵ׳ 33; בֶּן עֵ׳ 31, 34; בְּנֵי עֵ׳ 22, 32, 37-42; הַר עֵשָׂו 46, 47, 50, 51; יַד עֵשָׂו 19; יְדֵי עֵ׳ 15; עֲקֵב עֵ׳ 2; תּוֹלְדוֹת עֵשָׂו 21

עֵשָׂו 1 וַיִּקְרְאוּ שְׁמוֹ עֵשָׂו Gen. 25:25
2 וְיָדוֹ אֹחֶזֶת בַּעֲקֵב עֵשָׂו Gen. 25:26
3 וַיְהִי עֵשָׂו אִישׁ יֹדֵעַ צַיִד Gen. 25:27

עֵשָׂו (המשך)

4 וַיֶּאֱהַב יִצְחָק אֶת־עֵשָׂו Gen. 25:28
5 וַיָּבֹא עֵשָׂו מִן־הַשָּׂדֶה Gen. 25:29
6 וַיֹּאמֶר עֵשָׂו אֶל־יַעֲקֹב Gen. 25:30
7 וַיֹּאמֶר עֵשָׂו הִנֵּה אָנֹכִי הוֹלֵךְ לָמוּת Gen. 25:32
8 וַיִּבֶז עֵשָׂו אֶת־הַבְּכֹרָה Gen. 25:34
9 וַיְהִי עֵשָׂו בֶּן־אַרְבָּעִים שָׁנָה Gen. 26:34
10 וַיִּקְרָא אֶת־עֵשָׂו בְּנוֹ הַגָּדֹל Gen. 27:1
11 וַיֵּלֶךְ עֵשָׂו הַשָּׂדֶה לָצוּד צַיִד Gen. 27:5
12 שָׁמַעְתִּי...מְדַבֵּר אֶל־עֵשָׂו אָחִיךָ Gen. 27:6
13 הֵן עֵשָׂו אָחִי אִישׁ שָׂעִר Gen. 27:11
14 אֶת־בִּגְדֵי עֵשָׂו בְּנָהּ הַגָּדֹל Gen. 27:15
15 ...וְהַיָּדַיִם יְדֵי עֵשָׂו Gen. 27:22
16 כִּי־הָיוּ יָדָיו כִּידֵי עֵשָׂו אָחִיו Gen. 27:23
17 וַיֹּאמֶר אַתָּה זֶה בְּנִי עֵשָׂו Gen. 27:24
18 אֲנִי בִּנְךָ בְּכֹרְךָ עֵשָׂו Gen. 27:32
19 הַצִּילֵנִי נָא מִיַּד אָחִי מִיַּד עֵשָׂו Gen. 32:11
20 כִּי יִפְגָּשְׁךָ עֵשָׂו אָחִי Gen. 32:18
21 וְאֵלֶּה תֹּלְדוֹת עֵשָׂו אֲבִי אֱדוֹם Gen. 36:9
22 אֵלֶּה שְׁמוֹת בְּנֵי־עֵשָׂו Gen. 36:10
23 אֱלִיפַז בֶּן־עָדָה אֵשֶׁת עֵשָׂו Gen. 36:10
24 רְעוּאֵל בֶּן־בָּשְׂמַת אֵשֶׁת עֵשָׂו Gen. 36:10
25-30 אֵשֶׁת עֵשָׂו Gen. 36:12, 13, 14, 17, 18²
31 הָיְתָה פִילֶגֶשׁ לֶאֱלִיפַז בֶּן־עֵשָׂו Gen. 36:12
32 אֵלֶּה אַלּוּפֵי בְנֵי־עֵשָׂו Gen. 36:15
33 בְּנֵי אֱלִיפַז בְּכוֹר עֵשָׂו Gen. 36:15
34 וְאֵלֶּה בְּנֵי רְעוּאֵל בֶּן־עֵשָׂו Gen. 36:17
35 וְאֵלֶּה שְׁמוֹת אַלּוּפֵי עֵשָׂו Gen. 36:40
36 הוּא עֵשָׂו אֲבִי אֱדוֹם Gen. 36:43
37-39 בְּנֵי(־)עֵשָׂו הַיֹּשְׁבִים בְּשֵׂעִיר Deut. 2:4, 8, 29
40-42 (וּ)לִבְנֵי עֵשָׂו Deut. 2:12, 22 • ICh. 1:35
43 כִּי אֵיד עֵשָׂו הֵבֵאתִי עָלָיו Jer. 49:8
44 כִּי־אֲנִי חָשַׂפְתִּי אֶת־עֵשָׂו Jer. 49:10
45 אֵיךְ נֶחְפְּשׂוּ עֵשָׂו נִבְעוּ מַצְפֻּנָיו Ob. 6
46 וְהַאֲבַדְתִּי...וּתְבוּנָה מֵהַר עֵשָׂו Ob. 8
47 לְמַעַן יִכָּרֶת־אִישׁ מֵהַר עֵשָׂו Ob. 9
48 בֵית־יַעֲקֹב אֵשׁ...וּבֵית עֵשָׂו לְקַשׁ Ob. 18
49 וְלֹא־יִהְיֶה שָׂרִיד לְבֵית עֵשָׂו Ob. 18
50 וְיָרְשׁוּ הַנֶּגֶב אֶת־הַר עֵשָׂו Ob. 19
51 וְעָלוּ...לִשְׁפֹּט אֶת־הַר עֵשָׂו Ob. 21
52 הֲלוֹא־אָח עֵשָׂו לְיַעֲקֹב Mal. 1:2
53-85 עֵשָׂו Gen. 27:19, 21, 34, 38², 41²
42²; 28:6, 8, 9; 32:4, 7, 9, 20; 33:1, 4, 9, 15, 16;
35:1, 29; 36:1, 2, 5, 6, 8², 19 • Josh. 24:4 •
Mal. 1:3 • ICh. 1:34
וְעֵשָׂו 86 וְעֵשָׂו אָחִיו בָּא מִצֵּידוֹ Gen. 27:30
87 אֲחִי רִבְקָה אֵם יַעֲקֹב וְעֵשָׂו Gen. 28:5
לְעֵשָׂו 88 וְיַעֲקֹב נָתַן לְעֵשָׂו לֶחֶם Gen. 25:34
89 וַיַּעַן יִצְחָק וַיֹּאמֶר לְעֵשָׂו Gen. 27:37
90 כֹּה תֹאמְרוּן לַאדֹנִי לְעֵשָׂו Gen. 32:5
91 וַיִּקַּח...מִנְחָה לְעֵשָׂו אָחִיו Gen. 32:14
92 מִנְחָה הִוא שְׁלוּחָה לַאדֹנִי לְעֵשָׂו Gen. 32:19
93 וַתֵּלֶד עָדָה לְעֵשָׂו אֶת־אֱלִיפָז Gen. 36:4
94 וַתֵּלֶד לְעֵשָׂו אֶת־יְעוּשׁ Gen. 36:14
95 יְרֻשָּׁה לְעֵשָׂו נָתַתִּי אֶת־הַר שֵׂעִיר Deut. 2:5
96 וָאֶתֵּן לְעֵשָׂו אֶת־הַר שֵׂעִיר Josh. 24:4

עָשׁוֹק

ז׳ עוֹשֵׁק, גּוֹזֵל

עָשׁוֹק 1 וְהַצִּילוּ גָזוּל מִיַּד עָשׁוֹק Jer. 22:3

עֲשׁוּקִים

ז״ר עֹשֶׁק, גֶּזֶל: 1-3

עֲשׁוּקִים 1 מֵרֹב עֲשׁוּקִים יַזְעִיקוּ Job 35:9
וַעֲשׁוּקִים 2 מְהוּמֹת רַבּוֹת...וַעֲשׁוּקִים בְּקִרְבָּהּ Am. 3:9
הָעֲשֻׁקִים 3 וָאֶרְאֶה אֶת־כָּל־הָעֲשֻׁקִים Eccl. 4:1

עָשׂוֹר

ז׳ עשרת, קבוץ של עשרה דברים: 1-16
א) עשרה חֳדשים(?): 1
ב) כלי נגינה בן עשרה מיתרים: 2-4
ג) [בֶּעָשׂוֹר לַחֹדֶשׁ] ביום העשירי לחודש: 5-16
נֵבֶל עָשׂוֹר 2, 4; בֶּעָשׂוֹר לַחֹדֶשׁ 5-16

עָשׂוֹר 1 תֵּשֵׁב...יָמִים אוֹ עָשׂוֹר Gen. 24:33
2 בְּנֵבֶל עָשׂוֹר זַמְּרוּ־לוֹ Ps. 33:2
3 עֲלֵי־עָשׂוֹר וַעֲלֵי־נָבֶל Ps. 92:4
4 בְּנֵבֶל עָשׂוֹר אֲזַמְּרָה־לָּךְ Ps. 144:9
בֶּעָשׂוֹר 5 בֶּעָשֹׂר לַחֹדֶשׁ הַזֶּה Ex. 12:3
6 בַּחֹדֶשׁ הַשְּׁבִיעִי בֶּעָשׂוֹר לַחֹדֶשׁ Lev. 16:29
7 אַךְ בֶּעָשׂוֹר לַחֹדֶשׁ הַשְּׁבִיעִי הַזֶּה Lev. 23:27
8 בַּחֹדֶשׁ הַשְּׁבִעִי בֶּעָשׂוֹר לַחֹדֶשׁ Lev. 25:9
9 בֶּעָשׂוֹר לַחֹדֶשׁ הָרִאשׁוֹן Josh. 4:19
10-15 בֶּעָשׂוֹר לַחֹדֶשׁ IIK. 25:1 • Jer. 52:4, 12
Ezek. 20:1; 24:1; 40:1
וּבֶעָשׂוֹר 16 וּבֶעָשׂוֹר לַחֹדֶשׁ הַשְּׁבִיעִי הַזֶּה Num. 29:7

עָשׁוֹת

ת׳ מוצק
עָשׁוֹת 1 בַּרְזֶל עָשׁוֹת...בְּמַעֲרָבֵךְ הָיָה Ezek. 27:19

עַשְׁוָת

שפ״ז – איש משבט אשר
וְעַשְׁוָת 1 וּבְנֵי יַפְלֵט פָּסַךְ וּבִמְהָל וְעַשְׁוָת IChr. 7:33

עֲשִׂיאֵל

שפ״ז – איש משבט שמעון
עֲשִׂיאֵל 1 וְיֵהוּא...בֶּן־שְׂרָיָה בֶּן־עֲשִׂיאֵל IChr. 4:35

עֲשָׂיָה

שפ״ז א) לוי בימי דוד: 2, 4, 5
ב) מראשי האבות לשבט שמעון: 8
ג) עבד המלך יאשיהו: 1, 6, 7
ד) מבני יהודה בימי זרובבל: 3

עֲשָׂיָה 1 וַיְצַו...וְאֵת עֲשָׂיָה עֶבֶד־הַמֶּלֶךְ IIK. 22:12
2 שִׁמְעָא בְנוֹ חַגִּיָּה בְנוֹ עֲשָׂיָה בְנוֹ IChr. 6:15
3 וּמִן־הַשִּׁילוֹנִי עֲשָׂיָה הַבְּכוֹר IChr. 9:5
4 לִבְנֵי מְרָרִי עֲשָׂיָה הַשָּׂר IChr. 15:6
5 וְלַלְוִיִּם לְאוּרִיאֵל עֲשָׂיָה וְיוֹאֵל IChr. 15:11
6 וַיְצַו...וְאֵת עֲשָׂיָה עֶבֶד־הַמֶּלֶךְ IIChr. 34:20
וַעֲשָׂיָה 7 וַיֵּלֶךְ חִלְקִיָּהוּ...וְשָׁפָן וַעֲשָׂיָה IIK. 22:14
8 וַעֲשָׂיָה וַעֲדִיאֵל וִישִׂימִאֵל IChr. 4:36

עָשִׁיר

תו״ז – בעל הון, בעל רכוש (גם בהשאלה): 1-23
עָשִׁיר וְאֶבְיוֹן 4; עָשִׁיר וָרָשׁ 1, 8, 9; אוֹהֲבֵי עָשִׁיר 7; הוֹן עָשִׁיר 5, 6; עֲשִׁירֵי עָם 22

עָשִׁיר 1 אֶחָד עָשִׁיר וְאֶחָד רָאשׁ IISh. 12:1
2 וַיִּתֵּן...וְאֶת־עָשִׁיר בְּמֹתָיו Is. 53:9
3 אַל־יִתְהַלֵּל עָשִׁיר בְּעָשְׁרוֹ Jer. 9:22
4 יַחַד עָשִׁיר וְאֶבְיוֹן Ps. 49:3
5-6 הוֹן עָשִׁיר קִרְיַת עֻזּוֹ Prov. 10:15; 18:11
7 וְאֹהֲבֵי עָשִׁיר רַבִּים Prov. 14:20
8 עָשִׁיר וָרָשׁ נִפְגָּשׁוּ Prov. 22:2
9 עָשִׁיר בְּרָשִׁים יִמְשׁוֹל Prov. 22:7
10 טוֹב...מֵעִקֵּשׁ דְּרָכַיִם וְהוּא עָשִׁיר Prov. 28:6
11 חָכָם בְּעֵינָיו אִישׁ עָשִׁיר Prov. 28:11
12 עָשִׁיר יִשְׁכַּב וְלֹא יֵאָסֵף Job 27:19
13 אִם־דַּל וְאִם־עָשִׁיר Ruth 3:10
14 וּבְחַדְרֵי מִשְׁכָּבְךָ אַל־תְּקַלֵּל עָשִׁיר Eccl. 10:20
וְעָשִׁיר 15 וְעָשִׁיר יַעֲנֶה עַזּוֹת Prov. 18:23
הֶעָשִׁיר 16 הֶעָשִׁיר לֹא־יַרְבֶּה וְהַדַּל לֹא יַמְעִיט Ex. 30:15
17 וַיָּבֹא הֵלֶךְ לְאִישׁ הֶעָשִׁיר IISh. 12:4
לְעָשִׁיר 18 לְעָשִׁיר הָיָה צֹאן וּבָקָר IISh. 12:2
19 נֹתֵן לְעָשִׁיר אַךְ־לְמַחְסוֹר Prov. 22:16
לֶעָשִׁיר 20 וְהַשָּׂבָע לֶעָשִׁיר אֵינֶנּוּ מַנִּיחַ לוֹ לִישׁוֹן Eccl. 5:11

וַעֲשִׁירִים 21 וַעֲשִׁירִים בַּשֵּׁפֶל יֵשֵׁבוּ Eccl. 10:6
עֲשִׁירֵי־ 22 פָּנַיִךְ יְחַלּוּ עֲשִׁירֵי עָם Ps. 45:13
עֲשִׁירֶיהָ 23 אֲשֶׁר עֲשִׁירֶיהָ מָלְאוּ חָמָס Mic. 6:12

עֲשִׂירִי

ת׳ מספר סודר – הבא אחרי ״תשיעי״: 1-22
דּוֹר עֲשִׂירִי 1, 2; הַחֹדֶשׁ הָעֲ׳ 3, 6-9, 11, 12, 17; הַיּוֹם הָעֲשִׂירִי 5; צוֹם הָעֲשִׂירִי 10; הַשָּׁנָה הָעֲשִׂירִית 21, 22

עֲשִׂירִי 1 גַּם דּוֹר עֲשִׂירִי לֹא־יָבֹא לוֹ בִּקְהַל יְיָ Deut. 23:3
2 גַּם דּוֹר עֲשִׂירִי לֹא־יָבֹא לָהֶם בִּקְ׳ יְיָ Deut. 23:4
הָעֲשִׂירִי 3 הָלוֹךְ וְחָסוֹר עַד הַחֹדֶשׁ הָעֲשִׂירִי Gen. 8:5
4 הָעֲשִׂירִי יִהְיֶה־קֹּדֶשׁ לַיְיָ Lev. 27:32
5 בַּיּוֹם הָעֲשִׂירִי נָשִׂיא לִבְנֵי דָן Num. 7:66
6-8 בַּחֹדֶשׁ הָעֲשִׂירִי בֶּעָשׂוֹר לַחֹדֶשׁ IIK. 25:1
Jer. 52:4 • Ezek. 24:1
9 בַּשָּׁנָה הַתְּשִׁעִית...בַּחֹדֶשׁ הָעֲשִׂרִי Jer. 39:1
10 צוֹם הָרְבִיעִי...וְצוֹם הָעֲשִׂירִי Zech. 8:19
11 בַּחֹדֶשׁ הָעֲשִׂירִי הוּא־חֹדֶשׁ טֵבֵת Es. 2:16
12 בְּיוֹם אֶחָד לַחֹדֶשׁ הָעֲשִׂירִי Ez. 10:16
13 יִרְמְיָהוּ הָעֲשִׂירִי IChr. 12:13(14)
14 לִשְׁכַנְיָהוּ הָעֲשִׂרִי IChr. 24:11
15 הָעֲשִׂירִי שִׁמְעִי IChr. 25:17
16/7 הָעֲשִׂירִי לַחֹדֶשׁ הָעֲשִׂירִי IChr. 27:13
בָּעֲשִׂרִי 18 בָּעֲשִׂירִי בְּאֶחָד לַחֹדֶשׁ Gen. 8:5
19 בָּעֲשִׂרִי בִּשְׁנֵים עָשָׂר לַחֹדֶשׁ Ezek. 29:1
20 בָּעֲשִׂרִי בַּחֲמִשָּׁה לַחֹדֶשׁ Ezek. 33:21
הָעֲשִׂירִית 21 בַּשָּׁנָה° הָעֲשִׂרִית לְצִדְקִיָּהוּ Jer. 32:1
22 בַּשָּׁנָה הָעֲשִׂרִית בָּעֲשִׂרִי Ezek. 29:1

עֲשִׂירִיָּה

נ׳ עשירית, אחד מעשרה
עֲשִׂירִיָּה 1 וְעוֹד בָּהּ עֲשִׂירִיָּה...וְהָיְתָה לְבָעֵר Is. 6:13

עֲשִׂירִית

נ׳ עשיריה, אחד מעשרה: 1-6
עֲשִׂירִית הָאֵיפָה 1-5; עֲשִׂירִית הַחֹמֶר 6

עֲשִׂירִית 1 וְהָעֹמֶר עֲשִׂרִית הָאֵיפָה הוּא Ex. 16:36
2-3 עֲשִׂירִת הָאֵפָה סֹלֶת Lev. 5:11; 6:13
4 עֲשִׂירִת הָאֵיפָה קֶמַח שְׂעֹרִים Num. 5:15
וַעֲשִׂירִית 5 וַעֲשִׂירִית הָאֵיפָה סֹלֶת לְמִנְחָה Num. 28:5
6 וַעֲשִׂירִת הַחֹמֶר הָאֵיפָה Ezek. 45:11

עֲשִׁית

פ׳ בינוני – ארמית: חושב, מתכון
עֲשִׁית 1 וּמַלְכָּא עֲשִׁית לַהֲקָמוּתֵהּ Dan. 6:4

עשן

: עָשָׁן, עָשֵׁן; עָשַׁן

עָשַׁן

פ׳ א) העלה עָשָׁן: 2-4, 7, 8
ב) [בהשאלה] חרה אפו, כעס: 1, 5, 6
עָשַׁן אַפּוֹ 5, 6; עָשַׁן הַר 2, 7, 8; הַר עָשֵׁן 2, 3; אוּדִים עֲשֵׁנִים 4

עָשַׁנְתָּ 1 עַד־מָתַי עָשַׁנְתָּ בִּתְפִלַּת עַמֶּךָ Ps. 80:5
עָשַׁן 2 וְהַר סִינַי עָשַׁן כֻּלּוֹ Ex. 19:18
עָשֵׁן 3 וְכָל־הָעָם רֹאִים...וְאֶת־הָהָר עָשֵׁן Ex. 20:15
הָעֲשֵׁנִים 4 זַנְבוֹת הָאוּדִים הָעֲשֵׁנִים Is. 7:4
יֶעְשַׁן 5 יֶעְשַׁן אַף־יְיָ וְקִנְאָתוֹ בָּאִישׁ הַהוּא Deut. 29:19
6 יֶעְשַׁן אַפְּךָ בְּצֹאן מַרְעִיתֶךָ Ps. 74:1
וְיֶעֱשָׁנוּ 7 יִגַּע בֶּהָרִים וְיֶעֱשָׁנוּ Ps. 104:32
8 גַּע בֶּהָרִים וְיֶעֱשָׁנוּ Ps. 144:5

עָשָׁן

ז׳ גז מעורב בפיח הנפלט משׂרפה (גם בהשאלה): 1-25
– גֵּאוּת עָשָׁן 6; מַשְׂאַת עָשָׁן 14; עַמּוּד עָשָׁן 2; תִּימְרוֹת עָשָׁן 9, 11; תַּנּוּר עָשָׁן 1
– עֲשַׁן הָעִיר 21, 22; עֶשֶׁן הַכִּבְשָׁן 23

עָשָׁן 1 וְהִנֵּה תַנּוּר עָשָׁן וְלַפִּיד אֵשׁ Gen. 15:17
2 וְהַמַּשְׂאֵת הֵחֵלָּה לַעֲלוֹת...עַמּוּד עָשָׁן Jud. 20:40
3/4 עָלָה עָשָׁן בְּאַפּוֹ IISh. 22:9 • Ps. 18:9
5 וְהַבַּיִת יִמָּלֵא עָשָׁן Is. 6:4
6 וַיִּתְאַבְּכוּ גֵּאוּת עָשָׁן Is. 9:17
7 כִּי מִצָּפוֹן עָשָׁן בָּא Is. 14:31
8 אֵלֶּה עָשָׁן בְּאַפִּי אֵשׁ יֹקֶדֶת Is. 65:5
9 דָּם וָאֵשׁ וְתִימְרוֹת עָשָׁן Joel 3:3
10 כְּהִנְדֹּף עָשָׁן תִּנְדֹּף Ps. 68:3
11 מִי זֹאת עֹלָה...כְּתִימְרוֹת עָשָׁן S.of S. 3:6
12 מִנְּחִירָיו יֵצֵא עָשָׁן Job 41:12
וְעָשָׁן 13 וּבָרָא יְיָ...עָנָן יוֹמָם וְעָשָׁן...לָיְלָה Is. 4:5
הֶעָשָׁן 14 הֶרֶב לְהַעֲלוֹתָם מַשְׂאַת הֶעָשָׁן Jud. 20:38
בְּעָשָׁן 15 וְהִבְעַרְתִּי בְעָשָׁן רִכְבָּהּ Nah. 2:14
16 כִּיקַר כָּרִים כָּלוּ בֶעָשָׁן כָּלוּ Ps. 37:20
בְעָשָׁן 17 כִּי־כָלוּ בְעָשָׁן יָמָי Ps. 102:4
כֶּעָשָׁן 18 כִּי־שָׁמַיִם כֶּעָשָׁן נִמְלָחוּ Is. 51:6
וְכֶעָשָׁן 19 כַּחֹמֶץ לַשִּׁנַּיִם וְכֶעָשָׁן לָעֵינָיִם Prov. 10:26
וּכְעָשָׁן 20 כְּמֹץ יְסֹעֵר מִגֹּרֶן וּכְעָשָׁן מֵאֲרֻבָּה Hosh. 13:3
עֲשַׁן־ 21 וְהִנֵּה עָלָה עֲשַׁן הָעִיר הַשָּׁמַיְמָה Josh. 8:20
22 וְכִי עָלָה עֲשַׁן הָעִיר Josh. 8:21
כְּעֶשֶׁן־ 23 וַיַּעַל עֲשָׁנוֹ כְּעֶשֶׁן הַכִּבְשָׁן Ex. 19:18
עֲשָׁנוֹ 24 וַיַּעַל עֲשָׁנוֹ כְּעֶשֶׁן הַכִּבְשָׁן Ex. 19:18
עֲשָׁנָהּ 25 לְעוֹלָם יַעֲלֶה עֲשָׁנָהּ Is. 34:10

כּוֹר עָשָׁן

ש״פ – עין ערך כּוֹר עָשָׁן (באות כ׳)

עשק

: הִתְעַשֵּׂק; עֵשֶׂק

עָשַׂק

הת׳ רָב, התקוטט
הִתְעַשְּׂקוּ 1 כִּי הִתְעַשְּׂקוּ עִמּוֹ Gen. 26:20

עֵשֶׂק

ש״פ – שם אחת הבארות שחפר יצחק
עֵשֶׂק 1 וַיִּקְרָא שֵׁם־הַבְּאֵר עֵשֶׂק Gen. 26:20

עשק

: עָשַׁק, עָשׁוּק, עֹשֶׁק; עוֹשֵׁק, עָשׁוֹק, עֲשׁוּקִים, עֹשֶׁק, עָשְׁקָה, מַעֲשַׁקּוֹת; ש״פ עֵשֶׁק

עָשַׁק

פ׳ א) גָּזַל, קִפַּח: 1-32, 34-36
ב) התפרץ בחוזקה: 33
ג) [פ׳ בינוני: מְעֻשָּׁק] מקופח: 37

קרובים: גָּזַל | חָמַס | לָחַץ | נָגַשׂ | נִצֵּל | שָׁדַד

עָשַׁק עֹשֶׁק 7, 10; עוֹשֵׁק דַּל (דַּלִּים) 15-17, 21; עוֹשֵׁק שָׂכָר 18; יַד עוֹשֵׁק 13; דִּמְעוֹת עֲשׁוּקִים 28

לַעֲשֹׁק 1 בְּיָדוֹ מֹאזְנֵי מִרְמָה לַעֲשֹׁק אָהֵב Hosh. 12:8
לְעָשְׁקָם 2 לֹא־הִנִּיחַ אָדָם לְעָשְׁקָם Ps. 105:14
3 לֹא־הִנִּיחַ לְאִישׁ לְעָשְׁקָם IChr. 16:21
עָשַׁקְתִּי 4 וְאֶת־מִי עָשַׁקְתִּי אֶת־מִי רַצּוֹתִי ISh. 12:3
עֲשַׁקְתָּנוּ 5 לֹא עֲשַׁקְתָּנוּ וְלֹא רַצּוֹתָנוּ ISh. 12:4
עָשַׁק 6 אוֹ עָשַׁק אֶת־עֲמִיתוֹ Lev. 5:21
7 כִּי־עָשַׁק עֹשֶׁק גָּזַל גֵּזֶל Ezek. 18:18
עָשָׁק 8 אוֹ אֶת־הָעֹשֶׁק אֲשֶׁר עָשָׁק Lev. 5:23
עֲשָׁקוֹ 9 וְאַשּׁוּר בְּאֶפֶס עֲשָׁקוֹ Is. 52:4
עָשְׁקוּ 10 עַם הָאָרֶץ עָשְׁקוּ עֹשֶׁק וְגָזְלוּ גָּזֵל Ezek. 22:29
11 וְאֶת־הַגֵּר עָשְׁקוּ בְּלֹא מִשְׁפָּט Ezek. 22:29
וְעָשְׁקוּ 12 וְעָשְׁקוּ גֶּבֶר וּבֵיתוֹ Mic. 2:2
עוֹשֵׁק 13 וְהַצִּילוּ גָזוּל מִיַּד עוֹשֵׁק Jer. 21:12
14 יוֹשִׁיעַ לִבְנֵי אֶבְיוֹן וִידַכֵּא עוֹשֵׁק Ps. 72:4
15 עֹשֵׁק דָּל חֵרֵף עֹשֵׂהוּ Prov. 14:31
16 עֹשֵׁק דָּל לְהַרְבּוֹת לוֹ Prov. 22:16
17 גֶּבֶר רָשׁ וְעֹשֵׁק דַּלִּים Prov. 28:3

וּבְעֹשְׁקֵי־ 18 וּבְעֹשְׁקֵי שְׂכַר־שָׂכִיר אַלְמָנָה וְיָתוֹם Mal. 3:5
לְעֹשְׁקָי 19 בַּל־תַּנִּיחֵנִי לְעֹשְׁקָי Ps. 119:121
עוֹשְׁקֵיהֶם 20 וּמִיַּד עֹשְׁקֵיהֶם כֹּחַ וְאֵין לָהֶם מְנַחֵם Eccl. 4:1
הָעוֹשְׁקוֹת 21 הָעֹשְׁקוֹת דַּלִּים הָרֹצְצוֹת אֶבְיוֹנִים Am. 4:1
עָשׁוּק 22 וְהָיִיתָ אַךְ עָשׁוּק וְגָזוּל Deut. 28:29
23 וְהָיִיתָ רַק עָשׁוּק וְרָצוּץ Deut. 28:33
24 עָשׁוּק אֶפְרַיִם רְצוּץ מִשְׁפָּט Hosh. 5:11
25 אָדָם עָשֻׁק בְּדַם־נָפֶשׁ Prov. 28:17
עֲשׁוּקִים 26 עֲשׁוּקִים בְּ״י וּבְנֵי־יְהוּדָה יַחְדָּו Jer. 50:33
27 וּמִשְׁפָּטִים לְכָל־עֲשׁוּקִים Ps. 103:6
הָעֲשׁוּקִים 28 דִּמְעַת הָעֲשֻׁקִים וְאֵין לָהֶם מְנַחֵם Eccl. 4:1
לַעֲשׁוּקִים 29 עֹשֶׂה מִשְׁפָּט לַעֲשׁוּקִים Ps. 146:7
תַּעֲשֹׁק 30 לֹא־תַעֲשֹׁק אֶת־רֵעֲךָ וְלֹא תִגְזֹל Lev. 19:13
31 לֹא־תַעֲשֹׁק שָׂכִיר עָנִי וְאֶבְיוֹן Deut. 24:14
32 הֲטוֹב לְךָ כִּי־תַעֲשֹׁק Job 10:3
יַעֲשֹׁק 33 הֵן יַעֲשֹׁק נָהָר וְלֹא יַחְפּוֹז Job 40:23
תַּעֲשֹׁקוּ 34 גֵּר יָתוֹם וְאַלְמָנָה לֹא תַעֲשֹׁקוּ Jer. 7:6
35 וְאַלְמָנָה וְיָתוֹם גֵּר וְעָנִי אַל־תַּעֲשֹׁקוּ Zech. 7:10
יַעַשְׁקֻנִי 36 עֲרֹב...לְטוֹב אַל־יַעַשְׁקֻנִי זֵדִים Ps. 119:122
הַמְעֻשָּׁקָה 37 הַמְעֻשָּׁקָה בְּתוּלַת בַּת־צִידוֹן Is. 23:12

עֹשֶׁק
ז׳ חָמָס, קִפּוּחַ: 1-15
קרובים: גָּזֵל / חָמָס / לַחַץ / שֹׁד
עֹשֶׁק אָדָם 15; עֹשֶׁק רָשׁ 6

עֹשֶׁק 1 דַּבֶּר־עֹשֶׁק וְסָרָה Is. 59:13
2 הִיא הָעִיר הָפְקַד כֻּלָּהּ עֹשֶׁק בְּקִרְבָּהּ Jer. 6:6
3 עָשַׁק עֹשֶׁק גָּזַל גֵּזֶל אָח Ezek. 18:18
4 עָשְׁקוּ עֹשֶׁק וְגָזְלוּ גָּזֵל Ezek. 22:29
5 עֹשֶׁק מִמָּרוֹם יְדַבֵּרוּ Ps. 73:8
עֹשֶׁק־ 6 עֹשֶׁק רָשׁ וְגֵזֶל מִשְׁפָּט Eccl. 5:7
הָעֹשֶׁק 7 אוֹ אֶת־הָעֹשֶׁק אֲשֶׁר עָשָׁק Lev. 5:23
8 וְעַל־הָעֹשֶׁק וְעַל־הַמְּרוּצָה Jer. 22:17
9 כִּי־הָעֹשֶׁק יְהוֹלֵל חָכָם Eccl. 7:7
בְּעֹשֶׁק 10 וַתִּבְטְחוּ בְּעֹשֶׁק וְנָלוֹז Is. 30:12
11 אַל־תִּבְטְחוּ בְעֹשֶׁק Ps. 62:11
בַעֹשֶׁק 12 לַגֵּר עָשׂוּ בַעֹשֶׁק בְּתוֹכֵךְ Ezek. 22:7
13 וַתְּבַצְּעִי רֵעַיִךְ בַּעֹשֶׁק Ezek. 22:12
מֵעֹשֶׁק 14 רַחֲקִי מֵעֹשֶׁק כִּי־לֹא תִירָאִי Is. 54:14
15 פְּדֵנִי מֵעֹשֶׁק אָדָם Ps. 119:134

עֵשֶׁק
שפ״ז – מצאצאי המלך שָׁאוּל
עֵשֶׁק 1 וּבְנֵי עֵשֶׁק אָחִיו... ICh. 8:39

עָשְׁקָה
נ׳ עֹשֶׁק, לַחַץ
עָשְׁקָה־ 1 אֲדֹנָי עָשְׁקָה־לִּי עָרְבֵנִי Is. 38:14

עשר
: עָשַׁר, הֶעֱשִׁיר, הִתְעַשֵּׁר; עָשִׁיר, עֹשֶׁר

עָשַׁר
פ׳ א) רָכַשׁ הוֹן: 1, 2
ב) [הפ׳ הֶעֱשִׁיר] נעשה עשיר: 3, 4, 8, 10, 16,11
ג) [כנ״ל] עשה לעשיר: 5-7, 9, 12-15
ד) [הת׳ הִתְעַשֵּׁר] התחזה כעשיר: 17

עָשַׁרְתִּי 1 אַךְ עָשַׁרְתִּי מָצָאתִי אוֹן לִי Hosh. 12:9
יֶעְשַׁר 2 לֹא־יֶעְשַׁר וְלֹא־יָקוּם חֵילוֹ Job 15:29
לְהַעֲשִׁיר 3 אַל־תִּיגַע לְהַעֲשִׁיר Prov. 23:4
4 וְאָץ לְהַעֲשִׁיר לֹא יִנָּקֶה Prov. 28:20
הֶעֱשַׁרְתִּי 5 אֲנִי הֶעֱשַׁרְתִּי אֶת־אַבְרָם Gen. 14:23
הֶעֱשַׁרְתְּ 6 בְּרֹב הוֹנַיִךְ...הֶעֱשַׁרְתְּ מַלְכֵי־אָרֶץ Ezek. 27:33
וּמַעֲשִׁיר 7 יְיָ מוֹרִישׁ וּמַעֲשִׁיר ISh. 2:7
וַאעְשִׁר 8 בָּרוּךְ יְיָ וַאעְשִׁר Zech. 11:5
תַּעְשְׁרֶנָּה 9 פָּקַדְתָּ הָאָרֶץ...רַבַּת תַּעְשְׁרֶנָּה Ps. 65:10
יַעֲשִׁר 10 אַל־תִּירָא כִּי־יַעֲשִׁר אִישׁ Ps. 49:17
11 אֹהֵב יַיִן־וָשֶׁמֶן לֹא יַעֲשִׁיר Prov. 21:17
12 יַעֲשִׁיר עֹשֶׁר־גָּדוֹל מִכֹּל Dan. 11:2
יַעְשְׁרֶנּוּ 13 יַעְשְׁרֶנּוּ הַמֶּלֶךְ עֹשֶׁר גָּדוֹל ISh. 17:25
תַּעֲשִׁיר 14 וְיַד חָרוּצִים תַּעֲשִׁיר Prov. 10:4
15 בִּרְכַּת יְיָ הִיא תַעֲשִׁיר Prov. 10:22
וַיַּעֲשִׁירוּ 16 עַל־כֵּן גָּדְלוּ וַיַּעֲשִׁירוּ Jer. 5:27
מִתְעַשֵּׁר 17 יֵשׁ מִתְעַשֵּׁר וְאֵין כֹּל Prov. 13:7

עֹשֶׁר
ז׳ הוֹן, רְכוּשׁ רַב: 1-37
קרובים: אוֹן / הוֹן / כֶּסֶף / נְכָסִים / רְכוּשׁ
– עֹשֶׁר וְחָכְמָה 27, 28; עֹשֶׁר וְכָבוֹד 3, 5, 6, 8, 12, 16-21, 26; הוֹן וָעֹשֶׁר 22; רֵאשׁ וָעֹשֶׁר 23
– עֹשֶׁר גָּדוֹל 1; עֹשֶׁר רַב 29
– כְּבוֹד עָשְׁרוֹ 32; רֹב עָשְׁרוֹ 30, 36

עֹשֶׁר 1 יַעְשְׁרֶנּוּ הַמֶּלֶךְ עֹשֶׁר גָּדוֹל ISh. 17:25
2 וְלֹא־שָׁאַלְתָּ לְּךָ עֹשֶׁר IK. 3:11
3 נָתַתִּי לָךְ גַּם־עֹשֶׁר גַּם־כָּבוֹד IK. 3:13
4 עֹשֶׂה עֹשֶׁר וְלֹא בְמִשְׁפָּט Jer. 17:11
5 בִּשְׂמֹאולָהּ עֹשֶׁר וְכָבוֹד Prov. 3:16
6 עֹשֶׁר־וְכָבוֹד אִתִּי Prov. 8:18
7 וְעָרִיצִים יִתְמְכוּ־עֹשֶׁר Prov. 11:16
8 עֹשֶׁר וְכָבוֹד וְחַיִּים Prov. 22:4
9 גַּם־עֵינוֹ לֹא־תִשְׂבַּע עֹשֶׁר Eccl. 4:8
10 עֹשֶׁר שָׁמוּר לִבְעָלָיו לְרָעָתוֹ Eccl. 5:12
11 נָתַן־לוֹ הָאֱלֹהִים עֹשֶׁר וּנְכָסִים Eccl. 5:18
12 עֹשֶׁר וּנְכָסִים וְכָבוֹד Eccl. 6:2
13 וְגַם לֹא לַנְּבֹנִים עֹשֶׁר Eccl. 9:11
14 בְּהַרְאֹתוֹ אֶת־עֹשֶׁר כְּבוֹד מַלְכוּתוֹ Es. 1:4
15 וְהָרְבִיעִי יַעֲשִׁיר עֹשֶׁר־גָּדוֹל מִכֹּל Dan. 11:2
16 שְׂבַע יָמִים עֹשֶׁר וְכָבוֹד ICh. 29:28
17 וְלֹא־שָׁאַלְתָּ עֹשֶׁר נְכָסִים וְכָבוֹד IICh. 1:11
18-19 עֹשֶׁר וְכָבוֹד לָרֹב IICh. 17:5; 18:1
20 עֹשֶׁר וְכָבוֹד הַרְבֵּה מְאֹד IICh. 32:27
וְעֹשֶׁר 21 וְעֹשֶׁר וּנְכָסִים וְכָבוֹד IICh. 1:12
וָעֹשֶׁר 22 הוֹן־וָעֹשֶׁר בְּבֵיתוֹ Ps. 112:3
23 רֵאשׁ וָעֹשֶׁר אַל־תִּתֶּן־לִי Prov. 30:8
הָעֹשֶׁר 24 הָעֹשֶׁר אֲשֶׁר הִצִּיל אֱלֹהִים Gen. 31:16
25 וְאָבַד הָעֹשֶׁר הַהוּא בְּעִנְיַן רָע Eccl. 5:13
וְהָעֹשֶׁר 26 וְהָעֹשֶׁר וְהַכָּבוֹד מִלְּפָנֶיךָ ICh. 29:12
לְעֹשֶׁר 27 וַיִּגְדַּל הַמֶּלֶךְ...לְעֹשֶׁר וּלְחָכְמָה IK. 10:23
28 וַיִּגְדַּל הַמֶּלֶךְ...לְעֹשֶׁר וְחָכְמָה IICh. 9:22
מֵעֹשֶׁר 29 נִבְחָר שֵׁם מֵעֹשֶׁר רָב Prov. 22:1
עָשְׁרוֹ 30 וַיִּבְטַח בְּרֹב עָשְׁרוֹ יָעֹז בְּהַוָּתוֹ Ps. 52:9
31 כֹּפֶר נֶפֶשׁ־אִישׁ עָשְׁרוֹ Prov. 13:8
32 אֶת־כְּבוֹד עָשְׁרוֹ וְרֹב בָּנָיו Es. 5:11
בְּעָשְׁרוֹ 33 אַל־יִתְהַלֵּל עָשִׁיר בְּעָשְׁרוֹ Jer. 9:22
34 בּוֹטֵחַ בְּעָשְׁרוֹ הוּא יִפֹּל Prov. 11:28
35 וּכְחֶזְקָתוֹ בְעָשְׁרוֹ יָעִיר הַכֹּל Dan. 11:2
עָשְׁרָם 36 וּבְרֹב עָשְׁרָם יִתְהַלָּלוּ Ps. 49:7
37 עֲטֶרֶת חֲכָמִים עָשְׁרָם Prov. 14:24

עשר
: עָשַׂר, עִשֵּׂר, הֶעֱשִׂיר; עֶשֶׂר, עָשָׂר, עֲשָׂרָה, עֶשְׂרֵה, עֶשְׂרִים, עִשָּׂרוֹן, עָשׂוֹר, עֲשִׂירִי, עֲשִׂירִיָּה; אר׳ עֲשַׂר, עַשְׂרָה, עֶשְׂרִין

עָשַׂר
פ׳ א) לקח עשירית: 1, 2
ב) [פ׳ עִשֵּׂר] הפריש עשירית: 3-7
ג) [הפ׳ הֶעֱשִׂיר] עִשֵּׂר: 8, 9

יַעְשֹׂר 1 וְזַרְעֵיכֶם וְכַרְמֵיכֶם יַעְשֹׂר ISh. 8:15
2 צֹאנְכֶם יַעְשֹׂר ISh. 8:17
עַשֵּׂר 3 עַשֵּׂר אֲעַשְּׂרֶנּוּ לָךְ Gen. 28:22
4 עַשֵּׂר תְּעַשֵּׂר אֵת כָּל־תְּבוּאַת זַרְעֶךָ Deut. 14:22
הַמְעַשְּׂרִים 5 וְהֵם הַלְוִיִּם הַמְעַשְּׂרִים... Neh. 10:38
אֲעַשְּׂרֶנּוּ 6 אֲשֶׁר תִּתֶּן־לִי עַשֵּׂר אֲעַשְּׂרֶנּוּ לָךְ Gen. 28:22
תְּעַשֵּׂר 7 עַשֵּׂר תְּעַשֵּׂר אֵת כָּל־תְּבוּאַת זַרְעֶךָ Deut.14:22
בַּעְשֵׂר 8 וְהָיָה...עִם־הַלְוִיִּם בַּעְשֵׂר הַלְוִיִּם Neh. 10:39
לַעְשֵׂר 9 כִּי תְכַלֶּה לַעְשֵׂר אֶת־כָּל־מַעְשַׂר DSeut. 26:12

עֶשֶׂר
ש״מ – 10 לנקבה: 1-56
עֶשֶׂר אַמּוֹת 7, 8, 18-23, 50; עֶשֶׂר אֲתֹנוֹת 47; עֶ׳ חֲלִיפוֹת 49; עֶ׳ יָדוֹת 16, 41; עֶ׳ יְרִיעוֹת 6, 9; עֶ׳ כִּכָּרִים 32; עֶשֶׂר מְכֹנוֹת 30, 31, 46, 56; עֶ׳ מְנֹרוֹת 43; עֶשֶׂר מַעֲלוֹת 33-39; עֶשֶׂר נָשִׁים 10, 14, 15; עֶשֶׂר עָרִים 12, 13, 44, 45; עֶשֶׂר פְּעָמִים 11, 40, 42; עֶשֶׂר שָׁנִים 1-5, 51-55

עֶשֶׂר 1 עֶשֶׂר שָׁנִים וּתְשַׁע מֵאוֹת שָׁנָה Gen. 5:14
2-5 עֶשֶׂר שָׁנִים Gen. 16:3
Jud. 12:11 • IIK. 15:17 • IICh. 13:23
6 וְאֶת־הַמִּשְׁכָּן תַּעֲשֶׂה עֶשֶׂר יְרִיעֹת Ex. 26:1
7-8 עֶשֶׂר אַמּוֹת אֹרֶךְ הַקָּרֶשׁ Ex. 26:16; 36:21
9 וַיַּעֲשׂוּ...אֶת־הַמִּשְׁכָּן עֶשֶׂר יְרִיעֹת Ex. 36:8
10 וְאָפוּ עֶשֶׂר נָשִׁים...בְּתַנּוּר אֶחָד Lev. 26:26
11 וַיְנַסּוּ אֹתִי זֶה עֶשֶׂר פְּעָמִים Num. 14:22
12 עָרִים עֶשֶׂר וְחַצְרֵיהֶן Josh. 15:57
13 כָּל־עָרִים עֶשֶׂר וּמִגְרְשֵׁיהֶן Josh. 21:26
14-15 עֶשֶׂר(־)נָשִׁים פִּלַגְשִׁים IISh. 15:16; 20:3
16 עֶשֶׂר־יָדוֹת לִי בַמֶּלֶךְ IISh. 19:44
17 וְהָאוּלָם...עֶשֶׂר בָּאַמָּה רָחְבּוֹ IK. 6:3
18-23 עֶשֶׂר אַמּוֹת IK. 6:23, 24; 7:10
Ezek. 40:11; 41:2; 42:4
24 קוֹמַת הַכְּרוּב הָאֶחָד עֶשֶׂר בָּאַמָּה IK. 6:26
25-29 עֶשֶׂר בָּאַמָּה IK. 7:23, 24
Zech. 5:2 • IICh. 4:2, 3
30 וַיַּעַשׂ אֶת־הַמְּכֹנוֹת עֶשֶׂר נְחֹשֶׁת IK. 7:27
31 כָּזֹאת עָשָׂה אֵת עֶשֶׂר הַמְּכֹנוֹת IK. 7:37
32 וַיִּקַּח בְּיָדוֹ עֶשֶׂר כִּכְּרֵי־כֶסֶף... IIK. 5:5
33 הָלַךְ הַצֵּל עֶשֶׂר מַעֲלוֹת IIK. 20:9
34 אִם־יָשׁוּב עֶשֶׂר מַעֲלוֹת IIK. 20:9
35-39 עֶשֶׂר מַעֲלוֹת IIK. 20:10[2], 11 • Is. 38:8[2]
40 זֶה עֶשֶׂר פְּעָמִים תַּכְלִימוּנִי Job 19:3
41 עֶשֶׂר יָדוֹת עַל כָּל־הַחַרְטֻמִּים Dan. 1:20
42 וַיֹּאמְרוּ לָנוּ עֶשֶׂר פְּעָמִים Neh. 4:6
43 וַיַּעַשׂ אֶת־מְנֹרוֹת הַזָּהָב עֶשֶׂר IICh. 4:7
עָשֶׂר 44/5 בַּגּוֹרָל עָרִים עָשֶׂר Josh. 21:5 • ICh. 6:46
46 וְאֶת־הַמְּכֹנוֹת עָשֶׂר IK. 7:43
וְעֶשֶׂר 47 וְעֶשֶׂר אֲתֹנֹת נֹשְׂאֹת בָּר Gen. 45:23
48 וְעֶשֶׂר בָּאַמָּה הַכְּרוּב הַשֵּׁנִי IK. 6:25
49 וְעֶשֶׂר חֲלִיפוֹת בְּגָדִים IIK. 5:5
50 וְעֶשֶׂר אַמּוֹת קוֹמָתוֹ IICh. 4:1
וָעֶשֶׂר 51 וַיְחִי יוֹסֵף מֵאָה וָעֶשֶׂר שָׁנִים Gen. 50:22
52 וַיָּמָת יוֹסֵף בֶּן־מֵאָה וָעֶשֶׂר שָׁנִים Gen. 50:26
53 וַיָּמָת יְהוֹשֻׁעַ...בֶּן־מֵאָה וָעֶשֶׂר שָׁנִים Josh. 24:29
54 וַיָּמָת יְהוֹשֻׁעַ...בֶּן־מֵאָה וָעֶשֶׂר שָׁנִים Jud. 2:8
כְּעֶשֶׂר 55 וַיֵּשְׁבוּ שָׁם כְּעֶשֶׂר שָׁנִים Ruth 1:4
לְעֶשֶׂר 56 כִּיּוֹר אֶחָד...לְעֶשֶׂר הַמְּכֹנוֹת IK. 7:38

עֲשַׂר
ש״מ ארמית א) 10 לנקבה: 1-3
ב) [תְּרֵי עֲשַׂר] 12 לזכרים ולנקבות: 4,5

עֲשַׂר 1 וְקַרְנַיִן עֲשַׂר לַהּ Dan. 7:7
2 וְעַל־קַרְנַיָּא עֲשַׂר דִּי בְרֵאשַׁהּ Dan. 7:20
3 וְקַרְנַיָּא עֲשַׂר Dan. 7:24
תְּרֵי עֲשַׂר 4 לִקְצָת יַרְחִין תְּרֵי־עֲשַׂר Dan. 4:26
5 וּצְפִירֵי עִזִּין...תְּרֵי־עֲשַׂר Ez. 6:17

עָשָׂר ש״מ לזכר – א) ציון העשרת במספרים היסודיים מן 11 ועד 19: אַחַד עָשָׂר או עַשְׁתֵּי עָשָׂר (11), שְׁנֵים עָשָׂר (12), שְׁלֹשָׁה עָשָׂר (13) וכו׳ – עד תִּשְׁעָה עָשָׂר (19)–ראה הכותרות למקראות 1-203

ב) מֵהֶם – כמספרים סודרים: 4, 7, 11, 12, 22, 53-55, 57-60, 64, 94-96, 103, 107-112, 117-128, 140-144, 148-151, 153-157, 160, 163, 169, 178-201, 203

אַחַד עָשָׂר 1 וְאֶת־אַחַד עָשָׂר יְלָדָיו Gen. 32:22
2 הַשֶּׁמֶשׁ וְהַיָּרֵחַ וְאַחַד עָשָׂר כּוֹכָבִים Gen. 37:9
3 אַחַד עָשָׂר יוֹם מֵחֹרֵב Deut. 1:2
עַשְׁתֵּי עָשָׂר 4 בְּיוֹם עַשְׁתֵּי עָשָׂר יוֹם Num. 7:72
5 פָּרִים עַשְׁתֵּי־עָשָׂר אֵילִם שְׁנָיִם Num. 29:20
6 בְּעַשְׁתֵּי־עָשָׂר חֹדֶשׁ בְּאֶחָד לַחֹדֶשׁ Deut. 1:3
7 בְּיוֹם...לְעַשְׁתֵּי־עָשָׂר חֹדֶשׁ Zech. 1:7
8 מַכְבַּנַּי עַשְׁתֵּי עָשָׂר ICh. 12:13(14)
9 לְאֶלְיָשִׁיב עַשְׁתֵּי עָשָׂר ICh. 24:12
10 עַשְׁתֵּי־עָשָׂר עֲזַרְאֵל ICh. 25:18
11/2 עַשְׁתֵּי־עָשָׂר לְעַשְׁתֵּי עָשָׂר הַחֹדֶשׁ ICh. 27:14
שְׁנֵים עָשָׂר 13 שְׁנֵים־עָשָׂר נְשִׂיאִם יוֹלִיד Gen. 17:20
14 שְׁנֵים־עָשָׂר נְשִׂיאִם לְאֻמֹּתָם Gen. 25:16
15 וַיִּהְיוּ בְנֵי־יַעֲקֹב שְׁנֵים עָשָׂר Gen. 35:23
16 שְׁנֵים עָשָׂר עֲבָדֶיךָ אַחִים אֲנַחְנוּ Gen. 42:13
17 שְׁנֵים־עָשָׂר אֲנַחְנוּ אַחִים Gen. 42:32
18 שִׁבְטֵי יִשְׂרָאֵל שְׁנֵים עָשָׂר Gen. 49:28
19 לִשְׁנֵים עָשָׂר שִׁבְטֵי יִשְׂרָאֵל Ex. 24:4
20 וְהָאֲבָנִים...לִשְׁנֵים עָשָׂר שָׁבֶט Ex. 39:14
21 וּנְשִׂיאֵי יִשְׂרָאֵל שְׁנֵים עָשָׂר אִישׁ Num. 1:44
22 בְּיוֹם שְׁנֵים עָשָׂר יוֹם Num. 7:78
23 מִזְרְקֵי־כֶסֶף שְׁנֵים עָשָׂר Num. 7:84
24 שְׁנֵים עָשָׂר פָּרִים Num. 7:87
25 אֵילִם שְׁנֵים־עָשָׂר Num. 7:87
26 כְּבָשִׂים בְּנֵי־שָׁנָה שְׁנֵים עָשָׂר Num. 7:87
27 וּשְׂעִירֵי עִזִּים שְׁנֵים עָשָׂר Num. 7:87
28/9 שְׁנֵים עָשָׂר מֵאוֹת Num. 17:17, 21
30 פָּרִים בְּנֵי־בָקָר שְׁנֵים עָשָׂר Num. 29:17
31 שְׁנֵים־עָשָׂר אֶלֶף חֲלוּצֵי צָבָא Num. 31:5
32 וָאֶקַּח מִכֶּם שְׁנֵים עָשָׂר אֲנָשִׁים Deut. 1:23
33 קְחוּ לָכֶם...שְׁנֵים עָשָׂר אֲנָשִׁים Josh. 4:2
34-42 (וּ)שְׁנֵים(־)עָשָׂר אֶלֶף (אָלֶף) Josh. 8:25
Jud. 21:10 • II Sh. 10:6; 17:1 • IK. 5:6; 10:26 • Ps. 60:2 • IICh. 1:14; 9:25
43 וַיְנַתְּחֶהָ...לִשְׁנֵים עָשָׂר נְתָחִים Jud. 19:29
44 וַיָּקֻמוּ...שְׁנֵים עָשָׂר לְבִנְיָמִן II Sh. 2:15
45 וּשְׁנֵים עָשָׂר מֵעַבְדֵי דָוִד II Sh. 2:15
46 וְלִשְׁלֹמֹה שְׁנֵים־עָשָׂר נִצָּבִים IK. 4:7
47-49 (וְ)הַבָּקָר שְׁנֵים־עָשָׂר IK. 7:44
Jer. 52:20 • IICh. 4:15
50 וּשְׁנֵים עָשָׂר אֲרָיִים עֹמְדִים IK. 10:20
51 וַיִּקְרָעֶהָ שְׁנֵים עָשָׂר קְרָעִים IK. 11:30
52 וְהוּא חֹרֵשׁ שְׁנֵים־עָשָׂר צְמָדִים IK. 19:19
53/4 בִּשְׁנֵים עָשָׂר חֹדֶשׁ IIK. 25:27 • Jer. 52:31
55 בָּעֲשִׂרִי בִּשְׁנֵים עָשָׂר לַחֹדֶשׁ Ezek. 29:1
56 כְּדָת הַנָּשִׁים שְׁנֵים עָשָׂר חֹדֶשׁ Es. 2:12
57-59 לְחֹדֶשׁ שְׁנֵים־עָשָׂר Es. 3:7, 13; 8:12
60 וּבִשְׁנֵים עָשָׂר חֹדֶשׁ הוּא...אֲדָר Es. 9:1
61 אַלְפַּיִם שְׁמֹנֶה מֵאוֹת וּשְׁנֵים עָשָׂר Ez. 2:6
62 בְּנֵי יוֹרָה מֵאָה וּשְׁנֵים עָשָׂר Ez. 2:18
63 וָאַבְדִּילָה מִשָּׂרֵי הַכֹּהֲנִים שְׁנֵים עָשָׂר Ez. 8:24
64 וַנִּסְעָה...בִּשְׁנֵים עָשָׂר לַחֹדֶשׁ הָרִאשׁוֹן Ez. 8:31
65 הִקְרִיבוּ...פָּרִים שְׁנֵים־עָשָׂר Ez. 8:35
66 צְפִירֵי חַטָּאת שְׁנֵים עָשָׂר Ez. 8:35

שְׁנֵים עָשָׂר (המשך) 67 בְּנֵי חָרִיף שְׁנֵים עָשָׂר Neh. 7:24
68 כֻּלָּם...מָאתַיִם וּשְׁנֵים עָשָׂר ICh. 9:22
69 וְאֶחָיו מֵאָה וּשְׁנֵים עָשָׂר ICh. 15:10
70 לְיָקִים שְׁנֵים עָשָׂר ICh. 24:12
71 הוּא־וְאֶחָיו וּבָנָיו שְׁנֵים עָשָׂר ICh. 25:9
72-93 בָּנָיו וְאֶחָיו שְׁנֵים עָשָׂר ICh. 25:10, 11
25:12, 13, 14, 15, 16, 17, 18, 19, 20, 21, 22, 23, 24, 25, 26, 27, 28, 29, 30, 31
94 הַשְּׁנֵים עָשָׂר לַחֲשַׁבְיָה ICh. 25:19
95/6 הַשְּׁנֵים עָשָׂר לִשְׁנֵים עָשָׂר הַחֹדֶשׁ ICh. 27:15
97 עוֹמֵד עַל־שְׁנֵים עָשָׂר בָּקָר IICh. 4:4
98 וּשְׁנֵים עָשָׂר אֲרָיוֹת עֹמְדִים שָׁם IICh. 9:19
שְׁנֵי עָשָׂר 99 תִּהְיֶיןָ, לִשְׁנֵי עָשָׂר שָׁבֶט Ex. 28:21
100 שֵׁשׁ־עֶגְלֹת צָב וּשְׁנֵי־עָשָׂר בָּקָר Num. 7:3
101 שְׁנֵי עָשָׂר אִישׁ מִשִּׁבְטֵי יִשְׂרָאֵל Josh. 3:12
102 עֹמֵד עַל־שְׁנֵי עָשָׂר בָּקָר IK. 7:25
103 בִּשְׁנֵי־עָשָׂר חֹדֶשׁ בְּאֶחָד לַחֹדֶשׁ Ezek. 32:1
104 לִשְׁנֵי עָשָׂר שִׁבְטֵי יִשְׂרָאֵל Ezek. 47:13
שְׁלֹשָׁה עָשָׂר 105 פָּרִים בְּנֵי־בָקָר שְׁלֹשָׁה עָשָׂר Num. 29:13
106 ...לִשְׁלֹשָׁה עָשָׂר פָּרִים Num. 29:14
107/8 בִּשְׁלוֹשָׁה עָשָׂר יוֹם בּוֹ Es. 3:12; 9:1
109/10 בִּשְׁלוֹשָׁה עָשָׂר לְחֹדֶשׁ Es. 3:13; 8:12
111 בְּיוֹם־שְׁלוֹשָׁה עָשָׂר לְחֹדֶשׁ אֲדָר Es. 9:17
112 נִקְהֲלוּ בִּשְׁלוֹשָׁה עָשָׂר בּוֹ Es. 9:18
113 לְחֻפָּה שְׁלֹשָׁה עָשָׂר ICh. 24:13
114 לִשְׁלֹשָׁה עָשָׂר שׁוּבָאֵל ICh. 25:20
115 בָּנִים וְאַחִים לְחֹסָה שְׁלֹשָׁה עָשָׂר ICh. 26:11
אַרְבָּעָה עָשָׂר 116 כָּל־נֶפֶשׁ אַרְבָּעָה עָשָׂר Gen. 46:22
117 עַד אַרְבָּעָה עָשָׂר יוֹם לַחֹדֶשׁ הַזֶּה Ex. 12:6
118 בָּרִאשֹׁן בְּאַרְבָּעָה עָשָׂר יוֹם Ex. 12:18
119-122 בְּאַרְבָּעָה עָשָׂר לַחֹדֶשׁ Lev. 23:5
Ez. 6:19 • IICh. 30:15; 35:1
123 בְּאַרְבָּעָה עָשָׂר־יוֹם בַּחֹדֶשׁ הַזֶּה Num. 9:3
124-127 בְּאַרְבָּעָה עָשָׂר יוֹם לַחֹדֶשׁ Num. 9:5
28:16 • Josh. 5:10 • Ezek. 45:21
128 בַּחֹדֶשׁ הַשֵּׁנִי בְּאַרְבָּעָה עָשָׂר יוֹם Num. 9:11
129/30 אַרְבָּעָה עָשָׂר אֶלֶף Num. 17:14 • Job 42:12
131-137 כְּבָשִׂים בְּנֵי־שָׁנָה אַרְבָּעָה עָשָׂר
Num. 29:13, 17, 20, 23, 26, 29, 32
138 לְאַרְבָּעָה עָשָׂר כְּבָשִׂים Num. 29:15
139 אַרְבָּעָה עָשָׂר יוֹם IK. 8:65
140-142 (בְּ)יוֹם אַרְבָּעָה עָשָׂר לְחֹדֶשׁ אֲדָר
Es. 9:15, 19, 21
143 וְנוֹחַ בְּאַרְבָּעָה עָשָׂר בּוֹ Es. 9:17
144 וּבְאַרְבָּעָה עָשָׂר בּוֹ Es. 9:18
145 לְיֶשֶׁבְאָב אַרְבָּעָה עָשָׂר ICh. 24:13
146 בָּנִים אַרְבָּעָה עָשָׂר וּבָנוֹת שָׁלוֹשׁ ICh. 25:5
147 לְאַרְבָּעָה עָשָׂר מַתִּתְיָהוּ ICh. 25:21
חֲמִשָּׁה עָשָׂר 148 בַּחֲמִשָּׁה עָשָׂר יוֹם לַחֹדֶשׁ הַשֵּׁנִי Ex. 16:1
149 וּבַחֲמִשָּׁה עָשָׂר יוֹם לַחֹדֶשׁ הַזֶּה Lev. 23:6
150/1 (וּבַ)בַּחֲמִשָּׁה עָשָׂר יוֹם לַחֹדֶשׁ Lev. 23:34, 39
152 וְהָיָה עֶרְכְּךָ חֲמִשָּׁה עָשָׂר שָׁקֶל Lev. 27:7
153-157 (וּ)בַחֲמִשָּׁה(־)עָשָׂר יוֹם לַחֹדֶשׁ Num. 28:17
29:12; 33:3 • IK. 12:32 • Ezek. 45:25
158 וּלְצִיבָא חֲמִשָּׁה עָשָׂר בָּנִים II Sh. 9:10
159 חֲמִשָּׁה עָשָׂר הַטּוּר IK. 7:3
160 בַּחֲמִשָּׁה עָשָׂר יוֹם בַּחֹדֶשׁ IK. 12:33
161 בַּחֲמִשָּׁה עָשָׂר לַחֹדֶשׁ Ezek. 32:17
162 וָאֶכְּרֶהָ לִּי בַּחֲמִשָּׁה עָשָׂר כָּסֶף Hosh. 3:2
163 וְנוֹחַ בַּחֲמִשָּׁה עָשָׂר בּוֹ Es. 9:18
164 וְאֵת יוֹם־חֲמִשָּׁה עָשָׂר בּוֹ Es. 9:21
165 לְבִלְגָּה חֲמִשָּׁה עָשָׂר ICh. 24:14

166 לַחֲמִשָּׁה עָשָׂר לִירֵמוֹת ICh. 25:22
חֲמֵשֶׁת עָשָׂר 167 וּמַחֲנֵיהֶם...כַּחֲמֵשֶׁת עָשָׂר אֶלֶף Jud. 8:10
168 וְצִיבָא...וַחֲמֵשֶׁת עָשָׂר בָּנָיו II Sh. 19:18
שִׁשָּׁה עָשָׂר 169/70 שִׁשָּׁה עָשָׂר אֲדָנִים Ex. 26:25; 36:30
171/2 וְנֶפֶשׁ אָדָם שִׁשָּׁה עָשָׂר אָלֶף Num. 31:40, 46
173 שִׁשָּׁה עָשָׂר אֶלֶף שְׁבַע־מֵאוֹת Num. 31:52
174 וּלְשִׁמְעִי בָּנִים שִׁשָּׁה עָשָׂר ICh. 4:27
175 רָאשִׁים לְבֵית־אָבוֹת שִׁשָּׁה עָשָׂר ICh. 24:4
176 לְאִמֵּר שִׁשָּׁה עָשָׂר ICh. 24:14
177 לְשִׁשָּׁה עָשָׂר לַחֲנַנְיָהוּ ICh. 25:23
178 וּבְיוֹם שִׁשָּׁה עָשָׂר לַח׳ הָרִאשׁוֹן IICh. 29:17
שִׁבְעָה עָשָׂר 179/80 בְּשִׁבְעָה־עָשָׂר יוֹם לַחֹדֶשׁ Gen. 7:11; 8:4
181/2 בְּנֵי...אֶלֶף (וּ)שִׁבְעָה עָשָׂר Ez. 2:39 • Neh. 7:42
183 שִׁבְעָה־עָשָׂר אֶלֶף וּמָאתָיִם ICh. 7:11
184 לְחֵזִיר שִׁבְעָה עָשָׂר ICh. 24:15
185 לְשִׁבְעָה עָשָׂר לְיָשְׁבְּקָשָׁה ICh. 25:24
שְׁמֹנָה עָשָׂר 186 שְׁמֹנָה עָשָׂר וּשְׁלֹשׁ מֵאוֹת Gen. 14:14
187 וַיִּפְּלוּ...שְׁמֹנָה־עָשָׂר אֶלֶף אִישׁ Jud. 20:44
188 בְּשׁוּבוֹ מֵהַכּוֹתוֹ...שְׁמוֹנָה עָ׳ אָלֶף II Sh. 8:13
189 סָבִיב שְׁמֹנָה עָשָׂר אָלֶף Ezek. 48:35
190 מָאתַיִם וּשְׁמֹנָה עָשָׂר הַזְּכָרִים Ez. 8:9
191 וְשֵׁרֵבְיָה וּבָנָיו וְאֶחָיו שְׁמֹנָה עָשָׂר Ez. 8:18
192 אַלְפַּיִם וּשְׁמֹנֶה מֵאוֹת שְׁמֹנָה עָשָׂר Neh. 7:11
193/4 שְׁמוֹנָה עָשָׂר אֶלֶף ICh. 12:31(32); 18:12
195 לְהַפִּצֵּץ שְׁמוֹנָה עָשָׂר ICh. 24:15
196 לִשְׁמוֹנָה עָשָׂר לַחֲנָנִי ICh. 25:25
197 בָּנִים וְאַחִים בְּנֵי־חָיִל שְׁמוֹנָה עָשָׂר ICh. 26:9
שְׁמֹנַת עָשָׂר 198 וַיַּשְׁחִיתוּ...שְׁמֹנַת עָשָׂר אֶלֶף אִישׁ Jud. 20:25
תִּשְׁעָה עָשָׂר 199 וַיִּפָּקְדוּ...תִּשְׁעָה־עָשָׂר אִישׁ I Sh. 2:30
200 לִפְתַחְיָה תִּשְׁעָה עָשָׂר ICh. 24:16
201 לְתִשְׁעָה עָשָׂר לְמַלּוֹתִי ICh. 25:26
...הֶעָשָׂר 202 וַיִּקְרָא יְהוֹשֻׁעַ אֶל־שְׁנֵים הֶעָשָׂר אִישׁ Josh. 4:4
203 וְהוּא בִּשְׁנֵים הֶעָשָׂר IK. 19:19

עֲשָׂרָה ש״מ – 10 לזכרים: 1-120

– עֲשָׂרָה אֲדָנִים 9, 11; עֲשָׂרָה אַחִים 53; עֲ׳ אֶלֶף 43; עֲ׳ אֲלָפִים 34; עֲ׳ אֲנָשִׁים 31, 32, 46, 48, 49, 59, 61, 62; עֲ׳ בָּנִים 67; עֲ׳ בָקָר 37; עֲ׳ גְמַלִּים 2; עֲ׳ זָהָב 3, 13-24; עֲ׳ זְכָרִים 64; עֲ׳ חֲבָלִים 30; עֲ׳ חֲמוֹרִים 7; עֲ׳ חֲמָרִים 28; עֲ׳ יָמִים 27, 50-52; עֲ׳ כִּיּוֹרוֹת (־רִים) 38, 39, 54; עֲ׳ כֶּסֶף 35, 60; עֲ׳ לֶחֶם 42, 57; עֲ׳ נְעָרִים 33, 36; עֲ׳ נְשִׂיאִים 56; עֲ׳ עַמּוּדִים 8, 10; עֲ׳ פָּרִים 29; עֲ׳ קְרָעִים 40; עֲ׳ רֶכֶב 58; עֲ׳ שְׁבָטִים 41; עֲ׳ שְׁלִיטִים 68; עֲ׳ שֶׁקֶל 44; עֲ׳ שְׁקָלִים 12; עֲשָׂרָה שֻׁלְחָנוֹת 55

– עֲשֶׂרֶת אֲלָפִים 75-78, 81, 84-95, 105-113, 116; עֲ׳ הָאֲנָשִׁים 114; עֲ׳ בְּנֵי הָמָן 100-103; עֲ׳ בָּתִּים 98, 99; עֲ׳ הַדְּבָרִים 71, 73, 74; עֲ׳ יָמִים 97, 104, 115, 117; עֲ׳ כֶּסֶף 79; עֲ׳ מוֹנִים 69, 70; עֲ׳ צְמָדִים 96; עֲשֶׂרֶת הַשְּׁבָטִים 82; עֲ׳ שְׁקָלִים 72

– שָׂרֵי עֲשָׂרוֹת 118-120

עֲשָׂרָה 1 אוּלַי יִמָּצְאוּן שָׁם עֲשָׂרָה Gen. 18:32
2 וַיִּקַּח הָעֶבֶד עֲשָׂרָה גְמַלִּים Gen. 24:10
3 וּשְׁנֵי צְמִידִים...עֲשָׂרָה זָהָב מִשְׁקָלָם Gen. 24:22
4/5 וּפָרִים עֲשָׂרָה...וַעְיָרִם עֲשָׂרָה Gen. 32:16
6 וַיֵּרְדוּ אֲחֵי־יוֹסֵף עֲשָׂרָה Gen. 42:3
7 עֲשָׂרָה חֲמֹרִים נֹשְׂאִים מִטּוּב מִצְ׳ Gen. 45:23
8-11 עַמֻּ(וּ)דֵיהֶם עֲשָׂרָה וְאַדְנֵיהֶם עֲשָׂרָה
Ex. 27:12; 38:12
12 וְלַנְּקֵבָה עֲשָׂרָה שְׁקָלִים Lev. 27:7
13-24 כַּף אַחַת עֲשָׂרָה זָהָב Num. 7:14, 20
7:26, 32, 38, 44, 50, 56, 62, 68, 74, 80

עֲשָׂרָה (המשך) 25/6 עֲשָׂרָה עֲשָׂרָה הַכַּף בְּשֶׁקֶל הַקֹּדֶשׁ Num. 7:86
27 וְלֹא עֲשָׂרָה יָמִים וְלֹא עֶשְׂרִים יוֹם Num. 11:19
28 הַמַּמְעִיט אָסַף עֲשָׂרָה חֳמָרִים Num. 11:32
29 פָּרִים עֲשָׂרָה אֵילִם שְׁנָיִם Num. 29:23
30 וַיִּפְּלוּ חַבְלֵי־מְנַשֶּׁה עֲשָׂרָה Josh. 17:5
31 וַיִּקַּח גִּדְעוֹן עֲשָׂרָה אֲנָשִׁים Jud. 6:27
32 וְלָקַחְנוּ עֲשָׂרָה אֲנָשִׁים לַמֵּאָה Jud. 20:10
33 וַיִּשְׁלַח דָּוִד עֲשָׂרָה נְעָרִים ISh. 25:5
34 כִּי־עַתָּה כָמֹנוּ עֲשָׂרָה אֲלָפִים IISh. 18:3
35 עֲשָׂרָה כֶסֶף וַחֲגֹרָה אֶחָת IISh. 18:11
36 וַיָּסֹבּוּ עֲשָׂרָה נְעָרִים...וַיַּכּוּ IISh. 18:15
37 עֲשָׂרָה בָקָר בְּרִאִים IK. 5:3
38 וַיַּעַשׂ עֲשָׂרָה כִיֹּרוֹת נְחֹשֶׁת IK. 7:38
39 וְאֶת־הַכִּיֹּרֹת עֲשָׂרָה עַל־הַמְּכֹנוֹת IK. 7:43
40 קַח־לְךָ עֲשָׂרָה קְרָעִים IK. 11:31
41 וְנָתַתִּי לְךָ אֵת עֲשָׂרָה הַשְּׁבָטִים IK. 11:31
42 וְלָקַחַתְּ בְּיָדֵךְ עֲשָׂרָה לֶחֶם... IK. 14:3
43 וְרֹחַב עֲשָׂרָה אָלֶף Ezek. 45:1
44 עֲשָׂרָה וַחֲמִשָּׁה שֶׁקֶל Ezek. 45:12
45 וְהַיּוֹצֵאת מֵאָה תַּשְׁאִיר עֲשָׂרָה Am. 5:3
46 אִם־יִוָּתְרוּ עֲשָׂרָה אֲנָשִׁים Am. 6:9
47 בָּא אֶל־עֲרֵמַת עֶשְׂרִים וְהָיְתָה עֲשָׂרָ׳ Hag. 2:16
48 אֲשֶׁר יַחֲזִיקוּ עֲשָׂרָה אֲנָשִׁים Zech. 8:23
49 וַיִּקַּח עֲשָׂרָה אֲנָשִׁים מִזִּקְנֵי הָעִיר Ruth 4:2
50 נַס־נָא אֶת־עֲבָדֶיךָ יָמִים עֲשָׂרָה Dan. 1:12
51/52 יָמִים עֲשָׂרָה Dan. 1:14, 15
53 וְעִמָּהֶם מֵאֲחֵיהֶם עֲשָׂרָה Ez. 8:24
54 וַיַּעַשׂ כִּיּוֹרִים עֲשָׂרָה IICh. 4:6
55 וַיַּעַשׂ שֻׁלְחָנוֹת עֲשָׂרָה IICh. 4:8
וַעֲשָׂרָה 56 וַעֲשָׂרָה נְשִׂאִים עִמּוֹ Josh. 22:14
57 קַח־נָא...וַעֲשָׂרָה לֶחֶם הַזֶּה ISh. 17:17
58 חֲמִשִּׁים פָּרָשִׁים וַעֲשָׂרָה רֶכֶב IIK. 13:7
59 וַעֲשָׂרָה אֲנָשִׁים אִתּוֹ IIK. 25:25
60 שִׁבְעָה שְׁקָלִים וַעֲשָׂרָה הַכָּסֶף Jer. 32:9
61 וַעֲשָׂרָה אֲנָשִׁים אִתּוֹ Jer. 41:1
62 וַעֲשָׂרָה אֲנָשִׁים נִמְצְאוּ־בָם Jer. 41:8
63 אַרְבַּע מֵאוֹת וַעֲשָׂרָה Ez. 1:10
64 וְעִמּוֹ מֵאָה וַעֲשָׂרָה הַזְּכָרִים Ez. 8:12
הָעֲשָׂרָה 65 לֹא אַשְׁחִית בַּעֲבוּר הָעֲשָׂרָה Gen. 18:32
66 לְהָבִיא אֶחָד מִן־הָעֲשָׂרָה Neh. 11:1
מֵעֲשָׂרָה 67 הֲלוֹא אָנֹכִי טוֹב לָךְ מֵעֲשָׂרָה בָּנִים ISh. 1:8
68 מֵעֲשָׂרָה שַׁלִּיטִים אֲשֶׁר הָיוּ בָּעִיר Eccl. 7:19
עֲשֶׂרֶת־ 69 וְהֶחֱלִף אֶת־מַשְׂכֻּרְתִּי עֲשֶׂרֶת מֹנִים Gen. 31:7
70 וַתַּחֲלֵף אֶת־מַשְׂכֻּרְתִּי עֲשֶׂרֶת מֹנִים Gen. 31:41
71 אֵת דִּבְרֵי הַבְּרִית עֲשֶׂרֶת הַדְּבָרִים Ex. 34:28
72 וְלַנְּקֵבָה עֲשֶׂרֶת שְׁקָלִים Lev. 27:5
73 וַיַּגֵּד לָכֶם...עֲשֶׂרֶת הַדְּבָרִים Deut. 4:13
74 וַיִּכְתֹּב...אֵת עֲשֶׂרֶת הַדְּבָרִים Deut. 10:4
75-77 עֲשֶׂרֶת אֲלָפִים אִישׁ Jud. 1:4; 4:6; 20:34
78 וַיַּעַל בְּרַגְלָיו עֲשֶׂרֶת אַלְפֵי אִישׁ Jud. 4:10
79 אֶתֶּן־לְךָ עֲשֶׂרֶת כֶּסֶף לַיָּמִים Jud. 17:10
80 וְאֵת עֲשֶׂרֶת חֲרִיצֵי הֶחָלָב הָאֵלֶּה ISh. 17:18
81 עֲשֶׂרֶת אֲלָפִים בַּחֹדֶשׁ חֲלִיפוֹת IK. 5:28
82 אֵת עֲשֶׂרֶת הַשְּׁבָטִים IK. 11:35
83 הוּא־הִכָּה אֶת־אֱדוֹם...עֲשֶׂרֶת אֲלָפִ׳ IIK. 14:7
84-95 עֲשֶׂרֶת אֲלָפִים IIK. 24:14
Ezek. 45:3; 48:9, 10^2, 13^2, 18 • ICh. 29:7
IICh. 25:11; 27:5; 30:24
96 עֲשֶׂרֶת צִמְדֵּי־כֶרֶם יַעֲשׂוּ בַּת אֶחָת Is. 5:10
97 וַיְהִי מִקֵּץ עֲשֶׂרֶת יָמִים Jer. 42:7
98/9 עֲשֶׂרֶת הַבַּתִּים חֹמֶר Ezek. $45:14^2$
100-103 עֲשֶׂרֶת בְּנֵי(־)הָמָן Es. 9:10, 12, 13, 14

104 וּבֵין עֲשֶׂרֶת יָמִים בְּכָל־יַיִן לְהַרְבֵּה Neh. 5:18
וַעֲשֶׂרֶת־ 105 וַעֲשֶׂרֶת אֲלָפִים אִישׁ אַחֲרָיו Jud. 4:14
106 וַעֲשֶׂרֶת אֲלָפִים נִשְׁאָרוּ Jud. 7:3
107 וַעֲשֶׂרֶת אֲלָפִים אֶת־אִישׁ יְהוּדָה ISh. 15:4
108-113 וַעֲשֶׂרֶת אֲלָפִים IIK. 13:7
Ezek. 45:5; 48:18 • Es. 3:9 • IICh. 25:12; 27:5
114 וַעֲשֶׂרֶת הָאֲנָשִׁים אֲשֶׁר־הָיוּ אִתּוֹ Jer. 41:2
115 וַעֲשֶׂרֶת יָמִים מָלַךְ בִּירוּשָׁלִָם IICh. 36:9
כַּעֲשֶׂרֶת־ 116 וַיַּכּוּ...כַּעֲשֶׂרֶת אֲלָפִים אִישׁ Jud. 3:29
117 וַיְהִי כַּעֲשֶׂרֶת הַיָּמִים וַיִּגֹּף יְיָ... ISh. 25:38
עֲשָׂרוֹת 118/9 שָׂרֵי חֲמִשִּׁים וְשָׂרֵי עֲשָׂרֹת Ex. 18:21, 25
120 וְשָׂרֵי חֲמִשִּׁים וְשָׂרֵי עֲשָׂרֹת Deut. 1:15

עֶשְׂרֵה

ש״מ לנקבה – א) ציון העשׂרת במספרים היסודיים מן 11 ועד 19: אַחַת עֶשְׂרֵה אוֹ עַשְׁתֵּי עֶשְׂרֵה (11), שְׁתֵּים עֶשְׂרֵה (12), שְׁלֹשׁ עֶשְׂרֵה (13) וכו׳ – עד תְּשַׁע עֶשְׂרֵה (19)
ראה הכותרות למקראות 1-134
ב) מהם כמספרים סודרים: 9, 10, 17-19, 43, 44, 50, 54, 56-58, 67, 68, 72, 76-78, 89, 92, 111, 113, 120-123, 125, 126, 128-130, 133, 134

אַחַת עֶשְׂרֵה 1 עָרִים אַחַת־עֶשְׂרֵה Josh. 15:51
2 וּבַשָּׁנָה הָאַחַת עֶשְׂרֵה בְּיֶרַח בּוּל IK. 6:38
3 וּבִשְׁנַת אַחַת־עֶשְׂרֵה שָׁנָה IIK. 9:29
4-8 וְאַחַת עֶשְׂרֵה שָׁנָה מָלַךְ בִּירוּשָׁלִָם IIK. 23:36
24:18 • Jer. 52:1 • IICh. 36:5, 11
9-10 וַיְהִי בְּאַחַת עֶשְׂרֵה שָׁנָה Ezek. 30:20; 31:1
עַשְׁתֵּי עֶשְׂרֵה 11-12 עַשְׁתֵּי־עֶשְׂרֵה יְרִיעֹת Ex. 26:7; 36:14
13-14 לְעַשְׁתֵּי עֶשְׂרֵה יְרִיעֹת Ex. 26:8; 36:15
15 עַד עַשְׁתֵּי עֶשְׂרֵה שָׁנָה לַמֶּ׳ צִדְקִיָּהוּ IIK. 25:2
16 עַד־תֹּם עַשְׁתֵּי־עֶשְׂרֵה שָׁנָה Jer. 1:3
17 בְּעַשְׁתֵּי־עֶשְׂרֵה שָׁנָה לְצִדְקִיָּהוּ Jer. 39:2
18 עַד עַשְׁתֵּי עֶשְׂרֵה שָׁנָה Jer. 52:5
19 וַיְהִי בְּעַשְׁתֵּי־עֶשְׂרֵה שָׁנָה Ezek. 26:1
20 וְרֹחַב עַשְׁתֵּי עֶשְׂרֵה אַמָּה Ezek. 40:49
שְׁתֵּים עֶשְׂרֵה 21 וַיִּהְיוּ...שְׁתֵּים עֶשְׂרֵה שָׁנָה Gen. 5:8
22 שְׁתֵּים עֶשְׂרֵה שָׁנָה עָבְדוּ אֶת־כְּדָרְ׳ Gen. 14:4
23 שְׁתֵּים עֶשְׂרֵה עֵינֹת מַיִם Ex. 15:27
24 וַיִּבֶן...וּשְׁתֵּים עֶשְׂרֵה מַצֵּבָה... Ex. 24:4
25/6 וְהָאֲבָנִים...שְׁתֵּים עֶשְׂרֵה Ex. 28:21; 39:14
27 וְאָפִיתָ אֹתָהּ שְׁתֵּים עֶשְׂרֵה חַלּוֹת Lev. 24:5
28 קַעֲרֹת כֶּסֶף שְׁתֵּים עֶשְׂרֵה Num. 7:84
29/30 כַּפּוֹת זָהָב שְׁתֵּים(־)עֶשְׂרֵה Num. 7:84, 86
31 שְׁתֵּים עֶשְׂרֵה עֵינֹת מַיִם Num. 33:9
32 שְׂאוּ־לָכֶם...שְׁתֵּים־עֶשְׂרֵה אֲבָנִים Josh. 4:3
33 וּשְׁתֵּים עֶשְׂרֵה אֲבָנִים הֵקִים Josh. 4:9
34 וְאֵת שְׁתֵּים עֶשְׂרֵה הָאֲבָנִים הָאֵלֶּה Josh. 4:20
35-38 עָרִים שְׁתֵּים(־)עֶשְׂרֵה Josh. 18:24
19:15; 21:7, 38
39 וְחוּט שְׁתֵּים־עֶשְׂרֵה אַמָּה יָסֹב... IK. 7:15
40 מָלַךְ...שְׁתֵּים עֶשְׂרֵה שָׁנָה בְּתִרְצָה IK. 16:23
41 וַיִּקַּח אֵלִיָּהוּ שְׁתֵּים עֶשְׂרֵה אֲבָנִים IK. 18:31
42 וַיִּמְלֹךְ שְׁתֵּים־עֶשְׂרֵה שָׁנָה IIK. 3:1
43 בִּשְׁנַת שְׁתֵּים־עֶשְׂרֵה לְיוֹרָם IIK. 8:25
44 בִּשְׁנַת שְׁתֵּים עֶשְׂרֵה לְאָחָז IIK. 17:1
45/6 בֶּן־שְׁתֵּים עֶשְׂרֵה שָׁנָה מְנַשֶּׁה בְמָלְכוֹ
IIK. 21:1 • IICh. 33:1
47 וְחוּט שְׁתֵּים־עֶשְׂרֵה אַמָּה יְסֻבֶּנּוּ Jer. 52:21
48 וְהָאֲרִאֵיל שְׁתֵּים עֶשְׂרֵה אֹרֶךְ Ezek. 43:16
49 בִּשְׁתֵּים עֶשְׂרֵה רֹחַב Ezek. 43:16
50 הַרְבֵּה מִשְׁתֵּים־עֶשְׂרֵה רִבּוֹ אָדָם Jon. 4:11
51 בִּשְׁנַת שְׁתֵּים עֶשְׂרֵה לַמֶּ׳ אֲחַשְׁוֵרוֹשׁ Es. 3:7

שְׁתֵּים עֶשְׂרֵה (המשך) 52 שָׁנִים שְׁתֵּים עֶשְׂרֵה Neh. 5:14
53 עָרִים שְׁתֵּים עֶשְׂרֵה ICh. 6:48
54 וּבִשְׁתֵּים עֶשְׂרֵה שָׁנָה הֵחֵל לְטַהֵר IICh. 34:3
שְׁתֵּי עֶשְׂרֵה 55 וַיִּשְׂאוּ שְׁתֵּי־עֶשְׂרֵה אֲבָנִים Josh. 4:8
56-58 וַיְהִי בִּשְׁתֵּי עֶשְׂרֵה שָׁנָה Ezek. 32:1, 17; 33:21
שְׁלֹשׁ עֶשְׂרֵה 59 וּשְׁלֹשׁ־עֶשְׂרֵה שָׁנָה מָרָדוּ Gen. 14:4
60 בֶּן־שְׁלֹשׁ עֶשְׂרֵה שָׁנָה בְּהִמֹּלוֹ Gen. 17:25
61-63 עָרִים שְׁלֹשׁ(־)עֶשְׂרֵה Josh. 19:6; 21:4, 6
64 שְׁלֹשׁ־עֶשְׂרֵה עָרִים Josh. 21:19
65 שְׁלֹשׁ־עֶשְׂרֵה עִיר Josh. 21:33
66 וְאֶת־בֵּיתוֹ בָּנָה...שְׁלֹשׁ עֶשְׂרֵה שָׁנָה IK. 7:1
67 בִּשְׁלֹשׁ־עֶשְׂרֵה שָׁנָה לְמָלְכוֹ Jer. 1:2
68 מִן־שְׁלֹשׁ עֶשְׂרֵה שָׁנָה לְיֹאשִׁיָּהוּ Jer. 25:3
69 אֹרֶךְ הַשַּׁעַר שְׁלוֹשׁ עֶשְׂרֵה אַמּוֹת Ezek. 40:11
70 כָּל־עָרֵיהֶם שְׁלֹשׁ־עֶשְׂרֵה עִיר ICh. 6:45
71 עָרִים שְׁלֹשׁ עֶשְׂרֵה ICh. 6:47
אַרְבַּע עֶשְׂרֵה 72 וּבְאַרְבַּע עֶשְׂרֵה שָׁנָה בָּא כְדָרְ׳ Gen. 14:5
73 עֲבַדְתִּיךָ אַרְבַּע־עֶשְׂרֵה שָׁנָה.. Gen. 31:41
74/5 עָרִים אַרְבַּע־עֶשְׂרֵה Josh. 15:36; 18:28
76 וּבְאַרְבַּע עֶשְׂרֵה שָׁנָה לַמֶּלֶךְ חִזְקִיָּה IIK. 18:13
77/8 בְּאַרְבַּע עֶשְׂרֵה שָׁנָה Is. 36:1 • Ezek. 40:1
79 וְהָעֲזָרָה אַרְבַּע עֶשְׂרֵה אֹרֶךְ Ezek. 43:17
80 בְּאַרְבַּע עֶשְׂרֵה רֹחַב Ezek. 43:17
81 וַיִּשָּׂא־לוֹ נָשִׁים אַרְבַּע עֶשְׂרֵה IICh. 13:21
חֲמֵשׁ עֶשְׂרֵה 82 וַיְחִי...חָמֵשׁ עֶשְׂרֵה שָׁנָה... Gen. 5:10
83 חֲמֵשׁ עֶשְׂרֵה אַמָּה מִלְמַעְלָה Gen. 7:20
84 וַחֲמֵשׁ עֶשְׂרֵה אַמָּה קְלָעִים Ex. 27:14
85 חֲמֵשׁ עֶשְׂרֵה קְלָעִים Ex. 27:15
86/7 קְלָעִים חֲמֵשׁ(־)עֶשְׂרֵה אַמָּה Ex. 38:14, 15
88/9 וַיְחִי...חֲמֵשׁ עֶשְׂרֵה שָׁ׳ IIK. 14:17 • IICh. 25:25
90 בִּשְׁנַת חֲמֵשׁ־עֶשְׂרֵה שָׁנָה לַאֲמַצְיָהוּ IIK. 14:23
91/2 חֲמֵשׁ עֶשְׂרֵה שָׁנָה IIK. 20:6 • Is. 38:5
93 לִשְׁנַת חֲמֵשׁ־עֶשְׂרֵה לְמַלְכוּת אָסָא IICh. 15:10
שֵׁשׁ עֶשְׂרֵה 94 וַתֵּלֶד...שֵׁשׁ עֶשְׂרֵה נָפֶשׁ Gen. 46:18
95/6 עָרִים שֵׁשׁ־עֶשְׂרֵה Josh. 15:41; 19:22
97 מָלַךְ...בְּשֹׁמְרוֹן שֵׁשׁ עֶשְׂרֵה שָׁנָה IIK. 13:10
98-100 בֶּן־שֵׁשׁ עֶשְׂרֵה שָׁ׳ IIK. 14:21 • IICh. 26:1, 3
101 בֶּן־שֵׁשׁ עֶשְׂרֵה שָׁנָה הָיָה בְמָלְכוֹ IIK. 15:2
102-106 וְשֵׁשׁ־עֶשְׂרֵה שָׁנָה מָלַךְ בִּירוּשָׁלִָם
IIK. 15:33; 16:2 • IICh. 27:1, 8; 28:1
107 וְשֵׁשׁ עֶשְׂרֵה בָּנוֹת IICh. 13:21
שְׁבַע עֶשְׂרֵה 108 יוֹסֵף בֶּן־שְׁבַע־עֶשְׂרֵה שָׁנָה Gen. 37:2
109 וַיְחִי...שְׁבַע עֶשְׂרֵה שָׁנָה Gen. 47:28
110 וּשְׁבַע עֶשְׂרֵה שָׁנָה מָלַךְ בִּירוּשָׁלִַם IK. 14:21
111 בִּשְׁנַת שְׁבַע עֶשְׂרֵה לִיהוֹשָׁפָט IK. 22:52
112 מָלַךְ...בְּשֹׁמְרוֹן שְׁבַע עֶשְׂרֵה שָׁנָה IIK. 13:1
113 בִּשְׁנַת שְׁבַע־עֶשְׂרֵה שָׁנָה לְפֶקַח IIK. 16:1
114 וּשְׁבַע עֶשְׂרֵה שָׁנָה מָלַךְ בִּירוּשָׁלִַם IICh. 12:13
שְׁמֹנֶה עֶשְׂרֵה 115 וַיַּעַבְדוּ...שְׁמוֹנֶה עֶשְׂרֵה שָׁנָה Jud. 3:14
116 וַיִּרֹעֲצוּ...שְׁמֹנֶה עֶשְׂרֵה שָׁנָה Jud. 10:8
117-119 שְׁמֹנֶה עֶשְׂרֵה אַמָּה קוֹמַת הָעַמּוּד
IK. 7:15 • IIK. 25:17 • Jer. 52:21
120 וּבִשְׁנַת שְׁמֹנֶה עֶשְׂרֵה לַמֶּלֶךְ יָרָבְעָם IK. 15:1
121 בִּשְׁנַת שְׁמֹנֶה עֶשְׂרֵה לִיהוֹשָׁפָט IIK. 3:1
122/3 בִּשְׁמֹנֶה עֶשְׂרֵה שָׁנָה IIK. 22:3; 23:23
124 בֶּן־שְׁמֹנֶה עֶשְׂרֵה שָׁנָה יְהוֹיָכִין IIK. 24:8
125 הִיא הַשָּׁנָה שְׁמֹנֶה־עֶשְׂרֵה שָׁנָה Jer. 32:1
126 בִּשְׁנַת שְׁמוֹנֶה עֶשְׂרֵה לִנְבוּכַדְרֶאצַּר Jer. 52:29
127 כִּי נָשִׁים שְׁמֹנֶה־עֶשְׂרֵה נָשָׂא IICh. 11:21
128 בִּשְׁנַת שְׁמוֹנֶה עֶשְׂרֵה לַמֶּלֶךְ יָרָבְעָם IICh. 13:1
129 וּבִשְׁנַת שְׁמוֹנֶה עֶשְׂרֵה לְמָלְכוֹ IICh. 34:8
130 בִּשְׁמוֹנֶה עֶשְׂרֵה שָׁנָה לְמַלְכוּת יֹא׳ IICh. 35:19

תְּשַׁע עֶשְׂרֵה 131 וַיְחִי...תְּשַׁע־עֶשְׂרֵה שָׁנָה Gen. 11:25
132 עָרִים תְּשַׁע־עֶשְׂרֵה Josh. 19:38
133 הִיא שְׁנַת תְּשַׁע־עֶשְׂרֵה שָׁנָה IIK. 25:8
134 הִיא שְׁנַת תְּשַׁע־עֶשְׂרֵה שָׁנָה Jer. 52:12

עֲשָׂרָה ש״מ ארמית: 10 לזכר

עַשְׂרָה 1 מִנַּהּ מַלְכוּתָא עַשְׂרָה מַלְכִין יְקֻמוּן Dan. 7:24

עִשָּׂרוֹן ז׳ מדת היבש (לסלת!), עשירית האיפה: 33-1

קרובים: ראה אֵיפָה

עִשָּׂרוֹן 1 מִנְחָה סֹלֶת עִשָּׂרוֹן Num. 15:4
2 וְעִשָּׂרֹן עִשָּׂרוֹן סֹלֶת מִנְחָה Num. 28:13
8-3 עִשָּׂרוֹן עִשָּׂרוֹן(...)לַכֶּבֶשׂ Num. 28:21, 29; 29:10
9 וְעִשָּׂרוֹן עִשָּׂרוֹן לַכֶּבֶשׂ הָאֶחָד Num. 29:15
וְעִשָּׂרֹן 10 וְעִשָּׂרֹן סֹלֶת בָּלוּל בְּשֶׁמֶן... Ex. 29:40
11 וְעִשָּׂרוֹן סֹלֶת בָּלוּל בַּשֶּׁמֶן Lev. 14:21
12 וְעִשָּׂרֹן עִשָּׂרוֹן סֹלֶת מִנְחָה Num. 28:13
13/4 וְעִשָּׂרוֹן...לַכֶּבֶשׂ הָאֶחָד Num. 29:4, 15
עֶשְׂרֹנִים 15 וּשְׁלֹשָׁה עֶשְׂרֹנִים סֹלֶת מִנְחָה Lev. 14:10
17-16 שְׁנֵי עֶשְׂרֹנִים סֹלֶת Lev. 23:13, 17
18 שְׁנֵי עֶשְׂרֹנִים יִהְיֶה הַחַלָּה הָאֶחָת Lev. 24:5
19 מִנְחָה סֹלֶת שְׁנֵי עֶשְׂרֹנִים Num. 15:6
20 מִנְחָה סֹלֶת שְׁלֹשָׁה עֶשְׂרֹנִים Num. 15:9
21/2 וּשְׁנֵי עֶשְׂרֹנִים סֹלֶת מִנְחָה Num. 28:9, 12
23 וּשְׁלֹשָׁה עֶשְׂרֹנִים סֹלֶת מִנְחָה Num. 28:12
28-24 שְׁלֹשָׁה עֶשְׂרֹנִים לַפָּר Num. 28:20
28:28; 29:3, 9, 14
33-29 (וּ)שְׁנֵי עֶשְׂרֹנִים לָאַיִל(אָ) Num. 28:20
28:28; 29:3, 9, 14

עֶשְׂרִים ש״מ לזכר ולנקבה

א) שתי עשרות (20): 314-1
ב) מהם כמספרים סודרים: 101, 105-103, 116, 117, 128, 131, 134, 158-156, 162, 205, 208, 271, 311-302
ג) "עֶשְׂרִים" ואחריהם יחידות ("עֶשְׂרִים וְאַחַת", "עֶשְׂרִים וּשְׁתַּיִם" וכו׳) — 54, 57, 58, 69, 70, 74-72, 76, 85, 95, 100-97, 106-102, 116-108, 119, 120, 124-122, 128, 131, 132, 153-134, 168-159, 186-170, 203-193, 258-256, 260, 276, 278, 296-294, 309-303, 311, 313
ד) "עֶשְׂרִים" ולפניהם יחידות ("אֶחָד וְעֶשְׂרִים", "שְׁתַּיִם וְעֶשְׂרִים" וכו׳) — 205, 206, 210-208, 219-212, 259, 272-261, 289-282

עֶשְׂרִים 1 אוּלַי יִמָּצְאוּן שָׁם עֶשְׂרִים Gen. 18:31
2 זֶה עֶשְׂרִים שָׁנָה אָנֹכִי עִמָּךְ Gen. 31:38
3 זֶה־לִּי עֶשְׂרִים שָׁנָה בְּבֵיתֶךָ Gen. 31:41
4 עִזִּים מָאתַיִם וּתְיָשִׁים עֶשְׂרִים Gen. 32:15
5 רְחֵלִים מָאתַיִם וְאֵילִים עֶשְׂרִים Gen. 32:15
6 אֲתֹנֹת עֶשְׂרִים וַעְיָרִם עֲשָׂרָה Gen. 32:16
7 עֶשְׂרִים קֶרֶשׁ לִפְאַת נֶגְבָּה תֵימָנָה Ex. 26:18
8 אַדְנֵי־כֶסֶף...תַּחַת עֶשְׂרִים הַקָּרֶשׁ Ex. 26:19
9 לִפְאַת צָפוֹן עֶשְׂרִים קָרֶשׁ Ex. 26:20
10/1 וְאַדְנֵיהֶם עֶשְׂרִים נְחֹשֶׁת Ex. 27:10, 11
12 וְעַמֻּדָו עֶשְׂרִים Ex. 27:11
13 מָסָךְ עֶשְׂרִים אַמָּה Ex. 27:16
14 עֶשְׂרִים גֵּרָה הַשָּׁקֶל Ex. 30:13
40-15 (לְ)מִבֶּן עֶשְׂרִים שָׁנָה וָמַעְלָה(מ) (וּלְמָעְלָה)
Ex. 30:14; 38:26 • Num. 1:3, 18, 20, 22, 24, 26; 1:28, 30, 32, 34, 36, 38, 40, 42, 45; 14:29; 26:2, 4; 32:11 • Ez. 3:8 • ICh. 23:24, 27 • IICh. 25:5; 31:17
41 עֶשְׂרִים קְרָשִׁים לִפְאַת נֶגֶב Ex. 36:23
42 אַדְנֵי־כֶסֶף תַּחַת עֶשְׂרִים הַקְּרָשִׁים Ex. 36:24
43 לִפְאַת צָפוֹן עָשָׂה עֶשְׂרִים קְרָשִׁים Ex. 36:25
47-44 עַמּוּדֵיהֶם עֶשְׂרִים וְאַדְנֵיהֶם עֶשְׂרִים
Ex. 38:10, 11

עֶשְׂרִים (המשך) 48 מִבֶּן עֶשְׂרִים שָׁנָה וְעַד... Lev. 27:3
49 וְהָיָה עֶרְכְּךָ הַזָּכָר עֶשְׂרִים שְׁקָלִים Lev. 27:5
50 ...וְעַד בֶּן־עֶשְׂרִים שָׁנָה Lev. 27:5
51 עֶשְׂרִים גֵּרָה יִהְיֶה הַשָּׁקֶל Lev. 27:25
52 עֶשְׂרִים גֵּרָה הַשָּׁקֶל Num. 3:47
53 כָּל־זְהַב הַכַּפּוֹת עֶשְׂרִים וּמֵאָה Num. 7:86
54 עֶשְׂרִים וְאַרְבָּעָה פָּרִים Num. 7:88
55 וְלֹא עֲשָׂרָה...וְלֹא עֶשְׂרִים יוֹם Num. 11:19
56 עֶשְׂרִים גֵּרָה הוּא Num. 18:16
57 כָּל־עָרִים עֶשְׂרִים וָתֵשַׁע Josh. 15:32
58 עָרִים עֶשְׂרִים וּשְׁתָּיִם Josh. 19:30
59 לָחַץ אֶת־בּ״י...עֶשְׂרִים שָׁנָה Jud. 4:3
60 וַיָּשָׁב מִן־הָעָם עֶשְׂרִים וּשְׁנַיִם אֶלֶף Jud. 7:3
68-61 עֶשְׂרִים שָׁנָה Jud. 15:20; 16:31 • ISh. 7:2
• IK. 9:10 • IIK. 9:27 • ICh. 27:23 • IICh. 8:1; 28:1
69 וַיִּשְׁפֹּט...עֶשְׂרִים וְשָׁלֹשׁ שָׁנָה Jud. 10:2
70 וַיִּשְׁפֹּט...עֶשְׂרִים וּשְׁתַּיִם שָׁנָה Jud. 10:3
71 וַיַּכֵּם...עֶשְׂרִים עִיר Jud. 11:33
72 עֶשְׂרִים וְשִׁשָּׁה אֶלֶף אִישׁ Jud. 20:15
73 עֶשְׂרִים וַחֲמִשָּׁה אֶלֶף וּמֵאָה אִישׁ Jud. 20:35
74 עֶשְׂרִים וַחֲמִשָּׁה אֶלֶף אִישׁ Jud. 20:46
75 וַיָּבֹא אַבְנֵר...וְאִתּוֹ עֶשְׂרִים אֲנָשִׁים IISh. 3:20
76 עֶשְׂרִים־וּשְׁנַיִם אֶלֶף אִישׁ IISh. 8:5
77 וַיִּשְׂכְּרוּ...עֶשְׂרִים אֶלֶף רַגְלִי IISh. 10:6
84-78 עֶשְׂרִים אֶלֶף (אָלֶף) IISh. 18:7
IK. 5:25 • ICh. 7:9 • IICh. 2:9[4]
85 שֵׁשׁ וָשֵׁשׁ עֶשְׂרִים וְאַרְבַּע מִסְפָּר ISh. 21:20
86 וְהָאוּלָם...עֶשְׂרִים אַמָּה אָרְכּוֹ IK. 6:3
94-87 עֶשְׂרִים אַמָּה IK. 6:16, 20
Ezek. 40:49; 41:2, 4[2], 10 • IICh. 4:1
95 בָּקָר עֶשְׂרִים וּשְׁנַיִם אֶלֶף IK. 8:63
96 עֶשְׂרִים עִיר בְּאֶרֶץ הַגָּלִיל IK. 9:11
100-97 עֶשְׂרִים וּשְׁתַּיִם שָׁנָה IK. 14:20; 16:29
IIK. 8:26; 21:19
101 וּבִשְׁנַת עֶשְׂרִים לְיָרָבְעָם IK. 15:9
102 מָלַךְ...עֶשְׂרִים וְאַרְבַּע שָׁנָה IK. 15:33
103 בִּשְׁנַת עֶשְׂרִים וָשֵׁשׁ שָׁנָה לְאָסָא IK. 16:8
104/5 בִּשְׁנַת עֶשְׂ׳ וָשֶׁבַע שָׁנָה לְאָסָא IK. 16:10, 15
106 עֶשְׂרִים וְשִׁבְעָה אֶלֶף אִישׁ IK. 20:30
107 עֶשְׂרִים־לֶחֶם שְׂעֹרִים IIK. 4:42
108 עֶשְׂרִים־וּשְׁמֹנֶה שָׁנָה בְּשֹׁמְרוֹן IIK. 10:36
111-109 עֶשְׂרִים וְשָׁלֹשׁ שָׁנָה IIK. 12:7; 13:1; 23:31
115-112 בֶּן־עֶשְׂרִים וְחָמֵשׁ שָׁנָה IIK. 14:2
15:33; 18:2; 23:36
116 בִּשְׁנַת עֶשְׂרִים וָשֶׁבַע שָׁנָה IIK. 15:1
117 בִּשְׁנַת עֶשְׂרִים לְיוֹתָם IIK. 15:30
118 בֶּן־עֶשְׂרִים שָׁנָה אָחָז בְּמָלְכוֹ IIK. 16:2
119/20 בֶּן־עֶשְׂרִים וְאַחַת שָׁנָה IIK. 24:18 • Jer. 52:1
121 וּמַאֲכָלְךָ...עֶשְׂרִים שֶׁקֶל לַיּוֹם Ezek. 4:10
122 בְּפֶתַח הַשַּׁעַר עֶשְׂרִים וַחֲמִשָּׁה אִישׁ Ezek. 11:1
123/4 רֹחַב עֶשְׂרִים וְחָמֵשׁ אַמּוֹת Ezek. 40:13, 29
125 לַלְוִיִּם...עֶשְׂרִים לְשָׁכֹת Ezek. 45:5
126 וְהַשֶּׁקֶל עֶשְׂרִים גֵּרָה Ezek. 45:12
127 עֶשְׂרִים שְׁקָלִים Ezek. 45:12
128 בְּיוֹם עֶשְׂרִים וְאַרְבָּעָה לַחֹדֶשׁ Hag. 1:15
129 מִהְיוֹתָם בָּא אֶל־עֲרֵמַת עֶשְׂרִים Hag. 2:16
130 לַחְשֹׂף חֲמִשִּׁים פּוּרָה וְהָיְתָה עֶשְׂ׳ Hag. 2:16
131 מִיּוֹם עֶשְׂרִים וְאַרְבָּעָה לַתְּשִׁיעִי Hag. 2:18
132 בְּיוֹם עֶשְׂרִים וְאַרְבָּעָה לְעַשְׁתֵּי־עָ׳ Zech. 1:7
133 מְגִלָּה עָפָה אָרְכָּהּ עֶשְׂרִים בָּאַמָּה Zech. 5:2
134 וּבְיוֹם עֶשְׂרִים וְאַרְבָּעָה לַחֹדֶשׁ Dan. 10:4
135 עֹמֵד לְנֶגְדִּי עֶשְׂרִים וְאֶחָד יוֹם Dan. 10:13

עֶשְׂרִים (המשך) 141-136 עֶשְׂרִים וּשְׁלֹשָׁה Ez. 2:11, 17, 19
2:21, 28 • Neh. 7:32
142 אֶלֶף מָאתַיִם עֶשְׂרִים וּשְׁנָיִם Ez. 2:12
149-143 עֶשְׂרִים וּשְׁמֹ(וֹ)נָה Ez. 2:23, 41
Neh. 7:16, 22, 27; 11:8, 14
150 שֵׁשׁ מֵאוֹת עֶשְׂרִים וְאֶחָד Ez. 2:26
151 מֵאָה עֶשְׂרִים וּשְׁנָיִם Ez. 2:27
152 שְׁבַע מֵאוֹת עֶשְׂרִים וַחֲמִשָּׁה Ez. 2:33
153 עֶשְׂרִים וּשְׁמֹנָה הַזְּכָרִים Ez. 8:11
154 אֶחָיו וּבְנֵיהֶם עֶשְׂרִים Ez. 8:19
155 וּכְפֹרֵי זָהָב עֶשְׂרִים Ez. 8:27
156 וַיְהִי בְחֹדֶשׁ־כִּסְלֵו שְׁנַת עֶשְׂרִים Neh. 1:1
157 שְׁנַת עֶשְׂרִים לְאַרְתַּחְשַׁסְתְּא הַמֶּלֶךְ Neh. 2:1
158 מִשְּׁנַת עֶשְׂרִים וְעַד... Neh. 5:14
159 שְׁלֹשׁ מֵאוֹת עֶשְׂרִים וּשְׁנָיִם Neh. 7:17
160 שְׁלֹשׁ מֵאוֹת עֶשְׂרִים וְאַרְבָּעָה Neh. 7:23
161 שֵׁשׁ מֵאוֹת עֶשְׂרִים וְאֶחָד Neh. 7:30
162 וּבְיוֹם עֶשְׂרִים וְאַרְבָּעָה לַחֹדֶשׁ Neh. 9:1
163 שְׁמֹנֶה מֵאוֹת עֶשְׂרִים וּשְׁנָיִם Neh. 11:12
164 עֶשְׂרִים וְשָׁלוֹשׁ עָרִים ICh. 2:22
8-165 עֶשְׂרִים(־)וּשְׁנַיִם א׳ ICh. 7:2, 7; 18:5 • IICh. 7:5
169 אֲנָשִׁים עֶשְׂרִים וְשִׁשָּׁה אָלֶף ICh. 7:40
170 שָׂרִים עֶשְׂרִים וּשְׁנָיִם ICh. 12:28(29)
171 עֶשְׂרִים אֶלֶף וּשְׁמוֹנֶה מֵאוֹת ICh. 12:30(31)
172 עֶשְׂרִים־וּשְׁמוֹנָה אָלֶף ICh. 12:35(36)
173 שֵׁשׁ־וָשֵׁשׁ עֶשְׂרִים וְאַרְבַּע ICh. 20:6
187-174 עֶשְׂרִים וְאַרְבָּעָה אָלֶף ICh. 23:4
27:1, 2, 4, 5, 7, 8, 9, 10, 11, 12, 13, 14, 15
193-188 אַמּוֹת עֶשְׂרִים IICh. 3:3, 4, 8[2], 11, 13
194 וּבְיוֹם עֶשְׂרִים וּשְׁלֹשָׁה לַחֹדֶשׁ IICh. 7:10
195 וַיּוֹלֶד עֶשְׂרִים וּשְׁמוֹנָה בָּנִים IICh. 11:21
196 וַיּוֹלֶד עֶשְׂרִים וּשְׁנַיִם בָּנִים IICh. 13:21
201-197 בֶּן־עֶשְׂרִים וְחָמֵשׁ שָׁנָה IICh. 25:1
27:1, 8; 29:1; 36:5
202 בֶּן־עֶשְׂרִים וּשְׁתַּיִם שָׁנָה IICh. 33:21
203 בֶּן־עֶשְׂרִים וְאַחַת שָׁנָה IICh. 36:11
וְעֶשְׂרִים 204 וְהָיוּ יָמָיו מֵאָה וְעֶשְׂרִים שָׁנָה Gen. 6:3
205 בְּשִׁבְעָה וְעֶשְׂרִים יוֹם לַחֹדֶשׁ Gen. 8:14
206 וַיְחִי נָחוֹר תֵּשַׁע וְעֶשְׂרִים שָׁנָה Gen. 11:24
207 מֵאָה שָׁנָה וְעֶשְׂרִים שָׁנָה Gen. 23:1
208 עַד יוֹם הָאֶחָד וְעֶשְׂרִים לַחֹדֶשׁ Ex. 12:18
209/10 שְׁמֹנֶה וְעֶשְׂרִים בָּאַמָּה Ex. 26:2; 36:9
211 וְעֶשְׂרִים אַמָּה אֹרֶךְ Ex. 38:18
212 תֵּשַׁע וְעֶשְׂרִים כִּכָּר Ex. 38:24
213 שְׁנַיִם וְעֶשְׂרִים אָלֶף Num. 3:39
214/5 שְׁנַיִם וְעֶשְׂרִים אֶלֶף Num. 3:43; 26:14
216 מִבֶּן חָמֵשׁ וְעֶשְׂרִים שָׁנָה וָמַעְלָה Num. 8:24
217 אַרְבָּעָה וְעֶשְׂרִים אָלֶף Num. 25:9
218 שְׁלֹשָׁה וְעֶשְׂרִים אֶלֶף Num. 26:62
219 בֶּן־שָׁלֹשׁ וְעֶשְׂרִים וּמְאַת שָׁנָה Num. 33:39
220/21 בֶּן־מֵאָה וְעֶשְׂרִים שָׁנָה Deut. 31:2; 34:7
244-222 וְעֶשְׂרִים אֶלֶף (־אָ־) Jud. 8:10; 20:21
IISh. 8:4 • IK. 8:63 • Ezek. 45:1, 3, 5, 6; 48:8, 9, 10[2], 13[2], 15, 20[2], 21[2] • ICh. 12:37(38); 18:4 • IICh. 7:5; 28:6
245 חֲמִשָּׁה עָשָׂר בָּנָיו וְעֶשְׂרִים עֲבָדָיו IISh. 9:10
246 וְעֶשְׂרִים עֲבָדָיו אִתּוֹ IISh. 19:18
247 מִקְצֵה תִּשְׁעָה חֳדָשִׁים וְעֶשְׂרִים יוֹם IISh. 24:8
248 וְעֶשְׂרִים בָּקָר רְעִי IK. 5:3
249 וְעֶשְׂרִים כֹּר שֶׁמֶן כָּתִית IK. 5:25
250 שִׁשִּׁים־אַמָּה אָרְכּוֹ וְעֶשְׂרִים רָחְבּוֹ IK. 6:2
251/2 וְעֶשְׂרִים אַמָּה IK. 6:20[2]

וְעֶשְׂרִים (המשך) 253/4 מֵאָה וְעֶשְׂרִים כִּכַּר זָהָב IK. 9:14; 10:10
255 אַרְבַּע־מֵאוֹת וְעֶשְׂרִים כִּכָּר IK. 9:28
256 וְעֶשְׂרִים וְחָמֵשׁ שָׁנָה מָלַךְ בִּירוּ׳ IK. 22:42
257/8 וְעֶשְׂרִים וָתֵשַׁע שָׁנָה מָלַךְ IIK. 14:2; 18:2
259 זֶה שָׁלֹשׁ וְעֶשְׂרִים שָׁנָה Jer. 25:3
260 שְׁלֹשֶׁת אֲלָפִים וְעֶשְׂרִים וּשְׁלֹשָׁה Jer. 52:28
261 בִּשְׁנַת שָׁלֹשׁ וְעֶשְׂרִים לִנְבוּכַדְרֶ׳ Jer. 52:30
262 וְרֹחַב חָמֵשׁ וְעֶשְׂרִים בָּאַמָּה Ezek. 40:21
263-266 חָמֵשׁ וְעֶשְׂרִים אַמָּה Ezek. 40:25, 30, 33, 36
267 חֲמִשָּׁה וְעֶשְׂרִים שְׁקָלִים Ezek. 45:12
268-270 שֶׁבַע וְעֶשְׂרִים וּמֵאָה מְדִ׳ Es. 1:1; 8:9; 9:30
271 חֹדֶשׁ סִיוָן בִּשְׁלוֹשָׁה וְעֶשְׂרִים בּוֹ Es. 8:9
272 מַחֲלָפִים תִּשְׁעָה וְעֶשְׂרִים Ez. 1:9
273 בְּנֵי חָרִם שְׁלֹשׁ מֵאוֹת וְעֶשְׂרִים Ez. 2:32
274 שְׁבַע מֵאוֹת וְעֶשְׂרִים Ez. 2:67
275 נְתִינִים מָאתַיִם וְעֶשְׂרִים Ez. 8:20
276 אַנְשֵׁי מִכְמָס מֵאָה וְעֶשְׂרִים וּשְׁנָיִם Neh. 7:31
277 שְׁלֹשׁ מֵאוֹת וְעֶשְׂרִים Neh. 7:35
278 שְׁבַע מֵאוֹת וְעֶשְׂרִים וְאֶחָד Neh. 7:37
279 שֵׁשֶׁת אֲלָפִים שְׁבַע מֵאוֹת וְעֶשְׂרִים Neh. 7:68
280 הַשָּׂר וְאֶחָיו מֵאָה וְעֶשְׂרִים ICh. 15:5
281 הַשָּׂר וְאֶחָיו מָאתַיִם וְעֶשְׂרִים ICh. 15:6
282 לְיָכִין אֶחָד וְעֶשְׂרִים ICh. 24:17
283 לְגָמוּל שְׁנַיִם וְעֶשְׂרִים ICh. 24:17
284 לִדְלָיָהוּ שְׁלֹשָׁה וְעֶשְׂרִים ICh. 24:18
285 לְמַעַזְיָהוּ אַרְבָּעָה וְעֶשְׂרִים ICh. 24:18
286 לְאֶחָד וְעֶשְׂרִים לְהוֹתִיר ICh. 25:28
287 לִשְׁנַיִם וְעֶשְׂרִים לְגִדַּלְתִּי ICh. 25:29
288 לִשְׁלֹשָׁה וְעֶשְׂרִים לְמַחֲזִיאוֹת ICh. 25:30
289 לְאַרְבָּעָה וְעֶשְׂרִים לְרוֹמַמְתִּי ICh. 25:31
290 וְהַגֹּבַהּ מֵאָה וְעֶשְׂרִים IICh. 3:4
291 וְעֶשְׂרִים אַמָּה רָחְבּוֹ IICh. 4:1
292 כֹּהֲנִים לְמֵאָה וְעֶשְׂרִים IICh. 5:12
293 מֵאָה וְעֶשְׂרִים כִּכַּר זָהָב IICh. 9:9
294 וְעֶשְׂרִים וְחָמֵשׁ שָׁנִים מָלַךְ IICh. 20:31
295/6 וְעֶשְׂרִים וָתֵשַׁע שָׁנָה מָלַךְ IICh. 25:1; 29:1
297 בֶּן־שָׁלוֹשׁ וְעֶשְׂרִים שָׁנָה IICh. 36:2
הָעֶשְׂרִים 298 לֹא אַשְׁחִית בַּעֲבוּר הָעֶשְׂרִים Gen. 18:31
299 נֶגֶד הָעֶשְׂרִים אֲשֶׁר לֶחָצֵר Ezek. 42:3
300 לִיחֶזְקֵאל הָעֶשְׂרִים ICh. 24:16
בְּעֶשְׂרִים 301 וַיִּמְכְּרוּ אֶת־יוֹסֵף...בְּעֶשְׂרִים כָּסֶף Gen. 37:28
302 בַּחֹדֶשׁ הַשֵּׁנִי בְּעֶשְׂרִים בַּחֹדֶשׁ Num. 10:11
303 בְּעֶשְׂרִים וְשִׁבְעָה לַחֹדֶשׁ IIK. 25:27
304 בְּעֶשְׂרִים וַחֲמִשָּׁה לַחֹדֶשׁ Jer. 52:31
305 וַיְהִי בְּעֶשְׂרִים וָשֶׁבַע שָׁנָה Ezek. 29:17
306 בְּעֶשְׂרִים וְחָמֵשׁ שָׁנָה לְגָלוּתֵנוּ Ezek. 40:1
307 בַּשְּׁבִיעִי בְּעֶשְׂרִים וְאֶחָד לַחֹדֶשׁ Hag. 2:1
308 בְּעֶשְׂרִים וְאַרְבָּעָה לַתְּשִׁיעִי Hag. 2:10
309 בְּעֶשְׂרִים וְאַרְבָּעָה לַחֹדֶשׁ Hag. 2:20
310 חֹדֶשׁ הַתְּשִׁיעִי בְּעֶשְׂרִים בַּחֹדֶשׁ Ez. 10:9
311 בְּעֶשְׂרִים וַחֲמִשָּׁה לֶאֱלוּל Neh. 6:15
כְּעֶשְׂרִים 312 אֲשֶׁר הִכָּה יוֹנָתָן...כְּעֶשְׂרִים אִישׁ ISh. 14:14
313 כְּעֶשְׂרִים וַחֲמִשָּׁה אִישׁ Ezek. 8:16
לְעֶשְׂרִים 314 לְעֶשְׂרִים לֶאֱלִיָּתָה ICh. 25:27

עֶשְׂרִין ש״מ ארמית: עשרים, 20

וְעֶשְׂרִין 1 וַהֲקִים...לַאֲחַשְׁדַּרְפְּנַיָּא מְאָה וְעֶשְׂרִין Dan. 6:2

עָשַׁשׁ פ׳ נחלש: 1-3 • עָשְׁשָׁה עַיִן 2,1; עָשְׁשׁוּ עֲצָמוֹת 3

עָשְׁשָׁה 1 עָשְׁשָׁה מִכַּעַס עֵינִי Ps. 6:8
2 עָשְׁשָׁה בְכַעַס עֵינִי נַפְשִׁי וּבִטְנִי Ps. 31:10
עָשֵׁשׁוּ 3 כָּשַׁל בַּעֲוֹנִי כֹחִי וַעֲצָמַי עָשֵׁשׁוּ Ps. 31:11

עשת : עָשַׁת, הִתְעַשֵּׁת; עֶשְׁתּוֹנוֹת, עַשְׁתּוּת; אר׳ עֲשִׁית

עָשַׁת פ׳ א) עבה, גָדל: 1

ב) [הת׳ הִתְעַשֵּׁת] נמלך, שקל בדעתו: 2

עָשְׁתוּ 1 שָׁמְנוּ עָשְׁתוּ גַּם עָבְרוּ דִבְרֵי־רָע Jer. 5:28
יִתְעַשֵּׁת 2 אוּלַי יִתְעַשֵּׁת הָאֱלֹהִים לָנוּ Jon. 1:6

עֶשֶׁת ז׳ גוש מוצק • עֶשֶׁת שֵׁן 1

עֶשֶׁת־ 1 מֵעָיו עֶשֶׁת שֵׁן מְעֻלֶּפֶת סַפִּירִים S.ofS. 5:14

עֶשְׁתּוֹנוֹת נ״ר מחשבות

עֶשְׁתּוֹנֹתָיו 1 בַּיּוֹם הַהוּא אָבְדוּ עֶשְׁתֹּנֹתָיו Ps. 146:4

עַשְׁתּוּת נ׳ מלה סתומה: מחשבה(?) מזמה(?)

לְעַשְׁתּוּת 1 לַפִּיד בּוּז לְעַשְׁתּוּת שַׁאֲנָן Job 12:5

עַשְׁתֵּי ש״מ – אחד, אחת: 1-19

[רק בצרוף עם עָשָׂר או עֶשְׂרֵה]

עַשְׁתֵּי עָשָׂר 1 בְּיוֹם עַשְׁתֵּי עָשָׂר יוֹם Num. 7:72
2 פָּרִים עַשְׁתֵּי־עָשָׂר Num. 29:20
3 בְּעַשְׁתֵּי־עָשָׂר חֹדֶשׁ Deut. 1:3
4 בְּיוֹם...לְעַשְׁתֵּי־עָשָׂר חֹדֶשׁ Zech. 1:7
5 מַכְבַּנַּי עַשְׁתֵּי עָשָׂר ICh. 12:13(14)
6/7 עַשְׁתֵּי(־)עָשָׂר ICh. 24:12; 25:18
8/9 עַשְׁתֵּי־עָשָׂר לְעַשְׁתֵּי עָשָׂר הַחֹדֶשׁ ICh. 27:14
עַשְׁתֵּי עֶשְׂרֵה 10/1 עַשְׁתֵּי־עֶשְׂרֵה יְרִיעֹת Ex. 26:7; 36:14
12/3 לְעַשְׁתֵּי עֶשְׂרֵה יְרִיעֹת Ex. 26:8; 36:15
14-16 עַד(...)עַשְׁתֵּי עֶשְׂרֵה שָׁנָה IIK. 25:2
Jer. 1:3; 52:5
17 בְּעַשְׁתֵּי־עֶשְׂרֵה שָׁנָה לְצִדְקִיָּהוּ Jer. 39:2
18 וַיְהִי בְּעַשְׁתֵּי־עֶשְׂרֵה שָׁנָה Ezek. 26:1
19 וְרֹחַב עַשְׁתֵּי עֶשְׂרֵה אַמָּה Ezek. 40:49

עַשְׁתָּרוֹת[1] ש״פ – עיר הבירה של עוג מלך הבשן,

היא כנראה בְּעֶשְׁתְּרָה (עין באות ב׳): 1-6

עַשְׁתָּרוֹת 1 וְאֶת־עַשְׁתָּרוֹת וְאֶת־מִגְרָשֶׁיהָ ICh. 6:56
וְעַשְׁתָּרוֹת 2 וַחֲצִי הַגִּלְעָד וְעַשְׁתָּרוֹת וְאֶדְרֶעִי Josh. 13:31
בְּעַשְׁתָּרוֹת 3 אֲשֶׁר־יוֹשֵׁב בְּעַשְׁתָּרֹת בְּאֶדְרֶעִי Deut. 1:4
4 וּלְעוֹג...אֲשֶׁר בְּעַשְׁתָּרוֹת Josh. 9:10
5 וּגְבוּל עוֹג...הַיּוֹשֵׁב בְּעַשְׁתָּרוֹת Josh. 12:4
6 אֲשֶׁר־מָלַךְ בְּעַשְׁתָּרוֹת וּבְאֶדְרֶעִי Josh. 13:12

עַשְׁתָּרוֹת*[2] נ׳ [רק בנסמך: עַשְׁתְּרוֹת צֹאן]

רבוי הולדות בעדרי הצאן: 1-4

וְעַשְׁתְּרוֹת־ 1-2 שְׁגַר־אֲלָפֶיךָ וְעַשְׁ׳ צֹאנֶךָ Deut. 7:13; 28:18
3-4 שְׁגַר אֲלָפֶיךָ וְעַשְׁתְּרוֹת צֹאנֶךָ Deut. 28:4, 51

עַשְׁתְּרוֹת קַרְנַיִם ש״פ – עיר קדומה בארץ הבשן

בְּעַשְׁתְּרוֹת קַרְנַיִם 1 רְפָאִים בְּעַשְׁתְּרֹת קַרְנַיִם Gen. 14:5

עַשְׁתֹּרֶת ש״פ – אלילת האהבה והפריון

באמונת הצידונים ועמים אחרים: 1-9

עַשְׁתֹּרֶת 1 עַשְׁתֹּרֶת אֱלֹהֵי צִדֹנִים IK. 11:5
לְעַשְׁתֹּרֶת 2 וַיִּשְׁתַּחֲווּ לְעַשְׁתֹּרֶת אֱלֹהֵי צִדֹנִין IK. 11:33
3 אֲשֶׁר בָּנָה...לְעַשְׁתֹּרֶת שִׁקֻּץ צִידֹנִים IIK. 23:13
עַשְׁתָּרוֹת 4 וַיָּשִׂמוּ אֶת־כֵּלָיו בֵּית עַשְׁתָּרוֹת I Sh. 31:10
הָעַשְׁתָּרוֹת 5 אֶת־הַבְּעָלִים וְאֶת־הָעַשְׁתָּרוֹת Jud. 10:6
6 וַיָּסִירוּ...אֶת־הַבְּעָלִים וְאֶת־הָעַשְׁתָּרֹת ISh. 7:4
7 וַנַּעֲבֹד אֶת־הַבְּעָלִ׳ וְאֶת־הָעַשְׁתָּרוֹ׳ I Sh. 12:10
וְהָעַשְׁתָּרוֹת 8 הָסִירוּ אֶת־אֱלֹהֵי הַנֵּכָר...וְהָעַשְׁתָּרוֹ׳ I Sh. 7:3
וְלָעַשְׁתָּרוֹת 9 וַיַּעַבְדוּ לַבַּעַל וְלָעַשְׁתָּרוֹת Jud. 2:13

עַשְׁתְּרָתִי ת׳ מתושבי עַשְׁתְּרוֹת־קַרְנַיִם(?)

הָעַשְׁתְּרָתִי 1 עֻזִּיָּא הָעַשְׁתְּרָתִי ICh. 11:44

עֵת נ׳ א) זמן, מועד: רוב המקראות 1-294

ב) עונה, תקופה: 71, 181, 182, 189-191, 196, 215, 220, 231

ג) [כָּעֵת] עַתָּה, בשעה זו: 147-164

קרובים: זְמַן / מוֹעֵד / עִדָּן / עוֹנָה / שָׁעָה / תּוֹר / תְּקוּפָה

– בְּכָל־עֵת 1-3, 12-23; מֵעֵת אֶל־עֵת 32; מֵעֵת עַד עֵת 7, 8; עַד עֵת 31; לֹא עֵת 26

– עֵת אֵיד 218, 219; עֵת הָאֹכֶל 246; עֵת אַף 213; עֵת בּוֹא 176, 188, 197, 250; עֵת דּוֹדִים 182; עֵת הָחֵל 228; עֵת הַזָּמִיר 191; עֵת זִקְנָה 238, 239, 245; עֵת חֶרְפָּה 183; עֵת יוֹם 253; עֵת יַחֵם 199; עֵת לֶדֶת 189, 190, 200; עֵת מוֹעֵד 175; עֵת מוֹת 230; עֵת מַלְקוֹשׁ 220; עֵת מִנְחָה 229; עֵת מַרְפֵּא 241, 254; עֵת נִדָּה 196; עֵת נְקָמָה 180; עֵת עֲוֹן־ 216, 217; עֵת עֶרֶב 174, 232, 233, 237, 240, 242; עֵת פְּקֻדָּה 178, 179, 206-208; עֵת צֵאת 231, 236, 249; עֵת צָהֳרַיִם 214; עֵת צָר 251; עֵת צָרָה 195, 201, 222, 224, 226; עֵת קֵץ 192-194, 225, 252; עֵת קָצִיר 215; עֵת קְרֹא 210; עֵת רָעָה 185, 186, 205, 212, 221, 223, 247; עֵת רָצוֹן 187, 204; עֵת תְּשׁוּבָה 248; עֵת תֵּת 202

– בָּעֵת הַהִיא 76-134, 138-145; בָּעֵת הַזֹּאת 136; הָעֵת הַהִיא 68-70; כָּעֵת 147-164; כָּעֵת חַיָּה 147, 148, 157, 158; כָּעֵת מָחָר 149, 153-156, 159-161; לְעֵת כָּזֹאת 166; לְעֵת מְצֹא 244; מֵעֵת אֲשֶׁר 172

– בְּעִתּוֹ (בְּעִתָּם) 259-270, 273, 275, 276; בְּלֹא עִתּוֹ 256

– (בְּ/לְ) עִתִּים מְזֻמָּנוֹת (מְזֻמָּנִים) 283, 288, 289; עִתִּים רְחוֹקוֹת 290

– אֱמוּנַת עִתֶּיךָ 291; יוֹדְעֵי עִ׳ 279; צוֹק הָעִתִּים 280; קֵץ הָעִתִּים 281; רַבּוֹת עִתִּים 278

– לְעִתּוֹת בַּצָּרָה 292, 293

עֵת 1-2 וְשָׁפְטוּ אֶת־הָעָם בְּכָל־עֵת Ex. 18:22, 26
3 וְאַל־יָבֹא בְכָל־עֵת אֶל־הַקֹּדֶשׁ Lev. 16:2
4 אֵיד עֵשָׂו...עֵת פְּקַדְתִּיו Jer. 49:8
5 כִּי בָּא יוֹמְךָ עֵת פְּקַדְתִּיךָ Jer. 50:31
6 בַּת־בָּבֶל כְּגֹרֶן עֵת הִדְרִיכָהּ עוֹד Jer. 51:33
7 מֵעֵת עַד־עֵת תֹּאכְלֶנּוּ Ezek. 4:10
8 מֵעֵת עַד־עֵת תִּשְׁתֶּה Ezek. 4:11
9 עֵת נִשְׁבֶּרֶת מִיַּמִּים... Ezek. 27:34
10 כִּי־עֵת לֹא־יַעֲמֹד בְּמִשְׁבַּר בָּנִים Hosh. 13:13
11 יִתְּנֵם עַד־עֵת יוֹלֵדָה יָלָדָה Mic. 5:2
12 יָחִילוּ דְרָכָו בְּכָל־עֵת Ps. 10:5
13-23 בְּכָל־עֵת Ps. 34:2; 62:9; 106:3
119:20 • Prov. 5:19; 6:14; 8:30; 17:17 • Job 27:10 •
Eccl. 9:8 • Es. 5:13
24 כִּי עֵת לְחֶנְנָהּ כִּי־בָא מוֹעֵד Ps. 102:14
25 עֵת לַעֲשׂוֹת לַיְיָ הֵפֵרוּ תּוֹרָתֶךָ Ps. 119:126
26 אֲשֶׁר־קֻמְּטוּ וְלֹא־עֵת Job 22:16
27 כִּי־עֵת לְכָל־חֵפֶץ Eccl. 3:17
28 כִּי לְכָל־חֵפֶץ יֵשׁ עֵת וּמִשְׁפָּט Eccl. 8:6
29 עֵת אֲשֶׁר שָׁלַט הָאָדָם בְּאָדָם Eccl. 8:9
30 כִּי־עֵת וָפֶגַע יִקְרֶה אֶת־כֻּלָּם Eccl. 9:11
31 יְחַשֵּׁב מַחְשְׁבֹתָיו וְעַד־עֵת Dan. 11:24
32 לְשִׁבְעַת הַיָּמִים מֵעֵת אֶל־עֵת ICh. 9:25
עֵת...וְעֵת 33-34 עֵת לָלֶדֶת וְעֵת לָמוּת Eccl. 3:2
35-36 עֵת לָטַעַת וְעֵת לַעֲקוֹר נָטוּעַ Eccl. 3:2
37-38 עֵת לַהֲרוֹג וְעֵת לִרְפּוֹא Eccl. 3:3
39-40 עֵת לִפְרוֹץ וְעֵת לִבְנוֹת Eccl. 3:3
41-42 עֵת לִבְכּוֹת וְעֵת לִשְׂחוֹק Eccl. 3:4
43-44 עֵת סְפוֹד וְעֵת רְקוֹד Eccl. 3:4
45-46 עֵת לְהַשְׁלִיךְ אֲבָנִים וְעֵת כְּנוֹס Eccl. 3:5
47-48 עֵת לַחֲבוֹק וְעֵת לִרְחֹק מֵחַבֵּק Eccl. 3:5

עֵת...וְעֵת (המשך)
49-50 עֵת לְבַקֵּשׁ וְעֵת לְאַבֵּד Eccl. 3:6
51-52 עֵת לִשְׁמוֹר וְעֵת לְהַשְׁלִיךְ Eccl. 3:6
53-54 עֵת לִקְרוֹעַ וְעֵת לִתְפּוֹר Eccl. 3:7
55-56 עֵת לַחֲשׁוֹת וְעֵת לְדַבֵּר Eccl. 3:7
57-58 עֵת לֶאֱהֹב וְעֵת לִשְׂנֹא Eccl. 3:8
59-60 עֵת מִלְחָמָה וְעֵת שָׁלוֹם Eccl. 3:8
וְעֵת 61 וְעֵת לִדְרוֹשׁ אֶת־יְיָ Hosh. 10:12
62 לַכֹּל זְמָן וְעֵת לְכָל־חֵפֶץ Eccl. 3:1
63 וְעֵת וּמִשְׁפָּט יֵדַע לֵב חָכָם Eccl. 8:5
הַעֵת 64 הַעֵת לָקַחַת אֶת־הַכֶּסֶף IIK. 5:26
65 הַעֵת לָכֶם אַתֶּם לָשֶׁבֶת בְּבָתֵּיכֶם Hag. 1:4
הָעֵת 66 בָּא הָעֵת קָרוֹב הַיּוֹם Ezek. 7:7
67 בָּא הָעֵת הִגִּיעַ הַיּוֹם Ezek. 7:12
68 מִהְיוֹת גּוֹי עַד הָעֵת הַהִיא Dan. 12:1
69 גַּם עַד־הָעֵת הַהִיא דל' לֹא־הֶעֱמַדְתִּי Neh. 6:1
70 מִן־הָעֵת הַהִיא לֹא בָאוּ בַּשַּׁבָּת Neh. 13:21
וְהָעֵת 71 אֲבָל הָעָם רָב וְהָעֵת גְּשָׁמִים Ez. 10:13
בְּעֵת 72 עָזְבֵךְ...בְּעֵת מוֹלִכֵךְ בַּדָּרֶךְ Jer. 2:17
73 בְּעֵת־פְּקַדְתִּים יִכָּשְׁלוּ Jer. 6:15
74 בְּעֵת יְזֹרְבוּ נִצְמָתוּ Job 6:17
75 וַיְהִי בְּעֵת יָבִיא אֶת־הָאָרוֹן IICh. 24:11
בָּעֵת 76 וַיְהִי בָּעֵת הַהִוא וַיֹּאמֶר אֲבִימֶ' Gen. 21:22
77 וַיְהִי בָּעֵת הַהִוא וַיֵּרֶד יְהוּדָה Gen. 38:1
78-93 בָּעֵת הַהִוא Num. 22:4 • Deut. 1:9 1:16, 18; 2:34; 3:4, 8, 12, 18, 21, 23; 4:14; 5:5; 9:20; 10:1, 8
94 הַמַּשְׂכִּיל בָּעֵת הַהִיא יִדֹּם Am. 5:13
95-134 בָּעֵת הַהִיא Josh. 5:2; 6:26; 11:10, 21
Jud. 3:29; 4:4; 11:26; 12:6; 21:14, 24 • IK. 8:65; 11:29; 14:1 • IIK. 8:22; 16:6; 18:16; 20:12; 24:10 • Is. 18:7; 20:2; 39:1 • Jer. 3:17; 4:11; 8:1; 31:1(30:25) • Mic. 3:4 • Zep. 1:12; 3:19, 20 • Es. 8:9 • Ez. 8:34 • Neh. 4:16 • ICh. 21:28, 29 • IICh. 7:8; 13:18; 16:10; 21:10; 28:16; 30:3; 35:17
135 וְשָׂרַיִךְ בָּעֵת יֹאכֵלוּ Eccl. 10:17
136 אִם־הַחֲרֵשׁ תַּחֲרִישִׁי בָּעֵת הַזֹּאת Es. 4:14
וּבְעֵת 137 וּבְעֵת הֵחֵלּוּ בְרִנָּה וּתְהִלָּה... IICh. 20:22
וּבָעֵת 138 וּבָעֵת הַהִיא פְּלִשְׁתִּים מֹשְׁלִים Jud. 14:4
139/40 בַּיָּמִים הָהֵם וּבָעֵת הַהִיא Jer. 33:15; 50:20
141 בַּיָּמִים הָהֵמָּה וּבָעֵת הַהִיא Jer. 50:4
142-145 וּבָעֵת Joel 4:1 • Dan. 12:1[2] • IICh. 16:7
146 וּבָעֵת קַבְּצִי אֶתְכֶם Zep. 3:20
כָּעֵת 147 שׁוֹב אָשׁוּב אֵלֶיךָ כָּעֵת חַיָּה Gen. 18:10
148 לַמּוֹעֵד אָשׁוּב אֵלֶיךָ כָּעֵת חַיָּה Gen. 18:14
149 הִנְנִי מַמְטִיר כָּעֵת מָחָר... Ex. 9:18
150 כָּעֵת יֵאָמֵר לְיַעֲקֹב וּלְיִשְׂרָאֵל Num. 23:23
151 כִּי מָחָר כָּעֵת הַזֹּאת... Josh. 11:6
152 לֹא אַתֶּם נְתַתֶּם...כָּעֵת תֶּאְשָׁמוּ Jud. 21:22
153 כָּעֵת מָחָר אֶשְׁלַח אֵלֶיךָ... ISh. 9:16
154 כִּי־אֶחְקֹר...כָּעֵת מָחָר הַשְּׁלִשִׁית ISh. 20:12
155 כָּעֵת מָחָר אָשִׂים אֶת־נַפְשְׁךָ... IK. 19:2
156 כִּי אִם־כָּעֵת מָחָר אֶשְׁלַח... IK. 20:6
157-158 לַמּוֹעֵד הַזֶּה כָּעֵת חַיָּה IIK. 4:16, 17
159 כָּעֵת מָחָר סְאָה־סֹלֶת בְּשֶׁקֶל IIK. 7:1
160 וּסְאָה־ס' בְּשֶׁקֶל יִהְיֶה כָּעֵת מָחָר IIK. 7:18
161 וּבֹאוּ אֵלַי כָּעֵת מָחָר יִזְרְעֶאלָה IIK. 10:6
162 כָּעֵת הָרִאשׁוֹן הֵקַל... Is. 8:23
163 כָּעֵת בַּמָּרוֹם תַּמְרִיא Job 39:18
וְכָעֵת 164 וְכָעֵת לֹא הִשְׁמִיעָנוּ כָּזֹאת Jud. 13:23
לְעֵת 165 ...לְעֵת תָּמוּט רַגְלָם Deut. 32:35
166 אִם־לְעֵת כָּזֹאת הִגַּעַתְּ לַמַּלְכוּת Es. 4:14
מֵעֵת 167 מֵעֵת עַד־עֵת תֹּאכְלֶנּוּ Ezek. 4:10
168 מֵעֵת עַד־עֵת תִּשְׁתֶּה Ezek. 4:11
169 מֵעֵת דְּגָנָם וְתִירוֹשָׁם רָבּוּ Ps. 4:8
170 לְשִׁבְעַת הַיָּמִים מֵעֵת אֶל־עֵת ICh. 9:25
מֵעֵת 171 וּמֵעֵת הוּסַר הַתָּמִיד... Dan. 12:11
172 וּמֵעֵת אֲשֶׁר־סָר אֲמַצְיָהוּ IICh. 25:27
עֵת־ 173 לֹא־עֵת הֵאָסֵף הַמִּקְנֶה Gen. 29:7
174 תָּלָה...עַד־עֵת הָעָרֶב Josh. 8:29
175 מֵהַבֹּקֶר וְעַד־עֵת מוֹעֵד IISh. 24:15
176 וְתֹר...שָׁמְרוּ אֶת־עֵת בֹּאָנָה Jer. 8:7
177 עַד בֹּא־עֵת אַרְצוֹ גַּם־הוּא Jer. 27:7
178 יוֹם אֵידָם...עֵת פְּקֻדָּתָם Jer. 46:21
179 כִּי־בָא יוֹמָם עֵת פְּקֻדָּתָם Jer. 50:27
180 כִּי עֵת נְקָמָה הִיא לַייָ Jer. 51:6
181 עוֹד מְעַט וּבָאָה עֵת־הַקָּצִיר לָהּ Jer. 51:33
182 וְהִנֵּה עִתֵּךְ עֵת דֹּדִים Ezek. 16:8
183 כְּמוֹ עֵת חֶרְפַּת בְּנוֹת־אֲרָם Ezek. 16:57
184 יוֹם עָנָן עֵת גּוֹיִם יִהְיֶה Ezek. 30:3
185/6 כִּי עֵת רָעָה הִיא Am. 5:13 • Mic. 2:3
187 וַאֲנִי תְפִלָּתִי־לְךָ יְיָ עֵת רָצוֹן Ps. 69:14
188 עַד־עֵת בֹּא־דְבָרוֹ... Ps. 105:19
189 הֲיָדַעְתָּ עֵת לֶדֶת יַעֲלֵי־סָלַע Job 39:1
190 ...וְיָדַעְתָּ עֵת לִדְתָּנָה Job 39:2
191 עֵת הַזָּמִיר הִגִּיעַ... S.of S. 2:12
192-194 עַד־עֵת קֵץ Dan. 11:35; 12:4, 9
195 וְהָיְתָה עֵת צָרָה... Dan. 12:1
עֶת־ 196 כִּי־יָזוּב...בְּלֹא עֶת־נִדָּתָהּ Lev. 15:25
197 הָעָם הַזֶּה אָמְרוּ לֹא עֶת־בֹּא Hag. 1:2
198 עֶת־בֵּית יְיָ לְהִבָּנוֹת Hag. 1:2
בְּעֵת־ 199 וַיְהִי בְּעֵת יַחֵם הַצֹּאן... Gen. 31:10
200 וַיְהִי בְּעֵת לִדְתָּהּ... Gen. 38:27
201 הֵמָּה יוֹשִׁיעוּ לָכֶם בְּעֵת צָרַתְכֶם Jud. 10:14
202 וַיְהִי בְּעֵת תֵּת אֶת־מֵרַב...לְדָוִד ISh. 18:19
203 אַף־יְשׁוּעָתֵנוּ בְּעֵת צָרָה Is. 33:2
204 בְּעֵת רָצוֹן עֲנִיתִיךָ Is. 49:8
205 אִם־יוֹשִׁיעוּךָ בְּעֵת רָעָתֶךָ Jer. 2:28
206 בְּעֵת פְּקֻדָּתָם יִכָּשְׁלוּ Jer. 8:12
207/8 בְּעֵת פְּקֻדָּתָם יֹאבֵדוּ Jer. 10:15; 51:18
209 לֹא־יוֹשִׁיעוּ לָהֶם בְּעֵת רָעָתָם Jer. 11:12
210 בְּעֵת קָרְאָם אֵלַי בְּעַד רָעָתָם Jer. 11:14
211 מִקְוֵה יִשְׂרָאֵל מוֹשִׁיעוֹ בְּעֵת צָרָה Jer. 14:8
212 בְּעֵת רָעָה וּבְעֵת צָרָה Jer. 15:11
213 בְּעֵת אַפְּךָ עֲשֵׂה בָהֶם Jer. 18:23
214 וּתְרוּעָה בְּעֵת צָהֳרָיִם Jer. 20:16
215 וְתֹפֵשׂ מַגָּל בְּעֵת קָצִיר Jer. 50:16
216 אֲשֶׁר־בָּא יוֹמוֹ בְּעֵת עֲוֹן קֵץ Ezek. 21:30
217 אֲשֶׁר־בָּא יוֹמָם בְּעֵת עֲוֹן קֵץ Ezek. 21:34
218/9 בְּעֵת אֵידָם בְּעֵת עֲוֹן קֵץ Ezek. 35:5
220 שַׁאֲלוּ מֵיְיָ מָטָר בְּעֵת מַלְקוֹשׁ Zech. 10:1
221 לֹא־יֵבֹשׁוּ בְּעֵת רָעָה Ps. 37:19
222 מָעוּזָּם בְּעֵת צָרָה Ps. 37:39
וּבְעֵת־ 223 וּבְעֵת רָעָתָם יֹאמְרוּ Jer. 2:27
224 בְּעֵת רָעָה וּבְעֵת צָרָה Jer. 15:11
225 וּבְעֵת קֵץ יִתְנַגַּח עִמּוֹ Dan. 11:40
226 וּבְעֵת צָרָתָם יִצְעֲקוּ אֵלֶיךָ Neh. 9:27
227 וּבְעֵת הָצֵר לוֹ וַיּוֹסֶף לִמְעוֹל IICh. 28:22
228 וּבְעֵת הֵחֵל הָעוֹלָה הֵחֵל שִׁיר־יְיָ IICh. 29:27
כְּעֵת־ 229 ...כְּעֵת מִנְחַת־עָרֶב Dan. 9:21
וּכְעֵת־ 230 וּכְעֵת מוּתָהּ וַתְּדַבֵּרְנָה... ISh. 4:20
231 וּכְעֵת צֵאת הַקֵּץ לְיָמִים שְׁנַיִם IICh. 21:19
לְעֵת־ 232 וַתָּבֹא אֵלָיו הַיּוֹנָה לְעֵת עֶרֶב Gen. 8:11
233 וַיַּבְרֵךְ הַגְּמַלִּים...לְעֵת עֶרֶב Gen. 24:11
234 לְעֵת צֵאת הַשֹּׁאֲבֹת Gen. 24:11
235 וַיְהִי לְעֵת בּוֹא הַשֶּׁמֶשׁ Josh. 10:27
לְעֵת־ (המשך)
236 לְעֵת צֵאת הַמְּלָאכִים IISh. 11:1
237 וַיְהִי לְעֵת הָעֶרֶב וַיָּקָם דָּוִד IISh. 11:2
238 וַיְהִי לְעֵת זִקְנַת שְׁלֹמֹה... IK. 11:4
239 רַק לְעֵת זִקְנָתוֹ חָלָה אֶת־רַגְלָיו IK. 15:23
240 לְעֵת עֶרֶב וְהִנֵּה בַלָּהָה Is. 17:14
241 קַוֵּה...לְעֵת מַרְפֵּה וְהִנֵּה בְעָתָה Jer. 8:15
242 וְהָיָה לְעֵת־עֶרֶב יִהְיֶה־אוֹר Zech. 14:7
243 תְּשִׁיתֵמוֹ...לְעֵת פָּנֶיךָ יְיָ Ps. 21:10
244 יִתְפַּלֵּל...אֵלֶיךָ לְעֵת מְצֹא Ps. 32:6
245 אַל־תַּשְׁלִיכֵנִי לְעֵת זִקְנָה Ps. 71:9
246 וַיֹּאמֶר לָהּ בֹעַז לְעֵת הָאֹכֶל Ruth 2:14
247 לְעֵת רָעָה כְּשֶׁתִּפּוֹל עֲלֵיהֶם Eccl. 9:12
248 וַיְהִי לְעֵת תְּשׁוּבַת הַשָּׁנָה ICh. 20:1
249 לְעֵת צֵאת הַמְּלָכִים ICh. 20:1
250 וַיָּמָת לְעֵת בּוֹא הַשָּׁמֶשׁ IICh. 18:34
לְעֶת־ 251 אֲשֶׁר־חָשַׂכְתִּי לְעֶת־צָר Job 38:23
252 כִּי לְעֶת־קֵץ הֶחָזוֹן Dan. 8:17
253 לְעֶת־יוֹם בְּיוֹם יָבֹאוּ ICh. 12:22(23)
וּלְעֵת־ 254 וּלְעֵת מַרְפֵּא וְהִנֵּה בְעָתָה Jer. 14:19
מֵעֵת־ 255 מֵעֵת הֱיוֹתָהּ שָׁם אָנִי Is. 48:16
עִתֶּךָ 256 לָמָּה תָמוּת בְּלֹא עִתֶּךָ Eccl. 7:17
עִתֵּךְ 257 וְהִנֵּה עִתֵּךְ עֵת דֹּדִים Ezek. 16:8
עִתּוֹ 258 לֹא־יֵדַע הָאָדָם אֶת־עִתּוֹ Eccl. 9:12
בְּעִתּוֹ 259 וְנָתַתִּי מְטַר־אַרְצְכֶם בְּעִתּוֹ Deut. 11:14
260 לָתֵת מְטַר־אַרְצְךָ בְּעִתּוֹ Deut. 28:12
261 הַנֹּתֵן גֶּשֶׁם יוֹרֶה וּמַלְקוֹשׁ בְּעִתּוֹ Jer. 5:24
262 וְהוֹרַדְתִּי הַגֶּשֶׁם בְּעִתּוֹ Ezek. 34:26
263 וְלָקַחְתִּי דְגָנִי בְּעִתּוֹ Hosh. 2:11
264 אֲשֶׁר פִּרְיוֹ יִתֵּן בְּעִתּוֹ Ps. 1:3
265 לָתֵת אָכְלָם בְּעִתּוֹ Ps. 104:27
266 נוֹתֵן־לָהֶם אֶת־אָכְלָם בְּעִתּוֹ Ps. 145:15
267 וְדָבָר בְּעִתּוֹ מַה־טּוֹב Prov. 15:23
268 כַּעֲלוֹת גָּדִישׁ בְּעִתּוֹ Job 5:26
269 הֲתֹצִיא מַזָּרוֹת בְּעִתּוֹ Job 38:32
270 אֶת־הַכֹּל עָשָׂה יָפֶה בְעִתּוֹ Eccl. 3:11
עִתָּהּ 271 וְקָרוֹב לָבוֹא עִתָּהּ Is. 13:22
272 שֹׁפֶכֶת דָּם בְּתוֹכָהּ לָבוֹא עִתָּהּ Ezek. 22:3
בְּעִתָּהּ 273 אֲנִי יְיָ בְּעִתָּהּ אֲחִישֶׁנָּה Is. 60:22
עִתָּם 274 וִיהִי עִתָּם לְעוֹלָם Ps. 81:16
בְּעִתָּם 275 וְנָתַתִּי גִשְׁמֵיכֶם בְּעִתָּם Lev. 26:4
276 וּלְבִלְתִּי הֱיוֹת יוֹמָם־וָלַיְלָה בְּעִתָּם Jer. 33:20
עִתִּים 277 מַדּוּעַ מִשַּׁדַּי לֹא־נִצְפְּנוּ עִתִּים Job 24:1
278 וַתַּצִּילֵם כְּרַחֲמֶיךָ רַבּוֹת עִתִּים Neh. 9:28
הָעִתִּים 279 וַיֹּאמֶר...לַחֲכָמִים יֹדְעֵי הָעִתִּים Es. 1:13
280 תָּשׁוּב וְנִבְנְתָה...וּבְצוֹק הָעִתִּים Dan. 9:25
281 וּלְקֵץ הָעִתִּים שָׁנִים יָבוֹא בוֹא Dan. 11:13
וְהָעִתִּים 282 וְהָעִתִּים אֲשֶׁר עָבְרוּ עָלָיו... ICh. 29:30
בְּעִתִּים 283 וּלְקֻרְבַּן הָעֵצִים בְּעִתִּים מְזֻמָּנוֹת Neh. 13:31
בָּעִתִּים 284 וְהַיֹּלְדָהּ וּמַחֲזִקָהּ בָּעִתִּים Dan. 11:6
וּבָעִתִּים 285 וּבָעִתִּים הָהֵם רַבִּים יַעַמְדוּ... Dan. 11:14
286 וּבָעִתִּים הָהֵם אֵין שָׁלוֹם IICh. 15:5
לָעִתִּים 287 יוֹדְעֵי בִינָה לָעִתִּים ICh. 12:32(33)
לְעִתִּים 288 יָבֹא לְעִתִּים מְזֻמָּנִים Ez. 10:14
289 לְעִתִּים מְזֻמָּנִים שָׁנָה בְשָׁנָה Neh. 10:35
וּלְעִתִּים 290 וּלְעִתִּים רְחוֹקוֹת הוּא נִבָּא Ezek. 12:27
עִתֶּיךָ 291 וְהָיָה אֱמוּנַת עִתֶּיךָ חֹסֶן Is. 33:6
לְעִתּוֹת 292 מִשְׂגָּב לְעִתּוֹת בַּצָּרָה Ps. 9:10
293 תַּעְלִים לְעִתּוֹת בַּצָּרָה Ps. 10:1
עִתֹּתָי 294 בְּיָדְךָ עִתֹּתָי הַצִּילֵנִי Ps. 31:16

עֵת קָצִין* ש"פ – עיר בנחלת זבולון

עִתָּה קָצִין 1 וּמִשָּׁם עָבַר...גִּתָּה חֵפֶר עִתָּה קָצִין Josh. 19:13

עתד : עָתַד, הִתְעַתֵּד; עָתִיד

עָתַד פ׳ א) הכין לעתיד: 1
ב) [הת׳ הִתְעַתֵּד] היה מוכן לעתיד: 2

וְעַתְּדָהּ 1 הָכֵן...וְעַתְּדָהּ בַּשָּׂדֶה לָךְ Prov. 24:27
הִתְעַתְּדוּ 2 בָּתִּים...אֲשֶׁר הִתְעַתְּדוּ לְגַלִּים Job 15:28

עַתָּה תה״פ א) עכשו, בזמן הזה: 1-148, 421-433
ב) [וְעַתָּה] מלת פתיחה או זרוז: 149-420
– עַתָּה זֶה 91, 92; עַתָּה הַפַּעַם 93; עַתָּה מְהֵרָה 94
– אַף עַתָּה 95; גַּם עַתָּה 96-99, 142; הִנֵּה עַתָּה 100, 101; כִּי עַתָּה 102-129; לֹא עַתָּה 130, 131; עַד עַתָּה 137-139, 143-148; רַב עַתָּה 132-134
– מֵעַתָּה וְעַד עוֹלָם 421, 422, 425-430

עַתָּה 1 עַתָּה נָרַע לְךָ מֵהֶם Gen. 19:9
2 אַתָּה עַתָּה בְּרוּךְ יְיָ Gen. 26:29
3 עַתָּה קוּם צֵא מִן־הָאָרֶץ הַזֹּאת Gen. 31:13
4 עַתָּה הִסְכַּלְתָּ עֲשׂוֹ Gen. 31:28
5 הֵן־רַבִּים עַתָּה עַם־הָאָרֶץ Ex. 5:5
6 עַתָּה תִרְאֶה אֲשֶׁר אֶעֱשֶׂה Ex. 6:1
7 עַתָּה יָדַעְתִּי כִּי־גָדוֹל יְיָ Ex. 18:11
8 עַתָּה שְׁמַע בְּקֹלִי אִיעָצְךָ Ex. 18:19
9 עַתָּה תִרְאֶה הֲיִקְרְךָ דְבָרִי Num. 11:23
10 עַתָּה יְלַחֲכוּ הַקָּהָל...סְבִיבֹתֵינוּ Num. 22:4
11 עַתָּה לְכָה קָבָה־לִּי אֹתוֹ Num. 22:11
12 הִנֵּה־בָאתִי אֵלֶיךָ עַתָּה Num. 22:38
13 אֶרְאֶנּוּ וְלֹא עַתָּה Num. 24:17
14 עַתָּה קֻמוּ וְעִבְרוּ לָכֶם Deut. 2:13
15 רְאוּ עַתָּה כִּי אֲנִי אֲנִי הוּא Deut. 32:39
16 אֲנִי שַׂר־צְבָא־יְיָ עַתָּה בָאתִי Josh. 5:14
17 מֶה־עָשִׂיתִי עַתָּה כָּכֶם Jud. 8:2
18/9 הֲכַף זֶבַח וְצַלְמֻנָּע עַתָּה בְּיָדֶךָ Jud. 8:6, 15
20 צֵא־נָא עַתָּה וְהִלָּחֶם בּוֹ Jud. 9:38
21 לָכֵן עַתָּה שַׁבְנוּ אֵלֶיךָ Jud. 11:8
22 עַתָּה יָבֹא דְבָרֶיךָ Jud. 13:12
23 עַתָּה הַגִּידָה־נָּא לִי Jud. 16:10
24 עַתָּה יָדַעְתִּי כִּי־יֵיטִיב יְיָ לִי Jud. 17:13
25 עַתָּה שִׂימָה־לָּנוּ מֶלֶךְ ISh. 8:5
26 עַתָּה נֵלְכָה שָּׁם ISh. 9:6
27 מַהֵר עַתָּה כִּי הַיּוֹם בָּא לָעִיר ISh. 9:12
28 עַתָּה יֵרְדוּ פְלִשְׁתִּים אֵלַי ISh. 13:12
29 עַתָּה לֵךְ וְהִכִּיתָה אֶת־עֲמָלֵק ISh. 15:3
30 חָטָאתִי עַתָּה כַּבְּדֵנִי נָא ISh. 15:30
31 וְאַתָּה עַתָּה הָקֵל מֵעֲבֹדַת אָבִיךָ IK. 12:4
32 עַתָּה רְאֵה בֵיתְךָ דָּוִד IK. 12:16
33 עַתָּה תָּשׁוּב הַמַּמְלָכָה לְבֵית דָּוִד IK. 12:26
34 עַתָּה בּוֹא כָתְבָהּ עַל־לוּחַ אִתָּם Is. 30:8
35 עַתָּה אָקוּם יֹאמַר יְיָ Is. 33:10
36/7 עַתָּה אֵרוֹמָם עַתָּה אֶנָּשֵׂא Is. 33:10
38 עַתָּה גַּם־אֲנִי אֲדַבֵּר מִשְׁפָּטִים Jer. 4:12
39 עַתָּה יִזְכֹּר עֲוֹנָם Jer. 14:10
40 עַתָּ יִזְנוּ׳ תַזְנוּתֶיהָ וְהִיא Ezek. 23:43
41 לָכֵן עַתָּה יִגְלוּ בְּרֹאשׁ גֹּלִים Am. 6:7
42 עַתָּה לָמָּה תָרִיעִי רֵעַ Mic. 4:9
43 עַתָּה אָקוּם יֹאמַר יְיָ Ps. 12:6
44 אַשֻּׁרֵנוּ עַתָּה סְבָבוּנוּ׳ Ps. 17:11
45 עַתָּה יָדַעְתִּי כִּי הוֹשִׁיעַ יְיָ Ps. 20:7
עַתָּה 46-90 ISh. 25:7; 27:1 • IISh. 20:6; 24:13 • IK. 21:7 • IIK. 4:26; 18:20; 18:21,25; 19:25 • Is. 36:5; 37:26; 43:19; 48:7 • Ezek. 7:3,8; 26:18; 39:25; 43:9 • Hosh. 4:16; 5:7; 7:2; 8:8,10, 13; 10:2 • Mic. 4:14; 7:4,10 • Dan. 9:22 • ICh. 22:11(10), 19(18); 28:10 • IICh. 1:9, 10; 6:40; 7:15; 10:16; 25:19; 29:5, 10; 29:11, 31; 30:8; 35:3

עַתָּה זֶה 91 עַתָּה זֶה יָדַעְתִּי כִּי אִישׁ אֱלֹהִים אָתָּה IK.17:24
92 הִנֵּה עַתָּה זֶה בָּאוּ אֵלַי IIK. 5:22
עַתָּה הַפַּעַם 93 עַתָּה הַפַּעַם יִלָּוֶה אִישִׁי אֵלַי Gen. 29:34
עַתָּה מְהֵרָה 94 מוּשָׁבִים מִבָּבֶלָה עַתָּה מְהֵרָה Jer. 27:16
אַךְ־עַתָּה 95 אַךְ־עַתָּה הֶלְאָנִי Job 16:7
גַּם־עַתָּה 96 גַּם־עַתָּה כְדִבְרֵיכֶם כֶּן־הוּא Gen. 44:10
97 גַּם־עַתָּה הִתְיַצְּבוּ וּרְאוּ ISh. 12:16
98 וְגַם־עַתָּה נְאֻם־יְיָ שֻׁבוּ עָדַי Joel 2:12
99 גַּם־עַתָּה הִנֵּה־בַשָּׁמַיִם עֵדִי Job 16:19
הִנֵּה עַתָּה 100 וְהִנֵּה עַתָּה לָקַח בִּרְכָתִי Gen. 27:36
101 הִנֵּה עַתָּה הוּא־נֶחְבָּא בְּאַחַת הַפְּחָ׳ IISh. 17:9
כִּי עַתָּה 102 כִּי עַתָּה יָדַעְתִּי כִּי־יְרֵא אֱלֹ׳ אָתָּה Gen. 22:12
103 כִּי־עַתָּה הִרְחִיב יְיָ לָנוּ Gen. 26:22
104 כִּי עַתָּה יֶאֱהָבַנִי אִישִׁי Gen. 29:32
105 כִּי עַתָּה רֵיקָם שִׁלַּחְתָּנִי Gen. 31:42
106 כִּי־עַתָּה שַׁבְנוּ זֶה פַעֲמָיִם Gen. 43:10
107 כִּי עַתָּה שָׁלַחְתִּי אֶת־יָדִי Ex. 9:15
108 לוּ יֶשׁ...כִּי עַתָּה הֲרַגְתִּיךָ Num. 22:29
109 כִּי עַתָּה גַּם־אֹתְכָה הָרַגְתִּי Num. 22:33
110 וְאָמַר לֹא׳ כִּי עַתָּה תִתֵּן ISh. 2:16
111 כִּי עַתָּה הֵכִין יְיָ אֶת־מַמְלַכְתְּךָ ISh. 13:13
112 כִּי עַתָּה לֹא־רַבְתָה מַכָּה בַּפְּלִשְׁ׳ ISh.14:30
113 וְאַף כִּי־עַתָּה בֶּן־הַיְמִינִי IISh. 16:11
114 כִּי־עַתָּה כָמֹנוּ עֲשָׂרָה אֲלָפִים IISh. 18:3
115 כִּי עַתָּה תֵּצְרִי מִיּוֹשֵׁב Is. 49:19
116 כִּי עַתָּה הִזְנֵית אֶפְרַיִם Hosh. 5:3
117 כִּי עַתָּה יֹאמְרוּ אֵין מֶלֶךְ לָנוּ Hosh. 10:3
118 כִּי עַתָּה תֵצְאִי מִקִּרְיָה Mic. 4:10
119 כִּי־עַתָּה יִגְדַּל עַד־אַפְסֵי־אָרֶץ Mic. 5:3
120 כִּי עַתָּה רָאִיתִי בְעֵינָי Zech. 9:8
121 כִּי־עַתָּה שָׁכַבְתִּי וְאֶשְׁקוֹט Job 3:13
122 כִּי עַתָּה תָּבוֹא אֵלֶיךָ וַתֵּלֶא Job 4:5
123 כִּי־עַתָּה מֵחוֹל יַמִּים יִכְבָּד Job 6:3
124-129 כִּי־עַתָּה Job 6:21; 7:21; 8:6; 13:19; 14:16 • Dan. 10:11
לֹא עַתָּה 130 לֹא־עַתָּה יֵבוֹשׁ יַעֲקֹב Is. 29:22
131 וְלֹא עַתָּה פָּנָיו יֶחֱוָרוּ Is. 29:22
רַב עַתָּה 132 רַב עַתָּה הֶרֶף יָדֶךָ IISh. 24:16
133 רַב עַתָּה יְיָ קַח נַפְשִׁי IK. 19:4
134 רַב עַתָּה הֶרֶף יָדֶךָ ICh. 21:15
עָתָּה 135 וּמַדּוּעַ בָּאתֶם אֵלַי עַתָּה Jud. 11:7
136 וּמָה אַתֶּם רֹאִים אֹתוֹ עַתָּה Hag. 2:3
עַד עַתָּה 137 מִנְּעוּרֵינוּ וְעַד־עַתָּה Gen. 46:34
138 מִנְּעוּרַי וְעַד־עַתָּה Ezek. 4:14
139 וַתַּעֲמוֹד מֵאָז הַבֹּקֶר וְעַד־עַתָּה Ruth 2:7
עָתָּה 140 כְּכֹחִי אָז וּכְכֹחִי עָתָּה Josh. 14:11
141 מֶה עָשִׂיתִי עָתָּה... ISh. 17:29
גַּם עָתָּה 142 זֶה הַיּוֹם וּמֶה גַּם־עָתָּה IK. 14:14
עַד־עָתָּה 143 עִם־לָבָן גַּרְתִּי וָאֵחַר עַד־עָתָּה Gen. 32:4
144 לְמִן־הַיּוֹם הִוָּסְדָה וְעַד־עָתָּה Ex. 9:18
145 לֹא־בָאתֶם עַד־עָתָּה אֶל־הַמְּנוּחָה Deut. 12:9
146 מִנְּעֻרֶיךָ עַד־עָתָּה IISh. 19:8
147 מִיּוֹם עָזְבָה אֶת־הָאָרֶץ וְעַד־עָתָּה IIK. 8:6
148 וְלֹא־הִשְׁלִיכָם...עַד־עָתָּה IIK. 13:23
וְעַתָּה 149 וְעַתָּה פֶּן־יִשְׁלַח יָדוֹ וְלָקַח Gen. 3:22
150 וְעַתָּה אָרוּר אָתָּה Gen. 4:11
151 וְעַתָּה לֹא־יִבָּצֵר מֵהֶם... Gen. 11:6
152 וְעַתָּה הִנֵּה אִשְׁתְּךָ קַח וָלֵךְ Gen. 12:19
153 וְעַתָּה הָשֵׁב אֵשֶׁת־הָאִישׁ Gen. 20:7
154 וְעַתָּה הִשָּׁבְעָה לִּי בֵאלֹהִים הֵנָּה Gen. 21:23

וְעַתָּה (הַמְשֵׁך) 155 וְעַתָּה אִם־יֶשְׁכֶם עֹשִׂים חֶסֶד Gen. 24:49
156 וְעַתָּה שָׂא־נָא כֵלֶיךָ Gen. 27:3
157/8 וְעַתָּה בְנִי שְׁמַע בְּקֹלִי Gen. 27:8, 43
159 וְעַתָּה מָתַי אֶעֱשֶׂה...לְבֵיתִי Gen. 30:30
160 וְעַתָּה כֹּל אֲשֶׁר אָמַר...עֲשֵׂה Gen. 31:16
161 וְעַתָּה הָלֹךְ הָלַכְתָּ... Gen. 31:30
162 וְעַתָּה לְכָה נִכְרְתָה בְרִית Gen. 31:44
163 וְעַתָּה הָיִיתִי לִשְׁנֵי מַחֲנוֹת Gen. 32:10
164 וְעַתָּה לְכוּ וְנַהַרְגֵהוּ Gen. 37:20
165 וְעַתָּה יֵרֶא פַרְעֹה אִישׁ נָבוֹן Gen. 41:33
166 וְעַתָּה כְּבֹאִי אֶל־עַבְדְּךָ אָבִי Gen. 44:30
167 וְעַתָּה אַל־תֵּעָצְבוּ Gen. 45:5
168 וְעַתָּה יֵשְׁבוּ־נָא...בְּאֶרֶץ גֹּשֶׁן Gen. 47:4
169 וְעַתָּה שְׁנֵי־בָנֶיךָ...לִי־הֵם Gen. 48:5
170 וְעַתָּה שָׂא נָא חַטָּאתִי Ex. 10:17
171 וְעַתָּה אִם־שָׁמוֹעַ תִּשְׁמְעוּ בְּקֹלִי Ex. 19:5
172 וְעַתָּה הַנִּיחָה לִּי...וַאֲכַלֵּם Ex. 32:10
173 וְעַתָּה יִגְדַּל־נָא כֹּחַ אֲדֹנָי Num. 14:17
174 וְעַתָּה שְׁבוּ נָא בָזֶה גַּם־אַתֶּם Num. 22:19
175 וְעַתָּה יִשְׂרָאֵל מָה יְיָ אֱלֹהֶיךָ שֹׁאֵל Deut.10:12
176 וְעַתָּה כִּתְבוּ לָכֶם אֶת־הַשִּׁירָה Deut. 31:19
177 וְעַתָּה קוּם עֲבֹר אֶת־הַיַּרְדֵּן Josh. 1:2
178 וְעַתָּה דְּעוּ מַה־תַּעֲשׂוּ Jud. 18:14
179 וְעַתָּה זֶה הַדָּבָר אֲשֶׁר נַעֲשֶׂה Jud. 20:9
180 וְעַתָּה הִנֵּה יָדַעְתִּי ISh. 24:20
181 וְעַתָּה הִשָּׁבְעָה לִּי בַּייָ ISh. 24:21
182 וְעַתָּה תֶּחֱזַקְנָה יְדֵיכֶם IISh. 2:7
183 וְעַתָּה לָמָּה אַתֶּם מַחֲרִשִׁים IISh. 19:11
184 וְעַתָּה כְּבוֹא הַסֵּפֶר הַזֶּה אֵלֶיךָ IIK. 5:6
185 וְעַתָּה קַח־נָא בְרָכָה IIK. 5:15
186 וְעַתָּה שְׁמַע יַעֲקֹב עַבְדִּי Is. 44:1
187 וְעַתָּה חֲזַק זְרֻבָּבֶל נְאֻם־יְיָ Hag. 2:4
188 וְעַתָּה שִׂימוּ־נָא לְבַבְכֶם Hag. 2:15
189 וְעַתָּה אֱלֹהֵינוּ מוֹדִים אֲנַחְנוּ לָךְ ICh. 29:13
190-420 וְעַתָּה Gen. 44:33; 45:8; 50:5, 17, 21 • Ex. 3:9, 10, 18; 4:12; 5:18; 9:19; 32:30, 32, 34; 33:5, 13 • Num. 11:6; 22:6, 34; 24:11, 14; 31:17 • Deut. 4:1; 5:22; 10:22; 26:10 • Josh. 2:12; 3:12; 9:6, 11, 12, 19, 23; 9:25; 13:7; 14:10[2], 12; 22:4[2]; 24:14, 23 • Jud. 6:13; 7:3; 9:16, 32; 11:13, 23, 25; 13:4, 7; 14:2; 15:18; 17:3; 20:13 • ISh. 2:30; 6:7; 8:9; 9:13; 10:19; 12:2, 7, 10, 13; 13:14; 15:1, 25; 18:22; 19:2; 20:29, 31; 21:4; 23:20; 25:7, 17, 26[2]; 25:27; 26:8, 11, 16, 19, 20; 28:22; 29:7, 10 • IISh. 2:6; 3:18; 4:11; 7:8, 25, 28, 29; 12:10, 23, 28; 13:13, 20, 33; 14:15, 32; 15:34; 17:16; 18:3; 19:8, 10; 24:10 • IK. 1:12, 18[2]; 2:9, 16, 24; 3:7; 5:18, 20; 8:25, 26; 12:11; 18:11, 14, 19; 22:23 • IIK. 1:14; 3:15, 23; 7:4, 9; 9:26; 10:2, 19; 12:8; 13:19; 18:23; 19:19 • Is. 1:21; 5:3, 5; 16:14; 28:22; 36:8, 10; 37:20; 43:1; 47:8; 48:16; 49:5; 52:5; 64:7 • Jer. 2:18; 7:13; 18:11; 26:13; 27:6; 29:27; 32:36; 37:20; 40:4; 42:15, 22; 44:7 • Ezek. 19:13 • Hosh. 2:12; 13:2 • Am. 7:16 • Jon. 4:3 • Mic. 4:11 • Nah. 1:13 • Hag. 1:5 • Zech. 8:11 • Mal. 1:9; 2:1; 3:15 • Ps. 2:10; 27:6; 39:8; 74:6; 119:67 • Prov. 5:7; 7:24; 8:32 • Job 6:28; 30:1, 9, 16; 35:15; 37:21; 42:5, 8 • Ruth 3:2; 3:11, 12 • Dan. 9:15, 17; 10:20; 11:2 • Ez. 9:8, 10; 9:12; 10:2, 3, 11 • Neh. 5:5; 6:7[2], 9; 9:32 • ICh. 17:7; 17:23, 26, 27; 21:8, 12; 28:8; 29:17 • IICh. 2:6, 12, 14; 6:16, 17, 41; 7:16; 10:4, 11; 13:8; 18:22; 19:7; 20:10; 28:10, 11; 32:15

מֵעַתָּה 421/2 מֵעַתָּה וְעַד־עוֹלָם Is. 9:6; 59:21
423 הִשְׁמַעְתִּיךָ חֲדָשׁוֹת מֵעַתָּה Is. 48:6
424 הֲלוֹא מֵעַתָּה קָרָאת׳ לִי אָבִי Jer. 3:4

מֵעַתָּה (המשך) 430-425 מֵעַתָּה וְעַד־עוֹלָם Mic. 4:7
Ps. 113:2; 115:18; 121:8; 125:2; 131:3
431 מֵעַתָּה לֹא־יַעֲמָד־בִּי כֹחַ Dan. 10:17
432 כִּי מֵעַתָּה יֵשׁ עִמְּךָ מִלְחָמוֹת IICh. 16:9
מֵעָתָּה 433 כִּי טוֹב לִי אָז מֵעָתָּה Hosh. 2:9

עַתּוּד* ז׳ א) תַּיִשׁ, הזכר בעזים: 1-25, 27, 28
ב) [בהשאלה] מנהיג, תקיף: 26, 29
אֵילִים וְעַתּוּדִים 1-14, 22, 23, 28; דַּם עַתּוּדִים 16, 20, 21; עַתּוּדֵי אָרֶץ 29
קרובים: ראה צאן
עַתּוּדִים 1 אֵילִם חֲמִשָּׁה עַתּוּדִים חֲמִשָּׁה Num. 7:17
2-12 אֵילִם חֲמִשָּׁה עַתֻּדִים חֲמִשָּׁה Num. 7:23
7:29, 35, 41, 47, 53, 59, 65, 71, 77, 83
13 אֵילִם שִׁשִּׁים עַתֻּדִים שִׁשִּׁים Num. 7:88
14 אוֹרִידֵם...כְּאֵילִים עִם־עַתּוּדִים Jer. 51:40
15 לֹא־אֶקַּח...מִמִּכְלְאֹתֶיךָ עַתּוּדִים Ps. 50:9
16 וְדַם עַתּוּדִים אֶשְׁתֶּה Ps. 50:13
17 אֶעֱשֶׂה בָקָר עִם־עַתּוּדִים Ps. 66:15
18 וּמְחִיר שָׂדֶה עַתּוּדִים Prov. 27:26
וְעַתּוּדִים 19 עִם־חֵלֶב...בְּנֵי־בָשָׁן וְעַתּוּדִים Deut. 32:14
20 וְדַם פָּרִים וּכְבָשִׂים וְעַתּוּדִים Is. 1:11
21 מִדַּם כָּרִים וְעַתּוּדִים Is. 34:6
22 בְּכָרִים וְאֵילִם וְעַתּוּדִים Ezek. 27:21
23 אֵילִים כָּרִים וְעַתּוּדִים Ezek. 39:18
הָעַתֻּדִים 24/5 הָעַתֻּדִים הָעֹלִים עַל־הַצֹּאן Gen. 31:10, 12
26 וְעַל־הָעַתּוּדִים אֶפְקוֹד Zech. 10:3
כְּעַתּוּדִים 27 וִהְיוּ כְּעַתּוּדִים לִפְנֵי־צֹאן Jer. 50:8
וְלָעַתּוּדִים 28 בֵּין־שֶׂה לָשֶׂה לָאֵילִים וְלָעַתּוּדִים Ezek. 34:17
עַתּוּדֵי־ 29 עוֹרֵר לְךָ רְפָאִים כָּל־עַתּוּדֵי אָרֶץ Is. 14:9

עֲתוּדוֹת נ׳ אוצרות השמורים לעתיד
וַעֲתוּדוֹתֵיהֶם 1 וְאָסִיר גְּבוּלֹת עַמִּים וַעֲתוּדֹתֵיהֶם (כת׳ ועתידתיהם) שׁוֹשֵׂתִי Is. 10:13

עַתַּי שפ״ז א) מגבורי דוד: 1
ב) מבני המלך רחבעם: 2
ג) בן יַרְחָע עבד מצרי: 3, 4
עַתַּי 1 עַתַּי הַשִּׁשִּׁי אֱלִיאֵל הַשְּׁבִעִי ICh. 12:11
2 וַתֵּלֶד לוֹ אֶת־אֲבִיָּה וְאֶת־עַתַּי IICh. 11:20
וְעַתַּי 3 וְעַתַּי הוֹלִיד אֶת־נָתָן ICh. 2:36
עַתָּי 4 וַתֵּלֶד לוֹ אֶת־עַתָּי ICh. 2:35

עִתִּי ת׳ מיועד לתפקיד
עִתִּי 1 וְשִׁלַּח בְּיַד אִישׁ עִתִּי הַמִּדְבָּרָה Lev. 16:21

עָתִיד ת׳ נכון, מזומן: 1-5
עָתִיד 1 תִּתְקְפֵהוּ כְּמֶלֶךְ עָתִיד לַכִּידוֹר Job 15:24
עֲתִדִים 2 לִהְיוֹת עֲתִדִים לַיּוֹם הַזֶּה Es. 3:14
3 וְלִהְיוֹת הַיְּהוּדִים° עֲתִידִים (כת׳ עתודים) לַיּוֹם הַזֶּה Es. 8:13
הָעֲתִידִים 4 יִקְּבֻהוּ...הָעֲתִידִים עֹרֵר לִוְיָתָן Job 3:8
עֲתִדוֹת 5 וְחָשׁ עֲתִדֹת לָמוֹ Deut. 32:35

עֲתִיד* ת׳ ארמית, כמו בעברית: עתיד
עֲתִידִין 1 כְּעַן הֵן אִיתֵיכוֹן עֲתִידִין... Dan. 3:15

עֲתָיָה שפ״ז – איש מבני יהודה
עֲתָיָה 1 מִבְּנֵי יְהוּדָה עֲתָיָה בֶן־עֻזִּיָּה Neh. 11:4

עָתִיק ת׳ נבחר
עָתִיק 1 לֶאֱכֹל לְשָׂבְעָה וְלִמְכַסֶּה עָתִיק Is. 23:18

עַתִּיק ת׳ א) ישן, נושן: 1 ב) מרוחק, מוסר: 2
עַתִּיקִים 1 וְהַדְּבָרִים עַתִּיקִים ICh. 4:22
עַתִּיקֵי 2 גְּמוּלֵי מֵחָלָב עַתִּיקֵי מִשָּׁדָיִם Is. 28:9

עַתִּיק ת׳ ארמית, ישן, קדמון: 1-3
עַתִּיק יוֹמַיָּא 1-2; עַתִּיק יוֹמִין 3
עַתִּיק 1 וְעַד־עַתִּיק יוֹמַיָּא מְטָה Dan. 7:13
2 עַד דִּי־אֲתָה עַתִּיק יוֹמַיָּא Dan. 7:22
וְעַתִּיק 3 דִּי כָרְסָוָן רְמִיו וְעַתִּיק יוֹמִין יְתִב Dan. 7:9

עֲתָךְ ש״פ – עיר בנחלת יהודה
בַּעֲתָךְ 1 וְלַאֲשֶׁר בַּעֲתָךְ ISh. 30:30

עַתְלַי* שפ״ז – מעולי הגולה
עַתְלָי 1 וּמִבְּנֵי בֵּבָי...זַבַּי עַתְלָי Ez. 10:28

עֲתַלְיָה[1] שפ״נ – בת אחאב, מלכת יהודה: 1-5
עֲתַלְיָה 1 וַתִּשְׁמַע עֲתַלְיָה אֶת־קוֹל הָרָצִין IIK. 11:13
2 וַתִּקְרַע עֲתַלְיָה אֶת־בְּגָדֶיהָ IIK. 11:14
וַעֲתַלְיָה 3 וַעֲתַלְיָה אֵם אֲחַזְיָהוּ רָאֲתָה... IIK. 11:1
4/5 וַעֲתַלְיָה מֹלֶכֶת עַל־הָאָ׳ IIK. 11:3 • IICh. 22:12

עֲתַלְיָה[2] שפ״ז א) מראשי האבות לבנימין: 2
ב) אבי ישעיה מעולי הגולה: 1
עֲתַלְיָה 1 וּמִבְּנֵי עֵילָם יְשַׁעְיָה בֶּן־עֲתַלְיָה Ez. 8:7
וַעֲתַלְיָה 2 וְשַׁמְשְׁרַי וּשְׁחַרְיָה וַעֲתַלְיָה ICh. 8:26

עֲתַלְיָהוּ שפ״נ – היא עֲתַלְיָה: בת אחאב: 1-10
עֲתַלְיָהוּ 1 וְשֵׁם אִמּוֹ עֲתַלְיָהוּ בַת־עָמְרִי IIK. 8:26
2 וַיַּסְתִּרוּ אֹתוֹ מִפְּנֵי עֲתַלְיָהוּ IIK. 11:2
3 וְאֶת־עֲתַלְיָהוּ הֵמִיתוּ בַחֶרֶב IIK. 11:20
4 וְשֵׁם אִמּוֹ עֲתַלְיָהוּ בַּת־עָמְרִי IICh. 22:2
5 וַתַּסְתִּירֵהוּ...מִפְּנֵי עֲתַלְיָהוּ IICh. 22:11
6 וַתִּשְׁמַע עֲתַלְיָהוּ אֶת־קוֹל הָעָם IICh. 23:12
7 וַתִּקְרַע עֲתַלְיָהוּ אֶת־בְּגָדֶיהָ IICh. 23:13
8 וְאֶת־עֲתַלְיָהוּ הֵמִיתוּ בֶחָרֶב IICh. 23:21
9 עֲתַלְיָהוּ הַמִּרְשַׁעַת בָּנֶיהָ פָרְצוּ IICh. 24:7
וַעֲתַלְיָהוּ 10 וַעֲתַלְיָהוּ אֵם אֲחַזְיָהוּ רָאֲתָה IICh. 22:10

(עתם) נֶעְתַּם נפ׳ חשך, קדר(?)
נֶעְתַּם 1 בְּעֶבְרַת יְיָ צְבָאוֹת נֶעְתַּם אָרֶץ Is. 9:18

עָתְנִי שפ״ז – שוער בימי דוד
עָתְנִי 1 בְּנֵי שְׁמַעְיָה עָתְנִי וּרְפָאֵל ICh. 26:7

עָתְנִיאֵל שפ״ז – השופט הראשון בישראל: 1-7
עָתְנִיאֵל 1/2 וַיִּלְכְּדָהּ עָתְנִיאֵל בֶּן־קְ׳ Josh. 15:17 • Jud. 1:13
3 וַיָּקֶם...אֶת עָתְנִיאֵל בֶּן־קְנַז אֲחִי כָלֵב Jud. 3:9
4 וַיָּמָת עָתְנִיאֵל בֶּן־קְנַז Jud. 3:11
5 וּבְנֵי קְנַז עָתְנִיאֵל וּשְׂרָיָה ICh. 4:13
6 וּבְנֵי עָתְנִיאֵל חֲתַת ICh. 4:13
לְעָתְנִיאֵל 7 חֶלְדַּי הַנְּטוֹפָתִי לְעָתְנִיאֵל ICh. 27:15

עתק : עָתַק, הֶעְתִּיק; עָתָק, עָתֵק; עַתִּיק; אר׳ עַתִּיק

עָתַק פ׳ א) נִתַּק, זז: 1, 3, 4
ב) גדל, עלה: 2
ג) [הפ׳ הֶעְתִּיק] העביר, הזיז: 6-9
[ובהשאלה] העביר מספר אל ספר: 5
עָתְקָה 1 עָשְׁשָׁה...עָתְקָה בְּכָל־צוֹרְרָי Ps. 6:8
עָתְקוּ 2 עָתְקוּ גַּם־גָּבְרוּ חָיִל Job 21:7
יֶעְתַּק 3 וְצוּר יֶעְתַּק מִמְּקֹמוֹ Job 14:18
וְיֶעְתַּק 4 וְיֶעְתַּק־צוּר מִמְּקֹמוֹ Job 18:4
הֶעְתִּיקוּ 5 אֲשֶׁר הֶעְתִּיקוּ אַנְשֵׁי חִזְקִיָּה Prov. 25:1
6 הֶעְתִּיקוּ מֵהֶם מִלִּים Job 32:15
הַמַּעְתִּיק 7 הַמַּעְתִּיק הָרִים וְלֹא יָדָעוּ Job 9:5
וַיַּעְתֵּק 8 וַיַּעְתֵּק מִשָּׁם הָהָרָה Gen. 12:8
9 וַיַּעְתֵּק מִשָּׁם וַיַּחְפֹּר בְּאֵר אַחֶרֶת Gen. 26:22

עָתָק ז׳ דבר גאוה, חוצפה: 1-4
עָתָק 1 אַל־תַּרְבּוּ...יֵצֵא עָתָק מִפִּיכֶם ISh. 2:3
2 הַדֹּבְרוֹת עַל־צַדִּיק עָתָק Ps. 31:19
3 אַל־תָּרִימוּ...תְּדַבְּרוּ בְצַוָּאר עָתָק Ps. 75:6
4 יַבִּיעוּ יְדַבְּרוּ עָתָק... Ps. 94:4

עָתֵק ת׳ גדול, רב • הוֹן עָתֵק 1
עָתֵק 1 עֹשֶׁר...הוֹן עָתֵק וּצְדָקָה Prov. 8:18

עתר : עָתַר, נֶעְתַּר, הֶעְתִּיר; עָתָר, עֲתֶרֶת; ש״פ עֶתֶר

עָתַר פ׳ א) התחנן, התפלל: 1-5
ב) [נפ׳ נֶעְתַּר] נַעֲנָה, קבל את התפלה: 6,7,9-14
ג) [כנ״ל] היה רב מדי, היה מֻיתָּר: 8
ד) [הפ׳ הֶעְתִּיר] הרבה דברים, התחנן: 15-22
עָתַר אֶל־, לְ־ 1-5; נֶעְתַּר לְ־ 6,7,9-14; הֶעְתִּיר אֶל־, לְ־ 15, 17-20, 22; הֶעְתִּיר בְּעַד־ 21; הֶעְתִּיר (אֶת־) עַל־ 16
יֶעְתַּר 1 יֶעְתַּר אֶל־אֱלוֹהַּ וַיִּרְצֵהוּ Job 33:26
וַיֶּעְתַּר 2 וַיֶּעְתַּר יִצְחָק לַיְיָ לְנֹכַח אִשְׁתּוֹ Gen. 25:21
3-4 וַיֵּצֵא...וַיֶּעְתַּר אֶל־יְיָ Ex. 8:26; 10:18
5 וַיֶּעְתַּר מָנוֹחַ אֶל־יְיָ Jud. 13:8
וְנַעְתּוֹר 6 לֵאלֹהִים זָעֲקוּ...וְנַעְתּוֹר לָהֶם ICh. 5:20
וְנֶעְתַּר 7 וְשָׁבוּ עַד־יְיָ וְנֶעְתַּר לָהֶם וּרְפָאָם Is. 19:22
וְנַעְתָּרוֹת 8 וְנַעְתָּרוֹת נְשִׁיקוֹת שׂוֹנֵא Prov. 27:6
וַיֵּעָתֵר 9 וַיֵּעָתֵר אֱלֹהִים לָאָרֶץ IISh. 21:14
10 וַיֵּעָתֵר יְיָ לָאָרֶץ IISh. 24:25
11 וַנְּבַקְשָׁה מֵאֱלֹהֵינוּ...וַיֵּעָתֵר לָנוּ Ez. 8:23
וַיֵּעָתֵר 12 וַיֶּעְתַּר יִצְחָק...וַיֵּעָתֶר לוֹ יְיָ Gen. 25:21
13 וַיִּתְפַּלֵּל אֵלָיו וַיֵּעָתֶר לוֹ IICh. 33:13
וְהֵעָתֶר 14 וּתְפִלָּתוֹ וְהֵעָתֶר־לוֹ IICh. 33:19
וְהַעְתַּרְתִּי 15 וְהַעְתַּרְתִּי אֶל־יְיָ Ex. 8:25
וְהַעְתַּרְתֶּם 16 וְהַעְתַּרְתֶּם עָלַי דִּבְרֵיכֶם Ezek. 35:13
אַעְתִּיר 17 לְמָתַי אַעְתִּיר לְךָ וְלַעֲבָדֶיךָ וּלְעַמְּךָ Ex. 8:5
תַּעְתִּיר 18 תַּעְתִּיר אֵלָיו וְיִשְׁמָעֶךָּ Job 22:27
הַעְתִּירוּ 19-20 הַעְתִּירוּ אֶל־יְיָ Ex. 8:4; 9:28
21 הַעְתִּירוּ בַּעֲדִי Ex. 8:24
וְהַעְתִּירוּ 22 וְהַעְתִּירוּ לַיְיָ אֱלֹהֵיכֶם Ex. 10:17

עָתָר* ז׳ עָשָׁן רב
וַעֲתַר 1 וַעֲתַר עֲנַן־הַקְּטֹרֶת עֹלֶה Ezek. 8:11

עֶתֶר ש״פ – עיר בנחלת יהודה: 1, 2
וָעֶתֶר 1 לִבְנָה וָעֶתֶר וְעָשָׁן Josh. 15:42
2 עַיִן רִמּוֹן וָעֶתֶר וְעָשָׁן Josh. 19:7

עֲתָרַי מלה סתומה: אולי רבוי מן ״עָתָר״ במשמע קטורת
עֲתָרַי 1 עֲתָרַי בַּת־פּוּצַי יוֹבִלוּן מִנְחָתִי Zep. 3:10

עֲתֶרֶת נ׳ רבוי, שפע
עֲתֶרֶת־ 1 וְגִלֵּיתִי לָהֶם עֲתֶרֶת שָׁלוֹם וֶאֱמֶת Jer. 33:6

פ׳ זעירא
בִּשְׁפַרְפָּרָא Dan. 6:20
(בקצת ספרים)

פ

פ׳ רבתי
בִּשְׁפַרְפָּרָא Dan. 6:20
(בקצת ספרים)

פאי״ן בתורה 4 805

פֹּא
עין פֹּה (47)

פאה : הִפְאָה; פֵּאָה

(פאה) הִפְאָה הפ׳ זָרה לכל רוח

אַפְאֵיהֶם 1 אַפְאֵיהֶם אַשְׁבִּיתָה מֵאֱנוֹשׁ זִכְרָם Deut. 32:26

פֵּאָה
נ׳ א) צד, קָצה: 4-6, 9-39, 41-86
ב) קצות השער בצדי הראש
או סביב הסנטר וכד׳: 1-3, 7, 8, 40

קרובים: מִקְצוֹעַ / עֵבֶר / צַד / קָצֶה

– קְצוּצֵי פֵאָה 1-3
– פְּאַת דֶּרֶךְ 18; פְּאַת זָקָן 8, 40; פְּאַת יָם (יָמָּה) 13, 15, 16, 23-35, 39, 44, 46, 56, 60, 64, 67; פְּאַת מוֹאָב 17; פְּאַת מִטָּה 48; פְּאַת נֶגֶב (נֶגְבָּה) 10, 12, 37, 43, 45, 47, 49, 53-55; פְּאַת פָּנָיו 66; פְּ׳ צָפוֹן (צָפוֹנָה) 14, 19, 36, 50-52, 58, 59, 62, 63, 81; פְּ׳ קָדִים (קָדִימָה) 20, 22, 38, 42, 68-80, 83; פְּ׳ קֵדְמָה 11, 57, 61, 65, 82; פְּ׳ רֹאשׁ 7; פְּאַת שָׂדֶה 6, 9; פְּאַת תֵּימָנָה 21
– פַּאֲתֵי מוֹאָב 84

פֵּאָה 1 וְעַל כָּל־קְצוּצֵי פֵאָה Jer. 9:25
2 וְאֵת כָּל־קְצוּצֵי פֵאָה Jer. 25:32
3 וְזֵרִתִים לְכָל־רוּחַ קְצוּצֵי פֵאָה Jer. 49:32
לְפֵאָה 4 וַתִּתֵּן לָהֶם...וַתַּחְלְקֵם לְפֵאָה Neh. 9:22
לַפֵּאָה 5 קְלָעִים לֶחָצֵר...לַפֵּאָה הָאֶחָת Ex. 27:9
פְּאַת־ 6 לֹא תְכַלֶּה פְּאַת שָׂדְךָ לִקְצֹר Lev. 19:9
7 לֹא תַקִּפוּ פְּאַת רֹאשְׁכֶם Lev. 19:27
8 וְלֹא תַשְׁחִית אֵת פְּאַת זְקָנֶךָ Lev. 19:27
9 לֹא־תְכַלֶּה פְּאַת שָׂדְךָ בְּקֻצְרֶךָ Lev. 23:22
10 וְהָיָה לָכֶם פְּאַת־נֶגֶב Num. 34:3
11 וּמַדֹּתֶם..אֶת־פְּאַת־קֵדְמָה אַלְפַּיִם Num. 35:5
12 וְאֶת־פְּאַת נֶגֶב־אַלְפַּיִם בָּאַמָּה Num. 35:5
13 וְאֶת־פְּאַת־יָם אַלְפַּיִם בָּאַמָּה Num. 35:5
14 וְאֵת פְּאַת צָפוֹן אַלְפַּיִם בָּאַמָּה Num. 35:5
15-16 זֹאת פְּאַת־יָם Josh. 18:14 • Ezek. 47:20
17 אֵשׁ יָצָא...וַתֹּאכַל פְּאַת מוֹאָב Jer. 48:45
18 וְהַבִּנְיָן...פְּאַת דֶּרֶךְ־הַיָּם Ezek. 41:12
19 וְאֵת פְּאַת צָפוֹן Ezek. 47:17
20 וְאֵת פְּאַת קָדִימָה Ezek. 47:18
21 וְאֵת פְּאַת־תֵּימָנָה נֶגְבָּה Ezek. 47:19
22 וְהָיוּ־לוֹ פְּאַת־קָדִים הַיָּם Ezek. 48:1
23-35 (וְ)עַד־פְּאַת(־)יָמָּה Ezek. 48:2, 3, 4, 5
48:6, 7, 8², 23, 24, 25, 26, 27
36 פְּאַת צָפוֹן חֲמֵשׁ מֵאוֹת Ezek. 48:16
37 אֶל־פְּאַת נֶגֶב תֵּימָנָה Ezek. 48:28
38 וְאֶל־פְּאַת קָדִימָה חֲמֵשׁ מֵאוֹת Ezek. 48:32
39 פְּאַת־יָמָּה חֲמֵשׁ מֵאוֹת Ezek. 48:34
וּפְאַת־ 40 וּפְאַת זְקָנָם לֹא יְגַלֵּחוּ Lev. 21:5
41 וּפְאַת־נֶגְבָּה מִקְצֵה קִרְיַת יְעָרִים Josh. 18:15
42 וּפְאַת קָדִים מִבֵּין חַוְרָן Ezek. 47:18
43 וּפְאַת נֶגֶב תֵּימָנָה מִתָּמָר Ezek. 47:19

וּפְאַת־ (המשך) 44 וּפְאַת־יָם...הַגָּדוֹל מִגְּבוּל Ezek. 47:20
45 וּפְאַת־נֶגֶב חֲמֵשׁ...מֵאוֹת Ezek. 48:16
46 וּפְאַת־יָמָּה חֲמֵשׁ מֵאוֹת Ezek. 48:16
47 וּפְאַת־נֶגְבָּה חֲמֵשׁ מֵאוֹת Ezek. 48:33
בִּפְאַת־ 48 בִּפְאַת מִטָּה וּבִדְמֶשֶׁק עָרֶשׂ Am. 3:12
לִפְאַת־ 49 לִפְאַת נֶגְבָּה תֵימָנָה Ex. 26:18
50-52 לִפְאַת צָפוֹן Ex. 26:20; 27:11; 36:25
53-55 לִפְאַת נֶגֶב(־)תֵּימָנָה Ex. 27:9; 36:23; 38:9
56 וְרֹחַב הֶחָצֵר לִפְאַת־יָם Ex. 27:12
57 לִפְאַת קֵדְמָה מִזְרָחָה Ex. 27:13
58 וּגְבוּל לִפְאַת צָפוֹנָה מִלְּשׁוֹן הַיָּם Josh. 15:5
59 הַגְּבוּל לִפְאַת צָפוֹנָה מִן־הַיַּרְדֵּן Josh. 18:12
60 וְנָסַב לִפְאַת־יָם נֶגְבָּה מִן־הָהָר Josh. 18:14
61 וְהַיַּרְדֵּן יִגְבֹּל...לִפְאַת־קֵדְמָה Josh. 18:20
62 לִפְאַת צָפוֹנָה מִן־הַיָּם הַגָּדוֹל Ezek. 47:15
וְלִפְאַת־ 63 וְלִפְאַת צָפוֹן מֵאָה בָאַמָּה Ex. 38:11
64 וְלִפְאַת־יָם קְלָעִים חֲמִשִּׁים Ex. 38:12
65 וְלִפְאַת קֵדְמָה מִזְרָחָה Ex. 38:13
מִפְּאַת־ 66 וְאִם מִפְּאַת פָּנָיו יִמָּרֵט רֹאשׁוֹ Lev. 13:41
67 מִפְּאַת יָם יָמָּה Ezek. 45:7
68-71 מִפְּאַת קָדִים Ezek. 48:2, 6, 7, 8
72-80 מִפְּאַת קָד(ִי)מָה Ezek. 48:3
48:4, 5, 8, 23, 24, 25, 26, 27
81 מִפְּאַת צָפוֹן חֲמֵשׁ מֵאוֹת Ezek. 48:30
וּמִפְּאַת־ 82 וּמִפְּאַת קֵדְמָה קָדִימָה Ezek. 45:7
83 וּמִפְּאַת קָדִים חֲמֵשׁ מֵאוֹת Ezek. 48:16
פַּאֲתֵי־ 84 וּמָחַץ פַּאֲתֵי מוֹאָב Num. 24:17
הַפֵּאֹת 85/6 עַל אַרְבַּע הַפֵּאֹת Ex. 25:26; 37:13

פאר : א) פֵּאֵר, הִתְפָּאֵר; פְּאֵר, תִּפְאָרָה, תִּפְאֶרֶת
ב) פֵּאֵר; פֹּארָה, פֹּארָה; ש״פ פָּארָן(?)

פֵּאֵר¹
פִּ׳ א) קִשֵּׁט, יִפָּה: 1-6
ב) [הת׳ הִתְפָּאֵר] התהלל: 7-13

קרובים: אִשֵּׁר / בֵּרַךְ / גָּאָה / גִּדֵּל / הָדַר / הִלֵּל / רוֹמֵם / שִׁבַּח

פֵּאֵר אֶת־ 1-6; הִתְפָּאֵר בְּ־ 9, 11; הִתְפָּאֵר עַל־ 12, 13

לְפָאֵר 1 לְפָאֵר מְקוֹם מִקְדָּשִׁי Is. 60:13
2 לְפָאֵר אֶת־בֵּית יְיָ Ez. 7:27
פֵּאֲרָךְ 3/4 וְלִקְדוֹשׁ יִשְׂרָאֵל כִּי פֵאֲרָךְ Is. 55:5; 60:9
אֲפָאֵר 5 וּבֵית תִּפְאַרְתִּי אֲפָאֵר Is. 60:7
יְפָאֵר 6 יְפָאֵר עֲנָוִים בִּישׁוּעָה Ps. 149:4
לְהִתְפָּאֵר 7 נֵצֶר מַטָּעַי° מַעֲשֵׂה יָדַי לְהִתְפָּאֵר Is. 60:21
8 אֵילֵי הַצֶּדֶק מַטַּע יְיָ לְהִתְפָּאֵר Is. 61:3
אֶתְפָּאָר 9 יִשְׂרָאֵל אֲשֶׁר־בְּךָ אֶתְפָּאָר Is. 49:3
יִתְפָּאֵר 10 פֶּן־יִתְפָּאֵר עָלַי יִשְׂרָאֵל לֵאמֹר Jud. 7:2
יִתְפָּאָר 11 גָּאַל יְיָ יַעֲקֹב וּבְיִשְׂרָאֵל יִתְפָּאָר Is. 44:23
הֲיִתְפָּאֵר 12 הֲיִתְפָּאֵר הַגַּרְזֶן עַל הַחֹצֵב בּוֹ Is. 10:15
הִתְפָּאֵר 13 הִתְפָּאֵר עָלַי לְמָתַי אַעְתִּיר לְךָ Ex. 8:5

פֵּאֵר²
פִּ׳ שִׁבֵּר ענפים

תְּפָאֵר 1 כִּי תַחְבֹּט זֵיתְךָ לֹא תְפָאֵר אַחֲרֶיךָ Deut. 24:20

פְּאֵר
ז׳ א) הוֹד, תִּפְאֶרֶת: 1, 2
ב) נֵזֶר, צָנִיף אוֹ קִשּׁוּט לראש: 3-7

קרובים: ראה יֳפִי; כֶּתֶר

– חָבַשׁ פְּאֵר 3; כִּהֵן פְּאֵר 2
– פַּאֲרֵי־מִגְבָּעוֹת 5; פַּאֲרֵי פִשְׁתִּים 6

פְּאֵר 1 לָתֵת לָהֶם פְּאֵר תַּחַת אֵפֶר Is. 61:3
2 כֶּחָתָן יְכַהֵן פְּאֵר Is. 61:10
פְּאֵרְךָ 3 פְּאֵרְךָ חֲבוֹשׁ עָלֶיךָ Ezek. 24:17
הַפְּאֵרִים 4 הַפְּאֵרִים וְהַצְּעָדוֹת וְהַקִּשֻּׁרִים Is. 3:20
פַּאֲרֵי־ 5 וְאֶת־פַּאֲרֵי הַמִּגְבָּעֹת שֵׁשׁ Ex. 39:28
6 פַּאֲרֵי פִשְׁתִּים יִהְיוּ עַל־רֹאשָׁם Ezek. 44:18
וּפְאֵרֵיכֶם 7 וּפְאֵרֵכֶם עַל־רָאשֵׁיכֶם Ezek. 24:23

פֻּארָה, פֹּארָה*
נ׳ עָנָף, בַּד: 1-7

קרובים: ראה עָנָף

פֻּארָה 1 יְיָ...מְסָעֵף פֻּארָה בְּמַעֲרָצָה Is. 10:33
פֹּארוֹת 2 וַתַּעַשׂ בַּדִּים וַתְּשַׁלַּח פֹּארוֹת Ezek. 17:6
פֹּארֹתָיו 3 וַתֶּאֱרַכְנָה פֹארֹתָו Ezek. 31:5
4 וְתַחַת פֹּארֹתָיו יָלְדוּ כֹּל חַיַּת... Ezek. 31:6
5 וַתִּשָּׁבַרְנָה פֹארֹתָיו Ezek. 31:12
6 וְאֶל־פֹּארֹתָיו הָיוּ כֹּל חַיַּת... Ezek. 31:13
כְּפֹארֹתָיו 7 וְעַרְמֹנִים לֹא הָיוּ כְּפֹארֹתָיו Ezek. 31:8

פָּארוּר
ז׳ [מלה סתומה] אוֹדֶם(?), קדרות(?): 1, 2

פָּארוּר 1 כָּל־פָּנִים קִבְּצוּ פָארוּר Joel 2:6
2 וּפְנֵי כֻלָּם קִבְּצוּ פָארוּר Nah. 2:11

פָּארָן
ש״פ – מדבר הררי בדרום ארץ־ישראל;
מתחנות בני־ישראל בצאתם ממצרים: 1-12

אֵיל פָּארָן 1; הַר פָּ׳ 8, 11; מִדְבַּר פָּארָן 2-6, 9

פָּארָן 1 עַד אֵיל פָּארָן אֲשֶׁר עַל־הַמִּדְבָּר Gen. 14:6
2 וַיֵּשֶׁב בְּמִדְבַּר פָּארָן Gen. 21:21
3 וַיִּשְׁכֹּן הֶעָנָן בְּמִדְבַּר פָּארָן Num. 10:12
4 נָסְעוּ...וַיַּחֲנוּ בְּמִדְבַּר פָּארָן Num. 12:16
5 וַיִּשְׁלַח אֹתָם מֹשֶׁה מִמִּדְבַּר פָּארָן Num. 13:3
6 וַיָּבֹאוּ...אֶל־מִדְבַּר פָּארָן קָדֵשָׁה Num. 13:26
7 בֵּין־פָּארָן וּבֵין־תֹּפֶל וְלָבָן Deut. 1:1
8 יְיָ מִסִּינַי...הוֹפִיעַ מֵהַר פָּארָן Deut. 33:2
9 וַיָּקָם דָּוִד וַיֵּרֶד אֶל־מִדְבַּר פָּארָן I Sh. 25:1
10 וַיָּקֻמוּ מִמִּדְיָן וַיָּבֹאוּ פָּארָן IK. 11:18
11 מִתֵּימָן יָבוֹא וְקָדוֹשׁ מֵהַר־פָּארָן Hab. 3:3
מִפָּארָן 12 וַיִּקְחוּ אֲנָשִׁים עִמָּם מִפָּארָן IK. 11:18

פַּג*
ז׳ פרי בוסר

פַּגֶּיהָ 1 הַתְּאֵנָה חָנְטָה פַגֶּיהָ S.of S. 2:13

פִּגּוּל
ז׳ דבר מאוס, שִׁקּוּץ: 1-4

בְּשַׂר פִּגּוּל 3; מְרַק פִּגֻּלִים 4

פִּגּוּל 1 לֹא יֵחָשֵׁב לוֹ פִּגּוּל יִהְיֶה Lev. 7:18
2 פִּגּוּל הוּא לֹא יֵרָצֶה Lev. 19:7
3 וְלֹא־בָא בְּפִי בְּשַׂר פִּגּוּל Ezek. 4:14
פִּגֻּלִים 4 וּמְרַק° פִּגֻּלִים כְּלֵיהֶם Is. 65:4

פגע : פָּגַע, הִפְגִּיעַ; פֶּגַע, מִפְגָּע; ש״פ פַּגְעִיאֵל

פָּגַע
פָּ׳ א) נגע, פָּגַשׁ: 4-6, 8-15, 17, 20, 32-34
ב) נגע לרעה, תקף: 1-3, 7, 16, 21-25, 27-29, 31, 35-39
ג) [בהשאלה] הפציר, בִּקֵּשׁ: 18, 19, 26, 30, 40
ד) [הפ׳ הִפְגִּיעַ] הפגיש, הטיל: 41, 42
ה) [כנ״ל] בִּקֵּשׁ, דרש: 43, 44-46

פָּגַע בְּ־ 1-3, 6, 8, 9, 11-14, 18-24, 26-32, 34-40;
פָּגַע אֶת־ 4, 5, 15-17, 25, 33; פָּגַע אֶל־ 10

לִפְגֹּעַ 1 לִשְׁלֹחַ אֶת־יָדָם לִפְגֹּעַ בְּכֹהֲנֵי יְיָ ISh. 22:17
בְּפִגְעוֹ 2 בְּפִגְעוֹ־בוֹ הוּא יְמִתֶנּוּ Num. 35:19
3 יָמִית אֶת־הָרֹצֵחַ בְּפִגְעוֹ־בוֹ Num. 35:21
פָּגַעְתָּ 4 פָּגַעְתָּ אֶת־שָׂשׂ וְעֹשֵׂה צֶדֶק Is. 64:4
וּפָגַעְתָּ 5 וּפָגַעְתָּ חֶבֶל נְבִאִים ISh. 10:5
פָּגַע 6 וּבְאָשֵׁר פָּגַע מַיִם Josh. 19:34
7 אֲשֶׁר פָּגַע בִּשְׁנֵי־אֲנָשִׁים צַדִּקִים IK. 2:32
וּפָגַע 8 וְיָרַד מִיָּנוֹחָה...וּפָגַע בִּירִיחוֹ Josh. 16:7
9 וְעָלָה גְבוּלָם לַיָּמָּה..וּפָגַע בְּדַבָּשֶׁת Josh. 19:11
10 וּפָגַע אֶל־הַנַּחַל Josh. 19:11
11 וּפָגַע הַגְּבוּל בְּתָבוֹר Josh. 19:22
12 וּפָגַע בְּכַרְמֶל הַיָּמָּה Josh. 19:26
13-14 וְשָׁב...וּפָגַע בִּזְבֻלוּן Josh. 19:27, 34
וּפְגָעוֹ 15 כַּאֲשֶׁר יָנוּס...וּפְגָעוֹ הַדֹּב Am. 5:19
אֶפְגַּע 16 נָקָם אֶקָּח וְלֹא אֶפְגַּע אָדָם Is. 47:3
תִפְגַּע 17 כִּי תִפְגַּע שׁוֹר אֹיִבְךָ...תֹּעֶה Ex. 23:4
18 אַל־תִּתְפַּלֵּל...וְאַל־תִּפְגַּע־בִּי Jer. 7:16
תִּפְגְּעִי 19 אַל־תִּפְגְּעִי־בִי לְעָזְבֵךְ Ruth 1:16
וַיִּפְגַּע 20 וַיִּפְגַּע בַּמָּקוֹם וַיָּלֶן שָׁם Gen. 28:11
21 וַיִּפְגַּע־הוּא בַּכֹּהֲנִים ISh. 22:18
22-23 וַיִּפְגַּע־בּוֹ וַיָּמֹת IK. 2:25, 46
24 וַיִּפְגַּע־בּוֹ וַיְמִתֵהוּ IK. 2:34
יִפְגָּעֵנוּ 25 פֶּן־יִפְגָּעֵנוּ בַּדֶּבֶר אוֹ בֶחָרֶב Ex. 5:3
נִפְגַּע 26 וּמַה־נּוֹעִיל כִּי נִפְגַּע־בּוֹ Job 21:15
תִּפְגְּעוּן 27 פֶּן־תִּפְגְּעוּן בִּי אַתֶּם Jud. 15:12
יִפְגְּעוּ 28 פֶּן־יִפְגְּעוּ בָכֶם הָרֹדְפִים Josh. 2:16
29 פֶּן־יִפְגְּעוּ בָכֶם אֲנָשִׁים מָרֵי נֶפֶשׁ Jud. 18:25
30 יִפְגְּעוּ־נָא בַּייָ צְבָאוֹת Jer. 27:18
31 וְלֹא יִפְגְּעוּ־בָךְ בְּשָׂדֶה אַחֵר Ruth 2:22
וַיִּפְגְּעוּ 32 וַיִּפְגְּעוּ־בוֹ מַלְאֲכֵי אֱלֹהִים Gen. 32:1
33 וַיִּפְגְּעוּ אֶת־מֹשֶׁה וְאֶת־אַהֲרֹן Ex. 5:20
יִפְגְּעוּן 34 וּבְאָשֵׁר יִפְגְּעוּן מִצָּפוֹן Josh. 17:10
פְּגַע 35 גַּשׁ פְּגַע־בּוֹ וַיַּכֵּהוּ וַיָּמֹת IISh. 1:15
36 וַיִּשְׁלַח...לֵאמֹר לֵךְ פְּגַע־בּוֹ IK. 2:29
וּפְגַע 37 קוּם אַתָּה וּפְגַע־בָּנוּ Jud. 8:21
38 סֹב אַתָּה וּפְגַע בַּכֹּהֲנִים ISh. 22:18
39 וּפְגַע־בּוֹ וּקְבַרְתּוֹ IK. 2:31
וּפִגְעוּ 40 וּפִגְעוּ־לִי בְּעֶפְרוֹן בֶּן־צֹחַר Gen. 23:8
הִפְגַּעְתִּי 41 אִם־לוֹא הִפְגַּעְתִּי בְךָ..אֶת־הָאֹיֵב Jer. 15:11
הִפְגִּיעַ 42 וַייָ הִפְגִּיעַ בּוֹ אֵת עֲוֹן כֻּלָּנוּ Is. 53:6
הִפְגִּיעוּ 43 הִפְגִּעוּ בַמֶּלֶךְ לְבִלְתִּי שְׂרֹף Jer. 36:25
מַפְגִּיעַ 44 וַיִּשְׁתּוֹמֵם כִּי אֵין מַפְגִּיעַ Is. 59:16
בְמַפְגִּיעַ 45 וַיְצַו עָלֶיהָ בְמַפְגִּיעַ Job 36:32
יַפְגִּיעַ 46 חֵטְא־רַבִּים נָשָׂא וְלַפֹּשְׁעִים יַפְגִּיעַ Is. 53:12

פֶּגַע
ז׳ מקרה רע, מכשול: 1, 2 • פֶּגַע רָע 1

פֶּגַע 1 אֵין שָׂטָן וְאֵין פֶּגַע רָע IK. 5:18
וָפֶגַע 2 כִּי־עֵת וָפֶגַע יִקְרֶה אֶת־כֻּלָּם Eccl. 9:11

פַּגְעִיאֵל
שפ״ז – נשיא שבט אָשֵׁר: 1-5

פַּגְעִיאֵל 1 לְאָשֵׁר פַּגְעִיאֵל בֶּן־עָכְרָן Num. 1:13
2 לִבְנֵי אָשֵׁר פַּגְעִיאֵל בֶּן־עָכְרָן Num. 2:27
3-5 פַּגְעִיאֵל בֶּן־עָכְרָן Num. 7:72, 77; 10:26

פגר : פִּגֵּר; פֶּגֶר

פִּגֵּר
פִּ׳ נחשל, התרַפה: 1, 2

פִּגְּרוּ 1 אֲשֶׁר פִּגְּרוּ מֵעֲבֹר אֶת־נַחַל הַבְּשׂוֹר ISh. 30:10
2 אֲשֶׁר־פִּגְּרוּ מִלֶּכֶת אַחֲרֵי דָוִד ISh. 30:21

פֶּגֶר
ז׳ גופת מת: 1-22 • קרובים: גוּפָה / חָלָל / נְבֵלָה
– פֶּגֶר מוּבָס 3; כֹּבֶד פֶּגֶר 1; רַב הַפֶּגֶר 2
– פֶּגֶר מַחֲנֵה פְלִשְׁתִּים 4
– פְּגָרִים מֵתִים 5, 6; פִּגְרֵי הָאָדָם 12; פִּ׳ אֲנָשִׁים 13, 16; פִּגְרֵי בְנֵי יִשְׂרָאֵל 14; פִּגְרֵי גִלּוּלִים 11; פִּגְרֵי מְלָכִים 15, 17

פָּגֶר 1 וְרֹב חָלָל וְכֹבֶד פָּגֶר Nah. 3:3
הַפֶּגֶר 2 רַב הַפֶּגֶר בְּכָל־מָקוֹם הִשְׁלִיךְ הָס Am. 8:3
כְּפֶגֶר 3 יוֹרְדֵי אֶל־אַבְנֵי־בוֹר כְּפֶגֶר מוּבָס Is. 14:19
פֶּגֶר־ 4 וְנָתַתִּי פֶ׳ מַחֲנֵה פְלִשְׁתִּים...לְעוֹף הַשָּׁ׳ ISh. 17:46
פְּגָרִים 5/6 וְהִנֵּה כֻלָּם פְּגָרִים מֵתִים IIK. 19:35 • Is. 37:36
7 וְהִנָּם פְּגָרִים נֹפְלִים אַרְצָה IICh. 20:24
וּפְגָרִים 8 וּרְכוּשׁ וּפְגָרִים וּכְלֵי חֲמֻדוֹת IICh. 20:25
הַפְּגָרִים 9 וַיֵּרֶד הָעַיִט עַל־הַפְּגָרִים Gen. 15:11
10 הַפְּגָרִים וְהַדֶּשֶׁן וְכָל־הַשְּׁדֵמוֹת° Jer. 31:39
פִּגְרֵי־ 11 וְנָתַתִּי...עַל־פִּגְרֵי גִּלּוּלֵיכֶם Lev. 26:30
12 וּלְמַלְאָם אֶת־פִּגְרֵי הָאָדָם Jer. 33:5
13 אֵת כָּל־פִּגְרֵי הָאֲנָשִׁים Jer. 41:9
14 וְנָתַתִּי אֶת־פִּגְרֵי בְּ״יִ לִפְנֵי גִּלּוּלֵיהֶם Ezek. 6:5
וּפִגְרֵי־ 15 אֶת־זְנוּתָם וּפִגְרֵי מַלְכֵיהֶם Ezek. 43:9
בְּפִגְרֵי־ 16 וְיָצְאוּ וְרָאוּ בְּפִגְרֵי הָאֲנָשִׁים Is. 66:24
וּבְפִגְרֵי־ 17 וּבְפִגְרֵי מַלְכֵיהֶם בָּמוֹתָם Ezek. 43:7
פִּגְרֵיכֶם 18 וְנָתַתִּי אֶת־פִּגְרֵיכֶם עַל־פִּגְרֵי... Lev. 26:30
19 בַּמִּדְבָּר הַזֶּה יִפְּלוּ פִגְרֵיכֶם Num. 14:29
20 עַד־תֹּם פִּגְרֵיכֶם בַּמִּדְבָּר Num. 14:33
וּפִגְרֵיכֶם 21 וּפִגְרֵיכֶם אַתֶּם יִפְּלוּ בַּמִּדְבָּר Num. 14:32
וּפִגְרֵיהֶם 22 וּפִגְרֵיהֶם יַעֲלֶה בָאְשָׁם Is. 34:3

פגשׁ : פָּגַשׁ, נִפְגַּשׁ, פִּגֵּשׁ

פָּגַשׁ
פָּ׳ א) פגע, נזדמן עם מישהו: 1-10
ב) [נפ׳ נִפְגְּשׁוּ] פגשו זה את זה: 11-13
ג) [פִּ׳ פִּגֵּשׁ] פגע, נתקל בּ־: 14

פָּגַשׁ אֶת־ 2-10; פָּגַשׁ בְּ־ 1

פָּגוֹשׁ 1 פָּגוֹשׁ דֹּב שַׁכּוּל בְּאִישׁ Prov. 17:12
כִּפְגֹשׁ 2 וַיְהִי כִּפְגֹשׁ אֹתָם וַיֹּאמֶר אֲלֵיהֶם Jer. 41:6
פָּגָשְׁתִּי 3 כָּל־הַמַּחֲנֶה הַזֶּה אֲשֶׁר פָּגָשְׁתִּי Gen. 33:8
וּפָגְשׁוּ 4 וּפָגְשׁוּ צִיִּים אֶת־אִיִּים Is. 34:14
אֶפְגְּשֵׁם 5 אֶפְגְּשֵׁם כְּדֹב שַׁכּוּל Hosh. 13:8
יִפְגָשְׁךָ 6 כִּי יִפְגָשְׁךָ עֵשָׂו אָחִי וּשְׁאֵלְךָ Gen. 32:18
וַיִּפְגְּשֵׁהוּ 7 וַיִּפְגְּשֵׁהוּ יְיָ וַיְבַקֵּשׁ הֲמִיתוֹ Ex. 4:24
8 וַיֵּלֶךְ וַיִּפְגְּשֵׁהוּ בְּהַר הָאֱלֹהִים Ex. 4:27
וַתִּפְגֹּשׁ 9 וְהָיָה הִיא רֹכֶבֶת...וַתִּפְגֹּשׁ אֹתָם ISh. 25:20
וַיִּפְגְּשׁוּם 10 וַיִּפְגְּשׁוּם עַל־בְּרֵכַת גִּבְעוֹן יַחְדָּו IISh. 2:13
נִפְגָּשׁוּ 11 חֶסֶד־וֶאֱמֶת נִפְגָּשׁוּ Ps. 85:11
12 עָשִׁיר וָרָשׁ נִפְגָּשׁוּ Prov. 22:2
13 רָשׁ וְאִישׁ תְּכָכִים נִפְגָּשׁוּ Prov. 29:13
יְפַגְּשׁוּ 14 יוֹמָם יְפַגְּשׁוּ־חֹשֶׁךְ Job 5:14

פדה : פָּדָה, נִפְדָּה, הָפְדָּה, הָפְדָה; פָּדוּי, פִּדְיוֹם, פִּדְיוֹן, פְּדוּת; ש״פ פְּדַהְאֵל, פְּדָהצוּר, פָּדוֹן, פְּדָיָה, פְּדָיָהוּ

פָּדָה
פָּ׳ א) גָּאַל בכסף, נתן תמורת דבר: 1, 21, 33, 36-45
ב) [בהשאלה] חִלֵּץ, הִצִּיל: 2-20, 22-25, 34, 35, 46-58
ג) [פָּעוּל: פָּדוּי] מי שנגאל: 26-32
ד) [נפ׳ נִפְדָּה] נגאל בכסף או בתמורה אחרת: 59-61
ה) [הפ׳ הָפְדָּה] פדה, גאל: 62
ו) [הָפ׳ הָפְדֵה] הֻגְאַל: 63

כֶּסֶף הַפְּדוּיִם 26; פְּדוּיֵי יְיָ 30, 31; פְּ׳ הַלְוִיִּם 29; פְּדוּיֵי הָעֹדְפִים 28; פְּדוּיֵי הַשְּׁלֹשָׁה 27

פָּדֹה 1 פָּדֹה תִפְדֶּה אֵת בְּכוֹר הָאָדָם Num. 18:15
2 אָח לֹא־פָדֹה יִפְדֶּה אִישׁ Ps. 49:8
לִפְדּוֹת 3 הָלְכוּ אֱלֹהִים לִפְדּוֹת־לוֹ לְעָם IISh. 7:23
4 הָלַךְ הָאֱלֹהִים לִפְדּוֹת לוֹ עָם ICh. 17:21
פְּדִיתִיךָ 5 וּמִבֵּית עֲבָדִים פְּדִיתִיךָ Mic. 6:4
וּפְדִתִיךָ 6 וּפְדִתִיךָ מִכַּף עָרִיצִים Jer. 15:21
פְדִיתִים 7 אֶשְׁרְקָה לָהֶם וַאֲקַבְּצֵם כִּי פְדִיתִים Zech. 10:8
פָּדִיתָ 8 וְנַחֲלָתְךָ אֲשֶׁר פָּדִיתָ בְּגָדְלֶךָ Deut. 9:26
9 כַּפֵּר לְעַמְּךָ יִשְׂרָאֵל אֲשֶׁר־פָּדִיתָ Deut. 21:8
10 עַמְּךָ אֲשֶׁר פָּדִיתָ לְּךָ מִמִּצְרַיִם IISh. 7:23
11 וְנַפְשִׁי אֲשֶׁר פָּדִיתָ Ps. 71:23
12 אֲשֶׁר פָּדִיתָ בְּכֹחֲךָ הַגָּדוֹל Neh. 1:10
13 מִפְּנֵי עַמְּךָ אֲשֶׁר־פָּדִיתָ מִמִּצְרַיִם ICh. 17:21
פָּדִיתָה 14 פָּדִיתָה אוֹתִי יְיָ אֵל אֱמֶת Ps. 31:6
פָּדָה 15/6 פָּדָה...נַפְשִׁי מִכָּל־צָרָה IISh. 4:9 • IK. 1:29
17 אֲשֶׁר פָּדָה אֶת־אַבְרָהָם Is. 29:22
18 כִּי־פָדָה יְיָ אֶת־יַעֲקֹב Jer. 31:11(10)
19 פָּדָה בְשָׁלוֹם נַפְשִׁי מִקְּרָב־לִי Ps. 55:19
20 פָּדָה נַפְשׁוֹ° מֵעֲבֹר בַּשָּׁחַת Job 33:28
וּפָדָה 21 בַּבְּהֵמָה הַטְּמֵאָה וּפָדָה בְעֶרְכֶּךָ Lev. 27:27
פָּדְךָ 22 בְּרָעָב פָּדְךָ מִמָּוֶת Job 5:20
פָּדָם 23 יוֹם אֲשֶׁר־פָּדָם מִנִּי־צָר Ps. 78:42
פּוֹדֶה 24 פּוֹדֶה יְיָ נֶפֶשׁ עֲבָדָיו Ps. 34:23
וְהַפֹּדְךָ 25 וְהַפֹּדְךָ מִבֵּית עֲבָדִים Deut. 13:6
הַפְּדוּיִם 26 וַיִּתֵּן מֹשֶׁה אֶת־כֶּסֶף הַפְּדֻיִם Num. 3:51
פְּדוּיֵי־ 27 וְאֵת פְּדוּיֵי הַשְּׁלֹשָׁה...הָעֹדְפִים Num. 3:46
28 וְנָתַתָּה...פְּדוּיֵי הָעֹדְפִים בָּהֶם Num. 3:48
29 מֵאֵת הָעֹדְפִים עַל פְּדוּיֵי הַלְוִיִּם Num. 3:49
וּפְדוּיֵי־ 30/1 וּפְדוּיֵי יְיָ יְשֻׁ(וּ)בוּן Is. 35:10; 51:11
וּפְדוּיָו 32 וּפְדוּיָו מִבֶּן־חֹדֶשׁ תִּפְדֶּה Num. 18:16
אֶפְדֶּה 33 וְכָל־בְּכוֹר בָּנַי אֶפְדֶּה Ex. 13:15
אֶפְדֵּם 34 וְאָנֹכִי אֶפְדֵּם וְהֵמָּה דִּבְּרוּ...כְּזָבִים Hosh. 7:13
35 מִיַּד שְׁאוֹל אֶפְדֵּם מִמָּוֶת אֶגְאָלֵם Hosh. 13:14
תִּפְדֶּה 36 וְכָל־פֶּטֶר חֲמֹר תִּפְדֶּה בְשֶׂה Ex. 13:13
37 וְכֹל בְּכוֹר אָדָם בְּבָנֶיךָ תִּפְדֶּה Ex. 13:13
38/9 וְאִם־לֹא תִפְדֶּה וַעֲרַפְתּוֹ Ex. 13:13; 34:20
40 וּפֶטֶר חֲמוֹר תִּפְדֶּה בְשֶׂה Ex. 34:20
41 כֹּל בְּכוֹר בָּנֶיךָ תִּפְדֶּה Ex. 34:20
42 פָּדֹה תִפְדֶּה אֵת בְּכוֹר הָאָדָם Num. 18:15
43 בְּכוֹר־הַבְּהֵמָה הַטְּמֵאָה תִּפְדֶּה Num. 18:15
44 וּפְדוּיָו מִבֶּן־חֹדֶשׁ תִּפְדֶּה Num. 18:16
45 לֹא תִפְדֶּה קֹדֶשׁ הֵם Num. 18:17
יִפְדֶּה 46 אָח לֹא־פָדֹה יִפְדֶּה אִישׁ Ps. 49:8
47 אֱלֹהִים יִפְדֶּה נַפְשִׁי מִיַּד שְׁאוֹל Ps. 49:16
48 וְהוּא יִפְדֶּה אֶת־יִשְׂ׳ מִכֹּל עֲוֹנֹתָיו Ps. 130:8
וַיִּפְדְּךָ 49 וַיִּפְדְּךָ מִבֵּית עֲבָדִים מִיַּד פַּרְעֹה Deut. 7:8
50/1 וַיִּפְדְּךָ יְיָ אֱלֹהֶיךָ Deut. 15:15; 24:18
תִפְדּוּנִי 52 וּמִיַּד עָרִיצִים תִּפְדּוּנִי Job 6:23
וַיִּפְדּוּ 53 וַיִּפְדּוּ הָעָם אֶת־יוֹנָתָן וְלֹא־מֵת ISh. 14:45
פְּדֵה 54 פְּדֵה אֱלֹהִים אֶת־יִשְׂרָאֵל Ps. 25:22
פְּדֵנִי 55 וַאֲנִי בְּתֻמִּי אֵלֵךְ פְּדֵנִי וְחָנֵּנִי Ps. 26:11
56 לְמַעַן אֹיְבַי פְּדֵנִי Ps. 69:19
57 פְּדֵנִי מֵעֹשֶׁק אָדָם Ps. 119:134
וּפְדֵנוּ 58 קוּמָה...וּפְדֵנוּ לְמַעַן חַסְדֶּךָ Ps. 44:27
נִפְדָּתָה 59 וְהָפְדֵּה לֹא נִפְדָּתָה Lev. 19:20
יִפָּדֶה 60 חֵרֶם...לֹא יִפָּדֶה מוֹת יוּמָת Lev. 27:29

תִּפָּדֶה 61 צִיּוֹן בְּמִשְׁפָּט תִּפָּדֶה Is. 1:27
וְהֶפְדָּהּ 62 אֲשֶׁר־לוֹ° יְעָדָהּ וְהֶפְדָּהּ Ex. 21:8
וְהָפְדֵּה 63 וְהָפְדֵּה לֹא נִפְדָּתָה Lev. 19:20

פְּדַהְאֵל
שפ״ז – נשיא מטה נַפְתָּלִי

פְּדַהְאֵל 1 נָשִׂיא פְּדַהְאֵל בֶּן־עַמִּיהוּד Num. 34:28

פְּדָהצוּר
שפ״ז – אבי גמליאל נשיא שבט מנשה: 1-5

פְּדָהצוּר 1-5 ...גַּמְלִיאֵל בֶּן־פְּדָהצוּר Num. 1:10
2:20; 7:54, 59; 10:23

פְּדוּי*
ת׳ – עין פָּדָה

פָּדוֹן
שפ״ז – מן הנתינים שעלו עם זרובבל: 1, 2

פָּדוֹן 1 בְּנֵי־סִיעֲהָא בְּנֵי פָדוֹן Ez. 2:44
2 בְּנֵי־סִיעָא בְּנֵי פָדוֹן Neh. 7:47

פְּדוּת
נ׳ א) רֶוַח: 1 ב) גאולה: 2-4

פְּדֻת 1 וְשַׂמְתִּי פְדֻת בֵּין עַמִּי וּבֵין עַמֶּךָ Ex. 8:19
2 פְּדוּת שָׁלַח לְעַמּוֹ Ps. 111:9
3 וְהַרְבֵּה עִמּוֹ פְדוּת Ps. 130:7
מִפְּדוּת 4 הֲקָצוֹר קָצְרָה יָדִי מִפְּדוּת Is. 50:2

פְּדָיָה
שפ״ז א) אבי זבודה אם יהויקים: 1
ב) בן יכניה מלך יהודה: 5, 7
ג) איש בימי נחמיה: 2
ד) איש מבנימין: 4
ה) שׂר הלויים בימי עזרא: 3, 6

בֶּן פְּדָיָה 4; בְּנֵי פְדָיָה 5; בַּת פְּדָיָה 1

פְּדָיָה 1 וְשֵׁם אִמּוֹ זְבוּדָה° בַת־פְּדָיָה IIK. 23:36
2 אַחֲרָיו פְּדָיָה בֶן־פַּרְעֹשׁ Neh. 3:25
3 וּמִשְּׂמֹאלוֹ פְּדָיָה וּמִישָׁאֵל Neh. 8:4
4 בְּנֵי בִנְיָמִן סַלֻּא...בֶּן־פְּדָיָה Neh. 11:7
5 וּבְנֵי פְדָיָה זְרֻבָּבֶל וְשִׁמְעִי ICh. 3:19
וּפְדָיָה 6 וְצָדוֹק הַסּוֹפֵר וּפְדָיָה מִן־הַלְוִיִּם Neh. 13:13
7 וּמַלְכִּירָם וּפְדָיָה וְשֶׁנְאַצַּר ICh. 3:18

פְּדָיָהוּ
שפ״ז – איש משבט מנשה

פְּדָיָהוּ 1 לַחֲצִי שֵׁבֶט מְנַשֶּׁה יוֹאֵל בֶּן־פְּדָיָהוּ ICh. 27:20

פִּדְיוֹם
ז׳ פדיון • כֶּסֶף הַפִּדְיוֹם

הַפִּדְיוֹם 1 וַיִּקַּח מֹשֶׁה אֵת כֶּסֶף הַפִּדְיוֹם Num. 3:49

פִּדְיוֹן
ז׳ כּוֹפֶר, תמורה: 1, 2 • פִּדְיוֹן נֶפֶשׁ 1, 2

פִּדְיֹן־ 1 אִם־כֹּפֶר...וְנָתַן פִּדְיֹן נַפְשׁוֹ Ex. 21:30
2 וְיֵקַר פִּדְיוֹן נַפְשָׁם Ps. 49:9

פַּדָּן
ש״פ – ארץ המישור בַּאֲרָם: 1-11

מִפַּדָּן 1 וַאֲנִי בְּבֹאִי מִפַּדָּן מֵתָה עָלַי רָחֵל Gen. 48:7
פַּדֶּנָה אֲ׳ 2 קוּם לֵךְ פַּדֶּנָה אֲרָם Gen. 28:2
3-4 וַיֵּלֶךְ פַּדֶּנָה אֲרָם Gen. 28:5, 7
5 וְשִׁלַּח אֹתוֹ פַּדֶּנָה אֲרָם Gen. 28:6
בְּפַדַּן אֲ׳ 6 אֲשֶׁר רָכַשׁ בְּפַדַּן אֲרָם Gen. 31:18
7 אֲשֶׁר יֻלַּד־לוֹ בְּפַדַּן אֲרָם Gen. 35:26
8 אֲשֶׁר יָלְדָה לְיַעֲקֹב בְּפַדַּן אֲרָם Gen. 46:15
מִפַּדַּן אֲ׳ 9 בְּתוּאֵל הָאֲרַמִּי מִפַּדַּן אֲרָם Gen. 25:20
10-11 בְּבֹאוֹ מִפַּדַּן אֲרָם Gen. 33:18; 35:9

פָּדַע
פ׳ פָּדָה, גאל

פְּדָעֵהוּ 1 פְּדָעֵהוּ מֵרֶדֶת שַׁחַת מָצָאתִי כֹפֶר Job 33:24

פֶּדֶר
ז׳ קרום המכסה על המעַיִם: 1-3

הַפָּדֶר 1 אֶת־הָרֹאשׁ וְאֶת־הַפָּדֶר Lev. 1:8
2 וְאֶת־הַנְּתָחִים וְאֶת־הַפָּדֶר Lev. 8:20
פִּדְרוֹ 3 וְנִתַּח...וְאֶת־רֹאשׁוֹ וְאֶת־פִּדְרוֹ Lev. 1:12

פֶּה
ז׳ א) הֶחָלָל מאחורי השְׂפתַים ועד בית־הבליעה באדם ובכל חי: רוב המקראות 1-424
ב) פֶּתַח, חָלָל: 7,8, 29-37, 48-50, 60, 63, 64, 71, 153, 154, 324, 328, 358, 364, 366-369, 371-374, 379
ג) חֵלֶק, שִׁעוּר: 46, 56, 67
ד) הצד החד של החרב: 166-200, 501, 502
ה) ראה עוד מלות־היחס ״כְּפִי״ ״לְפִי״, ״עַל־פִּי״ (באותיות כ׳ ל׳ וע׳)

– פֶּה אֶל־פֶּה 3, 4, 22; פֶּה לָפֶה 7, 8; בְּכָל פֶּה 9; בְּמוֹ פֶה 283, 284; לְמוֹ פֶה 286
– פֶּה אֶחָד 5, 6, 23; פֶּה חָלָק 24; פֶּה חָנֵף 26; כְּבַד פֶּה 1; עִקְּשׁוּת פֶּה 19, 20; פִּתְחוֹן פֶּה 13,15
– פִּי אֱוִיל 125, 143; פִּי אוֹכֵל 66; פִּי אִישׁ 74-76, 78, 142; פִּי אֱלֹהִים 244; פִּי אַמְתַּחַת 132-137; פִּי אֲנָשִׁים 146; פִּי אֲרִי 236; פִּי אַרְיֵה 239; פִּי הָאָתוֹן 40; פִּי בְאֵר 32-36; פִּי בִלְעָם 138; פִּי דוֹבֵר 69; פִּי זָרוֹת 79; פִּי זַרְעוֹ 230,246,247; פִּי חָכָם 81; (לְ)פִי חֶרֶב 166-200; פִּי יְאוֹר 60; פִּי יוֹנְקִים 238; פִּי יְיָ 38, 39, 41-45,47, 51-56,57-59, 61, 62, 65, 155, 231, 245; פִּי יִרְמְיָהוּ 149, 150, 232-235, 243; פִּי יְשָׁרִים 127; פִּי כְסִיל 77; פִּי כְסִילִים 128, 129, 144, 145; פִּי כֻתֹּנֶת 154; פִּי מִדּוֹת 71; פִּי הַמֶּלֶךְ 80, 242; פִּי מְעִיל 120,153; פִּי מְעָרָה 48-50; פִּי מִרְמָה 121; פִּי נְבִיאִים 140, 141, 147, 148, 237; פִּי נֵבֶל 64; פִּי עוֹלְלִים 238; פִּי עֶלְיוֹן 241; פִּי פַחַת 63; פִּי צַדִּיק 68, 72, 73; פִּי צַר 240; פִּי קֶרֶת 202; פִּי רֹאשׁוֹ 37; פִּי רָשָׁע 70; פִּי רְשָׁעִים 123,124,126,130,131,151; פִּי שָׁאוּל 201; פִּי שְׁנַיִם 46, 56, 67; פִּי שִׁפְחָה 139; פִּי תַהְפּוּכוֹת 122; פִּי תַחְרָא 152, 153
– אַחֲרִית פֶּה (פִּיו) 431; אִמְרֵי פ׳ 251, 261, 263, 266, 272, 277-280, 333-335, 339, 386; דְּבַר פ׳ 371; דִּבְרֵי פ׳ 76, 375, 430; חַטַּאת פ׳ 499; מַחֲמָאוֹת פ׳ 377; מַעֲנֵה פ׳ 381; מִשְׁפְּטֵי פ׳ 330, 378, 432; נִדְבוֹת פ׳ 274; נְשִׁיקוֹת פ׳ 427; עֵדוּת פ׳ 332; עַל פִּיו 343,344,362,363,466,477; עִקְּשׁוּת פֶּה 19, 20; פְּרִי פֶה 74,75, 78 פִּתְחֵי פ׳ 326; רוּחַ פ׳ 374, 385; שֵׁבֶט פ׳ 368; תּוֹרַת פ׳ 331; חֶרֶב פִּיוֹת 501
– אָטַר פִּיו 449; אִלֵּף פִּיו 341; הִגְדִּיל פ׳ 325; הִמְרָה פ׳ 42-44, 51, 316; הִרְחִיב פ׳ 12, 329, 471; הִשְׂכִּיל פ׳ 419; חָשַׂךְ פ׳ 281; מָחָה פ׳ 451; מִלֵּא פ׳ 291, 340; מָרָה פ׳ 52, 54-56, 249, 250, 428; נָצַר פ׳ 380; נָתַן פִּיו 345; עָבַר פִּיו 38,39,262,379; פָּעַר פ׳ 275, 447, 478, 490; פָּצָה פ׳ 11, 252, 318, 322, 425, 439, 441, 444, 470, 475, 476; פָּתַח פ׳ 14,70, 258, 259, 264, 273, 285, 288, 323, 337, 338, 369, 370, 376, 423, 424, 442, 443, 452; קָפַץ פ׳ 450, 453, 468; שָׁאַל פ׳ 47, 289, 440; שָׁלַח פִּיו 328; שָׂם פֶּה 2, 256, 366; שָׁמַר פִּיו 80, 383, 445; שָׁת פִּיו 472
– אָכַף פִּיו 420; דִּבֶּר פ׳ 62, 248, 265, 268, 276, 321, 372, 373, 434, 473, 474; הִגִּיד פ׳ 290; הִלֵּל פ׳ 267, 336; הִרְשִׁיעוֹ פ׳ 282,342; מָלֵא פ׳ 418; מָעַל פ׳ 382; נִמְלָא פ׳ 270,422,458; נִסְכַּר פ׳ 69; נִפְתַּח פ׳ 324; נָקַב פ׳ 61; סִפֵּר פ׳ 271; עָנָה פ׳ 320; צִוָּה פ׳ 255; קָרָא פִיו 269,387; רָחַב פִּיו 253;
– הָיָה לְפֶה 27; יָד לְפֶה 28
– כְּפִי, לְפִי, עַל־פִּי – עין ערכים אלה במקומם (באותיות כ׳, ל׳, ע׳)

פֶּה 1 כִּי כְבַד־פֶּה וּכְבַד לָשׁוֹן אָנֹכִי Ex. 4:10
2 מִי שָׂם פֶּה לָאָדָם Ex. 4:11
3-4 פֶּה אֶל־פֶּה אֲדַבֶּר־בּוֹ Num. 12:8

פֶּה (המשך) 5 וַיִּתְקַבְּצוּ יַחְדָּו לְהִלָּחֵם...פֶּה אֶחָד Josh. 9:2
6 דִּבְרֵי הַנְּבִיאִים פֶּה־אֶחָד טוֹב IK. 22:13
7 וַיִּמָּלֵא בֵית־הַבַּעַל פֶּה לָפֶה IIK. 10:21
8 מִלֵּא אֶת־יְרוּשָׁלַ͏ִם פֶּה לָפֶה IIK. 21:16
9 וַיֹּאכְלוּ אֶת־יִשְׂרָאֵל בְּכָל־פֶּה Is. 9:11
10 וְכָל־פֶּה דֹּבֵר נְבָלָה Is. 9:16
11 וּפֹצֶה פֶה וּמְצַפְצֵף Is. 10:14
12 עַל־מִי תַּרְחִיבוּ פֶה Is. 57:4
13 וְלֹא יִהְיֶה־לָּךְ עוֹד פִּתְחוֹן פֶּה Ezek. 16:63
14 לִפְתֹּחַ פֶּה בְּרֶצַח Ezek. 21:27
15 וּלְךָ אֶתֵּן פִּתְחוֹן־פֶּה בְּתוֹכָם Ezek. 29:21
16 יָשִׂימוּ יָד עַל־פֶּה Mic. 7:16
17/8 פֶּה־לָהֶם וְלֹא יְדַבֵּרוּ Ps. 115:5; 135:16
19 הָסֵר מִמְּךָ עִקְּשׁוּת פֶּה Prov. 4:24
20 אִישׁ אָוֶן הוֹלֵךְ עִקְּשׁוּת פֶּה Prov. 6:12
21 וְשִׂימוּ יָד עַל־פֶּה Job 21:5
22 מִלְאוּהָ מִפֶּה אֶל־פֶּה בְּטֻמְאָתָם Ez. 9:11
23 דִּבְרֵי הַנְּבִאִים פֶּה־אֶחָד טוֹב IICh. 18:12
וּפֶה 24 וּפֶה חָלָק יַעֲשֶׂה מִדְחֶה Prov. 26:28
הַפֶּה 25 וְכָל־הַפֶּה אֲשֶׁר לֹא־נָשַׁק לוֹ IK. 19:18
בְּפֶה 26 בְּפֶה חָנֵף יַשְׁחִת רֵעֵהוּ Prov. 11:9
לְפֶה 27 וְהָיָה הוּא יִהְיֶה־לְּךָ לְפֶה Ex. 4:16
28 וְאִם־זַמּוֹתָ יָד לְפֶה Prov. 30:32
לָפֶה 29 וַיִּמָּלֵא בֵית־הַבַּעַל פֶּה לָפֶה IIK. 10:21
30 מִלֵּא אֶת־יְרוּשָׁלַ͏ִם פֶּה לָפֶה IIK. 21:16
מִפֶּה 31 מִלְאוּהָ מִפֶּה אֶל־פֶּה בְּטֻמְאָתָם Ez. 9:11
פִּי־ 32 וְהָאֶבֶן גְּדֹלָה עַל־פִּי הַבְּאֵר Gen. 29:2
33/4 וְגָלְלוּ...הָאֶבֶן מֵעַל פִּי הַבְּאֵר Gen. 29:3, 8
35 וְהֵשִׁיבוּ...הָאֶבֶן עַל־פִּי הַבְּאֵר Gen. 29:3
36 וַיָּגֶל...הָאֶבֶן מֵעַל פִּי הַבְּאֵר Gen. 29:10
37 וְהָיָה פִי־רֹאשׁוֹ בְּתוֹכוֹ Ex. 28:32
38 לָמָּה זֶּה אַתֶּם עֹבְרִים אֶת־פִּי יְיָ Num. 14:41
39 לֹא אוּכַל לַעֲבֹר אֶת־פִּי יְיָ Num. 22:18
40 וַיִּפְתַּח יְיָ אֶת־פִּי הָאָתוֹן Num. 22:28
41 לֹא אוּכַל לַעֲבֹר אֶת־פִּי יְיָ Num. 24:13
42-44 וַתַּמְרוּ אֶת־פִּי יְיָ Deut. 1:26, 43; 9:23
45 עַל־כָּל־מוֹצָא פִי־יְיָ יִחְיֶה הָאָדָם Deut. 8:3
46 לָתֶת לוֹ פִּי שְׁנַיִם Deut. 21:17
47 וְאֶת־פִּי יְיָ לֹא שָׁאָלוּ Josh. 9:14
48 גֹּלּוּ אֲבָנִים...אֶל־פִּי הַמְּעָרָה Josh. 10:18
49 פִּתְחוּ אֶת־פִּי הַמְּעָרָה Josh. 10:22
50 וַיָּשִׂמוּ אֲבָנִים...עַל־פִּי הַמְּעָרָה Josh. 10:27
51 וְלֹא תַמְרוּ אֶת־פִּי יְיָ I Sh. 12:14
52 וּמְרִיתֶם אֶת־פִּי יְיָ I Sh. 12:15
53 כִּי־עָבַרְתִּי אֶת־פִּי יְיָ I Sh. 15:24
54 יַעַן כִּי מָרִיתָ פִּי יְיָ IK. 13:21
56 אֲשֶׁר מָרָה אֶת־פִּי יְיָ IK. 13:26
56 וִיהִי־נָא פִּי־שְׁנַיִם בְּרוּחֲךָ אֵלָי IIK. 2:9
57-59 כִּי פִּי יְיָ דִּבֵּר Is. 1:20; 40:5; 58:14
60 עָרוֹת עַל־יְאוֹר עַל־פִּי יְאוֹר Is. 19:7
61 שֵׁם חָדָשׁ אֲשֶׁר פִּי יְיָ יִקֳּבֶנּוּ Is. 62:2
62 וַאֲשֶׁר דִּבֶּר פִּי־יְיָ אֵלָיו Jer. 9:11
63 תְּקַנֵּן בְּעֶבְרֵי פִי־פָחַת Jer. 48:28
64 הַפֹּרְטִים עַל־פִּי הַנָּבֶל Am. 6:5
65 כִּי־פִי יְיָ צְבָאוֹת דִּבֵּר Mic. 4:4
66 וְנָפְלוּ עַל־פִּי אוֹכֵל Nah. 3:12
67 פִּי־שְׁנַיִם בָּהּ יִכָּרְתוּ יִגְוָעוּ Zech. 13:8
68 פִּי־צַדִּיק יֶהְגֶּה חָכְמָה Ps. 37:30
69 כִּי יִסָּכֵר פִּי דוֹבְרֵי־שָׁקֶר Ps. 63:12
70 פִּי רָשָׁע וּפִי־מִרְמָה עָלַי פָּתָחוּ Ps. 109:2
71 זְקַן אַהֲרֹן שֶׁיֹּרֵד עַל־פִּי מִדּוֹתָיו Ps. 133:2
72 מְקוֹר חַיִּים פִּי צַדִּיק Prov. 10:11

פִּי־ (המשך)

73 פִּי־צַדִּיק יָנוּב חָכְמָה Prov. 10:31

74 מִפְּרִי פִי־אִישׁ יִשְׂבַּע־טוֹב Prov. 12:14

75 מִפְּרִי פִי־אִישׁ יֹאכַל טוֹב Prov. 13:2

76 מַיִם עֲמֻקִּים דִּבְרֵי פִי־אִישׁ Prov. 18:4

77 פִּי־כְסִיל מְחִתָּה־לוֹ Prov. 18:7

78 מִפְּרִי פִי־אִישׁ תִּשְׂבַּע בִּטְנוֹ Prov. 18:20

79 שׁוּחָה עֲמֻקָּה פִּי זָרוֹת Prov. 22:14

80 אֲנִי פִּי־מֶלֶךְ שְׁמֹר Eccl. 8:2

81 דִּבְרֵי פִי־חָכָם חֵן Eccl. 10:12

82-119 עַל־פִּי — עיין עַל (3333-3371) באות ע׳

וּפִי־ 120 וּפִי־הַמְּעִיל בְּתוֹכוֹ Ex. 39:23

121 וּפִי־מִרְמָה עָלַי פָּתָחוּ Ps. 109:2

122 וּפִי תַהְפֻּכוֹת שָׂנֵאתִי Prov. 8:13

123/4 וּפִי רְשָׁעִים יְכַסֶּה חָמָס Prov. 10:6, 11

125 וּפִי־אֱוִיל מְחִתָּה קְרֹבָה Prov. 10:14

126 וּפִי רְשָׁעִים תַּהְפֻּכוֹת Prov. 10:32

127 וּפִי יְשָׁרִים יַצִּילֵם Prov. 12:6

128 וּפִי כְסִילִים יַבִּיעַ אִוֶּלֶת Prov. 15:2

129 וּפִי (כ׳ ופני) כְסִילִים יִרְעֶה אִוֶּלֶת Prov. 15:14

130 וּפִי רְשָׁעִים יַבִּיעַ רָעוֹת Prov. 15:28

131 וּפִי רְשָׁעִים יְבַלַּע־אָוֶן Prov. 19:28

בְּפִי־ 132 וְהִנֵּה־הוּא בְּפִי אַמְתַּחְתּוֹ Gen. 42:27

133 הַמּוּשָׁב בְּפִי אַמְתְּחֹתֵיכֶם Gen. 43:12

134/5 כֶּסֶף־אִישׁ בְּפִי אַמְתַּחְתּוֹ Gen. 43:21; 44:1

136 תָּשִׂים בְּפִי אַמְתַּחַת הַקָּטֹן Gen. 44:2

137 אֲשֶׁר מָצָאנוּ בְּפִי אַמְתְּחֹתֵינוּ Gen. 44:8

138 וַיָּשֶׂם יְיָ דָּבָר בְּפִי בִלְעָם Num. 23:5

139 וְהוּא שָׂם בְּפִי שִׁפְחָתְךָ II Sh. 14:19

140 רוּחַ שֶׁקֶר בְּפִי כָּל־נְבִיאָיו IK. 22:22

141 רוּחַ שֶׁקֶר בְּפִי כָּל־נְבִיאֶיךָ IK. 22:23

142 שְׁמִי נִקְרָא בְּפִי כָּל־אִישׁ יְהוּדָה Jer. 44:26

143 בְּפִי־אֱוִיל חֹטֶר גַּאֲוָה Prov. 14:3

144/5 וּמָשָׁל בְּפִי כְסִילִים Prov. 26:7, 9

146 אֵין מַעֲנֶה בְּפִי שְׁלֹשֶׁת הָאֲנָשִׁים Job 32:5

147 לְרוּחַ שֶׁקֶר בְּפִי כָּל־נְבִיאָיו IICh. 18:21

148 רוּחַ שֶׁקֶר בְּפִי נְבִיאֶיךָ אֵלֶּה IICh. 18:22

149 לְמַלֹּאת דְּבַר־יְיָ בְּפִי יִרְמְיָהוּ IICh. 36:21

150 לִכְלוֹת דְּבַר־יְיָ בְּפִי יִרְמְיָהוּ IICh. 36:22

וּבְפִי־ 151 וּבְפִי רְשָׁעִים תֵּהָרֵס Prov. 11:11

כְּפִי־ (א) 152 מַעֲשֵׂה אֹרֵג כְּפִי תַחְרָא Ex. 28:32

153 וּפִי־הַמְּעִיל בְּתוֹכוֹ כְּפִי תַחְרָא Ex. 39:23

154 כְּפִי כֻתָּנְתִּי יַאַזְרֵנִי Job 30:18

155 לְהָסֵב מַלְכוּת שָׁאוּל...כְּפִי יְיָ ICh. 12:23(24)

כְּפִי־ (ב) 156-165 כְּפִי מ״י — עיין כְּפִי (1-10) באות כ׳

לְפִי־ (א) 166 וְאֶת־חֲמוֹר...הָרְגוּ לְפִי־חָרֶב Gen. 34:26

167 וַיַּחֲלֹשׁ יְהוֹשֻׁעַ...לְפִי־חָרֶב Ex. 17:13

168 וַיַּכֵּהוּ יִשְׂרָאֵל לְפִי־חָרֶב Num. 21:24

169-200 לְפִי חָרֶב (חֶרֶב) Deut. 13:16[2]; 20:13
Josh. 6:21; 8:24[2]; 10:28, 30, 32, 35, 37, 39; 11:11, 12, 14; 19:47 • Jud. 1:8, 25; 4:15, 16; 18:27; 20:37, 48; 21:10 • I Sh. 15:8; 22:19[2] • II Sh. 15:14 • IIK. 10:25 • Jer. 21:7 • Job 1:15, 17

201 נִפְזְרוּ עֲצָמֵינוּ לְפִי שְׁאוֹל Ps. 141:7

202 (?) לְיַד־שְׁעָרִים לְפִי־קָרֶת Prov. 8:3

לְפִי־ (ב) 203-227 לְפִי מ״י — עיין לְפִי (1-15) באות ל׳

וּלְפִי־ (ב) 228-229 וּלְפִי מ״י — עיין לְפִי (16-17) באות ל׳

מִפִּי־ 230 כִּי לֹא תִשָּׁכַח מִפִּי זַרְעוֹ Deut. 31:21

231 חֲזוֹן לִבָּם יְדַבֵּרוּ לֹא מִפִּי יְיָ Jer. 23:16

232 וַיִּכְתֹּב בָּרוּךְ מִפִּי יִרְמְיָהוּ Jer. 36:4

233 אֲשֶׁר כָּתַב בָּרוּךְ מִפִּי יִרְמְיָהוּ Jer. 36:27

234 וַיִּכְתֹּב עָלֶיהָ מִפִּי יִרְמְיָהוּ Jer. 36:32

235 בְּכָתְבוֹ...עַל־סֵפֶר מִפִּי יִרְמְיָהוּ Jer. 45:1

מִפִּי־ (המשך)

236 כַּאֲשֶׁר יַצִּיל הָרֹעֶה מִפִּי הָאֲרִי Am. 3:12

237 הַשֹּׁמְעִים...מִפִּי הַנְּבִיאִים Zech. 8:9

238 מִפִּי עוֹלְלִים וְיֹנְקִים יִסַּדְתָּ עֹז Ps. 8:3

239 הוֹשִׁיעֵנִי מִפִּי אַרְיֵה... Ps. 22:22

240 וְאַף הֲסִיתְךָ מִפִּי־צָר Job 36:16

241 מִפִּי עֶלְיוֹן לֹא תֵצֵא הָרָעוֹת וְהַטּוֹב Lam. 3:38

242 הַדָּבָר יָצָא מִפִּי הַמֶּלֶךְ Es. 7:8

243 לִכְלוֹת דְּבַר־יְיָ מִפִּי יִרְמְיָה Ez. 1:1

244 וְלֹא שָׁמַע אֶל־דִּבְרֵי נְכוֹ מִפִּי אֱלֹ׳ IICh. 35:22

245 לֹא נִכְנַע מִלִּפְנֵי יִרְמְיָהוּ...מִפִּי יְיָ IICh. 36:12

וּמִפִּי־ 246 לֹא־יָמוּשׁוּ מִפִּיךָ וּמִפִּי זַרְעֲךָ Is. 59:21

247 וּמִפִּי זֶרַע זַרְעֲךָ Is. 59:21

פִּי (שלי!) 248 כִּי־פִי הַמְדַבֵּר אֲלֵיכֶם Gen. 45:12

249 עַל אֲשֶׁר־מְרִיתֶם אֶת־פִּי Num. 20:24

250 כַּאֲשֶׁר מְרִיתֶם פִּי בְּמִדְבַּר־צִן Num. 27:14

251 וְתִשְׁמַע הָאָרֶץ אִמְרֵי־פִי Deut. 32:1

252 וְאָנֹכִי פָּצִיתִי פִי אֶל־יְיָ Jud. 11:35

253 רָחַב פִּי עַל־אוֹיְבַי I Sh. 2:1

254 וַיַּגַּע עַל־פִּי וַיֹּאמֶר Is. 6:7

255 כִּי־פִי הוּא צִוָּה Is. 34:16

256 וַיָּשֶׂם פִּי כְּחֶרֶב חַדָּה Is. 49:2

257 וַיִּשְׁלַח יְיָ אֶת־יָדוֹ וַיַּגַּע עַל־פִּי Jer. 1:9

258 וָאֶפְתַּח אֶת־פִּי וַיַּאֲכִלֵנִי... Ezek. 3:2

259 וְיַד־יְיָ הָיְתָה...וַיִּפְתַּח אֶת־פִּי Ezek. 33:22

260 וַיִּפָּתַח פִּי וְלֹא נֶאֱלַמְתִּי עוֹד Ezek. 33:22

261 הֲרַגְתִּים בְּאִמְרֵי־פִי Hosh. 6:5

262 זַמֹּתִי בַּל־יַעֲבָר־פִּי Ps. 17:3

263 יִהְיוּ לְרָצוֹן אִמְרֵי־פִי Ps. 19:15

264 נֶאֱלַמְתִּי לֹא אֶפְתַּח־פִּי Ps. 39:10

265 פִּי יְדַבֵּר חָכְמוֹת Ps. 49:4

266 הַאֲזִינָה לְאִמְרֵי־פִי Ps. 54:4

267 וְשִׂפְתֵי רְנָנוֹת יְהַלֶּל־פִּי Ps. 63:6

268 וְדִבֶּר־פִּי בַּצַּר־לִי Ps. 66:14

269 אֵלָיו פִּי־קָרָאתִי Ps. 66:17

270 יִמָּלֵא פִי תְּהִלָּתֶךָ Ps. 71:8

271 פִּי יְסַפֵּר צִדְקָתֶךָ Ps. 71:15

272 הַטּוּ אָזְנְכֶם לְאִמְרֵי־פִי Ps. 78:1

273 אֶפְתְּחָה בְמָשָׁל פִּי Ps. 78:2

274 נִדְבוֹת פִּי רְצֵה־נָא יְיָ Ps. 119:108

275 פִּי־פָעַרְתִּי וָאֶשְׁאָפָה Ps. 119:131

276 תְּהִלַּת יְיָ יְדַבֶּר פִּי Ps. 145:21

277 וְאַל־תֵּט מֵאִמְרֵי־פִי Prov. 4:5

278 וְאַל־תָּסוּרוּ מֵאִמְרֵי־פִי Prov. 5:7

279 וְהַקְשִׁיבוּ לְאִמְרֵי־פִי Prov. 7:24

280 בְּצֶדֶק כָּל־אִמְרֵי־פִי Prov. 8:8

281 גַּם־אֲנִי לֹא אֶחֱשָׂךְ פִּי Job 7:11

282 אִם־אֶצְדָּק פִּי יַרְשִׁיעֵנִי Job 9:20

283 אֲאַמִּצְכֶם בְּמוֹ־פִי Job 16:5

284 בְּמוֹ־פִי אֶתְחַנֶּן־לוֹ Job 19:16

285 הִנֵּה־נָא פָּתַחְתִּי פִי Job 33:2

286 יָדִי שַׂמְתִּי לְמוֹ־פִי Job 40:4

287 וּבָשָׂר וָיַיִן לֹא־בָא אֶל־פִּי Dan. 10:3

288 וָאֶפְתַּח־פִּי וָאֲדַבְּרָה Dan. 10:16

וּפִי 289 וּפִי לֹא שָׁאָלוּ Is. 30:2

290 שְׂפָתַי תִּפְתָּח וּפִי יַגִּיד תְּהִלָּתֶךָ Ps. 51:17

291 וּפִי אֲמַלֵּא תוֹכָחוֹת Job 23:4

בְּפִי 292 אֲשֶׁר יָשִׂים אֱלֹהִים בְּפִי Num. 22:38

293 אֲשֶׁר יָשִׂים יְיָ בְּפִי Num. 23:12

294 וַתְּהִי בְּפִי כִּדְבַשׁ לְמָתוֹק Ezek. 3:3

295 וְלֹא־בָא בְּפִי בְּשַׂר פִּגּוּל Ezek. 4:14

296 תָּמִיד תְּהִלָּתוֹ בְּפִי Ps. 34:2

297 וַיִּתֵּן בְּפִי שִׁיר חָדָשׁ Ps. 40:4

298 אוֹדִיעַ אֱמוּנָתְךָ בְּפִי Ps. 89:2

299 אוֹדֶה יְיָ מְאֹד בְּפִי Ps. 109:30

כְּפִי 300 וְאִם־תּוֹצִיא יָקָר...כְּפִי תִהְיֶה Jer. 15:19

לְפִי 301 אֶשְׁמְרָה־לְפִי מַחְסוֹם Ps. 39:2

302 מַה־נִּמְלְצוּ...מִדְּבַשׁ לְפִי Ps. 119:103

303 שִׁיתָה יְיָ שָׁמְרָה לְפִי Ps. 141:3

304 וַתִּשַּׁק יָדִי לְפִי Job 31:27

מִפִּי 305 יָצָא מִפִּי צְדָקָה Is. 45:23

306 כֵּן יִהְיֶה דְבָרִי אֲשֶׁר יֵצֵא מִפִּי Is. 55:11

307 בִמְגִלָּה אֲשֶׁר־כָּתַבְתָּ מִפִּי Jer. 36:6

308/9 וְשָׁמַעְתָּ מִפִּי דָּבָר Ezek. 3:17; 33:7

310 וְאַל־תַּצֵּל מִפִּי דְבַר־אֱמֶת Ps. 119:43

וּמִפִּי 311 וּמִפִּי יָצְאוּ וָאַשְׁמִיעֵם Is. 48:3

פִּיךָ 312 וְעַל־פִּיךָ יִשַּׁק כָּל־עַמִּי Gen. 41:40

313/4 וְאָנֹכִי אֶהְיֶה עִם־פִּיךָ Ex. 4:12, 15

315 לֹא תַזְכִּירוּ לֹא יִשָּׁמַע עַל־פִּיךָ Ex. 23:13

316 כָּל־אִישׁ אֲשֶׁר־יַמְרֶה אֶת־פִּיךָ Josh. 1:18

317 אַיֵּה אֵפוֹא פִיךָ אֲשֶׁר תֹּאמַר Jud. 9:38

318 פָּצִיתָה אֶת־פִּיךָ אֶל־יְיָ Jud. 11:36

319 הַחֲרֵשׁ שִׂים־יָדְךָ עַל־פִּיךָ Jud. 18:19

320 כִּי פִיךָ עָנָה בְךָ II Sh. 1:16

321 וּפִיהוּ אֶת־פִּיךָ יְדַבֵּר Jer. 34:3

322 פְּצֵה פִיךָ וֶאֱכֹל Ezek. 2:8

323 וּבְדַבְּרִי אוֹתְךָ אֶפְתַּח אֶת־פִּיךָ Ezek. 3:27

324 יִפָּתַח פִּיךָ...וּתְדַבֵּר Ezek. 24:27

325 וְאַל־תַּגְדֵּל פִּיךָ בְּיוֹם צָרָה Ob. 12

326 מִשֹּׁכֶבֶת חֵיקֶךָ שְׁמֹר פִּתְחֵי־פִיךָ Mic. 7:5

327 וַתִּשָּׂא בְרִיתִי עֲלֵי־פִיךָ Ps. 50:16

328 פִּיךָ שָׁלַחְתָּ בְרָעָה... Ps. 50:19

329 הַרְחֶב־פִּיךָ וַאֲמַלְאֵהוּ Ps. 81:11

330 סִפַּרְתִּי כֹּל מִשְׁפְּטֵי־פִיךָ Ps. 119:13

331 טוֹב־לִי תוֹרַת־פִּיךָ Ps. 119:72

332 וְאֶשְׁמְרָה עֵדוּת פִּיךָ Ps. 119:88

333 כִּי שָׁמְעוּ אִמְרֵי־פִיךָ Ps. 138:4

334 נוֹקַשְׁתָּ בְאִמְרֵי־פִיךָ Prov. 6:2

335 נִלְכַּדְתָּ בְּאִמְרֵי־פִיךָ Prov. 6:2

336 יְהַלֶּלְךָ זָר וְלֹא־פִיךָ Prov. 27:2

337 פְּתַח־פִּיךָ לְאִלֵּם Prov. 31:8

338 פְּתַח־פִּיךָ שְׁפָט־צֶדֶק Prov. 31:9

339 וְרוּחַ כַּבִּיר אִמְרֵי־פִיךָ Job 8:2

340 עַד־יְמַלֵּה שְׂחוֹק פִּיךָ Job 8:21

341 כִּי יְאַלֵּף עֲוֹנְךָ פִיךָ Job 15:5

342 יַרְשִׁיעֲךָ פִיךָ וְלֹא־אָנִי Job 15:6

343 אִם־עַל־פִּיךָ יַגְבִּיהַּ נָשֶׁר Job 39:27

344 אַל־תְּבַהֵל עַל־פִּיךָ Eccl. 5:1

345 אַל־תִּתֵּן אֶת־פִּיךָ לַחֲטִיא... Eccl. 5:5

בְּפִיךָ 346 לְמַעַן תִּהְיֶה תּוֹרַת יְיָ בְּפִיךָ Ex. 13:9

347 נְדָבָה אֲשֶׁר דִּבַּרְתָּ בְּפִיךָ Deut. 23:24

348 בְּפִיךָ וּבִלְבָבְךָ לַעֲשֹׂתוֹ Deut. 30:14

349 וַתְּדַבֵּר בְּפִיךָ וּבְיָדְךָ מִלֵּאתָ IK. 8:24

350 וּדְבַר־יְיָ בְּפִיךָ אֱמֶת IK. 17:24

351 וָאָשִׂם דְּבָרַי בְּפִיךָ Is. 51:16

352 וּדְבָרַי אֲשֶׁר־שַׂמְתִּי בְּפִיךָ Is. 59:21

353 הִנֵּה נָתַתִּי דְבָרַי בְּפִיךָ Jer. 1:9

354 הִנְנִי נֹתֵן דְּבָרַי בְּפִיךָ לְאֵשׁ Jer. 5:14

355 וַתְּדַבֵּר בְּפִיךָ וּבְיָדְךָ מִלֵּאתָ IICh. 6:15

כְּפִיךָ 356 הֵן־אֲנִי כְפִיךָ לָאֵל Job 33:6

מִפִּיךָ 357 לֹא־יָמוּשׁ סֵפֶר הַתּוֹרָה הַזֶּה מִפִּיךָ Josh. 1:8

358 עֲשֵׂה לִי כַּאֲשֶׁר יָצָא מִפִּיךָ Jud. 11:36

359 וּדְבָרַי...לֹא־יָמוּשׁוּ מִפִּיךָ Is. 59:21

360 וְהֹצֵאתָ מִפִּיךָ מִלִּין Job 15:13

בְּפִיךָ 361 וְלוֹא הָיְתָה...לִשְׁמוּעָה בְּפִיךָ Ezek. 16:56

פיו 362/3 עַל־פִּיו יֵצְאוּ וְעַל־פִּיו יָבֹאוּ Num. 27:21
364 וְאֵין־מַשִּׂיג יָדוֹ אֶל־פִּיו ISh. 14:26
365 וַתָּשֶׁב יָדוֹ אֶל־פִּיו ISh. 14:27
366-367 וַיָּשֶׂם פִּיו עַל־פִּיו IIK. 4:34
368 וְהִכָּה־אֶרֶץ בְּשֵׁבֶט פִּיו Is. 11:4
369-370 וְלֹא יִפְתַּח(־)פִּיו Is. 53:7²
371 וְתִקַּח אָזְנְכֶם דְּבַר־פִּיו Jer. 9:19
372-373 וְדִבֶּר־פִּיו עִם־פִּיו Jer. 32:4
374 וּבְרוּחַ פִּיו כָּל־צְבָאָם Ps. 33:6
375 דִּבְרֵי־פִיו אָוֶן וּמִרְמָה Ps. 36:4
376 וּכְאִלֵּם לֹא יִפְתַּח־פִּיו Ps. 38:14
377 חָלְקוּ מַחְמָאֹת פִּיו Ps. 55:22
378 זִכְרוּ...מֹפְתָיו וּמִשְׁפְּטֵי־פִיו Ps. 105:5
379 וּמַיִם לֹא יַעַבְרוּ־פִיו Prov. 8:29
380 נֹצֵר פִּיו שֹׁמֵר נַפְשׁוֹ Prov. 13:3
381 שִׂמְחָה לָאִישׁ בְּמַעֲנֵה־פִיו Prov. 15:23
382 בְּמִשְׁפָּט לֹא יִמְעַל־פִּיו Prov. 16:10
383 שֹׁמֵר פִּיו וּלְשׁוֹנוֹ Prov. 21:23
384 נִלְאָה לַהֲשִׁיבָהּ אֶל־פִּיו Prov. 26:15
385 וְיָסוּר בְּרוּחַ פִּיו Job 15:30
386 מֵחֻקִּי צָפַנְתִּי אִמְרֵי־פִיו Job 23:12
ופיו 387 וּפִיו לְמַהֲלֻמוֹת יִקְרָא Prov. 18:6
בפיו 388 וַיֶּאֱהַב...כִּי־צַיִד בְּפִיו Gen. 25:28
389 וְשַׂמְתָּ אֶת־הַדְּבָרִים בְּפִיו Ex. 4:15
390 וַיָּשֶׂם דָּבָר בְּפִיו Num. 23:16
391 וְנָתַתִּי דְבָרַי בְּפִיו Deut. 18:18
392 וְנִשְׁמְעָה מַה־בְּפִיו גַּם־הוּא IISh. 17:5
393 אִם־לְבַדּוֹ בְּשׂוֹרָה בְּפִיו IISh. 18:25
394 אֲשֶׁר דִּבֶּר בְּפִיו...וּבְיָדוֹ מִלֵּא IK. 8:15
395 בְּפִיו וּבִשְׂפָתָיו כִּבְּדוּנִי Is. 29:13
396 וְלֹא מִרְמָה בְּפִיו Is. 53:9
397 בְּפִיו שָׁלוֹם אֶת־רֵעֵהוּ יְדַבֵּר Jer. 9:7
398 וְאֵין בְּפִיו תּוֹכָחוֹת Ps. 38:15
399 בְּפִיו יְבָרֵכוּ וּבְקִרְבָּם יְקַלְלוּ Ps. 62:5
400 אִם־תַּמְתִּיק בְּפִיו רָעָה Job 20:12
401 אֲשֶׁר דִּבֶּר בְּפִיו...וּבְיָדָיו מִלֵּא IICh. 6:4
לפיו 402 שָׂפָה יִהְיֶה לְפִיו סָבִיב Ex. 28:32
403 שָׂפָה לְפִיו סָבִיב Ex. 39:23
מפיו 404 כְּכָל־הַיֹּצֵא מִפִּיו יַעֲשֶׂה Num. 30:3
405 וְהִכִּתִיו וְהִצַּלְתִּי מִפִּיו ISh. 17:35
406 וְאֵשׁ מִפִּיו תֹּאכֵל IISh. 22:9
407 אֵיךְ כָּתַבְתָּ...מִפִּיו Jer. 36:17
408 מִפִּיו יִקְרָא אֵלַי...וַאֲנִי כֹּתֵב Jer. 36:18
409 וְהֹצֵאתִי אֶת־בִּלְעוֹ מִפִּיו Jer. 51:44
410 וַהֲסִרֹתִי דָמָיו מִפִּיו Zech. 9:7
411 וְאֵשׁ מִפִּיו תֹּאכֵל Ps. 18:9
412 מִפִּיו דַּעַת וּתְבוּנָה Prov. 2:6
413 קַח־נָא מִפִּיו תּוֹרָה Job 22:22
414 וְהֶגֶה מִפִּיו יֵצֵא Job 37:2
415 מִפִּיו לַפִּידִים יַהֲלֹכוּ Job 41:11
416 וְלַהַב מִפִּיו יֵצֵא Job 41:13
פיהו 417 וְאָנֹכִי אֶהְיֶה עִם־פִּיךָ וְעִם־פִּיהוּ Ex. 4:15
418 אָלָה פִּיהוּ מָלֵא Ps. 10:7
419 לֵב חָכָם יַשְׂכִּיל פִּיהוּ Prov. 16:23
420 כִּי־אָכַף עָלָיו פִּיהוּ Prov. 16:26
421 גַּם־אֶל־פִּיהוּ לֹא יְשִׁיבֶנָּה Prov. 19:24
422 וְאַחַר יִמָּלֵא־פִיהוּ חָצָץ Prov. 20:17
423 בַּשַּׁעַר לֹא יִפְתַּח־פִּיהוּ Prov. 24:7
424 אַחֲרֵי־כֵן פָּתַח אִיּוֹב אֶת־פִּיהוּ Job 3:1
425 וְאִיּוֹב הֶבֶל יִפְצֶה־פִּיהוּ Job 35:16
426 כִּי־יָגִיחַ יַרְדֵּן אֶל־פִּיהוּ Job 40:23
427 יִשָּׁקֵנִי מִנְּשִׁיקוֹת פִּיהוּ S.ofS. 1:2

פיהו (המשך) 428 צַדִּיק הוּא יְיָ כִּי פִיהוּ מָרִיתִי Lam. 1:18
429 יִתֵּן בֶּעָפָר פִּיהוּ Lam. 3:29
430 תְּחִלַּת דִּבְרֵי־פִיהוּ סִכְלוּת Eccl. 10:13
431 וְאַחֲרִית פִּיהוּ הוֹלֵלוּת רָעָה Eccl. 10:13
432 זִכְרוּ...מֹפְתָיו וּמִשְׁפְּטֵי־פִיהוּ ICh. 16:12
ופיהו 433 וּפִיהוּ מִבֵּית לַכֹּתֶרֶת וָמַעְלָה IK. 7:31
434 וּפִיהוּ אֶת־פִּיךָ יְדַבֵּר Jer. 34:3
בפיהו 435 כִּי אֵין בְּפִיהוּ נְכוֹנָה Ps. 5:10
436 תּוֹרַת אֱמֶת הָיְתָה בְּפִיהוּ Mal. 2:6
לפיהו 437 כָּל־עֲמַל הָאָדָם לְפִיהוּ Eccl. 6:7
מפיהו 438 וְתוֹרָה יְבַקְשׁוּ מִפִּיהוּ Mal. 2:7
פיה 439 הָאֲדָמָה אֲשֶׁר פָּצְתָה אֶת־פִּיהָ Gen. 4:11
440 נִקְרָא לַנַּעֲרָ וְנִשְׁאֲלָה...פִּיהָ Gen. 24:57
441 וּפָצְתָה הָאֲדָמָה אֶת־פִּיהָ Num. 16:30
442/3 וַתִּפְתַּח הָאָרֶץ אֶת־פִּיהָ Num. 16:32; 26:10
444 אֲשֶׁר פָּצְתָה הָאָרֶץ אֶת־פִּיהָ Deut. 11:6
445 וְעֵלִי שֹׁמֵר אֶת־פִּיהָ ISh. 1:12
446 וְגַם־עַל־פִּיהָ מִקְלָעוֹת IK. 7:31
447 וּפָעֲרָה פִיהָ לִבְלִי־חֹק Is. 5:14
448 וַיַּשְׁלֵךְ אֶת־אֶבֶן הָעוֹפֶרֶת אֶל־פִּיהָ Zech. 5:8
449 וְאַל־תֶּאְטַר־עָלַי בְּאֵר פִּיהָ Ps. 69:16
450 וְכָל־עַוְלָה קָפְצָה פִּיהָ Ps. 107:42
451 אָכְלָה וּמָחֲתָה פִיהָ Prov. 30:20
452 פִּיהָ פָּתְחָה בְחָכְמָה Prov. 31:26
453 וְעֹלָתָה קָפְצָה פִּיהָ Job 5:16
ופיה 454 וּפִיהָ עָגֹל מַעֲשֵׂה־כֵן IK. 7:31
בפיה 455 וְהִנֵּה עֲלֵה־זַיִת טָרָף בְּפִיהָ Gen. 8:11
456 וַיָּשֶׂם יוֹאָב אֶת־הַדְּבָרִים בְּפִיהָ IISh. 14:3
מפיה 457 וַהֲסִרֹתִי אֶת־שְׁמוֹת הַבְּעָלִ' מִפִּיהָ Hosh. 2:19
פינו 458 אָז יִמָּלֵא שְׂחוֹק פִּינוּ Ps. 126:2
מפינו 459 אֶת־כָּל־הַדָּבָר אֲשֶׁר־יָצָא מִפִּינוּ Jer. 44:17
בפיכם 460 וַתְּדַבֵּרְנָה בְּפִיכֶם Jer. 44:25
461 וַתַּגְדִּילוּ עָלַי בְּפִיכֶם Ezek. 35:13
מפיכם 462 וְהַיֹּצֵא מִפִּיכֶם תַּעֲשׂוּ Num. 32:24
463 וְלֹא־יֵצֵא מִפִּיכֶם דָּבָר Josh. 6:10
464 יֵצֵא עָתָק מִפִּיכֶם ISh. 2:3
465 עַל־עָסִיס כִּי נִכְרַת מִפִּיכֶם Joel 1:5
פיהם 466 וְעַל־פִּיהֶם יִהְיֶה כָּל־רִיב Deut. 21:5
467 הַמְלַקְקִים בְּיָדָם אֶל־פִּיהֶם Jud. 7:6
468 עָלָיו יִקְפְּצוּ מְלָכִים פִּיהֶם Is. 52:15
469 וַאֲשֶׁר לֹא־יִתֵּן עַל־פִּיהֶם Mic. 3:5
470 פָּצוּ עָלַי פִּיהֶם Ps. 22:14
471 וַיַּרְחִיבוּ עָלַי פִּיהֶם Ps. 35:21
472 שַׁתּוּ בַשָּׁמַיִם פִּיהֶם Ps. 73:9
473/4 אֲשֶׁר פִּיהֶם דִּבֶּר־שָׁוְא Ps. 144:8, 11
475 פָּצוּ עָלַיִךְ פִּיהֶם כָּל־אוֹיְבַיִךְ Lam. 2:16
476 פָּצוּ עָלֵינוּ פִּיהֶם כָּל־אֹיְבֵינוּ Lam. 3:46
477 וְכָל־אֲחֵיהֶם עַל־פִּיהֶם ICh. 12:32(33)
ופיהם 478 וּפִיהֶם פָּעֲרוּ לְמַלְקוֹשׁ Job 29:23
בפיהם 479 וְלַמְּדָהּ אֶת־בְּ־יִשְׂ' שִׂימָהּ בְּפִיהֶם Deut. 31:19
480 קָרוֹב...בְּפִיהֶם וְרָחוֹק מִכִּלְיוֹתֵיהֶם Jer. 12:2
481 כִּי־עֲגָבִים בְּפִיהֶם Ezek. 33:31
482 וּלְשׁוֹנָם רְמִיָּה בְּפִיהֶם Mic. 6:12
483 וְלֹא־יִמָּצֵא בְּפִיהֶם לְשׁוֹן תַּרְמִית Zep. 3:13
484 וּלְשׁוֹנוֹ תִּמַּק בְּפִיהֶם Zech. 14:12
485 וְאַחֲרֵיהֶם בְּפִיהֶם יִרְצוּ Ps. 49:14
486 הִנֵּה יַבִּיעוּן בְּפִיהֶם Ps. 59:8
487 עוֹד אָכְלָם בְּפִיהֶם Ps. 78:30
488 וַיְפַתּוּהוּ בְּפִיהֶם Ps. 78:36
489 אַף אֵין־יֶשׁ־רוּחַ בְּפִיהֶם Ps. 135:17
490 פָּעֲרוּ עָלַי בְּפִיהֶם Job 16:10
491 וְאַשְׁמָה בְּפִיהֶם דְּבָרִים Ez. 8:17

לפיהם 492 וְכַף יָשִׂימוּ לְפִיהֶם Job 29:9
לפיהן (ב) 493 לְפִיהֶן יָשִׁיב גְּאֻלָּתוֹ Lev. 25:51
מפיהם 494 אָבְדָה הָאֱמוּנָה וְנִכְרְתָה מִפִּיהֶם Jer. 7:28
495 וְהִצַּלְתִּי צֹאנִי מִפִּיהֶם Ezek. 34:10
496 וַיֹּשַׁע מֵחֶרֶב מִפִּיהֶם Job 5:15
497 וּמַנְךָ לֹא־מָנַעְתָּ מִפִּיהֶם Neh. 9:20
פימו 498 חֶלְבָּמוֹ סָּגְרוּ פִּימוֹ דִּבְּרוּ בְגֵאוּת Ps. 17:10
499 חַטַּאת־פִּימוֹ דְּבַר־שְׂפָתֵימוֹ Ps. 59:13
בפימו 500 אֱלֹהִים הֲרָס־שִׁנֵּימוֹ בְּפִימוֹ Ps. 58:7
פיות 501 וְאַחֲרִיתָהּ...חַדָּה כְּחֶרֶב פִּיּוֹת Prov. 5:4
פיות 502 חֶרֶב וְלָהּ שְׁנֵי פֵיוֹת Jud. 3:16

פֹּה

תה־פ [פוֹ 59–81; פֹּא 47]

א) כאן, בְּמָקוֹם זה: 1–15, 17–42, 44–47

ב) לכאן, הֵנָּה: 16, 43

ג) [מִפֹּה] מִצַּד זה: 48–82

– עַד פֹּה 40; מִפֹּה וּמִפֹּה 50, 65, 66, 74, 77

פה 1 עֹד מִי־לְךָ פֹה חָתָן Gen. 19:12
2 שְׁבוּ־לָכֶם פֹּה עִם־הַחֲמוֹר Gen. 22:5
3 וְגַם־פֹּה לֹא־עָשִׂיתִי מְאוּמָה Gen. 40:15
4 לִינוּ פֹה הַלַּיְלָה Num. 22:8
5 וְאַתֶּם תֵּשְׁבוּ פֹה Num. 32:6
6 גִּדְרֹת צֹאן נִבְנֶה לְמִקְנֵנוּ פֹּה Num. 32:16
7 אֲנַחְנוּ אֵלֶּה פֹה הַיּוֹם כֻּלָּנוּ חַיִּים Deut. 5:3
8 וְאַתָּה פֹּה עֲמֹד עִמָּדִי Deut. 5:28
9 כְּכֹל אֲשֶׁר אֲנַחְנוּ עֹשִׂים פֹּה הַיּוֹם Deut. 12:8
10 אֶת־אֲשֶׁר יֶשְׁנוֹ פֹּה עִמָּנוּ Deut. 29:14
11 אֲשֶׁר אֵינֶנּוּ פֹּה עִמָּנוּ הַיּוֹם Deut. 29:14
12 וְיָרִיתִי לָכֶם גּוֹרָל פֹּה Josh. 18:6
13 וּשְׁאֵלֵךְ וְאָמַר הֲיֵשׁ־פֹּה אִישׁ Jud. 4:20
14 וּמָה־אַתָּה עֹשֶׂה בָּזֶה וּמַה־לְּךָ פֹה Jud. 18:3
15 לִין פֹּה וְיִיטַב לְבָבֶךָ Jud. 19:9
16 כִּי לֹא־נָסֹב עַד־בֹּאוֹ פֹה ISh. 16:11
17 וְאִין יֶשׁ־פֹּה תַחַת־יָדְךָ חֲנִית ISh. 21:9
18 הִנֵּה אֲנַחְנוּ פֹה בִּיהוּדָה יְרֵאִים ISh. 23:3
19 וְאַתָּה פֹּה עֲמֹד IISh. 20:4
20 וַיֹּאמֶר לֹא כִּי פֹה אָמוּת IK. 2:30
21-22 מַה־לְּךָ פֹה אֵלִיָּהוּ IK. 19:9, 13
23 הַאֵין פֹּה נָבִיא לַייָ עוֹד IK. 22:7
24-26 שֵׁב־נָא פֹה IIK. 2:2, 4, 6
27 הַאֵין פֹּה נָבִיא לַייָ IIK. 3:11
28 פֹּה אֱלִישָׁע בֶּן־שָׁפָט IIK. 3:11
29 מָה אֲנַחְנוּ יֹשְׁבִים פֹּה עַד־מָתְנוּ IIK. 7:3
30 וְאִם־יָשַׁבְנוּ פֹה וָמָתְנוּ IIK. 7:4
31 פֶּן־יֶשׁ־פֹּה עִמָּכֶם מֵעַבְדֵי יְיָ IIK. 10:23
32/3 מַה־לְּךָ פֹה וּמִי לְךָ פֹה Is. 22:16
34 כִּי־חָצַבְתָּ לְּךָ פֹּה קָבֶר Is. 22:16
35 וְעַתָּה מַה־לִּי־פֹה Is. 52:5
36 אֲשֶׁר בֵּית־יִשְׂרָאֵל עֹשִׂים פֹּה Ezek. 8:6
37 בֹּא וּרְאֵה...אֲשֶׁר הֵם עֹשִׂים פֹּה Ezek. 8:9
38 אֶת־הַתּוֹעֵבוֹת אֲשֶׁר עָשׂוּ־פֹה Ezek. 8:17
39 פֹּה אֵשֵׁב כִּי אִוִּתִיהָ Ps. 132:14
40 עַד־פֹּה תָבוֹא וְלֹא תֹסִיף Job 38:11
41 סוּרָה שְׁבָה־פֹּה פְּלֹנִי אַלְמֹנִי Ruth 4:1
42 וַיֹּאמֶר שְׁבוּ־פֹה וַיֵּשֵׁבוּ Ruth 4:2
43 מֶלֶךְ אַשּׁוּר הַמַּעֲלֶה אֹתָנוּ פֹּה Ez. 4:2
44 וְעַתָּה עַמְּךָ הַנִּמְצְאוּ־פֹה ICh. 29:17
45 הַאֵין פֹּה נָבִיא לַייָ עוֹד IICh. 18:6
ופה 46 וּפֹה אַשְׁלִיךְ לָכֶם גּוֹרָל Josh. 18:8
ופא 47 וּפֹא־יָשִׁית בִּגְאוֹן גַּלֶּיךָ Job 38:11
מפה 48/9 שְׁלֹשָׁה מִפֹּה וּשְׁלֹשָׁה מִפֹּה Ezek. 40:10
50 וּמִדָּה אַחַת לָאֵילִם מִפֹּה וּמִפּוֹ Ezek. 40:10

מִפָּה (המשך)
51 וְאַמָּה־אַחַת גְּבוּל מִפֹּה Ezek. 40:12
52 וּשְׁנַיִם שֻׁלְחָנוֹת מִפֹּה Ezek. 40:39
53 אַרְבָּעָה שֻׁלְחָנוֹת מִפֹּה Ezek. 40:41
54 וְאַרְבָּעָה שֻׁלְחָנוֹת מִפֹּה Ezek. 40:41
55 חָמֵשׁ אַמּוֹת מִפֹּה Ezek. 40:48
56 וְחָמֵשׁ אַמּוֹת מִפֹּה Ezek. 40:48
57/8 אֶחָד מִפֹּה וְאֶחָד מִפֹּה Ezek. 40:49
מִפּוֹ 59/60 שֵׁשׁ־אַמּוֹת מִפּוֹ וְשֵׁשׁ אַמּוֹת מִפּוֹ Ezek. 40:12
61/2 שְׁלֹשָׁה מִפּוֹ וּשְׁלֹשָׁה מִפּוֹ Ezek. 40:21
63/4 אֶחָד מִפּוֹ וְאֶחָד מִפּוֹ Ezek. 40:26
65/6 וְתִמֹרִים אֶל־אֵילָו מִפּוֹ וּמִפּוֹ Ezek. 40:34, 37
67 שְׁנַיִם שֻׁלְחָנוֹת מִפּוֹ Ezek. 40:39
68/9 שָׁלֹשׁ אַמּוֹת מִפּוֹ וְשָׁלֹשׁ...מִפּוֹ Ezek. 40:48
70/1 שֵׁשׁ אַמּוֹת רֹחַב מִפּוֹ וְשֵׁשׁ...מִפּוֹ Ezek. 41:1
72/3 חָמֵשׁ אַמּוֹת מִפּוֹ וְחָמֵשׁ...מִפּוֹ Ezek. 41:2
74 מִפּוֹ וּמִפּוֹ מֵאָה אַמָּה Ezek. 41:15
75/6 וּפְנֵי אָדָם...מִפּוֹ וּפְנֵי־כְפִיר Ezek. 41:19
77 וְתִמֹרִים מִפּוֹ וּמִפּוֹ Ezek. 41:26
78 וּמִדָּה אַחַת לָאֵילִם מִפֹּה וּמִפּוֹ Ezek. 40:10
וּמִפּוֹ 79/80 וְתִמֹרִים אֶל־אֵילָו מִפּוֹ וּמִפּוֹ Ezek. 40:34, 37
81 מִפּוֹ וּמִפּוֹ מֵאָה אַמָּה Ezek. 41:15
82 וְתִמֹרִים מִפּוֹ וּמִפּוֹ Ezek. 41:26

פּוֹ עין פה

פּוּאָה שפ״ז א) אבי השופט תולע: 1
ב) איש מישככר: 2
פּוּאָה 1 וַיָּקָם...תּוֹלָע בֶּן־פּוּאָה בֶּן־דּוֹדוֹ Jud. 10:1
וּפוּאָה 2 וְלִבְנֵי יִשָּׂשכָר תּוֹלָע וּפוּאָה ICh. 7:1

פוג : פַּג, נָפוֹג; פּוּגָה, הֲפוּגָה

(פוג) פָּג פ׳ א) דמם, חלש [ובהשאלה] בטל: 1-3
ב) [נפ׳ נָפוֹג] נחלש, נבוך: 4
פָּג לִבּוֹ 1; פָּגָה יָדוֹ 3; פָּגָה תּוֹרָה 2
וַיָּפָג 1 וַיָּפָג לִבּוֹ כִּי לֹא־הֶאֱמִין Gen. 45:26
תָּפוּג 2 עַל־כֵּן תָּפוּג תּוֹרָה Hab. 1:4
3 יָדִי לַיְלָה נִגְּרָה וְלֹא תָפוּג Ps. 77:3
נְפוּגוֹתִי 4 נְפוּגוֹתִי וְנִדְכֵּיתִי עַד־מְאֹד Ps. 38:9

פּוּגָה* נ׳ הפוגה, הפסקה
פּוּגַת 1 אַל־תִּתְּנִי פוּגַת לָךְ Lam. 2:18

פֻּוָּה שפ״ז – מבני יששכר, הוא פואה: 1, 2
וּפֻוָּה 1 וּבְנֵי יִשָּׂשכָר תּוֹלָע וּפֻוָּה Gen. 46:13
לְפֻוָּה 2 לְפֻוָּה מִשְׁפַּחַת הַפּוּנִי Num. 26:23

פוח : פָּח, הֵפִיחַ

(פוח) פָּח פ׳ א) נָשַׁב: 1, 2
ב) [הפ׳ הֵפִיחַ] הֵשִׁיב, הפיץ ברוח: 3, 4, 13, 14
ג) [כנ״ל] הפיץ ריח: 15
ד) [כנ״ל] הביע, הוציא מפיו: 5-12
הֵפִיחַ אֱמוּנָה 7; הֵפִיחַ כְּזָבִים 6, 8-11
שֶׁיָּפוּחַ 1-2 עַד שֶׁיָּפוּחַ הַיּוֹם וְנָסוּ הַצְּלָלִים S.of S. 2:17; 4:6
אָפִיחַ 3 בְּאֵשׁ עֶבְרָתִי אָפִיחַ עָלַיִךְ Ezek. 21:36
יָפִיחַ 4 כָּל־צוֹרְרָיו יָפִיחַ בָּהֶם Ps. 10:5
5 אָשִׁית בְּיֵשַׁע יָפִיחַ לוֹ Ps. 12:6
6 יָפִיחַ כְּזָבִים עֵד שָׁקֶר Prov. 6:19
7 יָפִיחַ אֱמוּנָה יַגִּיד צֶדֶק Prov. 12:17
וְיָפִיחַ 8 וְיָפִיחַ כְּזָבִים עֵד שָׁקֶר Prov. 14:5
9 וְיָפִחַ כְּזָבִים מִרְמָה Prov. 14:25
10 וְיָפִיחַ כְּזָבִים לֹא יִמָּלֵט Prov. 19:5
11 וְיָפִיחַ כְּזָבִים יֹאבֵד Prov. 19:9
וְיָפֵחַ 12 וְיָפֵחַ לַקֵּץ וְלֹא יְכַזֵּב Hab. 2:3
יָפִיחוּ 13 אַנְשֵׁי לָצוֹן יָפִיחוּ קִרְיָה Prov. 29:8
הָפֵחַ 14 הָפֵחַ בַּחוּרִים כֻּלָּם Is. 42:22
הָפִיחִי 15 הָפִיחִי גַנִּי יִזְּלוּ בְשָׂמָיו S.of S. 4:16

פּוֹחֵז* ת׳ נמהר, קל דעת: 1, 2
רֵיקִים וּפֹחֲזִים 2
פֹּחֲזִים 1 נְבִיאֶיהָ פֹּחֲזִים אַנְשֵׁי בֹּגְדוֹת Zep. 3:4
וּפֹחֲזִים 2 אֲנָשִׁים רֵיקִים וּפֹחֲזִים Jud. 9:4

פּוּט שפ״ז א) מִבְּנֵי חָם בֶּן נֹחַ: 2, 3
ב) על שמו שבט מעמי אפריקה: 1, 4-7
פּוּט 1 פּוּט וְלוּבִים הָיוּ בְּעֶזְרָתֵךְ Nah. 3:9
2 כּוּשׁ וּמִצְרַיִם פּוּט וּכְנָעַן ICh. 1:8
וּפוּט 3 כּוּשׁ וּמִצְרַיִם וּפוּט וּכְנָעַן Gen. 10:6
4 כּוּשׁ וּפוּט תֹּפְשֵׂי מָגֵן Jer. 46:9
5 פָּרַס וְלוּד וּפוּט הָיוּ בְחֵילֵךְ Ezek. 27:10
6 כּוּשׁ וּפוּט וְלוּד Ezek. 30:5
7 פָּרַס כּוּשׁ וּפוּט אִתָּם Ezek. 38:5

פּוּטִיאֵל שפ״ז – חותן אלעזר בן אהרן הכהן
פּוּטִיאֵל 1 וְאֶלְעָזָר...לָקַח־לוֹ מִבְּנוֹת פּוּטִיאֵל Ex. 6:25

פּוֹטִי פֶרַע שפ״ז – כהן און, חותן יוסף במצרים: 1-3
פּוֹטִי פֶרַע 1 אָסְנַת בַּת־פּוֹטִי פֶרַע כֹּהֵן אֹן Gen. 41:45
2-3 בַּת־פּוֹטִי פֶרַע כֹּהֵן א(וֹ)ן Gen. 41:50; 46:20

פּוֹטִיפַר שפ״ז – שר הטבחים של פרעה בימי יוסף: 1, 2
פּוֹטִיפַר 1 וַיִּקְנֵהוּ פּוֹטִיפַר סְרִיס פַּרְעֹה Gen. 39:1
לְפוֹטִיפַר 2 וְהַמְּדָנִים מָכְרוּ אֹתוֹ...לְפוֹטִיפַר Gen. 37:36

פּוּךְ ז׳ א) חומר לצביעת עינים: 2, 4
ב) מין אבן יקרה: 1, 3
פוּךְ 1 אַבְנֵי־פוּךְ וְרִקְמָה ICh. 29:2
בַּפּוּךְ 2 וַתָּשֶׂם בַּפּוּךְ עֵינֶיהָ IIK. 9:30
3 אָנֹכִי מַרְבִּיץ בַּפּוּךְ אֲבָנָיִךְ Is. 54:11
4 כִּי־תִקְרְעִי בַפּוּךְ עֵינַיִךְ Jer. 4:30

פּוֹל ז׳ צמח ממשפחת הקטניות: 1, 2
וּפוֹל 1 וּפוֹל וַעֲדָשִׁים וְקָלִי IISh. 17:28
2 וּפוֹל וַעֲדָשִׁים וְדֹחַן וְכֻסְּמִים Ezek. 4:9

פּוּל שפ״ז א) שבט מתושבי אסיה הקטנה: 1
ב) מלך אשור בימי המלך מנחם,
הוא כנראה תִּגְלַת פִּלְאֶסֶר: 2-4
רוּחַ פּוּל 3
פּוּל 1 תַּרְשִׁישׁ פּוּל וְלוּד Is. 66:19
2 בָּא פוּל מֶלֶךְ־אַשּׁוּר עַל־הָאָרֶץ IIK. 15:19
3 וַיָּעַר...אֶת־רוּחַ פּוּל מֶלֶךְ־אַשּׁוּר ICh. 5:26
לְפוּל 4 וַיִּתֵּן מְנַחֵם לְפוּל אֶלֶף כִּכַּר־כָּסֶף IIK. 15:19

(פון) פָּן פ׳ פקפק(?)
אָפוּנָה 1 נָשָׂאתִי אֵמֶיךָ אָפוּנָה Ps. 88:16

פּוּנֶה (שַׁעַר הַפּוּנֶה, דה״ב כו 23) – עין פִּנָּה

פּוּנִי ת׳ המתיחס על בית פֻּוָּה
הַפּוּנִי 1 לְפֻוָּה מִשְׁפַּחַת הַפּוּנִי Num. 26:23

פּוּנֹן ש״פ – מתחנות בני ישראל בצאתם ממצרים: 1, 2
בְּפוּנֹן 1 וַיִּסְעוּ מִצַּלְמֹנָה וַיַּחֲנוּ בְּפוּנֹן Num. 33:42
מִפּוּנֹן 2 וַיִּסְעוּ מִפּוּנֹן וַיַּחֲנוּ בְּאֹבֹת Num. 33:43

פּוּעָה שפ״נ – מילדת עבריה במצרים בימי משה
פּוּעָה 1 הָאַחַת שִׁפְרָה וְשֵׁם הַשֵּׁנִית פּוּעָה Ex. 1:15

פוץ : פָּץ, נָפוֹץ, הֵפִיץ; מֵפִיץ, בַּת־פּוּצַי(?)

(פוץ) פָּץ פ׳ א) התפזר, התפשט: 1-12
ב) [נפ׳ נָפוֹץ] התפזר: 13-27
ג) [הפ׳ הֵפִיץ] פזר (גם בהשאלה): 28-64
קרובים: בִּזֵּר / זָרָה / חִלֵּק / פִּזַּר
נָפוּץ 1 פֶּן־נָפוּץ עַל־פְּנֵי כָל־הָאָרֶץ Gen. 11:4
יָפֻצוּ 2 לְמַעַן אֲשֶׁר לֹא־יָפֻצוּ עַמִּי Ezek. 46:18
3 יָקוּם אֱלֹהִים יָפוּצוּ אוֹיְבָיו Ps. 68:2
4 יָפוּצוּ מַעְיְנֹתֶיךָ חוּצָה Prov. 5:16
וְיָפֻצוּ 5 קוּמָה יְיָ וְיָפֻצוּ אֹיְבֶיךָ Num. 10:35
וַיָּפֻצוּ 6 וַיְהִי הַנִּשְׁאָרִים וַיָּפֻצוּ ISh. 11:11
7 וַיָּפֻצוּ מֵעַל־הָעִיר אִישׁ לְאֹהָלָיו IISh. 20:22
תְּפוּצֶינָה 8 עוֹד תְּפוּצֶינָה עָרַי מִטּוֹב Zech. 1:17
וּתְפוּצֶיןָ 9 הַךְ אֶת־הָרֹעֶה וּתְפוּצֶיןָ הַצֹּאן Zech. 13:7
וַתְּפוּצֶינָה 10 וַתְּפוּצֶינָה מִבְּלִי רֹעֶה Ezek. 34:5
11 לְכָל־חַיַּת הַשָּׂדֶה וַתְּפוּצֶינָה Ezek. 34:5
פֻּצוּ 12 פֻּצוּ בָעָם וַאֲמַרְתֶּם לָהֶם ISh. 14:34
נְפוֹצָה 13 וְכָל־מַרְעִיתָם נְפוֹצָה Jer. 10:21
נְפוֹצוֹתֶם 14 הָאֲרָצוֹת אֲשֶׁר נְפֹצוֹתֶם בָּהֶם Ezek. 11:17
15 הָאֲרָצוֹת אֲשֶׁר נְפוֹצוֹתֶם בָּם Ezek. 20:34
16 הָאֲרָצוֹת אֲשֶׁר נְפֹצֹתֶם בָּם Ezek. 20:41
נָפֹצוּ 17 וְאַחַר נָפֹצוּ מִשְׁפְּחוֹת הַכְּנַעֲנִי Gen. 10:18
18/9 וְכָל־חֵילוֹ נָפֹצוּ מֵעָלָיו IIK. 25:5 • Jer. 52:8
20 מִן־הָעַמִּים אֲשֶׁר נָפֹצוּ בָם Ezek. 28:25
21 מִן־הָעַמִּים אֲשֶׁר־נָפֹצוּ שָׁמָּה Ezek. 29:13
22 וְעַל כָּל־פְּנֵי הָאָרֶץ נָפֹצוּ צֹאנִי Ezek. 34:6
23 מִכָּל־הַמְּקוֹמֹת אֲשֶׁר נָפֹצוּ שָׁם Ezek. 34:12
וְנָפֹצוּ 24 וְנָפֹצוּ כָּל־יְהוּדָה הַנִּקְבָּצִים אֵלֶיךָ Jer. 40:15
נְפֹצֶת 25 וַתְּהִי...הַמִּלְחָמָה נָפֹצֶת (כת׳ נפצות) IISh. 18:8
נְפֹצִים 26 נְפֹצִים אֶל־הֶהָרִים כַּצֹּאן IK. 22:17
27 נְפוֹצִים עַל־הֶהָרִים כַּצֹּאן IICh. 18:16
לְהָפִיץ 28 לְהָפִיץ אֹתָם בַּגּוֹיִם Ezek. 20:23
בַּהֲפִיצִי 29 בַּהֲפִיצִי אוֹתָם בַּגּוֹיִם Ezek. 12:15
לַהֲפִיצֵנִי 30 יִסְעֲרוּ לַהֲפִיצֵנִי Hab. 3:14
וַהֲפִיצוֹתִי 31 וַהֲפִיצוֹתִי אוֹתָךְ בַּגּוֹיִם Ezek. 22:15
32 וַהֲפִצֹתִי אֶת־מִצְרַיִם בַּגּוֹיִם Ezek. 29:12
33/4 וַהֲפִצוֹתִי אֶת־מִצְרַיִם בַּגּוֹיִם Ezek. 30:23, 26
הֲפִיצוֹתִיךָ 35 בְּכָל־הַגּוֹיִם אֲשֶׁר הֲפִצוֹתִיךָ שָׁם Jer. 30:11
וּתְפוֹצוֹתִיכֶם 36 וּתְפוֹצוֹתִיכֶם וּנְפַלְתֶּם Jer. 25:34
הֲפִיצוֹתִים 37 וְכִי הֲפִיצוֹתִים בָּאֲרָצוֹת Ezek. 11:16
וַהֲפִיצוֹתִים 38 וַהֲפִצוֹתִים בַּגּוֹיִם אֲשֶׁר לֹא יָדְעוּ Jer. 9:15
וְהֵפִיץ 39 וְהֵפִיץ יְיָ אֶתְכֶם בָּעַמִּים Deut. 4:27
40 וְעִוָּה פָנֶיהָ וְהֵפִיץ יֹשְׁבֶיהָ Is. 24:1
41 וְהֵפִיץ קֶצַח וְכַמֹּן יִזְרֹק Is. 28:25
הֱפִיצְךָ 42 אֲשֶׁר הֱפִיצְךָ יְיָ אֱלֹהֶיךָ שָׁמָּה Deut. 30:3
וֶהֱפִיצְךָ 43 וֶהֱפִיצְךָ יְיָ בְּכָל־הָעַמִּים Deut. 28:64
וֶהֱפִיצֻהוּ 44 בַּעֲתֻהוּ בַלָּהוֹת וֶהֱפִיצֻהוּ לְרַגְלָיו Job 18:11
הֱפִיצָם 45 וּמִשָּׁם הֱפִיצָם יְיָ עַל־פְּנֵי כָּל־הָאָרֶץ Gen. 11:9
הֲפִיצוֹתֶם 46 הֲפִצֹתֶם אֶת־צֹאנִי וַתַּדִּחוּם Jer. 23:2
47 הֲפִיצוֹתֶם אוֹתָנָה אֶל־הַחוּצָה Ezek. 34:21
מֵפִיץ 48 עָלָה מֵפִיץ עַל־פָּנַיִךְ Nah. 2:2
וּמְפִיצִים 49 מְאַבְּדִים וּמְפִצִים אֶת־צֹאן מַרְעִיתִי Jer. 23:1
אָפִיץ 50 אֲנִי אָפִיץ אֶתְכֶם בָּעַמִּים Neh. 1:8
וָאָפִיץ 51 וָאָפִיץ אֹתָם בַּגּוֹיִם Ezek. 36:19
אֲפִיצֵם 52 כְּרוּחַ־קָדִים אֲפִיצֵם לִפְנֵי אוֹיֵב Jer. 18:17
וַאֲפִיצֵם 53 אֲחַלְּקֵם בְּיַעֲקֹב וַאֲפִיצֵם בְּיִשׂ׳ Gen. 49:7
54 וַאֲפִיצֵם כְּקַשׁ עוֹבֵר לְרוּחַ מִדְבָּר Jer. 13:24
וּתְפִיצֵם 55 בְּרוֹק בָּרָק וּתְפִיצֵם Ps. 144:6
יָפִיץ 56 יַטְרִיחַ עָב יָפִיץ עֲנַן אוֹרוֹ Job 37:11
יָפֵץ 57 יָפֵץ קָדִים עֲלֵי־אָרֶץ Job 38:24

וַיָּפֶץ 58 וַיָּפֶץ יְיָ אֹתָם מִשָּׁם — Gen. 11:8
59 וַיָּפֶץ הָעָם בְּכָל־אֶרֶץ מִצְרָיִם — Ex. 5:12
60 וַיָּפֶץ הָעָם מֵעָלָיו — I Sh. 13:8
וַיְפִיצֵם 61/2 וַיִּשְׁלַח חִצִּים וַיְפִיצֵם — II Sh. 22:15 • Ps. 18:15
תָּפִיץ 63 וּסְעָרָה תָּפִיץ אֹתָם — Is. 41:16
הָפֵץ 64 הָפֵץ עֶבְרוֹת אַפֶּךָ — Job 40:11

פּוּצַי [מלה סתומה] שם פרטי? [ויש קוראים: בַּתְּפוּצַי]
פּוּצַי 1 עֲתָרַי בַּת־פּוּצַי יוֹבִלוּן מִנְחָתִי — Zep. 3:10

פּוֹצֵץ פ׳ – עין פצץ

פוק : פָּק, הֵפִיק; פּוּקָה, פִּיק

(פוק) פָּק פָּ׳ א) כָּשַׁל: 1
ב) [הפ׳ הֵפִיק] התמוטט: 3
ג) [כנ״ל] הוֹצִיא, השׂיג: 2, 4-9
הֵפִיק זְמָמוֹ 6; הֵפִיק נַפְשׁוֹ 7; הֵפִיק רָצוֹן 5; הֵפִיק תְּבוּנָה 4

פָּקוּ 1 שָׁגוּ בָּרֹאֶה פָּקוּ פְּלִילִיָּה — Is. 28:7
מְפִיקִים 2 מְפִיקִים מִזַּן אֶל זַן — Ps. 144:13
יָפִיק 3 בְּמַסְמְרוֹת...יְחַזְּקוּם וְלוֹא יָפִיק — Jer. 10:4
4 אַשְׁרֵי...וְאָדָם יָפִיק תְּבוּנָה — Prov. 3:13
5 טוֹב יָפִיק רָצוֹן מֵיְיָ — Prov. 12:2
תָּפֵק 6 זְמָמוֹ אַל־תָּפֵק — Ps. 140:9
וְתָפֵק 7 וְתָפֵק לָרָעֵב נַפְשֶׁךָ — Is. 58:10
וַיָּפֶק 8-9 וַיָּפֶק רָצוֹן מֵיְיָ — Prov. 8:35; 18:22

פּוּקָה נ׳ מִכְשׁוֹל
לְפוּקָה 1 לְפוּקָה וּלְמִכְשׁוֹל לֵב — I Sh. 25:31

(פור) פּוֹרֵר, הֵפִיר – עין פרר

פּוּר ז׳ א) גּוֹרָל: 1-3
ב) [פּוּרִים] החג בימי י״ד וט״ו באדר: 4-8
– הִפִּיל פּוּר 1, 2; עַל־שֵׁם הַפּוּר 3
– אִגֶּרֶת הַפּוּרִים 6; דִּבְרֵי הַפּ׳ 8; יְמֵי הַפּוּרִים 5,7

פּוּר 1 הִפִּיל פּוּר הוּא הַגּוֹרָל — Es. 3:7
2 וְהִפִּל פּוּר הוּא הַגּוֹרָל — Es. 9:24
הַפּוּר 3 עַל־כֵּן קָרְאוּ...עַל־שֵׁם הַפּוּר — Es. 9:26
פּוּרִים 4 עַל־כֵּן קָרְאוּ לַיָּמִים הָאֵלֶּה פוּרִים — Es. 9:26
הַפּוּרִים 5 וִימֵי הַפּוּרִים הָאֵלֶּה לֹא יַעַבְרוּ — Es. 9:28
6 לְקַיֵּם אֵת אִגֶּרֶת הַפֻּרִים הַזֹּאת — Es. 9:29
7 לְקַיֵּם אֶת־יְמֵי הַפֻּרִים הָאֵלֶּה — Es. 9:31
8 קִיַּם דִּבְרֵי הַפֻּרִים הָאֵלֶּה — Es. 9:32

פּוּרָה[1] נ׳ א) גַּת, יֶקֶב: 1
ב) מדה ליין: 2
פּוּרָה 1 פּוּרָה דָּרַכְתִּי לְבַדִּי — Is. 63:3
2 בָּא אֶל־הַיֶּקֶב לַחְשֹׂף חֲמִשִּׁים פּוּרָה — Hag. 2:16

פּוּרָה[2] שפ״ז – נערו של גדעון: 1, 2
וּפוּרָה 1 רֵד אַתָּה וּפֻרָה נַעַרְךָ אֶל־הַמַּחֲנֶה — Jud. 7:10
2 וַיֵּרֶד הוּא וּפֻרָה נַעֲרוֹ — Jud. 7:11

פּוֹרָת ת׳ (בראשית מט22) – עין פָּרָה[1]

פּוֹרָתָא שפ״ז – מעשׂרת בני המן
פּוֹרָתָא 1 וְאֵת פּוֹרָתָא וְאֵת אֲדַלְיָא — Es. 9:8

פוש : פָּשׁ, נָפוֹשׁ; פַּשׁ(?)

(פוש) פָּשׁ פָּ׳ א) חזק, התעצם: 1-3
ב) [נפ׳ נָפוֹשׁ] נפוֹץ: 4
וּפִשְׁתֶּם 1 וִיצָאתֶם וּפִשְׁתֶּם כְּעֶגְלֵי מַרְבֵּק — Mal. 3:20
וּפָשׁוּ 2 וּפָשׁוּ פָּרָשָׁיו...מֵרָחוֹק יָבֹאוּ — Hab. 1:8

תָּפוּשׁוּ 3 כִּי תָפוּשׁוּ (כת׳ תפושי) כְּעֶגְלָה דָשָׁה — Jer. 50:11
נָפֹשׁוּ 4 נָפֹשׁוּ עַמְּךָ עַל־הֶהָרִים — Nah. 3:18

פּוֹשֵׁעַ ז׳ חוטא – עין פָּשַׁע

פּוּת נ׳ – עין פֹּת

פּוֹתָה נ׳ חוֹר לְצִיר הדלת
וְהַפֹּתוֹת 1 וְהַפֹּתוֹת לְדַלְתוֹת הַבַּיִת הַפְּנִימִי — IK. 7:50

פּוֹתֶה ת׳ – עין פָּתָה

פּוּתִי ת׳ המתיַחס על איש ששמו פּוּת או פּוּתִי
וְהַפּוּתִי 1 הַיִּתְרִי וְהַפּוּתִי וְהַשֻּׁמָתִי — ICh. 2:53

פַּז, פָּז ז׳ זהב מובחר: 1-9 • קרובים: ראה זָהָב
אַדְנֵי פָז 4; כְּלִי פָז 2; כֶּתֶם פָּז 3; עֲטֶרֶת פָּז 1
מְסֻלָּאִים בַּפָּז 5

פָּז 1 תָּשִׁית לְרֹאשׁוֹ עֲטֶרֶת פָּז — Ps. 21:4
2 וּתְמוּרָתָהּ כְּלִי־פָז — Job 28:17
3 רֹאשׁוֹ כֶּתֶם פָּז — S.of S. 5:11
4 מְיֻסָּדִים עַל־אַדְנֵי־פָז — S.of S. 5:15
בַּפָּז 5 בְּנֵי צִיּוֹן הַיְקָרִים הַמְסֻלָּאִים בַּפָּז — Lam. 4:2
מִפָּז 6 אוֹקִיר אֱנוֹשׁ מִפָּז — Is. 13:12
וּמִפַּז 7 הַנֶּחֱמָדִים מִזָּהָב וּמִפַּז רָב — Ps. 19:11
וּמִפָּז 8 אָהַבְתִּי מִצְוֹתֶיךָ מִזָּהָב וּמִפָּז — Ps. 119:127
9 טוֹב פִּרְיִי מֵחָרוּץ וּמִפָּז — Prov. 8:19

פָּזוּר ת׳ – עין פָּזַר

פזז : פָּזַז, פִּזֵּז; פָּז; מוּפָז(?)

פָּזַז פָּ׳ א) רקד: 1
ב) [פִּ׳ פִּזֵּז] רקד: 2
ג) [הָפ׳ בינוני: מוּפָז] מזוקק, טהור: 3
[ויש סוברים: מוּפָז=מֵאוּפָז]

וַיָּפֹזּוּ 1 וַיָּפֹזּוּ זְרֹעֵי יָדָיו — Gen. 49:24
מְפַזֵּז 2 מְפַזֵּז וּמְכַרְכֵּר לִפְנֵי יְיָ — II Sh. 6:16
מוּפָז 3 וַיְצַפֵּהוּ זָהָב מוּפָז — IK. 10:18

פזר : פָּזוּר, נִפְזַר, פִּזַּר, פְּזַר

פָּזַר פָּ׳ א) [רק פעוּל: פָּזוּר] נפוֹץ: 1
ב) [נפ׳ נִפְזַר] הופץ: 2
ג) [פִּ׳ פִּזַּר] הפיץ לכל עבר: 3-9
ד) [פֻּ׳ בינוני: מְפֻזָּר] נפוֹץ בכל עבר: 10

פְּזוּרָה 1 שֶׂה פְזוּרָה יִשְׂרָאֵל — Jer. 50:17
נִפְזְרוּ 2 נִפְזְרוּ עֲצָמֵינוּ לְפִי שְׁאוֹל — Ps. 141:7
פִּזַּרְתָּ 3 בִּזְרוֹעַ עֻזְּךָ פִּזַּרְתָּ אוֹיְבֶיךָ — Ps. 89:11
פִּזַּר 4 כִּי־אֱלֹהִים פִּזַּר עַצְמוֹת חֹנָךְ — Ps. 53:6
5 פִּזַּר נָתַן לָאֶבְיוֹנִים — Ps. 112:9
פִּזְּרוּ 6 וְנַחֲלָתִי יִשְׂרָאֵל אֲשֶׁר פִּזְּרוּ בַגּוֹיִם — Joel 4:2
מְפַזֵּר 7 יֵשׁ מְפַזֵּר וְנוֹסָף עוֹד — Prov. 11:24
וַתְּפַזְּרִי 8 וַתְּפַזְּרִי אֶת־דְּרָכַיִךְ לַזָּרִים — Jer. 3:13
יְפַזֵּר 9 כְּפוֹר כָּאֵפֶר יְפַזֵּר — Ps. 147:16
מְפֻזָּר 10 מְפֻזָּר וּמְפֹרָד בֵּין הָעַמִּים — Es. 3:8

פַּח[1] ז׳ מלכודת, מוֹקֵשׁ (גם בהשאלה): 1-25
קרובים: מוֹקֵשׁ / מַלְכֹּדֶת
– פַּח וּמוֹקֵשׁ 15, 16; פַּח הָאָרֶץ 19; פַּח יוֹקְשִׁים 21;
פַּח יָקוֹשׁ 18; פַּח יָקוּשׁ 20; מִידֵי פַח 5; עָקֵב פַּח 8; צַנִּים פַּחִים 23
– טָמַן פַּח 4, 6, 25; יָקַשׁ פַּח 5; נָתַן פַּח 3; הִמְטִיר פַּחִים 22

פַּח 1 כִּי־פַח הֱיִיתֶם לְמִצְפָּה — Hosh. 5:1
2 הֲיַעֲלֶה־פַּח מִן־הָאֲדָמָה — Am. 3:5
3 נָתְנוּ רְשָׁעִים פַּח לִי — Ps. 119:110
4 טָמְנוּ־גֵאִים פַּח לִי — Ps. 140:6
5 שָׁמְרֵנִי מִידֵי פַח יָקְשׁוּ לִי — Ps. 141:9
6 בְּאֹרַח־זוּ אֲהַלֵּךְ טָמְנוּ פַח לִי — Ps. 142:4
פָּח 7 כְּמַהֵר צִפּוֹר אֶל־פָּח — Prov. 7:23
8 יֹאחֵז בְּעָקֵב פָּח — Job 18:9
וָפָח 9 פַּחַד וָפַחַת וָפָח עָלֶיךָ — Is. 24:17
10 פַּחַד וָפַחַת וָפָח עָלֶיךָ — Jer. 48:43
הַפַּח 11 הַפַּח נִשְׁבָּר וַאֲנַחְנוּ נִמְלָטְנוּ — Ps. 124:7
בַּפָּח 12 וְהָעוֹלֶה מִתּוֹךְ הַפַּחַת יִלָּכֵד בַּפָּח — Is. 24:18
13 וְהָעֹלֶה מִן־הַפַּחַת יִלָּכֵד בַּפָּח — Jer. 48:44
14 וְכַצִּפֳּרִים הָאֲחֻזוֹת בַּפָּח — Eccl. 9:12
לְפַח 15 וְהָיוּ לָכֶם לְפַח וּלְמוֹקֵשׁ — Josh. 23:13
16 לְפַח וּלְמוֹקֵשׁ לְיוֹשֵׁב יְרוּשָׁלָםִ — Is. 8:14
לְפָח 17 יְהִי־שֻׁלְחָנָם לִפְנֵיהֶם לְפָח — Ps. 69:23
פַּח־ 18 פַּח יָקוֹשׁ עַל־כָּל־דְּרָכָיו — Hosh. 9:8
19 הֲתִפֹּל צִפּוֹר עַל־פַּח הָאָרֶץ — Am. 3:5
מִפַּח־ 20 הוּא יַצִּילְךָ מִפַּח יָקוּשׁ — Ps. 91:3
21 כְּצִפּוֹר נִמְלְטָה מִפַּח יוֹקְשִׁים — Ps. 124:7
פַּחִים 22 יַמְטֵר עַל־רְשָׁעִים פַּחִים — Ps. 11:6
23 צִנִּים פַּחִים בְּדֶרֶךְ עִקֵּשׁ — Prov. 22:5
24 עַל־כֵּן סְבִיבוֹתֶיךָ פַחִים — Job 22:10
וּפַחִים 25 וּפַחִים טָמְנוּ לְרַגְלָי — Jer. 18:22

פַּח*[2] ז׳ לוּח־מתכת דק: 1, 2
פַּחִים 1 רִקֻּעֵי פַחִים צִפּוּי לַמִּזְבֵּחַ — Num. 17:3
פַּחֵי־ 2 וַיְרַקְּעוּ אֶת־פַּחֵי הַזָּהָב — Ex. 39:3

פחד : פָּחַד, פִּחֵד, הִפְחִיד; פַּחַד, פַּחְדָּה; פַּחֲדִים(?)

פָּחַד פָּ׳ א) יָרֵא: 1-22
ב) [פִּ׳ פִּחֵד] יָרֵא: 23, 24
ג) [הפ׳ הִפְחִיד] הבהיל: 25
קרובים: ראה חָרַד
פָּחַד פַּחַד 1, 9, 10; פָּחַד מִן־ 3, 4, 15, 16;
פָּחַד אֶל־ 13, 19, 22

פָּחַדְתִּי 1 כִּי פַחַד פָּחַדְתִּי וַיֶּאֱתָיֵנִי — Job 3:25
וּפָחַדְתָּ 2 וּפָחַדְתָּ לַיְלָה וְיוֹמָם — Deut. 28:66
פָּחַד 3 וּמִדְּבָרְךָ° פָּחַד לִבִּי — Ps. 119:161
וּפָחַד 4 וְחָרַד וּפָחַד מִפְּנֵי תְּנוּפַת יַד־יְיָ — Is. 19:16
5 וּפָחַד וְרָחַב לְבָבֵךְ — Is. 60:5
פָּחֲדוּ 6 פָּחֲדוּ בְצִיּוֹן חַטָּאִים — Is. 33:14
7 כְּשָׁמְעָם...פָּחֲדוּ אִישׁ אֶל־רֵעֵהוּ — Jer. 36:16
8 וְלֹא פָחֲדוּ וְלֹא קָרְעוּ...בִּגְדֵיהֶם — Jer. 36:24
9-10 שָׁם פָּחֲדוּ־פָחַד — Ps. 14:5; 53:6
פָּחָדוּ 11 וַיַּנְחֵם לָבֶטַח וְלֹא פָחָדוּ — Ps. 78:53
וּפָחֲדוּ 12 וּפָחֲדוּ וְרָגְזוּ עַל כָּל־הַטּוֹבָה — Jer. 33:9
13 וּפָחֲדוּ אֶל־יְיָ וְאֶל־טוּבוֹ — Hosh. 3:5
אֶפְחָד 14 הִנֵּה אֵל יְשׁוּעָתִי אֶבְטַח וְלֹא אֶפְחָד — Is. 12:2
15 יְיָ מָעוֹז־חַיַּי מִמִּי אֶפְחָד — Ps. 27:1
וְאֶפְחַד 16 אֶתְבּוֹנֵן וְאֶפְחַד מִמֶּנּוּ — Job 23:15
תִּפְחָד 17 מִפַּחַד לְבָבְךָ אֲשֶׁר תִּפְחָד — Deut. 28:67
18 אִם־תִּשְׁכַּב לֹא־תִפְחָד — Prov. 3:24
יִפְחָד 19 כֹּל אֲשֶׁר יַזְכִּיר אֹתָהּ אֵלָיו יִפְחָד — Is. 19:17
תִּפְחֲדוּ 20 אַל־תִּפְחֲדוּ וְאַל־תִּרְהוּ — Is. 44:8
יִפְחֲדוּ 21 יִפְחֲדוּ יֵבֹשׁוּ יָחַד — Is. 44:11
יִפְחָדוּ 22 אֶל־יְיָ אֱלֹהֵינוּ יִפְחָדוּ — Mic. 7:17
מְפַחֵד 23 אַשְׁרֵי אָדָם מְפַחֵד תָּמִיד — Prov. 28:14
וַתְּפַחֵד 24 וַתְּפַחֵד תָּמִיד כָּל־הַיּוֹם — Is. 51:12
הִפְחִיד 25 וְרֹב עַצְמוֹתַי הִפְחִיד — Job 4:15

פַּחַד ז׳ יראה, חרדה: 1-49 • קרובים: ראה חֲרָדָה

– פַּחַד וָפַחַת 1,2,9,16,17; אֵימָתָה וָפַחַד 14; הַמְשֵׁל וָפַחַד 15; קוֹל הַפַּחַד 16

– פַּחַד אָבִיו 34; פַּחַד אוֹיֵב 36; פ׳ אֱלֹהִים 28, 32; פ׳ הַיְּהוּדִים 30; פ׳ יְיָ 21-27; פַּחַד יִצְחָק 33; פַּחַד לְבָב 35; פ׳ לַיְלָה 37; פ׳ מָרְדְּכַי 31; פַּחַד פִּתְאֹם 29, 39; פַּחַד רָעָה 38

– קוֹל פְּחָדִים 49

– בְּהִלּוּ פַחַד 29; הֵבִיא פ׳ 4; נָפַל פַּחַד (עַל־) 14, 21, 30, 31, 43, 47, 48; נָתַן פ׳ 40, 42, 44; פָּחַד פַּחַד 5, 6, 10, 35; קָרָאוּ פַּחַד 7

פַּחַד	1/2 פַּחַד וָפַחַת וָפָח	Is. 24:17 • Jer. 48:43
	3 קוֹל חֲרָדָה...פַּחַד וְאֵין שָׁלוֹם	Jer. 30:5
	4 הִנְנִי מֵבִיא עָלַיִךְ פַּחַד	Jer. 49:5
	5 שָׁם פָּחֲדוּ־פַחַד	Ps. 53:6
	6 כִּי פַחַד פָּחַדְתִּי וַיֶּאֱתָיֵנִי	Job 3:25
	7 פַּחַד קְרָאַנִי וּרְעָדָה	Job 4:14
	8 כִּי־פַחַד אֵלַי אֵיד אֵל	Job 31:23
	9 פַּחַד וָפַחַת הָיָה לָנוּ	Lam. 3:47
פָּחַד	10 שָׁם פָּחֲדוּ פָחַד	Ps. 14:5
	11 לֹא־הָיָה פָחַד	Ps. 53:6
	12 לְרִיק יְגִיעָהּ בְּלִי־פָחַד	Job 39:16
וּפַחַד	13 הָיִיתִי חֶרְפָּה...וּפַחַד לִמְיֻדָּעָי	Ps. 31:12
וָפַחַד	14 תִּפֹּל עֲלֵיהֶם אֵימָתָה וָפַחַד	Ex. 15:16
	15 הַמְשֵׁל וָפַחַד עִמּוֹ	Job 25:2
הַפַּחַד	16 הַנָּס מִקּוֹל הַפַּחַד יִפֹּל אֶל־הַפַּחַת	Is. 24:18
	17 הַנִּיס° מִפְּנֵי הַפַּחַד יִפֹּל אֶל־הַפַּחַת	Jer. 48:44
לְפַחַד	18 יִשְׂחַק לְפַחַד וְלֹא יֵחָת	Job 39:22
מִפַּחַד	19 אִישׁ חַרְבּוֹ עַל־יְרֵכוֹ מִפּ׳ בַּלֵּילוֹת	S.of S. 3:8
מִפָּחַד	20 בָּתֵּיהֶם שָׁלוֹם מִפָּחַד	Job 21:9
פַּחַד־	21 וַיִּפֹּל פַּחַד יְיָ עַל־הָעָם	I Sh. 11:7
	22 מִפְּנֵי פַּחַד יְיָ וּמֵהֲדַר גְּאֹנוֹ	Is. 2:10
	23-27 פַּחַד יְיָ	Is. 2:19, 21 • IICh. 14:13; 17:10; 19:7
	28 אֵין־פַּחַד אֱלֹהִים לְנֶגֶד עֵינָיו	Ps. 36:2
	29 וִיבַהֶלְךָ פַּחַד פִּתְאֹם	Job 22:10
	30 כִּי־נָפַל פַּחַד־הַיְּהוּדִים עֲלֵיהֶם	Es. 8:17
	31 כִּי־נָפַל פַּחַד־מָרְדֳּכַי עֲלֵיהֶם	Es. 9:3
	32 וַיְהִי פַּחַד אֱל׳ עַל כָּל־מַמְלְכוֹת..	IICh. 20:29
וּפַחַד־	33 אֱלֹהֵי אַבְרָהָם וּפַחַד יִצְחָק	Gen. 31:42
בְּפַחַד־	34 וַיִּשָּׁבַע יַעֲקֹב בְּפַחַד אָבִיו	Gen. 31:53
מִפַּחַד־	35 מִפַּחַד לְבָבְךָ אֲשֶׁר תִּפְחָד	Deut. 28:67
	36 מִפַּחַד אוֹיֵב תִּצֹּר חַיָּי	Ps. 64:2
	37 לֹא־תִירָא מִפַּחַד לָיְלָה	Ps. 91:5
	38 וְשַׁאֲנַן מִפַּחַד רָעָה	Prov. 1:33
	39 אַל־תִּירָא מִפַּחַד פִּתְאֹם	Prov. 3:25
פַּחְדְּךָ	40 אָחֵל תֵּת פַּחְדְּךָ וְיִרְאָתְךָ	Deut. 2:25
מִפַּחְדְּךָ	41 סָמַר מִפַּחְדְּךָ בְשָׂרִי	Ps. 119:120
פַּחְדּוֹ	42 וַיְיָ נָתַן...פַּחְדּוֹ עַל־כָּל־הַגּוֹיִם	ICh. 14:17
וּפַחְדּוֹ	43 וּפַחְדּוֹ יִפֹּל עֲלֵיכֶם	Job 13:11
פַּחְדְּכֶם	44 פַּחְדְּכֶם וּמוֹרַאֲכֶם יִתֵּן יְיָ	Deut. 11:25
	45 אֶלְעַג בְּבֹא פַחְדְּכֶם	Prov. 1:26
	46 בְּבֹא כְשֹׁאָה° פַּחְדְּכֶם	Prov. 1:27
פַּחְדָּם	47 כִּי־נָפַל פַּחְדָּם עֲלֵיהֶם	Ps. 105:38
	48 כִּי־נָפַל פַּחְדָּם עַל־כָּל־הָעַמִּים	Es. 9:2
פְּחָדִים	49 קוֹל־פְּחָדִים בְּאָזְנָיו	Es. 15:21

פַּחְדָּה* נ׳ פחד

פַּחְדָּתִי	1 וְלֹא פַחְדָּתִי אֵלַיִךְ	Jer. 2:19

פַּחֲדָיִם* ז־ז – יְרֵכַיִם (?)

פַּחֲדָיו	1 גִּידֵי פַחֲדָו יְשֹׂרָגוּ	Job 40:17

פֶּחָה¹ ז׳ מושל מדינה או אזור במדינה: 1-27

קרובים: ראה נָגִיד

– כִּסֵּא פֶּחָה 10; לֶחֶם הַפֶּחָה 1, 2

– פַּחַת יְהוּדָה 6-9; פַּחַת עֵבֶר הַנָּהָר 10

– פַּחוֹת וּסְגָנִים 13-16, 26, 27; פַּחוֹת הָאָרֶץ 21, 22; פַּחֲווֹת עֵבֶר הַנָּהָר 25

הַפֶּחָה	1 לֶחֶם הַפֶּחָה לֹא אָכַלְתִּי	Neh. 5:14
	2 לֶחֶם הַפֶּחָה לֹא בִקַּשְׁתִּי	Neh. 5:18
	3 וּבִימֵי נְחֶמְיָה הַפֶּחָה	Neh. 12:26
פַּחַת־	4/5 פַּחַת אַחַד עַבְדֵי אֲדֹנִי	IIK. 18:24 • Is. 36:9
	6-8 זְרֻבָּבֶל...פַּחַת יְהוּדָה	Hag. 1:1, 14; 2:2
	9 אֶל־זְרֻבָּבֶל פַּחַת־יְהוּדָה	Hag. 2:21
	10 לְכִסֵּא פַּחַת עֵבֶר הַנָּהָר	Neh. 3:7
לְפֶחָתֶךָ	11 הַקְרִיבֵהוּ נָא לְפֶחָתֶךָ	Mal. 1:8
פַּחוֹת	12 וְשִׂים פַּחוֹת תַּחְתֵּיהֶם	IK. 20:24
	13 וְנִפַּצְתִּי בְךָ פַּחוֹת וּסְגָנִים	Jer. 51:23
	14-16 פַּחוֹת וּסְגָנִים	Ezek. 23:6, 12, 23
הַפַּחוֹת	17 אֶל אֲחַשְׁדַּרְפְּנֵי־הַמֶּלֶךְ וְאֶל־הַפַּחוֹת	Es. 3:12
וְהַפַּחוֹת	18 וְאֶל הָאֲחַשְׁדַּרְפְּנִים וְהַפַּחוֹת	Es. 8:9
	19 וְהָאֲחַשְׁדַּרְפְּנִים וְהַפַּחוֹת	Es. 9:3
	20 וְהַפַּחוֹת הָרִאשֹׁנִים אֲשֶׁר־לְפָנַי	Neh. 5:15
וּפַחוֹת־	21 וְכָל־מַלְכֵי הָעֶרֶב וּפַחוֹת הָאָרֶץ	IK. 10:15
	22 וְכָל־מַלְכֵי עֲרַב וּפַחוֹת הָאָרֶץ	IICh. 9:14
פַּחֲווֹת־	23/4 פַּחֲווֹת עֵבֶר הַנָּהָר	Neh. 2:7, 9
וּפַחֲווֹת־	25 לַאֲחַשְׁדַּרְפְּנֵי...וּפַחֲווֹת עֵבֶר הַנָּהָר	Ez. 8:36
פַּחוֹתֶיהָ	26 אֶת־פַּחוֹתֶיהָ וְאֶת־כָּל־סְגָנֶיהָ	Jer. 51:28
	27 פַּחוֹתֶיהָ וּסְגָנֶיהָ וְגִבּוֹרֶיהָ	Jer. 51:57

פֶּחָה² ז׳ ארמית, כמו בעברית: 1-10

פֶּחָה	1 לְשֵׁשְׁבַּצַּר שְׁמֵהּ דִּי פֶחָה שָׂמֵהּ	Ez. 5:14
פַּחַת	2-5 תַּתְּנַי פַּחַת עֲבַר־נַהֲרָה	Ez. 5:3, 6; 6:6, 13
	6 פַּחַת יְהוּדָיֵא וּלְשָׂבֵי יְהוּדָיֵא	Ez. 6:7
וּפַחֲוָתָא	7-9 סִגְנַיָּא וּפַחֲוָתָא	Dan. 3:2, 3, 27
	10 סָגְנַיָּא...הַדָּבְרַיָּא וּפַחֲוָתָא	Dan. 6:8

פחז : פּוֹחֵז, פַּחַז, פַּחֲזוּת

פַּחַז ז׳ פזיזות

פַּחַז	1 פַּחַז כַּמַּיִם אַל־תּוֹתַר	Gen. 49:4

פַּחֲזוּת* נ׳ פַּחַז, משובה

וּבְפַחֲזוּתָם	1 וַיַּתְעוּ...בְּשִׁקְרֵיהֶם וּבְפַחֲזוּתָם	Jer. 23:32

פחח : הֻפַח; פַּח

(פחח) הָפֵחַ הפ׳ לכד בפח

הָפֵחַ	1 הָפֵחַ בַּחוּרִים כֻּלָּם	Is. 42:22

פֶּחָם¹ ז׳ גחלת כבויה: 1-3

פֶּחָם	1 חָרָשׁ נֹפֵחַ בְּאֵשׁ פֶּחָם	Is. 54:16
	2 פֶּחָם לְגֶחָלִים וְעֵצִים לְאֵשׁ	Prov. 26:21
בַּפֶּחָם	3 חָרַשׁ בַּרְזֶל מַעֲצָד וּפָעַל בַּפֶּחָם	Is. 44:12

פֶּחָם² ז׳ נוסח אחר של ״פֶּחָה״

פֶּחָם	1 לִהְיוֹת פֶּחָם בְּאֶרֶץ יְהוּדָה	Neh. 5:14

פֶּחָר ז׳ ארמית: יוצר כלי חרש

פֶּחָר	1 מִנְּהֵן° חֲסַף דִּי־פֶחָר	Dan. 2:41

פַּחַת זו־נ – בּוֹר (ביחוד למלכודת): 1-10

קרובים: בְּאֵר / בּוֹר / חֹר / מְחִלָּה / שׁוּחָה / שִׁיחָה / שַׁחַת

פַּחַד וָפַחַת 2-4; פַּחַת גָּדוֹל 5; פִּי פַחַת 1; אַחַת הַפְּחָתִים 10

פָּחַת	1 כַּיּוֹנָה תְּקַנֵּן בְּעֶבְרֵי פִי־פָחַת	Jer. 48:28
וָפַחַת	2/3 פַּחַד וָפַחַת וָפָח	Is. 24:17 • Jer. 48:43
	4 פַּחַד וָפַחַת הָיָה לָנוּ...	Lam. 3:48
הַפַּחַת	5 וַיַּשְׁלִכוּ...אֶל־הַפַּחַת הַגָּדוֹל	II Sh. 18:17
	6 וְהָיָה הַנָּס...יִפֹּל אֶל־הַפַּחַת	Is. 24:18
	7 וְהָעוֹלֶה מִתּוֹךְ הַפַּחַת...	Is. 24:18
	8 הַנִּס° מִפְּנֵי הַפַּחַד יִפֹּל אֶל־הַפַּחַת	Jer. 48:44
	9 וְהָעֹלֶה מִן־הַפַּחַת יִלָּכֵד בַּפָּח	Jer. 48:44
הַפְּחָתִים	10 הוּא־נֶחְבָּא בְּאַחַת הַפְּחָתִים	II Sh. 17:9

פַּחַת מוֹאָב שפ־ז – מעולי הגולה עם זרובבל: 1-6

פַּחַת מוֹאָב	1 בְּנֵי־פַחַת מוֹאָב לִבְנֵי יֵשׁוּעַ יוֹאָב	Ez. 2:6
	2 מִבְּנֵי פַּחַת מוֹאָב אֶלְיְהוֹעֵינַי	Ez. 8:4
	3 וּמִבְּנֵי פַּחַת מוֹאָב עַדְנָא וּכְלָל	Ez. 10:30
	4 וְחַשּׁוּב בֶּן־פַּחַת מוֹאָב	Neh. 3:11
	5 בְּנֵי־פַחַת מוֹאָב לִבְנֵי יֵשׁוּעַ וְיוֹאָב	Neh. 7:11
	6 פַּרְעֹשׁ פַּחַת מוֹאָב עֵילָם זַתּוּא	Neh. 10:15

פַּחֶתֶת נ׳ נגע בבגד

פַּחֶתֶת	1 פְּחֶתֶת הִוא בְּקָרַחְתּוֹ אוֹ בְגַבַּחְתּוֹ	Lev. 13:55

פִּטְדָה נ׳ אבן יקרה (טופז?): 1-4

קרובים: ראה אֹדֶם

פִּטְדָה	1-2 אֹדֶם פִּטְדָה וּבָרֶקֶת	Ex. 28:17; 39:10
	3 אֹדֶם פִּטְדָה וְיָהֲלֹם	Ezek. 28:13
פִּטְדַת־	4 לֹא־יַעַרְכֶנָּה פִּטְדַת־כּוּשׁ	Job 28:19

פְּטוּרִים* ז־ר [בצרוף פְּטוּרֵי צִצִּים] גבעולים(?): 1-4

וּפְטוּרֵי־	1 מִקְלַעַת פְּקָעִים וּפְטוּרֵי צִצִּים	IK. 6:18
	2-3 וְתִמֹּרֹת וּפְטוּרֵי צִצִּים	IK. 6:29, 32
	4 וְתִמֹּרוֹת וּפְטֻרֵי צִצִּים	IK. 6:35

פַּטִּישׁ ז׳ א) מקבת: 1, 2

ב) [בהשאלה] תקיף, שליט: 3

פַּטִּישׁ	1 מַחֲלִיק פַּטִּישׁ אֶת־הוֹלֶם פָּעַם	Is. 41:7
וּכְפַטִּישׁ	2 וּכְפַטִּישׁ יְפֹצֵץ סָלַע	Jer. 23:29
פַּטִּישׁ־	3 נִגְדַּע וַיִּשָּׁבֵר פַּטִּישׁ כָּל־הָאָרֶץ	Jer. 50:23

פטר : פָּטַר, פָּטוּר, הִפְטִיר; פֶּטֶר, פִּטְרָה, פְּטוּרִים

פָּטַר פ׳ א) פָּתַח, התיר: 2

ב) שחרר, שלח: 1, 3

ג) התחמק: 4

ד) [הפ׳ הִפְטִיר] פתח: 5

פָּטַר	1 כִּי לֹא פָטַר...אֶת־הַמַּחְלְקוֹת	IICh. 23:8
פּוֹטֵר	2 פּוֹטֵר מַיִם רֵאשִׁית מָדוֹן	Prov. 17:14
פְּטוּרִים	3 בַּלְּשָׁכֹת פְּטוּרִים (כת׳ פטירים)	ICh. 9:33
וַיִּפְטַר	4 וַיִּפְטַר מִפְּנֵי שָׁאוּל	I Sh. 19:10
יַפְטִירוּ	5 יַפְטִירוּ בְשָׂפָה יָנִיעוּ רֹאשׁ	Ps. 22:8

פֶּטֶר ז׳ פְּרִיצָה (ובהשאלה) לֵדַת בְּכוֹר (באדם ובבהמה): 1-11

בְּכוֹר פֶּטֶר 1, 8; פֶּטֶר חֲמוֹר 4, 11; פֶּטֶר רֶחֶם 1, 2, 5, 6, 8-10; פֶּטֶר שֶׁגֶר 3; פֶּטֶר שׁוֹר 7

פֶּטֶר־	1 כָּל־בְּכוֹר פֶּטֶר כָּל־רֶחֶם	Ex. 13:2
	2 וְהַעֲבַרְתָּ כָל־פֶּטֶר־רֶחֶם לַייָ	Ex. 13:12
	3 וְכָל־פֶּטֶר שֶׁגֶר בְּהֵמָה	Ex. 13:12
	4 וְכָל־פֶּטֶר חֲמֹר תִּפְדֶּה בְשֶׂה	Ex. 13:13
	5 כָּל־פֶּטֶר רֶחֶם הַזְּכָרִים	Ex. 13:15
	6 כָּל־פֶּטֶר רֶחֶם לִי	Ex. 34:19
	7 פֶּטֶר שׁוֹר וָשֶׂה	Ex. 34:19
	8 בְּכוֹר פֶּטֶר רֶחֶם מִבְּנֵי יִשְׂרָאֵל	Num. 3:12
	9 כָּל־פֶּטֶר רֶחֶם לְכָל־בָּשָׂר	Num. 18:15
	10 בְּהַעֲבִיר כָּל־פֶּטֶר רָחַם	Ezek. 20:26
וּפֶטֶר־	11 וּפֶטֶר חֲמוֹר תִּפְדֶּה בְשֶׂה	Ex. 34:20

פִּטְרָה* נ׳ צורת־משנה של פֶּטֶר

פִּטְרַת־ 1 פִּטְרַת כָּל־רֶחֶם בְּכוֹר כֹּל Num. 8:16

פַּטַּשׁ* ז׳ ארמית: כותונת

פַּטְּשֵׁיהוֹן 1 בְּסַרְבָּלֵיהוֹן פַּטְּשֵׁיהוֹן (כת׳ פטישיהון) Dan. 3:21

פִּי־ – עין פֶּה

פִּי־בֶסֶת ש״פ – עיר במצרים התחתונה

וּפִי־בֶסֶת 1 בַּחוּרֵי אָוֶן וּפִי־בֶסֶת בַּחֶרֶב יִפֹּלוּ Ezek. 30:17

פִּיד ז׳ צרה, אסון: 1־4 • קרובים: ראה אֵיד

וּפִיד־ 1 וּפִיד שְׁנֵיהֶם מִי יוֹדֵעַ Prov. 24:22
בְּפִיד־ 2 אִם־אֶשְׂמַח בְּפִיד מְשַׂנְאִי Job 31:29
לַפִּיד(?) 3 לַפִּיד בּוּז לְעַשְׁתּוּת שַׁאֲנָן Job 12:5
בְּפִידוֹ 4 אִם־בְּפִידוֹ לָהֶן שׁוּעַ Job 30:24

פִּי הַחִירֹת ש״פ – מקום במצרים התחתונה: 1־3

[עין גם פְּנֵי הַחִירֹת]

פִּי הַחִירֹת 1 וְיָשֻׁבוּ וְיַחֲנוּ לִפְנֵי פִּי הַחִירֹת Ex. 14:2
2 עַל־פִּי הַחִירֹת לִפְנֵי בַּעַל צְפֹן Ex. 14:9
3 וַיָּשָׁב עַל־פִּי הַחִירֹת Num. 33:7

פִּיּוֹת, פֵּיוֹת – רבוי מן פֶּה

פִּיחַ ז׳ אבק אֵפר: 1, 2 • פִּיחַ כִּבְשָׁן 1, 2

פִּיחַ־ 1 קְחוּ לָכֶם מְלֹא חָפְנֵיכֶם פִּיחַ כִּבְשָׁן Ex. 9:8
2 וַיִּקְחוּ אֶת־פִּיחַ הַכִּבְשָׁן Ex. 9:10

פִּיכֹל שפ״ז – שׂר־צבא אבימלך מלך פלשתים: 1־3

וּפִיכֹל 1־3 וּפִיכֹל שַׂר־צְבָאוֹ Gen. 21:22, 32; 26:26

פִּילֶגֶשׁ נ׳ אשה־שפחה: 1־37

– פִּילֶגֶשׁ אָבִיו 4, 5, 33, 34; פִּילֶגֶשׁ אַבְרָהָם 7; פִּילֶגֶשׁ כָּלֵב 8, 9; פִּילֶגֶשׁ שָׁאוּל 6

– בְּנֵי פִּילַגְשִׁים 27, 31; נֶפֶשׁ פִּילַגְשִׁים 35; שׁוֹמֵר הַפִּילַגְשִׁים 32; נָשִׁים וּפִילַגְשִׁים 23־25, 35, 36

פִּילֶגֶשׁ 1 וְתִמְנַע הָיְתָה פִּילֶגֶשׁ לֶאֱלִיפַז Gen. 36:12
2 וַיִּקַּח־לוֹ אִשָּׁה פִּילֶגֶשׁ Jud. 19:1
3 וּלְשָׁאוּל פִּלֶגֶשׁ וּשְׁמָהּ רִצְפָּה II Sh. 3:7
פִּילֶגֶשׁ־ 4 וַיִּשְׁכַּב אֶת־בִּלְהָה פִּילֶגֶשׁ אָבִיו Gen. 35:22
5 מַדּוּעַ בָּאתָה אֶל־פִּילֶגֶשׁ אָבִי II Sh. 3:7
6 רִצְפָּה בַת־אַיָּה פִּלֶגֶשׁ שָׁאוּל II Sh. 21:11
7 קְטוּרָה פִּילֶגֶשׁ אַבְרָהָם יָלְדָה ICh. 1:32
8 וְעֵיפָה פִּילֶגֶשׁ כָּלֵב יָלְדָה ICh. 2:46
9 פִּילֶגֶשׁ כָּלֵב מַעֲכָה ICh. 2:48
פִּילַגְשִׁי 10 וְאֶת־פִּילַגְשִׁי עִנּוּ וַתָּמֹת Jud. 20:5
וּפִילַגְשִׁי 11 בָּאתִי אֲנִי וּפִילַגְשִׁי לָלוּן Jud. 20:4
בְּפִילַגְשִׁי 12 וָאֹחֵז בְּפִילַגְשִׁי וָאֲנַתְּחֶהָ Jud. 20:6
פִּילַגְשׁוֹ 13 וַתִּזְנֶה עָלָיו פִּילַגְשׁוֹ Jud. 19:2
14 וְהִנֵּה הָאִשָּׁה פִילַגְשׁוֹ נֹפֶלֶת Jud. 19:27
15 פִּילַגְשׁוֹ הָאֲרַמִּיָּה יָלְדָה אֶת־מָכִיר ICh. 7:14
וּפִילַגְשׁוֹ 16 וּפִילַגְשׁוֹ וּשְׁמָהּ רְאוּמָה Gen. 22:24
17 וּפִילַגְשׁוֹ אֲשֶׁר בִּשְׁכֶם יָלְדָה־לּוֹ Jud. 8:31
18 וַיָּקָם...הוּא וּפִילַגְשׁוֹ וְנַעֲרוֹ Jud. 19:9
19 וַיָּבֹא...וּפִילַגְשׁוֹ עִמּוֹ Jud. 19:10
וּפִילַגְשֵׁהוּ 20 הִנֵּה בִתִּי הַבְּתוּלָה וּפִילַגְשֵׁהוּ Jud. 19:24
בְּפִילַגְשׁוֹ 21 וַיַּחֲזֵק הָאִישׁ בְּפִילַגְשׁוֹ Jud. 19:25
22 וַיַּחֲזֵק בְּפִילַגְשׁוֹ וַיְנַתְּחֶהָ Jud. 19:29
פִּילַגְשִׁים 23 וַיִּקַּח דָּוִד עוֹד פִּלַגְשִׁים וְנָשִׁים II Sh. 5:13
24/5 אֵת עֶשֶׂר(־) נָשִׁים פִּלַגְשִׁים II Sh. 15:16; 20:3
26 שִׁשִּׁים...מְלָכוֹת וּשְׁמֹנִים פִּילַגְשִׁים S.of S. 6:8
27 מִלְּבַד בְּנֵי־פִילַגְשִׁים ICh. 3:9
וּפִילַגְשִׁים 28 וּפִלַגְשִׁים שְׁלֹשׁ מֵאוֹת IK. 11:3
29 מְלָכוֹת וּפִילַגְשִׁים וַיְהַלְלוּהָ S.of S. 6:9
30 וּפִילַגְשִׁים שִׁשִּׁים IICh. 11:21
הַפִּילַגְשִׁים 31 וְלִבְנֵי הַפִּילַגְשִׁים אֲשֶׁר לְאַבְרָהָם Gen. 25:6
32 סְרִיס הַמֶּלֶךְ שֹׁמֵר הַפִּילַגְשִׁים Es. 2:14
פִּילַגְשֵׁי־ 33 בּוֹא אֶל־פִּלַגְשֵׁי אָבִיךָ II Sh. 16:21
34 וַיָּבֹא אַבְשָׁלוֹם אֶל־פִּלַגְשֵׁי אָבִיו II Sh. 16:22
פִּילַגְשֶׁיךָ 35 וְנֶפֶשׁ נָשֶׁיךָ וְנֶפֶשׁ פִּלַגְשֶׁיךָ II Sh. 19:6
וּפִילַגְשָׁיו 36 וַיֶּאֱהַב...מִכָּל־נָשָׁיו וּפִילַגְשָׁיו IICh. 11:21
פִּילַגְשֵׁיהֶם 37 וַתַּעְגְּבָה עַל פִּלַגְשֵׁיהֶם Ezek. 23:20

פִּים ז׳ משקל קדמון(?)

פִּים 1 וְהָיְתָה הַפְּצִירָה פִים לַמַּחֲרֵשֹׁת I Sh. 13:21

פִּימָה נ׳ שומן(?)

פִּימָה 1 וַיַּעַשׂ פִּימָה עֲלֵי־כָסֶל Job 15:27

פִּינְחָס שפ״ז א) בן אלעזר בן אהרן הכֹּהן: 1־9, 12־14, 16־19, 25

ב) בן עלי הכֹּהן: 10, 11, 20־24

ג) כֹּהן בימי עזרא: 15

אֵשֶׁת פִּינְחָס 10; בֶּן פִּינְחָס 11, 13, 15; בְּנֵי פִּינְחָס 14; גִּבְעַת פִּינְחָס 9

פִּינְחָס 1 וַתֵּלֶד לוֹ אֶת־פִּינְחָס Ex. 6:25
2 וַיַּרְא פִּינְחָס בֶּן־אֶלְעָזָר Num. 25:7
3 פִּינְחָס בֶּן־אֶלְעָזָר...הֵשִׁיב אֶת־חֲמָתִי Num. 25:11
4 וְאֶת־פִּינְחָס בֶּן־אֶלְעָזָר הַכֹּהֵן Num. 31:6
5־7 פִּינְחָס בֶּן־אֶלְעָזָר הַכֹּהֵן Josh. 22:13, 31, 32
8 וַיִּשְׁמַע פִּינְחָס הַכֹּהֵן וּנְשִׂיאֵי הָעֵדָה Josh. 22:30
9 וַיִּקְבְּרוּ אֹתוֹ בְּגִבְעַת פִּינְחָס בְּנוֹ Josh. 24:33
10 וְכַלָּתוֹ אֵשֶׁת־פִּינְחָס הָרָה לָלַת I Sh. 4:19
11 אִי כָבוֹד בֶּן־פִּינְחָס בֶּן־עֵלִי I Sh. 14:3
12 וַיַּעֲמֹד פִּינְחָס וַיְפַלֵּל Ps. 106:30
13 בֶּן־אֲבִישׁוּעַ בֶּן־פִּינְחָס בֶּן־אֶלְעָזָר Ez. 7:5
14 מִבְּנֵי פִּינְחָס גֵּרְשֹׁם Ez. 8:2
15 וְעִמּוֹ אֶלְעָזָר בֶּן־פִּינְחָס Ez. 8:33
16 אֶלְעָזָר הוֹלִיד אֶת־פִּינְחָס ICh. 5:30
19 פִּינְחָס הֹלִיד אֶת־אֲבִישׁוּעַ ICh. 5:30
18 אֶלְעָזָר בְּנוֹ פִּינְחָס בְּנוֹ ICh. 6:35
וּפִינְחָס 19 וּפִינְחָס בֶּן־אֶלְעָזָר...עֹמֵד לְפָנָיו Jud. 20:28
20 וְשָׁם שְׁנֵי בְנֵי־עֵלִי חָפְנִי וּפִנְחָס I Sh. 1:3
21 אֶל־שְׁנֵי בָנֶיךָ אֶל־חָפְנִי וּפִינְחָס I Sh. 2:34
22 וְשָׁם שְׁנֵי בְנֵי־עֵלִי...חָפְנִי וּפִינְחָס I Sh. 4:4
23 וּשְׁנֵי בְנֵי־עֵלִי מֵתוּ חָפְנִי וּפִינְחָס I Sh. 4:11
24 וְגַם־שְׁנֵי בָנֶיךָ מֵתוּ חָפְנִי וּפִינְחָס I Sh. 4:17
25 וּפִינְחָס בֶּן־אֶלְעָזָר נָגִיד...עֲלֵיהֶם ICh. 9:20

פִּינֹן שפ״ז – מאלופי אדום: 1, 2

פִּינֹן 1 אַלּוּף אֵלָה אַלּוּף פִּינֹן Gen. 36:41
2 אַלּוּף אֵלָה אַלּוּף פִּינֹן ICh. 1:52

פִּיפִיּוֹת נ״ר – חד: 1, 2 [עין גם פֶּה – פִּיּוֹת]

בַּעַל פִּיפִיּוֹת 1; חֶרֶב פִּיפִיּוֹת 2

פִּיפִיּוֹת 1 לְמוֹרַג חָרוּץ חָדָשׁ בַּעַל פִּיפִיּוֹת Is. 41:15
2 וְחֶרֶב פִּיפִיּוֹת בְּיָדָם Ps. 149:6

פִּיק ז׳ רְעדה, חלחלה

קרובים: חִיל חַלְחָלָה רֶטֶט רַעַד רְעָדָה

פִּיק בִּרְכַּיִם

וּפִיק 1 וְלֵב נָמֵס וּפִק בִּרְכַּיִם Nah. 2:11

פִּישׁוֹן ש״פ – אחד מארבעת הנהרות שיצאו מעדן

פִּישׁוֹן 1 שֵׁם הָאֶחָד פִּישׁוֹן Gen. 2:11

פִּיתוֹם ש״פ – מערי המִסְכְּנוֹת במצרים העתיקה

פִּיתוֹם 1 וַיִּבֶן...אֶת־פִּתֹם וְאֶת־רַעַמְסֵס Ex. 1:11

פִּיתוֹן שפ״ז – נכד יהונתן בן שאול: 1, 2

פִּיתוֹן 1 וּבְנֵי מִיכָה פִּיתוֹן וָמֶלֶךְ ICh. 8:35
2 וּבְנֵי מִיכָה פִּיתֹן וָמֶלֶךְ וְתַחְרֵעַ ICh. 9:41

פַּךְ ז׳ כד קטן לשֶׁמן: 1־3 • פַּךְ שֶׁמֶן 1־3

פַּךְ־ 1 וַיִּקַּח שְׁמוּאֵל אֶת־פַּךְ הַשֶּׁמֶן I Sh. 10:1
2 וְקַח פַּךְ הַשֶּׁמֶן הַזֶּה בְּיָדֶךָ IIK. 9:1
3 וְלָקַחְתָּ פַךְ־הַשֶּׁמֶן וְיָצַקְתָּ עַל־רֹאשׁוֹ IIK. 9:3

פִּכָּה פִּ׳ נבע, זרם

מְפַכִּים 1 וְהִנֵּה־מַיִם מְפַכִּים מִן־הַכָּתֵף הַיְמָנִית Ezek. 47:2

פֹּכֶרֶת הַצְּבָיִים שפ״ז (שפ״נ?) – מזרע הנתינים

משרתי הלויים בימי המלך שלמה: 1, 2

פֹּכֶרֶת הַצְּבָיִים 1 בְּנֵי פֹכֶרֶת הַצְּבָיִים בְּנֵי אָמִי Ez. 2:57
2 בְּנֵי פֹכֶרֶת הַצְּבָיִים בְּנֵי אָמוֹן Neh. 7:59

פלא

: נִפְלָא, פִּלָּא, הִתְפַּלֵּא, הִפְלִיא; פֶּלֶא, פִּלְיָאָה, מִפְלָאָה, נִפְלָאוֹת, פִּלְאִי; ש״פ פַּלּוּא, פְּלָאיָה

(פלא) נִפְלָא נפ׳ א) היה לפֶלא, נשׂגב: 1־12

[עין עוד נִפְלָאוֹת]

ב) [פִּ׳ פִּלֵּא] הקדיש: 13־15

ג) [הת׳ הִתְפַּלֵּא] עשׂה דברים נפלאים: 16

ד) [הפ׳ הִפְלִיא, הִפְלָא] הגדיל, עשׂה גדולות ונפלאות: 17־25

ה) [כנ״ל] פִּלֵּא, הקדיש: 26, 27

– נִפְלָא בְּעֵינָיו 1, 9, 10, 12; נִפְלָא מִן־ 3, 4, 6־8, 11

– פַּלֵּא נֶדֶר 13־15; הִפְלִיא נֶדֶר 26, 27; הִפְלִיא חַסְדּוֹ 22; הִפְלִיא מַכּוֹת 24; הִפְלִיא עֵצָה 21; הִפְלִיא לַעֲשׂוֹת 25

– הַפְלֵא וָפֶלֶא 17

נִפְלָאת 1 הִיא נִפְלָאת בְּעֵינֵינוּ Ps. 118:23
נִפְלְאַתָה 2 נִפְלְאַתָה אַהֲבָתְךָ לִי II Sh. 1:26
נִפְלְאוּ 3 שְׁלֹשָׁה הֵמָּה נִפְלְאוּ מִמֶּנִּי Prov. 30:18
נִפְלֵאת 4 לֹא־נִפְלֵאת הִוא מִמְּךָ Deut. 30:11
נִפְלָאִים 5 נִפְלָאִים מַעֲשֶׂיךָ וְנַפְשִׁי יֹדַעַת Ps. 139:14
יִפָּלֵא 6 כִּי יִפָּלֵא מִמְּךָ דָבָר לַמִּשְׁפָּט Deut. 17:8
7 לֹא־יִפָּלֵא מִמְּךָ כָּל־דָּבָר Jer. 32:17
8 הֲמִמֶּנִּי יִפָּלֵא כָּל־דָּבָר Jer. 32:27
9 כִּי יִפָּלֵא בְּעֵינֵי שְׁאֵרִית הָעָם הַזֶּה Zech. 8:6
10 גַּם־בְּעֵינַי יִפָּלֵא Zech. 8:6
הֲיִפָּלֵא 11 הֲיִפָּלֵא מֵיְיָ דָּבָר Gen. 18:14
וַיִּפָּלֵא 12 וַיִּפָּלֵא בְּעֵינֵי אַמְנוֹן לַעֲשׂוֹת II Sh. 13:2
לְפַלֵּא 13 לְפַלֵּא־נֶדֶר אוֹ לִנְדָבָה Lev. 22:21
14 לְפַלֵּא־נֶדֶר אוֹ בִנְדָבָה Num. 15:3
15 לְפַלֵּא־נֶדֶר אוֹ־שְׁלָמִים Num. 15:8
תִּתְפַּלָּא 16 וְתָשֹׁב תִּתְפַּלָּא בִי Job 10:16
הַפְלֵא 17 לְהַפְלִיא...הַפְלֵא וָפֶלֶא Is. 29:14
וְהַפְלֵא 18 כִּי הַבַּיִת...גָּדוֹל וְהַפְלֵא IICh. 2:8
לְהַפְלִיא 19 הִנְנִי יוֹסִף לְהַפְלִיא אֶת־הָעָם Is. 29:14
20 אֲשֶׁר־עָשָׂה עִמָּכֶם לְהַפְלִיא Joel 2:26
הִפְלִיא 21 הִפְלִיא עֵצָה הִגְדִּיל תּוּשִׁיָּה Is. 28:29
22 כִּי הִפְלִיא חַסְדּוֹ לִי Ps. 31:22
23 כִּי־הִפְלִיא לְהֵעָזֵר IICh. 26:15
וְהִפְלָא 24 וְהִפְלָא יְיָ אֶת־מַכֹּתְךָ Deut. 28:59
וּמַפְלִיא 25 וַיַּעַל...לַיְיָ וּמַפְלִא לַעֲשׂוֹת Jud. 13:19
יַפְלִיא 26 אִישׁ כִּי יַפְלִא נֶדֶר Lev. 27:2
27 כִּי יַפְלִא לִנְדֹּר נֶדֶר נָזִיר Num. 6:2

פֶּלֶא
ז׳ נֵס, מַעֲשֶׂה נִפְלָא: 1-13

– עוֹשֶׂה פֶלֶא 4,1; עָשָׂה פֶלֶא 6,5,3; פֶּלֶא יוֹעֵץ 2; הַפְלֵא וָפֶלֶא 7

– יָרַד פְּלָאִים 11; קֵץ הַפְּלָאוֹת 13

פֶּלֶא 1 נוֹרָא תְהִלֹּת עֹשֵׂה פֶלֶא Ex. 15:11

2 פֶּלֶא יוֹעֵץ אֵל גִּבּוֹר Is. 9:5

3 אוֹדֶה שִׁמְךָ כִּי עָשִׂיתָ פֶּלֶא Is. 25:1

4 אַתָּה הָאֵל עֹשֵׂה פֶלֶא Ps. 77:15

5 נֶגֶד אֲבוֹתָם עָשָׂה פֶלֶא Ps. 78:12

6 הֲלַמֵּתִים תַּעֲשֶׂה־פֶּלֶא Ps. 88:11

וָפֶלֶא 7 לְהַפְלִיא...הַפְלֵא וָפֶלֶא Is. 29:14

פִּלְאֲךָ 8 וְיוֹדוּ שָׁמַיִם פִּלְאֲךָ יְיָ Ps. 89:6

פִּלְאֶךָ 9 כִּי־אֶזְכְּרָה מִקֶּדֶם פִּלְאֶךָ Ps. 77:12

10 הֲיִוָּדַע בַּחֹשֶׁךְ פִּלְאֶךָ Ps. 88:13

פְּלָאִים 11 לֹא זָכְרָה אַחֲרִיתָהּ וַתֵּרֶד פְּלָאִים Lam. 1:9

פְּלָאוֹת 12 פְּלָאוֹת עֵדְוֹתֶיךָ Ps. 119:129

הַפְּלָאוֹת 13 עַד־מָתַי קֵץ הַפְּלָאוֹת Dan. 12:6

פִּלְאִי
ת׳ נִפְלָא, נִשְׂגָּב

פִּלְאִי 1 לָמָּה זֶּה תִּשְׁאַל לִשְׁמִי וְהוּא־פֶלִאי Jud. 13:18

פְּלָאיָה
שפ״ז – לוי בימי נחמיה: 1, 2

פְּלָאיָה 1 יוֹזָבָד חָנָן פְּלָאיָה וְהַלְוִיִּם Neh. 8:7

2 וַאֲחֵיהֶם שְׁבַנְיָה...פְּלָאיָה חָנָן Neh. 10:11

פִּלְאֶסֶר
שפ״ז – עין תִּגְלַת פִּלְאֶסֶר

פלג
: נִפְלַג, פִּלֵּג; פֶּלֶג, פְּלַגָּה, פְּלֻגָּה, מִפְלַגָּה; ש״פ פֶּלֶג; אר׳ פְּלַג

(פלג) נִפְלַג
נפ׳ א) נחלק: 1, 2

ב) [פִּ׳ פִּלֵּג] חִלֵּק, הפריד: 3, 4

נִפְלְגָה 1 כִּי בְיָמָיו נִפְלְגָה הָאָרֶץ Gen. 10:25

2 כִּי בְיָמָיו נִפְלְגָה הָאָרֶץ ICh. 1:19

פִּלַּג 3 מִי־פִלַּג לַשֶּׁטֶף תְּעָלָה Job 38:25

פַּלַּג 4 בַּלַּע אֲדֹנָי פַּלַּג לְשׁוֹנָם Ps. 55:10

פְּלַג
פ׳ ארמית: חלק; פְּלִיג = מחולק

פְּלִיגָה 1 מַלְכוּ פְלִיגָה תֶּהֱוֵה Dan. 2:41

פֶּלֶג
ז׳ נחל מים (גם בהשאלה): 1-10

פֶּלֶג אֱלֹהִים 1; פַּלְגֵי מַיִם 3-6, 8, 9; פַּלְגֵי שֶׁמֶן 7

פֶּלֶג 1 פֶּלֶג אֱלֹהִים מָלֵא מָיִם Ps. 65:10

פְּלָגִים 2 פְּלָגִים יִבְלֵי־מָיִם Is. 30:25

פַּלְגֵי־ 3 כְּעֵץ שָׁתוּל עַל־פַּלְגֵי מָיִם Ps. 1:3

4 פַּלְגֵי־מַיִם יָרְדוּ עֵינָי Ps. 119:136

5 יָפוּצוּ...בָּרְחֹבוֹת פַּלְגֵי־מָיִם Prov. 5:16

6 פַּלְגֵי־מַיִם לֶב־מֶלֶךְ בְּיַד־יְיָ Prov. 21:1

7 וְצוּר יָצוּק עִמָּדִי פַּלְגֵי־שָׁמֶן Job 29:6

8 פַּלְגֵי־מַיִם תֵּרַד עֵינִי Lam. 3:48

כְּפַלְגֵי־ 9 כְּפַלְגֵי־מַיִם בְּצָיוֹן Is. 32:2

פְּלָגָיו 10 נָהָר פְּלָגָיו יְשַׂמְּחוּ עִיר־אֱלֹהִים Ps. 46:5

פֶּלֶג²
שפ״ז – בכור עבר, מצאצאי שם בן נח: 1-7

פֶּלֶג 1 שֵׁם הָאֶחָד פֶּלֶג Gen. 10:25

2 עֵבֶר אַחֲרֵי הוֹלִידוֹ אֶת־פֶּלֶג Gen. 11:17

3 וַיְחִי־פֶלֶג...וַיּוֹלֶד אֶת־רְעוּ Gen. 11:18

4 וַיְחִי־פֶלֶג אַחֲרֵי הוֹלִידוֹ אֶת־רְעוּ Gen. 11:19

5 שֵׁם הָאֶחָד פֶּלֶג ICh. 1:19

6 עֵבֶר פֶּלֶג רְעוּ ICh. 1:25

פָּלֶג 7 וַיְחִי־עֵבֶר...וַיּוֹלֶד אֶת־פָּלֶג Gen. 11:16

פְּלַג
ז׳ ארמית: חצי

וּפְלַג 1 עַד־עִדָּן וְעִדָּנִין וּפְלַג עִדָּן Dan. 7:25

פְּלַגָּה*
נ׳ א) מחלקה, חבורה: 1, 3

ב) פֶּלֶג, זֶרֶם: 2

פְּלַגּוֹת נְהָרִים 2; פְּלַגּוֹת רְאוּבֵן 1, 3

בִּפְלַגּוֹת־ 1 בִּפְלַגּוֹת רְאוּבֵן גְּדֹלִים חִקְקֵי־לֵב Jud. 5:15

2 אַל־יֵרֶא בִפְלַגּוֹת נַהֲרֵי נַחֲלֵי דְּבַשׁ Job 20:17

לִפְלַגּוֹת־ 3 לִפְלַגּוֹת רְאוּבֵן גְּדוֹלִים חִקְרֵי־לֵב Jud. 5:16

פְּלֻגָּה*¹
נ׳ חלק ממשפחה

לִפְלֻגּוֹת־ 1 וְעִמְדוּ...לִפְלֻגּוֹת בֵּית הָאָבוֹת IICh. 35:5

פְּלֻגָּה*²
נ׳ ארמית, כמו בעברית

בִּפְלֻגָּתְהוֹן 1 וַהֲקִימוּ כָהֲנַיָּא בִּפְלֻגָּתְהוֹן Ez. 6:18

פִּלֶגֶשׁ
עין פִּילֶגֶשׁ

פְּלָדָה*
נ׳ לפיד, שלהבת

פְּלָדוֹת 1 בְּאֵשׁ־פְּלָדוֹת הָרֶכֶב בְּיוֹם הֲכִינוֹ Nah. 2:4

פִּלְדָּשׁ
שפ״ז – בן נחור אחי אברהם

פִּלְדָּשׁ 1 וְאֶת־פִּלְדָּשׁ וְאֶת־יִדְלָף וְאֵת בְּתוּאֵל Gen. 22:22

פלה
: נִפְלָה, הִפְלָה; פְּלִי; ש״פ פְּלָיָה

(פלה) נִפְלָה
נפ׳ א) נבדל: 1, 2

ב) [הִפְ׳ הִפְלָה] הבדיל: 3-6

ג) [כנ״ל] הפליא: 7

נִפְלֵיתִי 1 אוֹדְךָ עַל כִּי נוֹרָאוֹת נִפְלֵיתִי Ps. 139:14

וְנִפְלִינוּ 2 וְנִפְלֵינוּ אֲנִי וְעַמְּךָ מִכָּל־הָעָם Ex. 33:16

וְהִפְלֵיתִי 3 וְהִפְלֵיתִי...אֶת־אֶרֶץ גֹּשֶׁן Ex. 8:18

הִפְלָה 4 כִּי־הִפְלָה יְיָ חָסִיד לוֹ Ps. 4:4

וְהִפְלָה 5 וְהִפְלָה יְיָ בֵּין מִקְנֵה יִשְׂרָאֵל וּבֵין מִקְנֵה מִצְרָיִם Ex. 9:4

יַפְלֶה 6 אֲשֶׁר יַפְלֶה יְיָ בֵּין מִצ׳ וּבֵין יִשְׂרָאֵל Ex. 11:7

הַפְלֵה 7 הַפְלֵה חֲסָדֶיךָ מוֹשִׁיעַ חוֹסִים Ps. 17:7

פַּלּוּא
שפ״ז – בן ראובן בן יעקב: 1-5

פַּלּוּא 1 וּבְנֵי פַלּוּא אֱלִיאָב Num. 26:8

וּפַלּוּא 2 חֲנוֹךְ וּפַלּוּא חֶצְרֹן וְכַרְמִי Gen. 46:9

3 חֲנוֹךְ וּפַלּוּא חֶצְרֹן וְכַרְמִי Ex. 6:14

4 חֲנוֹךְ וּפַלּוּא חֶצְרוֹן וְכַרְמִי ICh. 5:3

לְפַלּוּא 5 לְפַלּוּא מִשְׁפַּחַת הַפַּלֻּאִי Num. 26:5

פַּלֻּאִי
ת׳ המתייחס על בית פלוא

הַפַּלֻּאִי 1 לְפַלּוּא מִשְׁפַּחַת הַפַּלֻּאִי Num. 26:5

פְּלוֹנִי¹
ת׳ [רק בצרוף עם ״אַלְמוֹנִי״] מישהו או משהו שלא פורש שמו: 1-3

פְּלֹנִי 1 יוֹדַעְתִּי אֶל־מְקוֹם פְּלֹנִי אַלְמֹנִי ISh. 21:3

2 אֶל־מְקוֹם פְּלֹנִי אַלְמֹנִי תַּחֲנֹתִי IIK. 6:8

3 שְׁבָה־פֹּה פְּלֹנִי אַלְמֹנִי Ruth 4:1

פְּלוֹנִי²
ת׳ נוסח אחר במקום ״הַפַּלְטִי״ (ש״ב כג 26): 1-3

הַפְּלוֹנִי 1-2 חֶלֶץ הַפְּלוֹנִי ICh. 11:27; 27:10

3 חֵפֶר הַמְּכֵרָתִי אֲחִיָּה הַפְּלֹנִי ICh. 11:36

פלח
: פָּלַח, פִּלַּח; פֶּלַח; ש״פ פִּלְחָא; אר׳ פְּלַח; פָּלְחָן

פָּלַח
פָ׳ א) בקע: 1

ב) [פִּ׳ פִּלַּח] בקע: 2-5

פּוֹלֵחַ 1 כְּמוֹ פֹלֵחַ וּבֹקֵעַ בָּאָרֶץ Ps. 141:7

יְפַלַּח 2 עַד יְפַלַּח חֵץ כְּבֵדוֹ Prov. 7:23

3 יְפַלַּח כִּלְיוֹתַי וְלֹא יַחְמוֹל Job 16:13

וַיְפַלַּח 4 וַיְפַלַּח אֶל־סִיר הַנָּזִיד IIK. 4:39

תְּפַלַּחְנָה 5 תִּכְרַעְנָה יַלְדֵיהֶן תְּפַלַּחְנָה Job 39:3

פְּלַח
פְּ׳ ארמית: עָבַד (עבודת אלהים): 1-10

פָּלַח 1-2 דִּי אַנְתְּ° פָּלַח־לֵהּ בִּתְדִירָא Dan. 6:17, 21

פָלְחִין 3 גֻּבְרַיָּא אִלֵּךְ...לֵאלָהָךְ° לָא פָלְחִין Dan. 3:12

4 לֵאלָהַי לָא אִיתֵיכוֹן פָּלְחִין Dan. 3:14

5 אֱלָהַנָא דִּי־אֲנַחְנָא פָלְחִין Dan. 3:17

6 לֵאלָהָךְ° לָא־אִיתַנָא פָלְחִין Dan. 3:18

וּפָלְחֵי־ 7 נְתִינַיָּא וּפָלְחֵי בֵּית אֱלָהָא דְנָה Es. 7:25

יִפְלְחוּן 8 לָא־יִפְלְחוּן וְלָא־יִסְגְּדוּן לְכָל־אֱלָהּ Dan. 3:28

9 וְכֹל עַמְמַיָּא...לֵהּ יִפְלְחוּן Dan. 7:14

10 וְכֹל שָׁלְטָנַיָּא לֵהּ יִפְלְחוּן Dan. 7:27

פֶּלַח
ז׳ חתיכה: 1-6

פֶּלַח דְּבֵלָה 2; פֶּלַח רֶכֶב 3,1; פֶּלַח רִמּוֹן 5, 6; פֶּלַח תַּחְתִּית 4

פֶּלַח־ 1 וַתַּשְׁלֵךְ...פֶּלַח רֶכֶב עַל־רֹאשׁ... Jud. 9:53

2 פֶּלַח דְּבֵלָה וּשְׁנֵי צִמֻּקִים ISh. 30:12

3 הִשְׁלִיכָה עָלָיו פֶּלַח רֶכֶב IISh. 11:21

כְּפֶלַח־ 4 וְיָצוּק כְּפֶלַח תַּחְתִּית Job 41:16

5-6 כְּפֶלַח הָרִמּוֹן רַקָּתֵךְ S.of S. 4:3; 6:7

פִּלְחָא
שפ״ז – מראשי העם בימי נחמיה

פִּלְחָא 1 הַלּוֹחֵשׁ פִּלְחָא שׁוֹבֵק Neh. 10:25

פָּלְחָן
ז׳ ארמית: עבודת אלהים

לְפָלְחָן־ 1 וּמָאנַיָּא...לְפָלְחָן בֵּית אֱלָהָךְ Ez. 7:19

פלט
: פָּלַט, פִּלֵּט, הִפְלִיט; פָּלִיט, פָּלֵט, פְּלֵיטָה, מִפְלָט; ש״פ פֶּלֶט, פַּלְטִי, פִּלְטִי, פַּלְטִיאֵל, פְּלַטְיָה(ו), יַפְלֵט, יַפְלֵטִי

פָּלַט
פָּ׳ א) בָּרַח: 1

ב) [פִּ׳ פִּלֵּט] מִלֵּט, חִלֵּץ: 2-19, 21-25

ג) [פִּ׳ פִּלְּטָה] המליטה: 20

ד) [הִפְ׳ הִפְלִיט] פלט, הציל: 26, 27

וּפָלְטוּ 1 וּפָלְטוּ פְּלִיטֵיהֶם וְהָיוּ אֶל־הֶהָרִים Ezek. 7:16

פַּלֵּט 2 רָנֵּי פַלֵּט תְּסוֹבְבֵנִי Ps. 32:7

מְפַלְּטִי 3 מְפַלְּטִי מֵאֹיְבָי Ps. 18:49

וּמְפַלְטִי 4 סַלְעִי וּמְצֻדָתִי וּמְפַלְטִי־לִי IISh. 22:2

5 יְיָ סַלְעִי וּמְצוּדָתִי וּמְפַלְטִי Ps. 18:3

6 עֶזְרָתִי וּמְפַלְטִי אַתָּה Ps. 40:18

7 עֶזְרִי וּמְפַלְטִי אַתָּה Ps. 70:6

8 חַסְדִּי וּמְצוּדָתִי...וּמְפַלְטִי־לִי Ps. 144:2

וַאֲפַלְּטָה 9 וַאֲפַלְּטָה לָנֶצַח מִשֹּׁפְטִי Job 23:7

וַאֲפַלְּטֵהוּ 10 כִּי בִי חָשַׁק וַאֲפַלְּטֵהוּ Ps. 91:14

תְּפַלֵּט 11 וַאֲשֶׁר תְּפַלֵּט לַחֶרֶב אֶתֵּן Mic. 6:14

תְּפַלְּטֵנִי 12 תְּפַלְּטֵנִי מֵרִיבֵי עָם Ps. 18:44

13 מֵאִישׁ־מִרְמָה וְעַוְלָה תְפַלְּטֵנִי Ps. 43:1

וּתְפַלְּטֵנִי 14 בְּצִדְקָתְךָ תַּצִּילֵנִי וּתְפַלְּטֵנִי Ps. 71:2

וַתְּפַלְּטֵנִי 15 וַתְּפַלְּטֵנִי מֵרִיבֵי עַמִּי IISh. 22:44

וַתְּפַלְּטֵמוֹ 16 בְּךָ...בָּטְחוּ וַתְּפַלְּטֵמוֹ Ps. 22:5

יְפַלְּטֵהוּ 17 גֹּל אֶל־יְיָ יְפַלְּטֵהוּ Ps. 22:9

יְפַלְּטֵם 18 יְפַלְּטֵם מֵרְשָׁעִים וְיוֹשִׁיעֵם Ps. 37:40

וַיְפַלְּטֵם 19 וַיַּעְזְרֵם יְיָ וַיְפַלְּטֵם Ps. 37:40

תְּפַלֵּט 20 תְּפַלֵּט פָּרָתוֹ וְלֹא תְשַׁכֵּל Job 21:10

פַּלֶּט־ 21 עַל־אָוֶן פַּלֶּט־לָמוֹ Ps. 56:8

פַּלְּטָה 22 פַּלְּטָה נַפְשִׁי מֵרָשָׁע חַרְבֶּךָ Ps. 17:13

פַּלְּטֵנִי 23 בְּךָ־יְיָ חָסִיתִי...בְּצִדְקָתְךָ פַלְּטֵנִי Ps. 31:2

24 אֱלֹהַי פַּלְּטֵנִי מִיַּד רָשָׁע Ps. 71:4

פַּלְּטוּ 25 פַּלְּטוּ־דַל וְאֶבְיוֹן Ps. 82:4

וְיַפְלִיט 26 וְיֹאחֵז טֶרֶף וְיַפְלִיט וְאֵין מַצִּיל Is. 5:29

תַפְלִיט 27 וְתַסֵּג וְלֹא תַפְלִיט Mic. 6:14

פֶּלֶט שפ״ז א) בן כָּלֵב בן חוּר: 1
ב) מגבורי דוד: 2

וָפָלֶט 1 וּבְנֵי יָהְדָּי...וְגִישָׁן וָפָלֶט ICh. 2:47
2 וִיזִיאֵל וָפֶלֶט בְּנֵי עַזְמָוֶת ICh. 12:3

פָּלֵט* ז׳ פָּלִיט: 1-5

פְּלֵטִים 1 נָתַן בָּנָיו פְּלֵיטִם וּבְנֹתָיו בַּשְּׁבִית Num. 21:29
2 וְשִׁלַּחְתִּי מֵהֶם פְּלֵיטִים אֶל־הַגּוֹיִם Is. 66:19
3 לֹא־יָשׁוּבוּ כִּי אִם־פְּלֵטִים Jer. 44:14
4 פְּלֵטִים מֵחֶרֶב הִלְכוּ אַל־תַּעֲמֹדוּ Jer. 51:50
וּפְלֵטִים 5 קוֹל נָסִים וּפְלֵטִים מֵאֶרֶץ בָּבֶל Jer. 50:28

פַּלְטִי שפ״ז א) נשיא מטה בנימין, מִתָּרֵי הארץ: 1
ב) בן לַיִשׁ חתן שאול, הוא פַּלְטִיאֵל: 2

פַּלְטִי 1 לְמַטֵּה בִנְיָמִן פַּלְטִי בֶּן־רָפוּא Num. 13:9
לְפַלְטִי 2 לְפַלְטִי בֶן־לַיִשׁ אֲשֶׁר מִגַּלִּים ISh. 25:44

פְּלֵטָה נ׳ – עין פְּלֵיטָה

פִּלְטַי* שפ״ז – כהן בימי זרובבל
פִּלְטָי 1 לְמִנְיָמִין לְמוֹעַדְיָה פִּלְטָי Neh. 12:17

פַּלְטִיאֵל שפ״ז א) נשיא מטה יששכר: 1
ב) הוא פַּלְטִי בן לַיִשׁ: 2

פַּלְטִיאֵל 1 נְשִׂיא פַּלְטִיאֵל בֶּן־עַזָּן Num. 34:26
2 וַיִּקָּחֶהָ...מֵעִם פַּלְטִיאֵל בֶּן־לָיִשׁ IISh. 3:15

פְּלַטְיָה שפ״ז א) איש משמעון: 3
ב) שני אנשים בימי זרובבל: 1, 2

פְּלַטְיָה 1 פְּלַטְיָה חָנָן עֲנָיָה Neh. 10:23
2 וּבֶן־חֲנַנְיָה פְּלַטְיָה וִישַׁעְיָה ICh. 3:21
וּפְלַטְיָה 3 וּפְלַטְיָה וּנְעַרְיָה וּרְפָיָה ICh. 4:42

פְּלַטְיָהוּ שפ״ז – משרי העם בימי יחזקאל: 1, 2
פְּלַטְיָהוּ 1 וָאֶרְאֶה...וְאֶת־פְּלַטְיָהוּ בֶן־בְּנָיָהוּ Ezek. 11:1
וּפְלַטְיָהוּ 2 וַיְהִי כְּהִנָּבְאִי וּפְלַטְיָהוּ בֶן־בְּנָיָה מֵת Ezek. 11:13

פְּלִי ת׳ סודי [ראה גם פֶּלְאִי]
פְּלִי 1 לָמָּה זֶּה תִּשְׁאַל לִשְׁמִי
וְהוּא־פֶלִי (כת׳ פלאי) Jud. 13:18

פְּלִיאָה נ׳ דבר נפלא ונעלם, חידה
פְּלִיאָה 1 פְּלִיאָה (כת׳ פליאה) דַעַת מִמֶּנִּי
נִשְׂגְּבָה לֹא־אוּכַל לָהּ Ps. 139:6

פְּלָיָה שפ״ז – איש מזרע זרובבל
וּפְלָיָה 1 וּבְנֵי אֶלְיוֹעֵינַי...וְאֶלְיָשִׁיב וּפְלָיָה ICh. 3:24

פָּלִיט ז׳ נמלט, בורח: 1-19 [ראה גם פָּלֵט]
– פָּלִיט וְשָׂרִיד 2, 4; שָׂרִיד וּפָלִיט 5, 6
– פְּלִיטֵי אֶפְרַיִם 12, 13; פְּלִיטֵי הַגּוֹיִם 14; פְּלִיטֵי חֶרֶב 15, 16

פָּלִיט 1 אַל־יֵצֵא פָלִיט מִן־הָעִיר IIK. 9:15
2 וְלֹא יִהְיֶה פָּלִיט וְשָׂרִיד Jer. 44:14
3 וְלֹא־יִמָּלֵט לָהֶם פָּלִיט Am. 9:1
4 וְלֹא הָיָה...פָּלִיט וְשָׂרִיד Lam. 2:22
וּפָלִיט 5 עַד־בִּלְתִּי הִשְׁאִיר־לוֹ שָׂרִיד וּפָלִיט Josh. 8:22
6 וְלֹא־יִהְיֶה לָהֶם שָׂרִיד וּפָלִיט Jer. 42:17
הַפָּלִיט 7 וַיָּבֹא הַפָּלִיט וַיַּגֵּד לְאַבְרָם Gen. 14:13
8 בַּיּוֹם הַהוּא יָבוֹא הַפָּלִיט אֵלֶיךָ Ezek. 24:26
9 יִפָּתַח פִּיךָ אֶת־הַפָּלִיט Ezek. 24:27
10 בָּא־אֵלַי הַפָּלִיט מִירוּשָׁלַםִ Ezek. 33:21
11 בָּעֶרֶב לִפְנֵי בּוֹא הַפָּלִיט Ezek. 33:22
פְּלִיטֵי־ 12 כִּי אָמְרוּ פְּלִיטֵי אֶפְרַיִם אַתֶּם Jud. 12:4
13 וְהָיָה כִּי יֹאמְרוּ פְּלִיטֵי אֶפְרַיִם Jud. 12:5
14 הִתְנַגְּשׁוּ יַחְדָּו פְּלִיטֵי הַגּוֹיִם Jud. 45:20
15 בִּהְיוֹת לָכֶם פְּלִיטֵי חֶרֶב בַּגּוֹיִם Ezek. 6:8
וּפְלִיטֵי־ 16 וּפְלִיטֵי חֶרֶב יְשֻׁבוּן Jer. 44:28

פְּלִיטָיו 17 לְהַכְרִית אֶת־פְּלִיטָיו Ob. 14
פְּלִיטֵיכֶם 18 וְזָכְרוּ פְלִיטֵיכֶם אוֹתִי בַּגּוֹיִם Ezek. 6:9
פְּלִיטֵיהֶם 19 וּפָלְטוּ פְּלִיטֵיהֶם וְהָיוּ אֶל־הֶהָרִים Ezek. 7:16

פְּלֵיטָה נ׳ שארית, שריד: 1-28
– פְּלֵיטָה גְדוֹלָה 21; יְרֻשַּׁת פְּלֵיטָה 1; יֶתֶר הַפְּלֵיטָה 16; שְׁאֵרִית הַפְּלֵיטָה 18
– פְּלֵיטַת בֵּית־ 24-26; פְּלֵיטַת יִשְׂרָאֵל 27; פְּלֵיטַת מוֹאָב 28

פְּלֵיטָה 1 יְרֻשַּׁת פְּלֵיטָה לְבִנְיָמִן Jud. 21:17
2 לֹא־תִהְיֶה־לָּנוּ פְלֵי׳ מִפְּנֵי־אַבְשָׁלֹם IISh. 15:14
3 אַל־יְהִי־לָהּ פְּלֵיטָה Jer. 50:29
4 וְהִנֵּה נוֹתְרָה־בָּהּ פְּלֵטָה Ezek. 14:22
5 וְגַם־פְּלֵיטָה לֹא־הָיְתָה לּוֹ Joel 2:3
6 בְּהַר־צִיּוֹן וּבִירוּשָׁלַםִ תִּהְיֶה פְלֵיטָה Joel 3:5
7 וּבְהַר צִיּוֹן תִּהְיֶה פְלֵיטָה Ob. 17
8 לְהַשְׁאִיר לָנוּ פְּלֵיטָה Ez. 9:8
9 וְנָתַתָּה לָּנוּ פְּלֵיטָה כָּזֹאת Ez. 9:13
10 כִּי נִשְׁאַרְנוּ פְלֵיטָה Ez. 9:15
11 פְּגָרִים נֹפְלִים אַרְצָה וְאֵין פְּלֵי׳ IICh. 20:24
וּפְלֵיטָה 12 תֵּצֵא...וּפְלֵיטָה מֵהַר צִיּוֹן IIK. 19:31
13 תֵּצֵא...וּפְלֵיטָה מֵהַר צִיּוֹן Is. 37:32
14 וְאָבַד...וּפְלֵיטָה מֵאַדִּירֵי הַצֹּאן Jer. 25:35
15 לְאֵין שְׁאֵרִית וּפְלֵיטָה Ez. 9:14
הַפְּלֵיטָה 16 וְאָכַל אֶת־יֶתֶר הַפְּלֵטָה Ex. 10:5
17 הַפְּלֵיטָה אֲשֶׁר־נִשְׁאֲרוּ מִן־הַשֶּׁבִי Neh. 1:2
18 וַיַּכּוּ אֶת־שְׁאֵרִית הַפְּלֵטָה לַעֲמָלֵק ICh. 4:43
19 אֶל־הַפְּלֵיטָה הַנִּשְׁאֶרֶת לָכֶם IICh. 30:6
לִפְלֵיטָה 20 וְהָיָה הַמַּחֲנֶה הַנִּשְׁאָר לִפְלֵיטָה Gen. 32:8
21 וּלְהַחֲיוֹת לָכֶם לִפְלֵיטָה גְּדֹלָה Gen. 45:7
22 וְאֶרֶץ מִצְ׳ לֹא תִהְיֶה לִפְלֵיטָה Dan. 11:42
23 וְנָתַתִּי לָהֶם כִּמְעַט לִפְלֵיטָה IICh. 12:5
פְּלֵיטַת־ 24 פְּלֵיטַת בֵּית־יְהוּדָה הַנִּשְׁאָרָה IIK. 19:30
25 פְּלֵיטַת בֵּית־יְהוּדָה הַנִּשְׁאָרָה Is. 37:31
וּפְלֵיטַת־ 26 שְׁאָר יִשְׂרָאֵל וּפְלֵיטַת בֵּית־יַעֲקֹב Is. 10:20
לִפְלֵיטַת־ 27 לְגָאוֹן וּלְתִפְאֶרֶת לִפְלֵיטַת יִשְׂרָאֵל Is. 4:2
28 לִפְלֵיטַת מוֹאָב אַרְיֵה Is. 15:9

פְּלִילָה נ׳ משפט
פְּלִילָה 1 הָבִיאִי עֵצָה עֲשׂוּ פְלִילָה Is. 16:3

פְּלִילִי ת׳ טעון עונש של בית־משפט
פְּלִילִי 1 גַּם־הוּא עָוֹן פְּלִילִי Job 31:28

פְּלִילִיָּה נ׳ משפט
פְּלִילִיָּה 1 שָׁגוּ בָּרֹאֶה פָּקוּ פְּלִילִיָּה Is. 28:7

פְּלִילִים ז״ר – שופטים, דינים: 1-3
פְּלִילִים 1 לֹא כְצוּרֵנוּ צוּרָם וְאֹיְבֵינוּ פְּלִילִים Deut. 32:31
2 כִּי־הִיא זִמָּה וְהוּא עָוֹן פְּלִילִים Job 31:11
בִּפְלִלִים 3 עָנוֹשׁ יֵעָנֵשׁ...וְנָתַן בִּפְלִלִים Ex. 21:22

פֶּלֶךְ[1] ז׳ א) קנה לטויה: 1
ב) משענת לפִּסֵּחַ: 2
פָּלֶךְ 1 יָדֶיהָ שִׁלְּחָה...וְכַפֶּיהָ תָּמְכוּ פָלֶךְ Prov. 31:19
בַּפֶּלֶךְ 2 זָב וּמְצֹרָע וּמַחֲזִיק בַּפֶּלֶךְ IISh. 3:29

פֶּלֶךְ[2] ז׳ נפה, גליל: 1-8
– חֲצִי פֶלֶךְ 1, 2, 5-8; שַׂר פֶּלֶךְ 3, 4
– פֶּלֶךְ בֵּית־הַכֶּרֶם 3; פ׳ בֵּית־צוּר 5; פֶּלֶךְ יְרוּשָׁלַםִ 1, 2; פ׳ הַמִּצְפָּה 4; פֶּלֶךְ קְעִילָה 6-8

פֶּלֶךְ־ 1-2 שַׂר חֲצִי פֶּלֶךְ יְרוּשָׁלָםִ Neh. 3:9, 12
3 שַׂר פֶּלֶךְ בֵּית־הַכָּרֶם Neh. 3:14

פֶּלֶךְ־ (המשך) 4 שַׂר פֶּלֶךְ הַמִּצְפָּה Neh. 3:15
5 שַׂר חֲצִי פֶּלֶךְ בֵּית־צוּר Neh. 3:16
6-7 שַׂר(־)חֲצִי(־)פֶלֶךְ קְעִילָה Neh. 3:17, 18
לְפִלְכּוֹ 8 שַׂר־חֲצִי־פֶלֶךְ קְעִילָה לְפִלְכּוֹ Neh. 3:17

פלל : פִּלֵּל, הִתְפַּלֵּל; פְּלִילָה, פְּלִילִי, פְּלִילִיָּה, פְּלִילִים, תְּפִלָּה; ש״פ פָּלָל, פְּלַלְיָה, אֱפְלָל

פִּלֵּל פ׳ א) שָׁפַט: 2, 3
ב) העלה על הדעת: 1
ג) התחנן: 4
ד) [הת׳ הִתְפַּלֵּל] ערך תפלה, התחנן: 5-84

הִתְפַּלֵּל אֶל (לְ־) 7, 9, 10, 15-17, 19-24, 26-28, 31, 36, 37, 40-43, 47,48,50,51, 53, 55,56, 58, 59, 61, 63-67, 69, 70, 73-76, 78; הִתְפַּ׳ לִפְנֵי־ 6, 25, 30, 32, 33, 35, 62; הִתְפַּ׳ בְּעַד־ 8, 14, 38, 39, 44-46, 52, 54, 57, 79-84; הִתְפַּלֵּל עַל־ 18, 49, 68, 71

פִּלָּלְתִּי 1 רְאֹה פָנֶיךָ לֹא פִלָּלְתִּי Gen. 48:11
פִּלַּלְתְּ 2 כְּלִמָּתֵךְ אֲשֶׁר פִּלַּלְתְּ לַאֲחוֹתֵךְ Ezek. 16:52
וּפִלְלוֹ 3 אִם־יֶחֱטָא אִישׁ לְאִישׁ וּפִלְלוֹ אֱלֹהִים ISh. 2:25
וַיְפַלֵּל 4 וַיַּעֲמֹד פִּינְחָס וַיְפַלֵּל Ps. 106:30
וּכְהִתְפַּלֵּל 5 וּכְהִתְפַּלֵּל עֶזְרָא וּכְהִתְוַדֹּתוֹ Ez. 10:1
לְהִתְפַּלֵּל 6 וְהָיָה כִּי הִרְבְּתָה לְהִתְפַּלֵּל לִפְנֵי יְיָ ISh. 1:12
7 הַנִּצֶּבֶת עִמְּכָה בָּזֶה לְהִתְפַּלֵּל אֶל־יְיָ ISh. 1:26
8 חָלִילָה...מֵחֲדֹל לְהִתְפַּלֵּל בַּעַדְכֶם ISh. 12:23
9 מָצָא עַבְדְּךָ אֶת־לִבּוֹ לְהִתְפַּלֵּל אֵלֶ׳ IISh. 7:27
10 כְּכַלּוֹת שְׁלֹמֹה לְהִתְפַּלֵּל אֶל־יְיָ IK. 8:54
11 וּבָא אֶל־מִקְדָּשׁוֹ לְהִתְפַּלֵּל Is. 16:12
12 עַל כֵּן מָצָא עַבְדְּךָ לְהִתְפַּלֵּל ICh. 17:25
13 וּכְכַלּוֹת שְׁלֹמֹה לְהִתְפַּלֵּל IICh. 7:1
בְּהִתְפַּלְלוֹ 14 בְּהִתְפַּלְלוֹ בְּעַד רֵעֵהוּ Job 42:10
הִתְפַּלָּלְתִּי 15 אֶל־הַנַּעַר הַזֶּה הִתְפַּלָּלְתִּי ISh. 1:27
הִתְפַּלַּלְתָּ 16 אֲשֶׁר הִתְפַּלַּלְתָּ אֵלַי אֶל־סַנְחֵרִב IIK. 19:20
17 אֲשֶׁר הִתְפַּלַּלְתָּ אֵלַי אֶל־סַנְחֵרִיב Is. 37:21
הִתְפַּלֵּל 18 כִּי הִתְפַּלֵּל יְחִזְקִיָּהוּ עֲלֵיהֶם IICh. 30:18
וְהִתְפַּלֵּל 19 וּבָא וְהִתְפַּלֵּל אֶל־הַבַּיִת הַזֶּה IK. 8:42
וְהִתְפַּלַּלְתֶּם 20 וַהֲלַכְתֶּם וְהִתְפַּלַּלְתֶּם אֵלָי Jer. 29:12
וְהִתְפַּלְלוּ 21 וְהִתְפַּלְלוּ וְהִתְחַנְּנוּ אֵלֶיךָ IK. 8:33
22 וְהִתְפַּלְלוּ אֶל־הַמָּקוֹם הַזֶּה IK. 8:35
23 וְהִתְפַּלְלוּ אֶל־יְיָ דֶּרֶךְ הָעִיר IK. 8:44
24 וְהִתְפַּלְלוּ אֵלֶיךָ דֶּרֶךְ אַרְצָם IK. 8:48
25 וְהִתְפַּלְלוּ וְהִתְחַנְּנוּ לְפָנֶיךָ IICh. 6:24
26 וְהִתְפַּלְלוּ אֶל־הַמָּקוֹם הַזֶּה IICh. 6:26
27 וּבָאוּ וְהִתְפַּלְלוּ אֶל־הַבַּיִת הַזֶּה IICh. 6:32
28 וְהִתְפַּלְלוּ אֵלֶיךָ דֶּרֶךְ הָעִיר הַזֹּאת IICh. 6:34
29 וְהִתְפַּלְלוּ דֶּרֶךְ אַרְצָם IICh. 6:38
מִתְפַּלֵּל 30 הַתְּפִלָּה אֲשֶׁר עַבְדְּךָ מִתְפַּלֵּל לְפָנֶיךָ IK. 8:28
31 הִנְנִי מִתְפַּלֵּל אֶל־יְיָ אֱלֹהֵיכֶם Jer. 45:4
32 אֲשֶׁר אָנֹכִי מִתְפַּלֵּל לְפָנֶיךָ Neh. 1:6
33 אֲשֶׁר עַבְדְּךָ מִתְפַּלֵּל לְפָנֶיךָ IICh. 6:19
וּמִתְפַּלֵּל 34 אֲנִי מְדַבֵּר וּמִתְפַּלֵּל וּמִתְוַדֶּה Dan. 9:20
35 וָאֱהִי צָם וּמִתְפַּלֵּל לִפְנֵי אֱלֹהֵי הַשָּׁ׳ Neh. 1:4
וּמִתְפַּלְלִים 36 וּמִתְפַּלְלִים אֶל־אֵל לֹא יוֹשִׁיעַ Is. 42:20
אֶתְפַּלָּל 37 הַקְשִׁיבָה...כִּי־אֵלֶיךָ אֶתְפַּלָּל Ps. 5:3
וְאֶתְפַּלֵּל 38 וְאֶתְפַּלֵּל בַּעַדְכֶם אֶל־יְיָ ISh. 7:5
וָאֶתְפַּלֵּל 39 וָאֶתְפַּלֵּל גַּם־בְּעַד אַהֲרֹן Deut. 9:20
40 וָאֶתְפַּלֵּל אֶל־יְיָ וָאֹמַר Deut. 9:26
41 וָאֶתְפַּלֵּל אֶל־יְיָ...לֵאמֹר Jer. 32:16
42 וָאֶתְפַּלֵּל אֶל־אֱלֹהֵי הַשָּׁמָיִם Neh. 2:4
וָאֶתְפַּלְלָה 43 וָאֶתְפַּלְלָה לַייָ אֱלֹהַי וָאֶתְוַדֶּה Dan. 9:4
תִּתְפַּלֵּל 44-46 אַל־תִּתְ׳ בְּעַד־הָעָם Jer. 7:17; 11:14; 14:11

יִתְפַּלֵּל 47 אֲשֶׁר יִתְפַּלֵּל עַבְדְּךָ אֶל־הַמָּקוֹם הַזֶּה IK. 8:29
48 עַל־זֹאת יִתְפַּלֵּל כָּל־חָסִיד אֵלֶיךָ Ps. 32:6
49 וְאִיּוֹב עַבְדִּי יִתְפַּלֵּל עֲלֵיכֶם Job 42:8
50 יִתְפַּלֵּל עַבְדְּךָ אֶל־הַמָּקוֹם הַזֶּה IICh. 6:20
יִתְפַּלֶּל־ 51 וְאִם לַיְיָ יֶחֱטָא־אִישׁ מִי יִתְפַּלֶּל־לוֹ ISh. 2:25
וְיִתְפַּלֵּל 52 כִּי־נָבִיא הוּא וְיִתְפַּלֵּל בַּעַדְךָ Gen. 20:7
53 וְיִשְׁתַּחוּ וְיִתְפַּלֵּל אֵלָיו Is. 44:17
54 וְיִתְפַּלֵּל בַּעֲדוֹ תָמִיד Ps. 72:15
וַיִּתְפַּלֵּל 55 וַיִּתְפַּלֵּל אַבְרָהָם אֶל־הָאֱלֹהִים Gen. 20:17
56 וַיִּתְפַּלֵּל מֹשֶׁה אֶל־יְיָ וַתִּשְׁקַע הָאֵשׁ Num.11:2
57 וַיִּתְפַּלֵּל מֹשֶׁה בְּעַד הָעָם Num. 21:7
58 וַיִּתְפַּלֵּל שְׁמוּאֵל אֶל־יְיָ ISh. 8:6
59 וַיִּסְגֹּר הַדֶּלֶת...וַיִּתְפַּלֵּל אֶל־יְיָ IIK. 4:33
60 וַיִּתְפַּלֵּל אֱלִישָׁע וַיֹּאמַר IIK. 6:17
61 וַיִּתְפַּלֵּל אֱלִישָׁע אֶל־יְיָ וַיֹּאמַר IIK. 6:18
62 וַיִּתְפַּלֵּל חִזְקִיָּהוּ לִפְנֵי יְיָ וַיֹּאמַר IIK. 19:15
63 וַיִּתְפַּלֵּל אֶל־יְיָ לֵאמֹר IIK. 20:2
64 וַיִּתְפַּלֵּל חִזְקִיָּהוּ אֶל־יְיָ לֵאמֹר Is. 37:15
65 וַיַּסֵּב חִזְקִיָּהוּ...וַיִּתְפַּלֵּל אֶל־יְיָ Is. 38:2
66 וַיִּתְפַּלֵּל יוֹנָה אֶל־יְיָ אֱלֹהָיו Jon. 2:2
67 וַיִּתְפַּלֵּל אֶל־יְיָ וַיֹּאמַר Jon. 4:2
68 וַיִּתְפַּלֵּל יְחִזְקִיָּהוּ...עַל־זֹאת IICh. 32:20
69 וַיִּתְפַּלֵּל אֶל־יְיָ וַיֹּאמֶר לוֹ IICh. 32:24
70 וַיִּתְפַּלֵּל אֵלָיו וַיֵּעָתֶר לוֹ IICh. 33:13
וַתִּתְפַּלֵּל 71 וַתִּתְפַּלֵּל עַל־יְיָ וּבָכֹה תִבְכֶּה ISh. 1:10
72 וַתִּתְפַּלֵּל חַנָּה וַתֹּאמַר ISh. 2:1
וַנִּתְפַּלֵּל 73 וַנִּתְפַּלֵּל אֶל־אֱלֹהֵינוּ Neh. 4:3
יִתְפַּלְלוּ 74 אֲשֶׁר יִתְפַּלְלוּ אֶל־הַמָּקוֹם הַזֶּה IK. 8:30
75 אֲשֶׁר יִתְפַּלְלוּ אֶל־הַמָּקוֹם הַזֶּה IICh. 6:21
יִתְפַּלָּלוּ 76 וְאֵלַיִךְ יִשְׁתַּחֲווּ אֵלַיִךְ יִתְפַּלָּלוּ Is. 45:14
וְיִתְפַּלְלוּ 77 וְיִתְפַּלְלוּ וִיבַקְשׁוּ פָנַי IICh. 7:14
הִתְפַּלֵּל 78 הִתְפַּלֵּל אֶל־יְיָ... Num. 21:7
79 הִתְפַּ׳ בְּעַד־עֲבָדֶיךָ אֶל־יְיָ אֱלֹהֶיךָ ISh. 12:19
80 הִתְפַּלֵּל בַּעֲדֵנוּ אֶל־יְיָ אֱלֹהֵינוּ Jer. 42:20
הִתְפַּלֶּל־ 81 הִתְפַּלֶּל־נָא בַעֲדֵנוּ אֶל־יְיָ אֱלֹהֵינוּ Jer. 37:3
וְהִתְפַּלֵּל 82 חַל...פְּנֵי יְיָ אֱלֹהֶיךָ וְהִתְפַּלֵּל בַּעֲדִי IK. 13:6
83 וְהִתְפַּלֵּל בַּעֲדֵנוּ אֶל־יְיָ אֱלֹהֶיךָ Jer. 42:2
וְהִתְפַּלְלוּ 84 וְהִתְפַּלְלוּ בַעֲדָהּ אֶל־יְיָ Jer. 29:7

פָּלָל
שפ״ז – איש בימי נחמיה
פָּלָל 1 פָּלָל בֶּן־אוּזַי מִנֶּגֶד הַמִּקְצוֹעַ Neh. 3:25

פְּלַלְיָה
שפ״ז – כהן מעולי הגולה
פְּלַלְיָה 1 וַעֲדָיָה בֶּן־יְרֹחָם בֶּן־פְּלַלְיָה Neh. 11:12

פַּלְמוֹנִי
ת׳ פלוני, מישהו [עין גם פְּלוֹנִי]
לַפַּלְמוֹנִי 1 וַיֹּאמֶר אֶחָד קָדוֹשׁ לַפַּלְמוֹנִי הַמְדַבֵּר Dan. 8:13

פִּלְנְאֶסֶר, פִּלְנֶסֶר – עין תִּגְלַת פִּלְאֶסֶר

פלס : פִּלֵּס; פֶּלֶס

פִּלֵּס
פ׳ ישר, דרך: 1-6
פִּלֵּס אֹרַח 3; פִּלֵּס מַעְגָּל 2, 6; פִּלֵּס נָתִיב 4
מְפַלֵּס 1 וְכָל־מַעְגְּלֹתָיו מְפַלֵּס Prov. 5:21
תְּפַלֵּס 2 יָשָׁר מַעְגַּל צַדִּיק תְּפַלֵּס Is. 26:7
3 אֹרַח חַיִּים פֶּן־תְּפַלֵּס Prov. 5:6
יְפַלֵּס 4 יְפַלֵּס נָתִיב לְאַפּוֹ Ps. 78:50
תְּפַלֵּסוּן 5 בָּאָרֶץ חֲמַס יְדֵיכֶם תְּפַלֵּסוּן Ps. 58:3
פַּלֵּס 6 פַּלֵּס מַעְגַּל רַגְלֶךָ Prov. 4:26

פֶּלֶס
ז׳ מאזנים: 1, 2
פֶּלֶס 1 פֶּלֶס וּמֹאזְנֵי מִשְׁפָּט לַיְיָ Prov. 16:11
בַּפֶּלֶס 2 וְשָׁקַל בַּפֶּלֶס הָרִים Is. 40:12

פִּלְאֶסֶר – עין תִּגְלַת פִּלְאֶסֶר

פלץ : הִתְפַּלֵּץ; פַּלָּצוּת, מִפְלֶצֶת, תִּפְלֶצֶת

(פלץ) הִתְפַּלֵּץ
הת׳ התערער
יִתְפַּלָּצוּן 1 הַמַּרְגִּיז אֶרֶץ...וְעַמּוּדֶיהָ יִתְפַּלָּצוּן Job 9:6

פַּלָּצוּת
נ׳ חרדה, בהלה: 1-4 • קרובים: ראה אֵימָה
פַּלָּצוּת 1 תָּעָה לְבָבִי פַּלָּצוּת בִּעֲתָתְנִי Is. 21:4
2 וְחָגְרוּ שַׂקִּים וְכִסְּתָה אוֹתָם פַּלָּצוּת Ezek. 7:18
3 יִרְאָה וָרַעַד יָבֹא בִי וַתְּכַסֵּנִי פַּלָּצוּת Ps. 55:6
4 וְנִבְהַלְתִּי וְאָחַז בְּשָׂרִי פַּלָּצוּת Job 21:6

פלש : הִתְפַּלֵּשׁ; פְּלֶשֶׁת, פְּלִשְׁתִּי(?)

(פלש) הִתְפַּלֵּשׁ
הת׳ התגולל: 1-4
יִתְפַּלָּשׁוּ 1 וְיַעֲלוּ עָפָר...בָּאֵפֶר יִתְפַּלָּשׁוּ Ezek. 27:30
הִתְפַּלָּשִׁי 2 בְּבֵית לְעַפְרָה עָפָר הִתְפַּלָּשִׁי Mic. 1:10
(כת׳ התפלשתי)
וְהִתְפַּלְּשִׁי 3 חִגְרִי־שַׂק וְהִתְפַּלְּשִׁי בָאֵפֶר Jer. 6:26
וְהִתְפַּלְּשׁוּ 4 הֵילִילוּ...וְהִתְפַּלְּשׁוּ אַדִּירֵי הַצֹּאן Jer. 25:34

פְּלֶשֶׁת
ש״פ – חבל־הארץ בדרום־מערב של ארץ כנען על חוף הים התיכון, וכן שם העם ששכן בו: 1-8
גְּלִילוֹת פְּלֶשֶׁת 8; יֹשְׁבֵי פְּלֶשֶׁת 7
פְּלֶשֶׁת 1 אַל־תִּשְׂמְחִי פְּלֶשֶׁת כֻּלֵּךְ Is. 14:29
2 נָמוֹג פְּלֶשֶׁת כֻּלֵּךְ Is. 14:31
3 עָלַי פְּלֶשֶׁת הִתְרוֹעָעִי Ps. 60:10
4 פְּלֶשֶׁת עִם־יֹשְׁבֵי צוֹר Ps. 83:8
5 הִנֵּה פְלֶשֶׁת וְצוֹר עִם־כּוּשׁ Ps. 87:4
6 עֲלֵי־פְלֶשֶׁת אֶתְרוֹעָע Ps. 108:10
פְּלָשֶׁת 7 חִיל אָחַז יֹשְׁבֵי פְּלָשֶׁת Ex. 15:14
8 צֹר וְצִידוֹן וְכֹל גְּלִילוֹת פְּלָשֶׁת Joel 4:4

פְּלִשְׁתִּי
ת׳ מתושבי פְּלֶשֶׁת: 1-33
גָּלְיַת הַפְּלִשְׁתִּי 5, 31, 32; דִּבְרֵי הַפְּלִשְׁתִּי 3; יַד הַפְּלִשְׁתִּי 11; רֹאשׁ הַפְּלִשְׁתִּי 26, 29
הַפְּלִשְׁתִּי 1 הֲלוֹא אָנֹכִי הַפְּלִשְׁתִּי... ISh. 17:8
2 וַיֹּאמֶר הַפְּלִשְׁתִּי אֲנִי חֵרַפְתִּי... ISh. 17:10
3 וַיִּשְׁמַע...אֶת־דִּבְרֵי הַפְּ׳ הָאֵלֶּה ISh. 17:11
4 וַיִּגַּשׁ הַפְּלִשְׁתִּי הַשְׁכֵּם וְהַעֲרֵב ISh. 17:16
5 גָּלְיָת הַפְּלִשְׁתִּי שְׁמוֹ מִגַּת ISh. 17:23
6/7 הַפְּלִשְׁתִּי הֶעָרֵל הַזֶּה ISh. 17:26, 36
8 אֲשֶׁר יַכֶּה אֶת־הַפְּלִשְׁתִּי הַלָּז ISh. 17:26
9 יֵלֵךְ וְנִלְחַם עִם־הַפְּלִשְׁתִּי הַזֶּה ISh. 17:32
10 לֹא תוּכַל לָלֶכֶת אֶל־הַפְּ׳ הַזֶּה ISh. 17:33
11 הוּא יַצִּילֵנִי מִיַּד הַפְּלִשְׁתִּי הַזֶּה ISh. 17:37
12 וַיִּקַּח...וַיִּגַּשׁ אֶל־הַפְּלִשְׁתִּי ISh. 17:40
13 וַיֵּלֶךְ הַפְּ׳ הֹלֵךְ וְקָרֵב אֶל־דָּוִד ISh. 17:41
14 וַיַּבֵּט הַפְּלִשְׁתִּי וַיִּרְאֶה אֶת־דָּוִד ISh. 17:42
15/6 וַיֹּאמֶר הַפְּלִשְׁתִּי אֶל־דָּוִד ISh. 17:43, 44
17 וַיְקַלֵּל הַפְּלִשְׁתִּי אֶת־דָּוִד בֵּאלֹהָיו ISh. 17:43
18 וַיֹּאמֶר דָּוִד אֶל־הַפְּלִשְׁתִּי ISh. 17:45
19 וְהָיָה כִּי־קָם הַפְּלִשְׁתִּי וַיֵּלֶךְ... ISh. 17:48
20 וַיָּרָץ הַמַּעֲרָכָה לִקְרַאת הַפְּלִשְׁתִּי ISh.17:48
21-23 וַיַּךְ אֶת־הַפְּלִשְׁתִּי ISh. 17:49, 50; 19:5
24 וַיֶּחֱזַק דָּוִד מִן־הַפְּ׳ בַּקֶּלַע וּבָאֶבֶן ISh. 17:50
25 וַיָּרָץ דָּוִד וַיַּעֲמֹד אֶל־הַפְּלִשְׁתִּי ISh. 17:51
26 וַיִּקַּח דָּוִד אֶת־רֹאשׁ הַפְּלִשְׁתִּי ISh. 17:54
27 דָּוִד יֹצֵא לִקְרַאת הַפְּלִשְׁתִּי ISh. 17:55
28 וּכְשׁוּב דָּוִד מֵהַכּוֹת אֶת־הַפְּלִשְׁתִּי ISh. 17:57
29 וְרֹאשׁ הַפְּלִשְׁתִּי בְּיָדוֹ ISh. 17:57
30 בְּשׁוּב דָּוִד מֵהַכּוֹת אֶת־הַפְּלִשְׁתִּי ISh. 18:6
31/2 חֶרֶב גָּלְיָת הַפְּלִשְׁתִּי ISh. 21:10; 22:10
33 וַיַּךְ אֶת־הַפְּלִשְׁתִּי וַיְמִתֵהוּ IISh. 21:17

פְּלִשְׁתִּים
ש״פ – העם שישב באזור פְּלֶשֶׁת עד שנכבש לראשונה על־ידי דוד המלך: 1-253
אֱלֹהֵי פְלִשְׁתִּים 14; אֶרֶץ פְּלִשְׁתִּים 2, 3, 9, 81, 90-92, 99-101, 104, 106, 108, 115; בְּנוֹת פְּ׳ 19, 20, 93; גְּאוֹן פְּ׳ 107; גְּלִילוֹת הַפְּ׳ 225; חַלְלֵי פְּ׳ 77; יַד פְּ׳ 15, 17, 18, 27, 53-63, 64; יָם פְּלִשְׁתִּים 10; יְמֵי פְּ׳ 28; כַּף פְּ׳ 96; כָּתֵף פְּ׳ 103; מַחֲנֵה פְּ׳ 68, 73, 76, 84, 95, 98, 111, 113, 114; מַחֲנוֹת פְּ׳ 74; מֶלֶךְ פְּ׳ 4, 5; מַעַרְכוֹת פְּ׳ 75, 80; מַצַּב פְּ׳ 69-72, 97; נְצִיב פְּ׳ 66, 67, 110; נְצִיבֵי פְּ׳ 65; סַרְנֵי פְּ׳ 11, 12, 29-43; עָרֵי פְּ׳ 52; עָרְלוֹת פְּ׳ 78, 94; קָמוֹת פְּ׳ 22; רוּחַ הַפְּ׳ 233; שְׂדֵה פְּלִשְׁתִּים 51, 82, 83; שָׂרֵי פְלִשְׁתִּים 79, 85-89
פְּלִשְׁתִּים 1 אֲשֶׁר יָצְאוּ מִשָּׁם פְּלִשְׁתִּים Gen. 10:14
2 וַיָּשֻׁבוּ אֶל־אֶרֶץ פְּלִשְׁתִּים Gen. 21:32
3 וַיָּגָר אַבְרָהָם בְּאֶרֶץ פְּלִשְׁתִּים Gen. 21:34
4-5 אֲבִימֶלֶךְ מֶלֶךְ פְּלִשְׁתִּים Gen. 26:1, 8
6 וַיְקַנְאוּ אֹתוֹ פְּלִשְׁתִּים Gen. 26:14
7 וְכָל־הַבְּאֵרֹת...סִתְּמוּם פְּלִשְׁתִּים Gen. 26:15
8 וַיַּחְפֹּר...וַיְסַתְּמוּם פְּלִשְׁתִּים Gen. 26:18
9 וְלֹא־נָחָם אֱלֹהִים דֶּרֶךְ אֶ׳ פְּלִשְׁתִּים Ex. 13:17
10 מִיַּם־סוּף וְעַד־יָם פְּלִשְׁתִּים Ex. 23:31
11/2 חֲמֵשֶׁת סַרְנֵי פְלִשְׁתִּים Josh. 13:3 • Jud. 3:3
13 וַיַּךְ אֶת־פְּלִשְׁתִּים שֵׁשׁ־מֵאוֹת אִישׁ Jud. 3:31
14 וַיַּעַבְדוּ...וְאֵת אֱלֹהֵי פְלִשְׁתִּים Jud. 10:6
15 וַיִּמְכְּרֵם בְּיַד פְּלִשְׁתִּים Jud. 10:7
16 וּמִן־בְּנֵי עַמּוֹן וּמִן־פְּלִשְׁתִּים Jud. 10:11
17 וַיִּתְּנֵם יְיָ בְּיַד־פְּלִשְׁתִּים Jud. 13:1
18 לְהוֹשִׁיעַ אֶת־יִשְׂרָ׳ מִיַּד פְּלִשְׁתִּים Jud. 13:5
19-20 אִשָּׁה...מִבְּנוֹת פְּלִשְׁתִּים Jud. 14:1, 2
21 פְּלִשְׁתִּים מֹשְׁלִים בְּיִשְׂרָאֵל Jud. 14:4
22 וַיְשַׁלַּח בְּקָמוֹת פְּלִשְׁתִּים Jud. 15:5
23 וַיֹּאמְרוּ פְלִשְׁתִּים מִי עָשָׂה זֹאת Jud. 15:6
24 וַיַּעֲלוּ פְלִשְׁתִּים וַיִּשְׂרְפוּ אוֹתָהּ Jud. 15:6
25 וַיַּעֲלוּ פְלִשְׁתִּים וַיַּחֲנוּ בִּיהוּדָה Jud. 15:9
26 כִּי־מֹשְׁלִים בָּנוּ פְּלִשְׁתִּים Jud. 15:11
27 לְתִתְּךָ בְּיַד־פְּלִשְׁתִּים Jud. 15:12
28 וַיִּשְׁפֹּט...בִּימֵי פְלִשְׁתִּים Jud. 15:20
29-43 (וְ/לְ)סַרְנֵי פְלִשְׁתִּים Jud. 16:5, 8, 18², 23
ISh. 5:8,11; 6:4,12,16; 7:7; 29:2,7 • ICh. 12:19(20)
44-47 פְּלִשְׁתִּים עָלֶיךָ שִׁמְשׁוֹן Jud. 16:9, 12, 14, 20
48 וַיֹּאחֲזוּהוּ פְלִשְׁתִּים וַיְנַקְּרוּ... Jud. 16:21
49 תָּמוֹת נַפְשִׁי עִם־פְּלִשְׁתִּים Jud. 16:30
50 וַיֵּצֵא יִשְׂרָאֵל לִקְרַאת פְּלִשְׁתִּים ISh. 4:1
51 וַיְהִי אֲרוֹן־יְיָ בִּשְׂדֵה פְלִשְׁתִּים... ISh. 6:1
52 מִסְפַּר כָּל־עָרֵי פְלִשְׁתִּים ISh. 6:18
53 וְיַצֵּל אֶתְכֶם מִיַּד פְּלִשְׁתִּים ISh. 7:3
54 וְיֹשִׁעֵנוּ מִיַּד פְּלִשְׁתִּים ISh. 7:8
55-64 (בְּ/מִ)יַּד פְּלִשְׁתִּים ISh. 7:14; 9:16
12:9; 18:17, 21; 28:19² • IISh. 3:18; 8:1 • ICh. 18:1
65 אֲשֶׁר־שָׁם נְצִבֵי פְלִשְׁתִּים ISh. 10:5
66 וַיַּךְ יוֹנָתָן אֵת נְצִיב פְּלִשְׁתִּים ISh. 13:3
67 הִכָּה שָׁאוּל אֶת־נְצִיב פְּלִשְׁתִּים ISh. 13:4
68 וַיֵּצֵא הַמַּשְׁחִית מִמַּחֲנֵה פְלִשְׁתִּים ISh. 13:17
69-72 מַצַּב פְּלִשְׁתִּים ISh. 13:23; 14:1, 4, 11
73 וְהֶהָמוֹן אֲשֶׁר בְּמַחֲנֵה פְלִשְׁתִּים ISh. 14:19
74 וַיֵּצֵא אִישׁ־הַבֵּנַיִם מִמַּחֲנוֹת פְּלִשְׁתִּים ISh. 17:4
75 מִגַּת מִמַּעַרְכוֹת פְּלִשְׁתִּים ISh. 17:23
76 וְנָתַתִּי פֶּגֶר מַחֲנֵה פְלִשְׁתִּים ISh. 17:46

פְּלִשְׁתִּים (המשך)

77 וַיִּפְּלוּ חַלְלֵי פְלִשְׁתִּים בְּדֶרֶךְ... I Sh. 17:52
78 כִּי בְּמֵאָה עָרְלוֹת פְּלִשְׁתִּים I Sh. 18:25
79 וַיֵּצְאוּ שָׂרֵי פְלִשְׁתִּים I Sh. 18:30
80 נֵלֵךְ...אֶל־מַעַרְכוֹת פְּלִשְׁתִּים I Sh. 23:3
81 הִמָּלֵט אִמָּלֵט אֶל־אֶרֶץ פְּלִשְׁתִּים I Sh. 27:1
82 אֲשֶׁר־יָשַׁב דָּוִד בִּשְׂדֵה פְלִשְׁתִּים I Sh. 27:7
83 הַיָּמִים אֲשֶׁר יָשַׁב בִּשְׂדֵה פְלִשְׁתִּים I Sh. 27:11
84 וַיַּרְא שָׁאוּל אֶת־מַחֲנֵה פְלִשְׁתִּים I Sh. 28:5
85-89 שָׂרֵי פְלִשְׁתִּים I Sh. 29:3², 4², 9
90 לָשׁוּב אֶל־אֶרֶץ פְּלִשְׁתִּים I Sh. 29:11
91 אֲשֶׁר לָקְחוּ מֵאֶרֶץ פְּלִשְׁתִּים I Sh. 30:16
92 וַיְשַׁלְּחוּ בְאֶרֶץ־פְּלִשְׁתִּים סָבִיב I Sh. 31:9
93 פֶּן־תִּשְׂמַחְנָה בְּנוֹת פְּלִשְׁתִּים II Sh. 1:20
94 אֵרַשְׂתִּי לִי בְּמֵאָה עָרְלוֹת פְּלִשְׁתִּים II Sh. 3:14
95 לְהַכּוֹת בְּמַחֲנֵה פְלִשְׁתִּים II Sh. 5:24
96 וְהוּא מִלְּטָנוּ מִכַּף פְּלִשְׁתִּים II Sh. 19:10
97 וּמַצַּב פְּלִשְׁתִּים אָז בֵּית לָחֶם II Sh. 23:14
98 וַיִּבְקְעוּ...בְּמַחֲנֵה פְלִשְׁתִּים II Sh. 23:16
99 מִן־הַנָּהָר אֶרֶץ פְּלִשְׁתִּים IK. 5:1
100 וַתָּגָר בְּאֶרֶץ־פְּלִשְׁתִּים שֶׁבַע שָׁנִים IIK. 8:2
101 וַתָּשָׁב הָאִשָּׁה מֵאֶרֶץ פְּלִשְׁתִּים IIK. 8:3
102 הוּא־הִכָּה אֶת־פְּלִשְׁתִּים עַד־עַזָּה IIK. 18:8
103 וְעָפוּ בְכָתֵף פְּלִשְׁתִּים יָמָּה Is. 11:14
104 כָּל־מַלְכֵי אֶרֶץ פְּלִשְׁתִּים Jer. 25:20
105 וְיָרְשׁוּ...וְהַשְּׁפֵלָה אֶת־פְּלִשְׁתִּים Ob. 19
106 עֲלֵיכֶם כְּנַעַן אֶרֶץ פְּלִשְׁתִּים Zep. 2:5
107 וְהִכְרַתִּי גְּאוֹן פְּלִשְׁתִּים Zech. 9:6
108 וַיְשַׁלְּחוּ בְאֶרֶץ־פְּלִשְׁתִּים סָבִיב ICh. 10:9
109 וּמַחֲנֵה פְלִשְׁתִּים חֹנָה בְּעֵמֶק רְפָאִ׳ ICh. 11:15
110 וּנְצִיב פְּלִשְׁתִּים אָז בְּבֵית לָחֶם ICh. 11:16
111 וַיִּבְקְעוּ הַשְּׁלֹשָׁה בְּמַחֲנֵה פְלִשְׁתִּים ICh. 11:18
112 הַאֶעֱלֶה עַל־פְּלִשְׁתִּים (כ׳ פלשתיים) ICh. 14:10
113 לְהַכּוֹת אֶת־מַחֲנֵה פְלִשְׁתִּים ICh. 14:15
114 וַיַּכּוּ אֶת־מַחֲנֵה פְלִשְׁתִּים ICh. 14:16
115 מִן־הַנָּהָר וְעַד־אֶרֶץ פְּלִשְׁתִּים IICh. 9:26
116-199 פְלִשְׁתִּים I Sh. 4:2², 3, 6, 9, 10, 17; 5:2; 6:2, 17, 21; 7:2², 10, 11, 14; 13:3, 12, 19; 14:11, 22, 36, 37; 14:46, 52; 17:1, 2, 19, 53; 23:1, 4, 27, 28; 24:2; 28:1, 4; 29:1; 31:1, 2², 7, 8, 11 • II Sh. 5:17², 19, 22, 25; 8:1; 21:12, 15, 18, 19; 23:11², 12, 13 • Jer. 47:1, 4² • Ezek. 16:27, 57; 25:15, 16 • Am. 1:8; 6:2 • Ps. 56:1 • ICh. 1:12; 10:1, 2², 7, 8, 11; 11:13, 14; 12:20(19); 14:8², 13; 18:1; 20:4, 5 • IICh. 17:11; 26:7

וּפְלִשְׁתִּים 200 וּפְלִשְׁתִּים הֵרִיעוּ לִקְרָאתוֹ Jud. 15:14
201 וּפְלִשְׁתִּים חָנוּ בַאֲפֵק I Sh. 4:1
202 וּפְלִשְׁתִּים לָקְחוּ אֵת אֲרוֹן הָאֱלֹהִים I Sh. 5:1
203 וּפְלִשְׁתִּים נִגְּשׁוּ לַמִּלְחָמָה בְּיִשְׂרָאֵל I Sh. 7:10
204 וּפְלִשְׁתִּים נֶאֶסְפוּ לְהִלָּחֵם עִם־יִשְׂ׳ I Sh. 13:5
205 וּפְלִשְׁתִּים נֶאֱסָפִים מִכְמָשׂ I Sh. 13:11
206 וּפְלִשְׁתִּים חָנוּ בְמִכְמָשׂ I Sh. 13:16
207 וּפְלִשְׁתִּים הָלְכוּ לִמְקוֹמָם I Sh. 14:46
208 וּפְלִשְׁתִּים עֹמְדִים אֶל־הָהָר מִזֶּה I Sh. 17:3
209 וַתַּעֲרֹךְ יִשְׂרָאֵל וּפְלִשְׁתִּים מַעֲרָכָ׳ I Sh. 17:21
210 וּפְלִשְׁתִּים נִלְחָמִים בִּי I Sh. 28:15
211 וּפְלִשְׁתִּים עָלוּ יִזְרְעֶאל I Sh. 29:11
212 וּפְלִשְׁתִּים נִלְחָמִים בְּיִשְׂרָאֵל I Sh. 31:1
213 וּפְלִשְׁתִּים בָּאוּ וַיִּנָּטְשׁוּ... II Sh. 5:18
214 אֲרָם מִקֶּדֶם וּפְלִשְׁתִּים מֵאָחוֹר Is. 9:11
215 וּפְלִשְׁתִּים נִלְחֲמוּ בְיִשְׂרָאֵל ICh. 10:1
216 וּפְלִשְׁתִּים בָּאוּ וַיִּפְשְׁטוּ... ICh. 14:9
217 וּפְלִשְׁתִּים פָּשְׁטוּ בְּעָרֵי הַשְּׁפֵלָה IICh. 28:18
וּפְלִשְׁתִּיִּים 218 וּפְלִשְׁתִּיִּים מִכַּפְתּוֹר וַאֲרָם מִקִּיר Am. 9:7

מִפְּלִשְׁתִּים 219 לָקַחַת אִשָּׁה מִפְּלִשְׁתִּים הָעֲרֵלִים Jud. 14:3
220 כִּי־תֹאֲנָה הוּא־מְבַקֵּשׁ מִפְּלִשְׁתִּים Jud. 14:4
221 נִקֵּיתִי הַפַּעַם מִפְּלִשְׁתִּים Jud. 15:3
222 וְאִנָּקְמָה...מִשְּׁתֵי עֵינַי מִפְּלִשְׁתִּים Jud. 16:28
וּמִפְּלִשְׁתִּים 223 מֵאֲרָם...וּמִפְּלִשְׁתִּים וּמֵעֲמָלֵק II Sh. 8:12
224 מֵאֱדוֹם...וּמִפְּלִשְׁתִּים וּמֵעֲמָלֵק ICh. 18:11
הַפְּלִשְׁתִּים 225 כָּל־גְּלִילוֹת הַפְּלִשְׁתִּים Josh. 13:2
226 וַיִּרְאוּ הַפְּלִשְׁתִּים כִּי אָמְרוּ I Sh. 4:7
227 וַיִּכָּנְעוּ הַפְּלִשְׁתִּים I Sh. 7:13
228 וַיֵּרְדוּ כָל־יִשְׂרָאֵל הַפְּלִשְׁתִּים I Sh. 13:20
229 וַיִּרְאוּ הַפְּלִשְׁתִּים כִּי־מֵת גִּבּוֹרָם I Sh. 17:51
230 וַיִּרְדְּפוּ אֶת־הַפְּלִשְׁתִּים I Sh. 17:52
231 כִּי־נָתֹן אֶתֵּן אֶת־הַפְּלִשְׁתִּים בְּיָדֶךָ II Sh. 5:19
232 תְּלוּם...הַפְּלִשְׁתִּים (כ׳ הפלשתים) II Sh. 21:12
233 וַיָּעַר יְיָ...אֵת־רוּחַ הַפְּלִשְׁתִּים IICh. 21:16
וְהַפְּלִשְׁתִּים 234 וְהַפְּלִשְׁתִּים נֶאֶסְפוּ־שָׁם לַמִּלְ׳ ICh. 11:13
בַּפְּלִשְׁתִּים 235 וַתְּהִי יַד־יְיָ בַּפְּלִשְׁתִּים I Sh. 7:13
236 וְגַם־נִבְאַשׁ יִשְׂרָאֵל בַּפְּלִשְׁתִּים I Sh. 13:4
237 כִּי־עַתָּה לֹא־רָבְתָה מַכָּה בַּפְּלִשְׁתִּים I Sh. 14:30
238 וַיַּכּוּ בַּיּוֹם הַהוּא בַּפְּלִשְׁתִּים I Sh. 14:31
239 וַיַּךְ בַּפְּלִשְׁתִּים מָאתַיִם אִישׁ I Sh. 18:27
240-241 וַיִּלָּחֶם בַּפְּלִשְׁתִּים I Sh. 19:8; 23:5
242 הַאֵלֵךְ וְהִכֵּיתִי בַּפְּלִשְׁתִּים הָאֵלֶּה I Sh. 23:2
243 לֵךְ וְהִכִּיתָ בַפְּלִשְׁתִּים I Sh. 23:2
244 הַגִּבֹּרִים...בְּחָרְפָם בַּפְּלִשְׁתִּים II Sh. 23:9
245 הוּא קָם וַיַּךְ בַּפְּלִשְׁתִּים II Sh. 23:10
246 וַיֵּצֵא וַיִּלָּחֶם בַּפְּלִשְׁתִּים IICh. 26:6
וּבַפְּלִשְׁתִּים 247 וַיִּלָּחֶם...וּבְמַלְכֵי...וּבַפְּלִשְׁתִּים I Sh. 14:47
248 וַיִּבְנֶה עָרִים בְּאַשְׁדּוֹד וּבַפְּלִשְׁתִּים IICh. 26:6
כַּפְּלִשְׁתִּים 249 כִּי מָלְאוּ מִקֶּדֶם וְעֹנְנִים כַּפְּלִשְׁתִּים Is. 2:6
לַפְּלִשְׁתִּים 250 וְהָעִבְרִים הָיוּ לַפְּלִשְׁתִּים כְּאֶתְמוֹל שִׁלְשׁוֹם I Sh. 14:21
251 וַתְּהִי־עוֹד מִלְחָמָה לַפְּלִשְׁתִּים II Sh. 21:15
252 וַיַּכֵּהוּ...בְּגִבְּתוֹן אֲשֶׁר לַפְּלִשְׁתִּים IK. 15:27
253 חֹנִים עַל־גִּבְּתוֹן אֲשֶׁר לַפְּלִשְׁתִּים IK. 16:15

פֶּלֶת

שם־ז א) מבני ראובן: 1
ב) מזרע כלב: 2

פֶּלֶת 1 וְאוֹן בֶּן־פֶּלֶת בְּנֵי רְאוּבֵן Num. 16:1
2 וּבְנֵי יוֹנָתָן פֶּלֶת וְזָזָא ICh. 2:33

פְּלֵתִי

ש־פ – גדוד משומרי ראש דוד ושלמה [רק בצרוף עם ״כְּרֵתִי״]: 1-7

הַפְּלֵתִי 1 וְכָל־הַכְּרֵתִי וְכָל־הַפְּלֵתִי II Sh. 15:18
2 עַל־הַכְּרֵתִי וְעַל־הַפְּלֵתִי II Sh. 20:23
וְהַפְּלֵתִי 3-6 וְהַכְּרֵתִי וְהַפְּ׳ II Sh. 8:18; 20:7 • IK. 1:38, 44
7 עַל־הַכְּרֵתִי וְהַפְּלֵתִי ICh. 18:17

פֻּם

ז׳ ארמית פֶּה: 1-6
פֻּם אַרְיָוָתָא 2; פֻּם גֻּבָּא 1; פֻּם מַלְכָּא 5; פֻּם מְמַלִּל רַבְרְבָן 3, 4

פֻּם 1 אֶבֶן...וְשָׂמַת עַל־פֻּם גֻּבָּא Dan. 6:18
2 וּסְגַר פֻּם אַרְיָוָתָא Dan. 6:23
וּפֻם 3-4 וּפֻם מְמַלִּל רַבְרְבָן Dan. 7:8, 20
בְּפֻם־ 5 עוֹד מִלְּתָא בְּפֻם מַלְכָּא Dan. 4:28
בְּפֻמַּהּ 6 וּתְלָת עִלְעִין בְּפֻמַּהּ בֵּין שִׁנַּהּ° Dan. 7:5

פֶּן־

מלת שלילה
א) כְּדֵי שֶׁלֹּא, לְמַעַן לֹא: 1-39
ב) שמא (לדבר שלילי): 40-108, 129-132
ג) [במשפט אזהרה, הפותח עפ״ר במלים ״הִשָּׁמֶר לְךָ פֶּן־״] שלא, לבלתי: 109-126
ד) [לפני פועל בעבר] אולי: 127, 128

פֶּן־ (א) 1 וְלֹא תִגְּעוּ בּוֹ פֶּן תְּמֻתוּן Gen. 3:3
2 פֶּן־תִּסָּפֶה בַּעֲוֺן הָעִיר Gen. 19:15
3 הָהָרָה הִמָּלֵט פֶּן־תִּסָּפֶה Gen. 19:17
4 פֶּן־תִּדְבָּקַנִי הָרָעָה Gen. 19:19
5 פֶּן־יַהַרְגֻנִי אַנְשֵׁי הַמָּקוֹם Gen. 26:7
6 פֶּן־אָמוּת עָלֶיהָ Gen. 26:9
7 וְאַל־יְדַבֵּר...אֱלֹהִים פֶּן־נָמוּת Ex. 20:16
8 פֶּן־תִּהְיֶה הָאָרֶץ שְׁמָמָה Ex. 23:29
9 פֶּן־יִהְיֶה לְמוֹקֵשׁ בְּקִרְבֶּךָ Ex. 34:12
10 הָאִירָה עֵינַי פֶּן־אִישַׁן הַמָּוֶת Ps. 13:4
11 אַל־תַּהַרְגֵם פֶּן־יִשְׁכְּחוּ עַמִּי Ps. 59:12
12 פֶּן־תִּגֹּף בָּאֶבֶן רַגְלֶךָ Ps. 91:12
13-40 פֶּן־ (א) Gen. 45:11 • Ex. 1:10; 5:3 13:17; 19:21, 22, 24; 23:33; 33:3 • Lev. 10:7 • Num. 16:26, 34; 20:18 • Deut. 6:15; 7:22, 25 • Jud. 7:2; 9:54; 14:15; 15:12; 18:25 • I Sh. 4:9; 15:6 • Ps. 2:12; 7:3; 13:5 • Prov. 20:13 • Ruth 4:6

פֶּן־ (ב) 41 פֶּן־יִשְׁלַח יָדוֹ וְלָקַח גַּם מֵעֵץ... Gen. 3:22
42 פֶּן־נָפוּץ עַל־פְּנֵי כָל־הָאָרֶץ Gen. 11:4
43 פֶּן־תִּגְזֹל אֶת־בְּנוֹתֶיךָ Gen. 31:31
44 פֶּן־יָבוֹא וְהִכַּנִי אֵם עַל־בָּנִים Gen. 32:11
45 פֶּן־יָמוּת גַּם־הוּא כְּאֶחָיו Gen. 38:11
46 תִּקַּח־לָהּ פֶּן נִהְיֶה לָבוּז Gen. 38:23
47 לֹא־שָׁלַח...פֶּן־יִקְרָאֶנּוּ אָסוֹן Gen. 42:4
48 פֶּן אֶרְאֶה בָרָע אֲשֶׁר יִמְצָא Gen. 44:34
49 פֶּן־תֹּאכַל וְשָׂבָעְתָּ Deut. 8:12
50 פֶּן־יֹאמְרוּ...מִבִּלְתִּי יְכֹלֶת יְיָ Deut. 9:28
51 פֶּן־יִרְדֹּף גֹּאֵל הַדָּם אַחֲרֵי הָרֹצֵחַ Deut. 19:6
52-54 פֶּן־יָמוּת בַּמִּלְחָמָה Deut. 20:5, 6, 7
55 פֶּן־תִּקְדַּשׁ הַמְלֵאָה Deut. 22:9
56 פֶּן־יֹסִיף לְהַכֹּתוֹ...מַכָּה רַבָּה Deut. 25:3
57 פֶּן־תִּשְׂמַחְנָה בְּנוֹת פְּלִשְׁתִּים II Sh. 1:20
58 פֶּן־תַּעֲלֹזְנָה בְּנוֹת הָעֲרֵלִים II Sh. 1:20
59-110 פֶּן־ (ב) Deut. 29:17²; 32:27² Josh. 2:16; 24:17 • I Sh. 9:5; 13:19; 20:3; 27:11; 31:4 • II Sh. 12:28; 15:14; 17:16 • IIK. 10:23 • Is. 6:10; 27:3; 28:22; 36:18; 48:5, 7 • Jer. 1:17; 4:4; 6:8²; 10:24; 21:12; 38:19 • Hosh. 2:5 • Am. 5:6 • Mal. 3:24 • Ps. 28:1; 38:17; 50:22 • Prov. 5:6, 9, 10; 9:8; 22:25; 24:18; 25:8, 10, 16, 17; 26:4, 5; 30:6, 9, 10; 31:5 • Job 32:13; 36:18 • ICh. 10:4

פֶּן־ (ג) 111 הִשָּׁמֶר לְךָ פֶּן־תָּשִׁיב אֶת־בְּנִי שָׁמָּה Gen. 24:6
112 הִשָּׁמֶר לְךָ פֶּן־תְּדַבֵּר Gen. 31:24
113 הִשָּׁמֶר לְךָ פֶּן־תִּכְרֹת בְּרִית Ex. 34:12
114 פֶּן־תִּכְרֹת בְּרִית לְיוֹשֵׁב הָאָרֶץ Ex. 34:15
115 הִשָּׁמֶר לְךָ...פֶּן־תִּשְׁכַּח Deut. 4:9
116 פֶּן־תַּשְׁחִתוּן וַעֲשִׂיתֶם לָכֶם פֶּסֶל Deut. 4:16
117 הִשָּׁמְרוּ לָכֶם פֶּן־תִּשְׁכְּחוּ Deut. 4:23
118/9 הִשָּׁמֶר לְךָ פֶּן־תִּשְׁכַּח Deut. 6:12; 8:11
120 הִשָּׁמְרוּ לָכֶם פֶּן־יִפְתֶּה לְבַבְכֶם Deut. 11:16
121 הִשָּׁמֶר לְךָ פֶּן־תַּעֲלֶה עֹלֹתֶיךָ Deut. 12:13
122 הִשָּׁמֶר לְךָ פֶּן־תַּעֲזֹב אֶת־הַלֵּוִי Deut. 12:19
123 הִשָּׁמֶר לְךָ פֶּן־תִּנָּקֵשׁ אַחֲרֵיהֶם Deut. 12:30
124 הִשָּׁמֶר לְךָ פֶּן־יִהְיֶה דָבָר עִם־לְבָבְךָ Deut. 15:9
125 שִׁמְרוּ מִן־הַחֵרֶם פֶּן־תַּחֲרִימוּ Josh. 6:18
פֶּן־ (ד) 126 פֶּן־מָצָא לוֹ עָרִים בְּצֻרוֹת II Sh. 20:6
127 פֶּן־נְשָׂאוֹ רוּחַ יְיָ וַיַּשְׁלִכֵהוּ IIK. 2:16
וּפֶן־ (ב) 128 וּפֶן־יָסוּרוּ מִלְּבָבְךָ כֹּל יְמֵי חַיֶּיךָ Deut. 4:9
129 וּפֶן־תִּשָּׂא עֵינֶיךָ הַשָּׁמַיְמָה Deut. 4:19
130 וּפֶן־תִּדְרֹשׁ לֵאלֹהֵיהֶם Deut. 12:30
131 וּפֶן־יֵרַךְ לְבַבְכֶם וְתִירְאוּ Jer. 51:46
132 וּפֶן־אִוָּרֵשׁ וְגָנַבְתִּי Prov. 30:9

פַּנַּג ז׳ אחד ממיני התבואה

וּפַנַּג 1 בְּחִטֵּי מִנִּית וּפַנַּג וּדְבַשׁ Ezek. 27:17

פנה : פָּנָה, פִּנָּה, הִפְנָה, הָפְנָה; פִּנָּה, פָּנִים, פְּנִים, פֶּן־; ס־פ פְּנוּאֵל, פְּנִיאֵל, יְפֻנֶּה

פָּנָה פ׳ א) הֵסב פניו נטה: רוב המקראות 1־117
ב) שׂם לב ל־: 11,12,15,17,18,57,58,80,106־109
ג) התבונן: 116
ד) [פ׳ פִּנָּה] הסיר, בִּער: 118־125
ה) [הפ׳ הִפְנָה] הסב, הִטָּה: 126־133
ו) [הָפ׳ הָפְנָה] היסב, הֻטָּה: 134, 135
קרובים: נָטָה / סָר / שָׁעָה

– פָּנָה הַיּוֹם 21; פָּנָה לְבָבוֹ 31, 60; פָּנוּ יָמָיו 30
– פָּנָה אֶל־, לְ־ רוב המקראות 1־117; פָּנָה אַחֲרֵי 10, 65, 75־78; פָּנָה עַל־ 52; פָּנָה בְּ־ 116; פָּנָה לִפְנֵי־ 100
– לִפְנוֹת בֹּקֶר 6, 8, 9; לִפְנוֹת עֶרֶב 5, 7

פָּנֹה 1 פָּנֹה אֶל־הַרְבֵּה וְהִנֵּה לִמְעָט Hag. 1:9
פְּנוֹת 2 וּמַעֲלֹתֵהוּ פְּנוֹת קָדִים Ezek. 43:17
3 מֵאֵין עוֹד פְּנוֹת אֶל־הַמִּנְחָה Mal. 2:13
לִפְנוֹת 4 לִפְנוֹת דָּלִיּוֹתָיו אֵלָיו Ezek. 17:6
5 לָשׂוּחַ בַּשָּׂדֶה לִפְנוֹת עָרֶב Gen. 24:63
6 וַיָּשָׁב הַיָּם לִפְנוֹת בֹּקֶר לְאֵיתָנוֹ Ex. 14:27
7 וְהָיָה לִפְנוֹת־עֶרֶב יִרְחַץ בַּמָּיִם Deut. 23:12
8 וַתָּבֹא הָאִשָּׁה לִפְנוֹת הַבֹּקֶר Jud. 19:26
9 יַעְזְרֶהָ אֱלֹהִים לִפְנוֹת בֹּקֶר Ps. 46:6
בִּפְנוֹתָם 10 מַזְכִּיר עָוֹן בִּפְנוֹתָם אַחֲרֵיהֶם Ezek. 29:16
וּפָנִיתִי 11 וּפָנִיתִי אֲלֵיכֶם וְהִפְרֵיתִי אֶתְכֶם Lev. 26:9
12 וּפָנִיתִי אֲלֵיכֶם וְנֶעֱבַדְתֶּם Ezek. 36:9
13 וּפָנִיתִי אֲנִי בְּכָל־מַעֲשַׂי Eccl. 2:11
14 וּפָנִיתִי אֲנִי לִרְאוֹת חָכְמָה Eccl. 2:12
פָּנִיתָ 15 כִּי פָנִיתָ אֶל־הַכֶּלֶב הַמֵּת... IISh. 9:8
וּפָנִיתָ 16 וּפָנִיתָ בַבֹּקֶר וְהָלַכְתָּ לְאֹהָלֶיךָ Deut. 16:7
17/8 וּפָנִיתָ אֶל־תְּפִלַּת עַבְדְּךָ IK. 8:28 • IICh. 6:19
19 לֵךְ מִזֶּה וּפָנִיתָ לְּךָ קֵדְמָה IK. 17:3
פָּנָה 20 כִּי פָנָה אֶל־אֱלֹהִים אֲחֵרִים Deut. 31:18
21 אוֹי לָנוּ כִּי־פָנָה הַיּוֹם Jer. 6:4
22 וְלֹא־פָנָה אֶל־רְהָבִים Ps. 40:5
23 פָּנָה אֶל־תְּפִלַּת הָעַרְעָר Ps. 112:18
24 אָנָה פָּנָה דוֹדֵךְ וּנְבַקְשֶׁנּוּ עִמָּךְ S.ofS. 6:1
וּפָנָה 25 וּפָנָה אֶל־אֱלֹהִים אֲחֵרִים Deut. 31:20
26 וְקִלֵּל בְּמַלְכּוֹ...וּפָנָה לְמָעְלָה Is. 8:21
פָּנִינוּ 27 כַּצֹּאן תָּעִינוּ אִישׁ לְדַרְכּוֹ פָּנִינוּ Is. 53:6
פָּנוּ 28 כֻּלָּם לְדַרְכָּם פָּנוּ אִישׁ לְבִצְעוֹ Is. 56:11
29 כִּי־פָנוּ אֵלַי עֹרֶף וְלֹא פָנִים Jer. 2:27
30 כִּי כָל־יָמֵינוּ פָּנוּ בְעֶבְרָתֶךָ Ps. 90:9
פֹּנֶה 31 אֲשֶׁר לְבָבוֹ פֹנֶה הַיּוֹם מֵעִם יְיָ Deut. 29:17
32 וְצָפוֹנָה פֹּנֶה אֶל־הַגִּלְגָּל Josh. 15:6
33 אֲשֶׁר פֹּנֶה דֶּרֶךְ הַקָּדִים Ezek. 43:1
הַפֹּנֶה 34 מִן־הַלָּשֹׁן הַפֹּנֶה נֶגְבָּה Josh. 15:2
35 שַׁעַר הַפְּנִימִית הַפּוֹנֶה צָפוֹנָה Ezek. 8:3
36 שַׁעַר בֵּית־יְיָ...הַפּוֹנֶה קָדִימָה Ezek. 11:1
37 שַׁעַר הַמִּקְדָּשׁ...הַפֹּנֶה קָדִים Ezek. 44:1
38 שַׁעַר הֶחָצֵר...הַפֹּנֶה קָדִים Ezek. 46:1
39 וּפָתַח לוֹ אֶת־הַשַּׁעַר הַפֹּנֶה קָדִים Ezek. 46:12
40 אֶל־שַׁעַר הַחוּץ...הַפּוֹנֶה קָדִים Ezek. 47:2
41 מִשַּׁעַר אֶפְרַיִם עַד־שַׁעַר הַפּוֹנֶה IICh. 25:23
פֹּנִים 42־49 שְׁלֹשָׁה פֹנִים צָפוֹנָה וּשְׁלֹשָׁה פֹנִים יָמָּה וּשְׁלֹשָׁה פֹּנִים נֶגְבָּה וּשְׁלֹשָׁה פֹּנִים מִזְרָחָה IK. 7:25 • ICh. 4:4
50 וְהֵם פֹּנִים אֶל־אֱלֹהִים אֲחֵרִים Hosh. 3:1
הַפֹּנוֹת 51 הַלִּשְׁכוֹת הַקֹּדֶשׁ...הַפֹּנוֹת צָפוֹנָה Ezek. 46:19

וְאֶפְנֶה 52 וְאֶפְנֶה עַל־יָמִין אוֹ עַל־שְׂמֹאל Gen. 24:49
וָאֵפֶן 53/4 וָאֵפֶן וָאֵרֵד מִן־הָהָר Deut. 9:15; 10:5
תִּפְנֶה 55 וְאֵת כָּל־אֲשֶׁר תִּפְנֶה שָׁם IK. 2:3
56 וְאֶל־מִי מִקְּדֹשִׁים תִּפְנֶה Job 5:1
תֵּפֶן 57 אַל־תֵּפֶן אֶל־מִנְחָתָם Num. 16:15
58 אַל־תֵּפֶן אֶל־קְשִׁי הָעָם הַזֶּה Deut. 9:27
59 הִשָּׁמֶר אַל־תֵּפֶן אֶל־אָוֶן Job 36:21
יִפְנֶה 60 וְאִם־יִפְנֶה לְבָבְךָ וְלֹא תִשְׁמָע Deut. 30:17
61 הָרֹאשׁ אֶחָד יִפְנֶה אֶל־דֶּרֶךְ עָפְרָה ISh. 13:17
62 וְהָרֹאשׁ אֶחָד יִפְנֶה דֶּרֶךְ בֵּית חֹרוֹן ISh. 13:18
63 וְהָרֹאשׁ אֶחָד יִפְנֶה דֶּרֶךְ הַגְּבוּל ISh. 13:18
64 וּבְכֹל אֲשֶׁר־יִפְנֶה יַרְשִׁיעַ ISh. 14:47
65 הַמָּקוֹם אֲשֶׁר־יִפְנֶה הָרֹאשׁ אַחֲרָיו Ezek. 10:11
66 אֶל־כָּל־אֲשֶׁר יִפְנֶה יַשְׂכִּיל Prov. 17:8
67 לֹא־יִפְנֶה דֶּרֶךְ כְּרָמִים Job 24:18
וַיִּפֶן 68 וַיִּפֶן כֹּה וָכֹה וַיַּרְא... Ex. 2:12
69 וַיִּפֶן פַּרְעֹה וַיָּבֹא אֶל־בֵּיתוֹ Ex. 7:23
70 וַיִּפֶן וַיֵּצֵא מֵעִם פַּרְעֹה Ex. 10:6
71 וַיִּפֶן וַיֵּרֶד מֹשֶׁה מִן־הָהָר Ex. 32:15
72 וַיִּפֶן אַהֲרֹן אֶל־מִרְיָם וְהִנֵּה... Num. 12:10
73 וַיִּפֶן אֵלָיו יְיָ וַיֹּאמֶר Jud. 6:14
74 וַיִּפֶן וַיָּשָׁב אֶל־בֵּיתוֹ Jud. 18:26
75 וַיִּפֶן בִּנְיָמִן אַחֲרָיו וְהִנֵּה... Jud. 20:40
76 וַיִּפֶן אַחֲרָיו וַיִּרְאֵנִי... IISh. 1:7
77 וַיִּפֶן אַבְנֵר אַחֲרָיו וַיֹּאמֶר IISh. 2:20
78 וַיִּפֶן אַחֲרָיו וַיִּרְאֵם... IIK. 2:24
79 וַיִּפֶן וַיֵּלֶךְ בְּחֵמָה IIK. 5:12
80 וַיִּפֶן אֲלֵיהֶם לְמַעַן בְּרִיתוֹ IIK. 13:23
81 וַיִּפֶן יֹאשִׁיָּהוּ וַיַּרְא אֶת־הַקְּבָרִים IIK. 23:16
82 וַיִּפֶן אֵלָיו עֲזַרְיָהוּ כֹהֵן הָרֹאשׁ IICh. 26:20
תִּפְנֶה 83 וְהַנֶּפֶשׁ אֲשֶׁר תִּפְנֶה אֶל־הָאֹבֹת... Lev. 20:6
וַתֵּפֶן 84 וַתֵּפֶן וַתֵּלֶךְ לְאַרְצָהּ IK. 10:13
וַנֵּפֶן 85 וַנֵּפֶן וַנִּסַּע הַמִּדְבָּרָה Deut. 2:1
86 וַנֵּפֶן וַנַּעֲבֹר דֶּרֶךְ מִדְבַּר מוֹאָב Deut. 2:8
87 וַנֵּפֶן וַנַּעַל דֶּרֶךְ הַבָּשָׁן Deut. 3:1
תִּפְנוּ 88 אַל־תִּפְנוּ אֶל־הָאֱלִילִם Lev. 19:4
89 אַל־תִּפְנוּ אֶל־הָאֹבֹת Lev. 19:31
יִפְנוּ 90 לִפְנֵי אֹיְבֵיהֶם עֹרֶף יִפְנוּ Josh. 7:12
92/1 אִישׁ אֶל־עַמּוֹ יִפְנוּ Is. 13:14 • Jer. 50:16
וַיִּפְנוּ 93 וַיִּפְנוּ מִשָּׁם הָאֲנָשִׁים וַיֵּלְכוּ Gen. 18:22
94 וַיִּפְנוּ אֶל־הַמִּדְבָּר Ex. 16:10
95 וַיִּפְנוּ אֶל־אֹהֶל מוֹעֵד Num. 17:7
96 וַיִּפְנוּ וַיַּעֲלוּ דֶּרֶךְ הַבָּשָׁן Num. 21:33
97 וַיִּפְנוּ וַיַּעֲלוּ הָהָרָה Deut. 1:24
98 וַיִּפְנוּ אַנְשֵׁי הָעַי אַחֲרֵיהֶם Josh. 8:20
99 וַיִּפְנוּ וַיֵּלֵכוּ Jud. 18:21
100 וַיִּפְנוּ לִפְנֵי אִישׁ יִשְׂרָאֵל Jud. 20:42
101/2 וַיִּפְנוּ וַיָּנֻסוּ הַמִּדְבָּרָה Jud. 20:45,47
103 וַיִּפְנוּ אֵלַי עֹרֶף וְלֹא פָנִים Jer. 32:33
104 וַיִּפְנוּ יְהוּדָה וְהִנֵּה... IISh. 13:14
105 וַיִּפְנוּ אֶל־הֶהָמוֹן וְהִנָּם פְּגָרִים IICh. 20:24
פְּנֵה 106־108 פְּנֵה(־)אֵלַי וְחָנֵּנִי Ps. 25:16; 86:16; 119:132
109 כְּרֹב רַחֲמֶיךָ פְּנֵה אֵלָי Ps. 69:17
פְּנוּ 110 מָחָר פְּנוּ וּסְעוּ לָכֶם הַמִּדְבָּר Num. 14:25
111 פְּנוּ וּסְעוּ לָכֶם וּבֹאוּ הַר הָאֱמֹרִי Deut. 1:7
112 פְּנוּ לָכֶם וּסְעוּ הַמִּדְבָּרָה Deut. 1:40
113 רַב־לָכֶם...פְּנוּ לָכֶם צָפֹנָה Deut. 2:3
114 פְּנוּ וּלְכוּ לָכֶם לְאָהֳלֵיכֶם Josh. 22:4
115 פְּנוּ־אֵלַי וְהִוָּשְׁעוּ Is. 45:22
116 וְעַתָּה הוֹאִילוּ פְנוּ־בִי Job 6:28
117 פְּנוּ־אֵלַי וְהָשַׁמּוּ Job 21:5

פִּנִּיתִי 118 וְאָנֹכִי פִּנִּיתִי הַבַּיִת... Gen. 24:31
פִּנִּיתָ 119 פִּנִּיתָ לְפָנֶיהָ וַתַּשְׁרֵשׁ שָׁרָשֶׁיהָ Ps. 80:10
פִּנָּה 120 הֵסִיר יְיָ מִשְׁפָּטַיִךְ פִּנָּה אֹיְבֵךְ Zeph. 3:15
וּפִנָּה 121 וּפִנָּה־דֶרֶךְ לְפָנָי Mal. 3:1
וּפִנּוּ 122 וְצִוָּה הַכֹּהֵן וּפִנּוּ אֶת־הַבַּיִת Lev. 14:36
פַּנּוּ 123 בַּמִּדְבָּר פַּנּוּ דֶּרֶךְ יְיָ Is. 40:3
124 סֹלּוּ־סֹלּוּ פַּנּוּ־דָרֶךְ Is. 57:14
125 פַּנּוּ דֶּרֶךְ הָעָם Is. 62:10
כְּהַפְנֹתוֹ 126 וְהָיָה כְּהַפְנֹתוֹ שִׁכְמוֹ לָלֶכֶת ISh. 10:9
הִפְנָה 127 אֵיךְ הִפְנָה־עֹרֶף מוֹאָב Jer. 48:39
הִפְנְתָה 128 רָפְתָה דַמֶּשֶׂק הִפְנְתָה לָנוּס Jer. 49:24
הִפְנוּ 129 וּמָנוֹס נָסוּ וְלֹא הִפְנוּ Jer. 46:5
130 גַּם־הֵמָּה הִפְנוּ נָסוּ יַחְדָּיו Jer. 46:21
131 לֹא־הִפְנוּ אָבוֹת אֶל־בָּנִים Jer. 47:3
מַפְנֶה 132 עִמְדוּ עֲמֹדוּ וְאֵין מַפְנֶה Nah. 2:9
וַיֶּפֶן 133 וַיֶּפֶן זָנָב אֶל־זָנָב Jud. 15:4
הָפְנוּ 134 נָסוּ הָפְנוּ הֶעְמִיקוּ לָשֶׁבֶת Jer. 49:8
מָפְנֶה 135 שַׁעַר הָעֶלְיוֹן אֲשֶׁר מָפְנֶה צָפוֹנָה Ezek. 9:2

פִּנָּה נ׳ א) זוית: 1־4, 11־14, 17, 18, 23־28
ב) קצה, מקום מצומצם: 15, 16
ג) מגדל פנתי מבוצר: 5־10, 19, 20, 29, 30
ד) [פִּנּוֹת הָעָם] ראשי העם: 21, 22
– אֶבֶן פִּנָּה 17; עֲלִיַּת הַפִּנָּה 8, 9; רֹאשׁ פִּנָּה 2; שַׁעַר הַפִּנָּה 5, 6, 10
– פִּנַּת גָּג 15, 16; פִּנַּת יִקְרַת 13; פִּנַּת שְׁבָטִים 12; פִּנַּת שַׁעַר 14
– פִּנּוֹת גְּבֹהוֹת 19; פ׳ הַבַּיִת 26; פ׳ הָעֲזָרָה 24, 25; פִּנּוֹת הָעָם 21, 22
– שַׁעַר הַפִּנִּים 30

פִּנָּה 1 מִמֶּנּוּ פִנָּה מִמֶּנּוּ יָתֵד Zech. 10:4
2 אֶבֶן מָאֲסוּ...הָיְתָה לְרֹאשׁ פִּנָּה Ps. 118:22
3 וְאֵצֶל כָּל־פִּנָּה תֶאֱרֹב Prov. 7:12
4 וַיַּעַשׂ לוֹ מִזְבְּחוֹת בְּכָל־פִּנָּה IICh. 28:24
הַפִּנָּה 5 וַיִּפְרֹץ...עַד־שַׁעַר הַפִּנָּה IIK. 14:13
6 מִמִּגְדַּל חֲנַנְאֵל עַד־שַׁעַר הַפִּנָּה Jer. 31:38 (37)
7 עַד־הַמִּקְצוֹעַ וְעַד־הַפִּנָּה Neh. 3:24
8 וְעַד עֲלִיַּת הַפִּנָּה Neh. 3:31
9 וּבֵין עֲלִיַּת הַפִּנָּה לְשַׁעַר הַצֹּאן Neh. 3:32
10 וַיִּבֶן...עַל־שַׁעַר הַפִּנָּה IICh. 26:9
לְפִנָּה 11 וְלֹא־יִקְחוּ מִמְּךָ אֶבֶן לְפִנָּה Jer. 51:26
פִּנַּת־ 12 הִתְעוּ אֶת־מִצְרַיִם פִּנַּת שְׁבָטֶיהָ Is. 19:13
13 אֶבֶן בֹּחַן פִּנַּת יִקְרַת Is. 28:16
14 עַד־פִּנַּת שַׁעַר הַסּוּסִים Jer. 31:40 (39)
15/6 טוֹב (לָ)שֶׁבֶת עַל־פִּנַּת־גָּג Prov. 21:9; 25:24
פִּנָּתָהּ 17 אוֹ מִי־יָרָה אֶבֶן פִּנָּתָהּ Job 38:6
פִּנָּהּ 18 עֹבֵר בַּשּׁוּק אֵצֶל פִּנָּהּ Prov. 7:8
הַפִּנּוֹת 19 וְעַל הַפִּנּוֹת הַגְּבֹהוֹת Zeph. 1:16
20 עַל־הַמִּגְדָּלִים וְעַל־הַפִּנּוֹת IICh. 26:15
פִּנּוֹת־ 21 וַיִּתְיַצְּבוּ פִּנּוֹת כָּל־הָעָם Jud. 20:2
22 גֹּשׁוּ הֲלֹם כֹּל פִּנּוֹת הָעָם ISh. 14:38
23 אֶל־אַרְבַּע פִּנּוֹת הַמְּכֹנָה הָאֶחָת IK. 7:34
24 5 אַרְבַּע פִּנּוֹת הָעֲזָרָה Ezek. 43:20; 45:19
26 וַיִּגַּע בְּאַרְבַּע פִּנּוֹת הַבַּיִת Job 1:19
פִּנֹּתָיו 27/8 קַרְנֹתָיו עַל אַרְבַּע פִּנֹּתָיו Ex. 27:2; 38:2
פִּנּוֹתָם 29 נָשַׁמּוּ פִּנּוֹתָם הֶחֱרַבְתִּי חוּצוֹתָם Zeph. 3:6
הַפִּנִּים 30 עַד־שַׁעַר הַפִּנִּים Zech. 14:10

פְּנוּאֵל[1] ש־ם – מצודה במעבר יבוק: 1־6
אַנְשֵׁי פְנוּאֵל 3, 4; מִגְדַּל פְּנוּאֵל 5

פְּנוּאֵל 1 כַּאֲשֶׁר עָבַר אֶת־פְּנוּאֵל Gen. 32:31
2 וַיַּעַל מִשָּׁם פְּנוּאֵל וַיְדַבֵּר אֲלֵיהֶם Jud. 8:8
3 וַיַּעֲנוּ אוֹתוֹ אַנְשֵׁי פְנוּאֵל Jud. 8:8

פְּנוּאֵל (המשך) 4 וַיֹּאמֶר גַּם־לְאַנְשֵׁי פְנוּאֵל לֵאמֹר Jud. 8:9
5 וְאֶת־מִגְדַּל פְּנוּאֵל נָתָץ Jud. 8:17
6 וַיֵּצֵא מִשָּׁם וַיִּבֶן אֶת־פְּנוּאֵל IK. 12:25

פְּנוּאֵל[2] שפ״ז א) איש ממטה יהודה: 1
ב) איש ממטה בנימין: 2

וּפְנוּאֵל 1 וּפְנוּאֵל אֲבִי גְדֹר ICh. 4:4
2 וְיִפְדְיָה וּפְנוּאֵל (כת׳ ופניאל) בְּנֵי שָׁשָׁק ICh. 8:25

פְּנִיאֵל ש״פ – הוא המקום פְּנוּאֵל

פְּנִיאֵל 1 וַיִּקְרָא...שֵׁם הַמָּקוֹם פְּנִיאֵל Gen. 32:31

פָּנִים ז״ר א) החלק הקדמי בראש האדם, החי (בהשאלה גם על אלהים): רוב המקראות 1-74, 95-373, 1233-1311, 1434-1501, 1551-1661, 1812-1823, 1836, 1849-1860, 1912-1954, 2040

ב) הצד הקדמי של דבר, או השטח העליון, הנראה לעין: 30, 54, 55, 73, 74, 96-98, 101, 107, 108, 114, 115, 123, 128, 129, 133-137, 147-149, 161, 165-167, 177-194, 202, 215,220, 229-231, 368, 371, 374, 1653, 1654

ג) [בהשאלה] כַּעַס, אַף: 199, 223, 1241, 1242, 1244, 1245, 1256, 1266, 1268

ד) [בצרופי שמות ופעלים] עין בצרופים

ה) [לִפְנֵי, לְפָנַי, לְפָנֶיךָ...מִלְּפָנַי, מִלְּפָנֶיךָ וכו׳] עין ערך לִפְנֵי (באות ל׳)

ו) [לְפָנִים] עין ערך זה באות ל׳

ז) [מִפְּנֵי, מִפָּנַי, מִפָּנֶיךָ וכו׳] עין ערך מִפְּנֵי (באות מ׳)

ח) [עַל־פְּנֵי] עין ערך עַל־ (באות מ׳)

– פָּנִים אֶל פָּנִים 1, 4, 12, 14, 34; פָּנִים בְּפָנִים 7; פָּנִים וְאָחוֹר 30, 54, 55, (73), 96; אַרְבָּעָה פָּנִים 28, 32, 33, 1617; שְׁנַיִם פָּנִים 38

– פָּנִים זוֹעֲפִים 1856; פָּ׳ נִזְעָמִים 61; פָּנִים רָעִים 1498, 1849

– אוֹר פָּנִים 1279, 1474, 1484; בֹּשֶׁת פָּנִים 53, 60, 69, 70, 1275, 1928; דַּלְתֵי פָּ׳ 1641; דְּמוּת פָּ׳ 1932, 1934; הַכָּרַת פָּ׳ 1924; יְשׁוּעוֹת פָּ׳ 1273, 1274, 1631; לֶחֶם (הַ)פָּנִים 3, 62, 63, 65, 66, 71; מְאוֹר פָּ׳ 1485; מְגַמַּת פָּנִים 1937; מוּל פָּנִים 1569, 1570, 1571, 1577, 1578; מַלְאַךְ פָּנִים 1612; מַשֹּׂא פָּ׳ 56; נֶגֶד פָּ׳ 1850, 1925; נֹכַח פָּ׳ 1444, 1619, 1620, 1935; נְשׂוּא פָּ׳ 16, 19, 20; סֵתֶר פָּ׳ 48, 1473; עֵבֶר פָּ׳ 1614-1616; עוֹר פָּ׳ 1573, 1574; עַז פָּנִים 10, 52; עֹז פָּ׳ 1644; פְּאַת פָּ׳ 1579; קְשֵׁי פָּנִים 29; רוֹאֵי פָּ׳ 163, 170; רֹעַ פָּ׳ 50; שֻׁלְחַן (הַ)פָּנִים 64

– פְּנֵי אָב 105, 110; פְּ׳ הָאָדוֹן 112, 117; פְּ׳ אָדָם 171, 174, 366; פְּ׳ הָאֲדָמָה 97, 98, 202; פְּ׳ אֹהֶל מוֹעֵד 125, 135, 136; פְּ׳ הָאוּלָם 185; פְּ׳ הָאֶחָד 172; פְּ׳ הָאֲחֻזָּה 192; פְּ׳ אִיּוֹב 219; פְּ׳ אִישׁ 109; פְּ׳ אֵל 198; פְּ׳ אֱלֹהִים 106, 200; פְּ׳ אַרְיֵה 175, 362, 373; פְּ׳ אֹרֶךְ 186; פְּ׳ (הָ)אָרֶץ 101, 108, 177; פְּ׳ אַתִּיק 187; פְּ׳ הַבַּיִת 161, 184, 190, 193; פְּ׳ הַבִּנְיָן 189; פְּ׳ גָּדוֹל 131; פְּ׳ גִּזְרָה 180-183; פְּ׳ הַדָּבָר 149; פְּ׳ דַל 130; פְּ׳ דַּמֶּשֶׂק 220; פְּ׳ דֶרֶךְ 178; פְּ׳ הֵיכָל 179; פְּ׳ הָמָן 372; פְּ׳ זָקֵן 132; פְּ׳ זְקֵנִים 225; פְּ׳ יְהוֹשָׁפָט 157; פְּנֵי יְיָ 99, 100, 116, 118, 138-141, 143, 144, 146, 152, 155, 156, 160, 169, 195-197, 199, 212, 213, 221, 223, 228, 235, 358; פְּ׳ יִצְחָק 102; פְּ׳ כֹּהֲנִים 224; פְּ׳ כָּלָם 369; פְּ׳ כִּסֵּה 215; פְּ׳ כְּפִיר 367; פְּ׳ כֹּפֶר 204; פְּ׳ הַכַּפֹּרֶת 129; פְּ׳ כְּרוּב 172; פְּנֵי כְרוּבִים 113, 121; פְּ׳ לְבוּשׁ 218; פְּ׳ לָבָן 104; פְּ׳ לְהָבִים 164; פְּ׳ הַלּוֹט 166; פְּ׳ הַלְּשָׁכוֹת 188; פְּ׳ מֵבִין 206; פְּ׳ הַמִּדְבָּר 234; פְּ׳ מוֹשֵׁל 211; פְּ׳ הַמִּזְבֵּחַ 124; פְּ׳ מִזְרָח 230; פְּ׳ הַמִּלְחָמָה 147, 148, 231; פְּ׳ (הַ)מֶּלֶךְ 145, 150, 163, 205, 226, 227, 359, 360; פְּ׳ מְנוֹרָה 133, 134; פְּ׳ מִצְנֶפֶת 115; פְּ׳ מֹשֶׁה 119, 120; פְּ׳ מָשִׁיחַ 201, 203, 232; פְּ׳ נָדִיב 208; פְּ׳ נַעַר 158, 159; פְּ׳ נֶשֶׁר 176, 364; פְּ׳ הַסֶּלַע 137; פְּ׳ עֲבָדָיו 151; פְּ׳ עַיִן 229; פְּ׳ עֵלִי 142; פְּ׳ עֶלְיוֹן 222; פְּ׳ הָעָם 126; פְּ׳ עֲנִיִּים 361; פְּ׳ פַּחַת 162, 168; פְּ׳ הַפָּרֹכֶת 123; פְּ׳ פַּרְעֹה 111; פְּנֵי הַצֹּאן 103, 210; פְּ׳ הַקֹּדֶשׁ 127, 368; פְּ׳ רֵעַ 209; פְּ׳ רְשָׁעִים 370; פְּ׳ שָׂדֶה 128; פְּ׳ שׁוֹפְטִים 214; פְּ׳ שׁוֹר 363; פְּ׳ שְׁלֹמֹה 153, 154, 233; פְּ׳ הַשֵּׁנִי 174, 365; פְּ׳ שָׂרִים 217; פְּ׳ תֵּבֵל 165, 167; פְּנֵי תְהוֹם 371; פְּנֵי תְרוּמָה 191

– אִחֵז פָּנִים 215; בִּקֵּשׁ פָּ׳ 152, 153, 211, 233, 1286, 1303, 1304, 1466, 1467, 1648; גִּלָּה פָּ׳ 218; הֵאִיר פָּ׳ 1472, 1478, 1479, 1481, 1488, 1497, 1580, 1632, 1643; הִבִּיט פָּ׳ 201; הָדַר פָּ׳ 131, 132; הוֹבִישׁ פָּ׳ 151; הֶחֱדָה פָּ׳ 209; הֵיטִיב פָּ׳ 43; הֵכִין פָּ׳ 1446, 1447; הִכִּיר פָּ׳ 6, 9, 44, 45; הֵלִיט פָּ׳ 1595; הֵסֵב פָּ׳ 1264, 1592, 1596, 1605, 1611, 1649, 1919, 1943; הֵסִיר פָּ׳ 59; הִסְתִּיר פָּ׳ 22, 23, 49, 1246-8, 1252, 1254, 1260, 1269-1271, 1443, 1461, 1468-1471, 1473, 1475-1477, 1482, 1486, 1495, 1568, 1609, 1627, 1628, 1630; הֵעֵז פָּ׳ 1820; הֶעֱמִיד פָּ׳ 1597; הִפִּיל פָּ׳ 1256; הִצְהִיל פָּ׳ 42; הֵרִים פָּ׳ 1284; הֵשִׁיב פָּ׳ 162, 168, 203, 232, 1293, 1294, 1555, 1556, 1647, 1853; הִתְרָאוּ פָּ׳ 17, 18, 57, 58; חָבַשׁ פָּ׳ 1940; חִדָּה פָּ׳ 1464; חִדֵּשׁ פָּ׳ 202; חָזָה פָּ׳ 1463; חִזֵּק פָּ׳ 2027; חִלָּה פָּ׳ 155, 156, 160, 169, 195-198, 208, 228, 235, 358, 1487, 1494; טָחַן פָּ׳ 361; יָדַע פָּ׳ 210; כִּסָּה פָּ׳ 214, 1305, 1449, 1608, 1618, 1638, 1812, 1836; כִּפֶּר פָּ׳ 1563; לָאַט פָּ׳ 1591; מִלֵּא פָּ׳ 1939; נָפַל עַל פָּנָיו 1265; נִרְאָה (אֶת־) פָּ׳ 112, 117, 118, 138-141, 200, 1296; נָשָׂא פָּ׳ 8, 11, 40, 41, 46, 130, 157, 204, 207, 216, 217, 219, 224, 370, 1249, 1287, 1435, 1458, 1493, 1496, 1554, 1581, 1599, 1642, 1656; נָתַן פָּ׳ 1241, 1242, 1244, 1245, 1266, 1267, 1281, 1283, 1445, 1651, 1933; עִוָּה פָּ׳ 1816; עָזַב פָּ׳ 1277; עָמַד אֶת־ פָּ׳ 154; צָפָה פָּ׳ 220; קִדֵּם פָּ׳ 1483, 1629, 1663; קִלְקַל פָּ׳ 51; רָאָה פָּ׳ 104-106, 359/60, 1233, 1234, 1236, 1237, 1250, 1288, 1291, 1292, 1308, 1309, 1436-1439, 1564, 1640, 1856; רָחַץ פָּ׳ 1566; שִׁוָּה פָּ׳ 1917; שִׁחֵר פָּ׳ 1490; שָׂם פָּ׳ 1243, 1253, 1259, 1268, 1448, 1450-1457, 1562, 1594, 1600, 1645, 1646, 1852, 1920; שִׁנָּה פָּ׳ 1637; שֵׁרֵת פָּ׳ 226; שָׁת פָּנָיו 1583

– הָיוּ פָּנָיו 1822; הָלְכוּ פָּ׳ 1240, 1440, 1499; הִתְלַכְּדוּ פָּ׳ 371; חָוְרוּ פָּ׳ 1610; חָזוּ פָּ׳ 2040; חֳמַרְמְרוּ פָּ׳ 1278; חָפוּ פָּ׳ 372; חָפְרוּ פָּ׳ 1951; חָרְבוּ פָּ׳ 98; כָּסוּ פָּ׳ 1635; נֶהְדְּרוּ פָּ׳ 225; נָפְלוּ פָּ׳ 1434, 1559; נִצְרְבוּ פָּ׳ 36; נִרְאוּ פָּ׳ 1238, 1239, 1308; קִבְּצוּ פָּ׳ 39, 369; קָרְנוּ פָּ׳ 120; רָעוּ פָּ׳ 1285; רָעֲמוּ פָּנִים 37

פָּנִים 1-2 רָאִיתִי אֱלֹהִים פָּנִים אֶל־פָּנִים Gen. 32:30
3 לֶחֶם פָּנִים לְפָנַי תָּמִיד Ex. 25:30
4-5 וְדִבֶּר יְיָ אֶל־מֹשֶׁה פָּנִים אֶל־פָּנִים Ex. 33:11
6 לֹא־תַכִּירוּ פָנִים בַּמִּשְׁפָּט Deut. 1:17
7 פָּנִים בְּפָנִים דִּבֶּר יְיָ עִמָּכֶם Deut. 5:4
8 לֹא־יִשָּׂא פָנִים וְלֹא יִקַּח שֹׁחַד Deut. 10:17
9 לֹא־תַטֶּה מִשְׁפָּט לֹא תַכִּיר פָּנִים Deut. 16:19

פָּנִים (המשך) 10 גּוֹי עַז פָּנִים Deut. 28:50
11 אֲשֶׁר לֹא־יִשָּׂא פָנִים לְזָקֵן Deut. 28:50
12/3 אֲשֶׁר יְדָעוֹ יְיָ פָּנִים אֶל־פָּנִים Deut. 34:10
14/5 רָאִיתִי מַלְאַךְ יְיָ פָּנִים אֶל־פָּנִים Jud. 6:22
16 אִישׁ גָּדוֹל לִפְנֵי אֲדֹנָיו וּנְשֻׂא פָנִים IIK. 5:1
17 לְכָה נִתְרָאֶה פָנִים IIK. 14:8
18 וַיִּתְרָאוּ פָנִים הוּא וַאֲמַצְיָהוּ IIK. 14:11
19 שַׂר־חֲמִשִּׁים וּנְשׂוּא פָנִים Is. 3:3
20 זָקֵן וּנְשׂוּא־פָנִים הוּא הָרֹאשׁ Is. 9:14
21 וּמָחָה...דִּמְעָה מֵעַל כָּל־פָּנִים Is. 25:8
22 וּכְמַסְתֵּר פָּנִים מִמֶּנּוּ Is. 53:3
23 וְחַטֹּאותֵיכֶם הִסְתִּירוּ פָנִים מִכֶּם Is. 59:2
24 כִּי־פָנוּ אֵלַי עֹרֶף וְלֹא פָנִים Jer. 2:27
25 עֹרֶף וְלֹא־פָנִים אֶרְאֵם Jer. 18:17
26 וְנֶהֶפְכוּ כָל־פָּנִים לְיֵרָקוֹן Jer. 30:6
27 וַיִּפְנוּ אֵלַי עֹרֶף וְלֹא פָנִים Jer. 32:33
28 וְאַרְבָּעָה פָנִים לְאֶחָת Ezek. 1:6
29 וְהַבָּנִים קְשֵׁי פָנִים וְחִזְקֵי־לֵב Ezek. 2:4
30 וְהִיא כְתוּבָה פָּנִים וְאָחוֹר Ezek. 2:10
31 וְאֶל כָּל־פָּנִים בּוּשָׁה Ezek. 7:18
32 וְאַרְבָּעָה פָנִים לְאֶחָד... Ezek. 10:14
33 אַרְבָּעָה אַרְבָּעָה פָנִים לְאֶחָד Ezek. 10:21
34/5 וְנִשְׁפַּטְתִּי אִתְּכֶם...פָּנִים אֶל־פָּנִים Ezek. 20:35
36 וְנִצְרְבוּ־בָהּ כָּל־פָּנִים Ezek. 21:3
37 שָׂעֲרוּ שַׂעַר רָעֲמוּ פָּנִים Ezek. 27:35
38 וּשְׁנַיִם פָּנִים לַכְּרוּב Ezek. 41:18
39 כָּל־פָּנִים קִבְּצוּ פָארוּר Joel 2:6
40 הֲיִשָּׂא מִכֶּם פָּנִים Mal. 1:9
41 וְנֹשְׂאִים פָּנִים בַּתּוֹרָה Mal. 2:9
42 לְהַצְהִיל פָּנִים מִשָּׁמֶן Ps. 104:15
43 לֵב שָׂמֵחַ יֵיטִב פָּנִים Prov. 15:13
44 הַכֵּר־פָּנִים בְּמִשְׁפָּט בַּל־טוֹב Prov. 24:23
45 הַכֵּר־פָּנִים לֹא־טוֹב Prov. 28:21
46 אִם־בַּסֵּתֶר פָּנִים תִּשָּׂאוּן Job 13:10
47 וְאִישׁ זְרוֹעַ...וּנְשׂוּא פָנִים יֵשֶׁב בָּהּ Job 22:8
48 וְסֵתֶר פָּנִים יָשִׂים Job 24:15
49 וְיַסְתֵּר פָּנִים וּמִי יְשׁוּרֶנּוּ Job 34:29
50 כִּי־בְרֹעַ פָּנִים יִיטַב לֵב Eccl. 7:3
51 וְהוּא לֹא־פָנִים קִלְקַל Eccl. 10:10
52 מֶלֶךְ עַז־פָּנִים וּמֵבִין חִידוֹת Dan. 8:23
53 בַּחֶרֶב בַּשְּׁבִי וּבַבִּזָּה וּבְבֹשֶׁת פָּנִים Ez. 9:7
54 הָיְתָה...הַמִּלְחָמָה...פָּנִים וְאָחוֹר ICh. 19:10
55 וְהִנֵּה לָהֶם הַמִּלְחָמָה פָּנִים וְאָחוֹר IICh. 13:14
56 וּמַשֹּׂא פָנִים וּמִקַּח־שֹׁחַד IICh. 19:7
57 לְךָ נִתְרָאֶה פָנִים IICh. 25:17
58 וַיִּתְרָאוּ פָנִים הוּא וַאֲמַצְיָהוּ IICh. 25:21
59 וְלֹא־יָסִיר פָּנִים מִכֶּם IICh. 30:9
60 וַיָּשָׁב בְּבֹשֶׁת פָּנִים לְאַרְצוֹ IICh. 32:21

וּפָנִים 61 וּפָנִים נִזְעָמִים לְשׁוֹן סָתֶר Prov. 25:23

הַפָּנִים 62/3 וְאֵת לֶחֶם הַפָּנִים Ex. 35:13; 39:36
64 וְעַל שֻׁלְחַן הַפָּנִים יִפְרְשׂוּ Num. 4:7
65 לֶחֶם הַפָּנִים הַמּוּסָרִים מִלִּפְנֵי יְיָ I Sh. 21:7
66 הַשֻּׁלְחָן אֲשֶׁר עָלָיו לֶחֶם הַפָּנִים IK. 7:48
67 הֵמָּה הַפָּנִים אֲשֶׁר רָאִיתִי Ezek. 10:22
68 כַּמַּיִם הַפָּנִים לַפָּנִים Prov. 27:19
69 וְלָנוּ בֹּשֶׁת הַפָּנִים Dan. 9:7
70 יְיָ לָנוּ בֹּשֶׁת הַפָּנִים Dan. 9:8
71 וַעֲלֵיהֶם לֶחֶם הַפָּנִים IICh. 4:19

בְּפָנִים 72 פָּנִים בְּפָנִים דִּבֶּר יְיָ עִמָּכֶם Deut. 5:4

לְפָנִים (א) 73 וַיִּהְיוּ לְאָחוֹר וְלֹא לְפָנִים Jer. 7:24
74 וְתֹפֶת לְפָנִים אֶהְיֶה Job 17:6

לְפָנִים (ב) 75-93 לְפָנִים – עין לְפָנִים (1-19) באות ל׳

וּמִלְּפָנִים (ב) 94 וּמִלְּפָנִים – עיין לְפָנִים (20) באות ל׳

לְפָנִים 95 כַּמַּיִם הַפָּנִים לַפָּנִים... Prov. 27:19

מִפָּנִים 96 הָיְתָה...הַמִּלְחָמָה מִפָּנִים וּמֵאָחוֹר II Sh. 10:9

פְּנֵי־ 97 וְהִשְׁקָה אֶת־כָּל־פְּנֵי הָאֲדָמָה Gen. 2:6

98 וְהִנֵּה חָרְבוּ פְּנֵי הָאֲדָמָה Gen. 8:13

99 כִּי־גָדְלָה צַעֲקָתָם אֶת־פְּנֵי יְיָ Gen. 19:13

100 אֲשֶׁר־עָמַד שָׁם אֶת־פְּנֵי יְיָ Gen. 19:27

101 וְעַל כָּל־פְּנֵי אֶרֶץ הַכִּכָּר Gen. 19:28

102 יָצֹא יָצָא יַעֲקֹב מֵאֵת פְּנֵי יִצְחָק Gen. 27:30

103 וַיִּתֵּן פְּנֵי הַצֹּאן אֶל־עָקֹד Gen. 30:40

104 וַיַּרְא יַעֲקֹב אֶת־פְּנֵי לָבָן Gen. 31:2

105 רֹאֶה אָנֹכִי אֶת־פְּנֵי אֲבִיכֶן Gen. 31:5

106 רָאִיתִי פָנֶיךָ כִּרְאֹת פְּנֵי אֱלֹהִים Gen. 33:10

107 וַיִּחַן אֶת־פְּנֵי הָעִיר Gen. 33:18

108 וְהָרָעָב הָיָה עַל כָּל־פְּנֵי הָאָרֶץ Gen. 41:56

109 לֹא־נוּכַל לִרְאוֹת פְּנֵי הָאִישׁ Gen. 44:26

110 וַיִּפֹּל יוֹסֵף עַל־פְּנֵי אָבִיו Gen. 50:1

111 וַיְגָרֶשׁ אֹתָם מֵאֵת פְּנֵי פַרְעֹה Ex. 10:11

112 יֵרָאֶה כָּל־זְכוּרְךָ אֶל־פְּנֵי הָאָדֹן Ex. 23:17

113 אֶל־הַכַּפֹּרֶת יִהְיוּ פְּנֵי הַכְּרֻבִים Ex. 25:20

114 וְכָפַלְתָּ...אֶל־מוּל פְּנֵי הָאֹהֶל Ex. 26:9

115 אֶל־מוּל פְּנֵי־הַמִּצְנֶפֶת יִהְיֶה Ex. 28:37

116 וַיְחַל מֹשֶׁה אֶת־פְּנֵי יְיָ אֱלֹהָיו Ex. 32:11

117 יֵרָאֶה כָּל־זְכוּרְךָ אֶת־פְּנֵי הָאָדֹן Ex. 34:23

118 לֵרָאוֹת אֶת־פְּנֵי יְיָ אֱלֹהֶיךָ Ex. 34:24

119 וְרָאוּ בְנֵי־יִשְׂרָאֵל אֶת־פְּנֵי מֹשֶׁה Ex. 34:35

120 כִּי קָרַן עוֹר פְּנֵי מֹשֶׁה Ex. 34:35

121 אֶל־הַכַּפֹּרֶת הָיוּ פְּנֵי הַכְּרֻבִים Ex. 37:9

122 וְהִזָּה...אֶת־פְּנֵי פָּרֹכֶת הַקֹּדֶשׁ Lev. 4:6

123 וְהִזָּה...אֶת־פְּנֵי הַפָּרֹכֶת Lev. 4:17

124 הַקְרֵב אֹתָהּ...אֶל־פְּנֵי הַמִּזְבֵּחַ Lev. 6:7

125 וַיִּקְחוּ...אֶל־פְּנֵי אֹהֶל מוֹעֵד Lev. 9:5

126 וְעַל־פְּנֵי כָל־הָעָם אֶכָּבֵד Lev. 10:3

127 שְׂאוּ...מֵאֵת פְּנֵי־הַקֹּדֶשׁ Lev. 10:4

128 מִחוּץ לָעִיר אֶל־פְּנֵי הַשָּׂדֶה Lev. 14:53

129 וְאַל־יָבֹא...אֶל־פְּנֵי הַכַּפֹּרֶת Lev. 16:2

130 לֹא־תִשָּׂא פְנֵי־דָל Lev. 19:15

131 וְלֹא תֶהְדַּר פְּנֵי גָדוֹל Lev. 19:15

132 וְהָדַרְתָּ פְּנֵי זָקֵן Lev. 19:32

133/4 אֶל־מוּל פְּנֵי הַמְּנוֹרָה... Num. 8:2, 3

135 וַיָּבֹא...אֶל־פְּנֵי אֹהֶל מוֹעֵד Num. 17:8

136 וְהִזָּה אֶל־נֹכַח פְּנֵי אֹהֶל־מוֹעֵד Num. 19:4

137 וַיַּקְהִלוּ...אֶל־פְּנֵי הַסָּלַע Num. 20:10

138 יֵרָאֶה כָל־זְכוּרְךָ אֶת־פְּנֵי יְיָ Deut. 16:16

139 וְלֹא יֵרָאֶה אֶת־פְּנֵי יְיָ רֵיקָם Deut. 16:16

140 לֵרָאוֹת אֶת־פְּנֵי יְיָ אֱלֹהֶיךָ Deut. 31:11

141 וַהֲבִאֹתִיו וְנִרְאָה אֶת־פְּנֵי יְיָ I Sh. 1:22

142 מְשָׁרֵת...אֶת־פְּנֵי עֵלִי הַכֹּהֵן I Sh. 2:11

143 חַטַּאת הַנְּעָרִים גְּדוֹלָה...אֶת־פְּנֵי יְיָ I Sh. 2:17

144 וּשְׁמוּאֵל מְשָׁרֵת אֶת־פְּנֵי יְיָ I Sh. 2:18

145 וַיַּנְחֵם אֶת־פְּנֵי מֶלֶךְ מוֹאָב I Sh. 22:4

146 אַל־יִפֹּל דָּמִי אַרְצָה מִנֶּגֶד פְּנֵי יְיָ I Sh. 26:20

147 כִּי־הָיְתָה אֵלָיו פְּנֵי הַמִּלְחָמָה II Sh. 10:9

148 אֶל־מוּל פְּנֵי הַמִּלְחָמָה הַחֲזָקָה II Sh. 11:15

149 לְבַעֲבוּר סַבֵּב אֶת־פְּנֵי הַדָּבָר II Sh. 14:20

150 וְעַתָּה אֶרְאֶה פְּנֵי הַמֶּלֶךְ II Sh. 14:32

151 הֹבַשְׁתָּ הַיּוֹם אֶת־פְּנֵי כָל־עֲבָדֶיךָ II Sh. 19:6

152 וַיְבַקֵּשׁ דָּוִד אֶת־פְּנֵי יְיָ II Sh. 21:1

153 מְבַקְשִׁים אֶת־פְּנֵי שְׁלֹמֹה IK. 10:24

154 אֲשֶׁר־הָיוּ עֹמְדִים אֶת־פְּנֵי שְׁלֹמֹה IK. 12:6

155 חַל־נָא אֶת־פְּנֵי יְיָ אֱלֹהֶיךָ IK. 13:6

156 וַיְחַל אִישׁ־הָאֱלֹהִים אֶת־פְּנֵי יְיָ IK. 13:6

פְּנֵי־ (המשך) 157 לוּלֵי פְּנֵי־יְהוֹשָׁפָט...אֲנִי נֹשֵׂא IIK. 3:14

158 וְשַׂמְתָּ מִשְׁעַנְתִּי עַל־פְּנֵי הַנָּעַר IIK. 4:29

159 וַיָּשֶׂם אֶת־הַמִּשְׁעֶנֶת עַל־פְּנֵי הַנַּעַר IIK. 4:31

160 וַיְחַל יְהוֹאָחָז אֶת־פְּנֵי יְיָ IIK. 13:4

161 וַיִּקְרַב מֵאֵת פְּנֵי הַבַּיִת... IIK. 16:14

162 וְאֵיךְ תָּשִׁיב אֵת פְּנֵי פַחַת IIK. 18:24

163 וַחֲמִשָּׁה אֲנָשִׁים מֵרֹאֵי פְנֵי־הַמֶּלֶךְ IIK. 25:19

164 פְּנֵי לְהָבִים פְּנֵיהֶם Is. 13:8

165 וּמָלְאוּ פְנֵי־תֵבֵל עָרִים Is. 14:21

166 וּבִלַּע...פְּנֵי הַלּוֹט הַלּוֹט... Is. 25:7

167 וּמָלְאוּ פְנֵי־תֵבֵל תְּנוּבָה Is. 27:6

168 וְאֵיךְ תָּשִׁיב אֵת פְּנֵי פַחַת... Is. 36:9

169 וַיְחַל אֶת־פְּנֵי יְיָ Jer. 26:19

170 וְשִׁבְעָה אֲנָשִׁים מֵרֹאֵי פְנֵי־הַמֶּלֶךְ Jer. 52:25

171 וּדְמוּת פְּנֵיהֶם פְּנֵי אָדָם Ezek. 1:10

172/3 פְּנֵי הָאֶחָד פְּנֵי הַכְּרוּב Ezek. 10:14

174 וּפְנֵי הַשֵּׁנִי פְּנֵי אָדָם Ezek. 10:14

175 וְהַשְּׁלִישִׁי פְּנֵי אַרְיֵה Ezek. 10:14

176 וְהָרְבִיעִי פְּנֵי־נָשֶׁר Ezek. 10:14

177 וְעַל כָּל־פְּנֵי הָאָרֶץ נָפֹצוּ צֹאנִי Ezek. 34:6

178 שַׁעַר הַקָּדִים פְּנֵי דֶּרֶךְ הַצָּפוֹן Ezek. 40:44

179 וְרֹחַב...אֶל־פְּנֵי הַהֵיכָל Ezek. 41:4

180-183 אֶל־פְּנֵי הַגִּזְרָה Ezek. 41:12, 15; 42:10, 13

184 וְרֹחַב פְּנֵי הַבַּיִת וְהַגִּזְרָה Ezek. 41:14

185 וְעָב עֵץ אֶל־פְּנֵי הָאוּלָם Ezek. 41:25

186 אֶל־פְּנֵי אֹרֶךְ אַמּוֹת הַמֵּאָה Ezek. 42:2

187 אַתִּיק אֶל־פְּנֵי־אַתִּיק בַּשְּׁלִשִׁים Ezek. 42:3

188 אֶל־פְּנֵי הַלְּשָׁכוֹת Ezek. 42:7

189 וְאֶל־פְּנֵי הַבִּנְיָן לְשָׁכוֹת Ezek. 42:10

190 וַיְבִיאֵנִי...אֶל־פְּנֵי הַבַּיִת Ezek. 44:4

191 אֶל־פְּנֵי תְרוּמַת־הַקֹּדֶשׁ Ezek. 45:7

192 וְאֶל־פְּנֵי אֲחֻזַּת הָעִיר Ezek. 45:7

193 כִּי־פְנֵי הַבַּיִת קָדִים Ezek. 47:1

194 אֶל־פְּנֵי חֲמִשָּׁה וְעֶשְׂרִים אֶלֶף Ezek. 48:21

195/6 לְחַלּוֹת אֶת־פְּנֵי יְיָ Zech. 7:2; 8:21

197 וּלְחַלּוֹת אֶת־פְּנֵי יְיָ Zech. 8:22

198 חַלּוּ־נָא פְנֵי־אֵל וִיחָנֵנוּ Mal. 1:9

199 פְּנֵי יְיָ בְּעֹשֵׂי רָע Ps. 34:17

200 מָתַי אָבוֹא וְאֵרָאֶה פְּנֵי אֱלֹהִים Ps. 42:3

201 וְהַבֵּט פְּנֵי מְשִׁיחֶךָ Ps. 84:10

202 וּתְחַדֵּשׁ פְּנֵי אֲדָמָה Ps. 104:30

203 אַל־תָּשֵׁב פְּנֵי מְשִׁיחֶךָ Ps. 132:10

204 לֹא־יִשָּׂא פְּנֵי כָל־כֹּפֶר Prov. 6:35

205 בְּאוֹר־פְּנֵי־מֶלֶךְ חַיִּים Prov. 16:15

206 אֶת־פְּנֵי מֵבִין חָכְמָה Prov. 17:24

207 שְׂאֵת פְּנֵי־רָשָׁע לֹא־טוֹב Prov. 18:5

208 רַבִּים יְחַלּוּ פְנֵי־נָדִיב Prov. 19:6

209 וְאִישׁ יַחַד פְּנֵי־רֵעֵהוּ Prov. 27:17

210 יָדֹעַ תֵּדַע פְּנֵי צֹאנֶךָ Prov. 27:23

211 רַבִּים מְבַקְשִׁים פְּנֵי־מוֹשֵׁל Prov. 29:26

212 וַיֵּצֵא הַשָּׂטָן מֵעִם פְּנֵי יְיָ Job 1:12

213 וַיֵּצֵא הַשָּׂטָן מֵאֵת פְּנֵי יְיָ Job 2:7

214 פְּנֵי־שֹׁפְטֶיהָ יְכַסֶּה Job 9:24

215 מְאַחֵז פְּנֵי־כִסֵּה Job 26:9

216 אַל־נָא אֶשָּׂא פְנֵי־אִישׁ Job 32:21

217 לֹא־נָשָׂא פְּנֵי שָׂרִים Job 34:19

218 מִי־גִלָּה פְּנֵי לְבוּשׁוֹ Job 41:5

219 וַיִּשָּׂא יְיָ אֶת־פְּנֵי אִיּוֹב Job 42:9

220 כְּמִגְדַּל הַלְּבָנוֹן צוֹפֶה פְּנֵי דַמָּשֶׂק S.of S. 7:5

221 שִׁפְכִי כַמַּיִם לִבֵּךְ נֹכַח פְּנֵי אֲדֹנָי Lam. 2:19

222 לְהַטּוֹת מִשְׁפַּט־גָּבֶר נֶגֶד פְּנֵי עֶלְיוֹן Lam. 3:35

223 פְּנֵי יְיָ חִלְּקָם לֹא יוֹסִיף לְהַבִּיטָם Lam. 4:16

פְּנֵי־ (המשך) 224 פְּנֵי כֹהֲנִים לֹא נָשָׂאוּ Lam. 4:16

225 פְּנֵי זְקֵנִים לֹא נֶהְדָּרוּ Lam. 5:12

226 הַמְשָׁרְתִים אֶת־פְּנֵי הַמֶּלֶךְ Es. 1:10

227 שָׂרֵי פָּרַס וּמָדַי רֹאֵי פְּנֵי הַמֶּלֶךְ Es. 1:14

228 וְלֹא חִלִּינוּ אֶת־פְּנֵי יְיָ אֱלֹהֵינוּ Dan. 9:13

229 וָאֵצְאָה...וְאֶל־פְּנֵי עֵין הַתַּנִּין Neh. 2:13

230 וַיֵּשְׁבוּ...עַל־כָּל־פְּנֵי מִזְרָח לַגִּלְעָד ICh. 5:10

231 כִּי־הָיְתָה פְנֵי־הַמִּלְחָמָה אֵלָיו ICh. 19:10

232 אַל־תָּשֵׁב פְּנֵי מְשִׁיחֶךָ IICh. 6:42

233 מְבַקְשִׁים אֶת־פְּנֵי שְׁלֹמֹה IICh. 9:23

234 בְּסוֹף הַנַּחַל פְּנֵי מִדְבַּר יְרוּאֵל IICh. 20:16

235 חִלָּה אֶת־פְּנֵי יְיָ אֱלֹהָיו IICh. 33:12

עַל־פְּנֵי־ 236-357 עַל־פְּנֵי – עיין עַל (3372-3489, 4002-4004)

וּפְנֵי־ 358 וּפְנֵי יְיָ לֹא חִלִּיתִי I Sh. 13:12

359/60 וּפְנֵי הַמֶּלֶךְ לֹא רָאָה II Sh. 14:24, 28

361 וּפְנֵי עֲנִיִּים תִּטְחָנוּ Is. 3:15

362 וּפְנֵי אַרְיֵה אֶל־הַיָּמִין לְאַרְבַּעְתָּם Ezek. 1:10

363 וּפְנֵי־שׁוֹר מֵהַשְּׂמֹאול לְאַרְבַּעְתָּן Ezek. 1:10

364 וּפְנֵי־נֶשֶׁר לְאַרְבַּעְתָּן Ezek. 1:10

365 וּפְנֵי הַשֵּׁנִי פְּנֵי אָדָם Ezek. 10:14

366 וּפְנֵי אָדָם אֶל־הַתִּמֹרָה מִפּוֹ Ezek. 41:19

367 וּפְנֵי־כְפִיר אֶל־הַתִּמֹרָה מִפּוֹ Ezek. 41:19

368 וּפְנֵי הַקֹּדֶשׁ הַמַּרְאֶה כַּמַּרְאֶה Ezek. 41:21

369 וּפְנֵי כֻלָּם קִבְּצוּ פָארוּר Nah. 2:11

370 וּפְנֵי רְשָׁעִים תִּשְׂאוּ Ps. 82:2

371 וּפְנֵי תְהוֹם יִתְלַכָּדוּ Job 38:30

372 וּפְנֵי הָמָן חָפוּ Es. 7:8

373 וּפְנֵי אַרְיֵה פְּנֵיהֶם ICh. 12:8(9)

בִּפְנֵי־ 374 דֶּרֶךְ בִּפְנֵי הַגְּדֶרֶת הַגִּינָה Ezek. 42:12

לִפְנֵי־ 375-969 לִפְנֵי – עיין לִפְנֵי (1-595) באות ל׳

וְלִפְנֵי־ 970-1003 וְלִפְנֵי – עיין לִפְנֵי (596-629) באות ל׳

מִלִּפְנֵי־ 1004-1041 מִלִּפְנֵי – עיין לִפְנֵי (630-667) באות ל׳

וּמִלִּפְנֵי־ 1042 וּמִלִּפְנֵי – עיין לִפְנֵי (668) באות ל׳

מִפְּנֵי־ 1043-1225 מִפְּנֵי – עיין מִפְּנֵי (1-183) באות מ׳

וּמִפְּנֵי־ 1226-1231 וּמִפְּנֵי – עיין מִפְּנֵי (184-189) באות מ׳

כְּמִפְּנֵי־ 1232 כְּמִפְּנֵי – עיין מִפְּנֵי (190) באות מ׳

פָּנַי 1233/4 לֹא־תִרְאוּ פָנַי בִּלְתִּי אֲחִיכֶם Gen. 43:3, 5

1235 וּלְקַחְתֶּם גַּם־אֶת־זֶה מֵעִם פָּנַי Gen. 44:29

1236 הִשָּׁמֶר לְךָ אַל־תֹּסֶף רְאוֹת פָּנַי Ex. 10:28

1237 כִּי בְּיוֹם רְאֹתְךָ פָנַי תָּמוּת Ex. 10:28

1238/9 וְלֹא־יֵרָאוּ פָנַי רֵיקָם Ex. 23:15; 34:20

1240 פָּנַי יֵלֵכוּ וַהֲנִחֹתִי לָךְ Ex. 33:14

1241 וְנָתַתִּי פָנַי בַּנֶּפֶשׁ הָאֹכֶלֶת... Lev. 17:10

1242 אֶתֵּן אֶת־פָּנַי בָּאִישׁ הַהוּא Lev. 20:3

1243 וְשַׂמְתִּי אֲנִי אֶת־פָּנַי בָּאִישׁ הַהוּא Lev. 20:5

1244 וְנָתַתִּי אֶת־פָּנַי בַּנֶּפֶשׁ הַהִוא Lev. 20:6

1245 וְנָתַתִּי פָנַי בָּכֶם וְנִגַּפְתֶּם Lev. 26:17

1246 וְהִסְתַּרְתִּי פָנַי מֵהֶם Deut. 31:17

1247 וְאָנֹכִי הַסְתֵּר אַסְתִּיר פָּנַי Deut. 31:18

1248 אַסְתִּירָה פָנַי מֵהֶם Deut. 32:20

1249 וְאֵיךְ אֶשָּׂא פָנַי אֶל־יוֹאָב אָחִיךָ II Sh. 2:22

1250 לֹא־תִרְאֶה אֶת־פָּנַי כִּי אִם־לִפְנֵי II Sh. 3:13

1251 אֶת־יְהוּדָה אָסִיר מֵעַל פָּנַי IIK. 23:27

1252 פָּנַי לֹא הִסְתַּרְתִּי מִכְּלִמּוֹת Is. 50:6

1253 עַל־כֵּן שַׂמְתִּי פָנַי כַּחַלָּמִישׁ Is. 50:7

1254 הִסְתַּרְתִּי פָנַי רֶגַע מִמֵּךְ Is. 54:8

1255 הַמַּכְעִסִים אוֹתִי עַל־פָּנַי תָּמִיד Is. 65:3

1256 לוֹא־אַפִּיל פָּנַי בָּכֶם Jer. 3:12

1257 חָמָס וָשֹׁד יִשָּׁמַע בָּהּ עַל־פָּנַי תָּמִיד Jer. 6:7

1258 שַׁלַּח מֵעַל־פָּנַי וְיֵצֵאוּ Jer. 15:1

1259 כִּי־שַׂמְתִּי פָנַי בָּעִיר הַזֹּאת Jer. 21:10

1260 הִסְתַּרְתִּי פָנַי מֵהָעִיר הַזֹּאת Jer. 33:5

פָּנַי (המשך)	1261	הִנְנִי שָׂם פָּנַי בָּכֶם	Jer. 44:11
	1262/3	וָאֶפֹּל עַל־פָּנַי...	Ezek. 1:28; 11:13
	1264	וַהֲסִבֹּתִי פָנַי מֵהֶם	Ezek. 7:22
	1265	וָאֶפְּלָה עַל־פָּנַי וָאֶזְעַק וָאֹמַר	Ezek. 9:8
	1266	וְנָתַתִּי פָנַי בָּאִישׁ הַהוּא	Ezek. 14:8
	1267	וְנָתַתִּי אֶת־פָּנַי בָּהֶם	Ezek. 15:7
	1268	בְּשׂוּמִי אֶת־פָּנַי בָּהֶם	Ezek. 15:7
	1269/70	וָאַסְתִּר פָּנַי מֵהֶם	Ezek. 39:23, 24
	1271	וְלֹא־אַסְתִּיר עוֹד פָּנַי מֵהֶם	Ezek. 39:29
	1272	סְבָבוּם מַעַלְלֵיהֶם נֶגֶד פָּנַי הָיוּ	Hosh. 7:2
	1273/4	יְשׁוּעֹת פָּנַי וֵאלֹהָי	Ps. 42:12; 43:5
	1275	וּבֹשֶׁת פָּנַי כִּסָּתְנִי	Ps. 44:16
	1276	וְרוּחַ עַל־פָּנַי יַחֲלֹף	Job 4:15
	1277	אֶעֶזְבָה פָנַי וְאַבְלִיגָה	Job 9:27
	1278	פָּנַי חֳמַרְמְרוּ° מִנִּי־בֶכִי	Job 16:16
	1279	וְאוֹר פָּנַי לֹא יַפִּילוּן	Job 29:24
	1280	נִרְדַּמְתִּי עַל־פָּנַי אָרְצָה	Dan. 8:18
	1281	וָאֶתְּנָה אֶת־פָּנַי אֶל־אֲדֹנָי	Dan. 9:3
	1282	וַאֲנִי הָיִיתִי נִרְדָּם עַל־פָּנַי	Dan. 10:9
	1283	נָתַתִּי פָנַי אַרְצָה וְנֶאֱלָמְתִּי	Dan. 10:15
	1284	בֹּשְׁתִּי...לְהָרִים אֱלֹהַי פָּנַי אֵלֶיךָ	Ez. 9:6
	1285	מַדּוּעַ לֹא־יֵרְעוּ פָנַי	Neh. 2:3
	1286	וְיִתְפַּלְלוּ וִיבַקְשׁוּ פָנַי	IICh. 7:14
פָּנָי	1287	אוּלַי יִשָּׂא פָנָי	Gen. 32:20
	1288	לֹא תֹסִפוּן לִרְאוֹת פָּנָי	Gen. 44:23
	1289/90	לֹא־יִהְיֶה לְךָ אֱלֹהִים אֲחֵרִים עַל(־)פָּנָי	Ex. 20:3 • Deut. 5:7
	1291	לֹא תוּכַל לִרְאֹת אֶת־פָּנָי	Ex. 33:20
	1292	...בְּבֹאֲךָ לִרְאוֹת אֶת־פָּנָי	II Sh. 3:13
	1293	אַל־תָּשִׁבִי אֶת־פָּנָי	IK. 2:16
	1294	אַל־תָּשֶׁב אֶת־פָּנָי	IK. 2:20
	1295	וְאֶת־הַבַּיִת...אֲשַׁלַּח מֵעַל פָּנָי	IK. 9:7
	1296	כִּי תָבֹאוּ לֵרָאוֹת פָּנָי	Is. 1:12
	1297	וְהִשְׁלַכְתִּי אֶתְכֶם מֵעַל פָּנָי	Jer. 7:15
	1298	וְנָטַשְׁתִּי אֶתְכֶם...מֵעַל פָּנָי	Jer. 23:39
	1299	הָעִיר הַזֹּאת...לַהֲסִירָהּ מֵעַל פָּנָי	Jer. 32:31
	1300	וָאֶפֹּל עַל־פָּנָי	Ezek. 3:23
	1301/2	וָאֶפֹּל אֶל־פָּנָי	Ezek. 43:3; 44:4
	1303	עַד אֲשֶׁר־יֶאְשְׁמוּ וּבִקְשׁוּ פָנָי	Hosh. 5:15
	1304	לְךָ אָמַר לִבִּי בַּקְּשׁוּ פָנָי	Ps. 27:8
	1305	כִּסְּתָה כְלִמָּה פָנָי	Ps. 69:8
	1306	נִבְעַתִּי וָאֶפְּלָה עַל־פָּנָי	Dan. 8:17
	1307	וְאֶת־הַבַּיִת...אַשְׁלִיךְ מֵעַל פָּנָי	IICh. 7:20
וּפָנַי	1308	וְרָאִיתָ אֶת־אֲחֹרָי וּפָנַי לֹא יֵרָאוּ	Ex. 33:23
	1309	יִסֹּב אֶל־בֵּיתוֹ וּפָנַי לֹא יִרְאֶה	II Sh. 14:24
	1310	הָיִיתִי נִרְדָּם עַל־פָּנַי וּפָנַי אָרְצָה	Dan. 10:9
בְּפָנַי	1311	וַיָּקָם בִּי כַחֲשִׁי בְּפָנַי יַעֲנֶה	Job 16:8
לְפָנַי	1312-1360	לְפָנַי – עין לִפְנֵי (669-717) באות ל׳	
לְפָנָי	1361-1382	לְפָנָי – עין לִפְנֵי (718-739) באות ל׳	
מִלְּפָנַי	1383-1389	מִלְּפָנַי – עין לִפְנֵי (740-746) באות ל׳	
מִלְּפָנָי	1390-1424	מִלְּפָנָי – עין לִפְנֵי (717-751) באות ל׳	
מִפָּנַי	1425-1430	מִפָּנַי – עין מִפְּנֵי (191-196) באות מ׳	
מִפָּנָי	1431	מִפָּנָי – עין מִפְּנֵי (197) באות מ׳	
וּמִפָּנַי	1432/3	וּמִפָּנַי – עין מִפְּנֵי (198, 199) באות מ׳	
פָּנֶיךָ	1434	לָמָּה חָרָה לָךְ וְלָמָּה נָפְלוּ פָנֶיךָ	Gen. 4:6
	1435	נָשָׂאתִי פָנֶיךָ גַּם לַדָּבָר הַזֶּה	Gen. 19:21
	1436	כִּי־עַל־כֵּן רָאִיתִי פָנֶיךָ	Gen. 33:10
	1437	...אַחֲרֵי רְאוֹתִי אֶת־פָּנֶיךָ	Gen. 46:30
	1438	רְאֹה פָנֶיךָ לֹא פִלָּלְתִּי	Gen. 48:11
	1439	לֹא־אֹסִף עוֹד רְאוֹת פָּנֶיךָ	Ex. 10:29
	1440	אִם־אֵין פָּנֶיךָ הֹלְכִים...	Ex. 33:15
	1441	אַעֲבִיר כָּל־טוּבִי עַל־פָּנֶיךָ	Ex. 33:19
פָּנֶיךָ (המשך)	1442	לָמָּה זֶּה אַתָּה נֹפֵל עַל־פָּנֶיךָ	Josh. 7:10
	1443	כִּי־הִסְתַּרְתָּ פָנֶיךָ מִמֶּנּוּ	Is. 64:6
	1444	מוֹצָא שְׂפָתַי נֹכַח פָּנֶיךָ הָיָה	Jer. 17:16
	1445	הִנֵּה נָתַתִּי אֶת־פָּנֶיךָ חֲזָקִים	Ezek. 3:8
	1446	וַהֲכִינֹתָה אֶת־פָּנֶיךָ אֵלֶיהָ	Ezek. 4:3
	1447	וְאֶל־מְצוֹר יְרוּשָׁלַםִ תָּכִין פָּנֶיךָ	Ezek. 4:7
	1448	שִׂים פָּנֶיךָ אֶל־הָרֵי יִשְׂרָאֵל	Ezek. 6:2
	1449	פָּנֶיךָ תְכַסֶּה וְלֹא תִרְאֶה אֶת־הָאָ׳	Ezek. 12:6
	1450	שִׂים פָּנֶיךָ אֶל־בְּנוֹת עַמְּךָ	Ezek. 13:17
	1451	שִׂים פָּנֶיךָ דֶּרֶךְ תֵּימָנָה	Ezek. 21:2
	1452	שִׂים פָּנֶיךָ אֶל־יְרוּשָׁלַםִ	Ezek. 21:7
	1453	שִׂים פָּנֶיךָ אֶל־בְּנֵי עַמּוֹן	Ezek. 25:2
	1454	שִׂים פָּנֶיךָ אֶל־צִידוֹן	Ezek. 28:20
	1455	שִׂים פָּנֶיךָ עַל־פַּרְעֹה	Ezek. 29:2
	1456	שִׂים פָּנֶיךָ עַל־הַר שֵׂעִיר	Ezek. 35:2
	1457	שִׂים פָּנֶיךָ אֶל־גּוֹג אֶרֶץ הַמָּגוֹג	Ezek. 38:2
	1458	הֲיִרְצְךָ אוֹ הֲיִשָּׂא פָנֶיךָ	Mal. 1:8
	1459	נְסָה־עָלֵינוּ אוֹר פָּנֶיךָ יְיָ	Ps. 4:7
	1460	יִשָּׁפְטוּ גוֹיִם עַל־פָּנֶיךָ	Ps. 9:20
	1461	עַד־אָנָה תַּסְתִּיר אֶת־פָּנֶיךָ מִמֶּנִּי	Ps. 13:2
	1462	שֹׂבַע שְׂמָחוֹת אֶת־פָּנֶיךָ	Ps. 16:11
	1463	אֲנִי בְּצֶדֶק אֶחֱזֶה פָנֶיךָ	Ps. 17:15
	1464	תְּחַדֵּהוּ בְשִׂמְחָה אֶת־פָּנֶיךָ	Ps. 21:7
	1465	תְּשִׁיתֵמוֹ כְּתַנּוּר אֵשׁ לְעֵת פָּנֶיךָ	Ps. 21:10
	1466	מְבַקְשֵׁי פָנֶיךָ יַעֲקֹב	Ps. 24:6
	1467	אֶת־פָּנֶיךָ יְיָ אֲבַקֵּשׁ	Ps. 27:8
	1468/70	אַל־תַּסְתֵּר פָּנֶיךָ מִמֶּנִּי	Ps. 27:9; 102:3; 143:7
	1471	הִסְתַּרְתָּ פָנֶיךָ הָיִיתִי נִבְהָל	Ps. 30:8
	1472	הָאִירָה פָנֶיךָ עַל־עַבְדֶּךָ	Ps. 31:17
	1473	תַּסְתִּירֵם בְּסֵתֶר פָּנֶיךָ	Ps. 31:21
	1474	וְאוֹר פָּנֶיךָ כִּי רְצִיתָם	Ps. 44:4
	1475	לָמָּה פָנֶיךָ תַסְתִּיר	Ps. 44:25
	1476	הַסְתֵּר פָּנֶיךָ מֵחֲטָאָי	Ps. 51:11
	1477	וְאַל־תַּסְתֵּר פָּנֶיךָ מֵעַבְדֶּךָ	Ps. 69:18
	1478/9	וְהָאֵר פָּנֶיךָ וְנִוָּשֵׁעָה	Ps. 80:4, 8
	1480	מִגַּעֲרַת פָּנֶיךָ יֹאבֵדוּ	Ps. 80:17
	1481	הָאֵר פָּנֶיךָ וְנִוָּשֵׁעָה	Ps. 80:20
	1482	לָמָה...תַּסְתִּיר פָּנֶיךָ מִמֶּנִּי	Ps. 88:15
	1483	חֶסֶד וֶאֱמֶת יְקַדְּמוּ פָנֶיךָ	Ps. 89:15
	1484	בְּאוֹר־פָּנֶיךָ יְהַלֵּכוּן	Ps. 89:16
	1485	עֲלֻמֵנוּ לִמְאוֹר פָּנֶיךָ	Ps. 90:8
	1486	תַּסְתִּיר פָּנֶיךָ יִבָּהֵלוּן	Ps. 104:29
	1487	חִלִּיתִי פָנֶיךָ בְכָל־לֵב	Ps. 119:58
	1488	פָּנֶיךָ הָאֵר בְּעַבְדֶּךָ	Ps. 119:135
	1489	יֵשְׁבוּ יְשָׁרִים אֶת־פָּנֶיךָ	Ps. 140:14
	1490	יָצָאתִי לִקְרָאתֶךָ לְשַׁחֵר פָּנֶיךָ	Prov. 7:15
	1491	אִם־לֹא עַל־פָּנֶיךָ יְבָרְכֶךָּ	Job 1:11
	1492	אִם־לֹא אֶל־פָּנֶיךָ יְבָרְכֶךָּ	Job 2:5
	1493	כִּי־אָז תִּשָּׂא פָנֶיךָ מִמּוּם	Job 11:15
	1494	וְחִלּוּ פָנֶיךָ רַבִּים	Job 11:19
	1495	לָמָּה־פָנֶיךָ תַסְתִּיר	Job 13:24
	1496	וְתִשָּׂא אֶל־אֱלוֹהַּ פָּנֶיךָ	Job 22:26
	1497	וְהָאֵר פָּנֶיךָ עַל־מִקְדָּשְׁךָ הַשָּׁמֵם	Dan. 9:17
	1498	מַדּוּעַ פָּנֶיךָ רָעִים וְאַתָּה אֵינְךָ חוֹלֶה	Neh. 2:2
וּפָנֶיךָ	1499	וּפָנֶיךָ הֹלְכִים בַּקְרָב	II Sh. 17:11
בְּפָנֶיךָ	1500	לֹא־יִתְיַצֵּב אִישׁ בְּפָנֶיךָ	Deut. 7:24
	1501	לֹא־יַעֲמֹד אִישׁ מֵהֶם בְּפָנֶיךָ	Josh. 10:8
לְפָנֶיךָ	1502-1508	לְפָנֶיךָ – עין לִפְנֵי (752-858) באות ל׳	
וּלְפָנֶיךָ	1509/10	וּלְפָנֶיךָ – עין לִפְנֵי (859-860) באות ל׳	
מִלְּפָנֶיךָ	1511-1520	מִלְּפָנֶיךָ – עין לִפְנֵי (861-870) באות ל׳	
מִפָּנֶיךָ	1521-1549	מִפָּנֶיךָ – עין מִפְּנֵי (200-228) באות מ׳	
וּמִפָּנֶיךָ	1550	וּמִפָּנֶיךָ – עין מִפְּנֵי (229) באות מ׳	
פָּנַיִךְ	1551	אָנָה פָּנַיִךְ מֻעָדוֹת	Ezek. 21:21
	1552	עָלָה מֵפִיץ עַל־פָּנַיִךְ	Nah. 2:2
	1553	פָּנַיִךְ יְחַלּוּ עֲשִׁירֵי עָם	Ps. 45:13
פָּנָיִךְ	1554	שָׁמַעְתִּי בְקוֹלֵךְ וָאֶשָּׂא פָּנָיִךְ	I Sh. 25:35
	1555	כִּי לֹא־יָשִׁיב אֶת־פָּנָיִךְ	IK. 2:17
	1556	כִּי לֹא־אָשִׁיב אֶת־פָּנָיִךְ	IK. 2:20
	1557	חָשַׂפְתִּי שׁוּלַיִךְ עַל־פָּנָיִךְ	Jer. 13:26
	1558	וְגִלֵּיתִי שׁוּלַיִךְ עַל־פָּנָיִךְ	Nah. 3:5
פָּנָיו	1559	וַיִּחַר לְקַיִן מְאֹד וַיִּפְּלוּ פָּנָיו	Gen. 4:5
	1560/1	וַיִּפֹּל אַבְרָם עַל־פָּנָיו	Gen. 17:3, 17
	1562	וַיָּשֶׂם אֶת־פָּנָיו הַר הַגִּלְעָד	Gen. 31:21
	1563	אֲכַפְּרָה פָנָיו בַּמִּנְחָה	Gen. 32:20
	1564	וְאַחֲרֵי־כֵן אֶרְאֶה פָנָיו	Gen. 32:20
	1565	וַתַּעֲבֹר הַמִּנְחָה עַל־פָּנָיו	Gen. 32:21
	1566	וַיִּרְחַץ פָּנָיו וַיֵּצֵא	Gen. 43:31
	1567	וַיִּשָּׂא מַשְׂאֹת מֵאֵת פָּנָיו אֲלֵהֶם	Gen. 43:34
	1568	וַיַּסְתֵּר מֹשֶׁה פָּנָיו	Ex. 3:6
	1569	וְנָתַתָּה...אֶל־מוּל פָּנָיו	Ex. 28:25
	1570/1	מִמּוּל פָּנָיו לְעֻמַּת מַחְבַּרְתּוֹ	Ex. 28:27; 39:20
	1572	וַיַּעֲבֹר יְיָ עַל־פָּנָיו וַיִּקְרָא	Ex. 34:6
	1573/4	קָרַן עוֹר פָּנָיו	Ex. 34:29, 30
	1575	וַיִּתֵּן עַל־פָּנָיו מַסְוֶה	Ex. 34:33
	1576	וְהֵשִׁיב מֹשֶׁה אֶת־הַמַּסְוֶה עַל־פָּנָיו	Ex. 34:35
	1577	וַיִּתְּנֻם...אֶל־מוּל פָּנָיו	Ex. 39:18
	1578	וַיָּשֶׂם...אֶל־מוּל פָּנָיו אֵת צִיץ הַזָּ׳	Lev. 8:9
	1579	וְאִם מִפְּאַת פָּנָיו יִמָּרֵט רֹאשׁוֹ	Lev. 13:41
	1580	יָאֵר יְיָ פָּנָיו אֵלֶיךָ	Num. 6:25
	1581	יִשָּׂא יְיָ פָּנָיו אֵלֶיךָ	Num. 6:26
	1582	וַיִּשְׁמַע מֹשֶׁה וַיִּפֹּל עַל־פָּנָיו	Num. 16:4
	1583	וַיָּשֶׁת אֶל־הַמִּדְבָּר פָּנָיו	Num. 24:1
	1584	וּמְשַׁלֵּם לְשֹׂנְאָיו אֶל־פָּנָיו לְהַאֲבִידוֹ	Deut. 7:10
	1585	אֶל־פָּנָיו יְשַׁלֶּם־לוֹ	Deut. 7:10
	1586	וַיִּפֹּל יְהוֹשֻׁעַ אֶל־פָּנָיו אַרְצָה	Josh. 5:14
	1587/8	וַיִּפֹּל עַל־פָּנָיו אַרְצָה	Josh. 7:6 • ISh. 17:49
	1589	וַיִּפֹּל עַל־פָּנָיו וַיִּשְׁתָּחוּ	II Sh. 9:6
	1590	וַיִּפֹּל יוֹאָב אֶל־פָּנָיו אַרְצָה	II Sh. 14:22
	1591	וְהַמֶּלֶךְ לָאַט אֶת־פָּנָיו	II Sh. 19:5
	1592	וַיַּסֵּב הַמֶּלֶךְ אֶת־פָּנָיו	IK. 8:14
	1593	וַיַּכִּרֵהוּ וַיִּפֹּל עַל־פָּנָיו וַיֹּאמֶר	IK. 18:7
	1594	וַיָּשֶׂם פָּנָיו בֵּין בִּרְכָּו	IK. 18:42
	1595	וַיָּלֶט פָּנָיו בְּאַדַּרְתּוֹ	IK. 19:13
	1596	וַיַּסֵּב אֶת־פָּנָיו	IK. 21:4
	1597	וַיַּעֲמֵד אֶת־פָּנָיו	IIK. 8:11
	1598	וַיִּקַּח הַמַּכְבֵּר...וַיִּפְרֹשׂ עַל־פָּנָיו	IIK. 8:15
	1599	וַיִּשָּׂא פָנָיו אֶל־הַחַלּוֹן	IIK. 9:32
	1600	וַיָּשֶׂם חֲזָאֵל פָּנָיו לַעֲלוֹת עַל־יְרוּ׳	IIK. 12:18
	1601	וַיֵּבְךְּ עַל־פָּנָיו וַיֹּאמַר	IIK. 13:14
	1602	וְלֹא־הִשְׁלִיכָם מֵעַל־פָּנָיו	IIK. 13:23
	1603	וַיִּתְאַנַּף...וַיְסִרֵם מֵעַל פָּנָיו	IIK. 17:18
	1604	עַד אֲשֶׁר־הֵסִיר...מֵעַל פָּנָיו	IIK. 17:23
	1605	וַיַּסֵּב אֶת־פָּנָיו אֶל־הַקִּיר	IIK. 20:2
	1606	עַל־פִּי יְיָ...לְהָסִיר מֵעַל פָּנָיו	IIK. 24:3
	1607	עַד־הִשְׁלִכוֹ אֹתָם מֵעַל פָּנָיו	IIK. 24:20
	1608	בִּשְׁתַּיִם יְכַסֶּה פָנָיו	Is. 6:2
	1609	הַמַּסְתִּיר פָּנָיו מִבֵּית יַעֲקֹב	Is. 8:17
	1610	וְלֹא עַתָּה פָּנָיו יֶחֱוָרוּ	Is. 29:22
	1611	וַיַּסֵּב חִזְקִיָּהוּ פָּנָיו אֶל־הַקִּיר	Is. 38:2
	1612	וּמַלְאַךְ פָּנָיו הוֹשִׁיעָם	Is. 63:9
	1613	עַד־הִשְׁלִיכוֹ אוֹתָם מֵעַל פָּנָיו	Jer. 52:3
	1614/5	אִישׁ אֶל־עֵבֶר פָּנָיו יֵלֵכוּ	Ezek. 1:9; 10:22
	1616	וְאִישׁ אֶל־עֵבֶר פָּנָיו יֵלֵכוּ	Ezek. 1:12
	1617	אוֹפַן אֶחָד...לְאַרְבַּעַת פָּנָיו	Ezek. 1:15

פָּנָיו (המשך) 1618 פָּנָיו יְכַסֶּה יַעַן אֲשֶׁר לֹא־יִרְאֶה Ezek. 12:12
1619/20 וּמִכְשׁוֹל עֲוֹנוֹ יָשִׂים נֹכַח פָּנָיו Ezek.14:4,7
1621 אֲשֶׁר פָּנָיו דֶּרֶךְ הַקָּדִימָה Ezek. 40:6
1622 אֲשֶׁר פָּנָיו דֶּרֶךְ הַצָּפוֹן Ezek. 40:20
1625-1623 פָּנָיו דֶּרֶךְ הַקָ׳ Ezek. 40:22; 42:15; 43:4
1626 פָּנָיו אֶל־הַיָּם הַקַּדְמֹנִי Joel 2:20
1627 וְיַסְתֵּר פָּנָיו מֵהֶם בָּעֵת הַהִיא Mic. 3:4
1628 הִסְתִּיר פָּנָיו בַּל־רָאָה לָנֶצַח Ps. 10:11
1629 קוּמָה יְיָ קַדְּמָה פָנָיו הַכְרִיעֵהוּ Ps. 17:13
1630 וְלֹא־הִסְתִּיר פָּנָיו מִמֶּנּוּ Ps. 22:25
1631 כִּי־עוֹד אוֹדֶנּוּ יְשׁוּעוֹת פָּנָיו Ps. 42:6
1632 יָאֵר פָּנָיו אִתָּנוּ Ps. 67:2
1633 נְקַדְּמָה פָנָיו בְּתוֹדָה Ps. 95:2
1634 בַּקְּשׁוּ פָנָיו תָּמִיד Ps. 105:4
1635 כָּסּוּ פָנָיו חֲרֻלִּים Prov. 24:31
1636 אַךְ־דְּרָכַי אֶל־פָּנָיו אוֹכִיחַ Job 13:15
1637 מְשַׁנֶּה פָנָיו וַתְּשַׁלְּחֵהוּ Job 14:20
1638 כִּי־כִסָּה פָנָיו בְּחֶלְבּוֹ Job 15:27
1639 מִי־יַגִּיד עַל־פָּנָיו דַּרְכּוֹ Job 21:31
1640 וַיַּרְא פָּנָיו בִּתְרוּעָה Job 33:26
1641 דַּלְתֵי פָנָיו מִי פִתֵּחַ Job 41:6
1642 כִּי אִם־פָּנָיו אֶשָּׂא... Job 42:8
1643 חָכְמַת אָדָם תָּאִיר פָּנָיו Eccl. 8:1
1644 וְעֹז פָּנָיו יְשֻׁנֶּא Eccl. 8:1
1645 וְיָשֵׂם פָּנָיו לָבוֹא בְּתֹקֶף... Dan. 11:17
1646 וְיָשֵׁם° פָּנָיו לְאִיִּים וְלָכַד רַבִּים Dan. 11:18
1647 וְיָשֵׁב פָּנָיו לְמָעוּזֵּי אַרְצוֹ Dan. 11:19
1648 בַּקְּשׁוּ פָנָיו תָּמִיד ICh. 16:11
1649 וַיַּסֵּב הַמֶּלֶךְ אֶת־פָּנָיו IICh. 6:3
1650 וַיֵּצֵא אֶל־פְּנֵי יֵהוּא IICh. 19:2
1651 וַיִּתֵּן יְהוֹשָׁפָט אֶת־פָּנָיו IICh. 20:3
1652 וְלֹא־הֵסֵב יֹאשִׁיָּהוּ פָנָיו IICh. 35:22
וּפָנָיו 1653 וּפָנָיו מִפְּנֵי צָפוֹנָה Jer. 1:13
1654 וּפָנָיו כְּמַרְאֵה בָרָק Dan. 10:6
1655 וּפָנָיו לַמִּלְחָמָה עַל־יְרוּשָׁלָ͏ִם IICh. 32:2
הֲפָנָיו 1656 הֲפָנָיו תִּשָּׂאוּן אִם־לָאֵל תְּרִיבוּן Job 13:8
בְּפָנָיו 1657 וַיּוֹצִאֲךָ בְּפָנָיו בְּכֹחוֹ הַגָּדֹל Deut. 4:37
1658 וְחָלְצָה נַעֲלוֹ...וְיָרְקָה בְּפָנָיו Deut. 25:9
1659/60 וְעָנָה גְאוֹן־יִשְׂרָאֵל בְּפָנָיו Hosh.5:5;7:10
1661 הֵעֵז אִישׁ רָשָׁע בְּפָנָיו Prov. 21:29
לְפָנָיו 1778-1662 לְפָנָיו – עין לִפְנֵי (871-987) באות ל׳
וּלְפָנָיו 1779/80 וּלְפָנָיו – עין לִפְנֵי (988-989) באות ל׳
מִלְּפָנָיו 1788-1781 מִלְּפָנָיו – עין לִפְנֵי (990-997) באות ל׳
מִפָּנָיו 1811-1789 מִפָּנָיו – עין מִפְּנֵי (230-252) באות מ׳
פָּנֶיהָ 1812 וַיַּחְשְׁבֶהָ לְזוֹנָה כִּי כִסְּתָה פָּנֶיהָ Gen. 38:15
1813 וְהֵאִיר עַל־עֵבֶר פָּנֶיהָ Ex. 25:37
1814 וַתִּפֹּל לְאַפֵּי דָוִד עַל־פָּנֶיהָ ISh. 25:23
1815 מָחָה וְהָפַךְ עַל־פָּנֶיהָ IIK. 21:13
1816 וְעִוָּה פָנֶיהָ וְהֵפִיץ יֹשְׁבֶיהָ Is. 24:1
1817 הֲלוֹא אִם־שִׁוָּה פָנֶיהָ Is. 28:25
1818 אֲשֶׁר פָּנֶיהָ דֶּרֶךְ הַדָּרוֹם Ezek. 40:45
1819 אֲשֶׁר פָּנֶיהָ דֶּרֶךְ הַצָּפוֹן Ezek. 40:46
1820 הֵעֵזָה פָנֶיהָ וַתֹּאמַר לוֹ Prov. 7:13
1821 וַתִּפֹּל עַל־פָּנֶיהָ וַתִּשְׁתַּחוּ אָרְצָה Ruth 2:10
וּפָנֶיהָ 1822 וּפָנֶיהָ לֹא־הָיוּ־לָהּ עוֹד ISh. 1:18
בְּפָנֶיהָ 1823 וְאָבִיהָ יָרֹק יָרַק בְּפָנֶיהָ Num. 12:14
לְפָנֶיהָ 1833-1824 לְפָנֶיהָ – עין לִפְנֵי (998-1007) באות ל׳
מִפָּנֶיהָ 1834/5 מִפָּנֶיהָ – עין מִפְּנֵי (253-254) באות מ׳
פָּנֵינוּ 1836 כִּסְּתָה כְלִמָּה פָּנֵינוּ Jer. 51:51
לְפָנֵינוּ 1842-1837 לְפָנֵינוּ – עין לִפְנֵי (1008-1013) באות ל׳
מִלְּפָנֵינוּ 1843 מִלְּפָנֵינוּ – עין לִפְנֵי (1014) באות ל׳
מִפָּנֵינוּ 1848-1844 מִפָּנֵינוּ – עין מִפְּנֵי (255-259) באות מ׳

פְּנֵיכֶם 1849 מַדּוּעַ פְּנֵיכֶם רָעִים הַיּוֹם Gen. 40:7
1850 רְאוּ כִּי רָעָה נֶגֶד פְּנֵיכֶם Ex. 10:10
1851 וּבַעֲבוּר תִּהְיֶה יִרְאָתוֹ עַל־פְּנֵיכֶם Ex.20:17
1852 תְּשִׂמוּן פְּנֵיכֶם לָבֹא מִצְרַיִם Jer. 42:15
1853 וּמֵעַל...תּוֹעֲבֹתֵיכֶם הָשִׁיבוּ פְנֵיכ׳ Ezek.14:6
1854 וְזֵרִיתִי פֶרֶשׁ עַל־פְּנֵיכֶם Mal. 2:3
1855 וְעַל־פְּנֵיכֶם אִם־אֲכַזֵּב Job 6:28
1856 לָמָּה יִרְאֶה אֶת־פְּנֵיכֶם זֹעֲפִים Dan. 1:10
בִּפְנֵיכֶם 1857 לֹא־יִתְיַצֵּב אִישׁ בִּפְנֵיכֶם Deut. 11:25
1858 לֹא־עָמַד אִישׁ בִּפְנֵיכֶם Josh. 23:9
1859/60 וּנְקֹטֹתֶם בִּפְנֵיכֶם Ezek. 20:43; 36:31
לִפְנֵיכֶם 1889-1861 לִפְנֵיכֶם – עין לִפְנֵי (1015-1043) באות ל׳
מִלִּפְנֵיכֶם 1892-1890 מִלִּפְנֵיכֶם–עין לִפְנֵי (1044-1046) באות ל׳
מִפְּנֵיכֶם 1911-1893 מִפְּנֵיכֶם – עין מִפְּנֵי (260-278) באות מ׳
פְּנֵיהֶם 1912 וַיִּפְּלוּ עַל־פְּנֵיהֶם Lev. 9:24
1913 וַיִּפֹּל מֹשֶׁה וְאַהֲרֹן עַל־פְּנֵיהֶם Num. 14:5
1916-1914 וַיִּפְּלוּ עַל־פְּנֵיה׳ Num.16:22;17:10;20:6
1917 הֵצִיף אֶת־מֵי יַם־סוּף עַל־פְּנֵיהֶם Deut. 11:4
1918 וַיִּפְּלוּ עַל־פְּנֵיהֶם אָרְצָה Jud. 13:20
1919 וַיִּקְרְאוּ אֶל־בְּנֵי־דָן וַיַּסֵּבּוּ פְּנֵיהֶם Jud. 18:23
1920 וְעָלַי שָׂמוּ...פְּנֵיהֶם לִמְלֹךְ IK. 2:15
1921 ...וְאוּלָם עַל־פְּנֵיהֶם IK. 7:6
1922 וְעַמֻּדִים וְעָב עַל־פְּנֵיהֶם IK. 7:6
1923 וַיִּפְּלוּ עַל־פְּנֵיהֶם IK. 18:39
1924 הַכָּרַת פְּנֵיהֶם עָנְתָה בָּם Is. 3:9
1925 חֲכָמִים בְּעֵינֵיהֶם וְנֶגֶד פְּנֵיהֶם נְבֹנִים Is. 5:21
1926 פְּנֵי לְהָבִים פְּנֵיהֶם Is. 13:8
1927 חִזְּקוּ פְנֵיהֶם מִסֶּלַע מֵאֲנוּ לָשׁוּב Jer. 5:3
1928 לְמַעַן בֹּשֶׁת פְּנֵיהֶם Jer. 7:19
1929 אֲשֶׁר־שָׂמוּ אֶת־פְּנֵיהֶם לָבוֹא Jer. 42:17
1930 אֲשֶׁר־שָׂמוּ פְנֵיהֶם לָבוֹא אֶ׳־מִצ׳ Jer. 44:12
1931 צִיּוֹן יִשְׁאָלוּ דֶּרֶךְ הֵנָּה פְנֵיהֶם Jer. 50:5
1932 וּדְמוּת פְּנֵיהֶם פְּנֵי אָדָם Ezek. 1:10
1933 נָתַתִּי...פָּנֶיךָ חֲזָקִים לְעֻמַּת פְּנֵיהֶם Ezek. 3:8
1934 וּדְמוּת פְּנֵיהֶם הֵמָּה הַפָּנִים... Ezek. 10:22
1935 וּמִכְשׁוֹל עֲוֹנָם נָתְנוּ נֹכַח פְּנֵיהֶם Ezek. 14:3
1936 בְּעוֹפְפִי חַרְבִּי עַל־פְּנֵיהֶם Ezek. 32:10
1937 מְגַמַּת פְּנֵיהֶם קָדִימָה Hab. 1:9
1938 בְּמֵיתָרֶיךָ תְּכוֹנֵן עַל־פְּנֵיהֶם Ps. 21:13
1939 מַלֵּא פְנֵיהֶם קָלוֹן Ps. 83:17
1940 פְּנֵיהֶם חֲבֹשׁ בַּטָּמוּן Job 40:13
1941 וּפְנֵי אַרְיֵה פְּנֵיהֶם ICh. 12:8(9)
1942 וַיִּפֹּל דָּוִיד וְהַזְּקֵנִים...עַל־פְּנֵיהֶם ICh. 21:16
1943 וַיַּסֵּבּוּ פְנֵיהֶם מִמִּשְׁכַּן יְיָ IICh. 29:6
וּפְנֵיהֶם 1944 וַיְכַסּוּ...וּפְנֵיהֶם אֲחֹרַנִּית Gen. 9:23
1945/6 וּפְנֵיהֶם אִישׁ אֶל־אָחִיו Ex. 25:20; 37:9
1947 וּפְנֵיהֶם וְכַנְפֵיהֶם לְאַרְבַּעְתָּם Ezek. 1:8
1948 וּפְנֵיהֶם וְכַנְפֵיהֶם פְּרֻדוֹת מִלְמָעְלָה Ezek.1:11
1949 אֲחֹרֵיהֶם אֶל...וּפְנֵיהֶם קֵדְמָה Ezek. 8:16
1950 וּפְנֵיהֶם דֶּרֶךְ הַדָּרוֹם Ezek. 40:44
1951 וּפְנֵיהֶם אַל־יֶחְפָּרוּ Ps. 34:6
1952 עֹמְדִים...וּפְנֵיהֶם לַבָּיִת IICh. 3:13
בִּפְנֵיהֶם 1953 וְלֹא־עָמַד אִישׁ בִּפְנֵיהֶם Josh. 21:42
1954 וְנָקֹטּוּ בִּפְנֵיהֶם אֶל־הָרָעוֹת Ezek. 6:9
לִפְנֵיהֶם 2009-1955 לִפְנֵיהֶם – עין לִפְנֵי (1047-1101) באות ל׳
וְלִפְנֵיהֶם 2010/1 וְלִפְנֵיהֶם – עין לִפְנֵי (1102-1103) באות ל׳
מִפְּנֵיהֶם 2038-2012 מִפְּנֵיהֶם – עין מִפְּנֵי (279-305) באות מ׳
וּמִפְּנֵיהֶם 2039 וּמִפְּנֵיהֶם – עין מִפְּנֵי (306) באות מ׳
פָּנֵימוֹ 2040 יָשָׁר יֶחֱזוּ פָנֵימוֹ Ps. 11:7

פְּנִים

ז׳ א) בְּתוֹךְ, בְּקֶרֶב, הֵפֶךְ מִן ״בַּחוּץ״: 1, 7-14
ב) [פְּנִימָה] כְּלַפֵּי הַתּוֹךְ, הֵפֶךְ מִן ״חוּצָה״: 2-6

מִלִּפְנִים 1 וּפְטוּרֵי צִצִּים מִלִּפְנִים IK. 6:29
פְּנִימָה 2 לֹא־הוּבָא...אֶל־הַקֹּדֶשׁ פְּנִימָה Lev. 10:18
3 וְאֶרֶז אֶל־הַבַּיִת פְּנִימָה IK. 6:18
4 וַיַּגִּידוּ בֵּית הַמֶּלֶךְ פְּנִימָה IIK. 7:11
5 כָּל־כְּבוּדָּה בַת־מֶלֶךְ פְּנִימָה Ps. 45:14
6 וַיָּבוֹאוּ פְנִימָה אֶל־חִזְקִיָּהוּ הַמֶּלֶךְ IICh. 29:18
לִפְנִימָה 7 צִפָּה זָהָב לִפְנִימָה וְלַחִיצוֹן IK. 6:30
8 וְחַלּוֹנוֹת אֲטֻמוֹת...לִפְנִימָה Ezek. 40:16
9 וְחַלּוֹנוֹת סָבִיב סָבִיב לִפְנִימָה Ezek. 40:16
10 וּבָא לִפְנִימָה וַיָּמָד אֵיל־הַפֶּתַח Ezek. 41:3
11 וַיָּבֹאוּ הַכֹּהֲנִים לִפְנִימָה בֵית־יְיָ IICh. 29:16
מִפְּנִימָה 12 וּדְבִיר בְּתוֹךְ־הַבַּיִת מִפְּנִימָה הֵכִין IK. 6:19
13 וַיְצַף...אֶת־הַבַּיִת מִפְּנִימָה זָהָב סָגוּר IK. 6:21
14 וַיְצַפֵּהוּ מִפְּנִימָה זָהָב IICh. 3:4

פְּנִים

(זכריה יד10) – רִבּוּי־מִשְׁנֶה שֶׁל ״פִּנָּה״ – עין פִּנָּה (30)

פְּנִימִי

ת׳ שֶׁהוּא בִּפְנִים, הֵפֶךְ מִן ״חִיצוֹן״: 1-32
– הַפְּנִימִי וְהַחִיצוֹן 16
– הַבַּיִת הַפְּנִימִי 1, 2, 14, 15; הַהֵיכָל הַפְּ׳ 13; הֶחָצֵר הַפְּנִימִי 4-11; הַשַּׁעַר הַפְּנִימִי 3, 12, (19)
– הֶחָצֵר (חֲצַר...) הַפְּנִימִית 17, 18, 20, 21, 23-30
– הַחֲדָרִים הַפְּנִימִיִּים 31; הַדְּלָתוֹת הַפְּנִימִיּוֹת 32

הַפְּנִימִי 1 וַיִּתֵּן...בְּתוֹךְ הַבַּיִת הַפְּנִימִי IK. 6:27
2 לְדַלְתוֹת הַבַּיִת הַפְּנִימִי לְקֹדֶשׁ הַקֳּדָ׳ IK. 7:50
3 עַל־לִפְנֵי אֻלָם הַשַּׁעַר הַפְּנִימִי Ezek. 40:15
4 לִפְנֵי הֶחָצֵר הַפְּנִימִי מִחוּץ Ezek. 40:19
11-5 (בֶּ/הֶ/לֶ)חָצֵר הַפְּנִימִי Ezek. 40:23
40:27, 28, 32, 44; 42:3; 43:5
12 וּמִחוּצָה לַשַּׁעַר הַפְּנִימִי Ezek. 40:44
13 וְהַהֵיכָל הַפְּנִימִי וְאֻלַמֵּי הֶחָצֵר Ezek. 41:15
14 וְעַד־הַבַּיִת הַפְּנִימִי וְלַחוּץ Ezek. 41:17
15 וְכִלָּה אֶת־מִדּוֹת הַבַּיִת הַפְּנִימִי Ezek. 42:15
בַּפְּנִימִי 16 בַּפְּנִימִי וּבַחִיצוֹן מִדּוֹת Ezek. 41:17
הַפְּנִימִית 17 וַיִּבֶן אֶת הֶחָצֵר הַפְּנִימִית IK. 6:36
18 וְלַחֲצַר בֵּית־יְיָ הַפְּנִימִית IK. 7:12
19 אֶל־פֶּתַח שַׁעַר הַפְּנִימִית Ezek. 8:3
20 וַיָּבֵא...אֶל־חֲצַר בֵּית־יְיָ הַפְּנִימִית Ezek. 8:16
21 וְהֶעָנָן מָלֵא אֶת־הֶחָצֵר הַפְּנִימִית Ezek. 10:3
22 מַהֲלַךְ עֶשֶׂר אַמּוֹת...אֶל־הַפְּנִימִית Ezek. 42:4
23 בְּבוֹאָם אֶל־שַׁעֲרֵי הֶחָצֵר הַפְּנִימִית Ezek. 44:17
29-24 הֶחָצֵר הַפְּנִימִית Ezek. 44:17, 21, 27
45:19; 46:1 • Es. 4:11
30 וַתַּעֲמֹד בַּחֲצַר בֵּית־הַמֶּ׳ הַפְּנִימִית Es. 5:1
הַפְּנִימִיִּים 31 וַחֲדָרָיו הַפְּנִימִיִּם וּבֵית הַכַּפֹּרֶת ICh. 28:11
הַפְּנִימִיּוֹת 32 דַּלְתוֹתָיו הַפְּנִימִיּוֹת לְקֹדֶשׁ הַקֳּדָ׳ IICh. 4:22

פְּנִינִים

נ״ר(?) – מרגליות, אבני חן(?), סמל לדבר יקר ביותר: 1-6

פְּנִינִים 1 יֵשׁ זָהָב וְרָב־פְּנִינִים Prov. 20:15
מִפְּנִינִים 2 יְקָרָה הִיא מִפְּנִינִים (כת׳ מפניים) Prov. 3:15
3 כִּי־טוֹבָה חָכְמָה מִפְּנִינִים Prov. 8:11
4 וְרָחֹק מִפְּנִינִים מִכְרָהּ Prov. 31:10
5 ...וּמֶשֶׁךְ חָכְמָה מִפְּנִינִים Job 28:18
6 ...אָדְמוּ עֶצֶם מִפְּנִינִים Lam. 4:7

פְּנִנָּה

שפ״נ – אשתו השניה של אלקנה: 1-3

פְּנִנָּה 1 שֵׁם אַחַת חַנָּה וְשֵׁם הַשֵּׁנִית פְּנִנָּה ISh. 1:2
לִפְנִנָּה 2 וַיְהִי לִפְנִנָּה יְלָדִים ISh. 1:2
3 וְנָתַן לִפְנִנָּה אִשְׁתּוֹ...מָנוֹת ISh. 1:4

פנק

פ׳ עִדֵּן, עִנֵּג

מְפַנֵּק 1 מְפַנֵּק מִנֹּעַר עַבְדּוֹ Prov. 29:21

פַּס*[1] ז׳ רצועה? [רק בּרבּוּי וּבצרוּף ״כְּתֹנֶת פַּסִּים״]: 1-5

פַּסִּים 1 וְעָשָׂה לוֹ כְּתֹנֶת פַּסִּים Gen. 37:3
2 וְעָלֶיהָ כְּתֹנֶת פַּסִּים II Sh. 13:18
הַפַּסִּים 3 אֶת־כְּתֹנֶת הַפַּסִּים אֲשֶׁר עָלָיו Gen. 37:23
4 וַיְשַׁלְּחוּ אֶת־כְּתֹנֶת הַפַּסִּים Gen. 37:32
5 וּכְתֹנֶת הַפַּסִּים אֲשֶׁר עָלֶיהָ קָרָעָה II Sh. 13:19

פַּס[2] ז׳ ארמית: חֵלֶק, קָצֶה: 1, 2

פַּס 1 וּמַלְכָּא חָזֵה פַּס יְדָא דִּי כָתְבָה Dan. 5:5
פַּסָּא 2 מִן־קֳדָמוֹהִי שְׁלִיחַ פַּסָּא דִי יְדָא Dan. 5:24

פַּס דַּמִּים – עין אֶפֶס־דַּמִּים

פסג : פִּסֵּג; פִּסְגָּה

פִּסֵּג פִּ׳ עָלָה, התרומם(?)

פַּסְּגוּ 1 שִׁיתוּ לִבְּכֶם לְחֵילָה פַּסְּגוּ אַרְמְנוֹתֶיהָ Ps. 48:14

פִּסְגָּה ש״פ – שם הר מהרי העֲבָרים: 1-8

אַשְׁדּוֹת הַפִּסְגָּה 3, 4, 7, 8; רֹאשׁ הַפִּסְגָּה 1, 2, 5, 6

הַפִּסְגָּה 1 וּמִבָּמוֹת הַגַּיְא...רֹאשׁ הַפִּסְגָּה Num. 21:20
2 שְׂדֵה צֹפִים אֶל־רֹאשׁ הַפִּסְגָּה Num. 23:14
3-4 תַּחַת אַשְׁדֹּת הַפִּסְגָּה Deut. 3:17; 4:49
5 עֲלֵה רֹאשׁ הַפִּסְגָּה Deut. 3:27
6 וַיַּעַל...אֶל־הַר נְבוֹ רֹאשׁ הַפִּסְגָּה Deut. 34:1
7 וּמִתֵּימָן תַּחַת אַשְׁדּוֹת הַפִּסְגָּה Josh. 12:3
8 וּבֵית פְּעוֹר וְאַשְׁדּוֹת הַפִּסְגָּה Josh. 13:20

פִּסָּה* נ׳ רוֹב, שפע(?)

פִּסַּת־ 1 יְהִי פִסַּת־בַּר בָּאָרֶץ Ps. 72:16

פַּסּוּ (תהלים יב2) – עין פָּסַס

פסח : פָּסַח, נִפְסַח, פִּסֵּחַ; פִּסֵּחַ, פֶּסַח; ש״פ פָּסֵחַ, תִּפְסַח

פָּסַח פָּ׳ א) דלג, עָבר: 1-5
ב) [נפ׳ נִפְסַח] צָלַע על רגלו: 6
ג) [פִּסֵּחַ] דלג, קָפץ: 7

פָּסוֹחַ 1 גָּנוֹן וְהִצִּיל פָּסֹחַ וְהִמְלִיט Is. 31:5
וּפָסַחְתִּי 2 וְרָאִיתִי אֶת־הַדָּם וּפָסַחְתִּי עֲלֵכֶם Ex. 12:13
פָּסַח 3 אֲשֶׁר פָּסַח עַל־בָּתֵּי בְנֵי יִשְׂרָאֵל Ex. 12:27
וּפָסַח 4 וּפָסַח יְיָ עַל־הַפֶּתַח Ex. 12:23
פּוֹסְחִים 5 פֹּסְחִים עַל־שְׁתֵּי הַסְּעִפִּים IK. 18:21
וַיִּפָּסֵחַ 6 וַיְהִי בְּחָפְזָהּ לָנוּס וַיִּפֹּל וַיִּפָּסֵחַ II Sh. 4:4
וַיְפַסְּחוּ 7 וַיְפַסְּחוּ עַל־הַמִּזְבֵּחַ אֲשֶׁר עָשָׂה IK. 18:26

פֶּסַח ז׳ א) זבח שזבחוּ בני ישראל ואכָלוּהוּ צלי
בליל ט״ו בּניסן לזכר יציאת מצרים:
רוֹב המקראוֹת 1-49
ב) [בּהרחבה] כּנוּי לחג המצוֹת: 36, 40

– זֶבַח פֶּסַח 2; חַג הַפֶּסַח 36; חֻקַּת הַפֶּסַח 17, 19, 35; מִמָּחֳרַת הַפֶּסַח 23; שְׁחִיטַת פְּסָחִים 46

– אָכַל הַפֶּסַח 1, 29; בִּשֵּׁל הַפֶּסַח 30; זָבַח הַפֶּ׳ 9, 21, 39; עָשָׂה פֶּסַח 3, 5, 6, 8, 10-16, 18, 22, 24, 26, 31-33, 37, 38, 44, 45; שָׁחַט הַפֶּסַח 25, 27, 28, 34, 42, 43

פֶּסַח 1 וַאֲכַלְתֶּם...פֶּסַח הוּא לַיְיָ Ex. 12:11
2 זֶבַח־פֶּסַח הוּא לַיְיָ Ex. 12:27
3 וְעָשָׂה פֶסַח לַיְיָ Ex. 12:48
4 בַּחֹדֶשׁ הָרִאשׁוֹן...פֶּסַח לַיְיָ Lev. 23:5
5-6 וְעָשָׂה פֶסַח לַיְיָ Num. 9:10, 14
7 וּבַחֹדֶשׁ הָרִאשׁוֹן...פֶּסַח לַיְיָ Num. 28:16
8 וְעָשִׂיתָ פֶּסַח לַיְיָ אֱלֹהֶיךָ Deut. 16:1
9 וְזָבַחְתָּ פֶּסַח לַיְיָ אֱלֹהֶיךָ Deut. 16:2
10 עֲשׂוּ פֶסַח לַיְיָ אֱלֹהֵיכֶם IIK. 23:21

פֶּסַח (המשך) 11/2 לַעֲשׂוֹת פֶּסַח לַיְיָ אֱלֹהֵי(-)יִשְׂרָ׳ IICh. 30:1,5
13 וַיַּעַשׂ יֹאשִׁיָּהוּ בִירוּשָׁלַם פֶּסַח לַיְיָ IICh. 35:1
14 וְלֹא־נַעֲשָׂה פֶסַח כָּמֹהוּ בְּיִשְׂרָאֵל IICh. 35:18
הַפֶּסַח 15 וַיַּעֲשׂוּ אֶת־הַפֶּסַח בָּרִאשׁוֹן Num. 9:5
16 וְלֹא־יָכְלוּ לַעֲשֹׂת־הַפֶּסַח Num. 9:6
17 כְּכָל־חֻקַּת הַפֶּסַח יַעֲשׂוּ אֹתוֹ Num. 9:12
18 וְחָדַל לַעֲשׂוֹת הַפֶּסַח Num. 9:13
19 כְּחֻקַּת הַפֶּסַח וּכְמִשְׁפָּטוֹ Num. 9:14
20 מִמָּחֳרַת הַפֶּסַח יָצְאוּ בְנֵי־יִשְׂרָאֵל Num. 33:3
21 שָׁם תִּזְבַּח אֶת־הַפֶּסַח בָּעָרֶב Deut. 16:6
22 וַיַּעֲשׂוּ אֶת־הַפֶּסַח Josh. 5:10
23 וַיֹּאכְלוּ...מִמָּחֳרַת הַפֶּסַח מַצּוֹת Josh. 5:11
24 נַעֲשָׂה הַפֶּסַח הַזֶּה לַיְיָ בִּירוּשָׁלָם IIK. 23:23
25 וַיִּשְׁחֲטוּ הַפֶּסַח לְכָל־בְּנֵי הַגּוֹלָה Ez. 6:20
26 לַעֲשׂוֹת הַפֶּסַח בַּחֹדֶשׁ הַשֵּׁנִי IICh. 30:2
27-28 וַיִּשְׁחֲטוּ הַפֶּסַח IICh. 30:15; 35:1
29 אָכְלוּ אֶת־הַפֶּסַח בְּלֹא כַכָּתוּב IICh. 30:18
30 וַיְבַשְּׁלוּ הַפֶּסַח בָּאֵשׁ כַּמִּשְׁפָּט IICh. 35:13
31 לַעֲשׂוֹת הַפֶּסַח וְהַעֲלוֹת עֹלוֹת IICh. 35:16
32 וַיַּעֲשׂוּ בְ״יִ הַנִּמְצְאִים אֶת־הַפֶּסַח IICh. 35:17
33 בִּשְׁמוֹנֶה עֶשְׂרֵה...נַעֲשָׂה הַפֶּסַח Num. 35:19
הַפָּסַח 34 וּקְחוּ לָכֶם צֹאן...וְשַׁחֲטוּ הַפָּסַח Ex. 12:21
35 זֹאת חֻקַּת הַפָּסַח Ex. 12:43
36 וְלֹא־יָלִין לַבֹּקֶר זֶבַח חַג הַפָּסַח Ex. 34:25
37 וְיַעֲשׂוּ בְ״יִ אֶת־הַפָּסַח בְּמוֹעֲדוֹ Num. 9:2
38 וַיְדַבֵּר מֹשֶׁה...לַעֲשֹׂת הַפָּסַח Num. 9:4
39 לֹא תוּכַל לִזְבֹּחַ אֶת־הַפָּסַח Deut. 16:5
40 בָּרִאשׁוֹן...יִהְיֶה לָכֶם הַפָּסַח Ezek. 45:21
41 וַיַּעֲשׂוּ בְנֵי־הַגּוֹלָה אֶת־הַפָּסַח Ez. 6:19
42 וְשַׁחֲטוּ הַפָּסַח וְהִתְקַדְּשׁוּ IICh. 35:6
43 וַיִּשְׁחֲטוּ הַפָּסַח וַיִּזְרְקוּ הַכֹּהֲנִים IICh. 35:11
כַּפֶּסַח 44 לֹא נַעֲשָׂה כַּפֶּסַח הַזֶּה מִימֵי... IIK. 23:22
45 כַּפֶּסַח אֲשֶׁר־עָשָׂה יֹאשִׁיָּהוּ IICh. 35:10
הַפְּסָחִים 46 וְהַלְוִיִּם עַל־שְׁחִיטַת הַפְּסָחִים IICh. 30:17
לַפְּסָחִים 47 צֹאן כְּבָשִׂים...הַכֹּל לַפְּסָחִים IICh. 35:7
48 לַכֹּהֲנִים נָתְנוּ לַפְּסָחִים IICh. 35:8
49 הֵרִימוּ לַלְוִיִּם לַפְּסָחִים IICh. 35:9

פִּסֵּחַ תו״ז – נכֵה רגלים, צוֹלע: 1-14

פִּסֵּחַ 1 אִישׁ עִוֵּר אוֹ פִסֵּחַ Lev. 21:18
2 פִּסֵּחַ אוֹ עִוֵּר כֹּל מוּם רָע Deut. 15:21
3 וְהוּא פִּסֵּחַ שְׁתֵּי רַגְלָיו II Sh. 9:13
4 כִּי פִסֵּחַ עַבְדֶּךָ II Sh. 19:27
5 אָז יְדַלֵּג כָּאַיָּל פִּסֵּחַ Is. 35:6
6 וְכִי תַגִּישׁוּ פִּסֵּחַ וְחֹלֶה אֵין רָע Mal. 1:8
וּפִסֵּחַ 7 עִוֵּר וּפִסֵּחַ לֹא יָבוֹא אֶל־הַבָּיִת II Sh. 5:8
8 בָּם עִוֵּר וּפִסֵּחַ הָרָה וְיֹלֶדֶת Jer. 31:(7)8
הַפִּסֵּחַ 9 וְאֶת־הַפִּסֵּחַ וְאֶת־הַחוֹלֶה Mal. 1:13
לַפִּסֵּחַ 10 וְרַגְלַיִם לַפִּסֵּחַ אָנִי Job 29:15
מִפִּסֵּחַ 11 דַּלְיוּ שֹׁקַיִם מִפִּסֵּחַ Prov. 26:7
פִּסְחִים 12 פִּסְחִים בָּזְזוּ בַז Is. 33:23
הַפִּסְחִים 13 וְאֶת־הַפִּסְחִים וְאֶת־הָעִוְרִים II Sh. 5:8
וְהַפִּסְחִים 14 כִּי אִם־הֱסִירְךָ הַעִוְרִים וְהַפִּסְחִים II Sh. 5:6

פָּסֵחַ שפ״ז א) איש משבט יהוּדה: 4
ב) אבי איש בּימי נחמיה: 2
ג) נתין ממשרתי הלויים: 1, 3

בֶּן פָּסֵחַ 2; בְּנֵי פָסֵחַ 1, 3

פָּסֵחַ 1 בְּנֵי־עֻזָּא בְנֵי־פָסֵחַ Ez. 2:49
2 הֶחֱזִיקוּ יוֹיָדָע בֶּן־פָּסֵחַ וּמְשֻׁלָּם Neh. 3:6
3 בְּנֵי־עֻזָּא בְנֵי פָסֵחַ Neh. 7:51
4 הוֹלִיד אֶת־בֵּית רָפָא וְאֶת־פָּסֵחַ ICh. 4:12

פְּסִילִים ז״ר א) רבּוּי מן ״פֶּסֶל״ – אלילים
חצוּבים בּסלע: 1,4-23
ב) ש״פ(?) – מקוֹם בּקרבת גִּלְגָּל: 2, 3

פְּסִילֵי אֱלֹהֵיהֶם 11, 12, 15; פְּ׳ בָבֶל 14; פְּסִילֵי כַסְפּוֹ 13

פְּסִילִים 1 כִּי אֶרֶץ פְּסִלִים הִיא Jer. 50:38
הַפְּסִילִים 2 וְהוּא שָׁב מִן־הַפְּסִילִים Jud. 3:19
3 וְהוּא עָבַר אֶת־הַפְּסִילִים Jud. 3:26
4 וּלְכָל־הַפְּסִילִים...זִבַּח אָמוֹן IICh. 33:22
וְהַפְּסִילִים 5 וְהֶעֱמִיד הָאֲשֵׁרִים וְהַפְּסִלִים IICh. 33:19
6-7 וְהָאֲשֵׁרִים וְהַפְּסִלִים וְהַמַּסֵּכוֹת IICh. 34:3, 4
8 וְאֶת־הָאֲשֵׁרִים וְהַפְּסִלִים כִּתַּת IICh. 34:7
לַפְּסִילִים 9 ...לֹא־אֶתֵּן וּתְהִלָּתִי לַפְּסִילִים Is. 42:8
וְלַפְּסִילִים 10 לַבְּעָלִים יְזַבֵּחוּ וְלַפְּסִלִים יְקַטֵּרוּן Hosh.11:2
פְּסִילֵי־ 11 פְּסִילֵי אֱלֹהֵיהֶם תִּשְׂרְפוּן בָּאֵשׁ Deut. 7:25
12 וְכָל־פְּסִילֵי אֱלֹהֶיהָ שִׁבַּר לָאָרֶץ Is. 21:9
13 וְטִמֵּאתֶם אֶת־צִפּוּי פְּסִילֵי כַסְפֶּךָ Is. 30:22
14 וּפָקַדְתִּי עַל־פְּסִילֵי בָבֶל Jer. 51:47
וּפְסִילֵי־ 15 וּפְסִילֵי אֱלֹהֵיהֶם תְּגַדֵּעוּן Deut. 12:3
פְּסִילֶיךָ 16 וְהִכְרַתִּי פְסִילֶיךָ וּמַצֵּבוֹתֶיךָ Mic. 5:12
פְּסִילֶיהָ 17 וּפָקַדְתִּי עַל־פְּסִילֶיהָ Jer. 51:52
18 וְכָל־פְּסִילֶיהָ יֻכַּתּוּ Mic. 1:7
פְּסִילֵיהֶם 19 וְאֶת־פְּסִילֵיהֶם הָיוּ עֹבְדִים IIK. 17:41
וּפְסִילֵיהֶם 20 וּפְסִילֵיהֶם תִּשְׂרְפוּן בָּאֵשׁ Deut. 7:5
21 לְמַמְלְכֹת הָאֱלִיל וּפְסִילֵיהֶם Is. 10:10
בִּפְסִילֵיהֶם 22 מַדּוּעַ הִכְעִסוּנִי בִּפְסִילֵיהֶם Jer. 8:19
וּבִפְסִילֵיהֶם 23 וּבִפְסִילֵיהֶם יַקְנִיאוּהוּ Ps. 78:58

פָּסָךְ שפ״ז – גבּוֹר חיל משבט אָשר

פָּסָךְ 1 וּבְנֵי יַפְלֵט פָּסַךְ וּבִמְהָל ICh. 7:33

פסל : פָּסַל; פֶּסֶל, פְּסִילִים; ש״פ פְּסִילִים(?)

פָּסַל פָּ׳ חָצַב בּאבן: 1-6

פְּסָלוֹ 1 מָה־הוֹעִיל פֶּסֶל כִּי פְסָלוֹ יֹצְרוֹ Hab. 2:18
וָאֶפְסֹל 2 וָאֶפְסֹל שְׁנֵי־לֻחֹת אֲבָנִים Deut. 10:3
וַיִּפְסֹל 3 וַיִּפְסֹל שְׁנֵי־לֻחֹת אֲבָנִים Ex. 34:4
וַיִּפְסְלוּ 4 וַיִּפְסְלוּ בֹּנֵי שְׁלֹמֹה וּבֹנֵי חִירוֹם IK. 5:32
פְּסָל־ 5 פְּסָל־לְךָ שְׁנֵי־לֻחֹת אֲבָנִים Ex. 34:1
6 פְּסָל־לְךָ שְׁנֵי־לוּחֹת אֲבָנִים Deut. 10:1

פֶּסֶל ז׳ תבנית אליל חצוּבה אוֹ חטוּבה אוֹ יצוּקה: 1-31
קרובים: אֱלִיל / גִּלּוּלִים / מַסֵּכָה / עָצָב / שִׁקּוּץ

– פֶּסֶל וּמַסֵּכָה 6-8, 12, 16; פֶּסֶל וּמַצֵּבָה 15; פֶּסֶל וּתְמוּנָה 1-5
– פֶּסֶל הָאֵפוֹד 25; פֶּ׳ אֲשֵׁרָה 27; פֶּ׳ מִיכָה 26; פֶּסֶל הַסֶּמֶל 28
– עֵץ פִּסְלוֹ 31
– יוֹצְרֵי פֶסֶל 10; עוֹבְדֵי פֶסֶל 14

פֶּסֶל 1 לֹא־תַעֲשֶׂה־לְךָ פֶסֶל וְכָל־תְּמוּנָה Ex. 20:4
2 פֶּסֶל תְּמוּנַת כָּל־סָמֶל Deut. 4:16
3-4 פֶּסֶל תְּמוּנַת כֹּל Deut. 4:23, 25
5 לֹא־תַעֲשֶׂה לְךָ פֶסֶל כָּל־תְּמוּנָה Deut. 5:8
6 אֲשֶׁר יַעֲשֶׂה פֶסֶל וּמַסֵּכָה Deut. 27:15
7 הִקְדַּשְׁתִּי...לַעֲשׂוֹת פֶּסֶל וּמַסֵּכָה Jud. 17:3
8 וַיַּעֲשֵׂהוּ פֶּסֶל וּמַסֵּכָה Jud. 17:4
9 לְהָכִין פֶּסֶל לֹא יִמּוֹט Is. 40:20
10 יֹצְרֵי־פֶסֶל כֻּלָּם תֹּהוּ Is. 44:9
11 עָשָׂהוּ פֶסֶל וַיִּסְגָּד־לָמוֹ Is. 44:15
12 מִבֵּית אֱלֹהֶיךָ אַכְרִית פֶּסֶל וּמַסֵּכָה Nah.1:14
13 מָה הוֹעִיל פֶּסֶל כִּי פְסָלוֹ יֹצְרוֹ Hab. 2:18
14 יֵבֹשׁוּ כָּל־עֹבְדֵי פֶסֶל Ps. 97:7

וּפֶסֶל 15 וּפֶסֶל וּמַצֵּבָה לֹא־תָקִימוּ לָכֶם Lev. 26:1
16 אֵפוֹד וּתְרָפִים וּפֶסֶל וּמַסֵּכָה Jud. 18:14
17 מִי־יָצַר אֵל וּפֶסֶל נָסָךְ Is. 44:10
הַפֶּסֶל 18 אֶת־הַפֶּסֶל וְאֶת־הָאֵפוֹד Jud. 18:17
19 הַפֶּסֶל נָסַךְ חָרָשׁ Is. 40:19
הַפָּסֶל 20 ...וְאֶת־הַתְּרָפִים וְאֶת־הַפָּסֶל Jud. 18:20
21 וַיָּקִימוּ לָהֶם בְּנֵי־דָן אֶת־הַפָּסֶל Jud. 18:30
בַּפָּסֶל 22 יֵבֹשׁוּ בֹשֶׁת הַבֹּטְחִים בַּפָּסֶל Is. 42:17
מִפָּסֶל 23 הֹבִישׁ כָּל־צוֹרֵף מִפָּסֶל Jer. 10:14
24 הֹבִישׁ כָּל־צֹרֵף מִפָּסֶל Jer. 51:17
פֶּסֶל־ 25 וַיִּקְחוּ אֶת־פֶּסֶל הָאֵפוֹד Jud. 18:18
26 אֶת־פֶּסֶל מִיכָה אֲשֶׁר עָשָׂה Jud. 18:31
27 וַיָּשֶׂם אֶת־פֶּסֶל הָאֲשֵׁרָה...בַּבַּיִת IIK. 21:7
28 וַיָּשֶׂם אֶת־פֶּסֶל הַסֶּמֶל...בְּבֵית הָאֱלֹ' IICh. 33:7
וּפְסִלִי 29 וּפְסִלִי וְנִסְכִּי צִוָּם Is. 48:5
לְפִסְלוֹ 30 וּשְׁאֵרִיתוֹ לְאֵל עָשָׂה לְפִסְלוֹ Is. 44:17
פִּסְלָם 31 הַנֹּשְׂאִים אֶת־עֵץ פִּסְלָם Is. 45:20

פְּסַנְתֵּרִין, פְּסַנְטֵרִין ז' ארמית כלי־מיתרים: 1-4

פְּסַנְתֵּרִין 1 סַבְּכָא פְּסַנְתֵּרִין סוּמְפֹּנְיָה Dan. 3:5
2 שַׂבְּכָא פְּסַנְתֵּרִין וְסוּפֹּנְיָה Dan. 3:10
3 שַׂבְּכָא פְּסַנְתֵּרִין וְסוּמְפֹּנְיָה Dan. 3:15
פְּסַנְטֵרִין 4 שַׂבְּכָא פְּסַנְטֵרִין וְכֹל זְנֵי זְמָרָא Dan. 3:7

פסס : פַּס; פִּסָּה, פַּסִּים

פָּסַס, פַּס פ' תם, כלה

פַּסּוּ 1 כִּי־פַסּוּ אֱמוּנִים מִבְּנֵי אָדָם Ps. 12:2

פִּסְפָּה שפ־ז – ראש בית אב לשבט אשר

וּפִסְפָּה 1 וּבְנֵי יֶתֶר יְפֻנֶּה וּפִסְפָּה וַאֲרָא ICh. 7:38

פעה : פָּעָה; אֶפְעֶה

פָּעָה פ' נאנח, צעק

אֶפְעֶה 1 כַּיּוֹלֵדָה אֶפְעֶה אֶשֹּׁם וְאֶשְׁאַף יָחַד Is. 42:14

פָּעוּ שפ־ז – עירו של הדד מלך אדום

פָּעוּ 1 וַיִּמְלֹךְ...הֲדַר וְשֵׁם עִירוֹ פָּעוּ Gen. 36:39

פְּעוֹר ש־פ א) מאלילי מואב: 1-4 [עין גם בַּעַל־פְּעוֹר]

ב) אחד מהרי העברים שעבדו עליו לִפְעוֹר: 5
[עין גם בֵּית פְּעוֹר]
עֲוֹן פְּעוֹר 4; עַל־דְּבַר פ' 1-3; רֹאשׁ הַפְּעוֹר 5

פְּעוֹר 1 וְנִכְּלוּ לָכֶם עַל־דְּבַר פְּעוֹר Num. 25:18
2 אֲחֹתָם הַמֻּכָּה...עַל־דְּבַר פְּעוֹר Num. 25:18
3 לִמְסָר־מַעַל בַּיְיָ עַל־דְּבַר פְּעוֹר Num. 31:16
4 הַמְעַט־לָנוּ אֶת־עֲוֹן פְּעוֹר Josh. 22:17
הַפְּעוֹר 5 רֹאשׁ הַפְּ' הַנִּשְׁקָף עַל־פְּנֵי הַיְשִׁימֹן Num. 23:28

פָּעִי ש־פ – היא העיר פָּעוּ

פָּעִי 1 וַיִּמְלֹךְ...הֲדַד וְשֵׁם עִירוֹ פָּעִי ICh. 1:50

פעל : פָּעַל; פֹּעַל, פְּעֻלָּה, מִפְעָל, מִפְעָלָה; ש־פ פְּעֻלְּתַי

פָּעַל פ' עָשָׂה, עָבַד: 1-56 • קרובים: ראה עָבַד

– פֹּעַל אָוֶן 1; פ' יְשׁוּעוֹת 19; פ' מִשְׁפָּט 17; פ' עָוֶל 2; פ' עַוְלָה 8, 16; פ' פֹּעַל 6; פ' צֶדֶק 20; פֹּעַל שַׁחַת 54; פָּעַל שֶׁקֶר 15
– פּוֹעֲלֵי אָוֶן 22-40, 42-45; פּוֹעֲלֵי רָע 41

פָּעַלְתִּי 1 וְאָמְרָה לֹא־פָעַלְתִּי אָוֶן Prov. 30:20
2 אִם־עָוֶל פָּעַלְתִּי לֹא אֹסִיף Job 34:32
פָּעַלְתָּ 3 מָכוֹן לְשִׁבְתְּךָ פָּעַלְתָּ יְיָ Ex. 15:17
4 כִּי גַם כָּל־מַעֲשֵׂינוּ פָּעַלְתָּ לָּנוּ Is. 26:12
5 פָּעַלְתָּ לַחוֹסִים בָּךְ נֶגֶד בְּנֵי אָדָם Ps. 31:20
6 פֹּעַל־פָּעַלְתָּ בִימֵיהֶם... Ps. 44:2
7 עוּזָּה אֱלֹהִים זוּ פָּעַלְתָּ לָּנוּ Ps. 68:29
8 וּמִי־אָמַר פָּעַלְתָּ עַוְלָה Job 36:23
פָּעַל 9 כָּעֵת יֵאָמֵר...מַה־פָּעַל אֵל Num. 23:23
10 וְלֹא יְיָ פָּעַל כָּל־זֹאת Deut. 32:27
11 מִי־פָעַל וְעָשָׂה Is. 41:4
12 כֹּל פָּעַל יְיָ לַמַּעֲנֵהוּ Prov. 16:4
פָּעָל 13 הַשָּׁתוֹת יֵהָרֵסוּן צַדִּיק מַה־פָּעָל Ps. 11:3
וּפָעַל 14 וּפָעַל בַּפֶּחָם וּבַמַּקָּבוֹת יִצְּרֵהוּ Is. 44:12
פָּעֲלוּ 15 וְנִגְלָה עֲוֹן אֶפְרַיִם...כִּי פָעֲלוּ שָׁקֶר Hosh. 7:1
16 אַף־לֹא פָעֲלוּ עַוְלָה Ps. 119:3
פָּעָלוּ 17 אֲשֶׁר מִשְׁפָּטוֹ פָּעָלוּ Zep. 2:3
פֹּעֵל 18 כִּי־פֹעַל פֹּעֵל בִּימֵיכֶם Hab. 1:5
19 פֹּעֵל יְשׁוּעוֹת בְּקֶרֶב הָאָרֶץ Ps. 74:12
וּפֹעֵל 20 הוֹלֵךְ תָּמִים וּפֹעֵל צֶדֶק Ps. 15:2
וּלְפֹעֲלִי 21 וּלְפֹעֲלִי אֶתֵּן־צֶדֶק Job 36:3
פֹּעֲלֵי־ 22 וְקָם...וְעַל־עֶזְרַת פֹּעֲלֵי אָוֶן Is. 31:2
23 גִּלְעָד קִרְיַת פֹּעֲלֵי אָוֶן Hosh. 6:8
24 שָׂנֵאתָ כָּל־פֹּעֲלֵי אָוֶן Ps. 5:6
25 סוּרוּ מִמֶּנִּי כָּל־פֹּעֲלֵי אָוֶן Ps. 6:9
26-40 פֹּעֲלֵי אָוֶן Ps. 14:4; 28:3
36:13; 53:5; 64:3; 92:8, 10; 94:4, 16; 101:8; 125:5; 141:4, 9 • Job 34:8, 22
וּפֹעֲלֵי־ 41 חֹשְׁבֵי־אָוֶן וּפֹעֲלֵי רָע עַל־מִשְׁכְּבוֹתָם Mic. 2:1
לְפֹעֲלֵי־ 42/3 וּמְחִתָּה לְפֹעֲלֵי אָוֶן Prov. 10:29; 21:15
44 הֲלֹא־אֵיד לְעַוָּל וְנֵכֶר לְפֹעֲלֵי אָוֶן Job 31:3
מִפֹּעֲלֵי־ 45 הַצִּילֵנִי מִפֹּעֲלֵי אָוֶן... Ps. 59:3
אֶפְעַל 46 אֶפְעַל וּמִי יְשִׁיבֶנָּה Is. 43:13
47 חָטָאתִי מָה אֶפְעַל לָךְ Job 7:20
תִּפְעָל 48 גָּבְהֵי שָׁמַיִם מַה־תִּפְעָל Job 11:8
תִּפְעָל־ 49 אִם־חָטָאתָ מַה־תִּפְעָל־בּוֹ Job 35:6
יִפְעַל 50 אַף־יִפְעַל־אֵל וַיִּשְׁתָּחוּ Is. 44:15
51 וּמַה־יִּפְעַל שַׁדַּי לָמוֹ Job 22:17
52 הֶן־כָּל־אֵלֶּה יִפְעַל־אֵל Job 33:29
יִפְעָל 53 חִצָּיו לְדֹלְקִים יִפְעָל Ps. 7:14
54 וַיִּפֹּל בְּשַׁחַת יִפְעָל Ps. 7:16
וַיִּפְעָלֵהוּ 55 וַיִּפְעָלֵהוּ בִּזְרוֹעַ כֹּחוֹ Is. 44:12
תִּפְעָלוּן 56 אַף־בְּלֵב עוֹלֹת תִּפְעָלוּן Ps. 58:3

פֹּעַל ז' א) מעשה, עבודה: 1-17, 19-22, 24, 25, 27-38

ב) שכר עבודה: 18, 23, 26
קרובים: ראה עֲבוֹדָה

– פֹּעַל אָדָם 7; פ' אוֹצָרוֹת 6; פ' אֱלֹהִים 5; פ' חָמָס 9; פ' יָדָיו 4, 8; פ' יְיָ 3; פ' כַּפָּיו 10
– רַב פְּעָלִים 37, 38

פֹּעַל 1 כִּי־פֹעַל פֹּעֵל בִּימֵיכֶם Hab. 1:5
2 פֹּעַל־פָּעַלְתָּ בִימֵיהֶם Ps. 44:2
פֹּעַל־ 3 וְאֵת פֹּעַל יְיָ לֹא יַבִּיטוּ Is. 5:12
4 עַל־בָּנַי וְעַל־פֹּעַל יָדַי תְּצַוֻּנִי Is. 45:11
5 וַיַּגִּידוּ פֹּעַל אֱלֹהִים Ps. 64:10
6 פֹּעַל אוֹצָרוֹת בִּלְשׁוֹן שָׁקֶר Prov. 21:6
7 כִּי פֹעַל אָדָם יְשַׁלֶּם־לוֹ Job 34:11
וּפֹעַל־ 8 בָּרֵךְ יְיָ חֵילוֹ וּפֹעַל יָדָיו תִּרְצֶה Deut. 33:11
9 וּפֹעַל חָמָס בְּכַפֵּיהֶם Is. 59:6
בְּפֹעַל־ 10 בְּפֹעַל כַּפָּיו נוֹקֵשׁ רָשָׁע Ps. 9:17
פָּעֳלִי 11 בְּחָנוּנִי גַּם־רָאוּ פָעֳלִי Ps. 95:9
פָּעָלְךָ 12 פָּעָלְךָ בְּקֶרֶב שָׁנִים חַיֵּיהוּ Hab. 3:2
פָּעֳלֶךָ 13 וְהָגִיתִי בְכָל־פָּעֳלֶךָ Ps. 77:13
14 יֵרָאֶה אֶל־עֲבָדֶיךָ פָעֳלֶךָ Ps. 90:16
15 הָגִיתִי בְכָל־פָּעֳלֶךָ Ps. 143:5
וּפָעָלְךָ 16 וּפָעָלְךָ אֵין־יָדַיִם לוֹ Is. 45:9
בְּפָעֳלֶךָ 17 כִּי שִׂמַּחְתַּנִי יְיָ בְּפָעֳלֶךָ Ps. 92:5
פָּעֳלֵךְ 18 יְשַׁלֵּם יְיָ פָּעֳלֵךְ Ruth 2:12
פָּעֳלוֹ 19 הַצּוּר תָּמִים פָּעֳלוֹ Deut. 32:4
20 הוֹד־וְהָדָר פָּעֳלוֹ Ps. 111:3
21 אִם־זַךְ וְאִם־יָשָׁר פָּעֳלוֹ Prov. 20:11
22 וְזַךְ יָשָׁר פָּעֳלוֹ Prov. 21:8
23 וּכְשָׂכִיר יְקַוֶּה פָעֳלוֹ Job 7:2
24 זְכֹר כִּי־תַשְׂגִּיא פָעֳלוֹ Job 36:24
וּפֹעֲלוֹ 25 וְהָיָה הֶחָסֹן לִנְעֹרֶת וּפֹעֲלוֹ לְנִיצוֹץ Is. 1:31
26 וּפֹעֲלוֹ לֹא יִתֶּן־לוֹ Jer. 22:13
כְּפָעֳלוֹ 27 וְהֵשִׁיב לְאָדָם כְּפָעֳלוֹ Prov. 24:12
28 אָשִׁיב לָאִישׁ כְּפָעֳלוֹ Prov. 24:29
לְפָעֳלוֹ 29 יֵצֵא אָדָם לְפָעֳלוֹ וְלַעֲבֹדָתוֹ Ps. 104:23
כְּפָעֳלָהּ 30 שַׁלְּמוּ־לָהּ כְּפָעֳלָהּ Jer. 50:29
וּפָעָלְכֶם 31 הֵן־אַתֶּם מֵאַיִן וּפָעָלְכֶם מֵאָפַע Is. 41:24
פָּעֳלָם 32 וַיַּגֵּד לָהֶם פָּעֳלָם וּפִשְׁעֵיהֶם Job 36:9
בְּפָעֳלָם 33 יָצְאוּ בְּפָעֳלָם מְשַׁחֲרֵי לַטָּרֶף Job 24:5
כְּפָעֳלָם 34 וְשִׁלַּמְתִּי לָהֶם כְּפָעֳלָם Jer. 25:14
35 תֶּן־לָהֶם כְּפָעֳלָם Ps. 28:4
לְפָעֳלָם 36 מִתְהַפֵּךְ בְּתַחְבּוּלֹתָו לְפָעֳלָם Job 37:12
פְּעָלִים 37 בֶּן־אִישׁ־חַיִל רַב־פְּעָלִים II Sh. 23:20
38 בֶּן־אִישׁ־חַיִל רַב־פְּעָלִים ICh. 11:22

פְּעֻלָּה נ' א) פֹּעַל, מעשה: 3-6, 10, 12-14

ב) שכר עבודה: 1, 2, 7-9, 11
קרובים: ראה עֲבוֹדָה

– פְּעֻלַּת צַדִּיק 3; פ' שׂוֹטְנַיִם 2; פ' שָׂכִיר 1; פְּעֻלַּת שֶׁקֶר 4
– פְּעֻלּוֹת אָדָם 14; פְּעֻלּוֹת יְיָ 13

פְּעֻלַּת־ 1 לֹא־תָלִין פְּעֻלַּת שָׂכִיר Lev. 19:13
2 זֹאת פְּעֻלַּת שֹׂטְנַי מֵאֵת יְיָ Ps. 109:20
3 פְּעֻלַּת צַדִּיק לְחַיִּים Prov. 10:16
4 רָשָׁע עֹשֶׂה פְעֻלַּת־שָׁקֶר Prov. 11:8
וּפְעֻלָּתִי 5 מִשְׁפָּטִי אֶת־יְיָ וּפְעֻלָּתִי אֶת־אֱלֹהָי Is. 49:4
לִפְעֻלָּתֵךְ 6 כִּי יֵשׁ שָׂכָר לִפְעֻלָּתֵךְ Jer. 31:16(15)
פְּעֻלָּתוֹ 7 פְּעֻלָּתוֹ אֲשֶׁר־עָבַד בָּהּ נָתַתִּי לוֹ Ezek. 29:20
וּפְעֻלָּתוֹ 8-9 שְׂכָרוֹ אִתּוֹ וּפְעֻלָּתוֹ לְפָנָיו Is. 40:10; 62:11
לִפְעֻלַּתְכֶם 10 כִּי יֵשׁ שָׂכָר לִפְעֻלַּתְכֶם IICh. 15:7
פְּעֻלָּתָם 11 וְנָתַתִּי פְעֻלָּתָם בֶּאֱמֶת Is. 61:8
12 וּמַדֹּתִי פְעֻלָּתָם רִאשֹׁנָה אֶל־חֵיקָם Is. 65:7
פְּעֻלֹּת־ 13 כִּי לֹא יָבִינוּ אֶל־פְּעֻלֹּת יְיָ Ps. 28:5
לִפְעֻלּוֹת־ 14 לִפְעֻלּוֹת אָדָם בִּדְבַר שְׂפָתֶיךָ Ps. 17:4

פְּעֻלְּתַי שפ־ז – מן השוערים בימי דוד

פְּעֻלְּתַי 1 יִשָּׂשכָר הַשְּׁבִיעִי פְּעֻלְּתַי הַשְּׁמִינִי ICh. 26:5

פעם : פַּעַם, נִפְעַם, הִתְפַּעֵם; פַּעַם, פַּעֲמָה, פַּעֲמוֹן

פָּעַם פ' א) הלם, עורר: 1

ב) [נפ' נִפְעַם] היה הלום: 2-4
ג) [הת' הִתְפַּעֵם] כנ"ל: 5

לְפַעֲמוֹ 1 וַתָּחֶל רוּחַ יְיָ לְפַעֲמוֹ Jud. 13:25
נִפְעַמְתִּי 2 נִפְעַמְתִּי וְלֹא אֲדַבֵּר Ps. 77:5
וַתִּפָּעֶם 3 וַיְהִי בַבֹּקֶר וַתִּפָּעֶם רוּחוֹ Gen. 41:8
4 וַתִּפָּעֶם רוּחִי לָדַעַת אֶת־הַחֲלוֹם Dan. 2:3
וַתִּתְפָּעֶם 5 וַתִּתְפָּעֶם רוּחוֹ וּשְׁנָתוֹ נִהְיְתָה עָלָיו Dan. 2:1

פַּעַם
ג׳ [ז׳ – 21] א) צַעַד, דריכת הרֶגל (בעקר ברבוי): 103-115

ב) חבטה, דפיקה: 11

ג) [בהשאלה ובהרחבה] מלה לציון מנין של פְּעוּלוֹת, חזרות של מעשׂה מסוים וכדומה: 1-10, 12-102

– פַּעַם אַחַת 1-6, 33, 34; הַפַּעַם 12-24; אַךְ הַפַּעַם 13, 17, 21, 24; זֹאת הַפַּעַם 12; רַק הַפַּעַם 18; עַתָּה הַפַּעַם 14; הַפַּעַם הַזֶּה 21

– פַּעַם...פַּעַם 7; פַּעַם וּשְׁתָּיִם 10; פַּעַם חֲמִישִׁית 9

– בַּפַּעַם הַהִיא 27, 28; בַּפַּעַם הַזֹּאת 25, 26, 30-32; בַּפַּעַם הַשְּׁבִיעִית 29

– כְּפַעַם בְּפַעַם 35, 37, 39, 41, 43, 45

– פַּעֲמַיִם 47-55; שָׁלֹשׁ פְּעָמִים 57-59, 72, 74, 78, 79, 81-84, 90, 91, 93, 101; אַרְבַּע פְּ׳ 99; חָמֵשׁ פְּ׳ 92; שֵׁשׁ פְּ׳ 92; שֶׁבַע פְּ׳ 56, 60-70, 75-77, 85, 87-89; עֶשֶׂר פְּ׳ 71, 96, 98; שְׁלֹשׁ וּשְׁלֹשִׁים פְּ׳ 94; מֵאָה פְּ׳ 80, 100; אֶלֶף פְּ׳ 73; כַּמֶּה פְּעָמִים 86, 102; פְּעָמִים רַבּוֹת 95, 97

– פַּעֲמֵי דַלִּים 104; פַּ׳ מַרְכְּבוֹת 103; כַּף פְּעָמָיו 105, 106

– דָּחָה פְּעָמָיו 108; הֵכִין פְּ׳ 107; הֵרִים פְּ׳ 111; רָחַץ פְּ׳ 113; שָׂם פְּעָמָיו 114

– אֵחֲרוּ פְּעָמָיו 103; יָפוּ פְּ׳ 112; נָמוֹטּוּ פְּעָמָיו 109

פַּעַם 1 הַקִּיף אֶת־הָעִיר פַּעַם אֶחָת — Josh. 6:3
2 וַיַּסֵּב...הַקֵּף פַּעַם אֶחָת — Josh. 6:11
3 וַיָּסֹבּוּ אֶת־הָעִיר...פַּעַם אַחַת — Josh. 6:14
4 וְאֶת־אַרְצָם לָכַד יְהוֹשֻׁעַ פַּעַם אֶחָת — Josh. 10:42
5 אַכֶּנּוּ...פַּעַם אַחַת וְלֹא אֶשְׁנֶה לוֹ — I Sh. 26:8
6 אִם־יִוָּלֵד גּוֹי פַּעַם אֶחָת — Is. 66:8
7/8 פַּעַם בַּחוּץ פַּעַם בָּרְחֹבוֹת — Prov. 7:12
9 וַיִּשְׁלַח...כַּדָּבָר הַזֶּה פַּעַם חֲמִישִׁית — Neh. 6:5
10 וַיָּלִינוּ הָרֹכְלִים...פַּעַם וּשְׁתָּיִם — Neh. 13:20
פָּעַם 11 מַחֲלִיק פַּטִּישׁ אֶת־הוֹלֶם פָּעַם — Is. 41:7
הַפַּעַם 12 זֹאת הַפַּעַם עֶצֶם מֵעֲצָמַי — Gen. 2:23
13 וַאֲדַבְּרָה אַךְ־הַפַּעַם — Gen. 18:32
14 עַתָּה הַפַּעַם יִלָּוֶה אִישִׁי אֵלַי — Gen. 29:34
15 הַפַּעַם אוֹדֶה אֶת־יְיָ — Gen. 29:35
16 הַפַּעַם יִזְבְּלֵנִי אִישִׁי — Gen. 30:20
17 שָׂא נָא חַטָּאתִי אַךְ הַפַּעַם — Ex. 10:17
18 אֲנַסֶּה נָּא־רַק־הַפַּעַם בַּגִּזָּה — Jud. 6:39
19 נִקֵּיתִי הַפַּעַם מִפְּלִשְׁתִּים — Jud. 15:3
20 וַתִּקְרָא...לֵאמֹר עֲלוּ הַפַּעַם — Jud. 16:18
21 וְחַזְּקֵנִי נָא אַךְ הַפַּעַם הַזֶּה — Jud. 16:28
הַפָּעַם 22 וַיֹּאמֶר יִשְׂרָאֵל...אָמוּתָה הַפָּעַם — Gen. 46:30
23 וַיֹּאמֶר אֲלֵהֶם חָטָאתִי הַפָּעַם — Ex. 9:27
24 וַאֲדַבְּרָה אַךְ הַפָּעַם — Jud. 6:39
בַּפַּעַם 25 וַיַּכְבֵּד...גַּם בַּפַּעַם הַזֹּאת — Ex. 8:28
26 כִּי בַּפַּעַם הַזֹּאת אֲנִי שֹׁלֵחַ — Ex. 9:14
27/8 וַיִּשְׁמַע יְיָ אֵלַי גַּם בַּפַּ׳ הַהִוא — Deut. 9:19; 10:10
29 בַּפַּעַם הַשְּׁבִיעִית תָּקְעוּ הַכֹּהֲנִים — Josh. 6:16
30 לֹא־טוֹבָה הָעֵצָה...בַּפַּעַם הַזֹּאת — II Sh. 17:7
31 הִנְנִי קוֹלֵעַ...בַּפַּעַם הַזֹּאת — Jer. 10:18
32 הִנְנִי מוֹדִיעָם בַּפַּעַם הַזֹּאת — Jer. 16:21
בְּפַעַם 33 עַל־שְׁמֹנֶה מֵאוֹת חָלָל בְּפַעַם אֶחָת — II Sh. 23:8
34 עַל־שְׁלֹשׁ־מֵאוֹת חָלָל בְּפַעַם אֶחָת — ICh. 11:11
כְּפַעַם בְּפַעַם 35/6 וְלֹא־הָלַךְ כְּפַעַם־בְּפַעַם — Num. 24:1
37/8 אֵצֵא כְּפַעַם בְּפַעַם וְאִנָּעֵר — Jud. 16:20
39/40 וַיָּחֵלּוּ לְהַכּוֹת...כְּפַעַם בְּפַעַם — Jud. 20:31
41/2 וַיִּקְרָא כְפַעַם־בְּפַעַם שְׁמוּאֵל שְׁ׳ — I Sh. 3:10
43/4 וַיֵּשֶׁב...עַל־מוֹשָׁבוֹ כְּפַעַם בְּפַ׳ — I Sh. 20:25
כְּפַעַם בְּפָעַם 45/6 וַיַּעַרְכוּ...כְּפַעַם בְּפַעַם — Jud. 20:30
פַּעֲמַיִם 47 וַיַּעְקְבֵנִי זֶה פַעֲמַיִם — Gen. 27:36
48 לֹא־תָקוּם פַּעֲמַיִם צָרָה — Nah. 1:9
49 יִפְעַל־אֵל פַּעֲמַיִם שָׁלוֹשׁ עִם־גָּבֶר — Job 33:29
50 וְאִלּוּ חָיָה אֶלֶף שָׁנִים פַּעֲמַיִם — Eccl. 6:6
פַּעֲמָיִם 51 וְעַל הִשָּׁנוֹת הַחֲלוֹם...פַּעֲמָיִם — Gen. 41:32
52 כִּי־עַתָּה שַׁבְנוּ זֶה פַעֲמָיִם — Gen. 43:10
53 וַיַּךְ אֶת־הַסֶּלַע...פַּעֲמָיִם — Num. 20:11
54 וַיִּסֹּב דָּוִד מִפָּנָיו פַּעֲמָיִם — I Sh. 18:11
55 הַנִּרְאָה אֵלָיו פַּעֲמָיִם — IK. 11:9
פְּעָמִים 56 וַיִּשְׁתַּחוּ אַרְצָה שֶׁבַע פְּעָמִים — Gen. 33:3
57-59 שָׁלֹשׁ פְּעָמִים בַּשָּׁנָה — Ex. 23:17; 34:23, 24
60-67 וְהִזָּה...שֶׁבַע פְּעָמִים — Lev. 4:6, 17; 14:7, 16, 27, 51; 16:19 • Num. 19:4
68 וַיַּז מִמֶּנּוּ...שֶׁבַע פְּעָמִים — Lev. 8:11
69 וְלִפְנֵי הַכַּפֹּרֶת יַזֶּה שֶׁבַע־פְּעָמִים — Lev. 16:14
70 וְסָפַרְתָּ...שֶׁבַע שָׁנִים שֶׁבַע פְּעָמִים — Lev. 25:8
71 וַיְנַסּוּ אֹתִי זֶה עֶשֶׂר פְּעָמִים — Num. 14:22
72 בֵּרַכְתָּ בָרֵךְ זֶה שָׁלֹשׁ פְּעָמִים — Num. 24:10
73 יֹסֵף עֲלֵיכֶם כָּכֶם אֶלֶף פְּעָמִים — Deut. 1:11
74 שָׁלוֹשׁ פְּעָמִים בַּשָּׁנָה יֵרָאֶה... — Deut. 16:16
75 תָּסֹבּוּ אֶת־הָעִיר שֶׁבַע פְּעָמִים — Josh. 6:4
76 וַיָּסֹבּוּ אֶת הָעִיר...שֶׁבַע פְּעָמִים — Josh. 6:15
77 סָבְבוּ אֶת־הָעִיר שֶׁבַע פְּעָמִים — Josh. 6:15
78 זֶה שָׁלֹשׁ פְּעָמִים הֵתַלְתָּ בִּי — Jud. 16:15
79 וַיִּשְׁתַּחוּ שָׁלֹשׁ פְּעָמִים — I Sh. 20:41
80 וְיוֹסֵף...כָּהֵם וְכָהֵם מֵאָה פְּעָמִים — II Sh. 24:3
81 וּמֶחֱזָה אֶל־מֶחֱזָה שָׁלֹשׁ פְּעָמִים — IK. 7:4
82 וּמוּל מֶחֱזָה אֶל־מֶחֱזָה שָׁלֹשׁ פְּעָמִים — IK. 7:5
83 שָׁלֹשׁ פְּעָמִים בַּשָּׁנָה — IK. 9:25
84 וַיִּתְמֹדֵד עַל־הַיֶּלֶד שָׁלֹשׁ פְּעָמִים — IK. 17:21
85 וַיֹּאמֶר שֻׁב שֶׁבַע פְּעָמִים — IK. 18:43
86 עַד־כַּמֶּה פְּעָמִים אֲנִי מַשְׁבִּיעֶךָ — IK. 22:16
87 וַיְזוֹרֵר הַנַּעַר עַד־שֶׁבַע פְּעָמִים — IIK. 4:35
88 הָלוֹךְ וְרָחַצְתָּ שֶׁבַע־פְּעָמִים — IIK. 5:10
89 וַיִּטְבֹּל בַּיַּרְדֵּן שֶׁבַע פְּעָמִים — IIK. 5:14
90 וַיַּךְ שָׁלֹשׁ־פְּעָמִים וַיַּעֲמֹד — IIK. 13:18
91 שָׁלֹשׁ פְּעָמִים תַּכֶּה אֶת־אֲרָם — IIK. 13:19
92 לְהַכּוֹת חָמֵשׁ אוֹ־שֵׁשׁ פְּעָמִים — IIK. 13:19
93 שָׁלֹשׁ פְּעָמִים הִכָּהוּ יוֹאָשׁ — IIK. 13:25
94 שָׁלוֹשׁ וּשְׁלֹשִׁים פְּעָמִים — Ezek. 41:6
95 פְּעָמִים רַבּוֹת יַצִּילֵם — Ps. 106:43
96 זֶה עֶשֶׂר פְּעָמִים תַּכְלִימוּנִי — Job 19:3
97 כִּי גַם־פְּעָמִים רַבּוֹת יָדַע לִבֶּךָ... — Eccl. 7:22
98 וַיֹּאמְרוּ לָנוּ עֶשֶׂר פְּעָמִים — Neh. 4:6
99 וַיִּשְׁלְחוּ אֵלַי...אַרְבַּע פְּעָמִים — Neh. 6:4
100 יוֹסֵף...כָּהֵם מֵאָה פְּעָמִים — ICh. 21:3
101 שָׁלוֹשׁ פְּעָמִים בַּשָּׁנָה — IICh. 8:13
102 עַד־כַּמֶּה פְּעָמִים אֲנִי מַשְׁבִּיעֶךָ — IICh. 18:15
פַּעֲמֵי־ 103 מַדּוּעַ אֵחֱרוּ פַּעֲמֵי מַרְכְּבוֹתָיו — Jud. 5:28
104 רַגְלֵי עָנִי פַּעֲמֵי דַלִּים — Is. 26:6
פְּעָמַי 105 וְאַחְרִב בְּכַף־פְּעָמַי כֹּל יְאֹרֵי מָצוֹר — IIK. 19:25
106 וְאַחְרִב בְּכַף־פְּעָמַי כֹּל יְאֹרֵי מָצוֹר — Is. 37:25
107 פְּעָמַי הָכֵן בְּאִמְרָתֶךָ — Ps. 119:133
108 אֲשֶׁר חָשְׁבוּ לִדְחוֹת פְּעָמָי — Ps. 140:5
פְּעָמָי 109 בַּל־נָמוֹטּוּ פְעָמָי — Ps. 17:5
לִפְעָמַי 110 רֶשֶׁת הֵכִינוּ לִפְעָמַי — Ps. 57:7
פְּעָמֶיךָ 111 הָרִימָה פְעָמֶיךָ לְמַשֻּׁאוֹת נֶצַח — Ps. 74:3
פְּעָמַיִךְ 112 מַה־יָּפוּ פְעָמַיִךְ בַּנְּעָלִים — S.of S. 7:2
פְּעָמָיו 113 פְּעָמָיו יִרְחַץ בְּדַם הָרָשָׁע — Ps. 58:11
114 וְיָשֵׂם לְדֶרֶךְ פְּעָמָיו — Ps. 85:14
115 רֶשֶׁת פּוֹרֵשׂ עַל־פְּעָמָיו — Prov. 29:5

פַּעֲמָה
ג׳ רגל של כלי, בָּסיס: 1-3

פַּעֲמֹתָיו 1 וְנָתַתָּה עַל אַרְבַּע פַּעֲמֹתָיו — Ex. 25:12
2 טַבְּעֹת זָהָב עַל אַרְבַּע פַּעֲמֹתָיו — Ex. 37:3
3 וְאַרְבָּעָה פַעֲמֹתָיו כְּתֵפֹת לָהֶם — IK. 7:30

פַּעֲמוֹן
ז׳ מצלה: 1-7 • פַּעֲמֹן זָהָב 3, 4, 6, 7

פַּעֲמוֹן 1/2 פַּעֲמֹן וְרִמֹּן פַּעֲמֹן וְרִמֹּן — Ex. 39:26
פַּעֲמוֹן־ 3/4 פַּעֲמֹן זָהָב וְרִמּוֹן — Ex. 28:34[2]
הַפַּעֲמוֹנִים 5 וַיִּתְּנוּ אֶת־הַפַּעֲמֹנִים בְּתוֹךְ הָרִמֹּנִים — Ex. 39:25
פַּעֲמוֹנֵי־ 6 וַיַּעֲשׂוּ פַעֲמֹנֵי זָהָב טָהוֹר — Ex. 39:25
וּפַעֲמוֹנֵי־ 7 וּפַעֲמֹנֵי זָהָב בְּתוֹכָם סָבִיב — Ex. 28:33

פַּעְנֵחַ
– עין צָפְנַת פַּעְנֵחַ

פער
: פָּעַר; ש״פ פְּעוֹר, פַּעֲרַי

פָּעַר
פָּ׳ פָּתַח (פֶּה!): 1-4

קרובים: פָּצָה / פָּצַח / פָּתַח

פָּעַרְתִּי 1 פִּי־פָעַרְתִּי וָאֶשְׁאָפָה — Ps. 119:131
וּפָעֲרָה 2 וּפָעֲרָה פִיהָ לִבְלִי־חֹק — Is. 5:14
פָּעֲרוּ 3 פָּעֲרוּ עָלַי בְּפִיהֶם — Job 16:10
4 וּפִיהֶם פָּעֲרוּ לְמַלְקוֹשׁ — Job 29:23

פַּעֲרַי
שפ״ז – מגבּורי דוד, הוא, כנראה, נַעֲרַי

פַּעֲרַי 1 פַּעֲרַי הָאַרְבִּי — II Sh. 23:35

פָּצָה
פָּ׳ א) פתח, פער (פֶּה!): 1-10, 12, 13

ב) פדה: 11, 14, 15

קרובים: פָּעַר / פָּצַח / פָּתַח

פָּצִיתִי 1 וְאָנֹכִי פָּצִיתִי פִי אֶל־יְיָ — Jud. 11:35
פָּצִיתָה 2 פָּצִיתָה אֶת־פִּיךָ אֶל־יְיָ — Jud. 11:36
פָּצְתָה 3 אֲשֶׁר פָּצְתָה אֶת־פִּיהָ לָקַחַת... — Gen. 4:11
4 פָּצְתָה הָאָ׳ אֶת־פִּיהָ וַתִּבְלָעֵם — Deut. 11:6
וּפָצְתָה 5 וּפָצְתָה הָאֲדָמָה אֶת־פִּיהָ — Num. 16:30
פָּצוּ 6 פָּצוּ עָלַי פִּיהֶם אַרְיֵה טֹרֵף — Ps. 22:14
7 אֲשֶׁר־פָּצוּ שְׂפָתָי וְדִבֶּר־פִּי — Ps. 66:14
8 פָּצוּ עָלַיִךְ פִּיהֶם כָּל־אֹיְבַיִךְ — Lam. 2:16
9 פָּצוּ עָלֵינוּ פִּיהֶם כָּל־אֹיְבֵינוּ — Lam. 3:46
וּפֹצֶה 10 וְלֹא הָיָה...וּפֹצֶה פֶה וּמְצַפְצֵף — Is. 10:14
הַפּוֹצֶה 11 הַפּוֹצֶה אֶת־דָּוִד...מֵחֶרֶב רָעָה — Ps. 144:10
יִפְצֶה 12 וְאִיּוֹב הֶבֶל יִפְצֶה־פִּיהוּ — Job 35:16
פְּצֵה 13 פְּצֵה פִיךָ וֶאֱכֹל — Ezek. 2:8
פְּצֵנִי 14 פְּצֵנִי וְהַצִּילֵנִי מִמַּיִם רַבִּים — Ps. 144:7
15 פְּצֵנִי וְהַצִּילֵנִי מִיַּד בְּנֵי־נֵכָר — Ps. 144:11

פָּצוּעַ
ת׳ – עין פָּצַע

פָּצַח
פָּ׳ א) פתח פיו לשיר: 1-7

ב) [פִּ׳ פִּצַּח] שבר, בקע: 8

קרובים: פָּעַר / פָּצָה / פָּתַח

פָּצַח רִנָּה 1-4,7; פָּצַח (וְ)רַנֵּן 5,6; פִּצַּח עֲצָמוֹת 8

פָּצְחוּ 1 נָחָה שָׁקְטָה כָּל־הָאָרֶץ פָּצְחוּ רִנָּה — Is. 14:7
יִפְצְחוּ 2 הֶהָרִים...יִפְצְחוּ לִפְנֵיכֶם רִנָּה — Is. 55:12
פִּצְחִי 3 רָנִּי עֲקָרָה...פִּצְחִי רִנָּה וְצַהֲלִי... — Is. 54:1
פִּצְחוּ 4 הָרִיעוּ...פִּצְחוּ הָרִים רִנָּה — Is. 44:23
5 פִּצְחוּ רַנְּנוּ יַחְדָּו... — Is. 52:9
6 פִּצְחוּ וְרַנְּנוּ וְזַמֵּרוּ — Ps. 98:4
וּפִצְחוּ 7 וּפִצְחוּ (כת׳ יפצחו) הָרִים רִנָּה — Is. 49:13
פִּצֵּחוּ 8 וְאֶת־עַצְמֹתֵיהֶם פִּצֵּחוּ — Mic. 3:3

פְּצִירָה
ג׳ שופין, כלי־שִׁיוּף

הַפְּצִירָה 1 וְהָיְתָה הַפְּצִירָה פִים לַמַּחֲרֵשֹׁת — I Sh. 13:21

פצל : פֵּצֵל; פְּצָלָה

פִּצֵּל פ׳ קלף: 1, 2

פִּצֵּל 1 אֶת־הַמַּקְלוֹת אֲשֶׁר פִּצֵּל Gen. 30:38

וַיְפַצֵּל 2 וַיְפַצֵּל בָּהֵן פְּצָלוֹת לְבָנוֹת Gen. 30:37

פְּצָלָה* נ׳ קִלּוּף בענף

פְּצָלוֹת 1 וַיְפַצֵּל בָּהֵן פְּצָלוֹת לְבָנוֹת Gen. 30:37

פָּצַם פ׳ בקע, שבר

פְּצַמְתָּהּ 1 הִרְעַשְׁתָּה אֶרֶץ פְּצַמְתָּהּ Ps. 60:4

פצע : פָּצַע; פְּצוּעַ, פֶּצַע

פָּצַע פ׳ מחץ, הכה: 1־3 • פְּצוּעַ־דַּכָּה 3

וּפָצֹעַ 1 וַיַּכֵּהוּ הָאִישׁ הַכֵּה וּפָצֹעַ IK. 20:37

פְּצָעוּנִי 2 מְצָאֻנִי...הִכּוּנִי פְצָעוּנִי S.of S. 5:7

פְּצוּעַ־ 3 פְּצוּעַ־דַּכָּה וּכְרוּת שָׁפְכָה Deut. 23:2

פֶּצַע ז׳ מכה, חבלה: 1־8 • קרובים: ראה מַכָּה

פֶּצַע וְחַבּוּרָה 2; חַבּוּרוֹת פֶּצַע 3; פִּצְעֵי אוֹהֵב 7

פֶּצַע 1 כְּוִיָּה תַּחַת כְּוִיָּה פֶּצַע תַּחַת פָּצַע Ex. 21:25

2 פֶּצַע וְחַבּוּרָה וּמַכָּה טְרִיָּה Is. 1:6

3 חַבֻּרוֹת פֶּצַע תַּמְרוּק בְּרָע Prov. 20:30

פָּצַע 4 כְּוִיָּה תַּחַת כְּוִיָּה פֶּצַע תַּחַת פָּצַע Ex. 21:25

לְפִצְעִי 5 כִּי אִישׁ הָרַגְתִּי לְפִצְעִי Gen. 4:23

פְּצָעִים 6 לְמִי פְּצָעִים חִנָּם Prov. 23:29

פִּצְעֵי־ 7 נֶאֱמָנִים פִּצְעֵי אוֹהֵב Prov. 27:6

פְּצָעָי 8 ...וְהִרְבָּה פְצָעַי חִנָּם Job 9:17

פִּצְפֵּץ פ׳ נִפֵּץ

וַיְפַצְפְּצֵנִי 1 וְאָחַז בְּעָרְפִּי וַיְפַצְפְּצֵנִי Job 16:12

(הַ)פִּצֵּץ שפ״ז – שׂר מצאצאי אהרן הכהן

לְהַפִּצֵּץ 1 לְהַפִּצֵּץ שְׁמֹנָה עָשָׂר ICh. 24:15

פצר : פָּצַר, הִפְצַר; פְּצִירָה

פָּצַר פ׳ א) בִּקֵּשׁ הרבה: 1־6

ב) [הפ׳ הִפְצִיר] הכביד לבו, מרד: 7

וַיִּפְצַר 1 וַיִּפְצַר־בָּם מְאֹד וַיָּסֻרוּ אֵלָיו Gen. 19:3

2 וַיִּפְצַר־בּוֹ וַיִּקָּח Gen. 33:11

3 וַיִּפְצַר־בּוֹ חֹתְנוֹ וַיֵּשֶׁב Jud. 19:7

4 וַיִּפְצַר־בּוֹ לָקַחַת וַיְמָאֵן IIK. 5:16

וַיִּפְצְרוּ 5 וַיִּפְצְרוּ בָאִישׁ בְּלוֹט מְאֹד Gen. 19:9

6 וַיִּפְצְרוּ־בוֹ עַד־בֹּשׁ IIK. 2:17

הַפְצַר 7 וְאָוֶן וּתְרָפִים הַפְצַר ISh. 15:23

פקד : פָּקַד, נִפְקַד, פִּקֵּד, פֻּקַּד, הִתְפַּקֵּד, הָתְפָּקַד, הִפְקִיד, הָפְקַד; פְּקֻדָּה, פִּקּוּד, פָּקוּד, פִּקָּדוֹן, פָּקִיד, פְּקִדוּת, מִפְקָד; ש״פ פְּקוֹד

פָּקַד פ׳ א) זָכַר לטובה: 1־5, 13, 14, 16, 45־49, 57, 59, 63, 69, 73, 75, 81, 91, 103, 105, 106, 110־112, 114, 124, 136, 137, 144, 148־150

ב) זָכַר לרעה, ענש: 9־12, 15, 17־44, 60־62, 64, 76־90, 92־98, 104, 109, 116־120, 122, 123, 152

ג) מָנָה, סָפַר: 6־8, 50־56, 58, 66, 70־72, 99־102, 107, 108, 125־128, 130־135, 138־143, 145־147, 151, 154

ד) צִוָּה, הוֹרָה: 65, 67, 115, 121

ה) מִנָּה: 74, 113, 153

ו) בִּקֵּר: 129

ז) חָסֵר, נֶעְדַּר: 68

ח) [נפ׳ נִפְקַד] נעדר: 155־160, 163־169, 172

ט) [כנ״ל] נזכר, עלה במנין: 161, 162, 170, 171, 173־175

י) [פ׳ בינוני: מְפַקֵּד] מצביא: 176

יא) [פ׳ פֻּקַּד] נמנה: 177, 178

יב) [הת׳ הִתְפַּקֵּד] נמנה: 179־182

יג) [הת׳ הָתְפָּקַד] כנ״ל: 183־186

יד) [הפ׳ הִפְקִיד] מִנָּה: 187־200, 206־211, 213־215

טו) [כנ״ל] נתן למשמרת: 201־205, 212

טז) [הפ׳ הָפְקַד] מֻנָּה: 216־223

פָּקַד אֶת־ 1־8, 10, 13, 14, 16, 17, 40־59, 63, 64, 67, 69, 71־75, 91, 99־103, 105־114, 119־152, 154; פָּקַד (אֶת־) עַל־ 9, 11, 12, 15, 18, 20־39, 60, 62, 65, 70, 76־83, 86־90, 94־96, 98, 104, 115־118, 153; פָּקַד אֶל־ 19, 84, 85, 92, 93; פָּקַד בְּ־ 97

פָּקֹד 1 וֵאלֹהִים פָּקֹד יִפְקֹד אֶתְכֶם Gen. 50:24

2 פָּקֹד יִפְקֹד אֱלֹהִים אֶתְכֶם Gen. 50:25

3 פָּקֹד פָּקַדְתִּי אֶתְכֶם Ex. 3:16

4 פָּקֹד יִפְקֹד אֱלֹהִים אֶתְכֶם Ex. 13:19

5 אִם פָּקֹד יִפְקְדֵנִי אָבִיךָ ISh. 20:6

בִּפְקֹד 6 וְנָתְנוּ אִישׁ כֹּפֶר נַפְשׁוֹ לַיי בִּפְקֹד אֹתָם Ex. 30:12

7 וְלֹא־יִהְיֶה בָהֶם נֶגֶף בִּפְקֹד אֹתָם Ex. 30:12

לִפְקֹד 8 וַיֵּצֵא יוֹאָב...לִפְקֹד אֶת־הָעָם IISh. 24:4

9 לִפְקֹד עֲוֹן יֹשֵׁב־הָאָרֶץ עָלָיו Is. 26:21

10 הָקִיצָה לִפְקֹד כָּל־הַגּוֹיִם Ps. 59:6

וְלִפְקֹד 11 וְלִפְקֹד עַל־יַעֲקֹב כִּדְרָכָיו Hosh. 12:3

פָּקְדִי 12 וּבְיוֹם פָּקְדִי וּפָקַדְתִּי עֲלֵהֶם... Ex. 32:34

13 וְשָׁמָּה יִהְיוּ עַד יוֹם פָּקְדִי אֹתָם Jer. 27:22

14 וְשָׁם יִהְיֶה עַד־פָּקְדִי אֹתוֹ Jer. 32:5

15 בְּיוֹם פָּקְדִי פִשְׁעֵי־יִשְׂרָאֵל עָלָיו Am. 3:14

פָּקַדְתִּי 16 פָּקֹד פָּקַדְתִּי אֶתְכֶם Ex. 3:16

17 פָּקַדְתִּי אֵת אֲשֶׁר־עָשָׂה עֲמָלֵק ISh. 15:2

18 כַּאֲשֶׁר פָּקַדְתִּי עַל־יְרוּשָׁלִָם Jer. 44:13

19 כַּאֲשֶׁר פָּקַדְתִּי אֶל־מֶלֶךְ אַשּׁוּר Jer. 50:18

20 כֹּל אֲשֶׁר־פָּקַדְתִּי עָלֶיהָ Zep. 3:7

וּפָקַדְתִּי 21 וּפָקַדְתִּי עֲלֵהֶם חַטָּאתָם Ex. 32:34

22 וּפָקַדְתִּי עַל־תֵּבֵל רָעָה Is. 13:11

23 וּפָקַדְתִּי עַל־כָּל־מוּל בְּעָרְלָה Jer. 9:24

24 וּפָקַדְתִּי עֲלֵיהֶם אַרְבַּע מִשְׁפָּחוֹת Jer. 15:3

25 וּפָקַדְתִּי עֲלֵיכֶם כִּפְרִי מַעַלְלֵיכֶם Jer. 21:14

26 וּפָקַדְתִּי עַל־הָאִישׁ הַהוּא Jer. 23:34

27 וּפָקַדְתִּי עַל כָּל־לֹחֲצָיו Jer. 30:20

28 וּפָקַדְתִּי עָלָיו וְעַל־זַרְעוֹ Jer. 36:31

29 וּפָקַדְתִּי עַל הַיּוֹשְׁבִים בְּא׳ מִצְרַיִם Jer. 44:13

30 וּפָקַדְתִּי עַל־בֵּל בְּבָבֶל Jer. 51:44

31 וּפָקַדְתִּי עַל־פְּסִילֵי בָבֶל Jer. 51:47

32 וּפָקַדְתִּי עַל־פְּסִילֶיהָ Is. 51:52

33 וּפָקַדְתִּי אֶת־דְּמֵי יִזְרְעֶאל עַל־בֵּית... Hosh. 1:4

34 וּפָקַדְתִּי עָלֶיהָ אֶת־יְמֵי הַבְּעָלִים Hosh. 2:15

35 וּפָקַדְתִּי עָלָיו דְּרָכָיו Hosh. 4:9

36 וּפָקַדְתִּי עַל־מִזְבְּחוֹת בֵּית־אֵל Am. 3:14

37 וּפָקַדְתִּי עַל־הַשָּׂרִים Zep. 1:8

38 וּפָקַדְתִּי עַל־כָּל־הַדּוֹלֵג עַל־הַמִּפְתָּן Zep. 1:9

39 וּפָקַדְתִּי עַל־הָאֲנָשִׁים הַקֹּפְאִים Zep. 1:12

40 וּפָקַדְתִּי בְשֵׁבֶט פִּשְׁעָם Ps. 89:33

פְּקַדְתִּיךָ 41 כִּי בָּא יוֹמְךָ עֵת פְּקַדְתִּיךָ Jer. 50:31

פְּקַדְתִּיו 42 אֵיד...הֵבֵאתִי עָלָיו עֵת פְּקַדְתִּיו Jer. 49:8

פְּקַדְתִּים 43 בְּעֵת־פְּקַדְתִּים יִכָּשְׁלוּ Jer. 6:15

פָּקַדְתָּ 44 לָכֵן פָּקַדְתָּ וַתַּשְׁמִידֵם Is. 26:14

45 בָּחַנְתָּ לִבִּי פָּקַדְתָּ לַּיְלָה Ps. 17:3

46 פָּקַדְתָּ הָאָרֶץ וַתְּשֹׁקְקֶהָ Ps. 65:10

וּפָקַדְתָּ 47 וּפָקַדְתָּ נָוְךָ וְלֹא תֶחֱטָא Job 5:24

פָּקַד 48 וַיי פָּקַד אֶת־שָׂרָה Gen. 21:1

49 וַיִּשְׁמְעוּ כִּי־פָקַד יְיָ אֶת־בְּנֵי יִשְׂרָ׳ Ex. 4:31

50־55 אֲשֶׁר פָּקַד מֹשֶׁה וְאַהֲרֹן Num. 1:44

3:39; 4:37, 41, 45, 46

56 עַל־פִּי יְיָ פָּקַד אוֹתָם Num. 4:49

57 כִּי־פָקַד יְיָ אֶת־חַנָּה ISh. 2:21

58 וְאַחֲרֵיהֶם פָּקַד אֶת־כָּל־הָעָם IK. 20:15

59 כִּי־פָקַד יְיָ צְבָאוֹת אֶת־עֶדְרוֹ Zech. 10:3

60 מִי־פָקַד עָלָיו אַרְצָה Job 34:13

61 וְעַתָּה כִּי־אַיִן פָּקַד אַפּוֹ Job 35:15

62 מִי־פָקַד עָלָיו דַּרְכּוֹ Job 36:23

63 כִּי־פָקַד יְיָ אֶת־עַמּוֹ Ruth 1:6

64 פָּקַד עֲוֹנֵךְ בַּת־אֱדוֹם Lam. 4:22

65 וְהוּא־פָקַד עָלַי לִבְנוֹת־לוֹ בַיִת Ez. 1:2

66 וְלֵוִי וּבִנְיָמִן לֹא פָקַד בְּתוֹכָם IICh. 21:6

67 וְהוּא־פָקַד עָלַי לִבְנוֹת־לוֹ בַיִת IICh. 36:23

פְּקָדֻנוּ 68 וְלֹא־פָקַדְנוּ מְאוּמָה ISh. 25:15

פְּקַדְתֶּם 69 וַתַּדִּחוּם וְלֹא פְקַדְתֶּם אֹתָם Jer. 23:2

וּפְקַדְתֶּם 70 וּפְקַדְתֶּם עֲלֵהֶם בְּמִשְׁמֶרֶת Num. 4:27

פָּקְדוּ 71/2 אֲשֶׁר פָּקְדוּ אֶת־בְּנֵי־יִשְׂרָאֵל Num. 26:63, 64

פָּקָדוּ 73 אִשָּׁה רְעוּתָהּ לֹא פָקָדוּ Is. 34:16

וּפָקְדוּ 74 וּפָקְדוּ שָׂרֵי צְבָאוֹת בְּרֹאשׁ הָעָם Deut. 20:9

פְּקָדוּךָ 75 יְיָ בַּצַּר פְּקָדוּךָ Is. 26:16

פֹּקֵד 76־79 פֹּקֵד עֲוֹן אָב(וֹ)ת עַל־בָּנִים Ex. 20:5

34:7 • Num. 14:18 • Deut. 5:9

80 לָכֵן...הִנְנִי פֹקֵד עֲלֵיהֶם Jer. 11:22

81 הִנְנִי פֹקֵד עֲלֵיכֶם אֶת־רֹעַ... Jer. 23:2

82 הִנְנִי פֹקֵד עַל־שְׁמַעְיָה Jer. 29:32

83 כִּי־פֹקֵד אֲנִי עֲלֵיכֶם... Jer. 44:29

84 הִנְנִי פוֹקֵד אֶל־אָמוֹן מִנֹּא Jer. 46:25

85 הִנְנִי פֹקֵד אֶל־מֶלֶךְ בָּבֶל Jer. 50:18

אֶפְקֹד 86 אֶפְקֹד עַל־פְּרִי־גֹדֶל לְבַב... Is. 10:12

87/8 הַעַל־אֵלֶּה ל(וֹ)א־אֶפְקֹד Jer. 5:9, 29

89 אֶפְקֹד עַל־מֶלֶךְ־בָּבֶל... Jer. 25:12

90 בַּחֶרֶב...אֶפְקֹד עַל־הַגּוֹי הַהוּא Jer. 27:8

91 לְפִי מְלֹאת...אֶפְקֹד אֶתְכֶם Jer. 29:10

92/3 וּמִי בָחוּר אֵלֶיהָ אֶפְקֹד Jer. 49:19; 50:44

94 לֹא־אֶפְקוֹד עַל־בְּנוֹתֵיכֶם Hosh. 4:14

95 עַל־כֵּן אֶפְקֹד עֲלֵיכֶם Am. 3:2

96 וְעַל־הָעַתּוּדִים אֶפְקוֹד Zech. 10:3

אֶפְקָד־ 97 הַעַל־אֵלֶּה לֹא־אֶפְקָד־בָּם Jer. 9:8

וָאֶפְקֹד 98 וָאֶפְקֹד עֲוֹנָהּ עָלֶיהָ Lev. 18:25

תִּפְקֹד 99 אַךְ אֶת־מַטֵּה לֵוִי לֹא תִפְקֹד Num. 1:49

100 וְאֶת־אַהֲרֹן וְאֶת־בָּנָיו תִּפְקֹד Num. 3:10

101 עַד בֶּן־חֲמִשִּׁים...תִּפְקֹד אוֹתָם Num. 4:23

102 לְמִשְׁפְּחֹתָם...תִּפְקֹד אֹתָם Num. 4:29

103 וְאֶת־אַחֶיךָ תִּפְקֹד לְשָׁלוֹם ISh. 17:18

וַתִּפְקֹד 104 וַתִּפְקֹד עָלַי עֲוֹן הָאִשָּׁה הַיּוֹם IISh. 3:8

תִּפְקְדֶנּוּ 105 מָה־אֱנוֹשׁ...וּבֶן־אָדָם כִּי תִפְקְדֶנּוּ Ps. 8:5

וַתִּפְקְדֶנּוּ 106 וַתִּפְקְדֶנּוּ לִבְקָרִים Job 7:18

תִּפְקְדֵם 107 מִבֶּן־חֹדֶשׁ וָמַעְלָה תִּפְקְדֵם Num. 3:15

108 מִבֶּן שְׁלֹשִׁים שָׁנָה...תִּפְקְדֵם Num. 4:30

וַתִּפְקְדִי 109 וַתִּפְקְדִי אֵת זִמַּת נְעוּרָיִךְ Ezek. 23:21

יִפְקֹד 110 וֵאלֹהִים פָּקֹד יִפְקֹד אֶתְכֶם Gen. 50:24

111 פָּקֹד יִפְקֹד אֱלֹהִים אֶתְכֶם Gen. 50:25

112 פָּקֹד יִפְקֹד אֱלֹהִים אֶתְכֶם Ex. 13:19

113 יִפְקֹד יְיָ...אִישׁ עַל־הָעֵדָה Num. 27:16

114 יִפְקֹד יְיָ אֶת־צֹר וְשָׁבָה לְאֶתְנַנָּה Is. 23:17

115 יִפְקֹד יְיָ עַל־צְבָא הַמָּרוֹם Is. 24:21

116 יִפְקֹד יְיָ בְּחַרְבּוֹ...עַל לִוְיָתָן Is. 27:1

117 פֶּן יִפְקֹד עָלֶיהָ לַיְלָה וָיוֹם אֶצֳּרֶנָּה Is. 27:3

יִפְקֹד (המשך) 118 מַה־תֹּאמְרִי כִּי־יִפְקֹד עָלַיִךְ Jer. 13:21
119 יִזְכּוֹר עֲוֹנָם יִפְקוֹד חַטֹּאתָם Hosh. 9:9
120 הַנִּכְחָדוֹת לֹא־יִפְקֹד Zech. 11:16
121 וְכִי־יִפְקֹד מָה אֲשִׁיבֶנּוּ Job 31:14
וְיִפְקֹד 122 יִזְכֹּר עֲוֹנָם וְיִפְקֹד חַטֹּאתָם Jer. 14:10
123 יִזְכֹּר עֲוֹנָם וְיִפְקֹד חַטֹּאותָם Hosh. 8:13
וַיִּפְקֹד 124 וַיִּפְקֹד שַׂר הַטַּבָּחִים אֶת־יוֹסֵף Gen. 40:4
125 וַיִּפְקֹד אֹתָם מֹשֶׁה עַל־פִּי יְיָ Num. 3:16
126 וַיִּפְקֹד מֹשֶׁה כַּאֲשֶׁר צִוָּה יְיָ אֹתוֹ Num. 3:42
127 וַיִּפְקֹד מֹשֶׁה וְאַהֲרֹן... Num. 4:34
128 וַיַּשְׁכֵּם...וַיִּפְקֹד אֶת־הָעָם Josh. 8:10
129 וַיִּפְקֹד...אֶת־אִשְׁתּוֹ בִּגְדִי עִזִּים Jud. 15:1
130 וַיִּפְקֹד שָׁאוּל אֶת־הָעָם ISh. 13:15
131 וַיִּפְקֹד דָּוִד אֶת־הָעָם... IISh. 18:1
132 וַיִּפְקֹד אֶת־נַעֲרֵי שָׂרֵי הַמְּדִינוֹת IK. 20:15
133 וַיִּפְקֹד בֶּן־הֲדַד אֶת־אֲרָם IK. 20:26
134 וַיֵּצֵא...וַיִּפְקֹד אֶת־כָּל־יִשְׂרָאֵל IIK. 3:6
135 וַיִּקַּח מִיָּדָם וַיִּפְקֹד בַּבָּיִת IIK. 5:24
יִפְקְדֵנִי 136 אִם־פָּקֹד יִפְקְדֵנִי אָבִיךָ ISh. 20:6
יִפְקְדֵם 137 יִפְקְדֵם יְיָ אֱלֹהֵיהֶם וְשָׁב שְׁבִיתָם° Zep. 2:6
וַיִּפְקְדֵם 138 וַיִּפְקְדֵם בְּמִדְבַּר סִינָי Num. 1:19
139 וַיִּפְקְדֵם בְּבָזֶק ISh. 11:8
140 וַיִּפְקְדֵם בַּטְּלָאִים ISh. 15:4
141 וַיִּפְקְדֵם לְמִבֶּן עֶשְׂרִים שָׁנָה... IICh. 25:5
תִּפְקְדוּ 142 מִבֶּן עֶשְׂרִים...תִּפְקְדוּ אֹתָם Num. 1:3
143 וּבְשֵׁמֹת תִּפְקְדוּ אֶת־כְּלֵי...מַשָּׂאָם Num. 4:32
יִפְקֹדוּ 144 וְלֹא יִזְכְּרוּ־בוֹ וְלֹא יִפְקֹדוּ Jer. 3:16
וַיִּפְקְדוּ 145 וַיִּפְקְדוּ וְהִנֵּה אֵין יוֹנָתָן ISh. 14:17
פְּקֹד 146 פְּקֹד אֶת־בְּנֵי לֵוִי לְבֵית אֲבֹתָם Num. 3:15
147 פְּקֹד כָּל־בְּכֹר זָכָר לִבְנֵי יִשׂ׳ Num. 3:40
וּפְקֹד 148 הַבֵּט...וּפְקֹד גֶּפֶן זֹאת Ps. 80:15
פָּקְדֵנִי 149 זָכְרֵנִי יְיָ...פָּקְדֵנִי בִּישׁוּעָתֶךָ Ps. 106:4
וּפָקְדֵנִי 150 אַתָּה יָדַעְתָּ יְיָ זָכְרֵנִי וּפָקְדֵנִי Jer. 15:15
פִּקְדוּ 151 פִּקְדוּ־נָא וּרְאוּ מִי הָלַךְ מֵעִמָּנוּ ISh. 14:17
152 פִּקְדוּ־נָא אֶת־הָאֲרוּרָה הַזֹּאת IIK. 9:34
153 פִּקְדוּ עָלֶיהָ טִפְסָר Jer. 51:25
וּפִקְדוּ 154 שׁוּט־נָא...וּפִקְדוּ אֶת־הָעָם IISh. 24:2
הִפָּקֵד 155 אִם־הִפָּקֵד יִפָּקֵד וְהָיְתָה נַפְשְׁךָ IK. 20:39
לְהִפָּקֵד 156 לְהִפָּקֵד הַיּוֹם מִיִּשׂ׳ שֵׁבֶט אֶחָד Jud. 21:3
וְנִפְקַדְתָּ 157 מָחָר חֹדֶשׁ וְנִפְקַדְתָּ ISh. 20:18
נִפְקַד 158 וְלֹא־נִפְקַד מִמֶּנּוּ אִישׁ Num. 31:49
159 וְלֹא־נִפְקַד לָהֶם מְאוּמָה ISh. 25:7
160 וְלֹא־נִפְקַד מִכָּל־אֲשֶׁר־לוֹ מְאוּמָה ISh.25:21
תִּפָּקֵד 161 מִיָּמִים רַבִּים תִּפָּקֵד Ezek. 38:8
יִפָּקֵד 162 וּפְקֻדַּת כָּל־הָאָדָם יִפָּקֵד עֲלֵיהֶם Num.16:29
163 וְנִפְקַדְתָּ כִּי יִפָּקֵד מוֹשָׁבֶךָ ISh. 20:18
164 אִם־הִפָּקֵד יִפָּקֵד וְהָיְתָה נַפְשְׁךָ.. IK. 20:39
165 כָּל־נְבִיאֵי הַבַּעַל...אִישׁ אַל־יִפָּ׳ IIK. 10:19
166 כֹּל אֲשֶׁר־יִפָּקֵד לֹא יִחְיֶה IIK. 10:19
יִפָּקֶד 167 וְשָׂבֵעַ יָלִין בַּל־יִפָּקֶד רָע Prov. 19:23
וַיִּפָּקֵד 168/9 וַיִּפָּקֵד מְקוֹם דָּוִד ISh. 20:25, 27
תִּפָּקֵד 170 מֵעִם יְיָ צְבָאוֹת תִּפָּקֵד בְּרַעַם Is. 29:6
יִפָּקֵדוּ 171 וּמֵרֹב יָמִים יִפָּקֵדוּ Is. 24:22
172 וְלֹא־יֵחַתּוּ וְלֹא יִפָּקֵדוּ Jer. 23:4
וַיִּפָּקְדוּ 173 וַיִּפָּקְדוּ מֵעַבְדֵי דָוִד IISh. 2:30
174 וַיִּפָּקְדוּ הַשּׁוֹעֲרִים וְהַמְשֹׁרְרִים Neh. 7:1
175 וַיִּפָּקְדוּ...אֲנָשִׁים עַל־הַנְּשָׁכוֹת Neh. 12:44
מְפַקֵּד 176 יְיָ צְבָאוֹת מְפַקֵּד צְבָא מִלְחָמָה Is. 13:4
פֻּקַּדְתִּי 177 פֻּקַּדְתִּי יֶתֶר שְׁנוֹתָי Is. 38:10
פֻּקַּד 178 אֲשֶׁר פֻּקַּד עַל־פִּי מֹשֶׁה Ex. 38:21
הִתְפָּקְדוּ 179 הִתְפָּקְדוּ שְׁבַע מֵאוֹת אִישׁ בָּחוּר Jud. 20:15
180 וְאִישׁ יִשְׂרָאֵל הִתְפָּקְדוּ Jud. 20:17

וַיִּתְפָּקֵד 181 וַיִּתְפָּקֵד הָעָם Jud. 21:9
וַיִּתְפָּקְדוּ 182 וַיִּתְפָּקְדוּ בְּנֵי בִנְיָמִן Jud. 20:15
הָתְפָּקְדוּ 183 וְהַלְוִיִּם...לֹא הָתְפָּקְדוּ בְּתוֹכָם Num. 1:47
184 וְהַלְוִיִּם לֹא הָתְפָּקְדוּ בְּתוֹךְ בְּ״יִ Num. 2:33
185 כִּי לֹא הָתְפָּקְדוּ בְּתוֹךְ בְּ״יִ Num. 26:62
186 וּבְנֵי יִשְׂרָאֵל הָתְפָּקְדוּ וְכָלְכְּלוּ... IK. 20:27
הִפְקַדְתִּי 187 עַל־חוֹמֹתַיִךְ...הִפְקַדְתִּי שֹׁמְרִים Is. 62:6
וְהִפְקַדְתִּי 188 וְהִפְקַדְתִּי עֲלֵיכֶם בֶּהָלָה Lev. 26:16
הִפְקַדְתִּיךָ 189 הִפְקַדְתִּיךָ הַיּוֹם הַזֶּה עַל־הַגּוֹיִם Jer. 1:10
הִפְקַדְתּוֹ 190 וְיָשֹׁב אֶל־מְקוֹמוֹ אֲשֶׁר הִפְקַדְתּוֹ שָׁם ISh.29:4
הִפְקִיד 191 וַיְהִי מֵאָז הִפְקִיד אֹתוֹ בְּבֵיתוֹ... Gen. 39:5
192 וְהַמֶּלֶךְ הִפְקִיד אֶת־הַשָּׁלִישׁ IIK. 7:17
193 כִּי־הִפְקִיד...אֶת־גְּדַלְיָהוּ IIK. 25:23
194 אֲשֶׁר הִפְקִיד...בְּעָרֵי יְהוּדָה Jer. 40:5
195 כִּי־הִפְקִיד...אֶת־גְּדַלְיָהוּ... Jer. 40:7
196 וְכִי הִפְקִיד אִתּוֹ אֲנָשִׁים Jer. 40:7
197 וְכִי הִפְקִיד עֲלֵיהֶם אֶת־גְּדַלְיָהוּ Jer. 40:11
198/9 אֲשֶׁר־הִפְקִיד מֶלֶךְ־בָּבֶל בָּא׳ Jer. 41:2, 18
200 אֲשֶׁר הִפְקִיד...אֶת־גְּדַלְיָהוּ Jer. 41:10
וְהִפְקִיד 201 וְהִפְקִיד עַל־יַד שָׂרֵי הָרָצִים IK. 14:27
202 וְהִפְקִיד עַל־יַד שָׂרֵי הָרָצִים IICh. 12:10
הִפְקִדוּ 203 וְאֶת־הַמְּגִלָּה הִפְקִדוּ בְּלִשְׁכַּת... Jer. 36:20
אַפְקִיד 204 בְּיָדְךָ אַפְקִיד רוּחִי Ps. 31:6
יַפְקִיד 205 לְמִכְמָשׂ יַפְקִיד כֵּלָיו Is. 10:28
וְיַפְקֵד 206 וְיַפְקֵד פְּקִדִים עַל־הָאָרֶץ Gen. 41:34
207 וְיַפְקֵד הַמֶּלֶךְ פְּקִידִים Es. 2:3
וַיַּפְקֵד 208 וַיַּפְקֵד אֹתוֹ לְכָל־סֵבֶל בֵּית יוֹסֵף IK. 11:28
209 וַיַּפְקֵד עֲלֵיהֶם אֶת־גְּדַלְיָהוּ IIK. 25:22
וַיַּפְקִדֵהוּ 210 וַיַּפְקִדֵהוּ עַל־בֵּיתוֹ Gen. 39:4
וַיַּפְקִידֵם 211 וַיַּפְקִידֵם דָּוִיד...עַל־הָרְאוּבֵנִי ICh. 26:32
וַיַּפְקִדוּ 212 וַיַּפְקִדוּ אֶת־יִרְמְיָהוּ בַּחֲצַר הַמַּטָּרָה Jer. 37:21
הַפְקֵד 213 וְאַתָּה הַפְקֵד אֶת־הַלְוִיִּם Num. 1:50
214 הַפְקֵד עָלָיו רָשָׁע Ps. 109:6
וְהַפְקִידוּ 215 וְהַפְקִידוּ עָלֶיהָ אֲנָשִׁים לְשָׁמְרָם Josh.10:18
הָפְקַד 216 אֶת־הַפִּקָּדוֹן אֲשֶׁר הָפְקַד אִתּוֹ Lev. 5:23
217 הִיא הָעִיר הָפְקַד כֻּלָּהּ Jer. 6:6
מֻפְקָדִים 218 וַעֲלֵיהֶם מֻפְקָדִים יַחַת וְעֹבַדְיָהוּ IICh. 34:12
הַמֻּפְקָדִים 219 עֹשֵׂי הַמְּלָאכָה הַמֻּפְקָדִים (כת׳ הפקדים) בֵּית־יְיָ IIK. 12:12
220-222 עֹשֵׂי הַמְּלָאכָה הַמֻּפְקָדִים בֵּית (בְּב־)יְיָ IIK. 22:5, 9 • IICh. 34:10
223 וַיִּתְּנוּהוּ עַל־יַד הַמֻּפְקָדִים IICh. 34:17

פְּקֻדָּה

נ׳ א) צו, הוראה: 12
ב) תפקיד: 9, 11, 23, 24, 27
ג) כלל הממונים על דבר, חבר הפקידים: 3-8, 25, 28-32
ד) גמול או עונש: 1, 2, 10, 11, 13, 15-22
ה) רכוש, פקדון: 26
– יוֹם פְּקֻדָּה 1; יְמֵי פְּקֻדָּה 2; עֵת פְּקֻדָּה 16, 17, 21, 22; שְׁנַת פְּקֻדָּה 18-20
– פְּקֻדַּת כָּל־הָאָדָם 10; פְּקֻדַּת אֶלְעָזָר 9; פְּקֻדַּת יִשְׂרָאֵל 6; פְּ׳ הַמֶּלֶךְ 7; פְּ׳ הַמִּשְׁכָּן 5; פְּקֻדַּת מִשְׁמֶרֶת 8
– פְּקֻדּוֹת בֵּית יְיָ 31; פְּקֻדּוֹת הָעִיר 30; בֵּית הַפְּקֻדּוֹת 32

פְּקֻדָּה 1 וּמַה־תַּעֲשׂוּ לְיוֹם פְּקֻדָּה Is. 10:3
הַפְּקֻדָּה 2 בָּאוּ יְמֵי הַפְּקֻדָּה בָּאוּ יְמֵי הַשִּׁלֻּם Hosh. 9:7
לִפְקֻדָּה 3 וַיִּהְיוּ לְבֵית אָב לִפְקֻדָּה אֶחָת ICh. 23:11
פְּקֻדַּת־ 4 פְּקֻדַּת שֹׁמְרֵי מִשְׁמֶרֶת הַקֹּדֶשׁ Num. 3:32
5 פְּקֻדַּת כָּל־הַמִּשְׁכָּן Num. 4:16
6 חֲשַׁבְיָהוּ...עַל פְּקֻדַּת יִשְׂרָאֵל... ICh. 26:30
7 אֶל־פְּקֻדַּת הַמֶּלֶךְ בְּיַד הַלְוִיִּם IICh. 24:11
וּפְקֻדַּת־ 8 וּפְקֻדַּת מִשְׁמֶרֶת בְּנֵי מְרָרִי Num. 3:36
9 וּפְקֻדַּת אֶלְעָזָר...שֶׁמֶן הַמָּאוֹר... Num. 4:16
10 וּפְקֻדַּת כָּל־הָאָדָם יִפָּקֵד עֲלֵיהֶם Num.16:29
פְּקֻדָּתְךָ 11 יוֹם מְצַפֶּיךָ פְּקֻדָּתְךָ בָאָה Mic. 7:4
וּפְקֻדָּתְךָ 12 וּפְקֻדָּתְךָ שָׁמְרָה רוּחִי Job 10:12
פְּקֻדָּתֵךְ 13 וְשַׂמְתִּי פְקֻדָּתֵךְ שָׁלוֹם Is. 60:17
פְּקֻדָּתוֹ 14 פְּקֻדָּתוֹ יִקַּח אַחֵר Ps. 109:8
פְּקֻדָּתָם 15 בְּעֵת פְּקֻדָּתָם יִכָּשְׁלוּ Jer. 8:12
16-17 בְּעֵת פְּקֻדָּתָם יֹאבֵדוּ Jer. 10:15; 51:18
18-20 שְׁנַת פְּקֻדָּתָם Jer. 11:23; 23:12; 48:44
21-22 עֵת פְּקֻדָּתָם Jer. 46:21; 50:27
23 אֵלֶּה פְקֻדָּתָם לַעֲבֹדָתָם ICh. 24:19
24 וְאֵלֶּה פְּקֻדָּתָם לְבֵית אֲבוֹתֵיהֶם IICh. 17:14
25 בְּמִסְפַּר פְּקֻדָּתָם בְּיַד יְעִיאֵל° IICh. 26:11
וּפְקֻדָּתָם 26 וּפְקֻדָּתָם עַל נַחַל הָעֲרָבִים יִשָּׂאוּם Is. 15:7
לִפְקֻדָּתָם 27 וַיֶּחָלְקֵם...לִפְקֻדָּתָם בַּעֲבֹדָתָם ICh. 24:3
פְּקֻדּוֹת 28 וַיָּשֶׂם הַכֹּהֵן פְּקֻדּוֹת עַל־בֵּית יְיָ IIK. 11:18
29 פְּקֻדּוֹת אֶל־שַׁעֲרֵי הַבָּיִת Ezek. 44:11
פְּקֻדּוֹת־ 30 וַיִּקְרָא...קָרְבוּ פְּקֻדּוֹת הָעִיר Ezek. 9:1
31 פְּקֻדֹּת בֵּית יְיָ בְּיַד הַכֹּהֲנִים IICh. 23:18
הַפְּקֻדּוֹת 32 וַיִּתְּנֵהוּ בְבֵית־הַפְּקֻדֹּת... Jer. 52:11

פִּקָּדוֹן

ז׳ דבר שנמסר למשמרת: 1-3
הַפִּקָּדוֹן 1 אוֹ אֶת־הַפִּקָּדוֹן אֲשֶׁר הָפְקַד אִתּוֹ Lev. 5:23
בְּפִקָּדוֹן 2 בְּפִקָּדוֹן אוֹ־בִתְשׂוּמֶת יָד Lev. 5:21
לְפִקָּדוֹן 3 וְהָיָה הָאֹכֶל לְפִקָּדוֹן לָאָרֶץ Gen. 41:36

פְּקוֹד

ש״פ – אזור בארץ בבל: 1, 2
פְּקוֹד 1 עֲלֵה עָלֶיהָ וְאֶל־יוֹשְׁבֵי פְּקוֹד Jer. 50:21
2 בְּנֵי בָבֶל...פְּקוֹד וְשׁוֹעַ וְקוֹעַ Ezek. 23:23

פְּקוּדִים

ז״ר – מִפְקָד, מספר האנשים או הדברים שעברו על־ידי מונה או נתמנו לתפקיד מיוחד: 1-80
פְּקוּדֵי בְּנֵי גֵרְשׁוֹן 28; פְּקוּדֵי בְּנֵי יִשְׂרָאֵל 15-17; פְּקוּדֵי הַחַיִל 25-27; פְּ׳ הַלֵּוִי (הַלְוִיִּם) 19, 23; פְּקוּדֵי הַמַּחֲנוֹת 18; פְּ׳ הַמִּשְׁכָּן 13; פְּ׳ מִשְׁפְּחוֹת־ 20-22, 29; פְּ׳ מֹשֶׁה 24, 30; פְּקוּדֵי הָעֵדָה 14

הַפְּקֻדִים 1-3 הָעֹבֵר עַל־הַפְּקֻדִים Ex. 30:13, 14; 38:26
4 אֵלֶּה הַפְּקֻדִים אֲשֶׁר פָּקַד מֹשֶׁה Num. 1:44
5 וַיִּהְיוּ כָּל־הַפְּקֻדִים Num. 1:46
6-9 כָּל־הַפְּקֻדִים לְמַחֲנֵה... Num. 2:9, 16, 24, 31
10 כָּל־הַפְּקֻדִים אֲשֶׁר פָּקַד מֹשֶׁה Num. 4:46
11 הֵם הָעֹמְדִים עַל־הַפְּקֻדִים Num. 7:2
12 הַפְּקֻדִים אֲשֶׁר לְאַלְפֵי הַצָּבָא Num. 31:48
פְּקוּדֵי־ 13 אֵלֶּה פְקוּדֵי הַמִּשְׁכָּן Ex. 38:21
14 וְכֶסֶף פְּקוּדֵי הָעֵדָה Ex. 38:25
15 וַיִּהְיוּ כָּל־פְּקוּדֵי בְנֵי־יִשְׂרָאֵל Num. 1:45
16/7 אֵלֶּה פְּקוּדֵי בְנֵי יִשְׂרָאֵל Num. 2:32; 26:51
18 כָּל־פְּקוּדֵי הַמַּחֲנֹת לְצִבְאֹתָם Num. 2:32
19 כָּל־פְּקוּדֵי הַלְוִיִּם Num. 3:39
20-22 אֵלֶּה פְּקוּדֵי מִשְׁפְּחֹת... Num. 4:37, 41, 45
23 וְאֵלֶּה פְקוּדֵי הַלֵּוִי Num. 26:57
24 אֵלֶּה פְּקוּדֵי מֹשֶׁה וְאֶלְעָזָר Num. 26:63
25 וַיִּקְצֹף מֹשֶׁה עַל פְּקוּדֵי הֶחָיִל Num. 31:14
26 שָׂרֵי הַמֵּאוֹת° פְּקֻדֵי הַחַיִל IIK. 11:15
27 שָׂרֵי הַמֵּאוֹת פְּקוּדֵי הַחַיִל IICh. 23:14
וּפְקוּדֵי־ 28 וּפְקוּדֵי בְּנֵי גֵרְשׁוֹן... Num. 4:38
29 וּפְקוּדֵי מִשְׁפְּחֹת בְּנֵי מְרָרִי Num. 4:42
מִפְּקוּדֵי־ 30 מִפְּקוּדֵי מֹשֶׁה וְאַהֲרֹן הַכֹּהֵן Num. 26:64
פְּקֻדָיו 31 פְּקֻדָיו בְּמִסְפַּר שֵׁמוֹת לְגֻלְגְּלֹתָם Num. 1:22
32 אִישׁ לְפִי פְקֻדָיו יֻתַּן נַחֲלָתוֹ Num. 26:54

ופקודיו 33-35 וּצְבָאוֹ וּפְקֻדָיו Num. 2:6, 8, 11
36 וּפְקֻדָיו אֲשֶׁר־צִוָּה יְיָ אֶת־מֹשֶׁה Num. 4:49
פקודיכם 37 וְכָל־פְּקֻדֵיכֶם לְכָל־מִסְפַּרְכֶם Num. 14:29
פקודיהם 38-49 פְּקֻדֵיהֶם לְמַטֵּה... Num. 1:21, 23, 25
1:27, 29, 31, 33, 35, 37, 39, 41, 43
50 פְּקֻדֵיהֶם בְּמִסְפַּר כָּל־זָכָר... Num. 3:22
51 פְּקֻדֵיהֶם שִׁבְעַת אֲלָפִים Num. 3:22
52-57 וַיִּהְיוּ פְקֻדֵ׳ Num. 4:36, 40, 44, 48; 26:7, 62
ופקודיהם 58-66 וּצְבָאוֹ וּפְקֻדֵיהֶם Num. 2:4, 13, 15, 19
2:21, 23, 26, 28, 30
67 וּפְקֻדֵיהֶם בְּמִסְפַּר כָּל־זָכָר Num. 3:34
68 וּפְקֻדֵיהֶם שְׁנַיִם וַחֲמִשִּׁים אָלֶף Num. 26:34
69-70 וּפְקֻדֵיהֶם חֲמִשָּׁה...אָלֶף Num. 26:41, 50
לפקודיהם 71 כִּי תִשָּׂא אֶת־רֹאשׁ בְּ־י׳ לִפְקֻדֵיהֶם Ex. 30:12
72 בְּמִסְפַּר שֵׁמֹת...לִפְקֻדֵיהֶם Num. 2:43
73-78 אֵלֶּה מִשְׁפְּחֹת...לִפְקֻדֵיהֶם Num. 26:18
26:22, 25, 27, 37, 47
79 מִשְׁפַּחַת הַשּׁוּחָמִי לִפְקֻדֵיהֶם Num. 26:43
80 רָאשֵׁי הָאָבוֹת לִפְקוּדֵיהֶם ICh. 23:24

פִּקּוּדִים
ז״ר – מִצְוֹת: 1-24 • קרובים: ראה מִצְוָה
פִּקּוּדֵי יְיָ 1; פִּקּוּדֵי כֹל 2

פקודי־ 1 פִּקּוּדֵי יְיָ יְשָׁרִים מְשַׂמְּחֵי־לֵב Ps. 19:9
2 כָּל־פִּקּוּדֵי כֹל יִשָּׁרְתִּי Ps. 119:128
פקודיך 3 צִוִּיתָה פִקֻּדֶיךָ לִשְׁמֹר מְאֹד Ps. 119:4
4 דֶּרֶךְ־פִּקּוּדֶיךָ הֲבִינֵנִי Ps. 119:27
5/6 כִּי פִקֻּדֶיךָ דָרָשְׁתִּי Ps. 119:45, 94
7 כִּי פִקֻּדֶיךָ נָצָרְתִּי Ps. 119:56
8 חָבֵר אָנִי...וּלְשֹׁמְרֵי פִּקּוּדֶיךָ Ps. 119:63
9 אֲנִי בְּכָל־לֵב אֱצֹּר פִּקּוּדֶיךָ Ps. 119:69
10 וַאֲנִי לֹא־עָזַבְתִּי פִקֻּדֶיךָ Ps. 119:87
11 לְעוֹלָם לֹא־אֶשְׁכַּח פִּקּוּדֶיךָ Ps. 119:93
12 כִּי פִקּוּדֶיךָ נָצָרְתִּי Ps. 119:100
13 פְּדֵנִי...וְאֶשְׁמְרָה פִּקּוּדֶיךָ Ps. 119:134
14 פִּקֻּדֶיךָ לֹא שָׁכָחְתִּי Ps. 119:141
15 רְאֵה כִּי־פִקּוּדֶיךָ אָהָבְתִּי Ps. 119:159
16 שָׁמַרְתִּי פִקּוּדֶיךָ וְעֵדֹתֶיךָ Ps. 119:168
17 כִּי פִקּוּדֶיךָ בָחָרְתִּי Ps. 119:173
בפקודיך 18 בְּפִקֻּדֶיךָ אָשִׂיחָה Ps. 119:15
19 אֲנִי אָשִׂיחַ בְּפִקּוּדֶיךָ Ps. 119:78
לפקודיך 20 הִנֵּה תָּאַבְתִּי לְפִקֻּדֶיךָ Ps. 119:40
מפקודיך 21 מִפִּקּוּדֶיךָ אֶתְבּוֹנָן Ps. 119:104
ומפקודיך 22 וּמִפִּקּוּדֶיךָ לֹא תָעִיתִי Ps. 119:110
פקודיו 23 וּלְזֹכְרֵי פִקֻּדָיו לַעֲשׂוֹתָם Ps. 103:18
24 נֶאֱמָנִים כָּל־פִּקּוּדָיו Ps. 111:7

פָּקוֹחַ
ת׳ – עיין פִּקֵּחַ

פַּקֻּעָה*
נ׳ אחד ממיני הפטריות
פקועת־ 1 וַיְלַקֵּט מִמֶּנּוּ פַּקֻּעֹת שָׂדֶה IIK. 4:39

פקח
: פָּקַח, נִפְקַח; פָּקוֹחַ, פִּקֵּחַ; פֶּקַח־קוֹחַ; ש״פ פֶּקַח, פְּקַחְיָה

פָּקַח
פ׳ א) פָּתַח עֵינַיִם: 2-17; פָּתַח אָזְנַיִם: 1
ב) [נפ׳ נִפְקְחוּ] נפתחו (עֵינַיִם): 18-20

פקוח 1 פָּקוֹחַ אָזְנַיִם וְלֹא יִשְׁמָע Is. 42:20
לפקח 2 לִפְקֹחַ עֵינַיִם עִוְרוֹת Is. 42:7
פקחת 3 אַף־עַל־זֶה פָּקַחְתָּ עֵינֶךָ Job 14:3
פקח 4 עֵינָיו פָּקַח וְאֵינֶנּוּ Job 27:19
פוקח 5 יְיָ פֹּקֵחַ עִוְרִים Ps. 146:8
פקוחות 6 עֵינֶיךָ פְּקֻחוֹת עַל־כָּל־דַּרְכֵי בְּנֵי אָדָם Jer. 32:19
אפקח 7 וְעַל־בֵּית יְהוּדָה אֶפְקַח אֶת־עֵינַי Zech. 12:4
ויפקח 8 וַיִּפְקַח אֱלֹהִים אֶת־עֵינֶיהָ Gen. 21:19
9 וַיִּפְקַח הַנַּעַר אֶת־עֵינָיו IIK. 4:35
10 וַיִּפְקַח יְיָ אֶת־עֵינֵי הַנַּעַר וַיַּרְא IIK. 6:17
11 וַיִּפְקַח יְיָ אֶת־עֵינֵיהֶם וַיִּרְאוּ IIK. 6:20
פקח 12 יְיָ פְּקַח־נָא אֶת־עֵינָיו וְיִרְאֶה IIK. 6:17
13 פְּקַח אֶת־עֵינֵי־אֵלֶּה וְיִרְאוּ IIK. 6:20
14 פְּקַח יְיָ עֵינֶיךָ וּרְאֵה IIK. 19:16
15 פְּקַח יְיָ עֵינְךָ וּרְאֵה Is. 37:17
16 פְּקַח עֵינֶיךָ שְׂבַע־לָחֶם Prov. 20:13
17 פְּקַח (כת׳ פקחה) עֵינֶיךָ וּרְאֵה Dan. 9:18
ונפקחו 18 וְנִפְקְחוּ עֵינֵיכֶם וִהְיִיתֶם כֵּאלֹהִים Gen. 3:5
תפקחנה 19 אָז תִּפָּקַחְנָה עֵינֵי עִוְרִים Is. 35:5
ותפקחנה 20 וַתִּפָּקַחְנָה עֵינֵי שְׁנֵיהֶם Gen. 3:7

פִּקֵּחַ
ת׳ו־ז – גלוי עינים: 1, 2
פקח 1 מִי־יָשׂוּם...אוֹ פִקֵּחַ אוֹ עִוֵּר Ex. 4:11
פקחים 2 כִּי הַשֹּׁחַד יְעַוֵּר פִּקְחִים Ex. 23:8

פֶּקַח
שפ־ז – מלך ישראל: 1-11
דִּבְרֵי פֶקַח 7
פקח 1 וַיִּקְשֹׁר עָלָיו פֶּקַח בֶּן־רְמַלְיָהוּ IIK. 15:25
2 בִּשְׁנַת...מָלַךְ פֶּקַח בֶּן־רְמַלְיָהוּ IIK. 15:27
3 בִּימֵי פֶּקַח מֶלֶךְ־יִשְׂרָאֵל... IIK. 15:29
4-6 פֶּקַח בֶּן־רְמַלְיָהוּ IIK. 15:30, 37 • IICh. 28:6
7 וְיֶתֶר דִּבְרֵי־פֶקַח... IIK. 15:31
ופקח 8 רְצִין מֶלֶךְ־אֲרָם וּפֶקַח בֶּן־רְמַלְיָהוּ IIK. 16:5
9 רְצִין מֶלֶךְ־אֲרָם וּפֶקַח בֶּן־רְמַלְיָהוּ Is. 7:1
לפקח 10/1 בִּשְׁנַת...לְפֶקַח בֶּן־רְמַלְיָהוּ IIK. 15:32; 16:1

פְּקַחְיָה
שפ־ז – מלך ישראל: 1-3
דִּבְרֵי פְקַחְיָה 3
פקחיה 1 וַיִּמְלֹךְ פְּקַחְיָה בְנוֹ תַּחְתָּיו IIK. 15:22
2 בִּשְׁנַת...מָלַךְ פְּקַחְיָה בֶן־מְנַחֵם IIK. 15:23
3 וְיֶתֶר דִּבְרֵי פְקַחְיָה... IIK. 15:26

פְּקַח־קוֹחַ
ז׳ שחרור, דרור(?)
פקח־קוח 1 לִקְרֹא לִשְׁבוּיִם דְּרוֹר
וְלַאֲסוּרִים פְּקַח־קוֹחַ Is. 61:1

פָּקִיד
ז׳ ממונה, מנהל: 1-13
פָּקִיד נָגִיד 2; פָּקִיד כֹּהֵן 8; פְּקִיד הַלְוִיִּם 7
פקיד 1 פָּקִיד עַל־אַנְשֵׁי הַמִּלְחָמָה IIK. 25:19
2 וְהוּא־פָקִיד נָגִיד בְּבֵית יְיָ Jer. 20:1
3 פָּקִיד עַל־אַנְשֵׁי הַמִּלְחָמָה Jer. 52:25
4 וְיוֹאֵל בֶּן־זִכְרִי פָּקִיד עֲלֵיהֶם Neh. 11:9
ופקיד 5 וּפָקִיד עֲלֵיהֶם זַבְדִּיאֵל בֶּן־הַגְּדוֹלִים Neh. 11:14
הפקיד 6 הַמְשֹׁרְרִים וְיִזְרַחְיָה הַפָּקִיד Neh. 12:42
ופקיד־ 7 וּפְקִיד הַלְוִיִּם בִּירוּשָׁלָ‍ִם Neh. 11:22
8 סוֹפֵר הַמֶּלֶךְ וּפְקִיד כֹּהֵן הָרֹאשׁ IICh. 24:11
פקידו 9 הֲלֹא בֶן־יְרֻבַּעַל וּזְבֻל פְּקִידוֹ Jud. 9:28
פקידים 10 וְיַפְקֵד פְּקִדִים עַל־הָאָרֶץ Gen. 41:34
11 לִהְיוֹת פְּקִדִים בֵּית יְיָ Jer. 29:26
12 וְיַפְקֵד הַמֶּלֶךְ פְּקִידִים Es. 2:3
13 פְּקִידִים מִיַּד כָּנַנְיָהוּ IICh. 31:13

פְּקִדֻת
נ׳ משרה, תפקיד
פקדות 1 וְשָׁם בַּעַל פְּקִדֻת וּשְׁמוֹ יִרְאִיָּיה Jer. 37:13

פֶּקַע*
ז׳ נצת הפרח: 1-3
מִקְלַעַת פְּקָעִים 1
פקעים 1 מִקְלַעַת פְּקָעִים וּפְטוּרֵי צִצִּים IK. 6:18
ופקעים 2 וּפְקָעִים מִתַּחַת לִשְׂפָתוֹ סָבִיב IK. 7:24
הפקעים 3 שְׁנֵי טוּרִים הַפְּקָעִים יְצֻקִים... IK. 7:24

פַּר
ז׳ א) הַזָּכָר בַּבָּקָר: 1-102, 104, 106-132
ב) [בהשאלה] תקיף, עריץ: 103, 105, 133
קרובים: בָּקָר / פָּרָה / שׁוֹר
– פַּר בֶּן־בָּקָר 1, 5-24, 32, 33, 35, 67, 68; פַּר הַחַטָּאת 3, 52, 82-88, 90-92; פַּר הַשּׁוֹר 89
– בְּשַׂר הַפָּר 41, (46); דַּם הַפָּר 40, 44, 45, 48-51; עוֹר הַפָּר 46; רֹאשׁ הַפָּר 38, 43, 47
– פָּרִים בְּנֵי בָקָר 97-101; דַּם פָּרִים 102

פר 1 לְקַח פַּר אֶחָד בֶּן־בָּקָר Ex. 29:1
2 פַּר בֶּן־בָּקָר תָּמִים לַייָ לְחַטָּאת Lev. 4:3
3 וְאֶת־כָּל־חֵלֶב פַּר הַחַטָּאת Lev. 4:8
4 פַּר בֶּן־בָּקָר לְחַטָּאת Lev. 4:14
5-16 פַּר אֶחָד בֶּן־בָּקָר Num. 7:15, 21, 27
7:33, 39, 45, 51, 57, 63, 69, 75, 81
17-24 פַּר בֶּן־בָּקָר Num. 8:8; 15:24; 29:2, 8
Ezek. 43:19, 23; 45:18; 46:6
25-27 וַיַּעַל(...)פָּר וָאַיִל בַּמִּזְבֵּחַ Num. 23:2, 14, 30
28 פַּר אֶחָד אַיִל אֶחָד... Num. 29:36
פר 29 וָאַעַל פָּר וָאַיִל בַּמִּזְבֵּחַ Num. 23:4
30 לֹא־אֶקַּח מִבֵּיתְךָ פָר Ps. 50:9
31 וְתִיטַב לַייָ מִשּׁוֹר פָּר Ps. 69:32
ופר 32 וּפַר בֶּן־בָּקָר אֶחָד Lev. 23:18
33 וּפַר־שֵׁנִי בֶן־בָּקָר Num. 8:8
34 וּפַר הַשֵּׁנִי שֶׁבַע שָׁנִים Jud. 6:25
35 וּפַר בֶּן־בָּקָר וְאַיִל מִן־הַצֹּאן Ezek. 43:25
הפר 36 וְאֶת־הַפָּר וְאֵת שְׁנֵי הָאֵילִם Ex. 29:3
37 וְהִקְרַבְתָּ אֶת־הַפָּר לִפְנֵי אֹהֶל... Ex. 29:10
38 וְסָמַךְ...עַל־רֹאשׁ הַפָּר Ex. 29:10
39 וְשָׁחַטְתָּ אֶת־הַפָּר לִפְנֵי יְיָ Ex. 29:11
40 וְלָקַחְתָּ מִדַּם הַפָּר Ex. 29:12
41 וְאֶת־בְּשַׂר הַפָּר וְאֶת־עֹרוֹ Ex. 29:14
42 וְהֵבִיא אֶת־הַפָּר...לִפְנֵי יְיָ Lev. 4:4
43 וְסָמַךְ אֶת־יָדוֹ עַל־רֹאשׁ הַפָּר Lev. 4:4
44 וְלָקַח הַכֹּהֵן הַמָּשִׁיחַ מִדַּם הַפָּר Lev. 4:5
45 וְאֵת כָּל־דַּם הַפָּר יִשְׁפֹּךְ Lev. 4:7
46 וְאֶת־עוֹר הַפָּר וְאֶת־כָּל־בְּשָׂרוֹ Lev. 4:11
47 וְסָמְכוּ...עַל־רֹאשׁ הַפָּר Lev. 4:15
48 וְהֵבִיא הַכֹּהֵן הַמָּשִׁיחַ מִדַּם הַפָּר Lev. 4:16
49 וְלָקַח מִדַּם הַפָּר וְהִזָּה Lev. 16:14
50 כַּאֲשֶׁר עָשָׂה לְדַם הַפָּר Lev. 16:15
51 וְלָקַח מִדַּם הַפָּר...וְנָתַן... Lev. 16:18
52 וְלָקַחְתָּ אֵת הַפָּר הַחַטָּאת Ezek. 43:21
53-66 הַפָּר* Lev. 4:4, 12, 15, 21²; 8:17
Jud. 6:26, 28 • ISh. 1:25 • IK. 18:23², 25, 26, 33
בפר 67 בְּפַר בֶּן־בָּקָר לְחַטָּאת Lev. 16:3
68 לְמַלֵּא יָדוֹ בְּפַר בֶּן־בָּקָר IICh. 13:9
בפר 69 וְחִטְּאוּ...כַּאֲשֶׁר חִטְּאוּ בַּפָּר Ezek. 43:22
לפר 70 וְעָשָׂה לַפָּר כַּאֲשֶׁר עָשָׂה... Lev. 4:20
71-74 שְׁלֹשָׁה עֶשְׂרֹנִים לַפָּר Num. 28:20
28:28; 29:3, 9
75 וּשְׁלֹשָׁה עֶשְׂרֹנִים...לַפָּר הָאֶחָד Num. 28:12
76 חֲצִי הַהִין יִהְיֶה לַפָּר Num. 28:14
77 שְׁלֹשָׁה עֶשְׂרֹנִים לַפָּר הָאֶחָד Num. 29:14
78 מִנְחָתָם וְנִסְכֵּיהֶם לַפָּר Num. 29:37
79 וּמִנְחָה אֵיפָה לַפָּר...יַעֲשֶׂה Ezek. 45:24
80 וְאֵיפָה לַפָּר...יַעֲשֶׂה מִנְחָה Ezek. 46:7
81 תִּהְיֶה הַמִּנְחָה אֵיפָה לַפָּר Ezek. 46:11
פר־ 82/3 וְאֵת פַּר הַחַטָּאת Lev. 8:2; 16:27
84 עַל־רֹאשׁ פַּר הַחַטָּאת Lev. 8:14
85-88 פַּר הַחַטָּאת Lev. 8:14; 16:6, 11²
89 קַח אֶת־פַּר־הַשּׁוֹר אֲשֶׁר לְאָבִיךָ Jud. 6:25

90 וְעָשָׂה הַנָּשִׂיא...פַּר חַטָּאת Ezek. 45:22
וּפַר־ 91 וּפַר חַטָּאת תַּעֲשֶׂה לַיּוֹם Ex. 29:36
לְפַר־ 92 כַּאֲשֶׁר עָשָׂה לְפַר הַחַטָּאת Lev. 4:20
פָּרִים 93 וַיִּזְבְּחוּ זְבָחִים שְׁלָמִים לַיְיָ פָּרִים Ex. 24:5
94 כָּל־הַבָּקָר...שְׁנַיִם עָשָׂר פָּרִים Num. 7:87
95 עֶשְׂרִים וְאַרְבָּעָה פָּרִים Num. 7:88
96 שִׁבְעָה פָרִים וְשִׁבְעָה אֵילִים Num. 23:1
97-101 פָּרִים בְּנֵי־בָקָר Num. 28:11, 19
28:27; 29:13, 17
102 וְדַם פָּרִים וּכְבָשִׂים וְעַתּוּדִים Is. 1:11
103 פָּרִים מְרִיאֵי בָשָׁן כֻּלָּם Ezek. 39:18
104 וּנְשַׁלְּמָה פָרִים שְׂפָתֵינוּ Hosh. 14:3
105 סְבָבוּנִי פָּרִים רַבִּים Ps. 22:13
106 אָז יַעֲלוּ עַל־מִזְבַּחֲךָ פָרִים Ps. 51:21
107-122 פָּרִים Num. 23:29; 29:14, 20, 23, 26, 29
32 • IK. 18:23 • Ezek. 45:23 • Job 42:8 • Ez. 8:35 •
ICh. 15:26; 29:21 • IICh. 29:21; 30:24²
וּפָרִים 123 פָּרוֹת אַרְבָּעִים וּפָרִים עֲשָׂרָה Gen. 32:16
124 וְיָרְדוּ...וּפָרִים עִם־אַבִּירִים Is. 34:7
הַפָּרִים 125 יִסְמְכוּ...עַל רֹאשׁ הַפָּרִים Num. 8:12
לַפָּרִים 126-131 וּמִנְחָתָם וְנִסְכֵּיהֶם לַפָּרִים
Num. 29:18, 21, 24, 27, 30, 33
בְּפָרִים 132 וַתַּעֲלֵהוּ...בְּפָרִים שְׁלֹשָׁה I Sh. 1:24
פָּרֶיהָ 133 חִרְבוּ כָּל־פָּרֶיהָ יֵרְדוּ לַטָּבַח Jer. 50:27

(פרא) הִפְרִיא הפ׳ הפרה?
יַפְרִיא 1 הוּא בֵּין אַחִים יַפְרִיא Hosh. 13:15

פֶּרֶא ז׳ א) חמור הבר: 3, 5-10
ב) [בהשאלה] כנוי לאדם פרוע ופוחז: 1, 2, 4
פֶּרֶא אָדָם 1, 4; פֶּרֶה לִמֻּד מִדְבָּר 6; מְשׂוֹשׂ פְּרָאִים 7
פֶּרֶא 1 וְהוּא יִהְיֶה פֶּרֶא אָדָם Gen. 16:12
2 הֵמָּה עָלוּ אַשּׁוּר פֶּרֶא בּוֹדֵד לוֹ Hosh. 8:9
3 הֲיִנְהַק־פֶּרֶא עֲלֵי־דֶשֶׁא Job 6:5
4 וְעַיִר פֶּרֶא אָדָם יִוָּלֵד Job 11:12
5 מִי־שִׁלַּח פֶּרֶא חָפְשִׁי Job 39:5
פֶּרֶה 6 פֶּרֶה לִמֻּד מִדְבָּר Jer. 2:24
פְּרָאִים 7 מְשׂוֹשׂ פְּרָאִים מִרְעֵה עֲדָרִים Is. 32:14
8 יִשְׁבְּרוּ פְרָאִים צְמָאָם Ps. 104:11
9 הֵן פְּרָאִים בַּמִּדְבָּר יָצְאוּ בְּפָעֳלָם Job 24:5
וּפְרָאִים 10 וּפְרָאִים עָמְדוּ עַל־שְׁפָיִם Jer. 14:6

פִּרְאָם שפ־ז – מלך ירמות
פִּרְאָם 1 וַיִּשְׁלַח...וְאֶל־פִּרְאָם מֶלֶךְ־יַרְמוּת Josh. 10:3

פֹּרָאת ת׳ – עין פֹּארָה

פַּרְבָּר ז׳ מגרש לפני בית־המקדש: 1, 2 [עין גם פַּרְוָר]
לַפַּרְבָּר 1-2 לַפַּרְבָּר לַמַּעֲרָב אַרְבָּעָה לַמְסִלָּה
שְׁנַיִם לַפַּרְבָּר ICh. 26:18

פרד : פָּרוּד, נִפְרַד, פֵּרֵד, מְפֹרָד, הִתְפָּרֵד, הִפְרִיד; פֶּרֶד, פִּרְדָּה; פְּרֻדָה; ש־פ פְּרוּדָא, פְּרִידָא

פָּרַד פ׳ א) [רק בינוני פעול: פָּרוּד] נבדל: 1
ב) [נפ׳ נִפְרַד] נבדל, התרחק זה מזה: 2-13
ג) [פ׳ פֵּרֵד] התיחד: 14
ד) [פ׳ בינוני: מְפֹרָד] נבדל, מפוזר: 15
ה) [הת׳ הִתְפָּרֵד] התרחק זה מזה: 16-19
ו) [הפ׳ הִפְרִיד] הבדיל: 20-26
פְּרוּדוֹת 1 וּפְנֵיהֶם וְכַנְפֵיהֶם פְּרֻדוֹת מִלְמָעְלָה Ezek. 1:11
הִפָּרֶד־ 2 אַחֲרֵי הִפָּרֶד־לוֹט מֵעִמּוֹ Gen. 13:14
נִפְרְדוּ 3 מֵאֵלֶּה נִפְרְדוּ אִיֵּי הַגּוֹיִם Gen. 10:5
4 וּמֵאֵלֶּה נִפְרְדוּ הַגּוֹיִם בָּאָרֶץ Gen. 10:32
נִפְרָדוּ 5 בְּחַיֵּיהֶם וּבְמוֹתָם לֹא נִפְרָדוּ II Sh. 1:23
נִפְרָד 6 וְחֶבֶר הַקֵּינִי נִפְרָד מִקַּיִן Jud. 4:11
7 לְתַאֲוָה יְבַקֵּשׁ נִפְרָד Prov. 18:1
נִפְרָדִים 8 וַאֲנַחְנוּ נִפְרָדִים עַל־הַחוֹמָה Neh. 4:13
יִפָּרֵד 9 וּמִשָּׁם יִפָּרֵד וְהָיָה לְאַרְבָּעָה רָאשִׁים Gen. 2:10
10 וְדָל מֵרֵעֵהוּ יִפָּרֵד Prov. 19:4
יִפָּרֵדוּ 11 וּשְׁנֵי לְאֻמִּים מִמֵּעַיִךְ יִפָּרֵדוּ Gen. 25:23
וַיִּפָּרְדוּ 12 וַיִּפָּרְדוּ אִישׁ מֵעַל אָחִיו Gen. 13:11
הִפָּרֶד 13 הִפָּרֶד נָא מֵעָלָי Gen. 13:9
יְפָרֵדוּ 14 כִּי־הֵם עִם־הַזֹּנוֹת יְפָרֵדוּ Hosh. 4:14
וּמְפֹרָד 15 מְפֻזָּר וּמְפֹרָד בֵּין הָעַמִּים Es. 3:8
וְהִתְפָּרְדוּ 16 וְהִתְפָּרְדוּ כָּל־עַצְמוֹתָי Ps. 22:14
יִתְפָּרְדוּ 17 יִתְפָּרְדוּ כָּל־פֹּעֲלֵי אָוֶן Ps. 92:10
יִתְפָּרָדוּ 18 וּבְנֵי לָבִיא יִתְפָּרָדוּ Job 4:11
19 יִתְלַכְּדוּ וְלֹא יִתְפָּרָדוּ Job 41:9
בְּהַפְרִידוֹ 20 בְּהַפְרִידוֹ בְּנֵי אָדָם Deut. 32:8
הִפְרִיד 21 וְהַכְּשָׂבִים הִפְרִיד יַעֲקֹב Gen. 30:40
מַפְרִיד 22 וְנִרְגָּן מַפְרִיד אַלּוּף Prov. 16:28
23 וְשֹׁנֶה בְדָבָר מַפְרִיד אַלּוּף Prov. 17:9
יַפְרִיד 24 וּבֵין עֲצוּמִים יַפְרִיד Prov. 18:18
25 כִּי הַמָּוֶת יַפְרִיד בֵּינִי וּבֵינֵךְ Ruth 1:17
וַיַּפְרִדוּ 26 וַיַּפְרִדוּ בֵּין שְׁנֵיהֶם IIK. 2:11

פֶּרֶד ז׳ בן כִּלְאַיִם של חמור וסוסה: 1-15
סוּס וָפֶרֶד 1, 6, 9, 10-12; צֶמֶד פְּרָדִים 8
וָפֶרֶד 1 וְנַחְיֶה סוּס וָפֶרֶד IK. 18:5
הַפֶּרֶד 2 וְאַבְשָׁלוֹם רֹכֵב עַל־הַפֶּרֶד II Sh. 18:9
3 וַיָּבֹא הַפֶּרֶד תַּחַת שׂוֹבֶךְ הָאֵלָה II Sh. 18:9
4 הַסּוּס הַפֶּרֶד הַגָּמָל וְהַחֲמוֹר Zech. 14:15
וְהַפֶּרֶד 5 וְהַפֶּרֶד אֲשֶׁר־תַּחְתָּיו עָבָר II Sh. 18:9
כְּפֶרֶד 6 אַל־תִּהְיוּ כְּסוּס כְּפֶרֶד אֵין הָבִין Ps. 32:9
פִּרְדּוֹ 7 וַיִּרְכְּבוּ אִישׁ עַל־פִּרְדּוֹ II Sh. 13:29
פְּרָדִים 8 מַשָּׂא צֶמֶד־פְּרָדִים אֲדָמָה IIK. 5:17
וּפְרָדִים 9 וְהֵמָּה מְבִאִים...סוּסִים וּפְרָדִים IK. 10:25
10 סוּסִים וּפָרָשִׁים וּפְרָדִים Ezek. 27:14
11 וְהֵם מְבִיאִים...סוּסִים וּפְרָדִים IICh. 9:24
וּבַפְּרָדִים 12 בַּסּוּסִים וּבָרֶכֶב...וּבַפְּרָדִים Is. 66:20
13 בַּחֲמוֹרִים וּבַגְּמַלִּים וּבַפְּרָדִים ICh. 12:41(40)
פִּרְדֵיהֶם 14 פִּרְדֵיהֶם מָאתַיִם אַרְבָּעִים וַחֲמִשָּׁה Ez. 2:66
15 פִּרְדֵיהֶם מָאתַיִם אַרְבָּעִים וַחֲמִשָּׁה Neh. 7:68

פִּרְדָּה נ׳ בַּת כִּלְאַיִם של חמור וסוסה: 1-3
פִּרְדַּת הַמֶּלֶךְ 2, 3
הַפִּרְדָּה 1 וְהִרְכַּבְתֶּם...עַל־הַפִּרְדָּה אֲשֶׁר־לִי IK. 1:33
פִּרְדַּת־ 2 וַיַּרְכִּבוּ...עַל־פִּרְדַּת הַמֶּלֶךְ דָּוִד IK. 1:38
3 וַיַּרְכִּבוּ אֹתוֹ עַל פִּרְדַּת הַמֶּלֶךְ IK. 1:44

פַּרְדֵּס ז׳ גן עצי פרי: 1-3 • קרובים: ראה כֶּרֶם
פַּרְדֵּס 1 פַּרְדֵּס רִמּוֹנִים עִם פְּרִי מְגָדִים S.of S. 4:13
הַפַּרְדֵּס 2 שֹׁמֵר הַפַּרְדֵּס אֲשֶׁר לַמֶּלֶךְ Neh. 2:8
וּפַרְדֵּסִים 3 עָשִׂיתִי לִי גַּנּוֹת וּפַרְדֵּסִים Eccl. 2:5

פרה : פָּרָה, הִפְרָה; פְּרִי; ש־פ אֶפְרַיִם, פְּרָת(?)

פָּרָה¹ פ׳ א) עשה פרי, הקים וְלָדוֹת: 1-6, 14, 17-22
ב) צמח, שגשג: 7-13, 15, 16
ג) [הפ׳ הִפְרָה] הרבה פרי, הרבה ולדות: 23-29
פָּרוּ וְרָבוּ (פְּרוּ וּרְבוּ, וַיִּפְרוּ וַיִּרְבּוּ וכד׳) 2-6, 17-22; שֹׁרֶשׁ פּוֹרֶה 7; בֵּן פּוֹרָת 12, 13; גֶּפֶן פּוֹרִיָּה 9, 11; הִפְרָה וְהִרְבָּה 24, 25, 27, 29
וּפָרִינוּ 1 הִרְחִיב יְיָ לָנוּ וּפָרִינוּ בָאָרֶץ Gen. 26:22
וּפְרִיתֶם 2 וְהָיָה כִּי תִרְבּוּ וּפְרִיתֶם בָּאָרֶץ Jer. 3:16
פָּרוּ 3 וּבְנֵי יִשְׂרָאֵל פָּרוּ וַיִּשְׁרְצוּ וַיִּרְבּוּ Ex. 1:7
וּפָרוּ 4 וּפָרוּ וְרָבוּ עַל־הָאָרֶץ Gen. 8:17
5 וַהֲשִׁבֹתִי אֶתְהֶן...וּפָרוּ וְרָבוּ Jer. 23:3
6 וְהִרְבֵּיתִי עֲלֵיכֶם...וְרָבוּ וּפָרוּ Ezek. 36:11
פֹּרֶה 7 שֹׁרֶשׁ פֹּרֶה רֹאשׁ וְלַעֲנָה Deut. 29:17
פֹּרִיָּה 8 אַרְבָּעָה חֲמִשָּׁה בִּסְעִפֶיהָ פֹּרִיָּה Is. 17:6
9 עַל־שְׂדֵי־חֶמֶד עַל־גֶּפֶן פֹּרִיָּה Is. 32:12
10 פֹּרִיָּה וַעֲנֵפָה הָיְתָה מִמַּיִם רַבִּים Ezek.19:10
11 אֶשְׁתְּךָ כְּגֶפֶן פֹּרִיָּה בְּיַרְכְּתֵי בֵיתֶךָ Ps. 128:3
פֹּרָת 12 בֵּן פֹּרָת יוֹסֵף Gen. 49:22
13 בֵּן פֹּרָת עֲלֵי־עָיִן Gen. 49:22
תִּפְרֶה 14 עַד אֲשֶׁר תִּפְרֶה וְנָחַלְתָּ אֶת־הָאָ׳ Ex. 23:30
יִפְרֶה 15 וְנֵצֶר מִשָּׁרָשָׁיו יִפְרֶה Is. 11:1
וְיִפְרוּ 16 תִּפְתַּח־אֶרֶץ וְיִפְרוּ־יֶשַׁע Is. 45:8
וַיִּפְרוּ 17 וַיֵּאָחֲזוּ בָהּ וַיִּפְרוּ וַיִּרְבּוּ מְאֹד Gen. 47:27
פְּרֵה 18 אֲנִי אֵל שַׁדַּי פְּרֵה וּרְבֵה Gen. 35:11
פְּרוּ 19 פְּרוּ וּרְבוּ וּמִלְאוּ אֶת־הַמַּיִם Gen. 1:22
20/1 פְּרוּ וּרְבוּ וּמִלְאוּ אֶת־הָאָרֶץ Gen.1:28; 9:1
22 פְּרוּ וּרְבוּ שִׁרְצוּ בָאָרֶץ וּרְבוּ־בָהּ Gen. 9:7
וְהִפְרֵתִי 23 וְהִפְרֵתִי אֹתְךָ בִּמְאֹד מְאֹד Gen. 17:6
24 וְהִפְרֵיתִי אֹתוֹ וְהִרְבֵּיתִי אֹתוֹ Gen. 17:20
25 וְהִפְרֵיתִי אֶתְכֶם וְהִרְבֵּיתִי אֶתְכֶם Lev. 26:9
הִפְרַנִי 26 כִּי־הִפְרַנִי אֱלֹהִים בְּאֶרֶץ עָנְיִי Gen. 41:52
מַפְרְךָ 27 הִנְנִי מַפְרְךָ וְהִרְבִּיתִךָ Gen. 48:4
וַיֶּפֶר 28 וַיֶּפֶר אֶת־עַמּוֹ מְאֹד Ps. 105:24
וְיַפְרְךָ 29 יְבָרֵךְ אֹתְךָ וְיַפְרְךָ וְיַרְבֶּךָ Gen. 28:3

פָּרָה² נ׳ נקבת הבקר: 1-26 • קרובים: ראה פַּר
– פָּרָה אֲדֻמָּה 1; פָּ׳ סוֹרֵרָה 7; אֵפֶר הַפָּרָה 5, 6; שְׂרֵפַת הַפָּרָה 4
– פָּרוֹת בְּרִיאוֹת (בָּשָׂר) 13, 22; פָּרוֹת הַבָּשָׁן 17; פָּ׳ טוֹבוֹת 14; פָּ׳ יְפוֹת מַרְאֶה 10, 20; פָּ׳ עָלוֹת 15, 16; פָּ׳ רַקּוֹת 21, 23; פָּרוֹת רָעוֹת (הַמַּרְאֶה) 19, 21, 23
פָּרָה 1 וְיִקְחוּ אֵלֶיךָ פָרָה אֲדֻמָּה תְּמִימָה Num. 19:2
וּפָרָה 2 וּפָרָה וָדֹב תִּרְעֶינָה Is. 11:7
הַפָּרָה 3 וְשָׂרַף אֶת־הַפָּרָה לְעֵינָיו Num. 19:5
4 וְהִשְׁלִיךְ אֶל־תּוֹךְ שְׂרֵפַת הַפָּרָה Num. 19:6
5 וְאָסַף...אֵת אֵפֶר הַפָּרָה Num. 19:9
6 וְכִבֶּס הָאֹסֵף אֶת־אֵפֶר הַפָּרָה Num. 19:10
כְּפָרָה 7 כְּפָרָה סֹרֵרָה סָרַר יִשְׂרָאֵל Hosh. 4:16
פָּרָתוֹ 8 תְּפַלֵּט פָּרָתוֹ וְלֹא תְשַׁכֵּל Job 21:10
פָּרוֹת 9 פָּרוֹת אַרְבָּעִים וּפָרִים עֲשָׂרָה Gen. 32:15
10 שֶׁבַע פָּרוֹת יְפוֹת מַרְאֶה Gen. 41:2
11-12 וְהִנֵּה שֶׁבַע פָּרוֹת אֲחֵרוֹת Gen. 41:3, 19
13 שֶׁבַע פָּרוֹת בְּרִיאוֹת בָּשָׂר Gen. 41:18
14 שֶׁבַע פָּרֹת הַטֹּבֹת Gen. 41:26
15 קְחוּ...וּשְׁתֵּי פָרוֹת עָלוֹת I Sh. 6:7
16 וַיִּקְחוּ שְׁתֵּי פָרוֹת עָלוֹת I Sh. 6:10
פָּרוֹת־ 17 פָּרוֹת הַבָּשָׁן אֲשֶׁר בְּהַר שֹׁמְרוֹן Am. 4:1
הַפָּרוֹת 18 וַתַּעֲמֹדְנָה אֵצֶל הַפָּרוֹת Gen. 41:3
19 וַתֹּאכַלְנָה הַפָּרוֹת רָעוֹת הַמַּרְאֶה Gen. 41:4
20 אֵת שֶׁבַע הַפָּרוֹת יְפֹת הַמַּרְאֶה Gen. 41:4
21 וַתֹּאכַלְנָה הַפָּרוֹת הָרַקּוֹת וְהָרָעוֹת Gen. 41:20
22 אֵת שֶׁבַע הַפָּרוֹת...הַבְּרִיאֹת Gen. 41:20
23 וְשֶׁבַע הַפָּרוֹת הָרַקּוֹת וְהָרָעֹת Gen. 41:27
24 וַאֲסַרְתֶּם אֶת־הַפָּרוֹת בָּעֲגָלָה I Sh. 6:7
25 וַיִּשַּׁרְנָה הַפָּרוֹת בַּדֶּרֶךְ I Sh. 6:12
26 וְאֶת־הַפָּרוֹת הֶעֱלוּ עֹלָה לַיְיָ I Sh. 6:14

(הַ)פָּרָה³ ש־פ – מקום בנחלת בנימין
וְהַפָּרָה 1 וְהָעַוִּים וְהַפָּרָה וְעָפְרָה Josh. 18:23

פָּרָה שפ״ז – עין פּוּרָה   **פְּרוּד** ת׳ – עין פֶּרֶד

פְּרוּדָא שפ״ז – מן הנתינים בימי עזורא, נקרא גם פְּרִידָא

פרודא 1 בְּנֵי־הַסֹּפֶרֶת בְּנֵי פְרוּדָא Ez. 2:55

פְּרֻדָה* נ׳ גרגר זרע

פרודות 1 עָבְשׁוּ פְרֻדוֹת תַּחַת מֶגְרְפֹתֵיהֶם Joel 1:17

פָּרוּחַ שפ״ז – אבי יהושפט, מנציבי שלמה המלך

פרוח 1 יְהוֹשָׁפָט בֶּן־פָּרוּחַ בְּיִשָּׂשכָר IK. 4:17

פַּרְוַיִם* ש״פ – מקום בצפון ערב • זְהַב פַּרְוָיִם

פרוים 1 וְהַזָּהָב זְהַב פַּרְוָיִם IICh. 3:6

פְּרוּם ת׳ – עין פָּרַם

פָּרוּעַ ת׳ – עין פָּרַע

פָּרוּץ ת׳ – עין פָּרַץ

פַּרְוָר* ז׳ מגרש ליד בית־המקדש [עין גם פַּרְבָּר]

בפרורים 1 נְתַן־מֶלֶךְ הַסָּרִיס אֲשֶׁר בַּפַּרְוָרִים IIK. 23:11

פָּרוּר ז׳ סיר: 1-3 • קרובים: ראה סיר

בפרור 1 אוֹ דָכוּ בַּמְּדֹכָה וּבִשְּׁלוּ בַּפָּרוּר Num. 11:8

2 וְהַמָּרַק שָׂם בַּפָּרוּר Jud. 6:19

3 וְהִכָּה בַכִּיּוֹר...אוֹ בַפָּרוּר ISh. 2:14

פָּרוּשׁ ת׳ – עין פָּרַשׁ

פֵּרוֹת – עין ערך חֲפַרְפֵּרוֹת, וכן חָפַר (בס׳ 3)

פרז : פְּרָזוֹן, פְּרָזוֹת, פְּרָזִי; פָּרָז (?)

פָּרָז* ז׳ מלה סתומה: שר?

פרזו 1 נָקַבְתָּ בְמַטָּיו רֹאשׁ פְּרָזָו Hab. 3:15

פְּרָזוֹן ז׳ ישוב ללא חומת מגן: 1, 2

פרזון 1 חָדְלוּ פְרָזוֹן בְּיִשְׂרָאֵל חָדֵלּוּ Jud. 5:7

פרזונו 2 שָׁם יְתַנּוּ...צִדְקֹת פִּרְזֹנוֹ בְּיִשְׂרָאֵל Jud. 5:11

פְּרָזוֹת נ״ר – מצב של מקום ללא חומת־מגן: 1-3

אֶרֶץ פְּרָזוֹת 1; עָרֵי הַפְּרָזוֹת 3

פרזות 1 אֶעֱלֶה עַל־אֶרֶץ פְּרָזוֹת Ezek. 38:11

2 פְּרָזוֹת תֵּשֵׁב יְרוּשָׁלַםִ Zech. 2:8

הפרזות 3 הַיֹּשְׁבִים בְּעָרֵי הַפְּרָזוֹת Es. 9:19

פְּרָזִי ת׳ שאין חומת מגן סביבו: 1-3

כֹּפֶר הַפְּרָזִי 2; עָרֵי הַפְּרָזִי 1; יְהוּדִים פְּרָזִים 3

הפרזי 1 לְבַד מֵעָרֵי הַפְּרָזִי הַרְבֵּה מְאֹד Deut. 3:5

2 מֵעִיר מִבְצָר וְעַד כֹּפֶר הַפְּרָזִי ISh. 6:18

הפרזים 3 הַיְּהוּדִים הַפְּרָזִים (כת׳ הפרוזים) Es. 9:19

פְּרִזִּי שפ״ז – עם מעמי כנען: 1-23

הפרזי 1 וְאֶת־הַחִתִּי וְאֶת־הַפְּרִזִּי Gen. 15:20

2 וְאֶת־הַפְּרִזִּי וְאֶת־הַגִּרְגָּשִׁי Josh. 3:10

3 הַכְּנַעֲנִי הַפְּרִזִּי הַחִוִּי Josh. 9:1

4 בְּאֶרֶץ הַפְּרִזִּי וְהָרְפָאִים Josh. 17:15

5-8 הַפְּרִזִּי Josh. 12:8 • Jud. 1:5 IK. 9:20 • Ez. 9:1

והפרזי 9 וְהַכְּנַעֲנִי וְהַפְּרִזִּי אָז יֹשֵׁב בָּאָרֶץ Gen. 13:7

10-11 וְהָאֱמֹרִי וְהַפְּרִזִּי וְהַחִוִּי Ex. 3:8, 17

12-14 וְהַחִתִּי וְהַפְּרִזִּי Ex. 23:23; 33:2; 34:11

15-22 וְהַפְּרִזִּי Deut. 7:1; 20:17 • Josh. 11:3 24:11 • Jud. 1:4; 3:5 • Neh. 9:8 • IICh. 8:7

ובפרזי 23 לְהַבְאִישֵׁנִי...בַּכְּנַעֲנִי וּבַפְּרִזִּי Gen. 34:30

פַּרְזֶל ז׳ ארמית ברזל: 1-20

פרזל 1 שָׁקוֹהִי דִּי פַרְזֶל Dan. 2:33

2 רַגְלוֹהִי מִנְּהֵין דִּי פַרְזֶל Dan. 2:33

3 מִנְּהֵין חֲסַף דִּי־פֶחָר וּמִנְּהֵין פַּרְזֶל Dan. 2:41

4 מִנְּהֵין פַּרְזֶל וּמִנְּהֵין חֲסַף Dan. 2:42

5-6 וּבֶאֱסוּר דִּי־פַרְזֶל וּנְחָשׁ Dan. 4:12, 20

7 וְשִׁנַּיִן דִּי־פַרְזֶל לַהּ רַבְרְבָן Dan. 7:7

8 שִׁנַּהּ דִּי־פַרְזֶל Dan. 7:19

פרזלא 9 וּמְחָת...עַל־רַגְלוֹהִי דִּי פַרְזְלָא Dan. 2:34

10 דָּקוּ כַחֲדָה פַּרְזְלָא חַסְפָּא נְחָשָׁא Dan. 2:35

11 דִּי פַרְזְלָא מְהַדֵּק וְחָשֵׁל כֹּלָּא Dan. 2:40

12 וּמִן־נִצְבְּתָא דִּי־פַרְזְלָא Dan. 2:41

13/4 פַּרְזְלָא מְעָרַב בַּחֲסַף טִינָא Dan. 2:41, 43

15 פַּרְזְלָא לָא מִתְעָרַב עִם־חַסְפָּא Dan. 2:43

16 וְהַדֶּקֶת פַּרְזְלָא נְחָשָׁא חַסְפָּא Dan. 2:45

17-18 נְחָשָׁא פַרְזְלָא אָעָא וְאַבְנָא Dan. 5:4, 23

כפרזלא 19 וּמַלְכוּ...תֶּהֱוֵא תַקִּיפָה כְּפַרְזְלָא Dan. 2:40

וכפרזלא 20 וּכְפַרְזְלָא דִּי־מְרָעַע כֹּל־אִלֵּין Dan. 2:40

פרח : פָּרַח, הִפְרִיחַ; פֶּרַח, פִּרְחָה, פִּרְחַח, אֶפְרוֹחַ; ש״פ פָּרוּחַ

פָּרַח פ׳ א) לבלב, עשה פרחים: 5, 10, 13, 18, 23, 24, 27

ב) התפשט כעין פרח: 1, 4, 7, 11, 12, 14-17, 25

ג) [בהשאלה] שגשג, התרחב: 2, 3, 6, 8, 9, 19-22, 26, 28-31

ד) [הפ׳ הִפְרִיחַ] גרם שיפרח

(גם בהשאלה): 32-36

פרוח 1 וְאִם־פָּרוֹחַ תִּפְרַח הַצָּרַעַת Lev. 13:12

2 פָּרֹחַ תִּפְרַח וְתָגֵל Is. 35:2

בפרח 3 בִּפְרֹחַ רְשָׁעִים כְּמוֹ עֵשֶׂב Ps. 92:8

פרח 4 בֹּהַק הוּא פָּרַח בָּעוֹר Lev. 13:39

5 וְהִנֵּה פָּרַח מַטֵּה־אַהֲרֹן Num. 17:23

6 צָץ הַמַּטֶּה פָּרַח הַזָּדוֹן Ezek. 7:10

ופרח 7 וְאִם־יָשׁוּב הַנֶּגַע וּפָרַח בַּבַּיִת Lev. 14:43

8 יָצִיץ וּפָרַח יִשְׂרָאֵל Is. 27:6

9 וּפָרַח כָּרֹאשׁ מִשְׁפָּט Hosh. 10:4

פרחה 10 אִם־פָּרְחָה הַגֶּפֶן פִּתַּח הַסְּמָדַר S.ofS.7:13

פרחה 11 נֶגַע־צָרַעַת הוּא בַּשְּׁחִין פָּרָחָה Lev. 13:20

12 צָרַעַת הִוא בַּמִּכְוָה פָּרָחָה Lev. 13:25

הפרחה 13 הֲפָרְחָה הַגֶּפֶן הֵנֵצוּ הָרִמֹּנִים S.ofS. 6:11

פורח 14 וְהָיָה...לִשְׁחִין פֹּרֵחַ אֲבַעְבֻּעֹת Ex. 9:9

15 וַיְהִי שְׁחִין אֲבַעְבֻּעֹת פֹּרֵחַ Ex. 9:10

פורחת 16 צָרַעַת פֹּרַחַת הִוא Lev. 13:42

17 פֹּרַחַת הִוא Lev. 13:57

כפורחת 18 וְהִוא כְפֹרַחַת עָלְתָה נִצָּהּ Gen. 40:10

לפורחות 19 מְצֹדְדוֹת שָׁם אֶת־הַנְּפָשׁוֹת לְפֹרְחוֹת Ezek. 13:20

20 מְצֹדְדוֹת אֶת־נְפָשִׁים לְפֹרְחֹת Ezek. 13:20

יפרח 21 יִפְרַח כַּשּׁוֹשַׁנָּה וְיַךְ שָׁרָשָׁיו Hosh. 14:6

22 יִפְרַח־בְּיָמָיו צַדִּיק Ps. 72:7

יפרח 23 אֲשֶׁר אֶבְחַר־בּוֹ מַטֵּהוּ יִפְרָח Num. 17:20

24 צַדִּיק כַּתָּמָר יִפְרָח Ps. 92:13

תפרח 25 וְאִם־פָּרוֹחַ תִּפְרַח הַצָּרַעַת Lev. 13:12

26 פָּרֹחַ תִּפְרַח וְתָגֵל Is. 35:2

תפרח 27 כִּי־תְאֵנָה לֹא־תִפְרָח Hab. 3:17

ותפרח 28 וְתָגֵל עֲרָבָה וְתִפְרַח כַּחֲבַצָּלֶת Is. 35:1

יפרחו 29 וְכֶעָלֶה צַדִּיקִים יִפְרָחוּ Prov. 11:28

ויפרחו 30 יְחַיּוּ דָגָן וְיִפְרְחוּ כַגָּפֶן Hosh. 14:8

תפרחנה 31 וְעַצְמוֹתֵיכֶם כַּדֶּשֶׁא תִפְרַחְנָה Is. 66:14

והפרחתי 32 הוֹבַשְׁתִּי עֵץ לָח וְהִפְרַחְתִּי עֵץ יָבֵשׁ Ezek. 17:24

תפריחי 33 וּבַבֹּקֶר זַרְעֵךְ תַּפְרִיחִי Is. 17:11

יפריח 34 וְאֹהֶל יְשָׁרִים יַפְרִיחַ Prov. 14:11

35 מֵרֵיחַ מַיִם יַפְרִחַ Job 14:9

יפריחו 36 בְּחַצְרוֹת אֱלֹהֵינוּ יַפְרִיחוּ Ps. 92:14

פֶּרַח ז׳ א) חלק הצמח שהפרי מתפתח בו: 1, 2, 11, 13

ב) קשוט – תבליט בצורת פרח: 3-10, 12, 14-17

קרובים: גָּבִיעַ / גִּבְעֹל / כּוֹס² / כַּפְתּוֹר¹ / נִצָּה / נִצָּן / פֶּקַע / צִיץ

כַּפְתּוֹר וָפֶרַח 3-6; פֶּרַח לְבָנוֹן 11; פֶּרַח שׁוֹשָׁן 9; פֶּרַח שׁוֹשַׁנָּה 10; כַּפְתֹּרִים וּפְרָחִים 14-17

פרח 1 וַיֹּצֵא פֶרַח וַיָּצֵץ צִיץ Num. 17:23

2 כְּתָם־פֶּרַח וּבֹסֶר גֹּמֵל יִהְיֶה נִצָּה Is. 18:5

ופרח 3/4 שְׁלֹשָׁה גְבִעִים...כַּפְתֹּר וָפָרַח Ex. 25:33; 37:19

ופרח 5/6 וּשְׁלֹשָׁה גְבִעִים...כַּפְתֹּר וָפָרַח Ex. 25:33; 37:19

והפרח 7/8 וְהַפֶּ׳ וְהַנֵּרֹת וְהַמֶּלְקָחַיִם IK. 7:49 • IICh. 4:21

פרח־ 9 כְּמַעֲשֵׂה שְׂפַת־כּוֹס פֶּרַח שׁוֹשָׁן IK. 7:26

10 כְּמַעֲשֵׂה שְׂפַת־כּוֹס פֶּרַח שׁוֹשַׁנָּה IICh. 4:5

ופרח־ 11 וּפֶרַח לְבָנוֹן אֻמְלָל Nah. 1:4

פרחה 12 עַד־יְרֵכָהּ עַד־פִּרְחָהּ Num. 8:4

ופרחם 13 שָׁרְשָׁם כַּמַּק...וּפִרְחָם כָּאָבָק יַעֲלֶה Is. 5:24

ופרחיה 14/5 גְּבִיעֶיהָ כַּפְתֹּרֶיהָ וּפְרָחֶיהָ Ex. 25:31; 37:17

16/7 כַּפְתֹּרֶיהָ וּפְרָחֶיהָ Ex. 25:34; 37:20

פִּרְחָח ז׳ מלה סתומה; נער, צעיר(?)

פרחח 1 עַל־יָמִין פִּרְחַח יָקוּמוּ Job 30:12

פרט : פָּרַט; פֶּרֶט

פָּרַט פ׳ הקיש באצבעות

הפורטים 1 הַפֹּרְטִים עַל־פִּי הַנָּבֶל Am. 6:5

פֶּרֶט ז׳ גרגרים בודדים של ענבים שנשרו מן האשכולות

ופרט־ 1 וּפֶרֶט כַּרְמְךָ לֹא תְלַקֵּט Lev. 19:10

פְּרִי ז׳ א) יבול הצמח המכיל את הזרעים: 1-6, 8-16, 18-20, 22, 23, 26, 33, 35, 38-40, 43-51, 54, 64-68, 78, 80-94, 96, 97, 99-106, 108-113, 115-118

ב) [בהשאלה] תוצאה, ולדות, גמול: 7, 27, 29-32, 36, 42, 53, 57-63, 69, 70, 72-77, 79, 95, 98, 107, 114

ג) [פְּרִי בֶטֶן] זרע, צאצאים: 17, 21, 24, 25, 28, 37, 41, 52, 55, 56, 71

קרובים: א) בּוּל / יְבוּל / תְּבוּאָה / תְּנוּבָה

ב) אֶשְׁכּוֹל / בְּאֻשִׁים / בִּכּוּרָה / בֹּסֶר / נֹבֶלֶת / עָרְלָה / פֶּרֶט

ג) אֲבַטִּיחַ / אֱגוֹז / בָּטְנִים / דְּבֵלָה / זַיִת / עֵנָב / עַרְמוֹן / צִמּוּקִים / רִמּוֹן / שָׁקֵד / תְּאֵנָה / תָּמָר / תַּפּוּחַ

– פְּרִי מָתוֹק 96

– פְּרִי הָאֲדָמָה 22, 23, 26, 33, 38, 39, 45-50, 58, 60, 65; פְּרִי הָאָרֶץ 20, 51, 67, 68; פְּרִי בְהֵמָה 27, 48, 57, 59; פְּרִי בֶטֶן 17, 21, 24, 25, 28, 37, 41, 52, 55, 56, 71; פְּרִי גֹדֶל 30; פְּרִי דַרְכּוֹ 72; פְּרִי יָדַיִם 77; פְּרִי כַחַשׁ 36; פְּרִי כַפֶּיהָ 76; פְּרִי מְגָדִים 43, 44; פְּרִי מַחְשְׁבוֹת 32; פְּרִי מַעַלְלִים 29, 61-63, 69; פְּרִי מַעֲשִׂים 70; פְּרִי עֵץ 10, 16, 18, 19, 35, 54, 64, 66, 78; פְּרִי פִיו 73-75; פְּרִי צַדִּיק 42; פְּרִי צְדָקָה 53; פְּרִי תֹאַר 34; פְּרִי תְבוּאָה 40

– אֶרֶץ פְּרִי 8; בִּכּוּרֵי פְּרִי 10; עֵץ פְּרִי 1, 9, 15; רֵאשִׁית פְּרִי 23

– אָבַד פְּרִי 115; אָכַל פְּרִי 18, 27-29, 36, 39, 44, 64, 81, 84, 102, 105, 107-109, 111-114, 117, 118; בֵּרַךְ פְּרִי 21; הוֹבִישׁ פְּרִי 104; הֶרְאָה פְּרִי 20; הִרְבָּה פְּרִי 35; הִשְׁחִית פְּרִי 38; נָשָׂא פְּרִי 13, 90, 110; נָתַן פְּרִי 85-87, 92, 100, 106; עָשָׂה פְּרִי 1-4, 11, 12, 14, 40; קוֹסֵס פְּרִי 103; רָעַשׁ פְּרִי 93; תַּם פְּרִי 88

פְּרִי 1 עֵץ עֹשֶׂה פְּרִי לְמִינוֹ Gen. 1:11
2 וְעֵץ עֹשֶׂה־פְּרִי Gen. 1:12
3/4 וְעָשָׂה פְרִי לְמָעְלָה IIK. 19:30 • Is. 37:31
5 שָׁרְשָׁם יָבֵשׁ פְּרִי בַל־יַעֲשׂוּן Hosh. 9:16
6 גֶּפֶן בּוֹקֵק יִשְׂרָאֵל פְּרִי יְשַׁוֶּה־לּוֹ Hosh. 10:1
7 אַךְ־פְּרִי לַצַּדִּיק Ps. 58:12
8 אֶרֶץ פְּרִי לִמְלֵחָה Ps. 107:34
9 עֵץ פְּרִי וְכָל־אֲרָזִים Ps. 148:9
10 וּבִכּוּרֵי כָל־פְּרִי כָל־עֵץ Neh. 10:36
פֶּרִי 11 יֵלְכוּ גַּם־עָשׂוּ פֶרִי Jer. 12:2
12 וְלֹא יָמִישׁ מֵעֲשׂוֹת פֶּרִי Jer. 17:8
13 לַעֲשׂוֹת עָנָף וְלָשֵׂאת פֶּרִי Ezek. 17:8
14 וְנָשָׂא עָנָף וְעָשָׂה פֶרִי Ezek. 17:23
15 וְנָטַעְתִּי בָהֶם עֵץ כָּל־פֶּרִי Eccl. 2:5
פְּרִי־ 16 אֲשֶׁר־בּוֹ פְרִי־עֵץ זֹרֵעַ זָרַע Gen. 1:29
17 אֲשֶׁר־מָנַע מִמֵּךְ פְּרִי־בָטֶן Gen. 30:2
18 וַיֹּאכַל...וְאֵת כָּל־פְּרִי הָעֵץ Ex. 10:15
19 פְּרִי עֵץ הָדָר כַּפֹּת תְּמָרִים Lev. 23:40
20 וַיַּרְאוּם אֶת־פְּרִי הָאָרֶץ Num. 13:26
21 וּבֵרַךְ פְּרִי־בִטְנְךָ Deut. 7:13
22 מֵרֵאשִׁית כָּל־פְּרִי הָאֲדָמָה Deut. 26:2
23 אֶת־רֵאשִׁית פְּרִי הָאֲדָמָה Deut. 26:10
24 בָּרוּךְ פְּרִי־בִטְנְךָ Deut. 28:4
25 אָרוּר פְּרִי־בִטְנְךָ Deut. 28:18
26 פְּרִי אַדְמָתְךָ וְכָל־יְגִיעֲךָ Deut. 28:33
27 וְאָכַל פְּרִי בְהֶמְתְּךָ Deut. 28:51
28 וְאָכַלְתָּ פְרִי־בִטְנְךָ Deut. 28:53
29 כִּי־פְרִי מַעַלְלֵיהֶם יֹאכֵלוּ Is. 3:10
30 אֶפְקֹד עַל־פְּרִי־גֹדֶל לְבַב... Is. 10:12
31 וְזֶה כָּל־פְּרִי הָסִר חַטָּאתוֹ Is. 27:9
32 אָנֹכִי מֵבִיא רָעָה...פְּרִי מַחְשְׁבוֹתָם Jer. 6:19
33 וְעַל־עֵץ הַשָּׂדֶה וְעַל־פְּרִי הָאֲדָמָה Jer. 7:20
34 זַיִת רַעֲנָן יְפֵה פְרִי־תֹאַר Jer. 11:16
35 וְהִרְבֵּיתִי אֶת־פְּרִי הָעֵץ Ezek. 36:30
36 אֲכַלְתֶּם פְּרִי־כָחַשׁ Hosh. 10:13
37 הַאֶתֵּן...פְּרִי בִטְנִי חַטַּאת נַפְשִׁי Mic. 6:7
38 וְלֹא־יַשְׁחִת...אֶת־פְּרִי הָאֲדָמָה Mal. 3:11
39 וַיֹּאכַל פְּרִי אַדְמָתָם Ps. 105:35
40 וַיַּעֲשׂוּ פְּרִי תְבוּאָה Ps. 107:37
41 שָׂכָר פְּרִי הַבָּטֶן Ps. 127:3
42 פְּרִי־צַדִּיק עֵץ חַיִּים Prov. 11:30
43 פַּרְדֵּס רִמּוֹנִים עִם־פְּרִי מְגָדִים S.of S. 4:13
44 יָבֹא...וְיֹאכַל פְּרִי מְגָדָיו S.of S. 4:16
וּפְרִי־ 45/6 פְּרִי־בִטְנְךָ וּפְרִי־אַדְמָתֶךָ Deut. 7:13; 28:18
47/8 וּפְרִי אַדְמָתְךָ וּפְרִי בְהֶמְתֶּךָ Deut. 28:4
49 כָּל־עֵצְךָ וּפְרִי אַדְמָתֶךָ Deut. 28:42
50 פְּרִי בְהֶמְתְּךָ וּפְרִי־אַדְמָתְךָ Deut. 28:51
51 וּפְרִי הָאָרֶץ לְגָאוֹן וּלְתִפְאֶרֶת Is. 4:2
52 וּפְרִי־בֶטֶן לֹא יְרַחֵמוּ Is. 13:18
53 הֲפַכְתֶּם...וּפְרִי צְדָקָה לְלַעֲנָה Am. 6:12
54 וּפְרִי כָל־עֵץ תִּירוֹשׁ וְיִצְהָר Neh. 10:38
בִּפְרִי־ 55/6 וְהוֹתִ(י)רְךָ יְיָ...בִּפְרִי בִטְנְךָ Deut.28:11;30:9
וּבִפְרִי־ 57-60 וּבִפְרִי בְהֶמְתְּךָ וּבִפְרִי אַדְמָתְךָ(־תְךָ) Deut. 28:11; 30:9
כִּפְרִי־ 61 כִּדְרָכָו כִּפְרִי מַעֲלָלָיו Jer. 17:10
62 וּפָקַדְתִּי עֲלֵיכֶם כִּפְרִי מַעַלְלֵיכֶם Jer. 21:14
וְכִפְרִי־ 63 ...כִּדְרָכָיו וְכִפְרִי מַעֲלָלָיו Jer. 32:19
מִפְּרִי־ 64 מִפְּרִי עֵץ־הַגָּן נֹאכֵל Gen. 3:2
65 וַיָּבֵא קַיִן מִפְּרִי הָאֲדָמָה Gen. 4:3
66 מִזֶּרַע הָאָרֶץ מִפְּרִי הָעֵץ Lev. 27:30
67 וּלְקַחְתֶּם מִפְּרִי הָאָרֶץ Num. 13:20
68 וַיִּקְחוּ בְיָדָם מִפְּרִי הָאָרֶץ Deut. 1:25

מִפְּרִי־ (המשך) 69 הָאָרֶץ לִשְׁמָמָה...מִפְּרִי מַעַלְלֵיהֶם Mic. 7:13
70 מִפְּרִי מַעֲשֶׂיךָ תִּשְׂבַּע הָאָרֶץ Ps. 104:13
71 מִפְּרִי בִטְנְךָ אָשִׁית לְכִסֵּא־לָךְ Ps. 132:11
72 וְיֹאכְלוּ מִפְּרִי דַרְכָּם Prov. 1:31
73 מִפְּרִי פִי־אִישׁ יִשְׂבַּע־טוֹב Prov. 12:14
74 מִפְּרִי פִי־אִישׁ יֹאכַל טוֹב Prov. 13:2
75 מִפְּרִי פִי־אִישׁ תִּשְׂבַּע בִּטְנוֹ Prov. 18:20
76 מִפְּרִי כַפֶּיהָ נָטְעָה כָּרֶם Prov. 31:16
77 תְּנוּ־לָהּ מִפְּרִי יָדֶיהָ Prov. 31:31
וּמִפְּרִי־ 78 וּמִפְּרִי הָעֵץ אֲשֶׁר בְּתוֹךְ־הַגָּן Gen. 3:3
פִּרְיִי 79 טוֹב פִּרְיִי מֵחָרוּץ וּמִפָּז Prov. 8:19
פֶּרְיְךָ 80 מִמֶּנִּי פֶּרְיְךָ נִמְצָא Hosh. 14:9
פִּרְיֵךְ 81 הֵמָּה יֹאכְלוּ פִּרְיֵךְ Ezek. 25:4
פִּרְיוֹ 82 וַעֲרַלְתֶּם עָרְלָתוֹ אֶת־פִּרְיוֹ Lev. 19:23
83 יִהְיֶה כָּל־פִּרְיוֹ קֹדֶשׁ הִלּוּלִים לַייָ Lev. 19:24
84 וּבַשָּׁנָה הַחֲמִישִׁת תֹּאכְלוּ אֶת־פִּרְיוֹ Lev. 19:25
85 וְעֵץ הַשָּׂדֶה יִתֵּן פִּרְיוֹ Lev. 26:4
86 וְעֵץ הָאָרֶץ לֹא יִתֵּן פִּרְיוֹ Lev. 26:20
87 וְנָתַן עֵץ הַשָּׂדֶה אֶת־פִּרְיוֹ Ezek. 34:27
88 לֹא־יִבּוֹל עָלֵהוּ וְלֹא־יִתֹּם פִּרְיוֹ Ezek. 47:12
89 פִּרְיוֹ לְמַאֲכָל וְעָלֵהוּ לִתְרוּפָה Ezek. 47:12
90 כִּי־עֵץ נָשָׂא פִרְיוֹ Joel 2:22
91 וָאַשְׁמִיד פִּרְיוֹ מִמַּעַל Am. 2:9
92 אֲשֶׁר פִּרְיוֹ יִתֵּן בְּעִתּוֹ Ps. 1:3
93 יִרְעַשׁ כַּלְּבָנוֹן פִּרְיוֹ Ps. 72:16
94 וּמָאתַיִם לְנֹטְרִים אֶת־פִּרְיוֹ S.of S. 8:12
וּפִרְיוֹ 95 וּפִרְיוֹ שָׂרָף מְעוֹפֵף Is. 14:29
96 וּפִרְיוֹ מָתוֹק לְחִכִּי S.of S. 2:3
בְּפִרְיוֹ 97 אִישׁ יָבִא בְּפִרְיוֹ אֶלֶף כָּסֶף S.of S. 8:11
לְפִרְיוֹ 98 כְּרֹב לְפִרְיוֹ הִרְבָּה לַמִּזְבְּחוֹת Hosh. 10:1
מִפִּרְיוֹ 99 וַתִּקַּח מִפִּרְיוֹ וַתֹּאכַל Gen. 3:6
פִּרְיָהּ 100 וְנָתְנָה הָאָרֶץ פִּרְיָהּ Lev. 25:19
101 זָבַת חָלָב וּדְבַשׁ הִוא וְזֶה־פִּרְיָהּ Num.13:27
102 לֶאֱכֹל פִּרְיָהּ וְטוּבָהּ Jer. 2:7
103 וְאֶת־פִּרְיָהּ יְקוֹסֵס וְיָבֵשׁ Ezek. 17:9
104 וְרוּחַ הַקָּדִים הוֹבִישׁ פִּרְיָהּ Ezek. 19:12
105 וַתֵּצֵא אֵשׁ...פִּרְיָהּ אָכָלָה Ezek. 19:14
106 הַגֶּפֶן תִּתֵּן פִּרְיָהּ Zech. 8:12
107 וְאֹהֲבֶיהָ יֹאכַל פִּרְיָהּ Prov. 18:21
108 נֹצֵר תְּאֵנָה יֹאכַל פִּרְיָהּ Prov. 27:18
109 וְהָאָרֶץ...לֶאֱכֹל אֶת־פִּרְיָהּ Neh. 9:36
וּפֶרְיְכֶם 110 עַנְפְּכֶם תִּתֵּנוּ וּפֶרְיְכֶם תִּשְׂאוּ Ezek. 36:8
פִּרְיָם 111/2 וְנִטְעוּ כְרָמִים וְאִכְלוּ פִּרְיָם IIK. 19:29
Is. 37:30
113 וְנָטְעוּ כְרָמִים וְאָכְלוּ פִּרְיָם Is. 65:21
114 אִם־תֹּאכַלְנָה נָשִׁים פִּרְיָם Lam. 2:20
פִּרְיָמוֹ 115 פִּרְיָמוֹ מֵאֶרֶץ תְּאַבֵּד Ps. 21:11
פִּרְיהֶם 116 וְעָשׂוּ גַנּוֹת וְאָכְלוּ אֶת־פְּרִיהֶם Am. 9:14
פִּרְיָהֶן 117 וְנִטְעוּ גַנּוֹת וְאִכְלוּ אֶת־פִּרְיָהֶן Jer. 29:28
פִּרְיָן 118 וְנִטְעוּ גַנּוֹת וְאִכְלוּ אֶת־פִּרְיָן Jer. 29:5

פְּרִידָא שפ״ז – הוא פְּרוּדָא

פְּרִידָא 1 בְּנֵי־סֹפֶרֶת בְּנֵי פְרִידָא Neh. 7:57

פָּרִיץ ת׳ עָרִיץ, אכזר: 1-6

קרובים: אַבִּיר/אַכְזָר/אַכְזָרִי/עָרִיץ/רַע/רָשָׁע/תַּקִּיף
– אָרְחוֹת פָּרִיץ 2; בֶּן פָּרִיץ 1
– פְּרִיץ חַיּוֹת 3; מְעָרַת פָּרִיצִים 4; פָּרִיצֵי עַם 6

פָּרִיץ 1 וְהוֹלִיד בֶּן־פָּרִיץ שֹׁפֵךְ דָּם Ezek. 18:10
2 אֲנִי שָׁמַרְתִּי אָרְחוֹת פָּרִיץ Ps. 17:4
וּפְרִיץ־ 3 וּפְרִיץ חַיּוֹת בַּל־יַעֲלֶנָּה Is. 35:9
פָּרִיצִים 4 הַמְעָרַת פָּרִיצִים הָיָה הַבַּיִת הַזֶּה Jer. 7:11
5 וּבָאוּ־בָהּ פָּרִיצִים וְחִלְּלוּהָ Ezek. 7:22
פָּרִיצֵי־ 6 וּבְנֵי פָּרִיצֵי עַמְּךָ יִנַּשְּׂאוּ Dan. 11:14

פֶּרֶךְ ז׳ שֶׁבֶר, לַחַץ: 1-6

בְּפֶרֶךְ 1 לֹא־יִרְדֶּנּוּ בְּפֶרֶךְ לְעֵינֶיךָ Lev. 25:53
בְּפָרֶךְ 2 וַיַּעֲבִדוּ מִצְרַיִם אֶת־בְּנֵי יִשְׂרָ׳ בְּפָרֶךְ Ex. 1:13
3 אֲשֶׁר עָבְדוּ בָהֶם בְּפָרֶךְ Ex. 1:14
5-4 לֹא־תִרְדֶּה בוֹ בְּפָרֶךְ Lev. 25:43, 46
וּבְפָרֶךְ 6 וּבְחָזְקָה רְדִיתֶם אֹתָם וּבְפָרֶךְ Ezek. 34:4

פָּרֹכֶת נ׳ מסך: 1-25

קרובים: כִּסּוּי / כְּסוּת / כַּפֹּרֶת / לוֹט / מָסָךְ / קְלָעִים
פָּרֹכֶת הַמָּסָךְ 20-22, 24; פָּרֹכֶת הָעֵדוּת 25; פָּרֹכֶת הַקֹּדֶשׁ 23; אַדְנֵי הַפָּרֹכֶת 6

פָּרֹכֶת 1 וְעָשִׂיתָ פָרֹכֶת תְּכֵלֶת וְאַרְגָּמָן Ex. 26:31
הַפָּרֹכֶת 2 וְנָתַתָּה אֶת־הַפָּרֹכֶת תַּחַת הַקְּרָסִים Ex. 26:33
3 וְהִבְדִּילָה הַפָּרֹכֶת לָכֶם Ex. 26:33
4 וְנָתַתָּה אֹתוֹ לִפְנֵי הַפָּרֹכֶת Ex. 30:6
5 וַיַּעַשׂ אֶת־הַפָּרֹכֶת תְּכֵלֶת וְאַרְגָּמָן Ex. 36:35
6 וְאֵת אַדְנֵי הַפָּרֹכֶת Ex. 38:27
7 וְסַכֹּתָ עַל־הָאָרֹן אֶת־הַפָּרֹכֶת Ex. 40:3
8 בְּאֹהֶל מוֹעֵד לִפְנֵי הַפָּרֹכֶת Ex. 40:26
9 וְהִזָּה...לִפְנֵי יְיָ אֶת־פְּנֵי הַפָּרֹכֶת Lev. 4:17
10 אַךְ אֶל־הַפָּרֹכֶת לֹא יָבֹא Lev. 21:23
11 וַיַּעַשׂ אֶת־הַפָּרֹכֶת תְּכֵלֶת וְאַרְגָּמָן IICh. 3:14
לַפָּרֹכֶת 15-12 מִבֵּית לַפָּרֹכֶת Ex. 26:33 • Lev. 16:2, 12, 15
18-16 מִחוּץ לַפָּרֹכֶת Ex. 26:35; 27:21; 40:22
19 וּלְמִבֵּית לַפָּרֹכֶת Num. 18:7
פָּרֹכֶת־ 21-20 וְאֵת פָּרֹכֶת הַמָּסָךְ Ex. 35:12; 39:34
22 וַיָּשֶׂם אֵת פָּרֹכֶת הַמָּסָךְ Ex. 40:21
23 וְהִזָּה...אֶת־פְּנֵי פָּרֹכֶת הַקֹּדֶשׁ Lev. 4:6
24 וְהוֹרִדוּ אֵת פָּרֹכֶת הַמָּסָךְ Num. 4:5
לְפָרֹכֶת־ 25 מִחוּץ לְפָרֹכֶת הָעֵדֻת Lev. 24:3

פָּרַם פ׳ התיר תפר: 1-3

פְּרֻמִים 1 בְּגָדָיו יִהְיוּ פְרֻמִים Lev. 13:45
יִפְרֹם 2 וּבְגָדָיו לֹא יִפְרֹם Lev. 21:10
תִּפְרֹמוּ 3 וּבִגְדֵיכֶם לֹא־תִפְרֹמוּ Lev. 10:6

פַּרְמַשְׁתָּא שפ״ז – מעשרת בני הָמָן

פַּרְמַשְׁתָּא 1 וְאֵת פַּרְמַשְׁתָּא וְאֵת אֲרִיסַי Es. 9:9

פַּרְנָךְ שפ״ז – אבי אֱלִיצָפָן נשיא זבולון

פַּרְנָךְ 1 נָשִׂיא אֱלִיצָפָן בֶּן־פַּרְנָךְ Num. 34:25

פרס : פָּרַס, הִפְרִיס; פֶּרֶס, פְּרָסָה; אר׳ פְּרַס; פְּרָס

פָּרַס פ׳ א) בָּצַע, חָתַךְ: 1, 2

ב) [הפ׳ הִפְרִיס] היה בעל פַּרְסָה: 3-14

פָּרֹס 1 הֲלוֹא פָרֹס לָרָעֵב לַחְמֶךָ Is. 58:7
יִפְרְסוּ 2 וְלֹא־יִפְרְסוּ לָהֶם עַל־אֵבֶל Jer. 16:7
הִפְרִיסָה 3 וּפַרְסָה לֹא הִפְרִיסָה Lev. 11:6
הִפְרִיסוּ 4 וּפַרְסָה לֹא הִפְרִיסוּ Deut. 14:7
מַפְרִיס 5 וּפַרְסָה אֵינֶנּוּ מַפְרִיס Lev. 11:4
6/7 כִּי־מַפְרִיס פַּרְסָה הוּא Lev. 11:7 • Deut. 14:8
8 וְתִיטַב לַייָ מִשּׁוֹר פָּר מַקְרִן מַפְרִיס Ps. 69:32
מַפְרֶסֶת 9 מַפְרֶסֶת פַּרְסָה וְשֹׁסַעַת שֶׁסַע פְּרָסֹת Lev. 11:3
10 מַפְרֶסֶת פַּרְסָה וְשֶׁסַע אֵינֶנָּה שֹׁסַעַת Lev. 11:26
11 וְכָל־בְּהֵמָה מַפְרֶסֶת פַּרְסָה Deut. 14:6
וּמִמַּפְרִיסֵי־ 12 מִמַּעֲלֵי הַגֵּרָה וּמִמַּפְרִיסֵי הַפַּרְסָה Lev. 11:4
13 וּמִמַּפְרִיסֵי הַפַּרְסָה הַשְּׁסוּעָה Deut. 14:7
יַפְרִיס 14 וּפַרְסָה לֹא יַפְרִיס Lev. 11:5

פְּרַס פ׳ ארמית שְׁבַר: 1, 2; פְּרִיסַת = שבורה

פְּרִיסַת 1 פְּרִיסַת מַלְכוּתָךְ וִיהִיבַת לְמָדַי Dan. 5:28

פְּרַס ז׳ ארמית קְרַע, חֵלֶק: 1, 2

פְּרֵס 1 פְּרֵס פְּרִיסַת מַלְכוּתָךְ Dan. 5:28

וּפַרְסִין 2 מְנֵא מְנֵא תְּקֵל וּפַרְסִין Dan. 5:25

פָּרַס ש״פ – ארץ ממלכה בקדמת אסיה: 1-34

– פָּרַס וּמָדַי 3-6; מָדַי וּפָרַס 28-33; דָּתֵי פָּרַס 6; חֵיל פּ׳ 3; מֶלֶךְ פּ׳ 7,9-14,16-18,21-26; מַלְכוּת פּ׳ 8,27; מַלְכֵי פּ׳ 15,19,31,33; שָׂרוֹת פּ׳ 5; שָׂרֵי פָּרַס 4

פָּרַס 1 פָּרַס וְלוּד וּפוּט הָיוּ בְחֵילֵךְ Ezek. 27:10
2 פָּרַס כּוּשׁ וּפוּט אִתָּם Ezek. 38:5
3 חֵיל פָּרַס וּמָדַי Es. 1:3
4 שִׁבְעַת שָׂרֵי פָּרַס וּמָדַי Es. 1:14
5 תֹּאמַרְנָה שָׂרוֹת פָּרַס־וּמָדַי Es. 1:18
6 וְיִכָּתֵב בְּדָתֵי פָרַס־וּמָדַי Es. 1:19
7 בִּשְׁנַת שָׁלוֹשׁ לְכוֹרֶשׁ מֶלֶךְ פָּרַס Dan. 10:1
8 וְשַׂר מַלְכוּת פָּרַס עֹמֵד לְנֶגְדִּי Dan. 10:13
9 וּבִשְׁנַת אַחַת לְכוֹרֶשׁ מֶלֶךְ פָּרַס Ez. 1:1
10 הֵעִיר יְיָ אֶת־רוּחַ כֹּרֶשׁ מֶלֶךְ־פָּרַס Ez. 1:1
11 כֹּה אָמַר כֹּרֶשׁ מֶלֶךְ פָּרַס Ez. 1:2
12-14 כּוֹרֶשׁ מֶלֶךְ(־)פָּרַס Ez. 1:8; 3:7; 4:5
15 וַיַּט־עָלֵינוּ חֶסֶד לִפְנֵי מַלְכֵי פָרַס Ez. 9:9
16 וּבִשְׁנַת אַחַת לְכוֹרֶשׁ מֶלֶךְ פָּרַס IICh. 36:22
17 הֵעִיר יְיָ אֶת־רוּחַ כּוֹרֶשׁ מֶלֶךְ־פָּרַס IICh. 36:22
18 כֹּה־אָמַר כּוֹרֶשׁ מֶלֶךְ פָּרַס IICh. 36:23

פָּרָס 19 וַאֲנִי נוֹתַרְתִּי שָׁם אֵצֶל מַלְכֵי פָרָס Dan. 10:13
20 וְעַתָּה אָשׁוּב לְהִלָּחֵם עִם־שַׂר פָּרָס Dan. 10:20
21 הַמֶּלֶךְ כּוֹרֶשׁ מֶלֶךְ־פָּרָס Ez. 4:3
22-23 דָּרְיָוֶשׁ מֶלֶךְ־פָּרָס Ez. 4:5, 24
24 עַל־אַרְתַּחְשַׁשְׂתָּא מֶלֶךְ פָּרָס Ez. 4:7
25 וְאַרְתַּחְשַׁשְׂתָּא מֶלֶךְ פָּרָס Ez. 6:14
26 בְּמַלְכוּת אַרְתַּחְשַׁסְתְּא מֶלֶךְ־פָּרָס Ez. 7:1
27 עַד־מְלֹךְ מַלְכוּת פָּרָס IICh. 36:20

וּפָרַס 28-29 כְּדָת־מָדַי וּפָרַס Dan. 6:9, 13
30 דִּי־דָת לְמָדַי וּפָרַס Dan. 6:16

וּפָרָס 31 סֵפֶר דִּבְרֵי הַיָּמִים לְמַלְכֵי מָדַי וּפָרָס Es. 10:2
32 וִיהִיבַת לְמָדַי וּפָרָס Dan. 5:28
33 הָאַיִל...מַלְכֵי מָדַי וּפָרָס Dan. 8:20

לְפָרַס 34 עוֹד שְׁלֹשָׁה מְלָכִים עֹמְדִים לְפָרַס Dan. 11:2

פֶּרֶס ז׳ עוף דורס ממשפחת הבזים: 1, 2

קרובים: ראה נֶשֶׁר

הַפֶּרֶס 1 אֶת־הַנֶּשֶׁר וְאֶת־הַפֶּרֶס וְאֵת הָעָזְנִיָּה Lev. 11:13

וְהַפֶּרֶס 2 הַנֶּשֶׁר וְהַפֶּרֶס וְהָעָזְנִיָּה Deut. 14:12

פַּרְסָאָה ת׳ ארמית: פרסי

פַּרְסָאָה 1 וּבְמַלְ׳ כּוֹרֶשׁ פַּרְסָאָה (כת׳ פרסיא) Dan. 6:29

פַּרְסָה נ׳ טֶלֶף של בהמה: 1-21

– שֶׁסַע פַּרְסָה 4; שֶׁסַע פְּרָסוֹת 14,15; שַׁעֲטַת פּ׳ 17; פַּרְסוֹת אַבִּירִים 17; פּ׳ בְּהֵמָה 18; פּ׳ סוּסִים 16,19

– הִפְרִיס פַּרְסָה 2, 3, 5-13

פַּרְסָה 1 לֹא תִשָּׁאֵר פַּרְסָה Ex. 10:26
2 כֹּל מַפְרֶסֶת פַּרְסָה Lev. 11:3
3 הַחֲזִיר כִּי־מַפְרִיס פַּרְסָה הוּא Lev. 11:7
4 וְשֹׁסַע שֶׁסַע פַּרְסָה Lev. 11:7
5 אֲשֶׁר הוּא מַפְרֶסֶת פַּרְסָה Lev. 11:26
6 וְכָל־בְּהֵמָה מַפְרֶסֶת פַּרְסָה Deut. 14:6
7 כִּי־מַפְרִיס פַּרְסָה הוּא Deut. 14:8

וּפַרְסָה 8 וּפַרְסָה אֵינֶנּוּ מַפְרִיס Lev. 11:4
9 וּפַרְסָה לֹא יַפְרִיס Lev. 11:5
10 וּפַרְסָה לֹא הִפְרִיסָה Lev. 11:6
11 וּפַרְסָה לֹא הִפְרִיסוּ Deut. 14:7

הַפַּרְסָה 12 מִמַּעֲלֵי הַגֵּרָה וּמִמַּפְרִיסֵי הַפַּרְסָה Lev. 11:4
13 וּמִמַּפְרִיסֵי הַפַּרְסָה הַשְּׁסוּעָה Deut. 14:7

פְּרָסֹת 14 וְשֹׁסַעַת שֶׁסַע פְּרָסֹת Lev. 11:3

פְּרָסוֹת 15 וְשֹׁסַעַת שֶׁסַע שְׁתֵּי פְרָסוֹת Deut. 14:6

פַּרְסוֹת־ 16 פַּרְסוֹת סוּסָיו כַּצַּר נֶחְשָׁבוּ Is. 5:28
17 מִקּוֹל שַׁעֲטַת פַּרְסוֹת אַבִּירָיו Jer. 47:3

וּפַרְסוֹת־ 18 וּפַרְסוֹת בְּהֵמָה לֹא תִדְלָחֵם Ezek. 32:13

בְּפַרְסוֹת־ 19 בְּפַרְסוֹת סוּסָיו יִרְמֹס Ezek. 26:11

וּפַרְסֹתַיִךְ 20 וּפַרְסֹתַיִךְ אָשִׂים נְחוּשָׁה Mic. 4:13

וּפַרְסֵיהֶן 21 וּפַרְסֵיהֶן יְפָרֵק Zech. 11:16

פַּרְסִי ת׳ בן ארץ פרס

הַפַּרְסִי 1 עַל־מַלְכוּת דָּרְיָוֶשׁ הַפַּרְסִי Neh. 12:22
[נ״א הַפָּרְסִי]

פרע : פָּרַע, נִפְרַע, הִפְרִיעַ; פֶּרַע, פְּרָעוֹת

פָּרַע פ׳ א) הפר, מנע, בטל: 1, 3-6, 8, 11-13
ב) סתר שערות הראש: 2, 7, 9, 10
ג) [נפ׳ נִפְרַע] הופר מוסרו: 14
ד) [הפ׳ הִפְרִיעַ] הפר, בטל: 15, 16

פָּרַע מוּסָר 4, 5; פָּרַע עֵצָה 12; פְּרֹעַ פְּרָעוֹת 1; פָּרַע רֹאשׁ 2, 7, 9

בִּפְרֹעַ 1 בִּפְרֹעַ פְּרָעוֹת בְּיִשְׂרָאֵל Jud. 5:2

וּפָרַע 2 וּפָרַע אֶת־רֹאשׁ הָאִשָּׁה Num. 5:18

פְּרָעֹה 3 כִּי־פְרָעֹה אַהֲרֹן לְשִׁמְצָה Ex. 32:25

פּוֹרֵעַ 4 רֵישׁ וְקָלוֹן פּוֹרֵעַ מוּסָר Prov. 13:18
5 פּוֹרֵעַ מוּסָר מוֹאֵס נַפְשׁוֹ Prov. 15:32

פָּרֻעַ 6 וַיַּרְא מֹשֶׁה אֶת־הָעָם כִּי פָרֻעַ הוּא Ex. 32:25
7 וְרֹאשׁוֹ יִהְיֶה פָרוּעַ Lev. 13:45

אֶפְרַע 8 לֹא־אֶפְרַע וְלֹא־אָחוּס Ezek. 24:14

יִפְרָע 9 אֶת־רֹאשׁוֹ לֹא יִפְרָע Lev. 21:10

תִּפְרָעוּ 10 רָאשֵׁיכֶם אַל־תִּפְרָעוּ Lev. 10:6
11 שִׁמְעוּ מוּסָר וַחֲכָמוּ וְאַל־תִּפְרָעוּ Prov. 8:33

וַתִּפְרְעוּ 12 וַתִּפְרְעוּ כָל־עֲצָתִי Prov. 1:25

פְּרָעֵהוּ 13 פְּרָעֵהוּ אַל־תַּעֲבָר־בּוֹ Prov. 4:15

יִפָּרַע 14 בְּאֵין חָזוֹן יִפָּרַע עָם Prov. 29:18

הִפְרִיעַ 15 כִּי הִפְרִיעַ בִּיהוּדָה IICh. 28:19

תַּפְרִיעוּ 16 לָמָּה...תַּפְרִיעוּ אֶת־הָעָם מִמַּעֲשָׂיו Ex. 5:4

פֶּרַע ז׳ שער פרוע של הראש: 1-3

פֶּרַע 1 גַּדֵּל פֶּרַע שְׂעַר רֹאשׁוֹ Num. 6:5

וּפֶרַע 2 וְרֹאשָׁם לֹא יְגַלֵּחוּ וּפֶרַע לֹא יְשַׁלֵּחוּ Ezek. 44:20

פַּרְעוֹת־ 3 מֵרֹאשׁ פַּרְעוֹת אוֹיֵב Deut. 32:42

פַּרְעֹה שפ״ז – שם כללי למלכי מצרים: 1-274

אָזְנֵי פַרְעֹה 28; בֵּית פּ׳ 3, 24, 25, 27, 46, 71, 79, 80, 97; בְּכוֹר פּ׳ 57, 58; בְּנֵי פּ׳ 81; בַּת פּ׳ 30-34, 73, 74, 76, 77; חֵי פַרְעֹה 22, 23; חֵיל פּ׳ 65, 95, 96, 99; חֲלוֹם פּ׳ 18; חֶרֶב פּ׳ 68, 102, 103; יַד פּ׳ 19, 69, 70, 84; יוֹעֲצֵי פּ׳ 89; כּוֹס פּ׳ 10, 11, 13; כַּף פּ׳ 12, 15; לֵב פּ׳ 39-44, 47, 49-53, 61; לְבַב פּ׳ 62; מַאֲכַל פּ׳ 14; מָעוֹז פּ׳ 90, 91; מַרְכְּבוֹת פּ׳ 66; נוֹגְשֵׂי פּ׳ 37; סוּס פּ׳ 64, 67; סָרִיס פּ׳ 7-9; עַבְדֵי פּ׳ 29, 54, 56; עֵינֵי פּ׳ 20, 26, 38, 45, 48, 78; פְּנֵי פַרְעֹה 55; רֶכֶב פּ׳ 63, 105; שְׁלוֹם פּ׳ 17; שָׂרֵי פַרְעֹה 1

פַּרְעֹה 1 וַיִּרְאוּ אֹתָהּ שָׂרֵי פַרְעֹה Gen. 12:15
2 וַיְהַלְלוּ אֹתָהּ אֶל־פַּרְעֹה Gen. 12:15
3 וַתֻּקַּח הָאִשָּׁה בֵּית פַּרְעֹה Gen. 12:15
4 וַיְנַגַּע יְיָ אֶת־פַּרְעֹה Gen. 12:17
5 וַיִּקְרָא פַרְעֹה לְאַבְרָם וַיֹּאמֶר Gen. 12:18
6 וַיְצַו עָלָיו פַּרְעֹה אֲנָשִׁים Gen. 12:20
7 מְכָרוּ...לְפוֹטִיפַר סְרִיס פַּרְעֹה Gen. 37:36
8 וַיִּקְנֵהוּ פּוֹטִיפַר סְרִיס פַּרְעֹה Gen. 39:1

פַּרְעֹה (המשך)
9 וַיִּשְׁאַל אֶת־סְרִיסֵי פַרְעֹה Gen. 40:7
10 וְכוֹס פַּרְעֹה בְּיָדִי Gen. 40:11
11 וָאֶשְׂחַט אֹתָם אֶל־כּוֹס פַּרְעֹה Gen. 40:11
12 וָאֶתֵּן אֶת־הַכּוֹס עַל־כַּף פַּרְעֹה Gen. 40:11
13 וְנָתַתָּ כוֹס־פַּרְעֹה בְּיָדוֹ Gen. 40:13
14 וּבַסַּל הָעֶלְיוֹן מִכֹּל מַאֲכַל פַּרְעֹה Gen. 40:17
15 וַיִּתֵּן הַכּוֹס עַל־כַּף פַּרְעֹה Gen. 40:21
16 וַיַּעַן יוֹסֵף אֶת־פַּרְעֹה Gen. 41:16
17 אֱלֹהִים יַעֲנֶה אֶת־שְׁלוֹם פַּרְעֹה Gen. 41:16
18 חֲלוֹם פַּרְעֹה אֶחָד הוּא Gen. 41:25
19 וְיִצְבְּרוּ־בָר תַּחַת יַד־פַּרְעֹה Gen. 41:35
20 וַיִּיטַב הַדָּבָר בְּעֵינֵי פַרְעֹה Gen. 41:37
21 בְּעָמְדוֹ לִפְנֵי פַּרְעֹה מֶלֶךְ־מִצְ׳ Gen. 41:46
22-23 חֵי פַרְעֹה Gen. 42:15, 16
24 וַיִּשְׁמַע בֵּית פַּרְעֹה Gen. 45:2
25 וְהַקֹּל נִשְׁמַע בֵּית פַּרְעֹה Gen. 45:16
26 וַיִּיטַב בְּעֵינֵי פַרְעֹה... Gen. 45:16
27 וַיְדַבֵּר יוֹסֵף אֶל־בֵּית פַּרְעֹה Gen. 50:4
28 דַּבְּרוּ־נָא בְּאָזְנֵי פַרְעֹה Gen. 50:4
29 וַיַּעֲלוּ אִתּוֹ כָּל־עַבְדֵי פַרְעֹה Gen. 50:7
30 וַתֵּרֶד בַּת־פַּרְעֹה לִרְחֹץ עַל־הַיְאֹר Ex. 2:5
31 וַתֹּאמֶר אֲחֹתוֹ אֶל־בַּת־פַּרְעֹה Ex. 2:7
32-33 וַתֹּאמֶר(־)לָהּ בַּת־פַּרְעֹה Ex. 2:8, 9
34 וַיִּגְדַּל הַיֶּלֶד וַתְּבִאֵהוּ לְבַת־פַּרְעֹה Ex. 2:10
35 בָּאוּ מֹשֶׁה וְאַהֲרֹן וַיֹּאמְרוּ אֶל־פַּרְעֹה Ex. 5:1
36 וַיֹּאמֶר פַּרְעֹה מִי יְיָ... Ex. 5:2
37 אֲשֶׁר־שָׂמוּ עֲלֵהֶם נֹגְשֵׂי פַרְעֹה Ex. 5:14
38 הִבְאַשְׁתֶּם אֶת־רֵיחֵנוּ בְּעֵינֵי פַרְעֹה Ex. 5:21
39 וַאֲנִי אַקְשֶׁה אֶת־לֵב פַּרְעֹה Ex. 7:3
40-43 וַיֶּחֱזַק לֵב(־)פַּר׳ Ex. 7:13, 22; 8:15; 9:35
44 כָּבֵד לֵב פַּרְעֹה מֵאֵן לְשַׁלַּח הָעָם Ex. 7:14
45 וַיַּךְ אֶת־הַמַּיִם...לְעֵינֵי פַרְעֹה Ex. 7:20
46 וַיָּבֹא עָרֹב כָּבֵד בֵּיתָה פַרְעֹה Ex. 8:20
47 וַיִּכְבַּד לֵב פַּרְעֹה Ex. 9:7
48 וּזְרָקוֹ מֹשֶׁה...לְעֵינֵי פַרְעֹה Ex. 9:8
49-53 וַיְחַזֵּק יְיָ אֶת־לֵב פַּרְעֹה Ex. 9:12
10:20, 27; 11:10; 14:8
54 הַיָּרֵא אֶת־דְּבַר יְיָ מֵעַבְדֵי פַּרְעֹה Ex. 9:20
55 וַיְגָרֶשׁ אֹתָם מֵאֵת פְּנֵי פַרְעֹה Ex. 10:11
56 גָּדוֹל מְאֹד...בְּעֵינֵי עַבְדֵי־פַרְעֹה Ex. 11:3
57 מִבְּכוֹר פַּרְעֹה הַיֹּשֵׁב עַל־כִּסְאוֹ Ex. 11:5
58 מִבְּכֹר פַּרְעֹה הַיֹּשֵׁב עַל־כִּסְאוֹ Ex. 12:29
59 וַיְהִי בְּשַׁלַּח פַּרְעֹה אֶת־הָעָם Ex. 13:17
60 וְאָמַר פַּרְעֹה לִבְנֵי־יִ׳ נְבֻכִים הֵם Ex. 14:3
61 וְחִזַּקְתִּי אֶת־לֵב־פַּרְעֹה Ex. 14:4
62 וַיֵּהָפֵךְ לְבַב פַּרְעֹה וַעֲבָדָיו Ex. 14:5
63 כָּל־סוּס רֶכֶב פַּרְעֹה Ex. 14:9
64 וַיָּבֹאוּ אַחֲרֵיהֶם כֹּל סוּס פַּרְעֹה Ex. 14:23
65 הָרֶכֶב...לְכֹל חֵיל פַּרְעֹה Ex. 14:28
66 מַרְכְּבֹת פַּרְעֹה וְחֵילוֹ יָרָה בַיָּם Ex. 15:4
67 כִּי בָא סוּס פַּרְעֹה בְּרִכְבּוֹ... Ex. 15:19
68 וַיַּצִּלֵנִי מֵחֶרֶב פַּרְעֹה Ex. 18:4
69 מִיַּד מִצְרַיִם וּמִיַּד פַּרְעֹה Ex. 18:10
70 וַיִּפְדְּךָ...מִיַּד פַּרְעֹה מֶלֶךְ־מִצְרָיִם Deut. 7:8
71 בִּהְיוֹתָם בְּמִצְרַיִם לְבֵית פַּרְעֹה ISh. 2:27
72 וַיִּתְחַתֵּן שְׁלֹמֹה אֶת־פַּרְעֹה מֶלֶךְ מִצְ׳ IK. 3:1
73 וַיִּקַּח אֶת־בַּת־פַּרְעֹה IK. 3:1
74 וּבַיִת יַעֲשֶׂה לְבַת־פַּרְעֹה IK. 7:8
75 פַּרְעֹה מֶלֶךְ־מִצְרַיִם עָלָה וַיִּלְכֹּד IK. 9:16
75 אַךְ בַּת־פַּרְעֹה עָלְתָה מֵעִיר דָּוִד IK. 9:24
77 נָשִׁים נָכְרִיּוֹת רַבּוֹת וְאֶת־בַּת־פַּרְעֹה IK. 11:1
78 וַיִּמְצָא הֲדַד חֵן בְּעֵינֵי פַרְעֹה IK. 11:19

פַּרְעֹה (המשך) 79 וַתִּגְמְלֵהוּ תַּחְפְּנֵס בְּתוֹךְ בֵּית פַּרְעֹה IK. 11:20
80 וַיְהִי גְנֻבַת בֵּית פַּרְעֹה IK. 11:20
81 בְּתוֹךְ בְּנֵי פַרְעֹה IK. 11:20
82 וַיֹּאמֶר הֲדַד אֶל־פַּרְעֹה IK. 11:21
83 וַיֹּאמֶר לוֹ פַרְעֹה IK. 11:22
84 הַמַּעֲלֶה אֹתָם...מִתַּחַת יַד פַּרְעֹה IIK. 17:7
85 כֵּן פַּרְעֹה...לְכָל־הַבֹּטְחִים עָלָיו IIK. 18:21
86 בְּיָמָיו עָלָה פַרְעֹה נְכֹה מֶלֶךְ־מִצְ׳ IIK.23:29
87-88 פַּרְעֹה נְכֹה IIK. 23:33, 34
89 שָׂרֵי צֹעַן חַכְמֵי יֹעֲצֵי פַרְעֹה Is. 19:11
90 הַהֹלְכִים...לָעוֹז בְּמָעוֹז פַּרְעֹה Is. 30:2
91 וְהָיָה לָכֶם מָעוֹז פַּרְעֹה לְבֹשֶׁת Is. 30:3
92 כֵּן פַּרְעֹה...לְכָל־הַבֹּטְחִים עָלָיו Is. 36:6
93 אֶת־פַּרְעֹה מֶלֶךְ־מִצְרַיִם Jer. 25:19
94 וְחֵיל פַּרְעֹה יָצָא מִמִּצְרָיִם Jer. 37:5
95 הִנֵּה חֵיל פַּרְעֹה...שָׁב לְאַרְצוֹ Jer. 37:7
96 מִפְּנֵי חֵיל פַּרְעֹה Jer. 37:11
97 בְּפֶתַח בֵּית־פַּרְעֹה בְּתַחְפַּנְחֵס Jer. 43:9
98 הִנְנִי נֹתֵן אֶת־פַּרְעֹה חָפְרַע... Jer. 44:30
99 עַל־חֵיל פַּרְעֹה נְכוֹ מֶלֶךְ מִצְרַיִם Jer. 46:2
100 שָׂא קִינָה עַל־פַּרְעֹה מֶלֶךְ־מִצְרַיִם Ezek. 32:2
101 יִרְאֶה פַרְעֹה וְנִחַם עַל־...הֲמוֹנֹה Ezek. 32:31
102 חַלְלֵי־חֶרֶב פַּרְעֹה וְכָל־חֵילוֹ Ezek. 32:31
103 חַלְלֵי־חֶרֶב פַּרְעֹה וְכָל־הֲמוֹנֹה Ezek. 32:32
104 וְנִעֵר פַּרְעֹה וְחֵילוֹ בְיַם־סוּף Ps. 136:15
105 לְסֻסָתִי בְּרִכְבֵי פַרְעֹה דִּמִּיתִיךְ S.ofS. 1:9
106 וְאֵלֶּה בְּנֵי בִּתְיָה בַת־פַּרְעֹה ICh. 4:18
107 וְאֶת־בַּת־פַּרְעֹה הֶעֱלָה שְׁלֹמֹה IICh. 8:11
108-236 פַּרְעֹה Gen. 40:2, 13, 14, 19, 20
41:4, 7, 8, 9, 10, 14^2, 15, 17, 25, 28^2, 32, 33, 34, 38, 39, 41, 42, 44^2, 45, 46, 55^2; 45:17, 21; 46:5, 33; 47:2, 3^2, 4, 5, 7^2, 8, 9, 10^2, 11, 14, 22^2; 50:6 • Ex. 1:19, 22; $2:15^2$, 3:10, 11; 4:21, 22; 5:5, 6, 10, 15, 20, 23; 6:11, 12, 13, 27, 29, 30; 7:2, 24, 7, 9^2, 10^2, 11, 15, 23, 26; 8:4, 7, 11, 15, 16, 21, 24, 25, 26, 28; 9:1, 7, 10, 13, 27, 33, 34; 10:1, 3, 6, 7, 8, 16, 18, 24, 28; 11:1, 8, 9, 10; 12:30; 13:15 • IK. 11:18 • IIK. 23:35 • Is. 19:11 • Jer. 46:17, 25^2, 47:1 • Ezek. 17:17; 29:2, 3; 30:21, 22, 24, 25; 31:2, 18

וּפַרְעֹה 237 וּפַרְעֹה חֹלֵם וְהִנֵּה עֹמֵד עַל־הַיְאֹר Gen. 41:1
238 וּפַרְעֹה הִקְרִיב... Ex. 14:10
239 כַּאֲשֶׁר כִּבְּדוּ מִצְ׳ וּפַרְעֹה אֶת־לִבָּם ISh. 6:6
בְּפַרְעֹה 240/1 וְאִכָּבְדָה בְּפַרְעֹה וּבְכָל־חֵילוֹ Ex. 14:4, 17
242 בְּהִכָּבְדִי בְּפַרְעֹה בְּרִכְבּוֹ... Ex. 14:18
243 בְּמִצְרַיִם בְּפַרְעֹה וּבְכָל־בֵּיתוֹ Deut. 6:22
244 שָׁלַח...בְּפַרְעֹה וּבְכָל־עֲבָדָיו Ps. 135:9
245 וַתִּתֵּן אֹתֹת וּמֹפְתִים בְּפַרְעֹה Neh. 9:10
כְּפַרְעֹה 246 כִּי כָמוֹךָ כְּפַרְעֹה Gen. 44:18
לְפַרְעֹה 247 וְאֵין־פּוֹתֵר אוֹתָם לְפַרְעֹה Gen. 41:8
248 אֲשֶׁר הָאֱלֹהִים עֹשֶׂה הִגִּיד לְפַרְעֹה Gen. 41:25
249 וַיְשִׂימֵנִי לְאָב לְפַרְעֹה Gen. 45:8
250 אֶעֱלֶה וְאַגִּידָה לְפַרְעֹה Gen. 46:31
251 וַיָּבֹא יוֹסֵף וַיַּגֵּד לְפַרְעֹה Gen. 47:1
252 אֲנַחְנוּ וְאַדְמָתֵנוּ עֲבָדִים לְפַרְעֹה Gen. 47:19
253 וַיִּקֶן יוֹסֵף...אַדְמַת מִצְ׳ לְפַרְעֹה Gen. 47:20
254 ...וַתְּהִי הָאָרֶץ לְפַרְעֹה Gen. 47:20
255 קָנִיתִי...וְאֶת־אַדְמַתְכֶם לְפַרְעֹה Gen. 47:23
256 וּנְתַתֶּם חֲמִישִׁית לְפַרְעֹה Gen. 47:24
257 וְהָיִינוּ עֲבָדִים לְפַרְעֹה Gen. 47:25
258 אַדְמַת מִצְרַיִם לְפַרְעֹה לַחֹמֶשׁ Gen. 47:26
259 אַדְמַת הַכֹּהֲנ׳...לֹא הָיְתָה לְפַרְעֹה Gen.47:26
260 וַיִּבֶן עָרֵי מִסְכְּנוֹת לְפַרְעֹה Ex. 1:11

לְפַרְעֹה (המשך) 261 עַתָּה תִרְאֶה אֲשֶׁר אֶעֱשֶׂה לְפַרְעֹה Ex. 6:1
262 רְאֵה נְתַתִּיךָ אֱלֹהִים לְפַרְעֹה Ex. 7:1
263 וַיֹּאמֶר מֹשֶׁה לְפַרְעֹה הִתְפָּאֵר עָלַי Ex. 8:5
264 הַצְפַרְדְּעִים אֲשֶׁר־שָׂם לְפַרְעֹה Ex. 8:8
265 אֲשֶׁר עָשָׂה יְיָ לְפַרְעֹה וּלְמִצְרַיִם Ex. 18:8
266 עֲבָדִים הָיִינוּ לְפַרְעֹה בְּמִצְרָיִם Deut. 6:21
267 אֲשֶׁר־עָשָׂה יְיָ אֱלֹהֶיךָ לְפַרְעֹה Deut. 7:18
268 לְפַרְעֹה מֶלֶךְ־מִצְ׳ וּלְכָל־אַרְצוֹ Deut. 11:3
269-270 לְפַרְעֹה וּלְכָל־עֲבָדָיו Deut. 29:1; 34:11
271 וְהַכֶּסֶף וְהַזָּהָב נָתַן יְהוֹיָקִים לְפַרְעֹה IIK.23:35
272 לָתֵת לְפַרְעֹה נְכֹה IIK. 23:35
מִפַּרְעֹה 273 וְסָר הֶעָרֹב מִפַּרְעֹה Ex. 8:25
274 וַיָּסַר הֶעָרֹב מִפַּרְעֹה Ex. 8:27

פְּרָעוֹת
נ״ר – אסונות, צרות
פְּרָעוֹת 1 בִּפְרֹעַ פְּרָעוֹת בְּיִשְׂרָאֵל Jud. 5:2

פַּרְעֹשׁ[1]
ז׳ חרק מוצץ דם: 1, 2
פַּרְעֹשׁ 1 רֹדֵף...אַחֲרֵי פַּרְעֹשׁ אֶחָד ISh. 24:14
2 לְבַקֵּשׁ אֶת־פַּרְעֹשׁ אֶחָד ISh. 26:20

פַּרְעֹשׁ[2]
שפ״ז – ראש בית־אב בימי זרובבל: 1-6
פַּרְעֹשׁ 1 בְּנֵי פַרְעֹשׁ אַלְפַּיִם מֵאָה... Ez. 2:3
2 מִבְּנֵי שְׁכַנְיָה מִבְּנֵי פַרְעֹשׁ זְכַרְיָה Ez. 8:3
3 מִבְּנֵי פַרְעֹשׁ רַמְיָה וְיִזִּיָּה Ez. 10:25
4 אַחֲרָיו פְּדָיָה בֶן־פַּרְעֹשׁ Neh. 3:25
5 בְּנֵי פַרְעֹשׁ אַלְפַּיִם מֵאָה... Neh. 7:8
6 רָאשֵׁי הָעָם פַּרְעֹשׁ פַּחַת מוֹאָב Neh. 10:15

פִּרְעָתוֹן
ש״פ – מקום בנחלת בנימין
בְּפִרְעָתוֹן 1 וַיִּקָּבֵר בְּפִרְעָתוֹן בְּאֶרֶץ אֶפְרַיִם Jud. 12:15

פִּרְעָתוֹנִי
ת׳ מתושבי פִּרְעָתוֹן: 1-5
פִּרְעָתוֹנִי 1 בְּנָיָהוּ פִּרְעָתֹנִי IISh. 23:30
הַפִּרְעָתוֹנִי 2/3 עַבְדּוֹן בֶּן־הִלֵּל הַפִּרְעָתוֹנִי Jud. 12:13, 15
4/5 בְּנָיָה הַפִּרְעָתֹנִי ICh. 11:31; 27:14

פִּרְפֵּר
פ׳ טלטל, זעזע
וַיְפַרְפְּרֵנִי 1 שָׁלֵו הָיִיתִי וַיְפַרְפְּרֵנִי Job 16:12

פַּרְפַּר
ש״פ – נהר מדרום לדמשק
וּפַרְפַּר 1 אֲמָנָה° וּפַרְפַּר נַהֲרוֹת דַּמֶּשֶׂק IIK. 5:12

פרץ
: פָּרַץ, נִפְרַץ, פֵּרֵץ, הִתְפָּרֵץ; פֶּרֶץ, פָּרִיץ, מִפְרָץ; ש״פ פֶּרֶץ

פָּרַץ
פ׳ א) הרס, שבר: 1, 3, 5, 6, 8-10, 12-18, 20, 22, 30, 34, 36, 37, 41
ב) הבקיע, התפשט, התרחב: 2, 4, 7, 11, 19, 21, 23, 28, 29, 31-33, 35, 42-45
ג) [פָּרוּץ] הרוס, שבור: 24-27
ד) [בהפוך אותיות] פָּצַר, בקש הרבה: 38-40, 46
ה) [נפ׳ בינוני: נִפְרָץ] נפוץ, רווח: 47
ו) [פ׳ בינוני: מְפֹרָץ] הרוס, פרוץ: 48
ז) [הת׳ הִתְפָּרֵץ] פרק עול, התמרד: 49
קרובים: ראה נָתַץ
– פָּרַץ גָּדֵר 1, 22; פ׳ דָּבָר 2; פָּרַץ חוֹמָה 17; פָּרַץ מַעֲשָׂיו 16; פָּרַץ פֶּרֶץ 4, 10, 13, 41
– חוֹמָה פְּרוּצָה 25, (26); עִיר פְּרוּצָה 24
– חָזוֹן נִפְרָץ 47; חוֹמָה מְפֹרֶצֶת 48

פָּרַץ 1 פָּרֹץ גְּדֵרוֹ וְהָיָה לְמִרְמָס Is. 5:5
וְכִפְרֹץ 2 וְכִפְרֹץ הַדָּבָר הִרְבּוּ בְנֵי־יִשְׂרָאֵל IICh. 31:5
לִפְרוֹץ 3 עֵת לִפְרוֹץ וְעֵת לִבְנוֹת Eccl. 3:3
פָּרַצְתָּ 4 מַה־פָּרַצְתָּ עָלֶיךָ פָּרֶץ Gen. 38:29
5 לָמָּה פָּרַצְתָּ גְדֵרֶיהָ Ps. 80:13
6 פָּרַצְתָּ כָל־גְּדֵרֹתָיו Ps. 89:41
וּפָרַצְתָּ 7 וּפָרַצְתָּ יָמָּה וָקֵדְמָה Gen. 28:14
פְּרַצְתָּנוּ 8 אֱלֹהִים זְנַחְתָּנוּ פְרַצְתָּנוּ Ps. 60:3
פָּרַץ 9 פָּרַץ יְיָ אֶת־אֹיְבַי לְפָנַי IISh. 5:20
10 עַל אֲשֶׁר פָּרַץ יְיָ פֶּרֶץ בְּעֻזָּה IISh. 6:8
11 וּמִקְנֵהוּ פָּרַץ בָּאָרֶץ Job 1:10
12 פָּרַץ נַחַל מֵעִם־גָּר Job 28:4
13 כִּי־פָרַץ יְיָ פֶּרֶץ בְּעֻזָּא ICh. 13:11
14 פָּרַץ הָאֱלֹהִים אֶת־אוֹיְבַי בְּיָדִי ICh. 14:11
15 פָּרַץ יְיָ אֱלֹהֵינוּ בָּנוּ ICh. 15:13
16 פָּרַץ יְיָ אֶת־מַעֲשֶׂיךָ IICh. 20:37
וּפָרַץ 17 וּפָרַץ חוֹמַת אַבְנֵיהֶם Neh. 3:35
פָּרְצוּ 18 עָלָה הַפֹּרֵץ לִפְנֵיהֶם פָּרְצוּ וַיַּעֲבֹרוּ Mic. 2:13
19 וּבֵית אֲבוֹתֵיהֶם פָּרְצוּ לָרוֹב ICh. 4:38
20 בָּנֶיהָ פָּרְצוּ אֶת־בֵּית הָאֱלֹהִים IICh. 24:7
פָּרָצוּ 21 וְרָצֹחַ וְגָנֹב וְנָאֹף פָּרָצוּ Hosh. 4:2
וּפֹרֵץ 22 וּפֹרֵץ גָּדֵר יִשְּׁכֶנּוּ נָחָשׁ Eccl. 10:8
הַפֹּרֵץ 23 עָלָה הַפֹּרֵץ לִפְנֵיהֶם Mic. 2:13
פְּרוּצָה 24 עִיר פְּרוּצָה אֵין חוֹמָה Prov. 25:28
הַפְּרוּצָה 25 וַיִּבֶן אֶת־כָּל־הַחוֹמָה הַפְּרוּצָה IICh. 32:5
פְּרוּצִים 26 בְּחוֹמֹת יְרוּשָׁלַםִ אֲשֶׁר־הֵם פְּרוּצִים
(כת׳ המפרוצים) Neh. 2:13
הַפְּרֻצִים 27 כִּי־הֵחֵלּוּ הַפְּרֻצִים לְהִסָּתֵם Neh. 4:1
תִּפְרֹצִי 28 כִּי־יָמִין וּשְׂמֹאול תִּפְרֹצִי Is. 54:3
יִפְרֹץ 29 כֵּן יִרְבֶּה וְכֵן יִפְרֹץ Ex. 1:12
30 פֶּן־יִפְרֹץ בָּהֶם יְיָ Ex. 19:22
יִפְרָץ־ 31 אַל־יֶהֶרְסוּ...פֶּן־יִפְרָץ־בָּם Ex. 19:24
וַיִּפְרֹץ 32 כִּי מְעַט...וַיִּפְרֹץ לָרֹב Gen. 30:30
33 וַיִּפְרֹץ הָאִישׁ מְאֹד מְאֹד Gen. 30:43
34 וַיִּפְרֹץ בְּחוֹמַת יְרוּשָׁלַםִ IIK. 14:13
35 וַיָּבֶן וַיִּפְרֹץ מִכָּל־בָּנָיו IICh. 11:23
36 וַיִּפְרֹץ בְּחוֹמַת יְרוּשָׁלַםִ IICh. 25:23
37 וַיִּפְרֹץ אֶת־חוֹמַת גַּת IICh. 26:6
וַיִּפְרָץ־ 38 וַיִּפְרָץ־בּוֹ וְלֹא־אָבָה לָלֶכֶת IISh. 13:25
39 וַיִּפְרָץ־בּוֹ אַבְשָׁלוֹם IISh. 13:27
40 וַיִּפְרָץ־בּוֹ וַיָּצַר כִּכְּרַיִם כֶּסֶף IIK. 5:23
יִפְרְצֵנִי 41 יִפְרְצֵנִי פֶרֶץ עַל־פְּנֵי־פָרֶץ Job 16:14
וַתִּפְרָץ־ 42 וַתִּפְרָץ־בָּם מַגֵּפָה Ps. 106:29
נִפְרְצָה 43 נִפְרְצָה נִשְׁלְחָה עַל־אַחֵינוּ... ICh. 13:2
יִפְרֹצוּ 44 וְאָכְלוּ וְלֹא יִשְׂבָּעוּ הִזְנוּ וְלֹא יִפְרֹצוּ Hosh.4:10
45 וְתִירוֹשׁ יְקָבֶיךָ יִפְרֹצוּ Prov. 3:10
וַיִּפְרְצוּ 46 וַיִּפְרְצוּ־בוֹ עֲבָדָיו...וַיִּשְׁמַע לְקֹלָם ISh.28:23
נִפְרָץ 47 וּדְבַר יְיָ הָיָה יָקָר...אֵין חָזוֹן נִפְרָץ ISh. 3:1
מְפֹרָצֶת 48 וְחוֹמַת יְרוּשָׁלַםִ מְפֹרָצֶת Neh. 1:3
הַמִּתְפָּרְצִים 49 עֲבָדִים הַמִּתְפָּרְצִים
אִישׁ מִפְּנֵי אֲדֹנָיו ISh. 25:10

פֶּרֶץ[1]
ז׳ א) שֶׁבֶר, הֶרֶס (ובהשאלה) פֶּגַע, מכה: 1-6, 8-14, 18-20
ב) התפרצות, גיחה: 7, 15-17
– פֶּרֶץ עַל פְּנֵי פֶרֶץ 5; פֶּרֶץ מַיִם 15, 16; פ׳ נוֹפֵל 12; פ׳ עִיר 14; פֶּרֶץ רָחָב 13; הַר פְּרָצִים 17
– גֹּדֵר פֶּרֶץ 3, 19; נִבְעֶה פ׳ 12; נוֹתַר פֶּ׳ 9; סָגַר פ׳ 14; עָשָׂה פֶ׳ 1; פָּרַץ פֶּרֶץ 2, 5-7; עָמַד בַּפֶּרֶץ 11

פֶּרֶץ 1 עָשָׂה יְיָ פֶּרֶץ בְּשִׁבְטֵי יִשְׂרָאֵל Jud. 21:15
2 עַל אֲשֶׁר פָּרַץ יְיָ פֶּרֶץ בְּעֻזָּה IISh. 6:8
3 גֹּדֵר פֶּרֶץ מְשֹׁבֵב נְתִיבוֹת Is. 58:12
4 אֵין פֶּרֶץ וְאֵין יוֹצֵאת Ps. 144:14
5 יִפְרְצֵנִי פֶרֶץ עַל־פְּנֵי־פָרֶץ Job 16:14
6 כִּי־פָרַץ יְיָ פֶּרֶץ בְּעֻזָּא ICh. 13:11
פָּרֶץ 7 מַה־פָּרַצְתָּ עָלֶיךָ פָּרֶץ Gen. 38:29
8 יִפְרְצֵנִי פֶרֶץ עַל־פְּנֵי פָרֶץ Job 16:14
9 וְלֹא־נוֹתַר בָּהּ פָּרֶץ Neh. 6:1

בַּפֶּרֶץ 10 גֹּדֵר־גָּדֵר וְעֹמֵד בַּפֶּרֶץ לְפָנַי Ezek. 22:30
11 לוּלֵי...עָמַד בַּפֶּרֶץ לְפָנָיו Ps. 106:23
כְּפֶרֶץ 12 כְּפֶרֶץ נֹפֵל נִבְעֶה בְּחוֹמָה נִשְׂגָּבָה Is. 30:13
13 כְּפֶרֶץ רָחָב יֶאֱתָיוּ Job 30:14
פֶּרֶץ־ 14 סָגַר אֶת־פֶּרֶץ עִיר דָּוִד אָבִיו IK. 11:27
כְּפֶרֶץ־ 15 פָּרַץ יְיָ אֶת־אֹיְבַי לְפָנַי כְּפֶרֶץ מָיִם II Sh. 5:20
16 פָּרַץ הָאֱלֹ' אֶת־אוֹיְבַי...כְּפֶרֶץ מָיִם ICh. 14:11
פְּרָצִים 17 כִּי כְהַר־פְּרָצִים יָקוּם יְיָ Is. 28:21
וּפְרָצִים 18 וּפְרָצִים תֵּצֶאנָה אִשָּׁה נֶגְדָּהּ Am. 4:3
פִּרְצֵיהֶן 19 וְגָדַרְתִּי אֶת־פִּרְצֵיהֶן Am. 9:11
בַּפְּרָצוֹת 20 לֹא עֲלִיתֶם בַּפְּרָצוֹת Ezek. 13:5

פֶּרֶץ[2] שפ״ז – בן יהודה מאשתו תמר: 1-15
בֵּית פֶּרֶץ 3; בְּנֵי פ' 1,2,5,7,9,10,13; תּוֹלְדוֹת פ' 12

פֶּרֶץ 1 וַיִּהְיוּ בְנֵי־פֶרֶץ חֶצְרֹן וְחָמוּל Gen. 46:12
2 וַיִּהְיוּ בְנֵי־פֶרֶץ לְחֶצְרֹן Num. 26:21
3 וִיהִי בֵיתְךָ כְּבֵית פֶּרֶץ Ruth 4:12
4 פֶּרֶץ הוֹלִיד אֶת־חֶצְרוֹן Ruth 4:18
5 כָּל־בְּנֵי־פֶרֶץ הַיֹּשְׁבִים בִּירוּשָׁלִָם Neh. 11:6
6 וְתָמָר כַּלָּתוֹ יָלְדָה לּוֹ אֶת־פֶּרֶץ ICh. 2:4
7 בְּנֵי פֶרֶץ חֶצְרוֹן וְחָמוּל ICh. 2:5
8 בְּנֵי יְהוּדָה פֶּרֶץ חֶצְרוֹן וְכַרְמִי ICh. 4:1
9 בְּנֵי פֶרֶץ בֶּן־יְהוּדָה ICh. 9:4
10 מִן בְּנֵי־פֶרֶץ הָרֹאשׁ לְכָל־שָׂרֵי... ICh. 27:3
פָּרֶץ 11 וַיִּקְרָא שְׁמוֹ פָּרֶץ Gen. 38:29
12 וְאֵלֶּה תּוֹלְדוֹת פָּרֶץ Ruth 4:18
13 עֲתָיָה בֶן־עֻזִּיָּה...מִבְּנֵי פָרֶץ Neh. 11:4
וָפֶרֶץ 14 וְשֵׁלָה וָפֶרֶץ וָזָרַח Gen. 46:12
לְפֶרֶץ 15 לְפֶרֶץ מִשְׁפַּחַת הַפַּרְצִי Num. 26:20

פַּרְצִי ת' המתיחס על בית פרץ
הַפַּרְצִי 1 לְפֶרֶץ מִשְׁפַּחַת הַפַּרְצִי Num. 26:20

פֶּרֶץ עֻזָּא(ה) ש״פ – מקום ביהודה שהוכה בו עזא: 1,2
פֶּרֶץ עֻזָּא 1 וַיִּקְרָא לַמָּקוֹם הַהוּא פֶּרֶץ עֻזָּא ICh. 13:11
פֶּרֶץ עֻזָּה 2 וַיִּקְרָא לַמָּקוֹם הַהוּא פֶּרֶץ עֻזָּה II Sh. 6:8

פרק : פָּרַק, פֵּרֵק, הִתְפָּרֵק; פֶּרֶק, מִפְרֶקֶת; אר' פְּרַק

פָּרַק פ' א) הסיר, שבר: 1, 2
ב) חלץ, הציל: 3, 4
ג) [פ' פֵּרֵק] שבר, נפץ: 5, 6
ד) [כנ״ל] הסיר, חלץ: 7
ה) [הת' הִתְפָּרֵק] נשבר: 8
ו) [כנ״ל] הסיר מעצמו: 9, 10
פָּרַק עֹל 1; מְפָרֵק הָרִים 5

וּפָרַקְתָּ 1 וּפָרַקְתָּ עֻלּוֹ מֵעַל צַוָּארֶךָ Gen. 27:40
פֹּרֵק 2 פֶּן־יִטְרֹף...פֹּרֵק וְאֵין מַצִּיל Ps. 7:3
3 עֲבָדִים מָשְׁלוּ בָנוּ פֹּרֵק אֵין מִיָּדָם Lam. 5:8
וַיִּפְרְקֵנוּ 4 וַיִּפְרְקֵנוּ מִצָּרֵינוּ Ps. 136:24
מְפָרֵק 5 מְפָרֵק הָרִים וּמְשַׁבֵּר סְלָעִים IK. 19:11
יְפָרֵק 6 וּפַרְסֵיהֶן יְפָרֵק Zech. 11:16
פָּרְקוּ 7 פָּרְקוּ נִזְמֵי הַזָּהָב אֲשֶׁר בְּאָזְנֵי... Ex. 32:2
הִתְפָּרְקוּ 8 הִתְפָּרְקוּ וְיָבֵשׁוּ Ezek. 19:12
וַיִּתְפָּרְקוּ 9 וַיִּתְפָּרְקוּ כָּל־הָעָם אֶת־נִזְמֵי הַזָּהָב Ex. 32:3
הִתְפָּרָקוּ 10 וָאֹמַר...לְמִי זָהָב הִתְפָּרָקוּ Ex. 32:24

פֶּרֶק ז' א) חמס, עושק: 1
ב) פרשת דרכים(?): 2
פֶּרֶק 1 כֻּלָּהּ כַּחַשׁ פֶּרֶק מְלֵאָה Nah. 3:1
הַפֶּרֶק 2 וְאַל־תַּעֲמֹד עַל־הַפֶּרֶק Ob. 14

פְּרַק פ' ארמית: גאל [פְּרַק = גָּאַל, פָּדָה]
פְּרֻק 1 וַחֲטָאָךְ° בְּצִדְקָה פְרֻק Dan. 4:24

פרר : פּוּר, פּוֹרֵר, הִתְפּוֹרֵר, הֵפֵר, הֵפִיר, הוּפַר; פַּר, פָּרָה(?)

(פָּרַר) פּוּר א) [פ' מקור] התמוטט: 1
ב) [פ' פּוֹרֵר] מוטט, זעזע: 2
ג) [הת' הִתְפּוֹרֵר] התמוטט: 3
ד) [הפ' הֵפֵר, הֵפִיר] בטל, השבית: 4-49
ה) [הָפ' הוּפַר] בוטל: 50-52

– הֵפֵר אוֹתוֹת 32; הֵפֵר אַחֲוָה 12; הֵפֵר בְּרִית 7, 9-11, 15, 17-19, 21, 24-26, 28-30, 34, 36, 45-48; הֵפִיר חֶסֶד 35; הֵפֵר יִרְאָה 37; הֵפֵר כַּעַס 49; הֵפֵר מִצְוָה 14, 20; הֵפֵר מַחֲשָׁבוֹת 6, 33; הֵפֵר מִשְׁפָּט 38; הֵפֵר נֶדֶר 23; הֵפֵר עֵצָה 8, 13, 16, 22, 42; הֵפֵר תּוֹרָה 31; הֵפֵרָה הָאֲבִיּוֹנָה 44
– הוּפְרָה בְרִית 50,(52); הוּפְרָה עֵצָה 51

פּוֹר 1 פּוֹר הִתְפּוֹרְרָה אֶרֶץ Is. 24:19
פוֹרַרְתָּ 2 אַתָּה פוֹרַרְתָּ בְעָזְּךָ יָם Ps. 74:13
הִתְפּוֹרְרָה 3 פּוֹר הִתְפּוֹרְרָה אֶרֶץ Is. 24:19
הָפֵר 4/5 וְאִם־הָפֵר יָפֵר אֹתָם Num. 30:13, 16
6 הָפֵר מַחֲשָׁבוֹת בְּאֵין סוֹד Prov. 15:22
לְהָפֵר 7 לְהָפֵר בְּרִיתִי אִתָּם Lev. 26:44
8 לְהָפֵר אֶת־עֲצַת אֲחִיתֹפֶל II Sh. 17:14
9 אֲשֶׁר־בָּזִית אָלָה לְהָפֵר בְּרִית Ezek. 16:59
10 וּבָזָה אָלָה לְהָפֵר בְּרִית Ezek. 17:18
11 לְהָפִיר אֶת־בְּרִיתִי Zech. 11:10
12 לְהָפֵר אֶת־הָאַחֲוָה Zech. 11:14
13 וְסֹכְרִים...יוֹעֲצִים לְהָפֵר עֲצָתָם Ez. 4:5
14 הֲנָשׁוּב לְהָפֵר מִצְוֹתֶיךָ Ez. 9:14
לְהַפְרְכֶם 15 לְהַפְרְכֶם אֶת־בְּרִיתִי Lev. 26:15
וְהֵפַרְתָּה 16 וְהֵפַרְתָּה לִי אֵת עֲצַת אֲחִיתֹפֶל II Sh. 15:34
הֵפֵר 17 הֵפֵר בְּרִית מָאַס עָרִים Is. 33:8
18 וַאֲשֶׁר הֵפֵר אֶת־בְּרִיתוֹ Ezek. 17:16
הֵפַר 19 אֶת־בְּרִיתִי הֵפַר Gen. 17:14
20 דְּבַר־יְיָ בָּזָה וְאֶת־מִצְוָתוֹ הֵפַר Num. 15:31
הֵפִיר 21 אָלָתִי אֲשֶׁר בָּזָה וּבְרִיתִי אֲשֶׁר הֵפִ' Ezek. 17:19
22 יְיָ הֵפִיר עֲצַת־גּוֹיִם Ps. 33:10
וְהֵפֵר 23 הֵנִיא אוֹתָהּ וְהֵפֵר אֶת־נִדְרָהּ Num. 30:6
24/5 וְהֵפֵר אֶת־בְּרִיתִי Deut. 31:16, 20
26 וְהֵפֵר בְּרִית וְנִמְלָט Ezek. 17:15
הֲפֵרָם 27 אִישָׁהּ הֲפֵרָם וַייָ יִסְלַח־לָהּ Num. 30:13
הֵפֵרוּ 28 חָלְפוּ חֹק הֵפֵרוּ בְּרִית עוֹלָם Is. 24:5
29 הֵפֵרוּ בֵית־יִשְׂרָאֵל...אֶת־בְּרִיתִי Jer. 11:10
30 אֲשֶׁר־הֵמָּה הֵפֵרוּ אֶת־בְּרִיתִי Jer. 31:32(31)
31 עֵת לַעֲשׂוֹת לַייָ הֵפֵרוּ תּוֹרָתֶךָ Ps. 119:126
מֵפֵר 32 מֵפֵר אֹתוֹת בַּדִּים Is. 44:25
33 מֵפֵר מַחְשְׁבוֹת עֲרוּמִים Job 5:12
אָפֵר 34 לֹא־אָפֵר בְּרִיתִי אִתְּכֶם Jud. 2:1
אָפִיר 35 וְחַסְדִּי לֹא־אָפִיר מֵעִמּוֹ Ps. 89:34
תָּפֵר 36 אַל־תָּפֵר בְּרִיתְךָ אִתָּנוּ Jer. 14:21
37 אַף־אַתָּה תָּפֵר יִרְאָה Job 15:4
38 הַאַף תָּפֵר מִשְׁפָּטִי Job 40:8
יָפֵר 39/40 וְאִם־הָפֵר יָפֵר אֹתָם Num. 30:13, 16
41 כִּי־יְיָ צְבָאוֹת יָעָץ וּמִי יָפֵר Is. 14:27
וַיָּפֶר 42 וַיָּפֶר הָאֱלֹהִים אֶת־עֲצָתָם Neh. 4:9
יְפֵרֶנּוּ 43 אִישָׁהּ יְקִימֶנּוּ וְאִישָׁהּ יְפֵרֶנּוּ Num. 30:14
וְתָפֵר 44 וְיִסְתַּבֵּל הֶחָגָב וְתָפֵר הָאֲבִיּוֹנָה Eccl. 12:5
תָּפֵרוּ 45 אִם־תָּפֵרוּ אֶת־בְּרִיתִי הַיּוֹם... Jer. 33:20
וַיָּפֵרוּ 46 וַיָּפֵרוּ אֶת־בְּרִיתִי... Ezek. 44:7
הָפֵר 47 לֵךְ הָפֵר בְּרִיתְךָ אֶת־בַּעְשָׁא IICh. 16:3
הָפֵרָה 48 לֵךְ הָפֵרָה אֶת־בְּרִיתְךָ אֶת־בַּעְשָׁא IK. 15:19
וְהָפֵר 49 וְהָפֵר כַּעַסְךָ עִמָּנוּ Ps. 85:5
תּוּפַר 50 גַּם־בְּרִיתִי תֻפַר אֶת־דָּוִד עַבְדִּי Jer. 33:21
וְתֻופָר 51 עֻצוּ עֵצָה וְתֻפָר Is. 8:10
וַתּוּפַר 52 וַתֻּפַר בַּיּוֹם הַהוּא Zech. 11:11

פרשׂ : פָּרַשׂ, נִפְרַשׂ, פֵּרַשׂ; מִפְרָשׂ

פָּרַשׂ פ' א) שטח, הושיט: 1-20, 22, 24-30, 34-57
ב) פרס, חתך, בצע: 21, 23
ג) [פָּרוּשׂ] שטוח, משתרע: 31-33
ד) [נפ' נִפְרַשׂ] התפזר: 58
ה) [פ' פֵּרַשׂ] פשט, שלח: 60, 61, 63-67
ו) [כנ״ל] פזר: 59, 62

– פָּרַשׂ אִוֶּלֶת 39; פָּרַשׂ אוֹר 7; פ' בֶּגֶד 16-18,53,54; פ' יָד 8; פ' כְּנָפַיִם 5,11,15,24-26,28,29,36,38,40,41,56; פ' כְּסוּי 19; פ' כַּפַּיִם 4, 10, 12,13, 33,34,37,42,44, 47,48,52; פ' לֶחֶם 23; פ' מִכְבָּר 45; פ' מִכְמֹרֶת 30; פ' מָסָךְ 51; פ' נֵס 14; פ' עָנָן 6; פָּרַשׂ רֶשֶׁת 1-3, 9, 15, 22, 35, 57; פָּרַשׂ שִׂמְלָה 20, 55
– שַׁחַר פָּרֻשׂ 31; רֶשֶׁת פְּרוּשָׂה 32; כַּפַּיִם פְּרֻשׂוֹת 33
– פֵּרַשׂ (בְּ)יָדַיִם 61, 63-65, (66); פֵּרַשׂ כַּפַּיִם 60, 67

וּפָרַשְׂתִּי 1 וּפָרַשְׂתִּי אֶת־רִשְׁתִּי עָלָיו Ezek. 12:13
2 וּפָרַשְׂתִּי עָלָיו רִשְׁתִּי Ezek. 17:20
3 וּפָרַשְׂתִּי עָלֶיךָ אֶת־רִשְׁתִּי Ezek. 32:3
וּפָרַשְׂתָּ 4 וּפָרַשְׂתָּ אֵלָיו כַּפֶּךָ Job 11:13
5 וּפָרַשְׂתָּ כְנָפֶךָ עַל־אֲמָתְךָ Ruth 3:9
פָּרַשׂ 6 פָּרַשׂ עָנָן לְמָסָךְ Ps. 105:39
7 הֵן־פָּרַשׂ עָלָיו אוֹרוֹ Job 36:30
8 יָדוֹ פָּרַשׂ צָר עַל כָּל־מַחֲמַדֶּיהָ Lam. 1:10
9 פָּרַשׂ רֶשֶׁת לְרַגְלַי Lam. 1:13
וּפָרַשׂ 10 וּפָרַשׂ כַּפָּיו אֶל־הַבַּיִת הַזֶּה IK. 8:38
11 וּפָרַשׂ כְּנָפָיו אֶל־מוֹאָב Jer. 48:40
12 וּפָרַשׂ כַּפָּיו אֶל־הַבַּיִת הַזֶּה IICh. 6:29
פָּרְשָׂה 13 כַּפָּהּ פָּרְשָׂה לֶעָנִי Prov. 31:20
פָּרְשׂוּ 14 בַּל־פָּרְשׂוּ נֵס Is. 33:23
15 פָּרְשׂוּ רֶשֶׁת לְיַד־מַעְגָּל Ps. 140:6
וּפָרְשׂוּ 16 וּפָרְשׂוּ בֶּגֶד־כְּלִיל תְּכֵלֶת Num. 4:6
17 וּפָרְשׂוּ עֲלֵיהֶם בֶּגֶד תּוֹלַעַת שָׁנִי Num. 4:8
18 וּפָרְשׂוּ עָלָיו בֶּגֶד אַרְגָּמָן Num. 4:13
19 וּפָרְשׂוּ עָלָיו כְּסוּי עוֹר תַּחַשׁ Num. 4:14
20 וּפָרְשׂוּ הַשִּׂמְלָה לִפְנֵי זִקְנֵי הָעִיר Deut. 22:17
21 וּפָרְשׂוּ כַּאֲשֶׁר בַּסִּיר Mic. 3:3
פּוֹרֵשׂ 22 רֶשֶׁת פּוֹרֵשׂ עַל־פְּעָמָיו Prov. 29:5
23 שָׁאֲלוּ לֶחֶם פֹּרֵשׂ אֵין לָהֶם Lam. 4:4
פֹּרְשִׂים 24 כִּי הַכְּרוּבִים פֹּרְשִׂים כְּנָפַיִם IK. 8:7
25 כַּנְפֵי הַכְּרוּבִים...פֹּרְשִׂים אַמּוֹת IICh. 3:13
26 וַיִּהְיוּ הַכְּרוּבִים פֹּרְשִׂים כְּנָפַיִם IICh. 5:8
לְפֹרְשִׂים 27 לְפֹרְשִׂים וְסֹכְכִים עַל־אֲרוֹן... IICh. 28:18
פֹּרְשֵׂי־ 28/9 הַכְּרֻבִים פֹּרְשֵׂי כְנָפַיִם Ex. 25:20; 37:9
וּפֹרְשֵׂי־ 30 וּפֹרְשֵׂי מִכְמֹרֶת עַל־פְּנֵי־מַיִם Is. 19:8
פָּרֻשׂ 31 כְּשַׁחַר פָּרֻשׂ עַל־הֶהָרִים Joel 2:2
פְּרוּשָׂה 32 וְרֶשֶׁת פְּרוּשָׂה עַל־תָּבוֹר Hos. 5:1
פְּרֻשׂוֹת 33 וְכַפָּיו פְּרֻשׂוֹת הַשָּׁמָיִם IK. 8:54
אֶפְרֹשׂ 34 אֶפְרֹשׂ אֶת־כַּפַּי אֶל־יְיָ Ex. 9:29
35 אֶפְרוֹשׂ עֲלֵיהֶם רִשְׁתִּי Hosh. 7:12
וָאֶפְרֹשׂ 36 וָאֶפְרֹשׂ כְּנָפִי עָלַיִךְ Ezek. 16:8
וָאֶפְרְשָׂה 37 וָאֶפְרְשָׂה כַפַּי אֶל־יְיָ אֱלֹהָי Ez. 9:5
יִפְרֹשׂ 38 יִפְרֹשׂ כְּנָפָיו יִקָּחֵהוּ Deut. 32:11
39 וּכְסִיל יִפְרֹשׂ אִוֶּלֶת Prov. 13:16
40 יִפְרֹשׂ כְּנָפָו לְתֵימָן Job 39:26
וְיִפְרֹשׂ 41 וְיִפְרֹשׂ כְּנָפָיו עַל־בָּצְרָה Jer. 49:22
וַיִּפְרֹשׂ 42 וַיִּפְרֹשׂ כַּפָּיו אֶל־יְיָ Ex. 9:33
43 וַיִּפְרֹשׂ אֶת־הָאֹהֶל עַל־הַמִּשְׁכָּן Ex. 40:19

וַיִּפְרֹשׂ (המשך) 44 וַיִּפְרֹשׂ כַּפָּיו הַשָּׁמָיִם IK. 8:22
45 וַיִּקַּח הַמְּכְתָּב...וַיִּפְרְשֵׂהוּ עַל־פָּנָיו IIK. 8:15
46 וַיִּפְרֹשׂ אוֹתָהּ לְפָנַי Ezek. 2:10
47 וַיַּעֲמֹד...וַיִּפְרֹשׂ כַּפָּיו IICh. 6:12
48 וַיִּפְרֹשׂ כַּפָּיו הַשָּׁמָיְמָה IICh. 6:13
וַיִּפְרְשֵׂהוּ 49/50 וַיִּפְרְשֵׂהוּ חִזְקִיָּהוּ לִפְנֵי יְיָ IIK. 19:14 • Is. 37:14
וַתִּפְרֹשׂ 51 וַתִּפְרֹשׂ אֶת־הַמָּסָךְ עַל־פְּנֵי הַבְּאֵר II Sh. 17:19
וַנִּפְרֹשׂ 52 וַנִּפְרֹשׂ כַּפֵּינוּ לְאֵל זָר Ps. 44:21
יִפְרְשׂוּ 53-54 וְעַל...יִפְרְשׂוּ בֶּגֶד תְּכֵלֶת Num. 4:7, 11
וַיִּפְרְשׂוּ 55 וַיִּפְרְשׂוּ אֶת־הַשִּׂמְלָה וַיַּשְׁלִיכוּ שָׁמָּה Jud. 8:25
56 וַיִּפְרְשׂוּ אֶת־כַּנְפֵי הַכְּרֻבִים IK. 6:27
57 וַיִּפְרְשׂוּ עָלָיו רִשְׁתָּם Ezek. 19:8
יִפָּרֵשׂוּ 58 וְהַנִּשְׁאָרִים לְכָל־רוּחַ יִפָּרֵשׂוּ Ezek. 17:21
בְּפָרֵשׂ 59 בְּפָרֵשׂ שַׁדַּי מְלָכִים Ps. 68:15
וּבְפָרִשְׂכֶם 60 וּבְפָרִשְׂכֶם כַּפֵּיכֶם אַעְלִים עֵינַי Is. 1:15
פֵּרַשְׂתִּי 61 פֵּרַשְׂתִּי יָדַי כָּל־הַיּוֹם אֶל־עַם סוֹרֵר Is. 65:2
62 כְּאַרְבַּע רוּחוֹת הַשָּׁ׳ פֵּרַשְׂתִּי אֶתְכֶם Zech. 2:10
63 פֵּרַשְׂתִּי יָדַי אֵלֶיךָ Ps. 143:6
וּפֵרַשׂ 64 וּפֵרַשׂ יָדָיו בְּקִרְבּוֹ Is. 25:11
פֵּרְשָׂה 65 פֵּרְשָׂה צִיּוֹן בְּיָדֶיהָ Lam. 1:17
יְפָרֵשׂ 66 כַּאֲשֶׁר יְפָרֵשׂ הַשֹּׂחֶה לִשְׂחוֹת Is. 25:11
תְּפָרֵשׂ 67 תִּתְיַפֵּחַ תְּפָרֵשׂ כַּפֶּיהָ Jer. 4:31

פרש : פָּרַשׁ, נִפְרַשׁ, פֹּרַשׁ, הִפְרִישׁ; פֶּרֶשׁ, פָּרָשָׁה; פָּרָשׁ(?)

אר׳ פָּרֵשׁ; ש״פ פֶּרֶשׁ

פָּרַשׁ

פ׳ א) בֵּאר, הסביר: 1
ב) [נפ׳ נִפְרַשׁ] נבדל, מוזר: 2
ג) [פְּ׳ פֹּרַשׁ] בּוֹאר, בּוֹרר: 3, 4
ד) [הפ׳ הִפְרִישׁ] פלט, הוציא: 5

לִפְרֹשׁ 1 לִפְרֹשׁ לָהֶם עַל־פִּי יְיָ Lev. 24:12
נִפְרָשׁוֹת 2 בְּיוֹם־הֱיוֹתוֹ בְתוֹךְ־צֹאנוֹ נִפְרָשׁוֹת Ezek. 34:12
פֹּרַשׁ 3 כִּי לֹא פֹּרַשׁ מַה־יֵּעָשֶׂה לוֹ Num. 15:34
מְפֹרָשׁ 4 וַיִּקְרְאוּ...בְתוֹרַת הָאֱלֹהִים מְפֹרָשׁ Neh. 8:8
יַפְרִישׁ 5 כְּנָחָשׁ יִשָּׁךְ וּכְצִפְעֹנִי יַפְרִשׁ Prov. 23:32

(פרש) מְפָרַשׁ

פ׳ בינוני ארמית: מבוֹאָר

מְפָרַשׁ 1 נִשְׁתְּוָנָא...מְפָרַשׁ קֱרִי קֳדָמָי Ez. 4:18

פֶּרֶשׁ[1]

ז׳ צוֹאה, הפרשות: 1-7

פֶּרֶשׁ 1-2 וְזֵרִיתִי פֶרֶשׁ...פֶּרֶשׁ חַגֵּיכֶם Mal. 2:3
פִּרְשׁוֹ 3 וְאֶת־עֹרוֹ וְאֶת־פִּרְשׁוֹ Ex. 29:14
4 וְאֶת־בְּשָׂרוֹ וְאֶת־פִּרְשׁוֹ Lev. 8:17
וּפִרְשׁוֹ 5 וְאֶת־עוֹר הַפָּר...וְקִרְבּוֹ וּפִרְשׁוֹ Lev. 4:11
פִּרְשָׁהּ 6 וְאֶת־דָּמָהּ עַל־פִּרְשָׁהּ Num. 19:5
פִּרְשָׁם 7 וְאֶת־בְּשָׂרָם וְאֶת־פִּרְשָׁם Lev. 16:27

פֶּרֶשׁ[2]

שפ״ז – בן מָכִיר בן מנשה

פֶּרֶשׁ 1 וַתֵּלֶד מַעֲכָה...וַתִּקְרָא שְׁמוֹ פֶּרֶשׁ ICh. 7:16

פָּרָשׁ

ז׳ רוֹכב סוס (למלחמה): 1-57

– קוֹל פָּרָשׁ 1, 3
– חַיִל וּפָרָשִׁים 26, 27; סוּס(ים) וּפָרָשִׁים 23-25, 38; רֶכֶב וּפָרָשִׁים 4, 21, 22, 28-30, 36, 37, 39, 41-44, 46-50, 53-56
– בַּעֲלֵי הַפָּרָשִׁים 31; עָרֵי הַפָּרָשִׁים 32, 34; צֶמֶד פָּרָשִׁים 7, 8

פָּרָשׁ 1 מִקּוֹל פָּרָשׁ וְרֹמֵה קֶשֶׁת Jer. 4:29
2 פָּרָשׁ מַעֲלֶה וְלַהַב חֶרֶב Nah. 3:3
פָּרַשׁ 3 מִקּוֹל פָּרַשׁ וְגַלְגַּל וָרֶכֶב Ezek. 26:10
פָּרָשִׁים 4 וַיַּעַל עִמּוֹ גַּם־רֶכֶב גַּם־פָּרָשִׁים Gen. 50:9
5 וְשֵׁשֶׁת אֲלָפִים פָּרָשִׁים I Sh. 13:5

פָּרָשִׁים (המשך) 6 אֶלֶף וּשְׁבַע־מֵאוֹת פָּרָשִׁים II Sh. 8:4
7 רֶכֶב צֶמֶד פָּרָשִׁים Is. 21:7
8 רֶכֶב אִישׁ צֶמֶד פָּרָשִׁים Is. 21:9
9 נָשָׂא אַשְׁפָּה בְּרֶכֶב אָדָם פָּרָשִׁים Is. 22:6
10 וַיִּבְטְחוּ...וְעַל פָּרָשִׁים כִּי־עָצְמוּ Is. 31:1
11-12 פָּרָשִׁים רֹכְבֵי סוּסִים Ezek. 23:6, 12
13-20 פָּרָשִׁים II Sh. 10:18 • IK. 5:6; 10:26 • IIK. 13:7 ICh. 18:4 • IICh. 1:14; 9:25; 12:3
וּפָרָשִׁים 21 וַיַּעַשׂ לוֹ רֶכֶב וּפָרָשִׁים IK. 1:5
22 וַיֶּאֱסֹף שְׁלֹמֹה רֶכֶב וּפָרָשִׁים IK. 10:26
23 וַיִּמָּלֵט...עַל־סוּס וּפָרָשִׁים IK. 20:20
24 סוּסִים וּפָרָשִׁים וּפְרָדִים Ezek. 27:14
25 וְאֶת־כָּל־חֵילֶךָ סוּסִים וּפָרָשִׁים Ezek. 38:4
26 בֹּשְׁתִּי לִשְׁאוֹל...חַיִל וּפָרָשִׁים Ez. 8:22
27 וַיִּשְׁלַח עִמִּי הַמֶּ׳ שָׂרֵי חַיִל וּפָרָשִׁים Neh. 2:9
28 לִשְׂכֹּר לָהֶם...רֶכֶב וּפָרָשִׁים ICh. 19:6
29 וַיֶּאֱסֹף שְׁלֹמֹה רֶכֶב וּפָרָשִׁים IICh. 1:14
הַפָּרָשִׁים 30 אֶת־הָרֶכֶב וְאֶת־הַפָּרָשִׁים Ex. 14:28
31 וּבַעֲלֵי הַפָּרָשִׁים הִדְבִּקֻהוּ II Sh. 1:6
32 וְאֵת עָרֵי הָרֶכֶב וְאֵת עָרֵי הַפָּרָשִׁים IK. 9:19
33 אִסְרוּ הַסּוּסִים וַעֲלוּ הַפָּרָשִׁים Jer. 46:4
34 וְאֵת...עָרֵי הָרֶכֶב וְאֵת עָרֵי הַפָּרָשִׁים IICh. 8:6
וְהַפָּרָשִׁים 35 ...וְהַפָּרָשִׁים שֹׁת שָׁתוּ הַשָּׁעְרָה Is. 22:7
וּבְפָרָשִׁים 36 וַיִּרְדְּפוּ...בְּרֶכֶב וּבְפָרָשִׁים Josh. 24:6
37 בְּסוּס וּבְרֶכֶב וּבְפָרָשִׁים Ezek. 26:7
38 וְלֹא אוֹשִׁיעֵם...בְּסוּסִים וּבְפָרָשִׁים Hosh. 1:7
39 וַיִּשְׂתָּעֵר עָלָיו...בְּרֶכֶב וּבְפָרָשִׁים Dan. 11:40
וּכְפָרָשִׁים 40 וּכְפָרָשִׁים כֵּן יְרוּצוּן Joel 2:4
וּלְפָרָשִׁים 41 וַתִּבְטַח לְךָ...לְרֶכֶב וּלְפָרָשִׁים IIK. 18:24
42 וַתִּבְטַח לְךָ...לְרֶכֶב וּלְפָרָשִׁים Is. 36:9
43 לְרֶכֶב וּלְפָרָשִׁים לְהַרְבֵּה מְאֹד IICh. 16:8
פָּרָשָׁיו 44 עַל־מִצְרַיִם עַל־רִכְבּוֹ וְעַל־פָּרָשָׁיו Ex. 14:26
45 וְקַלּוּ מִנְּמֵרִים סוּסָיו...וּפָשׁוּ פָּרָשָׁיו Hab. 1:8
וּפָרָשָׁיו 46 כָּל־סוּס רֶכֶב פַּרְעֹה וּפָרָשָׁיו וְחֵילוֹ Ex. 14:9
47 כֹּל סוּס פַּרְעֹה רִכְבּוֹ וּפָרָשָׁיו Ex. 14:23
48 וְשָׂרֵי רִכְבּוֹ וּפָרָשָׁיו IK. 9:22
49-50 רֶכֶב יִשְׂרָאֵל וּפָרָשָׁיו IIK. 2:12; 13:14
51 וּפָרָשָׁיו לֹא יְדֻקֶּנּוּ Is. 28:28
52 וּפָרָשָׁיו מֵרָחוֹק יָבֹאוּ Hab. 1:8
53 וְשָׂרֵי רִכְבּוֹ וּפָרָשָׁיו IICh. 8:9
וּבְפָרָשָׁיו 54-56 בְּרִכְבּוֹ וּבְפָרָשָׁיו Ex. 14:17, 18; 15:19
57 וְשָׂם לוֹ בְּמֶרְכַּבְתּוֹ וּבְפָרָשָׁיו I Sh. 8:11

פַּרְשֶׁגֶן

ז׳ ארמית ועברית הֶעתק, נוסח: 1-4

פַּרְשֶׁגֶן 1-2 פַּרְשֶׁגֶן אִגַּרְתָּא... Ez. 4:11; 5:6
3 מִן־דִּי פַּרְשֶׁגֶן נִשְׁתְּוָנָא...קֱרִי Ez. 4:23
4 וְזֶה פַּרְשֶׁגֶן הַנִּשְׁתְּוָן אֲשֶׁר נָתַן Ez. 7:11

פַּרְשְׁדוֹן*

ז׳ מֵעַיִם(?) מסדרון(?)

הַפַּרְשְׁדֹנָה 1 וַיֵּצֵא הַפַּרְשְׁדֹנָה Jud. 3:22

פָּרָשָׁה

נ׳ תוֹכן דברים: 1, 2

פָּרָשַׁת גְּדֻלָּתוֹ 2; פָּרָשַׁת הַכֶּסֶף 1

פָּרָשַׁת־ 1 וְאֵת פָּרָשַׁת הַכֶּסֶף...לִשְׁקוֹל Es. 4:7
וּפָרָשַׁת־ 2 וּפָרָשַׁת גְּדֻלַּת מָרְדֳּכַי Es. 10:2

פַּרְשֵׁז

פ׳ פָּרַשׂ(?)

פַּרְשֵׁז 1 פַּרְשֵׁז עָלָיו עֲנָנוֹ Job 26:9

פַּרְשַׁנְדָּתָא

שפ״ז – הבכוֹר בעשׂרת בני המן

פַּרְשַׁנְדָּתָא 1 וְאֵת פַּרְשַׁנְדָּתָא וְאֵת דַּלְפוֹן Es. 9:7

פְּרָת

ש״פ א) הנהר הגדול בארם נהרים: 1-16
ב) נחל בקרבת ענתות ליד ירושלים: 17-20

נְהַר (הַנָּהָר) פְּרָת 1-15

פְּרָת 1 וְהַנָּהָר הָרְבִיעִי הוּא פְרָת Gen. 2:14
2 עַד־הַנָּהָר הַגָּדֹל נְהַר־פְּרָת Gen. 15:18
3-13 (בִּ)נְהַר פְּרָת Deut. 1:7; 11:24 • Josh. 1:4 • IIK. 23:29 • Jer. 46:2, 6, 10 • ICh. 5:9 • 18:3 • IICh. 35:20
14 בְּלֶכְתּוֹ לְהָשִׁיב יָדוֹ בִּנְהַר פְּרָת° II Sh. 8:3
15 מִנַּחַל מִצְרַיִם עַד־נְהַר פְּרָת IIK. 24:7
16 וְהִשְׁלַכְתּוֹ אֶל־תּוֹךְ פְּרָת Jer. 51:63
פְּרָתָה 17 קַח...וְקוּם לֵךְ פְּרָתָה Jer. 13:4
18 קוּם לֵךְ פְּרָתָה וְקַח מִשָּׁם Jer. 13:6
19 וָאֵלֵךְ פְּרָתָה וָאֶחְפֹּר וָאֶקַּח Jer. 13:7
בִּפְרָת 20 וָאֵלֵךְ וָאֶטְמְנֵהוּ בִּפְרָת Jer. 13:5

פֹּרָת

ת׳ – עין פֹּרָה[1]

פַּרְתְּמִים

ז״ר – מתֹּארי השׂרים במלכות פָּרַס: 1-3

הַפַּרְתְּמִים 1 הַפַּרְתְּמִים וְשָׂרֵי הַמְּדִינוֹת Es. 1:3
2 מִשָּׂרֵי הַמֶּלֶךְ הַפַּרְתְּמִים Es. 6:9
3 וּמִזֶּרַע הַמְּלוּכָה וּמִן־הַפַּרְתְּמִים Dan. 1:3

פַּשׁ*

[מלה סתומה] גודל(?), שֶׁפע(?)

בַּפַּשׁ 1 וְלֹא־יָדַע בַּפַּשׁ מְאֹד Job 35:15

פָּשָׂה

פ׳ התרחב, התפּשט: 1-22

– פָּשָׂה נֶגַע 5, 6, 10-14: פָּשָׂה נֶתֶק 4, 7-9, 16
– פָּשְׂתָה בַּהֶרֶת 21, 22; פָּשְׂתָה מִסְפַּחַת 1, 17, 20; פָּשְׂתָה (צָרַעַת) 2, 3

פָּשֹׂה 1 וְאִם־פָּשֹׂה תִפְשֶׂה הַמִּסְפַּחַת בָּעוֹר Lev. 13:7
2/3 וְאִם־פָּשֹׂה תִפְשֶׂה בָּעוֹר Lev. 13:22, 27
4 וְאִם־פָּשֹׂה יִפְשֶׂה הַנֶּתֶק בָּעוֹר Lev. 13:35
פָּשָׂה 5/6 (וְ)לֹא־פָשָׂה הַנֶּגַע בָּעוֹר Lev. 13:5, 6
7/8 וְהִנֵּה לֹא־פָשָׂה הַנֶּתֶק Lev. 13:32, 34
9 וְהִנֵּה פָּשָׂה הַנֶּתֶק בָּעוֹר Lev. 13:36
10-14 (לֹא) פָּשָׂה הַנֶּגַע Lev. 13:51. 53; 14:39. 44. 48
15 וְהַנֶּגַע לֹא־פָשָׂה Lev. 13:55
יִפְשֶׂה 16 וְאִם־פָּשֹׂה יִפְשֶׂה הַנֶּתֶק בָּעוֹר Lev. 13:35
תִפְשֶׂה 17 וְאִם־פָּשֹׂה תִפְשֶׂה הַמִּסְפַּחַת בָּעוֹר Lev. 13:7
18/19 (וְ)אִם־פָּשֹׂה תִפְשֶׂה בָּעוֹר Lev. 13:22, 27
פָּשְׂתָה 20 וְהִנֵּה פָּשְׂתָה הַמִּסְפַּחַת בָּעוֹר Lev. 13:8
21 ...הַבַּהֶרֶת לֹא־פָשְׂתָה בָעוֹר Lev. 13:28
פָּשָׂתָה 22 וְאִם...תַּעֲמֹד...הַבַּהֶרֶת לֹא פָשָׂתָה Lev. 13:23

פָּשַׁח

פ׳ בקע

וַיְפַשְּׁחֵנִי 1 דְּרָכַי סוֹרֵר וַיְפַשְּׁחֵנִי Lam. 3:11

פַּשְׁחוּר

שפ״ז א) כֹּהן פקיד נגיד בּימי ירמיה: 1-5
ב) שר למלך צדקיהו: 6, 7, 12-14
ג) כֹּהנים מעולי הגולה: 8-11

בֶּן־פַּשְׁחוּר 7, 12, 13; בְּנֵי פַשְׁחוּר 8-10

פַּשְׁחוּר 1 וַיִּשְׁמַע פַּשְׁחוּר בֶּן־אִמֵּר הַכֹּהֵן Jer. 20:1
2 וַיַּכֶּה פַּשְׁחוּר אֵת יִרְמְיָהוּ הַנָּבִיא Jer. 20:2
3 וַיֹּצֵא פַשְׁחוּר אֶת־יִרְמְיָהוּ Jer. 20:3
4 לֹא פַשְׁחוּר קָרָא יְיָ שְׁמֶךָ... Jer. 20:3
5 וְאַתָּה פַשְׁחוּר וְכֹל־יֹשְׁבֵי בֵיתֶךָ Jer. 20:6
6 בִּשְׁלֹחַ...אֶת־פַּשְׁחוּר בֶּן־מַלְכִּיָּה Jer. 21:1
7 וַיִּשְׁמַע...וּגְדַלְיָהוּ בֶּן־פַּשְׁחוּר Jer. 38:1
8/9 בְּנֵי פַשְׁחוּר אֶלֶף מָאתַיִם Ez. 2:38 • Neh. 7:41
10 וּמִבְּנֵי פַּשְׁחוּר אֶלְיוֹעֵינַי מַעֲשֵׂיָה Ez. 10:22
11 פַּשְׁחוּר אֲמַרְיָה מַלְכִּיָּה Neh. 10:4
12/3 בֶּן־פַּשְׁחוּר בֶּן־מַלְכִּיָּה Neh. 11:12 • ICh. 9:12
וּפַשְׁחוּר 14 וַיִּשְׁמַע...וּפַשְׁחוּר בֶּן־מַלְכִּיָּה Jer. 38:1

פשט : פָּשַׁט, פִּשֵּׁט, הִתְפַּשֵּׁט, הִפְשִׁיט

פָּשַׁט פ׳ א) הסיר, חלץ בגדו: 1, 5, 6, 14-17, 24
ב) [פָּשַׁט עַל־ אֶל־, בְּ־] השתער: 2-4, 7-13, 18-23
ג) [פ׳ פִּשֵּׁט] הסיר מאחר את בגדיו: 25-27
ד) [הת׳ הִתְפַּשֵּׁט] הסיר בגדיו מעצמו: 28
ה) [הפ׳ הִפְשִׁיט] הסיר מאחר את בגדיו או את כליו: 33, 34, 36-43
ו) [כנ״ל] קרע מבהמה שחוטה את עורה: 29, 31, 33, 35
ז) [כנ״ל, בהשאלה] הסיר: 30, 32

פָּשַׁטְתִּי 1 פָּשַׁטְתִּי אֶת־כֻּתָּנְתִּי אֵיכָכָה אֶלְבָּשֶׁנָּה S.of S. 5:3
וּפָשַׁטְתָּ 2 וּפָשַׁטְתָּ עַל־הָעִיר Jud. 9:33
פָּשַׁט 3 וְגַנָּב יָבוֹא פָּשַׁט גְּדוּד בַּחוּץ Hosh. 7:1
4 יֶלֶק פָּשַׁט וַיָּעֹף Nah. 3:16
וּפָשַׁט 5 וּפָשַׁט אֶת־בְּגָדָיו Lev. 6:4
6 וּפָשַׁט אֶת־בִּגְדֵי הַבָּד Lev. 16:23
פָּשַׁטְנוּ 7 אֲנַחְנוּ פָּשַׁטְנוּ נֶגֶב הַכְּרֵתִי ISh. 30:14
פְּשַׁטְתֶּם 8 וַיֹּאמֶר אָכִישׁ אַל־פְּשַׁטְתֶּם הַיּוֹם ISh. 27:10
פָּשְׁטוּ 9 וַאֲבִימֶלֶךְ וְהָרָאשִׁים...פָּשְׁטוּ... Jud. 9:44
10 פָּשְׁטוּ עַל־כָּל־אֲשֶׁר בַּשָּׂדֶה Jud. 9:44
11 כִּי־פָשְׁטוּ פְלִשְׁתִּים עַל־הָאָרֶץ ISh. 23:27
12 וַעֲמָלֵקִי פָשְׁטוּ אֶל־נֶגֶב ISh. 30:1
13 וּפְלִשְׁתִּים פָּשְׁטוּ בְּעָרֵי הַשְּׁפֵלָה IICh. 28:18
פּוֹשְׁטִים 14 אֵין־אֲנַחְנוּ פֹשְׁטִים בְּגָדֵינוּ Neh. 4:17
וַיִּפְשַׁט 15 וַיִּפְשַׁט גַּם־הוּא בְּגָדָיו ISh. 19:24
יִפְשְׁטוּ 16 וּבְצֵאתָם..יִפְשְׁטוּ אֶת־בִּגְדֵיהֶם Ezek. 44:19
יִפְשֹׁטוּ 17 וְאֶת־בִּגְדֵי רִקְמָתָם יִפְשֹׁטוּ Ezek. 26:16
וַיִּפְשְׁטוּ 18 וְהָאֹרֵב הֵחִישׁוּ וַיִּפְשְׁטוּ אֶל־הַגִּבְעָה Jud. 20:37
19 וַיִּפְשְׁטוּ אֶל־הַגְּשׁוּרִי ISh. 27:8
20 וַיִּפְשְׁטוּ עַל־הַגְּמַלִּים וַיִּקָּחוּם Job 1:17
21 וַיִּפְשְׁטוּ בְּעֵמֶק רְפָאִים ICh. 14:9
22 וַיֹּסִיפוּ...וַיִּפְשְׁטוּ בָּעֵמֶק ICh. 14:13
23 וַיִּפְשְׁטוּ בְּעָרֵי יְהוּדָה IICh. 25:13
פְּשֹׁטָה 24 פְּשֹׁטָה וְעֹרָה וַחֲגוֹרָה עַל־חֲלָצָיִם Is. 32:11
לְפַשֵּׁט 25 וַיָּבֹאוּ...לְפַשֵּׁט אֶת־הַחֲלָלִים ISh. 31:8
26 וְהָעָם יָשֻׁבוּ אַחֲרָיו אַךְ לְפַשֵּׁט IISh. 23:10
27 וַיָּבֹאוּ...לְפַשֵּׁט אֶת־הַחֲלָלִים ICh. 10:8
וַיִּתְפַּשֵּׁט 28 וַיִּתְפַּשֵּׁט יְהוֹנָתָן אֶת־הַמְּעִיל ISh. 18:4
לְהַפְשִׁיט 29 וְלֹא יָכְלוּ לְהַפְשִׁיט...כָּל־הָעֹלוֹת IICh. 29:34
הִפְשִׁיט 30 כְּבוֹדִי מֵעָלַי הִפְשִׁיט Job 19:9
וְהִפְשִׁיט 31 וְהִפְשִׁיט אֶת־הָעֹלָה Lev. 1:6
הִפְשִׁיטוּ 32 וְעוֹרָם מֵעֲלֵיהֶם הִפְשִׁיטוּ Mic. 3:3
וְהִפְשִׁיטוּ 33 וְהִפְשִׁיטוּ אוֹתָךְ בְּגָדַיִךְ Ezek. 16:39
וְהִפְשִׁיטוּךְ 34 וְהִפְשִׁיטוּךְ אֶת־בְּגָדָיִךְ Ezek. 23:26
מַפְשִׁיטִים 35 וַיִּשְׁחֲטוּ...וְהַלְוִיִּם מַפְשִׁיטִים IICh. 35:11
אַפְשִׁיטֶנָּה 36 פֶּן־אַפְשִׁיטֶנָּה עֲרֻמָּה Hosh. 2:5
תַּפְשִׁיט 37 וּבִגְדֵי עֲרוּמִּים תַּפְשִׁיט Job 22:6
וַיַּפְשֵׁט 38 וַיַּפְשֵׁט מֹשֶׁה אֶת־אַהֲרֹן Num. 20:28
תַּפְשִׁטוּן 39 מִמּוּל שַׂלְמָה אֶדֶר תַּפְשִׁטוּן Mic. 2:8
וַיַּפְשִׁיטוּ 40 וַיַּפְשִׁיטוּ אֶת־יוֹסֵף אֶת־כֻּתָּנְתּוֹ Gen. 37:23
41 וַיַּפְשִׁטוּ אֶת־כֵּלָיו ISh. 31:9
וַיַּפְשִׁיטֻהוּ 42 וַיַּפְשִׁיטֻהוּ וַיִּשְׂאוּ אֶת־רֹאשׁוֹ ICh. 10:9
וְהַפְשֵׁט 43 וְהַפְשֵׁט אֶת־אַהֲרֹן אֶת־בְּגָדָיו Num. 20:26

פשע : פָּשַׂע, פֶּשַׂע, מִפְשָׂעָה

פָּשַׂע פ׳ צעד
אֶפְשְׂעָה 1 אֶפְשְׂעָה בָהּ אֲצִיתֶנָּה יָּחַד Is. 27:4

פֶּשַׂע ז׳ צעד
כְּפֶשַׂע 1 כִּי כְפֶשַׂע בֵּינִי וּבֵין הַמָּוֶת ISh. 20:3

פשע : פָּשַׁע, נִפְשָׁע; פֶּשַׁע

פָּשַׁע פ׳ א) חטא, עבר עברה: 1-5, 9-31
ב) מרד: 6-8, 32-39
ג) [נפ׳ בינוני: נִפְשָׁע] חוטא, עובר עברות: 40
קרובים: ראה חָטָא
פָּשַׁע, פָּשַׁע בְּ־ רוב המקראות

פָּשֹׁעַ 1 פָּשֹׁעַ וְכַחֵשׁ בַּיְיָ Is. 59:13
לִפְשֹׁעַ 2 בֹּאוּ...הַגִּלְגָּל הַרְבּוּ לִפְשֹׁעַ Am. 4:4
3 הִרְבִּינוּ לִפְשֹׁעַ בַּדָּבָר הַזֶּה Ez. 10:13
פָּשַׁעַתְּ 4 מִכֹּל עֲלִילֹתַיִךְ אֲשֶׁר פָּשַׁעַתְּ בִּי Zep. 3:11
פָּשָׁעַתְּ 5 כִּי בַּיְיָ אֱלֹהַיִךְ פָּשָׁעַתְּ Jer. 3:13
פָּשַׁע 6 מֶלֶךְ מוֹאָב פָּשַׁע בִּי IIK. 3:7
7 פָּשַׁע אֱדוֹם מִתַּחַת יַד־יְהוּדָה IIK. 8:20
8 פָּשַׁע אֱדוֹם מִתַּחַת יַד־יְהוּדָה IICh. 21:8
פָּשַׁעְנוּ 9 נַחְנוּ פָשַׁעְנוּ וּמָרִינוּ Lam. 3:42
פְּשַׁעְתֶּם 10 כֻּלְּכֶם פְּשַׁעְתֶּם בִּי Jer. 2:29
11 פִּשְׁעֵיכֶם אֲשֶׁר פְּשַׁעְתֶּם בָּם Ezek. 18:31
פָּשְׁעוּ 12 וּלְכָל־פִּשְׁעֵיהֶם אֲשֶׁר פָּשְׁעוּ־בָךְ IK. 8:50
13 בָּנִים גִּדַּלְתִּי וְרוֹמַמְתִּי וְהֵם פָּשְׁעוּ בִי Is. 1:2
14 וּמְלִיצֶיךָ פָּשְׁעוּ בִי Is. 43:27
15 וְהָרֹעִים פָּשְׁעוּ בִי Jer. 2:8
16 אֲשֶׁר חָטְאוּ־לִי וַאֲשֶׁר פָּשְׁעוּ בִי Jer. 33:8
17 הֵמָּה וַאֲבוֹתָם פָּשְׁעוּ בִי Ezek. 2:3
18 שֹׁד לָהֶם כִּי־פָשְׁעוּ בִי Hosh. 7:13
פָּשָׁעוּ 19 עָבְרוּ בְרִיתִי וְעַל־תּוֹרָתִי פָּשָׁעוּ Hosh. 8:1
וּפוֹשֵׁעַ 20 וּפֹשֵׁעַ מִבֶּטֶן קֹרָא לָךְ Is. 48:8
פּוֹשְׁעִים 21 וְשֶׁבֶר פֹּשְׁעִים וְחַטָּאִים יַחְדָּו Is. 1:28
22 הָשִׁיבוּ פוֹשְׁעִים עַל־לֵב Is. 46:8
23 וְאֶת־פֹּשְׁעִים נִמְנָה Is. 53:12
24 אֲלַמְּדָה פֹשְׁעִים דְּרָכֶיךָ Ps. 51:15
וּפוֹשְׁעִים 25 וּפֹשְׁעִים יִכָּשְׁלוּ בָם Hosh. 14:10
26 וּפֹשְׁעִים נִשְׁמְדוּ יַחְדָּו Ps. 37:38
הַפּוֹשְׁעִים 27 בְּפִגְרֵי הָאֲנָשִׁים הַפֹּשְׁעִים בִּי Is. 66:24
28 וּבְאַחֲרִית מַלְכוּתָם כְּהָתֵם הַפֹּשְׁעִים Dan. 8:23
וְהַפּוֹשְׁעִים 29 הַמֹּרְדִים וְהַפּוֹשְׁעִים בִּי Ezek. 20:38
וְלַפּוֹשְׁעִים 30 חֵטְא־רַבִּים נָשָׂא וְלַפֹּשְׁעִים יַפְגִּיעַ Is. 53:12
יִפְשַׁע 31 וְעַל־פַּת־לֶחֶם יִפְשַׁע־גָּבֶר Prov. 28:21
וַיִּפְשַׁע 32 וַיִּפְשַׁע מוֹאָב בְּיִשְׂרָאֵל IIK. 1:1
33 וַיִּפְשַׁע מֶלֶךְ־מוֹאָב בְּמֶלֶךְ יִשְׂרָאֵל IIK. 3:5
34 וַיִּפְשַׁע אֱדוֹם מִתַּחַת יַד־יְהוּדָה IIK. 8:22
35 וַיִּפְשַׁע אֱדוֹם מִתַּחַת יַד־יְהוּדָה IICh. 21:10
תִּפְשַׁע 36 אָז תִּפְשַׁע לִבְנָה בָּעֵת הַהִיא IIK. 8:22
37 אָז תִּפְשַׁע לִבְנָה בָּעֵת הַהִיא מִתַּחַת יָדוֹ IICh. 21:10
וַיִּפְשְׁעוּ 38 וַיִּפְשְׁעוּ יִשְׂרָאֵל בְּבֵית דָּוִד IK. 12:19
39 וַיִּפְשְׁעוּ יִשְׂרָאֵל בְּבֵית דָּוִיד IICh. 10:19
נִפְשָׁע 40 אָח נִפְשָׁע מִקִּרְיַת־עֹז Prov. 18:19

פֶּשַׁע ז׳ חטא, עברה, מרי: 1-93
קרובים: ראה חֵטְא

– פֶּשַׁע וְחַטָּאָה 5; פ׳ וְחַטָּאָה 17; פֶּשַׁע וְחַטָּאת 9, 20, 24, 33, 35, 37, 43, 76, 83, 85; עָוֹן וָפֶשַׁע 17, 19; רָעָה וָפֶשַׁע 18
– פֶּשַׁע אָח 24; פ׳ אִישׁ 29; פ׳ אֲמָתוֹ 31; פ׳ אֶרֶץ 28; פ׳ יַעֲקֹב 25, 26; פ׳ עֲבָדָיו 30; פ׳ עַם 32; פֶּשַׁע רַב 23; פ׳ שֹׁמֵם 21; פֶּשַׁע שְׂפָתַיִם 27
– אֹהֵב פֶּשַׁע 8; דְּבַר פ׳ 1; יַלְדֵי פ׳ 2; מְכַסֶּה פֶשַׁע 7; נְאֻם פֶּשַׁע 6; נְשׂוּי פֶּשַׁע 5; רַב פֶּשַׁע 14; שָׁבֵי פֶּשַׁע 3
– דֶּרֶךְ פִּשְׁעוֹ 46; יַד פִּשְׁעוֹ 47; יוֹם פִּשְׁעוֹ 40; שֵׁבֶט פִּשְׁעוֹ 45
– פִּשְׁעֵי אֱדוֹם 52; פ׳ בְנֵי עַמּוֹן 53; פ׳ דַמֶּשֶׂק 49; פ׳ יְהוּדָה 55; פ׳ יִשְׂרָאֵל 56-58; פ׳ מוֹאָב 54; פִּשְׁעֵי עַזָּה 50; פִּשְׁעֵי צוֹר 51
– עַל פְּשָׁעָיו 62; רֹב פְּשָׁעָיו 73, 90
– הוֹסִיף פֶּשַׁע 9; הִרְחִיק פְּ׳ 78; חָדַל פְּ׳ 10; כִּלָּה פְּ׳ 20; כִּסָּה פְּ׳ 64, 72; כִּפֵּר פְּ׳ 77; מָחָה פְּ׳ 67; נָשָׂא פְּ׳ 17, 19, 24, 36; עָשָׂה פֶשַׁע 71; רָבָה פֶּשַׁע 13

פָּשַׁע 1 עַל־כָּל־דְּבַר־פֶּשַׁע Ex. 22:8
2 יַלְדֵי־פֶשַׁע זֶרַע שָׁקֶר Is. 57:4
3 וּלְשָׁבֵי פֶשַׁע בְּיַעֲקֹב Is. 59:20
4 נֹשֵׂא עָוֹן וְעֹבֵר עַל־פֶּשַׁע Mic. 7:18
5 אַשְׁרֵי נְשׂוּי־פֶּשַׁע כְּסוּי חֲטָאָה Ps. 32:1
6 נְאֻם־פֶּשַׁע לָרָשָׁע בְּקֶרֶב לִבִּי Ps. 36:2
7 מְכַסֶּה־פֶּשַׁע מְבַקֵּשׁ אַהֲבָה Prov. 17:9
8 אֹהֵב פֶּשַׁע אֹהֵב מַצָּה Prov. 17:19
9 כִּי יֹסִיף עַל־חַטָּאתוֹ פֶשַׁע Job 34:37
פָּשַׁע 10 בְּרֹב דְּבָרִים לֹא יֶחְדַּל־פָּשַׁע Prov. 10:19
11 וְתִפְאַרְתּוֹ עֲבֹר עַל־פָּשַׁע Prov. 19:11
12 גּוֹזֵל...וְאֹמֵר אֵין־פָּשַׁע Prov. 28:24
13 בִּרְבוֹת רְשָׁעִים יִרְבֶּה־פָּשַׁע Prov. 29:16
14 וּבַעַל חֵמָה רַב־פָּשַׁע Prov. 29:22
15 זַךְ אֲנִי בְּלִי פָשַׁע Job 33:9
16 אָנוּשׁ חִצִּי בְלִי־פָשַׁע Job 34:6
וָפֶשַׁע 17 נֹשֵׂא עָוֹן וָפֶשַׁע וְחַטָּאָה Ex. 34:7
18 כִּי אֵין בְּיָדִי רָעָה וָפֶשַׁע ISh. 24:11
וָפָשַׁע 19 נֹשֵׂא עָוֹן וָפָשַׁע Num. 14:18
הַפֶּשַׁע 20 לְכַלֵּא הַפֶּשַׁע וּלְהָתֵם° חַטָּאת° Dan. 9:24
וְהַפֶּשַׁע 21 הַתָּמִיד וְהַפֶּשַׁע שֹׁמֵם Dan. 8:13
בְּפָשַׁע 22 וְצָבָא תִּנָּתֵן עַל־הַתָּמִיד בְּפָשַׁע Dan. 8:12
מִפֶּשַׁע 23 אָז אֵיתָם וְנִקֵּיתִי מִפֶּשַׁע רָב Ps. 19:14
פֶּשַׁע־ 24 שָׂא נָא פֶּשַׁע אַחֶיךָ וְחַטָּאתָם Gen. 50:17
25 מִי־פֶשַׁע יַעֲקֹב הֲלוֹא שֹׁמְרוֹן Mic. 1:5
בְּפֶשַׁע־ 26 בְּפֶשַׁע יַעֲקֹב כָּל־זֹאת Mic. 1:5
27 בְּפֶשַׁע שְׂפָתַיִם מוֹקֵשׁ רָע Prov. 12:13
28 בְּפֶשַׁע אֶרֶץ רַבִּים שָׂרֶיהָ Prov. 28:2
29 בְּפֶשַׁע אִישׁ רָע מוֹקֵשׁ Prov. 29:6
לְפֶשַׁע־ 30 שָׂא נָא לְפֶשַׁע עַבְדֵי אֱלֹהֵי אָבִיךָ Gen. 50:17
31 שָׂא נָא לְפֶשַׁע אֲמָתֶךָ ISh. 25:28
מִפֶּשַׁע 32 מִפֶּשַׁע עַמִּי נֶגַע לָמוֹ Is. 53:8
פִּשְׁעִי 33 מַה־פִּשְׁעִי מַה חַטָּאתִי Gen. 31:36
34 הַאֶתֵּן בְּכוֹרִי פִּשְׁעִי Mic. 6:7
35 לֹא־פִשְׁעִי וְלֹא־חַטָּאתִי יְיָ Ps. 59:4
36 וּמֶה לֹא־תִשָּׂא פִשְׁעִי Job 7:21
37 פִּשְׁעִי וְחַטָּאתִי הֹדִיעֵנִי Job 13:23
38 חָתֻם בִּצְרוֹר פִּשְׁעִי Job 14:17
פִּשְׁעוֹ 39 לְהַגִּיד לְיַעֲקֹב פִּשְׁעוֹ Mic. 3:8
40 לֹא תַצִּילֶנּוּ בְּיוֹם פִּשְׁעוֹ Ezek. 33:12
פִּשְׁעָהּ 41 וְכָבֵד עָלֶיהָ פִּשְׁעָהּ Is. 24:20
לְפִשְׁעֲכֶם 42 כִּי לֹא יִשָּׂא לְפִשְׁעֲכֶם Ex. 23:21
43 לֹא־יִשָּׂא לְפִשְׁעֲכֶם וּלְחַטֹּאותֵיכֶם Josh. 24:19
פִּשְׁעָם 44 וְהַגֵּד לְעַמִּי פִּשְׁעָם Is. 58:1
45 וּפָקַדְתִּי בְשֵׁבֶט פִּשְׁעָם Ps. 89:33
46 אֱוִלִים מִדֶּרֶךְ פִּשְׁעָם Ps. 107:17
47 וַיְשַׁלְּחֵם בְּיַד־פִּשְׁעָם Job 8:4
פְּשָׁעִים 48 וְעַל־כָּל־פְּשָׁעִים תְּכַסֶּה אַהֲבָה Prov. 10:12
פִּשְׁעֵי־ 49 עַל־שְׁלֹשָׁה פִּשְׁעֵי דַמֶּשֶׂק Am. 1:3
50 עַל־שְׁלֹשָׁה פִּשְׁעֵי עַזָּה Am. 1:6
51 עַל־שְׁלֹשָׁה פִּשְׁעֵי־צֹר Am. 1:9
52 עַל־שְׁלֹשָׁה פִּשְׁעֵי אֱדוֹם Am. 1:11
53 עַל־שְׁלֹשָׁה פִּשְׁעֵי בְנֵי־עַמּוֹן Am. 1:13
54 עַל־שְׁלֹשָׁה פִּשְׁעֵי מוֹאָב Am. 2:1

פְּשָׁעֵי (המשך)
55 עַל־שְׁלֹשָׁה פִּשְׁעֵי יְהוּדָה Am. 2:4
56 עַל־שְׁלֹשָׁה פִּשְׁעֵי יִשְׂרָאֵל Am. 2:6
57 בְּיוֹם פָּקְדִי פִשְׁעֵי־יִשְׂרָאֵל עָלָיו Am. 3:14
58 כִּי־בָךְ נִמְצְאוּ פִּשְׁעֵי יִשְׂרָאֵל Mic. 1:13
פְּשָׁעַי 59 אוֹדֶה עֲלֵי פְשָׁעַי לַיְיָ Ps. 32:5
60 מִכָּל־פְּשָׁעַי הַצִּילֵנִי Ps. 39:9
61 כִּי־פְשָׁעַי אֲנִי אֵדָע Ps. 51:5
62 נִשְׂקַד עֹל פְּשָׁעַי בְּיָדוֹ Lam. 1:14
פְּשָׁעָי 63 כְּרֹב רַחֲמֶיךָ מְחֵה פְשָׁעָי Ps. 51:3
64 אִם־כִּסִּיתִי כְאָדָם פְּשָׁעָי Job 31:33
65 כַּאֲשֶׁר עוֹלַלְתָּ לִי עַל כָּל־פְּשָׁעָי Lam. 1:22
וּפְשָׁעַי 66 חַטֹּאות נְעוּרַי וּפְשָׁעַי אַל־תִּזְכֹּר Ps. 25:7
פְּשָׁעֶיךָ 67 אָנֹכִי...הוּא מֹחֶה פְשָׁעֶיךָ לְמַעֲנִי Is. 43:25
68 מָחִיתִי כָעָב פְּשָׁעֶיךָ Is. 44:22
69 וְרַבּוּ פְּשָׁעֶיךָ מַה־תַּעֲשֶׂה Job 35:6
פְּשָׁעָיו 70 כָּל־פְּשָׁעָיו אֲשֶׁר עָשָׂה Ezek. 18:22
71 וַיָּשָׁב° מִכָּל־פְּשָׁעָיו אֲשֶׁר עָשָׂה Ezek. 18:28
72 מְכַסֶּה פְשָׁעָיו לֹא יַצְלִיחַ Prov. 28:13
פְּשָׁעֶיהָ 73 כִּי־יְיָ הוֹגָהּ עַל־רֹב פְּשָׁעֶיהָ Lam. 1:5
פְּשָׁעֵינוּ 74 כִּי־רַבּוּ פְשָׁעֵינוּ נֶגְדֶּךָ Is. 59:12
75 כִּי־פְשָׁעֵינוּ אִתָּנוּ וַעֲוֺנֹתֵינוּ יְדַעֲנוּם Is. 59:12
76 כִּי־פְשָׁעֵינוּ וְחַטֹּאתֵינוּ עָלֵינוּ Ezek. 33:10
77 פְּשָׁעֵינוּ אַתָּה תְכַפְּרֵם Ps. 65:4
78 הִרְחִיק מִמֶּנּוּ אֶת־פְּשָׁעֵינוּ Ps. 103:12
מִפְּשָׁעֵינוּ 79 וְהוּא מְחֹלָל מִפְּשָׁעֵנוּ Is. 53:5
פִּשְׁעֵיכֶם 80 שׁוּבוּ וְהָשִׁיבוּ מִכָּל־פִּשְׁעֵיכֶם Ezek. 18:30
81 הַשְׁלִיכוּ...אֶת־כָּל־פִּשְׁעֵיכֶם Ezek. 18:31
82 בְּהִגָּלוֹת פִּשְׁעֵיכֶם Ezek. 21:29
83 רַבִּים פִּשְׁעֵיכֶם וַעֲצֻמִים חַטֹּאתֵיכֶם Am. 5:12
וּבְפִשְׁעֵיכֶם 84 וּבְפִשְׁעֵיכֶם שֻׁלְּחָה אִמְּכֶם Is. 50:1
פִּשְׁעֵיהֶם 85 וְאֶת־כָּל־פִּשְׁעֵיהֶם לְכָל־חַטֹּאתָם Lev. 16:21
86 וְסָלַחְתָּ...וּלְכָל־פִּשְׁעֵיהֶם IK. 8:50
87 כִּי רַבּוּ פִּשְׁעֵיהֶם עָצְמוּ מְשֻׁבוֹתֵיהֶם Jer. 5:6
88 וְלֹא־יִטַּמְּאוּ עוֹד בְּכָל־פִּשְׁעֵיהֶם Ezek. 14:11
89 בְּגִלּוּלֵיהֶם...וּבְכֹל פִּשְׁעֵיהֶם Ezek. 37:23
90 בְּרֹב פִּשְׁעֵיהֶם הַדִּיחֵמוֹ Ps. 5:11
וּפִשְׁעֵיהֶם 91 וּפִשְׁעֵיהֶם כִּי יִתְגַּבָּרוּ Job 36:9
וּכְפִשְׁעֵיהֶם 92 כְּטֻמְאָתָם וּכְפִשְׁעֵיהֶם עָשִׂיתִי Ezek. 39:24
וּמִפִּשְׁעֵיהֶם 93 מִטֻּמְאֹת ב״י וּמִפִּשְׁעֵיהֶם Lev. 16:16

פשק : פָּשַׂק, פִּשֵּׂק

פָּשַׂק
פ׳ א) הרחיב, פתח לרווחה: 1
ב) [פִּ׳ פִּשֵּׂק] כנ״ל: 2
פֹּשֵׂק 1 פֹּשֵׂק שְׂפָתָיו מְחִתָּה־לוֹ Prov. 13:3
וַתְּפַשְּׂקִי 2 וַתְּפַשְּׂקִי אֶת־רַגְלַיִךְ לְכָל־עוֹבֵר Ezek. 16:25

פשר : פֵּשֶׁר; אר׳ פְּשַׁר פ׳, פְּשַׁר ז׳

פֵּשֶׁר
ז׳ פתרון
פֵּשֶׁר 1 מִי כְּהֶחָכָם וּמִי יוֹדֵעַ פֵּשֶׁר דָּבָר Eccl. 8:1

פְּשַׁר
פ׳ ארמית א) פתר; לְמִפְשַׁר=לפתור: 1
ב) [פַּ׳ פַּשַּׁר] פתר, התיר: 2
לְמִפְשַׁר 1 דִּי־תִיכֻל° פִּשְׁרִין לְמִפְשַׁר Dan. 5:16
מְפַשַּׁר 2 מְפַשַּׁר חֶלְמִין וְאַחֲוָיַת אֲחִידָן Dan. 5:12

פְּשַׁר
ז׳ ארמית פֵּשֶׁר, פתרון: 1-31
פְּשַׁר חֶלְמָא 1; פְּשַׁר מִלְּתָא 2-4
פְּשַׁר־ 1 דִּי־פְשַׁר חֶלְמָא יְהוֹדְעִנַּנִי Dan. 4:3
2 וְלָא־כָהֲלִין פְּשַׁר־מִלְּתָא לְהַחֲוָיָה Dan. 5:15
3 דְּנָה פְּשַׁר מִלְּתָא Dan. 5:26
וּפְשַׁר־ 4 וּפְשַׁר מִלַּיָּא יְהוֹדְעִנַּנִי Dan. 7:16
פִּשְׁרָא 5 דִּי פִשְׁרָא לְמַלְכָּא יְהוֹדַע Dan. 2:25
6 דִּי פִשְׁרָא לְמַלְכָּא יְהוֹדְעוּן Dan. 2:30
7 לָא־יָכְלִין פִּשְׁרָא לְהוֹדָעוּתַנִי Dan. 4:15
8 דְּנָה פִשְׁרָא מַלְכָּא Dan. 4:21
וּפִשְׁרָא(ה) 9 אֱמַר חֶלְמָא...וּפִשְׁרָא נְחַוֵּא Dan. 2:4
10 חֶלְמָא יֵאמַר...וּפִשְׁרָה נְהַחֲוֵה Dan. 2:7
11 וּפִשְׁרָא לְהַחֲוָיָה לְמַלְכָּא Dan. 2:16
12 וּפִשְׁרָא לְמַלְכָּא אֲחַוֵּא Dan. 2:24
13 דָּנִיֵּאל יִתְקְרֵי וּפִשְׁרָה יְהַחֲוֵה Dan. 5:12
14 כְּתָבָא אֶקְרֵא...וּפִשְׁרָא אֲהוֹדְעִנֵּהּ Dan. 5:17
פִּשְׁרֵהּ 15 וְאִנְדַּע דִּי פִשְׁרֵהּ תְּהַחֲוֻנַּנִי Dan. 2:9
16 וְיַצִּיב חֶלְמָא וּמְהֵימַן פִּשְׁרֵהּ Dan. 2:45
17 בֵּלְטְשַׁאצַּר פִּשְׁרֵהּ (כת׳ פשרא) אֱמַר Dan. 4:15
וּפִשְׁרֵהּ 18 הֵן לָא תְהוֹדְעוּנַּנִי חֶלְמָא וּפִשְׁרֵהּ Dan. 2:5
19 וְהֵן חֶלְמָא וּפִשְׁרֵהּ תְּהַחֲוֹן Dan. 2:6
20 לָהֵן חֶלְמָא וּפִשְׁרֵהּ הַחֲוֹנִי Dan. 2:6
21 חֶלְמָא דִי־חֲזֵית וּפִשְׁרֵהּ Dan. 2:26
22 דְּנָה חֶלְמָא וּפִשְׁרֵהּ נֵאמַר Dan. 2:36
23 וּפִשְׁרֵהּ לָא־מְהוֹדְעִין לִי Dan. 4:4
24 חֶזְוֵי חֶלְמִי דִי־חֲזֵית וּפִשְׁרֵהּ אֱמַר Dan. 4:6
25 חֶלְמָא לְשָׂנְאָךְ° וּפִשְׁרֵהּ לְעָרָךְ° Dan. 4:16
26 חֶלְמָא וּפִשְׁרֵהּ (כ׳ ופשרא) אַל־יְבַהֲלָךְ Dan. 4:16
27 דִּי יִקְרֵה...וּפִשְׁרֵהּ יְחַוִּנַּנִי Dan. 5:7
28 כְּתָבָא לְמִקְרֵא וּפִשְׁרֵהּ (כת׳ ופשרא) לְהוֹדָעָה Dan. 5:8
29 כְּתָבָה...יִקְרוֹן...וּפִשְׁרֵהּ לְהוֹדָעֻתַנִי Dan. 5:15
30 כְּתָבָא לְמִקְרֵא וּפִשְׁרֵהּ לְהוֹדָעוּתַנִי Dan. 5:16
פִּשְׁרִין 31 דִּי־תִיכֻל° פִּשְׁרִין לְמִפְשַׁר Dan. 5:16

פִּשְׁתָּה
נ׳ צמח־תרבות שגבעוליו משמשים להתקנת סיבים לבדים (Linum): 1-20
– פִּשְׁתָּה כֵהָה 1; צֶמֶר וּפִשְׁתִּים 5-7, 14-17, 19; פִּשְׁתִּים שְׂרִיקוֹת 8; פִּשְׁתֵּי הָעֵץ 20
– אֵזוֹר פִּשְׁתִּים 9; בֶּגֶד פ׳ 7,11, (16); מִכְנְסֵי פ׳ 13; עוֹבְדֵי פִשְׁתִּים 8; פַּאֲרֵי פ׳ 12; פְּתִיל פ׳ 10
וּפִשְׁתָּה 1 וּפִשְׁתָּה כֵהָה לֹא יְכַבֶּנָּה Is. 42:3
וְהַפִּשְׁתָּה 2 וְהַפִּשְׁתָּה וְהַשְּׂעֹרָה נֻכָּתָה Ex. 9:31
3 הַשְּׂעֹרָה אָבִיב וְהַפִּשְׁתָּה גִּבְעֹל Ex. 9:31
כַּפִּשְׁתָּה 4 דָּעֲכוּ כַּפִּשְׁתָּה כָבוּ Is. 43:17
וּפִשְׁתִּי 5 נֹתְנֵי לַחְמִי וּמֵימַי צַמְרִי וּפִשְׁתִּי Hosh. 2:7
6 וְהִצַּלְתִּי צַמְרִי וּפִשְׁתִּי Hosh. 2:11
פִּשְׁתִּים 7 בְּבֶגֶד צֶמֶר אוֹ בְּבֶגֶד פִּשְׁתִּים Lev. 13:47
8 וּבֹשׁוּ עֹבְדֵי פִשְׁתִּים שְׂרִיקוֹת Is. 19:9
9 וְקָנִיתָ לְּךָ אֵזוֹר פִּשְׁתִּים Jer. 13:1
10 וּפְתִיל־פִּשְׁתִּים בְּיָדוֹ Ezek. 40:3
11 בִּגְדֵי פִשְׁתִּים יִלְבָּשׁוּ Ezek. 44:17
12 פַּאֲרֵי פִשְׁתִּים יִהְיוּ עַל־רֹאשָׁם Ezek. 44:18
13 וּמִכְנְסֵי פִשְׁתִּים יִהְיוּ עַל־מָתְנֵיהֶם Ezek. 44:18
וּפִשְׁתִּים 14 לֹא תִלְבַּשׁ...צֶמֶר וּפִשְׁתִּים יַחְדָּו Deut. 22:11
15 דָּרְשָׁה צֶמֶר וּפִשְׁתִּים Prov. 31:13
הַפִּשְׁתִּים 16 בֶּגֶד הַצֶּמֶר אוֹ הַפִּשְׁתִּים Lev. 13:59
בַּפִּשְׁתִּים 17 בַּצֶּמֶר אוֹ בַפִּשְׁתִּים Lev. 13:52
כַּפִּשְׁתִּים 18 כַּפִּשְׁתִּים אֲשֶׁר בָּעֲרוּ בָאֵשׁ Jud. 15:14
לַפִּשְׁתִּים 19 אוֹ בִשְׁתִי אוֹ בְעֵרֶב לַפִּשְׁתִּים וְלַצָּמֶר Lev. 13:48
בְּפִשְׁתֵּי־ 20 וַתִּטְמְנֵם בְּפִשְׁתֵּי הָעֵץ הָעֲרֻכוֹת לָהּ Josh. 2:6

פִּשְׁתָּם
(מלאכי ג 20) – עין (פוש) פָּשׁ

פֹּת*
נ׳ ערות האשה(?)
פָּתְהֵן 1 וַיְיָ פָּתְהֵן יְעָרֶה Is. 3:17

פַּת
נ׳ א) פרוסת לחם: 1-11
ב) פֵּרוּר: 12-14
פַּת חֲרֵבָה 1; פַּת לֶחֶם 2-7; מִנְחַת פִּתִּים 13
פַּת 1 טוֹב פַּת חֲרֵבָה וְשַׁלְוָה־בָהּ Prov. 17:1
פַּת־ 2 וְאֶקְחָה פַת־לֶחֶם וְסַעֲדוּ לִבְּכֶם Gen. 18:5
3 סְעָד לִבְּךָ פַּת־לֶחֶם Jud. 19:5
4 סְפָחֵנִי נָא...לֶאֱכֹל פַּת־לָחֶם ISh. 2:36
5 וְאָשִׂמָה לְפָנֶיךָ פַּת־לֶחֶם ISh. 28:22
6 לִקְחִי־נָא לִי פַּת־לֶחֶם בְּיָדֵךְ IK. 17:11
7 וְעַל־פַּת־לֶחֶם יִפְשַׁע־גָּבֶר Prov. 28:21
פִּתִּי 8 וְאֹכַל פִּתִּי לְבַדִּי Job 31:17
פִּתְּךָ 9 פִּתְּךָ־אָכַלְתָּ תְקִיאֶנָּה Prov. 23:8
פִּתֵּךְ 10 וְטָבַלְתְּ פִּתֵּךְ בַּחֹמֶץ Ruth 2:14
מִפִּתּוֹ 11 מִפִּתּוֹ תֹאכַל וּמִכֹּסוֹ תִשְׁתֶּה IISh. 12:3
פִּתִּים 12 פָּתוֹת אֹתָהּ פִּתִּים Lev. 2:6
13 תֻּפִינֵי מִנְחַת פִּתִּים Lev. 6:14
כְּפִתִּים 14 מַשְׁלִיךְ קַרְחוֹ כְפִתִּים Ps. 147:17

פְּתָאיִם
ז״ר – עין פֶּתִי

פִּתְאֹם
תה״פ – באופן בלתי צפוי, במהירות: 1-25
פִּתְאֹם לְפֶתַע 6; גְּדוּד פִּתְאֹם 12; חֵץ פ׳ 15; פַּחַד פִּתְאֹם 16,22; בְּפִתְאוֹם 25; בְּפֶתַע פִּתְאֹם 1; לְפֶתַע פִּתְאֹם 5
פִּתְאֹם 1 וְכִי־יָמוּת מֵת עָלָיו בְּפֶתַע פִּתְאֹם Num. 6:9
2 וַיֹּאמֶר יְיָ פִּתְאֹם אֶל־מֹשֶׁה Num. 12:4
3 וַיָּבֹא אֲלֵיהֶם יְהוֹשֻׁעַ פִּתְאֹם Josh. 10:9
4 וַיָּבֹא יְהוֹשֻׁעַ...עֲלֵיהֶם...פִּתְאֹם Josh. 11:7
5 וְהָיָה לְפֶתַע פִּתְאֹם Is. 29:5
6 פִּתְאֹם לְפֶתַע יָבוֹא שִׁבְרָהּ Is. 30:13
7 וְתָבֹא עָלַיִךְ פִּתְאֹם שׁוֹאָה Is. 47:11
8 פִּתְאֹם עָשִׂיתִי וַתָּבֹאנָה Is. 48:3
9 פִּתְאֹם שֻׁדְּדוּ אֹהָלַי רֶגַע יְרִיעֹתָי Jer. 4:20
10 פִּתְאֹם יָבֹא הַשֹּׁדֵד עָלֵינוּ Jer. 6:26
11 הִפַּלְתִּי עָלֶיהָ פִּתְאֹם עִיר וּבֶהָלוֹת Jer. 15:8
12 כִּי־תָבִיא עֲלֵיהֶם גְּדוּד פִּתְאֹם Jer. 18:22
13 פִּתְאֹם נָפְלָה בָבֶל וַתִּשָּׁבֵר Jer. 51:8
14 פִּתְאֹם יֹרֻהוּ וְלֹא יִירָאוּ Ps. 64:5
15 וַיֹּרֵם אֱלֹהִים חֵץ פִּתְאוֹם Ps. 64:8
16 אַל־תִּירָא מִפַּחַד פִּתְאֹם Prov. 3:25
17 עַל־כֵּן פִּתְאֹם יָבוֹא אֵידוֹ Prov. 6:15
18 הוֹלֵךְ אַחֲרֶיהָ פִּתְאֹם Prov. 7:22
19 כִּי־פִתְאֹם יָקוּם אֵידָם Prov. 24:22
20 וָאֶקּוֹב נָוֵהוּ פִתְאֹם Job 5:3
21 אִם־שׁוֹט יָמִית פִּתְאֹם Job 9:23
22 וִיבַהֶלְךָ פַּחַד פִּתְאֹם Job 22:10
23 לְעֵת רָעָה כְּשֶׁתִּפּוֹל עֲלֵיהֶם פִּתְאֹם Eccl. 9:12
וּפִתְאֹם 24 וּפִתְאֹם יָבוֹא אֶל־הֵיכָלוֹ הָאָדוֹן Mal. 3:1
בְּפִתְאֹם 25 כִּי בְּפִתְאֹם הָיָה הַדָּבָר IICh. 29:36

פַּתְבַּג
ז׳ מאכל, מטעמים: 1-6
פַּתְבַּג הַמֶּלֶךְ 1-4
פַּתְבַּג־ 1-2 הָאֹכְלִים אֵת פַּתְבַּג הַמֶּלֶךְ Dan. 1:13, 15
בְּפַתְבַּג־ 3 אֲשֶׁר לֹא־יִתְגָּאַל בְּפַתְבַּג הַמֶּלֶךְ Dan. 1:8
מִפַּתְבַּג־ 4 וַיְמַן לָהֶם...מִפַּתְבַּג הַמֶּלֶךְ Dan. 1:5
פַּתְבָּגוֹ 5 וְאֹכְלֵי פַתְבָּגוֹ יִשְׁבְּרוּהוּ Dan. 11:26
פַּתְבָּגָם 6 נֹשֵׂא אֶת־פַּתְבָּגָם וְיֵין מִשְׁתֵּיהֶם Dan. 1:16

פִּתְגָם
ז׳ צו, פקודה: 1, 2 • פִּתְגָם הַמֶּלֶךְ 2
פִּתְגָם 1 אֵין־נַעֲשָׂה פִתְגָם מַעֲשֵׂה הָרָעָה מְהֵרָה Eccl. 8:11
פִּתְגָם־ 2 וְנִשְׁמַע פִּתְגָם הַמֶּלֶךְ אֲשֶׁר־יַעֲשֶׂה Es. 1:20

פִּתְגָם
ז׳ ארמית כמו בעברית: 1־6

פִּתְגָם 1 עַל־דְּנָה פִּתְגָם לַהֲתָבוּתָךְ Dan. 3:16
פִּתְגָמָא 2 בִּגְזֵרַת עִירִין פִּתְגָמָא Dan. 4:14
3 פִּתְגָמָא שְׁלַח מַלְכָּא עַל־רְחוּם Ez. 4:17
4 פִּתְגָמָא שְׁלַחוּ עֲלוֹהִי Ez. 5:7
5 וּכְנֵמָא פִתְגָמָא הֲתִיבוּנָא לְמֵמַר Ez. 5:11
6 דִּי יְהַשְׁנֵא פִּתְגָמָא דְנָה Ez. 6:11

פתה
פתה : פָּתָה, נִפְתָּה, פִּתָּה, פֻּתָּה, הִפְתָּה; פּוֹתֶה, פֶּתִי, פְּתָאִים; ש״פ יֶפֶת, פְּתוּאֵל

פָּתָה
פָּ׳ א) הלך בשרירות לבו, נטה בבלי דעת: 1־5
ב) [נפ׳ נִפְתָּה] הלך שולל: 6, 7
ג) [פִּ׳ פִּתָּה] שדל, הסית: 8־23
ד) [פֻּ׳ פֻּתָּה] נפתה, הוסת: 24־26
ה) [הפ׳ הִפְתָּה] הרחיב: 27, 28

פּוֹתֶה שְׂפָתָיו 2; יוֹנָה פוֹתָה 3; פָּתָה לִבּוֹ 4,5; נִפְתָּה לִבּוֹ 6

וּפוֹתֶה 1 לֶאֱוִיל יַהֲרָג־כָּעַשׂ וּפֹתֶה תָּמִית קִנְאָה Job 5:2
וּלְפוֹתֶה 2 וּלְפֹתֶה שְׂפָתָיו לֹא תִתְעָרָב Prov. 20:19
פוֹתָה 3 וַיְהִי אֶפְרַיִם כְּיוֹנָה פוֹתָה אֵין לֵב Hosh. 7:11
יִפְתֶּה 4 פֶּן־יִפְתֶּה לְבַבְכֶם וְסַרְתֶּם... Deut. 11:16
וַיִּפְתְּ 5 וַיִּפְתְּ בַּסֵּתֶר לִבִּי Job 31:27
נִפְתָּה 6 אִם־נִפְתָּה לִבִּי עַל־אִשָּׁה Job 31:9
וָאֶפָּת 7 פִּתִּיתַנִי יְיָ וָאֶפָּת Jer. 20:7
לְפַתֹּתְךָ 8 כִּי לְפַתֹּתְךָ בָּא וְלָדַעַת... II Sh. 3:25
פִּתֵּיתִי 9 אֲנִי יְיָ פִּתֵּיתִי אֵת הַנָּבִיא הַהוּא Ezek. 14:9
פִּתִּיתַנִי 10 פִּתִּיתַנִי יְיָ וָאֶפָּת Jer. 20:7
מְפַתֶּיהָ 11 לָכֵן הִנֵּה אָנֹכִי מְפַתֶּיהָ Hosh. 2:16
אֲפַתֶּנּוּ 12/3 וַיֹּאמֶר אֲנִי אֲפַתֶּנּוּ IK. 22:21 · IICh. 18:20
תְּפַתֶּה 14/5 וַיֹּאמֶר תְּפַתֶּה וְגַם־תּוּכָל IK. 22:22 · IICh. 18:21
יְפַתֶּה 16 וְכִי־יְפַתֶּה אִישׁ בְּתוּלָה Ex. 22:15
17/8 מִי יְפַתֶּה אֶת־אַחְאָב IK. 22:20 · IICh. 18:19
19 אִישׁ חָמָס יְפַתֶּה רֵעֵהוּ Prov. 16:29
יְפַתּוּךָ 20 אִם־יְפַתּוּךָ חַטָּאִים אַל־תֹּבֵא Prov. 1:10
וַיְפַתּוּהוּ 21 וַיְפַתּוּהוּ...וּבִלְשׁוֹנָם יְכַזְּבוּ־לוֹ Ps. 78:36
פַּתִּי 22 פַּתִּי אֶת־אִישֵׁךְ וְיַגֶּד־לָנוּ Jud. 14:15
23 פַּתִּי אוֹתוֹ וּרְאִי בַּמֶּה כֹּחוֹ גָדוֹל Jud. 16:5
יְפֻתֶּה 24 אוּלַי יְפֻתֶּה וְנוּכְלָה לוֹ Jer. 20:10
25 וְהַנָּבִיא כִי־יְפֻתֶּה וְדִבֶּר דָּבָר Ezek. 14:9
26 בְּאֹרֶךְ אַפַּיִם יְפֻתֶּה קָצִין Prov. 25:15
וַהֲפִתִּיתָ 27 אַל־תְּהִי עֵד חִנָּם...וַהֲפִתִּיתָ Prov. 24:28
יַפְתְּ 28 יַפְתְּ אֱלֹהִים לְיֶפֶת Gen. 9:27

פָּתְהֵן
(ישעיה ג 17) – עין פֹּת

פְּתוּאֵל
שפ״ז – אבי הנביא יואל

פְּתוּאֵל 1 דְּבַר־יְיָ אֲשֶׁר הָיָה אֶל־יוֹאֵל בֶּן־פְּתוּאֵל Joel 1:1

פָּתוּחַ
ת׳ – עין פָּתַח

פִּתּוּחַ
ז׳ דמות חקוקה או מגולפת בעץ או באבן וכדומה: 1־11

פִּתּוּחֵי חוֹתָם 4־9; פִּתּוּחֵי מִקְלְעוֹת כְּרוּבִים 10

פִּתּוּחַ 1 וּלְפַתֵּחַ כָּל־פִּתּוּחַ IICh. 2:13
פִּתֻּחָהּ 2 הִנְנִי מְפַתֵּחַ פִּתֻּחָהּ Zech. 3:9
פִּתּוּחִים 3 וְיֹדֵעַ לְפַתֵּחַ פִּתּוּחִים IICh. 2:6
פִּתּוּחֵי־ 4 פִּתּוּחֵי חֹתָם תְּפַתַּח אֶת...הָאֲבָנִים Ex. 28:11
5 פִּתּוּחֵי חוֹתָם אִישׁ עַל־שְׁמוֹ Ex. 28:21
6 וּפִתַּחְתָּ עָלָיו פִּתּוּחֵי חֹתָם Ex. 28:36
7 מְפֻתָּחֹת פִּתּוּחֵי חוֹתָם Ex. 39:6
8 פִּתּוּחֵי חֹתָם אִישׁ עַל־שְׁמוֹ Ex. 39:14
9 וַיִּכְתְּבוּ עָלָיו מִכְתַּב פִּתּוּחֵי חוֹתָם Ex. 39:30
10 פִּתּוּחֵי מִקְלְעוֹת כְּרוּבִים IK. 6:29
פִּתּוּחֶיהָ 11 וְעַתָּה פִּתּוּחֶיהָ יָּחַד...יַהֲלֹמוּן Ps. 74:6

פְּתוֹר
ש״פ – עיר בצפון ארם נהרים, מולדת בלעם: 1,2

פְּתוֹרָה 1 וַיִּשְׁלַח...פְּתוֹרָה אֲשֶׁר עַל־הַנָּהָר Num. 22:5
מִפְּתוֹר 2 בִּלְעָם...מִפְּתוֹר אֲרַם נַהֲרַיִם Deut. 23:5

פְּתוֹת*
ז׳ פֵּרוּר • פְּתוֹתֵי לֶחֶם

וּבִפְתוֹתֵי 1 בְּשַׁעֲלֵי שְׂעֹרִים וּבִפְתוֹתֵי לֶחֶם Ezek. 13:19

פתח
פתח : פָּתַח, פָּתוּחַ, נִפְתַּח, פִּתַּח, פֻּתַּח, הִתְפַּתַּח; פֶּתַח, פֵּתַח, פִּתּוּחַ, פִּתְחוֹן, פְּתִיחוֹת, מַפְתֵּחַ, מִפְתָּח; ש״פ פְּתַחְיָה, יִפְתָּח, נֶפְתּוֹחַ, נַפְתּוּחִים; אר׳ פְּתַח

פָּתַח
פָּ׳ א) הסיר או הזיז את הדבר הסוגר – דלת, שער (ובהשאלה) פֶּה, יָד, סֵפֶר וכדומה, הֶפֶךְ מן ״סָגַר״: רוב המקראות 1־97
ב) התחיל: 49
ג) [נפ׳ נִפְתַּח] הוסר הדבר הסוגר: 98־115
ד) [פִּ׳ פִּתַּח] פָּתַח: 130, 133
ה) [כנ״ל] הִתִּיר קשר: 116,117, 120־122, 125־129, 131, 135, 136, 138, 140, 142
ו) [כנ״ל] עבד: 139
ז) [כנ״ל] חרת, גִּלֵּף: 118, 119, 123, 124, 131, 134, 137, 141
ח) [פֻּ׳ בינוני: מְפֻתָּח] חרות, מגולף: 143
ט) [הת׳ הִתְפַּתַּח] הִתִּיר עצמו: 144

– פָּתַח אוֹצָר 15, 60; פָּ׳ אֹזֶן 14; פָּ׳ אַמְתַּחַת 85, 86; פָּ׳ אֲרֻבּוֹת 47; פָּ׳ אֶרֶץ 78, 79; פָּ׳ בּוֹר 59; פָּ׳ בָּר 84; פָּ׳ דֶּלֶת (דְּלָתַיִם, דְּלָתוֹת) 6, 11, 18, 19, 26, 51, 72־74, (87), (88), 90, (93); פָּתַח חִידָה 49; פָּ׳ חַלּוֹן 66, 77, 89; פָּ׳ חֶרֶב 24; פָּתַח יָדוֹ (יָדָיו) 1, 2, 31, 55־57; פָּ׳ כָּתֵף 29; פָּ׳ מַאֲבוּסִים 96; פָּ׳ נֹאד 83; פָּ׳ נָהָר 45; פָּ׳ סֵפֶר 76; פָּ׳ עִיר 28; פָּ׳ פֶּה 7,9,17, 25, 46, 48, 52־54, 61־64, 71, 75, 81, 82, 91, 92, 94; פָּ׳ צוּר 16; פָּ׳ קֶבֶר (קְבָרוֹת) 4, 34; פָּ׳ רַחְמָהּ 67, 68; פָּ׳ שַׁעַר (שְׁעָרִים) 3, 21, 95, 97; פָּ׳ שְׂפָתָיו 50,58,65; פָּ׳ שַׂק 70; פָּ׳ (תֵּבָה) 80
– כְּלִי פָתוּחַ 32; קֶבֶר פָּ׳ 33, 34; שָׁרְשׁוֹ פָתוּחַ 35
– אִגֶּרֶת פְּתוּחָה 38; חֶרֶב פְּתוּחָה 37; עִיר פְּ׳ 36
– עֵינַיִם פְּתוּחוֹת 39־44
– נִפְתַּח אֵזוֹר 99; נ.ּ׳ מָקוֹר 112; נִפְתַּח פִּיו 100; נִפְתַּח שַׁעַר 101־104, 108, 111, 114
– נִפְתְּחָה הָרָעָה 113
– נִפְתְּחוּ אָזְנַיִם 115; נִפְ׳ אֲרֻבּוֹת 109, 110; נִפְתְּחוּ הַשָּׁמַיִם 107
– פִּתַּח אֲדָמָה 139; פִּתַּח גְּמַלִּים 140; פִּ׳ דְּלָתוֹת 130; פִּ׳ חַרְצֻבּוֹת 116; פִּ׳ יָדוֹת 141; פִּ׳ יִתְרוֹ 126; פִּ׳ כְּרוּבִים 131; פִּ׳ מוֹסֵרוֹת 122, 128, 129; פִּ׳ מוֹשְׁכוֹת 138; פִּ׳ מָתְנָיו 136; פִּ׳ הַסְּמָדַר 127; פִּ׳ פִּתּוּחִים 118, 124, 134, 137; פִּ׳ שֵׁמוֹת 123; פִּ׳ שְׁעָרִים 133; פִּתַּח שַׂק 121, 125

פָּתוֹחַ 1 כִּי־פָתֹחַ תִּפְתַּח אֶת־יָדְךָ לוֹ Deut. 15:8
2 פָּתֹחַ תִּפְתַּח אֶת־יָדְךָ לְאָחִיךָ Deut. 15:11
3 פָּתוֹחַ נִפְתְּחוּ שַׁעֲרֵי אַרְצֵךְ Nah. 3:13
בְּפִתְחִי 4 בְּפִתְחִי אֶת־קִבְרוֹתֵיכֶם Ezek. 37:13
וּכְפִתְחוֹ 5 וּכְפִתְחוֹ עָמְדוּ כָל־הָעָם Neh. 8:5
לִפְתֹּחַ 6 לִפְתֹּחַ לְפָנָיו דְּלָתַיִם Is. 45:1
7 לִפְתֹּחַ פֶּה בְּרֶצַח Ezek. 21:27
8 קַמְתִּי אֲנִי לִפְתֹּחַ לְדוֹדִי S.of S. 5:5
פָּתַחְתִּי 9 הִנֵּה־נָא פָּתַחְתִּי פִי Job 33:2
10 פָּתַחְתִּי אֲנִי לְדוֹדִי S.of S. 5:6
וּפָתַחְתָּ 11 וּפָתַחְתָּ הַדֶּלֶת וְנַסְתָּה IIK. 9:3
פָּתַח 12 כִּי לֹא פָתַח וַיַּךְ IIK. 15:16
13 אֲסִירָיו לֹא־פָתַח בָּיְתָה Is. 14:17
14 אֲדֹנָי יֱהֹוִה פָּתַח־לִי אֹזֶן Is. 50:5
15 פָּתַח יְיָ אֶת־אוֹצָרוֹ Jer. 50:25
16 פָּתַח צוּר וַיָּזוּבוּ מָיִם Ps. 105:41
17 אַחֲרֵי־כֵן פָּתַח אִיּוֹב אֶת־פִּיהוּ Job 3:1
18 פָּתַח אֶת־דַּלְתוֹת בֵּית־יְיָ IICh. 29:3
פָּתָח 19 וְדַלְתֵי שָׁמַיִם פָּתָח Ps. 78:23
וּפָתַח 20 וּפָתַח וְאֵין סֹגֵר Is. 22:22
21 וּפָתַח לוֹ אֶת־הַשַּׁעַר Ezek. 46:12
פָּתְחָה 22 פִּיהָ פָּתְחָה בְחָכְמָה Prov. 31:26
וּפָתְחָה 23 אִם־שָׁלוֹם תַּעַנְךָ וּפָתְחָה לָךְ Deut. 20:11
פָּתְחוּ 24 חֶרֶב פָּתְחוּ רְשָׁעִים Ps. 37:14
פָּתָחוּ 25 וּפִי־מִרְמָה עָלַי פָּתָחוּ Ps. 109:2
פּוֹתֵחַ 26 אֵינֶנּוּ פֹתֵחַ דַּלְתוֹת הָעֲלִיָּה Jud. 3:25
27 וְסָגַר וְאֵין פֹּתֵחַ Is. 22:22
28 עָרֵי הַנֶּגֶב סֻגְּרוּ וְאֵין פֹּתֵחַ Jer. 13:19
29 הִנְנִי פֹתֵחַ אֶת־כֶּתֶף מוֹאָב Ezek. 25:9
30 הִנֵּה אֲנִי פֹתֵחַ אֶת־קִבְרוֹתֵיכֶם Ezek. 37:12
31 פּוֹתֵחַ אֶת־יָדֶךָ וּמַשְׂבִּיעַ... Ps. 145:16
פָּתוּחַ 32 וְכֹל כְּלִי פָתוּחַ...טָמֵא הוּא Num. 19:15
33 אַשְׁפָּתוֹ כְּקֶבֶר פָּתוּחַ Jer. 5:16
34 קֶבֶר־פָּתוּחַ גְּרוֹנָם Ps. 5:10
35 שָׁרְשִׁי פָתוּחַ אֱלֵי־מָיִם Job 29:19
פְּתוּחָה 36 וַיַּעַזְבוּ אֶת־הָעִיר פְּתוּחָה Josh. 8:17
37 חֶרֶב פְּתוּחָה לְטֶבַח מְרוּטָה Ezek. 21:33
38 וְאִגֶּרֶת פְּתוּחָה בְּיָדוֹ Neh. 6:5
פְּתוּחוֹת 39 לִהְיוֹת עֵינֶךָ פְתֻחֹת אֶל־הַבַּיִת IK. 8:29
40 לִהְיוֹת עֵינֶיךָ פְתֻחֹת אֶל־תְּחִנַּת... IK. 8:52
41 אָזְנְךָ־קַשֶּׁבֶת וְעֵינֶיךָ פְתוּחוֹת Neh. 1:6
42 לִהְיוֹת עֵינֶיךָ פְתֻחוֹת אֶל־הַבַּיִת IICh. 6:20
43 עֵינֶיךָ פְּתֻחוֹת וְאָזְנֶיךָ קַשֻּׁבוֹת IICh. 6:40
44 עֵינַי יִהְיוּ פְתֻחוֹת וְאָזְנַי קַשֻּׁבוֹת IICh. 7:15
אֶפְתַּח 45 אֶפְתַּח עַל־שְׁפָיִים נְהָרוֹת Is. 41:18
46 וּבְדַבְּרִי אוֹתְךָ אֶפְתַּח אֶת־פִּיךָ Ezek. 3:27
47 אֶפְתַּח לָכֶם אֵת אֲרֻבּוֹת הַשָּׁמַיִם Mal. 3:10
48 נֶאֱלַמְתִּי לֹא אֶפְתַּח־פִּי Ps. 39:10
49 אֶפְתַּח בְּכִנּוֹר חִידָתִי Ps. 49:5
50 אֶפְתַּח שְׂפָתַי וְאֶעֱנֶה Job 32:20
אֶפְתָּח 51 דְּלָתַי לָאֹרַח אֶפְתָּח Job 31:32
וָאֶפְתַּח 52 וָאֶפְתַּח אֶת־פִּי וַיַּאֲכִלֵנִי Ezek. 3:2
53 וָאֶפְתַּח־פִּי וָאֲדַבְּרָה Dan. 10:16
אֶפְתְּחָה 54 אֶפְתְּחָה בְמָשָׁל פִּי Ps. 78:2
תִּפְתַּח 55 כִּי־פָתֹחַ תִּפְתַּח אֶת־יָדְךָ לוֹ Deut. 15:8
56 פָּתֹחַ תִּפְתַּח אֶת־יָדְךָ לְאָחִיךָ Deut. 15:11
57 תִּפְתַּח יָדְךָ יִשְׂבְּעוּן טוֹב Ps. 104:28
תִּפְתָּח 58 אֲדֹנָי שְׂפָתַי תִּפְתָּח Ps. 51:17
יִפְתַּח 59 וְכִי־יִפְתַּח אִישׁ בּוֹר Ex. 21:33
60 יִפְתַּח יְיָ לְךָ אֶת־אוֹצָרוֹ הַטּוֹב Deut. 28:12
61 נִגַּשׂ וְהוּא נַעֲנֶה וְלֹא יִפְתַּח־פִּיו... Is. 53:7
62 וּכְרָחֵל...נֶאֱלָמָה וְלֹא יִפְתַּח פִּיו Is. 53:7
63 וּכְאִלֵּם לֹא יִפְתַּח־פִּיו Ps. 38:14
64 בַּשַּׁעַר לֹא יִפְתַּח־פִּיהוּ Prov. 24:7
וְיִפְתַּח 65 וְיִפְתַּח שְׂפָתָיו עִמָּךְ Job 11:5
וַיִּפְתַּח 66 וַיִּפְתַּח נֹחַ אֶת־חַלּוֹן הַתֵּבָה Gen. 8:6
67־68 וַיִּפְתַּח אֶת־רַחְמָהּ Gen. 29:31; 30:22
69 וַיִּפְתַּח יוֹסֵף אֶת־כָּל־אֲשֶׁר Gen. 41:56
70 וַיִּפְתַּח הָאֶחָד אֶת־שַׂקּוֹ Gen. 42:27
71 וַיִּפְתַּח יְיָ אֶת־פִּי הָאָתוֹן Num. 22:28
72 וַיָּקָם...וַיִּפְתַּח דַּלְתוֹת הַבַּיִת Jud. 19:27
73 וַיִּפְתַּח אֶת־דַּלְתוֹת בֵּית־יְיָ I Sh. 3:15
74 וַיִּפְתַּח הַדֶּלֶת וַיָּנֹס IIK. 9:10

75 וַיִּפְתַּח אֶת־פִּי Ezek. 33:22
76 וַיִּפְתַּח עֶזְרָא הַסֵּפֶר לְעֵינֵי כָל־הָעָם Neh. 8:5
וַיִּפְתָּח 77 פְּתַח הַחַלּוֹן קֵדְמָה וַיִּפְתָּח IIK. 13:17
תִּפְתַּח 78 תִּפְתַּח־אֶרֶץ וְיִפְרוּ־יֶשַׁע Is. 45:8
79 תִּפְתַּח־אֶרֶץ וַתִּבְלַע דָּתָן Ps. 106:17
וַתִּפְתַּח 80 וַתִּפְתַּח וַתִּרְאֵהוּ אֶת־הַיֶּלֶד Ex. 2:6
81/2 וַתִּפְתַּח הָאָרֶץ אֶת־פִּיהָ Num. 16:32; 26:10
83 וַתִּפְתַּח אֶת־נֹאוד הֶחָלָב Jud. 4:19
וְנִפְתְּחָה 84 וְנַשְׁבִּירָה שֶּׁבֶר...וְנִפְתְּחָה־בָּר Am. 8:5
וַנִּפְתְּחָה 85 וַנִּפְתְּחָה אֶת־אַמְתְּחֹתֵינוּ Gen. 43:21
וַיִּפְתְּחוּ 86 וַיִּפְתְּחוּ אִישׁ אַמְתַּחְתּוֹ Gen. 44:11
וַיִּפְתָּחוּ 87 וַיִּקְחוּ אֶת־הַמַּפְתֵּחַ וַיִּפְתָּחוּ Jud. 3:25
יִפְתָּחוּם 88 אֲשֶׁר לֹא יִפְתָּחוּם עַד אַחַר הַשַּׁבָּת Neh. 13:19
פְּתַח 89 פְּתַח הַחַלּוֹן קֵדְמָה וַיִּפְתָּח IIK. 13:17
90 פְּתַח לְבָנוֹן דְּלָתֶיךָ Zech. 11:1
91 פְּתַח־פִּיךָ לְאִלֵּם Prov. 31:8
92 פְּתַח־פִּיךָ שְׁפָט־צֶדֶק Prov. 31:9
פִּתְחִי 93 פִּתְחִי־לִי אֲחֹתִי רַעְיָתִי S.ofS. 5:2
פִּתְחוּ 94 פִּתְחוּ אֶת־פִּי הַמְּעָרָה Josh. 10:22
95 פִּתְחוּ שְׁעָרִים וְיָבֹא גוֹי־צַדִּיק Is. 26:2
96 בֹּאוּ־לָהּ מִקֵּץ פִּתְחוּ מַאֲבֻסֶיהָ Jer. 50:26
97 פִּתְחוּ־לִי שַׁעֲרֵי־צֶדֶק Ps. 118:19
לְהִפָּתֵחַ 98 מִהַר צֹעֶה לְהִפָּתֵחַ Is. 51:14
נִפְתַּח 99 וְלֹא נִפְתַּח אֵזוֹר חֲלָצָיו Is. 5:27
יִפָּתַח 100 יִפָּתַח פִּיךָ אֶת־הַפָּלִיט Ezek. 24:27
יִפָּתֵחַ 101 סָגוּר יִהְיֶה לֹא יִפָּתֵחַ Ezek. 44:2
102 וּבְיוֹם הַשַּׁבָּת יִפָּתֵחַ Ezek. 46:1
103 וּבְיוֹם הַחֹדֶשׁ יִפָּתֵחַ Ezek. 46:1
104 יִסְגֹּר עַל־אִישׁ וְלֹא יִפָּתֵחַ Job 12:14
105 הִנֵּה בִטְנִי כְּיַיִן לֹא־יִפָּתֵחַ Job 32:19
וַיִּפָּתַח 106 וַיִּפָּתַח פִּי וְלֹא נֶאֱלַמְתִּי עוֹד Ezek. 33:22
נִפְתְּחוּ 107 נִפְתְּחוּ הַשָּׁמַיִם וָאֶרְאֶה מַרְאוֹת אֱל׳ Ezek. 1:1
108 פָּתוֹחַ נִפְתְּחוּ שַׁעֲרֵי אַרְצֵךְ Nah. 3:13
נִפְתָּחוּ 109 וַאֲרֻבֹּת הַשָּׁמַיִם נִפְתָּחוּ Gen. 7:11
110 כִּי־אֲרֻבּוֹת מִמָּרוֹם נִפְתָּחוּ Is. 24:18
111 שַׁעֲרֵי הַנְּהָרוֹת נִפְתָּחוּ Nah. 2:7
נִפְתָּח 112 מָקוֹר נִפְתָּח לְבֵית דָּוִיד Zech. 13:1
תִּפָּתַח 113 מִצָּפוֹן תִּפָּתַח הָרָעָה Jer. 1:14
יִפָּתְחוּ 114 לֹא יִפָּתְחוּ שַׁעֲרֵי יְרוּשָׁלִַם Neh. 7:3
תִּפָּתַחְנָה 115 וְאָזְנֵי חֵרְשִׁים תִּפָּתַחְנָה Is. 35:5
פַּתֵּחַ 116 פַּתֵּחַ חַרְצֻבּוֹת רֶשַׁע Is. 58:6
לְפַתֵּחַ 117 לְפַתֵּחַ בְּנֵי תְמוּתָה Ps. 102:21
118 וְיֹדֵעַ לְפַתֵּחַ פִּתּוּחִים IICh. 2:6
וּלְפַתֵּחַ 119 וּלְפַתֵּחַ כָּל־פִּתּוּחַ IICh. 2:13
פִּתַּחְתִּיךָ 120 הִנֵּה פִתַּחְתִּיךָ הַיּוֹם מִן־הָאזִקִּים Jer. 40:4
פִּתַּחְתָּ 121 פִּתַּחְתָּ שַׂקִּי וַתְּאַזְּרֵנִי שִׂמְחָה Ps. 30:12
122 אֲנִי־עַבְדְּךָ...פִּתַּחְתָּ לְמוֹסֵרָי Ps. 116:16
וּפִתַּחְתָּ 123 וּפִתַּחְתָּ עֲלֵיהֶם שְׁמוֹת בְּנֵי יִשְׂרָאֵל Ex. 28:9
124 וּפִתַּחְתָּ עָלָיו פִּתּוּחֵי חֹתָם Ex. 28:36
125 וּפִתַּחְתָּ הַשַּׂק מֵעַל מָתְנֶיךָ Is. 20:2
פִּתַּח 126 כִּי־יִתְרִי° פִתַּח וַיְעַנֵּנִי Job 30:11
127 אִם־פָּרְחָה הַגֶּפֶן פִּתַּח הַסְּמָדַר S.ofS. 7:13
פִּתֵּחַ 128 מוּסַר מְלָכִים פִּתֵּחַ Job 12:18
129 וּמֹסְרוֹת עָרוֹד מִי פִתֵּחַ Job 39:5
130 דַּלְתֵי פָנָיו מִי פִתֵּחַ Job 41:6
וּפִתַּח 131 וּפִתַּח כְּרוּבִים עַל־הַקִּירוֹת IICh. 3:7
פִּתְּחָה 132 גַּם מֵאָז לֹא־פִתְּחָה אָזְנֶךָ Is. 48:8
וּפִתְּחוּ 133 וּפִתְּחוּ שְׁעָרַיִךְ תָּמִיד Is. 60:11
מְפַתֵּחַ 134 הִנְנִי מְפַתֵּחַ פִּתֻּחָהּ Zech. 3:9
כִּמְפַתֵּחַ 135 אַל־יִתְהַלֵּל חֹגֵר כִּמְפַתֵּחַ IK. 20:11
אֲפַתֵּחַ 136 וּמָתְנֵי מְלָכִים אֲפַתֵּחַ Is. 45:1
תְּפַתַּח 137 פִּתּוּחֵי חֹתָם תְּפַתַּח Ex. 28:11
תְּפַתֵּחַ 138 מֹשְׁכוֹת כְּסִיל תְּפַתֵּחַ Job 38:31
יְפַתַּח 139 יְפַתַּח וִישַׂדֵּד אַדְמָתוֹ Is. 28:24
וַיְפַתַּח 140 וַיָּבֹא...וַיְפַתַּח הַגְּמַלִּים Gen. 24:32
141 וַיְפַתַּח עַל־הַלֻּחֹת יְדֹתֶיהָ IK. 7:36
וַיְפַתְּחֵהוּ 142 שָׁלַח...מֹשֵׁל עַמִּים וַיְפַתְּחֵהוּ Ps. 105:20
מְפֻתָּחוֹת 143 מְפֻתָּחֹת פִּתּוּחֵי חוֹתָם... Ex. 39:6
הִתְפַּתְּחִי 144 הִתְפַּתְּחִי° מוֹסְרֵי צַוָּארֵךְ Is. 52:2

פְּתַח

ארמית פתח: 1, 2; פְּתִיחַ = פָּתוּחַ

פְּתִיחוּ 1 דִּינָא יְתִב וְסִפְרִין פְּתִיחוּ Dan. 7:10
פְּתִיחָן 2 וְכַוִּין פְּתִיחָן לֵהּ בְּעִלִּיתֵהּ Dan. 6:11

פֶּתַח

ז׳ מקום פתוח למעבר בבנין (גם בהשאלה): 1-164
– פֶּתַח נֶגֶד פֶּתַח 2; פֶּתַח אֹהֶל 24, 25, 69-77, 134, 135, 137, 142; פֶּ׳ אֹהֶל מוֹעֵד 28-68, 127, 145, 146; פֶּ׳ הַבַּיִת (בֵּית־) 26, 27, 80, 83, 107-116, 132, 141, 143, 144; פֶּ׳ הַדְּבִיר 118; פֶּ׳ הַהֵיכָל 122, 138; פֶּ׳ הֶחָצֵר 81, 121; פֶּ׳ מִגְדָּל 106; פֶּ׳ מְעָרָה 120; פֶּ׳ הַמִּשְׁכָּן 78, 79, 136; פֶּ׳ עֵינַיִם 130; פֶּ׳ הָעִיר 125; פֶּ׳ הַצָּפוֹן 123; פֶּ׳ רֵעֵהוּ 124; פֶּ׳ שַׁעַר 82, 84-105, 133, 139; פֶּ׳ תֵּבָה 126; פֶּתַח תִּקְוָה 140
– אֵיל הַפֶּתַח 15; כִּתְפוֹת פֶּ׳ 14; מָסַךְ פֶּ׳ 10-12; מֵעַל הַפֶּתַח 18; רֹחַב הַפֶּתַח 13, 16
– מְבוֹא פְתָחִים 150; מְזוּזוֹת פְּתָחִים 151, 159
– פִּתְחֵי בָתִּים 157; פִּ׳ לְשָׁכוֹת 158; פִּ׳ נְדִיבִים 152; פִּתְחֵי עוֹלָם 154, 155; פִּתְחֵי פִיו 153; פִּתְחֵי שְׁעָרִים 156

פֶּתַח 1 וָאֶחְתֹּר...וְהִנֵּה פֶּתַח אֶחָד Ezek. 8:8
2 פֶּתַח נֶגֶד פָּתַח Ezek. 40:13
3 פֶּתַח אֶחָד דֶּרֶךְ הַצָּפוֹן Ezek. 41:11
4 ...פֶּתַח בְּרֹאשׁ דָּרֶךְ Ezek. 42:12
5 שֹׁעֵר פֶּתַח לְאֹהֶל מוֹעֵד ICh. 9:21
פָּתַח 6 פֶּתַח נֶגֶד פָּתַח Ezek. 40:13
7 וָאֶדֹּם לֹא־אֵצֵא פָתַח Job 31:34
וּפֶתַח 8 וּפֶתַח אֶחָד לַדָּרוֹם Ezek. 41:11
הַפֶּתַח 9 וּפָסַח יְיָ עַל־הַפֶּתַח Ex. 12:23
10 וְאֶת־מָסַךְ הַפֶּתַח לְפֶתַח הַמִּשְׁכָּן Ex. 35:15
11/2 אֶת־מָסַךְ הַפָּתַח Ex. 40:5, 28
13 וְרֹחַב הַפֶּתַח עֶשֶׂר אַמּוֹת Ezek. 41:2
14 וְכִתְפוֹת הַפֶּתַח חָמֵשׁ אַמּוֹת Ezek. 41:2
15 וַיָּמָד אֵיל־הַפֶּתַח שְׁתַּיִם אַמּוֹת Ezek. 41:3
16 וְרֹחַב הַפֶּתַח שֶׁבַע אַמּוֹת Ezek. 41:3
17 עַל־מֵעַל הַפֶּתַח... Ezek. 41:17
18 מֵהָאָרֶץ עַד־מֵעַל הַפֶּתַח Ezek. 41:20
הַפָּתַח 19 וַיִּלְאוּ לִמְצֹא הַפָּתַח Gen. 19:11
וְהַפָּתַח 20 וְהַפֶּתַח שֵׁשׁ אַמּוֹת Ezek. 41:3
בַּפֶּתַח 21 אֶת־קוֹל רַגְלֶיהָ בָּאָה בַפֶּתַח IK. 14:6
בַּפָּתַח 22 וַיִּקְרָא־לָהּ וַתַּעֲמֹד בַּפָּתַח IIK. 4:15
לַפֶּתַח 23 לַפֶּתַח חַטָּאת רֹבֵץ Gen. 4:7
פֶּתַח־ 24 וְהוּא יֹשֵׁב פֶּתַח־הָאֹהֶל Gen. 18:1
25 וְשָׂרָה שֹׁמַעַת פֶּתַח הָאֹהֶל Gen. 18:10
26 וְאֶת־הָאֲנָשִׁים אֲשֶׁר־פֶּתַח הַבַּיִת Gen. 19:11
27 וַיְדַבְּרוּ אֵלָיו פֶּתַח הַבָּיִת Gen. 43:19
28-68 פֶּתַח אֹהֶל מוֹעֵד Ex. 29:4, 11, 32, 42
38:8, 30; 40:12 • Lev. 1:3, 5; 3:2; 4:4, 7, 18; 8:3, 4, 31; 12:6; 14:11, 23; 15:14, 29; 16:7; 17:4, 5, 6, 9; 19:21 • Num. 3:25; 4:25; 6:10, 13, 18; 10:3; 16:18, 19; 17:15; 20:6; 25:6; 27:2 • Josh. 19:51 • ISh. 2:22
69 וְנִצְּבוּ אִישׁ פֶּתַח אָהֳלוֹ Ex. 33:8
70-77 פֶּתַח הָאֹהֶל (אָהֳלוֹ וכו׳) Ex. 33:9, 10²
39:38 • Num. 12:5; 16:27 • Deut. 31:15
Jud. 4:20
78/9 פֶּתַח מִשְׁכַּן אֹהֶל־מוֹעֵד Ex. 40:6, 29

פֶּתַח־ (המשך) 80 וַיֵּצֵא הַכֹּהֵן...אֶל־פֶּתַח הַבָּיִת Lev. 14:38
81 וְאֶת־מָסַךְ פֶּתַח הֶחָצֵר Num. 3:26
82 וְאֶת־מָסַךְ פֶּתַח שַׁעַר הֶחָצֵר Num. 4:26
83 וְהוֹצִיאוּ...אֶל־פֶּתַח בֵּית־אָבִיהָ Deut. 22:21
84 אֶל־פֶּתַח שַׁעַר הָעִיר Josh. 8:29
85-105 פֶּתַח שַׁעַר (הַשַּׁעַר וכו׳) Josh. 20:4
Jud. 9:35, 40, 44; 18:16, 17 • IISh. 10:8; 11:23 • IK. 22:10 • IIK. 7:3; 10:8; 23:8 • Jer. 1:15; 19:2; 36:10 • Ezek. 8:3, 14; 10:19; 40:11; 46:3 • IICh. 18:9
106 וַיִּגַּשׁ עַד־פֶּתַח הַמִּגְדָּל Jud. 9:52
107 וַתִּפֹּל פֶּתַח בֵּית־הָאִישׁ Jud. 19:26
108 פִּילַגְשׁוֹ נֹפֶלֶת פֶּתַח הַבַּיִת Jud. 19:27
109-116 פֶּתַח הַבַּיִת (בֵּית וכו׳) IISh. 11:9
IK. 14:27 • IIK. 5:9 • Ezek. 47:1 • Prov. 5:8 • Es. 5:1 • Neh. 3:20 • IICh. 12:10
117 פֶּתַח הַצֵּלָע הַתִּיכֹנָה IK. 6:8
118 וְאֵת פֶּתַח הַדְּבִיר עָשָׂה... IK. 6:31
119 וַיָּבֹא אֶל־פֶּתַח הָעִיר IK. 17:10
120 וַיַּעֲמֹד פֶּתַח הַמְּעָרָה IK. 19:13
121 וַיָּבֵא אֹתִי אֶל־פֶּתַח הֶחָצֵר Ezek. 8:7
122 וְהִנֵּה־פֶתַח הֵיכַל יְיָ Ezek. 8:16
123 אֶל־פְּנֵי אֹרֶךְ...פֶּתַח הַצָּפוֹן Ezek. 42:2
124 וְעַל־פֶּתַח רֵעִי אָרָבְתִּי Job 31:9
125 וַיַּעַרְכוּ מִלְחָמָה פֶּתַח הָעִיר ICh. 19:9
וּפֶתַח־ 126 וּפֶתַח הַתֵּבָה בְּצִדָּהּ תָּשִׂים Gen. 6:16
127 וּפֶתַח אֹהֶל מוֹעֵד תֵּשְׁבוּ Lev. 8:35
128 וּפֶתַח הַצֵּלָע לַמֻּנָּח Ezek. 41:11
129 וּפֶתַח הַבַּיִת דַּלְתוֹתָיו הַפְּנִימִיּוֹת IICh. 4:22
בְּפֶתַח־ 130 וַתֵּשֶׁב בְּפֶתַח עֵינַיִם Gen. 38:14
131 וַיֵּשְׁבוּ בְּפֶתַח שַׁעַר־יְיָ הֶחָדָשׁ Jer. 26:10
132 אֲשֶׁר בְּפֶתַח בֵּית־פַּרְעֹה Jer. 43:9
133 וְהִנֵּה בְּפֶתַח הַשַּׁעַר עֶשְׂרִים...אִישׁ Ezek. 11:1
לְפֶתַח־ 134/5 מָסָךְ לְפֶתַח הָאֹהֶל Ex. 26:36; 36:37
136 וְאֶת־מָסַךְ הַפֶּתַח לְפֶתַח הַמִּשְׁכָּן Ex. 35:15
137 בֹּכֶה...אִישׁ לְפֶתַח אָהֳלוֹ Num. 11:10
138 וְכֵן עָשָׂה לְפֶתַח הַהֵיכָל IK. 6:33
139 לָעוֹלָה לְפֶתַח הַשַּׁעַר הַצָּפוֹנָה Ezek. 40:40
140 וְאֶת־עֵמֶק עָכוֹר לְפֶתַח תִּקְוָה Hosh. 2:17
141 וְיָשְׁבָה לְפֶתַח בֵּיתָהּ Prov. 9:14
מִפֶּתַח־ 142 וַיָּרָץ לִקְרָאתָם מִפֶּתַח הָאֹהֶל Gen. 18:2
143 לֹא תֵצְאוּ אִישׁ מִפֶּתַח־בֵּיתוֹ Ex. 12:22
144 מִפֶּתַח בֵּית אֶלְיָשִׁיב Neh. 3:21
וּמִפֶּתַח־ 145/6 וּמִפֶּתַח אֹהֶל מוֹעֵד לֹא תֵצְאוּ Lev. 8:33; 10:7
הַפֶּתְחָה 147 וַיֵּצֵא אֲלֵהֶם לוֹט הַפֶּתְחָה Gen. 19:6
פִּתְחוֹ 148 מַגְבִּיהַּ פִּתְחוֹ מְבַקֶּשׁ־שָׁבֶר Prov. 17:19
וּפִתְחָהּ 149 וְלִשְׁכָּה וּפִתְחָהּ בְּאֵילִים הַשְּׁעָר׳ Ezek. 40:38
פְּתָחִים 150 מְבוֹא פְתָחִים תָּרֹנָּה Prov. 8:3
הַפְּתָחִים 151 וְכָל־הַפְּתָחִים וְהַמְּזוּזוֹת IK. 7:5
פִּתְחֵי־ 152 הָנִיפוּ יָד וְיָבֹאוּ פִּתְחֵי נְדִיבִים Is. 13:4
153 מִשֹּׁכֶבֶת חֵיקֶךָ שְׁמֹר פִּתְחֵי־פִיךָ Mic. 7:5
154 וְהִנָּשְׂאוּ פִּתְחֵי עוֹלָם Ps. 24:7
155 וּשְׂאוּ פִּתְחֵי עוֹלָם Ps. 24:9
בְּפִתְחֵי־ 156 בְּפִתְחֵי שְׁעָרִים בָּעִיר Prov. 1:21
וּבְפִתְחֵי־ 157 אֵצֶל הַקִּירוֹת וּבְפִתְחֵי הַבָּתִּים Ezek. 33:30
וּכְפִתְחֵי־ 158 וּכְפִתְחֵי הַלְּשָׁכוֹת...דֶּרֶךְ הַדָּרוֹם Ezek. 42:12
פְּתָחָי 159 לִשְׁקֹד...לִשְׁמֹר מְזוּזֹת פְּתָחָי Prov. 8:34
פְּתָחֶיהָ 160 וְאָנוּ וְאָבְלוּ פְּתָחֶיהָ Is. 3:26
בִּפְתָחֶיהָ 161 וְרָעוּ...וְאֶת־אֶרֶץ נִמְרֹד בִּפְתָחֶיהָ Mic. 5:5
פְּתָחֵינוּ 162 וְעַל־פְּתָחֵינוּ כָּל־מְגָדִים S.ofS. 7:14
וּפִתְחֵיהֶם 163 וּפִתְחֵיהֶם לַצָּפוֹן Ezek. 42:4
וּכְפִתְחֵיהֶן 164 וּכְמִשְׁפְּטֵיהֶן וּכְפִתְחֵיהֶן Ezek. 42:11

פֵּתַח
ז׳ פתיחה • פֵּתַח דָּבָר

פֵּתַח־ 1 פֵּתַח־דְּבָרֶיךָ יָאִיר Ps. 119:130

פִּתְחוֹן*
ז׳ פתיחה: 1, 2

פִּתְחוֹן פֶּה 1, 2

פִּתְחוֹן־ 1 וְלֹא יִהְיֶה־לָּךְ עוֹד פִּתְחוֹן פֶּה Ezek. 16:63
2 וּלְךָ אֶתֵּן פִּתְחוֹן־פֶּה בְּתוֹכָם Ezek. 29:21

פְּתַחְיָה
שפ״ז א) כהן בימי דוד: 4
ב) לוי בימי עזרא: 1, 2
ג) שר ליד המלך: 3

פְּתַחְיָה 1 וּמִן־הַלְוִיִּם...פְּתַחְיָה יְהוּדָה Ez. 10:23
2 הוֹדִיָּה שְׁבַנְיָה פְתַחְיָה Neh. 9:5
וּפְתַחְיָה 3 וּפְתַחְיָה בֶּן־מְשֵׁיזַבְאֵל מִבְּנֵי־זֶרַח Neh. 11:24
לִפְתַחְיָה 4 לִפְתַחְיָה תִּשְׁעָה עָשָׂר ICh. 24:16

פֶּתִי
ז׳ תם, קל דעת: 1-19 • קרובים: ראה אֱוִיל

מַחְכִּימַת פֶּתִי 1; מֵבִין פְּתָיִים 14; מְשׁוּבַת פְּ׳ 16

פֶּתִי 1 עֵדוּת יְיָ נֶאֱמָנָה מַחְכִּימַת פֶּתִי Ps. 19:8
2 עַד־מָתַי פְּתָיִם תְּאֵהֲבוּ פֶתִי Prov. 1:22
3/4 מִי־פֶתִי יָסֻר הֵנָּה Prov. 9:4, 16
5 פֶּתִי יַאֲמִין לְכָל־דָּבָר Prov. 14:15
6 בַּעְנָשׁ־לֵץ יֶחְכַּם־פֶּתִי Prov. 21:11
וּפֶתִי 7 לֵץ תַּכֶּה וּפֶתִי יַעְרִם Prov. 19:25
וּמִפֶּתִי 8 מֵאִישׁ שֹׁגֶה וּמִפֶּתִי Ezek. 45:20
פְּתָאִים 9 שֹׁמֵר פְּתָאִים יְיָ Ps. 116:6
10 הָבִינוּ פְתָאִים עָרְמָה Prov. 8:5
11 עִזְבוּ פְתָאִים וִחְיוּ Prov. 9:6
12 נָחֲלוּ פְתָאִים אִוֶּלֶת Prov. 14:18
13 פְּתָאִים עָבְרוּ נֶעֱנָשׁוּ Prov. 27:12
פְּתָיִים 14 פֵּתַח דְּבָרֶיךָ יָאִיר מֵבִין פְּתָיִים Ps. 119:130
15 עַד־מָתַי פְּתָיִם תְּאֵהֲבוּ פֶתִי Prov. 1:22
16 כִּי מְשׁוּבַת פְּתָיִם תַּהַרְגֵם Prov. 1:32
וּפְתָיִים 17 וּפְתָיִים עָבְרוּ וְנֶעֱנָשׁוּ Prov. 22:3
בַּפְּתָאִים 18 וָאֵרֶא בַפְּתָאִים אָבִינָה בַבָּנִים Prov. 7:7
לִפְתָאִים 19 לָתֵת לִפְתָאִים עָרְמָה Prov. 1:4

פְּתָי*
ז׳ ארמית רוחב: 1, 2

פְּתָיֵהּ 1 פְּתָיֵהּ אַמִּין שִׁת Dan. 3:1
2 פְּתָיֵהּ אַמִּין שִׁתִּין Ez. 6:3

פְּתִיגִיל
ז׳ מלבוש פאר

פְּתִיגִיל 1 וְתַחַת פְּתִיגִיל מַחֲגֹרֶת שָׂק Is. 3:24

פְּתַיּוּת
נ׳ אולת • קרובים: ראה סִכְלוּת

פְּתַיּוּת 1 פְּתַיּוּת וּבַל־יָדְעָה מָּה Prov. 9:13

פְּתִיחָה*
נ׳ [מלה סתומה] חרב פתוחה(?)

פְּתִיחוֹת 1 רַכּוּ דְבָרָיו מִשֶּׁמֶן וְהֵמָּה פְתִחוֹת Ps. 55:22

פָּתִיל
ת׳ קָשׁוּר, צמוד

פָּתִיל 1 אֲשֶׁר אֵין־צָמִיד פָּתִיל עָלָיו Num. 19:15

פְּתִיל
ז׳ חוט, שְׂרוֹךְ: 1-10

פְּתִיל נְעֹרֶת 4; פְּתִיל פִּשְׁתִּים 5; פְּתִיל תְּכֵלֶת 1-3, 6, 7

פְּתִיל־ 1 וְשַׂמְתָּ אֹתוֹ עַל־פְּתִיל תְּכֵלֶת Ex. 28:37
2 וַיִּתְּנוּ עָלָיו פְּתִיל תְּכֵלֶת Ex. 39:31
3 וְנָתְנוּ עַל־צִיצִת...פְּתִיל תְּכֵלֶת Num. 15:38
4 כַּאֲשֶׁר יִנָּתֵק פְּתִיל־הַנְּעֹרֶת Jud. 16:9
וּפְתִיל־ 5 וּפְתִיל־פִּשְׁתִּים בְּיָדוֹ Ezek. 40:3
בִּפְתִיל־ 6 וְיִרְכְּסוּ...בִּפְתִיל תְּכֵלֶת Ex. 28:28
7 וַיִּרְכְּסוּ...בִּפְתִיל תְּכֵלֶת Ex. 39:21
וּפְתִילֶךָ 8 חֹתָמְךָ וּפְתִילֶךָ וּמַטְּךָ Gen. 38:18
פְּתִילִם 9 וַיְרַקְּעוּ...וְקִצֵּץ פְּתִילִם Ex. 39:3
וְהַפְּתִילִים 10 לְמִי הַחֹתֶמֶת וְהַפְּתִילִים Gen. 38:25

פתל
: נִפְתַּל, הִתְפַּתֵּל, הִתַּפֵּל; פָּתִיל, פְּתִיל, פְּתַלְתֹּל

(פָּתַל) נִפְתַּל
נפ׳ א) נֶאבק: 1
ב) [בינוני: נִפְתָּל] הפכפך, עקש: 2, 3
ג) [הת׳ הִתְפַּתֵּל, הִתַּפֵּל] נהג בעקשות 4, 5

נִפְתָּל וְעִקֵּשׁ 2; עֲצַת נִפְתָּלִים 3

נִפְתַּלְתִּי 1 נַפְתּוּלֵי אֱל׳ נִפְתַּלְתִּי עִם־אֲחֹתִי Gen. 30:8
נִפְתָּל 2 אֵין בָּהֶם נִפְתָּל וְעִקֵּשׁ Prov. 8:8
נִפְתָּלִים 3 וַעֲצַת נִפְתָּלִים נִמְהָרָה Job 5:13
תִּתְפַּתָּל 4 וְעִם־עִקֵּשׁ תִּתְפַּתָּל Ps. 18:27
תִּתַּפָּל 5 וְעִם־עִקֵּשׁ תִּתַּפָּל II Sh. 22:27

פְּתַלְתֹּל
ת׳ עקש, הפכפך

וּפְתַלְתֹּל 1 דּוֹר עִקֵּשׁ וּפְתַלְתֹּל Deut. 32:5

פִּתֹם
ש״פ – עין פִּיתוֹם

פֶּתֶן
ז׳ נחש ארסי גדול: 1-6 • קרובים: ראה נָחָשׁ

פֶּתֶן חֵרֵשׁ 1; חוּר פָּתֶן 2; מְרוֹרַת פְּתָנִים 5; רֹאשׁ פְּתָנִים 4, 6

פֶּתֶן 1 כְּמוֹ־פֶתֶן חֵרֵשׁ יַאְטֵם אָזְנוֹ Ps. 58:5
פָּתֶן 2 וְשִׁעֲשַׁע יוֹנֵק עַל־חֻר פָּתֶן Is. 11:8
וָפֶתֶן 3 עַל־שַׁחַל וָפֶתֶן תִּדְרֹךְ Ps. 91:13
פְּתָנִים 4 וְרֹאשׁ פְּתָנִים אַכְזָר Deut. 32:33
5 מְרוֹרַת פְּתָנִים בְּקִרְבּוֹ Job 20:14
6 רֹאשׁ־פְּתָנִים יִינָק Job 20:16

פֶּתַע
תה״פ – פתאום: 1-7

בְּפֶתַע פִּתְאֹם 4; לְפֶתַע פִּתְאֹם 6; פִּתְאֹם לְפֶתַע 7

פֶּתַע 1 פֶּתַע יָקוּמוּ נֹשְׁכֶיךָ Hab. 2:7
2-3 פֶּתַע יִשָּׁבֵר וְאֵין מַרְפֵּא Prov. 6:15; 29:1
בְּפֶתַע 4 וְכִי־יָמוּת מֵת עָלָיו בְּפֶתַע פִּתְאֹם Num. 6:9
5 וְאִם־בְּפֶתַע בְּלֹא־אֵיבָה הֲדָפוֹ Num. 35:22
לְפֶתַע 6 וְהָיָה לְפֶתַע פִּתְאֹם Is. 29:5
7 פִּתְאֹם לְפֶתַע יָבוֹא שִׁבְרָהּ Is. 30:13

פתר
: פָּתַר; פִּתְרוֹן

פָּתַר
פ׳ פענח, באר (חֲלוֹם!): 1-9

לִפְתֹּר 1 תִּשְׁמַע חֲלוֹם לִפְתֹּר אֹתוֹ Gen. 41:15
פָּתַר 2 כַּאֲשֶׁר פָּתַר לָהֶם יוֹסֵף Gen. 40:22
3 וַיְהִי כַּאֲשֶׁר פָּתַר־לָנוּ כֵּן הָיָה Gen. 41:13
פָּתָר 4 וַיַּרְא...כִּי־טוֹב פָּתָר Gen. 40:16
5 אִישׁ כַּחֲלֹמוֹ פָּתָר Gen. 41:12
פּוֹתֵר 6 וְאֵין־פּוֹתֵר אוֹתָם לְפַרְעֹה Gen. 41:8
וּפֹתֵר 7 חֲלוֹם חָלַמְנוּ וּפֹתֵר אֵין אֹתוֹ Gen. 40:8
8 חֲלוֹם חָלַמְתִּי וּפֹתֵר אֵין אֹתוֹ Gen. 41:15
וַיִּפְתָּר־ 9 וַיִּפְתָּר־לָנוּ אֶת־חֲלֹמֹתֵינוּ Gen. 41:12

פִּתְרוֹן
ז׳ פֵּשֶׁר, באור: 1-5

פִּתְרוֹן חֲלוֹם 1, 2 (3), (4) • לֵאלֹהִים פִּתְרוֹנִים 5

כְּפִתְרוֹן־ 1 וַיַּחַלְמוּ...אִישׁ כְּפִתְרוֹן חֲלֹמוֹ Gen. 40:5
2 אִישׁ כְּפִתְרוֹן חֲלֹמוֹ חָלָמְנוּ Gen. 41:11
פִּתְרֹנוֹ 3-4 זֶה פִּתְרֹנוֹ Gen. 40:12, 18
פִּתְרֹנִים 5 הֲלוֹא לֵאלֹהִים פִּתְרֹנִים Gen. 40:8

פַּתְרוֹס
ש״פ – אזור בדרום ארץ מצרים: 1-5

פַּתְרוֹס 1 וּבְנֹף וּבְאֶרֶץ פַּתְרוֹס Jer. 44:1
2 וַהֲשִׁבֹתִי אֹתָם אֶרֶץ פַּתְרוֹס Ezek. 29:14
3 וַהֲשִׁמֹּתִי אֶת־פַּתְרוֹס Ezek. 30:14
בְּפַתְרוֹס 4 הַיֹּשְׁבִים בְּאֶרֶץ־מִצְרַיִם בְּפַתְרוֹס Jer. 44:15
וּמִפַּתְרוֹס 5 וּמִפַּתְרוֹס וּמִכּוּשׁ וּמֵעֵילָם Is. 11:11

פַּתְרוּסִים
ז״ר – תושבי אזור פַּתרוס: 1, 2

פַּתְרוּסִים 1 וְאֶת־פַּתְרֻסִים וְאֶת־כַּסְלֻחִים Gen. 10:14
2 וְאֶת־פַּתְרֻסִים וְאֶת־כַּסְלֻחִים ICh. 1:12

פַּתְשֶׁגֶן
ז׳ פַּרשגן, העתק, נוסח: 1-3

פַּתְשֶׁגֶן הַכְּתָב 1-3

פַּתְשֶׁגֶן־ 1 2 פַּתְשֶׁגֶן הַכְּתָב לְהִנָּתֵן דָּת Es. 3:14; 8:13
3 וְאֶת־פַּתְשֶׁגֶן כְּתָב־הַדָּת Es. 4:8

פתת
: פָּתַת; פַּת, פְּתוֹת

פָּתַת
פ׳ פורר, חלק

פָּתוֹת 1 פָּתוֹת אֹתָהּ פִּתִּים וְיָצַקְתָּ עָלֶיהָ שָׁמֶן Lev. 2:6

צ׳ זעירא

וְצִוְחָת Jer. 14:2
פָּרֶץ Job 16:14

צ

צדי״ן בתורה 4052

צ׳ רבתי

צֵא Ex. 11:8
צֹפָיו Is. 56:10

צֵאָה ג׳ גלָלים: 2-1 • צֵאַת הָאָדָם 1

צֵאַת־ 1 בְּגֶלְלֵי צֵאַת הָאָדָם תְּעֻגֶנָה Ezek. 4:12
צֵאָתֶךָ 2 וְשַׁבְתָּ וְכִסִּיתָ אֶת־צֵאָתֶךָ Deut. 23:14

צֹאָה עין צוֹאָה **צֹאִי** עין צוֹאִי

צֶאֱלִים ז״ר – אחד ממיני העצים המְצלים: 1, 2

צֶאֱלִים 1 תַּחַת־צֶאֱלִים יִשְׁכָּב Job 40:21
2 יְסֻכֻּהוּ צֶאֱלִים צִלֲלוֹ Job 40:22

צֹאן נ״ר – שם כולל לעִזים ולכבשׂים: 273-1

קרובים: אַיִל / גְּדִי / טָלֶה / כֶּבֶשׂ / כִּבְשָׂה / כַּבְשָׂה / כַּרי / כֶּשֶׂב / כִּשְׂבָּה / עֵז / עַתּוּד / צָפִיר / רָחֵל / שֶׂה / שָׂעִיר

– צֹאן וּבָקָר 2-16, 35, 55, 57, 58, 61, 72, 93, 97, 100, 117, 118, 124, 152, 226, 229, 236, 255, 258-260, 264, 266-269, 271; בָּקָר וָצֹאן 60, 63-66, 68-71, 101, 153, 155, 160, 161, 237-239, 241, 244, 257, 263

– צֹאן אוֹבְדוֹת 37; צֹאן מַאֲלִיפוֹת 256; צֹאן עֲשׂוּיוֹת 30; צֹאן רַבּוֹת 18

– צֹאן אָבִיו 181, 182, 184; צֹאן אָדָם 189; צ׳ בָּצְרָה 200; צ׳ הֲרֵגָה 191, 192; צ׳ טִבְחָה 203; צ׳ יָדוֹ 194; צ׳ יְרוּשָׁלַםִ 199; צ׳ יִתְרוֹ 183; צ׳ לָבָן 177-180, 196; צ׳ מַאֲכָל 202; צ׳ מַרְעִית 187, 188, 193-195, 197; צ׳ נַחֲלָתוֹ 190; צ׳ עַמּוֹ 201; צ׳ קֵדָר 185; צֹאן קָדָשִׁים 198; צ׳ תִּפְאַרְתּוֹ 186

– אַדִּירֵי הַצֹּאן 127-129; אֵיל (אֵילֵי) צֹאן 50, 225; בְּכוֹר צ׳ 231; בְּכוֹרוֹת צ׳ 238, 239; בְּכוֹרֵי צ׳ 257; בְּנֵי צ׳ 35, 46, 47; גִּדְרוֹת צ׳ 26, 27, 43, 122; גּוֹזְזֵי צ׳ 248; גֵּז צ׳ 227; חֲלֵב צ׳ 28; כִּבְשׂוֹת צ׳ 73; כַּלְבֵי הַצ׳ 220; מִבְחַר הַצֹּאן 133; מֵיטַב הַצ׳ 117, 118; מִכְלְאוֹת צ׳ 45; מַעְשַׂר צ׳ 68, 71; מִקְנֵה צ׳ 16, (48), 70, 97; מִרְבַּץ צ׳ 39; נְוֵה צ׳ 34; נֹכַח הַצ׳ 81; עֶדְרֵי צ׳ 17, 41, 136; עֵינֵי הַצ׳ 86; עֲנִיֵּי הַצ׳ 138, 140; עִקְבֵי הַצ׳ 144; עַשְׁתְּרוֹת הַצ׳ 230, 232-234; פְּנֵי הַצ׳ 84, 235; צְעִירֵי הַצ׳ 131, 132; קוֹל הַצ׳ 119; רוֹעֵה צ׳ 1, 21, 22, 253; רוֹעֵי צ׳ 20; שְׁאֵרִית הַצ׳ 206; שְׁלוֹם הַצ׳ 95; שַׁעַר הַצֹּאן 145-147

– שְׁתֵּי צֹאן 32; אַרְבַּע צ׳ 24; חָמֵשׁ צ׳ 30; שֵׁשׁ צ׳ 51; מֵאָה צ׳ 31; שְׁלֹשֶׁת אֲלָפִים צ׳ 66; שְׁלֹשֶׁת אֲלָפִים צ׳ 29; שִׁבְעַת אֲלָפִים (אַלְפֵי) צ׳ 48, 54, 65; עֲשֶׂרֶת אֲלָפִים צֹאן 67; אַרְבָּעָה עָשָׂר אֶלֶף צֹאן 49; מֵאָה וְעֶשְׂרִים אֶלֶף צ׳ 60, 64; מָאתַיִם וַחֲמִשִּׁים אֶלֶף צֹאן 62; שְׁלֹשׁ מֵאוֹת אֶלֶף צֹאן 116; שֵׁשׁ מֵאוֹת אֶלֶף צֹאן 25

צֹאן 1 וַיְהִי־הֶבֶל רֹעֵה צֹאן Gen. 4:2
2 וַיְהִי־לוֹ צֹאן־וּבָקָר וַחֲמֹרִים Gen. 12:16
3 וְגַם־לְלוֹט...הָיָה צֹאן־וּבָקָר Gen. 13:5
4 וַיִּקַּח אֲבִימֶלֶךְ צֹאן וּבָקָר Gen. 20:14
5-15 צֹאן וּבָקָר Gen. 21:27; 24:35
Deut. 16:2 • I Sh. 14:32; 15:21; 27:9 • II Sh. 12:2 •
IK. 1:9; 8:5 • IICh. 5:6; 18:2
16 מִקְנֵה־צֹאן וּמִקְנֵה בָקָר Gen. 26:14

צֹאן (המשך) 17 שְׁלֹשָׁה עֶדְרֵי־צֹאן רֹבְצִים Gen. 29:2
18 וַיְהִי־לוֹ צֹאן רַבּוֹת Gen. 30:43
19 וַיְהִי־לִי שׁוֹר וַחֲמוֹר צֹאן וְעֶבֶד Gen. 32:6
20 וְהָאֲנָשִׁים רֹעֵי צֹאן Gen. 46:32
21 תוֹעֲבַת מִצְרַיִם כָּל־רֹעֵה צֹאן Gen. 46:34
22 רֹעֵה צֹאן עֲבָדֶיךָ Gen. 47:3
23 וּקְחוּ לָכֶם צֹאן לְמִשְׁפְּחֹתֵיכֶם Ex. 12:21
24 וְאַרְבַּע־צֹאן תַּחַת הַשֶּׂה Ex. 21:37
25 צֹאן שֵׁשׁ־מֵאוֹת אֶלֶף Num. 31:32
26 גִּדְרֹת צֹאן נִבְנֶה לְמִקְנֵנוּ פֹּה Num. 32:16
27 עָרֵי מִבְצָר וְגִדְרֹת צֹאן Num. 32:36
28 חֶמְאַת בָּקָר וַחֲלֵב צֹאן Deut. 32:14
29 וְלוֹ צֹאן שְׁלֹשֶׁת־אֲלָפִים וְאֶלֶף עִזִּים I Sh. 25:2
30 וְחָמֵשׁ צֹאן עֲשׂוּיוֹת° I Sh. 25:18
31 וְעֶשְׂרִים בָּקָר רְעִי וּמֵאָה צֹאן IK. 5:3
32 יְחַיֶּה־אִישׁ עֶגְלַת בָּקָר וּשְׁתֵּי־צֹאן Is. 7:21
33 הָרֹג בָּקָר וְשָׁחֹט צֹאן Is. 22:13
34 וְהָיָה הַשָּׁרוֹן לִנְוֵה־צֹאן Is. 65:10
35 וְעַל־בְּנֵי־צֹאן וּבָקָר Jer. 31:11(12)
36 נְוֵה רֹעִים מַרְבִּצִים צֹאן Jer. 33:12
37 צֹאן אֹבְדוֹת הָיָה עַמִּי Jer. 50:6
38 וִהְיוּ כְּעַתּוּדִים לִפְנֵי־צֹאן Jer. 50:8
39 לִנְוֵה גְמַלִּים...לְמִרְבַּץ צֹאן Ezek. 25:4
40 וְהִשְׁבַּתִּים מֵרְעוֹת צֹאן Ezek. 34:10
41 כִּכְפִיר בְּעֶדְרֵי־צֹאן Mic. 5:7
42 גָּזַר מִמִּכְלָה צֹאן Hab. 3:17
43 נְוֹת כְּרֹת רֹעִים וְגִדְרוֹת צֹאן Zep. 2:6
44 עַל־כֵּן נָסְעוּ כְמוֹ־צֹאן Zech. 10:2
45 וַיִּקָּחֵהוּ מִמִּכְלְאֹת צֹאן Ps. 78:70
46/7 גְּבָעוֹת כִּבְנֵי־צֹאן Ps. 114:4, 6
48 וַיְהִי מִקְנֵהוּ שִׁבְעַת אַלְפֵי־צֹאן Job 1:3
49 אַרְבָּעָה עָשָׂר אֶלֶף צֹאן Job 42:12
50 וַאֲשֵׁמִים אֵיל־צֹאן עַל־אַשְׁמָתָם Ez. 10:19
51 שׁוֹר אֶחָד צֹאן שֵׁשׁ־בְּרֻרוֹת Neh. 5:18
52 וַיִּשְׁבּוּ צֹאן לָרֹב וּגְמַלִּים IICh. 14:14
53 הָעַרְבִיאִים מְבִיאִים לוֹ צֹאן IICh. 17:11
54 אֶלֶף פָּרִים וְשִׁבְעַת אֲלָפִים צֹאן IICh. 30:24
55 וּמִקְנֵה־צֹאן וּבָקָר לָרֹב IICh. 32:29
56 צֹאן כְּבָשִׂים וּבְנֵי־עִזִּים IICh. 35:7

וְצֹאן 57 וְצֹאן וּבָקָר מִקְנֶה כָּבֵד מְאֹד Ex. 12:38
58 וּדְבַשׁ וְחֶמְאָה וְצֹאן וּשְׁפוֹת בָּקָר II Sh. 17:29
59 וַיִּזְבַּח שׁוֹר וּמְרִיא־וְצֹאן לָרֹב IK. 1:19, 25
60 בָּקָר...וְצֹאן מֵאָה וְעֶשְׂרִים אָלֶף IK. 8:63
61 וְצֹאן וּבָקָר IIK. 5:26
62 וְצֹאן מָאתַיִם וַחֲמִשִּׁים אֶלֶף ICh. 5:21
63 וְיַיִן־וְשֶׁמֶן וּבָקָר וְצֹאן לָרֹב ICh. 12:41(40)
64 הַבָּקָר...וְצֹאן מֵאָה וְעֶשְׂרִים אָלֶף IICh. 7:5
65 בָּקָר...וְצֹאן שִׁבְעַת אֲלָפִים IICh. 15:11
66 בָּקָר...וְצֹאן שְׁלֹשֶׁת אֲלָפִים IICh. 29:33
67 וְצֹאן עֲשֶׂרֶת אֲלָפִים IICh. 30:24

וָצֹאן 68 וְכָל־מַעְשַׂר בָּקָר וָצֹאן Lev. 27:32
69 וַיִּזְבַּח בָּלָק בָּקָר וָצֹאן Num. 22:40
70 מִקְנֶה בָקָר וָצֹאן הַרְבֵּה הָיָה לִי Eccl. 2:7
71 מַעְשַׂר בָּקָר וָצֹאן IICh. 31:6

הַצֹּאן 72 הֲצֹאן וּבָקָר יִשָּׁחֵט לָהֶם Num. 11:22

הַצֹּאן 73 וַיַּצֵּב...אֶת־שֶׁבַע כִּבְשֹׂת הַצֹּאן Gen. 21:28
74 לֶךְ־נָא אֶל־הַצֹּאן וְקַח־לִי מִשָּׁם Gen. 27:9
75 וְגָלֲלוּ...וְהִשְׁקוּ אֶת־הַצֹּאן Gen. 29:3
76 וְהִנֵּה רָחֵל בִּתּוֹ בָּאָה עִם־הַצֹּאן Gen. 29:6
77 הַשְׁקוּ הַצֹּאן וּלְכוּ רְעוּ Gen. 29:7
78 וְגָלֲלוּ...וְהִשְׁקִינוּ הַצֹּאן Gen. 29:8
79 וְרָחֵל בָּאָה עִם־הַצֹּאן Gen. 29:9
80 אֲשֶׁר תָּבֹאןָ הַצֹּאן לִשְׁתּוֹת Gen. 30:38
81 לְנֹכַח הַצֹּאן Gen. 30:38
82 וַיֶּחֱמוּ הַצֹּאן אֶל־הַמַּקְלוֹת Gen. 30:39
83 וַתֵּלַדְןָ הַצֹּאן עֲקֻדִּים נְקֻדִּים Gen. 30:39
84 וַיִּתֵּן פְּנֵי הַצֹּאן אֶל־עָקֹד Gen. 30:40
85 וְהָיָה בְּכָל־יַחֵם הַצֹּאן הַמְקֻשָּׁרוֹת Gen. 30:41
86 וְשָׂם...לְעֵינֵי הַצֹּאן בָּרְהָטִים Gen. 30:41
87 וּבְהַעֲטִיף הַצֹּאן לֹא יָשִׂים Gen. 30:42
88 וְיָלְדוּ כָל־הַצֹּאן נְקֻדִּים Gen. 31:8
89 וְיָלְדוּ כָל־הַצֹּאן עֲקֻדִּים Gen. 31:8
90 וַיְהִי בְּעֵת יַחֵם הַצֹּאן Gen. 31:10
91/2 הָעַתֻּדִים הָעֹלִים עַל־הַצֹּאן Gen. 31:10, 12
93 וַיַּחַץ...וְאֶת־הַצֹּאן וְאֶת־הַבָּקָר Gen. 32:8
94 וּדְפָקוּם...וָמֵתוּ כָּל־הַצֹּאן Gen. 33:13
95 רְאֵה...וְאֶת־שְׁלוֹם הַצֹּאן Gen. 37:14
96 אֲשַׁלַּח גְּדִי־עִזִּים מִן־הַצֹּאן Gen. 38:17
97 וּבְמִקְנֵה הַצֹּאן וּבְמִקְנֵה הַבָּקָר Gen. 47:17
98 וַיַּשְׁקְ אֶת־הַצֹּאן Ex. 2:19
99 וַיִּנְהַג אֶת־הַצֹּאן אַחַר הַמִּדְבָּר Ex. 3:1
100 הַצֹּאן וְהַבָּקָר אַל־יִרְעוּ Ex. 34:3
101 מִן־הַבְּהֵמָה מִן־הַבָּקָר וּמִן־הַצֹּאן Lev. 1:2
102-115 (וּ)מִן הַצֹּאן Lev. 1:10; 3:6
5:6, 15, 18, 25 • Num. 15:3; 31:28, 30, 37, 43 • Ezek.
43:23, 25; 45:15
116 מִסְפַּר הַצֹּאן שְׁלֹשׁ־מֵאוֹת אֶלֶף Num. 31:36
117/8 מֵיטַב הַצֹּאן וְהַבָּקָר I Sh. 15:9, 15
119 וּמֶה קוֹל־הַצֹּאן הַזֶּה בְּאָזְנָי I Sh. 15:14
120 וַיִּטֹּשׁ אֶת־הַצֹּאן עַל־שֹׁמֵר I Sh. 17:20
121 וְעַל־מִי נָטַשְׁתָּ מְעַט הַצֹּאן I Sh. 17:28
122 וַיָּבֹא אֶל־גִּדְרוֹת הַצֹּאן I Sh. 24:3
123 כָּל־יְמֵי הֱיוֹתֵנוּ עִמָּם רֹעִים הַצֹּאן I Sh. 25:16
124 וַיִּקַּח דָּוִד אֶת־כָּל־הַצֹּאן וְהַבָּקָר I Sh. 30:20
125 לְקַחְתִּיךָ מִן־הַנָּוֶה מֵאַחַר הַצֹּאן II Sh. 7:8
126 וְאֵלֶּה הַצֹּאן מֶה עָשׂוּ II Sh. 24:17
127 וְהִתְפַּלְּשׁוּ אַדִּירֵי הַצֹּאן Jer. 25:34
128 וְאָבַד...וּפְלֵיטָה מֵאַדִּירֵי הַצֹּאן Jer. 25:35
129 וִילְלַת אַדִּירֵי הַצֹּאן Jer. 25:36
130 תַּעֲבֹרְנָה הַצֹּאן עַל־יְדֵי מוֹנֶה Jer. 33:13
131/2 יִסְחָבוּם צְעִירֵי הַצֹּאן Jer. 49:20; 50:45
133 מִבְחַר הַצֹּאן לָקוֹחַ Ezek. 24:5
134 הֲלוֹא הַצֹּאן יִרְעוּ הָרֹעִים Ezek. 34:2
135 הַצֹּאן לֹא תִרְעוּ Ezek. 34:3
136 גַּם־עֶדְרֵי הַצֹּאן נֶאְשָׁמוּ Joel 1:18
137 וַיִּקָּחֵנִי יְיָ מֵאַחֲרֵי הַצֹּאן Am. 7:15

הַצֹּאן (הֶמְשֵׁךְ)
138 וְאֶרְעֶה...לָכֵן עֲנִיֵּי הַצֹּאן Zech. 11:7
139 וָאֶרְעֶה אֶת־הַצֹּאן Zech. 11:7
140 וַיֵּדְעוּ כֵן עֲנִיֵּי הַצֹּאן Zech. 11:11
141 הוֹי רֹעִי הָאֱלִיל עֹזְבִי הַצֹּאן Zech. 11:17
142 הַךְ אֶת־הָרֹעֶה וּתְפוּצֶיןָ הַצֹּאן Zech. 13:7
143 לָבְשׁוּ כָרִים הַצֹּאן Ps. 65:14
144 צְאִי־לָךְ בְּעִקְבֵי הַצֹּאן S.ofS. 1:8
145 וַיִּבְנוּ אֶת־שַׁעַר הַצֹּאן Neh. 3:1
146 וּבֵין עֲלִיַּת הַפִּנָּה לְשַׁעַר הַצֹּאן Neh. 3:32
147 וּמִגְדַּל הַמֵּאָה וְעַד שַׁעַר הַצֹּאן Neh. 12:39
148 לְקַחְתִּיךָ...מִן־אַחֲרֵי הַצֹּאן ICh. 17:7
149 וְאֵלֶּה הַצֹּאן מֶה עָשׂוּ ICh. 21:17
150 וְעַל־הַצֹּאן יָזִיז הַהַגְרִי ICh. 27:31
וְהַצֹּאן
151 וְהַבָּנִים בָּנַי וְהַצֹּאן צֹאנִי Gen. 31:43
152 וְהַצֹּאן וְהַבָּקָר עָלוֹת עָלָי Gen. 33:13
153 הַבָּקָר וְהַצֹּאן אַל־יִטְעֲמוּ מְאוּמָה Jon. 3:7
בַּצֹּאן
154 הָיָה רֹעֶה אֶת־אֶחָיו בַּצֹּאן Gen. 37:2
155 בַּבָּקָר אוֹ בַצֹּאן Lev. 22:21
156 שָׁאַר הַקָּטָן וְהִנֵּה רֹעֶה בַּצֹּאן ISh. 16:11
157 שִׁלְחָה...אֶת־דָּוִד בִּנְךָ אֲשֶׁר בַּצֹּאן ISh. 16:19
158 רֹעֶה הָיָה עַבְדְּךָ לְאָבִיו בַּצֹּאן ISh. 17:34
159 אֵשׁ...וַתִּבְעַר בַּצֹּאן וּבַנְּעָרִים Job 1:16
וּבַצֹּאן
160 יַד־יְיָ הוֹיָה...בַּבָּקָר וּבַצֹּאן Ex. 9:3
161 וְנָתַתָּה הַכֶּסֶף...בַּבָּקָר וּבַצֹּאן Deut. 14:26
כְּצֹאן
162 הַתִּקֵם כְּצֹאן לְטִבְחָה Jer. 12:3
כַּצֹּאן
163 כַּצֹּאן אֲשֶׁר אֵין־לָהֶם רֹעֶה Num. 27:17
164 כַּצֹּאן אֲשֶׁר אֵין־לָהֶם רֹעֶה IK. 22:17
165 כֻּלָּנוּ כַּצֹּאן תָּעִינוּ Is. 53:6
166 אַרְבֶּה אֹתָם כַּצֹּאן אָדָם Ezek. 36:37
167 כַּצֹּאן לִשְׁאוֹל שַׁתּוּ Ps. 49:15
168 נָחִיתָ כַצֹּאן עַמֶּךָ Ps. 77:21
169 וַיַּסַּע כַּצֹּאן עַמּוֹ Ps. 78:52
170 נֹהֵג כַּצֹּאן יוֹסֵף Ps. 80:2
171 וַיָּשֶׂם כַּצֹּאן מִשְׁפָּחוֹת Ps. 107:41
172 יְשַׁלְּחוּ כַצֹּאן עֲוִילֵיהֶם Job 21:11
173 כַּצֹּאן אֲשֶׁר אֵין־לָהֶן רֹעֶה IICh. 18:16
וּכְצֹאן
174 כִּצְבִי מֻדָּח וּכְצֹאן וְאֵין מְקַבֵּץ Is. 13:14
לַצֹּאן
175 כִּי־אֵין מִרְעֶה לַצֹּאן Gen. 47:4
מִצֹּאן
176 וְאֹכְלִים כָּרִים מִצֹּאן Am. 6:4
צֹאן־
177 וְאֶת־צֹאן לָבָן אֲחִי אִמּוֹ Gen. 29:10
178 וַיַּשְׁקְ אֶת־צֹאן לָבָן אֲחִי אִמּוֹ Gen. 29:10
179/80 צֹאן לָבָן Gen. 30:36, 40
181 לִרְעוֹת אֶת־צֹאן אֲבִיהֶם Gen. 37:12
182 וַתִּדְלֶנָה...לְהַשְׁקוֹת צֹאן אֲבִיהֶן Ex. 2:16
183 וּמֹשֶׁה הָיָה רֹעֶה אֶת־צֹאן יִתְרוֹ Ex. 3:1
184 לִרְעוֹת אֶת־צֹאן אָבִיו ISh. 17:15
185 כָּל־צֹאן קֵדָר יִקָּבְצוּ לָךְ Is. 60:7
186 אַיֵּה הָעֵדֶר...צֹאן תִּפְאַרְתֵּךְ Jer. 13:20
187 וּמְפִצִים אֶת־צֹאן מַרְעִיתִי Jer. 23:1
188 וְאַתֵּן צֹאנִי צֹאן מַרְעִיתִי Ezek. 34:31
189 הֶעָרִים...מְלֵאוֹת צֹאן אָדָם Ezek. 36:38
190 רְעֵה עַמְּךָ בְשִׁבְטֶךָ צֹאן נַחֲלָתֶךָ Mic. 7:14
191 רְעֵה אֶת־צֹאן הַהֲרֵגָה Zech. 11:4
192 וָאֶרְעֶה אֶת־צֹאן הַהֲרֵגָה Zech. 11:7
193 וַאֲנַחְנוּ עַמְּךָ וְצֹאן מַרְעִיתֶךָ Ps. 79:13
194 וַאֲנַחְנוּ עַם מַרְעִיתוֹ וְצֹאן יָדוֹ Ps. 95:7
195 עַמּוֹ וְצֹאן מַרְעִיתוֹ Ps. 100:3
בְּצֹאן־
196 וְכָל־חוּם בְּצֹאן לָבָן Gen. 30:40
197 יֶעְשַׁן אַפְּךָ בְּצֹאן מַרְעִיתֶךָ Ps. 74:1
כְּצֹאן־
198 כְּצֹאן קָדָשִׁים Ezek. 36:38
199 כְּצֹאן יְרוּשָׁלַםִ בְּמוֹעֲדֶיהָ Ezek. 36:38
200 יַחַד אֲשִׂימֶנּוּ כְּצֹאן בָּצְרָה Mic. 2:12

כְּצֹאן־ (הֶמְשֵׁךְ)
201 וְהוֹשִׁיעָם יְיָ...כְּצֹאן עַמּוֹ Zech. 9:16
202 תִּתְּנֵנוּ כְּצֹאן מַאֲכָל Ps. 44:12
203 נֶחְשַׁבְנוּ כְּצֹאן טִבְחָה Ps. 44:23
צֹאנִי
204 וְהַבָּנִים בָּנַי וְהַצֹּאן צֹאנִי Gen. 31:43
205 הֲפִצֹתֶם אֶת־צֹאנִי וַתַּדִּחוּם Jer. 23:2
206 וַאֲנִי אֲקַבֵּץ אֶת־שְׁאֵרִית צֹאנִי Jer. 23:3
207 יִשְׁגּוּ צֹאנִי בְּכָל־הֶהָרִים Ezek. 34:6
208 עַל־...כָּל־הָאָרֶץ נָפֹצוּ צֹאנִי Ezek. 34:6
209 אִם־לֹא יַעַן הֱיוֹת־צֹאנִי לָבַז Ezek. 34:8
210 וַתִּהְיֶינָה צֹאנִי לְאָכְלָה Ezek. 34:8
211 וְלֹא־דָרְשׁוּ רֹעַי אֶת־צֹאנִי Ezek. 34:8
212 וְאֶת־צֹאנִי לֹא רָעוּ Ezek. 34:8
213 וְדָרַשְׁתִּי אֶת־צֹאנִי מִיָּדָם Ezek. 34:10
214 וְהִצַּלְתִּי צֹאנִי מִפִּיהֶם Ezek. 34:10
215 וְדָרַשְׁתִּי אֶת־צֹאנִי וּבִקַּרְתִּים Ezek. 34:11
216 כֵּן אֲבַקֵּר אֶת־צֹאנִי Ezek. 34:12
217 אֲנִי אֶרְעֶה צֹאנִי וַאֲנִי אַרְבִּיצֵם Ezek. 34:15
218 וְאַתֵּנָה צֹאנִי כֹּה אָמַר אֲדֹנָי Ezek. 34:17
219 וְאַתֵּן צֹאנִי צֹאן מַרְעִיתִי Ezek. 34:31
220 לָשִׁית עִם־כַּלְבֵי צֹאנִי Job 30:1
וְצֹאנִי
221 וְצֹאנִי מִרְמַס רַגְלֵיכֶם תִּרְעֶינָה Ezek. 34:19
לְצֹאנִי
222 וְהוֹשַׁעְתִּי לְצֹאנִי Ezek. 34:22
צֹאנְךָ
223 אָשׁוּבָה אֶרְעֶה צֹאנְךָ אֶשְׁמֹר Gen. 30:31
224 אֶעֱבֹר בְּכָל־צֹאנְךָ הַיּוֹם Gen. 30:32
225 וְאֵילֵי צֹאנְךָ לֹא אָכָלְתִּי Gen. 31:38
226 וְזָבַחְתָּ...אֶת־צֹאנְךָ וְאֶת־בְּקָרֶךָ Ex. 20:20
227 וְרֵאשִׁית גֵּז צֹאנְךָ תִּתֶּן־לוֹ Deut. 18:4
228 צֹאנְךָ נְתֻנוֹת לְאֹיְבֶיךָ Deut. 28:31
229 יֹאכַל צֹאנְךָ וּבְקָרֶךָ Jer. 5:17
צֹאנֶךָ
230 שְׁגַר אֲלָפֶיךָ וְעַשְׁתְּרֹת צֹאנֶךָ Deut. 7:13
231 וְלֹא תָגֹז בְּכוֹר צֹאנֶךָ Deut. 15:19
232 שְׁגַר אֲלָפֶיךָ וְעַשְׁתְּרוֹת צֹאנֶךָ Deut. 28:4
233/4 שְׁגַר אֲלָפֶיךָ וְעַשְׁתְּרֹת צֹאנֶךָ Deut. 28:18, 51
235 יָדֹעַ תֵּדַע פְּנֵי צֹאנֶךָ Prov. 27:23
וְצֹאנְךָ
236 וְצֹאנְךָ וּבְקָרְךָ וְכָל־אֲשֶׁר־לָךְ Gen. 45:10
237 וּבְקָרְךָ וְצֹאנְךָ יִרְבְּיֻן Deut. 8:13
וְצֹאנֶךָ
238/9 וּבְכֹרֹת בְּקָרְךָ וְצֹאנֶךָ Deut. 12:17; 14:23
בְּצֹאנֶךָ
240 עֲבַדְתִּיךָ...וְשֵׁשׁ שָׁנִים בְּצֹאנֶךָ Gen. 31:41
וּבְצֹאנְךָ
241 אֲשֶׁר יִוָּלֵד בִּבְקָרְךָ וּבְצֹאנְךָ Deut. 15:19
לְצֹאנֶךָ
242 כֵּן־תַּעֲשֶׂה לְשֹׁרְךָ לְצֹאנֶךָ Ex. 22:29
מִצֹּאנְךָ
243 תַּעֲנִיק לוֹ מִצֹּאנְךָ וּמִגָּרְנְךָ Deut. 15:14
וּמִצֹּאנְךָ
244 וְזָבַחְתָּ מִבְּקָרְךָ וּמִצֹּאנְךָ Deut. 12:21
צֹאנוֹ
245 מִבְּכֹרוֹת צֹאנוֹ וּמֵחֶלְבֵהֶן Gen. 4:4
246 וַיִּקְרָא...הַשָּׂדֶה אֶל־צֹאנוֹ Gen. 31:4
247 וְלָבָן הָלַךְ לִגְזֹז אֶת־צֹאנוֹ Gen. 31:19
248 וַיַּעַל עַל־גֹּזְזֵי צֹאנוֹ Gen. 38:12
249 עֹלֶה תִמְנָתָה לָגֹז צֹאנוֹ Gen. 38:13
250 וַיִּקַּח...וְאֶת־חֲמֹרוֹ וְאֶת־צֹאנוֹ Josh. 7:24
251 וַיְהִי בִּגְזֹז אֶת־צֹאנוֹ בַּכַּרְמֶל ISh. 25:2
252 וַיִּשְׁמַע...כִּי־גֹזֵז נָבָל אֶת־צֹאנוֹ ISh. 25:4
253 וַיִּזְכֹּר...אֵת רֹעֵה צֹאנוֹ Is. 63:11
254 הֱיוֹתוֹ בְתוֹךְ־צֹאנוֹ נִפְרָשׁוֹת Ezek. 34:12
מִצֹּאנוֹ
255 וַיַּחְמֹל לָקַחַת מִצֹּאנוֹ וּמִבְּקָרוֹ IISh. 12:4
צֹאונֵנוּ
256 צֹאונֵנוּ מַאֲלִיפוֹת מְרֻבָּבוֹת Ps. 144:13
וְצֹאנֵינוּ
257 וְאֶת־בְּכוֹרֵי בְקָרֵינוּ וְצֹאנֵינוּ Neh. 10:37
בְּצֹאנֵנוּ
258 בְּצֹאנֵנוּ וּבִבְקָרֵנוּ נֵלֵךְ Ex. 10:9
צֹאנְכֶם
259 רַק צֹאנְכֶם וּבְקַרְכֶם יֻצָּג Ex. 10:24
260 גַּם־צֹאנְכֶם גַּם־בְּקַרְכֶם קְחוּ Ex. 12:32
261 צֹאנְכֶם יַעְשֹׂר ISh. 8:17
262 וְעָמְדוּ זָרִים וְרָעוּ צֹאנְכֶם Is. 61:5
וְצֹאנְכֶם
263 וּבְכֹרֹת בְּקַרְכֶם וְצֹאנְכֶם Deut. 12:6
צֹאנָם
264 אֶת־צֹאנָם וְאֶת־בְּקָרָם Gen. 34:28
265 וַיָּקָם מֹשֶׁה...וַיַּשְׁקְ אֶת־צֹאנָם Ex. 2:17
266 אָכְלָה...אֶת־צֹאנָם וְאֶת־בְּקָרָם Jer. 3:24
וְצֹאנָם
267 וְצֹאנָם וּבְקָרָם וְכָל־אֲשֶׁר לָהֶם Gen. 46:32
268 אָבִי וְאַחַי וְצֹאנָם וּבְקָרָם Gen. 47:1
269 רַק טַפָּם וְצֹאנָם וּבְקָרָם עָזְבוּ Gen. 50:8
270 אָהֳלֵיהֶם וְצֹאנָם יִקָּחוּ Jer. 49:29
בְּצֹאנָם
271 בְּצֹאנָם וּבִבְקָרָם יֵלְכוּ לְבַקֵּשׁ Hosh. 5:6
לְצֹאנָם
272 וַיֵּלְכוּ...לְבַקֵּשׁ מִרְעֶה לְצֹאנָם ICh. 4:39
273 כִּי־מִרְעֶה לְצֹאנָם שָׁם ICh. 4:41

צַאֲנָן
ש״פ – עיר בשפלת יהודה
צַאֲנָן 1 לֹא יָצְאָה יוֹשֶׁבֶת צַאֲנָן Mic. 1:11

צֶאֱצָאִים
ז״ר א) בניו ובני בניו וכו׳ של אדם: 1-6, 8-11
ב) יצור, החי והצומח: 7
הַצֶּאֱצָאִים 1 וְתָלוּ עָלָיו...הַצֶּאֱצָאִים וְהַצְּפִעוֹת Is. 22:24
וְצֶאֱצָאֵי־ 2 וְצֶאֱצָאֵי מֵעֶיךָ כִּמְעֹתָיו Is. 48:19
וְצֶאֱצָאַי 3 אֶזְרְעָה וְאַחֵר יֹאכֵל וְצֶאֱצָאַי יְשֹׁרָשׁוּ Job 31:8
צֶאֱצָאֶיךָ 4 אֶצֹּק רוּחִי עַל־זַרְעֶךָ...עַל־צֶאֱצָאֶיךָ Is. 44:3
וְצֶאֱצָאֶיךָ 5 זַרְעֶךָ וְצֶאֱצָאֶיךָ כְּעֵשֶׂב הָאָרֶץ Job 5:25
וְצֶאֱצָאָיו 6 וְצֶאֱצָאָיו לֹא יִשְׂבְּעוּ־לָחֶם Job 27:14
צֶאֱצָאֶיהָ 7 הָאָרֶץ וּמְלֹאָהּ תֵּבֵל וְכָל־צֶאֱצָאֶיהָ Is. 34:1
וְצֶאֱצָאֶיהָ 8 רֹקַע הָאָרֶץ וְצֶאֱצָאֶיהָ Is. 42:5
וְצֶאֱצָאֵיהֶם 9 וְנוֹדַע בַּגּוֹיִם זַרְעָם
וְצֶאֱצָאֵיהֶם בְּתוֹךְ הָעַמִּים Is. 61:9
10 זֶרַע בְּרוּכֵי יְיָ הֵמָּה וְצֶאֱצָאֵיהֶם Is. 65:23
11 זַרְעָם...וְצֶאֱצָאֵיהֶם לְעֵינֵיהֶם Job 21:8

צָב[1]
ז׳ עֲגָלָה מְחֻפָּה: 1, 2
צָב 1 שֵׁשׁ־עֶגְלֹת צָב וּשְׁנֵי עָשָׂר בָּקָר Num. 7:3
וּבַצַּבִּים 2 בַּסּוּסִים וּבָרֶכֶב וּבַצַּבִּים Is. 66:20

צָב[2]
ז׳ אחד ממיני הלטאות
וְהַצָּב 1 הַחֹלֶד וְהָעַכְבָּר וְהַצָּב לְמִינֵהוּ Lev. 11:29

צבא
: צָבָא פ׳, הִצְבִּיא; צָבָא ז׳

צָבָא[1]
פ׳ א) התאסף: 4, 10, 11
ב) התנדב לשרות: 1, 2, 6
ג) התכונן למלחמה: 3, 5, 7-9, 12
ד) (הפ׳ הִצְבִּיא) פִּקֵּד, גִּיֵּס: 13, 14
לִצְבֹא 1 לִצְבֹא צָבָא לַעֲבֹד עֲבֹדָה Num. 4:23
2 לִצְבֹא צָבָא בַּעֲבֹדַת אֹהֶל מוֹעֵד Num. 8:24
לִצְבֹּא 3 לִצְבֹּא עַל־הַר־צִיּוֹן Is. 31:4
צָבְאוּ 4 אֲשֶׁר צָבְאוּ פֶּתַח אֹהֶל מוֹעֵד Ex. 38:8
5 אֲשֶׁר צָבְאוּ עַל־יְרוּשָׁלָםִ Zech. 14:12
הַצֹּבְאִים 6 חָצָה...מִן־הָאֲנָשִׁים הַצֹּבְאִים Num. 31:42
7 כָּל־הַגּוֹיִם הַצֹּבְאִים עַל־אֲרִיאֵל Is. 29:8
8 כָּל־הַגּוֹיִם הַצֹּבְאִים עַל־הַר צִיּוֹן Is. 29:8
צוֹבֶיהָ (צוֹבְאֶיהָ) 9 וְכָל־צֹבֶיהָ וּמְצֹדָתָהּ Is. 29:7
הַצֹּבְאוֹת 10 בְּמַרְאֹת הַצֹּבְאֹת אֲשֶׁר צָבְאוּ Ex. 38:8
11 הַנָּשִׁים הַצֹּבְאוֹת פֶּתַח אֹהֶל מוֹעֵד ISh. 2:22
וַיִּצְבְּאוּ 12 וַיִּצְבְּאוּ עַל־מִדְיָן כַּאֲשֶׁר צִוָּה Num. 31:7
הַמַּצְבִּא 13 שַׂר הַצָּבָא הַמַּצְבִּא אֶת־עַם הָאָרֶץ IIK. 25:19
14 שַׂר הַצָּבָא הַמַּצְבִּא אֶת־עַם הָאָרֶץ Jer. 52:25

צָבָא[2]
ז׳ א) כלל אנשי חיל: 1-15, 18-23, 25-36, 39-63, 65-77, 83-102, 121-127, 129-132, 136, 138-162, 164, 174, 453, 458-484
ב) שרות חובה (לעבודה, לשרות וכד׳): 16, 17, 78-82, 135
ג) תקופה קצובה: 24, 37, 38, 137, 163
ד) כנוי לשמש, לירח ולכוכבים: 64, 103-120, 128, 133, 134, 165-173, 175-452, 454-457

– צָבָא גָּדוֹל 40; צָבָא רַב 23

– אַלְפֵי הַצָּבָא 43; אַנְשֵׁי צָבָא 30, 41, 44; חֵיל צ׳ 36, 67; חֲלוּץ צ׳ 19; חֲלוּצֵי צ׳ 18, 31, 34, 45; יוֹצֵא צ׳ 1-15, 35; יוֹצְאֵי צ׳ 25-29; יְמֵי צָבָא 137; כְּלֵי צ׳ 130; מִפְקַד צ׳ 127; עַם הַצ׳ 42; רָאשֵׁי הַצ׳ 65; שַׂר צ׳ 20-22, 33, 52, 56-63, 119-126, 131, 140-142, 147-150; שָׂרֵי צ׳ 53, 68, 69, 73

– צְבָא הֲדַדְעֶזֶר 123, 131; צ׳ חָצוֹר 122; צ׳ יָבִין 121; צ׳ יְהוּדָה 125; צ׳ יְיָ 119,120; צ׳ יִשְׂרָאֵל 51, 124,132; צ׳ מַטֵּה 95-102; צ׳ מִלְחָמָה 127,129,130; צ׳ הַמָּרוֹם 128; צ׳ הָעֲבוֹדָה 135; צְבָא הַשָּׁמַיִם 103-118, 133, 134, (165), (169), (171)

– אֱלֹהֵי צְבָאוֹת 425-439, 454-456; אֱלֹהִים צ׳ 440-452, 457; יְיָ צְבָאוֹת 175-424; מַלְכֵי צְבָאוֹת 453; שָׂרֵי צְבָאוֹת 174, 458, 460

– צִבְאוֹת גּוֹיִם 461; צ׳ יְיָ 459; צִבְאוֹת יִשְׂרָאֵל 460

– בָּא לַצָּבָא 78-82; יָצָא בַּצּ׳ 74, 75; יָצָא לַצּ׳ 87, 88; נֶחֱלַץ לַצּ׳ 83; עָלָה לַצּ׳ 89, 90; שָׁלַח לַצּ׳ 85

צָבָא
1-3 כָּל־יֹצֵא צָבָא בְּיִשְׂרָאֵל Num. 1:3, 45; 26:2
4-15 כֹּל יֹצֵא צָבָא Num. 1:20, 22
1:24, 26, 28, 30, 32, 34, 36, 38, 40, 42
16 כָּל־הַבָּא לִצְבֹא צָבָא Num. 4:23
17 לִצְבֹא צָבָא בַּעֲבֹדַת אֹהֶל מוֹעֵד Num. 8:24
18 שְׁנֵים־עָשָׂר אֶלֶף חֲלוּצֵי צָבָא Num. 31:5
19 יַעַבְרוּ כָּל־חֲלוּץ צָבָא לִפְנֵי יְיָ Num. 32:27
20 וְאַבְנֵר...שַׂר־צָבָא אֲשֶׁר לְשָׁאוּל IISh. 2:8
21 אִם־לֹא שַׂר־צָבָא תִּהְיֶה לְפָנַי IISh. 19:14
22 וַיַּמְלִכוּ...אֶת־עָמְרִי שַׂר־צָבָא IK. 16:16
23 הַמְבַשְּׂרוֹת צָבָא רָב Ps. 68:12
24 הֲלֹא־צָבָא לֶאֱנוֹשׁ עֲלֵי־אָרֶץ Job 7:1
25 אַרְבָּעִים וְאַרְבָּעָה אֶלֶף...יֹצְאֵי צָבָא ICh. 5:18
26-29 יֹ(וֹ)צְאֵי צָבָא ICh. 7:11
12:34(33), 37(36) • IICh. 26:11
30 אַנְשֵׁי צָבָא לַמִּלְחָמָה ICh. 12:9(8)
31 וּשְׁמוֹנָה מֵאוֹת חֲלוּצֵי צָבָא ICh. 12:(25)24
32 וְאֵת כָּל־צְבָא הַגִּבּוֹרִים ICh. 19:8
33 וְאֶבְיָתָר וְשַׂר־צָבָא לַמֶּלֶךְ יוֹאָב ICh. 27:34
34 מֵאָה־וּשְׁמוֹנִים אֶלֶף חֲלוּצֵי צָבָא IICh. 17:18
35 שְׁלֹשׁ־מֵאוֹת אֶלֶף בָּחוּר יוֹצֵא צָבָא IICh. 25:5
36 וְעַל־יָדָם חֵיל צָבָא IICh. 26:13

וְצָבָא
37 חֲלִיפוֹת וְצָבָא עִמִּי Job 10:17
38 וְצָבָא תִּנָּתֵן עַל־הַתָּמִיד בְּפָשַׁע Dan. 8:12
39 תֵּת וְקֹדֶשׁ וְצָבָא מִרְמָס Dan. 8:13
40 וֶאֱמֶת הַדָּבָר וְצָבָא גָדוֹל Dan. 10:1

הַצָּבָא
41 אַנְשֵׁי הַצָּבָא הַבָּאִים לַמִּלְחָמָה Num. 31:21
42 הַבָּז אֲשֶׁר בָּזְזוּ עַם הַצָּבָא Num. 31:32
43 הַפְּקֻדִים אֲשֶׁר לְאַלְפֵי הַצָּבָא Num. 31:48
44 אַנְשֵׁי הַצָּבָא בָּזְזוּ אִישׁ לוֹ Num. 31:53
45 כְּאַרְבָּעִים אֶלֶף חֲלוּצֵי הַצָּבָא Josh. 4:13
46 אָמַר אֶל־אַבְנֵר שַׂר הַצָּבָא ISh. 17:55
47 וְיוֹאָב וְכָל־הַצָּבָא אֲשֶׁר־אִתּוֹ בָּאוּ IISh. 3:23
48 וְיוֹאָב בֶּן־צְרוּיָה עַל־הַצָּבָא IISh. 8:16
49 וְאֵת כָּל־הַצָּבָא הַגִּבֹּרִים IISh. 10:7
50 וְאֶת־עֲמָשָׂא שָׂם...עַל־הַצָּבָא IISh. 17:25
51 וְיוֹאָב אֶל כָּל־הַצָּבָא יִשְׂרָאֵל IISh. 20:23
52 וַיִּקְרָא...וּלְיֹאָב שַׂר הַצָּבָא IK. 1:19
53 לְכָל־בְּנֵי הַמֶּלֶךְ וּלְשָׂרֵי הַצָּבָא IK. 1:25
54 בְּנָיָהוּ...תַּחְתָּיו עַל־הַצָּבָא IK. 2:33
55 וּבְנָיָהוּ בֶן־יְהוֹיָדָע עַל־הַצָּבָא IK. 4:4
56 בַּעֲלוֹת יוֹאָב שַׂר הַצָּבָא IK. 11:15

הַצָּבָא (המשך)
57-63 שַׂר הַצָּבָא IK. 11:21 • IIK. 4:13; 25:19
Jer. 52:25 • Dan. 8:11 • ICh. 19:18; 27:5
64 וַתַּפֵּל...מִן־הַצָּבָא וּמִן־הַכּוֹכָבִים Dan. 8:10
65 אֵלֶּה מִבְּנֵי־גָד רָאשֵׁי הַצָּבָא ICh. 12:15(14)
66 וְיוֹאָב בֶּן־צְרוּיָה עַל־הַצָּבָא ICh. 18:15
67 וַיִּנְהַג יוֹאָב אֶת־חֵיל הַצָּבָא ICh. 20:1
68 וַיַּבְדֵּל דָּוִיד וְשָׂרֵי הַצָּבָא לַעֲבֹדָה ICh. 25:1
69 וְרָאשֵׁי הָאָבוֹת...וְשָׂרֵי הַצָּבָא ICh. 26:26
70 וַיָּכֶן...עֻזִּיָּהוּ לְכָל־הַצָּבָא מָגִנִּים IICh. 26:14
71 וַיֵּצֵא לִפְנֵי הַצָּבָא הַבָּא לְשֹׁמְרוֹן IICh. 28:9
72 עַל־הַבָּאִים מִן־הַצָּבָא IICh. 28:12
73 שָׂרֵי הַצָּבָא אֲשֶׁר לְמֶלֶךְ אַשּׁוּר IICh. 33:11

בַּצָּבָא
74 חֵלֶק הַיֹּצְאִים בַּצָּבָא Num. 31:36
75 לֹא יֵצֵא בַּצָּבָא Deut. 24:5
76 וְהִתְיַחְשָׂם בַּצָּבָא בַּמִּלְחָמָה ICh. 7:40
77 וַיִּהְיוּ שָׂרִים בַּצָּבָא ICh. 12:22(21)

לַצָּבָא
78 כָּל־בָּא לַצָּבָא לַעֲשׂוֹת מְלָאכָה Num. 4:3
79-82 כָּל־הַבָּא לַצָּבָא Num. 4:30, 35, 39, 43
83 הֵחָלְצוּ מֵאִתְּכֶם אֲנָשִׁים לַצָּבָא Num. 31:3
84 אֶלֶף לַמַּטֶּה...תִּשְׁלְחוּ לַצָּבָא Num. 31:4
85 וַיִּשְׁלַח...אֶלֶף לַמַּטֶּה לַצָּבָא Num. 31:6
86 וְאֶת־פִּינְחָס...הַכֹּהֵן לַצָּבָא Num. 31:6
87 תֹּפְשֵׂי הַמִּלְחָמָה הַיֹּצְאִים לַצָּבָא Num. 31:27
88 אַנְשֵׁי הַמִּלְחָמָה הַיֹּצְאִים לַצָּבָא Num. 31:28
89/90 לַעֲלוֹת עֲלֵיהֶם לַצָּבָא Josh. 22:12, 33
91 וַיִּקְבְּצוּ...אֶת־מַחֲנֵיהֶם לַצָּבָא ISh. 28:1
92 מִסְפְּרֵי רָאשֵׁי הֶחָלוּץ לַצָּבָא ICh. 12:24(23)
93 גִּבּוֹרֵי חַיִל לַצָּבָא ICh. 12:26(25)

מִצָּבָה(?)
94 וְחָנִיתִי לְבֵיתִי מִצָּבָה Zech. 9:8

צְבָא־
95-102 וְעַל־צְבָא מַטֵּה... Num. 10:15
10:16, 19, 20, 23, 24, 26, 27
103 וְרָאִיתָ...כֹּל צְבָא הַשָּׁמַיִם Deut. 4:19
104-118 צְבָא הַשָּׁמַיִם (־מ) Deut. 17:3 • IK. 22:19
IIK. 17:16; 21:3, 5; 23:4, 5 • Is. 34:4 • Jer. 8:2; 19:13;
33:22 • Dan. 8:10 • IICh. 18:18; 33:3, 5
119 לֹא כִּי אֲנִי שַׂר־צְבָא־יְיָ Josh. 5:14
120 וַיֹּאמֶר שַׂר־צְבָא יְיָ אֶל־יְהוֹשֻׁעַ Josh. 5:15
121 אֶת־סִיסְרָא שַׂר־צְבָא יָבִין Jud. 4:7
122 בְּיַד סִיסְרָא שַׂר־צְבָא חָצוֹר ISh. 12:9
123 וְשׁוֹבַךְ שַׂר־צְבָא הֲדַדְעֶזֶר IISh. 10:16
124 אַבְנֵר בֶּן־נֵר שַׂר־צְבָא יִשְׂרָאֵל IK. 2:32
125 עֲמָשָׂא בֶן־יֶתֶר שַׂר־צְבָא יְהוּדָה IK. 2:32
126 וְנַעֲמָן שַׂר־צְבָא מֶלֶךְ־אֲרָם IIK. 5:1
127 יְיָ צְבָאוֹת מְפַקֵּד צְבָא מִלְחָמָה Is. 13:4
128 יִפְקֹד יְיָ עַל־צְבָא הַמָּרוֹם Is. 24:21
129 וַעֲלֵיהֶם...גְּדוּדֵי צְבָא מִלְחָמָה ICh. 7:4
130 בְּכֹל כְּלֵי צְבָא מִלְחָמָה ICh. 12:38(37)
131 וְשׁוֹפַךְ שַׂר־צְבָא הֲדַדְעֶזֶר ICh. 19:16
132 אַל־יָבֹא עִמְּךָ צְבָא יִשְׂרָאֵל IICh. 25:7

וּצְבָא־
133 וּצְבָא הַשָּׁמַיִם לְךָ מִשְׁתַּחֲוִים Neh. 9:6

לִצְבָא־
134 וְאֶת־הַמִּשְׁתַּחֲוִים...לִצְבָא הַשָּׁמָיִם Zep. 1:5

מִצְּבָא־
135 יָשׁוּב מִצְּבָא הָעֲבֹדָה Num. 8:25
136 הַבָּאִים מִצְּבָא הַמִּלְחָמָה Num. 31:14

צְבָאִי
137 כָּל־יְמֵי צְבָאִי אֲיַחֵל Job 14:14

צְבָאֲךָ
138 רַבֵּה צְבָאֲךָ וָצֵאָה Jud. 9:29

לִצְבָאֲךָ
139 כִּי־נִתֵּן לִצְבָאֲךָ לָחֶם Jud. 8:6

צְבָאוֹ
140-142 וּפִיכֹל שַׂר־צְבָאוֹ Gen. 21:22, 32; 26:26
143-146 וְעַל־צְבָאוֹ Num. 10:14, 18, 22, 25
147 וְשַׂר־צְבָאוֹ סִיסְרָא Jud. 4:2
148 וְשֵׁם שַׂר־צְבָאוֹ אֲבִינֵר בֶּן־נֵר ISh. 14:50
149 וְאַבְנֵר בֶּן־נֵר שַׂר־צְבָאוֹ ISh. 26:5
150 וְאֵת שׁוֹבַךְ שַׂר־צְבָאוֹ הִכָּה IISh. 10:18

וּצְבָאוֹ
151-159 וּצְבָאוֹ וּפְקֻדֵיהֶם Num. 2:4, 13, 15
2:19, 21, 23, 26, 28, 30
160-162 וּצְבָאוֹ וּפְקֻדָיו Num. 2:6, 8, 11

צְבָאָהּ
163 כִּי מָלְאָה צְבָאָהּ כִּי נִרְצָה עֲוֹנָהּ Is. 40:2
164 הַחֲרִימוּ כָּל־צְבָאָהּ Jer. 51:3

צְבָאָם
165 וַיְכֻלּוּ הַשָּׁמַיִם וְהָאָ׳ וְכָל־צְבָאָם Gen. 2:1
166 וְחֵמָה עַל־כָּל־צְבָאָם Is. 34:2
167 וְכָל־צְבָאָם יִבּוֹל Is. 34:4
168 הַמּוֹצִיא בְמִסְפָּר צְבָאָם Is. 40:26
169 נָטוּ שָׁמַיִם וְכָל־צְבָאָם צִוֵּיתִי Is. 45:12
170 וּבְרוּחַ פִּיו כָּל־צְבָאָם Ps. 33:6
171 שְׁמֵי הַשָּׁמַיִם וְכָל־צְבָאָם Neh. 9:6

צְבָאָיו
172 בָּרְכוּ יְיָ כָּל־צְבָאָיו Ps. 103:21
173 הַלְלוּהוּ כָּל־צְבָאָו Ps. 148:2

צְבָאוֹת
174 וּפָקְדוּ שָׂרֵי צְבָאוֹת בְּרֹאשׁ הָעָם Deut. 20:9
175 לְהִשְׁתַּחֲוֹת וְלִזְבֹּחַ לַייָ צְבָאוֹת ISh. 1:3
176 יְיָ צְבָאוֹת אִם־רָאֹה תִרְאֶה... ISh. 1:11
177 אֲרוֹן בְּרִית־יְיָ צְבָאוֹת ISh. 4:4
178 כֹּה אָמַר יְיָ צְבָאוֹת ISh. 15:2
179 וְאָנֹכִי בָא־אֵלֶיךָ בְּשֵׁם יְיָ צְבָאוֹת ISh. 17:45
180-424 (וַ/בַ/לַ/מֵ) יְיָ צְבָאוֹת IISh. 6:2, 18; 7:8, 26,
27 • IK. 18:15 • IIK. 3:14; 19:31 (קרי ולא כתיב) Is.
1:9, 24; 2:12; 3:1, 15; 5:7, 9, 16, 24; 6:3, 5; 8:13, 18;
9:6, 12, 18; 10:16, 23, 24, 26, 33; 13:4, 13; 14:22, 23,
24, 27; 17:3; 18:7[2]; 19:4, 12, 16, 17, 18, 20, 25; 21:10;
22:5, 12, 14; 22:15, 25; 23:9; 24:23; 25:6; 28:5, 22,
29; 29:6; 31:4, 5; 37:16, 32; 39:5; 44:6; 45:13; 47:4;
48:2; 51:15; 54:5 • Jer. 6:6, 9; 7:3, 21; 8:3; 9:6, 14, 16;
10:16; 11:17, 22; 16:9; 19:3, 11, 15; 20:12; 21:9, 14;
23:15, 16, 36; 25:8, 27, 28, 29, 32; 26:18; 27:4, 18, 19,
21; 28:2, 14; 29:4, 8, 17, 21, 25; 30:8; 31:23(22),
35(34); 32:14, 15, 18; 33:11, 12; 35:13, 18, 19; 39:16;
42:15, 18; 43:10; 44:2, 11, 25; 46:18, 25; 48:1, 15;
49:7, 26, 35; 50:18, 25, 33, 34; 51:5, 14, 19, 33, 57, 58 •
Mic. 4:4 • Nah. 2:14; 3:5 • Hab. 2:13 • Zep. 2:9, 10 •
Hag. 1:2, 5, 7, 9, 14; 2:4, 6, 7, 8, 9; 2:11, 23[2] • Zech.
1:3[3], 4, 6, 12, 14, 16, 17; 2:12, 13, 15; 3:7, 9, 10; 4:6, 9;
5:4; 6:12, 15; 7:3, 4, 9, 12[2], 13; 8:1, 2, 3, 4, 6[2], 7, 9, 11,
14[2], 18, 19, 20, 21, 22, 23; 9:15; 10:3; 12:5; 13:2, 7;
14:16, 17, 21[2] • Mal. 1:4, 6, 8, 9; 1:10, 11, 13, 14; 2:2,
4, 7, 8, 12, 16; 3:1, 5, 7, 10, 11, 12, 14, 17, 19, 21 • Ps.
24:10; 46:8, 12; 48:9; 84:2, 4, 13 • ICh. 11:9; 17:7, 24
425 וַיְיָ אֱלֹהֵי צְבָאוֹת עִמּוֹ IISh. 5:10
426-439 (וַ/לַ) יְיָ אֱלֹהֵי(־)צְבָאוֹת IK. 19:10, 14
Jer. 5:14; 15:16; 35:17; 44:7 • Am. 4:13; 5:14, 15, 16,
27; 6:8 • Ps. 89:9
440-452 אֱלֹהִים (יֱהֹוִה) צְבָאוֹת Is. 22:14
Jer. 2:19; 46:10[2]; 49:5; 50:31 • Ps. 59:6; 69:7; 80:7,
8, 15, 20; 84:9
453 מַלְכֵי צְבָאוֹת יִדֹּדוּן יִדֹּדוּן Ps. 68:13

הַצְּבָאוֹת
454 וַיְיָ אֱלֹהֵי הַצְּבָאוֹת יְיָ זִכְרוֹ Hosh. 12:6
455 נְאֻם־אֲדֹנָי יְיָ אֱלֹהֵי הַצְּבָאוֹת Am. 3:13
456 נְאֻם־יְיָ אֱלֹהֵי הַצְּבָאוֹת Am. 6:14
457 וַאדֹנָי יֱהֹוִה הַצְּבָאוֹת Am. 9:5
458 הָרִאשׁוֹן לְכָל־שָׂרֵי הַצְּבָאוֹת ICh. 27:3

צִבְאוֹת־
459 יָצְאוּ כָּל־צִבְאוֹת יְיָ מֵאֶ׳ מִצְרָיִם Ex. 12:41
460 לִשְׁנֵי־שָׂרֵי צִבְאוֹת יִשְׂרָאֵל IK. 2:5
461 נַחֲלַת צְבִי צִבְאוֹת גּוֹיִם Jer. 3:19

צִבְאֹתַי
462 וְהוֹצֵאתִי אֶת־צִבְאֹתַי אֶת־עַמִּי Ex. 7:4

בְּצִבְאוֹתֵינוּ
463 וְלֹא־תֵצֵא בְּצִבְאוֹתֵינוּ Ps. 44:10

464 וְלֹא־תֵצֵא אֱלֹהִים בְּצִבְאוֹתֵינוּ Ps. 60:12
465 וְלֹא־תֵצֵא אֱלֹהִים בְּצִבְאֹתֵינוּ Ps. 108:12
צִבְאֹתַי' 466 הוֹצֵאתִי...צִבְאוֹתֵיכֶם מֵאֶ' מִצְרָיִם Ex. 12:17
צִבְאֹתָם 467 הוֹצִיאוּ אֶת־בְּ"יִ...עַל־צִבְאֹתָם Ex. 6:26
468 הוֹצִיא יְיָ אֶת־בְּ"יִ...עַל־צִבְאֹתָם Ex. 12:51
לְצִבְאֹתָם 469 תִּפְקְדוּ אֹתָם לְצִבְאֹתָם Num. 1:3
470 וְאִישׁ עַל־דִּגְלוֹ לְצִבְאֹתָם Num. 1:52
471 דֶּגֶל מַחֲנֵה יְהוּדָה לְצִבְאֹתָם Num. 2:3
472-474 הַפְּקֻדִים...לְצִבְאֹתָם Num. 2:9, 16, 24
475 דֶּגֶל מַחֲנֵה רְאוּבֵן...לְצִבְאֹתָם Num. 2:10
476-481 דֶּגֶל מַחֲנֵה...לְצִבְאֹתָם Num. 2:18; 2:25; 10:14, 18, 22, 25
482-484 לְצִבְאֹתָם Num. 2:28, 32; 33:1

צְבָא פ' ארמית חפץ, רצה: 1-10 [מִצְבְּיֵהּ = חֶפְצוֹ]
צְבִית 1 אֱדַיִן צְבִית לְיַצָּבָא עַל־חֵיוְתָא Dan. 7:19
צָבֵא 2 דִּי־הֲוָא צָבֵא הֲוָה קָטֵל Dan. 5:19
3 וְדִי־הֲוָה צָבֵא הֲוָה מַחֵא Dan. 5:19
4 וְדִי הֲוָה צָבֵא הֲוָה מָרִים Dan. 5:19
5 וְדִי־הֲוָא צָבֵא הֲוָא מַשְׁפִּיל Dan. 5:19
וּכְמִצְבְּיֵהּ 6 וּכְמִצְבְּיֵהּ עָבֵד בְּחֵיל שְׁמַיָּא Dan. 4:32
יִצְבֵּא 7-9 וּלְמַן(־)דִּי יִצְבֵּא יִתְּנִנַּהּ Dan. 4:14, 22, 29
10 וּלְמַן־דִּי יִצְבֵּא יְהָקֵים עֲלַהּ° Dan. 5:21

צְבָאוֹת (שה"ש ב7) – עין צְבִיָּה

צְבָאִים – עין צְבוֹיִים

צְבָבָה – עין צוֹבֵבָה

צבה : צָבָה, הִצְבָּה; צָבֶה

צָבָה פ' א) תפח, התנפח: 1
ב) [הפ' הִצְבָּה] גרם לתפיחות: 2
וְצָבְתָה 1 וְצָבְתָה בִטְנָהּ וְנָפְלָה יְרֵכָהּ Num. 5:27
לַצְבּוֹת 2 לַצְבּוֹת בֶּטֶן וְלַנְפִּל יָרֵךְ Num. 5:22

צָבֶה ת' נפוח
צָבָה 1 יְרֵכֵךְ נֹפֶלֶת וְאֶת־בִּטְנֵךְ צָבָה Num. 5:21

צְבוּ ז' ארמית: חפץ, רצון
צְבוּ 1 דִּי לָא־תִשְׁנֵא צְבוּ בְּדָנִיֵּאל Dan. 6:18

צְבוֹיִים ש"פ – מן הערים שנהפכו במהפכת סדום: 1-5
מֶלֶךְ צְבוֹיִים 2,1
צְבוֹיִים 1 וְשֶׁמְאֵבֶר מֶלֶךְ צְבוֹיִים (כת' צביים) Gen. 14:2
2 וּמֶלֶךְ צְבוֹיִים (כת' צביים) Gen. 14:8
וּצְבֹיִם 3 סְדֹמָה וַעֲמֹרָה וְאַדְמָה וּצְבֹיִם Gen. 10:19
4 סְדֹם...אַדְמָה וּצְבוֹיִם (כת' צביים) Deut. 29:22
כִּצְבֹאיִם 5 אֶתֶּנְךָ כְּאַדְמָה אֲשִׂימְךָ כִּצְבֹאיִם Hosh. 11:8

צָבוּעַ ת' בעל אצבעות ארוכות (?)
צָבוּעַ 1 הַעַיִט צָבוּעַ נַחֲלָתִי לִי Jer. 12:9

צִבּוּר* ז' ערמה, גל
צִבֻּרִים 1 שִׂימוּ אֹתָם שְׁנֵי צִבֻּרִים פֶּתַח הַשָּׁעַר IIK. 10:8

צבט פ' תלש באצבעותיו
וַיִּצְבָּט־ 1 וַיִּצְבָּט־לָהּ קָלִי וַתֹּאכַל וַתִּשְׂבַּע Ruth 2:14

צְבִי¹ ז' יונק מפריס פרסה ומעלה גרה,
רגליו דקות ושתי קרנים בראשו (Gazella): 1-12
קרובים: אַיָּל / אַיָּלָה / עֹפֶר / צְבִיָּה
צְבִי וְאַיָּל 1, 2, 4, 5; צְבִי מֻדָּח 6
וּצְבִי 1 אַיָּל וּצְבִי וְיַחְמוּר Deut. 14:5
2 לְבַד מֵאַיָּל וּצְבִי וְיַחְמוּר IK. 5:3
הַצְּבִי 3 כַּאֲשֶׁר יֵאָכֵל אֶת־הַצְּבִי Deut. 12:22
כַּצְּבִי 4 יֹאכְלֶנּוּ כַּצְּבִי וְכָאַיָּל Deut. 12:15
5 בִּשְׁעָרֶיךָ תֹּאכְלֶנּוּ...כַּצְּבִי וְכָאַיָּל Deut. 15:22
כִּצְבִי 6 וְהָיָה כִּצְבִי מֻדָּח Is. 13:14
7 הִנָּצֵל כִּצְבִי מִיָּד Prov. 6:5
לִצְבִי 8 דּוֹמֶה דוֹדִי לִצְבִי אוֹ לְעֹפֶר הָאַיָּלִים S.of S. 2:9
9 דְּמֵה־לְךָ דוֹדִי לִצְבִי S.of S. 2:17
10 וּדְמֵה־לְךָ לִצְבִי אוֹ לְעֹפֶר S.of S. 8:14
הַצְּבָיִם 11 כְּאַחַד הַצְּבָיִם אֲשֶׁר בַּשָּׂדֶה II Sh. 2:18
וְכִצְבָאיִם 12 וְכִצְבָאיִם עַל־הֶהָרִים לְמַהֵר ICh. 12:8(9)

צְבִי² ז' חמדה, יפי, הדר: 1-18
קרובים: ראה יֹפִי
– צְבִי וְכָבוֹד 12; הַצְּבִי יִשְׂרָאֵל 8
– צְבִי מַמְלָכוֹת 13; צ' עֶדְיוֹ 18; צ' צִבְאוֹת 16; צְבִי קֹדֶשׁ 17; צְבִי תִפְאֶרֶת 14, 15
– אֶרֶץ הַצְּבִי 9, 10; הַר צְבִי 17; נַחֲלַת צְבִי 16; עֲטֶרֶת צְבִי 3
צְבִי 1 לְחַלֵּל גְּאוֹן כָּל־צְבִי Is. 23:9
2 זְמִרֹת שָׁמַעְנוּ צְבִי לַצַּדִּיק Is. 24:16
3 לַעֲטֶרֶת צְבִי וְלִצְפִירַת תִּפְאָרָה Is. 28:5
4/5 צְבִי הִיא לְכָל־הָאֲרָצוֹת Ezek. 20:6, 15
6 צְבִי אֶרֶץ בֵּית הַיְשִׁימֹת Ezek. 25:9
7 וְנָתַתִּי צְבִי בְּאֶרֶץ חַיִּים Ezek. 26:20
הַצְּבִי 8 הַצְּבִי יִשְׂרָאֵל עַל־בָּמוֹתֶיךָ חָלָל II Sh. 1:19
9 וְיַעֲמֹד בְּאֶרֶץ־הַצְּבִי וְכָלָה בְיָדוֹ Dan. 11:16
10 וּבָא בְּאֶרֶץ הַצְּבִי וְרַבּוֹת יִכָּשֵׁלוּ Dan. 11:41
הַצֶּבִי 11 וְאֶל־הַמִּזְרָח וְאֶל־הַצֶּבִי Dan. 8:9
לִצְבִי 12 יִהְיֶה צֶמַח יְיָ לִצְבִי וּלְכָבוֹד Is. 4:2
צְבִי־ 13 צְבִי מַמְלָכוֹת תִּפְאֶרֶת גְּאוֹן כַּשְׂ' Is. 13:19
14 וְצִיץ נֹבֵל צְבִי תִפְאַרְתּוֹ Is. 28:1
15 צִיצַת נֹבֵל צְבִי תִפְאַרְתּוֹ Is. 28:4
16 נַחֲלַת צְבִי צִבְאוֹת גּוֹיִם Jer. 3:19
17 בֵּין יַמִּים לְהַר־צְבִי־קֹדֶשׁ Dan. 11:45
וּצְבִי־ 18 וּצְבִי עֶדְיוֹ לְגָאוֹן שָׂמָהוּ Ezek. 7:20

צִבְיָא שפ"ז – איש מבנימין
צִבְיָא 1 וַיּוֹלֶד...אֶת־יוֹבָב וְאֶת־צִבְיָא ICh. 8:9

צְבִיָּה נ' נקבת הצבי: 1-4
תְּאוֹמֵי (תָּאֳמֵי) צְבִיָּה 1, 2
צְבִיָּה 1 כִּשְׁנֵי עֳפָרִים תְּאוֹמֵי צְבִיָּה S.of S. 4:5
2 כִּשְׁנֵי עֳפָרִים תָּאֳמֵי צְבִיָּה S.of S. 7:4
בִּצְבָאוֹת 3/4 בִּצְבָאוֹת אוֹ בְּאַיְלוֹת הַשָּׂדֶה S.of S. 2:7; 3:5

צִבְיָה שפ"נ – אמו של המלך יהואש: 1, 2
צִבְיָה 1 וְשֵׁם אִמּוֹ צִבְיָה מִבְּאֵר שָׁבַע IIK. 12:2
2 וְשֵׁם אִמּוֹ צִבְיָה מִבְּאֵר שָׁבַע IICh. 24:1

צְבִיִּם – עין צְבוֹיִים

צבע פ' ארמית א) הרטיב: 1
ב) [אתפ' אִצְטַבַּע] נרטב: 2-4
מְצַבְּעִין 1 וּמִטַּל שְׁמַיָּא לָךְ מְצַבְּעִין Dan. 4:22
יִצְטַבַּע 2 וּבְטַל שְׁמַיָּא יִצְטַבַּע Dan. 4:12, 20
3/4 וּמִטַּל שְׁמַיָּא גִּשְׁמֵהּ יִצְטַבַּע Dan. 4:30; 5:21

צֶבַע ז' אריג בגונים שונים: 1-3
צֶבַע רִקְמָתַיִם 1; שְׁלַל צְבָעִים 2, 3
צֶבַע 1 צֶבַע רִקְמָתַיִם לְצַוְּארֵי שָׁלָל Jud. 5:30
צְבָעִים 2 שְׁלַל צְבָעִים לְסִיסְרָא Jud. 5:30
3 שְׁלַל צְבָעִים רִקְמָה Jud. 5:30

צִבְעוֹן שפ"ז מאלופי בני שעיר בארץ אדום: 1-8
בְּנֵי צִבְעוֹן 5,3; בַּת צִבְעוֹן 2,1
צִבְעוֹן 1 בַּת־עֲנָה בַּת־צִבְעוֹן הַחִוִּי Gen. 36:2
2 בַּת־עֲנָה בַּת־צִבְעוֹן אֵשֶׁת עֵשָׂו Gen. 36:14
3 וְאֵלֶּה בְנֵי־צִבְעוֹן וְאַיָּה וַעֲנָה Gen. 36:24
4 אַלּוּף צִבְעוֹן אַלּוּף עֲנָה Gen. 36:29
5 וּבְנֵי צִבְעוֹן אַיָּה וַעֲנָה ICh. 1:40
6 לוֹטָן וְשׁוֹבָל וְצִבְעוֹן וַעֲנָה Gen. 36:20
7 לוֹטָן וְשׁוֹבָל וְצִבְעוֹן וַעֲנָה ICh. 1:38
8 בִּרְעֹתוֹ אֶת־הַחֲמֹרִים לְצִבְעוֹן אָבִיו Gen. 36:24

צְבֹעִים ש"פ – עיר בנחלת בנימין: 1, 2
צְבֹעִים 1 חָדִיד צְבֹעִים נְבַלָּט Neh. 11:34
הַצְּבֹעִים 2 הַנִּשְׁקָף עַל־גֵּי הַצְּבֹעִים הַמִּדְבָּר' I Sh. 13:18

צבר : צָבַר; צִבּוּר

צָבַר פ' אסף, ערם: 1-7
קרובים: אָגַר / אָסַף / אָצַר / כָּנַס / לָקַט / עָרַם / קָבַץ
צָבַר בַּר 6; צָבַר כֶּסֶף 2; צָבַר עָפָר 4; צָבַר (צְפַרְדְּעִים) 7
יִצְבֹּר 1 יִצְבֹּר וְלֹא־יֵדַע מִי־אֹסְפָם Ps. 39:7
2 אִם־יִצְבֹּר כֶּעָפָר כָּסֶף Job 27:16
וַיִּצְבֹּר 3 וַיִּצְבֹּר יוֹסֵף בַּר כְּחוֹל הַיָּם Gen. 41:49
4 וַיִּצְבֹּר עָפָר וַיִּלְכְּדָהּ Hab. 1:10
וַתִּצְבָּר־ 5 וַתִּצְבָּר־כֶּסֶף כֶּעָפָר Zech. 9:3
וְיִצְבְּרוּ 6 וְיִצְבְּרוּ־בָר תַּחַת יַד־פַּרְעֹה Gen. 41:35
וַיִּצְבְּרוּ 7 וַיִּצְבְּרוּ אֹתָם חֳמָרִם חֳמָרִם Ex. 8:10

צֶבֶת* ז' קבוצת שבלים
הַצְּבָתִים 1 וְגַם שֹׁל־תָּשֹׁלּוּ לָהּ מִן־הַצְּבָתִים Ruth 2:16

צַד¹ ז' א) עבר, צלע: 1-25, 27-33
ב) [צִדִּים] צנינים, קוצים: 26
מִצַּד אֶל צַד 17
צַד 1 וּבְנֹתַיִךְ עַל־צַד תֵּאָמַנָה Is. 60:4
2 עַל־צַד תִּנָּשֵׂאוּ Is. 66:12
בְּצַד 3 יַעַן בְּצַד וּבְכָתֵף תֶּהְדֹּפוּ Ezek. 34:21
בְּצַד־ 4 וְחַרְבּוֹ בְּצַד רֵעֵהוּ וַיִּפְּלוּ יַחְדָּו II Sh. 2:16
מִצַּד־ 5 וְשַׂמְתֶּם אֹתוֹ מִצַּד אֲרוֹן בְּרִית־יְיָ Deut. 31:26
6 מֵאָדָם° הָעִיר אֲשֶׁר מִצַּד צָרְתָן Josh. 3:16
7 מֶלֶךְ הָעַי אֲשֶׁר־מִצַּד בֵּית־אֵל Josh. 12:9
8 וַיֵּשֶׁב אַבְנֵר מִצַּד שָׁאוּל I Sh. 20:25
9 וַיֵּלֶךְ שָׁאוּל מִצַּד הָהָר מִזֶּה I Sh. 23:26
10 וְדָוִד וַאֲנָשָׁיו מִצַּד הָהָר מִזֶּה I Sh. 23:26
11 הֹלְכִים...מִצַּד הָהָר מִזֶּה II Sh. 13:34
12 וַתֵּשֶׁב מִצַּד הַקֹּצְרִים Ruth 2:14
צִדָּה 13 שְׁלֹשֶׁת הַחִצִּים צִדָּה אוֹרֶה I Sh. 20:20
צִדְּךָ 14 וְאַתָּה שְׁכַב עַל־צִדְּךָ הַשְּׂמָאלִי Ezek. 4:4
15 וְשָׁכַבְתָּ עַל־צִדְּךָ הַיְמָנִי° שֵׁנִית Ezek. 4:6
16 אֲשֶׁר אַתָּה שׁוֹכֵב עַל־צִדְּךָ Ezek. 4:9
צִדֶּךָ 17 וְלֹא־תֵהָפֵךְ מִצִּדְּךָ אֶל־צִדֶּךָ Ezek. 4:8
מִצִּדְּךָ 18 וְלֹא־תֵהָפֵךְ מִצִּדְּךָ אֶל־צִדֶּךָ Ezek. 4:8
19 יִפֹּל מִצִּדְּךָ אֶלֶף וּרְבָבָה מִימִינֶךָ Ps. 91:8
מִצִּדּוֹ 20 כְּלֵי־הַזָּהָב תָּשִׂימוּ בָאַרְגַּז מִצִּדּוֹ I Sh. 6:8
בְּצִדָּהּ 21 וּפֶתַח הַתֵּבָה בְּצִדָּהּ תָּשִׂים Gen. 6:16
מִצִּדָּהּ 22/3 שְׁלֹשָׁה...מִצִּדָּהּ הָאֶחָד Ex. 25:32; 37:18
24/5 וּשְׁלֹשָׁה...מִצִּדָּהּ הַשֵּׁנִי Ex. 25:32; 37:18
לְצִדִּים 26 וְהָיוּ לָכֶם לְצִדִּים...לְמוֹקֵשׁ Jud. 2:3
צִדֵּי־ 27 יִהְיֶה סָרוּחַ עַל־צִדֵּי הַמִּשְׁכָּן Ex. 26:13
צִדָּיו 28/9 עַל(־)שְׁנֵי צִדָּיו Ex. 30:4; 37:27
מִצִּדֶּיהָ 30/1 יֹצְאִים מִצִּדֶּיהָ Ex. 25:32; 37:18
בְּצִדֵּיכֶם 32 לְשִׂכִּים בְּעֵינֵיכֶ' וְלִצְנִינִם בְּצִדֵּיכֶ' Num. 33:55
33 וּלְשֹׁטֵט בְּצִדֵּיכֶם וְלִצְנִנִים בְּעֵינֵיכֶם Josh. 23:13

צד² ז׳ ארמית, כמו בעברית: 1-2
לְצַד־ 1 וּמִלִּין לְצַד עִלָּאָה יְמַלִּל Dan. 7:25
מִצַּד־ 2 הֲווֹ בָעַיִן עִלָּה...מִצַּד מַלְכוּתָא Dan. 6:5

צְדָא ז׳ ארמית: צְדִיָּה, כַּוָּנָה; הַצְדָא=הֶבֱאֱמֶת?
הַצְדָא 1 הַצְדָא שַׁדְרַךְ מֵישַׁךְ וַעֲבֵד נְגוֹ Dan. 3:14

צְדָד* ש״פ – מקום בקצה הצפוני של ארץ ישראל: 1,2
צְדָדָה 1 וְהָיוּ תּוֹצְאֹת הַגְּבֻל צְדָדָה Num. 34:8
2 הַדֶּרֶךְ חֶתְלֹן לְבוֹא צְדָדָה Ezek. 47:15

צדה : צָדָה, נִצְדָּה; צְדִיָּה; אר׳ צְדִי; צְדָא

צָדָה פ׳ א) ארב, התנכל: 1-3
ב) [נפ׳ נִצְדָּה] חרב, היה לשממה: 4
צָדָה 1 וַאֲשֶׁר לֹא צָדָה וְהָאֱלֹ׳ אִנָּה לְיָדוֹ Ex. 21:13
צָדוּ 2 צָדוּ צְעָדֵינוּ מִלֶּכֶת בִּרְחֹבֹתֵינוּ Lam. 4:18
צֹדֶה 3 וְאַתָּה צֹדֶה אֶת־נַפְשִׁי לְקַחְתָּהּ ISh. 24:11
נִצְדּוּ 4 נִצְדּוּ עָרֵיהֶם מִבְּלִי־אִישׁ Zep. 3:6

צָדוֹק שפ״ז א) כהן לדוד, מצאצאי אלעזר בן אהרן: 1-15, 17-20, 33-37, 39-52
ב) חותן המלך עוזיהו: 16, 32
ג) אנשים שונים מעולי הגולה: 21-31, 38
בֶּן צָדוֹק 6, 7, 15, 21, 25; בְּנֵי צָדוֹק 17, 19, 20; בַּת צָדוֹק 32; זֶרַע צָדוֹק 18
צָדוֹק 1 וְהִנֵּה גַם־צָדוֹק וְכָל־הַלְוִיִּם אִתּוֹ IISh. 15:24
2 וַיֹּאמֶר הַמֶּלֶךְ אֶל־צָדוֹק הַכֹּהֵן IISh. 15:27
3 וַיָּשֶׁב צָדוֹק אֶת־אֲרוֹן הָאֱלֹהִים IISh. 15:29
4 וַהֲלוֹא עִמְּךָ שָׁם צָדוֹק וְאֶבְיָתָר IISh. 15:35
5 וַיֹּאמֶר חוּשַׁי אֶל־צָדוֹק וְאֶל־אֶבְיָתָר IISh. 17:15
6 וַאֲחִימַעַץ בֶּן־צָדוֹק אָמַר IISh. 18:19
7 אֲחִימַעַץ בֶּן־צָדוֹק IISh. 18:22, 27
8 וְהַמֶּלֶךְ דָּוִד שָׁלַח אֶל־צָדוֹק IISh. 19:12
9 וּמָשַׁח אֹתוֹ שָׁם צָדוֹק הַכֹּהֵן IK. 1:34
10-14 צָדוֹק הַכֹּהֵן IK. 1:38, 39, 44, 45; 2:35
15 עֲזַרְיָהוּ בֶן־צָדוֹק הַכֹּהֵן IK. 4:2
16 וְשֵׁם אִמּוֹ יְרוּשָׁא בַּת־צָדוֹק IIK. 15:33
17 בְּנֵי־צָדוֹק הַקְּרֵבִים...אֶל־יְיָ Ezek. 40:46
18 מִזֶּרַע צָדוֹק הַקְּרֹבִים אֵלַי Ezek. 43:19
19 וְהַכֹּהֲנִים הַלְוִיִּם בְּנֵי צָדוֹק Ezek. 44:15
20 לַכֹּהֲנִים הַמְקֻדָּשׁ מִבְּנֵי צָדוֹק Ezek. 48:11
21 בֶּן־שַׁלּוּם בֶּן־צָדוֹק בֶּן־אֲחִיטוּב Ez. 7:2
22 וְעַל־יָדָם הֶחֱזִיק צָדוֹק בֶּן־בַּעֲנָא Neh. 3:4
23 אַחֲרָיו הֶחֱזִיק צָדוֹק בֶּן־אִמֵּר Neh. 3:29
24 מְשֵׁיזַבְאֵל צָדוֹק יַדּוּעַ Neh. 10:22
25 בֶּן־צָדוֹק בֶּן־מְרָיוֹת בֶּן־אֲחִיטוּב Neh. 11:11
26/7 וַאֲחִיטוּב הוֹלִיד אֶת־צָדוֹק ICh. 5:34, 38
28 צָדוֹק בְּנוֹ אֲחִימַעַץ בְּנוֹ ICh. 6:38
29 בֶּן־צָדוֹק בֶּן־מְרָיוֹת בֶּן־אֲחִיטוּב ICh. 9:11
30 וְאֵת צָדוֹק הַכֹּהֵן וְאֶחָיו הַכֹּהֲנִים ICh. 16:39
31 לַלֵּוִי חֲשַׁבְיָה...לְאַהֲרֹן צָדוֹק ICh. 27:17
32 וְשֵׁם אִמּוֹ יְרוּשָׁה בַּת־צָדוֹק IICh. 27:1
33 עֲזַרְיָהוּ הַכֹּהֵן הָרֹאשׁ לְבֵית צָדוֹק IICh. 31:10
וְצָדוֹק 34 וְצָדוֹק...וַאֲחִימֶלֶךְ...כֹּהֲנִים IISh. 8:17
35 וְצָדוֹק וְאֶבְיָתָר כֹּהֲנִים IISh. 20:25
36 וְצָדוֹק הַכֹּהֵן וּבְנָיָהוּ בֶּן־יְהוֹיָדָע IK. 1:8
37 וְצָדוֹק וְאֶבְיָתָר כֹּהֲנִים IK. 4:4
38 שֶׁלֶמְיָה הַכֹּהֵן וְצָדוֹק הַסּוֹפֵר Neh. 13:13
39 וְצָדוֹק הוֹלִיד אֶת־אֲחִימַעַץ ICh. 5:34
40 וְצָדוֹק הוֹלִיד אֶת־שַׁלּוּם ICh. 5:38
41 וְצָדוֹק נַעַר גִּבּוֹר חָיִל ICh. 12:29(28)
42 וְצָדוֹק...וַאֲבִימֶלֶךְ...כֹּהֲנִים ICh. 18:16

וְצָדוֹק (המשך)
43 וַיֶּחָלְקֵם דָּוִיד וְצָדוֹק מִן־בְּנֵי אֶלְעָזָר ICh. 24:3
44 הַמֶּלֶךְ וְהַשָּׂרִים וְצָדוֹק הַכֹּהֵן ICh. 24:6
45 לִפְנֵי דָוִיד הַמֶּלֶךְ וְצָדוֹק ICh. 24:31
לְצָדוֹק 46 וַיֹּאמֶר הַמֶּלֶךְ לְצָדוֹק IISh. 15:25
47 תַּגִּיד לְצָדוֹק וּלְאֶבְיָתָר הַכֹּהֲנִים IISh. 15:35
48 אֲחִימַעַץ לְצָדוֹק וִיהוֹנָתָן לְאֶבְיָתָר IISh. 15:36
49 קִרְאוּ־לִי לְצָדוֹק הַכֹּהֵן IK. 1:32
50 וַיִּקְרָא דָוִיד לְצָדוֹק וּלְאֶבְיָתָר ICh. 15:11
וּלְצָדוֹק 51 וְלִי...וּלְצָדֹק הַכֹּהֵן...לֹא קָרָא IK. 1:26
52 וַיִּמְשְׁחוּ לַיְיָ לְנָגִיד וּלְצָדוֹק לְכֹהֵן ICh. 29:22

צְדִיָּה נ׳ כַּוָּנָה רעה: 1, 2
צְדִיָּה 1 אוֹ־הִשְׁלִיךְ עָלָיו...בְּלֹא צְדִיָּה Num. 35:22
בִּצְדִיָּה 2 אוֹ־הִשְׁלִיךְ עָלָיו בִּצְדִיָּה Num. 35:20

צִדִּים ש״פ – עיר מבצר בנחלת נפתלי
הַצִּדִּים 1 וְעָרֵי מִבְצָר הַצִּדִּים צֵר וְחַמַּת Josh. 19:35

צַדִּיק ת״ז א) עושה צדק, ישר, תמים: רוב המקראות 1-206
ב) זכאי בדין: 7, 10, 18, 22-30, 85, 86, 88, 109, 121, 122, 152, 153
ג) נכון, שיש בו צדק: 150
קרובים: ראה חָסִיד
– צַדִּיק וְרָשָׁע (וּרְשָׁעִים) 3,4,10,31,32,35, 38, 40, 49, 60,63-68,70,76, 79,81,82-86,90, 93-96, 109, 114, 117, 121, 127-129, 134-136, 144, 145, 162, 174, 176, 177, 179,181,184,186, 187, 189,191-193,196,198-200,205; צַדִּיק וְיָשָׁר 6; נָקִי וְצַדִּיק 111; צַדִּיק תָּמִים 1,97
– אִישׁ צַדִּיק 1, 8; אֵל צ׳ 16; אֱלֹהִים צ׳ 41; גּוֹי צַדִּיק 12; דּוֹר צַדִּיק 46; שׁוֹפֵט צַדִּיק 42; חֻקִּים וּמִשְׁפָּטִים צַדִּיקִים 150
– אֲבִי צַדִּיק 91; בּוֹחֵן צ׳ 20; בֵּית צ׳ 83; זֵכֶר צ׳ 65; לֵב צ׳ 25, 84; לְשׁוֹן צ׳ 68; מַעְגַּל צ׳ 13; נְוֵה צ׳ 92; נֶפֶשׁ צ׳ 57, 63; פִּי צ׳ 51, 66, 71; פְּעֻלַּת צ׳ 67; פְּרִי צ׳ 74; צִדְקַת צ׳ 125, 126 צוֹרְרֵי צ׳ 34; צֶמַח צ׳ 21; קַרְנוֹת צ׳ 55; רֹאשׁ צ׳ 64; שְׁבִי צ׳ 17; שׂוֹנְאֵי צ׳ 49; שְׁחוֹק צ׳ 97; שַׁעֲרֵי צַדִּיק 81; שִׂפְתֵי צַדִּיק 69, 72
– אָהֳלֵי צַדִּיקִים 168; אוֹהֵב צ׳ 172; אוֹר צ׳ 187; אֹרַח צ׳ 175; אָרְחוֹת צ׳ 173; בֵּית צ׳ 185; גּוֹרַל צ׳ 203; דִּבְרֵי צ׳ 149, 151; דַּם צ׳ 195; דֶּרֶךְ צ׳ 154; זֶרַע צ׳ 180; טוֹב צ׳ 179; מַחְשְׁבוֹת צ׳ 184; מַעֲשֵׂה צ׳ 205; נְוֵה צ׳ 174; עֲדַת צ׳ 157; צִדְקַת צ׳ 154; שֹׁרֶשׁ צ׳ 183, 186; תַּאֲוַת צ׳ 176, 181; תּוֹחֶלֶת צ׳ 177; תּוֹעֲבַת צ׳ 193; תְּפִלַּת צ׳ 189; תְּשׁוּעַת צַדִּיקִים 164
צַדִּיק 1 נֹחַ אִישׁ צַדִּיק תָּמִים הָיָה בְּדֹרֹתָיו Gen. 6:9
2 כִּי־אֹתְךָ רָאִיתִי צַדִּיק לְפָנַי Gen. 7:1
3 הַאַף תִּסְפֶּה צַדִּיק עִם־רָשָׁע Gen. 18:23
4 חָלִלָה...לְהָמִית צַדִּיק עִם־רָשָׁע Gen. 18:25
5 אֲדֹנָי הֲגוֹי גַּם־צַדִּיק תַּהֲרֹג Gen. 20:4
6 אֵל אֱמוּנָה...צַדִּיק וְיָשָׁר הוּא Gen. 32:4
7 צַדִּיק אַתָּה מִמֶּנִּי ISh. 24:17
8 רְשָׁעִים הָרְגוּ אֶת־אִישׁ צַדִּיק בְּבֵיתוֹ IISh. 4:11
9 מוֹשֵׁל בָּאָדָם צַדִּיק IISh. 23:3
10 לְהַרְשִׁיעַ רָשָׁע...וּלְהַצְדִּיק צַדִּיק IK. 8:32
11 אִמְרוּ צַדִּיק כִּי־טוֹב Is. 3:10
12 וְיָבֹא גוֹי־צַדִּיק שֹׁמֵר אֱמֻנִים Is. 26:2
13 יָשָׁר מַעְגַּל צַדִּיק תְּפַלֵּס Is. 26:7
14 וַיַּטּוּ בַתֹּהוּ צַדִּיק Is. 29:21
15 וּמִלְּפָנִים וְנֹאמַר צַדִּיק Is. 41:26
16 אֵל צַדִּיק וּמוֹשִׁיעַ אַיִן זוּלָתִי Is. 45:21

צַדִּיק (המשך)
17 וְאִם־שְׁבִי צַדִּיק יִמָּלֵט Is. 49:24
18 יַצְדִּיק צַדִּיק עַבְדִּי לָרַבִּים Is. 53:11
19 צַדִּיק אַתָּה יְיָ כִּי אָרִיב אֵלֶיךָ Jer. 12:1
20 וַיְיָ צְבָאוֹת בֹּחֵן צַדִּיק Jer. 20:12
21 וַהֲקִמֹתִי לְדָוִד צֶמַח צַדִּיק Jer. 23:5
22 וּבְשׁוּב צַדִּיק מִצִּדְקוֹ וְעָשָׂה עָוֶל Ezek. 3:20
23 וְאַתָּה כִּי הִזְהַרְתּוֹ צַדִּיק Ezek. 3:21
24 לְבִלְתִּי חֲטֹא צַדִּיק Ezek. 3:21
25 יַעַן הַכְאוֹת לֵב־צַדִּיק שֶׁקֶר Ezek. 13:22
26 וְאִישׁ כִּי־יִהְיֶה צַדִּיק Ezek. 18:5
27 צַדִּיק הוּא חָיֹה יִחְיֶה Ezek. 18:9
28 וּבְשׁוּב צַדִּיק מִצִּדְקָתוֹ וְעָשָׂה עָוֶל Ezek. 18:24
29/30 (וּ)בְשׁוּב(־)צַדִּיק מִצִּדְקָתוֹ Ezek. 18:26; 33:18
31/2 (וְ)הִכְרַתִּי מִמֵּךְ צַדִּיק וְרָשָׁע Ezek. 21:8, 9
33 עַל־מִכְרָם בַּכֶּסֶף צַדִּיק Am. 2:6
34 צֹרְרֵי צַדִּיק לֹקְחֵי כֹפֶר Am. 5:12
35 תַּחֲרִישׁ בְּבַלַּע רָשָׁע צַדִּיק מִמֶּנּוּ Hab. 1:13
36 יְיָ צַדִּיק בְּקִרְבָּהּ לֹא יַעֲשֶׂה עַוְלָה Zep. 3:5
37 צַדִּיק וְנוֹשָׁע הוּא Zech. 9:9
38 וְשַׁבְתֶּם וּרְאִיתֶם בֵּין צַדִּיק לְרָשָׁע Mal. 3:18
39 כִּי־אַתָּה תְּבָרֵךְ צַדִּיק יְיָ Ps. 5:13
40 יִגְמָר־נָא רַע רְשָׁעִים וּתְכוֹנֵן צַדִּיק Ps. 7:10
41 וּבֹחֵן לִבּוֹת וּכְלָיוֹת אֱלֹהִים צַדִּיק Ps. 7:10
42 אֱלֹהִים שׁוֹפֵט צַדִּיק Ps. 7:12
43 הַשָּׁתוֹת יֵהָרֵסוּן צַדִּיק מַה־פָּעָל Ps. 11:3
44 יְיָ צַדִּיק יִבְחָן Ps. 11:5
45 כִּי־צַדִּיק יְיָ צְדָקוֹת אָהֵב Ps. 11:7
46 כִּי־אֱלֹהִים בְּדוֹר צַדִּיק Ps. 14:5
47 הַדֹּבְרוֹת עַל־צַדִּיק עָתָק Ps. 31:19
48 רַבּוֹת רָעוֹת צַדִּיק Ps. 34:20
49 וְשֹׂנְאֵי צַדִּיק יֶאְשָׁמוּ Ps. 34:22
50 וְלֹא־רָאִיתִי צַדִּיק נֶעֱזָב Ps. 37:25
51 פִּי־צַדִּיק יֶהְגֶּה חָכְמָה Ps. 37:30
52 יִשְׂמַח צַדִּיק כִּי־חָזָה נָקָם Ps. 58:11
53 יִשְׂמַח צַדִּיק בַּיְיָ וְחָסָה בוֹ Ps. 64:11
54 יִפְרַח־בְּיָמָיו צַדִּיק Ps. 72:7
55 תְּרוֹמַמְנָה קַרְנוֹת צַדִּיק Ps. 75:11
56 צַדִּיק כַּתָּמָר יִפְרָח Ps. 92:13
57 יָגוֹדּוּ עַל־נֶפֶשׁ צַדִּיק Ps. 94:21
58 לְזֵכֶר עוֹלָם יִהְיֶה צַדִּיק Ps. 112:6
59 צַדִּיק אַתָּה יְיָ וְיָשָׁר מִשְׁפָּטֶיךָ Ps. 119:137
60 יְיָ צַדִּיק קִצֵּץ עֲבוֹת רְשָׁעִים Ps. 129:4
61 יֶהֶלְמֵנִי־צַדִּיק חֶסֶד Ps. 141:5
62 צַדִּיק יְיָ בְּכָל־דְּרָכָיו Ps. 145:17
63 לֹא־יַרְעִיב יְיָ נֶפֶשׁ צַדִּיק Prov. 10:3
64 בְּרָכוֹת לְרֹאשׁ צַדִּיק Prov. 10:6
65 זֵכֶר צַדִּיק לִבְרָכָה Prov. 10:7
66 מְקוֹר חַיִּים פִּי צַדִּיק Prov. 10:11
67 פְּעֻלַּת צַדִּיק לְחַיִּים Prov. 10:16
68 כֶּסֶף נִבְחָר לְשׁוֹן צַדִּיק Prov. 10:20
69 שִׂפְתֵי צַדִּיק יִרְעוּ רַבִּים Prov. 10:21
70 צַדִּיק לְעוֹלָם בַּל־יִמּוֹט Prov. 10:30
71 פִּי־צַדִּיק יָנוּב חָכְמָה Prov. 10:31
72 שִׂפְתֵי צַדִּיק יֵדְעוּן רָצוֹן Prov. 10:32
73 צַדִּיק מִצָּרָה נֶחֱלָץ Prov. 11:8
74 פְּרִי־צַדִּיק עֵץ חַיִּים Prov. 11:30
75 הֵן צַדִּיק בָּאָרֶץ יְשֻׁלָּם Prov. 11:31
76 יוֹדֵעַ צַדִּיק נֶפֶשׁ בְּהֶמְתּוֹ Prov. 12:10
77 וַיֵּצֵא מִצָּרָה צַדִּיק Prov. 12:13
78 יָתֵר מֵרֵעֵהוּ צַדִּיק Prov. 12:26
79 דְּבַר־שֶׁקֶר יִשְׂנָא צַדִּיק Prov. 13:5
80 צַדִּיק אֹכֵל לְשֹׂבַע נַפְשׁוֹ Prov. 13:25

צַדִּיק (המשך)

81 וּרְשָׁעִים עַל־שַׁעֲרֵי צַדִּיק Prov. 14:19
82 וְחֹסֶה בְמוֹתוֹ צַדִּיק Prov. 14:32
83 בֵּית צַדִּיק חֹסֶן רָב Prov. 15:6
84 לֵב צַדִּיק יֶהְגֶּה לַעֲנוֹת Prov. 15:28
85 מַצְדִּיק רָשָׁע וּמַרְשִׁיעַ צַדִּיק Prov. 17:15
86 לְהַטּוֹת צַדִּיק בַּמִּשְׁפָּט Prov. 18:5
87 בּוֹ־יָרוּץ צַדִּיק וְנִשְׂגָּב Prov. 18:10
88 צַדִּיק הָרִאשׁוֹן בְּרִיבוֹ Prov. 18:17
89 מִתְהַלֵּךְ בְּתֻמּוֹ צַדִּיק Prov. 20:7
90 מַשְׂכִּיל צַדִּיק לְבֵית רָשָׁע Prov. 21:12
91 גִּיל° יָגִיל° אֲבִי צַדִּיק Prov. 23:24
92 אַל־תֶּאֱרֹב רָשָׁע לִנְוֵה צַדִּיק Prov. 24:15
93 כִּי שֶׁבַע יִפּוֹל צַדִּיק וָקָם Prov. 24:16
94 אֹמֵר לְרָשָׁע צַדִּיק אָתָּה Prov. 24:24
95 צַדִּיק מָט לִפְנֵי־רָשָׁע Prov. 25:26
96 יֹדֵעַ צַדִּיק דִּין דַּלִּים Prov. 29:7
97 שְׂחוֹק צַדִּיק תָּמִים Job 12:4
98 וְיֹאחֵז צַדִּיק דַּרְכּוֹ Job 17:9
99 כִּי הוּא צַדִּיק בְּעֵינָיו Job 32:1
100 וְאִם־צַדִּיק כַּבִּיר תַּרְשִׁיעַ Job 34:17
101 צַדִּיק הוּא יְיָ כִּי פִיהוּ מָרִיתִי Lam. 1:18
102 יֵשׁ צַדִּיק אֹבֵד בְּצִדְקוֹ Eccl. 7:15
103 אַל־תְּהִי צַדִּיק הַרְבֵּה Eccl. 7:16
104 כִּי אָדָם אֵין צַדִּיק בָּאָרֶץ Eccl. 7:20
105 צַדִּיק יְיָ אֱלֹהֵינוּ עַל־כָּל־מַעֲשָׂיו Dan. 9:14
106 יְיָ אֱלֹהֵי יִשְׂרָאֵל צַדִּיק אַתָּה Ez. 9:15
107 וַתָּקֶם אֶת־דְּבָרֶיךָ כִּי צַדִּיק אָתָּה Neh. 9:8
108 וְאַתָּה צַדִּיק עַל כָּל־הַבָּא עָלֵינוּ Neh. 9:33
109 לְהָשִׁב לְרָשָׁע...וּלְהַצְדִּיק צַדִּיק IICh. 6:23
110 וַיִּכָּנְעוּ...וַיֹּאמְרוּ צַדִּיק יְיָ IICh. 12:6

וְצַדִּיק
111 וְנָקִי וְצַדִּיק אַל־תַּהֲרֹג Ex. 23:7
112 וְצַדִּיק לֹא יוּכַל לִחְיוֹת בָּהּ Ezek. 33:12
113 וְצַדִּיק בֶּאֱמוּנָתוֹ יִחְיֶה Hab. 2:4
114 לֹוֶה רָשָׁע...וְצַדִּיק חוֹנֵן וְנוֹתֵן Ps. 37:21
115 חַנּוּן וְרַחוּם וְצַדִּיק Ps. 112:4
116 חַנּוּן יְיָ וְצַדִּיק וֵאלֹהֵינוּ מְרַחֵם Ps. 116:5
117 וְצַדִּיק יְסוֹד עוֹלָם Prov. 10:25
118 וְצַדִּיק יִתֵּן וְלֹא יַחְשֹׂךְ Prov. 21:26
119 וְצַדִּיק יָרוּן וְשָׂמֵחַ Prov. 29:6
120 יָכִין וְצַדִּיק יִלְבָּשׁ Job 27:17

הַצַּדִּיק
121 יְיָ הַצַּדִּיק וַאֲנִי וְעַמִּי הָרְשָׁעִים Ex. 9:27
122 וְהִצְדִּיקוּ אֶת־הַצַּדִּיק Deut. 25:1
123 הַצַּדִּיק אָבָד וְאֵין אִישׁ שָׂם עַל־לֵב Is. 57:1
124 כִּי־מִפְּנֵי הָרָעָה נֶאֱסַף הַצַּדִּיק Is. 57:1
125 צִדְקַת הַצַּדִּיק עָלָיו תִּהְיֶה Ezek. 18:20
126 צִדְקַת הַצַּדִּיק לֹא תַצִּילֶנּוּ Ezek. 33:12
127 כִּי רָשָׁע מַכְתִּיר אֶת־הַצַּדִּיק Hab. 1:4
128 אֶת־הַצַּדִּיק וְאֶת־הָרָשָׁע יִשְׁפֹּט Eccl. 3:17

כַּצַּדִּיק
129 וְהָיָה כַצַּדִּיק כָּרָשָׁע Gen. 18:25

לְצַדִּיק
130 הוֹדַע לְצַדִּיק וְיוֹסֶף לֶקַח Prov. 9:9

לַצַּדִּיק
131 זְמִרֹת שָׁמַעְנוּ צְבִי לַצַּדִּיק Is. 24:16
132 אֹרַח לַצַּדִּיק מֵישָׁרִים Is. 26:7
133 בְּאָמְרִי לַצַּדִּיק חָיֹה יִחְיֶה Ezek. 33:13
134 זֹמֵם רָשָׁע לַצַּדִּיק Ps. 37:12
135 טוֹב מְעַט לַצַּדִּיק מֵהֲמוֹן רְשָׁעִים Ps. 37:16
136 צוֹפֶה רָשָׁע לַצַּדִּיק Ps. 37:32
137 לֹא־יִתֵּן לְעוֹלָם מוֹט לַצַּדִּיק Ps. 55:23
138 וְיֹאמַר אָדָם אַךְ־פְּרִי לַצַּדִּיק Ps. 58:12
139 אוֹר זָרֻעַ לַצַּדִּיק Ps. 97:11
140 לֹא־יְאֻנֶּה לַצַּדִּיק כָּל־אָוֶן Prov. 12:21
141 וְצָפוּן לַצַּדִּיק חֵיל חוֹטֵא Prov. 13:22
142 גַּם עֲנוֹשׁ לַצַּדִּיק לֹא־טוֹב Prov. 17:26

לַצַּדִּיק (המשך)
143 שִׂמְחָה לַצַּדִּיק עֲשׂוֹת מִשְׁפָּט Prov. 21:15
144 כֹּפֶר לַצַּדִּיק רָשָׁע Prov. 21:18
145 מִקְרֶה אֶחָד לַצַּדִּיק וְלָרָשָׁע Eccl. 9:2

מִצַּדִּיק
146 לֹא־יִגְרַע מִצַּדִּיק עֵינָיו Job 36:7

צַדִּיקִם
147/8 חֲמִשִּׁים צַדִּיקִם בְּתוֹךְ הָעִיר Gen. 18:24, 26
149 הַשֹּׁחַד...וִיסַלֵּף דִּבְרֵי צַדִּיקִים Ex. 23:8
150 חֻקִּים וּמִשְׁפָּטִים צַדִּיקִם Deut. 4:8
151 הַשֹּׁחַד...וִיסַלֵּף דִּבְרֵי צַדִּיקִם Deut. 16:19
152 אֲנָשִׁים צַדִּקִים וְטֹבִים מִמֶּנּוּ IK. 2:32
153 וַיֹּאמֶר אֶל־כָּל־הָעָם צַדִּקִים אַתֶּם IIK.10:9
154 וְצִדְקַת צַדִּיקִים יָסִירוּ מִמֶּנּוּ Is. 5:23
155 וְעַמֵּךְ כֻּלָּם צַדִּיקִים Is. 60:21
156 וַאֲנָשִׁים צַדִּיקִם הֵמָּה יִשְׁפְּטוּ Ezek. 23:45
157 וְחַטָּאִים בַּעֲדַת צַדִּיקִים Ps. 1:5
158 כִּי־יוֹדֵעַ יְיָ דֶּרֶךְ צַדִּיקִים Ps. 1:6
159 שִׂמְחוּ בַייָ וְגִילוּ צַדִּיקִים Ps. 32:11
160 רַנְּנוּ צַדִּיקִים בַּייָ Ps. 33:1
161 עֵינֵי יְיָ אֶל־צַדִּיקִים Ps. 34:16
162 וְסוֹמֵךְ צַדִּיקִים יְיָ Ps. 37:17
163 צַדִּיקִים יִירְשׁוּ־אָרֶץ Ps. 37:29
164 וּתְשׁוּעַת צַדִּיקִים מֵיְיָ Ps. 37:39
165 וְיִרְאוּ צַדִּיקִים וְיִירָאוּ Ps. 52:8
166 וְעִם־צַדִּיקִים אַל־יִכָּתֵבוּ Ps. 69:29
167 שִׂמְחוּ צַדִּיקִים בַּייָ Ps. 97:12
168 קוֹל רִנָּה...בְּאָהֳלֵי צַדִּיקִים Ps. 118:15
169 זֶה־הַשַּׁעַר...צַדִּיקִים יָבֹאוּ בוֹ Ps. 118:20
170 אַךְ צַדִּיקִים יוֹדוּ לִשְׁמֶךָ Ps. 140:14
171 בִּי יַכְתִּרוּ צַדִּיקִים Ps. 142:8
172 יְיָ אֹהֵב צַדִּיקִים Ps. 146:8
173 וְאָרְחוֹת צַדִּיקִים תִּשְׁמֹר Prov. 2:20
174 וּנְוֵה צַדִּיקִים יְבָרֵךְ Prov. 3:33
175 וְאֹרַח צַדִּיקִים כְּאוֹר נֹגַהּ Prov. 4:18
176 וְתַאֲוַת צַדִּיקִים יִתֵּן Prov. 10:24
177 תּוֹחֶלֶת צַדִּיקִים שִׂמְחָה Prov. 10:28
178 וּבְדַעַת צַדִּיקִים יֵחָלֵצוּ Prov. 11:9
179 בְּטוּב צַדִּיקִים תַּעֲלֹץ קִרְיָה Prov. 11:10
180 וְזֶרַע צַדִּיקִים נִמְלָט P ov. 11:21
181 תַּאֲוַת צַדִּיקִים אַךְ־טוֹב Prov. 11:23
182 וְכֶעָלֶה צַדִּיקִים יִפְרָחוּ Prov. 11:28
183 וְשֹׁרֶשׁ צַדִּיקִים בַּל־יִמּוֹט Prov. 12:3
184 מַחְשְׁבוֹת צַדִּיקִים מִשְׁפָּט Prov. 12:5
185 וּבֵית צַדִּיקִים יַעֲמֹד Prov. 12:7
186 וְשֹׁרֶשׁ צַדִּיקִים יִתֵּן Prov. 12:12
187 אוֹר־צַדִּיקִים יִשְׂמָח Prov. 13:9
188 וְאֶת־צַדִּיקִים יְשַׁלֶּם־טוֹב Prov. 13:21
189 וּתְפִלַּת צַדִּיקִים יִשְׁמָע Prov. 15:29
190 בַּעֲלֹץ צַדִּיקִים רַבָּה תִפְאָרֶת Prov. 28:12
191 וּבְאָבְדָם יִרְבּוּ צַדִּיקִים Prov. 28:28
192 בִּרְבוֹת צַדִּיקִים יִשְׂמַח הָעָם Prov. 29:2
193 תּוֹעֲבַת צַדִּיקִים אִישׁ עָוֶל Prov. 29:27
194 יִרְאוּ צַדִּיקִים וְיִשְׂמָחוּ Job 22:19
195 הַשֹּׁפְכִים בְּקִרְבָּהּ דַּם צַדִּיקִים Lam. 4:13
196 יֵשׁ צַדִּיקִים אֲשֶׁר מַגִּיעַ אֲלֵהֶם
כְּמַעֲשֵׂה הָרְשָׁעִים Eccl. 8:14

וְצַדִּיקִים
197 וְצַדִּקִים יֵלְכוּ בָם Hosh. 14:10
198 וְצַדִּיקִים יִשְׂמְחוּ יַעַלְצוּ Ps. 68:4
199 וְצַדִּיקִים כִּכְפִיר יִבְטָח Prov. 28:1
200 וְצַדִּיקִים בְּמַפַּלְתָּם יִרְאוּ Prov. 29:16

הַצַּדִּיקִם
201 לְמַעַן חֲמִשִּׁים הַצַּדִּיקִם Gen. 18:24
202 אוּלַי יַחְסְרוּן חֲמִשִּׁים הַצַּדִּיקִם חֲמִשָּׁה Gen. 18:28
203 לֹא יָנוּחַ...עַל גּוֹרַל הַצַּדִּיקִים Ps. 125:3

הַצַּדִּיקִים (המשך)
204 לְמַעַן לֹא־יִשְׁלְחוּ הַצַּדִּיקִים
בְּעַוְלָתָה יְדֵיהֶם Ps. 125:3
205 שֶׁמַּגִּיעַ אֲלֵהֶם כְּמַעֲשֵׂה הַצַּדִּיקִים Eccl. 8:14
206 הַצַּדִּיקִים וְהַחֲכָמִים וַעֲבָדֵיהֶם Eccl. 9:1

צֵדֹנִיּוֹת ת־ר – נשים תושבות צידון

צֵדֹנִיֹּת
1 שְׁלֹמֹה אָהַב נָשִׁים...צֵדֹנִיֹּת חִתִּיֹּת IK. 11:1

צדק
: צָדַק, צֶדֶק, הִצְטַדֵּק, הִצְדִּיק; צֶדֶק, צְדָקָה, צַדִּיק; ש״פ צִדְקִיָּהוּ, צָדוֹק, יְהוֹצָדָק, יוֹצָדָק, אֲדֹנִי־צֶדֶק, מַלְכִּי־צֶדֶק

צָדַק
פָ׳ א) יצא זכאי בריב: רוב המקראות 1-22
ב) היה צדיק וישר: 7, 12, 14-18
ג) [נפ׳ נִצְדַּק] טוהר: 23
ד) [פִ׳ צִדֵּק] זכה: 24-28
ה) [התפ׳ הִצְטַדֵּק] התנצל: 29
ו) [הפ׳ הִצְדִּיק] זכה בדין: 30-36, 38-41
ז) [כנ״ל] טהר מחטא: 37

צָדַק 1-5,7-14,17,19-21; צָדַק מִן־ 6,18,22; צָדַק עִם־ 15,16 צִדֵּק נַפְשׁוֹ 28; מַצְדִּיקֵי הָרַבִּים 37

צָדַקְתִּי
1 אֲשֶׁר אִם־צָדַקְתִּי לֹא אֶעֱנֶה Job 9:15
2 צָדַקְתִּי וְאֵל הֵסִיר מִשְׁפָּטִי Job 34:5

וְצָדַקְתִּי
3 וְצָדַקְתִּי לֹא־אֶשָּׂא רֹאשִׁי Job 10:15

צָדַקְתָּ
4 הֶן־זֹאת לֹא־צָדַקְתָּ אֶעֱנֶךָּ Job 33:12
5 אִם־צָדַקְתָּ מַה־תִּתֶּן־לוֹ Job 35:7

צָדְקָה
6 וַיֹּאמֶר צָדְקָה מִמֶּנִּי Gen. 38:26

צָדְקוּ
7 מִשְׁפְּטֵי־יְיָ אֱמֶת צָדְקוּ יַחְדָּו Ps. 19:10

אֶצְדָּק
8 אִם־אֶצְדָּק פִּי יַרְשִׁיעֵנִי Job 9:20

אֶצְדָּק
9 יָדַעְתִּי כִּי־אֲנִי אֶצְדָּק Job 13:18

תִּצְדַּק
10 לְמַעַן תִּצְדַּק בְּדָבְרֶךָ Ps. 51:6

תִּצְדָּק
11 סַפֵּר אַתָּה לְמַעַן תִּצְדָּק Is. 43:26
12 הַחֵפֶץ לְשַׁדַּי כִּי תִצְדָּק Job 22:3
13 תַּרְשִׁיעֵנִי לְמַעַן תִּצְדָּק Job 40:8

יִצְדַּק
14 כִּי לֹא־יִצְדַּק לְפָנֶיךָ כָל־חָי Ps. 143:2
15/6 וּמַה־יִּצְדַּק אֱנוֹשׁ עִם־אֵל Job 9:2; 25:4
17 וְכִי־יִצְדַּק יְלוּד אִשָּׁה Job 15:14

יִצְדָּק
18 הַאֱנוֹשׁ מֵאֱלוֹהַּ יִצְדָּק Job 4:17
19 וְאִם־אִישׁ שְׂפָתַיִם יִצְדָּק Job 11:2

יִצְדְּקוּ
20 בַּייָ יִצְדְּקוּ וְיִתְהַלְלוּ כָּל־זֶרַע יִשְׂ׳ Is. 45:25

וְיִצְדָּקוּ
21 יִתְּנוּ עֵדֵיהֶם וְיִצְדָּקוּ Is. 43:9

תִּצְדַּקְנָה
22 בְּחַטֹּאתַיִךְ...תִּצְדַּקְנָה מִמֵּךְ Ezek. 16:52

וְנִצְדַּק
23 עַד עֶרֶב בֹּקֶר...וְנִצְדַּק קֹדֶשׁ Dan. 8:14

צַדְּקֶךָּ
24 דַּבֵּר כִּי־חָפַצְתִּי צַדְּקֶךָּ Job 33:32

בְּצַדֶּקְתֵּךְ
25 בּוֹשִׁי...בְּצַדֶּקְתֵּךְ אַחְיוֹתֵךְ Ezek. 16:52

צַדְּקוֹ
26 עַל־צַדְּקוֹ נַפְשׁוֹ מֵאֱלֹהִים Job 32:2

וַתְּצַדְּקִי
27 וַתְּצַדְּקִי אֶת־אַחְיוֹתַיִךְ° Ezek. 16:51

צִדְּקָה
28 צִדְּקָה נַפְשָׁהּ מְשֻׁבָה יִשְׂרָאֵל Jer. 3:11

נִצְטַדָּק
29 מַה־נְּדַבֵּר וּמַה־נִּצְטַדָּק Gen. 44:16

וּלְהַצְדִּיק
30 וּלְהַצְדִּיק צַדִּיק לָתֶת לוֹ כְּצִדְקָתוֹ IK. 8:32
31 וּלְהַצְדִּיק צַדִּיק לָתֶת לוֹ כְּצִדְקָתוֹ IICh. 6:23

וְהִצְדַּקְתִּיו
32 יִהְיֶה־לוֹ רִיב־וּמִשְׁפָּט וְהִצְדַּקְתִּיו IISh. 15:4

וְהִצְדִּיקוּ
33 וְהִצְדִּיקוּ אֶת־הַצַּדִּיק Deut. 25:1

מַצְדִּיק
34 מַצְדִּיק רָשָׁע וּמַרְשִׁיעַ צַדִּיק Prov. 17:15

מַצְדִּיקִי
35 קָרוֹב מַצְדִּיקִי מִי־יָרִיב אִתִּי Is. 50:8

מַצְדִּיקֵי־
36 מַצְדִּיקֵי רָשָׁע עֵקֶב שֹׁחַד Is. 5:23

וּמַצְדִּיקֵי־
37 וּמַצְדִּיקֵי הָרַבִּים כַּכּוֹכָבִים Dan. 12:3

אַצְדִּיק
38 כִּי לֹא־אַצְדִּיק רָשָׁע Ex. 23:7
39 חָלִילָה לִּי אִם־אַצְדִּיק אֶתְכֶם Job 27:5

יַצְדִּיק
40 בְּדַעְתּוֹ יַצְדִּיק צַדִּיק עַבְדִּי Is. 53:11

הַצְדִּיקוּ
41 עָנִי וָרָשׁ הַצְדִּיקוּ Ps. 82:3

צֶדֶק ז׳ יֹשֶׁר, דרך האֱמת: 1-119 • קרובים: ראה יֹשֶׁר

– צֶדֶק וּמִשְׁפָּט 45, 47, 56, 57, 70, 71, 80, 84; צֶדֶק עוֹלָמִים 66

– אַבְנֵי צֶדֶק 2; אֵילֵי צֶ׳ 73; אֵיפַת צֶ׳ 3, 27; אֱלֹהֵי צֶ׳ 92; אִמְרַת צֶ׳ 105; בַּת צֶ׳ 28; דּוֹבֵר צֶ׳ 17; הִין צֶ׳ 4; זִבְחֵי צֶ׳ 9, 31, 40; חֲפֵצֵי צֶ׳ 93; יוֹדְעֵי צֶ׳ 19; יְמִין צֶ׳ 90; מֹאזְנֵי צֶ׳ 1, 26, 64; מְהִיר צֶ׳ 12; מַלְכִּי צֶדֶק 48; מַעְגְּלֵי צֶ׳ 35; מְקוֹם צֶ׳ 74; מִשְׁפַּט צֶ׳ 6, 106; מִשְׁפְּטֵי צֶ׳ 20,102-104,107; נְוֵה צֶ׳ 24,25; נְוַת צֶ׳ 108; עוֹשֵׂה צֶ׳ 21; עִיר הַצֶּ׳ 72; עַנְוָה צֶ׳ 37; פּוֹעֵל צֶ׳ 33; רוֹדְפֵי צֶ׳ 18; שׁוֹפֵט צֶדֶק 22, 32; שַׁעֲרֵי צֶ׳ 49; שִׂפְתֵי צֶדֶק 60

– אָהַב צֶדֶק 38; בִּקֵּשׁ צֶ׳ 30; בִּשֵּׂר צֶ׳ 36; דִּבֵּר צֶ׳ 17, 41, 42; הָגָה צֶ׳ 100; הִגִּיד צֶ׳ 59, 112, 113; הוֹרָה צֶ׳ 29; חוֹקֵק צֶ׳ 58; לָבַשׁ צֶ׳ 55; לָמַד צֶ׳ 13, 14; נָזַל צֶ׳ 16; נָתַן צֶ׳ 65; עִוֵּת צֶ׳ 62; עָשָׂה צֶדֶק 70; פָּעַל צֶ׳ 33; רָדַף צֶ׳ 7; רָאָה צֶ׳ 110; שָׁמַע צֶדֶק 34; שָׁפַט צֶדֶק 5, 61

– צֶדֶק הִלֵּךְ 44; צֶ׳ לָן 10; צֶ׳ נָשַׁק 43; צֶ׳ נִשְׁקַף 67

צֶדֶק	1/2	מֹאזְנֵי צֶדֶק אַבְנֵי־צֶדֶק	Lev. 19:36
	3/4	אֵיפַת צֶדֶק וְהִין צֶדֶק יִהְיֶה לָכֶם	Lev. 19:36
	5	וּשְׁפַטְתֶּם צֶדֶק בֵּין־אִישׁ וּבֵין־...	Deut. 1:16
	6	וְשָׁפְטוּ אֶת־הָעָם מִשְׁפַּט־צֶדֶק	Deut. 16:18
	7/8	צֶדֶק צֶדֶק תִּרְדֹּף	Deut. 16:20
	9	שָׁם יִזְבְּחוּ זִבְחֵי־צֶדֶק	Deut. 33:19
	10	מְלֵאֲתִי מִשְׁפָּט צֶדֶק יָלִין בָּהּ	Is. 1:21
	11	וְהָיָה צֶדֶק אֵזוֹר מָתְנָיו	Is. 11:5
	12	וְדֹרֵשׁ מִשְׁפָּט וּמְהִר צֶדֶק	Is. 16:5
	13	צֶדֶק לָמְדוּ יֹשְׁבֵי תֵבֵל	Is. 26:9
	14	יֻחַן רָשָׁע בַּל־לָמַד צֶדֶק	Is. 26:10
	15	צֶדֶק יִקְרָאֵהוּ לְרַגְלוֹ	Is. 41:2
	16	וּשְׁחָקִים יִזְּלוּ־צֶדֶק	Is. 45:8
	17	אֲנִי יְיָ דֹּבֵר צֶדֶק מַגִּיד מֵישָׁרִים	Is. 45:19
	18	שִׁמְעוּ אֵלַי רֹדְפֵי צֶדֶק מְבַקְשֵׁי יְיָ	Is. 51:1
	19	שִׁמְעוּ אֵלַי יֹדְעֵי צֶדֶק	Is. 51:7
	20	יִשְׁאָלוּנִי מִשְׁפְּטֵי־צֶדֶק	Is. 58:2
	21	פָּגַעְתָּ אֶת־שָׂשׂ וְעֹשֵׂה צֶדֶק	Is. 64:4
	22	וַיְיָ צְבָאוֹת שֹׁפֵט צֶדֶק	Jer. 11:20
	23	הוֹי בֹּנֶה בֵיתוֹ בְּלֹא־צֶדֶק	Jer. 22:13
	24	נְוֵה־צֶדֶק הַר הַקֹּדֶשׁ	Jer. 31:(22)23
	25	נְוֵה־צֶדֶק וּמִקְוֵה אֲבוֹתֵיהֶם יְיָ	Jer. 50:7
	26/7	מֹאזְנֵי־צֶדֶק וְאֵיפַת־צֶדֶק	Ezek. 45:10
	28	וּבַת־צֶדֶק יְהִיֶה לָכֶם	Ezek. 45:10
	29	עַד־יָבוֹא וְיֹרֶה צֶדֶק לָכֶם	Hosh. 10:12
	30	בַּקְּשׁוּ־צֶדֶק בַּקְּשׁוּ עֲנָוָה	Zep. 2:3
	31	זִבְחוּ זִבְחֵי־צֶדֶק וּבִטְחוּ אֶל־יְיָ	Ps. 4:6
	32	יָשַׁבְתָּ לְכִסֵּא שׁוֹפֵט צֶדֶק	Ps. 9:5
	33	הוֹלֵךְ תָּמִים וּפֹעֵל צֶדֶק	Ps. 15:2
	34	שִׁמְעָה יְיָ צֶדֶק הַקְשִׁיבָה רִנָּתִי	Ps. 17:1
	35	יַנְחֵנִי בְמַעְגְּלֵי־צֶדֶק לְמַעַן שְׁמוֹ	Ps. 23:3
	36	בִּשַּׂרְתִּי צֶדֶק בְּקָהָל רָב	Ps. 40:10
	37	עַל־דְּבַר־אֱמֶת וְעַנְוָה־צֶדֶק	Ps. 45:5
	38	אָהַבְתָּ צֶדֶק וַתִּשְׂנָא רֶשַׁע	Ps. 45:8
	39	צֶדֶק מָלְאָה יְמִינֶךָ	Ps. 48:11
	40	אָז תַּחְפֹּץ זִבְחֵי־צֶדֶק	Ps. 51:21
	41	אָהַבְתָּ...שֶׁקֶר מִדַּבֵּר צֶדֶק	Ps. 52:5
	42	הַאֻמְנָם אֵלֶם צֶדֶק תְּדַבֵּרוּן	Ps. 58:2
	43	צֶדֶק וְשָׁלוֹם נָשָׁקוּ	Ps. 85:11
	44	צֶדֶק לְפָנָיו יְהַלֵּךְ	Ps. 85:14
	45	צֶדֶק וּמִשְׁפָּט מְכוֹן כִּסְאֶךָ	Ps. 89:15
	46	כִּי־עַד־צֶדֶק יָשׁוּב מִשְׁפָּט	Ps. 94:15
צֶדֶק (המשך)	47	צֶדֶק וּמִשְׁפָּט מְכוֹן כִּסְאוֹ	Ps. 97:2
	48	עַל־דִּבְרָתִי מַלְכִּי־צֶדֶק	Ps. 110:4
	49	פִּתְחוּ־לִי שַׁעֲרֵי־צֶדֶק	Ps. 118:19
	50	יְיָ כִּי...צֶדֶק מִשְׁפָּטֶיךָ	Ps. 119:75
	51	צִוִּיתָ צֶדֶק עֵדֹתֶיךָ	Ps. 119:138
	52	צִדְקָתְךָ צֶדֶק לְעוֹלָם	Ps. 119:142
	53	צֶדֶק עֵדְוֹתֶיךָ לְעוֹלָם	Ps. 119:144
	54	כִּי כָל־מִצְוֹתֶיךָ צֶדֶק	Ps. 119:172
	55	כֹּהֲנֶיךָ יִלְבְּשׁוּ־צֶדֶק	Ps. 132:9
	56	צֶדֶק וּמִשְׁפָּט וּמֵשָׁרִים	Prov. 1:3
	57	צֶדֶק וּמִשְׁפָּט וּמֵישָׁרִים	Prov. 2:9
	58	וְרוֹזְנִים יְחוֹקְקוּ צֶדֶק	Prov. 8:15
	59	יָפִיחַ אֱמוּנָה יַגִּיד צֶדֶק	Prov. 12:17
	60	רְצוֹן מְלָכִים שִׂפְתֵי־צֶדֶק	Prov. 16:13
	61	פְּתַח־פִּיךָ שְׁפָט־צֶדֶק	Prov. 31:9
	62	וְאִם־שַׁדַּי יְעַוֵּת־צֶדֶק	Job 8:3
	63	צֶדֶק לָבַשְׁתִּי וַיִּלְבָּשֵׁנִי	Job 29:14
	64	יִשְׁקְלֵנִי בְמֹאזְנֵי־צֶדֶק	Job 31:6
	65	וּלְפֹעֲלִי אֶתֵּן־צֶדֶק	Job 36:3
	66	וּלְכַפֵּר עָוֹן וּלְהָבִיא צֶדֶק עֹלָמִים	Dan. 9:24
וְצֶדֶק	67	אֱמֶת...וְצֶדֶק מִשָּׁמַיִם נִשְׁקָף	Dan. 85:12
וָצֶדֶק	68	אֶבֶן שְׁלֵמָה וָצֶדֶק יִהְיֶה־לָּךְ	Dan. 25:15
	69	אֵיפָה שְׁלֵמָה וָצֶדֶק יִהְיֶה־לָּךְ	Deut. 25:15
	70	עָשִׂיתִי מִשְׁפָּט וָצֶדֶק	Ps. 119:121
	71	וְגֵזֶל מִשְׁפָּט וָצֶדֶק תִּרְאֶה בַמְּדִינָה	Eccl. 5:7
הַצֶּדֶק	72	עִיר הַצֶּדֶק קִרְיָה נֶאֱמָנָה	Is. 1:26
	73	וְקֹרָא לָהֶם אֵילֵי הַצֶּדֶק	Is. 61:3
	74	וּמְקוֹם הַצֶּדֶק שָׁמָּה הָרָשַׁע	Eccl. 3:16
בְּצֶדֶק	75	בְּצֶדֶק תִּשְׁפֹּט עֲמִיתֶךָ	Lev. 19:15
	76	וְשָׁפַט בְּצֶדֶק דַּלִּים	Is. 11:4
	77	אֲנִי יְיָ קְרָאתִיךָ בְצֶדֶק	Is. 42:6
	78	אָנֹכִי הַעִירֹתִהוּ בְצֶדֶק	Is. 45:13
	79	אֵין־קֹרֵא בְצֶדֶק	Is. 59:4
	80	וְאֵרַשְׂתִּיךְ לִי בְּצֶדֶק וּבְמִשְׁפָּט	Hosh. 2:21
	81	וְהוּא יִשְׁפֹּט־תֵּבֵל בְּצֶדֶק	Ps. 9:9
	82	אֲנִי בְּצֶדֶק אֶחֱזֶה פָנֶיךָ	Ps. 17:15
	83	נוֹרָאוֹת בְּצֶדֶק תַּעֲנֵנוּ	Ps. 65:6
	84	יָדִין עַמְּךָ בְצֶדֶק וַעֲנִיֶּיךָ בְמִשְׁפָּט	Ps. 72:2
	85/6	יִשְׁפֹּט־תֵּבֵל בְּצֶדֶק	Ps. 96:13; 98:9
	87	בְּצֶדֶק כָּל־אִמְרֵי־פִי	Prov. 8:8
בַּצֶּדֶק	88	וְיִכּוֹן בַּצֶּדֶק כִּסְאוֹ	Prov. 25:5
לְצֶדֶק	89	הֵן לְצֶדֶק יִמְלָךְ־מֶלֶךְ	Is. 32:1
צִדְקִי	90	אַף־תְּמַכְתִּיךָ בִּימִין צִדְקִי	Is. 41:10
	91	קָרוֹב צִדְקִי יָצָא יִשְׁעִי	Is. 51:5
	92	בְּקָרְאִי עֲנֵנִי אֱלֹהֵי צִדְקִי	Ps. 4:2
	93	יָרֹנּוּ וְיִשְׂמְחוּ חֲפֵצֵי צִדְקִי	Ps. 35:27
	94	וְשׁוּבוּ° עוֹד צִדְקִי־בָהּ	Job 6:29
	95	אָמַרְתָּ צִדְקִי מֵאֵל	Job 35:2
כְּצִדְקִי	96	שָׁפְטֵנִי יְיָ כְּצִדְקִי וּכְתֻמִּי עָלָי	Ps. 7:9
	97	יִגְמְלֵנִי יְיָ כְּצִדְקִי	Ps. 18:21
	98	וַיָּשֶׁב־יְיָ לִי כְצִדְקִי	Ps. 18:25
צִדְקֶךָ	99	וְהָלַךְ לְפָנֶיךָ צִדְקֶךָ	Is. 58:8
	100	וּלְשׁוֹנִי תֶּהְגֶּה צִדְקֶךָ	Ps. 35:28
	101	וְהוֹצִיא כָאוֹר צִדְקֶךָ	Ps. 37:6
	102	בְּלָמְדִי מִשְׁפְּטֵי צִדְקֶךָ	Ps. 119:7
	103	לְהוֹדוֹת לָךְ עַל מִשְׁפְּטֵי צִדְקֶךָ	Ps. 119:62
	104	לִשְׁמֹר מִשְׁפְּטֵי צִדְקֶךָ	Ps. 119:106
	105	עֵינַי כָּלוּ...וּלְאִמְרַת צִדְקֶךָ	Ps. 119:123
	106	וּלְעוֹלָם כָּל־מִשְׁפַּט צִדְקֶךָ	Ps. 119:160
	107	הִלַּלְתִּיךָ עַל מִשְׁפְּטֵי צִדְקֶךָ	Ps. 119:164
	108	וְשִׁלַּם נְוַת צִדְקֶךָ	Job 8:6
כְּצִדְקְךָ	109	שָׁפְטֵנִי כְצִדְקְךָ יְיָ אֱלֹהָי	Ps. 35:24
צִדְקֵךְ	110	וְרָאוּ גוֹיִם צִדְקֵךְ	Is. 62:2
צִדְקוֹ	111	יְיָ חָפֵץ לְמַעַן צִדְקוֹ	Is. 42:21
	112	וַיַּגִּידוּ שָׁמַיִם צִדְקוֹ	Ps. 50:6
	113	הִגִּידוּ הַשָּׁמַיִם צִדְקוֹ	Ps. 97:6
בְּצִדְקוֹ	114	יֵשׁ צַדִּיק אֹבֵד בְּצִדְקוֹ	Eccl. 7:15
כְּצִדְקוֹ	115	אוֹדֶה יְיָ כְּצִדְקוֹ	Ps. 7:18
מִצִּדְקוֹ	116	וּבְשׁוּב צַדִּיק מִצִּדְקוֹ וְעָשָׂה עָוֶל	Ezek. 3:20
צִדְקָהּ	117	לֹא אֶשְׁקוֹט עַד־יֵצֵא כַנֹּגַהּ צִדְקָהּ	Is. 62:1
צִדְקֵנוּ	118	וְזֶה־שְּׁמוֹ אֲשֶׁר־יִקְרְאוֹ יְיָ / צִדְקֵנוּ	Jer. 23:6
	119	וְזֶה אֲשֶׁר־יִקְרָא־לָהּ יְיָ / צִדְקֵנוּ	Jer. 33:16

צְדָקָה נ׳ צֶדֶק, יֹשֶׁר: 1-157 • קרובים: ראה יֹשֶׁר

– צְדָקָה וּמִשְׁפָּט 2, 7, 17, 27, 30, 32-34, 36, 39-53, 55, 60, 61, 65, 75, 76, 83; צְ׳ וָחֶסֶד 28, 39, 107,130; צְ׳ וְכָבוֹד 29; צְ׳ וְשָׁלוֹם 11,71,106; צְ׳ וּתְהִלָּה 13; אֱמֶת וּצְדָקָה 67, 77; בְּרָכָה וּצְ׳ 54; יְשׁוּעָה וּצְ׳ 93

– אוֹהֵב צְדָקָה 17; אֹרַח צְ׳ 19, 22; דֶּרֶךְ צְ׳ 26; כֵּן צְדָקָה 21; מְעִיל צְ׳ 12; מַעֲשֵׂה צְ׳ 62; מְרַדֵּף צְ׳ 25; עֲבוֹדַת צְ׳ 63; פְּרִי צְדָקָה 15; צֶמַח צְ׳ 14; רוֹדֵף צְ׳ 28; שֶׁמֶשׁ צְדָקָה 16

– אָהַב צְדָקָה 145; גִּלָּה צְדָקָה 126; הָגָה צְ׳ 104; הִגִּיד צְ׳ 122,125; הִזְכִּיר צְ׳ 100; הִצְמִיחַ צְ׳ 13,37; הֵשִׁיב צְ׳ 128; זָרַע צְ׳ 20; לָבַשׁ צְ׳ 10; סִפֵּר צְ׳ 103; עָשָׂה צְ׳ 2,7,8,18,27,33,39-51,55,60,83,133,146, 152,153; תִּנָּה צְ׳ 147; צִדְקַת יְיָ 83; צְ׳ יְשָׁרִים 87; צִדְקַת צַדִּיק(ים) 84, 85, 88; צִדְקַת תָּמִים 86

– צִדְקוֹת יְיָ 147, 149, 150; צִדְקוֹת פִּרְזוֹן 148

צְדָקָה	1	וְהֶאֱמִן בַּיְיָ וַיַּחְשְׁבֶהָ לּוֹ צְדָקָה	Gen. 15:6
	2	וְשָׁמְרוּ...לַעֲשׂוֹת צְדָקָה וּמִשְׁפָּט	Gen. 18:19
	3	וּלְךָ תִּהְיֶה צְדָקָה לִפְנֵי יְיָ אֱלֹהֶיךָ	Deut. 24:13
	4	וּמַה־יֶּשׁ־לִי עוֹד צְדָקָה	IISh. 19:29
	5	כִּלָּיוֹן חָרוּץ שׁוֹטֵף צְדָקָה	Is. 10:22
	6	יָצָא מִפִּי צְדָקָה דָּבָר וְלֹא יָשׁוּב	Is. 45:23
	7	שִׁמְרוּ מִשְׁפָּט וַעֲשׂוּ צְדָקָה	Is. 56:1
	8	כְּגוֹי אֲשֶׁר־צְדָקָה עָשָׂה	Is. 58:2
	9	וְלֹא תַשִּׂיגֵנוּ צְדָקָה	Is. 59:9
	10	וַיִּלְבַּשׁ צְדָקָה כַּשִּׁרְיָן	Is. 59:17
	11	פְּקֻדָּתֵךְ שָׁלוֹם וְנֹגְשַׂיִךְ צְדָקָה	Is. 60:17
	12	מְעִיל צְדָקָה יְעָטָנִי	Is. 61:10
	13	אֲדֹנָי יֱהוִֹה יַצְמִיחַ צְדָקָה וּתְהִלָּה	Is. 61:11
	14	אַצְמִיחַ לְדָוִד צֶמַח צְדָקָה	Jer. 33:15
	15	כִּי־הֲפַכְתֶּם...וּפְרִי צְדָקָה לְלַעֲנָה	Am. 6:12
	16	שֶׁמֶשׁ צְדָקָה וּמַרְפֵּא בִּכְנָפֶיהָ	Mal. 3:20
	17	אֹהֵב צְדָקָה וּמִשְׁפָּט	Ps. 33:5
	18	עֹשֵׂה צְדָקָה בְכָל־עֵת	Ps. 106:3
	19	בְּאֹרַח־צְדָקָה אֲהַלֵּךְ	Prov. 8:20
	20	וְזֹרֵעַ צְדָקָה שֶׂכֶר אֱמֶת	Prov. 11:18
	21	כֵּן־צְדָקָה לְחַיִּים	Prov. 11:19
	22	בְּאֹרַח־צְדָקָה חַיִּים	Prov. 12:28
	23	צְדָקָה תִּצֹּר תָּם־דָּרֶךְ	Prov. 13:6
	24	צְדָקָה תְרוֹמֵם־גּוֹי	Prov. 14:34
	25	וּמְרַדֵּף צְדָקָה יֶאֱהָב	Prov. 15:9
	26	עֲטֶרֶת...בְּדֶרֶךְ צְדָקָה תִּמָּצֵא	Prov. 16:31
	27	עֲשֹׂה צְדָקָה וּמִשְׁפָּט נִבְחָר לַיְיָ	Prov. 21:3
	28	רֹדֵף צְדָקָה וָחָסֶד	Prov. 21:21
	29	יִמְצָא חַיִּים צְדָקָה וְכָבוֹד	Prov. 21:21
	30	וּמִשְׁפָּט וְרֹב־צְדָקָה לֹא יְעַנֶּה	Job 37:23
וּצְדָקָה	31	וּצְדָקָה תִּהְיֶה־לָּנוּ כִּי־נִשְׁמֹר...	Deut. 6:25
	32	וַיְהִי דָוִד עֹשֶׂה מִשְׁפָּט וּצְדָקָה	IISh. 8:15
	33	וַיְשִׂימְךָ לְמֶלֶךְ לַעֲשׂוֹת מִשְׁפָּט וּצְדָקָ׳	IK. 10:9
	34	מִשְׁפָּט לְקָו וּצְדָקָה לְמִשְׁקָלֶת	Is. 28:17
	35	וּצְדָקָה בַּכַּרְמֶל תֵּשֵׁב	Is. 32:16

וּצְדָקָה (המשך)
36 מְלֵא צִיּוֹן מִשְׁפָּט וּצְדָקָה Is. 33:5
37 וְיִפְרוּ־יֶשַׁע וּצְדָקָה תַצְמִיחַ יַחַד Is. 45:8
38 וּצְדָקָה מֵרָחוֹק תַּעֲמֹד Is. 59:14
39 עֹשֶׂה חֶסֶד מִשְׁפָּט וּצְדָקָה בָּאָרֶץ Jer. 9:23
40 עֲשׂוּ מִשְׁפָּט וּצְדָקָה Jer. 22:3
41 אָכַל וְשָׁתָה וְעָשָׂה מִשְׁפָּט וּצְדָקָה Jer. 22:15
42/3 וְעָשָׂה מִשְׁפָּט וּצְדָקָה בָּאָרֶץ Jer. 23:5; 33:15
44-47 וְעָשָׂה מִשְׁפָּט וּצְדָקָה Ezek. 18:5,21; 33:14,19
48/9 מִשְׁפָּט וּצְדָקָה עָשָׂה Ezek. 18:19; 33:16
50 וַיַּעַשׂ מִשְׁפָּט וּצְדָקָה Ezek. 18:27
51 וּמִשְׁפָּט וּצְדָקָה עֲשׂוּ Ezek. 45:9
52 הַהֹפְכִים...מִשְׁפָּט וּצְדָקָה לָאָ׳ הִנִּיחוּ Am. 5:7
53 ...כַּמַּיִם מִשְׁפָּט וּצְדָקָה כְּנַחַל אֵיתָן Am. 5:24
54 יִשָּׂא בְרָכָה...וּצְדָקָה מֵאֱלֹהֵי יִשְׁעוֹ Ps. 24:5
55 מִשְׁפָּט וּצְדָקָה בְּיַעֲקֹב אַתָּה עָשִׂיתָ Ps. 99:4
56 עֹשֶׁר־וְכָבוֹד אִתִּי הוֹן עָתֵק וּצְדָקָה Prov. 8:18
57/8 וּצְדָקָה תַּצִּיל מִמָּוֶת Prov. 10:2; 11:4
59 וְלָכֶם אֵין־חֵלֶק וּצְדָקָה...בִּירוּשָׁלִָם Neh. 2:20
60 וַיְהִי עֹשֶׂה מִשְׁפָּט וּצְדָקָה לְכָל־עַמּוֹ ICh. 18:14
61 לַעֲשׂוֹת מִשְׁפָּט וּצְדָקָה IICh. 9:8
הַצְּדָקָה 62 וְהָיָה מַעֲשֵׂה הַצְּדָקָה שָׁלוֹם Is. 32:17
63 וַעֲבֹדַת הַצְּדָקָה הַשְׁקֵט וָבֶטַח Is. 32:17
64 לְךָ יְיָ הַצְּדָקָה וְלָנוּ בֹּשֶׁת הַפָּנִים Dan. 9:7
בִּצְדָקָה 65 בְּמִשְׁפָּט תִּפָּדֶה וְשָׁבֶיהָ בִּצְדָקָה Is. 1:27
66 וְהָאֵל הַקָּדוֹשׁ נִקְדָּשׁ בִּצְדָקָה Is. 5:16
67 לֹא בֶאֱמֶת וְלֹא בִצְדָקָה Is. 48:2
68 בִּצְדָקָה תִּכּוֹנָנִי רַחֲקִי מֵעֹשֶׁק Is. 54:14
69 אֲנִי מְדַבֵּר בִּצְדָקָה רַב לְהוֹשִׁיעַ Is. 63:1
70 וְהָיוּ לַיְיָ מַגִּישֵׁי מִנְחָה בִּצְדָקָה Mal. 3:3
71 שָׁלוֹם לָעָם וּגְבָעוֹת בִּצְדָקָה Ps. 72:3
72 טוֹב מְעַט בִּצְדָקָה Prov. 16:8
73 כִּי בִצְדָקָה יִכּוֹן כִּסֵּא Prov. 16:12
וּבִצְדָקָה 74 כַּאֲשֶׁר הָלַךְ לְפָנֶיךָ בֶּאֱמֶת וּבִצְדָקָה IK. 3:6
75 וּלְסַעֲדָהּ בְּמִשְׁפָּט וּבִצְדָקָה Is. 9:6
76 וְנִשְׁבַּעְתָּ חַי יְיָ...בְּמִשְׁפָּט וּבִצְדָקָה Jer. 4:2
77 אֶהְיֶה לָהֶם לֵאלֹ׳ בֶּאֱמֶת וּבִצְדָקָה Zech. 8:8
לִצְדָקָה 78 וַיְקַו...לִצְדָקָה וְהִנֵּה צְעָקָה Is. 5:7
79 זִרְעוּ לָכֶם לִצְדָקָה Hosh. 10:12
80 כִּי־נָתַן לָכֶם אֶת־הַמּוֹרֶה לִצְדָקָה Joel 2:23
81 וַתֵּחָשֶׁב לוֹ לִצְדָקָה Ps. 106:31
מִצְּדָקָה 82 אַבִּירֵי לֵב הָרְחוֹקִים מִצְּדָקָה Is. 46:12
צִדְקַת־ 83 צִדְקַת יְיָ עָשָׂה וּמִשְׁפָּטָיו עִם־יִשְׂ׳ Deut. 33:21
84 צִדְקַת הַצַּדִּיק עָלָיו תִּהְיֶה Ezek. 18:20
85 צִדְקַת הַצַּדִּיק לֹא תַצִּילֶנּוּ Ezek. 33:12
86 צִדְקַת תָּמִים תְּיַשֵּׁר דַּרְכּוֹ Prov. 11:5
87 צִדְקַת יְשָׁרִים תַּצִּילֵם Prov. 11:6
וְצִדְקַת־ 88 וְצִדְקַת צַדִּיקִים יָסִירוּ מִמֶּנּוּ Is. 5:23
צִדְקָתִי 89 וְעָנְתָה־בִּי צִדְקָתִי בְּיוֹם מָחָר Gen. 30:33
90 קֵרַבְתִּי צִדְקָתִי לֹא תִרְחָק Is. 46:13
וְצִדְקָתִי 91 וְצִדְקָתִי לֹא תֵחָת Is. 51:6
92 וְצִדְקָתִי לְעוֹלָם תִּהְיֶה Is. 51:8
93 קְרוֹבָה יְשׁוּעָתִי...וְצִדְקָתִי לְהִגָּלוֹת Is. 56:1
בְּצִדְקָתִי 94 בְּצִדְקָתִי הֱבִיאַנִי יְיָ לָרֶשֶׁת אֶת־הָאָ׳ Deut. 9:4
95 בְּצִדְקָתִי הֶחֱזַקְתִּי וְלֹא אַרְפֶּהָ Job 27:6
כְּצִדְקָתִי 96 יִגְמְלֵנִי יְיָ כְּצִדְקָתִי IISh. 22:21
97 וַיָּשֶׁב יְיָ לִי כְּצִדְקָתִי IISh. 22:25
צִדְקָתְךָ 98 צִדְקָתְךָ כְּהַרְרֵי־אֵל Ps. 36:7
99 צִדְקָתְךָ לֹא־כִסִּיתִי בְּתוֹךְ לִבִּי Ps. 40:11
100 אַזְכִּיר צִדְקָתְךָ לְבַדֶּךָ Ps. 71:16
101 צִדְקָתְךָ צֶדֶק לְעוֹלָם Ps. 119:142
צִדְקָתֶךָ 102 תְּרַנֵּן לְשׁוֹנִי צִדְקָתֶךָ Ps. 51:16
103 פִּי יְסַפֵּר צִדְקָתֶךָ Ps. 71:15
104 גַּם־לְשׁוֹנִי...תֶּהְגֶּה צִדְקָתֶךָ Ps. 71:24
105 וּלְבֶן־אָדָם צִדְקָתֶךָ Job 35:8
וְצִדְקָתְךָ 106 כַנָּהָר שְׁלוֹמֶךָ וְצִדְקָתְךָ כְּגַלֵּי הַיָּם Is. 48:18
107 חַסְדְּךָ...וְצִדְקָתְךָ לְיִשְׁרֵי־לֵב Ps. 36:11
108 וְצִדְקָתְךָ אֱלֹהִים עַד־מָרוֹם Ps. 71:19
109 מִשְׁפָּטֶיךָ...וְצִדְקָתְךָ לְבֶן־מֶלֶךְ Ps. 72:1
110 הֲיִוָּדַע...וְצִדְקָתְךָ בְּאֶרֶץ נְשִׁיָּה Ps. 88:13
111 טוּבְךָ יַבִּיעוּ וְצִדְקָתְךָ יְרַנֵּנוּ Ps. 145:7
בְּצִדְקָתְךָ 112 לֹא בְצִדְקָתְךָ וּבְיֹשֶׁר לְבָבְךָ Deut. 9:5
113 לֹא בְצִדְקָתְךָ יְיָ...נֹתֵן לְךָ אֶת־הָאָ׳ Deut. 9:6
114 בְּךָ־יְיָ חָסִיתִי...בְּצִדְקָתְךָ פַלְּטֵנִי Ps. 31:2
115 בְּצִדְקָתְךָ תַּצִּילֵנִי וּתְפַלְּטֵנִי Ps. 71:2
116 תָּאַבְתִּי לְפִקֻּדֶיךָ בְּצִדְקָתְךָ חַיֵּנִי Ps. 119:40
117 בְּצִדְקָתְךָ תוֹצִיא מִצָּרָה נַפְשִׁי Ps. 143:11
בְּצִדְקָתֶךָ 118 יְיָ נְחֵנִי בְצִדְקָתֶךָ Ps. 5:9
119 וְאַל־יָבֹאוּ בְּצִדְקָתֶךָ Ps. 69:28
120 בֶּאֱמֻנָתְךָ עֲנֵנִי בְּצִדְקָתֶךָ Ps. 143:1
וּבְצִדְקָתְךָ 121 בְּשִׁמְךָ יְגִילוּן...וּבְצִדְקָתְךָ יָרוּמוּ Ps. 89:17
צִדְקָתֵךְ 122 אֲנִי אַגִּיד צִדְקָתֵךְ Is. 57:12
צִדְקָתוֹ 123 וַיְיָ יָשִׁיב לָאִישׁ אֶת־צִדְקָתוֹ ISh. 26:23
124 וְהוּא־בָטַח עַל־צִדְקָתוֹ Ezek. 33:13
125 יָבֹאוּ וְיַגִּידוּ צִדְקָתוֹ Ps. 22:32
126 לְעֵינֵי הַגּוֹיִם גִּלָּה צִדְקָתוֹ Ps. 98:2
127 צִדְקָתוֹ עֹמֶדֶת לָעַד Ps. 112:9
128 וַיָּשֶׁב לֶאֱנוֹשׁ צִדְקָתוֹ Job 33:26
וְצִדְקָתוֹ 129 וְצִדְקָתוֹ הִיא סְמָכָתְהוּ Is. 59:16
130 וְחֶסֶד יְיָ...וְצִדְקָתוֹ לִבְנֵי בָנִים Ps. 103:17
131/2 וְצִדְקָתוֹ עֹמֶדֶת לָעַד Ps. 111:3; 112:3
בְּצִדְקָתוֹ 133 בְּצִדְקָתוֹ אֲשֶׁר־עָשָׂה יִחְיֶה Ezek. 18:22
134 יוֹצִיאֵנִי לָאוֹר אֶרְאֶה בְּצִדְקָתוֹ Mic. 7:9
כְּצִדְקָתוֹ 135 וּלְהַצְדִּיק צַדִּיק לָתֶת לוֹ כְּצִדְקָתוֹ IK. 8:32
136 וּלְהַצְדִּיק צַדִּיק לָתֶת לוֹ כְּצִדְקָתוֹ IICh.6:23
מִצִּדְקָתוֹ 137-139 (וּב) בְּשׁוּב(־)צַדִּיק מִצִּדְקָתוֹ וְעָשָׂה עָוֶל Ezek. 18:24, 26; 33:18
וְצִדְקָתָם 140 נַחֲלַת עַבְדֵי יְיָ וְצִדְקָתָם מֵאִתִּי Is. 54:17
בְּצִדְקָתָם 141 הֵמָּה בְצִדְקָתָם יְנַצְּלוּ נַפְשָׁם Ezek. 14:14
142 הֵמָּה בְצִדְקָתָם יַצִּילוּ נַפְשָׁם Ezek. 14:20
צְדָקוֹת 143 הֹלֵךְ צְדָקוֹת וְדֹבֵר מֵישָׁרִים Is. 33:15
144 אַךְ בַּיְיָ לִי אָמַר צְדָקוֹת וָעֹז Is. 45:24
145 כִּי־צַדִּיק יְיָ צְדָקוֹת אָהֵב Ps. 11:7
146 עֹשֵׂה צְדָקוֹת יְיָ Ps. 103:6
צִדְקוֹת־ 147 שָׁם יְתַנּוּ צִדְקוֹת יְיָ Jud. 5:11
148 צִדְקֹת פִּרְזוֹנוֹ בְּיִשְׂרָאֵל Jud. 5:11
149 כָּל־צִדְקוֹת יְיָ אֲשֶׁר־עָשָׂה אִתְּכֶם ISh. 12:7
150 לְמַעַן דַּעַת צִדְקוֹת יְיָ Mic. 6:5
צִדְקֹתֶיךָ 151 כְּכָל־צִדְקֹתֶיךָ יָשָׁב־נָא אַפְּךָ Dan. 9:16
צִדְקֹתָיו 152 וְלֹא תִזָּכַרְןָ צִדְקֹתָו אֲשֶׁר עָשָׂה Ezek. 3:20
153 צִדְקֹתָו אֲשֶׁר־עָשָׂה לֹא תִזָּכַרְנָה Ezek. 18:24
154 כָּל־צִדְקֹתָו לֹא תִזָּכַרְנָה Ezek. 33:13
צִדְקֹתֵינוּ 155 וּכְבֶגֶד עִדִּים כָּל־צִדְקֹתֵינוּ Is. 64:5
156 הוֹצִיא יְיָ אֶת־צִדְקֹתֵינוּ Jer. 51:10
157 לֹא עַל־צִדְקֹתֵינוּ אֲנַחְנוּ מַפִּילִים
תַּחֲנוּנֵינוּ לְפָנֶיךָ Dan. 9:18

צִדְקָה
נ׳ ארמית: צְדָקָה, חסד
בְּצִדְקָה 1 וַחֲטָאָךְ בְּצִדְקָה פְרֻק Dan. 4:24

צִדְקִיָּה
שפ״ז א) נביא שקר בימי אחאב: 1
ב) מלך יהודה: 2-5, 7
ג) מן החתומים על האמנה בימי נחמיה: 6
מַלְכוּת צִדְקִיָּה 5; מַמְלֶכֶת צִדְקִיָּה 3
צִדְקִיָּה 1 וַיַּעַשׂ לוֹ צִדְקִיָּה...קַרְנֵי בַרְזֶל IK. 22:11
2 וְאֶל־צִדְקִיָּה מֶלֶךְ־יְהוּדָה דִּבַּרְתִּי Jer. 27:12
צִדְקִיָּה (המשך)
3 מַמְלֶכֶת צִדְקִיָּה מֶלֶךְ יְהוּדָה Jer. 28:1
4 אֲשֶׁר שָׁלַח צִדְקִיָּה מֶלֶךְ יְהוּדָה Jer. 29:3
5 מַלְכוּת צִדְקִיָּה מֶלֶךְ יְהוּדָה Jer. 49:34
6 וְעַל הַחֲתוּמִים נְחֶמְיָה...וְצִדְקִיָּה Neh. 10:2
7 וּבְנֵי יְהוֹיָקִים יְכָנְיָה בְנוֹ צִדְקִיָּה בְנוֹ ICh. 3:16

צִדְקִיָּהוּ
שפ״ז א) הוא צִדְקִיָּה, נביא שקר בימי אחאב: 1, 47, 48
ב) הוא צִדְקִיָּה אחרון מלכי יהודה: 2-40, 42-46, 49, 50, 53-56
ג) נביא שקר בימי ירמיהו: 41, 52
ד) שר בימי יהויקים: 51
בְּנֵי צִדְקִיָּהוּ 6, 42, 43; עֵינֵי צִדְקִיָּהוּ 7, 44, 45
צִדְקִיָּהוּ 1 וַיִּגַּשׁ צִדְקִיָּהוּ בֶן־כְּנַעֲנָה וַיַּכֶּה. IK. 22:24
2 וַיַּסֵּב אֶת־שְׁמוֹ צִדְקִיָּהוּ IIK. 24:17
3 בֶּן־עֶשְׂרִים...שָׁנָה צִדְקִיָּהוּ בְמָלְכוֹ IIK. 24:18
4 וַיִּמְרֹד צִדְקִיָּהוּ בְּמֶלֶךְ בָּבֶל IIK. 24:20f
5 עַד עַשְׁתֵּי־עֶשְׂרֵה שָׁנָה לַמֶּלֶךְ צִדְקִיָּהוּ IIK. 25:2
6 וְאֶת־בְּנֵי צִדְקִיָּהוּ שָׁחֲטוּ לְעֵינָיו IIK. 25:7
7 וְאֶת־עֵינֵי צִדְקִיָּהוּ עִוֵּר IIK. 25:7
8 בִּשְׁלֹחַ אֵלָיו הַמֶּלֶךְ צִדְקִיָּהוּ Jer. 21:1
9 כֹּה תֹאמְרֻן אֶל־צִדְקִיָּהוּ Jer. 21:3
10-20 צִדְקִיָּהוּ מֶלֶךְ(־)יְהוּדָה Jer. 21:7
24:8; 27:3; 32:3; 34:2, 4, 6, 21; 39:4; 44:30; 51:59
21 אַחֲרֵי כְּרֹת הַמֶּלֶךְ צִדְקִיָּהוּ בְּרִית Jer. 34:8
22-30 (הַ)(ל)מֶּלֶךְ צִדְקִיָּהוּ Jer. 37:3, 17, 18
37:21; 38:5, 14, 16, 19; 52:5
31-40 צִדְקִיָּהוּ Jer. 32:5; 37:1; 38:15, 17, 24
39:5; 52:1, 3, 8 • IICh. 36:11
41 וְאֶל־צִדְקִיָּהוּ בֶן־מַעֲשֵׂיָה Jer. 29:21
42/3 וַיִּשְׁחַט...אֶת־בְּנֵי צִדְקִיָּהוּ Jer. 39:6; 52:10
44/5 וְאֶת־עֵינֵי צִדְקִיָּהוּ עִוֵּר Jer. 39:7; 52:11
46 הַשְּׁלִשִׁי צִדְקִיָּהוּ הָרְבִיעִי שַׁלּוּם IICh. 3:15
47 וַיַּעַשׂ לוֹ צִדְקִיָּהוּ בֶן־כְּנַעֲנָה קַרְנֵי בַרְזֶל IICh. 18:10
48 וַיִּגַּשׁ צִדְקִיָּהוּ בֶן־כְּנַעֲנָה וַיַּךְ... IICh. 18:23
49 וַיַּמְלֵךְ אֶת־צִדְקִיָּהוּ אָחִיו IICh. 36:10
וְצִדְקִיָּהוּ 50 וְצִדְקִיָּהוּ מֶלֶךְ יְהוּדָה לֹא יִמָּלֵט Jer. 32:4
51 וְצִדְקִיָּהוּ בֶן־חֲנַנְיָהוּ וְכָל־הַשָּׂרִים Jer. 36:12
כְּצִדְקִיָּהוּ 52 יְשִׂמְךָ יְיָ כְּצִדְקִיָּהוּ וּכְאֶחָב Jer. 29:22
לְצִדְקִיָּהוּ 53 עַשְׁתֵּי־עֶשְׂרֵה שָׁנָה לְצִדְקִיָּהוּ Jer. 1:3
54 בַּשָּׁנָה הָעֲשִׂרִית לְצִדְקִיָּהוּ Jer. 32:1
55 בַּשָּׁנָה הַתְּשִׁעִית לְצִדְקִיָּהוּ Jer. 39:1
56 בְּעַשְׁתֵּי־עֶשְׂרֵה שָׁנָה לְצִדְקִיָּהוּ Jer. 39:2

צהב
: צָהֹב, מֻצְהָב

(צהב) מֻצְהָב
הפ׳ בינוני – שהוברק ונעשה צהב
מֻצְהָב 1 וּכְלֵי נְחֹשֶׁת מֻצְהָב טוֹבָה Ez. 8:27

צָהֹב
ת׳ שצבעו כעין זהב: 1-3
שֵׂעָר צָהֹב 1-3
צָהֹב 1 הַנֶּגַע...וּבוֹ שֵׂעָר צָהֹב דָּק Lev. 13:30
2 וְלֹא־הָיָה בוֹ שֵׂעָר צָהֹב Lev. 13:32
הַצָּהֹב 3 לֹא־יְבַקֵּר הַכֹּהֵן לַשֵּׂעָר הַצָּהֹב Lev. 13:36

צהל
: צָהַל, הִצְהִיל; מִצְהָלָה

צָהַל
פ׳ א) השמיע קולות שמחה, שמח מאד: 1, 2, 5-8
ב) השמיע קול הסוס: 3, 4
ג) [הפ׳ הִצְהִיל] הרנין, שמח: 9
צָהֲלָה 1 וְהָעִיר שׁוּשַׁן צָהֲלָה וְשָׂמֵחָה Es. 8:15
צָהֲלוּ 2 בִּגְאוֹן יְיָ צָהֲלוּ מִיָּם Is. 24:14

וְתִצְהֲלוּ 3 כִּי תִשְׂמְחוּ°...וְתִצְהֲלוּ (כת׳ ותצהלי)
כָּאַבִּירִים Jer. 50:11
יִצְהָלוּ 4 סוּסִים מְיֻזָּנִים מַשְׁכִּים הָיוּ...יִצְהָלוּ Jer. 5:8
צַהֲלִי 5 צַהֲלִי קוֹלֵךְ בַּת־גַּלִּים Is. 10:30
6 צַהֲלִי וָרֹנִּי יוֹשֶׁבֶת צִיּוֹן Is. 12:6
וְצַהֲלִי 7 פִּצְחִי רִנָּה וְצַהֲלִי לֹא־חָלָה Is. 54:1
וְצַהֲלוּ 8 רָנּוּ...וְצַהֲלוּ בְּרֹאשׁ הַגּוֹיִם Jer. 31:6(7)
לְהַצְהִיל 9 לְהַצְהִיל פָּנִים מִשָּׁמֶן Ps. 104:15

צהר
: הִצְהִיר; צֹהַר, צָהֳרַיִם, יִצְהָר

(צהר) הִצְהִיר
הפ׳ דָּרַךְ יִצְהָר (שֶׁמֶן)

יַצְהִירוּ 1 בֵּין־שׁוּרֹתָם יַצְהִירוּ יְקָבִים דָּרְכוּ Job 24:11

צֹהַר
ז׳ חלון

צֹהַר 1 צֹהַר תַּעֲשֶׂה לַתֵּבָה Gen. 6:16

צָהֳרַיִם
ז״ז – חצות היום: 1-23

– מִשְׁכַּב צָהֳרַיִם 8; עֵת צָהֳרַיִם 2
– מֵהַבֹּקֶר וְעַד־הַצָּהֳרַיִם 5

צָהֳרָיִם 1 שִׁיתִי כַלַּיִל צִלֵּךְ בְּתוֹךְ צָהֳרָיִם Is. 16:3
2 וְשָׁמַע...וּתְרוּעָה בְּעֵת צָהֳרָיִם Jer. 20:16
3 (לֹא־תִירָא)...מִקֶּטֶב יָשׁוּד צָהֳרָיִם Ps. 91:6
וְצָהֳרַיִם 4 עֶרֶב וָבֹקֶר וְצָהֳרַיִם אָשִׂיחָה Ps. 55:18
הַצָּהֳרַיִם 5 וַיִּקְרְאוּ...מֵהַבֹּקֶר וְעַד־הַצָּהֳרַיִם IK. 18:26
6 וַיְהִי כַּעֲבֹר הַצָּהֳרַיִם וַיִּתְנַבְּאוּ IK. 18:29
7 וַיֵּשֶׁב עַל־בִּרְכֶּיהָ עַד־הַצָּהֳרָיִם IIK. 4:20
הַצָּהֳרָיִם 8 וְהוּא שֹׁכֵב אֵת מִשְׁכַּב הַצָּהֳרָיִם IISh. 4:5
בַּצָּהֳרַיִם 9 וְהָיִיתָ מְמַשֵּׁשׁ בַּצָּהֳרַיִם... Deut. 28:29
10 וַיְהִי בַצָּהֳרַיִם וַיְהַתֵּל בָּהֶם אֵלִיָּהוּ IK. 18:27
11 כָּשַׁלְנוּ בַצָּהֳרַיִם כַּנֶּשֶׁף Is. 59:10
12 אַשְׁדּוֹד בַּצָּהֳרַיִם יְגָרְשׁוּהָ Zep. 2:4
בַּצָּהֳרָיִם 13 אִתִּי יֹאכְלוּ הָאֲנָשִׁים בַּצָּהֳרָיִם Gen. 43:16
14 עַד־בּוֹא יוֹסֵף בַּצָּהֳרָיִם Gen. 43:25
15 וַיֵּצְאוּ בַּצָּהֳרָיִם IK. 20:16
16 קוּמוּ וְנַעֲלֶה בַצָּהֳרָיִם Jer. 6:4
17 הֵבֵאתִי לָהֶם...שֹׁדֵד בַּצָּהֳרָיִם Jer. 15:8
18 וְהֵבֵאתִי הַשֶּׁמֶשׁ בַּצָּהֳרָיִם Am. 8:9
19 וְכַלַּיְלָה יְמַשְׁשׁוּ בַצָּהֳרָיִם Job 5:14
20 אֵיכָה תִרְעֶה אֵיכָה תַּרְבִּיץ בַּצָּהֳרָיִם S.ofS. 1:7
כַּצָּהֳרָיִם 21 וְזָרַח...אוֹרֶךָ וַאֲפֵלָתְךָ כַּצָּהֳרָיִם Is. 58:10
22 וְהוֹצִיא...כָאוֹר וּמִשְׁפָּטֶךָ כַּצָּהֳרָיִם Ps. 37:6
וּמִצָּהֳרַיִם 23 וּמִצָּהֳרַיִם יָקוּם חָלֶד Job 11:17

צַו
ז׳ מצוה, פקודה: 1-9 • קרובים: ראה מִצְוָה

צַו לָצָו 1-4

צַו 1-4 צַו לָצָו צַו לָצָו Is. 28:10, 13
צָו 5 כִּי הוֹאִיל הָלַךְ אַחֲרֵי־צָו Hosh. 5:11
לָצָו 6-9 צַו לָצָו צַו לָצָו Is. 28:10, 13

צוֹאָה
נ׳ צאה, גללים: 1-5

קִיא צוֹאָה 1; צוֹאַת בְּנוֹת צִיּוֹן 2

צוֹאָה 1 כִּי כָּל־שֻׁלְחָנוֹת מָלְאוּ קִיא צֹאָה Is. 28:8
צוֹאַת־ 2 אִם רָחַץ אֲדֹנָי אֵת צֹאַת בְּנוֹת־צִיּוֹן Is. 4:4
וּמִצּוֹאָתוֹ 3 טָהוֹר בְּעֵינָיו וּמִצֹּאָתוֹ לֹא רֻחָץ Prov. 30:12
צוֹאָתָם 4 לֶאֱכֹל אֶת־צוֹאָתָם (כת׳ חריהם) IIK. 18:27
5 לֶאֱכֹל אֶת־צוֹאָתָם (כת׳ חראיהם) Is. 36:12

צוֹאִי*
ת׳ מגואל, מלוכלך: 1,2

בְּגָדִים צוֹאִים 1,2

צוֹאִים 1 וִיהוֹשֻׁעַ הָיָה לָבֻשׁ בְּגָדִים צוֹאִים Zech. 3:3
הַצּוֹאִים 2 הָסִירוּ הַבְּגָדִים הַצֹּאִים מֵעָלָיו Zech. 3:4

צַוָּאר
ז׳ א) החֵלק שבין הראש לגוף באדם ובכל חי (גם בהשאלה): 1-26
ב) [צַוָּארִים] כנ״ל: 27-40

– צַוָּאר עָתָק 4; צַוַּאר הַגּוֹיִם 7, 8; צַ׳ יִרְמְיָהוּ 6
– טוּב צַוָּארוֹ 24; מוֹסְרֵי צַוָּארוֹ 15
– צַוְּארֵי שָׁלָל 32; חֶלְקַת צַוָּארָיו 33
– בָּכָה עַל צַוָּארָיו 35, 37; נָפַל עַל צַוָּארָיו 27, 34, 36; נִרְדַּף עַל צַוָּארוֹ 25

צַוָּאר 1 שָׁטַף וְעָבַר עַד־צַוָּאר יַגִּיעַ Is. 8:8
2 כְּנַחַל שׁוֹטֵף עַד־צַוָּאר יֶחֱצֶה Is. 30:28
3 עָרוֹת יְסוֹד עַד־צַוָּאר סֶלָה Hab. 3:13
בְּצַוָּאר 4 אַל...תְּדַבְּרוּ בְצַוָּאר עָתָק Ps. 75:6
5 יָרוּץ אֵלָיו בְּצַוָּאר Job 15:26
צַוַּאר־ 6 הַמּוֹטָה מֵעַל צַוַּאר יִרְמְיָה Jer. 28:10, 12
7 מֵעַל צַוַּאר כָּל־הַגּוֹיִם Jer. 28:11
8 עַל־צַוַּאר כָּל־הַגּוֹיִם הָאֵלֶּה Jer. 28:14
צַוָּארִי 9 יִשְׂתָּרְגוּ עָלוּ עַל־צַוָּארִי Lam. 1:14
צַוָּארֶךָ 10 וּפָרַקְתָּ עֻלּוֹ מֵעַל צַוָּארֶךָ Gen. 27:40
11 וְנָתַן עֹל בַּרְזֶל עַל־צַוָּארֶךָ Deut. 28:48
12 יָסוּר...וְעֻלּוֹ מֵעַל צַוָּארֶךָ Is. 10:27
13 עֲשֵׂה...וּמֹטוֹת וּנְתַתָּם עַל־צַוָּארֶךָ Jer. 27:2
14 אֶשְׁבֹּר עֻלּוֹ מֵעַל צַוָּארֶךָ Jer. 30:8
צַוָּארֵךְ 15 הִתְפַּתְּחִי° מוֹסְרֵי צַוָּארֵךְ Is. 52:2
16 לְחָיַיִךְ בַּתֹּרִים צַוָּארֵךְ בַּחֲרוּזִים S.ofS. 1:10
17 כְּמִגְדַּל דָּוִיד צַוָּארֵךְ S.ofS. 4:4
18 צַוָּארֵךְ כְּמִגְדַּל הַשֵּׁן S.ofS. 7:5
צַוָּארוֹ 19 וַיָּשֶׂם רְבִד הַזָּהָב עַל־צַוָּארוֹ Gen. 41:42
20 אֲשֶׁר לֹא־יִתֵּן אֶת־צַוָּארוֹ בְּעֹל... Jer. 27:8
21 אֲשֶׁר יָבִיא אֶת־צַוָּארוֹ בְּעֹל... Jer. 27:11
22 הֲתַלְבִּישׁ צַוָּארוֹ רַעְמָה Job 39:19
בְּצַוָּארוֹ 23 בְּצַוָּארוֹ יָלִין עֹז Job 41:14
צַוָּארָהּ 24 וַאֲנִי עָבַרְתִּי עַל־טוּב צַוָּארָהּ Hosh. 10:11
צַוָּארֵנוּ 25 עַל צַוָּארֵנוּ נִרְדָּפְנוּ Lam. 5:5
צַוָּרָם 26 לֹא־הֵבִיאוּ צַוָּרָם בַּעֲבֹדַת אֲדֹנֵיהֶם Neh. 3:5
צַוְּארֵי־ 27 וַיִּפֹּל עַל־צַוְּארֵי בִנְיָמִן־אָחִיו Gen. 45:14
28 שִׂימוּ...רַגְלֵיכֶם עַל־צַוְּארֵי הַמְּלָכִי״ Josh. 10:24
29 לָתֵת...אֶל־צַוְּארֵי חַלְלֵי רְשָׁעִים Ezek. 21:34
בְּצַוְּארֵי־ 30 הַשַּׂהֲרֹנִים אֲשֶׁר בְּצַוְּארֵי גְמַלֵּיהֶם Jud. 8:21
31 הָעֲנָקוֹת אֲשֶׁר בְּצַוְּארֵי גְּמַלֵּיהֶם Jud. 8:26
לְצַוְּארֵי־ 32 צֶבַע רִקְמָתַיִם לְצַוְּארֵי שָׁלָל Jud. 5:30
צַוָּארָיו 33 עַל־יָדָיו וְעַל חֶלְקַת צַוָּארָיו Gen. 27:16
34 וַיִּפֹּל עַל־צַוָּארָו וַיִּשָּׁקֵהוּ Gen. 33:4
35 וּבִנְיָמִן בָּכָה עַל־צַוָּארָיו Gen. 45:14
36 וַיֵּרָא אֵלָיו וַיִּפֹּל עַל־צַוָּארָיו Gen. 46:29
37 וַיֵּבְךְּ עַל־צַוָּארָיו עוֹד Gen. 46:29
צַוְּארֵיכֶם 38 הָבִיאוּ אֶת־צַוְּארֵיכֶם בְּעֹל... Jer. 27:12
צַוְּארֵיהֶם 39 וַיָּשִׂימוּ אֶת־רַגְלֵיהֶם עַל־צַוְּארֵיהֶם Josh. 10:24
צַוְּארוֹתֵיכֶם 40 לֹא־תָמִישׁוּ מִשָּׁם צַוְּארֹתֵיכֶם Mic. 2:3

צַוַּאר*
ז׳ ארמית צַוָּאר: 1-3

צַוָּארָךְ 1 וְהַמְנִיכָא° דִּי־דַהֲבָא עַל־צַוְּארָךְ Dan. 5:16
צַוְּארֵהּ 2/3 וְהַמְנִיכָא° דִּי־דַהֲבָא עַל־צַוְּארֵהּ Dan. 5:7, 29

צוֹבֵבָה
שפ״ז (נ׳?) – איש (או אשה?) ממשפחת יהודה

הַצּוֹבֵבָה 1 וְקוֹץ הוֹלִיד אֶת־עָנוּב וְאֶת־הַצֹּבֵבָה ICh. 4:8

צוֹבָה
ש״פ – אחת מארצות ארם: 1-9

מֶלֶךְ צוֹבָה 2-7; מַלְכֵי צוֹבָה 1

צוֹבָה 1 וַיִּלָּחֵם סָבִיב...וּבְמַלְכֵי צוֹבָה ISh. 14:47
2 הֲדַדְעֶזֶר בֶּן־רְחֹב מֶלֶךְ צוֹבָה IISh. 8:3, 12
3 לַעְזֹר לַהֲדַדְעֶזֶר מֶלֶךְ צוֹבָה IISh. 8:5
4-7 (לַ)הֲדַדְעֶזֶר מֶלֶךְ צוֹבָה IK. 11:23
ICh. 18:3, 5, 9
מִצּוֹבָה 8 יִגְאָל בֶּן־נָתָן מִצֹּבָה IISh. 23:36
וּמִצּוֹבָה 9 וּמִן־אֲרַם מַעֲכָה וּמִצּוֹבָה ICh. 19:6

צוד
: צָד, צוֹדֵד, הִצְטַיֵּד; צַיִד, צַיָּד, צֵידָה, מָצוֹד, מְצָדָה, מְצוּדָה; ש״פ צִידוֹן

(צוד) צָד
פָּ׳ א) לָכַד, תפס: 1-12
ב) [פִּ׳ צוֹדֵד] לכד, משך: 13-16
ג) [הת׳ הִצְטַיֵּד] הכין לו צידה: 17

צָד צַיִד 2, 5, 8, 12; צוֹדֵד נְפָשׁוֹת 13-16

צוֹד 1 צוֹד צָדוּנִי כַּצִּפֹּר אֹיְבַי חִנָּם Lam. 3:52
לָצוּד 2 וַיֵּלֶךְ עֵשָׂו הַשָּׂדֶה לָצוּד צַיִד Gen. 27:5
צָדוּנִי 3 צוֹד צָדוּנִי כַּצִּפֹּר אֹיְבַי חִנָּם Lam. 3:52
וְצָדוּם 4 וְצָדוּם מֵעַל כָּל־הַר Jer. 16:16
הַצָּד 5 מִי־אֵפוֹא הוּא הַצָּד־צַיִד Gen. 27:33
הֲתָצוּד 6 הֲתָצוּד לְלָבִיא טָרֶף Job 38:39
תְּצוּדֵנִי 7 וְיִגְאֶה כַּשַּׁחַל תְּצוּדֵנִי Job 10:16
יָצוּד 8 אֲשֶׁר יָצוּד צֵיד חַיָּה אוֹ־עוֹף Lev. 17:13
יְצוּדֶנּוּ 9 אִישׁ־חָמָס רָע יְצוּדֶנּוּ לְמַדְחֵפֹת Ps. 140:12
תָּצוּד 10 וְאֵשֶׁת אִישׁ נֶפֶשׁ יְקָרָה תָצוּד Prov. 6:26
יָצוּדוּ 11 אִישׁ אֶת־אָחִיהוּ יָצוּדוּ חֵרֶם Mic. 7:2
וְצוּדָה 12 וְצֵא הַשָּׂדֶה וְצוּדָה לִּי צָיִד° Gen. 27:3
לְצוֹדֵד 13 וְעֹשׂוֹת הַמִּסְפָּחוֹת...לְצוֹדֵד נְפָשׁוֹ׳ Ezek. 13:18
מְצוֹדְדוֹת 14 מְצֹדְדוֹת שָׁם אֶת־הַנְּפָשׁוֹת לְפֹרְחוֹ׳ Ezek. 13:20
15 מְצֹדְדוֹת אֶת־נְפָשִׁים לְפֹרְחֹת Ezek. 13:20
תְּצוֹדֵדְנָה 16 הַנְּפָשׁוֹת תְּצוֹדֵדְנָה לְעַמִּי Ezek. 13:18
הִצְטַיַּדְנוּ 17 זֶה לַחְמֵנוּ חָם הִצְטַיַּדְנוּ אֹתוֹ מִבָּתֵּינוּ Josh. 9:12

צוֹדֵד
פִּ׳ – עין לעיל (צוד)

צוה
: צִוָּה, צֻוָּה; צַו, מִצְוָה

צִוָּה
פִּ׳ א) פָּקַד, גָּזַר, הוֹרָה: רוב המקראות 1-487
ב) מִנָּה: 3, 11, 30, 31, 34, 35, 40, 383, 454, 456, 485
ג) הודיע את רצונו לפני מותו: 2, 91, 446, 483, 484
ד) [פֻּ׳ צֻוָּה] קבל פקודה: 488-496

צִוָּה אֶת־ רוב המקראות; צִוָּה לְ־, אֶל־ 10, 76, 77, 148, 237, 249, 255, 260, 261, 265, 270-272, 417, 420, 446, 461, 469, 483, 484; צִוָּה עַל־ 4, 32, 33, 251, 268, 269, 276, 285, 323, 372, 406, 407, 449, 451, 453

בְּצַוּוֹת 1 וְכָל־הָעָם שָׁמְעוּ בְּצַוֹּת הַמֶּלֶךְ IISh. 18:5
לְצַוּוֹת 2 וַיְכַל יַעֲקֹב לְצַוֹּת אֶת־בָּנָיו Gen. 49:33
3 לְצַוֹּת אֹתִי נָגִיד עַל־עַם יְיָ IISh. 6:21
וּלְצַוּוֹת 4 וּלְצַוּוֹת עָלֶיהָ לָבוֹא אֶל־הַמֶּלֶךְ Es. 4:8
צַוּוֹתוֹ 5 בְּיוֹם צַוֹּתוֹ אֶת־בְּ״יִ לְהַקְרִיב... Lev. 7:38
בְּצַוּוֹתוֹ 6 וַיְהִי בְּצַוֹּתוֹ אֶת־הָאִישׁ Ezek. 10:6
צִוֵּיתִי 7 בַּשְּׁלוּ...כַּאֲשֶׁר צִוֵּיתִי לֵאמֹר Lev. 8:31
8 אָכוֹל תֹּאכְלוּ...כַּאֲשֶׁר צִוֵּיתִי Lev. 10:18
9 וְאֶת־יְהוֹשׁוּעַ צִוֵּיתִי בָּעֵת הַהִיא Deut. 3:21
10 אֲנִי צִוֵּיתִי לִמְקֻדָּשָׁי Is. 13:3
11 וְכָל־צְבָאָם צִוֵּיתִי Is. 45:12
צִוִּיתִי 12 כְּכֹל אֲשֶׁר־צִוִּיתִי אֹתָכָה Ex. 29:35
13 לְכָל־צְבָא הַשָּׁמַיִם אֲשֶׁר לֹא־צִוִּיתִי Deut. 17:3
14 כְּכָל־הַמִּצְוָה אֲשֶׁר צִוִּיתִי אֶתְכֶם Deut. 31:5
15-27 צִוִּיתִי אֶת־ (אוֹתוֹ, אֶתְכֶם וכד׳)
Deut. 31:29 • Josh. 7:11; 8:8; 22:2 • Jud. 2:20 • IISh. 13:28 • IIK. 17:13 • Jer. 7:23; 11:4; 17:22 • Zech. 1:6 • Mal. 3:22 • Ruth 2:9
28 וּבְמִנְחָתִי אֲשֶׁר צִוִּיתִי מָעוֹן ISh. 2:29
29 אֲשֶׁר צִוִּיתִי לִרְעוֹת אֶת־עַמִּי IISh. 7:7

צִוִּיתִי (המשך)
30 אֲשֶׁר צִוִּיתִי שֹׁפְטִים עַל־עַמִּי יִשְׂ׳ IISh. 7:11
31 וְאֹתוֹ צִוִּיתִי לִהְיוֹת נָגִיד עַל יִשְׂרָאֵל IK. 1:35
32 וְאֶת־הַמִּצְוָה אֲשֶׁר־צִוִּיתִי עָלֶיךָ IK. 2:43
33 בְּרִיתִי וְחֻקֹּתַי אֲשֶׁר צִוִּיתִי עָלֶיךָ IK. 11:11
34 וְאֶת־הָעֹרְבִים צִוִּיתִי לְכַלְכֶּלְךָ שָׁם IK.17:4
35 צִוִּיתִי שָׁם אִשָּׁה אַלְמָנָה לְכַלְכְּלֶךָ IK. 17:9
36 לֹא צִוִּיתִי וְלֹא עָלְתָה עַל־לִבִּי Jer. 7:31
37 הַבְּרִית הַזֹּאת אֲשֶׁר־צִוִּיתִי לַעֲשׂוֹת Jer. 11:8
38 אֲשֶׁר לֹא־צִוִּיתִי וְלֹא דִבַּרְתִּי Jer. 19:5
39 אֲשֶׁר צִוִּיתִי לִרְעוֹת אֶת־עַמִּי ICh. 17:6
40 אֲשֶׁר צִוִּיתִי שֹׁפְטִים עַל־עַמִּי ICh. 17:10

וְצִוִּיתִי
41 וְצִוִּיתִי אֶת־בִּרְכָתִי לָכֶם Lev. 25:21

צִוִּיתִיךָ
42 אֲשֶׁר צִוִּיתִיךָ לְבִלְתִּי אֲכָל־מִמֶּנּוּ Gen. 3:11
43 מִן הָעֵץ אֲשֶׁר צִוִּיתִיךָ לֵאמֹר Gen. 3:17
44 תֹּאכַל מַצּוֹת כַּאֲשֶׁר צִוִּיתִךָ Ex. 23:15
45 וְעָשׂוּ אֵת כָּל־אֲשֶׁר צִוִּיתִךָ Ex. 31:6
46 כְּכֹל אֲשֶׁר־צִוִּיתִךָ יַעֲשׂוּ Ex. 31:11
47 אֲשֶׁר צִוִּיתִךָ לְמוֹעֵד חֹדֶשׁ הָאָבִיב Ex. 34:18
48 וְזָבַחְתָּ...כַּאֲשֶׁר צִוִּיתִךָ Deut. 12:21
49 הֲלוֹא צִוִּיתִיךָ חֲזַק וֶאֱמָץ Josh. 1:9
50 הַפִּלֶהָ לְיִשׂ׳ בְּנַחֲלָה כַּאֲשֶׁר צִוִּיתִיךָ Josh. 13:6
51 אֲשֶׁר־אָנֹכִי שֹׁלֵחֲךָ וַאֲשֶׁר צִוִּיתִךָ ISh. 21:3
52 לַעֲשׂוֹת כְּכֹל אֲשֶׁר צִוִּיתִיךָ IK. 9:4
53 הָאֵזוֹר אֲשֶׁר צִוִּיתִיךָ לְטָמְנוֹ־שָׁם Jer. 13:6
54 אֲשֶׁר צִוִּיתִיךָ לְדַבֵּר אֲלֵיהֶם Jer. 26:2
55 וַעֲשֵׂה כְּכֹל אֲשֶׁר צִוִּיתִיךָ Jer. 50:21
56 וְלַעֲשׂוֹת כְּכֹל אֲשֶׁר צִוִּיתִיךָ IICh. 7:17

צִוִּיתִיו
57 אֵת אֲשֶׁר לֹא־צִוִּיתִיו לְדַבֵּר Deut. 18:20

צִוִּיתִיהָ
58 כֹּל אֲשֶׁר־צִוִּיתִיהָ תִּשְׁמֹר Jud. 13:14

צִוִּיתִם
59 סָרוּ מַהֵר מִן־הַדֶּרֶךְ אֲשֶׁר צִוִּיתִם Ex. 32:8
60 סָרוּ מַהֵר מִן־הַדֶּרֶךְ אֲשֶׁר צִוִּיתִם Deut.9:12
61 כַּאֲשֶׁר צִוִּיתִם תִּשְׁמְרוּ לַעֲשׂוֹת Deut. 24:8
62 יִשְׁמְרוּ לַעֲשׂוֹת כְּכֹל אֲשֶׁר צִוִּיתִים IIK. 21:8
63 לֹא־דִבַּרְתִּי...וְלֹא צִוִּיתִים Jer. 7:22
64/5 לֹא(־)שְׁלַחְתִּים וְלֹא צִוִּיתִים Jer. 14:14; 23:32
66 וַיְדַבְּרוּ...אֲשֶׁר לוֹא צִוִּיתִם Jer. 29:23
67 לֹא־צִוִּיתִים וְלֹא עָלְתָה עַל־לִבִּי Jer. 32:35
68 לַעֲשׂוֹת אֵת כָּל־אֲשֶׁר צִוִּיתִים IICh. 33:8

צִוִּיתָ
69 וְעוּרָה אֵלַי מִשְׁפָּט צִוִּיתָ Ps. 7:7
70 לָבוֹא תָּמִיד צִוִּיתָ לְהוֹשִׁיעֵנִי Ps. 71:3
71 צִוִּיתָ צֶדֶק עֵדֹתֶיךָ וֶאֱמוּנָה מְאֹד Ps. 119:138
72 הֲמִיָּמֶיךָ צִוִּיתָ בֹּקֶר Job 38:12
73 אֲשֶׁר צִוִּיתָ בְּיַד עֲבָדֶיךָ הַנְּבִיאִים Ez. 9:11
74 אֲשֶׁר צִוִּיתָ אֶת־מֹשֶׁה עַבְדֶּךָ Neh. 1:7
75 אֲשֶׁר צִוִּיתָ אֶת־מֹשֶׁה עַבְדְּךָ לֵאמֹר Neh. 1:8
76 וּמִצְווֹת וְחֻקִּים וְתוֹרָה צִוִּיתָ לָהֶם Neh. 9:14

צִוִּיתָה
77 כָּל־אֲשֶׁר צִוִּיתָה לָהֶם לַעֲשׂוֹת Jer. 32:23
78 אַתָּה צִוִּיתָה פִקֻּדֶיךָ לִשְׁמֹר מְאֹד Ps. 119:4
79 אֲשֶׁר צִוִּיתָה לֹא־יָבֹאוּ בַקָּהָל לָךְ Lam.1:10

וְצִוִּיתָ
80 וְצִוִּיתָ אֹתָם אֶל־אֲדֹנֵיהֶם Jer. 27:4

וְצִוִּיתָה
81 וְצִוִּיתָה אֹתוֹ לְעֵינֵיהֶם Num. 27:19

צִוִּיתָנִי
82 כְּכָל־מִצְוָתְךָ אֲשֶׁר צִוִּיתָנִי Deut. 26:13
83 עָשִׂיתִי כְּכֹל אֲשֶׁר צִוִּיתָנִי Deut. 26:14
84 עָשִׂיתִי כְּכֹל אֲשֶׁר° צִוִּיתָנִי Ezek. 9:11

צִוִּיתָנוּ
85 כֹּל אֲשֶׁר־צִוִּיתָנוּ נַעֲשֶׂה Josh. 1:16

צִוָּה
86 כְּכֹל אֲשֶׁר צִוָּה אֹתוֹ אֱלֹהִים כֵּן עָשָׂה Gen. 6:22
87 כַּאֲשֶׁר צִוָּה אֱלֹהִים אֶת־נֹחַ Gen. 7:9
88/9 כַּאֲשֶׁר צִוָּה אֹתוֹ אֱלֹהִים Gen. 7:16; 21:4
90 וַיִּתֵּן לָהֶם...כַּאֲשֶׁר צִוָּה פַרְעֹה Gen. 47:11
91 אָבִיךָ צִוָּה לִפְנֵי מוֹתוֹ לֵאמֹר Gen. 50:16
92 כַּאֲשֶׁר צִוָּה יְיָ אֹתָם כֵּן עָשׂוּ Ex. 7:6
93/4 וַיַּעֲשׂוּ כֵן(...)כַּאֲשֶׁר צִוָּה יְיָ Ex. 7:10, 20

צִוָּה (המשך)
95/6 כַּאֲשֶׁר צִוָּה יְיָ אֶת־מֹשֶׁה (וְ/וְאֶת־) אַהֲרֹן Ex. 12:28, 50
97-146 (כְּ)אֲשֶׁר צִוָּה יְיָ Ex. 16:16, 32
34:4; 35:1, 4, 10, 29; 36:1, 5; 38:22; 39:43; 40:16 • Lev. 7:36; 8:4, 5, 34; 9:6, 7; 10:15; 17:2 • Num. 3:42; 8:20, 22; 15:23; 17:26; 19:2; 20:27; 27:22; 30:2; 34:13, 29; 36:6 • Deut. 1:3, 19; 2:37; 5:29, 30; 6:1, 20; 9:16 • Josh. 4:10; 10:40 • IISh. 24:19 • IK. 11:10 • IIK. 14:6; 17:15, 34 • Jer. 13:5; 26:8 • Neh. 8:1 • IICh. 25:4
147 וַיַּנִּיחוּ...כַּאֲשֶׁר צִוָּה מֹשֶׁה Ex. 16:24
148 כַּאֲשֶׁר צִוָּה יְיָ אֶל־מֹשֶׁה Ex. 16:34
149-205 (כְּ)אֲשֶׁר צִוָּה יְיָ...אֶת־מֹשֶׁה Ex. 39:1
39:5, 7, 21, 26, 29, 31, 32, 42; 40:19, 21, 23, 25, 27, 29, 32 • Lev. 7:38; 8:9, 13, 17, 21, 29; 9:10; 16:34; 24:23; 27:34 • Num. 1:19, 54; 2:33, 34; 3:51; 4:49; 8:3, 20, 22; 9:5; 15:36; 26:4; 27:11; 30:1, 17; 31:7, 21, 31, 41, 47; 36:10 • Deut. 28:69; 34:9 • Josh. 9:24; 11:15², 20; 14:5 • IIK. 18:6 • ICh. 22:12(13)
206-210 (כְּ)אֲשֶׁר צִוָּה יְיָ(...)בְּיַד מֹשֶׁה Lev. 8:36
Num. 36:13 • Josh. 14:2; 21:8 • Neh. 8:14
211 וַיִּקְחוּ אֵת אֲשֶׁר צִוָּה מֹשֶׁה Lev. 9:5
212 כַּאֲשֶׁר צִוָּה מֹשֶׁה Lev. 9:21
213 אֵשׁ זָרָה אֲשֶׁר לֹא צִוָּה אֹתָם Lev. 10:1
214 אֶת־אֲדֹנִי צִוָּה יְיָ לָתֵת אֶת־הָאָ׳ Num. 36:2
215 אֲשֶׁר צִוָּה אֶתְכֶם לַעֲשׂוֹת Deut. 4:13
216 וְאֹתִי צִוָּה יְיָ בָּעֵת הַהִוא Deut. 4:14
217 תּוֹרָה צִוָּה־לָנוּ מֹשֶׁה Deut. 33:4
218/9 אֲשֶׁר צִוָּה אֶתְכֶם מֹשֶׁה Josh. 1:13; 22:5
220 וַיַּעֲשׂוּ כֵן בְּ״יִ כַּאֲשֶׁר צִוָּה יְהוֹשֻׁעַ Josh. 4:8
221 כְּכֹל אֲשֶׁר צִוָּה מֹשֶׁה אֶת־יְהוֹשֻׁעַ Josh. 4:10
222 וְאֶת־הָעָם צִוָּה יְהוֹשֻׁעַ Josh. 6:10
223 כִּדְבַר יְיָ אֲשֶׁר צִוָּה אֶת־יְהוֹשֻׁעַ Josh. 8:27
224 וּכְבוֹא הַשֶּׁמֶשׁ צִוָּה יְהוֹשֻׁעַ Josh. 8:29
225-227 כַּאֲשֶׁר צִוָּה מֹשֶׁה Josh. 8:31, 33; 11:12
228 לֹא־הָיָה דָבָר מִכֹּל אֲשֶׁר־צִוָּה מֹשֶׁה Josh. 8:35
229 לְעֵת בּוֹא הַשֶּׁמֶשׁ צִוָּה יְהוֹשֻׁעַ וַיֹּרִידוּם Josh. 10:27
230 כֵּן צִוָּה מֹשֶׁה אֶת־יְהוֹשֻׁעַ Josh. 11:15
231 יְיָ צִוָּה אֶת־מֹשֶׁה Josh. 17:4
232 יְיָ צִוָּה בְּיַד מֹשֶׁה Josh. 21:2
233 אֵת כָּל־אֲשֶׁר צִוָּה אֶתְכֶם מֹשֶׁה Josh. 22:2
234 אֶת־בְּרִית יְיָ...אֲשֶׁר צִוָּה אֶתְכֶם Josh. 23:16
235 אֲשֶׁר־צִוָּה אֶת־אֲבוֹתָם בְּיַד־מֹשֶׁה Jud. 3:4
236 הֲלֹא־צִוָּה יְיָ אֱלֹהֵי־יִשְׂרָאֵל Jud. 4:6
237 וְהוּא צִוָּה־לִי אָחִי ISh. 20:29
238 וַיַּעֲשׂוּ...כַּאֲשֶׁר צִוָּה אַבְשָׁלוֹם IISh. 13:29
239 וַיְיָ צִוָּה לְהָפֵר אֶת־עֲצַת אֲחִית׳ IISh. 17:14
240 כִּי בְאָזְנֵינוּ צִוָּה הַמֶּלֶךְ אֹתְךָ IISh. 18:12
241 וַיַּעֲשׂוּ כֹּל אֲשֶׁר־צִוָּה הַמֶּלֶךְ IISh. 21:14
242 וּמִשְׁפָּטָיו אֲשֶׁר צִוָּה אֶת־אֲבֹתֵינוּ IK. 8:58
243 כִּי־כֵן צִוָּה אֹתִי בִּדְבַר יְיָ IK. 13:9
244 וּמֶלֶךְ אֲרָם צִוָּה אֶת־שָׂרֵי הָרֶכֶב IK. 22:31
245 כְּכֹל אֲשֶׁר־צִוָּה יְהוֹיָדָע הַכֹּהֵן IIK. 11:9
246 כְּכֹל אֲשֶׁר־צִוָּה הַמֶּלֶךְ אָחָז IIK. 16:16
247 אֵת כָּל־אֲשֶׁר צִוָּה מֹשֶׁה עֶבֶד יְיָ IIK. 18:12
248 אֲשֶׁר־צִוָּה אֹתָם עַבְדִּי מֹשֶׁה IIK. 21:8
249 יְיָ צִוָּה אֶל־כְּנַעַן לַשְׁמִד מָעֻזְנֶיהָ Is. 23:11
250 כִּי־פִי הוּא צִוָּה Is. 34:16
251 יוֹנָדָב...אָבִינוּ צִוָּה עָלֵינוּ לֵאמֹר Jer. 35:6
252 אֲשֶׁר צִוָּה אֶת־בָּנָיו לְבִלְתִּי... Jer. 35:14
253 וַתַּעֲשׂוּ כְּכֹל אֲשֶׁר־צִוָּה אֶתְכֶם Jer. 35:18

צִוָּה (המשך)
254 הַדְּבָרִים...אֲשֶׁר צִוָּה הַמֶּלֶךְ Jer. 38:27
255 וַיְיָ צִוָּה־לָהּ אֶל־אַשְׁקְלוֹן Jer. 47:7
256 הַדָּבָר אֲשֶׁר־צִוָּה יִרְמְיָהוּ Jer. 51:59
257 הוּא אָמַר וַיֶּהִי הוּא־צִוָּה וַיַּעֲמֹד Ps. 33:9
258 צִוָּה אֱלֹהֶיךָ עֻזֶּךָ עוּזָּה אֱלֹהִים Ps. 68:29
259 אֲשֶׁר צִוָּה אֶת־אֲבוֹתֵינוּ Ps. 78:5
260/1 דָּבָר צִוָּה לְאֶלֶף דּוֹר Ps. 105:8 • ICh. 16:15
262 צִוָּה־לְעוֹלָם בְּרִיתוֹ Ps. 111:9
263 כִּי שָׁם צִוָּה יְיָ אֶת־הַבְּרָכָה Ps. 133:3
264 כִּי הוּא צִוָּה וְנִבְרָאוּ Ps. 148:5
265 צִוָּה יְיָ לְיַעֲקֹב סְבִיבָיו צָרָיו Lam. 1:17
266 אֶמְרָתוֹ אֲשֶׁר צִוָּה מִימֵי־קֶדֶם Lam. 2:17
267 מִי זֶה אָמַר וַתֶּהִי אֲדֹנָי לֹא צִוָּה Lam. 3:37
268 כִּי מָרְדֳּכַי צִוָּה עָלֶיהָ Es. 2:10
269 כַּאֲשֶׁר צִוָּה עָלֶיהָ מָרְדֳּכָי Es. 2:20
270 כִּי־כֵן צִוָּה־לוֹ הַמֶּלֶךְ Es. 3:2
271 כְּכָל־אֲשֶׁר־צִוָּה הָמָן אֶל... Es. 3:12
272 כְּכָל־אֲשֶׁר־צִוָּה מָרְדֳּכַי אֶל... Es. 8:9
273 אֲשֶׁר־צִוָּה אֹתִי לִהְיוֹת פֶּחָם Neh. 5:14
274 כְּכֹל אֲשֶׁר־צִוָּה מֹשֶׁה ICh. 6:34
275 כַּאֲשֶׁר צִוָּה מֹשֶׁה כִּדְבַר יְיָ ICh. 15:15
276 בְּתוֹרַת יְיָ אֲשֶׁר צִוָּה עַל־יִשְׂרָאֵל ICh. 16:40
277 וּמֶלֶךְ אֲרָם צִוָּה אֶת־שָׂרֵי הָרֶכֶב IICh. 18:30
278 כְּכֹל אֲשֶׁר־צִוָּה יְהוֹיָדָע הַכֹּהֵן IICh. 23:8

וְצִוָּה
279 וְצִוָּה הַכֹּהֵן וְכִבְּסוּ אֵת אֲשֶׁר... Lev. 13:54
280 וְצִוָּה הַכֹּהֵן וְלָקַח לַמִּטַּהֵר... Lev. 14:4
281 וְצִוָּה הַכֹּהֵן וְשָׁחַט אֶת־הַצִּפּוֹר Lev. 14:5
282 וְצִוָּה הַכֹּהֵן וּפִנּוּ אֶת־הַבַּיִת Lev. 14:36
283 וְצִוָּה הַכֹּהֵן וְחִלְּצוּ אֶת־הָאֲבָנִים Lev. 14:40
284 וְצִוָּה אֵלָיו עַל־הַדָּבָר הַזֶּה IK. 11:10
285 וְצִוָּה עָלֶיךָ יְיָ Nah. 1:14

צִוַּנִי
286 כַּאֲשֶׁר צִוַּנִי יְיָ אֱלֹהָי Deut. 4:5
287 וַיִּהְיוּ שָׁם כַּאֲשֶׁר צִוַּנִי יְיָ Deut. 10:5
288 הַמֶּלֶךְ צִוַּנִי דָבָר וַיֹּאמֶר אֵלַי ISh. 21:3

צִוָּנִי
289 כִּי־עַבְדְּךָ יוֹאָב הוּא צִוָּנִי IISh. 14:19
290 וְהִנַּבֵּאתִי כַּאֲשֶׁר צִוָּנִי Ezek. 37:10

צִוְּךָ
291 תְּמוּנַת כֹּל אֲשֶׁר צִוְּךָ יְיָ אֱלֹהֶיךָ Deut. 4:23
292-4 כַּאֲשֶׁר צִוְּךָ יְיָ אֱלֹהֶיךָ Deut. 5:12,16; 20:17
295 עַל־כֵּן צִוְּךָ יְיָ אֱלֹהֶיךָ לַעֲשׂוֹת Deut. 5:15
296 אֲשֶׁר צִוְּךָ יְיָ אֱלֹהֶיךָ לָלֶכֶת בָּהּ Deut. 13:6
297 כְּכָל־הַתּוֹרָה אֲשֶׁר צִוְּךָ מֹשֶׁה Josh. 1:7
298 לֹא שָׁמַרְתָּ אֵת אֲשֶׁר־צִוְּךָ יְיָ ISh. 13:14
299 אֶת־הַמִּצְוָה אֲשֶׁר צִוְּךָ יְיָ אֱלֹהֶיךָ IK. 13:21

צִוָּךְ
300 וְעֵדֹתָיו וְחֻקָּיו אֲשֶׁר צִוָּךְ Deut. 6:17
301 מִצְוֹתָיו וְחֻקֹּתָיו אֲשֶׁר צִוָּךְ Deut. 28:45
302 אֶת־מִצְוַת יְיָ אֱלֹהֶיךָ אֲשֶׁר צִוָּךְ ISh. 13:13

וְצִוְּךָ
303 וְצִוְּךָ אֱלֹהִים וְיָכָלְתָּ עֲמֹד Ex. 18:23
304 וְצִוְּךָ לְנָגִיד עַל־יִשְׂרָאֵל ISh. 25:30

צִוָּהוּ
305 וַיַּעַשׂ נֹחַ כְּכֹל אֲשֶׁר־צִוָּהוּ יְיָ Gen. 7:5
306 וְאֵת כָּל־הָאֹתֹת אֲשֶׁר צִוָּהוּ Ex. 4:28
307 כָּל־הַדְּבָרִים הָאֵלֶּה אֲשֶׁר צִוָּהוּ יְיָ Ex. 19:7
308 וַיִּקַּח...מִלִּפְנֵי יְיָ כַּאֲשֶׁר צִוָּהוּ Num. 20:9
309 וַיִּשָּׂא וַיֵּלֶךְ כַּאֲשֶׁר צִוָּהוּ יִשָׁי ISh. 17:20
310 וַיַּעַשׂ דָּוִד כֵּן כַּאֲשֶׁר צִוָּהוּ יְיָ IISh. 5:25
311 וְלֹא־סָר מִכֹּל אֲשֶׁר צִוָּהוּ IK. 15:5
312 וַיַּעַשׂ...כְּכֹל אֲשֶׁר צִוָּהוּ יִרְמְיָהוּ Jer. 36:8
313 וַיַּעַשׂ דָּוִיד כַּאֲשֶׁר צִוָּהוּ הָאֱלֹהִים ICh. 14:16
314 כַּאֲשֶׁר צִוָּהוּ יְיָ אֱלֹהֵי יִשְׂרָאֵל ICh. 24:19

צִוָּנוּ
315 כְּכֹל אֲשֶׁר־צִוָּנוּ יְיָ אֱלֹהֵינוּ Deut. 1:41
316 כִּי־נִשְׁמֹר לַעֲשׂוֹת...כַּאֲשֶׁר צִוָּנוּ Deut. 6:25
317 וַנִּשְׁמַע...לְכֹל אֲשֶׁר צִוָּנוּ Jer. 35:8
318 וַנַּעַשׂ כְּכֹל אֲשֶׁר־צִוָּנוּ...אָבִינוּ Jer. 35:10

319 כַּאֲשֶׁר צִוָּנוּ הַמֶּלֶךְ כּוֹרֶשׁ Ez. 4:3
צִוָּם 320 וַיַּעֲשׂוּ בָנָיו לוֹ כֵּן כַּאֲשֶׁר צִוָּם Gen. 50:12
321 וּפִסְלִי וְנִסְכִּי צִוָּם Is. 48:5
322 אֶת־מִצְוַת אֲבִיהֶם אֲשֶׁר צִוָּם Jer. 35:16
צִוְּתָה 323 כְּכֹל אֲשֶׁר צִוְּתָה עָלָיו אֶסְתֵּר Es. 4:17
צִוַּתָּה 324 וַתַּעַשׂ כְּכֹל אֲשֶׁר־צִוַּתָּה חֲמוֹתָהּ Ruth 3:6
צִוִּיתֶם 325 וְעַל־הַנְּבִיאִים צִוִּיתֶם...לֹא תִּנָּבְאוּ Am. 2:12
מְצַוֶּה 326 עֲבָדֶיךָ יַעֲשׂוּ כַּאֲשֶׁר אֲדֹנִי מְצַוֶּה Num.32:25
327-337 אֲשֶׁר אָנֹכִי מְצַוֶּה אֶתְכֶם Deut. 4:2[2]
11:13, 22, 27, 28; 12:11; 13:1; 27:1, 4; 28:14
338 הִנְנִי מְצַוֶּה...וַהֲשִׁבֹתִים אֶל־הָעִיר Jer. 34:22
339 הִנֵּה יְיָ מְצַוֶּה וְהִכָּה הַבַּיִת הַגָּדוֹל Am. 6:11
340 כִּי־הִנֵּה אָנֹכִי מְצַוֶּה וַהֲנִעוֹתִי Am. 9:9
וּמְצַוֵּה־ 341 נָגִיד וּמְצַוֵּה לְאֻמִּים Is. 55:4
מְצַוְּךָ 342 אֵת אֲשֶׁר אָנֹכִי מְצַוְּךָ הַיּוֹם Ex. 34:11
343-360 אֲשֶׁר אָנֹכִי מְצַוְּךָ הַיּוֹם Deut. 4:40
6:6; 7:11; 8:1, 11; 10:13; 11:8; 13:19; 15:5; 19:9; 27:10; 28:1, 13, 15: 30:2, 8, 11, 16
361/2 עַל־כֵּן אָנֹכִי מְצַוְּךָ לֵאמֹר Deut.15:11;19:7
363 עַל־כֵּן אָנֹכִי מְצַוְּךָ אֶת־הַדָּבָר Deut. 15:15
364/5 עַל־כֵּן אָנֹכִי מְצַוְּךָ לַעֲשׂוֹת Deut. 24:18, 22
366 הַיּוֹם הַזֶּה יְיָ...מְצַוְּךָ לַעֲשׂוֹת Deut. 26:16
מְצַוֶּךָּ 367 לִשְׁמֹר...אֲשֶׁר אָנֹכִי מְצַוֶּךָּ Deut. 6:2
מְצַוֶּךָּ 368/9 אֲשֶׁר אָנֹכִי מְצַוֶּךָּ Deut. 12:14, 28
מְצַוָּה 370 שְׁמַע...לַאֲשֶׁר אֲנִי מְצַוָּה אֹתָךְ Gen. 27:8
אֲצַוֶּה 371 כָּל־אֲשֶׁר אֲצַוֶּה אוֹתְךָ אֶל־בְּ־י Ex. 25:22
372 לְכִי לְבֵיתֵךְ וַאֲנִי אֲצַוֶּה עָלָיִךְ IISh. 14:8
373 וְעַל הֶעָבִים אֲצַוֶּה מֵהַמְטִיר עָלָיו Is. 5:6
374 בְּכָל־הַדֶּרֶךְ אֲשֶׁר אֲצַוֶּה אֶתְכֶם Jer. 7:23
375 וַעֲשִׂיתֶם...כְּכֹל אֲשֶׁר־אֲצַוֶּה אֶתְכֶם Jer. 11:4
376 מִשָּׁם אֲצַוֶּה אֶת־הַנָּחָשׁ וּנְשָׁכָם Am. 9:3
377 מִשָּׁם אֲצַוֶּה אֶת־הַחֶרֶב וַהֲרָגָתַם Am. 9:4
378 הֵן־אֲצַוֶּה עַל־חָגָב לֶאֱכוֹל הָאָרֶץ IICh. 7:13
וָאֲצַוֶּה 379 וָאֲצַוֶּה אֶת־שֹׁפְטֵיכֶם בָּעֵת הַהִוא Deut. 1:16
380 וָאֲצַוֶּה אֶתְכֶם בָּעֵת הַהִוא Deut. 1:18
381 וָאֲצַוֶּה אֶת־בָּרוּךְ לְעֵינֵיהֶם Jer. 32:13
382 וָאֲצַוֶּה(כת׳ ואוצאה)אוֹתָם עַל־אִדּוֹ Ez. 8:17
383 וָאֲצַוֶּה אֶת־חֲנָנִי אָחִי Neh. 7:2
וָאֲצַו 384 וָאֲצַו אֶתְכֶם בָּעֵת הַהִוא לֵאמֹר Deut. 3:18
אֲצַוְּךָ 385 וְאֵת כָּל־אֲשֶׁר אֲצַוְּךָ תְּדַבֵּר Jer. 1:7
אֲצַוֶּךָּ 386 תִּשְׁמַע אֶת־כָּל־אֲשֶׁר אֲצַוֶּךָּ IK. 11:38
אֲצַוֶּךָּ 387 אַתָּה תְדַבֵּר אֵת כָּל־אֲשֶׁר אֲצַוֶּךָּ Ex. 7:2
388 וְדִבַּרְתָּ...אֵת כָּל־אֲשֶׁר אָנֹכִי אֲצַוֶּךָּ Jer. 1:17
אֲצַוֶּנּוּ 389 וְדִבֶּר...אֵת כָּל־אֲשֶׁר אֲצַוֶּנּוּ Deut. 18:18
390 וְעַל־עַם עֶבְרָתִי אֲצַוֶּנּוּ Is. 10:6
וַאֲצַוֶּנּוּ 391 קְרָא אֶת־יְהוֹשֻׁעַ...וַאֲצַוֶּנּוּ Deut. 31:14
תְּצַוֶּה 392 וְאַתָּה תְּצַוֶּה אֶת־בְּנֵי יִשְׂרָאֵל Ex. 27:20
393 וְאַתָּה תְּצַוֶּה אֶת־הַכֹּהֲנִים Josh. 3:8
תְּצַוֶּנּוּ 394 וְלֹא־יִשְׁמַע...לְכֹל אֲשֶׁר־תְּצַוֶּנּוּ Josh. 1:18
יְצַוֶּה 395 לְמַעַן אֲשֶׁר יְצַוֶּה אֶת־בָּנָיו Gen. 18:19
396 וְאֶשְׁמְעָה מַה־יְצַוֶּה יְיָ לָכֶם Num. 9:8
397 כְּכֹל אֲשֶׁר יְצַוֶּה...אֶת־עַבְדּוֹ IISh. 9:11
398 יוֹמָם יְצַוֶּה יְיָ חַסְדּוֹ Ps. 42:9
399 כִּי מַלְאָכָיו יְצַוֶּה־לָּךְ לִשְׁמָרְךָ Ps. 91:11
וַיְצַוֶּה 400 וַיְצַוֶּה(כ׳ ויצוהו)...אָחָז אֶת־אוּרִיָּה IIK.16:15
401 וַיְצַוֶּה יִרְמְיָהוּ אֶת־בָּרוּךְ Jer. 36:5
402 וַיְצַוֶּה הַמֶּלֶךְ אֶת־יְרַחְמְאֵל Jer. 36:26
403 וַיְצַוֶּה הַמֶּלֶךְ צִדְקִיָּהוּ וַיַּפְקִדוּ... Jer. 37:21
404 וַיְצַוֶּה הַמֶּלֶךְ אֵת עֶבֶד־מֶלֶךְ Jer. 38:10
יְצַו 405 יְצַו יְיָ...אֶת־הַבְּרָכָה בַּאֲסָמֶיךָ Deut. 28:8
וַיְצַו 406 וַיְצַו יְיָ אֱלֹהִים עַל־הָאָדָם Gen. 2:16
407 וַיְצַו עָלָיו פַּרְעֹה אֲנָשִׁים Gen. 12:20

וַיְצַו (המשך) 408 וַיְצַו אֲבִימֶלֶךְ אֶת־כָּל־הָעָם Gen. 26:11
409 וַיְצַו עָלָיו לֵאמֹר לֹא־תִקַּח אִשָּׁה Gen. 28:6
410 וַיְצַו אֹתָם לֵאמֹר כֹּה תֹאמְרוּן Gen. 32:5
411 וַיְצַו אֶת־הָרִאשׁוֹן לֵאמֹר Gen. 32:18
412 וַיְצַו גַּם אֶת־הַשֵּׁנִי...לֵאמֹר Gen. 32:20
413 וַיְצַו יוֹסֵף וַיְמַלְאוּ אֶת־כְּלֵיהֶם Gen. 42:25
414 וַיְצַו אֶת־אֲשֶׁר עַל־בֵּיתוֹ Gen. 44:1
415 וַיְצַו אוֹתָם וַיֹּאמֶר אֲלֵהֶם Gen. 49:29
416 וַיְצַו יוֹסֵף אֶת־עֲבָדָיו...לַחֲנֹט Gen. 50:2
417 וַיְצַו פַּרְעֹה לְכָל־עַמּוֹ לֵאמֹר Ex. 1:22
418 וַיְצַו פַּרְעֹה בַּיּוֹם הַהוּא אֶת־הַנֹּגְשִׂים Ex. 5:6
419 וַיְצַו מֹשֶׁה וַיַּעֲבִירוּ קוֹל בַּמַּחֲנֶה Ex. 36:6
420 וַיְצַו לָהֶם מֹשֶׁה אֶת־אֶלְעָזָר Num. 32:28
421 וַיְצַו מֹשֶׁה אֶת־בְּ־י לֵאמֹר Num. 34:13
422 וַיְצַו מֹשֶׁה אֶת־בְּ־י עַל־פִּי יְיָ Num. 36:5
423 וַיְצַו מֹשֶׁה...אֶת־הָעָם לֵאמֹר Deut. 27:1
424 וַיְצַו מֹשֶׁה אֶת־הָעָם...לֵאמֹר Deut. 27:11
425-445 וַיְצַו (אֶת־, אוֹתָם וכ׳) Deut. 31:10, 23, 25
Josh. 1:10; 4:17; 8:4; 18:8 • Jud. 20:20 • ISh. 18:22 • IISh. 4:12; 11:19; 13:28; 18:5 • IK. 2:1,46 • IIK. 11:15; 22:12; 23:4, 21 • Ruth 2:15 • IICh. 34:20
446 וַיְצַו אֶל־בֵּיתוֹ וַיֵּחָנַק IISh. 17:23
447 וַיְצַו הַמֶּלֶךְ וַיַּסִּעוּ אֲבָנִים גְּדֹלוֹת IK. 5:31
448 וַיְצַו מֶלֶךְ־אַשּׁוּר לֵאמֹר IIK. 17:27
449 וַיְצַו נְבוּכַדְרֶאצַּר..עַל־יִרְמְיָהוּ Jer. 39:11
450 וַיְצַו שְׁחָקִים מִמָּעַל Ps. 78:23
451 וַיְצַו עָלֶיהָ בְמַפְגִּיעַ Job 36:32
452 וַיְצַו דָּוִיד לְכָל־שָׂרֵי יִשְׂרָאֵל ICh. 22:17(16)
453 וַיְצַו עֲלֵיהֶם לֵאמֹר IICh. 19:9
וִיצַוְּךָ 454 וִיצַוְּךָ עַל־יִשְׂרָאֵל ICh. 22:12(11)
וַיְצַוֵּהוּ 455 וַיִּקְרָא...וַיְצַוֵּהוּ וַיֹּאמֶר לוֹ Gen. 28:1
456 וַיִּסְמֹךְ אֶת־יָדָיו עָלָיו וַיְצַוֵּהוּ Num. 27:23
457 וַיְצַוֵּהוּ יְיָ לְנָגִיד עַל־עַמּוֹ ISh. 13:14
458 וַיִּקְרָא לִשְׁלֹמֹה...וַיְצַוֵּהוּ לִבְנוֹת ICh. 22:6(5)
וַיְצַוֵּנוּ 459 וַיְצַוֵּנוּ יְיָ לַעֲשׂוֹת אֶת־כָּל־הַחֻקִּים Deut.6:24
יְצַוֵּם 460 כֹּל אֲשֶׁר יְצַוֵּם עַל־פְּנֵי תֵבֵל Job 37:12
וַיְצַוֵּם 461 וַיְצַוֵּם אֶל־בְּ־י...לְהוֹצִיא... Ex. 6:13
462 וַיְצַוֵּם אֵת כָּל־אֲשֶׁר דִּבֶּר יְיָ אִתּוֹ Ex. 34:32
463/4 וַיְצַוֵּם לֵאמֹר... IIK. 11:5; 17:35
וַתְּצַוֵּהוּ 465 וַתְּצַוֵּהוּ עַל־מָרְדֳּכָי Es. 4:5
466 וַתְּצַוֵּהוּ אֶל־מָרְדֳּכָי Es. 4:10
תְּצַוֻּנִי 467 עַל־בָּנַי וְעַל־פֹּעַל יָדַי תְּצַוֻּנִי Is. 45:11
תְּצַוֻּם 468 אֲשֶׁר תְּצַוֻּם אֶת־בְּנֵיכֶם Deut. 32:46
וַיְצַוּוּ 469 וַיְצַוּוּ אֶל־יוֹסֵף לֵאמֹר Gen. 50:16
470 וַיְצַוּוּ אֶת־הָעָם לֵאמֹר Josh. 3:3
471 וַיְצַוּוּ אוֹתָם לֵאמֹר Jud. 21:10
472 וַיְצַוּוּ (כת׳ ויצו) אֶת־בְּנֵי בִנְיָמִן Jud. 21:20
צַוֵּה 473 צַוֵּה אֶת־הַכֹּהֲנִים...וְיַעֲלוּ Josh. 4:16
474 וְעַתָּה צַוֵּה וְיִכְרְתוּ־לִי אֲרָזִים IK. 5:20
475 צַוֵּה יְשׁוּעוֹת יַעֲקֹב Ps. 44:5
צַו 476 צַו אֶת־אַהֲרֹן וְאֶת־בָּנָיו לֵאמֹר Lev. 6:2
477 צַו אֶת־בְּ־י וְיִקְחוּ אֵלֶיךָ Lev. 24:2
478-481 צַו אֶת־בְּ־י Num. 5:2; 28:2; 34:2; 35:2
482 וְאֶת־הָעָם צַו לֵאמֹר Deut. 2:4
483/4 צַו לְבֵיתֶךָ כִּי מֵת אַתָּה IIK. 20:1 • Is. 38:1
וְצַו 485 וְצַו אֶת־יְהוֹשֻׁעַ וְחַזְּקֵהוּ Deut. 3:28
וְצַוּוּ 486 עִבְרוּ...וְצַוּוּ אֶת־הָעָם לֵאמֹר Josh. 1:11
487 וְצַוּוּ אוֹתָם לֵאמֹר Josh. 4:3
צֻוֵּיתִי 488/9 כִּי־כֵן צֻוֵּיתִי Lev. 8:35; 10:13
490 וָאַעַשׂ כֵּן כַּאֲשֶׁר צֻוֵּיתִי Ezek. 12:7
491 וָאַעַשׂ בַּבֹּקֶר כַּאֲשֶׁר צֻוֵּיתִי Ezek. 24:18
492 וְנִבֵּאתִי כַּאֲשֶׁר צֻוֵּיתִי Ezek. 37:7

צֻוֵּיתָה 493 וְאַתָּה צֻוֵּיתָה זֹאת עֲשׂוּ Gen. 45:19
צֻוָּה 494 וַיִּפְקֹד אֹתָם מֹשֶׁה...כַּאֲשֶׁר צֻוָּה Num. 3:16
495 וַאדֹנִי צֻוָּה בַיְיָ לָתֵת אֶת־נַחֲלַת... Num. 36:2
יְצֻוֶּה 496 וְדִבֶּר אֶל־בְּ־י אֵת אֲשֶׁר יְצֻוֶּה Ex. 34:34

צוח : צָוַח; צְוָחָה

צָוַח
פ׳ קרא בקול, הריע

יִצְוָחוּ 1 יָרֹנּוּ...מֵרֹאשׁ הָרִים יִצְוָחוּ Is. 42:11

צְוָחָה
נ׳ צעקה, זעקה: 1-4 • קרובים: ראה צְעָקָה
צִוְחַת יְרוּשָׁלַיִם 3

צְוָחָה 1 צְוָחָה עַל־הַיַּיִן בַּחוּצוֹת Is. 24:11
2 וְאֵין צְוָחָה בִּרְחֹבֹתֵינוּ Ps. 144:14
וְצִוְחַת־ 3 וְצִוְחַת יְרוּשָׁלַםִ עָלָתָה Jer. 14:2
וְצִוְחָתֵךְ 4 וְצִוְחָתֵךְ מָלְאָה הָאָרֶץ Jer. 46:12

צוּלָה
נ׳ מצולה, מעמקי מים

לַצּוּלָה 1 הָאֹמֵר לַצּוּלָה חֳרָבִי Is. 44:27

צום : צָם; צוֹם

(צוּם) צָם
פ׳ לא אכל ולא שתה
לאות אבל או תפלה: 1-21

הֲצוֹם 1 הֲצוֹם צַמְתֻּנִי אָנִי Zech. 7:5
צַמְתִּי 2 בְּעוֹד הַיֶּלֶד חַי צַמְתִּי וָאֶבְכֶּה IISh. 12:22
צַמְתָּ 3 בַּעֲבוּר הַיֶּלֶד חַי צַמְתָּ וַתֵּבְךְּ IISh. 12:21
צַמְנוּ 4 לָמָּה צַּמְנוּ וְלֹא רָאִיתָ Is. 58:3
צַמְתֶּם 5 כִּי־צַמְתֶּם וְסָפוֹד בַּחֲמִישִׁי... Zech. 7:5
צַמְתֻּנִי 6 הֲצוֹם צַמְתֻּנִי אָנִי Zech. 7:5
צָם (הוה) 7 וְעַתָּה מֵת לָמָּה זֶּה אֲנִי צָם IISh. 12:23
8 וָאֱהִי צָם וּמִתְפַּלֵּל Neh. 1:4
אָצוּם 9 גַּם־אֲנִי וְנַעֲרֹתַי אָצוּם כֵּן Es. 4:16
וַיָּצָם 10 וַיָּצָם דָּוִד צוֹם...וְשָׁכַב אַרְצָה IISh. 12:16
וַיָּצוֹם 11 וַיָּשֶׂם־שַׂק עַל־בְּשָׂרוֹ וַיָּצוֹם IK. 21:27
וַנָּצוּמָה 12 וַנָּצוּמָה וַנְּבַקְשָׁה מֵאֱלֹהֵינוּ עַל־זֹאת Ez. 8:23
תָּצוּמוּ 13 הֵן לְרִיב וּמַצָּה תָּצוּמוּ Is. 58:4
14 לֹא־תָצוּמוּ כַיּוֹם לְהַשְׁמִיעַ..קוֹלְכֶם Is. 58:4
יָצֻמוּ 15 כִּי יָצֻמוּ אֵינֶנִּי שֹׁמֵעַ אֶל־רִנָּתָם Jer. 14:12
וַיָּצוּמוּ 16 וַיָּצוּמוּ...עַד־הָעֶרֶב Jud. 20:26
17 וַיָּצוּמוּ בַּיּוֹם הַהוּא ISh. 7:6
18 וַיָּצֻמוּ שִׁבְעַת יָמִים ISh. 31:13
19 וַיָּצֻמוּ עַד־הָעָרֶב IISh. 1:12
20 וַיָּצוּמוּ שִׁבְעַת יָמִים ICh. 10:12
וְצוּמוּ 21 וְצוּמוּ עָלַי וְאַל־תֹּאכְלוּ Es. 4:16

צוֹם
ז׳ המנעות מאכילה ומשתיה: 1-26
– צוֹם הָרְבִיעִי 21, 22; צוֹם הַחֲמִישִׁי 22; צוֹם הַשְּׁבִיעִי 23; צוֹם הָעֲשִׂירִי 24
– יוֹם צוֹם 7, 25; דִּבְרֵי הַצֹּמוֹת 26
– קָרָא צוֹם 2, 3, 5, 8, 11-13; קַדְּשׁ צוֹם 9, 10

צוֹם 1 וַיָּצָם דָּוִד צוֹם IISh. 12:16
2 קִרְאוּ־צוֹם וְהֹשִׁיבוּ אֶת־נָבוֹת IK. 21:9
3 קָרְאוּ צוֹם וְהֹשִׁיבוּ אֶת־נָבוֹת IK. 21:12
4 הֲכָזֶה יִהְיֶה צוֹם אֶבְחָרֵהוּ Is. 58:5
5 הֲלָזֶה תִּקְרָא־צוֹם וְיוֹם רָצוֹן לַייָ Is. 58:5
6 הֲלוֹא זֶה צוֹם אֶבְחָרֵהוּ Is. 58:6
7 וְקָרָאתָ...בֵּית יְיָ בְּיוֹם צוֹם Jer. 36:6
8 קָרְאוּ צוֹם לִפְנֵי יְיָ Jer. 36:9
9/10 קַדְּשׁוּ־צוֹם קִרְאוּ עֲצָרָה Joel 1:14; 2:15
11 וַיִּקְרְאוּ־צוֹם וַיִּלְבְּשׁוּ שַׂקִּים Jon. 3:5
12 וָאֶקְרָא שָׁם צוֹם Ez. 8:21
13 וַיִּקְרָא־צוֹם עַל־כָּל־יְהוּדָה IICh. 20:3

וְצוֹם 14 וְצוֹם וּבְכִי וּמִסְפֵּד Es. 4:3
בְּצוֹם 15 לְבַקֵּשׁ...בְּצוֹם שַׂק וָאֵפֶר Dan. 9:3
16 נֶאֶסְפוּ בְ״יִ בְּצוֹם וּבְשַׂקִּים Neh. 9:1
בַצּוֹם 17 עִנֵּיתִי בַצּוֹם נַפְשִׁי Ps. 35:13
18 וָאֶבְכֶּה בַצּוֹם נַפְשִׁי Ps. 69:11
וּבְצוֹם 19 שֻׁבוּ עָדַי...וּבְצוֹם וּבִבְכִי וּבְמִסְפֵּד Joel 2:12
מִצּוֹם 20 בִּרְכַּי כָּשְׁלוּ מִצּוֹם Ps. 109:24
צוֹם־ 21 צוֹם הָרְבִיעִי...יִהְיֶה...לְשָׂשׂוֹן Zech. 8:19
וְצוֹם־ 22 צוֹם הָרְבִיעִי וְצוֹם הַחֲמִישִׁי Zech. 8:19
23/4 וְצוֹם הַשְּׁבִיעִי וְצוֹם הָעֲשִׂירִי Zech. 8:19
צֹמְכֶם 25 הֵן בְּיוֹם צֹמְכֶם תִּמְצְאוּ־חֵפֶץ Is. 58:3
הַצּוֹמוֹת 26 דִּבְרֵי הַצֹּמוֹת וְזַעֲקָתָם Es. 9:31

צוֹעֵר
ז׳ נער עוזר לרועה צאן [עין גם צָעַר]

הַצֹּעֲרִים 1 וַהֲשִׁבֹתִי יָדִי עַל־הַצֹּעֲרִים Zech. 13:7

צוּעָר
שפ״ז – אבי נתנאל נשיא שבט יששכר: 1-5

צוּעָר 1-5 נְתַנְאֵל בֶּן-צוּעָר Num.1:8; 2:5; 7:18, 23; 10:15

צוֹעַר
– עין צֹעַר

צוף
: צָף, הֵצִיף; צוּף; צָפָה; ש״פ צוּף

(צוף) צָף
פָּ׳ א) שטף וזרם: 1
ב) [הפ׳ הֵצִיף] הזרים: 2
ג) [כנ״ל] הֵשִׁיט, גרם שיצוף: 3

צָפוּ 1 צָפוּ־מַיִם עַל־רֹאשִׁי Lam. 3:54
הֵצִיף 2 הֵצִיף אֶת־מֵי יַם־סוּף עַל־פְּנֵיהֶם Deut. 11:4
וַיָּצֶף 3 וַיַּשְׁלֶךְ שָׁמָּה וַיָּצֶף הַבַּרְזֶל IIK. 6:6

צוּף[1]
ז׳ מיץ המופרש מן הפרחים: 1, 2
צוּף דְּבַשׁ 1; נֹפֶת צוּפִים 2

צוּף־ 1 צוּף־דְּבַשׁ אִמְרֵי־נֹעַם Prov. 16:24
צוּפִים 2 וּמְתוּקִים מִדְּבַשׁ וְנֹפֶת צוּפִים Ps. 19:11

צוּף[2]
שפ״ז – מאבותיו של אלקנה אבי שמואל: 1, 2

צוּף 1 אֶלְקָנָה...בֶּן־תֹּחוּ בֶן־צוּף אֶפְרָתִי ISh. 1:1
2 בֶּן־צוּף (כת׳ ציף) בֶּן־אֶלְקָנָה ICh. 6:20

צוּף[3]
ש״פ – אזור בנחלת בנימין

צוּף 1 הֵמָּה בָּאוּ בְּאֶרֶץ צוּף ISh. 9:5

צוֹפֶה
ז׳ – רואה, חוזה – עין צָפָה

צוֹפַח
שפ״ז – איש משבט אָשר: 1, 2

צוֹפַח 1 צוֹפַח וְיִמְנָע וְשֵׁלֶשׁ וְעָמָל ICh. 7:35
צוֹפַח 2 בְּנֵי צוֹפַח סוּחַ וְחַרְנֶפֶר ICh. 7:36

צוֹפַי
שפ״ז – הוא צוּף[2]

צוֹפַי 1 בְּנֵי אֶלְקָנָה צוֹפַי בְּנוֹ וְנַחַת בְּנוֹ ICh. 6:11

צוֹפַר
שפ״ז – הנעמתי, משלושת רֵעי איוב: 1-4

צוֹפַר 1 וַיַּעַן צֹפַר הַנַּעֲמָתִי וַיֹּאמַר Job 11:1
2 וַיַּעַן צֹפַר הַנַּעֲמָתִי וַיֹּאמַר Job 20:1
3 וּבִלְדַּד הַשּׁוּחִי צֹפַר הַנַּעֲמָתִי Job 42:9
וְצוֹפַר 4 וּבִלְדַּד הַשּׁוּחִי וְצוֹפַר הַנַּעֲמָתִי Job 2:11

צוק
: הֵצִיק, הוּצַק; צוֹק, צוּקָה, מָצוֹק, מְצוּקָה

(צוק) הֵצִיק
הפ׳ א) העיק, לחץ: 1-10
ב) [הָפ׳ בינוני: מוּצָק] לחוץ: 11, 12
חֲמַת הַמֵּצִיק 5, 6

וַהֲצִיקוֹתִי 1 וַהֲצִיקוֹתִי לַאֲרִיאֵל Is. 29:2
הֵצִיקָה 2 וַיְהִי כִּי־הֵצִיקָה לוֹ בִדְבָרֶיהָ Jud. 16:16
הֱצִיקַתְנִי 3 הֱצִיקַתְנִי רוּחַ בִּטְנִי Job 32:18
הֱצִיקַתְהוּ 4 וַתַּגֶּד־לָהּ כִּי הֱצִיקַתְהוּ Jud. 14:17
הַמֵּצִיק 5 וַתְּפַחֵד תָּמִיד...מִפְּנֵי חֲמַת הַמֵּצִיק Is. 51:13
6 וְאַיֵּה חֲמַת הַמֵּצִיק Is. 51:13
וְהַמְּצִיקִים 7 וְכָל-צֹבֶיהָ וּמְצֹדָתָהּ וְהַמְּצִיקִים לָהּ Is. 29:7
יָצִיק 8 וּבְמָצוֹק אֲשֶׁר־יָצִיק לְךָ אֹיְבֶךָ Deut. 28:53
9 וּבְמָצוֹק אֲשֶׁר יָצִיק לְךָ אֹיִבְךָ Deut. 28:55, 57
יָצִיקוּ 10 וּבְמָצוֹק אֲשֶׁר יָצִיקוּ לָהֶם אֹיְבֵיהֶם Jer. 19:9
מוּצָק 11 לֹא מוּעָף לַאֲשֶׁר מוּצָק לָהּ Is. 8:23
12 רַחַב לֹא־מוּצָק תַּחְתֶּיהָ Job 36:16

צוֹק
ז׳ לַחַץ • צוֹק הָעִתִּים

וּבְצוֹק־ 1 וְנִבְנְתָה...וּבְצוֹק הָעִתִּים Dan. 9:25

צוּקָה
נ׳ לַחַץ, צרה: 1-3 • קרובים: ראה צָרָה
מְעוּף צוּקָה 1; צָרָה וְצוּקָה 2, 3

צוּקָה 1 מְעוּף צוּקָה וַאֲפֵלָה מְנֻדָּח Is. 8:22
וְצוּקָה 2 בְּאֶרֶץ צָרָה וְצוּקָה Is. 30:6
3 בְּבֹא עֲלֵיכֶם צָרָה וְצוּקָה Prov. 1:27

צור
: א) צָר; מָצוֹר, מְצוּרָה; צוּר ב) צָר
ג) צָר; צוּרָה ד) צָר

(צור) צָר[1]
פָּ׳ א) חנה מסביב למקום כדי לְנַתְּקוֹ ולִכְבְשׁוֹ: 1-26
ב) [נפ׳ נָצוֹר] היה במצור: 27, 28
צָר עַל־ 2-12, 15-19, 21-25; צָר אֶל־ 1; צָר אֶת־ 5,13, 20; עִיר נְצוּרָה 28

לָצוּר 1 לָצוּר אֶל־דָּוִד וְאֶל־אֲנָשָׁיו ISh. 23:8
וְצַרְתִּי 2 וְחָנִיתִי...וְצַרְתִּי עָלַיִךְ מֻצָּב Is. 29:3
וְצַרְתָּ 3 וְעָשְׂתָה עִמְּךָ מִלְחָמָה וְצַרְתָּ עָלֶיהָ Deut.20:12
4 וְהָיְתָה בַמָּצוֹר וְצַרְתָּ עָלֶיהָ Ezek. 4:3
צָרִים 5 וְהִנָּם צָרִים אֶת־הָעִיר עָלֶיךָ Jud. 9:31
6 וְכָל־יִשְׂרָאֵל צָרִים עַל־גִּבְּתוֹן IK. 15:27
7 וְהִנֵּה צָרִים עָלֶיהָ IIK. 6:25
8 וַיָּבֹא...עַל-הָעִיר וַעֲבָדָיו צָרִים עָלֶיהָ IIK. 24:11
9 חֵיל מֶלֶךְ בָּבֶל צָרִים עַל-יְרוּשָׁלָםִ Jer. 32:2
הַצָּרִים 10 הַצָּרִים עֲלֵיכֶם מִחוּץ לַחוֹמָה Jer. 21:4
11 וְנָפַל עַל-הַכַּשְׂדִּים הַצָּרִים עֲלֵיכֶם Jer. 21:9
12 הַכַּשְׂדִּים הַצָּרִים עַל־יְרוּשָׁלַםִ Jer. 37:5
13 כָּל־חֵיל עַם וּמְדִינָה הַצָּרִים אֹתָם Es. 8:11
תָּצוּר 14 כִּי־תָצוּר אֶל־עִיר...לְתָפְשָׂהּ Deut. 20:19
וַיָּצַר 15 וַיָּצַר עַל־שֹׁמְרוֹן וַיִּלָּחֶם בָּהּ IK. 20:1
16 וַיַּעַל וַיָּצַר עַל־שֹׁמְרוֹן IIK. 6:24
17 וַיַּעַל שֹׁמְרוֹן וַיָּצַר עָלֶיהָ שָׁלֹשׁ שָׁנִים IIK. 17:5
18 עָלָה...עַל־שֹׁמְרוֹן וַיָּצַר עָלֶיהָ IIK. 18:9
19 בָּא...יְרוּשָׁלַםִ וַיָּצַר עָלֶיהָ Dan. 1:1
20 וַיָּבֹא וַיָּצַר אֶת־רַבָּה ICh. 20:1
וַיָּצוּרוּ 21 וַיָּצֻרוּ עַל־רַבָּה IISh. 11:1
22 וַיָּבֹאוּ וַיָּצֻרוּ עָלָיו בְּאָבֵלָה IISh. 20:15
23 וַיַּעֲלֶה...וַיָּצֻרוּ עַל־תִּרְצָה IK. 16:17
24 וַיָּצֻרוּ עַל-אָחָז וְלֹא יָכְלוּ לְהִלָּחֵם IIK. 16:5
25 בָּא...אֶל־יְרוּשָׁלַםִ וַיָּצֻרוּ עָלֶיהָ Jer. 39:1
צוּרִי 26 עֲלִי עֵילָם צוּרִי מָדַי Is. 21:2
וְהַנָּצוּר 27 וְהַנִּשְׁאָר וְהַנָּצוּר בָּרָעָב יָמוּת Ezek. 6:12
נְצוּרָה 28 וְנוֹתְרָה בַת צִיּוֹן...כְּעִיר נְצוּרָה Is. 1:8

(צור) צָר[2]
פִּ׳ צָרַר, קָשַׁר: 1-5 [עין גם צָרַר[1]]

וְצַרְתָּ 1 וְצַרְתָּ הַכֶּסֶף בְּיָדְךָ Deut. 14:25
2 וְלָקַחְתָּ...וְצַרְתָּ אוֹתָם בִּכְנָפֶיךָ Ezek. 5:3
וַיָּצַר 3 וַיָּצַר כִּכְּרַיִם כֶּסֶף בִּשְׁנֵי חֲרִטִים IIK. 5:23
נָצוּר 4 נָצוּר עָלֶיהָ לוּחַ אָרֶז S.ofS. 8:9
וַיָּצוּרוּ 5 וַיָּצֻרוּ וַיִּמְנוּ אֶת־הַכֶּסֶף הַנִּמְצָא IIK. 12:11

(צור) צָר[3]
פָּ׳ נתן צורה: 1-3

צַרְתָּנִי 1 אָחוֹר וָקֶדֶם צַרְתָּנִי Ps. 139:5
וַיָּצַר 2 וַיָּצַר אֹתוֹ בַּחֶרֶט וַיַּעֲשֵׂהוּ עֵגֶל Ex. 32:4
3 וַיָּצַר אֶת־שְׁנֵי הָעַמּוּדִים נְחֹשֶׁת IK. 7:15

(צור) צָר[4]
פָּ׳ שָׂנֵא: 1-3 [עין גם צָרַר[2]]
קרובים: אָיַב / צָרַר / שָׂנֵא

וְצַרְתִּי 1 וְאָיַבְתִּי אֶת-אֹיְבֶיךָ וְצַרְתִּי אֶת-צֹרְרֶיךָ Ex. 23:22
תָּצַר 2 אַל־תָּצַר אֶת־מוֹאָב וְאַל־תִּתְגָּר Deut. 2:9
תְּצֻרֵם 3 אַל־תְּצֻרֵם וְאַל־תִּתְגָּר בָּם Deut. 2:19

צוּר[1]
ז׳ א) סֶלַע גדול: רוב המקראות 1-74
ב) [בהשאלה] מבצר, מַחסה, ביחוד ככנוי לאלהים: 2-6, 9, 34-38, 40-44, 49, 53-66
ג) צֹר, אבן קשה: 42

– צוּר חַלָּמִישׁ 51; צוּר חַרְבּוֹ 42; צוּר יְשׁוּעָתוֹ 34; צוּר יִשְׁעוֹ 35, 49; צוּר יִשְׂרָאֵל 36, 38; צוּר לְבָבוֹ 41; צוּר מַחֲסֶה 48; צוּר הַמִּישׁוֹר 39; צוּר מִכְשׁוֹל 50; צוּר מָעוֹז 46; צוּר מָעוֹן 47; צוּר עוֹלָמִים 37; צוּר עֻזּוֹ 40; צוּר שַׁדַּי 52
– חַלְמִישׁ צוּר 1; נִקְרַת צוּר 20
– מְעָרוֹת צֻרִים 69; נְקִרוֹת צֻרִים 71; רֹאשׁ צֻרִים 68; צוּרֵי הַיְּעֵלִים 73

צוּר 1 וַיֵּנִקֵהוּ...וְשֶׁמֶן מֵחַלְמִישׁ צוּר Deut. 32:13
2 צוּר יְלָדְךָ תֶּשִׁי Deut. 32:18
3 אֵי אֱלֹהֵימוֹ צוּר חָסָיוּ בוֹ Deut. 32:37
4 וְאֵין צוּר כֵּאלֹהֵינוּ ISh. 2:2
5 וּמִי צוּר מִבַּלְעֲדֵי אֱלֹהֵינוּ IISh. 22:32
6 וְאֵין צוּר בַּל־יָדָעְתִּי Is. 44:8
7 וַיִּבְקַע־צוּר וַיָּזֻבוּ מָיִם Is. 48:21
8 הַבִּיטוּ אֶל־צוּר חֻצַּבְתֶּם Is. 51:1
9 וּמִי צוּר זוּלָתִי אֱלֹהֵינוּ Ps. 18:32
10 הֵן הִכָּה־צוּר וַיָּזוּבוּ מַיִם Ps. 78:20
11 פָּתַח צוּר וַיָּזוּבוּ מָיִם Ps. 105:41
12 דֶּרֶךְ נָחָשׁ עֲלֵי־צוּר Prov. 30:19
13 וְיֶעְתַּק צוּר מִמְּקֹמוֹ Job 18:4
14 וּמִבְּלִי מַחְסֶה חִבְּקוּ־צוּר Job 24:8
וְצוּר 15 וְצוּר לְהוֹכִיחַ יְסַדְתּוֹ Hab. 1:12
16 וְצוּר יֶעְתַּק מִמְּקֹמוֹ Job 14:18
17 וְצוּר יָצוּק עִמָּדִי פַּלְגֵי־שָׁמֶן Job 29:6
הַצּוּר 18 הִנְנִי עֹמֵד לְפָנֶיךָ שָּׁם עַל־הַצּוּר Ex. 17:6
19 הִנֵּה מָקוֹם...וְנִצַּבְתָּ עַל־הַצּוּר Ex. 33:21
20 וְשַׂמְתִּיךָ בְּנִקְרַת הַצּוּר Ex. 33:22
21 הַצּוּר תָּמִים פָּעֳלוֹ Deut. 32:4
22 וַתַּעַל הָאֵשׁ מִן־הַצּוּר Jud. 6:21
23 וַיַּעַל עַל־הַצּוּר לַיְיָ Jud. 13:19
24 וַתַּטֵּהוּ לָהּ אֶל־הַצּוּר IISh. 21:10
25 הַהֹפְכִי הַצּוּר אֲגַם־מָיִם Ps. 114:8
26 וַיֵּרְדוּ...אֶל־הַצֻּר אֶל־דָּוִיד ICh. 11:15
בְּצוּר 27 יַסְתִּרֵנִי בְּסֵתֶר...בְּצוּר יְרוֹמְמֵנִי Ps. 27:5
28 בְּצוּר־יָרוּם מִמֶּנִּי תַנְחֵנִי Ps. 61:3
בַּצּוּר 29 וְהִכִּיתָ בַצּוּר וְיָצְאוּ מִמֶּנּוּ מַיִם Ex. 17:6
30 בּוֹא בַצּוּר וְהִטָּמֵן בֶּעָפָר Is. 2:10
31 לָעַד בַּצּוּר יֵחָצְבוּן Job 19:24
מִצּוּר 32 מַיִם מִצּוּר הִזִּיל לָמוֹ Is. 48:21
וּמִצּוּר 33 וּמִצּוּר דְּבַשׁ אַשְׂבִּיעֶךָ Ps. 81:17
צוּר־ 34 וַיְנַבֵּל צוּר יְשֻׁעָתוֹ Deut. 32:15
35 וְיָרֻם אֱלֹהֵי צוּר יִשְׁעִי IISh. 22:47
36 לִי דִבֶּר צוּר יִשְׂרָאֵל IISh. 23:3
37 כִּי בְּיָהּ יְיָ צוּר עוֹלָמִים Is. 26:4

צוּר (המשך)

38 לָבוֹא בְהַר־יְיָ אֶל־צוּר יִשְׂרָאֵל Is. 30:29
39 יֹשֶׁבֶת הָעֵמֶק צוּר הַמִּישֹׁר Jer. 21:13
40 צוּר־עֻזִּי מַחְסִי בֵּאלֹהִים Ps. 62:8
41 צוּר־לְבָבִי וְחֶלְקִי אֱלֹהִים Ps. 73:26
42 אַף־תָּשִׁיב צוּר חַרְבּוֹ Ps. 89:44
וְצוּר־ 43 וְצוּר מָעֻזֵּךְ לֹא זָכָרְתְּ Is. 17:10
44 אֵלִי וְצוּר יְשׁוּעָתִי Ps. 89:27
וּבְצוּר־ 45 וּבְצוּר נְחָלִים אוֹפִיר Job 22:24
לְצוּר־ 46 הֱיֵה לִי לְצוּר־מָעוֹז Ps. 31:3
47 הֱיֵה לִי לְצוּר מָעוֹן Ps. 71:3
48 וַיְהִי...וֵאלֹהַי לְצוּר מַחְסִי Ps. 94:22
49 נָרִיעָה לְצוּר יִשְׁעֵנוּ Ps. 95:1
וּלְצוּר־ 50 וּלְאֶבֶן נֶגֶף וּלְצוּר מִכְשׁוֹל Is. 8:14
מִצּוּר־ 51 הַמּוֹצִיא לְךָ מַיִם מִצּוּר הַחַלָּמִישׁ Deut. 8:15
52 הֲיַעֲזֹב מִצּוּר שָׂדַי שֶׁלֶג לְבָנוֹן Jer. 18:14
צוּרִי 53 אֱלֹהֵי צוּרִי אֶחֱסֶה־בּוֹ IISh. 22:3
54/5 חַי־יְיָ וּבָרוּךְ צוּרִי IISh. 22:47 • Ps. 18:47
56 אֵלִי צוּרִי אֶחֱסֶה־בּוֹ Ps. 18:3
57 יְיָ צוּרִי וְגֹאֲלִי Ps. 19:15
58 צוּרִי אַל־תֶּחֱרַשׁ מִמֶּנִּי Ps. 28:1
59-60 אַךְ־הוּא צוּרִי וִישׁוּעָתִי Ps. 62:3, 7
61 יָשָׁר יְיָ צוּרִי וְלֹא־עַוְלָתָה° בּוֹ Ps. 92:16
62 בָּרוּךְ יְיָ צוּרִי Ps. 144:1
כְּצוּרֵנוּ 63 כִּי לֹא כְצוּרֵנוּ צוּרָם Deut. 32:31
צוּרָם 64 אִם־לֹא כִּי־צוּרָם מְכָרָם Deut. 32:30
65 כִּי לֹא כְצוּרֵנוּ צוּרָם Deut. 32:31
66 וַיִּזְכְּרוּ כִּי־אֱלֹהִים צוּרָם Ps. 78:35
וְצוּרָם(?) 67 וְצוּרָם (כ׳ וצירם) לְבַלּוֹת שְׁאוֹל Ps. 49:15
צוּרִים 68 כִּי־מֵרֹאשׁ צֻרִים אֶרְאֶנּוּ Num. 23:9
69 בִּמְעָרוֹת צֻרִים וּבִמְחִלּוֹת עָפָר Is. 2:18
70 יְבַקַּע צֻרִים בַּמִּדְבָּר Ps. 78:15
הַצּוּרִים 71 בְּנִקְרוֹת הַצֻּרִים וּבִסְעִפֵי הַסְּלָעִים Is. 2:21
וְהַצּוּרִים 72 וְהַצֻּרִים נִתְּצוּ מִמֶּנּוּ Nah. 1:6
צוּרֵי־ 73 לְבַקֵּשׁ...עַל־פְּנֵי צוּרֵי הַיְּעֵלִים ISh. 24:3
בַּצּוּרוֹת 74 בַּצּוּרוֹת יְאֹרִים בִּקֵּעַ Job 28:10

צוּר²

שפ״ז א) אחד מנשיאי מדין: 1-3
ב) בן אבי גבעון: 4, 5

צוּר 1 כָּזְבִּי בַת־צוּר רֹאשׁ אֻמּוֹת... Num. 25:15
2 אֶת־אֱוִי וְאֶת־רֶקֶם וְאֶת־צוּר Num. 31:8
3 אֶת־אֱוִי וְאֶת־רֶקֶם וְאֶת־צוּר Josh. 13:21
וְצוּר 4-5 וְצוּר וְקִישׁ וּבַעַל ICh. 8:30; 9:36

צוּר־עוֹרֵב

ש״פ – מקום בארץ מדין: 1, 2

בְּצוּר־עוֹרֵב 1 וַיַּהַרְגוּ אֶת־עוֹרֵב בְּצוּר־עוֹרֵב Jud. 7:25
2 כְּמַכַּת מִדְיָן בְּצוּר עוֹרֵב Is. 10:26

צוֹר, צֹר

ש״פ – בירת פניקיה על חוף הים התיכון מצפון לארץ־ישראל: 1-42

– צוֹר הַמַּעֲטִירָה 8
– בַּת צֹר 28; חוֹמוֹת צ׳ 15; חוֹמַת צ׳ 25; יוֹשְׁבֵי צ׳ 29; מִבְצַר צ׳ 1, 3; מֶלֶךְ צ׳ 2, 4, 5, 12, 21, 30-32; מַלְכֵי צ׳ 11; מַשָּׂא צ׳ 6; נְגִיד צ׳ 20; פִּשְׁעֵי צֹר 24; שֵׁמַע צֹר 7

צֹר 1 וְשָׁב הַגְּבוּל...וְעַד־עִיר מִבְצַר־צֹר Josh. 19:29
2 וַיִּשְׁלַח חִירָם מֶלֶךְ־צֹר IISh. 5:11
3 וַיָּבֹאוּ מִבְצַר־צֹר וְכָל־עָרֵי הַחִוִּי IISh. 24:7
4 וַיִּשְׁלַח חִירָם מֶלֶךְ־צוֹר IK. 5:15
5 חִירָם מֶלֶךְ־צֹר נִשָּׂא אֶת־שְׁלֹמֹה IK. 9:11
6 מַשָּׂא צֹר Is. 23:1

צוֹר (המשך)

7 יָחִילוּ כְּשֵׁמַע צֹר Is. 23:5
8 מִי יָעַץ זֹאת עַל־צֹר הַמַּעֲטִירָה Is. 23:8
9 וְנִשְׁכַּחַת צֹר שִׁבְעִים שָׁנָה Is. 23:15
10 יִפְקֹד יְיָ אֶת־צֹר וְשָׁבָה לְאֶתְנַנָּהּ Is. 23:17
11 וְאֵת כָּל־מַלְכֵי צֹר Jer. 25:22
12 וְאֶל־מֶלֶךְ צֹר וְאֶל־מֶלֶךְ צִידוֹן Jer. 27:3
13 יַעַן אֲשֶׁר־אָמְרָה צֹּר עַל־יְרוּשָׁלַםִ Ezek. 26:2
14 לָכֵן...הִנְנִי עָלַיִךְ צֹר Ezek. 26:3
15 וְשִׁחֲתוּ חֹמוֹת צֹר וְהָרְסוּ מִגְדָּלֶיהָ Ezek. 26:4
16 הִנְנִי מֵבִיא אֶל־צֹר נְבוּכַדְרֶאצַּר Ezek. 26:7
17 שָׂא עַל־צֹר קִינָה Ezek. 27:2
18 צוֹר אַתְּ אָמַרְתְּ אֲנִי כְּלִילַת יֹפִי Ezek. 27:3
19 חֲכָמַיִךְ צוֹר הָיוּ בָךְ Ezek. 27:8
20 בֶּן־אָדָם אֱמֹר לִנְגִיד צֹר Ezek. 28:2
21 שָׂא קִינָה עַל־מֶלֶךְ צוֹר Ezek. 28:12
22 הֶעֱבִיד אֶת־חֵילוֹ...אֶל־צֹר Ezek. 29:18
23 וְגַם מָה־אַתֶּם לִי צֹר וְצִידוֹן Joel 4:4
24 עַל־שְׁלֹשָׁה פִּשְׁעֵי־צֹר Am. 1:9
25 וְשִׁלַּחְתִּי אֵשׁ בְּחוֹמַת צֹר Am. 1:10
26 צֹר וְצִידוֹן כִּי חָכְמָה מְאֹד Zech. 9:2
27 וַתִּבֶן צֹר מָצוֹר לָהּ Zech. 9:3
28 וּבַת־צֹר בְּמִנְחָה פָּנַיִךְ יְחַלּוּ Ps. 45:13
29 פְּלֶשֶׁת עִם־יֹשְׁבֵי צוֹר Ps. 83:8
30 וַיִּשְׁלַח חוּרָם° מֶלֶךְ־צֹר ICh. 14:1
31 וַיִּשְׁלַח שְׁלֹמֹה אֶל־חוּרָם מֶלֶךְ־צֹר IICh. 2:2
32 וַיֹּאמֶר חוּרָם מֶלֶךְ־צֹר בִּכְתָב IICh. 2:10
וְצוֹר 33 הִנֵּה פְלֶשֶׁת וְצוֹר עִם־כּוּשׁ Ps. 87:4
כְּצוֹר 34 מִי כְצוֹר כְּדֻמָה בְּתוֹךְ הַיָּם Ezek. 27:32
לְצוֹר 35 יִהְיֶה לְצֹר כְּשִׁירַת הַזּוֹנָה Is. 23:15
36 לְהַכְרִית לְצֹר וּלְצִידוֹן כֹּל שָׂרִיד Jer. 47:4
37 כֹּה אָמַר אֲדֹנָי יֱהֹוִה לְצוֹר Ezek. 26:15
38 לְצוֹר הַיֹּשֶׁבֶת° עַל־מְבוֹאֹת יָם Ezek. 27:3
39 כַּאֲשֶׁר־רָאִיתִי לְצוֹר שְׁתוּלָה בְנָוֶה Hosh. 9:13
מִצּוֹר 40 וַיִּשְׁלַח...וַיִּקַּח אֶת־חִירָם מִצֹּר IK. 7:13
41 וַיֵּצֵא חִירָם מִצֹּר לִרְאוֹת אֶת־הֶעָרִים IK. 9:12
42 וְשָׂכָר לֹא־הָיָה לוֹ וּלְחֵילוֹ מִצֹּר Ezek. 29:18

צוּרָה*

נ׳ דמות, תבנית: 1-4 • צוּרַת הַבַּיִת 1

צוּרַת־ 1 צוּרַת הַבַּיִת וּתְכוּנָתוֹ Ezek. 43:11
צוּרָתוֹ 2 וְיִשְׁמְרוּ אֶת־כָּל־צוּרָתוֹ Ezek. 43:11
צוּרֹתָיו 3 וּמוֹצָאָיו וּמוֹבָאָיו וְכָל־צוּרֹתָו Ezek. 43:11
4 כָּל־חֻקֹּתָיו וְכָל־צוּרֹתָו Ezek. 43:11

צַוְּרוֹנִים*

ז״ר – מעדיי הצוּאר

מִצַּוְּרֹנָיִךְ 1 לִבַּבְתִּנִי...בְּאַחַד עֲנָק מִצַּוְּרֹנָיִךְ S.ofS. 4:9

צוֹרִי

ת׳ מתושבי צור: 1-5

אִישׁ צֹרִי 1, 2

צֹרִי 1 וְאָבִיו אִישׁ־צֹרִי חֹרֵשׁ נְחֹשֶׁת IK. 7:14
2 וְאָבִיו אִישׁ צֹרִי יוֹדֵעַ לַעֲשׂוֹת... IICh. 2:13
וְהַצּוֹרִים 3 וְהַצֹּרִים יָשְׁבוּ בָהּ מְבִיאִים דָּאג Neh. 13:16
4 כִּי הֵבִיאוּ הַצִּידֹנִים וְהַצֹּרִים עֲצֵי אֲרָזִים ICh. 22:4(3)
וְלַצּוֹרִים 5 וּמַאֲכָל...לַצִּדֹנִים וְלַצֹּרִים Ez. 3:7

צוּרִיאֵל

שפ״ז – נשיא בית אב למשפחות מררי

צוּרִיאֵל 1 וְנָשִׂיא...צוּרִיאֵל בֶּן־אֲבִיחָיִל Num. 3:35

צוּרִישַׁדַּי*

שפ״ז – נשיא מטה שמעון: 1-5

צוּרִישַׁדָּי 1-5 שְׁלֻמִיאֵל בֶּן־צוּרִישַׁדָּי Num. 1:6; 2:12; 7:36, 41; 10:19

צוֹרֵף

ז׳ אומן במלאכת זהב וכסף, מזקקם מסיגים ומַיצֵר כלים: 1-11 [עין גם צָרַף]

יְדֵי צוֹרֵף 4; כֶּסֶף צוֹרֵף 1

צוֹרֵף 1 וּרְתֻקוֹת כֶּסֶף צוֹרֵף Is. 40:19
2 וַיְחַזֵּק חָרָשׁ אֶת־צֹרֵף Is. 41:7
3 יִשְׂכְּרוּ צוֹרֵף וְיַעֲשֵׂהוּ אֵל Is. 46:6
4 מַעֲשֵׂה חָרָשׁ וִידֵי צוֹרֵף Jer. 10:9
5 הֹבִישׁ כָּל־צוֹרֵף מִפָּסֶל Jer. 10:14
6 הֹבִישׁ כָּל־צֹרֵף מִפָּסֶל Jer. 51:17
וְצוֹרֵף 7 וְצֹרֵף בַּזָּהָב יְרַקְּעֶנּוּ Is. 40:19
לַצּוֹרֵף 8 וַיִּתְּנֵהוּ לַצּוֹרֵף וַיַּעֲשֵׂהוּ פֶּסֶל וּמַסֵּכָה Jud. 17:4
9 הָגוֹ סִיגִים...וַיֵּצֵא לַצֹּרֵף כֶּלִי Prov. 25:4
צוֹרְפִים 10 עַל־יָדוֹ הֶחֱזִיק עֻזִּיאֵל...צוֹרְפִים Neh. 3:8
הַצּוֹרְפִים 11 הֶחֱזִיקוּ הַצֹּרְפִים וְהָרֹכְלִים Neh. 3:32

צוֹרְפִי

ת׳ ממשפחת צורפים

הַצּוֹרְפִי 1 אַחֲרָיו° הֶחֱזִיק מַלְכִּיָּה בֶּן־הַצֹּרְפִי Neh. 3:31

צוֹרֵר

ז׳ אוֹיֵב, שׂוֹנֵא: 1-21 [עין גם צָרַר²]

קרובים: ראה אוֹיֵב

– צוֹרֵר הַיְּהוּדִים 1-4; צוֹרֵר רֵיקָם 6
– עַבְרוֹת צוֹרְרִים 13; קוֹל צוֹרְרִים 20
– צוֹרְרֵי יְהוּדָה 10; צוֹרְרֵי נֶפֶשׁ 9; צוֹרְרֵי צַדִּיק 8

צוֹרֵר 1-2 (לְ)הָמָן...צֹרֵר הַיְּהוּדִים Es. 3:10; 9:10
3 אֶת־בֵּית הָמָן צֹרֵר הַיְּהוּדִים° Es. 8:1
4 הָמָן...צֹרֵר כָּל־הַיְּהוּדִים Es. 9:24
הַצּוֹרֵר 5 מִלְחָמָה...עַל־הַצַּר הַצֹּרֵר אֶתְכֶם Num. 10:9
צוֹרְרִי 6 וָאֲחַלְּצָה צוֹרְרִי רֵיקָם Ps. 7:5
צוֹרְרִים 7 כִּי צֹרְרִים הֵם לָכֶם בְּנִכְלֵיהֶם Num. 25:18
צוֹרְרֵי־ 8 צֹרְרֵי צַדִּיק לֹקְחֵי כֹפֶר Am. 5:12
9 וְהַאֲבַדְתָּ כָּל־צֹרְרֵי נַפְשִׁי Ps. 143:12
וְצוֹרְרֵי־ 10 וְצֹרְרֵי יְהוּדָה יִכָּרֵתוּ Is. 11:13
צוֹרְרַי 11 מִכָּל־צֹרְרַי הָיִיתִי חֶרְפָּה Ps. 31:12
צוֹרְרָי 12 עָתְקָה בְּכָל־צוֹרְרָי Ps. 6:6
13 הִנָּשֵׂא בְּעַבְרוֹת צוֹרְרָי Ps. 7:7
14 תַּעֲרֹךְ לְפָנַי שֻׁלְחָן נֶגֶד צֹרְרָי Ps. 23:5
15 בְּרֶצַח בְּעַצְמוֹתַי חֵרְפוּנִי צוֹרְרָי Ps. 42:11
16 נֶגְדְּךָ כָּל־צוֹרְרָי Ps. 69:20
צוֹרְרֶיךָ 17 וְאָיַבְתִּי...וְצַרְתִּי אֶת־צֹרְרֶיךָ Ex. 23:22
18 יִסַּדְתָּ עֹז לְמַעַן צוֹרְרֶיךָ Ps. 8:3
19 שָׁאֲגוּ צֹרְרֶיךָ בְּקֶרֶב מוֹעֲדֶךָ Ps. 74:4
20 אַל־תִּשְׁכַּח קוֹל צֹרְרֶיךָ Ps. 74:23
צוֹרְרָיו 21 כָּל־צוֹרְרָיו יָפִיחַ בָּהֶם Ps. 10:5

צַח

ת׳ זַךְ, טהור: 1-4 • קרובים: ראה נָקִי

צַח וְאָדוֹם 3; חֹם צַח 1; רוּחַ צַח 2; דַּבֵּר צָחוֹת 4

צַח 1 כְּחֹם צַח עֲלֵי־אוֹר Is. 18:4
2 רוּחַ צַח שְׁפָיִם בַּמִּדְבָּר Jer. 4:11
3 דּוֹדִי צַח וְאָדוֹם דָּגוּל מֵרְבָבָה S.ofS. 5:10
צָחוֹת 4 וּלְשׁוֹן עִלְּגִים תְּמַהֵר לְדַבֵּר צָחוֹת Is. 32:4

צִחָא

– עין צִיחָא

צִחֶה*

ת׳ חָרֵב, יָבֵשׁ • צִחֵה צָמָא 1

צִחֵה־ 1 וַהֲמוֹנוֹ צִחֵה צָמָא Is. 5:13

צְחוֹק

ז׳ שחוק, התול: 1, 2

צְחֹק 1 צְחֹק עָשָׂה לִי אֱלֹהִים Gen. 21:6
לִצְחוֹק 2 תִּהְיֶה לִצְחֹק וּלְלַעַג Ezek. 23:32

צחח : צָחַח; צַח, צְחִיחַ

צָחַח, צַח פּ׳ היה זך

צַחוּ 1 זַכּוּ נְזִירֶיהָ מִשֶּׁלֶג צַחוּ מֵחָלָב Lam. 4:7

צְחִיחַ ז׳ א) חורב, יובש: 1-5
ב) מקום יבש: 6
צְחִיחַ סֶלַע 1-4

צְחִיחַ־ 1 עַל־צְחִיחַ סֶלַע שָׂמָתְהוּ Ezek. 24:7
2 נָתַתִּי אֶת־דָּמָהּ עַל־צְחִיחַ סָלַע Ezek. 24:8
לִצְחִיחַ־ 3 וְנָתַתִּי אוֹתָהּ לִצְחִיחַ סָלַע Ezek. 26:4
4 וּנְתַתִּיךְ לִצְחִיחַ סֶלַע Ezek. 26:14
צְחִיחָה 5 אַךְ־סוֹרְרִים שָׁכְנוּ צְחִיחָה Ps. 68:7
בַּצְּחִיחִים 6 וָאַעֲמִיד...מֵאַחֲרֵי לַחוֹמָה בַּצְּחִיחִים (כת׳ בצחחים) Neh. 4:7

צַחֲנָה* נ׳ סרחון

צַחֲנָתוֹ 1 וְעָלָה בָאְשׁוֹ וְתַעַל צַחֲנָתוֹ Joel 2:20

צַחְצָחוֹת נ״ר – זיו, זוהר

בְּצַחְצָחוֹת 1 וְהִשְׂבִּיעַ בְּצַחְצָחוֹת נַפְשֶׁךָ Is. 58:11

צחק : צָחַק, צְחֹק; צְחוֹק

צָחַק פּ׳ א) השמיע קול שמחה או לגלוג: 1-6
ב) [פ׳ צִחֵק] לעג, התל: 8, 9, 12
ג) [כנ״ל] שחק, השתעשע: 7, 10, 11, 13

צָחַקְתִּי 1 וַתְּכַחֵשׁ שָׂרָה לֵאמֹר לֹא צָחַקְתִּי Gen. 18:15
צָחָקְתְּ 2 וַיֹּאמֶר לֹא כִּי צָחָקְתְּ Gen. 18:15
צָחֲקָה 3 לָמָּה זֶּה צָחֲקָה שָׂרָה Gen. 18:13
יִצְחַק 4 כָּל־הַשֹּׁמֵעַ יִצְחַק־לִי Gen. 21:6
וַיִּצְחָק 5 וַיִּפֹּל אַבְרָהָם עַל־פָּנָיו וַיִּצְחָק Gen. 17:17
וַתִּצְחַק 6 וַתִּצְחַק שָׂרָה בְּקִרְבָּהּ לֵאמֹר Gen. 18:12
לְצַחֵק 7 וַיֵּשֶׁב הָעָם לֶאֱכֹל וְשָׁתוֹ וַיָּקֻמוּ לְצַחֵק Ex. 32:6
לְצַחֶק 8 הֵבִיא לָנוּ אִישׁ עִבְרִי לְצַחֶק בָּנוּ Gen. 39:14
9 בָּא אֵלַי הָעֶבֶד...לְצַחֶק בִּי Gen. 39:17
מְצַחֵק 10 וַתֵּרֶא שָׂרָה אֶת־בֶּן־הָגָר...מְצַחֵק Gen. 21:9
11 יִצְחָק מְצַחֵק אֵת רִבְקָה אִשְׁתּוֹ Gen. 26:8
כִּמְצַחֵק 12 וַיְהִי כִמְצַחֵק בְּעֵינֵי חֲתָנָיו Gen. 19:14
וַיְצַחֵק 13 וַיִּקְרְאוּ לְשִׁמְשׁוֹן...וַיְצַחֵק לִפְנֵיהֶם Jud. 16:25

צְחֹק ז׳ – עיין צְחוֹק

צַחַר* ז׳ לובן

צַחַר 1 בְּיֵין חֶלְבּוֹן וְצֶמֶר צָחַר Ezek. 27:18

צָחֹר* ת׳ לבן • אֲתֹנוֹת צְחֹרוֹת

צְחֹרוֹת 1 רֹכְבֵי אֲתֹנוֹת צְחֹרוֹת Jud. 5:10

צֹחַר שפ״ז א) אבי עפרון החתי: 1, 2
ב) מבני שמעון: 3, 4
ג) בן אשחור לשבט יהודה: 5

צֹחַר 1 וּפִגְעוּ־לִי בְּעֶפְרוֹן בֶּן־צֹחַר Gen. 23:8
2 שְׂדֵה עֶפְרֹן בֶּן־צֹחַר הַחִתִּי Gen. 25:9
וְצֹחַר 3 וּבְנֵי שִׁמְעוֹן יְמוּאֵל...וְצֹחַר Gen. 46:10
4 וּבְנֵי שִׁמְעוֹן יְמוּאֵל...וְצֹחַר Ex. 6:15
5 וּבְנֵי חֶלְאָה צֶרֶת וְצֹחַר (כת׳ יצחר) ICh. 4:7

צִי[1] ז׳ אֳנִיָּה, ספינה: 1-4 • צִי אַדִּיר 1

וְצִי 1 וְצִי אַדִּיר לֹא יַעַבְרֶנּוּ Is. 33:21
צִיִּים 2 וּבָאוּ בוֹ צִיִּים כִּתִּים וְנִכְאָה Dan. 11:30
וְצִים 3 וְצִים מִיַּד כִּתִּים וְעִנּוּ אַשּׁוּר Num. 24:24
בַּצִּים 4 יֵצְאוּ מַלְאָכִים מִלְּפָנַי בַּצִּים Ezek. 30:9

צִי[2] ז׳ שם כולל לבעלי־חיים השוכנים במדבר: 1-6

צִיִּים 1 וְרָבְצוּ־שָׁם צִיִּים Is. 13:21
2 וּפָגְשׁוּ צִיִּים אֶת־אִיִּים Is. 34:14
3 לָכֵן יֵשְׁבוּ צִיִּים אֶת־אִיִּים Jer. 50:39
4 לְפָנָיו יִכְרְעוּ צִיִּים Ps. 72:9
לְצִיִּים 5 אֶ׳ כַּשְׂדִּים...אַשּׁוּר יְסָדָהּ לְצִיִּים Is. 23:13
6 תִּתְּנֶנּוּ מַאֲכָל לְעָם לְצִיִּים Ps. 74:14

צִיבָא שפ״ז – עבד שאול: 1-16 • בֵּית צִיבָא 8

צִיבָא 1 וּלְבֵית שָׁאוּל עֶבֶד וּשְׁמוֹ צִיבָא IISh. 9:2
2 וַיֹּאמֶר הַמֶּלֶךְ אֵלָיו הַאַתָּה צִיבָא IISh. 9:2
3-6 וַיֹּאמֶר צִיבָא אֶל־הַמֶּלֶ׳ IISh. 9:3, 4,11; 16:3
7 וַיִּקְרָא הַמֶּלֶךְ אֶל־צִיבָא נַעַר שָׁאוּל IISh. 9:9
8 וְכֹל מוֹשַׁב בֵּית־צִיבָא עֲבָדִים... IISh. 9:12
9 וְהִנֵּה צִיבָא נַעַר מְפִיבֹשֶׁת לִקְרָאת IISh. 16:1
10 וַיֹּאמֶר הַמֶּ׳ אֶל־צִיבָא מָה־אֵלֶּה לָּךְ IISh. 16:2
11 וַיֹּאמֶר צִיבָא הַחֲמוֹרִים לְבֵית־הַמֶּ׳ IISh. 16:2
12 וַיֹּאמֶר צִיבָא הִשְׁתַּחֲוֵיתִי IISh. 16:4
וְצִיבָא 13 וְצִיבָא נַעַר בֵּית שָׁאוּל IISh. 19:18
14 אַתָּה וְצִיבָא תַּחְלְקוּ אֶת־הַשָּׂדֶה IISh. 19:30
לְצִבָא 15 וַיֹּאמֶר הַמֶּלֶךְ לְצִבָא IISh. 16:4
וּלְצִיבָא 16 וּלְצִיבָא חֲמִשָּׁה עָשָׂר בָּנִים IISh. 9:10

צַיִד ז׳ א) לכידת חיות ועופות: 1-3, 16
ב) חיה או עוף שנצודו: 4-14
ג) [בהשאלה] מזון: 15, 17-19
גִּבּוֹר צַיִד 1, 2; יֹדֵעַ צַיִד 3; צֵיד בְּנוֹ 11, 12; צֵיד חַיָּה 10; צֵיד עוֹף 10; לֶחֶם צֵידוֹ 18

צַיִד 1 הוּא־הָיָה גִבֹּר־צַיִד לִפְנֵי יְיָ Gen. 10:9
2 כְּנִמְרֹד גִּבּוֹר צַיִד לִפְנֵי יְיָ Gen. 10:9
3 עֵשָׂו אִישׁ יֹדֵעַ צַיִד אִישׁ שָׂדֶה Gen. 25:27
4 וַיֶּאֱהַב...כִּי־צַיִד בְּפִיו Gen. 25:28
5 וַיֵּלֶךְ עֵשָׂו לָצוּד צַיִד Gen. 27:5
6 הָבִיאָה לִּי צַיִד וַעֲשֵׂה...מַטְעַמִּים Gen. 27:7
7 מִי־אֵפוֹא הוּא הַצָּד־צַיִד Gen. 27:33
צָיִד 8 וְצֵא הַשָּׂדֶה וְצוּדָה לִּי צָיִד (כת׳ צידה) Gen. 27:3
9 וָאָעִיד בְּיוֹם מִכְרָם צָיִד Neh. 13:15
צֵיד־ 10 אֲשֶׁר יָצוּד צֵיד חַיָּה אוֹ־עוֹף Lev. 17:13
מִצֵּיד־ 11 הַגִּשָׁה לִּי וְאֹכְלָה מִצֵּיד בְּנִי Gen. 27:25
12 יָקֻם אָבִי וְיֹאכַל מִצֵּיד בְּנוֹ Gen. 27:31
מִצֵּידִי 13 קוּם־נָא שְׁבָה וְאָכְלָה מִצֵּידִי Gen. 27:19
צֵידוֹ 14 לֹא־יַחֲרֹךְ רְמִיָּה צֵידוֹ Prov. 12:27
15 מִי יָכִין לָעֹרֵב צֵידוֹ Job 38:41
מִצֵּידוֹ 16 וְעֵשָׂו אָחִיו בָּא מִצֵּידוֹ Gen. 27:30
צֵידָהּ 17 צֵידָהּ בָּרֵךְ אֲבָרֵךְ Ps. 132:15
צֵידָם 18 וְכֹל לֶחֶם צֵידָם יָבֵשׁ הָיָה נִקֻּדִים Josh. 9:5
מִצֵּידָם 19 וַיִּקְחוּ הָאֲנָשִׁים מִצֵּידָם Josh. 9:14

צַיָּד* ז׳ לוכד חיות ועופות

צַיָּדִים 1 אֶשְׁלַח לְרַבִּים צַיָּדִים וְצָדוּם Jer. 16:16

צֵידָה נ׳ מזון: 1-9

צֵידָה 1 וְלָתֵת לָהֶם צֵדָה לַדָּרֶךְ Gen. 42:25
2 וַיִּתֵּן לָהֶם צֵדָה לַדָּרֶךְ Gen. 45:21
3 וְגַם־צֵדָה לֹא־עָשׂוּ לָהֶם Ex. 12:39
4 הָכִינוּ לָכֶם צֵידָה Josh. 1:11
5 קְחוּ בְיֶדְכֶם צֵידָה לַדֶּרֶךְ Josh. 9:11
6 וַיִּקְחוּ אֶת־צֵדָה הָעָם בְּיָדָם Jud. 7:8
7 לָקַחַת צֵדָה לָעָם Jud. 20:10
8 צֵידָה שָׁלַח לָהֶם לָשֹׂבַע Ps. 78:25
וְצֵידָה 9 וַיִּשְׁאַל־לוֹ בַּיְיָ וְצֵידָה נָתַן לוֹ ISh. 22:10

צִידוֹן[1] שפ״ז – בכור כנען בן נח: 1, 2

צִידֹן 1 וּכְנַעַן יָלַד אֶת־צִידֹן בְּכֹרוֹ Gen. 10:15
2 וּכְנַעַן יָלַד אֶת־צִידוֹן בְּכוֹרוֹ ICh. 1:13

צִידוֹן[2] ש״פ – עיר גדולה בפניקיה מצפון לצור: 1-20
צִידוֹן רַבָּה 2, 3; אֱלֹהֵי צִידוֹן 5; בַּת צִידוֹן 9; יוֹשְׁבֵי צִידוֹן 4, 12; מֶלֶךְ צ׳ 11; מַלְכֵי צִידוֹן 10; סוֹחֵר צִידוֹן 7

צִידֹן 1 וְיַרְכָתוֹ עַל־צִידֹן Gen. 49:13
2 וַיִּרְדְּפוּם עַד־צִידוֹן רַבָּה Josh. 11:8
3 וְעֶבְרֹן וּרְחֹב...עַד צִידוֹן רַבָּה Josh. 19:28
4 לֹא הוֹרִישׁ...וְאֶת־יוֹשְׁבֵי צִידוֹן Jud. 1:31
5 וַיַּעַבְדוּ...וְאֶת־אֱלֹהֵי צִידוֹן Jud. 10:6
6 וַיָּבֹאוּ...וְסָבִיב אֶל־צִידוֹן IISh. 24:6
7 סֹחֵר צִידוֹן עֹבֵר יָם מִלְאוּךְ Is. 23:2
8 בּוֹשִׁי צִידוֹן כִּי־אָמַר יָם Is. 23:4
9 הַמְעֻשָּׁקָה בְּתוּלַת בַּת־צִידוֹן Is. 23:12
10 וְאֵת כָּל־מַלְכֵי צִידוֹן Jer. 25:22
11 וְאֶל־מֶלֶךְ צֹר וְאֶל־מֶלֶךְ צִידוֹן Jer. 27:3
12 יֹשְׁבֵי צִידוֹן וְאַרְוַד הָיוּ שָׁטִים לָךְ Ezek. 27:8
13 שִׂים פָּנֶיךָ אֶל־צִידוֹן וְהִנָּבֵא עָלֶיהָ Ezek. 28:21
14 הִנְנִי עָלַיִךְ צִידוֹן Ezek. 28:22
וְצִידוֹן 15 וְגַם מָה־אַתֶּם לִי צֹר וְצִידוֹן Joel 4:4
16 צֹר וְצִידוֹן כִּי חָכְמָה מְאֹד Zech. 9:2
לְצִידוֹן 17 קוּם לֵךְ צָרְפַתָה אֲשֶׁר לְצִידוֹן IK. 17:9
וּלְצִידוֹן 18 לְהַכְרִית לְצֹר וּלְצִידוֹן כֹּל שָׂרִיד Jer. 47:4
מִצִּידֹן 19 גְּבוּל הַכְּנַעֲנִי מִצִּידֹן...עַד עַזָּה Gen. 10:19
20 כִּי רְחוֹקָה־הִיא מִצִּידוֹן Jud. 18:28

צִידוֹנִי ת׳ מתושבי צידון: 1-16
אֱלֹהֵי צִידוֹנִים 6, 9; מֶלֶךְ צ׳ 7; מִשְׁפַּט צ׳ 5; שִׁקֻּץ צִידוֹנִים 8

צִידֹנִי 1 נְסִיכֵי צָפוֹן כֻּלָּם וְכָל־צִדֹנִי Ezek. 32:30
וְהַצִּידֹנִי 2 וְכָל־הַכְּנַעֲנִי וְהַצִּידֹנִי וְהַחִוִּי Jud. 3:3
צִידֹנִים 3 צִידֹנִים יִקְרְאוּ לְחֶרְמוֹן שִׂרְיֹן Deut. 3:9
4 עַד־מִשְׂרְפֹת מַיִם כָּל־צִידֹנִים Josh. 13:6
5 כְּמִשְׁפַּט צִדֹנִים שֹׁקֵט וּבֹטֵחַ Jud. 18:7
6 אַחֲרֵי עַשְׁתֹּרֶת אֱלֹהֵי צִדֹנִים IK. 11:5
7 אִיזֶבֶל בַּת־אֶתְבַּעַל מֶלֶךְ צִידֹנִים IK. 16:31
8 בָּנָה...לְעַשְׁתֹּרֶת שִׁקֻּץ צִידֹנִים IIK. 23:13
צִידֹנִין 9 וַיִּשְׁתַּחֲווּ לְעַשְׁתֹּרֶת אֱלֹהֵי צִדֹנִין IK. 11:33
וְצִידוֹנִים 10 וְצִידוֹנִים וַעֲמָלֵק...לָחֲצוּ אֶתְכֶם Jud. 10:12
הַצִּידוֹנִים 11 הֵבִיאוּ הַצִּידֹנִים...עֲצֵי אֲרָזִים ICh. 22:4(3)
כַּצִּידוֹנִים 12 אֵין בָּנוּ...יֹדֵעַ לִכְרָת־עֵצִים כַּצִּדֹנִים IK. 5:20
לַצִּידוֹנִים 13 וּמְעָרָה אֲשֶׁר לַצִּידֹנִים Josh. 13:4
14 וַיִּתְּנוּ...וָשֶׁמֶן לַצִּדֹנִים וְלַצֹּרִים Ez. 3:7
מִצִּידוֹנִים 15 וּרְחוֹקִים הֵמָּה מִצִּידֹנִים Jud. 18:7
צִדְנִיֹּת 16 אֲדֹמִּית צֵדְנִית חִתִּית IK. 11:1

צִיָּה נ׳ א) יובש, חורב: 1-3, 5-12
ב) מדבר שומם: 4, 13-16
– אֶרֶץ צִיָּה 1-3, 5-8, 10, 11; מִדְבָּר (וְ)צִיָּה 4, 14

צִיָּה 1 וְאֶרֶץ צִיָּה לְמוֹצָאֵי מָיִם Is. 41:18
2 וַיַּעַל...וְכַשֹּׁרֶשׁ מֵאֶרֶץ צִיָּה Is. 53:2
3 הַמּוֹלִיךְ אֹתָנוּ...בְּאֶרֶץ צִיָּה וְצַלְמָוֶת Jer. 2:6
4 אַחֲרִית גּוֹיִם מִדְבָּר צִיָּה וַעֲרָבָה Jer. 50:12
5 עָרֶיהָ לְשַׁמָּה אֶרֶץ צִיָּה וַעֲרָבָה Jer. 51:43
6 שְׁתוּלָה...בְּאֶרֶץ צִיָּה וְצָמָא Ezek. 19:13
7 וְשַׂמְתִּיהָ כַמִּדְבָּר וְשַׁתִּהָ כְּאֶרֶץ צִיָּה Hosh. 2:5
8 וְהִדַּחְתִּיו אֶל־אֶרֶץ צִיָּה וּשְׁמָמָה Joel 2:20
9 וְיָשֵׂם...לִשְׁמָמָה צִיָּה כַּמִּדְבָּר Zep. 2:13
10 בְּאֶרֶץ־צִיָּה וְעָיֵף בְּלִי־מָיִם Ps. 63:2
11 וְאֶרֶץ צִיָּה לְמֹצָאֵי מָיִם Ps. 107:35
12 צִיָּה גַם־חֹם יִגְזְלוּ מֵימֵי־שֶׁלֶג Job 24:19
13 הָעֹרְקִים צִיָּה אֶמֶשׁ שׁוֹאָה וּמְשֹׁאָה Job 30:3

וְצִיָּה 14 יְשֻׂשׂוּם מִדְבָּר וְצִיָּה וְתָגֵל עֲרָבָה Is. 35:1
בַּצִּיָּה 15 לַמְרוֹת עֶלְיוֹן בַּצִּיָּה Ps. 78:17
בַּצִּיּוֹת 16 הָלְכוּ בַּצִּיּוֹת נָהָר Ps. 105:41

צָיוֹן

ז׳ צִיָּה, יִשִּׁימוֹן: 1, 2

בְּצָיוֹן 1 כְּחֹרֶב בְּצָיוֹן שְׁאוֹן זָרִים תַּכְנִיעַ Is. 25:5
2 כְּפַלְגֵי־מַיִם בְּצָיוֹן Is. 32:2

צִיּוּן

ז׳ סִימָן: 1־3

צִיּוּן 1 וְרָאָה עֶצֶם...וּבָנָה אֶצְלוֹ צִיּוּן Ezek. 39:15
הַצִּיּוּן 2 מָה הַצִּיּוּן הַלָּז אֲשֶׁר אֲנִי רֹאֶה IIK. 23:17
צִיֻּנִים 3 הַצִּיבִי לָךְ צִיֻּנִים Jer. 31:20(21)

צִיּוֹן

ש״פ א) המצודה שכבש דוד מדרום להר המוריה בירושלים: 1, 2, 106, 107
ב) כנוי לירושלים ולכל ארץ־ישראל: 3־105, 108־154

– אֲבֵלֵי צִיּוֹן 36; בֵּית צִיּוֹן 14; בְּנוֹת צ׳ 7־9, 93; בְּנֵי צ׳ 51, 92; בַּת צִיּוֹן 3, 5, 17, 27, 33, 38, 42־44, 55, 59־62, 66, 68, 72, 95, 97־102, 104; דַּרְכֵי צ׳ 94; הַר צִיּוֹן 4, 10־12, 19־21, 28, 52־54, 58, 73, 74, 78, 79, 84, 105; הַרְרֵי צ׳ 87; יוֹשֵׁב צ׳ 13, 71; יוֹשֶׁבֶת צ׳ 15, 50; מְבַשֶּׂרֶת צ׳ 29; מְצוּדַת צ׳ 1, 106; מְרוֹם צ׳ 48; רִיב צִיּוֹן 24; שׂוֹנְאֵי צ׳ 86; שִׁיבַת צִיּוֹן 85; שַׁעֲרֵי צִיּוֹן 80
– רִאשׁוֹן לְצִיּוֹן 135

צִיּוֹן 1 וַיִּלְכֹּד דָּוִד אֵת מְצֻדַת צִיּוֹן IISh. 5:7
2 לְהַעֲלוֹת...מֵעִיר דָּוִד הִיא צִיּוֹן IK. 8:1
3 לָעֲגָה לָךְ בְּתוּלַת בַּת־צִיּוֹן IIK. 19:21
4 מִירוּ׳...שְׁאֵרִית וּפְלֵיטָה מֵהַר צִיּוֹן IIK. 19:31
5 וְנוֹתְרָה בַת־צִיּוֹן כְּסֻכָּה בְכָרֶם Is. 1:8
6 צִיּוֹן בְּמִשְׁפָּט תִּפָּדֶה וְשָׁבֶיהָ בִּצְדָקָה Is. 1:27
7 יַעַן כִּי גָבְהוּ בְּנוֹת צִיּוֹן Is. 3:16
8 וְשִׂפַּח אֲדֹנָי קָדְקֹד בְּנוֹת צִיּוֹן Is. 3:17
9 אִם רָחַץ אֲדֹנָי אֵת צֹאַת בְּנוֹת־צִיּוֹן Is. 4:4
10 וּבָרָא יְיָ עַל כָּל־מְכוֹן הַר־צִיּוֹן Is. 4:5
11 מֵעִם יְיָ צְבָאוֹת הַשֹּׁכֵן בְּהַר צִיּוֹן Is. 8:18
12 כִּי־יְבַצַּע...בְּהַר צִיּוֹן וּבִירוּשָׁלָם Is. 10:12
13 אַל־תִּירָא עַמִּי יֹשֵׁב צִיּוֹן מֵאַשּׁוּר Is. 10:24
14 הַר בַּת־(כת׳ בית) צִיּוֹן גִּבְעַת יְרוּשׁ׳ Is. 10:32
15 צַהֲלִי וָרֹנִּי יוֹשֶׁבֶת צִיּוֹן Is. 12:6
16 יְיָ יִסַּד צִיּוֹן וּבָהּ יֶחֱסוּ עֲנִיֵּי עַמּוֹ Is. 14:32
17 שִׁלְחוּ־כַר...אֶל־הַר בַּת־צִיּוֹן Is. 16:1
18 אֶל־מְקוֹם שֵׁם־יְיָ צְבָאוֹת הַר־צִיּוֹן Is. 18:7
19 מָלַךְ יְיָ...בְּהַר־צִיּוֹן וּבִירוּשָׁלַם Is. 24:23
20 כָּל־הַגּוֹיִם הַצֹּבְאִים עַל־הַר צִיּוֹן Is. 29:8
21 לִצְבֹּא עַל־הַר־צִיּוֹן וְעַל־גִּבְעָתָהּ Is. 31:4
22 מִלֵּא צִיּוֹן מִשְׁפָּט וּצְדָקָה Is. 33:5
23 חֲזֵה צִיּוֹן קִרְיַת מוֹעֲדֵנוּ Is. 33:20
24 שְׁנַת שִׁלּוּמִים לְרִיב צִיּוֹן Is. 34:8
25־26 וּבָאוּ צִיּוֹן בְּרִנָּה Is. 35:10; 51:11
27 לָעֲגָה לָךְ בְּתוּלַת בַּת־צִיּוֹן Is. 37:22
28 מִירוּ׳...שְׁאֵרִית וּפְלֵיטָה מֵהַר צִיּוֹן Is. 37:32
29 עַל הַר־גָּבֹהַּ עֲלִי־לָךְ מְבַשֶּׂרֶת צִיּוֹן Is. 40:9
30 וַתֹּאמֶר צִיּוֹן עֲזָבַנִי יְיָ Is. 49:14
31 כִּי־נִחַם יְיָ צִיּוֹן נִחַם כָּל־חָרְבֹתֶיהָ Is. 51:3
32 עוּרִי עוּרִי לִבְשִׁי עֻזֵּךְ צִיּוֹן Is. 52:1
33 הִתְפַּתְּחִי...שְׁבִיָּה בַּת־צִיּוֹן Is. 52:2
34 עַיִן בְּעַיִן יִרְאוּ בְּשׁוּב יְיָ צִיּוֹן Is. 52:8
35 וְקָרְאוּ לָךְ עִיר יְיָ צִיּוֹן קְדוֹשׁ יִשְׂר׳ Is. 60:14
36 לָשׂוּם לַאֲבֵלֵי צִיּוֹן Is. 61:3
37 לְמַעַן צִיּוֹן לֹא אֶחֱשֶׁה Is. 62:1
38 אִמְרוּ לְבַת־צִיּוֹן הִנֵּה יִשְׁעֵךְ בָּא Is. 62:11

צִיּוֹן (המשך) 39 צִיּוֹן מִדְבָּר הָיָתָה יְרוּשָׁלַם שְׁמָמָה Is. 64:9
40 חָלָה גַּם־יָלְדָה צִיּוֹן אֶת־בָּנֶיהָ Is. 66:8
41 וְלָקַחְתִּי...וְהֵבֵאתִי אֶתְכֶם צִיּוֹן Jer. 3:14
42 קוֹל בַּת־צִיּוֹן תִּתְיַפֵּחַ Jer. 4:31
43 הַנָּוָה וְהַמְּעֻנָּגָה דָּמִיתִי בַּת־צִיּוֹן Jer. 6:2
44 עָרוּךְ...לַמִּלְחָמָה עָלַיִךְ בַּת־צִיּוֹן Jer. 6:23
45 צִיּוֹן שָׂדֶה תֵחָרֵשׁ Jer. 26:18
46 צִיּוֹן הִיא דֹּרֵשׁ אֵין לָהּ Jer. 30:17
47 קוּמוּ וְנַעֲלֶה צִיּוֹן Jer. 31:5(6)
48 וּבָאוּ וְרִנְּנוּ בִמְרוֹם־צִיּוֹן Jer. 31:11(12)
49 צִיּוֹן יִשְׁאָלוּ דֶּרֶךְ הֵנָּה פְנֵיהֶם Jer. 50:5
50 חֲמָסִי...תֹּאמַר יֹשֶׁבֶת צִיּוֹן Jer. 51:35
51 וּבְנֵי צִיּוֹן גִּילוּ וְשִׂמְחוּ בַּיְיָ Joel 2:23
52 בְּהַר־צִיּוֹן וּבִירוּשָׁלַם תִּהְיֶה פְלֵיטָה Joel 3:5
53 וּבְהַר צִיּוֹן תִּהְיֶה פְלֵיטָה Ob. 17
54 וְעָלוּ מוֹשִׁעִים בְּהַר צִיּוֹן Ob. 21
55 רֵאשִׁית חַטָּאת הִיא לְבַת־צִיּוֹן Mic. 1:13
56 בֹּנֶה צִיּוֹן בְּדָמִים וִירוּשָׁלַם בְּעַוְלָה Mic. 3:10
57 לָכֵן בִּגְלַלְכֶם צִיּוֹן שָׂדֶה תֵחָרֵשׁ Mic. 3:12
58 וּמָלַךְ יְיָ עֲלֵיהֶם בְּהַר צִיּוֹן Mic. 4:7
59 וְאַתָּה מִגְדַּל־עֵדֶר עֹפֶל בַּת־צִיּוֹן Mic. 4:8
60 חוּלִי וָגֹחִי בַּת־צִיּוֹן כַּיּוֹלֵדָה Mic. 4:10
61 קוּמִי וָדוֹשִׁי בַת־צִיּוֹן Mic. 4:13
62 רָנִּי בַּת־צִיּוֹן הָרִיעוּ יִשְׂרָאֵל Zep. 3:14
63 צִיּוֹן אַל־יִרְפּוּ יָדָיִךְ Zep. 3:16
64 וְנִחַם יְיָ עוֹד אֶת־צִיּוֹן Zech. 1:17
65 הוֹי צִיּוֹן הִמָּלְטִי יוֹשֶׁבֶת בַּת־בָּבֶל Zech. 2:11
66 רָנִּי וְשִׂמְחִי בַּת־צִיּוֹן Zech. 2:14
67 שַׁבְתִּי אֶל־צִיּוֹן וְשָׁכַנְתִּי בְּתוֹךְ יְרוּשׁ׳ Zech. 8:3
68 גִּילִי מְאֹד בַּת־צִיּוֹן Zech. 9:9
69 וְעוֹרַרְתִּי בָנַיִךְ צִיּוֹן עַל־בָּנַיִךְ יָוָן Zech. 9:13
70 נָסַכְתִּי מַלְכִּי עַל־צִיּוֹן הַר־קָדְשִׁי Ps. 2:6
71 זַמְּרוּ לַיְיָ יֹשֵׁב צִיּוֹן Ps. 9:12
72 לְמַעַן אֲסַפְּרָה...בְּשַׁעֲרֵי בַת־צִיּוֹן Ps. 9:15
73 הַר־צִיּוֹן יַרְכְּתֵי צָפוֹן Ps. 48:3
74 יִשְׂמַח הַר־צִיּוֹן Ps. 48:12
75 סֹבּוּ צִיּוֹן וְהַקִּיפוּהָ סִפְרוּ מִגְדָּלֶיהָ Ps. 48:13
76 הֵיטִיבָה בִרְצוֹנְךָ אֶת־צִיּוֹן Ps. 51:20
77 כִּי אֱלֹהִים יוֹשִׁיעַ צִיּוֹן Ps. 69:36
78 הַר־צִיּוֹן זֶה שָׁכַנְתָּ בּוֹ Ps. 74:2
79 וַיִּבְחַר...אֶת־הַר־צִיּוֹן אֲשֶׁר אָהֵב Ps. 78:68
80 אֹהֵב יְיָ שַׁעֲרֵי צִיּוֹן Ps. 87:2
81 שָׁמְעָה וַתִּשְׂמַח צִיּוֹן Ps. 97:8
82 אַתָּה תָקוּם תְּרַחֵם צִיּוֹן Ps. 102:14
83 כִּי־בָנָה יְיָ צִיּוֹן Ps. 102:17
84 כְּהַר־צִיּוֹן לֹא־יִמּוֹט לְעוֹלָם Ps. 125:1
85 בְּשׁוּב יְיָ אֶת־שִׁיבַת צִיּוֹן Ps. 126:1
86 יֵבֹשׁוּ וְיִסֹּגוּ...כֹּל שֹׂנְאֵי צִיּוֹן Ps. 129:5
87 כְּטַל...שֶׁיֹּרֵד עַל־הַרְרֵי צִיּוֹן Ps. 133:3
88 גַּם־בָּכִינוּ בְּזָכְרֵנוּ אֶת־צִיּוֹן Ps. 137:1
89 שִׁירוּ לָנוּ מִשִּׁיר צִיּוֹן Ps. 137:3
90 יִמְלֹךְ...אֱלֹהַיִךְ צִיּוֹן לְדֹר וָדֹר Ps. 146:10
91 הַלְלִי אֱלֹהַיִךְ צִיּוֹן Ps. 147:12
92 בְּנֵי־צִיּוֹן יָגִילוּ בְמַלְכָּם Ps. 149:2
93 צְאֶינָה וּרְאֶינָה בְּנוֹת צִיּוֹן S.ofS. 3:11
94 דַּרְכֵי צִיּוֹן אֲבֵלוֹת Lam. 1:4
95 וַיֵּצֵא מִבַּת־צִיּוֹן כָּל־הֲדָרָהּ Lam. 1:6
96 פֵּרְשָׂה צִיּוֹן בְּיָדֶיהָ אֵין מְנַחֵם לָהּ Lam. 1:17
97 אֵיכָה יָעִיב בְּאַפּוֹ אֲדֹנָי אֶת־בַּת־צִיּוֹן Lam. 2:1
98 בְּאֹהֶל בַּת־צִיּוֹן שָׁפַךְ כָּאֵשׁ חֲמָתוֹ Lam. 2:4
99 חָשַׁב יְיָ לְהַשְׁחִית חוֹמַת בַּת־צִיּוֹן Lam. 2:8
100 יֵשְׁבוּ לָאָרֶץ יִדְּמוּ זִקְנֵי בַת־צִיּוֹן Lam. 2:10

צִיּוֹן (המשך) 101 וַאֲנַחֲמֵךְ בְּתוּלַת בַּת־צִיּוֹן Lam. 2:13
102 חוֹמַת בַּת־צִיּוֹן הוֹרִידִי...דִמְעָה Lam. 2:18
103 בְּנֵי צִיּוֹן הַיְקָרִים הַמְסֻלָּאִים בַּפָּז Lam. 4:2
104 תַּם־עֲוֹנֵךְ בַּת־צִיּוֹן Lam. 4:22
105 הַר־צִיּוֹן שֶׁשָּׁמֵם שׁוּעָלִים הִלְּכוּ־בוֹ Lam. 5:18
106 וַיִּלְכֹּד דָּוִיד אֶת־מְצֻדַת צִיּוֹן ICh. 11:5
107 לְהַעֲלוֹת...מֵעִיר דָּוִיד הִיא צִיּוֹן IICh. 5:2
צִיּוֹנָה 108 שְׂאוּ־נֵס צִיּוֹנָה הָעִיזוּ אַל־תַּעֲמֹדוּ Jer. 4:6
בְּצִיּוֹן 109 הַנִּשְׁאָר בְּצִיּוֹן וְהַנּוֹתָר בִּירוּשָׁלַם Is. 4:3
110 הִנְנִי יִסַּד בְּצִיּוֹן אָבֶן Is. 28:16
111 כִּי־עַם בְּצִיּוֹן יֵשֵׁב בִּירוּשָׁלָם Is. 30:19
112 נְאֻם יְיָ אֲשֶׁר־אוּר לוֹ בְּצִיּוֹן Is. 31:9
113 פָּחֲדוּ בְצִיּוֹן חַטָּאִים Is. 33:14
114 וְנָתַתִּי בְצִיּוֹן תְּשׁוּעָה Is. 46:13
115 הַיְיָ אֵין בְּצִיּוֹן Jer. 8:19
116 אִם־בְּצִיּוֹן גָּעֲלָה נַפְשֶׁךָ Jer. 14:19
117 לְהַגִּיד בְּצִיּוֹן אֶת־נִקְמַת יְיָ Jer. 50:28
118 וּנְסַפְּרָה בְצִיּוֹן אֶת־מַעֲשֵׂה יְיָ Jer. 51:10
119 רָעָתָם אֲשֶׁר־עָשׂוּ בְצִיּוֹן Jer. 51:24
120/1 תִּקְעוּ שׁוֹפָר בְּצִיּוֹן Joel 2:1, 15
122 אֲנִי יְיָ...שֹׁכֵן בְּצִיּוֹן הַר־קָדְשִׁי Joel 4:17
123 וַיְיָ שֹׁכֵן בְּצִיּוֹן Joel 4:21
124 הוֹי הַשַּׁאֲנַנִּים בְּצִיּוֹן Am. 6:1
125 וְתַחַז בְּצִיּוֹן עֵינֵינוּ Mic. 4:11
126 לְךָ דֻמִיָּה תְהִלָּה אֱלֹהִים בְּצִיּוֹן Ps. 65:2
127 בְּשָׁלֵם סֻכּוֹ וּמְעוֹנָתוֹ בְצִיּוֹן Ps. 76:3
128 יֵרָאֶה אֶל־אֱלֹהִים בְּצִיּוֹן Ps. 84:8
129 יְיָ בְּצִיּוֹן גָּדוֹל Ps. 99:2
130 לְסַפֵּר בְּצִיּוֹן שֵׁם יְיָ Ps. 102:22
131 כִּי־בָחַר יְיָ בְּצִיּוֹן Ps. 132:13
132 שִׁכַּח יְיָ בְּצִיּוֹן מוֹעֵד וְשַׁבָּת Lam. 2:6
133 וַיַּצֶּת־אֵשׁ בְּצִיּוֹן וַתֹּאכַל יְסוֹדֹתֶיהָ Lam. 4:11
134 נָשִׁים בְּצִיּוֹן עִנּוּ Lam. 5:11
לְצִיּוֹן 135 רִאשׁוֹן לְצִיּוֹן הִנֵּה הִנָּם Is. 41:27
136 וְלֵאמֹר לְצִיּוֹן עַמִּי־אָתָּה Is. 51:16
137 אֹמֵר לְצִיּוֹן מָלַךְ אֱלֹהָיִךְ Is. 52:7
138 וּבָא לְצִיּוֹן גּוֹאֵל Is. 59:20
139 קִנֵּאתִי לְצִיּוֹן קִנְאָה גְדוֹלָה Zech. 8:2
וּלְצִיּוֹן 140 קִנֵּאתִי לִירוּשָׁלַם וּלְצִיּוֹן Zech. 1:14
141 וּלְצִיּוֹן יֵאָמַר אִישׁ וְאִישׁ יֻלַּד־בָּהּ Ps. 87:5
מִצִּיּוֹן 142/3 כִּי מִצִּיּוֹן תֵּצֵא תוֹרָה Is. 2:3 • Mic. 4:2
144 כִּי קוֹל נְהִי נִשְׁמַע מִצִּיּוֹן Jer. 9:18
145 וַיְיָ מִצִּיּוֹן יִשְׁאָג וּמִירוּשָׁלַם יִתֵּן קוֹלוֹ Joel 4:16
146 יְיָ מִצִּיּוֹן יִשְׁאָג וּמִירוּשָׁלַם יִתֵּן קוֹלוֹ Am. 1:2
147 מִי יִתֵּן מִצִּיּוֹן יְשׁוּעַת יִשְׂרָאֵל Ps. 14:7
148 מִצִּיּוֹן מִכְלַל־יֹפִי אֱלֹהִים הוֹפִיעַ Ps. 50:2
149 מִי־יִתֵּן מִצִּיּוֹן יְשֻׁעוֹת יִשְׂרָאֵל Ps. 53:7
150 מַטֵּה עֻזְּךָ יִשְׁלַח יְיָ מִצִּיּוֹן Ps. 110:2
151/2 יְבָרֶכְךָ יְיָ מִצִּיּוֹן Ps. 128:5; 134:3
153 בָּרוּךְ יְיָ מִצִּיּוֹן שֹׁכֵן יְרוּשָׁלָם Ps. 135:21
וּמִצִּיּוֹן 154 יִשְׁלַח עֶזְרְךָ מִקֹּדֶשׁ וּמִצִּיּוֹן יִסְעָדֶךָּ Ps. 20:3

צִיחָא

שפ־ז – אחד מפקידי הנתינים בימי נחמיה: 1־3

צִיחָא 1 הַנְּתִינִים בְּנֵי־צִיחָא Ez. 2:43
2 הַנְּתִינִים בְּנֵי־צִחָא Neh. 7:46
וְצִיחָא 3 וְצִיחָא וְגִשְׁפָּא עַל־הַנְּתִינִים Neh. 11:21

צִן

ש־פ – אזור מדברי בנגב
בין מַעֲלֵה עַקְרַבִּים לקדש בַּרְנֵעַ: 1־10
מִדְבַּר צִן 1־8

צִן 1 מִמִּדְבַּר־צִן עַד...לְבֹא חֲמָת Num. 13:21
2 וַיָּבֹאוּ בְ״י כָּל־הָעֵדָה מִדְבַּר־צִן Num. 20:1

צִין (המשך) 3 כַּאֲשֶׁר מְרִיתֶם פִּי בְּמִדְבַּר־צִן Num. 27:14
4 מֵי־מְרִיבַת קָדֵשׁ מִדְבַּר־צִן Num. 27:14
5 וַיַּחֲנוּ בְמִדְבַּר־צִן הִוא קָדֵשׁ Num. 33:36
6 מִמִּדְבַּר־צִן עַל־יְדֵי אֱדוֹם Num. 34:3
7 בְּמֵי־מְרִיבַת קָדֵשׁ מִדְבַּר־צִן Deut. 32:51
8 אֶל־גְּבוּל אֱדוֹם מִדְבַּר־צִן נֶגְבָּה Josh. 15:1
צִנָה 9 וְנָסַב...מִנֶּגֶב לְמַעֲלֵה...וְעָבַר צִנָה Num. 34:4
10 וְיָצָא אֶל־מִנֶּגֶב לְמַעֲלֵה...וְעָבַר צִנָה Josh. 15:3

צִינוֹק
ז׳ בית־כלא(?); עול על צואר האסיר(?)

הַצִּינֹק 1 אֶל־הַמַּהְפֶּכֶת וְאֶל־הַצִּינֹק Jer. 29:26

צִיעֹר
ש־פ – ישוב בהרי יהודה

וְצִיעֹר 1 וְחֻמְטָה וְקִרְיַת אַרְבַּע...וְצִיעֹר Josh. 15:54

(צִיץ)1 צָץ
פ׳ א) פָּרַח: 1
ב) [הפ׳ הֵצִיץ] הוציא פרחים,
הצמיח (גם בהשאלה): 3־9
ג) [כנ־ל] השקיף: 2

צָץ 1 צָץ הַמַּטֶּה פָּרַח הַזָּדוֹן Ezek. 7:10
מֵצִיץ 2 מַשְׁגִּיחַ...מֵצִיץ מִן־הַחֲרַכִּים S.ofS. 2:9
יָצִיץ 3 יַשְׁרֵשׁ יַעֲקֹב יָצִיץ וּפָרַח יִשְׂרָאֵל Is. 27:6
4 בַּבֹּקֶר יָצִיץ וְחָלָף Ps. 90:6
5 כְּצִיץ הַשָּׂדֶה כֵּן יָצִיץ Ps. 103:15
6 וְעָלָיו יָצִיץ נִזְרוֹ Ps. 132:18
וַיָּצֵץ 7 וַיֹּצֵא פֶרַח וַיָּצֵץ צִיץ Num. 17:23
וְיָצִיצוּ 8 וְיָצִיצוּ מֵעִיר כְּעֵשֶׂב הָאָרֶץ Ps. 72:16
וַיָּצִיצוּ 9 וַיָּצִיצוּ כָּל־פֹּעֲלֵי אָוֶן Ps. 92:8

צִיץ1
ז׳ א) פֶּרַח, עלי כותרת: 1־6, 10, 11
ב) קשוט בתבנית פרח: 7־9, 12־15

צִיץ זָהָב 7, 9; צִיץ נֹבֵל 5; צִיץ נֵזֶר 8; צִיץ הַשָּׂדֶה 10, 11; פְּטוּרֵי צִצִּים 12־15

צִיץ 1 וַיֹּצֵא פֶרַח וַיָּצֵץ צִיץ Num. 17:23
2־3 יָבֵשׁ חָצִיר נָבֵל צִיץ Is. 40:7, 8
4 תְּנוּ־צִיץ לְמוֹאָב כִּי נָצֹא תֵּצֵא Jer. 48:9
וְצִיץ 5 וְצִיץ נֹבֵל צְבִי תִפְאַרְתּוֹ Is. 28:1
כְּצִיץ 6 כְּצִיץ יָצָא וַיִּמָּל Job 14:2
צִיץ־ 7 וְעָשִׂיתָ צִּיץ זָהָב טָהוֹר Ex. 28:36
8 וַיַּעֲשׂוּ אֶת־צִיץ נֵזֶר־הַקֹּדֶשׁ Ex. 39:30
9 וַיָּשֶׂם...אֵת צִיץ הַזָּהָב נֵזֶר הַקֹּדֶשׁ Lev. 8:9
כְּצִיץ־ 10 וְכָל־חַסְדּוֹ כְּצִיץ הַשָּׂדֶה Is. 40:6
11 כְּצִיץ הַשָּׂדֶה כֵּן יָצִיץ Ps. 103:15
צִצִּים 12 מִקְלַעַת פְּקָעִים וּפְטוּרֵי צִצִּים IK. 6:18
13־15 וְתִמֹּרֹת וּפְטֻ(ו)רֵי צִצִּים IK. 6:29, 32, 35

צִיץ2
ש־פ – מקום בקרבת עין־גדי

הַצִּיץ 1 הִנָּם עֹלִים בְּמַעֲלֵה הַצִּיץ IICh. 20:16

צִיצָה*
נ׳ ציץ

צִיצַת־ 1 וְהָיְתָה צִיצַת נֹבֵל צְבִי תִפְאַרְתּוֹ Is. 28:4

צִיצִת
נ׳ א) פתיל חוטים בכנפי הבגדים: 1־3
ב) קבוצת שערות מעל למצח: 4

צִיצִת כָּנָף 1, 3; צִיצִת רֹאשׁ 4

צִיצִת 1 וְעָשׂוּ...צִיצִת עַל־כַּנְפֵי בִגְדֵיהֶם Num. 15:38
לְצִיצִת 2 וְהָיָה לָכֶם לְצִיצִת וּרְאִיתֶם אֹתוֹ Num. 15:39
צִיצִת־ 3 וְנָתְנוּ עַל־צִיצִת הַכָּנָף פְּתִיל Num. 15:38
בְּצִיצִת־ 4 וַיִּקָּחֵנִי בְּצִיצִת רֹאשִׁי Ezek. 8:3

צִיקְלַג
ש־פ – ערך צִקְלַג

צִיר : הִצְטַיֵּר; צִירִ1, צִיר2, צִיר3

(צִיר) הִצְטַיֵּר
הת׳ התחפש(?)

וַיִּצְטַיָּרוּ 1 וַיַּעֲשׂוּ גַם־הֵמָּה בְּעָרְמָה וַיֵּלְכוּ וַיִּצְטַיָּרוּ Josh. 9:4

צִיר1
ז׳ שָׁלִיחַ: 1־6

צִיר אֱמוּנִים 4; צִיר נֶאֱמָן 1

צִיר 1 צִיר נֶאֱמָן לְשֹׁלְחָיו Prov. 25:13
וְצִיר 2 שְׁמוּעָה שָׁמַעְתִּי...וְצִיר בַּגּוֹיִם שָׁלוּחַ Jer. 49:14
3 שְׁמוּעָה שָׁמַעְנוּ...וְצִיר בַּגּוֹיִם שֻׁלָּח Ob. 1
וְצִיר־ 4 וְצִיר אֱמוּנִים מַרְפֵּא Prov. 13:17
צִירִים 5 הַשֹּׁלֵחַ בַּיָּם צִירִים וּבִכְלֵי גֹמֶא Is. 18:2
צִירַיִךְ 6 וַתְּשַׁלְּחִי צִירַיִךְ עַד־מֵרָחֹק Is. 57:9

צִיר*2
ז׳ תבנית, צורה

צִירִים 1 הָלְכוּ בַכְּלִמָּה חָרָשֵׁי צִירִים Is. 45:16

צִיר3
ז׳ וו שהדלת סובבת עליו

צִירָהּ 1 הַדֶּלֶת תִּסּוֹב עַל־צִירָהּ Prov. 26:14

(צִיר)4 צִירִים
ז־ר – כְּאֵבִים, וביחוד כְּאֵבֵי היולדת: 1־5

צִירֵי יוֹלֵדָה 2; נֶהֶפְכוּ צִירֶיהָ 4, 5

צִירִים 1 צִירִים וַחֲבָלִים יֹאחֵזוּן Is. 13:8
2 צִירִים אֲחָזוּנִי כְּצִירֵי יוֹלֵדָה Is. 21:3
כְּצִירֵי־ 3 צִירִים אֲחָזוּנִי כְּצִירֵי יוֹלֵדָה Is. 21:3
צִירַי 4 נֶהֶפְכוּ צִירַי עָלַי וְלֹא עָצַרְתִּי כֹּחַ Dan. 10:16
צִירֶיהָ 5 וַתֵּלֶד כִּי־נֶהֶפְכוּ עָלֶיהָ צִרֶיהָ ISh. 4:19

צֵל
ז׳ אפלולית מאחורי גוף החוצץ
בעד האור (גם בהשאלה): 1־53

– צֵל נָטוּי 9; צֵל עוֹבֵר 11
– צֵל דָּלִיּוֹת 27; צֵל הֶהָרִים 19; צֵל חָכְמָה 31; צֵל חֶשְׁבּוֹן 26; צֵל יָדוֹ 25, 33; צֵל כְּנָפָיו 28, 29, 34, 35; צֵל כֶּסֶף 32; צֵל הַמַּעֲלוֹת 20; צֵל סֶלַע 36; צֵל מִצְרַיִם 23, 24; צֵל עָב 22; צֵל קוֹרָתוֹ 21; צֵל שַׁדַּי 30
– צִלְלֵי עֶרֶב 53
– סָר צִלּוֹ 50; נָטוּ צְלָלִים 53; נָסוּ צְלָלִים 51, 52

צֵל 1 מַחְסֶה מִזֶּרֶם צֵל מֵחֹרֶב Is. 25:4
2 וַיַּעַל...לִהְיוֹת צֵל עַל־רֹאשׁוֹ Jon. 4:6
3 כְּעֶבֶד יִשְׁאַף־צֵל Job 7:2
4 כִּי צֵל יָמֵינוּ עֲלֵי־אָרֶץ Job 8:9
הַצֵּל 5 הָלַךְ הַצֵּל עֶשֶׂר מַעֲלוֹת IIK. 20:9
6 כִּי יָשׁוּב הַצֵּל אֲחֹרַנִּית IIK. 20:10
7 וַיָּשֶׁב אֶת־הַצֵּל בַּמַּעֲלוֹת IIK. 20:11
בַּצֵּל 8 וַיַּעַשׂ...סֻכָּה וַיֵּשֶׁב תַּחְתֶּיהָ בַּצֵּל Jon. 4:5
כְּצֵל 9 יָמַי כְּצֵל נָטוּי Ps. 102:12
10 כְּצֵל־כִּנְטוֹתוֹ נֶהֱלָכְתִּי Ps. 109:23
11 לַהֶבֶל דָּמָה יָמָיו כְּצֵל עוֹבֵר Ps. 144:4
כַּצֵּל 12 וַיִּבְרַח כַּצֵּל וְלֹא יַעֲמוֹד Job 14:2
13 וִיצֻרַי כַּצֵּל כֻּלָּם Job 17:7
14 יְמֵי חַיֵּי הֶבְלוֹ וְיַעֲשֵׂם כַּצֵּל Eccl. 6:12
15 וְלֹא־יַאֲרִיךְ יָמִים כַּצֵּל Eccl. 8:13
16 כַּצֵּל יָמֵינוּ עַל־הָאָרֶץ ICh. 29:16
לְצֵל 17 וְסֻכָּה תִּהְיֶה לְצֵל־יוֹמָם מֵחֹרֶב Is. 4:6
לַצֵּל 18 נָקֵל לַצֵּל לִנְטוֹת עֶשֶׂר מַעֲלוֹת IIK. 20:10
צֵל־ 19 צֵל הֶהָרִים אַתָּה רֹאֶה כָּאֲנָשִׁים Jud. 9:36
20 הִנְנִי מֵשִׁיב אֶת־צֵל הַמַּעֲלוֹת Is. 38:8
בְּצֵל־ 21 כִּי־עַל־כֵּן בָּאוּ בְּצֵל קֹרָתִי Gen. 19:8
22 חֹרֶב בְּצֵל עָב Is. 25:5
23 לָעוֹז...וְלַחְסוֹת בְּצֵל מִצְרָיִם Is. 30:2
24 וְהֶחָסוּת בְּצֵל־מִצְרַיִם לִכְלִמָּה Is. 30:3

בְּצֵל־ (המשך) 25 בְּצֵל יָדוֹ הֶחְבִּיאָנִי Is. 49:2
26 בְּצֵל חֶשְׁבּוֹן עָמְדוּ מִכֹּחַ נָסִים Jer. 48:45
27 בְּצֵל דָּלִיּוֹתָיו תִּשְׁכֹּנָּה Ezek. 17:23
28 בְּצֵל כְּנָפֶיךָ תַּסְתִּירֵנִי Ps. 17:8
29 וּבְנֵי אָדָם בְּצֵל כְּנָפֶיךָ יֶחֱסָיוּן Ps. 36:8
30 בְּצֵל שַׁדַּי יִתְלוֹנָן Ps. 91:1
31־32 כִּי בְּצֵל הַחָכְמָה בְּצֵל הַכָּסֶף Eccl. 7:12
וּבְצֵל־ 33 וּבְצֵל יָדִי כִּסִּיתִיךָ Is. 51:16
34 וּבְצֵל כְּנָפֶיךָ אֶחְסֶה Ps. 57:2
35 וּבְצֵל כְּנָפֶיךָ אֲרַנֵּן Ps. 63:8
כְּצֵל־ 36 כְּצֵל סֶלַע־כָּבֵד בְּאֶרֶץ עֲיֵפָה Is. 32:2
בְצִלִּי 37 בֹּאוּ חֲסוּ בְצִלִּי Jud. 9:15
צִלְּךָ 38 יְיָ צִלְּךָ עַל־יַד יְמִינֶךָ Ps. 121:5
צִלֵּךְ 39 שִׁיתִי כַלַּיִל צִלֵּךְ בְּתוֹךְ צָהֳרָיִם Is. 16:3
צִלְלוֹ 40 יְסֻכֻּהוּ צֶאֱלִים צִלְלוֹ Job 40:22
בְצִלּוֹ 41 וּזְרֹעוֹ יָשְׁבוּ בְצִלּוֹ בְּתוֹךְ גּוֹיִם Ezek. 31:17
42 יָשֻׁבוּ יֹשְׁבֵי בְצִלּוֹ יְחַיּוּ דָגָן Hosh. 14:8
43 בְּצִלּוֹ חִמַּדְתִּי וְיָשַׁבְתִּי S.ofS. 2:3
44 אָמַרְנוּ בְּצִלּוֹ נִחְיֶה בַגּוֹיִם Lam. 4:20
וּבְצִלּוֹ 45 וּבְצִלּוֹ יֵשְׁבוּ כֹּל גּוֹיִם רַבִּים Ezek. 31:6
מִצִּלּוֹ 46 וַיֵּרְדוּ מִצִּלּוֹ כָּל־עַמֵּי הָאָרֶץ Ezek. 31:12
צִלָּהּ 47 תַּחַת אַלּוֹן...וְאֵלָה כִּי־טוֹב צִלָּהּ Hosh. 4:13
48 כָּסּוּ הָרִים צִלָּהּ וַעֲנָפֶיהָ אַרְזֵי־אֵל Ps. 80:11
בְצִלָּהּ 49 וּבִקְּעָה וְדָגְרָה בְצִלָּהּ Is. 34:15
צִלָּם 50 סָר צִלָּם מֵעֲלֵיהֶם Num. 14:9
הַצְּלָלִים 51־52 עַד שֶׁיָּפוּחַ הַיּוֹם וְנָסוּ הַצְּלָלִים S.ofS. 2:17; 4:6
צִלְלֵי־ 53 כִּי־פָנָה הַיּוֹם כִּי יִנָּטוּ צִלְלֵי־עָרֶב Jer. 6:4

צְלָא
פ׳ ארמית התפלל: 1, 2

וּמְצַלֵּא 1 וּמְצַלֵּא וּמוֹדֵא קֳדָם אֱלָהֵהּ Dan. 6:11
וּמְצַלַּיִן 2 וּמְצַלַּיִן לְחַיֵּי מַלְכָּא וּבְנוֹהִי Ez. 6:10

צלה : צָלָה; צָלִי; צְלִיל(?)

צָלָה
פ׳ התקין בשר על אש: 1־3

לִצְלוֹת 1 תְּנָה בָשָׂר לִצְלוֹת לַכֹּהֵן ISh. 2:15
אֶצְלֶה 2 אֶצְלֶה בָשָׂר וְאֹכֵל Is. 44:19
יִצְלֶה 3 יִצְלֶה צָלִי וְיִשְׂבָּע Is. 44:16

צִלָּה
שפ־נ – אשת לֶמֶך: 1־3

צִלָּה 1 שֵׁם הָאַחַת עָדָה וְשֵׁם הַשֵּׁנִית צִלָּה Gen. 4:19
וְצִלָּה 2 וְצִלָּה גַם־הִוא יָלְדָה Gen. 4:22
3 עָדָה וְצִלָּה שְׁמַעַן קוֹלִי Gen. 4:23

צְלוֹחִית
נ׳ צנצנת

צְלוֹחִית 1 קְחוּ־לִי צְלֹחִית חֲדָשָׁה IIK. 2:20

צלח : צָלַח, הִצְלִיחַ; צַלַּחַת, צְלוֹחִית

צָלַח1
פ׳ א) עלה יפה, היה בטוב: 1, 4־17, 25
ב) שרה, נח: 2, 18־24
ג) עבר, חצה: 3
ד) [הפ׳ הִצְלִיחַ] עשה חיל: 26, 28, 30־35, 38, 40, 43־49, 51־61, 64, 65
ה) [כנ־ל] שלח ברכה, גרם שיעשה חיל: 27, 29, 36, 37, 39, 41, 42, 50, 62, 63

– צָלְחָה דַרְכּוֹ 1; צָלְחָה (עָלָיו) רוּחַ 2, 18־24
– הִצְלִיחַ דַּרְכּוֹ (דְּרָכָיו) 27, 29, 30, 36, 39, 43־45, 53

צָלֵחָה 1 מַדּוּעַ דֶּרֶךְ רְשָׁעִים צָלֵחָה Jer. 12:1
וְצָלְחָה 2 וְצָלְחָה עָלֶיךָ רוּחַ יְיָ ISh. 10:6
וְצָלְחוּ 3 וְצָלְחוּ הַיַּרְדֵּן לִפְנֵי הַמֶּלֶךְ IISh. 19:18
וַתִּצְלְחִי 4 וַתִּיפִי בִּמְאֹד...וַתִּצְלְחִי לִמְלוּכָה Ezek. 16:13

יִצְלַח 5 וְהִנֵּה נִשְׁחַת הָאֵזוֹר לֹא יִצְלַח לַכֹּל Jer. 13:7
6 כָּאֵזוֹר הַזֶּה אֲשֶׁר לֹא־יִצְלַח לַכֹּל Jer. 13:10
7 גֶּבֶר לֹא־יִצְלַח בְּיָמָיו Jer. 22:30
8 כִּי לֹא יִצְלַח מִזַּרְעוֹ אִישׁ יֹשֵׁב עַל־כִּסֵּא דָוִד Jer. 22:30
9 פֶּן־יִצְלַח כָּאֵשׁ בֵּית יוֹסֵף Am. 5:6
יִצְלָח 10 וְחֵפֶץ יְיָ בְּיָדוֹ יִצְלָח Is. 53:10
11 כָּל־כְּלִי יוּצַר עָלַיִךְ לֹא יִצְלָח Is. 54:17
הֲיִצְלַח 12 וְתוֹכוֹ נָחָר הֲיִצְלַח לִמְלָאכָה Ezek. 15:4
הֲיִצְלָח 13 הֲיִצְלָח הֲיִמָּלֵט הָעֹשֵׂה אֵלֶּה Ezek. 17:15
תִּצְלָח 14 וְהִוא לֹא תִצְלָח Num. 14:41
15 כֹּה אָמַר אֲדֹנָי יֱהוִה תִּצְלָח Ezek. 17:9
16 וְלֹא תִצְלָח כִּי־עוֹד קֵץ לַמּוֹעֵד Dan. 11:27
הֲתִצְלָח 17 וְהִנֵּה שְׁתוּלָה הֲתִצְלָח Ezek. 17:10
וַתִּצְלַח 18-20 וַתִּצְלַח עָלָיו רוּחַ יְיָ Jud. 14:6, 19; 15:14
21 וַתִּצְלַח עָלָיו רוּחַ אֱלֹהִים וַיִּתְנַבֵּא ISh. 10:10
22 וַתִּצְלַח רוּחַ־אֱלֹהִים עַל־שָׁאוּל ISh. 11:6
23 וַתִּצְלַח רוּחַ־יְיָ אֶל־דָּוִד ISh. 16:13
24 וַתִּצְלַח רוּחַ אֱלֹהִים רָעָה אֶל־שָׁאוּ׳ ISh. 18:10
צְלַח 25 צְלַח רְכַב עַל־דְּבַר־אֱמֶת Ps. 45:5
וְהִצְלַחְתָּ 26 וְהִצְלַחְתָּ וּבָנִיתָ בֵּית יְיָ ICh. 22:11(10)
הִצְלִיחַ 27 וַייָ הִצְלִיחַ דַּרְכִּי Gen. 24:56
28 וַיְכַל...אֶת־בֵּית יְיָ וּבְבֵיתוֹ הִצְלִיחַ IICh. 7:11
וְהִצְלִיחַ 29 יִשְׁלַח מַלְאָכוֹ...וְהִצְלִיחַ דַּרְכֶּךָ Gen. 24:40
30 הֲבִאֹתִיו וְהִצְלִיחַ דַּרְכּוֹ Is. 48:15
31 עָשָׂה...וְהִצְלִיחַ אֲשֶׁר שְׁלַחְתִּיו Is. 55:11
32 וְנִפְלָאוֹת יַשְׁחִית וְהִצְלִיחַ וְעָשָׂה Dan. 8:24
33 וְהִצְלִיחַ מִרְמָה בְּיָדוֹ וּבִלְבָבוֹ יַגְדִּיל Dan. 8:25
34 וְהִצְלִיחַ עַד־כָּלָה זַעַם Dan. 11:36
35 בְּכָל־לְבָבוֹ עָשָׂה וְהִצְלִיחַ IICh. 31:21
הַהִצְלִיחַ 36 הַהִצְלִיחַ יְיָ דַּרְכּוֹ אִם־לֹא Gen. 24:21
הִצְלִיחוֹ 37 וּבִימֵי דָּרְשׁוֹ אֶת־יְיָ הִצְלִיחוֹ הָאֱל׳ IICh. 26:5
וְהִצְלִיחָה 38 וְתַשְׁלֵךְ אֱמֶת אַרְצָה וְעָשְׂתָה וְהִצְלִיחָה Dan. 8:12
מַצְלִיחַ 39 אִם־יֶשְׁךָ־נָּא מַצְלִיחַ דַּרְכִּי Gen. 24:42
40 וַיְהִי אִישׁ מַצְלִיחַ Gen. 39:2
41 וְכֹל...יְיָ מַצְלִיחַ בְּיָדוֹ Gen. 39:3
42 וַאֲשֶׁר־הוּא עֹשֶׂה יְיָ מַצְלִיחַ Gen. 39:23
בְּמַצְלִיחַ 43 אַל־תִּתְחַר בְּמַצְלִיחַ דַּרְכּוֹ Ps. 37:7
תַּצְלִיחַ 44 וְלֹא תַצְלִיחַ אֶת־דְּרָכֶיךָ Deut. 28:29
45 כִּי־אָז תַּצְלִיחַ אֶת־דְּרָכֶךָ Josh. 1:8
46 אָז תַּצְלִיחַ אִם־תִּשְׁמוֹר לַעֲשׂוֹת ICh. 22:13(12)
תַּצְלִיחִי 47 וְלֹא תַצְלִיחִי לָהֶם Jer. 2:37
יַצְלִיחַ 48 וְכֹל אֲשֶׁר־יַעֲשֶׂה יַצְלִיחַ Ps. 1:3
49 מְכַסֶּה פְשָׁעָיו לֹא יַצְלִיחַ Prov. 28:13
50 אֱלֹהֵי הַשָּׁמַיִם הוּא יַצְלִיחַ לָנוּ Neh. 2:20
וַיַּצְלַח 51 וַיֵּשֶׁב שְׁלֹמֹה עַל־כִּסֵּא יְיָ...וַיַּצְלַח ICh. 29:23
52 וַיַּצְלַח יְחִזְקִיָּהוּ בְּכָל־מַעֲשֵׂהוּ IICh. 32:30
הֲתַצְלִיחַ 53 שְׁאַל־נָא בֵאל׳...הֲתַצְלִיחַ דַּרְכֵּנוּ Jud. 18:5
תַּצְלִיחוּ 54 כִּי תִלָּחֲמוּ...לֹא תַצְלִיחוּ Jer. 32:5
55 אַל־תִּלָּחֲמוּ...כִּי־לֹא תַצְלִיחוּ IICh. 13:12
56 לָמָּה אַתֶּם עֹבְרִים...וְלֹא תַצְלִיחוּ IICh. 24:20
וַיַּצְלִיחוּ 57 דִּין לֹא־דָנוּ דִּין יָתוֹם וְיַצְלִיחוּ Jer. 5:28
וַיַּצְלִיחוּ 58 וַיִּבְנוּ וַיַּצְלִיחוּ IICh. 14:6
וְהַצְלַח 59 עֲלֵה רָמֹת גִּלְעָד וְהַצְלַח IK. 22:12
60 עֲלֵה וְהַצְלַח וְנָתַן יְיָ בְּיַד הַמֶּלֶךְ IK. 22:15
61 עֲלֵה רָמֹת גִּלְעָד וְהַצְלַח IICh. 18:11
הַצְלִיחָה 62 אָנָּא יְיָ הַצְלִיחָה נָּא Ps. 118:25
וְהַצְלִיחָה 63 וְהַצְלִיחָה־נָּא לְעַבְדְּךָ הַיּוֹם Neh. 1:11
וְהַצְלִיחוּ 64 עֲלוּ וְהַצְלִיחוּ וְיִנָּתְנוּ בְּיֶדְכֶם IICh. 18:14
65 הַאֲמִינוּ בִנְבִיאָיו וְהַצְלִיחוּ IICh. 20:20

(צלח)[2] הַצְלַח הַפ׳ ארמית א) הביא ברכה: 1

ב) הצליח, עשה חיל: 2-4

הַצְלַח 1 בֵּאדַיִן מַלְכָּא הַצְלַח לְשַׁדְרַךְ Dan. 3:30
2 וְדָנִיֵּאל דְּנָה הַצְלַח בְּמַלְכוּת דָּרְיָוֶשׁ Dan. 6:29
וּמַצְלַח 3 וַעֲבִידְתָּא...מִתְעַבְדָא וּמַצְלַח בְּיֶדְהֹם Ez. 5:8
וּמַצְלְחִין 4 וְשָׂבֵי יְהוּדָיֵא בָּנַיִן וּמַצְלְחִין Ez. 6:14

צַלַּחַת נ׳ א) קערה, סיר: 1-4

ב) כיס בבגד: 2, 3

הַצַּלַּחַת 1 וּמָחִיתִי...כַּאֲשֶׁר־יִמְחֶה אֶת־הַצַּלַּחַת IK. 21:13
בַּצַּלָּחַת 2-3 טָמַן עָצֵל יָדוֹ בַּצַּלָּחַת Prov. 19:24; 26:15
וּבַצֵּלָחוֹת 4 בִּשְּׁלוּ בַּסִּירוֹת וּבַדְּוָדִים וּבַצֵּלָחוֹת IICh. 35:13

צָלִי ז׳ בשר שהותקן על אש: 1-3 • צְלִי אֵשׁ 2, 3

צָלִי 1 יִצְלֶה צָלִי וְיִשְׂבָּע Is. 44:16
צְלִי־ 2 צְלִי־אֵשׁ וּמַצּוֹת...יֹאכְלֻהוּ Ex. 12:8
3 אַל־תֹּאכְלוּ...כִּי אִם־צְלִי־אֵשׁ Ex. 12:9

צְלִיל* ז׳ חררה, עוגה קלויה

צְלִיל־ 1 צְלִיל (כת׳ צלול) לֶחֶם שְׂעֹרִים Jud. 7:13

צלל : א) צָלַל

ב) צָלַל; מְצִלָּה, מְצִלְתַּיִם

ג) צָלַל, הֵצֵל; צֵל

צָלַל[1] פ׳ שָׁקַע, טָבַע

צָלֲלוּ 1 צָלְלוּ כַּעוֹפֶרֶת בְּמַיִם אַדִּירִים Ex. 15:10

צָלַל[2] פ׳ השמיע קול, צלצל: 1-4

צָלְלוּ אָזְנָיו 2-4; צָלְלוּ שְׂפָתָיו 1

צָלֲלוּ 1 לְקוֹל צָלְלוּ שְׂפָתַי Hab. 3:16
תְּצִלֶּינָה 2 כָּל־שֹׁמְעוֹ תְּצִלֶּינָה שְׁתֵּי אָזְנָיו ISh. 3:11
תְּצַלְנָה 3 כָּל־שֹׁמְעָהּ° תְּצַלְנָה שְׁתֵּי אָזְנָיו IIK. 21:12
4 כָּל־שֹׁמְעָהּ תְּצַלְנָה אָזְנָיו Jer. 19:3

צָלַל[3] פ׳ א) התכסה בצל: 1

ב) [הפ׳ הֵצֵל] הטיל צל: 2

צָלֲלוּ 1 צָלְלוּ שַׁעֲרֵי יְרוּשָׁלַם לִפְנֵי הַשַּׁבָּת Neh. 13:19
מֵצַל 2 יְפֵה עָנָף וְחֹרֶשׁ מֵצַל Ezek. 31:3

צלם : צֶלֶם; ש״פ צַלְמוֹן, צַלְמָוֶת, צַלְמֹנָה, צַלְמֻנָּע; אר׳ צְלֵם

צֶלֶם ז׳ א) דמות, תבנית: 1-6

ב) דמות אליל, פסל: 7-17

– צֶלֶם אֱלֹהִים 2, 3

– צַלְמֵי זָכָר 11; צ׳ טְחוֹרִים 9, 10; צ׳ כַשְׂדִּים 12; צ׳ מַסֵּכוֹת 8; צַלְמֵי עַכְבָּרִים 13; כִּיּוּן צַלְמֵיכֶם 17

בְּצֶלֶם 1 אַךְ־בְּצֶלֶם יִתְהַלֶּךְ־אִישׁ Ps. 39:7
בְּצֶלֶם־ 2 בְּצֶלֶם אֱלֹהִים בָּרָא אֹתוֹ Gen. 1:27
3 בְּצֶלֶם אֱלֹהִים עָשָׂה אֶת־הָאָדָם Gen. 9:6
בְּצַלְמוֹ 4 וַיִּבְרָא אֱלֹהִים אֶת־הָאָדָם בְּצַלְמוֹ Gen. 1:27
כְּצַלְמוֹ 5 וַיּוֹלֶד בִּדְמוּתוֹ כְּצַלְמוֹ Gen. 5:3
בְּצַלְמֵנוּ 6 נַעֲשֶׂה אָדָם בְּצַלְמֵנוּ כִּדְמוּתֵנוּ Gen. 1:26
צַלְמָם 7 אֲדֹנָי בָּעִיר צַלְמָם תִּבְזֶה Ps. 73:20
צַלְמֵי־ 8 וְאֵת כָּל־צַלְמֵי מַסֵּכֹתָם תְּאַבֵּדוּ Num. 33:52
9 וַעֲשִׂיתֶם צַלְמֵי טְחֹרֵיכֶם° ISh. 6:5
10 וְאֵת צַלְמֵי טְחֹרֵיהֶם ISh. 6:11
11 וַתַּעֲשִׂי־לָךְ צַלְמֵי זָכָר Ezek. 16:17
12 צַלְמֵי כַשְׂדִּים° חֲקֻקִים בַּשָּׁשַׁר Ezek. 23:14
וְצַלְמֵי־ 13 וְצַלְמֵי עַכְבְּרֵיכֶם הַמַּשְׁחִיתִם אֶת־הָאָ׳ ISh. 6:5
14 וְצַלְמֵי תוֹעֲבֹתָם שִׁקּוּצֵיהֶם עָשׂוּ בוֹ Ezek. 7:20
צְלָמָיו 15 וְאֶת־צְלָמָיו שִׁבְּרוּ הֵיטֵב IIK. 11:18
16 וְאֶת־מִזְבְּחֹתָיו וְאֶת־צְלָמָיו שִׁבֵּרוּ IICh. 23:17
צַלְמֵיכֶם 17 סִכּוּת מַלְכְּכֶם וְאֵת כִּיּוּן צַלְמֵיכֶם Am. 5:26

צְלֵם ז׳ ארמית א) דמות, מראה: 3

ב) אליל, צלם: 1-2, 4-17

צְלֵם דַּהֲבָא 4-9

צְלֵם 1 וַאֲלוּ צְלֵם חַד שַׂגִּיא Dan. 2:31
2 נְבוּכַדְנֶצַּר...עֲבַד צְלֵם דִּי־דְהַב Dan. 3:1
וּצְלֵם־ 3 הִתְמְלִי חֱמָא וּצְלֵם אַנְפּוֹהִי אֶשְׁתַּנִּי° Dan. 3:19
לְצֶלֶם־ 4 תִּפְּלוּן וְתִסְגְּדוּן לְצֶלֶם דַּהֲבָא Dan. 3:5
5 כָּל־עַמְמַיָּא...סָגְדִין לְצֶלֶם דַּהֲבָא Dan. 3:7
6 יִפֵּל וְיִסְגֻּד לְצֶלֶם דַּהֲבָא Dan. 3:10
וּלְצֶלֶם־ 7-8 וּלְצֶלֶם דַּהֲבָא דִּי הֲקֵימְתָּ Dan. 3:12, 18
9 וּלְצֶלֶם דַּהֲבָא דִּי הֲקֵימֶת Dan. 3:14
צַלְמָא 10 צַלְמָא דִכֵּן רַב וְזִיוֵהּ יַתִּיר Dan. 2:31
11 הוּא צַלְמָא רֵאשֵׁהּ דִּי־דְהַב טָב Dan. 2:32
12 לְמֵתֵא לַחֲנֻכַּת צַלְמָא דִּי הֲקֵים Dan. 3:2
13 בֵּאדַיִן מִתְכַּנְּשִׁין...לַחֲנֻכַּת צַלְמָא Dan. 3:3
14 וְקָיְמִין° לָקֳבֵל צַלְמָא דִּי הֲקֵים Dan. 3:3
לְצַלְמָא 15 וּמְחָת לְצַלְמָא עַל־רַגְלוֹהִי Dan. 2:34
16 וְאַבְנָא דִּי־מְחָת לְצַלְמָא Dan. 2:35
17 וְתִסְגְּדוּן לְצַלְמָא דִּי־עַבְדֵת Dan. 3:15

צַלְמוֹן[1] שפ״ז – מגבורי דוד

צַלְמוֹן 1 צַלְמוֹן הָאֲחוֹחִי מַהְרַי הַנְּטֹפָתִי IISh. 23:28

צַלְמוֹן[2] ש״פ א) הר בקרבת שְׁכֶם: 1

ב) הר בארץ הַבָּשָׁן: 2

צַלְמוֹן 1 וַיַּעַל אֲבִימֶלֶךְ הַר־צַלְמוֹן Jud. 9:48
בְּצַלְמוֹן 2 בְּפָרֵשׂ...בָּהּ תַּשְׁלֵג בְּצַלְמוֹן Ps. 68:15

צַלְמָוֶת ז׳ חושך, עלטה: 1-18

קרובים: ראה חֹשֶׁךְ

– אֹפֶל וְצַלְמָוֶת 16; חֹשֶׁךְ וְצַלְמָוֶת 9, 12-15

– אֶרֶץ צַלְמָוֶת 1; בַּלְהוֹת צַלְמָוֶת 8; גֵּיא צַלְמָוֶת 3; שַׁעֲרֵי צַלְמָוֶת 10

צַלְמָוֶת 1 יֹשְׁבֵי בְּאֶרֶץ צַלְמָוֶת אוֹר נָגַהּ עֲלֵיהֶם Is. 9:1
2 וְהֹפֵךְ לַבֹּקֶר צַלְמָוֶת Am. 5:8
3 גַּם כִּי־אֵלֵךְ בְּגֵיא צַלְמָוֶת לֹא אִירָא Ps. 23:4
4 צַלְמָוֶת וְלֹא סְדָרִים Job 10:22
5 וַיֹּצֵא לָאוֹר צַלְמָוֶת Job 12:22
6 וְעַל עַפְעַפַּי צַלְמָוֶת Job 16:16
7 כִּי יַחְדָּו בֹּקֶר לָמוֹ צַלְמָוֶת Job 24:17
8 כִּי־יַכִּיר בַּלְהוֹת צַלְמָוֶת Job 24:17
9 אֵין־חֹשֶׁךְ וְאֵין צַלְמָוֶת Job 34:22
10 וְשַׁעֲרֵי צַלְמָוֶת תִּרְאֶה Job 38:17
וְצַלְמָוֶת 11 בְּאֶרֶץ צִיָּה וְצַלְמָוֶת Jer. 2:6
12 יֹשְׁבֵי חֹשֶׁךְ וְצַלְמָוֶת אֲסִירֵי עֳנִי Ps. 107:10
13 יוֹצִיאֵם מֵחֹשֶׁךְ וְצַלְמָוֶת Ps. 107:14
14 יִגְאָלֻהוּ חֹשֶׁךְ וְצַלְמָוֶת Job 3:5
15 אֶל־אֶרֶץ חֹשֶׁךְ וְצַלְמָוֶת Job 10:21
16 אֶבֶן אֹפֶל וְצַלְמָוֶת Job 28:3
בְּצַלְמָוֶת 17 וַתְּכַס עָלֵינוּ בְצַלְמָוֶת Ps. 44:20
לְצַלְמָוֶת 18 וְקִוִּיתֶם לְאוֹר וְשָׂמָהּ לְצַלְמָוֶת Jer. 13:16

צַלְמֹנָה ש״פ – תחנה במסעי בני ישראל בצאתם ממצרים: 1, 2

בְּצַלְמֹנָה 1 וַיִּסְעוּ מֵהֹר הָהָר וַיַּחֲנוּ בְּצַלְמֹנָה Num. 33:41
מִצַּלְמֹנָה 2 וַיִּסְעוּ מִצַּלְמֹנָה וַיַּחֲנוּ בְּפוּנֹן Num. 33:42

צַלְמֻנָּע שפ״ז – אחד ממלכי מדין: 1-12

צַלְמֻנָּע 1 בְּתֵת יְיָ אֶת־זֶבַח וְאֶת־צַלְמֻנָּע בְּיָדִי Jud. 8:7
2 וַיִּלְכֹּד...אֶת־זֶבַח וְאֶת־צַלְמֻנָּע Jud. 8:12
3 וַיֹּאמֶר אֶל־זֶבַח וְאֶל־צַלְמֻנָּע Jud. 8:18
4 וַיַּהֲרֹג אֶת־זֶבַח וְאֶת־צַלְמֻנָּע Jud. 8:21
וְצַלְמֻנָּע 5 וְאָנֹכִי רֹדֵף אַחֲרֵי זֶבַח וְצַלְמֻנָּע Jud. 8:5

וְצַלְמֻנָּע (המשך) 6/7 הֲכַף זֶבַח וְצַלְמֻנָּע עַתָּה בְּיָדֶךָ Jud. 8:6, 15
8 וְזֶבַח וְצַלְמֻנָּע בַּקַּרְקֹר Jud. 8:10
9 וַיָּנוּסוּ זֶבַח וְצַלְמֻנָּע Jud. 8:12
10 וַיֹּאמֶר הִנֵּה זֶבַח וְצַלְמֻנָּע Jud. 8:15
11 וַיֹּאמֶר זֶבַח וְצַלְמֻנָּע קוּם אַתָּה... Jud. 8:21
וּכְצַלְמֻנָּע 12 וּכְזֶבַח וּכְצַלְמֻנָּע כָּל־נְסִיכֵמוֹ Ps. 83:12

צלע : צָלַע; צֶלַע, צֵלָע; ש״פ צֵלָע

צָלַע פ׳ א) הלך הליכת פִּסֵּחַ: 1
ב) [בהשאלה] היה חלש וכושל: 2-4
צוֹלֵעַ 1 וְהוּא צֹלֵעַ עַל־יְרֵכוֹ Gen. 32:32
הַצֹּלֵעָה 2 אֹסְפָה הַצֹּלֵעָה וְהַנִּדָּחָה אֲקַבֵּצָה Mic. 4:6
3 וְשַׂמְתִּי אֶת־הַצֹּלֵעָה לִשְׁאֵרִית Mic. 4:7
4 וְהוֹשַׁעְתִּי אֶת־הַצֹּלֵעָה Zep.3:19

צֶלַע ז׳ כשלון, שבר: 1-4
לְצֶלַע 1 כִּי־אֲנִי לְצֶלַע נָכוֹן Ps. 38:18
צַלְעִי 2 כֹּל אֱנוֹשׁ שְׁלוֹמִי שֹׁמְרֵי צַלְעִי Jer. 20:10
וּבְצַלְעִי 3 וּבְצַלְעִי שָׂמְחוּ וְנֶאֱסָפוּ Ps. 35:15
לְצַלְעוֹ 4 וְאֵיד נָכוֹן לְצַלְעוֹ Job 18:12

צֵלָע[1] נ׳ [ז׳ – 8, 22] א) כל אחת מן העצמות המחוברות את עמוד השדרה עם עצם החזה: 3, 40
ב) צד, דופן, עבר בבנין, בכלי, במקום: 8-21, 30-33, 35-39
ג) חדר צדדי בבנין, כעין יציע: 1, 2, 4-7, 22-29, 34
– פֶּתַח הַצֵּלָע 4, 6; רֹחַב הַצֵּלָע 5
– צֵלַע הָהָר 15; צֶלַע הַמִּשְׁכָּן 8-11, 13, 14, 16, 17; צֶלַע צָפוֹן 12
– בֵּית צְלָעוֹת 24; צַלְעֹת הָאָרוֹן 30, 31; צַלְעוֹת אֲרָזִים 35, 36; צ׳ הַבַּיִת 34; צ׳ בְּרוֹשִׁים 37; צַלְעֹת הַמִּזְבֵּחַ 32, 33
צֵלָע 1-2 וְהַצְּלָעוֹת צֵלָע אֶל־צֵלָע Ezek. 41:6
הַצֵּלָע 3 וַיִּבֶן יְיָ אֱלֹהִים אֶת־הַצֵּלָע Gen. 2:22
4 פֶּתַח הַצֵּלָע הַתִּיכֹנָה אֶל־כֶּתֶף הַבַּיִת IK. 6:8
5 וְרֹחַב הַצֵּלָע אַרְבַּע אַמּוֹת Ezek. 41:5
6 וּפֶתַח הַצֵּלָע לַמֻּנָּח Ezek. 41:11
לַצֵּלָע 7 רֹחַב הַקִּיר אֲשֶׁר־לַצֵּלָע Ezek. 41:9
צֶלַע־ 8 לְקַרְשֵׁי צֶלַע־הַמִּשְׁכָּן הָאֶחָד Ex. 26:26
9 לְקַרְשֵׁי צֶלַע־הַמִּשְׁכָּן הַשֵּׁנִית Ex. 26:27
10 לְקַרְשֵׁי צֶלַע הַמִּשְׁכָּן לַיַּרְכָתַיִם Exo 26:27
11 עַל צֶלַע הַמִּשְׁכָּן תֵּימָנָה Ex. 26:35
12 עַל־צֶלַע צָפוֹן Ex. 26:35
13 לְקַרְשֵׁי צֶלַע־הַמִּשְׁכָּן הָאֶחָת Ex. 36:31
14 לְקַרְשֵׁי צֶלַע־הַמִּשְׁכָּן הַשֵּׁנִית Ex. 36:32
בְּצֵלַע־ 15 וְשִׁמְעִי הֹלֵךְ בְּצֵלַע הָהָר לְעֻמָּתוֹ IISh. 16:13
וּלְצֶלַע־ 16/7 וּלְצֶלַע הַמִּשְׁכָּן הַשֵּׁנִית Ex. 26:20; 36:25
צַלְעוֹ 18/9 עַל־צַלְעוֹ הָאֶחָת Ex. 25:12; 37:3
20/1 עַל־צַלְעוֹ הַשֵּׁנִית Ex. 25:12; 37:3
צְלָעִים 22 שְׁנֵי צְלָעִים הַדֶּלֶת הָאַחַת גְּלִילִים IK. 6:34
צְלָעוֹת 23 וַיַּעַשׂ צְלָעוֹת סָבִיב IK. 6:5
24 מֻנָּח בֵּית צְלָעוֹת אֲשֶׁר לַבָּיִת Ezek. 41:9
הַצְּלָעֹת 25 וְסָפֻן בָּאֶרֶז מִמַּעַל עַל־הַצְּלָעֹת IK. 7:3
26 מוּסְדוֹת׳ הַצְּלָעוֹת מְלוֹ הַקָּנֶה Ezek. 41:8
וְהַצְּלָעוֹת 27 וְהַצְּלָעוֹת צֵלָע אֶל־צֵלָע Ezek. 41:6
לַצְּלָעוֹת 28 אֲשֶׁר־לַבַּיִת לַצְּלָעוֹת סָבִיב Ezek. 41:6
29 וְנָסְבָה לְמַעְלָה...לַצְּלָעוֹת Ezek. 41:7
צַלְעֹת־ 30/1 בַּטַּבָּעֹת עַל צַלְעֹת הָאָרֹן Ex. 25:14; 37:5
32 עַל־שְׁתֵּי צַלְעֹת הַמִּזְבֵּחַ Ex. 27:7
33 בַּטַּבָּעֹת עַל צַלְעֹת הַמִּזְבֵּחַ Ex. 38:7
וְצַלְעוֹת־ 34 וְצַלְעוֹת הַבַּיִת וְהָעֻבִּים Ezek. 41:26
בְּצַלְעוֹת־ 35/6 וַיִּבֶן...בְּצַלְעוֹת אֲרָזִים IK. 6:15, 16
37 וַיְצַף...בְּצַלְעוֹת בְּרוֹשִׁים IK. 6:15
צַלְעֹתָיו 38/9 שְׁתֵּי טַבְּעֹת זָהָב(...)עַל שְׁתֵּי צַלְעֹתָיו Ex. 30:4; 37:27
מִצַּלְעֹתָיו 40 וַיִּקַּח אַחַת מִצַּלְעֹתָיו Gen. 2:21

צֵלָע[2] ש״פ – מקום בנחלת בנימין
בְּצֵלָע 1 וַיִּקְבְּרוּ...בְּאֶרֶץ בִּנְיָמִן בְּצֵלָע IISh. 21:14

צֵלַע הָאֶלֶף ש״פ – הוא המקום צלע
וְצֵלַע הָאֶלֶף 1 וְצֵלַע הָאֶלֶף וְהַיְבוּסִי Josh. 18:28

צָלָף שפ״ז – אבי אחד הבונים בימי נחמיה
צָלָף 1 וַחֲנוּן בֶּן־צָלָף הַשִּׁשִּׁי מִדָּה שֵׁנִי Neh. 3:30

צְלָפְחָד שפ״ז – בן חֵפֶר, דור רביעי למנשה בן יוסף: 1-11
בְּנוֹת צְלָפְחָד 1-3, 5-7; נַחֲלַת צְלָפְחָד 4
צְלָפְחָד 1 וְשֵׁם בְּנוֹת צְלָפְחָד מַחְלָה וְנֹעָה... Num. 26:33
2 וַתִּקְרַבְנָה בְּנוֹת צְלָפְחָד בֶּן־חֵפֶר Num. 27:1
3 כֵּן בְּנוֹת צְלָפְחָד דֹּבְרֹת Num.27:7
4 לָתֵת...נַחֲלַת צְלָפְחָד...לִבְנֹתָיו Num. 36:2
5 אֲשֶׁר־צִוָּה יְיָ לִבְנוֹת צְלָפְחָד Num. 36:6
6 כַּאֲשֶׁר צִוָּה...כֵּן עָשׂוּ בְּנוֹת צְלָפְחָד Num. 36:10
7 מַחְלָה תִרְצָה...בְּנוֹת צְלָפְחָד Num. 36:11
8 וְשֵׁם הַשֵּׁנִי צְלָפְחָד ICh. 7:15
וּצְלָפְחָד 9 וּצְלָפְחָד בֶּן־חֵפֶר לֹא־הָיוּ לוֹ בָּנִים Num.26:33
לִצְלָפְחָד 10 וַתִּהְיֶנָה לִצְלָפְחָד בָּנוֹת ICh. 7:15
וְלִצְלָפְחָד 11 וְלִצְלָפְחָד...לֹא־הָיוּ לוֹ בָּנִים Josh. 17:3

צֶלְצַח ש״פ – מקום בנחלת בנימין
בְּצֶלְצַח 1 עִם־קְבֻרַת רָחֵל בִּגְבוּל בִּנְיָמִן בְּצֶלְצַח ISh.10:2

צְלָצַל ז׳ משרצי העוף: 1, 2
הַצְּלָצַל 1 כָּל־עֵצְךָ וּפְרִי...יְיָרֵשׁ הַצְּלָצַל Deut. 28:42
צִלְצַל־ 2 הוֹי אֶרֶץ צִלְצַל כְּנָפָיִם Is. 18:1

צִלְצָל׳ ז׳ מכשיר לדיג דגים גדולים
וּבְצִלְצַל־ 1 הַתְמַלֵּא...וּבְצִלְצַל דָּגִים רֹאשׁוֹ Job 40:31

צֶלְצְלִים ז״ר – כלי־נגינה מצלצל כעין מצלתים: 1-3
צִלְצְלֵי שָׁמַע 2; צִלְצְלֵי תְרוּעָה 3
וּבְצֶלְצְלִים 1 וּבְתֻפִּים וּבִמְנַעַנְעִים וּבְצֶלְצְלִים IISh. 6:5
בְּצִלְצְלֵי־ 2 הַלְלוּהוּ בְצִלְצְלֵי־שָׁמַע Ps. 150:5
3 הַלְלוּהוּ בְּצִלְצְלֵי תְרוּעָה Ps. 150:5

צֶלֶק שפ״ז – מגבורי דוד: 1, 2
צֶלֶק 1 צֶלֶק הָעַמֹּנִי נַחְרַי הַבְּאֵרֹתִי IISh. 23:37
2 צֶלֶק הָעַמּוֹנִי נַחְרַי הַבֵּרֹתִי ICh. 11:39

צִלְּתַי א) איש מבנימין: 1
ב) איש ממנשה שעבר אל דוד: 2
וְצִלְּתָי 1 וֶאֱלִיעֵינַי וְצִלְּתַי וֶאֱלִיאֵל ICh. 8:20
וְצִלְּתָי 2 וְיוֹזָבָד וֶאֱלִיהוּא וְצִלְּתָי ICh. 12:21(20)

צמא : צָמֵא; צָמָא, צִמְאָה, צִמָּאוֹן

צָמֵא פ׳ א) חש צורך לשתות: 1, 2, 5-10
ב) [בהשאלה] השתוקק, נכסף: 3, 4
צָמִתִי 1 הַשְׁקִינִי־נָא מְעַט־מַיִם כִּי צָמֵתִי Jud. 4:19
וְצָמִת 2 וְצָמִת וְהָלַכְתְּ אֶל־הַכֵּלִים וְשָׁתִית Ruth 2:9
צָמְאָה 3 צָמְאָה נַפְשִׁי לֵאלֹהִים לְאֵל חָי Ps. 42:3
4 צָמְאָה לְךָ נַפְשִׁי כָּמַהּ לְךָ בְשָׂרִי Ps. 63:2
צָמְאוּ 5 וְלֹא צָמְאוּ בָּחֳרָבוֹת הוֹלִיכָם Is. 48:21
וַיִּצְמָא 6 וַיִּצְמָא שָׁם הָעָם לַמַּיִם Ex. 17:3
7 וַיִּצְמָא מְאֹד וַיִּקְרָא אֶל־יְיָ Jud. 15:18
תִּצְמָאוּ 8 הִנֵּה עֲבָדַי יִשְׁתּוּ וְאַתֶּם תִּצְמָאוּ Is. 65:13
יִצְמָאוּ 9 לֹא יִרְעָבוּ וְלֹא יִצְמָאוּ Is. 49:10
וַיִּצְמָאוּ 10 יְקָבִים דָּרְכוּ וַיִּצְמָאוּ Job 24:11

צָמֵא ת׳ סובל מחוסר מים לשתיה: 1-9
צָמֵא 1 לִקְרַאת צָמֵא הֵתָיוּ מָיִם Is. 21:14
2 וּמַשְׁקֵה צָמֵא יַחְסִיר Is. 32:6
3 כִּי אֶצָּק־מַיִם עַל־צָמֵא Is. 44:3
4 הוֹי כָּל־צָמֵא לְכוּ לַמַּיִם Is. 55:1
5 וְאִם־צָמֵא הַשְׁקֵהוּ מָיִם Prov. 25:21
וְצָמֵא 6 הָעָם רָעֵב וְעָיֵף וְצָמֵא בַּמִּדְבָּר IISh. 17:29
הַצָּמֵא 7 וְכַאֲשֶׁר יַחֲלֹם הַצָּמֵא וְהִנֵּה שֹׁתֶה Is. 29:8
הַצְּמֵאָה 8 לְמַעַן סְפוֹת הָרָוָה אֶת־הַצְּמֵאָה Deut. 29:18
צְמֵאִים 9 רְעֵבִים גַּם־צְמֵאִים Ps. 107:5

צָמָא ז׳ סבל מחוסר מים: 1-17
רָעָב וְצָמָא 2, 12, 13; צִחֵה צָמָא 1; שָׁבַר צְמָאוֹ 15
צָמָא 1 וַהֲמוֹנוֹ צִחֵה צָמָא Is. 5:13
2 לֹא־רָעָב לַלֶּחֶם וְלֹא־צָמָא לַמַּיִם Am. 8:11
וְצָמָא 3 בַּמִּדְבָּר בְּאֶרֶץ צִיָּה וְצָמָא Ezek. 19:13
בַּצָּמָא 4 לְהָמִית אֹתִי וְאֶת־בָּנַי...בַּצָּמָא Ex. 17:3
5 וְעַתָּה אָמוּת בַּצָּמָא Jud. 15:18
6 לְשׁוֹנָם בַּצָּמָא נָשָׁתָּה Is. 41:17
7 תִּבְאַשׁ דְּגָתָם מֵאֵין מַיִם וְתָמֹת בַּצָּמָא Is. 50:2
8 רְדִי מִכָּבוֹד וּשְׁבִי׳ בַצָּמָא Jer. 48:18
9 וְשַׁתִּהָ כְּאֶרֶץ צִיָּה וַהֲמִתִּיהָ בַּצָּמָא Hosh. 2:5
10 תִּתְעַלַּפְנָה...וְהַבַּחוּרִים בַּצָּמָא Am. 8:13
11 דָּבַק לְשׁוֹן יוֹנֵק אֶל־חִכּוֹ בַּצָּמָא Lam. 4:4
וּבְצָמָא 12 וְעָבַדְתָּ אֶת־אֹיְבֶיךָ...בְּרָעָב וּבְצָמָא Deut. 28:48
13 לָתֵת אֶתְכֶם לָמוּת בְּרָעָב וּבְצָמָא IICh. 32:11
וְלִצְמָאִי 14 וְלִצְמָאִי יַשְׁקוּנִי חֹמֶץ Ps. 69:22
צְמָאָם 15 יִשְׁבְּרוּ פְרָאִים צְמָאָם Ps. 104:11
לִצְמָאָם 16 וּמַיִם מִסֶּלַע הוֹצֵאתָ לָהֶם לִצְמָאָם Neh. 9:15
17 וּמַיִם נָתַתָּה לָהֶם לִצְמָאָם Neh. 9:20

צִמְאָה נ׳ צָמָא
מִצִּמְאָה 1 מִנְעִי קוֹלֵךְ מִבֶּכִי וּגְרוֹנֵךְ׳ מִצִּמְאָה Jer. 2:25

צִמָּאוֹן ז׳ מקום שאין בו מים: 1-3
וְצִמָּאוֹן 1 וְצִמָּאוֹן אֲשֶׁר אֵין־מָיִם Deut. 8:15
2 וְהָיָה...וְצִמָּאוֹן לְמַבּוּעֵי מָיִם Is. 35:7
לְצִמָּאוֹן 3 יָשֵׂם...וּמֹצָאֵי מַיִם לְצִמָּאוֹן Ps. 107:33

צמד : נִצְמַד, צָמַד, הִצְמִיד; צֶמֶד, צָמִיד

(צמד) נִצְמַד נפ׳ א) דבק, התחבר: 1-3
ב) [פ׳ בינוני: מְצֻמֶּד] מחובר: 4
ג) [הפ׳ הִצְמִיד] חבר: 5
הַנִּצְמָדִים 1 הָרְגוּ...הַנִּצְמָדִים לְבַעַל פְּעוֹר Num. 25:5
וַיִּצָּמֶד 2 וַיִּצָּמֶד יִשְׂרָאֵל לְבַעַל פְּעוֹר Num. 25:3
וַיִּצָּמְדוּ 3 וַיִּצָּמְדוּ לְבַעַל פְּעוֹר Ps. 106:28
מְצֻמֶּדֶת 4 חֲגוֹר חֶרֶב מְצֻמֶּדֶת עַל־מָתְנָיו IISh. 20:8
תַּצְמִיד 5 וּלְשׁוֹנְךָ תַּצְמִיד מִרְמָה Ps. 50:19

צֶמֶד ז׳ זוג: 1-15
צֶמֶד בָּקָר 2, 4, 8, 9; צֶמֶד חֲמוֹרִים 1, 10, 11; צֶמֶד פְּרָדִים 5; צ׳ פָּרָשִׁים 6, 7; צֶמֶד שָׂדֶה 3; צִמְדֵּי כֶרֶם 15
צֶמֶד־ 1 וְעִמּוֹ צֶמֶד חֲמוֹרִים חֲבוּשִׁים Jud. 19:10
2 וַיִּקַּח צֶמֶד בָּקָר וַיְנַתְּחֵהוּ ISh. 11:7
3 כְּבַחֲצִי מַעֲנָה צֶמֶד שָׂדֶה ISh. 14:14

צֶמֶד (המשך) 4 וַיִּקַּח אֶת־צֶמֶד הַבָּקָר וַיִּזְבָּחֵהוּ IK. 19:21
5 מַשָּׂא צֶמֶד־פְּרָדִים אֲדָמָה IIK. 5:17
6 וְרָאָה רֶכֶב צֶמֶד פָּרָשִׁים Is. 21:7
7 וְהִנֵּה־זֶה בָא רֶכֶב אִישׁ צֶמֶד פָּרָשִׁים Is. 21:9
8 וַחֲמֵשׁ מֵאוֹת צֶמֶד־בָּקָר Job 1:3
9 וְאֶלֶף־צֶמֶד בָּקָר Job 42:12
וְצֶמֶד־ 10 וְנַעֲרוֹ עִמּוֹ וְצֶמֶד חֲמֹרִים Jud. 19:3
11 וְצֶמֶד חֲמֹרִים חֲבֻשִׁים IISh. 16:1
וְצִמְדּוֹ 12 וְנִפַּצְתִּי בְךָ אִכָּר וְצִמְדּוֹ Jer. 51:23
צְמָדִים 13 וְהוּא חֹרֵשׁ שְׁנֵים־עָשָׂר צְמָדִים לְפָנָיו IK.19:19
14 אֲנִי וָאַתָּה אֵת רֹכְבִים צְמָדִים IIK. 9:25
צִמְדֵּי־ 15 עֲשֶׂרֶת צִמְדֵּי־כֶרֶם יַעֲשׂוּ בַּת אֶחָת Is. 5:10

צַמָּה
נ׳ מקלעת של שְׂעָרוֹת: 1-4

צַמָּתֵךְ 1 גַּלִּי צַמָּתֵךְ חֶשְׂפִּי־שֹׁבֶל Is. 47:2
לְצַמָּתֵךְ 2 עֵינַיִךְ יוֹנִים מִבַּעַד לְצַמָּתֵךְ S.ofS. 4:1
3-4 כְּפֶלַח...רַקָּתֵךְ מִבַּעַד לְצַמָּתֵ׳ S.ofS. 4:3;6:7

צִמּוּקִים*
ז״ר – ענבים מיובשים: 1-4

צִמֻּקִים 1 וּמֵאָה צִמֻּקִים וּמָאתַיִם דְּבֵלִים ISh. 25:18
2 וַיִּתְּנוּ־לוֹ פֶלַח דְּבֵלָה וּשְׁנֵי צִמֻּקִים ISh. 30:12
3 מָאתַיִם לֶחֶם וּמֵאָה צִמּוּקִים IISh. 16:1
וְצִמּוּקִים 4 דְּבֵלִים וְצִמּוּקִים וְיַיִן־וְשֶׁמֶן ICh. 12:41(40)

צמח
: צָמַח, צִמַּח, הִצְמִיחַ; צֶמַח

צָמַח
פָּ׳ א) יצא מן האדמה או ממקום גדול אחר (גם בהשאלה): 1-15
ב) [פִּ׳ צִמַּח] צמח ועלה: 16-19
ג) [הִפ׳ הִצְמִיחַ] הוציא מן האדמה, גרם שיצמח (גם בהשאלה): 20-33
– צָמַח עָמָל 7; צָמַח עֵשֶׂב 8; צָמַח שֵׂעָר 1
– צְמֵחָה אֱמֶת 13; צָ׳ אֲרוּכָתוֹ 12; צְמֵחָה חֲדָשָׁה 11
– צִמַּח זְקָנוֹ 18, 19; צִמַּח שְׂעָרוֹ 16, 17
– הִצְמִיחַ זֵרוּעִים 33; הִצְ׳ חָצִיר 22, 23; הִצְ׳ צְדָקָה (24), 28, 32; הִצְ׳ קוֹץ וְדַרְדַּר 30; הִצְמִיחַ קֶרֶן 25, 26; הִצְמִיחַ תְּהִלָּה 28

צָמַח 1 עָמַד הַנֶּתֶק וְשֵׂעָר שָׁחֹר צָמַח־בּוֹ Lev. 13:37
וְצָמְחוּ 2 וְצָמְחוּ בְּבֵין חָצִיר Is. 44:4
צוֹמֵחַ 3 לְהַשְׁקוֹת מֵהֶם יַעַר צוֹמֵחַ עֵצִים Eccl. 2:6
הַצּוֹמֵחַ 4 כָּל־הָעֵץ הַצֹּמֵחַ לָכֶם מִן־הַשָּׂדֶה Ex. 10:5
צוֹמְחוֹת 5 שֶׁבַע שִׁבֳּלִים...צֹמְחוֹת אַחֲרֵיהֶן Gen. 41:6
6 שֶׁבַע שִׁבֳּלִים...צֹמְחוֹת אַחֲרֵיהֶם Gen. 41:23
יִצְמַח 7 וּמֵאֲדָמָה לֹא־יִצְמַח עָמָל Job 5:6
יִצְמָח 8 וְכָל־עֵשֶׂב הַשָּׂדֶה טֶרֶם יִצְמָח Gen. 2:5
9 הִנֵּה־אִישׁ צֶמַח שְׁמוֹ וּמִתַּחְתָּיו יִצְמָח Zech.6:12
וַיִּצְמַח 10 וַיִּצְמַח וַיְהִי לְגֶפֶן סֹרַחַת Ezek. 17:6
תִּצְמָח 11 הִנְנִי עֹשֶׂה חֲדָשָׁה עַתָּה תִצְמָח Is. 43:19
12 וַאֲרֻכָתְךָ מְהֵרָה תִצְמָח Is. 58:8
13 אֱמֶת מֵאֶרֶץ תִּצְמָח Ps. 85:12
יִצְמָחוּ 14 וּמֵעָפָר אַחֵר יִצְמָחוּ Job 8:19
תִּצְמַחְנָה 15 בְּטֶרֶם תִּצְמַחְנָה אַשְׁמִיעַ אֶתְכֶם Is. 42:9
לְצַמֵּחַ 16 וַיָּחֶל שְׂעַר־רֹאשׁוֹ לְצַמֵּחַ Jud. 16:22
צִמֵּחַ 17 שָׁדַיִם נָכֹנוּ וּשְׂעָרֵךְ צִמֵּחַ Ezek. 16:7
יְצַמַּח 18 שְׁבוּ בִירֵחוֹ עַד־יְצַמַּח זְקַנְכֶם IISh. 10:5
19 שְׁבוּ...עַד אֲשֶׁר־יְצַמַּח זְקַנְכֶם ICh. 19:5
וּלְהַצְמִיחַ 20 וּלְהַצְמִיחַ מֹצָא דֶשֶׁא Job 38:27
וְהִצְמִיחָהּ 21 הִרְוָה אֶת־הָאָרֶץ...וְהִצְמִיחָהּ Is. 55:10
מַצְמִיחַ 22 מַצְמִיחַ חָצִיר לַבְּהֵמָה Ps. 104:14
הַמַּצְמִיחַ 23 הַמַּצְמִיחַ הָרִים חָצִיר Ps. 147:8
אַצְמִיחַ 24 אַצְמִיחַ לְדָוִד צֶמַח צְדָקָה Jer. 33:15
25 אַצְמִיחַ קֶרֶן לְבֵית יִשְׂרָאֵל Ezek. 29:21
26 שָׁם אַצְמִיחַ קֶרֶן לְדָוִד Ps. 132:17
יַצְמִיחַ 27 וְכָל־חֵפֶץ כִּי־לֹא יַצְמִיחַ IISh. 23:5
28 אֲדֹנָי יֱהוִה יַצְמִיחַ צְדָקָה וּתְהִלָּה Is. 61:11
וַיַּצְמַח 29 וַיַּצְמַח יְיָ...מִן־הָאֲדָמָה כָּל־עֵץ Gen. 2:9
תַּצְמִיחַ 30 וְקוֹץ וְדַרְדַּר תַּצְמִיחַ לָךְ Gen. 3:18
31 לֹא תִזָּרַע וְלֹא תַצְמִחַ Deut. 29:22
32 וּצְדָקָה תַצְמִיחַ יַחַד Is. 45:8
33 וּכְגַנָּה זֵרוּעֶיהָ תַצְמִיחַ Is. 61:11

צֶמַח
ז׳ גִּדּוּל־קַרְקַע (גם בהשאלה): 1-12
– צֶמַח הָאֲדָמָה 7; צֶמַח יְיָ 4; צֶ׳ צַדִּיק 5; צֶמַח צְדָקָה 6; צֶמַח הַשָּׂדֶה 8
– אִישׁ צֶמַח (3); טַרְפֵּי צֶמַח 10; עֲרוּגוֹת צֶמַח 11

צֶמַח 1 צֶמַח בְּלִי יַעֲשֶׂה־קֶּמַח Hosh. 8:7
2 כִּי־הִנְנִי מֵבִיא אֶת־עַבְדִּי צֶמַח Zech. 3:8
3 הִנֵּה־אִישׁ צֶמַח שְׁמוֹ וּמִתַּחְתָּיו יִצְמָח Zech. 6:12
צֶמַח־ 4 יִהְיֶה צֶמַח יְיָ לִצְבִי וּלְכָבוֹד Is. 4:2
5 וַהֲקִמֹתִי לְדָוִד צֶמַח צַדִּיק Jer. 23:5
6 אַצְמִיחַ לְדָוִד צֶמַח צְדָקָה Jer. 33:15
וְצֶמַח־ 7 וַיַּהֲפֹךְ...וְצֶמַח הָאֲדָמָה Gen. 19:25
כְּצֶמַח־ 8 רְבָבָה כְּצֶמַח הַשָּׂדֶה נְתַתִּיךְ Ezek. 16:7
צִמְחָהּ 9 כִּי כָאָרֶץ תּוֹצִיא צִמְחָהּ Is. 61:11
10 כָּל־טַרְפֵּי צִמְחָהּ תִּיבָשׁ Ezek. 17:9
11 עַל־עֲרֻגֹת צִמְחָהּ תִּיבָשׁ Ezek. 17:10
12 תְּלָמֶיהָ רַוֵּה...צִמְחָהּ תְּבָרֵךְ Ps. 65:11

צָמִיד
ז׳ א) כסוי לכלי: 1
ב) תכשיט נשים לידים: 2-7
קרובים: ראה עֲדִי

צָמִיד 1 כְּלִי...אֲשֶׁר אֵין־צָמִיד פָּתִיל עָלָיו Num. 19:15
וְצָמִיד 2 מָצָא כְלִי־זָהָב אֶצְעָדָה וְצָמִיד Num. 31:50
צְמִידִים 3 וּשְׁנֵי צְמִידִים עַל־יָדֶיהָ Gen. 24:22
4 וָאֶתְּנָה צְמִידִים עַל־יָדַיִךְ Ezek. 16:11
5 וַיִּתְּנוּ צְמִידִים אֶל־יְדֵיהֶן Ezek. 23:42
הַצְּמִדִים 6 אֶת־הַנֶּזֶם וְאֶת־הַצְּמִדִים Gen. 24:30
וְהַצְּמִידִים 7 וָאָשִׂם...וְהַצְּמִידִים עַל־יָדֶיהָ Gen. 24:47

צַמִּים
ז׳ [מלה סתומה] יובש? מלכודת?: 1, 2

צַמִּים 1 וְשָׁאַף צַמִּים חֵילָם Job 5:5
2 יֹאחֵז בְּעָקֵב פָּח יַחֲזֵק עָלָיו צַמִּים Job 18:9

צְמִיתוּת
נ׳ נֵצַח: 1, 2

לִצְמִיתוּת 1 וְהָאָרֶץ לֹא תִמָּכֵר לִצְמִתֻת Lev. 25:23
לַצְּמִיתוּת 2 וְקָם הַבַּיִת...לַצְּמִיתֻת לַקֹּנֶה אֹתוֹ Lev. 25:30

צמק
: צָמַק; צִמּוּקִים

צָמַק
פָּ׳ יָבֵשׁ

צוֹמְקִים 1 תֵּן־לָהֶם רֶחֶם מַשְׁכִּיל וְשָׁדַיִם צֹמְקִים Hosh.9:14

צֶמֶר
ז׳ שֵׂעָר כבשים ועזים: 1-16
צֶמֶר וּפִשְׁתִּים 1,2,4,7,10,14-16; צֶמֶר צָחַר 6; בֶּגֶד צֶמֶר 1, 7; גִּזַּת צֶמֶר 8

צֶמֶר 1 נֶגַע...בְּבֶגֶד צֶמֶר אוֹ בְּבֶגֶד פִּשְׁתִּים Lev. 13:47
2 שַׁעַטְנֵז צֶמֶר וּפִשְׁתִּים יַחְדָּו Deut. 22:11
3 וְלֹא־יַעֲלֶה עֲלֵיהֶם צֶמֶר Ezek. 44:17
4 דָּרְשָׁה צֶמֶר וּפִשְׁתִּים Prov. 31:13
צָמֶר 5 וּמֵאָה אֶלֶף אֵילִים צָמֶר IIK. 3:4
וְצֶמֶר 6 בְּיֵין חֶלְבּוֹן וְצֶמֶר צָחַר Ezek. 27:18
הַצֶּמֶר 7 בֶּגֶד הַצֶּמֶר אוֹ הַפִּשְׁתִּים Lev. 13:59
8 אָנֹכִי מַצִּיג אֶת־גִּזַּת הַצֶּמֶר בַּגֹּרֶן Jud. 6:37
9 וְאֶת־הַצֶּמֶר תִּלְבָּשׁוּ Ezek. 34:3
בַּצֶּמֶר 10 אֶת־הָעֵרֶב בַּצֶּמֶר אוֹ בַפִּשְׁתִּים Lev. 13:52
כַּצֶּמֶר 11 אִם־יַאְדִּימוּ כַתּוֹלָע כַּצֶּמֶר יִהְיוּ Is. 1:18
כַּצָּמֶר 12 הַנֹּתֵן שֶׁלֶג כַּצָּמֶר Ps. 147:16
וְכַצֶּמֶר 13 כַּבֶּגֶד...וְכַצֶּמֶר יֹאכְלֵם סָס Is. 51:8
וְלַצָּמֶר 14 אוֹ בְעֵרֶב לַפִּשְׁתִּים וְלַצָּמֶר Lev. 13:48
צַמְרִי 15 נֹתְנֵי לַחְמִי וּמֵימַי צַמְרִי וּפִשְׁתִּי Hosh. 2:7
16 וְהִצַּלְתִּי צַמְרִי וּפִשְׁתִּי Hosh. 2:11

צְמָרִי
שפ״ז – עם מצאצאי כנען בן חם: 1, 2

הַצְּמָרִי 1 וְאֶת־הָאַרְוָדִי וְאֶת־הַצְּמָרִי Gen. 10:18
2 וְאֶת־הָאַרְוָדִי וְאֶת־הַצְּמָרִי ICh. 1:16

צְמָרַיִם
ש״פ – מקום בנחלת בנימין: 1, 2

צְמָרַיִם 1 וַיָּקָם אֲבִיָּה מֵעַל לְהַר צְמָרַיִם IICh. 13:4
וּצְמָרַיִם 2 וּבֵית הָעֲרָבָה וּצְמָרַיִם וּבֵית־אֵל Josh. 18:22

צַמֶּרֶת
נ׳ רֹאשׁ העץ: 1-5
צַמֶּרֶת הָאֶרֶז 1, 2

צַמֶּרֶת־ 1 וַיִּקַּח אֶת־צַמֶּרֶת הָאָרֶז Ezek. 17:3
מִצַּמֶּרֶת־ 2 וְלָקַחְתִּי אָנִי מִצַּמֶּרֶת הָאֶרֶז Ezek. 17:22
צַמַּרְתּוֹ 3 וּבֵין עֲבֹתִים הָיְתָה צַמַּרְתּוֹ Ezek. 31:3
4 וַיִּתֵּן צַמַּרְתּוֹ אֶל־בֵּין עֲבוֹתִים Ezek. 31:10
צַמַּרְתָּם 5 וְלֹא־יִתְּנוּ אֶת־צַמַּרְתָּם אֶל־בֵּין עֲבֹתִים Ezek. 31:14

צמת
: צָמַת, נִצְמַת, צִמֵּת, הִצְמִית; צְמִיתוּת

צָמַת
פָּ׳ א) ענה, דכא: 1
ב) [נפ׳ נִצְמַת] נשחק, נשחת: 2, 3
ג) [פִּ׳ צִמֵּת] ענה, דכא: 4, 5
ד) [הפ׳ הִצְמִית] הכרית: 6-15

צָמְתוּ 1 צָמְתוּ בַבּוֹר חַיָּי וַיַּדּוּ־אֶבֶן בִּי Lam. 3:53
נִצְמַתִּי 2 כִּי־לֹא נִצְמַתִּי מִפְּנֵי־חֹשֶׁךְ Job 23:17
נִצְמָתוּ 3 בְּעֵת יְזֹרְבוּ נִצְמָתוּ Job 6:17
צִמְּתַתְנִי 4 צִמְּתַתְנִי קִנְאָתִי Ps. 119:139
צִמְּתוּתֻנִי 5 בִּעוּתֶיךָ צִמְּתוּתֻנִי Ps. 88:17
הִצְמַתָּה 6 הִצְמַתָּה כָּל־זוֹנֶה מִמֶּךָּ Ps. 73:27
מַצְמִיתַי 7 עָצְמוּ מַצְמִיתַי אֹיְבַי שֶׁקֶר Ps. 69:5
אַצְמִית 8 מְלָשְׁנִי° בַסֵּתֶר רֵעֵהוּ אוֹתוֹ אַצְמִית Ps. 101:5
9 לַבְּקָרִים אַצְמִית כָּל־רִשְׁעֵי־אָרֶץ Ps. 101:8
אַצְמִיתֵם 10 וּמְשַׂנְאַי אַצְמִיתֵם Ps. 18:41
וָאַצְמִיתֵם 11 מְשַׂנְאַי וָאַצְמִיתֵם IISh. 22:41
תַּצְמִית 12 וּבְחַסְדְּךָ תַּצְמִית אֹיְבָי Ps. 143:12
יַצְמִיתֵם 13 וּבְרָעָתָם יַצְמִיתֵם Ps. 94:23
14 יַצְמִיתֵם יְיָ אֱלֹהֵינוּ Ps. 94:23
הַצְמִיתֵם 15 יָשִׁיב°...לְשֹׁרְרָי בַּאֲמִתְּךָ הַצְמִיתֵם Ps. 54:7

צִן
עין צִין

צֵן*
ז׳ – עין צְנִּים

צֹנֶה
ז׳ צֹאן: 1, 2

צֹנֶה 1 צֹנֶה וַאֲלָפִים כֻּלָּם וְגַם בַּהֲמוֹת שָׂדָי Ps. 8:8
לְצֹנַאֲכֶם 2 עָרִים לְטַפְּכֶם וּגְדֵרֹת לְצֹנַאֲכֶם Num. 32:24

צִנָּה[1]
נ׳ מָגֵן לגוף הלוחם: 1-20
צִנָּה וַחֲנִית 18; צִנָּה וּמָגֵן 2,4,10-12; צִ׳ וְסוֹחֵרָה 5; צִנָּה וָרֹמַח 6, 7, 9, 13, 20; נוֹשֵׂא הַצִּנָּה 14, 15

צִנָּה 1 וַיַּעַשׂ...מָאתַיִם צִנָּה זָהָב שָׁחוּט IK. 10:16
2 צִנָּה וּמָגֵן וְקוֹבַע יָשִׂימוּ עָלָיִךְ Ezek. 23:24

צִנָּה (המשך) 3 וְשָׁפַךְ...סֹלְלָה וְהֵקִים עָלַיִךְ צִנָּה Ezek. 26:8
4 צִנָּה וּמָגֵן תֹּפְשֵׂי חֲרָבוֹת כֻּלָּם Ezek. 38:4
5 צִנָּה וְסֹחֵרָה אֲמִתּוֹ Ps. 91:4
6 עֹרְכֵי צִנָּה וָרֹמַח ICh. 12:(9)8
7 בְּנֵי יְהוּדָה נֹשְׂאֵי צִנָּה וָרֹמַח ICh. 12:(25)24
8 וַיַּעַשׂ...מָאתַיִם צִנָּה זָהָב שָׁחוּט IICh. 9:15
9 וַיְהִי לְאָסָא חַיִל נֹשֵׂא צִנָּה וָרֹמַח IICh. 14:7
וְצִנָּה 10 עִרְכוּ מָגֵן וְצִנָּה וּגְשׁוּ לַמִּלְחָמָה Jer. 46:3
11 וְהִשִּׂיקוּ בְּנֶשֶׁק וּמָגֵן וְצִנָּה Ezek. 39:9
12 הַחֲזֵק מָגֵן וְצִנָּה וְקוּמָה בְּעֶזְרָתִי Ps. 35:2
13 יוֹצֵא צָבָא אֹחֵז רֹמַח וְצִנָּה IICh. 25:5
הַצִּנָּה 14 וְנֹשֵׂא הַצִּנָּה הֹלֵךְ לְפָנָיו ISh. 17:7
15 וְהָאִישׁ נֹשֵׂא הַצִּנָּה לְפָנָיו ISh. 17:41
16/7 שֵׁשׁ־מֵאוֹת זָהָב(...)יַעֲלֶה
עַל־הַצִּנָּה הָאֶחָת IK. 10:16 · IICh. 9:15
בְּצִנָּה 18 וְעִמָּהֶם בְּצִנָּה וַחֲנִית ICh. 12:(35)34
כַּצִּנָּה 19 כַּצִּנָּה רָצוֹן תַּעְטְרֶנּוּ Ps. 5:13
צִנּוֹת 20 וּבְכָל־עִיר וָעִיר צִנּוֹת וּרְמָחִים IICh. 11:12

צִנָּה*[2] נ׳ קור • צִנַּת־שֶׁלֶג

כְּצִנַּת־ 1 כְּצִנַּת־שֶׁלֶג בְּיוֹם קָצִיר Prov. 25:13

צִנָּה*[3] נ׳ סירה (?)

בְּצִנּוֹת 1 וְנָשָׂא אֶתְכֶם בְּצִנּוֹת
וְאַחֲרִיתְכֶן בְּסִירוֹת דּוּגָה Am. 4:2

צָנוּם* ת׳ יָבֵשׁ, דל

צְנוּמוֹת 1 שִׁבֳּלִים צְנֻמוֹת דַּקּוֹת שְׁדֻפוֹת Gen. 41:23

צָנוּעַ ת׳ עָנָו, שפל־רוח [עין גם צנע]

צְנוּעִים 1 בָּא־זָדוֹן וַיָּבֹא קָלוֹן וְאֶת־צְנוּעִים חָכְמָה Prov. 11:2

צִנּוֹר ז׳ תעלה למים(?) זֶרֶם(?): 1, 2

בַּצִּנּוֹר 1 כָּל־מַכֵּה יְבֻסִי וְיִגַּע בַּצִּנּוֹר IISh. 5:8
צִנּוֹרֶיךָ 2 תְּהוֹם אֶל־תְּהוֹם קוֹרֵא לְקוֹל צִנּוֹרֶיךָ Ps. 42:8

צָנַח פ׳ ירד, נשמט: 1־3

וַתִּצְנַח 1/2 וַתִּצְנַח מֵעַל הַחֲמוֹר Josh. 15:18 · Jud. 1:14
3 וַתִּתְקַע אֶת־הַיָּתֵד...וַתִּצְנַח בָּאָרֶץ Jud. 4:21

צִנִּים ז״ר – מוקשים(?): 1, 2

צִנִּים 1 צִנִּים פַּחִים בְּדֶרֶךְ עִקֵּשׁ Prov. 22:5
מִצִּנִּים 2 וְאֶל־מִצִּנִּים יִקָּחֵהוּ Job 5:5

צְנִינִם ז״ר – קוצים(?): 1, 2

וְלִצְנִינִם 1 לְשִׂכִּים...וְלִצְנִינִם בְּצִדֵּיכֶם Num. 33:55
2 וּלְשֹׁטֵט...וְלִצְנִנִים בְּעֵינֵיכֶם Josh. 23:13

צָנִיף ז׳ עטיפה לראש: 1־5

צָנִיף טָהוֹר 1, 3

צָנִיף 1 יָשִׂימוּ צָנִיף טָהוֹר עַל־רֹאשׁוֹ Zech. 3:5
וְצָנִיף 2 כִּמְעִיל וְצָנִיף מִשְׁפָּטִי Job 29:14
הַצָּנִיף 3 וַיָּשִׂימוּ הַצָּנִיף הַטָּהוֹר עַל־רֹאשׁוֹ Zech. 3:5
וּצְנִיף־ 4 וּצְנִיף (כת׳ וצנוף) מְלוּכָה בְּכַף־אֱלֹהָיִךְ Is. 62:3
וְהַצְּנִיפוֹת 5 וְהַסְּדִינִים וְהַצְּנִיפוֹת וְהָרְדִידִים Is. 3:23

צנם עין צָנוּם

צְנָן ש״פ – עיר בשפלת יהודה, היא צַאֲנָן

צְנָן 1 צְנָן וַחֲדָשָׁה וּמִגְדַּל־גָּד Josh. 15:37

(צנע) הִצְנִיעַ הפ׳ נהג בענוה [עין גם צָנוּעַ]

וְהַצְנֵעַ 1 וְאַהֲבַת חֶסֶד וְהַצְנֵעַ לֶכֶת עִם־אֱלֹהֶיךָ Mic. 6:8

צנף : צָנַף; צָנִיף, צְנֵפָה, מִצְנֶפֶת

צָנַף פ׳ כרך, עטף: 1־3

צָנוֹף 1 צָנוֹף יִצְנָפְךָ צְנֵפָה Is. 22:18
יִצְנֹף 2 וּבְמִצְנֶפֶת בַּד יִצְנֹף Lev. 16:4
יִצְנָפְךָ 3 צָנוֹף יִצְנָפְךָ צְנֵפָה Is. 22:18

צְנֵפָה נ׳ כריכה, פקעת

צְנֵפָה 1 צָנוֹף יִצְנָפְךָ צְנֵפָה Is. 22:18

צִנְצֶנֶת נ׳ בקבוק, כד • קרובים: ראה כַּד

צִנְצֶנֶת 1 קַח צִנְצֶנֶת אַחַת וְתֶן־שָׁמָּה...מָן Ex. 16:33

צַנְתָּר* ז׳ צנור דק

צַנְתְּרוֹת־ 1 שְׁנֵי צַנְתְּרוֹת הַזָּהָב
הַמְרִיקִים מֵעֲלֵיהֶם הַזָּהָב Zech. 4:12

צעד : צָעַד, הִצְעִיד; צַעַד, צְעָדָה, מִצְעָד, אֶצְעָדָה

צָעַד פ׳ א) פסע, הלך: 1־7
ב) [הפ׳ הִצְעִיד] הדריך: 8

בְּצַעְדְּךָ 1 יְיָ...בְּצַעְדְּךָ מִשְּׂדֵה אֱדוֹם Jud. 5:4
2 אֱלֹהִים...בְּצַעְדְּךָ בִישִׁימוֹן Ps. 68:8
צָעֲדָה 3 בָּנוֹת צָעֲדָה עֲלֵי־שׁוּר Gen. 49:22
צָעֲדוּ 4 וַיְהִי כִּי צָעֲדוּ נֹשְׂאֵי אֲרוֹן־יְיָ IISh. 6:13
יִצְעָד 5 וְדֶרֶךְ בֵּיתָהּ יִצְעָד Prov. 7:8
יִצְעָדוּ 6 נָשׂוֹא יִנָּשׂוּא כִּי לֹא יִצְעָדוּ Jer. 10:5
תִּצְעַד 7 בְּזַעַם תִּצְעַד־אָרֶץ Hab. 3:12
וְתַצְעִידֵהוּ 8 וְתַצְעִדֵהוּ לְמֶלֶךְ בַּלָּהוֹת Job 18:14

צַעַד ז׳ פסיעה: 1־14

– מֵיטִבֵי צָעַד 1; הֵכִין צַעֲדוֹ 5, 6; הִרְחִיב צַעֲדוֹ 2, 3; צַר צַעֲדוֹ 4, 8
– צַעֲדֵי אוֹן 8; מִסְפַּר צְעָדָיו 11
– סָפַר צְעָדָיו 9, 10; צָדוּ צ׳ 14; רָאָה צְעָדָיו 12; תָּמְכוּ צְעָדָיו 13

צָעַד 1 שְׁלֹשָׁה הֵמָּה מֵיטִבֵי צָעַד Prov. 30:29
צַעֲדִי 2 תַּרְחִיב צַעֲדִי תַּחְתֵּנִי IISh. 22:37
3 תַּרְחִיב צַעֲדִי תַחְתָּי Ps. 18:37
צַעֲדֶךָ 4 בְּלֶכְתְּךָ לֹא־יֵצַר צַעֲדֶךָ Prov. 4:12
צַעֲדוֹ 5 לֹא־לְאִישׁ הֹלֵךְ וְהָכִין אֶת־צַעֲדוֹ Jer. 10:23
6 לֵב אָדָם יְחַשֵּׁב דַּרְכּוֹ וַיְיָ יָכִין צַעֲדוֹ Prov. 16:9
צְעָדִים 7 וַיְהִי כִּי צָעֲדוּ...שִׁשָּׁה צְעָדִים IISh. 6:13
צַעֲדֵי־ 8 יֵצְרוּ צַעֲדֵי אוֹנוֹ Job 18:7
צְעָדַי 9 כִּי־עַתָּה צְעָדַי תִּסְפּוֹר Job 14:16
10 וְכָל־צְעָדַי יִסְפּוֹר Job 31:4
11 מִסְפַּר צְעָדַי אַגִּידֶנּוּ Job 31:37
צְעָדָיו 12 וְכָל־צְעָדָיו יִרְאֶה Job 34:21
צְעָדֶיהָ 13 שְׁאוֹל צְעָדֶיהָ יִתְמֹכוּ Prov. 5:5
צְעָדֵינוּ 14 צָדוּ צְעָדֵינוּ מִלֶּכֶת בִּרְחֹבֹתֵינוּ Lam. 4:18

צְעָדָה נ׳ א) צעד, פסיעה: 1, 2
ב) אֶצְעָדָה, תכשיט לרגל: 3

צְעָדָה 1 וִיהִי כְּשָׁמְעֲךָ° אֶת־קוֹל צְעָדָה IISh. 5:24
הַצְּעָדָה 2 וִיהִי כְּשָׁמְעֲךָ אֶת־קוֹל הַצְּעָדָה ICh. 14:15
וְהַצְּעָדוֹת 3 הַפְּאֵרִים וְהַצְּעָדוֹת וְהַקִּשֻּׁרִים Is. 3:20

צָעָה פ׳ א) שוטט, התהלך(?): 1־4
ב) [פ׳ צֵעָה] טלטל: 5

צֹעֶה 1 מִהַר צֹעֶה לְהִפָּתֵחַ Is. 51:14
2 זֶה הָדוּר בִּלְבוּשׁוֹ צֹעֶה בְּרֹב כֹּחוֹ Is. 63:1
צֹעָה 3 וְתַחַת כָּל־עֵץ רַעֲנָן אַתְּ צֹעָה זֹנָה Jer. 2:20
צֹעִים 4 וְשִׁלַּחְתִּי־לוֹ צֹעִים וְצֵעֻהוּ Jer. 48:12
וְצֵעֻהוּ 5 וְצֵעֻהוּ וְכֵלָיו יָרִיקוּ Jer. 48:12

צָעִיף ז׳ מעטפה לפנים ולחלק מן הגוף: 1־3

הַצָּעִיף 1 וַתִּקַּח הַצָּעִיף וַתִּתְכָּס Gen. 24:65
בַּצָּעִיף 2 וַתְּכַס בַּצָּעִיף וַתִּתְעַלָּף Gen. 38:14
צְעִיפָהּ 3 וַתָּסַר צְעִיפָהּ מֵעָלֶיהָ Gen. 38:19

צָעִיר תו״ז א) רַךְ בשנים, קטן בגילו: 1־3, 5־11, 18, 21
ב) [בהשאלה] קטן ושפל: 4
ג) צוֹעֵר, משרת הרועים הפקידים: 19, 20,22
ד) [צְעִירָה] קטנה בגילה מן האחרת ("הַבְּכִירָה"): 12־17

– צָעִיר – רַב 1; צָעִיר וְנִבְזֶה 4; צָעִיר רוֹדֵם 3; צָעִיר לְיָמִים 5, 18
– צְעִירֵי הַצֹּאן 19, 20

צָעִיר 1 וְרַב יַעֲבֹד צָעִיר Gen. 25:23
2 צָעִיר לִהְיוֹת בְּאַלְפֵי יְהוּדָה Mic. 5:1
3 שָׁם בִּנְיָמִן צָעִיר רֹדֵם Ps. 68:28
4 צָעִיר אָנֹכִי וְנִבְזֶה Ps. 119:141
5 צָעִיר אֲנִי לְיָמִים וְאַתֶּם יְשִׁישִׁים Job 32:6
הַצָּעִיר 6 עַל־רֹאשׁ אֶפְרַיִם וְהוּא הַצָּעִיר Gen. 48:14
7 וְאָנֹכִי הַצָּעִיר בְּבֵית אָבִי Jud. 6:15
וְהַצָּעִיר 8 הַבְּכֹר כִּבְכֹרָתוֹ וְהַצָּעִיר כִּצְעִרָתוֹ Gen. 43:33
9 הַקָּטֹן יִהְיֶה לָאֶלֶף וְהַצָּעִיר לְגוֹי עָצוּם Is. 60:22
צְעִירוֹ 10 וּבִשְׂגוּב° צְעִירוֹ הִצִּיב דְּלָתֶיהָ IK. 16:34
וּבִצְעִירוֹ 11 וּבִצְעִירוֹ יַצִּיב דְּלָתֶיהָ Josh. 6:26
הַצְּעִירָה 12/3 וַתֹּאמֶר הַבְּכִירָה אֶל־הַצְּעִירָה Gen. 19:31, 34
14 וַתָּקָם הַצְּעִירָה וַתִּשְׁכַּב עִמּוֹ Gen. 19:35
15 לָתֵת הַצְּעִירָה לִפְנֵי הַבְּכִירָה Gen. 29:26
16 וּמִשְׁפַּחְתִּי הַצְּעִרָה מִכָּל...בִנְיָמִן ISh. 9:21
וְהַצְּעִירָה 17 וְהַצְּעִירָה גַם־הִוא יָלְדָה בֵּן Gen. 19:38
צְעִירִים 18 שָׂחֲקוּ עָלַי צְעִירִים מִמֶּנִּי לְיָמִים Job 30:1
צְעִירֵי־ 19 אִם־לוֹא יִסְחָבוּם צְעִירֵי הַצֹּאן Jer. 49:20
20 אִם־לֹא יִסְחָבוּם צְעִירֵי הַצֹּאן Jer. 50:45
צְעִירֶיהָ 21 הִשְׁמִיעוּ זְעָקָה צְעִירֶיהָ (כ׳ צעוריה) Jer. 48:4
צְעִירֵיהֶם 22 וְאַדִּרֵיהֶם שָׁלְחוּ צְעִירֵיהֶם
(כת׳ צעוריהם) לַמָּיִם Jer. 14:3

צָעִיר* ש״פ – עיר בדרום יהודה

צָעִירָה 1 וַיַּעֲבֹר יוֹרָם צָעִירָה IIK. 8:21

צְעִירָה נ׳ א) משהו קטן: 1 [עין גם צָעִיר]
ב) גיל צעיר: 2

מִצְּעִירָה 1 וּמִן־הָאַחַת...יָצָא קֶרֶן אַחַת מִצְּעִירָה Dan. 8:9
כִּצְעִירָתוֹ 2 הַבְּכֹר כִּבְכֹרָתוֹ וְהַצָּעִיר כִּצְעִרָתוֹ Gen. 43:33

צען : צָעַן; ש״פ צֹעַן

צָעַן פ׳ נעקר ממקומו(?), התנודד(?)

יִצְעָן 1 נָוֶה שַׁאֲנָן אֹהֶל בַּל־יִצְעָן Is. 33:20

צֹעַן ש״פ – עיר קדומה במצרים: 1־7

שְׂדֵה צֹעַן 4, 5; שָׂרֵי צֹעַן 2, 3

צֹעַן 1 וְחֶבְרוֹן...נִבְנְתָה לִפְנֵי צֹעַן מִצְרָ׳ Num. 13:22
2 אַךְ־אֱוִלִים שָׂרֵי צֹעַן Is. 19:11
3 נוֹאֲלוּ שָׂרֵי צֹעַן נִשְּׁאוּ שָׂרֵי נֹף Is. 19:13
4 בְּאֶרֶץ מִצְרַיִם שְׂדֵה־צֹעַן Ps. 78:12
5 וּמוֹפְתָיו בִּשְׂדֵה־צֹעַן Ps. 78:43
בְּצֹעַן 6 כִּי־הָיוּ בְצֹעַן שָׂרָיו Is. 30:4
7 וְנָתַתִּי אֵשׁ בְּצֹעַן Ezek. 30:14

צַעֲנַנִּים – עין אֵלוֹן בְּצַעֲנַנִּים (באות א׳)

צַעֲצוּעִים ז״ר – פִּסּוּל אמנותי

מַעֲשֵׂה צַעֲצֻעִים

צַעֲצוּעִים 1 וַיַּעַשׂ...כְּרֻבִים שְׁנַיִם מַעֲשֵׂה צַעֲצֻעִים IICh. 3:10

צעק : צָעַק, נִצְעַק, צִעֵק, הִצְעִיק; צְעָקָה

צָעַק פ׳ א) זעק, קרא בעל מפחד או מצער: 3, 6, 7, 10-12, 15-17, 21, 23, 30, 33, 36, 45-47

ב) [צָעַק אֶל־] התחנן: 1-2, 4, 5, 8, 9, 13, 14, 18-20, 22, 24-29, 31-32, 34, 35, 37-44

ג) [נפ׳ נִצְעַק] התאסף: 48-53

ד) [פ׳ צִעֵק] הרבה לצעוק: 54

ה) [הפ׳ הִצְעִיק] הקהיל: 55

צְעַק חָמָס 16

צָעֹק 1 אִם־צָעֹק יִצְעַק אֵלַי שָׁמֹעַ אֶשְׁמַע Ex. 22:22
לִצְעֹק 2 וַתֵּצֵא לִצְעֹק אֶל־הַמֶּלֶךְ אֶל־בֵּיתָהּ IIK. 8:3
צָעַקְתִּי 3 יוֹם־צָעַקְתִּי בַלַּיְלָה נֶגְדֶּךָ Ps. 88:2
צָעַק 4 הַמֶּלֶךְ עָבַר וְהוּא צָעַק אֶל־הַמֶּלֶךְ IK. 20:39
5 צָעַק לִבָּם אֶל־אֲדֹנָי Lam. 2:18
צָעֲקָה 6 עַל־דְּבַר אֲשֶׁר לֹא־צָעֲקָה בָעִיר Deut. 22:24
7 צָעֲקָה הַנַּעֲרָ הַמְאֹרָשָׂה Deut. 22:27
8 וְאִשָּׁה אַחַת...צָעֲקָה אֶל־אֱלִישָׁע IIK. 4:1
9 וְאִשָּׁה צָעֲקָה אֵלָיו לֵאמֹר IIK. 6:26
צָעֲקוּ 10 הֵן אֶרְאֶלָּם צָעֲקוּ חֻצָה Is. 33:7
11 צָעֲקוּ וַיְיָ שָׁמֵעַ Ps. 34:18
צָעָקוּ 12 וְהֵמָּה צָעָקוּ וַיֹּאמְרוּ מָוֶת בַּסִּיר IIK. 4:40
צֹעֶקֶת 13 הָאִשָּׁה...צֹעֶקֶת אֶל־הַמֶּלֶךְ עַל־בֵּיתָהּ IIK. 8:5
צֹעֲקִים 14 קוֹל דְּמֵי אָחִיךָ צֹעֲקִים אֵלַי מִן־הָאֲדָמָה Gen. 4:10
15 עַל־כֵּן הֵם צֹעֲקִים לֵאמֹר Ex. 5:8
אֶצְעַק 16 הֵן אֶצְעַק חָמָס וְלֹא אֵעָנֶה Job 19:7
וְאֶצְעָקָה 17 קוֹלִי אֶל־אֱלֹהִים וְאֶצְעָקָה Ps. 77:2
תִּצְעַק 18 מַה־תִּצְעַק אֵלָי Ex. 14:15
יִצְעַק 19 אִם־צָעֹק יִצְעַק אֵלַי שָׁמֹעַ אֶשְׁמַע Ex. 22:22
20 וְהָיָה כִּי־יִצְעַק אֵלַי וְשָׁמַעְתִּי Ex. 22:26
21 לֹא יִצְעַק וְלֹא יִשָּׂא Is. 42:2
22 אַף־יִצְעַק אֵלָיו וְלֹא יַעֲנֶה Is. 46:7
וַיִּצְעַק 23 וַיִּצְעַק צְעָקָה גְּדֹלָה וּמָרָה Gen. 27:34
24 וַיִּצְעַק הָעָם אֶל־פַּרְעֹה לַלָּחֶם Gen. 41:55
25-26 וַיִּצְעַק מֹשֶׁה אֶל־יְיָ Ex. 8:8; 17:4
27 וַיִּצְעַק אֶל־יְיָ וַיּוֹרֵהוּ יְיָ עֵץ Ex. 15:25
28 וַיִּצְעַק הָעָם אֶל־מֹשֶׁה Num. 11:2
29 וַיִּצְעַק מֹשֶׁה אֶל־יְיָ לֵאמֹר Num. 12:13
30 וַיִּצְעַק וַיֹּאמֶר אֲהָהּ אֲדֹנִי וְהוּא שָׁאוּל IIK. 6:5
וַנִּצְעַק 31 וַנִּצְעַק אֶל־יְיָ וַיִּשְׁמַע קֹלֵנוּ Num. 20:16
32 וַנִּצְעַק אֶל־יְיָ אֱלֹהֵי אֲבֹתֵינוּ Deut. 26:7
תִּצְעֲקוּ 33 וְאַתֶּם תִּצְעֲקוּ מִכְּאֵב לֵב Is. 65:14
וַתִּצְעֲקוּ 34 וַתִּצְעֲקוּ אֵלַי וָאוֹשִׁיעָה אֶתְכֶם Jud. 10:12
יִצְעֲקוּ 35 כִּי־יִצְעֲקוּ אֶל־יְיָ מִפְּנֵי לֹחֲצִים Is. 19:20
36 שָׁם יִצְעֲקוּ וְלֹא יַעֲנֶה Job 35:12
37 וּבְעֵת צָרָתָם יִצְעֲקוּ אֵלֶיךָ Neh. 9:27
וַיִּצְעֲקוּ 38 וַיָּבֹאוּ...וַיִּצְעֲקוּ אֶל־פַּרְעֹה Ex. 5:15
39 וַיִּצְעֲקוּ בְנֵי־יִשְׂרָאֵל אֶל־יְיָ Ex. 14:10
40 וַיִּצְעֲקוּ אֶל־יְיָ וַיָּשֶׂם מַאֲפֵל... Josh. 24:7
41 וַיִּצְעֲקוּ בְנֵי־יִשְׂרָאֵל אֶל־יְיָ Jud. 4:3
42/3 וַיִּצְעֲקוּ אֶל־יְיָ בַּצַּר לָהֶם Ps. 107:6, 28
44 וַיִּפְנוּ יְהוּדָה...וַיִּצְעֲקוּ לַיְיָ IICh. 13:14
וְצַעֲקִי 45 תְּנִי קוֹלֵךְ וְצַעֲקִי מֵעֲבָרִים Jer. 22:20
וּצְעָקִי 46 עֲלִי הַלְּבָנוֹן וּצְעָקִי Jer. 22:20
צְעַקְנָה 47 צְעַקְנָה בְּנוֹת רַבָּה Jer. 49:3
וַיִּצָּעֵק 48 וַיִּצָּעֵק אִישׁ־יִשְׂרָאֵל מִנַּפְתָּלִי Jud. 7:23
49 וַיִּצָּעֵק כָּל־אִישׁ אֶפְרַיִם Jud. 7:24
50 וַיִּצָּעֵק אִישׁ אֶפְרַיִם וַיַּעֲבֹר צָפוֹנָה Jud. 12:1
וַיִּצָּעֲקוּ 51 וַיִּצָּעֲקוּ בְּנֵי עַמּוֹן וַיַּחֲנוּ בַּגִּלְעָד Jud. 10:17
52 וַיִּצָּעֲקוּ הָעָם אַחֲרֵי שָׁאוּל ISh. 13:4
53 וַיִּצָּעֲקוּ מִכֹּל חֹגֵר חֲגֹרָה וָמָעְלָה הַגְּבֻ׳ IIK. 3:21
מְצַעֵק 54 וְהוּא מְצַעֵק אָבִי אָבִי IIK. 2:12
וַיַּצְעֵק 55 וַיַּצְעֵק שְׁמוּאֵל אֶת־הָעָם אֶל־יְיָ ISh. 10:17

צְעָקָה נ׳ קריאה בקול מצער או מכאב: 1-21

קרובים: אֲנָחָה / אֲנָקָה / זְעָקָה / נְאָקָה / נַהַם / נְהָמָה / צְוָחָה / שֶׁוַע / שַׁוְעָה

– צְעָקָה גְדוֹלָה 1-3; צ׳ מָרָה 1; קוֹל צְעָקָה 5,7,8,10

– צַעֲקַת בְּנֵי־יִשְׂרָאֵל 9; צ׳ דַּל 13; צ׳ הָעָם 14; צַעֲקַת עֲנָוִים 12; צ׳ עֲנִיִּים 15; צ׳ הָרוֹעִים 10

צְעָקָה 1 וַיִּצְעַק צְעָקָה גְּדֹלָה וּמָרָה Gen. 27:34
2 וְהָיְתָה צְעָקָה גְדֹלָה בְּכָל־אֶרֶץ מִצְ׳ Ex. 11:6
3 וַתְּהִי צְעָקָה גְדֹלָה בְּמִצְרָיִם Ex. 12:30
4 וַיְקַו...לִצְדָקָה וְהִנֵּה צְעָקָה Is. 5:7
5 קוֹל צְעָקָה מֵחֹרוֹנָיִם Jer. 48:3
6 צְעָקָה בְּיַם־סוּף נִשְׁמַע קוֹלָהּ Jer. 49:21
7 קוֹל צְעָקָה מִשַּׁעַר הַדָּגִים Zep. 1:10
הַצְּעָקָה 8 וַיִּשְׁמַע עֵלִי אֶת־קוֹל הַצְּעָקָה ISh. 4:14
צַעֲקַת־ 9 הִנֵּה צַעֲקַת בְּ״יִ בָּאָה אֵלָי Ex. 3:9
10 קוֹל צַעֲקַת הָרֹעִים Jer. 25:36
11 צָרֵי צַעֲקַת־שֶׁבֶר שָׁמֵעוּ Jer. 48:5
12 לֹא שָׁכַח צַעֲקַת עֲנָוִים Ps. 9:13
13 לְהָבִיא עָלָיו צַעֲקַת־דָּל Job 34:28
14 וַתְּהִי צַעֲקַת הָעָם וּנְשֵׁיהֶם גְּדוֹלָה Neh. 5:1
וְצַעֲקַת־ 15 וְצַעֲקַת עֲנִיִּים יִשְׁמָע Job 34:28
צַעֲקָתוֹ 16 שָׁמֹעַ אֶשְׁמַע צַעֲקָתוֹ Ex. 22:22
17 כִּי בָאָה צַעֲקָתוֹ אֵלָי ISh. 9:16
הֲצַעֲקָתוֹ 18 הֲצַעֲקָתוֹ יִשְׁמַע אֵל Job 27:9
הַכְּצַעֲקָתָהּ 19 הַכְּצַעֲקָתָהּ הַבָּאָה אֵלַי עָשׂוּ Gen. 18:21
צַעֲקָתָם 20 כִּי־גָדְלָה צַעֲקָתָם אֶת־פְּנֵי יְיָ Gen. 19:13
21 וְאֶת־צַעֲקָתָם שָׁמַעְתִּי מִפְּנֵי נֹגְשָׂיו Ex. 3:7

צער : צָעַר; צוֹעֵר, צָעִיר, צְעִירָה, מִצְעָר; ש״פ צֹעַר, צוֹעַר

צָעַר פ׳ מעט, היה דל: 1, 2

יִצְעָרוּ 1 וְהִכְבַּדְתִּים וְלֹא יִצְעָרוּ Jer. 30:19
וְיִצְעֲרוּ 2 וְיִצְעֲרוּ וְלֹא־יָבִין לָמוֹ Job 14:21

צֹעַר, צוֹעַר ש״פ – היא העיר בֶּלַע שׂשרדה ממהפכת סדום: 1-10

צֹעַר 1 כְּאֶרֶץ מִצְרַיִם בֹּאֲכָה צֹעַר Gen. 13:10
2 וּמֶלֶךְ בֶּלַע הִיא־צֹעַר Gen. 14:2
3 וּמֶלֶךְ בֶּלַע הוּא־צֹעַר Gen. 14:8
4 עַל־כֵּן קָרָא שֵׁם־הָעִיר צוֹעַר Gen. 19:22
5 בִּקְעַת יְרֵחוֹ...עַד־צֹעַר Deut. 34:3
6 לִבִּי לְמוֹאָב יִזְעָק בְּרִיחֶהָ עַד־צֹעַר Is. 15:5
צֹעֲרָה 7 וְלוֹט בָּא צֹעֲרָה Gen. 19:23
בְּצוֹעַר 8 כִּי יָרֵא לָשֶׁבֶת בְּצוֹעַר Gen. 19:30
מִצּוֹעַר 9 וַיַּעַל לוֹט מִצּוֹעַר וַיֵּשֶׁב בָּהָר Gen. 19:30
10 מִצֹּעַר עַד־חֹרֹנַיִם עֶגְלַת שְׁלִשִׁיָּה Jer. 48:34

צָפַד פ׳ יבש, הצטמק

צָפַד 1 צָפַד עוֹרָם עַל־עַצְמָם Lam. 4:8

צפה : א) צָפָה, צֹפֶה; צְפִיָּה, מִצְפֶּה; ש״פ צְפַת, צְפָתָה, צְפוֹ, צְפִי, צִפְיוֹן, מִצְפָּה

ב) צִפָּה, צָפָה, צֻפָּה; צִפּוּי, צֶפֶת, צָפִית

צָפָה¹ פ׳ א) ראה, חזה: 1-24, 26, 27

ב) [צָפוּי] נשקף, עתיד: 25

ג) [פ׳ צִפָּה] התבונן: 29-31, 35, 36

ד) [כנ״ל] (בהשאלה) חכה, יחל: 28, 32-34

צוֹפֶה 1-2 צֹפֶה נְתַתִּיךָ לְבֵית יִשְׂרָאֵל Ezek. 3:17; 33:7
3 צֹפֶה אֶפְרַיִם עִם־אֱלֹהָי Hosh. 9:8
4 צוֹפֶה רָשָׁע לַצַּדִּיק וּמְבַקֵּשׁ לַהֲמִיתוֹ Ps. 37:32
5 כְּמִגְדַּל הַלְּבָנוֹן צוֹפֶה פְּנֵי דַמָּשֶׂק S.ofS. 7:5
הַצּוֹפֶה 6 וַיִּשָּׂא הַנַּעַר הַצֹּפֶה אֶת־עֵינָו IISh. 13:34
7 וַיֵּלֶךְ הַצֹּפֶה אֶל־גַּג הַשַּׁעַר IISh. 18:24
8 וַיִּקְרָא הַצֹּפֶה וַיַּגֵּד לַמֶּלֶךְ IISh. 18:25
9 וַיַּרְא הַצֹּפֶה אִישׁ־אַחֵר רָץ IISh. 18:26
10 וַיִּקְרָא הַצֹּפֶה אֶל־הַשֹּׁעֵר IISh. 18:26
11 וַיֹּאמֶר הַצֹּפֶה אֲנִי רֹאֶה אֶת־מְרוּצַת... IISh.18:27
12-13 וַיַּגֵּד הַצֹּפֶה לֵאמֹר IIK. 9:18, 20
14 וְדָמוֹ מִיַּד־הַצֹּפֶה אֶדְרֹשׁ Ezek. 33:6
וְהַצּוֹפֶה 15 וְהַצֹּפֶה עֹמֵד עַל־הַמִּגְדָּל IIK. 9:17
16 וְהַצֹּפֶה כִּי־יִרְאֶה אֶת־הַחֶרֶב בָּאָה Ezek.33:6
לְצוֹפֶה 17 וְנָתְנוּ אֹתוֹ לָהֶם לְצֹפֶה Ezek. 33:2
צוֹפִיָּה 18 צוֹפִיָּה הֲלִיכוֹת בֵּיתָהּ Prov. 31:27
צוֹפִים 19 וַיִּקָּחֵהוּ שְׂדֵה צֹפִים Num. 23:14
20 וַהֲקִמֹתִי עֲלֵיכֶם צֹפִים Jer. 6:17
הַצּוֹפִים 21 וַיִּרְאוּ הַצֹּפִים לְשָׁאוּל בְּגִבְעַת בִּנְיָמִן ISh.14:16
צוֹפַיִךְ 22 קוֹל צֹפַיִךְ נָשְׂאוּ קוֹל Is. 52:8
צוֹפָיו 23 צֹפָו עִוְרִים כֻּלָּם Is. 56:10
צוֹפוֹת 24 עֵינֵי יְיָ צֹפוֹת רָעִים וְטוֹבִים Prov. 15:3
וְצָפוּי 25 וְצָפוּי (כ׳ וצפו) הוּא אֱלֵי־חָרֶב Job 15:22
יִצֶף 26 יִצֶף יְיָ בֵּינִי וּבֵינֶךָ Gen. 31:49
תִּצְפֶּינָה 27 עֵינָיו בַּגּוֹיִם תִּצְפֶּינָה Ps. 66:7
צִפִּינוּ 28 בְּצִפִּיָּתֵנוּ צִפִּינוּ אֶל־גּוֹי לֹא יוֹשִׁעַ Lam. 4:17
מְצַפֶּה 29 עֵלִי יֹשֵׁב...יַד׳ דֶּרֶךְ מְצַפֶּה ISh. 4:13
הַמְצַפֶּה 30 לֵךְ הַעֲמֵד הַמְצַפֶּה אֲשֶׁר יִרְאֶה יַגִּיד Is. 21:6
מְצַפֶּיךָ 31 יוֹם מְצַפֶּיךָ פְּקֻדָּתְךָ בָאָה Mic. 7:4
אֲצַפֶּה 32 בַּיְיָ אֲצַפֶּה אוֹחִילָה לֵאלֹהֵי יִשְׁעִי Mic. 7:7
וַאֲצַפֶּה 33 וַאֲצַפֶּה לִרְאוֹת מַה־יְדַבֶּר־בִּי Hab. 2:1
34 בֹּקֶר אֶעֱרָךְ־לְךָ וַאֲצַפֶּה Ps. 5:4
צַפֵּה 35 צַפֵּה־דֶרֶךְ חַזֵּק מָתְנַיִם Nah. 2:2
וְצַפִּי 36 אֶל־דֶּרֶךְ עִמְדִי וְצַפִּי Jer. 48:19

צָפָה² פ׳ א) כִּסָּה: 1

ב) כסה בשכבת עץ או מתכת: 2-45

ג) [פ׳ צִפָּה] חִפָּה, כִּסָּה מלמעלה: 46, 47

צִפָּה אֶרֶז 34; צ׳ בְּרוֹשִׁים 33; צ׳ זָהָב 2-9, 12, 14-16, 19-30, 36-45; צ׳ נְחֹשֶׁת 10, 11, 18, 31, 32; צִפָּה עֵץ 13

צָפֹה 1 עָרֹךְ הַשֻּׁלְחָן צָפֹה הַצָּפִית Is. 21:5
וְצִפִּיתָ 2-4 וְצִפִּיתָ אֹתוֹ זָהָב טָהוֹר Ex. 25:11, 24; 30:3
5-8 וְצִפִּיתָ אֹתָם זָהָב Ex. 25:13, 28; 26:37; 30:5
9 וְצִפִּיתָ אֶת־הַבְּרִיחִם זָהָב Ex. 26:29
10-11 וְצִפִּיתָ אֹתוֹ נְחֹשֶׁת Ex. 27:2, 6
צִפָּה 12 וְאֶת־הַקְּרָשִׁים צִפָּה זָהָב Ex. 36:34
13 עַד־קִירוֹת הַסִּפֻּן צִפָּה עֵץ מִבָּיִת IK. 6:15
14 וְאֶת־כָּל־הַבַּיִת צִפָּה זָהָב IK. 6:22
15 וְכָל־הַמִּזְבֵּחַ...צִפָּה זָהָב IK. 6:22
16 וְאֶת־קַרְקַע הַבַּיִת צִפָּה זָהָב IK. 6:30
17 וְאֶת־הָאֹמְנוֹת אֲשֶׁר צִפָּה חִזְקִיָּה IIK. 18:16
18 וְדַלְתוֹתֵיהֶם צִפָּה נְחֹשֶׁת IICh. 4:9
וְצִפָּה 19 וְצִפָּה רָאשֵׁיהֶם וַחֲשֻׁקֵיהֶם זָהָב Ex. 36:38
20 וְצִפָּה רָאשֵׁיהֶם וְחִשַּׁק אֹתָם Ex. 38:28
21 וְקָלַע עֲלֵיהֶם מִקְלְעוֹת...וְצִפָּה זָהָב IK. 6:32
22 וְקָלַע כְּרוּבִים...וְצִפָּה זָהָב IK. 6:35

תְּצַפֶּה 23 וְאֶת־הַקְּרָשִׁים תְּצַפֶּה זָהָב Ex. 26:29
תְּצַפֶּנּוּ 24 מִבַּיִת וּמִחוּץ תְּצַפֶּנּוּ Ex. 25:11
וַיְצַף 25 וַיְצַף אֶת־הַבְּרִיחִם זָהָב Ex. 36:34
28-26 וַיְצַף אֹתָם זָהָב Ex. 37:4, 15, 28
30-29 וַיְצַף אֹתוֹ זָהָב טָהוֹר Ex. 37:11, 26
31 וַיְצַף אֹתוֹ נְחֹשֶׁת Ex. 38:2
32 וַיְצַף אֹתָם נְחֹשֶׁת Ex. 38:6
33 וַיְצַף...בְּצַלְעוֹת בְּרוֹשִׁים IK. 6:15
34 וַיְצַף מִזְבֵּחַ אָרֶז IK. 6:20
35 וַיְצַף שְׁלֹמֹה אֶת־הַבַּיִת...זָהָב סָגוּר IK. 6:21
36 וַיְצַף אֶת־הַכְּרוּבִים זָהָב IK. 6:28
37 וַיְצַף אֶת־הַבַּיִת אֶבֶן יְקָרָה IICh. 3:6
וַיְצַפֵּהוּ 38/9 וַיְצַפֵּהוּ זָהָב טָהוֹר Ex. 37:2 • IICh. 9:17
40 וַיְצַפֵּהוּ זָהָב סָגוּר IK. 6:20
41 וַיְעַבֵּר...לִפְנֵי הַדְּבִיר וַיְצַפֵּהוּ זָהָב IK. 6:21
42 וַיְצַפֵּהוּ זָהָב מוּפָז IK. 10:18
43 וַיְצַפֵּהוּ מִפְּנִימָה זָהָב טָהוֹר IICh. 3:4
וַיְצַפֵּם 44 וַיַּעַשׂ...עַמּוּדֵי שִׁטִּים וַיְצַפֵּם זָהָב Ex. 36:36
וַיְצַפּוּ 45 וַיְצַפּוּ אֹתָם זָהָב IICh. 3:10
מְצֻפֶּה 46 כֶּסֶף סִיגִים מְצֻפֶּה עַל־חָרֶשׂ Prov. 26:23
מְצֻפִּים 47 עַמּוּדֵי שִׁטִּים מְצֻפִּים זָהָב Ex. 26:32

צָפָה³ נ׳(?) מים לצוף בהם

צָפָתְךָ 1 וְהִשְׁקֵיתִי אֶרֶץ צָפָתְךָ מִדָּמְךָ Ezek. 32:6

צְפוֹ שפ״ז – בן אליפז, מאלופי אדום: 2,1 [עין גם צְפִי]

צְפוֹ 1 צְפוֹ וְגַעְתָּם וּקְנַז Gen. 36:11
2 אַלּוּף צְפוֹ אַלּוּף קְנַז Gen. 36:15

צִפּוּי ז׳ מכסה: 5-1

צִפּוּי פְּסִילִים 3; צִפּוּי רָאשִׁים 4, 5

צִפּוּי 1 וְעָשׂוּ...רִקֻּעֵי פַחִים צִפּוּי לַמִּזְבֵּחַ Num. 17:3
2 וַיְרַקְּעוּם צִפּוּי לַמִּזְבֵּחַ Num. 17:4
צִפּוּי־ 3 וְטִמֵּאתֶם אֶת־צִפּוּי פְּסִילֵי כַסְפֶּךָ Is. 30:22
וְצִפּוּי־ 5-4 וְצִפּוּי רָאשֵׁיהֶם(...)כָּסֶף Ex. 38:17, 19

צָפוּן ת׳ – עין צָפַן

צָפוֹן¹ ז׳ צד שמאל הפונה למזרח, מול דרום: 153-1

– אֶרֶץ צָפוֹן 10-20; גְּבוּל צ׳ 6, 7; דֶּרֶךְ (הַ)צָּפוֹן 42, 45-49; יַרְכְּתֵי צ׳ 9, 25-27, 33; מֶלֶךְ הַצּ׳ 55-61; מַלְכֵי הַצּ׳ 40; מִשְׁפְּחוֹת צ׳ 21; נֶגֶב צ׳ 23; נְסִיכֵי צ׳ 24; עַם צ׳ 22; פְּאַת צ׳ 1, 2, 4, 5, 8, 29-31; צֶלַע צ׳ 3; רוּחַ צ׳ 35, 53; שַׁעַר (הַ)צָּפוֹן 28, 43, 44, 54
– מִצָּפוֹן לְ־ 75; מִצְּפוֹן לְ־ 94, 95, 97-100

צָפוֹן 2-1 וּלְצֶלַע הַמִּשְׁכָּן...לִפְאַת צָפוֹן Ex. 26:20; 36:25
3 וְהַשֻּׁלְחָן תִּתֵּן עַל־צֶלַע צָפוֹן Ex. 26:35
4 וְכֵן לִפְאַת צָפוֹן בָּאֹרֶךְ Ex. 27:11
5 וְלִפְאַת צָפוֹן מֵאָה בָאַמָּה Ex. 38:11
6/7 (וְ)זֶה־יִהְיֶה לָכֶם גְּבוּל צָפוֹן Num. 34:7, 9
8 וְאֵת פְּאַת צָפוֹן אַלְפַּיִם בָּאַמָּה Num. 35:5
9 וְאֵשֵׁב בְּהַר־מוֹעֵד בְּיַרְכְּתֵי צָפוֹן Is. 14:13
10 וְיָבֹאוּ יַחְדָּו מֵאֶרֶץ צָפוֹן Jer. 3:18
20-11 (בְּ/מֵ)אֶרֶץ צָפוֹן Jer. 6:22; 10:22; 16:15; 31:7(8); 46:10; 50:9 • Zech. 2:10; 6:6, 8²
21 וְלָקַחְתִּי אֶת־כָּל־מִשְׁפְּחוֹת צָפוֹן Jer. 25:9
22 הֹבִישָׁה...נִתְּנָה בְּיַד עַם־צָפוֹן Jer. 46:24
23 אֶל־כָּל־בָּשָׂר מִנֶּגֶב צָפוֹן Ezek. 21:9
24 שָׁמָּה נְסִיכֵי צָפוֹן כֻּלָּם Ezek. 32:30
25 יַרְכְּתֵי צָפוֹן וְאֶת־כָּל־אֲגַפָּיו Ezek. 38:6
26 וּבָאתָ מִמְּקוֹמְךָ מִיַּרְכְּתֵי צָפוֹן Ezek. 38:15
27 וְהַעֲלִיתִיךָ מִיַּרְכְּתֵי צָפוֹן Ezek. 39:2

צָפוֹן (המשך)
28 הַבָּא דֶּרֶךְ שַׁעַר צָפוֹן לְהִשְׁתַּחֲוֹת Ezek. 46:9
29 וְאֵת פְּאַת צָפוֹן Ezek. 47:17
30 פְּאַת צָפוֹן חֲמֵשׁ מֵאוֹת Ezek. 48:16
31 מִפְּאַת צָפוֹן חֲמֵשׁ מֵאוֹת Ezek. 48:30
32 וְיֵט יָדוֹ עַל־צָפוֹן Zep. 2:13
33 הַר־צִיּוֹן יַרְכְּתֵי צָפוֹן Ps. 48:3
34 צָפוֹן וְיָמִין אַתָּה בְרָאתָם Ps. 89:13
35 רוּחַ צָפוֹן תְּחוֹלֵל גָּשֶׁם Prov. 25:23
36 נֹטֶה צָפוֹן עַל־תֹּהוּ Job 26:7
37 עוּרִי צָפוֹן וּבוֹאִי תֵימָן S.ofS. 4:16
38 הוֹלֵךְ אֶל־דָּרוֹם וְסוֹבֵב אֶל־צָפוֹן Eccl. 1:6
וְצָפוֹן 39 וְצָפוֹן צָפוֹנָה וּגְבוּל חֲמָת Ezek. 47:17
הַצָּפוֹן 40 וְאֵת כָּל־מַלְכֵי הַצָּפוֹן Jer. 25:26
41 רוּחַ סְעָרָה בָּאָה מִן־הַצָּפוֹן Ezek. 1:4
42 וְהַשַּׁעַר אֲשֶׁר פָּנָיו דֶּרֶךְ הַצָּפוֹן Ezek. 40:20
43 וַיְבִיאֵנִי אֶל־שַׁעַר הַצָּפוֹן Ezek. 40:35
44 אֶל־כֶּתֶף שַׁעַר הַצָּפוֹן Ezek. 40:44
45 שַׁעַר הַקָּדִים פְּנֵי דֶּרֶךְ הַצָּפֹן Ezek. 40:44
49-46 דֶּרֶךְ הַצָּפוֹן Ezek. 40:46; 41:11; 42:1, 11
50 וַאֲשֶׁר־נֶגֶד הַבִּנְיָן אֶל־הַצָּפוֹן Ezek. 42:1
51 אֶל־פְּנֵי אֹרֶךְ...פֶּתַח הַצָּפוֹן Ezek. 42:2
52 לִשְׁכוֹת הַצָּפוֹן לִשְׁכוֹת הַדָּרוֹם Ezek. 42:13
53 מָדַד רוּחַ הַצָּפוֹן Ezek. 42:17
54 וַיְבִיאֵנִי דֶּרֶךְ־שַׁעַר הַצָּפוֹן Ezek. 44:4
55 וּבַת מֶלֶךְ...תָּבוֹא אֶל־מֶלֶךְ הַצָּפוֹן Dan. 11:6
61-56 (מִ)מֶּלֶךְ הַצָּפוֹן Dan. 11:7, 8, 11, 13, 15, 40
וְהַצָּפוֹן 62 וַיָּמָד רֹחַב...הַקָּדִים וְהַצָּפוֹן Ezek. 40:19
בַּצָּפוֹן 63 וְאִם־יִפּוֹל עֵץ בַּדָּרוֹם וְאִם בַּצָּפוֹן Eccl. 11:3
לַצָּפוֹן 64 אֹמַר לַצָּפוֹן תֵּנִי וּלְתֵימָן אַל־תִּכְלָאִי Is. 43:6
65 נֶגֶד הַשַּׁעַר לַצָּפוֹן וְלַקָּדִים Ezek. 40:23
66 וּפִתְחֵיהֶם לַצָּפוֹן Ezek. 42:4
מִצָּפוֹן 67 יֵצֵא הַגְּבוּל הַיָּמָּה הַמִּכְמְתָת מִצָּפוֹן Josh. 16:6
68 וּבְאָשֵׁר יִפְגְּעוּן מִצָּפוֹן Josh. 17:10
69 כִּי מִצָּפוֹן עָשָׁן בָּא Is. 14:31
70 הַעִירוֹתִי מִצָּפוֹן וַיַּאת Is. 41:25
71 וְהִנֵּה־אֵלֶּה מִצָּפוֹן וּמִיָּם Is. 49:12
72 מִצָּפוֹן תִּפָּתַח הָרָעָה Jer. 1:14
73 כִּי רָעָה אָנֹכִי מֵבִיא מִצָּפוֹן Jer. 4:6
74 כִּי רָעָה נִשְׁקְפָה מִצָּפוֹן Jer. 6:1
75 מִצָּפוֹן לְשַׁעַר הַמִּזְבֵּחַ סֵמֶל Ezek. 8:5
76 מִמִּזְרָח וּמִמַּעֲרָב מִצָּפוֹן וּמִיָּם Ps. 107:3
77 מִצָּפוֹן זָהָב יֶאֱתֶה Job 37:22
91-78 מִצָּפוֹן Josh. 18:5, 12, 17; 19:14 • Jud. 7:1 • ISh. 14:5 • Jer. 13:20; 15:12; 46:20; 47:2; 50:3, 41; 51:48 • Ezek. 26:7
וּמִצָּפוֹן 92 מִיָּם עַד־יָם וּמִצָּפוֹן וְעַד־מִזְרָח Am. 8:12
93 וּשְׁמֻעוֹת יְבַהֲלֻהוּ מִמִּזְרָח וּמִצָּפוֹן Dan. 11:44
מִצְּפוֹן 94 וַיַּחֲנוּ מִצְּפוֹן לָעַי Josh. 8:11
95 הַמַּחֲנֶה אֲשֶׁר מִצְּפוֹן לָעִיר Josh. 8:13
96 מִצְּפוֹן בָּהָר וּבָעֲרָבָה Josh. 11:2
97 וְעָבַר מִצְּפוֹן לְבֵית הָעֲרָבָה Josh. 15:6
98 וּגְבוּל מְנַשֶּׁה מִצְּפוֹן לַנַּחַל Josh. 17:9
99 בְּתִמְנַת־סֶרַח...מִצְּפוֹן לְהַר־גָּעַשׁ Josh. 24:30
100 בְּתִמְנַת־חֶרֶס...מִצְּפוֹן לְהַר־גָּעַשׁ Jud. 2:9
צָפֹנָה 101 צָפֹנָה וָנֶגְבָּה וָקֵדְמָה וָיָמָּה Gen. 13:14
102 עַל יֶרֶךְ הַמִּשְׁכָּן צָפֹנָה Ex. 40:22
103 עַל יֶרֶךְ הַמִּזְבֵּחַ צָפֹנָה Lev. 1:11
104 דֶּגֶל מַחֲנֵה דָן צָפֹנָה לְצִבְאֹתָם Num. 2:25
105 עַל יֶרֶךְ הַמִּשְׁכָּן יַחֲנוּ צָפֹנָה Num. 3:35
106 פְּנוּ לָכֶם צָפֹנָה Deut. 2:3
109-107 לִפְאַת צָפוֹנָה Josh. 15:15; 18:12 • Ezek. 47:15

צָפוֹנָה (המשך)
110 וַיִּצָּעֵק אִישׁ אֶפְרַיִם וַיַּעֲבֹר צָפוֹנָה Jud. 12:1
111 שְׁלֹשָׁה פֹנִים צָפוֹנָה IK. 7:25
112 סִיר נָפוּחַ...וּפָנָיו מִפְּנֵי צָפוֹנָה Jer. 1:13
113 לְכָל־מִשְׁפְּחוֹת מַמְלְכוֹת צָפוֹנָה Jer. 1:15
114 וְקָרָאתָ אֶת־הַדְּבָרִים...צָפוֹנָה Jer. 3:12
115 אֲשֶׁר הֶעֱלָה...מֵאֶרֶץ צָפוֹנָה Jer. 23:8
116 צָפוֹנָה עַל־יַד נְהַר־פְּרָת Jer. 46:6
117/8 דֶּרֶךְ צָפוֹנָה Ezek. 8:5²
119/20 שַׁעַר צָפוֹנָה Ezek. 46:9; 47:2
143-121 צָפוֹנָה Josh. 13:3; 15:8, 11; 18:16, 18, 19²; 19:27 • IIK. 16:14 • Ezek. 8:3; 9:2; 21:3; 46:19; 47:17; 48:1², 10, 17, 31 • Zech. 14:4 • ICh. 9:24; 26:14 • IICh. 4:4
וְצָפוֹנָה 144 יָמָּה וָקֵדְמָה וְצָפֹנָה וָנֶגְבָּה Gen. 28:14
145 יָמָּה וְצָפֹנָה וְתֵימָנָה וּמִזְרָחָה Deut. 3:27
146 מֵעֵמֶק עָכוֹר וְצָפוֹנָה Josh. 15:7
147 נֶגְבָּה לְאֶפְרַיִם וְצָפוֹנָה לִמְנַשֶּׁה Josh. 17:10
148 מְנַגֵּחַ יָמָּה וְצָפוֹנָה וָנֶגְבָּה Dan. 8:4
הַצָּפוֹנָה 149 פֶּתַח שַׁעַר...אֲשֶׁר אֶל־הַצָּפוֹנָה Ezek. 8:14
150 לְפֶתַח הַשַּׁעַר הַצָּפוֹנָה Ezek. 40:40
לַצָּפוֹנָה 151 לַצָּפוֹנָה לַיּוֹם אַרְבָּעָה ICh. 26:17
מִצָּפוֹנָה 152 אֶל־כֶּתֶף הַר־יְעָרִים מִצָּפוֹנָה Josh. 15:10
מִצָּפוֹנָה 153 אֲשֶׁר מִצָּפוֹנָה לְבֵית־אֵל Jud. 21:19

צָפוֹן² ש״פ – עיר בצפון ככר הירדן בנחלת גד

וְצָפוֹן 1 וּבֵית נִמְרָה וְסֻכּוֹת וְצָפוֹן Josh. 13:27

צְפוֹן שפ״ז – בן גד בן יעקב

לִצְפוֹן 1 לִצְפוֹן מִשְׁפַּחַת הַצְּפוֹנִי Num. 26:15

צְפוֹנִי¹ ת׳ המתיחס על בית צפון

הַצְּפוֹנִי 1 לִצְפוֹן מִשְׁפַּחַת הַצְּפוֹנִי Num. 26:15

צְפוֹנִי² ת׳ הבא מן הצפון

הַצְּפוֹנִי 1 וְאֶת־הַצְּפוֹנִי אַרְחִיק מֵעֲלֵיכֶם Joel 2:20

צִפּוֹר¹ נ׳ (ז׳–21) שם כולל לעוף המעופף באויר: 40-1

קרובים: ראה עוף

– צִפּוֹר בּוֹדֵד 21; צִפּוֹר חַיָּה 9,10,12,13,15,19,35; צ׳ טְהוֹרָה 1; צ׳ נוֹדֶדֶת 23; צִפּוֹר שְׁחוּטָה 11, 16
– צִפּוֹר (כָּל) כָּנָף 28-31, 33, 34; צִפּוֹר שָׁמַיִם 32
– דַּם צִפּוֹר 16,17; עֵיט צ׳ 31; קוֹל צ׳ 18; קַן צִפּוֹר 2
– צִפֳּרִים עָפוֹת 39

צִפּוֹר 1 כָּל־צִפּוֹר טְהֹרָה תֹּאכֵלוּ Deut. 14:11
2 כִּי יִקָּרֵא קַן־צִפּוֹר לְפָנֶיךָ Deut. 22:6
3 הֲתִפֹּל צִפּוֹר עַל־פַּח הָאָרֶץ Am. 3:5
4 נוּדִי הַרְכֶם צִפּוֹר Ps. 11:1
5 גַּם־צִפּוֹר מָצְאָה בַיִת Ps. 84:4
6 כְּמַהֵר צִפּוֹר אֶל־פָּח Prov. 7:23
הַצִּפֹּר 7 וְאֶת־הַצִּפֹּר לֹא בָתָר Gen. 15:10
8 וְשָׁחַט אֶת־הַצִּפּוֹר הָאֶחָת Lev. 14:5
9 אֶת־הַצִּפֹּר הַחַיָּה יִקַּח אֹתָהּ Lev. 14:6
10 וְטָבַל אוֹתָם וְאֵת הַצִּפֹּר הַחַיָּה Lev. 14:6
11 בְּדַם הַצִּפֹּר הַשְּׁחֻטָה Lev. 14:6
12/3 וְשִׁלַּח אֶת־הַצִּפֹּר הַחַיָּה Lev. 14:7, 53
14 וְשָׁחַט אֶת־הַצִּפֹּר הָאֶחָת Lev. 14:50
15 וְלָקַח...וְאֵת הַצִּפֹּר הַחַיָּה Lev. 14:51
16 בְּדַם הַצִּפֹּר הַשְּׁחוּטָה Lev. 14:51
17 וְחִטֵּא אֶת־הַבַּיִת בְּדַם הַצִּפּוֹר Lev. 14:52
18 וְיָקוּם לְקוֹל הַצִּפּוֹר Eccl. 12:4
וּבַצִּפֹּר 19 וְחִטֵּא...וּבַצִּפֹּר הַחַיָּה וּבְעֵץ הָאֶרֶז Lev. 14:52

כְּצִפּוֹר 20 יֶחֶרְדוּ כְצִפּוֹר מִמִּצְרַיִם Hosh. 11:11
21 וָאֶהְיֶה כְּצִפּוֹר בּוֹדֵד עַל־גָּג Ps. 102:8
22 כְּצִפּוֹר נִמְלְטָה מִפַּח יוֹקְשִׁים Ps. 124:7
23 כְּצִפּוֹר נוֹדֶדֶת מִן־קִנָּהּ Prov. 27:8
כַּצִּפּוֹר 24 כַּצִּפּוֹר לָנוּד כַּדְּרוֹר לָעוּף Prov. 26:2
25 הַתְשַׂחֶק־בּוֹ כַּצִּפּוֹר Job 40:29
26 צוֹד צָדוּנִי כַּצִּפֹּר אֹיְבַי חִנָּם Lam. 3:52
וּכְצִפּוֹר 27 הִנָּצֵל...וּכְצִפּוֹר מִיַּד יָקוּשׁ Prov. 6:5
צִפּוֹר־ 28/9 כֹּל צִפּוֹר כָּל־כָּנָף Gen. 7:14 • Ezek. 17:23
30 תַּבְנִית כָּל־צִפּוֹר כָּנָף Deut. 4:17
31 לְעֵיט צִפּוֹר כָּל־כָּנָף Ezek. 39:4
32 צִפּוֹר שָׁמַיִם וּדְגֵי הַיָּם Ps. 8:9
וְצִפּוֹר־ 33 רֶמֶשׂ וְצִפּוֹר כָּנָף Ps. 148:10
לְצִפּוֹר־ 34 אֱמֹר לְצִפּוֹר כָּל־כָּנָף Ezek. 39:17
צִפֳּרִים 35 וְלָקַח...שְׁתֵּי־צִפֳּרִים חַיּוֹת טְהֹרוֹת Lev. 14:4
36 וְלָקַח לְחַטֵּא...הַבַּיִת שְׁתֵּי צִפֳּרִים Lev. 14:49
37 אֲשֶׁר־שָׁם צִפֳּרִים יְקַנֵּנוּ Ps. 104:17
וְצִפֳּרִים 38 וְצִפֳּרִים נַעֲשׂוּ־לִי Neh. 5:18
כְּצִפֳּרִים 39 כְּצִפֳּרִים עָפוֹת כֵּן יָגֵן יְיָ צְבָאוֹת Is. 31:5
וְכַצִּפֳּרִים 40 וְכַצִּפֳּרִים הָאֲחֻזוֹת בַּפָּח Eccl. 9:12

צִפּוֹר² שפ״ז – אבי בָּלָק מלך מואב: 1-7

צִפּוֹר 1 וַיַּרְא בָּלָק בֶּן־צִפּוֹר Num. 22:2
2 וּבָלָק בֶּן־צִפּוֹר מֶלֶךְ לְמוֹאָב Num. 22:4
3 בָּלָק בֶּן־צִפֹּר מֶלֶךְ מוֹאָב Num. 22:10
4 כֹּה אָמַר בָּלָק בֶּן־צִפּוֹר Num. 22:16
5 הַאֲזִינָה עָדַי בְּנוֹ צִפֹּר Num. 23:18
6 וַיָּקָם בָּלָק בֶּן־צִפּוֹר מֶלֶךְ מוֹאָב Josh. 24:9
7 מִבָּלָק בֶּן־צִפּוֹר מֶלֶךְ מוֹאָב Jud. 11:25

צִפּוֹרָה שפ״נ – בת יתרו, אשת משה: 1-3

צִפֹּרָה 1 וַיִּתֵּן אֶת־צִפֹּרָה בִתּוֹ לְמֹשֶׁה Ex. 2:21
2 וַתִּקַּח צִפֹּרָה צֹר וַתִּכְרֹת אֶת־עָרְלַת Ex. 4:25
3 וַיִּקַּח יִתְרוֹ אֶת־צִפֹּרָה אֵשֶׁת מֹשֶׁה Ex. 18:2

צַפַּחַת נ׳ בקבוק: 1-7 • קרובים: ראה כַּד

צַפַּחַת מַיִם 1-3, 6; צַפַּחַת שֶׁמֶן 4, 5

צַפַּחַת־ 1-3 וְאֶת־צַפַּחַת הַמַּיִם ISh. 26:11, 12, 16
וְצַפַּחַת־ 4 וְצַפַּחַת הַשֶּׁמֶן לֹא תֶחְסָר IK. 17:14
5 וְצַפַּחַת הַשֶּׁמֶן לֹא חָסֵר IK. 17:16
6 עֻגַת רְצָפִים וְצַפַּחַת מָיִם IK. 19:6
בַּצַּפָּחַת 7 וּמְעַט־שֶׁמֶן בַּצַּפָּחַת IK. 17:12

צְפִי עין צפו

צְפִיָּה* נ׳ תוחלת, תקוה

בְּצִפִּיָּתֵנוּ 1 בְּצִפִּיָּתֵנוּ צִפִּינוּ אֶל־גּוֹי לֹא יוֹשִׁעַ Lam. 4:17

צִפְיוֹן שפ״ז – בן גד בן יעקב

צִפְיוֹן 1 וּבְנֵי גָד צִפְיוֹן וְחַגִּי Gen. 46:16

צַפִּיחִת נ׳ רקיק

כְּצַפִּיחִת 1 וְטַעְמוֹ כְּצַפִּיחִת בִּדְבָשׁ Ex. 16:31

צְפִיעָה* נ׳ צאצא, בת?

וְהַצְּפִעוֹת 1 הַצֶּאֱצָאִים וְהַצְּפִעוֹת כֹּל כְּלֵי הַקָּטָן Is. 22:24

צְפִיעִים* ז״ר – גללים

צְפִיעֵי־ 1 אֶת־צְפִיעֵי (כת׳ צפועי) הַבָּקָר
תַּחַת גֶּלְלֵי הָאָדָם Ezek. 4:15

צָפִיר ז׳ תיש: 1-6

צְפִיר שָׂעִיר 2; צְפִיר עִזִּים 3, 4, 6

וְהַצָּפִיר 1 וְהַצָּפִיר קֶרֶן חָזוּת בֵּין עֵינָיו Dan. 8:5
2 וְהַצָּפִיר הַשָּׂעִיר מֶלֶךְ יָוָן Dan. 8:21
צְפִיר־ 3 וְהִנֵּה צְפִיר־הָעִזִּים בָּא מִן־הַמַּעֲרָב Dan. 8:5
וּצְפִיר־ 4 וּצְפִיר הָעִזִּים הִגְדִּיל עַד־מְאֹד Dan. 8:8
צְפִירֵי־ 5 צְפִירֵי חַטָּאת שְׁנֵים עָשָׂר Ez. 8:35
וּצְפִירֵי־ 6 וּצְפִירֵי עִזִּים שִׁבְעָה לְחַטָּאת IICh. 29:21

צְפִיר* ז׳ ארמית: כמו בעברית

וּצְפִירֵי־ 1 וּצְפִירֵי עִזִּין לְחַטָּאָה עַל־כָּל־יִשְׂ׳ Ez. 6:17

צְפִירָה נ׳ א) תור(?), שעה יעודה(?): 1, 2
ב) נזר: 3

הַצְּפִירָה 1 בָּאָה הַצְּפִירָה אֵלֶיךָ יוֹשֵׁב הָאָרֶץ Ezek. 7:7
2 יָצְאָה הַצְּפִרָה צָץ הַמַּטֶּה Ezek. 7:10
וְלִצְפִירַת־ 3 לַעֲטֶרֶת צְבִי וְלִצְפִירַת תִּפְאָרָה Is. 28:5

צָפִית נ׳ צִפּוּי, כסוי

הַצָּפִית 1 עָרֹךְ הַשֻּׁלְחָן צָפֹה הַצָּפִית Is. 21:5

צפן : צָפַן, נִצְפַּן, הִצְפִּין; צָפוּן; צְפוֹן, מַצְפּוּן; ש״פ צִפּוֹן, צְפַנְיָה, צְפַנְיָהוּ

צָפַן פ׳ א) טמן, הסתיר: 1-8, 15-27
ב) [צָפוּן] דבר טמון: 9-14
ג) [נפ׳ נִצְפַּן] נסתר: 28-30
ד) [הפ׳ הִצְפִּין] הסתיר: 31, 32

קרובים: ראה חבא

צָפַנְתִּי 1 בְּלִבִּי צָפַנְתִּי אִמְרָתֶךָ Ps. 119:11
2 מֵחֻקִּי צָפַנְתִּי אִמְרֵי־פִיו Job 23:12
3 חֲדָשִׁים גַּם־יְשָׁנִים דּוֹדִי צָפַנְתִּי לָךְ S.ofS. 7:14
צָפַנְתָּ 4 מָה רַב טוּבְךָ אֲשֶׁר־צָפַנְתָּ לִּירֵאֶיךָ Ps. 31:20
5 וְאֵלֶּה צָפַנְתָּ בִלְבָבֶךָ Job 10:13
6 כִּי־לִבָּם צָפַנְתָּ מִשָּׂכֶל Job 17:4
צֹפֶן 7 צֹפְנֶיהָ צָפַן־רוּחַ Prov. 27:16
צוֹפְנֶיהָ 8 צֹפְנֶיהָ צָפַן־רוּחַ Prov. 27:16
וְצָפוּן 9 וְצָפוּן לַצַּדִּיק חֵיל חוֹטֵא Prov. 13:22
צְפוּנִי 10 וְחִלְּלוּ אֶת־צְפוּנִי Ezek. 7:22
וּצְפוּנְךָ 11 וּצְפוּנְךָ (כת׳ וצפינך) תְּמַלֵּא בִטְנָם Ps. 17:14
צְפוּנָה 12 צָרוּר עֲוֹן אֶפְרָיִם צְפוּנָה חַטָּאתוֹ Hosh.13:12
צְפוּנֶיךָ 13 וְיִתְיָעֲצוּ עַל־צְפוּנֶיךָ Ps. 83:4
לִצְפוּנָיו 14 כָּל־חֹשֶׁךְ טָמוּן לִצְפוּנָיו Job 20:26
תִּצְפֹּן 15-16 וּמִצְוֹתַי תִּצְפֹּן אִתָּךְ Prov. 2:1; 7:1
תִּצְפְּנֵם 17 תִּצְפְּנֵם בְּסֻכָּה מֵרִיב לְשֹׁנוֹת Ps. 31:21
יִצְפֹּן 18 יִצְפֹּן (כת׳ וצפן) לַיְשָׁרִים תּוּשִׁיָּה Prov. 2:7
19 אֱלוֹהַּ יִצְפֹּן־לְבָנָיו אוֹנוֹ Job 21:19
יִצְפְּנֵנִי 20 כִּי יִצְפְּנֵנִי בְּסֻכֹּה בְּיוֹם רָעָה Ps. 27:5
וַתִּצְפְּנֵהוּ 21 וַתִּצְפְּנֵהוּ שְׁלֹשָׁה יְרָחִים Ex. 2:2
וַתִּצְפְּנוֹ 22 וַתִּקַּח...אֶת־שְׁנֵי הָאֲנָשִׁים וַתִּצְפְּנוֹ Josh. 2:4
נִצְפְּנָה 23 נֶאֶרְבָה לְדָם נִצְפְּנָה לְנָקִי חִנָּם Prov. 1:11
יִצְפְּנוּ 24 לְדָמָם יֶאֱרֹבוּ יִצְפְּנוּ לְנַפְשֹׁתָם Prov. 1:18
25 חֲכָמִים יִצְפְּנוּ־דָעַת Prov. 10:14
יִצְפֹּנוּ 26 עֵינָיו לְחֵלְכָה יִצְפֹּנוּ Ps. 10:8
27 יִצְפּוֹנוּ (כת׳ יצפינו) הֵמָּה עֲקֵבַי יִשְׁמֹרוּ Ps. 56:7
נִצְפַּן 28 וְלֹא־נִצְפַּן עֲוֹנָם מִנֶּגֶד עֵינָי Jer. 16:17
נִצְפְּנוּ 29 וּמִסְפַּר שָׁנִים נִצְפְּנוּ לֶעָרִיץ Job 15:20
30 מַדּוּעַ מִשַּׁדַּי לֹא־נִצְפְּנוּ עִתִּים Job 24:1
הַצְּפִינוֹ 31 וְלֹא־יָכְלָה עוֹד הַצְּפִינוֹ Ex. 2:3
תַּצְפִּנֵנִי 32 מִי יִתֵּן בִּשְׁאוֹל תַּצְפִּנֵנִי Job 14:13

צְפַנְיָה שפ״ז א) הנביא בימי יאשיהו: 5
ב) כהן משנה בימי צדקיהו: 1-4
ג) איש בימי זכריה: 6, 7
ד) לוי: 8

צְפַנְיָה 1-2 צְפַנְיָה בֶן־מַעֲשֵׂיָה הַכֹּהֵן Jer. 21:1; 29:25
3 וַיִּקְרָא צְפַנְיָה הַכֹּהֵן אֶת־הַסֵּפֶר Jer. 29:29
4 וַיִּקַּח...וְאֶת־צְפַנְיָה כֹּהֵן הַמִּשְׁנֶה Jer. 52:24
5 דְּבַר־יְיָ...אֶל־צְפַנְיָה בֶן־כּוּשִׁי Zep. 1:1
6 וּבָאתָ בֵּית יֹאשִׁיָּה בֶן־צְפַנְיָה Zech. 6:10
7 וְלִידַעְיָה וּלְחֵן בֶּן־צְפַנְיָה Zech. 6:14
8 בֶּן־עֲזַרְיָה בֶן־צְפַנְיָה ICh. 6:21

צְפַנְיָהוּ שפ״ז – כהן משנה, הוא צפניה: 1, 2

צְפַנְיָהוּ 1 וַיִּקַּח...וְאֶת־צְפַנְיָהוּ כֹּהֵן מִשְׁנֶה IIK. 25:18
2 וְאֶת־צְפַנְיָהוּ בֶן־מַעֲשֵׂיָה הַכֹּהֵן Jer. 37:3

צָפְנַת פַּעְנֵחַ שפ״ז – שם כבוד שקרא פרעה ליוסף

צָפְנַת פַּעְנֵחַ 1 וַיִּקְרָא פַרְעֹה שֵׁם־יוֹסֵף צָפְנַת פַּעְנֵחַ Gen. 41:45

צֶפַע ז׳ נחש ארסי • קרובים: ראה נָחָשׁ

צֶפַע 1 כִּי־מִשֹּׁרֶשׁ נָחָשׁ יֵצֵא צֶפַע Is. 14:29

צִפְעוֹנִי ז׳ נחש ארסי: 1-4 • קרובים: ראה נָחָשׁ

בֵּיצֵי צִפְעוֹנִי 2; מְאוּרַת צִפְעוֹנִי 1

צִפְעוֹנִי 1 וְעַל מְאוּרַת צִפְעוֹנִי גָּמוּל יָדוֹ הָדָה Is. 11:8
2 בֵּיצֵי צִפְעוֹנִי בִּקֵּעוּ Is. 59:5
וּכְצִפְעֹנִי 3 כְּנָחָשׁ יִשָּׁךְ וּכְצִפְעֹנִי יַפְרִשׁ Prov. 23:32
צִפְעֹנִים 4 הִנְנִי מְשַׁלֵּחַ בָּכֶם נְחָשִׁים צִפְעֹנִים Jer. 8:17

צִפְצֵף פ׳ שרק, השמיע קול כקול צפור: 1-4

וּמְצַפְצֵף 1 נֹדֵד כָּנָף וּפֹצֶה פֶה וּמְצַפְצֵף Is. 10:14
הַמְצַפְצְפִים 2 הָאֹבוֹת...הַמְצַפְצְפִים וְהַמַּהְגִּים Is. 8:19
אֲצַפְצֵף 3 כְּסוּס עָגוּר כֵּן אֲצַפְצֵף Is. 38:14
תְּצַפְצֵף 4 וּמֵעָפָר אִמְרָתֵךְ תְּצַפְצֵף Is. 29:4

צַפְצָפָה נ׳ עץ ממשפחת הערבה, גדל ליד מים

צַפְצָפָה 1 קָח עַל־מַיִם רַבִּים צַפְצָפָה שָׂמוֹ Ezek. 17:5

צפר : צָפַר; צִפּוֹר; צְפִירָה; אר׳ צִפַּר; ש״פ צוֹפַר

צָפַר פ׳ השכים והלך(?)

וְיִצְפֹּר 1 יָשֹׁב וְיִצְפֹּר מֵהַר הַגִּלְעָד Jud. 7:3

צִפֹּר עין צפור

צִפַּר* נ׳ ארמית צפור: 1-4 • צִפְּרֵי שְׁמַיָּא 3, 4

כְּצִפְּרִין 1 שַׂעְרֵהּ כְּנִשְׁרִין...וְטִפְרוֹהִי כְצִפְּרִין Dan. 4:30
וְצִפְּרַיָּא 2 תְּנֻד...וְצִפְּרַיָּא מִן־עַנְפוֹהִי Dan. 4:11
צִפְּרֵי־ 3 וּבְעַנְפוֹהִי יְדוּרָן צִפְּרֵי שְׁמַיָּא Dan. 4:9
4 וּבְעַנְפוֹהִי יִשְׁכְּנָן צִפְּרֵי שְׁמַיָּא Dan. 4:18

צְפַרְדֵּעַ נ׳ דוחי השוכן במקוי־מים מתוקים או ביבשה ליד מים: 1-13

וּצְפַרְדֵּעַ 1 יְשַׁלַּח...וּצְפַרְדֵּעַ וַתַּשְׁחִיתֵם Ps. 78:45
הַצְּפַרְדֵּעַ 2 וַתַּעַל הַצְּפַרְדֵּעַ וַתְּכַס אֶת־אֶ׳ מִצְ׳ Ex. 8:2
צְפַרְדְּעִים 3 וְשָׁרַץ הַיְאֹר צְפַרְדְּעִים Ex. 7:28
4 שָׁרַץ אַרְצָם צְפַרְדְּעִים Ps. 105:30
הַצְּפַרְדְּעִים 5 וּבְכָה וּבְעַמְּךָ...יַעֲלוּ הַצְּפַרְדְּעִים Ex. 7:29
6 וְהַעַל אֶת־הַצְּפַרְדְּעִים עַל־אֶרֶץ מִצְ׳ Ex. 8:1
7 וַיַּעֲלוּ אֶת־הַצְּפַרְדְּעִים עַל־אֶרֶץ מִצְ׳ Ex. 8:3
8 וְיָסֵר הַצְּפַרְדְּעִים מִמֶּנִּי וּמֵעַמִּי Ex. 8:4
9 לְהַכְרִית הַצְּפַרְדְּעִים מִמְּךָ וּמִבָּתֶּיךָ Ex. 8:5
10 וְסָרוּ הַצְּפַרְדְּעִים מִמְּךָ וּמִבָּתֶּיךָ Ex. 8:7
11 וַיִּצְעַק...עַל־דְּבַר הַצְּפַרְדְּעִים Ex. 8:8
12 וַיָּמֻתוּ הַצְּפַרְדְּעִים מִן־הַבָּתִּים Ex. 8:9
בַּצְפַרְדְּעִים 13 אָנֹכִי נֹגֵף...גְּבוּלְךָ בַּצְפַרְדְּעִים Ex. 7:27

צִפֹּרָה ש״פ – עין צִפּוֹרָה

צִפֹּרֶן נ׳(?) א) צִפּוֹר קַרְנִי בִּקְצוֹת הָאֶצְבָּעוֹת: 2
ב) חֶרֶט חַד: 1

בְּצִפֹּרֶן 1 כְּתוּבָה בְּעֵט בַּרְזֶל בְּצִפֹּרֶן שָׁמִיר Jer. 17:1
צִפָּרְנֶיהָ 2 וְעָשְׂתָה אֶת־צִפָּרְנֶיהָ Deut. 21:12

צֶפֶת ז׳ כּוֹתֶרֶת לְעַמּוּד

וְהַצֶּפֶת 1 וְהַצֶּפֶת אֲשֶׁר עַל־רֹאשׁוֹ אַמּוֹת חָמֵשׁ IICh. 3:15

צְפַת ש״פ – עִיר כְּנַעֲנִית בַּדָּרוֹם, שֶׁנִּקְרְאָה אַחֲרֵי הַכִּבּוּשׁ בְּשֵׁם ״חָרְמָה״

צְפַת 1 וַיַּכּוּ אֶת־הַכְּנַעֲנִי יוֹשֵׁב צְפַת Jud. 1:17

צְפָתָה ש״פ – גַּיְא אֵצֶל הָעִיר מָרֵשָׁה בְּנַחֲלַת יְהוּדָה

צְפָתָה 1 וַיַּעַרְכוּ...בְּגֵיא צְפָתָה לְמָרֵשָׁה IICh. 14:9

צִצִּים ז״ר – עין צִיץ

צָקוּן [מלה סתומה] יָצַק? תְּפִלָּה?

צָקוּן 1 צָקוּן לַחַשׁ מוּסָרְךָ לָמוֹ Is. 26:16

צִקְלַג, צִיקְלַג ש״פ – יִשּׁוּב בִּצְפוֹן הַנֶּגֶב, שֶׁעָבַר מִידֵי הַפְּלִשְׁתִּים לִיהוּדָה: 1-15

צִקְלַג 1 לָכֵן הָיְתָה צִקְלַג לְמַלְכֵי יְהוּדָה ISh. 27:6
2 וַיְהִי בְּבֹא דָוִד וַאֲנָשָׁיו צִקְלַג ISh. 30:1
3 וַעֲמָלֵקִי פָשְׁטוּ אֶל־נֶגֶב וְאֶל־צִקְלַג ISh. 30:1
4 וַיַּכּוּ אֶת־צִקְלַג ISh. 30:1
5 וְאֶת־צִקְלַג שָׂרְפוּ בָאֵשׁ ISh. 30:14
6 וַיָּבֹא דָוִד אֶל־צִקְלַג ISh. 30:26
7 בְּלֶכְתּוֹ אֶל־צִיקְלַג נָפְלוּ עָלָיו מִמְּנַשֶּׁה... ICh. 12:21(20)
צִקְלָג 8 וַיִּתֶּן־לוֹ אָכִישׁ...אֶת־צִקְלָג ISh. 27:6
וְצִקְלַג 9 וְצִקְלַג וּמַדְמַנָּה וְסַנְסַנָּה Josh. 15:31
10 וְצִקְלַג וּבֵית־הַמַּרְכָּבֹת Josh. 19:5
בְּצִקְלָג 11 וַיֵּשֶׁב דָּוִד בְּצִקְלָג יָמִים שְׁנָיִם IISh. 1:1
בְּצִקְלָג 12 וָאֹחֲזָה בוֹ וָאֶהֶרְגֵהוּ בְּצִקְלָג IISh. 4:10
וּבְצִקְלַג 13 וּבְצִקְלַג וּבִמְכֹנָה וּבִבְנֹתֶיהָ Neh. 11:28
וּבְצִיקְלָג 14 וּבִבְתוּאֵל וּבְחָרְמָה וּבְצִיקְלָג ICh. 4:30
לְצִיקְלַג 15 וְאֵלֶּה הַבָּאִים אֶל־דָּוִיד לְצִיקְלַג ICh. 12:1

צִקְלוֹן ז׳ [מלה סתומה] תרמיל, ילקוט(?)
[ועין גם ״בְּצִקְלֹן״ באות ב׳]

בְּצִקְלֹנוֹ 1 לֶחֶם בִּכּוּרִים...וְכַרְמֶל בְּצִקְלֹנוֹ IIK. 4:42

צַר (צוֹר) ש״פ – עין צוֹר

צֹר ז׳ חַלָּמִישׁ, אֶבֶן חַדָּה שֶׁשִּׁמְּשָׁה לִפְנִים כְּסַכִּין: 1-5
קרובים: ראה אֶבֶן • חַרְבוֹת צוּרִים 3, 4

צֹר 1 וַתִּקַּח צִפֹּרָה צֹר וַתִּכְרֹת אֶת־עָרְלַת Ex. 4:25
מִצֹּר 2 כְּשָׁמִיר חָזָק מִצֹּר נָתַתִּי מִצְחֶךָ Ezek. 3:9
צוּרִים 3 עֲשֵׂה לְךָ חַרְבוֹת צֻרִים וְשׁוּב מֹל... Josh. 5:2
4 וַיַּעַשׂ־לוֹ יְהוֹשֻׁעַ חַרְבוֹת צֻרִים וַיָּמָל Josh. 5:3
כַּצַּר (=כַּצֹּר?) 5 פַּרְסוֹת סוּסָיו כַּצַּר נֶחְשָׁבוּ Is. 5:28

צַר¹ ת׳ א) מְצֻמְצָם מְאֹד, הֵפֶךְ מִן ״רָחָב״: 7-10, 20, 23, 40, 41
ב) [בהשאלה] נָתוּן בְּמַצָּב קָשֶׁה, מְצֻטָּעָר, לָחוּץ מְאֹד: 1-6, 11-14, 18, 19, 21, 24, 26-38
ג) דָּחוּק, לָחוּץ: 2, 8, 15-17, 22, (25), 39

– צַר וּמָצוֹק 15; צַר וּמְצוּקָה 17; צַר רוּחִי 24
– צַר לִי (לוֹ, לָכֶם) 1, 3-6, 10-14, 18, 19
– חוֹתָם צָר 23; כֹּחוֹ צַר 16; לֶחֶם צַר 9; מָקוֹם צַר 7, 10, 20; לְעֵת צָר 22
– בְּצַר לִי (לְךָ, לוֹ וכו׳) 26-28, 30-38
– בְּאֵר צָרָה 41; מַסֵּכָה צָרָה 40

צַר 1 בָּאתֶם אֵלַי עַתָּה כַּאֲשֶׁר צַר לָכֶם Jud. 11:7
2 וְהִבַּטְתָּ צַר מָעוֹן בְּכֹל אֲשֶׁר־יֵיטִיב ISh. 2:32
3 וְאִישׁ יִשְׂרָאֵל רָאוּ כִּי צַר לוֹ ISh. 13:6
4 צַר־לִי מְאֹד וּפְלִשְׁתִּים נִלְחָמִים בִּי ISh. 28:15
5 צַר־לִי עָלֶיךָ אָחִי יְהוֹנָתָן IISh. 1:26
6 צַר־לִי מְאֹד IISh. 24:14
7 הִנֵּה־נָא הַמָּקוֹם...צַר מִמֶּנּוּ IIK. 6:1
8 וְהִנֵּה חֹשֶׁךְ צַר וָאוֹר חָשַׁךְ Is. 5:30
9 לֶחֶם צַר וּמַיִם לָחַץ Is. 30:20
10 צַר־לִי הַמָּקוֹם גְּשָׁה־לִּי וְאֵשֵׁבָה Is. 49:20
11 חָנֵּנִי יְיָ כִּי־צַר לִי Ps. 31:10
12 וּמָנוֹס בְּיוֹם צַר־לִי Ps. 59:17
13 כִּי־צַר־לִי מַהֵר עֲנֵנִי Ps. 69:18
14 בְּיוֹם צַר־לִי הַטֵּה־אֵלַי אָזְנֶךָ Ps. 102:3
15 צַר־וּמָצוֹק מְצָאוּנִי Ps. 119:143
16 הִתְרַפִּיתָ בְּיוֹם צָרָה צַר כֹּחֶכָה Job 24:10
17 יְבַעֲתֻהוּ צַר וּמְצוּקָה Job 15:24
18 רְאֵה יְיָ כִּי־צַר־לִי Lam. 1:20
19 וַיֹּאמֶר דָּוִיד אֶל־גָּד צַר־לִי מְאֹד ICh. 21:13
צָר 20 וַיַּעֲמֹד בְּמָקוֹם צָר Num. 22:26
21 בְּכָל־צָרָתָם לוֹ צָר Is. 63:9
22 אֲשֶׁר חָשַׂכְתִּי לְעֶת־צָר Job 38:23
23 סָגוּר חוֹתָם צָר Job 41:7
בְּצַר 24 אֲדַבְּרָה בְּצַר רוּחִי Job 7:11
בְּצָר(?) 25 הֲיַעֲרֹךְ שׁוּעֲךָ לֹא בְצָר Job 36:19
בַּצַּר 26 בַּצַּר לְךָ וּמְצָאוּךָ כֹּל הַדְּבָרִים Deut. 4:30
27 בַּצַּר־לִי אֶקְרָא יְיָ IISh. 22:7
28 מָעוֹז לָאֶבְיוֹן בַּצַּר־לוֹ Is. 25:4
29 יְיָ בַּצַּר פְּקָדוּךָ Is. 26:16
30 בַּצַּר לָהֶם יְשַׁחֲרֻנְנִי Hosh. 5:15
31 בַּצַּר־לִי אֶקְרָא יְיָ Ps. 18:7
32 וְדִבֶּר־פִּי בַּצַּר־לִי Ps. 66:14
33 וַיַּרְא בַּצַּר לָהֶם בְּשָׁמְעוֹ אֶת־רִנָּתָם Ps. 106:44
34/5 וַיִּצְעֲקוּ אֶל־יְיָ בַּצַּר לָהֶם Ps. 107:6, 28
36/7 וַיִּזְעֲקוּ אֶל־יְיָ בַּצַּר לָהֶם Ps. 107:13, 19
38 וַיָּשָׁב בַּצַּר־לוֹ עַל־יְיָ IICh. 15:4
בַּצָּר 39 בַּצָּר הִרְחַבְתָּ לִּי Ps. 4:2
צָרָה 40 וְהַמַּסֵּכָה צָרָה כְּהִתְכַּנֵּס Is. 28:20
41 וּבְאֵר צָרָה נָכְרִיָּה Prov. 23:27

צַר² ז׳ אוֹיֵב, לוֹחֵץ: 1-74 • קרובים: ראה אוֹיֵב

– צַר וְאוֹיֵב 2, 3; יַד צָר 8-10, 13, 68, 71, 72; פִּי צָר 11
– צָרִים – אוֹיְבִים 36, 55, 59
– צָרֵי בִנְיָמִן 27; צָרֵי יְהוּדָה 27; צָרֵי יוֹמָם 26; צָרֵי רְצִין 24
– יְמִין צָרָיו 48; נֶפֶשׁ צָרָיו 31; קֶרֶן צָרָיו 44

צַר 1 צַר וּסְבִיב הָאָרֶץ Am. 3:11
2 כִּי יָבֹא צַר וְאוֹיֵב בְּשַׁעֲרֵי יְרוּשָׁלָם Lam. 4:12
3 אִישׁ צַר וְאוֹיֵב הָמָן הָרָע הַזֶּה Es. 7:6
צָר 4 כִּי־יָבוֹא כַנָּהָר צָר Is. 59:19
5 תְּשִׁיבֵנוּ אָחוֹר מִנִּי־צָר Ps. 44:11
6 עַד־מָתַי אֱלֹהִים יְחָרֶף צָר Ps. 74:10
7 יוֹם אֲשֶׁר־פָּדָם מִנִּי־צָר Ps. 78:42
8 וַיִּתֵּן...וְתִפְאַרְתּוֹ בְיַד־צָר Ps. 78:61
9 אֲשֶׁר גְּאָלָם מִיַּד־צָר Ps. 107:2
10 וּמַלְּטוּנִי מִיַּד־צָר Job 6:23
11 וְאַף הֲסִיתְךָ מִפִּי־צָר Job 36:16
12 הָלְכוּ שְׁבִי לִפְנֵי־צָר Lam. 1:5
13 בִּנְפֹל עַמָּהּ בְּיַד־צָר Lam. 1:7
14 יָדוֹ פָּרַשׂ צָר עַל כָּל־מַחֲמַדֶּיהָ Lam. 1:10
הַצָּר 15 מִלְחָמָה...עַל־הַצַּר הַצֹּרֵר אֶתְכֶם Num. 10:9
הַצָּר 16 וְלַיּוֹצֵא וְלַבָּא אֵין־שָׁלוֹם מִן־הַצָּר Zech. 8:10
17 כִּי אֵין הַצָּר שֹׁוֶה בְּנֵזֶק הַמֶּלֶךְ Es. 7:4
כְּצָר 18 נִצָּב יְמִינוֹ כְּצָר Lam. 2:4
מִצַּר 19 אַתָּה סֵתֶר לִי מִצַּר תִּצְּרֵנִי Ps. 32:7
מִצָּר 20/1 הָבָה(־)לָּנוּ עֶזְרָת מִצָּר Ps. 60:13; 108:13
צָרִי 22 צָרִי יִלְטוֹשׁ עֵינָיו לִי Job 16:9
צָרִים 23 רָאוּהָ צָרִים שָׂחֲקוּ עַל־מִשְׁבַּתֶּהָ Lam. 1:7
צָרֵי־ 24 וַיְשַׂגֵּב יְיָ אֶת־צָרֵי רְצִין עָלָיו Is. 9:10
25 צָרֵי צַעֲקַת־שֶׁבֶר שָׁמֵעוּ Jer. 48:5
26 וְנֹף צָרֵי יוֹמָם Ezek. 30:16
27 וַיִּשְׁמְעוּ צָרֵי יְהוּדָה וּבִנְיָמִן Ez. 4:1
צָרַי 28 צָרַי יָגִילוּ כִּי אֶמּוֹט Ps. 13:5
29 בִּקְרֹב...צָרַי וְאֹיְבַי לִי Ps. 27:2
צָרָי 30 יְיָ מָה־רַבּוּ צָרָי Ps. 3:2
31 אַל־תִּתְּנֵנִי בְּנֶפֶשׁ צָרָי Ps. 27:12
32 כִּי־שָׁכְחוּ דְבָרֶיךָ צָרָי Ps. 119:139
וְצָרָי 33 רַבִּים רֹדְפַי וְצָרָי Ps. 119:157
לְצָרַי 34 וְאִם־לְרַמּוֹתַנִי לְצָרַי ICh. 12:18(17)
לְצָרָי 35 אָשִׁיב נָקָם לְצָרָי Deut. 32:41
מִצָּרַי 36 הוֹי אֶנָּחֵם מִצָּרַי וְאִנָּקְמָה מֵאוֹיְבָי Is. 1:24
צָרֶיךָ 37 אֲשֶׁר־מִגֵּן צָרֶיךָ בְּיָדֶךָ Gen. 14:20
38 נֻסְךָ לִפְנֵי צָרֶיךָ וְהוּא רֹדְפֶךָ IISh. 24:13
39 אַף־אֵשׁ צָרֶיךָ תֹאכְלֵם Is. 26:11
40 תָּרֹם יָדְךָ עַל־צָרֶיךָ Mic. 5:8
41 נִסְפֶּה מִפְּנֵי־צָרֶיךָ ICh. 21:12
לְצָרֶיךָ 42 לְהוֹדִיעַ שִׁמְךָ לְצָרֶיךָ Is. 64:1
צָרַיִךְ 43 וְכָל־צָרַיִךְ כֻּלָּם בַּשְּׁבִי יֵלֵכוּ Jer. 30:16
צָרָיִךְ 44 הֵרִים קֶרֶן צָרָיִךְ Lam. 2:17
צָרָיו 45 יֹאכַל גּוֹיִם צָרָיו Num. 24:8
46 וַיַּךְ צָרָיו אָחוֹר Ps. 78:66
47 וְכַתּוֹתִי מִפָּנָיו צָרָיו Ps. 89:24
48 הֲרִימוֹתָ יְמִין צָרָיו Ps. 89:43
49 וּתְלַהֵט סָבִיב צָרָיו Ps. 97:3
50 צִוָּה יְיָ לְיַעֲקֹב סְבִיבָיו צָרָיו Lam. 1:17
בְּצָרָיו 51 לֹא יִירָא עַד אֲשֶׁר־יִרְאֶה בְצָרָיו Ps. 112:8
כְּצָרָיו 52 וַיַּחְשְׁבֵנִי לוֹ כְצָרָיו Job 19:11
לְצָרָיו 53 וְנָקָם יָשִׁיב לְצָרָיו Deut. 32:43
54 חֵמָה לְצָרָיו גְּמוּל לְאֹיְבָיו Is. 59:18
55 נֹקֵם יְיָ לְצָרָיו וְנוֹטֵר הוּא לְאֹיְבָיו Nah. 1:2
מִצָּרָיו 56 יָדָיו רָב לוֹ וְעֵזֶר מִצָּרָיו תִּהְיֶה Deut. 33:7
57 יוֹם נְקָמָה לְהִנָּקֵם מִצָּרָיו Jer. 46:10
58 וַיֶּפֶר...וַיַּעֲצִמֵהוּ מִצָּרָיו Ps. 105:24
צָרֶיהָ 59 הָיוּ צָרֶיהָ לְרֹאשׁ אֹיְבֶיהָ שָׁלוּ Lam. 1:5
צָרֵינוּ 60 צָרֵינוּ בּוֹסְסוּ מִקְדָּשֶׁךָ Is. 63:18
61 בְּךָ צָרֵינוּ נְנַגֵּחַ Ps. 44:6
62/3 וְהוּא יָבוּס צָרֵינוּ Ps. 60:14; 108:14
64 וַיֹּאמְרוּ צָרֵינוּ לֹא יֵדְעוּ וְלֹא יִרְאוּ Neh. 4:5
לְצָרֵינוּ 65 הֲלָנוּ אַתָּה אִם־לְצָרֵינוּ Josh. 5:13
מִצָּרֵינוּ 66 כִּי הוֹשַׁעְתָּנוּ מִצָּרֵינוּ Ps. 44:8
67 וַיִּפְרְקֵנוּ מִצָּרֵינוּ Ps. 136:24
צָרֵיהֶם 68 וָאֶתְּנֵם בְּיַד צָרֵיהֶם Ezek. 39:23
69 וְעַל־צָרֵיהֶם אָשִׁיב יָדִי Ps. 81:15
70 וַיְכַסּוּ־מַיִם צָרֵיהֶם Ps. 106:11
71 וַתִּתְּנֵם בְּיַד צָרֵיהֶם וַיָּצֵרוּ לָהֶם Neh. 9:27
72 וְיוֹשִׁיעוּם מִיַּד צָרֵיהֶם Neh. 9:27
וְצָרֵיהֶם 73 וְצָרֵיהֶם אָמְרוּ לֹא נֶאְשָׁם Jer. 50:7
צָרֵימוֹ 74 פֶּן יְנַכְּרוּ צָרֵימוֹ Deut. 32:27

צֵר ש״פ – עִיר מִבְצָר בְּנַחֲלַת נַפְתָּלִי

צֵר 1 וְעָרֵי מִבְצָר הַצִּדִּים צֵר וְחַמַּת Josh. 19:35

צרב : נִצְרַב; צָרֶבֶת

(צרב) נִצְרַב נפ׳ נשרף, נחרך

וְנִצְרְבוּ 1 לַהֶבֶת...וְנִצְרְבוּ־בָהּ כָּל־פָּנִים Ezek. 21:3

צָרֶבֶת נ׳ דלקת מחמת כויה או נגע: 1-3

צָרֶבֶת הַמִּכְוָה 2; צ׳ הַשְּׁחִין 1; אֵשׁ צָרֶבֶת 3

צָרֶבֶת־ 1 צָרֶבֶת הַשְּׁחִין הִוא Lev. 13:23

2 וְטִהֲרוֹ...כִּי־צָרֶבֶת הַמִּכְוָה הִוא Lev. 13:28

צָרָבֶת 3 וְעַל־שְׂפָתוֹ כְּאֵשׁ צָרָבֶת Prov. 16:27

צְרֵדָה עיר מולדתו של ירבעם בן נבט, בהר אפרים: 1, 2

הַצְּרֵדָה 1 וְיָרָבְעָם...אֶפְרָתִי מִן־הַצְּרֵדָה IK. 11:26

צְרֵדָתָה 2 בֵּין סֻכּוֹת וּבֵין צְרֵדָתָה IICh. 4:17

צָרָה נ׳ רעה, מצוקה, שואה: 1-72

קרובים: ראה איד

– צָרָה וַחֲבָלִים 15; צ׳ וַחֲשֵׁכָה 6; צ׳ וְיָגוֹן 29; צָרָה וּמְצוּקָה 22; צָרָה וְצוּקָה 7, 31

– צָרָה גְדוֹלָה 43; צָרָה קְרוֹבָה 25

– אֶרֶץ צָרָה 7; יוֹם צָרָה 4, 5, 13, 17-19, 21, 22, 24, 27, 32, 33, 51-53; עֵת צָרָה 8, 11, 12, 14, 26, 35, 57, 59; לְעִתּוֹת בַּצָּרָה 39, 40; אָח לְצָרָה 45

– צָרַת נַפְשׁוֹ 50

– צָרוֹת רַבּוֹת 60; צָרוֹת רָעוֹת 60; שֵׁשׁ צָרוֹת 61; הַצָּרוֹת הָרִאשֹׁנוֹת 64; צ׳ לְבָבִי 67; צ׳ נַפְשִׁי 68

צָרָה 1 וְיַצִּלֵנִי מִכָּל־צָרָה ISh. 26:24

2 אֲשֶׁר־פָּדָה אֶת־נַפְשִׁי מִכָּל־צָרָה IISh. 4:9

3 אֲשֶׁר־פָּדָה אֶת־נַפְשִׁי מִכָּל־צָרָה IK. 1:29

4-5 יוֹם־צָרָה וְתוֹכֵחָה וּנְאָצָה IIK. 19:3 • Is. 37:3

6 וְהִנֵּה צָרָה וַחֲשֵׁכָה Is. 8:22

7 בְּאֶרֶץ צָרָה וְצוּקָה Is. 30:6

8 אַף־יְשׁוּעָתֵנוּ בְּעֵת צָרָה Is. 33:2

9 קוֹל כְּחוֹלָה שָׁמַעְתִּי צָרָה כְּמַבְכִּירָה Jer. 4:31

10 צָרָה הֶחֱזִקַתְנוּ חִיל כַּיּוֹלֵדָה Jer. 6:24

11 מִקְוֵה יִשְׂרָאֵל מוֹשִׁיעוֹ בְּעֵת צָרָה Jer. 14:8

12 בְּעֵת רָעָה וּבְעֵת צָרָה Jer. 15:11

13 יְיָ עֻזִּי וּמָעֻזִּי וּמְנוּסִי בְּיוֹם צָרָה Jer. 16:19

14 וְעֵת־צָרָה הִיא לְיַעֲקֹב Jer. 30:7

15 צָרָה וַחֲבָלִים אֲחָזַתָּה כַּיּוֹלֵדָה Jer. 49:24

16 צָרָה הֶחֱזִיקַתְהוּ חִיל כַּיּוֹלֵדָה Jer. 50:43

17 וְאַל־תַּגְדֵּל פִּיךָ בְּיוֹם צָרָה Ob. 12

18 וְאַל־תַּסְגֵּר שְׂרִידָיו בְּיוֹם צָרָה Ob. 14

19 טוֹב יְיָ לְמָעוֹז בְּיוֹם צָרָה Nah. 1:7

20 לֹא־תָקוּם פַּעֲמַיִם צָרָה Nah. 1:9

21 אֲשֶׁר אָנוּחַ לְיוֹם צָרָה Hab. 3:16

22 יוֹם עֶבְרָה...יוֹם צָרָה וּמְצוּקָה Zep. 1:15

23 וְעָבַר בַּיָּם צָרָה וְהִכָּה בַיָּם גַּלִּים Zech.10:11

24 יַעַנְךָ יְיָ בְּיוֹם צָרָה Ps. 20:2

25 אַל־תִּרְחַק מִמֶּנִּי כִּי־צָרָה קְרוֹבָה Ps. 22:12

26 מָעוּזָּם בְּעֵת צָרָה Ps. 37:39

27 וּקְרָאֵנִי בְּיוֹם צָרָה Ps. 50:15

28 כִּי מִכָּל־צָרָה הִצִּילָנִי Ps. 54:9

29 צָרָה וְיָגוֹן אֶמְצָא Ps. 116:3

30 אִם־אֵלֵךְ בְּקֶרֶב צָרָה תְּחַיֵּנִי Ps. 138:7

31 בְּבֹא עֲלֵיכֶם צָרָה וְצוּקָה Prov. 1:27

32 הִתְרַפִּיתָ בְּיוֹם צָרָה צַר כֹּחֶכָה Prov. 24:10

33 מִבְטָח בּוֹגֵד בְּיוֹם צָרָה Prov. 25:19

34 כִּי־תָבוֹא עָלָיו צָרָה Job 27:9

35 וְהָיְתָה עֵת צָרָה אֲשֶׁר לֹא נִהְיְתָה... Dan. 12:1

36 כִּי־אֱלֹהִים הֲמָמָם בְּכָל־צָרָה IICh. 15:6

וְצָרָה 37 יְשַׁלַּח־בָּם...עֶבְרָה וָזַעַם וְצָרָה Ps. 78:49

הַצָּרָה 38 עַל־כֵּן בָּאָה אֵלֵינוּ הַצָּרָה הַזֹּאת Gen. 42:21

בַּצָּרָה 39 מִשְׂגָּב לְעִתּוֹת בַּצָּרָה Ps. 9:10

40 לָמָה...תַּעְלִים לְעִתּוֹת בַּצָּרָה Ps. 10:1

41 בַּצָּרָה קָרָאתָ וָאֲחַלְּצֶךָּ Ps. 81:8

בְצָרָה 42 עִמּוֹ־אָנֹכִי בְצָרָה Ps. 91:15

וּבְצָרָה 43 וּבְצָרָה גְדוֹלָה אֲנָחְנוּ Neh. 9:37

בַּצָּרָתָה 44 אֶל־יְיָ בַּצָּרָתָה לִּי קָרָאתִי Ps. 120:1

לְצָרָה 45 וְאָח לְצָרָה יִוָּלֵד Prov. 17:17

מִצָּרָה 46 קָרָאתִי מִצָּרָה לִי אֶל־יְיָ Jon. 2:3

47 בְּצִדְקָתְךָ תּוֹצִיא מִצָּרָה נַפְשִׁי Ps. 143:11

48 צַדִּיק מִצָּרָה נֶחֱלָץ Prov. 11:8

49 וַיֵּצֵא מִצָּרָה צַדִּיק Prov. 12:13

צָרַת־ 50 אֲשֶׁר רָאִינוּ צָרַת נַפְשׁוֹ Gen. 42:21

צָרָתִי 51 לָאֵל הָעֹנֶה אֹתִי בְּיוֹם צָרָתִי Gen. 35:3

52 בְּיוֹם צָרָתִי אֲדֹנָי דָּרָשְׁתִּי Ps. 77:3

53 בְּיוֹם צָרָתִי אֶקְרָאֶךָּ Ps. 86:7

54 צָרָתִי לְפָנָיו אַגִּיד Ps. 142:3

מִצָּרָתוֹ 55 מִצָּרָתוֹ לֹא יוֹשִׁיעֶנּוּ Is. 46:7

מִצָּרָתֵנוּ 56 וְנִזְעַק אֵלֶיךָ מִצָּרָתֵנוּ וְתִשְׁמַע IICh. 20:9

צָרַתְכֶם 57 הֵמָּה יוֹשִׁיעוּ לָכֶם בְּעֵת צָרַתְכֶם Jud. 10:14

צָרָתָם 58 בְּכָל־צָרָתָם לוֹ צָר Is. 63:9

59 וּבְעֵת צָרָתָם יִצְעֲקוּ אֵלֶיךָ Neh. 9:27

צָרוֹת 60 הִרְאִיתַנִי צָרוֹת רַבּוֹת וְרָעוֹת Ps. 71:20

61 בְּשֵׁשׁ צָרוֹת יַצִּילֶךָּ Job 5:19

וְצָרוֹת 62 וּמְצָאֻהוּ רָעוֹת רַבּוֹת וְצָרוֹת Deut. 31:17

63 כִּי תִמְצֶאןָ אֹתוֹ רָעוֹת...וְצָרוֹת Deut. 31:21

הַצָּרוֹת 64 כִּי נִשְׁכְּחוּ הַצָּרוֹת הָרִאשֹׁנוֹת Is. 65:16

בְּצָרוֹת 65 עֶזְרָה בְצָרוֹת נִמְצָא מְאֹד Ps. 46:2

מִצָּרוֹת 66 שֹׁמֵר פִּיו וּלְשׁוֹנוֹ שֹׁמֵר מִצָּרוֹת נַפְשׁוֹ Prov.21:23

צָרוֹת־ 67 צָרוֹת לְבָבִי הִרְחִיבוּ Ps. 25:17

בְּצָרוֹת־ 68 יָדַעְתָּ בְּצָרוֹת נַפְשִׁי Ps. 31:8

צָרוֹתָיו 69 פְּדֵה־אֱל׳ אֶת־יִשְׂ׳ מִכֹּל צָרוֹתָיו Ps. 25:22

70 וּמִכָּל־צָרוֹתָיו הוֹשִׁיעוֹ Ps. 34:7

וְצָרוֹתֵיכֶם 71 מוֹשִׁיעַ...מִכָּל־רָעוֹתֵיכֶם וְצָרֹתֵיכֶ׳ ISh.10:19

צָרוֹתָם 72 וּמִכָּל־צָרוֹתָם הִצִּילָם Ps. 34:18

צָרָה² נ׳ יריבה, אשת־תחרות

צָרָתָהּ 1 וְכִעֲסַתָּה צָרָתָהּ גַּם־כַּעַס ISh. 1:6

צְרוּיָה שפ״נ – אחות דוד, אם אבישי ויואב ועשהאל: 1-26

אֲחוֹת צְרוּיָה 12; בֶּן צְרוּיָה 1-7, 10, 14-23, 26; בְּנֵי צְרוּיָה 8, 9, 11, 13, 25

צְרוּיָה 1-5 אֲבִישַׁי בֶּן־צְרוּיָה ISh. 26:6

IISh. 16:9; 18:2; 19:22; 21:17

6-7 וְיוֹאָב בֶּן־צְרוּיָה IISh. 2:13; 8:16

8 וַיִּהְיוּ שָׁם שְׁלֹשָׁה בְּנֵי צְרוּיָה IISh. 2:18

9 וְהָאֲנָשִׁים הָאֵלֶּה בְּנֵי צ׳ קָשִׁים מִמֶּנִּי IISh. 3:39

10 וַיֵּדַע יוֹאָב בֶּן־צְרֻיָה IISh. 14:1

11 מַה־לִּי וְלָכֶם בְּנֵי צְרֻיָה IISh. 16:10

12 אֲחוֹת צְרוּיָה אֵם יוֹאָב IISh. 17:25

13 מַה־לִּי וְלָכֶם בְּנֵי־צְרוּיָה IISh. 19:23

14 וַאֲבִישַׁי אֲחִי יוֹאָב בֶּן־צְרוּיָה IISh. 23:18

15 נֹשֵׂא כְּלֵי יוֹאָב בֶּן־צְרֻיָה IISh. 23:37

16-23 (ו/ול) יוֹאָב בֶּן־צְרוּיָה IK. 1:7; 2:5, 22

ICh. 11:6, 39; 18:15; 26:28; 27:24

24 וְאַחְיֹתֵיהֶם צְרוּיָה וַאֲבִיגָיִל ICh. 2:16

25 וּבְנֵי צְרוּיָה אַבְשַׁי וְיוֹאָב וַעֲשָׂהאֵל ICh. 2:16

26 וְאַבְשַׁי בֶּן־צְרוּיָה הִכָּה אֶת־אֱדוֹם ICh. 18:12

צָרוּעַ ת׳ – עין צרע

צְרוּעָה שפ״נ – אשת נבט ואם ירבעם

צְרוּעָה 1 וְשֵׁם אִמּוֹ צְרוּעָה אִשָּׁה אַלְמָנָה IK. 11:26

צְרוֹר¹ ז׳ א) חבילה: 3-8, 10

ב) פלח, חתיכה: 1, 2, 9

– צְרוֹר אֶבֶן 9; צְרוֹר הַחַיִּים 8; צְרוֹר כֶּסֶף 5, 6, 10; צְרוֹר הַמֹּר 7

– צְרוֹר נָקוּב 3

צְרוֹר 1 עַד אֲשֶׁר־לֹא־נִמְצָא שָׁם גַּם־צְרוֹר IISh.17:13

2 וְלֹא־יִפּוֹל צְרוֹר אָרֶץ Am. 9:9

3 וְהַמִּשְׂתַּכֵּר מִשְׂתַּכֵּר אֶל־צְרוֹר נָקוּב Hag.1:6

בִּצְרוֹר 4 חָתֻם בִּצְרוֹר פִּשְׁעִי Job 14:17

צְרוֹר־ 5 וְהִנֵּה־אִישׁ צְרוֹר־כַּסְפּוֹ בְּשַׂקּוֹ Gen. 42:35

6 צְרוֹר־הַכֶּסֶף לָקַח בְּיָדוֹ Prov. 7:20

7 צְרוֹר הַמֹּר דּוֹדִי לִי S.ofS. 1:13

בִּצְרוֹר־ 8 וְהָיְתָה נֶפֶשׁ אֲדֹנִי צְרוּרָה בִּצְרוֹר הַחַיִּים ISh. 25:29

כִּצְרוֹר־ 9 כִּצְרוֹר אֶבֶן בְּמַרְגֵּמָה Prov. 26:8

צְרֹרוֹת 10 וַיִּרְאוּ אֶת־צְרֹרוֹת כַּסְפֵּיהֶם Gen. 42:35

צְרוֹר² שפ״ז – אֲבִי אביו של קִישׁ אבי שָׁאוּל

צְרוֹר 1 וּשְׁמוֹ קִישׁ בֶּן־אֲבִיאֵל בֶּן־צְרוֹר ISh. 9:1

צרח : צָרַח, הִצְרִיחַ; צְרִיחַ(?)

צָרַח פ׳ א) צָעַק: 1

ב) [הפ׳ הִצְרִיחַ] צעק: 2

צוֹרֵחַ 1 קוֹל יוֹם יְיָ מַר צֹרֵחַ שָׁם גִּבּוֹר Zep. 1:14

יַצְרִיחַ 2 יָרִיעַ אַף־יַצְרִיחַ עַל־אֹיְבָיו יִתְגַּבָּר Is. 42:13

צֹרִי ת׳ – עין צורי

צֳרִי ז׳ שְׂרָף־בֹּשֶׂם ששמש גם לרפואה: 1-6

צֳרִי 1 מְעַט צֳרִי וּמְעַט דְּבַשׁ Gen. 43:11

2 עֲלִי גִלְעָד וּקְחִי צֳרִי Jer. 46:11

3 קְחוּ צֳרִי לְמַכְאוֹבָהּ אוּלַי תֵּרָפֵא Jer. 51:8

הַצֳּרִי 4 הַצֳרִי אֵין בְּגִלְעָד אִם רֹפֵא אֵין שָׁם Jer. 8:22

וּצְרִי 5 נְכֹאת וּצְרִי וָלֹט Gen. 37:25

וָצֹרִי 6 וּדְבַשׁ וָשֶׁמֶן וָצֹרִי Ezek. 27:17

צְרִי שפ״ז – לוי, מן המשוררים

וּצְרִי 1 בְּנֵי יְדוּתוּן גְּדַלְיָהוּ וּצְרִי וִישַׁעְיָהוּ ICh. 25:3

צְרִיָּה שפ״נ – עין צרויה

צְרִיחַ ז׳ מגדל: 1-4 • צְרִיחַ בֵּית־אֵל 3

הַצְּרִיחַ 1 וַיִּכְרְתוּ...וַיָּשִׂימוּ עַל־הַצְּרִיחַ Jud. 9:49

2 וַיַּצִּיתוּ עֲלֵיהֶם אֶת־הַצְּרִיחַ בָּאֵשׁ Jud. 9:49

צְרִיחַ־ 3 וַיָּבֹאוּ אֶל־צְרִיחַ בֵּית־אֵל בְּרִית Jud. 9:46

וּבַצְּרִיחִים 4 וַיִּתְחַבְּאוּ...וּבַצְּרִחִים וּבַבֹּרוֹת ISh. 13:6

צֹרֶךְ* ז׳ נחיצות, דרישת הגוף

צָרְכֶּךָ 1 נִכְרֹת עֵצִים...כְּכָל צָרְכֶּךָ IICh. 2:15

צרע : צָרוּעַ, מְצֹרָע, צָרַעַת; צִרְעָה(?); ש״פ צָרְעָה, צָרְעִי(?)

(צרע) צָרוּעַ ת׳ א) נגוע בצרעת: 1-5

ב) [פ׳ בינוני: מְצֹרָע] נגוע בצרעת: 6-20

צָרוּעַ... זָב 2, 3; זָב וּמְצֹרָע 13; תּוֹרַת הַמְּצֹרָע 14

צָרוּעַ 1 אִישׁ־צָרוּעַ הוּא טָמֵא הוּא Lev. 13:44

2 וְהוּא צָרוּעַ אוֹ זָב Lev. 22:4

3 וִישַׁלְּחוּ...כָּל־צָרוּעַ וְכָל־זָב Num. 5:2

הַצָּרוּעַ 4 נִרְפָּא נֶגַע־הַצָּרַעַת מִן־הַצָּרוּעַ Lev. 14:3

וְהַצָּרוּעַ 5 וְהַצָּרוּעַ אֲשֶׁר־בּוֹ הַנֶּגַע Lev. 13:45

מְצֹרָע 6 וְהָאִישׁ הָיָה גִּבּוֹר חַיִל מְצֹרָע IIK. 5:1
7 וַיֵּצֵא מִלְּפָנָיו מְצֹרָע כַּשָּׁלֶג IIK. 5:27
8 וַיְהִי מְצֹרָע עַד־יוֹם מֹתוֹ IIK. 15:5
9 וְהִנֵּה־הוּא מְצֹרָע בְּמִצְחוֹ IICh. 26:20
10 וַיְהִי עֻזִּיָּהוּ...מְצֹרָע עַד־יוֹם מוֹתוֹ IICh. 26:21
11 וַיֵּשֶׁב בֵּית הַחָפְשִׁית° מְצֹרָע IICh. 26:21
12 כִּי אָמְרוּ מְצוֹרָע הוּא IICh. 26:23
וּמְצֹרָע 13 זָב וּמְצֹרָע וּמַחֲזִיק בַּפֶּלֶךְ IISh. 3:29
הַמְּצֹרָע 14 זֹאת... תּוֹרַת הַמְּצֹרָע בְּיוֹם טָהֳרָתוֹ Lev. 14:2
15 וְהֵנִיף יָדוֹ...וְאָסַף הַמְּצֹרָע IIK. 5:11
מְצֹרַעַת 16 וְהִנֵּה יָדוֹ מְצֹרַעַת כַּשָּׁלֶג Ex. 4:6
17 וְהִנֵּה מִרְיָם מְצֹרַעַת כַּשָּׁלֶג Num. 12:10
מְצֹרָעַת 18 וַיִּפֶן...אֶל־מִרְיָם וְהִנֵּה מְצֹרָעַת Num. 12:10
מְצֹרָעִים 19 וְאַרְבָּעָה אֲנָשִׁים הָיוּ מְצֹרָעִים IIK. 7:3
הַמְּצֹרָעִים 20 וַיָּבֹאוּ הַמְּצֹרָעִים...עַד קְצֵה הַמַּחֲנֶה IIK. 7:8

צִרְעָה נ׳ דְּבוֹרִית־בַּר אַרְסִית: 1-3

הַצִּרְעָה 1 וְשָׁלַחְתִּי אֶת־הַצִּרְעָה לְפָנֶיךָ Ex. 23:28
2 וְגַם אֶת־הַצִּרְעָה יְשַׁלַּח יְיָ אֱלֹהֶיךָ בָּם Num.7:20
3 וָאֶשְׁלַח לִפְנֵיכֶם אֶת־הַצִּרְעָה Josh. 24:12

צָרְעָה ש״פ – מקום בנחלת דָּן, מולדת שמשון: 1-10

צָרְעָה 1 וַיְהִי גְּבוּל נַחֲלָתָם צָרְעָה וְאֶשְׁתָּאוֹל Josh. 19:41
2/3 בֵּין צָרְעָה וּבֵין אֶשְׁתָּאֹל Jud. 13:25; 16:31
4 וַיָּבֹאוּ אֶל־אֲחֵיהֶם צָרְעָה וְאֶשְׁתָּאֹל Jud. 18:8
5 וַיִּבֶן...וְאֶת־צָרְעָה וְאֶת־אַיָּלוֹן... IICh. 11:10
וְצָרְעָה 6 בַּשְּׁפֵלָה אֶשְׁתָּאוֹל וְצָרְעָה וְאַשְׁנָה Josh. 15:33
וּבְצָרְעָה 7 וּבְעֵין רִמּוֹן וּבְצָרְעָה וּבְיַרְמוּת Neh. 11:29
מִצָּרְעָה 8 וַיְהִי אִישׁ אֶחָד מִצָּרְעָה Jud. 13:2
9 בְּנֵי־חַיִל מִצָּרְעָה וּמֵאֶשְׁתָּאֹל Jud. 18:2
10 מִמִּשְׁפַּחַת הַדָּנִי מִצָּרְעָה וּמֵאֶשְׁתָּאֹל Jud. 18:11

צָרְעִי ת׳ מתושבי צָרְעָה

הַצָּרְעִי 1 וַחֲצִי הַמְּנֻחֹתִי הַצָּרְעִי ICh. 2:54

צָרַעַת נ׳ נגע קשה בעור: 1-35

– צָרַעַת מַמְאֶרֶת 14-16; צ׳ נוֹשֶׁנֶת 7; צָרַעַת פֹּרַחַת 13; צָרַעַת הַבֶּגֶד 32; צָרַעַת הַזָּקָן 29; צָרַעַת נַעֲמָן 31; צ׳ הָעוֹר 30; צָרַעַת הָרֹאשׁ 29
– מַרְאֵה צָרַעַת 30; נֶגַע צָרַעַת 1, 2, 4-6, 9-11, 17-19, 23, 25, 26; תּוֹרַת הַצָּרַעַת 27

צָרַעַת 1-2 נֶגַע צָרַעַת הוּא...וְטִמֵּא אֹתוֹ Lev. 13:3, 49
3 וְטִמְּאוֹ הַכֹּהֵן צָרַעַת הִוא Lev. 13:8
4-6 נֶגַע צָרַעַת Lev. 13:9, 59; 14:34
7 צָרַעַת נוֹשֶׁנֶת הִוא בְּעוֹר בְּשָׂרוֹ Lev. 13:11
8 הַבָּשָׂר הַחַי טָמֵא הוּא צָרַעַת הוּא Lev. 13:15
9-11 נֶגַע צָרַעַת הוּא Lev. 13:20, 25, 27
12 צָרַעַת הִוא בַּמִּכְוָה פָּרָחָה Lev. 13:25
13 צָרַעַת פֹּרַחַת הִוא בְּקָרַחְתּוֹ Lev. 13:42
14 צָרַעַת מַמְאֶרֶת הַנֶּגַע טָמֵא הוּא Lev. 13:51
15/6 צָרַעַת מַמְאֶרֶת הִוא Lev. 13:52; 14:44
צָרָעַת 17 וְהָיָה בְעוֹר־בְּשָׂרוֹ לְנֶגַע צָרָעַת Lev. 13:2
18-19 נֶגַע צָרָעַת Lev. 13:47; 14:32
הַצָּרַעַת 20 וְאִם־פָּרוֹחַ תִּפְרַח הַצָּרַעַת בָּעוֹר Lev. 13:12
21 וְכִסְּתָה הַצָּרַעַת אֵת כָּל־עוֹר הַנֶּגַע Lev. 13:12
22 כִסְּתָה הַצָּרַעַת אֶת־כָּל־בְּשָׂרוֹ Lev. 13:13

הַצָּרַעַת (המשך) 23 וְהִנֵּה נִרְפָּא נֶגַע־הַצָּרַעַת Lev. 14:3
24 וְהִזָּה עַל־הַמִּטַּהֵר מִן־הַצָּרַעַת Lev. 14:7
25 זֹאת הַתּוֹרָה לְכָל־נֶגַע הַצָּרַעַת Lev. 14:54
26 הִשָּׁמֶר בְּנֶגַע־הַצָּרַעַת Deut. 24:8
הַצָּרָעַת 27 זֹאת תּוֹרַת הַצָּרָעַת Lev. 14:57
וְהַצָּרַעַת 28 וְהַצָּרַעַת זָרְחָה בְמִצְחוֹ IICh. 26:19
צָרַעַת־ 29 צָרַעַת הָרֹאשׁ אוֹ הַזָּקָן הוּא Lev. 13:30
30 כְּמַרְאֵה צָרַעַת עוֹר בָּשָׂר Lev. 13:43
וְצָרַעַת־ 31 וְצָרַעַת נַעֲמָן תִּדְבַּק־בְּךָ וּבְזַרְעֶךָ IIK. 5:27
וּלְצָרַעַת־ 32 וּלְצָרַעַת הַבֶּגֶד וְלַבָּיִת Lev. 14:55
מִצָּרַעְתּוֹ 33 אָז יֶאֱסֹף אֹתוֹ מִצָּרַעְתּוֹ IIK. 5:3
34 שָׁלַחְתִּי אֵלֶיךָ...וַאֲסַפְתּוֹ מִצָּרַעְתּוֹ IIK. 5:6
35 זֶה שֹׁלֵחַ אֵלַי לֶאֱסֹף אִישׁ מִצָּרַעְתּוֹ IIK. 5:7

צרף : צָרַף, נִצְרַף, צֵרֵף; צוֹרֵף, מַצְרֵף

צָרַף פ׳ א) זִקֵּק מתכת: 1-3, 17, 20

ב) [בהשאלה] בחן, טהר: 4-11, 18
ג) [צָרוּף] טהור, נקי: 12-16
ד) [נפ׳ נִצְרַף] זֻקַּק, טהר: 19
ה) [פ׳ צֵרֵף] זִקֵּק מתכת: 21
ו) [כנ״ל בהשאלה] טִהֵר: 22

כֶּסֶף צָרוּף 12; אִמְרָה צְרוּפָה 13-16

צָרוֹף 1 לַשָּׁוְא צָרַף צָרוֹף וְרָעִים לֹא נִתָּקוּ Jer. 6:29
כִּצְרֹף 2 וּצְרַפְתִּים כִּצְרֹף אֶת־הַכֶּסֶף Zech. 13:9
כִּצְרָף־ 3 צְרַפְתָּנוּ כִּצְרָף־כָּסֶף Ps. 66:10
לִצְרוֹף 4 לִצְרוֹף בָּהֶם וּלְבָרֵר וְלַלְבֵּן Dan. 11:35
צְרַפְתִּיךָ 5 הִנֵּה צְרַפְתִּיךָ וְלֹא בְכָסֶף Is. 48:10
וּצְרַפְתִּים 6 וּצְרַפְתִּים כִּצְרֹף אֶת־הַכֶּסֶף Zech. 13:9
צְרַפְתַּנִי 7 בָּחַנְתָּ...צְרַפְתַּנִי בַל־תִּמְצָא Ps. 17:3
צְרַפְתָּנוּ 8 בְּחַנְתָּנוּ...צְרַפְתָּנוּ כִּצְרָף־כָּסֶף Ps. 66:10
צָרַף 9 לַשָּׁוְא צָרַף צָרוֹף Jer. 6:29
צְרָפָתְהוּ 10 אִמְרַת יְיָ צְרָפָתְהוּ Ps. 105:19
צוֹרְפָם 11 הִנְנִי צוֹרְפָם וּבְחַנְתִּים Jer. 9:6
צָרוּף 12 כֶּסֶף צָרוּף בַּעֲלִיל לָאָרֶץ Ps. 12:7
צְרוּפָה 13/4 אִמְרַת(־)יְיָ צְרוּפָה IISh. 22:31 • Ps. 18:31
15 צְרוּפָה אִמְרָתְךָ מְאֹד Ps. 119:140
16 אִמְרַת אֱלוֹהַּ צְרוּפָה Prov. 30:5
וְאֶצְרֹף 17 וְאֶצְרֹף כַּבֹּר סִיגָיִךְ Is. 1:25
וְאֶצְרְפֶנּוּ 18 הוֹרֵד...וְאֶצְרְפֶנּוּ לְךָ שָׁם Jud. 7:4
וְיִצָּרְפוּ 19 יִתְבָּרְרוּ וְיִתְלַבְּנוּ וְיִצָּרְפוּ רַבִּים Dan. 12:10
מְצָרֵף 20 כְּאֵשׁ מְצָרֵף וּכְבֹרִית מְכַבְּסִים Mal. 3:2
21 וְיָשַׁב מְצָרֵף וּמְטַהֵר כֶּסֶף Mal. 3:3
צָרְפָה 22 צָרְפָה (כת׳ צרופה) כִלְיוֹתַי וְלִבִּי Ps. 26:2

צָרְפַת ש״פ – עיר באזור צידון על חוף הים התיכון: 1-3

צָרְפַת 1 וְגָלֻת...אֲשֶׁר־כְּנַעֲנִים עַד־צָרְפַת Ob. 20
צָרְפָתָה 2 קוּם לֵךְ צָרְפַתָה אֲשֶׁר לְצִידוֹן IK. 17:9
3 וַיֵּלֶךְ צָרְפַתָה וַיָּבֹא אֶל פֶּתַח הָעִיר IK. 17:10

צרר : א) צָרַר, צָרוּר, מְצוֹרָר; צְרוֹר

ב) צָרַר, הֵצַר; צַר, צוֹרֵר, צָרָה¹, צָרָה², מֵצַר

צָרַר¹ פ׳ א) כָּרַךְ, קָשַׁר: 1-3, 8

ב) [צָרוּר] קָשׁוּר: 4-7
ג) [פ׳ בינוני: מְצֹרָר] מקושר: 9

קרובים: אָזַר | אָרַז | חָבַשׁ | קָשַׁר | רָתַק

– צָרַר מַיִם 2; צָרַר רוּחַ 1; צָרַר תְּעוּדָה 8
– עָוֹן צָרוּר 4; נֶפֶשׁ צְרוּרָה 5; מִשְׁאֲרוֹת צְרוּרוֹת 6; (נָשִׁים) צְרוּרוֹת 7
– נֹאדוֹת מְצוֹרָרִים 9

צָרַר 1 צָרַר רוּחַ אוֹתָהּ בִּכְנָפֶיהָ Hosh. 4:19
2 מִי צָרַר־מַיִם בַּשִּׂמְלָה Prov. 30:4
צֹרֵר 3 צֹרֵר־מַיִם בְּעָבָיו וְלֹא־נִבְקַע עָנָן Job 26:8
צָרוּר 4 צָרוּר עֲוֹן אֶפְרָיִם צְפוּנָה חַטָּאתוֹ Hosh. 13:12
צְרוּרָה 5 נֶפֶשׁ אֲדֹנִי צְרוּרָה בִּצְרוֹר הַחַיִּים ISh. 25:29
צְרֻרֹת 6 מִשְׁאֲרֹתָם צְרֻרֹת בְּשִׂמְלֹתָם Ex. 12:34
7 וַתִּהְיֶינָה צְרֻרוֹת עַד־יוֹם מֻתָן IISh. 20:3
צוֹר 8 צוֹר תְּעוּדָה חֲתוֹם תּוֹרָה בְּלִמֻּדָי Is. 8:16
וּמְצֹרָרִים 9 וְנֹאדוֹת...בָּלִים וּמְבֻקָּעִים וּמְצֹרָרִים Josh. 9:4

צָרַר² פ׳ א) שָׂנֵא: 1-6 [עין גם צוֹרֵר, צַר]

ב) [יֵצַר, וַיֵּצֶר] היה צר: 7-15
ג) [הִפ׳ הֵצַר] לחץ, העיק: 16-27

(יֵצֶר) וַיֵּצֶר לוֹ 10-14; אִשָּׁה מְצֵרָה 22, 23

צָרוֹר 1 צָרוֹר אֶת־הַמִּדְיָנִים וְהִכִּיתֶם אוֹתָם Num.25:17
לִצְרֹר 2 וְאִשָּׁה אֶל־אֲחֹתָהּ לֹא תִקָּח לִצְרֹר Lev. 18:18
וְצָרְרוּ 3 וְצָרְרוּ אֶתְכֶם עַל־הָאָרֶץ Num. 33:55
צְרָרוּנִי 4 רַבַּת צְרָרוּנִי מִנְּעוּרָי Ps. 129:1
5 רַבַּת צְרָרוּנִי מִנְּעוּרָי Ps. 129:2
יָצֹר 6 וִיהוּדָה לֹא־יָצֹר אֶת־אֶפְרָיִם Is. 11:13
תֵּצְרִי 7 כִּי עַתָּה תֵּצְרִי מִיּוֹשֵׁב Is. 49:19
יֵצַר 8 בְּלֶכְתְּךָ לֹא־יֵצַר צַעֲדֶךָ Prov. 4:12
יֵצֶר 9 בִּמְלֹאות שִׂפְקוֹ יֵצֶר לוֹ Job 20:22
וַיֵּצֶר 10 וַיִּירָא יַעֲקֹב מְאֹד וַיֵּצֶר לוֹ Gen. 32:8(7)
11 וַיֵּצֶר לָהֶם מְאֹד Jud. 2:15
12 וַיֵּצֶר לְאַמְנוֹן לְהִתְחַלּוֹת IISh. 13:2
וַתֵּצֶר 13 וַתֵּצֶר לְיִשְׂרָאֵל מְאֹד Jud. 10:9
14 וַתֵּצֶר לְדָוִד מְאֹד ISh. 30:6
יֵצְרוּ 15 יֵצְרוּ צַעֲדֵי אוֹנוֹ Job 18:7
הָצֵר 16 וּבְעֵת הָצֵר לוֹ וַיּוֹסֶף לִמְעוֹל IICh. 28:22
וּכְהָצֵר 17 וּכְהָצֵר לוֹ חִלָּה אֶת־פְּנֵי יְיָ IICh. 33:12
וַהֲצֵרוֹתִי 18 וַהֲצֵרוֹתִי לָהֶם לְמַעַן יִמְצָאוּ Jer. 10:18
19 וַהֲצֵרֹתִי לָאָדָם וְהָלְכוּ כַּעִוְרִים Zep. 1:17
וְהֵצַר 20/1 וְהֵצַר לְךָ בְּכָל־שְׁעָרֶיךָ Deut. 28:52²
מְצֵרָה 22/3 כְּלֵב אִשָּׁה מְצֵרָה Jer. 48:41; 49:22
יָצַר 24 כִּי יָצַר־לוֹ אֹיְבוֹ בְּאֶרֶץ שְׁעָרָיו IK. 8:37
25 כִּי יָצַר־לוֹ אֹיְבָיו בְּאֶרֶץ שְׁעָרָיו IICh. 6:28
וַיָּצַר 26 וַיָּבֹא עָלָיו...וַיָּצַר לוֹ וְלֹא חֲזָקוֹ IICh. 28:20
וַיָּצֵרוּ 27 וַתִּתְּנֵם בְּיַד צָרֵיהֶם וַיָּצֵרוּ לָהֶם Neh. 9:27

צְרֵרָה° ש״פ – היא העיר צְרֵדָה

צְרֵרָתָה 1 וַיָּנָס...עַד־בֵּית הַשִּׁטָּה צְרֵרָתָה Jud. 7:22

צֶרֶת שפ״ז – בן אשחור למטה יהודה

צֶרֶת 1 וּבְנֵי חֶלְאָה צֶרֶת...וְצֹחַר° וְאֶתְנָן ICh. 4:7

צֶרֶת הַשַּׁחַר ש״פ – עיר בנחלת ראובן (אולי היא לֶשַׁע)

וְצֶרֶת הַשַּׁחַר 1 וְצֶרֶת הַשַּׁחַר בְּהַר הָעֵמֶק Josh. 13:19

צָרְתָן ש״פ – היא העיר צְרֵדָה: 1-3

צָרְתָן 1 מֵאָדָם° הָעִיר אֲשֶׁר מִצַּד צָרְתָן Josh. 3:16
2 בְּכִכַּר הַיַּרְדֵּן...בֵּין סֻכּוֹת וּבֵין צָרְתָן IK. 7:46
צָרְתָנָה 3 וְכָל־בֵּית שְׁאָן אֲשֶׁר אֵצֶל צָרְתַנָה IK. 4:12

ק׳ זעירא	
קַ֫צְתִּי	Gen. 27:25
בְּקָמֵיהֶם	Ex. 32:25

מסורה מסורה מסורה
ק
קופי״ן בתורה 4 694

ק׳ רבתי	
קֵן	Ps. 84:4

קָא
ז׳ אוכל שנפלט מן הפֶה – [עין גם קִיא]

קֵאוֹ 1 כְּכֶלֶב שָׁב עַל־קֵאוֹ — Prov. 26:11

קָאָה
(Lev. 18:28) – עין קיא

קָאַת, קָאָת
נ׳ עוֹף־לילה, מן העופות הטמאים: 1-5 קְאַת מִדְבָּר 5

קָאַת 1 וִירֵשׁוּהָ קָאַת וְקִפּוֹד — Is. 34:11
2 גַּם־קָאַת גַּם־קִפֹּד בְּכַפְתֹּרֶיהָ — Zep. 2:14
הַקָּאָת 3 וְאֶת־הַקָּאָת וְאֶת־הָרָחָם — Lev. 11:18
וְהַקָּאָת 4 וְהַקָּאָת וְאֶת־הָרָחָמָה — Deut. 14:17
לִקְאַת־ 5 דָּמִיתִי לִקְאַת מִדְבָּר — Ps. 102:7

קַב
ז׳ מדת היָבש, שִׁשִּׁית הסְאה

הַקַּב 1 וְרֹבַע הַקַּב דִּבְיוֹנִים° בַּחֲמִשָּׁה כָסֶף — IIK. 6:25

קבב :
קָבַב; קָבָה; קַב?

קָבַב, קַב
פ׳ קלל, חרף: 1-13
[6-10 – לפי נָקַב, עין ע׳ נָקַב]

קֹב 1 גַּם־קֹב לֹא תִקֳּבֶנּוּ — Num. 23:25
לָקֹב 2 לָקֹב אֹיְבַי לְקַחְתִּיךָ — Num. 23:11
3 לָקֹב אֹיְבַי קְרָאתִיךָ — Num. 24:10
וְקַבֹּתוֹ 4 אוּלַי...וְקַבֹּתוֹ לִי מִשָּׁם — Num. 23:27
קַבֹּה 5 מָה אֶקֹּב לֹא קַבֹּה אֵל — Num. 23:8
אֶקֹּב 6 מָה אֶקֹּב לֹא קַבֹּה אֵל — Num. 23:8
וְאֶקּוֹב 7 וָאֶקּוֹב נָוֵהוּ פִתְאֹם — Job 5:3
תִקֳּבֶנּוּ 8 גַּם־קֹב לֹא תִקֳּבֶנּוּ — Num. 23:25
יִקְּבֻהוּ 9 מֹנֵעַ בָּר יִקְּבֻהוּ לְאוֹם — Prov. 11:26
10 יִקְּבֻהוּ אֹרְרֵי־יוֹם — Job 3:8
קָבָה 11 עַתָּה לְכָה קָבָה־לִּי אֹתוֹ — Num. 22:11
12 וּלְכָה־נָּא קָבָה־לִּי אֵת הָעָם הַזֶּה — Num. 22:17
וְקָבְנוֹ 13 וְקָבְנוֹ־לִי מִשָּׁם — Num. 23:13

קֻבָּה
נ׳ סוכה, חופה

הַקֻּבָּה 1 וַיָּבֹא אַחַר אִישׁ־יִשְׂרָאֵל אֶל־הַקֻּבָּה — Num. 25:8

קֵבָה
נ׳ האֵבר העקרי במערכת העִכּול בגוף

וְהַקֵּבָה 1 הַזְּרֹעַ וְהַלְּחָיַיִם וְהַקֵּבָה — Deut. 18:3

קֳבָה*
נ׳ פִּי רֶחֶם הנקבה

קֳבָתָהּ 1 וַיִּדְקֹר...וְאֶת־הָאִשָּׁה אֶל־קֳבָתָהּ — Num. 25:8

קָבָה
פ׳ צווי (Num. 32:11) – עין לעיל קָבַב (11)

קִבּוּץ*
ז׳ אספה, קהל

קִבּוּצַיִךְ 1 בְּזַעֲקֵךְ יַצִּילֻךְ קִבּוּצַיִךְ — Is. 57:13

קְבוּצָה*
נ׳ אוסף, ערמה

קְבֻצַת־ 1 קְבֻצַת כֶּסֶף וּנְחֹשֶׁת — Ezek. 22:20

קְבוּרָה
נ׳ א) הטמנת המת באדמה: 1, 6
ב) קֶבֶר, מקום הטמנת המת: 2-5, 7-14
סְבִיבוֹת קְבוּרָה 12, 13; שְׂדֵה קְבוּרָה 2; קְבוּרַת חֲמוֹר 6; קְבוּרַת רָחֵל 4, 5

קְבוּרָה 1 וְגַם־קְבוּרָה לֹא־הָיְתָה לּוֹ — Eccl. 6:3
הַקְּבוּרָה 2 בִּשְׂדֵה הַקְּבוּרָה אֲשֶׁר לַמְּלָכִים — IIChr. 26:23
בִּקְבוּרָה 3 לֹא־תֵחַד אִתָּם בִּקְבוּרָה — Is. 14:20

קְבוּרַת־ 4 הִוא מַצֶּבֶת קְבֻרַת־רָחֵל — Gen. 35:20
5 וּמָצָאתָ...עִם־קְבֻרַת רָחֵל — ISh. 10:2
6 קְבוּרַת חֲמוֹר יִקָּבֵר — Jer. 22:19
קְבוּרָתוֹ 7 וְלֹא־יָדַע אִישׁ אֶת־קְבֻרָתוֹ — Deut. 34:6
בִּקְבוּרָתוֹ 8 וַיִּקְבְּרוּ אֹתוֹ בִקְבֻרָתוֹ עִם־אֲבֹתָיו — IIK. 9:28
9 וַיִּקָּבֵר אֹתוֹ בִּקְבֻרָתוֹ בְּגַן־עֻזָּא — IIK. 21:26
10 וַיְבִאֻהוּ יְרוּשָׁלַםִ וַיִּקְבְּרֻהוּ בִּקְבֻרָתוֹ — IIK. 23:30
קְבוּרָתָהּ 11 וַיַּצֵּב יַעֲקֹב מַצֵּבָה עַל־קְבֻרָתָהּ — Gen. 35:20
12 וַיְהִי קְהָלָהּ סְבִיבוֹת קְבֻרָתָהּ — Ezek. 32:23
13 וְכָל־הֲמוֹנָהּ סְבִיבוֹת קְבֻרָתָהּ — Ezek. 32:24
בִּקְבוּרָתָם 14 וּקְבַרְתַּנִי בִּקְבֻרָתָם — Gen. 47:30

קבל :
קִבֵּל, הִקְבִּיל; קָבָל; אר׳ קַבֵּל; קֳבֵל

קִבֵּל
פ׳ א) לקח את שנתן לו: 1, 4-7, 9, 11
ב) הסכים לאשר הוטל עליו: 2, 3, 8, 10
ג) [הפ׳ הִקְבִּיל] התאים, היה לעומת: 12, 13
קִבֵּל עָלָיו 3; קִבֵּל הַטּוֹב 6; קִבֵּל מוּסָר 11; קִבֵּל הָרָע 7

קִבֵּל 1 וַתִּשְׁלַח בְּגָדִים...וְלֹא קִבֵּל — Es. 4:4
וְקִבֵּל 2 וְקִבֵּל הַיְּהוּדִים...אֲשֶׁר־הֵחֵלּוּ — Es. 9:23
וְקִבְּלוּ 3 קִיְּמוּ וְקִבְּלֻ הַיְּהוּדִים עֲלֵיהֶם — Es. 9:27
4 וְקִבְּלוּ הַכֹּהֲנִים...מִשְׁקַל הַכֶּסֶף — Ez. 8:30
וַיְקַבְּלֵם 5 וַיְקַבְּלֵם דָּוִיד וַיִּתְּנֵם בְּרָאשֵׁי... — ICh. 12:18(19)
נְקַבֵּל 6 גַּם אֶת־הַטּוֹב נְקַבֵּל מֵאֵת הָאֱלֹהִים — Job 2:10
7 וְאֶת־הָרָע לֹא נְקַבֵּל — Job 2:10
וַיְקַבְּלוּ 8 וַיְקַבְּלוּ הַלְוִיִּם לְהוֹצִיא...חוּצָה — IICh. 29:16
9 וַיְקַבְּלוּ הַכֹּהֲנִים אֶת־הַדָּם — IICh. 29:22
קַבֶּל־ 10 כֹּה־אָמַר יְיָ קַבֶּל־לָךְ — ICh. 21:11
וְקַבֵּל 11 שְׁמַע עֵצָה וְקַבֵּל מוּסָר — Prov. 19:20
מַקְבִּילוֹת 12 מַקְבִּילֹת הַלֻּלָאֹת אִשָּׁה אֶל־אֲחֹתָהּ — Ex. 26:5
13 מַקְבִּילֹת הַלֻּלָאֹת אַחַת אֶל־אֶחָת — Ex. 36:12

קַבֵּל
פ׳ ארמית: לקח, נטל: 1-3

קַבֵּל 1 וְדָרְיָוֶשׁ מָדָאָה° קַבֵּל מַלְכוּתָא — Dan. 6:1
תְקַבְּלוּן 2 מַתְּנָן...תְּקַבְּלוּן מִן־קֳדָמַי — Dan. 2:6
וִיקַבְּלוּן 3 וִיקַבְּלוּן מַלְכוּתָא קַדִּישֵׁי עֶלְיוֹנִין — Dan. 7:18

קָבָל
מ״י – מול, לנגד

קָבָל־ 1 וַיַּכֵּהוּ קָבָל־עָם וַיְמִיתֵהוּ — IIK. 15:10

קָבָל*
ז׳ כלי־מפץ • מְחִי קָבָלּוֹ 1

קָבָלּוֹ 1 וּמְחִי קָבָלּוֹ יִתֵּן בְּחֹמוֹתָיִךְ — Ezek. 26:9

קֳבֵל
מ״י ארמית מול, לעומת: 1-29
א) [כָּל־קֳבֵל דִּי] כלעומת שֶׁ־, יען אשר: 1-15
ב) [כָּל־קֳבֵל דְּנָה] כנגד זאת, על כן: 16-22
ג) [לָקֳבֵל] מול, לעומת: 23-25, 28, 29
ד) [לָקֳבֵל דְּנָה] לנוכח זה: 26
ה) [לָקֳבֵל דִּי°] כְּפִי אשר: 27

כָּל־קֳבֵל דִּי 1 כָּל־קֳבֵל דִּי חֲזַיְתָ — Dan. 2:8
2 כָּל־קֳבֵל דִּי כָל־מֶלֶךְ...לָא שְׁאֵל — Dan. 2:10
3 כָּל־קֳבֵל דִּי פַרְזְלָא מְהַדֵּק — Dan. 2:40
4 כָּל־קֳבֵל דִּי חֲזַיְתָה פַּרְזְלָא — Dan. 2:41
5 כָּל־קֳבֵל דִּי־חֲזַיְתָ דִּי מִטּוּרָא — Dan. 2:45
6 כָּל־קֳבֵל דִּי לָא אִיתַי אֱלָהּ אָחֳרָן — Dan. 3:29

7-15 כָּל־קֳבֵל דִּי — Dan. 4:15
5:12, 22; 6:4, 5, 11, 23 • Ez. 4:14; 7:14
כָּל־קֳבֵל דְּנָה 16 כָּל־קֳבֵל דְּנָה מַלְכָּא בְּנַס — Dan. 2:12
17 כָּל־קֳבֵל דְּנָה דָּנִיֵּאל עַל — Dan. 2:24
18/9 כָּל־קֳבֵל דְּנָה בֵּהּ־זִמְנָא — Dan. 3:7, 8
20-22 כָּל־קֳבֵל דְּנָה — Dan. 3:22; 6:10 • Ez. 7:17
לָקֳבֵל 23 וְקָיְמִין° לָקֳבֵל צַלְמָא דִּי הֲקִים — Dan. 3:3
24 נְפַקָה°...וְכָתְבָן לָקֳבֵל נֶבְרַשְׁתָּא — Dan. 5:5
25 מַלְכְּתָא לָקֳבֵל מִלֵּי מַלְכָּא...עַלַּת° — Dan. 5:10
לָקֳבֵל דְּנָה 26 לָקֳבֵל דְּנָה חֲלָק...לָא אִיתַי לָךְ — Ez. 4:16
לָקֳבֵל דִּי 27 לָקֳבֵל דִּי־שְׁלַח דָּרְיָוֶשׁ — Ez. 6:13
וְלָקֳבֵל 28 וְלָקֳבֵל אַלְפָּא חַמְרָא שָׁתֵה — Dan. 5:1
לָקָבְלָךְ 29 צַלְמָא...וְרֵוֵהּ יַתִּיר קָאֵם לָקָבְלָךְ — Dan. 2:31

קָבְנוֹ
(Num. 23:13) – עין קָבַב (13)

קבע :
קָבַע; קוֹבַע(?), קֻבַּעַת(?)

קָבַע
פ׳ קפח, עשק, רמה: 1-6

וְקָבַע 1 וְקָבַע אֶת־קֹבְעֵיהֶם נָפֶשׁ — Prov. 22:23
קְבַעֲנוּךָ 2 וַאֲמַרְתֶּם בַּמֶּה קְבַעֲנוּךָ — Mal. 3:8
קוֹבְעִים 3 כִּי אַתֶּם קֹבְעִים אֹתִי — Mal. 3:8
4 וְאֹתִי אַתֶּם קֹבְעִים — Mal. 3:9
קוֹבְעֵיהֶם 5 וְקָבַע אֶת־קֹבְעֵיהֶם נָפֶשׁ — Prov. 22:23
הֲיִקְבַּע 6 הֲיִקְבַּע אָדָם אֱלֹהִים — Mal. 3:8

קֻבַּעַת
נ׳ גביע, כוס: 1, 2

קֻבַּעַת־ 1 אֶת־קֻבַּעַת כּוֹס הַתַּרְעֵלָה שָׁתִית — Is. 51:17
2 קֻבַּעַת כּוֹס חֲמָתִי לֹא־תוֹסִיפִי... — Is. 51:22

קבץ :
קָבַץ, קִבּוּץ, נִקְבַּץ, קִבֵּץ, קֻבַּץ, הִתְקַבֵּץ; קִבּוּץ, קְבוּצָה; ש״פ קַבְצִים, קַבְצְאֵל, יְקַבְצְאֵל

קָבַץ
פ׳ א) לקט, צבר: 4, 12-14, 27, 30, 38
ב) הקהיל, אסף: 1-3, 6-11, 15-26, 28, 29, 31-37
ג) [פָּעוּל: קָבוּץ] נקהל: 5
ד) [נפ׳ נִקְבַּץ] נאסף: 39-69
ה) [פ׳ קִבֵּץ] אסף, כנס: 70-89, 92-118
ו) [כנ״ל] נעשה(?): 90, 91
ז) [פֻ׳ קֻבַּץ] נאסף, חובר: 119
ח) [התפ׳ הִתְקַבֵּץ] התאסף: 120-127

– קָבַץ אָוֶן 13; קוֹבֵץ עַל יָד 4; קִבֵּץ פָּארוּר 90,91
– קָבַץ אֶת־ רוב המקראות 1-38; קָבַץ (אֶת־) אֶל־ 3, 7, 10, 12, 19, 23, 29, 35, 36; קָבַץ (אֶת־) עַל־ 4, 18
– נִקְבַּץ אֶל־, לְ־ 40,43,51,60,61; נִקְבַּץ עַל־ 62

לְקָבְצִי 1 לֶאֱסֹף גּוֹיִם לְקָבְצִי מַמְלָכוֹת — Zep. 3:8
קָבַץ 2 וּבֶן־הֲדַד...קָבַץ אֶת־כָּל־חֵילוֹ — IK. 20:1
קוֹבֵץ 3 הִנְנִי קֹבֵץ אֶתְכֶם אֶל־תּוֹךְ יְרוּשָׁ׳ — Ezek. 22:19
וְקוֹבֵץ 4 וְקֹבֵץ עַל־יָד יַרְבֶּה — Prov. 13:11
קְבוּצִים 5 וְכָל־נְעָרַי קְבוּצִים שָׁם — Neh. 5:16
אֶקְבֹּץ 6 כֵּן אֶקְבֹּץ בְּאַפִּי וּבַחֲמָתִי — Ezek. 22:20
וְאֶקְבְּצָה 7 וְאֶקְבְּצָה אֶל־אֲדֹנִי הַמֶּלֶךְ — IISh. 3:21
וָאֶקְבְּצָה 8 וָאֶקְבְּצָה מִיִּשְׂרָאֵל רָאשִׁים — Ez. 7:28
9 וָאֶקְבְּצָה אֶת־הַחֹרִים...לְהִתְיַחֵשׂ — Neh. 7:5
וָאֶקְבְּצֵם 10 וָאֶקְבְּצֵם אֶל־הַנָּהָר — Ez. 8:15

11 וָאֶקְבְּצֵם וָאַעֲמִדֵם עַל־עָמְדָם Neh. 13:11
תִּקְבֹּץ 12 כָּל־שְׁלָלָהּ תִּקְבֹּץ אֶל־תּוֹךְ רְחֹבָהּ Deut. 13:17
יִקְבָּץ־ 13 לִבּוֹ יִקְבָּץ־אָוֶן לוֹ Ps. 41:7
וַיִּקְבֹּץ 14 וַיִּקְבֹּץ אֶת־כָּל־אֹכֶל Gen. 41:48
15 וַיִּקְבֹּץ יִפְתָּח אֶת־כָּל־אַנְשֵׁי גִלְעָד Jud. 12:4
16 וַיִּקְבֹּץ שָׁאוּל אֶת־כָּל־יִשְׂרָאֵל ISh. 28:4
17 וַיִּקְבֹּץ אֶת־כָּל־הָעָם IISh. 2:30
18 וַיִּקְבֹּץ עָלָיו אֲנָשִׁים IK. 11:24
19 וַיִּקְבֹּץ אֶת־הַנְּבִיאִים אֶל־הַר הַכַּרְמֶל IK. 18:20
20 וַיִּקְבֹּץ מֶלֶךְ־יִשְׂ' אֶת־הַנְּבִיאִים IK. 22:6
21 וַיִּקְבֹּץ בֶּן־הֲדַד...אֶת־כָּל־מַחֲנֵהוּ IIK. 6:24
22 וַיִּקְבֹּץ יֵהוּא אֶת־כָּל־הָעָם IIK. 10:18
23 וַיִּקְבֹּץ אֵלָיו כָּל־הָעַמִּים Hab. 2:5
24 וַיִּקְבֹּץ אֶת־כָּל־יְהוּדָה וּבִנְיָמִן IICh. 15:9
25 וַיִּקְבֹּץ מֶלֶךְ־יִשְׂרָאֵל אֶת־הַנְּבִאִים IICh. 18:5
26 וַיִּקְבֹּץ אֶת־הַכֹּהֲנִים וְהַלְוִיִּם IICh. 24:5
27 וַיִּקְבֹּץ אֲמַצְיָהוּ אֶת־יְהוּדָה IICh. 25:5
יִקְבְּצֶנּוּ 28 לְחוֹנֵן דַּלִּים יִקְבְּצֶנּוּ Prov. 28:8
וַיִּקְבְּצֵם 29 וַיִּקְבְּצֵם אֵלָיו אֶל־רְחוֹב שַׁעַר הָעִיר IICh. 32:6
וְיִקְבְּצוּ 30 וְיִקְבְּצוּ אֶת־כָּל־אֹכֶל Gen. 41:35
31 וְיִקְבְּצוּ אֶת־כָּל־נַעֲרָה בְתוּלָה Es. 2:3
וַיִּקְבְּצוּ 32 וַיִּקְבְּצוּ פְלִשְׁתִּים אֶת־מַחֲנֵיהֶם ISh. 28:1
33 וַיִּקְבְּצוּ פְלִשְׁתִּים אֶת־כָּל־מַחֲנֵיהֶם ISh. 29:1
34 וַיִּקְבְּצוּ אֶת־הַלְוִיִּם מִכָּל־...יְהוּדָה IICh. 23:2
קְבֹץ 35 שְׁלַח קְבֹץ אֵלַי אֶת־כָּל־יִשְׂרָאֵל IK. 18:19
קִבְצוּ 36 קִבְצוּ אֶת־כָּל־יִשְׂרָאֵל הַמִּצְפָּתָה ISh. 7:5
37 קִבְצוּ זְקֵנִים אִסְפוּ עוֹלָלִים Joel 2:16
וְקִבְצוּ 38 וְקִבְצוּ מִכָּל־יִשְׂרָאֵל כֶּסֶף IICh. 24:5
בְּהִקָּבֵץ 39 בְּהִקָּבֵץ עַמִּים יַחְדָּו Ps. 102:23
וּבְהִקָּבֵץ 40 וּבְהִקָּבֵץ נְעָרוֹת רַבּוֹת אֶל־שׁוּשַׁן Es. 2:8
41 וּבְהִקָּבֵץ בְּתוּלוֹת שֵׁנִית Es. 2:19
לְהִקָּבֵץ 42 וַיַּעֲבִירוּ קוֹל...לְהִקָּבֵץ יְרוּשָׁלָם Ez. 10:7
נִקְבְּצוּ 43 נִקְבְּצוּ אֵלֵינוּ כָּל־מַלְכֵי הָאֱמֹרִי Josh. 10:6
44 אַךְ־שָׁם נִקְבְּצוּ דַיּוֹת אִשָּׁה רְעוּתָהּ Is. 34:15
45 כָּל־הַגּוֹיִם נִקְבְּצוּ יַחְדָּו Is. 43:9
46/7 כֻּלָּם נִקְבְּצוּ בָאוּ־לָךְ Is. 49:18; 60:4
48 נִקְבְּצוּ אֵלָיו מִיִּשְׂרָאֵל קָהָל רַב Ez. 10:1
וְנִקְבְּצוּ 49 וְנִקְבְּצוּ בְּנֵי־יְהוּדָה וּבְנֵי יִשְׂ' יַחְדָּו Hosh. 2:2
וְנִקְבָּצוּ 50 עוּשׁוּ וָבֹאוּ כָל־הַגּוֹיִם...וְנִקְבָּצוּ Joel 4:11
הַנִּקְבָּצִים 51 וְנָפֹצוּ כָּל־יְהוּדָה הַנִּקְבָּצִים אֵלֶיךָ Jer. 40:15
לְנִקְבָּצָיו 52 עוֹד אֲקַבֵּץ עָלָיו לְנִקְבָּצָיו Is. 56:8
תִקָּבֵץ 53 לֹא תֵאָסֵף וְלֹא תִקָּבֵץ Ezek. 29:5
תִּקָּבְצוּ 54 שָׁמָּה תִּקָּבְצוּ אֵלֵינוּ Neh. 4:14
יִקָּבְצוּ 55 כָּל־צֹאן קֵדָר יִקָּבְצוּ לָךְ Is. 60:7
וְיִקָּבְצוּ 56 נִשְׁלְחָה עַל־אַחֵינוּ...וְיִקָּבְצוּ אֵלֵינוּ ICh. 13:2
וַיִּקָּבְצוּ 57 וַיִּקָּבְצוּ הַמִּצְפָּתָה ISh. 7:6
58 וַיִּקָּבְצוּ כָל־יִשְׂרָאֵל וַיִּסְפְּדוּ־לוֹ ISh. 25:1
59 וַיִּקָּבְצוּ פְלִשְׁתִּים וַיָּבֹאוּ וַיַּחֲנוּ ISh. 28:4
60 וַיִּקָּבְצוּ כָל־אַנְשֵׁי יְהוּדָה...יְרוּשָׁלַם Ez. 10:9
61 וַיִּקָּבְצוּ כָל־יִשְׂרָאֵל אֶל־דָּוִיד ICh. 11:1
62 וַיִּקָּבְצוּ עָלָיו אֲנָשִׁים רֵקִים IICh. 13:7
63 וַיִּקָּבְצוּ יְרוּשָׁלַם בַּחֹדֶשׁ הַשְּׁלִישִׁי IICh. 15:10
64 וַיִּקָּבְצוּ יְהוּדָה לְבַקֵּשׁ מֵיְ IICh. 20:4
65 וַיִּקָּבְצוּ עַם־רָב וַיִּסְתְּמוּ IICh. 32:4
הִקָּבְצוּ 66 הִקָּבְצוּ וְשִׁמְעוּ בְּנֵי יַעֲקֹב Gen. 49:2
67 הִקָּבְצוּ וָבֹאוּ הִתְנַגְּשׁוּ יַחְדָּו Is. 45:20
68 הִקָּבְצוּ כֻלְּכֶם וּשְׁמָעוּ Is. 48:14
69 הִקָּבְצוּ וָבֹאוּ הֵאָסְפוּ מִסָּבִיב Ezek. 39:17
קַבֵּץ 70 קַבֵּץ אֲקַבֵּץ שְׁאֵרִית יִשְׂרָאֵל Mic. 2:12
לְקַבֵּץ 71 לְקַבֵּץ אֶת־כָּל־הַגּוֹיִם וְהַלְּשֹׁנוֹת Is. 66:18
קַבְּצִי 72 וּבָעֵת קַבְּצִי אֶתְכֶם Zep. 3:20
בְּקַבְּצִי 73 בְּקַבְּצִי אֶת־בֵּית יִשְׂ' מִן־הָעַמִּים Ezek. 28:25
וְקִבַּצְתִּי 74 וְקִבַּצְתִּי אֶתְכֶם מִכָּל־הַגּוֹיִם Jer. 29:14
75 וְקִבַּצְתִּי אֶתְכֶם מִן־הָעַמִּים Ezek. 11:17
76 וְקִבַּצְתִּי אֹתָם עָלַיִךְ מִסָּבִיב Ezek. 16:37
77/8 וְקִבַּצְתִּי אֶתְכֶם מִן־הָאֲרָצוֹת Ezek. 20:34, 41
79 וְקִבַּצְתִּי אֶתְכֶם מִכָּל־הָאֲרָצוֹת Ezek. 36:24
80 וְקִבַּצְתִּי אֹתָם מִסָּבִיב Ezek. 37:21
81 וְקִבַּצְתִּי אֹתָם מֵאַרְצוֹת אֹיְבֵיהֶם Ezek. 39:27
82 וְקִבַּצְתִּי אֶת־כָּל־הַגּוֹיִם Joel 4:2
וְקִבַּצְתִּים 83 וְקִבַּצְתִּים מִיַּרְכְּתֵי־אָרֶץ Jer. 31:8(7)
84 וְקִבַּצְתִּים מִן־הָאֲרָצוֹת Ezek. 34:13
וְקִבֶּצְךָ 85 וְשָׁב וְקִבֶּצְךָ מִכָּל־הָעַמִּים Deut. 30:3
קִבָּצָה 86 כִּי מֵאֶתְנַן זוֹנָה קִבָּצָה Mic. 1:7
קִבְּצָם 87 כִּי קִבְּצָם כֶּעָמִיר גֹּרְנָה Mic. 4:12
88 וּמֵאֲרָצוֹת קִבְּצָם מִמִּזְרָח Ps. 107:3
קִבְּצָן 89 וְרוּחוֹ הוּא קִבְּצָן Is. 34:16
קִבְּצוּ 90 כָּל־פָּנִים קִבְּצוּ פָארוּר Joel 2:6
91 וּפְנֵי כֻלָּם קִבְּצוּ פָארוּר Nah. 2:11
מְקַבֵּץ 92 וּכְצֹאן וְאֵין מְקַבֵּץ Is. 13:14
93 מְקַבֵּץ נִדְחֵי יִשְׂרָאֵל Is. 56:8
94 וְאֵין מְקַבֵּץ לַנֹּדֵד Jer. 49:5
95 הִנְנִי מְקַבֵּץ אֶת־כָּל־מְאַהֲבַיִךְ Ezek. 16:37
96 נָפֹשׁוּ עַמְּךָ עַל־הֶהָרִים וְאֵין מְקַבֵּץ Nah. 3:18
מְקַבְּצָם 97 הִנְנִי מְקַבְּצָם מִכָּל־הָאֲרָצוֹת Jer. 32:37
וּמְקַבְּצָיו 98 וּמְקַבְּצָיו יִשְׁתֻּהוּ בְּחַצְרוֹת קָדְשִׁי Is. 62:9
אֲקַבֵּץ 99 עוֹד אֲקַבֵּץ עָלָיו לְנִקְבָּצָיו Is. 56:8
100 וַאֲנִי אֲקַבֵּץ אֶת־שְׁאֵרִית צֹאנִי Jer. 23:3
101 אֲקַבֵּץ אֶת־מִצְרַיִם מִן־הָעַמִּים Ezek. 29:13
102 קַבֵּץ אֲקַבֵּץ שְׁאֵרִית יִשְׂרָאֵל Mic. 2:12
103 וְהוֹשַׁעְתִּי...וְהַנִּדָּחָה אֲקַבֵּץ Zep. 3:19
אֲקַבְּצָה 104 אֹסְפָה הַצֹּלֵעָה וְהַנִּדָּחָה אֲקַבֵּצָה Mic. 4:6
אֲקַבְּצֶךָּ 105 וּמִמַּעֲרָב אֲקַבְּצֶךָּ Is. 43:5
אֲקַבְּצֵךְ 106 וּבְרַחֲמִים גְּדֹלִים אֲקַבְּצֵךְ Is. 54:7
אֲקַבְּצֵם 107 גַּם כִּי־יִתְנוּ בַגּוֹיִם עַתָּה אֲקַבְּצֵם Hosh. 8:10
108 וַהֲשִׁבוֹתִים...וּמֵאַשּׁוּר אֲקַבְּצֵם Zech. 10:10
109 מִשָּׁם אֲקַבְּצֵם וַהֲבִיאוֹתִים Neh. 1:9
וַאֲקַבְּצֵם 110 אֶשְׁרְקָה לָהֶם וַאֲקַבְּצֵם Zech. 10:8
יְקַבֵּץ 111 וּנְפֻצוֹת יְהוּדָה יְקַבֵּץ Is. 11:12
112 בִּזְרֹעוֹ יְקַבֵּץ טְלָאִים Is. 40:11
יְקַבֶּצְךָ 113 מִשָּׁם יְקַבֶּצְךָ יְיָ אֱלֹהֶיךָ Deut. 30:4
יְקַבְּצֶנּוּ 114 מְזָרֵה יִשְׂרָאֵל יְקַבְּצֶנּוּ Jer. 31:10(9)
תְּקַבְּצֵם 115 מִצְרַיִם תְּקַבְּצֵם מֹף תְּקַבְּרֵם Hosh. 9:6
וַתְּקַבְּצוּ 116 וַתְּקַבְּצוּ אֶת־מֵי הַבְּרֵכָה הַתַּחְתּוֹנָה Is. 22:9
וְקַבְּצֵנוּ 117 הוֹשִׁיעֵנוּ...וְקַבְּצֵנוּ מִן־הַגּוֹיִם Ps. 106:47
118 וְקַבְּצֵנוּ וְהַצִּילֵנוּ מִן־הַגּוֹיִם ICh. 16:35
מְקֻבֶּצֶת 119 מְקֻבֶּצֶת מֵעַמִּים רַבִּים Ezek. 38:8
הִתְקַבְּצוּ 120 הִתְקַבְּצוּ כָּל־בַּעֲלֵי מִגְדַּל־שְׁכֶם Jud. 9:47
121 הִתְקַבְּצוּ בְנֵי־יִשְׂרָאֵל הַמִּצְפָּתָה ISh. 7:7
יִתְקַבְּצוּ 122 יִתְקַבְּצוּ כֻלָּם יַעֲמֹדוּ Is. 44:11
וַיִּתְקַבְּצוּ 123 וַיִּתְקַבְּצוּ יַחְדָּו לְהִלָּחֵם...פֶּה אֶחָד Josh. 9:2
124 וַיִּתְקַבְּצוּ כֹּל זִקְנֵי יִשְׂרָאֵל ISh. 8:4
125 וַיִּתְקַבְּצוּ אֵלָיו כָּל־אִישׁ מָצוֹק ISh. 22:2
126 וַיִּתְקַבְּצוּ בְנֵי־בִנְיָמִן אַחֲרֵי אַבְנֵר IISh. 2:25
הִתְקַבְּצוּ 127 הִתְקַבְּצוּ וּבֹאוּ עָלֶיהָ Jer. 49:14

קַבְצְאֵל ש־פ – עיר בנחלת יהודה, היא יְקַבְצְאֵל: 1-3

קַבְצְאֵל 1 קַבְצְאֵל וְעֵדֶר וְיָגוּר Josh. 15:21
2 בֶּן־אִישׁ־חַיִל...מִן־קַבְצְאֵל ICh. 11:22
מִקַּבְצְאֵל 3 בֶּן־אִישׁ חַיִל...מִקַּבְצְאֵל IISh. 23:20

קִבְצַיִם ש־פ – עיר מקלט בנחלת אפרים

[בדה״א ו53: יָקְמְעָם]

קִבְצַיִם 1 וְאֶת־קִבְצַיִם וְאֶת־מִגְרָשֶׁהָ Josh. 21:22

קבר : קָבַר, קָבוּר, נִקְבַּר, קִבֵּר, קֻבַּר; קֶבֶר, קְבוּרָה

קבר

פ׳ א) חפר בור וטמן בו גופת מת: 1-30, 33-87

ב) [פָּעוּל: קָבוּר] טמון באדמה: 31, 32

ג) [נפ׳ נִקְבַּר] נטמן באדמה: 88-126

ד) [פ׳ קִבֵּר] קבר: 127-132

ה) [פ׳ קֻבַּר] נקבר: 133

קָבוֹר 1 כִּי־קָבוֹר תִּקְבְּרֶנּוּ בַּיּוֹם הַהוּא Deut. 21:23
לִקְבֹּר 2 לִקְבֹּר אֶת־מֵתִי מִלְּפָנָי Gen. 23:8
3 וַיַּעַל יוֹסֵף לִקְבֹּר אֶת־אָבִיו Gen. 50:7
4 וְכָל־הָעֹלִים אִתּוֹ לִקְבֹּר אֶת־אָבִי Gen. 50:14
5 מֵאֵין מָקוֹם לִקְבּוֹר Jer. 19:11
מִקְּבֹר 6 לֹא־יִכְלֶה מִמְּךָ מִקְּבֹר מֵתֶךָ Gen. 23:6
קָבְרוֹ 7 אַחֲרֵי קָבְרוֹ אֶת־אָבִיו Gen. 50:14
8 וַיְהִי אַחֲרֵי קָבְרוֹ אֹתוֹ IK. 13:31
וּלְקָבְרוֹ 9 וַיָּבֹא...לִסְפֹּד וּלְקָבְרוֹ IK. 13:29
לְקָבְרָהּ 10 וַיֵּלְכוּ לְקָבְרָהּ וְלֹא־מָצְאוּ בָהּ... IIK. 9:35
קָבַרְתִּי 11 וְשָׁמָּה קָבַרְתִּי אֶת־לֵאָה Gen. 49:31
וּקְבַרְתַּנִי 12 וּקְבַרְתַּנִי בִּקְבֻרָתָם Gen. 47:30
וּקְבַרְתּוֹ 13 וּפְגַע־בּוֹ וּקְבַרְתּוֹ IK. 2:31
קָבַר 14 וְאַחֲרֵי־כֵן קָבַר אַבְרָהָם אֶת־שָׂרָה Gen. 23:19
וּקְבַרְתֶּם 15 וּקְבַרְתֶּם אֹתִי בַּקֶּבֶר IK. 13:31
קָבְרוּ 16 שָׁמָּה קָבְרוּ אֶת־אַבְרָהָם Gen. 49:31
17 שָׁמָּה קָבְרוּ אֶת־יִצְחָק Gen. 49:31
18 כִּי־שָׁם קָבְרוּ אֶת־הָעָם Num. 11:34
19 וְאֶת־עַצְמוֹת יוֹסֵף...קָבְרוּ בִשְׁכֶם Josh. 24:32
20 אֲשֶׁר קָבְרוּ אֶת־שָׁאוּל IISh. 2:4
21 קָבְרוּ אֹתוֹ הַמְקַבְּרִים אֶל־גֵּיא Ezek. 39:15
וְקָבְרוּ 22 וְסָפְדוּ־לוֹ...וְקָבְרוּ אֹתוֹ IK. 14:13
23 וְקָבְרוּ בְתֹפֶת מֵאֵין מָקוֹם Jer. 7:32
24 וְקָבְרוּ שָׁם אֶת־גּוֹג Ezek. 39:11
25 וְקָבְרוּ כָּל־עַם הָאָרֶץ Ezek. 39:13
קְבָרֻהוּ 26 וְלֹא קְבָרֻהוּ בְּקִבְרוֹת הַמְּלָכִים IICh. 24:25
וּקְבָרוּם 27 וּקְבָרוּם בֵּית יִשְׂרָאֵל Ezek. 39:12
קֹבֵר 28 יֹאכְלוּ הַכְּלָבִים...וְאֵין קֹבֵר IIK. 9:10
29 שָׁפְכוּ דָמָם...וְאֵין קוֹבֵר Ps. 79:3
קֹבְרִים 30 וַיְהִי הֵם קֹבְרִים אִישׁ IIK. 13:21
קָבוּר 31 בַּקֶּבֶר אֲשֶׁר אִישׁ הָאֱלֹהִים קָבוּר בּוֹ IK. 13:31
קְבֻרִים 32 וּבְכֵן רָאִיתִי רְשָׁעִים קְבֻרִים Eccl. 8:10
וְאֶקְבְּרָה 33 וְאֶקְבְּרָה מֵתִי מִלְּפָנָי Gen. 23:4
34 וְאֶקְבְּרָה אֶת־מֵתִי שָׁמָּה Gen. 23:13
35 אֶעֱלֶה־נָּא וְאֶקְבְּרָה אֶת־אָבִי Gen. 50:5
וָאֶקְבְּרֶהָ 36 וָאֶקְבְּרֶהָ שָּׁם בְּדֶרֶךְ אֶפְרָת Gen. 48:7
תִקְבְּרֵנִי 37 אַל־נָא תִקְבְּרֵנִי בְּמִצְרָיִם Gen. 47:29
38 בְּקִבְרִי...שָׁמָּה תִּקְבְּרֵנִי Gen. 50:5
תִּקְבְּרֶנּוּ 39 כִּי־קָבוֹר תִּקְבְּרֶנּוּ בַּיּוֹם הַהוּא Deut. 21:23
וַיִּקְבֹּר 40 וַיִּקְבֹּר אֹתוֹ בַגַּי בְּאֶרֶץ מוֹאָב Deut. 34:6
41 וַיִּקְבֹּר אֹתוֹ בִּקְבֻרָתוֹ בְּגַן־עֻזָּא IIK. 21:26
וַתִּקְבְּרוּ 42 אֲשֶׁר עֲשִׂיתֶם הַחֶסֶד...וַתִּקְבְּרוּ אֹתוֹ IISh. 2:5
יִקְבְּרוּ 43 וּבְתֹפֶת יִקְבְּרוּ מֵאֵין מָקוֹם לִקְבּוֹר Jer. 19:11
וַיִּקְבְּרוּ 44 וַיִּקְבְּרוּ אֹתוֹ יִצְחָק וְיִשְׁמָעֵאל בָּנָיו Gen. 25:9
45 וַיִּקְבְּרוּ אֹתוֹ עֵשָׂו וְיַעֲקֹב בָּנָיו Gen. 35:29
46 וַיִּקְבְּרוּ אֹתוֹ בִּמְעָרַת שְׂדֵה הַמַּכְפֵּלָה Gen. 50:13
47 וַיִּקְבְּרוּ אוֹתוֹ בִּגְבוּל נַחֲלָתוֹ Josh. 24:30
48 וַיִּקְבְּרוּ אֹתוֹ בְּגִבְעַת פִּינְחָס בְּנוֹ Josh. 24:33
49 וַיִּקְבְּרוּ אוֹתוֹ בִּגְבוּל נַחֲלָתוֹ Jud. 2:9
50 וַיִּקְבְּרוּ אוֹתוֹ בֵּין צָרְעָה וּבֵין... Jud. 16:31
51 וַיִּקְבְּרוּ תַחַת־הָאֶשֶׁל בְּיָבֵשָׁה ISh. 31:13
52 וַיִּקְבְּרוּ אֶת־אַבְנֵר בְּחֶבְרוֹן IISh. 3:32
53-66 וַיִּקְבְּרוּ (אֶת־, אוֹתוֹ וכד׳) IISh. 4:12; 21:14 • IK. 14:18; 15:8; 22:37 • IIK. 9:28; 10:35; 12:22; 15:7 • ICh. 10:12 • IICh. 13:23; 25:28; 26:23; 27:9

וַיִּקְבְּרֻהוּ 67 וַיִּקְבְּרֻהוּ בְּבֵיתוֹ בָּרָמָה ISh. 25:1
68 וַיִּקְבְּרֻהוּ בָרָמָה וּבְעִירוֹ ISh. 28:3
69 וַיִּקְבְּרֻהוּ בְּקֶבֶר אָבִיו IISh. 2:32
70 וַיִּקְבְּרֻהוּ בְּשֹׁמְרוֹן IIK. 13:9
71 וַיָּמָת אֱלִישָׁע וַיִּקְבְּרֻהוּ IIK. 13:20
72 וַיְבִאֻהוּ יְרוּשָׁלִַם וַיִּקְבְּרֻהוּ בִּקְבֻרָתוֹ IIK. 23:30
73-6 וַיִּקְבְּרֻהוּ בְּעִיר דָּ' IICh. 9:31; 21:20; 24:16, 25
77 וַיִּקְבְּרֻהוּ בְקִבְרֹתָיו אֲשֶׁר כָּרָה־לוֹ IICh. 16:14
78 וַיְמִיתֻהוּ וַיִּקְבְּרֻהוּ IICh. 22:9
79 וַיִּקְבְּרֻהוּ בָעִיר בִּירוּשָׁלִָם IICh. 28:27
80 וַיִּקְבְּרֻהוּ בְּמַעֲלֵה קִבְרֵי בְנֵי־דָוִיד IICh. 32:33
81 וַיִּקְבְּרֻהוּ בֵּיתוֹ IICh. 33:20
קְבֹר 82 בְּמִבְחַר קְבָרֵינוּ קְבֹר אֶת־מֵתֶךָ Gen. 23:6
83 וְהַמְּעָרָה...נְתַתִּיהָ לָּךְ קְבֹר מֵתֶךָ Gen. 23:11
84 וְאֶת־מֵתְךָ קְבֹר Gen. 23:15
וּקְבֹר 85 עֲלֵה וּקְבֹר אֶת־אָבִיךָ Gen. 50:6
קִבְרוּ 86 קִבְרוּ אֹתִי אֶל־אֲבֹתָי Gen. 49:29
וְקִבְרוּהָ 87 פִּקְדוּ־נָא אֶת־הָאֲרוּרָה הַזֹּאת וְקִבְ' IIK. 9:34
אֶקָּבֵר 88 בַּאֲשֶׁר תָּמוּתִי אָמוּת וְשָׁם אֶקָּבֵר Ruth 1:17
תִּקָּבֵר 89 תִּקָּבֵר בְּשֵׂיבָה טוֹבָה Gen. 15:15
90 וְשָׁם תָּמוּת וְשָׁם תִּקָּבֵר Jer. 20:6
יִקָּבֵר 91 קְבוּרַת חֲמוֹר יִקָּבֵר Jer. 22:19
וַיִּקָּבֵר 92 שָׁם מֵת אַהֲרֹן וַיִּקָּבֵר שָׁם Deut. 10:6
93 וַיִּקָּבֵר בְּקֶבֶר יוֹאָשׁ אָבִיו Jud. 8:32
94 וַיָּמָת וַיִּקָּבֵר בְּשָׁמִיר Jud. 10:2
95 וַיָּמָת יָאִיר וַיִּקָּבֵר בְּקָמוֹן Jud. 10:5
96 וַיָּמָת יִפְתָּח...וַיִּקָּבֵר בְּעָרֵי גִלְעָד Jud. 12:7
97 וַיָּמָת אִבְצָן וַיִּקָּבֵר בְּבֵית לָחֶם Jud. 12:10
98 וַיָּמָת אֵילוֹן...וַיִּקָּבֵר בְּאַיָּלוֹן Jud. 12:12
99 וַיִּקָּבֵר עִם־אֲבֹתָיו בְּעִיר דָּוִד IK. 14:31
100-118 וַיִּקָּבֵר • Jud. 12:15 • IISh. 17:23 • IK. 2:10, 34; 11:43; 15:24; 16:6,28; 22:51 • IIK. 8:24; 13:13; 14:16,20; 25:38; 16:20; 21:18 • IICh. 12:16; 21:1; 35:24
וַתִּקָּבֵר 119 וַתִּקָּבֵר מִתַּחַת לְבֵית־אֵל Gen. 35:8
120 וַתִּקָּבֵר בְּדֶרֶךְ אֶפְרָתָה Gen. 35:19
121 וַתָּמָת שָׁם מִרְיָם וַתִּקָּבֵר שָׁם Num. 20:1
יִקָּבֵרוּ 122 לֹא יֵאָסְפוּ וְלֹא יִקָּבֵרוּ Jer. 8:2
123 לֹא יִסָּפְדוּ וְלֹא יִקָּבֵרוּ Jer. 16:4
124 לֹא יִקָּבֵרוּ וְלֹא־יִסְפְּדוּ לָהֶם Jer. 16:6
125 וְלֹא יֵאָסְפוּ וְלֹא יִקָּבֵרוּ Jer. 25:33
126 שְׂרִידָיו בַּמָּוֶת יִקָּבֵרוּ Job 27:15
לְקַבֵּר 127 בַּעֲלוֹת יוֹאָב...לְקַבֵּר אֶת־הַחֲלָלִים IK. 11:15
מְקַבֵּר 128 וְאֵין מְקַבֵּר לָהֵמָּה Jer. 14:16
מְקַבְּרִים 129 וּמִצְרַיִם מְקַבְּרִים אֵת אֲשֶׁר הִכָּה Num. 33:4
130 וַאֲנָשִׁים...מְקַבְּרִים אֶת־הָעֹבְרִים Ezek. 39:14
הַמְקַבְּרִים 131 עַד קָבְרוּ אֹתוֹ הַמְקַבְּרִים Ezek. 39:15
תְּקַבְּרֵם 132 מִצְרַיִם תְּקַבְּצֵם מֹף תְּקַבְּרֵם Hosh. 9:6
קֻבַּר 133 שָׁמָּה קֻבַּר אַבְרָהָם וְשָׂרָה אִשְׁתּוֹ Gen. 25:10

קֶבֶר
ז' מקום באדמה להנחת גופת מת: 1-67

– קֶבֶר פָּתוּחַ 4, 18; אֲחֻזַּת־קֶבֶר 1, 2, 6-8; שֹׁכְבֵי קֶבֶר 5
– קֶבֶר אָבוֹת 22; ק' אָבִיו 21,26,28; ק' אַבְנֵר 20,27; קֶבֶר אֱלִישָׁע 30; ק' אִמּוֹ 21; ק' בְּנֵי הָעָם 23; קֶבֶר יוֹאָשׁ 24; ק' מָנוֹחַ 25; קֶבֶר קִישׁ 29
– מִבְחַר קְבָרִים 49; מַעֲלֵה קְבָרִים 47; קִבְרֵי (בְּנֵי) דָוִד 46,47; ק' בְּנֵי הָעָם 45; ק' מַלְכֵי יִשְׂרָאֵל 48
– בֵּית קְבָרוֹת 52; קִבְרוֹת אָבוֹת 52,53,56; קִבְרוֹת הַמְּלָכִים 54,55

קֶבֶר 1 תְּנוּ לִי אֲחֻזַּת־קֶבֶר עִמָּכֶם Gen. 23:4
2 אֲשֶׁר קָנָה...לַאֲחֻזַּת־קֶבֶר Gen. 50:13
3 אֶתֵּן לְגוֹג מְקוֹם־שָׁם קֶבֶר בְּיִשְׂרָאֵל Ezek. 39:11
4 קֶבֶר־פָּתוּחַ גְּרוֹנָם Ps. 5:10
5 כְּמוֹ חֲלָלִים שֹׁכְבֵי קֶבֶר Ps. 88:6
קָבֶר 6 יִתְּנֶנָּה לִּי בְּתוֹכְכֶם לַאֲחֻזַּת־קָבֶר Gen. 23:9
7 וַיָּקָם הַשָּׂדֶה...לְאַבְרָ' לַאֲחֻזַּת־קָבֶר Gen. 23:20
8 אֲשֶׁר קָנָה...לַאֲחֻזַּת־קָבֶר Gen. 49:30
9 זֶה לְבַדּוֹ יָבֹא לְיָרָבְעָם אֶל־קָבֶר IK. 14:13
10 כִּי־חָצַבְתָּ לְּךָ פֹּה קָבֶר Is. 22:16
11 יָשִׂישׂוּ כִּי יִמְצְאוּ־קָבֶר Job 3:22
12 תָּבוֹא בְכֶלַח אֱלֵי־קָבֶר Job 5:26
הַקֶּבֶר 13 הַקֶּבֶר אִישׁ־הָאֱלֹהִים IIK. 23:17
בְּקָבֶר 14 אוֹ־בְעֶצֶם אָדָם אוֹ בְקָבֶר Num. 19:16
בַּקֶּבֶר 15 בַּקֶּבֶר אֲשֶׁר אִישׁ הָאֱלֹהִים קָבוּר IK. 13:31
16 הַיְסֻפַּר בַּקֶּבֶר חַסְדֶּךָ Ps. 88:12
בַּקָּבֶר 17 אוֹ בֶחָלָל אוֹ בְמֵת אוֹ בַקָּבֶר Num. 19:18
כְּקֶבֶר 18 אַשְׁפָּתוֹ כְּקֶבֶר פָּתוּחַ Jer. 5:16
לַקֶּבֶר 19 מִבֶּטֶן לַקֶּבֶר אוּבָל Job 10:19
קֶבֶר־ 20 וַיֵּבְךְּ אֶל־קֶבֶר אַבְנֵר IISh. 3:32
21 וְאָמֻת בְּעִירִי עִם קֶבֶר אָבִי וְאִמִּי IISh. 19:38
22 לֹא־תָבוֹא נִבְלָתְךָ אֶל־קֶבֶר אֲבֹתֶיךָ IK. 13:22
23 וַיַּשְׁלֵךְ...עַל־קֶבֶר בְּנֵי הָעָם IIK. 23:6
בְּקֶבֶר־ 24 וַיִּקָּבֵר בְּקֶבֶר יוֹאָשׁ אָבִיו Jud. 8:32
25 וַיִּקְבְּרוּ אוֹתוֹ...בְּקֶבֶר מָנוֹחַ אָבִיו Jud. 16:31
26 וַיִּקְבְּרֻהוּ בְּקֶבֶר אָבִיו IISh. 2:32
27 וַיִּקְבְּרוּ בְקֶבֶר־אַבְנֵר בְּחֶבְרוֹן IISh. 4:12
28 וַיָּמָת וַיִּקָּבֵר בְּקֶבֶר אָבִיו IISh. 17:23
29 וַיִּקְבְּרוּ...בְּקֶבֶר קִישׁ אָבִיו IISh. 21:14
30 וַיַּשְׁלִיכוּ אֶת־הָאִישׁ בְּקֶבֶר אֱלִישָׁע IIK. 13:21
קִבְרִי 31 וַתְּהִי־לִי אִמִּי קִבְרִי Jer. 20:17
בְּקִבְרִי 32 בְּקִבְרִי אֲשֶׁר כָּרִיתִי לִי Gen. 50:5
קִבְרֶךָ 33 אָשִׂים קִבְרֶךָ כִּי קַלּוֹתָ Nah. 1:14
מִקִּבְרְךָ 34 הָשְׁלַכְתָּ מִקִּבְרְךָ כְּנֵצֶר נִתְעָב Is. 14:19
קִבְרוֹ 35 אֶת־קִבְרוֹ לֹא־יִכְלֶה מִמְּךָ Gen. 23:6
36 חֹצְבִי מָרוֹם קִבְרוֹ Is. 22:16
37 וַיִּתֵּן אֶת־רְשָׁעִים קִבְרוֹ Is. 53:9
בְּקִבְרוֹ 38 וַיַּנַּח אֶת־נִבְלָתוֹ בְּקִבְרוֹ IK. 13:30
קְבָרִים 39 הֲמִבְּלִי אֵין־קְבָרִים בְּמִצְרַיִם Ex. 14:11
40 יָמַי נִזְעָכוּ קְבָרִים לִי Job 17:1
הַקְּבָרִים 41 וַיַּרְא אֶת־הַקְּבָרִים אֲשֶׁר־שָׁם בָּהָר IIK. 23:16
42 וַיִּקַּח אֶת־הָעֲצָמוֹת מִן־הַקְּבָרִים IIK. 23:16
43 וַיִּזְרֹק עַל־פְּנֵי הַקְּבָרִים IICh. 34:4
בַּקְּבָרִים 44 הַיֹּשְׁבִים בַּקְּבָרִים וּבַנְּצוּרִים יָלִינוּ Is. 65:4
קִבְרֵי־ 45 וַיַּשְׁלֵךְ...אֶל־קִבְרֵי בְּנֵי הָעָם Jer. 26:23
46 עַד־נֶגֶד קִבְרֵי דָוִיד Neh. 3:16
47 בְּמַעֲלֵה קִבְרֵי בְנֵי־דָוִיד IICh. 32:33
לְקִבְרֵי־ 48 לֹא הֱבִיאֻהוּ לְקִבְרֵי מַלְכֵי יִשְׂר' IICh. 28:27
קְבָרֵינוּ 49 בְּמִבְחַר קְבָרֵינוּ קְבֹר אֶת־מֵתֶךָ Gen. 23:6
מִקִּבְרֵיהֶם 50 יוֹצִיאוּ אֶת־עַצְמוֹת...מִקִּבְרֵיהֶם Jer. 8:1
לִקְבָרוֹת 51 וְהוּא לִקְבָרוֹת יוּבָל Job 21:32
קִבְרוֹת־ 52 בֵּית־קִבְרוֹת אֲבֹתַי חֲרֵבָה Neh. 2:3
53 אֶל־יְהוּדָה אֶל־עִיר קִבְרוֹת אֲבֹתַי Neh. 2:5
בְּקִבְרוֹת־ 54 וַיִּקְבְּרֻהוּ...וְלֹא בְּקִבְרוֹת הַמְּלָכִים IICh. 21:20
55 וְלֹא קְבָרֻהוּ בְּקִבְרוֹת הַמְּלָכִים IICh. 24:25
56 וַיִּקָּבֵר בְּקִבְרוֹת אֲבֹתָיו IICh. 35:24
קִבְרֹתֶיךָ 57 וְנֶאֱסַפְתָּ אֶל־קִבְרֹתֶיךָ בְּשָׁלוֹם IIK. 22:20
58 וְנֶאֱסַפְתָּ אֶל־קִבְרֹתֶיךָ בְּשָׁלוֹם IICh. 34:28
קִבְרֹתָיו 59 שָׁם אַשּׁוּר...סְבִיבוֹתָיו קִבְרֹתָיו Ezek. 32:22
בְּקִבְרֹתָיו 60 וַיִּקְבְּרֻהוּ בְקִבְרֹתָיו אֲשֶׁר כָּרָה... IICh. 16:14
קִבְרֹתֶיהָ 61 נִתְּנוּ קִבְרֹתֶיהָ בְּיַרְכְּתֵי־בוֹר Ezek. 32:23
62 סְבִיבוֹתָיו קִבְרֹתֶהָ Ezek. 32:25
63 סְבִיבוֹתָיו קִבְרוֹתֶיהָ Ezek. 32:26
קִבְרוֹתֵיכֶם 64 הִנֵּה אֲנִי פֹתֵחַ אֶת־קִבְרוֹתֵיכֶם Ezek. 37:12
65 בְּפִתְחִי אֶת־קִבְרוֹתֵיכֶם Ezek. 37:13
מִקִּבְרוֹתֵיכֶם 66 וְהַעֲלֵיתִי אֶתְכֶם מִקִּבְרוֹתֵיכֶם Ezek. 37:12
67 וּבְהַעֲלוֹתִי אֶתְכֶם מִקִּבְרוֹתֵיכֶם Ezek. 37:13

קִבְרוֹת הַתַּאֲוָה
ש"פ – מתחנות ישראל במדבר: 1-5

קִבְרוֹת הַתַּאֲוָה 1 וַיִּקְרָא אֶת־שֵׁם־הַמָּקוֹם... קִבְרוֹת הַתַּאֲוָה Num. 11:34
בְּקִבְרוֹת הַתַּ' 2 וַיַּחֲנוּ בְּקִבְרֹת הַתַּאֲוָה Num. 33:16
וּבְקִבְרוֹת הַתַּ' 3 וּבְמַסָּה וּבְקִבְרֹת הַתַּאֲוָה Deut. 9:22
מִקִּבְרוֹת הַתַּ' 4 מִקִּבְרוֹת הַתַּאֲוָה נָסְעוּ הָעָם חֲצֵרוֹת Num. 11:35
5 וַיִּסְעוּ מִקִּבְרֹת הַתַּאֲוָה Num. 33:17

קדד
: וַיִּקֹּד; קָדְקֹד; קִדָּה(?)

קָדַד, קַד
פ' הרכין ראש – תחילת ההשתחויה: 1-15

וָאֶקֹּד 1 וָאֶקֹּד וָאֶשְׁתַּחֲוֶה לַיְיָ Gen. 24:48
וַיִּקֹּד 2 וַיִּקֹּד הָאִישׁ וַיִּשְׁתַּחוּ לַיְיָ Gen. 24:26
3 וַיִּקֹּד הָעָם וַיִּשְׁתַּחֲווּ Ex. 12:27
4 וַיִּקֹּד אַרְצָה וַיִּשְׁתָּחוּ Ex. 34:8
5 וַיִּקֹּד וַיִּשְׁתַּחוּ לְאַפָּיו Num. 22:31
6 וַיִּקֹּד דָּוִד אַפַּיִם אַרְצָה וַיִּשְׁתָּחוּ ISh. 24:9
7 וַיִּקֹּד אַפַּיִם אַרְצָה וַיִּשְׁתָּחוּ ISh. 28:14
8 וַיִּקֹּד יְהוֹשָׁפָט אַפַּיִם אָרְצָה IICh. 20:18
וַתִּקֹּד 9 וַתִּקֹּד בַּת־שֶׁבַע וַתִּשְׁתַּחוּ לַמֶּלֶךְ IK. 1:16
10 וַתִּקֹּד בַּת־שֶׁבַע אַפַּיִם אֶרֶץ... IK. 1:31
וַיִּקְּדוּ 11 וַיִּקְּדוּ וַיִּשְׁתַּחֲו Gen. 43:28
12/3 וַיִּקְּדוּ וַיִּשְׁתַּחֲווּ Ex. 4:31 • IICh. 29:30
14 וַיִּקְּדוּ וַיִּשְׁתַּחֲוֻּ לַיְיָ אַפַּיִם אָרְצָה Neh. 8:6
15 וַיִּקְּדוּ וַיִּשְׁתַּחֲווּ לַיְיָ וְלַמֶּלֶךְ ICh. 29:20

קִדָּה
נ' צמח בושם, ממרכיבי שמן הקודש: 1, 2

קִדָּה 1 קִדָּה וְקָנֶה בְּמַעֲרָבֵךְ הָיָה Ezek. 27:19
וְקִדָּה 2 וְקִדָּה חֲמֵשׁ מֵאוֹת בְּשֶׁקֶל הַקֹּדֶשׁ Ex. 30:24

קְדוּמִים
ז"ר – ימי הקדם • נַחַל קְדוּמִים 1

קְדוּמִים 1 נַחַל קְדוּמִים נַחַל קִישׁוֹן Jud. 5:21

קְדֹרַנִּית
– עין קְדֹרַנִּית

קָדוֹשׁ
ת' א) נעלה ונשגב (מתארי אלהי ישראל): 10-13, 16, 25, 28-32, 34-40, 47-49, 52-79, 81-84, 86-93, 103-109, 116
ב) צדיק גדול, טהור בדבקותו באלהים: 1, 14, 15, 17-24, 26, 27, 42, 43, 50, 51, 80, 94-99, 101, 102, 110-115
ג) שאין בו חל או טומאה: 2-9, 33, 41, 44-46, 85, 100

– אֶחָד קָדוֹשׁ 42, 43; אִישׁ קָדוֹשׁ 26; אֵל קָדוֹשׁ 53; אִמְרֵי קָדוֹשׁ 40; גּוֹי קָדוֹשׁ 1; יוֹם קָדוֹשׁ 44-46; יְיָ (אֱלֹהִים) קָדוֹשׁ 37,38,52,90,93; מַחֲנֶה ק' 22; מְקוֹם קָדוֹשׁ 2-9, 33, (41); עַם קָדוֹשׁ 19-21, 23, 24
– קְדוֹשׁ הֵיכָלוֹ 78; קְדוֹשׁ יְיָ 80, 85; ק' יִשְׂרָאֵל 54-76, 79, 81-84, 86-89; קְדוֹשׁ מִשְׁכְּנֵי עֶלְיוֹן 77
– אֱלֹהִים קְדֹשִׁים 103; דַּעַת ק' 108, 109; מַיִם ק' 100; סוֹד ק' 107; עַם ק' 110; קְהַל קְדֹשִׁים 106

קָדוֹשׁ 1 מַמְלֶכֶת כֹּהֲנִים וְגוֹי קָדוֹשׁ Ex. 19:6
2 וּבִשַּׁלְתָּ...בְּמָקֹם קָדֹשׁ Ex. 29:31
3 מַצּוֹת תֵּאָכֵל בְּמָקוֹם קָדֹשׁ Lev. 6:9
4-6 בְּמָקוֹם קָדֹשׁ Lev. 6:19, 20; 24:9
7-9 בְּמָקוֹם קָדוֹשׁ Lev. 7:6; 10:13; 16:24
10/1 כִּי קָדוֹשׁ אָנִי Lev. 11:44, 45
12 כִּי קָדוֹשׁ אֲנִי יְיָ אֱלֹהֵיכֶם Lev. 19:2
13 כִּי קָדוֹשׁ אֲנִי יְיָ Lev. 20:26
14 כִּי־קָדֹשׁ הוּא לֵאלֹהָיו Lev. 21:7
15 קָדֹשׁ יִהְיֶה־לָּךְ Lev. 21:8

קָדוֹשׁ (המשך)
16 כִּי קָדוֹשׁ אֲנִי יְיָ מְקַדִּשְׁכֶם Lev. 21:8
17 עַד־מְלֹאת הַיָּמִם...קָדֹשׁ יִהְיֶה Num. 6:5
18 כֹּל יְמֵי נִזְרוֹ קָדֹשׁ הוּא לַייָ Num. 6:8
21-19 עַם קָדוֹשׁ אַתָּה לַייָ אֱלֹהֶיךָ Deut. 7:6;14:2,21
22 וְהָיָה מַחֲנֶיךָ קָדוֹשׁ Deut. 23:15
23 וְלִהְיֹתְךָ עַם־קָדֹשׁ לַייָ אֱלֹהֶיךָ Deut. 26:19
24 יְקִימְךָ יְיָ לוֹ לְעַם קָדוֹשׁ Deut. 28:9
25 אֵין־קָדוֹשׁ כַּייָ כִּי־אֵין בִּלְתֶּךָ ISh. 2:2
26 כִּי אִישׁ אֱלֹהִים קָדוֹשׁ הוּא IIK. 4:9
27 הַנִּשְׁאָר...קָדוֹשׁ יֵאָמֶר לוֹ Is. 4:3
30-28 קָדוֹשׁ קָדוֹשׁ קָדוֹשׁ יְיָ צְבָאוֹת Is. 6:3
31 וְאֶל־מִי תְדַמְּיוּנִי...יֹאמַר קָדוֹשׁ Is. 40:25
32 כִּי־אֲנִי יְיָ קָדוֹשׁ בְּיִשְׂרָאֵל Ezek. 39:7
33 כִּי הַמָּקוֹם קָדֹשׁ Ezek. 42:13
34 כִּי אֵל אָנֹכִי...בְּקִרְבְּךָ קָדוֹשׁ Hosh. 11:9
35 וְאַתָּה קָדוֹשׁ יוֹשֵׁב תְּהִלּוֹת יִשְׂרָאֵל Ps. 22:4
36 גָּדוֹל וְנוֹרָא קָדוֹשׁ הוּא Ps. 99:3
37 רוֹמְמוּ יְיָ אֱלֹהֵינוּ...קָדוֹשׁ הוּא Ps. 99:5
38 כִּי־קָדוֹשׁ יְיָ אֱלֹהֵינוּ Ps. 99:9
39 קָדוֹשׁ וְנוֹרָא שְׁמוֹ Ps. 111:9
40 כִּי־לֹא כִחַדְתִּי אִמְרֵי קָדוֹשׁ Job 6:10
41 וּמִמְּקוֹם קָדוֹשׁ יְהַלֵּכוּ Eccl. 8:10
42 וָאֶשְׁמְעָה אֶחָד־קָדוֹשׁ מְדַבֵּר Dan. 8:13
43 וַיֹּאמֶר אֶחָד קָדוֹשׁ לַפַּלְמוֹנִי Dan. 8:13
44 הַיּוֹם קָדֹשׁ־הוּא לַייָ אֱלֹהֵיכֶם Neh. 8:9
45 כִּי־קָדוֹשׁ הַיּוֹם לַאֲדֹנֵינוּ Neh. 8:10
46 כִּי־הַיּוֹם קָדֹשׁ וְאַל־תֵּעָצֵבוּ Neh. 8:11

וְקָדוֹשׁ 47 רָם וְנִשָּׂא שֹׁכֵן עַד וְקָדוֹשׁ שְׁמוֹ Is. 57:15
48 מָרוֹם וְקָדוֹשׁ אֶשְׁכּוֹן Is. 57:15
49 אֱלוֹהַ מִתֵּימָן...וְקָדוֹשׁ מֵהַר־פָּארָן Hab. 3:3

הַקָּדוֹשׁ 50 וְאֶת־הַקָּדוֹשׁ וְהִקְרִיב אֵלָיו Num. 16:5
51 אֲשֶׁר־יִבְחַר יְיָ הוּא הַקָּדוֹשׁ Num. 16:7
52 לִפְנֵי יְיָ הָאֱלֹהִים הַקָּדוֹשׁ הַזֶּה ISh. 6:20
53 וְהָאֵל הַקָּדוֹשׁ נִקְדַּשׁ בִּצְדָקָה Is. 5:16

קְדוֹשׁ־ 54 וַתִּשָּׂא מָרוֹם עֵינֶיךָ עַל־קְדוֹשׁ יִשׂ׳ IIK. 19:22
55 נִאֲצוּ אֶת־קְדוֹשׁ יִשְׂרָאֵל Is. 1:4
56 וְתָבוֹאָה עֲצַת קְדוֹשׁ יִשְׂרָאֵל Is. 5:19
57 וְאֵת אִמְרַת קְדוֹשׁ־יִשְׂרָאֵל נִאֵצוּ Is. 5:24
76-58 קְדוֹשׁ יִשְׂרָאֵל Is. 10:20; 12:6; 17:7; 29:23
30:11, 12, 15; 31:1; 37:23; 41:14; 43:3, 14; 45:11;
47:4; 48:17; 49:7; 54:5; 60:14 • Jer. 50:29
77 עִיר־אֱלֹהִים קְדֹשׁ מִשְׁכְּנֵי עֶלְיוֹן Ps. 46:5
78 בְּטוּב בֵּיתֶךָ קְדֹשׁ הֵיכָלֶךָ Ps. 65:5
79 אֲזַמְּרָה לְךָ...קְדוֹשׁ יִשְׂרָאֵל Ps. 71:22
80 וַיְקַנְאוּ...לְאַהֲרֹן קְדוֹשׁ יְיָ Ps. 106:16

וּקְדוֹשׁ־ 81 וּקְדוֹשׁ יִשְׂרָאֵל בְּרָאָהּ Is. 41:20
82 וּקְדוֹשׁ יִשְׂרָאֵל הִתְווּ Ps. 78:41

בִּקְדוֹשׁ־ 83 וְאֶבְיוֹנֵי אָדָם בִּקְדוֹשׁ יִשְׂרָ׳ יָגִילוּ Is. 29:19
84 תָּגִיל בַּייָ בִּקְדוֹשׁ יִשְׂרָאֵל תִּתְהַלָּל Is. 41:16

לִקְדוֹשׁ־ 85 וְקָרָאתָ לַשַּׁבָּת עֹנֶג לִקְדוֹשׁ יְיָ מְכֻבָּד
Is. 58:13

וְלִקְדוֹשׁ־ 86/7 וְלִקְדוֹשׁ יִשְׂרָאֵל כִּי פֵאֲרָךְ Is. 55:5; 60:9
88 וְלִקְדוֹשׁ יִשְׂרָאֵל מַלְכֵּנוּ Ps. 89:19

מִקְּדוֹשׁ־ 89 אַרְצָם מָלְאָה אָשָׁם מִקְּדוֹשׁ יִשְׂרָאֵל Jer. 51:5

קְדֹשִׁי 90 הֲלוֹא אַתָּה מִקֶּדֶם יְיָ אֱלֹהַי קְדֹשִׁי Hab. 1:12

קְדוֹשׁוֹ 91 יְיָ גֹּאֵל יִשְׂרָאֵל קְדוֹשׁוֹ Is. 49:7

וּקְדוֹשׁוֹ 92 אוֹר־יִשְׂרָאֵל לְאֵשׁ וּקְדוֹשׁוֹ לְלֶהָבָה Is. 10:17

קְדוֹשְׁכֶם 93 אֲנִי יְיָ קְדוֹשְׁכֶם Is. 43:15

קְדֹשִׁים 94/5 וִהְיִיתֶם קְדֹשִׁים כִּי קָדוֹשׁ אָנִי Lev. 11:44, 45
96 קְדֹשִׁים תִּהְיוּ כִּי קָדוֹשׁ אֲנִי יְיָ Lev. 19:2
97 וְהִתְקַדִּשְׁתֶּם וִהְיִיתֶם קְדֹשִׁים Lev. 20:7
98 וִהְיִיתֶם לִי קְדֹשִׁים כִּי קָדוֹשׁ אֲנִי יְיָ Lev. 20:26

קְדֹשִׁים (המשך)
99 קְדֹשִׁים יִהְיוּ לֵאלֹהֵיהֶם Lev. 21:6
100 מַיִם קְדֹשִׁים בִּכְלִי־חָרֶשׂ Num. 5:17
101 וִהְיִיתֶם קְדֹשִׁים לֵאלֹהֵיכֶם Num. 15:40
102 כִּי כָל־הָעֵדָה כֻּלָּם קְדֹשִׁים Num. 16:3
103 כִּי־אֱלֹהִים קְדֹשִׁים הוּא Josh. 24:19
104 רָד עִם־אֵל וְעִם־קְדוֹשִׁים נֶאֱמָן Hosh. 12:1
105 וּבָא יְיָ אֱלֹהַי כָּל־קְדֹשִׁים עִמָּךְ Zech. 14:5
106 אַף־אֱמוּנָתְךָ בִּקְהַל קְדֹשִׁים Ps. 89:6
107 אֵל נַעֲרָץ בְּסוֹד־קְדֹשִׁים רַבָּה Ps. 89:8
108 וְדַעַת קְדֹשִׁים בִּינָה Prov. 9:10
109 וְדַעַת קְדֹשִׁים אֵדָע Prov. 30:3
110 וְהִשְׁחִית עֲצוּמִים וְעַם־קְדֹשִׁים Dan. 8:24

הַקְּדוֹשִׁים 111 וַיֹּאמֶר לַלְוִיִּם...הַקְּדוֹשִׁים לַייָ IICh. 35:3

לִקְדוֹשִׁים 112 לִקְדוֹשִׁים אֲשֶׁר־בָּאָרֶץ הֵמָּה Ps. 16:3

מִקְּדֹשִׁים 113 וְאֶל־מִי מִקְּדֹשִׁים תִּפְנֶה Job 5:1

קְדֹשָׁיו 114 כָּל־קְדֹשָׁיו בְּיָדֶךָ Deut. 33:3
115 יְראוּ אֶת־יְיָ קְדֹשָׁיו Ps. 34:10

בִּקְדֹשָׁיו 116 הֵן בִּקְדֹשָׁו לֹא יַאֲמִין Job 15:15

קדח : קָדַח; קַדַּחַת

קָדַח
פ׳ א) בָּעַר, דלק: 1-3
ב) הבעיר, הדליק: 4, 5

כְּקְדֹחַ 1 כִּקְדֹחַ אֵשׁ הֲמָסִים Is. 64:1

קָדְחָה 2/3 כִּי־אֵשׁ קָדְחָה בְאַפִּי Deut. 32:22 • Jer. 15:14

קְדַחְתֶּם 4 כִּי־אֵשׁ קְדַחְתֶּם בְּאַפִּי Jer. 17:4

קֹדְחֵי־ 5 כֻּלְּכֶם קֹדְחֵי אֵשׁ מְאַזְּרֵי זִיקוֹת Is. 50:11

קַדַּחַת
נ׳ דלקת, מחלה מלווה חום רב: 1, 2

הַקַּדַּחַת 1 אֶת־הַשַּׁחֶפֶת וְאֶת־הַקַּדַּחַת Lev. 26:16

וּבַקַּדַּחַת 2 בַּשַּׁחֶפֶת וּבַקַּדַּחַת וּבַדַּלֶּקֶת Deut. 28:22

קָדִים
ז׳ א) קֶדֶם, מזרח: 7-20, 34-69
ב) [קָדִים, רוּחַ קָדִים] רוח מזרחית לוהטת:
1-6, 21-33

– דֶּרֶךְ הַקָּדִים 34,36-43; יוֹם קָ׳ 5; פְּאַת קָ׳ 14-20;
פְּנוֹת קָ׳ 7; רוֹדֵף קָ׳ 21; רוּחַ קָ׳ 3, 4, 6, 23, 24,
30-33,45; שְׁדוּפוֹת קָדִים 1,2,29; שַׁעַר הַקָּדִים 44

– קָדִימָה 49-69; גְּבוּל קָ׳ 51, 64; דֶּרֶךְ קָדִימָה
69; פְּאַת קָדִימָה 53-62, 65

קָדִים 1 שֶׁבַע שִׁבֳּלִים דַּקּוֹת וּשְׁדוּפֹת קָדִים Gen. 41:6
2 צְנֻמוֹת דַּקּוֹת שְׁדֻפוֹת קָדִים Gen. 41:23
3 וַייָ נִהַג רוּחַ־קָדִים בָּאָרֶץ Ex. 10:13
4 וַיּוֹלֶךְ יְיָ אֶת־הַיָּם בְּרוּחַ קָדִים עַזָּה Ex. 14:21
5 הָגָה בְּרוּחוֹ הַקָּשָׁה בְּיוֹם קָדִים Is. 27:8
6 כְּרוּחַ־קָדִים אֲפִיצֵם לִפְנֵי אוֹיֵב Jer. 18:17
7 וּמַעֲלֹתֵהוּ פְּנוֹת קָדִים Ezek. 43:17
8 שַׁעַר הַמִּקְדָּשׁ...הַפֹּנֶה קָדִים Ezek. 44:1
9 שַׁעַר הֶחָצֵר...הַפֹּנֶה קָדִים Ezek. 46:1
10 וּפָתַח לוֹ אֶת־הַשַּׁעַר הַפֹּנֶה קָדִים Ezek. 46:12
11 כִּי־פְנֵי הַבַּיִת קָדִים Ezek. 47:1
12 שַׁעַר הַחוּץ דֶּרֶךְ הַפּוֹנֶה קָדִים Ezek. 47:2
13 בְּצֵאת־הָאִישׁ קָדִים Ezek. 47:3
14 וּפְאַת קָדִים מִבֵּין חַוְרָן Ezek. 47:18
15 וְהָיוּ־לוֹ פְאַת־קָדִים הַיָּם Ezek. 48:1
18-16 מִפְּאַת קָדִים עַד־פְּאַת יָמָּה Ezek.48:2,7,8
19 מִפְּאַת קָדִים וְעַד־פְּאַת-יָמָּה Ezek. 48:6
20 וּמִפְּאַת קָדִים חֲמֵשׁ מֵאוֹת... Ezek. 48:16
21 אֶפְרַיִם רֹעֶה רוּחַ וְרֹדֵף קָדִים Hosh. 12:2
22 יָבוֹא קָדִים רוּחַ יְיָ מִמִּדְבָּר עֹלֶה Hosh. 13:15
23 וַיְמַן אֱלֹהִים רוּחַ קָדִים חֲרִישִׁית Jon. 4:8
24 בְּרוּחַ קָדִים תְּשַׁבֵּר אֳנִיּוֹת תַּרְשִׁישׁ Ps. 48:8

קָדִים (המשך)
25 יַסַּע קָדִים בַּשָּׁמָיִם Ps. 78:26
26 וִימַלֵּא קָדִים בִּטְנוֹ Job 15:2
27 יִשָּׂאֵהוּ קָדִים וְיֵלַךְ Job 27:21
28 יָפֵץ קָדִים עֲלֵי־אָרֶץ Job 38:24

הַקָּדִים 29 וְשֶׁבַע הַשִּׁבֳּלִים...שְׁדֻפוֹת הַקָּדִים Gen. 41:27
30 וְרוּחַ הַקָּדִים נָשָׂא אֶת־הָאַרְבֶּה Ex. 10:13
31 כְּגַעַת בָּהּ רוּחַ הַקָּדִים תִּיבַשׁ יָבֹשׁ Ezek. 17:10
32 וְרוּחַ הַקָּדִים הוֹבִישׁ פִּרְיָהּ Ezek. 19:12
33 רוּחַ הַקָּדִים שְׁבָרֵךְ בְּלֵב יַמִּים Ezek. 27:26
34 וְתָאֵי הַשַּׁעַר דֶּרֶךְ הַקָּדִים Ezek. 40:10
35 וַיָּמָד...הַקָּדִים וְהַצָּפוֹן Ezek. 40:19
43-36 (מִ)דֶּרֶךְ הַקָּדִים Ezek. 40:22, 32
42:10, 12, 15; 43:1, 2, 4
44 אֶל־כֶּתֶף שַׁעַר הַקָּדִים Ezek. 40:44
45 מָדַד רוּחַ הַקָּדִים בִּקְנֵה הַמִּדָּה Ezek. 42:16

מֵהַקָּדִים 46 הַמֵּבִיא° מֵהַקָּדִים בְּבֹאוֹ לָהֵנָּה Ezek. 42:9

לַקָּדִים 47 וְרֹחַב פְּנֵי הַבַּיִת וְהַגִּזְרָה לַקָּדִים Ezek. 41:14

וְלַקָּדִים 48 נֶגֶד הַשַּׁעַר לַצָּפוֹן וְלַקָּדִים Ezek. 40:23

קָדִימָה 49 אֶל־שַׁעַר...הַפּוֹנֶה קָדִימָה Ezek. 11:1
50 וּמִפְּאַת קֵדְמָה קָדִימָה Ezek. 45:7
51 מִגְּבוּל יָם אֶל־גְּבוּל קָדִימָה Ezek. 45:7
52 מַיִם...מִתַּחַת מִפְתַּן הַבַּיִת קָדִימָה Ezek. 47:1
53 וְאֵת פְּאַת קָדִימָה Ezek. 47:18
54 מִפְּאַת קָדִימָה (וְ)עַד־פְּאַת יָמָּה Ezek. 48:3
57-55 מִפְּאַת קָדְמָה עַד-פְּאַת יָמָּה Ezek. 48:4, 5, 27
62-58 מִפְּאַת קָדִימָה עַד־פְּאַת־יָמָּה
Ezek. 48:8, 23, 24, 25, 26
63 עֲשֶׂרֶת אֲלָפִים קָדִימָה Ezek. 48:18
64 עַד־גְּבוּל קָדִימָה וָיָמָּה Ezek. 48:21
65 וְאֶל-פְּאַת קָדִימָה חֲמֵשׁ מֵאוֹת... Ezek. 48:32
66 מְגַמַּת פְּנֵיהֶם קָדִימָה Hab. 1:9

וְקָדִימָה 67 וְקָדִימָה רֹחַב עֲשֶׂרֶת אֲלָפִים Ezek. 48:10
68 וְקָדִימָה חֲמִשִּׁים וּמָאתָיִם Ezek. 48:17

הַקָּדִימָה 69 אֲשֶׁר פָּנָיו דֶּרֶךְ הַקָּדִימָה Ezek. 40:6

קַדִּישׁ
ת׳ ארמית: קָדוֹשׁ: 1-13
עִיר וְקַדִּישׁ 1, 2; אֱלָהִין קַדִּישִׁין 3-6; קַדִּישֵׁי
עֶלְיוֹנִין 10-13

וְקַדִּישׁ 1 עִיר וְקַדִּישׁ מִן־שְׁמַיָּא נָחִת Dan. 4:10
2 עִיר וְקַדִּישׁ נָחִת מִן־שְׁמַיָּא Dan. 4:20

קַדִּישִׁין 3/4 רוּחַ(־)אֱלָהִין קַדִּישִׁין בֵּהּ Dan. 4:5; 5:11
5/6 רוּחַ(־)אֱלָהִין קַדִּישִׁין בָּךְ Dan. 4:6, 15
7 וּמֵאמַר קַדִּישִׁין שְׁאֵלְתָא Dan. 4:14
8 עָבְדָא קְרָב עִם־קַדִּישִׁין Dan. 7:21
9 וּמַלְכוּתָא הֶחֱסִנוּ קַדִּישִׁין Dan. 7:22

קַדִּישֵׁי־ 10 וִיקַבְּלוּן מַלְכוּתָא קַדִּישֵׁי עֶלְיוֹנִין Dan. 7:18
11 יְהִיבַת לְעַם קַדִּישֵׁי עֶלְיוֹנִין Dan. 7:27

לְקַדִּישֵׁי־ 12 וְדִינָא יְהִב לְקַדִּישֵׁי עֶלְיוֹנִין Dan. 7:22

וּלְקַדִּישֵׁי־ 13 וּלְקַדִּישֵׁי עֶלְיוֹנִין יְבַלֵּא Dan. 7:25

קדם : קִדֵּם, הִקְדִּים; קֶדֶם, קָדִים, קְדוּמִים, קַדְמוֹן,
קַדְמוֹנִי, קִדְמָה, קַדְמָה; ש״פ קִדְמָה, קַדְמוֹנִי,
קְדֵמוֹת, קַדְמִיאֵל; אר׳ קֳדָם, קַדְמָה, קַדְמָי

קִדֵּם
פ׳ א) מִהר, היה לפני אחֵר: 1, 2, 5, 6
ב) יצא לקראת־, קִבל פְּנֵי־: 3, 4, 7-24
ג) [הפ׳ הִקְדִּים] מִהר, בא מוקדם: 25, 26
קִדֵּם פָּנָיו 19, 24

קִדַּמְתִּי 1 עַל־כֵּן קִדַּמְתִּי לִבְרֹחַ תַּרְשִׁישָׁה Jon. 4:2
2 קִדַּמְתִּי בַנֶּשֶׁף וָאֲשַׁוֵּעָה Ps. 119:147

קִדְּמוּ 3 לֹא־קִדְּמוּ אֶתְכֶם בַּלֶּחֶם וּבַמַּיִם Deut. 23:5
4 בְּלַחְמוֹ קִדְּמוּ נֹדֵד Is. 21:14

קִדְּמוּ (המשך) 5 קִדְּמוּ שָׁרִים אַחַר נֹגְנִים Ps. 68:26
6 קִדְּמוּ עֵינַי אַשְׁמֻרוֹת Ps. 119:148
7 לֹא קִדְּמוּ אֶת־בְּ־יְ בַּלֶּחֶם וּבַמָּיִם Neh. 13:2
קִדְּמֻנִי 8 קִדְּמֻנִי מֹקְשֵׁי־מָוֶת IISh. 22:6
9 קִדְּמוּנִי מוֹקְשֵׁי מָוֶת Ps. 18:6
10 מַדּוּעַ קִדְּמוּנִי בִרְכָּיִם Job 3:12
11 קִדְּמֻנִי יְמֵי־עֹנִי Job 30:27
אֲקַדֵּם 12 בַּמָּה אֲקַדֵּם יְיָ Mic. 6:6
הַאֲקַדְּמֶנּוּ 13 הַאֲקַדְּמֶנּוּ בְעוֹלוֹת Mic. 6:6
תְּקַדְּמֶנּוּ 14 כִּי־תְקַדְּמֶנּוּ בִּרְכוֹת טוֹב Ps. 21:4
יְקַדְּמֵנִי 15 אֱלֹהֵי חַסְדִּי יְקַדְּמֵנִי Ps. 59:11
יְקַדְּמֶנָּה 16/7 וְלֹא־יְקַדְּמֶנָּה מָגֵן IIK. 19:32 • Is. 37:33
תְּקַדְּמֶךָּ 18 וּבַבֹּקֶר תְּפִלָּתִי תְקַדְּמֶךָּ Ps. 88:14
נְקַדְּמָה 19 נְקַדְּמָה פָנָיו בְּתוֹדָה Ps. 95:2
יְקַדְּמוּ 20 חֶסֶד וֶאֱמֶת יְקַדְּמוּ פָנֶיךָ Ps. 89:15
יְקַדְּמֻנִי 21 יְקַדְּמֻנִי בְיוֹם־אֵידִי IISh. 22:19
22 יְקַדְּמוּנִי בְיוֹם־אֵידִי Ps. 18:19
יְקַדְּמוּנוּ 23 מַהֵר יְקַדְּמוּנוּ רַחֲמֶיךָ Ps. 79:8
קַדְּמָה 24 קוּמָה יְיָ קַדְּמָה פָנָיו הַכְרִיעֵהוּ Ps. 17:13
הִקְדִּימַנִי 25 מִי הִקְדִּימַנִי וַאֲשַׁלֵּם Job 41:3
וְתַקְדִּים 26 לֹא־תַגִּישׁ וְתַקְדִּים בַּעֲדֵינוּ הָרָעָה Am. 9:10

קֶדֶם

ז׳ א) הצד שלפנים, פני דבר, הפך מן "אָחוֹר": 32, 37, 48
ב) צד מזרח: 1-4, 6-10, 12, 13, 22-24, 31, 34, 38-46, 50, 51, 54, 59, 62-87
ג) הזמן הקדום, הימים שעברו: 5, 11, 14-21, 25-30, 33, 35, 36, 47, 49, 52, 53, 55-61
— אֱלֹהֵי קֶדֶם 5; אֶרֶץ קֶ׳ 1; בְּנֵי קֶ׳ 2, 6-10, 12, 22-25, 31; הַר הַקֶ׳ 34; הַרְרֵי קֶ׳ 3, 4; יוֹשֵׁב קֶ׳ 25; יְמֵי קֶדֶם 11, 14-21; יַרְחֵי קֶ׳ 33; מַלְכֵי קֶדֶם 13; שְׁמֵי קֶדֶם 26
— מִקֶּדֶם לְ־ 39, 41, 44-46, 50, 51; פְּאַת קֵדְמָה 63, 64
— מִקַּדְמֵי אָרֶץ 61

קֶדֶם 1 וַיְשַׁלְּחֵם...קֵדְמָה אֶל־אֶרֶץ קֶדֶם Gen. 25:6
2 וַיֵּלֶךְ אַרְצָה בְנֵי־קֶדֶם Gen. 29:1
3 מִן־אֲרָם...מֵהַרְרֵי־קֶדֶם Num. 23:7
4 וּמֵרֹאשׁ הַרְרֵי־קֶדֶם Deut. 33:15
5 מְעֹנָה אֱלֹהֵי קֶדֶם Deut. 33:27
6/7 מִדְיָן וַעֲמָלֵק וּבְנֵי־קֶדֶם Jud. 6:3, 33
8 וְכָל־בְּנֵי־קֶדֶם נֹפְלִים בָּעֵמֶק Jud. 7:12
9 הַנּוֹתָרִים מִכֹּל מַחֲנֵה בְנֵי־קֶדֶם Jud. 8:10
10 וַתֵּרֶב...מֵחָכְמַת כָּל־בְּנֵי־קֶדֶם IK. 5:10
11 לְמִימֵי קֶדֶם וִיצַרְתִּיהָ IIK. 19:25
12 יַחְדָּו יָבֹזּוּ אֶת־בְּנֵי־קֶדֶם Is. 11:14
13 בֶּן־חֲכָמִים אֲנִי בֶּן־מַלְכֵי־קֶדֶם Is. 19:11
14 מִימֵי קֶדֶם קַדְמָתָהּ Is. 23:7
15-21 (בִּ/כִּ/מִ)ימֵי קֶדֶם Is. 37:26; 51:9 • Jer. 46:26 • Mic. 7:20 • Ps. 44:2 • Lam. 1:7; 2:17
22 וְשָׁדְדוּ אֶת־בְּנֵי־קֶדֶם Jer. 49:28
23 הִנְנִי נֹתְנָךְ לִבְנֵי־קֶדֶם לְמוֹרָשָׁה Ezek. 25:4
24 לִבְנֵי־קֶדֶם עַל־בְּנֵי עַמּוֹן Ezek. 25:10
25 וְיֹשֵׁב קֶדֶם...אֲשֶׁר אֵין חֲלִיפוֹת Ps. 55:20
26 לָרֹכֵב בִּשְׁמֵי שְׁמֵי־קֶדֶם Ps. 68:34
27 זְכֹר עֲדָתְךָ קָנִיתָ קֶּדֶם Ps. 74:2
28 אַבִּיעָה חִידוֹת מִנִּי־קֶדֶם Ps. 78:2
29 קֶדֶם יָדַעְתִּי מֵעֵדֹתֶיךָ Ps. 119:152
30 קֶדֶם מִפְעָלָיו מֵאָז Prov. 8:22
31 וַיְהִי הָאִישׁ...גָּדוֹל מִכָּל־בְּנֵי־קֶדֶם Job 1:3
32 הֵן קֶדֶם אֶהֱלֹךְ וְאֵינֶנּוּ Job 23:8
33 מִי־יִתְּנֵנִי כְיַרְחֵי־קֶדֶם Job 29:2
הַקֶּדֶם 34 בֹּאֲכָה סְפָרָה הַר הַקֶּדֶם Gen. 10:30
כְּקֶדֶם 35 וְהָיוּ בָנָיו כְּקֶדֶם Jer. 30:20
36 חַדֵּשׁ יָמֵינוּ כְּקֶדֶם Lam. 5:21
וָקֶדֶם 37 אָחוֹר וָקֶדֶם צַרְתָּנִי Ps. 139:5
מִקֶּדֶם 38 וַיִּטַּע יְיָ אֱלֹהִים גַּן בְּעֵדֶן מִקֶּדֶם Gen. 2:8
39 וַיַּשְׁכֵּן מִקֶּדֶם לְגַן־עֵדֶן... Gen. 3:24
40 וַיְהִי בְּנָסְעָם מִקֶּדֶם Gen. 11:2
41 וַיַּעְתֵּק...הָהָרָה מִקֶּדֶם לְבֵית־אֵל Gen. 12:8
42 בֵּית־אֵל מִיָּם וְהָעַי מִקֶּדֶם Gen. 12:8
43 וַיִּסַּע לוֹט מִקֶּדֶם Gen. 13:11
44 וְיָרַד הַגְּבֻל...מִקֶּדֶם לָעָיִן Num. 34:11
45 הָעַי...מִקֶּדֶם לְבֵית־אֵל Josh. 7:2
46 מִקֶּדֶם לְנֹבַח וְיָגְבֳּהָה Jud. 8:11
47 מָלְאוּ מִקֶּדֶם וְעֹנְנִים כַּפְּלִשְׁתִּים Is. 2:6
48 אֲרָם מִקֶּדֶם וּפְלִשְׁתִּים מֵאָחוֹר Is. 9:11
49 מִי הִשְׁמִיעַ זֹאת מִקֶּדֶם Is. 45:21
50 עַל־הָהָר אֲשֶׁר מִקֶּדֶם לָעִיר Ezek. 11:23
51 וַיֵּשֶׁב מִקֶּדֶם לָעִיר Jon. 4:5
52 וּמוֹצָאֹתָיו מִקֶּדֶם מִימֵי עוֹלָם Mic. 5:1
53 הֲלוֹא אַתָּה מִקֶּדֶם יְיָ אֱלֹהַי Hab. 1:12
54 אֲשֶׁר עַל־פְּנֵי יְרוּשָׁלַםִ מִקֶּדֶם Zech. 14:4
55 וֵאלֹהִים מַלְכִּי מִקֶּדֶם Ps. 74:12
56 חִשַּׁבְתִּי יָמִים מִקֶּדֶם שְׁנוֹת עוֹלָמִים Ps. 77:6
57 כִּי־אֶזְכְּרָה מִקֶּדֶם פִּלְאֶךָ Ps. 77:12
58 זָכַרְתִּי יָמִים מִקֶּדֶם Ps. 143:5
59 כִּי־בִימֵי דָוִיד וְאָסָף מִקֶּדֶם Neh. 12:46
וּמִקֶּדֶם 60 וּמִקֶּדֶם אֲשֶׁר לֹא־נַעֲשׂוּ Is. 46:10
מִקַּדְמֵי 61 מֵרֹאשׁ מִקַּדְמֵי־אָרֶץ Prov. 8:23
קֵדְמָה 62 וַיְשַׁלְּחֵם...קֵדְמָה אֶל־אֶרֶץ קֶדֶם Gen. 25:6
63 לִפְאַת קֵדְמָה מִזְרָחָה Ex. 27:13
64 וְלִפְאַת קֵדְמָה מִזְרָחָה Ex. 38:13
65 וְהִשְׁלִיךְ אֹתָהּ אֵצֶל הַמִּזְבֵּחַ קֵדְמָה Lev. 1:16
66 וְהִזָּה...עַל־פְּנֵי הַכַּפֹּרֶת קֵדְמָה Lev. 16:14
67 וְהַחֹנִים קֵדְמָה מִזְרָחָה Num. 2:3
68-85 קֵדְמָה Num. 3:38; 10:5 • 34:3, 10, 11, 15; 35:5 • Josh. 15:5; 18:20; 19:12, 13 • IK. 7:39; 17:3 • IIK. 13:17 • Ezek. 8:16²; 45:7 • IICh. 4:10
וָקֵדְמָה 86 צָפֹנָה וָנֶגְבָּה וָקֵדְמָה וָיָמָּה Gen. 13:14
87 יָמָּה וָקֵדְמָה וְצָפֹנָה וָנֶגְבָּה Gen. 28:14

קֳדָם

מ״י ארמית: א) לפני: 1-16, 23-34, 38, 39, 42
ב) [מִן־קֳדָם] מלפני: 17-22, 35-37, 40, 41

קֳדָם 1 עֲנוֹ כַשְׂדָּיֵא קֳדָם־מַלְכָּא Dan. 2:10
2 דִּי יְחַוִּנַּהּ קֳדָם מַלְכָּא Dan. 2:11
3-11 קֳדָם מַלְכָּא Dan. 2:24, 25 2:27, 36; 3:13; 5:13, 17; 6:13, 14
12 שְׁפַר קֳדָם דָּרְיָוֶשׁ וַהֲקִים... Dan. 6:2
13 וּמְצַלֵּא וּמוֹדֵא קֳדָם אֱלָהֵהּ Dan. 6:11
14 בָּעֵה וּמִתְחַנַּן קֳדָם אֱלָהֵהּ Dan. 6:12
15 אֱדַיִן...קְרִי־קֳדָם־רְחוּם... Ez. 4:23
16 הַשְׁלֵם קֳדָם אֱלָהּ יְרוּשְׁלֶם Ez. 7:19
מִן־קֳדָם 17 דָּתָא מְהַחְצְפָה מִן־קֳדָם מַלְכָּא Dan. 2:15
18 לְמִבְעֵא מִן־קֳדָם אֱלָהּ שְׁמַיָּא Dan. 2:18
19 זָאְעִין וְדָחֲלִין מִן־קֳדָם אֱלָהֵהּ Dan. 6:27
20 מִן־קֳדָם מַלְכָּא...שְׁלִיחַ לְבַקָּרָה Ez. 7:14
מִן־קֳדָמַי 21 מִן־קֳדָמַי שִׂים טְעֵם Dan. 6:27
מִן־קֳדָמַי 22 וִיקָר שַׂגִּיא תְּקַבְּלוּן מִן־קֳדָמָי Dan. 2:6
קֳדָמַי 23 הִזְדְּמִנְתּוּן לְמֵאמַר קֳדָמַי Dan. 2:9
24 אָתַיָּא...שְׁפַר קֳדָמַי לְהַחֲוָיָה Dan. 3:32
25 לְהַנְעָלָה קֳדָמַי לְכֹל חַכִּימֵי בָבֶל Dan. 4:3
26 וְעַד אָחֳרֵין עַל קֳדָמַי דָּנִיֵּאל Dan. 4:5
27 וּכְעַן הֻעַלּוּ קֳדָמַי חַכִּימַיָּא Dan. 5:15
קֳדָמַי 28 נִשְׁתְּוָנָא...מְפָרַשׁ קֱרִי קֳדָמָי Ez. 4:18
קֳדָמָךְ 29 הַיְתִיו קֳדָמָךְ (כת׳ קדמיך) Dan. 5:23
30 קֳדָמָךְ (כת׳ קדמיך)...חֲבוּלָה לָא עַבְדֵת Dan. 6:23
קֳדָמוֹהִי 31 וְחֶלְמָא קֳדָמוֹהִי אַמְרֵת Dan. 4:5
32 וְדַחֲוָן לָא־הַנְעֵל קֳדָמוֹהִי Dan. 6:19
33 דִּי קֳדָמוֹהִי זָכוּ הִשְׁתְּכַחַת לִי Dan. 6:23
34 וְרִבּוֹ רִבְבָן° קֳדָמוֹהִי יְקוּמוּן Dan. 7:10
מִן־קֳדָמוֹהִי 35 הֲווֹ זָיְעִין° וְדָחֲלִין מִן־קֳדָמוֹהִי Dan.5:19
36 מִן־קֳדָמוֹהִי שְׁלִיחַ פַּסָּא דִי־יְדָא Dan.5:24
37 נְהַר דִּי־נוּר נָגֵד וְנָפֵק מִן־קֳדָמוֹהִי Dan.7:10
וּקְדָמוֹהִי 38 וּקְדָמוֹהִי הַקְרְבוּהִי Dan. 7:13
קֳדָמַהּ 39 מְשַׁנְּיָה מִן־כָּל־חֵיוָתָא דִּי קֳדָמַהּ (כת׳ קדמיה) Dan. 7:7
מִן־קֳדָמַהּ 40 וּתְלָת...אֶתְעֲקַרָה° מִן־קֳדָמַהּ (כת׳ קדמיה) Dan. 7:8
41 וּנְפַלָה° מִן־קֳדָמַהּ (כת׳ קדמיה) תְּלָת Dan. 7:20
קֳדָמֵיהוֹן 42 וְחֶלְמָא אָמַר אֲנָה קֳדָמֵיהוֹן Dan. 4:4

קַדְמָה¹ – עין קֶדֶם

קֵדְמָה²

שפ״ז – מבני ישמעאל בן אברהם: 1, 2

וָקֵדְמָה 1 יְטוּר נָפִישׁ וָקֵדְמָה Gen. 25:15
2 יְטוּר נָפִישׁ וָקֵדְמָה ICh. 1:31

קַדְמָה*

נ׳ הזמן שעבר, העבר הרחוק: 1-6
מִימֵי קֶדֶם קַדְמָתָהּ 2; שָׁב לְקַדְמָתוֹ 3-5

שֶׁקַּדְמַת־ 1 שֶׁקַּדְמַת שָׁלַף יָבֵשׁ Ps. 129:6
קַדְמָתָהּ 2 מִימֵי־קֶדֶם קַדְמָתָהּ Is. 23:7
לְקַדְמַתְכֶן 3 וְאַתְּ וּבְנוֹתַיִךְ תְּשֻׁבֶינָה לְקַדְמַתְכֶן Ezek.16:55
לְקַדְמָתָן 4 שֹׁמְרוֹן וּבְנוֹתֶיהָ תָּשֹׁבְןָ לְקַדְמָתָן Ezek. 16:55
5 וַאֲחוֹתַיִךְ...תָּשֹׁבְןָ לְקַדְמָתָן Ezek. 16:55
כְּקַדְמוֹתֵיכֶם 6 וְהוֹשַׁבְתִּי אֶתְכֶם כְּקַדְמוֹתֵיכֶם Ezek. 36:11

קַדְמָה*

נ׳ ארמית: הזמן שעבר: 1, 2
מִן קַדְמַת דְּנָה 1, 2

מִן־קַדְמַת 1 דִּי־הֲוָא עָבֵד מִן־קַדְמַת דְּנָה Dan. 6:11
מִקַּדְמַת 2 מִקַּדְמַת דְּנָה שְׁנִין שַׂגִּיאָן Ez. 5:11

קִדְמָה*

נ׳ הצד המזרחי: 1-4
קִדְמַת אַשּׁוּר 1; קִ׳ בֵּית אָוֶן 3; קִדְמַת הַיָּם 4; קִדְמַת עֵדֶן 2

קִדְמַת־ 1 הוּא הַהֹלֵךְ קִדְמַת אַשּׁוּר Gen. 2:14
2 וַיֵּשֶׁב בְּאֶרֶץ־נוֹד קִדְמַת־עֵדֶן Gen. 4:16
3 וַיַּחֲנוּ בְמִכְמָשׂ קִדְמַת בֵּית אָוֶן ISh. 13:5
4 גֵּי הָעֹבְרִים קִדְמַת הַיָּם Ezek. 39:11

קַדְמוֹן

ת׳ מזרחי

הַקַּדְמוֹנָה 1 יוֹצְאִים אֶל־הַגְּלִילָה הַקַּדְמוֹנָה Ezek. 47:8

קַדְמֹנִי¹

ת׳ א) מזרחי, שבצד מזרח: 2-6
ב) קדום, עתיק: 1, 7-10
— בֵּית יְיָ הַקַּדְמוֹנִי 2, 3; הַיָּם הַקַּדְמוֹנִי 4-6; מְשַׁל הַקַּדְמֹנִי 1
— יָמִים קַדְמֹנִים 7; שָׁנִים קַדְמֹנִיּוֹת 9

הַקַּדְמֹנִי 1 כַּאֲשֶׁר יֹאמַר מְשַׁל הַקַּדְמֹנִי ISh. 24:13
2 פֶּתַח שַׁעַר בֵּית־יְיָ הַקַּדְמוֹנִי Ezek. 10:19
3 אֶל־שַׁעַר בֵּית־יְיָ הַקַּדְמוֹנִי Ezek. 11:1
4 מִגְּבוּל עַל־הַיָּם הַקַּדְמוֹנִי תָּמֹדּוּ Ezek. 47:18
5 אֶת־פָּנָיו אֶל־הַיָּם הַקַּדְמֹנִי Joel 2:20
6 חֶצְיָם אֶל־הַיָּם הַקַּדְמוֹנִי Zech. 14:8

קַדְמֹנִים 7 אֲשֶׁר־דִּבַּרְתִּי בְּיָמִים קַדְמוֹנִים Ezek. 38:17
וְקַדְמֹנִים 8 וְקַדְמֹנִים אָחֲזוּ שָׂעַר Job 18:20
קַדְמֹנִיּוֹת 9 כִּימֵי עוֹלָם וּכְשָׁנִים קַדְמֹנִיּוֹת Mal. 3:4
וְקַדְמֹנִיּוֹת 10 וְקַדְמֹנִיּוֹת אַל־תִּתְבֹּנָנוּ Is. 43:18

קַדְמֹנִי² שפ״ז – אחד מעמי כנען

הַקַּדְמֹנִי 1 וְאֶת־הַקְּנִזִּי וְאֵת הַקַּדְמֹנִי Gen. 15:19

קְדֵמוֹת ש״פ – עיר בנחלת ראובן: 1-4

קְדֵמוֹת 1 וָאֶשְׁלַח מַלְאָכִים מִמִּדְבַּר קְדֵמוֹת Deut. 2:26
2 אֶת־קְדֵמוֹת וְאֶת־מִגְרָשֶׁהָ Josh. 21:37
3 וְאֶת־קְדֵמוֹת וְאֶת־מִגְרָשֶׁיהָ ICh. 6:64
וּקְדֵמוֹת 4 וְיַהְצָה וּקְדֵמֹת וּמֵפָעַת Josh. 13:18

קַדְמָי* ת׳ ארמית: ראשון: 1-3 [קַדְמָיְתָא = ראשונה; קַדְמָיֵא = ראשונים; קַדְמָיָתָא = ראשונות]

קַדְמָיְתָא 1 קַדְמָיְתָא כְאַרְיֵה Dan. 7:4
קַדְמָיֵא 2 וְהוּא יִשְׁנֵא מִן־קַדְמָיֵא Dan. 7:24
קַדְמָיָתָא 3 וּתְלָת מִן־קַרְנַיָּא קַדְמָיָתָא Dan. 7:8

קַדְמִיאֵל שפ״ז – לוי בימי עזרא ונחמיה: 1-8

קַדְמִיאֵל 1 וַיַּעֲמֹד יֵשׁוּעַ...קַדְמִיאֵל וּבָנָיו Ez. 3:9
2 וַיָּקָם...יֵשׁוּעַ וּבָנִי קַדְמִיאֵל Neh. 9:4
3 וְהַלְוִיִּם...מִבְּנֵי חֵנָדָד קַדְמִיאֵל Neh. 10:10
4 וְהַלְוִיִּם יֵשׁוּעַ בִּנּוּי קַדְמִיאֵל Neh. 12:8
5 שֵׁרֵבְיָה וְיֵשׁוּעַ בֶּן־קַדְמִיאֵל Neh. 12:24
וְקַדְמִיאֵל 6 הַלְוִיִּם בְּנֵי־יֵשׁוּעַ וְקַדְמִיאֵל Ez. 2:40
7 וַיֹּאמְרוּ הַלְוִיִּם יֵשׁוּעַ וְקַדְמִיאֵל Neh. 9:5
לְקַדְמִיאֵל 8 הַלְוִיִּם בְּנֵי־יֵשׁוּעַ לְקַדְמִיאֵל Neh. 7:43

קָדְקֹד ז׳ גולגולת, החלק העליון של הראש: 1-11

– קָדְקֹד בְּנוֹת צִיּוֹן 3; קָדְקֹד בְּנֵי שָׁאוֹן 5; קָדְקֹד נְזִיר 6, 7
– מִכַּף רֶגֶל וְעַד קָדְקֹד 8, 9, 11

קָדְקֹד 1 וְטָרַף זְרוֹעַ אַף־קָדְקֹד Deut. 33:20
2 גַּם־בְּנֵי־נֹף וְתַחְפַּנְחֵס יִרְעוּךְ קָדְקֹד Jer. 2:16
קָדְקֹד־ 3 וְשִׂפַּח אֲדֹנָי קָדְקֹד בְּנוֹת צִיּוֹן Is. 3:17
4 יִמְחַץ רֹאשׁ אֹיְבָיו קָדְקֹד שֵׂעָר Ps. 68:22
וְקָדְקֹד־ 5 פְּאַת מוֹאָב וְקָדְקֹד בְּנֵי שָׁאוֹן Jer. 48:45
וּלְקָדְקֹד־ 6 לְרֹאשׁ יוֹסֵף וּלְקָדְקֹד נְזִיר אֶחָיו Gen. 49:26
7 לְרֹאשׁ יוֹסֵף וּלְקָדְקֹד נְזִיר אֶחָיו Deut. 33:16
קָדְקֳדֶךָ 8 מִכַּף רַגְלְךָ וְעַד קָדְקֳדֶךָ Deut. 28:35
קָדְקֳדוֹ 9 מִכַּף רַגְלוֹ וְעַד קָדְקֳדוֹ IISh. 14:25
10 וְעַל קָדְקֳדוֹ חֲמָסוֹ יֵרֵד Ps. 7:17
11 מִכַּף רַגְלוֹ וְעַד קָדְקֳדוֹ Job 2:7

קדר : קָדַר, הִקְדִּיר, הִתְקַדֵּר; קְדֹרוּת, קְדֹרַנִּית; ש״פ קֵדָר, קִדְרוֹן

קָדַר פ׳ א) חָשַׁךְ, כהה: 2, 4-6

ב) [בהשאלה] עטה יגון: 1, 3, 7-13
ג) [הת׳ הִתְקַדֵּר] התכסה בחושך: 14
ד) [הפ׳ הִקְדִּיר] החשיך, האפיל: 15-17

– קָדַר הַיּוֹם 2; קָדַר יָרֵחַ 4,5; קָדְרָה שֶׁמֶשׁ 4,5; קָדְרוּ שָׁמַיִם 6; קָדְרוּ שְׁעָרִים 3
– הָלַךְ (הִלֵּךְ, הִתְהַלֵּךְ) קֹדֵר 8-11; הִתְקַדְּרוּ הַשָּׁמַיִם 14

קָדַרְתִּי 1 קָדַרְתִּי שַׁמָּה הֶחֱזִקָתְנִי Jer. 8:21
וְקָדַר 2 וְקָדַר עֲלֵיהֶם הַיּוֹם Mic. 3:6
קָדְרוּ 3 וּשְׁעָרֶיהָ אֻמְלְלוּ קָדְרוּ לָאָרֶץ Jer. 14:2
קָדָרוּ 4/5 שֶׁמֶשׁ וְיָרֵחַ קָדָרוּ Joel 2:10; 4:15
וְקָדְרוּ 6 תֶּאֱבַל הָאָרֶץ וְקָדְרוּ הַשָּׁמַיִם מִמָּעַל Jer. 4:28
קוֹדֵר 7 כְּאָבֵל־אֵם קֹדֵר שַׁחוֹתִי Ps. 35:14
8 כָּל־הַיּוֹם קֹדֵר הִלָּכְתִּי Ps. 38:7
9 לָמָּה־קֹדֵר אֵלֵךְ בְּלַחַץ אוֹיֵב Ps. 42:10
10 לָמָּה־קֹדֵר אֶתְהַלֵּךְ בְּלַחַץ אוֹיֵב Ps. 43:2
11 קֹדֵר הִלַּכְתִּי בְּלֹא חַמָּה Job 30:28
וְקוֹדְרִים 12 וְקֹדְרִים שָׂגְבוּ יֶשַׁע Job 5:11
הַקּוֹדְרִים 13 הַקֹּדְרִים מִנִּי־קָרַח Job 6:16
הִתְקַדְּרוּ 14 וְהַשָּׁמַיִם הִתְקַדְּרוּ עָבִים IK. 18:45
וְהִקְדַּרְתִּי 15 וְהִקְדַּרְתִּי אֶת־כֹּכְבֵיהֶם Ezek. 32:7
וָאַקְדִּר 16 וָאַקְדִּר עָלָיו לְבָנוֹן Ezek. 31:15
אַקְדִּירֵם 17 כָּל־מְאוֹרֵי אוֹר...אַקְדִּירֵם עָלֶיךָ Ezek. 32:8

קֵדָר שפ״ז א) מבני ישמעאל בן אברהם: 9, 11

ב) השבט והעם המתייחסים עליו: 1-8, 10, 12

אָהֳלֵי קֵדָר 8; בְּנֵי קֵ׳ 2; כְּבוֹד קֵ׳ 1; נְשִׂיאֵי קֵ׳ 6; צֹאן קֵדָר 4

קֵדָר 1 וְכָלָה כָּל־כְּבוֹד קֵדָר Is. 21:16
2 וּשְׁאָר...קֶשֶׁת גִּבּוֹרֵי בְנֵי־קֵדָר Is. 21:17
3 חֲצֵרִים תֵּשֵׁב קֵדָר Is. 42:11
4 כָּל־צֹאן קֵדָר יִקָּבְצוּ לָךְ Is. 60:7
5 קוּמוּ עֲלוּ אֶל־קֵדָר Jer. 49:28
6 עֲרַב וְכָל־נְשִׂיאֵי קֵדָר Ezek. 27:21
7 שָׁכַנְתִּי עִם־אָהֳלֵי קֵדָר Ps. 120:5
8 שְׁחוֹרָה אֲנִי...כְּאָהֳלֵי קֵדָר S.ofS. 1:5
וְקֵדָר 9 וְקֵדָר וְאַדְבְּאֵל וּמִבְשָׂם Gen. 25:13
10 וְקֵדָר שִׁלְחוּ וְהִתְבּוֹנְנוּ מְאֹד Jer. 2:10
11 וְקֵדָר וְאַדְבְּאֵל וּמִבְשָׂם ICh. 1:29
לְקֵדָר 12 לְקֵדָר וּלְמַמְלְכוֹת חָצוֹר Jer. 49:28

קִדְרוֹן ש״פ – נחל עמוק במזרח ירושלים: 1-11

נַחַל קִדְרוֹן 1-3, 5-11; שַׁדְמוֹת קִדְרוֹן 4

קִדְרוֹן 1 וְהַמֶּלֶךְ עֹבֵר בְּנַחַל קִדְרוֹן IISh. 15:23
2 וְעָבַרְתָּ אֶת־נַחַל קִדְרוֹן IK. 2:37
3 וַיִּכְרֹת...וַיִּשְׂרֹף בְּנַחַל קִדְרוֹן IK. 15:13
4 וַיִּשְׂרְפֵם...בְּשַׁדְמוֹת קִדְרוֹן IIK. 23:4
5 וַיֹּצֵא אֶת־הָאֲשֵׁרָה...אֶל־נַחַל קִדְרוֹן IIK. 23:6
6 וַיִּשְׂרֹף אֹתָהּ בְּנַחַל קִדְרוֹן IIK. 23:6
7-11 (בְּ/לְ)נַחַל קִדְרוֹן IIK. 23:12
Jer. 31:40(39) • IICh. 15:16; 29:16; 30:14

קַדְרוּת נ׳ חשכה, אפלה • קרובים: ראה חֹשֶׁךְ

קַדְרוּת 1 אַלְבִּישׁ שָׁמַיִם קַדְרוּת Is. 50:3

קְדֹרַנִּית תה״פ – ברוח יגון, באבלות

קְדֹרַנִּית 1 הָלַכְנוּ קְדֹרַנִּית מִפְּנֵי יְיָ צְבָאוֹת Mal. 3:14

קדשׁ : קָדַשׁ, נִקְדַּשׁ, קִדֵּשׁ, קֻדַּשׁ, הִתְקַדֵּשׁ, הִקְדִּישׁ; קָדוֹשׁ, קֹדֶשׁ, קָדֵשׁ, קְדֵשָׁה, מִקְדָּשׁ; ש״פ קָדֵשׁ; אר׳ קַדִּישׁ

קָדַשׁ פ׳ א) הועלה מן החול, נעשה קדוש: 1-11

ב) [נפ׳ נִקְדַּשׁ] הוכר כקדוש, נשגב: 12-22
ג) [פ׳ קִדֵּשׁ] העלה מן החול, עשהו קדוש וטהור: רוב המקראות 23-97
ד) [כנ״ל] מנה, קבע, יעד: 37, 55, 58, 79, 83, 89-95
ה) [פ׳ בינוני: מְקֻדָּשׁ] שנעשה קדוש, שנקבע, שנועד: 98-102
ו) [הת׳ הִתְקַדֵּשׁ] הטהר מטומאתו, הוכר כקדוש: 103-126
ז) [הפ׳ הִקְדִּישׁ] רומם, הכיר כקדוש ונשגב: 130, 131, 152, 166, 169
ח) [כנ״ל] הפריש, יעד, הכין: 127-129, 132-151, 153-165, 167, 168, 170, 171

קְדַשְׁתִּיךָ 1 אַל־תִּגַּשׁ־בִּי כִּי קְדַשְׁתִּיךָ Is. 65:5
וְקָדַשׁ 2 וְהִזֵּיתָ...וְקָדַשׁ הוּא וּבְגָדָיו Ex. 29:21
קָדֵשׁוּ 3 וְיָרֶם אֶת־הַמַּחְתֹּת...כִּי קָדֵשׁוּ Num. 17:2
יִקְדַּשׁ 4 וְאַף כִּי הַיּוֹם יִקְדַּשׁ בַּכֶּלִי ISh. 21:6
יִקְדָּשׁ 5 כָּל־הַנֹּגֵעַ בַּמִּזְבֵּחַ יִקְדָּשׁ Ex. 29:37
6 כָּל־הַנֹּגֵעַ בָּהֶם יִקְדָּשׁ Ex. 30:29
7 כֹּל אֲשֶׁר־יִגַּע בָּהֶם יִקְדָּשׁ Lev. 6:11
8 כֹּל אֲשֶׁר־יִגַּע בִּבְשָׂרָהּ יִקְדָּשׁ Lev. 6:20
הֲיִקְדָּשׁ 9 וְנָגַע בִּכְנָפוֹ אֶל־הַלֶּחֶם...הֲיִקְדָּשׁ Hag. 2:12
תִּקְדַּשׁ 10 פֶּן־תִּקְדַּשׁ הַמְלֵאָה הַזֶּרַע Deut. 22:9
וַיִּקְדָּשׁוּ 11 כִּי־הִקְרִיבֻם לִפְנֵי־יְיָ וַיִּקְדָּשׁוּ Num. 17:3
בְּהִקָּדְשִׁי 12 בְּהִקָּדְשִׁי בָכֶם לְעֵינֵיהֶם Ezek. 36:23
13 בְּהִקָּדְשִׁי בְךָ לְעֵינֵיהֶם Ezek. 38:16
וְנִקְדַּשְׁתִּי 14 וְנִקְדַּשְׁתִּי בְּתוֹךְ בְּנֵי יִשְׂרָאֵל Lev. 22:32
15 וְנִקְדַּשְׁתִּי בָכֶם לְעֵינֵי הַגּוֹיִם Ezek. 20:41
16 בַּעֲשׂוֹתִי בָהּ שְׁפָטִים וְנִקְדַּשְׁתִּי בָהּ Ezek. 28:22
17 וְנִקְדַּשְׁתִּי בָם לְעֵינֵי הַגּוֹיִם Ezek. 28:25
18 וְנִקְדַּשְׁתִּי בָם לְעֵינֵי הַגּוֹיִם רַבִּים Ezek. 39:27
נִקְדָּשׁ 19 וְהָאֵל הַקָּדוֹשׁ נִקְדָּשׁ בִּצְדָקָה Is. 5:16
וְנִקְדַּשׁ 20 וְנֹעַדְתִּי שָׁמָּה לִבְנֵי־י׳ וְנִקְדַּשׁ בִּכְבֹדִי Ex. 29:43
אֶקָּדֵשׁ 21 בִּקְרֹבַי אֶקָּדֵשׁ Lev. 10:3
וַיִּקָּדֵשׁ 22 הֵמָּה מֵי מְרִיבָה...וַיִּקָּדֵשׁ בָּם Num. 20:13
לְקַדֵּשׁ 23 לְקַדֵּשׁ אֹתָם לְכַהֵן לִי Ex. 29:1
24 לְמַלֵּא אֶת־יָדָם לְקַדֵּשׁ אֹתָם Ex. 29:33
25 לְקַדֵּשׁ אֶת־יוֹם הַשַּׁבָּת Jer. 17:27
26 לְבִלְתִּי הוֹצִיא...לְקַדֵּשׁ אֶת־הָעָם Ezek.46:20
27 לְקַדֵּשׁ אֶת־יוֹם הַשַּׁבָּת Neh. 13:22
28 וַיָּחֵלּוּ בְּאֶחָד לַחֹדֶשׁ...לְקַדֵּשׁ IICh. 29:17
וּלְקַדֵּשׁ 29 וּלְקַדֵּשׁ אֶת־יוֹם הַשַּׁבָּת Jer. 17:24
לְקַדְּשׁוֹ 30 זָכוֹר אֶת־יוֹם הַשַּׁבָּת לְקַדְּשׁוֹ Ex. 20:8
31 לְקַדְּשׁוֹ לְכַהֲנוֹ־לִי Ex. 28:3
32 וּמָשַׁחְתָּ אֹתוֹ לְקַדְּשׁוֹ Ex. 29:36
33 וַיִּמְשַׁח אֹתוֹ לְקַדְּשׁוֹ Lev. 8:12
34 שָׁמוֹר אֶת־יוֹם הַשַּׁבָּת לְקַדְּשׁוֹ Deut. 5:12
לְקַדְּשָׁם 35 וַיַּז מִמֶּנּוּ עַל־הַמִּזְבֵּחַ...לְקַדְּשָׁם Lev. 8:11
וְקִדַּשְׁתִּי 36 וְקִדַּשְׁתִּי אֶת־אֹהֶל מוֹעֵד Ex. 29:44
37 וְקִדַּשְׁתִּי עָלֶיךָ מַשְׁחִתִים Jer. 22:7
38 וְקִדַּשְׁתִּי אֶת־שְׁמִי הַגָּדוֹל Ezek. 36:23
וְקִדַּשְׁתָּ 39 וְקִדַּשְׁתָּ אֹתָם וְכִהֲנוּ־לִי Ex. 28:41
40 וְקִדַּשְׁתָּ אֵת חֲזֵה הַתְּנוּפָה Ex. 29:27
41 תְּכַפֵּר עַל־הַמִּזְבֵּחַ וְקִדַּשְׁתָּ אֹתוֹ Ex. 29:37
42 וְקִדַּשְׁתָּ אֹתָם וְהָיוּ קֹדֶשׁ קָדָשִׁים Ex. 30:29
43 וְקִדַּשְׁתָּ אֹתָם לְכַהֵן לִי Ex. 30:30
44 וְקִדַּשְׁתָּ אֹתוֹ...וְהָיָה קֹדֶשׁ Ex. 40:9
45 וְקִדַּשְׁתָּ אֶת־הַמִּזְבֵּחַ Ex. 40:10
46 וּמָשַׁחְתָּ אֶת־הַכִּיֹּר...וְקִדַּשְׁתָּ אֹתוֹ Ex. 40:11
47 וְקִדַּשְׁתָּ אֹתוֹ וְכִהֵן לִי Ex. 40:13
וְקִדַּשְׁתּוֹ 48 הַגְבֵּל אֶת־הָהָר וְקִדַּשְׁתּוֹ Ex. 19:23
49 וְקִדַּשְׁתּוֹ כִּי־אֶת־לֶחֶם אֱלֹהֶיךָ הוּא מַקְרִיב Lev. 21:8
וְקִדַּשְׁתָּם 50 לֵךְ אֶל־הָעָם וְקִדַּשְׁתָּם הַיּוֹם וּמָחָר Ex. 19:10
קִדַּשׁ 51 קִדַּשׁ הַמֶּלֶךְ אֶת־תּוֹךְ הֶחָצֵר IK. 8:64
וְקִדַּשׁ 52 וְקִדַּשׁ אֶת־רֹאשׁוֹ בַּיּוֹם הַהוּא Num. 6:11
וְקִדְּשׁוֹ 53 וְטִהֲרוֹ וְקִדְּשׁוֹ מִטֻּמְאֹת בְּנֵי יִשְׂרָאֵל Lev. 16:19
קִדַּשְׁתֶּם 54 לֹא־קִדַּשְׁתֶּם אוֹתִי בְּתוֹךְ בְּ״יִ Deut. 32:51
וְקִדַּשְׁתֶּם 55 וְקִדַּשְׁתֶּם אֵת שְׁנַת הַחֲמִשִּׁים שָׁנָה Lev. 25:10
56 וְקִדַּשְׁתֶּם אֶת־יוֹם הַשַּׁבָּת Jer. 17:22
קִדְּשׁוּ 57 וְאֶת־אֶלְעָזָר בְּנוֹ קִדְּשׁוּ לִשְׁמֹר... ISh. 7:1
וְקִדְּשׁוּ 58 וְקִדְּשׁוּ עָלָיו מִלְחָמָה Mic. 3:5
קִדְּשׁוּהוּ 59 הֵמָּה קִדְּשׁוּהוּ וַיַּעֲמִידוּ דַּלְתֹתָיו Neh. 3:1
60 וְעַד־מִגְדַּל הַמֵּאָה קִדְּשׁוּהוּ Neh. 3:1
מְקַדֵּשׁ 61 כִּי אֲנִי יְיָ מְקַדֵּשׁ אֶת־יִשְׂרָאֵל Ezek. 37:28

מְקַדְּשׁוֹ 62 כִּי אֲנִי יְיָ מְקַדְּשׁוֹ Lev. 21:15
מְקַדִּשְׁכֶם 63 לָדַעַת כִּי אֲנִי יְיָ מְקַדִּשְׁכֶם Ex. 31:12
66-64 אֲנִי יְיָ מְקַדִּשְׁכֶם Lev. 20:8; 21:8; 22:32
מְקַדְּשָׁם 67/8 כִּי אֲנִי יְיָ מְקַדְּשָׁם Lev. 21:23; 22:16
69 אֲנִי יְיָ מְקַדְּשָׁם Lev. 22:9
70 כִּי אֲנִי יְיָ מְקַדְּשָׁם Ezek. 20:12
מְקַדְשֵׁיהֶם 71 וְהִשְׁבַּתִּי גְּאוֹן עַזִּים וְנִחֲלוּ מְקַדְשֵׁיהֶ׳ Ezek. 7:24
אֲקַדֵּשׁ 72 וְאֶת־בָּנָיו אֲקַדֵּשׁ לְכַהֵן לִי Ex. 29:44
וַיְקַדֵּשׁ 73 וַיְבָרֶךְ אֱלֹהִים אֶת־יוֹם הַשְּׁבִיעִי וַיְקַדֵּשׁ אֹתוֹ Gen. 2:3
74 וַיְקַדֵּשׁ אֶת־הָעָם וַיְכַבְּסוּ שִׂמְלֹתָם Ex. 19:14
75 וַיִּמְשַׁח אֶת־הַמִּשְׁכָּן...וַיְקַדֵּשׁ אֹתָם Lev. 8:10
76 וַיְקַדֵּשׁ אֶת־אַהֲרֹן אֶת־בְּגָדָיו Lev. 8:30
77 וַיְקַדֵּשׁ אֹתוֹ וְאֶת־כָּל־כֵּלָיו Num. 7:1
78 וַיִּמְשָׁחֵם וַיְקַדֵּשׁ אֹתָם Num. 7:1
79 וַיְקַדֵּשׁ אֶת־יִשַׁי וְאֶת־בָּנָיו ISh. 16:5
80 וַיְקַדֵּשׁ שְׁלֹמֹה אֶת־תּוֹךְ הֶחָצֵר IICh. 7:7
וַיְקַדְּשֵׁהוּ 81 בֵּרַךְ יְיָ אֶת־יוֹם הַשַּׁבָּת וַיְקַדְּשֵׁהוּ Ex. 20:11
82 וַיְקַדְּשֵׁהוּ לְכַפֵּר עָלָיו Lev. 8:15
וַיְקַדְּשֵׁם 83 וַיִּשְׁלַח אִיּוֹב וַיְקַדְּשֵׁם Job 1:5
יְקַדְּשׁוּ 84 וְלֹא־יְקַדְּשׁוּ אֶת־הָעָם בְּבִגְדֵיהֶם Ezek. 44:19
יְקַדֵּשׁוּ 85 וְאֶת־שַׁבְּתוֹתַי יְקַדֵּשׁוּ Ezek. 44:24
וַיְקַדְּשׁוּ 86 וַיְקַדְּשׁוּ אֶת-בֵּית-יְיָ לְיָמִים שְׁמוֹנָה IICh. 29:17
קַדֵּשׁ 87 קֻם קַדֵּשׁ אֶת־הָעָם Josh. 7:13
קַדֶּשׁ־ 88 קַדֶּשׁ־לִי כָל־בְּכוֹר Ex. 13:2
קַדְּשׁוּ 89 קַדְּשׁוּ עֲצָרָה לַבַּעַל IIK. 10:20
90 קַדְּשׁוּ עָלֶיהָ מִלְחָמָה Jer. 6:4
91/2 קַדְּשׁוּ עָלֶיהָ גּוֹיִם Jer. 51:27, 28
93 קַדְּשׁוּ־צוֹם קִרְאוּ עֲצָרָה Joel 1:14; 2:15
94 אִסְפוּ־עָם קַדְּשׁוּ קָהָל Joel 2:16
95 קִרְאוּ־זֹאת בַּגּוֹיִם קַדְּשׁוּ מִלְחָמָה Joel 4:9
קַדֵּשׁוּ 96 וְאֶת־שַׁבְּתוֹתַי קַדֵּשׁוּ Ezek. 20:20
וְקַדְּשׁוּ 97 הִתְקַדְּשׁוּ וְקַדְּשׁוּ אֶת־בֵּית יְיָ IICh. 29:5
הַמְקֻדָּשׁ 98 לַכֹּהֲנִים הַמְקֻדָּשׁ מִבְּנֵי צָדוֹק Ezek. 48:11
הַמְקֻדָּשִׁים 99 וּלְכָל־מוֹעֲדֵי יְיָ הַמְקֻדָּשִׁים Ez. 3:5
100 לַכֹּהֲנִים...הַמְקֻדָּשִׁים לְהַקְטִיר IICh. 26:18
101 הַמְקֻדָּשִׁים לַייָ אֱלֹהֵיהֶם IICh. 31:6
לִמְקֻדָּשָׁי 102 אֲנִי צִוֵּיתִי לִמְקֻדָּשָׁי Is. 13:3
הִתְקַדֶּשׁ־ 103 הַשִּׁיר...כְּלֵיל הִתְקַדֶּשׁ־חָג Is. 30:29
לְהִתְקַדֵּשׁ 104 יִשְׁרֵי לֵבָב לְהִתְקַדֵּשׁ מֵהַכֹּהֲנִים IICh. 29:34
וְהִתְקַדִּשְׁתִּי 105 וְהִתְגַּדִּלְתִּי וְהִתְקַדִּשְׁתִּי Ezek. 38:23
וְהִתְקַדִּשְׁתֶּם 106/7 וְהִתְקַדִּ׳ וִהְיִיתֶם קְדֹשִׁים Lev. 11:44; 20:7
הִתְקַדְּשׁוּ 108 הַכֹּהֲנִים לֹא־הִתְקַדְּשׁוּ לְמַדַּי IICh. 30:3
הִתְקַדָּשׁוּ 109 כָּל־הַכֹּהֲנִים הַנִּמְצְאִים הִתְקַדָּשׁוּ IICh. 5:11
110 רַבַּת בַּקָּהָל אֲשֶׁר לֹא־הִתְקַ׳ IICh. 30:17
מִתְקַדֶּשֶׁת 111 וְהִיא מִתְקַדֶּשֶׁת מִטֻּמְאָתָהּ IISh. 11:4
הַמִּתְקַדְּשִׁים 112 הַמִּתְקַדְּשִׁים וְהַמִּטַּהֲרִים Is. 66:17
יִתְקַדְּשׁוּ 113 וְעַד־יִתְקַדְּשׁוּ הַכֹּהֲנִים IICh. 29:34
114 בֶּאֱמוּנָתָם יִתְקַדְּשׁוּ־קֹדֶשׁ IICh. 31:18
יִתְקַדָּשׁוּ 115 הַכֹּהֲנִים הַנִּגָּשִׁים אֶל־יְיָ יִתְקַדָּשׁוּ Ex. 19:22
וַיִּתְקַדְּשׁוּ 116 וַיִּתְקַדְּשׁוּ הַכֹּהֲנִים וְהַלְוִיִּם ICh. 15:14
117 וַיַּאַסְפוּ אֶת־אֲחֵיהֶם וַיִּתְקַדְּשׁוּ IICh. 29:15
118 וְהַלְוִיִּם נִכְלְמוּ וַיִּתְקַדְּשׁוּ IICh. 30:15
119 וַיִּתְקַדְּשׁוּ כֹהֲנִים לָרֹב IICh. 30:24
הִתְקַדְּשׁוּ 120 הִתְקַדְּשׁוּ לְמָחָר וַאֲכַלְתֶּם בָּשָׂר Num. 11:18
121 וְאָמַרְתָּ הִתְקַדְּשׁוּ לְמָחָר Josh. 7:13
122 הִתְקַדְּשׁוּ וּבָאתֶם אִתִּי בַּזָּבַח ISh. 16:5
123 הִתְקַדְּשׁוּ אַתֶּם וַאֲחֵיכֶם ICh. 15:12
124 הִתְקַדְּשׁוּ וְקַדְּשׁוּ אֶת־בֵּית יְיָ IICh. 29:5
הִתְקַדָּשׁוּ 125 וַיֹּאמֶר יְהוֹשֻׁעַ אֶל־הָעָם הִתְקַדָּשׁוּ Josh. 3:5
וְהִתְקַדְּשׁוּ 126 וְהִתְקַדְּשׁוּ וְהָכִינוּ לַאֲחֵיכֶם IICh. 35:6
הַקְדֵּשׁ 127 הַקְדֵּשׁ הִקְדַּשְׁתִּי אֶת־הַכֶּסֶף לַייָ Jud. 17:3

לְהַקְדִּישׁ 128 לְשֵׁם יְיָ אֱלֹהָי לְהַקְדִּישׁ לוֹ... IICh. 2:3
129 לְכֹל לֹא טָהוֹר לְהַקְדִּישׁ לַייָ IICh. 30:17
לְהַקְדִּישֵׁנִי 130 לֹא־הֶאֱמַנְתֶּם בִּי לְהַקְדִּישֵׁנִי Num. 20:12
131 לְהַקְדִּישֵׁנִי בַמַּיִם לְעֵינֵיהֶם Num. 27:14
לְהַקְדִּישׁוֹ 132 וַיִּבָּדֵל אַהֲרֹן לְהַקְדִּישׁוֹ ICh. 23:13
הִקְדַּשְׁתִּי 133 הִקְדַּשְׁתִּי לִי כָל-בְּכוֹר בְּיִשְׂרָאֵל Num. 3:13
134 בְּיוֹם הַכֹּתִי...הִקְדַּשְׁתִּי אֹתָם לִי Num. 8:17
135 הַקְדֵּשׁ הִקְדַּשְׁתִּי אֶת-הַכֶּסֶף לַייָ Jud. 17:3
136 הִקְדַּשְׁתִּי אֶת־הַבַּיִת הַזֶּה IK. 9:3
137 וְאֶת־הַבַּיִת אֲשֶׁר הִקְדַּשְׁתִּי לִשְׁמִי IK. 9:7
138 הַבַּיִת הַזֶּה אֲשֶׁר־הִקְדַּשְׁתִּי לִשְׁמִי IICh. 7:20
וְהִקְדַּשְׁתִּי 139 וְהִקְדַּשְׁתִּי אֶת־הַבַּיִת הַזֶּה IICh. 7:16
הִקְדַּשְׁתִּיךָ 140 וּבְטֶרֶם תֵּצֵא מֵרֶחֶם הִקְדַּשְׁתִּיךָ Jer. 1:5
הִקְדִּישׁ 141 אֹתָם הִקְדִּישׁ...לַייָ עִם־הַכֶּסֶף IISh. 8:11
142 וְהַזָּהָב אֲשֶׁר הִקְדִּישׁ מִכָּל־הַגּוֹיִם IISh. 8:11
143 כִּי־הֵכִין יְיָ זֶבַח הִקְדִּישׁ קְרֻאָיו Zep. 1:7
144 גַּם־אֹתָם הִקְדִּישׁ...לַייָ ICh. 18:11
145 אֲשֶׁר הִקְדִּישׁ דָּוִיד הַמֶּלֶךְ ICh. 26:26
146 וּבֹאוּ לְמִקְדָּשׁוֹ אֲשֶׁר הִקְדִּישׁ IICh. 30:8
147 בֵּית יְיָ אֲשֶׁר הִקְדִּישׁ בִּירוּשָׁלָםִ IICh. 36:14
הַהִקְדִּישׁ 148 וְכֹל הַהִקְדִּישׁ שְׁמוּאֵל הָרֹאֶה ICh. 26:28
וְהִקְדָּשְׁנוּ 149 כָּל־הַכֵּלִים...הֵכַנּוּ וְהִקְדָּשְׁנוּ IICh. 29:19
הִקְדִּישׁוּ 150 אֵת כָּל־הַקֳּדָשִׁים אֲשֶׁר־הִקְדִּישׁוּ IIK. 12:19
151 מִן-הַמִּלְחָמוֹת וּמִן-הַשָּׁלָל הִקְדִּישׁוּ ICh. 26:27
וְהִקְדִּישׁוּ 152 וְהִקְדִּישׁוּ אֶת־קְדוֹשׁ יַעֲקֹב Is. 29:23
הַמַּקְדִּישׁ 153 וְאִם־הַמַּקְדִּישׁ יִגְאַל אֶת־בֵּיתוֹ Lev. 27:15
154 וְאִם-גָּאֹל יִגְאַל...הַמַּקְדִּישׁ אֹתוֹ Lev. 27:19
155 הַמַּקְדִּישׁ עַל יַד־שְׁלֹמִית וְאֶחָיו ICh. 26:28
מַקְדִּשִׁים 156 אֲשֶׁר הֵם מַקְדִּשִׁים לִי Lev. 22:2
157 וְהַלְוִיִּם מַקְדִּשִׁים לִבְנֵי אַהֲרֹן Neh. 12:47
וּמַקְדִּישִׁים 158 נְתִנִים...וּמַקְדִּשִׁים לַלְוִיִּם Neh. 12:47
תַּקְדִּישׁ 159 כָּל־הַבְּכוֹר...תַּקְדִּישׁ לַייָ Deut. 15:19
יַקְדִּשׁ 160 כִּי־יַקְדִּשׁ אֶת־בֵּיתוֹ קֹדֶשׁ לַייָ Lev. 27:14
161 מִשְּׂדֵה אֲחֻזָּתוֹ יַקְדִּישׁ אִישׁ לַייָ Lev. 27:16
162 אִם־מִשְּׁנַת הַיֹּבֵל יַקְדִּישׁ שָׂדֵהוּ Lev. 27:17
163 וְאִם־אַחַר הַיֹּבֵל יַקְדִּישׁ שָׂדֵהוּ Lev. 27:18
164 אֶת־שְׂדֵה מִקְנָתוֹ...יַקְדִּישׁ לַייָ Lev. 27:22
165 לֹא־יַקְדִּישׁ אִישׁ אֹתוֹ Lev. 27:26
תַּקְדִּישׁוּ 166 אֶת־יְיָ צְבָאוֹת אֹתוֹ תַקְדִּישׁוּ Is. 8:13
יַקְדִּישׁוּ 167 אֶת־עֲוֹן הַקֳּדָשִׁים אֲשֶׁר יַקְדִּישׁוּ Ex. 28:38
168 אֶל־הַקֳּדָשִׁים אֲשֶׁר יַקְדִּישׁוּ בְ״יִ Lev. 22:3
169 בִּרְאֹתוֹ יְלָדָיו...יַקְדִּישׁוּ שְׁמִי Is. 29:23
וַיַּקְדִּשׁוּ 170 וַיַּקְדִּשׁוּ אֶת־קֶדֶשׁ בַּגָּלִיל Josh. 20:7
וְהַקְדִּשֵׁם 171 וְהַקְדִּשֵׁם לְיוֹם הֲרֵגָה Jer. 12:3

קֹדֶשׁ ז׳ [קוֹדֶשׁ – מס׳ 99]

א) טֹהַר, דבר קדוש, הפך מן ״חֹל״ או ״חֻלִּין״:
רוֹב המקראוֹת 1-470

ב) מקום קדוש: 113-115, 160-166, 168-170, 180, 187, 188, 195, 199, 220, 221, 224, 225, 228-273, 276-289

– קֹדֶשׁ הִלּוּלִים 275; קֹ׳ יְיָ 274, 284; קֹדֶשׁ קָדָשִׁים (הַקֳּדָשִׁים) 250-273, 276-283, 285-292 (387-409, 412, 413, 421-434)

– בֵּין קֹדֶשׁ לְחֹל 77, 80, (161), 197

– אַבְנֵי קֹדֶשׁ 95; אַדְמַת קֹדֶשׁ 1, 211; אַדְנֵי קֹ׳ 155; אַנְשֵׁי קֹ׳ 5; אֲרוֹן הַקֹּ׳ 223; בִּגְדֵי קֹ׳ 6, 7, 26, 117, 143-149; בֵּית קֹ׳ 218, 386; בְּרִית קֹ׳ 98-100; בְּשַׂר קֹ׳ 76, 87; גְּבוּל קֹ׳ 370; דְּבִיר קֹ׳ 345; דְּבַר קֹ׳ 376; דִּבְרֵי קֹ׳ 355; דֶּרֶךְ קֹ׳ 190; הַדְרֵי קֹ׳ 92; הַדְרַת קֹ׳ 88, 89, 104, 110; הֵיכַל קֹ׳ 335, 336, 342, 343, 346, 357, 358, 361; הַר קֹ׳ 78, 97, 189, 194, 212, 316-327, 337, 344, 348, 360, 368, 372; הַרְרֵי קֹ׳ 90; זְבוּל קֹ׳ 333; זֵכֶר קֹ׳ 364, 365; זְרוֹעַ קֹ׳ 352, 371; זֶרַע קֹ׳ 73, 213; חַצְרוֹת קֹ׳ 329; טָהֳרַת הַקֹּ׳ 222; יוֹם קֹ׳ 103, 328; כְּלֵי קֹ׳ 71,105,174,176,181,183, 186, 216, 219; כִּסֵּא קֹ׳ 367; כְּתֹנֶת־בַּד קֹדֶשׁ 25; לֶחֶם קֹ׳ 70; לִשְׁכוֹת הַקֹּ׳ 196, 198, 210; מְלֶאכֶת הַקֹּ׳ 152,154; מְעוֹן קֹ׳ 332,356,359,369,380; מִקְדַּשׁ הַקֹּ׳ 170; מְקוֹם קֹ׳ 162, 164, 363; מִקְרָא קֹ׳ 2, 3, 33, 35-47; מִקְרָאֵי הַקֹּ׳ 31, 32, 34; מְרוֹם קֹ׳ 373; מִשְׁחַת קֹ׳ 12-14; מִשְׁמֶרֶת קֹ׳ 172, 173, 182, 217; נְוֵה קֹ׳ 340; נֵזֶר קֹ׳ 116, 156, 159; עֲבוֹדַת הַקֹּ׳ 150, 151, 179; עִיר הַקֹּ׳ 191, 192, 214, 215, (224), 349; עַם (הַ)קֹּדֶשׁ 102, 193, 341; עָרֵי קֹ׳ 334; פְּנֵי הַקֹּ׳ 160, 195; פָּרֹכֶת הַקֹּ׳ 157; צְבִי קֹ׳ 101; רִבְבוֹת קֹ׳ 67; רוּחַ קֹ׳ 338, 353, 354; שַׁבַּת קֹ׳ 4, 339; שֵׁם קֹ׳ 293-315, 347, 350, 351, 366, 374, 375, 377, 379; שְׁמֵי קֹ׳ 362; שֶׁמֶן קֹ׳ 184, 330; שֶׁקֶל קֹ׳ 118-142; שָׂרֵי קֹדֶשׁ 74, 107; תְּרוּמַת הַקֹּדֶשׁ 153, 201-209

– אוֹצְרוֹת הַקֳּדָשִׁים 441-443; כֶּסֶף הַקָּ׳ 436; מַעֲשַׂר קָדָשִׁים 411; מִשְׁמֶרֶת קָ׳ 470; מַתְּנוֹת קָ׳ 476; עֲוֹן הַקָּ׳ 414; צֹאן קָ׳ 410; קֹדֶשׁ קָדָשִׁים – ראה לעיל קֹדֶשׁ; קָדְשֵׁי קָדָשִׁים 415, 438-440, 444 (456-458, 463, 465); תְּרוּמוֹת הַקֳּדָשִׁים 435; תְּרוּמַת קָדָשִׁים 420

– קָדְשֵׁי אָבִיו 455,460,474; קָדְשֵׁי בֵּית יְיָ 461,462; קָ׳ בְּנֵי יִשְׂרָאֵל 450-453, 466; קָ׳ דָּוִד 454, 459; קָדְשֵׁי יְיָ 464; קָדְשֵׁי קָדָשִׁים – ראה לעיל

קֹדֶשׁ 1 כִּי הַמָּקוֹם...אַדְמַת־קֹדֶשׁ הוּא Ex. 3:5
2 וּבַיּוֹם הָרִאשׁוֹן מִקְרָא־קֹדֶשׁ Ex. 12:16
3 וּבַיּוֹם הַשְּׁבִיעִי מִקְרָא־קֹדֶשׁ Ex. 12:16
4 שַׁבַּת־קֹדֶשׁ לַייָ מָחָר Ex. 16:23
5 וְאַנְשֵׁי־קֹדֶשׁ תִּהְיוּן לִי Ex. 22:30
6/7 בִּגְדֵי־קֹדֶשׁ לְאַהֲרֹן אָחִיךָ Ex. 28:2, 4
8/9 פִּתּוּחֵי חֹתָם קֹדֶשׁ לַייָ Ex. 28:36; 39:30
10 וְזָר לֹא־יֹאכַל כִּי־קֹדֶשׁ הֵם Ex. 29:33
11 לֹא יֵאָכֵל כִּי־קֹדֶשׁ הוּא Ex. 29:34
14-12 שֶׁמֶן מִשְׁחַת־קֹדֶשׁ Ex. 30:25², 31
15/6 קֹדֶשׁ הוּא קֹדֶשׁ יִהְיֶה לָכֶם Ex. 30:32
17 מְמֻלָּח טָהוֹר קֹדֶשׁ Ex. 30:35
18 קֹדֶשׁ תִּהְיֶה לְךָ לַייָ Ex. 30:37
19 כִּי קֹדֶשׁ הִוא לָכֶם Ex. 31:14
20 שַׁבַּת שַׁבָּתוֹן קֹדֶשׁ לַייָ Ex. 31:15
21 קֹדֶשׁ שַׁבַּת שַׁבָּתוֹן לַייָ Ex. 35:2
22 וַיַּעַשׂ אֶת־שֶׁמֶן הַמִּשְׁחָה קֹדֶשׁ Ex. 37:29
23 וְקִדַּשְׁתָּ אֹתוֹ...וְהָיָה קֹדֶשׁ Ex. 40:9
24 בְּכָל־קֹדֶשׁ לֹא־תִגָּע Lev. 12:4
25 כְּתֹנֶת־בַּד קֹדֶשׁ יִלְבָּשׁ Lev. 16:4
26 בִּגְדֵי־קֹדֶשׁ הֵם Lev. 16:4
27 וְהָיוּ קֹדֶשׁ Lev. 21:6
28 וְכָל־זָר לֹא־יֹאכַל קֹדֶשׁ Lev. 22:10
29 תּוֹשַׁב כֹּהֵן...לֹא־יֹאכַל קֹדֶשׁ Lev. 22:10
30 וְאִישׁ כִּי־יֹאכַל קֹדֶשׁ בִּשְׁגָגָה Lev. 22:14
31/2 אֲשֶׁר-תִּקְרְאוּ אֹתָם מִקְרָאֵי קֹדֶשׁ Lev. 23:2, 37
33 שַׁבַּת שַׁבָּתוֹן מִקְרָא־קֹדֶשׁ Lev. 23:3
34 אֵלֶּה מוֹעֲדֵי יְיָ מִקְרָאֵי קֹדֶשׁ Lev. 23:4
38-35 מִקְרָא-קֹדֶשׁ יִהְיֶה לָכֶם Lev. 23:7, 21, 27, 36
47-39 מִקְרָא־קֹדֶשׁ Lev. 23:8, 24, 35
Num. 28:18, 25, 26; 29:1, 7, 12
48 קֹדֶשׁ יִהְיוּ לַייָ לַכֹּהֵן Lev. 23:20
49 כִּי יוֹבֵל הוּא קֹדֶשׁ תִּהְיֶה לָכֶם Lev. 25:12

קדש (המשך)

50 אשר יתן ממנו ליי יהיה־קדש — Lev. 27:9
51/2 הוא ותמורתו יהיה־קדש — Lev. 27:10, 33
53 כי־יקדש את־ביתו קדש ליי — Lev. 27:14
54-63 קדש ליי — Lev. 27:21, 23, 30, 32; Is. 23:18 • Jer. 31:40(39) • Ezek. 48:14 • Zech. 14:20, 21 • Ez. 8:28
64 קדש הוא לכהן — Num. 6:20
65 קדש יהיה־לך — Num. 18:10
66 לא תפדה קדש הם — Num. 18:17
67 ואתה מרבבת קדש — Deut. 33:2
68 כי המקום...קדש הוא — Josh. 5:15
69 קדש הוא ליי אוצר יי יבוא — Josh. 6:19
70 כי־אם־לחם קדש יש — ISh. 21:5
71 ויהיו כלי־הנערים קדש — ISh. 21:6
72 ויתן־לו הכהן קדש — ISh. 21:7
73 זרע קדש מצבתה — Is. 6:13
74 ואחלל שרי קדש — Is. 43:28
75 קדש ישראל ליי ראשית תבואתה — Jer. 2:3
76 ובשר־קדש יעברו מעליך — Jer. 11:15
77 בין־קדש לחל לא הבדילו — Ezek. 22:26
78 ונתתיך בהר קדש אלהים היית — Ezek. 28:14
79 כי־קדש הנה — Ezek. 42:14
80 ואת־עמי יורו בין קדש לחל — Ezek. 44:23
81 תרימו תרומה ליי קדש מן־הארץ — Ezek. 45:1
82 קדש־הוא בכל־גבולה סביב — Ezek. 45:1
83 קדש מן־הארץ הוא לכהנים — Ezek. 45:4
84 והיתה ירושלם קדש — Joel 4:17
85 ובהר ציון תהיה פליטה והיה קדש — Ob. 17
86 כהניה חללו־קדש — Zep. 3:4
87 הן ישא־איש בשר־קדש — Hag. 2:12
88/9 השתחוו ליי בהדרת־קדש — Ps. 29:2; 96:9
90 מזמור שיר יסודתו בהררי־קדש — Ps. 87:1
91 לביתך נאוה־קדש — Ps. 93:5
92 ביום חילך בהדרי־קדש — Ps. 110:3
93 שאו־ידכם קדש וברכו את־יי — Ps. 134:2
94 מוקש אדם ילע קדש — Prov. 20:25
95 תשתפכנה אבני־קדש — Lam. 4:1
96 עד ערב בקר...ונצדק קדש — Dan. 8:14
97 תחנתי...על הר־קדש אלהי — Dan. 9:20
98 ולבבו על־ברית קדש — Dan. 11:28
99 וזעם על־ברית־קודש — Dan. 11:30
100 ויבן על־עזבי ברית קדש — Dan. 11:30
101 בין ימים להר־צבי־קדש — Dan. 11:45
102 וככלות נפץ יד־עם־קדש — Dan. 12:7
103 לא־נקח מהם בשבת וביום קדש — Neh. 10:32
104 השתחוו ליי בהדרת־קדש — ICh. 16:29
105 וכלי קדש האלהים — ICh. 22:19(18)
106 ועל־טהרת לכל־קדש — ICh. 23:28
107 שרי־קדש ושרי האלהים — ICh. 24:5
108/9 כי־קדש המה — IICh. 8:11; 23:6
110 ומהללים להדרת־קדש — IICh. 20:21
111 כי באמונתם יתקדשו־קדש — IICh. 31:18

וקדש
112 וקדש וצבא מרמס — Dan. 8:13

הקדש
113 והבדילה הפרכת...בין הקדש — Ex. 26:33
114/5 בבאו אל־הקדש — Ex. 28:29, 35
116 ונתת את־נזר הקדש על־המצנפת — Ex. 29:6
117 ובגדי הקדש אשר לאהרן — Ex. 29:29
118/9 מחצית השקל בשקל הקדש — Ex. 30:13; 38:26
120-142 בשקל הקדש — Ex. 30:24; 38:24, 25; Lev. 5:15; 27:3, 25 • Num. 3:47, 50; 7:13, 19, 25; 7:31, 37, 43, 49, 55, 61, 67, 73, 79, 85, 86; 18:16
143 ואת־בגדי הקדש לאהרן — Ex. 31:10

הקדש (המשך)

144/5 את־בגדי הקדש לאהרן — Ex. 35:19; 39:41
146-149 (ו/ל) בגדי הקדש — Ex. 35:21; 39:1; 40:13 • Lev. 16:32
150 את־כל־מלאכת עבדת הקדש — Ex. 36:1
151 למלאכת עבדת הקדש — Ex. 36:3
152 העשים את כל־מלאכת הקדש — Ex. 36:4
153 מלאכה לתרומת הקדש — Ex. 36:6
154 העשוי...בכל מלאכת הקדש — Ex. 38:24
155 לצקת את אדני הקדש — Ex. 38:27
156 ויעשו את־ציץ נזר הקדש — Ex. 39:30
157 את־פני פרכת הקדש — Lev. 4:6
158 ואת אשר חטא מן־הקדש ישלם — Lev. 5:16
159 את ציץ הזהב נזר הקדש — Lev. 8:9
160 שאו...מאת פני־הקדש — Lev. 10:4
161 ולהבדיל בין הקדש ובין החל — Lev. 10:10
162 לא־אכלתם...במקום הקדש — Lev. 10:17
163 לא־הובא...אל־הקדש פנימה — Lev. 10:18
164 ושחט...העלה במקום הקדש — Lev. 14:13
165 ואל־יבא בכל־עת אל־הקדש — Lev. 16:2
166 בזאת יבא אהרן אל־הקדש — Lev. 16:3
167 וכפר על־הקדש מטמאת ב״י — Lev. 16:16
168 וכלה מכפר את־הקדש — Lev. 16:20
169 בבאו אל־הקדש — Lev. 16:23
170 וכפר את־מקדש הקדש — Lev. 16:33
171 ונתן לכהן את־הקדש — Lev. 22:14
172/3 שמרי משמרת הקדש — Num. 3:28, 32
174 וכלי הקדש אשר ישרתו בהם — Num. 3:31
175 לכסת את־הקדש — Num. 4:15
176 ואת־כל־כלי הקדש — Num. 4:15
177 ולא־יגעו אל־הקדש ומתו — Num. 4:15
178 לראות כבלע את־הקדש — Num. 4:20
179 כי־עבדת הקדש עלהם — Num. 7:9
180 בגשת בני־ישראל אל־הקדש — Num. 8:19
181 אל־כלי הקדש...לא יקרבו — Num. 18:3
182 ושמרתם את משמרת הקדש — Num. 18:5
183 וכלי הקדש וחצצרות התרועה — Num. 31:6
184 משח אתו בשמן הקדש — Num. 35:25
185 בערתי הקדש מן־הבית — Deut. 26:13
186 כל־כלי הקדש אשר באהל — IK. 8:4
187 ויראו ראשי הבדים מן־הקדש — IK. 8:8
188 ויהי בצאת הכהנים מן־הקדש — IK. 8:10
189 והשתחוו ליי בהר הקדש בירו׳ — Is. 27:13
190 ודרך הקדש יקרא לה — Is. 35:8
191 כי־מעיר הקדש נקראו — Is. 48:2
192 לבשי...ירושלם עיר הקדש — Is. 52:1
193 עם־הקדש גאולי יי — Is. 62:12
194 נוה־צדק הר הקדש — Jer. 31:23(22)
195 ופני הקדש המראה כמראה — Ezek. 41:21
196 הנה לשכות הקדש — Ezek. 42:13
197 להבדיל בין הקדש לחל — Ezek. 42:20
198 והניחו אותם בלשכת הקדש — Ezek. 44:19
199 וביום באו אל־הקדש — Ezek. 44:27
200 יהיה מזה אל־הקדש חמש מאות — Ezek. 45:2
201-3 לעמת תרומת הקדש — Ezek. 45:6; 48:18[2]
204-209 (לת־)תרומת הקדש — Ezek. 45:7[2]; 48:10, 20, 21[2]
210 ויביאני...אל־הלשכות הקדש — Ezek. 46:19
211 ונחל...על אדמת הקדש — Zech. 2:16
212 והר־יי צבאות הר הקדש — Zech. 8:3
213 והתערבו זרע הקדש בעמי הארץ — Ez. 9:2
214 לשבת בירושלם עיר הקדש — Neh. 11:1
215 כל־הלוים בעיר הקדש — Neh. 11:18

הקדש (המשך)

216 ממנים...ועל כל־כלי הקדש — ICh. 9:29
217 ושמרו...ואת משמרת הקדש — ICh. 23:32
218 מכל־הכינותי לבית הקדש — ICh. 29:3
219 ויעלו...ואת־כל־כלי הקדש — IICh. 5:5
220 ויהי בצאת הכהנים מן־הקדש — IICh. 5:11
221 והוציאו את־הנדה מן־הקדש — IICh. 29:5
222 ולא כטהרת הקדש — IICh. 30:19
223 תנו את־ארון־הקדש בבית — IICh. 35:3

והקדש
224 והעיר והקדש ישחית — Dan. 9:26

מהקדש
225 ולא־יצאו מהקדש — Ezek. 42:14

בקדש
226 פקדת כל־המשכן...בקדש — Num. 4:16

בקדש
227 מי כמכה נאדר בקדש — Ex. 15:11
228-233 לשרת בקדש — Ex. 28:43; 29:30; 35:19; 39:1, 41 • Ezek. 44:27
234-236 לכפר בקדש — Lev. 6:23; 16:17, 27
237 אכול תאכלו אתה בקדש — Lev. 10:18
238 אשר ישרתו־בם בקדש — Num. 4:12
239 בקדש הסך נסך שכר ליי — Num. 28:7
240 כן בקדש חזיתך — Ps. 63:3
241 אדני בם סיני בקדש — Ps. 68:18
242 הליכות אלי מלכי בקדש — Ps. 68:25
243 כל־הרע אויב בקדש — Ps. 74:3
244 אלהים בקדש דרכך — Ps. 77:14
245 ועלה לא־העלו בקדש — IICh. 29:7
246 ועמדו בקדש לפלגות בית האבות — IICh. 35:5

לקדש
247 ואת־קטרת הסמים לקדש — Ex. 31:11

ולקדש
248 ושתים דלתות להיכל ולקדש — Ezek. 41:23

מקדש
249 ישלח־עזרך מקדש — Ps. 20:3

קדש־
250 בין הקדש ובין קדש הקדשים — Ex. 26:33
251/2 והיה המזבח קדש קדשים — Ex. 29:37; 40:10
253 קדש־קדשים הוא ליי — Ex. 30:10
254 והיו קדש קדשים — Ex. 30:29
255-273 קדש קדשים — Ex. 30:36; Lev. 2:3, 10; 6:10, 18, 22; 7:1, 6; 10:12, 17; 14:13; 24:9; 27:28 • Num. 18:9 • Ezek. 43:12; 45:3; 48:12 • Dan. 9:24 • ICh. 23:13
274 כי־את־קדש יי חלל — Lev. 19:8
275 כל־פריו קדש הלולים ליי — Lev. 19:24
276 באהל מועד קדש הקדשים — Num. 4:4
277 בגשתם את־קדש הקדשים — Num. 4:19
278-283 קדש הקדשים — IK. 8:6; Ezek. 41:4 • ICh. 6:34 • IICh. 3:8, 10; 5:7
284 חלל יהודה קדש יי אשר אהב — Mal. 2:11

בקדש־
285 ארון העדת בקדש הקדשים — Ex. 26:34
286 בקדש הקדשים תאכלנו — Num. 18:10

לקדש־
287 מבית לדביר לקדש הקדשים — IK. 6:16
288 הבית הפנימי לקדש הקדשים — IK. 7:50
289 דלתותיו הפנימיות לקדש הקדשים — IICh. 4:22

מקדש־
290 יהיה...מקדש הקדשים מן־האש — Num. 18:9
291 לא־יאכלו מקדש הקדשים — Ez. 2:63
292 לא־יאכלו מקדש הקדשים — Neh. 7:65

קדשי
293 ולחלל את־שם קדשי — Lev. 20:3
294 ולא יחללו את־שם קדשי — Lev. 22:2
295-315 (ל)שם קדשי — Lev. 22:32; Ezek. 20:39; 36:20, 21, 22; 39:7[2], 25; 43:7, 8 • Am. 2:7
316/7 לא־ירעו...בכל־הר קדשי — Is. 11:9; 65:25
318 והביאותים אל־הר קדשי — Is. 56:7
319-327 (ב)הר קדשי — Is. 57:13; 65:11; 66:20 • Ezek. 20:40 • Joel 2:1; 4:17 • Ob. 16 • Zep. 3:11 • Ps. 2:6
328 עשות חפצך ביום קדשי — Is. 58:13
329 ומקבציו ישתהו בחצרות קדשי — Is. 62:9

330 בְּשֶׁמֶן קָדְשִׁי מְשַׁחְתִּיו Ps. 89:21
בְּקָדְשִׁי 331 אַחַת נִשְׁבַּעְתִּי בְקָדְשִׁי Ps. 89:36
קָדְשְׁךָ 332 הַשְׁקִיפָה מִמְּעוֹן קָדְשְׁךָ Deut. 26:15
333 הַבֵּט...מִזְּבֻל קָדְשְׁךָ וְתִפְאַרְתֶּךָ Is. 63:15
334 עָרֵי קָדְשְׁךָ הָיוּ מִדְבָּר Is. 64:9
335/6 אֶשְׁתַּחֲוֶה אֶל־הֵיכַל־קָדְשְׁךָ Ps. 5:8; 138:2
337 אֶל־הַר־קָדְשְׁךָ וְאֶל־מִשְׁכְּנוֹתֶיךָ Ps. 43:3
338 וְרוּחַ קָדְשְׁךָ אַל־תִּקַּח מִמֶּנִּי Ps. 51:13
339 וְאֶת־שַׁבַּת קָדְשְׁךָ הוֹדַעְתָּ לָהֶם Neh. 9:14
קָדְשֶׁךָ 340 נֵהַלְתָּ בְעָזְּךָ אֶל־נְוֵה קָדְשֶׁךָ Ex. 15:13
341 לַמִּצְעָר יָרְשׁוּ עַם־קָדְשֶׁךָ Is. 63:18
342 אוֹסִיף לְהַבִּיט אֶל־הֵיכַל קָדְשֶׁךָ Jon. 2:5
343 וַתָּבוֹא...תְּפִלָּתִי אֶל־הֵיכַל קָדְשֶׁךָ Jon. 2:8
344 מִי־יִשְׁכֹּן בְּהַר קָדְשֶׁךָ Ps. 15:1
345 בְּנָשְׂאִי יָדַי אֶל־דְּבִיר קָדְשֶׁךָ Ps. 28:2
346 טִמְּאוּ אֶת־הֵיכַל קָדְשֶׁךָ Ps. 79:1
347 לְהוֹדוֹת לְשֵׁם קָדְשֶׁךָ Ps. 106:47
348 מֵעִירְךָ יְרוּשָׁלַםִ הַר־קָדְשֶׁךָ Dan. 9:16
349 עַל־עַמְּךָ וְעַל־עִיר קָדְשֶׁךָ Dan. 9:24
350 לְהֹדוֹת לְשֵׁם קָדְשֶׁךָ ICh. 16:35
351 לִבְנוֹת־לְךָ בַיִת לְשֵׁם קָדְשֶׁךָ ICh. 29:16
קָדְשׁוֹ 352 חָשַׂף יְיָ אֶת־זְרוֹעַ קָדְשׁוֹ Is. 52:10
353 מָרוּ וְעִצְּבוּ אֶת־רוּחַ קָדְשׁוֹ Is. 63:10
354 הַשָּׂם בְּקִרְבּוֹ אֶת־רוּחַ קָדְשׁוֹ Is. 63:11
355 מִפְּנֵי יְיָ וּמִפְּנֵי דִּבְרֵי קָדְשׁוֹ Jer. 23:9
356 וּמִמְּעוֹן קָדְשׁוֹ יִתֵּן קוֹלוֹ Jer. 25:30
357 לְעֵד אֲדֹנָי מֵהֵיכַל קָדְשׁוֹ Mic. 1:2
358 וַיְיָ בְּהֵיכַל קָדְשׁוֹ Hab. 2:20
359 כִּי נֵעוֹר מִמְּעוֹן קָדְשׁוֹ Zech. 2:17
360 וַיַּעֲנֵנִי מֵהַר קָדְשׁוֹ Ps. 3:5
361 יְיָ בְּהֵיכַל קָדְשׁוֹ יְיָ בַּשָּׁמַיִם כִּסְאוֹ Ps. 11:4
362 יַעֲנֵהוּ מִשְּׁמֵי קָדְשׁוֹ Ps. 20:7
363 וּמִי־יָקוּם בִּמְקוֹם קָדְשׁוֹ Ps. 24:3
364/5 וְהוֹדוּ לְזֵכֶר קָדְשׁוֹ Ps. 30:5; 97:12
366 כִּי בְשֵׁם קָדְשׁוֹ בָטָחְנוּ Ps. 33:21
367 אֱלֹהִים יָשַׁב עַל־כִּסֵּא קָדְשׁוֹ Ps. 47:9
368 בְּעִיר אֱלֹהֵינוּ הַר־קָדְשׁוֹ Ps. 48:2
369 אֱלֹהִים בִּמְעוֹן קָדְשׁוֹ Ps. 68:6
370 וַיְבִיאֵם אֶל־גְּבוּל קָדְשׁוֹ Ps. 78:54
371 הוֹשִׁיעָה־לּוֹ יְמִינוֹ וּזְרוֹעַ קָדְשׁוֹ Ps. 98:1
372 וְהִשְׁתַּחֲווּ לְהַר קָדְשׁוֹ Ps. 99:9
373 כִּי־הִשְׁקִיף מִמְּרוֹם קָדְשׁוֹ Ps. 102:20
374 בָּרְכִי...וְכָל־קְרָבַי אֶת־שֵׁם קָדְשׁוֹ Ps. 103:1
375 הִתְהַלְלוּ בְּשֵׁם קָדְשׁוֹ Ps. 105:3
376 כִּי־זָכַר אֶת־דְּבַר קָדְשׁוֹ Ps. 105:42
377 וִיבָרֵךְ כָּל־בָּשָׂר שֵׁם קָדְשׁוֹ Ps. 145:21
378 וְלָתֶת־לָנוּ יָתֵד בִּמְקוֹם קָדְשׁוֹ Ez. 9:8
379 הִתְהַלְלוּ בְּשֵׁם קָדְשׁוֹ ICh. 16:10
380 וַתָּבוֹא תְפִלָּתָם לִמְעוֹן קָדְשׁוֹ IICh. 30:27
בְּקָדְשׁוֹ 381 נִשְׁבַּע אֲדֹנָי יֱהוִה בְּקָדְשׁוֹ Am. 4:2
382/3 אֱלֹהִים דִּבֶּר בְּקָדְשׁוֹ Ps. 60:8; 108:8
384 הַלְלוּ־אֵל בְּקָדְשׁוֹ Ps. 150:1
לְקָדְשׁוֹ 385 הָיְתָה יְהוּדָה לְקָדְשׁוֹ Ps. 114:2
קָדְשֵׁנוּ 386 בֵּית קָדְשֵׁנוּ וְתִפְאַרְתֵּנוּ Is. 64:10
קָדָשִׁים 387/8 וְהָיָה הַמִּזְבֵּחַ קֹדֶשׁ קָדָשִׁים Ex. 29:37; 40:10
389 קֹדֶשׁ־קָדָשִׁים הוּא לַיְיָ Ex. 30:10
390-409 קֹדֶשׁ קָדָשִׁים Ex. 30:29, 36
Lev. 2:3, 10; 6:10, 18, 22; 7:1, 6; 10:12, 17; 14:13; 24:9; 27:28 • Num. 18:9 • Ezek. 43:12; 45:3; 48:12 • Dan. 9:24 • ICh. 23:13
410 כְּצֹאן קָדָשִׁים כְּצֹאן יְרוּשָׁלַםִ Ezek. 36:38
411 מַעְשַׂר בָּקָר וָצֹאן וּמַעְשַׂר קָדָשִׁים IICh. 31:6

הַקֳּדָשִׁים 412 בֵּין הַקֹּדֶשׁ וּבֵין קֹדֶשׁ הַקֳּדָשִׁים Ex. 26:33
413 עַל אֲרוֹן הָעֵדֻת בְּקֹדֶשׁ הַקֳּדָשִׁים Ex. 26:34
414 וְנָשָׂא אַהֲרֹן אֶת־עֲוֹן הַקֳּדָשִׁים Ex. 28:38
415 לֶחֶם אֱלֹהָיו מִקָּדְשֵׁי הַקֳּדָשִׁים Lev. 21:22
416 וּמִן־הַקֳּדָשִׁים יֹאכֵל Lev. 21:22
417 אֲשֶׁר־יִקְרַב...אֶל־הַקֳּדָשִׁים Lev. 22:3
418 וְלֹא יֹאכַל מִן־הַקֳּדָשִׁים Lev. 22:6
419 וְאַחַר יֹאכַל מִן־הַקֳּדָשִׁים Lev. 22:7
420 בִּתְרוּמַת הַקֳּדָשִׁים לֹא תֹאכֵל Lev. 22:12
421 בְּאֹהֶל מוֹעֵד קֹדֶשׁ הַקֳּדָשִׁים Num. 4:4
422 בְּגִשְׁתָּם אֶת־קֹדֶשׁ הַקֳּדָשִׁים Num. 4:19
423-434 (בְּ/לְ/מ)קֹדֶשׁ הַקֳּדָשִׁים Num. 18:9, 10
IK. 6:16; 7:50; 8:6 • Ezek. 41:4 • Ez. 2:63 • Neh. 7:65 • ICh. 6:34 • IICh. 3:8,10; 5:7
435 כֹּל תְּרוּמֹת הַקֳּדָשִׁים Num. 18:19
436 כֶּסֶף הַקֳּדָשִׁים אֲשֶׁר יוּבָא בֵית־יְיָ IIK. 12:5
437 וַיִּקַּח...אֵת כָּל־הַקֳּדָשִׁים IIK. 12:19
438 יֹאכְלוּ־שָׁם...קָדְשֵׁי הַקֳּדָשִׁים Ezek. 42:13
439/40 קָדְשֵׁי הַקֳּדָשִׁים Ezek. 42:13; 44:13
441/2 וּלְאֹצְרוֹת הַקֳּדָשִׁים ICh. 26:20; 28:12
443 עַל כָּל־אֹצְרוֹת הַקֳּדָשִׁים ICh. 26:26
444 תְּרוּמַת יְיָ וְקָדְשֵׁי הַקֳּדָשִׁים IICh. 31:14
וְהַקֳּדָשִׁים 445 וְהַקֳּדָשִׁים בָּקָר שֵׁשׁ מֵאוֹת IICh. 29:33
446 אֶת־הַתְּרוּמָה...וְהַקֳּדָשִׁים IICh. 31:12
447 וְהַקֳּדָשִׁים בִּשְּׁלוּ בַּסִּירוֹת IICh. 35:13
בַּקֳּדָשִׁים 448 בַּקֳּדָשִׁים לֹא יֹאכַל Lev. 22:4
וְלַקֳּדָשִׁים 449 לַמּוֹעֲדִים וְלַקֳּדָשִׁים וְלַחַטָּאוֹת Neh. 10:34
קָדְשֵׁי־ 450 וְלֹא יְחַלְּלוּ אֶת־קָדְשֵׁי בְּ״י Lev. 22:15
451/2 לְכָל־קָדְשֵׁי בְנֵי־יִשְׂרָאֵל Num. 5:9; 18:8
453 וְאֶת־קָדְשֵׁי בְ״י לֹא תְחַלְּלוּ Num. 18:32
454 וַיָּבֵא שְׁלֹמֹה אֶת־קָדְשֵׁי דָּוִד אָבִיו IK. 7:51
455 וַיָּבֵא אֶת־קָדְשֵׁי אָבִיו...בֵּית יְיָ IK. 15:15
456 יֹאכְלוּ־שָׁם...קָדְשֵׁי הַקֳּדָשִׁים Ezek. 42:13
457 שָׁם יַנִּיחוּ קָדְשֵׁי הַקֳּדָשִׁים Ezek. 42:13
458 וְלָגֶשֶׁת...אֶל־קָדְשֵׁי הַקֳּדָשִׁים Ezek. 44:13
459 וַיָּבֵא שְׁלֹמֹה אֶת־קָדְשֵׁי דָּוִיד אָבִיו IICh. 5:1
460 וַיָּבֵא אֶת־קָדְשֵׁי אָבִיו...בֵּית הָאֵל IICh. 15:18
461 קָדְשֵׁי בֵית־יְיָ עָשׂוּ לַבְּעָלִים IICh. 24:7
וְקָדְשֵׁי־ 462 אֶת־קָדְשֵׁי אָבִיו וְקָדְשֵׁי (כת׳ קדשו) בֵּית יְיָ IK. 15:15
463 לָתֵת תְּרוּמַת יְיָ וְקָדְשֵׁי הַקֳּדָשִׁים IICh. 31:14
מִקָּדְשֵׁי־ 464 וְחָטְאָה בִּשְׁגָגָה מִקָּדְשֵׁי יְיָ Lev. 5:15
465 לֶחֶם אֱלֹהָיו מִקָּדְשֵׁי הַקֳּדָשִׁים Lev. 21:22
466 וְיִנָּזְרוּ מִקָּדְשֵׁי בְנֵי־יִשְׂרָאֵל Lev. 22:2
קָדָשַׁי 467 קָדָשַׁי בָּזִית וְאֶת־שַׁבְּתֹתַי חִלָּלְתְּ Ezek. 22:8
468 חָמְסוּ תוֹרָתִי וַיְחַלְּלוּ קָדָשַׁי Ezek. 22:26
469 וְלָגֶשֶׁת עַל־כָּל־קָדָשַׁי Ezek. 44:13
קָדָשָׁי 470 וְלֹא שְׁמַרְתֶּם מִשְׁמֶרֶת קָדָשָׁי Ezek. 44:8
קָדָשֶׁיךָ 471 קָדָשֶׁיךָ אֲשֶׁר־יִהְיוּ לְךָ וּנְדָרֶיךָ Deut. 12:26
קֳדָשָׁיו 472 וְאִישׁ אֶת־קֳדָשָׁיו לוֹ יִהְיוּ Num. 5:10
473 אֶת כָּל־הַקֳּדָשִׁים...וְאֶת־קֳדָשָׁיו IIK. 12:19
וְקָדָשָׁיו 474 אֶת־קָדְשֵׁי אָבִיו וְקָדָשָׁיו IICh. 15:18
קָדְשֵׁיכֶם 475 מַשְׂאוֹתֵיכֶם בְּכָל־קָדְשֵׁיכֶם Ezek. 20:40
קָדְשֵׁיהֶם 476 לְכָל־מַתְּנֹת קָדְשֵׁיהֶם Ex. 28:38
477 בְּאָכְלָם אֶת־קָדְשֵׁיהֶם Lev. 22:16

קָדֵשׁ[1]

ז׳ זכר שנועד לזנות ולמשכבי זכור בפולחן הבעל והעשתורת: 1-6 [עין גם קְדֵשָׁה]

בָּתֵּי הַקְּדֵשִׁים 5

קָדֵשׁ 1 וְלֹא־יִהְיֶה קָדֵשׁ מִבְּנֵי יִשְׂרָאֵל Deut. 23:18
2 וְגַם־קָדֵשׁ הָיָה בָאָרֶץ IK. 14:24
הַקָּדֵשׁ 3 וְיֶתֶר הַקָּדֵשׁ...בִּעֵר מִן־הָאָרֶץ IK. 22:47
הַקְּדֵשִׁים 4 וַיַּעֲבֵר הַקְּדֵשִׁים מִן־הָאָרֶץ IK. 15:12
5 וַיִּתֹּץ אֶת־בָּתֵּי הַקְּדֵשִׁים IIK. 23:7
בַּקְּדֵשִׁים 6 תָּמֹת בַּנֹּעַר נַפְשָׁם וְחַיָּתָם בַּקְּדֵשִׁים Job 36:14

קָדֵשׁ[2]

ש״פ – נוה־מדבר וישוב בצפון־מזרח סיני, בגבול הדרומי של אדום; הוא קָדֵשׁ בַּרְנֵעַ: 1-14

מִדְבַּר קָדֵשׁ 5

קָדֵשׁ 1 וַיָּבֹאוּ אֶל־עֵין מִשְׁפָּט הִוא קָדֵשׁ Gen. 14:7
2 הִנֵּה בֵין־קָדֵשׁ וּבֵין בָּרֶד Gen. 16:14
3 וַיֵּשֶׁב בֵּין־קָדֵשׁ וּבֵין שׁוּר Gen. 20:1
4 וַיַּחֲנוּ בְמִדְבַּר־צִן הִוא קָדֵשׁ Num. 33:36
5 יָחִיל יְיָ מִדְבַּר קָדֵשׁ Ps. 29:8
קָדֵשָׁה 6 וַיָּבֹאוּ...אֶל־מִדְבַּר פָּארָן קָדֵשָׁה Num. 13:26
7 וַיֵּלֶךְ יִשְׂרָאֵל...וַיָּבֹא קָדֵשָׁה Jud. 11:16
בְּקָדֵשׁ 8 וַיֵּשֶׁב הָעָם בְּקָדֵשׁ Num. 20:1
9 וְהִנֵּה אֲנַחְנוּ בְקָדֵשׁ Num. 20:16
10 וַתֵּשְׁבוּ בְקָדֵשׁ יָמִים רַבִּים Deut. 1:46
11 וַיֵּשֶׁב יִשְׂרָאֵל בְּקָדֵשׁ Jud. 11:17
מִקָּדֵשׁ 12 וַיִּשְׁלַח...מִקָּדֵשׁ אֶל־מֶלֶךְ אֱדוֹם Num. 20:14
13/4 וַיִּסְעוּ מִקָּדֵשׁ Num. 20:22; 33:37

קָדֵשׁ בַּרְנֵעַ

ש״פ – היא קָדֵשׁ[2]: 1-10

קָדֵשׁ בַּרְנֵעַ 1 מֵחֹרֵב...עַד קָדֵשׁ בַּרְנֵעַ Deut. 1:2
2 וַנִּסַּע...וַנָּבֹא עַד קָדֵשׁ בַּרְנֵעַ Deut. 1:19
בְּקָדֵשׁ בַּר׳ 3 אֲשֶׁר־דִּבֶּר יְיָ...בְּקָדֵשׁ בַּרְנֵעַ Josh. 14:6
לְקָדֵשׁ בַּר׳ 4 וְהָיוּ° תּוֹצְאֹתָיו מִנֶּגֶב לְקָדֵשׁ בַּרְנֵעַ Num. 34:4
5 וְעָלָה מִנֶּגֶב לְקָדֵשׁ בַּרְנֵעַ Josh. 15:3
מִקָּדֵשׁ בַּר׳ 6 בְּשָׁלְחִי אֹתָם מִקָּדֵשׁ בַּרְנֵעַ Num. 32:8
7 וְהַיָּמִים אֲשֶׁר־הָלַכְנוּ מִקָּדֵשׁ בַּרְנֵעַ Deut. 2:14
8 וּבִשְׁלֹחַ יְיָ אֶתְכֶם מִקָּדֵשׁ בַּרְנֵעַ Deut. 9:23
9 וַיַּכֵּם יְהוֹשֻׁעַ מִקָּדֵשׁ בַּרְנֵעַ וְעַד־עַזָּ׳ Josh. 10:41
10 בִּשְׁלֹחַ...מִקָּדֵשׁ בַּרְנֵעַ לְרַגֵּל Josh. 14:7

קֶדֶשׁ

ש״פ א) עיר בנגב יהודה, בגבול אדום: 8
ב) עיר לויים בגליל בנחלת נפתלי: 2,3,5,7,9-12
ג) עיר לויים בעמק יזרעאל בנחלת יששכר: 1, 6

קֶדֶשׁ 1 מֶלֶךְ קֶדֶשׁ אֶחָד Josh. 12:22
2 וַיַּקְדִּשׁוּ אֶת־קֶדֶשׁ בַּגָּלִיל Josh. 20:7
3 אֶת־קֶדֶשׁ בַּגָּלִיל וְאֶת־מִגְרָשֶׁהָ Josh. 21:32
4 אֵלוֹן בְּצַעֲנַנִּים° אֲשֶׁר אֶת־קֶדֶשׁ Jud. 4:11
5 וַיִּקַּח...וְאֶת־קֶדֶשׁ וְאֶת־חָצוֹר IIK. 15:29
6 אֶת־קֶדֶשׁ וְאֶת־מִגְרָשֶׁיהָ ICh. 6:57
7 אֶת־קֶדֶשׁ בַּגָּלִיל וְאֶת־מִגְרָשֶׁיהָ ICh. 6:61
וְקֶדֶשׁ 8 וְקֶדֶשׁ וְחָצוֹר וְיִתְנָן Josh. 15:23
9 וְקֶדֶשׁ וְאֶדְרֶעִי וְעֵין חָצוֹר Josh. 19:37
מִקֶּדֶשׁ 10 וַתִּקְרָא לְבָרָק...מִקֶּדֶשׁ נַפְתָּלִי Jud. 4:6
קֶדְשָׁה 11 וַתֵּלֶךְ עִם־בָּרָק קֶדְשָׁה Jud. 4:9
12 וַיַּזְעֵק בָּרָק...קֶדְשָׁה Jud. 4:10

קְדֵשָׁה

נ׳ אשה שנועדה לזנות בפולחן עשתורת: 1-5 [עין גם קָדֵשׁ]

קְדֵשָׁה 1/2 לֹא־הָיְתָה בָזֶה קְדֵשָׁה Gen. 38:21, 22
3 לֹא־תִהְיֶה קְדֵשָׁה מִבְּנוֹת יִשְׂרָאֵל Deut. 23:18
הַקְּדֵשָׁה 4 אַיֵּה הַקְּדֵשָׁה הִוא בָעֵינַיִם Gen. 38:21
הַקְּדֵשׁוֹת 5 וְעִם־הַקְּדֵשׁוֹת יְזַבֵּחוּ Hosh. 4:14

קהה

פ׳ א) נסגם [שִׁנַּיִם]: 1-3
ב) [פִּ׳ קֵהָה] נפגם, נטל חודו: 4

תִּקְהֶינָה 1 אָבוֹת אָכְלוּ בֹסֶר וְשִׁנֵּי בָנִים תִּקְהֶינָה Jer. 31:28(29)
2 הָאֹכֵל הַבֹּסֶר תִּקְהֶינָה שִׁנָּיו Jer. 31:29(30)
3 אָבוֹת יֹאכְלוּ בֹסֶר וְשִׁנֵּי הַבָּנִים תִּקְהֶינָה Ezek. 18:2
קֵהָה 4 אִם־קֵהָה הַבַּרְזֶל Eccl. 10:10

קהל : נִקְהַל, הִקְהִיל; קָהָל, קְהִלָּה, מַקְהֵלָה; ש״פ קֹהֶלֶת, קְהֵלָתָה, מַקְהֵלוֹת

(קהל) נִקְהַל נפ׳ א) התאסף: 19-1

ב) [הפ׳ הִקְהִיל] אסף, הזעיק: 39-20

– נִקְהַל 2-5, 11, 14-16, 18; נִקְהַל לְ־ 6; נִקְהַל אֶל־ 9, 10, 17, 19; נִקְהַל עַל־ 1, 7, 8, 12, 13

– הִקְהִיל (אֶת־) 20-27, 29-36, 38; הִקְהִיל (אֶת־) אֶל־, לְ־ 37, 39; הִקְהִיל (אֶת־) עַל־ 28

בְּהִקָּהֵל 1 וַיְהִי בְּהִקָּהֵל הָעֵדָה עַל־מֹשֶׁה Num. 17:7
לְהִקָּהֵל 2 לְהִקָּהֵל וְלַעֲמֹד עַל־נַפְשָׁם Es. 8:11
נִקְהֲלוּ 3 נִקְהֲלוּ הַיְּהוּדִים בְּעָרֵיהֶם Es. 9:2
4 וּשְׁאָר הַיְּהוּדִים...נִקְהֲלוּ Es. 9:16
5 וְהַיְּהוּדִים° אֲשֶׁר־בְּשׁוּשָׁן נִקְהֲלוּ Es. 9:18
6 וּבְיוֹם הָרְבִעִי נִקְהֲלוּ לְעֵמֶק בְּרָכָ׳ IICh. 20:26
הַנִּקְהָלִים 7 וְכָל־קְהָלֶךָ הַנִּקְהָלִים עָלֶיךָ Ezek. 38:7
וַיִּקָּהֵל 8 וַיִּקָּהֵל הָעָם עַל־אַהֲרֹן Ex. 32:1
9 וַיִּקָּהֵל כָּל־הָעָם אֶל־יִרְמְיָהוּ Jer. 26:9
וַתִּקָּהֵל 10 וַתִּקָּהֵל הָעֵדָה אֶל־פֶּתַח אֹהֶל מוֹעֵד Lev. 8:4
11 וַתִּקָּהֵל הָעֵדָה כְּאִישׁ אֶחָד Jud. 20:1
וַיִּקָּהֲלוּ 12/3 וַיִּקָּהֲלוּ עַל־מֹשֶׁה וְעַל־אַהֲרֹן Num.16:3; 20:3
14/5 וַיִּקָּהֲלוּ כָּל־עֲדַת בְּ״יִ שִׁלֹה Josh.18:1; 22:12
16 וַיִּקָּהֲלוּ (כ׳ ויקלהו) וַיָּבֹאוּ...אַחֲרָיו IISh.20:14
17 וַיִּקָּהֲלוּ אֶל־הַמֶּלֶךְ שְׁלֹמֹה IK. 8:2
18 וַיִּקָּהֲלוּ הַיְּהוּדִים° אֲשֶׁר־בְּשׁוּשָׁן Es. 9:15
19 וַיִּקָּהֲלוּ אֶל־הַמֶּלֶךְ כָּל־אִישׁ יִשְׂרָאֵל IICh. 5:3
וּבְהַקְהִיל 20 וּבְהַקְהִיל אֶת־הַקָּהָל תִּתְקְעוּ Num. 10:7
הִקְהַלְתָּ 21 הֲלָבֹז בַּז הִקְהַלְתָּ קְהָלֶךָ Ezek. 38:13
וְהִקְהַלְתָּ 22 וְהִקְהַלְתָּ אֶת־כָּל־עֲדַת בְּ״יִ Num. 8:9
הִקְהִילוּ 23 וְאֵת כָּל־הָעֵדָה הִקְהִילוּ Num. 1:18
יַקְהֵל 24 אָז יַקְהֵל שְׁלֹמֹה אֶת־זִקְנֵי יִשְׂרָאֵל IK. 8:1
(יַקְהִיל) 25 אָז יַקְהֵיל שְׁלֹמֹה אֶת־זִקְנֵי יִשְׂרָאֵל IICh. 5:2
וְיַקְהִיל 26 אִם־יַחֲלֹף וְיַסְגִּיר וְיַקְהִיל וּמִי יְשִׁיבֶנּוּ Job 11:10
וַיַּקְהֵל 27 וַיַּקְהֵל מֹשֶׁה אֶת־כָּל־עֲדַת בְּ״יִ Ex. 35:1
28 וַיַּקְהֵל עֲלֵיהֶם...אֶת־כָּל־הָעֵדָה Num. 16:19
29 וַיַּקְהֵל אֶת־כָּל־בֵּית יְהוּדָה IK. 12:21
30/1 וַיַּקְהֵל דָּוִיד אֶת־כָּל־יִשְׂרָאֵ׳ ICh. 13:5; 15:3
32 וַיַּקְהֵל דָּוִיד אֶת־כָּל־שָׂרֵי יִשְׂרָאֵל ICh. 28:1
33 וַיַּקְהֵל אֶת־בֵּית יְהוּדָה וּבִנְיָמִן IICh. 11:1
וַיַּקְהִילוּ 34 וַיַּקְהִלוּ מֹשֶׁה וְאַהֲרֹן אֶת־הַקָּהָל Num. 20:10
הַקְהֵל 35 וְאֵת כָּל־הָעֵדָה הַקְהֵל אֶל־פֶּתַח Lev. 8:3
36 הַקְהֵל אֶת־הָעָם הָאֲנָשִׁים Deut. 31:12
הַקְהֶל־ 37 הַקְהֶל־לִי אֶת־הָעָם Deut. 4:10
וְהַקְהֵל 38 וְהַקְהֵל אֶת־הָעֵדָה אַתָּה וְאַהֲרֹן Num. 20:8
הַקְהִילוּ 39 הַקְהִילוּ אֵלַי...זִקְנֵי שִׁבְטֵיכֶם Deut. 31:28

קָהָל ז׳ הָמוֹן, קִבּוּץ בְּנֵי־אָדָם: 122-1

קרובים: גּוֹי / הָמוֹן / חֶבֶל / חֶבֶר / חֶבְרָה / לַהֲקָה / מַקְהֵלָה / סוֹד / עֵדָה / עַם / קְהִלָּה / שֵׁבֶט

– קָהָל וְעֵדָה 11; קָהָל גָּדוֹל 1-3, 8, 13; קָהָל רַב 7, 12, 62-64, 70, 71

– חַטַּאת הַקָּהָל 20; יוֹם הַקָּהָל 31-33; כָּל־הַקָּהָל 35-55; עֵינֵי הַקָּהָל 18; עַם הַקָּהָל 21

– קְהַל אֱלֹהִים 109; קְ׳ גּוֹיִם 92,95; קְ׳ הַגּוֹלָה 114; קְ׳ חֲסִידִים 107; קְ׳ יְהוּדָה 110; קְהַל יְיָ 77, 78, 96-102; קְ׳ יִשְׂרָאֵל 75, 79-90, 94; קְ׳ מְרֵעִים 93; קְ׳ עֲדַת־ 74, 76; קְ׳ (הָ)עָם 91, 103, 106; קְ׳ עַמִּים 104, 111-113; קְ׳ קְדוֹשִׁים 105; קְהַל רְפָאִים 108

קָהָל 1 וְכָל־יִשְׂרָאֵל עִמּוֹ קָהָל גָּדוֹל IK. 8:65
2 קָהָל גָּדוֹל יָשׁוּבוּ הֵנָּה Jer. 31:8(7)

קָהָל (המשך) 3 וְכָל־הַנָּשִׁים הָעֹמְדוֹת קָהָל גָּדוֹל Jer. 44:15
4 וְהֶעֱלוּ עָלַיִךְ קָהָל Ezek. 16:40
5 הַעֲלֵה עֲלֵיהֶם קָהָל Ezek. 23:46
6 וְרָגְמוּ עֲלֵיהֶן אֶבֶן קָהָל Ezek. 23:47
7 קָהָל רָב צִנָּה וּמָגֵן...כֻּלָּם Ezek. 38:4
8 קָהָל גָּדוֹל וְחַיִל רָב Ezek. 38:15
9 אִסְפוּ־עָם קַדְּשׁוּ קָהָל Joel 2:16
10 בְּתוֹךְ קָהָל אֲהַלְלֶךָּ Ps. 22:23
11 בְּתוֹךְ קָהָל וְעֵדָה Prov. 5:14
12 נִקְבְּצוּ אֵלָיו מִיִּשְׂרָ׳ קָהָל רַב־מְאֹד Ez. 10:1
13 וְכָל־יִשְׂרָאֵל עִמּוֹ קָהָל גָּדוֹל מְאֹד IICh. 7:8
14 וַיֵּאָסְפוּ...קָהָל לָרֹב מְאֹד IICh. 30:13
15 וּלְהִתְיַחֵשׂ בְּכָל־טַפָּם...לְכָל־קָהָל IICh. 31:18
וְקָהָל 16 בְּסוּס...וְקָהָל וְעַם־רָב Ezek. 26:7
הַקָּהָל 17 לְהָמִית אֶת־כָּל־הַקָּהָל הַזֶּה Ex. 16:3
18 וְנֶעְלַם דָּבָר מֵעֵינֵי הַקָּהָל Lev. 4:13
19 וְהִקְרִיבוּ הַקָּהָל פַּר בֶּן־בָּקָר Lev. 4:14
20 חַטַּאת הַקָּהָל הוּא Lev. 4:21
21 וְעַל־כָּל־עַם הַקָּהָל יְכַפֵּר Lev. 16:33
22 וּבְהַקְהִיל אֶת־הַקָּהָל תִּתְקְעוּ Num. 10:7
23 הַקָּהָל חֻקָּה אַחַת לָכֶם Num. 15:15
24 וַיֹּאבְדוּ מִתּוֹךְ הַקָּהָל Num. 16:33
25 וַיָּרָץ אֶל־תּוֹךְ הַקָּהָל Num. 17:12
26 וְנִכְרְתָה הַנֶּפֶשׁ הַהִוא מִתּוֹךְ הַקָּהָ׳ Num. 19:20
27 וַיָּבֹא...מִפְּנֵי הַקָּהָל אֶל־פֶּתַח... Num. 20:6
28 וַיַּקְהִלוּ...אֶת־הַקָּהָל אֶל־פְּנֵי... Num. 20:10
29 לָכֵן לֹא תָבִיאוּ אֶת־הַקָּהָל הַזֶּה Num. 20:12
30 יְלַחֲכוּ הַקָּהָל אֶת־כָּל־סְבִיבֹתֵינוּ Num. 22:4
31/2 אֲשֶׁר דִּבֶּר יְיָ...בְּיוֹם הַקָּהָל Deut. 9:10; 10:4
33 כְּכֹל אֲשֶׁר־שָׁאַלְתָּ...בְּיוֹם הַקָּהָל Deut. 18:16
34 לֹא בָא..מִיָּבֵישׁ גִּלְעָד אֶל־הַקָּהָל Jud. 21:8
35 וְיֵדְעוּ כָּל־הַקָּהָל הַזֶּה ISh. 17:47
36-55 (וְכָ/לְכָ)כָּל־הַקָּהָל Ez. 2:64; 10:12, 14
Neh. 5:13; 7:66; 8:2, 17 • ICh. 13:4; 29:1, 10, 20^2 •
IICh. 1:3; 23:3; 28:14; 29:28; 30:2, 4, 23, 25
56 הָיְתָה עָלָיו רוּחַ יְיָ בְּתוֹךְ הַקָּהָל IICh.20:14
57 וַיָּבִיאוּ הַקָּהָל זְבָחִים וְתוֹדוֹת IICh. 29:31
58 מִסְפַּר הָעֹלָה אֲשֶׁר הֵבִיאוּ הַקָּהָל IICh. 29:32
וְהַקָּהָל 59 וַיִּדְרְשֵׁהוּ שְׁלֹמֹה וְהַקָּהָל IICh. 1:5
60 אֶת־מַשְׂאַת מֹשֶׁה...וְהַקָּהָל לְיִשְׂרָ׳ IICh. 24:6
61 וַיַּגִּישׁוּ...לִפְנֵי הַמֶּלֶךְ וְהַקָּהָל IICh. 29:23
בְּקָהָל 62 מֵאִתְּךָ תְהִלָּתִי בְּקָהָל רָב Ps. 22:26
63 אוֹדְךָ בְּקָהָל רָב Ps. 35:18
64 בִּשַּׂרְתִּי צֶדֶק בְּקָהָל רָב Ps. 40:10
65 תִּגָּלֶה רָעָתוֹ בְקָהָל Prov. 26:26
בַּקָּהָל 66 מִי אֲשֶׁר לֹא־עָלָה בַקָּהָל Jud. 21:5
67 קַמְתִּי בַקָּהָל אֲשַׁוֵּעַ Job 30:28
68 אֲשֶׁר צִוִּיתָה לֹא־יָבֹאוּ בַקָּהָל לָךְ Lam. 1:10
69 רַבַּת בַּקָּהָל אֲשֶׁר לֹא־הִתְקַדָּשׁוּ IICh. 30:17
וּבְקָהָל 70 וְלֹא בְחַיִל גָּדוֹל וּבְקָהָל רָב Ezek. 17:17
לְקָהָל 71 לֹא־כִחַדְתִּי חַסְדְּךָ...לְקָהָל רָב Ps. 40:11
לַקָּהָל 72 הֵרִים לַקָּהָל אֶלֶף פָּרִים IICh. 30:24
73 הֵרִימוּ לַקָּהָל פָּרִים אָלֶף IICh. 30:24
קְהַל־ 74 וְשָׁחֲטוּ אֹתוֹ כֹּל קְהַל עֲדַת־יִשְׂרָאֵל Ex. 12:6
75 וְכִפֶּר...וּבְעַד כָּל־קְהַל יִשְׂרָאֵל Lev. 16:17
76 לִפְנֵי כָּל־קְהַל עֲדַת בְּנֵי יִשְׂרָאֵל Num. 14:5
77 וּמַדּוּעַ תִּתְנַשְּׂאוּ עַל־קְהַל יְיָ Num. 16:3
78 וְלָמָה הֲבֵאתֶם אֶת־קְהַל יְיָ Num. 20:4
79 וַיְדַבֵּר...בְּאָזְנֵי כָּל־קְהַל יִשְׂרָ׳ Deut. 31:30
80 נֶגֶד כָּל־קְהַל יִשְׂרָאֵל Josh. 8:35
81-90 קְהַל יִשְׂרָאֵל IK. 8:14^2, 22, 55; 12:3
ICh. 13:2 • IICh. 6:3^2, 12, 13

קְהַל־ (המשך) 91 וַיֹּאמְרוּ אֶל־כָּל־קְהַל הָעָם Jer. 26:17
92 קְהַל־גּוֹיִם גְּדֹלִים Jer. 50:9
93 שָׂנֵאתִי קְהַל מְרֵעִים Ps. 26:5
94 לְעֵינֵי כָל־יִשְׂרָאֵל קְהַל־יְיָ ICh. 28:8
וּקְהַל־ 95 גּוֹי וּקְהַל גּוֹיִם יִהְיֶה מִמֶּךָּ Gen. 35:11
בִּקְהַל־ 96 לֹא־יָבֹא פְצוּעַ־דַּכָּה...בִּקְהַל יְיָ Deut. 23:2
97 לֹא־יָבֹא מַמְזֵר בִּקְהַל יְיָ Deut. 23:3
98 דּוֹר עֲשִׂירִי לֹא־יָבֹא לוֹ בִּקְהַל יְיָ Deut. 23:3
99-102 בִּקְהַל יְיָ Deut. 23:4^2, 9 • Mic. 2:5
103 וַיִּתְיַצְּבוּ...בִּקְהַל עַם הָאֱלֹהִים Jud. 20:2
104 וּפָרַשְׂתִּי...בִּקְהַל עַמִּים רַבִּים Ezek. 32:3
105 אַף־אֱמוּנָתְךָ בִּקְהַל קְדֹשִׁים Ps. 89:6
106 וִירוֹמְמוּהוּ בִּקְהַל־עָם Ps. 107:32
107 תְּהִלָּתוֹ בִּקְהַל חֲסִידִים Ps. 149:1
108 בִּקְהַל רְפָאִים יָנוּחַ Prov. 21:16
109 לֹא־יָבוֹא עַמֹּנִי...בִּקְהַל הָאֱלֹהִים Neh. 13:1
110 וַיַּעֲמֹד יְהוֹשָׁפָט בִּקְהַל יְהוּדָה IICh. 20:5
וּבִקְהַל־ 111 וּבָאוּ עָלַיִךְ...וּבִקְהַל עַמִּים Ezek. 23:24
לִקְהַל־ 112 וְהָיִיתָ לִקְהַל עַמִּים Gen. 28:3
113 וּנְתַתִּיךָ לִקְהַל עַמִּים Gen. 48:4
מִקְּהַל־ 114 וְהוּא יִבָּדֵל מִקְּהַל הַגּוֹלָה Ez. 10:8
קְהָלֶךָ 115 וְכָל־קְהָלֶךָ הַנִּקְהָלִים עָלֶיךָ Ezek. 38:7
116 הֲלָבֹז בַּז הִקְהַלְתָּ קְהָלֶךָ Ezek. 38:13
קְהָלֵךְ 117 וּבְכָל־קְהָלֵךְ אֲשֶׁר בְּתוֹכֵךְ Ezek. 27:27
118 וְכָל־קְהָלֵךְ בְּתוֹכֵךְ נָפָלוּ Ezek. 27:34
קְהָלָהּ 119 שָׁם אַשּׁוּר וְכָל־קְהָלָהּ Ezek. 32:22
120 וַיְהִי קְהָלָהּ סְבִיבוֹת קְבֻרָתָהּ Ezek. 32:23
קְהַלְכֶם 121 דִּבֶּר יְיָ אֶל־כָּל־קְהַלְכֶם Deut. 5:19
בִּקְהָלָם 122 בִּקְהָלָם אַל־תֵּחַד כְּבֹדִי Gen. 49:6

קְהִלָּה נ׳ קהל, עדה: 1, 2 • קרובים: ראה קָהָל

קְהִלָּה גְדוֹלָה 1; קְהִלַּת יַעֲקֹב 2

קְהִלָּה 1 וָאֶתֵּן עֲלֵיהֶם קְהִלָּה גְדוֹלָה Neh. 5:7
קְהִלַּת־ 2 תּוֹרָה...מוֹרָשָׁה קְהִלַּת יַעֲקֹב Deut. 33:4

קֹהֶלֶת שפ״ז – כִּנּוּיוֹ של שלמה המלך(?): 7-1

קֹהֶלֶת 1 דִּבְרֵי קֹהֶלֶת בֶּן־דָּוִד Eccl. 1:1
2 הֲבֵל הֲבָלִים אָמַר קֹהֶלֶת Eccl. 1:2
3 אֲנִי קֹהֶלֶת הָיִיתִי מֶלֶךְ עַל־יִשְׂרָאֵל Eccl. 1:12
4 רְאֵה זֶה מָצָאתִי אָמְרָה קֹהֶלֶת Eccl. 7:27
5 וְיֹתֵר שֶׁהָיָה קֹהֶלֶת חָכָם... Eccl. 12:9
6 בִּקֵּשׁ קֹהֶלֶת לִמְצֹא דִבְרֵי־חֵפֶץ Eccl. 12:10
הַקּוֹהֶלֶת 7 הֲבֵל הֲבָלִים אָמַר הַקּוֹהֶלֶת Eccl. 12:8

קְהֵלָתָה ש״פ – מתחנות ישראל במדבר סיני במסעיהם ממצרים: 1, 2

בִּקְהֵלָתָה 1 וַיִּסְעוּ מֵרִסָּה וַיַּחֲנוּ בִּקְהֵלָתָה Num. 33:22
מִקְּהֵלָתָה 2 וַיִּסְעוּ מִקְּהֵלָתָה וַיַּחֲנוּ בְּהַר־שָׁפֶר Num. 33:23

קְהָת שפ״ז – בן לוי בן יעקב: 32-1

בְּנֵי קְהָת 2, 4-22; חַיֵּי קְהָת 3

קְהָת 1 וּבְנֵי לֵוִי גֵּרְשׁוֹן קְהָת וּמְרָרִי Gen. 46:11
2 וּבְנֵי קְהָת עַמְרָם וְיִצְהָר Ex. 6:18
3 וּשְׁנֵי חַיֵּי קְהָת... Ex. 6:18
4 וּבְנֵי קְהָת לְמִשְׁפְּחֹתָם Num. 3:19
5-22 (וּבְ/וְלִבְ/מִ)בְּנֵי קְהָת Num. 3:29
4:2, 4, 15^2; 7:9 • Josh. 21:5, 20^2, 26 • ICh. 5:28; 6:3; 6:7, 46, 51, 55; 15:5; 23:12
23 קֹרַח בֶּן־יִצְהָר בֶּן־קְהָת בֶּן־לֵוִי Num. 16:1
24 בְּנֵי לֵוִי גֵּרְשׁוֹן קְהָת וּמְרָרִי ICh. 5:27
25 בְּנֵי לֵוִי גֵּרְשֹׁם קְהָת וּמְרָרִי ICh. 6:1
26 בֶּן־יִצְהָר בֶּן־קְהָת בֶּן־לֵוִי ICh. 6:23
27 וַיֶּחָלְקֵם...לְגֵרְשׁוֹן קְהָת וּמְרָרִי ICh. 23:6

וּקְהָת 28 גֵּרְשׁוֹן וּקְהָת וּמְרָרִי Ex. 6:16
29 גֵּרְשׁוֹן וּקְהָת וּמְרָרִי Num. 3:17
30 וּקְהָת הוֹלִד אֶת־עַמְרָם Num. 26:58
לִקְהָת 31 לִקְהָת מִשְׁפַּחַת הַקְּהָתִי Num. 26:57
וְלִקְהָת 32 וְלִקְהָת מִשְׁפַּחַת הָעַמְרָמִי Num. 3:27

קְהָתִי

ת׳ המתיַחס על משפחת קְהָת: 1-15

בְּנֵי הַקְּהָתִי 7, 10-12, 14, 15; מִשְׁפְּחוֹת הַקְּהָתִי 1-6; מִשְׁפַּחַת הַקְּהָתִי 8, 9

הַקְּהָתִי 1 אֵלֶּה הֵם מִשְׁפְּחֹת הַקְּהָתִי Num. 3:27
2-5 (לְ/מִ)מִשְׁפְּח(וֹ)ת הַקְּהָתִי Num. 3:30
4:37 • Josh. 21:4, 10
6 אַל־תַּכְרִיתוּ...מִשְׁפְּחֹת הַקְּהָתִי Num. 4:18
7 וַיִּפְקֹד...אֶת־בְּנֵי הַקְּהָתִי Num. 4:34
8/9 (לְ)מִשְׁפַּחַת הַקְּהָתִי Num. 26:57 • ICh. 6:39
10 מִבְּנֵי הַקְּהָתִי הֵימָן הַמְשׁוֹרֵר ICh. 6:18
11 וּמִן־בְּנֵי הַקְּהָתִי מִן־אֲחֵיהֶם ICh. 9:32
12 הַלְוִיִּם...מִן־בְּנֵי הַקְּהָתִי IICh. 29:12
הַקְּהָתִים 13 וְנָסְעוּ הַקְּהָתִים נֹשְׂאֵי הַמִּקְדָּשׁ Num. 10:21
14/5 מִן־בְּנֵי הַקְּהָתִים IICh. 20:19; 34:12

קָו

ז׳ א) חוט מתוח, פתיל למדידה (גם בהשאלה): 5-7, 12-17, 22-24

ב) [קַו־קָו] חוזק?, כֹּח?: 1-4

ג) [קַו לָקָו] מלים מקוטעות?, צַו?: 8-11, 18-21

ד) קוֹל?: 25

קַו־קָו 1-4; קַו לָקָו 8-11, (18-21); קַו שֹׁמְרוֹן 22; קַו תֹּהוּ 23

קַו, קָו 1-4 גּוֹי קַו־קָו וּמְבוּסָה Is. 18:2, 7
קָו 5 נָטָה קָו יְתָאֲרֵהוּ בַשֶּׂרֶד Is. 44:13
6 אוֹ מִי־נָטָה עָלֶיהָ קָו Job 38:5
7 לְהַשְׁחִית...נָטָה קָו Lam. 2:8
קַו 8-11 קַו לָקָו קַו לָקָו Is. 28:10, 13
וְקָו 12 וְקָו (כת׳ וקוה) שְׁלֹשִׁים בָּאַמָּה יָסֹב IK. 7:23
13 בְּצֵאת־הָאִישׁ קָדִים וְקָו בְּיָדוֹ Ezek. 47:3
14 וְקָו (כת׳ וקוה) יִנָּטֶה עַל־יְרוּשָׁלָםִ Zech. 1:16
15 וְקָו שְׁלֹשִׁים בָּאַמָּה יָסֹב אֹתוֹ IICh. 4:2
בַּקָּו 16 וְיָדוֹ חִלְּקַתָּה לָהֶם בַּקָּו Is. 34:17
לְקָו 17 וְשַׂמְתִּי מִשְׁפָּט לְקָו Is. 28:17
לָקָו 18-21 קַו לָקָו קַו לָקָו Is. 28:10, 13
קַו־ 22 וְנָטִיתִי עַל־יְרוּשָׁלַםִ אֵת קַו שֹׁמְרוֹן IIK. 21:13
23 וְנָטָה עָלֶיהָ קַו־תֹהוּ וְאַבְנֵי־בֹהוּ Is. 34:11
24 וְיָצָא...קַו(כ׳ קוה) הַמִּדָּה נֶגְדּוֹ Jer. 31:38(39)
קַוָּם 25 בְּכָל־הָאָרֶץ יָצָא קַוָּם Ps. 19:5

קוֹבַע

ז׳ כּוֹבַע־מגן, קסדה: 1, 2 • קוֹבַע נְחֹשֶׁת 1

קוֹבַע־ 1 וְנָתַן קוֹבַע נְחֹשֶׁת עַל־רֹאשׁוֹ ISh. 17:38
וְקוֹבַע 2 וּמָגֵן וְקוֹבַע יָשִׂימוּ עָלַיִךְ סָבִיב Ezek. 23:24

קוה

: א) קָוָה, קִוָּה; תִּקְוָה, מִקְוֶה1
ב) נִקְוָה; מִקְוֶה2

קָוָה1

פָּ׳ א) יִחל, צִפּה: 1-6
ב) [פִּ׳ קִוָּה] כנ״ל: 7-47

– קֹוֵי יְיָ 1, 2

– קִוָּה לְ־ 8-10, 17, 20-22, 25, 27, 28, 31, 32, 34-38, 40, 42, 45; קִוָּה אֶל־ 41, 43, 44, 46, 47; קִוָּה (אֶת־) 11-16, 18, 19, 23, 24, 26, 29, 30, 33, 39

וְקוֹיֵ־ 1 וְקוֹיֵ יְיָ יַחֲלִיפוּ כֹחַ Is. 40:31
2 וְקֹוֵי יְיָ הֵמָּה יִירְשׁוּ־אָרֶץ Ps. 37:9
קֹוָי 3 כִּי־אֲנִי יְיָ אֲשֶׁר לֹא־יֵבֹשׁוּ קֹוָי Is. 49:23
קֹוֶיךָ 4 גַּם כָּל־קֹוֶיךָ לֹא יֵבֹשׁוּ Ps. 25:3
5 אַל־יֵבֹשׁוּ בִי קֹוֶיךָ Ps. 69:7
לְקֹוָו 6 טוֹב יְיָ לְקֹוָו לְנֶפֶשׁ תִּדְרְשֶׁנּוּ Lam. 3:25
קַוֹּה 7 קַוֹּה קִוִּיתִי יְיָ וַיֵּט אֵלַי Ps. 40:2
קַוֵּה 8/9 קַוֵּה לְשָׁלוֹם וְאֵין טוֹב Jer. 8:15; 14:19
קִוִּיתִי 10 לִישׁוּעָתְךָ קִוִּיתִי יְיָ Gen. 49:18
11 אוֹתְךָ קִוִּיתִי כָּל־הַיּוֹם Ps. 25:5
12 וְעַתָּה מַה־קִּוִּיתִי אֲדֹנָי Ps. 39:8
13 קַוֹּה קִוִּיתִי יְיָ וַיֵּט אֵלַי Ps. 40:2
14 קִוִּיתִי יְיָ קִוְּתָה נַפְשִׁי Ps. 130:5
15 כִּי טוֹב קִוִּיתִי וַיָּבֹא רָע Job 30:26
קִוֵּיתִי 16 מַדּוּעַ קִוֵּיתִי לַעֲשׂוֹת עֲנָבִים Is. 5:4
וְקִוֵּיתִי 17 וְחִכִּיתִי לַייָ...וְקִוֵּיתִי־לוֹ Is. 8:17
קִוִּיתִיךָ 18 תֹּם־וָיֹשֶׁר יִצְּרוּנִי כִּי קִוִּיתִיךָ Ps. 25:21
קִוְּתָה 19 קִוִּיתִי יְיָ קִוְּתָה נַפְשִׁי Ps. 130:5
קִוִּינוּ 20 הִנֵּה אֱלֹהֵינוּ זֶה קִוִּינוּ לוֹ וְיוֹשִׁיעֵנוּ Is. 25:9
21 זֶה יְיָ קִוִּינוּ לוֹ Is. 25:9
22 יְיָ חָנֵּנוּ לְךָ קִוִּינוּ Is. 33:2
קִוִּינוּךָ 23 אַף אֹרַח מִשְׁפָּטֶיךָ יְיָ קִוִּינוּךָ Is. 26:8
שֶׁקִּוִּינוּהוּ 24 אַךְ זֶה הַיּוֹם שֶׁקִּוִּינֻהוּ Lam. 2:16
וְקִוִּיתֶם 25 וְקִוִּיתֶם לְאוֹר וְשָׂמָהּ לְצַלְמָוֶת Jer. 13:16
קִוּוּ 26 יָגוּרוּ...כַּאֲשֶׁר קִוּוּ נַפְשִׁי Ps. 56:7
27 לִי קִוּוּ רְשָׁעִים לְאַבְּדֵנִי Ps. 119:95
28 הֲלִיכֹת שְׁבָא קִוּוּ־לָמוֹ Job 6:19
אֲקַוֶּה 29 אִם־אֲקַוֶּה שְׁאוֹל בֵּיתִי Job 17:13
וַאֲקַוֶּה 30 וַאֲקַוֶּה שִׁמְךָ כִי־טוֹב Ps. 52:11
וָאֲקַוֶּה 31 וָאֲקַוֶּה לָנוּד וָאַיִן Ps. 69:21
יְקַוֶּה 32 אֲשֶׁר לֹא יְקַוֶּה לְאִישׁ Mic. 5:6
33 וּכְשָׂכִיר יְקַוֶּה פָעֳלוֹ Job 7:2
יְקַו 34 יְקַו־לְאוֹר וָאַיִן Job 3:9
וַיְקַו 35 וַיְקַו לַעֲשׂוֹת עֲנָבִים וַיַּעַשׂ בְּאֻשִׁים Is. 5:2
36 וַיְקַו לְמִשְׁפָּט וְהִנֵּה מִשְׂפָּח Is. 5:7
נְקַוֶּה 37 נְקַוֶּה לָאוֹר וְהִנֵּה־חֹשֶׁךְ Is. 59:9
38 נְקַוֶּה לַמִּשְׁפָּט וָאַיִן Is. 59:11
39 בַּעֲשׂוֹתְךָ נוֹרָאוֹת לֹא נְקַוֶּה Is. 64:2
וּנְקַוֶּה 40 אַתָּה־הוּא יְיָ אֱלֹהֵינוּ וּנְקַוֶּה־לָּךְ Jer. 14:22
יְקַוּוּ 41 אֵלַי אִיִּים יְקַוּוּ וְאֶל־זְרֹעִי יְיַחֵלוּן Is. 51:5
42 כִּי־לִי אִיִּים יְקַוּוּ Is. 60:9
קַוֵּה 43 קַוֵּה אֶל־יְיָ חֲזַק וְיַאֲמֵץ לִבֶּךָ Ps. 27:14
44 קַוֵּה אֶל־יְיָ וּשְׁמֹר דַּרְכּוֹ Ps. 37:34
45 קַוֵּה לַייָ וְיֹשַׁע לָךְ Prov. 20:22
וְקַוֵּה 46 וְקַוֵּה אֶל־אֱלֹהֶיךָ תָּמִיד Hosh. 12:7
47 חֲזַק וְיַאֲמֵץ לִבֶּךָ וְקַוֵּה אֶל־יְיָ Ps. 27:14

(קוה)2 נִקְוָה

נפ׳ נאסף: 1, 2

וְנִקְווּ 1 וְנִקְווּ אֵלֶיהָ כָל־הַגּוֹיִם Jer. 3:17
יִקָּווּ 2 יִקָּווּ הַמַּיִם...אֶל־מָקוֹם אֶחָד Gen. 1:9

קוֹחַ

– עין פְּקַח־קוֹחַ

(קוט) קָט

פָּ׳ א) קָץ, מאס: 1, 2
ב) [נפ׳ נָקוֹט] נמאס, בז לעצמו: 3-6
ג) [הת׳ הִתְקוֹטֵט] מאס, רָב: 7, 8

קרובים: בָּז (בוז) / בָּחַל / גָּעַל / מָאַס / קָץ (קוץ) / תָּעַב

אָקוּט 1 אַרְבָּעִים שָׁנָה אָקוּט בְּדוֹר Ps. 95:10
יָקוֹט 2 (?)אֲשֶׁר־יָקוֹט כִּסְלוֹ Job 8:14
נָקְטָה 3 נָקְטָה נַפְשִׁי בְּחַיָּי Job 10:1
וּנְקֹטוֹתֶם 4 וּנְקֹטֹתֶם בִּפְנֵיכֶם בְּכָל־רָעוֹתֵיכֶם Ezek. 20:43
5 וּנְקֹטֹתֶם בִּפְנֵיכֶם עַל עֲוֹנֹתֵיכֶם Ezek. 36:31
וְנָקֹטּוּ 6 וְנָקֹטּוּ בִּפְנֵיהֶם אֶל־הָרָעוֹת Ezek. 6:9
אֶתְקוֹטָט 7 וּבִתְקוֹמְמֶיךָ אֶתְקוֹטָט Ps. 139:21
וָאֶתְקוֹטָטָה 8 רָאִיתִי בֹגְדִים וָאֶתְקוֹטָטָה Ps. 119:158

קוֹל

ז׳ א) תנועה מהירה של גלי־אויר הנגרמת בפה, בכלי וכדומה והנשמעת באוזן (וביחוד בהשאלה) דבּוּר־פֶּה: רוב המקראות 1-505

– קוֹל אֶחָד 1; קוֹל גָּדוֹל 4, 6-13, 48, 57, 59-70; קוֹל עָרֵב 404; קוֹל רָם 5

– הוֹד קוֹל 417; יְפֵה קוֹל 32; רֹגֶז קוֹל 428; שְׁאוֹן קוֹל 478; חֲזִיז קוֹלוֹת 499, 500

– קוֹל אָבִיו 257,300; קוֹל אָדָם 186,195; קוֹל אֲדֹנָי 124; קוֹל אוֹיֵב 334; ק׳ אוֹמְרִים 147; ק׳ אוֹפַנִּים 209; ק׳ אוֹת 296, 297; ק׳ אֶחָיו 260; ק׳ אִישׁ 258; ק׳ אֵל 287; ק׳ אֱלָהּ 87; ק׳ אֱלֹהִים 92, 94, 495; ק׳ אֵלִיָּהוּ 266; ק׳ אִמּוֹ 281; ק׳ אֲנָחָה 335; ק׳ אִשְׁתּוֹ 294; ק׳ בּוֹכִים 314; ק׳ בְּכִי 128, 162, 317; ק׳ בָּקָר 193; ק׳ בַּת־צִיּוֹן 131; ק׳ גָּאוֹן 280; ק׳ דָּבָר 278; ק׳ דְּבָרִים 89-91,95,187,188,221,293, 301; ק׳ דָּוִד 114; ק׳ דּוֹדִי 183,184; ק׳ דָּמִים 76; ק׳ דְּמָמָה 119; ק׳ הָמוֹן 112,118,125,212,293,322; ק׳ הֲמֻלָּה 153,306; ק׳ זִמְרָה 196,215; ק׳ זְנוּת 323; ק׳ זַעַק 302; ק׳ זְעָקָה 151,197,308; ק׳ חוֹתְנוֹ 299; ק׳ חַיִל 122; ק׳ חֲרָדָה 146; ק׳ חָתָן 132-139; ק׳ טַחֲנָה 185; ק׳ יְהוּדָה 97; ק׳ יְהוֹנָדָב 269; ק׳ יְהוֹנָתָן 263; ק׳ יוֹם 159; ק׳ יוֹנִים 291; קוֹל יְיָ 75, 93, 96, 130, 155, 165-171, 223-256, 298, 321; ק׳ יְלָלָה 160; ק׳ יַעֲקֹב 79; ק׳ יְרִיבָיו 307; ק׳ יְשׁוּעָה 178; ק׳ יִשְׂרָאֵל 222; ק׳ כַּלָּה 202-205; ק׳ כִּנּוֹרִים 213; ק׳ כְּנָפַיִם 152,208,211; ק׳ כְּסִיל 220; ק׳ לַהַב 290; ק׳ מוֹרָיו 279; ק׳ מַחֲנֶה 286; ק׳ מְחַצְצִים 318; ק׳ מְחָרֵף וּמְגַדֵּף 333; ק׳ מַיִם 284, 288, 505; ק׳ מַלְאָךְ 156; ק׳ מִלְחָמָה 83, 149; ק׳ מְלַחֲשִׁים 311; ק׳ מִלִּים 218, 315; ק׳ מָנוֹחַ 259; ק׳ מַפַּלְתּוֹ 331, 332; ק׳ מִצְהָלוֹת 325; ק׳ מִקְנֶה 141; ק׳ מַרְכָּבוֹת 289; ק׳ מְשַׂחֲקִים 206; ק׳ נְגִידִים 182; ק׳ נְהִי 142; ק׳ נוֹגֵשׂ 180; ק׳ נָסִים 150; ק׳ נַעַר 77, 78, 108; ק׳ נִפְלוֹ 327; ק׳ סוּס 194; ק׳ סִירִים 292; ק׳ עַבְדּוֹ 268; ק׳ עוּגָב 313; ק׳ עֹז 174; ק׳ עָלֶה 88; ק׳ הָעָם 82,191,261; ק׳ עֲנוֹת 84,85; ק׳ עַנּוֹת 86; ק׳ פַּחַד 320; ק׳ פְּחָדִים 181; ק׳ פָּרָשׁ 324, 330; ק׳ צֹאן 113; ק׳ צוֹפִים 127; ק׳ צוֹרֵר 175; ק׳ צִנּוֹרִים 310; ק׳ צְעָדָה 115, 190; ק׳ צְעָקָה 111, 145, 148, 158; ק׳ צִפּוֹר 316; ק׳ קוֹרֵא 319; ק׳ קִרְיָה 116; ק׳ רַגְלַיִם 117, 120; ק׳ רֵחַיִם 144; ק׳ רֶכֶב 121; ק׳ רִנָּה 178, 267, 273, 274; ק׳ רַעַם 176, 177; ק׳ רַעַשׁ 154, 210, 214; ק׳ הָרָצִין 123; ק׳ שְׁאָגָה 161, 329; ק׳ שָׁאוֹן 126,129; ק׳ שַׁדַּי 285; ק׳ שׁוֹט 157; ק׳ שֶׁוַע 309; ק׳ שַׁוְעָה 140; ק׳ שׁוֹפָר 80, 81, 98-107, 192, 207, 216, 270, 275, 282, 283, 303; ק׳ שַׁחַל 217; ק׳ שְׁמוּאֵל 262; ק׳ שְׁמוּעָה 143; ק׳ שִׂמְחָה 198-201; ק׳ שְׁעָטָה 326; ק׳ שִׁפְחָה 264; ק׳ שָׂרַי 295; ק׳ שָׂרִים 265; ק׳ שָׂשׂוֹן 132-139; ק׳ תְּהִלָּה 173; ק׳ תּוֹדָה 271-273; ק׳ תּוֹר 219; ק׳ תַּחֲנוּנוֹת 277; ק׳ תַּחֲנוּנִים 163, 164, 172, 179, 312; ק׳ תְּפִלָּה 276; ק׳ תְּרוּעָה 109, 110, 189; קוֹל תֻּתּוֹ 304, 305

– קוֹל אָמַר 22; קוֹל דִּבֵּר 30, 92; קוֹל הִגִּיד 26; ק׳ הָלַךְ 449; ק׳ הָמָה 475,476; ק׳ חָדַל 501,502,504; ק׳ נִשְׁמַע 28, 55, 56, 142, 156, 198-205, 207, 211, 213, 219, 410, 420, 429, 450, 453, 471, 479; קוֹל קָרָא 21; קוֹל רָדַף 88; קוֹל שָׁאַג 37; קוֹל שׁוֹרֵר 34

– הֶאֱזִין קוֹל 179, 354, 357; הוֹלִיךְ ק׳ 54; הִכִּיר ק׳ 108, 114, 189; הֶעֱבִיר ק׳ 2, 39, 41, 42, 46, 47; הֵרִים ק׳ 18-20, 31, 40, 44, 337, 384, 386, 389, 400,

הִשְׁמִיעַ ק׳ 43, 121, 173, 385, 403, 411, 417, 418, 461, 462; חִנֵּן ק׳ 427; מָנַע קוֹלוֹ 402; נָשָׂא קוֹל 23, 127, 407, 408, 413-415, 448, 466-470, 472, 480, 481, 492, 493; נָתַן קוֹל 35, 36, 38, 45, 388, 401, 409, 416, 419, 421-426, 451, 452, 465, 473, 474, 477, 494, 497, 498; צָהַל קוֹל 398; שָׁמַע קוֹל 27, 30, 49, 51-53, 75, 77, 78, 82, 87, 89-91, 93-98, 109, 111, 115, 117, 123, 124, 141, 146, 152, 154, 162-164, 172, 180, 186-188, 190, 191, 193, 218, 336, 340-343, 345-349, 352, 353, 358, 384, 387, 412, 457, 458

– הֵרִיעַ בְּקוֹל 73, 444; הִשְׁמִיעַ בְּקוֹל 486, 487; נָתַן בְּקוֹל 441, 442, 456; שָׁמַע בְּקוֹל 71, 222-266, 268, 269, 278, 279, 281, 360-380, 393-395, 405, 431-440, 443, 445, 446, 454, 455, 459, 460, 463, 464, 482-484; הִקְשִׁיב בְּקוֹל 276, 277

– הִקְשִׁיב לְקוֹל 406; שָׁמַע לְקוֹל 294-296, 298-301, 307, 311, 381-383, 396, 397, 489, 490

קוֹל 1 וַיַּעַן כָּל־הָעָם קוֹל אֶחָד Ex. 24:3
2 וַיַּעֲבִירוּ קוֹל בַּמַּחֲנֶה Ex. 36:6
3 אֵינְכֶם רֹאִים זוּלָתִי קוֹל Deut. 4:12
4 קוֹל גָּדוֹל וְלֹא יָסָף Deut. 5:19
5 וְעָנוּ הַלְוִיִּם וְאָמְרוּ...קוֹל רָם Deut. 27:14
6 וְכָל־הָאָרֶץ בּוֹכִים קוֹל גָּדוֹל IISh. 15:23
7 וַיִּזְעַק הַמֶּלֶךְ קוֹל גָּדוֹל IISh. 19:5
8-13 קוֹל גָּדוֹל IK. 8:55
Jer. 51:55 • Ezek. 8:18; 9:1; 11:13 • Ez. 10:12
14/5 וְאֵין קוֹל וְאֵין(־)עֹנֶה IK. 18:26, 29
16 וְהִנֵּה אֵלָיו קוֹל וַיֹּאמֶר IK. 19:13
17 וְאֵין קוֹל וְאֵין קָשֶׁב IIK. 4:31
18 וְעַל־מִי הֲרִימוֹתָ קּוֹל IIK. 19:22
19 שְׂאוּ־נֵס הָרִימוּ קוֹל לָהֶם Is. 13:2
20 וְעַל־מִי הֲרִימוֹתָה קּוֹל Is. 37:23
21 קוֹל קוֹרֵא בַּמִּדְבָּר פַּנּוּ דֶּרֶךְ Is. 40:3
22 קוֹל אֹמֵר קְרָא Is. 40:6
23 נָשְׂאוּ קוֹל יַחְדָּו יְרַנֵּנוּ Is. 52:8
24 קוֹל מֵהֵיכָל Is. 66:6
25 קוֹל עַל־שְׁפָיִים נִשְׁמָע Jer. 3:21
26 כִּי קוֹל מַגִּיד מִדָּן Jer. 4:15
27 כִּי קוֹל כְּחוֹלָה שָׁמַעְתִּי Jer. 4:31
28 קוֹל בְּרָמָה נִשְׁמָע Jer. 31:14(15)
29 וַיְהִי־קוֹל מֵעַל לָרָקִיעַ Ezek. 1:25
30 וָאֶשְׁמַע קוֹל מְדַבֵּר Ezek. 1:28
31 לְהָרִים קוֹל בִּתְרוּעָה Ezek. 21:27
32 יְפֵה קוֹל וּמֵטִב נַגֵּן Ezek. 33:32
33 וַיְהִי־קוֹל כְּהִנָּבְאִי וְהִנֵּה־רַעַשׁ Ezek. 37:7
34 קוֹל יְשׁוֹרֵר בַּחַלּוֹן Zep. 2:14
35 קוֹל נָתְנוּ שְׁחָקִים Ps. 77:18
36 מִבֵּין עֳפָאיִם יִתְּנוּ־קוֹל Ps. 104:12
37 אַחֲרָיו יִשְׁאַג־קוֹל... Job 37:4
38 קוֹל נָתְנוּ בְּבֵית־יְיָ כְּיוֹם מוֹעֵד Lam. 2:7
39 וַיַּעֲבֶר־קוֹל בְּכָל־מַלְכוּתוֹ Ez. 1:1
40 בִּתְרוּעָה בְשִׂמְחָה לְהָרִים קוֹל Ez. 3:12
41 וַיַּעֲבִירוּ קוֹל בִּיהוּדָה Ez. 10:7
42 וַאֲשֶׁר יַשְׁמִיעוּ וְיַעֲבִירוּ קוֹל Neh. 8:15
43 לְהַשְׁמִיעַ קוֹל־אֶחָד לְהַלֵּל IICh. 5:13
44 וּכְהָרִים קוֹל בַּחֲצֹצְרוֹת IICh. 5:13
45 וַיִּתְּנוּ־קוֹל בִּיהוּדָה IICh. 24:9
46 לְהַעֲבִיר קוֹל בְּכָל־יִשְׂרָאֵל IICh. 30:5
47 וַיַּעֲבֶר־קוֹל בְּכָל־מַלְכוּתוֹ IICh. 36:22
וְקוֹל 48 בְּרַעַם וּבְרַעַשׁ וְקוֹל גָּדוֹל Is. 29:6
וָקוֹל 49 דְּמָמָה וָקוֹל אֶשְׁמָע Job 4:16

הַקּוֹל 50 הַקֹּל קוֹל יַעֲקֹב Gen. 27:22
51 וַיִּשְׁמַע אֶת־הַקּוֹל מִדַּבֵּר אֵלָיו Num. 7:89
52 וַיְהִי כְּשָׁמְעֲכֶם אֶת־הַקּוֹל Deut. 5:20
53 הוּא הַקּוֹל אֲשֶׁר שְׁמַעְתֶּם IK. 1:45
54 עוֹף הַשָּׁמַיִם יוֹלִיךְ אֶת־הַקּוֹל Eccl. 10:20
וְהַקּוֹל 55 וְהַקֹּל נִשְׁמַע בֵּית פַּרְעֹה Gen. 45:16
56 וְהַקּוֹל נִשְׁמַע עַד־לְמֵרָחוֹק Ez. 3:13
בְּקוֹל 57 וָאֶקְרָא בְּקוֹל גָּדוֹל Gen. 39:14
58 וְהָאֱלֹהִים יַעֲנֶנּוּ בְקוֹל Ex. 19:19
59 וַיַּרְעֵם יְיָ בְּקוֹל־גָּדוֹל ISh. 7:10
60 וַתֵּרֶא...וַתִּזְעַק בְּקוֹל גָּדוֹל ISh. 28:12
61-70 בְּקוֹל גָּדוֹל IK. 18:27, 28
IIK. 18:28 • Is. 36:13 • Prov. 27:14 • Ez. 3:12 •
Neh. 9:4 • IICh. 15:14; 20:19; 32:18
71 לֹא שָׁמְעָה בְּקוֹל לֹא לָקְחָה מוּסָר Zep. 3:2
72 לְהָרִים־בְּקוֹל לְשִׂמְחָה ICh. 15:16
וּבְקוֹל 73 וּבְקוֹל כָּמֹהוּ תַרְעֵם Job 40:9
לְקוֹל 74 לְקוֹל צָלְלוּ שְׂפָתַי Hab. 3:16
קוֹל־ 75 וַיִּשְׁמְעוּ אֶת־קוֹל יְיָ אֱלֹהִים Gen. 3:8
76 קוֹל דְּמֵי אָחִיךָ צֹעֲקִים אֵלַי Gen. 4:10
77 וַיִּשְׁמַע אֱלֹהִים אֶת־קוֹל הַנַּעַר Gen. 21:17
78 שָׁמַע אֱלֹהִים אֶל־קוֹל הַנַּעַר Gen. 21:17
79 הַקֹּל קוֹל יַעֲקֹב Gen. 27:22
80 וַיְהִי קוֹל הַשֹּׁפָר הוֹלֵךְ וְחָזֵק מְאֹד Ex. 19:19
81 וְאֶת־הַלַּפִּידִם וְאֵת קוֹל הַשֹּׁפָר Ex. 20:15
82 וַיִּשְׁמַע יְהוֹשֻׁעַ אֶת־קוֹל הָעָם Ex. 32:17
83 קוֹל מִלְחָמָה בַּמַּחֲנֶה Ex. 32:17
84 אֵין קוֹל עֲנוֹת גְּבוּרָה Ex. 32:18
85 וְאֵין קוֹל עֲנוֹת חֲלוּשָׁה Ex. 32:18
86 קוֹל עַנּוֹת אָנֹכִי שֹׁמֵעַ Ex. 32:18
87 וְשָׁמְעָה קוֹל אָלָה וְהוּא עֵד Lev. 5:1
88 וְרָדַף אֹתָם קוֹל עָלֶה נִדָּף Lev. 26:36
89/90 וַיִּשְׁמַע יְיָ אֶת־קוֹל דִּבְרֵיכֶם Deut. 1:34; 5:25
91 קוֹל דְּבָרִים אַתֶּם שֹׁמְעִים Deut. 4:12
92 קוֹל אֱלֹהִים מְדַבֵּר מִתּוֹךְ־הָאֵשׁ Deut. 4:33
93 לִשְׁמֹעַ אֶת־קוֹל יְיָ אֱלֹהֵינוּ Deut. 5:22
94 אֲשֶׁר שָׁמַע קוֹל אֱלֹהִים חַיִּים Deut. 5:23
95 שָׁמַעְתִּי אֶת־קוֹל דִּבְרֵי הָעָם Deut. 5:25
96 לִשְׁמֹעַ אֶת־קוֹל יְיָ אֱלֹהָי Deut. 18:16
97 שְׁמַע יְיָ קוֹל יְהוּדָה Deut. 33:7
98 כְּשָׁמְעֲכֶם° אֶת־קוֹל הַשּׁוֹפָר Josh. 6:5
99-107 קוֹל (הַ)שּׁוֹפָר Josh. 6:20
IISh. 15:10 • IK. 1:41 • Jer. 4:19, 21 • Ezek. 33:4, 5
• Job 39:24 • Neh. 4:14
108 וְהֵמָּה הִכִּירוּ אֶת־קוֹל הַנַּעַר Jud. 18:3
109 וַיִּשְׁמְעוּ...אֶת־קוֹל הַתְּרוּעָה ISh. 4:6
110 מֶה קוֹל הַתְּרוּעָה הַגְּדוֹלָה הַזֹּאת ISh. 4:6
111 וַיִּשְׁמַע עֵלִי אֶת־קוֹל הַצְּעָקָה ISh. 4:14
112 מֶה קוֹל הֶהָמוֹן הַזֶּה ISh. 4:14
113 וּמֶה קוֹל־הַצֹּאן הַזֶּה בְּאָזְנָי ISh. 15:14
114 וַיַּכֵּר שָׁאוּל אֶת־קוֹל דָּוִד ISh. 26:17
115 וִיהִי כְּשָׁמְעֲךָ° אֶת־קוֹל צְעָדָה IISh. 5:23
116 מַדּוּעַ קוֹל־הַקִּרְיָה הוֹמָה IK. 1:41
117 כִּשְׁמֹעַ אֲחִיָּהוּ אֶת־קוֹל רַגְלֶיהָ IK. 14:6
118 כִּי־קוֹל הֲמוֹן הַגָּשֶׁם IK. 18:41
119 וְאַחַר הָאֵשׁ קוֹל דְּמָמָה דַקָּה IK. 19:12
120 הֲלוֹא קוֹל רַגְלֵי אֲדֹנָיו אַחֲרָיו IIK. 6:32
121 וַאדֹנָי הִשְׁמִיעַ...קוֹל רֶכֶב... IIK. 7:6
122 קוֹל חַיִל גָּדוֹל IIK. 7:6
123 וַתִּשְׁמַע...אֶת־קוֹל הָרָצִין הָעָם IIK. 11:13
124 וָאֶשְׁמַע אֶת־קוֹל אֲדֹנָי אֹמֵר Is. 6:8
125 קוֹל הָמוֹן בֶּהָרִים דְּמוּת עַם־רָב Is. 13:4

קוֹל־ (המשך) 126 קוֹל שְׁאוֹן מַמְלְכוֹת גּוֹיִם Is. 13:4
127 קוֹל צֹפַיִךְ נָשְׂאוּ קוֹל Is. 52:8
128 קוֹל בְּכִי וְקוֹל זְעָקָה Is. 65:19
129 קוֹל שָׁאוֹן מֵעִיר Is. 66:6
130 קוֹל יְיָ מְשַׁלֵּם גְּמוּל לְאֹיְבָיו Is. 66:6
131 קוֹל בַּת־צִיּוֹן תִּתְיַפֵּחַ Jer. 4:31
132-139 קוֹל שָׂשׂוֹן...קוֹל חָתָן Jer. 7:34
16:9; 25:10; 33:11
140 קוֹל שַׁוְעַת בַּת־עַמִּי Jer. 8:19
141 וְלֹא שָׁמְעוּ קוֹל מִקְנֶה Jer. 9:9
142 כִּי קוֹל נְהִי נִשְׁמַע מִצִּיּוֹן Jer. 9:18
143 קוֹל שְׁמוּעָה הִנֵּה בָאָה Jer. 10:22
144 קוֹל רֵחַיִם וְאוֹר נֵר Jer. 25:10
145 קוֹל צַעֲקַת הָרֹעִים Jer. 25:36
146 קוֹל חֲרָדָה שָׁמָעְנוּ Jer. 30:5
147 קוֹל אֹמְרִים הוֹדוּ אֶת־יְיָ Jer. 33:11
148 קוֹל צְעָקָה מֵחֹרֹנָיִם Jer. 48:3
149 קוֹל מִלְחָמָה בָּאָרֶץ Jer. 50:22
150 קוֹל נָסִים וּפְלֵטִים מֵאֶרֶץ בָּבֶל Jer. 50:28
151 קוֹל זְעָקָה מִבָּבֶל Jer. 51:54
152 וָאֶשְׁמַע אֶת־קוֹל כַּנְפֵיהֶם Ezek. 1:24
153 קוֹל הֲמֻלָּה כְּקוֹל מַחֲנֶה Ezek. 1:24
154 וָאֶשְׁמַע אַחֲרַי קוֹל רַעַשׁ גָּדוֹל Ezek. 3:12
155 קוֹל יְיָ לָעִיר יִקְרָא Mic. 6:9
156 וְלֹא־יִשָּׁמַע עוֹד קוֹל מַלְאָכֵכֵה Nah. 2:14
157 קוֹל שׁוֹט וְקוֹל רַעַשׁ Nah. 3:2
158 קוֹל צְעָקָה מִשַּׁעַר הַדָּגִים Zep. 1:10
159 קוֹל יוֹם יְיָ מַר צֹרֵחַ Zep. 1:14
160 קוֹל יִלְלַת הָרֹעִים Zech. 11:3
161 קוֹל שַׁאֲגַת כְּפִירִים Zech. 11:3
162 כִּי־שָׁמַע יְיָ קוֹל בִּכְיִי Ps. 6:9
163 שְׁמַע קוֹל תַּחֲנוּנַי בְּשַׁוְּעִי אֵלֶיךָ Ps. 28:2
164 כִּי־שָׁמַע קוֹל תַּחֲנוּנָי Ps. 28:6
165 קוֹל יְיָ עַל־הַמָּיִם Ps. 29:3
166/7 קוֹל־יְיָ בַּכֹּחַ קוֹל יְיָ בֶּהָדָר Ps. 29:4
168 קוֹל יְיָ שֹׁבֵר אֲרָזִים Ps. 29:5
169 קוֹל־יְיָ חֹצֵב לַהֲבוֹת אֵשׁ Ps. 29:7
170 קוֹל יְיָ יָחִיל מִדְבָּר Ps. 29:8
171 קוֹל יְיָ יְחוֹלֵל אַיָּלוֹת Ps. 29:9
172 שָׁמַעְתָּ קוֹל תַּחֲנוּנַי בְּשַׁוְּעִי אֵלֶיךָ Ps. 31:23
173 וְהַשְׁמִיעוּ קוֹל תְּהִלָּתוֹ Ps. 66:8
174 הֵן יִתֵּן בְּקוֹלוֹ קוֹל עֹז Ps. 68:34
175 אַל־תִּשְׁכַּח קוֹל צֹרְרֶיךָ Ps. 74:23
176 קוֹל רַעַמְךָ בַּגַּלְגַּל Ps. 77:19
177 מִן־קוֹל רַעַמְךָ יֵחָפֵזוּן Ps. 104:7
178 קוֹל רִנָּה וִישׁוּעָה Ps. 118:15
179 הַאֲזִינָה יְיָ קוֹל תַּחֲנוּנָי Ps. 140:7
180 לֹא שָׁמְעוּ קוֹל נֹגֵשׂ Job 3:18
181 קוֹל־פְּחָדִים בְּאָזְנָיו Job 15:21
182 קוֹל־נְגִידִים נֶחְבָּאוּ Job 29:10
183 קוֹל דּוֹדִי הִנֵּה־זֶה בָּא S.ofS. 2:8
184 קוֹל דּוֹדִי דוֹפֵק S.ofS. 5:2
185 וְסֻגְּרוּ...בִּשְׁפַל קוֹל הַטַּחֲנָה Eccl. 12:4
186 וָאֶשְׁמַע קוֹל־אָדָם בֵּין אוּלָי Dan. 8:16
187 וָאֶשְׁמַע אֶת־קוֹל דְּבָרָיו Dan. 10:9
188 וּכְשָׁמְעִי אֶת־קוֹל דְּבָרָיו Dan. 10:9
189 וְאֵין...מַכִּירִים קוֹל תְּרוּעַת הַשִּׂמְחָה Ez. 3:13
190 כְּשָׁמְעֲךָ אֶת־קוֹל הַצְּעָדָה ICh. 14:15
191 וַתִּשְׁמַע...אֶת־קוֹל הָעָם הָרָצִים IICh. 23:12
וְקוֹל־ 192 וְקֹל שֹׁפָר חָזָק מְאֹד Ex. 19:16
193 וְקוֹל הַבָּקָר אֲשֶׁר אָנֹכִי שֹׁמֵעַ ISh. 15:14
194 וַאדֹנָי הִשְׁמִיעַ...וְקוֹל סוּס IIK. 7:6

וְקוֹל־ (המשך)
195 וְהִנֵּה אֵין־שָׁם אִישׁ וְקוֹל אָדָם IIK. 7:10
196 תּוֹדָה וְקוֹל זִמְרָה Is. 51:3
197 קוֹל בְּכִי וְקוֹל זְעָקָה Is. 65:19
198-201 וְקוֹל שִׂמְחָה Jer. 7:34; 16:9; 25:10; 33:11
202-205 וְקוֹל כַּלָּה Jer. 7:34; 16:9; 25:10; 33:11
206 וְיָצָא מֵהֶם תּוֹדָה וְקוֹל מְשַׂחֲקִים Jer. 30:19
207 וְקוֹל שׁוֹפָר לֹא נִשְׁמָע Jer. 42:14
208 וְקוֹל כַּנְפֵי הַחַיּוֹת מַשִּׁיקוֹת Ezek. 3:13
209 וְקוֹל הָאוֹפַנִּים לְעֻמָּתָם Ezek. 3:13
210 וְקוֹל רַעַשׁ גָּדוֹל Ezek. 3:13
211 וְקוֹל כַּנְפֵי הַכְּרוּבִים נִשְׁמַע Ezek. 10:5
212 וְקוֹל הָמוֹן שָׁלֵו בָהּ Ezek. 23:42
213 וְקוֹל כִּנּוֹרַיִךְ לֹא יִשָּׁמַע עוֹד Ezek. 26:13
214 קוֹל שׁוֹט וְקוֹל רַעַשׁ אוֹפָן Nah. 3:2
215 זַמְּרוּ...בְּכִנּוֹר וְקוֹל זִמְרָה Ps. 98:5
216 בַּחֲצֹצְרוֹת וְקוֹל שׁוֹפָר הָרִיעוּ Ps. 98:6
217 שַׁאֲגַת אַרְיֵה וְקוֹל שָׁחַל Job 4:10
218 וְקוֹל מִלִּין אֶשְׁמָע Job 33:8
219 וְקוֹל הַתּוֹר נִשְׁמַע בְּאַרְצֵנוּ S.ofS. 2:12
220 וְקוֹל כְּסִיל בְּרֹב דְּבָרִים Eccl. 5:2
221 וְקוֹל דְּבָרָיו כְּקוֹל הָמוֹן Dan. 10:6
בְּקוֹל־ 222 וַיִּשְׁמַע יְיָ בְּקוֹל יִשְׂרָאֵל Num. 21:3
223 עֵקֶב לֹא תִשְׁמְעוּן בְּקוֹל יְיָ Deut. 8:20
224-256 תִּשְׁמַע (שָׁמַעְתִּי, תִּשְׁמְעוּ וכו׳) בְּקוֹל יְיָ
Deut. 13:19; 15:5; 26:15; 27:10; 28:1, 2, 15, 45, 62; 30:8, 10 • Josh. 5:6 • ISh. 12:15; 15:19, 20, 22; 28:18 • IK. 20:36 • IIK. 18:12 • Jer. 3:25; 7:28; 26:13; 38:20; 42:6^2, 13, 21; 43:4, 7; 44:23 • Hag. 1:12 • Zech. 6:15 • Ps. 106:25 • Dan. 9:10
257 אֵינֶנּוּ שֹׁמֵעַ בְּקוֹל אָבִיו Deut. 21:18
258 וְלֹא הָיָה...לִשְׁמֹעַ יְיָ בְּקוֹל אִישׁ Josh. 10:14
259 וַיִּשְׁמַע הָאֱלֹהִים בְּקוֹל מָנוֹחַ Jud. 13:9
260 וְלֹא אָבוּ...לִשְׁמֹעַ בְּקוֹל אֲחֵיהֶם Jud. 20:13
261 שְׁמַע בְּקוֹל הָעָם... ISh. 8:7
262 וַיְמָאֲנוּ הָעָם לִשְׁמֹעַ בְּקוֹל שְׁמוּאֵל ISh. 8:19
263 וַיִּשְׁמַע שָׁאוּל בְּקוֹל יְהוֹנָתָן ISh. 19:6
264 שְׁמַע־נָא...בְּקוֹל שִׁפְחָתֶךָ ISh. 28:22
265 אִם־אֶשְׁמַע עוֹד בְּקוֹל שָׁרִים IISh. 19:36
266 וַיִּשְׁמַע יְיָ בְּקוֹל אֵלִיָּהוּ IK. 17:22
267 בְּקוֹל רִנָּה הַגִּידוּ הַשְׁמִיעוּ זֹאת Is. 48:20
268 יְרֵא יְיָ שֹׁמֵעַ בְּקוֹל עַבְדּוֹ Is. 50:10
269 וַנִּשְׁמַע בְּקוֹל יְהוֹנָדָב...אָבִינוּ Jer. 35:8
270 וּמֵת...בִּתְרוּעָה בְּקוֹל שׁוֹפָר Am. 2:2
271 וַאֲנִי בְּקוֹל תּוֹדָה אֶזְבְּחָה־לָּךְ Jon. 2:10
272 לַשְׁמִעַ בְּקוֹל תּוֹדָה Ps. 26:7
273 אֶדַּדֵּם...בְּקוֹל־רִנָּה וְתוֹדָה Ps. 42:5
274 הָרִיעוּ לֵאלֹהִים בְּקוֹל רִנָּה Ps. 47:2
275 עָלָה...יְיָ בְּקוֹל שׁוֹפָר Ps. 47:6
276 הִקְשִׁיב בְּקוֹל תְּפִלָּתִי Ps. 66:19
277 וְהַקְשִׁיבָה בְּקוֹל תַּחֲנוּנוֹתָי Ps. 86:6
278 לִשְׁמֹעַ בְּקוֹל דְּבָרוֹ Ps. 103:20
279 וְלֹא־שָׁמַעְתִּי בְּקוֹל מוֹרָי Prov. 5:13
280 יַרְעֵם בְּקוֹל גְּאוֹנוֹ Job 37:4
וּבְקוֹל־ 281 אֵינֶנּוּ שֹׁמֵעַ בְּקוֹל אָבִיו וּבְקוֹל אִמּוֹ Deut. 21:18
282/3 בִּתְרוּעָה וּבְקוֹל שׁו׳ IISh. 6:15 • ICh. 15:28
כְּקוֹל־ 284/5 כְּקוֹל מַיִם רַבִּים כְּקוֹל־שַׁדַּי Ezek. 1:24
286 קוֹל הֲמֻלָּה כְּקוֹל מַחֲנֶה Ezek. 1:24
287 כְּקוֹל אֵל־שַׁדַּי בְּדַבְּרוֹ Ezek. 10:5
288 וְקוֹלוֹ כְּקוֹל מַיִם רַבִּים Ezek. 43:2
289 כְּקוֹל מַרְכָּבוֹת עַל־רָאשֵׁי הֶהָרִים Joel 2:5
290 כְּקוֹל לַהַב אֵשׁ אֹכְלָה קָשׁ Joel 2:5
291 וְאַמְהֹתֶיהָ מְנַהֲגוֹת כְּקוֹל יוֹנִים Nah. 2:8

292 כִּי כְקוֹל הַסִּירִים תַּחַת הַסִּיר Eccl. 7:6
293 וְקוֹל דְּבָרָיו כְּקוֹל הָמוֹן Dan. 10:6
לְקוֹל־ 294 כִּי שָׁמַעְתָּ לְקוֹל אִשְׁתֶּךָ Gen. 3:17
295 וַיִּשְׁמַע אַבְרָם לְקוֹל שָׂרָי Gen. 16:2
296 וְלֹא יִשְׁמְעוּ לְקֹל הָאֹת הָרִאשׁוֹן Ex. 4:8
297 וְהֶאֱמִינוּ לְקֹל הָאֹת הָאַחֲרוֹן Ex. 4:8
298 אִם־שָׁמוֹעַ תִּשְׁמַע לְקוֹל יְיָ אֱלֹהֶיךָ Ex. 15:26
299 וַיִּשְׁמַע מֹשֶׁה לְקוֹל חֹתְנוֹ Ex. 18:24
300 וְלֹא יִשְׁמְעוּ לְקוֹל אֲבִיהֶם ISh. 2:25
301 וְעַתָּה שְׁמַע לְקוֹל דִּבְרֵי יְיָ ISh. 15:1
302 חָנוֹן יָחְנְךָ לְקוֹל זַעֲקֶךָ Is. 30:19
303 הַקְשִׁיבוּ לְקוֹל שׁוֹפָר Jer. 6:17
304/5 לְקוֹל תִּתּוֹ הֲמוֹן מַיִם בַּשָּׁמַ׳ Jer. 10:13; 51:16
306 לְקוֹל הֲמוּלָּה גְדֹלָה... Jer. 11:16
307 וּשְׁמַע לְקוֹל יְרִיבָי Jer. 18:19
308 לְקוֹל זַעֲקַת חֹבְלָיִךְ... Ezek. 27:28
309 הַקְשִׁיבָה לְקוֹל שַׁוְעִי Ps. 5:3
310 תְּהוֹם...קוֹרֵא לְקוֹל צִנּוֹרֶיךָ Ps. 42:8
311 אֲשֶׁר לֹא־יִשְׁמַע לְקוֹל מְלַחֲשִׁים Ps. 58:6
312 אָזְנֶיךָ קַשֻּׁבוֹת לְקוֹל תַּחֲנוּנָי Ps. 130:2
313 וְיִשְׂמְחוּ לְקוֹל עוּגָב Job 21:12
314 וַיְהִי...וְעֻגָבִי לְקוֹל בֹּכִים Job 30:31
315 הַאֲזִינָה לְקוֹל מִלָּי Job 34:16
316 וְיָקוּם לְקוֹל הַצִּפּוֹר Eccl. 12:4
317 וְאֵין הָעָם מַכִּירִים...לְקוֹל בְּכִי הָעָם Ez. 3:13
מִקּוֹל־ 318 מִקּוֹל מְחַצְצִים בֵּין מַשְׁאַבִּים Jud. 5:11
319 וַיָּנֻעוּ אַמּוֹת הַסִּפִּים מִקּוֹל הַקּוֹרֵא Is. 6:4
320 וְהָיָה הַנָּס מִקּוֹל הַפַּחַד... Is. 24:18
321 כִּי־מִקּוֹל יְיָ יֵחַת אַשּׁוּר Is. 30:31
322 מִקּוֹל הָמוֹן נָדְדוּ עַמִּים Is. 33:3
323 וְהָיָה מִקֹּל זְנוּתָהּ... Jer. 3:9
324 מִקּוֹל פָּרָשׁ וְרֹמֵה קֶשֶׁת Jer. 4:29
325 מִקּוֹל מִצְהֲלוֹת אַבִּירָיו Jer. 8:16
326 מִקּוֹל שַׁעֲטַת פַּרְסוֹת אַבִּירָיו Jer. 47:3
327 מִקּוֹל נִפְלָם רָעֲשָׁה הָאָרֶץ Jer. 49:21
328 מִקּוֹל נִתְפְּשָׂה בָבֶל נִרְעֲשָׁה הָאָרֶץ Jer. 50:46
329 וַתֵּשַׁם אֶרֶץ וּמְלֹאָהּ מִקּוֹל שַׁאֲגָתוֹ Ezek. 19:7
330 מִקּוֹל פָּרָשׁ וְגַלְגַּל וָרֶכֶב Ezek. 26:10
331 מִקּוֹל מַפַּלְתֵּךְ...יִרְעֲשׁוּ הָאִיִּים Ezek. 26:15
332 מִקּוֹל מַפַּלְתּוֹ הִרְעַשְׁתִּי גוֹיִם Ezek. 31:16
333 מִקּוֹל מְחָרֵף וּמְגַדֵּף Ps. 44:17
334 מִקּוֹל אוֹיֵב מִפְּנֵי עָקַת רָשָׁע Ps. 55:4
335 מִקּוֹל אַנְחָתִי דָּבְקָה עַצְמִי לִבְשָׂרִי Ps. 102:6
קוֹלִי 336 עָדָה וְצִלָּה שְׁמַעַן קוֹלִי Gen. 4:23
337 כְּשָׁמְעוֹ כִּי־הֲרִימֹתִי קוֹלִי Gen. 39:15
338 וַיְהִי כַּהֲרִימִי קוֹלִי וָאֶקְרָא Gen. 39:18
339 הֲקוֹלְךָ זֶה...קוֹלִי אֲדֹנִי הַמֶּלֶךְ ISh. 26:17
340 וַיִּשְׁמַע מֵהֵיכָלוֹ קוֹלִי IISh. 22:7
341 הַאֲזִינוּ וְשִׁמְעוּ קוֹלִי Is. 28:23
342 קֹמְנָה שְׁמַעְנָה קוֹלִי Is. 32:9
343 מִבֶּטֶן שְׁאוֹל שִׁוַּעְתִּי שָׁמַעְתָּ קוֹלִי Jon. 2:3
344 קוֹלִי אֶל־יְיָ אֶקְרָא וַיַּעֲנֵנִי Ps. 3:5
345 יְיָ בֹּקֶר תִּשְׁמַע קוֹלִי Ps. 5:4
346 יִשְׁמַע מֵהֵיכָלוֹ קוֹלִי Ps. 18:7
347 שְׁמַע־יְיָ קוֹלִי אֶקְרָא Ps. 27:7
348 אָשִׂיחָה וְאֶהֱמֶה וַיִּשְׁמַע קוֹלִי Ps. 55:18
349 שְׁמַע־אֱלֹהִים קוֹלִי בְשִׂיחִי Ps. 64:2
350 קוֹלִי אֶל־אֱלֹהִים וְאֶצְעָקָה Ps. 77:2
351 קוֹלִי אֶל־אֱלֹהִים וְהַאֲזִין אֵלָי Ps. 77:2
352 כִּי־יִשְׁמַע יְיָ אֶת־קוֹלִי תַּחֲנוּנָי Ps. 116:1
353 קוֹלִי שִׁמְעָה כְחַסְדֶּךָ Ps. 119:149
354 הַאֲזִינָה קוֹלִי בְּקָרְאִי־לָךְ Ps. 141:1

קוֹלִי (המשך) 355 קוֹלִי אֶל־יְיָ אֶזְעָק Ps. 142:2
356 קוֹלִי אֶל־יְיָ אֶתְחַנָּן Ps. 142:2
357 לֹא אַאֲמִין כִּי־יַאֲזִין קוֹלִי Job 9:16
358 קוֹלִי שָׁמָעְתָּ אַל־תַּעְלֵם אָזְנְךָ Lam. 3:56
וְקוֹלִי 359 וְקוֹלִי אֶל־בְּנֵי אָדָם Prov. 8:4
בְּקֹלִי 360 עֵקֶב אֲשֶׁר שָׁמַעְתָּ בְּקֹלִי Gen. 22:18
361 עֵקֶב אֲשֶׁר־שָׁמַע אַבְרָהָם בְּקֹלִי Gen. 26:5
362/3 וְעַתָּה בְנִי שְׁמַע בְּקֹלִי Gen. 27:8, 43
364-368 שְׁמַע (יִשְׁמַע וכ׳) בְּקֹלִי Gen. 27:13
30:6 • Ex. 4:1; 18:19; 19:5
369-379 שָׁמַע (יִשְׁמַע וכ׳) בְּקוֹלִי Num. 14:22
Josh. 22:2 • Jud. 2:2; 6:10 • Jer. 7:23; 9:12
11:4, 7; 18:10; 22:21 • Ps. 130:2
וּבְקוֹלִי 380 וּבְקוֹלִי לֹא־שְׁמַעְתֶּם Jer. 3:13
לְקוֹלִי 381 וְלֹא שָׁמְעוּ לְקוֹלִי Jud. 2:20
382 וְלֹא־שָׁמַע עַמִּי לְקוֹלִי Ps. 81:12
וּלְקוֹלִי 383 אִם־לִי אַתֶּם וּלְקֹלִי אַתֶּם שֹׁמְעִים IIK. 10:6
קוֹלְךָ 384 אֶת־קֹלְךָ שָׁמַעְתִּי בַּגָּן וָאִירָא Gen. 3:10
385 אַל־תַּשְׁמַע קוֹלְךָ עִמָּנוּ Jud. 18:25
קוֹלֶךָ 386 קְרָא בְגָרוֹן...כַּשּׁוֹפָר הָרֵם קוֹלֶךָ Is. 58:1
387 וְתִשְׁמַעְנָה הַגְּבָעוֹת קוֹלֶךָ Mic. 6:1
388 לַתְּבוּנָה תִּתֵּן קוֹלֶךָ Prov. 2:3
389 הֲתָרִים לָעָב קוֹלֶךָ Job 38:34
390 לָמָּה יִקְצֹף הָאֱלֹהִים עַל־קוֹלֶךָ Eccl. 5:5
הֲקוֹלְךָ 391 הֲקֹלְךָ זֶה בְּנִי דָוִד ISh. 24:16
392 הֲקוֹלְךָ זֶה בְּנִי דָוִד ISh. 26:17
בְּקוֹלֶךָ 393 הִנֵּה שָׁמְעָה שִׁפְחָתְךָ בְּקוֹלֶךָ ISh. 28:21
394 וְלֹא־שָׁמְעוּ בְקוֹלֶךָ Jer. 32:23
395 לְבִלְתִּי שְׁמוֹעַ בְּקֹלֶךָ Dan. 9:11
לְקֹלֶךָ 396 וְשָׁמְעוּ לְקֹלֶךָ Ex. 3:18
397 וְלֹא יִשְׁמְעוּן לְקֹלֶךָ Ex. 4:9
קוֹלֵךְ 398 צַהֲלִי קוֹלֵךְ בַּת־גַּלִּים Is. 10:30
399 וְהָיָה כְּאוֹב מֵאֶרֶץ קוֹלֵךְ Is. 29:4
400 הָרִימִי בַכֹּחַ קוֹלֵךְ Is. 40:9
401 וּבַבָּשָׁן תְּנִי קוֹלֵךְ Jer. 22:20
402 מִנְעִי קוֹלֵךְ מִבֶּכִי Jer. 31:16(15)
403 הַשְׁמִיעִנִי אֶת־קוֹלֵךְ S.ofS. 2:14
404 כִּי־קוֹלֵךְ עָרֵב וּמַרְאֵיךְ נָאוֶה S.ofS. 2:14
בְּקוֹלֵךְ 405 רְאִי שָׁמַעְתִּי בְקוֹלֵךְ וָאֶשָּׂא פָּנָיִךְ ISh. 25:35
לְקוֹלֵךְ 406 חֲבֵרִים מַקְשִׁיבִים לְקוֹלֵךְ S.ofS. 8:13
קֹלוֹ 407 וַיִּשָּׂא עֵשָׂו קֹלוֹ וַיֵּבְךְּ Gen. 27:38
408 וַיִּשָּׂא אֶת־קֹלוֹ וַיֵּבְךְּ Gen. 29:11
409 וַיִּתֵּן אֶת־קֹלוֹ בִּבְכִי Gen. 45:2
410 וְנִשְׁמַע קוֹלוֹ בְּבֹאוֹ אֶל־הַקֹּדֶשׁ Ex. 28:35
411 מִן־הַשָּׁמַיִם הִשְׁמִיעֲךָ אֶת־קֹלוֹ Deut. 4:36
412 וְאֶת־קֹלוֹ שָׁמַעְנוּ מִתּוֹךְ הָאֵשׁ Deut. 5:21
413 וַיִּשָּׂא קוֹלוֹ וַיִּקְרָא וַיֹּאמֶר לָהֶם Jud. 9:7
414 וַיִּשָּׂא שָׁאוּל קֹלוֹ וַיֵּבְךְּ ISh. 24:16
415 וַיִּשָּׂא הַמֶּלֶךְ אֶת־קוֹלוֹ וַיֵּבְךְּ IISh. 3:32
416 יַרְעֵם...וְעֶלְיוֹן יִתֵּן קוֹלוֹ IISh. 22:14
417 וְהִשְׁמִיעַ יְיָ אֶת־הוֹד קוֹלוֹ Is. 30:30
418 וְלֹא־יַשְׁמִיעַ בַּחוּץ קוֹלוֹ Is. 42:2
419 וּמִמְּעוֹן קָדְשׁוֹ יִתֵּן קוֹלוֹ Jer. 25:30
420 לְמַעַן לֹא־יִשָּׁמַע קוֹלוֹ עוֹד Ezek. 19:9
421 וַיְיָ נָתַן קוֹלוֹ לִפְנֵי חֵילוֹ Joel 2:11
422/3 וּמִירוּשָׁלַם יִתֵּן קוֹלוֹ Joel 4:16 • Am. 1:2
424 הֲיִתֵּן כְּפִיר קוֹלוֹ מִמְּעֹנָתוֹ Am. 3:4
425 נָתַן תְּהוֹם קוֹלוֹ Hab. 3:10
426 וַיַּרְעֵם...וְעֶלְיוֹן יִתֵּן קֹלוֹ Ps. 18:14
427 כִּי־יְחַנֵּן קוֹלוֹ אַל־תַּאֲמֶן־בּוֹ Prov. 26:25
428 שִׁמְעוּ שָׁמוֹעַ בְּרֹגֶז קֹלוֹ Job 37:2
429 וְלֹא יְעַקְּבֵם כִּי־יִשָּׁמַע קוֹלוֹ Job 37:4

וְקוֹלוֹ 430 וְקוֹלוֹ כְּקוֹל מַיִם רַבִּים Ezek. 43:2
בְּקוֹלוֹ 431 מִי יְיָ אֲשֶׁר אֶשְׁמַע בְּקֹלוֹ Ex. 5:2
432 וּשְׁמַע בְּקֹלוֹ אַל־תַּמֵּר בּוֹ Ex. 23:21
433 כִּי אִם־שָׁמוֹעַ תִּשְׁמַע בְּקֹלוֹ Ex. 23:22
434/5 וְשַׁבְתָּ...וְשָׁמַעְתָּ בְּקֹלוֹ Deut. 4:30; 30:2
436 וְלֹא שְׁמַעְתֶּם בְּקֹלוֹ Deut. 9:23
437 וְלִשְׁמֹר חֻקָּיו...וְלִשְׁמֹעַ בְּקֹלוֹ Deut. 26:17
438 לִשְׁמֹעַ בְּקֹלוֹ וּלְדָבְקָה־בוֹ Deut. 30:20
439 וַעֲבַדְתֶּם אֹתוֹ וּשְׁמַעְתֶּם בְּקוֹלוֹ ISh. 12:14
440 וְלֹא־שְׁמַעְתֶּם בְּקוֹלוֹ Jer. 40:3
441 נָתַן בְּקוֹלוֹ תָּמוּג אָרֶץ Ps. 46:7
442 הֵן־יִתֵּן בְּקוֹלוֹ קוֹל עֹז Ps. 68:34
443 הַיּוֹם אִם־בְּקֹלוֹ תִשְׁמָעוּ Ps. 95:7
444 יַרְעֵם אֵל בְּקוֹלוֹ נִפְלָאוֹת Job 37:5
445 וְלֹא שָׁמַעְנוּ בְּקֹלוֹ Dan. 9:14
וּבְקֹלוֹ 446 וּבְקֹלוֹ תִשְׁמָעוּ וְאֹתוֹ תַעֲבֹדוּ Deut. 13:5
447 אֶת־יְיָ...נַעֲבֹד וּבְקוֹלוֹ נִשְׁמָע Josh. 24:24
קוֹלָהּ 448 וַתִּשָּׂא אֶת־קֹלָהּ וַתֵּבְךְּ Gen. 21:16
449 קוֹלָהּ כַּנָּחָשׁ יֵלֵךְ Jer. 46:22
450 צְעָקָה בְּיַם־סוּף נִשְׁמַע קוֹלָהּ Jer. 49:21
451 בָּרְחֹבוֹת תִּתֵּן קוֹלָהּ Prov. 1:20
452 וּתְבוּנָה תִּתֵּן קוֹלָהּ Prov. 8:1
וְקוֹלָהּ 453 רַק שְׂפָתֶיהָ נָּעוֹת וְקוֹלָהּ לֹא יִשָּׁמֵעַ ISh. 1:13
בְּקֹלָהּ 454 כֹּל אֲשֶׁר תֹּאמַר...שְׁמַע בְּקֹלָהּ Gen. 21:12
455 וְלֹא אָבָה לִשְׁמֹעַ בְּקוֹלָהּ IISh. 13:14
456 נָתְנָה עָלַי בְּקוֹלָהּ Jer. 12:8
קֹלֵנוּ 457 וַנִּצְעַק אֶל־יְיָ וַיִּשְׁמַע קֹלֵנוּ Num. 20:16
458 וַיִּשְׁמַע יְיָ אֶת־קֹלֵנוּ Deut. 26:7
בְּקֹלֵנוּ 459 סוֹרֵר וּמֹרֶה אֵינֶנּוּ שֹׁמֵעַ בְּקֹלֵנוּ Deut. 21:20
460 דִּבַּרְנוּ אֵלָיו וְלֹא־שָׁמַע בְּקוֹלֵנוּ IISh. 12:18
קוֹלְכֶם 461 וְלֹא־תַשְׁמִיעוּ אֶת־קוֹלְכֶם Josh. 6:10
462 לְהַשְׁמִיעַ בַּמָּרוֹם קוֹלְכֶם Is. 58:4
בְּקֹלְכֶם 463 וְלֹא־שָׁמַע יְיָ בְּקֹלְכֶם Deut. 1:45
464 הִנֵּה שָׁמַעְתִּי בְקֹלְכֶם ISh. 12:1
קוֹלָם 465 וַתִּשָּׂא כָּל־הָעֵדָה וַיִּתְּנוּ אֶת־קוֹ׳ Num.14:1
466 וַיִּשְׂאוּ הָעָם אֶת־קוֹלָם וַיִּבְכּוּ Jud. 2:4
467 וַיִּשְׂאוּ קוֹלָם וַיִּבְכּוּ בְּכִי גָדוֹל Jud. 21:2
468 וַיִּשְׂאוּ כָל־הָעָם אֶת־קוֹלָם וַיִּבְכּוּ ISh. 11:4
469 וַיִּשָּׂא דָוִד וְהָעָם...אֶת־קוֹלָם וַיִּבְכּוּ ISh. 30:4
470 וַיִּשְׂאוּ קוֹלָם וַיִּבְכּוּ IISh. 13:36
471 עַד־יַהַץ נִשְׁמַע קוֹלָם Is. 15:4
472 הֵמָּה יִשְׂאוּ קוֹלָם יָרֹנּוּ Is. 24:14
473 עָלָיו יִשְׁאֲגוּ כְפִרִים נָתְנוּ קוֹלָם Jer. 2:15
474 וַיִּתְּנוּ עַל־עָרֵי יְהוּדָה קוֹלָם Jer. 4:16
475/6 קוֹלָם כַּיָּם יֶהֱמֶה Jer. 6:23; 50:42
477 עַד־יַהַץ נָתְנוּ קוֹלָם Jer. 48:34
478 וְהָמוּ גַלֵּיהֶם...נִתַּן שְׁאוֹן קוֹלָם Jer. 51:55
479 אֵין־אֹמֶר...בְּלִי נִשְׁמָע קוֹלָם Ps. 19:4
480 נָשְׂאוּ נְהָרוֹת קוֹלָם Ps. 93:3
481 וַיִּשְׂאוּ קוֹלָם וַיִּבְכּוּ Job 2:12
בְּקוֹלָם 482 וְעַתָּה שְׁמַע בְּקוֹלָם ISh. 8:9
483 שְׁמַע בְּקוֹלָם וְהִמְלַכְתָּ לָהֶם מֶלֶךְ ISh. 8:22
484 יָרֵאתִי אֶת־הָעָם וָאֶשְׁמַע בְּקוֹלָם ISh. 15:24
485 וַתִּבָּקַע הָאָרֶץ בְּקוֹלָם IK. 1:40
486 וְהִשְׁמִיעוּ עָלַיִךְ בְּקוֹלָם Ezek. 27:30
487 וַיְבָרְכוּ אֶת־הָעָם וַיִּשָּׁמַע בְּקוֹ׳ IICh. 30:27
לְקֹלָם 488 וְכָל־יִשְׂרָאֵל...נָסוּ לְקֹלָם Num. 16:34
489 וַיִּפְרְצוּ־בוֹ...וַיִּשְׁמַע לְקֹלָם ISh. 28:23
490 וַיִּשְׁמַע לְקֹלָם וַיַּעַשׂ כֵּן IK. 20:25
מִקּוֹלָם 491 מִקּוֹלָם לֹא יֵחָת וּמֵהֲמוֹנָם לֹא יַעֲנֶה Is. 31:4
קוֹלָן 492 וַתִּשֶּׂאנָה קוֹלָן וַתִּבְכֶּינָה Ruth 1:9
493 וַתִּשֶּׂנָה קוֹלָן וַתִּבְכֶּינָה עוֹד Ruth 1:14

קוֹלוֹת 494 וַיְיָ נָתַן קֹלֹת וּבָרָד Ex. 9:23
495 וְרַב מִהְיֹת קֹלֹת אֱלֹהִים וּבָרָד Ex. 9:28
496 וַיְהִי קֹלֹת וּבְרָקִים וְעָנָן כָּבֵד Ex. 19:16
497 אֶקְרָא אֶל־יְיָ וְיִתֵּן קֹלוֹת וּמָטָר ISh. 12:17
498 וַיִּקְרָא...וַיִּתֵּן יְיָ קֹלֹת וּמָטָר ISh. 12:18
499-500 וְדֶרֶךְ לַחֲזִיז קֹלוֹת Job 28:26; 38:25
הַקּוֹלוֹת 501 הַקֹּלֹת יֶחְדָּלוּן וְהַבָּרָד לֹא יִהְיֶה Ex. 9:29
502 וַיַּחְדְּלוּ הַקֹּלוֹת וְהַבָּרָד Ex. 9:33
503 אֶת־הַקּוֹלֹת וְאֶת־הַלַּפִּידִם Ex. 20:15
וְהַקּוֹלוֹת 504 כִּי־חָדַל הַמָּטָר וְהַבָּרָד וְהַקֹּלֹת Ex. 9:34
מִקּוֹלוֹת 505 מִקֹּלוֹת מַיִם רַבִּים Ps. 93:4

קוֹלָיָה

שפ״ז א) אבי נביא השֶׁקר אַחְאָב: 1
ב) בן מעשֵׂיָה משָׁבי הגולה: 2

קוֹלָיָה 1 כֹּה־אָמַר יְיָ...אֶל־אַחְאָב בֶּן־קוֹלָיָה Jer. 29:21
2 סַלֻּא בֶּן־מְשֻׁלָּם...בֶּן־קוֹלָיָה Neh. 11:7

קום

: קָם, קוֹמֵם, הִתְקוֹמֵם, קִיֵּם, הֵקִים, הוּקַם; קוֹמָה, קִים, קִימָה, קוֹמָה, קָמָה, קוֹמְמִיּוּת, יְקוּם, מָקוֹם, תְּקוּמָה, תְּקוֹמֵם; ש״פ קָמוֹן, אֲדֹנִיקָם, אֲחִיקָם, אֶלְיָקִים, יְהוֹיָקִים, יוֹיָקִים, עַזְרִיקָם, יָקִים, יְקַמְיָה, יְקַמְעָם, יָקְמְעָם, קְמוּאֵל; אר׳ קום (קָאֵם), קַיֵּם, הֲקִים, הֳקֵם; קְיָם, קַיָּם

(קום) קָם[1] פָּ׳ א) עמד על רגליו (גם בהשאלה: התיַצב, התעורר לפעול): רוב המקראות 1-460
ב) התקַיֵּם, בוּצע: 1, 52, 53, 64, 65, 81-83, 122, 123, 125-129, 132, 135, 138, 141, 142, 153, 160, 167, 168, 268-272, 277, 278, 306, 313, 318
ג) בא, התחולל, התרחש: 38, 46, 58, 80, 149, 275/6
ד) החזיק מעמד: 2-5, 7, 13, 14, 30, 59, 143, 144, 274, 304, 363-365
ה) התנגד, התנפל על־: 9, 15, 16, 31, 32, 55, 57, 63, 68, 72, 74-76, 85-101, 133, 134, 161, 189, 191
ו) [על עינַיִם] כָּהָה, שוּתק: 62, 73
ז) [פִּ׳[1] קוֹמֵם] כּוֹנֵן, העמיד את ההרוס: 461-464
ח) [פִּ׳[2] קִיֵּם] מִלֵּא, בִּצע: 465-475
ט) [הת׳ הִתְקוֹמֵם] התיַצב נגד־: 476-480
י) [הפ׳ הֵקִים] העמיד, הציב: 481, 482, 484, 487, 492, 515, 516, 518-522, 527-544, 546-550, 553, 555, 556, 558-564, 566, 568-575, 577-580, 584-593, 595-600, 602, 604-608, 611-619, 621, 622, 625, 626
יא) [כנ״ל] קִיֵּם, בִּצע: 483, 485, 486, 488-491, 493-495, 498, 499, 502, 503, 506-514, 517, 523-526, 540, 545, 551, 552, 554, 557, 565, 567, 576, 581-583, 594, 601, 603, 609, 610, 620, 623, 624
יב) [הָפ׳ הוּקַם] הָעֳמד, הֻצַּב: 627, 628
יג) [כנ״ל] קְיַם: 629

– קָם רוב המקראות 1-460; קָם אֶל־ 15, 16; קָם עַל־ 9, 31, 32, 55, 57, 63, 64, 68, 72, 75, 76, 86-90, 128, 134, 135, 140, 157, 175, 189, 191, 194-196, 276, 341, 454; קָם בְּ־ 27, 58, 61, 65, 74, 85, 131, 133; קָם לְ־ 8, 19, 47, 52, 53, 104, 106, 148, 160, 167, 424, 425; קָם לִפְנֵי־ 13, 14; קָם לִקְרַאת־ 162, 192; קָם מִן־ 29, 39, 41, 42, 49, 54, 69, 71, 119, 174, 184, 303, 307; קָם מֵעַל־ 188; קָם מִפְּנֵי־ 12, 117
– קִיֵּם (אֶת־) 465, 466, 468, 469, 471, 474, 475; קִיֵּם עַל־ 467, 470, 472, 473
– הֵקִים (אֶת־) רוב המקראות 481-626; הֵקִים אֶל־ 567; הֵקִים לְ־ 568; הֵקִים עַל־ 519-521, 547, 548, 556, 559, 616, 617

קוּם 1 קוֹם יָקוּמוּ דְבָרַי עֲלֵיכֶם לְרָעָה Jer. 44:29
קוּם 2 וְנָפְלָה וְלֹא־תֹסִיף קוּם Is. 24:20
3 נָפְלָה לֹא־תוֹסִיף קוּם Am. 5:2

קוּם (המשך) 4 אֶמְחָצֵם וְלֹא־יֻכְלוּ קוּם Ps. 18:39
5 דֹּחוּ וְלֹא־יָכְלוּ קוּם Ps. 36:13
6 שָׁוְא לָכֶם מַשְׁכִּימֵי קוּם Ps. 127:2
7 נְתָנַנִי אֲדֹנָי בִּידֵי לֹא־אוּכַל קוּם Lam. 1:14
בְּקוּם 8 בְּקוּם־לַמִּשְׁפָּט אֱלֹהִים Ps. 76:10
9 בְּקוּם עָלֵינוּ אָדָם Ps. 124:2
10 בְּקוּם רְשָׁעִים יִסָּתֵר אָדָם Prov. 28:28
וּבְקוּם 11 וּבְקוּם רְשָׁעִים יְחֻפַּשׂ אָדָם Prov. 28:12
לָקוּם 12 לוֹא אוּכַל לָקוּם מִפָּנֶיךָ Gen. 31:35
13 וְלֹא יָכְלוּ בְּ״י לָקוּם לִפְנֵי אֹיְבֵיהֶם Josh. 7:12
14 לֹא תוּכַל לָקוּם לִפְנֵי אֹיְבֶיךָ Josh. 7:13
15 לָקוּם אֵלַי לְאֹרֵב ISh. 22:13
16 וְלֹא נְתָנָם לָקוּם אֶל־שָׁאוּל ISh. 24:7
17 וַיַּשְׁכֵּם מְשָׁרֵת אִישׁ הָאֱלֹהִים לָקוּם IIK. 6:15
18 וַאֲשֶׁר שָׁכַב לֹא־יוֹסִיף לָקוּם Ps. 41:9
קוּמִי 19 חַכּוּ־לִי...לְיוֹם קוּמִי לְעַד Zep. 3:8
וְקוּמִי 20 אַתָּה יָדַעְתָּ שִׁבְתִּי וְקוּמִי Ps. 139:2
וּבְקוּמֶךָ 21/2 וּבְשָׁכְבְּךָ וּבְקוּמֶךָ Deut. 6:7; 11:19
בְּקוּמוֹ 23/4 בְּקוּמוֹ לַעֲרֹץ הָאָרֶץ Is. 2:19, 21
וּבְקוּמָהּ 25 וְלֹא־יָדַע בְּשִׁכְבָהּ וּבְקוּמָהּ Gen. 19:33
26 וְלֹא־יָדַע בְּשִׁכְבָהּ וּבְקֻמָהּ Gen. 19:35
קַמְתִּי 27 קַמְתִּי בַקָּהָל אֲשַׁוֵּעַ Job 30:28
28 קַמְתִּי אֲנִי לִפְתֹּחַ לְדוֹדִי S.ofS. 5:5
29 וּבְמִנְחַת הָעֶרֶב קַמְתִּי מִתַּעֲנִיתִי Ez. 9:5
קָמְתִּי 30 אַל־תִּשְׂמְחִי...כִּי נָפַלְתִּי קָמְתִּי Mic. 7:8
וְקַמְתִּי 31 וְקַמְתִּי עֲלֵיהֶם...וְהִכְרַתִּי לְבָבֶל Is. 14:22
32 וְקַמְתִּי עַל־בֵּית יָרָבְעָם Am. 7:9
שַׁקַּמְתִּי 33 עַד שַׁקַּמְתִּי דְּבוֹרָה Jud. 5:7
34 שַׁקַּמְתִּי אֵם בְּיִשְׂרָאֵל Jud. 5:7
קַמְתָּ 35 וְכַאֲשֶׁר מֵת הַיֶּלֶד קַמְתָּ IISh. 12:21
וְקַמְתָּ 36 וְקַמְתָּ וְעָלִיתָ אֶל־הַמָּקוֹם Deut. 17:8
37 וְקַמְתָּ וְדִבַּרְתָּ אֲלֵיהֶם Jer. 1:17
קָם 38 וְלֹא־קָם נָבִיא עוֹד בְּיִשְׂרָאֵל כְּמֹשֶׁה Deut. 34:10
39 וְהָאוֹרֵב קָם מְהֵרָה מִמְּקוֹמוֹ Josh. 8:19
40 וְהָיָה כִּי־קָם הַפְּלִשְׁתִּי וַיֵּלֶךְ ISh. 17:48
41 וְדָוִד קָם מֵאֵצֶל הַנֶּגֶב ISh. 20:41
42 וְשָׁאוּל קָם מֵהַמְּעָרָה ISh. 24:7
43 הוּא קָם וַיַּךְ בַּפְּלִשְׁתִּים IISh. 23:10
44 קָם מִלִּפְנֵי מִזְבַּח יְיָ IK. 8:54
45 וַיְהִי־הוּא קָם לַיְלָה וַיַּכֶּה IIK. 8:21
46 וְאַחֲרָיו לֹא־קָם כָּמֹהוּ IIK. 23:25
47 הֶחָמָס קָם לְמַטֵּה־רֶשַׁע Ezek. 7:11
48 וְלֹא־קָם וְלֹא־זָע מִמֶּנּוּ Es. 5:9
49 וְהַמֶּלֶךְ קָם בַּחֲמָתוֹ מִמִּשְׁתֵּה הַיַּיִן Es. 7:7
50 וַיְהִי קָם לַיְלָה וַיַּךְ אֶת־אֱדוֹם IICh. 21:9
וְקָם 51 וְקָם כָּל־הָעָם וְהִשְׁתַּחֲווּ Ex. 33:10
52 וְקָם הַבַּיִת...לַצְּמִיתֻת לַקֹּנֶה אֹתוֹ Lev. 25:30
53 וְיָסַף חֲמִשִׁית...וְקָם לוֹ Lev. 27:19
54 וְקָם שֵׁבֶט מִיִּשְׂרָאֵל Num. 24:17
55 וְאָרַב לוֹ וְקָם עָלָיו Deut. 19:11
56 וְקָם הָעָם הַזֶּה וְזָנָה אַחֲרֵי אֱלֹהֵי Deut. 31:16
57 וְקָם עַל־בֵּית מְרֵעִים Is. 31:2
(וְקָאם) 58 וְקָאם שָׁאוֹן בְּעַמֶּךָ Hosh. 10:14
וָקָם 59 כִּי שֶׁבַע יִפּוֹל צַדִּיק וָקָם Prov. 24:16
קָמָה 60 וְהִנֵּה קָמָה אֲלֻמָּתִי וְגַם־נִצָּבָה Gen. 37:7
61 וְלֹא־קָמָה עוֹד רוּחַ בְּאִישׁ Josh. 2:11
62 וְעֵינָיו קָמָה וְלֹא יָכוֹל לִרְאוֹת ISh. 4:15
63 קָמָה כָל־הַמִּשְׁפָּחָה עַל־שִׁפְחָתֶךָ IISh. 14:7
64 כִּי קָמָה עַל־בָּבֶל מַחְשְׁבוֹת יְיָ Jer. 51:29
וְקָמָה 65 וְקָמָה בְּיָדְךָ מַמְלֶכֶת יִשְׂרָאֵל ISh. 24:20
קַמְנוּ 66 וַאֲנַחְנוּ קַּמְנוּ וַנִּתְעוֹדָד Ps. 20:9

קַמְתֶּם 67 וְהִנֵּה קַמְתֶּם תַּחַת אֲבֹתֵיכֶם Num. 32:14
68 וְאַתֶּם קַמְתֶּם עַל־בֵּית אָבִי הַיּוֹם Jud. 9:18
קָמוּ 69 וְלֹא־קָמוּ אִישׁ מִתַּחְתָּיו Ex. 10:23
70 וַיַּעַמְדוּ הַמַּיִם...קָמוּ נֵד־אֶחָד Josh. 3:16
71 וְכֹל אִישׁ יִשְׂרָאֵל קָמוּ מִמְּקוֹמוֹ Jud. 20:33
72 וְכֹל אֲשֶׁר־קָמוּ עָלֶיךָ לְרָעָה IISh. 18:32
73 כִּי קָמוּ עֵינָיו מִשֵּׂיבוֹ IK. 14:4
74 כִּי קָמוּ־בִי עֵדֵי־שֶׁקֶר Ps. 27:12
75 כִּי זָרִים קָמוּ עָלַי Ps. 54:5
76 אֱלֹהִים זֵדִים קָמוּ־עָלַי Ps. 86:14
77 קָמוּ וַיֵּבֹשׁוּ וְעַבְדְּךָ יִשְׂמָח Ps. 109:28
78 קָמוּ בָנֶיהָ וַיְאַשְּׁרוּהָ Prov. 31:28
79 וִישִׁישִׁים קָמוּ עָמָדוּ Job 29:8
וְקָמוּ 80 וְקָמוּ שֶׁבַע שְׁנֵי רָעָב אַחֲרֵיהֶן Gen. 41:30
81/2 וְקָמוּ כָּל־נְדָרֶיהָ Num. 30:5, 12
83 וְקָמוּ נְדָרֶיהָ וֶאֱסָרָהּ Num. 30:8
וָקָמוּ 84 מְלָכִים יִרְאוּ וָקָמוּ Is. 49:7
קָמָה 85 בַּת קָמָה בְאִמָּהּ כַּלָּה בַּחֲמֹתָהּ Mic. 7:6
קָמִים 86 מָה־רַבּוּ צָרָי רַבִּים קָמִים עָלָי Ps. 3:2
הַקָּמִים 87 יִתֵּן יְיָ אֶת־אֹיְבֶיךָ הַקָּמִים עָלֶיךָ... Deut. 28:7
88 מִיַּד כָּל־הַקָּמִים עָלֶיךָ IISh. 18:31
הַקּוֹמִים 89 וְהוֹשִׁעֵנִי מִכַּף...הַקּוֹמִים עָלָי IIK. 16:7
בַּקָּמִים 90 בַּקָּמִים עָלַי מְרֵעִים תִּשְׁמַעְנָה אָזְנָי Ps. 92:12
קָמַי 91 תַּכְרִיעַ קָמַי תַּחְתֵּנִי IISh. 22:40
92 תַּכְרִיעַ קָמַי תַּחְתָּי Ps. 18:40
93 אַף מִן־קָמַי תְּרוֹמְמֵנִי Ps. 18:49
94 שִׂפְתֵי קָמַי וְהֶגְיוֹנָם עָלַי Lam. 3:62
קָמָי 95 עַל־בָּבֶל וְאֶל־יֹשְׁבֵי לֵב קָמָי Jer. 51:1
וּמִקָּמַי 96 וּמִקָּמַי תְּרוֹמְמֵנִי IISh. 22:49
קָמֶיךָ 97 וּבְרֹב גְּאוֹנְךָ תַּהֲרֹס קָמֶיךָ Ex. 15:7
98 שְׁאוֹן קָמֶיךָ עֹלֶה תָמִיד Ps. 74:23
קָמָיו 99 מְחַץ מָתְנַיִם קָמָיו Deut. 33:11
קָמֵינוּ 100 בְּשִׁמְךָ נָבוּס קָמֵינוּ Ps. 44:6
בְּקָמֵיהֶם 101 פְּרָעֹה אַהֲרֹן לְשִׁמְצָה בְּקָמֵיהֶם Ex. 32:25
אָקוּם 102 עַתָּה אָקוּם יֹאמַר יְיָ Is. 33:10
103 עַתָּה אָקוּם יֹאמַר יְיָ Ps. 12:6
104 חֲצוֹת־לַיְלָה אָקוּם לְהוֹדוֹת לָךְ Ps. 119:62
105 אִם־שָׁכַבְתִּי וְאָמַרְתִּי מָתַי אָקוּם Job 7:4
וָאָקֻם 106 וָאָקֻם בַּבֹּקֶר לְהֵינִיק אֶת־בְּנִי IK. 3:21
107 וָאָקֻם תַּחַת דָּוִד אָבִי IK. 8:20
108 וָאָקוּם וָאֵצֵא אֶל־הַבִּקְעָה Ezek. 3:23
109 וָאָקוּם וָאֶעֱשֶׂה אֶת־מְלֶאכֶת הַמֶּלֶךְ Dan. 8:27
110 וָאָקוּם לַיְלָה אֲנִי וַאֲנָשִׁים... Neh. 2:12
111 וָאֵרֶא וָאָקוּם וָאֹמַר אֶל־הַחֹרִים Neh. 4:8
112 וָאָקוּם תַּחַת דָּוִיד אָבִי IICh. 6:10
אָקוּמָה 113 אָקוּמָה וְאֵלֵכָה IISh. 3:21
114 אָקוּמָה וַיְדַבְּרוּ־בִי Job 19:18
115 אָקוּמָה נָּא וַאֲסוֹבְבָה בָעִיר S.ofS. 3:2
וְאָקוּמָה 116 וְאָקוּמָה וְאֶרְדְּפָה אַחֲרֵי־דָוִד IISh. 17:1
תָּקוּם 117 מִפְּנֵי שֵׂיבָה תָּקוּם Lev. 19:32
118 אַתָּה תָקוּם תְּרַחֵם צִיּוֹן Ps. 102:14
119 מָתַי תָּקוּם מִשְּׁנָתֶךָ Prov. 6:9
יָקוּם 120 יָקֻם אָבִי וְיֹאכַל מִצֵּיד בְּנוֹ Gen. 27:31
121 אִם־יָקוּם וְהִתְהַלֵּךְ בַּחוּץ Ex. 21:19
122 כַּאֲשֶׁר יַעֲרִיךְ...כֵּן יָקוּם Lev. 27:14
123 כְּעֶרְכְּךָ יָקוּם Lev. 27:17
124 כְּלָבִיא יָקוּם וְכַאֲרִי יִתְנַשָּׂא Num. 23:24
125/6 וְכָל־אִסָּר אֲשֶׁר־אָסְרָה...יָ׳ Num. 30:5, 12
127 כָּל־נְדָרֶיהָ וֶאֱסָרֶיהָ...לֹא יָקוּם Num. 30:6
128 וְנֵדֶר אַלְמָנָה...יָקוּם עָלֶיהָ Num. 30:10
129 כָּל־מוֹצָא שְׂפָתֶיהָ...לֹא יָקוּם Num. 30:13

יָקוּם (המשך) 130 כִּי־יָקוּם בְּקִרְבְּךָ נָבִיא Deut. 13:2
131 לֹא־יָקוּם עֵד אֶחָד בְּאִישׁ Deut. 19:15
132 עַל־פִּי שְׁנֵי עֵדִים...יָקוּם דָּבָר Deut. 19:15
133 כִּי־יָקוּם עֵד־חָמָס בְּאִישׁ Deut. 19:16
134 כַּאֲשֶׁר יָקוּם אִישׁ עַל־רֵעֵהוּ... Deut. 22:26
135 יָקוּם עַל־שֵׁם אָחִיו הַמֵּת Deut. 25:6
136 אֲשֶׁר יָקוּם וּבָנָה אֶת־הָעִיר Josh. 6:26
137 וְאַחֲרֶיךָ לֹא־יָקוּם כָּמוֹךָ IK. 3:12
138 דַּבְּרוּ דָבָר וְלֹא יָקוּם Is. 8:10
139 כִּי כְהַר־פְּרָצִים יָקוּם יְיָ Is. 28:21
140 וְהוּא עַל־נְדִיבוֹת יָקוּם Is. 32:8
141 וּדְבַר אֱלֹהֵינוּ יָקוּם לְעוֹלָם Is. 40:8
142 וְיָדְעוּ...דְּבַר־מִי יָקוּם Jer. 44:28
143/4 מִי יָקוּם יַעֲקֹב כִּי קָטֹן הוּא Am. 7:2, 5
145 וּמִי יָקוּם בַּחֲרוֹן אַפּוֹ Nah. 1:6
146 וּמִי־יָקוּם בִּמְקוֹם קָדְשׁוֹ Ps. 24:3
147 יָקוּם אֱלֹהִים יָפוּצוּ אוֹיְבָיו Ps. 68:2
148 מִי־יָקוּם לִי עִם־מְרֵעִים Ps. 94:16
149 כִּי־פִתְאֹם יָקוּם אֵידָם Prov. 24:22
150 יַחֲזִיק בּוֹ וְלֹא יָקוּם Job 8:15
151 וּמִצָּהֳרַיִם יָקוּם חָלֶד Job 11:17
152 וְאִישׁ שָׁכַב וְלֹא־יָקוּם Job 14:12
153 לֹא־יֶעְשַׁר וְלֹא־יָקוּם חֵילוֹ Job 15:29
154 וְאַחֲרוֹן עַל־עָפָר יָקוּם Job 19:25
155 לָאוֹר יָקוּם רוֹצֵחַ Job 24:14
156 יָקוּם וְלֹא־יַאֲמִין בַּחַיִּין Job 24:22
157 וְעַל־מִי לֹא־יָקוּם אוֹרֵהוּ Job 25:3
158 וּמָה אֶעֱשֶׂה כִּי־יָקוּם אֵל Job 31:14
וְיָקוּם 159 וְיָקוּם לְקוֹל הַצִּפּוֹר Eccl. 12:4
וְיָקָם 160 וְתִגְזַר־אֹמֶר וְיָקָם לָךְ Job 22:28
וַיָּקָם 161 וַיָּקָם קַיִן אֶל־הֶבֶל אָחִיו וַיַּהַרְגֵהוּ Gen. 4:8
162 וַיַּרְא־לוֹט וַיָּקָם לִקְרָאתָם Gen. 19:1
163 וַיָּקָם אֲבִימֶלֶךְ וּפִיכֹל...וַיָּשֻׁבוּ Gen. 21:32
164 וַיָּקָם וַיֵּלֶךְ אֶל־הַמָּקוֹם Gen. 22:3
165 וַיָּקָם אַבְרָהָם מֵעַל פְּנֵי מֵתוֹ Gen. 23:3
166 וַיָּקָם אַבְרָהָם וַיִּשְׁתַּחוּ Gen. 23:7
167 וַיָּקָם שְׂדֵה עֶפְרוֹן...(לְאַבְרָהָם) Gen. 23:17
168 וַיָּקָם הַשָּׂדֶה...לְאַבְרָהָם Gen. 23:20
169 וַיָּקָם וַיֵּלֶךְ אֶל־אֲרַם נַהֲרַיִם Gen. 24:10
170 וַיֹּאכַל וַיֵּשְׁתְּ וַיָּקָם וַיֵּלַךְ Gen. 25:34
171 וַיָּקָם יַעֲקֹב וַיִּשָּׂא אֶת־בָּנָיו Gen. 31:17
172 וַיָּקָם וַיַּעֲבֹר אֶת־הַנָּהָר Gen. 31:21
173 וַיָּקָם בַּלַּיְלָה הוּא וַיִּקַּח... Gen. 32:23
174 וַיָּקָם יַעֲקֹב מִבְּאֵר שָׁבַע Gen. 46:5
175 וַיָּקָם מֶלֶךְ־חָדָשׁ עַל־מִצְרָיִם Ex. 1:8
176 וַיָּקָם מֹשֶׁה וַיּוֹשִׁעָן Ex. 2:17
177 וַיָּקָם פַּרְעֹה לַיְלָה... Ex. 12:30
178 וַיָּקָם מֹשֶׁה וִיהוֹשֻׁעַ מְשָׁרְתוֹ Ex. 24:13
179 וַיָּקָם הָעָם כָּל־הַיּוֹם...וַיַּאַסְפוּ Num.11:32
180 וַיָּקָם מֹשֶׁה וַיֵּלֶךְ אֶל־דָּתָן וַאֲבִירָ׳ Num.16:25
181/2 וַיָּקָם בִּלְעָם בַּבֹּקֶר Num. 22:13, 21
183 וַיָּקָם בִּלְעָם וַיֵּלֶךְ וַיָּשָׁב לִמְקֹמוֹ Num.24:25
184 וַיַּרְא...וַיָּקָם מִתּוֹךְ הָעֵדָה Num. 25:7
185 וַיָּקָם יְהוֹשֻׁעַ וְכָל־עַם הַמִּלְחָמָה Josh. 8:3
186 וַיָּקָם בָּלָק...וַיִּלָּחֶם בְּיִשְׂרָאֵל Josh. 24:9
187 וַיָּקָם דּוֹר אַחֵר אַחֲרֵיהֶם Jud. 2:10
188 וַיָּקָם מֵעַל הַכִּסֵּא Jud. 3:20
189 וַיָּקָם עֲלֵיהֶם וַיַּכֵּם Jud. 9:43
190 וַיָּקָם כָּל־הָעָם כְּאִישׁ אֶחָד Jud. 20:8
191 וַיָּקָם עָלַי וְהֶחֱזַקְתִּי בִּזְקָנוֹ ISh. 17:35
192 וַיָּקָם הַמֶּלֶךְ לִקְרָאתָהּ IK. 2:19
193 וַיְחִי וַיָּקָם עַל־רַגְלָיו IIK. 13:21

וַיָּקָם (המשך) 194 וַיָּקָם עַל־מַעֲלֵה הַלְוִיִּם Neh. 9:4
195 וַיָּקָם דָּוִיד הַמֶּלֶךְ עַל־רַגְלָיו IICh. 28:2
196 וַיָּקָם יְהוֹרָם עַל־מַמְלֶכֶת אָבִיו IICh. 21:4
197-267 וַיָּקָם Jud. 8:21; 9:34, 35; 10:1, 3
13:11; 16:3; 19:3, 5, 7, 9, 10, 27, 28 • ISh. 3:6, 8; 9:26;
13:15; 16:13; 18:27; 20:25, 34; 21:1, 11; 23:13, 16;
24:5, 9; 25:1, 29; 26:2, 5; 27:2; 28:23 • IISh. 6:2;
11:2; 12:20; 13:31; 14:23, 31; 15:9; 17:22, 23; 19:9;
24:11 • IK. 1:50; 2:40; 11:40; 17:10; 19:3, 8, 21;
21:16 • IIK. 1:15; 4:30; 7:12; 9:6; 10:12 • Jer. 41:2
• Jon. 1:3; 3:3, 6 • Job 1:20; 16:8 • Ez. 3:2; 10:5, 6,
10 • Neh. 3:1 • IICh. 13:4, 6
תָּקוּם 268 וְעַתָּה מַמְלַכְתְּךָ לֹא־תָקוּם ISh. 13:14
269 לֹא תָקוּם וְלֹא תִהְיֶה Is. 7:7
270 וְכַאֲשֶׁר יָעַצְתִּי הִיא תָקוּם Is. 14:24
271 וְחָזוּתְכֶם אֶת־שְׁאוֹל לֹא תָקוּם Is. 28:18
272 עֲצָתִי תָקוּם וְכָל־חֶפְצִי אֶעֱשֶׂה Is. 46:10
273 וְכָל־לָשׁוֹן תָּקוּם־אִתָּךְ לַמִּשְׁפָּט Is. 54:17
274 כָּכָה תִּשְׁקַע בָּבֶל וְלֹא־תָקוּם Jer. 51:64
275 לֹא־תָקוּם פַּעֲמַיִם צָרָה Nah. 1:9
276 אִם־תָּקוּם עָלַי מִלְחָמָה Ps. 27:3
277 וּבְרֹב יוֹעֲצִים תָּקוּם Prov. 15:22
278 וַעֲצַת יְיָ הִיא תָקוּם Prov. 19:21
279 מַשִּׂיגֵהוּ חֶרֶב בְּלִי תָקוּם Job 41:18
וַתָּקָם 280 וַתָּקָם הַצְּעִירָה וַתִּשְׁכַּב עִמּוֹ Gen. 19:35
281 וַתָּקָם רִבְקָה וְנַעֲרֹתֶיהָ וַתִּרְכַּבְנָה Gen. 24:61
282 וַתָּקָם וַתֵּלֶךְ וַתָּסַר צְעִיפָהּ Gen. 38:19
283 וַתָּקָם דְּבוֹרָה וַתֵּלֶךְ...קֶדְשָׁה Jud. 4:9
284 וַתָּקָם חַנָּה אַחֲרֵי אָכְלָה בְשִׁלֹה ISh. 1:9
285 וַתָּקָם וַתִּשְׁתַּחוּ אַפַּיִם אָרְצָה ISh. 25:41
286 וַתְּמַהֵר וַתָּקָם אֲבִיגַיִל וַתִּרְכַּב ISh. 25:42
287 וַתָּקָם בְּתוֹךְ הַלַּיְלָה וַתִּקַּח אֶת־בְּנִי IK. 3:20
288 וַתָּקָם וַתֵּלֶךְ שִׁלֹה IK. 14:4
289 וַתָּקָם אֵשֶׁת יָרָבְעָם וַתֵּלֶךְ IK. 14:17
290 וַתָּקָם הָאִשָּׁה וַתַּעַשׂ כִּדְבַר אִישׁ הָאֱלֹ׳ IIK. 8:2
291 וַתָּקָם וַתְּאַבֵּד אֵת כָּל־זֶרַע הַמַּמְלָכָה IIK. 11:1
292 וַתָּקָם בְּעוֹד לַיְלָה וַתִּתֵּן טֶרֶף Prov. 31:15
293 וַתָּקָם הִיא וְכַלֹּתֶיהָ וַתָּשָׁב Ruth 1:6
294 וַתָּקָם לְלַקֵּט Ruth 2:15
295 וַתָּ׳ בְּטֶרֶם° יַכִּיר אִישׁ אֶת־רֵעֵהוּ Ruth 3:14
296 וַתָּקָם אֶסְתֵּר וַתַּעֲמֹד לִפְנֵי הַמֶּלֶךְ Es. 8:4
297 וַתָּקָם וַתְּדַבֵּר אֶת־כָּל־זֶרַע הַמַּמְלָכָה
IICh. 22:10
נָקוּם 298/9 נָקוּם וּבָנִינוּ Neh. 2:18, 20
וְנָקוּמָה 300 וְנָקוּמָה וְנַעֲלֶה בֵּית־אֵל Gen. 35:3
301 שִׁלְחָה הַנַּעַר אִתִּי וְנָקוּמָה וְנֵלֵכָה Gen. 43:8
302 קוּמוּ וְנָקוּמָה עָלֶיהָ לַמִּלְחָמָה Ob. 1
תָּקֻמוּ 303 וְאַתֶּם תָּקֻמוּ מֵהָאוֹרֵב Josh. 8:7
304 וְנִפְלוּ וְלֹא תָקוּמוּ Jer. 25:27
יָקוּמוּ 305 יָקוּמוּ כָּל־הָעָם וְנִצְּבוּ Ex. 33:8
306 וְקָמוּ נְדָרֶיהָ וֶאֱסָרָהּ...יָקֻמוּ Num. 30:8
307 בְּנֵיכֶם אֲשֶׁר יָקוּמוּ מֵאַחֲרֵיכֶם Deut. 29:21
308 יָקוּמוּ וְיַעְזְרֻכֶם Deut. 32:38
309 יָקוּמוּ נָא הַנְּעָרִים וִישַׂחֲקוּ לְפָנֵינוּ IISh. 2:14
310 וַיֹּאמֶר יוֹאָב יָקֻמוּ IISh. 2:14
311 בַּל־יָקֻמוּ וְיָרְשׁוּ אָרֶץ Is. 14:21
312 מֵתִים בַּל־יִחְיוּ רְפָאִים בַּל־יָקֻמוּ Is. 26:14
313 לֹא־יָקֻמוּ אֲשֵׁרִים וְחַמָּנִים Is. 27:9
314 יַחְדָּו יִשְׁכְּבוּ בַּל־יָקוּמוּ Is. 43:17
315 יָקוּמוּ אִם־יוֹשִׁיעוּךָ Jer. 2:28
316 הֲיִפְּלוּ וְלֹא יָקוּמוּ Jer. 8:4
317 אִישׁ בְּאָהֳלוֹ יָקוּמוּ וְשָׂרְפוּ Jer. 37:10

יָקוּמוּ (המשך)
318 קוּם יָקוּמוּ דְבָרַי עֲלֵיכֶם לְרָעָה Jer. 44:29
319 וְנָפְלוּ וְלֹא־יָקוּמוּ עוֹד Am. 8:14
320 פֶּתַע יָקוּמוּ נֹשְׁכֶיךָ Hab. 2:7
321 לֹא־יָקֻמוּ רְשָׁעִים בַּמִּשְׁפָּט Ps. 1:5
322 יָקֻמוּ וִיסַפְּרוּ לִבְנֵיהֶם Ps. 78:6
323 אִם־רְפָאִים יָקוּמוּ יוֹדוּךָ Ps. 88:11
324 בְּמַהֲמֹרוֹת בַּל־יָקוּמוּ Ps. 140:11
325 עַל־יָמִין פִּרְחַח יָקוּמוּ Job 30:12
וְיָקֻמוּ 326 וְיָקֻמוּ וְיִתְהַלְּכוּ בָאָרֶץ Josh. 18:4
וַיָּקֻמוּ 327 וַיָּקֻמוּ מִשָּׁם הָאֲנָשִׁים וַיַּשְׁקִפוּ Gen. 18:16
328 וַיָּקֻמוּ וַיֵּלְכוּ יַחְדָּו Gen. 22:19
329 וַיָּקוּמוּ בַבֹּקֶר וַיֹּאמֶר שַׁלְּחֻנִי Gen. 24:54
330 וַיָּקֻמוּ כָל־בָּנָיו...לְנַחֲמוֹ Gen. 37:35
331 וַיָּקֻמוּ וַיֵּרְדוּ מִצְרַיִם Gen. 43:15
332 וַיֵּשֶׁב הָעָם...וַיָּקֻמוּ לְצַחֵק Ex. 32:6
333 וַיָּקֻמוּ לִפְנֵי מֹשֶׁה Num. 16:2
334 וַיָּקוּמוּ שָׂרֵי מוֹאָב וַיָּבֹאוּ Num. 22:14
335 וַיָּקֻמוּ הָאֲנָשִׁים וַיֵּלֵכוּ Josh. 18:8
336 וַיָּקֻמוּ עָלַי בַּעֲלֵי הַגִּבְעָה Jud. 20:5
337 וַיָּקֻמוּ זִקְנֵי בֵיתוֹ עָלָיו IISh. 12:17
338 וַיָּקוּמוּ עַל־עָמְדָם וַיִּקְרְאוּ Neh. 9:3
339 וַיָּקוּמוּ כָּל־אִישׁ חַיִל וַיִּשְׂאוּ ICh. 10:12
340 וַיָּקֻמוּ הַלְוִיִּם...לְהַלֵּל לַיְיָ IICh. 20:19
341 וַיָּקֻמוּ...עַל־הַבָּאִים מִן־הַצָּבָא IICh. 28:12
342-357 וַיָּקֻמוּ Jud. 20:18 · ISh. 17:52; 28:25 · IISh. 2:15; 13:29 · IK. 1:49; 11:18 · IIK. 3:24; 7:5; 12:21; 25:26 · Jer. 26:17 · IICh. 28:15; 29:12; 30:14, 27
362-358 וַיָּקוּמוּ Jud. 20:19 · ISh. 23:24; 31:12 · IIK. 7:7 · Ez. 1:5
יְקוּמוּן 363 מְחַץ...וּמְשַׂנְאָיו מִן־יְקוּמוּן Deut. 33:11
364 וָאֶמְחָצֵם וְלֹא יְקוּמוּן IISh. 22:39
365 יִחְיוּ מֵתֶיךָ נְבֵלָתִי יְקוּמוּן Is. 26:19
366 יְקוּמוּן עֵדֵי חָמָס Ps. 35:11
קוּם
367 קוּם הִתְהַלֵּךְ בָּאָרֶץ Gen. 13:17
368 קוּם קַח אֶת־אִשְׁתְּךָ Gen. 19:15
369 קוּם־נָא שְׁבָה וְאָכְלָה Gen. 27:19
370 קוּם לֵךְ פַּדֶּנָה אֲרָם Gen. 28:2
371 קוּם צֵא מִן־הָאָרֶץ הַזֹּאת Gen. 31:13
372 קוּם עֲלֵה בֵית־אֵל וְשֶׁב־שָׁם Gen. 35:1
373 קוּם רְדֹף אַחֲרֵי הָאֲנָשִׁים Gen. 44:4
374 קוּם עֲשֵׂה־לָנוּ אֱלֹהִים Ex. 32:1
375 קוּם לֵךְ אִתָּם Num. 22:20
376 קוּם בָּלָק וּשְׁמָע Num. 23:18
377 קוּם רֵד מַהֵר מִזֶּה Deut. 9:12
378 קוּם בָּרָק וּשֲׁבֵה שֶׁבְיְךָ Jud. 5:12
379 קוּם רֵד בַּמַּחֲנֶה Jud. 7:9
380 קוּם הֲרֹג אוֹתָם Jud. 8:20
381 קוּם אַתָּה וּפְגַע־בָּנוּ Jud. 8:21
382 קוּם אֱכָל־לֶחֶם וְיִטַב לִבֶּךָ IK. 21:7
383 קוּם רֵשׁ אֶת־כֶּרֶם נָבוֹת IK. 21:15
384 קוּם רֵד לִקְרַאת אַחְאָב IK. 21:18
385 קוּם וַעֲשֵׂה וִיהִי יְיָ עִמָּךְ ICh. 22:16(15)
406-386 קוּם Deut. 10:11 · Josh. 1:2; 7:10, 13 · Jud. 4:14; 9:32 · ISh. 16:12; 23:4 · IISh. 19:8 · IK. 17:9; 19:5, 7 · IIK. 1:3 · Jer. 13:6; 18:2 · Ezek. 3:22 · Jon. 1:2, 6; 3:2 · Mic. 6:1 · Ez. 10:4
וְקוּם 407 וְקוּם בְּרַח־לְךָ אֶל־לָבָן Gen. 27:43
408 קַח עִמְּךָ...וְקוּם עֲלֵה הָעָי Josh. 8:1
409 וְקוּם לֵךְ בַּקֵּשׁ אֶת־הָאֲתֹנֹת ISh. 9:3
410 קַח...וְקוּם לֵךְ פְּרָתָה Jer. 13:4
קוּמָה 411 קוּמָה וְנַעֲלֶה עֲלֵיהֶם Jud. 18:9

קוּמָה (המשך)
412 קוּמָה וַאֲשַׁלְּחֶךָּ ISh. 9:26
413 קוּמָה וְהוֹשִׁיעֵנוּ Jer. 2:27
414 קוּמָה וְנָשֻׁבָה אֶל־עַמֵּנוּ Jer. 46:16
415 קוּמָה עֶזְרָתָה לָּנוּ Ps. 44:27
קוּמָה 416 קוּמָה יְיָ וְיָפֻצוּ אֹיְבֶיךָ Num. 10:35
417 קוּמָה יְיָ הוֹשִׁיעֵנִי אֱלֹהַי Ps. 3:8
418 קוּמָה יְיָ בְּאַפֶּךָ Ps. 7:7
419 קוּמָה יְיָ אַל־יָעֹז אֱנוֹשׁ Ps. 9:20
420 קוּמָה יְיָ אֵל נְשָׂא יָדֶךָ Ps. 10:12
421 קוּמָה יְיָ קַדְּמָה פָנָיו Ps. 17:13
422 קוּמָה אֱלֹהִים רִיבָה רִיבֶךָ Ps. 74:22
423 קוּמָה אֱלֹהִים שָׁפְטָה הָאָרֶץ Ps. 82:8
424 קוּמָה יְיָ לִמְנוּחָתֶךָ... Ps. 132:8
425 קוּמָה יְיָ אֱלֹהִים לְנוּחֶךָ IICh. 6:41
וְקוּמָה 426 הַחֲזֵק מָגֵן וְצִנָּה וְקוּמָה בְּעֶזְרָתִי Ps. 35:2
קוּמִי 427 קוּמִי שְׂאִי אֶת־הַנַּעַר Gen. 21:18
428 וַיֹּאמֶר אֵלֶיהָ קוּמִי וְנֵלֵכָה Jud. 19:28
429 וַיֹּאמֶר־לָהּ אַמְנוֹן קוּמִי לֵכִי IISh. 13:15
430 קוּמִי נָא וְהִשְׁתַּנִּית IK. 14:2
431 וְאַתְּ קוּמִי לְכִי לְבֵיתֵךְ IK. 14:12
432 קוּמִי וּלְכִי אַתְּי וּבֵיתֵךְ IIK. 8:1
433 כִּתִּים° קוּמִי עֲבֹרִי Is. 23:12
434 הִתְעוֹרְרִי קוּמִי יְרוּשָׁלַםִ Is. 51:17
435 הִתְנַעֲרִי...קוּמִי שְׁבִי יְרוּשָׁלָםִ Is. 52:2
436 קוּמִי אוֹרִי כִּי בָא אוֹרֵךְ Is. 60:1
437 קוּמִי וָדוֹשִׁי בַת־צִיּוֹן Mic. 4:13
438 קוּמִי לָךְ רַעְיָתִי יָפָתִי S.ofS. 2:10
439 קוּמִי לָכְי° רַעְיָתִי יָפָתִי S.ofS. 2:13
440 קוּמִי רֹנִּי בַלַּיְל לְרֹאשׁ אַשְׁמֻרוֹת Lam. 2:19
קוּמוּ 441 קוּמוּ צְּאוּ מִן־הַמָּקוֹם הַזֶּה Gen. 19:14
442 קוּמוּ צְּאוּ מִתּוֹךְ עַמִּי Ex. 12:31
443 עַתָּה קֻמוּ וְעִבְרוּ לָכֶם Deut. 2:13
444 קוּמוּ סְּעוּ וְעִבְרוּ Deut. 2:24
445 קוּמוּ כִּי־נָתַן יְיָ בְּיֶדְכֶם Jud. 7:15
446 קוּמוּ וְנִבְרָחָה כִּי לֹא־תִהְיֶה...פְלֵיטָה IISh. 15:14
447 קוּמוּ וְעִבְרוּ מְהֵרָה אֶת־הַמַּיִם IISh. 17:21
448 קוּמוּ הַשָּׂרִים מִשְׁחוּ מָגֵן Is. 21:5
449 קוּמוּ וְנַעֲלֶה בַצָּהֳרָיִם Jer. 6:4
450 קוּמוּ וְנַעֲלֶה בַלָּיְלָה Jer. 6:5
451 קוּמוּ וְנַעֲלֶה צִיּוֹן Jer. 31:4(5)
452 קוּמוּ עֲלוּ אֶל־קֵדָר Jer. 49:28
453 קוּמוּ עֲלוּ אֶל־גּוֹי שְׁלֵיו Jer. 49:31
454 קוּמוּ וְנָקוּמָה עָלֶיהָ לַמִּלְחָמָה Ob. 1
455 קוּמוּ וּלְכוּ כִּי לֹא־זֹאת הַמְּנוּחָה Mic. 2:10
456 קוּמוּ בָּרְכוּ אֶת־יְיָ אֱלֹהֵיכֶם Neh. 9:5
וְקוּמוּ 457 וְקוּמוּ שׁוּבוּ אֶל־הָאִישׁ Gen. 43:13
458 הִתְקַבְּצוּ...וְקוּמוּ לַמִּלְחָמָה Jer. 49:14
459 וְקוּמוּ וּבְנוּ אֶת־מִקְדַּשׁ יְיָ ICh. 22:19(18)
קֹמְנָה 460 נָשִׁים שַׁאֲנַנּוֹת קֹמְנָה שְׁמַעְנָה קוֹלִי Is. 32:9
אֲקוֹמֵם 461 וְחָרְבוֹתֶיהָ אֲקוֹמֵם Is. 44:26
תְּקוֹמֵם 462 מוֹסְדֵי דוֹר־וָדוֹר תְּקוֹמֵם Is. 58:12
יְקוֹמֵם 463 וְאֶתְמוּל עַמִּי לְאוֹיֵב יְקוֹמֵם Mic. 2:8
יְקוֹמֵמוּ 464 שֹׁמְמוֹת רִאשֹׁנִים יְקוֹמֵמוּ Is. 61:4
לְקַיֵּם 465 וְיִחֲלוּ לְקַיֵּם דָּבָר Ezek. 13:6
466 לְקַיֵּם כָּל־דָּבָר שָׁלַף אִישׁ נַעֲלוֹ Ruth 4:7
467 לְקַיֵּם עֲלֵיהֶם לִהְיוֹת עֹשִׂים Es. 9:21
468 לְקַיֵּם אֵת אִגֶּרֶת הַפֻּרִים Es. 9:29
469 לְקַיֵּם אֶת־יְמֵי הַפֻּרִים הָאֵלֶּה Es. 9:31
קִיַּם 470 כַּאֲשֶׁר קִיַּם עֲלֵיהֶם מָרְדֳּכַי Es. 9:31
471 וּמַאֲמַר אֶסְתֵּר קִיַּם דִּבְרֵי הַפֻּרִים Es. 9:32
קִיְּמוּ 472 קִיְּמוּ וְקִבְּלֻ הַיְּהוּדִים עֲלֵיהֶם Es. 9:27
473 וְכַאֲשֶׁר קִיְּמוּ עַל־נַפְשָׁם Es. 9:31

וָאֲקַיֵּמָה 474 נִשְׁבַּעְתִּי וָאֲקַיֵּמָה לִשְׁמֹר... Ps. 119:106
קַיְּמֵנִי 475 קַיְּמֵנִי כִּדְבָרֶךָ Ps. 119:28
וּמִתְקוֹמְמִי 476 יְהִי כְרָשָׁע אֹיְבִי וּמִתְקוֹמְמִי כְעַוָּל Job 27:7
מִמִּתְקוֹמְמַי 477 הַצִּילֵנִי...מִמִּתְקוֹמְמַי תְּשַׂגְּבֵנִי Ps. 59:2
מִתְקוֹמָמָה 478 וְאֶרֶץ מִתְקוֹמָמָה לוֹ Job 20:27
מִמִּתְקוֹמְמִים 479 מוֹשִׁיעַ...מִמִּתְקוֹמְמִים בִּימִינֶךָ Ps. 17:7
וּבִתְקוֹמְמֶיךָ 480 וּבִתְקוֹמְמֶיךָ אֶתְקוֹטָט Ps. 139:21
הָקֵם 481 הָקֵם תָּקִים עִמּוֹ Deut. 22:4
482 אַךְ הָקֵם הֵקִימוּ אֶת־הַשֹּׁמְרִים Jud. 7:19
(הָקִים) 483 הָקִים תָּקִימְנָה אֶת־נִדְרֵיכֶם Jer. 44:25
הָקִים 484 וּבְיוֹם הָקִים אֶת־הַמִּשְׁכָּן Num. 9:15
485 לְמַעַן הָקִים אֶת־בְּרִיתוֹ Deut. 8:18
486 וּלְמַעַן הָקִים אֶת־הַדָּבָר Deut. 9:5
487 לְמַעַן הָקִים־אֹתְךָ...לוֹ לְעָם Deut. 29:12
488 לְמַעַן הָקִים אֶת־דְּבָרוֹ IK. 12:15
489 לְמַעַן הָקִים אֶת־דִּבְרֵי הַתּוֹרָה IIK. 23:24
490 לְמַעַן הָקִים אֶת־הַשְּׁבוּעָה Jer. 11:5
491 לְמַעַן הָקִים יְיָ אֶת־דְּבָרוֹ IICh. 10:15
לְהָקִים 492 בְּיוֹם כַּלּוֹת...לְהָקִים...הַמִּשְׁכָּן Num. 7:1
493 לְהָקִים לְאָחִיו שֵׁם בְּיִשְׂרָאֵל Deut. 25:7
494 לְהָקִים אֶת־בְּנוֹ אַחֲרָיו IK. 15:4
495 לְהָקִים אֶת־דִּבְרֵי הַבְּרִית IIK. 23:3
496 לְהָקִים אֶת־שִׁבְטֵי יַעֲקֹב Is. 49:6
497 וְאֶתֶּנְךָ לִבְרִית עָם לְהָקִים אֶרֶץ Is. 49:8
498/9 לְהָקִים שֵׁם־הַמֵּת עַל־נַחֲלָתוֹ Ruth 4:5,10
500 לְהָקִים מִזְבֵּחַ לַיְיָ ICh. 21:18
וּלְהָקִים 501 וּלְהָקִים אֶת־כִּסֵּא דָוִד עַל־יִשְׂרָאֵל IISh. 3:10
הֲקִימוֹ 502/3 וְעַד־הֲקִימוֹ מְזִמּוֹת לִבּוֹ Jer. 23:20; 30:24
לַהֲקִימוֹ 504 וַיָּקֻמוּ...לַהֲקִימוֹ מִן־הָאָרֶץ IISh. 12:17
505 הָאֶחָד שֶׁיִּפּוֹל וְאֵין שֵׁנִי לַהֲקִימוֹ Eccl. 4:10
הֲקִמֹתִי 506 זֹאת אוֹת־הַבְּרִית אֲשֶׁר הֲקִמֹתִי Gen. 9:17
507 וְגַם הֲקִמֹתִי אֶת־בְּרִיתִי אִתָּם Ex. 6:4
508 הֲקִימֹתִי אֶת־דְּבַר יְיָ ISh. 15:13
וַהֲקִימֹתִי 509 וַהֲקִמֹתִי אֶת־בְּרִיתִי אִתָּךְ Gen. 6:18
510 וַהֲקִמֹתִי אֶת־בְּרִיתִי אִתְּכֶם Gen. 9:11
511/2 וַהֲקִמֹתִי אֶת־בְּרִיתִי Gen. 17:7, 19
513 וַהֲקִמֹתִי אֶת־הַשְּׁבֻעָה Gen. 26:3
514 וַהֲקִימֹתִי אֶת־בְּרִיתִי אִתְּכֶם Lev. 26:9
515 וַהֲקִימֹתִי לִי כֹּהֵן נֶאֱמָן ISh. 2:35
516 וַהֲקִימֹתִי אֶת־זַרְעֲךָ אַחֲרֶיךָ IISh. 7:12
517 וַהֲקִמֹתִי אֶת־דְּבָרִי אִתָּךְ IK. 6:12
518 וַהֲקִמֹתִי אֶת־כִּסֵּא מַמְלַכְתְּךָ IK. 9:5
519 וַהֲקִימֹתִי עָלַיִךְ מְצֻרֹת Is. 29:3
520 וַהֲקִמֹתִי עֲלֵיכֶם צֹפִים Jer. 6:17
521 וַהֲקִמֹתִי עֲלֵיהֶם רֹעִים וְרָעוּם Jer. 23:4
522 וַהֲקִמֹתִי לְדָוִד צֶמַח צַדִּיק Jer. 23:5
523 וַהֲקִמֹתִי עֲלֵיכֶם אֶת־דְּבָרִי Jer. 29:10
524 וַהֲקִמֹתִי אֶת־הַדָּבָר הַטּוֹב Jer. 33:14
525 וַהֲקִימוֹתִי לָךְ בְּרִית עוֹלָם Ezek. 16:60
526 וַהֲקִימוֹתִי אֲנִי אֶת־בְּרִיתִי Ezek. 16:62
527 וַהֲקִמֹתִי עֲלֵיהֶם רֹעֶה אֶחָד Ezek. 34:23
528 וַהֲקִמֹתִי לָהֶם מַטָּע לְשֵׁם Ezek. 34:29
529 וַהֲקִימוֹתִי אֶת־זַרְעֲךָ אַחֲרֶיךָ ICh. 17:11
530 וַהֲקִימוֹתִי אֵת כִּסֵּא מַלְכוּתֶךָ IICh. 7:18
וַהֲקֵמֹתָ 531 וַהֲקֵמֹתָ אֶת־הַמִּשְׁכָּן Ex. 26:30
532 וַהֲקֵמֹתָ לְךָ אֲבָנִים גְּדֹלוֹת Deut. 27:2
הֲקֵמֹתוֹ 533 וְלֹא הֲקֵמֹתוֹ בַּמִּלְחָמָה Ps. 89:44
וַהֲקֵמֹתוֹ 534 וַהֲקֵמֹתוֹ מִתּוֹךְ אֶחָיו IIK. 9:2
הֵקִים 535 הֵקִים אֹתָם כִּי־הֶחֱרִשׁ לָהּ Num. 30:15
536 וּשְׁתֵּים עֶשְׂרֵה אֲבָנִים הֵקִים Josh. 4:9
537 הֵקִים יְהוֹשֻׁעַ בַּגִּלְגָּל Josh. 4:20
538 וְאֶת־בְּנֵיהֶם הֵקִים תַּחְתָּם Josh. 5:7

הֵקִים (המשך) 539 וְכִי־הֵקִים יְיָ לָהֶם שֹׁפְטִים Jud. 2:18
540 וְאֶת־דְּבָרַי לֹא הֵקִים ISh. 15:11
541 הֵקִים בְּנִי אֶת־עַבְדִּי עָלַי לְאֹרֵב ISh. 22:8
542 הֵקִים מִכִּסְאוֹתָם כֹּל מַלְכֵי גוֹיִם Is. 14:9
543 הֵקִים לָנוּ יְיָ נְבִאִים בָּבֶלָה Jer. 29:15
544 מִי הֵקִים כָּל־אַפְסֵי־אָרֶץ Prov. 30:4
וְהֵקִים 545 וְהֵקִים אֶת־כָּל־נְדָרֶיהָ Num. 30:15
546 וְהֵקִים יְיָ לוֹ מֶלֶךְ עַל־יִשְׂרָאֵל IK. 14:14
547 וְהֵקִים עָלַיִךְ צִנָּה Ezek. 26:8
וַהֲקֵמֹנוּ 548 וַהֲקֵמֹנוּ עָלָיו שִׁבְעָה רֹעִים Mic. 5:4
הֵקִימוּ 549 אַךְ הָקֵם הֵקִימוּ אֶת־הַשֹּׁמְרִים Jud. 7:19
550 הֵקִימוּ בַחוּנָיו° עֹרְרוּ אַרְמְנוֹתֶיהָ Is. 23:13
551 לֹא־הֵקִימוּ אֶת־דִּבְרֵי הַבְּרִית Jer. 34:18
552 הֵקִימוּ...אֶת־מִצְוַת אֲבִיהֶם Jer. 35:16
וְהֵקִימוּ 553 וְהֵקִימוּ אֶת־הַמִּשְׁכָּן Num. 10:21
מֵקִים 554 הִנְנִי מֵקִים אֶת־בְּרִיתִי אִתְּכֶם Gen. 9:9
555 מֵקִים מֵעָפָר דָּל ISh. 2:8
556 הִנְנִי מֵקִים עָלֶיךָ רָעָה מִבֵּיתֶךָ IISh. 12:11
557 מֵקִים דְּבַר עַבְדּוֹ Is. 44:26
558 וְנָפַל וְאֵין לוֹ מֵקִים Jer. 50:32
559 כִּי הִנְנִי מֵקִים עֲלֵיכֶם...גּוֹי Am. 6:14
560 כִּי־הִנְנִי מֵקִים אֶת־הַכַּשְׂדִּים Hab. 1:6
561 הִנֵּה־אָנֹכִי מֵקִים רֹעֶה בָּאָרֶץ Zech. 11:16
וּמֵקִים 562 אֵין־נֹטֶה...וּמֵקִים יְרִיעוֹתָי Jer. 10:20
מְקִימִי 563 מְקִימִי מֵעָפָר דָּל Ps. 113:7
מְקִימָהּ 564 נִטְּשָׁה עַל־אַדְמָתָהּ אֵין מְקִימָהּ Am. 5:2
אָקִים 565 וְאֶת־בְּרִיתִי אָקִים אֶת־יִצְחָק Gen. 17:21
566 נָבִיא אָקִים לָהֶם מִקֶּרֶב אֲחֵיהֶם Deut. 18:18
567 אָקִים אֶל־עֵלִי אֵת כָּל־אֲשֶׁר דִּבַּרְתִּי ISh.3:12
568 וְאֵת דָּוִד מַלְכָּם אֲשֶׁר אָקִים לָהֶם Jer. 30:9
569 אָקִים אֶת־סֻכַּת דָּוִיד הַנֹּפֶלֶת Am. 9:11
570 וַהֲרִסֹתָיו אָקִים Am. 9:11
וָאָקִים 571 וָאָקִים מִבְּנֵיכֶם לִנְבִיאִים Am. 2:11
תָּקִים 572 תָּקִים אֶת־מִשְׁכַּן אֹהֶל מוֹעֵד Ex. 40:2
573 וְלֹא־תָקִים לְךָ מַצֵּבָה Deut. 16:22
574 הָקֵם תָּקִים עִמּוֹ Deut. 22:4
575 וְאֶת־מַלְכְּךָ אֲשֶׁר תָּקִים עָלֶיךָ Deut. 28:36
וַתָּקֶם 576 וַתָּקֶם אֶת־דְּבָרֶיךָ כִּי צַדִּיק אָתָּה Neh. 9:8
יָקִים 577 נָבִיא...יָקִים לְךָ יְיָ אֱלֹהֶיךָ Deut. 18:15
578 לֹא־יָקִים אֶת־דִּבְרֵי הַתּוֹרָה Deut. 27:26
579 לְמַעַן יָקִים יְיָ אֶת־דְּבָרוֹ IK. 2:4
580 הָאֶחָד יָקִים אֶת־חֲבֵרוֹ Eccl. 4:10
581 אֲשֶׁר לֹא־יָקִים אֶת־הַדָּבָר הַזֶּה Neh. 5:13
יָקֵם 582 אַךְ יָקֵם יְיָ אֶת־דְּבָרוֹ ISh. 1:23
583 יָקֵם יְיָ אֶת־דְּבָרֶיךָ Jer. 28:6
584 יָקֵם סְעָרָה לִדְמָמָה Ps. 107:29
וַיָּקֶם 585 וַיָּקֶם מֹשֶׁה אֶת־הַמִּשְׁכָּן Ex. 40:18
586 וַיָּקֶם אֶת־עַמּוּדָיו Ex. 40:18
587 וַיָּקֶם אֶת־הֶחָצֵר סָבִיב Ex. 40:33
588 וַיָּקֶם יְיָ שֹׁפְטִים וַיּוֹשִׁיעוּם Jud. 2:16
589 וַיָּקֶם יְיָ מוֹשִׁיעַ לִבְנֵי יִשׂ׳ וַיּוֹשִׁיעֵם Jud. 3:9
590 וַיָּקֶם יְיָ לָהֶם מוֹשִׁיעַ Jud. 3:15
591 וַיָּקֶם אֶת־הָעַמֻּדִים לְאֻלָם הַהֵיכָל IK. 7:21
592 וַיָּקֶם אֶת־הָעַמּוּד הַיְמָנִי IK. 7:21
593 וַיָּקֶם אֶת־הָעַמּוּד הַשְּׂמָאלִי IK. 7:21
594 וַיָּקֶם יְיָ אֶת־דְּבָרוֹ אֲשֶׁר דִּבֵּר IK. 8:20
595 וַיָּקֶם יְיָ שָׂטָן לִשְׁלֹמֹה IK. 11:14
596 וַיָּקֶם אֱלֹהִים לוֹ שָׂטָן IK. 11:23
597 וַיָּקֶם מִזְבֵּחַ לַבָּעַל IK. 16:32
598 וַיָּקֶם מִזְבְּחֹת לַבַּעַל IIK. 21:3
599 וַיָּקֶם עַל־סֶלַע רַגְלַי כּוֹנֵן אֲשֻׁרָי Ps. 40:3
600 וַיָּקֶם עֵדוּת בְּיַעֲקֹב Ps. 78:5

וַיָּקֶם (המשך) 601 וַיָּקֶם אֶת־דְּבָרוֹ° אֲשֶׁר־דִּבֶּר Dan. 9:12
602 וַיָּקֶם אֶת־הָעַמּוּדִים IICh. 3:17
603 וַיָּקֶם יְיָ אֶת־דְּבָרוֹ אֲשֶׁר דִּבֵּר IICh. 6:10
604 וַיָּקֶם מִזְבְּחוֹת לַבְּעָלִים IICh. 33:3
וַיְקִימֵנִי 605 וַיְקִימֵנִי לוֹ לְמַטָּרָה Job 16:12
יְקִימְךָ 606 יְקִימְךָ יְיָ לוֹ לְעַם קָדוֹשׁ Deut. 28:9
יְקִימֶנּוּ 607 כָּרַע...וּכְלָבִיא מִי יְקִימֶנּוּ Gen. 49:9
608 כָּרַע...וּכְלָבִיא מִי יְקִימֶנּוּ Num. 24:9
609 אִישָׁהּ יְקִימֶנּוּ וְאִישָׁהּ יְפֵרֶנּוּ Num. 30:14
יְקִימֶנָּה 610 הַהוּא...וְדִבֶּר וְלֹא יְקִימֶנָּה Num. 23:19
וַיְקִימֶהָ 611 וַיְקִימֶהָ שָּׁם תַּחַת הָאַלָּה Josh. 24:26
יְקִמֵנוּ 612 בַּיּוֹם הַשְּׁלִישִׁי יְקִמֵנוּ וְנִחְיֶה לְפָנָיו Hosh. 6:2
תָקִימוּ 613 וּפֶסֶל וּמַצֵּבָה לֹא־תָקִימוּ לָכֶם Lev. 26:1
614 תָּקִימוּ אֶת־הָאֲבָנִים הָאֵלֶּה Deut. 27:4
יָקִימוּ 615 וּבַחֲנֹת הַמִּשְׁכָּן יָקִימוּ אֹתוֹ Num. 1:51
וַיָּקִימוּ 616/7 וַיָּקִימוּ עָלָיו גַּל־אֲבָנִים גָּדוֹל Josh.7:26; 8:29
618 וַיָּקִימוּ לָהֶם בְּנֵי־דָן אֶת־הַפָּסֶל Jud. 18:30
יְקִימוּן 619 כּוֹשֵׁל יְקִימוּן מִלֶּיךָ Job 4:4
תָּקִימְנָה 620 הָקֵים תָּקִימְנָה אֶת־נִדְרֵיכֶם Jer. 44:25
הָקֵם 621 הַדָּבָר...הָקֵם עַד־עוֹלָם IISh. 7:25
622 עֲלֵה הָקֵם לַייָ מִזְבֵּחַ IISh. 24:18
623 הָקֵם לְעַבְדְּךָ אִמְרָתֶךָ Ps. 119:38
וְהָקֵם 624 בֹּא...וְהָקֵם זֶרַע לְאָחִיךָ Gen. 38:8
וַהֲקִימֵנִי 625 וְאַתָּה יְיָ חָנֵּנִי וַהֲקִימֵנִי Ps. 41:11
הָקִימוּ 626 הָקִימוּ שֹׁמְרִים הָכִינוּ הָאֹרְבִים Jer. 51:12
הוּקַם 627 בַּחֹדֶשׁ הָרִאשׁוֹן...הוּקַם הַמִּשְׁכָּן Ex. 40:17
628 וּנְאֻם הַגֶּבֶר הֻקַם עָל IISh. 23:1
629 הוּקַם אֶת־דִּבְרֵי יְהוֹנָדָב Jer. 35:14

(קום)² קָם פְּ׳ ארמית כמו בעברית

א) קָם, התיַצב ועמד: 1-8, 10-13
ב) [כנ״ל] התקים: 9
ג) [פַּ׳ קַיֵּם] קִיֵּם, נתן תוקף: 14
ד) [הַפְ׳ הֲקִים] הֵקִים, הציב, העמיד: 15-33
ה) [הָפְ׳ הֳקַם] הֻעֲמַד: 34, 35

וְקָם 1 מַלְכָּא תְּוַהּ וְקָם בְּהִתְבְּהָלָה Dan. 3:24
קָמוּ 2 בֵּאדַיִן קָמוּ זְרֻבָּבֶל... וְיֵשׁוּעַ Ez. 5:2
קָאֵם 3 צַלְמָא דִּכֵּן...קָאֵם לְקָבְלָךְ Dan. 2:31
וְקָיְמִין 4 וְקָיְמִין (כת׳ וקאמין) לָקֳבֵל צַלְמָא Dan. 3:3
קָאֲמַיָּא 5 קִרְבֵת עַל־חַד מִן־קָאֲמַיָּא Dan. 7:16
יְקוּם 6 מַלְכָּא בִּשְׁפַרְפָּרָא יְקוּם בְּנָגְהָא Dan. 6:20
7 וְאָחֳרָן יְקוּם אַחֲרֵיהֹן Dan. 7:24
תְּקוּם 8 וּבָתְרָךְ תְּקוּם מַלְכוּ אָחֳרִי Dan. 2:39
9 וְהִיא תְּקוּם לְעָלְמַיָּא Dan. 2:44
יְקוּמוּן 10 וְרִבּוֹ רִבְבָן° קֳדָמוֹהִי יְקוּמוּן Dan. 7:10
11 אַרְבְּעָה מַלְכִין יְקוּמוּן מִן־אַרְעָא Dan. 7:17
12 מִנַּהּ...עַשְׂרָה מַלְכִין יְקֻמוּן Dan. 7:24
קוּמִי 13 קוּמִי אֲכֻלִי בְּשַׂר שַׂגִּיא Dan. 7:5
לְקַיָּמָה 14 לְקַיָּמָה קְיָם מַלְכָּא Dan. 6:8
לַהֲקָמוּתֵהּ 15 עֲשִׁית לַהֲקָמוּתֵהּ עַל־כָּל־מַלְכוּתָא Dan. 6:4
הֲקֵימֶת 16 וּלְצֶלֶם דַּהֲבָא דִּי הֲקֵימֶת Dan. 3:14
הֲקֵימְתָּ 17/8 וּלְצֶלֶם דַּהֲבָא דִּי הֲקֵימְתָּ Dan. 3:12, 18
הֲקִים 19-23 דִּי הֲקִים נְבוּכַדְנֶצַּר מַלְכָּא Dan.3:2, 3², 5, 7
וַהֲקִים 24 וַהֲקִים עַל־מַלְכוּתָא לַאֲחַשְׁדַּרְפְּנַיָּא Dan. 6:2
וַהֲקִימוּ 25 וַהֲקִימוּ כָהֲנַיָּא בִּפְלֻגָּתְהוֹן Ez. 6:18
וּמְהָקֵים 26 מְהַעְדֵּה מַלְכִין וּמְהָקֵים מַלְכִין Dan. 2:21
אֲקִימֵהּ 27 אֲקִימֵהּ בְּבִקְעַת דּוּרָא Dan. 3:1
הֲקִימֵהּ 28 רַב חַרְטֻמִּין...הֲקִימֵהּ אֲבוּךְ מַלְכָּא Dan. 5:11
תְּקִים 29 תְּקִים אֱסָרָא וְתִרְשֻׁם כְּתָבָא Dan. 6:9
יְקִים 30 יְקִים אֱלָהּ שְׁמַיָּא מַלְכוּ Dan. 2:44
31 וּשְׁפַל אֲנָשִׁים יְקִים עֲלַהּ° Dan. 4:14
יְהָקֵים 32 וּלְמַן־דִּי יִצְבֵּא יְהָקֵים עֲלַהּ° Dan. 5:21
33 דִּי־דָת...יְהָקֵים לָא לְהַשְׁנָיָה Dan. 6:16
הֳקִימַת 34 וְעַל־רַגְלַיִן כֶּאֱנָשׁ הֳקִימַת Dan. 7:4
35 וְלִשְׂטַר־חַד הֳקִמַת Dan. 7:5

קוֹמָה נ׳ גובה, רום: 1-45

קרובים: גֹּבַהּ / עַל / רוּם / שִׂיא
– גֹּבַהּ קוֹמָה 4; גָּבֹהַּ ק׳ 30; מְלֹא ק׳ 31; רֹאשׁ ק׳ 2; רָמֵי קוֹמָה 8; שִׁפְלַת קוֹמָה 3
– קוֹמַת אוֹפָן 18; ק׳ אֲרָזִים 15, 16; ק׳ כּוֹתֶרֶת 13, 14, 19, 20; ק׳ כְּרוּב 10; קוֹמַת עַמּוּד 17,12,11

קוֹמָה 1 חֲצִי הָאַמָּה קוֹמָה עָגֹל סָבִיב IK. 7:35
2 הַמִּסְפָּחוֹת עַל־רֹאשׁ כָּל־קוֹמָה Ezek. 13:18
3 וַיְהִי לְגֶפֶן סֹרַחַת שִׁפְלַת קוֹמָה Ezek. 17:6
4 וְחֹרֶשׁ מֵצַל וּגְבַהּ קוֹמָה Ezek. 31:3
וְקוֹמָה 5 וְקֹמָה חָמֵשׁ אַמּוֹת Ex. 27:18
6 וְקוֹמָה בְרֹחַב חָמֵשׁ אַמּוֹת Ex. 38:18
7 וְקוֹמָה קָנֶה אֶחָד Ezek. 40:5
הַקּוֹמָה 8 וְרָמֵי הַקּוֹמָה גְּדֻעִים Is. 10:33
בְּקוֹמָה 9 יַעַן אֲשֶׁר גָּבַהְתָּ בְּקוֹמָה Ezek. 31:10
קוֹמַת־ 10 קוֹמַת הַכְּרוּב הָאֶחָד IK. 6:26
11/2 קוֹמַת הָעַמּוּד הָאֶחָד IK. 7:15 • IIK. 25:17
13 חָמֵשׁ אַמּוֹת קוֹמַת הַכֹּתֶרֶת הָאֶחָת IK. 7:16
14 וְחָמֵשׁ אַמּוֹת קוֹמַת הַכֹּתֶרֶת הַשֵּׁנִית IK. 7:16
15 וְאֶכְרֹת קוֹמַת אֲרָזָיו IIK. 19:23
16 וְאֶכְרֹת קוֹמַת אֲרָזָיו Is. 37:24
17 קוֹמַת (כת׳ קומה) הָעַמֻּד הָאֶחָד Jer. 52:21
וְקוֹמַת־ 18 וְקוֹמַת הָאוֹפָן הָאֶחָד IK. 7:32
19 וְקוֹמַת הַכֹּתֶרֶת שָׁלֹשׁ אַמּוֹת° IIK. 25:17
20 וְקוֹמַת הַכֹּתֶרֶת הָאַחַת Jer. 52:22
קוֹמָתֵךְ 21 זֹאת קוֹמָתֵךְ דָּמְתָה לְתָמָר S.ofS. 7:8
קוֹמָתוֹ 22-25 וְאַמָּה וָחֵצִי קֹמָתוֹ Ex. 25:10, 23; 37:1, 10
26/7 וְשָׁלֹשׁ אַמּוֹת קֹמָתוֹ Ex. 27:1; 38:1
28/9 וְאַמָּתַיִם קֹמָתוֹ Ex. 30:2; 37:25
30 אַל־תַּבֵּט אֶל־מַרְאֵהוּ וְאֶל־גְּבֹהַּ קוֹמָתוֹ ISh. 16:7
31 וַיִּפֹּל מְלֹא־קוֹמָתוֹ אַרְצָה ISh. 28:20
32/3 וּשְׁלֹשִׁים אַמָּה קוֹמָתוֹ IK. 6:2; 7:2
34 וַתִּגְבַּהּ קוֹמָתוֹ עַל־בֵּין עֲבֹתִים Ezek. 19:11
35 עַל־כֵּן גָּבְהָא קֹמָתוֹ Ezek. 31:5
36-42 קוֹמָתוֹ IK.6:10,20,23;7:23 • IICh.4:1,2;6:13
קוֹמָתָהּ 43 וּשְׁלֹשִׁים אַמָּה קוֹמָתָהּ Gen. 6:15
44 וְשָׁלֹשׁ בָּאַמָּה קוֹמָתָהּ IK. 7:27
בְּקוֹמָתָם 45 לְמַעַן אֲשֶׁר לֹא־יִגְבְּהוּ בְקוֹמָתָם Ezek.31:14

קוֹמְמִיּוּת תה״פ – בקומה זקופה

קוֹמְמִיּוּת 1 וָאוֹלֵךְ אֶתְכֶם קוֹמְמִיּוּת Lev. 26:13

קוֹנָה ז׳ לקוח – עין קנה

קוֹנֵן – עין קנן

קוֹסֵם ז׳ מכשף, מגיד עתידות: 1-12 [עין עוד קֶסֶם]

קרובים: אוֹב / אַט / חוֹבֵר / חוֹזֶה / חַרְטֹם / יִדְּעֹנִי / כַּשָּׁף / מָג / מְכַשֵּׁף (כשף) / מְלַחֵשׁ (לחש) / מְנַחֵשׁ (נחש) / מְעוֹנֵן (ענן)

וְקוֹסֵם 1 שׁוֹפֵט וְנָבִיא וְקֹסֵם וְזָקֵן Is. 3:2
הַקּוֹסֵם 2 וְאֶת־בִּלְעָם...הַקּוֹסֵם הָרְגוּ ב״י Josh. 13:22
קוֹסְמִים 3 אֶל־מְעֹנְנִים וְאֶל־קֹסְמִים יִשְׁמָעוּ Deut. 18:14
וְקוֹסְמִים 4 מֵפֵר אֹתוֹת בַּדִּים וְקֹסְמִים יְהוֹלֵל Is. 44:25
הַקּוֹסְמִים 5 וּבֹשׁוּ הַחֹזִים וְחָפְרוּ הַקֹּסְמִים Mic. 3:7
וְהַקּוֹסְמִים 6 וְהַקּוֹסְמִים חָזוּ שֶׁקֶר Zech. 10:2

וְלַקּוֹסְמִים 7 וַיִּקְרְאוּ...לַכֹּהֲנִים וְלַקֹּסְמִים ISh. 6:2
קוֹסְמֵיכֶם 8 אֶל־נְבִיאֵיכֶם וְאֶל־קֹסְמֵיכֶם Jer. 27:9
וְקוֹסְמֵיכֶם 9 נְבִיאֵיכֶם...בְּקִרְבְּכֶם וְקֹסְמֵיכֶם Jer. 29:8

קוֹעַ שפ״ז – עם מבעלי ברית אשור
וְקוֹעַ 1 פְּקוֹד וְשׁוֹעַ וְקוֹעַ Ezek. 23:23

קוֹף* ז׳ בעל־חיים יונק הדומה בצורתו לאדם: 1, 2
וְקוֹפִים 1 שֶׁנְהַבִּים וְקֹפִים וְתֻכִּיִּים IK. 10:22
2 שֶׁנְהַבִּים וְקוֹפִים וְתוּכִּיִּים IICh. 9:21

קוץ : קָץ, הֵקִיץ; קוֹץ; קְוֻצָּה(?); ש״פ קוֹץ, הַקּוֹץ

(קוּץ)1 קָץ פ׳ א) מָאַס, בָּחַל: 1-8
ב) [הִפ׳ הֵקִיץ] הכרית, נדע(?): 9
קרובים: ראה מָאַס
קָץ בְּ־ 1, 2, 4, 5, 7; קָץ מִפְּנֵי־ 1, 3, 6, 8;
קָץ בְּחַיָּיו 1; קָצָה נַפְשׁוֹ 2
קַצְתִּי 1 קַצְתִּי בְחַיַּי מִפְּנֵי בְּנוֹת חֵת Gen. 27:46
קָצָה 2 וְנַפְשֵׁנוּ קָצָה בַּלֶּחֶם הַקְּלֹקֵל Num. 21:5
קָץ 3 הָאֲדָמָה אֲשֶׁר־אַתָּה קָץ מִפְּנֵי... Is. 7:16
וָאָקֻץ 4 אֶת־כָּל־אֵלֶּה עָשׂוּ וָאָקֻץ בָּם Lev. 20:23
תָּקֹץ 5 וְאַל־תָּקֹץ בְּתוֹכַחְתּוֹ Prov. 3:11
וַיָּקָץ 6 וַיָּקָץ מוֹאָב מִפְּנֵי בְּנֵי יִשְׂרָאֵל Num. 22:3
7 וַיָּקָץ בְּיִשְׂרָאֵל וַיִּמְלֹךְ עַל־אֲרָם IK. 11:25
וַיָּקֻצוּ 8 וַיָּקֻצוּ מִפְּנֵי בְּנֵי יִשְׂרָאֵל Ex. 1:12
וּנְקִיצֶנָּה 9 נַעֲלֶה בִיהוּדָה וּנְקִיצֶנָּה Is. 7:6

(קוּץ)2 – עין (קיץ) הֵקִיץ

קוֹץ1 ז׳ שם כולל לצמחים בעלי עֳקָצִים דוקרניים: 1-12
קרובים: בַּרְקָן / דַּרְדַּר / חוֹחַ / חָרוּל / נַהֲלֹל / נַעֲצוּץ / סִיר2 / סִלּוֹן / סִרְפַּד / עַקְרַב / צְנִינִים / קִמּוֹשׁ / קִמְּשׁוֹן / שַׁיִת / שִׂכִּים / שָׁמִיר
– קוֹץ מוּנָד 5; קוֹץ מַכְאִיב 4
– קוֹצִים כְּסוּחִים 7; קוֹצֵי הַמִּדְבָּר 11, 12
קוֹץ 1 עַל אַדְמַת עַמִּי קוֹץ שָׁמִיר תַּעֲלֶה Is. 32:13
2 קוֹץ וְדַרְדַּר יַעֲלֶה עַל־מִזְבְּחוֹתָם Hosh.10:8
וְקוֹץ 3 וְקוֹץ וְדַרְדַּר תַּצְמִיחַ לָךְ Gen. 3:18
4 סִלּוֹן מַמְאִיר וְקוֹץ מַכְאִב Ezek. 28:24
כְּקוֹץ 5 וּבְלִיַּעַל כְּקוֹץ מֻנָד כֻּלָּהַם IISh. 23:6
קוֹצִים 6 וּמָצְאָה קֹצִים וְנֶאֱכַל גָּדִישׁ Ex. 22:5
7 קוֹצִים כְּסוּחִים בָּאֵשׁ יִצַּתּוּ Is. 33:12
8 וְאַל־תִּזְרְעוּ אֶל־קוֹצִים Jer. 4:3
9 דֹּעֲכוּ כְּאֵשׁ קוֹצִים Ps. 118:12
וְקוֹצִים 10 זָרְעוּ חִטִּים וְקֹצִים קָצָרוּ Jer. 12:13
קוֹצֵי־ 11 אֶת־קוֹצֵי הַמִּדְבָּר וְאֶת־הַבַּרְקֳנִים Jud. 8:7
12 וְאֶת־קוֹצֵי הַמִּדְבָּר וְאֶת־הַבַּרְקֳנִים Jud. 8:16

קוֹץ2 שפ״ז – אבי עָנוּב ממטה יהודה
וְקוֹץ 1 וְקוֹץ הוֹלִיד אֶת־עָנוּב ICh. 4:8

(הַ)קּוֹץ3 שפ״ז – מן הכהנים בימי דוד: 1-5
הַקּוֹץ 1 בְּנֵי חֲבַיָּה בְּנֵי הַקּוֹץ Ez. 2:61
2/3 מְרֵמוֹת בֶּן־אוּרִיָּה בֶּן־הַקּוֹץ Neh. 3:4, 21
4 בְּנֵי חֲבַיָּה בְּנֵי הַקּוֹץ Neh. 7:64
לְהַקּוֹץ 5 לְהַקּוֹץ הַשְּׁבִעִי ICh. 24:10

קְוֻצָּה* נ׳ ציצת שערות: 1, 2
קְוֻצּוֹתַי 1 שֶׁרֹּאשִׁי נִמְלָא־טָל קְוֻצּוֹתַי רְסִיסֵי לָיְלָה S.ofS. 5:2
קְוֻצּוֹתָיו 2 קְוֻצּוֹתָיו תַּלְתַּלִּים שְׁחֹרוֹת כָּעוֹרֵב S.ofS. 5:11

קוֹצֶר ז׳ – עין קֹצֶר

קור : קָר, הֵקִיר; מָקוֹר

(קוּר) קָר פ׳ א) חָפַר: 1, 2
ב) [הִפ׳ הֵקִיר] הבקיע, הביע: 3, 4
קַרְתִּי 1 אֲנִי קַרְתִּי וְשָׁתִיתִי מַיִם זָרִים IIK. 19:24
2 אֲנִי קַרְתִּי וְשָׁתִיתִי מָיִם Is. 37:25
כְּהָקִיר 3 כְּהָקִיר בַּיִר° מֵימֶיהָ...הֵקֵרָה רָעָתָהּ Jer. 6:7
הֵקֵרָה 4 כְּהָקִיר בַּיִר°...כֵּן הֵקֵרָה רָעָתָהּ Jer. 6:7

קוּר* ז׳ חוט משיי דק שהעכביש אורגו: 1, 2
וְקוּרֵי־ 1 וְקוּרֵי עַכָּבִישׁ יֶאֱרֹגוּ Is. 59:5
קוּרֵיהֶם 2 קוּרֵיהֶם לֹא־יִהְיוּ לְבֶגֶד Is. 59:6

קוֹרֵא1 ז׳ עוף־מדבר מסדרת התרנגולות: 1, 2
קוֹרֵא 1 קֹרֵא דָגַר וְלֹא יָלָד Jer. 17:11
הַקּוֹרֵא 2 כַּאֲשֶׁר יִרְדֹּף הַקֹּרֵא בֶּהָרִים ISh. 26:20

קוֹרֵא2 שפ״ז א) לוי מבני קרח: 1, 2
ב) שוער לוי בימי חזקיהו: 3
קוֹרֵא 1 שַׁלּוּם בֶּן־קוֹרֵא בֶּן־אֶבְיָסָף ICh. 9:19
2 מְשֶׁלֶמְיָהוּ בֶן־קֹרֵא מִן־בְּנֵי אָסָף ICh. 26:1
וְקוֹרֵא 3 וְקוֹרֵא בֶן־יִמְנָה הַלֵּוִי IICh. 31:14

קוֹרָה נ׳ גזע עץ כרות: 1-5
קרובים: גֶּזַע / לוּחַ / עַמּוּד / קֶרֶשׁ
צֵל קוֹרָה 3; קוֹרוֹת בָּתִּים 4
קוֹרָה 1 וְנִקְחָה מִשָּׁם אִישׁ קוֹרָה אֶחָת IIK. 6:2
הַקּוֹרָה 2 וַיְהִי הָאֶחָד מַפִּיל הַקּוֹרָה IIK. 6:5
קֹרָתִי 3 כִּי־עַל־כֵּן בָּאוּ בְּצֵל קֹרָתִי Gen. 19:8
קוֹרוֹת־ 4 קֹרוֹת בָּתֵּינוּ אֲרָזִים S.ofS. 1:17
הַקּוֹרוֹת 5 וַיְחַף אֶת־הַבַּיִת הַקֹּרוֹת הַסִּפִּים IICh. 3:7

קוֹרוֹת נ״ר – עין קרה

קוֹשׁוּ (צפניה ב1) – עין קשש

קוּשָׁיָהוּ שפ״ז – לוי מבני מררי, הוא קִישִׁי
קוּשָׁיָהוּ 1 אֵיתָן בֶּן־קוּשָׁיָהוּ ICh. 15:17

קוֹשֶׁר ז׳ – עין קֹשֶׁר

קח פ׳ – עין לָקַח (225)

קָט ת׳ קטן, מעט • כִּמְעַט קָט 1
קָט 1 כִּמְעַט קָט וַתַּשְׁחִתִי מֵהֵן Ezek. 16:47

קֶטֶב ז׳ כליון, מגפה: 1-3
שַׁעַר קֶטֶב 1; קֶטֶב מְרִירִי 2
קֶטֶב 1 כְּזֶרֶם בָּרָד שַׂעַר קָטֶב Is. 28:2
וְקֶטֶב 2 וּלְחֻמֵי רֶשֶׁף וְקֶטֶב מְרִירִי Deut. 32:24
מִקֶּטֶב 3 מִדֶּבֶר...מִקֶּטֶב יָשׁוּד צָהֳרָיִם Ps. 91:6

קֹטֶב ז׳ קֶטֶב, מגפה
קָטָבְךָ 1 אֱהִי דְבָרֶיךָ מָוֶת אֱהִי קָ׳ שְׁאוֹל Hosh. 13:14

קָטוּר* ת׳ קשור, מחובר
קְטֻרוֹת 1 בְּאַרְבַּעַת מִקְצֹעוֹת...חֲצֵרוֹת קְטֻרוֹת Ezek.46:22

קְטוֹרָה נ׳ קְטֹרֶת
קְטוֹרָה 1 יָשִׂימוּ קְטוֹרָה בְּאַפֶּךָ Deut. 33:10

קְטוּרָה שפ״נ – פילגש אברהם אחרי מות שָׂרָה: 1-4
בְּנֵי קְטוּרָה 2-4
קְטוּרָה 1 וַיִּקַּח אִשָּׁה וּשְׁמָהּ קְטוּרָה Gen. 25:1
2 כָּל־אֵלֶּה בְּנֵי קְטוּרָה Gen. 25:4
3 וּבְנֵי קְטוּרָה פִּילֶגֶשׁ אַבְרָהָם ICh. 1:32
4 כָּל־אֵלֶּה בְּנֵי קְטוּרָה ICh. 1:33

קטל : קָטַל; קְטַל; אר׳ קְטַל, אִתְקְטֵל, קַטֵּל, אִתְקַטַּל

קָטַל פ׳ הרג, המית: 1-3
תִּקְטֹל 1 אִם־תִּקְטֹל אֱלוֹהַּ רָשָׁע Ps. 139:19
יִקְטָל־ 2 רוֹצֵחַ יִקְטָל־עָנִי וְאֶבְיוֹן Job 24:14
יִקְטְלֵנִי 3 הֵן־יִקְטְלֵנִי לוֹ אֲיַחֵל Job 13:15

קְטַל פ׳ ארמית א) הָרַג: 1
ב) [פְּעִיל: קְטִיל] נהרג: 2, 3
ג) [אִתְפְּ׳ אִתְקְטֵל] נהרג: 4
ד) [פַּ׳ קַטֵּל] הרג: 5, 6
ה) [אִתְפַּ׳ אִתְקַטַּל] הומת: 7
קָטֵל 1 דִּי־הֲוָא צָבֵא הֲוָה קָטֵל Dan. 5:19
קְטִיל 2 בֵּהּ בְּלֵילְיָא קְטִיל בֵּלְאשַׁצַּר Dan. 5:30
קְטִילַת 3 עַד דִּי קְטִילַת חֵיוְתָא Dan. 7:11
לְהִתְקְטָלָה 4 וּבְעוֹ דָּנִיֵּאל וְחַבְרוֹהִי לְהִתְקְטָלָה Dan. 2:13
לְקַטָּלָה 5 דִּי נְפַק לְקַטָּלָה לְחַכִּימֵי בָּבֶל Dan. 2:14
קַטִּל 6 קַטִּל הִמּוֹן שְׁבִיבָא דִּי נוּרָא Dan. 3:22
מִתְקַטְּלִין 7 וְדָתָא נֶפְקַת וְחַכִּימַיָּא מִתְקַטְּלִין Dan. 2:13

קֶטֶל* ז׳ הֶרֶג
מִקָּטֶל 1 לְמַעַן יִכָּרֶת־אִישׁ...מִקָּטֶל Ob. 9

קטן : קָטֹן, הִקְטִין; קָטֹן, קָטָן, קֹטֶן; ש״פ יָקְטָן

קָטֹן1 פ׳ א) היה מעט או דל בערכו: 1-3
ב) [הִפ׳ הִקְטִין] הפחית, המעיט: 4
קָטֹנְתִּי 1 קָטֹנְתִּי מִכֹּל הַחֲסָדִים וּמִכָּל־הָאֱמֶת Gen. 32:10
וַתִּקְטַן 2 וַתִּקְטַן עוֹד זֹאת בְּעֵינֶיךָ IISh. 7:19
3 וַתִּקְטַן זֹאת בְּעֵינֶיךָ אֱלֹהִים ICh. 17:17
לְהַקְטִין 4 לְהַקְטִין אֵיפָה וּלְהַגְדִּיל שֶׁקֶל Am. 8:5

קָטֹן2 ת׳ [בהפסק על־פי־רוב: קָטָן]
א) צעיר לימים, שאינו גדול בגילו: 4, 7, 9-11, 17-24, 26-35, 38-42, 44-72, 79, 80, 84-88, 90-92, 95, 96, 101
ב) שאינו גדול במדותיו או בכמות: 1, 8, 12, 25, 43, 74, 76-78, 81-83, 89, 97, 100
ג) [בהשאלה] דל־ערך, פעוט: 2, 3, 5, 6, 13-16, 36, 37, 42, 73, 75, 93, 94, 98, 99
– קָטֹן וְגָדוֹל 6, 9, 17, 18, 41, 44, 56-58, 71, 72
גָּדוֹל וְקָטֹן 3, 24, 55-59, 70; מִקָּטֹן וְעַד גָּדוֹל 41, 60-68, 71, 72; מִגָּדוֹל וְעַד קָטֹן 22-24, 70
– קְטַנָּה אוֹ גְדוֹלָה 73; גְּדוֹלָה וּקְטַנָּה 82, 83; קְטַנִּים וּגְדוֹלִים 95; גְּדוֹלִים וּקְטַנִּים 92, 96; קְטַנּוֹת וּגְדוֹלוֹת 100
– אָח קָטֹן 27-30, 32-35, 37, 39, 53; בַּיִת קָ׳ 51; בֵּן קָ׳ 20, 40, 46-48; דָּבָר קָ׳ 3, 5, 36, 37; יֶלֶד קָ׳ 19; כְּלֵי הַקָּטֹן 51; מָאוֹר קָ׳ 25; מְעִיל קָטֹן 1; נַעַר קָטֹן 4, 7, 10, 11, 21; רֶגַע קָטֹן 12
– אֶבֶן קְטַנָּה 82; אָחוֹת קָ׳ 80; אֵיפָה קָ׳ 83; כִּבְשָׂה קָ׳ 74; נַעֲרָה קָ׳ 79; עָב קָ׳ 77; עוּגָה קָ׳ 76; עֲזָרָה קָ׳ 89; עִיר קָ׳ 81, 86, 88; עֲלִיַּת קִיר קָ׳ 78; שְׁאֵלָה קְטַנָּה 75
– נְעָרִים קְטַנִּים 90; עֲבָדִים קְטַנִּים 93, 94; שׁוּעָלִים קְטַנִּים 19
– קְטַנֵּי אֶרֶץ 97; קְטַנֵּי שְׁבָטִים 98
– חַיּוֹת קְטַנּוֹת 100; יוֹם קְטַנּוֹת 99
קָטֹן 1 וּמְעִיל קָטֹן תַּעֲשֶׂה־לוֹ אִמּוֹ ISh. 2:19
2 הֲלוֹא אִם־קָטֹן אַתָּה בְּעֵינֶיךָ ISh. 15:17
3 דָּבָר גָּדוֹל אוֹ דָּבָר קָטֹן ISh. 20:2

קָטֹן (המשך) 4 וַיֵּצֵא...וְנַעַר קָטֹן עִמּוֹ ISh. 20:35
5 דָּבָר קָטֹן אוֹ גָדוֹל ISh. 22:15
6 וְלֹא־הִגִּידָה לּוֹ דָּבָר קָטֹן וְגָדוֹל ISh. 25:36
7 וְאָנֹכִי נַעַר קָטֹן IK. 3:7
8 קָטֹן מֵהָכִיל אֶת־הָעֹלָה IK. 8:64
9 לֹא תִּלָּחֲמוּ אֶת־קָטֹן וְאֶת־גָּדוֹל IK. 22:31
10 וַיָּשָׁב בְּשָׂרוֹ כִּבְשַׂר נַעַר קָטֹן וַיִּטְהָר IIK. 5:14
11 וְנַעַר קָטֹן נֹהֵג בָּם Is. 11:6
12 בְּרֶגַע קָטֹן עֲזַבְתִּיךְ Is. 54:7
13 כִּי־הִנֵּה קָטֹן נְתַתִּיךָ בַּגּוֹיִם Jer. 49:15
14/5 מִי יָקוּם יַעֲקֹב כִּי קָטֹן הוּא Am. 7:2, 5
16 הִנֵּה קָטֹן נְתַתִּיךָ בַּגּוֹיִם Ob. 2
17 קָטֹן וְגָדוֹל שָׁם הוּא Job 3:19
18 לְמִן־קָטֹן וְעַד־גָּדוֹל IICh. 15:13
קָטָן 19 אָב זָקֵן וְיֶלֶד זְקֻנִים קָטָן Gen. 44:20
20 וְלִמְפִיבֹשֶׁת בֵּן־קָטָן IISh. 9:12
21 וַהֲדַד נַעַר קָטָן IK. 11:17
22/3 לְמִגָּדוֹל וְעַד־קָטָן Es. 1:5, 20
24 וְכָל־הָעָם מִגָּדוֹל וְעַד־קָטָן IICh. 34:30
הַקָּטֹן 25 הַמָּאוֹר הַקָּטֹן לְמֶמְשֶׁלֶת הַלַּיְלָה Gen. 1:16
26 וְהִנֵּה הַקָּטֹן אֶת־אָבִינוּ הַיּוֹם Gen. 42:13
27 כִּי אִם־בְּבוֹא אֲחִיכֶם הַקָּטֹן הֵנָּה Gen. 42:15
28 וְאֶת־אֲחִיכֶם הַקָּטֹן תָּבִיאוּ אֵלַי Gen. 42:20
29 וְהָבִיאוּ אֶת־אֲחִיכֶם הַקָּטֹן אֵלַי Gen. 42:34
30 הֲזֶה אֲחִיכֶם הַקָּטֹן אֲשֶׁר אֲמַרְתֶּם Gen. 43:29
31 תָּשִׂים בְּפִי אַמְתַּחַת הַקָּטֹן Gen. 44:2
32 אִם־לֹא יֵרֵד אֲחִיכֶם הַקָּטֹן אִתְּכֶם Gen. 44:23
33 אִם־יֵשׁ אָחִינוּ הַקָּטֹן אִתָּנוּ וְיָרַדְנוּ Gen. 44:26
34 וְאָחִינוּ הַקָּטֹן אֵינֶנּוּ אִתָּנוּ Gen. 44:26
35 וְאוּלָם אָחִיו הַקָּטֹן יִגְדַּל מִמֶּנּוּ Gen. 48:19
36 וְכָל־הַדָּבָר הַקָּטֹן יִשְׁפְּטוּ־הֵם Ex. 18:22
37 וְכָל־הַדָּבָר הַקָּטֹן יִשְׁפּוּטוּ הֵם Ex. 18:26
38/9 אֲחִי כָלֵב הַקָּטֹן מִמֶּנּוּ Jud. 1:13; 3:9
40 וַיִּוָּתֵר יוֹתָם בֶּן־יְרֻבַּעַל הַקָּטֹן Jud. 9:5
41 מִן־הַקָּטֹן וְעַד־הַגָּדוֹל ISh. 30:19
42 הַקָּטֹן יִהְיֶה לָאֶלֶף Is. 60:22
43 וְהִכָּה...וְהַבַּיִת הַקָּטֹן בְּקִעִים Am. 6:11
44 לֹא תִּלָּחֲמוּ אֶת־הַקָּטֹן אֶת־הַגָּדוֹל IICh. 18:30
45 וַיַּמְלִיכוּ...אֶת־אֲחַזְיָהוּ בְנוֹ הַקָּטֹן IICh. 22:1
הַקָּטָן 46 אֲשֶׁר־עָשָׂה לוֹ בְּנוֹ הַקָּטָן Gen. 9:24
47 וַתַּלְבֵּשׁ אֶת־יַעֲקֹב בְּנָהּ הַקָּטָן Gen. 27:15
48 וַתִּקְרָא לְיַעֲקֹב בְּנָהּ הַקָּטָן Gen. 27:42
49 עוֹד שָׁאַר הַקָּטָן ISh. 16:11
50 וְדָוִד הוּא הַקָּטָן ISh. 17:14
51 וְתָלוּ עָלָיו...כֹּל כְּלֵי הַקָּטָן Is. 22:24
52 אֶחָד לְמֵאָה הַקָּטָן ICh. 12:15(14)
53 לְעֻמַּת אָחִיו הַקָּטָן ICh. 24:31
וְהַקָּטֹן 54 וְהַקָּטֹן הַיּוֹם אֶת־אָבִינוּ Gen. 42:32
וּבַקָּטֹן 55 בַּגָּדוֹל הֵחֵל וּבַקָּטֹן כִּלָּה Gen. 44:12
כַּקָּטֹן 56 כַּקָּטֹן כַּגָּדוֹל תִּשְׁמָעוּן Deut. 1:17
57 כַּקָּטֹן כַּגָּדֹל מֵבִין עִם־תַּלְמִיד ICh. 25:8
58 וַיַּפִּילוּ גוֹרָלוֹת כַּקָּטֹן כַּגָּדוֹל ICh. 26:13
כַּקָּטָן 59 לָתֵת לַאֲחֵיהֶם...כַּגָּדוֹל כַּקָּטָן IICh. 31:15
מִקָּטֹן 60 הִכּוּ בַּסַּנְוֵרִים מִקָּטֹן וְעַד־גָּדוֹל Gen. 19:11
61 וַיַּךְ...מִקָּטֹן וְעַד־גָּדוֹל ISh. 5:9
62 וַיִּשְׁבּוּ...מִקָּטֹן וְעַד־גָּדוֹל ISh. 30:2
63 וַיָּקֻמוּ כָל־הָעָם מִקָּטֹן וְעַד־גָּדוֹל IIK. 25:26
64 מִקָּטֹן וְעַד־גָּדוֹל כֻּלֹּה... Jer. 8:10
65 וְכָל־הָעָם מִקָּטֹן וְעַד־גָּדוֹל Jer. 42:1
66 יָתַמּוּ מִקָּטֹן וְעַד־גָּדוֹל Jer. 44:12
לְמִקָּטֹן 67 וְכָל־הָעָם לְמִקָּטֹן וְעַד־גָּדוֹל IIK. 23:2
68 וּלְכָל־הָעָם לְמִקָּטֹן וְעַד־גָּדוֹל Jer. 42:8

קְטֹן־ 69 כִּי אִם־יְהוֹאָחָז קְטֹן בָּנָיו IICh. 21:17
קְטַנָּם 70 וַיִּקְרְאוּ־צוֹם...מִגְּדוֹלָם וְעַד־קְטַנָּם Jon. 3:5
מִקְּטַנָּם 71 מִקְּטַנָּם וְעַד־גְּדוֹלָם כֻּלּוֹ בּוֹצֵעַ בָּצַע Jer. 6:13
לְמִקְּטַנָּם 72 לְמִקְּטַנָּם וְעַד־גְּדוֹלָם Jer. 31:33(34)
קְטַנָּה 73 לַעֲשׂוֹת קְטַנָּה אוֹ גְדוֹלָה Num. 22:18
74 כִּי אִם־כִּבְשָׂה אַחַת קְטַנָּה IISh. 12:3
75 שְׁאֵלָה אַחַת קְטַנָּה אָנֹכִי שֹׁאֶלֶת IK. 2:20
76 עֲשִׂי־לִי מִשָּׁם עֻגָה קְטַנָּה IK. 17:13
77 הִנֵּה־עָב קְטַנָּה כְּכַף־אִישׁ IK. 18:44
78 נַעֲשֶׂה־נָּא עֲלִיַּת־קִיר קְטַנָּה IIK. 4:10
79 וַיִּשְׁבּוּ מֵאֶרֶץ יִשְׂרָאֵל נַעֲרָה קְטַנָּה IIK. 5:2
80 אָחוֹת לָנוּ קְטַנָּה וְשָׁדַיִם אֵין לָהּ S.ofS. 8:8
81 עִיר קְטַנָּה וַאֲנָשִׁים בָּהּ מְעָט Eccl. 9:14
וּקְטַנָּה 82 אֶבֶן וָאָבֶן גְּדוֹלָה וּקְטַנָּה Deut. 25:13
83 אֵיפָה וְאֵיפָה גְּדוֹלָה וּקְטַנָּה Deut. 25:14
הַקְּטַנָּה 84 וְשֵׁם הַקְּטַנָּה רָחֵל Gen. 29:16
85 אֶעֱבָדְךָ...בְּרָחֵל בִּתְּךָ הַקְּטַנָּה Gen. 29:18
86 אֲחוֹתָהּ הַקְּטַנָּה טוֹבָה מִמֶּנָּה Jud. 15:2
87 וְשֵׁם הַקְּטַנָּה מִיכַל ISh. 14:49
88 וַאֲחוֹתֵךְ הַקְּטַנָּה מִמֵּךְ Ezek. 16:46
89 וּמֵהָעֲזָרָה הַקְּטַנָּה עַד...הַגְּדוֹלָה Ezek. 43:14
קְטַנִּים 90 וּנְעָרִים קְטַנִּים יָצְאוּ מִן־הָעִיר IIK. 2:23
91 שֻׁעָלִים קְטַנִּים מְחַבְּלִים כְּרָמִים S.ofS. 2:15
וּקְטַנִּים 92 וּמֵתוּ גְדֹלִים וּקְטַנִּים Jer. 16:6
הַקְּטַנִּים 93 פַּחַת אַחַד עַבְדֵי אֲדֹנִי הַקְּטַנִּים IIK. 18:24
94 פַּחַת אַחַד עַבְדֵי אֲדֹנִי הַקְּטַנִּים Is. 36:9
95 יְבָרֵךְ...הַקְּטַנִּים עִם־הַגְּדֹלִים Ps. 115:13
וְהַקְּטַנִּים 96 וְכֹל כְּלֵי...הַגְּדֹלִים וְהַקְּטַנִּים IICh. 36:18
קְטַנֵּי־ 97 אַרְבָּעָה הֵמָּה קְטַנֵּי־אָרֶץ Prov. 30:24
מִקְּטַנֵּי־ 98 מִקְּטַנֵּי שִׁבְטֵי יִשְׂרָאֵל ISh. 9:21
קְטַנּוֹת 99 כִּי מִי בַז לְיוֹם קְטַנּוֹת Zech. 4:10
100 חַיּוֹת קְטַנּוֹת עִם־גְּדֹלוֹת Ps. 104:25
הַקְּטַנּוֹת 101 בְּקַחְתֵּךְ...אֶל־הַקְּטַנּוֹת מִמֵּךְ Ezek. 16:61

קֹטֶן*

ג׳ אצבע קטנה(?): 1, 2

קָטָנִּי עָבָה: 1, 2

קָטָנִּי 1 קָטָנִּי עָבָה מִמָּתְנֵי אָבִי IK. 12:10
2 קָטָנִּי עָבָה מִמָּתְנֵי אָבִי IICh. 10:10

קָטָן

שפ״ז או ת׳ – אבי יוחנן מבני עַזְגָּד

הַקָּטָן 1 וּמִבְּנֵי עַזְגָּד יוֹחָנָן בֶּן־הַקָּטָן Ez. 8:12

קטף : קָטַף, נִקְטַף

קָטַף

פָּ׳ א) תָּלַשׁ: 1-4

ב) [נפ׳ נִקְטַף] נתלש: 5

וְקָטַפְתָּ 1 וְקָטַפְתָּ מְלִילֹת בְּיָדֶךָ Deut. 23:26
קָטָף 2 אֵת רֹאשׁ יְנִיקוֹתָיו קָטָף Ezek. 17:4
הַקֹּטְפִים 3 הַקֹּטְפִים מַלּוּחַ עֲלֵי־שִׂיחַ Job 30:4
אֶקְטֹף 4 מֵרֹאשׁ יֹנְקוֹתָיו רַךְ אֶקְטֹף Ezek. 17:22
יִקָּטֵף 5 עֹדֶנּוּ בְאִבּוֹ לֹא יִקָּטֵף Job 8:12

קטר : קִטֵּר, הִקְטִיר, הָקְטַר; קִטֵּר, קְטֹרֶת, קִיטוֹר, קְטוֹרָה, מִקְטָר, מִקְטֶרֶת, מְקַטֵּרָה; ש״פ קְטוּרָה, קִטְרוֹן

קִטֵּר

פִּ׳ א) העלה קרבן קטורת בעבודת אלהים: 1-43

ב) [פָּ׳ קָטַר] נספג ריח קטורת: 44

ג) [הפ׳ הִקְטִיר] קִטֵּר, העלה קרבן קטורת: 45-114

ד) [הפ׳ הָקְטַר] הָעֲלָה לקטורת: 115, 116

– קִטֵּר תּוֹדָה 4; מְקֻטֶּרֶת מֹר וּלְבוֹנָה 44

– הִקְטִיר אַזְכָּרָה 76, 77; הִקְ׳ אַיִל 59, 100; הִקְ׳ אִשֶּׁה 46,110; הִקְ׳ חֵלֶב 78-80, 94-96, 105, 112,113; הִקְ׳ יוֹתֶרֶת 61; הִקְ׳ מִנְחָה 87, 106; הִקְטִיר עוֹלָה 90, 106, 114; הִקְטִיר קְטֹרֶת 47, 48, 52, 63, 84, 97; הִקְטִיר רֹאשׁ 99

– מֻקְטָר מֻגָּשׁ 115

קַטֵּר 1 קַטֵּר יַקְטִירוּן כַּיּוֹם הַחֵלֶב ISh. 2:16
2 לְבִלְתִּי קַטֵּר לֵאלֹהִים אֲחֵרִים Jer. 44:5
וְקַטֵּר 3 הֲגָנֹב...וְקַטֵּר לַבָּעַל Jer. 7:9
4 וְקַטֵּר מֵחָמֵץ תּוֹדָה Am. 4:5
לְקַטֵּר 5 מִזְבְּחוֹת לְקַטֵּר לַבָּעַל Jer. 11:13
6 לְהַכְעִסֵנִי לְקַטֵּר לַבָּעַל Jer. 11:17
7 לְקַטֵּר לַעֲבֹד לֵאלֹהִים אֲחֵרִים Jer. 44:3
8 לְקַטֵּר לֵאלֹהִים אֲחֵרִים Jer. 44:8
9-11 לְקַטֵּר לִמְלֶכֶת הַשָּׁמַיִם Jer. 44:17, 18, 25
12 לְקַטֵּר לֵאלֹהִים אֲחֵרִים IICh. 28:25
קִטַּרְתֶּם 13 הֲלוֹא אֶת־הַקִּטֵּר אֲשֶׁר קִטַּרְתֶּם Jer. 44:21
14 מִפְּנֵי אֲשֶׁר קִטַּרְתֶּם... Jer. 44:23
קִטְּרוּ 15 אֲשֶׁר קִטְּרוּ־שָׁמָּה הַכֹּהֲנִים IIK. 23:8
16 אֲשֶׁר קִטְּרוּ עַל־הֶהָרִים Is. 65:7
17 אֲשֶׁר קִטְּרוּ עַל־גַּגֹּתֵיהֶם Jer. 19:13
18 אֲשֶׁר קִטְּרוּ עַל־גַּגּוֹתֵיהֶם לַבַּעַל Jer. 32:29
מְקַטְּרִים 19 הָיוּ בְנֵי־יִשְׂרָאֵל מְקַטְּרִים לוֹ IIK. 18:4
20 אֲשֶׁר הֵם מְקַטְּרִים לָהֶם Jer. 11:12
21 מְקַטְּרִים לִמְלֶכֶת הַשָּׁמַיִם Jer. 44:19
וּמְקַטְּרִים 22 מְזַבְּחִים וּמְקַטְּרִים בַּבָּמוֹת IK. 22:44
23-26 מְזַבְּחִים וּמְקַטְּרִים בַּבָּמוֹת IIK. 12:4
14:4; 15:4, 35
27 זֹבְחִים...וּמְקַטְּרִים עַל־הַלְּבֵנִים Is. 65:3
הַמְקַטְּרִים 28 וְאֶת־הַמְקַטְּרִים לַבַּעַל לַשֶּׁמֶשׁ IIK. 23:5
מְקַטְּרוֹת 29 מְקַטְּרוֹת נְשֵׁיהֶם לֵאלֹהִים אֲחֵרִים Jer. 44:15
הַמְקַטְּרוֹת 30 וְאֵת כָּל־הַמְקַטְּרוֹת הֵסִירוּ IICh. 30:14
יְקַטֵּר 31 וְלִפְנֵיהֶם יִשְׁתַּחֲוֶה וְלָהֶם יְקַטֵּר IICh. 25:14
וִיקַטֵּר 32 יְזַבֵּחַ לְחֶרְמוֹ וִיקַטֵּר לְמִכְמַרְתּוֹ Hab. 1:16
וַיְקַטֵּר 33 וַיְזַבֵּחַ וַיְקַטֵּר בַּבָּמוֹת וְעַל־הַגְּבָעוֹת IIK. 16:4
34 וַיְקַטֵּר בַּבָּמוֹת בְּעָרֵי יְהוּדָה IIK. 23:5
35 וַיְזַבֵּחַ וַיְקַטֵּר בַּבָּמוֹת וְעַל־הַגְּבָעוֹת IICh. 28:4
יְקַטֵּרוּ 36 כִּי־שְׁכֵחֻנִי עַמִּי לַשָּׁוְא יְקַטֵּרוּ Jer. 18:15
37 וְעַל־הַגְּבָעוֹת יְקַטֵּרוּ Hosh. 4:13
יְקַטֵּרוּן 38 לַבְּעָלִים יְזַבֵּחוּ וְלַפְּסִלִים יְקַטֵּרוּן Hosh. 11:2
וַיְקַטְּרוּ 39 וַיְקַטְּרוּ־שָׁם בְּכָל־בָּמוֹת IIK. 17:11
40/1 וַיְקַטְּרוּ לֵאל׳ אֲחֵרִים IIK. 22:17 · Jer. 1:16
42 וַיְקַטְּרוּ־בוֹ לֵאלֹהִים אֲחֵרִים Jer. 19:4
43 וַיְקַטְּרוּ (כ׳ ויקטירו) לֵאל׳ אֲחֵרִים IICh. 34:25
מְקֻטֶּרֶת 44 מְקֻטֶּרֶת מֹר וּלְבוֹנָה S.ofS. 3:6
וְהַקְטֵיר 45 וְהַקְטֵיר אִתּוֹ אֲשֶׁר לִפְנֵי יְיָ IK. 9:25
לְהַקְטִיר 46 לְשָׁרֵת לְהַקְטִיר אִשֶּׁה לַייָ Ex. 30:20
47 לְהַקְטִיר קְטֹרֶת לִפְנֵי יְיָ Num. 17:5
48 לַעֲלוֹת עַל־מִזְבְּחִי לְהַקְטִיר קְטֹרֶת ISh. 2:28
49 וַיַּעַל עַל־הַמִּזְבֵּחַ לְהַקְטִיר IK. 12:33
50 עֹמֵד עַל־הַמִּזְבֵּחַ לְהַקְטִיר IK. 13:1
51 לְהַקְטִיר לִפְנֵי יְיָ לְשָׁרְתוֹ ICh. 23:13
52 לְהַקְטִיר לְפָנָיו קְטֹרֶת־סַמִּים IICh. 2:3
53 כִּי אִם־לְהַקְטִיר לְפָנָיו IICh. 2:5
54 לְהַקְטִיר עַל־מִזְבַּח הַקְּטֹרֶת IICh. 26:16
55 לֹא־לְךָ עֻזִּיָּהוּ לְהַקְטִיר לַייָ IICh. 26:18
56 כִּי לַכֹּהֲנִים...לְהַקְטִיר IICh. 26:18
57 וּבְיָדוֹ מִקְטֶרֶת לְהַקְטִיר IICh. 26:19
וְהִקְטַרְתָּ 58 וְהִקְטַרְתָּ הַמִּזְבֵּחָה Ex. 29:13
59 וְהִקְטַרְתָּ אֶת־כָּל־הָאַיִל הַמִּזְבֵּחָה Ex. 29:18
60 וְהִקְטַרְתָּ הַמִּזְבֵּחָה עַל־הָעֹלָה Ex. 29:25

הִקְטִיר 61 וְאֶת־הַיֹּתֶרֶת...הִקְטִיר הַמִּזְבֵּחָה Lev. 9:10

62 וְהוּא הִקְטִיר בְּגֵיא בֶן־הִנֹּם IICh. 28:3

וְהִקְטִיר 63 וְהִקְטִיר עָלָיו אַהֲרֹן קְטֹרֶת סַמִּים Ex. 30:7

64 וְהִקְטִיר הַכֹּהֵן אֶת־הַכֹּל הַמִּזְבֵּחָה Lev. 1:9

65-75 וְהִקְטִיר(...)הַמִּזְבֵּח(ָה) Lev. 1:13, 15, 17

2:9; 4:19, 31, 35; 5:12; 6:8; 7:5 • Num. 5:26

76/7 וְהִקְטִיר הַכֹּהֵן אֶת־אַזְכָּרָתָהּ Lev. 2:2, 16

78 וְהִקְטִיר עָלֶיהָ חֶלְבֵי הַשְּׁלָמִים Lev. 6:5

79 וְהִקְטִיר הַכֹּהֵן אֶת־הַחֵלֶב הַמִּזְבֵּחָה Lev. 7:31

80 וְהִקְטִיר הַחֵלֶב לְרֵיחַ נִיחֹחַ לַיְיָ Lev. 17:6

וְהִקְטִירוֹ 81 וְהִקְטִירוֹ הַכֹּהֵן הַמִּזְבֵּחָה Lev. 3:11

וְהִקְטִירָם 82 וְהִקְטִירָם הַכֹּהֵן הַמִּזְבֵּחָה Lev. 3:16

83 וְהִקְטִירָם הַכֹּהֵן עַל מִזְבַּח הָעֹלָה Lev. 4:10

הִקְטִירוּ 84 וּקְטֹרֶת לֹא הִקְטִירוּ IICh. 29:7

וְהִקְטִירוּ 85 וְהִקְטִירוּ אֹתוֹ בְנֵי־אַהֲרֹן הַמִּזְבֵּחָה Lev. 3:5

וּמַקְטִיר 86 רַק בַּבָּמוֹת הוּא מְזַבֵּחַ וּמַקְטִיר IK. 3:3

87 מַעֲלֶה עוֹלָה וּמַקְטִיר מִנְחָה Jer. 33:18

88 מַעֲלֶה בָמָה וּמַקְטִיר לֵאלֹהָיו Jer. 48:35

מַקְטִירִים 89 מַקְטִירִים עַל־מִזְבַּח הָעוֹלָה ICh. 6:34

וּמַקְטִירִים 90 וּמַקְטִרִים לַיְיָ עֹלוֹת IICh. 13:11

91 וְלִהְיוֹת לוֹ מְשָׁרְתִים וּמַקְטִרִים IICh. 29:11

הַמַּקְטִירִים 92 כֹּהֲנֵי הַבָּמוֹת הַמַּקְטִרִים עָלֶיךָ IK. 13:2

מַקְטִירוֹת 93 מַקְטִירוֹת וּמְזַבְּחוֹת לֵאלֹהֵיהֶן IK. 11:8

תַּקְטִיר 94 חֶלְבָּם תַּקְטִיר אִשֶּׁה רֵיחַ נִיחֹחַ Num. 18:17

יַקְטִיר 95 וְאֶת־כָּל־חֶלְבּוֹ יַקְטִיר הַמִּזְבֵּחָה Lev. 4:26

96 חֵלֶב הַחַטָּאת יַקְטִיר הַמִּזְבֵּחָה Lev. 16:25

וַיַּקְטֵר 97 וַיַּקְטֵר עָלָיו קְטֹרֶת סַמִּים Ex. 40:27

98 וַיַּקְטֵר מֹשֶׁה הַמִּזְבֵּחָה Lev. 8:16

99 וַיַּקְטֵר מֹשֶׁה אֶת־הָרֹאשׁ Lev. 8:20

100 וַיַּקְטֵר...אֶת־כָּל־הָאַיִל הַמִּזְבֵּחָה Lev. 8:21

101 וַיַּקְטֵר הַמִּזְבֵּחָה עַל־הָעֹלָה Lev. 8:28

102/3 וַיַּקְטֵר עַל־הַמִּזְבֵּחַ Lev. 9:13, 17

104 וַיַּקְטֵר עַל־הָעֹלָה הַמִּזְבֵּחָה Lev. 9:14

105 וַיַּקְטֵר הַחֲלָבִים הַמִּזְבֵּחָה Lev. 9:20

106 וַיַּקְטֵר אֶת־עֹלָתוֹ וְאֶת־מִנְחָתוֹ IIK. 16:13

יַקְטִירֶנָּה 107 בְּהֵיטִיבוֹ אֶת־הַנֵּרֹת יַקְטִירֶנָּה Ex. 30:7

108 וּבְהַעֲלֹת אַהֲ' אֶת־הַנֵּרֹת...יַקְטִירֶנָּה Ex. 30:8

תַּקְטִיר 109 אֶת־יְמֵי הַבְּעָלִים אֲשֶׁר תַּקְ' לָהֶם Hosh. 2:15

תַקְטִירוּ 110 לֹא־תַקְטִירוּ מִמֶּנּוּ אִשֶּׁה לַיְיָ Lev. 2:11

111 מִזְבֵּחַ אֶחָד...וְעָלָיו תַּקְטִירוּ IICh. 32:12

יַקְטִירוּן 112 בְּטֶרֶם יַקְטִרוּן אֶת־הַחֵלֶב ISh. 2:15

113 קַטֵּר יַקְטִירוּן כַּיּוֹם הַחֵלֶב ISh. 2:16

הַקְטֵר 114 הַקְטֵר אֶת־עֹלַת הַבֹּקֶר IIK. 16:15

מֻקְטָר 115 וּבְכָל־מָקוֹם מֻקְטָר מֻגָּשׁ לִשְׁמִי Mal. 1:11

תָּקְטָר 116 חָק־עוֹלָם לַיְיָ כָּלִיל תָּקְטָר Lev. 6:15

קְטַר*

ז' ארמית א) קֶשֶׁר: 3

ב) [בהשאלה] דבר סבוך, חידה: 1, 2

קִטְרִין 1 וְאַחֲוָיַת אֲחִידָן וּמְשָׁרֵא קִטְרִין Dan. 5:12

וְקִטְרִין 2 פִּשְׁרִין לְמִפְשַׁר וְקִטְרִין לְמִשְׁרֵא Dan. 5:16

וְקִטְרֵי־ 3 וְקִטְרֵי חַרְצֵהּ מִשְׁתָּרַיִן Dan. 5:6

קִטֵּר

ז' קרבן קטורת

הַקִּטֵּר 1 הֲלוֹא אֶת־הַקִּטֵּר אֲשֶׁר קִטַּרְתֶּם Jer. 44:21

קִטְרוֹן

ש"פ – עיר בנחלת זבולון, היא קַטָּת

קִטְרוֹן 1 אֶת־יוֹשְׁבֵי קִטְרוֹן וְאֶת־יוֹשְׁבֵי נַהֲלֹל Jud. 1:30

קְטֹרֶת

נ' קרבן ריח ניחוח, תערובת סמים שהוקטרו: 1-60

– קְטֹרֶת אֵילִים 53; קְטֹרֶת זָרָה 2; קְ' סַמִּים 43, 45-52, 54-58; קְטֹרֶת תָּמִיד 44

– מִזְבַּח הַקְּטֹרֶת 28-35; מִקְטַר הַקְּ' 1; מַקְרִיבֵי הַקְּטֹרֶת 38; עֲנַן הַקְּטֹרֶת 37, 40

קְטֹרֶת 1 וְעָשִׂיתָ מִזְבֵּחַ מִקְטַר קְטֹרֶת Ex. 30:1

2 לֹא־תַעֲלוּ עָלָיו קְטֹרֶת זָרָה Ex. 30:9

3 וְעָשִׂיתָ אֹתָהּ קְטֹרֶת רֹקַח... Ex. 30:35

4 וַיָּשִׂימוּ עָלֶיהָ קְטֹרֶת Lev. 10:1

5 קְטֹרֶת תּוֹעֵבָה הִיא לִי Is. 1:13

6 תִּכּוֹן תְּפִלָּתִי קְטֹרֶת לְפָנֶיךָ Ps. 141:2

7-25 קְטֹרֶת Num. 7:14, 20

7:26, 32, 38, 44, 50, 56, 62, 68, 74, 80, 86; 16:7, 17, 18; 17:5, 11 • ISh. 2:28

וּקְטֹרֶת 26 שֶׁמֶן וּקְטֹרֶת יְשַׂמַּח־לֵב Prov. 27:9

27 וּקְטֹרֶת לֹא הִקְטִירוּ IICh. 29:7

הַקְּטֹרֶת 28/9 וְאֵת מִזְבַּח הַקְּטֹרֶת Ex. 30:27; 31:8

30-35 (לְ)מִזְבַּח הַקְּטֹרֶת Ex. 35:15; 37:25

ICh. 6:34; 28:18 • IICh. 26:16, 19

36 וְנָתַן אֶת־הַקְּטֹרֶת עַל־הָאֵשׁ Lev. 16:13

37 וְכִסָּה עֲנַן הַקְּטֹרֶת אֶת־הַכַּפֹּרֶת Lev. 16:13

38 וַתֹּאכַל...מַקְרִיבֵי הַקְּטֹרֶת Num. 16:35

39 וַיִּתֵּן אֶת־הַקְּטֹרֶת וַיְכַפֵּר עַל־הָעָם Num.17:12

40 וַעֲתַר עֲנַן־הַקְּטֹרֶת עֹלֶה Ezek. 8:11

וְהַקְּטֹרֶת 41 וְהַקְּטֹרֶת אֲשֶׁר תַּעֲשֶׂה Ex. 30:37

לִקְטֹרֶת 42 אֶת־מִזְבַּח הַזָּהָב לִקְטֹרֶת Ex. 40:5

קְטֹרֶת־ 43 וְהִקְטִיר עָלָיו אַהֲרֹן קְטֹרֶת סַמִּים Ex. 30:7

44 קְטֹרֶת תָּמִיד לִפְנֵי יְיָ לְדֹרֹתֵיכֶם Ex. 30:8

45-52 קְטֹרֶת (הַ)סַּמִּים Ex. 31:11; 35:15

37:29; 39:38; 40:27 • Lev. 4:7; 16:12 • IICh. 2:3

53 עֹלוֹת מֵחִים...עִם־קְטֹרֶת אֵילִים Ps. 66:15

וּקְטֹרֶת־ 54 שֶׁמֶן הַמָּאוֹר וּקְטֹרֶת הַסַּמִּים Num. 4:16

55 וּקְטֹרֶת־סַמִּים וּמַעֲרֶכֶת לֶחֶם IICh. 13:11

וְלִקְטֹרֶת־ 56/7 לְשֶׁמֶן הַמִּשְׁחָה וְלִקְטֹרֶת הַסַּמִּים Ex. 25:6; 35:8

58 וּלְשֶׁמֶן הַמִּשְׁחָה וְלִקְטֹרֶת הַסַּמִּים Ex. 35:28

וּקְטָרְתִּי 59 וְשַׁמְנִי וּקְטָרְתִּי נָתַתְּ לִפְנֵיהֶם Ezek. 16:18

60 וּקְטָרְתִּי וְשַׁמְנִי שַׂמְתְּ עָלֶיהָ Ezek. 23:41

קַטָּת

ש"פ – היא העיר קִטְרוֹן בנחלת זבולון

וְקַטָּת 1 וְקַטָּת וְנַהֲלָל וְשִׁמְרוֹן Josh. 19:15

קיא

: קָא, הֵקִיא; קִיא, קֵא, קָאָת

(קיא) קָא

פ' א) פלט את שבלע: 1, 2

ב) [הפ' הֵקִיא] פלט, הוציא (גם בהשאלה): 3-9

קָאָה 1 כַּאֲשֶׁר קָאָה אֶת־הַגּוֹי Lev. 18:28

וּקְיוּ 2 שְׁתוּ וְשִׁכְרוּ וּקְיוּ Jer. 25:27

וַהֲקֵאתוֹ 3 פֶּן־תִּשְׂבָּעֶנּוּ וַהֲקֵאתוֹ Prov. 25:16

תְּקִיאֶנָּה 4 פִּתְּךָ־אָכַלְתָּ תְקִיאֶנָּה Prov. 23:8

וַיָּקֵא 5 וַיָּקֵא אֶת־יוֹנָה אֶל־הַיַּבָּשָׁה Jon. 2:11

יְקִאֶנּוּ 6 חַיִל בָּלַע וַיְקִאֶנּוּ Job 20:15

תָקִיא 7 וְלֹא־תָקִיא הָאָרֶץ אֶתְכֶם Lev. 18:28

8 וְלֹא־תָקִיא אֶתְכֶם הָאָרֶץ Lev. 20:22

וַתָּקִא 9 וַתָּקִא הָאָרֶץ אֶת־יֹשְׁבֶיהָ Lev. 18:25

קִיא

ז' מאכל שנפלט מן הגרון: 1-4 [עין גם קא]

קִיא 1 כָּל־שֻׁלְחָנוֹת מָלְאוּ קִיא צֹאָה Is. 28:8

קֵאוֹ 2 כְּכֶלֶב שָׁב עַל־קֵאוֹ Prov. 26:11

בְּקִיאוֹ 3 כְּהִתָּעוֹת שִׁכּוֹר בְּקִיאוֹ Is. 19:14

4 וְסָפַק מוֹאָב בְּקִיאוֹ Jer. 48:26

קְיוּ

(ירמיה כה 27) – עין (קיא)

קִיט

ז' ארמית: קַיִץ

קִיט 1 וַהֲווֹ כְּעוּר מִן־אִדְּרֵי־קַיִט Dan. 2:35

קִיטוֹר

ז' א) אֵד, הֶבֶל מים רותחים: 1-3

ב) עשן: 4

קִיטוֹר הָאָרֶץ 3; קִיטוֹר הַכִּבְשָׁן 4

וְקִיטוֹר 1 אֵשׁ וּבָרָד שֶׁלֶג וְקִיטוֹר Ps. 148:8

בְּקִיטוֹר 2 כִּי־הָיִיתִי כְּנֹאד בְּקִיטוֹר Ps. 119:83

קִיטֹר־ 3 וְהִנֵּה עָלָה קִיטֹר הָאָרֶץ Gen. 19:28

כְּקִיטֹר־ 4 וְהִנֵּה עָלָה...כְּקִיטֹר הַכִּבְשָׁן Gen. 19:28

קִים

ז' קָם, אויב?

קִימָנוּ 1 אִם־לֹא נִכְחַד קִימָנוּ Job 22:20

קִים

פ' – עין (קום) קָם[1]

קִים

פ' ארמית – עין (קום) קָם[2]

קְיָם

ז' ארמית: דבר חוק, פקודה: 1, 2

קְיָם־ 1 אִתְיָעַטוּ...לְקַיָּמָה קְיָם מַלְכָּא Dan. 6:8

וּקְיָם־ 2 וּקְיָם דִּי־מַלְכָּא יְהָקֵים Dan. 6:16

קַיָּם

ת' ארמית: עומד לעד, יַצִּיב: 1, 2

וְקַיָּם 1 אֱלָהָא חַיָּא וְקַיָּם לְעָלְמִין Dan. 6:27

קַיָּמָה 2 מַלְכוּתָךְ לָךְ קַיָּמָה Dan. 4:23

קִימָה*

נ' עמידה לאחר ישיבה

וְקִימָתָם 1 שִׁבְתָּם וְקִימָתָם הַבִּיטָה Lam. 3:63

קִימוֹשׁ

ז' – עין קִמּוֹשׁ

קין

: א) קוֹנֵן; קִינָה

ב) קַיִן[1]; ש"פ קַיִן[2], קֵינָה[2], קֵינִי, קֵינָן

(קין) קוֹנֵן

פ' ספד, התאבל: 1-8

קרובים: אָבַל / אָנָה / בָּכָה / הָגָה / יִלֵּל / נָהָה / סָפַד

וְקוֹנְנוּ 1 וְנָשְׂאוּ...קִינָה וְקוֹנְנוּ עָלַיִךְ Ezek. 27:32

וְקוֹנְנוּהָ 2 קִינָה הִיא וְקוֹנְנוּהָ Ezek. 32:16

לַמְקוֹנְנוֹת 3 וְקִרְאוּ לַמְקוֹנְנוֹת וּתְבוֹאֶינָה Jer. 9:16

וַיְקֹנֵן 4 וַיְקֹנֵן דָּוִד אֶת־הַקִּינָה הַזֹּאת IISh. 1:17

5 וַיְקֹנֵן הַמֶּלֶךְ אֶל־אַבְנֵר וַיֹּאמַר IISh. 3:33

6 וַיְקוֹנֵן יִרְמְיָהוּ עַל־יֹאשִׁיָּהוּ IICh. 35:25

תְּקוֹנֵנָּה 7 בְּנוֹת הַגּוֹיִם תְּקוֹנֵנָּה אוֹתָהּ Ezek. 32:16

8 וְעַל־כָּל־הֲמוֹנָהּ תְּקוֹנֵנָּה אוֹתָהּ Ezek. 32:16

קַיִן[1]

ז' להב חנית

קֵינוֹ 1 וּמִשְׁקַל קֵינוֹ שְׁלֹשׁ מֵאוֹת מִשְׁקַל נְחֹשֶׁת IISh.21:16

קַיִן[2]

שפ"ז א) בכור אדם וחוה: 1-13, 15-17

ב) השבט הדרומי מעמי כנען שמשה התחתן בו, הוא קֵינִי: 14, 18

קַיִן 1 וַתַּהַר וַתֵּלֶד אֶת־קַיִן Gen. 4:1

2 וַיָּבֵא קַיִן מִפְּרִי הָאֲדָמָה מִנְחָה לַיְיָ Gen. 4:3

3 וְאֶל־קַיִן וְאֶל־מִנְחָתוֹ לֹא שָׁעָה Gen. 4:5

4 וַיֹּאמֶר יְיָ אֶל־קָיִן לָמָּה חָרָה לָךְ Gen. 4:6

5 וַיֹּאמֶר קַיִן אֶל־הֶבֶל אָחִיו Gen. 4:8

6 וַיָּקָם קַיִן אֶל־הֶבֶל אָחִיו וַיַּהַרְגֵהוּ Gen. 4:8

7 וַיֹּאמֶר יְיָ אֶל־קַיִן אֵי הֶבֶל אָחִיךָ Gen. 4:9

8 וַיֹּאמֶר קַיִן אֶל־יְיָ Gen. 4:13

9 כָּל־הֹרֵג קַיִן שִׁבְעָתַיִם יֻקָּם Gen. 4:15

10 וַיֵּצֵא קַיִן מִלִּפְנֵי יְיָ Gen. 4:16

11 וַיֵּדַע קַיִן אֶת־אִשְׁתּוֹ Gen. 4:17

קָיִן 12 כִּי שִׁבְעָתַיִם יֻקַּם־קָיִן Gen. 4:24

13 תַּחַת הֶבֶל כִּי הֲרָגוֹ קָיִן Gen. 4:25

14 כִּי אִם־יִהְיֶה לְבָעֵר קָיִן Gen. 24:22

וְקַיִן 15 וְקַיִן הָיָה עֹבֵד אֲדָמָה Gen. 4:2

לְקַיִן 16 וַיִּחַר לְקַיִן מְאֹד וַיִּפְּלוּ פָּנָיו Gen. 4:5

17 וַיָּשֶׂם יְיָ לְקַיִן אוֹת Gen. 4:15

מִקַּיִן 18 וְחֶבֶר הַקֵּינִי נִפְרָד מִקַּיִן Jud. 4:11

(הַ־)קַיִן³ שׁ״פ – עיר בהר יהודה
הַקַּיִן 1 הַקַּיִן גִּבְעָה וְתִמְנָה Josh. 15:57

קִינָה¹ נ׳ שִׁיר אֵבֶל, מִסְפֵּד: 1-18
קרובים: ראה אֵבֶל
נָשָׂא קִינָה 1, 2, 4, 6-10, 12; קוֹנֵן קִינָה 11, 13
קִינָה 1 וּשְׂאִי עַל־שְׁפָיִם קִינָה Jer. 7:29
2 אֶשָּׂא...וְעַל־נְאוֹת מִדְבָּר קִינָה Jer. 9:9
3 וְלַמֵּדְנָה...וְאִשָּׁה רְעוּתָהּ קִינָה Jer. 9:19
4 שָׂא קִינָה אֶל־נְשִׂיאֵי יִשְׂרָאֵל Ezek. 19:1
5 קִינָה הִיא וַתְּהִי לְקִינָה Ezek. 19:14
6 וְנָשְׂאוּ עָלַיִךְ קִינָה וְאָמְרוּ לָךְ Ezek. 26:17
7 וְאַתָּה...שָׂא עַל־צֹר קִינָה Ezek. 27:2
8 וְנָשְׂאוּ אֵלַיִךְ בְּנִיהֶם קִינָה Ezek. 27:32
9 שָׂא קִינָה עַל־מֶלֶךְ צוֹר Ezek. 28:12
10 שָׂא קִינָה עַל־פַּרְעֹה Ezek. 32:2
11 קִינָה הִיא וְקוֹנְנוּהָ Ezek. 32:16
12 אֲשֶׁר אָנֹכִי נֹשֵׂא עֲלֵיכֶם קִינָה Am. 5:1
הַקִּינָה 13 וַיְקֹנֵן דָּוִד אֶת־הַקִּינָה הַזֹּאת IISh. 1:17
לְקִינָה 14 קִינָה הִיא וַתְּהִי לְקִינָה Ezek. 19:14
15 וְהָפַכְתִּי...וְכָל־שִׁירֵיכֶם לְקִינָה Am. 8:10
קִנִים 16 וְכָתוּב אֵלֶיהָ קִנִים וָהֶגֶה וָהִי Ezek. 2:10
הַקִּינוֹת 17 וְהִנָּם כְּתוּבִים עַל־הַקִּינוֹת IICh. 35:25
בְּקִינוֹתֵיהֶם 18 וַיֹּאמְרוּ כָל־הַשָּׁרִים וְהַשָּׁרוֹת בְּקִינוֹתֵיהֶם עַל־יֹאשִׁיָּהוּ IICh. 35:25

קִינָה² שׁ״פ – עיר בנגב יהודה
וְקִינָה 1 וְקִינָה וְדִימוֹנָה וְעַדְעָדָה Josh. 15:22

קֵינִי ת׳ שבט דרומי מעמי כנען
שלא הורישוהו בני ישראל: 1-12
חֶבֶר הַקֵּינִי 5-8; נֶגֶב הַקֵּינִי 10; עָרֵי הַקֵּינִי 11
קֵינִי 1 וּבְנֵי קֵינִי חֹתֵן מֹשֶׁה עָלוּ מֵעִיר... Jud. 1:16
2 וַיָּסַר קֵינִי מִתּוֹךְ עֲמָלֵק ISh. 15:6
הַקֵּינִי 3 אֶת־הַקֵּינִי וְאֶת־הַקְּנִזִּי Gen. 15:19
4 וַיַּרְא אֶת־הַקֵּינִי וַיִּשָּׂא מְשָׁלוֹ Num. 24:21
5 וְחֶבֶר הַקֵּינִי נִפְרָד מִקַּיִן Jud. 4:11
6/7 יָעֵל אֵשֶׁת חֶבֶר הַקֵּינִי Jud. 4:17; 5:24
8 וּבֵין בֵּית חֶבֶר הַקֵּינִי Jud. 4:17
9 וַיֹּאמֶר שָׁאוּל אֶל־הַקֵּינִי לְכוּ ISh. 15:6
10 עַל־נֶגֶב יְהוּדָה...וְאֶל־נֶגֶב הַקֵּינִי ISh. 27:10
11 וְלַאֲשֶׁר בְּעָרֵי הַקֵּינִי ISh. 30:29
הַקֵּינִים 12 הֵמָּה הַקִּינִים הַבָּאִים מֵחַמַּת אֲבִי בֵית־רֵכָב ICh. 2:55

קֵינָן שפ״ז – בן אנוש, בדורות שלפני המבול: 1-6
יְמֵי קֵינָן 5
קֵינָן 1 וַיְחִי אֱנוֹשׁ...וַיּוֹלֶד אֶת־קֵינָן Gen. 5:9
2 וַיְחִי אֱנוֹשׁ אַחֲרֵי הוֹלִידוֹ אֶת־קֵינָן Gen. 5:10
3 וַיְחִי קֵינָן...וַיּוֹלֶד אֶת־מַהֲלַלְאֵל Gen. 5:12
4 וַיְחִי קֵינָן אַחֲרֵי הוֹלִידוֹ אֶת־מַהֲל׳ Gen. 5:13
5 כָּל־יְמֵי קֵינָן עֶשֶׂר...וּתְשַׁע מֵאוֹת Gen. 5:14
6 קֵינָן מַהֲלַלְאֵל יָרֶד ICh. 1:2

קיץ : א) הֵקִיץ ב) קָץ; קַיִץ

(קיץ)¹ הֵקִיץ הפ׳ א) התעורר משנה: 1-17, 21, 22
ב) [בהשאלה] התעורר, הזדרז: 18-20
בְּהָקִיץ 1 אֶשְׂבְּעָה בְהָקִיץ תְּמוּנָתֶךָ Ps. 17:15
מֵהָקִיץ 2 כַּחֲלוֹם מֵהָקִיץ Ps. 73:20
הֲקִיצֹתִי 3 עַל־זֹאת הֱקִיצֹתִי וָאֶרְאֶה Jer. 31:26(25)
4 הֱקִיצוֹתִי כִּי יְיָ יִסְמְכֵנִי Ps. 3:6
5 הֱקִיצֹתִי וְעוֹדִי עִמָּךְ Ps. 139:18

וַהֲקִיצוֹתָ 6 וַהֲקִיצוֹתָ הִיא תְשִׂיחֶךָ Prov. 6:22
הֵקִיץ 7 לֹא הֵקִיץ הַנָּעַר IIK. 4:31
8 בָּא הַקֵּץ הֵקִיץ אֵלָיִךְ Ezek. 7:6
וְהֵקִיץ 9 וְהֵקִיץ וְרֵיקָה נַפְשׁוֹ Is. 29:8
10 וְהֵקִיץ וְהִנֵּה עָיֵף וְנַפְשׁוֹ שׁוֹקֵקָה Is. 29:8
מֵקִיץ 11 וְאֵין רֹאֶה וְאֵין יוֹדֵעַ וְאֵין מֵקִיץ ISh. 26:12
אָקִיץ 12 מָתַי אָקִיץ אוֹסִיף אֲבַקְשֶׁנּוּ עוֹד Prov. 23:35
יָקִיצוּ 13/4 וְיָשְׁנוּ שְׁנַת־עוֹלָם וְלֹא יָקִיצוּ Jer. 51:39, 57
15 עַד־בִּלְתִּי שָׁמַיִם לֹא יָקִיצוּ Job 14:12
16 וְרַבִּים מִיְּשֵׁנֵי אַדְמַת־עָפָר יָקִיצוּ Dan. 12:2
הָקִיצָה 17 הוֹי אֹמֵר לָעֵץ הָקִיצָה Hab. 2:19
18 הָקִיצָה אַל־תִּזְנַח לָנֶצַח Ps. 44:24
19 הָקִיצָה לִפְקֹד כָּל־הַגּוֹיִם Ps. 59:6
וְהָקִיצָה 20 הָעִירָה וְהָקִיצָה לְמִשְׁפָּטִי Ps. 35:23
הָקִיצוּ 21 הָקִיצוּ וְרַנְּנוּ שֹׁכְנֵי עָפָר Is. 26:19
22 הָקִיצוּ שִׁכּוֹרִים וּבְכוּ Joel 1:5

(קיץ)² קָץ פ׳ שהה בקיץ
וְקָץ 1 וְקָץ עָלָיו הָעַיִט Is. 18:6

קַיִץ ז׳ א) עונת החום, ימות החמה: 4-6, 9, 12, 14-18
ב) פרי שהבשיל בקיץ, ביחוד תאנים בשלות: 1-3, 7, 8, 10, 11, 13, 19, 20
– קַיִץ וָחֹרֶף 5, 9, 12, 14; קַיִץ וּבָצִיר 20; קַיִץ וְקָצִיר 6, 17, 19
– אָסְפֵּי קַיִץ 3; בֵּית הַקַּיִץ 12; חַרְבוֹנֵי קַיִץ 4; כְּלוּב קַיִץ 7, 8
קַיִץ 1 וּמֵאָה צִמּוּקִים וּמֵאָה קַיִץ IISh. 16:1
2 כְּבִכּוּרָהּ בְּטֶרֶם קַיִץ Is. 28:4
3 כְּאָסְפֵּי־קַיִץ כְּעֹלְלֹת בָּצִיר Mic. 7:1
4 נֶהְפַּךְ לְשַׁדִּי בְּחַרְבֹנֵי קַיִץ Ps. 32:4
5 קַיִץ וָחֹרֶף אַתָּה יְצַרְתָּם Ps. 74:17
קָיִץ 6 עָבַר קָצִיר כָּלָה קָיִץ Jer. 8:20
7/8 כְּלוּב קָיִץ Am. 8:1, 2
וְקַיִץ 9 וְקֹר וָחֹם וְקַיִץ וָחֹרֶף Gen. 8:22
10 אִסְפוּ יַיִן וְקַיִץ וְשֶׁמֶן Jer. 40:10
וָקַיִץ 11 וַיַּאַסְפוּ יַיִן וָקַיִץ הַרְבֵּה מְאֹד Jer. 40:12
הַקָּיִץ 12 וְהִכֵּיתִי בֵית־הַחֹרֶף עַל־בֵּית הַקָּיִץ Am. 3:15
וְהַקַּיִץ 13 וְהַלֶּחֶם° וְהַקַּיִץ לֶאֱכוֹל הַנְּעָרִים IISh. 16:2
בַּקַּיִץ 14 בַּקַּיִץ וּבַחֹרֶף יִהְיֶה Zech. 14:8
15 תָּכִין בַּקַּיִץ לַחְמָהּ Prov. 6:8
16 אֹגֵר בַּקַּיִץ בֵּן מַשְׂכִּיל Prov. 10:5
17 כַּשֶּׁלֶג בַּקַּיִץ וְכַמָּטָר בַּקָּצִיר Prov. 26:1
18 וַיָּכִינוּ בַקַּיִץ לַחְמָם Prov. 30:25
קֵיצֵךְ 19 עַל־קֵיצֵךְ וְעַל־קְצִירֵךְ הֵידָד נָפָל Is. 16:9
20 עַל־קֵיצֵךְ וְעַל־בְּצִירֵךְ שֹׁדֵד נָפָל Jer. 48:32

קִיצוֹן* ת׳ הנמצא בקצה: 1-4
הַיְרִיעָה הַקִּיצוֹנָה 1-4
הַקִּיצוֹנָה 1/2 בִּשְׂפַת הַיְרִיעָה הַקִּיצוֹנָה Ex. 26:4; 36:11
3 הַיְרִיעָה הָאֶחָת הַקִּיצֹנָה בַּחֹבָרֶת Ex. 26:10
4 הַיְרִיעָה הַקִּיצֹנָה בַּמַּחְבָּרֶת Ex. 36:17

קִיקָיוֹן ז׳ שיח ממשפחת החלבלוביים: 1-5
קִיקָיוֹן 1 וַיְמַן יְיָ־אֱלֹהִים קִיקָיוֹן Jon. 4:6
הַקִּיקָיוֹן 2 וַיִּשְׂמַח יוֹנָה עַל־הַקִּיקָיוֹן Jon. 4:6
3 וַתַּךְ אֶת־הַקִּיקָיוֹן וַיִּיבָשׁ Jon. 4:7
4 הַהֵיטֵב חָרָה־לְךָ עַל־הַקִּיקָיוֹן Jon. 4:9
5 אַתָּה חַסְתָּ עַל־הַקִּיקָיוֹן Jon. 4:10

קִיקָלוֹן ז׳ חֶרְפָּה, סחי ומאוס
וְקִיקָלוֹן 1 וְקִיקָלוֹן עַל־כְּבוֹדֶךָ Hab. 2:16

קִיר¹ ז׳ א) כּוֹתֶל, מחיצה בבית, בחומה, במתקן (גם בהשאלה): 1-3, 5-7, 10-74
ב) גָּדֵר: 8, 9
ג) צלע הר: 4
– קִיר נָטוּי 43; קִיר הַבַּיִת 47, 49, 53-55; קִיר הַבִּנְיָן 50; קִיר בַּרְזֶל 48; קִיר הַהֵיכָל 51; קִיר הַחוֹמָה 52; קִיר הַמִּזְבֵּחַ 45, 46; קִיר הָעִיר 56
– אֶבֶן קִיר 1; זֶרֶם קִיר 4; חָרָשֵׁי קִיר (1), 6; מוֹשַׁב הַקִּיר 10; עֲלִיַּת קִיר 2; רֹחַב הַקִּיר 19
– קִירוֹת בַּיִת 61, 62, 64, 66-69; קִירוֹת לִבּוֹ 65; קִירוֹת הַסְּפִינָה 63
– מַשְׁתִּין בְּקִיר 23-28; אֶבֶן מִקִּיר 44
קִיר 1 וְחָרָשֵׁי עֵץ וְחָרָשֵׁי אֶבֶן קִיר IISh. 5:11
2 נַעֲשֶׂה־נָּא עֲלִיַּת קִיר קְטַנָּה IIK. 4:10
3 מְקַרְקַר קִר וְשׁוֹעַ אֶל־הָהָר Is. 22:5
4 כִּי רוּחַ עָרִיצִים כְּזֶרֶם קִיר Is. 25:4
5 נְגַשְׁשָׁה כַעִוְרִים קִיר Is. 59:10
6 וְחָרָשֵׁי קִיר וְחָרָשֵׁי עֵצִים ICh. 14:1
הַקִּיר 7 וּמַרְאֵיהֶן שָׁפָל מִן־הַקִּיר Lev. 14:37
8 וַתֵּרָא...וַתִּלָּחֵץ אֶל־הַקִּיר Num. 22:25
9 וַתִּלְחַץ אֶת־רֶגֶל בִּלְעָם אֶל־הַקִּיר Num. 22:25
10 וַיֵּשֶׁב הַמֶּלֶךְ...אֶל־מוֹשַׁב הַקִּיר ISh. 20:25
11 וַיִּז מִדָּמָהּ אֶל־הַקִּיר וְאֶל־הַסּוּסִים IIK. 9:33
12 וַיַּסֵּב אֶת־פָּנָיו אֶל־הַקִּיר IIK. 20:2
13 וַיַּסֵּב חִזְקִיָּהוּ פָּנָיו אֶל־הַקִּיר Is. 38:2
14/5 מְחֻקֶּה עַל־הַקִּיר Ezek. 8:10; 23:14
16 וְהִנֵּה נָפַל הַקִּיר Ezek. 13:12
17 וְהָרַסְתִּי אֶת־הַקִּיר Ezek. 13:14
18 אֵין הַקִּיר וְאֵין הַטָּחִים אֹתוֹ Ezek. 13:15
19 רֹחַב הַקִּיר אֲשֶׁר־לַצֵּלָע Ezek. 41:9
20 וְאֶל־כָּל־הַקִּיר סָבִיב סָבִיב Ezek. 41:17
21 וְסָמַךְ יָדוֹ עַל־הַקִּיר Am. 5:19
וְהַקִּיר 22 וְהַקִּיר בֵּינִי וּבֵינֵיהֶם Ezek. 43:8
בְּקִיר 23 אִם־אַשְׁאִיר...מַשְׁתִּין בְּקִיר ISh. 25:22
24 אִם־נוֹתַר לְנָבָל...מַשְׁתִּין בְּקִיר ISh. 25:34
25 וְהִכְרַתִּי לְיָרָבְעָם מַשְׁתִּין בְּקִיר IK. 14:10
26-28 מַשְׁתִּין בְּקִיר IK. 16:11; 21:21 · IIK. 9:8
בַּקִּיר 29 וַיַּךְ אֶת־הַחֲנִית בַּקִּיר ISh. 19:10
30 וְעַד הָאֵזוֹב אֲשֶׁר יֹצֵא בַּקִּיר IK. 5:13
31 וַתִּגַּע כְּנַף־הָאֶחָד בַּקִּיר IK. 6:27
32 וּכְנַף...הַשֵּׁנִי נֹגַעַת בַּקִּיר הַשֵּׁנִי IK. 6:27
33 וָאֶרְאֶה וְהִנֵּה חֹר־אֶחָד בַּקִּיר Ezek. 8:7
34/5 חֲתָר־נָא בַקִּיר וָאֶחְתֹּר בַּקִּיר Ezek. 8:8
36 לְעֵינֵיהֶם חֲתָר־לְךָ בַקִּיר Ezek. 12:5
37 וּבָעֶרֶב חָתַרְתִּי־לִי בַקִּיר Ezek. 12:7
38 בַּקִּיר יַחְתְּרוּ לְהוֹצִיא בוֹ Ezek. 12:12
39 בַּקִּיר וּבַטָּחִים אֹתוֹ תָּפֵל Ezek. 13:15
40 וּבָאוֹת בַּקִּיר אֲשֶׁר־לַבַּיִת Ezek. 41:6
וּבַקִּיר 41 וַיֹּאמֶר אַכֶּה בְדָוִד וּבַקִּיר ISh. 18:11
42 לְהַכּוֹת בַּחֲנִית בְּדָוִד וּבַקִּיר ISh. 19:10
כְּקִיר 43 כְּקִיר נָטוּי גָּדֵר הַדְּחוּיָה Ps. 62:4
מִקִּיר 44 כִּי־אֶבֶן מִקִּיר תִּזְעָק Hab. 2:11
קִיר־ 45 וְנִמְצָה דָמוֹ עַל קִיר הַמִּזְבֵּחַ Lev. 1:15
46 וְהִזָּה...עַל־קִיר הַמִּזְבֵּחַ Lev. 5:9
47 וַיִּבֶן עַל־קִיר הַבַּיִת יָצִיעַ° סָבִיב IK. 6:5
48 קִיר בַּרְזֶל בֵּינְךָ וּבֵין הָעִיר Ezek. 4:3
49 וַיָּמָד קִיר־הַבַּיִת שֵׁשׁ אַמּוֹת Ezek. 41:5
וְקִיר־ 50 וְקִיר הַבִּנְיָן חָמֵשׁ־אַמּוֹת רֹחַב Ezek. 41:12
51 מֵהָאָרֶץ...וְקִיר הַהֵיכָל Ezek. 41:20
בְּקִיר־ 52 כִּי בֵיתָהּ בְּקִיר הַחוֹמָה Josh. 2:15
53 וְלֹא־יִהְיוּ אֲחוּזִים בְּקִיר הַבָּיִת Ezek. 41:6

לְקִיר־ 54 כְּנַף הָאֶחָד...מַגַּעַת לְקִיר הַבַּיִת IICh. 3:11
55 וּכְנַף הַכְּרוּב...מַגִּיעַ לְקִיר הַבַּיִת IICh. 3:12
מִקִּיר־ 56 מִקִּיר הָעִיר וָחוּצָה אֶלֶף אַמָּה Num. 35:4
הַקִּירוֹת 57 מִן־הַקַּרְקַע עַד־הַקִּירוֹת IK. 6:16
58 אֵצֶל הַקִּירוֹת וּבְפִתְחֵי הַבָּתִּים Ezek. 33:30
59 וּפִתַּח כְּרוּבִים עַל־הַקִּירוֹת IICh. 3:7
לַקִּירוֹת 60 כַּאֲשֶׁר עֲשׂוּיִם לַקִּירוֹת Ezek. 41:25
קִירוֹת־ 61 אֶת־קִירוֹת הַבַּיִת סָבִיב IK. 6:5
62 וַיִּבֶן אֶת־קִירוֹת הַבַּיִת מִבַּיְתָה IK. 6:15
63 מִקַּרְקַע הַבַּיִת עַד־קִירוֹת הַסִּפֻּן IK. 6:15
64 וְאֵת כָּל־קִירוֹת הַבַּיִת IK. 6:29
65 קִירוֹת לִבִּי הֹמֶה־לִּי Jer. 4:19
66 לָטוּחַ קִירוֹת הַבָּתִּים ICh. 29:4
בְּקִירֹת־ 67 וְהִנֵּה הַנֶּגַע בְּקִירֹת הַבַּיִת Lev. 14:37
68 וְהִנֵּה פָּשָׂה הַנֶּגַע בְּקִירֹת הַבָּיִת Lev. 14:39
69 לְבִלְתִּי אֲחֹז בְּקִירוֹת הַבָּיִת IK. 6:6
קִירֹתָיו 70/1 אֶת־גַּגּוֹ וְאֶת־קִירֹתָיו Ex. 30:3; 37:26
וְקִירוֹתָיו 72 וְאָרְכּוֹ וְקִירֹתָיו עֵץ Ezek. 41:22
73 וְקִירוֹתָיו וְדַלְתוֹתָיו זָהָב IICh. 3:7
וְקִירוֹתֶיהָ 74 וְהַגִּזְרָה וְהַבִּנְיָה וְקִירוֹתֶיהָ Ezek. 41:13

קִיר² ש״פ – מחוז בממלכת אַשּׁוּר: 1-4

וְקִיר 1 וְעֵילָם נָשָׂא אַשְׁפָּה...וְקִיר עֵרָה מָגֵן Is. 22:6
קִירָה 2 וַיַּעַל...אֶל־דַּמֶּשֶׂק...וַיַּגְלֶהָ קִירָה IIK. 16:9
3 וְגָלוּ עַם־אֲרָם קִירָה Am. 1:5
מִקִּיר 4 הֶעֱלֵיתִי...וַאֲרָם מִקִּיר Am. 9:7

קִיר־חֶרֶשׂ ש״פ – עיר במואב: 1-3

אַנְשֵׁי קִיר חֶרֶשׂ 1, 2

קִיר־חֶ׳ 1 אֶל־אַנְשֵׁי קִיר־חֶרֶשׂ יֶהְגֶּה Jer. 48:31
2 אֶל־אַנְשֵׁי קִיר־חֶרֶשׂ...יֶהֱמֶה Jer. 48:36
לְקִיר חָ׳ 3 וְקִרְבִּי לְקִיר חָרֶשׂ Is. 16:11

קִיר־חֲרֶשֶׂת ש״פ – היא קִיר־חֶרֶשׂ: 1, 2

קִיר־חֲ׳ 1 לַאֲשִׁישֵׁי קִיר־חֲרֶשֶׂת תֶּהְגּוּ אַךְ־נְכָאִים Is. 16:7
בְּקִיר־חֲ׳ 2 הִשְׁאִיר אֲבָנֶיהָ בְּקִיר חֲרָשֶׂת IIK. 3:25

קִיר־מוֹאָב ש״פ – עיר הבירה של מואב

קִיר־מוֹאָב 1 כִּי בְּלֵיל שֻׁדַּד קִיר־מוֹאָב נִדְמָה Is. 15:1

קֵירֹס שפ״ז–ראש משפחת נתינים בימי עזרא ונחמיה: 1,2

קֵירֹס 1 בְּנֵי־קֵרֹס בְּנֵי־סִיעֲהָא Ez. 2:44
2 בְּנֵי־קֵירֹס בְּנֵי־סִיעָא Neh. 7:47

קִישׁ שפ״ז א) אבי המלך שָׁאוּל: 1-5, 7-9, 12, 14, 17, 18, 20

ב) בן יעיאל מאבות קיש אבי שאול: 15, 16
ג) מאבות אבותיו של מרדכי: 6
ד) לויים שונים: 10, 11, 13, 19, 21

בֶּן־קִישׁ 3,4,6,9,12; בְּנֵי־קִישׁ 10,11,21; קֶבֶר קִישׁ 5

קִישׁ 1 קִישׁ בֶּן־אֲבִיאֵל...בֶּן־אִישׁ יְמִינִי ISh. 9:1
2 וַיֹּאמֶר קִישׁ אֶל־שָׁאוּל בְּנוֹ ISh. 9:3
3 מַה־זֶּה הָיָה לְבֶן־קִישׁ ISh. 10:11
4 וַיִּלָּכֵד שָׁאוּל בֶּן־קִישׁ ISh. 10:21
5 וַיִּקְבְּרוּ...בְּקֶבֶר קִישׁ אָבִיו IISh. 21:14
6 מָרְדֳּכַי...בֶּן־קִישׁ אִישׁ יְמִינִי Es. 2:5
7/8 וְנֵר הוֹלִיד אֶת־קִישׁ ICh. 8:33; 9:39
9 עוֹד עָצוּר מִפְּנֵי שָׁאוּל בֶּן־קִישׁ ICh. 12:1
10 וַיִּשָּׂאוּם בְּנֵי־קִישׁ אֲחֵיהֶם ICh. 23:22
11 לְקִישׁ בְּנֵי־קִישׁ יְרַחְמְאֵל ICh. 24:29
12 שְׁמוּאֵל הָרֹאֶה וְשָׁאוּל בֶּן־קִישׁ ICh. 26:28
13 וּמִן־בְּנֵי מְרָרִי קִישׁ בֶּן־עַבְדִּי IICh. 29:12
וְקִישׁ 14 וְקִישׁ אֲבִי־שָׁאוּל ISh. 14:51
15/6 וְצוּר וְקִישׁ וּבַעַל ICh. 8:30; 9:36
17/8 וְקִישׁ הוֹלִיד אֶת־שָׁאוּל ICh. 8:33; 9:39
19 בְּנֵי מַחְלִי אֶלְעָזָר וְקִישׁ ICh. 23:21
לְקִישׁ 20 וַתֹּאבַדְנָה הָאֲתֹנוֹת לְקִישׁ ISh. 9:3
21 לְקִישׁ בְּנֵי־קִישׁ יְרַחְמְאֵל ICh. 24:29

קִישׁוֹן ש״פ – נחל בעמק יזרעאל: 1-6

נַחַל) קִישׁוֹן 1 וּמָשַׁכְתִּי אֵלֶיךָ אֶל־נַחַל קִישׁוֹן Jud. 4:7
2 וַיַּזְעֵק סִיסְרָא...אֶל־נַחַל קִישׁוֹן Jud. 4:13
3 נַחַל קִישׁוֹן גְּרָפָם Jud. 5:21
4 נַחַל קְדוּמִים נַחַל קִישׁוֹן Jud. 5:21
5 וַיּוֹרִדֵם אֵלִיָּהוּ אֶל־נַחַל קִישׁוֹן IK. 18:40
6 כְּסִיסְרָא כְיָבִין בְּנַחַל קִישׁוֹן Ps. 83:10

קִישִׁי שפ״ז – לוי מבית מררי, הוא קוּשָׁיָהוּ

קִישִׁי 1 אֵיתָן בֶּן־קִישִׁי בֶּן־עַבְדִּי ICh. 6:29

קִיתְרוֹס ז׳ ארמית – עין קַתְרוֹס

קַל ת׳ א) שאינו כָּבֵד: 6

ב) מהיר, זריז: 1-5, 7-13

– קַל בְּרַגְלָיו 1, 7; קַל מְהֵרָה 5
– מְהֵרָה קַל 2; עָב קַל 3; בִּכְרָה קַלָּה 10; מַלְאָכִים קַלִּים 11

קַל 1 וַעֲשָׂהאֵל קַל בְּרַגְלָיו IISh. 2:18
2 וְהִנֵּה מְהֵרָה קַל יָבוֹא Is. 5:26
3 הִנֵּה יְיָ רֹכֵב עַל־עָב קַל Is. 19:1
4 עַל־סוּס נָנוּס...וְעַל־קַל נִרְכָּב Is. 30:16
5 קַל מְהֵרָה אָשִׁיב גְּמֻלְכֶם בְּרֹאשְׁכֶם Joel 4:4
6 קַל־הוּא עַל־פְּנֵי־מַיִם Job 24:18
וְקַל 7 וְקַל בְּרַגְלָיו לֹא יְמַלֵּט Am. 2:15
הַקַּל 8 אַל־יָנוּס הַקַּל Jer. 46:6
מִקָּל 9 וְאָבַד מָנוֹס מִקָּל Am. 2:14
קַלָּה 10 בִּכְרָה קַלָּה מְשָׂרֶכֶת דְּרָכֶיהָ Jer. 2:23
קַלִּים 11 לְכוּ מַלְאָכִים קַלִּים Is. 18:2
12 קַלִּים הָיוּ רֹדְפֵינוּ מִנִּשְׁרֵי שָׁמָיִם Lam. 4:19
לַקַּלִּים 13 כִּי לֹא לַקַּלִּים הַמֵּרוֹץ Eccl. 9:11

קֹל ז׳ קוֹל? קַלּוּת?

מִקֹּל־ 1 וְהָיָה מִקֹּל זְנוּתָהּ וַתֶּחֱנַף אֶת־הָאָרֶץ Jer. 3:9

קָל ז׳ ארמית: קוֹל: 1-7

קָל 1 קָל מִן־שְׁמַיָּא נְפַל Dan. 4:28
בְּקָל 2 וּכְמִקְרְבֵהּ...בְּקָל עֲצִיב זְעִק Dan. 6:21
קָל־ 3-5 קָל קַרְנָא מַשְׁרוֹקִיתָא Dan. 3:5, 7, 15
6 קָל קַרְנָא מַשְׁרֹקִיתָא Dan. 3:10
7 מִן־קָל מִלַּיָּא רַבְרְבָתָא Dan. 7:11

קלה : א) קָלָה; קָלוּי; קָלִי, קָלִיא; ש״פ קֵלָיָה(?)

ב) נִקְלָה, הִקְלָה; קָלוֹן

קָלָה¹ פ׳ א) שָׂרַף: 1

ב) [פָּעוּל: קָלוּי] מהובהב, צלוי: 2, 3

קְלָם 1 אֲשֶׁר־קָלָם מֶלֶךְ־בָּבֶל בָּאֵשׁ Jer. 29:22
קָלוּי 2 אָבִיב קָלוּי בָּאֵשׁ גֶּרֶשׂ כַּרְמֶל Lev. 2:14
וְקָלוּי 3 וַיֹּאכְלוּ...מַצּוֹת וְקָלוּי Josh. 5:11

(קלה)² נִקְלָה נפ׳ א) התבזה, נחשב לאפס: 1-6

ב) [הפ׳ הִקְלָה] בזה: 7

וְנִקְלָה 1 וְנִקְלָה אָחִיךָ לְעֵינֶיךָ Deut. 25:3
2 וְנִקְלָה כְּבוֹד מוֹאָב Is. 16:14
נִקְלָה 3 כִּי־כְסָלַי מָלְאוּ נִקְלֶה Ps. 38:8
4 טוֹב נִקְלֶה וְעֶבֶד לוֹ Prov. 12:9
וְנִקְלֶה 5 וְאָנֹכִי אִישׁ־רָשׁ וְנִקְלֶה ISh. 18:23
וְהַנִּקְלֶה 6 יִרְהֲבוּ הַנַּעַר בַּזָּקֵן וְהַנִּקְלֶה בַּנִּכְבָּד Is. 3:5
מַקְלֶה 7 אָרוּר מַקְלֶה אָבִיו וְאִמּוֹ Deut. 27:16

קָלוּט ת׳ מחובר, שאינו שָׂסוּעַ

וְקָלוּט 1 וְשׁוֹר וָשֶׂה שָׂרוּעַ וְקָלוּט Lev. 22:23

קָלוּי ת׳ – עין קלה¹

קָלוֹן ז׳ חרפה, בזיון: 1-17

קירובים: ראה חֶרְפָּה

– שְׂבַע קָלוֹן 9; קְלוֹן בֵּיתוֹ 14
– אָהַב קָלוֹן 1; בָּא קָלוֹן 6; הֶרְאָה קְלוֹנוֹ 17; הֵרִים קָלוֹן 4; כּוֹסֶה קָלוֹן 7; לָקַח קָלוֹן 5; מִלֵּא קָלוֹן 3; נִרְאָה קְלוֹנוֹ 15; שָׂבַע קָלוֹן 2; שָׁמַע קְלוֹנוֹ 16

קָלוֹן 1 אָהֲבוּ הֵבוּ קָלוֹן מָגִנֶּיהָ Hosh. 4:18
2 שָׂבַעְתָּ קָלוֹן מִכָּבוֹד Hab. 2:16
3 מַלֵּא פְנֵיהֶם קָלוֹן Ps. 83:17
4 וּכְסִילִים מֵרִים קָלוֹן Prov. 3:35
5 יֹסֵר לֵץ לֹקֵחַ לוֹ קָלוֹן Prov. 9:7
6 בָּא־זָדוֹן וַיָּבֹא קָלוֹן Prov. 11:2
7 וְכֹסֶה קָלוֹן עָרוּם Prov. 12:16
8 בְּבוֹא...וְעִם־קָלוֹן חֶרְפָּה Prov. 18:3
9 שְׂבַע קָלוֹן וּרְאֵה עָנְיִי Job 10:15
וְקָלוֹן 10 נֶגַע־וְקָלוֹן יִמְצָא Prov. 6:33
11 רֵישׁ וְקָלוֹן פּוֹרֵעַ מוּסָר Prov. 13:18
12 וְיִשְׁבֹּת דִּין וְקָלוֹן Prov. 22:10
בְּקָלוֹן 13 כְּבוֹדָם בְּקָלוֹן אָמִיר Hosh. 4:7
קְלוֹן־ 14 קְלוֹן בֵּית אֲדֹנֶיךָ Is. 22:18
קְלוֹנֵךְ 15 חָשַׂפְתִּי שׁוּלַיִךְ...וְנִרְאָה קְלוֹנֵךְ Jer. 13:26
16 שָׁמְעוּ גוֹיִם קְלוֹנֵךְ Jer. 46:12
17 וְהַרְאֵיתִי גוֹיִם מַעְרֵךְ וּמַמְלָכוֹת קְלוֹנֵךְ Nah. 3:5

קְלֹקֵל ת׳ קל וגרוע

הַקְּלֹקֵל 1 וְנַפְשֵׁנוּ קָצָה בַּלֶּחֶם הַקְּלֹקֵל Num. 21:5

קַלַּחַת נ׳ סיר גדול לבשול: 1, 2

קַלָּחַת 1 כַּאֲשֶׁר בַּסִּיר וּכְבָשָׂר בְּתוֹךְ קַלָּחַת Mic. 3:3
בַּקַּלַּחַת 2 אוֹ בַקַּלַּחַת אוֹ בַפָּרוּר ISh. 2:14

קָלִי, קָלִיא ז׳ גרגרי שבלים שנקלו באש: 1-6

אֵיפַת קָלִיא 6

קָלִי 1 וְחָמֵשׁ סְאִים קָלִי ISh. 25:18
2 וַיִּצְבָּט־לָהּ קָלִי וַתֹּאכַל Ruth 2:14
וְקָלִי 3 וְלֶחֶם וְקָלִי וְכַרְמֶל Lev. 23:14
4 וְחִטִּים וּשְׂעֹרִים וְקֶמַח וְקָלִי IISh. 17:28
5 וּפוֹל וַעֲדָשִׁים וְקָלִי IISh. 17:28
הַקָּלִיא 6 קַח־נָא...אֵיפַת הַקָּלִיא הַזֶּה ISh. 17:17

קַלַּי שפ״ז – ראש אבות בית כהנים בימי זרובבל

קַלָּי 1 לְסַלַּי קַלָּי לְעָמוֹק עֵבֶר Neh. 12:20

קֵלָיָה שפ״ז – לוי בימי עזרא ונחמיה

וְקֵלָיָה 1 וְקֵלָיָה הוּא קְלִיטָא Ez. 10:23

קְלִיטָא שפ״ז – הוא קֵלָיָה: 1-3

קְלִיטָא 1 וְקֵלָיָה הוּא קְלִיטָא Ez. 10:23
2 הוֹדִיָּה מַעֲשֵׂיָה קְלִיטָא Neh. 8:7
3 הוֹדִיָּה קְלִיטָא פְּלָאיָה Neh. 10:11

קלל : קַל, נָקַל, קִלֵּל, קִלְקֵל, הֵקַל; קַל, קֹל, קְלָלָה

(קָלַל) קַל
פ׳ א) היה מועט בכמותו: 3, 9
ב) [בהשאלה] היה דל ערך: 1, 2, 10-12
ג) היה מהיר: 4-8
ד) [נפ׳ נָקַל] היה קל, לא היה קשה: 14-22
ה) [כנ״ל] היה דל בערכו: 13
ו) [כנ״ל] היה מהיר: 23
ז) [פִּ׳ קִלֵּל] אָרַר, חֵרֵף: 24-63
ח) [פֻּ׳ קֻלַּל] היה אָרוּר: 64-66
ט) [הפ׳ הֵקַל] המעיט את הכובד (גם בהשאלה): 68, 70, 72-79
י) [כנ״ל, בהשאלה] זלזל, המעיט ערך: 67, 69, 71

קַל בְּעֵינָיו 10, 11; הֲנָקֵל 18, 19; עַל נְקַלָּה 20,21; הֵקַל אֶת־ 67, 69-71; הֵקַל (אֶת־) מִן־ 68, 72-79

קַלֹּתִי 1 הֵן קַלֹּתִי מָה אֲשִׁיבֶךָּ Job 40:4
קַלּוֹתָ 2 אָשִׂים קִבְרֶךָ כִּי קַלּוֹתָ Nah. 1:14
קַלּוּ 3 כִּי־קַלּוּ הַמַּיִם מֵעַל הָאָרֶץ Gen. 8:11
4 מִנְּשָׁרִים קַלּוּ מֵאֲרָיוֹת גָּבֵרוּ IISh. 1:23
5 קַלּוּ מִנְּשָׁרִים סוּסָיו Jer. 4:13
6 יָמַי קַלּוּ מִנִּי־אָרֶג Job 7:6
7 וְיָמַי קַלּוּ מִנִּי־רָץ Job 9:25
וְקַלּוּ 8 וְקַלּוּ מִנְּמֵרִים סוּסָיו Hab. 1:8
הֲקַלּוּ 9 הֲקַלּוּ הַמַּיִם מֵעַל פְּנֵי הָאֲדָמָה Gen. 8:8
וָאֵקַל 10 וַתֵּרֶא כִּי הָרָתָה וָאֵקַל בְּעֵינֶיהָ Gen. 16:5
וַתֵּקַל 11 וַתֵּקַל גְּבִרְתָּהּ בְּעֵינֶיהָ Gen. 16:4
יֵקָלּוּ 12 כִּי־מְכַבְּדַי אֲכַבֵּד וּבֹזַי יֵקָלּוּ ISh. 2:30
וּנְקַלֹּתִי 13 וּנְקַלֹּתִי עוֹד מִזֹּאת וְהָיִיתִי שָׁפָל IISh. 6:22
נָקָל 14 וְדַעַת לְנָבוֹן נָקָל Prov. 14:6
וְנָקַל 15 וְנָקַל זֹאת בְּעֵינֵי יְיָ IIK. 3:18
נָקֵל 16 נָקֵל לַצֵּל לִנְטוֹת עֶשֶׂר מַעֲלוֹת IIK. 20:10
17 נָקֵל מִהְיוֹתְךָ לִי עֶבֶד Is. 49:6
הֲנָקֵל 18 וַיְהִי הֲנָקֵל לֶכְתּוֹ בְּחַטֹּאות יָרָבְעָם IK. 16:31
19 הֲנָקֵל לְבֵית יְהוּדָה מֵעֲשׂוֹת... Ezek. 8:17
נְקַלָּה 20 וַיְרַפְּאוּ אֶת־שֶׁבֶר עַמִּי עַל־נְקַלָּה Jer. 6:14
21 וַיְרַפּוּ אֶת־שֶׁבֶר בַּת־עַמִּי עַל־נְקַלָּה Jer. 8:11
הַנְקַלָּה 22 הַנְקַלָּה בְעֵינֵיכֶם הִתְחַתֵּן בַּמֶּלֶךְ ISh. 18:23
יִקַּלּוּ 23 עַל־כֵּן יִקַּלּוּ רֹדְפֵיכֶם Is. 30:16
לְקַלֵּל 24 לֹא אֹסִף לְקַלֵּל עוֹד אֶת־הָאֲדָמָה Gen. 8:21
25 וַיִּקְרָא לְבִלְעָם...לְקַלֵּל אֶתְכֶם Josh. 24:9
לְקַלְלֶךָּ 26 שָׂכַר עָלֶיךָ אֶת־בִּלְעָם...לְקַלְלֶךָּ Deut. 23:5
בְּקַלְלוֹ 27 וְכֹה־אָמַר שִׁמְעִי בְּקַלְלוֹ IISh. 16:7
לְקַלְלוֹ 28 וַיִּשְׂכֹּר עָלָיו אֶת־בִּלְעָם לְקַלְלוֹ Neh. 13:2
קִלַּלְתָּ 29 אֲשֶׁר גַּם־אַתָּה° קִלַּלְתָּ אֲחֵרִים Eccl. 7:22
קִלֵּל 30 אָבִיו וְאִמּוֹ קִלֵּל דָּמָיו בּוֹ Lev. 20:9
31 כִּי קִלֵּל אֶת־מְשִׁיחַ יְיָ IISh. 19:22
וְקִלֵּל 32 וְהִתְקַצַּף וְקִלֵּל בְּמַלְכּוֹ וּבֵאלֹהָיו Is. 8:21
קִלְלַנִי 33 וְהוּא קִלְלַנִי קְלָלָה נִמְרֶצֶת IK. 2:8
מְקַלֵּל 34 מְקַלֵּל אָבִיו וְאִמּוֹ יִדְעַךְ נֵרוֹ Prov. 20:20
וּמְקַלֵּל 35 וּמְקַלֵּל אָבִיו וְאִמּוֹ מוֹת יוּמָת Ex. 21:17
36 שִׁמְעִי...יֹצֵא יָצוֹא וּמְקַלֵּל IISh. 16:5
הַמְקַלֵּל 37 הוֹצֵא אֶת־הַמְקַלֵּל Lev. 24:14
38 וַיּוֹצִיאוּ אֶת־הַמְקַלֵּל Lev. 24:23
מְקַלְלַוְנִי 39 לֹא־נָשִׁיתִי...כֻּלֹּה מְקַלְלַוְנִי Jer. 15:10
מְקַלְלֶךָ 40 אֲשֶׁר לֹא־תִשְׁמַע אֶת־עַבְדְּךָ מְקַלְלֶךָ Eccl. 7:21
וּמְקַלֶּלְךָ 41 וַאֲבָרְכָה מְבָרְכֶיךָ וּמְקַלֶּלְךָ אָאֹר Gen. 12:3
מְקַלְלִים 42 אֲשֶׁר־יָדַע כִּי־מְקַלְלִים לָהֶם בָּנָיו ISh. 3:13
וָאֲקַלְלֵם 43 וָאָרִיב עִמָּם וָאֲקַלְלֵם Neh. 13:25
תְקַלֵּל 44 אֱלֹהִים לֹא תְקַלֵּל Ex. 22:27
45 לֹא־תְקַלֵּל חֵרֵשׁ Lev. 19:14
46 גַּם בְּמַדָּעֲךָ מֶלֶךְ אַל־תְּקַלֵּל Eccl. 10:20
47 וּבְחַדְרֵי מִשְׁכָּבְךָ אַל־תְּקַלֵּל עָשִׁיר Eccl.10:20
יְקַלֵּל 48 אֲשֶׁר יְקַלֵּל אֶת־אָבִיו וְאֶת־אִמּוֹ Lev. 20:9
49 אִישׁ אִישׁ כִּי־יְקַלֵּל אֱלֹהָיו... Lev. 24:15
50 לָמָּה יְקַלֵּל הַכֶּלֶב הַמֵּת הַזֶּה IISh. 16:9
51 כֹּה° יְקַלֵּל וְכִי° יְיָ אָמַר לוֹ קַלֵּל IISh. 16:10
52 דּוֹר אָבִיו יְקַלֵּל Prov. 30:11
וִיקַלֵּל 53 הַנִּחוּ לוֹ וִיקַלֵּל כִּי־אָמַר לוֹ יְיָ IISh. 16:11
וַיְקַלֵּל 54 וַיִּקֹּב...אֶת־הַשֵּׁם וַיְקַלֵּל Lev. 24:11
55 וַיְקַלֵּל הַפְּלִשְׁתִּי אֶת־דָּוִד ISh. 17:43
56 וְשִׁמְעִי הֹלֵךְ...הָלוֹךְ וַיְקַלֵּל IISh. 16:13
57 פָּתַח אִיּוֹב...פִּיהוּ וַיְקַלֵּל אֶת־יוֹמוֹ Job 3:1
יְקַלֶּלְךָ 58 פֶּן־יְקַלֶּלְךָ וְאָשָׁמְתָּ Prov. 30:10
וַיְקַלְלֵם 59 וַיְקַלְלֵם בְּשֵׁם יְיָ IIK. 2:24
יְקַלְלוּ־ 60 בְּפִיו יְבָרֵכוּ וּבְקִרְבָּם יְקַלְלוּ Ps. 62:5
61 יְקַלְלוּ־הֵמָּה וְאַתָּה תְבָרֵךְ Ps. 109:28
וַיְקַלְלוּ 62 וַיֹּאכְלוּ וַיִּשְׁתּוּ וַיְקַלְלוּ אֶת־אֲבִימֶ׳ Jud. 9:27
קַלֵּל 63 כִּי° יְיָ אָמַר לוֹ קַלֵּל אֶת־דָּוִד IISh. 16:10
וּמְקֻלָּלָיו 64 מְבֹרָכָיו יִירְשׁוּ אָרֶץ וּמְקֻלָּלָיו יִכָּרֵתוּ Ps. 37:22
יְקֻלָּל 65 וְהַחוֹטֶא בֶּן־מֵאָה שָׁנָה יְקֻלָּל Is. 65:20
תְּקֻלַּל 66 תְּקֻלַּל חֶלְקָתָם בָּאָרֶץ Job 24:18
לְהָקֵל 67 לְהָקֵל כָּל־נִכְבַּדֵּי־אָרֶץ Is. 23:9
68 וַיָּטִלוּ אֶת־הַכֵּלִים...לְהָקֵל מֵעֲלֵיהֶם Jon. 1:5
הֱקִלֹּתַנִי 69 וּמַדּוּעַ הֱקִלֹּתַנִי וְלֹא־הָיָה דְבָרִי רִאשׁוֹן לִי IISh.19:44
הֵקַל 70 כָּעֵת הָרִאשׁוֹן הֵקַל Is. 8:23
הֵקַלּוּ 71 אָב וָאֵם הֵקַלּוּ בָךְ Ezek. 22:7
יָקֵל 72 אוּלַי יָקֵל אֶת־יָדוֹ מֵעֲלֵיכֶם ISh. 6:5
הָקֵל 73 הָקֵל מֵעֲבֹדַת אָבִיךָ הַקָּשָׁה IK. 12:4
74/5 הָקֵל מִן־הָעֹל אֲשֶׁר־נָתַן אָבִיךָ עָלֵינוּ IK. 12:9 IICh. 10:9
76/7 וְאַתָּה הָקֵל מֵעָלֵינוּ IK. 12:10 • IICh. 10:10
78 הָקֵל מֵעֲבוֹדַת אָבִיךָ הַקָּשָׁה IICh. 10:4
וְהָקֵל 79 וְהָקֵל מֵעָלֶיךָ וְנָשְׂאוּ אִתָּךְ Ex. 18:22

קָלָל
ז׳ דבר מלוטש ומבריק: 1, 2

קָלָל 1 וְנֹצְצִים כְּעֵין נְחֹשֶׁת קָלָל Ezek. 1:7
2 וּזְרֹעֹתָיו...כְּעֵין נְחֹשֶׁת קָלָל Dan. 10:6

קְלָלָה
נ׳ א) מארה, הפך מן ״בְּרָכָה״: 1, 2, 5-17, 27-33
ב) גדוף, נאָצה: 3, 4, 18-26

קרובים: אָלָה / מְאֵרָה

– קְלָלָה – בְּרָכָה 1, 8-11, 13, 15-17; קְלָלָה נִמְרֶצֶת 2
– קִלְלַת אֱלֹהִים 27; קִלְלַת חִנָּם 29; ק׳ יוֹתָם 28

קְלָלָה 1 וְהֵבֵאתִי עָלַי קְלָלָה וְלֹא בְרָכָה Gen. 27:12
2 וְהוּא קִלְלַנִי קְלָלָה נִמְרֶצֶת IK. 2:8
3 וְלֻקַּח מֵהֶם קְלָלָה לְכֹל גָּלוּת יְהוּדָה Jer. 29:22
4 כַּאֲשֶׁר הֱיִיתֶם קְלָלָה בַּגּוֹיִם Zech. 8:13
5 וַיֶּאֱהַב קְלָלָה וַתְּבוֹאֵהוּ Ps. 109:17
6 וַיִּלְבַּשׁ קְלָלָה כְּמַדּוֹ Ps. 109:18
7 מְבָרֵךְ...קְלָלָה תֵּחָשֶׁב לוֹ Prov. 27:14
וּקְלָלָה 8 אָנֹכִי נֹתֵן לִפְנֵיכֶם...בְּרָכָה וּקְלָלָה Deut. 11:26
הַקְּלָלָה 9 וְאֶת־הַקְּלָלָה עַל־הַר עֵיבָל Deut. 11:29
10 וַיַּהֲפֹךְ...לְּךָ אֶת־הַקְּלָלָה לִבְרָכָה Deut. 23:6
11 יַעַמְדוּ עַל־הַקְּלָלָה בְּהַר עֵיבָל Deut. 27:13
12 אֶת־כָּל־הַקְּלָלָה הַכְּתוּבָה Deut. 29:26
13 וַיַּהֲפֹךְ אֱלֹהֵינוּ הַקְּלָלָה לִבְרָכָה Neh. 13:2
וְהַקְּלָלָה 14 וְהַקְּלָלָה אִם־לֹא תִשְׁמְעוּ Deut. 11:28
15 כִּי־יָבֹאוּ עָלֶיךָ...הַבְּרָכָה וְהַקְּלָלָה Deut. 30:1
16 נָתַתִּי לְפָנֶיךָ הַבְּרָכָה וְהַקְּלָלָה Deut. 30:19
17 קָרָא...הַתּוֹרָה הַבְּרָכָה וְהַקְּלָלָה Josh. 8:34
לִקְלָלָה 18 אֶתֵּן לִקְלָלָה לְכֹל גּוֹיֵי הָאָרֶץ Jer. 26:6
19 לִקְלָלָה וּלְחֶרְפָּה בְּכֹל גּוֹיֵי הָאָרֶץ Jer. 44:8
וְלִקְלָלָה 20 לִהְיוֹת לְשַׁמָּה וְלִקְלָלָה IIK. 22:19
21 לְחֶרְפָּה וּלְמָשָׁל לִשְׁנִינָה וְלִקְלָלָה Jer. 24:9
22 לְשַׁמָּה לִשְׁרֵקָה וְלִקְלָלָה Jer. 25:18
23 וּלְשַׁמָּה וְלִקְלָלָה וּלְחֶרְפָּה Jer. 42:18
24 לְאָלָה לְשַׁמָּה וְלִקְלָלָה וּלְחֶרְפָּה Jer. 44:12
25 לְחָרְבָּה וּלְשַׁמָּה וְלִקְלָלָה Jer. 44:22
26 לְשַׁמָּה לְחֶרְפָּה לְחֹרֶב וְלִקְלָלָה Jer. 49:13
קִלְלַת־ 27 כִּי־קִלְלַת אֱלֹהִים תָּלוּי Deut. 21:23
28 וַתָּבֹא אֲלֵיהֶם קִלְלַת יוֹתָם Jud. 9:57
29 כֵּן קִלְלַת חִנָּם לוֹ° תָבֹא Prov. 26:2
קִלְלָתְךָ 30 עָלַי קִלְלָתְךָ בְּנִי Gen. 27:13
קִלְלָתוֹ 31 וְהֵשִׁיב יְיָ לִי טוֹבָה תַּחַת קִלְלָתוֹ IISh. 16:12
הַקְּלָלוֹת 32/3 וּבָאוּ עָלֶיךָ...הַקְּלָלוֹת הָאֵלֶּה Deut.28:15,45

קלם : קִלֵּס, הִתְקַלֵּס; קֶלֶס, קַלָּסָה

קִלֵּס
פִּ׳ א) לעג, בָּז: 1
ב) [הת׳ הִתְקַלֵּס] לעג, התלוצץ: 2-4

קרובים: בָּז (בוז) / בָּזָה / לָעַג / לָץ (ליץ) / צָחַק / שָׂחַק
הִתְקַלֵּס בְּ־ 2-4

לְקַלֵּס 1 וְלֹא־הָיִית° כַּזּוֹנָה לְקַלֵּס אֶתְנָן Ezek. 16:31
יִתְקַלָּס 2 וְהוּא בַּמְּלָכִים יִתְקַלָּס Hab. 1:10
יִתְקַלְּסוּ 3 הַקְּרֹבוֹת וְהָרְחֹקוֹת מִמֵּךְ יִתְקַלְּסוּ־בָךְ Ezek. 22:5
וַיִּתְקַלְּסוּ 4 וַיִּתְקַלְּסוּ־בוֹ וַיֹּאמְרוּ לוֹ עֲלֵה קֵרֵחַ IIK. 2:23

קֶלֶס
ז׳ לַעַג: 1-3 • קרובים: ראה לַעַג

וָקֶלֶס 1/2 לַעַג וָקֶלֶס לִסְבִיבוֹתֵינוּ Ps. 44:14; 79:4
וּלְקֶלֶס 3 לְחֶרְפָּה וּלְקֶלֶס כָּל־הַיּוֹם Jer. 20:8

קַלָּסָה
נ׳ לַעַג, חרפה • קרובים: ראה לַעַג

וְקַלָּסָה 1 חֶרְפָּה לַגּוֹיִם וְקַלָּסָה לְכָל־הָאֲרָצוֹת Ezek. 22:4

קלע : א) קָלַע, קִלֵּעַ; קֶלַע, קַלָּע
ב) קָלַע; קֶלַע, מִקְלַעַת

קָלַע[1]
פָּ׳ א) יָרָה, זָרַק: 1, 2
ב) [פִּ׳ קִלֵּעַ] קלע, ירה: 3, 4

קוֹלֵעַ 1 קֹלֵעַ בָּאֶבֶן אֶל־הַשַּׂעֲרָה Jud. 20:16
2 הִנְנִי קוֹלֵעַ אֶת־יוֹשְׁבֵי הָאָרֶץ Jer. 10:18
וַיְקַלַּע 3 וַיִּקַּח מִשָּׁם אֶבֶן וַיְקַלַּע ISh. 17:49
יְקַלְּעֶנָּה 4 וְאֵת נֶפֶשׁ אֹיְבֶיךָ יְקַלְּעֶנָּה ISh. 25:29

קָלַע[2]
פָּ׳ שָׁזַר, פתל: 1-3

קָלַע 1 וְאֵת כָּל־קִירוֹת הַבַּיִת מֵסַב קָלַע IK. 6:29
וְקָלַע 2 וְקָלַע עֲלֵיהֶם מִקְלְעוֹת כְּרוּבִים IK. 6:32
3 וְקָלַע כְּרוּבִים וְתִמֹרוֹת IK. 6:35

קֶלַע[1]
ז׳ כלי לזריקת אבנים: 1-6

אַבְנֵי קֶלַע 1, 2; כַּף הַקָּלַע 3; אַבְנֵי קְלָעִים 6

קֶלַע 1 וְאָכְלוּ וְכָבְשׁוּ אַבְנֵי־קֶלַע Zech. 9:15
קָלַע 2 לְקַשׁ נֶהְפְּכוּ־לוֹ אַבְנֵי־קָלַע Job 41:20
הַקָּלַע 3 יְקַלְּעֶנָּה בְּתוֹךְ כַּף הַקָּלַע ISh. 25:29
בַּקֶּלַע 4 וַיֶּחֱזַק דָּוִד...בַּקֶּלַע וּבָאֶבֶן ISh. 17:50
וְקַלְעוֹ 5 וַיִּקַּח מַקְלוֹ בְּיָדוֹ...וְקַלְעוֹ בְיָדוֹ ISh. 17:40
קְלָעִים 6 וּקְשָׁתוֹת וּלְאַבְנֵי קְלָעִים IICh. 26:14

קֶלַע[2]
ז׳ יריעה, מסך: 1-16 • קַלְעֵי הֶחָצֵר 10-16

קְלָעִים 1 קְלָעִים לֶחָצֵר שֵׁשׁ מָשְׁזָר Ex. 27:9
2 קְלָעִים מֵאָה אֹרֶךְ Ex. 27:11
3 קְלָעִים חֲמִשִּׁים אַמָּה Ex. 27:12

קְלָעִים (המשך) 4 וַחֲמֵשׁ עֶשְׂרֵה אַמָּה קְלָעִים Ex. 27:14
5 חֲמֵשׁ עֶשְׂרֵה קְלָעִים Ex. 27:15
6 קְלָעִים חֲמִשִּׁים בָּאַמָּה Ex. 38:12
7/8 קְלָעִים חֲמֵשׁ(־)עֶשְׂרֵה אַמָּה Ex. 38:14, 15
9 וּשְׁנֵי קְלָעִים הַדֶּלֶת הַשֵּׁנִית IK. 6:34
קַלְעֵי־ 10/1 אֵת קַלְעֵי הֶחָצֵר Ex. 35:17; 39:40
12 קַלְעֵי הֶחָצֵר שֵׁשׁ מָשְׁזָר Ex. 38:9
13 כָּל־קַלְעֵי הֶחָצֵר סָבִיב Ex. 38:16
14 לְעֻמַּת קַלְעֵי הֶחָצֵר Ex. 38:18
15 וְאֵת קַלְעֵי הֶחָצֵר Num. 4:26
וְקַלְעֵי־ 16 וְקַלְעֵי הֶחָצֵר וְאֶת־מָסַךְ פֶּתַח הֶחָצֵר Num.3:26

קַלָּע* ז׳ יורה אבני קֶלַע
הַקַּלָּעִים 1 וַיָּסֹבּוּ הַקַּלָּעִים וַיַּכּוּהָ IIK. 3:25

קִלְקֵל פ׳ א) טלטל, זרק: 1
ב) לטש(?): 2
ג) [הת׳ הִתְקַלְקֵל] התמוטט: 3
קִלְקַל 1 קִלְקַל בַּחִצִּים שָׁאַל בַּתְּרָפִים Ezek. 21:26
2 וְהוּא לֹא־פָנִים קִלְקַל Eccl. 10:10
הִתְקַלְקָלוּ 3 וְכָל־הַגְּבָעוֹת הִתְקַלְקָלוּ Jer. 4:24

קְלֹקֵל ת׳ – עין קְלוֹקֵל

קִלְּשׁוֹן ז׳ מכשיר חקלאי דמוי מזלג
קִלְּשׁוֹן 1 וְלִשְׁלֹשׁ קִלְּשׁוֹן וּלְהַקַּרְדֻּמִּים ISh. 13:21

קָם ז׳ מתקומם, אויב – עין (קום) קָם

קָמָה נ׳ תבואה שהבשילה – לפני הקציר: 1־10
קָמַת רֵעוֹ 8, 9; קָמוֹת פְּלִשְׁתִּים 10
קָמָה 1 וַיַּבְעֵר מִגָּדִישׁ וְעַד־קָמָה Jud. 15:5
2 וּשְׁדֵפָה לִפְנֵי קָמָה IIK. 19:26
3 וְהָיָה כֶּאֱסֹף קָצִיר קָמָה Is. 17:5
4 וּשְׁדֵמָה לִפְנֵי קָמָה Is. 37:27
5 קָמָה אֵין־לוֹ צֶמַח בְּלִי יַעֲשֶׂה־קֶּמַח Hosh. 8:7
הַקָּמָה 6 וְנֶאֱכַל גָּדִישׁ אוֹ הַקָּמָה אוֹ הַשָּׂדֶה Ex. 22:5
בַּקָּמָה 7 מֵהָחֵל חֶרְמֵשׁ בַּקָּמָה Deut. 16:9
קָמַת־ 8 וְחֶרְמֵשׁ לֹא תָנִיף עַל קָמַת רֵעֶךָ Deut. 23:26
בְּקָמַת־ 9 כִּי תָבֹא בְּקָמַת רֵעֶךָ Deut. 23:26
בְּקָמוֹת־ 10 וַיְשַׁלַּח בְּקָמוֹת פְּלִשְׁתִּים Jud. 15:5

קְמוּאֵל שפ״ז א) בן נחור אחי אברהם: 1
ב) נשיא אפרים: 2
ג) אבי שר משבט לוי: 3
קְמוּאֵל 1 וְאֶת־קְמוּאֵל אֲבִי אֲרָם Gen. 22:21
2 נָשִׂיא קְמוּאֵל בֶּן־שִׁפְטָן Num. 34:24
3 לְלֵוִי חֲשַׁבְיָה בֶן־קְמוּאֵל ICh. 27:17

קָמוֹן ש״פ – עיר בגלעד
בְּקָמוֹן 1 וַיָּמָת יָאִיר וַיִּקָּבֵר בְּקָמוֹן Jud. 10:5

קִמּוֹשׂ ז׳ צמח קוצני: 1, 2 • קרובים: ראה קוֹץ
קִמּוֹשׂ 1 וְעָלְתָה...קִמּוֹשׂ וָחוֹחַ בְּמִבְצָרֶיהָ Is. 34:13
2 קִמּוֹשׂ יִירָשֵׁם חוֹחַ בְּאָהֳלֵיהֶם Hosh. 9:6

קֶמַח ז׳ גרגרי תבואה שנטחנו: 1־14
קֶמַח מַצּוֹת 14; קֶמַח סֹלֶת 12; קֶמַח שְׂעֹרִים 13;
אֵיפַת קֶמַח 14; כַּד קֶמַח 10, 11; כַּף קֶמַח 3;
כֹּר קֶמַח 7
קֶמַח 1 וְאֵיפָה אַחַת קֶמַח ISh. 1:24
2 וַתִּקַּח־קֶמַח וַתָּלָשׁ וַתֹּפֵהוּ מַצּוֹת ISh. 28:24
3 כִּי אִם־מְלֹא כַף־קֶמַח בַּכַּד IK. 17:12
קֶמַח (המשך) 4 וּקְחוּ־קֶמַח וַיַּשְׁלֵךְ אֶל־הַסִּיר IIK. 4:41
5 צֶמַח בְּלִי יַעֲשֶׂה־קֶּמַח Hosh. 8:7
6 מַאֲכָל קֶמַח דְּבֵלִים ICh. 12:41(40)
קָמַח 7 שְׁלֹשִׁים כֹּר סֹלֶת וְשִׁשִּׁים כֹּר קָמַח IK. 5:2
8 קְחִי רֵחַיִם וְטַחֲנִי קָמַח Is. 47:2
וְקֶמַח 9 וְחִטִּים וּשְׂעֹרִים וְקֶמַח וְקָלִי IISh. 17:28
הַקֶּמַח 10 כַּד הַקֶּמַח לֹא תִכְלָה IK. 17:14
11 כַּד הַקֶּמַח לֹא כָלָתָה IK. 17:16
קֶמַח־ 12 שְׁלֹשׁ סְאִים קֶמַח סֹלֶת Gen. 18:6
13 עֲשִׂירִת הָאֵיפָה קֶמַח שְׂעֹרִים Num. 5:15
14 וְאֵיפַת־קֶמַח מַצּוֹת Jud. 6:19

קָמַט פ׳ א) מָעַךְ, לחץ: 1
ב) [פֻּ׳ קֻמַּט] דֻּכָּא, נלחץ: 2
וַתִּקְמְטֵנִי 1 וַתִּקְמְטֵנִי לְעֵד הָיָה Job 16:8
קֻמְּטוּ 2 אֲשֶׁר־קֻמְּטוּ וְלֹא־עֵת Job 22:16

קָמַל פ׳ נבל, יָבש: 1, 2
קָמַל 1 הֶחְפִּיר לְבָנוֹן קָמַל Is. 33:9
קָמֵלוּ 2 קָנֶה וָסוּף קָמֵלוּ Is. 19:6

קמץ : קָמַץ; קֹמֶץ

קָמַץ פ׳ לקח בשלוש אצבעות: 1־3
וְקָמַץ 1 וְקָמַץ מִשָּׁם מְלֹא קֻמְצוֹ Lev. 2:2
2 וְקָמַץ הַכֹּהֵן מִמֶּנָּה מְלוֹא קֻמְצוֹ Lev. 5:12
3 וְקָמַץ...מִן־הַמִּנְחָה אֶת־אַזְכָּרָתָהּ Num. 5:26

קֹמֶץ* ז׳ מלוא שלוש אצבעות: 1־4
קֻמְצוֹ 1 וְקָמַץ מִשָּׁם מְלֹא קֻמְצוֹ Lev. 2:2
2 וְקָמַץ הַכֹּהֵן מִמֶּנָּה מְלוֹא קֻמְצוֹ Lev. 5:12
בְּקֻמְצוֹ 3 וְהֵרִים מִמֶּנּוּ בְּקֻמְצוֹ Lev. 6:8
לִקְמָצִים 4 וַתַּעַשׂ הָאָרֶץ...לִקְמָצִים Gen. 41:47

קִמְּשׁוֹן* ז׳ קמוש, צמח קוצני • קרובים: ראה קוֹץ
קִמְּשֹׂנִים 1 וְהִנֵּה עָלָה כֻלּוֹ קִמְּשֹׂנִים Prov. 24:31

קֵן ז׳ א) משכן לעוף: 1־4, 7, 9־11, 12
ב) [בהשאלה] מעון, בית, חוג המשפחה: 8,6,5
ג) תא, מדור: 13
קֵן 1 כְּעוֹף־נוֹדֵד קֵן מְשֻׁלָּח Is. 16:2
2 גַּם־צִפּוֹר מָצְאָה בַיִת וּדְרוֹר קֵן לָהּ Ps. 84:4
כַּקֵּן 3 וַתִּמְצָא כַקֵּן יָדִי לְחֵיל הָעַמִּים Is. 10:14
קַן־ 4 כִּי יִקָּרֵא קַן־צִפּוֹר לְפָנֶיךָ Deut. 22:6
קִנִּי 5 וָאֹמַר עִם־קִנִּי אֶגְוָע Job 29:18
קִנֶּךָ 6 אֵיתָן מוֹשָׁבֶךָ וְשִׂים בַּסֶּלַע קִנֶּךָ Num. 24:21
7 כִּי־תַגְבִּיהַּ כַּנֶּשֶׁר קִנֶּךָ Jer. 49:16
8 וְאִם־בֵּין כּוֹכָבִים שִׂים קִנֶּךָ Ob. 4
קִנּוֹ 9 כְּנֶשֶׁר יָעִיר קִנּוֹ Deut. 32:11
10 לָשׂוּם בַּמָּרוֹם קִנּוֹ Hab. 2:9
11 עַל־פִּיךָ יַגְבִּיהַּ נָשֶׁר וְכִי יָרִים קִנּוֹ Job 39:27
קִנָּהּ 12 כְּצִפּוֹר נוֹדֶדֶת מִן־קִנָּהּ Prov. 27:8
קִנִּים 13 קִנִּים תַּעֲשֶׂה אֶת־הַתֵּבָה Gen. 6:14

קנא : קִנֵּא, הִקְנִיא; קַנָּא, קַנּוֹא, קִנְאָה

קִנֵּא פ׳ א) צָרה עינו בטובת מישהו: 10, 18־23, 25־27,30
ב) חשד בבגידה: 13־15
ג) הכעיס: 16, 28
ד) התנגד קשות למי שפגע בְּ־: 1־9, 11, 12, 17,
24, 29
ה) [הפ׳ הִקְנִיא] הכעיס: 31־34
קִנֵּא (אֶת־) 13־15,22,26,28,30; קִנֵּא בְּ־ 10,18־21,
23, 25, 27; קִנֵּא לְ־ 1, 2, 4־9, 11, 12, 17, 24, 29
קַנֹּא 1/2 קַנֹּא קִנֵּאתִי לַיְיָ אֱלֹהֵי צְבָאוֹת IK. 19:10, 14
בְּקַנְאוֹ 3 בְּקַנְאוֹ אֶת־קִנְאָתִי בְּתוֹכָם Num. 25:11
בְּקַנֹּאתוֹ 4 בְּקַנֹּאתוֹ לִבְנֵי־יִשְׂרָאֵל וִיהוּדָה IISh. 21:2
קִנֵּאתִי 5/6 קַנֹּא קִנֵּאתִי לַיְיָ אֱלֹהֵי צְבָאוֹת IK. 19:10, 14
7 קִנֵּאתִי לִירוּשָׁ׳ וּלְצִיּוֹן קִנְאָה גְדוֹלָה Zech. 1:14
8 קִנֵּאתִי לְצִיּוֹן קִנְאָה גְדוֹלָה Zech. 8:2
9 וְחֵמָה גְדוֹלָה קִנֵּאתִי לָהּ Zech. 8:2
10 כִּי־קִנֵּאתִי בַּהוֹלְלִים Ps. 73:3
וְקִנֵּאתִי 11 וְקִנֵּאתִי לְשֵׁם קָדְשִׁי Ezek. 39:25
קִנֵּא 12 תַּחַת אֲשֶׁר קִנֵּא לֵאלֹהָיו Num. 25:13
וְקִנֵּא 13־15 וְקִנֵּא אֶת־אִשְׁתּוֹ Num. 5:14², 30
קִנְאוּנִי 16 הֵם קִנְאוּנִי בְלֹא־אֵל Deut. 32:21
הַמְקַנֵּא 17 הַמְקַנֵּא אַתָּה לִי Num. 11:29
תְּקַנֵּא 18 אַל־תְּקַנֵּא בְּעֹשֵׂי עַוְלָה Ps. 37:1
19 אַל־תְּקַנֵּא בְּאִישׁ חָמָס Prov. 3:31
20 אַל־תְּקַנֵּא בְּאַנְשֵׁי רָעָה Prov. 24:1
21 אַל־תְּקַנֵּא בָּרְשָׁעִים Prov. 24:19
יְקַנֵּא 22 אֶפְרַיִם לֹא־יְקַנֵּא אֶת־יְהוּדָה Is. 11:13
23 אַל־יְקַנֵּא לִבְּךָ בַּחַטָּאִים Prov. 23:17
וַיְקַנֵּא 24 וַיְקַנֵּא יְיָ לְאַרְצוֹ Joel 2:18
וַתְּקַנֵּא 25 וַתְּקַנֵּא רָחֵל בַּאֲחֹתָהּ Gen. 30:1
וַיְקַנְאוּ 26 וַיְקַנְאוּ אֹתוֹ פְּלִשְׁתִּים Gen. 26:14
27 וַיְקַנְאוּ־בוֹ אֶחָיו Gen. 37:11
28 וַיְקַנְאוּ אֹתוֹ מִכֹּל אֲשֶׁר עָשׂוּ אֲבֹתָם IK. 14:22
29 וַיְקַנְאוּ לְמֹשֶׁה בַּמַּחֲנֶה Ps. 106:16
וַיְקַנְאֻהוּ 30 וַיְקַנְאֻהוּ כָּל־עֲצֵי־עֵדֶן Ezek. 31:9
הַמַּקְנֶה 31 מוֹשַׁב סֵמֶל הַקִּנְאָה הַמַּקְנֶה Ezek. 8:3
אַקְנִיאֵם 32 וַאֲנִי אַקְנִיאֵם בְּלֹא־עָם Deut. 32:21
יַקְנִיאוּהוּ 33 יַקְנִאֻהוּ בְּזָרִים בְּתוֹעֵבֹת יַכְעִיסֻהוּ Deut. 32:16
34 וּבִפְסִילֵיהֶם יַקְנִיאוּהוּ Ps. 78:58

קַנָּא ת׳ [מתארי אלהי ישראל] קפדן, מחמיר: 1־6
אֵל קַנָּא 1־6
קַנָּא 1 כִּי אָנֹכִי יְיָ אֱלֹהֶיךָ אֵל קַנָּא Ex. 20:5
2/3 כִּי יְיָ קַנָּא שְׁמוֹ אֵל קַנָּא Ex. 34:14
4 אֵשׁ אֹכְלָה הוּא אֵל קַנָּא Deut. 4:24
5 כִּי אָנֹכִי יְיָ אֱלֹהֶיךָ אֵל קַנָּא Deut. 5:9
6 כִּי אֵל קַנָּא יְיָ אֱלֹהֶיךָ בְּקִרְבֶּךָ Deut. 6:15

קְנָא פ׳ ארמית: קָנה
תִּקְנֵא 1 תִּקְנֵא בְּכַסְפָּא דְנָה תּוֹרִין Ez. 7:17

קִנְאָה נ׳ א) צרות עַין: 11, 19־22
ב) חשד, כַּעס על בגידה: 1־3,8־10,12,28,39־43
ג) חֵמה עזה: 4־7, 13־18, 23־27, 29־38
קרובים: ראה אֵיבָה
– קִנְאָה גְדוֹלָה 6, 7; קִ׳ קָשָׁה 12; אֵשׁ קִנְאָה 26, 27
35, 37; סֵמֶל הַקִּנְאָה 14, 15; רוּחַ קִנְאָה 1־3
– קִנְאַת אִישׁ 22; קִ׳ אֶפְרַיִם 19; קִנְאַת בֵּיתוֹ 21;
קִנְאַת יְיָ 16־18; קִנְאַת עָם 20
– מִנְחַת קְנָאוֹת 40־42; תּוֹרַת הַקְּנָאוֹת 43
קִנְאָה 1 וְעָבַר עָלָיו רוּחַ־קִנְאָה Num. 5:14
2 אוֹ־עָבַר עָלָיו רוּחַ־קִנְאָה Num. 5:14
3 אֲשֶׁר תַּעֲבֹר עָלָיו רוּחַ קִנְאָה Num. 5:30
4 כְּאִישׁ מִלְחָמוֹת יָעִיר קִנְאָה Is. 42:13
5 וַיַּעַט כַּמְעִיל קִנְאָה Is. 59:17
6 קִנֵּאתִי לִירוּשָׁ׳ וּלְצִיּוֹן קִנְאָה גְדוֹלָה Zech. 1:14
7 קִנֵּאתִי לְצִיּוֹן קִנְאָה גְדוֹלָה Zech. 8:2
8 כִּי־קִנְאָה חֲמַת־גָּבֶר Prov. 6:34
9 וּרְקַב עֲצָמוֹת קִנְאָה Prov. 14:30
10 וּמִי יַעֲמֹד לִפְנֵי קִנְאָה Prov. 27:4
11 וּפֹתֶה תָּמִית קִנְאָה Job 5:2
12 קָשָׁה כִשְׁאוֹל קִנְאָה S.ofS. 8:6

וְקִנְאָה 13 וּנְתַתִּיךְ דַּם חֵמָה וְקִנְאָה Ezek. 16:38
הַקִּנְאָה 14 מוֹשַׁב סֵמֶל הַקִּנְאָה הַמַּקְנֶה Ezek. 8:3
15 סֵמֶל הַקִּנְאָה הַזֶּה בַּבִּאָה Ezek. 8:5
קִנְאַת־ 16 קִנְאַת יְיָ תַּעֲשֶׂה־זֹּאת IIK. 19:31
17/8 קִנְאַת יְיָ צְבָאוֹת תַּעֲשֶׂה־זֹּאת Is. 9:6; 37:32
19 וְסָרָה קִנְאַת אֶפְרַיִם Is. 11:13
20 יֶחֱזוּ וְיֵבֹשׁוּ קִנְאַת־עָם Is. 26:11
21 כִּי־קִנְאַת בֵּיתְךָ אֲכָלָתְנִי Ps. 69:10
22 כִּי הִיא קִנְאַת־אִישׁ מֵרֵעֵהוּ Eccl. 4:4
קִנְאָתִי 23 בְּקַנְאוֹ אֶת־קִנְאָתִי בְּתוֹכָם Num. 25:11
24 וְסָרָה קִנְאָתִי מִמֵּךְ Ezek. 16:42
25 וְנָתַתִּי קִנְאָתִי בָּךְ Ezek. 23:25
26 אִם־לֹא בְּאֵשׁ קִנְאָתִי דִבַּרְתִּי Ezek. 36:5
27 בְּאֵשׁ קִנְאָתִי תֵּאָכֵל כָּל־הָאָרֶץ Zep. 3:8
28 צִמְּתַתְנִי קִנְאָתִי Ps. 119:139
בְּקִנְאָתִי 29 וְלֹא־כִלִּיתִי אֶת־בְּ־י בְּקִנְאָתִי Num. 25:11
30 לְכָה אִתִּי וּרְאֵה בְּקִנְאָתִי לַייָ IIK. 10:16
31 כִּי־אֲנִי יְיָ דִּבַּרְתִּי בְּקִנְאָתִי Ezek. 5:13
32 בְּקִנְאָתִי וּבַחֲמָתִי דִּבַּרְתִּי Ezek. 36:6
וּבְקִנְאָתִי 33 וּבְקִנְאָתִי בְּאֵשׁ־עֶבְרָתִי דִּבַּרְתִּי Ezek. 38:19
קִנְאָתְךָ 34 אַיֵּה קִנְאָתְךָ וּגְבוּרֹתֶיךָ Is. 63:15
קִנְאָתֶךָ 35 תִּבְעַר כְּמוֹ־אֵשׁ קִנְאָתֶךָ Ps. 79:5
וּכְקִנְאָתְךָ 36 וְעָשִׂיתִי כְּאַפְּךָ וּכְקִנְאָתְךָ Ezek. 35:11
קִנְאָתוֹ 37 וּבְאֵשׁ קִנְאָתוֹ תֵּאָכֵל כָּל־הָאָרֶץ Zep. 1:18
וְקִנְאָתוֹ 38 יֶעְשַׁן אַף־יְיָ וְקִנְאָתוֹ בָּאִישׁ הַהוּא Deut. 29:19
קִנְאָתָם 39 גַּם־שִׂנְאָתָם גַּם־קִנְאָתָם כְּבָר אָבָדָה Eccl. 9:6
קְנָאוֹת 40 כִּי־מִנְחַת קְנָאֹת הוּא Num. 5:15
41 מִנְחַת קְנָאֹת הוּא Num. 5:18
הַקְּנָאוֹת 42 וְלָקַח...אֵת מִנְחַת הַקְּנָאֹת Num. 5:25
43 זֹאת תּוֹרַת הַקְּנָאֹת Num. 5:29

קנה

: קָנָה, נִקְנָה, הִקְנָה; קִנְיָן, מִקְנָה, מִקְנֶה, קָנֶה, קָנָה; ש״פ קָנֶה, קְנָת, אֶלְקָנָה, יָקְנְעָם; אר׳ קְנָא

קָנָה

פ׳ א) לקח במחיר: רוב המקראות 1-81
ב) [בהשאלה] רכש, קבל: 4, 5, 7, 10, 20, 23, 41, 42, 60, 61, 75-79
ג) ברא, יצר: 24, 34, 35, 37, 43, 44
ד) [נפ׳ נִקְנָה] נלקח במחיר: 82, 83
ה) [הפ׳ הִקְנָה] יעד, הפקיד: 84
– קְנֵה אֱמֶת 79; קְנֵה בִינָה 5, 75, 76, 78; קָנָה דַלִּים 9; קְנֵה חָכְמָה 4, 10, 75, 77; קֹנֶה לֵּב 41, 42; קָנָה עֵדָה 23; קָנָה עַם 20
– קֹנֵה שָׁמַיִם וָאָרֶץ 43, 44

קָנֹה 1 אוֹ קָנֹה מִיַּד עֲמִיתֶךָ Lev. 25:14
2 לֹא כִּי־קָנֹה אֶקְנֶה בְּכֶסֶף מָלֵא IChr. 21:24
קָנוֹ 3 לֹא כִּי־קָנוֹ אֶקְנֶה מֵאוֹתְךָ בִּמְחִיר IISh. 24:24
קְנֹה־ 4 קְנֹה־חָכְמָה מַה־טּוֹב מֵחָרוּץ Prov. 16:16
וּקְנוֹת 5 וּקְנוֹת בִּינָה נִבְחָר מִכָּסֶף Prov. 16:16
לִקְנוֹת 6 לִקְנוֹת מֵעִמְּךָ אֶת־הַגֹּרֶן IISh. 24:21
7 יוֹסִיף...לִקְנוֹת אֶת־שְׁאָר עַמּוֹ Is. 11:11
8 כִּי לְךָ מִשְׁפַּט הַגְּאֻלָּה לִקְנוֹת Jer. 32:7
9 לִקְנוֹת בַּכֶּסֶף דַּלִּים Am. 8:6
10 לָמָּה־זֶּה מְחִיר...לִקְנוֹת חָכְמָה Prov. 17:16
11 לִקְנוֹת אַבְנֵי מַחְצֵב וְעֵצִים IICh. 34:11
וְלִקְנוֹת 12/3 וְלִקְנוֹת עֵצִים וְאַבְנֵי מַחְצֵב IIK. 12:13; 22:6
קְנוֹתְךָ 14 בְּיוֹם־קְנוֹתְךָ הַשָּׂדֶה מִיַּד נָעֳמִי Ruth 4:5
קָנִיתִי 15 וַתֹּאמֶר קָנִיתִי אִישׁ אֶת־יְיָ Gen. 4:1
16 קָנִיתִי אֶתְכֶם הַיּוֹם...לְפַרְעֹה Gen. 47:23
17 כִּי קָנִיתִי אֶת־כָּל־אֲשֶׁר לֶאֱלִימֶלֶךְ Ruth 4:9
18 אֶת־רוּת...קָנִיתִי לִי לְאִשָּׁה Ruth 4:10
19 קָנִיתִי עֲבָדִים וּשְׁפָחוֹת Eccl. 2:7

קָנִיתָ 20 עַד־יַעֲבֹר עַם־זוּ קָנִיתָ Ex. 15:16
21 לֹא־קָנִיתָ לִּי בַכֶּסֶף קָנֶה Is. 43:24
22 קַח אֶת־הָאֵזוֹר אֲשֶׁר קָנִיתָ Jer. 13:4
23 זְכֹר עֲדָתְךָ קָנִיתָ קֶּדֶם Ps. 74:2
24 כִּי־אַתָּה קָנִיתָ כִלְיֹתָי Ps. 139:13
25 אֵשֶׁת־הַמֵּת קָנִיתָ (כת׳ קניתי) Ruth 4:5
וְקָנִיתָ 26 הָלוֹךְ וְקָנִיתָ לְּךָ אֵזוֹר פִּשְׁתִּים Jer. 13:1
27 הָלֹךְ וְקָנִיתָ בַקְבֻּק יוֹצֵר חָרֶשׂ Jer. 19:1
קָנָה 28 הַשָּׂדֶה אֲשֶׁר־קָנָה אַבְרָהָם Gen. 25:10
29 רַק אַדְמַת הַכֹּהֲנִים לֹא קָנָה Gen. 47:22
30/1 קָנָה אַבְרָהָם אֶת־הַשָּׂדֶה Gen. 49:30; 50:13
32 הַשָּׂדֶה אֲשֶׁר קָנָה יַעֲקֹב Josh. 24:32
33 כִּבְשָׂה אַחַת קְטַנָּה אֲשֶׁר קָנָה IISh. 12:3
קָנָנִי 34 יְיָ קָנָנִי רֵאשִׁית דַּרְכּוֹ Prov. 8:22
קָנֶךָ 35 הֲלוֹא־הוּא אָבִיךָ קָּנֶךָ Deut. 32:6
קָנָהוּ 36 יָשׁוּב הַשָּׂדֶה לַאֲשֶׁר קָנָהוּ מֵאִתּוֹ Lev. 27:24
קָנְתָה 37 הַר־זֶה קָנְתָה יְמִינוֹ Ps. 78:54
קָנִינוּ 38 אֲנַחְנוּ קָנִינוּ אֶת־אַחֵינוּ הַיְּהוּדִים Neh. 5:8
39 וְשָׂדֶה לֹא קָנִינוּ Neh. 5:16
קוֹנֶה 40 וְהִתְמַכַּרְתֶּם שָׁם...וְאֵין קֹנֶה Deut. 28:68
41 וְשׁוֹמֵעַ תּוֹכַחַת קוֹנֶה לֵּב Prov. 15:32
42 קֹנֶה לֵּב אֹהֵב נַפְשׁוֹ Prov. 19:8
קוֹנֵה־ 43/4 קֹנֵה שָׁמַיִם וָאָרֶץ Gen. 14:19, 22
הַקּוֹנֶה 45 וְהָיָה מִמְכָּרוֹ בְּיַד הַקֹּנֶה אֹתוֹ Lev. 25:28
46 הַקּוֹנֶה אַל־יִשְׂמָח Ezek. 7:12
47 רַע רַע יֹאמַר הַקּוֹנֶה Prov. 20:14
כַּקּוֹנֶה 48 וְהָיָה...כַּקּוֹנֶה כַּמּוֹכֵר Is. 24:2
לַקּוֹנֶה 49 וְקָם...לַקֹּנֶה אֹתוֹ לְדֹרֹתָיו Lev. 25:30
קוֹנֵהוּ 50 וְחִשַּׁב עִם־קֹנֵהוּ Lev. 25:50
51 יָדַע שׁוֹר קֹנֵהוּ Is. 1:3
קוֹנֵיהֶן 52 אֲשֶׁר קֹנֵיהֶן יַהַרְגֻן Zech. 11:5
אֶקְנֶה 53 לֹא כִּי־קָנוֹ אֶקְנֶה מֵאוֹתְךָ בִּמְחִיר IISh. 24:24
54 לֹא כִּי־קָנֹה אֶקְנֶה בְּכֶסֶף מָלֵא IChr. 21:24
וָאֶקְנֶה 55 וָאֶקְנֶה אֶת־הָאֵזוֹר כִּדְבַר יְיָ Jer. 13:2
56 וָאֶקְנֶה אֶת־הַשָּׂדֶה מֵאֵת חֲנַמְאֵל Jer. 32:9
תִקְנֶה 57 כִּי תִקְנֶה עֶבֶד עִבְרִי Ex. 21:2
58 בְּמִסְפַּר שָׁנִים...תִּקְנֶה מֵאֵת עֲמִיתֶךָ Lev. 25:15
יִקְנֶה 59 וְכֹהֵן כִּי־יִקְנֶה נֶפֶשׁ Lev. 22:11
60 וְנָבוֹן תַּחְבֻּלוֹת יִקְנֶה Prov. 1:5
61 לֵב נָבוֹן יִקְנֶה־דָּעַת Prov. 18:15
וַיִּקֶן 62 וַיִּקֶן אֶת־חֶלְקַת הַשָּׂדֶה Gen. 33:19
63 וַיִּקֶן יוֹסֵף אֶת־כָּל־אַדְמַת מִצְרַיִם Gen. 47:20
64 וַיִּקֶן דָּוִד אֶת־הַגֹּרֶן IISh. 24:24
65 וַיִּקֶן אֶת־הָהָר שֹׁמְרוֹן IK. 16:24
וַיִּקְנֵהוּ 66 וַיִּקְנֵהוּ פּוֹטִיפַר...מִיַּד הַיִּשְׁמְעֵאלִים Gen. 39:1
תִּקְנוּ 67 מֵהֶם תִּקְנוּ עֶבֶד וְאָמָה Lev. 25:44
68 מֵהֶם תִּקְנוּ וּמִמִּשְׁפַּחְתָּם Lev. 25:45
יִקְנוּ 69 שָׂדוֹת בַּכֶּסֶף יִקְנוּ Jer. 32:44
קְנֵה 70 קְנֵה־אֹתָנוּ וְאֶת־אַדְמָתֵנוּ Gen. 47:19
71 קְנֵה לְךָ אֶת־שָׂדִי Jer. 32:7
72 קְנֵה נָא אֶת־שָׂדִי אֲשֶׁר־בַּעֲנָתוֹת Jer. 32:8
73 וּלְךָ הַגְּאֻלָּה קְנֵה־לָךְ Jer. 32:8
74 קְנֵה־לְךָ הַשָּׂדֶה בַּכֶּסֶף Jer. 32:25
75/6 קְנֵה חָכְמָה קְנֵה בִינָה Prov. 4:5
77 רֵאשִׁית חָכְמָה קְנֵה חָכְמָה Prov. 4:7
78 וּבְכָל־קִנְיָנְךָ קְנֵה בִינָה Prov. 4:7
79 אֱמֶת קְנֵה וְאַל־תִּמְכֹּר Prov. 23:23
80 קְנֵה נֶגֶד הַיֹּשְׁבִים וְנֶגֶד זִקְנֵי עַמִּי Ruth 4:4
81 וַיֹּאמֶר הַגֹּאֵל לְבֹעַז קְנֵה־לָךְ Ruth 4:8
וְנִקְנָה 82 וְנִקְנָה הַשָּׂדֶה בָּאָרֶץ הַזֹּאת Jer. 32:43
יִקָּנוּ 83 עוֹד יִקָּנוּ בָתִּים וְשָׂדוֹת Jer. 32:15
הִקְנַנִי 84 כִּי־אָדָם הִקְנַנִי מִנְּעוּרָי Zech. 13:5

קָנֶה¹

ז׳ א) גבעול בצמחי הדגן: 18, 19
ב) צמח בר הגדול בגדות נחלי מים ובִצות: 1-3, 11, 12, 14-16, 25
ג) מוט למדידה: 4-10, 13, 17, 26-32, 37-40
ד) מוט מאזנים לשקילה: 24
ה) זרוע של המנורה: 20-23, 33-36, 41-56
– קָנֶה וָגֹמֶא 25; קָנֶה וָסוּף 1; קָנֶה רָצוּץ 2, 15, 16
– חַיַּת קָנֶה 11; מְלוֹ(א) הַקָּנֶה 17; מִשְׁעֶנֶת קָנֶה 3, 15, 16; סֵתֶר קָנֶה 12
– קְנֵה הַמִּדָּה 26-32; קְנֵי מְנוֹרָה 51-54

קָנֶה 1 קָנֶה וָסוּף קָמֵלוּ Is. 19:6
2 קָנֶה רָצוּץ לֹא יִשְׁבּוֹר Is. 42:3
3 מִשְׁעֶנֶת קָנֶה לְבֵית יִשְׂרָאֵל Ezek. 29:6
4 וַיָּמָד אֶת־רֹחַב הַבִּנְיָן קָנֶה אֶחָד Ezek. 40:5
5 וְקוֹמָה קָנֶה אֶחָד Ezek. 40:5
6/7 קָנֶה אֶחָד רֹחַב Ezek. 40:6[2]
8 וְהַתָּא קָנֶה אֶחָד אֹרֶךְ Ezek. 40:7
9/10 אֻלָם הַשַּׁעַר מֵהַבַּיִת קָנֶה אֶחָד Ezek. 40:7, 8
11 גְּעַר חַיַּת קָנֶה Ps. 68:31
12 בְּסֵתֶר קָנֶה וּבִצָּה Job 40:21
וְקָנֶה 13 וְקָנֶה אֶחָד רֹחַב Ezek. 40:7
הַקָּנֶה 14 כַּאֲשֶׁר יָנוּד הַקָּנֶה בַּמַּיִם IK. 14:15
15 עַל־מִשְׁעֶנֶת הַקָּנֶה הָרָצוּץ הַזֶּה IIK. 18:21
16 עַל־מִשְׁעֶנֶת הַקָּנֶה הָרָצוּץ הַזֶּה Is. 36:6
17 מְלוֹ הַקָּנֶה שֵׁשׁ אַמּוֹת אַצִּילָה Ezek. 41:8
בְּקָנֶה 18 שֶׁבַע שִׁבֳּלִים עֹלוֹת בְּקָנֶה אֶחָד Gen. 41:5
19 שֶׁבַע שִׁבֳּלִים עֹלֹת בְּקָנֶה אֶחָד Gen. 41:22
20 וּשְׁלֹשָׁה גְבִעִים...בְּקָנֶה אֶחָד Ex. 37:19
בַּקָּנֶה 21/2 שְׁלֹשָׁה גְבִעִים...בַּקָּנֶה הָאֶחָד Ex. 25:33; 37:19
23 וּשְׁלֹשָׁה גְבִעִים...בַּקָּנֶה הָאֶחָד Ex. 25:33
24 וְכֶסֶף בַּקָּנֶה יִשְׁקֹלוּ Is. 46:6
לְקָנֶה 25 חָצִיר לְקָנֶה וָגֹמֶא Is. 35:7
קְנֵה־ 26 וּבְיַד הָאִישׁ קְנֵה הַמִּדָּה Ezek. 40:5
וּקְנֵה־ 27 וּפְתִיל־פִּשְׁתִּים בְּיָדוֹ וּקְנֵה הַמִּדָּה Ezek. 40:3
בִּקְנֵה־ 28 מָדַד רוּחַ הַקָּדִים בִּקְנֵה הַמִּדָּה Ezek. 42:16
29/30 קָנִים בִּקְנֵה הַמִּדָּה סָבִיב Ezek. 42:16, 17
31/2 חֲמֵשׁ־מֵאוֹת קָנִים בִּקְנֵה הַמִּדָּה Ezek. 42:18, 19
וְקָנָהּ 33/4 יְרֵכָהּ וְקָנָהּ גְּבִיעֶיהָ Ex. 25:31; 37:17
קָנִים 35/6 וְשִׁשָּׁה קָנִים יֹצְאִים מִצִּדֶּיהָ Ex. 25:32; 37:18
37 חֲמֵשׁ מֵאוֹת° קָנִים Ezek. 42:16
38-40 חֲמֵשׁ־מֵאוֹת קָנִים Ezek. 42:17, 18, 19
הַקָּנִים 41-43 לְשֵׁשֶׁת הַקָּנִים הַיֹּצְאִים מִן־הַמְּנֹרָה Ex. 25:33, 35; 37:19
44-49 וְכַפְתֹּר תַּחַת(־)שְׁנֵי הַקָּנִים מִמֶּנָּה Ex. 25:35[3]; 37:32[3]
50 לְשֵׁשֶׁת הַקָּנִים הַיֹּצְאִים מִמֶּנָּה Ex. 37:21
קְנֵי־ 51/2 שְׁלֹשָׁה קְנֵי מְנֹרָה מִצִּדָּהּ Ex. 25:32; 37:18
53/4 וּשְׁלֹשָׁה קְנֵי מְנֹרָה מִצִּדָּהּ Ex. 25:32; 37:18
וּקְנוֹתָם 55/6 כַּפְתֹּרֵיהֶם וּקְנֹתָם Ex. 25:36; 37:22

קָנֶה²

ז׳ צמח בֹּשֶׂם: 1-5
קרובים: אָהָל / חֶלְבְּנָה / כַּרְכֹּם / לְבוֹנָה / מוֹר / מָר־דְּרוֹר / נָטָף / נֵרְדְּ / צֳרִי / קִדָּה / קִנָּמוֹן / קְצִיעָה / שְׁחֵלֶת
קָנֶה הַטּוֹב 3; קְנֵה־בֹשֶׂם 5

קָנֶה 1 לֹא־קָנִיתָ לִּי בַכֶּסֶף קָנֶה Is. 43:24
2 נֵרְדְּ וְכַרְכֹּם קָנֶה וְקִנָּמוֹן S.ofS. 4:14
וְקָנֶה 3 וְקָנֶה הַטּוֹב מֵאֶרֶץ מֶרְחָק Jer. 6:20
4 קִדָּה וְקָנֶה בְּמַעֲרָבֵךְ הָיָה Ezek. 27:19
וּקְנֵה־ 5 וּקְנֵה־בֹשֶׂם חֲמִשִּׁים וּמָאתָיִם Ex. 30:23

קָנֶה1 נ׳ עצם הזרוע

מִקָּנָה 1 וְאֶזְרֹעִי מִקָּנָה תִשָּׁבֵר Job 31:22

קָנָה2 ש״פ א) מקום בנחלת אשר: 3

ב) נחל בגבול אפרים, מיובלי הירקון: 1, 2

קָנָה 1 מִתַּפּוּחַ יֵלֵךְ הַגְּבוּל יָמָּה נַחַל קָנָה Josh. 16:8

2 וְיָרַד הַגְּבוּל נַחַל קָנָה... Josh. 17:9

וְקָנָה 3 וְעֶבְרֹן וּרְחֹב וְחַמּוֹן וְקָנָה Josh. 19:28

קַנּוֹא ת׳ קַנָּא, קפדן [מתארי אלהי ישראל]: 1, 2

קַנּוֹא 1 אֵל־קַנּוֹא הוּא Josh. 24:19

2 אֵל קַנּוֹא וְנֹקֵם יְיָ Nah. 1:2

קְנַז שפ״ז א) מאלופי אדום: 1, 2, 8

ב) אבי השופט עתניאל: 3־6, 9, 11

ג) מצאצאי עשו: 7, 10

אַלּוּף קְנַז 1, 2, 8; בֶּן קְנַז 3־6; בְּנֵי קְנַז 9

קְנַז 1 אַלּוּף צְפוֹ אַלּוּף קְנַז Gen. 36:15

2 אַלּוּף קְנַז אַלּוּף תֵּימָן Gen. 36:42

3 וַיִּלְכְּדָהּ עָתְנִיאֵל בֶּן־קְנַז Josh. 15:17

4־6 עָתְנִיאֵל בֶּן־קְנַז Jud. 1:13; 3:9, 11

7 בְּנֵי אֱלִיפָז...קְנַז וְתִמְנָע וַעֲמָלֵק ICh. 1:36

8 אַלּוּף קְנַז אַלּוּף תֵּימָן... ICh. 1:53

9 וּבְנֵי קְנַז עָתְנִיאֵל וּשְׂרָיָה ICh. 4:13

וּקְנַז 10 תֵּימָן אוֹמָר צְפוֹ וְגַעְתָּם וּקְנַז Gen. 36:11

11 וּבְנֵי אֵלָה וּקְנַז ICh. 4:15

קְנִזִּי ת׳ א) אחד מעמי כנען: 1

ב) המתיחס על קנז משבט יהודה: 2־4

הַקְּנִזִּי 1 אֶת־הַקֵּינִי וְאֶת־הַקְּנִזִּי וְאֵת הַקַּדְמֹנִי Gen. 15:19

2 בִּלְתִּי כָּלֵב בֶּן־יְפֻנֶּה הַקְּנִזִּי Num. 32:12

3 וַיֹּאמֶר אֵלָיו כָּלֵב בֶּן־יְפֻנֶּה הַקְּנִזִּי Josh. 14:6

4 לְכָלֵב בֶּן־יְפֻנֶּה הַקְּנִזִּי לְנַחֲלָה Josh. 14:14

קֵנִי (ש״א כז 10) – עין קֵינִי

קִנְיָן ז׳ א) קניה, רכוש: 1־4, 6־10

ב) יצור: 5

מִקְנֶה וְקִנְיָן 1, 2, 6, 9, 10

וְקִנְיָן 1 וְאֶל־עַם...עֹשֶׂה מִקְנֶה וְקִנְיָן Ezek. 38:12

2 לָקַחַת מִקְנֶה וְקִנְיָן Ezek. 38:13

קִנְיַן־ 3 וְכֹהֵן כִּי־יִקְנֶה נֶפֶשׁ קִנְיַן כַּסְפּוֹ Lev. 22:11

קִנְיָנְךָ 4 וּבְכָל־קִנְיָנְךָ קְנֵה בִינָה Prov. 4:7

קִנְיָנֶךָ 5 מָלְאָה הָאָרֶץ קִנְיָנֶךָ Ps. 104:24

קִנְיָנוֹ 6 מִקְנֵה קִנְיָנוֹ אֲשֶׁר רָכַשׁ Gen. 31:18

7 וְאֵת כָּל־קִנְיָנוֹ אֲשֶׁר רָכַשׁ Gen. 36:6

8 וּמֹשֵׁל בְּכָל־קִנְיָנוֹ Ps. 105:21

וְקִנְיָנָם 9 מִקְנֵהֶם וְקִנְיָנָם וְכָל־בְּהֶמְתָּם Gen. 34:23

וּלְקִנְיָנָם 10 וּמִגְרְשֵׁיהֶם לְמִקְנֵיהֶם וּלְקִנְיָנָם Josh. 14:4

קִנָּמוֹן ז׳ צמח בושם: 1־3 • קרובים: ראה קָנֶה2

קִנְּמָן־בֶּשֶׂם 3

וְקִנָּמוֹן 1 מֹר אֲהָלִים וְקִנָּמוֹן Prov. 7:17

2 נֵרְדְּ וְכַרְכֹּם קָנֶה וְקִנָּמוֹן S.ofS. 4:14

וְקִנְּמָן־ 3 מָר־דְּרוֹר...וְקִנְּמָן־בֶּשֶׂם Ex. 30:23

קנן : קִנֵּן, קֻנַּן; קֵן

קִנֵּן פ׳ א) בנה קן: 1־4

ב) [פ׳ קֻנַּן] שָׁכַן בְּקֵן: 5

קִנְּנָה 1 שָׁמָּה קִנְּנָה קִפּוֹז וַתְּמַלֵּט Is. 34:15

קִנְנוּ 2 בִּסְעַפֹּתָיו קִנְנוּ כָּל־עוֹף הַשָּׁמַיִם Ezek. 31:6

תְּקַנֵּן 3 כְּיוֹנָה תְּקַנֵּן בְּעֶבְרֵי פִי־פָחַת Jer. 48:28

יְקַנֵּנוּ 4 אֲשֶׁר־שָׁם צִפֳּרִים יְקַנֵּנוּ Ps. 104:17

מְקֻנַּנְתְּ 5 יֹשַׁבְתְּ׳ בַּלְּבָנוֹן מְקֻנַּנְתְּ (כת׳ מקננתי) בָּאֲרָזִים Jer. 22:23

קֶנֶץ* ז׳ קצה?, מוקש?

קִנְצֵי־ 1 עַד־אָנָה תְּשִׂימוּן קִנְצֵי לְמִלִּין Job 18:2

קְנָת ש״פ – עיר בעבר הירדן מזרחה לכנרת: 1, 2

קְנָת 1 וַיִּלְכֹּד אֶת־קְנָת וְאֶת־בְּנֹתֶיהָ Num. 32:42

2 וַיִּקַּח...אֶת־קְנָת וְאֶת־בְּנֹתֶיהָ ICh. 2:23

קסם : קָסַם; קֶסֶם, קוֹסֵם, מִקְסָם

קָסַם פ׳ כִּשֵּׁף, נִחֵשׁ: 1־11 [עין גם קוֹסֵם]

בִּקְסָם־ 1 בַּחֲזוֹת לָךְ שָׁוְא בִּקְסָם־לָךְ כָּזָב Ezek. 21:34

כִּקְסָם־ 2 וְהָיָה...כִּקְסָם־(כת׳ כקסום) שָׁוְא Ezek. 21:28

לִקְסָם־ 3 כִּי־עָמַד...לִקְסָם־קָסֶם Ezek. 21:26

מִקְּסֹם 4 וְחָשְׁכָה לָכֶם מִקְּסֹם Mic. 3:6

קוֹסֵם 5 קֹסֵם קְסָמִים מְעוֹנֵן וּמְנַחֵשׁ Deut. 18:10

וְקֹסְמִים 6 חֹזִים שָׁוְא וְקֹסְמִים לָהֶם כָּזָב Ezek. 22:28

וְהַקֹּסְמִים 7 הַחֹזִים שָׁוְא וְהַקֹּסְמִים כָּזָב Ezek. 13:9

יִקְסֹמוּ 8 וּנְבִיאֶיהָ בְּכֶסֶף יִקְסֹמוּ Mic. 3:11

וַיִּקְסְמוּ 9 וַיִּקְסְמוּ קְסָמִים וַיְנַחֵשׁוּ IIK. 17:17

תִּקְסַמְנָה 10 וְקֶסֶם לֹא־תִקְסַמְנָה עוֹד Ezek. 13:23

קָסֳמִי־ 11 קָסֳמִי־ (כת׳ קסומי) נָא לִי בָּאוֹב ISh. 28:8

קֶסֶם ז׳ כשוף, מעשה להטים: 1־11

קרובים: ראה כְּשָׁפִים

חַטַּאת קֶסֶם 2; קֶסֶם כָּזָב 6; קֶסֶם קֶסֶם 4, 7; קוֹסֵם קְסָמִים 9

קֶסֶם 1 לֹא־נַחַשׁ בְּיַעֲקֹב וְלֹא־קֶסֶם בְּיִשְׂ׳ Num. 23:3

2 כִּי חַטַּאת־קֶסֶם מֶרִי ISh. 15:23

3 קֶסֶם עַל־שִׂפְתֵי־מֶלֶךְ Prov. 16:10

קָסֶם 4 כִּי־עָמַד...לִקְסָם־קָסֶם Ezek. 21:26

וְקֶסֶם 5 חֲזוֹן שֶׁקֶר וְקֶסֶם וֶאֱלִיל׳ Jer. 14:14

6 חָזוּ שָׁוְא וְקֶסֶם כָּזָב Ezek. 13:6

7 וְקֶסֶם לֹא־תִקְסַמְנָה עוֹד Ezek. 13:23

הַקֶּסֶם 8 בִּימִינוֹ הָיָה הַקֶּסֶם יְרוּשָׁלַם Ezek. 21:27

קְסָמִים 9 קֹסֵם קְסָמִים מְעוֹנֵן וּמְנַחֵשׁ Deut. 18:10

10 וַיִּקְסְמוּ קְסָמִים וַיְנַחֵשׁוּ IIK. 17:17

וּקְסָמִים 11 וַיֵּלְכוּ זִקְנֵי מוֹאָב...וּקְסָמִים בְּיָדָם Num. 22:7

(קסס) קוֹסֵס פ׳ כִּרְסֵם, גדע

יְקוֹסֵס 1 וְאֶת־פִּרְיָהּ יְקוֹסֵס וְיָבֵשׁ Ezek. 17:9

קֶסֶת נ׳ כלי לדיו: 1־3 • קֶסֶת הַסֹּפֵר 2, 3

הַקֶּסֶת 1 לְבֻשׁ הַבַּדִּים אֲשֶׁר הַקֶּסֶת בְּמָתְנָיו Ezek. 9:11

קֶסֶת־ 2 אֲשֶׁר קֶסֶת הַסֹּפֵר בְּמָתְנָיו Ezek. 9:3

וְקֶסֶת־ 3 וְקֶסֶת הַסֹּפֵר בְּמָתְנָיו Ezek. 9:2

קְעִילָה ש״פ – עיר בשפלת יהודה: 1־18

אֲבִי קְעִילָה 14; בַּעֲלֵי קְעִילָה 10, 11; יוֹשְׁבֵי קְעִילָה 5; חֲצִי פֶּלֶךְ קְעִילָה 12, 13

קְעִילָה 1 לֵךְ...וְהוֹשַׁעְתָּ אֶת־קְעִילָה ISh. 23:2

2 וְאַף כִּי־נֵלֵךְ קְעִלָה ISh. 23:3

3 קוּם רֵד קְעִילָה ISh. 23:4

4 וַיֵּלֶךְ דָּוִד וַאֲנָשָׁו קְעִילָה ISh. 23:5

5 וַיֹּשַׁע דָּוִד אֵת יֹשְׁבֵי קְעִלָה ISh. 23:5

6 בִּבְרֹחַ אֶבְיָתָר...אֶל־דָּוִד קְעִילָה ISh. 23:6

7 וַיֻּגַּד לְשָׁאוּל כִּי־בָא דָוִד קְעִילָה ISh. 23:7

8 לָרֶדֶת קְעִילָה לָצוּר אֶל־דָּוִד ISh. 23:8

9 מְבַקֵּשׁ שָׁאוּל לָבוֹא אֶל־קְעִילָה ISh. 23:10

קְעִילָה (המשך) 10 הֲיַסְגִּרֻנִי בַעֲלֵי קְעִילָה בְיָדוֹ ISh. 23:11

11 הֲיַסְגִּרוּ בַּעֲלֵי קְעִילָה אֹתִי ISh. 23:12

12 שַׂר־חֲצִי־פֶלֶךְ קְעִילָה Neh. 3:17

13 שַׂר חֲצִי פֶלֶךְ קְעִילָה Neh. 3:18

14 אֲבִי קְעִילָה הַגַּרְמִי ICh. 4:19

וּקְעִילָה 15 וּקְעִילָה וְאַכְזִיב וּמָרֵאשָׁה Josh. 15:44

בִּקְעִילָה 16 הִנֵּה פְלִשְׁתִּים נִלְחָמִים בִּקְעִילָה ISh. 23:1

מִקְּעִילָה 17 וַיֵּצְאוּ מִקְּעִלָה וַיִּתְהַלְּכוּ ISh. 23:13

18 כִּי־נִמְלַט דָּוִד מִקְּעִילָה ISh. 23:13

קַעֲקַע ז׳ חריתת כתובת או ציור בבשר הגוף

קַעֲקַע 1 וּכְתֹבֶת קַעֲקַע לֹא תִתְּנוּ בָּכֶם Lev. 19:28

קְעָרָה נ׳ צלחת עמוקה: 1־17

קַעֲרַת כֶּסֶף 2־13; קַעֲרוֹת כֶּסֶף 15

הַקְּעָרָה 1 שְׁלֹשִׁים וּמֵאָה הַקְּעָרָה...כֶּסֶף Num. 7:85

קַעֲרַת־ 2־13 קַעֲרַת־כֶּסֶף אַחַת Num. 7:13, 19, 25

7:31, 37, 43, 49, 55, 61, 67, 73, 79

הַקְּעָרֹת 14 אֶת־הַקְּעָרֹת וְאֶת־הַכַּפֹּת Num. 4:7

קַעֲרוֹת־ 15 קַעֲרֹת כֶּסֶף שְׁתֵּים עֶשְׂרֵה Num. 7:84

קְעָרֹתָיו 16 וְעָשִׂיתָ קְּעָרֹתָיו וְכַפֹּתָיו Ex. 25:29

17 אֶת־קְעָרֹתָיו וְאֶת־כַּפֹּתָיו Ex. 37:16

קפא : קָפָא, הִקְפִּיא; קִפָּאוֹן

קָפָא פ׳ א) התקשה, נקרש: 1, 2

ב) [הפ׳ הִקְפִּיא] הקשה, הקריש: 3

קָפְאוּ 1 קָפְאוּ תְהֹמֹת בְּלֶב־יָם Ex. 15:8

הַקֹּפְאִים 2 הַקֹּפְאִים עַל־שִׁמְרֵיהֶם Zep. 1:12

תַּקְפִּיאֵנִי 3 כֶּחָלָב תַּתִּיכֵנִי וְכַגְּבִנָּה תַּקְפִּיאֵנִי Job 10:10

קִפָּאוֹן ז׳ [סתום] קור(?)

וְקִפָּאוֹן 1 לֹא־יִהְיֶה אוֹר יְקָרוֹת וְקִפָּאוֹן (כת׳ יקפאון) Zech. 14:6

קפד : קִפֵּד; קְפָדָה, קִפּוֹד(?)

קִפֵּד פ׳ קִפֵּחַ, הכרית

קִפַּדְתִּי 1 קִפַּדְתִּי כָאֹרֵג חַיַּי Is. 38:12

קְפָדָה נ׳ כליון

קְפָדָה 1 קְפָדָה־בָא וּבִקְשׁוּ שָׁלוֹם וָאָיִן Ezek. 7:25

קִפּוֹד ז׳ עוף מדורסי־לילה(?): 1־3 • מוֹרַשׁ קִפּוֹד 1

קִפּוֹד 1 לְמוֹרַשׁ קִפֹּד וְאַגְמֵי־מָיִם Is. 14:23

2 גַּם־קָאַת גַּם־קִפֹּד בְּכַפְתֹּרֶיהָ יָלִינוּ Zep. 2:14

וְקִפּוֹד 3 וִירֵשׁוּהָ קָאַת וְקִפּוֹד Is. 34:11

קִפּוֹז נ׳ קִפּוֹד?

קִפּוֹז 1 שָׁמָּה קִנְּנָה קִפּוֹז וַתְּמַלֵּט Is. 34:15

קפץ : קָפַץ, נִקְפַּץ, קִפֵּץ

קָפַץ פ׳ א) קמץ, סגר: 1־5

ב) [נפ׳ נִקְפַּץ] נקמץ, כלה: 6

ג) [פ׳ קִפֵּץ] דלג, התנשא: 7

קָפַץ יָדוֹ 4; קָפַץ פִּיו 2, 3; קָפַץ רַחֲמָיו 1

קָפַץ 1 אִם־קָפַץ בְּאַף רַחֲמָיו Ps. 77:10

קָפְצָה 2 וְכָל־עַוְלָה קָפְצָה פִּיהָ Ps. 107:42

3 וְעֹלָתָה קָפְצָה פִּיהָ Job 5:16

תִקְפֹּץ 4 וְלֹא תִקְפֹּץ אֶת־יָדְךָ מֵאָחִיךָ Deut. 15:7

יִקְפְּצוּ 5 עָלָיו יִקְפְּצוּ מְלָכִים פִּיהֶם Is. 52:15

יִקָּפְצוּן 6 וְהֻמְּכוּ כַּכֹּל יִקָּפְצוּן Job 24:24

מְקַפֵּץ 7 מְדַלֵּג...מְקַפֵּץ עַל־הַגְּבָעוֹת S.ofS. 2:8

קֵץ ז׳ א) סוֹף, אחרית: 1-61, 63, 65-67
ב) קָצֶה: 62, 64
ג) [מִקֵּץ] בסוף, לאחר תום: 36-58
קרובים: אַחֲרִית / סוֹף / קָצֶה / תֹּם
– קֵץ (כָּל־) בָּשָׂר 28; קֵץ יָמִים 36; קֵץ הַיָּמִין 32; קֵץ מִלְחָמָה 30; קֵץ הָעִתִּים 35; קֵץ הַפְּלָאוֹת 31; קֵץ הַשָּׁנִים 33, 34
– אֵין קֵץ 1, 8, 10-12; מוֹעֵד קֵץ 13; עֵת קֵץ 15-18, 29; צֵאת הַקֵּץ 24
– מִקֵּץ חֳדָשִׁים 47; מִקֵּץ יָמִים 37, 38, 48, 49, 54, 55; מִקֵּץ שָׁנִים 39-41, 44-46, 50-53, 56, 58
– מְלוֹן קִצּוֹ 64; מְרוֹם קִצּוֹ 62
– בָּא הַקֵּץ 3, 20, 22, 23, 28, 61, 67; הוֹדִיעַ קִצּוֹ 59; קָרֵב קִצּוֹ 66; רָאָה קֵץ 7; שָׂם קֵץ 9

קֵץ 1 לְמַרְבֵּה הַמִּשְׂרָה וּלְשָׁלוֹם אֵין־קֵץ Is. 9:6
2 לְאַדְמַת יִשְׂרָאֵל קֵץ Ezek. 7:2
3 קֵץ בָּא בָּא הַקֵּץ Ezek. 7:6
4-6 בְּעֵת עֲוֹן קֵץ Ezek. 21:30, 34; 35:5
7 לְכָל־תִּכְלָה רָאִיתִי קֵץ Ps. 119:96
8 וְאֵין־קֵץ לַעֲוֹנֹתֶיךָ Job 22:5
9 קֵץ שָׂם לַחֹשֶׁךְ Job 28:3
10 וְאֵין קֵץ לְכָל־עֲמָלוֹ Eccl. 4:8
11 אֵין־קֵץ לְכָל־הָעָם Eccl. 4:16
12 עֲשׂוֹת סְפָרִים הַרְבֵּה אֵין קֵץ Eccl. 12:12
13 כִּי לְמוֹעֵד קֵץ Dan. 8:19
14 כִּי־עוֹד קֵץ לַמּוֹעֵד Dan. 11:27
15-17 עַד־עֵת קֵץ Dan. 11:35; 12:4, 9
18 וּבְעֵת קֵץ יִתְנַגַּח עִמּוֹ Dan. 11:40
הֲקֵץ 19 הֲקֵץ לְדִבְרֵי־רוּחַ Job 16:3
הַקֵּץ 20 בָּא הַקֵּץ עַל...כַּנְפוֹת הָאָרֶץ Ezek. 7:2
21 עַתָּה הַקֵּץ עָלַיִךְ Ezek. 7:3
22 בָּא הַקֵּץ הֵקִיץ אֵלָיִךְ Ezek. 7:6
23 בָּא הַקֵּץ אֶל־עַמִּי יִשְׂרָאֵל Am. 8:2
24 וּכְעֵת צֵאת הַקֵּץ לְיָמִים שְׁנַיִם IICh. 21:19
לַקֵּץ 25 וְיָפֵחַ לַקֵּץ וְלֹא יְכַזֵּב Hab. 2:3
26 וְאַתָּה לֵךְ לַקֵּץ Dan. 12:13
מִקֵּץ 27 בֹּאוּ־לָהּ מִקֵּץ פִּתְחוּ מַאֲבֻסֶיהָ Jer. 50:26
קֵץ־ 28 קֵץ כָּל־בָּשָׂר בָּא לְפָנַי Gen. 6:13
29 כִּי לְעֶת־קֵץ הֶחָזוֹן Dan. 8:17
30 וְעַד קֵץ מִלְחָמָה Dan. 9:26
31 עַד־מָתַי קֵץ הַפְּלָאוֹת Dan. 12:6
לְקֵץ־ 32 וְתַעֲמֹד לְגֹרָלְךָ לְקֵץ הַיָּמִין Dan. 12:13
33 וַיֵּרֶד לְקֵץ שָׁנִים אֶל־אַחְאָב IICh. 18:2
וּלְקֵץ־ 34 וּלְקֵץ שָׁנִים יִתְחַבָּרוּ Dan. 11:6
35 וּלְקֵץ הָעִתִּים שָׁנִים יָבוֹא בוֹא Dan. 11:13
36 וּלְקֵץ יָמִים נִשְׁאַלְתִּי מִן־הַמֶּלֶךְ Neh. 13:6
מִקֵּץ־ 37 וַיְהִי מִקֵּץ יָמִים וַיָּבֵא קַיִן Gen. 4:3
38 וַיְהִי מִקֵּץ אַרְבָּעִים יוֹם Gen. 8:6
39 מִקֵּץ עֶשֶׂר שָׁנִים לְשֶׁבֶת... Gen. 16:3
40 וַיְהִי מִקֵּץ שְׁנָתַיִם יָמִים Gen. 41:1
41 וַיְהִי מִקֵּץ שְׁלֹשִׁים שָׁנָה Ex. 12:41
42/3 מִקֵּץ אַרְבָּעִים יוֹם Num. 13:25 • Deut. 9:11
44-46 מִקֵּץ שֶׁבַע שָׁנִים Deut. 15:1; 31:10
Jer. 34:14
47 מִקֵּץ שְׁנַיִם חֳדָשִׁים Jud. 11:39
48/9 מִקֵּץ יָמִים IISh. 14:26 • IK. 17:7
50 מִקֵּץ אַרְבָּעִים שָׁנָה IISh. 15:7
51 מִקֵּץ שָׁלֹשׁ שָׁנִים IK. 2:39
52/3 מִקֵּץ שִׁבְעִים שָׁנָה Is. 23:15, 17
54 מִקֵּץ יָמִים רַבִּים Jer. 13:6
55 מִקֵּץ עֲשֶׂרֶת יָמִים Jer. 42:7

מִקֵּץ־ (המשך) 56 מִקֵּץ אַרְבָּעִים שָׁנָה אֲקַבֵּץ... Ezek. 29:13
57 מִקֵּץ הֱיוֹת לָהּ כְּדָת הַנָּשִׁים Es. 2:12
58 מִקֵּץ עֶשְׂרִים שָׁנָה IICh. 8:1
קִצִּי 59 הוֹדִיעֵנִי יְיָ קִצִּי Ps. 39:5
60 וּמַה־קִּצִּי כִּי־אַאֲרִיךְ נַפְשִׁי Job 6:11
קִצֵּךְ 61 בָּא קִצֵּךְ אַמַּת בִּצְעֵךְ Jer. 51:13
קִצּוֹ 62 וְאָבוֹא מְרוֹם קִצּוֹ יַעַר כַּרְמִלּוֹ Jer. 37:24
63 וּבָא עַד־קִצּוֹ וְאֵין עוֹזֵר לוֹ Dan. 11:45
קִצֹּה 64 וְאָבוֹאָה מְלוֹן קִצֹּה IIK. 19:23
וְקִצּוֹ 65 הַבָּא וְקִצּוֹ בַשֶּׁטֶף Dan. 9:26
קִצֵּנוּ 66 קָרַב קִצֵּנוּ מָלְאוּ יָמֵינוּ Lam. 4:18
67 כִּי־בָא קִצֵּנוּ Lam. 4:18

קצב : קָצַב, קָצוּב; קֶצֶב

קָצַב פ׳ א) גזר, חתך: 2
ב) [קָצוּב] גוזר? מסודר?: 1
הַקְּצוּבוֹת 1 שִׁנַּיִךְ כְּעֵדֶר הַקְּצוּבוֹת S.ofS. 4:2
וַיִּקְצָב־ 2 וַיִּקְצָב־עֵץ וַיַּשְׁלֶךְ־שָׁמָּה IIK. 6:6

קֶצֶב ז׳ א) שִׁעוּר, תבנית: 1, 2
ב) קָצֶה: 3
קֶצֶב אֶחָד 1, 2; קִצְבֵי הָרִים 3
קֶצֶב 1 מִדָּה אַחַת קֶצֶב אֶחָד לְכֻלָּהְנָה IK. 7:37
וְקֶצֶב 2 מִדָּה אַחַת וְקֶצֶב אֶחָד לִשְׁנֵי הַכְּרֻבִים IK. 6:25
לְקִצְבֵי־ 3 לְקִצְבֵי הָרִים יָרַדְתִּי Jon. 2:7

קצה : קָצָה, קִצָּה, הִקְצָה; קָצֶה; קָצִין(?)

קָצָה פ׳ א) כרת(?): 1
ב) [פִּ׳ קִצָּה] גדע, כרת: 2, 3
ג) [הִפְ׳ הִקְצָה] גרד, הסיר: 4, 5
קְצוֹת־ 1 קְצוֹת־עַמִּים רַבִּים וְחוֹטֵא נַפְשֶׁךָ Hab. 2:10
לְקַצּוֹת 2 הֵחֵל יְיָ לְקַצּוֹת בְּיִשְׂרָאֵל IIK. 10:32
מְקַצֶּה 3 מְקַצֶּה רַגְלַיִם חָמָס שֹׁתֶה Prov. 26:6
הִקְצוֹת 4 וְאַחֲרֵי הִקְצוֹת אֶת־הַבַּיִת Lev. 14:43
הִקְצוּ 5 וְשָׁפְכוּ אֶת־הֶעָפָר אֲשֶׁר הִקְצוּ Lev. 14:41

קָצֶה ז׳ א) סוֹף, הגבול האחרון לדבר או למקום: 1-52, 54-57, 59, 62-66, 71-80, 83-95
ב) קֵץ, סוֹף של זמן: 53, 58, 60, 61, 67-70, 81, 82
– מִן הַקָּצֶה אֶל הַקָּצֶה 1-4; מִקָּצֶה 5, 6
– קְצֵה אֶחָיו 85; קְצֵה אֶרֶץ (הָאָרֶץ) 7, 11-19, 38, 49, 56, 57, 59, 71, 73-80; קְצֵה גְבוּל 8, 36, 87; ק׳ הַגִּבְעָה 46; ק׳ הָהָר 23; קְצֵה הַחֲמוּשִׁים 26; ק׳ יְאוֹרִים 48; ק׳ יָם 21, 63; ק׳ הַיַּרְדֵּן 20, 22, 24, 64; ק׳ הַיְרִיעָה 33, 34; ק׳ הַמִּדְבָּר 32, 37; ק׳ מִזְרָח 41; ק׳ מַחֲנֶה 28, 29, 35, 43, 44; ק׳ הַמַּטֶּה 27, 47; ק׳ הַמַּיִם 20, 40; ק׳ מִשְׁעֶנֶת 25; קְצֵה הָעִיר 45; קְצֵה הָעָם 9; ק׳ הָעֵמֶק 42; ק׳ עֲרֵמָה 50; ק׳ צָפוֹנָה 83; ק׳ קִרְיַת יְעָרִים 66; ק׳ שָׂדֶה 31; ק׳ הַשָּׁמַיִם 10, 39, 51, 72, 84, 86; ק׳ תֵּבֵל 52; קְצֵה תֵימָן 62; קְצֵה הַתְּעָלָה 30
– מִקְצֵה חֳדָשִׁים 67, 82; מִקְצֵה יָמִים 53, 60, 61, 81; מִקְצֵה שָׁנִים 58, 68-70
– קַצְוֵי אֶרֶץ 93-95
הַקָּצֶה 1/2 מַבְרִחַ מִן־הַקָּצֶה אֶל־הַקָּצֶה Ex. 26:28
3/4 לִבְרֹחַ...מִן־הַקָּצֶה אֶל־הַקָּצֶה Ex. 36:33
מִקָּצֶה 5 מִנַּעַר וְעַד־זָקֵן כָּל־הָעָם מִקָּצֶה Gen. 19:4
6 נִלְכְּדָה עִירוֹ מִקָּצֶה Jer. 51:31
קְצֵה־ 7 עַד־בֹּאָם אֶל־קְצֵה אֶרֶץ כְּנָעַן Ex. 16:35
8 בְּקָדֵשׁ עִיר קְצֵה גְבוּלֶךָ Num. 20:16
9 וַיַּרְא מִשָּׁם קְצֵה הָעָם Num. 22:41

קְצֵה־ (המשך) 10 וּלְמִקְצֵה הַשָּׁמַיִם וְעַד־קְצֵה הַשָּׁמָיִם Deut. 4:32
11-19 (וְ)עַד־קְצֵה הָאָרֶץ Deut. 13:8; 28:64
Is. 48:20; 49:6; 62:11 • Jer. 12:12; 25:31, 33
Ps. 46:10
20 כְּבֹאֲכֶם עַד־קְצֵה מֵי הַיַּרְדֵּן Josh. 3:8
21 עַד־קְצֵה יָם־כִּנֶּרֶת Josh. 13:27
22 וּגְבוּל...עַד־קְצֵה הַיַּרְדֵּן Josh. 15:5
23 וְיָרַד הַגְּבוּל אֶל־קְצֵה הָהָר Josh. 18:16
24 אֶל־קְצֵה הַיַּרְדֵּן נֶגְבָּה Josh. 18:19
25 וַיִּשְׁלַח...אֶת־קְצֵה הַמִּשְׁעֶנֶת Jud. 6:21
26 וַיֵּרֶד...אֶל־קְצֵה הַחֲמֻשִׁים Jud. 7:11
27 וַיִּשְׁלַח אֶת־קְצֵה הַמַּטֶּה ISh. 14:27
28 וַיָּבֹאוּ עַד־קְצֵה מַחֲנֵה אֲרָם IIK. 7:5
29 וַיָּבֹאוּ...עַד־קְצֵה הַמַּחֲנֶה IIK. 7:8
30 אֶל־קְצֵה תְּעָלַת הַבְּרֵכָה Is. 7:3
בִּקְצֵה־ 31 אֲשֶׁר בִּקְצֵה שָׂדֵהוּ Gen. 23:9
32 וַיַּחֲנוּ בְאֵתָם בִּקְצֵה הַמִּדְבָּר Ex. 13:20
33/4 בִּקְצֵה הַיְרִיעָה Ex. 26:5; 36:12
35 וַתֹּאכַל בִּקְצֵה הַמַּחֲנֶה Num. 11:1
36 אֲשֶׁר בִּקְצֵה הַגְּבוּל Num. 22:36
37 וַיַּחֲנוּ בְאֵתָם...בִּקְצֵה הַמִּדְבָּר Num. 33:6
38 בְּהֹר הָהָר בִּקְצֵה אֶרֶץ אֱדוֹם Num. 33:37
39 אִם־יִהְיֶה נִדַּחֲךָ בִּקְצֵה הַשָּׁמָיִם Deut. 30:4
40 וְרַגְלֵי...נִטְבְּלוּ בִּקְצֵה הַמָּיִם Josh. 3:15
41 בַּגִּלְגָּל בִּקְצֵה מִזְרַח יְרִיחוֹ Josh. 4:19
42 אֲשֶׁר בִּקְצֵה עֵמֶק־רְפָאִים Josh. 15:8
43 וְהִנֵּה אָנֹכִי בָא בִּקְצֵה הַמַּחֲנֶה Jud. 7:17
44 וַיָּבֹא גִדְעוֹן...בִּקְצֵה הַמַּחֲנֶה Jud. 7:19
45 הֵמָּה יוֹרְדִים בִּקְצֵה הָעִיר ISh. 9:27
46 וְשָׁאוּל יוֹשֵׁב בִּקְצֵה הַגִּבְעָה ISh. 14:2
47 טָעֹם טָעַמְתִּי בִּקְצֵה הַמַּטֶּה ISh. 14:43
48 אֲשֶׁר בִּקְצֵה יְאֹרֵי מִצְרָיִם Is. 7:18
49 וְעֵינֵי כְסִיל בִּקְצֵה־אָרֶץ Prov. 17:24
50 וַיָּבֹא לִשְׁכַּב בִּקְצֵה הָעֲרֵמָה Ruth 3:7
51 אִם־יִהְיֶה נִדַּחֲכֶם בִּקְצֵה הַשָּׁמַיִם Neh. 1:9
וּבִקְצֵה־ 52 וּבִקְצֵה תֵבֵל מִלֵּיהֶם Ps. 19:5
מִקְצֵה־ 53 מִקְצֵה חֲמִשִּׁים וּמְאַת יוֹם Gen. 8:3
54 מִקְצֵה גְבוּל־מִצְרַיִם וְעַד־קָצֵהוּ Gen. 47:21
55 מִקְצֵה יָם־הַמֶּלַח קֵדְמָה Num. 34:3
56/7 מִקְצֵה הָאָרֶץ וְעַד־קְצֵה הָאָ׳ Deut. 13:8; 28:64
58 מִקְצֵה שָׁלֹשׁ שָׁנִים תּוֹצִיא... Deut. 14:28
59 גּוֹי מֵרָחֹק מִקְצֵה הָאָרֶץ Deut. 28:49
60/1 מִקְצֵה שְׁלֹשֶׁת יָמִים Josh. 3:2; 9:16
62 נֶגְבָּה מִקְצֵה תֵימָן Josh. 15:1
63 גְּבוּל נֶגֶב מִקְצֵה יָם הַמֶּלַח Josh. 15:2
64 וּגְבוּל...מִקְצֵה הַיַּרְדֵּן Josh. 15:5
65 מִקְצֵה לְמַטֵּה בְנֵי־יְהוּדָה Josh. 15:21
66 וּפְאַת־נֶגְבָּה מִקְצֵה קִרְיַת יְעָרִים Josh. 18:15
67 וַיָּבֹאוּ מִקְצֵה תִּשְׁעָה חֳדָשִׁים IISh. 24:8
68 וַיְהִי מִקְצֵה עֶשְׂרִים שָׁנָה IK. 9:10
69 וַיְהִי מִקְצֵה שֶׁבַע שָׁנִים IIK. 8:3
70 וַיִּלְכְּדֻהָ מִקְצֵה שָׁלֹשׁ שָׁנִים IIK. 18:10
71 וְשָׁרַק לוֹ מִקְצֵה הָאָרֶץ Is. 5:26
72 מֵאֶרֶץ מֶרְחָק מִקְצֵה הַשָּׁמָיִם Is. 13:5
73-80 מִקְצֵה (הָ)אָרֶץ Is. 42:10; 43:6
Jer. 10:13; 12:12; 25:33; 51:16 • Ps. 61:3; 135:7
81 וַיְהִי מִקְצֵה שִׁבְעַת יָמִים Ezek. 3:16
82 מִקְצֵה שִׁבְעָה־חֳדָשִׁים יַחְקֹרוּ Ezek. 39:14
83 מִקְצֵה צָפוֹנָה...גְּבוּל דַּמֶּשֶׂק Ezek. 48:1
84 מִקְצֵה הַשָּׁמַיִם מוֹצָאוֹ Ps. 19:7
וּמִקְצֵה־ 85 וּמִקְצֵה אֶחָיו לָקַח חֲמִשָּׁה אֲנָשִׁים Gen. 47:2
וּלְמִקְצֵה־ 86 וּלְמִקְצֵה הַשָּׁמַיִם וְעַד־קְצֵה הַשָּׁמָ׳ Deut. 4:32

קָצֶה (המשך)

קְצֵהוּ 87 מִקְצֵה גְבוּל־מִצְרַיִם וְעַד־קָצֵהוּ Gen. 47:21
88 אֶפֶס קָצֵהוּ תִרְאֶה Num. 23:13
בְּקָצֵהוּ 89 עֲלוֹת בָּהָר וּנְגֹעַ בְּקָצֵהוּ Ex. 19:12
מִקָּצֵהוּ 90 אִישׁ לְבִצְעוֹ מִקָּצֵהוּ Is. 56:11
91 הִנְנִי פֹתֵחַ...מֵעָרָיו מִקָּצֵהוּ Ezek. 25:9
מִקְצֵיהֶם 92 וְלָקְחוּ...אִישׁ אֶחָד מִקְצֵיהֶם Ezek. 33:2
קַצְוֵי־ 93 רִחַקְתָּ כָּל־קַצְוֵי־אָרֶץ Is. 26:15
94 כֵּן תְּהִלָּתְךָ עַל־קַצְוֵי־אֶרֶץ Ps. 48:11
95 מִבְטָח כָּל־קַצְוֵי־אֶרֶץ Ps. 65:6

קֵצֶה

ז' קֵץ, סוֹף: 1-5 • אֵין קֵצֶה (ל־) 1-5

קֵצֶה 1 וְאֵין קֵצֶה לְאֹצְרֹתָיו Is. 2:7
2 וְאֵין קֵצֶה לְמַרְכְּבֹתָיו Is. 2:7
3 וְאֵין קֵצֶה לַתְּכוּנָה Nah. 2:10
4 וְכֹבֶד פָּגֶר וְאֵין קֵצֶה לַגְּוִיָּה Nah. 3:3
5 כּוּשׁ עָצְמָה וּמִצְרַיִם וְאֵין קֵצֶה Nah. 3:9

קָצָה

נ' קָצֶה: 1-37 [רִבּוּי נסמך גם זכר: 7-12, 19, 27, 29-32]

– קְצוֹת הָאָרֶץ 18, 19, 22, 26; ק' דְּרָכִים 21; ק' הַחֹשֶׁן 9-13, 16; ק' כְּנָפַיִם 17, 23; ק' הַכַּפֹּרֶת 7, 8; קְצוֹת עֲבֹתוֹת 14, 15; ק' הָעָם 24, 25; קְצוֹת הַשָּׁמַיִם 20
– יֹשְׁבֵי קְצָוֹת 36

מִקָּצָה 1/2 כְּרוּב אֶחָד מִקָּצָה מִזֶּה Ex. 25:19; 37:8
3/4 וּכְרוּב־אֶחָד מִקָּצָה מִזֶּה Ex. 25:19; 37:8
5 עַל שְׂפַת...מִקָּצָה בַּחֹבָרֶת Ex. 26:4
6 עַל שְׂפַת...מִקָּצָה בַּמַּחְבָּרֶת Ex. 36:11
קְצוֹת־ 7/8 מִשְּׁנֵי קְצוֹת הַכַּפֹּרֶת Ex. 25:18; 37:7
9-12 עַל־שְׁנֵי קְצוֹת הַחֹשֶׁן Ex. 28:23, 26; 39:16, 19
13 וְנָתַתָּה...אֶל־קְצוֹת הַחֹשֶׁן Ex. 28:24
14/5 וְאֵת שְׁתֵּי קְצוֹת שְׁתֵּי הָעֲבֹתֹת Ex. 28:25; 39:18
16 וַיִּתְּנוּ...עַל־קְצוֹת הַחֹשֶׁן Ex. 39:17
17 מִקְצוֹת כְּנָפָיו וְעַד־קְצוֹת כְּנָפָיו IK. 6:24
18 אֱלֹהֵי עוֹלָם יְיָ בּוֹרֵא קְצוֹת הָאָרֶץ Is. 40:28
19 קְצוֹת הָאָרֶץ יֶחֱרָדוּ Is. 41:5
20 וְהֵבֵאתִי...מֵאַרְבַּע קְצוֹת הַשָּׁמַיִם Jer. 49:36
21 הֶן־אֵלֶּה קְצוֹת דְּרָכָו Job 26:14
לִקְצוֹת־ 22 כִּי־הוּא לִקְצוֹת־הָאָרֶץ יַבִּיט Job 28:24
מִקְצוֹת־ 23 מִקְצוֹת כְּנָפָיו וְעַד־קְצוֹת כְּנָפָיו IK. 6:24
24 וַיַּעַשׂ כֹּהֲנִים מִקְצוֹת הָעָם IK. 12:31
25 וַיַּעַשׂ מִקְצוֹת הָעָם כֹּהֲנֵי בָמוֹת IK. 13:33
26 אֲשֶׁר הֶחֱזַקְתִּיךָ מִקְצוֹת הָאָרֶץ Is. 41:9
קְצוֹתָיו 27 מִן־הַכַּפֹּרֶת...עַל־שְׁנֵי קְצוֹתָיו Ex. 25:19
28 עַל־הָרֶשֶׁת...עַל אַרְבַּע קְצוֹתָיו Ex. 27:4
29 אֶל־שְׁנֵי קְצוֹתָיו וְחֻבָּר Ex. 28:7
30 מִן־הַכַּפֹּרֶת...מִשְּׁנֵי קְצוֹתָיו (כת' קצוותו) Ex. 37:8
31 עַל־שְׁנֵי קְצוֹתָיו (כת' קצוותו) חֻבָּר Ex. 39:4
32 אֵת שְׁנֵי קְצוֹתָיו אָכְלָה הָאֵשׁ Ezek. 15:4
קְצוֹתָם 33 וּתְקוּפָתוֹ עַל־קְצוֹתָם Ps. 19:7
מִקְצוֹתָם 34 וַיִּשְׁלְחוּ...חֲמִשָּׁה אֲנָשִׁים מִקְצוֹתָם Jud. 18:2
35 וַיַּעֲשׂוּ לָהֶם מִקְצוֹתָם כֹּהֲנֵי בָמוֹת IIK. 17:32
קְצָוֹת 36 וַיִּירְאוּ יֹשְׁבֵי קְצָוֹת מֵאוֹתֹתֶיךָ Ps. 65:9
הַקְּצָוֹת 37 אַרְבַּע טַבָּעֹת בְּאַרְבַּע הַקְּצָוֹת Ex. 38:5

קָצוּב

(שה"ש ד2) – עין קָצַב

קָצוּץ

ת' – עין קָצַץ

קֶצַח

ז' צמח תבלין ממשפחת הנוריתיים: 1-3

קֶצַח 1 וְהֵפִיץ קֶצַח וְכַמֹּן יִזְרֹק Is. 28:25
2 כִּי לֹא בֶחָרוּץ יוּדַשׁ קֶצַח Is. 28:27
3 כִּי בַמַּטֶּה יֵחָבֶט קֶצַח Is. 28:27

קָצִין

ז' שַׂר, מַנְהִיג: 1-12

קְצִין עָם 7; קְצִינֵי אַנְשֵׁי הַמִּלְחָמָה 8; קְצִינֵי בֵּית יִשְׂרָאֵל 10, 11; קְצִינֵי סְדֹם 9

קָצִין 1 שִׂמְלָה לְכָה קָצִין תִּהְיֶה־לָּנוּ Is. 3:6
2 אֲשֶׁר אֵין־לָהּ קָצִין שֹׁטֵר וּמֹשֵׁל Prov. 6:7
3 בְּאֹרֶךְ אַפַּיִם יְפֻתֶּה קָצִין Prov. 25:15
4 וְהִשְׁבִּית קָצִין חֶרְפָּתוֹ לוֹ Dan. 11:18
לְקָצִין 5 לְכָה וְהָיִיתָה לָּנוּ לְקָצִין Jud. 11:6
וּלְקָצִין 6 וַיָּשִׂימוּ...אוֹתוֹ...לְרֹאשׁ וּלְקָצִין Jud. 11:11
קְצִין־ 7 לֹא תְשִׂימֻנִי קְצִין עָם Is. 3:7
קְצִינֵי־ 8 וַיֹּאמֶר אֶל־קְצִינֵי אַנְשֵׁי הַמִּלְחָמָה Josh. 10:24
9 שִׁמְעוּ דְבַר־יְיָ קְצִינֵי סְדֹם Is. 1:10
וּקְצִינֵי־ 10 רָאשֵׁי יַעֲקֹב וּקְצִינֵי בֵּית יִשְׂרָאֵל Mic. 3:1
11 רָאשֵׁי בֵּית יַעֲקֹב וּקְצִינֵי בֵּית יִשְׂרָאֵל Mic. 3:9
קְצִינַיִךְ 12 כָּל־קְצִינַיִךְ נָדְדוּ יַחַד Is. 22:3

קְצִיעָה*[1]

נ' קְלִפָּה של אחד מצמחי הבושם

קְצִיעוֹת 1 מֹר־וַאֲהָלוֹת קְצִיעוֹת כָּל־בִּגְדֹתֶיךָ Ps. 45:9

קְצִיעָה[2]

שפ"נ – מבנות איוב

קְצִיעָה 1 וְשֵׁם הַשֵּׁנִית קְצִיעָה Job 42:14

קְצִיץ

ש"פ – עין עֵמֶק קְצִיץ (ב... ע')

קָצִיר

ז' א) כריתת תבואה שהבשילה: 1, 2, 11, 13, 14, 17, 18, 20, 28-36, 38-40
ב) תבואה שנקצרה: 5, 6, 37, 41-51, 53
ג) העונה שקוצרים את התבואה: 3, 4, 7-10, 16, 21-27
ד) [בהשאלה] כליון, הרג: 12, 19
ה) נצרים חדשים בעץ: 15, 52, 54

– חַג הַקָּצִיר 18; חֹם ק' 7; חֻקּוֹת ק' 9; יוֹם ק' 14; יְמֵי קָצִיר 1, 2, 28; לֶקֶט ק' 42, 43; סְפִיחַ ק' 44; עֵת קָצִיר 11, 19; רֵאשִׁית ק' 53; תְּחִלַּת קָצִיר 3
– קְצִיר הָאָרֶץ 30, 31; ק' חִטִּים 28, 29, 32-34, 40; קְצִיר יְאֹר 36; קְצִיר שָׂדֶה 37; קְצִיר שְׂעֹרִים 35, 38, 39

קָצִיר 1 וְהַיַּרְדֵּן מָלֵא...כֹּל יְמֵי קָצִיר Josh. 3:15
2 בִּימֵי קָצִיר בָּרִאשֹׁנִים IISh. 21:9
3 מִתְּחִלַּת קָצִיר עַד נִתַּךְ־מַיִם IISh. 21:10
4 וַיָּבֹאוּ אֶל־קָצִיר אֶל־דָּוִד IISh. 23:13
5 וְהָיָה כֶּאֱסֹף קָצִיר קָמָה Is. 17:5
6 נֵד קָצִיר בְּיוֹם נַחֲלָה Is. 17:11
7 כְּעָב טַל בְּחֹם קָצִיר Is. 18:4
8 כִּי־לִפְנֵי קָצִיר כְּתָם־פֶּרַח Is. 18:5
9 שְׁבֻעֹת חֻקּוֹת קָצִיר יִשְׁמָר־לָנוּ Jer. 5:24
10 עָבַר קָצִיר כָּלָה קָיִץ Jer. 8:20
11 וְתֹפֵשׂ מַגָּל בְּעֵת קָצִיר Jer. 50:16
12 גַּם־יְהוּדָה שָׁת קָצִיר לָךְ Hosh. 6:11
13 שִׁלְחוּ מַגָּל כִּי בָשַׁל קָצִיר Joel 4:13
14 כְּצִנַּת־שֶׁלֶג בְּיוֹם קָצִיר Prov. 25:13
15 וְעָשָׂה קָצִיר כְּמוֹ־נָטַע Job 14:9
וְקָצִיר 16 זֶרַע וְקָצִיר וְקֹר וָחֹם Gen. 8:22
17 אֲשֶׁר אֵין־חָרִישׁ וְקָצִיר Gen. 45:6
הַקָּצִיר 18 וְחַג הַקָּצִיר בִּכּוּרֵי מַעֲשֶׂיךָ Ex. 23:16
19 וּבָאָה עֵת־הַקָּצִיר לָהּ Jer. 51:33
20 עַד אִם־כִּלּוּ אֵת כָּל־הַקָּצִיר Ruth 2:21
בַּקָּצִיר 21 שָׂמְחוּ לְפָנֶיךָ כְּשִׂמְחַת בַּקָּצִיר Is. 9:2
22 אָגְרָה בַקָּצִיר מַאֲכָלָהּ Prov. 6:8
23 נִרְדָּם בַּקָּצִיר בֵּן מֵבִישׁ Prov. 10:5
24 וְשָׁאַל° בַּקָּצִיר וָאָיִן Prov. 20:4
25 כַּשֶּׁלֶג בַּקַּיִץ וְכַמָּטָר בַּקָּצִיר Prov. 26:1
וּבַקָּצִיר 26 בֶּחָרִישׁ וּבַקָּצִיר תִּשְׁבֹּת Ex. 34:21
לַקָּצִיר 27 בְּעוֹד שְׁלֹשָׁה חֳדָשִׁים לַקָּצִיר Am. 4:7
קְצִיר־ 28 וַיֵּלֶךְ רְאוּבֵן בִּימֵי קְצִיר־חִטִּים Gen. 30:14
29 וְחַג שָׁבֻעֹת...בִּכּוּרֵי קְצִיר חִטִּים Ex. 34:22
30/1 וּבְקֻצְרְכֶם אֶת־קְצִיר אַרְצְכֶם Lev. 19:9; 23:22
32 וַיְהִי מִיָּמִים בִּימֵי קְצִיר־חִטִּים Jud. 15:1
33 קֹצְרִים קְצִיר־חִטִּים בָּעֵמֶק ISh. 6:13
34 הֲלוֹא קְצִיר־חִטִּים הַיּוֹם ISh. 12:17
35 בִּתְחִלַּת° קְצִיר שְׂעֹרִים IISh. 21:9
36 קְצִיר יְאוֹר תְּבוּאָתָהּ Is. 23:3
37 כִּי אָבַד קְצִיר שָׂדֶה Joel 1:11
38 בִּתְחִלַּת קְצִיר שְׂעֹרִים Ruth 1:22
39 עַד־כְּלוֹת קְצִיר־הַשְּׂעֹרִים Ruth 2:23
וּקְצִיר־ 40 קְצִיר־הַשְּׂעֹרִים וּקְצִיר הַחִטִּים Ruth 2:23
בִּקְצִירִי 41 וְטַל יָלִין בִּקְצִירִי Job 29:19
קְצִירְךָ 42/3 וְלֶקֶט קְצִירְךָ לֹא תְלַקֵּט Lev. 19:9; 23:22
44 אֵת סְפִיחַ קְצִירְךָ לֹא תִקְצוֹר Lev. 25:5
45 כִּי תִקְצֹר קְצִירְךָ בְשָׂדֶךָ Deut. 24:19
46 וְאָכַל קְצִירְךָ וְלַחְמֶךָ Jer. 5:17
קְצִירֵךְ 47 עַל־קֵיצֵךְ וְעַל־קְצִירֵךְ הֵידָד נָפָל Is. 16:9
קְצִירוֹ 48 וְלַחֲרֹשׁ חֲרִישׁוֹ וְלִקְצֹר קְצִירוֹ ISh. 8:12
49 אֲשֶׁר קְצִירוֹ רָעֵב יֹאכֵל Job 5:5
50 וּמִמַּעַל יִמַּל קְצִירוֹ Job 18:16
קְצִירָהּ 51 וּקְצַרְתֶּם אֶת־קְצִירָהּ Lev. 23:10
52 בִּיבֹשׁ קְצִירָהּ תִּשָּׁבַרְנָה Is. 27:11
קְצִירְכֶם 53 אֶת־עֹמֶר רֵאשִׁית קְצִירְכֶם Lev. 23:10
קְצִירֶהָ 54 תְּשַׁלַּח קְצִירֶהָ עַד־יָם Ps. 80:12

קצע

: הִקְצִיעַ, מְהֻקְצָע; קְצִיעָה, מִקְצוֹעַ, מִקְצָעָה, מְקֻצוֹעָה; ש"פ קְצִיעָה

(קצע) הִקְצִיעַ

הפ' א) שָׁף והחליק: 1
ב) [הֹפ' בינוני: מְהֻקְצָע] מוחלק מסביב: 2

יַקְצִיעַ 1 וְאֶת־הַבַּיִת יַקְצִעַ מִבַּיִת סָבִיב ויקרא יד41
מְהֻקְצָעוֹת 2 מִדָּה אַחַת לְאַרְבַּעְתָּם מְהֻקְצָעוֹת יחזק' מו22

קצף

: קָצַף, הִתְקַצֵּף, הִקְצִיף; קֶצֶף, קְצָפָה; אר' קְצַף פ'; קְצַף ז'

קָצַף

פ' א) כָּעַס: 1-28
ב) [הת' הִתְקַצֵּף] התרגז: 29
ג) [הפ' הִקְצִיף] הכעיס: 30-34
קרובים: ראה כָּעַס

קָצַף 3-5, 10, 12, 13, 15, 23, 24, 26; קָצַף אֶל־ 17; קָצַף עַל־ 1, 2, 6-9, 11, 14, 16, 18-22, 25, 27, 28

מִקְּצֹף 1 כֵּן נִשְׁבַּעְתִּי מִקְּצֹף עָלַיִךְ וּמִגְּעָר־בָּךְ Is. 54:9
קָצַפְתִּי 2 קָצַפְתִּי עַל־עַמִּי חִלַּלְתִּי נַחֲלָתִי Is. 47:6
3 בַּעֲוֹן בִּצְעוֹ קָצַפְתִּי וְאַכֵּהוּ Is. 57:17
4 אֲשֶׁר אֲנִי קָצַפְתִּי מְּעָט Zech. 1:15
קָצַפְתָּ 5 הֵן־אַתָּה קָצַפְתָּ וַנֶּחֱטָא Is. 64:4
6 קָצַפְתָּ עָלֵינוּ עַד־מְאֹד Lam. 5:22
קָצַף 7 פַּרְעֹה קָצַף עַל־עֲבָדָיו Gen. 41:10
8 אֲשֶׁר קָצַף יְיָ עֲלֵיכֶם Deut. 9:19
9 קָצַף יְיָ עַל־אֲבוֹתֵיכֶם קָצֶף Zech. 1:2
10 קָצַף בִּגְתָן וָתֶרֶשׁ...וַיְבַקְשׁוּ לִשְׁלֹחַ יָד Es. 2:21
קוֹצֵף 11 וְקֶצֶף גָּדוֹל אֲנִי קֹצֵף עַל־הַגּוֹיִם Zech. 1:15
אֶקְצוֹף 12 לֹא לְעוֹלָם אָרִיב וְלֹא לָנֶצַח אֶקְּצוֹף Is. 57:16
וְאֶקְצֹף 13 קָצַפְתִּי וְאַכֵּהוּ הַסְתֵּר וְאֶקְצֹף Is. 57:17
תִּקְצֹף 14 וְעַל כָּל־הָעֵדָה תִּקְצֹף Num. 16:22
15 אַל־תִּקְצֹף יְיָ עַד־מְאֹד Is. 64:8
יִקְצֹף 16 וְעַל כָּל־הָעֵדָה יִקְצֹף Lev. 10:6
17 וּמָחָר אֶל־כָּל־עֲדַת יִשְׂרָאֵל יִקְצֹף Josh. 22:18
18 לָמָּה יִקְצֹף הָאֱלֹהִים עַל־קוֹלֶךָ Eccl. 5:5

וַיִּקְצֹף 19 וַיִּקְצֹף פַּרְעֹה עַל שְׁנֵי סָרִיסָיו Gen. 40:2
20 וַיִּקְצֹף עֲלֵהֶם מֹשֶׁה Ex. 16:20
21 וַיִּקְצֹף עַל־אֶלְעָזָר...לֵאמֹר Lev. 10:16
22 וַיִּקְצֹף מֹשֶׁה עַל פְּקוּדֵי הֶחָיִל Num. 31:14
23 וַיִּשְׁמַע...וַיִּקְצֹף וַיִּשָּׁבַע לֵאמֹר Deut. 1:34
24 וַיִּקְצֹף נַעֲמָן וַיֵּלַךְ IIK. 5:11
25 וַיִּקְצֹף עָלָיו אִישׁ הָאֱלֹהִים IIK. 13:19
26 וַיִּקְצֹף הַמֶּלֶךְ...וַחֲמָתוֹ בָּעֲרָה בוֹ Es. 1:12
וַיִּקְצְפוּ 27 וַיִּקְצְפוּ עָלָיו שָׂרֵי פְלִשְׁתִּים ISh. 29:4
28 וַיִּקְצְפוּ הַשָּׂרִים עַל־יִרְמְיָהוּ Jer. 37:15
וְהִתְקַצַּף 29 וְהִתְקַצַּף וְקִלֵּל בְּמַלְכּוֹ וּבֵאלֹהָיו Is. 8:21
בְּהַקְצִיף 30 בְּהַקְצִיף אֲבֹתֵיכֶם אֹתִי Zech. 8:14
הִקְצַפְתָּ 31 הִקְצַפְתָּ אֶת־יְיָ אֱלֹהֶיךָ בַּמִּדְבָּר Deut. 9:7
הִקְצַפְתֶּם 32 וּבְחֹרֵב הִקְצַפְתֶּם אֶת־יְיָ Deut. 9:8
מַקְצִיפִים 33 מַקְצִפִים הֱיִתֶם אֶת־יְיָ Deut. 9:22
וַיַּקְצִיפוּ 34 וַיַּקְצִיפוּ עַל־מֵי מְרִיבָה Ps. 106:32

קְצַף
פְּ׳ ארמית: כָּעַס

וּקְצַף 1 מַלְכָּא בְּנַס וּקְצַף שַׂגִּיא Dan. 2:12

קֶצֶף
ז׳ כַּעַס, רוֹגֶז: 1־29 • קרובים: ראה כַּעַס

– קֶצֶף גָּדוֹל 4, 7, 17, 21־23; שֶׁצֶף קֶצֶף 6; קֶצֶף יְיָ 14, 25
– כְּדֵי בִּזָּיוֹן וָקָצֶף 19
– בָּא קֶצֶף 14; הָיָה קֶצֶף 1־4, 7, 8, 10־13, 15; יָצָא הַקֶּצֶף 20; קָצַף קֶצֶף 16, 17

קֶצֶף 1 וְלֹא־יִהְיֶה קֶצֶף עַל־עֲדַת בְּ״יִ Num. 1:53
2 וְלֹא־יִהְיֶה עוֹד קֶצֶף עַל־בְּ״יִ Num. 18:5
3 וְלֹא־יִהְיֶה עָלֵינוּ קָצֶף Josh. 9:20
4 וַיְהִי קֶצֶף־גָּדוֹל עַל־יִשְׂרָאֵל IIK. 3:27
5 כִּי קֶצֶף לַיְיָ עַל־כָּל־הַגּוֹיִם Is. 34:2
6 בְּשֶׁצֶף קֶצֶף הִסְתַּרְתִּי פָנַי Is. 54:8
7 וַיְהִי קֶצֶף גָּדוֹל מֵאֵת יְיָ צְבָאוֹת Zech. 7:12
8 וַיְהִי בָּזֹאת קֶצֶף עַל־יִשְׂרָאֵל ICh. 27:24
9 וּבָזֹאת עָלֶיךָ קֶצֶף מִלִּפְנֵי יְיָ IICh. 19:2
10 וְהָיָה־קֶצֶף עֲלֵיכֶם IICh. 19:10
11 וַיְהִי־קֶצֶף עַל־יְהוּדָה וִירוּשָׁלִַם IICh. 24:18
12 וַיְהִי קֶצֶף יְיָ עַל־יְהוּדָה וִירוּשָׁלִָם IICh. 29:8
13 וַיְהִי עָלָיו קֶצֶף וְעַל־יְהוּדָה וִירו׳ IICh. 32:25
14 וְלֹא־בָא עֲלֵיהֶם קֶצֶף יְיָ IICh. 32:26
קָצֶף 15 וְעַל־כָּל־עֲדַת יִשְׂרָאֵל הָיָה קָצֶף Josh. 22:20
16 קָצַף יְיָ עַל־אֲבוֹתֵיכֶם קָצֶף Zech. 1:2
וְקֶצֶף 17 וְקֶצֶף גָּדוֹל אֲנִי קֹצֵף עַל־הַגּוֹיִם Zech. 1:15
וָקָצֶף 18 וְכָעַס הַרְבֵּה וְחָלְיוֹ וָקָצֶף Eccl. 5:16
19 וּכְדַי בִּזָּיוֹן וָקָצֶף Es. 1:18
הַקֶּצֶף 20 כִּי־יָצָא הַקֶּצֶף מִלִּפְנֵי יְיָ Num. 17:11
וּבְקֶצֶף 21 בְּאַף וּבְחֵמָה וּבְקֶצֶף גָּדוֹל Deut. 29:27
22 וּבְאַף וּבְחֵמָה וּבְקֶצֶף גָּדוֹל Jer. 21:5
23 בְּאַפִּי וּבַחֲמָתִי וּבְקֶצֶף גָּדוֹל Jer. 32:37
כְּקֶצֶף 24 נִדְמֶה...כְּקֶצֶף עַל־פְּנֵי־מָיִם Hosh. 10:7
מִקֶּצֶף־ 25 מִקֶּצֶף יְיָ לֹא תֵשֵׁב Jer. 50:13
בְּקִצְפִּי 26 כִּי בְקִצְפִּי הִכִּיתִיךְ Is. 60:10
וְקִצְפֶּךָ 27 מִפְּנֵי־זַעַמְךָ וְקִצְפֶּךָ Ps. 102:11
בְּקֶצְפְּךָ 28 אַל־בְּקֶצְפְּךָ תוֹכִיחֵנִי Ps. 38:2
מִקִּצְפּוֹ 29 מִקִּצְפּוֹ תִּרְעַשׁ הָאָרֶץ Jer. 10:10

קְצַף
ז׳ ארמית: קֶצֶף, כַּעַס

קְצַף 1 לֶהֱוֵא קְצַף עַל־מַלְכוּת מַלְכָּא Ez. 7:23

קְצָפָה
נ׳ קֶצֶף, זעם

לִקְצָפָה 1 שָׂם גַּפְנִי לְשַׁמָּה וּתְאֵנָתִי לִקְצָפָה Joel 1:7

קצץ
: קָצַץ, קָצוּץ, קִצֵּץ, קְצַץ; קֵץ; אר׳ קַצֵּץ

קָצַץ
פָּ׳ א) כרת, גדע: 1
ב) [פָּעוּל: קָצוּץ] שנכרת: 2־4
ג) [פִּ׳ קִצֵּץ] גדע: 5־13
ד) [פְּ׳ קְצַץ] נכרת: 14

– קָצַץ כַּפּוֹ 1; קְצוּצֵי פֵאָה 2־4;
– קִצֵּץ בְּהוֹנוֹת 12,(14); ק׳ דַּלְתוֹת 6; ק׳ חֲנִית 8; קִצֵּץ יָדַיִם וְרַגְלַיִם 13; ק׳ כֵּלִים 10, 11; קִצֵּץ מִסְגְּרוֹת 9; קִצֵּץ עֲבוֹת 5; קִצֵּץ פְּתִילִים 7

וְקַצֹּתָה 1 וְקַצֹּתָה אֶת־כַּפָּהּ Deut. 25:12
קְצוּצֵי־ 2 וְעַל כָּל־קְצוּצֵי פֵאָה Jer. 9:25
3 וְאֵת כָּל־קְצוּצֵי פֵאָה Jer. 25:23
4 וְזֵרִתִים לְכָל־רוּחַ קְצוּצֵי פֵאָה Jer. 49:32
קִצֵּץ 5 יְיָ צַדִּיק קִצֵּץ עֲבוֹת רְשָׁעִים Ps. 129:4
קִצַּץ 6 קִצַּץ...אֶת־דַּלְתוֹת הֵיכַל יְיָ IIK. 18:16
וְקִצֵּץ 7 וַיְרַקְּעוּ...וְקִצֵּץ פְּתִילִם Ex. 39:3
8 קֶשֶׁת יְשַׁבֵּר וְקִצֵּץ חֲנִית Ps. 46:10
וַיְקַצֵּץ 9 וַיְקַצֵּץ הַמֶּלֶךְ אָחָז אֶת־הַמִּסְגְּרוֹת IIK. 16:17
10 וַיְקַצֵּץ אֶת־כָּל־כְּלֵי הַזָּהָב IIK. 24:13
11 וַיְקַצֵּץ אֶת־כְּלֵי בֵית־הָאֱלֹהִים IICh. 28:24
וַיְקַצְּצוּ 12 וַיְקַצְּצוּ אֶת־בְּהֹנוֹת יָדָיו וְרַגְלָיו Jud. 1:6
13 וַיְקַצְּצוּ אֶת־יְדֵיהֶם וְאֶת־רַגְלֵיהֶם IISh. 4:12
מְקֻצָּצִים 14 בְּהֹנוֹת יְדֵיהֶם וְרַגְלֵיהֶם מְקֻצָּצִים Jud. 1:7

קַצֵּץ
פַּ׳ ארמית: קִצֵּץ

וְקַצִּצוּ 1 גֹּדּוּ אִילָנָא וְקַצִּצוּ עַנְפוֹהִי Dan. 4:11

קצר
: א) קָצַר; קוֹצֵר, קָצִיר
ב) קָצַר, קִצַּר, הִקְצִיר; קֹצֶר, קָצָר

קָצַר[1]
פָּ׳ א) כרת שבלי תבואה שהבשילה:
רוב המקראות 1־34
ב) [בהשאלה] קבל גמולו: 6, 25, 27, 31, 32

לִקְצֹר 1 לֹא תְכַלֶּה פְּאַת שָׂדְךָ לִקְצֹר Lev. 19:9
וְלִקְצֹר 2 וְלַחֲרֹשׁ חֲרִישׁוֹ וְלִקְצֹר קְצִירוֹ ISh. 8:12
בְּקֻצְרֶךָ 3 לֹא תְכַלֶּה פְּאַת שָׂדְךָ בְּקֻצְרֶךָ Lev. 23:22
וּבְקֻצְרְכֶם 4/5 וּבְקֻצְרְכֶם...קְצִיר אַרְצְכֶם Lev. 19:9; 23:22
קְצַרְתֶּם 6 חֲרַשְׁתֶּם־רֶשַׁע עַוְלָתָה קְצַרְתֶּם Hosh. 10:13
וּקְצַרְתֶּם 7 וּקְצַרְתֶּם אֶת־קְצִירָהּ Lev. 23:10
קָצָרוּ 8 זָרְעוּ חִטִּים וְקֹצִים קָצָרוּ Jer. 12:13
קוֹצֵר 9 שֶׁלֹּא מִלֵּא כַפּוֹ קוֹצֵר Ps. 129:7
הַקּוֹצֵר 10 וְנָפְלָה...וּכְעָמִיר מֵאַחֲרֵי הַקּוֹצֵר Jer. 9:21
בַּקּוֹצֵר 11 וְנִגַּשׁ חוֹרֵשׁ בַּקֹּצֵר Am. 9:13
קוֹצְרִים 12 וּבֵית שֶׁמֶשׁ קֹצְרִים קְצִיר־חִטִּים ISh. 6:13
הַקּוֹצְרִים 13 וַיֵּצֵא אֶל־אָבִיו אֶל־הַקֹּצְרִים IIK. 4:18
14 וַתְּלַקֵּט בַּשָּׂדֶה אַחֲרֵי הַקֹּצְרִים Ruth 2:3
15 לְנַעֲרוֹ הַנִּצָּב עַל־הַקּוֹצְרִים Ruth 2:5
16 וַיַּעַן הַנַּעַר הַנִּצָּב עַל־הַקּוֹצְרִים Ruth 2:6
17 וְאָסַפְתִּי בָעֳמָרִים אַחֲרֵי הַקּוֹצְרִים Ruth 2:7
18 וַתֵּשֶׁב מִצַּד הַקֹּצְרִים Ruth 2:14
לַקּוֹצְרִים 19 וַיֹּאמֶר לַקּוֹצְרִים יְיָ עִמָּכֶם Ruth 2:4
תִקְצֹר 20 אֵת סְפִיחַ קְצִירְךָ לֹא תִקְצוֹר Lev. 25:5
21 כִּי תִקְצֹר קְצִירְךָ בְשָׂדֶךָ Deut. 24:19
22 אַתָּה תִזְרַע וְלֹא תִקְצוֹר Mic. 6:15
יִקְצוֹר 23 וּזְרֹעוֹ שִׁבֳּלִים יִקְצוֹר Is. 17:5
24 וְרֹאֶה בֶעָבִים לֹא יִקְצוֹר Eccl. 11:4
יִקְצָר־ 25 זוֹרֵעַ עַוְלָה יִקְצָר־(כת׳ יקצור) אָוֶן Prov. 22:8
תִקְצְרוּ 26 וְלֹא תִקְצְרוּ אֶת־סְפִיחֶיהָ Lev. 25:11
יִקְצֹרוּ 27 רוּחַ יִזְרָעוּ וְסוּפָתָה יִקְצֹרוּ Hosh. 8:7
28 הַזֹּרְעִים בְּדִמְעָה בְּרִנָּה יִקְצֹרוּ Ps. 126:5
29 בַּשָּׂדֶה בְּלִילוֹ יִקְצוֹרוּ (כת׳ יקצירו) Job 24:6
יִקְצֹרוּן 30 עֵינַיִךְ בַּשָּׂדֶה אֲשֶׁר־יִקְצֹרוּן Ruth 2:9
יִקְצְרוּהוּ 31 חֹרְשֵׁי אָוֶן וְזֹרְעֵי עָמָל יִקְצְרֻהוּ Job 4:8
קִצְרוּ 32 זִרְעוּ...קִצְרוּ לְפִי־חֶסֶד Hosh. 10:12
וְקִצְרוּ 33 וּבַשָּׁנָה הַשְּׁלִישִׁית זִרְעוּ וְקִצְרוּ IIK. 19:29
34 וּבַשָּׁנָה הַשְּׁלִישִׁית זִרְעוּ וְקִצְרוּ Is. 37:30

קָצַר[2]
פָּ׳ א) היה קטן בארכו (גם בהשאלה): 1־5, 7־13
ב) [פָּעוּל: קָצוּר] קצר: 6
ג) [פִּ׳ קִצַּר] הקטין האורך: 14
ד) [הפ׳ הִקְצִיר] כנ״ל: 15

– קָצַר הַמַּצָּע 2; קָצְרָה יָדוֹ 1, 4, 5, 8; קָצְרָה נַפְשׁוֹ 9־12; קָצְרָה (קָצַר) רוּחוֹ 3, 7; קָצְרוּ שְׁנוֹתָיו 13
– קִצַּר יָמָיו 14; הִקְצִיר יָמָיו 15

הֲקָצוֹר 1 הֲקָצוֹר קָצְרָה יָדִי מִפְּדוּת Is. 50:2
קָצַר 2 כִּי־קָצַר הַמַּצָּע מֵהִשְׂתָּרֵעַ Is. 28:20
הֲקָצַר 3 הֲקָצַר רוּחַ יְיָ אִם־אֵלֶּה מַעֲלָלָיו Mic. 2:7
קָצְרָה 4 הֲקָצוֹר קָצְרָה יָדִי מִפְּדוּת Is. 50:2
5 הֵן לֹא־קָצְרָה יַד־יְיָ מֵהוֹשִׁיעַ Is. 59:1
קְצוּרוֹת 6 וְהַלְּשָׁכוֹת הָעֶלְיוֹנֹת קְצֻרוֹת Ezek. 42:5
תִקְצַר 7 וְאִם־מַדּוּעַ לֹא־תִקְצַר רוּחִי Job 21:4
תִּקְצָר 8 הֲיַד יְיָ תִּקְצָר Num. 11:23
וַתִּקְצַר 9 וַתִּקְצַר נֶפֶשׁ־הָעָם בַּדָּרֶךְ Num. 21:4
10 וַתִּקְצַר נַפְשׁוֹ בַּעֲמַל יִשְׂרָאֵל Jud. 10:16
11 וַתִּקְצַר נַפְשׁוֹ לָמוּת Jud. 16:16
12 וַתִּקְצַר נַפְשִׁי בָּהֶם Zech. 11:8
תִּקְצֹרְנָה 13 וּשְׁנוֹת רְשָׁעִים תִּקְצֹרְנָה Prov. 10:27
קִצַּר 14 עִנָּה בַדֶּרֶךְ כֹּחִי° קִצַּר יָמָי Ps. 102:24
הִקְצַרְתָּ 15 הִקְצַרְתָּ יְמֵי עֲלוּמָיו Ps. 89:46

קֹצֶר
ז׳ מִעוּט הַשִּׁעוּר • קֹצֶר רוּחַ 1

מִקֹּצֶר־ 1 מִקֹּצֶר רוּחַ וּמֵעֲבֹדָה קָשָׁה Ex. 6:9

קָצָר*
ת׳ קטן בארכו (גם בהשאלה): 1־5

קְצַר אַפַּיִם 1; קְצַר יָמִים 2; קְצַר רוּחַ 3; קִצְרֵי יָד 4, 5

קְצַר־ 1 קְצַר־אַפַּיִם יַעֲשֶׂה אִוֶּלֶת Prov. 14:17
2 קְצַר יָמִים וּשְׂבַע־רֹגֶז Job 14:1
וּקְצַר־ 3 וּקְצַר־רוּחַ מֵרִים אִוֶּלֶת Prov. 14:29
קִצְרֵי־ 4 וְיֹשְׁבֵיהֶן קִצְרֵי־יָד חַתּוּ וַיֵּבֹשׁוּ IIK. 19:26
5 וְיֹשְׁבֵיהֶן קִצְרֵי־יָד חַתּוּ וָבֹשׁוּ Is. 37:27

קְצָת
נ׳ ארמית א) מעט: 1
ב) קֵץ: 2, 3

קְצָת 1 מִן־קְצָת מַלְכוּתָא תֶּהֱוֵה תַקִּיפָה Dan. 2:42
לִקְצָת 2 לִקְצָת יַרְחִין תְּרֵי־עֲשַׂר Dan. 4:26
וְלִקְצָת 3 וְלִקְצָת יוֹמַיָּא...עַיְנַי לִשְׁמַיָּא נִטְלֵת Dan. 4:31

(קְצָת) מִקְצָת
נ׳ – עין ערך מִקְצָת (באות מ׳)

קַצֹּתָה
(דברים כה12) – עין קָצַץ (1)

קַר*
ת׳ צוֹנֵן: 1, 2 • מַיִם קָרִים 1, 2

קָרִים 1 מַיִם זָרִים קָרִים נוֹזְלִים Jer. 18:14
2 מַיִם קָרִים עַל־נֶפֶשׁ עֲיֵפָה Prov. 25:25

קֹר
ז׳ צִנָּה, הפך מן ״חֹם״

וְקֹר 1 וְקֹר וָחֹם וְקַיִץ וָחֹרֶף Gen. 8:22

קרא : א) קָרָא, נִקְרָא, קֹרָא; קָרוּא, קָרִיא, קְרִיאָה, מִקְרָא
ב) קְרָא, נִקְרָא

קָרָא[1] פָּ׳ א) אָמַר בקול, הרים קולו, הודיע, הכריז, בקש עזרה, צעק וכד׳: 1-3, 17-21, 27, 29-37, 43-46, 48, 51-57, 61, 63, 65, 86, 87, 89, 92-95, 125, 128, 134, 135, 141-146, 149, 151, 152, 159-161, 165, 167, 169-171, 173, 175, 181, 185, 189, 190, 193, 196, 199, 200, 203, 204, 207, 209, 210, 214, 215, 219, 234-264, 267, 268, 277, 280, 281, 289, 292, 294, 297-299, 303-305, 311-314, 366, 367, 369, 388, 468-472, 479, 481, 483-485, 491, 492, 495, 498, 500-503, 508-513, 517, 530, 560, 562, 565-568, 580, 582-585, 587, 591, 597, 601, 606, 607, 610, 611, 615, 616, 624, 632-634, 639-645, 647, 652-662, 664, 665

ב) [קָרָא לְ־, אֶת־, אֶל־] הזמין, פנה אל־, אמר לפלוני שיבוא אליו: 5, 10-16, 25, 26, 28, 38-41, 47, 59, 60, 62, 64-76, 78-84, 90, 126, 131-133, 136-139, 148, 153, 154, 158, 162, 172, 182-184, 186, 192, 195, 197, 198, 201, 202, 205, 206, 208, 212, 213, 216-218, 220, 221, 265, 266, 269-272, 275, 278, 288, 290, 292, 293, 295, 306, 308, 309, 319, 368, 370-372, 374-376, 379-381, 383, 386, 389-467, 482, 489, 493, 496, 505, 521, 523, 527, 532, 553-558, 561, 563, 564, 569, 588, 589, 598, 599, 602-605, 608, 609, 614, 617-619, 622, 625, 628, 635, 649-651, 663, 667, 668

ג) עִיֵּן או השמיע את הדברים מעל הכתב (ספר, מגלה וכד׳): 6-8, 22, 23, 85, 96-98, 129, 130, 140, 150, 180, 211, 274, 282, 302, 499, 504, 506, 507, 514, 515, 518, 519, 522, 524-526, 528, 529, 610, 612, 613, 630, 631, 648, 668

ד) [קָרָא אֶת־, לְ־] נָתַן שֵׁם, כִּנָּה: 4, 9, 24, 42, 49, 50, 58, 64, 77, 88, 91, 99-124, 127, 147, 155-157, 163, 164, 166, 168, 174, 176-179, 187, 188, 191, 194, 273, 276, 279, 283-287, 291, 296, 300, 301, 307, 310, 315-318, 320-365, 373, 377, 378, 382, 384, 385, 473-478, 480, 486-488, 490, 494, 497, 516, 520, 522, 533-552, 559, 570-579, 581, 586, 590, 592-596, 600, 620, 621, 629, 636-638, 646, 669

ה) [פָּעוּל קָרוּא, קָרִיא] מוזמן: 222-233

ו) [נפ׳ נִקְרָא] נאמר לו לבוא: 670, 696, 720, 730, 731

ז) [כנ״ל] כֻּנָּה, נִתַּן לוֹ שֵׁם: 671-688, 690-695, 697-699, 701-710, 712-719, 721-731

ח) [כנ״ל] נזעק, התאסף: 711

ט) [כנ״ל] הושמע מעל הספר: 689, 700

י) [פֻּ׳ קֹרָא] נקרא, נִתַּן לוֹ שֵׁם: 732-737

יא) [כנ״ל] קרוא, מוזמן: 738

קרובים: ראה אָמַר

– קָרָא אִוֶּלֶת 308; קָרָא דְּרוֹר 17, 19-21, 160, 207; קָרָא חָמָס וָשֹׁד 241; קָ׳ מוֹעֵד 146; קָ׳ מָלֵא 167; קָ׳ עֹנֶג 91; קָ׳ עֲצָרָה 657, 658; קָ׳ צוֹם 165, 170, 268, 276, 517, 611, 653; קָ׳ שָׁלוֹם 193; קָ׳ שְׁמוֹ 61, 88, 100, 101, 105, 107-109, 111, 112, 114-122, 124, 155-157, 178, 179, 273, 300, 307, 318, 320-365, 522, 533-552, 590, 594, 600, 620, 621, 629, 636-638, 646;

קָרָא שְׁמִטָּה 128

– קָרָא בְשֵׁם 37, 43, 125, 174, 181, 185, 204, 215, 219, 239, 264, 291, 296-298, 305, 581, 655, 660, 661, 665;

קָרָא בְשֵׁם יְיָ (אֱלֹהִים) 9, 24, 63, 151, 161, 257-259, 303, 366, 367, 369, 373, 470

– קְרוּאֵי הָעֵדָה 229; קְרִיאֵי מוֹעֵד 230; קְרִיאֵי הָעֵדָה 231

– נִקְרָא שֵׁם 671-688, 690-694, 698, 705, 709, 721-724;
נִקְרָא בְשֵׁם 696, 699, 701

קְרֹא
1 וַיֹּסֶף יְיָ קְרֹא עוֹד שְׁמוּאֵל ISh. 3:6
2 וַיֹּסֶף יְיָ קְרֹא־שְׁמוּאֵל בַּשְּׁלִשִׁית ISh. 3:8
3 קְרֹא מִקְרָא לֹא־אוּכַל Is. 1:13
4 בְּטֶרֶם יֵדַע הַנַּעַר קְרֹא אָבִי וְאִמִּי Is. 8:4

קְרֹאת
5 לְבִלְתִּי קְרֹאות לָנוּ כִּי הָלַכְתָּ לְהִלָּחֵם Jud. 8:1

בִּקְרֹא
6 בִּקְרֹא בָרוּךְ בַּסֵּפֶר בְּאָזְנֵי הָעָם Jer. 36:13

כִּקְרֹא
7 כִּקְרֹא מֶלֶךְ־יִשְׂרָאֵל אֶת־הַסֵּפֶר IIK. 5:7
8 כִּקְרוֹא יְהוּדִי שָׁלֹשׁ דְּלָתוֹת Jer. 36:23

לִקְרֹא
9 אָז הוּחַל לִקְרֹא בְּשֵׁם יְיָ Gen. 4:26
10 וַיְמַהֵר...לִקְרֹא לְמֹשֶׁה וּלְאַהֲרֹן Ex. 10:16
11 וַיִּשְׁלַח...לִקְרֹא לְדָתָן וְלַאֲבִירָם Num. 16:12
12 וַיִּשְׁלַח...לִקְרֹא־לוֹ לֵאמֹר Num. 22:5
13 אִם־לִקְרֹא לְךָ בָּאוּ הָאֲנָשִׁים Num. 22:20
14 שָׁלֹחַ שָׁלַחְתִּי אֵלֶיךָ לִקְרֹא־לָךְ Num. 22:37
15 וַיִּשְׁלַח הַמֶּלֶךְ לִקְרֹא אֶת־אֲחִימֶלֶךְ ISh. 22:11
16 אֲשֶׁר־הָלַךְ לִקְרֹא מִיכָיְהוּ IK. 22:13
17 לִקְרֹא לִשְׁבוּיִם דְּרוֹר Is. 61:1
18 לִקְרֹא שְׁנַת־רָצוֹן לַייָ Is. 61:2
19 לִקְרֹא לָהֶם דְּרוֹר Jer. 34:8
20 לִקְרֹא דְרוֹר אִישׁ לְרֵעֵהוּ Jer. 34:15
21 לִקְרֹא דְרוֹר אִישׁ לְאָחִיו Jer. 34:17
22 לִקְרֹא בַסֵּפֶר דִּבְרֵי יְיָ בֵּית יְיָ Jer. 36:8
23 כְּכַלֹּתְךָ לִקְרֹא אֶת־הַסֵּפֶר הַזֶּה Jer. 51:63
24 לִקְרֹא כֻלָּם בְּשֵׁם יְיָ Zep. 3:9
25 לִקְרֹא לְעֹבְרֵי־דָרֶךְ Prov. 9:15
26 וַיֹּאמֶר הַמֶּלֶךְ לִקְרֹא לַחַרְטֻמִּים Dan. 2:2
27 וְגַם־נְבִיאִים הֶעֱמַדְתָּ לִקְרֹא עָלֶיךָ Neh. 6:7
28 אֲשֶׁר־הָלַךְ לִקְרֹא לְמִיכָיְהוּ IICh. 18:12

בְּקָרְאִי
29 בְּקָרְאִי עֲנֵנִי אֱלֹהֵי צִדְקִי Ps. 4:2
30 יְיָ יִשְׁמַע בְּקָרְאִי אֵלָיו Ps. 4:4
31 יָגַעְתִּי בְקָרְאִי נִחַר גְּרוֹנִי Ps. 69:4
32 הַאֲזִינָה קוֹלִי בְּקָרְאִי־לָךְ Ps. 141:1

קָרְאֵנוּ
33 כַּייָ אֱלֹהֵינוּ בְּכָל־קָרְאֵנוּ אֵלָיו Deut. 4:7
34 הַמֶּלֶךְ יַעֲנֵנוּ בְיוֹם־קָרְאֵנוּ Ps. 20:10

קָרְאָם
35 לִשְׁמֹעַ אֲלֵיהֶם בְּכֹל קָרְאָם אֵלֶיךָ IK. 8:52
36 בְּעֵת קָרְאָם אֵלַי בְּעַד רָעָתָם Jer. 11:14

קָרָאתִי
37 רְאֵה קָרָאתִי בְשֵׁם בְּצַלְאֵל Ex. 31:2
38/9 וַיֹּאמֶר לֹא־קָרָאתִי ISh. 3:5, 6
40 לֵאמֹר הָעָם קָרָאתִי ISh. 9:24
41 גַּם קָרָאתִי גִבּוֹרַי לְאַפִּי Is. 13:3
42 לָכֵן קָרָאתִי לָזֹאת רַהַב הֵם שָׁבֶת Is. 30:7
43 קָרָאתִי בְשִׁמְךָ לִי־אָתָּה Is. 43:1
44 קָרָאתִי וְאֵין עוֹנֶה Is. 50:2
45 יַעַן קָרָאתִי וְלֹא עֲנִיתֶם Is. 65:12
46 יַעַן קָרָאתִי וְאֵין עוֹנֶה Is. 66:4
47 וּמִמִּצְרַיִם קָרָאתִי לִבְנִי Hosh. 11:1
48 קָרָאתִי מִצָּרָה לִי אֶל־יְיָ Jon. 2:3
49 לְאַחַד קָרָאתִי נֹעַם Zech. 11:7
50 וּלְאַחַד קָרָאתִי חֹבְלִים Zech. 11:7
51 אֵלָיו פִּי־קָרָאתִי Ps. 66:17
52 מִן־הַמֵּצַר קָרָאתִי יָּהּ Ps. 118:5
53 קָרָאתִי בְכָל־לֵב עֲנֵנִי יְיָ Ps. 119:145
54 בַּצָּרָתָה לִּי קָרָאתִי וַיַּעֲנֵנִי Ps. 120:1
55 בְּיוֹם קָרָאתִי וַתַּעֲנֵנִי Ps. 138:3
56 יַעַן קָרָאתִי וַתְּמָאֵנוּ Prov. 1:24
57 אִם־קָרָאתִי וַיַּעֲנֵנִי Job 9:16

קָרָאתִי (המשך)
58 לַשַּׁחַת קָרָאתִי אָבִי אָתָּה Job 17:14
59 לְעַבְדִּי קָרָאתִי וְלֹא יַעֲנֶה Job 19:16
60 קָרָאתִי לַמְאַהֲבַי הֵמָּה רִמּוּנִי Lam. 1:19
61 קָרָאתִי שִׁמְךָ יְיָ מִבּוֹר תַּחְתִּיּוֹת Lam. 3:55

וְקָרָאתִי
62 הַאֵלֵךְ וְקָרָאתִי לָךְ אִשָּׁה מֵינֶקֶת Ex. 2:7
63 וְקָרָאתִי בְשֵׁם יְיָ Ex. 33:19
64 וְקָרָאתִי לְעַבְדִּי לְאֶלְיָקִים Is. 22:20
65 וְקָרָאתִי אֶל־הַדָּגָן וְהִרְבֵּיתִי אֹתוֹ Ezek. 36:29
66 וְקָרָאתִי עָלָיו לְכָל־הָרַי חֶרֶב Ezek. 38:21

קְרָאתִיךָ
67 לָקֹב אֹיְבַי קְרָאתִיךָ Num. 24:10
68 וּמֵאֲצִילֶיהָ קְרָאתִיךָ Is. 41:9
69 אֲנִי יְיָ קְרָאתִיךָ בְצֶדֶק Is. 42:6
70 אֲנִי־קְרָאתִיךָ כִי־תַעֲנֵנִי אֵל Ps. 17:6
71 אַל־אֵבוֹשָׁה כִּי קְרָאתִיךָ Ps. 31:18
72 קְרָאתִיךָ יְיָ בְּכָל־יוֹם Ps. 88:10
73 קְרָאתִיךָ הוֹשִׁיעֵנִי Ps. 119:146
74 מִמַּעֲמַקִּים קְרָאתִיךָ יְיָ Ps. 130:1
75 יְיָ קְרָאתִיךָ חוּשָׁה לִּי Ps. 141:1

קְרָאתִיו
76 אֲנִי אֲנִי דִּבַּרְתִּי אַף־קְרָאתִיו Is. 48:15
77 כִּי־אֶחָד קְרָאתִיו וַאֲבָרְכֵהוּ וְאַרְבֵּהוּ Is. 51:2
78 קְרָאתִיו וְלֹא עָנָנִי S.ofS. 5:6

קָרָאתָ
79 וְלָנוּ לֹא קָרָאתָ לָלֶכֶת עִמָּךְ Jud. 12:1
80-82 הִנְנִי כִּי־קָרָאתָ לִי ISh. 3:5, 6, 8
83 מִי אַתָּה קָרָאתָ אֶל־הַמֶּלֶךְ ISh. 26:14
84 וְלֹא־אֹתִי קָרָאתָ יַעֲקֹב Is. 43:22
85 הַמְּגִלָּה אֲשֶׁר קָרָאתָ בָּהּ בְּאָזְנֵי הָעָם Jer. 36:14
86 בַּצָּרָה קָרָאתָ וָאֲחַלְּצֶךָּ Ps. 81:8
87 הֵבֵאתָ יוֹם־קָרָאתָ וְיִהְיוּ כָמֹנִי Lam. 1:21

וְקָרָאתָ
88 וְקָרָאתָ אֶת־שְׁמוֹ יִצְחָק Gen. 17:19
89 וְקָרָאתָ אֵלֶיהָ לְשָׁלוֹם Deut. 20:10
90 וְקָרָאתָ לְיִשַׁי בַּזָּבַח ISh. 16:3
91 וְקָרָאתָ לַשַּׁבָּת עֹנֶג Is. 58:13
92 הָלֹךְ וְקָרָאתָ בְאָזְנֵי יְרוּשָׁלַםִ לֵאמֹר Jer. 2:2
93 הָלֹךְ וְקָרָאתָ אֶת־הַדְּבָרִים הָאֵלֶּה Jer. 3:12
94 וְקָרָאתָ שָּׁם אֶת־הַדָּבָר הַזֶּה Jer. 7:2
95 וְקָרָאתָ אֲלֵיהֶם וְלֹא יַעֲנוּכָה Jer. 7:27
96 וְקָרָאתָ שָּׁם אֶת־הַדְּבָרִים Jer. 19:2
97 וּבָאתָ אַתָּה וְקָרָאתָ בַמְּגִלָּה Jer. 36:6
98 וְקָרָאתָ אֵת כָּל־הַדְּבָרִים הָאֵלֶּה Jer. 51:61

קָרָאת
99 מֵעַתָּה קָרָאת (כת׳ קראתי) לִי אָבִי Jer. 3:4

וְקָרָאת
100 וְיֹלַדְתְּ בֵּן וְקָרָאת שְׁמוֹ יִשְׁמָעֵאל Gen. 16:11
101 וְיֹלֶדֶת בֵּן וְקָרָאת שְׁמוֹ עִמָּנוּאֵל Is. 7:14
102 וְקָרָאת יְשׁוּעָה חוֹמֹתַיִךְ Is. 60:18

קָרָא
103 וְלַחֹשֶׁךְ קָרָא לָיְלָה Gen. 1:5
104 וּלְמִקְוֵה הַמַּיִם קָרָא יַמִּים Gen. 1:10
105 עַל־כֵּן קָרָא שְׁמָהּ בָּבֶל Gen. 11:9
106 עַ״כֵּ קָרָא לַבְּאֵר בְּאֵר לַחַי רֹאִי Gen. 16:14
107 עַל־כֵּן קָרָא שֵׁם־הָעִיר צוֹעַר Gen. 19:22
108 עַל־כֵּן קָרָא לַמָּקוֹם הַהוּא בְּאֵר שָׁבַע Gen. 21:31
109 עַל־כֵּן קָרָא־שְׁמוֹ אֱדוֹם Gen. 25:30
110 כַּשֵּׁמֹת אֲשֶׁר־קָרָא לָהֶן אָבִיו Gen. 26:18
111 הֲכִי קָרָא שְׁמוֹ יַעֲקֹב Gen. 27:36
112 עַל־כֵּן קָרָא־שְׁמוֹ לֵוִי Gen. 29:34
113 וְיַעֲקֹב קָרָא לוֹ גַּלְעֵד Gen. 31:47
114-122 קָרָא שֵׁם־(שְׁמוֹ, שְׁמָהּ וכד׳) Gen. 31:48 · 33:17; 50:11 · Ex. 15:23 · Josh. 7:26 · Jud. 15:19 · IISh. 5:20 · Jer. 11:16; 20:3
123 וְאָבִיו קָרָא־לוֹ בִנְיָמִין Gen. 35:18
124 וְאֵת שֵׁם הַשֵּׁנִי קָרָא אֶפְרָיִם Gen. 41:52
125 רְאוּ קָרָא יְיָ בְּשֵׁם בְּצַלְאֵל... Ex. 35:30
126 קָרָא מֹשֶׁה לְאַהֲרֹן וּלְבָנָיו Lev. 9:1

קָרָא (המשך)
127 לַמָּקוֹם הַהוּא קָרָא נַחַל אֶשְׁכּוֹל Num. 13:24
128 כִּי־קָרָא שְׁמִטָּה לַייָ Deut. 15:2
129 קָרָא אֶת־כָּל־דִּבְרֵי הַתּוֹרָה Josh. 8:34
130 לֹא־הָיָה דָבָר...אֲשֶׁר לֹא־קָרָא Josh. 8:35
131 וְאֶת־שְׁלֹמֹה אָחִיו לֹא קָרָא IK. 1:10
132/3 וְלִשְׁלֹמֹה עַבְדְּךָ לֹא קָרָא IK. 1:19, 26
134 אֲשֶׁר קָרָא עַל־הַמִּזְבֵּחַ IK. 13:4
135 אֲשֶׁר קָרָא בִּדְבַר יְיָ עַל־הַמִּזְבֵּחַ IK. 13:32
136/7 כִּי־קָרָא יְיָ לִשְׁלֹשֶׁת הַמְּלָכִים IIK. 3:10, 13
138 כִּי־קָרָא יְיָ לָרָעָב וְגַם־בָּא IIK. 8:1
139 וֶאֱלִישָׁע...קָרָא לְאַחַד מִבְּנֵי הַנְּבִיאִים IIK. 9:1
140 אֲשֶׁר קָרָא מֶלֶךְ יְהוּדָה IIK. 22:16
141 כִּדְבַר יְיָ אֲשֶׁר קָרָא אִישׁ הָאֱלֹהִים IIK. 23:16
142 אֲשֶׁר קָרָא אֶת־הַדְּבָרִים הָאֵלֶּה IIK. 23:16
143 אֲשֶׁר קָרָא יְיָ בְּיַד הַנְּבִיאִים Zech. 7:7
144 וַיְהִי כַאֲשֶׁר־קָרָא וְלֹא שָׁמֵעוּ Zech. 7:13
145 זֶה עָנִי קָרָא וַייָ שָׁמֵעַ Ps. 34:7
146 קָרָא עָלַי מוֹעֵד לִשְׁבֹּר בַּחוּרָי Lam. 1:15

וְקָרָא
147 וְקָרָא לוֹ אֹהֶל מוֹעֵד Ex. 33:7
148 וְקָרָא לְךָ וְאָכַלְתָּ מִזִּבְחוֹ Ex. 34:15
149 וְקָרָא עָלֶיךָ אֶל־יְיָ Deut. 15:9
150 וְקָרָא בוֹ כָּל־יְמֵי חַיָּיו Deut. 17:19
151 וְקָרָא בְּשֵׁם־יְיָ אֱלֹהָיו IIK. 5:11
152 וְקָרָא זֶה אֶל־זֶה וְאָמַר... Is. 6:3

קְרָאָנִי
153 יְיָ מִבֶּטֶן קְרָאָנִי Is. 49:1

קְרָאָךְ
154 כִּי־כְאִשָּׁה עֲזוּבָה...קְרָאָךְ יְיָ Is. 54:6

קָרְאָה
155 עַל־כֵּן קָרְאָה שְׁמוֹ יְהוּדָה Gen. 29:35
156 עַל־כֵּן קָרְאָה שְׁמוֹ דָּן Gen. 30:6
157 וְאִמּוֹ קָרְאָה שְׁמוֹ יַעְבֵּץ ICh. 4:9

קְרָאתֶם
158 הַלְיָרְשֵׁנוּ קְרָאתֶם לָנוּ הֲלֹא Jud. 14:15

וּקְרָאתֶם
159 וּקְרָאתֶם בְּעֶצֶם הַיּוֹם הַזֶּה Lev. 23:21
160 וּקְרָאתֶם דְּרוֹר בָּאָרֶץ Lev. 25:10
161 וּקְרָאתֶם בְּשֵׁם אֱלֹהֵיכֶם IK. 18:24
162 וּקְרָאתֶם אֹתִי וַהֲלַכְתֶּם. Jer. 29:12

קָרְאוּ
163 עַל־כֵּן קָרְאוּ לַמָּקוֹם הַהוּא מַחֲנֵה־דָן Jud. 18:12
164 עַל־כֵּן קָרְאוּ לַמָּקוֹם הַהוּא סֶלַע הַמַּחְלְקוֹת ISh. 23:28
165 קָרְאוּ צוֹם וְהֹשִׁיבוּ אֶת־נָבוֹת IK. 21:12
166 כֶּסֶף נִמְאָס קָרְאוּ לָהֶם Jer. 6:30
167 גַּם־הֵמָּה קָרְאוּ אַחֲרֶיךָ מָלֵא Jer. 12:6
168 כִּי נִדָּחָה קָרְאוּ לָךְ Jer. 30:17
169 כִּי יֶשׁ־יוֹם קָרְאוּ נֹצְרִים Jer. 31:6(5)
170 בַּחֹדֶשׁ הַתְּשִׁעִי קָרְאוּ צוֹם לִפְנֵי יְיָ Jer. 36:9
171 קָרְאוּ שָׁם...שָׁאוֹן הֶעֱבִיר הַמּוֹעֵד Jer. 46:17
172 קָרְאוּ לָהֶם כֵּן הָלְכוּ מִפְּנֵיהֶם Hosh. 11:2
173 אֲשֶׁר קָרְאוּ־אֲלֵיהֶם הַנְּבִיאִים Zech. 1:4
174 קָרְאוּ בִשְׁמוֹתָם עֲלֵי אֲדָמוֹת Ps. 49:12
175 סוּרוּ טָמֵא קָרְאוּ לָמוֹ Lam. 4:15
176 עַל־כֵּן קָרְאוּ לַיָּמִים הָאֵלֶּה פוּרִים Es. 9:26
177 עַל־כֵּן קָרְאוּ־לוֹ עִיר דָּוִיד ICh. 11:7
178 קָרְאוּ שֵׁם־הַמָּקוֹם הַהוּא בַּעַל פְּרָצִים ICh. 14:11
179 עַל־כֵּן קָרְאוּ אֶת־שֵׁם הַמָּקוֹם הַהוּא עֵמֶק בְּרָכָה IICh. 20:26
180 עַל־הַסֵּפֶר אֲשֶׁר קָרְאוּ לִפְנֵי מֶלֶךְ יְהוּדָה IICh. 34:24

קָרָאוּ
181 אֲשֶׁר בְּשִׁמְךָ לֹא קָרָאוּ Jer. 10:25
182 מִצְרַיִם קָרָאוּ אַשּׁוּר הָלָכוּ Hosh. 7:11
183 אֹכְלֵי עַמִּי...יְיָ לֹא קָרָאוּ Ps. 14:4
184 אֹכְלֵי עַמִּי...אֱלֹהִים לֹא קָרָאוּ Ps. 53:5
185 אֲשֶׁר בְּשִׁמְךָ לֹא קָרָאוּ Ps. 79:6

וְקָרְאוּ
186 וְקָרְאוּ־לוֹ זִקְנֵי־עִירוֹ Deut. 25:8
187 וְקָרְאוּ לָךְ עִיר יְיָ Is. 60:14
188 וְקָרְאוּ לָהֶם עַם־הַקֹּדֶשׁ Is. 62:12
189 וְקָרְאוּ עֲלֵיהֶם מָגוֹר מִסָּבִיב Jer. 49:29
190 וְקָרְאוּ בְאָזְנַי קוֹל גָּדוֹל Ezek. 8:18
191 וְקָרְאוּ גֵּיא הֲמוֹן גּוֹג Ezek. 39:11
192 וְקָרְאוּ אִכָּר אֶל־אֵבֶל Am. 5:16
193 הַנֹּשְׁכִים בְּשִׁנֵּיהֶם וְקָרְאוּ שָׁלוֹם Mic. 3:5
194 וְקָרְאוּ לָהֶם גְּבוּל רִשְׁעָה Mal. 1:4
195 וְקָרְאוּ לִשְׁלֹשֶׁת אַחְיֹתֵיהֶם Job 1:4
196 וְקָרְאוּ לְפָנָיו כָּכָה יֵעָשֶׂה לָאִישׁ Es. 6:9

קוֹרֵא
197 וַיָּבֶן עֵלִי כִּי יְיָ קֹרֵא לַנָּעַר ISh. 3:8
198 אֵלַי קֹרֵא מִשֵּׂעִיר Is. 21:11
199 קוֹל קוֹרֵא בַּמִּדְבָּר פַּנּוּ דֶּרֶךְ Is. 40:3
200 קֹרֵא הַדֹּרוֹת מֵרֹאשׁ Is. 41:4
201 קֹרֵא מִמִּזְרָח עַיִט Is. 46:11
202 קֹרֵא אֲנִי אֲלֵיהֶם יַעַמְדוּ יַחְדָּו Is. 48:13
203 אֵין־קֹרֵא בְצֶדֶק Is. 59:4
204 וְאֵין־קוֹרֵא בְשִׁמְךָ Is. 64:6
205 הִנְנִי קֹרֵא לְכָל־מִשְׁפְּחוֹת... Jer. 1:15
206 כִּי חֶרֶב אֲנִי קֹרֵא עַל... Jer. 25:29
207 הִנְנִי קֹרֵא לָכֶם דְּרוֹר Jer. 34:17
208 אֵין־קֹרֵא בָהֶם אֵלָי Hosh. 7:7
209 וּבַשְּׂרִידִים אֲשֶׁר יְיָ קֹרֵא Joel 3:5
210 וְהִנֵּה קֹרֵא לָרִב בָּאֵשׁ Am. 7:4
211 לְמַעַן יָרוּץ קוֹרֵא בוֹ Hab. 2:2
212 תְּהוֹם־אֶל־תְּהוֹם קוֹרֵא Ps. 42:8
213 קֹרֵא לֶאֱלוֹהַּ וַיַּעֲנֵהוּ Job 12:4

הַקּוֹרֵא
214 וַיָּנֻעוּ אַמּוֹת הַסִּפִּים מִקּוֹל הַקּוֹרֵא Is. 6:4
215 כִּי אֲנִי יְיָ הַקּוֹרֵא בְשִׁמְךָ Is. 45:3
216 הַקּוֹרֵא לְמֵי־הַיָּם וַיִּשְׁפְּכֵם Am. 5:8
217 הַקֹּרֵא לְמֵי־הַיָּם וַיִּשְׁפְּכֵם Am. 9:6

קֹרְאִים
218 קֹרְאִים אֶל־יְיָ וְהוּא יַעֲנֵם Ps. 99:6

בְּקֹרְאֵי־
219 וּשְׁמוּאֵל בְּקֹרְאֵי שְׁמוֹ Ps. 99:6

קֹרְאֶיךָ
220 וְרַב־חֶסֶד לְכָל־קֹרְאֶיךָ Ps. 86:5

קֹרְאָיו
221 קָרוֹב יְיָ לְכָל־קֹרְאָיו Ps. 145:18

קָרוּא
222 וְגַם־לְמָחָר אֲנִי קְרוּא־לָהּ Es. 5:12

קְרוּאִים
223 קְרֻאִים וְהֹלְכִים לְתֻמָּם IISh. 15:11

וּקְרוּאִים
224 כֻּלָּם שָׁלִשִׁים וּקְרוּאִים Ezek. 23:23

הַקְּרוּאִים
225 אַחֲרֵי־כֵן יֹאכְלוּ הַקְּרֻאִים ISh. 9:13
226 וַיִּתֵּן לָהֶם מָקוֹם בְּרֹאשׁ הַקְּרוּאִים ISh. 9:22
227 וְכָל־הַקְּרֻאִים אֲשֶׁר אִתּוֹ IK. 1:41
228 וַיָּקֻמוּ כָּל־הַקְּרֻאִים...וַיֵּלְכוּ IK. 1:49

קְרוּאֵי־
229 אֵלֶּה קְרוּאֵי (כת׳ קריאי) הָעֵדָה Num. 1:16

קְרִיאֵי־
230 נְשִׂיאֵי עֵדָה קְרִאֵי מוֹעֵד Num. 16:2
231 קְרִיאֵי (כת׳ קרואי) הָעֵדָה אֲשֶׁר הִצּוּ... Num. 26:9

קְרֻאָיו
232 כִּי־הֵכִין יְיָ זֶבַח הִקְדִּישׁ קְרֻאָיו Zep. 1:7

קְרֻאֶיהָ
233 בְּעִמְקֵי שְׁאוֹל קְרֻאֶיהָ Prov. 9:18

אֶקְרָא
234 כִּי שֵׁם יְיָ אֶקְרָא Deut. 32:3
235 אֶקְרָא אֶל־יְיָ וְיִתֵּן קֹלוֹת וּמָטָר ISh. 12:17
236 מְהֻלָּל אֶקְרָא יְיָ IISh. 22:4
237 בַּצַּר־לִי אֶקְרָא יְיָ IISh. 22:7
238 וְאֶל־אֱלֹהַי אֶקְרָא IISh. 22:7
239 וַאֲנִי אֶקְרָא בְשֵׁם־יְיָ IK. 18:24
240 וְאָמַר מָה אֶקְרָא Is. 40:6
241 חָמָס וָשֹׁד אֶקְרָא Jer. 20:8
242 אֵלֶיךָ יְיָ אֶקְרָא Joel 1:19
243 קוֹלִי אֶל־יְיָ אֶקְרָא וַיַּעֲנֵנִי Ps. 3:5
244 מְהֻלָּל אֶקְרָא יְיָ Ps. 18:4
245 בַּצַּר־לִי אֶקְרָא יְיָ Ps. 18:7
246 אֱלֹהַי אֶקְרָא יוֹמָם וְלֹא תַעֲנֶה Ps. 22:3

אֶקְרָא (המשך)
247 שְׁמַע־יְיָ קוֹלִי אֶקְרָא Ps. 27:7
248/9 אֵלֶיךָ יְיָ אֶקְרָא Ps. 28:1; 30:9
250 אֲנִי אֶל־אֱלֹהִים אֶקְרָא וַייָ יוֹשִׁיעֵנִי Ps. 55:17
251 יָשׁוּבוּ אוֹיְבַי אָחוֹר בְּיוֹם אֶקְרָא Ps. 56:10
252 אֶקְרָא לֵאלֹהִים עֶלְיוֹן Ps. 57:3
253 מִקְצֵה הָאָרֶץ אֵלֶיךָ אֶקְרָא Ps. 61:3
254 חָנֵּנִי אֲדֹנָי כִּי־אֵלֶיךָ אֶקְרָא Ps. 86:3
255 בְּיוֹם אֶקְרָא מַהֵר עֲנֵנִי Ps. 102:3
256 כִּי־הִטָּה אָזְנוֹ לִי וּבְיָמַי אֶקְרָא Ps. 116:2
257–259 וּבְשֵׁם־יְיָ אֶקְרָא Ps. 116:4, 13, 17
260 אֲלֵיכֶם אִישִׁים אֶקְרָא Prov. 8:4

וָאֶקְרָא
261 וָאֶקְרָא בְּקוֹל גָּדוֹל Gen. 39:14
262 כִּי־הֲרִימֹתִי קוֹלִי וָאֶקְרָא Gen. 39:15
263 וַיְהִי כַּהֲרִימִי קוֹלִי וָאֶקְרָא Gen. 39:18
264 וָאֶקְרָא לְךָ בִּשְׁמֶךָ Is. 45:4
265 וָאֶקְרָא אֶתְכֶם וְלֹא עֲנִיתֶם Jer. 7:13
266 וָאֶקְרָא לָהֶם וְלֹא עָנוּ Jer. 35:17
267 וָאֶקְרָא חֹרֶב עַל־הָאָרֶץ Hag. 1:11
268 וָאֶקְרָא שָׁם צוֹם...לְהִתְעַנּוֹת Ez. 8:21
269 וָאֶקְרָא אֶת־הַכֹּהֲנִים וָאַשְׁבִּיעֵם Neh. 5:12

אֶקְרָאֶךָּ
270 בְּיוֹם צָרָתִי אֶקְרָאֶךָּ Ps. 86:7
271 קָרַבְתָּ בְּיוֹם אֶקְרָאֶךָּ Lam. 3:57

וָאֶקְרָאֶה
272 וָאֶקְרָאֶה לְךָ לְהוֹדִיעֵנִי מָה אֶעֱשֶׂה ISh. 28:15

תִּקְרָא
273 לֹא־תִקְרָא אֶת־שְׁמָהּ שָׂרָי Gen. 17:15
274 תִּקְרָא אֶת־הַתּוֹרָה הַזֹּאת Deut. 31:11
275 הֵן גּוֹי לֹא־תֵדַע תִּקְרָא Is. 55:5
276 הֲלָזֶה תִּקְרָא־צוֹם Is. 58:5
277 אָז תִּקְרָא וַייָ יַעֲנֶה Is. 58:9
278 כִּי אִם לַבִּינָה תִקְרָא Prov. 2:3
279 אֱמֹר...וּמֹדָע לַבִּינָה תִקְרָא Prov. 7:4
280 תִּקְרָא וְאָנֹכִי אֶעֱנֶךָּ Job 14:15
281 תִּקְרָא כְיוֹם מוֹעֵד מְגוּרַי מִסָּבִיב Lam. 2:22

תִּקְרָאֵם
282 בְּאָזְנֵי כָל־יְהוּדָה...תִּקְרָאֵם Jer. 36:6

תִּקְרְאִי
283 וָאֹמַר אָבִי תִּקְרְאִי (כת׳ תקראו) לִי Jer. 3:19
284 וְהָיָה בַיּוֹם הַהוּא...תִּקְרְאִי אִישִׁי Hosh. 2:18
285 וְלֹא־תִקְרְאִי־לִי עוֹד בַּעְלִי Hosh. 2:18

יִקְרָא
286 וַיָּבֵא אֶל־הָאָדָם לִרְאוֹת מַה־יִּקְרָא־לוֹ Gen. 2:19
287 אֲשֶׁר יִקְרָא־לוֹ הָאָדָם...הוּא Gen. 2:19
288 וְהָיָה כִּי־יִקְרָא לָכֶם פַּרְעֹה Gen. 46:33
289 וְטָמֵא טָמֵא יִקְרָא Lev. 13:45
290 וְלֹא־יִקְרָא עָלֶיךָ אֶל־יְיָ Deut. 24:15
291 אֲשֶׁר־יִקְרָא אֶתְהֶן בְּשֵׁם Josh. 21:9
292 אָז יִקְרָא יְהוֹשֻׁעַ לָרְאוּבֵנִי Josh. 22:1
293 וְהָיָה אִם־יִקְרָא אֵלֶיךָ וְאָמַרְתָּ... ISh. 3:9
294 כְּכֹל אֲשֶׁר־יִקְרָא אֵלֶיךָ הַנָּכְרִי IK. 8:43
295 וְשָׂעִיר עַל־רֵעֵהוּ יִקְרָא Is. 34:14
296 לְכֻלָּם בְּשֵׁם יִקְרָא Is. 40:26
297 מִמִּזְרַח־שֶׁמֶשׁ יִקְרָא בִשְׁמִי Is. 41:25
298 וְזֶה יִקְרָא בְשֵׁם־יַעֲקֹב Is. 44:5
299 וּמִי־כָמוֹנִי יִקְרָא וְיַגִּידֶהָ Is. 44:7
300 וְלַעֲבָדָיו יִקְרָא שֵׁם אַחֵר Is. 65:15
301 וְזֶה אֲשֶׁר־יִקְרָא־לָהּ יְיָ צִדְקֵנוּ Jer. 33:16
302 מִפִּיו יִקְרָא אֵלַי...וַאֲנִי כֹּתֵב Jer. 36:18
303 כֹּל אֲשֶׁר־יִקְרָא בְּשֵׁם יְיָ יִמָּלֵט Joel 3:5
304 קוֹל יְיָ לָעִיר יִקְרָא Mic. 6:9
305 הוּא יִקְרָא בִשְׁמִי Zech. 13:9
306 יִקְרָא אֶל־הַשָּׁמַיִם מֵעָל Ps. 50:4
307 לְכֻלָּם שֵׁמוֹת יִקְרָא Ps. 147:4
308 וְלֵב כְּסִילִים יִקְרָא אִוֶּלֶת Prov. 12:23
309 וּפִיו לְמַהֲלֻמוֹת יִקְרָא Prov. 18:6
310 רָב־אָדָם יִקְרָא אִישׁ חַסְדּוֹ Prov. 20:6

יִקְרָא (המשך)

311 גַּם־הוּא יִקְרָא וְלֹא יֵעָנֶה Prov. 21:13
312 וְשֶׁמֶן יְמִינוֹ יִקְרָא Prov. 27:16
313 יִקְרָא אֱלוֹהַּ בְּכָל־עֵת Job 27:10
314 וְעָשִׂיתָ כְּכֹל אֲשֶׁר־יִקְרָא אֵלֶיךָ הַנָּכְרִי IICh. 6:33

וַיִּקְרָא

315 וַיִּקְרָא אֱלֹהִים לָאוֹר יוֹם Gen. 1:5
316 וַיִּקְרָא אֱלֹהִים לָרָקִיעַ שָׁמָיִם Gen. 1:8
317 וַיִּקְרָא אֱלֹהִים לַיַּבָּשָׁה אֶרֶץ Gen. 1:10
318 וַיִּקְרָא הָאָדָם שֵׁמוֹת לְכָל־הַבְּהֵמָה Gen. 2:20
319 וַיִּקְרָא יְיָ אֱלֹהִים אֶל־הָאָדָם Gen. 3:9
320 וַיִּקְרָא הָאָדָם שֵׁם אִשְׁתּוֹ חַוָּה Gen. 3:20
321 וַיִּקְרָא שֵׁם הָעִיר כְּשֵׁם בְּנוֹ Gen. 4:17
322 וַיִּקְרָא אֶת־שְׁמוֹ אֱנוֹשׁ Gen. 4:26
323 וַיִּקְרָא...שְׁמָם אָדָם בְּיוֹם הִבָּרְאָם Gen. 5:2
365-324 וַיִּקְרָא (אֶת־) שְׁמוֹ (שֵׁם, שְׁמָהּ, שְׁמָם וכד׳)
Gen. 5:3, 29; 16:15; 21:3; 22:14; 25:26; 26:20; 26:21, 22, 23; 28:19; 32:3, 31; 35:8, 10, 15; 38:3; 38:29, 30; 41:45, 51 • Ex. 2:22; 17:7, 15 • Num. 11:3, 34; 21:3 Josh. 5:9 • Jud. 1:17; 1:26 • ISh. 7:12 • IISh. 12:24, 25 • IK. 7:21²; 16:24 • IIK. 14:7 Is. 9:5 Job 42:14 • ICh. 7:23 • IICh. 3:17

366/7 וַיִּקְרָא בְּשֵׁם יְיָ Gen. 12:8; 26:25
368 וַיִּקְרָא פַרְעֹה לְאַבְרָם וַיֹּאמֶר Gen. 12:18
369 וַיִּקְרָא שָׁם אַבְרָם בְּשֵׁם יְיָ Gen. 13:4
370 וַיִּקְרָא לְכָל־עֲבָדָיו וַיְדַבֵּר... Gen. 20:8
371 וַיִּקְרָא אֲבִימֶ׳ לְאַבְרָהָם וַיֹּאמֶר Gen. 20:9
372 וַיִּקְרָא מַלְאַךְ אֱלֹהִים אֶל־הָגָר Gen. 21:17
373 וַיִּקְרָא־שָׁם בְּשֵׁם יְיָ אֵל עוֹלָם Gen. 21:33
374 וַיִּקְרָא אֵלָיו מַלְאַךְ יְיָ מִן הַשָּׁמַיִם Gen. 22:11
375 וַיִּקְרָא מַלְאַךְ יְיָ אֶל־אַבְרָהָם Gen. 22:15
376 וַיִּקְרָא אֲבִימֶלֶךְ לְיִצְחָק וַיֹּאמֶר Gen. 26:9
377 וַיִּקְרָא לָהֶן שֵׁמוֹת Gen. 26:18
378 וַיִּקְרָא אֹתָהּ שִׁבְעָה Gen. 26:33
379 וַיִּקְרָא אֶת־עֵשָׂו...וַיֹּאמֶר אֵלָיו Gen. 27:1
380 וַיִּקְרָא יִצְחָק אֶל־יַעֲקֹב Gen. 28:1
381 וַיִּשְׁלַח יַעֲקֹב וַיִּקְרָא לְרָחֵל Gen. 31:4
382 וַיִּקְרָא־לוֹ לָבָן יְגַר שָׂהֲדוּתָא Gen. 31:47
383 וַיִּקְרָא לְאֶחָיו לֶאֱכָל־לָחֶם Gen. 31:54
384 וַיִּקְרָא־לוֹ אֵל אֱלֹהֵי יִשְׂרָאֵל Gen. 33:20
385 וַיִּקְרָא לַמָּקוֹם אֵל בֵּית־אֵל Gen. 35:7
386 וַיִּקְרָא אֶת־כָּל־חַרְטֻמֵּי מִצְ׳ Gen. 41:8
387 וַיִּשְׁלַח פַּרְעֹה וַיִּקְרָא אֶת־יוֹסֵף Gen. 41:14
388 וַיִּקְרָא הוֹצִיאוּ כָל־אִישׁ מֵעָלָי Gen. 45:1
389 וַיִּקְרָא לִבְנוֹ לְיוֹסֵף וַיֹּאמֶר לוֹ Gen. 47:29
390 וַיִּקְרָא יַעֲקֹב אֶל־בָּנָיו וַיֹּאמֶר Gen. 49:1
391 וַיִּקְרָא מֶלֶךְ־מִצְרַיִם לַמְיַלְּדֹת Ex. 1:18
392 וַיִּקְרָא אֵלָיו אֱלֹהִים מִתּוֹךְ הַסְּנֶה Ex. 3:4
393 וַיִּקְרָא גַּם־פַּרְעֹה לַחֲכָמִים... Ex. 7:11
394 וַיִּקְרָא פַרְעֹה לְמֹשֶׁה וּלְאַהֲרֹן Ex. 8:4
395 וַיִּקְרָא פַּרְעֹה אֶל־מֹשֶׁה Ex. 8:21
439-396 וַיִּקְרָא...אֶל־ (אֵלָיו וכד׳) Ex. 10:24
19:3; 24:16; 34:31; 36:2 • Lev. 1:1; 10:4 • Deut. 5:1; 29:1 • Josh. 4:4; 6:6; 10:24 • Jud. 9:54; 15:18; 16:28 ISh. 3:4; 9:26; 12:18; 16:8; 17:8; 26:14; 29:6 IISh. 1:7; 2:26; 9:9; 14:33; 15:2; 18:26 • IK. 13:21; 17:10, 11, 20, 21; 18:3; 22:9 • IIK. 4:36; 6:11; 20:11 • Jer. 42:8 • Ezek. 9:3 • ICh. 21:26 • IICh. 14:10; 18:8

440 וַיִּקְרָא לְמֹשֶׁה וּלְאַהֲרֹן Ex. 9:27
467-441 וַיִּקְרָא לְ... Ex. 12:21, 31
19:7, 20 • Deut. 31:7 • Josh. 9:22; 23:2; 24:1, 9 •

וַיִּקְרָא (המשך)

ISh. 16:5; 19:7 • IISh. 1:15; 11:13; 13:23; 21:2 • IK. 1:19, 25; 2:36, 42; 20:7 • IIK. 4:12, 15; 12:8 • ICh. 4:10; 15:11; 22:6(5) • IICh. 24:6

468 וַיִּקְרָא בְּאָזְנֵי הָעָם Ex. 24:7
469 וַיִּקְרָא אַהֲרֹן וַיֹּאמַר Ex. 32:5
470 וַיִּקְרָא בְשֵׁם יְיָ Ex. 34:5
471 וַיַּעֲבֹר יְיָ עַל־פָּנָיו וַיִּקְרָא Ex. 34:6
472 וַיֵּרֶד יְיָ...וַיִּקְרָא אַהֲרֹן וּמִרְיָם Num. 12:5
473 וַיִּקְרָא מֹשֶׁה לְהוֹשֵׁעַ בִּן־נוּן יְהוֹשֻׁ׳ Num.13:16
474 וַיִּקְרָא אֶתְהֶן חַוֹּת יָאִיר Num. 32:41
475 וַיִּקְרָא לָהּ נֹבַח בִּשְׁמוֹ Num. 32:42
476 וַיִּקְרָא אֹתָם עַל־שְׁמוֹ Deut. 3:14
477 וַיִּקְרָא־לוֹ יְיָ שָׁלוֹם Jud. 6:24
478 וַיִּקְרָא־לוֹ בַיּוֹם־הַהוּא יְרֻבַּעַל Jud. 6:32
479 וַיַּעֲמֹד...וַיִּשָּׂא קוֹלוֹ וַיִּקְרָא Jud. 9:7
480 וַיִּקְרָא לַמָּקוֹם הַהוּא רָמַת לֶחִי Jud. 15:17
481 וַיִּקְרָא כְפַעַם־בְּפַעַם שְׁמוּאֵל שְׁמוּאֵל ISh.3:10
482 וַיִּקְרָא עֵלִי אֶת־שְׁמוּאֵל ISh. 3:16
483/4 וַיִּקְרָא יְהוֹנָתָן אַחֲרֵי הַנַּעַר ISh. 20:37, 38
485 וַיִּקְרָא אַחֲרֵי־שָׁאוּל לֵאמֹר ISh. 24:8
486 וַיִּקְרָא לַמָּקוֹם...חֶלְקַת הַצֻּרִים IISh. 2:16
487 וַיִּקְרָא־לָהּ עִיר דָּוִד IISh. 5:9
488 וַיִּקְרָא לַמָּקוֹם הַהוּא פֶּרֶץ עֻזָּה IISh. 6:8
489 וַיִּקְרָא אֶת־נַעֲרוֹ מְשָׁרְתוֹ וַיֹּאמֶר IISh.13:17
490 וַיִּקְרָא לַמַּצֶּבֶת עַל־שְׁמוֹ IISh. 18:18
491 וַיִּקְרָא הַצֹּפֶה וַיַּגֵּד לַמֶּלֶךְ IISh. 18:25
492 וַיִּקְרָא אֲחִימַעַץ וַיֹּאמֶר IISh. 18:28
493 וַיִּקְרָא אֶת־כָּל־אֶחָיו בְּנֵי הַמֶּלֶךְ IK. 1:9
494 וַיִּקְרָא לָהֶם אֶרֶץ כָּבוּל IK. 9:13
495 וַיִּקְרָא עַל־הַמִּזְבֵּחַ בִּדְבַר יְיָ IK. 13:2
496 וַיִּקְרָא הַשֹּׁעֲרִים וַיַּגִּידוּ בֵּית הַמֶּלֶךְ IIK. 7:11
497 וַיִּקְרָא־לוֹ נְחֻשְׁתָּן IIK. 18:4
498 וַיִּקְרָא בְקוֹל גָּדוֹל־יְהוּדִית IIK. 18:28
499 וַיִּקְרָא בְאָזְנֵיהֶם אֶת־כָּל־דִּבְרֵי... IIK. 23:2
500 וַיִּקְרָא אֶת־הַדְּבָרִים הָאֵלֶּה IIK. 23:17
501 וַיִּקְרָא אַרְיֵה עַל־מִצְפֶּה Is. 21:8
502 וַיִּקְרָא אֲדֹנָי...לִבְכִי וּלְמִסְפֵּד Is. 22:12
503 וַיִּקְרָא בְקוֹל־גָּדוֹל יְהוּדִית Is. 36:13
504 וַיִּקְרָא צְפַנְיָה הַכֹּהֵן אֶת־הַסֵּפֶר Jer. 29:29
505 וַיִּקְרָא יִרְמְיָהוּ אֶת־בָּרוּךְ בֶּן־נֵרִיָּה Jer. 36:4
506 וַיִּקְרָא בָרוּךְ בַּסֵּפֶר Jer. 36:10
507 וַיִּקְרָא בָרוּךְ בְּאָזְנֵיהֶם Jer. 36:15
508 וַיִּקְרָא בְאָזְנַי קוֹל גָּדוֹל Ezek. 9:1
509 וַיִּקְרָא וַיֹּאמַר עוֹד אַרְבָּעִים יוֹם Jon. 3:4
510 אֵל אֱלֹהִים יְיָ דִּבֶּר וַיִּקְרָא־אָרֶץ Ps. 50:1
511 וַיִּקְרָא רָעָב עַל־הָאָרֶץ Ps. 105:16
512 וַיִּקְרָא לְפָנָיו כָּכָה יֵעָשֶׂה לָאִישׁ... Es. 6:11
513 וָאֶשְׁמַע קוֹל...וַיִּקְרָא וַיֹּאמַר Dan. 8:16
514 וַיִּקְרָא־בוֹ לִפְנֵי הָרְחוֹב Neh. 8:3
515 וַיִּקְרָא בְּסֵפֶר תּוֹרַת הָאֱלֹהִים Neh. 8:18
516 וַיִּקְרָא לַמָּקוֹם הַהוּא פֶּרֶץ עֻזָּא ICh. 13:11
517 וַיִּקְרָא־צוֹם עַל־כָּל־יְהוּדָה IICh. 20:3
518 וַיִּקְרָא־בוֹ שָׁפָן לִפְנֵי הַמֶּלֶךְ IICh. 34:18
519 וַיִּקְרָא בְאָזְנֵיהֶם אֶת־כָּל־דִּבְרֵי... IICh. 34:30

יִקְרָאֵנִי

520 הוּא יִקְרָאֵנִי אָבִי אָתָּה Ps. 89:27
521 יִקְרָאֵנִי וְאֶעֱנֵהוּ Ps. 91:15

יִקְרְאוֹ

522 וְזֶה־שְּׁמוֹ אֲשֶׁר־יִקְרְאוֹ יְיָ צִדְקֵנוּ Jer. 23:6

יִקְרָאֵהוּ

523 צֶדֶק יִקְרָאֵהוּ לְרַגְלוֹ Is. 41:2

וַיִּקְרָאֵהוּ

524 וַיִּתֵּן...אֶת־הַסֵּפֶר אֶל־שָׁפָן וַיִּקְרָאֵהוּ IIK.22:8
525 וַיִּקְרָאֵהוּ שָׁפָן לִפְנֵי הַמֶּלֶךְ IIK. 22:10
526 וַיִּקַּח...הַסְּפָרִים...וַיִּקְרָאֵהוּ Is. 37:14

וַיִּקְרָאֶהָ

527 וַיִּקְרָאֶהָ וַתָּבֹא אֵלָיו IIK. 4:36
528 וַיִּקְרָאֶהָ יְהוּדִי בְּאָזְנֵי הַמֶּלֶךְ Jer. 36:21

וַיִּקְרָאֵם

529 וַיִּקַּח...אֶת־הַסְּפָרִים...וַיִּקְרָאֵם IIK. 19:14

תִּקְרָא

530 בְּרֹאשׁ הֹמִיּוֹת תִּקְרָא Prov. 1:21
531 הֲלֹא־חָכְמָה תִקְרָא Prov. 8:1
532 שָׁלְחָה נַעֲרֹתֶיהָ תִקְרָא Prov. 9:3

וַתִּקְרָא

533 וַתִּקְרָא אֶת־שְׁמוֹ שֵׁת Gen. 4:25
534 וַתִּקְרָא שֵׁם־יְיָ הַדֹּבֵר אֵלֶיהָ Gen. 16:13
535 וַתִּקְרָא שְׁמוֹ מוֹאָב Gen. 19:37
536 וַתִּקְרָא שְׁמוֹ בֶּן־עַמִּי Gen. 19:38
552-537 וַתִּקְרָא (אֶת־) שְׁמוֹ Gen. 29:32, 33
30:8, 11, 13, 18, 20, 21, 24; 35:18; 38:4, 5 • Ex. 2:10 • Jud. 13:24 • ISh. 1:20 • ICh. 7:16

553 וַתִּשְׁלַח וַתִּקְרָא לְיַעֲקֹב Gen. 27:42
554 וַתִּקְרָא לְאַנְשֵׁי בֵיתָהּ וַתֹּאמֶר לָהֶם Gen. 39:14
555 וַתֵּלֶךְ...וַתִּקְרָא אֶת־אֵם הַיָּלֶד Ex. 2:8
556 וַתִּשְׁלַח וַתִּקְרָא לְבָרָק Jud. 4:6
557 וַתִּשְׁלַח וַתִּקְרָא לְסַרְנֵי פְלִשְׁתִּים Jud. 16:18
558 וַתִּקְרָא לָאִישׁ וַתְּגַלַּח... Jud. 16:19
559 וַתִּקְרָא לַנַּעַר אִי כָבוֹד ISh. 4:21
560 וַתִּקְרָא אִשָּׁה חֲכָמָה מִן־הָעִיר IISh. 20:16
561 וַתִּקְרָא אֶל־אִישָׁהּ וַתֹּאמֶר IIK. 4:22
562 וַתִּקְרָא קֶשֶׁר קָשֶׁר IIK. 11:14
563 וַתִּקְרָא אֶסְתֵּר לַהֲתָךְ...וַתְּצַוֵּהוּ Es. 4:5

נִקְרָא

564 נִקְרָא לַנַּעֲרָ וְנִשְׁאֲלָה...פִּיהָ Gen. 24:57
565 תְּחַיֵּנוּ וּבְשִׁמְךָ נִקְרָא Ps. 80:19

תִּקְרְאוּ

566/7 תִּקְרְאוּ אֹתָם מִקְרָאֵי קֹדֶשׁ Lev. 23:2, 37
568 אֲשֶׁר־תִּקְרְאוּ אֹתָם בְּמוֹעֲדָם Lev. 23:4
569 תִּקְרְאוּ אִישׁ לְרֵעֵהוּ אֶל־תַּחַת גֶּפֶן Zech. 3:10

תִּקְרֶאנָה

570 אַל־תִּקְרֶאנָה לִי נָעֳמִי Ruth 1:20
571 לָמָּה תִקְרֶאנָה לִי נָעֳמִי Ruth 1:21

יִקְרְאוּ

572 וְהַמֹּאָבִים יִקְרְאוּ לָהֶם אֵמִים Deut. 2:11
573 וְהָעַמֹּנִים יִקְרְאוּ לָהֶם זַמְזֻמִּים Deut. 2:20
574 צִידֹנִים יִקְרְאוּ לְחֶרְמוֹן שִׂרְיֹן Deut. 3:9
575 וְהָאֱמֹרִי יִקְרְאוּ־לוֹ שְׂנִיר Deut. 3:9
576 לָהֶם יִקְרְאוּ חַוֹּת יָאִיר Jud. 10:4
577 לֹא תוֹסִיפִי יִקְרְאוּ־לָךְ רַכָּה וַעֲנֻגָּה Is. 47:1
578 לֹא תוֹסִיפִי יִקְרְאוּ־לָךְ גְּבֶרֶת מַמְלָכוֹת Is. 47:5
579 יִקְרְאוּ לִירוּשָׁלַםִ כִּסֵּא יְיָ Jer. 3:17
580 כֵּן יִקְרְאוּ וְלֹא אֶשְׁמָע Zech. 7:13
581 אֲשֶׁר־יִקְרְאוּ אֶתְהֶם בְּשֵׁמוֹת ICh. 6:50

יִקְרָאוּ

582 עַמִּים הַר־יִקְרָאוּ Deut. 33:19
583 חֹרֶיהָ וְאֵין־שָׁם מְלוּכָה יִקְרָאוּ Is. 34:12
584 טֶרֶם יִקְרָאוּ וַאֲנִי אֶעֱנֶה Is. 65:24
585 נוֹתֵן...לִבְנֵי עֹרֵב אֲשֶׁר יִקְרָאוּ Ps. 147:9
586 לוֹ בַּעַל־מְזִמּוֹת יִקְרָאוּ Prov. 24:8

וְיִקְרְאוּ

587 וְיִקְרְאוּ אֶל־אֱלֹהִים בְּחָזְקָה Jon. 3:8

וַיִּקְרְאוּ

588 וַיִּקְרְאוּ אֶל־לוֹט וַיֹּאמְרוּ לוֹ Gen. 19:5
589 וַיִּקְרְאוּ לְרִבְקָה וַיֹּאמְרוּ אֵלֶיהָ Gen. 24:58
590 וַיִּקְרְאוּ שְׁמוֹ עֵשָׂו Gen. 25:25
591 וַיִּקְרְאוּ לְפָנָיו אַבְרֵךְ Gen. 41:43
592 וַיִּקְרְאוּ בֵית־יִשְׂרָאֵל אֶת־שְׁמוֹ מָן Ex. 16:31
593 וַיִּקְרְאוּ בְשֵׁמֹת אֶת־שְׁמוֹת הֶעָרִים Num. 32:38
594 וַיִּקְרְאוּ לְלֶשֶׁם דָּן Josh. 19:47
595 וַיִּקְרְאוּ בְּנֵי־רְאוּבֵן...לַמִּזְבֵּחַ Josh. 22:34
596 וַיִּקְרְאוּ שֵׁם־הַמָּקוֹם הַהוּא בֹּכִים Jud. 2:5
597 וַיִּקְרְאוּ חֶרֶב לַייָ וּלְגִדְעוֹן Jud. 7:20
598 וַיִּקְרְאוּ לְשִׁמְשׁוֹן מִבֵּית הָאֲסוּרִים° Jud. 16:25
599 וַיִּקְרְאוּ אֶל־בְּנֵי־דָן Jud. 18:23
600 וַיִּקְרְאוּ שֵׁם־הָעִיר דָּן Jud. 18:29
601 וַיִּקְרְאוּ לָהֶם שָׁלוֹם Jud. 21:13
602 וַיִּקְרְאוּ פְלִשְׁתִּים לַכֹּהֲנִים... ISh. 6:2

וַיִּקְרְאוּ (המשך) 603 וַיִּקְרְאוּ־לוֹ אֶל־דָּוִד IISh. 9:2
604 וַיִּשְׁלְחוּ וַיִּקְרְאוּ־לוֹ IK. 12:3
605 וַיִּשְׁלְחוּ וַיִּקְרְאוּ אֹתוֹ אֶל־הָעֵדָה IK. 12:20
606 וַיִּקְרְאוּ בְשֵׁם־הַבַּעַל...לֵאמֹר IK. 18:26
607 וַיִּקְרְאוּ בְּקוֹל גָּדוֹל וַיִּתְגֹּדְדוּ IK. 18:28
608 וַיָּבֹאוּ וַיִּקְרְאוּ אֶל־שֹׁעֵר הָעִיר IIK. 7:10
609 וַיִּקְרְאוּ אֶל־הַמֶּלֶךְ IIK. 18:18
610 וַיִּקְרְאוּ אֶל־יְיָ וַיֹּאמְרוּ Jon. 1:14
611 וַיִּקְרְאוּ־צוֹם וַיִּלְבְּשׁוּ שַׂקִּים Jon. 3:5
612 וַיִּקְרְאוּ בַסֵּפֶר בְּתוֹרַת הָאֱלֹהִים Neh. 8:8
613 וַיִּקְרְאוּ בְּסֵפֶר תּוֹרַת יְיָ אֱלֹהֵיהֶם Neh. 9:3
614 וַיִּשְׁלְחוּ וַיִּקְרְאוּ־לוֹ IICh. 10:3
615 וַיִּקְרְאוּ בְקוֹל־גָּדוֹל יְהוּדִית IICh. 32:18
וַיִּקְרָאוּ 616 קַדְּשׁוּ עֲצָרָה לַבַּעַל וַיִּקְרָאוּ IIK. 10:20
יִקְרָאֻנְנִי 617 אָז יִקְרָאֻנְנִי וְלֹא אֶעֱנֶה Prov. 1:28
יִקְרָאֻהוּ 618 וְאֶל־עַל יִקְרָאֻהוּ Hosh. 11:7
619 לְכֹל אֲשֶׁר יִקְרָאֻהוּ בֶאֱמֶת Ps. 145:18
וַתִּקְרֶאנָה 620 וַתִּקְרֶאנָה לוֹ הַשְּׁכֵנוֹת שֵׁם Ruth 4:17
621 וַתִּקְרֶאנָה שְׁמוֹ עוֹבֵד Ruth 4:17
וַתִּקְרֶאןָ 622 וַתִּקְרֶאןָ לָעָם לְזִבְחֵי אֱלֹהֵיהֶן Num. 25:2
קְרָא 623 קְרָא אֶת־יְהוֹשֻׁעַ...וַאֲצַוֶּנּוּ Deut. 31:14
624 קְרָא נָא בְּאָזְנֵי הָעָם לֵאמֹר Jud. 7:3
625 קְרָא נָא גַּם לְחוּשַׁי הָאַרְכִּי IISh. 17:5
626 קְרָא לַשּׁוּנַמִּית הַזֹּאת IIK. 4:12
627 וַיֹּאמֶר קְרָא־לָהּ וַיִּקְרָא־לָהּ IIK. 4:15
628 קְרָא אֶל־הַשֻּׁנַמִּית הַזֹּאת IIK. 4:36
629 קְרָא שְׁמוֹ מַהֵר שָׁלָל חָשׁ בַּז Is. 8:3
630/1 קְרָא נָא־זֶה Is. 29:11, 12
632 קוֹל אֹמֵר קְרָא Is. 40:6
633 קְרָא בְגָרוֹן אַל־תַּחְשֹׂךְ Is. 58:1
634 קְרָא אֶת־כָּל־הַדְּבָרִים הָאֵלֶּה Jer. 11:6
635 קְרָא אֵלַי וְאֶעֱנֶךָּ Jer. 33:3
636 קְרָא שְׁמוֹ יִזְרְעֶאל Hosh. 1:4
637 קְרָא שְׁמָהּ לֹא רֻחָמָה Hosh. 1:6
638 קְרָא שְׁמוֹ לֹא עַמִּי Hosh. 1:9
639 קוּם קְרָא אֶל־אֱלֹהֶיךָ Jon. 1:6
640 קְרָא לֵאמֹר כֹּה אָמַר יְיָ צְבָאוֹת Zech. 1:14
641 עוֹד קְרָא לֵאמֹר Zech. 1:17
642 קְרָא־נָא הֲיֵשׁ עוֹנֶךָּ Job 5:1
וּקְרָא 643 קוּם לֵךְ אֶל־נִינְוֵה...וּקְרָא עָלֶיהָ Jon. 1:2
644 וּקְרָא אֵלֶיהָ אֶת־הַקְּרִיאָה Jon. 3:2
645 וּקְרָא וְאָנֹכִי אֶעֱנֶה Job 13:22
646 וּקְרָא־שֵׁם בְּבֵית לָחֶם Ruth 4:11
וּקְרָאֵנִי 647 וּקְרָאֵנִי בְּיוֹם צָרָה אֲחַלֶּצְךָ Ps. 50:15
וּקְרָאֶנָּה 648 שֵׁב נָא וּקְרָאֶנָּה בְּאָזְנֵינוּ Jer. 36:15
קִרְאוּ 649 קִרְאוּ לְשִׁמְשׁוֹן וִישַׂחֶק־לָנוּ Jud. 16:25
650 קִרְאוּ־לִי לְבַת־שֶׁבַע IK. 1:28
651 קִרְאוּ־לִי לְצָדוֹק הַכֹּהֵן IK. 1:32
652 קִרְאוּ בְקוֹל־גָּדוֹל IK. 18:27
653 קִרְאוּ־צוֹם וְהֹשִׁיבוּ אֶת־נָבוֹת IK. 21:9
654 כָּל־נְבִיאֵי הַבַּעַל...קִרְאוּ אֵלַי IIK. 10:19
655 הוֹדוּ לַייָ קִרְאוּ בִשְׁמוֹ Is. 12:4
656 קִרְאוּ מַלְאוּ וְאִמְרוּ Jer. 4:5
657/8 קַדְּשׁוּ־צוֹם קִרְאוּ עֲצָרָה Joel 1:14; 2:15
659 קִרְאוּ זֹאת בַּגּוֹיִם קַדְּשׁוּ מִלְחָמָה Joel 4:9
660/1 הוֹדוּ לַייָ קִרְאוּ בִשְׁמוֹ Ps. 105:1 ICh. 16:8
וְקִרְאוּ 662 דַּבְּרוּ...וְקִרְאוּ אֵלֶיהָ Is. 40:2
663 וְקִרְאוּ לַמְקוֹנְנוֹת וּתְבוֹאֶינָה Jer. 9:16
664 וְקִרְאוּ נְדָבוֹת הַשְׁמִיעוּ Am. 4:5
665 וְקִרְאוּ בְּשֵׁם אֱלֹהֵיכֶם IK. 18:25
וּקְרָאוּ 666 דִּרְשׁוּ מֵעַל־סֵפֶר יְיָ וּקְרָאוּ Is. 34:16
קְרָאֻהוּ 667 דִּרְשׁוּ...קְרָאֻהוּ בִּהְיוֹתוֹ קָרוֹב Is. 55:6

קְרָאֶןָ 668 קְרָאֶןָ לוֹ וְיֹאכַל לָחֶם Ex. 2:20
קְרֶאןָ 669 קְרֶאןָ לִי מָרָא Ruth 1:20
נִקְרֵאתִי 670 וַאֲנִי לֹא נִקְרֵאתִי לָבוֹא אֶל־הַמֶּלֶךְ Es. 4:11
נִקְרָא 671 כִּי שֵׁם יְיָ נִקְרָא עָלֶיךָ Deut. 28:10
672 אֲשֶׁר נִקְרָא שֵׁם שֵׁם יְיָ צְבָאוֹת...עָלָ׳ IISh. 6:2
673 כִּי־שִׁמְךָ נִקְרָא עַל־הַבַּיִת הַזֶּה IK. 8:43
674 לֹא־נִקְרָא שִׁמְךָ עֲלֵיהֶם Is. 63:19
675-680 אֲשֶׁר(־)נִקְרָא־שְׁמִי עָלָיו Jer. 7:10
7:11, 14, 30; 32:34; 34:15
681 וְשִׁמְךָ עָלֵינוּ נִקְרָא Jer. 14:9
682 כִּי־נִקְרָא שִׁמְךָ עָלַי Jer. 15:16
683 בָעִיר אֲשֶׁר־נִקְרָא שְׁמִי עָלֶיהָ Jer. 25:29
684 אֲשֶׁר־נִקְרָא שְׁמִי עֲלֵיהֶם Am. 9:12
685 מַה־שֶּׁהָיָה כְּבָר נִקְרָא שְׁמוֹ Eccl. 6:10
686 אֲשֶׁר־נִקְרָא שִׁמְךָ עָלֶיהָ Dan. 9:18
687 שִׁמְךָ נִקְרָא עַל־עִירְךָ וְעַל־עַמֶּךָ Dan. 9:19
688 אֲשֶׁר־נִקְרָא שְׁמוֹ בֵּלְטְשַׁאצַּר Dan. 10:1
689 נִקְרָא בְּסֵפֶר מֹשֶׁה בְּאָזְנֵי הָעָם Neh. 13:1
690 יוֹשֵׁב הַכְּרוּבִים אֲשֶׁר נִקְרָא־שֵׁם ICh. 13:6
691 כִּי־שִׁמְךָ נִקְרָא עַל־הַבַּיִת הַזֶּה IICh. 6:33
692 עַמִּי אֲשֶׁר נִקְרָא־שְׁמִי עֲלֵיהֶם IICh. 7:14
וְנִקְרָא 693 וְנִקְרָא שְׁמוֹ בְּיִשְׂ׳ בֵּית חֲלוּץ הַנָּעַל Deut. 25:10
694 פֶּן־אֶלְכֹּד...וְנִקְרָא שְׁמִי עָלֶיהָ IISh. 12:28
וְנִקְרְאָה 695 וְנִקְרְאָה יְרוּשָׁלַםִ עִיר הָאֱמֶת Zech. 8:3
696 אִם חָפֵץ בָּהּ הַמֶּלֶךְ וְנִקְרְאָה בְשֵׁם Es. 2:14
נִקְרָאוּ 697 כִּי־מֵעִיר הַקֹּדֶשׁ נִקְרָאוּ Is. 48:2
נִקְרָא 698 אִם־יִהְיֶה עוֹד שְׁמִי נִקְרָא בְּפִי Jer. 44:26
הַנִּקְרָא 699 כֹּל הַנִּקְרָא בִשְׁמִי וְלִכְבוֹדִי בְּרָאתִיו Is. 43:7
נִקְרָאִים 700 וַיִּהְיוּ נִקְרָאִים לִפְנֵי הַמֶּלֶךְ Es. 6:1
הַנִּקְרָאִים 701 בֵּית־יַעֲקֹב הַנִּקְרָאִים בְּשֵׁם יִשְׂרָאֵל Is. 48:1
יִקָּרֵא 702 לְזֹאת יִקָּרֵא אִשָּׁה... Gen. 2:23
703 וְלֹא־יִקָּרֵא עוֹד אֶת־שִׁמְךָ אַבְרָם Gen. 17:5
704 כִּי בְיִצְחָק יִקָּרֵא לְךָ זָרַע Gen. 21:12
705 לֹא־יִקָּרֵא שִׁמְךָ עוֹד יַעֲקֹב Gen. 35:10
706 הַבָּשָׁן הַהוּא יִקָּרֵא אֶרֶץ רְפָאִים Deut. 3:13
707 לַנָּבִיא הַיּוֹם יִקָּרֵא לְפָנִים הָרֹאֶה ISh. 9:9
708 אַחֲרֵי־כֵן יִקָּרֵא לָךְ עִיר הַצֶּדֶק Is. 1:26
709 רַק יִקָּרֵא שִׁמְךָ עָלֵינוּ Is. 4:1
710 לֹא־יִקָּרֵא לְעוֹלָם זֶרַע מְרֵעִים Is. 14:20
711 אֲשֶׁר יִקָּרֵא עָלָיו מְלֹא רֹעִים Is. 31:4
712 לֹא־יִקָּרֵא עוֹד לְנָבָל נָדִיב Is. 32:5
713 וְדֶרֶךְ הַקֹּדֶשׁ יִקָּרֵא לָהּ Is. 35:8
714 קְדוֹשׁ יִשְׂרָ׳ אֱלֹהֵי כָל־הָאָ׳ יִקָּרֵא Is. 54:5
715 בֵּית־תְּפִלָּה יִקָּרֵא לְכָל־הָעַמִּים Is. 56:7
716 כִּי לָךְ יִקָּרֵא חֶפְצִי־בָהּ Is. 62:4
717 וְלָךְ יִקָּרֵא דְרוּשָׁה Is. 62:12
718 וְלֹא־יִקָּרֵא לַמָּקוֹם הַזֶּה עוֹד הַתֹּפֶת Jer. 19:6
719 לַחֲכַם־לֵב יִקָּרֵא נָבוֹן Prov. 16:21
720 אֲשֶׁר־יָבוֹא...אֲשֶׁר לֹא־יִקָּרֵא... Es. 4:11
וְיִקָּרֵא 721 וְיִקָּרֵא בָהֶם שְׁמִי וְשֵׁם אֲבֹתַי Gen. 48:16
722 וְיִקָּרֵא שְׁמוֹ בְּיִשְׂרָאֵל Ruth 4:14
וַיִּקָּרֵא 723 וַיִּקָּרֵא לָהּ יַד אַבְשָׁלוֹם IISh. 18:18
724 וַיִּקָּרֵא שְׁמָהּ בָּמָה Ezek. 20:29
725 וַיִּקָּרֵא עַל־שְׁמָם Ez. 2:61
726 וַיִּקָּרֵא עַל־שְׁמָם Neh. 7:63
תִּקָּרֵאוּ 727 וְאַתֶּם כֹּהֲנֵי יְיָ תִּקָּרֵאוּ Is. 61:6
יִקָּרְאוּ 728 עַל שֵׁם אֲחֵיהֶם יִקָּרְאוּ בְּנַחֲלָתָם Gen. 48:6
729 בָּנָיו יִקָּרְאוּ עַל־שֵׁבֶט הַלֵּוִי ICh 23:14
וַיִּקָּרְאוּ 730/1 וַיִּקָּרְאוּ סֹפְרֵי(־)הַמֶּלֶךְ Es. 3:12; 8:9
קֹרָא 732 וּפֹשֵׁעַ מִבֶּטֶן קֹרָא לָךְ Is. 48:8
733 אֶל־גּוֹי לֹא־קֹרָא בִשְׁמִי Is. 65:1

734 לָהֶם קוֹרָא הַגַּלְגַּל בְּאָזְנָי Ezek. 10:13
וְקֹרָא 735 וְקֹרָא לְךָ גֹּדֵר פֶּרֶץ Is. 58:12
736 וְקֹרָא לָהֶם אֵילֵי הַצֶּדֶק Is. 61:3
737 וְקֹרָא לָךְ שֵׁם חָדָשׁ Is. 62:2
מְקֹרָאִי 738 שְׁמַע אֵלַי יַעֲקֹב וְיִשְׂרָאֵל מְקֹרָאִי Is. 48:12

קָרָא² פ׳ א) קרה, ארע: 1-10

ב) [נפ׳ נִקְרָא] נקרה, נזדמן: 11-16
ג) [הפ׳ הִקְרִיא] הקרה: 17

קְרָאָהוּ אָסוֹן 2, 8; קְ׳ פַּחַד 1; קְרָאַתּוּ רָעָה 3, 4

קְרָאַנִי 1 פַּחַד קְרָאַנִי וּרְעָדָה Job 4:14
וּקְרָאָהוּ 2 וּקְרָאָהוּ אָסוֹן בַּדֶּרֶךְ Gen. 42:38
קָרָאת 3 עַל־כֵּן קָרָאת אֶתְכֶם הָרָעָה הַזֹּאת Jer. 44:23
וְקָרָאת 4 וְקָרָאת אֶתְכֶם הָרָעָה בְּאַחֲרִית Deut. 31:29
קְרָאֻנִי 5 מַדּוּעַ קְרָאֻנִי אֵלֶּה Jer. 13:22
קֹרְאֹתַיִךְ 6 שְׁתַּיִם הֵנָּה קֹרְאֹתַיִךְ Is. 51:19
יִקְרָא 7 אֵת אֲשֶׁר־יִקְרָא אֶתְכֶם בְּאַחֲרִית Gen. 49:1
יִקְרָאֶנּוּ 8 כִּי אָמַר פֶּן־יִקְרָאֶנּוּ אָסוֹן Gen. 42:4
תִקְרֶאנָה 9 וְהָיָה כִּי־תִקְרֶאנָה מִלְחָמָה Ex. 1:10
וַתִּקְרֶאנָה 10 וַתִּקְרֶאנָה אֹתִי כָּאֵלֶּה Lev. 10:19
נִקְרֹא 11 נִקְרֹא נִקְרֵיתִי בְּהַר הַגִּלְבֹּעַ IISh. 1:6
נִקְרָא 12 אֱלֹהֵי הָעִבְרִים נִקְרָא עָלֵינוּ Ex. 5:3
13 וְשָׁם נִקְרָא אִישׁ בְּלִיַּעַל IISh. 20:1
14 ? שֶׁבֶר עַל־שֶׁבֶר נִקְרָא Jer. 4:20
יִקָּרֵא 15 כִּי יִקָּרֵא קַן־צִפּוֹר לְפָנֶיךָ Deut. 22:6
וַיִּקָּרֵא 16 וַיִּקָּרֵא אַבְשָׁלוֹם לִפְנֵי עַבְדֵי דָוִד IISh. 18:9
וַתַּקְרֵא 17 וַתַּקְרֵא אֹתָם אֵת כָּל־הָרָעָה הַזֹּאת Jer. 32:23

קְרָא פ׳ ארמית א) קרא בקול: 3-5

ב) השמיע דברים מן הכתב: 1-2, 6-11
ג) [אתפ׳ אִתְקְרִי] נקרא לבוא: 12

לְמִקְרֵא 1 וְלָא־כָהֲלִין כְּתָבָא לְמִקְרֵא Dan. 5:8
2 כְּעַן הֵן תִּכֻּל כְּתָבָא לְמִקְרֵא Dan. 5:16
קָרֵא 3 וְכָרוֹזָא קָרֵא בְחָיִל Dan. 3:4
4 קָרֵא בְחַיִל וְכֵן אָמַר Dan. 4:11
5 קָרֵא מַלְכָּא בְּחַיִל לְהֶעָלָה... Dan. 5:7
קֱרִי 6 נִשְׁתְּוָנָא...מְפָרַשׁ קֱרִי קָדָמָי Ez. 4:18
7 נִשְׁתְּוָנָא...קֱרִי קֳדָם־רְחוּם Ez. 4:23
אֶקְרֵא 9 כְּתָבָא אֶקְרֵא לְמַלְכָּא Dan. 5:17
יִקְרֵה 10 כָּל־אֱנָשׁ דִּי־יִקְרֵה כְּתָבָה דְנָה Dan. 5:7
יִקְרוֹן 11 דִּי־כְתָבָה דְנָה יִקְרוֹן Dan. 5:15
יִתְקְרֵי 12 כְּעַן דָּנִיֵּאל יִתְקְרֵי וּפִשְׁרָה יְהַחֲוֵה Dan. 5:12

קֹרֵא ר׳ – עין קוֹרֵא

(קְרָאת) לִקְרַאת מ״י – מול, נגד: 1-121

קרובים: לְעֻמַּת / לִפְנֵי / מוּל / נֶגֶד / נֹכַח / קָבַל

בָּא לִקְרַאת 34, 58, 85; הוֹצִיא לִקְ׳ 5; הָלַךְ לִקְ׳ 3, 7, 23, 30, 35, 36, 39, 41, 61, 88, 89, 91, 99, 113, 118, 120; הָפַךְ לִקְ׳ 64; הֵרִיעַ לִקְ׳ 77; הִשְׁכִּים לִקְ׳ 15; חָרַד לִקְ׳ 22, 81; יָצָא לִקְ׳ 4, 6, 8, 10, 12, 13, 20, 21, 24, 25, 29, 40, 42, 49, 53, 56, 62, 63, 65, 66, 68, 72-75, 80, 92, 94, 100-103, 105, 111, 112, 115, 116, 120; יָרַד לִקְ׳ 11, 31, 32, 37, 59, 96; נָכוֹן לִקְ׳ 47; נָס לִקְ׳ 71; נָפַל לִקְ׳ 87; נִצַּב לִקְ׳ 54, 70, 109; סָגַר לִקְ׳ 48; עוֹרֵר לִקְ׳ 60; עָלָה לִקְ׳ 2, 38, 104, 106, 114; עָרַךְ לִקְ׳ 14, 16, 26-28, 50, 52; קָם לִקְ׳ 97; רָץ לִקְ׳ 19, 67, 98, 107; שָׁאַג לִקְ׳ 76; שָׁב לִקְ׳ 86; שָׁלַח לִקְרַאת 57, 117, 119, 121; שָׂמַח לִקְרַאת 78

לִקְרַאת 1 וַיִּתֵּן אִישׁ־בִּתְרוֹ לִקְרַאת רֵעֵהוּ Gen. 15:10
2 וַיַּעַל לִקְרַאת־יִשְׂרָאֵל אָבִיו Gen. 46:29
3 לֵךְ לִקְרַאת מֹשֶׁה הַמִּדְבָּרָה Ex. 4:27

לִקְרַאת (המשך)
4 וַיֵּצֵא מֹשֶׁה לִקְרַאת חֹתְנוֹ Ex. 18:7
5 וַיּוֹצֵא מֹשֶׁה אֶת-הָעָם לִקְרַאת הָאֱלֹ׳ Ex. 19:17
6 וַיֵּצֵא לִקְרַאת יִשְׂרָאֵל הַמִּדְבָּרָה Num. 21:23
7 וְלֹא־הָלַךְ...לִקְרַאת נְחָשִׁים Num. 24:1
8 וַיֵּצְאוּ...לִקְרַאת־יִשְׂרָ׳ לַמִּלְחָמָה Josh. 8:14
9 לְחַזֵּק אֶת-לִבָּם לִקְרַאת הַמִּלְחָמָה Josh. 11:20
10 וַתֵּצֵא יָעֵל לִקְרַאת סִיסְרָא Jud. 4:18
11 רְדוּ לִקְרַאת מִדְיָן וְלִכְדוּ... Jud. 7:24
12 וַיֵּצְאוּ בְנֵי־בִנְיָמִן לִקְרַאת הָעָם Jud. 20:31
13 וַיֵּצֵא יִשְׂ׳ לִקְרַאת פְּלִשְׁתִּים לַמִּלְחָמָה ISh. 4:1
14 וַיַּעַרְכוּ פְלִשְׁתִּים לִקְרַאת יִשְׂרָאֵל ISh. 4:2
15 וַיַּשְׁכֵּם שְׁמוּאֵל לִקְרַאת שָׁאוּל בַּבֹּקֶ׳ ISh. 15:12
16 וַיַּעַרְכוּ מִלְחָמָה לִקְרַאת פְּלִשְׁתִּים ISh. 17:2
17 מַעֲרָכָה לִקְרַאת מַעֲרָכָה ISh. 17:21
18 וַיֵּלֶךְ וַיִּקְרַב לִקְרַאת דָּוִד ISh. 17:48
19 וַיָּרָץ הַמַּעֲרָכָה לִקְרַאת הַפְּלִשְׁתִּי ISh. 17:48
20 דָּוִד יֹצֵא לִקְרַאת הַפְּלִשְׁתִּי ISh. 17:55
21 וַתֵּצֶאנָה הַנָּשִׁים...לִקְרַאת שָׁאוּל ISh. 18:6
22 וַיֶּחֱרַד אֲחִימֶלֶךְ לִקְרַאת דָּוִד ISh. 21:2
23 וַיָּשָׁב...וַיֵּלֶךְ לִקְרַאת פְּלִשְׁתִּים ISh. 23:28
24 וַיֵּצְאוּ לִקְרַאת יִשְׂרָאֵל ISh. 30:21
25 וַתֵּצֵא מִיכַל...לִקְרַאת דָּוִד IISh. 6:20
26 וַיַּעֲרֹךְ לִקְרַאת אֲרָם IISh. 10:9
27 וַיַּעֲרֹךְ לִקְרַאת בְּנֵי עַמּוֹן IISh. 10:10
28 וַיַּעַרְכוּ אֲרָם לִקְרַאת דָּוִד IISh. 10:17
29 וַיֵּצֵא הָעָם הַשָּׂדֶה לִקְרַאת יִשְׂרָאֵל IISh. 18:6
30 לָלֶכֶת לִקְרַאת הַמֶּלֶךְ IISh. 19:16
31 וַיֵּרֶד...לִקְרַאת הַמֶּלֶךְ דָּוִד IISh. 19:17
32 לָרֶדֶת לִקְרַאת אֲדֹנִי הַמֶּלֶךְ IISh. 19:21
33 וּמְפִבֹשֶׁת...יָרַד לִקְרַאת הַמֶּלֶךְ IISh. 19:25
34 וַיְהִי כִּי־בָא יְרוּשָׁלַםִ לִקְרַאת הַמֶּ׳ IISh. 19:26
35 וַיֵּלֶךְ עֹבַדְיָהוּ לִקְרַאת אַחְאָב IK. 18:16
36 וַיֵּלֶךְ אַחְאָב לִקְרַאת אֵלִיָּהוּ IK. 18:16
37 קוּם רֵד־לִקְרַאת אַחְאָב IK. 21:18
38 עֲלֵה לִקְרַאת מַלְאֲכֵי מֶלֶךְ שֹׁמְרוֹן IIK. 1:3
39 וְלֵךְ לִקְרַאת אִישׁ הָאֱלֹהִים IIK. 8:8
40 וַיֵּצְאוּ לִקְרַאת יֵהוּא וַיִּמְצָאֻהוּ IIK. 9:21
41 וַיֵּלֶךְ...לִקְרַאת תִּגְלַת פִּלְאֶסֶר IIK. 16:10
42 צֵא־נָא לִקְרַאת אָחָז Is. 7:3
43 שְׁאוֹל...רָגְזָה לְךָ לִקְרַאת בּוֹאֶךָ Is. 14:9
44 לִקְרַאת צָמֵא הֵתָיוּ מָיִם Is. 21:14
45 רָץ לִקְרַאת־רָץ יָרוּץ Jer. 51:31
46 וּמַגִּיד לִקְרַאת מַגִּיד Jer. 51:31
47 הִכּוֹן לִקְרַאת־אֱלֹהֶיךָ יִשְׂרָאֵל Am. 4:12
48 וְהָרֵק חֲנִית וּסְגֹר לִקְרַאת רֹדְפָי Ps. 35:3
49 יֵצֵא לִקְרַאת־נָשֶׁק Job 39:21
50 וַיַּעֲרֹךְ לִקְרַאת אֲרָם ICh. 19:10
51 וַיַּעַרְכוּ לִקְרַאת בְּנֵי עַמּוֹן ICh. 19:11
52 וַיַּעֲרֹךְ דָּוִיד לִקְרַאת אֲרָם ICh. 19:17
וְלִקְרַאת 53 וַיֵּצְאוּ לִקְרַאת דָּוִד וְלִקְרַאת הָעָם ISh. 30:21
לִקְרָאתִי 54 כִּי אַתָּה נִצָּב לִקְרָאתִי בַּדָּרֶךְ Num. 22:34
55 אוּלַי יִקָּרֶה יְיָ לִקְרָאתִי Num. 23:3
56 אֲשֶׁר יֵצֵא מִדַּלְתֵי בֵיתִי לִקְרָאתִי Jud. 11:31
57 אֲשֶׁר שְׁלָחֵךְ הַיּוֹם הַזֶּה לִקְרָאתִי ISh. 25:32
58 לוּלֵי מִהַרְתְּ וַתָּבֹאת° לִקְרָאתִי ISh. 25:34
59 וְהוּא־יָרַד לִקְרָאתִי הַיַּרְדֵּן IK. 2:8
60 עוּרָה לִקְרָאתִי וּרְאֵה Ps. 59:5
לִקְרָאתְךָ 61 בָּאנוּ...אֶל-עֵשָׂו וְגַם הֹלֵךְ לִקְרָאתְךָ Gen. 32:6
לִקְרָאתֶךָ 62 וְגַם הִנֵּה־הוּא יֹצֵא לִקְרָאתֶךָ Ex. 4:14
63 פֶּן־בַּחֶרֶב אֵצֵא לִקְרָאתֶךָ Num. 20:18
64 הָפַךְ־אִישׁ מֵעַל מֶרְכַּבְתּוֹ לִקְרָאתֶךָ IIK. 5:26
65 עַל־כֵּן יָצָאתִי לִקְרָאתֶךָ Prov. 7:15

לִקְרָאתוֹ 66 וַיֵּצֵא מֶלֶךְ־סְדֹם לִקְרָאתוֹ Gen. 14:17
67 וַיָּרָץ לִקְרָאתוֹ וַיְחַבֶּק־לוֹ Gen. 29:13
68 וַתֵּצֵא לֵאָה לִקְרָאתוֹ וַתֹּאמֶר Gen. 30:16
69 וַיָּרָץ עֵשָׂו לִקְרָאתוֹ וַיְחַבְּקֵהוּ Gen. 33:4
70 וְנִצַּבְתָּ לִקְרָאתוֹ עַל־שְׂפַת הַיְאֹר Ex. 7:15
71 וּמִצְרַיִם נָסִים לִקְרָאתוֹ Ex. 14:27
72 וַיֵּצֵא אֱדוֹם לִקְרָאתוֹ בְּעַם כָּבֵד Num. 20:20
73 וַיֵּצֵא לִקְרָאתוֹ אֶל־עִיר מוֹאָב Num. 22:36
74 וַתֵּצֵא יָעֵל לִקְרָאתוֹ וַתֹּאמֶר Jud. 4:22
75 וְהִנֵּה בִתּוֹ יֹצֵאת לִקְרָאתוֹ Jud. 11:34
76 וְהִנֵּה כְּפִיר אֲרָיוֹת שֹׁאֵג לִקְרָאתוֹ Jud. 14:5
77 וּפְלִשְׁתִּים הֵרִיעוּ לִקְרָאתוֹ Jud. 15:14
78 וַיִּרְאֵהוּ...וַיִּשְׂמַח לִקְרָאתוֹ Jud. 19:3
79 וְהִנֵּה חֶבֶל־נְבִאִים לִקְרָאתוֹ ISh. 10:10
80 וַיֵּצֵא שָׁאוּל לִקְרָאתוֹ לְבָרְכוֹ ISh. 13:10
81 וַיֶּחֶרְדוּ זִקְנֵי הָעִיר לִקְרָאתוֹ ISh. 16:4
82 וְהִנֵּה לִקְרָאתוֹ חוּשַׁי הָאַרְכִּי IISh. 15:32
83 וְהִנֵּה צִיבָא...לִקְרָאתוֹ IISh. 16:1
84 וְהִנֵּה אֵלִיָּהוּ לִקְרָאתוֹ IK. 18:7
85 וַיָּבֹאוּ לִקְרָאתוֹ וַיִּשְׁתַּחֲווּ־לוֹ IIK. 2:15
86 וַיָּשָׁב לִקְרָאתוֹ וַיַּגֶּד־לוֹ IIK. 4:31
87 וַיִּפֹּל מֵעַל הַמֶּרְכָּבָה לִקְרָאתוֹ IIK. 5:21
88 וַיֵּלֶךְ חֲזָאֵל לִקְרָאתוֹ IIK. 8:9
89 וַיֵּלֶךְ רֹכֵב הַסּוּס לִקְרָאתוֹ IIK. 9:18
90 וַיִּמְצָא אֶת־יְהוֹנָדָב...לִקְרָאתוֹ IIK. 10:15
91 וַיֵּלֶךְ הַמֶּלֶךְ יֹאשִׁיָּהוּ לִקְרָאתוֹ IIK. 23:29
92 וּמַלְאָךְ אַחֵר יֹצֵא לִקְרָאתוֹ Zech. 2:7
93 וְהִנֵּה אִשָּׁה לִקְרָאתוֹ Prov. 7:10
94 וַיֵּצֵא לִקְרָאתוֹ יֹאשִׁיָּהוּ IICh. 35:20
לִקְרָאתָהּ 95 וַיָּרָץ הָעֶבֶד לִקְרָאתָהּ Gen. 24:17
96 וְהִנֵּה דָוִד וַאֲנָשָׁיו יֹרְדִים לִקְרָאתָהּ ISh. 25:20
97 וַיָּקָם הַמֶּלֶךְ לִקְרָאתָהּ IK. 2:19
98 עַתָּה רוּץ־נָא לִקְרָאתָהּ IIK. 4:26
לִקְרָאתֵנוּ 99 הַהֹלֵךְ בַּשָּׂדֶה לִקְרָאתֵנוּ Gen. 24:65
100 וַיֵּצֵא סִיחֹן לִקְרָאתֵנוּ Deut. 2:32
101 וַיֵּצֵא עוֹג מֶלֶךְ־הַבָּשָׁן לִקְרָאתֵנוּ Deut. 3:1
102 וַיֵּצֵא סִיחֹן...לִקְרָאתֵנוּ לַמִּלְחָמָה Deut. 29:6
103 וְהָיָה כִּי־יֵצְאוּ לִקְרָאתֵנוּ Josh. 8:5
104 אִישׁ עָלָה לִקְרָאתֵנוּ וַיֹּאמֶר אֵלֵינוּ IIK. 1:6
לִקְרַאתְכֶם 105 וַיֵּצֵא הָאֱמֹרִי...לִקְרַאתְכֶם Deut. 1:44
106 הָאִישׁ אֲשֶׁר עָלָה לִקְרַאתְכֶם IIK. 1:7
לִקְרָאתָם 107 וַיָּרָץ לִקְרָאתָם מִפֶּתַח הָאֹהֶל Gen. 18:2
108 וַיַּרְא־לוֹט וַיָּקָם לִקְרָאתָם Gen. 19:1
109 וַיִּפְגְּעוּ...נִצָּבִים לִקְרָאתָם Ex. 5:20
110 וַיֵּצֵא עוֹג מֶלֶךְ־הַבָּשָׁן לִקְרָאתָם Num. 21:33
111 וַיֵּצְאוּ מֹשֶׁה וְאֶלְעָזָר..לִקְרָאתָם Num. 31:13
112 וְאֵלֶּה יָצְאוּ מִן־הָעִיר לִקְרָאתָם Josh. 8:22
113 קְחוּ...צֵידָה...וּלְכוּ לִקְרָאתָם Josh. 9:11
114 וּמַלְאָכִים שָׁלַח...וַיַּעֲלוּ לִקְרָאתָם Jud. 6:35
115 וַיֵּצֵא בִנְיָמִן לִקְרָאתָם Jud. 20:25
116 וְהִנֵּה שְׁמוּאֵל יֹצֵא לִקְרָאתָם ISh. 9:14
117 וַיַּגִּדוּ לְדָוִד וַיִּשְׁלַח לִקְרָאתָם IISh. 10:5
118 וּבְ"יִ הָתְפָּקְדוּ...וַיֵּלְכוּ לִקְרָאתָם IK. 20:27
119 קַח רַכָּב וּשְׁלַח לִקְרָאתָם IIK. 9:17
120 וַיֵּצֵא יִשְׁמָעֵאל...לִקְרָאתָם Jer. 41:6
121 וַיַּגִּידוּ לְדָוִיד...וַיִּשְׁלַח לִקְרָאתָם ICh. 19:5

קרב

: קָרַב, נִקְרַב, קֵרַב, הִקְרִיב; קְרָב, קֶרֶב, קִרְבָה, קָרוֹב, קָרְבָּן, קֻרְבָּן

קָרַב

פָּ׳ א) נִגַּשׁ אֶל־: רוב המקראות 1-104
ב) [לשון נקיה] בָּעַל: 12, 37, 38, 43, 54, 72
ג) [כנ״ל קָרְבָה] נבעלה: 60
ד) היה סמוך בזמן: 15, 16, 19, 22, 77, 82, 90
ה) [נפ׳ נִקְרַב] הוּבא: 105, 106
ו) [פִּ׳ קֵרַב] הביא, הֵחִישׁ: 107-109, 112-114
ז) [כנ״ל] גִלה יחס של קִרבה וחבה: 110, 111
ח) [הפ׳ הִקְרִיב] הגיש, הביא סמוך אל־: 134, 135-139, 144, 162, 163, 169, 173, 174, 189, 206-208, 227, 230, 231, 234, 238-248, 275, 277, 280, 284, 285, 287-289, 291
ט) [כנ״ל] הגיש קרבן או מנחה בעבודת אלהים: 115-133, 140, 143, 145-161, 164-168, 170-172, 175-188, 190-205, 209-217, 219-226, 228, 229, 232, 233, 235-237, 249-254, 256-274, 276, 278, 279, 281-283, 286, 290
י) [כנ״ל] הגיע סמוך ל־ (במקום או בזמן): 141, 142, 218, 255

– קָרַב קִצּוֹ 15; קָרְבוּ יָמָיו 19, 22, 77, 82, 90
– קָרַב אֶל־ 4, 5, 7, 8, 10, 12-14, 17, 20, 24, 25, 31-33, 35, 37, 38, 41-44, 47, 49, 55, 57, 59, 60, 62, 68, 69, 73, 76, 78-81, 89, 93, 94, 96-98, 103; קָרַב לְ־ 34, 66, 70; קָרַב לִפְנֵי־ 6, 63, 85, 92, 99; קָרַב עַל־ 2, 58; קָרַב בְּ־ 52; קָרַב מוּל 11

קְרֹב 1 עֶדְיוֹ לִבְלוֹם בַּל קְרֹב אֵלֶיךָ Ps. 32:9
בִּקְרֹב 2 בִּקְרֹב עָלַי מְרֵעִים לֶאֱכֹל... Ps. 27:2
בִּקְרָב־ 3 וְהָיָה בִּקְרָב־אִישׁ לְהִשְׁתַּחֲוֺת לוֹ IISh. 15:5
לְקָרְבָה 4 לְקָרְבָה אֶל-הַמְּלָאכָה לַעֲשֹׂת אֹתָהּ Ex. 36:2
כְּקָרָבְכֶם 5 וְהָיָה כְּקָרָבְכֶם אֶל־הַמִּלְחָמָה Deut. 20:2
בְּקָרְבָתָם 6 בְּקָרְבָתָם לִפְנֵי־יְיָ וַיָּמֻתוּ Lev. 16:1
וּבְקָרְבָתָם 7 וּבְקָרְבָתָם אֶל־הַמִּזְבֵּחַ יִרְחָצוּ Ex. 40:32
וְקָרַבְתִּי 8 וְקָרַבְתִּי אֲלֵיכֶם לַמִּשְׁפָּט Mal. 3:5
קָרַבְתָּ 9 קָרַבְתָּ בְּיוֹם אֶקְרָאֶךָּ Lam. 3:57
קָרָבְתָּ 10 רַק אֶל-אֶרֶץ בְּנֵי-עַמּוֹן לֹא קָרָבְתָּ Deut. 2:37
וְקָרַבְתָּ 11 וְקָרַבְתָּ מוּל בְּנֵי עַמּוֹן Deut. 2:19
קָרַב 12 וַאֲבִימֶלֶךְ לֹא קָרַב אֵלֶיהָ Gen. 20:4
13 וְלֹא-קָרַב זֶה אֶל-זֶה כָּל-הַלָּיְלָה Ex. 14:20
14 וַיְהִי כַּאֲשֶׁר קָרַב אֶל־הַמַּחֲנֶה Ex. 32:19
15 קָרַב קִצֵּנוּ מָלְאוּ יָמֵינוּ Lam. 4:18
קָרְבָה 16 קָרְבָה שְׁנַת-הַשֶּׁבַע שְׁנַת הַשְּׁמִטָּה Deut. 15:9
קָרֵבָה 17 אֶל־אֱלֹהֶיהָ לֹא קָרֵבָה Zep. 3:2
וְקָרְבָה 18 וְקָרְבָה אֵשֶׁת הָאֶחָד לְהַצִּיל Deut. 25:11
קָרְבוּ 19 הֵן קָרְבוּ יָמֶיךָ לָמוּת Deut. 31:14
20 כִּי־כֵן קָרְבוּ אֵלַי בְּבָרְחִי IK. 2:7
21 רָאוּ אִיִּים...קָרְבוּ וַיֶּאֱתָיוּן Is. 41:5
22 קָרְבוּ הַיָּמִים וּדְבַר כָּל־חָזוֹן Ezek. 12:23
23 קָרְבוּ רֹדְפֵי זִמָּה Ps. 119:150
וְקָרְבוּ 24 וְקָרְבוּ אֶל־אֲשֶׁר לָעָם Ezek. 42:14
וְקָרֵב 25 וַיֵּלֶךְ...הֹלֵךְ וְקָרֵב אֶל־דָּוִד ISh. 17:41
26 וַיֵּלֶךְ הָלוֹךְ וְקָרֵב IISh. 18:25
הַקָּרֵב 27-30 וְהַזָּר הַקָּרֵב יוּמָת Num. 1:51; 3:10.38; 18:7
31/2 כֹּל הַקָּרֵב הַקָּרֵב אֶל־מִשְׁכַּן יְיָ Num. 17:28
33 כָּל-הַקָּרֵב אֶל-שֻׁלְחַן הַמֶּלֶךְ-שְׁלֹמֹה IK. 5:7
קְרֵבִים 34 אַתֶּם קְרֵבִים הַיּוֹם לַמִּלְחָמָה Deut. 20:3
הַקְּרֵבִים 35 הַקְּרֵבִים מִבְּנֵי-לֵוִי אֶל-יְיָ לְשָׁרְתוֹ Ezek. 40:46
36 הַקְּרֵבִים לְשָׁרֵת אֶת־יְיָ Ezek. 45:4
וָאֶקְרַב 37 הָאִשָּׁה הַזֹּאת לָקַחְתִּי וָאֶקְרַב אֵלֶיהָ Deut. 22:14
38 וָאֶקְרַב אֶל־הַנְּבִיאָה וַתַּהַר וַתֵּלֶד Is. 8:3
תִּקְרַב 39 אַל־תִּקְרַב הֲלֹם שַׁל־נְעָלֶיךָ Ex. 3:5
40 לֹא תִקְרַב לְגַלּוֹת עֶרְוָתָהּ Lev. 18:19
41 כִּי-תִקְרַב אֶל-עִיר לְהִלָּחֵם עָלֶיהָ Deut. 20:10
42 וְאַל־תִּקְרַב אֶל־פֶּתַח בֵּיתָהּ Prov. 5:8
תִּקְרָב 43 אֶל־אִשְׁתּוֹ לֹא תִקְרָב Lev. 18:14
יִקְרַב 44 וּבְטֶרֶם יִקְרַב אֲלֵיהֶם וַיִּתְנַכְּלוּ Gen. 37:18

יִקְרַב (המשך) 45 הִמּוֹל לוֹ...וְאָז יִקְרַב לַעֲשֹׂתוֹ Ex. 12:48
46 לֹא יִקְרַב לְהַקְרִיב לֶחֶם אֱלֹהָיו Lev. 21:17
47 אֲשֶׁר־יִקְרַב...אֶל־הַקֳּדָשִׁים Lev. 22:3
48 לְמַעַן אֲשֶׁר לֹא־יִקְרַב אִישׁ זָר Num. 17:5
49 וְזָר לֹא־יִקְרַב אֲלֵיכֶם Num. 18:4
50 הַשֵּׁבֶט...יִקְרַב לַמִּשְׁפָּחוֹת Josh. 7:14
51 וְהַבַּיִת...יִקְרַב לַגְּבָרִים Josh. 7:14
52 וְנֶגַע לֹא יִקְרַב בְּאָהֳלֶךָ Ps. 91:10
יִקְרָב 53 כָּל־אִישׁ אֲשֶׁר־בּוֹ מוּם לֹא יִקְרָב Lev. 21:18
54 וְאֶל־אִשָּׁה נִדָּה לֹא יִקְרָב Ezek. 18:6
וַיִּקְרַב 55 וַיִּקְרַב אַהֲרֹן אֶל־הַמִּזְבֵּחַ Lem 9:8
56 וַיֵּלֶךְ וַיִּקְרַב לִקְרַאת דָּוִד ISh. 17:48
57 וַיִּקְרַב אֵלֶיהָ וַתֹּאמֶר הָאִשָּׁה IISh. 20:17
58 וַיִּקְרַב הַמֶּלֶךְ עַל־הַמִּזְבֵּחַ IIK. 16:12
59 וַיִּקְרַב אֵלָיו רַב הַחֹבֵל וַיֹּאמֶר לוֹ Jon. 1:6
תִּקְרַב 60 וְאִשָּׁה אֲשֶׁר תִּקְרַב אֶל־כָּל־בְּהֵמָה Lev. 20:16
61 וְהַמִּשְׁפָּחָה...תִּקְרַב לַבָּתִּים Josh. 7:14
62 וּמִמְּחִתָּה כִּי לֹא־תִקְרַב אֵלָיִךְ Is. 54:14
63 תִּקְרַב רִנָּתִי לְפָנֶיךָ יְיָ Ps. 119:169
וְתִקְרַב 64 וְתִקְרַב וְתָבוֹאָה עֲצַת קְדוֹשׁ יִשְׂרָ׳ Is. 5:19
וַתִּקְרַב 65 בַּיּוֹם הַשְּׁבִיעִי וַתִּקְרַב הַמִּלְחָמָה IK. 20:29
66 וַתִּקְרַב לַשַּׁחַת נַפְשׁוֹ Job 33:22
67 וַתִּקְרַב אֶס׳ וַתִּגַּע בְּרֹאשׁ הַשַּׁרְבִיט Es. 5:2
נִקְרַב 68 וַאֲנִי וְכָל־הָעָם...נִקְרַב אֶל־הָעִיר Josh. 8:5
נִקְרְבָה 69 נִקְרְבָה הֲלֹם אֶל־הָאֱלֹהִים ISh. 14:36
נִקְרָבָה 70 יַחְדָּו לַמִּשְׁפָּט נִקְרָבָה Is. 41:1
וְנִקְרְבָה 71 לְךָ וְנִקְרְבָה בְּאַחַד הַמְּקֹמוֹת Jud. 19:13
תִקְרְבוּ 72 לֹא תִקְרְבוּ לְגַלּוֹת עֶרְוָה Lev. 18:6
73 אַךְ רָחוֹק יִהְיֶה...אַל־תִּקְרְבוּ אֵלָיו Josh. 3:4
וַתִּקְרְבוּן 74 וַתִּקְרְבוּן אֵלַי כֻּלְּכֶם וַתֹּאמְרוּ Deut. 1:22
75 וַתִּקְרְבוּן וַתַּעַמְדוּן תַּחַת הָהָר Deut. 4:11
76 וַתִּקְרְבוּן אֵלַי כָּל־רָאשֵׁי שִׁבְטֵיכֶם Deut. 5:20
יִקְרְבוּ 77 יִקְרְבוּ יְמֵי אֵבֶל אָבִי Gen. 27:41
78 וְלֹא־יִקְרְבוּ עוֹד בְּ״יִ אֶל־אֹהֶל מוֹ׳ Num.18:22
79 הֵמָּה יִקְרְבוּ אֵלַי לְשָׁרְתֵנִי Ezek. 44:15
80 וְהֵמָּה יִקְרְבוּ אֶל־שֻׁלְחָנִי Ezek. 44:16
יִקְרָבוּ 81 וְאֶל־הַמִּזְבֵּחַ לֹא יִקְרָבוּ Num. 18:3
וַיִּקְרְבוּ 82 וַיִּקְרְבוּ יְמֵי־יִשְׂרָאֵל לָמוּת Gen. 47:29
83 וַיִּקְרְבוּ כָּל־הָעֵדָה וַיַּעַמְדוּ לִפְנֵי יְיָ Lev. 9:5
84 וַיִּקְרְבוּ וַיִּשָּׂאֻם בְּכֻתֳּנֹתָם Lev. 10:5
85 וַיִּקְרְבוּ לִפְנֵי מֹשֶׁה...בַּיּוֹם הַהוּא Num. 9:6
86 וַיִּקְרְבוּ אֶל־מֹשֶׁה הַפְּקֻדִים Num. 31:48
87 וַיִּקְרְבוּ רָאשֵׁי הָאָבוֹת...וַיְדַבְּרוּ Num. 36:1
88 וַיִּקְרְבוּ וַיָּשִׂימוּ אֶת־רַגְלֵיהֶם Josh. 10:24
89 וַיִּקְרְבוּ בְ״יִ אֶל־בְּנֵי בִנְיָמִן Jud. 20:24
90 וַיִּקְרְבוּ יְמֵי־דָוִד לָמוּת IK. 2:1
וַתִּקְרַבְנָה 91 וַתִּקְרַבְנָה בְּנוֹת צְלָפְחָד Num. 27:1
92 וַתִּקְרַבְנָה לִפְנֵי אֶלְעָזָר הַכֹּהֵן Josh. 17:4
וַתִּקְרְבוּ 93 וַתִּקְרְבוּ עֲצָמוֹת עֶצֶם אֶל־עַצְמוֹ Ezek. 37:7
קְרַב 94 קְרַב אֶל־הַמִּזְבֵּחַ וַעֲשֵׂה Lev. 9:7
95 קְרַב אַתָּה וּשֲׁמָע Deut. 5:24
96 קְרַב עַד־הֵנָּה וַאֲדַבְּרָה אֵלָיִךְ IISh. 20:16
97 קְרַב אֵלֶיךָ אַל־תִּגַּשׁ־בִּי Is. 65:5
קָרְבָה 98 קָרְבָה אֶל־נַפְשִׁי גְאָלָהּ Ps. 69:19
קִרְבוּ 99 אֱמֹר...קִרְבוּ לִפְנֵי יְיָ Ex. 16:9
100 קִרְבוּ שְׂאוּ אֶת־אֲחֵיכֶם Lev. 10:4
101 קִרְבוּ שִׂימוּ אֶת־רַגְלֵיכֶם Josh. 10:24
102 קִרְבוּ גוֹיִם לִשְׁמֹעַ Is. 34:1
103 קִרְבוּ אֵלַי שִׁמְעוּ־זֹאת Is. 48:16
104 וְאַתֶּם קִרְבוּ־הֵנָּה בְּנֵי עֹנְנָה Is. 57:3
וְנִקְרַב 105 וְנִקְרַב בַּעַל־הַבַּיִת אֶל־הָאֱלֹהִים Ex. 22:7
וְנִקְרַבְתֶּם 106 וְנִקְרַבְתֶּם בַּבֹּקֶר לְשִׁבְטֵיכֶם Josh. 7:14

קֵרַבְתִּי 107 קֵרַבְתִּי צִדְקָתִי לֹא תִרְחָק Is. 46:13
קֵרְבוּ 108 כִּי קֵרְבוּ לָבוֹא Ezek. 36:8
109 כִּי־קֵרְבוּ כַתַּנּוּר לִבָּם Hosh. 7:6
אֲקָרְבֶנּוּ 110 כְּמוֹ־נָגִיד אֲקָרְבֶנּוּ Job 31:37
וּתְקָרֵב 111 אַשְׁרֵי תִּבְחַר וּתְקָרֵב Ps. 65:5
וְקָרַב 112 וְקָרַב אֹתָם אֶחָד אֶל־אֶחָד Ezek. 37:17
קָרְבוּ 113 קָרְבוּ רִיבְכֶם יֹאמַר יְיָ Is. 41:21
114 קָרְבוּ פְּקֻדּוֹת הָעִיר Ezek. 9:1
הַקְרֵב 115 הַקְרֵב אֹתָהּ בְּנֵי־אַהֲרֹן לִפְנֵי יְיָ Lev. 6:7
הַקְרִיב 116 לְבִלְתִּי הַקְרִיב אֶת־קָרְבַּן יְיָ Num. 9:7
לְהַקְרִיב 117 לְהַקְרִיב אֶת־קָרְבְּנֵיהֶם לַייָ Lev. 7:38
118 לֹא הֱבִיאוֹ לְהַקְרִיב קָרְבָּן לַייָ Lev. 17:4
119 לֹא יִקְרַב לְהַקְרִיב לֶחֶם אֱלֹהָיו Lev. 21:17
120 לֹא יִגַּשׁ לְהַקְרִיב אֶת־אִשֵּׁי יְיָ Lev. 21:21
121 לֶחֶם אֱלֹהָיו לֹא יִגַּשׁ לְהַקְרִיב Lev. 21:21
122 לְהַקְרִיב אִשֶּׁה לַייָ עֹלָה וּמִנְחָה Lev. 23:37
123 לְהַקְרִיב אִשֵּׁה רֵיחַ־נִיחֹחַ לַייָ Num. 15:13
124 הִבְדִּיל...לְהַקְרִיב אֶתְכֶם אֵלָיו Num. 16:9
125 תִּשְׁמְרוּ לְהַקְרִיב לִי בְּמוֹעֲדוֹ Num. 28:2
126 כַּאֲשֶׁר כִּלָּה לְהַקְרִיב אֶת־הַמִּנְחָה Jud. 3:18
127 וְעָמְדוּ...לְהַקְרִיב לִי חֵלֶב וָדָם Ezek. 44:15
128 לְהַקְרִיב לַייָ כַּכָּתוּב בְּסֵפֶר מֹשֶׁה IICh. 35:12
הַקְרִיבוֹ 129 בְּיוֹם הַקְרִיבוֹ אֶת־זִבְחוֹ יֵאָכֵל Lev. 7:16
בְּהַקְרִיבְכֶם 130 בְּהַקְרִיבְכֶם מִנְחָה חֲדָשָׁה Num. 28:26
131 בְּהַקְרִיבְכֶם אֶת־לַחְמִי חֵלֶב וָדָם Ezek. 44:7
בְּהַקְרִיבָם 132 בְּהַקְרִבָם אֵשׁ זָרָה לִפְנֵי יְיָ Num. 3:4
133 בְּהַקְרִיבָם אֵשׁ־זָרָה לִפְנֵי יְיָ Num. 26:61
וְהִקְרַבְתִּיו 134 וְהִקְרַבְתִּיו וְנִגַּשׁ אֵלָי Jer. 30:21
וְהִקְרַבְתָּ 135 וְהִקְרַבְתָּ אֹתָם בַּסָּל Ex. 29:3
136 וְהִקְרַבְתָּ...הַפָּר לִפְנֵי אֹהֶל מוֹעֵד Ex. 29:10
137 וְהִקְרַבְתָּ אֶת־אַהֲרֹן...אֶל־פֶּתַח א״מ Ex. 40:12
138 וְהִקְרַבְתָּ אֶת־הַלְוִיִּם לִפְנֵי א״מ Num. 8:9
139 וְהִקְרַבְתָּ אֶת־הַלְוִיִּם לִפְנֵי יְיָ Num. 8:10
וְהִקְרַבְתָּם 140 וְהִקְרַבְתָּם לִפְנֵי יְיָ Ezek. 43:24
הִקְרִיב 141 כַּאֲשֶׁר הִקְרִיב לָבוֹא מִצְרָיְמָה Gen. 12:11
142 וּפַרְעֹה הִקְרִיב... Ex. 14:10
143 עוֹר הָעֹלָה אֲשֶׁר הִקְרִיב Lev. 7:8
144 בְּיוֹם הִקְרִיב אֹתָם לְכַהֵן לַייָ Lev. 7:35
145 בַּיּוֹם הַשֵּׁנִי הִקְרִיב נְתַנְאֵל Num. 7:18
146 הִקְרִב אֶת־קָרְבָּנוֹ Num. 7:19
147 קָרְבַּן יְיָ לֹא הִקְרִיב בְּמֹעֲדוֹ Num. 9:13
וְהִקְרִיב 148 וְהִקְרִיב הַכֹּהֵן אֶת־הַכֹּל Lev. 1:13
149 וְהִקְרִיב מִן־הַתֹּרִים...אֶת־קָרְבָּנוֹ Lev. 1:14
150/1 וְהִקְרִיב מִזֶּבַח הַשְּׁלָמִים אִשֶּׁה לַייָ Lev. 3:3, 9
152 וְהִקְרִיב אֹתוֹ לִפְנֵי יְיָ Lev. 3:7
153 וְהִקְרִיב מִמֶּנּוּ קָרְבָּנוֹ אִשֶּׁה לַייָ Lev. 3:14
154 וְהִקְרִיב עַל חַטָּאתוֹ אֲשֶׁר חָטָא Lev. 4:3
155 וְהִקְרִיב אֶת־אֲשֶׁר לַחַטָּאת Lev. 5:8
156 וְהִקְרִיב עַל־זֶבַח הַתּוֹדָה Lev. 7:12
157 וְהִקְרִיב מִמֶּנּוּ...תְּרוּמָה לַייָ Lev. 7:14
158 וְלָקַח...וְהִקְרִיב אֹתוֹ לְאָשָׁם Lev. 14:12
159/60 וְהִקְרִיב אַהֲרֹן אֶת־פַּר הַחַטָּאת Lev. 16:6, 11
161 וְהִקְרִיב אַהֲרֹן אֶת־הַשָּׂעִיר Lev. 16:9
162 וְהִקְרִיב אֶת־הַשָּׂעִיר הֶחָי Lev. 16:20
163 וְהִקְרִיב אֹתָהּ הַכֹּהֵן וְהֶעֱמִדָהּ Num. 5:16
164 וְהִקְרִיב אֹתָהּ אֶל־הַמִּזְבֵּחַ Num. 5:25
165 וְהִקְרִיב אֶת־קָרְבָּנוֹ לַייָ Num. 6:14
166 וְהִקְרִיב הַכֹּהֵן לִפְנֵי יְיָ וְעָשָׂה... Num. 6:16
167 וְהִקְרִיב הַמַּקְרִיב קָרְבָּנוֹ לַייָ Num. 15:4
168 וְהִקְרִיב עַל־בֶּן־הַבָּקָר מִנְחָה Num. 15:9
169 וְאֶת־הַקָּדוֹשׁ וְהִקְרִיב אֵלָיו Num. 16:5
וְהִקְרִיבוֹ 170 וְהִקְרִיבוֹ הַכֹּהֵן אֶל־הַמִּזְבֵּחַ Lev. 1:15

171/2 וְהִקְרִיבוֹ לִפְנֵי יְיָ Lev. 3:12; 12:7
וְהִקְרִיבָהּ 173 וְהִקְרִיבָהּ אֶל־הַכֹּהֵן וְהִגִּישָׁהּ Lev. 2:8
הִקְרִיבָה 174 בְּסֵפֶל אַדִּירִים הִקְרִיבָה חֶמְאָה Jud. 5:25
וְהִקְרִיבָה 175 וְהִקְרִיבָה עֵז בַּת־שְׁנָתָהּ לְחַטָּאת Num. 15:27
וְהִקְרַבְתֶּם 176-179 וְהִקְרַבְתֶּם אִשֶּׁה לַייָ Lev. 23:8, 25, 27, 36
180 וְהִקְרַבְתֶּם מִנְחָה חֲדָשָׁה לַייָ Lev. 23:16
181 וְהִקְרַבְתֶּם עַל־הַלֶּחֶם...כְּבָשִׂים Lev. 23:18
182 וְהִקְרַבְתֶּם לִפְנֵי יְיָ אִישׁ מַחְתָּתוֹ Num. 16:17
183 וְהִקְרַבְתֶּם אִשֶּׁה עֹלָה לַייָ Num. 28:19
184 וְהִקְרַבְתֶּם עוֹלָה לְרֵיחַ נִיחֹחַ לַייָ Num. 28:27
185 וְהִקְרַבְתֶּם עֹלָה לַייָ רֵיחַ נִיחֹחַ Num. 29:8
186/7 וְהִקְרַבְתֶּם עֹלָה אִשֵּׁה Num. 29:13, 36
הִקְרִיבוּ 188 הֵן הַיּוֹם הִקְרִיבוּ אֶת־חַטָּאתָם... Lev. 10:19
189 אֵת מַחְתּוֹת...אֲשֶׁר הִקְרִיבוּ הַשְּׂרֻפִים Num. 17:4
190 הִקְרִיבוּ עֹלוֹת לֵאלֹהֵי יִשְׂרָאֵל Ez. 8:35
וְהִקְרִיבוּ 191 וְהִקְרִיבוּ בְּנֵי אַהֲרֹן...אֶת־הַדָּם Lev. 1:5
192 וְהִקְרִיבוּ הַקָּהָל פַּר בֶּן־בָּקָר Lev. 4:14
הִקְרִיבוּם 193 כִּי־הִקְרִיבֻם לִפְנֵי־יְיָ וַיִּקְדָּשׁוּ Num. 17:3
מַקְרִיב 194 אִם מִן־הַבָּקָר הוּא מַקְרִיב Lev. 3:1
195 אִם־כֶּשֶׂב הוּא־מַקְרִיב אֶת־קָרְבָּנוֹ Lev. 3:7
196 אֶת־לֶחֶם אֱלֹהֶיךָ הוּא מַקְרִיב Lev. 21:8
הַמַּקְרִיב 197 וְהַכֹּהֵן הַמַּקְרִיב אֶת־עֹלַת אִישׁ... Lev. 7:8
198 לַכֹּהֵן הַמַּקְרִיב אֹתָהּ לוֹ תִהְיֶה Lev. 7:9
199 הַמַּקְרִיב אֹתוֹ לֹא יֵחָשֵׁב לוֹ Lev. 7:18
200 הַמַּקְרִיב אֶת־זֶבַח שְׁלָמָיו לַייָ Lev. 7:29
201 הַמַּקְרִיב אֶת־דַּם הַשְּׁלָמִים Lev. 7:33
202 וַיְהִי הַמַּקְרִיב בַּיּוֹם הָרִאשׁוֹן Num. 7:12
203 וְהִקְרִיב הַמַּקְרִיב קָרְבָּנוֹ לַייָ Num. 15:4
מַקְרִיבִים 204 כִּי אֶת־אִשֵּׁי יְיָ...הֵם מַקְרִיבִם Lev. 21:6
מַקְרִיבֵי 205 וַתֹּאכַל אֵת...מַקְרִיבֵי הַקְּטֹרֶת Num. 16:35
תַּקְרִיב 206 וְאֶת־אַהֲרֹן וְאֶת־בָּנָיו תַּקְרִיב Ex. 29:4
207/8 וְאֶת־בָּנָיו תַּקְרִיב Ex. 29:8; 40:14
209 וְכִי תַקְרִב קָרְבַּן מִנְחָה Lev. 2:4
210 עַל כָּל־קָרְבָּנְךָ תַּקְרִיב מֶלַח Lev. 2:13
211 וְאִם־תַּקְרִיב מִנְחַת בִּכּוּרִים לַייָ Lev. 2:14
212 אָבִיב...תַּקְרִיב אֵת מִנְחַת בִּכּוּרֶיךָ Lev. 2:14
213 תַּקְרִיב רֵיחַ־נִיחֹחַ לַייָ Lev. 6:14
214 תַּקְרִיב רֵיחַ־נִיחֹחַ לַייָ Num. 15:7
215 וְיַיִן תַּקְרִיב לַנֶּסֶךְ חֲצִי הַהִין Num. 15:10
216 תַּקְרִיב שְׂעִיר־עִזִּים תָּמִים Ezek. 43:22
217 תַּקְרִיב פַּר בֶּן־בָּקָר תָּמִים Ezek. 43:23
וַתַּקְרִיבִי 218 וַתַּקְרִיבִי יָמַיִךְ...עַד־שְׁנוֹתָיִךְ Ezek. 22:4
יַקְרִיב 219 אָדָם כִּי־יַקְרִיב מִכֶּם קָרְבָּן לַייָ Lev. 1:2
220 אֶל־פֶּתַח אֹהֶל מוֹעֵד יַקְרִיב אֹתוֹ Lev. 1:3
221 וְאֶת־כָּל־חֶלְבּוֹ יַקְרִיב מִמֶּנּוּ Lev. 7:3
222 זֶבַח הַשְּׁלָמִים אֲשֶׁר יַקְרִיב לַייָ Lev. 7:11
223 עַל־חַלֹּת לֶחֶם חָמֵץ יַקְרִיב קָרְבָּנוֹ Lev. 7:13
224 אֲשֶׁר יַקְרִיב מִמֶּנָּה אִשֶּׁה לַייָ Lev. 7:25
225 אִישׁ אִישׁ...אֲשֶׁר יַקְרִיב קָרְבָּנוֹ Lev. 22:18
226 וְאִישׁ כִּי־יַקְרִיב זֶבַח־שְׁלָמִים Lev. 22:21
227 וְאֵת אֲשֶׁר יִבְחַר־בּוֹ יַקְרִיב אֵלָיו Num. 16:5
228 וּבְיוֹם בֹּאוֹ...יַקְרִיב חַטָּאתוֹ Ezek. 44:27
229 וְהָעֹלָה אֲשֶׁר־יַקְרִב הַנָּשִׂיא לַייָ Ezek. 46:4
וַיַּקְרֵב 230 וַיַּקְרֵב מֹשֶׁה אֶת־אַהֲרֹן Lev. 8:6
231 וַיַּקְרֵב מֹשֶׁה אֶת־בְּנֵי אַהֲרֹן Lev. 8:13
232 וַיַּקְרֵב אֵת אֵיל הָעֹלָה Lev. 8:18
233 וַיַּקְרֵב אֶת־הָאַיִל הַשֵּׁנִי Lev. 8:22
234 וַיַּקְרֵב אֶת־בְּנֵי אַהֲרֹן Lev. 8:24
235 וַיַּקְרֵב אֵת קָרְבַּן הָעָם Lev. 9:15
236 וַיַּקְרֵב אֶת־הָעֹלָה וַיַּעֲשֶׂהָ כַּמִּשְׁפָּט Lev. 9:16
237 וַיַּקְרֵב אֶת־הַמִּנְחָה וַיְמַלֵּא כַפּוֹ Lev. 9:17

וַיַּקְרֵב (המשך) 238 וַיַּקְרֵב אֹתְךָ וְאֶת־כָּל־אַחֶיךָ Num. 16:10
239 וַיַּקְרֵב אֶל־אֶחָיו אֶת־הַמִּדְיָנִית Num. 25:6
240 וַיַּקְרֵב מֹשֶׁה אֶת־מִשְׁפָּטָן לִפְנֵי יְיָ Num. 27:5
241 וַיַּקְרֵב אֶת־יִשְׂרָאֵל לִשְׁבָטָיו Josh. 7:16
242 וַיַּקְרֵב אֶת־מִשְׁפַּחַת יְהוּדָה Josh. 7:17
243 וַיַּקְרֵב אֶת־מִשְׁפַּחַת הַזַּרְחִי לַגְּבָרִים Josh. 7:17
244 וַיַּקְרֵב אֶת־בֵּיתוֹ לַגְּבָרִים Josh. 7:18
245 וַיַּקְרֵב אֶת־הַמִּנְחָה לְעֶגְלוֹן Jud. 3:17
246 וַיַּקְרֵב שְׁמוּאֵל אֵת כָּל־שִׁבְטֵי יִשׂ׳ ISh. 10:20
247 וַיַּקְרֵב אֶת־שֵׁבֶט בִּנְיָמִן לְמִשְׁפְּחֹתָו ISh. 10:21
248 וַיַּקְרֵב מֵאֵת פְּנֵי הַבַּיִת IIK. 16:14
יַקְרִיבֶנּוּ 249/50 זָכָר תָּמִים יַקְרִיבֶנּוּ Lev. 1:3, 10
251 תָּמִים יַקְרִיבֶנּוּ לִפְנֵי יְיָ Lev. 3:1
252 זָכָר אוֹ נְקֵבָה תָּמִים יַקְרִיבֶנּוּ Lev. 3:6
253 אִם עַל־תּוֹדָה יַקְרִיבֶנּוּ Lev. 7:12
תַּקְרִיב 254 וְנֶפֶשׁ כִּי־תַקְרִיב קָרְבַּן מִנְחָה לַייָ Lev. 2:1
255 כְּמוֹ הָרָה תַּקְרִיב לָלֶדֶת Is. 26:17
וַנַּקְרֵב 256 וַנַּקְרֵב אֶת־קָרְבַּן יְיָ Num. 31:50
תַּקְרִיבוּ 257 מִן־הַבָּקָר...תַּקְרִיבוּ אֶת־קָרְבַּנְכֶם Lev. 1:2
258 כָּל־הַמִּנְחָה אֲשֶׁר תַּקְרִיבוּ לַייָ Lev. 2:11
259 קָרְבַּן רֵאשִׁית תַּקְרִיבוּ אֹתָם לַייָ Lev. 2:12
260 כֹּל אֲשֶׁר־בּוֹ מוּם לֹא תַקְרִיבוּ Lev. 22:20
261 לֹא־תַקְרִיבוּ אֵלֶּה לַייָ Lev. 22:22
262 וּמָעוּךְ וְכָתוּת...לֹא תַקְרִיבוּ Lev. 22:24
263 לֹא תַקְרִיבוּ אֶת־לֶחֶם אֱלֹהֵיכֶם Lev. 22:25
264 שִׁבְעַת יָמִים תַּקְרִיבוּ אִשֶּׁה לַייָ Lev. 23:36
265 זֶה הָאִשֶּׁה אֲשֶׁר תַּקְרִיבוּ לַייָ Num. 28:3
266 וּבְרָאשֵׁי חָדְשֵׁיכֶם תַּקְרִיבוּ עֹלָה לַייָ Num. 28:11
תַּקְרִבוּן 267 אֲשֶׁר יִקְשֶׁה מִכֶּם תַּקְרִבוּן אֵלַי Deut. 1:17
יַקְרִיבוּ 268 אֲשֶׁר־יַקְרִיבוּ לַייָ בְּיוֹם הִמָּשַׁח אֹתוֹ Lev. 6:13
269 אֲשֶׁר־יַקְרִיבוּ לַייָ לְעֹלָה Lev. 22:18
270 אֲשֶׁר יַקְרִיבוּ מִמֶּנָּה קָרְבָּן לַייָ Lev. 27:9
271 לֹא־יַקְרִיבוּ מִמֶּנָּה קָרְבָּן לַייָ Lev. 27:11
272 וְכָל־תְּרוּמָה...אֲשֶׁר־יַקְרִיבוּ לַכֹּהֵן Num. 5:9
273 יַקְרִיבוּ...קָרְבָּנָם לַחֲנֻכַּת הַמִּזְבֵּחַ Num. 7:11
274 יַקְרִיבוּ לַייָ בָּאָדָם וּבַבְּהֵמָה Num. 18:15
275 מַגִּיעֵי בַיִת...שָׂדֶה בְשָׂדֶה יַקְרִיבוּ Is. 5:8
276 וַאֲשֶׁר יַקְרִיבוּ שָׁם טָמֵא הוּא Hag. 2:14
277 מַלְכֵי שְׁבָא וּסְבָא אֶשְׁכָּר יַקְרִיבוּ Ps. 72:10
וַיַּקְרִיבוּ 278 וַיַּקְרִבוּ בְּנֵי אַהֲרֹן אֶת־הַדָּם אֵלָיו Lev. 9:9
279 וַיַּקְרִיבוּ לִפְנֵי יְיָ אֵשׁ זָרָה Lev. 10:1
280 וַיַּקְרִיבוּ נְשִׂיאֵי יִשְׂרָאֵל... Num. 7:2
281 וַיַּקְרִיבוּ אוֹתָם לִפְנֵי הַמִּשְׁכָּן Num. 7:3
282 וַיַּקְרִיבוּ הַנְּשִׂאִים...חֲנֻכַּת הַמִּזְבֵּחַ Num. 7:10
283 וַיַּקְרִיבוּ הַנְּשִׂיאִם אֶת־קָרְבָּנָם Num. 7:10
284 וַיַּקְרִיבוּ אֹתוֹ הַמֹּצְאִים אֹתוֹ Num. 15:33
285 וַיַּקְרִבוּ אֹתוֹ אֶל־יְהוֹשֻׁעַ Josh. 8:23
286 וַיַּקְרִיבוּ עֹלוֹת וּשְׁלָמִים לִפְנֵי הָאֱל׳ ICh. 16:1
הַקְרֵב 287 וְאַתָּה הַקְרֵב אֵלֶיךָ אֶת־אַהֲרֹן Ex. 28:1
288 הַקְרֵב אֶת־מַטֵּה לֵוִי Num. 3:6
289 וְגַם אֶת־אַחֶיךָ...הַקְרֵב אִתָּךְ Num. 18:2
וְהַקְרֵב 290 קַח־לְךָ עֵגֶל...וְהַקְרֵב לִפְנֵי יְיָ Lev. 9:2
הַקְרִיבֵהוּ 291 הַקְרִיבֵהוּ נָא לְפֶחָתֶךָ Mal. 1:8

קְרֵב

פ׳ ארמית א) קרב, בא סמוך אל־: 1-5
ב) [פ׳ קָרִב] הגיש קרבן: 6
ג) [הפ׳ הַקְרֵב] הקריב, הביא: 8
ד) [כנ״ל] הביא קרבן: 7, 9

וּכְמִקְרְבֵהּ 1 וּכְמִקְרְבֵהּ לְגֻבָּא לְדָנִיֵּאל...זְעִק Dan. 6:21
קִרְבֵת 2 קִרְבֵת עַל־חַד מִן־קָאֲמַיָּא Dan. 7:16
קְרֵב 3 קְרֵב נְבוּכַדְנֶצַּר לִתְרַע אַתּוּן נוּרָא Dan. 3:26
קְרִבוּ 4 בֵּהּ זִמְנָא קְרִבוּ גֻּבְרִין כַּשְׂדָּאִין Dan. 3:8
5 בֵּאדַיִן קְרִבוּ וְאָמְרִין קֳדָם־מַלְכָּא Dan. 6:13
וּתְקָרֵב 6 וּתְקָרֵב הִמּוֹ עַל־מַדְבְּחָה Ez. 7:17
וְהַקְרִבוּ 7 וְהַקְרִבוּ לַחֲנֻכַּת בֵּית־אֱלָהָא דְנָה Ez. 6:17
הַקְרְבוּהִי 8 וּקְדָמוֹהִי הַקְרְבוּהִי Dan. 7:13
מְהַקְרְבִין 9 דִּי־לֶהֱוֺן מְהַקְרְבִין נִיחוֹחִין Ez. 6:10

קָרֵב

בינוני – עין קָרַב

קֶרֶב

ז׳ א) האברים הפנימיים בגוף: 1-16, 144, 145, 148, 149
ב) פנימיות, תוך, חלל הגוף (ובהשאלה) לב ונפש: 17, 90, 146, 147, 214, 215, 223, 225, 226
ג) [בְּקֶרֶב, בְּקִרְבּוֹ וכו׳] בתוך, בין, בפנים: 18-69, 91-119, 135-142, 150-175, 178-192, 195-211, 216-223
ד) [מִקֶּרֶב, מִקִּרְבּוֹ וכו׳] מתוך: 70-89, 120-134, 143, 176, 177, 193, 194, 212, 213, 224
ה) [קְרָבַיִם] קרב, האברים שבגוף – הלב, הכליות וכו׳: 227

הַקֶּרֶב 1-7 הַחֵלֶב הַמְכַסֶּה אֶת־ (עַל־) הַקֶּרֶב
Ex. 29:13, 22 Lev. 3:3, 9, 14; 4:8; 7:3
8-13 הַחֵלֶב אֲשֶׁר עַל־הַקֶּרֶב Lev. 3:3, 9
3:14; 4:8; 8:16, 25
14 וְאֶת־הַקֶּרֶב וְאֶת־הַכְּרָעָיִם Lev. 8:21
15 וַיִּרְחַץ אֶת־הַקֶּרֶב וְאֶת־הַכְּרָעָיִם Lev. 9:14
וְהַקֶּרֶב 16 וְהַקֶּרֶב וְהַכְּרָעַיִם יִרְחַץ בַּמָּיִם Lev. 1:13
וְקֶרֶב־ 17 וְקֶרֶב אִישׁ וְלֵב עָמֹק Ps. 64:7
בְּקֶרֶב־ 18 זֶה שְׁנָתַיִם הָרָעָב בְּקֶרֶב הָאָרֶץ Gen. 45:6
19 וְיִדְגּוּ לָרֹב בְּקֶרֶב הָאָרֶץ Gen. 45:6
20-27 בְּקֶרֶב הָאָרֶץ Ex. 8:18 Deut. 4:5
Is. 5:8; 6:12; 7:22; 10:23; 19:24 · Ps. 74:12
28 וְהָיְתָה הָאִשָּׁה לְאָלָה בְּקֶרֶב עַמָּהּ Num. 5:27
29 כִּי־אַתָּה יְיָ בְּקֶרֶב הָעָם הַזֶּה Num. 14:14
30 וַתִּבְלָעֵם...בְּקֶרֶב כָּל־יִשְׂרָאֵל Deut. 11:6
31-37 בְּקֶרֶב(...)יִשְׂרָאֵל Deut. 17:20; 21:8
Josh. 6:25; 13:13 · Joel 2:27 · Am. 7:8, 10
38 וְנַחֲלָה לֹא־יִהְיֶה־לּוֹ בְּקֶרֶב אֶחָיו Deut. 18:2
39 וְלֹא יִשָּׁפֵךְ דָּם נָקִי בְּקֶרֶב אַרְצְךָ Dest. 19:10
40 יְיָ אֱלֹהֶיךָ מִתְהַלֵּךְ בְּקֶרֶב מַחֲנֶךָ Deut. 23:15
41 וְגֵרְךָ אֲשֶׁר בְּקֶרֶב מַחֲנֶיךָ Deut. 29:10
42 בְּקֶרֶב הַגּוֹיִם אֲשֶׁר עֲבַרְתֶּם Deut. 29:15
43 עִבְרוּ בְּקֶרֶב הַמַּחֲנֶה Josh. 1:11
44 וַיַּעַבְרוּ הַשֹּׁטְרִים בְּקֶרֶב הַמַּחֲנֶה Josh. 3:2
45 וַיֵּשֶׁב הַכְּנַעֲנִי בְּקֶרֶב אֶפְרַיִם Josh. 16:10
46 וַיֵּשֶׁב הָאָשֵׁרִי בְּקֶרֶב הַכְּנַעֲנִי Jud. 1:32
47 וַיֵּשֶׁב בְּקֶרֶב הַכְּנַעֲנִי Jud. 1:33
48 וּבְנֵי יִשְׂרָאֵל יָשְׁבוּ בְּקֶרֶב הַכְּנַעֲנִי Jud. 3:5
49 וַיִּיטַב לֵב הַכֹּהֵן...וַיָּבֹא בְּקֶרֶב הָעָם Jud. 18:20
50 וַיִּמְשַׁח אֹתוֹ בְּקֶרֶב אֶחָיו ISh. 16:13
51 עַבְדְּךָ יָצָא בְקֶרֶב־הַמִּלְחָמָה IK. 20:39
52 נִבְלָתָם כַּסּוּחָה בְּקֶרֶב חוּצוֹת Is. 5:25
53 בְּקֶרֶב הָאָרֶץ בְּתוֹךְ הָעַמִּים Is. 24:13
54/5 וְהָיָה...בְּקֶרֶב עַמִּים רַבִּים Mic. 5:6, 7
56 יְיָ פָּעָלְךָ בְּקֶרֶב שָׁנִים חַיֵּיהוּ Hab. 3:2
57 בְּקֶרֶב שָׁנִים תּוֹדִיעַ Hab. 3:2
58 נְאֻם־פֶּשַׁע לָרָשָׁע בְּקֶרֶב לִבִּי Ps. 36:2
59 דִּמִּינוּ אֱלֹ׳ חַסְדֶּךָ בְּקֶרֶב הֵיכָלֶךָ Ps. 48:10
60 שָׁאֲגוּ צֹרְרֶיךָ בְּקֶרֶב מוֹעֲדֶךָ Ps. 74:4
61 בְּקֶרֶב מַחֲנֵהוּ סָבִיב לְמִשְׁכְּנֹתָיו Ps. 78:28
62 בְּקֶרֶב אֱלֹהִים יִשְׁפֹּט Ps. 82:1
63 אֶתְהַלֵּךְ בְּתָם־לְבָבִי בְּקֶרֶב בֵּיתִי Ps. 101:2
בְּקֶרֶב־ (המשך) 64 לֹא־יֵשֵׁב בְּקֶרֶב בֵּיתִי עֹשֵׂה רְמִיָּה Ps. 101:7
65 רְדֵה בְּקֶרֶב אֹיְבֶיךָ Ps. 110:2
66 אִם־אֵלֵךְ בְּקֶרֶב צָרָה תְּחַיֵּנִי Ps. 138:7
67 בְּקֶרֶב חֲכָמִים תָּלִין Prov. 15:31
68 סְחִי וּמָאוֹס...בְּקֶרֶב הָעַמִּים Lam. 3:45
וּבְקֶרֶב 69 וּבְקֶרֶב כְּסִילִים תִּוָּדֵעַ Prov. 14:33
מִקֶּרֶב־ 70 וְנִכְרְתָה...מִקֶּרֶב עַמֶּיהָ Ex. 31:14
71 וְנִכְרַת הָאִישׁ הַהוּא מִקֶּרֶב עַמּוֹ Lev. 17:4
72 וְהִכְרַתִּי אֹתָהּ מִקֶּרֶב עַמָּהּ Lev. 17:10
73-80 מִקֶּרֶב עַמּוֹ (עַמָּהּ, עַמָּם) Lev. 18:29
20:3, 5, 6, 18; 23:30 · Num. 15:30 · Num. 2:16
81 לֹא־מָשׁוּ מִקֶּרֶב הַמַּחֲנֶה Num. 14:44
82/3 מִקֶּרֶב הַמַּחֲנֶה Deut. 2:14, 15
84 לָקַחַת לוֹ גוֹי מִקֶּרֶב גּוֹי Deut. 4:34
85 לֹא־יֶחְדַּל אֶבְיוֹן מִקֶּרֶב הָאָרֶץ Deut. 15:11
86 מִקֶּרֶב אַחֶיךָ תָּשִׂים עָלֶיךָ מֶלֶךְ Deut. 17:15
87 נָבִיא אָקִים לָהֶם מִקֶּרֶב אֲחֵיהֶם Deut. 18:18
88 הָעִזוּ...מִקֶּרֶב יְרוּשָׁלִָם Jer. 6:1
89 מִקֶּרֶב חֵיקְךָ כַלֵּה Ps. 74:11
וְקִרְבִּי 90 מֵעַי...יֶהֱמוּ וְקִרְבִּי לְקִיר חָרֶשׂ Is. 16:11
בְּקִרְבִּי 91 עַל כִּי־אֵין אֱלֹהַי בְּקִרְבִּי Deut. 31:17
92 אוּלַי בְּקִרְבִּי אַתָּה יוֹשֵׁב Josh. 9:7
93 אַף־רוּחִי בְּקִרְבִּי אֲשַׁחֲרֶךָּ Is. 26:9
94 נִשְׁבַּר לִבִּי בְקִרְבִּי Jer. 23:9
95 חַם־לִבִּי בְּקִרְבִּי Ps. 39:4
96 וְרוּחַ נָכוֹן חַדֵּשׁ בְּקִרְבִּי Ps. 51:12
97 לִבִּי יָחִיל בְּקִרְבִּי Ps. 55:5
98 בְּרֹב שַׂרְעַפַּי בְּקִרְבִּי Ps. 94:19
99 וְלִבִּי חָלַל בְּקִרְבִּי Ps. 109:22
100 סִלָּה כָל־אַבִּירַי אֲדֹנָי בְּקִרְבִּי Lam. 1:15
101 מֵעַי חֳמַרְמָרוּ נֶהְפַּךְ לִבִּי בְּקִרְבִּי Lam. 1:20
בְּקִרְבְּךָ 102 כִּי לֹא אֶעֱלֶה בְּקִרְבְּךָ Ex. 33:3
103 רֶגַע אֶחָד אֶעֱלֶה בְקִרְבְּךָ וְכִלִּיתִיךָ Ex. 33:5
104 כִּי־יָקוּם בְּקִרְבְּךָ נָבִיא Deut. 13:2
105 כִּי־יִמָּצֵא בְקִרְבְּךָ בְּאַחַד שְׁעָרֶיךָ Deut. 17:2
106 עִמְּךָ יֵשֵׁב בְּקִרְבְּךָ Deut. 23:17
107 הַגֵּר אֲשֶׁר בְּקִרְבְּךָ יַעֲלֶה עָלֶיךָ Deut. 28:43
108 חֵרֶם בְּקִרְבְּךָ יִשְׂרָאֵל Josh. 7:13
109 אֵל אָנֹכִי וְלֹא־אִישׁ בְּקִרְבְּךָ קָדוֹשׁ Hosh. 11:9
110 כִּי־אֶעֱבֹר בְּקִרְבְּךָ אָמַר יְיָ Am. 5:17
בְּקִרְבֶּךָ 111 פֶּן־יִהְיֶה לְמוֹקֵשׁ בְּקִרְבֶּךָ Ex. 34:12
112 כִּי אֵל קַנָּא יְיָ אֱלֹהֶיךָ בְּקִרְבֶּךָ Deut. 6:15
113 כִּי־יְיָ אֱלֹהֶיךָ בְּקִרְבֶּךָ... Deut. 7:21
114 וְלֹא־יוֹסִפוּ לַעֲשׂוֹת...בְּקִרְבֶּךָ Deut. 13:12
115 נֶעֶשְׂתָה הַתּוֹעֵבָה הַזֹּאת בְּקִרְבֶּךָ Deut. 13:15
116 וְהַגֵּר וְהַיָּתוֹם...אֲשֶׁר בְּקִרְבֶּךָ Deut. 16:11
117 וְלֹא־יֹסִפוּ לַעֲשׂוֹת עוֹד...בְּקִרְבֶּךָ Deut. 19:20
118 וְהַלֵּוִי וְהַגֵּר אֲשֶׁר בְּקִרְבֶּךָ Deut. 26:11
119 וְלֹא תִשְׂבָּע וְיֶשְׁחֲךָ בְּקִרְבֶּךָ Mic. 6:14
מִקִּרְבְּךָ 120 נָבִיא מִקִּרְבְּךָ מֵאַחֶיךָ כָּמֹנִי Deut. 18:15
מִקִּרְבֶּךָ 121 וַהֲסִרֹתִי מַחֲלָה מִקִּרְבֶּךָ Ex. 23:25
122 הִשְׁמִידוֹ יְיָ אֱלֹהֶיךָ מִקִּרְבֶּךָ Deut. 4:3
123-129 וּבִעַרְתָּ הָרָע מִקִּרְבֶּךָ Deut. 13:6
17:7; 19:19; 21:21; 22:21, 24; 24:7
130 יָצְאוּ אֲנָשִׁים בְּנֵי־בְלִיַּעַל מִקִּרְבֶּךָ Deut. 13:14
131 תְּבַעֵר הַדָּם הַנָּקִי מִקִּרְבֶּךָ Deut. 21:9
132 וְהִכְרַתִּי סוּסֶיךָ מִקִּרְבֶּךָ Mic. 5:9
133 וְהִכְרַתִּי פְסִילֶיךָ...מִקִּרְבֶּךָ Mic. 5:12
134 וְנָתַשְׁתִּי אֲשֵׁירֶיךָ מִקִּרְבֶּךָ Mic. 5:13
בְּקִרְבֵּךְ 135 כִּי־גָדוֹל בְּקִרְבֵּךְ קְדוֹשׁ יִשְׂרָאֵל Is. 12:6
136 תָּלִין בְּקִרְבֵּךְ מַחְשְׁבוֹת אוֹנֵךְ Jer. 4:14
137 הִנֵּה עַמֵּךְ נָשִׁים בְּקִרְבֵּךְ Nah. 3:13

בְּקִרְבֵּךְ (המשך)
138 וְהִשְׁאַרְתִּי בְקִרְבֵּךְ עַם עָנִי וָדָל Zep. 3:12
139 מֶלֶךְ יִשְׂרָאֵל יְיָ בְּקִרְבֵּךְ Zep. 3:15
140 יְיָ אֱלֹהַיִךְ בְּקִרְבֵּךְ גִּבּוֹר יוֹשִׁיעַ Zep. 3:17
141 וְחֻלַּק שְׁלָלֵךְ בְּקִרְבֵּךְ Zech. 14:1
142 בֵּרַךְ בָּנַיִךְ בְּקִרְבֵּךְ Ps. 147:13
מִקִּרְבֵּךְ 143 אָסִיר מִקִּרְבֵּךְ עַלִּיזֵי גַּאֲוָתֵךְ Zep. 3:11
קִרְבּוֹ 144 רֹאשׁוֹ עַל־כְּרָעָיו וְעַל־קִרְבּוֹ Ex. 12:9
145 וְרָחַצְתָּ קִרְבּוֹ וּכְרָעָיו Ex. 29:17
146 תָּשָׁב־נָא נֶפֶשׁ־הַיֶּלֶד הַזֶּה עַל־קִרְבּוֹ IK.17:21
147 וַתָּשָׁב נֶפֶשׁ־הַיֶּלֶד עַל־קִרְבּוֹ IK. 17:22
וְקִרְבּוֹ 148 וְקִרְבּוֹ וּכְרָעָיו יִרְחַץ בַּמָּיִם Lev. 1:9
149 וְאֶת־עוֹר הַפָּר...וְקִרְבּוֹ וּפִרְשׁוֹ Lev. 4:11
בְּקִרְבּוֹ 150 הַכְּנַעֲנִי אֲשֶׁר אָנֹכִי יוֹשֵׁב בְּקִרְבּוֹ Gen. 24:3
151 בְּכֹל נִפְלְאֹתַי אֲשֶׁר אֶעֱשֶׂה בְּקִרְבּוֹ Ex. 3:20
152 לְמַעַן שִׁתִי אֹתֹתַי אֵלֶּה בְּקִרְבּוֹ Ex. 10:1
153 כִּי שְׁמִי בְּקִרְבּוֹ Ex. 23:21
154 וְרָאָה כָל־הָעָם אֲשֶׁר־אַתָּה בְקִרְבּוֹ Ex. 34:10
155 וְהָאסַפְסֻף אֲשֶׁר בְּקִרְבּוֹ Num. 11:4
156 הָעָם אֲשֶׁר אָנֹכִי בְּקִרְבּוֹ Num. 11:21
157 הָאֹתוֹת אֲשֶׁר עָשִׂיתִי בְּקִרְבּוֹ Num. 14:11
158 אֲשֶׁר הוּא בָא־שָׁמָּה בְּקִרְבּוֹ Deut. 31:16
159 וָאֶגֹּף...כַּאֲשֶׁר עָשִׂיתִי בְּקִרְבּוֹ Josh. 24:5
160/1 וַיֵּשֶׁב הַכְּנַעֲנִי בְּקִרְבּוֹ Jud. 1:29, 30
162 וַיָּמָת לִבּוֹ בְּקִרְבּוֹ ISh. 25:37
163 כִּי־חָכְמַת אֱלֹהִים בְּקִרְבּוֹ IK. 3:28
164 וּלְבַב מִצְרַיִם יִמַּס בְּקִרְבּוֹ Is. 19:1
165 וְנָבְקָה רוּחַ־מִצְרַיִם בְּקִרְבּוֹ Is. 19:3
166 וּפֵרַשׂ יָדָיו בְּקִרְבּוֹ Is. 25:11
167 יְלָדָיו מַעֲשֵׂה יָדַי בְּקִרְבּוֹ Is. 29:23
168 הַשָּׂם בְּקִרְבּוֹ אֶת־רוּחַ קָדְשׁוֹ Is. 63:11
169 וְכָל־רוּחַ אֵין בְּקִרְבּוֹ Hab. 2:19
170 וְיֹצֵר רוּחַ־אָדָם בְּקִרְבּוֹ Zech. 12:1
171 וַתָּבֹא כַמַּיִם בְּקִרְבּוֹ Ps. 109:18
172 מְרוֹרַת פְּתָנִים בְּקִרְבּוֹ Job 20:14
וּבְקִרְבּוֹ 173 וּבְקִרְבּוֹ הֵם יֹשְׁבִים Josh. 9:16
174 וּבְקִרְבּוֹ יָשִׂים אָרְבּוֹ Jer. 9:7
175 וּבְקִרְבּוֹ יָשִׁית מִרְמָה Prov. 26:24
מִקִּרְבּוֹ 176 כִּי־הֶעֱלִיתָ...הָעָם הַזֶּה מִקִּרְבּוֹ Num. 14:13
177 וּמֹשְׁלוֹ מִקִּרְבּוֹ יֵצֵא Jer. 30:21
בְּקִרְבָּהּ 178 וַתִּצְחַק שָׂרָה בְּקִרְבָּהּ לֵאמֹר Gen. 18:12
179 חֲמִשִּׁים הַצַּדִּיקִם אֲשֶׁר בְּקִרְבָּהּ Gen. 18:24
180 וַיִּתְרֹצְצוּ הַבָּנִים בְּקִרְבָּהּ Gen. 25:22
181 וַיִּרְאוּ אֶת־הָעָם אֲשֶׁר־בְּקִרְבָּהּ Jud. 18:7
182 יְיָ מָסַךְ בְּקִרְבָּהּ רוּחַ עִוְעִים Is. 19:14
183 הָפְקַד כֻּלָּהּ עֹשֶׁק בְּקִרְבָּהּ Jer. 6:6
184 גַּם־שְׂכִרֶיהָ בְקִרְבָּהּ כְּעֶגְלֵי מַרְבֵּק Jer. 46:21
185 שָׂרֶיהָ בְקִרְבָּהּ כִּזְאֵבִים Ezek. 22:27
186 מְהוּמֹת...וַעֲשׁוּקִים בְּקִרְבָּהּ Am. 3:9
187 שָׂרֶיהָ בְקִרְבָּהּ אֲרָיוֹת שֹׁאֲגִים Zep. 3:3
188 יְיָ צַדִּיק בְּקִרְבָּהּ לֹא יַעֲשֶׂה עַוְלָה Zep. 3:5
189 אֱלֹהִים בְּקִרְבָּהּ בַּל־תִּמּוֹט Ps. 46:6
190 וְאָוֶן וְעָמָל בְּקִרְבָּהּ Ps. 55:11
191 הַוּוֹת בְּקִרְבָּהּ...תֹּךְ וּמִרְמָה Ps. 55:12
192 הַשֹּׁפְכִים בְּקִרְבָּהּ דַּם צַדִּיקִים Lam. 4:13
מִקִּרְבָּהּ 193 וְאֶת־דְּמֵי יְרוּשָׁלַםִ יָדִיחַ מִקִּרְבָּהּ Is. 4:4
194 וְהִכְרַתִּי שׁוֹפֵט מִקִּרְבָּהּ Am. 2:3
בְּקִרְבֵּנוּ 195 הֲיֵשׁ יְיָ בְּקִרְבֵּנוּ אִם־אָיִן Ex. 17:7
196 יֵלֶךְ־נָא אֲדֹנָי בְּקִרְבֵּנוּ Ex. 34:9
197 וְאַתֶּם בְּקִרְבֵּנוּ יֹשְׁבִים Josh. 9:22
198 וְיָבֹא בְקִרְבֵּנוּ וְיֹשִׁעֵנוּ ISh. 4:3
199 וְאַתָּה בְקִרְבֵּנוּ יְיָ Jer. 14:9
200 הֲלוֹא יְיָ בְּקִרְבֵּנוּ לֹא־תָבוֹא...רָעָה Mic. 3:11
בְּקִרְבְּכֶם 201 מְאַסְתֶּם אֶת־יְיָ אֲשֶׁר בְּקִרְבְּכֶם Num. 11:20
202 אַל־תַּעֲלוּ כִּי אֵין יְיָ בְּקִרְבְּכֶם Num. 14:42
203 לֹא תַעֲלוּ...כִּי אֵינֶנִּי בְּקִרְבְּכֶם Deut. 1:42
204 כִּי מָחָר יַעֲשֶׂה יְיָ בְּקִרְבְּכֶם נִפְלָאוֹת Josh.3:5
205 בְּזֹאת תֵּדְעוּן כִּי אֵל חַי בְּקִרְבְּכֶם Josh. 3:10
206 לְמַעַן תִּהְיֶה זֹאת אוֹת בְּקִרְבְּכֶם Josh. 4:6
207 כִּי אֵין־חֵלֶק לַלְוִיִּם בְּקִרְבְּכֶם Josh. 18:7
208 אֶת־אֱלֹהֵי הַנֵּכָר אֲשֶׁר בְּקִרְבְּכֶם Josh. 24:23
209 נְבִיאֵיכֶם אֲשֶׁר־בְּקִרְבְּכֶם Jer. 29:8
210 וְרוּחַ חֲדָשָׁה אֶתֵּן בְּקִרְבְּכֶם Ezek. 36:26
211 וְאֶת־רוּחִי אֶתֵּן בְּקִרְבְּכֶם Ezek. 36:27
מִקִּרְבְּכֶם 212 אִם־לֹא תַשְׁמִידוּ הַחֵרֶם מִקִּרְבְּכֶם Josh.7:12
213 עַד־הֲסִירְכֶם הַחֵרֶם מִקִּרְבְּכֶם Josh. 7:13
קִרְבָּם 214 אֵין בְּפִיהוּ נְכוֹנָה קִרְבָּם הַוּוֹת Ps. 5:10
215 קִרְבָּם בָּתֵּימוֹ לְעוֹלָם Ps. 49:12
בְּקִרְבָּם 216 וְהַגֵּר הַהֹלֵךְ בְּקִרְבָּם Josh. 8:35
217 וְכִי הִשְׁלִימוּ...וַיִּהְיוּ בְּקִרְבָּם Josh. 10:1
218 הָעַמִּים אֲשֶׁר עָבַרְנוּ בְּקִרְבָּם Josh. 24:17
219 נָתַתִּי אֶת־תּוֹרָתִי בְּקִרְבָּם Jer. 31:33(32)
220 וְרוּחַ חֲדָשָׁה אֶתֵּן בְּקִרְבָּם Ezek. 11:19
221 כִּי רוּחַ זְנוּנִים בְּקִרְבָּם Hosh. 5:4
222 כִּי־רָעוֹת בִּמְגוּרָם בְּקִרְבָּם Ps. 55:16
וּבְקִרְבָּם 223 בְּפִיו יְבָרֵכוּ וּבְקִרְבָּם יְקַלְלוּ Ps. 62:5
מִקִּרְבָּם 224 וַיָּסִירוּ אֶת־אֱלֹהֵי הַנֵּכָר מִקִּרְבָּם Jud. 10:16
קִרְבֶּנָה 225 וַתָּבֹאנָה אֶל־קִרְבֶּנָה Gen. 41:21
226 וְלֹא נוֹדַע כִּי־בָאוּ אֶל־קִרְבֶּנָה Gen. 41:21
קְרָבַי 227 בָּרְכִי...וְכָל־קְרָבַי אֶת־שֵׁם קָדְשׁוֹ Ps. 103:1

קְרָב ז׳ מלחמה: 1-9

קרובים: לָחֶם / מָדוֹן / מְדָנִים / מִלְחָמָה / מַעֲרָכָה / מַצָּה / מַצּוּת / מְרִיבָה / רִיב / תִּגְרָה

יוֹם קְרָב 1-3; כְּלֵי קְרָב 4

קְרָב 1 כְּיוֹם הִלָּחֲמוֹ בְּיוֹם קְרָב Zech. 14:3
2 בְּנֵי־אֶפְרַיִם...הָפְכוּ בְּיוֹם קְרָב Ps. 78:9
3 לְעֵת־צָר לְיוֹם קְרָב וּמִלְחָמָה Job 38:23
4 טוֹבָה חָכְמָה מִכְּלֵי קְרָב Eccl. 9:18
בַּקְרָב 5 וּפָנֶיךָ הֹלְכִים בַּקְרָב IISh. 17:11
לַקְרָב 6 הַמְלַמֵּד יָדַי לַקְרָב Ps. 144:1
וּקְרָב־ 7 חָלְקוּ מַחְמָאֹת פִּיו וּקְרָב־לִבּוֹ Ps. 55:22
מִקְּרָב־ 8 פָּדָה בְשָׁלוֹם נַפְשִׁי מִקְּרָב־לִי Ps. 55:19
קְרָבוֹת 9 בִּזַּר עַמִּים קְרָבוֹת יֶחְפָּצוּ Ps. 68:31

קְרָב ז׳ ארמית: מלחמה

קְרָב 1 עָבְדָא קְרָב עִם־קַדִּישִׁין Dan. 7:21

קִרְבָה* נ׳ המצאות סמוך למישהו: 1, 2

קִרְבַת אֱלֹהִים 1, 2

קִרְבַת־ 1 קִרְבַת אֱלֹהִים יֶחְפָּצוּן Is. 58:2
2 וַאֲנִי קִרֲבַת אֱלֹהִים לִי טוֹב Ps. 73:28

קָרְבָה (שמות לו 2) – עין קרב (4)

קָרְבָּן ז׳ (קֻרְבָּן – 6) מנחה המובאת לאלהים בעבודת המקדש – זבח של בהמה או עוף או מאפה־סולת המוקרבים על המזבח: 1-80

קרובים: אָשָׁם / זֶבַח / חַטָּאָה / חַטָּאת / מִנְחָה / נֶסֶךְ / עוֹלָה / שְׁלָמִים / תּוֹדָה

– בְּשַׂר הַקָּרְבָּן 6; יוֹם קָרְבָּנוֹ 44; כַּעַס קָרְבָּנוֹ 79; רֹאשׁ קָרְבָּנוֹ 42, 43

– קָרְבַּן אֲבִידָן 23; ק׳ אַהֲרֹן 11; ק׳ אֲחִיעֶזֶר 24; ק׳ אֲחִירַע 26; ק׳ אֱלֹהִים 14; ק׳ אֱלִיאָב 17; ק׳ אֶלְיָסָף 20; ק׳ אֱלִיצוּר 18; ק׳ אֱלִישָׁמָע 21; ק׳ אִשֶּׁה 30; ק׳ גַּמְלִיאֵל 22; ק׳ יְיָ 27-29; ק׳ מִנְחָה 7, 8, 10; ק׳ נַחְשׁוֹן 15; ק׳ נְתַנְאֵל 16; ק׳ הָעָם 12, 13; ק׳ פַּגְעִיאֵל 25; ק׳ רֵאשִׁית 9; קָרְבַּן שְׁלֻמִיאֵל 19

קָרְבָּן 1 אָדָם כִּי־יַקְרִיב מִכֶּם קָרְבָּן לַייָ Lev. 1:2
2 וְהִקְרִיב מִמֶּנּוּ אֶחָד מִכָּל־קָרְבָּן Lev. 7:14
3 לְהַקְרִיב קָרְבָּן לַייָ לִפְנֵי מִשְׁכַּן יְיָ Lev. 17:4
4 אֲשֶׁר יַקְרִיבוּ מִמֶּנָּה קָרְבָּן לַייָ Lev. 27:9
5 אֲשֶׁר לֹא־יַקְרִיבוּ מִמֶּנָּה קָרְבָּן לַייָ Lev. 27:11
הַקָּרְבָּן 6 וְאֶל־הַשֻּׁלְחָנוֹת בְּשַׂר הַקֻּרְבָּן Ezek. 40:43
קָרְבַּן־ 7 וְנֶפֶשׁ כִּי־תַקְרִיב קָרְבַּן מִנְחָה לַייָ Lev. 2:1
8 וְכִי תַקְרִב קָרְבַּן מִנְחָה Lev. 2:4
9 קָרְבַּן רֵאשִׁית תַּקְרִיבוּ אֹתָם לַייָ Lev. 2:12
10 וְכָל־קָרְבַּן מִנְחָתְךָ בַּמֶּלַח תִּמְלָח Lev. 2:13
11 זֶה קָרְבַּן אַהֲרֹן וּבָנָיו Lev. 6:13
12 וַעֲשֵׂה אֶת־קָרְבַּן הָעָם Lev. 9:7
13 וַיַּקְרֵב אֵת קָרְבַּן הָעָם Lev. 9:15
14 עַד הֲבִיאֲכֶם אֶת־קָרְבַּן אֱלֹהֵיכֶם Lev. 23:14
15 זֶה קָרְבַּן נַחְשׁוֹן בֶּן־עַמִּינָדָב Num. 7:17
16 זֶה קָרְבַּן נְתַנְאֵל בֶּן־צוּעָר Num. 7:23
17 זֶה קָרְבַּן אֱלִיאָב בֶּן־חֵלֹן Num. 7:29
18 זֶה קָרְבַּן אֱלִיצוּר בֶּן־שְׁדֵיאוּר Num. 7:35
19 זֶה קָרְבַּן שְׁלֻמִיאֵל בֶּן־צוּרִישַׁדָּי Num. 7:41
20 זֶה קָרְבַּן אֶלְיָסָף בֶּן־דְּעוּאֵל Num. 7:47
21 זֶה קָרְבַּן אֱלִישָׁמָע בֶּן־עַמִּיהוּד Num. 7:53
22 זֶה קָרְבַּן גַּמְלִיאֵל בֶּן־פְּדָהצוּר Num. 7:59
23 זֶה קָרְבַּן אֲבִידָן בֶּן־גִּדְעֹנִי Num. 7:65
24 זֶה קָרְבַּן אֲחִיעֶזֶר בֶּן־עַמִּישַׁדָּי Num. 7:71
25 זֶה קָרְבַּן פַּגְעִיאֵל בֶּן־עָכְרָן Num. 7:77
26 זֶה קָרְבַּן אֲחִירַע בֶּן־עֵינָן Num. 7:83
27 לְבִלְתִּי הַקְרִיב אֶת־קָרְבַּן יְיָ Num. 9:7
28 קָרְבַּן יְיָ לֹא הִקְרִיב בְּמֹעֲדוֹ Num. 9:13
29 וַנַּקְרֵב אֶת־קָרְבַּן יְיָ Num. 31:50
לְקָרְבַּן־ 30 יֵרָצֶה לְקָרְבַּן אִשֶּׁה לַייָ Lev. 22:27
קָרְבָּנִי 31 אֶת־קָרְבָּנִי לַחְמִי לְאִשַּׁי Num. 28:2
קָרְבָּנְךָ 32 עַל כָּל־קָרְבָּנְךָ תַּקְרִיב מֶלַח Lev. 2:13
קָרְבָּנֶךָ 33 וְאִם־מִנְחָה עַל־הַמַּחֲבַת קָרְבָּנֶךָ Lev. 2:5
34 וְאִם־מִנְחַת מַרְחֶשֶׁת קָרְבָּנֶךָ Lev. 2:7
קָרְבָּנוֹ 35 אִם־עֹלָה קָרְבָּנוֹ מִן־הַבָּקָר Lev. 1:3
36/7 וְאִם־מִן־הַצֹּאן קָרְבָּנוֹ Lev. 1:10; 3:6
38 וְאִם מִן־הָעוֹף עֹלָה קָרְבָּנוֹ לַייָ Lev. 1:14
39 וְהִקְרִיב מִן־הַתֹּרִים...אֶת־קָרְבָּנוֹ Lev. 1:14
40 סֹלֶת יִהְיֶה קָרְבָּנוֹ Lev. 2:1
41 וְאִם־זֶבַח שְׁלָמִים קָרְבָּנוֹ Lev. 3:1
42 וְסָמַךְ יָדוֹ עַל־רֹאשׁ קָרְבָּנוֹ Lev. 3:2
43 וְסָמַךְ אֶת־יָדוֹ עַל־רֹאשׁ קָרְבָּנוֹ Lev. 3:8
44 בְּיוֹם קָרְבָּנוֹ יֵאָכֵל Lev. 7:15
45-70 קָרְבָּנוֹ Lev. 3:7, 12, 14; 4:23, 28, 32
5:11; 7:13, 16, 29; 22:18 • Num. 6:14, 21; 7:12, 19
7:25, 31, 37, 43, 49, 55, 61, 67, 73, 79; 15:4
וְקָרְבָּנוֹ 71 וְקָרְבָּנוֹ קַעֲרַת־כֶּסֶף אַחַת Num. 7:13
קָרְבָּנָהּ 72 וְהֵבִיא אֶת־קָרְבָּנָהּ עָלֶיהָ Num. 5:15
קָרְבַּנְכֶם 73 מִן־הַבָּקָר...תַּקְרִיבוּ אֶת־קָרְבַּנְכֶם Lev. 1:2
קָרְבָּנָם 74 וַיָּבִיאוּ אֶת־קָרְבָּנָם לִפְנֵי יְיָ Num. 7:3
75 וַיַּקְרִיבוּ הַנְּשִׂיאִם אֶת־קָרְבָּנָם Num. 7:10
76 יַקְרִיבוּ...קָרְבָּנָם לַחֲנֻכַּת הַמִּזְבֵּחַ Num. 7:11
77 וְהֵם הֵבִיאוּ...קָרְבָּנָם אִשֶּׁה לַייָ Num. 15:25
78 כָּל־קָרְבָּנָם לְכָל־מִנְחָתָם...לְךָ הוּא Num. 18:9
79 וַיִּתְּנוּ־שָׁם כַּעַס קָרְבָּנָם Ezek. 20:28
קָרְבְּנֵיהֶם 80 לְהַקְרִיב אֶת־קָרְבְּנֵיהֶם לַייָ Lev. 7:38

קָרְבָּן* ז׳ הַקְרָבָה, הֲבָאָה: 1, 2
קָרְבַּן הָעֵצִים 1, 2
קָרְבַּן־ 1 וְהַגּוֹרָלוֹת הִפַּלְנוּ עַל־קָרְבַּן הָעֵצִים Neh.10:35
וּלְקֻרְבַּן־ 2 וּלְקֻרְבַּן הָעֵצִים...וְלַבִּכּוּרִים Neh. 13:31

קַרְדֹּם* ז׳ גרזן: 1-5
קַרְדֻּמּוֹ 1 וְאֶת־אֵתוֹ וְאֶת־קַרְדֻּמּוֹ ISh. 13:20
וּלְהַקַּרְדֻּמִּים 2 וְלִשְׁלֹשׁ קִלְּשׁוֹן וּלְהַקַּרְדֻּמִּים ISh. 13:21
קַרְדֻּמּוֹת 3 כִּמְבִיא...בִּסְבָךְ־עֵץ קַרְדֻּמּוֹת Ps. 74:5
הַקַּרְדֻּמּוֹת 4 וַיִּקַּח...אֶת־הַקַּרְדֻּמּוֹת בְּיָדוֹ Jud. 9:48
וּבְקַרְדֻּמּוֹת 5 וּבְקַרְדֻּמּוֹת בָּאוּ לָהּ כְּחֹטְבֵי עֵצִים Jer. 46:22

קרה : א) קָרָה, נִקְרָה, הִקְרָה; מִקְרֶה, קָרֶה; קְרִי; ב) קָרָה; תִּקְרָה; קוֹרָה, קִרְיָה, קֶרֶת; ש״פ קַרְתָּה, קַרְתָּן, קְרִיּוֹת

קָרָה¹ פ׳ א) אֵרַע, התרחש: 1-13
ב) [נפ׳ נִקְרָה] נזדמן: 14-20
ג) [הפ׳ הִקְרָה] זמן, אִנָּה: 21-23
קָרָה אֶת־ 1-7, 10-12; קָרָה לְ־ 8

קָרְךָ 1 אֲשֶׁר קָרְךָ בַּדֶּרֶךְ וַיְזַנֵּב... Deut. 25:18
קָרָהוּ 2 וַיַּגֶּד־לוֹ מָרְדֳּכַי אֵת כָּל־אֲשֶׁר קָרָהוּ Es. 4:7
3 וַיְסַפֵּר הָמָן...אֵת כָּל־אֲשֶׁר קָרָהוּ Es. 6:13
וְקָרָהוּ 4 וּלְקַחְתֶּם גַּם־אֶת־זֶה...וְקָרָהוּ אָסוֹן Gen. 44:29
הַקֹּרֹת 5 וַיַּגִּידוּ לוֹ אֵת כָּל־הַקֹּרֹת אֹתָם Gen. 42:29
יִקְרֶה 6 שֶׁמִּקְרֶה אֶחָד יִקְרֶה אֶת־כֻּלָּם Eccl. 2:14
7 כִּי־עֵת וָפֶגַע יִקְרֶה אֶת־כֻּלָּם Eccl. 9:11
יִקְרָה 8 אֵת אֲשֶׁר־יִקְרָה לְעַמְּךָ... Dan. 10:14
וַיִּקֶר 9 וַיִּקֶר מִקְרֶהָ חֶלְקַת הַשָּׂדֶה לְבֹעַז Ruth 2:3
יִקְרֵנִי 10 כְּמִקְרֵה הַכְּסִיל גַּם־אֲנִי יִקְרֵנִי Eccl. 2:15
הֲיִקְרְךָ 11 הֲיִקְרְךָ דְבָרִי אִם־לֹא Num. 11:23
יִקְּרֵךְ 12 חַי־יְיָ אִם־יִקְּרֵךְ עָוֹן בַּדָּבָר הַזֶּה ISh. 28:10
תִּקְרֶינָה 13 וְיַגִּידוּ לָנוּ אֵת אֲשֶׁר תִּקְרֶינָה Is. 41:22
נִקְרָא(ה) 14 נִקְרֹא נִקְרֵיתִי בְּהַר הַגִּלְבֹּעַ IISh. 1:6
נִקְרֵיתִי 15 נִקְרֹא נִקְרֵיתִי בְּהַר הַגִּלְבֹּעַ IISh. 1:6
נִקְרָה 16 יְיָ אֱלֹהֵי הָעִבְרִיִּים נִקְרָה עָלֵינוּ Ex. 3:18
אִקָּרֶה 17 הִתְיַצֵּב כֹּה...וְאָנֹכִי אִקָּרֶה כֹּה Num. 23:15
יִקָּרֶה 18 אוּלַי יִקָּרֶה יְיָ לִקְרָאתִי Num. 23:3
וַיִּקָּר 19 וַיִּקָּר אֱלֹהִים אֶל־בִּלְעָם Num. 23:4
20 וַיִּקָּר יְיָ אֶל־בִּלְעָם Num. 23:16
הִקְרָה 21 כִּי הִקְרָה יְיָ אֱלֹהֶיךָ לְפָנָי Gen. 27:20
וְהִקְרִיתֶם 22 וְהִקְרִיתֶם לָכֶם עָרִים Num. 35:11
הַקְרֵה 23 יְיָ...הַקְרֵה־נָא לְפָנַי הַיּוֹם Gen. 24:12

קָרָה² פ׳ התקין תקרה, כסה: 1-5
לְקָרוֹת 1 לְקָרוֹת אֶת־שַׁעֲרֵי הַבִּירָה Neh. 2:8
וּלְקָרוֹת 2 וּלְקָרוֹת אֶת־הַבָּתִּים IICh. 34:11
קֵרוּהוּ 3/4 הֵמָּה קֵרוּהוּ וַיַּעֲמִידוּ דַּלְתֹתָיו Neh. 3:3, 6
הַמְקָרֶה 5 הַמְקָרֶה בַמַּיִם עֲלִיּוֹתָיו Ps. 104:3

קָרֶה* ז׳ מקרה
מִקְרֵה־ 1 לֹא־יִהְיֶה טָהוֹר מִקְּרֵה־לָיְלָה Deut. 23:11

קָרָה נ׳ קֹר, צִנָּה: 1-5 • יוֹם קָרָה 1, 2
קָרָה 1 הַחוֹנִים בַּגְּדֵרוֹת בְּיוֹם קָרָה Nah. 3:17
2 מַעֲדֶה־בֶּגֶד בְּיוֹם קָרָה Prov. 25:20
3 וּמִמְּזָרִים קָרָה Job 37:9
בַּקָּרָה 4 עָרוֹם יָלִינוּ...וְאֵין כְּסוּת בַּקָּרָה Job 24:7
קָרָתוֹ 5 וְלִפְנֵי קָרָתוֹ מִי יַעֲמֹד Ps. 147:17

קָרוֹא תו״ז – עין קָרָא

קָרוֹב א) ת׳ סמוך, לא רחוק: רוב המקראות 1-78
ב) סמוך בזמן, שיבוא במהרה: 3, 6, 9, 14-23, 37, 38, 54-56
ג) ז׳ בן משפחה, שאר בשר [ובהשאלה] ידיד, נאמן: 4, 7, 24-27, 30, 31, 34-36, 42, 49-51, 58, 60, 66, 70, 74-76
ד) [בְּקָרוֹב] במהרה, בעוד זמן מועט: 43
ה) [מִקָּרוֹב] מלפני זמן מועט: 45, 47, 48
ו) [כנ״ל] ממקום סמוך: 46
– קָרוֹב – רָחוֹק 28, 44, 53, 57, 67, 69, 71, 72, 77, 78
– קָרוֹב הַיּוֹם 6, 9, 15-22, 38
– אוֹר קָרוֹב 29; גֹּאֵל קָרוֹב 31; שְׁאֵר קָ׳ 36; שָׁכֵן קָרוֹב 28, 33; עַם קְרֹבוֹ 51
– אֶרֶץ קְרוֹבָה 53; מְחִתָּה קְ׳ 56; עִיר קְ׳ 52, 59; צָרָה קְרוֹבָה 55

קָרוֹב 1 וְהָיִיתָ קָרוֹב אֵלַי אַתָּה וּבָנֶיךָ Gen. 45:10
2 וְלֹא־נָחָם...כִּי קָרוֹב הוּא Ex. 13:17
3 אֲשׁוּרֶנּוּ וְלֹא קָרוֹב Num. 24:17
4 וְאִם־לֹא קָרוֹב אָחִיךָ אֵלֶיךָ Deut. 22:2
5 כִּי־קָרוֹב אֵלֶיךָ הַדָּבָר מְאֹד Deut. 30:14
6 כִּי קָרוֹב יוֹם אֵידָם Deut. 32:35
7 כִּי־קָרוֹב הַמֶּלֶךְ אֵלַי IISh. 19:43
8 כִּי הוּא קָרוֹב אֵצֶל בֵּיתִי IK. 21:2
9 הֵילִילוּ כִּי קָרוֹב יוֹם יְיָ Is. 13:6
10 קָרוֹב מַצְדִּיקִי מִי־יָרִיב אִתִּי Is. 50:8
11 קָרוֹב צִדְקִי יָצָא יִשְׁעִי Is. 51:5
12 קְרָאֻהוּ בִּהְיוֹתוֹ קָרוֹב Is. 55:6
13 קָרוֹב...בְּפִיהֶם וְרָחוֹק מִכִּלְיוֹתֵיהֶם Jer. 12:2
14 קָרוֹב אֵיד־מוֹאָב לָבוֹא Jer. 48:16
15 בָּא הָעֵת קָרוֹב הַיּוֹם Ezek. 7:7
16 כִּי־קָרוֹב יוֹם וְקָרוֹב יוֹם לַייָ Ezek. 30:3
17/18 כִּי קָרוֹב יוֹם יְיָ Joel 1:15; 4:14
19 כִּי־בָא יוֹם־יְיָ כִּי־קָרוֹב Joel 2:1
20 כִּי־קָרוֹב יוֹם־יְיָ עַל־כָּל־הַגּוֹיִם Ob. 15
21 כִּי קָרוֹב יוֹם יְיָ Zep. 1:7
22 קָרוֹב יוֹם־יְיָ הַגָּדוֹל Zep. 1:14
23 קָרוֹב וּמַהֵר מְאֹד Zep. 1:14
24 קָרוֹב יְיָ לְנִשְׁבְּרֵי־לֵב Ps. 34:19
25 אַךְ קָרוֹב לִירֵאָיו יִשְׁעוֹ Ps. 85:10
26 קָרוֹב אַתָּה יְיָ Ps. 119:151
27 קָרוֹב יְיָ לְכָל־קֹרְאָיו Ps. 145:18
28 טוֹב שָׁכֵן קָרוֹב מֵאָח רָחוֹק Prov. 27:10
29 אוֹר קָרוֹב מִפְּנֵי־חֹשֶׁךְ Job 17:12
30 קָרוֹב לָנוּ הָאִישׁ מִגֹּאֲלֵנוּ הוּא Ruth 2:20
31 וְגַם יֵשׁ גֹּאֵל קָרוֹב מִמֶּנִּי Ruth 3:12
32 בְּלִשְׁכַּת בֵּית־אֱלֹהֵינוּ קָרוֹב לְטוֹבִיָּה Neh.13:4
הַקָּרֹב 33 הוּא וּשְׁכֵנוֹ הַקָּרֹב אֶל־בֵּיתוֹ Ex. 12:4
34 כִּי אִם־לִשְׁאֵרוֹ הַקָּרֹב אֵלָיו Lev. 21:2
35 וּבָא גֹאֲלוֹ הַקָּרֹב אֵלָיו Lev. 25:25
36 לִשְׁאֵרוֹ הַקָּרֹב אֵלָיו מִמִּשְׁפַּחְתּוֹ Num. 27:11
וְקָרוֹב 37 וְקָרוֹב לָבוֹא עִתָּהּ Is. 13:22
38 כִּי־קָרוֹב יוֹם וְקָרוֹב יוֹם לַייָ Ezek. 30:3
39 הוֹדִינוּ וְקָרוֹב שְׁמֶךָ Ps. 75:2
40 וְקָרוֹב לִשְׁמֹעַ מִתֵּת הַכְּסִילִים זָבַח Eccl. 4:17
וְהַקָּרוֹב 41 וְהַקָּרוֹב בַּחֶרֶב יִפּוֹל Ezek. 6:12
42 וְהַקָּרֹב אֵלָיו כַּרְשְׁנָא שֵׁתָר... Es. 1:14
בְּקָרוֹב 43 לֹא בְקָרוֹב בְּנוֹת בָּתִּים Ezek. 11:3
וְלַקָּרוֹב 44 שָׁלוֹם שָׁלוֹם לָרָחוֹק וְלַקָּרוֹב Is. 57:19
מִקָּרֹב 45 חֲדָשִׁים מִקָּרֹב בָּאוּ Deut. 32:17
46 הַאֱלֹהֵי מִקָּרֹב אָנִי Jer. 23:23
47 עַתָּה מִקָּרוֹב אֶשְׁפּוֹךְ חֲמָתִי עָלַיִךְ Ezek. 7:8
48 כִּי רִנְנַת רְשָׁעִים מִקָּרוֹב Job 20:5
קְרֹבוֹ 49 וְאִישׁ אֶת־רֵעֵהוּ וְאִישׁ אֶת־קְרֹבוֹ Ex. 32:27
50 וְחֶרְפָּה לֹא־נָשָׂא עַל־קְרֹבוֹ Ps. 15:3
51 לִבְנֵי יִשְׂרָאֵל עַם קְרֹבוֹ Ps. 148:14
קְרֹבָה 52 הִנֵּה־נָא הָעִיר הַזֹּאת קְרֹבָה... Gen. 19:20
53 אֶל־אֶרֶץ...רְחוֹקָה אוֹ קְרוֹבָה IK. 8:46
54 כִּי־קְרוֹבָה יְשׁוּעָתִי לָבוֹא Is. 56:1
55 כִּי־צָרָה קְרוֹבָה Ps. 22:12
56 וּפִי־אֱוִיל מְחִתָּה קְרֹבָה Prov. 10:14
57 אֶל־אֶרֶץ רְחוֹקָה אוֹ קְרוֹבָה IICh. 6:36
הַקְּרֹבָה 58 וְלַאֲחֹתוֹ הַבְּתוּלָה הַקְּרוֹבָה אֵלָיו Lev. 21:3
59 וְהָיָה הָעִיר הַקְּרֹבָה אֶל־הֶחָלָל Deut. 21:3
קְרֹבִים 60 אֲשֶׁר־לוֹ אֱלֹהִים קְרֹבִים אֵלָיו Deut. 4:7
61 וַיִּשְׁמְעוּ כִּי־קְרֹבִים הֵם אֵלָיו Josh. 9:16
62 דְּבָרַי...קְרֹבִים אֶל־יְיָ אֱלֹהֵינוּ IK. 8:59
63 וּדְעוּ קְרוֹבִים גְּבֻרָתִי Is. 33:13
64 וַתַּעְגַּב...אֶל־אַשּׁוּר קְרוֹבִים Ezek. 23:5
65 פַּחוֹת וּסְגָנִים קְרֹבִים Ezek. 23:12
66 הַכֹּהֲנִים אֲשֶׁר־קְרוֹבִים לַייָ Ezek. 42:13
הַקְּרֹבִים 67 הַקְּרֹבִים אֵלֶיךָ אוֹ הָרְחֹקִים מִמֶּךָּ Deut. 13:8
68 זִקְנֵי הָעִיר...הַקְּרֹבִים אֶל־הֶחָלָל Deut. 21:6
69 מַלְכֵי הַצָּפוֹן הַקְּרֹבִים וְהָרְחֹקִים Jer. 25:26
70 מִזֶּרַע צָדוֹק הַקְּרֹבִים אֵלַי Ezek. 43:19
71 הַיְּהוּדִים...הַקְּרוֹבִים וְהָרְחוֹקִים Es. 9:20
72 וּלְכָל־יִשְׂרָאֵל הַקְּרֹבִים וְהָרְחֹקִים Dan. 9:7
73 וְגַם הַקְּרוֹבִים־אֲלֵיהֶם ICh. 12:40(41)
קְרוֹבַי 74 חָדְלוּ קְרוֹבָי וּמְיֻדָּעַי שְׁכֵחוּנִי Job 19:14
וּקְרוֹבַי 75 וּקְרוֹבַי מֵרָחֹק עָמָדוּ Ps. 38:12
בִּקְרֹבַי 76 בִּקְרֹבַי אֶקָּדֵשׁ Lev. 10:3
הַקְּרֹבוֹת 77 הַקְּרֹבוֹת וְהָרְחֹקוֹת מִמֵּךְ Ezek. 22:5
וְהַקְּרֹבוֹת 78 עָרֵי...מוֹאָב הָרְחֹקוֹת וְהַקְּרֹבוֹת Jer. 48:24

קרח : קֵרֵחַ, נִקְרַח, הִקְרִיחַ, הָקְרַח; קֵרֵחַ, קָרְחָה, קָרַחַת; קֶרַח? ש״פ קֹרַח, קָרֵחַ, קָרְחִי

קָרַח פ׳ א) תלש שֵׂעָר: 1, 2
ב) [נפ׳ נִקְרַח] נתלשו שערותיו: 3
ג) [הפ׳ הִקְרִיחַ] קֵרֵחַ: 4
ד) [הָפ׳ הָקְרַח] נקרח, נעשה קֵרֵחַ: 5
יִקְרְחוּ 1 לֹא־יִקְרְחוּ (כת׳ יקרחה) קָרְחָה בְּרֹאשָׁם Lev. 21:5
קָרְחִי 2 קָרְחִי וָגֹזִּי עַל־בְּנֵי תַּעֲנוּגָיִךְ Mic. 1:16
יִקָּרֵחַ 3 וְלֹא יִתְגֹּדַד וְלֹא יִקָּרֵחַ לָהֶם Jer. 16:6
וְהִקְרִיחוּ 4 וְהִקְרִיחוּ אֵלַיִךְ קָרְחָה Ezek. 27:31
מֻקְרָח 5 כָּל־רֹאשׁ מֻקְרָח Ezek. 29:18

קֵרֵחַ ת׳ שנשרו שערות ראשו: 1-3
קֵרֵחַ 1 קֵרֵחַ הוּא טָהוֹר הוּא Lev. 13:40
2/3 עֲלֵה קֵרֵחַ עֲלֵה קֵרֵחַ IIK. 2:23

קֶרַח ז׳ א) מים שקפאו: 1, 2, 4, 5, 7
ב) [בהשאלה] קור עז: 3, 6
קָרַח 1 הַקֹּדְרִים מִנִּי־קָרַח Job 6:16
2 מִנִּשְׁמַת־אֵל יִתֶּן־קָרַח Job 37:10
וְקֶרַח 3 בַּיּוֹם אֲכָלַנִי חֹרֶב וְקֶרַח בַּלָּיְלָה Gen. 31:40
הַקֶּרַח 4 וּדְמוּת...כְּעֵין הַקֶּרַח הַנּוֹרָא Ezek. 1:22
הַקֶּרַח 5 מִבֶּטֶן מִי יָצָא הַקָּרַח Job 38:29
וְלַקֶּרַח 6 לַחֹרֶב בַּיּוֹם וְלַקֶּרַח בַּלָּיְלָה Jer. 36:30
קַרְחוֹ 7 מַשְׁלִיךְ קַרְחוֹ כְפִתִּים Ps. 147:17

קֹרַח שפ״ז א) בן עשו מאהליבמה: 1, 2
ב) מאלופי אדום: 3, 4, 35
ג) בן חברון ממשפחת כלב: 31
ד) בן יצהר בן קהת בן לוי: 5-19, 33, 34, 36, 37
ה) לויים משוררים מצאצאי קרח בן יצהר: 20-30

אַלּוּף קֹרַח 3, 4; בֶּן קֹרַח 33, 34; בְּנֵי ק׳ 6, 18, 20-30; מִשְׁכַּן קֹרַח 13, 14; עֲדַת קֹרַח 16, 19; עַל־דְּבַר קֹרַח 15

קֹרַח 1/2 וְאֶת־יַעְלָם וְאֶת־קֹרַח Gen. 36:5, 14
3 אַלּוּף קֹרַח אַלּוּף גַּעְתָּם Gen. 36:16
4 אַלּוּף יַעְלָם אַלּוּף קֹרַח Gen. 36:18
5 וּבְנֵי יִצְהָר קֹרַח וָנֶפֶג וְזִכְרִי Ex. 6:21
6 וּבְנֵי קֹרַח אַסִּיר וְאֶלְקָנָה וַאֲבִיאָסָף Ex. 6:24
7 וַיִּקַּח קֹרַח בֶּן־יִצְהָר בֶּן־קְהָת Num. 16:1
8 וַיְדַבֵּר אֶל־קֹרַח וְאֶל־כָּל־עֲדָתוֹ Num. 16:5
9 זֹאת עֲשׂוּ...קֹרַח וְכָל־עֲדָתוֹ Num. 16:6
10/1 וַיֹּאמֶר מֹשֶׁה אֶל־קֹרַח Num. 16:8, 16
12 וַיַּקְהֵל עֲלֵיהֶם קֹרַח Num. 16:19
13 הֵעָלוּ מִסָּבִיב לְמִשְׁכַּן־קֹרַח Num. 16:24
14 וַיֵּעָלוּ מֵעַל מִשְׁכַּן־קֹרַח Num. 16:27
15 מִלְּבַד הַמֵּתִים עַל־דְּבַר־קֹרַח Num. 17:14
16 הִצּוּ עַל־מֹשֶׁה...בַּעֲדַת־קֹרַח Num. 26:9
17 וַתִּבְלַע אֹתָם וְאֶת־קֹרַח Num. 26:10
18 וּבְנֵי־קֹרַח לֹא־מֵתוּ Num. 26:11
19 הַנּוֹעָדִים עַל־יְיָ בַּעֲדַת־קֹרַח Num. 27:3
20 לַמְנַצֵּחַ מַשְׂכִּיל לִבְנֵי־קֹרַח Ps. 42:1
21 לַמְנַצֵּחַ לִבְנֵי־קֹרַח מַשְׂכִּיל Ps. 44:1
30-22 לִבְנֵי קֹרַח Ps. 45:1; 46:1
47:1; 48:1; 49:1; 84:1; 85:1; 87:1; 88:1
31 וּבְנֵי חֶבְרוֹן קֹרַח וְתַפֻּחַ וְרָקֶם ICh. 2:43
32 קֹרַח בְּנוֹ אַסִּיר בְּנוֹ ICh. 6:7
33/4 בֶּן־אֶבְיָסָף בֶּן־קֹרַח ICh. 6:22; 9:19
וְקֹרַח 35 בְּנֵי עֵשָׂו...וִיעוּשׁ וְיַעְלָם וְקֹרַח ICh. 1:35
כְּקֹרַח 36 וְלֹא־יִהְיֶה כְקֹרַח וְכַעֲדָתוֹ Num. 17:5
לְקֹרַח 37 וְאֵת כָּל־הָאָדָם אֲשֶׁר לְקֹרַח Num. 16:32

קָרֵחַ
שפ״ז – אבי יוחנן, משרי החילים שבאו אל גדליהו בן אחיקם: 1-15

בֶּן קָרֵחַ 1, 3-15; בְּנֵי קָרֵחַ 2

קָרֵחַ 1 וְיוֹחָנָן בֶּן־קָרֵחַ IIK. 25:23
2 וְיוֹחָנָן וְיוֹנָתָן בְּנֵי־קָרֵחַ Jer. 40:8
15-3 (וְ)יוֹחָנָן בֶּן־קָרֵחַ Jer. 40:13, 15, 16
41:11, 13, 14, 16; 42:1, 8; 43:2, 3, 4, 5

קָרְחָה
נ׳ א) מקום שנשרו בו השערות, קרחת: 1-4, 6-11 ב) [בהשאלה] חורבן, שממה: 5

קָרְחָה 1 לֹא־יִקְרְחוּ° קָרְחָה בְּרֹאשָׁם Lev. 21:5
2 וְלֹא־תָשִׂימוּ קָרְחָה בֵּין עֵינֵיכֶם Deut. 14:1
3 וְתַחַת מַעֲשֶׂה מִקְשֶׁה קָרְחָה Is. 3:24
4 בְּכָל־רֹאשָׁיו קָרְחָה Is. 15:2
5 בָּאָה קָרְחָה אֶל־עַזָּה Jer. 47:5
6 כִּי כָל־רֹאשׁ קָרְחָה Jer. 48:37
7 וּבְכָל־רָאשֵׁיהֶם קָרְחָה Ezek. 7:18
8 וְהִקְרִיחוּ אֵלַיִךְ קָרְחָה Ezek. 27:31
9 וְעַל־כָּל־רֹאשׁ קָרְחָה Am. 8:10
וּלְקָרְחָה 10 וּלְמִסְפֵּד וּלְקָרְחָה וְלַחֲגֹר שָׂק Is. 22:12
קָרְחָתֵךְ 11 הַרְחִבִי קָרְחָתֵךְ כַּנֶּשֶׁר Mic. 1:16

קָרְחִי
ת׳ המתיחס על בית קֹרַח: 1-8

מִשְׁפְּחוֹת הַקָּרְחִי 1; מִשְׁפַּחַת הַקָּרְחִי 2; בְּנֵי הַקָּרְחִי(ם) 4, 7

הַקָּרְחִי 1 אֵלֶּה מִשְׁפְּחֹת הַקָּרְחִי Ex. 6:24
2 מִשְׁפַּחַת הַמּוּשִׁי מִשְׁפַּחַת הַקָּרְחִי Num. 26:58
3 הוּא הַבְּכוֹר לְשַׁלֻּם הַקָּרְחִי ICh. 9:31
4 לִבְנֵי הַקָּרְחִי וְלִבְנֵי מְרָרִי ICh. 26:19

הַקָּרְחִים 5 וְאֶחָיו לְבֵית־אָבִיו הַקָּרְחִים ICh. 9:19
6 וְיוֹעֶזֶר וְיָשָׁבְעָם הַקָּרְחִים ICh. 12:6(7)
7 וַיָּקֻמוּ...וּמִן־בְּנֵי הַקָּרְחִים IICh. 20:19
לַקָּרְחִים 8 לַקָּרְחִים מְשֶׁלֶמְיָהוּ בֶן־קֹרֵא ICh. 26:1

קָרַחַת
נ׳ מקום באחורי הראש שנשרו שערותיו: 1-4

בְּקָרַחַת 1 וְכִי־יִהְיֶה בַקָּרַחַת אוֹ בַגַּבַּחַת Lev. 13:42
בְּקָרַחְתּוֹ 2-4 בְּקָרַחְתּוֹ אוֹ בְגַבַּחְתּוֹ Lev. 13:42, 43, 55

קֶרִי
ז׳ מרי, מרדות: 1-7

הָלַךְ עִמּוֹ (בְּ)קֶרִי 1-7; חֲמַת קֶרִי 3

קֶרִי 1 וְאִם־תֵּלְכוּ עִמִּי קֶרִי Lev. 26:21
2 וַהֲלַכְתֶּם עִמִּי קֶרִי Lev. 26:23
3 וְהָלַכְתִּי עִמָּכֶם בַּחֲמַת־קֶרִי Lev. 26:28
בְּקֶרִי 4 וְהָלַכְתִּי אַף־אֲנִי עִמָּכֶם בְּקֶרִי Lev. 26:24
5 וַהֲלַכְתֶּם עִמִּי בְּקֶרִי Lev. 26:27
6 וְאַף אֲשֶׁר־הָלְכוּ עִמִּי בְּקֶרִי Lev. 26:40
7 אַף־אֲנִי אֵלֵךְ עִמָּם בְּקֶרִי Lev. 26:41

(קָרִיא)* קְרִיאֵי
תו״ז – עין קָרָא (230, 231)

קִרְיָא
נ׳ ארמית קריה, עיר גדולה: 1-9 [קִרְיְתָא=הקריה]

קִרְיָא מָרָדָא 1; קִרְיְתָא מָרָדְתָּא וּבְאִישְׁתָּא 4

קִרְיָא 1 קִרְיְתָא דָךְ קִרְיָא מָרָדָא Ez. 4:15
בְּקִרְיָה 2 וְהוֹתֵב הִמּוֹ בְּקִרְיָה דִּי שָׁמְרָיִן Ez. 4:10
קִרְיְתָא 3 קִרְיְתָא דָךְ קִרְיָא מָרָדָא Ez. 4:15
4 קִרְיְתָא מָרָדְתָּא וּבְאִישְׁתָּא Ez. 4:12
5/6 הֵן קִרְיְתָא דָךְ תִּתְבְּנֵא Ez. 4:13, 16
7 עַל־דְּנָה קִרְיְתָא דָךְ הָחָרְבַת Ez. 4:15
8 קִרְיְתָא דָךְ...עַל־מַלְכִין מִתְנַשְּׂאָה Ez. 4:19
וְקִרְיְתָא 9 וְקִרְיְתָא דָךְ לָא תִתְבְּנֵא Ez. 4:21

קְרִיאָה
נ׳ הכרזה, קול קורא

הַקְּרִיאָה 1 וּקְרָא אֵלֶיהָ אֶת־הַקְּרִיאָה Jon. 3:2

קִרְיָה
נ׳ א) עיר גדולה: 1-29 ב) שם נסמך בשמות מורכבים של ערים שונות: קִרְיַת אַרְבַּע, קִרְיַת בַּעַל, קִרְיַת חוּצוֹת וכו׳ – עין להלן

קרובים: כְּפָר / עִיר / קֶרֶת

– קִרְיָה בְצוּרָה 6; ק׳ נֶאֱמָנָה 3, 4; ק׳ נִשְׂגָּבָה 7; קִרְיָה עַלִּיזָה 5, 8

– הֲמוֹן קִרְיָה 14; קוֹל הַקִּרְיָה 16; רְחוֹבוֹת קִרְיָה 15

– קִרְיַת גּוֹיִם 20; ק׳ (חָנָה) דָוִד 21; ק׳ מוֹעֲדֵנוּ 22; ק׳ מֶלֶךְ רָב 25; ק׳ מְשׂוֹשׂ 23; ק׳ סִיחוֹן 28; קִרְיַת עֻזּ 26,27,29; ק׳ פֹּעֲלֵי אָוֶן 24; ק׳ תֹּהוּ 19

קִרְיָה 1 לֹא הָיְתָה קִרְיָה אֲשֶׁר שָׂגְבָה מִמֶּנּוּ Deut. 2:36
2 לֹא הָיְתָה קִרְיָה אֲשֶׁר לֹא־לָקַחְנוּ Deut. 3:4
3 אֵיכָה הָיְתָה לְזוֹנָה קִרְיָה נֶאֱמָנָה Is. 1:21
4 עִיר הַצֶּדֶק קִרְיָה נֶאֱמָנָה Is. 1:26
5 עִיר הוֹמִיָּה קִרְיָה עַלִּיזָה Is. 22:2
6 מֵעִיר לַגַּל קִרְיָה בְצוּרָה לְמַפֵּלָה Is. 25:2
7 יֹשְׁבֵי מָרוֹם קִרְיָה נִשְׂגָּבָה Is. 26:5
8 עַל־כָּל־בָּתֵּי מָשׂוֹשׂ קִרְיָה עַלִּיזָה Is. 32:13
9-10 קִרְיָה וְכָל־יֹשְׁבֵי בָהּ Hab. 2:8, 17
11 וְכוֹנֵן קִרְיָה בְּעַוְלָה Hab. 2:12
12 בְּטוּב צַדִּיקִים תַּעֲלֹץ קִרְיָה Prov. 11:10

קִרְיָה (המשך) 13 אַנְשֵׁי לָצוֹן יָפִיחוּ קִרְיָה Prov. 29:8
14 יִשְׂחַק לַהֲמוֹן קִרְיָה Job 39:7
15 בֵּעָטֵף עוֹלֵל וְיוֹנֵק בִּרְחֹבוֹת קִרְיָה Lam. 2:11
הַקִּרְיָה 16 מַדּוּעַ קוֹל־הַקִּרְיָה הוֹמָה IK. 1:41
17 וַיַּעֲלוּ מִשָּׁם שְׂמֵחִים וַתֵּהֹם הַקִּרְיָה IK. 1:45
מִקִּרְיָה 18 תֵצְאִי מִקִּרְיָה וְשָׁכַנְתְּ בַּשָּׂדֶה Mic. 4:10
קִרְיַת־ 19 נִשְׁבְּרָה קִרְיַת־תֹּהוּ Is. 24:10
20 קִרְיַת גּוֹיִם עָרִיצִים יִירָאוּךָ Is. 25:3
21 אֲרִיאֵל אֲרִיאֵל קִרְיַת חָנָה דָוִד Is. 29:1
22 חֲזֵה צִיּוֹן קִרְיַת מוֹעֲדֵנוּ Is. 33:20
23 עִיר תְּהִלָּת° קִרְיַת מְשׂוֹשִׂי Jer. 49:25
24 גִּלְעָד קִרְיַת פֹּעֲלֵי אָוֶן Hosh. 6:8
25 הַר־צִיּוֹן...קִרְיַת מֶלֶךְ רָב Ps. 48:3
26/7 הוֹן עָשִׁיר קִרְיַת עֻזּוֹ Prov. 10:15; 18:11
מִקִּרְיַת־ 28 לֶהָבָה מִקִּרְיַת סִיחֹן Num. 21:28
29 אָח נִפְשָׁע מִקִּרְיַת־עֹז Prov. 18:19

קְרִיּוֹת
ש״פ – עיר בארץ מואב: 1-3

קְרִיּוֹת 1 וְעַל־קְרִיּוֹת וְעַל־בָּצְרָה Jer. 48:24
הַקְּרִיּוֹת 2 נִלְכְּדָה הַקְּרִיּוֹת וְהַמְּצָדוֹת נִתְפָּשָׂה Jer. 48:41
3 וְאָכְלָה אַרְמְנוֹת הַקְּרִיּוֹת Am. 2:2

קְרִיּוֹת חֶצְרוֹן
ש״פ – עיר בנגב יהודה

וּקְרִיּוֹת חֶצְרוֹן 1 וְחָצוֹר חֲדַתָּה וּקְרִיּוֹת חֶצְרוֹן Josh. 15:25

קִרְיַת
ש״פ – אולי היא קִרְיַת יְעָרִים

קִרְיַת 1 גִּבְעַת קִרְיַת עָרִים אַרְבַּע־עֶשְׂרֵה Dosh. 18:28

קִרְיַת אַרְבַּע
ש״פ – שמה הקדום של חֶבְרוֹן: 1-9

קִרְיַת אַר׳ 1 וְשֵׁם חֶבְרוֹן לְפָנִים קִרְיַת אַרְבַּע Josh. 14:15
2 אֶת־קִרְיַת אַרְבַּע אֲבִי הָעֲנָק Josh. 15:13
3 וְאֶת־קִרְיַת אַרְבַּע הִיא חֶבְרוֹן Josh. 20:7
4 אֶת־קִרְיַת אַרְבַּע אֲבִי הָעֲנוֹק Josh. 21:11
5 וְשֵׁם־חֶבְרוֹן לְפָנִים קִרְיַת אַרְבַּע Jud. 1:10
וְקִרְיַת אַ׳ 6 וְקִרְיַת אַרְבַּע הִיא חֶבְרוֹן Josh. 15:54
בְּקִרְיַת אַ׳ 7 בְּקִרְיַת אַרְבַּע הִוא חֶבְרוֹן Gen. 23:2
קִרְיַת הָאַ׳ 8 קִרְיַת הָאַרְבַּע הִוא חֶבְרוֹן Gen. 35:27
בְּקִרְיַת הָאַ׳ 9 מִבְּנֵי יְהוּדָה יָשְׁבוּ בְּקִרְיַת הָאַרְבַּע Neh. 11:25

קִרְיַת בַּעַל
ש״פ – היא קִרְיַת יְעָרִים: 1, 2

קִרְיַת־בַּעַל 1/2 קִרְיַת־בַּעַל הִיא קִרְיַת יְעָרִים Josh. 15:60; 18:14

קִרְיַת חוּצוֹת
ש״פ – עיר במואב

קִרְיַת חוּצוֹת 1 וַיֵּלֶךְ בִּלְעָם...וַיָּבֹאוּ קִרְיַת חֻצוֹת Num. 22:39

קִרְיַת יְעָרִים
ש״פ – עיר בנחלת שבט יהודה, סמוך לנחלת בנימין: 1-18

אֲבִי קִרְיַת יְעָרִים 9, 10; אַנְשֵׁי ק״י 7, 8; מִשְׁפְּחוֹת קִרְיַת יְעָרִים 11; קְצֵה ק״י 4

קִרְיַת יְע׳ 1 בַּעֲלָה הִיא קִרְיַת יְעָרִים Josh. 15:9
2/3 קִרְיַת־בַּעַל הִיא קִרְיַת יְעָ׳ Josh. 15:60; 18:14
4 וּפְאַת נֶגְבָּה מִקְצֵה קִרְיַת יְעָרִים Josh. 18:15
5 הִנֵּה אַחֲרֵי קִרְיַת יְעָרִים Jud. 18:12
6 וַיִּשְׁלְחוּ...אֶל־יוֹשְׁבֵי קִרְיַת־יְעָרִים ISh. 6:21
7 וַיָּבֹאוּ אַנְשֵׁי קִרְיַת יְעָרִים ISh. 7:1
8 אַנְשֵׁי קִרְיַת יְעָרִים כְּפִירָה וּבְאֵרוֹת Neh. 7:29
9-10 אֲבִי קִרְיַת יְעָרִים ICh. 2:50, 52
11 וּמִשְׁפְּחוֹת קִרְיַת יְעָרִים ICh. 2:53
12 אֶל־קִרְיַת יְעָרִים אֲשֶׁר לִיהוּדָה ICh. 13:6

וְקִרְיַת יְעָ׳ 13 וּבְאֵרוֹת וְקִרְיַת יְעָרִים Josh. 9:17
בְּקִרְיַת יְעָ׳ 14 וַיַּחֲנוּ בְּקִרְיַת יְעָרִים בִּיהוּדָה Jud. 18:12
15 וַיְהִי מִיּוֹם שֶׁבֶת הָאָרוֹן בְּקִרְיַת יְעָרִ׳ ISh. 7:2
מִקִּרְיַת יְעָ׳ 16 לְהָבִיא...מִקִּרְיַת יְעָרִים ICh. 13:5
17 הֶעֱלָה דָוִיד מִקִּרְיַת יְעָרִים IICh. 1:4
מִקִּרְיַת הַיְּעָ׳ 18 אוּרִיָּהוּ...מִקִּרְיַת הַיְּעָרִים Jer. 26:20

קִרְיַת סַנָּה
ש״פ – עיר כֹּהנים ביהודה, הִיא קִרְיַת סֵפֶר

וְקִרְיַת־סַנָּה 1 וְדַנָּה וְקִרְיַת־סַנָּה הִיא דְבִר Josh. 15:49

קִרְיַת סֵפֶר
ש״פ – היא דְּבִיר, עיר כֹּהנים ביהודה: 1-4

קִרְיַת־סֵ׳ 1 וְשֵׁם־דְּבִר לְפָנִים קִרְיַת־סֵפֶר Josh. 15:15
2 אֲשֶׁר־יַכֶּה אֶת־קִרְיַת־סֵפֶר וּלְכָדָהּ Josh. 15:16
3 וְשֵׁם־דְּבִיר לְפָנִים קִרְיַת־סֵפֶר Jud. 1:11
4 אֲשֶׁר־יַכֶּה אֶת־קִרְיַת־סֵפֶר וּלְכָדָהּ Jud. 1:12

קִרְיַת עָרִים
ש״פ – היא קִרְיַת יְעָרִים(?)

קִרְיַת עָרִים 1 בְּנֵי קִרְיַת עָרִים כְּפִירָה וּבְאֵרוֹת Ez. 2:25

קִרְיָתַיִם
ש״פ א) עיר בנחלת ראובן בעבר הירדן מזרחה, נכבשה על־ידי מואב: 1, 7-4
ב) עיר בנחלת נפתלי, נקראה גם קַרְתָּן: 2
ג) עיר קדומה בדרום מואב: 3

קִרְיָתַיִם 1 וְעַל־קִרְיָתַיִם וְעַל־בֵּית גָּמוּל Jer. 48:23
2 וְאֶת־קִרְיָתַיִם וְאֶת־מִגְרָשֶׁיהָ ICh. 6:61
קִרְיָתָיִם 3 וְאֵת הָאֵימִים בְּשָׁוֵה קִרְיָתָיִם Gen. 14:5
4 אֶת־חֶשְׁבּוֹן...וְאֶת קִרְיָתָיִם Num. 32:37
5 הֹבִישָׁה נִלְכְּדָה קִרְיָתָיִם Jer. 48:1
וְקִרְיָתַיִם 6 וְקִרְיָתַיִם וְשִׂבְמָה Josh. 13:19
וְקִרְיָתָיְמָה 7 בַּעַל מְעוֹן וְקִרְיָתָיְמָה (כת׳ וקריתמה) Ezek. 25:9

קרם : קָרַם

קָרַם
פ׳ התכסה, העלה קרום: 1, 2

וְקָרַמְתִּי 1 וְקָרַמְתִּי עֲלֵיכֶם עוֹר Ezek. 37:6
וַיִּקְרַם 2 וַיִּקְרַם עֲלֵיהֶם עוֹר מִלְמָעְלָה Ezek. 37:8

קרן : קָרַן, הִקְרִין; קֶרֶן

קָרַן
פ׳ א) הפיץ אור, זרח: 1-3
ב) [הִפ׳ הִקְרִין] העלה קרנים: 4

קָרַן 1 וּמֹשֶׁה לֹא־יָדַע כִּי קָרַן עוֹר פָּנָיו Ex. 34:29
2 וַיַּרְא...וְהִנֵּה קָרַן עוֹר פָּנָיו Ex. 34:30
3 כִּי קָרַן עוֹר פְּנֵי מֹשֶׁה Ex. 34:35
מַקְרִן 4 מִשּׁוֹר פָּר מַקְרִן מַפְרִיס Ps. 69:32

קֶרֶן[1]
נ׳ א) זיז גרמי בראשן של בהמות שונות: 5, 8, 9, 17, 32-35, 39-44, 58
ב) שופר עשוי מקרן בהמה: 20
ג) כלי קִבּוּל בתבנית קרן לשמן: 12, 13, 24
ד) חפץ עשוי בתבנית קרן בהמה: 2, 36, 38, 45-48, 60
ה) פנה, זוית: 10
ו) זיז בפנת המזבח בתבנית קרן בהמה: 46, 49-57, 59, 62-76
ז) [בהשאלה] עוז, גבורה, תוקף: 1, 3, 4, 6, 7, 11, 14-16, 18, 19, 21-23, 25-29, 31, 37, 61
ח) קו אור: 30

– קֶרֶן גְּדוֹלָה 8, 9
– קֶרֶן חָזוֹת 17; קֶרֶן יֶשַׁע 18, 19; קֶרֶן הַיּוֹבֵל 20; קֶרֶן יִשְׂרָאֵל 15; קֶ׳ מוֹאָב 14; קֶ׳ מְשִׁיחוֹ 11; קֶרֶן צָרָיו 16; קֶרֶן שֶׁמֶן 12, 13
– קְרָנַיִם גְּבֹהוֹת 35; בַּעַל קְרָנַיִם 33, 34
– קַרְנֵי בַרְזֶל 36, 38; קַרְנֵי רְאֵם 39-41; קַרְנוֹת רְשָׁעִים 37
– קַרְנוֹת הַגּוֹיִם 60; קַרְנוֹת הַמִּזְבֵּחַ 49-57, 59, 62-66; קַרְנוֹת צַדִּיק 61; קַרְנוֹת שֵׁן 58
– גָּדַע קֶרֶן 15; גִּדַּע קֶ׳ 37; הִצְמִיחַ קֶ׳ 1, 3; הֵרִים קֶ׳ 4, 6, 7, 11, 16, 22, 29; מִלֵּא קֶ׳ 24; נִגְדְּעָה קֶ׳ 14; נָשָׂא קֶרֶן 2; רָמָה קַרְנוֹ 21, 26-28

קֶרֶן 1 אַצְמִיחַ קֶרֶן לְבֵית יִשְׂרָאֵל Ezek. 29:21
2 הַנֹּשְׂאִים קֶרֶן אֶל־אֶרֶץ יְהוּדָה Zech. 2:4
3 שָׁם אַצְמִיחַ קֶרֶן לְדָוִד Ps. 132:17
4 וַיָּרֶם קֶרֶן לְעַמּוֹ Ps. 148:14
5 יָצָא קֶרֶן־אַחַת מִצְּעִירָה Dan. 8:9
קָרֶן 6 וְלָרְשָׁעִים אַל־תָּרִימוּ קָרֶן Ps. 78:5
7 בְּדִבְרֵי הָאֱלֹהִים לְהָרִים קָרֶן ICh. 25:5
הַקֶּרֶן 8 וּכְעָצְמוֹ נִשְׁבְּרָה הַקֶּרֶן הַגְּדוֹלָה Dan. 8:8
וְהַקֶּרֶן 9 וְהַקֶּרֶן הַגְּדוֹלָה אֲשֶׁר בֵּין־עֵינָיו Dan. 8:21
בְּקֶרֶן 10 כֶּרֶם...בְּקֶרֶן בֶּן־שָׁמֶן Is. 5:1
קֶרֶן־ 11 וְיִתֶּן־עֹז לְמַלְכּוֹ וְיָרֵם קֶרֶן מְשִׁיחוֹ ISh. 2:10
12 וַיִּקַּח שְׁמוּאֵל אֶת־קֶרֶן הַשֶּׁמֶן ISh. 16:13
13 וַיִּקַּח...אֶת־קֶרֶן הַשֶּׁמֶן מִן־הָאֹהֶל IK. 1:39
14 נִגְדְּעָה קֶרֶן מוֹאָב וּזְרֹעוֹ נִשְׁבָּרָה Jer. 48:25
15 גָּדַע בָּחֳרִי־אַף כֹּל קֶרֶן יִשְׂרָאֵל Lam. 2:3
16 הֵרִים קֶרֶן צָרָיִךְ Lam. 2:17
17 וְהַצָּפִיר קֶרֶן חָזוּת בֵּין עֵינָיו Dan. 8:5
וְקֶרֶן־ 18 מָגִנִּי וְקֶרֶן יִשְׁעִי IISh. 22:3
19 מָגִנִּי וְקֶרֶן־יִשְׁעִי מִשְׂגַּבִּי Ps. 18:3
בְּקֶרֶן־ 20 וְהָיָה בִּמְשֹׁךְ בְּקֶרֶן הַיּוֹבֵל Josh. 6:5
קַרְנִי 21 עָלַץ לִבִּי בַּי׳ רָמָה קַרְנִי בַּי׳ ISh. 2:1
22 וַתָּרֶם כִּרְאֵים קַרְנִי Ps. 92:11
23 וְעֹלַלְתִּי בֶעָפָר קַרְנִי Job 16:15
קַרְנְךָ 24 מַלֵּא קַרְנְךָ שֶׁמֶן ISh. 16:1
קַרְנֵךְ 25 כִּי קַרְנֵךְ אָשִׂים בַּרְזֶל Mic. 4:13
קַרְנוֹ 26 וּבִשְׁמִי תָּרוּם קַרְנוֹ Ps. 89:25
27 קַרְנוֹ תָּרוּם בְּכָבוֹד Ps. 112:9
קַרְנֵנוּ 28 וּבִרְצוֹנְךָ תָּרוּם° קַרְנֵנוּ Ps. 89:18
קַרְנְכֶם 29 אַל־תָּרִימוּ לַמָּרוֹם קַרְנְכֶם Ps. 75:6
קַרְנַיִם 30 וְנֹגַהּ כָּאוֹר תִּהְיֶה קַרְנַיִם מִיָּדוֹ לוֹ Hab. 3:4
קְרָנָיִם 31 בְּחָזְקֵנוּ לָקַחְנוּ לָנוּ קַרְנָיִם Am. 6:13
קְרָנָיִם 32 וְהִנֵּה אַיִל אֶחָד...וְלוֹ קְרָנָיִם Dan. 8:3
הַקְּרָנַיִם 33 וַיָּבֹא עַד־הָאַיִל בַּעַל הַקְּרָנַיִם Dan. 8:6
הַקְּרָנָיִם 34 הָאַיִל...בַּעַל הַקְּרָנָיִם Dan. 8:20
וְהַקְּרָנַיִם 35 וְהַקְּרָנַיִם גְּבֹהוֹת Dan. 8:3
קַרְנֵי־ 36 וַיַּעַשׂ לוֹ צִדְקִיָּה...קַרְנֵי בַרְזֶל IK. 22:11
37 קַרְנֵי רְשָׁעִים אֲגַדֵּעַ Ps. 75:11
38 וַיַּעַשׂ לוֹ צִדְקִיָּהוּ...קַרְנֵי בַרְזֶל IICh. 18:10
וְקַרְנֵי־ 39 וְקַרְנֵי רְאֵם קַרְנָיו Deut. 33:17
וּמִקַּרְנֵי־ 40 וּמִקַּרְנֵי רֵמִים עֲנִיתָנִי Ps. 22:22
קַרְנָיו 41 וְקַרְנֵי רְאֵם קַרְנָיו Deut. 33:17
קַרְנָיו 42 וַיְשַׁבֵּר אֶת־שְׁתֵּי קַרְנָיו Dan. 8:7
בְּקַרְנָיו 43 אַיִל...נֶאֱחַז בַּסְּבַךְ בְּקַרְנָיו Gen. 22:13
וּבְקַרְנֵיכֶם 44 וּבְקַרְנֵיכֶם תְּנַגְּחוּ כָּל־הַנַּחְלוֹת Ezek. 34:21
קְרָנוֹת 45 וָאֵרֶא וְהִנֵּה אַרְבַּע קְרָנוֹת Zech. 2:1
הַקְּרָנוֹת 46 וּמֵהָאֲרִאֵיל...הַקְּרָנוֹת אַרְבַּע Ezek. 43:15
47/8 הַקְּרָנוֹת אֲשֶׁר זֵרוּ אֶת־יְהוּדָה Zech. 2:2, 4
קַרְנוֹת־ 49 וְנָתַתָּה עַל־קַרְנֹת הַמִּזְבֵּחַ Ex. 29:12
50 עַל־קַרְנוֹת מִזְבַּח קְטֹרֶת הַסַּמִּים Lev. 4:7
51 וּמִן־הַדָּם יִתֵּן עַל־קַרְנֹת הַמִּזְבֵּחַ Lev. 4:18
54-52 וְנָתַן עַל־קַרְנֹת מִזְבַּח הָעֹלָה Lev. 4:25, 30, 34
קַרְנוֹת־ (המשך) 55/6 וְיִתֵּן עַל־קַרְנוֹת הַמִּזְבֵּחַ Lev. 8:15; 9:9
57 וְנָתַן עַל־קַרְנוֹת הַמִּזְבֵּחַ סָבִיב Lev. 16:18
58 קַרְנוֹת שֵׁן וְהָבְנִים° Ezek. 27:15
59 וְנִגְדְּעוּ קַרְנוֹת הַמִּזְבֵּחַ Am. 3:14
60 לְיַדּוֹת אֶת־קַרְנוֹת הַגּוֹיִם Zech. 2:4
61 תְּרוֹמַמְנָה קַרְנוֹת צַדִּיק Ps. 75:11
62 אִסְרוּ...עַד־קַרְנוֹת הַמִּזְבֵּחַ Ps. 118:27
בְּקַרְנוֹת־ 63/4 וַיַּחֲזֵק בְּקַרְנוֹת הַמִּזְבֵּחַ IK. 1:50; 2:28
65 וְהִנֵּה אָחַז בְּקַרְנוֹת הַמִּזְבֵּחַ IK. 1:51
וּלְקַרְנוֹת־ 66 חֲרוּשָׁה...וּלְקַרְנוֹת מִזְבְּחוֹתֵיכֶם Jer. 17:1
קַרְנֹתָיו 67 וְעָשִׂיתָ קַרְנֹתָיו עַל אַרְבַּע פִּנֹּתָיו Ex. 27:2
68 מִמֶּנּוּ תִּהְיֶיןָ קַרְנֹתָיו Ex. 27:2
69 מִמֶּנּוּ קַרְנֹתָיו Ex. 30:2
70/1 וְאֶת־קִירֹתָיו...וְאֶת־קַרְנֹתָיו Ex. 30:3; 37:26
72 וְכִפֶּר אַהֲרֹן עַל־קַרְנֹתָיו Ex. 30:10
73/4 מִמֶּנּוּ הָיוּ קַרְנֹתָיו Ex. 37:25; 38:2
75 וַיַּעַשׂ קַרְנֹתָיו עַל אַרְבַּע פִּנֹּתָיו Ex. 38:2
76 וְנָתַתָּה עַל־אַרְבַּע קַרְנֹתָיו Ezek. 43:20

קֶרֶן[2]
נ׳ ארמית א) זיז גרמי בראש בהמה: 1, 6-14
ב) כלי נשיפה כעין שופר: 2-5

קֶרֶן 1 וַאֲלוּ קֶרֶן אָחֳרִי זְעֵירָה Dan. 7:8
קַרְנָא 2-4 קָל קַרְנָא מַשְׁרוֹקִיתָא Dan. 3:5, 7, 15
5 קָל קַרְנָא מַשְׁרֹקִיתָא Dan. 3:10
6 חָזֵה הֲוֵית...דִּי קַרְנָא מְמַלֱּלָה Dan. 7:11
וְקַרְנָא 7 וְקַרְנָא דִכֵּן וְעַיְנִין לַהּ Dan. 7:20
8 וְקַרְנָא דִכֵּן עָבְדָא קְרָב Dan. 7:21
בְּקַרְנָא 9 וַאֲלוּ עַיְנִין...בְּקַרְנָא־דָא Dan. 7:8
וְקַרְנַיִן 10 וְקַרְנַיִן עֲשַׂר לַהּ Dan. 7:7
קַרְנַיָּא 11 וּתְלָת מִן־קַרְנַיָּא קַדְמָיָתָא Dan. 7:8
12 וְעַל־קַרְנַיָּא עֲשַׂר דִּי בְרֵאשַׁהּ Dan. 7:20
וְקַרְנַיָּא 13 וְקַרְנַיָּא עֲשַׂר Dan. 7:24
בְּקַרְנַיָּא 14 מִשְׂתַּכַּל הֲוֵית בְּקַרְנַיָּא Dan. 7:8

קֶרֶן הַפּוּךְ
שפ״נ – בתו הצעירה של איוב

קֶרֶן הַפּוּךְ 1 וְשֵׁם הַשְּׁלִישִׁית קֶרֶן הַפּוּךְ Job 42:14

קרס : קָרַס; קֶרֶס, קַרְסֹל(?); ש״פ קֵירֹס(?)

קָרַס
פ׳ כרע, צנח: 1, 2

קָרְסוּ 1 קָרְסוּ כָרְעוּ יַחְדָּו Is. 46:2
קֹרֵס 2 כָּרַע בֵּל קֹרֵס נְבוֹ Is. 46:1

קֶרֶס*
ז׳ וָו לחִבּוּר: 1-10

– קַרְסֵי זָהָב 5, 6; קַרְסֵי נְחֹשֶׁת 7, 8

הַקְּרָסִים 1 וְהֵבֵאתָ אֶת־הַקְּרָסִים בַּלֻּלָאֹת Ex. 26:11
2 וְנָתַתָּה אֶת־הַפָּרֹכֶת תַּחַת הַקְּרָסִים Ex. 26:33
בַּקְּרָסִים 3 וְחִבַּרְתָּ אֶת־הַיְרִיעֹת...בַּקְּרָסִים Ex. 26:6
4 וַיְחַבֵּר אֶת־הַיְרִיעֹת...בַּקְּרָסִים Ex. 36:13
קַרְסֵי־ 5/6 חֲמִשִּׁים קַרְסֵי זָהָב Ex. 26:6; 36:13
7/8 קַרְסֵי נְחֹשֶׁת חֲמִשִּׁים Ex. 26:11; 36:18
קְרָסָיו 9 אֶת־קְרָסָיו וְאֶת־קְרָשָׁיו Ex. 35:11
10 קְרָסָיו קְרָשָׁיו בְּרִיחָו וְעַמֻּדָיו Ex. 39:33

קֵרֹס
עיין קֵירֹס

קַרְסֹל*
ז׳ העצם בחִבּוּר פסת־הרגל אל השוק: 1, 2

קַרְסֻלָּי 1 וְלֹא מָעֲדוּ קַרְסֻלָּי IISh. 22:37
2 וְלֹא מָעֲדוּ קַרְסֻלָּי Ps. 18:37

קרע : קָרַע, קְרוּעַ, נִקְרַע; קֶרַע

קָרַע
פ׳ א) חתך בכוח, שסע, השחית: 2-7, 10, 12, 14-17, 28, 31, 32, 34-37, 39-58
ב) פָּתַח, הרחיב חלל: 8, 13, 33
ג) [בהשאלה] עקר, הוציא בחוזקה: 1, 9, 11, 18, 26, 27, 29, 30, 38
ד) [פעול: קָרוּעַ] מושחת: 19-25
ה) [נפ׳ נִקְרַע] נגזר לגזרים, השחת: 59-63
– קָרַע כֻּתָּנְתּוֹ 19; בְּגָדִים קְרוּעִים 21; מַדִּים קְרוּעִים 20; קְרוּעֵי בְגָדִים 22-25
– קָרַע חַלּוֹן 13; קָרַע לֵבָב 58; קָרְעָה עֵינֶיהָ 33; קָרַע שָׁמַיִם 8

קָרֹעַ 1 קָרֹעַ אֶקְרַע אֶת־הַמַּמְלָכָה מֵעָלֶיךָ IK. 11:11
לִקְרוֹעַ 2 עֵת לִקְרוֹעַ וְעֵת לִתְפּוֹר Eccl. 3:7
וּבְקָרְעִי 3 וּבְקָרְעִי בִגְדִי וּמְעִילִי Ez. 9:5
קָרַעְתִּי 4 קָרַעְתִּי אֶת־בִּגְדִי וּמְעִילִי Ez. 9:3
וְקָרַעְתִּי 5 וְקָרַעְתִּי אֹתָם מֵעַל זְרוֹעֹתֵיכֶם Ezek. 13:20
6 וְקָרַעְתִּי אֶת־מִסְפְּחֹתֵיכֶם Ezek. 13:21
קָרַעְתָּ 7 לָמָּה קָרַעְתָּ בְּגָדֶיךָ IIK. 5:8
8 לוּא־קָרַעְתָּ שָׁמַיִם יָרַדְתָּ Is. 63:19
קָרַע 9 קָרַע יְיָ אֶת־מַמְלְכוּת יִשְׂרָאֵל מֵעָלֶיךָ ISh.15:28
10 כִּי־קָרַע מֶלֶךְ־יִשְׂרָאֵל אֶת־בְּגָדָיו IIK. 5:8
11 כִּי־קָרַע יִשְׂרָאֵל מֵעַל בֵּית דָּוִד IIK. 17:21
וְקָרַע 12 וְקָרַע אֹתוֹ מִן־הַבֶּגֶד Lev. 13:56
13 וְקָרַע לוֹ חַלּוֹנָי Jer. 22:14
קָרָעָה 14 וּכְתֹנֶת הַפַּסִּים...קָרָעָה IISh. 13:19
קָרְעוּ 15 וִיהוֹשֻׁעַ...וְכָלֵב...קָרְעוּ בִּגְדֵיהֶם Num. 14:6
16 וְלֹא קָרְעוּ אֶת־בִּגְדֵיהֶם Jer. 36:24
17 קָרְעוּ וְלֹא־דָמּוּ Ps. 35:15
קוֹרֵעַ 18 הִנְנִי קֹרֵעַ אֶת־הַמַּמְלָכָה מִיַּד שְׁלֹמֹה IK.11:31
קָרוּעַ 19 קָרוּעַ כֻּתָּנְתּוֹ וַאֲדָמָה עַל־רֹאשׁוֹ IISh. 15:32
קְרוּעִים 20 וּמַדָּיו קְרֻעִים וַאֲדָמָה עַל־רֹאשׁוֹ ISh. 4:12
21 וּבְגָדָיו קְרֻעִים וַאֲדָמָה עַל־רֹאשׁוֹ IISh. 1:2
קְרוּעֵי־ 22 וְכָל־עֲבָדָיו נִצָּבִים קְרֻעֵי בְגָדִים IISh.13:31
23 וַיָּבֹא אֶלְיָקִים...קְרוּעֵי בְגָדִים IIK. 18:37
24 וַיָּבֹא אֶלְיָקִים...קְרוּעֵי בְגָדִים Is. 36:22
וּקְרוּעֵי־ 25 וּקְרֻעֵי בְגָדִים וּמִתְגֹּדְדִים Jer. 41:5
אֶקְרַע 26 קָרֹעַ אֶקְרַע אֶת־הַמַּמְלָכָה מֵעָלֶיךָ IK. 11:11
אֶקְרָע 27 רַק אֶת־כָּל־הַמַּמְלָכָה לֹא אֶקְרָע IK. 11:13
וְאֶקְרַע 28 וְאֶקְרַע סְגוֹר לִבָּם Hosh. 13:8
וָאֶקְרַע 29 וָאֶקְרַע אֶת־הַמַּמְלָכָה מִבֵּית דָּוִד IK. 14:8
אֶקְרָעֶנָּה 30 מִיַּד בִּנְךָ אֶקְרָעֶנָּה IK. 11:12
וַתִּקְרַע 31 וַתִּקְרַע אֶת־בְּגָדֶיךָ וַתִּבְכֶּה לְפָנַי IIK. 22:19
32 וַתִּקְרַע אֶת־בְּגָדֶיךָ וַתֵּבְךְּ לְפָנַי IICh. 34:27
תִּקְרְעִי 33 כִּי־תִקְרְעִי בַפּוּךְ עֵינַיִךְ Jer. 4:30
וַיִּקְרַע 34 וַיִּקְרַע אֶת־בְּגָדָיו Gen. 37:29
35 וַיִּקְרַע יַעֲקֹב שִׂמְלֹתָיו Gen. 37:34
36 וַיִּקְרַע יְהוֹשֻׁעַ שִׂמְלֹתָיו Josh. 7:6
37 וַיִּקְרַע אֶת־בְּגָדָיו Jud. 11:35
38 וַיִּקְרַע יְיָ אֶת־הַמַּמְלָכָה מִיָּדֶךָ ISh. 28:17
39 וַיִּקְרַע אֶת־בְּגָדָיו וַיִּשְׁכַּב אָרְצָה IISh. 13:31
40 וַיִּקְרַע בְּגָדָיו וַיָּשֶׂם־שַׂק עַל־בְּשָׂרוֹ IK. 21:27
41 וַיְהִי כִּקְרֹא...וַיִּקְרַע בְּגָדָיו IIK. 5:7
42-44 וַיִּקְרַע אֶת־בְּגָדָיו IIK. 6:30; 19:1; 22:11
45 וַיִּקְרַע אֶת־בְּגָדָיו Is. 37:1
46 וַיִּקְרַע אֶת־מְעִלוֹ וַיָּגָז אֶת־רֹאשׁוֹ Job 1:20
47 וַיִּקְרַע מָרְדֳּכַי אֶת־בְּגָדָיו Es. 4:1
48 וַיִּקְרַע אֶת־בְּגָדָיו IICh. 34:19
יִקְרָעֶהָ 49 יִקְרָעֶהָ בְּתַעַר הַסֹּפֵר Jer. 36:23
וַיִּקְרָעֶהָ 50 וַיִּקְרָעֶהָ שְׁנֵים עָשָׂר קְרָעִים IK. 11:30
וַיִּקְרָעֵם 51 וַיַּחֲזֵק דָּוִד בִּבְגָדָו וַיִּקְרָעֵם IISh. 1:11
52 וַיַּחֲזֵק בִּבְגָדָיו וַיִּקְרָעֵם לִשְׁנַיִם IIK. 2:12
וַתִּקְרַע 53 וַתִּקְרַע עֲתַלְיָה אֶת־בְּגָדֶיהָ IIK. 11:14
54 וַתִּקְרַע עֲתַלְיָהוּ אֶת־בְּגָדֶיהָ IICh. 23:13
וַיִּקְרְעוּ 55 וַיִּקְרְעוּ שִׂמְלֹתָם Gen. 44:13
56 וַיִּקְרְעוּ אִישׁ מְעִלוֹ Job 2:12
קִרְעוּ 57 קִרְעוּ בִגְדֵיכֶם וְחִגְרוּ שַׂקִּים IISh. 3:31
וְקִרְעוּ 58 וְקִרְעוּ לְבַבְכֶם וְאַל־בִּגְדֵיכֶם Joel 2:13
נִקְרַע (עבר) 59 וְהַמִּזְבֵּחַ נִקְרָע וַיִּשָּׁפֵךְ הַדֶּשֶׁן IK. 13:5
נִקְרָע (בינוני) 60 הִנֵּה הַמִּזְבֵּחַ נִקְרָע וְנִשְׁפַּךְ הַדֶּשֶׁן IK. 13:3
יִקָּרֵעַ 61/2 שָׂפָה...לֹא יִקָּרֵעַ Ex. 28:32; 39:23
וַיִּקָּרַע 63 וַיַּחֲזֵק בִּכְנַף־מְעִילוֹ וַיִּקָּרַע ISh. 15:27

קֶרַע*
ז׳ חלק מדבר שנקרע: 1-4
קְרָעִים 1 וַיִּקְרָעֶהָ שְׁנֵים עָשָׂר קְרָעִים IK. 11:30
2 קַח־לְךָ עֲשָׂרָה קְרָעִים IK. 11:31
3 וַיִּקְרָעֵם לִשְׁנַיִם קְרָעִים IIK. 2:12
וּקְרָעִים 4 וּקְרָעִים תַּלְבִּישׁ נוּמָה Prov. 23:21

קרץ : קָרַץ, קֹרַץ; קֶרֶץ; אר׳ קְרַץ

קָרַץ
פ׳ א) חתך [ובהשאלה] עווה, מצמץ: 1-4
ב) [פ׳ קֹרַץ] חוצב, נחתך: 5
קָרַץ (בְּ)עַיִן 1, 2, 4; קָרַץ שְׂפָתָיו 3
קוֹרֵץ 1 קֹרֵץ בְּעֵינָו מֹלֵל בְּרַגְלָו Prov. 6:13
2 קֹרֵץ עַיִן יִתֵּן עַצָּבֶת Prov. 10:10
3 קֹרֵץ שְׂפָתָיו כִּלָּה רָעָה Prov. 16:30
יִקְרְצוּ 4 שֹׂנְאַי חִנָּם יִקְרְצוּ־עָיִן Ps. 35:19
קֹרַצְתִּי 5 מֵחֹמֶר קֹרַצְתִּי גַם־אָנִי Job 33:6

קֶרֶץ
ז׳ שֶׁבֶר
קֶרֶץ 1 קֶרֶץ מִצָּפוֹן בָּא בָא Jer. 46:20

קְרַץ*
ז׳ ארמית חתיכה (של בצק, של לחם וכד׳): 1, 2
אֲכַלוּ קַרְצוֹהִי 1, 2
קַרְצוֹהִי 1 דִּי־אֲכַלוּ קַרְצוֹהִי דִּי דָנִיֵּאל Dan. 6:25
קַרְצֵיהוֹן 2 וַאֲכַלוּ קַרְצֵיהוֹן דִּי יְהוּדָיֵא Dan. 3:8

קַרְקַע¹
ז׳(?) אדמה (ובהשאלה) תחתית, בסיס: 1-8
קַרְקַע הַבַּיִת 4, 5, 8; קַרְקַע הַיָּם 7; קַרְקַע הַמִּשְׁכָּן 6
הַקַּרְקַע 1 מִן־הַקַּרְקַע עַד־הַקִּירוֹת IK. 6:16
הַקַּרְקָע 2 וְסָפוּן בָּאֶרֶז מֵהַקַּרְקָע עַד־הַקַּרְקָע IK. 7:7
מֵהַקַּרְקָע 3 וְסָפוּן בָּאֶרֶז מֵהַקַּרְקָע עַד־הַקַּרְקָע IK. 7:7
קַרְקַע־ 4 וַיְצַף אֶת־קַרְקַע הַבַּיִת IK. 6:15
5 וְאֶת־קַרְקַע הַבַּיִת צִפָּה זָהָב IK. 6:30
בְּקַרְקַע־ 6 הֶעָפָר אֲשֶׁר...בְּקַרְקַע הַמִּשְׁכָּן Num. 5:17
7 וְאִם־יִסָּתְרוּ...בְּקַרְקַע הַיָּם Am. 9:3
מִקַּרְקַע־ 8 מִקַּרְקַע הַבַּיִת עַד־קִירוֹת הַסִּפֻּן IK. 6:15

קַרְקַע*²
ש־פ – מקום בגבול נחלת יהודה
הַקַּרְקָעָה 1 וְעָלָה אַדָּרָה וְנָסַב הַקַּרְקָעָה Josh. 15:3

קַרְקֹר
ש־פ – מקום בעבר הירדן המזרחי
בַּקַּרְקֹר 1 וְזֶבַח וְצַלְמֻנָּע בַּקַּרְקֹר Jud. 8:10

קַרְקַר
פ׳ הרס, נתץ: 1, 2
וְקַרְקַר 1 וּמָחַץ...וְקַרְקַר כָּל־בְּנֵי־שֵׁת Num. 24:17
מְקַרְקַר 2 מְקַרְקַר קִר וְשׁוֹעַ אֶל־הָהָר Is. 22:5

קֶרֶשׁ
ז׳ לוח־עץ: 1-51
– אֹרֶךְ הַקֶּרֶשׁ 16, 17; רֹחַב הַקֶּרֶשׁ 3, 4
– קַרְשֵׁי הַמִּשְׁכָּן 39-42, 48; קַרְשֵׁי צֶלַע הַמִּשְׁכָּן 43-47
קֶרֶשׁ 1 עֶשְׂרִים קֶרֶשׁ לִפְאַת נֶגְבָּה תֵימָנָה Ex. 26:18
קָרֶשׁ 2 לִפְאַת צָפוֹן עֶשְׂרִים קָרֶשׁ Ex. 26:20
הַקֶּרֶשׁ 3/4 רֹחַב הַקֶּרֶשׁ הָאֶחָד Ex. 26:16; 36:21
5-15 תַּחַת(־)הַקֶּרֶשׁ הָאֶחָד Ex. 26:19², 21²; 26:25²; 36:24², 26², 30
הַקָּרֶשׁ 16/7 עֶשֶׂר אַמּ(וֹ)ת אֹרֶךְ הַקָּרֶשׁ Ex. 26:16; 36:21
18 תַּחַת עֶשְׂרִים הַקָּרֶשׁ Ex. 26:19
לַקֶּרֶשׁ 19/20 שְׁתֵּי יָד(וֹ)ת לַקֶּרֶשׁ הָאֶחָד Ex. 26:17; 36:22
קַרְשֵׁךְ 21 קַרְשֵׁךְ עָשׂוּ־שֵׁן בַּת־אֲשֻׁרִים Ezek. 27:6
קְרָשִׁים 22 תַּעֲשֶׂה שִׁשָּׁה קְרָשִׁים Ex. 26:22
23 וּשְׁנֵי קְרָשִׁים תַּעֲשֶׂה לִמְקֻצְעֹת Ex. 26:23
24/5 וְהָיוּ שְׁמֹנָה קְרָשִׁים Ex. 26:25; 36:30
26-29 קְרָשִׁים Ex. 36:23, 25, 27, 28
הַקְּרָשִׁים 30/1 וְעָשִׂיתָ אֶת־הַקְּרָשִׁים לַמִּשְׁכָּן Ex. 26:15, 18
32 וְהַבְּרִיחַ הַתִּיכֹן בְּתוֹךְ הַקְּרָשִׁים Ex. 26:28
33 וְאֶת־הַקְּרָשִׁים תְּצַפֶּה זָהָב Ex. 26:29
34/5 וַיַּעַשׂ אֶת־הַקְּרָשִׁים לַמִּשְׁכָּן Ex. 36:20, 23
36 תַּחַת עֶשְׂרִים הַקְּרָשִׁים Ex. 36:24
37 לִבְרֹחַ בְּתוֹךְ הַקְּרָשִׁים Ex. 36:33
38 וְאֶת־הַקְּרָשִׁים צִפָּה זָהָב Ex. 36:34
קַרְשֵׁי־ 39/40 לְכֹל קַרְשֵׁי הַמִּשְׁכָּן Ex. 26:17; 36:22
41/2 קַרְשֵׁי הַמִּשְׁכָּן וּבְרִיחָיו Num. 3:36; 4:31
לְקַרְשֵׁי־ 43-47 לְקַרְשֵׁי צֶלַע(־)הַמִּשְׁכָּן Ex. 26:26; 26:27²; 36:31, 32
48 וַחֲמִשָּׁה בְרִיחִם לְקַרְשֵׁי...הַמִּשְׁכָּן Ex. 36:32
קְרָשָׁיו 49 אֶת־קְרָסָיו וְאֶת־קְרָשָׁיו Ex. 35:11
50 קְרָסָיו קְרָשָׁיו בְּרִיחָו Ex. 39:33
51 וַיָּשֶׂם אֶת־קְרָשָׁיו Ex. 40:18

קֶרֶת*
ג׳ קִרְיָה, עִיר: 1-5 • קרובים: כְּפָר / עִיר / קִרְיָה
מְרוֹמֵי קָרֶת 2, 3
קָרֶת 1 לְיַד־שְׁעָרִים לְפִי־קָרֶת Prov. 8:3
2 עַל־גַּפֵּי מְרֹמֵי קָרֶת Prov. 9:3
3 וְיָשְׁבָה...עַל־כִּסֵּא מְרֹמֵי קָרֶת Prov. 9:14
4 בְּבִרְכַּת יְשָׁרִים תָּרוּם קָרֶת Prov. 11:11
5 בְּצֵאתִי שַׁעַר עֲלֵי־קָרֶת Job 29:7

קַרְתָּה
ש־פ – עיר לויים במטה זבולון
קַרְתָּה 1 אֶת־קַרְתָּה וְאֶת־מִגְרָשֶׁהָ Josh. 21:32

קַרְתָּן
ש־פ – עיר בנחלת נפתלי, היא כנראה קִרְיָתַיִם
קַרְתָּן 1 וְאֶת־קַרְתָּן וְאֶת־מִגְרָשֶׁהָ Josh. 21:32

קַשׁ
ז׳ קנים יבשים של שבלי התבואה לאחר הדיש וכן כנוי לדבר נטול ערך הנשא ברוח או נשרף על נקלה: 1-16
קַשׁ יָבֵשׁ 5, 10; קַשׁ נִדָּף 7; קַשׁ עֹבֵר 9
קַשׁ 1 וַיָּפֶץ הָעָם...לְקֹשֵׁשׁ קַשׁ לַתֶּבֶן Ex. 5:12
2 כֶּאֱכֹל קַשׁ לְשׁוֹן אֵשׁ Is. 5:24
3 תַּהֲרוּ חֲשַׁשׁ תֵּלְדוּ קַשׁ Is. 33:11
4 וְכָל־עֹשֵׂה רִשְׁעָה קַשׁ Mal. 3:19
5 וְאֶת־קַשׁ יָבֵשׁ תִּרְדֹּף Job 13:25
קָשׁ 6 כְּקוֹל לַהַב אֵשׁ אֹכְלָה קָשׁ Joel 2:5
כְּקַשׁ 7 יִתֵּן...כְּקַשׁ נִדָּף קַשְׁתּוֹ Is. 41:2
8 הִנֵּה הָיוּ כְקַשׁ אֵשׁ שְׂרָפָתַם Is. 47:14
9 וַאֲפִיצֵם כְּקַשׁ עוֹבֵר Jer. 13:24
10 אֻכְּלוּ כְּקַשׁ יָבֵשׁ מָלֵא Nah. 1:10
11 כַּגַּלְגַּל כְּקַשׁ לִפְנֵי־רוּחַ Ps. 83:14
12 כְּקַשׁ נֶחְשְׁבוּ תוֹתָח Job 41:21
כַּקַּשׁ 13 תְּשַׁלַּח חֲרֹנְךָ יֹאכְלֵמוֹ כַּקַּשׁ Ex. 15:7
14 וּסְעָרָה כַּקַּשׁ תִּשָּׂאֵם Is. 40:24
לְקַשׁ 15 וּבֵית יוֹסֵף לֶהָבָה וּבֵית עֵשָׂו לְקַשׁ Ob. 18
16 לְקַשׁ נֶהְפְּכוּ־לוֹ אַבְנֵי־קָלַע Job 41:20

קשב : קָשַׁב, הִקְשִׁיב; קֶשֶׁב, קַשָּׁב, קַשּׁוּב

קָשַׁב פָּ׳ א) שמע: 1

ב) [הפ׳ הִקְשִׁיב] האזין, הטה אוזן לשמוע: 2-46

הִקְשִׁיב, הִקְשִׁיב לְ־ רוב המקראות 2-46; הִקְשִׁיב אֶל־ 12, 13, 23, 25, 30, 39; הִקְשִׁיב עַל־ 11, 16, 17; הִקְשִׁיב בְּ־ 9, 34

תִּקְשַׁבְנָה 1 וְאָזְנֵי שֹׁמְעִים תִּקְשַׁבְנָה Is. 32:3

לְהַקְשִׁיב 2 שְׁמֹעַ מִזֶּבַח טוֹב לְהַקְשִׁיב מֵחֵלֶב אֵילִים ISh. 15:22

3 עֲרֵלָה אָזְנָם וְלֹא יוּכְלוּ לְהַקְשִׁיב Jer. 6:10

4 וַיְמָאֲנוּ לְהַקְשִׁיב וַיִּתְּנוּ כָתֵף סֹרָרֶת Zech. 7:11

5 לְהַקְשִׁיב לַחָכְמָה אָזְנֶךָ Prov. 2:2

הִקְשַׁבְתִּי 6 הִקְשַׁבְתִּי וָאֶשְׁמָע לוֹא־כֵן יְדַבֵּרוּ Jer. 8:6

הִקְשַׁבְתָּ 7 לוּא הִקְשַׁבְתָּ לְמִצְוֹתָי Is. 48:18

הִקְשִׁיב 8 מִי־הִקְשִׁיב דְּבָרוֹ וַיִּשְׁמָע Jer. 23:18

9 שָׁמַע אֱלֹ׳ הִקְשִׁיב בְּקוֹל תְּפִלָּתִי Ps. 66:19

וְהִקְשִׁיב 10 וְהִקְשִׁיב קֶשֶׁב רַב־קָשֶׁב Is. 21:7

הִקְשִׁיבוּ 11 כִּי עַל־דְּבָרַי לֹא הִקְשִׁיבוּ Jer. 6:19

12 וְלֹא שָׁמְעוּ וְלֹא־הִקְשִׁיבוּ אֵלַי Zech. 1:4

13 וְלֹא הִקְשִׁיבוּ אֶל־מִצְוֹתֶיךָ Neh. 9:34

14 וַיְדַבֵּר יְיָ...וְלֹא הִקְשִׁיבוּ IICh. 33:10

מַקְשִׁיב 15 נָטִיתִי יָדִי וְאֵין מַקְשִׁיב Prov. 1:24

16 מֵרַע מַקְשִׁיב עַל־שְׂפַת־אָוֶן Prov. 17:4

17 מֹשֵׁל מַקְשִׁיב עַל־דְּבַר־שָׁקֶר Prov. 29:12

מַקְשִׁיבִים 18 חֲבֵרִים מַקְשִׁיבִים לְקוֹלֵךְ S.ofS. 8:13

יַקְשִׁיב 19 יַאֲזִין זֹאת יַקְשִׁב וְיִשְׁמַע לְאָחוֹר Is. 42:23

וַיַּקְשֵׁב 20 וַיַּקְשֵׁב יְיָ וַיִּשְׁמָע Mal. 3:16

תַּקְשִׁיב 21 תָּכִין לִבָּם תַּקְשִׁיב אָזְנֶךָ Ps. 10:17

נַקְשִׁיב 22 וַיֹּאמְרוּ לֹא נַקְשִׁיב Jer. 6:17

נַקְשִׁיבָה 23 וְאַל־נַקְשִׁיבָה אֶל־כָּל־דְּבָרָיו Jer. 18:18

הַקְשֵׁב 24 הַקְשֵׁב אִיּוֹב שְׁמַע־לִי Job 33:31

הַקְשִׁיבָה 25 הַקְשִׁיבָה יְיָ אֵלָי Jer. 18:19

26 הַקְשִׁיבָה לְקוֹל שַׁוְעִי מַלְכִּי וֵאלֹהָי Ps. 5:3

27 הַקְשִׁיבָה רִנָּתִי הַאֲזִינָה תְפִלָּתִי Ps. 17:1

28 הַקְשִׁיבָה לִּי וַעֲנֵנִי Ps. 55:3

29 שִׁמְעָה...רִנָּתִי הַקְשִׁיבָה תְּפִלָּתִי Ps. 61:2

30 הַקְשִׁיבָה אֶל־רִנָּתִי Ps. 142:7

31 בְּנִי לִדְבָרַי הַקְשִׁיבָה Prov. 4:20

32 בְּנִי לְחָכְמָתִי הַקְשִׁיבָה Prov. 5:1

33 אֲדֹנָי הַקְשִׁיבָה וַעֲשֵׂה Dan. 9:19

וְהַקְשִׁיבָה 34 וְהַקְשִׁיבָה בְּקוֹל תַּחֲנוּנוֹתָי Ps. 86:6

הַקְשִׁיבִי 35 הַקְשִׁיבִי לַיְשָׁה עֲנִיָּה עֲנָתוֹת Is. 10:30

36 הַקְשִׁיבִי אֶרֶץ וּמְלֹאָהּ Mic. 1:2

הַקְשִׁיבוּ 37 הַקְשִׁיבוּ וְשִׁמְעוּ... Is. 28:23

38 קִרְבוּ גוֹיִם לִשְׁמֹעַ וּלְאֻמִּים הַקְשִׁיבוּ Is. 34:1

39 הַקְשִׁיבוּ אֵלַי עַמִּי וּלְאוּמִּי...הַאֲזִינוּ Is. 51:4

40 הַקְשִׁיבוּ לְקוֹל שׁוֹפָר Jer. 6:17

41 וְרִבוֹת שְׂפָתַי הַקְשִׁיבוּ Job 13:6

42 הַקְשִׁיבוּ כָל־יְהוּדָה IICh. 20:15

וְהַקְשִׁיבוּ 43 וְהַקְשִׁיבוּ לְאֻמִּים מֵרָחוֹק Is. 49:1

44 וְהַקְשִׁיבוּ בֵּית יִשְׂרָאֵל Hosh. 5:1

45 וְהַקְשִׁיבוּ לָדַעַת בִּינָה Prov. 4:1

46 וְהַקְשִׁיבוּ לְאִמְרֵי־פִי Prov. 7:24

קֶשֶׁב ז׳ שמיעה, האזנה: 1-4

אֵין קוֹל(...)וְאֵין קֶשֶׁב 2, 3; רַב קֶשֶׁב 4

קָשֶׁב 1 וְהִקְשִׁיב קֶשֶׁב רַב־קָשֶׁב Is. 21:7

קָשֶׁב 2 וְאֵין־קוֹל וְאֵין־עֹנֶה וְאֵין קָשֶׁב IK. 18:29

3 וְאֵין קוֹל וְאֵין קָשֶׁב IIK. 4:31

4 וְהִקְשִׁיב...רַב־קָשֶׁב Is. 21:7

קַשָּׁב* ת׳ מאזין, שומע היטב: 1, 2

קַשֶּׁבֶת 1/2 תְּהִי נָא אָזְנְךָ־קַשֶּׁבֶת Neh. 1:6, 11

קשה : קָשָׁה, נִקְשָׁה, קִשָּׁה, הִקְשָׁה; קָשֶׁה

קָשָׁה פָּ׳ א) היה כָּבֵד, היה חָמוּר: 1-5

ב) [נפ׳ בינוני: נִקְשֶׁה] קשה יום, מסכן: 6

ג) [פִּ׳ קִשָּׁה] אמץ כוחו מאד, עשה בקשי: 7

ד) [הפ׳ הִקְשָׁה] הכביד, עשה שיהא קשה (בעקר בהשאלה): 9-28

ה) [כנ־ל] קָשָׁה, התאמץ מאוד: 8

– קָשָׁה דָּבָר מִן־ 3, 5; קָשָׁה בְּעֵינָיו 4; קָשְׁתָה יָדוֹ עַל־ 1; קָשְׁתָה עֶבְרָתוֹ 2

– הִקְשָׁה לִבּוֹ (לְבָבוֹ) 18, 19, 22; הִקְשָׁה עָלוֹ 12,14; הִקְשָׁה עָרְפּוֹ 15-17, 20, 21, 23-28; הִקְשָׁה רוּחוֹ 11

קָשְׁתָה 1 כִּי־קָשְׁתָה יָדוֹ עָלֵינוּ ISh. 5:7

קָשָׁתָה 2 אָרוּר אַפָּם כִּי עָז וְעֶבְרָתָם כִּי קָשָׁתָה Gen. 49:7

יִקְשֶׁה 3 וְהַדָּבָר אֲשֶׁר יִקְשֶׁה מִכֶּם... Deut. 1:17

4 לֹא־יִקְשֶׁה בְעֵינֶךָ בְּשַׁלֵּחֲךָ אֹתוֹ Deut. 15:18

וַיִּקֶשׁ 5 וַיִּקֶשׁ דְּבַר־אִישׁ יְהוּדָה IISh. 19:44

נִקְשֶׁה 6 וְעָבַר בָּהּ נִקְשֶׁה וְרָעֵב Is. 8:21

וַתְּקַשׁ 7 וַתֵּלֶד רָחֵל וַתְּקַשׁ בְּלִדְתָּהּ Gen. 35:16

בְּהַקְשֹׁתָהּ 8 וַיְהִי בְהַקְשֹׁתָהּ בְּלִדְתָּהּ Gen. 35:17

הִקְשִׁיתָ 9 וַיֹּאמֶר הִקְשִׁיתָ לִשְׁאוֹל IIK. 2:10

הִקְשָׁה 10 וַיְהִי כִּי־הִקְשָׁה פַרְעֹה לְשַׁלְּחֵנוּ Ex. 13:15

11 כִּי־הִקְשָׁה יְיָ אֱלֹהֶיךָ אֶת־רוּחוֹ Deut. 2:30

12 אָבִיךָ הִקְשָׁה אֶת־עֻלֵּנוּ IK. 12:4

13 מִי־הִקְשָׁה אֵלָיו וַיִּשְׁלָם Job 9:4

14 אָבִיךָ הִקְשָׁה אֶת־עֻלֵּנוּ IICh. 10:4

הִקְשׁוּ 15 הִקְשׁוּ אֶת־עָרְפָּם לְבִלְתִּי שְׁמוֹעַ Jer. 19:15

16 וְעָרְפָּם הִקְשׁוּ וְלֹא שָׁמֵעוּ Neh. 9:29

מַקְשֶׁה 17 אִישׁ תּוֹכָחוֹת מַקְשֶׁה־עֹרֶף Prov. 29:1

וּמַקְשֶׁה 18 וּמַקְשֶׁה לִבּוֹ יִפּוֹל בְּרָעָה Prov. 28:14

אַקְשֶׁה 19 וַאֲנִי אַקְשֶׁה אֶת־לֵב פַּרְעֹה Ex. 7:3

וַיֶּקֶשׁ 20 וַיֶּקֶשׁ אֶת־עָרְפּוֹ וַיְאַמֵּץ אֶת־לְבָבוֹ IICh. 36:13

תַקְשׁוּ 21 וְעָרְפְּכֶם לֹא תַקְשׁוּ עוֹד Deut. 10:16

22 אַל־תַּקְשׁוּ לְבַבְכֶם כִּמְרִיבָה Ps. 95:8

23 אַל־תַּקְשׁוּ עָרְפְּכֶם כַּאֲבוֹתֵיכֶם IICh. 30:8

וַיַּקְשׁוּ 24 וַיַּקְשׁוּ אֶת־עָרְפָּם כְּעֹרֶף אֲבוֹתָם IIK. 17:14

25/6 וַיַּקְשׁוּ אֶת־עָרְפָּם Jer. 7:26; 17:23

27/8 וַיַּקְשׁוּ אֶת־עָרְפָּם Neh. 9:16, 17

קָשֶׁה ת׳ א) מוצק: 28

ב) כָּבֵד, לוחץ, מכביד: 12-15, 17, 20, 22, 24-32

ג) עקשן, עקש: 3, 5-11, 33, 34

ד) אכזר, רשע: 1, 2

ה) חָמוּר שאין קל לפתרו: 4

ו) [קָשָׁה, קָשׁוֹת] דברים חמורים: 16, 18, 19, 21, 23, 35, 36

– אֲדֹנִים קָשֶׁה 2; אִישׁ קָשֶׁה 1; דָּבָר קָשֶׁה 4; עֹרֶף קָשֶׁה 5

– קְשֵׁה יוֹם 12; קְשֵׁה עֹרֶף 6-11; קְשֵׁי לֵב 34; קְשֵׁי פָנִים 33

– דֶּרֶךְ קָשָׁה 25; חָזוּת קָשָׁה 20; חֶרֶב קָשָׁה 28; מִלְחָמָה קָשָׁה 17; עֲבוֹדָה קָשָׁה 13-15, 26, 27, 30; רוּחַ קָשָׁה 29

– עָנָה קָשׁוֹת 16, 18, 23; הֶרְאָה קָשָׁה 21; דִּבֵּר קָשׁוֹת 35, 36

קָשֶׁה 1 וְהָאִישׁ קָשֶׁה וְרַע מַעֲלָלִים ISh. 25:3

2 וְסִכַּרְתִּי...בְּיַד אֲדֹנִים קָשֶׁה Is. 19:4

3 מִדַּעְתִּי כִּי קָשֶׁה אָתָּה Is. 48:4

הַקָּשֶׁה 4 אֶת־הַדָּבָר הַקָּשֶׁה יְבִיאוּן אֶל־מֹשֶׁה Ex. 18:26

5 אֶת־מֶרְיְךָ וְאֶת־עָרְפְּךָ הַקָּשֶׁה Deut. 31:27

קְשֵׁה־ 6-11 עַם־קְשֵׁה־עֹרֶף Ex. 32:9

33:3, 5; 34:9 • Deut. 9:6, 13

לִקְשֵׁה־ 12 אִם־לֹא בָכִיתִי לִקְשֵׁה־יוֹם Job 30:25

קָשָׁה 13 וַיְמָרְרוּ אֶת־חַיֵּיהֶם בַּעֲבֹדָה קָשָׁה Ex. 1:14

14 מִקֹּצֶר רוּחַ וּמֵעֲבֹדָה קָשָׁה Ex. 6:9

15 וַיִּתְּנוּ עָלֵינוּ עֲבֹדָה קָשָׁה Deut. 26:6

16 אוֹ מַה־יַּעַנְךָ אָבִיךָ קָשָׁה ISh. 20:10

17 וַתְּהִי הַמִּלְחָמָה קָשָׁה IISh. 2:17

18 וַיַּעַן הַמֶּלֶךְ אֶת־הָעָם קָשָׁה IK. 12:13

19 וְאָנֹכִי שָׁלוּחַ אֵלַיִךְ קָשָׁה IK. 14:6

20 חָזוּת קָשָׁה הֻגַּד־לִי Is. 21:2

21 הִרְאִיתָ עַמְּךָ קָשָׁה Ps. 60:5

22 קָשָׁה כִשְׁאוֹל קִנְאָה S.ofS. 8:6

23 וַיַּעֲנֵם הַמֶּלֶךְ קָשָׁה IICh. 10:13

וְקָשָׁה 24 וַתֵּלֶךְ יַד בְּ־יִ׳ הָלוֹךְ וְקָשָׁה עַל יָבִין Jud. 4:24

הַקָּשָׁה 25 מִמַּעַלְלֵיהֶם וּמִדַּרְכָּם הַקָּשָׁה Jud. 2:19

26 הָקֵל מֵעֲבֹדַת אָבִיךָ הַקָּשָׁה IK. 12:4

27 וּמִן־הָעֲבֹדָה הַקָּשָׁה אֲשֶׁר עֻבַּד־בָּךְ Is. 14:3

28 בְּחַרְבוֹ הַקָּשָׁה וְהַגְּדוֹלָה Is. 27:1

29 הָגָה בְּרוּחוֹ הַקָּשָׁה בְּיוֹם קָדִים Is. 27:8

30 הָקֵל מֵעֲבוֹדַת אָבִיךָ הַקָּשָׁה IICh. 10:4

קְשַׁת־ 31 אִשָּׁה קְשַׁת־רוּחַ אָנֹכִי ISh. 1:15

קָשִׁים 32 וְהָאֲנָשִׁים הָאֵלֶּה...קָשִׁים מִמֶּנִּי IISh. 3:39

קְשֵׁי־ 33 וְהַבָּנִים קְשֵׁי פָנִים וְחִזְקֵי־לֵב Ezek. 2:4

וּקְשֵׁי־ 34 חִזְקֵי־מֵצַח וּקְשֵׁי־לֵב הֵמָּה Ezek. 3:7

קָשׁוֹת 35 וַיִּתְנַכֵּר...וַיְדַבֵּר אִתָּם קָשׁוֹת Gen. 42:7

36 דִּבֶּר הָאִישׁ...אִתָּנוּ קָשׁוֹת Gen. 42:30

קִשּׁוּא* ז׳ צמח גנה ממשפחת הדלועיים

הַקִּשֻּׁאִים 1 אֵת הַקִּשֻּׁאִים וְאֵת הָאֲבַטִּחִים Num. 11:5

קַשּׁוּב* ת׳ שומע, מקשיב: 1-3 • אָזְנַיִם קַשֻּׁבוֹת 1-3

קַשֻּׁבוֹת 1 תִּהְיֶינָה אָזְנֶיךָ קַשֻּׁבוֹת Ps. 130:2

2 עֵינֶיךָ פְּתֻחוֹת וְאָזְנֶיךָ קַשֻּׁבוֹת IICh. 6:40

3 עֵינַי יִהְיוּ פְתֻחוֹת וְאָזְנַי קַשֻּׁבוֹת IICh. 7:15

קַשְׂוָה* נ׳ ספל לנסך: 1-4

הַקְּשָׂוֹת 1 וְאֶת־הַקְּשָׂוֹת אֲשֶׁר יֻסַּךְ בָּהֵן Ex. 37:16

וְהַקְּשָׂוֹת 2 וְהַמִּזְלָגוֹת וְהַמִּזְרָקוֹת וְהַקְּשָׂוֹת ICh. 28:17

קְשׂוֹת־ 3 וְאֶת־הַמְּנַקִּיֹּת וְאֵת קְשׂוֹת הַנָּסֶךְ Num. 4:7

וּקְשׂוֹתָיו 4 וּקְשׂוֹתָיו וּמְנַקִּיֹּתָיו אֲשֶׁר יֻסַּךְ בָּהֵן Ex. 25:29

קְשׁוֹט ז׳ ארמית: קשט, אמת: 1, 2

קְשׁוֹט 1 מִן־קְשֹׁט דִּי אֱלָהֲכוֹן הוּא אֱלָהּ אֱלָהִין Dan. 2:47

2 דִּי כָל־מַעֲבָדוֹהִי קְשׁוֹט Dan. 4:34

קָשׁוּר ת׳ – עין קָשַׁר

קִשֻּׁרִים* ז־ר – סרטים מקשרים, מקשוטי הנשים: 1, 2

וְהַקִּשֻּׁרִים 1 הַפְּאֵרִים וְהַצְּעָדוֹת וְהַקִּשֻּׁרִים Is. 3:20

קִשֻּׁרֶיהָ 2 הֲתִשְׁכַּח בְּתוּלָה עֶדְיָהּ כַּלָּה קִשֻּׁרֶיהָ Jer. 2:32

(קשח) הִקְשִׁיחַ הפ׳ הקשה: 1, 2 • הִקְשִׁיחַ לִבּוֹ 2

הִקְשִׁיחַ 1 הִקְשִׁיחַ בָּנֶיהָ לְּלֹא־לָהּ Job 39:16

תַּקְשִׁיחַ 2 תַּקְשִׁיחַ לִבֵּנוּ מִיִּרְאָתֶךָ Is. 63:17

קֹשֶׁט, קֹשְׁט ז׳ אמת, יושר: 1, 2

קרובים: ראה אֱמֶת

קֹשֶׁט 1 נֵס לְהִתְנוֹסֵס מִפְּנֵי קֹשֶׁט Ps. 60:6

קֹשְׁט 2 לְהוֹדִיעֲךָ קֹשְׁטְ אִמְרֵי אֱמֶת Prov. 22:21

קְשִׁי* ז׳ מרי, עקשנות

קְשִׁי־ 1 אַל־תֵּפֶן אֶל־קְשִׁי הָעָם הַזֶּה Deut. 9:27

קִשְׁיוֹן ש־פ – עיר לויים בנחלת יששכר: 1, 2

קִשְׁיוֹן 1 אֶת־קִשְׁיוֹן וְאֶת־מִגְרָשֶׁהָ Josh. 21:28

וְקִשְׁיוֹן 2 וְהָרַבִּית וְקִשְׁיוֹן וָאָבֶץ Josh. 19:20

קְשִׂיטָה נ׳ מטבע קדום? כבשה לחליפין?: 1-3

קְשִׂיטָה 1 וַיִּקֶן...הַשָּׂדֶה...בְּמֵאָה קְשִׂיטָה Gen. 33:19

2 אֲשֶׁר קָנָה יַעֲקֹב...בְּמֵאָה קְשִׂיטָה Josh. 24:32

3 וַיִּתְּנוּ־לוֹ אִישׁ קְשִׂיטָה אֶחָת Job 42:11

קַשְׂקֶשֶׂת נ׳ א) מגן עשוי קלפות המכסות את גופם של דגים ובעלי־חיים אחרים: 1-6, 8, 9

ב) פסות מתכת בתבנית הנ״ל: 7

סְנַפִּיר וְקַשְׂקֶשֶׂת 1-6; שִׁרְיוֹן קַשְׂקַשִּׂים 7

וְקַשְׂקֶשֶׂת 1/2 כֹּל אֲשֶׁר־לוֹ סְנַפִּיר וְקַשְׂקֶשֶׂת Lev. 11:9, 12

3 וְכֹל אֲשֶׁר אֵין־לוֹ סְנַפִּיר וְקַשְׂקֶשֶׂת Lev. 11:10

4 כֹּל אֲשֶׁר אֵין־לוֹ סְנַפִּיר וְקַשְׂקֶשֶׂת Lev. 11:12

5 כֹּל אֲשֶׁר־לוֹ סְנַפִּיר וְקַשְׂקֶשֶׂת Deut. 14:9

6 וְכֹל אֲשֶׁר אֵין־לוֹ סְנַפִּיר וְקַשְׂקֶשֶׂת Deut. 14:10

קַשְׂקַשִּׂים 7 וְשִׁרְיוֹן קַשְׂקַשִּׂים הוּא לָבוּשׁ ISh. 17:5

בְּקַשְׂקְשֹׂתֶיךָ 8 וְהִדְבַּקְתִּי דְגַת־יְאֹרֶיךָ בְּקַשְׂקְשֹׂתֶיךָ Ezek. 29:4

9 כָּל־דְּגַת יְאֹרֶיךָ בְּקַשְׂקְשֹׂתֶיךָ תִּדְבָּק Ezek. 29:4

קשר : קָשַׁר, קָשׁוּר, נִקְשַׁר, קִשֵּׁר, קֻשַּׁר, הִתְקַשֵּׁר; קִשֻּׁרִים, קֶשֶׁר

קשר פ׳ א) חבר, כרך: 2, 9, 16-19, 25, 26, 34-36

ב) [בהשאלה] התחבר עם אחרים למרוד: 1, 3, 8-10, 12-20, 24-27, 33

ג) [פָּעוּל: קָשׁוּר] כרוך, מחובר (גם בהשאלה): 13-15

ד) [נפ׳ נִקְשַׁר] נכרך, חובר (גם בהשאלה): 37, 38

ה) [פִּ׳ קִשֵּׁר] כרך, חבר: 39, 40

ו) [פֻּ׳ בינוני מְקֻשָּׁר] מלוכד, חזק: 41

ז) [הת׳ הִתְקַשֵּׁר] קָשַׁר, מָרַד: 42-44

– אִוֶּלֶת קְשׁוּרָה 14; נֶפֶשׁ קְשׁוּרָה 13

– קָשַׁר אֶת־...עַל־ 2, 9, 16, 25, 34-36; קָ׳ אֶת־... בְּ־ 17, 19, 26; קָ׳ אֶת־... לְ־ 18; קָשַׁר עַל־ 1, 4, 7, 8, 10, 11, 16, 20-24, 28, 29, 31-33

– קָשׁוּר בְּ־ 13, 14; נִקְשַׁר בְּ־ 37

– הִתְקַשֵּׁר עַל־ 42, 43; הִתְקַשֵּׁר אֶל־ 44

קָשַׁרְתִּי 1 קָשַׁרְתִּי עַל־אֲדֹנִי וָאֶהַרְגֵהוּ IIK. 10:9

וּקְשַׁרְתָּם 2 וּקְשַׁרְתָּם לְאוֹת עַל־יָדֶךָ Deut. 6:8

קָשַׁר 3 קָשַׁר זִמְרִי וְגַם הִכָּה אֶת־הַמֶּלֶךְ IK. 16:16

4 קָשַׁר עָלֶיךָ עָמוֹס בְּקֶרֶב בֵּית יִשְׂרָאֵל Am. 7:10

5 וְיֶתֶר דִּבְרֵי זִמְרִי וְקִשְׁרוֹ אֲשֶׁר קָשָׁר IK. 16:20

קָשָׁר 6 וְיֶתֶר דִּבְרֵי שַׁלּוּם וְקִשְׁרוֹ אֲשֶׁר קָשָׁר IIK. 15:15

קְשַׁרְתֶּם 7 כִּי קְשַׁרְתֶּם כֻּלְּכֶם עָלַי ISh. 22:8

8 לָמָּה קְשַׁרְתֶּם עָלַי ISh. 22:13

וּקְשַׁרְתֶּם 9 וּקְשַׁרְתֶּם אֹתָם לְאוֹת עַל־יֶדְכֶם Deut. 11:18

הַקֹּשְׁרִים 10 וַיַּךְ...אֵת כָּל־הַקֹּשְׁרִים עַל־הַמֶּלֶךְ IIK. 21:24

11 וַיַּכּוּ...אֵת כָּל־הַקֹּשְׁרִים עַל־הַמֶּלֶךְ IICh. 33:25

בַּקֹּשְׁרִים 12 אֲחִיתֹפֶל בַּקֹּשְׁרִים עִם־אַבְשָׁלוֹם IISh. 15:31

קְשׁוּרָה 13 וְנַפְשׁוֹ קְשׁוּרָה בְנַפְשׁוֹ Gen. 44:30

14 אִוֶּלֶת קְשׁוּרָה בְלֶב־נָעַר Prov. 22:15

וְהַקְּשֻׁרִים 15 הָעֲטֻפִים לְלָבָן וְהַקְּשֻׁרִים לְיַעֲקֹב Gen. 30:42

תִּקְשֹׁר 16 תִּקְשֹׁר עָלָיו אֶבֶן וְהִשְׁלַכְתּוֹ Jer. 51:63

הֲתִקְשָׁר־ 17 הֲתִקְשָׁר־רֵים בְּתֶלֶם עֲבֹתוֹ Job 39:10

וְתִקְשְׁרֶנּוּ 18 וְתִקְשְׁרֶנּוּ לְנַעֲרוֹתֶיךָ Job 40:29

תִּקְשְׁרִי 19 אֶת־תִּקְוַת חוּט...תִּקְשְׁרִי בַּחַלּוֹן Josh. 2:18

וַיִּקְשֹׁר 20 וַיִּקְשֹׁר עָלָיו בַּעְשָׁא...וַיַּכֵּהוּ IK. 15:27

21 וַיִּקְשֹׁר עָלָיו עַבְדּוֹ זִמְרִי IK. 16:9

22 וַיִּקְשֹׁר עָלָיו שַׁלֻּם...וַיַּכֵּהוּ IIK. 15:10

23 וַיִּקְשֹׁר עָלָיו פֶּקַח...וַיַּכֵּהוּ IIK. 15:25

וַיִּקְשָׁר־ 24 וַיִּקְשָׁר־קֶשֶׁר הוֹשֵׁעַ...עַל־פֶּקַח IIK. 15:30

וַתִּקְשֹׁר 25 וַתִּקְשֹׁר עַל־יָדוֹ שָׁנִי Gen. 38:28

26 וַתִּקְשֹׁר אֶת־תִּקְוַת הַשָּׁנִי בַּחַלּוֹן Josh. 2:21

וַיִּקְשְׁרוּ 27 וַיָּקֻמוּ עֲבָדָיו וַיִּקְשְׁרוּ־קָשֶׁר וַיַּכּוּ... IIK. 12:21

28 וַיִּקְשְׁרוּ עָלָיו קֶשֶׁר בִּירוּשָׁלַ͏ִם IIK. 14:19

29 וַיִּקְשְׁרוּ עַבְדֵי־אָמוֹן עָלָיו IIK. 21:23

30 וַיִּקְשְׁרוּ כֻלָּם יַחְדָּו לָבוֹא לְהִלָּחֵם Neh. 4:2

31 וַיִּקְשְׁרוּ עָלָיו וַיִּרְגְּמֻהוּ אֶבֶן IICh. 24:21

32 וַיִּקְשְׁרוּ עָלָיו קֶשֶׁר בִּירוּשָׁלַ͏ִם IICh. 25:27

33 וַיִּקְשְׁרוּ עָלָיו עֲבָדָיו וַיְמִיתֻהוּ IICh. 33:24

קָשְׁרֵם 34 קָשְׁרֵם עַל־גַּרְגְּרוֹתֶיךָ Prov. 3:3

35 קָשְׁרֵם עַל־לִבְּךָ תָמִיד Prov. 6:21

36 קָשְׁרֵם עַל־אֶצְבְּעֹתֶיךָ Prov. 7:3

נִקְשְׁרָה 37 וְנֶפֶשׁ יְהוֹנָתָן נִקְשְׁרָה בְּנֶפֶשׁ דָּוִד ISh. 18:1

וַתִּקָּשֵׁר 38 וַתִּקָּשֵׁר כָּל־הַחוֹמָה עַד־חֶצְיָהּ Neh. 3:38

הַתְקַשֵּׁר 39 הַתְקַשֵּׁר מַעֲדַנּוֹת כִּימָה Job 38:31

וּתְקַשְּׁרִים 40 כַּעֲדִי תִלְבָּשִׁי וּתְקַשְּׁרִים כַּכַּלָּה Is. 49:18

הַמְקֻשָּׁרוֹת 41 וְהָיָה בְּכָל־יַחֵם הַצֹּאן הַמְקֻשָּׁרוֹת Gen. 30:41

הִתְקַשְּׁרוּ 42 הִתְקַשְּׁרוּ עָלָיו עֲבָדָיו...וַיַּהַרְגֻהוּ IICh. 24:25

הַמִּתְקַשְּׁרִים 43 וְאֵלֶּה הַמִּתְקַשְּׁרִים עָלָיו IICh. 24:26

וַיִּתְקַשֵּׁר 44 וַיִּתְקַשֵּׁר יֵהוּא...אֶל־יוֹרָם IIK. 9:14

קֶשֶׁר ז׳ התחברות למרד, התקוממות: 1-16

קֶשֶׁר נְבִיאִים 9; קֶ׳ אַמִּיץ 14; קָשַׁר קֶשֶׁר 16,15,8,3,2

קֶשֶׁר 1 וַתִּקְרָא קֶשֶׁר קָשֶׁר IIK. 11:14

2 וַיִּקְשְׁרוּ עָלָיו קֶשֶׁר בִּירוּשָׁלַ͏ִם IIK. 14:19

3 וַיִּקְשָׁר־קֶשֶׁר הוֹשֵׁעַ...עַל־פֶּקַח IIK. 15:30

4 וַיִּמְצָא מֶלֶךְ־אַשּׁוּר בְּהוֹשֵׁעַ קֶשֶׁר IIK. 17:4

5 לֹא־תֹאמְרוּן קֶשֶׁר לְכֹל אֲשֶׁר־יֹאמַר Is. 8:12

6 נִמְצָא־קֶשֶׁר בְּאִישׁ יְהוּדָה Jer. 11:9

7 וַתֹּאמֶר קֶשֶׁר קָשֶׁר IICh. 23:13

8 וַיִּקְשְׁרוּ עָלָיו קֶשֶׁר בִּירוּשָׁלַ͏ִם IICh. 25:27

קֶשֶׁר־ 9 קֶשֶׁר נְבִיאֶיהָ בְּתוֹכָהּ Ezek. 22:25

קָשֶׁר 10 וַתִּקְרָא קֶשֶׁר קָשֶׁר IIK. 11:14

11 וַיָּקֻמוּ עֲבָדָיו וַיִּקְשְׁרוּ־קָשֶׁר IIK. 12:21

12 יֹאמַר הָעָם הַזֶּה קָשֶׁר Is. 8:12

13 וַתֹּאמֶר קֶשֶׁר קָשֶׁר IICh. 23:13

הַקֶּשֶׁר 14 וַיְהִי הַקֶּשֶׁר אַמִּץ IISh. 15:12

וְקִשְׁרוֹ 15 וְיֶתֶר דִּבְרֵי זִמְרִי וְקִשְׁרוֹ אֲשֶׁר קָשָׁר IK. 16:20

16 וְיֶתֶר דִּבְרֵי שַׁלּוּם וְקִשְׁרוֹ אֲשֶׁר קָשָׁר IIK. 15:15

קשש : קָשַׁשׁ, קוֹשֵׁשׁ, הִתְקוֹשֵׁשׁ; קַשׁ

קשש פ׳ א) התאסף: 1

ב) [פִּ׳ קוֹשֵׁשׁ] אסף, לקט: 2-7

ג) [הת׳ הִתְקוֹשֵׁשׁ] התלקט: 8

קוֹשֵׁשׁ עֵצִים 4-7; קוֹשֵׁשׁ קַשׁ 2; קוֹשֵׁשׁ תֶּבֶן 3

וָקוֹשּׁוּ 1 הִתְקוֹשְׁשׁוּ וָקוֹשּׁוּ הַגּוֹי לֹא נִכְסָף Zep. 2:1

לְקֹשֵׁשׁ 2 וַיָּפֶץ הָעָם...לְקֹשֵׁשׁ קַשׁ לַתֶּבֶן Ex. 5:12

וְקֹשְׁשׁוּ 3 הֵם יֵלְכוּ וְקֹשְׁשׁוּ לָהֶם תֶּבֶן Ex. 5:7

מְקֹשֵׁשׁ 4 מְקֹשֵׁשׁ עֵצִים בְּיוֹם הַשַּׁבָּת Num. 15:32

5 הַמֹּצְאִים אֹתוֹ מְקֹשֵׁשׁ עֵצִים Num. 15:33

מְקֹשֶׁשֶׁת 6 אִשָּׁה אַלְמָנָה מְקֹשֶׁשֶׁת עֵצִים IK. 17:10

7 וְהִנְנִי מְקֹשֶׁשֶׁת שְׁנַיִם עֵצִים IK. 17:12

הִתְקוֹשְׁשׁוּ 8 הִתְקוֹשְׁשׁוּ וָקוֹשּׁוּ הַגּוֹי לֹא נִכְסָף Zep. 2:1

קֶשֶׁת נ׳ א) כלי־מלחמה לירית חצים: 1-20, 23, 25-51, 53-76

ב) [בהשאלה] חצי־מעגל רב־צבעים הנראה בשמים: 21, 22, 24, 52

קרובים: אָוֶן / אַשְׁפָּה (א) / חֵץ / מַרְגֵּמָה / קֶלַע / תְּלִי

– קֶשֶׁת וְחִצִּים 3, 26, 33, 34

– קֶשֶׁת גִּבּוֹרִים 41; קֶ׳ דְּרוּכָה 4, 73; קֶ׳ יְהוֹנָתָן 42; קֶ׳ יִשְׂרָאֵל 45; קֶ׳ מִלְחָמָה 46, 47; קֶ׳ נְחוּשָׁה 43, 48, 49; קֶ׳ עֵילָם 44; קֶשֶׁת רְמִיָּה 50, 51

– בֶּן־קֶשֶׁת 40; דּוֹרְכֵי קֶשֶׁת 9, 10, 15, 16, 18, 37; מוֹשְׁכֵי קֶשֶׁת 6; מְטַחֲוֵי קֶשֶׁת 1; מַרְאֵה קֶ׳ 24; נוֹשְׁקֵי קֶשֶׁת 17, 19; רוֹמֵה קֶשֶׁת 7; רוֹמֵי קֶ׳ 39; רִשְׁפֵי קֶ׳ 38; תּוֹפֵשׂ קֶ׳ 25; תּוֹפְשֵׂי קֶשֶׁת 37

– דָּרַךְ קֶשֶׁת 12, 13, 64-69; חֲלַפָּתוֹ קֶ׳ 49; חִתְּתָה קֶ׳ 74; לִמֵּד קֶ׳ 36; נִכְרְתָה קֶ׳ 46; נִרְאֲתָה קֶ׳ 21; נָשָׂא קֶ׳ 58; נִשְׁבְּרָה קֶ׳ 75; נְשׂוּגָה קֶ׳ 42; שָׁבַר קֶשֶׁת 44, 45; שֵׁבֶר קֶשֶׁת 14

– מוֹרִים בַּקֶּשֶׁת 32; מִלֵּא יָדוֹ בַּקֶּשֶׁת 29; מָשַׁךְ בַּקֶּשֶׁת 28, 30

קֶשֶׁת 1 הַרְחֵק כִּמְטַחֲוֵי קֶשֶׁת Gen. 21:16

2 וַיֹּאמֶר לוֹ אֱלִישָׁע קַח קֶשֶׁת וְחִצִּים IIK. 13:15

3 וַיִּקַּח אֵלָיו קֶשֶׁת וְחִצִּים IIK. 13:15

4 וּמִפְּנֵי קֶשֶׁת דְּרוּכָה Is. 21:15

5 וּשְׁאָר מִסְפַּר־קֶשֶׁת גִּבּוֹרֵי בְנֵי־קֵדָר Is. 21:17

6 פּוּל וְלוּד מֹשְׁכֵי קֶשֶׁת Is. 66:19

7 מִקּוֹל פָּרָשׁ וְרֹמֵה קֶשֶׁת Jer. 4:29

8 קֶשֶׁת וְכִידוֹן יַחֲזִיקוּ Jer. 6:23

9 כָּל־דֹּרְכֵי קֶשֶׁת יְדוּ אֵלֶיהָ Jer. 50:14

10 כָּל־דֹּרְכֵי קֶשֶׁת חֲנוּ עָלֶיהָ סָבִיב Jer. 50:29

11 קֶשֶׁת וְכִידֹן יַחֲזִיקוּ Jer. 50:42

12 כִּי־דָרַכְתִּי לִי יְהוּדָה קֶשֶׁת Zech. 9:13

13 כִּי הִנֵּה הָרְשָׁעִים יִדְרְכוּן קֶשֶׁת Ps. 11:2

14 קֶשֶׁת יְשַׁבֵּר וְקִצֵּץ חֲנִית Ps. 46:10

15 וְדֹרְכֵי קֶשֶׁת וּלְמוּדֵי מִלְחָמָה ICh. 5:18

16 גִּבּוֹרֵי־חַיִל דֹּרְכֵי קֶשֶׁת ICh. 8:40

17 נֹשְׁקֵי קֶשֶׁת מַיְמִינִים וּמַשְׂמִאלִים ICh. 12:2

18 נֹשְׂאֵי מָגֵן וְדֹרְכֵי קֶשֶׁת IICh. 14:7

19 וְעִמּוֹ נֹשְׁקֵי־קֶשֶׁת וּמָגֵן IICh. 17:17

וְקֶשֶׁת 20 וְקֶשֶׁת וְחֶרֶב וּמִלְחָמָה אֶשְׁבּוֹר Hosh. 2:20

הַקֶּשֶׁת 21 וְנִרְאֲתָה הַקֶּשֶׁת בֶּעָנָן Gen. 9:14

22 וְהָיְתָה הַקֶּשֶׁת בֶּעָנָן Gen. 9:16

23 הַרְכֵּב יָדְךָ עַל־הַקֶּשֶׁת IIK. 13:16

24 כְּמַרְאֵה הַקֶּשֶׁת אֲשֶׁר יִהְיֶה בֶעָנָן Ezek. 1:28

25 וְתֹפֵשׂ הַקֶּשֶׁת לֹא יַעֲמֹד Am. 2:15

בְּקֶשֶׁת 26 וְהִשִּׂיקוּ בְּנֶשֶׁק...בְּקֶשֶׁת וּבְחִצִּים Ezek. 39:9

27 בְּקֶשֶׁת וּבְחֶרֶב וּבְמִלְחָמָה Hosh. 1:7

בַּקֶּשֶׁת 28 וְאִישׁ מָשַׁךְ בַּקֶּשֶׁת לְתֻמּוֹ IK. 22:34

29 וְיֵהוּא מִלֵּא יָדוֹ בַקֶּשֶׁת IIK. 9:24

30 וְאִישׁ מָשַׁךְ בַּקֶּשֶׁת לְתֻמּוֹ IICh. 18:33

בַּקָּשֶׁת 31 וַיִּמְצָאֻהוּ הַמּוֹרִים אֲנָשִׁים בַּקָּשֶׁת ISh. 31:3

32 וַיִּמְצָאֻהוּ הַמּוֹרִים בַּקֶּשֶׁת ICh. 10:3

33 בָּאֲבָנִים וּבַחִצִּים בַּקָּשֶׁת ICh. 12:2

וּבַקֶּשֶׁת 34 בַּחִצִּים וּבַקֶּשֶׁת יָבוֹא שָׁמָּה Is. 7:24

מִקֶּשֶׁת 35 כָּל־קְצִינַיִךְ...מִקֶּשֶׁת אֻסָּרוּ Is. 22:3

קָשֶׁת 36 לְלַמֵּד בְּנֵי־יְהוּדָה קָשֶׁת IISh. 1:18

37 וְלוּדִים תֹּפְשֵׂי דֹּרְכֵי קָשֶׁת Jer. 46:9

38 שָׁמָּה שִׁבַּר רִשְׁפֵי־קָשֶׁת Ps. 76:4

39 נוֹשְׁקֵי רוֹמֵי־קָשֶׁת Ps. 78:9

40 לֹא־יַבְרִיחֶנּוּ בֶן־קָשֶׁת Job 41:20

קֶשֶׁת־ 41 קֶשֶׁת גִּבֹּרִים חַתִּים ISh. 2:4
42 קֶשֶׁת יְהוֹנָתָן לֹא נָשׂוֹג אָחוֹר IISh. 1:22
43 וְנִחַת קֶשֶׁת־נְחוּשָׁה זְרֹעֹתָי IISh. 22:35
44 הִנְנִי שֹׁבֵר אֶת־קֶשֶׁת עֵילָם Jer. 49:35
45 וְשָׁבַרְתִּי אֶת־קֶשֶׁת יִשְׂרָאֵל Hosh. 1:5
46 וְנִכְרְתָה קֶשֶׁת מִלְחָמָה Zech. 9:10
47 מִמֶּנּוּ יָתֵד מִמֶּנּוּ קֶשֶׁת מִלְחָמָה Zech. 10:4
48 וְנִחֲתָה קֶשֶׁת־נְחוּשָׁה זְרוֹעֹתָי Ps. 18:35
49 תַּחְלְפֵהוּ קֶשֶׁת נְחוּשָׁה Job 20:24
כְּקֶשֶׁת־ 50 יָשׁוּבוּ לֹא עָל הָיוּ כְּקֶשֶׁת רְמִיָּה Hosh. 7:16
51 נֶהְפְּכוּ כְּקֶשֶׁת רְמִיָּה Ps. 78:57
קַשְׁתִּי 52 אֶת־קַשְׁתִּי נָתַתִּי בֶּעָנָן Gen. 9:13
וְקַשְׁתִּי 53 וְקַשְׁתִּי בְּיָדִי תַחֲלִיף Job 29:20
בְּקַשְׁתִּי 54 כִּי לֹא בְקַשְׁתִּי אֶבְטָח Ps. 44:7
וּבְקַשְׁתִּי 55 אֲשֶׁר לָקַחְתִּי...בְּחַרְבִּי וּבְקַשְׁתִּי Gen. 48:22

קַשְׁתְּךָ 56 וְהִכֵּיתִי קַשְׁתְּךָ מִיַּד שְׂמֹאולֶךָ Ezek. 39:3
קַשְׁתֶּךָ 57 עֶרְיָה תֵעוֹר קַשְׁתֶּךָ Hab. 3:9
וְקַשְׁתֶּךָ 58 שָׂא־נָא כֵלֶיךָ תֶּלְיְךָ וְקַשְׁתֶּךָ Gen. 27:3
בְּקַשְׁתֶּךָ 59 לֹא בְחַרְבְּךָ וְלֹא בְקַשְׁתֶּךָ Josh. 24:12
וּבְקַשְׁתְּךָ 60 הַאֲשֶׁר שָׁבִיתָ בְּחַרְבְּךָ וּבְקַשְׁתְּךָ IIK. 6:22
קַשְׁתּוֹ 61 וַתֵּשֶׁב בְּאֵיתָן קַשְׁתּוֹ Gen. 49:24
62 וְעַד־קַשְׁתּוֹ וְעַד־חֲגֹרוֹ ISh. 18:4
63 יִתֵּן...כְּקַשׁ נִדָּף קַשְׁתּוֹ Is. 41:2
64 אֶל־יִדְרֹךְ...הַדֹּרֵךְ קַשְׁתּוֹ Jer. 51:3
65 קַשְׁתּוֹ דָרַךְ וַיְכוֹנְנֶהָ Ps. 7:13
66 דָּרַךְ קַשְׁתּוֹ כְּאוֹיֵב Lam. 2:4
67 דָּרַךְ קַשְׁתּוֹ וַיַּצִּיבֵנִי כַּמַּטָּרָא לַחֵץ Lam. 3:12
קַשְׁתָּם 68 וַיַּדְרְכוּ אֶת־לְשׁוֹנָם קַשְׁתָּם שֶׁקֶר Jer. 9:2
69 חֶרֶב פָּתְחוּ...וְדָרְכוּ קַשְׁתָּם Ps. 37:14
וּקְשָׁתוֹת 70 מָגִנִּים...וְשִׁרְיֹנוֹת וּקְשָׁתוֹת IICh. 26:14

71 וּקְשָׁתוֹת נְעָרִים תְּרַטַּשְׁנָה Is. 13:18
וְהַקְּשָׁתוֹת 72 הַמָּגִנִּים וְהַקְּשָׁתוֹת וְהַשִּׁרְיֹנִים Neh. 4:10
קַשְׁתֹתָיו 73 וְכָל־קַשְּׁתֹתָיו דְּרֻכוֹת Is. 5:28
קַשְּׁתוֹתָם 74 וְנִלְכְּדוּ גִּבּוֹרֶיהָ חִתְּתָה קַשְּׁתוֹתָם Jer. 51:56
וְקַשְּׁתוֹתָם 75 וְקַשְּׁתוֹתָם תִּשָּׁבַרְנָה Ps. 37:15
וְקַשְּׁתוֹתֵיהֶם 76 חַרְבֹתֵיהֶם רָמְחֵיהֶם וְקַשְּׁתֹתֵיהֶם Neh. 4:7

קַשָּׁת ז׳ יורה חִצים

קַשָּׁת 1 וַיֵּשֶׁב בַּמִּדְבָּר וַיְהִי רֹבֶה קַשָּׁת Gen. 21:20

קַתְרוֹס ז׳ ארמית: כְּלִי־נגינה בעל מיתרים: 1-4

קרובים: מַשְׁרוֹקִיתָא / סוּמְפּוֹנְיָה / פְּסַנְתֵּרִין / קַרְנָא / שַׂבְּכָא (סַבְּכָא)

קַתְרוֹס 1-4 קָל קַרְנָא...קַתְרוֹס (ס׳ קיתרס) Dan.3:5, 7, 10, 15

ר׳ זעירא

יַעְרֵי IISh. 21:19

ר׳ רבתי

אַחֵר Ex. 34:14

כתיב ד׳ – קרי ר׳

אעבוד	אֶעֱבוֹר	Jer. 2:21
וחבוד	וְחַכּוּר	Ez. 8:14

ר

רישי״ן בתורה 18109

כתיב ר׳ – קרי ד׳

עמיחור	עַמִּיהוּד	IISh. 13:37
וארומים	וַאֲדוֹמִים	IIK. 16:6
השרמות	הַשְּׁדֵמוֹת	Jer. 31:39
גרל־חמה	גְּדָל־חֵמָה	Prov. 19:19

ראה : רָאָה, נִרְאָה, רָאָה, הִתְרָאָה, הֶרְאָה, הָרְאָה; רוֹאֶה, רָאֶה, רַאֲוָה, מַרְאֶה, מַרְאָה, רְאוּת, רֹאִי, רֳאִי; ש״פ רוֹאֶה, רְאָיָה, רְאוּבֵן, יִרְאוֹן, יִרְאִיָּה

רָאָה¹ פָּ׳ א) קלט בעיניו, הִבִּיט (וּבהשאלה) השגיח, שׂם לב, נתן דעתו: רוב המקראות 1-1126

ב) הכיר לטוב, בּחר: 117, 128, 129, 135, 142, 312, 376, 691, 726, 1007, 1091

ג) [פָּעוּל: רָאוּי] נבחר: 529

ד) [רְאֵה, רְאִי, רְאוּ] מלת־פתיחה בּמשמע: שׂים לב, הִנֵּה: 985, 986, 988, 990-1006, 1009, 1011, 1014, 1027, 1028, 1030, 1031, 1033-1035, 1069, 1079-1083, 1085, 1088, 1094, 1095, 1098

ה) [נִפ׳ נִרְאָה] גלה לעין, נִתַּן לראותו: 1129, 1132, 1144, 1150, 1151, 1153, 1155, 1156, 1161-1171, 1173, 1183, 1186, 1187, 1190, 1202-1205, 1211, 1212, 1214-1216, 1219-1226

ו) [כנ״ל] התגלה, הופיע, הֶראה את עצמו: 1127, 1128, 1130, 1131, 1133-1143, 1146, 1148, 1149, 1152, 1157-1160, 1174-1178, 1181, 1182, 1184, 1185, 1188, 1189, 1192-1199, 1206-1208, 1210, 1213, 1217, 1218, 1227

ז) [פֻּ׳ רֻאָה] נִכּר(?): 1228

ח) [הת׳ הִתְרָאוּ] ראו זה את זה: 1229-1233

ט) [הִפ׳ הֶרְאָה] נָתן לראות, גִלה: 1234-1295

י) [הָפ׳ הָרְאָה] נִתן לו לראות: 1296, 1297, 1299

יא) [כנ״ל] הוּבא כדי שיראוּהוּ: 1298

קרובים: הִבִּיט (נבט) / הֵצִיץ (ציץ) / הִשְׁגִּיחַ (שגח) / הִשְׁקִיף (שקף) / הִתְבּוֹנֵן (בין) / חָזָה / צָפָה / שָׁזַף / שָׁר (שור)

– **רָאָה אוֹר** 403, 420, 423, 550, 876, 915; **רָ׳ אוֹר** 132; **רָ׳ אַחֲרִית** 657; **רָ׳ בָּנִים** 690, 719, 1059; **רָ׳ הוֹלֵלוֹת** 80; **רָ׳ זָרוֹת** 919; **רָ׳ זֶרַע** 655; **רָאָה חַיִּים** 1032; **רָ׳ חָכְמָה** 80; **רָ׳ חֶרֶב** 874, 892; **רָ׳ טוֹב** 70, 76, 317; **רָ׳ טוֹבָה** 86, 283, 421; **רָ׳ יָגוֹן** 62; **רָ׳ מָוֶת** 671; **רָ׳ מִלְחָמָה** 11, 111, 875; **רָ׳ מְנוּחָה** 718; **רָ׳ נְקָמָה** 236, 540, 541; **רָ׳ עָמָל** 62, 211, 258; **רָ׳ עֳנִי** (1), 123, 228, 254, 255, 267, 278, 635, 724, 1015, 1016, 1019, 1023, 1062; **רָ׳ עִנְיָן** 87; **רָ׳ פָּנִים** 7-9, 16, 37, 38, 43, 55, 95, 98, 120, 121, 237, 261, 262, 429, 449, 506, 508, 509, 531, 537, 601, 615, 648, 684, 715, 884, 885; **רָאָה קוֹלוֹת** 492; **רָ׳ קֵץ** 139; **רָ׳ רָע** 92; **רָ׳ רָעָב** 874; **רָ׳ רָעָה** 140, 276, 277, 353, 366, 499; **רָ׳ שָׁוְא** 94; **רָאָה שַׁחַת** 68, 668

– **רָאָה בְּטוֹב** 69, 661, 1058, 1067; **רָ׳ בְּטוֹבָה** 74; **רָ׳ בֶּעָבִים** 482; **רָ׳ בְּעֳנִי־** 2, 253, 614; **רָ׳ בְּרָע** 90, 532, 935; **רָאָה בְּרָעָה** 213, 533, 972, 981

– **רָאָה (אֶת־)** רוב המקראות 1-1124; **רָאָה בְּ־** 2, 34, 69, 74, 77, 81, 90, 213, 214, 253, 269, 393, 436, 482, 487, 530, 532, 533, 542, 545, 591, 614, 624, 632, 642, 661, 673, 677, 693, 720, 838, 913, 920, 972, 979, 981, 1058, 1067, 1097, 1126; **רָאָה לְ־** 136, 647

– **נִרְאָה אֶת־ פְּנֵי־** 1133-1135, 1163, 1177, 1182, 1183, 1185, 1186

– **הִתְרָאוּ פָּנִים** 1229, 1230, 1232, 1233

רָאֹה	1	רָאֹה רָאִיתִי אֶת־עֳנִי עַמִּי	Ex. 3:7
	2	אִם־רָאֹה תִרְאֶה בָּעֳנִי אֲמָתֶךָ	ISh. 1:11
רָאוֹ	3	רָאוֹ רָאִינוּ כִּי־הָיָה יְיָ עִמָּךְ	Gen. 26:28
	4	וּרְאוּ רָאוֹ וְאַל־תֵּדָעוּ	Is. 6:9
וְרָאֹה	5	שַׁבְתִּי וְרָאֹה תַחַת־הַשֶּׁמֶשׁ	Eccl. 9:11
רָאוֹת	6	רָאוֹת (כת׳ ראית) רַבּוֹת וְלֹא תִשְׁמֹר	Is. 42:20
רְאֹה	7	רְאֹה פָנֶיךָ לֹא פִלָּלְתִּי	Gen. 48:11
רְאוֹת	8	אַל־תֹּסֶף רְאוֹת פָּנַי	Ex. 10:28
	9	לֹא־אֹסִף עוֹד רְאוֹת פָּנֶיךָ	Ex. 10:29
	10	אוֹ בְכָל־אֶבֶן...בְּלֹא רְאוֹת	Num. 35:23
	11	לְמַעַן רְאוֹת הַמִּלְחָמָה יָרָדְתָּ	ISh. 17:28
בִּרְאוֹת	12	בִּרְאוֹת דָּוִיד כִּי־עָנָהוּ יְיָ	ICh. 21:28
	13	הַמֵּבִין בִּרְאֹת הָאֱלֹהִים	IICh. 26:5
וּבִרְאוֹת	14	וּבִרְאוֹת יְיָ כִּי נִכְנָעוּ	IICh. 12:7
כִּרְאוֹת	15	וַיְהִי כִּרְאֹת אֶת־הַנֶּזֶם	Gen. 24:30
	16	רָאִיתִי פָנֶיךָ כִּרְאֹת פְּנֵי אֱלֹהִים	Gen. 33:10
	17	וַיְהִי כִּרְאוֹת מֶלֶךְ־הָעַי	Josh. 8:14
	18	וַיְהִי כִּרְאוֹת זִמְרִי	IK. 16:18
	19	וַיְהִי כִּרְאוֹת אַחְאָב אֶת־אֵלִיָּהוּ	IK. 18:17
	20/1	וַיְהִי כִּרְאוֹת שָׂרֵי הָרֶכֶב	IK. 22:32, 33
	22	וַיְהִי כִּרְאוֹת אִישׁ־הָאֱלֹהִים אֹתָהּ	IIK. 4:25
	23	וַיְהִי כִּרְאוֹת יְהוֹרָם אֶת־יֵהוּא	IIK. 9:22
	24	וַיְהִי כִּרְאוֹת כָּל־הָעָם	Jer. 41:13
	25	אִם־כִּרְאוֹת אֱנוֹשׁ תִּרְאֶה	Job 10:4
	26	וַיְהִי כִּרְאוֹת הַמֶּלֶךְ אֶת־אֶסְתֵּר	Es. 5:2
	27/8	וַיְהִי כִּרְאוֹת שָׂרֵי הָרֶכֶב	IICh. 18:31, 32
וְכִרְאוֹת	29	וְכִרְאוֹת שָׁאוּל אֶת־דָּוִד	ISh. 17:55
	30	וְכִרְאוֹת הָמָן אֶת־מָרְדֳּכַי	Es. 5:9
לִרְאוֹת	31	וַיָּבֵא...לִרְאוֹת מַה־יִּקְרָא־לוֹ	Gen. 2:19
	32	וַיְשַׁלַּח...לִרְאוֹת הֲקַלּוּ הַמַּיִם	Gen. 8:8
	33	וַיֵּרֶד יְיָ לִרְאֹת אֶת־הָעִיר	Gen. 11:5
	34	וַתֵּצֵא...לִרְאוֹת בִּבְנוֹת הָאָרֶץ	Gen. 34:1
	35	לִרְאוֹת אֶת־עֶרְוַת הָאָרֶץ בָּאתֶם	Gen. 42:9
	36	עֶרְוַת הָאָרֶץ בָּאתֶם לִרְאוֹת	Gen. 42:12
	37	לֹא תֹסִפוּן לִרְאוֹת פָּנָי	Gen. 44:23
	38	לֹא נוּכַל לִרְאוֹת פְּנֵי הָאִישׁ	Gen. 44:26
	39	וְעֵינֵי יִשְׂ׳ כָּבְדוּ...לֹא יוּכַל לִרְאוֹת	Gen. 48:10
	40	וַיַּרְא יְיָ כִּי סָר לִרְאוֹת	Ex. 3:4
	41	וְלֹא יוּכַל לִרְאֹת אֶת־הָאָרֶץ	Ex. 10:5
	42	פֶּן־יֶהֶרְסוּ אֶל־יְיָ לִרְאוֹת	Ex. 19:21
	43	לֹא תוּכַל לִרְאֹת אֶת־פָּנָי	Ex. 33:20
	44	בְּטֶרֶם יָבֹא הַכֹּ׳ לִרְאוֹת אֶת־הַנֶּגַע	Lev. 14:36
	45	יָבֹא הַכֹּהֵן לִרְאוֹת אֶת־הַבָּיִת	Lev. 14:36
	46	וְלֹא־יָבֹאוּ לִרְאוֹת...וָמֵתוּ	Num. 4:20
	47	בְּשָׁלְחִי...לִרְאוֹת אֶת־הָאָרֶץ	Num. 32:8
	48	לֵב לָדַעַת וְעֵינַיִם לִרְאוֹת	Deut. 29:3
	49	וַיָּסַר לִרְאוֹת אֵת מַפֶּלֶת הָאַרְיֵה	Jud. 14:8
	50	וְעֵינָיו...כֵהוֹת לֹא יוּכַל לִרְאוֹת	ISh. 3:2
	51	וְעֵינָיו קָמָה וְלֹא יָכוֹל לִרְאוֹת	ISh. 4:15
	52	וַיִּרְאוּ אֶת־הָאָרוֹן וַיִּשְׂמְחוּ לִרְאוֹת	ISh. 6:13
לִרְאוֹת (המשך)	53	וְלֹא־יָסַף...לִרְאוֹת אֶת־שָׁאוּל	ISh. 15:35
	54	וַיִּשְׁלַח...לִרְאוֹת אֶת־דָּוִד	ISh. 19:15
	55	בְּבוֹאֲךָ לִרְאוֹת אֶת־פָּנָי	IISh. 3:13
	56	וַיֵּצֵא...לִרְאוֹת אֶת־הֶעָרִים	IK. 9:12
	57	וַאֲחִיָּהוּ לֹא־יָכֹל לִרְאוֹת	IK. 14:4
	58/9	יָרַד לִרְאוֹת אֶת־יוֹרָם	IIK. 8:29; 9:16
	60	וְהַעִוְרִים הַבִּיטוּ לִרְאוֹת	Is. 42:18
	61	וַיֹּאמֶר יְיָ אֵלַי הֵיטַבְתָּ לִרְאוֹת	Jer. 1:12
	62	לִרְאוֹת עָמָל וְיָגוֹן	Jer. 20:18
	63	עֵינַיִם לָהֶם לִרְאוֹת וְלֹא רָאוּ	Ezek. 12:2
	64	וַאֲצַפֶּה לִרְאוֹת מַה־יְדַבֶּר־בִּי	Hab. 2:1
	65	לָמֹד...לִרְאוֹת כַּמָּה־רָחְבָּהּ	Zech. 2:6
	66/7	לִרְאוֹת הֲיֵשׁ מַשְׂכִּיל	Ps. 14:2; 53:3
	68	לֹא־תִתֵּן...לִרְאוֹת שָׁחַת	Ps. 16:10
	69	לִרְאוֹת בְּטוּב־יְיָ	Ps. 27:13
	70	אֹהֵב יָמִים לִרְאוֹת טוֹב	Ps. 34:13
	71	וְלֹא־יָכֹלְתִּי לִרְאוֹת	Ps. 40:13
	72	וְאִם־בָּא לִרְאוֹת שָׁוְא יְדַבֵּר	Ps. 41:7
	73	לִרְאוֹת עֻזְּךָ וּכְבוֹדֶךָ	Ps. 63:3
	74	לִרְאוֹת בְּטוֹבַת בְּחִירֶיךָ	Ps. 106:5
	75	הַמַּשְׁפִּילִי לִרְאוֹת בַּשָּׁמַיִם	Ps. 113:6
	76	לֹא־תָשׁוּב עֵינִי לִרְאוֹת טוֹב	Job 7:7
	77	יָרַדְתִּי לִרְאוֹת בְּאִבֵּי הַנָּחַל	S.ofS. 6:11
	78	לִרְאוֹת הֲפָרְחָה הַגֶּפֶן	S.ofS. 6:11
	79	לֹא־תִשְׂבַּע עַיִן לִרְאוֹת	Eccl. 1:8
	80	לִרְאוֹת חָכְמָה וְהוֹלֵלוֹת	Eccl. 2:12
	81	לִרְאוֹת בְּמֶה שֶׁיִּהְיֶה אַחֲרָיו	Eccl. 3:22
	82	וְטוֹב לַעֵינַיִם לִרְאוֹת אֶת־הַשָּׁמֶשׁ	Eccl. 11:7
	83	לִרְאוֹת הֲיַעַמְדוּ דִּבְרֵי מָרְדֳּכַי	Es. 3:4
	84	יָרַד לִרְאוֹת אֶת־יְהוֹרָם	IICh. 22:6
וְלִרְאוֹת	85	וְלִרְאוֹת שְׁהֶם־בְּהֵמָה הֵמָּה לָהֶם	Eccl. 3:18
	86	וְלִרְאוֹת טוֹבָה בְּכָל־עֲמָלוֹ	Eccl. 5:17
	87	לָדַעַת חָכְמָה וְלִרְאוֹת אֶת־הָעִנְיָן	Eccl. 8:16
מֵרְאוֹת	88	וַתִּכְהֶיןָ עֵינָיו מֵרְאֹת	Gen. 27:1
	89	נַעֲוֵיתִי מִשְּׁמֹעַ נִבְהַלְתִּי מֵרְאוֹת	Is. 21:3
	90	וְעֹצֵם עֵינָיו מֵרְאוֹת בְּרָע	Is. 33:15
	91	כִּי טַח מֵרְאוֹת עֵינֵיהֶם	Is. 44:18
	92	טְהוֹר עֵינַיִם מֵרְאוֹת רָע	Hab. 1:13
	93	תֶּחְשַׁכְנָה עֵינֵיהֶם מֵרְאוֹת	Ps. 69:24
	94	הַעֲבֵר עֵינַי מֵרְאוֹת שָׁוְא	Ps. 119:37
רְאוֹתִי	95	אַחֲרֵי רְאוֹתִי אֶת־פָּנֶיךָ	Gen. 46:30
בִּרְאוֹתִי	96	וַיְהִי בִּרְאֹתִי וַאֲנִי בְּשׁוּשַׁן הַבִּירָה	Dan. 8:2
	97	וַיְהִי בִּרְאֹתִי...אֶת־הֶחָזוֹן	Dan. 8:15
רְאוֹתְךָ	98	כִּי בְּיוֹם רְאֹתְךָ פָּנַי תָּמוּת	Ex.10:28
לִרְאוֹתֶךָ	99	וְהִתְחָל וּבָא אָבִיךָ לִרְאוֹתֶךָ	IISh.13:5
בִּרְאוֹתוֹ	100	בִּרְאֹתוֹ אֶת־הַמַּלְאָךְ	IISh.24:17
	101	כִּי בִרְאוֹתוֹ יְלָדָיו...יַקְדִּישׁוּ שְׁמִי	IS.29:23
כִּרְאוֹתוֹ	102	וְהָיָה כִּרְאוֹתוֹ כִּי־אֵין הַנַּעַר וָמֵת	Gen.44:31
	103	וַיְהִי כִרְאוֹתוֹ אוֹתָהּ	Jud.11:35
	104	וַיֹּאמֶר...אֶל־אֱלִישָׁע כִּרְאֹתוֹ אוֹתָם	IIK.6:21
	105	וַיְמִיתֵהוּ בִּמְגִדּוֹ כִּרְאֹתוֹ אֹתוֹ	IIK.23:29
לִרְאוֹתוֹ	106	וַיִּתְחָל וַיָּבֹא הַמֶּלֶךְ לִרְאוֹתוֹ	IISh.13:6
כִּרְאוֹתָהּ	107	וַיְהִי כִּרְאוֹתָהּ כִּי־עָזַב בִּגְדוֹ	Gen.39:13

לִרְאֹתָהּ 108 לֹא־תֹסִיף עוֹד לִרְאֹתָהּ Deut. 28:68
לִרְאוֹתָם 109 לֹא תֹסִפוּ לִרְאֹתָם עוֹד Ex. 14:13
כִּרְאוֹתְכֶם 110 כִּרְאֹתְכֶם אֵת אֲרוֹן בְּרִית־יְיָ Josh. 3:3
בִּרְאוֹתָם 111 פֶּן־יִנָּחֵם הָעָם בִּרְאֹתָם מִלְחָמָה Ex. 13:17
112 בִּרְאוֹתָם אֶת־הָאִישׁ וַיָּנֻסוּ ISh. 17:24
113 בִּרְאֹתָם כִּי־יְיָ אֱלֹהָיו עִמּוֹ IICh. 15:9
כִּרְאוֹתָם 114 וַיְהִי כִּרְאוֹתָם אוֹתוֹ Jud. 14:11
115 וַיְהִי כִּרְאוֹתָם כִּי־רַב הַכֶּסֶף בָּאָ׳ IIK. 12:11
וְכִרְאוֹתָם 116 וְכִרְאוֹתָם כִּי־רַב הַכֶּסֶף IICh. 24:11
רָאִיתִי 117 כִּי־אֹתְךָ רָאִיתִי צַדִּיק לְפָנַי Gen. 7:1
118 הֲגַם הֲלֹם רָאִיתִי אַחֲרֵי רֹאִי Gen. 16:13
119 רָאִיתִי...כָּל־אֲשֶׁר לָבָן עֹשֶׂה Gen. 31:12
120 רָאִיתִי אֱלֹהִים פָּנִים אֶל־פָּנִים Gen. 32:31
121 כִּי עַל־כֵּן רָאִיתִי פָנֶיךָ Gen. 33:10
122 לֹא־רָאִיתִי כָהֵנָּה...לָרֹעַ Gen. 41:19
123 רָאֹה רָאִיתִי אֶת־עֳנִי עַמִּי Ex. 3:7
124 וְגַם־רָאִיתִי אֶת־הַלַּחַץ Ex. 3:9
125 רָאִיתִי אֶת־הָעָם הַזֶּה וְהִנֵּה... Ex. 32:9
126 רָאִיתִי אֶת־הָעָם הַזֶּה וְהִנֵּה... Deut. 9:13
127 כִּי־עַל־כֵּן רָאִיתִי מַלְאַךְ יְיָ Jud. 6:22
128 כִּי־רָאִיתִי בְּבָנָיו לִי מֶלֶךְ ISh. 16:1
129 רָאִיתִי בֵּן לְיִשַׁי בֵּית הַלַּחְמִי ISh. 16:18
130/1 רָאִיתִי אֶת־דִּמְעָתֶךָ IIK. 20:5 • Is. 38:5
132 הֶאָח חַמּוֹתִי רָאִיתִי אוּר Is. 44:16
133 דְּרָכָיו רָאִיתִי וְאֶרְפָּאֵהוּ Is. 57:18
134 רָאִיתִי אֶת־הָאָרֶץ וְהִנֵּה־תֹהוּ Jer. 4:23
135 כְּבִכּוּרָה...רָאִיתִי אֲבוֹתֵיכֶם Hosh. 9:10
136 רָאִיתִי לְצוֹר שְׁתוּלָה בְנָוֶה Hosh. 9:13
137 כִּי עַתָּה רָאִיתִי בְעֵינָי Zech. 9:8
138 וְלֹא־רָאִיתִי צַדִּיק נֶעֱזָב Ps. 37:25
139 לְכָל־תִּכְלָה רָאִיתִי קֵץ Ps. 119:96
140 יֵשׁ רָעָה אֲשֶׁר רָאִיתִי תַּחַת הַשָּׁמֶשׁ Eccl. 6:1
141 אֶת־הַכֹּל רָאִיתִי בִּימֵי הֶבְלִי Eccl. 7:15
142 רָאִיתִי בְשִׂמְחָה לְהִתְנַדֶּב־לָךְ ICh. 29:17
143-204 רָאִיתִי Jud. 14:2
ISh. 9:16; 13:11; 22:9; 25:25; 28:13 • IISh. 18:10, 29 • IK. 22:17, 19 • IIK. 9:26 • Jer. 4:24, 25, 26; 7:11; 13:27; 23:13, 14; 30:6; 46:5 • Ezek. 1:27; 3:23; 8:4; 10:15, 20, 22; 11:24; 16:50; 43:3[3] • Hosh. 6:10 • Am. 9:1 • Hab. 3:7 • Zech. 1:8; 4:2 • Ps. 37:35; 55:10; 66:18; 119:158 • Prov. 24:32 • Job 4:8; 5:3 • Eccl. 1:14; 2:24; 3:10, 16; 4:15; 5:12, 17; 8:9, 10; 9:13; 10:5, 7 • Dan. 8:4, 6; 9:21 • Neh. 13:15, 23 • IICh. 18:16, 18
וְרָאִיתִי 205 וְרָאִיתִי אֶת־הַדָּם וּפָסַחְתִּי עֲלֵכֶם Ex. 12:13
206 וְרָאִיתִי מָה וְהִגַּדְתִּי לָךְ ISh. 19:3
207 וְרָאִיתִי וְהִנֵּה־עֲלֵיהֶם גִּדִים Ezek. 37:8
208 וְרָאִיתִי לַבַּיִת גֹּבַהּ סָבִיב Ezek. 41:8
209 וְרָאִיתִי אָנִי שֶׁיֵּשׁ יִתְרוֹן Eccl. 2:13
210 וְרָאִיתִי כִּי אֵין טוֹב מֵאֲשֶׁר... Eccl. 3:22
211 וְרָאִיתִי אֲנִי אֶת־כָּל־עָמָל Eccl. 4:4
212 וְרָאִיתִי אֶת־כָּל־מַעֲשֵׂה הָאֱלֹהִים Eccl. 8:17
213 אֵיכָכָה אוּכַל וְרָאִיתִי בָּרָעָה Es. 8:6
214 וְאֵיכָכָה...וְרָאִיתִי בְּאָבְדַן מוֹלַדְתִּי Es. 8:6
215/6 וְרָאִיתִי אֲנִי דָנִיֵּאל Dan. 10:7; 12:5
רְאִיתִיךָ 217 וְכִחֶשׁ בּוֹ לֹא רְאִיתִיךָ Job 8:18
רְאִיתִיו 218 וְלֹא רְאִיתִיו עַד־הֵנָּה Gen. 44:28
219 הָאֹמֵר לְאָבִיו וּלְאִמּוֹ לֹא רְאִיתִיו Deut. 33:9
וּרְאִיתִיו 220 וּרְאִיתִיו מַגִּיעַ אֵצֶל הָאַיִל Dan. 8:7
וּרְאִיתִיהָ 221 וּרְאִיתִיהָ לִזְכֹּר בְּרִית עוֹלָם Gen. 9:16
רָאִיתָ 222 מָה רָאִיתָ כִּי עָשִׂיתָ Gen. 20:10
223 וּבַמִּדְבָּר אֲשֶׁר רָאִיתָ Deut. 1:31

רָאִיתָ (המשך) 224 רָאִיתָ וַתִּשְׂמָח ISh. 19:5
225 וְהִנֵּה רָאִיתָ וּמַדּוּעַ לֹא־הִכִּיתוֹ שָׁם IISh. 18:11
226 לָמָּה צַּמְנוּ וְלֹא רָאִיתָ Is. 58:3
227 הֲלוֹא רָאִיתָ מָה־הָעָם הַזֶּה דִּבְּרוּ Jer. 33:24
228 אֲשֶׁר רָאִיתָ אֶת־עָנְיִי Ps. 31:8
229 אִם־רָאִיתָ גַנָּב וַתִּרֶץ עִמּוֹ Ps. 50:18
230 רָאִיתָ אִישׁ חָכָם בְּעֵינָיו Prov. 26:12
231 הָאַיִל אֲשֶׁר־רָאִיתָ Dan. 8:20
רָאִיתָה 232 הַגֵּד לַמֶּלֶךְ אֲשֶׁר רָאִיתָה IISh. 18:21
233 רָאִתָה כִּי־אַתָּה עָמָל וָכַעַס תַּבִּיט Ps. 10:14
234 רָאִיתָה יְיָ אַל־תֶּחֱרַשׁ Ps. 35:22
235 רָאִיתָה יְיָ עַוָּתָתִי Lam. 3:59
236 רָאִיתָה כָּל־נִקְמָתָם Lam. 3:60
וְרָאִיתָ 237 וְרָאִיתָ אֶת־אֲחֹרָי וּפָנַי לֹא יֵרָאוּ Ex. 33:23
238 וְרָאִיתָ אֶת־הַשֶּׁמֶשׁ וְאֶת־הַיָּרֵחַ Deut. 4:19
239 וְרָאִיתָ סוּס וָרֶכֶב עַם רַב מִמְּךָ Deut. 20:1
240 וְרָאִיתָ בַּשִּׁבְיָה אֵשֶׁת יְפַת־תֹּאַר Deut. 21:11
241 כְּבֹאֲךָ בָבֶל וְרָאִיתָ וְקָרָאתָ Jer. 51:61
וְרָאִיתָה 242 וְרָאִיתָה אֹתָהּ וְנֶאֱסַפְתָּ אֶל־עַמֶּיךָ Num. 27:13
הֲרָאִיתָ 243 הֲרָאִיתָ אֵת כָּל־הֶהָמוֹן IK. 20:13
244 הֲרָאִיתָ כִּי־נִכְנַע אַחְאָב מִלְּפָנָי IK. 21:29
245 הֲרָאִיתָ אֲשֶׁר עָשְׂתָה מְשֻׁבָה יִשְׂרָאֵל Jer. 3:6
246-249 הֲרָאִיתָ בֶן־אָדָם Ezek. 8:12, 15, 17; 47:6
וּרְאִיתַנִי 250 וּרְאִיתַנִי כְּתוֹר הָאָדָם הַמַּעֲלָה ICh. 17:17
רָאִית 251 אַל־תִּירְאִי כִּי מָה רָאִית ISh. 28:13
רָאָה 252 וַיְהִי כַּאֲשֶׁר רָאָה יַעֲקֹב אֶת־רָחֵל Gen. 29:10
253 כִּי־רָאָה יְיָ בְּעָנְיִי Gen. 29:32
254 אֶת־עָנְיִי...רָאָה אֱלֹהִים Gen. 31:42
255 כִּי־פָקַד...וְכִי רָאָה אֶת־עָנְיָם Ex. 4:31
256 וְהוּא עֵד אוֹ רָאָה אוֹ יָדָע Lev. 5:1
257 וְאִם רָאָה הַכֹּהֵן וְהִנֵּה כֵּהָה Lev. 13:56
258 וְלֹא־רָאָה עָמָל בְּיִשְׂרָאֵל Num. 23:21
259 כִּי רָאָה כִּי־נָגְעָה אֵלָיו הָרָעָה Jud. 20:41
260 וּשְׁמוּאֵל רָאָה אֶת־שָׁאוּל ISh. 9:17
261/2 וּפְנֵי הַמֶּלֶךְ לֹא רָאָה IISh. 14:24, 28
263 רָאָה כִּי לֹא נֶעֶשְׂתָה עֲצָתוֹ IISh. 17:23
264 כַּאֲשֶׁר רָ׳ כָּל־הַבָּא עָלָיו וְעָמָד IISh. 20:12
265 וַאֲחַזְיָה...רָאָה וַיָּנָס IIK. 9:27
266 כִּי רָאָה אֶת־לַחַץ יִשְׂרָאֵל IIK. 13:4
267 כִּי־רָאָה יְיָ אֶת־עֳנִי יִשְׂרָאֵל IIK. 14:26
268 מִי־שָׁמַע כָּזֹאת מִי רָאָה כָּאֵלֶּה Is. 66:8
269 שָׁאַל בַּתְּרָפִים רָאָה בַּכָּבֵד Ezek. 21:26
270 רָאָה וַיַּתֵּר גּוֹיִם Hab. 3:6
271 אֲשֶׁר רָאָה אֶת־הַבַּיִת הַזֶּה Hag. 2:3
272 הִסְתִּיר פָּנָיו בַּל־רָאָה לָנֶצַח Ps. 10:11
273 רָאָה אֶת־כָּל־בְּנֵי הָאָדָם Ps. 33:13
274 כִּי־רָאָה כִּי־יָבֹא יוֹמוֹ Ps. 37:13
275 הַיָּם רָאָה וַיָּנֹס Ps. 114:3
276 עָרוּם רָאָה רָעָה וְנִסְתָּר Prov. 22:3
277 עָרוּם רָאָה רָעָה נִסְתָּר Prov. 27:12
278 אֲנִי הַגֶּבֶר רָאָה עֳנִי בְּשֵׁבֶט עֶבְרָתוֹ Lam. 3:1
279 לְעַוֵּת אָדָם בְּרִיבוֹ אֲדֹנָי לֹא רָאָה Lam. 3:36
280 וְלִבִּי רָאָה הַרְבֵּה חָכְמָה וָדָעַת Eccl. 1:16
281 אֲשֶׁר לֹא־רָאָה אֶת־הַמַּעֲשֶׂה הָרָע Eccl. 4:3
282 גַּם־שֶׁמֶשׁ לֹא־רָאָה וְלֹא יָדָע Eccl. 6:5
283 וְאִלּוּ חָיָה...וְטוֹבָה לֹא רָאָה Eccl. 6:6
284 כִּי רָאָה כִּי־כָלְתָה אֵלָיו הָרָעָה Es. 7:7
285 וּכְהַשְׁחִית רָאָה יְיָ וַיִּנָּחֶם עַל־הָרָעָה ICh. 21:15
וְרָאָה 286 וְרָאָה אֶת־הַדָּם עַל־הַמַּשְׁקוֹף Ex. 12:23
287 וְרָאָה כָל־הָעָם אֶת־עַמּוּד הֶעָנָן Ex. 33:10
288 וְרָאָה כָל־הָעָם...אֶת־מַעֲשֵׂה יְיָ Ex. 34:10
289-292 וְרָאָה הַכֹּהֵן אֶת־הַנֶּגַע Lev. 13:3, 10, 32, 50

וְרָאָה (המשך) 293 וְרָאָה הַכֹּהֵן אֹתוֹ בַּיּוֹם הַשְּׁבִיעִי Lev. 13:6
294-304 וְרָאָה(...)הַכֹּהֵן Lev. 13:8, 10
13:13, 15, 20, 25, 34, 39, 43, 55; 14:3
305 וְרָאָה אֶת־הַנֶּגַע בַּיּוֹם הַשְּׁבִיעִי Lev. 13:51
306 וְרָאָה אֶת־הַנֶּגַע Lev. 14:37
307/8 וְרָאָה וְהִנֵּה פָּשָׂה הַנֶּגַע Lev. 14:39, 44
309 וְרָאָה וְהִנֵּה לֹא־פָשָׂה הַנֶּגַע Lev. 14:48
310 וְרָאָה אֶת־עֶרְוָתָהּ Lev. 20:17
311 וְהָיָה כָּל־הַנָּשׁוּךְ וְרָאָה אֹתוֹ וָחָי Num. 21:8
312 וְרָאָה שָׁאוּל כָּל־אִישׁ גִּבּוֹר ISh. 14:52
313 וְרָאָה רֶכֶב צֶמֶד פָּרָשִׁים Is. 21:7
314 לֹא יָשׁוּב עוֹד וְרָאָה אֶת־אֶרֶץ מוֹלַדְתּוֹ Jer. 22:10
315 וְרָאָה אֶת־הַחֶרֶב בָּאָה Ezek. 33:3
316 וְרָאָה עֶצֶם אָדָם Ezek. 39:15
317 וְרָאָה טוֹב בְּכָל־עֲמָלוֹ Eccl. 3:13
וְרָאֲךָ 318 וְרָאֲךָ וְשָׂמַח בְּלִבּוֹ Ex. 4:14
רָאָהוּ 319 וּדְעוּ וּרְאוּ...מִי רָאָהוּ שָׁם ISh. 23:22
320 וְלֹא רָאָהוּ עוֹד IIK. 2:12
וְרָאָהוּ 321 וְרָאָהוּ הַכֹּהֵן וְטִמֵּא אֹתוֹ Lev. 13:3
322/3 וְרָאָהוּ הַכֹּהֵן בַּיּוֹם הַשְּׁבִיעִי Lev. 13:5, 27
324 וְרָאָהוּ הַכֹּהֵן וְהִנֵּה נֶהְפַּךְ הַנֶּגַע Lev. 13:17
325 וְרָאָהוּ הַכֹּהֵן וְהִנֵּה פָּשָׂה הַנֶּתֶק Lev. 13:36
רָאָהּ 326 אָז רָאָהּ וַיְסַפְּרָהּ Job 28:27
רָאָם 327 וַיֹּאמֶר יַעֲקֹב כַּאֲשֶׁר רָאָם Gen. 32:2
328 וַיְהִי כַּאֲשֶׁר רָאָם צִדְקִיָּהוּ Jer. 39:4
רָאֲתָה 329 כִּי רָאֲתָה כִּי־גָדַל שֵׁלָה Gen. 38:14
330 וַעֲתַלְיָה...רָאֲתָה (כת׳ וראתה) כִּי מֵת בְּנָהּ IIK. 11:1
331 הֶאָח הֶאָח רָאֲתָה עֵינֵנוּ Ps. 35:21
332 וּבְאֹיְבַי רָאֲתָה עֵינִי Ps. 54:9
333 רָאֲתָה וַתָּחֵל הָאָרֶץ Ps. 97:4
334 הֶן־כֹּל רָאֲתָה עֵינִי Job 13:1
335 וְכָל־יְקָר רָאֲתָה עֵינוֹ Job 28:10
336 וְעַיִן רָאֲתָה וַתְּעִידֵנִי Job 29:11
337 כִּי־רָאֲתָה גוֹיִם בָּאוּ מִקְדָּשָׁהּ Lam. 1:10
338 וַעֲתַלְיָהוּ...רָאֲתָה כִּי־מֵת בְּנָהּ IICh. 22:10
רָאָתָה 339 לֹא־שָׁמְעוּ...עַיִן לֹא־רָאָתָה Is. 64:3
רָאָתְךָ 340 וְעַתָּה עֵינִי רָאָתְךָ Job 42:5
רָאִינוּ 341 רָאוֹ רָאִינוּ כִּי־הָיָה יְיָ עִמָּךְ Gen. 26:28
342 אֲשֶׁר רָאִינוּ צָרַת נַפְשׁוֹ Gen. 42:21
343 וְגַם־יְלִדֵי הָעֲנָק רָאִינוּ שָׁם Num. 13:28
344 וְכָל־הָעָם אֲשֶׁר־רָאִינוּ Num. 13:32
345 וְשָׁם רָאִינוּ אֶת־הַנְּפִילִים Num. 13:33
346 וְגַם־בְּנֵי עֲנָקִים רָאִינוּ שָׁם Deut. 1:28
347 הַיּוֹם הַזֶּה רָאִינוּ Deut. 5:21
348 מוֹת נָמוּת כִּי אֱלֹהִים רָאִינוּ Jud. 13:22
349 רָאִינוּ אֶת־הָאָרֶץ וְהִנֵּה טוֹבָה Jud. 18:9
350 וַנִּהְיֶה טוֹבִים וְרָעָה לֹא רָאִינוּ Jer. 44:17
351 כַּאֲשֶׁר שָׁמַעְנוּ כֵּן רָאִינוּ Ps. 48:9
352 אֹתוֹתֵינוּ לֹא־רָאִינוּ Ps. 74:9
353 שְׁנוֹת רָאִינוּ רָעָה Ps. 90:15
354 זֶה הַיּוֹם...מָצָאנוּ רָאִינוּ Lam. 2:16
רְאִיתֶם 355 וְהִגַּדְתֶּם...וְאֵת כָּל־אֲשֶׁר רְאִיתֶם Gen. 45:13
356 אֲשֶׁר רְאִיתֶם אֶת־מִצְרַיִם הַיּוֹם Ex. 14:13
357 אַתֶּם רְאִיתֶם אֲשֶׁר עָשִׂיתִי Ex. 19:4
358 אַתֶּם רְאִיתֶם כִּי מִן־הַשָּׁמַיִם דִּבַּרְתִּי Ex. 20:19
359 אֵת כָּל־הַמִּדְבָּר...אֲשֶׁר רְאִיתֶם Deut. 1:19
360 כִּי לֹא רְאִיתֶם כָּל־תְּמוּנָה Deut. 4:15
361 אַתֶּם רְאִיתֶם אֵת כָּל־אֲשֶׁר עָשָׂה Deut. 29:1
362 וְאַתֶּם רְאִיתֶם אֵת כָּל־אֲשֶׁר עָשָׂה Josh. 23:3
363 מָה רְאִיתֶם עָשִׂיתִי מַהֲרוּ עֲשׂוּ Jud. 9:48

רְאִיתֶם (המשך)	364	בְּקִיעֵי עִיר־דָּוִד רְאִיתֶם כִּי־רָבּוּ	Is. 22:9
	365	וְיֹצְרָהּ מֵרָחוֹק לֹא רְאִיתֶם	Is. 22:11
	366	אַתֶּם רְאִיתֶם אֵת כָּל־הָרָעָה	Jer. 44:2
	367	אֵת שֶׁאָהֲבָה נַפְשִׁי רְאִיתֶם	S.ofS. 3:3
וּרְאִיתֶם	368	וּבֹקֶר וּרְאִיתֶם אֶת־כְּבוֹד יְיָ	Ex. 16:7
	369	וּרְאִיתֶם אֶת־הָאָרֶץ מַה־הִוא	Num. 13:18
	370	וּרְאִיתֶם אֹתוֹ וּזְכַרְתֶּם	Num. 15:39
	371	וּרְאִיתֶם...אִם־יֵצְאוּ בְנוֹת־שִׁילוֹ	Jud. 21:21
	372	וּרְאִיתֶם אִם־דֶּרֶךְ גְּבוּלוֹ יַעֲלֶה	ISh. 6:9
	373	וּרְאִיתֶם הַטּוֹב וְהַיָּשָׁר	IIK. 10:3
	374	וּרְאִיתֶם וְשָׂשׂ לִבְּכֶם	Is. 66:14
	375	וּרְאִיתֶם אֶת־דַּרְכָּם וְאֶת־עֲלִילוֹתָם	Ezek.14:22
	376	וְשַׁבְתֶּם וּרְאִיתֶם בֵּין צַדִּיק לְרָשָׁע	Mal. 3:18
הַרְאִיתֶם	377	הַרְאִיתֶם אֲשֶׁר בָּחַר־בּוֹ יְיָ	ISh. 10:24
	378	הַרְאִיתֶם הָאִישׁ הָעֹלֶה הַזֶּה	ISh. 17:25
	379	הַרְאִיתֶם כִּי־שָׁלַח...לְהָסִיר אֶת־רֹאשִׁי	IIK. 6:32
וּרְאִיתֶן	380	בְּיַלֶּדְכֶן...וּרְאִיתֶן עַל־הָאָבְנָיִם	Ex. 1:16
רָאוּ	381	וְעֶרְוַת אֲבִיהֶם לֹא רָאוּ	Gen. 9:23
	382	אֲשֶׁר לֹא־רָאוּ אֲבֹתֶיךָ	Ex. 10:6
	383	לֹא־רָאוּ אִישׁ אֶת־אָחִיו	Ex. 10:23
	384	הַדְּבָרִים אֲשֶׁר־רָאוּ עֵינֶיךָ	Deut. 4:9
	385	הַמַּסֹּת הַגְּדֹלֹת אֲשֶׁר־רָאוּ עֵינֶיךָ	Deut. 7:19
	386	אֶת־הַגְּדֹלֹת...אֲשֶׁר רָאוּ עֵינֶיךָ	Deut. 10:21
	387	וַאֲשֶׁר לֹא־רָאוּ אֶת־מוּסַר יְיָ	Deut. 11:2
	388	וְעֵינֵינוּ לֹא רָאוּ	Deut. 21:7
	389	הַמַּסּוֹת הַגְּדֹלֹת אֲשֶׁר רָאוּ עֵינֶיךָ	Deut. 29:2
	390	וִיהוֹשֻׁעַ וְכָל־יִשְׂרָאֵל רָאוּ	Josh. 8:21
	391	אֲשֶׁר רָאוּ אֵת כָּל־מַעֲשֵׂה יְיָ	Jud. 2:7
	392	וַחֲמִשָּׁה סַרְנֵי־פְלִשְׁתִּים רָאוּ	ISh. 6:16
	393	וַיַּךְ...כִּי רָאוּ בַּאֲרוֹן יְיָ	ISh. 6:19
	394	וְאִישׁ יִשְׂרָאֵל רָאוּ כִּי צַר־לוֹ	ISh. 13:6
	395	הִנֵּה הַיּוֹם הַזֶּה רָאוּ עֵינֶיךָ	ISh. 24:10
	396	וּבְנֵי עַמּוֹן רָאוּ כִּי־נָס אֲרָם	IISh. 10:14
	397	כִּי רָאוּ כִּי־חָכְמַת אֱלֹהִים בְּקִרְבּוֹ	IK. 3:28
	398	וְהִנֵּה רָאוּ אֶת־הַגְּדוּד	IIK. 13:21
	399	וַיֹּאמֶר מָה רָאוּ בְּבֵיתֶךָ	IIK. 20:15
	400	אֵת כָּל־אֲשֶׁר בְּבֵיתִי רָאוּ	IIK. 20:15
	401	וּמַעֲשֵׂה יָדָיו לֹא רָאוּ	Is. 5:12
	402	אֶת־הַמֶּלֶךְ יְיָ צְבָאוֹת רָאוּ עֵינָי	Is. 6:5
	403	הַהֹלְכִים בַּחֹשֶׁךְ רָאוּ אוֹר גָּדוֹל	Is. 9:1
	404	וַיֹּאמֶר מָה רָאוּ בְּבֵיתֶךָ	Is. 39:4
	405	אֵת כָּל־אֲשֶׁר בְּבֵיתִי רָאוּ	Is. 39:4
	406	רָאוּ אִיִּים וְיִירָאוּ	Is. 41:5
	407	כִּי אֲשֶׁר לֹא־סֻפַּר לָהֶם רָאוּ	Is. 52:15
	408	וְלֹא־רָאוּ אֶת־כְּבוֹדִי	Is. 66:19
	409	עֵינַיִם לָהֶם לִרְאוֹת וְלֹא רָאוּ	Ezek. 12:2
	410	הֹלְכִים אַחַר רוּחָם וּלְבִלְתִּי רָאוּ	Ezek. 13:3
	411	הֵמָּה רָאוּ כֵּן תָּמָהוּ	Ps. 48:6
	412	רָאוּ הֲלִיכוֹתֶיךָ אֱלֹהִים	Ps. 68:25
	413	רָאוּ עֲנָוִים יִשְׂמָחוּ	Ps. 69:33
	414	בְּחָנוּנִי גַּם־רָאוּ פָעֳלִי	Ps. 95:9
	415	רָאוּ כָל־אַפְסֵי־אָרֶץ	Ps. 98:3
	416	הֵמָּה רָאוּ מַעֲשֵׂי יְיָ	Ps. 107:24
	417	גָּלְמִי רָאוּ עֵינֶיךָ	Ps. 139:16
	418	אֲשֶׁר רָאוּ עֵינֶיךָ	Prov. 25:7
	419	כִּי רָאוּ כִּי־גָדַל הַכְּאֵב מְאֹד	Job 2:13
	420	כְּעֹלְלִים לֹא־רָאוּ אוֹר	Job 3:16
	421	בָּרְחוּ לֹא־רָאוּ טוֹבָה	Job 9:25
	422	וְעֵינַי רָאוּ וְלֹא־זָר	Job 19:27
	423	וְעַתָּה לֹא רָאוּ אוֹר	Job 37:21
	424	הִזִּילוּהָ כִּי רָאוּ עֶרְוָתָהּ	Lam. 1:8
רָאוּ (המשך)	425	וּמָה־רָאוּ עַל־כָּכָה	Es. 9:26
	426	וְהָאֲנָשִׁים...לֹא רָאוּ אֶת־הַמַּרְאָה	Dan. 10:7
	427	אֲשֶׁר רָאוּ אֶת־הַבַּיִת הָרִאשׁוֹן	Ez. 3:12
	428	וּבְנֵי עַמּוֹן רָאוּ כִּי־נָס אֲרָם	ICh. 19:15
וְרָאוּ	429	וְרָאוּ בְ״י אֶת־פְּנֵי מֹשֶׁה	Ex. 34:35
	430	וְרָאוּ כָּל־עַמֵּי הָאָרֶץ	Deut. 28:10
	431	וְרָאוּ אֶת־מַכּוֹת הָאָרֶץ	Deut. 29:21
	432	וְרָאוּ כָל־בָּשָׂר יַחְדָּו	Is. 40:5
	433	וְרָאוּ כָּל־אַפְסֵי־אָרֶץ	Is. 52:10
	434	וְרָאוּ גוֹיִם צִדְקֵךְ	Is. 62:2
	435	וּבָאוּ וְרָאוּ אֶת־כְּבוֹדִי	Is. 66:18
	436	וְיָצְאוּ וְרָאוּ בְּפִגְרֵי הָאֲנָשִׁים	Is. 66:24
	437	וְרָאוּ אֶת־כָּל־עֶרְוָתֵךְ	Ezek. 16:37
	438	וְרָאוּ כָּל־בָּשָׂר כִּי אֲנִי יְיָ בִּעַרְתִּיהָ	Ezek. 21:4
	439	וְרָאוּ כָל־הַגּוֹיִם אֶת־מִשְׁפָּטִי	Ezek. 39:21
	440	וְשָׂמְחוּ וְרָאוּ אֶת־הָאֶבֶן הַבְּדִיל	Zech. 4:10
	441	וְרָאוּ כָל־הָעַמִּים כְּבוֹדוֹ	Ps. 97:6
רָאוּנִי	442	רָאוּנִי נְעָרִים וְנֶחְבָּאוּ	Job 29:8
רָאוּךָ	443	רָאוּךָ יָחִילוּ הָרִים	Hab. 3:10
	444	רָאוּךָ מַּיִם אֱלֹהִים	Ps. 77:17
	445	רָאוּךָ מַּיִם יָחִילוּ	Ps. 77:17
רָאוּהָ	446	רָאוּהָ בָנוֹת וַיְאַשְּׁרוּהָ	S.ofS. 6:9
	447	רָאוּהָ צָרִים שָׂחֲקוּ עַל־מִשְׁבַּתֶּהָ	Lam. 1:7
רֹאֶה	448	אֶת־כָּל־הָאָרֶץ אֲשֶׁר־אַתָּה רֹאֶה	Gen. 13:15
	449	רֹאֶה אָנֹכִי אֶת־פְּנֵי אֲבִיכֶן	Gen. 31:5
	450	וְכֹל אֲשֶׁר־אַתָּה רֹאֶה לִי הוּא	Gen. 31:43
	451	אֵין...רֹאֶה אֶת־כָּל־מְאוּמָה בְּיָדוֹ	Gen. 39:23
	452	וּמֵת אוֹ־נִשְׁבַּר...אֵין רֹאֶה	Ex. 22:9
	453	אֵת צֵל הֶהָרִים אַתָּה רֹאֶה כָּאֲנָשִׁים	Jud. 9:36
	454	וְאֵין רֹאֶה וְאֵין יוֹדֵעַ	ISh. 26:12
	455	אֲנִי רֹאֶה אֶת־מְרוּצַת הָרִאשׁוֹן	IISh. 18:27
	456	הִנְּךָ רֹאֶה בַּיּוֹם הַהוּא	IK. 22:25
	457	וֶאֱלִישָׁע רֹאֶה וְהוּא מְצַעֵק	IIK. 2:12
	458	מוֹשַׁב הָעִיר טוֹב כַּאֲשֶׁר אֲדֹנִי רֹאֶה	IIK. 2:19
	459	הִנְּכָה רֹאֶה בְּעֵינֶיךָ וּמִשָּׁם לֹא תֹאכֵל	IIK.7:2
	460	הִנְּךָ רֹאֶה בְּעֵינֶיךָ	IIK. 7:19
	461	וַיֹּאמֶר שִׁפְעַת אֲנִי רֹאֶה	IIK. 9:17
	462	מָה הַצִּיּוּן הַלָּז אֲשֶׁר אֲנִי רֹאֶה	IIK. 23:17
	463/4	מָה־אַתָּה רֹאֶה יִרְמְיָהוּ	Jer. 1:11; 24:3
	465	וָאֹמַר מַקֵּל שָׁקֵד אֲנִי רֹאֶה	Jer. 1:11
	466	מָה אַתָּה רֹאֶה	Jer. 1:13
	467	וָאֹמַר סִיר נָפוּחַ אֲנִי רֹאֶה	Jer. 1:13
	468	הַאֵינְךָ רֹאֶה מָה הֵמָּה עֹשִׂים	Jer. 7:17
	469	בֹּחֵן צַדִּיק רֹאֶה כְלָיוֹת וָלֵב	Jer. 20:12
	470	וַאֲשֶׁר דִּבַּרְתָּ הָיָה וְהִנְּךָ רֹאֶה	Jer. 32:24
	471	אֵין יְיָ רֹאֶה אֹתָנוּ	Ezek. 8:12
	472	עָזַב יְיָ אֶת־הָאָרֶץ וְאֵין יְיָ רֹאֶה	Ezek. 9:9
	473	הַגֵּד אֶת־כָּל־אֲשֶׁר־אַתָּה רֹאֶה	Ezek. 40:4
	474/5	מָה־אַתָּה רֹאֶה עָמוֹס	Am. 7:8; 8:2
	476/7	מָה אַתָּה רֹאֶה	Zech. 4:2; 5:2
	478	אֲנִי רֹאֶה מְגִלָּה עָפָה	Zech. 5:2
	479	שֵׁנָה בְּעֵינָיו אֵינֶנּוּ רֹאֶה	Eccl. 8:16
	480	בְּכָל־עֵת אֲשֶׁר אֲנִי רֹאֶה	Es. 5:13
	481	הִנְּךָ רֹאֶה בַּיּוֹם הַהוּא	IICh. 18:24
וְרֹאֶה	482	וְרֹאֶה בֶעָבִים לֹא יִקְצוֹר	Eccl. 11:4
הֲרוֹאֶה	483	הֲרוֹאֶה אַתָּה שֻׁבָה הָעִיר בְּשָׁלוֹם	IISh.15:27
	484	הֲרֹאֶה אַתָּה מָה הֵם עֹשִׂים	Ezek. 8:6
הָרֹאֶה	485	וְהָיָה כָל־הָרֹאֶה וְאָמַר	Jud. 19:30
	486	אֲשֶׁר יִרְאֶה הָרֹאֶה אוֹתָהּ	Is. 28:4
רֹאֵה־	487	יִתְנוֹדְדוּ כָּל־רֹאֵה בָם	Ps. 64:9
רֹאִי	488	הֲגַם הֲלֹם רָאִיתִי אַחֲרֵי רֹאִי	Gen. 16:13
רֹאָנִי	489	וַתִּבְטְחִי בְרָעָתֵךְ אָמַרְתְּ אֵין רֹאָנִי	Is. 47:10
רֹאֵנוּ	490	וַיֹּאמְרוּ מִי רֹאֵנוּ מִי יֹדְעֵנוּ	Is. 29:15
רֹאָה	491	אֹזֶן שֹׁמַעַת וְעַיִן רֹאָה	Prov. 20:12
רֹאִים	492	וְכָל־הָעָם רֹאִים אֶת־הַקּוֹלֹת	Ex. 20:15
	493	וּתְמוּנָה אֵינְכֶם רֹאִים זוּלָתִי קוֹל	Deut. 4:12
	494/5	וּמָנוֹחַ וְאִשְׁתּוֹ רֹאִים	Jud. 13:19, 20
	496	וְלֹא תִשְׁעֶינָה עֵינֵי רֹאִים	Is. 32:3
	497	וּמָה אַתֶּם רֹאִים אֹתוֹ עַתָּה	Hag. 2:3
	498	סְפָקָם בִּמְקוֹם רֹאִים	Job 34:26
	499	אַתֶּם רֹאִים הָרָעָה	Neh. 2:17
	500	וְכֹל בְ״י רֹאִים בְּרֶדֶת הָאֵשׁ	IICh. 7:3
	501	כַּאֲשֶׁר אַתֶּם רֹאִים בְּעֵינֵיכֶם	IICh. 29:8
	502	וַיִּתְּנֵם לְשַׁמָּה כַּאֲשֶׁר אַתֶּם רֹאִים	IICh. 30:7
הָרֹאִים	503	כָּל־הָאֲנָשִׁים הָרֹאִים אֶת־כְּבֹדִי	Num. 14:22
	504	הָרֹאִים בִּשְׂחוֹק שִׁמְשׁוֹן	Jud. 16:27
לָרֹאִים	505	אֲשֶׁר אָמְרוּ לָרֹאִים לֹא תִרְאוּ	Is. 30:10
רֹאֵי־	506	שִׁבְעַת...רֹאֵי פְּנֵי הַמֶּלֶךְ	Es. 1:14
לְרֹאֵי־	507	וְיֹתֵר לְרֹאֵי הַשָּׁמֶשׁ	Eccl. 7:11
מֵרֹאֵי־	508	וַחֲמִשָּׁה אֲנָשִׁים מֵרֹאֵי פְנֵי־הַמֶּלֶךְ	IIK. 25:19
	509	וְשִׁבְעָה אֲנָשִׁים מֵרֹאֵי פְנֵי־הַמֶּלֶךְ	Jer. 52:25
רֹאַי	510	כָּל־רֹאַי יַלְעִגוּ לִי	Ps. 22:8
	511	רֹאַי בַּחוּץ נָדְדוּ מִמֶּנִּי	Ps. 31:12
רֹאֶיךָ	512	רֹאֶיךָ אֵלֶיךָ יַשְׁגִּיחוּ	Is. 14:16
	513	וָאֶתֶּנְךָ לְאֵפֶר...לְעֵינֵי כָּל־רֹאֶיךָ	Ezek. 28:18
רֹאַיִךְ	514	כָּל־רֹאַיִךְ יִדּוֹד מִמֵּךְ	Nah. 3:7
רֹאָיו	515	רֹאָיו יֹאמְרוּ אַיּוֹ	Job 20:7
רֹאֶיהָ	516	נֹשֵׂאת חֵן בְּעֵינֵי כָּל־רֹאֶיהָ	Es. 2:15
רֹאֵיהֶם	517	כָּל־רֹאֵיהֶם יַכִּירוּם	Is. 61:9
רֹאוֹת	518	וְהִנֵּה עֵינֵיכֶם רֹאוֹת	Gen. 45:12
	519	וְעֵינֶיךָ רֹאוֹת וְכָלוֹת אֲלֵיהֶם	Deut. 28:32
	520	וְעֵינֵי אֲדֹנִי־הַמֶּלֶךְ רֹאוֹת	IISh. 24:3
	521	יֹשֵׁב עַל־כִּסְאִי וְעֵינַי רֹאוֹת	IK. 1:48
	522	וְהָיוּ עֵינֶיךָ רֹאוֹת אֶת־מוֹרֶיךָ	Is. 30:20
	523	וְנָפְלוּ בְּחֶרֶב...וְעֵינֶיךָ רֹאוֹת	Jer. 20:4
	524	כַּאֲשֶׁר עֵינֶיךָ רֹאוֹת אֹתָנוּ	Jer. 42:2
הָרֹאוֹת	525	עֵינֶיךָ הָרֹאֹת אֵת...אֲשֶׁר עָשָׂה יְיָ	Deut. 3:21
	526	עֵינֵיכֶם הָרֹאוֹת...אֲשֶׁר־עָשָׂה יְיָ	Deut. 4:3
	527	עֵינֵיכֶם הָרֹאֹת אֶת כָּל־מַעֲשֵׂה יְיָ	Deut. 11:7
	528	וְחָשְׁכוּ הָרֹאוֹת בָּאֲרֻבּוֹת	Eccl. 12:3
הָרְאוּיוֹת	529	שֶׁבַע הַנְּעָרוֹת הָרְאֻיוֹת לָתֶת־לָהּ	Es. 2:9
אֶרְאֶה	530	אַל־אֶרְאֶה בְּמוֹת הַיָּלֶד	Gen. 21:16
	531	וְאַחֲרֵי־כֵן אֶרְאֶה פָנָיו	Gen. 32:21
	532	פֶּן אֶרְאֶה בָרָע אֲשֶׁר יִמְצָא	Gen. 44:34
	533	וְאַל־אֶרְאֶה בְּרָעָתִי	Num. 11:15
	534	וְאֶת־הָאֵשׁ...לֹא־אֶרְאֶה עוֹד	Deut. 18:16
	535	...אֶרְאֶה מָה אַחֲרִיתָם	Deut. 32:20
	536	לְמַעַן אֲשֶׁר אֶרְאֶה וְאָכַלְתִּי מִיָּדָהּ	IISh.13:5
	537	וְעַתָּה אֶרְאֶה פְּנֵי הַמֶּלֶךְ	IISh. 14:32
	538	אָמַרְתִּי לֹא־אֶרְאֶה יָהּ	Is. 38:11
	539	עַד־מָתַי אֶרְאֶה־נֵּס	Jer. 4:21
	540/1	אֶרְאֶה נִקְמָתְךָ מֵהֶם	Jer. 11:20; 20:12
	542	יוֹצִיאֵנִי לָאוֹר אֶרְאֶה בְּצִדְקָתוֹ	Mic. 7:9
	543	כִּי־אֶרְאֶה שָׁמֶיךָ מַעֲשֵׂה אֶצְבְּעֹתֶיךָ	Ps. 8:4
	544	שְׁלוֹם רְשָׁעִים אֶרְאֶה	Ps. 73:3
	545	וַאֲנִי אֶרְאֶה בְשֹׂנְאָי	Ps. 118:7
	546	יַעֲבֹר עָלַי וְלֹא אֶרְאֶה	Job 9:11
	547	יַעְטֹף יָמִין וְלֹא אֶרְאֶה	Job 23:9
	548	אִם־אֶרְאֶה אוֹבֵד מִבְּלִי לְבוּשׁ	Job 31:19
	549	כִּי־אֶרְאֶה בַשַּׁעַר עֶזְרָתִי	Job 31:21
	550	אִם־אֶרְאֶה אוֹר כִּי יָהֵל	Job 31:26
	551	עַד אֲשֶׁר־אֶרְאֶה אֵי־זֶה טוֹב	Eccl. 2:3
וְאֶרְאֶה	552	אֵרְדָה־נָּא וְאֶרְאֶה הַכְּצַעֲקָתָהּ	Gen. 18:21
	553	אָסֻרָה־נָּא וְאֶרְאֶה אֶת־הַמַּרְאֶה	Ex. 3:3

וָאֶרְאֶה (המשך)
554 אֵלְכָה־נָּא...וְאֶרְאֶה הַעוֹדָם חַיִּים Ex. 4:18
555 אֶעְבְּרָה־נָּא וְאֶרְאֶה... Deut. 3:25
556 אִמָּלְטָה נָּא וְאֶרְאֶה אֶת־אֶחָי ISh. 20:29
וָאֶרְאֶה 557 וָאֶרְאֶה כִּי־אֵינְךָ מוֹשִׁיעַ Jud. 12:3
558 וָאֶרְאֶה אֶת־אֲדֹנָי יֹשֵׁב Is. 6:1
559 עַל־זֹאת הֱקִיצֹתִי וָאֶרְאֶה Jer. 31:26(25)
560 נִפְתְּחוּ הַשָּׁמַיִם וָאֶרְאֶה מַרְאוֹת אֱל׳ Ezek. 1:1
561 וָאֶרְאֶה וָאֶפֹּל עַל־פָּנַי Ezek. 1:28
562 וָאֶרְאֶה וְהִנֵּה־יָד שְׁלוּחָה אֵלָי Ezek. 2:9
563 וָאֶרְאֶה וְהִנֵּה דְמוּת כְּמַרְאֵה־אֵשׁ Ezek. 8:2
564 וָאֶרְאֶה וְהִנֵּה חֹר־אֶחָד בַּקִּיר Ezek. 8:7
565 וָאֶרְאֶה וְהִנֵּה כָל־תַּבְנִית רֶמֶשׂ... Ezek. 8:10
566 וָאֶרְאֶה וְהִנֵּה...כְּאֶבֶן סַפִּיר Ezek. 10:1
567 וָאֶרְאֶה וְהִנֵּה אַרְבָּעָה אוֹפַנִּים Ezek. 10:9
568 וָאֶרְאֶה בְתוֹכָם אֶת־יַאֲזַנְיָה Ezek. 11:1
569 וָאָשׁוּב וָאֶשָּׂא עֵינַי וָאֶרְאֶה Zech. 5:1
570 וָאָשֻׁב וָאֶשָּׂא עֵינַי וָאֶרְאֶה Zech. 6:1
571/2 וְשַׁבְתִּי אֲנִי וָאֶרְאֶה Eccl. 4:1, 7
573/4 וָאֶרְאֶה בֶּחָזוֹן Dan. 8:2[2]
575 וָאֶשָּׂא עֵינַי וָאֶרְאֶה וְהִנֵּה אַיִל Dan. 8:3
576 וָאֶרְאֶה אֶת־הַמַּרְאָה הַגְּדֹלָה Dan. 10:8
וָאֵרֶא 577 וָאֵרֶא וְאֵין אִישׁ Is. 41:28
וָאֵרֶא 578 וָאֶשָּׂא עֵינַי וָאֵרֶא בַּחֲלוֹם Gen. 31:10
579 וָאֵרֶא בַּחֲלֹמִי וְהִנֵּה...שִׁבֳּלִים Gen. 41:22
580 וָאֵרֶא וְהִנֵּה חֲטָאתֶם לַיְיָ אֱלֹהֵיכֶם Deut. 9:16
581 וָאֵרֶא (כת׳ ואראה) בַשָּׁלָל אַדֶּרֶת Josh. 7:21
582 וָאֵרֶא כִּי עַל־כָּל־אֹדוֹת אֲשֶׁר נִאֲפָה Jer. 3:8
583 וָאֵרֶא וְהִנֵּה רוּחַ סְעָרָה Ezek. 1:4
584 וָאֵרֶא הַחַיּוֹת וְהִנֵּה אוֹפַן אֶחָד Ezek. 1:15
585 וָאֵרֶא כְּעֵין חַשְׁמַל כְּמַרְאֵה אֵשׁ Ezek. 1:27
586 וָאֵרֶא כִּי נִטְמָאָה Ezek. 23:13
587 וָאֵרֶא וְהִנֵּה מָלֵא כְבוֹד־יְיָ Ezek. 44:4
588 וָאֶשָּׂא אֶת־עֵינַי וָאֵרֶא Zech. 2:1
589/90 וָאֶשָּׂא עֵינַי וָאֵרֶא Zech. 2:5; 5:9
591 וָאֵרֶא בַפְּתָאיִם אָבִינָה בַבָּנִים Prov. 7:7
592 וָאֵרֶא וָאָקוּם וָאֹמַר אֶל־הַחֹרִים Neh. 4:8
593 וָאֶשָּׂא אֶת־עֵינַי וָאֵרֶא וְהִנֵּה אִישׁ Dan. 10:5
אֶרְאֶךָּ 594 אִם־אַבִּיט אֵלֶיךָ וְאִם־אֶרְאֶךָּ IIK. 3:14
וָאֶרְאֵךְ 595/6 וָאֶעֱבֹר עָלַיִךְ וָאֶרְאֵךְ Ezek. 16:6, 8
אֶרְאֶנּוּ 597 כִּי־מֵרֹאשׁ צֻרִים אֶרְאֶנּוּ Num. 23:9
598 אֶרְאֶנּוּ וְלֹא עַתָּה Num. 24:17
599 אִם־יִסָּתֵר...וַאֲנִי לֹא־אֶרְאֶנּוּ Jer. 23:24
וְאֶרְאֶנּוּ 600 אֵלְכָה וְאֶרְאֶנּוּ בְּטֶרֶם אָמוּת Gen. 45:28
אֶרְאֵם 601 עֹרֶף וְלֹא־פָנִים אֶרְאֵם Jer. 18:17
תִּרְאֶה 602 עַתָּה תִרְאֶה אֲשֶׁר אֶעֱשֶׂה לְפַרְעֹה Ex. 6:1
603 כִּי־תִרְאֶה חֲמוֹר שֹׂנַאֲךָ רֹבֵץ Ex. 23:5
604 תִרְאֶה הֲיִקְרְךָ דְבָרִי אִם־לֹא Num. 11:23
605/6 קָצֵהוּ תִרְאֶה וְכֻלּוֹ לֹא תִרְאֶה Num. 23:13
607 יַנְחִיל אוֹתָם אֶת־הָאָ׳ אֲשֶׁר תִּרְאֶה Deut. 3:28
608 בְּכָל־מָקוֹם אֲשֶׁר תִּרְאֶה Deut. 12:13
609 לֹא־תִרְאֶה אֶת־שׁוֹר אָחִיךָ Deut. 22:1
610 לֹא־תִרְאֶה אֶת־חֲמוֹר אָחִיךָ Deut. 22:4
611/2 מִמַּרְאֵה עֵינֶיךָ אֲשֶׁר תִּרְאֶה Deut. 28:34, 67
613 כִּי מִנֶּגֶד תִּרְאֶה אֶת־הָאָרֶץ Deut. 32:52
614 אִם־רָאֹה תִרְאֶה בָּעֳנִי אֲמָתֶךָ ISh. 1:11
615 לֹא־תִרְאֶה אֶת־פָּנַי... IISh. 3:13
616 אִם־תִּרְאֶה אֹתִי לֻקָּח מֵאִתָּךְ IIK. 2:10
617 אֶת־עַם נוֹעָז לֹא תִרְאֶה Is. 33:19
618 כִּי־תִרְאֶה עָרֹם וְכִסִּיתוֹ Is. 58:7
619-621 (וְ)עוֹד תָּשׁוּב תִּרְאֶה תּוֹעֵבוֹת גְּדֹלוֹת Ezek. 8:6, 13, 15
622 וְלֹא תִרְאֶה אֶת־הָאָרֶץ Ezek. 12:6

תִּרְאֶה (המשך)
623 אֲדֹנָי כַּמָּה תִּרְאֶה Ps. 35:17
624 בְּהִכָּרֵת רְשָׁעִים תִּרְאֶה Ps. 37:34
625 וְשִׁלֻּמַת רְשָׁעִים תִּרְאֶה Ps. 91:8
626 אִם־כִּרְאוֹת אֱנוֹשׁ תִּרְאֶה Job 10:4
627 אוֹ־חֹשֶׁךְ לֹא תִרְאֶה Job 22:11
628 וְשַׁעֲרֵי צַלְמָוֶת תִּרְאֶה Job 38:17
629 וְאוֹצְרוֹת בָּרָד תִּרְאֶה Job 38:22
630 אִם־עֹשֶׁק רָשׁ...תִּרְאֶה בַמְּדִינָה Eccl. 5:7
(תִּרְאֶה) 631 וְכַאֲשֶׁר תִּרְאֶה עֲשֵׂה עִם־עֲבָדֶיךָ Dan. 1:13
תֵּרֶא 632 וְאַל־תֵּרֶא בְיוֹם־אָחִיךָ בְּיוֹם נָכְרוֹ Ob. 12
633 אַל־תֵּרֶא גַם־אַתָּה בְּרָעָתוֹ Ob. 13
634 אַל־תֵּרֶא יַיִן כִּי יִתְאַדָּם Prov. 23:31
וַתֵּרֶא 635 וַתֵּרֶא אֶת־עֳנִי אֲבֹתֵינוּ בְּמִצְרָיִם Neh. 9:9
תִּרְאֵנִי 636 תִּרְאֵנִי וּבָחַנְתָּ לִבִּי אִתָּךְ Jer. 12:3
תִּרְאֶנּוּ 637 אֶל־מָקוֹם אַחֵר אֲשֶׁר תִּרְאֶנּוּ Num. 23:13
תִּרְאִי 638 אָז תִּרְאִי וְנָהַרְתְּ Is. 60:5
יִרְאֶה 639 אֱלֹהִים יִרְאֶה־לּוֹ הַשֶּׂה לְעֹלָה Gen. 22:8
640 וְכִי־יִרְאֶה הַכֹּהֵן אֶת־...הַנֶּתֶק Lev. 13:31
641 וְאִם יִרְאֶה הַכֹּהֵן וְהִנֵּה לֹא־פָשָׂה Lev. 13:53
642 אִם־יִרְאֶה אִישׁ בָּאֲנָשִׁים הָאֵלֶּה Deut. 1:35
643 וְלֹא־יִרְאֶה בְךָ עֶרְוַת דָּבָר Deut. 23:15
644 כִּי יִרְאֶה כִּי־אָזְלַת יָד Deut. 32:36
645 כִּי לֹא אֲשֶׁר יִרְאֶה הָאָדָם ISh. 16:7
646 כִּי הָאָדָם יִרְאֶה לַעֵינַיִם ISh. 16:7
647 וַיְיָ יִרְאֶה לַלֵּבָב ISh. 16:7
648 יִסֹּב אֶל־בֵּיתוֹ וּפָנַי לֹא יִרְאֶה IISh. 14:24
649 אוּלַי יִרְאֶה יְיָ בְּעֵינִי° IISh. 16:12
650 פֶּן־יִרְאֶה בְעֵינָיו וּבְאָזְנָיו יִשְׁמָע Is. 6:10
651 וַאֲשֶׁר עָשׂוּ אֶצְבְּעֹתָיו לֹא יִרְאֶה Is. 17:8
652 הַעֲמֵד הַמְצַפֶּה אֲשֶׁר יִרְאֶה יַגִּיד Is. 21:6
653 וּבַל־יִרְאֶה גֵּאוּת יְיָ Is. 26:10
654 כְּבִכּוּרָה...יִרְאֶה הָרֹאֶה אוֹתָהּ Is. 28:4
655 יִרְאֶה זֶרַע יַאֲרִיךְ יָמִים Is. 53:10
656 מֵעֲמַל נַפְשׁוֹ יִרְאֶה יִשְׂבָּע Is. 53:11
657 לֹא יִרְאֶה אֶת־אַחֲרִיתֵנוּ Jer. 12:4
658 וְלֹא יִרְאֶה כִּי־יָבוֹא טוֹב Jer. 17:6
659 וְלֹא יִרְאֶה (כת׳ ירא) כִּי־יָבֹא חֹם Jer. 17:8
660 הָאָרֶץ הַזֹּאת לֹא־יִרְאֶה עוֹד Jer. 22:12
661 וְלֹא־יִרְאֶה בַטּוֹב אֲשֶׁר־אֲנִי עֹשֶׂה Jer. 29:32
662 יַעַן אֲשֶׁר לֹא־יִרְאֶה לַעַיִן Ezek. 12:12
663 וְאוֹתָהּ לֹא־יִרְאֶה וְשָׁם יָמוּת Ezek. 12:13
664 אוֹתָם יִרְאֶה פַרְעֹה Ezek. 32:31
665 וְהַצֹּפֶה כִּי־יִרְאֶה אֶת־הַחֶרֶב בָּאָה Ezek. 33:6
666 עַד אֲשֶׁר יִרְאֶה מַה־יִּהְיֶה בָּעִיר Jon. 4:5
667 וְתוּשִׁיָּה יִרְאֶה שְׁמֶךָ Mic. 6:9
668 לֹא יִרְאֶה הַשָּׁחַת Ps. 49:10
669 כִּי יִרְאֶה חֲכָמִים יָמוּתוּ Ps. 49:11
670 אָמְרוּ מִי יִרְאֶה־לָּמוֹ Ps. 64:6
671 וְלֹא יִרְאֶה־מָּוֶת Ps. 89:49
672 וַיֹּאמְרוּ לֹא יִרְאֶה־יָּהּ Ps. 94:7
673 עַד אֲשֶׁר־יִרְאֶה בְצָרָיו Ps. 112:8
674 רָשָׁע יִרְאֶה וְכָעָס Ps. 112:10
675 כִּי־רָם יְיָ וְשָׁפָל יִרְאֶה Ps. 138:6
676 פֶּן־יִרְאֶה יְיָ וְרַע בְּעֵינָיו Prov. 24:18
677 וְאַל־יִרְאֶה בְּעַפְעַפֵּי־שָׁחַר Job 3:9
678 עָבִים סֵתֶר־לוֹ וְלֹא יִרְאֶה Job 22:14
679 תַּחַת כָּל־הַשָּׁמַיִם יִרְאֶה Job 28:24
680 הֲלֹא־הוּא יִרְאֶה דְרָכָי Job 31:4
681 וְכָל־צְעָדָיו יִרְאֶה Job 34:21
682 לֹא־יִרְאֶה כָּל־חַכְמֵי־לֵב Job 37:24
683 אֶת־כָּל־גָּבֹהַּ יִרְאֶה Job 41:26
684 לָמָּה יִרְאֶה אֶת־פְּנֵיכֶם זֹעֲפִים Dan. 1:10

וְיִרְאֶה 685 פְּקַח־נָא אֶת־עֵינָיו וְיִרְאֶה IIK. 6:17
וַיִּרְאֶה 686 וַיַּבֵּט...וַיִּרְאֶה אֶת־דָּוִד ISh. 17:42
687 וַיִּרְאֶה נַעֲמָן רָץ אַחֲרָיו IIK. 5:21
688 וַיִּרְאֶה° וְלֹא יַעֲשֶׂה כָּהֵן Ezek. 18:14
689 וַיִּרְאֶה וַיָּשָׁב° מִכָּל־פְּשָׁעָיו Ezek. 18:28
690 וַיִּרְאֶה° אֶת־בָּנָיו...אַרְבָּעָה דֹּרוֹת Job 42:16
יֵרָא 691 יֵרָא פַרְעֹה אִישׁ נָבוֹן וְחָכָם Gen. 41:33
יֵרֶא 692 יֵרֶא יְיָ עֲלֵיכֶם וְיִשְׁפֹּט Ex. 5:21
693 אַל־יֵרֶא בִּפְלַגּוֹת...נַחֲלֵי דְבַשׁ Job 20:17
694 יֵרֶא אֱלֹהֵי אֲבוֹתֵינוּ וְיוֹכַח ICh. 12:17(18)
695 יֵרֶא יְיָ וְיִדְרֹשׁ IICh. 24:22
וְיֵרֶא 696 וְיֵרֶא וְיָרֵב אֶת־רִיבִי ISh. 24:15
697 וְיֵרֶא וְיִשְׁמַע אֶת־דְּבָרוֹ Jer. 23:18
698 עַד־יַשְׁקִיף וְיֵרֶא יְיָ מִשָּׁמָיִם Lam. 3:50
וַיַּרְא 699 וַיַּרְא אֱלֹהִים אֶת־הָאוֹר כִּי־טוֹב Gen. 1:4
700-704 וַיַּרְא אֱלֹהִים כִּי־טוֹב Gen. 1:10
1:12, 18, 21, 25
705 וַיַּרְא אֱל׳ אֶת־כָּל־אֲשֶׁר עָשָׂה Gen. 1:31
706 וַיַּרְא יְיָ כִּי רַבָּה רָעַת הָאָדָם Gen. 6:5
707 וַיַּרְא אֱל׳ אֶת־הָאָ׳ וְהִנֵּה נִשְׁחָתָה Gen. 6:12
708 וַיַּרְא וְהִנֵּה חָרְבוּ פְּנֵי הָאֲדָמָה Gen. 8:13
709 וַיַּרְא חָם...אֵת עֶרְוַת אָבִיו Gen. 9:22
710 וַיַּרְא אֶת־כָּל־כִּכַּר הַיַּרְדֵּן Gen. 13:10
711/2 וַיִּשָּׂא עֵינָיו וַיַּרְא וְהִנֵּה Gen. 18:2; 24:63
713 וַיַּרְא וַיָּרָץ לִקְרָאתָם Gen. 18:2
714 וַיַּרְא יְיָ כִּי־שְׂנוּאָה לֵאָה Gen. 29:31
715 וַיַּרְא יַעֲקֹב אֶת־פְּנֵי לָבָן Gen. 31:2
716 וַיַּרְא כִּי לֹא יָכֹל לוֹ Gen. 32:26
717 וַיִּשָּׂא יַעֲקֹב עֵינָיו וַיַּרְא וְהִנֵּה Gen. 33:1
718 וַיַּרְא מְנֻחָה כִּי טוֹב Gen. 49:15
719 וַיַּרְא יוֹסֵף לְאֶפְרַיִם בְּנֵי שִׁלֵּשִׁים Gen. 50:23
720 וַיֵּצֵא אֶל־אֶחָיו וַיַּרְא בְּסִבְלֹתָם Ex. 2:11
721 וַיַּרְא אִישׁ מִצְרִי מַכֶּה אִישׁ־עִבְרִי Ex. 2:11
722 וַיִּפֶן כֹּה וָכֹה וַיַּרְא כִּי אֵין אִישׁ Ex. 2:12
723 וַיַּרְא יִשְׂרָאֵל אֶת־הַיָּד הַגְּדֹלָה Ex. 14:31
724 וַיַּרְא אֶת־עָנְיֵנוּ וְאֶת־עֲמָלֵנוּ Deut. 26:7
725 וַיַּרְא יְיָ וַיִּנְאָץ Deut. 32:19
726 וַיַּרְא רֵאשִׁית לוֹ Deut. 33:21
727 וַיַּרְא אֶפְרַיִם אֶת־חָלְיוֹ Hosh. 5:13
728 וַיַּרְא הָאֱלֹהִים אֶת־מַעֲשֵׂיהֶם Jon. 3:10
729 וַיַּרְא בַּצַּר לָהֶם Ps. 106:44
730 וַיַּרְא־אָוֶן וְלֹא יִתְבּוֹנָן Job 11:11
731-828 וַיַּרְא Gen. 19:1, 28; 22:4, 13
26:8; 28:6, 8; 29:2; 33:5; 34:2; 38:2; 39:3; 40:6, 16;
42:1; 42:7, 27; 43:16, 29; 45:27; 48:8, 17; 50:11 •
Ex. 2:25; 3:2, 4; 8:11; 9:34; 14:30; 18:14; 20:18;
32:1, 5, 19, 25; 34:30; 39:43 • Lev. 9:24 • Num. 22:2,
31, 41; 24:1, 2; 24:20, 21; 25:7 • Josh. 5:13 • Jud.
6:22; 9:36, 43; 14:1; 16:1; 18:26; 19:17 • ISh. 16:6;
18:15, 28; 19:20; 23:15; 26:3, 5; 28:5; 31:5 • IISh.
10:9, 15; 11:2; 12:19; 13:34; 17:18; 18:10, 24, 26;
20:12; 24:20 • IK. 11:28; 12:16; 18:39; 19:3 • IIK.
3:26; 6:17, 30; 9:17; 16:10, 12; 23:16 • Is. 59:15, 16
• Ezek. 18:14 • Job 32:5; 33:26 • Es. 3:5 • ICh.
10:5; 19:10, 16; 21:16, 20, 21 • IICh. 32:2
יִרְאַנִי 829 כִּי לֹא־יִרְאַנִי הָאָדָם וָחָי Ex. 33:20
וַיִּרְאֵנִי 830 וַיִּפֶן אַחֲרָיו וַיִּרְאֵנִי IISh. 1:7
וַיִּרְאֵהוּ 831 וַיִּרְאֵהוּ...וַיִּשְׂמַח לִקְרָאתוֹ Jud. 19:3
וַיִּרְאֶהָ 832 וַיִּרְאֶהָ יְהוּדָה וַיַּחְשְׁבֶהָ לְזוֹנָה Gen. 38:15
יִרְאֶנָּה 833/4 וְאִם יִרְאֶנָּה הַכֹּהֵן וְהִנֵּה... Lev. 13:21, 26
835 זוּלָתִי כָּלֵב...הוּא יִרְאֶנָּה Deut. 1:36
וַיִּרְאֵם 836 וַיִּפֶן אַחֲרָיו וַיִּרְאֵם וַיְקַלְלֵם IIK. 2:24

תִּרְאֶה 837 וְהִיא תִרְאֶה אֶת־עֶרְוָתוֹ Lev. 20:17
838 וְחַיָּתוֹ° בָּאוֹר תִּרְאֶה Job 33:28
תֵּרֶא 839 תֵּרֶא אַשְׁקְלוֹן וְתִירָא Zech. 9:5
וְתֵרֶא 840 וְתֵרֶא אֹיַבְתִּי וּתְכַסֶּהָ בוּשָׁה Mic. 7:10
וַתֵּרֶא 841 וַתֵּרֶא הָאִשָּׁה כִּי טוֹב הָעֵץ לְמַאֲכָל Gen. 3:6
842/3 וַתֵּרֶא כִּי הָרָתָה Gen. 16:4, 5
844 וַתֵּרֶא שָׂרָה אֶת־בֶּן־הָגָר...מְצַחֵק Gen. 21:9
845 וַיִּפְקַח אֱלֹהִים...וַתֵּרֶא בְּאֵר מָיִם Gen. 21:19
846 וַתֵּרֶא אֶת־יִצְחָק Gen. 24:64
847 וַתֵּרֶא רָחֵל כִּי לֹא יָלְדָה לְיַעֲקֹב Gen. 30:1
848 וַתֵּרֶא לֵאָה כִּי עָמְדָה מִלֶּדֶת Gen. 30:9
849 וַתֵּרֶא אֹתוֹ כִּי־טוֹב הוּא Ex. 2:2
850 וַתֵּרֶא אֶת־הַתֵּבָה בְּתוֹךְ הַסּוּף Ex. 2:5
851-853 וַתֵּרֶא הָאָתוֹן אֶת־מַלְאַךְ יְיָ
Num. 22:23, 25, 27
854 וַתֵּרֶא דְלִילָה כִּי־הִגִּיד לָהּ Jud. 16:18
855 וַתֵּרֶא אֲבִיגַיִל אֶת־דָּוִד ISh. 25:23
856 וַתֵּרֶא הָאִשָּׁה אֶת־שְׁמוּאֵל ISh. 28:12
857 וַתֵּרֶא כִּי־נִבְהַל מְאֹד ISh. 28:21
858 וַתֵּרֶא אֶת־הַמֶּלֶךְ דָּוִד מְפַזֵּז IISh. 6:16
859 וַתֵּרֶא...אֵת כָּל־חָכְמַת שְׁלֹמֹה IK. 10:4
860 וַתֵּרֶא וְהִנֵּה הַמֶּלֶךְ עֹמֵד... IIK. 11:14
861 וַתֵּרֶא (כת׳ ותראה) בָּגוֹדָה אֲחוֹתָהּ Jer. 3:7
862 וַתֵּרֶא כִּי נוֹחֲלָה אָבְדָה תִּקְוָתָהּ Ezek. 19:5
863 וַתֵּרֶא אֲחוֹתָהּ אָהֳלִיבָה... Ezek. 23:11
864 וַתֵּרֶא אַנְשֵׁי מְחֻקֶּה עַל־הַקִּיר Ezek. 23:14
865 וַתֵּרֶא כִּי־מִתְאַמֶּצֶת הִיא לָלֶכֶת Ruth 1:18
866 וַתֵּרֶא חֲמוֹתָהּ אֵת אֲשֶׁר־לִקֵּטָה Ruth 2:18
867 וַתֵּרֶא אֶת־הַמֶּלֶךְ דָּוִיד מְרַקֵּד ICh. 15:29
868 וַתֵּרֶא מַלְכַּת־שְׁבָא אֵת חָכְמַת שְׁלֹמֹה IICh. 9:3
869 וַתֵּרֶא וְהִנֵּה הַמֶּלֶךְ עוֹמֵד... IICh. 23:13
תִּרְאֵנִי 870 אֶגְוַע וְעַיִן לֹא־תִרְאֵנִי Job 10:18
וַתִּרְאַנִי 871 וַתִּרְאַנִי הָאָתוֹן וַתֵּט לְפָנַי Num. 22:33
וַתִּרְאֵהוּ 872 וַתִּפְתַּח וַתִּרְאֵהוּ אֶת־הַיֶּלֶד Ex. 2:6
נִרְאֶה 873 יָחִישָׁה מַעֲשֵׂהוּ לְמַעַן נִרְאֶה Is. 5:19
874 וְחֶרֶב וְרָעָב לוֹא נִרְאֶה Jer. 5:12
875 אֲשֶׁר לֹא־נִרְאֶה מִלְחָמָה Jer. 42:14
876 בְּאוֹרְךָ נִרְאֶה־אוֹר Ps. 36:10
877 נִרְאֶה אִם־פָּרְחָה הַגֶּפֶן S.ofS. 7:13
וְנִרְאֶה 878 וְנִרְאֶה מַה־יִּהְיוּ חֲלֹמֹתָיו Gen. 37:20
879 וְנִשְׁלְחָה וְנִרְאֶה IIK. 7:13
880 וְנִשְׁתָּעָה וְנִרְאֶה° יַחְדָּו Is. 41:23
881 וְנִרְאֶה בְשִׂמְחַתְכֶם וְהֵם יֵבֹשׁוּ Is. 66:5
וַנִּרְאֶה 882 לְבַקֵּשׁ...וַנִּרְאֶה כִּי־אַיִן ISh. 10:14
וְנִרְאֵהוּ 883 וְנִרְאֵהוּ וְלֹא־מַרְאֶה וְנֶחְמְדֵהוּ Is. 53:2
תִּרְאוּ 884/5 לֹא־תִרְאוּ פָנַי Gen. 43:3, 5
886 מִמֶּנִּי תִרְאוּ וְכֵן תַּעֲשׂוּ Jud. 7:17
887 הִנֵּה תִרְאוּ אִישׁ מִשְׁתַּגֵּעַ ISh. 21:15
888/9 לֹא־תִרְאוּ רוּחַ וְלֹא־תִרְאוּ גֶשֶׁם IIK. 3:17
890 כִּנְשֹׂא־נֵס הָרִים תִּרְאוּ Is. 18:3
891 אֲשֶׁר אָמְרוּ לָרֹאִים לֹא תִרְאוּ Is. 30:10
892 לֹא־תִרְאוּ חֶרֶב Jer. 14:13
893 וְלֹא־תִרְאוּ עוֹד אֶת־הַמָּקוֹם הַזֶּה Jer. 42:18
894 וְנִחֲמוּ אֶתְכֶם כִּי־תִרְאוּ אֶת־דַּרְכָּם Ezek.14:23
895 תִּרְאוּ חֲתַת וַתִּירָאוּ Job 6:21
וַתִּרְאוּ 896 וַתִּרְאוּ אֶת־שִׁקּוּצֵיהֶם Deut. 29:16
897 וַתִּרְאוּ כִּי נָחָשׁ...בָּא עֲלֵיכֶם ISh. 12:12
תִּרְאוּנִי 898 אַל־תִּרְאוּנִי שֶׁאֲנִי שְׁחַרְחֹרֶת S.ofS. 1:6
יִרְאוּ 899 וְהָיָה כִּי־יִרְאוּ אֹתָךְ הַמִּצְרִים Gen. 12:12
900 לְמַעַן יִרְאוּ אֶת־הַלֶּחֶם Ex. 16:32
901 אִם־יִרְאוּ אֶת־הָאָרֶץ Num. 14:23
902 אִם־יִרְאוּ הָאֲנָשִׁים הָעֹלִים Num. 32:11

יִרְאוּ (המשך)
903 הֵמָּה יִרְאוּ כְבוֹד־יְיָ Is. 35:2
904 לְמַעַן יִרְאוּ וְיֵדְעוּ Is. 41:20
905 בַּל־יִרְאוּ וּבַל־יֵדְעוּ Is. 44:9
906 מְלָכִים יִרְאוּ וָקָמוּ Is. 49:7
907 כִּי עַיִן בְּעַיִן יִרְאוּ Is. 52:8
908 עֵינַיִם לָהֶם וְלֹא יִרְאוּ Jer. 5:21
909 אוּלַי יִרְאוּ כִּי בֵּית מְרִי הֵמָּה Ezek. 12:3
910 בַּחוּרֵיכֶם חֶזְיֹנוֹת יִרְאוּ Joel 3:1
911 יִרְאוּ גוֹיִם וְיֵבֹשׁוּ מִכֹּל גְּבוּרָתָם Mic. 7:16
912 וּבְנֵיהֶם יִרְאוּ וְשָׂמֵחוּ Zech. 10:7
913 הֵמָּה יַבִּיטוּ יִרְאוּ־בִי Ps. 22:18
914 יִרְאוּ רַבִּים וְיִירָאוּ Ps. 40:4
915 עַד־נֵצַח לֹא יִרְאוּ־אוֹר Ps. 49:20
916 יִרְאוּ יְשָׁרִים וְיִשְׂמָחוּ Ps. 107:42
917/8 עֵינַיִם לָהֶם וְלֹא יִרְאוּ Ps. 115:5; 135:16
919 עֵינֶיךָ יִרְאוּ זָרוֹת Prov. 23:33
920 וְצַדִּיקִים בְּמַפַּלְתָּם יִרְאוּ Prov. 29:16
921 יִרְאוּ עֵינָו כִּידוֹ Job 21:20
922 יִרְאוּ צַדִּיקִים וְיִשְׂמָחוּ Job 22:19
923 לֹא יֵדְעוּ וְלֹא יִרְאוּ Neh. 4:5
וְיִרְאוּ 924 פְּקַח אֶת־עֵינֵי־אֵלֶּה וְיִרְאוּ IIK. 6:20
925 וְיִרְאוּ צַדִּיקִים וְיִירָאוּ Ps 52:8
926 וְיִרְאוּ שֹׂנְאַי וְיֵבֹשׁוּ Ps. 86:17
וַיִּרְאוּ 927 וַיִּרְאוּ בְנֵי־הָאֱ׳ אֶת־בְּנוֹת הָאָדָם Gen. 6:2
928 וַיִּרְאוּ הַמִּצְרִים אֶת־הָאִשָּׁה Gen. 12:14
929 וַיִּרְאוּ אֹתָהּ שָׂרֵי פַרְעֹה Gen. 12:15
930 וַיִּרְאוּ אֶחָיו כִּי־אֹתוֹ אָהַב אֲבִיהֶם Gen. 37:4
931 וַיִּרְאוּ אֹתוֹ מֵרָחֹק Gen. 37:18
932 וַיִּשְׂאוּ עֵינֵיהֶם וַיִּרְאוּ וְהִנֵּה... Gen. 37:25
933 וַיִּרְאוּ אֶת־צְרֹרוֹת כַּסְפֵּיהֶם Gen. 42:35
934 וַיִּרְאוּ אֲחֵי־יוֹסֵף כִּי־מֵת אֲבִיהֶם Gen. 50:15
935 וַיִּרְאוּ שֹׁטְרֵי בְ׳־י׳ אֹתָם בְּרָע לֵאמֹר Ex. 5:19
936 וַיִּרְאוּ בְנֵי־יִשְׂרָאֵל וַיֹּאמְרוּ... Ex. 16:15
937 וַיִּרְאוּ אֵת אֱלֹהֵי יִשְׂרָאֵל Ex. 24:10
938 וַיִּרְאוּ וַיִּקְחוּ אִישׁ מַטֵּהוּ Num. 17:24
939 וַיִּרְאוּ כָּל הָעֵדָה כִּי גָוַע אַהֲרֹן Num. 20:29
940 וַיִּרְאוּ אֶת־אֶרֶץ יַעְזֵר Num. 32:1
941-966 וַיִּרְאוּ Num. 32:9 • Josh. 8:20
Jud. 1:24; 3:24; 9:55; 16:24; 18:7; 20:36 • ISh. 5:7; 6:13; 10:11; 14:16; 17:51; 31:7 • IISh. 10:6, 19 • IK. 13:12, 25 • IIK. 3:22; 6:20 • Ezek. 20:28 • Neh. 6:16 • ICh. 10:7; 19:6, 19 • IICh. 31:8
יִרְאוּן 967 אֲשֶׁר לֹא־יִרְאוּן וְלֹא יִשְׁמְעוּן Deut. 4:28
יִרְאוּנִי 968 יִרְאוּנִי יְנִיעוּן רֹאשָׁם Ps. 109:25
969 יְרֵאֶיךָ יִרְאוּנִי וְיִשְׂמָחוּ Ps. 119:74
וַיִּרְאֻהוּ 970 וַיִּרְאֻהוּ בְנֵי־הַנְּבִיאִים...מִנֶּגֶד IIK. 2:15
יִרְאוּהָ 971 וְכָל־מְנַאֲצַי לֹא יִרְאוּהָ Num. 14:23
תִּרְאֶינָה 972 וְלֹא־תִרְאֶינָה עֵינֶיךָ בְּכֹל הָרָעָה IIK. 22:20
973 וְעֵינָיו אֶל־קְדוֹשׁ יִשְׂרָאֵל תִּרְאֶינָה Is. 17:7
974 וּמֵחֹשֶׁךְ עֵינֵי עִוְרִים תִּרְאֶינָה Is. 29:18
975 תִּרְאֶינָה אֶרֶץ מַרְחַקִּים Is. 33:17
976 עֵינֶיךָ תִרְאֶינָה יְרוּשָׁלַם Is. 33:20
977 וְעֵינָיו אֶת־עֵינוֹ תִּרְאֶינָה Jer. 32:4
978 וְעֵינֶיךָ אֶת־עֵינֵי מֶ׳־בָּבֶל תִּרְאֶינָה Jer. 34:3
979 עֵינַי תִּרְאֶינָּה בָּהּ Mic. 7:10
980 וְעֵינֵיכֶם תִּרְאֶינָה וְאַתֶּם תֹּאמְרוּ Mal. 1:5
981 וְלֹא־תִרְאֶינָה עֵינֶיךָ בְּכָל הָרָעָה IICh. 34:28
וַתִּרְאֶינָה 982 וַתִּרְאֶינָה עֵינֵיכֶם...אֲשֶׁר־עָשִׂיתִי Josh. 24:7
983 עַד אֲשֶׁר־בָּאתִי וַתִּרְאֶינָה עֵינַי IK. 10:7
984 עַד אֲשֶׁר־בָּאתִי וַתִּרְאֶינָה עֵינַי IICh. 9:6
רְאֵה 985 רְאֵה רֵיחַ בְּנִי כְּרֵיחַ שָׂדֶה Gen. 27:27
986 רְאֵה אֱלֹהִים עֵד בֵּינִי וּבֵינֶךָ Gen. 31:50

רְאֵה (המשך)
987 לֶךְ־נָא רְאֵה אֶת־שְׁלוֹם אַחֶיךָ Gen. 37:14
988 רְאֵה נָתַתִּי אֹתְךָ עַל...מִצְרָיִם Gen. 41:41
989 רְאֵה כָּל־הַמֹּפְתִים...וַעֲשִׂיתָם Ex. 4:21
990 רְאֵה נְתַתִּיךָ אֱלֹהִים לְפַרְעֹה Ex. 7:1
991 רְאֵה קָרָאתִי בְשֵׁם בְּצַלְאֵל... Ex. 31:2
992 רְאֵה אַתָּה אֹמֵר אֵלַי Ex. 33:12
993 רְאֵה נָתַתִּי לִפְנֵיכֶם אֶת־הָאָרֶץ Deut. 1:8
994 רְאֵה נָתַן יְיָ אֱלֹהֶיךָ...אֶת־הָאָרֶץ Deut. 1:21
995 רְאֵה נָתַתִּי בְיָדְךָ אֶת־סִיחֹן Deut. 2:24
996 רְאֵה הַחִלֹּתִי תֵּת לְפָנֶיךָ Deut. 2:31
997 רְאֵה לִמַּדְתִּי אֶתְכֶם חֻקִּים Deut. 4:5
998 רְאֵה אָנֹכִי נֹתֵן לִפְנֵיכֶם הַיּוֹם Deut. 11:26
999 רְאֵה נָתַתִּי לְפָנֶיךָ הַיּוֹם Deut. 30:15
1000 רְאֵה נָתַתִּי לְפָנֶיךָ אֶת־יְרִיחוֹ Josh. 6:2
1001 רְאֵה נָתַתִּי בְיָדְךָ אֶת־מֶלֶךְ הָעַי Josh. 8:1
1002/3 וְאָבִי רְאֵה גַּם רְאֵה ISh. 24:11
1004 רְאֵה אֵי חֲנִית הַמֶּלֶךְ ISh. 26:16
1005 רְאֵה נָא אָנֹכִי יוֹשֵׁב בְּבֵית אֲרָזִים IISh. 7:2
1006 רְאֵה דְבָרֶיךָ טוֹבִים וּנְכֹחִים IISh. 15:3
1007 רְאֵה הַבָּקָר לָעֹלָה וְהַמֹּרִגִּים IISh. 24:22
1008 עַתָּה רְאֵה בֵיתְךָ דָּוִד IK. 12:16
1009 רְאֵה הִפְקַדְתִּיךָ הַיּוֹם Jer. 1:10
1010 רְאֵה כָל־הָאָרֶץ לְפָנֶיךָ Jer. 46:4
1011 רְאֵה נָתַתִּי לְךָ אֶת צְפִיעֵי הַבָּקָר Ezek. 4:15
1012 רְאֵה בְעֵינֶיךָ וּבְאָזְנֶיךָ שְׁמָע Ezek. 40:4
1013 רְאֵה הֶעֱבַרְתִּי מֵעָלֶיךָ Zech. 3:4
1014 רְאֵה הַיּוֹצְאִים אֶל־אֶרֶץ צָפוֹן Zech. 6:8
1015 רְאֵה־עָנְיִי מִשֹּׂנְאָי Ps. 9:14
1016 רְאֵה עָנְיִי וַעֲמָלִי Ps. 25:18
1017 רְאֵה־אוֹיְבַי כִּי־רָבּוּ Ps. 25:19
1018 מָגִנֵּנוּ רְאֵה אֱלֹהִים Ps. 84:10
1019 רְאֵה־עָנְיִי וְחַלְּצֵנִי Ps. 119:153
1020 רְאֵה כִּי־פִקּוּדֶיךָ אָהָבְתִּי Ps. 119:159
1021 לֵךְ...רְאֵה דְרָכֶיהָ וַחֲכָם Prov. 6:6
1022 רְאֵה כָל־גֵּאֶה הַכְנִיעֵהוּ Job 40:12
1023 רְאֵה יְיָ אֶת־עָנְיִי Lam. 1:9
1024/5 רְאֵה יְיָ וְהַבִּיטָה Lam. 1:11; 2:20
1026 רְאֵה יְיָ כִּי־צַר־לִי Lam. 1:20
1027 רְאֵה־זֶה חָדָשׁ הוּא Eccl. 1:10
1028 רְאֵה אֶת־מַעֲשֵׂה הָאֱלֹהִים Eccl. 7:13
1029 וּבְיוֹם רָעָה רְאֵה Eccl. 7:14
1030/1 רְאֵה(־)זֶה מָצָאתִי Eccl. 7:27, 29
1032 רְאֵה חַיִּים עִם־אִשָּׁה אֲשֶׁר־אָהַבְתָּ Eccl. 9:9
1033 וְעַתָּה רְאֵה מָה־אָשִׁיב ICh. 21:12
1034 רְאֵה נָתַתִּי הַבָּקָר לָעֹלוֹת ICh. 21:23
1035 רְאֵה עַתָּה כִּי יְיָ בָּחַר בְּךָ ICh. 28:10
1036 עַתָּה רְאֵה בֵיתְךָ דָּוִיד IICh. 10:16
וּרְאֵה 1037-1039 שָׂא(־)נָא עֵינֶיךָ וּרְאֵה Gen. 13:14
31:12 • Zech. 5:5
1040 וּרְאֵה וַעֲשֵׂה בְּתַבְנִיתָם Ex. 25:40
1041 וּרְאֵה כִּי עַמְּךָ הַגּוֹי הַזֶּה Ex. 33:13
1042 עֲלֵה...וּרְאֵה אֶת־הָאָרֶץ Num. 27:12
1043 עֲלֵה...וּרְאֵה בְעֵינֶיךָ Deut. 3:27
1044 עֲלֵה...וּרְאֵה אֶת־אֶרֶץ כְּנַעַן Deut. 32:49
1045 דַּע וּרְאֵה כִּי אֵין בְּיָדִי רָעָה ISh. 24:11
1046 דַּע וּרְאֵה מָה־אָשִׁיב IISh. 24:13
1047 דַּע וּרְאֵה אֵת אֲשֶׁר־תַּעֲשֶׂה IK. 20:22
1048 וּבָאתָ שָׁמָּה וּרְאֵה־שָׁם יֵהוּא IIK. 9:2
1049 לְכָה אִתִּי וּרְאֵה בְּקִנְאָתִי לַיְיָ IIK. 10:16
1050/1 פְּקַח יְיָ עֵינֶיךָ וּרְאֵה IIK. 19:16 • Is. 37:17
1052/3 הַבֵּט מִשָּׁמַיִם וּרְאֵה Is. 63:15 • Ps. 80:15
1054 בֹּא וּרְאֵה אֶת־הַתּוֹעֵבוֹת Ezek. 8:9

וּרְאֵה (המשך) 1055 וּרְאֵה בְעֵינֶיךָ וּבְאָזְנֶיךָ שְּׁמָע Ezek. 44:5
1056 שְׁמָר־תָּם וּרְאֵה יָשָׁר Ps. 37:37
1057 עוּרָה לִקְרָאתִי וּרְאֵה Ps. 59:5
1058 וּרְאֵה בְּטוּב יְרוּשָׁלָםִ Ps. 128:5
1059 וּרְאֵה־בָנִים לְבָנֶיךָ Ps. 128:6
1060 וּרְאֵה אִם־דֶּרֶךְ־עֹצֶב בִּי Ps. 139:24
1061 הַבֵּט יָמִין וּרְאֵה Ps. 142:5
1062 שְׂבַע קָלוֹן וּרְאֵה(?) עָנְיִי Job 10:15
1063 וּרְאֵה רֹאשׁ כּוֹכָבִים כִּי־רָמּוּ Job 22:12
1064 הַבֵּט שָׁמַיִם וּרְאֵה Job 35:5
1065 וּרְאֵה כָל־גֵּאֶה וְהַשְׁפִּילֵהוּ Job 40:11
1066 הַבִּיטָ וּרְאֵה אֶת־חֶרְפָּתֵנוּ Lam. 5:1
1067 אֲנַסְּכָה בְשִׂמְחָה וּרְאֵה בְטוֹב Eccl. 2:1
1068 פְּקַח° עֵינֶיךָ וּרְאֵה Dan. 9:18
רְאִי 1069 רְאִי שָׁמַעְתִּי בְקוֹלֵךְ ISh. 25:35
1070 וַיֹּאמֶר אֵלִיָּהוּ רְאִי חַי בְּנֵךְ IK. 17:23
1071 רְאִי דַרְכֵּךְ בַּגַּיְא Jer. 2:23
וּרְאִי 1072 וּרְאִי בַּמֶּה כֹּחוֹ גָדוֹל Jud. 16:5
1073 דְּעִי וּרְאִי מַה־תַּעֲשִׂי ISh. 25:17
1074/5 שְׂאִי סָבִיב עֵינַיִךְ וּרְאִי Is. 49:18, 40
1076 וּדְעִי וּרְאִי כִּי־רַע וָמָר... Jer. 2:19
1077 שְׂאִי־עֵינַיִךְ עַל־שְׁפָיִם וּרְאִי Jer. 3:2
1078 שִׁמְעִי־בַת וּרְאִי Ps. 45:11
רְאוּ 1079 רְאוּ הֵבִיא לָנוּ אִישׁ עִבְרִי Gen. 39:14
1080 רְאוּ כִּי רָעָה נֶגֶד פְּנֵיכֶם Ex. 10:10
1081 רְאוּ כִּי־יְיָ נָתַן לָכֶם הַשַּׁבָּת Ex. 16:29
1082 רְאוּ קָרָא יְיָ בְשֵׁם בְּצַלְאֵל Ex. 35:30
1083 רְאוּ עַתָּה כִּי אֲנִי אֲנִי הוּא Deut. 32:39
1084 לְכוּ רְאוּ אֶת־הָאָרֶץ Josh. 2:1
1085 רְאוּ אַתֶּם אֹרְבִים לָעִיר Josh. 8:4
1086 רְאוּ צִוִּיתִי אֶתְכֶם Josh. 8:8
1087 רְאוּ אֶת־תַּבְנִית מִזְבַּח יְיָ Josh. 22:28
1088 רְאוּ הִפַּלְתִּי לָכֶם...בְּנַחֲלָה Josh. 23:4
1089 רְאוּ אֵת אֲשֶׁר־הִגְדִּל עִמָּכֶם ISh. 12:24
1090 רְאוּ־נָא כִּי־אֹרוּ עֵינַי ISh. 14:29
1091 רְאוּ־נָא לִי אִישׁ מֵיטִיב לְנַגֵּן ISh. 16:17
1092 רְאוּ־נָא כְּטוֹב לֵב־אַמְנוֹן IISh. 13:28
1093 רְאוּ חֶלְקַת יוֹאָב אֶל־יָדִי IISh. 14:30
1094 רְאוּ אָנֹכִי מִתְמַהְמֵהַּ IISh. 15:28
1095 רְאוּ כְּבֹא הַמַּלְאָךְ סִגְרוּ... IIK. 6:32
1096 הַדּוֹר אַתֶּם רְאוּ דְבַר־יְיָ Jer. 2:31
1097 רְאוּ בַגּוֹיִם וְהַבִּיטוּ Hab. 1:5
1098 רְאוּ מָה־אַתֶּם עֹשִׂים IICh. 19:6
וּרְאוּ 1099 הִתְיַצְּבוּ וּרְאוּ אֶת־יְשׁוּעַת יְיָ Ex. 14:13
1100 הִתְיַצְּבוּ וּרְאוּ אֶת-הַדָּבָר הַגָּדוֹל ISh. 12:16
1101 פִּקְדוּ־נָא וּרְאוּ מִי הָלַךְ מֵעִמָּנוּ ISh. 14:17
1102 וּרְאוּ בַּמָּה הָיְתָה הַחַטָּאת הַזֹּאת ISh. 14:38
1103 וּדְעוּ וּרְאוּ אֶת־מְקוֹמוֹ ISh. 23:22
1104 וּרְאוּ וּדְעוּ מִכֹּל הַמַּחֲבֹאִים ISh. 23:23
1105 דְּעוּ־נָא וּרְאוּ כִּי רָעָה זֶה מְבַקֵּשׁ IK. 20:7
1106 דְּעוּ־נָא וּרְאוּ כִּי־מִתְאַנֶּה הוּא לִי IIK. 5:7
1107 לְכוּ וּרְאוּ אֵיכֹה הוּא IIK. 6:13
1108 וַיִּשְׁלַח...לֵאמֹר לְכוּ וּרְאוּ IIK. 7:14
1109 חַפְּשׂוּ וּרְאוּ פֶּן־יֶשׁ־פֹּה IIK. 10:23
1110 וּרְאוּ רָאוֹ וְאַל־תֵּדָעוּ Is. 6:9
1111 שְׂאוּ־מָרוֹם עֵינֵיכֶם וּרְאוּ Is. 40:26
1112 כִּי עִבְרוּ אִיֵּי כִתִּיִּים וּרְאוּ Jer. 2:10
1113 וּרְאוּ הֵן הָיְתָה כָּזֹאת Jer. 2:10
1114 וּרְאוּ-נָא וּדְעוּ וּבַקְשׁוּ בִרְחוֹבוֹתֶיהָ Jer. 5:1
1115 עִמְדוּ עַל־דְּרָכִים וּרְאוּ Jer. 6:16
1116 וּרְאוּ אֵת אֲשֶׁר־עָשִׂיתִי לוֹ Jer. 7:12
1117 שְׂאוּ עֵינֵיכֶם וּרְאוּ (כת׳ וראי)... Jer. 13:20

וּרְאוּ (המשך) 1118 שַׁאֲלוּ־נָא וּרְאוּ אִם־יֹלֵד זָכָר Jer. 30:6
1119 וּרְאוּ מְהוּמֹת רַבּוֹת בְּתוֹכָהּ Am. 3:9
1120 עִבְרוּ כַלְנֵה וּרְאוּ... Am. 6:2
1121 טַעֲמוּ וּרְאוּ כִּי־טוֹב יְיָ Ps. 34:9
1122 לְכוּ וּרְאוּ מִפְעֲלוֹת אֱלֹהִים Ps. 66:5
1123 הַבִּיטוּ וּרְאוּ אִם־יֵשׁ...כְּמַכְאֹבִי Lam. 1:12
1124 שִׁמְעוּ־נָא...וּרְאוּ מַכְאֹבִי Lam. 1:18
1125 עִמְדוּ וּרְאוּ אֶת־יְשׁוּעַת יְיָ IICh. 20:17
וּרְאֶינָה 1126 צְאֶינָה וּרְאֶינָה...בַּמֶּלֶךְ שְׁלֹמֹה S.ofS. 3:11
לְהֵרָאֹה 1127 וְלֹא-יָסַף...לְהֵרָאֹה אֶל-מָנוֹחַ Jud. 13:21
1128 וַיֹּסֶף יְיָ לְהֵרָאֹה בְשִׁלֹה ISh. 3:21
הֵרָאוֹת 1129 וּבְיוֹם הֵרָאוֹת בּוֹ בָּשָׂר חַי Lev. 13:14
לְהֵרָאוֹת 1130 לֹא יוּכְלוּ לְהֵרָ׳ לָבוֹא הָעִירָה IISh. 17:17
1131 וַיֵּלֶךְ אֵלִיָּהוּ לְהֵרָאוֹת אֶל-אַחְאָב IK. 18:2
1132 בְּהִגָּלוֹת פִּשְׁעֵיכֶם לְהֵרָאוֹת חַטֹּאותֵיכֶם Ezek. 21:29
לֵרָאוֹת 1133 לֵרָאוֹת אֶת־פְּנֵי יְיָ אֱלֹהֶיךָ Ex. 34:24
1134 לֵרָאוֹת אֶת־פְּנֵי יְיָ אֱלֹהֶיךָ Deut. 31:11
1135 כִּי תָבֹאוּ לֵרָאוֹת פָּנָי Is. 1:12
הֵרָאֹתוֹ 1136 אַחֲרֵי הֵרָאֹתוֹ אֶל-הַכֹּהֵן לְטָהֳרָתוֹ Lev. 63:7
בְּהֵרָאוֹתוֹ 1137 וּמִי הָעֹמֵד בְּהֵרָאוֹתוֹ Mal. 3:2
נִרְאָה 1138 אֵל שַׁדַּי נִרְאָה־אֵלַי בְּלוּז Gen. 48:3
1139 יְיָ אֱלֹהֵי אֲבֹתֵיכֶם נִרְאָה אֵלַי Ex. 3:16
1141 כִּי יֹאמְרוּ לֹא־נִרְאָה אֵלֶיךָ יְיָ Ex. 4:1
1140 כִּי־נִרְאָה אֵלֶיךָ יְיָ אֱלֹהֵי אֲבֹתָם Ex. 4:5
1142 וְהִנֵּה כְּבוֹד יְיָ נִרְאָה Ex. 16:10
1143 הַיּוֹם יְיָ נִרְאָה אֲלֵיכֶם Lev. 9:4
1144 כְּנֶגַע נִרְאָה לִי בַּבָּיִת Lev. 14:35
1145 וּכְבוֹד יְיָ נִרְאָה בְּאֹהֶל מוֹעֵד Nuh. 14:10
1146 אֲשֶׁר-עַיִן בְּעַיִן נִרְאָה אַתָּה יְיָ Num. 14:14
1147 הִנֵּה נִרְאָה אֵלַי הָאִישׁ Jud. 13:10
1148 בְּגִבְעוֹן נִרְאָה יְיָ אֶל־שְׁלֹמֹה IK. 3:5
1149 כַּאֲשֶׁר נִרְאָה אֵלָיו בְּגִבְעוֹן IK. 9:2
1150 וְלֹא נִרְאָה עַד הַיּוֹם הַזֶּה IK. 10:12
1151 וְהָיָה כִי-נִרְאָה כִּי-נִלְאָה מוֹאָב Is. 16:12
1152 מֵרָחוֹק יְיָ נִרְאָה לִי Jer. 31:3(2)
1153 כְּמַרְאֵה דְּמוּת כִּסֵּא נִרְאָה עֲלֵיהֶ׳ Ezek. 10:1
1154 כִּי-בָנָה יְיָ צִיּוֹן נִרְאָה בִּכְבוֹדוֹ Ps. 102:17
1155 נִרְאָה מַרְאֵיהֶם טוֹב Dan. 1:15
1156 חָזוֹן נִרְאָה אֵלַי אֲנִי דָנִיֵּאל Dan. 8:1
1157 בַּלַּיְלָה הַהוּא נִרְאָה אֱל׳ לִשְׁלֹמֹה IICh. 1:7
1158 אֲשֶׁר נִרְאָה לְדָוִיד אָבִיהוּ IICh. 3:1
הַנִּרְאָה 1159 ...מֵעִם יְיָ...הַנִּרְאָה אֵלָיו פַּעֲמָיִם IK. 11:9
1160 אַחֲרֵי הַנִּרְאָה אֵלַי בַּתְּחִלָּה Dan. 8:1
וְנִרְאָה 1161 וְנִרְאָה שֵׁנִית אֶל־הַכֹּהֵן Lev. 13:7
1162 וְנִרְאָה אֶל־הַכֹּהֵן Lev. 13:19
1163 וַהֲבִאֹתִיו וְנִרְאָה אֶת־פְּנֵי יְיָ ISh. 1:22
1164 חָשַׂפְתִּי שׁוּלַיִךְ...וְנִרְאָה קְלוֹנֵךְ Jer. 13:26
1165 גָּלָה חָצִיר וְנִרְאָה־דֶשֶׁא Prov. 27:25
נִרְאֲתָה 1166 לֹא-נִהְיְתָה וְלֹא-נִרְאֲתָה כָּזֹאת Jud. 19:30
וְנִרְאֲתָה 1167 וְנִרְאֲתָה הַקֶּשֶׁת בֶּעָנָן Gen. 9:14
נִרְאוּ 1168 נִרְאוּ רָאשֵׁי הֶהָרִים Gen. 8:5
1169 אֲשֶׁר נִרְאוּ בְּאֶרֶץ יְהוּדָה IIK. 23:24
1170 הַנִּצָּנִים נִרְאוּ בָאָרֶץ S.ofS. 2:12
1171 וְלֹא־נִרְאוּ כָהֶם לְפָנִים IICh. 9:11
הַנִּרְאֶה 1172 וַיִּבֶן שָׁם מִזְבֵּחַ לַייָ הַנִּרְאֶה אֵלָיו Gen. 12:7
1173 וַעֲשֵׂה...מִזְבֵּחַ לָאֵל הַנִּרְאֶה אֵלֶיךָ Gen. 35:1
נִרְאָה 1174 הַכֹּל אֶרֶז אֵין אֶבֶן נִרְאָה IK. 6:18
אֵרָאֶה 1175 כִּי בֶּעָנָן אֵרָאֶה עַל־הַכַּפֹּרֶת Lev. 16:2
1176 כִּי הַיּוֹם אֵרָאֶה אֵלָיו IK. 18:15
וְאֵרָאֶה 1177 מָתַי אָבוֹא וְאֵרָאֶה פְּנֵי אֱלֹהִים Ps. 42:3
וָאֵרָא 1178 וָאֵרָא אֶל־אַבְרָהָם אֶל־יִצְחָק.. Ex. 6:3

יֵרָאֶה 1179 אֲשֶׁר יֵאָמֵר הַיּוֹם בְּהַר יְיָ יֵרָאֶה Gen. 22:14
1180 וְלֹא־יֵרָאֶה לְךָ חָמֵץ Ex. 13:7
1181 וְלֹא-יֵרָאֶה לְךָ שְׂאֹר בְּכָל-גְּבֻלֶךָ Ex. 13:7
1182 יֵרָאֶה כָּל-זְכוּרְךָ אֶל-פְּנֵי הָאָדֹן Ex. 23:17
1183 יֵרָאֶה כָּל-זְכוּרְךָ אֶת-פְּנֵי הָאָדֹן Ex. 34:23
1184 וְלֹא-יֵרָאֶה לְךָ שְׂאֹר בְּכָל-גְּבֻלְךָ Deut. 16:4
1185 יֵרָאֶה כָל־זְכוּרְךָ אֶת־פְּנֵי יְיָ Deut. 16:16
1186 וְלֹא יֵרָאֶה אֶת־פְּנֵי יְיָ רֵיקָם Deut. 16:16
1187 מָגֵן אִם־יֵרָאֶה וָרֹמַח Jud. 5:8
1188 וּכְבוֹדוֹ עָלַיִךְ יֵרָאֶה Is. 60:2
1189 וַייָ עֲלֵיהֶם יֵרָאֶה Zech. 9:14
1190 יֵרָאֶה אֶל־אֱלֹהִים בְּצִיּוֹן Ps. 84:8
1191 יֵרָאֶה אֶל־עֲבָדֶיךָ פָעֳלֶךָ Ps. 90:16
יֵרָא 1192 וְגַם־אִישׁ אַל־יֵרָא בְּכָל־הָהָר Ex. 34:3
וְיֵרָא 1193 וְיֵרָא אֲלֵיכֶם כְּבוֹד יְיָ Lev. 9:6
וַיֵּרָא 1194/5 וַיֵּרָא יְיָ אֶל־אַבְרָם Gen. 12:7; 17:1
1196 וַיֵּרָא אֵלָיו יְיָ בְּאֵלֹנֵי מַמְרֵא Gen. 18:1
1197/8 וַיֵּרָא אֵלָיו יְיָ Gen. 26:2, 24
1199 וַיֵּרָא אֱלֹהִים אֶל־יַעֲקֹב עוֹד Gen. 35:9
1200 וַיֵּרָא אֵלָיו וַיִּפֹּל עַל-צַוָּארָיו Gen. 46:29
1201 וַיֵּרָא מַלְאַךְ יְיָ אֵלָיו בְּלַבַּת-אֵשׁ Ex. 3:2
1202 וַיֵּרָא כְבוֹד־יְיָ אֶל־כָּל־הָעָם Lev. 9:23
1203-5 וַיֵּרָא כְּבוֹד יְיָ Num. 16:19; 17:7; 20:6
1206 וַיֵּרָא יְיָ בָּאֹהֶל בְּעַמּוּד עָנָן Deut. 31:15
1207 וַיֵּרָא אֵלָיו מַלְאַךְ יְיָ Jud. 6:12
1208 וַיֵּרָא מַלְאַךְ־יְיָ אֶל־הָאִשָּׁה Jud. 13:3
1209 וַיֵּרָא עַל־כַּנְפֵי־רוּחַ IISh. 22:11
1210 וַיֵּרָא יְיָ אֶל־שְׁלֹמֹה שֵׁנִית IK. 9:2
1211 וַיֵּרָא לַכְּרֻבִים תַּבְנִית יַד-אָדָם Ezek. 10:8
1212 וַיֵּרָא בְגָבְהוֹ בְּרֹב דָּלִיֹּתָיו Ezek. 19:11
1213 וַיֵּרָא יְיָ אֶל־שְׁלֹמֹה בַּלָּיְלָה IICh. 7:12
תֵּרָאֶה 1214 וְאִם־תֵּרָאֶה עוֹד בַּבֶּגֶד Lev. 13:57
1215 תִּגָּל עֶרְוָתֵךְ גַּם תֵּרָאֶה חֶרְפָּתֵךְ Is. 47:3
וְתֵרָאֶה 1216 יִקָּווּ הַמַּיִם...וְתֵרָאֶה הַיַּבָּשָׁה Gen. 1:9
יֵרָאוּ 1217/8 וְלֹא־יֵרָאוּ פָנַי רֵיקָם Ex. 23:15; 34:20
1219 וְרָאִיתָ אֶת-אֲחֹרָי וּפָנַי לֹא יֵרָאוּ Ex. 33:23
1220/1 וְלֹא יֵרָאוּ הַחוּצָה IK. 8:8 • IICh. 5:9
וְיֵרָאוּ 1222 וְיֵרָאוּ לְפָנֶיךָ מַרְאֵינוּ Dan. 1:13
וַיֵּרָאוּ 1223 וַיֵּרָאוּ אֲפִקֵי יָם IISh. 22:16
1224/5 וַיֵּרָאוּ רָאשֵׁי הַבַּדִּים IK. 8:8 • IICh. 5:9
1226 וַיֵּרָאוּ אֲפִיקֵי מַיִם Ps. 18:16
הֵרָאֵה 1227 לֵךְ הֵרָאֵה אֶל־אַחְאָב IK. 18:1
רֻאּוּ 1228 וְשֻׁפּוּ עַצְמֹתָיו לֹא רֻאּוּ Job 33:21
נִתְרָאֶה 1229/30 לְכָה נִתְרָאֶה פָנִים IIK.14:8 • IICh. 25:17
תִּתְרָאוּ 1231 וַיֹּאמֶר יַעֲקֹב לְבָנָיו לָמָּה תִּתְרָאוּ Gen. 42:1
וַיִּתְרָאוּ 1232 וַיִּתְרָאוּ פָנִים הוּא וַאֲמַצְיָהוּ IIK. 14:11
1233 וַיִּתְרָאוּ פָנִים הוּא וַאֲמַצְיָהוּ IICh. 25:21
לְהַרְאוֹת 1234 הַחִלּוֹתָ לְהַרְאוֹת אֶת־עַבְדְּךָ Deut. 3:24
1235 לְהַרְאוֹת הָעַמִּים...אֶת־יָפְיָהּ Es. 1:11
1236 לְהַרְאוֹת אֶת־אֶסְתֵּר וּלְהַגִּיד לָהּ Es. 4:8
הַרְאֹתְךָ 1237 בַּעֲבוּר הַרְאֹתְךָ אֶת־כֹּחִי Ex. 9:16
הַרְאוֹתְכָה 1238 לְמַעַן הַרְאוֹתְכָה הֻבָאתָה הֵנָּה Ezek. 40:4
לַרְאֹתְכֶם 1239 לַרְאֹתְכֶם בַּדֶּרֶךְ אֲשֶׁר תֵּלְכוּ Deut. 1:33
בְּהַרְאוֹתוֹ 1240 בְּהַרְאֹתוֹ אֶת-עֹשֶׁר כְּבוֹד מַלְכוּתוֹ Es. 1:4
הַרְאוֹתָם 1241 לְבִלְתִּי הַרְאוֹתָם אֶת־הָאָרֶץ Josh. 5:6
וְהַרְאֵיתִי 1242 וְהַרְאֵיתִי גוֹיִם מַעְרֵךְ Nah. 3:5
הֶרְאִיתִיךָ 1243 הֶרְאִיתִיךָ בְעֵינֶיךָ וְשָׁמָּה לֹא תַעֲבֹר Deut.34:4
הִרְאִיתִים 1244 לֹא-הָיָה דָבָר אֲשֶׁר לֹא-הִרְאִיתִם IIK.20:15
1245 לֹא-הָיָה דָבָר אֲשֶׁר לֹא-הִרְאִיתִים Is. 39:4
הִרְאִיתָ 1246 הִרְאִיתָ עַמְּךָ קָשָׁה Ps. 60:5
הִרְאִיתַנִי 1247 אָז הִרְאִיתַנִי מַעַלְלֵיהֶם Jer. 11:18
1248 הִרְאִיתַנִי (כת׳ הראיתנו) צָרוֹת Ps. 71:20

הֶרְאָה 1249 אֲשֶׁר הָאֱלֹהִים עֹשֶׂה הֶרְאָה אֶת־פַּרְעֹה Gen. 41:28
1250 הֶרְאָה אֹתִי אֱלֹ׳ גַּם אֶת־זַרְעֶךָ Gen. 48:11
1251 כַּאֲשֶׁר הֶרְאָה אֹתְךָ בָּהָר Ex. 27:8
1252 כַּמַּרְאֶה אֲשֶׁר הֶרְאָה יְיָ אֶת־מֹשֶׁה Num. 8:4
וְהֶרְאָה 1253 וְהֶרְאָה אֶת־נַפְשׁוֹ טוֹב בַּעֲמָלוֹ Eccl. 2:24
הִרְאַנִי 1254 הִרְאַנִי יְיָ אֹתְךָ מֶלֶךְ עַל־אֲרָם IIK. 8:13
1255 הִרְאַנִי יְיָ וְהִנֵּה שְׁנֵי דּוּדָאֵי תְאֵנִים Jer. 24:1
1256 זֶה הַדָּבָר אֲשֶׁר הִרְאַנִי יְיָ Jer. 38:21
1257-1259 כֹּה הִרְאַנִי אֲדֹנָי יְיָ Am. 7:1, 4; 8:1
1260 כֹּה הִרְאַנִי וְהִנֵּה אֲדֹנָי נִצָּב Am. 7:7
הֶרְאָנִי 1261 כָּל־דִּבְרֵי יְיָ אֲשֶׁר הֶרְאָנִי Ezek. 11:25
וְהִרְאַנִי 1262 וְהִרְאַנִי אֹתוֹ וְאֶת־נָוֵהוּ IISh. 15:25
1263 וְהִרְאַנִי יְיָ כִּי־מוֹת יָמוּת IIK. 8:10
הֶרְאָנוּ 1264 הֵן הֶרְאָנוּ יְיָ אֱלֹהֵינוּ אֶת־כְּבֹדוֹ Deut. 5:21
1265 וְלֹא הֶרְאָנוּ אֶת־כָּל־אֵלֶּה Jud. 13:23
הֶרְאֲךָ 1266 וְעַל־הָאָרֶץ הֶרְאֲךָ אֶת־אִשּׁוֹ Deut. 4:36
הֶרְאָם 1267 לֹא־הָיָה דָבָר אֲשֶׁר לֹא־הֶרְאָ׳ IIK. 20:13
1268 לֹא־הָיָה דָבָר אֲשֶׁר לֹא־הֶרְאָם Is. 39:2
1269 וְנִפְלְאוֹתָיו אֲשֶׁר הֶרְאָם Ps. 78:11
מַרְאֶה 1270 כְּכֹל אֲשֶׁר אֲנִי מַרְאֶה אוֹתְךָ Ex. 25:9
1271 לְכֹל אֲשֶׁר־אֲנִי מַרְאֶה אוֹתָךְ Ezek. 40:4
אַרְאֶךָּ 1272 לֶךְ־לְךָ..אֶל־הָאָרֶץ אֲשֶׁר אַרְאֶךָּ Gen. 12:1
1273 אֲנִי אַרְאֶךָּ מַה־הֵמָּה אֵלֶּה Zech. 1:9
וְאַרְאֶךָּ 1274 לֵךְ וְאַרְאֶךָּ אֶת־הָאִישׁ Jud. 4:22
וְאַרְאֵהוּ 1275 וְאַרְאֵהוּ בִּישׁוּעָתִי Ps. 91:16
אַרְאֶנּוּ 1276 כִּימֵי צֵאתְךָ...אַרְאֶנּוּ נִפְלָאוֹת Mic. 7:15
1277 וְשָׂם דֶּרֶךְ אַרְאֶנּוּ בְּיֵשַׁע אֱלֹהִים Ps. 50:23
תַּרְאֵנִי 1278 לָמָּה תַרְאֵנִי אָוֶן Hab. 1:3
יַרְאֶה 1279 וְנַחַת זְרוֹעוֹ יַרְאֶה Is. 30:30
וַיַּרְא 1280 וַיַּרְא אֹתָם אֶת־בֶּן־הַמֶּלֶךְ IIK. 11:4
יַרְאֵנִי 1281 וּדְבַר מַה־יַּרְאֵנִי וְהִגַּדְתִּי לָךְ Num. 23:3
1282 אֱלֹהִים יַרְאֵנִי בְשֹׁרְרָי Ps. 59:11
וַיַּרְאֵנִי 1283 וַיַּרְאֵנִי יְיָ אַרְבָּעָה חָרָשִׁים Zech. 2:3
1284 וַיַּרְאֵנִי אֶת־יְהוֹשֻׁעַ...עֹמֵד Zech. 3:1
וַיַּרְאֵהוּ 1285 וַיַּרְאֵהוּ יְיָ אֶת־כָּל־הָאָרֶץ Deut. 34:1
1286 וַיַּרְאֵהוּ אֶת־הַמָּקוֹם IIK. 6:6
יַרְאֵנוּ 1287 רַבִּים אֹמְרִים מִי־יַרְאֵנוּ טוֹב Ps. 4:7
וַיַּרְאֵם 1288 וַיַּרְאֵם אֶת־מְבוֹא הָעִיר Jud. 1:25
1289 וַיַּרְאֵם אֶת־כָּל־בֵּית נְכֹתֹה IIK. 20:13
1290 וַיַּרְאֵם אֶת־בֵּית נְכֹתֹה Is. 39:2
וַיַּרְאוּם 1291 וַיַּרְאוּם אֶת־פְּרִי הָאָרֶץ Num. 13:26
הַרְאֵנִי 1292 הַרְאֵנִי נָא אֶת־כְּבֹדֶךָ Ex. 33:18
הַרְאֵנוּ 1293 הַרְאֵנוּ נָא אֶת־מְבוֹא הָעִיר Jud. 1:24
1294 הַרְאֵנוּ יְיָ חַסְדֶּךָ וְיֶשְׁעֲךָ תִּתֶּן־לָנוּ Ps. 85:8
הַרְאִינִי 1295 הַרְאִינִי אֶת־מַרְאַיִךְ S.ofS. 2:14
הָרְאֵיתָ 1296 כְּמִשְׁפָּטוֹ אֲשֶׁר הָרְאֵיתָ בָּהָר Ex. 26:30
1297 אַתָּה הָרְאֵתָ לָדַעַת Deut. 4:35
וְהָרְאָה 1298 וְהָרְאָה אֶת־הַכֹּהֵן Lev. 13:49
מָרְאֶה 1299 בְּתַבְנִיתָם אֲשֶׁר־אַתָּה מָרְאֶה בָּהָר Ex. 25:40

רָאֶה* ת׳ רָוֶה (?)

וּרְאֵה־ 1 שְׂבַע קָלוֹן וּרְאֵה עָנְיִי Job 10:15

רָאָה נ׳ עוֹף דורס [נוסח אחר של ״דָּאָה״?]

וְהָרָאָה 1 וְהָרָאָה וְאֶת־הָאַיָּה וְהַדַּיָּה Deut. 14:13

רֹאֶה ז׳ – עין רוֹאֶה

רְאוּבֵן שפ״ז א) בכור יעקב מאשתו לֵאה: 1-16,53,54,66,68
ב) על שמו – שם השֵׁבט: 17-52, 55-65, 67, 69
בֶּן רְאוּבֵן 54; בְּנֵי רְ׳ 11, 14-16, 18-47; מַחֲנֵה רְ׳ 49-51; מַטֵּה רְ׳ 48, 52, 57-60; מִשְׁפְּחוֹת רְ׳ 17; פְּלַגּוֹת רְ׳ 61, 62; שַׁעַר רְאוּבֵן 65

רְאוּבֵן 1 וַתֵּלֶד בֵּן וַתִּקְרָא שְׁמוֹ רְאוּבֵן Gen. 29:32
2 וַיֵּלֶךְ רְאוּבֵן...וַיִּמְצָא דוּדָאִים Gen. 30:14
3 וַיֵּלֶךְ רְאוּבֵן וַיִּשְׁכַּב אֶת־בִּלְהָה Gen. 35:22
4 בְּנֵי לֵאָה בְּכוֹר יַעֲקֹב רְאוּבֵן Gen. 35:23
5 וַיִּשְׁמַע רְאוּבֵן וַיַּצִּלֵהוּ מִיָּדָם Gen. 37:21
6 וַיֹּאמֶר אֲלֵהֶם רְאוּבֵן אַל־תִּשְׁפְּכוּ דָם Gen. 37:22
7 וַיָּשָׁב רְאוּבֵן אֶל־הַבּוֹר Gen. 37:29
8 וַיַּעַן רְאוּבֵן אֹתָם לֵאמֹר Gen. 42:22
9 וַיֹּאמֶר רְאוּבֵן אֶל־אָבִיו לֵאמֹר Gen. 42:37
10 בְּכֹר יַעֲקֹב רְאוּבֵן Gen. 46:8
11 וּבְנֵי רְאוּבֵן חֲנוֹךְ וּפַלּוּא Gen. 46:9
12 רְאוּבֵן בְּכֹרִי אַתָּה... Gen. 49:3
13 רְאוּבֵן שִׁמְעוֹן לֵוִי וִיהוּדָה Ex. 1:2
14-16 (וּבְ־)בְּנֵי רְאוּבֵן בְּכוֹר יִשְׂרָאֵל Ex. 6:4; ICh. 5:1, 3
17 אֵלֶּה מִשְׁפְּחֹת רְאוּבֵן Ex. 6:14
18-47 (וּ/לִ/וְלִ)בְנֵי רְאוּבֵן Num. 1:20
2:10; 7:30; 16:1; 26:5; 32:1, 2, 6, 25, 29, 31, 33, 37 • Josh. 4:12; 13:15, 23[2]; 22:9, 10, 11, 13, 15, 21, 25; 22:30, 31, 32, 33, 34 • ICh. 5:18
48 פְּקֻדֵיהֶם לְמַטֵּה רְאוּבֵן Num. 1:21
49/50 דֶּגֶל מַחֲנֵה רְאוּבֵן Num. 2:10; 10:18
51 כָּל־הַפְּקֻדִים לְמַחֲנֵה רְאוּבֵן Num. 2:16
52 לְמַטֵּה רְאוּבֵן שַׁמּוּעַ בֶּן־זַכּוּר Num. 13:4
53 רְאוּבֵן בְּכוֹר יִשְׂרָאֵל Num. 26:5
54 בְּנֵי אֱלִיאָב בֶּן־רְאוּבֵן Deut. 11:6
55 בְּהַר עֵיבָל רְאוּבֵן גָּד וְאָשֵׁר Deut. 27:13
56 יְחִי רְאוּבֵן וְאַל־יָמֹת Deut. 33:6
57-60 מִמַּטֵּה רְאוּ׳ Josh. 20:8; 21:7 • ICh. 6:48, 63
61 בִּפְלַגּוֹת רְאוּבֵן גְּדֹלִים חִקְקֵי־לֵב Jud. 5:15
62 לִפְלַגּוֹת רְאוּבֵן גְּדוֹלִים חִקְרֵי־לֵב Jud. 5:16
63 וְעַל גְּבוּל אֶפְרַיִם...רְאוּבֵן אֶחָד Ezek. 48:6
64 וְעַל גְּבוּל רְאוּבֵן...יְהוּדָה אֶחָד Ezek. 48:7
65 שַׁעַר רְאוּבֵן אֶחָד Ezek. 48:31
66 רְאוּבֵן שִׁמְעוֹן לֵוִי וִיהוּדָה ICh. 2:1
וּרְאוּבֵן 67 וְגָד וּרְאוּבֵן וַחֲצִי שֵׁבֶט הַמְנַשֶּׁה Josh. 18:7
כִּרְאוּבֵן 68 כִּרְאוּבֵן וְשִׁמְעוֹן יִהְיוּ־לִי Gen. 48:5
לִרְאוּבֵן 69 לִרְאוּבֵן אֱלִיצוּר בֶּן־שְׁדֵיאוּר Num. 1:5

רְאוּבֵנִי ת׳ המתיַחס על בית ראובן: 1-18
בְּנֵי הָרְאוּבֵנִי 2; מִשְׁפְּחוֹת הָרְאוּבֵנִי 1

הָרְאוּבֵנִי 1 אֵלֶּה מִשְׁפְּחֹת הָרְאוּבֵנִי Num. 26:7
2 כִּי לָקְחוּ מַטֵּה בְנֵי הָרְאוּבֵנִי Num. 34:14
3 עִמּוֹ הָרְאוּבֵנִי וְהַגָּדִי Josh. 13:8
4 עֲדִינָא בֶן־שִׁיזָא הָרְאוּבֵנִי ICh. 11:42
5 מִן־הָרְאוּבֵנִי וְהַגָּדִי ICh. 12:37(38)
6 וַיַּפְקִידֵם...עַל־הָרְאוּבֵנִי וְהַגָּדִי ICh. 26:32
וְהָרְאוּבֵנִי 7 הַגָּדִי וְהָרְאוּבֵנִי וְהַמְנַשִּׁי IIK. 10:33
לָרְאוּבֵנִי 8 וְאֶת־הָאָרֶץ...נָתַתִּי לָרְאוּבֵנִי וְלַגָּדִי Deut. 3:12
9 אֶת־בֶּצֶר...לָרְאוּבֵנִי Deut. 4:43
10 וַנִּתְּנָהּ לְנַחֲלָה לָרְאוּבֵנִי וְלַגָּדִי Deut. 29:7
11 יְרֻשָּׁה לָרְאוּבֵנִי וְלַגָּדִי Josh. 12:6
12 אָז יִקְרָא יְהוֹשֻׁעַ לָרְאוּבֵנִי וְלַגָּדִי Josh. 22:1
13 הוּא נָשִׂיא לָרְאוּבֵנִי ICh. 5:6
14 וַיַּגְלֵם לָרְאוּבֵנִי וְלַגָּדִי ICh. 5:26
15 עֲדִינָא...הָרְאוּבֵנִי רֹאשׁ לָרְאוּבֵנִי ICh. 11:42
16 לָרְאוּבֵנִי נָגִיד אֱלִיעֶזֶר בֶּן־זִכְרִי ICh. 27:16
וְלָרְאוּבֵנִי 17 וְלָרְאוּבֵנִי וְלַגָּדִי נָתַתִּי מִן הַגִּלְעָד Deut. 3:16
18 וְלָרְאוּבֵנִי...וְלַחֲצִי שֵׁבֶט הַמְנַשֶּׁה Josh. 1:12

רַאֲוָה נ׳ ראִיה

לְרַאֲוָה 1 לִפְנֵי מְלָכִים נְתַתִּיךָ לְרַאֲוָה בָךְ Ezek. 28:17

רָאוּי* ת׳ – עין רָאָה (529)

רְאוּמָה שפ״נ – פילגש נחור אחי אברהם

רְאוּמָה 1 וּפִילַגְשׁוֹ וּשְׁמָהּ רְאוּמָה Gen. 22:24

רְאוּת נ׳ ראִיָה • רְאוּת עֵינַיִם 1

רְאוּת־ 1 וּמַה־כִּשְׁרוֹן לִבְעָלֶיהָ כִּי אִם־רְאוּת (כת׳ ראית) עֵינָיו Eccl. 5:10

רָאוֹת – עין רָאָה (6)

רְאִי ז׳ רִקוּע מתכת מלוטש, מַרְאָה

כִּרְאִי 1 חֲזָקִים כִּרְאִי מוּצָק Job 37:18

רֳאִי[1] ז׳ א) ראִיה: 1, 3
ב) מַראה: 2
אֵל רֳאִי 1; טוֹב רֹאִי 2; עֵין רֹאִי 3

רֳאִי 1? אַתָּה אֵל רֳאִי Gen. 16:13
רֹאִי 2 וְהוּא אַדְמוֹנִי...וְטוֹב רֹאִי ISh. 16:12
3 לֹא־תְשׁוּרֵנִי עֵין רֹאִי Job 7:8

רֳאִי*[2] ז׳ רְעִי, סחי: 1, 2

כְּרֹאִי 1 וְנִבַּלְתִּיךְ וְשַׂמְתִּיךְ כְּרֹאִי Nah. 3:6
מֵרֹאִי 2 יִכֶל בְּשָׂרוֹ מֵרֹאִי Job 33:21

רֹאִי ש״פ – עין בְּאֵר לַחַי רֹאִי (באות ב׳)

רְאָיָה שפ״ז א) בן שוֹבָל למטה יהוּדָה: 4
ב) בן מִיכָה למטה ראובן: 3
ג) מן הנתינים בעולי הגולה: 1, 2
בְּנֵי רְאָיָה 1, 2

רְאָיָה 1 בְּנֵי־גִדֵּל...בְּנֵי רְאָיָה Ez. 2:47
2 בְּנֵי־רְאָיָה בְנֵי־רְצִין Neh. 7:50
3 מִיכָה בְנוֹ רְאָיָה בְנוֹ ICh. 5:5
וּרְאָיָה 4 וּרְאָיָה בֶן־שׁוֹבָל הוֹלִיד אֶת־יַחַת ICh. 4:2

רְאֵים ז׳ – עין רְאֵם

רִאישׁוֹן ת׳ – עין רִאשׁוֹן (72)

ראם : רָאַם; רְאֵם, רָאמוֹת; ש״פ רָאמַת נֶגֶב

רָאַם פָּ׳ רם, התנשׂא

וְרָאֲמָה 1 וְרָאֲמָה וְיָשְׁבָה תַחְתֶּיהָ Zech. 14:10

רְאֵם ז׳ א) בעל־חיים ממשפחת נבובי־הקרן, קרניו ארוכות וישרות: 1-6, 8, 9
ב) [בהשאלה] אדיר: 7
קַרְנֵי רְאֵם 3,8; תּוֹעֲפוֹת רְאֵם 1, 2; בֶּן־רְאֵמִים 9

רְאֵם 1/2 כְּתוֹעֲפֹת רְאֵם לוֹ Num. 23:22; 24:8
3 וְקַרְנֵי רְאֵם קַרְנָיו Deut. 33:17
(רֵים) 4 הֲיֹאבֶה רֵים עָבְדֶךָ Job 39:9
5 הֲתִקְשָׁר־רֵים בְּתֶלֶם עֲבֹתוֹ Job 39:10
כִּרְאֵים 6 וַתָּרֶם כִּרְאֵים קַרְנִי Ps. 92:11
רְאֵמִים 7 וְיָרְדוּ רְאֵמִים עִמָּם Is. 34:7
8 וּמִקַּרְנֵי רֵמִים עֲנִיתָנִי Ps. 22:22
9 וַיַּרְקִידֵם...כְּמוֹ בֶן־רְאֵמִים Ps. 29:6

רָאמוֹת[1] נ״ר – אבן מאבני החן: 1-3

רָאמוֹת 1 רָאמוֹת לֶאֱוִיל חָכְמוֹת Prov. 24:7
2 רָאמוֹת וְגָבִישׁ לֹא יִזָּכֵר Job 28:18
וְרָאמֹת 3 וּבוּץ וְרָאמֹת וְכַדְכֹּד Ezek. 27:16

רָאמוֹת² ש״פ א) עיר בנחלת יששכר: 3

ב) עיר מקלט בגלעד: 4,2,1 [עין גם רָמוֹת]

רָאמוֹת 1 וְאֶת־רָאמֹת בַּגִּלְעָד לַגָּדִי Deut. 4:43

2 וְאֶת־רָאמוֹת בַּגִּלְעָד מִמַּטֵּה גָד Josh. 20:8

3 וְאֶת־רָאמוֹת וְאֶת־מִגְרָשֶׁיהָ ICh. 6:58

4 אֶת־רָאמוֹת בַּגִּלְעָד וְאֶת־מִגְרָשֶׁיהָ ICh. 6:65

רָאמַת נֶגֶב ש״פ – רמה בדרום נחלת שמעון

רָאמַת נֶגֶב 1 עַד־בַּעֲלַת בְּאֵר רָאמַת נֶגֶב Josh. 19:8

רֹאשׁ : ראש, ראשה, ראשון, ראשוני, ראשות, ראשית, מְרַאֲשׁוֹת; ש״פ ראש; אר׳ ראש

רֹאשׁ¹ ז׳ א) קדקוד, גולגולת של אדם ושל בעלי־חיים: רוב המקראות 1-600

ב) קצה עליון של דבר: 2, 25, 36, 42, 102, 109-121, 151-155, 161, 166, 175-182, 187-189, 197, 210-212, 221, 222, 224, 230, 237, 243, 244, 247, 249, 250, 253, 255, 256, 263, 267, 268, 270-276, 391, 392, 394, 416, 417, 473, 521, 522, 524, 528-530, 536, 547, 559, 561, 567, 582, 583, 585-588

ג) (בהשאלה) מנהיג, עליון: 3-5, 14-17, 29-33, 43, 46-51, 54-73, 81-86, 88-93, 156, 159, 160, 164, 173, 174, 186, 205-208, 216-218, 258, 261, 262, 452, 460-469, 474, 523, 531, 532, 535, 537-546, 548-557, 564-566, 568-572, 574, 579

ד) חלק, פֶּלֶג מדבר: 34, 41, 74, 75, 450, 453-457, 459, 470-472

ה) ראשית, תחלה, ראשון (בזמן או במקום): 26, 79, 80, 108, 162, 195, 201-203, 219, 223, 225, 228, 229, 232-236, 238-241, 245, 248, 251, 252, 266, 446-448, 562, 563

ו) [מֵראש] מימי קדם, מלפנים: 94-99

– ראש וְזָנָב 9, 10, 81, 82

– ראש חָפוּי 35; ר׳ מֻקְרָח 13; ראש עָגֹל 36; ראש פָּרוּעַ 393

– מִכַּף רֶגֶל וְעַד ראש 8; מֵראש וְעַד סוֹף 99

– ראש אֲבִימֶלֶךְ 163; ר׳ אַהֲרֹן 136; ר׳ אוֹיְבִים 200; ר׳ אַיִל 123-126; ר׳ אִישׁ בֹּשֶׁת 168-170; ר׳ אֱלִישָׁע 184; ר׳ אֻמּוֹת 156; ר׳ אָמִיר 231; ר׳ אֲמָנָה 273; ר׳ אֲנָשִׁים 158; ר׳ אֶפְרַיִם 103, 105, 106, 217; ראש אֲרָם 186; ר׳ אִשָּׁה 146; ר׳ אַשְׁמוּרוֹת 266; ר׳ אַשְׁמֹרֶת 162; ר׳ בֵּית אָבוֹת 160, 258; ר׳ בְּנֵי־ 127, 144, 145; ר׳ בֹּשֶׂם 237; ר׳ גִּבְעָה 109, 110, 166; ר׳ גֶּבֶר 260; ר׳ גּוֹיִם 233, 261, 262; ר׳ גּוֹלִים 241; ר׳ גֵּיא שְׁמָנִים 187, 188; ר׳ דָּבָר 201; ר׳ דָּגוֹן 214; ר׳ דָּוִד 171, 209; ר׳ דַּלִּים 240; ר׳ דַּמֶּשֶׂק 216; ר׳ דֶּרֶךְ 195, 234, 235, 239; ר׳ דְּרָכִים 236; ר׳ הוֹמִיּוֹת 248; ר׳ הַר 111-121, 221, 222, 224, 270; ר׳ הָרִים 230, 244, 247, 271; ר׳ הַרְרֵי קֶדֶם 276; ר׳ זְאֵב 213; ר׳ זַרְעוֹ 254; ר׳ חֶבֶל 250; ר׳ חֳדָשִׁים 108; ר׳ חוּצוֹת 232, 245, 251, 252; ר׳ חַטָּאת 134, 135; ר׳ חֲמוֹר 183; ר׳ חֶרְמוֹן 274; ר׳ יְהוֹיָכִין 185, 192; ר׳ יְהוֹשֻׁעַ 246; ר׳ יוֹאָב 227; ר׳ יוֹנָה 198; ר׳ יוֹנְקוֹת 272; ר׳ יוֹסֵף 257, 259; ר׳ יְנִיקוֹת 196; ר׳ כּוֹכָבִים 204; ר׳ כָּלֵב 220; ר׳ כֻּלָּם 242; ר׳ כְּרוּבִים 193; ר׳ הַכַּרְמֶל 182, 197, 243; ר׳ לְבָנוֹן 189; ר׳ מַטֶּה 102; ר׳ הַמִּטַּהֵר 138, 139; ר׳ מְכוֹנָה 181, 255; ר׳ מַלְקוֹחַ 157; ר׳ מַמְלָכוֹת 159; ר׳ מְנַשֶּׁה 104, 107; ר׳ מְסִבִּים 203; ר׳ מָעוֹז 161; ר׳ מְרוֹמִים 249; ראש מַשְׁבִּיר 265; ראש נִזְרוֹ 147-149; ראש סֶלַע 267, 275; ראש עֵדָה 142, 143; ראש עוֹלָה 128; ראש עוֹרֵב 213; ראש עָם 223, 228, 229; ר׳ עַמּוּדִים 175-178, 180, 210-212; ראש עֶפְרוֹת 219; ראש הַפְּלִשְׁתִּי 165, 215; ר׳ פִּנָּה 263; ר׳ הַפִּסְגָּה 151-154; ר׳ הַפְּעוֹר 155; ר׳ הַפָּר 122, 131, 132, 137; ר׳ פְּרָזִים 199; ר׳ פָּרִים 150; ר׳ פַּרְעוֹת 269; ר׳ צַדִּיק 264; ר׳ צוּרִים 268; ר׳ קוֹמָה 194; ר׳ קָרְבָּן 129, 130; ר׳ הַקְּרוּאִים 225; ר׳ רִמּוֹנִים 179; ר׳ רֵעֵהוּ 226; ר׳ רְשָׁעִים 190, 191; ר׳ שְׁבָטִים 164; ר׳ שִׁבֹּלֶת 256; ר׳ שֶׁבַע 172; ר׳ שׁוֹמְרוֹן 218; ר׳ שְׁלֹשָׁה 174, 208; ראש שְׁלִישִׁי 173; ראש שָׁלִישִׁים 206, 207; ראש שִׂמְחָתוֹ 202; ר׳ הַשָּׁנָה 238; ר׳ שְׂנִיר 274; ראש שָׂעִיר 133, 140, 141; ראש שַׂר 100, 101; ראש שַׂרְבִיט 253; ראש הַתְּחִלָּה 205

– אֲבוֹת הָרֹאשׁ 54; דַּלַּת ר׳ 324; חָפוּי ר׳ 27; כֹּהֵן הָרֹאשׁ 43, 46-51; מַחְלְפוֹת ר׳ 279, 372; מְנוֹד ר׳ 21; מָעוֹז ר׳ 291, 292; מַעְלָה ר׳ 28; נְשִׂיא ר׳ 14-16; עֲטֶרֶת ר׳ 297, 419; פְּאַת ר׳ 423; פִּי רֹאשׁ 329; צִיצִת ר׳ 285; צָרַעַת ר׳ 40; שֶׁמֶן רֹאשׁ 25; שְׂעַר רֹאשׁ 149, 302, 368, 373, 380; שַׂעֲרוֹת רֹאשׁ 290, 293; שַׂעֲרַת רֹאשׁ 374

– צִפּוּי רָאשִׁים 586, 587

– רָאשֵׁי אָבוֹת 475, 482, 548-555, 564, 570-572; ר׳ אֲלָפִים 476, 478, 520, 544, 556; ר׳ אֲנָשִׁים 525, 558; ר׳ בַּדִּים 524, 547; ר׳ בֵּית אָבוֹת 474, 477, 483-515; ר׳ בֵּית יַעֲקֹב 532; ר׳ בְּכָאִים 559, 561; ר׳ בְּנֵי אֶפְרַיִם 569; ר׳ בְּנֵי יִשְׂרָאֵל 479; ר׳ בְּנֵי הַמֶּלֶךְ 526; ר׳ בְּשָׂמִים 536; ר׳ גִּבּוֹרִים 542; ר׳ גְּבָרִים 565, 566; ר׳ גְּדוּד 560; ר׳ הָרִים 473, 521, 528-530, 567; ר׳ חֳדָשִׁים 562/3; ר׳ הַחַיָּה 527; ר׳ הֶחָלוּץ 545; ר׳ יַעֲקֹב 531; ר׳ כֹּהֲנִים 539; ר׳ לְוִיִּם 557, 568; ר׳ לִוְיָתָן 534; ר׳ הַמְּדִינָה 538; ר׳ מַטּוֹת 481, 523, 546; ר׳ מְשֹׁרְרִים 540; ר׳ נְשִׂיאִים 541; ר׳ עַם 480, 518, 519, 537; ר׳ עַם הָאָרֶץ 535; ר׳ עַמּוּדִים 522; ר׳ צָבָא 543; ר׳ שְׁבָטִים 516, 517; רָאשֵׁי תַנִּינִים 533

– גָּזַז רֹאשׁ 387; גִּלַּח ר׳ 44, 148, 369, 379, 412, 440; דִּשֵּׁן ר׳ 287; הִגִּיעַ רֹאשׁוֹ 392, 394; הוֹרִיד ר׳ 449; הֵיטִיב ר׳ 415; הֵנִי ר׳ 294; הֵנִיעַ ר׳ 6, 11, 20, 436, 438; הֵסִיר ר׳ 283, 310, 377, 382; הֵרִים ר׳ 24; חִיֵּב ר׳ 301; הִשְׁלִיךְ ר׳ 384; חָפָה ר׳ 381, 431, 432; טִמֵּא ר׳ 147; יָשַׁב רֹאשׁ 26; כִּסָּה ר׳ 580; כִּסֵּם ר׳ 594; כָּפַף ר׳ 385; כָּרַת ר׳ 376; מָחַץ ר׳ 19, 23; מָחַק ר׳ 371; מָלַק ר׳ 362, 363; נָשָׂא ר׳ 22, 100, 127, 142-145, 295, 308, 313, 386, 428, 582, 583; נָתַן רֹאשׁ 4, 29; עִצֵּם ר׳ 595; פָּרַע ר׳ 146, 578; צִפָּה ר׳ 585, 588; קִדֵּשׁ ר׳ 370; שָׂם ר׳ 17; שָׁף ראש 1

רֹאשׁ 1 הוּא יְשׁוּפְךָ רֹאשׁ Gen. 3:15

2 קַח־לְךָ בְּשָׂמִים רֹאשׁ מָר־דְּרוֹר Ex. 30:23

3 אִישׁ רֹאשׁ לְבֵית־אֲבֹתָיו הוּא Num. 1:4

4 נִתְּנָה רֹאשׁ וְנָשׁוּבָה מִצְרָיְמָה Num. 14:4

5 וַיֵּרְדוּ שְׁלֹשָׁה מֵהַשְּׁלֹשִׁים רֹאשׁ IISh. 23:13

6 אַחֲרֶיךָ רֹאשׁ הֵנִיעָה בַּת יְרוּשָׁלִָם IIK. 19:21

7 כָּל־רֹאשׁ לָחֳלִי וְכָל־לֵבָב דַּוָּי Is. 1:5

8 מִכַּף־רֶגֶל וְעַד־רֹאשׁ Is. 1:6

9/10 רֹאשׁ וְזָנָב כִּפָּה וְאַגְמוֹן Is. 9:13; 19:15

11 אַחֲרֶיךָ רֹאשׁ הֵנִיעָה בַּת יְרוּשָׁלִָם Is. 37:22

12 כִּי כָל־רֹאשׁ קָרְחָה Jer. 48:37

13 כָּל־רֹאשׁ מֻקְרָח Ezek. 29:18

14-16 נְשִׂיא רֹאשׁ מֶשֶׁךְ וְתֻבָל Ezek. 38:2, 3; 39:1

17 וְשָׂמוּ לָהֶם רֹאשׁ אֶחָד Hosh. 2:2

18 וְעַל־כָּל־רֹאשׁ קָרְחָה Am. 8:10

19 מָחַצְתָּ רֹּאשׁ מִבֵּית רָשָׁע Hab. 3:13

20 יַפְטִירוּ בְשָׂפָה יָנִיעוּ רֹאשׁ Ps. 22:8

רֹאשׁ (המשך)

21 מְנוֹד־רֹאשׁ בַּלְאֻמִּים Ps. 44:15

22 וּמְשַׂנְאֶיךָ נָשְׂאוּ רֹאשׁ Ps. 83:3

23 מָחַץ רֹאשׁ עַל־אֶרֶץ רַבָּה Ps. 110:6

24 עַל־כֵּן יָרִים רֹאשׁ Ps. 110:7

25 שֶׁמֶן רֹאשׁ אַל־יָנִי רֹאשִׁי Ps. 141:5

26 אֶבְחַר דַּרְכָּם וְאֵשֵׁב רֹאשׁ Job 29:25

27 אָבֵל וַחֲפוּי רֹאשׁ Es. 6:12

28 כִּי־עֲוֹנֹתֵינוּ רָבוּ לְמַעְלָה רֹּאשׁ Ez. 9:6

29 וַיִּתְּנוּ־רֹאשׁ לָשׁוּב לְעַבְדֻתָם Neh. 9:17

30 רֹאשׁ לְבֵית אֲבוֹתָם ICh. 5:15

31 שְׁלוֹשָׁה מִן־הַשְּׁלוֹשִׁים רֹאשׁ ICh. 11:15

32 עֲדִינָא בֶן־שִׁיזָא...רֹאשׁ לָראוּבֵנִי ICh. 11:42

33 בְּנָיָהוּ בֶן־יְהוֹיָדָע הַכֹּהֵן רֹאשׁ ICh. 27:5

וְרֹאשׁ 34 וְרֹאשׁ־אֶחָד בָּא מִדֶּרֶךְ אֵלוֹן Jud. 9:37

35 וְרֹאשׁ לוֹ חָפוּי IISh. 15:30

36 וְרֹאשׁ עָגֹל לַכִּסֵּא מֵאַחֲרָיו IK. 10:19

הָרֹאשׁ 37 אֶת־הָרֹאשׁ וְאֶת־הַפָּדֶר Lev. 1:8

38 וַיַּקְטֵר מֹשֶׁה אֶת־הָרֹאשׁ Lev. 8:20

39 וְאֶת־הָעֹלָה...וְאֶת־הָרֹאשׁ Lev. 9:13

40 צָרַעַת הָרֹאשׁ אוֹ הַזָּקָן הוּא Lev. 13:30

41 הָרֹאשׁ אֶחָד יִפְנֶה אֶל־דֶּרֶךְ עָפְרָה ISh. 13:17

42 וַיְהִי דָוִד בָּא עַד־הָרֹאשׁ... IISh. 15:32

43 אֶת־שְׂרָיָה כֹּהֵן הָרֹאשׁ IIK. 25:18

44 יְגַלַּח אֲדֹנָי...אֶת־הָרֹאשׁ... Is. 7:20

45 וּנְשׂוּא־פָנִים הוּא הָרֹאשׁ Is. 9:14

46-51 (הַ)כֹּהֵן הָרֹאשׁ Jer. 52:24

Ez. 7:5 • IICh. 19:11; 24:11; 26:20; 31:10

52 כִּי הַמָּקוֹם אֲשֶׁר־יִפְנֶה הָרֹאשׁ Ezek. 10:11

53 כַּשֶּׁמֶן הַטּוֹב עַל־הָרֹאשׁ Ps. 133:2

54 אֲבוֹת הָרֹאשׁ לְעֻמַּת אָחִיו הַקָּטָן ICh. 24:31

55 וּלְחֹסָה...בָּנִים שֹׁמְרֵי הָרֹאשׁ ICh. 26:10

56-73 הָרֹאשׁ Ez. 8:17 • ICh. 5:7, 12

9:17; 12:3, 9(10); 16:5; 23:8, 11, 16, 17, 18, 19, 20

24:21; 26:31; 27:3 • IICh. 24:6

וְהָרֹאשׁ 74 וְהָרֹאשׁ אֶחָד יִפְנֶה דֶּרֶךְ בֵּית חֹרוֹן ISh. 13:18

75 וְהָרֹאשׁ אֶחָד יִפְנֶה דֶּרֶךְ הַגְּבוּל ISh. 13:18

מֵהָרֹאשׁ 76 וְדָוִד עָבַר מְעַט מֵהָרֹאשׁ IISh. 16:1

בְּרֹאשׁ 77 בְּרֹאשׁ אוֹ בְזָקָן Lev. 13:29

78 הֵא דַּרְכֵּךְ בְּרֹאשׁ נָתַתִּי Ezek. 16:43

בָּרֹאשׁ 79 אָז נָתַן דָּוִיד בָּרֹאשׁ ICh. 16:7

80 וְהִנֵּה עִמָּנוּ בָרֹאשׁ הָאֱלֹהִים IICh. 13:12

לְרֹאשׁ 81 וּנְתָנְךָ יְיָ לְרֹאשׁ וְלֹא לְזָנָב Deut. 28:13

82 הוּא יִהְיֶה לְרֹאשׁ וְאַתָּה...לְזָנָב Deut. 28:44

83 יִהְיֶה לְרֹאשׁ לְכֹל יֹשְׁבֵי גִלְעָד Jud. 10:18

84 וְהָיִיתָ לָּנוּ לְרֹאשׁ לְכֹל יֹשְׁבֵי גִל׳ Jud. 11:8

85 אָנֹכִי אֶהְיֶה לָכֶם לְרֹאשׁ Jud. 11:9

86 וַיָּשִׂימוּ...עֲלֵיהֶם לְרֹאשׁ וּלְקָצִין Jud. 11:11

87 לִמַּדְתְּ אֹתָם עָלַיִךְ אַלֻּפִים לְרֹאשׁ Jer. 13:21

88 הָיוּ צָרֶיהָ לְרֹאשׁ אֹיְבֶיהָ שָׁלוּ Lam. 1:5

89 כָּל־מַכֵּה יְבוּסִי...יִהְיֶה לְרֹאשׁ וּלְשָׂר ICh. 11:6

90 וַיַּעַל בָּרִאשׁוֹנָה...וַיְהִי לְרֹאשׁ ICh. 11:6

91 וַיְשִׂימֵהוּ אָבִיהוּ לְרֹאשׁ ICh. 26:10

92 וְהַמִּתְנַשֵּׂא לְכֹל לְרֹאשׁ ICh. 29:11

לָרֹאשׁ 93 וַיַּעֲמֵד לָרֹאשׁ רְחַבְעָם IICh. 11:22

מֵרֹאשׁ 94 הֲלוֹא הֻגַּד מֵרֹאשׁ לָכֶם Is. 40:21

95 קֹרֵא הַדֹּרוֹת מֵרֹאשׁ Is. 41:4

96 מִי־הִגִּיד מֵרֹאשׁ וְנֵדָעָה Is. 41:26

97 לֹא מֵרֹאשׁ בַּסֵּתֶר דִּבַּרְתִּי Is. 48:16

98 מֵרֹאשׁ מִקַּדְמֵי־אָרֶץ Prov. 8:23

99 מֵרֹאשׁ וְעַד־סוֹף Eccl. 3:11

רֹאשׁ־ 100 וַיִּשָּׂא אֶת־רֹאשׁ שַׂר הַמַּשְׁקִים Gen. 40:20

101 וְאֶת־רֹאשׁ שַׂר הָאֹפִים Gen. 40:20

רֹאשׁ- (המשך)

102 וַיִּשְׁתַּחוּ יִשְׂרָאֵל עַל-רֹאשׁ הַמִּטָּה Gen. 47:31
103 וַיִּשְׁלַח...וַיָּשֶׁת עַל-רֹאשׁ אֶפְרַיִם Gen. 48:14
104 וְאֶת-שְׂמֹאלוֹ עַל-רֹאשׁ מְנַשֶּׁה Gen. 48:14
105 שִׁית...יַד-יְמִינוֹ עַל-רֹאשׁ אֶפְרַיִם Gen. 48:17
106 לְהָסִיר אֹתָהּ מֵעַל רֹאשׁ-אֶפְרַיִם Gen. 48:17
107 עַל-רֹאשׁ מְנַשֶּׁה Gen. 48:17
108 הַחֹדֶשׁ הַזֶּה לָכֶם רֹאשׁ חֳדָשִׁים Ex. 12:2
109 מָחָר אָנֹכִי נִצָּב עַל-רֹאשׁ הַגִּבְעָה Ex. 17:9
110 וּמֹשֶׁה...וְחוּר עָלוּ רֹאשׁ הַגִּבְעָה Ex. 17:10
111 וַיֵּרֶד יְיָ עַל-הַר סִינַי אֶל-רֹאשׁ הָהָר Ex. 19:20
112-121 רֹאשׁ הָהָר Ex. 19:20; 34:2
Num. 14:40, 44 • Josh. 15:8 • Jud. 16:3 • ISh. 26:13
• IIK. 1:9 • Is. 30:17 • Ezek. 43:12
122 וְסָמַךְ אַהֲרֹן...עַל-רֹאשׁ הַפָּר Ex. 29:10
123 וְסָמְכוּ...עַל-רֹאשׁ הָאָיִל Ex. 29:15
124-126 עַל-רֹאשׁ הָאָיִל Ex. 29:19 • Lev. 8:18, 22
127 כִּי תִשָּׂא אֶת-רֹאשׁ בְּנֵי-יִשְׂרָאֵל Ex. 30:12
128 וְסָמַךְ יָדוֹ עַל רֹאשׁ הָעֹלָה Lev. 1:4
129/30 וְסָמַךְ(...)יָדוֹ עַל-רֹאשׁ קָרְבָּנוֹ Lev. 3:2, 8
131 וְסָמַךְ אֶת-יָדוֹ עַל-רֹאשׁ הַפָּר Lev. 4:4
132 וְסָמְכוּ...עַל-רֹאשׁ הַפָּר Lev. 4:15
133 וְסָמַךְ יָדוֹ עַל-רֹאשׁ הַשָּׂעִיר Lev. 4:24
134/5 וְסָמַךְ...עַל רֹאשׁ הַחַטָּאת Lev. 4:29, 33
136 וַיִּצֹק...עַל רֹאשׁ אַהֲרֹן Lev. 8:12
137 וַיִּסְמֹךְ...עַל-רֹאשׁ פַּר הַחַטָּאת Lev. 8:14
138/9 יִתֵּן עַל-רֹאשׁ הַמִּטַּהֵר Lev. 14:18, 29
140 וְסָמַךְ אַהֲרֹן...עַל-רֹאשׁ הַשָּׂעִיר Lev. 16:21
141 וְנָתַן אֹתָם עַל-רֹאשׁ הַשָּׂעִיר Lev. 16:21
142/3 שְׂאוּ אֶת-רֹאשׁ...עֲדַת בְּ"י Num. 1:2; 26:2
144 נָשֹׂא אֶת-רֹאשׁ בְּנֵי-קְהָת Num. 4:2
145 נָשֹׂא אֶת-רֹאשׁ בְּנֵי-גֵרְשׁוֹן גַּם-הֵם Num. 4:22
146 וּפָרַע אֶת-רֹאשׁ הָאִשָּׁה Num. 5:18
147 וְטִמֵּא רֹאשׁ נִזְרוֹ Num. 6:9
148 וְגִלַּח הַנָּזִיר...אֶת-רֹאשׁ נִזְרוֹ Num. 6:18
149 וְלָקַח אֶת-שְׂעַר רֹאשׁ נִזְרוֹ Num. 6:18
150 יִסְמְכוּ...עַל רֹאשׁ הַפָּרִים Num. 8:12
151 וּמִבָּמוֹת הַגַּיְא...רֹאשׁ הַפִּסְגָּה Num. 21:20
152-154 רֹאשׁ הַפִּסְגָּה Num. 23:14
Deut. 3:27; 34:1
155 רֹאשׁ הַפְּעוֹר הַנִּשְׁקָף עַל-פְּנֵי הַיְשִׁימֹן
Num. 23:28
156 רֹאשׁ אֻמּוֹת בֵּית-אָב בְּמִדְיָן Num. 25:15
157 שָׂא אֵת רֹאשׁ מַלְקוֹחַ הַשְּׁבִי Num. 31:26
158 נָשְׂאוּ אֶת-רֹאשׁ אַנְשֵׁי הַמִּלְחָמָה Num. 31:49
159 הִיא רֹאשׁ כָּל-הַמַּמְלָכוֹת הָאֵלֶּה Josh. 11:10
160 וְאִישׁ רֹאשׁ בֵּית-אֲבוֹתָם הֵמָּה Josh. 22:14
161 וּבָנִיתָ...עַל רֹאשׁ הַמָּעוֹז הַזֶּה Jud. 6:26
162 רֹאשׁ הָאַשְׁמֹרֶת הַתִּיכוֹנָה Jud. 7:19
163 וַתַּשְׁלֵךְ...עַל-רֹאשׁ אֲבִימֶלֶךְ Jud. 9:53
164 רֹאשׁ שִׁבְטֵי יִשְׂרָאֵל אָתָּה ISh. 15:17
165 וַיִּקַּח דָּוִד אֶת-רֹאשׁ הַפְּלִשְׁתִּי ISh. 17:54
166 וַיַּעַמְדוּ עַל רֹאשׁ-גִּבְעָה אֶחָת IISh. 2:25
167 יָחֻלוּ עַל-רֹאשׁ יוֹאָב IISh. 3:29
168 וַיָּבִאוּ אֶת-רֹאשׁ אִישׁ-בֹּשֶׁת אֶל-דָּוִד IISh. 4:8
169 הִנֵּה-רֹאשׁ אִישׁ-בֹּשֶׁת... IISh. 4:8
170 וְאֶת רֹאשׁ אִישׁ-בֹּשֶׁת לָקָחוּ IISh. 4:12
171 עֲטֶרֶת...וַתְּהִי עַל-רֹאשׁ דָּוִד IISh. 12:30
172 וַיִּכְרְתוּ אֶת-רֹאשׁ שֶׁבַע בֶּן-בִּכְ' IISh. 20:22
173 רֹאשׁ הַשָּׁלִשִׁי הוּא עֲדִינוֹ הָעֶצְנִי° IISh. 23:8
174 וַאֲבִישַׁי...הוּא רֹאשׁ הַשְּׁלֹשָׁה° IISh. 23:18
175-178 עַל-רֹאשׁ הָעַמּוּדִים IK. 7:17, 19, 41[2]
179 אֲשֶׁר עַל-רֹאשׁ הָרִמֹּנִים IK. 7:18

רֹאשׁ- (המשך)

180 וְעַל רֹאשׁ הָעַמּוּדִים מַעֲשֵׂה שׁוֹשָׁן IK. 7:22
181 וְעַל רֹאשׁ הַמְּכוֹנָה יְדֹתֶיהָ IK. 7:35
182 וְאֵלִיָּהוּ עָלָה אֶל-רֹאשׁ הַכַּרְמֶל IK. 18:42
183 עַד הֱיוֹת רֹאשׁ-חֲמוֹר בִּשְׁמֹנִים כֶּסֶף IIK. 6:25
184 אִם-יַעֲמֹד רֹאשׁ אֱלִישָׁע...עָלָיו IIK. 6:31
185 נָשָׂא...רֹאשׁ יְהוֹיָכִין...מִבֵּית כֶּלֶא IIK. 25:27
186 כִּי רֹאשׁ אֲרָם דַּמֶּשֶׂק Is. 7:8
187/8 עַל-רֹאשׁ גֵּיא(-)שְׁמָנִים Is. 28:1, 4
189 גִּלְעָד אַתָּה לִי רֹאשׁ הַלְּבָנוֹן Jer. 22:6
190/1 עַל רֹאשׁ רְשָׁעִים יָחוּל Jer. 23:19; 30:23
192 נָשָׂא...אֶת-רֹאשׁ יְהוֹיָכִין Jer. 52:31
193 אֲשֶׁר עַל-רֹאשׁ הַכְּרֻבִים Ezek. 10:1
194 עַל-רֹאשׁ כָּל-קוֹמָה Ezek. 13:18
195 אֶל-כָּל-רֹאשׁ דֶּרֶךְ בָּנִית רָמָתֵךְ Ezek. 16:25
196 אֵת רֹאשׁ יְנִיקוֹתָיו קָטָף Ezek. 17:4
197 וְיָבֵשׁ רֹאשׁ הַכַּרְמֶל Am. 1:2
198 וַתַּךְ הַשֶּׁמֶשׁ עַל-רֹאשׁ יוֹנָה Jon. 4:8
199 נָקַבְתָּ...רֹאשׁ פְּרָזָו Hab. 3:14
200 יִמְחַץ רֹאשׁ אֹיְבָיו...קָדְקֹד שֵׂעָר Ps. 68:22
201 רֹאשׁ-דְּבָרְךָ אֱמֶת Ps. 119:160
202 אִם-לֹא אַעֲלֶה...עַל רֹאשׁ שִׂמְחָתִי Ps. 137:6
203 רֹאשׁ מְסִבָּי... Ps. 140:10
204 וּרְאֵה רֹאשׁ כּוֹכָבִים כִּי-רָמּוּ Job 22:12
205 רֹאשׁ הַתְּחִלָּה יְהוֹדֶה לַתְּפִלָּה Neh. 11:17
206/7 רֹאשׁ הַשָּׁלִישִׁים° ICh. 11:11; 12:19
208 הוּא הָיָה רֹאשׁ הַשְּׁלוֹשָׁה ICh. 11:20
209 וַתְּהִי עַל-רֹאשׁ דָּוִיד ICh. 20:2
210 וַיִּתֵּן עַל-רֹאשׁ הָעַמֻּדִים IICh. 3:16
211/2 עַל-רֹאשׁ הָעַמּוּדִים IICh. 4:12[2]

וְרֹאשׁ-

213 וְרֹאשׁ-עֹרֵב וּזְאֵב הֵבִיאוּ... Jud. 7:25
214 וְרֹאשׁ דָּגוֹן וּשְׁתֵּי כַּפּוֹת יָדָיו ISh. 5:4
215 וְרֹאשׁ הַפְּלִשְׁתִּי בְּיָדוֹ ISh. 17:57
216 וְרֹאשׁ דַּמֶּשֶׂק רְצִין Is. 7:8
217 וְרֹאשׁ אֶפְרַיִם שֹׁמְרוֹן Is. 7:9
218 וְרֹאשׁ שֹׁמְרוֹן בֶּן-רְמַלְיָהוּ Is. 7:9
219 וְרֹאשׁ עַפְרוֹת תֵּבֵל Prov. 8:26

הֲרֹאשׁ-

220 הֲרֹאשׁ כֶּלֶב אָנֹכִי IISh. 3:8

בְּרֹאשׁ-

221 כְּאֵשׁ אֹכֶלֶת בְּרֹאשׁ הָהָר Ex. 24:17
222 וַיָּמָת אַהֲרֹן שָׁם בְּרֹאשׁ הָהָר Num. 20:28
223 וּפָקְדוּ שָׂרֵי צְבָאוֹת בְּרֹאשׁ הָעָם Deut. 20:9
224 וַיַּעֲמֹד בְּרֹאשׁ הַר-גְּרִזִים Jud. 9:7
225 וַיִּתֵּן לָהֶם מָקוֹם בְּרֹאשׁ הַקְּרוּאִים ISh. 9:22
226 וַיַּחֲזִקוּ אִישׁ בְּרֹאשׁ רֵעֵהוּ IISh. 2:16
227 וְשָׁבוּ דְמֵיהֶם בְּרֹאשׁ יוֹאָב IK. 2:33
228/9 וְהוֹשִׁיבוּ אֶת-נָבוֹת בְּרֹאשׁ הָעָם IK. 21:9, 12
230 נָכוֹן יִהְיֶה הַר בֵּית-יְיָ בְּרֹאשׁ הֶהָרִים Is. 2:2
231 שְׁלֹשָׁה גַרְגְּרִים בְּרֹאשׁ אָמִיר Is. 17:6
232 שָׁכְבוּ בְּרֹאשׁ כָּל-חוּצוֹת Is. 51:20
233 וְצַהֲלוּ בְּרֹאשׁ הַגּוֹיִם Jer. 31:6
234 בִּבְנוֹתַיִךְ גַּבֵּךְ בְּרֹאשׁ כָּל-דֶּרֶךְ Ezek. 16:31
235 וְיָד בָּרֵא בְּרֹאשׁ דֶּרֶךְ-עִיר בָּרֵא Ezek. 21:24
236 כִּי-עָמַד...בְּרֹאשׁ שְׁנֵי הַדְּרָכִים Ezek. 21:26
237 בְּרֹאשׁ כָּל-בֹּשֶׂם...נָתְנוּ עִזְבוֹנָיִךְ Ezek. 27:22
238 בְּרֹאשׁ הַשָּׁנָה בֶּעָשׂוֹר לַחֹדֶשׁ Ezek. 40:1
239 פֶּתַח בְּרֹאשׁ דָּרֶךְ Ezek. 42:12
240 הַשֹּׁאֲפִים עַל-עֲפַר-אֶרֶץ בְּרֹאשׁ דַּלִּים
Am. 2:7
241 לָכֵן עַתָּה יִגְלוּ בְּרֹאשׁ גֹּלִים Am. 6:7
242 הַךְ הַכַּפְתּוֹר...וּבְצַעַם בְּרֹאשׁ כֻּלָּם Am. 9:1
243 וְאִם-יֵחָבְאוּ בְּרֹאשׁ הַכַּרְמֶל Am. 9:3
244 הַר בֵּית-יְיָ נָכוֹן בְּרֹאשׁ הֶהָרִים Mic. 4:1
245 יְרֻטְּשׁוּ בְּרֹאשׁ כָּל-חוּצוֹת Nah. 3:10

בְּרֹאשׁ- (המשך)

246 וְשַׂמְתָּ בְּרֹאשׁ יְהוֹשֻׁעַ Zech. 6:11
247 יְהִי פִסַּת-בַּר בָּאָרֶץ בְּרֹאשׁ הָרִים Ps. 72:16
248 בְּרֹאשׁ הֹמִיּוֹת תִּקְרָא Prov. 1:21
249 בְּרֹאשׁ-מְרוֹמִים עֲלֵי-דָרֶךְ Prov. 8:2
250 וּכְשֹׁכֵב בְּרֹאשׁ חִבֵּל Prov. 23:34
251/2 בְּרֹאשׁ כָּל-חוּצוֹת Lam. 2:19; 4:1
253 וַתִּגַּע בְּרֹאשׁ הַשַּׁרְבִיט Es. 5:2

וּבְרֹאשׁ-

254 בְּרֹאשׁ יוֹאָב וּבְרֹאשׁ זַרְעוֹ IK. 2:33
255 וּבְרֹאשׁ הַמְּכוֹנָה חֲצִי הָאַמָּה IK. 7:35

וּכְרֹאשׁ-

256 וּכְרֹאשׁ שִׁבֹּלֶת יִמָּלוּ Job 24:24

לְרֹאשׁ-

257 תִּהְיֶיןָ לְרֹאשׁ יוֹסֵף Gen. 49:26
258 מַטֶּה אֶחָד לְרֹאשׁ בֵּית אֲבוֹתָם Num. 17:18
259 תָּבוֹאתָה לְרֹאשׁ יוֹסֵף Deut. 33:16
260 רַחַם רַחֲמָתַיִם לְרֹאשׁ גֶּבֶר Jud. 5:30
261 תִּשְׁמְרֵנִי לְרֹאשׁ גּוֹיִם IISh. 22:44
262 תְּשִׂימֵנִי לְרֹאשׁ גּוֹיִם Ps. 18:44
263 אֶבֶן...הָיְתָה לְרֹאשׁ פִּנָּה Ps. 118:22
264 בְּרָכוֹת לְרֹאשׁ צַדִּיק Prov. 10:6
265 וּבְרָכָה לְרֹאשׁ מַשְׁבִּיר Prov. 11:26
266 רֹנִּי בַלַּיְלָה° לְרֹאשׁ אַשְׁמֻרוֹת Lam. 2:19
267 וַיְבִיאוּם לְרֹאשׁ הַסָּלַע IICh. 25:12

מֵרֹאשׁ-

268 כִּי-מֵרֹאשׁ צֻרִים אֶרְאֶנּוּ Num. 23:9
269 מֵרֹאשׁ פַּרְעוֹת אוֹיֵב Deut. 32:42
270 וְתָאַר הַגְּבוּל מֵרֹאשׁ הָהָר Josh. 15:9
271 מֵרֹאשׁ הָרִים יִצְוָחוּ Is. 42:11
272 מֵרֹאשׁ יֹנְקוֹתָיו רַךְ אֶקְטֹף Ezek. 17:22
273 תָּשׁוּרִי מֵרֹאשׁ אֲמָנָה S.ofS. 4:8
274 מֵרֹאשׁ שְׂנִיר וְחֶרְמוֹן S.ofS. 4:8
275 וַיַּשְׁלִיכוּם מֵרֹאשׁ הַסֶּלַע IICh. 25:12

וּמֵרֹאשׁ-

276 וּמֵרֹאשׁ הַרְרֵי-קֶדֶם Deut. 33:15

רֹאשִׁי

277 וְהִנֵּה שְׁלֹשָׁה סַלֵּי חֹרִי עַל-רֹאשִׁי Gen. 40:16
278 אֹכֵל אֹתָם מִן-הַסַּל מֵעַל רֹאשִׁי Gen. 40:17
279 אֶת-שֶׁבַע מַחְלְפוֹת רֹאשִׁי Jud. 16:13
280 מוֹרָה לֹא-עָלָה עַל-רֹאשִׁי Jud. 16:17
281/2 וַיֹּאמֶר אֶל-אָבִיו רֹאשִׁי רֹאשִׁי IIK. 4:19
283 כִּי-שָׁלַח...לְהָסִיר אֶת-רֹאשִׁי IIK. 6:32
284 מִי-יִתֵּן רֹאשִׁי מַיִם Jer. 8:23
285 וַיִּקָּחֵנִי בְּצִיצִת רֹאשִׁי Ezek. 8:3
286 כְּבוֹדִי וּמֵרִים רֹאשִׁי Ps. 3:4
287 דִּשַּׁנְתָּ בַשֶּׁמֶן רֹאשִׁי Ps. 23:5
288 יָרוּם רֹאשִׁי עַל-אֹיְבַי סְבִיבוֹתַי Ps. 27:6
289 כִּי-עֲוֹנֹתַי עָבְרוּ רֹאשִׁי Ps. 38:5
290 עָצְמוּ מִשַּׂעֲרוֹת רֹאשִׁי Ps. 40:13
291/2 וְאֶפְרַיִם מָעוֹז רֹאשִׁי Ps. 60:9; 108:9
293 רַבּוּ מִשַּׂעֲרוֹת רֹאשִׁי שֹׂנְאַי חִנָּם Ps. 69:5
294 שֶׁמֶן רֹאשׁ אַל-יָנִי רֹאשִׁי Ps. 141:5
295 וְצָדַקְתִּי לֹא-אֶשָּׂא רֹאשִׁי Job 10:15
296 וְאָנִיעָה עֲלֵיכֶם בְּמוֹ רֹאשִׁי Job 16:4
297 וַיָּסַר עֲטֶרֶת רֹאשִׁי Job 19:9
298 בְּהִלּוֹ נֵרוֹ עֲלֵי רֹאשִׁי Job 29:3
299 שְׂמֹאלוֹ תַּחַת רֹאשִׁי וִימִינוֹ תְּחַבְּקֵנִי S.ofS. 8:3
300 צָפוּ-מַיִם עַל-רֹאשִׁי Lam. 3:54
301 וְחִיַּבְתֶּם אֶת-רֹאשִׁי לַמֶּלֶךְ Dan. 1:10
302 וָאֲמָרְטָה מִשְּׂעַר רֹאשִׁי Ez. 9:3

לְרֹאשִׁי

303 שֹׁמֵר לְרֹאשִׁי אֲשִׂימְךָ כָּל-הַיָּמִים ISh. 28:2
304 סוּף חָבוּשׁ לְרֹאשִׁי Jon. 2:6
305 סַכֹּתָה לְרֹאשִׁי בְּיוֹם נָשֶׁק Ps. 140:8
306 שְׂמֹאלוֹ תַּחַת לְרֹאשִׁי וִימִינוֹ תְּחַבְּקֵנִי S.ofS. 2:6

שֶׁרֹּאשִׁי

307 שֶׁרֹּאשִׁי נִמְלָא-טָל S.ofS. 5:2

רֹאשְׁךָ

308 יִשָּׂא פַרְעֹה...רֹאשְׁךָ מֵעָלֶיךָ Gen. 40:19
309 שָׁמֶיךָ אֲשֶׁר עַל-רֹאשְׁךָ נְחֹשֶׁת Deut. 28:23
310 וַהֲסִרֹתִי אֶת-רֹאשְׁךָ מֵעָלֶיךָ ISh. 17:46

ראשך (המשך) 311 וְהַעֲבַרְתָּ עַל־רֹאשְׁךָ וְעַל־זְקָנֶךָ Ezek. 5:1
312 וְשֶׁמֶן עַל־רֹאשְׁךָ אַל־יֶחְסָר Eccl. 9:8
רֹאשֶׁךָ 313 יִשָּׂא פַרְעֹה אֶת־רֹאשֶׁךָ Gen. 40:13
314 דָּמְךָ׳ עַל־רֹאשֶׁךָ IISh. 1:16
315/6 לֹקֵחַ אֶת־אֲדֹנֶיךָ מֵעַל־רֹאשֶׁךָ IIK. 2:3, 5
בְּרֹאשֶׁךָ 317 מוֹת תָּמוּת דָּמְךָ יִהְיֶה בְרֹאשֶׁךָ IK. 2:37
318 וְהֵשִׁיב יְיָ אֶת־רָעָתְךָ בְּרֹאשֶׁךָ IK. 2:44
319 כַּאֲשֶׁר עָשִׂיתָ...יָשׁוּב בְּרֹאשֶׁךָ Ob. 15
לְרֹאשְׁךָ 320 תִּתֵּן לְרֹאשְׁךָ לִוְיַת־חֵן Prov. 4:9
לְרֹאשֶׁךָ 321 כִּי לִוְיַת חֵן הֵם לְרֹאשֶׁךָ Prov. 1:9
רֹאשֵׁךְ 322 תֵּצְאִי וְיָדַיִךְ עַל־רֹאשֵׁךְ Jer. 2:37
323 רֹאשֵׁךְ עָלַיִךְ כַּכַּרְמֶל S.ofS. 7:6
324 וְדַלַּת רֹאשֵׁךְ כָּאַרְגָּמָן S.ofS. 7:6
בְּרֹאשֵׁךְ 325 וַעֲטֶרֶת תִּפְאֶרֶת בְּרֹאשֵׁךְ Ezek. 16:12
רֹאשׁוֹ 326 שִׂים יְמִינְךָ עַל־רֹאשׁוֹ Gen. 48:18
327 רֹאשׁוֹ עַל־כְּרָעָיו וְעַל־קִרְבּוֹ Ex. 12:9
328 וְיַחְדָּו יִהְיוּ תַמִּים עַל־רֹאשׁוֹ Ex. 26:24
329 וְהָיָה פִי־רֹאשׁוֹ בְּתוֹכוֹ Ex. 28:32
330 וְשַׂמְתָּ הַמִּצְנֶפֶת עַל־רֹאשׁוֹ Ex. 29:6
331 וְיָצַקְתָּ עַל־רֹאשׁוֹ וּמָשַׁחְתָּ אֹתוֹ Ex. 29:7
332-359 (וְ/מֵ)עַל־רֹאשׁוֹ Ex. 29:17
Lev. 3:13; 4:11; 8:9; 21:10; 24:14 • Num. 6:5, 7 • Jud. 13:5 • ISh. 1:11; 4:12; 10:1; 17:5, 38 • IISh. 1:2, 10; 12:30; 15:32 • IK. 2:32 • IIK. 9:3, 6 • Jon. 4:6 • Zech. 3:5[2] • Prov. 25:22 • Es. 9:25 • ICh. 20:2 • IICh. 3:15
360 וְיַחְדָּו יִהְיוּ תַמִּים אֶל־רֹאשׁוֹ Ex. 36:29
361 וְנִתַּח...וְאֶת־רֹאשׁוֹ וְאֶת־פִּדְרוֹ Lev. 1:12
362/3 וּמָלַק אֶת־רֹאשׁוֹ Lev. 1:15; 5:8
364 וְאִישׁ כִּי יִמָּרֵט רֹאשׁוֹ Lev. 13:40
365 וְאִם מִפְּאַת פָּנָיו יִמָּרֵט רֹאשׁוֹ Lev. 13:41
366 יְגַלַּח...אֶת־רֹאשׁוֹ וְאֶת־זְקָנוֹ Lev. 14:9
367 אֶת־רֹאשׁוֹ לֹא יִפְרָע Lev. 21:10
368 גַּדֵּל פֶּרַע שְׂעַר רֹאשׁוֹ Num. 6:5
369 וְגִלַּח רֹאשׁוֹ בְּיוֹם טָהֳרָתוֹ Num. 6:9
370 וְקִדַּשׁ אֶת־רֹאשׁוֹ בַּיּוֹם הַהוּא Num. 6:11
371 וְהָלְמָה סִיסְרָא מָחֲקָה רֹאשׁוֹ Jud. 5:26
372 אֶת־שֶׁבַע מַחְלְפוֹת רֹאשׁוֹ Jud. 16:19
373 וַיָּחֶל שְׂעַר־רֹאשׁוֹ לְצַמֵּחַ Jud. 16:22
374 אִם־יִפֹּל מִשַּׂעֲרַת רֹאשׁוֹ אַרְצָה ISh. 14:45
375 וַיִּכְרָת־בָּהּ אֶת־רֹאשׁוֹ ISh. 17:51
376 וַיִּכְרְתוּ אֶת־רֹאשׁוֹ ISh. 31:9
377 וַיְמִתֻהוּ וַיָּסִירוּ אֶת־רֹאשׁוֹ IISh. 4:7
378 וַיִּקְחוּ אֶת־רֹאשׁוֹ וַיֵּלְכוּ IISh. 4:7
379 וּבְגַלְּחוֹ אֶת־רֹאשׁוֹ IISh. 14:26
380 וְשָׁקַל אֶת־שְׂעַר רֹאשׁוֹ IISh. 14:26
381 וְכָל־הָעָם...חָפוּ אִישׁ רֹאשׁוֹ IISh. 15:30
382 אֶעְבְּרָה־נָּא וְאָסִירָה אֶת־רֹאשׁוֹ IISh. 16:9
383 וַיֶּחֱזַק רֹאשׁוֹ בָאֵלָה IISh. 18:9
384 הִנֵּה רֹאשׁוֹ מֻשְׁלָךְ אֵלֶיךָ IISh. 20:21
385 הֲלָכֹף כְּאַגְמֹן רֹאשׁוֹ Is. 58:5
386 כְּפִי־אִישׁ לֹא־נָשָׂא רֹאשׁוֹ Zech. 2:4
387 וַיִּקְרַע אֶת־מְעִלוֹ וַיָּגָז אֶת־רֹאשׁוֹ Job 1:20
388 הַתְמַלֵּא...וּבְצִלְצַל דָּגִים רֹאשׁוֹ Job 40:31
389 רֹאשׁוֹ כֶּתֶם פָּז S.ofS. 5:11
390 וַיִּשְׂאוּ אֶת־רֹאשׁוֹ וְאֶת־כֵּלָיו ICh. 10:9
וְרֹאשׁוֹ 391 עִיר וּמִגְדָּל וְרֹאשׁוֹ בַשָּׁמַיִם Gen. 11:4
392 וְרֹאשׁוֹ מַגִּיעַ הַשָּׁמָיְמָה Gen. 28:12
393 וְרֹאשׁוֹ יִהְיֶה פָרוּעַ Lev. 13:45
394 וְרֹאשׁוֹ לָעָב יַגִּיעַ Job 20:6
בְּרֹאשׁוֹ 395 וְשִׁלַּם אֹתוֹ בְּרֹאשׁוֹ Lev. 5:24
396 טָמֵא יְטַמְּאֶנּוּ...בְּרֹאשׁוֹ נִגְעוֹ Lev. 13:44

בְּרֹאשׁוֹ (המשך) 397 וְהֵשִׁיב אֶת־אֲשָׁמוֹ בְּרֹאשׁוֹ Num. 5:7
398 כֹּל אֲשֶׁר־יֵצֵא...דָּמוֹ בְרֹאשׁוֹ Josh. 2:19
399 וְאֵת רָעַת נָבָל הֵשִׁיב יְיָ בְּרֹאשׁוֹ ISh. 25:39
400 לָתֵת דַּרְכּוֹ בְּרֹאשׁוֹ IK. 8:32
401 וְכוֹבַע יְשׁוּעָה בְּרֹאשׁוֹ Is. 59:17
402 יִשֹּׁם וְיָנִיד בְּרֹאשׁוֹ Jer. 18:16
403 וּנְתַתִּיו בְּרֹאשׁוֹ Ezek. 17:19
404 דָּמוֹ בְּרֹאשׁוֹ יִהְיֶה Ezek. 33:4
405 יָשׁוּב עֲמָלוֹ בְרֹאשׁוֹ Ps. 7:17
406 הֶחָכָם עֵינָיו בְּרֹאשׁוֹ Eccl. 2:14
407 וַאֲשֶׁר נִתַּן כֶּתֶר מַלְכוּת בְּרֹאשׁוֹ Es. 6:8
408 לָתֵת דַּרְכּוֹ בְּרֹאשׁוֹ IICh. 6:23
לְרֹאשׁוֹ 409 תָּשִׁית לְרֹאשׁוֹ עֲטֶרֶת פָּז Ps. 21:4
מֵרֹאשׁוֹ 410 וְכִסְּתָה...מֵרֹאשׁוֹ וְעַד־רַגְלָיו Lev. 13:12
רֹאשָׁהּ 411 וַיִּצֹק שֶׁמֶן עַל־רֹאשָׁהּ Gen. 28:18
412 וְגִלְּחָה אֶת־רֹאשָׁהּ Deut. 21:12
413 וַתִּקַּח תָּמָר אֵפֶר עַל־רֹאשָׁהּ IISh. 13:19
414 וַתָּשֶׂם יָדָהּ עַל־רֹאשָׁהּ IISh. 13:19
415 וַתֵּיטֶב אֶת־רֹאשָׁהּ IIK. 9:30
416 מְנוֹרַת זָהָב כֻּלָּהּ וְגֻלָּהּ עַל־רֹאשָׁהּ Zech. 4:2
417 לַנֵּרוֹת אֲשֶׁר עַל־רֹאשָׁהּ Zech. 4:2
בְּרֹאשָׁהּ 418 וַיָּשֶׂם כֶּתֶר־מַלְכוּת בְּרֹאשָׁהּ Es. 2:17
רֹאשֵׁנוּ 419 נָפְלָה עֲטֶרֶת רֹאשֵׁנוּ Lam. 5:16
בְּרֹאשֵׁנוּ 420 דָמוֹ בְרֹאשֵׁנוּ אִם־יָד תִּהְיֶה־בּוֹ Josh. 2:19
421 שַׂקִּים בְּמָתְנֵינוּ וַחֲבָלִים בְּרֹאשֵׁנוּ IK. 20:31
לְרֹאשֵׁנוּ 422 הִרְכַּבְתָּ אֱנוֹשׁ לְרֹאשֵׁנוּ Ps. 66:12
רֹאשְׁכֶם 423 לֹא תַקִּפוּ פְּאַת רֹאשְׁכֶם Lev. 19:27
בְּרֹאשְׁכֶם 424 קַל מְהֵרָה אָשִׁיב גְּמֻלְכֶם בְּרֹאשְׁכֶם Joel 4:4
425 וַהֲשִׁבֹתִי גְמֻלְכֶם בְּרֹאשְׁכֶם Joel 4:7
רֹאשָׁם 426 וְאֶת־רֹאשָׁם לֹא תִשָּׂא בְּתוֹךְ בְּ״י Num. 1:49
427 וַיַּעֲלוּ עָפָר עַל־רֹאשָׁם Josh. 7:6
428 וְלֹא יָסְפוּ לָשֵׂאת רֹאשָׁם Jud. 8:28
429/30 וְשִׂמְחַת עוֹלָם עַל־רֹאשָׁם Is. 35:10; 51:11
431 בֹּשׁוּ וְהָכְלְמוּ וְחָפוּ רֹאשָׁם Jer. 14:3
432 בֹּשׁוּ אִכָּרִים חָפוּ רֹאשָׁם Jer. 14:4
433 מֵעַל לָרָקִיעַ אֲשֶׁר עַל־רֹאשָׁם Ezek. 1:25
434 וּמִמַּעַל לָרָקִיעַ אֲשֶׁר עַל־רֹאשָׁם Ezek. 1:26
435 פַּאֲרֵי פִשְׁתִּים יִהְיוּ עַל־רֹאשָׁם Ezek. 44:18
436 יִרְאוּנִי יְנִיעוּן רֹאשָׁם Ps. 109:25
437 הֶעֱלוּ עָפָר עַל־רֹאשָׁם Lam. 2:10
438 וַיָּנִעוּ רֹאשָׁם עַל־בַּת יְרוּשָׁלִָם Lam. 2:15
439 וְהָשֵׁב חֶרְפָּתָם אֶל־רֹאשָׁם Neh. 3:36
וְרֹאשָׁם 440 וְרֹאשָׁם לֹא יְגַלֵּחוּ... Ezek. 44:20
בְּרֹאשָׁם 441 לֹא יִקְרְחוּ׳ קָרְחָה בְּרֹאשָׁם Lev. 21:5
442 כָּל־רָעַת...הֵשִׁיב אֱלֹ׳ בְּרֹאשָׁם Jud. 9:57
443 דַּרְכָּם בְּרֹאשָׁם נָתַתִּי Ezek. 9:10
444/5 דַּרְכָּם בְּרֹאשָׁם נָתַתִּי Ezek. 11:21; 22:31
446 וַיַּעֲבֹר מַלְכָּם לִפְנֵיהֶם וַיְיָ בְּרֹאשָׁם Mic. 2:13
447 וּפְלַטְיָה...בְּנֵי יִשְׁעִי בְּרֹאשָׁם ICh. 4:42
448 וַיָּשֻׁבוּ...וִיהוֹשָׁפָט בְּרֹאשָׁם IICh. 20:27
רֹאשָׁן 449 הוֹרִידוּ לָאָרֶץ רֹאשָׁן Lam. 2:10
רָאשִׁים 450 יִפָּרֵד וְהָיָה לְאַרְבָּעָה רָאשִׁים Gen. 2:10
451 וַיִּתֵּן אֹתָם רָאשִׁים עַל־הָעָם Ex. 18:25
452 וָאֶתֵּן אוֹתָם רָאשִׁים עֲלֵיכֶם Deut. 1:15
453 וַיַּחַץ...שְׁלֹשָׁה רָאשִׁים Jud. 7:16
454 וַיֶּאֶרְבוּ עַל־שְׁכֶם אַרְבָּעָה רָאשִׁים Jud. 9:34
455 וַיֶּחֱצֵם לִשְׁלֹשָׁה רָאשִׁים Jud. 9:43
456 וַיָּשֶׂם...אֶת־הָעָם שְׁלֹשָׁה רָאשִׁים ISh. 11:11
457 וַיֵּצֵא הַמַּשְׁחִית...שְׁלֹשָׁה רָאשִׁים ISh. 13:17
458 רָב־אֹכֶל נִיר רָאשִׁים Prov. 13:23
459 כַּשְׂדִּים שָׂמוּ שְׁלֹשָׁה רָאשִׁים Job 1:17
460 וָאֶקְבְּצָה מִיִּשְׂרָאֵל רָאשִׁים Ez. 7:28

רָאשִׁים (המשך) 461 וָאֶשְׁלְחָה לֶאֱלִיעֶזֶר...רָאשִׁים Ez. 8:16
462 וְאֶחָיו רָאשִׁים לְאָבוֹת Neh. 11:13
463-465 רָאשִׁים לְבֵית אֲבוֹתָ׳ ICh. 5:24; 7:2; 9:13
466 חֲמִשָּׁה רָאשִׁים כֻּלָּם ICh. 7:3
467 רָאשֵׁי אָבוֹת לְתֹלְדוֹתָם רָאשִׁים ICh. 8:28
468 לַלְוִיִּם לְתֹלְדוֹתָם רָאשִׁים ICh. 9:34
469 רָאשִׁים לְבֵית־אָבוֹת ICh. 24:4
הָרָאשִׁים 470 וַיִּתְקְעוּ שְׁלֹשֶׁת הָרָאשִׁים בַּשּׁוֹפָרוֹת Jud. 7:20
471 וּשְׁנֵי הָרָאשִׁים פָּשְׁטוּ... Jud. 9:44
וְהָרָאשִׁים 472 וַאֲבִימֶלֶךְ וְהָרָאשִׁים אֲשֶׁר עִמּוֹ Jud. 9:44
רָאשֵׁי־ 473 בָּעֲשִׂירִי...נִרְאוּ רָאשֵׁי הֶהָרִים Gen. 8:5
474 אֵלֶּה רָאשֵׁי בֵית־אֲבֹתָם Ex. 6:14
475 אֵלֶּה רָאשֵׁי אֲבוֹת הַלְוִיִּם Ex. 6:25
476 רָאשֵׁי אַלְפֵי יִשְׂרָאֵל הֵם Num. 1:16
477 נְשִׂיאֵי יִשְׂרָאֵל רָאשֵׁי בֵּית אֲבֹתָם Num. 7:2
478 הַנְּשִׂיאִים רָאשֵׁי אַלְפֵי יִשְׂרָאֵל Num. 10:4
479 כֻּלָּם אֲנָשִׁים רָאשֵׁי בְ״י הֵמָּה Num. 13:3
480 קַח אֶת־כָּל־רָאשֵׁי הָעָם Num. 25:4
481 וַיְדַבֵּר מֹשֶׁה אֶל־רָאשֵׁי הַמַּטּוֹת Num. 30:2
482 וְאֶת־רָאשֵׁי אֲבוֹת הַמַּטּוֹת לִבְ״י Num. 32:28
483-515 רָאשֵׁי (בֵּית) הָאָבוֹת (אָבוֹת, אֲבוֹתָם וכו׳)
Num. 36:1[2] • Josh. 21:1[2] • Ez. 1:5; 4:2, 3; 8:1; 10:16 • Neh. 7:70; 8:13; 12:12, 22, 23 • ICh. 5:24; 7:7, 9, 40; 8:6, 10, 13, 28; 9:9, 33, 34; 15:12; 23:9, 24; 26:21, 32; 27:1 • IICh. 1:2; 26:12
516 וָאֶקַּח אֶת־רָאשֵׁי שִׁבְטֵיכֶם Deut. 1:15
517 כָּל־רָאשֵׁי שִׁבְטֵיכֶם וְזִקְנֵיכֶם Deut. 5:20
518 בְּהִתְאַסֵּף רָאשֵׁי עָם Deut. 33:5
519 וַיֵּתֵא רָאשֵׁי עָם Deut. 33:21
520 וַיְדַבְּרוּ אֶת־רָאשֵׁי אַלְפֵי יִשְׂרָאֵל Josh. 22:21
521 מְאָרְבִים עַל רָאשֵׁי הֶהָרִים Jud. 9:25
522 לָתֵת עַל־רָאשֵׁי הָעַמּוּדִים IK. 7:16
523 אֶת־כָּל־רָאשֵׁי הַמַּטּוֹת IK. 8:1
524 וַיֵּרָאוּ רָאשֵׁי הַבַּדִּים מִן־הַקֹּדֶשׁ IK. 8:8
525 אֶת־רָאשֵׁי אַנְשֵׁי בְנֵי־אֲדֹנֵיכֶם IIK. 10:6
526 הֵבִיאוּ רָאשֵׁי בְנֵי־הַמֶּלֶךְ IIK. 10:8
527 וּדְמוּת עַל־רָאשֵׁי הַחַיָּה רָקִיעַ Ezek. 1:22
528 בְּכֹל רָאשֵׁי הֶהָרִים Ezek. 6:13
529/30 עַל־רָאשֵׁי הֶהָרִים Hosh. 4:13 • Joel 2:5
531 שִׁמְעוּ־נָא רָאשֵׁי יַעֲקֹב Mic. 3:1
532 שִׁמְעוּ־נָא זֹאת רָאשֵׁי בֵּית יַעֲקֹב Mic. 3:9
533 שִׁבַּרְתָּ רָאשֵׁי תַנִּינִים עַל־הַמָּיִם Ps. 74:13
534 אַתָּה רִצַּצְתָּ רָאשֵׁי לִוְיָתָן Ps. 74:14
535 מֵסִיר לֵב רָאשֵׁי עַם־הָאָרֶץ Job 12:24
536 עִם כָּל־רָאשֵׁי בְשָׂמִים S.ofS. 4:14
537 רָאשֵׁי הָעָם פַּרְעֹשׁ פַּחַת מוֹאָב Neh. 10:15
538 וְאֵלֶּה רָאשֵׁי הַמְּדִינָה Neh. 11:3
539 אֵלֶּה רָאשֵׁי הַכֹּהֲנִים וַאֲחֵיהֶם Neh. 12:7
540 רָאשֵׁי הַמְשֹׁרְרִים וְשִׁיר־תְּהִלָּה Neh. 12:46
541 גִּבּוֹרֵי חֲיָלִים רָאשֵׁי הַנְּשִׂיאִים ICh. 7:40
542 וְאֵלֶּה רָאשֵׁי הַגִּבֹּרִים אֲשֶׁר לְדָוִיד ICh. 11:10
543 אֵלֶּה מִבְּנֵי־גָד רָאשֵׁי הַצָּבָא ICh. 12:14(15)
544 רָאשֵׁי הָאֲלָפִים אֲשֶׁר לִמְנַשֶּׁה ICh. 12:20(21)
545 רָאשֵׁי הֶחָלוּץ לַצָּבָא ICh. 12:23(24)
546 וְאֶת־כָּל־רָאשֵׁי הַמַּטּוֹת IICh. 5:2
547 וַיֵּרָאוּ רָאשֵׁי הַבַּדִּים מִן־הָאָרוֹן IICh. 5:9
וְרָאשֵׁי־ 548 אַתָּה...וְרָאשֵׁי אֲבוֹת הָעֵדָה Num. 31:26
549 וְרָאשֵׁי אֲבוֹת הַמַּטּוֹת לִבְ״י Josh. 14:1
550-555 וְרָאשֵׁי הָאָבוֹת Josh. 19:51
Ez. 3:12 • ICh. 24:6, 31; 26:26 • IICh. 23:2
556 וּנְשִׂיאֵי הָעֵדָה וְרָאשֵׁי אַלְפֵי יִשְׂ׳ Josh. 22:30
557 וְרָאשֵׁי הַלְוִיִּם חֲשַׁבְיָה שֵׁרֵבְיָה Neh. 12:24

בְּרָאשֵׁי 558 יִתְרַצֶּה...בְּרָאשֵׁי הָאֲנָשִׁים הָהֵם ISh. 29:4
559 אֶת־קוֹל צְעָדָה בְּרָאשֵׁי הַבְּכָאִים IISh.5:24
560 וַיִּתְּנֵם בְּרָאשֵׁי הַגְּדוּד ICh. 12:18(19)
561 קוֹל הַצְּעָדָה בְּרָאשֵׁי הַבְּכָאִים ICh. 14:15
וּבְרָאשֵׁי 562 וּבְרָאשֵׁי חָדְשֵׁיכֶם וּתְקַעְתֶּם Num. 10:10
563 וּבְרָאשֵׁי חָדְשֵׁיכֶם תַּקְרִיבוּ עֹלָה Num. 28:11
לְרָאשֵׁי 564 לְרָאשֵׁי הָאָבוֹת גִּבּוֹרֵי חֲיָלִים ICh. 7:11
565 וַיִּמָּצְאוּ...רַבִּים לְרָאשֵׁי הַגְּבָרִים ICh. 24:4
566 מַחְלְקוֹת...לְרָאשֵׁי הַגְּבָרִים ICh. 26:12
מֵרָאשֵׁי 567 הִנֵּה־עָם יוֹרֵד מֵרָאשֵׁי הֶהָרִים Jud. 9:36
568 וְשַׁבְּתַי וְיוֹזָבָד...מֵרָאשֵׁי הַלְוִיִּם Neh. 11:16
569 אֲנָשִׁים מֵרָאשֵׁי בְנֵי־אֶפְרַיִם IICh. 28:12
וּמֵרָאשֵׁי 570 וּמֵרָאשֵׁי הָאָבוֹת...הִתְנַדְּבוּ Ez. 2:68
571 וּמֵרָאשֵׁי הָאָבוֹת נָתְנוּ לָאוֹצָר... Neh. 7:70
572 וּמֵרָאשֵׁי הָאָבוֹת לְיִשְׂרָאֵל IICh. 19:8
רָאשָׁיו 573 בְּכָל־רָאשָׁיו קָרְחָה Is. 15:2
וּלְרָאשָׁיו 574/5 וּלְרָאשָׁיו וּלְשֹׁפְטָיו וּלְשֹׁטְרָיו Josh. 23:2; 24:1
רָאשֶׁיהָ 576 רָאשֶׁיהָ בְּשֹׁחַד יִשְׁפֹּטוּ Mic. 3:11
בְּרָאשֵׁינוּ 577 בְּרָאשֵׁינוּ יִפּוֹל אֶל־אֲדֹנָיו ICh. 12:19(20)
רָאשֵׁיכֶם 578 רָאשֵׁיכֶם אַל־תִּפְרָעוּ Lev. 10:6
579 רָאשֵׁיכֶם שִׁבְטֵיכֶם זִקְנֵיכֶם Deut. 29:9
580 וְאֶת־רָאשֵׁיכֶם הַחֹזִים כִּסָּה Is. 29:10
581 וּפְאֵרְכֶם עַל־רָאשֵׁיכֶם Ezek. 24:23
582/3 שְׂאוּ שְׁעָרִים רָאשֵׁיכֶם Ps. 24:7, 9
בְּרָאשֵׁיכֶם 584 הָבוּ לָכֶם...וַאֲשִׂמֵם בְּרָאשֵׁיכֶם Deut. 1:13
רָאשֵׁיהֶם 585 וְצִפָּה רָאשֵׁיהֶם וַחֲשֻׁקֵיהֶם זָהָב Ex. 36:38
586 וְצִפּוּי רָאשֵׁיהֶם כָּסֶף Ex. 38:17
587 וְצִפּוּי רָאשֵׁיהֶם וַחֲשֻׁקֵיהֶם כָּסֶף Ex. 38:19
588 וְצִפָּה רָאשֵׁיהֶם וְחִשַּׁק אֹתָם Ex. 38:28
589 וַיָּשִׂימוּ אֶת־רָאשֵׁיהֶם בַּדּוּדִים IIK. 10:7
590 נָטוּי עַל־רָאשֵׁיהֶם מִלְמָעְלָה Ezek. 1:22
591 וּבְכָל־רָאשֵׁיהֶם קָרְחָה Ezek. 7:18
592 וְיַעֲלוּ עָפָר עַל־רָאשֵׁיהֶם Ezek. 27:30
593 חַרְבוֹתָם תַּחַת רָאשֵׁיהֶם Ezek. 32:27
594 כָּסוֹם יִכְסְמוּ אֶת־רָאשֵׁיהֶם Ezek. 44:20
595 מֶה עָצְמוּ רָאשֵׁיהֶם Ps. 139:17
596 וַיִּזְרְקוּ עָפָר עַל־רָאשֵׁיהֶם Job 2:12
597 רָאשֵׁיהֶם מָאתַיִם ICh. 12:32(33)
בְּרָאשֵׁיהֶם 598 שַׂקִּים בְּמָתְנֵיהֶם וַחֲבָלִים בְּרָאשֵׁיהֶם IK. 20:32
599 סְרוּחֵי טְבוּלִים בְּרָאשֵׁיהֶם Ezek. 23:15
רָאשֵׁיהֶן 600 וַעֲטֶרֶת תִּפְאֶרֶת עַל־רָאשֵׁיהֶן Ezek. 23:42

רֹאשׁ²
שפ״ז – בן בנימין בן יעקב
וָרֹאשׁ 1 גֵּרָא וְנַעֲמָן אֵחִי וָרֹאשׁ Gen. 46:21

רֹאשׁ³
שם עם(?); ראש, מנהיג(?): 1-3
עין גם ראש¹(14-16)
רֹאשׁ 1-3 נְשִׂיא רֹאשׁ מֶשֶׁךְ וְתֻבָל Ezek. 38:2, 3; 39:1

רֹאשׁ⁴, רוֹשׁ
ז׳ א) צמח רעל: 1-10
ב) אֶרֶס נָחָשׁ: 11, 12
ג) [בהשאלה] מרירות, צער: 6, 8, 10
רֹאשׁ וְלַעֲנָה 1, 8; רֹאשׁ וּתְלָאָה 6;
רֹאשׁ פְּתָנִים 11, 12; מֵי רֹאשׁ 2-4; עִנְּבֵי רוֹשׁ 7
רֹאשׁ 1 שֹׁרֶשׁ פֹּרֶה רֹאשׁ וְלַעֲנָה Deut. 29:17
2 וַיַּשְׁקֵנוּ מֵי־רֹאשׁ Jer. 8:14
3 וְהִשְׁקִיתִים מֵי־רֹאשׁ Jer. 9:14
4 וְהִשְׁקִתִים מֵי־רֹאשׁ Jer. 23:15
5 וַיִּתְּנוּ בְּבָרוּתִי רֹאשׁ Ps. 69:22
6 בָּנָה עָלַי וַיַּקַּף רֹאשׁ וּתְלָאָה Lam. 3:5
רוֹשׁ 7 עֲנָבֵמוֹ עִנְּבֵי רוֹשׁ Deut. 32:32

וָרֹאשׁ 8 זְכָר־עָנְיִי וּמְרוּדִי לַעֲנָה וָרֹאשׁ Lam. 3:19
כָרֹאשׁ 9 וּפָרַח כָּרֹאשׁ מִשְׁפָּט Hosh. 10:4
לְרֹאשׁ 10 כִּי־הֲפַכְתֶּם לְרֹאשׁ מִשְׁפָּט Am. 6:12
רֹאשׁ־ 11 רֹאשׁ־פְּתָנִים יִינָק Job 20:16
וְרֹאשׁ־ 12 וְרֹאשׁ פְּתָנִים אַכְזָר Deut. 32:33

רֵאשׁ¹
ז׳ ארמית ראש: 1-14
רֵאשׁ מִלִּין 1; חֶזְוֵי רֵאשׁ 3-7, 9; שְׂעַר רֵאשׁ 10, 12
רֵאשׁ 1 חֶלְמָא כְתַב רֵאשׁ מִלִּין אֲמַר Dan. 7:1
רֵאשָׁה 2 אַנְתְּ° הוּא רֵאשָׁה דִּי דַהֲבָא Dan. 2:38
רֵאשִׁי 3/4 וְחֶזְוֵי רֵאשִׁי יְבַהֲלֻנַּנִי Dan. 4:2; 7:15
5 וְחֶזְוֵי רֵאשִׁי עַל־מִשְׁכְּבִי Dan. 4:7
6 בְּחֶזְוֵי רֵאשִׁי עַל־מִשְׁכְּבִי Dan. 4:10
רֵאשָׁךְ 7 וְחֶזְוֵי רֵאשָׁךְ עַל־מִשְׁכְּבָךְ Dan. 2:28
רֵאשֵׁהּ 8 רֵאשֵׁהּ דִּי־דְהַב טָב Dan. 2:32
9 וְחֶזְוֵי רֵאשֵׁהּ עַל־מִשְׁכְּבֵהּ Dan. 7:1
10 וּשְׂעַר רֵאשֵׁהּ כַּעֲמַר נְקֵא Dan. 7:9
בְּרֵאשַׁהּ 11 וְעַל־קַרְנַיָּא עֲשַׂר דִּי בְרֵאשַׁהּ Dan. 7:20
רֵאשְׁהוֹן 12 וּשְׂעַר רֵאשְׁהוֹן לָא הִתְחָרַךְ Dan. 3:27
רֵאשִׁין 13 וְאַרְבְּעָה רֵאשִׁין לְחֵיוְתָא Dan. 7:6
בְּרָאשֵׁיהֹם 14 נִכְתֻּב שֻׁם־גֻּבְרַיָּא דִּי בְרָאשֵׁיהֹם Ez. 5:10

רֵאשׁ²
– עין ריש

רֵאשָׁה
– עין ראשות

רֹאשָׁה
ת״נ – עליונה, קבועה בראש
הָרֹאשָׁה 1 וְהוֹצִיא אֶת־הָאֶבֶן הָרֹאשָׁה Zech. 4:7

רִאשׁוֹן
ת׳ א) הקודם לאחרים בזמן או במקום: 1-110, 112-140
ב) קודם במעלה, חשוב ביותר: 111
ג) [בָּרִאשׁוֹן] בחודש הראשון: 73-80
– רִאשׁוֹן – אַחֲרוֹן 4, 6, 7, 13, 63, 66, 115-123
– רִאשׁוֹן אָדָם 72; רִאשׁוֹן לְצִיּוֹן 5
– אָב רִאשׁוֹן 58; אוֹת ר׳ 13; אִישׁ ר׳ 61; הַבַּיִת הָר׳ 69; בַּעַל ר׳ 53; גּוֹרָל ר׳ 70,71; דָּבָר ר׳ 54,3; דּוֹר ר׳ 8; הָמוֹן ר׳ (68); חֹדֶשׁ ר׳ 17,18,20,31-50; חֶסֶד ר׳ (66); יוֹם רִאשׁוֹן 14-16, 21-30; כָּבוֹד ר׳ 62; מִכְתָּב ר׳ 52; מֶלֶךְ ר׳ 51, 67; מְרוּצַת הָר׳ 55; מִשְׁפָּט ר׳ 12, 56; פַּר ר׳ 19; רָעָב ר׳ 10; שַׁעַר רִאשׁוֹן 60, 64
– מְגִלָּה רִאשׁוֹנָה 85; מִדָּה ר׳ 89; מַחֲלֹקֶת ר׳ 88; מַכָּה ר׳ 84; מִלְחָמָה ר׳ 83; מֶמְשָׁלָה ר׳ 86; מֶרְכָּבָה רִאשׁוֹנָה 87; שָׁנָה רִאשׁוֹנָה 90
– אָבוֹת רִאשׁוֹנִים 102; בָּנִים ר׳ 113; בְּרִית ר׳ 91; דְּבָרִים ר׳ 104, 115-123; דְּרָכִים ר׳ 124; חֲסָדִים ר׳ 109; יָמִים ר׳ 92,97,99,108,110,126, 96,98(129,130); מְלָכִים ר׳ 103; מִשְׁפָּטִים ר׳ 101; נְבִיאִים ר׳ 105-107; עֲוֹנוֹת ר׳ 95; פַּחוֹת ר׳ 112; שׁוֹמְמוֹת רִאשׁוֹנִים 94; שָׂרִים רִאשׁוֹנִים 100, 111
– פֵּרוֹת רִאשׁוֹנוֹת 135; צָרוֹת רִאשׁוֹנוֹת 139
רִאשׁוֹן 1 רִאשׁוֹן הוּא לָכֶם לְחָדְשֵׁי הַשָּׁנָה Ex. 12:2
2 בָּאתִי הַיּוֹם רִאשׁוֹן לְכָל־בֵּית יוֹסֵף IISh.19:21
3 וְלֹא־הָיָה דְבָרִי רִאשׁוֹן לִי IISh. 19:44
4 אֲנִי יְיָ רִאשׁוֹן וְאֶת־אַחֲרֹנִים אֲנִי־הוּא Is. 41:4
5 רִאשׁוֹן לְצִיּוֹן הִנֵּה הִנָּם Is. 41:27
6 אֲנִי רִאשׁוֹן וַאֲנִי אַחֲרוֹן Is. 44:6
7 אֲנִי רִאשׁוֹן אַף אֲנִי אַחֲרוֹן Is. 48:12
(רִישׁוֹן) 8 כִּי שְׁאַל־נָא לְדֹר רִישׁוֹן Job 8:8
הָרִאשׁוֹן 9 וַיֵּצֵא הָרִאשׁוֹן אַדְמוֹנִי Gen. 25:25
10 מִלְּבַד הָרָעָב הָרִאשׁוֹן Gen. 26:1

הָרִאשׁוֹן (המשך) 11 וַיְצַו אֶת־הָרִאשׁוֹן לֵאמֹר Gen. 32:17
12 כַּמִּשְׁפָּט הָרִאשׁוֹן אֲשֶׁר הָיִיתָ מַשְׁקֵ׳ Gen.40:13
13 לְקֹל הָאֹת הָרִאשׁוֹן...הָאַחֲרוֹן Ex. 4:8
14 אַךְ בַּיּוֹם הָרִאשׁוֹן תַּשְׁבִּיתוּ שְּׂאֹר Ex. 12:15
15 מִיּוֹם הָרִאשֹׁן עַד־יוֹם הַשְּׁבִעִי Ex. 12:15
16 וּבַיּוֹם הָרִאשׁוֹן מִקְרָא־קֹדֶשׁ Ex. 12:16
17 בְּיוֹם־הַחֹדֶשׁ הָרִאשׁוֹן Ex. 40:2
18 וַיְהִי בַּחֹדֶשׁ הָרִאשׁוֹן Ex. 40:17
19 כַּאֲשֶׁר שָׂרַף אֵת הַפָּר הָרִאשׁוֹן Lev. 4:21
20 בַּחֹדֶשׁ הָרִאשׁוֹן...פֶּסַח לַייָ Lev. 23:5
21/2 בַּיּוֹם הָרִאשׁוֹן מִקְרָא־קֹדֶשׁ Lev. 23:7, 35
23-30 (הַ/בַּ)יּוֹם הָרִאשׁוֹן Lev. 23:39, 40
Num. 7:12; 28:18 • Deut. 16:4 • Jud. 20:22 • Dan. 10:12 • Neh. 8:18
31 בַּשָּׁנָה הַשֵּׁנִית...בַּחֹדֶשׁ הָרִאשׁוֹן Num. 9:1
32-50 (בַּ/לַ)חֹדֶשׁ הָרִאשׁוֹן Num. 20:1; 28:16
33:3² • Josh. 4:19 • Es. 3:7, 12 • Dan. 10:4 • Ez. 6:19; 7:9; 8:31; 10:17 • ICh. 12:15(16); 27:2, 3 • IICh. 29:3, 17²; 35:1
51 נִלְחַם בְּמֶלֶךְ מוֹאָב הָרִאשׁוֹן Num. 21:26
52 וַיִּכְתֹּב עַל־הַלֻּחֹת כַּמִּכְתָּב הָרִאשׁוֹן Deut.10:4
53 לֹא־יוּכַל בַּעְלָהּ הָרִאשׁוֹן... Deut. 24:4
54 וַיְשִׁבֻהוּ הָעָם דָּבָר כַּדָּבָר הָרִאשׁוֹן ISh. 17:30
55 אֲנִי רֹאֶה אֶת־מְרוּצַת הָרִאשׁוֹן... IISh. 18:27
56 כְּמִשְׁפָּטָם הָרִאשׁוֹן הֵם עֹשִׂים IIK. 17:40
57 כָּעֵת הָרִאשׁוֹן הֵקַל Is. 8:23
58 אָבִיךָ הָרִאשׁוֹן חָטָא Is. 43:27
59 הָרִאשׁוֹן אֲכָלוֹ מֶלֶךְ אַשּׁוּר Jer. 50:17
60 כְּמִדַּת הַשַּׁעַר הָרִאשׁוֹן Ezek. 40:21
61 אֵלְכָה וְאָשׁוּבָה אֶל־אִישִׁי הָרִאשׁוֹן Hosh. 2:9
62 אֲשֶׁר רָאָה...בִּכְבוֹדוֹ הָרִאשׁוֹן Hag. 2:3
63 גָּדוֹל יִהְיֶה...הָאַחֲרוֹן מִן־הָרִאשׁוֹן Hag. 2:9
64 עַד־מְקוֹם שַׁעַר הָרִאשׁוֹן Zech. 14:10
65 צַדִּיק הָרִאשׁוֹן בְּרִיבוֹ Prov. 18:17
66 הֵיטַבְתְּ חַסְדֵּךְ הָאַחֲרוֹן מִן־הָרִא׳ Ruth 3:10
67 וְהַקֶּרֶן...הוּא הַמֶּלֶךְ הָרִאשׁוֹן Dan. 8:21
68 וְהֶעֱמִיד הָמוֹן רַב מִן־הָרִאשׁוֹן Dan. 11:13
69 אֲשֶׁר רָאוּ אֶת־הַבַּיִת הָרִאשׁוֹן Ez. 3:12
70/1 וַיֵּצֵא הַגּוֹרָל הָרִאשׁוֹן ICh. 24:7; 25:9
הֲרִאישׁוֹן 72 הֲרִאישׁוֹן אָדָם תִּוָּלֵד Job 15:7
בָּרִאשׁוֹן 73 בָּרִאשׁוֹן בְּאֶחָד לַחֹדֶשׁ Gen. 8:13
74 בָּרִאשֹׁן בְּאַרְבָּעָה עָשָׂר יוֹם לַחֹדֶשׁ Ex. 12:18
75 בָּרִאשׁוֹן בְּאַרְבָּעָה עָשָׂר יוֹם לַחֹדֶשׁ Num.9:5
76/7 בָּרִאשׁוֹן בְּאֶחָד לַחֹדֶשׁ Ezek. 29:17; 45:18
78 בָּרִאשׁוֹן בְּשִׁבְעָה לַחֹדֶשׁ Ezek. 30:20
79 בָּרִאשׁוֹן בְּאַרְבָּעָה עָשָׂר יוֹם לַחֹדֶשׁ Ezek. 45:21
80 גֶּשֶׁם מוֹרֶה וּמַלְקוֹשׁ בָּרִאשׁוֹן Joel 2:23
כָּרִאשׁוֹן 81 וַיְשַׁחֲטֵהוּ וַיְחַטְּאֵהוּ כָּרִאשׁוֹן Lev. 9:15
מֵרִאשׁוֹן 82 כִּסֵּא כָבוֹד מָרוֹם מֵרִאשׁוֹן Jer. 17:12
הָרִאשֹׁנָה 83 נִגָּף הוּא...כַּמִּלְחָמָה הָרִאשֹׁנָה Jud. 20:39
84 וַתְּהִי הַמַּכָּה הָרִאשֹׁנָה ISh. 14:14
85 אֲשֶׁר הָיוּ עַל־הַמְּגִלָּה הָרִאשֹׁנָה Jer. 36:28
86 וּבָאָה הַמֶּמְשָׁלָה הָרִאשֹׁנָה Mic. 4:8
87 בַּמֶּרְכָּבָה הָרִאשֹׁנָה סוּסִים אֲדֻמִּים Zech. 6:2
88 עַל הַמַּחֲלֹקֶת הָרִאשׁוֹנָה ICh. 27:2
89 בַּמִּדָּה הָרִאשׁוֹנָה אַמּוֹת שִׁשִּׁים IICh. 3:3
90 הוּא בַשָּׁנָה הָרִאשׁוֹנָה לְמָלְכוֹ IICh. 29:3
רִאשֹׁנִים 91 וְזָכַרְתִּי לָהֶם בְּרִית רִאשֹׁנִים Lev. 26:45
92 לְיָמִים רִאשֹׁנִים אֲשֶׁר־הָיוּ לְפָנֶיךָ Deut. 4:32
93 גְּבוּל רֵעֲךָ אֲשֶׁר גָּבְלוּ רִאשֹׁנִים Deut. 19:14
94 שֹׁמְמוֹת רִאשֹׁנִים יְקוֹמֵמוּ Is. 61:4

95 אַל־תִּזְכָּר־לָנוּ עֲוֺנֹת רִאשֹׁנִים Ps. 79:8
הָרִאשֹׁנִים 96 אֲשֶׁר הָיוּ עַל־הַלֻּחֹת הָרִאשֹׁנִים Ex. 34:1
97 וְהַיָּמִים הָרִאשֹׁנִים יִפְּלוּ Num. 6:12
98 אֲשֶׁר הָיוּ עַל־הַלֻּחֹת הָרִאשֹׁנִים Deut. 10:2
99 עָמַדְתִּי בָהָר כַּיָּמִים הָרִאשֹׁנִים Deut. 10:10
100 שָׂרֵי־הַחֲמִשִּׁים הָרִאשֹׁנִים IIK. 1:14
101 הֵם עֹשִׂים כַּמִּשְׁפָּטִים הָרִאשֹׁנִים IIK. 17:34
102 עַל־עֲוֺנֹת אֲבוֹתָם הָרִאשֹׁנִים Jer. 11:10
103 אֲבוֹתֶיךָ הַמְּלָכִים הָרִאשֹׁנִים Jer. 34:5
104 אֵת כָּל־הַדְּבָרִים הָרִאשֹׁנִים Jer. 36:28
105-107 הַנְּבִיאִים הָרִאשֹׁנִים Zech. 1:4; 7:7, 12
108 לֹא כַיָּמִים הָרִאשֹׁנִים אֲנִי Zech. 8:11
109 אַיֵּה חֲסָדֶיךָ הָרִאשֹׁנִים Ps. 89:50
110 שֶׁהַיָּמִים הָרִאשֹׁנִים הָיוּ טוֹבִים Eccl. 7:10
111 אַחַד הַשָּׂרִים הָרִאשֹׁנִים Dan. 10:13
112 וְהַפַּחוֹת הָרִאשֹׁנִים אֲשֶׁר־לְפָנַי Neh. 5:15
113 וְהַיּוֹשְׁבִים הָרִאשֹׁנִים ICh. 9:2
114 וּבְנֵי־דָוִיד הָרִאשֹׁנִים לְיַד הַמֶּלֶךְ ICh. 18:17
115 וְדִבְרֵי דָּוִיד...הָרִאשֹׁנִים וְהָאַחֲרֹנִים ICh. 29:29
116-123 (וְ)דִבְרֵי...הָרִאשֹׁנִים וְהָאַחֲרוֹנִים IICH. 9:29; 12:15; 16:11; 20:34; 25:26; 26:22; 28:26; 35:27
124 בְּדַרְכֵי דָּוִיד אָבִיו הָרִאשֹׁנִים IICh. 17:3
125 כָּל־הָרִאשֹׁנִים הָרַג הַגְּדוּד IICh. 22:1
בָּרִאשֹׁנִים 126 בִּימֵי קָצִיר בָּרִאשֹׁנִים IISh. 21:9
כָּרִאשֹׁנִים 127/8 שְׁנֵי־לֻחֹת אֲבָנִים כָּרִאשֹׁנִים Ex. 34:1, 4
129 שְׁנֵי־לוּחֹת אֲבָנִים כָּרִאשֹׁנִים Deut. 10:1
130 שְׁנֵי־לֻחֹת אֲבָנִים כָּרִאשֹׁנִים Deut. 10:3
לָרִאשֹׁנִים 131 אֵין זִכְרוֹן לָרִאשֹׁנִים Eccl. 1:11
רִאשֹׁנוֹת 132 אַל־תִּזְכְּרוּ רִאשֹׁנוֹת Is. 43:18
133 זִכְרוּ רִאשֹׁנוֹת מֵעוֹלָם Is. 46:9
וְרִאשֹׁנוֹת 134 מִי בָהֶם יַגִּיד זֹאת וְרִאשֹׁנוֹת יַשְׁמִיעֻנוּ Is. 43:9
הָרִאשֹׁנוֹת 135 אֵת שֶׁבַע הַפָּרוֹת הָרִאשֹׁנוֹת Gen. 41:20
136 הָרִאשֹׁנוֹת מָה הֵנָּה הַגִּידוּ Is. 41:22
137 הָרִאשֹׁנוֹת הִנֵּה־בָאוּ Is. 42:9
138 הָרִאשֹׁנוֹת מֵאָז הִגַּדְתִּי Is. 48:3
139 כִּי נִשְׁכְּחוּ הַצָּרוֹת הָרִאשֹׁנוֹת Is. 65:16
140 וְלֹא תִזָּכַרְנָה הָרִאשֹׁנוֹת Is. 65:17

רִאשׁוֹנָה

תה״פ א) בתחלה, קודם בזמן או בסדר דברים: 1-10
ב) [בָּרִאשֹׁנָה] בתחלה: 11-32
ג) [כְּבָרִאשֹׁנָה] כמו לפני כן: 33-37
ד) [כָּרִאשֹׁנָה] כמו בפעם הקודמת: 38, 39
ה) [לָרִאשֹׁנָה] בתחלה: 40, 41
ו) [לְמִבָּרִאשֹׁנָה] מתחלה: 42

רִאשֹׁנָה 1 וַיָּשֶׂם אֶת־הַשְּׁפָחוֹת...רִאשֹׁנָה Gen. 33:2
2 ...לֵאמֹר זֶה יָצָא רִאשֹׁנָה Gen. 38:28
3 וְהִקְרִיב אֶת־אֲשֶׁר לַחַטָּאת רִאשׁוֹנָה Lev. 5:8
4 רִאשֹׁנָה יִסָּעוּ Num. 2:9
5 וַעֲשׂוּ רִאשֹׁנָה כִּי אַתֶּם הָרַבִּים IK. 18:25
6 וּמַדֹּתִי פְעֻלָּתָם רִאשֹׁנָה אֶל־חֵיקָם Is. 65:7
7 וְשִׁלַּמְתִּי רִאשׁוֹנָה מִשְׁנֵה עֲוֺנָם Jer. 16:18
8 הַיֹּשְׁבִים רִאשֹׁנָה בַּמַּלְכוּת Es. 1:14
9 וְיַד...הָיְתָה בַּמַּעַל הַזֶּה רִאשׁוֹנָה Ez. 9:2
(רִאשֹׁנָה) 10 לָהֶם הָיָה הַגּוֹרָל רִאישֹׁנָה Josh. 21:10
בָּרִאשֹׁנָה 11 אֲשֶׁר־עָשָׂה שָׁם בָּרִאשֹׁנָה Gen. 13:4
12 וַיִּסְעוּ בָּרִאשֹׁנָה עַל־פִּי יְיָ Num. 10:13
13 וַיִּסַּע דֶּגֶל...בָּרִאשֹׁנָה לְצִבְאֹתָם Num. 10:14
14 יָדְךָ תִּהְיֶה־בּוֹ בָרִאשׁוֹנָה Deut. 13:10
15 יַד הָעֵדִים תִּהְיֶה־בּוֹ בָרִאשֹׁנָה Deut. 17:7
16 כִּי־יֵצְאוּ...כַּאֲשֶׁר בָּרִאשֹׁנָה Josh. 8:5
בָּרִאשׁוֹנָה (המשך) 17 נָסִים לְפָנֵינוּ כַּאֲשֶׁר בָּרִאשֹׁנָה Josh. 8:6
18 לְבָרֵךְ אֶת־הָעָם...בָּרִאשֹׁנָה Josh. 8:33
19/20 כַּאֲשֶׁר בָּרִאשׁוֹנָה IISh. 7:10 • ICh. 17:9
21 דַּבֵּר יְדַבְּרוּ בָרִאשֹׁנָה לֵאמֹר IISh. 20:18
22 עֲשִׂי לִי מִשָּׁם עֻגָה קְטַנָּה בָרִאשֹׁנָה IK. 17:13
23 כֹּל אֲשֶׁר־שָׁלַחְתָּ...בָרִאשֹׁנָה IK. 20:9
24-27 בָּרִאשֹׁנָה IK. 20:17
Is. 52:4; 60:9 • Zech. 12:7
28 אֲשֶׁר שִׁכַּנְתִּי שְׁמִי שָׁם בָּרִאשׁוֹנָה Jer. 7:12
29 נַחֲלָה מְבֹהֶלֶת בָּרִאשֹׁנָה Prov. 20:21
30 סֵפֶר הַיַּחַשׂ הָעוֹלִים בָּרִאשׁוֹנָה Neh. 7:5
31 כָּל־מַכֵּה יְבוּסִי בָּרִאשׁוֹנָה ICh. 11:6
32 וַיַּעַל בָּרִאשׁוֹנָה יוֹאָב ICh. 11:6
כְּבָרִאשֹׁנָה 33 נִגָּפִים הֵם לְפָנֵינוּ כְּבָרִאשֹׁנָה Jud. 20:32
34 וַתָּשָׁב יַד־הַמֶּ׳ אֵלָיו וַתְּהִי כְּבָרִאשֹׁנָה IK. 13:6
35 וְאָשִׁיבָה שֹׁפְטַיִךְ כְּבָרִאשֹׁנָה Is. 1:26
36 וַהֲשִׁבֹתִי...וּבְנִתִים כְּבָרִאשֹׁנָה Jer. 33:7
37 אָשִׁיב אֶת־שְׁבוּת־הָאָרֶץ כְּבָרִאשֹׁנָה Jer. 33:11
כָּרִאשֹׁנָה 38 וָאֶתְנַפַּל לִפְנֵי יְיָ כָּרִאשֹׁנָה Deut. 9:18
39 וְלֹא־תִהְיֶה כָרִאשֹׁנָה וְכָאַחֲרֹנָה Dan. 11:29
לָרִאשֹׁנָה 40 וְאוּלָם לוּז שֵׁם־הָעִיר לָרִאשֹׁנָה Gen. 28:19
41 וְאוּלָם לַיִשׁ שֵׁם־הָעִיר לָרִאשֹׁנָה Jud. 18:29
לְמִבָּרִאשׁוֹנָה 42 כִּי לְמַבָּרִאשׁוֹנָה לֹא אַתֶּם... ICh. 15:13

רִאשֹׁנִית*

ת״נ – ראשונה

הָרִאשֹׁנִית 1 הַשָּׁנָה הָרִאשֹׁנִית לִנְבוּכַדְרֶאצַּר Jer. 25:1

רַאֲשׁוֹת*

נ״ר – המקום במטה להשענת הראש, הוא מְרַאֲשׁוֹת (עין באות מ׳)

מְרַאֲשֹׁתֵי־ 1 וַיִּקַּח דָּוִד...מְרַאֲשֹׁתֵי שָׁאוּל ISh. 26:12

רָאשׁוֹת

נ״ר(?) ימים ראשונים, ראשית(?)

מֵרָאשׁוֹתֵיכֶם 1 וְהֵיטִבֹתִי מֵרָאשֹׁתֵיכֶם Ezek. 36:11

רֵאשִׁית

נ׳ א) תחלה, פתיחת דבר: 6, 7, 22, 27-29, 47-49
ב) בכורים, הראשון ביבול או בפרי בטן: 1, 3, 5, 8-11, 13-17, 19, 20, 23, 30-35, 42-46, 51
ג) [בהשאלה] מבחר, מעולה: 2, 12, 16, 18, 21, 24-26, 36, 37
ד) [בְּרֵאשִׁית] בתחלה, תחלת־: 4, 38-41, 50

– רֵאשִׁית – אַחֲרִית 6, 43, 47-49; קָרְבַּן רֵאשִׁית 1
– רֵאשִׁית אוֹנוֹ (3), 14, 32; ר׳ אוֹנִים 23; ר׳ הָאָרֶץ 20; ר׳ בִּכּוּרִים 8, 9, 34; ר׳ בְּנֵי עַמּוֹן 37; ר׳ גְּבוּרָה 18; ר׳ גּוֹיִם 12, 21; ר׳ גֵּז 33; ר׳ דָּגָן 13, 31; ר׳ דַּעַת 25; ר׳ דֶּרֶךְ 27,29; ר׳ חַטָּאת 22; ר׳ חָכְמָה 24, 26; ר׳ הַחֵרֶם 16; ר׳ יִצְהָר 13, 31; ר׳ מָדוֹן 28; ר׳ מַמְלַכְתּוֹ 7; ר׳ מִנְחָה 45; ר׳ מַשְׂאוֹת 19; ר׳ עֲרִיסוֹת 11, 30, 35, 42; ר׳ פְּרִי 15, 44; ר׳ קָצִיר 10; ר׳ שְׁמָנִים 36; ר׳ הַשָּׁנָה 43; רֵאשִׁית תְּבוּאָה 17; רֵאשִׁית תִּירוֹשׁ 13, 31

רֵאשִׁית 1 קָרְבַּן רֵאשִׁית תַּקְרִיבוּ אֹתָם לַייָ Lev. 2:12
2 וַיַּרְא רֵאשִׁית לוֹ Deut. 33:21
3 וַיַּךְ...רֵאשִׁית לְכָל־אוֹנָם Ps. 105:36
בְּרֵאשִׁית 4 בְּרֵאשִׁית בָּרָא אֱלֹהִים Gen. 1:1
לָרֵאשִׁית 5 לַתְּרוּמוֹת לָרֵאשִׁית וְלַמַּעַשְׂרוֹת Neh. 12:44
מֵרֵאשִׁית 6 מַגִּיד מֵרֵאשִׁית אַחֲרִית Is. 46:10
רֵאשִׁית־ 7 וַתְּהִי רֵאשִׁית מַמְלַכְתּוֹ בָּבֶל Gen. 10:10
8/9 רֵאשִׁית בִּכּוּרֵי אַדְמָתְךָ Ex. 23:19; 34:26
10 אֶת־עֹמֶר רֵאשִׁית קְצִירְכֶם Lev. 23:10
11 רֵאשִׁית עֲרִסֹתֵכֶם חַלָּה תָּרִימוּ Num. 15:20
12 רֵאשִׁית גּוֹיִם עֲמָלֵק Num. 24:20
13 רֵאשִׁית דְּגָנְךָ תִּירֹשְׁךָ וְיִצְהָרֶךָ Deut. 18:4
14 כִּי־הוּא רֵאשִׁית אֹנוֹ Deut. 21:17
רֵאשִׁית־ (המשך) 15 אֶת־רֵאשִׁית פְּרִי הָאֲדָמָה Deut. 26:10
16 צֹאן וּבָקָר רֵאשִׁית הַחֵרֶם ISh. 15:21
17 קֹדֶשׁ יִשְׂרָאֵל לַייָ רֵאשִׁית תְּבוּאָתֹה Jer. 2:3
18 אֶת־קֶשֶׁת עֵילָם רֵאשִׁית גְּבוּרָתָם Jer. 49:35
19 וְאֶת־רֵאשִׁית מַשְׂאוֹתֵיכֶם Ezek. 20:40
20 וְלֹא יַעֲבִיר° רֵאשִׁית הָאָרֶץ Ezek. 48:14
21 נְקֻבֵי רֵאשִׁית הַגּוֹיִם Am. 6:1
22 רֵאשִׁית חַטָּאת הִיא לְבַת־צִיּוֹן Mic. 1:13
23 וַיַּךְ...רֵאשִׁית אוֹנִים בְּאָהֳלֵי־חָם Ps. 78:51
24 רֵאשִׁית חָכְמָה יִרְאַת יְיָ Ps. 111:10
25 יִרְאַת יְיָ רֵאשִׁית דָּעַת Prov. 1:7
26 רֵאשִׁית חָכְמָה קְנֵה חָכְמָה Prov. 4:7
27 יְיָ קָנָנִי רֵאשִׁית דַּרְכּוֹ Prov. 8:22
28 פּוֹטֵר מַיִם רֵאשִׁית מָדוֹן Prov. 17:14
29 הוּא רֵאשִׁית דַּרְכֵי־אֵל Job 40:19
30 וְאֶת־רֵאשִׁית עֲרִיסֹתֵינוּ...נָבִיא Neh. 10:38
31 רֵאשִׁית דָּגָן תִּירוֹשׁ וְיִצְהָר IICh. 31:5
וְרֵאשִׁית־ 32 בְּכֹרִי אַתָּה כֹּחִי וְרֵאשִׁית אוֹנִי Gen. 49:3
33 וְרֵאשִׁית גֵּז צֹאנְךָ תִּתֶּן־לוֹ Deut. 18:4
34 וְרֵאשִׁית כָּל־בִּכּוּרֵי כֹל Ezek. 44:30
35 וְרֵאשִׁית עֲרִיסוֹתֵיכֶם תִּתְּנוּ לַכֹּהֵן Ezek. 44:30
36 וְרֵאשִׁית שְׁמָנִים יִמְשָׁחוּ Am. 6:6
37 אֱדוֹם וּמוֹאָב וְרֵאשִׁית בְּנֵי עַמּוֹן Dan. 11:41
בְּרֵאשִׁית־ 38 בְּרֵאשִׁית מַמְלְכוּת יְהוֹיָקִים Jer. 26:1
39 בְּרֵאשִׁית מַמְלֶכֶת יְהוֹיָקִם Jer. 27:1
40 בְּרֵאשִׁית מַמְלֶכֶת צִדְקִיָּה Jer. 28:1
41 בְּרֵאשִׁית מַלְכוּת צִדְקִיָּה Jer. 49:34
מֵרֵאשִׁית־ 42 מֵרֵאשִׁית עֲרִסֹתֵיכֶם תִּתְּנוּ לַייָ Num. 15:21
43 מֵרֵשִׁית הַשָּׁנָה וְעַד אַחֲרִית שָׁנָה Deut. 11:12
44 מֵרֵאשִׁית כָּל־פְּרִי הָאֲדָמָה Deut. 26:2
45 מֵרֵאשִׁית כָּל־מִנְחַת יִשְׂרָאֵל ISh. 2:29
וּמֵרֵאשִׁית־ 46 וּמֵרֵאשִׁית כָּל־תְּבוּאָתֶךָ Prov. 3:9
רֵאשִׁיתְךָ 47 וְהָיָה רֵאשִׁיתְךָ מִצְעָר וְאַחֲרִיתְךָ... Job 8:7
מֵרֵאשִׁיתוֹ 48 וַייָ בֵּרַךְ אֶת־אַחֲרִית אִיּוֹב מֵרֵאשִׁתוֹ Job 42:12
49 טוֹב אַחֲרִית דָּבָר מֵרֵאשִׁיתוֹ Eccl. 7:8
בְּרֵאשִׁיתָהּ 50 כְּבִכּוּרָה בִתְאֵנָה בְּרֵאשִׁיתָהּ Hosh. 9:10
רֵאשִׁיתָם 51 חֵלֶב...רֵאשִׁיתָם אֲשֶׁר־יִתְּנוּ לַייָ Num. 18:12

רַב1

ת׳ א) גדול במספר, הפך מן ״מעט״: רוב המקראות 1-413
ב) גדול בשטח, ארוך, רחב וכד׳: 16, 19, 26, 132, 135, 136, 137, 144, 147, 149, 151
ג) גדול בגילו, בערכו, במעשיו וכד׳: 29, 32, 54, 78, 93, 101, 214
ד) [כנסמך לשם: רַב־] המַרבה לעשות, שיש לו הרבה: 112, 130, 175-178
ה) [רַבַּת] הרבה, בשעור רב: 168-174

– אָדָם רַב 86; אוֹצָר רַב 84; גָּאוֹן רַב 105; גְּבוּל רַב 26; גּוֹי רַב 97,98; דֶּרֶךְ רַ׳ 19; הוֹן רַ׳ 82; הָמוֹן רַב 38,88,90,91,104,107/8; הֶרֶג רַ׳ 67; זָהָב רַב 18,(75); זֶרַע רַב 9, 33; חַיִל רַב 34, 74; חֵלֶק רַב 13; חֹסֶן רַב 83; טוּב רַב 29, 31, 106; יַיִן רַב 87; (יָדָיו רַב 54); כֹּחַ רַב 35; כֶּסֶף רַב 20, 43; מַחֲנֶה רַב 25; מֶלֶךְ רַב 78; מִמְשָׁל רַב 36, 37; מִסְפּוֹא רַב 1; מָקוֹם רַב 16; מִקְנֶה רַב 6, 7, 14, 44; עָוֺן רַב 28; עַם רַב 2, 8, 11, 12, 15, 17, 24, 40, 50, 53, 55-65, 94, 95, 103; עֵץ רַב 23; עֵקֶב רַב 76; עֶרֶב רַב 3; עֹשֶׁר רַב 85; פֶּגֶר רַב 27; פַּז רַב 75; פֶּשַׁע רַב 77; צָבָא רַב 79; קָהָל רַב 39, 68-73; קֶשֶׁב רַב 21; רְכוּשׁ רַב 46-48, 89; שָׁלוֹם רַב 81; שָׁלָל רַב 42, 66, 80, 92; תֶּבֶן רַב 1

– רַב אֱמֶת 118; רַב בְּרָכוֹת 114; רַב חֶסֶד 118-123, 127, 128; רַב טוּב 124; רַב כֹּחַ 129; רַב מְאֵרוֹת 115; רַב מַעֲשַׁקּוֹת 130; רַב נוֹצָה 126; רַב עֲלִילִיָּה 125; רַב פְּעָלִים 112, 117; רַב פֶּשַׁע 116; רַב תְּבוּנָה 113

– אֱמוּנָה רַבָּה 156; אֶרֶץ רַבָּה 151; אַשְׁמָה רַבָּה 165; בְּהֵמָה רַבָּה 145; בִּזָּה רַבָּה 162, 164; דָּגָה רַ׳ 140, 141; הָמוֹן רַבָּה 155; חֲמַת רַבָּה 143; מְהוּמָה רַ׳ 146; מַכָּה רַ׳ 134, 135, 161; מְלָאכָה 163; מַלְכוּת רַ׳ 159; מַשְׂטֵמָה רַבָּה 166; נְחֹשֶׁת רַ׳ 160; סוֹד רַבָּה 150; עֲבֻדָּה רַ׳ 133, 153; צִידוֹן רַבָּה 136,137; רָעָה רַבָּה 131, 138, 142, 154, 157, 158, 167; תְּהוֹם רַבָּה 132, 139, 144, 147, 149; תִּפְאֶרֶת רַבָּה 152

– רַבַּת אוֹצָרוֹת 175; רַ׳ בָּנִים 178; רַ׳ חֶלְאָה 177; רַבַּת מְהוּמָה 176; רַבָּתִי עַם 179

– אוֹהֲבִים רַבִּים 322; אִיִּים רַ׳ 299, 300, 316; בּוֹרוֹת רַ׳ 354; בָּנִים רַ׳ 291, 346, 350,351; בַּת רַ׳ 332; בָּתִּים רַ׳ 262, 302; גּוֹיִם רַ׳ 216-234; דְּבָרִים רַ׳ 296; דִּבַּת רַ׳ 295, 310; דַּיָּגִים רַ׳ 294; דָּמִים רַ׳ 349; חֵטְא רַ׳ 290; חֲיָלִים רַ׳ 396; חֳלָיִים רַ׳ 352; חֲלָלִים רַ׳ 237, 320, 339, 347; חִשְּׁבוֹנוֹת רַ׳ 333; יָמִים רַבִּים 181, 182, 186-212, 331, 361, 372; כְּשָׁפִים רַ׳ 363; לוֹחֲמִים רַ׳ 314; מַחֲלוּיִים רַ׳ 353; מַיִם רַ׳ 213, 215, 239, 264-288, 365; מַכְאוֹבִים רַ׳ 311; מְלָכִים רַ׳ 298; מַצְדִּיקֵי רַ׳ 367; נְכָסִים רַ׳ 236; עַמִּים רַ׳ 243-261, (315); פָּרִים רַ׳ 309; פְּשָׁעִים רַ׳ 303; צַיָּדִים רַ׳ 376; צָרִים רַ׳ 319; קָמִים רַ׳ 306; רוֹדְפִים רַ׳ 319; רוֹעִים רַ׳ 293; רַחֲמִים רַ׳ 240, 318, 348, 366, 368, 369; רֵעִים רַ׳ 292, 323; רְשָׁעִים רַ׳ 312; שָׂרִים רַבִּים 214, 325

– אֲנָחוֹת רַבּוֹת 404; אֳנִיּוֹת רַ׳ 408; אֲרָצוֹת רַ׳ 390; בָּנוֹת רַ׳ 401; מְהוּמוֹת רַ׳ 394, 411; מַחֲשָׁבוֹת רַ׳ 400; מַתָּנוֹת רַ׳ 412; נְעָרוֹת רַ׳ 407; נְפָשׁוֹת רַ׳ 392; נָשִׁים רַ׳ 387, 388, 391; עָרִים רַ׳ 395; עִתִּים רַ׳ 409; פְּעָמִים רַ׳ 399,406; צֹאן רַ׳ 383; צָרוֹת רַ׳ 398; רָאוֹת רַבּוֹת 389; רָעוֹת רַ׳ 385, 386, 396; שָׁנִים רַבּוֹת 405, 410

רַב

1 גַּם־תֶּבֶן גַּם־מִסְפּוֹא רַב עִמָּנוּ Gen. 24:25
2 הִנֵּה עַם בְּ״יִ רַב וְעָצוּם מִמֶּנּוּ Ex. 1:9
3 וְגַם־עֵרֶב רַב עָלָה אִתָּם Ex. 12:38
4 וַיָּגָר מוֹאָב...כִּי רַב־הוּא Num. 22:3
5 תֵּחָלֵק נַחֲלָתוֹ בֵּין רַב לִמְעָט Num. 26:56
6 וּמִקְנֶה רַב הָיָה לִבְנֵי רְאוּבֵן Num. 32:1
7 יָדַעְתִּי כִּי־מִקְנֶה רַב לָכֶם Deut. 3:19
8 וְרָאִיתָ...עַם רַב מִמְּךָ Deut. 20:1
9 זֶרַע רַב תּוֹצִיא הַשָּׂדֶה Deut. 28:38
10 וְסוּס וָרֶכֶב רַב־מְאֹד Josh. 11:4
11 אִם־עַם־רַב אַתָּה עֲלֵה לְךָ הַיַּעְרָה Josh.17:15
12 עַם־רַב אַתָּה וְכֹחַ גָּדוֹל לָךְ Josh. 17:17
13 חֵלֶק בְּנֵי־יְהוּדָה רַב מֵהֶם Josh. 19:9
14 בִּנְכָסִים...וּבְמִקְנֶה רַב־מְאֹד Josh. 22:8
15 רַב הָעָם אֲשֶׁר אִתָּךְ Jud. 7:2
16 רַב הַמָּקוֹם בֵּינֵיהֶם ISh. 26:13
17 וַיַּרְא וְהִנֵּה עַם־רַב הֹלְכִים IISh. 13:34
18 בְּשָׂמִים וְזָהָב רַב־מְאֹד IK. 10:2
19 כִּי רַב מִמְּךָ הַדָּרֶךְ IK. 19:7
20 כִּי־רַב הַכֶּסֶף בָּאָרוֹן IIK. 12:11
21 וְהִקְשִׁיב קֶשֶׁב רַב־קָשֶׁב Is. 21:7
22 מְדַבֵּר בִּצְדָקָה רַב לְהוֹשִׁיעַ Is. 63:1
23 אֶל־שְׂפַת הַנַּחַל עֵץ רַב מְאֹד Ezek. 47:7

רַב (המשך)

24 עַם רַב וְעָצוּם Joel 2:2
25 כִּי רַב מְאֹד מַחֲנֵהוּ Joel 2:11
26 אִם־רַב גְּבוּלָם מִגְּבֻלְכֶם Am. 6:2
27 רַב הַפֶּגֶר בְּכָל־מָקוֹם הִשְׁלִיךְ הָס Am. 8:3
28 וְסָלַחְתָּ לַעֲוֹנִי כִּי רַב־הוּא Ps. 25:11
29 מָה רַב טוּבְךָ אֲשֶׁר־צָפַנְתָּ Ps. 31:20
30 כִּי־רַב שָׂבַעְנוּ בוּז Ps. 123:3
31 זֵכֶר רַב־טוּבְךָ יַבִּיעוּ Ps. 145:7
32 רַב מְחוֹלֵל־כֹּל Prov. 26:10
33 וְיָדַעְתָּ כִּי־רַב זַרְעֶךָ Job 5:25
34 אִם־אֶשְׂמַח כִּי־רַב חֵילִי Job 31:25
35 הֲתִבְטַח־בּוֹ כִּי־רַב כֹּחוֹ Job 39:11
36 וּמָשַׁל מִמְשָׁל רַב Dan. 11:3
37 מִמְשָׁל רַב מֶמְשַׁלְתּוֹ Dan. 11:5
38 וְהֶעֱמִיד הָמוֹן רַב מִן־הָרִאשׁוֹן Dan. 11:13
39 נִקְבְּצוּ אֵלָיו...קָהָל רַב־מְאֹד Ez. 10:1
40 עַל־עַם רַב כַּעֲפַר הָאָרֶץ IICh. 1:9
41 אֵין־עִמְּךָ לַעְזוֹר בֵּין רַב לְאֵין כֹּחַ IICh. 14:10
42 בֹּזְזִים אֶת־הַשָּׁלָל כִּי רַב־הוּא IICh. 20:25
43 וְכִרְאוֹתָם כִּי־רַב הַכֶּסֶף IICh. 24:11
44 כִּי מִקְנֶה־רַב הָיָה לוֹ IICh. 26:10
45 כִּי־עִמָּנוּ רַב מֵעִמּוֹ IICh. 32:7
46 רְכוּשׁ רַב מְאֹד IICh. 32:29

רָב

47/8 כִּי־הָיָה רְכוּשָׁם רָב Gen. 13:6; 36:7
49 וַיֹּאמֶר עֵשָׂו יֶשׁ־לִי רָב Gen. 33:9
50 לְהַחֲיֹת עַם־רָב Gen. 50:20
51 פֶּן־יֶהֶרְסוּ...וְנָפַל מִמֶּנּוּ רָב Ex. 19:21
52 הַמְעַט הוּא אִם־רָב Num. 13:18
53 וַיָּמָת עַם־רָב מִיִּשְׂרָאֵל Num. 21:6
54 יָדָיו רָב לוֹ וְעֵזֶר מִצָּרָיו תִּהְיֶה Deut. 33:7
55 וְכָל־מַחֲנֵיהֶם עִמָּם עַם־רָב Josh. 11:4
56-63 (וְ/וּבְ)עַם רָב Josh. 17:14 • IK. 3:8 • Is. 13:4 Ezek. 17:9, 15; 26:7 • Ez. 10:13 • IICh. 30:13; 32:4
64/5 הָעָם רָב Jud. 7:4 • Ez. 10:13
66 וְשָׁלָל רָב עִמָּם הֵבִיאוּ IISh. 3:22
67 בְּיוֹם הֶרֶג רָב בִּנְפֹל מִגְדָּלִים Is. 30:25
68 וְלֹא בְחַיִל גָּדוֹל וּבְקָהָל רָב Ezek. 17:17
69-73 (בְּ/לְ)קָהָל רָב Ezek. 38:4 Ps. 22:26; 35:18; 40:10, 11
74 קָהָל גָּדוֹל וְחַיִל רָב Ezek. 38:15
75 הַנֶּחֱמָדִים מִזָּהָב וּמִפַּז רָב Ps. 19:11
76 בְּשָׁמְרָם עֵקֶב רָב Ps. 19:12
77 אָז אֵיתָם וְנִקֵּיתִי מִפֶּשַׁע רָב Ps. 19:14
78 הַר־צִיּוֹן...קִרְיַת מֶלֶךְ רָב Ps. 48:3
79 הַמְבַשְּׂרוֹת צָבָא רָב Ps. 68:12
80 שָׂשׂ...כְּמוֹצֵא שָׁלָל רָב Ps. 119:162
81 שָׁלוֹם רָב לְאֹהֲבֵי תוֹרָתֶךָ Ps. 119:165
82 יֵשׁ...מִתְרוֹשֵׁשׁ וְהוֹן רָב Prov. 13:7
83 בֵּית צַדִּיק חֹסֶן רָב Prov. 15:6
84 טוֹב־מְעַט...מֵאוֹצָר רָב Prov. 15:16
85 נִבְחָר שֵׁם מֵעֹשֶׁר רָב Prov. 22:1
86 יִרְעֲפוּ עֲלֵי אָדָם רָב Job 36:28
87 וְיֵין מַלְכוּת רָב כְּיַד הַמֶּלֶךְ Es. 1:7
88 וְהֶעֱמִיד הָמוֹן רָב Dan. 11:11
89 בְּחַיִל גָּדוֹל וּבִרְכוּשׁ רָב Dan. 11:13
90 וְאַתֶּם הָמוֹן רָב IICh. 13:8
91 בָּא עָלֶיךָ הָמוֹן רָב IICh. 20:2
92 וְגַם־שָׁלָל רָב בָּזְזוּ מֵהֶם IICh. 28:8

וְרַב

93 וְרַב יַעֲבֹד צָעִיר Gen. 25:23
94/5 עַם גָּדוֹל וְרַב וָרָם כָּעֲנָקִים Deut. 2:10, 21
96 וְרַב שֶׁיִּהְיוּ יְמֵי־שָׁנָיו Eccl. 6:3

וָרָב

97 לְגוֹי־עָצוּם וָרָב מִמֶּנּוּ Deut. 9:14

וָרָב (המשך)

98 וַיְהִי־שָׁם לְגוֹי גָּדוֹל עָצוּם וָרָב Deut. 26:5
99 וַיֵּלֶךְ הָלוֹךְ וָרָב ISh. 14:19
100 וְהָעָם הוֹלֵךְ וָרָב אֶת־אַבְשָׁלוֹם IISh. 15:12
101 וְיִשְׁלַח לָהֶם מוֹשִׁיעַ וָרָב Is. 19:20

הָרַב

102 מֵאֵת הָרַב תַּרְבּוּ Num. 35:8

הָרָב

103 אֲשֶׁר נָתַן...עַל־הָעָם הָרָב הַזֶּה IK. 5:21
104 וְנִקְלָה...בְּכֹל הֶהָמוֹן הָרָב Is. 16:14
105 וְאֶת־גְּאוֹן יְרוּשָׁלַםִ הָרָב Jer. 13:9
106 וְהֵם בְּמַלְכוּתָם וּבְטוּבְךָ הָרָב Neh. 9:35
107 לִפְנֵי הֶהָמוֹן הָרָב הַזֶּה IICh. 20:12
108 מִפְּנֵי הֶהָמוֹן הָרָב הַזֶּה IICh. 20:15

בְּרַב

109 לְהוֹשִׁיעַ בְּרַב אוֹ בִמְעָט ISh. 14:6

לָרַב

110 לָרַב תַּרְבֶּה נַחֲלָתוֹ Num. 26:54
111 לָרַב תַּרְבּוּ אֶת־נַחֲלָתוֹ Num. 33:54

רַב־

112 בֶּן־אִישׁ־חַיִל רַב־פְּעָלִים IISh. 23:20
113 אֶרֶךְ אַפַּיִם רַב־תְּבוּנָה Prov. 14:29
114 אִישׁ אֱמוּנוֹת רַב־בְּרָכוֹת Prov. 28:20
115 וּמַעְלִים עֵינָיו רַב־מְאֵרוֹת Prov. 28:27
116 וּבַעַל חֵמָה רַב־פָּשַׁע Prov. 29:22
117 בֶּן־אִישׁ־חַיִל רַב־פְּעָלִים ICh. 11:22

וְרַב־

118 אֶרֶךְ אַפַּיִם וְרַב־חֶסֶד וֶאֱמֶת Ex. 34:6
119-123 אֶרֶךְ אַפַּיִם וְרַב־חֶסֶד Num. 14:18 Joel 2:13 • Jon. 4:2 • Ps. 86:15 • Neh. 9:17
124 וְרַב־טוּב לְבֵית יִשְׂרָאֵל Is. 63:7
125 גְּדֹל הָעֵצָה וְרַב הָעֲלִילִיָּה Jer. 32:19
126 גְּדוֹל כְּנָפַיִם וְרַב נוֹצָה Ezek. 17:7
127 וְרַב־חֶסֶד לְכָל־קֹרְאֶיךָ Ps. 86:5
128 אֶרֶךְ אַפַּיִם וְרַב חָסֶד Ps. 103:8
129 גָּדוֹל אֲדוֹנֵינוּ וְרַב־כֹּחַ Ps. 147:5
130 חֲסַר תְּבוּנוֹת וְרַב מַעֲשַׁקּוֹת Prov. 28:16

רַבָּה

131 כִּי רַבָּה רָעַת הָאָדָם בָּאָרֶץ Gen. 6:5
132 נִבְקְעוּ כָּל־מַעְיְנוֹת תְּהוֹם רַבָּה Gen. 7:11
133 וּמִקְנֵה בָקָר וַעֲבֻדָּה רַבָּה Gen. 26:14
134 וַיַּךְ יְיָ בָּעָם מַכָּה רַבָּה מְאֹד Num. 11:33
135 פֶּן־יֹסִיף לְהַכֹּתוֹ...מַכָּה רַבָּה Deut. 25:3
136/7 עַד־צִידוֹן רַבָּה Josh. 11:8; 19:28
138 כִּי־רָעַתְכֶם רַבָּה ISh. 12:17
139 הַמַּחֲרֶבֶת יָם מֵי תְּהוֹם רַבָּה Is. 51:10
140 וְהָיָה הַדָּגָה רַבָּה מְאֹד Ezek. 47:9
141 כִּדְגַת הַיָּם הַגָּדוֹל רַבָּה מְאֹד Ezek. 47:10
142 כִּי רַבָּה רָעָתָם Joel 4:13
143 וּלְכוּ מִשָּׁם חֲמַת רַבָּה Am. 6:2
144 וַתֹּאכַל אֶת־תְּהוֹם רַבָּה Am. 7:4
145 אֲשֶׁר יֶשׁ־בָּהּ...וּבְהֵמָה רַבָּה Jon. 4:11
146 תִּהְיֶה מְהוּמַת־יְיָ רַבָּה בָּהֶם Zech. 14:13
147 מִשְׁפָּטֶיךָ תְּהוֹם רַבָּה Ps. 36:7
148 מִשְׂגַּבִּי לֹא־אֶמּוֹט רַבָּה Ps. 62:3
149 וַיַּשְׁקְ כִּתְהֹמוֹת רַבָּה Ps. 78:15
150 אֵל נַעֲרָץ בְּסוֹד־קְדֹשִׁים רַבָּה Ps. 89:8
151 מָחַץ רֹאשׁ עַל־אֶרֶץ רַבָּה Ps. 110:6
152 בַּעֲלֹץ צַדִּיקִים רַבָּה תִפְאָרֶת Prov. 28:12
153 וַעֲבֻדָּה רַבָּה מְאֹד Job 1:3
154 הֲלֹא רָעָתְךָ רַבָּה Job 22:4
155 כִּי אֶעֱרוֹץ הָמוֹן רַבָּה Job 31:34
156 חֲדָשִׁים לַבְּקָרִים רַבָּה אֱמוּנָתֶךָ Lam. 3:23
157 גַּם־זֶה הֶבֶל וְרָעָה רַבָּה Eccl. 2:21
158 כִּי־רָעַת הָאָדָם רַבָּה עָלָיו Eccl. 8:6
159 בְּכָל־מַלְכוּתוֹ כִּי רַבָּה הִיא Es. 1:20
160 נְחֹשֶׁת רַבָּה מְאֹד ICh. 18:8
161 וַיַּכּוּ בָהֶם...מַכָּה רַבָּה IICh. 13:17
162 כִּי־בִזָּה רַבָּה הָיְתָה בָהֶם IICh. 14:13
163 וּמְלָאכָה רַבָּה הָיָה לוֹ IICh. 17:13

164 וַיָּבֹזּוּ בִּזָּה רַבָּה 25:13
165 כִּי־רַבָּה אַשְׁמָה לָנוּ IICh. 28:13

וְרַבָּה

166 עַל רֹב עֲוֹנְךָ וְרַבָּה מַשְׂטֵמָה Hosh. 9:7
167 יֵשׁ רָעָה...וְרַבָּה הִיא עַל־הָאָדָם Eccl. 6:1

רַבַּת

168 רַבַּת תַּעְשְׁרֶנָּה Ps. 65:10
169 רַבַּת שָׁכְנָה־לָּהּ נַפְשִׁי Ps. 120:6
170 רַבַּת שָׂבְעָה־לָּהּ נַפְשֵׁנוּ Ps. 123:4
171 רַבַּת צְרָרוּנִי מִנְּעוּרָי Ps. 129:1
172 רַבַּת צְרָרוּנִי מִנְּעוּרָי Ps. 129:2
173 רַבַּת בַּקָּהָל אֲשֶׁר לֹא־הִתְקַדָּשׁוּ IICh. 30:17
174 רַבַּת מֵאֶפְרַיִם...לֹא הִטֶּהָרוּ IICh. 30:18

רַבַּת־

175 רַבַּת אוֹצָרֹת Jer. 51:13
176 טְמֵאַת הַשֵּׁם רַבַּת הַמְּהוּמָה Ezek. 22:5
177 וְלֹא־תֵצֵא מִמֶּנָּה רַבַּת חֶלְאָתָהּ Ezek. 24:12

וְרַבַּת־

178 וְרַבַּת בָּנִים אֻמְלָלָה ISh. 2:5

רַבָּתִי

179 אֵיכָה יָשְׁבָה בָדָד הָעִיר רַבָּתִי עָם Lam. 1:1
180 רַבָּתִי בַגּוֹיִם שָׂרָתִי בַּמְּדִינוֹת Lam. 1:1

רַבִּים

181 וַיָּגָר אַבְרָהָם...יָמִים רַבִּים Gen. 21:34
182 וַיִּתְאַבֵּל עַל־בְּנוֹ יָמִים רַבִּים Gen. 37:34
183 הֵן־רַבִּים עַתָּה עַם־הָאָרֶץ Ex. 5:5
184 לֹא־תִהְיֶה אַחֲרֵי־רַבִּים לְרָעֹת Ex. 23:2
185 אַחֲרֵי רַבִּים לְהַטֹּת Ex. 23:2
186 כִּי־יָזוּב זוֹב דָּמָהּ יָמִים רַבִּים Lev. 15:25
187-212 יָמִים רַבִּים Num. 9:19; 20:15
Deut. 1:46; 2:1; 20:19 • Josh. 11:18; 22:3; 23:1; 24:7 • IISh. 14:2 • IK. 2:38; 3:11; 18:1 • Jer. 13:6; 32:14; 35:7; 37:16 • Ezek. 12:27; 38:8 • Hosh. 3:3, 4 • Es. 1:4 • Dan. 8:26 • ICh. 7:22 • IICh. 1:11; 15:3
213 וַיַּךְ...וַיֵּצְאוּ מַיִם רַבִּים Num. 20:11
214 שָׂרִים רַבִּים וְנִכְבָּדִים מֵאֵלֶּה Num. 22:15
215 וְזַרְעוֹ בְּמַיִם רַבִּים Num. 24:7
216 וְנָשַׁל גּוֹיִם־רַבִּים מִפָּנֶיךָ Deut. 7:1
217 גּוֹיִם רַבִּים וַעֲצוּמִים מִמֶּךָּ Deut. 7:1
218 רַבִּים הַגּוֹיִם הָאֵלֶּה מִמֶּנִּי Deut. 7:17
219 וְהַעֲבַטְתָּ גּוֹיִם רַבִּים Deut. 15:6
220-234 (בְּ/הַ/לְ) גּוֹיִם רַבִּים Deut. 15:6; 28:12
Is. 52:15 • Jer. 22:8; 25:14; 27:7 • Ezek. 26:3; 31:6; 38:23; 39:27 • Mic. 4:2, 11 • Hab. 2:8 • Zech. 2:15 • Ps. 135:10
235 רַבִּים אֲשֶׁר־מֵתוּ בְּאַבְנֵי הַבָּרָד Josh. 10:11
236 בִּנְכָסִים רַבִּים שׁוּבוּ אֶל־אָהֳלֵיכֶם Josh. 22:8
237 וַיִּפְּלוּ חֲלָלִים רַבִּים Jud. 9:40
238 רַבִּים מֵאֲשֶׁר הֵמִית בְּחַיָּיו Jud. 16:30
239 יַמְשֵׁנִי מִמַּיִם רַבִּים IISh. 22:17
240 בְיַד־יְיָ כִּי־רַבִּים רַחֲמָו IISh. 24:14
241 יְהוּדָה וְיִשְׂרָאֵל רַבִּים כַּחוֹל IK. 4:20
242 רַבִּים אֲשֶׁר אִתָּנוּ מֵאֲשֶׁר אוֹתָם IIK. 6:16
243 וְהָלְכוּ עַמִּים רַבִּים וְאָמְרוּ Is. 2:3
244-261 (וְ/לְ/מֵ) עַמִּים רַבִּים Is. 2:4; 17:12
Ezek. 3:6; 27:33; 32:3, 9, 10; 38:6, 8, 9, 15, 22 • Mic. 4:3, 13; 5:6, 7 • Hab. 2:10 • Zech. 8:22
262 אִם־לֹא בָּתִּים רַבִּים לְשַׁמָּה יִהְיוּ Is. 5:9
263 וְכָשְׁלוּ בָם רַבִּים וְנָפְלוּ Is. 8:15
264 כִּשְׁאוֹן מַיִם רַבִּים יִשָּׁאוּן Is. 17:13
265-288 (בְּ/וּבְ/מִ) מַיִם רַבִּים Is. 23:3
Jer. 41:12; 51:13, 55 • Ezek. 1:24; 17:5, 8; 19:10; 27:26; 31:5, 7, 15; 32:13; 43:2 • Hab. 3:15 • Ps. 18:17; 29:3; 32:6; 77:20; 93:4; 107:23; 144:7 • S.ofS. 8:7 • IICh. 32:4
289 כַּאֲשֶׁר שָׁמְמוּ עָלֶיךָ רַבִּים Is. 52:14
290 וְהוּא חֵטְא־רַבִּים נָשָׂא Is. 53:12

רַבִּים (המשך)

291 כִּי־רַבִּים בְּנֵי־שׁוֹמֵמָה Is. 54:1
292 וְאַתְּ זָנִית רֵעִים רַבִּים Jer. 3:1
293 רֹעִים רַבִּים שִׁחֲתוּ כַרְמִי Jer. 12:10
294 הִנְנִי שֹׁלֵחַ לְדַיָּגִים° רַבִּים Jer. 16:16
295 כִּי שָׁמַעְתִּי דִּבַּת רַבִּים Jer. 20:10
296 וְעוֹד נוֹסַף עֲלֵיהֶם דְּבָרִים רַבִּים Jer. 36:32
297 הַשְׁמִיעוּ אֶל־בָּבֶל רַבִּים Jer. 50:29
298 וּמְלָכִים רַבִּים יֵעֹרוּ Jer. 50:41
299 רֹכֶלֶת הָעַמִּים אֶל־אִיִּים רַבִּים Ezek. 27:3
300 אִיִּים רַבִּים סְחֹרַת יָדֵךְ Ezek. 27:15
301 אֶחָד הָיָה אַבְרָהָם...וַאֲנַחְנוּ רַבִּים Ezek.33:24
302 וְסָפוּ בָּתִּים רַבִּים Am. 3:15
303 רַבִּים פִּשְׁעֵיכֶם וַעֲצֻמִים חַטֹּאתֵיכֶם Am. 5:12
304 אִם־שְׁלֵמִים וְכֵן רַבִּים Nah. 1:12
305 הִכְשַׁלְתֶּם רַבִּים בַּתּוֹרָה Mal. 2:8
306 מָה־רַבּוּ צָרָי רַבִּים קָמִים עָלָי Ps. 3:2
307 רַבִּים אֹמְרִים לְנַפְשִׁי Ps. 3:3
308 רַבִּים אֹמְרִים מִי־יַרְאֵנוּ טוֹב Ps. 4:7
309 סְבָבוּנִי פָּרִים רַבִּים Ps. 22:13
310 כִּי שָׁמַעְתִּי דִּבַּת רַבִּים Ps. 31:14
311 רַבִּים מַכְאוֹבִים לָרָשָׁע Ps. 32:10
312 טוֹב...מֵהֲמוֹן רְשָׁעִים רַבִּים Ps. 37:16
313 יִרְאוּ רַבִּים וְיִירָאוּ Ps. 40:4
314 כִּי־רַבִּים לֹחֲמִים לִי מָרוֹם Ps. 56:3
315 שְׂאֵתִי בְחֵיקִי כָּל־רַבִּים עַמִּים Ps. 89:51
316 יִשְׂמְחוּ אִיִּים רַבִּים Ps. 97:1
317 וּבְתוֹךְ רַבִּים אֲהַלְלֶנּוּ Ps. 109:30
318 רַחֲמֶיךָ רַבִּים יְיָ Ps. 119:156
319 רַבִּים רֹדְפַי וְצָרָי Ps. 119:157
320 כִּי־רַבִּים חֲלָלִים הִפִּילָה Prov. 7:26
321 שִׂפְתֵי צַדִּיק יִרְעוּ רַבִּים Prov. 10:21
322 וְאֹהֲבֵי עָשִׁיר רַבִּים Prov. 14:20
323 הוֹן יֹסִיף רֵעִים רַבִּים Prov. 19:4
324 רַבִּים יְחַלּוּ פְנֵי־נָדִיב Prov. 19:6
325 בְּפֶשַׁע אֶרֶץ רַבִּים שָׂרֶיהָ Prov. 28:2
326 רַבִּים מְבַקְשִׁים פְּנֵי־מוֹשֵׁל Prov. 29:26
327 הִנֵּה יִסַּרְתָּ רַבִּים Job 4:3
328 וְחִלּוּ פָנֶיךָ רַבִּים Job 11:19
329 לֹא־רַבִּים יֶחְכָּמוּ Job 32:9
330 יְשַׁוְּעוּ מִזְּרוֹעַ רַבִּים Job 35:9
331 וּמִסְפַּר יָמֶיךָ רַבִּים Job 38:21
332 עַל־שַׁעַר בַּת־רַבִּים S.ofS. 7:5
333 וְהֵמָּה בִקְשׁוּ חִשְּׁבֹנוֹת רַבִּים Eccl. 7:29
334 נִתַּן הַסֶּכֶל בַּמְּרוֹמִים רַבִּים Eccl. 10:6
335 וּבְשַׁלְוָה יַשְׁחִית רַבִּים Dan. 8:25
336 וְאָסְפוּ הֲמוֹן חֲיָלִים רַבִּים Dan. 11:10
337 רַבִּים יַעַמְדוּ עַל־מֶלֶךְ הַנֶּגֶב Dan. 11:14
338 וְיָשֵׂם° פָּנָיו לְאִיִּים וְלָכַד רַבִּים Dan. 11:18
339 וְנָפְלוּ חֲלָלִים רַבִּים Dan. 11:26
340 וְנִלְווּ עֲלֵיהֶם רַבִּים בַּחֲלַקְלַקּוֹת Dan. 11:34
341 לְהַשְׁמִיד וּלְהַחֲרִים רַבִּים Dan. 11:44
342 יְשֹׁטְטוּ רַבִּים וְתִרְבֶּה הַדָּעַת Dan. 12:4
343 יִתְבָּרְרוּ וְיִתְלַבְּנוּ וְיִצָּרְפוּ רַבִּים Dan. 12:10
344 בָּנֵינוּ וּבְנֹתֵינוּ אֲנַחְנוּ רַבִּים Neh. 5:2
345 רַבִּים בִּיהוּדָה בַּעֲלֵי שְׁבוּעָה לוֹ Neh. 6:18
346 וּלְאֶחָיו אֵין בָּנִים רַבִּים ICh. 4:27
347 כִּי־חֲלָלִים רַבִּים נָפָלוּ ICh. 5:22
348 כִּי־רַבִּים רַחֲמָיו ICh. 21:13
349 כִּי דָּמִים רַבִּים שָׁפַכְתָּ ICh. 22:8(7)
350 וַיִּמָּצְאוּ בְנֵי־אֶלְעָזָר רַבִּים ICh. 24:4
351 כִּי רַבִּים בָּנִים נָתַן לִי יְיָ ICh. 28:5
352 וְאַתָּה בָּחֳלָיִים רַבִּים IICh. 21:15
353 כִּי־עָזְבוּ אֹתוֹ בְּמַחֲלֻיִים רַבִּים IICh. 24:25
354 וַיַּחְצֹב בֹּרוֹת רַבִּים IICh. 26:10

וְרַבִּים

355 וְרַבִּים הֵשִׁיב מֵעָוֹן Mal. 2:6
356 וְרַבִּים מֵעַמֵּי הָאָרֶץ מִתְיַהֲדִים Es. 8:17
357 וְרַבִּים מִיְּשֵׁנֵי אַדְמַת־עָפָר יָקִיצוּ Dan. 12:2
358 וְרַבִּים מֵהַכֹּהֲנִים וְהַלְוִיִּם...בֹּכִים Ez. 3:12
359 וְרַבִּים בִּתְרוּעָה בְשִׂמְחָה Ez. 3:12
360 וְרַבִּים מְבִיאִים מִנְחָה IICh. 32:23

הָרַבִּים

361 וַיְהִי בַיָּמִים הָרַבִּים הָהֵם Ex. 2:23
362 כִּי אַתֶּם הָרַבִּים IK. 18:25
363 זְנוּנֵי אִיזֶבֶל אִמְּךָ וּכְשָׁפֶיהָ הָרַבִּים IIK. 9:22
364 עֲשׂוֹתָהּ הַמְזִמָּתָה הָרַבִּים Jer. 11:15
365 וְכִסּוּךְ הַמַּיִם הָרַבִּים Ezek. 26:19
366 כִּי עַל־רַחֲמֶיךָ הָרַבִּים Dan. 9:18
367 וּמַצְדִּיקֵי הָרַבִּים כַּכּוֹכָבִים Dan. 12:3
368 בְּרַחֲמֶיךָ הָרַבִּים לֹא עֲזַבְתָּם Neh. 9:19
369 וּכְרַחֲמֶיךָ הָרַבִּים תִּתֵּן...מוֹשִׁיעִים Neh. 9:27
370 וּבְרַחֲמֶיךָ...לֹא־עֲשִׂיתָם כָּלָה Neh. 9:31
371 וּבַגּוֹיִם...לֹא־הָיָה מֶלֶךְ כָּמֹהוּ Neh. 13:26

וְהָרַבִּים

372 אֶת־מֵי הַנָּהָר הָעֲצוּמִים וְהָרַבִּים Is. 8:7

בְּרַבִּים

373 כִּי־בְרַבִּים הָיוּ עִמָּדִי Ps. 55:19

בָּרַבִּים

374 לָכֵן אֲחַלֶּק־לוֹ בָרַבִּים Is. 53:12
375 וְהִמְשִׁילָם בָּרַבִּים Dan. 11:39

לְרַבִּים

376 אֶשְׁלַח לְרַבִּים צַיָּדִים Jer. 16:16
377 כְּמוֹפֵת הָיִיתִי לְרַבִּים Ps. 71:7

לָרַבִּים

378 יַצְדִּיק צַדִּיק עַבְדִּי לָרַבִּים Is. 53:11
379 שַׂק וָאֵפֶר יֻצַּע לָרַבִּים Es. 4:3
380 וְהִגְבִּיר בְּרִית לָרַבִּים Dan. 9:27
381 וּמַשְׂכִּילֵי עָם יָבִינוּ לָרַבִּים Dan. 11:33

מֵרַבִּים

382 וְיָרֵא אֶת־הָאֱלֹהִים מֵרַבִּים Neh. 7:2

רַבּוֹת

383 וַיְהִי־לוֹ צֹאן רַבּוֹת Gen. 30:43
384 אִם־עוֹד רַבּוֹת בַּשָּׁנִים... Lev. 25:51
385/6 רָעוֹת רַבּוֹת וְצָרוֹת Deut. 31:17, 21
387 כִּי־נָשִׁים רַבּוֹת הָיוּ לוֹ Jud. 8:30
388 אָהַב נָשִׁים נָכְרִיּוֹת רַבּוֹת IK. 11:1
389 רָאוֹת° רַבּוֹת וְלֹא תִשְׁמֹר Is. 42:20
390 וַיִּנָּבְאוּ אֶל־אֲרָצוֹת רַבּוֹת Jer. 28:8
391 וְעָשׂוּ־בָךְ שְׁפָטִים לְעֵינֵי נָשִׁים רַבּוֹת Ezek. 16:41
392 לְהַכְרִית נְפָשׁוֹת רַבּוֹת Ezek. 17:17
393 רַבּוֹת מְאֹד עַל־פְּנֵי הַבִּקְעָה Ezek. 37:3
394 וּרְאוּ מְהוּמֹת רַבּוֹת בְּתוֹכָהּ Am. 3:9
395 עַמִּים וְיֹשְׁבֵי עָרִים רַבּוֹת Zech. 8:20
396 רַבּוֹת רָעוֹת צַדִּיק Ps. 34:20
397 רַבּוֹת עָשִׂיתָ אַתָּה יְיָ Ps. 40:6
398 צָרוֹת רַבּוֹת וְרָעוֹת Ps. 71:20
399 פְּעָמִים רַבּוֹת יַצִּילֵם Ps. 106:43
400 רַבּוֹת מַחֲשָׁבוֹת בְּלֶב־אִישׁ Prov. 19:21
401 רַבּוֹת בָּנוֹת עָשׂוּ חָיִל Prov. 31:29
402 שָׁמַעְתִּי כְאֵלֶּה רַבּוֹת Job 16:2
403 וְכָהֵנָּה רַבּוֹת עִמּוֹ Job 23:14
404 כִּי־רַבּוֹת אַנְחֹתַי וְלִבִּי דַוָּי Lam. 1:22
405 וְשָׁנִים רַבּוֹת יִחְיֶה Eccl. 6:3
406 כִּי גַם־פְּעָמִים רַבּוֹת יָדַע לִבֶּךָ Eccl. 7:22
407 וּבְהִקָּבֵץ נְעָרוֹת רַבּוֹת Es. 2:8
408 בְּרֶכֶב וּבְפָרָשִׁים וּבָאֳנִיּוֹת רַבּוֹת Dan. 11:40
409 וְתַצִּילֵם...רַבּוֹת עִתִּים Neh. 9:28
410 וַתִּמְשֹׁךְ עֲלֵיהֶם שָׁנִים רַבּוֹת Neh. 9:30
411 כִּי מְהוּמוֹת רַבּוֹת עַל כָּל־יֹשְׁבֵי... IICh. 15:5
412 מַתָּנוֹת רַבּוֹת לְכֶסֶף IICh. 21:3

וְרַבּוֹת

413 וּבָא בְּאֶרֶץ הַצְּבִי וְרַבּוֹת יִכָּשֵׁלוּ Dan. 11:41

רַב² תה״פ – דַי, מספיק: 1-13

רַב 1 רַב עוֹד־יוֹסֵף בְּנִי חָי Gen. 45:28
2 וַיֹּאמְרוּ אֲלֵהֶם רַב־לָכֶם Num. 16:3
3 רַב־לָכֶם בְּנֵי לֵוִי Num. 16:7
4 רַב־לָכֶם שֶׁבֶת בָּהָר הַזֶּה Deut. 1:6
5 רַב־לָכֶם סֹב אֶת־הָהָר הַזֶּה Deut. 2:3
6 רַב־לָךְ אַל־תּוֹסֶף דַּבֵּר אֵלַי Deut. 3:26
7 רַב עַתָּה הֶרֶף יָדֶךָ IISh. 24:16
8 רַב־לָכֶם מֵעֲלוֹת יְרוּשָׁלַםִ IK. 12:28
9 וַיֹּאמֶר רַב עַתָּה יְיָ קַח נַפְשִׁי IK. 19:4
10 רַב־לָכֶם מִכָּל־תּוֹעֲבוֹתֵיכֶם Ezek. 44:6
11 רַב־לָכֶם נְשִׂיאֵי יִשְׂרָאֵל Ezek. 45:9
12 רַב עַתָּה הֶרֶף יָדֶךָ ICh. 21:15
וְרַב 13 וְרַב מִהְיֹת קֹלֹת אֱלֹהִים וּבָרָד Ex. 9:28

רַב³ ז׳ שַׂר, ממונה, קָצִין: 1-35

– רַב בֵּיתוֹ 32; רַב חוֹבֵל 31; רַב טַבָּחִים 2-25
רַב מָג 28-30; רַב סָרִיס 1,26,27; רַב סָרִיסִים 33
– רַבֵּי הַמֶּלֶךְ 34, 35

רַב־ 1 אֶת־תַּרְתָּן וְאֶת־רַב־סָרִיס IIK. 18:17
2-4 נְבוּזַרְאֲדָן רַב־טַבָּחִים IIK. 25:8, 11, 20
5 חֵיל כַּשְׂדִּים אֲשֶׁר רַב־טַבָּחִים IIK. 25:10
6-25 רַב־טַבָּחִים IIK. 25:12, 15, 18
Jer. 39:9, 10, 11, 13; 40:1, 2, 5; 41:10; 43:6
52:12, 14, 15, 16, 19, 24, 26, 30
26 שַׂרְסְכִים רַב־סָרִיס Jer. 39:3
27 וּנְבוּשַׁזְבָּן רַב־סָרִיס Jer. 39:13
28 וְנֵרְגַל שַׂרְאֶצֶר רַב־מָג Jer. 39:13
29/30 שַׂרְאֶצֶר רַב־מָג Jer. 39:3, 13
31 וַיִּקְרַב אֵלָיו רַב הַחֹבֵל Jon. 1:6
32 יִסַּד הַמֶּלֶךְ עַל כָּל־רַב בֵּיתוֹ Es. 1:8
33 וַיֹּאמֶר...לְאַשְׁפְּנַז רַב סָרִיסָיו Dan. 1:3
רַבֵּי־ 34 וְכָל רַבֵּי מֶלֶךְ־בָּבֶל Jer. 39:13
וְרַבֵּי־ 35 בָּא יִשְׁמָעֵאל...וְרַבֵּי הַמֶּלֶךְ Jer. 41:1

רַב*⁴ ז׳ יורה חצים: 1, 2 [עין גם רָבַב²]

רַבִּים 1 הַשְׁמִיעוּ אֶל־בָּבֶל רַבִּים Jer. 50:29
רַבָּיו 2 יָסֹבּוּ עָלַי רַבָּיו יְפַלַּח כִּלְיוֹתַי Job 16:13

רַב⁵ ת׳ ארמית, רַב, גדול: 1-7;
רַבָּא = הָרַב: 8-10; רַבְּתָא = הגדולה: 11

– אֱלָהּ רַב 4; חֵזוּ רַב 6; טוּר רַב 3; לְחֶם רַב 5;
מֶלֶךְ רַב 1; צַלְמָא רַב 2
– אֱלָהָא רַבָּא 10; אָסְנַפַּר רַבָּא 9; יַמָּא רַבָּא 8
– בָּבֶל רַבְּתָא 11

רַב 1 דִּי כָּל־מֶלֶךְ רַב וְשַׁלִּיט Dan. 2:10
2 צַלְמָא דִּכֵּן רַב וְזִיוֵהּ יַתִּיר Dan. 2:31
3 וְאַבְנָא...הֲוָת לְטוּר רַב Dan. 2:35
4 אֱלָהּ רַב הוֹדַע לְמַלְכָּא Dan. 2:45
5 בֵּלְשַׁאצַּר מַלְכָּא עֲבַד לְחֶם רַב Dan. 5:1
6 וְחֶזְוַהּ רַב מִן־חַבְרָתַהּ Dan. 7:20
7 וּמֶלֶךְ לְיִשְׂרָאֵל רַב בְּנָהִי Ez. 5:11
רַבָּא 8 מְגִיחָן לְיַמָּא רַבָּא Dan. 7:2
9 דִּי הַגְלִי אָסְנַפַּר רַבָּא וְיַקִּירָא Ez. 4:10
10 דִּי־אֱזַלְנָא...לְבֵית אֱלָהָא רַבָּא Ez. 5:8
רַבְּתָא 11 הֲלָא דָא־הִיא בָּבֶל רַבְּתָא Dan. 4:27

רַב⁶ ז׳ ארמית: שַׂר, ראש: 1-4

רַב חַרְטֻמַּיָּא 2, 3; רַב טַבָּחַיָּא 1; רַב סִגְנִין 4

רַב־ 1 לְאַרְיוֹךְ רַב־טַבָּחַיָּא דִּי מַלְכָּא Dan. 2:14
2 בֵּלְטְשַׁאצַּר רַב חַרְטֻמַּיָּא Dan. 4:6
3 רַב חַרְטֻמִּין אָשְׁפִין כַּשְׂדָּאִין Dan. 5:11
וְרַב־ 4 וְרַב־סִגְנִין עַל כָּל־חַכִּימֵי בָבֶל Dan. 2:48

רֹב ז׳ א) רִבּוּי, שֶׁפַע: רוב המקראות 1-151
[עין גם רְבַבִי]
ב) החלק הגדול, מרבית: 10, 15, 72
ג) [לָרֹב, לָרֹב מְאֹד] הרבה, הרבה מאוד: 73-94, 96-127
ד) [כנ״ל] בדרך כלל: 95

– רֹב (רָב־) אָדָם 10, 139, 145; רֹב אִוֶּלֶת 61;
רֹב אוֹנִים 138; רֹב אֶחָיו 72; רָב־אֹכֶל 9;
רֹב בְּהֵמָה 145; רֹב בָּנִים 19; רֹב גְּאוֹנוֹ 57;
רֹב גִּבּוֹרִים 37; רֹב גָּדְלוֹ 68; רֹב גִּלּוּלִים 31;
רֹב דְּבָרִים 23,44,49; רֹב דָּגָן 12; רֹב דֶּרֶךְ 28,135;
רֹב הוֹן 33; רֹב הוֹנִים 34; רֹב זְבָחִים 2; רֹב זְנוּנִים
144; רֹב חַיִל 52; רֹב חָכְמָה 35,47; רֹב חֲלוֹמוֹת 50;
רֹב חָלָל 13; רֹב חֶסֶד (חֲסָדִים) 7,38,54,67,69-71;
רֹב יוֹעֵץ (יוֹעֲצִים) 45, 46, 62; רֹב יָמִים 51, 146,
149; רֹב (רָב־) כֹּחַ 29, 53, 56, 63; רֹב כֹּל 134;
רָב־כַּעַס 11; רָב־כֹּפֶר 22; רֹב כְּשָׁפִים 26,58;
רֹב לֶקַח 43; רֹב מַעֲשִׂים 33; רֹב עֲבוֹדָה 150;
רֹב עָוֹן (עֲוֹנָיו) 3-5, 113; רֹב עֻזּוֹ 41; רָב־עָם 55;
רֹב עִנְיָן 48; רֹב עֵצוֹת 27; רֹב עֲצָמוֹת 15;
רֹב עֲצָמִים 17; רֹב עֲשׁוּקִים 148; רֹב עֲשׁוֹת 137;
רֹב עֹשֶׁר 40,60; רָב־פְּנִינִים 21; רֹב פְּשָׁעִים 8,39;
רֹב רַחֲמִים 65, 66; רָב־רֶכֶב 24, 25; רֹב רְכֻלָּה
36; רֹב שִׂיחַ 136; רֹב שָׁלוֹם 6, 14; רֹב שָׁנִים 1, 16;
רֹב שַׂרְעַפִּים 42; רָב־ (רֹב) תְּבוּאוֹת 20, 147;
רֹב תִּירוֹשׁ 12
– רֻבֵּי תּוֹרָתוֹ 151

רֹב־ 1 לְפִי רֹב הַשָּׁנִים תַּרְבֶּה מִקְנָתוֹ Lev. 25:16
2 לָמָּה לִּי רֹב־זִבְחֵיכֶם Is. 1:11
3 עַל רֹב עֲוֹנֵךְ עָצְמוּ חַטֹּאתָיִךְ Jer. 30:14
4 עַל רֹב עֲוֹנֵךְ עָצְמוּ חַטֹּאתָיִךְ Jer. 30:15
5 עַל רֹב עֲוֹנְךָ וְרַבָּה מַשְׂטֵמָה Hosh. 9:7
6 וְהִתְעַנְּגוּ עַל־רֹב שָׁלוֹם Ps. 37:11
7 לֹא זָכְרוּ אֶת־רֹב חֲסָדֶיךָ Ps. 106:7
8 כִּי־יְיָ הוֹגָהּ עַל־רֹב־פְּשָׁעֶיהָ Lam. 1:5
רָב־ 9 רָב־אֹכֶל נִיר רָאשִׁים Prov. 13:23
10 רָב־אָדָם יִקְרָא אִישׁ חַסְדּוֹ Prov. 20:6
11 כִּי בְּרֹב חָכְמָה רָב־כָּעַס Eccl. 1:18
וְרֹב־ 12 וְרֹב דָּגָן וְתִירֹשׁ Gen. 27:28
13 וְרֹב חָלָל וְכֹבֶד פָּגֶר Nah. 3:3
14 וְרֹב שָׁלוֹם עַד־בְּלִי יָרֵחַ Ps. 72:7
15 וְרֹב עַצְמוֹתַי הִפְחִיד Job 4:14
16 וְרֹב שָׁנִים יֹדִיעוּ חָכְמָה Job 32:7
17 וְרוֹב (כת׳ וריב) עֲצָמָיו אֵתָן Job 33:19
18 וְרֹב־צְדָקָה לֹא יְעַנֶּה Job 37:23
19 אֶת־כְּבוֹד עָשְׁרוֹ וְרֹב בָּנָיו Es. 5:11
וְרָב־ 20 וְרָב־תְּבוּאוֹת בְּכֹחַ שׁוֹר Prov. 14:4
21 יֵשׁ זָהָב וְרָב־פְּנִינִים Prov. 20:15
22 וְרָב־כֹּפֶר אַל־יַטֶּךָּ Job 36:18
הֲרֹב־ 23 הֲרֹב דְּבָרִים לֹא יֵעָנֶה Job 11:2
בְּרֹב־ 24 בְּרֹב (כת׳ ברכב) רִכְבִּי אֲנִי עָלִיתִי IIK. 19:23
25 בְּרֹב רִכְבִּי אֲנִי עָלִיתִי Is. 37:24
26 בְּרֹב כְּשָׁפַיִךְ בְּעָצְמַת חֲבָרַיִךְ Is. 47:9
27 נִלְאֵית בְּרֹב עֲצָתָיִךְ Is. 47:13
28 בְּרֹב דַּרְכֵּךְ יָגַעַתְּ Is. 57:10
29 צֹעֶה בְּרֹב כֹּחוֹ Is. 63:1
30 בְּרֹב עֲוֹנֵךְ נִגְלוּ שׁוּלַיִךְ Jer. 13:22

בְּרֹב־ (המשך) 31 נַעֲנֵיתִי לוֹ בָא בְּרֹב גִּלּוּלָיו Ezek. 14:4
32 וַיֵּרָא בְגָבְהוֹ בְּרֹב דָּלִיֹּתָיו Ezek. 19:11
33 בְּרֹב מַעֲשַׂיִךְ מֵרֹב כָּל־הוֹן Ezek. 27:18
34 בְּרֹב הוֹנַיִךְ וּמַעֲרָבַיִךְ Ezek. 27:33
35 בְּרֹב חָכְמָתְךָ בִּרְכֻלָּתְךָ Ezek. 28:5
36 בְּרֹב רְכֻלָּתְךָ מָלוּ תוֹכְךָ חָמָס Ezek. 28:16
37 בָּטַחְתָּ בְדַרְכְּךָ בְּרֹב גִּבּוֹרֶיךָ Hosh. 10:13
38 וַאֲנִי בְּרֹב חַסְדְּךָ אָבוֹא בֵיתֶךָ Ps. 5:8
39 בְּרֹב פִּשְׁעֵיהֶם הַדִּיחֵמוֹ Ps. 5:11
40 וַיִּבְטַח בְּרֹב עָשְׁרוֹ Ps. 52:9
41 בְּרֹב עֻזְּךָ יְכַחֲשׁוּ־לְךָ אֹיְבֶיךָ Ps. 66:3
42 בְּרֹב שַׂרְעַפַּי בְּקִרְבִּי Ps. 94:19
43 הִטַּתּוּ בְּרֹב לִקְחָהּ Prov. 7:21
44 בְּרֹב דְּבָרִים לֹא יֶחְדַּל־פָּשַׁע Prov. 10:19
45/6 וּתְשׁוּעָה בְּרֹב יוֹעֵץ Prov. 11:14; 24:6
47 כִּי בְּרֹב חָכְמָה רָב־כָּעַס Eccl. 1:18
48 כִּי בָּא הַחֲלוֹם בְּרֹב עִנְיָן Eccl. 5:2
49 וְקוֹל כְּסִיל בְּרֹב דְּבָרִים Eccl. 5:2
50 כִּי בְרֹב חֲלֹמוֹת וַהֲבָלִים Eccl. 5:6
51 כִּי־בְרֹב הַיָּמִים תִּמְצָאֶנּוּ Eccl. 11:1
בְּרָב־ 52 אֵין־הַמֶּלֶךְ נוֹשָׁע בְּרָב־חָיִל Ps. 33:16
53 גִּבּוֹר לֹא־יִנָּצֵל בְּרָב־כֹּחַ Ps. 33:16
54 אֱלֹהִים בְּרָב־חַסְדֶּךָ Ps. 69:14
55 בְּרָב־עָם הַדְרַת־מֶלֶךְ Prov. 14:28
56 בְּרָב־כֹּחַ יִתְחַפֵּשׂ לְבוּשִׁי Job 30:18
וּבְרֹב־ 57 וּבְרֹב גְּאוֹנְךָ תַּהֲרֹס קָמֶיךָ Ex. 15:7
58 בַּחֲבָרַיִךְ וּבְרֹב כְּשָׁפַיִךְ Is. 47:12
59 וּבְרֹב חֵילוֹ לֹא יְמַלֵּט Ps. 33:17
60 וּבְרֹב עָשְׁרָם יִתְהַלָּלוּ Ps. 49:7
61 וּבְרֹב אִוַּלְתּוֹ יִשְׁגֶּה Prov. 5:23
62 וּבְרֹב יוֹעֲצִים תָּקוּם Prov. 15:22
הַבְרָב־ 63 הַבְּרָב־כֹּחַ יָרִיב עִמָּדִי Job 23:6
כְּרֹב 64 כְּרֹב לְפִרְיוֹ הִרְבָּה לַמִּזְבְּחוֹת Hosh. 10:1
כְּרֹב־ 65 כְּרֹב רַחֲמֶיךָ מְחֵה פְשָׁעָי Ps. 51:3
66 כְּרֹב רַחֲמֶיךָ פְּנֵה אֵלָי Ps. 69:17
67 וַיִּנָּחֵם כְּרֹב חֲסָדָו Ps. 106:45
68 הַלְלוּהוּ כְּרֹב גֻּדְלוֹ Ps. 150:2
69 וְרִחַם כְּרֹב חֲסָדָו Lam. 3:32
70 וְחוּסָה עָלַי כְּרֹב חַסְדֶּךָ Neh. 13:22
וּכְרֹב־ 71 כְּרַחֲמָיו וּכְרֹב חֲסָדָיו Is. 63:7
לְרֹב־ 72 וְרָצוּי לְרֹב אֶחָיו Es. 10:3
לָרֹב 73 כִּי מְעַט...וַיִּפְרֹץ לָרֹב Gen. 30:30
74 וְיִדְגּוּ לָרֹב בְּקֶרֶב הָאָרֶץ Gen. 48:16
75-77 כְּכוֹכְבֵי הַשָּׁמַיִם לָרֹב Deut. 1:10; 10:22; 28:62
78 עַם־רָב כַּחוֹל...לָרֹב Josh. 11:4
79 וּבָאוּ כְדֵי־אַרְבֶּה לָרֹב Jud. 6:5
80 וּמִדְיָן וַעֲמָלֵק...כָּאַרְבֶּה לָרֹב Jud. 7:12
81 כַּחוֹל שֶׁעַל־שְׂפַת הַיָּם לָרֹב Jud. 7:12
82 כַּחוֹל אֲשֶׁר עַל־שְׂפַת־הַיָּם לָרֹב ISh. 13:5
83 כַּחוֹל אֲשֶׁר־עַל־הַיָּם לָרֹב IISh. 17:11
84/5 שׁוֹר וּמְרִיא־וְצֹאן לָרֹב IK. 1:19, 25
86 כַּחוֹל אֲשֶׁר־עַל־הַיָּם לָרֹב IK. 4:20
87 לֹא בָא כַבֹּשֶׂם הַהוּא עוֹד לָרֹב IK. 10:10
88 כַּשִּׁקְמִים אֲשֶׁר־בַּשְּׁפֵלָה לָרֹב IK. 10:27
89 וְתֻשִׁיָּה לָרֹב הוֹדָעְתָּ Job 26:3
90 וְזֵיתִים וְעֵץ מַאֲכָל לָרֹב Neh. 9:25
91 וּבֵית אֲבוֹתֵיהֶם פָּרְצוּ לָרוֹב ICh. 4:38
92 דָּם לָרֹב שָׁפַכְתָּ ICh. 22:8(7)
93 וְלַנְּחֹשֶׁת...אֵין מִשְׁקָל כִּי לָרֹב הָיָה ICh. 22:14(13)
94 וְעִמְּךָ לָרֹב עֹשֵׂי מְלָאכָה ICh. 22:15(14)
95 כִּי לֹא לָרֹב עָשׂוּ כַּכָּתוּב IICh. 30:5

לָרֹב (המשך) 122-96 IСh. 12:40(41)
22:3²(2), 4(3), 5(4); 29:2, 21 • IICh. 1:15; 2:8; 9:1, 27; 11:23; 14:14; 15:9; 16:8; 17:5; 18:1, 2; 20:25; 24:11; 27:3; 29:35; 30:13, 24; 31:5; 32:5, 29
עַד־לָרוֹב 123 וְשָׂבוֹעַ וְהוֹתֵר עַד־לָרוֹב IICh. 31:10
לָרֹב מְאֹד 124 זָהָב וָכֶסֶף וּבְגָדִים לָרֹב מְאֹד Zech. 14:14
125 כָּל־הַכֵּלִים הָאֵלֶּה לָרֹב מְאֹד IICh. 4:18
126 וּבְשָׂמִים לָרֹב מְאֹד IICh. 9:9
127 וַיְיָ נָתַן בְּיָדָם חַיִל לָרֹב מְאֹד IICh. 24:24
מֵרֹב 128 וְלֹא יִסָּפֵר מֵרֹב Gen. 16:10
129 אֲשֶׁר לֹא־יִסָּפֵר מֵרֹב Gen. 32:13
130 לֹא־יִמָּנֶה וְלֹא יִסָּפֵר מֵרֹב IK. 3:8
131 וַיַּנַּח...הַכֵּלִים מֵרֹב מְאֹד מְאֹד IK. 7:47
132 לֹא־יִסָּפְרוּ וְלֹא יִמָּנוּ מֵרֹב IK. 8:5
133 לֹא־יִסָּפְרוּ וְלֹא יִמָּנוּ מֵרֹב IICh. 5:6
מֵרֹב־ 134 בְּשִׂמְחָה וּבְטוּב לֵבָב מֵרֹב כֹּל Deut. 28:47
135 וְנַעֲלֵינוּ בָּלוּ מֵרֹב הַדֶּרֶךְ מְאֹד Josh. 9:13
136 מֵרֹב שִׂיחִי וְכַעְסִי דִּבַּרְתִּי ISh. 1:16
137 מֵרֹב עֲשׂוֹת חָלָב יֹאכַל חֶמְאָה Is. 7:22
138 מֵרֹב אוֹנִים וְאַמִּיץ כֹּחַ Is. 40:26
139 וְאֶל־אֲנָשִׁים מֵרֹב אָדָם Ezek. 23:42
140/1 מֵרֹב כָּל־הוֹן Ezek. 27:12, 18
142 אֲרָם סֹחַרְתֵּךְ מֵרֹב מַעֲשָׂיִךְ Ezek. 27:16
143 מֵרֹב עֲוֹנַיִךְ בְּעֶוֶל רְכֻלָּתֵךְ Ezek. 28:18
144 מֵרֹב זְנוּנֵי זוֹנָה טוֹבַת חֵן Nah. 3:4
145 מֵרֹב אָדָם וּבְהֵמָה בְּתוֹכָהּ Zech. 2:8
146 וְאִישׁ מִשְׁעַנְתּוֹ בְּיָדוֹ מֵרֹב יָמִים Zech. 8:4
147 טוֹב מְעַט...מֵרֹב תְּבוּאוֹת Prov. 16:8
148 (?) מֵרֹב עֲשׁוּקִים יַזְעִיקוּ Job 35:9
וּמֵרֹב־ 149 וּמֵרֹב יָמִים יִפָּקֵדוּ Is. 24:22
150 גָּלְתָה יְהוּדָה מֵעֹנִי וּמֵרֹב עֲבֹדָה Lam. 1:3
רֻבֵּי־ 151 אֶכְתָּב־לוֹ רֻבֵּי (כ׳ רבו) תּוֹרָתִי Hosh. 8:12

רבב : רַב, מְרֻבָּב; רַב, רֹב, רְבָבָה, רִבּוֹא; ש״פ רַבָּה, רַבִּית; אר׳ רַב

רָבַב¹, רַב פ׳ א) היה הרבה, גדל בכמות: 1-23
ב) [פ׳ רָבַב] היה לרבבה: 24
קרובים: גָּדַל / עָצַם / רָבָה

לָרֹב 1 וַיְהִי כִּי־הֵחֵל הָאָדָם לָרֹב Gen. 6:1
רָב 2 וַיִּבְטְחוּ עַל־רֶכֶב כִּי רָב Is. 31:1
וְרַב 3 וְרַב שְׁלוֹם בָּנָיִךְ Is. 54:13
רַבָּה 4 זַעֲקַת סְדֹם וַעֲמֹרָה כִּי־רָבָּה Gen. 18:20
וְרַבָּה 5 וְרַבָּה עָלֶיךָ חַיַּת הַשָּׂדֶה Ex. 23:29
6 וְרַבָּה הָעֲזוּבָה בְּקֶרֶב הָאָרֶץ Is. 6:12
רַבּוּ 7 הַיּוֹם רַבּוּ עֲבָדִים הַמִּתְפָּרְצִים ISh. 25:10
8 כִּי־רַבּוּ פְשָׁעֵינוּ נֶגְדֶּךָ Is. 59:12
9 רַבּוּ פִּשְׁעֵיהֶם עָצְמוּ מְשֻׁבוֹתֵיהֶם Jer. 5:6
10 כִּי־רַבּוּ מְשׁוּבֹתֵינוּ Jer. 14:7
11 כִּי רַבּוּ מֵאַרְבֶּה Jer. 46:23
12 יְיָ מָה־רַבּוּ צָרָי Ps. 3:2
13 רַבּוּ מִשַּׂעֲרוֹת רֹאשִׁי שֹׂנְאַי חִנָּם Ps. 69:5
14 מָה־רַבּוּ מַעֲשֶׂיךָ יְיָ Ps. 104:24
15 בִּרְבוֹת הַטּוֹבָה רַבּוּ אוֹכְלֶיהָ Eccl. 5:10
רָבּוּ 16 וְאֵת בְּקִיעֵי עִיר־דָּוִד...כִּי־רָבּוּ Is. 22:9
17 מֵעֵת דְּגָנָם וְתִירוֹשָׁם רָבּוּ Ps. 4:8
18 רְאֵה־אוֹיְבַי כִּי־רָבּוּ Ps. 25:19
וְרַבּוּ 19 וְרַבּוּ חַלְלֵי יְיָ Is. 66:16
20 וְרַבּוּ שֹׂנְאַי שָׁקֶר Ps. 38:20
21 וְרַבּוּ פְשָׁעֶיךָ מַה־תַּעֲשֶׂה־לּוֹ Job 35:6
מֵרֻבְּכֶם 22 לֹא מֵרֻבְּכֶם מִכָּל־הָעַמִּים Deut. 7:7
כְּרֻבָּם 23 כְּרֻבָּם כֵּן חָטְאוּ־לִי Hosh. 4:7
מְרֻבָּבוֹת 24 צֹאונֵנוּ מַאֲלִיפוֹת מְרֻבָּבוֹת Ps. 144:13

רָבַב², רַב פ׳ יָרָה: 1, 2

רָב 1 וּבְרָקִים רָב וַיְהֻמֵּם Ps. 18:15
וָרֹבּוּ 2 וַיְמָרְרֻהוּ וָרֹבּוּ...בַּעֲלֵי חִצִּים Gen. 49:23

רְבָבָה נ׳ רִבּוֹא, עשרת אלפים: 1-16
– אַלְפֵי רְבָבָה 1; דָּגוּל מֵרְבָבָה 7
– רִבְבוֹת אֲלָפִים 9; ר׳ אֶפְרָיִם 10; ר׳ נַחֲלֵי 11; רִבְבוֹת עָם 13; רִבְבֹת קֹדֶשׁ 12

רְבָבָה 1 אֲחֹתֵנוּ אַתְּ הֲיִי לְאַלְפֵי רְבָבָה Gen. 24:60
2 וּמֵאָה מִכֶּם רְבָבָה יִרְדֹּפוּ Lev. 26:8
3 וּשְׁנַיִם יָנִיסוּ רְבָבָה Deut. 32:30
4 רְבָבָה כְּצֶמַח הַשָּׂדֶה נְתַתִּיךְ Ezek. 16:7
וּרְבָבָה 5 יִפֹּל מִצִּדְּךָ אֶלֶף וּרְבָבָה מִימִינֶךָ Ps. 91:7
לָרְבָבָה 6 וּמֵאָה לָאֶלֶף וְאֶלֶף לָרְבָבָה Jud. 20:10
מֵרְבָבָה 7 דּוֹדִי צַח וְאָדוֹם דָּגוּל מֵרְבָבָה S.ofS. 5:10
רְבָבוֹת 8 נָתְנוּ לְדָוִד רְבָבוֹת וְלִי...הָאֲלָפִים ISh. 18:8
רִבְבוֹת־ 9 שׁוּבָה יְיָ רִבְבוֹת אַלְפֵי יִשְׂרָאֵל Num. 10:36
רִבְבוֹת־ 10 וְהֵם רִבְבוֹת אֶפְרַיִם Deut. 33:17
בְּרִבְבוֹת־ 11 הֲיִרְצֶה...בְּרִבְבוֹת נַחֲלֵי־שָׁמֶן Mic. 6:7
מֵרִבְבֹת־ 12 וְאָתָה מֵרִבְבֹת קֹדֶשׁ Deut. 33:2
מֵרִבְבוֹת־ 13 לֹא־אִירָא מֵרִבְבוֹת עָם Ps. 3:7
בְּרִבְבֹתָיו 14 הִכָּה שָׁאוּל בַּאֲלָפָו וְדָוִד בְּרִבְבֹתָיו ISh. 18:7
15/6 ...שָׁאוּל בַּאֲלָפָו וְדָוִד בְּרִבְבֹ׳ ISh. 21:12; 29:5

רִבְּבָה* נ׳ ארמית רְבָבָה; רִבְבָן = רְבָבוֹת

רִבְבָן 1 וְרִבּוֹ רִבְבָן (כ׳ רבון) קֳדָמוֹהִי יְקוּמוּן Dan. 7:10

רבד : רָבַד; מַרְבַד

רָבַד פ׳ שטח, הציע

רָבַדְתִּי 1 מַרְבַדִּים רָבַדְתִּי עַרְשִׂי Prov. 7:16

רבה : א) רָבָה, רִבָּה, הִרְבָּה; אַרְבֶּה, הַרְבֵּה, מִרְבָּה, מַרְבֶּה, מַרְבִּית, תַּרְבּוּת, תַּרְבִּית; אר׳ רְבָה, רַבִּי ב) רָבָה; רוֹבֶה

רָבָה¹ פ׳ א) גדל במספרו: 1-16, 18-21, 24-27, 29-59
ב) גדל באורך, בקושי וכד׳: 17, 22, 23, 28
ג) [פ׳ רִבָּה] הגדיל המספר: 61, 63
ד) [כנ״ל] גִּדֵּל: 60, 62
ה) [הפ׳ הִרְבָּה] הגדיל בכמות או בערך – רוב המקראות: 64-175
ו) [כנ״ל] גִּדֵּל, האריך: 92, 165, 166
ז) [הִרְבָּה בסמוך לפועל שֵׁני] עשה במדה רבה: 70, 97, 102, 104, 109, 110, 117, 124, 154, 161, 169, 172, 173, 176
ח) עין עוד ערך הַרְבֵּה (באות ה׳)
פְּרֵה וּרְבֵה 13-15, 34, 46, (47), 53-57; טִפַּח וְרִבָּה 60; הִפְרָה וְהִרְבָּה 81, 87, 163

רְבוֹת 1 לְמַעַן רְבוֹת מוֹפְתַי בְּאֶרֶץ מִצְרָיִם Ex. 11:9
בִּרְבוֹת 2 בִּרְבוֹת צַדִּיקִים יִשְׂמַח הָעָם Prov. 29:2
3 בִּרְבוֹת רְשָׁעִים יִרְבֶּה־פָּשַׁע Prov. 29:16
4 בִּרְבוֹת הַטּוֹבָה רַבּוּ אוֹכְלֶיהָ Eccl. 5:10
וְרָבִיתָ 5 וְחָיִיתָ וְרָבִיתָ וּבֵרַכְךָ יְיָ אֱלֹהֶיךָ Deut. 30:16
רָבְתָה 6 כִּי עַתָּה לֹא־רָבְתָה מַכָּה בַּפְּלִשְׁתִּים ISh. 14:30
וּרְבִיתֶם 7 לְמַעַן תִּחְיוּן וּרְבִיתֶם Deut. 8:1
רָבוּ 8 וַאֲקַבְּצֵם...וְרָבוּ כְּמוֹ רָבוּ Zech. 10:8
9 כִּי־עֲוֹנֹתֵינוּ רָבוּ לְמַעְלָה רֹּאשׁ Ez. 9:6
10 כִּי מִקְנֵיהֶם רָבוּ בְּאֶרֶץ גִּלְעָד ICh. 5:9
11 מִבָּשָׁן עַד־בַּעַל חֶרְמוֹן...הֵמָּה רָבוּ ICh. 5:23
12 וּבְנֵי רְחַבְיָה רָבוּ לְמָעְלָה ICh. 23:17
וְרָבוּ 13 וּפָרוּ וְרָבוּ עַל־הָאָרֶץ Gen. 8:17
14 וַהֲשִׁבֹתִי אֶתְהֶן...וּפָרוּ וְרָבוּ Jer. 23:3
15 וְהִרְבֵּיתִי עֲלֵיכֶם...וְרָבוּ וּפָרוּ Ezek. 36:11
16 וַאֲקַבְּצֵם...וְרָבוּ כְּמוֹ רָבוּ Zech. 10:8
וַתִּרְבִּי 17 וַתִּרְבִּי וַתִּגְדְּלִי Ezek. 16:7
יִרְבֶּה 18 הָבָה נִתְחַכְּמָה לוֹ פֶּן־יִרְבֶּה Ex. 1:10
19 כֵּן יִרְבֶּה וְכֵן יִפְרֹץ Ex. 1:12
20 וְכֶסֶף וְזָהָב יִרְבֶּה־לָּךְ Deut. 8:13
21 וְכֹל אֲשֶׁר־לְךָ יִרְבֶּה Deut. 8:13
22 וְכִי־יִרְבֶּה מִמְּךָ הַדֶּרֶךְ Deut. 14:24
23 וְהִשִּׂיגוֹ כִּי־יִרְבֶּה הַדֶּרֶךְ Deut. 19:6
24 כִּי־יִרְבֶּה כְּבוֹד בֵּיתוֹ Ps. 49:17
25 בִּרְבוֹת רְשָׁעִים יִרְבֶּה־פָּשַׁע Prov. 29:16
26 כִּי־יִרְבֶּה אֱלוֹהַּ מֵאֱנוֹשׁ Job 33:12
יִרֶב 27 וְהָעוֹף יִרֶב בָּאָרֶץ Gen. 1:22
28 וּבָנָיו יִרֶב (כ׳ ורב) הַמַּשָּׂא עָלָיו IICh. 24:27
וַיִּרֶב 29 וַיִּרֶב הָעָם וַיַּעַצְמוּ מְאֹד Ex. 1:20
תִּרְבֶּה 30 פֶּן־תִּרְבֶּה עָלֶיךָ חַיַּת הַשָּׂדֶה Deut. 7:22
וְתִרְבֶּה 31 יְשֹׁטְטוּ רַבִּים וְתִרְבֶּה הַדָּעַת Dan. 12:4
וַתֵּרֶב 32 וַתֵּרֶב מַשְׂאַת בִּנְיָמִן מִמַּשְׂאֹת כֻּלָּם Gen. 43:34
33 וַתֵּרֶב חָכְמַת שְׁלֹמֹה מֵחָכְמַת... IK. 5:10
תִּרְבּוּ 34 וְהָיָה כִּי תִרְבּוּ וּפְרִיתֶם בָּאָרֶץ Jer. 3:16
תִּרְבּוּן 35 אֲשֶׁר יִיטַב לְךָ וַאֲשֶׁר תִּרְבּוּן מְאֹד Deut. 6:3
יִרְבּוּ 36 לְמַעַן יִרְבּוּ יְמֵיכֶם...עַל הָאֲדָמָה Deut. 11:21
37 יִרְבּוּ עַצְּבוֹתָם אַחֵר מָהָרוּ Ps. 16:4
38 כִּי־בִי יִרְבּוּ יָמֶיךָ Prov. 9:11
39 וּבְאָבְדָם יִרְבּוּ צַדִּיקִים Prov. 28:28
40 אִם־יִרְבּוּ בָנָיו לְמוֹ־חָרֶב Job 27:14
41 יַחְלְמוּ בְנֵיהֶם יִרְבּוּ בַבָּר Job 39:4
וְיִרְבּוּ 42 וְיִרְבּוּ לְךָ שְׁנוֹת חַיִּים Prov. 4:10
וַיִּרְבּוּ 43 וַיִּרְבּוּ הַמַּיִם וַיִּשְׂאוּ אֶת־הַתֵּבָה Gen. 7:17
44 וַיִּגְבְּרוּ הַמַּיִם וַיִּרְבּוּ מְאֹד Gen. 7:18
45 וַיִּרְבּוּ הַיָּמִים וַתָּמָת בַּת־שׁוּעַ Gen. 38:12
46 וַיֵּאָחֲזוּ בָהּ וַיִּפְרוּ וַיִּרְבּוּ מְאֹד Gen. 47:27
47 פָּרוּ וַיִּשְׁרְצוּ וַיִּרְבּוּ וַיַּעַצְמוּ בִּמְאֹד Ex. 1:7
48 וַיִּרְבּוּ הַיָּמִים וַיִּהְיוּ עֶשְׂרִים שָׁנָה ISh. 7:2
49 וַיְבָרְכֵם וַיִּרְבּוּ מְאֹד Ps. 107:38
יִרְבּוּן 50 אֶסְפְּרֵם מֵחוֹל יִרְבּוּן Ps. 139:18
יִרְבְּיֻן 51 וּבְקָרְךָ וְצֹאנְךָ יִרְבְּיֻן Deut. 8:13
וַתִּרְבֶּינָה 52 וַתִּרְבֶּינָה סַרְעַפֹּתָיו Ezek. 31:5
וּרְבֵה 53 פְּרֵה וּרְבֵה גּוֹי...יִהְיֶה מִמֶּךָּ Gen. 35:11
וּרְבוּ 54 פְּרוּ וּרְבוּ וּמִלְאוּ אֶת־הַמַּיִם Gen. 1:22
55/6 פְּרוּ וּרְבוּ וּמִלְאוּ אֶת־הָאָרֶץ Gen. 1:28; 9:1
57 וְאַתֶּם פְּרוּ וּרְבוּ Gen. 9:7
58 שִׁרְצוּ בָאָרֶץ וּרְבוּ־בָהּ Gen. 9:7
59 וּרְבוּ־שָׁם וְאַל־תִּמְעָטוּ Jer. 29:6
וְרִבִּיתִי 60 אֲשֶׁר־טִפַּחְתִּי וְרִבִּיתִי אֹיְבִי כִלָּם Lam. 2:22
רִבִּיתָ 61 וְלֹא־רִבִּיתָ בִּמְחִירֵיהֶם Ps. 44:13
רִבְּתָה 62 בְּתוֹךְ כְּפִרִים רִבְּתָה גוּרֶיהָ Ezek. 19:2
רַבֵּה 63 רַבֵּה צְבָאֲךָ וָצֵאָה Jud. 9:29
הַרְבָּה 64 הַרְבָּה אַרְבֶּה עִצְּבוֹנֵךְ Gen. 3:16
65 הַרְבָּה אַרְבֶּה אֶת־זַרְעֵךְ Gen. 16:10
וְהַרְבָּה 66 וְהַרְבָּה אַרְבֶּה אֶת־זַרְעֲךָ Gen. 22:17
וְהַרְבֵּה 67 לָמוּג לֵב וְהַרְבֵּה הַמִּכְשֹׁלִים Ezek. 21:20
הַרְבּוֹת 68 וְלֹא־יָשִׁיב...לְמַעַן הַרְבּוֹת סוּס Deut. 17:16
69 הַרְבּוֹת גַּנּוֹתֵיכֶם...יֹאכַל הַגָּזָם Am. 4:9
70 אָכֹל דְּבַשׁ הַרְבּוֹת לֹא־טוֹב Prov. 25:27
לְהַרְבּוֹת 71 עֹשֵׁק דָּל לְהַרְבּוֹת לוֹ Prov. 22:16
72 כִּי אָמַר יְיָ לְהַרְבּוֹת אֶת־יִשְׂרָאֵל ICh. 27:23
וּלְהַרְבּוֹת 73 לְהֵיטִיב אֶתְכֶם וּלְהַרְבּוֹת אֶתְכֶם Deut. 28:63
מֵהַרְבַּת 74 מֵהַרְבַּת (כ׳ מהרבית) גֹּאֵל הַדָּם לְשַׁחֵת IISh. 14:11
הִרְבֵּיתִי 75 וְכֶסֶף הִרְבֵּיתִי לָהּ Hosh. 2:10
76 וְאָנֹכִי חָזוֹן הִרְבֵּיתִי Hosh. 12:11

וְהִרְבֵּיתִי 77 וְהִרְבֵּיתִי אֹתוֹ בִּמְאֹד מְאֹד Gen. 17:20
78/9 וְהִרְבֵּיתִי אֶת־זַרְעֲךָ Gen. 26:4, 24
80 וְהִרְבֵּיתִי אֶת־אֹתֹתַי וְאֶת־מוֹפְתַי Ex. 7:3
81 וְהִפְרֵיתִי אֶתְכֶם וְהִרְבֵּיתִי אֶתְכֶם Lev. 26:9
82 וְהִרְבֵּיתִי עֲלֵיכֶם אָדָם Ezek. 36:10
83 וְהִרְבֵּיתִי עֲלֵיכֶם אָדָם וּבְהֵמָה Ezek. 36:11
84 וְקָרָאתִי אֶל־הַדָּגָן וְהִרְבֵּיתִי אֹתוֹ Ezek. 36:29
85 וְהִרְבֵּיתִי אֶת־פְּרִי הָעֵץ Ezek. 36:30
86 וּנְתַתִּים וְהִרְבֵּיתִי אוֹתָם Ezek. 37:26
וְהִרְבִּיתִךָ 87 הִנְנִי מַפְרְךָ וְהִרְבִּיתִךָ Gen. 48:4
וְהִרְבִּתִים 88 וְהִרְבִּתִים וְלֹא יִמְעָטוּ Jer. 30:19
הִרְבִּיתָ 89 הִרְבִּיתָ הַגּוֹי לוֹ˚ הִגְדַּלְתָּ הַשִּׂמְחָה Is. 9:2
90 בְּרֹב חָכְמָתְךָ...הִרְבִּיתָ חֵילֶךָ Ezek. 28:5
91 וּבְנֵיהֶם הִרְבִּיתָ כְּכֹכְבֵי הַשָּׁמָיִם Neh. 9:23
וְהִרְבִּיתָ 92 וְהִרְבִּיתָ אֶת־גְּבוּלִי ICh. 4:10
הִרְבֵּית 93 לַשָּׁוְא הִרְבֵּית (כתי׳ הרביתי) רְפֻאוֹת Jer. 46:11
94 הִרְבֵּית רֹכְלַיִךְ מִכּוֹכְבֵי הַשָּׁמָיִם Nah. 3:16
הִרְבָּה 95 יְיָ אֱלֹהֵיכֶם הִרְבָּה אֶתְכֶם Deut. 1:10
96 וַאֲשֶׁר הִרְבָּה אֶת־חֲלָלֵנוּ Jud. 16:24
97 הִרְבָּה לַעֲשׂוֹת הָרַע בְּעֵינֵי יְיָ IIK. 21:6
98 הִרְבָּה כּוֹשֵׁל גַּם־נָפַל אִישׁ Jer. 46:16
99 כִּי־הִרְבָּה אֶפְרַיִם מִזְבְּחוֹת לַחֲטֹא Hosh. 8:11
100 וִיהוּדָה הִרְבָּה עָרִים בְּצֻרוֹת Hosh. 8:14
101 כְּרֹב לְפִרְיוֹ הִרְבָּה לַמִּזְבְּחוֹת Hosh. 10:1
102 הִרְבָּה לַעֲשׂוֹת הָרַע בְּעֵינֵי יְיָ IICh. 33:6
103 כִּי הוּא אָמוֹן הִרְבָּה אַשְׁמָה IICh. 33:23
וְהִרְבָּה 104 וְהִרְבָּה לְהָשִׁיב אַפּוֹ Ps. 78:38
105 וְהִרְבָּה פְצָעַי חִנָּם Job 9:17
וְהִרְבְּךָ 106 וְהֵיטִבְךָ וְהִרְבְּךָ מֵאֲבֹתֶיךָ Deut. 30:5
וְהִרְבֶּךָ 107 וַאֲהֵבְךָ וּבֵרַכְךָ וְהִרְבֶּךָ Deut. 7:13
108 וְנָתַן־לְךָ רַחֲמִים וְרִחַמְךָ וְהִרְבֶּךָ Deut. 13:18
הִרְבְּתָה 109 הִרְבְּתָה לְהִתְפַּלֵּל לִפְנֵי יְיָ ISh. 1:12
הִרְבִּינוּ 110 כִּי־הִרְבִּינוּ לִפְשֹׁעַ בַּדָּבָר הַזֶּה Ez. 10:13
הִרְבֵּיתֶם 111 הִרְבֵּיתֶם חַלְלֵיכֶם בָּעִיר הַזֹּאת Ezek. 11:6
הִרְבּוּ 112 אַלְמְנוֹתֶיהָ הִרְבּוּ בְתוֹכָהּ Ezek. 22:25
113 וְכֹל מִשְׁפַּחְתָּם לֹא הִרְבּוּ ICh. 4:27
114 כִּי־הִרְבּוּ נָשִׁים וּבָנִים ICh. 7:4
115 וִיעוּשׁ וּבְרִיעָה לֹא־הִרְבּוּ בָנִים ICh. 23:11
116 הִרְבּוּ בְנֵי יִשְׂרָאֵל רֵאשִׁית דָּגָן IICh. 31:5
117 וְהָעָם הִרְבּוּ לִמְעָל˚־מַעַל IICh. 36:14
מַרְבֶּה 118 מַרְבֶּה הוֹנוֹ בְּנֶשֶׁךְ וְתַרְבִּית Prov. 28:8
הַמַּרְבֶּה 119 וַיִּלְקְטוּ הַמַּרְבֶּה וְהַמַּמְעִיט Ex. 16:17
120 וְלֹא הֶעְדִּיף הַמַּרְבֶּה Ex. 16:18
121 הוֹי הַמַּרְבֶּה לֹּא־לוֹ Hab. 2:6
מַרְבֵּה־ 122 עַד כָּל־מַרְבֵּה רַגְלַיִם Lev. 11:42
מַרְבָּה 123 וּתְבוּאָתָהּ מַרְבָּה לַמְּלָכִים Neh. 9:37
מַרְבִּים 124 מַרְבִּים הָעָם לְהָבִיא Ex. 36:5
125 יֵשׁ־דְּבָרִים הַרְבֵּה מַרְבִּים הָבֶל Eccl. 6:11
126 מַרְבִּים חֹרֵי יְהוּדָה אִגְּרֹתֵיהֶם Neh. 6:17
וּמַרְבִּים 127 וּמַרְבִּים בָּנִים וּבְנֵי בָנִים ICh. 8:40
אַרְבֶּה 128 הַרְבָּה אַרְבֶּה עִצְּבוֹנֵךְ Gen. 3:16
129 הַרְבָּה אַרְבֶּה אֶת־זַרְעֵךְ Gen. 16:10
130 וְהַרְבָּה אַרְבֶּה אֶת־זַרְעֲךָ Gen. 22:17
131 אַרְבֶּה אֶת־זַרְעֲכֶם כְּכוֹכְבֵי הַשָּׁמַ˚ Ex. 32:13
132 כֵּן אַרְבֶּה אֶת־זֶרַע דָּוִד עַבְדִּי Jer. 33:22
133 אַרְבֶּה אֹתָם כַּצֹּאן אָדָם Ezek. 36:37
134 וְכַחוֹל אַרְבֶּה יָמִים Job 29:18
וְאַרְבֶּה 135 וְאַרְבֶּה אוֹתְךָ בִּמְאֹד מְאֹד Gen. 17:2
וָאַרְבֶּה 136 וָאַרְבֶּה (כתי׳ וארב) אֶת־זַרְעוֹ Josh. 24:3
וְאַרְבֵּהוּ 137 אֶחָד קְרָאתִיו וַאֲבָרְכֵהוּ וְאַרְבֵּהוּ Is. 51:2
תַּרְבֶּה 138 לְפִי רֹב הַשָּׁנִים תַּרְבֶּה מִקְנָתוֹ Lev. 25:16
139 לָרַב תַּרְבֶּה נַחֲלָתוֹ Num. 26:54
140 וְלֹא־יֹאבֶה כִּי תַרְבֶּה־שֹׁחַד Prov. 6:35
תֶּרֶב 141 תֶּרֶב גְּדֻלָּתִי וְתִסֹּב תְּנַחֲמֵנִי Ps. 71:21
וְתֶרֶב 142 וְתֶרֶב כַּעַשְׂךָ עִמָּדִי Job 10:17
וְתַרְבִּי 143 תְּכַבְּסִי בַּנֶּתֶר וְתַרְבִּי־לָךְ בֹּרִית Jer. 2:22
וַתַּרְבִּי 144 וַתָּשֻׁרִי...וַתַּרְבִּי רִקֻּחָיִךְ Is. 57:9
145 וַתַּרְבִּי אֶת־תַּזְנוּתַיִךְ˚ Ezek. 16:25
146/7 וַתַּרְבִּי אֶת־תַּזְנוּתֵךְ Ezek. 16:26, 29
148 וַתַּרְבִּי אֶת־תּוֹעֲבוֹתַיִךְ Ezek. 16:51
יַרְבֶּה 149 הֶעָשִׁיר לֹא־יַרְבֶּה Ex. 30:15
150 רַק לֹא־יַרְבֶּה־לּוֹ סוּסִים Deut. 17:16
151 וְלֹא יַרְבֶּה־לּוֹ נָשִׁים Deut. 17:17
152 וְכֶסֶף וְזָהָב לֹא יַרְבֶּה־לּוֹ מְאֹד Deut. 17:17
153 וּלְאֵין אוֹנִים עָצְמָה יַרְבֶּה Is. 40:29
154 וְאֶל־אֱלֹהֵינוּ כִּי־יַרְבֶּה לִסְלוֹחַ Is. 55:7
155 כָּל־הַיּוֹם כָּזָב וָשֹׁד יַרְבֶּה Hosh. 12:2
156 וְקֹבֵץ עַל־יָד יַרְבֶּה Prov. 13:11
157 וְהַסָּכָל יַרְבֶּה דְבָרִים Eccl. 10:14
158 עִם־אֱלוֹהַּ נֵכָר...יַרְבֶּה כָבוֹד Dan. 11:39
הֲיַרְבֶּה 159 הֲיַרְבֶּה אֵלֶיךָ תַּחֲנוּנִים Job 40:27
וְיֶרֶב 160 וְיֶרֶב אֲמָרָיו לָאֵל Job 34:37
וַיֶּרֶב 161 וַיֶּרֶב הַיַּעַר לֶאֱכֹל בָּעָם IISh. 18:8
162 וַיֶּרֶב בְּבַת־יְהוּדָה תַּאֲנִיָּה וַאֲנִיָּה Lam. 2:5
וְיַרְבֶּךָ 163 יְבָרֵךְ אֹתְךָ וְיַפְרְךָ וְיַרְבֶּךָ Gen. 28:3
וַתַּרְבֶּה 164 וַתַּרְבֶּה אֶת־תַּזְנוּתֶיהָ Ezek. 23:19
תַּרְבֵּנִי 165 מָגֵן יִשְׁעֶךָ וַעֲנֹתְךָ תַּרְבֵּנִי IISh. 22:36
166 וִימִינְךָ תִסְעָדֵנִי וְעַנְוַתְךָ תַרְבֵּנִי Ps. 18:36
תַּרְבּוּ 167 לָרַב תַּרְבּוּ אֶת־נַחֲלָתוֹ Num. 33:54
168 מֵאֵת הָרַב תַּרְבּוּ Num. 35:8
169 אַל־תַּרְבּוּ תְדַבְּרוּ גְּבֹהָה גְבֹהָה ISh. 2:3
170 גַּם כִּי־תַרְבּוּ תְפִלָּה אֵינֶנִּי שֹׁמֵעַ Is. 1:15
הַרְבֵּה 171 הַרְבֵּה הָעֵצִים הַדְלֵק הָאֵשׁ Ezek. 24:10
הֶרֶב 172 הֶרֶב לְהַעֲלוֹתָם מַשְׂאַת הֶעָשָׁן Jud. 20:38
173 הֶרֶב (כתי׳ הרבה) כַּבְּסֵנִי מֵעֲוֹנִי Ps. 51:4
הַרְבִּי 174 הֵיטִיבִי נַגֵּן הַרְבִּי־שִׁיר Is. 23:16
הַרְבּוּ 175 הַרְבּוּ עָלַי מְאֹד מֹהַר וּמַתָּן Gen. 34:12
176 בֹּאוּ...הַגִּלְגָּל הַרְבּוּ לִפְשֹׁעַ Am. 4:4

רָבָה² פ׳ ירה

רוֹבֶה 1 וַיְהִי רֹבֶה קַשָּׁת Gen. 21:20

רְבָה פ׳ ארמית א) הלך וגדל: 1-5

ב) [פ׳ רַבִּי] גדל: 6

רְבַת 1 אַנְתְּ־הוּא...דִּי רְבַת (כתי׳ רבית) Dan. 4:19
רְבָה 2 רְבָה אִילָנָא וּתְקִף Dan. 4:8
3 אִילָנָא...דִּי רְבָה וּתְקִף Dan. 4:17
4 עַד דִּי שַׂעְרֵהּ כְּנִשְׁרִין רְבָה Dan. 4:30
רְבָת 5 וּרְבוּתָךְ רְבָת וּמְטָת לִשְׁמַיָּא Dan. 4:19
רַבִּי 6 אֱדַיִן מַלְכָּא לְדָנִיֵּאל רַבִּי Dan. 2:48

רַבָּה ש״פ – עיר המלוכה של עמון, היא רַבַּת בְּנֵי עַמּוֹן: 1-9

בְּנוֹת רַבָּה 3; חוֹמַת רַבָּה 5

רַבָּה 1 עַד־עֲרוֹעֵר אֲשֶׁר עַל־פְּנֵי רַבָּה Josh. 13:25
2 וַיָּצֻרוּ עַל־רַבָּה IISh. 11:1
3 צְעַקְנָה בְּנוֹת רַבָּה Jer. 49:3
4 וְנָתַתִּי אֶת־רַבָּה לִנְוֵה גְמַלִּים Ezek. 25:5
5 וְהִצַּתִּי אֵשׁ בְּחוֹמַת רַבָּה Am. 1:14
6 וַיָּבֹא וַיָּצַר אֶת־רַבָּה ICh. 20:1
7 וַיַּךְ יוֹאָב אֶת־רַבָּה וַיֶּהֶרְסֶהָ ICh. 20:1
רַבָּתָה 8 וַיֶּאֱסֹף דָּוִד...וַיֵּלֶךְ רַבָּתָה IISh. 12:29
בְּרַבָּה 9 נִלְחַמְתִּי בְרַבָּה גַּם־לָכַדְתִּי IISh. 12:27

(רבה) הָרַבָּה ש״פ – עיר בהר יהודה

וְהָרַבָּה 1 קִרְיַת־בַּעַל...וְהָרַבָּה Josh. 15:60

רִבּוֹ¹, רִבּוֹא נ׳ רבבה, עשרת אלפים: 1-10

רִבּוֹא 1/2 אַרְבַּע רִבּוֹא אֲלָפִים Ez. 2:64 • Neh. 7:66
3 דַּרְכְּמוֹנִים שְׁתֵּי רִבּוֹא Neh. 7:71
רִבּוֹ 4 הַרְבֵּה מִשְׁתֵּים־עֶשְׂרֵה רִבּוֹ Jon. 4:11
5 וַיִּתְּנוּ...וַאֲדַרְכֹנִים רִבּוֹ ICh. 29:7
6 וּנְחֹשֶׁת רִבּוֹ ICh. 29:7
רִבֹּאוֹת 7 וְהִפִּיל רִבֹּאוֹת וְלֹא יָעוֹז Dan. 11:12
רִבָּאוֹת 8 דַּרְכְּמוֹנִים שֵׁשׁ־רִבָּאוֹת וָאֶלֶף Ez. 2:69
רִבּוֹת 9 זָהָב דַּרְכְּמוֹנִים שְׁתֵּי רִבּוֹת Neh. 7:70
רִבֹּתַיִם 10 רֶכֶב אֱלֹהִים רִבֹּתַיִם אַלְפֵי שִׁנְאָן Ps. 68:18

רִבּוֹ² נ׳ ארמית, כמו בעברית

וְרִבּוֹ 1 וְרִבּוֹ רִבְבָן קָדָמוֹהִי יְקוּמוּן Dan. 7:10

רְבוּ נ׳ ארמית גדולה: 1; רְבוּתָא = הגדולה: 2-5

וּרְבוּ 1 וּרְבוּ יַתִּירָה הוּסְפַת לִי Dan. 4:33
רְבוּתָא 2 וּמִן־רְבוּתָא דִּי יְהַב־לֵהּ Dan. 5:19
וּרְבוּתָא 3 מַלְכוּתָא וּרְבוּתָא וִיקָרָא וְהַדְרָא Dan. 5:18
4 וּמַלְכוּתָא וְשָׁלְטָנָא וּרְבוּתָא Dan. 7:27
וּרְבוּתָךְ 5 וּרְבוּתָךְ רְבָת וּמְטָת לִשְׁמַיָּא Dan. 4:19

רָבוּעַ ת׳ בעל ארבעה מקצועות: 1-9 [עיין גם רָבַע²]

רָבוּעַ 1 רָבוּעַ יִהְיֶה הַמִּזְבֵּחַ Ex. 27:1
2 רָבוּעַ יִהְיֶה כָּפוּל Ex. 28:16
3 אַמָּה אָרְכּוֹ וְאַמָּה רָחְבּוֹ רָבוּעַ יִהְיֶה Ex. 30:2
4 אַמָּה אָרְכּוֹ וְאַמָּה רָחְבּוֹ רָבוּעַ Ex. 37:25
5 וְחָמֵשׁ־אַמּוֹת רָחְבּוֹ רָבוּעַ Ex. 38:1
6 רָבוּעַ הָיָה כָּפוּל עָשׂוּ אֶת־הַחֹשֶׁן Ex. 39:9
7 רָבוּעַ אֶל אַרְבַּעַת רְבָעָיו Ezek. 43:16
רְבֻעָה 8 הַהֵיכָל מְזוּזַת רְבֻעָה Ezek. 41:21
רְבֻעִים 9 וְכָל־הַפְּתָחִים וְהַמְּזוּזוֹת רְבֻעִים IK. 7:5

רְבִיבִים ז״ר – גשם: 1-6

קרובים: גֶּשֶׁם / דֶּלֶף / זַרְזִיף / טַל / יוֹרֶה / מַבּוּל
מוֹרֶה / מָטָר / מַלְקוֹשׁ / שְׂעִירִים

רְבִבִים 1 וַיִּמָּנְעוּ רְבִבִים וּמַלְקוֹשׁ לוֹא הָיָה Jer. 3:3
2 וְאִם־הַשָּׁמַיִם יִתְּנוּ רְבִבִים Jer. 14:22
בִּרְבִיבִים 3 בִּרְבִיבִים תְּמֹגְגֶנָּה Ps. 65:11
כִּרְבִיבִים 4 כְּטַל מֵאֵת יְיָ כִּרְבִיבִים עֲלֵי־עֵשֶׂב Mic. 5:6
5 כִּרְבִיבִים זַרְזִיף אָרֶץ Ps. 72:6
וְכִרְבִיבִים 6 כִּשְׂעִירִם...וְכִרְבִיבִים עֲלֵי־עֵשֶׂב Deut. 32:2

רָבִיד ז׳ תכשיט לצואר: 1, 2 • קרובים: ראה עֲדִי

רְבִיד זָהָב 2

וְרָבִיד 1 וָאֶתְּנָה...וְרָבִיד עַל־גְּרוֹנֵךְ Ezek. 16:11
רְבִד־ 2 וַיָּשֶׂם רְבִד הַזָּהָב עַל־צַוָּארוֹ Gen. 41:42

רְבִיעָאָה ת׳ זו״נ – עיין רְבִיעַי*

רְבִיעִי ת׳ א) הבא אחרי השלישי, שלפניו שלושה: 1-43

ב) [רְבִיעִים] אנשי הדור הרביעי: 44, 45
ג) [בָּרְבִיעִי] בחודש הרביעי מניסן: 32

– גּוֹרָל רְבִיעִי 8; דּוֹר רְבִיעִי 2; חֹדֶשׁ רְ׳ 14,11,10;
טוּר רְבִיעִי 4, 5; יוֹם רְבִיעִי 1, 6, 7, 9, 13, 15;
נָהָר רְבִיעִי 3
– מֶרְכָּבָה רְבִיעִית 43; שָׁנָה רְבִיעִית 33-42
– בְּנֵי רְבִיעִים 44, 45

רְבִיעִי 1 וַיְהִי־עֶרֶב וַיְהִי־בֹקֶר יוֹם רְבִיעִי Gen. 1:19
2 וְדוֹר רְבִיעִי יָשׁוּבוּ הֵנָּה Gen. 15:16
הָרְבִיעִי 3 וְהַנָּהָר הָרְבִיעִי הוּא פְרָת Gen. 2:14

הָרְבִיעִי (המשך) 4/5 וְהַטּוּר הָרְבִיעִי Ex. 28:20; 39:13
6 בַּיּוֹם הָרְבִיעִי נָשִׂיא לִבְנֵי רְאוּבֵן Num. 7:30
7 וּבַיּוֹם הָרְבִיעִי פָּרִים עֲשָׂרָה Num. 29:23
8 לְיִשָּׂשכָר יָצָא הַגּוֹרָל הָרְבִיעִי Josh. 19:17
9 וַיְהִי בַּיּוֹם הָרְבִיעִי Jud. 19:5
10/1 בַּחֹדֶשׁ הָרְבִיעִי בְּתִשְׁעָה לַחֹדֶשׁ
Jer. 39:2; 52:6
12 צוֹם הָרְבִיעִי וְצוֹם הַחֲמִישִׁי Zech. 8:19
13 וּבַיּוֹם הָרְבִיעִי נִשְׁקַל הַכֶּסֶף Ez. 8:33
14 לַחֹדֶשׁ הָרְבִיעִי עֲשָׂהאֵל ICh. 27:7
15 וּבַיּוֹם הָרְבִיעִי נִקְהֲלוּ IICh. 20:26
16-26 הָרְבִיעִי ICh. 2:14; 3:2,15;
8:2; 12:10(11); 23:19; 24:23; 25:11; 26:2,4; 27:7
27/8 הָרְבִעִי ICh. 24:8; 26:11
וְהָרְבִיעִי 29 וְהָרְבִיעִי אֲדֹנִיָּה בֶן־חַגִּית IISh. 3:4
30 וְהָרְבִיעִי פְּנֵי־נָשֶׁר Ezek. 10:14
31 וְהָרְבִיעִי יַעֲשִׁיר עֹשֶׁר־גָּדוֹל Dan. 11:2
בָּרְבִיעִי 32 בָּרְבִיעִי בַּחֲמִשָּׁה לַחֹדֶשׁ Ezek. 1:1
הָרְבִיעִת 33 וּבַשָּׁנָה הָרְבִיעִת...קֹדֶשׁ הִלּוּלִים Lev. 19:24
34 בַּשָּׁנָה הָרְבִיעִית בְּחֹדֶשׁ זִו IK. 6:1
35 בַּשָּׁנָה הָרְבִיעִית יֻסַּד בֵּית יְיָ IK. 6:37
36 וַיְהִי בַּשָּׁנָה הָרְבִיעִית לַמֶּלֶךְ חִזְקִיָּהוּ IIK. 18:9
37-40 בַּשָּׁנָה הָרְבִעִית Jer. 25:1; 28:1; 36:1; 45:1
41 בִּשְׁנַת הָרְבִיעִית לִיהוֹיָקִים Jer. 46:2
42 בִּשְׁנַת הָרְבִעִית לְמָלְכוֹ Jer. 51:59
43 וּבַמֶּרְכָּבָה הָרְבִעִית סוּסִים Zech. 6:3
רְבִעִים 44 בְּנֵי רְבִעִים יֵשְׁבוּ לְךָ IIK. 10:30
45 בְּנֵי רְבִיעִים יֵשְׁבוּ לְךָ IIK. 15:12

רְבִיעָי* ת׳ ארמית: רביעי; רְבִיעָאָה=רביעי 1; רביעית 2-4; רְבִיעָיְתָא = הָרביעית: 5, 6

מַלְכוּ רְבִיעָאָה 2, 4; חֵיוְתָא רְבִיעָיְתָא 5, 6

רְבִיעָאָה ז׳1 וְרֵוֵהּ דִּי רְבִיעָאָה° (כת׳ רביעיא) Dan. 3:25
נ׳2 וּמַלְכוּ רְבִיעָאָה° תֶּהֱוֵא תַקִּיפָה Dan. 2:40
3 וַאֲרוּ חֵיוָה רְבִיעָאָה° דְּחִילָה Dan. 7:7
4 מַלְכוּ רְבִיעָאָה° תֶּהֱוֵא בְאַרְעָא Dan. 7:23
רְבִיעָיְתָא 5 לְיַצָּבָא עַל־חֵיוְתָא רְבִיעָיְתָא Dan. 7:19
6 כֵּן אֲמַר חֵיוְתָא רְבִיעָיְתָא Dan. 7:23

רְבִיעִית נ׳ רֶבַע: 1-11

רְבִיעִית הַהִין 3-7, 9, 11; רְבִיעִית הַיּוֹם 8

רְבִיעִית 1 מְזוּזוֹת עֲצֵי־שָׁמֶן מֵאֵת רְבִעִית IK. 6:33
2 רְבִיעִית תָּרִימוּ Ezek. 48:20
רְבִיעִית־ 3 וְנֶסֶךְ רְבִיעִת הַהִין יָיִן Ex. 29:40
4 וְנִסְכֹּה יַיִן רְבִיעִת הַהִין Lev. 23:13
5 וְיַיִן לַנֶּסֶךְ רְבִיעִית הַהִין Num. 15:5
6 בְּשֶׁמֶן כָּתִית רְבִיעִת הַהִין Num. 28:5
7 וְנִסְכּוֹ רְבִיעִת הַהִין Num. 28:7
8 וַיִּקְרְאוּ בְּסֵפֶר...רְבִעִית הַיּוֹם Neh. 9:3
וּרְבִיעִית־ 9 וּרְבִיעִת הַהִין לַכֶּבֶשׂ יָיִן Num. 28:14
10 וּרְבִעִית מִתְוַדִּים וּמִשְׁתַּחֲוִים Neh. 9:3
בִּרְבִיעִית־ 11 בָּלוּל בִּרְבִעִית הַהִין שָׁמֶן Num. 15:4

רַבִּית ש״פ – עיר בנחלת יששכר; כנראה היא דָּבְרַת

וְהָרַבִּית 1 וְהָרַבִּית וְקִשְׁיוֹן וָאָבֶץ Josh. 19:20

(רבך) מֻרְבָּךְ* [הִפ׳ בינוני] נבלל בשמן: 1-3

מֻרְבֶּכֶת 1 עַל־מַחֲבַת בַּשֶּׁמֶן...מֻרְבֶּכֶת תְּבִיאֶנָּה Lev. 6:14
2 וְסֹלֶת מֻרְבֶּכֶת חַלֹּת בְּלוּלֹת בַּשָּׁמֶן Lev. 7:12
וְלַמֻּרְבֶּכֶת 3 וּלְסֹלֶת...וְלַמַּחֲבַת וְלַמֻּרְבָּכֶת ICh. 23:29

רִבְלָה ש״פ – עיר בארם באזור חֲמָת: 1-11

בְּרִבְלָה 1 וַיַּאַסְרֵהוּ...בְרִבְלָה בְּאֶרֶץ חֲמָת IIK. 23:33
2 וַיְמִיתֵם בְּרִבְלָה בְּאֶרֶץ חֲמָת IIK. 25:21
3 וַיִּשְׁחַט...בְּרִבְלָה לְעֵינָיו Jer. 39:6
4 וַיְמִתֵם בְּרִבְלָה בְּאֶרֶץ חֲמָת Jer. 52:27
רִבְלָתָה 5 וַיַּעֲלוּ אֹתוֹ אֶל־מֶלֶךְ בָּבֶל רִבְלָתָה IIK. 25:6
6 וַיֹּלֶךְ אֹתָם עַל־מֶלֶךְ בָּבֶל רִבְלָתָה IIK. 25:20
7/8 רִבְלָתָה בְּאֶרֶץ חֲמָת Jer. 39:5; 52:9
9 וַיֹּלֶךְ אוֹתָם אֶל־מֶלֶךְ בָּבֶל רִבְלָתָה Jer. 52:26
בְּרִבְלָתָה 10 כָּל־שָׂרֵי יְהוּדָה שָׁחַט בְּרִבְלָתָה Jer. 52:10
הָרִבְלָה(?) 11 וְיָרַד הַגְּבֻל מִשְׁפָם הָרִבְלָה Num. 34:11

רבע : א) רָבַע, הִרְבִּיעַ; רֹבַע?
ב) מְרֻבָּע, רָבוּעַ; אַרְבַּע, אַרְבָּעִים, אַרְבַּעְתַּיִם; רֶבַע, רֹבַע, רִבֵּעַ, רְבִיעִי, רְבִיעִית; ש״פ רֶבַע

רָבַע¹ פָּ׳ א) בָּעַל, הפרה (הזכר בבהמות): 1, 2
ב) [הפ׳ הִרְבִּיעַ] זִוֵּג זכר עם נקבה בבהמות: 3

לְרִבְעָה 1 וְאִשָּׁה אֲשֶׁר תִּקְרַב אֶל־כָּל־בְּהֵמָה לְרִבְעָה אֹתָהּ Lev. 20:16
לְרִבְעָה 2 וְאִשָּׁה לֹא־תַעֲמֹד לִפְנֵי בְהֵמָה לְרִבְעָה תֶּבֶל הוּא Lev. 18:23
תַּרְבִּיעַ 3 בְּהֶמְתְּךָ לֹא־תַרְבִּיעַ כִּלְאַיִם Lev. 19:19

רָבַע² פָּ׳ א) [רק בינוני: רָבוּעַ] – עין ערך רָבוּעַ
ב) [פֻּ׳ בינוני: מְרֻבָּע] רָבוּעַ, בעל ארבע צלעות: 1-3

מְרֻבָּע 1 חֲמֵשׁ מֵאוֹת...מְרֻבָּע סָבִיב Ezek. 45:2
מְרֻבַּעַת 2 אֹרֶךְ מֵאָה אַמָּה וְרֹחַב מֵאָה אַמָּה מְרֻבָּעַת Ezek. 40:47
מְרֻבָּעוֹת 3 וּמִסְגְּרֹתֵיהֶם מְרֻבָּעוֹת לֹא־עֲגֻלּוֹת IK. 7:31

רֶבַע¹ ז׳ א) רביעית, אחד מארבעה: 1, 2
ב) צד ברבוע, פאה: 3-7

רֶבַע 1 בָּלוּל בְּשֶׁמֶן כָּתִית רֶבַע הַהִין Ex. 29:40
2 נִמְצָא בְיָדִי רֶבַע שֶׁקֶל כָּסֶף ISh. 9:8
רְבָעָיו 3 רָבוּעַ אֶל אַרְבַּעַת רְבָעָיו Ezek. 43:16
רְבָעֶיהָ 4 וְהָעֲזָרָה...אֶל אַרְבַּעַת רְבָעֶיהָ Ezek. 43:17
רִבְעֵיהֶם 5 עַל אַרְבַּעַת רִבְעֵיהֶם Ezek. 1:8
6 אֶל־אַרְבַּעַת רִבְעֵיהֶם יֵלֵכוּ Ezek. 10:11
רִבְעֵיהֶן 7 עַל־אַרְבַּעַת רִבְעֵיהֶן...יֵלֵכוּ Ezek. 1:17

רֶבַע² שפ״ז – אחד מחמשת מלכי מדין: 1, 2

רֶבַע 1 אֶת־אֱוִי וְאֶת־רֶקֶם...וְאֶת־רֶבַע Num. 31:8
2 אֶת־אֱוִי וְאֶת־רֶקֶם...וְאֶת־רֶבַע Josh. 13:21

רֹבַע¹ ז׳ רֶבַע

וְרֹבַע־ 1 וְרֹבַע הַקַּב דִּבְיוֹנִים° IIK. 6:25

רֹבַע² ז׳ אָבָק, חול: 1, 2

רֹבַע־ 1 וּמִסְפָּר אֶת־רֹבַע יִשְׂרָאֵל Num. 23:10
וְרִבְעִי 2 אָרְחִי וְרִבְעִי זֵרִיתָ Ps. 139:3

רִבֵּעַ* ז׳ אחד מן הדור הרביעי, בן השִּׁלֵּשׁ: 1-4

רִבֵּעִים 1-3 פֹּקֵד...עַל־שִׁלֵּשִׁים וְעַל־רִבֵּעִים
Ex. 20:5, 34 • Num. 14:18
4 פֹּקֵד...וְעַל־שִׁלֵּשִׁים וְעַל־רִבֵּעִים Deut. 5:9

רבץ : רָבַץ, הִרְבִּיץ; רֵבֶץ, מַרְבֵּץ

רָבַץ פָּ׳ א) שכב: 1-3, 5-8, 10-24
ב) [בהשאלה] חָל, פָּגַע: 4, 9
ג) [הִפ׳ הִרְבִּיץ] השכיב: 26-30
ד) [כנ״ל] שִׁבֵּץ, הרכיב: 25

וְרָבַצְתָּ 1 וְרָבַצְתָּ וְאֵין מַחֲרִיד Job 11:19
רָבַץ 2 כָּרַע רָבַץ כְּאַרְיֵה Gen. 49:9
רָבָצָה 3 לְבִיָּא בֵּין אֲרָיוֹת רָבָצָה Ezek. 19:2
וְרָבְצָה 4 וְרָבְצָה בּוֹ כָּל־הָאָלָה Deut. 29:19
וְרָבְצוּ 5 וְרָבְצוּ־שָׁם צִיִּים Is. 13:21
6 וְרָבְצוּ וְאֵין מַחֲרִיד Is. 17:2
7 וְרָבְצוּ בְתוֹכָהּ עֲדָרִים Zep. 2:14
8 וְרָבְצוּ וְאֵין מַחֲרִיד Zep. 3:13
רֹבֵץ 9 לַפֶּתַח חַטָּאת רֹבֵץ Gen. 4:7
10 חֲמֹר גָּרֶם רֹבֵץ בֵּין הַמִּשְׁפְּתָיִם Gen. 49:14
11 חֲמוֹר שֹׂנַאֲךָ רֹבֵץ תַּחַת מַשָּׂאוֹ Ex. 23:5
הָרֹבֵץ 12 הַתַּנִּים הַגָּדוֹל הָרֹבֵץ בְּתוֹךְ יְאֹרָיו Ezek. 29:3
רֹבֶצֶת 13 בִּרְכֹת תְּהוֹם רֹבֶצֶת תָּחַת Gen. 49:25
14 וְהָאֵם רֹבֶצֶת עַל־הָאֶפְרֹחִים Deut. 22:6
15 וּמִתְּהוֹם רֹבֶצֶת תָּחַת Deut. 33:13
רֹבְצִים 16 שְׁלֹשָׁה עֶדְרֵי־צֹאן רֹבְצִים עָלֶיהָ Gen. 29:2
יִרְבָּץ 17 וְנָמֵר עִם־גְּדִי יִרְבָּץ Is. 11:6
18 שָׁם יִרְעֶה עֵגֶל וְשָׁם יִרְבָּץ Is. 27:10
וַתִּרְבַּץ 19 וַתֵּרֶא...וַתִּרְבַּץ תַּחַת בִּלְעָם Num. 22:27
יִרְבְּצוּ 20 יַחְדָּו יִרְבְּצוּ יַלְדֵיהֶן Is. 11:7
יִרְבָּצוּ 21 וְאֶבְיוֹנִים לָבֶטַח יִרְבָּצוּ Is. 14:30
יִרְבָּצוּן 22 בְּבָתֵּי אַשְׁקְלוֹן בָּעֶרֶב יִרְבְּצוּן Zep. 2:7
23 וְאֶל־מְעוֹנֹתָם יִרְבָּצוּן Ps. 104:22
תִּרְבַּצְנָה 24 שָׁם תִּרְבַּצְנָה בְּנָוֶה טּוֹב Ezek. 34:14
מַרְבִּיץ 25 הִנֵּה אָנֹכִי מַרְבִּיץ בַּפּוּךְ אֲבָנַיִךְ Is. 54:11
מַרְבִּיצִים 26 נְוֵה רֹעִים מַרְבִּצִים צֹאן Jer. 33:12
אַרְבִּיצֵם 27 אֲנִי אֶרְעֶה צֹאנִי וַאֲנִי אַרְבִּיצֵם Ezek. 34:15
תַּרְבִּיץ 28 אֵיכָה תִרְעֶה אֵיכָה תַּרְבִּיץ בַּצָּהֳרָיִם S.ofS. 1:7
יַרְבִּיצֵנִי 29 בִּנְאוֹת דֶּשֶׁא יַרְבִּיצֵנִי Ps. 23:2
יַרְבִּיצוּ 30 וְרֹעִים לֹא־יַרְבִּצוּ שָׁם Is. 13:20

רֵבֶץ ז׳ משכב: 1-4 • רֵבֶץ בָּקָר 1

לְרֵבֶץ־ 1 וְעֵמֶק עָכוֹר לְרֵבֶץ בָּקָר Is. 65:10
רִבְצוֹ 2 אַל־תְּשַׁדֵּד רִבְצוֹ Prov. 24:15
רִבְצָהּ 3 בִּנְוֵה תַנִּים רִבְצָהּ Is. 35:7
רִבְצָם 4 מֵהַר אֶל־גִּבְעָה הָלָכוּ שָׁכְחוּ רִבְצָם Jer. 50:6

רִבְקָה שפ״נ – בת בתואל, אשת יצחק: 1-30

אֲחִי רִבְקָה 19; בֶּן־רִבְקָה 20; דִּבְרֵי רִבְקָה 4

רִבְקָה 1 וּבְתוּאֵל יָלַד אֶת־רִבְקָה Gen. 22:23
2/3 וְהִנֵּה רִבְקָה יֹצֵאת Gen. 24:15, 45
4 וּכְשָׁמְעוֹ אֶת־דִּבְרֵי רִבְקָה Gen. 24:30
5 הִנֵּה־רִבְקָה לְפָנֶיךָ קַח וָלֵךְ Gen. 24:51
6 וַיְשַׁלְּחוּ אֶת־רִבְקָה אֲחֹתָם Gen. 24:59
7 וַיְבָרְכוּ אֶת־רִבְקָה וַיֹּאמְרוּ לָהּ Gen. 24:60
8 וַתָּקָם רִבְקָה וְנַעֲרֹתֶיהָ Gen. 24:61
9 וַיִּקַּח הָעֶבֶד אֶת־רִבְקָה וַיֵּלַךְ Gen. 24:61
10 וַתִּשָּׂא רִבְקָה אֶת־עֵינֶיהָ Gen. 24:64
11 וַיִּקַּח אֶת־רִבְקָה וַתְּהִי־לוֹ לְאִשָּׁה Gen. 24:67
12 בְּקַחְתּוֹ אֶת־רִבְקָה בַּת־בְּתוּאֵל Gen. 25:20
13 וַתַּהַר רִבְקָה אִשְׁתּוֹ Gen. 25:21
14 פֶּן־יַהַרְגֻנִי...עַל־רִבְקָה Gen. 26:7
15 מְצַחֵק אֵת רִבְקָה אִשְׁתּוֹ Gen. 26:8
16 וַיֹּאמֶר יַעֲקֹב אֶל־רִבְקָה אִמּוֹ Gen. 27:11
17 וַתִּקַּח רִבְקָה אֶת־בִּגְדֵי עֵשָׂו Gen. 27:15
18 וַתֹּאמֶר רִבְקָה אֶל־יִצְחָק Gen. 27:46
19 אֲחִי רִבְקָה אֵם יַעֲקֹב וְעֵשָׂו Gen. 28:5
20 וְכִי בֶן־רִבְקָה הוּא Gen. 29:12
21 וַתָּמָת דְּבֹרָה מֵינֶקֶת רִבְקָה Gen. 35:8
22 אֶת־יִצְחָק וְאֵת רִבְקָה אִשְׁתּוֹ Gen. 49:31
וְרִבְקָה 23 וְרִבְקָה אֹהֶבֶת אֶת־יַעֲקֹב Gen. 25:28

24 וְרִבְקָה שֹׁמַעַת בְּדַבֵּר יִצְחָק Gen. 27:5
25 וְרִבְקָה אָמְרָה אֶל־יַעֲקֹב בְּנָהּ Gen. 27:6
לְרִבְקָה 26 וַיּוֹצֵא הָעֶבֶד...וַיִּתֵּן לְרִבְקָה Gen. 24:53
27 וַיִּקְרְאוּ לְרִבְקָה וַיֹּאמְרוּ אֵלֶיהָ Gen. 24:58
28 וַיֻּגַּד לְרִבְקָה אֶת־דִּבְרֵי עֵשָׂו Gen. 27:42
וּלְרִבְקָה 29 וּלְרִבְקָה אָח וּשְׁמוֹ לָבָן Gen. 24:29
30 מֹרַת רוּחַ לְיִצְחָק וּלְרִבְקָה Gen. 26:35

רַבְרַב* ת׳ ארמית: גדול, רב: 1-8 [רַבְרְבִין = גדולים; רַבְרְבָן = גדולות; רַבְרְבָתָא = הגדולות]

רַבְרְבִין 1 אָתוֹהִי כְּמָה רַבְרְבִין Dan. 3:33
רַבְרְבָן 2 וּמַתְּנָן רַבְרְבָן שַׂגִּיאָן יְהַב־לֵהּ Dan. 2:48
3 וְאַרְבַּע חֵיוָן רַבְרְבָן סָלְקָן... Dan. 7:3
4 וְשִׁנַּיִן דִּי־פַרְזֶל לַהּ רַבְרְבָן Dan. 7:7
5/6 וּפֻם מְמַלִּל רַבְרְבָן Dan. 7:8, 20
רַבְרְבָתָא 7 מִן־קָל מִלַּיָּא רַבְרְבָתָא Dan. 7:11
8 אִלֵּין חֵיוָתָא רַבְרְבָתָא Dan. 7:17

רַבְרְבָן* ת׳ ארמית: רב המלך, שר: 1-8

וְרַבְרְבָנַי 1 וְלִי הַדָּבְרַי וְרַבְרְבָנַי יְבַעוֹן Dan. 4:33
וְרַבְרְבָנָךְ 2 וְאַנְתְּ° וְרַבְרְבָנָךְ...שָׁתַיִן בְּהוֹן Dan. 5:23
רַבְרְבָנוֹהִי 3 וַחֲתָמַהּ...וּבְעִזְקָת רַבְרְבָנוֹהִי Dan. 6:18
וְרַבְרְבָנוֹהִי 4-6 מַלְכָּא וְרַבְרְבָנוֹהִי Dan. 5:2, 3, 10
7 וְרַבְרְבָנוֹהִי מִשְׁתַּבְּשִׁין Dan. 5:9
לְרַבְרְבָנוֹהִי 8 עֲבַד לְחֶם רַב לְרַבְרְבָנוֹהִי אֲלַף Dan. 5:1

רַבְשָׁקֵה שפ״ז – שר צבא סנחריב מלך אשור: 1-16

דִּבְרֵי רַבְשָׁקֵה 7, 8, 16
רַבְשָׁקֵה 1 וַיִּשְׁלַח...וְאֶת־רַבְשָׁקֵה מִן־לָכִישׁ IIK. 18:17
2/3 וַיֹּאמֶר אֲלֵיהֶם רַבְשָׁקֵה IIK. 18:19, 27
4 וַיֹּאמֶר אֶלְיָקִים...אֶל־רַבְשָׁקֵה IIK. 18:26
5/6 וַיַּעֲמֹד רַבְשָׁקֵה וַיִּקְרָא IIK. 18:28 • Is. 36:13
7/8 וַיַּגִּדוּ לוֹ...דִּבְרֵי רַבְשָׁקֵה IIK. 18:37 • Is. 36:22
9 אֵת כָּל־דִּבְרֵי רַבְשָׁקֵה IIK. 19:4
10/1 וַיָּשָׁב רַבְשָׁקֵה וַיִּמְצָא IIK. 19:8 • Is. 37:8
12 וַיִּשְׁלַח...אֶת־רַבְשָׁקֵה מִלָּכִישׁ Is. 36:2
13 וַיֹּאמֶר אֲלֵיהֶם רַבְשָׁקֵה Is. 36:4
14 וַיֹּאמֶר אֶלְיָקִים...אֶל־רַבְשָׁקֵה Is. 36:11
15 וַיֹּאמֶר רַבְשָׁקֵה... Is. 36:12
16 אוּלַי יִשְׁמַע...אֵת דִּבְרֵי רַבְשָׁקֵה Is. 37:4

רַבַּת בְּנֵי עַמּוֹן ש״פ – בירת ארץ עמון, רבה: 1-5

רַבַּת בּ־ע 1 וְהִשְׁמַעְתִּי אֶל־רַבַּת בְּנֵי־עַמּוֹן Jer. 49:2
2 לָבוֹא חֶרֶב אֵת רַבַּת בְּנֵי־עַמּוֹן Ezek. 21:25
בְּרַבַּת בּ־ע 3 הֲלֹה הִוא בְּרַבַּת בְּנֵי עַמּוֹן Deut. 3:11
4 וַיִּלָּחֶם יוֹאָב בְּרַבַּת בְּנֵי עַמּוֹן IISh. 12:26
מֵרַבַּת בּ־ע 5 וְשֹׁבִי בֶן־נָחָשׁ מֵרַבַּת בְּנֵי־עַמּוֹן IISh. 17:27

רֶגֶב* ז׳ גוש עפר: 1, 2 • רִגְבֵי נַחַל 2

וּרְגָבִים 1 בְּצֶקֶת עָפָר...וּרְגָבִים יְדֻבָּקוּ Job 38:38
רִגְבֵי 2 מָתְקוּ־לוֹ רִגְבֵי נָחַל Job 21:33

רגז : רָגַז, הִרְגִּיז; רַגָּז, רֹגֶז, רָגְזָה; אר׳ הַרְגִּז; רְגַז

רָגַז פ׳ א) חרד, רעד: 1-30

ב) [הת׳ הִתְרַגֵּז] התמרמר: 31-34
ג) [הפ׳ הִרְגִּיז] החריד, הרעיד: 35-41
קרובים: ראה חָרַד
רָגַז וְחָל 6; רָגַז וְשָׂחַק 1; פָּחַד וְרָגַז 7
וְרָגַז 1 וְרָגַז וְשָׂחַק וְאֵין נָחַת Prov. 29:9
רָגְזָה 2 שְׁאוֹל...רָגְזָה לְךָ לִקְרַאת בּוֹאֶךָ Is. 14:9
3 לְפָנָיו רָגְזָה אֶרֶץ רָעֲשׁוּ שָׁמָיִם Joel 2:10
4 רָגְזָה וַתִּרְעַשׁ הָאָרֶץ Ps. 77:19
5 תַּחַת שָׁלוֹשׁ רָגְזָה אֶרֶץ Prov. 30:21
וְרָגְזוּ 6 וְרָגְזוּ וְחָלוּ מִפָּנֶיךָ Deut. 2:25
7 וּפָחֲדוּ וְרָגְזוּ עַל כָּל־הַטּוֹבָה... Jer. 33:9
אֶרְגָּז 8 יָבוֹא רָקָב בַּעֲצָמַי וְתַחְתַּי אֶרְגָּז Hab. 3:16
וַתִּרְגְּזִי 9 וַתִּרְגְּזִי־לִי בְּכָל־אֵלֶּה Ezek. 16:43
יִרְגַּז 10 וְשָׁכַן תַּחְתָּיו וְלֹא יִרְגַּז עוֹד IISh. 7:10
11 וְשָׁכַן תַּחְתָּיו וְלֹא יִרְגַּז עוֹד ICh. 17:9
יִרְגָּז 12 כְּעֵמֶק בְּגִבְעוֹן יִרְגָּז Is. 28:21
וַיִּרְגַּז 13 וַיִּרְגַּז הַמֶּלֶךְ וַיַּעַל...וַיֵּבְךְּ IISh. 19:1
תִרְגַּז 14 הַעַל זֹאת לֹא־תִרְגַּז הָאָרֶץ Am. 8:8
וַתִּרְגַּז 15 וַתִּרְגַּז הָאָרֶץ וַתְּהִי לְחֶרְדַּת אֱלֹהִים ISh.14:15
16 שָׁמַעְתִּי וַתִּרְגַּז בִּטְנִי Hab. 3:16
תִּרְגְּזוּ 17 אַל־תִּרְגְּזוּ בַּדָּרֶךְ Gen. 45:24
תִּרְגַּזְנָה 18 יָמִים עַל־שָׁנָה תִּרְגַּזְנָה בֹּטְחוֹת Is. 32:10
יִרְגְּזוּ 19 יִרְגְּזוּ כֹּל יֹשְׁבֵי הָאָרֶץ Joel 2:1
20 יִרְגְּזוּ מִמִּסְגְּרֹתֵיהֶם Mic. 7:17
21 אַף־יִרְגְּזוּ תְהֹמוֹת Ps. 77:17
22 יְיָ מָלָךְ יִרְגְּזוּ עַמִּים Ps. 99:1
יִרְגָּזוּ 23 מוֹסְדוֹת הַשָּׁמַיִם יִרְגָּזוּ IISh. 22:8
24 מִפָּנֶיךָ גּוֹיִם יִרְגָּזוּ Is. 64:1
25 וּמוֹסְדֵי הָרִים יִרְגָּזוּ Ps. 18:8
וַיִּרְגְּזוּ 26 וַיַּכֵּהוּ וַיִּרְגְּזוּ הֶהָרִים Is. 5:25
יִרְגְּזוּן 27 יִרְגְּזוּן יְרִיעוֹת אֶרֶץ מִדְיָן Hab. 3:7
יִרְגָּזוּן 28 שָׁמְעוּ עַמִּים יִרְגָּזוּן Ex. 15:14
רִגְזוּ 29 רִגְזוּ וְאַל־תֶּחֱטָאוּ Ps. 4:5
רְגָזָה 30 חִרְדוּ שַׁאֲנַנּוֹת רְגָזָה בֹּטְחוֹת Is. 32:11
הִתְרַגֶּזְךָ 31 וְשִׁבְתְּךָ...יָדַעְתִּי וְאֵת הִתְרַגֶּזְךָ אֵלָי IIK.19:27
32/3 יַעַן הִתְרַגֶּזְךָ אֵלַי IIK. 19:28 • Is. 37:29
34 וְשִׁבְתְּךָ...יָדַעְתִּי וְאֵת הִתְרַגֶּזְךָ אֵלָי Is. 37:28
הִרְגַּזְתַּנִי 35 לָמָּה הִרְגַּזְתַּנִי לְהַעֲלוֹת אֹתִי ISh. 28:15
הִרְגִּיז 36 יָדוֹ נָטָה...הִרְגִּיז מַמְלָכוֹת Is. 23:11
וְהִרְגִּיז 37 וְהִרְגִּיז לְיֹשְׁבֵי בָבֶל Jer. 50:34
מַרְגִּיז 38 מַרְגִּיז הָאָרֶץ מַרְעִישׁ מַמְלָכוֹת Is. 14:16
הַמַּרְגִּיז 39 הַמַּרְגִּיז אֶרֶץ מִמְּקוֹמָהּ Job 9:6
לְמַרְגִּיזֵי־ 40 וּבַטֻּחוֹת לְמַרְגִּיזֵי אֵל Job 12:6
אַרְגִּיז 41 עַל־כֵּן שָׁמַיִם אַרְגִּיז Is. 13:13

(רְגַז) הַרְגִּז הפ׳ ארמית: הכעיס

הַרְגִּזוּ 1 מִן־דִּי הַרְגִּזוּ אֲבָהֳתַנָא לֶאֱלָהּ... Ez. 5:12

רַגָּז ג׳ חרד • לֵב רַגָּז 1

רַגָּז 1 לֵב רַגָּז וְכִלְיוֹן עֵינַיִם Deut. 28:65

רֹגֶז ז׳ א) חרדה, צער: 1-3, 7

ב) כעס, זעף: 4-6
קרובים: אַף / זַעַם / זַעַף / חֵמָה / חֲרָדָה / חָרוֹן / חֳרִי / כַּעַס / צַעַר / קֶצֶף / רְגָזָה / רֶטֶט / רַעַד / רְעָדָה / רֶתֶת
רַעַשׁ וְרֹגֶז 4; עֹצֶב וְר׳ 7; רֹגֶז קוֹלוֹ 6; שְׂבַע־רֹגֶז 3
רֹגֶז 1 שָׁם רְשָׁעִים חָדְלוּ רֹגֶז Job 3:17
2 לֹא שָׁלַוְתִּי...וַיָּבֹא רֹגֶז Job 3:26
3 קְצַר יָמִים וּשְׂבַע־רֹגֶז Job 14:1
וְרֹגֶז 4 בְּרַעַשׁ וְרֹגֶז יְגַמֶּא־אָרֶץ Job 39:24
בְּרֹגֶז 5 בְּרֹגֶז רַחֵם תִּזְכּוֹר Hab. 3:2
בְּרֹגֶז־ 6 שִׁמְעוּ שָׁמוֹעַ בְּרֹגֶז קֹלוֹ Job 37:2
וּמֵרָגְזֶךָ 7 בְּיוֹם הָנִיחַ יְיָ לְךָ מֵעָצְבְּךָ וּמֵרָגְזֶךָ Is. 14:3

רְגַז ז׳ ארמית: רוגז

בִּרְגַז 1 בִּרְגַז וַחֲמָא אֲמַר לְהַיְתָיָה Dan. 3:13

רָגְזָה נ׳ רוגז • קרובים: ראה רֹגֶז

בְּרָגְזָה 1 וּמֵימֶיךָ בְּרָגְזָה וּבִדְאָגָה תִּשְׁתֶּה Ezek. 12:18

רגל : רָגַל, רִגֵּל; תִּרְגֵּל; רֶגֶל, רַגְלִי, מְרַגֵּל, מַרְגְּלוֹת; ש״פ רוֹגֵל, רוֹגְלִים

רָגַל פ׳ א) הלך רכיל: 1

ב) [פ׳ רִגֵּל] תר ובלש: 2-21, 23-25
ג) [פּ״ל] הלך רכיל: 22
ד) [תִּפ׳ תִּרְגֵּל] הרגיל, הדריך(?): 26
רָגַל עַל־ 1; רִגֵּל אֶת־ 2-9, 19, 23-25; רִגֵּל בְּ־ אֶל־ 22
רָגַל 1 לֹא־רָגַל עַל־לְשֹׁנוֹ Ps. 15:3
לְרַגֵּל 2 וַיִּשְׁלַח מֹשֶׁה לְרַגֵּל אֶת־יַעְזֵר Num. 21:32
3 שָׁלַח יְהוֹשֻׁעַ לְרַגֵּל אֶת־יְרִיחוֹ Josh. 6:25
4 בִּשְׁלֹחַ מֹשֶׁה...לְרַגֵּל אֶת־הָאָרֶץ Josh. 14:7
5 לְרַגֵּל אֶת־הָאָרֶץ וּלְחָקְרָהּ Jud. 18:2
6/7 הַהֹלְכִים לְרַגֵּל אֶת־הָאָרֶץ Jud. 18:14, 17
וּלְרַגֵּל 8 לַחְקֹר וְלַהֲפֹךְ וּלְרַגֵּל הָאָרֶץ ICh. 19:3
וּלְרַגְּלָהּ 9 חֲקֹר אֶת־הָעִיר וּלְרַגְּלָהּ וּלְהָפְכָהּ IISh. 10:3
מְרַגְּלִים 10 מְרַגְּלִים אַתֶּם לִרְאוֹת...בָּאתֶם Gen. 42:9
11 לֹא־הָיוּ עֲבָדֶיךָ מְרַגְּלִים Gen. 42:11
12 הוּא אֲשֶׁר דִּבַּרְתִּי...מְרַגְּלִים אַתֶּם Gen. 42:14
13 חֵי פַרְעֹה כִּי מְרַגְּלִים אַתֶּם Gen. 32:16
14 כֵּנִים אֲנָחְנוּ לֹא הָיִינוּ מְרַגְּלִים Gen. 42:31
15 וְאֵדְעָה כִּי לֹא מְרַגְּלִים אַתֶּם Gen. 42:34
16 שְׁנַיִם אֲנָשִׁים מְרַגְּלִים חֶרֶשׁ Josh. 2:1
17 וַיִּשְׁלַח דָּוִד מְרַגְּלִים וַיֵּדַע ISh. 26:4
18 וַיִּשְׁלַח אַבְשָׁלוֹם מְרַגְּלִים IISh. 15:10
הַמְרַגְּלִים 19 הָאֲנָשִׁים הַמְרַגְּלִים אֶת־הָאָרֶץ Josh. 6:22
20 וַיָּבֹאוּ הַנְּעָרִים הַמְרַגְּלִים וַיֹּצִיאוּ... Josh. 6:23
כִּמְרַגְּלִים 21 וַיִּתֵּן אֹתָנוּ כִּמְרַגְּלִים אֶת־הָאָרֶץ Gen. 42:30
וַיְרַגֵּל 22 וַיְרַגֵּל בְּעַבְדְּךָ אֶל־אֲדֹנִי הַמֶּלֶךְ IISh. 19:28
וַיְרַגְּלוּ 23 וַיָּבֹאוּ עַד־נַחַל אֶשְׁכֹּל וַיְרַגְּלוּ אֹתָהּ Deut. 1:24
24 וַיַּעֲלוּ הָאֲנָשִׁים וַיְרַגְּלוּ אֶת־הָעָי Josh. 7:2
וְרַגְּלוּ 25 עֲלוּ וְרַגְּלוּ אֶת־הָאָרֶץ Josh. 7:2
תִרְגַּלְתִּי 26 וְאָנֹכִי תִרְגַּלְתִּי לְאֶפְרָיִם Hosh. 11:3

רֶגֶל¹ נ׳ א) אבר ההליכה: רוב המקראות 1-243

ב) [בהשאלה] בסיס, משען לכלי: 154, 155
ג) לְרֶגֶל־ [בהשאלה] בְּשֶׁל־, בִּגְלַל־: 33,(26,25)
– יָד־רֶגֶל 1,2,6,7,13,14,57; מִכַּף רֶגֶל וְעַד קָדְקֹד 66, 68; רֶגֶל יְמָנִית 58-62, 77, 78; רֶגֶל יְשָׁרָה 4; רֶגֶל מוּעֶדֶת 12
– בֹּהֶן רֶגֶל 58-62,77,78; כַּף רֶגֶל 3,8,19,35,43,66,71, 72, 75, 76; מוֹעֲדֵי ר׳ 10; מַעְגַּל רֶגֶל 50; שֶׁבֶר ר׳ 7
– רֶגֶל אָדָם 20, 21; ר׳ בְּהֵמָה 24; ר׳ בִּלְעָם 16; רֶגֶל גַּאֲוָה 22; ר׳ חֲמוֹר 18; ר׳ יְלָדִים 26; ר׳ יִשְׂרָאֵל 17,23; ר׳ הַמַּלְאָכָה 25; ר׳ עֵגֶל 19; רֶגֶל הַשּׁוֹר 18
– הוֹקִיר רֶגֶל 41; הֵסִיר ר׳ 40; הֵרִים ר׳ 57; חִלֵּץ ר׳ 30; טָבַל ר׳ 64; מָחַץ ר׳ 37; מָנַע ר׳ 38, 56; נָגַף ר׳ 48, 52; שָׁמַר רַגְלוֹ 39, 42
– יָדַיִם וְרַגְלַיִם 158, 181, 222, 223, 226, 236, 237
– אֲבַק רַגְלַיִם 170; בְּהוֹנוֹת ר׳ 181; הֲדוֹם רַגְלַיִם 102,120,(144),175,176,177; כַּפּוֹת רַגְלַיִם 92,95,108, 119, 147, 216, 231; מֵימֵי רַגְלַיִם 227, 228; מַצַּב ר׳ 93, 94; מְקוֹם ר׳ 107; מַרְבֵּה ר׳ 81; מִרְמַס ר׳ 214; מִרְפַּשׂ ר׳ 215; נְכֵה רַגְלַיִם 85, 86; קוֹל ר׳ 204; שַׁעַר רַגְלַיִם 88; שָׁרְשֵׁי רַגְלַיִם 115
– רַגְלֵי אֲדוֹנִיו 98, 105; רַגְלֵי אֱלֹהֵינוּ 102; ר׳ אֲנָשִׁים 103; ר׳ חֲסִידָיו 96; ר׳ כֹּהֲנִים 92-95,104; ר׳ מְבַשֵּׂר 100, 101; ר׳ עֲבָדָיו 97; רַגְלֵי עָנִי 99
– אֲחִזָה רֶגֶל 31; בָּצְקָה ר׳ 51; דָּרְכָה ר׳ 36; חָשָׁה ר׳ 32; מָטָה ר׳ 28, 29, 79; נִלְכְּדָה ר׳ 80; עָמְדָה רֶגֶל 27

– בָּצְקוּ רַגְלַיִם 239; הֻגְּשׁוּ רַ׳ 140; הוֹבִילוּ רַ׳ 205; הָטְבְּעוּ רַ׳ 138; הִתְנַגְּפוּ רַ׳ 213; יָרְדוּ רַ׳ 206; נָטוּ רַגְלַיִם 126; נָכְווּ רַ׳ 182; רָצוּ רַ׳ 229, 234; שָׁכְנוּ רַגְלַיִם 207

– אָסַף רַגְלָיו 152; הֵסִיךְ רַ׳ 157, 160; חָשַׂךְ רַ׳ 230; כָּלָא רַ׳ 127; כִּסָּה רַ׳ 169; מָנַע רַ׳ 38; נָאווּ רַ׳ 100; נָגַף רַגְלָיו 52; נָשָׂא רַ׳ 150; עָשָׂה רַ׳ 163; פִּשֵּׂק רַ׳ 148; קִצֵּץ רַ׳ 226; רָחַץ רַ׳ 97, 103, 117, 137, 149, 210, 211, 221-223, 225, 236; שִׁוָּה רַ׳ 106, 110; שִׁלַּח רַגְלָיו 116

רֶגֶל 1 יָד תַּחַת יָד רֶגֶל תַּחַת רָגֶל Ex. 21:24
2 יָד בְּיָד רֶגֶל בְּרָגֶל Deut. 19:21
3 מִכַּף־רֶגֶל וְעַד־רֹאשׁ... Is. 1:6
4 וְרַגְלֵיהֶם רֶגֶל יְשָׁרָה Ezek. 1:7
5 וַתִּשְׁכַּח כִּי־רֶגֶל תְּזוּרֶהָ Job 39:15
רָגֶל 6 יָד תַּחַת יָד רֶגֶל תַּחַת רָגֶל Ex. 21:24
7 שֶׁבֶר רָגֶל אוֹ שֶׁבֶר יָד Lev. 21:19
8 לֹא־אֶתֵּן...עַד מִדְרַךְ כַּף־רָגֶל Deut. 2:5
9 תִּרְמְסֶנָּה רָגֶל רַגְלֵי עָנִי Is. 26:6
10 נָכוֹן לְמוֹעֲדֵי רָגֶל Job 12:5
11 הַנִּשְׁכָּחִים מִנִּי־רָגֶל Job 28:4
וְרֶגֶל 12 שֵׁן רֹעָה וְרֶגֶל מוּעָדֶת Prov. 25:19
בְּרָגֶל 13 יָד בְּיָד רֶגֶל בְּרָגֶל Deut. 19:21
14 יַעַן מַחְאֲךָ יָד וְרַקְעֲךָ בְּרָגֶל Ezek. 25:6
15 בַּנָּהָר יַעַבְרוּ בְרָגֶל Ps. 66:6
רֶגֶל־ 16 וַתִּלְחַץ אֶת־רֶגֶל בִּלְעָם אֶל־הַקִּיר Num. 22:25
17 לְהָנִיד רֶגֶל יִשְׂרָאֵל מִן־הָאֲדָמָה IIK. 21:8
18 מְשַׁלְּחֵי רֶגֶל־הַשּׁוֹר וְהַחֲמוֹר Is. 32:20
19 וְכַף רַגְלֵיהֶם כְּכַף רֶגֶל עֵגֶל Ezek. 1:7
20 לֹא תַעֲבָר־בָּהּ רֶגֶל אָדָם Ezek. 29:11
21 וְלֹא תִדְלָחֵם רֶגֶל־אָדָם עוֹד Ezek. 32:13
22 אַל־תְּבוֹאֵנִי רֶגֶל גַּאֲוָה Ps. 36:12
23 לְהָסִיר אֶת־רֶגֶל יִשְׂרָ׳ מֵעַל הָאֲדָמָה IICh. 33:8
וְרֶגֶל־ 24 וְרֶגֶל בְּהֵמָה לֹא תַעֲבָר־בָּהּ Ezek. 29:11
לְרֶגֶל־ 25 אֶתְנָהֲלָה לְאִטִּי לְרֶגֶל הַמְּלָאכָה Gen. 33:14
וּלְרֶגֶל־ 26 לְרֶגֶל הַמְּלָאכָה...וּלְרֶגֶל הַיְלָדִים Gen. 33:14
רַגְלִי 27 רַגְלִי עָמְדָה בְמִישׁוֹר Ps. 26:12
28 בְּמוֹט רַגְלִי עָלַי הִגְדִּילוּ Ps. 38:17
29 אִם־אָמַרְתִּי מָטָה רַגְלִי Ps. 94:18
30 כִּי חִלַּצְתָּ...אֶת־רַגְלִי מִדֶּחִי Ps. 116:8
31 בַּאֲשֻׁרוֹ אָחֲזָה רַגְלִי Job 23:11
32 וַתַּחַשׁ עַל־מִרְמָה רַגְלִי Job 31:5
לְרַגְלִי 33 וַיְבָרֶךְ יְיָ אֹתְךָ לְרַגְלִי Gen. 30:30
34 נֵר־לְרַגְלִי דְבָרֶךָ Ps. 119:105
רַגְלְךָ 35 מִכַּף רַגְלְךָ וְעַד קָדְקֳדֶךָ Deut. 28:35
36 הָאָרֶץ אֲשֶׁר דָּרְכָה רַגְלְךָ בָּהּ Josh. 14:9
37 לְמַעַן תִּמְחַץ רַגְלְךָ בְּדָם Ps. 68:24
38 מְנַע רַגְלְךָ מִנְּתִיבָתָם Prov. 1:15
39 וְשָׁמַר רַגְלְךָ מִלָּכֶד Prov. 3:26
40 הָסֵר רַגְלְךָ מֵרָע Prov. 4:27
41 הֹקַר רַגְלְךָ מִבֵּית רֵעֶךָ Prov. 25:17
42 שְׁמוֹר רַגְלְךָ (כ׳ רגליך) כַּאֲשֶׁר תֵּלֵךְ Eccl. 4:17
רַגְלֶךָ 43 וְלֹא־יִהְיֶה מָנוֹחַ לְכַף־רַגְלֶךָ Deut. 28:65
44 וְנַעַלְךָ לֹא־בָלְתָה מֵעַל רַגְלֶךָ Deut. 29:4
45 שַׁל־נַעַלְךָ מֵעַל רַגְלֶךָ Josh. 5:15
46 וְנַעַלְךָ תַּחֲלֹץ מֵעַל רַגְלֶךָ Is. 20:2
47 אִם־תָּשִׁיב מִשַּׁבָּת רַגְלֶךָ Is. 58:13
48 פֶּן־תִּגֹּף בָּאֶבֶן רַגְלֶךָ Ps. 91:12
49 אַל־יִתֵּן לַמּוֹט רַגְלֶךָ Ps. 121:3
50 פַּלֵּס מַעְגַּל רַגְלֶךָ Prov. 4:26
וְרַגְלְךָ 51 וְרַגְלְךָ לֹא בָצֵקָה Deut. 8:4
52 וְרַגְלְךָ לֹא תִגּוֹף Prov. 3:23

בְּרַגְלְךָ 53 וְהִשְׁקִיתָ בְרַגְלְךָ כְּגַן הַיָּרָק Deut. 11:10
54 הַכֵּה בְכַפְּךָ וּרְקַע בְּרַגְלְךָ Ezek. 6:11
לְרַגְלֶךָ 55 וְהֵם תֻּכּוּ לְרַגְלֶךָ יִשָּׂא מִדַּבְּרֹתֶיךָ Deut. 33:3
רַגְלֵךְ 56 מִנְעִי רַגְלֵךְ מִיָּחֵף Jer. 2:25
רַגְלוֹ 57 לֹא־יָרִים אִישׁ אֶת־יָדוֹ וְאֶת־רַגְלוֹ Gen. 41:44
58-62 בֹּהֶן רַגְלוֹ הַיְמָנִית Lev. 8:23; 14:14, 17, 25, 28
63 וְחָלְצָה נַעֲלוֹ מֵעַל רַגְלוֹ Deut. 25:9
64 וְטֹבֵל בַּשֶּׁמֶן רַגְלוֹ Deut. 33:24
65 אֶת־מְקוֹמוֹ אֲשֶׁר תִּהְיֶה רַגְלוֹ ISh. 23:22
66 מִכַּף רַגְלוֹ וְעַד קָדְקֳדוֹ IISh. 14:25
67 עִנּוּ בַכֶּבֶל רַגְלוֹ (כת׳ רגליו) Ps. 105:18
68 מִכַּף רַגְלוֹ וְעַד° קָדְקֳדוֹ Job 2:7
בְּרַגְלוֹ 69 אֲשֶׁר־בָּאוּ בְרַגְלוֹ מִגַּת IISh. 15:18
לְרַגְלוֹ 70 צֶדֶק יִקְרָאֵהוּ לְרַגְלוֹ Is. 41:2
רַגְלָהּ 71 וְלֹא־מָצְאָה...מָנוֹחַ לְכַף־רַגְלָהּ Gen. 8:9
72 לֹא־נִסְּתָה כַף־רַגְלָהּ הַצֵּג... Deut. 28:56
לְרַגְלָהּ 73 וְחָמֵשׁ נַעֲרֹתֶיהָ הַהֹלְכֹת לְרַגְלָהּ ISh. 25:42
רַגְלֵנוּ 74 וְלֹא־נָתַן לַמּוֹט רַגְלֵנוּ Ps. 66:9
רַגְלְכֶם 75 אֲשֶׁר תִּדְרֹךְ כַּף־רַגְלְכֶם בּוֹ Deut. 11:24
76 אֲשֶׁר תִּדְרֹךְ כַּף־רַגְלְכֶם בּוֹ Josh. 1:3
רַגְלָם 77/8 בֹּהֶן רַגְלָם הַיְמָנִית Ex. 29:20 • Lev. 8:24
79 לִי נָקָם וְשִׁלֵּם לְעֵת תָּמוּט רַגְלָם Deut. 32:35
80 בְּרֶשֶׁת זוּ־טָמָנוּ נִלְכְּדָה רַגְלָם Ps. 9:16
רַגְלַיִם 81 עַד כָּל־מַרְבֵּה רַגְלַיִם Lev. 11:42
82 רַגְלַיִם מְמַהֲרוֹת לָרוּץ לָרָעָה Prov. 6:18
83 מְקַצֶּה רַגְלַיִם חָמָס שֹׁתֶה Prov. 26:6
רַגְלָיִם 84 אֲשֶׁר־לוֹ אַרְבַּע רַגְלָיִם Lev. 11:23
85 וְלִיהוֹנָתָן...בֵּן נְכֵה רַגְלָיִם IISh. 4:4
86 עוֹד בֵּן לִיהוֹנָתָן נְכֵה רַגְלָיִם IISh. 9:3
וְרַגְלַיִם 87 וְרַגְלַיִם לַפִּסֵּחַ אָנִי Job 29:15
הָרַגְלָיִם 88 יְגַלַּח...אֶת־הָרֹאשׁ וְשַׂעַר הָרַגְלָיִם Is. 7:20
וְהָרַגְלַיִם 89 כִּי אִם־הַגֻּלְגֹּלֶת וְהָרַגְלַיִם IIK. 9:35
בְּרַגְלַיִם 90 בְּרַגְלַיִם תֵּרָמַסְנָה עֲטֶרֶת גֵּאוּת Is. 28:3
91 וְאָץ בְּרַגְלַיִם חוֹטֵא Prov. 19:2
רַגְלֵי־ 92 וְהָיָה כְּנוֹחַ כַּפּוֹת רַגְלֵי הַכֹּהֲנִים Josh. 3:13
93 מִתּוֹךְ הַיַּרְדֵּן מִמַּצַּב רַגְלֵי הַכֹּהֲנִים Josh. 4:3
94 תַּחַת מַצַּב רַגְלֵי הַכֹּהֲנִים Josh. 4:9
95 נִתְּקוּ כַּפּוֹת רַגְלֵי הַכֹּהֲ׳ אֶל־הֶחָרָבָה Josh. 4:18
96 רַגְלֵי חֲסִידָו° יִשְׁמֹר ISh. 2:9
97 לִרְחֹץ רַגְלֵי עַבְדֵי אֲדֹנִי ISh. 25:41
98 הֲלוֹא קוֹל רַגְלֵי אֲדֹנָיו אַחֲרָיו IIK. 6:32
99 רַגְלֵי עָנִי פַּעֲמֵי דַלִּים Is. 26:6
100 מַה־נָּאווּ עַל־הֶהָרִים רַגְלֵי מְבַשֵּׂר Is. 52:7
101 הִנֵּה עַל־הֶהָרִים רַגְלֵי מְבַשֵּׂר Nah. 2:1
102 לַאֲרוֹן בְּרִית־יְיָ וְלַהֲדֹם רַגְלֵי אֱלֹ׳ ICh. 28:2
וְרַגְלֵי־ 103 לִרְחֹץ רַגְלָיו וְרַגְלֵי הָאֲנָשִׁים Gen. 24:32
104 וְרַגְלֵי הַכֹּהֲנִים...נִטְבְּלוּ... Josh. 3:15
בְּרַגְלֵי־ 105 הַמִּתְהַלְּכִים בְּרַגְלֵי אֲדֹנִי ISh. 25:27
רַגְלַי 106 מְשַׁוֶּה רַגְלַי (כת׳ רגליו) כָּאַיָּלוֹת IISh. 22:34
107 וּמְקוֹם רַגְלַי אֲכַבֵּד Is. 60:13
108 וְאֶת־מְקוֹם כַּפּוֹת רַגְלַי Ezek. 43:7
109 וַיָּשֶׂם רַגְלַי כָּאַיָּלוֹת Hab. 3:19
110 מְשַׁוֶּה רַגְלַי כָּאַיָּלוֹת Ps. 18:34
111 וַיָּקֶם עַל־סֶלַע רַגְלַי Ps. 40:3
112 כִּי הִצַּלְתָּ...הֲלֹא רַגְלַי מִדֶּחִי Ps. 56:14
113 וָאָשִׁיבָה רַגְלַי אֶל־עֵדֹתֶיךָ Ps. 119:59
114 וְתָשֵׂם בַּסַּד רַגְלַי Job 13:27
115 עַל־שָׁרְשֵׁי רַגְלַי תִּתְחַקֶּה Job 13:27
116 ...פִּרְחַח יָקוּמוּ רַגְלַי שִׁלֵּחוּ Job 30:12
117 רָחַצְתִּי אֶת־רַגְלַי אֵיכָכָה אֲטַנְּפֵ׳ S.ofS. 5:3
רַגְלָי 118 וַיִּפְּלוּ תַּחַת רַגְלָי IISh. 22:39
119 עַד־תֵּת...תַּחַת כַּפּוֹת רַגְלָי (כת׳ רגלו) IK. 5:17

רַגְלָי (המשך) 120 וְהָאָרֶץ הֲדֹם רַגְלָי Is. 66:1
121/2 וַתַּעֲמִדֵנִי עַל־רַגְלָי Ezek. 2:2; 3:24
123 אֶמְחָצֵם...יִפְּלוּ תַּחַת רַגְלָי Ps. 18:39
124 כִּי הוּא־יוֹצִיא מֵרֶשֶׁת רַגְלָי Ps. 25:15
125 הֶעֱמַדְתָּ בַמֶּרְחָב רַגְלָי Ps. 31:9
126 וַאֲנִי כִּמְעַט נָטָיוּ° רַגְלָי Ps. 73:2
127 מִכָּל־אֹרַח רָע כָּלִאתִי רַגְלָי Ps. 119:101
128 יָשֵׂם בַּסַּד רַגְלָי Job 33:11
וְרַגְלָי 129 כָּאֲרִי יָדַי וְרַגְלָי Ps. 22:17
בְּרַגְלַי 130 רַק אֵין־דָּבָר בְּרַגְלַי אֶעֱבֹרָה Num. 20:19
בְּרַגְלָי 131 רַק אֶעְבְּרָה בְרַגְלָי Deut. 2:28
132 לָעָם אֲשֶׁר בְּרַגְלָי Jud. 8:5
133 לְכָל־הָעָם אֲשֶׁר בְּרַגְלָי IK. 20:10
לְרַגְלַי 134 פָּרַשׂ רֶשֶׁת לְרַגְלַי Lam. 1:13
לְרַגְלָי 135 וּפַחִים טָמְנוּ לְרַגְלָי Jer. 18:22
רַגְלֶיךָ 136 שַׁל־נְעָלֶיךָ מֵעַל רַגְלֶיךָ Ex. 3:5
137 רֵד לְבֵיתְךָ וּרְחַץ רַגְלֶיךָ IISh. 11:8
138 הָטְבְּעוּ בַבֹּץ רַגְלֶךָ Jer. 38:22
139 בֶּן־אָדָם עֲמֹד עַל־רַגְלֶיךָ Ezek. 2:1
וְרַגְלֶיךָ 140 וְרַגְלֶיךָ לֹא־לִנְחֻשְׁתַּיִם הֻגָּשׁוּ IISh. 3:34
בְּרַגְלֶיךָ 141 וְכָל־הָעָם אֲשֶׁר־בְּרַגְלֶיךָ Ex. 11:8
142 וּנְעָלֶיךָ תָּשִׂים בְּרַגְלֶיךָ Ezek. 24:17
143 וַתִּדְלַח־מַיִם בְּרַגְלֶיךָ Ezek. 32:2
לְרַגְלֶיךָ 144 עַד־אָשִׁית אֹיְבֶיךָ הֲדֹם לְרַגְלֶיךָ Ps. 110:1
רַגְלַיִךְ 145 בְּבֹאָה רַגְלַיִךְ הָעִירָה IK. 14:12
146 וַעֲפַר רַגְלַיִךְ יְלַחֵכוּ Is. 49:23
147 וְהִשְׁתַּחֲווּ עַל־כַּפּוֹת רַגְלַיִךְ Is. 60:14
148 וַתְּפַשְּׂקִי אֶת־רַגְלַיִךְ לְכָל־עוֹבֵר Ezek. 16:25
רַגְלָיו 149 וַיִּתֵּן...וּמַיִם לִרְחֹץ רַגְלָיו Gen. 24:32
150 וַיִּשָּׂא יַעֲקֹב רַגְלָיו וַיֵּלֶךְ Gen. 29:1
151 שֵׁבֶט...וּמְחֹקֵק מִבֵּין רַגְלָיו Gen. 49:10
152 וַיֶּאֱסֹף רַגְלָיו אֶל־הַמִּטָּה Gen. 49:33
153 וְתַחַת רַגְלָיו...לִבְנַת הַסַּפִּיר Ex. 24:10
154/5 אֲשֶׁר לְאַרְבַּע רַגְלָיו Ex. 25:26; 37:13
156 וְכִסְּתָה...מֵרֹאשׁוֹ וְעַד־רַגְלָיו Lev. 13:12
157 אַךְ מֵסִיךְ הוּא אֶת־רַגְלָיו Jud. 3:24
158 וַיַּעַל יוֹנָתָן עַל־יָדָיו וְעַל־רַגְלָיו ISh. 14:13
159 וּמִצְחַת נְחֹשֶׁת עַל־רַגְלָיו ISh. 17:6
160 וַיָּבֹא שָׁאוּל לְהָסֵךְ אֶת־רַגְלָיו ISh. 24:3
161 וַתִּפֹּל עַל־רַגְלָיו וַתֹּאמֶר ISh. 25:24
162 וְהוּא פִּסֵּחַ שְׁתֵּי רַגְלָיו IISh. 9:13
163 וְלֹא־עָשָׂה רַגְלָיו וְלֹא־עָשָׂה שְׂפָמוֹ IISh. 19:25
164 וְאֶצְבְּעוֹת רַגְלָיו שֵׁשׁ וָשֵׁשׁ IISh. 21:20
165 וַעֲרָפֶל תַּחַת רַגְלָיו IISh. 22:10
166 לְעֵת זִקְנָתוֹ חָלָה אֶת־רַגְלָיו IK. 15:23
167 וַתָּבֹא וַתִּפֹּל עַל־רַגְלָיו IIK. 4:37
168 וַיְחִי וַיָּקָם עַל־רַגְלָיו IIK. 13:21
169 וּבִשְׁתַּיִם יְכַסֶּה רַגְלָיו Is. 6:2
170 וְעָנָן אֲבַק רַגְלָיו Nah. 1:3
171 וְעָמְדוּ רַגְלָיו...עַל־הַר הַזֵּיתִים Zech. 14:4
172 וְהוּא עֹמֵד עַל־רַגְלָיו Zech. 14:12
173 כֹּל שַׁתָּה תַחַת־רַגְלָיו Ps. 8:7
174 וַעֲרָפֶל תַּחַת רַגְלָיו Ps. 18:10
175 וְהִשְׁתַּחֲווּ לַהֲדֹם רַגְלָיו Ps. 99:5
176 נִשְׁתַּחֲוֶה לַהֲדֹם רַגְלָיו Ps. 132:7
177 וְלֹא־זָכַר הֲדֹם־רַגְלָיו בְּיוֹם אַפּוֹ Lam. 2:1
178 לְדַכֵּא תַּחַת רַגְלָיו כֹּל אֲסִירֵי אָרֶץ Lam. 3:34
179 וַתִּפֹּל לִפְנֵי רַגְלָיו וַתֵּבְךְּ Es. 8:3
180 וַיָּקָם דָּוִיד הַמֶּלֶךְ עַל־רַגְלָיו ICh. 28:2
וְרַגְלָיו 181 וַיְקַצְּצוּ אֶת־בְּהֹנוֹת יָדָיו וְרַגְלָיו Jud. 1:6
182 וְרַגְלָיו לֹא תִכָּוֶינָה Prov. 6:28

בְּרַגְלָיו 183 וַיַּעַל בְּרַגְלָיו עֲשֶׂרֶת אַלְפֵי אִישׁ Jud. 4:10
184 וַיֵּרֶד...וַיָּנָס בְּרַגְלָיו Jud. 4:15
185 וְסִיסְרָא נָס בְּרַגְלָיו אֶל-אֹהֶל יָעֵל Jud. 4:17
186 בָּעֵמֶק שֻׁלַּח בְּרַגְלָיו Jud. 5:15
187 וַעֲשָׂהאֵל קַל בְּרַגְלָיו IISh. 2:18
188 וַיֵּצֵא הַמֶּלֶךְ וְכָל-בֵּיתוֹ בְּרַגְלָיו IISh.15:16
189 וַיֵּצֵא הַמֶּלֶךְ וְכָל-הָעָם בְּרַגְלָיו IISh. 15:17
190 וּבְנַעֲלוֹ אֲשֶׁר בְּרַגְלָיו IK. 2:5
191 וַתָּבֹא אֶל-אִישׁ הָאֱלֹהִים...וַתַּחֲזֵק בְּרַגְלָיו IIK. 4:27
192 אֹרַח בְּרַגְלָיו לֹא יָבוֹא Is. 41:3
193 וְקַל בְּרַגְלָיו לֹא יְמַלֵּט Am. 2:5
194 קֹרֵץ בְּעֵינָו מֹלֵל בְּרַגְלָו (כת׳ ברגלו) Prov.6:13
195 כִּי-שֻׁלַּח בְּרֶשֶׁת בְּרַגְלָיו Job 18:8
196 וַיֶּחֱלֶא אָסָא...בְּרַגְלָיו IICh. 16:12
לְרַגְלָיו 197 וַתִּכְרֹת...וַתַּגַּע לְרַגְלָיו Ex. 4:25
198 אֲשֶׁר-לוֹ° כְרָעַיִם מִמַּעַל לְרַגְלָיו Lev. 11:21
199 וְיֵצֵא רֶשֶׁף לְרַגְלָיו Hab. 3:5
200 בִּעֲתֻהוּ בַלָּהוֹת וֶהֱפִיצֻהוּ לְרַגְלָיו Job 18:11
רַגְלֶיהָ 201 וּבְשִׁלְיָתָהּ הַיּוֹצֵת מִבֵּין רַגְלֶיהָ Deut. 28:57
202 בֵּין רַגְלֶיהָ כָּרַע נָפַל שָׁכָב Jud. 5:27
203 בֵּין רַגְלֶיהָ כָּרַע נָפָל Jud. 5:27
204 כִּשְׁמֹעַ אֲחִיָּהוּ אֶת-קוֹל רַגְלֶיהָ IK. 14:6
205 יֹבִלוּהָ רַגְלֶיהָ מֵרָחוֹק לָגוּר Is. 23:7
206 רַגְלֶיהָ יֹרְדוֹת מָוֶת Prov. 5:5
207 בְּבֵיתָהּ לֹא-יִשְׁכְּנוּ רַגְלֶיהָ Prov. 7:11
רַגְלֵינוּ 208 יַדְבֵּר...וּלְאֻמִּים תַּחַת רַגְלֵינוּ Ps. 47:5
209 עֹמְדוֹת הָיוּ רַגְלֵינוּ בִּשְׁעָרַיִךְ Ps. 122:2
רַגְלֵיכֶם 210/1 וְרַחֲצוּ רַגְלֵיכֶם Gen. 18:4; 19:2
212 שִׂימוּ אֶת-רַגְלֵיכֶם עַל-צַוְּארֵי הַמְּלָ׳ Josh.10:24
213 וּבְטֶרֶם יִתְנַגְּפוּ רַגְלֵיכֶם Jer. 13:16
214 וְצֹאנִי מִרְמַס רַגְלֵיכֶם תִּרְעֶינָה Ezek. 34:19
215 וּמִרְפַּשׂ רַגְלֵיכֶם תִּשְׁתֶּינָה Ezek. 34:19
216 כִּי-יִהְיוּ אֵפֶר תַּחַת כַּפּוֹת רַגְלֵיכֶם Mal. 3:21
בְּרַגְלֵיכֶם 217 נַעֲלֵיכֶם בְּרַגְלֵיכֶם וּמַקֶּלְכֶם בְּיֶדְכֶם Ex. 12:11
218 וְנַעֲלֵיכֶם בְּרַגְלֵיכֶם Ezek. 24:23
219 וְיֶתֶר מִרְעֵיכֶם תִּרְמְסוּ בְּרַגְלֵיכֶם Ezek.34:18
220 וְאֵת הַנּוֹתָרִים בְּרַגְלֵיכֶם תִּרְפֹּשׂוּן Ezek. 34:18
רַגְלֵיהֶם 221 וַיִּתֶּן-מַיִם וַיִּרְחֲצוּ רַגְלֵיהֶם Gen. 43:24
222/3 וְרָחֲצוּ...אֶת-יְדֵיהֶם וְאֶת-רַגְלֵיהֶם Ex. 30:19; 40:31
224 וַיָּשִׂימוּ אֶת-רַגְלֵיהֶם עַל-צַוְּארֵיה׳ Josh.10:24
225 וַיִּרְחֲצוּ רַגְלֵיהֶם וַיֹּאכְלוּ וַיִּשְׁתּוּ Jud. 19:21
226 וַיְקַצְּצוּ אֶת-יְדֵיהֶם וְאֶת-רַגְלֵי׳ IISh. 4:12
227/8 וְלִשְׁתּוֹת אֶת-מֵימֵי רַגְלֵיהֶם (כת׳ שיניהם) IIK. 18:27 • Is. 36:12
229 רַגְלֵיהֶם לָרַע יָרֻצוּ Is. 59:7
230 כֵּן אָהֲבוּ לָנוּעַ רַגְלֵיהֶם לֹא חָשָׂכוּ Jer. 14:10
231 וְכַף רַגְלֵיהֶם כְּכַף רֶגֶל עֵגֶל Ezek. 1:7
232 וַיִּחְיוּ וַיַּעַמְדוּ עַל-רַגְלֵיהֶם Ezek. 37:10
233 רַגְלֵיהֶם וְלֹא יְהַלֵּכוּ Ps. 115:7
234 כִּי רַגְלֵיהֶם לָרַע יָרוּצוּ Prov. 1:16
235 וְהֵם עֹמְדִים עַל-רַגְלֵיהֶם IICh. 3:13
וְרַגְלֵיהֶם 236 וְרָחֲצוּ יְדֵיהֶם וְרַגְלֵיהֶם Ex. 30:21
237 בְּהֹנוֹת יְדֵיהֶם וְרַגְלֵיהֶם מְקֻצָּצִים Jud. 1:7
238 וְרַגְלֵיהֶם רֶגֶל יְשָׁרָה Ezek. 1:7
239 וְרַגְלֵיהֶם לֹא בָצֵקוּ Neh. 9:21
בְּרַגְלֵיהֶם 240 כָּל-הַיְקוּם אֲשֶׁר בְּרַגְלֵיהֶם Deut. 11:6
241 וּנְעָלוֹת בָּלוֹת וּמְטֻלָּאוֹת בְּרַגְלֵיהֶם Josh. 9:5
242 וְלַבְּהֵמָה אֲשֶׁר בְּרַגְלֵיהֶם IIK. 3:9
וּבְרַגְלֵיהֶם 243 וּבְרַגְלֵיהֶם תְּעַכַּסְנָה Is. 3:16

רֶגֶל*2 נ׳ פַּעַם: 1-4 • שָׁלֹשׁ רְגָלִים 1-4
רְגָלִים 1 שָׁלֹשׁ רְגָלִים תָּחֹג לִי בַּשָּׁנָה Ex. 23:14
2 כִּי הִכִּיתַנִי זֶה שָׁלֹשׁ רְגָלִים Num. 22:28
3 עַל-מָה הִכִּיתָ...זֶה שָׁלוֹשׁ רְגָלִים Num. 22:32
4 וַתֵּט לְפָנַי זֶה שָׁלֹשׁ רְגָלִים Num. 22:33

רְגַל*3 נ׳ ארמית כמו בעברית: 1-7
רַגְלַיִן 1 וְעַל-רַגְלַיִן כֶּאֱנָשׁ הֳקִימַת Dan. 7:4
רַגְלַיָּא 2 וְדִי-חֲזַיְתָה רַגְלַיָּא וְאֶצְבְּעָתָא Dan. 2:41
3 וְאֶצְבְּעָת רַגְלַיָּא מִנְהֵן פַּרְזֶל Dan. 2:42
רַגְלוֹהִי 4 רַגְלוֹהִי מִנְּהֵין° דִּי פַרְזֶל Dan. 2:33
5 וּמְחָת לְצַלְמָא עַל-רַגְלוֹהִי Dan. 2:34
בְּרַגְלַהּ 6/7 וּשְׁאָרָא בְּרַגְלַהּ (כת׳ ברגליה) רָפְסָה Dan.7:7, 19

רַגְלִי ת׳ הולך רגל: 1-12
רַגְלִי 1 כְּשֵׁשׁ-מֵאוֹת אֶלֶף רַגְלִי Ex. 12:37
2 שֵׁשׁ-מֵאוֹת אֶלֶף רַגְלִי הָעָם Num. 11:21
3 אַרְבַּע מֵאוֹת אֶלֶף אִישׁ רַגְלִי Jud. 20:2
4 וַיִּפֹּל מִיִּשְׂרָאֵל שְׁלֹשִׁים אֶלֶף רַגְלִי ISh. 4:10
5 וַיִּפְקְדֵם...מָאתַיִם אֶלֶף רַגְלִי ISh. 15:4
6 וְעֶשְׂרִים אֶלֶף אִישׁ רַגְלִי IISh. 8:4
7 וַיִּשְׂכְּרוּ...עֶשְׂרִים אֶלֶף רַגְלִי IISh. 10:6
8 וַיַּכּוּ...מֵאָה-אֶלֶף רַגְלִי בְּיוֹם אֶחָד IK. 20:29
9 וַעֲשֶׂרֶת אֲלָפִים רַגְלִי IIK. 13:7
10 וְעֶשְׂרִים אֶלֶף אִישׁ רַגְלִי ICh. 18:4
11 וְאַרְבָּעִים אֶלֶף אִישׁ רַגְלִי ICh. 19:18
רַגְלִים 12 אֶת-רַגְלִים רַצְתָּה וַיַּלְאוּךָ Jer. 12:5

רְגָלִים – עין רוגלים

רגם
: רָגַם; רִגְמָה, מַרְגֵּמָה; ש״פ רֶגֶם, רֶגֶם מֶלֶךְ

רָגַם פָּ׳ סקל, המית בידוי אבנים: 1-16
קרובים: סָקַל / קָלַע
רָגַם אֶת- 2-5, 7, 8, 10-12, 15, 16; רָגַם בְּ- 1, 9, 13, 14; רָגַם עַל- 6
רָגוֹם 1 רָגוֹם יִרְגְּמוּ-בוֹ כָּל-הָעֵדָה Lev. 24:16
2 רָגוֹם אֹתוֹ בָאֲבָנִים כָּל-הָעֵדָה Num. 15:35
לִרְגּוֹם 3 וַיֹּאמְרוּ...לִרְגּוֹם אֹתָם בָּאֲבָנִים Num. 14:10
וְרָגְמוּ 4 וְרָגְמוּ אֹתוֹ כָּל-הָעֵדָה Lev. 24:14
5 וְרָגְמוּ אוֹתָךְ בָּאֶבֶן Ezek. 16:40
6 וְרָגְמוּ עֲלֵיהֶן אֶבֶן קָהָל Ezek. 23:47
וּרְגָמֻהוּ 7 וּרְגָמֻהוּ כָּל-אַנְשֵׁי עִירוֹ בָאֲבָנִים Deut. 21:21
יִרְגְּמוּ 8 בָּאֶבֶן יִרְגְּמוּ אֹתָם Lev. 20:27
9 רָגוֹם יִרְגְּמוּ-בוֹ כָּל-הָעֵדָה Lev. 24:16
וַיִּרְגְּמוּ 10 וַיִּרְגְּמוּ אֹתוֹ אָבֶן Lev. 24:23
11 וַיִּרְגְּמוּ אֹתוֹ בָּאֲבָנִים וַיָּמֹת Num. 15:36
12 וַיִּרְגְּמוּ אֹתוֹ כָל-יִשְׂרָאֵל אֶבֶן Josh. 7:25
13 וַיִּרְגְּמוּ כָל-יִשְׂרָאֵל בּוֹ אֶבֶן IK. 12:18
14 וַיִּרְגְּמוּ-בוֹ בְנֵי-יִשְׂרָאֵל אֶבֶן IICh. 10:18
יִרְגְּמֻהוּ 15 עַם הָאָרֶץ יִרְגְּמֻהוּ בָאָבֶן Lev. 20:2
וַיִּרְגְּמֻהוּ 16 וַיִּרְגְּמֻהוּ אֶבֶן בְּמִצְוַת הַמֶּלֶךְ IICh. 24:21

רֶגֶם שפ״ז – איש משבט יהודה
רֶגֶם 1 וּבְנֵי יָהְדַּי רֶגֶם וְיוֹתָם ICh. 2:47

רֶגֶם מֶלֶךְ שפ״ז – איש בימי דריוש מלך פרס
וְרֶגֶם מֶלֶךְ 1 שַׂרְאֶצֶר וְרֶגֶם מֶלֶךְ וַאֲנָשָׁיו Zech. 7:2

רִגְמָה* נ׳ [סתום]: צבא קלעים? תפארת?
רִגְמָתָם 1 שָׂרֵי יְהוּדָה רִגְמָתָם Ps. 68:28

רגן
: רוֹגֵן, נִרְגָּן

רָגַן פָּ׳ א) [רק בינוני: רוֹגֵן] מתלונן: 1
ב) [נפ׳ נִרְגָּן] התאונן: 2-7
וְרוֹגְנִים 1 וְרוֹגְנִים יִלְמְדוּ-לֶקַח Is. 29:24
נִרְגָּן 2/3 דִּבְרֵי נִרְגָּן כְּמִתְלַהֲמִים Prov. 18:8; 26:22
4 וּבְאֵין נִרְגָּן יִשְׁתֹּק מָדוֹן Prov. 26:20
וְנִרְגָּן 5 וְנִרְגָּן מַפְרִיד אַלּוּף Prov. 16:28
וַתֵּרָגְנוּ 6 וַתֵּרָגְנוּ בְאָהֳלֵיכֶם וַתֹּאמְרוּ Deut. 1:27
וַיֵּרָגְנוּ 7 וַיֵּרָגְנוּ בְאָהֳלֵיהֶם Ps. 106:25

רגע
: רָגַע, נִרְגַּע, הִרְגִּיעַ; רָגַע, רֶגַע, אַרְגִּיעָה, מַרְגּוֹעַ, מַרְגֵּעָה

רָגַע פָּ׳ א) הרגיז, הסעיר: 1-4
ב) [נפ׳ נִרְגַּע] שָׁכַךְ, שָׁקַט: 5
ג) [הפ׳ הִרְגִּיעַ] השקיט, הניח: 6-10
רָגַע 1 עוֹרִי רָגַע וַיִּמָּאֵס Job 7:5
2 בְּכֹחוֹ רָגַע הַיָּם Job 26:12
רֹגַע 3/4 רֹגַע הַיָּם וַיֶּהֱמוּ גַּלָּיו Is. 51:15 • Jer. 31:35(34)
הֵרָגְעִי 5 הֵאָסְפִי אֶל-תַּעְרֵךְ הֵרָגְעִי וָדֹמִּי Jer. 47:6
הִרְגִּיעַ 6 לְמַעַן הִרְגִּיעַ אֶת-הָאָרֶץ Jer. 50:34
לְהַרְגִּיעוֹ 7 הָלוֹךְ לְהַרְגִּיעוֹ יִשְׂרָאֵל Jer. 31:2(1)
הִרְגִּיעָה 8 שָׁם הִרְגִּיעָה לִּילִית Is. 34:14
אַרְגִּיעַ 9 וּמִשְׁפָּטִי לְאוֹר עַמִּים אַרְגִּיעַ Is. 51:4
תַרְגִּיעַ 10 וּבַגּוֹיִם הָהֵם לֹא תַרְגִּיעַ Deut. 28:65

רֶגַע ז׳ זמן קצר ביותר, הרף עין: 1-22
רֶגַע קָטֹן 14; כְּרֶגַע 16-18; כִּמְעַט רֶגַע 2, 9; לִרְגָעִים 19-22
רֶגַע 1 רֶגַע אֶחָד אֶעֱלֶה בְקִרְבְּךָ וְכִלִּיתִיךָ Ex. 33:5
2 חֲבִי כִמְעַט-רֶגַע עַד-יַעֲבָר°-זָעַם Is. 26:20
3 וְתָבֹאנָה לָּךְ...רֶגַע בְּיוֹם אֶחָד Is. 47:9
4 הִסְתַּרְתִּי פָנַי רֶגַע מִמֵּךְ Is. 54:8
5 פִּתְאֹם שֻׁדְּדוּ אֹהָלַי רֶגַע יְרִיעֹתָי Jer. 4:20
6 רֶגַע אֲדַבֵּר עַל-גּוֹי...לִנְתוֹשׁ... Jer. 18:7
7 כִּי רֶגַע בְּאַפּוֹ חַיִּים בִּרְצוֹנוֹ Ps. 30:6
8 רֶגַע יָמֻתוּ וַחֲצוֹת לָיְלָה יְגֹעֲשׁוּ Job 34:20
9 וְעַתָּה כִּמְעַט-רֶגַע הָיְתָה תְחִנָּה... Ez. 9:8
רָגַע 10 יָשֻׁבוּ יֵבֹשׁוּ רָגַע Ps. 6:11
11 וְשִׂמְחַת חָנֵף עֲדֵי-רָגַע Job 20:5
12 הַהֲפוּכָה כְמוֹ-רָגַע Lam. 4:6
וְרֶגַע 13 וְרֶגַע אֲדַבֵּר עַל-גּוֹי Jer. 18:9
בְּרֶגַע 14 בְּרֶגַע קָטֹן עֲזַבְתִּיךְ Is. 54:7
וּבְרֶגַע 15 וּבְרֶגַע שְׁאוֹל יֵחָתּוּ Job 21:13
כְּרָגַע 16/7 וַאֲכַלֶּה אֹתָם כְּרָגַע Num. 16:21; 17:10
18 אֵיךְ הָיוּ לְשַׁמָּה כְרָגַע Ps. 73:19
לִרְגָעִים 19 לִרְגָעִים אַשְׁקֶנָּה Is. 27:3
20/1 וְחָרְדוּ לִרְגָעִים Ezek. 26:16; 32:10
22 וַתִּפְקְדֶנּוּ לִבְקָרִים לִרְגָעִים תִּבְחָנֶנּוּ Job 7:18

רָגֵעַ* ת׳ שָׁקֵט, שלו • רִגְעֵי אֶרֶץ 1
רִגְעֵי- 1 וְעַל רִגְעֵי-אֶרֶץ דִּבְרֵי מִרְמוֹת יַחֲשֹׁבוּן Ps. 35:20

רגש
: רָגַשׁ; רֶגֶשׁ, רִגְשָׁה; אר׳ הַרְגֵּשׁ

רָגַשׁ פָּ׳ רגז, שאן
רָגְשׁוּ 1 לָמָּה רָגְשׁוּ גוֹיִם וּלְאֻמִּים יֶהְגּוּ-רִיק Ps. 2:1

(רגש) הַרְגֵּשׁ הפ׳ ארמית נחפזו לבוא: 1-3
הַרְגִּשׁוּ 1/2 גֻּבְרַיָּא...הַרְגִּשׁוּ עַל-מַלְכָּא Dan. 6:(6), 7, 16
3 הַרְגִּשׁוּ וְהַשְׁכַּחוּ לְדָנִיֵּאל Dan. 6:12

רֶגֶשׁ* ז' קול המון
בְּרֶגֶשׁ 1 בְּבֵית אֱלֹהִים נְהַלֵּךְ בְּרָגֶשׁ Ps. 55:15

רִגְשָׁה* נ' המולה, שאון
מֵרִגְשַׁת־ 1 מִסּוֹד מְרֵעִים מֵרִגְשַׁת פֹּעֲלֵי אָוֶן Ps. 64:3

רדד : רָדַד, הֵרֵד; רְדִיד

רָדַד, רַד פָּ' א) דָּרַךְ, רָמַס: 1, 2
ב) [הִפְ' הֵרֵד] שִׁטַּח: 3
לְרַד 1 לְרַד לְפָנָיו גּוֹיִם Is. 45:1
הָרוֹדֵד 2 הָרוֹדֵד עַמִּי תַחְתָּי Ps. 144:2
וַיָּרֶד 3 וַיָּרֶד עַל־הַכְּרוּבִים...אֶת־הַזָּהָב IK. 6:32

רדה : רָדָה, רָדָה, הִרְדָּה; ש״פ רַדַּי

רָדָה¹ פָּ' א) שָׁלַט, מָשַׁל: 1־22
ב) [פִּ' רִדָּה] הִכְנִיעַ: 23, 24
ג) [הִפְ' הִרְדָּה] הִכְנִיעַ, שִׁעְבֵּד: 25
רָדָה בְּ־ 1, 3־6, 8־12, 18־22; רָדָה אֶת־ 2
רְדוֹת 1 וְהִמְעַטְתִּים לְבִלְתִּי רְדוֹת בַּגּוֹיִם Ezek. 29:15
רְדִיתֶם 2 וּבְחָזְקָה רְדִיתֶם אֹתָם וּבְפָרֶךְ Ezek. 34:4
וְרָדוּ 3 וְרָדוּ בָכֶם שֹׂנְאֵיכֶם Lev. 26:17
4 וְרָדוּ בְּנֹגְשֵׂיהֶם Is. 14:2
רֹדֶה 5 כִּי־הוּא רֹדֶה בְּכָל־עֵבֶר הַנָּהָר IK. 5:4
6 רֹדֶה בָאַף גּוֹיִם Is. 14:6
רוֹדֵם 7 שָׁם בִּנְיָמִן צָעִיר רֹדֵם Ps. 68:28
הָרֹדִים 8/9 הָרֹדִים בָּעָם הָעֹשִׂים בַּמְּלָאכָה IK. 5:30; 9:23
10 שָׂרֵי הַנִּצָּבִים...הָרֹדִים בָּעָם IICh. 8:10
תִּרְדֶּה 11/2 לֹא־תִרְדֶּה בוֹ בְּפָרֶךְ Lev. 25:43, 46
וְיֵרְדְּ 13 וְיֵרְדְּ מִיַּעֲקֹב Num. 24:19
14 וְיֵרְדְּ מִיָּם עַד־יָם Ps. 72:8
יִרְדֶּנּוּ 15 לֹא־יִרְדֶּנּוּ בְּפֶרֶךְ לְעֵינֶיךָ Lev. 25:53
וַיִּרְדֶּנָּה 16 מִמָּרוֹם שָׁלַח־אֵשׁ בְּעַצְמֹתַי וַיִּרְדֶּנָּה Lam.1:13
יִרְדּוּ 17 וְהַכֹּהֲנִים יִרְדּוּ עַל־יְדֵיהֶם Jer. 5:31
וְיִרְדּוּ 18 וְיִרְדּוּ בִדְגַת הַיָּם... Gen. 1:26
וַיִּרְדּוּ 19 וַיִּרְדּוּ בָם יְשָׁרִים לַבֹּקֶר Ps. 49:15
20 וַתַּעַזְבֵם בְּיַד אֹיְבֵיהֶם וַיִּרְדּוּ בָהֶם Neh. 9:28
רְדֵה 21 רְדֵה בְּקֶרֶב אֹיְבֶיךָ Ps. 110:2
וּרְדוּ 22 וּרְדוּ בִּדְגַת הַיָּם Gen. 1:28
יְרַד 23 אָז יְרַד שָׂרִיד לְאַדִּירִים עָם Jud. 5:13
24 יְיָ יְרַד־לִי בַּגִּבּוֹרִים Jud. 5:13
יַרְדְּ 25 יִתֵּן לְפָנָיו גּוֹיִם וּמְלָכִים יַרְדְּ Is. 41:2

רָדָה² פָּ' הוֹצִיא, גָּרַף: 1־3
רָדָה 1 כִּי מִגְּוִיַּת הָאַרְיֵה רָדָה הַדְּבָשׁ Jud. 14:9
וַיִּרְדֵּהוּ 2 וַיִּרְדֵּהוּ אֶל־כַּפָּיו וַיֵּלֶךְ הָלוֹךְ וְאָכֹל Jud. 14:9
יִרְדּוּ 3 וְהַכֹּהֲנִים יִרְדּוּ עַל־יְדֵיהֶם Jer. 5:31

רַדַּי ש״פ ז' – בן ישי ואחי דוד
רַדַּי 1 נְתַנְאֵל הָרְבִיעִי רַדַּי הַחֲמִישִׁי ICh. 2:14

רְדִיד* ז' קִשּׁוּט נשים לצואר: 1, 2
רְדִידִי 1 נָשְׂאוּ אֶת־רְדִידִי מֵעָלַי S.ofS. 5:7
וְהָרְדִידִים 2 וְהַגִּלְיֹנִים...וְהַצְּנִיפוֹת וְהָרְדִידִים Is. 3:23

רדם : נִרְדַּם; תַּרְדֵּמָה

(רדם) נִרְדַּם נִפְ' יָשֵׁן, נָם: 1־7
נִרְדַּמְתִּי 1 נִרְדַּמְתִּי עַל־פָּנַי אָרְצָה Dan. 8:18
נִרְדָּם (עבר) 2 וְהוּא־נִרְדָּם וַיָּעַף וַיָּמֹת Jud. 4:21
נִרְדָּם (בינוני) 3 מַה־לְּךָ נִרְדָּם קוּם קְרָא אֶל־אֱלֹהֶיךָ Jon.1:6
4 מִגַּעֲרָתְךָ...נִרְדָּם וְרֶכֶב וָסוּס Ps. 76:7
5 נִרְדָּם בַּקָּצִיר בֵּן מֵבִישׁ Prov. 10:5
6 וַאֲנִי הָיִיתִי נִרְדָּם עַל־פָּנַי Dan. 10:9
וַיֵּרָדַם 7 וְיוֹנָה יָרַד...וַיִּשְׁכַּב וַיֵּרָדַם Jon. 1:5

רֹדֵם (תהלים סח28) – עין רָדָה¹(7)

רַדְנוּ – עין רוד

רדף : רָדַף, (יֵרָדֵף), נִרְדַּף, רִדֵּף, רֻדַּף, הִרְדִּיף, הֻרְדַּף

רָדַף פָּ' א) רץ אחרי מישהו כדי להשיגו:
רוב המקראות 1־131
ב) [בהשאלה] לחץ, הציק: 13, 21, 22, 50־58, 78, 88, 99, 101, 102
ג) שאף להשיג דבר, היה להוט אחרי: 6, 33, 37, 38, 48, 49, 55, 68, 105, 121, 127
ד) [נִפְ' נִרְדַּף] נאלץ לברוח מרודפיו: 132, 133
ה) [פִּ' רִדֵּף] הרבה לרדוף: 134, 140, 141
ו) [כנ״ל] היה להוט אחרי: 135־139
ז) [פֻּ' רֻדַּף] נרדף, נדחף: 142
ח) [הִפְ' הִרְדִּיף] הדף ודחף: 143
ט) [הָפְ' בינוני מֻרְדָּף] נרדף: 144
– רוֹדֵף צְדָקָה וָחָסֶד 33; רוֹדֵף שַׁלְמֹנִים 37; רוֹדֵף זִמָּה 49; רוֹדְפֵי צֶדֶק 48
– רָדַף אַחֲרֵי־ (אַחַר־) 1, 5־9, 12־14, 17, 18, 30־32, 43, 64, 67, 73, 75, 80־87, 89, 103, 106, 107, 109־113, 117־120, 124, 126, 128־130; רָדַף (אֶת־) 7, 8, 13, 15, 16, 19־29, 33, 37, 38, 40, 41, 48, 49, 65, 66, 68, 72, 74, 77, 78, 88, 90־99, 102, 104, 105, 108, 115, 116, 121־123, 127;
רָדַף לְ־ 100; רָדַף אֶל־ 114
לִרְדֹּף 1 וַיִּזָּעֲקוּ...לִרְדֹּף אַחֲרֵיהֶם Josh. 8:16
2/3 לִרְדֹּף אַחֲרֵי שֶׁבַע בֶּן־בִּכְרִי IISh. 20:7, 13
מִרְדֹף 4 וַיָּשָׁב שָׁאוּל מִרְדֹף אַחֲרֵי דָוִד ISh. 23:28
5 וַיָּשָׁב הָעָם מִרְדֹף אַחֲרֵי יִשְׂרָאֵל IISh. 18:16
רָדְפִי 6 יִשְׂטְנוּנִי תַּחַת רָדְפִי (כת' רדופי)־טוֹב Ps. 38:21
לִרְדָפְךָ 7 לִרְדָפְךָ וּלְבַקֵּשׁ אֶת־נַפְשֶׁךָ ISh. 25:29
רָדְפוֹ 8 עַל־רָדְפוֹ בַחֶרֶב אָחִיו Am. 1:11
בְּרָדְפָם 9 אֲשֶׁר הֵצִיף...בְּרָדְפָם אַחֲרֵיכֶם Deut. 11:4
וְרָדַפְתִּי 10 וְרָדַפְתִּי אַחֲרֵיהֶם בַּחֶרֶב Jer. 29:18
רָדַף 11 וּבָרָק רָדַף אַחֲרֵי הָרֶכֶב Jud. 4:16
12 וַאֲבִישַׁי אָחִיו רָ' אַחֲרֵי שֶׁבַע בֶּן־בִּכְרִי IISh.20:10
13 כִּי רָדַף אוֹיֵב נַפְשִׁי Ps. 143:3
וְרָדַף 14 וְחִזַּקְתִּי אֶת־לֵב־פַּרְעֹה וְרָדַף אַחֲרֵיהֶם Ex. 14:4
15 וְרָדַף אֹתָם קוֹל עָלֶה נִדָּף Lev. 26:36
וּרְדַפְתֶּם 16 וּרְדַפְתֶּם אֶת־אֹיְבֵיכֶם Lev. 26:7
רָדְפוּ 17 וְלֹא רָדְפוּ אַחֲרֵי בְּנֵי יַעֲקֹב Gen. 35:5
18 וְהָאֲנָשִׁים רָדְפוּ אַחֲרֵיהֶם Josh. 2:7
רָדָפוּ 19 כִּי־אַתָּה אֲשֶׁר־הִכִּיתָ רָדָפוּ Ps. 69:27
וְרָדְפוּ 20 וְרָדְפוּ מִכֶּם חֲמִשָּׁה מֵאָה Lev. 26:8
רְדָפוּנִי 21 שֶׁקֶר רְדָפוּנִי עָזְרֵנִי Ps. 119:86
22 שָׂרִים רְדָפוּנִי חִנָּם Ps. 119:161
רְדָפוּךָ 23 וְעַל־שֹׂנְאֶיךָ אֲשֶׁר רְדָפוּךָ Deut. 30:7
וּרְדָפוּךָ 24 וּרְדָפוּךָ עַד אָבְדֶךָ Deut. 28:22
25 וּבָאוּ עָלֶיךָ...וּרְדָפוּךָ וְהִשִּׂיגוּךָ Deut. 28:45
רְדָפוּם 26 בַּמִּדְבָּר אֲשֶׁר רְדָפוּם בּוֹ Josh. 8:24
רֹדֵף 27 וְנַסְתֶּם וְאֵין־רֹדֵף אֶתְכֶם Lev. 26:17
28 וְנָסוּ...וְנָפְלוּ וְאֵין רֹדֵף Lev. 26:36
29 וְהִנֵּה בָרָק רֹדֵף אֶת־סִיסְרָא Jud. 4:22
30 וְאָנֹכִי רֹדֵף אַחֲרֵי זֶבַח וְצַלְמֻנָּע Jud. 8:5
31 אַחֲרֵי מִי אַתָּה רֹדֵף ISh. 24:14
32 לָמָּה זֶּה אֲדֹנִי רֹדֵף אַחֲרֵי עַבְדּוֹ ISh. 26:18
33 רֹדֵף צְדָקָה וָחָסֶד יִמְצָא חַיִּים Prov. 21:21
34 נָסוּ וְאֵין־רֹדֵף רָשָׁע Prov. 28:1
35 וַיֵּלְכוּ בְלֹא־כֹחַ לִפְנֵי רוֹדֵף Lam. 1:6
וְרֹדֵף 36 וְכָשְׁלוּ אִישׁ־בְּאָחִיו...וְרֹדֵף אָיִן Lev. 26:37
37 כֻּלּוֹ אֹהֵב שֹׁחַד וְרֹדֵף שַׁלְמֹנִים Is. 1:23
38 רֹעֶה רוּחַ וְרֹדֵף קָדִים כָּל־הַיּוֹם Hosh. 12:2
הָרוֹדֵף 39 וְהָעָם הַנָּס...נֶהְפַּךְ אֶל־הָרוֹדֵף Josh. 8:20
רֹדְפֶךָ 40 נֻסְךָ לִפְנֵי־צָרֶיךָ וְהוּא רֹדְפֶךָ IISh. 24:13
רֹדְפָם 41 וּמַלְאַךְ יְיָ רֹדְפָם Ps. 35:6
וְרֹדְפִים 42 וּשְׁלֹשׁ־מֵאוֹת הָאִישׁ...עֲיֵפִים וְרֹדְפִים Jud. 8:4
הָרֹדְפִים 43 כַּאֲשֶׁר יָצְאוּ הָרֹדְפִים אַחֲרֵיהֶם Josh. 2:7
44 פֶּן־יִפְגְּעוּ בָכֶם הָרֹדְפִים Josh. 2:16
45 וְנַחְבֵּתֶם...עַד שׁוֹב הָרֹדְפִים Josh. 2:16
46 וַיֵּשְׁבוּ שָׁם...עַד־שָׁבוּ הָרֹדְפִים Josh. 2:22
47 וַיְבַקְשׁוּ הָרֹדְפִים בְּכָל־הַדֶּרֶךְ Josh. 2:22
רֹדְפֵי־ 48 שִׁמְעוּ אֵלַי רֹדְפֵי צֶדֶק Is. 51:1
49 קָרְבוּ רֹדְפֵי זִמָּה Ps. 119:150
רֹדְפַי 50 יֵבֹשׁוּ רֹדְפַי וְאַל־אֵבֹשָׁה אָנִי Jer. 17:18
51 עַל־כֵּן רֹדְפַי יִכָּשְׁלוּ וְלֹא יֻכָלוּ Jer. 20:11
52 הוֹשִׁיעֵנִי מִכָּל־רֹדְפַי וְהַצִּילֵנִי Ps. 7:2
53 רַבִּים רֹדְפַי וְצָרָי Ps. 119:157
רֹדְפָי 54 וְהָרֵק חֲנִית וּסְגֹר לִקְרַאת רֹדְפָי Ps. 35:3
בְרֹדְפַי 55 מָתַי תַּעֲשֶׂה בְרֹדְפַי מִשְׁפָּט Ps. 119:84
מֵרֹדְפַי 56 וְהִנָּקֶם לִי מֵרֹדְפַי Jer. 15:15
57 הַצִּילֵנִי מֵרֹדְפַי Ps. 142:7
וּמֵרֹדְפָי 58 הַצִּילֵנִי מִיַּד־אוֹיְבַי וּמֵרֹדְפָי Ps. 31:16
רֹדְפֶיהָ 59 כָּל־רֹדְפֶיהָ הִשִּׂיגוּהָ בֵּין הַמְּצָרִים Lam. 1:3
רֹדְפֵינוּ 60 קַלִּים הָיוּ רֹדְפֵינוּ מִנִּשְׁרֵי שָׁמָיִם Lam. 4:19
רֹדְפֵיכֶם 61 עַל־כֵּן יִקַּלּוּ רֹדְפֵיכֶם Is. 30:16
רֹדְפֵיהֶם 62 וְאֶת־רֹדְפֵיהֶם הִשְׁלַכְתָּ בִמְצוֹלֹת Neh. 9:11
אֶרְדֹּף 63 אֶרְדֹּף אַשִּׂיג אֲחַלֵּק שָׁלָל Ex. 15:9
64 אֶרְדֹּף אַחֲרֵי הַגְּדוּד־הַזֶּה ISh. 30:8
65 אֶרְדּוֹף אוֹיְבַי וְאַשִּׂיגֵם Ps. 18:38
אֶרְדְּפָה 66 אֶרְדְּפָה אֹיְבַי וָאַשְׁמִידֵם IISh. 22:38
וְאֶרְדְּפָה 67 וְאָקוּמָה וְאֶרְדְּפָה אַחֲרֵי־דָוִד הַלָּיְלָה IISh.17:1
תִּרְדֹּף 68 צֶדֶק צֶדֶק תִּרְדֹּף Deut. 16:20
69 וְאֶת־קַשׁ יָבֵשׁ תִּרְדֹּף Job 13:25
70 תִּרְדֹּף בְּאַף וְתַשְׁמִידֵם Lam. 3:66
וַתִּרְדְּפֵנוּ 71 סַכֹּתָה בָאַף וַתִּרְדְּפֵנוּ Lam. 3:43
תִּרְדְּפֵם 72 כֵּן תִּרְדְּפֵם בְּסַעֲרֶךָ Ps. 83:16
יִרְדֹּף 73 פֶּן־יִרְדֹּף גֹּאֵל הַדָּם אַחֲרֵי הָרֹצֵחַ Deut. 19:6
74 אֵיכָה יִרְדֹּף אֶחָד אֶלֶף Deut. 32:30
75 וְכִי יִרְדֹּף גֹּאֵל הַדָּם אַחֲרָיו Josh. 20:5
76 כַּאֲשֶׁר יִרְדֹּף הַקֹּרֵא בֶּהָרִים ISh. 26:20
יִרְדָּף־ 77 אִישׁ־אֶחָד מִכֶּם יִרְדָּף־אָלֶף Josh. 23:10
יִרַדֹּף 78 יִרַדֹּף אוֹיֵב נַפְשִׁי וְיַשֵּׂג Ps. 7:6
וַיִּרְדֹּף 79 וַיָּרֶק...וַיִּרְדֹּף עַד־דָּן Gen. 14:14
80 וַיִּרְדֹּף אַחֲרָיו דֶּרֶךְ שִׁבְעַת יָמִים Gen. 31:23
81 וַיִּרְדֹּף אַחֲרֵי בְּנֵי יִשְׂרָאֵל Ex. 14:8
82 וַיָּנֻסוּ...וַיִּרְדֹּף אַחֲרֵיהֶם Jud. 8:12
83 וַיִּרְדֹּף אַחֲרֵי־דָוִד מִדְבַּר מָעוֹן ISh. 23:25
84 וַיִּרְדֹּף דָּוִד הוּא וְאַרְבַּע־מֵאוֹת אִישׁ ISh.30:10
85 וַיִּרְדֹּף עֲשָׂהאֵל אַחֲרֵי אַבְנֵר IISh. 2:19
86 וַיִּרְדֹּף גֵּיחֲזִי אַחֲרֵי נַעֲמָן IIK. 5:21
87 וַיִּרְדֹּף אַחֲרָיו יֵהוּא IIK. 9:27
88 וַיִּרְדֹּף אִישׁ־עָנִי וְאֶבְיוֹן Ps. 109:16
89 וַיִּרְדֹּף אֲבִיָּה אַחֲרֵי יָרָבְעָם IICh. 13:19
יִרְדֳּפֶךָ 90 כִּי־לְדָם אֶעֶשְׂךָ וְדָם יִרְדֳּפֶךָ Ezek. 35:6
91 אִם־לֹא דָם שָׂנֵאתָ וְדָם יִרְדֳּפֶךָ Ezek. 35:6
יִרְדְּפוֹ 92 זָנַח יִשְׂרָאֵל טוֹב אוֹיֵב יִרְדְּפוֹ Hosh. 8:3
וַיִּרְדְּפֵהוּ 93 וַיִּרְדְּפֵהוּ אֲבִימֶלֶךְ וַיָּנָס מִפָּנָיו Jud. 9:40
יִרְדְּפֵם 94 יִרְדְּפֵם יַעֲבוֹר שָׁלוֹם Is. 41:3
וַיִּרְדְּפֵם 95 וַיִּרְדְּפֵם עַד־חוֹבָה Gen. 14:15
96 וַיִּרְדְּפֵם דֶּרֶךְ מַעֲלֵה בֵית־חוֹרֹן Josh. 10:10
97 וַיָּנֻסוּ אֲרָם וַיִּרְדְּפֵם יִשְׂרָאֵל IK. 20:20

98 וַיִּרְדְּפֵם אָסָא...עַד־לִגְרָר IICh. 14:12
תִּרְדֹּף 99 תִּרְדֹּף כָּרוּחַ נְדִבָתִי Job 30:15
נִרְדָּף 100 כִּי תֹאמְרוּ מַה־נִּרְדָּף־לוֹ Job 19:28
נִרְדְּפָה 101 וְנֵדְעָה נִרְדְּפָה לָדַעַת אֶת־יְיָ Hosh. 6:3
תִּרְדְּפֻנִי 102 לָמָּה תִּרְדְּפֻנִי כְמוֹ־אֵל Job 19:22
יִרְדְּפוּ 103 וְלֹא־יִרְדְּפוּ עוֹד אַחֲרֵי יִשְׂרָאֵל IISh. 2:28
יִרְדֹּפוּ 104 וּמֵאָה מִכֶּם רְבָבָה יִרְדֹּפוּ Lev. 26:8
105 מַשְׁכִּימֵי בַבֹּקֶר שֵׁכָר יִרְדֹּפוּ Is. 5:11
וַיִּרְדְּפוּ 106 וַיִּרְדְּפוּ מִצְרַיִם אַחֲרֵיהֶם Ex. 14:9
107 וַיִּרְדְּפוּ מִצְרַיִם וַיָּבֹאוּ אַחֲרֵיהֶם Ex. 14:23
108 וַיֵּצֵא הָאֱמֹרִי... וַיִּרְדְּפוּ אֶתְכֶם Deut. 1:44
109 וַיִּרְדְּפוּ אַחֲרֵי יְהוֹשֻׁעַ Josh. 8:16
110 וַיִּרְדְּפוּ אַחֲרֵי יִשְׂרָאֵל Josh. 8:17
111 וַיִּרְדְּפוּ מִצְרַיִם אַחֲרֵי אֲבוֹתֵיכֶם Josh. 24:6
112 וַיָּנָס אֲדֹנִי בֶזֶק וַיִּרְדְּפוּ אַחֲרָיו Jud. 1:6
113 וַיִּרְדְּפוּ אַחֲרֵי מִדְיָן Jud. 7:23
114 וַיִּרְדְּפוּ אֶל־מִדְיָן Jud. 7:25
115 וַיֵּצְאוּ...וַיִּרְדְּפוּ אֶת־פְּלִשְׁתִּים ISh. 7:11
116 וַיִּרְדְּפוּ אֶת־הַפְּלִשְׁ׳ עַד־בּוֹאֲךָ גַיְא ISh.17:52
117 וַיִּרְדְּפוּ יוֹאָב וַאֲבִישַׁי אַחֲרֵי אַבְנֵר IISh.2:24
118 וַיִּרְדְּפוּ חֵיל־כַּשְׂדִּים אַחַר הַמֶּלֶךְ IIK.25:5
119 וַיִּרְדְּפוּ חֵיל־כַּשְׂדִּים אַחֲרֵיהֶם Jer. 39:5
120 וַיִּרְדְּפוּ חֵיל־כַּשְׂדִּים אַחֲרֵי הַמֶּלֶךְ Jer. 52:8
יִרְדְּפוּנִי 121 אַךְ טוֹב וָחֶסֶד יִרְדְּפוּנִי כָּל־יְמֵי חַיָּי Ps. 23:6
וַיִּרְדְּפוּם 122 וַיִּרְדְּפוּם לִפְנֵי הַשַּׁעַר עַד־הַשְּׁבָרִים Josh. 7:5
123 וַיִּרְדְּפוּם עַד־צִידוֹן רַבָּה Josh. 11:8
רְדֹף 124 קוּם רְדֹף אַחֲרֵי הָאֲנָשִׁים Gen. 44:4
125 רְדֹף כִּי־הַשֵּׂג תַּשִּׂיג ISh. 30:8
וּרְדֹף 126 קַח אֶת־עַבְדֵי אֲדֹנֶיךָ וּר׳ אַחֲרָיו IISh.20:6
וְרָדְפֵהוּ 127 בַּקֵּשׁ שָׁלוֹם וְרָדְפֵהוּ Ps. 34:15
רִדְפוּ 128 רִדְפוּ מַהֵר אַחֲרֵיהֶם כִּי תַשִּׂיגוּם Josh. 2:5
129 רִדְפוּ אַחֲרֵי אֹיְבֵיכֶם Josh. 10:19
130 וַיֹּאמֶר אֲלֵהֶם רִדְפוּ אַחֲרַי Jud. 3:28
131 רִדְפוּ וְתִפְשׂוּהוּ כִּי־אֵין מַצִּיל Ps. 71:11
נִרְדָּפְנוּ 132 עַל־צַוָּארֵנוּ נִרְדָּפְנוּ Lam. 5:5
נִרְדָּף 133 וְהָאֱלֹהִים יְבַקֵּשׁ אֶת־נִרְדָּף Eccl. 3:15
וְרִדְּפָה 134 וְרִדְּפָה אֶת־מְאַהֲבֶיהָ וְלֹא־תַשִּׂיג אֹתָם Hosh.2:9
מְרַדֵּף 135 מְרַדֵּף אֲמָרִים לוֹ־הֵמָּה Prov. 19:7
וּמְרַדֵּף 136 וּמְרַדֵּף רָעָה לְמוֹתוֹ Prov. 11:19
137 וּמְרַדֵּף רֵיקִים חֲסַר־לֵב Prov. 12:11
138 וּמְרַדֵּף צְדָקָה יֶאֱהָב Prov. 15:9
139 וּמְרַדֵּף רֵיקִים יִשְׂבַּע־רִישׁ Prov. 28:19
יְרַדֶּף־ 140 וְאֹיְבָיו יְרַדֶּף־חֹשֶׁךְ Nah. 1:8
תְּרַדֵּף 141 חַטָּאִים תְּרַדֵּף רָעָה Prov. 13:21
וְרֻדַּף 142 וְרֻדַּף כְּמֹץ הָרִים לִפְנֵי־רוּחַ Is. 17:13
הִרְדִיפֻהוּ 143 כִּתְּרוּ אֶת־בִּנְיָמִן הִרְדִיפֻהוּ Jud. 20:43
מֻרְדָּף 144 רֹדֶה...מֻרְדָּף בְּלִי חָשָׂךְ Is. 14:6

רהב : רָהַב, הִרְהִיב; רַהַב, רַהַב, רֹהַב

רָהַב
פ׳ א) הרחיב פה, התחצף: 1
ב) הפציר(?), בקש(?): 2
ג) [הפ׳ הִרְהִיב] הדהים: 3, 4
הִרְהִיב עֹז 4
יִרְהֲבוּ 1 יִרְהֲבוּ הַנַּעַר בַּזָּקֵן וְהַנִּקְלֶה בַּנִּכְבָּד Is. 3:5
וּרְהַב 2 לֵךְ הִתְרַפֵּס וּרְהַב רֵעֶיךָ Prov. 6:3
הִרְהִיבֻנִי 3 הָסֵבִּי עֵינַיִךְ מִנֶּגְדִּי שֶׁהֵם הִרְהִיבֻנִי S.ofS. 6:5
תַּרְהִבֵנִי 4 תַּרְהִבֵנִי בְנַפְשִׁי עֹז Ps. 138:3

רַהַב
ז׳ א) אלת הים(?): 2-6
ב) גאוה, יהירות(?): 1, 7
רַהַב 1 לָכֵן קָרָאתִי לָזֹאת רַהַב הֵם שָׁבֶת Is. 30:7
2 הַמַּחְצֶבֶת רַהַב מְחוֹלֶלֶת תַּנִּין Is. 51:9
3 אַזְכִּיר רַהַב וּבָבֶל לְיֹדְעָי Ps. 87:4
רָהַב 4 אַתָּה דִכִּאתָ כֶחָלָל רָהַב Ps. 89:11
5 תַּחְתָּו שָׁחֲחוּ עֹזְרֵי רָהַב Job 9:13
6 וּבִתְבוּנָתוֹ מָחַץ רָהַב Job 26:12
רְהָבִים 7 וְלֹא־פָנָה אֶל־רְהָבִים וְשָׂטֵי כָזָב Ps. 40:5

רֹהַב*
ז׳ גאוה(?)
וְרָהְבָּם 1 וְרָהְבָּם עָמָל וָאָוֶן Ps. 90:10

רָהֲגָה
שפ״ז – מבני שֶׁמֶר משבט מנשה
וְרָהְגָּה 1 וּבְנֵי שָׁמֶר אֲחִי וְרָהְגָּה (כת׳ ורוהגה) ICh. 7:34

רָהָה
פ׳ ירא, פחד
תִּרְהוּ 1 אַל־תִּפְחֲדוּ וְאַל־תִּרְהוּ Is. 44:8

רַהַט
ז׳ א) קורה ובה שקע מארך, שוקת: 1-3
ב) [מקרא סתום] קורה? מקלעת?: 4
הָרְהָטִים 1 וַתְּמַלֶּאנָה אֶת־הָרְהָטִים Ex. 2:16
בָּרְהָטִים 2 וַיַּצֵּג...בָּרְהָטִים בְּשִׁקֲתוֹת הַמָּיִם Gen. 30:38
3 וְשָׂם יַעֲקֹב אֶת־הַמַּקְלוֹת...בָּרְהָטִים Gen. 30:41
4 מֶלֶךְ אָסוּר בָּרְהָטִים S.ofS. 7:6

רָהִיט*
ז׳ קורה? כלי בית(?)
רָהִיטֵנוּ 1 קֹרוֹת בָּתֵּינוּ אֲרָזִים
רַהִיטֵנוּ (כת׳ רחיטנו) בְּרוֹתִים S.ofS. 1:17

רֵו*
ז׳ ארמית מראה, דמות: 1, 2
וְרֵוֵהּ 1 צַלְמָא דִּכֵּן רַב...וְרֵוֵהּ דְּחִיל Dan. 2:31
2 וְרֵוֵהּ דִּי רְבִיעָאָה דָּמֵה לְבַר־אֱלָהִין Dan. 3:25

רֹאֶה[1]
ז׳ חוזה, נביא: 1-12 [עין גם רָאָה[1]]
קרובים: חוזה / נביא / צופה
בֵּית הָרֹאֶה 4
הָרֹאֶה 1 לְכוּ וְנֵלְכָה עַד־הָרֹאֶה ISh. 9:9
2 לַנָּבִיא הַיּוֹם יִקָּרֵא לְפָנִים הָרֹאֶה ISh. 9:9
3 הֲיֵשׁ בָּזֶה הָרֹאֶה ISh. 9:11
4 הַגִּידָה־נָּא לִי אֵי־זֶה בֵּית הָרֹאֶה ISh. 9:18
5 וַיֹּאמֶר אָנֹכִי הָרֹאֶה ISh. 9:19
6 יִסַּד דָּוִיד וּשְׁמוּאֵל הָרֹאֶה בֶּאֱמוּנָתָם ICh. 9:22
7 וְכֹל הַהִקְדִּישׁ שְׁמוּאֵל הָרֹאֶה ICh. 26:28
8 כְּתוּבִים עַל־דִּבְרֵי שְׁמוּאֵל הָרֹאֶה ICh. 29:29
9 בָּא חֲנָנִי הָרֹאֶה אֶל־אָסָא IICh. 16:7
10 וַיִּכְעַס אָסָא אֶל־הָרֹאֶה IICh. 16:10
בָּרֹאֶה 11 שָׁגוּ בָּרֹאֶה פָּקוּ פְּלִילִיָּה Is. 28:7
לָרֹאִים(?) 12 אֲשֶׁר אָמְרוּ לָרֹאִים לֹא תִרְאוּ Is. 30:10

רֹאֶה[2]
שפ״ז – איש מזרע יהודה, אולי הוא רְאָיָה
הָרֹאֶה 1 הָרֹאֶה חֲצִי הַמְּנֻחוֹת ICh. 2:52

רֹבֶה
ז׳ – עין רָבָה[2]
רֹבֶה 1 וַיְהִי רֹבֶה קַשָּׁת Gen. 21:20

רֹגֵל
– עין ערך עֵין רֹגֵל (באות ע׳)

רֹגְלִים
ש״מ–ישוב בצפון הגלעד בעבר הירדן מזרחה 2,1:
מֵרֹגְלִים 1 וּבַרְזִלַּי הַגִּלְעָדִי מֵרֹגְלִים IISh. 17:27
2 וּבַרְזִלַּי הַגִּלְעָדִי יָרַד מֵרֹגְלִים IISh. 19:32

רוד : רָד, הֵרִיד

(רוד) רָד
פ׳ נדד, התהלך: 1, 2 [עין גם (ריד)]
רָד 1 וִיהוּדָה עֹד רָד עִם־אֵל Hosh. 12:1
רַדְנוּ 2 רַדְנוּ לוֹא־נָבוֹא עוֹד אֵלֶיךָ Jer. 2:31

רוֹדָנִים
שפ״ז – מבני יָוָן [עין דֹּדָנִים]
וְרוֹדָנִים 1 וּבְנֵי יָוָן...כִּתִּים וְרוֹדָנִים ICh. 1:7

רוה : רָוָה, רִוָּה, הִרְוָה; רָוֶה, רְוָיָה, רִי

רָוָה
פ׳ א) שתה לצמאו (גם בהשאלה): 1-3
ב) [פ׳ רִוָּה] השקה: 4-9
ג) [הפ׳ הִרְוָה] השקה,
הוריד גשם (גם בהשאלה): 15-10
רָוָה דודים 2; רָוְתָה חֶרֶב 1; רִוָּה נֶפֶשׁ 4;
הִרְוָה אֶרֶץ 12; הִרְוָהוּ לַעֲנָה 13; הִרְוָה נֶפֶשׁ 10
וְרָוְתָה 1 וְאָכְלָה חֶרֶב וְשָׂבְעָה וְרָוְתָה מִדָּמָם Jer. 46:10
נִרְוֶה 2 לְכָה נִרְוֶה דֹדִים עַד־הַבֹּקֶר Prov. 7:18
יִרְוְיֻן 3 יִרְוְיֻן מִדֶּשֶׁן בֵּיתֶךָ Ps. 36:9
וְרִוֵּיתִי 4 וְרִוֵּיתִי נֶפֶשׁ הַכֹּהֲנִים דָּשֶׁן Jer. 31:14(13)
רִוְּתָה 5 כִּי־רִוְּתָה בַשָּׁמַיִם חַרְבִּי Is. 34:5
וְרִוְּתָה 6 וְרִוְּתָה אַרְצָם מִדָּם Is. 34:7
אֲרַיָּוֶךְ 7 עַל־כֵּן אֶבְכֶּה...אֲרַיָּוֶךְ דִּמְעָתִי Is. 16:9
יְרַוֻּךָ 8 דַּדֶּיהָ יְרַוֻּךָ בְכָל־עֵת Prov. 5:19
רַוֵּה 9 תְּלָמֶיהָ רַוֵּה נַחֵת גְּדוּדֶהָ Ps. 65:11
הִרְוֵיתִי 10 כִּי הִרְוֵיתִי נֶפֶשׁ עֲיֵפָה Jer. 31:25(24)
הִרְוִיתָנִי 11 וְחֵלֶב זְבָחֶיךָ לֹא הִרְוִיתָנִי Is. 43:24
הִרְוָה 12 כִּי אִם־הִרְוָה אֶת־הָאָרֶץ וְהוֹלִידָהּ Is. 55:10
הִרְוַנִי 13 הִשְׂבִּיעַנִי בַמְּרוֹרִים הִרְוַנִי לַעֲנָה Lam. 3:15
וּמַרְוֶה 14 וּמַרְוֶה גַּם־הוּא יוֹרֶא Prov. 11:25
יוֹרֶא 15 וּמַרְוֶה גַּם־הוּא יוֹרֶא Prov. 11:25

רָוֶה
ת׳ מושקה דיו: 1-3 • גַּן רָוֶה 1, 2
רָוֶה 1 וְהָיִיתָ כְּגַן רָוֶה Is. 58:11
2 וְהָיְתָה נַפְשָׁם כְּגַן רָוֶה Jer. 31:12(11)
הָרָוָה 3 לְמַעַן סְפוֹת הָרָוָה אֶת־הַצְּמֵאָה Deut. 29:18

רוֹזֵן*
ז׳ שר, שליט: 1-6
רוֹזְנִים 1 שִׁמְעוּ מְלָכִים הַאֲזִינוּ רֹזְנִים Jud. 5:3
2 הַנּוֹתֵן רוֹזְנִים לְאָיִן Is. 40:23
וְרוֹזְנִים 3 בַּמְּלָכִים יִתְקַלָּס וְרֹזְנִים מִשְׂחָק לוֹ Hab. 1:10
4 וְרוֹזְנִים נוֹסְדוּ־יָחַד Ps. 2:2
5 וְרֹזְנִים יְחוֹקְקוּ צֶדֶק Prov. 8:15
וּלְרוֹזְנִים 6 אַל־לַמְלָכִים...וּלְרוֹזְנִים אֵי שֵׁכָר Prov. 31:4

רוח : רָוַח, מִרְוָח; רוּחַ, רֶוַח, רְוָחָה

רָוַח
פ׳ א) הוקל, הונח: 1, 2
ב) [פ׳ בינוני: מְרֻוָּח] נרחב: 3
וְרָוַח 1 וְרָוַח לְשָׁאוּל וְטוֹב לוֹ ISh. 16:23
וְיִרְוַח 2 אֲדַבְּרָה וְיִרְוַח־לִי Job 32:20
מְרֻוָּחִים 3 בֵּית מִדּוֹת וַעֲלִיּוֹת מְרֻוָּחִים Jer. 22:14

רֶוַח
ז׳ א) מקום פנוי: 2
ב) [בהשאלה] פדות, הקלה: 1
רֶוַח 1 רֶוַח וְהַצָּלָה יַעֲמוֹד לַיְּהוּדִים Es. 4:14
וְרֶוַח 2 וְרֶוַח תָּשִׂימוּ בֵּין עֵדֶר וּבֵין עֵדֶר Gen. 32:17

(רוח)
– עין (ריח)

רוּחַ[1]
זו״נ א) תנועת האויר: 1, 13, 15, 17, 18, 22, 29, 33-37, 40, 45, 48, 49, 55, 56, 59, 60, 62, 65-67, 69, 71-75, 86, 87, 91, 92, 105, 107-110, 112, 114, 118, 123, 124, 127, 128, 135-141, 145-150
(ועוד כ־50 מקראות–עין להלן וכן בצרופים)
ב) [בהרחבה] נשימת כל חי, נשמה, נפש, רגש, השראה וכדומה: 2-12, 14, 16, 23, 24, 26, 28, 30-32, 38, 39, 43, 44, 52-54, 63, 64, 68, 70, 76, 77, 79-83, 85, 88, 89, 93, 103, 104, 106, 111, 113, 115-117, 119-122, 125, 126, 129-134, 143, 144
(ועוד כ־100 מקראות–עין להלן וכן בצרופים)
ג) [בהשאלה] הֶבֶל, שָׁוְא, אפס: 19, 20, 21, 25, 27, 41, 57, 58, 61, 78, 84, 90, 94-102, 157, 160
ד) עבר, צד: 42, 46, 47, 50, 51, 142, 163, 234-237, 367, 368, 370, 373-375, 377, 378

– רוּחַ אֶחָד 129; ר׳ אַחֶרֶת 4; ר׳ גְּדוֹלָה 109,87,60;
ר׳ חֲדָשָׁה 116,115,113; ר׳ חָזָק 170,109; ר׳ חֲרִישִׁית
240; ר׳ טוֹבָה 328,326; ר׳ כַּבִּיר 125; ר׳ כֵּהָה 30;
ר׳ מָלֵא 35; ר׳ נְדִיבָה 120; ר׳ נְכֵאָה 80, 121, 122;
ר׳ נָכוֹן 119; ר׳ נִשְׁבָּרָה 70; ר׳ סוֹעָה 162; ר׳ סָרָה
324; רוּחַ צַח 34; ר׳ קָשָׁה 352; רוּחַ רָעָה 8, 10-12
– רוּחַ אָדָם 244; רוּחַ אִישׁ 251; ר׳ אֵל 254;
ר׳ אֱלוֹהַּ 274; ר׳ אֱלֹהִים 167, 172-182,264,276,279;
ר׳ אֵלִיָּהוּ 214; ר׳ אַפּוֹ 211, 247, 255, 283, 292;
ר׳ בְּהֵמָה 275; ר׳ בִּטְנוֹ 253; ר׳ בִּינָה 215;
ר׳ בְּנֵי אָדָם 256; ר׳ בָּעֵר 284; ר׳ בָּשָׂר 273;
ר׳ גְּבוּרָה 216; ר׳ דַּעַת 217; ר׳ דָּרוֹם 236;
ר׳ זִלְעָפוֹת 271; ר׳ זְנוּנִים 238, 239; ר׳ זְרֻבָּבֶל
241; ר׳ הַחַיָּה 228-230; ר׳ חַיִּים 88, 164-166;
ר׳ חָכְמָה 171, 186, 215; ר׳ חֵן 245; ר׳ טֻמְאָה 246;
ר׳ יְהוֹשֻׁעַ 242; ר׳ הַיּוֹם 288; רוּחַ יְיָ 187-210,
266-268, 280; ר׳ יָם 170, 237; רוּחַ יַעֲקֹב 168;
ר׳ יִרְאַת יְיָ 217; ר׳ כּוֹרֶשׁ 258,263; ר׳ מִדְבָּר 289;
ר׳ הַמּוֹשֵׁל 257; ר׳ מַלְכֵי מָדַי 226; ר׳ מִצְרַיִם 218;
ר׳ מַשְׁחִית 225; ר׳ מִשְׁפָּט 278, 291; ר׳ נְגִידִים
248; רוּחַ סְעָרָה 227, 249, 250; ר׳ סְעָרוֹת 231,
269; ר׳ עִוְעִים 219; ר׳ עֵצָה 216; ר׳ עָרִיצִים 220;
ר׳ פּוּל 259; ר׳ פִּיו 282, 286; ר׳ פְּלִשְׁתִּים 262;
ר׳ צָפוֹן 235, 252; ר׳ קָדִים 169, 232-234, 240, 265,
270, 277, 281, 287; ר׳ קָדְשׁוֹ 223,224,272; ר׳ קִנְאָה
183-185; ר׳ שְׁאֵרִית 243; ר׳ שְׁפָלִים 222; ר׳ שְׂפָתָיו
285; ר׳ שֶׁקֶר 212, 213, 261, 290; ר׳ תַּחֲנוּנִים 245;
רוּחַ תִּגְלַת פִּלְנֶסֶר 260; רוּחַ תַּרְדֵּמָה 221
– רוּחוֹת הַשָּׁמַיִם 374, 375, 377, 378
– אִישׁ רוּחַ 144; אֶרֶךְ ר׳ 103; בּוֹרֵא ר׳ 59; גֹּבַהּ
ר׳ 81; גְּבַהּ ר׳ 104; דִּבְרֵי ר׳ 90; דַּכְּאֵי ר׳ 68;
דַּעַת ר׳ 89; דֶּרֶךְ הָר׳ 148; הוֹלֵךְ ר׳ 61; חַיֵּי רוּחַ
296; חֲמַת ר׳ 300; יְקַר ר׳ 83; כַּנְפֵי ר׳ 13, 66, 74;
(לְ)כָל־רוּחַ 46, 47, 50-52; מַחֲבֵא ר׳ 22; מַעֲלוֹת
ר׳ 359; מֹרַת ר׳ 2; נֶאֱמַן ר׳ 77; נְכֵה ר׳ 32; נִשְׁמַת
ר׳ 211, 247; עֲצוּבַת ר׳ 26; צוֹפֵן ר׳ 84; צַר ר׳
315; קֹצֶר ר׳ 3; קְצַר ר׳ 79; קְשַׁת ר׳ 9; רוֹעֶה
ר׳ 58; רְעוּת ר׳ 94,95,97-101; רַעְיוֹן ר׳ 96, 102;
שְׁאָר רוּחַ 64; שֶׁבֶר ר׳ 31; שְׁפַל רוּחַ 28, 82, 85;
תּוֹעֵי רוּחַ 20; תּוֹכֵן רוּחוֹת 376
– בָּא (בָּאָה) רוּחַ 43,44,128,142,143; בִּעֲתַתּוּ ר׳ 10;
בִּקְעָה ר׳ 267; דָּן ר׳ 293; הוֹבִישָׁה ר׳ 268; הָיָה
(הָיְתָה) ר׳ 14, 106; הָלַךְ (הָלְכָה) רוּחַ 137-139,
145; הֵצִיקָה ר׳ 253; הִתְעַטְּפָה ר׳ 308, 310, 311;
הִתְפָּעֲמָה ר׳ 347; זָרָה ר׳ 319; חִבְּלָה ר׳ 318;
חוֹלְלָה ר׳ 252; חָיְתָה ר׳ 168; חָלַף ר׳ 62, 124;
חִפֵּשׂ ר׳ 309; יָצָא (יָצְאָה) ר׳ 136,149,343; יָרְדָה
ר׳ 275; כִּהֲתָה ר׳ 52; לָבְשָׁה ר׳ 130, 270, 276;
נִבְקָה ר׳ 218; נָדְבָה ר׳ 335; נִדְפָה ר׳ 65; נָחָה
ר׳ 133, 134, 214; נָסַע ר׳ 107; נָפְחָה ר׳ 142;
נִפְעֲמָה ר׳ 321,334; נָשָׂא (נָשְׂאָה) רוּחַ 27,45,9/48,55,
110,112,114,265,266; סְמָכַתּוּ ר׳ 120; סָרָה ר׳ 271;
עָבַר (עָבְרָה) ר׳ 73,127; עָטַף ר׳ 29; עָלְתָה ר׳
256; עָמַד (עָמְדָה) ר׳ 136, 322; עָנָה ר׳ 126;
צָלְחָה ר׳ 12; צָרַר ר׳ 56; קָמָה ר׳ 6; קָצְרָה
ר׳ 320; רוֹמְמָה ר׳ 249; רִחֲפָה ר׳ 264; רָפְתָה
רוּחַ 363; שָׁב (שָׁבָה) רוּחַ 71, 150, 338, 339;
שָׁבַר רוּחַ 233; שָׁמְרָה רוּחַ 317
– אָסַף רוּחַ 86; בָּצַר ר׳ 248; בָּרָא ר׳ 59; הֵבִיא ר׳
114; הוֹצִיא ר׳ 36/7,75,345; הֶחֱיָה ר׳ 222; הֵטִיל ר׳
60; הֵנִיחַ ר׳ 306; הֶעֱבִיר ר׳ 1; הֵעִיר ר׳ 225/6,241,
258,259,262,263,348; הֶעֱמִיד ר׳ 249; הָפַךְ ר׳ 170;
הִפְקִיד רוּחַ 307; הִקְשָׁה ר׳ 337; הֵשִׁיב ר׳ 316,
327; הִשִּׁיב ר׳ 344; הִתְעָה ר׳ 238; זָרַע ר׳ 57;
חִדֵּשׁ ר׳ 119; יָלַד ר׳ 19; יָצַק ר׳ 298; יָצַר ר׳
244; כָּלָא ר׳ 147; לָקַח ר׳ 272; מָדַד ר׳ 234-236;
מִנָּה ר׳ 240; מָסַךְ ר׳ 219; מָרָה ר׳ 223; נִהֵג ר׳
169; נָחַל ר׳ 78; נָסַךְ ר׳ 221; נִעֲרָה ר׳ 23; נָתַן ר׳
16,24,54,261,297,301/2,336; עִצֵּב ר׳ 223; צָפַן ר׳ 84;
רָעָה ר׳ 41; שָׁאַף רוּחַ 33, 40; שָׁלַח ר׳ 8; שִׁלַּח
ר׳ 325; שָׂם ר׳ 224; שָׁמַר ר׳ 105; שָׁפַךְ רוּחַ 303-305

רוּחַ

1 וַיַּעֲבֵר אֱלֹהִים רוּחַ עַל־הָאָרֶץ Gen. 8:1
2 וַתִּהְיֶיןָ מֹרַת רוּחַ לְיִצְחָק Gen. 26:35
3 מִקֹּצֶר רוּחַ וּמֵעֲבֹדָה קָשָׁה Ex. 6:9
4 עֵקֶב הָיְתָה רוּחַ אַחֶרֶת עִמּוֹ Num. 14:24
5 אִישׁ אֲשֶׁר־רוּחַ בּוֹ Num. 27:18
6 וְלֹא־קָמָה עוֹד רוּחַ בְּאִישׁ Josh. 2:11
7 וְלֹא־הָיָה בָם עוֹד רוּחַ Josh. 5:1
8 וַיִּשְׁלַח אֱלֹהִים רוּחַ רָעָה Jud. 9:23
9 אִשָּׁה קְשַׁת־רוּחַ אָנֹכִי ISh. 1:16
10 וּבִעֲתַתּוּ רוּחַ־רָעָה מֵאֵת יְיָ ISh. 16:14
11 וְסָרָה מֵעָלָיו רוּחַ הָרָעָה ISh. 16:23
12 וַתִּצְלַח רוּחַ אֱל׳ רָעָה אֶל־שָׁאוּל ISh. 18:10
13 וַיֵּרָא עַל־כַּנְפֵי־רוּחַ IISh. 22:11
14 וְלֹא־הָיָה בָהּ עוֹד רוּחַ IK. 10:5
15 לֹא־תִרְאוּ רוּחַ וְלֹא־תִרְאוּ גֶשֶׁם IIK. 3:17
16 הִנְנִי נֹתֵן בּוֹ רוּחַ...וְשָׁב לְאַרְצוֹ IIK. 19:7
17 כְּנוֹעַ עֲצֵי־יַעַר מִפְּנֵי־רוּחַ Is. 7:2
18 כְּמֹץ הָרִים לִפְנֵי־רוּחַ Is. 17:13
19 הָרִינוּ חַלְנוּ כְּמוֹ יָלַדְנוּ רוּחַ Is. 26:18
20 וְיָדְעוּ תֹעֵי־רוּחַ בִּינָה Is. 29:24
21 וְסוּסֵיהֶם בָּשָׂר וְלֹא־רוּחַ Is. 31:3
22 כְּמַחֲבֵא־רוּחַ וְסֵתֶר זָרֶם Is. 32:2
23 עַד־יֵעָרֶה עָלֵינוּ רוּחַ מִמָּרוֹם Is. 32:15
24 הִנְנִי נוֹתֵן בּוֹ רוּחַ...וְשָׁב אֶל־אַרְצוֹ Is. 37:7
25 רוּחַ וָתֹהוּ נִסְכֵּיהֶם Is. 41:29
26 כְּאִשָּׁה עֲזוּבָה וַעֲצוּבַת רוּחַ Is. 54:6
27 וְאֶת־כֻּלָּם יִשָּׂא־רוּחַ יִקַּח־הָבֶל Is. 57:13
28 וְאֶת־דַּכָּא וּשְׁפַל־רוּחַ Is. 57:15
29 כִּי־רוּחַ מִלְּפָנַי יַעֲטוֹף Is. 57:16
30 מַעֲטֵה תְהִלָּה תַּחַת רוּחַ כֵּהָה Is. 61:3
31 וּמִשֵּׁבֶר רוּחַ תְּיֵלִילוּ Is. 65:14
32 אַבִּיט אֶל־עָנִי וּנְכֵה־רוּחַ Is. 66:2
33 בְּאַוַּת נַפְשָׁהּ שָׁאֲפָה רוּחַ Jer. 2:24
34 רוּחַ צַח שְׁפָיִם בַּמִּדְבָּר Jer. 4:11
35 רוּחַ מָלֵא מֵאֵלֶּה יָבוֹא לִי Jer. 4:12
36/7 וַיּוֹצֵא רוּחַ מֵאֹצְרֹתָיו Jer. 10:13; 51:16
38/9 שֶׁקֶר נִסְכּוֹ וְלֹא־רוּחַ בָּם Jer. 10:14; 51:17
40 שָׁאֲפוּ רוּחַ כַּתַּנִּים Jer. 14:6
41 כָּל־רֹעַיִךְ תִּרְעֶה־רוּחַ Jer. 22:22
42 וְזֵרִתִים לְכָל־רוּחַ קְצוּצֵי פֵאָה Jer. 49:32
43/4 וַתָּבֹא בִי רוּחַ Ezek. 2:2; 3:24
45 וַתִּשָּׂאֵנִי רוּחַ וָאֶשְׁמַע אַחֲרַי Ezek. 3:12
46 וְזֵרִיתִי...כָּל־שְׁאֵרִיתֵךְ לְכָל־רוּחַ Ezek. 5:10
47 וְהַשְּׁלִישִׁית לְכָל־רוּחַ אֱזָרֶה Ezek. 5:12
48 וַתִּשָּׂא אֹתִי רוּחַ בֵּין־הָאָרֶץ... Ezek. 8:3
49 וַתִּשָּׂא אֹתִי רוּחַ וַתָּבֵא אֹתִי... Ezek. 11:1
50 וְכָל־אֲגַפָּיו אֱזָרֶה לְכָל־רוּחַ Ezek. 12:14
51 וְהַנִּשְׁאָרִים לְכָל־רוּחַ יִפָּרֵשׂוּ Ezek. 17:21
52 וְרָפוּ כָל־יָדַיִם וְכִהֲתָה כָל־רוּחַ Ezek. 21:12
53 הִנֵּה אֲנִי מֵבִיא בָכֶם רוּחַ וִחְיִיתֶם Ezek. 37:5
54 וְנָתַתִּי בָכֶם רוּחַ וִחְיִיתֶם Ezek. 37:6
55 וַתִּשָּׂאֵנִי רוּחַ וַתְּבִיאֵנִי אֶל־הֶחָצֵר Ezek. 43:5
56 צָרַר רוּחַ אוֹתָהּ בִּכְנָפֶיהָ Hosh. 4:19

רוּחַ (המשך)

57 כִּי רוּחַ יִזְרָעוּ וְסוּפָתָה יִקְצֹרוּ Hosh. 8:7
58 רֹעֶה רוּחַ וְרֹדֵף קָדִים Hosh. 12:2
59 יוֹצֵר הָרִים וּבֹרֵא רוּחַ Am. 4:13
60 וַייָ הֵטִיל רוּחַ־גְּדוֹלָה אֶל־הַיָּם Jon. 1:4
61 לוּ־אִישׁ הֹלֵךְ רוּחַ וָשֶׁקֶר כִּזֵּב Mic. 2:11
62 אָז חָלַף רוּחַ וַיַּעֲבֹר וְאָשֵׁם Hab. 1:11
63 וְכָל־רוּחַ אֵין בְּקִרְבּוֹ Hab. 2:19
64 וְלֹא־אֶחָד עָשָׂה וּשְׁאָר רוּחַ לוֹ Mal. 2:15
65 כִּי אִם־כַּמֹּץ אֲשֶׁר־תִּדְּפֶנּוּ רוּחַ Ps. 1:4
66 וַיֵּדֶא עַל־כַּנְפֵי־רוּחַ Ps. 18:11
67 וְאֶשְׁחָקֵם כְּעָפָר עַל־פְּנֵי־רוּחַ Ps. 18:43
68 וְאֶת־דַּכְּאֵי־רוּחַ יוֹשִׁיעַ Ps. 34:19
69 יִהְיוּ כְּמֹץ לִפְנֵי־רוּחַ Ps. 35:5
70 זִבְחֵי אֱלֹהִים רוּחַ נִשְׁבָּרָה Ps. 51:19
71 רוּחַ הוֹלֵךְ וְלֹא יָשׁוּב Ps. 78:39
72 כְּקַשׁ לִפְנֵי־רוּחַ Ps. 83:14
73 כִּי רוּחַ עָבְרָה־בּוֹ וְאֵינֶנּוּ Ps. 103:16
74 הַמְהַלֵּךְ עַל־כַּנְפֵי־רוּחַ Ps. 104:3
75 מוֹצֵא־רוּחַ מֵאוֹצְרוֹתָיו Ps. 135:7
76 אַף אֵין־יֶשׁ־רוּחַ בְּפִיהֶם Ps. 135:17
77 וְנֶאֱמַן־רוּחַ מְכַסֶּה דָבָר Prov. 11:13
78 עֹכֵר בֵּיתוֹ יִנְחַל־רוּחַ Prov. 11:29
79 וּקְצַר־רוּחַ מֵרִים אִוֶּלֶת Prov. 14:29
80 וּבְעַצְּבַת־לֵב רוּחַ נְכֵאָה Prov. 15:13
81 וְלִפְנֵי כִשָּׁלוֹן גֹּבַהּ רוּחַ Prov. 16:18
82 טוֹב שְׁפַל־רוּחַ אֶת־עֲנָוִים° Prov. 16:19
83 יְקַר־ (כת׳ וקר) רוּחַ אִישׁ תְּבוּנָה Prov. 17:27
84 צֹפְנֶיהָ צָפַן־רוּחַ Prov. 27:16
85 וּשְׁפַל־רוּחַ יִתְמֹךְ כָּבוֹד Prov. 29:23
86 מִי אָסַף־רוּחַ בְּחָפְנָיו Prov. 30:4
87 וְהִנֵּה רוּחַ גְּדוֹלָה בָּאָה Job 1:19
88 זְכֹר כִּי־רוּחַ חַיָּי Job 7:7
89 הֶחָכָם יַעֲנֶה דַעַת־רוּחַ Job 15:2
90 הֲקֵץ לְדִבְרֵי־רוּחַ Job 16:3
91 יִהְיוּ כְּתֶבֶן לִפְנֵי־רוּחַ Job 21:18
92 תִּשָּׂאֵנִי אֶל־רוּחַ תַּרְכִּיבֵנִי Job 30:22
93 אָכֵן רוּחַ־הִיא בֶאֱנוֹשׁ Job 32:8
94/5 הַכֹּל הֶבֶל וּרְעוּת רוּחַ Eccl. 1:14; 2:11
96 שֶׁגַּם־זֶה הוּא רַעְיוֹן רוּחַ Eccl. 1:17
97 כִּי־הַכֹּל הֶבֶל וּרְעוּת רוּחַ Eccl. 2:17
98-100 גַּם־זֶה הֶבֶל וּרְעוּת רוּ Eccl. 2:26; 4:4; 6:9
101 מִמְּלֹא חָפְנַיִם עָמָל וּרְעוּת רוּחַ Eccl. 4:6
102 גַּם־זֶה הֶבֶל וְרַעְיוֹן רוּחַ Eccl. 4:16
103/4 טוֹב אֶרֶךְ־רוּחַ מִגְּבַהּ רוּחַ Eccl. 7:8
105 שֹׁמֵר רוּחַ לֹא יִזְרָע Eccl. 11:4
106 וְלֹא־הָיָה עוֹד בָּהּ רוּחַ IICh. 9:4

וְרוּחַ

107 וְרוּחַ נָסַע מֵאֵת יְיָ וַיָּגָז שַׂלְוִים Num. 11:31
108 וְהַשָּׁמַיִם הִתְקַדְּרוּ עָבִים וְרוּחַ IK. 18:45
109 וְרוּחַ גְּדוֹלָה וְחָזָק...לִפְנֵי יְיָ IK. 19:11
110 תִּזְרֵם וְרוּחַ תִּשָּׂאֵם Is. 41:16
111 נֹתֵן נְשָׁמָה...וְרוּחַ לַהֹלְכִים בָּהּ Is. 42:5
112 וְרוּחַ נְשָׂאַתְנִי וַתִּקָּחֵנִי Ezek. 3:14
113 וְרוּחַ חֲדָשָׁה אֶתֵּן בְּקִרְבָּם Ezek. 11:19
114 וְרוּחַ נְשָׂאַתְנִי וַתְּבִאֵנִי Ezek. 11:24
115 וַעֲשׂוּ לָכֶם לֵב חָדָשׁ וְרוּחַ חֲדָשָׁה Ezek. 18:31
116 וְרוּחַ חֲדָשָׁה אֶתֵּן בְּקִרְבְּכֶם Ezek. 36:26
117 וַיִּקְרַם עֲלֵיהֶם עוֹר...וְרוּחַ אֵין בָּהֶם Ezek. 37:8
118 שְׁתַּיִם נָשִׁים...וְרוּחַ בְּכַנְפֵיהֶם Zech. 5:9
119 וְרוּחַ נָכוֹן חַדֵּשׁ בְּקִרְבִּי Ps. 51:12
120 וְרוּחַ נְדִיבָה תִסְמְכֵנִי Ps. 51:14
121 וְרוּחַ נְכֵאָה תְּיַבֶּשׁ־גָּרֶם Prov. 17:22
122 וְרוּחַ נְכֵאָה מִי יִשָּׂאֶנָּה Prov. 18:14

וְרוּחַ (המשך)
123 נְשִׂיאִים וְרוּחַ וְגֶשֶׁם אָיִן Prov. 25:14
124 וְרוּחַ עַל־פָּנַי יַחֲלֹף Job 4:15
125 וְרוּחַ כַּבִּיר אִמְרֵי־פִיךָ Job 8:2
126 וְרוּחַ מִבִּינָתִי יַעֲנֵנִי Job 20:3
127 וְרוּחַ עָבְרָה וַתְּטַהֲרֵם Job 37:21
128 וְרוּחַ לֹא־יָבֹא בֵינֵיהֶם Job 41:8
129 כְּמוֹת זֶה כֵּן מוֹת זֶה וְרוּחַ אֶחָד לַכֹּל Eccl. 3:19
130 וְרוּחַ לָבְשָׁה אֶת־עֲמָשַׂי ICh. 12:18(19)

הָרוּחַ
131 וְאָצַלְתִּי מִן־הָרוּחַ אֲשֶׁר עָלֶיךָ Num. 11:17
132 וַיָּאצֶל מִן־הָרוּחַ אֲשֶׁר עָלָיו Num. 11:25
133 וַיְהִי כְּנוֹחַ עֲלֵיהֶם הָרוּחַ Num. 11:25
134 וַתָּנַח עֲלֵהֶם הָרוּחַ Num. 11:26
135 וְאַחַר הָרוּחַ רַעַשׁ IK. 19:11
136 וַיֵּצֵא הָרוּחַ וַיַּעֲמֹד לִפְנֵי יְיָ IK. 22:21
137 אֶל אֲשֶׁר יִהְיֶה־שָׁמָּה הָרוּחַ לָלֶכֶת Ezek. 1:12
138 עַל אֲשֶׁר יִהְיֶה־שָׁם הָרוּחַ לָלֶכֶת Ezek. 1:20
139 שָׁמָּה הָרוּחַ לָלֶכֶת Ezek. 1:20
140/1 הִנָּבֵא אֶל־הָרוּחַ...וְאָמַרְתָּ אֶל־הָר' Ezek. 37:9
142 מֵאַרְבַּע רוּחוֹת בֹּאִי הָרוּחַ וּפְחִי Ezek. 37:9
143 וַתָּבוֹא בָהֶם הָרוּחַ וַיִּחְיוּ Ezek. 37:10
144 אֱוִיל הַנָּבִיא מְשֻׁגָּע אִישׁ הָרוּחַ Hosh. 9:7
145 סוֹבֵב סֹבֵב הוֹלֵךְ הָרוּחַ Eccl. 1:6
146 וְעַל־סְבִיבֹתָיו שָׁב הָרוּחַ Eccl. 1:6
147 לִכְלוֹא אֶת־הָרוּחַ Eccl. 8:8
148 כַּאֲשֶׁר אֵינְךָ יוֹדֵעַ מַה־דֶּרֶךְ הָרוּחַ Eccl. 11:5
149 וַיֵּצֵא הָרוּחַ וַיַּעֲמֹד לִפְנֵי יְיָ IICh. 18:20

וְהָרוּחַ
150 וְהָרוּחַ תָּשׁוּב אֶל־הָאֱלֹהִים Eccl. 12:7

בְּרוּחַ
151 וְסֶלֶף בָּהּ שֶׁבֶר בְּרוּחַ Prov. 15:4

בָּרוּחַ
152 לֹא בָרוּחַ יְיָ IK. 19:11
153 אֵין אָדָם שַׁלִּיט בָּרוּחַ Eccl. 8:8
154 וְתַבְנִית כֹּל אֲשֶׁר הָיָה בָרוּחַ עִמּוֹ ICh. 28:12

כָּרוּחַ
155 וַעֲוֹנֵנוּ כָּרוּחַ יִשָּׂאֻנוּ Is. 64:5
156 תִּרְדֹּף כָּרוּחַ נְדִבָתִי Job 30:15

לְרוּחַ
157 וְהַנְּבִיאִים יִהְיוּ לְרוּחַ Jer. 5:13

לָרוּחַ
158 וְהַשְּׁלִשִׁית תִּזְרֶה לָרוּחַ Ezek. 5:2
159 לַעֲשׂוֹת לָרוּחַ מִשְׁקָל Job 28:25
160 וּמַה־יִּתְרוֹן לוֹ שֶׁיַּעֲמֹל לָרוּחַ Eccl. 5:15

וּלְרוּחַ
161 וּלְרוּחַ אִמְרֵי נֹאָשׁ Job 6:26

מֵרוּחַ
162 מֵרוּחַ סֹעָה מִסָּעַר Ps. 55:9

רוּחָה
163 וַיִּהְיוּ הָרִמֹּנִים תִּשְׁעִים וְשִׁשָּׁה רוּחָה Jer. 52:23

רוּחַ־
164 כָּל־בָּשָׂר אֲשֶׁר־בּוֹ רוּחַ חַיִּים Gen. 6:17
165 הַבָּשָׂר אֲשֶׁר־בּוֹ רוּחַ חַיִּים Gen. 7:15
166 אֲשֶׁר נִשְׁמַת־רוּחַ חַיִּים בְּאַפָּיו Gen. 7:22
167 אִישׁ אֲשֶׁר רוּחַ אֱלֹהִים בּוֹ Gen. 41:38
168 וַתְּחִי רוּחַ יַעֲקֹב אֲבִיהֶם Gen. 45:27
169 וַיְיָ נִהַג רוּחַ־קָדִים בָּאָרֶץ Ex. 10:13
170 וַיַּהֲפֹךְ יְיָ רוּחַ־יָם חָזָק מְאֹד Ex. 10:19
171 אֲשֶׁר מִלֵּאתִיו רוּחַ חָכְמָה Ex. 28:3
172 וָאֲמַלֵּא אֹתוֹ רוּחַ אֱלֹהִים Ex. 31:3
173-182 רוּחַ אֱלֹהִים Ex. 35:31 Num. 24:2 • ISh. 10:10; 11:6; 16:15, 16, 23; 19:20, 23 IICh. 15:1
183 וְעָבַר עָלָיו רוּחַ־קִנְאָה Num. 5:14
184/5 רוּחַ(־)קִנְאָה Num. 5:14, 30
186 וִיהוֹשֻׁעַ בִּן־נוּן מָלֵא רוּחַ חָכְמָה Deut. 34:9
187 וַתְּהִי עָלָיו רוּחַ־יְיָ וַיִּשְׁפֹּט Jud. 3:10
188-210 רוּחַ יְיָ Jud. 11:29 • 13:25; 14:6, 19; 15:14 • ISh. 10:6; 16:13; 19:9 • IISh. 23:2 • IK. 22:24 • IIK. 2:16 • Is. 11:2; 40:7 13; 59:19; 61:1; 63:14 • Ezek. 11:5 • Hosh. 13:15 • Mic. 2:7; 3:8 • IICh. 18:23; 20:14
211 בְּגַעֲרַת יְיָ מִנִּשְׁמַת רוּחַ אַפּוֹ IISh. 22:16

רוּחַ־ (המשך)
212 וְהָיִיתִי רוּחַ שֶׁקֶר בְּפִי כָּל־נְבִיאָיו IK. 22:22
213 נָתַן יְיָ רוּחַ שֶׁקֶר בְּפִי כָּל־נְבִיאֶיךָ IK. 22:23
214 נָחָה רוּחַ אֵלִיָּהוּ עַל־אֱלִישָׁע IIK. 2:15
215 רוּחַ חָכְמָה וּבִינָה Is. 11:2
216 רוּחַ עֵצָה וּגְבוּרָה Is. 11:2
217 רוּחַ דַּעַת וְיִרְאַת יְיָ Is. 11:2
218 וְנָבְקָה רוּחַ־מִצְרַיִם בְּקִרְבּוֹ Is. 19:3
219 יְיָ מָסַךְ בְּקִרְבָּהּ רוּחַ עִוְעִים Is. 19:14
220 כִּי רוּחַ עָרִיצִים כְּזֶרֶם קִיר Is. 25:4
221 כִּי־נָסַךְ עֲלֵיכֶם יְיָ רוּחַ תַּרְדֵּמָה Is. 29:10
222 לְהַחֲיוֹת רוּחַ שְׁפָלִים Is. 57:15
223 מָרוּ וְעִצְּבוּ אֶת־רוּחַ קָדְשׁוֹ Is. 63:10
224 הַשָּׂם בְּקִרְבּוֹ אֶת־רוּחַ קָדְשׁוֹ Is. 63:11
225 הִנְנִי מֵעִיר עַל־בָּבֶל...רוּחַ מַשְׁחִית Jer. 51:1
226 הֵעִיר יְיָ אֶת־רוּחַ מַלְכֵי מָדַי Jer. 51:11
227 רוּחַ סְעָרָה בָּאָה מִן־הַצָּפוֹן Ezek. 1:4
228/9 כִּי רוּחַ הַחַיָּה בָּאוֹפַנִּים Ezek. 1:20, 21
230 כִּי רוּחַ הַחַיָּה בָּהֶם Ezek. 10:17
231 וּבִקַּעְתִּי רוּחַ־סְעָרוֹת בַּחֲמָתִי Ezek. 13:13
232 כְּגַעַת בָּהּ רוּחַ הַקָּדִים תִּיבַשׁ Ezek. 17:10
233 רוּחַ הַקָּדִים שְׁבָרֵךְ בְּלֵב יַמִּים Ezek. 27:26
234 מָדַד רוּחַ הַקָּדִים Ezek. 42:16
235 מָדַד רוּחַ הַצָּפוֹן Ezek. 42:17
236 אֵת רוּחַ הַדָּרוֹם מָדָד Ezek. 42:18
237 סָבַב אֶל־רוּחַ הַיָּם Ezek. 42:19
238 כִּי רוּחַ זְנוּנִים הִתְעָה Hosh. 4:12
239 כִּי רוּחַ זְנוּנִים בְּקִרְבָּם Hosh. 5:4
240 וַיְמַן אֱלֹהִים רוּחַ קָדִים חֲרִישִׁית Jon. 4:8
241 וַיָּעַר יְיָ אֶת־רוּחַ זְרֻבָּבֶל Hag. 1:14
242 וְאֶת־רוּחַ יְהוֹשֻׁעַ בֶּן־יְהוֹצָדָק Hag. 1:14
243 וְאֶת־רוּחַ כֹּל שְׁאֵרִית הָעָם Hag. 1:14
244 וְיֹצֵר רוּחַ־אָדָם בְּקִרְבּוֹ Zech. 12:1
245 וְשָׁפַכְתִּי...רוּחַ חֵן וְתַחֲנוּנִים Zech. 12:10
246 רוּחַ הַטֻּמְאָה אַעֲבִיר מִן־הָאָרֶץ Zech. 13:2
247 מִגַּעֲרָתְךָ יְיָ מִנִּשְׁמַת רוּחַ אַפֶּךָ Ps. 18:16
248 יִבְצֹר רוּחַ נְגִידִים Ps. 76:13
249 וַיַּעֲמֵד רוּחַ סְעָרָה וַתְּרוֹמֵם גַּלָּיו Ps. 107:25
250 רוּחַ סְעָרָה עֹשָׂה דְבָרוֹ Ps. 148:8
251 רוּחַ אִישׁ יְכַלְכֵּל מַחֲלֵהוּ Prov. 18:14
252 רוּחַ צָפוֹן תְּחוֹלֵל גָּשֶׁם Prov. 25:23
253 הֱצִיקַתְנִי רוּחַ בִּטְנִי Job 32:18
254 רוּחַ־אֵל עָשָׂתְנִי Job 33:4
255 רוּחַ אַפֵּינוּ מְשִׁיחַ יְיָ נִלְכַּד Lam. 4:20
256 רוּחַ בְּנֵי הָאָדָם הָעֹלָה הִיא לְמָעְלָה Eccl. 3:21
257 אִם־רוּחַ הַמּוֹשֵׁל תַּעֲלֶה עָלֶיךָ Eccl. 10:4
258 הֵעִיר יְיָ אֶת־רוּחַ כֹּרֶשׁ Ez. 1:1
259 וַיָּעַר אֱלֹהֵי יִשְׂרָאֵל אֶת־רוּחַ פּוּל ICh. 5:26
260 וְאֶת־רוּחַ תִּלְּגַת פִּלְנֶסֶר ICh. 5:26
261 הִנֵּה נָתַן יְיָ רוּחַ שֶׁקֶר בְּפִי... IICh. 18:22
262 וַיָּעַר יְיָ...אֶת־רוּחַ הַפְּלִשְׁתִּים IICh. 21:16
263 הֵעִיר יְיָ אֶת־רוּחַ כּוֹרֶשׁ IICh. 36:22

וְרוּחַ־
264 וְרוּחַ אֱלֹהִים מְרַחֶפֶת עַל־פְּנֵי הַמָּיִם Gen. 1:2
265 וְרוּחַ הַקָּדִים נָשָׂא אֶת־הָאַרְבֶּה Ex. 10:13
266 וְרוּחַ יְיָ לָבְשָׁה אֶת־גִּדְעוֹן Jud. 6:34
267 וְרוּחַ יְיָ סָרָה מֵעִם שָׁאוּל ISh. 16:14
268 וְרוּחַ יְיָ יִשָּׂאֲךָ IK. 18:12
269 וְרוּחַ סְעָרוֹת תְּבַקֵּעַ Ezek. 13:11
270 וְרוּחַ הַקָּדִים הוֹבִישׁ פִּרְיָהּ Ezek. 19:12
271 וְרוּחַ זִלְעָפוֹת מְנָת כּוֹסָם Ps. 11:6
272 וְרוּחַ קָדְשְׁךָ אַל־תִּקַּח מִמֶּנִּי Ps. 51:13
273 נֶפֶשׁ כָּל־חָי וְרוּחַ כָּל־בְּשַׂר־אִישׁ Job 12:10
274 נִשְׁמָתִי בִי וְרוּחַ אֱלוֹהַּ בְּאַפִּי Job 27:3
275 וְרוּחַ הַבְּהֵמָה הַיֹּרֶדֶת הִיא לְמַטָּה Eccl. 3:21
276 וְרוּחַ אֱלֹהִים לָבְשָׁה אֶת־זְכַרְיָה IICh. 24:20

בְּרוּחַ־
277 וַיּוֹלֶךְ...בְּרוּחַ קָדִים עַזָּה Ex. 14:21
278 בְּרוּחַ מִשְׁפָּט וּבְרוּחַ בָּעֵר Is. 4:4
279 וַתְּבִאֵנִי...בַּמַּרְאָה בְּרוּחַ אֱלֹהִים Ezek. 11:24
280 וַיּוֹצִיאֵנִי בְרוּחַ יְיָ Ezek. 37:1
281 בְּרוּחַ קָדִים תְּשַׁבֵּר אֳנִיּוֹת תַּרְשִׁישׁ Ps. 48:8
282 וְיָסוּר בְּרוּחַ פִּיו Job 15:30

וּבְרוּחַ־
283 וּבְרוּחַ אַפֶּיךָ נֶעֶרְמוּ מַיִם Ex. 15:8
284 בְּרוּחַ מִשְׁפָּט וּבְרוּחַ בָּעֵר Is. 4:4
285 וּבְרוּחַ שְׂפָתָיו יָמִית רָשָׁע Is. 11:4
286 וּבְרוּחַ פִּיו כָּל־צְבָאָם Ps. 33:6

כְּרוּחַ־
287 כְּרוּחַ־קָדִים אֲפִיצֵם לִפְנֵי אוֹיֵב Jer. 18:17

לְרוּחַ־
288 מִתְהַלֵּךְ בַּגָּן לְרוּחַ הַיּוֹם Gen. 3:8
289 וַאֲפִיצֵם כְּקַשׁ עוֹבֵר לְרוּחַ מִדְבָּר Jer. 13:24
290 וְהָיִיתִי לְרוּחַ שֶׁקֶר בְּפִי...נְבִיאָיו IICh. 18:21

וּלְרוּחַ־
291 וּלְרוּחַ מִשְׁפָּט לַיּוֹשֵׁב עַל־הַמִּשְׁ' Is. 28:6

וּמֵרוּחַ־
292 וּמֵרוּחַ אַפּוֹ יִכְלוּ Job 4:9

רוּחִי
293 לֹא־יָדוֹן רוּחִי בָאָדָם Gen. 6:3
294 אַף־רוּחִי בְּקִרְבִּי אֲשַׁחֲרֶךָּ Is. 26:9
295 וְלִנְסֹךְ מַסֵּכָה וְלֹא רוּחִי Is. 30:1
296 וּלְכָל־בָּהֶן חַיֵּי רוּחִי Is. 38:16
297 הֵן עַבְדִּי...נָתַתִּי רוּחִי עָלָיו Is. 42:1
298 אֶצֹּק רוּחִי עַל־זַרְעֶךָ Is. 44:3
299 רוּחִי...וּדְבָרַי...לֹא־יָמוּשׁוּ Is. 59:21
300 וָאֵלֵךְ מַר בַּחֲמַת רוּחִי Ezek. 3:14
301 וְאֶת־רוּחִי אֶתֵּן בְּקִרְבְּכֶם Ezek. 36:27
302 וְנָתַתִּי רוּחִי בָכֶם וִחְיִיתֶם Ezek. 37:14
303 שָׁפַכְתִּי אֶת־רוּחִי עַל־בֵּית יִשְׂרָאֵל Ezek. 39:29
304 אֶשְׁפּוֹךְ אֶת־רוּחִי עַל־כָּל־בָּשָׂר Joel 3:1
305 עַל־הָעֲבָדִים...אֶשְׁפּוֹךְ אֶת־רוּחִי Joel 3:2
306 הֵנִיחוּ אֶת־רוּחִי בְּאֶרֶץ צָפוֹן Zech. 6:8
307 בְּיָדְךָ אַפְקִיד רוּחִי Ps. 31:6
308 אָשִׂיחָה וְתִתְעַטֵּף רוּחִי Ps. 77:4
309 עִם־לְבָבִי אָשִׂיחָה וַיְחַפֵּשׂ רוּחִי Ps. 77:7
310 בְּהִתְעַטֵּף עָלַי רוּחִי Ps. 142:4
311 וַתִּתְעַטֵּף עָלַי רוּחִי Ps. 143:4
312 מַהֵר עֲנֵנִי יְיָ כָּלְתָה רוּחִי Ps. 143:7
313 אַבִּיעָה לָכֶם רוּחִי Prov. 1:23
314 אֲשֶׁר חֲמָתָם שֹׁתָה רוּחִי Job 6:4
315 אֲדַבְּרָה בְּצַר רוּחִי Job 7:11
316 לֹא־יִתְּנֵנִי הָשֵׁב רוּחִי Job 9:18
317 וּפְקֻדָּתְךָ שָׁמְרָה רוּחִי Job 10:12
318 רוּחִי חֻבָּלָה יָמַי נִזְעָכוּ Job 17:1
319 רוּחִי זָרָה לְאִשְׁתִּי Job 19:17
320 וְאִם־מַדּוּעַ לֹא־תִקְצַר רוּחִי Job 21:4
321 וַתִּפָּעֶם רוּחִי לָדַעַת אֶת־הַחֲלוֹם Dan. 2:3

וְרוּחִי
322 וְרוּחִי עֹמֶדֶת בְּתוֹכְכֶם Hag. 2:5

בְּרוּחִי
323 לֹא בְחַיִל וְלֹא בְכֹחַ כִּי אִם־בְּרוּחִי Zech. 4:6

רוּחֲךָ
324 מַה־זֶּה רוּחֲךָ סָרָה IK. 21:5
325 תְּשַׁלַּח רוּחֲךָ יִבָּרֵאוּן Ps. 104:30
326 רוּחֲךָ טוֹבָה תַּנְחֵנִי Ps. 143:10

רוּחֶךָ
327 כִּי־תָשִׁיב אֶל־אֵל רוּחֶךָ Job 15:13

וְרוּחֲךָ
328 וְרוּחֲךָ הַטּוֹבָה נָתַתָּ לְהַשְׂכִּילָם Neh. 9:20

בְּרוּחֲךָ
329 נָשַׁפְתָּ בְרוּחֲךָ כִּסָּמוֹ יָם Ex. 15:10
330 וִיהִי־נָא פִּי־שְׁנַיִם בְּרוּחֲךָ אֵלָי IIK. 2:9
331 אַל־תְּבַהֵל בְּרוּחֲךָ לִכְעוֹס Eccl. 7:9
332 וַתָּעַד בָּם בְּרוּחֲךָ בְּיַד־נְבִיאֶיךָ Neh. 9:30

מֵרוּחֶךָ
333 אָנָה אֵלֵךְ מֵרוּחֶךָ Ps. 139:7

רוּחוֹ
334 וַיְהִי בַבֹּקֶר וַתִּפָּעֶם רוּחוֹ Gen. 41:8
335 וְכֹל אֲשֶׁר נָדְבָה רוּחוֹ Ex. 35:21
336 כִּי־יִתֵּן יְיָ אֶת־רוּחוֹ עֲלֵיהֶם Num. 11:29

רוחו (המשך) 337 כִּי־הִקְשָׁה יְיָ אֱלֹהֶיךָ אֶת־רוּחוֹ Deut. 2:30
338 וַתָּשָׁב רוּחוֹ וַיֶּחִי Jud. 15:19
339 וַיֹּאכַל וַתָּשָׁב רוּחוֹ אֵלָיו ISh. 30:12
340 וְהֵנִיף יָדוֹ עַל־הַנָּהָר בַּעְיָם רוּחוֹ Is. 11:15
341 וְלֹא־נֶאֶמְנָה אֶת־אֵל רוּחוֹ Ps. 78:8
342 כִּי־הִמְרוּ אֶת־רוּחוֹ Ps. 106:33
343 תֵּצֵא רוּחוֹ יָשֻׁב לְאַדְמָתוֹ Ps. 146:4
344 יַשֵּׁב רוּחוֹ יִזְּלוּ־מָיִם Ps. 147:18
345 כָּל־רוּחוֹ יוֹצִיא כְסִיל Prov. 29:11
346 רוּחוֹ וְנִשְׁמָתוֹ אֵלָיו יֶאֱסֹף Job 34:14
347 וַתִּתְפָּעֶם רוּחוֹ Dan. 2:1
348 הֵעִיר הָאֱלֹהִים אֶת־רוּחוֹ Ez. 1:5
וְרוּחוֹ 349 וְרוּחוֹ כְּנַחַל שׁוֹטֵף Is. 30:28
350 כִּי־פִי הוּא צִוָּה וְרוּחוֹ הוּא קִבְּצָן Is. 34:16
351 אֲדֹנָי יֱהוִֹה שְׁלָחַנִי וְרוּחוֹ Is. 48:16
בְּרוּחוֹ 352 הָגָה בְּרוּחוֹ הַקָּשָׁה בְּיוֹם קָדִים Is. 27:8
353 אֲשֶׁר שָׁלַח...בְּרוּחוֹ בְּיַד הַנְּבִיאִים Zech. 7:12
354 וְאֵין בְּרוּחוֹ רְמִיָּה Ps. 32:2
355 טוֹב...וּמֹשֵׁל בְּרוּחוֹ מִלֹּכֵד עִיר Prov. 16:32
356 בְּרוּחוֹ שָׁמַיִם שִׁפְרָה Job 26:13
לְרוּחוֹ 357 אִישׁ אֲשֶׁר אֵין־מַעְצָר לְרוּחוֹ Prov. 25:28
רוּחֲכֶם 358 רוּחֲכֶם אֵשׁ תֹּאכַלְכֶם Is. 33:11
359 וּמַעֲלוֹת רוּחֲכֶם אֲנִי יְדַעְתִּיהָ Ezek. 11:5
360 וְהָעֹלָה עַל־רוּחֲכֶם הָיוֹ לֹא תִהְיֶה Ezek. 20:32
בְּרוּחֲכֶם 361/2 וְנִשְׁמַרְתֶּם בְּרוּחֲכֶם Mal. 2:15, 16
רוּחָם 363 אָז רָפְתָה רוּחָם מֵעָלָיו Jud. 8:3
364 אֲשֶׁר הֹלְכִים אַחַר רוּחָם Ezek. 13:3
365 תֹּסֵף רוּחָם יִגְוָעוּן Ps. 104:29
רוּחוֹת 366 וְהֵבֵאתִי אֶל־עֵילָם אַרְבַּע רוּחוֹת Jer. 49:36
367 מֵאַרְבַּע רוּחוֹת בֹּאִי הָרוּחַ Ezek. 37:9
368 לְאַרְבַּע רוּחוֹת מְדָדוֹ Ezek. 42:20
369 עֹשֶׂה מַלְאָכָיו רוּחוֹת Ps. 104:4
370 לְאַרְבַּע רוּחוֹת יִהְיוּ הַשֹּׁעֲרִים ICh. 9:24
הָרוּחוֹת 371 אֵל אֱלֹהֵי הָרוּחֹת לְכָל־בָּשָׂר Num. 16:22
372 יְיָ אֱלֹהֵי הָרוּחֹת לְכָל־בָּשָׂר Num. 27:16
373 וְזֵרִתִים לְכֹל הָרֻחוֹת הָאֵלֶּה Jer. 49:36
רוּחוֹת־ 374 כְּאַרְבַּע רוּחוֹת הַשָּׁמַיִם פֵּרַשְׂתִּי אֶתְכֶם Zech. 2:10
375 אֵלֶּה אַרְבַּע רוּחוֹת הַשָּׁמַיִם Zech. 6:5
376 וְתֹכֵן רוּחוֹת יְיָ Prov. 16:2
377/8 לְאַרְבַּע רוּחוֹת הַשָּׁמָיִם Dan. 8:8; 11:4

רוּחַ[2]

ז׳׳נ ארמית, כמו בעברית
א) תנועת אויר: 8
ב) נשימה, נפש, רגש: 1–7, 9, 10
ג) צד, עבר: 11

רוּחַ אֱלָהִין 3–7; רוּחַ יַתִּירָא 2,1; רוּחֵי שְׁמַיָּא 11

רוּחַ 1 רוּחַ יַתִּירָה וּמַנְדַּע וְשָׂכְלְתָנוּ Dan. 5:12
2 כָּל־קֳבֵל דִּי רוּחַ יַתִּירָא בֵּהּ Dan. 6:4
רוּחַ־ 3–6 רוּחַ אֱלָהִין קַדִּישִׁין Dan. 4:5, 6, 15; 5:11
7 דִּי רוּחַ אֱלָהִין בָּךְ Dan. 5:14
רוּחָא 8 וּנְשָׂא הִמּוֹן רוּחָא Dan. 2:35
רוּחִי 9 אֶתְכְּרִיַּת רוּחִי...בְּגוֹא נִדְנֶה Dan. 7:15
וְרוּחֵהּ 10 וְרוּחֵהּ תִּקְפַת לַהֲזָדָה Dan. 5:20
רוּחֵי־ 11 אַרְבַּע רוּחֵי שְׁמַיָּא מְגִיחָן Dan. 7:2

רְוָחָה

נ׳ הצלה, הקלה: 1, 2

הָרְוָחָה 1 וַיַּרְא פַּרְעֹה כִּי הָיְתָה הָרְוָחָה Ex. 8:11
לְרַוְחָתִי 2 אַל־תַּעְלֵם אָזְנְךָ לְרַוְחָתִי לְשַׁוְעָתִי Lam. 3:56

רְוָיָה

נ׳ שובע, שפע: 1, 2

רְוָיָה 1 דִּשַּׁנְתָּ בַשֶּׁמֶן רֹאשִׁי כּוֹסִי רְוָיָה Ps. 23:5
לָרְוָיָה 2 בָּאנוּ־בָאֵשׁ וּבַמַּיִם וַתּוֹצִיאֵנוּ לָרְוָיָה Ps. 66:12

רוֹכֵל

ז׳ סוחר: 1–14
אֲבְקַת רוֹכֵל 1; עִיר רוֹכְלִים 2

רוֹכֵל 1 מֹר וּלְבוֹנָה מִכֹּל אַבְקַת רוֹכֵל S.ofS. 3:6
רֹכְלִים 2 בְּעִיר רֹכְלִים שָׂמוֹ Ezek. 17:4
הָרֹכְלִים 3 מֵאַנְשֵׁי הַתָּרִים וּמִסְחַר הָרֹכְלִים IK. 10:15
4 הָרֹכְלִים וּמֹכְרֵי כָל־מִמְכָּר Neh. 13:20
וְהָרֹכְלִים 5 עַד־בֵּית הַנְּתִינִים וְהָרֹכְלִים Neh. 3:31
6 הֶחֱזִיקוּ הַצֹּרְפִים וְהָרֹכְלִים Neh. 3:32
רֹכְלֵי־ 7 רֹכְלֵי שְׁבָא וְרַעְמָה הֵמָּה רֹכְלָיִךְ Ezek. 27:22
8 חָרָן וְכַנֵּה וָעֶדֶן רֹכְלֵי שְׁבָא Ezek. 27:23
רֹכְלָיִךְ 9 בְּנֵי דְדָן רֹכְלַיִךְ Ezek. 27:15
10 הֵמָּה רֹכְלַיִךְ בְּמַכְלֻלִים Ezek. 27:24
11 הִרְבֵּית רֹכְלַיִךְ מִכּוֹכְבֵי הַשָּׁמָיִם Nah. 3:16
רֹכְלָיִךְ 12 יָוָן תּוּבַל וָמֶשֶׁךְ הֵמָּה רֹכְלָיִךְ Ezek. 27:13
13 יְהוּדָה וְאֶרֶץ יִשְׂרָאֵל הֵמָּה רֹכְלָיִךְ Ezek. 27:17
14 רֹכְלֵי שְׁבָא וְרַעְמָה הֵמָּה רֹכְלָיִךְ Ezek. 27:22

רוֹכֶלֶת

נ׳ סוחרת: 1–3

רוֹכֶלֶת 1 רֹכֶלֶת הָעַמִּים אֶל־אִיִּים רַבִּים Ezek. 27:3
רוֹכַלְתֵּךְ 2 דְּדָן רֹכַלְתֵּךְ בְּבִגְדֵי־חֹפֶשׁ Ezek. 27:20
3 אַשּׁוּר כִּלְמַד רֹכַלְתֵּךְ Ezek. 27:23

רום

: רָם, נָרוֹם, רוֹמֵם, רוֹמַם, הִתְרוֹמֵם, הֵרִים, הוּרַם; רוּם, רוֹם, רוֹמָה, רוֹמָם, רוֹמֵמוּת, מָרוֹם, תְּרוּמָה, תְּרוּמִיָּה; ש״פ רָם, רָמָה, רָמוֹת, רוֹמַמְתִּי־עֶזֶר, רֶמֶת, יְרִימוֹת, יְרֵמוֹת, יְרֵמַי, יַרְמוּת, יִרְמְיָהוּ, מֵרוֹם, מְרֵמוֹת; אַבְרָהָם, אֲבִירָם, אֲדוֹרָם, אֲדוֹנִירָם, אֲחִירָם, יוֹרָם, מַלְכִּירָם, עַמְרָם; אר׳ רָם, רוֹמֵם, הִתְרוֹמֵם, אֲרִים; רוּם, רוּם

(רום) רָם פָּ׳ א) עלה, התנשא (גם בהשאלה): 1–41
ב) [נפ׳ נָרוֹם, יֵרוֹמּוּ – לפי רמם]
התרומם, הגביה עצמו: 42–45
ג) [פִּ׳ רוֹמֵם] הגביה, העלה: 46, 50–52, 58–66
ד) [כנ״ל] גִּדֵּל, טִפֵּחַ: 47–49
ה) [כנ״ל] שִׁבַּח, הִלֵּל: 53–57, 67–70
ו) [פֻּ׳ רוֹמַם] נִשָּׂא, היה מֵעַל ל־: 71–73
ז) [הת׳ הִתְרוֹמֵם] התנשא, גָּדַל: 74, 75
ח) [הפ׳ הֵרִים] הגביהַ, העלה:
רוב המקראות 77–163
ט) [כנ״ל] הסיר, סִלֵּק: 76, 100, 112, 127, 160
י) [כנ״ל] הפריש: 85, 86, 95, 98, 99, 101–108, 120, 121, 138–147, 151, 152
יא) [הפ׳ הוּרַם] הוגבה
(ובהשאלה) הופרש: 164–166

– רָם לְבָבוֹ 1, 5–7; רָם רֹאשׁוֹ 20
– רָמָה יָדוֹ 8, 10, 32; רָמָה יְמִינוֹ 27; רָמָה קַרְנוֹ 9, 28–30; רָמוּ מְסִלּוֹת 37; רָמוּ עֵינָיו 11, 12
– רוֹמֵם בֵּית אֱלֹהִים 46; רוֹמֵם בָּנִים 48; רוֹמֵם בְּתוּלוֹת 47; רוֹמֵם גּוֹי 64; ר׳ גַּלִּים 65; ר׳ שְׁמוֹ 67
– יָמִין רוֹמֵמָה 52
– הֵרִים אֶבְיוֹן 122; הֵרִים אֶבֶן 137, 163; הֵרִים אַדֶּרֶת 133; הֵרִים אִוֶּלֶת 110; הֵרִים בָּחוּר 89; הֵרִים גְּרוּשָׁה 162; הֵר׳ דֶּשֶׁן 100; הֵר׳ חֵלֶב 85, 86, 120, 121; הֵר׳ יָדוֹ 87, 96, 118, 119, 130, 132; הֵרִים יְמִינוֹ 93, 135; הֵר׳ מַטֵּהוּ 153; הֵרִים מִכְשׁוֹל 160; הֵר׳ נֵס 115, 161; הֵרִים עֲטָרָה 76; הֵר׳ פָּנָיו 81; הֵרִים פְּעָמָיו 156; הֵרִים צֹאן 136; הֵרִים קוֹל 78–80, 82, 84, 88, 92, 94, 116, 154, 157, 159; הֵרִים קָלוֹן 109; הֵרִים קִנּוֹ 126; הֵרִים קֶרֶן 83, 97, 117, 128, 134, 148, 149; הֵרִים רֹאשׁ 111, 124; הֵר׳ רַגְלוֹ 118; הֵרִים שְׂמֹאלוֹ 135; הֵרִים תְּרוּמָה 102, 103, 108, 138–147, 151, 152

רוּם 1 לְבִלְתִּי רוּם־לְבָבוֹ מֵאֶחָיו Deut. 17:20
כְּרֻם 2 כְּרֻם זֻלֻּת לִבְנֵי אָדָם Ps. 12:9
לָרוּם 3 לָרוּם מֵעַל הָאָרֶץ Ezek. 10:16
וּבְרוֹמָם 4 וּבְרוֹמָם יֵרוֹמוּ אוֹתָם Ezek. 10:17
וְרָם 5 וְרָם לְבָבֶךָ וְשָׁכַחְתָּ אֶת־יְיָ Deut. 8:14
6 וְרָם לְבָבוֹ בְּגָבְהוֹ Ezek. 31:10
7 וְנִשָּׂא הֶהָמוֹן וְרָם (כת׳ ירום) לְבָבוֹ Dan. 11:12
רָמָה 8 פֶּן־יֹאמְרוּ יָדֵנוּ רָמָה Deut. 32:27
9 עָלַץ לִבִּי בַּיְיָ רָמָה קַרְנִי בַּיְיָ ISh. 2:1
10 רָמָה יָדְךָ בַּל־יֶחֱזָיוּן Is. 26:11
רָמוּ 11 לֹא־גָבַהּ לִבִּי וְלֹא־רָמוּ עֵינַי Ps. 131:1
12 דּוֹר מָה־רָמוּ עֵינָיו Prov. 30:13
רָמּוּ 13 וּרְאֵה רֹאשׁ כּוֹכָבִים כִּי־רָמּוּ Job 22:12
רוֹמּוּ 14 רוֹמּוּ מְּעַט וְאֵינֶנּוּ Job 24:24
אָרוּם 15/6 אָרוּם בַּגּוֹיִם אָרוּם בָּאָרֶץ Ps. 46:11
יָרוּם 17 וְלָכֵן יָרוּם לְרַחֶמְכֶם Is. 30:18
18 יָרוּם וְנִשָּׂא וְגָבַהּ מְאֹד Is. 52:13
19 עַד־אָנָה יָרוּם אֹיְבִי עָלָי Ps. 13:3
20 וְעַתָּה יָרוּם רֹאשִׁי עַל אֹיְבַי Ps. 27:6
21 בְּצוּר־יָרוּם מִמֶּנִּי תַנְחֵנִי Ps. 61:3
וְיָרוּם 22 וְיָרֻם אֱלֹהֵי צוּר יִשְׁעִי IISh. 22:47
23 וְיָרוּם אֱלוֹהֵי יִשְׁעִי Ps. 18:47
וְיָרֹם 24 וְיָרֹם מֵאֲגַג מַלְכּוֹ וְתִנַּשֵּׂא מַלְכֻתוֹ Num. 24:7
וַיָּרָם 25 וַיָּרָם כְּבוֹד־יְיָ מֵעַל הַכְּרוּב Ezek. 10:4
26 שָׂבְעוּ וַיָּרָם לִבָּם Hosh. 13:6
תָּרוּם 27 תָּעֹז יָדְךָ תָּרוּם יְמִינֶךָ Ps. 89:14
28 וּבִרְצוֹנְךָ תָּרוּם (כ׳ תרים) קַרְנֵנוּ Ps. 89:18
29 וּבִשְׁמִי תָּרוּם קַרְנוֹ Ps. 89:25
30 קַרְנוֹ תָּרוּם בְּכָבוֹד Ps. 112:9
31 בְּבִרְכַּת יְשָׁרִים תָּרוּם קָרֶת Prov. 11:11
תָּרֹם 32 תָּרֹם יָדְךָ עַל־צָרֶיךָ Mic. 5:8
וַתָּרָם 33 וַיִּשְׂאוּ אֶת־הַתֵּבָה וַתָּרָם מֵעַל הָאָרֶץ Gen. 7:17
יָרוּמוּ 34 הַסּוֹרְרִים אַל־יָרוּמוּ (כת׳ ירימו) לָמוֹ Ps. 66:7
35 וּבְצִדְקָתְךָ יָרוּמוּ Ps. 89:17
36 זְמָמוֹ אַל־תָּפֵק יָרוּמוּ סֶלָה Ps. 140:9
יְרֻמוּן 37 וּמְסִלֹּתַי יְרֻמוּן Is. 49:11
רוּמָה 38 רוּמָה יְיָ בְעֻזֶּךָ Ps. 21:14
39 רוּמָה עַל־הַשָּׁמַיִם אֱלֹהִים Ps. 57:6
40/1 רוּמָה עַל־שָׁמַיִם אֱלֹהִים Ps. 57:12; 108:6
יֵרֹמּוּ 42 וּבְרוֹמָם יֵרוֹמּוּ אוֹתָם Ezek. 10:17
וַיֵּרֹמּוּ 43 וַיֵּרֹמּוּ הַכְּרוּבִים Ezek. 10:15
44 וַיֵּרוֹמּוּ מִן־הָאָרֶץ...בְּצֵאתָם Ezek. 10:19
הֵרֹמּוּ 45 הֵרֹמּוּ מִתּוֹךְ הָעֵדָה הַזֹּאת Num. 17:10
לְרוֹמֵם 46 לְרוֹמֵם אֶת־בֵּית אֱלֹהֵינוּ Ez. 9:9
רוֹמַמְתִּי 47 וְלֹא גִדַּלְתִּי בַחוּרִים רוֹמַמְתִּי בְתוּלוֹת Is. 23:4
וְרוֹמַמְתִּי 48 בָּנִים גִּדַּלְתִּי וְרוֹמַמְתִּי וְהֵם פָּשְׁעוּ Is. 1:2
רֹמְמָתְהוּ 49 מַיִם גִּדְּלוּהוּ תְּהוֹם רֹמְמָתְהוּ Ezek. 31:4
מְרוֹמֵם 50 מַשְׁפִּיל אַף־מְרוֹמֵם ISh. 2:7
מְרוֹמְמִי 51 מְרוֹמְמִי מִשַּׁעֲרֵי־מָוֶת Ps. 9:14
רוֹמֵמָה 52 יְמִין יְיָ רוֹמֵמָה יְמִין יְיָ עֹשָׂה חָיִל Ps. 118:16
אֲרוֹמִמְךָ 53 יְיָ אֱלֹהַי אַתָּה אֲרוֹמִמְךָ אוֹדֶה שִׁמְךָ Is. 25:1
54 אֲרוֹמִמְךָ יְיָ כִּי דִלִּיתָנִי Ps. 30:2
55 אֲרוֹמִמְךָ אֱלוֹהַי הַמֶּלֶךְ Ps. 145:1
אֲרוֹמְמֶךָּ 56 אֵלִי אַתָּה וְאוֹדֶךָּ אֱלֹהַי אֲרוֹמְמֶךָּ Ps. 118:28
וַאֲרֹמְמֶנְהוּ 57 אֱלֹהֵי אָבִי וַאֲרֹמְמֶנְהוּ Ex. 15:2
תְּרֹמֵם 58 עַל־כֵּן לֹא תְרֹמֵם Job 17:4
תְּרוֹמְמֵנִי 59 וּמוֹצִיאִי מֵאֹיְבָי וּמִקָּמַי תְּרוֹמְמֵנִי IISh. 22:49
60 מְפַלְּטִי מֵאֹיְבָי אַף מִן־קָמַי תְּרוֹמְמֵנִי Ps. 18:49
יְרוֹמֵם 61 וְאֶל־עַל יִקְרָאֻהוּ יַחַד לֹא יְרוֹמֵם Hosh. 11:7
יְרוֹמְמֵנִי 62 יַסְתִּרֵנִי...בְּצוּר יְרוֹמְמֵנִי Ps. 27:5
וִירוֹמִמְךָ 63 וִירוֹמִמְךָ לָרֶשֶׁת אָרֶץ Ps. 37:34
תְּרוֹמֵם 64 צְדָקָה תְּרוֹמֵם־גּוֹי Prov. 14:34

וַתְּרוֹמֵם 65 וַיַּעֲמֵד רוּחַ סְעָרָה וַתְּרוֹמֵם גַּלָּיו Ps. 107:25
וּתְרוֹמְמֶךָּ 66 סַלְסְלֶהָ וּתְרוֹמְמֶךָּ Prov. 4:8
וּנְרוֹמְמָה 67 גַּדְּלוּ לַיְיָ אִתִּי וּנְרוֹמְמָה שְׁמוֹ יַחְדָּו Ps. 34:4
וִירוֹמְמוּהוּ 68 וִירוֹמְמוּהוּ בִּקְהַל־עָם Ps. 107:32
רוֹמְמוּ 69-70 רוֹמְמוּ יְיָ אֱלֹהֵינוּ Ps. 99:5, 9
וְרוֹמַם 71 וְרוֹמַם תַּחַת לְשׁוֹנִי Ps. 66:17
וּמְרוֹמַם 72 וּמְרוֹמַם עַל־כָּל־בְּרָכָה וּתְהִלָּה Neh. 9:5
תְּרוֹמַמְנָה 73 תְּרוֹמַמְנָה קַרְנוֹת צַדִּיק Ps. 75:11
אֵרוֹמָם 74 עַתָּה אֵרוֹמָם עַתָּה אֶנָּשֵׂא Is. 33:10
וְיִתְרוֹמֵם 75 וְיִתְרוֹמֵם וְיִתְגַּדֵּל עַל־כָּל־אֵל Dan. 11:36
וְהָרֵים 76 הָסִיר הַמִּצְנֶפֶת וְהָרֵים הָעֲטָרָה Ezek. 21:31
כְּהָרִים 77 כְּהָרִים מַטֶּה לֹא־עֵץ Is. 10:15
וּכְהָרִים 78 וּכְהָרִים קוֹל בַּחֲצֹצְרוֹת IICh. 5:13
לְהָרִים 79 לְהָרִים קוֹל בִּתְרוּעָה Ezek. 21:27
80 בִּתְרוּעָה בְשִׂמְחָה לְהָרִים קוֹל Ez. 3:12
81 בֹּשְׁתִּי...לְהָרִים אֱלֹהַי פָּנַי אֵלֶיךָ Ez. 9:6
82 מַשְׁמִיעִים לְהָרִים־בְּקוֹל לְשִׂמְחָה ICh. 15:16
83 בְּדִבְרֵי הָאֱלֹהִים לְהָרִים קָרֶן ICh. 25:5
כַּהֲרִימִי 84 וַיְהִי כַּהֲרִימִי קוֹלִי וָאֶקְרָא Gen. 39:18
בַּהֲרִימְכֶם 85/6 בַּהֲרִימְכֶם אֶת־חֶלְבּוֹ מִמֶּנּוּ Num. 18:30, 32
הֲרִמֹתִי 87 הֲרִמֹתִי יָדִי אֶל־יְיָ אֵל עֶלְיוֹן Gen. 14:22
88 כִּי־הֲרִימֹתִי קוֹלִי וָאֶקְרָא Gen. 39:15
89 הֲרִימוֹתִי בָחוּר מֵעָם Ps. 89:20
הֲרִימֹתִיךָ 90 יַעַן אֲשֶׁר הֲרִמֹתִיךָ מִתּוֹךְ הָעָם IK. 14:7
91 יַעַן אֲשֶׁר הֲרִימֹתִיךָ מִן־הֶעָפָר IK. 16:2
הֲרִימוֹתָ 92 וְעַל־מִי הֲרִימוֹתָ קּוֹל IIK. 19:22
93 הֲרִימוֹתָ יְמִין צָרָיו Ps. 89:43
הֲרִימוֹתָה 94 וְעַל־מִי הֲרִימוֹתָה קּוֹל Is. 37:23
וַהֲרֵמֹתָ 95 וַהֲרֵמֹתָ מֶכֶס לַיְיָ מֵאֵת... Num. 31:28
הֵרִים 96 וְזֶה הַדָּבָר אֲשֶׁר־הֵרִים יָד בַּמֶּלֶךְ IK. 11:27
97 הֵרִים קֶרֶן צָרָיִךְ Lam. 2:17
98 הֵרִים לַקָּהָל אֶלֶף פָּרִים IICh. 30:24
וְהֵרִים 99 וְהֵרִים הַכֹּהֵן מִן־הַמִּנְחָה Lev. 2:9
100 וְהֵרִים אֶת־הַדֶּשֶׁן Lev. 6:3
101 וְהֵרִים מִמֶּנּוּ בְּקֻמְצוֹ מִסֹּלֶת הַמִּנְחָה Lev. 6:8
וַהֲרֵמֹתֶם 102 וַהֲרֵמֹתֶם מִמֶּנּוּ תְּרוּמַת יְיָ Num. 18:26
הֵרִימוּ 103 זְהַב הַתְּרוּמָה אֲשֶׁר הֵרִימוּ לַיְיָ Num. 31:52
104 וְהַשָּׂרִים הֵרִימוּ לַקָּהָל פָּרִים אֶ׳ IICh.30:24
105 וְשָׂרָיו לִנְדָבָה לָעָם...הֵרִימוּ IICh. 35:8
106 הֵרִימוּ לַלְוִיִּם לַפְּסָחִים IICh. 35:9
הַהֵרִימוּ 107 הַהֵרִימוּ הַמֶּלֶךְ וְיֹעֲצָיו וְשָׂרָיו Ez. 8:25
מֵרִים 108 כָּל־מֵרִים תְּרוּמַת כֶּסֶף וּנְחֹשֶׁת Ex. 35:24
109 וּכְסִילִים מֵרִים קָלוֹן Prov. 3:35
110 וּקְצַר־רוּחַ מֵרִים אִוֶּלֶת Prov. 14:29
וּמֵרִים 111 וְאַתָּה יְיָ...כְּבוֹדִי וּמֵרִים רֹאשִׁי Ps. 3:4
כִּמְרִימֵי־ 112 כִּמְרִימֵי עֹל עַל לְחֵיהֶם Hosh. 11:4
מְרִימָיו 113 כְּהָנִיף שֵׁבֶט (וְ)אֶת־מְרִימָיו Is. 10:15
אָרִים 114 מִמַּעַל לְכוֹכְבֵי־אֵל אָרִים כִּסְאִי Is. 14:13
115 וְאֶל־עַמִּים אָרִים נִסִּי Is. 49:22
הֲתָרִים 116 הֲתָרִים לָעָב קוֹלֶךָ Job 38:34
וַתָּרֶם 117 וַתָּרֶם כִּרְאֵים קַרְנִי Ps. 92:11
יָרִים 118 לֹא־יָרִים אִישׁ אֶת־יָדוֹ וְאֶת־רַגְלוֹ Gen. 41:44
119 וְהָיָה כַּאֲשֶׁר יָרִים מֹשֶׁה יָדוֹ Ex. 17:11
120 וְאֶת־כָּל־חֵלֶב...יָרִים מִמֶּנּוּ Lev. 4:8
121 וְאֵת כָּל־חֶלְבּוֹ יָרִים מִמֶּנּוּ Lev. 4:19
122 מְקִים...מֵאַשְׁפֹּת יָרִים אֶבְיוֹן ISh. 2:8
123 זֶה יַשְׁפִּיל וְזֶה יָרִים Ps. 75:8
124 עַל־כֵּן יָרִים רֹאשׁ Ps. 110:7
125 מְקִימִי...מֵאַשְׁפֹּת יָרִים אֶבְיוֹן Ps. 113:7
126 יַגְבִּיהַּ נָשֶׁר וְכִי יָרִים קִנּוֹ Job 39:27
וְיָרֵם 127 וְיָרֵם אֶת־הַמַּחְתֹּת מִבֵּין הַשְּׂרֵפָה Num.17:2
128 וְיִתֶּן־עֹז לְמַלְכּוֹ וְיָרֵם קֶרֶן מְשִׁיחוֹ ISh. 2:10

וַיָּרֶם 129 וַיָּרֶם בַּמַּטֶּה וַיַּךְ אֶת־הַמַּיִם Ex. 7:20
130 וַיָּרֶם מֹשֶׁה אֶת־יָדוֹ וַיַּךְ Num. 20:11
131 וַיָּרֶם הַטַּבָּח אֶת־הַשּׁוֹק וְהֶעָלֶיהָ ISh. 9:24
132 וַיָּרֶם יָד בַּמֶּלֶךְ IK. 11:26
133 וַיָּרֶם אֶת־אַדֶּרֶת אֵלִיָּהוּ IIK. 2:13
134 וַיָּרֶם קֶרֶן לְעַמּוֹ Ps. 148:14
135 וַיָּרֶם יְמִינוֹ וּשְׂמֹאלוֹ אֶל־הַשָּׁמַיִם Dan. 12:7
136 וַיָּרֶם יֹאשִׁיָּהוּ לִבְנֵי הָעָם צֹאן IICh. 35:7
וַיְרִימֶהָ 137 וַיִּקַּח יַעֲקֹב אָבֶן וַיְרִימֶהָ מַצֵּבָה Gen. 31:45
תָּרִימוּ 138 תָּרִימוּ תְרוּמָה לַיְיָ Num. 15:19
139 רֵאשִׁית עֲרִסֹתֵכֶם חַלָּה תָּרִימוּ תְרוּמָה Num. 15:20
140 תְּרוּמַת גֹּרֶן כֵּן תָּרִימוּ אֹתָהּ Num. 15:20
141 כֵּן תָּרִימוּ גַם־אַתֶּם תְּרוּמַת יְיָ Num. 18:28
142 תָּרִימוּ אֵת כָּל־תְּרוּמַת יְיָ Num. 18:29
143 בְּנַחֲלָה תָּרִימוּ תְרוּמָה לַיְיָ Ezek. 45:1
144 זֹאת הַתְּרוּמָה אֲשֶׁר תָּרִימוּ Ezek. 45:13
145 תִּהְיֶה הַתְּרוּמָה אֲשֶׁר־תָּרִימוּ Ezek. 48:8
146 הַתְּרוּמָה אֲשֶׁר תָּרִימוּ לַיְיָ Ezek. 48:9
147 תָּרִימוּ אֶת־תְּרוּמַת הַקֹּדֶשׁ Ezek. 48:20
148 וְלָרְשָׁעִים אַל־תָּרִימוּ קָרֶן Ps. 75:5
149 אַל־תָּרִימוּ לַמָּרוֹם קַרְנְכֶם Ps. 75:6
יָרִימוּ 150 וְלֹא יְחַלְּלוּ...אֵת אֲשֶׁר־יָרִימוּ לַיְיָ Lev. 22:15
151 תְּרוּמֹת הַקֳּדָשִׁים אֲשֶׁר יָרִימוּ Num. 18:19
152 אֲשֶׁר יָרִימוּ לַיְיָ תְּרוּמָה Num. 18:24
הָרֵם 153 וְאַתָּה הָרֵם אֶת־מַטְּךָ Ex. 14:16
154 כַּשּׁוֹפָר הָרֵם קוֹלֶךָ Is. 58:1
הָרֶם 155 וַיֹּאמֶר הָרֶם לָךְ IIK. 6:7
הָרִימָה 156 הָרִימָה פְעָמֶיךָ לְמַשֻּׁאוֹת נֶצַח Ps. 74:3
הָרִימִי 157 הָרִימִי בַכֹּחַ קוֹלֵךְ מְבַשֶּׂרֶת יְרוּשָׁלִָם Is. 40:9
158 הָרִימִי אַל־תִּירָאִי Is. 40:9
הָרִימוּ 159 שְׂאוּ־נֵס הָרִימוּ קוֹל לָהֶם Is. 13:2
160 הָרִימוּ מִכְשׁוֹל מִדֶּרֶךְ עַמִּי Is. 57:14
161 הָרִימוּ נֵס עַל־הָעַמִּים Is. 62:10
162 הָרִימוּ גְרֻשֹׁתֵיכֶם מֵעַל עַמִּי Ezek. 45:9
וְהָרִימוּ 163 וְהָרִימוּ לָכֶם אִישׁ אֶבֶן אַחַת Josh. 4:5
הוּרַם 164 וּמִמֶּנּוּ הוּרַם (כת׳ הרים) הַתָּמִיד Dan. 8:11
הוּרָם 165 אֲשֶׁר הוּנַף וַאֲשֶׁר הוּרָם Ex. 29:27
יוּרַם 166 כַּאֲשֶׁר יוּרַם מִשּׁוֹר זֶבַח הַשְּׁלָמִים Lev. 4:10

(רום) רם

פ׳ ארמית א) רָם, גָּבַהּ: 1
ב) [פ׳ רוֹמֵם] הלל: 2
ג) [הת׳ הִתְרוֹמֵם] התנשא: 3
ד) [אפ׳ אֲרִים] הרים: 4

רִם 1 וּכְדִי רִם לִבְבֵהּ Dan. 5:20
וּמְרוֹמֵם 2 מְשַׁבַּח וּמְרוֹמֵם...לְמֶלֶךְ שְׁמַיָּא Dan. 4:34
הִתְרוֹמַמְתָּ 3 וְעַל מָרֵא־שְׁמַיָּא הִתְרוֹמַמְתָּ Dan. 5:23
מָרִים 4 וְדִי־הֲוָה צָבֵא הֲוָה מָרִים Dan. 5:19

רוּם¹

ז׳ א) גובה: 6
ב) [בהשאלה] גאון: 1-5

רוּם אֲנָשִׁים 1, 2; רוּם לֵב 5; רוּם עֵינַיִם 3, 4

רוּם־ 1 וְשַׁח רוּם אֲנָשִׁים Is. 2:11
2 וְשָׁפֵל רוּם אֲנָשִׁים Is. 2:17
3 וְעַל־תִּפְאֶרֶת רוּם עֵינָיו Is. 10:12
4 רוּם־עֵינַיִם וּרְחַב־לֵב Prov. 21:4
וְרוּם־ 5 גָּבְהוֹ וּגְאוֹנוֹ וְגַאֲוָתוֹ וְרֻם לִבּוֹ Jer. 48:29
לָרוּם 6 שָׁמַיִם לָרוּם וָאָרֶץ לָעֹמֶק Prov. 25:3

רוּם²

ז׳ ארמית גובה: 1-5

רוּמֵהּ 1/2 רוּמֵהּ אַמִּין שִׁתִּין Dan. 3:1 • Ez. 6:3
וְרוּמֵהּ 3 וַאֲלוּ אִילָן...וְרוּמֵהּ שַׂגִּיא Dan. 4:7
4/5 וְרוּמֵהּ יִמְטֵא לִשְׁמַיָּא Dan. 4:8, 17

רוֹם

ז׳ גובה, מרום

רוֹם 1 נָתַן תְּהוֹם קוֹלוֹ רוֹם יָדֵיהוּ נָשָׂא Hab. 3:10

רוֹמָה

תה״פ – בראש מורם, קוממיות

רוֹמָה 1 וְלֹא תֵלְכוּ רוֹמָה כִּי עֵת רָעָה הִיא Mic. 2:3

רוּמָה

ש״פ – מקום בקרבת שכם, אולי הוא אֲרוּמָה: 2,1

רוּמָה 1 וְשֵׁם אִמּוֹ זְבוּדָּה...מִן־רוּמָה IIK. 23:36
וְרוּמָה 2 אֲרַב וְרוּמָה וְאֶשְׁעָן Josh. 15:52

רוֹמוֹ

(איוב כד24) – עין (רום) (14)

רוֹמָם

ז׳ שיר הלל: 1, 2

וְרוֹמַם 1 וְרוֹמַם תַּחַת לְשׁוֹנִי Ps. 66:17
רוֹמְמוֹת־ 2 רוֹמְמוֹת אֵל בִּגְרוֹנָם Ps. 149:6

רוֹמֵם

ת׳ עין (רום) (52)

רוֹמְמוּת*

נ׳ התנשאות

מֵרוֹמְמֻתֶךָ 1 מֵרוֹמְמֻתֶךָ נָפְצוּ גּוֹיִם Is. 33:3

רוֹמַמְתִּי עֶזֶר

שפ״ז – לוי מבני הימן: 2,1

וְרוֹמַמְתִּי עֶ׳ 1 אֱלִיאָתָה גִּדַּלְתִּי וְרֹמַמְתִּי עֶזֶר ICh. 25:4
לְרוֹמַמְתִּי עֶ׳ 2 וְאַרְבָּעָה וְעֶשְׂרִים לְרוֹמַמְתִּי עָזֶר ICh. 25:31

רוע

: הֵרִיעַ; רֵעַ, תְּרוּעָה

(רוע) הֵרִיעַ

הפ׳ א) השמיע קול רם: 1, 5, 7-11, 16-27, 30-40
ב) השמיע תרועה בחצוצרה או בשופר: 2-4, 6, 12-15, 28, 29
ג) [פ׳ רוֹעַע] נשמע קול רם וצוהל: 41
ד) [הת׳ הִתְרוֹעַע] התרונן, הריע: 42-44

הֵרִיעַ עַל־ 2, 11, 19, 31; הֵרִיעַ לְ־ 5, 13, 14, 34-39

בְּהָרִיעַ 1 וַיְהִי בְּהָרִיעַ אִישׁ יְהוּדָה IICh. 13:15
לְהָרִיעַ 2 וַחֲצֹצְרוֹת הַתְּרוּעָה לְהָרִיעַ עֲלֵיכֶ׳ IICh. 13:12
וַהֲרֵעֹתֶם 3 וַהֲרֵעֹתֶם בַּחֲצֹצְרֹת Num. 10:9
וַהֲרֵיעֹתֶם 4 עַד יוֹם אָמְרִי...הָרִיעוּ וַהֲרֵיעֹתֶם Josh. 6:10
הֵרִיעוּ 5 וּפְלִשְׁתִּים הֵרִיעוּ לִקְרָאתוֹ Jud. 15:14
6 הֵרִיעוּ תְרוּעָה גְדוֹלָה בְּהַלֵּל לַיְיָ Ez. 3:11
וְהֵרֵעוּ 7 וְהַחַיִל...וְהֵרֵעוּ בַּמִּלְחָמָה ISh. 17:20
מְרִיעִים 8 כִּי הָעָם מְרִיעִים תְּרוּעָה גְדוֹלָה Ez. 3:13
תָּרִיעִי 9 עַתָּה לָמָּה תָרִיעִי רֵעַ Mic. 4:9
יָרִיעַ 10 יָרִיעַ אַף־יַצְרִיחַ Is. 42:13
11 כִּי לֹא־יָרִיעַ אֹיְבִי עָלָי Ps. 41:12
וַיָּרַע 12 וַיָּרַע הָעָם וַיִּתְקְעוּ בַּשּׁוֹפָרוֹת Josh. 6:29
נָרִיעַ 13 בִּזְמִרוֹת נָרִיעַ לוֹ Ps. 95:2
נָרִיעָה 14 נְרַנְּנָה לַיְיָ נָרִיעָה לְצוּר יִשְׁעֵנוּ Ps. 95:1
תָּרִיעוּ 15 וּבְהַקְהִיל...תִּתְקְעוּ וְלֹא תָרִיעוּ Num. 10:7
16 לֹא תָרִיעוּ וְלֹא־תַשְׁמִיעוּ אֶת־קוֹלְכֶם Josh. 6:10
יָרִיעוּ 17 יָרִיעוּ כָל־הָעָם תְּרוּעָה גְדוֹלָה Josh. 6:5
18 עַל־כֵּן חֲלֻצֵי מוֹאָב יָרִיעוּ Is. 15:4
19 יָרִיעוּ עָלֵימוֹ כַּגַּנָּב Job 30:5
וַיָּרִיעוּ 20 וַיָּרִיעוּ הָעָם תְּרוּעָה גְדוֹלָה Josh. 6:20
21 וַיָּרָץ כָּל־הַמַּחֲנֶה וַיָּרִיעוּ וַיָּנוּסוּ Jud. 7:21
22 וַיָּרִעוּ כָל־יִשְׂרָאֵל תְּרוּעָה גְדוֹלָה ISh. 4:5
23 וַיָּרִעוּ כָל־הָעָם וַיֹּאמְרוּ... ISh. 10:24
24 וַיָּרִעוּ וַיִּרְדְּפוּ אֶת־הַפְּלִשְׁתִּים ISh. 17:52
25 וַיָּרִיעוּ כָּל־בְּנֵי אֱלֹהִים Job 38:7
26 וַיָּרִיעוּ אִישׁ יְהוּדָה IICh. 13:15
הָרִיעִי 27 גִּילִי...הָרִיעִי בַּת יְרוּשָׁלִַם Zech. 9:9
הָרִיעוּ 28 עַד יוֹם אָמְרִי אֲלֵיכֶם הָרִיעוּ Josh. 6:10
29 הָרִיעוּ כִּי־נָתַן יְיָ לָכֶם אֶת־הָעִיר Josh. 6:16
30 רָנּוּ...הָרִיעוּ תַּחְתִּיּוֹת אָרֶץ Is. 44:23
31 הָרִיעוּ עָלֶיהָ סָבִיב נָתְנָה יָדָהּ Jer. 50:15

הָרִיעוּ (המשך) 32 תִּקְעוּ...הָרִיעוּ בֵּית אָוֶן Hosh. 5:8
33 רָנִּי בַּת־צִיּוֹן הָרִיעוּ יִשְׂרָאֵל Zep. 3:14
34 הָרִיעוּ לֵאלֹהִים בְּקוֹל רִנָּה Ps. 47:2
35 הָרִיעוּ לֵאלֹהִים כָּל־הָאָרֶץ Ps. 66:1
36 הַרְנִינוּ...הָרִיעוּ לֵאלֹהֵי יַעֲקֹב Ps. 81:2
37/8 הָרִיעוּ לַיְיָ כָּל־הָאָרֶץ Ps. 98:4; 100:1
39 הָרִיעוּ לִפְנֵי הַמֶּלֶךְ Ps. 98:6
וְהָרִיעוּ 40 תִּקְעוּ...וְהָרִיעוּ בְּהַר קָדְשִׁי Joel 2:1
יְרֹעָע 41 וּבַכְּרָמִים לֹא־יְרֻנָּן לֹא יְרֹעָע Is. 16:10
אֶתְרוֹעָע 42 עֲלֵי־פְלֶשֶׁת אֶתְרוֹעָע Ps. 108:10
יִתְרוֹעֲעוּ 43 יִתְרוֹעֲעוּ אַף־יָשִׁירוּ Ps. 65:14
הִתְרוֹעָעִי 44 עָלַי פְּלֶשֶׁת הִתְרוֹעָעִי Ps. 60:10

רוֹעֶה

ז' א) מטפל בעדר צאן: רוב המקראות 1-80
ב) [בהשאלה] מנהיג, מנהל, ראש: 21, 27, 32, 33, 34, 36, 37, 40, 50, 56, 57, 64, 72, 73, 77
ג) כנוי כבוד לַיי שומר ישראל: 26, 31

– כְּבַקָּרַת רוֹעֶה 8; כְּלִי רוֹעֶה 11
– רוֹעֶה יִשְׂרָאֵל 26; רוֹעֶה צֹאן 22-24
– אַבִּיר הָרוֹעִים 47; בֵּית עֵקֶד הָרוֹעִים 49; יַד רוֹעִים 45; יִלְלַת ר' 61; כְּלִי ר' 46; כְּרוֹת ר' 42; מְלֹא ר' 32; מִשְׁכְּנוֹת ר' 63; נְאוֹת ר' 59; נְוֵה רוֹעִים 39; צַעֲקַת רוֹעִים 54
– רוֹעֵי גְרָר 68; ר' יִצְחָק 69; ר' יִשְׂרָאֵל 72, 73; רוֹעֵי מִקְנֶה 66, 67; רוֹעֵי צֹאן 70, 71

רוֹעֶה 1 כַּצֹּאן אֲשֶׁר אֵין־לָהֶם רֹעֶה Num. 27:17
2 כַּצֹּאן אֲשֶׁר אֵין־לָהֶם רֹעֶה IK. 22:17
3/4 וּמִי־זֶה רֹעֶה אֲשֶׁר יַעֲמֹד לְפָנָי Jer.49:19;50:44
5 וְנִפַּצְתִּי בְךָ רֹעֶה וְעֶדְרוֹ Jer. 51:23
6 וַתְּפוּצֶינָה מִבְּלִי רֹעֶה Ezek. 34:5
7 וַתִּהְיֶינָה צֹאנִי לְאָכְלָה...מֵאֵין רֹעֶה Ezek. 34:8
8 כְּבַקָּרַת רֹעֶה עֶדְרוֹ Ezek. 34:12
9 וַהֲקִמֹתִי עֲלֵיהֶם רֹעֶה אֶחָד Ezek. 34:23
10 יַעֲנוּ כִּי־אֵין רֹעֶה Zech. 10:2
11 קַח־לְךָ כְּלִי רֹעֶה אֱוִלִי Zech. 11:15
12 אָנֹכִי מֵקִים רֹעֶה בָּאָרֶץ Zech. 11:16
13 כַּצֹּאן אֲשֶׁר אֵין־לָהֶן רֹעֶה IICh. 18:16
וְרוֹעֶה 14 וְרוֹעֶה אֶחָד יִהְיֶה לְכֻלָּם Ezek. 37:24
הָרוֹעֶה 15 כַּאֲשֶׁר יַעְטֶה הָרֹעֶה אֶת־בִּגְדוֹ Jer. 43:12
16 כַּאֲשֶׁר יַצִּיל הָרֹעֶה מִפִּי הָאֲרִי Am. 3:12
17 הַךְ אֶת־הָרֹעֶה וּתְפוּצֶיןָ הַצֹּאן Zech. 13:7
כְּרוֹעֶה 18 כְּרֹעֶה עֶדְרוֹ יִרְעֶה Is. 40:11
19 וּשְׁמָרוֹ כְּרֹעֶה עֶדְרוֹ Jer. 31:10(9)
לְרוֹעֶה 20 וְהוּא יִהְיֶה לָהֶן לְרֹעֶה Ezek. 34:23
מֵרוֹעֶה 21 דִּבְרֵי חֲכָמִים...נִתְּנוּ מֵרֹעֶה אֶחָד Eccl. 12:11
רוֹעֵה־ 22 וַיְהִי־הֶבֶל רֹעֵה צֹאן Gen. 4:2
23 תּוֹעֲבַת מִצְרַיִם כָּל־רֹעֵה צֹאן Gen. 46:34
24 רֹעֵה צֹאן עֲבָדֶיךָ Gen. 47:3
25 וַיִּזְכֹּר...אֵת רֹעֵה צֹאנוֹ Is. 63:11
26 רֹעֵה יִשְׂרָאֵל הַאֲזִינָה Ps. 80:2
רוֹעִי 27 נִסַּע וְנִגְלָה מִנִּי כְּאֹהֶל רֹעִי Is. 38:12
28 הָאֹמֵר לְכוֹרֶשׁ רֹעִי Is. 44:28
29 הוֹי רֹעִי הָאֱלִיל עֹזְבִי הַצֹּאן Zech. 11:17
30 עוּרִי עַל־רֹעִי וְעַל־גֶּבֶר עֲמִיתִי Zech. 13:7
31 יְיָ רֹעִי לֹא אֶחְסָר Ps. 23:1
רוֹעִים 32 אֲשֶׁר יִקָּרֵא עָלָיו מְלֹא רֹעִים Is. 31:4
33 וְהֵמָּה רֹעִים לֹא יָדְעוּ הָבִין Is. 56:11
34 וְנָתַתִּי לָכֶם רֹעִים כְּלִבִּי Jer. 3:15
35 אֵלֶיהָ יָבֹאוּ רֹעִים וְעֶדְרֵיהֶם Jer. 6:3
36 רֹעִים רַבִּים שִׁחֲתוּ כַרְמִי Jer. 12:10
37 הוֹי רֹעִים מְאַבְּדִים וּמְפִצִים... Jer. 23:1
38 וַהֲקִמֹתִי עֲלֵיהֶם רֹעִים וְרָעוּם Jer. 23:4

רוֹעִים (המשך) 39 נְוֵה רֹעִים מַרְבִּצִים צֹאן Jer. 33:12
40 לָכֵן רֹעִים שִׁמְעוּ אֶת־דְּבַר יְיָ Ezek. 34:7
41 שִׁבְעָה רֹעִים וּשְׁמֹנָה נְסִיכֵי אָדָם Mic. 5:4
42 נְוֹת כְּרֹת רֹעִים וְגִדְרוֹת צֹאן Zep. 2:6
וְרוֹעִים 43 וְרֹעִים לֹא־יַרְבִּצוּ שָׁם Is. 13:20
הָרוֹעִים 44 וַיָּבֹאוּ הָרֹעִים וַיְגָרְשׁוּם Ex. 2:17
45 אִישׁ מִצְרִי הִצִּילָנוּ מִיַּד הָרֹעִים Ex. 2:19
46 בִּכְלִי הָרֹעִים אֲשֶׁר־לוֹ וּבַיַּלְקוּט ISh. 17:40
47 אַבִּיר הָרֹעִים אֲשֶׁר לְשָׁאוּל ISh. 21:8
48 הָרֹעִים אֲשֶׁר־לְךָ הָיוּ עִמָּנוּ ISh. 25:7
49 הוּא בֵּית־עֵקֶד הָרֹעִים בַּדָּרֶךְ IIK. 10:12
50 כִּי נִבְעֲרוּ הָרֹעִים Jer. 10:21
51 עַל־הָרֹעִים הָרֹעִים אֶת־עַמִּי Jer. 23:2
52 הֵילִילוּ הָרֹעִים וְזַעֲקוּ Jer. 25:34
53 וְאָבַד מָנוֹס מִן־הָרֹעִים Jer. 25:35
54 קוֹל צַעֲקַת הָרֹעִים Jer. 25:36
55 הֲלוֹא הַצֹּאן יִרְעוּ הָרֹעִים Ezek. 34:2
56 וַיִּרְעוּ הָרֹעִים אוֹתָם Ezek. 34:8
57 לָכֵן הָרֹעִים שִׁמְעוּ דְּבַר־יְיָ Ezek. 34:9
58 הִנְנִי אֶל־הָרֹעִים וְדָרַשְׁתִּי...צֹאנִי מִיָּדָם Ezek.34:10
59 וְאָבְלוּ נְאוֹת הָרֹעִים Am. 1:2
60 עַל־הָרֹעִים חָרָה אַפִּי Zech. 10:3
61 קוֹל יִלְלַת הָרֹעִים Zech. 11:3
62 וָאַכְחִד אֶת־שְׁלֹשֶׁת הָרֹעִים Zech. 11:8
63 וּרְעִי...עַל מִשְׁכְּנוֹת הָרֹעִים S.ofS. 1:8
וְהָרוֹעִים 64 וְהָרֹעִים פָּשְׁעוּ בִי Jer. 2:8
לָרוֹעִים 65 הִנָּבֵא וְאָמַרְתָּ אֲלֵיהֶם לָרֹעִים Ezek. 34:2
רוֹעֵי־ 66 וַיְהִי־רִיב בֵּין רֹעֵי מִקְנֵה־אַבְרָם Gen. 13:7
67 וּבֵין רֹעֵי מִקְנֵה־לוֹט Gen. 13:7
68/9 וַיָּרִיבוּ רֹעֵי גְרָר עִם־רֹעֵי יִצְחָק Gen. 26:20
70 וְהָאֲנָשִׁים רֹעֵי צֹאן Gen. 46:32
71 וַיִּזְכֹּר...אֵת רֹעֵי צֹאנוֹ Is. 63:11
72 הִנָּבֵא עַל־רוֹעֵי יִשְׂרָאֵל Ezek. 34:2
73 הוֹי רֹעֵי יִשְׂרָאֵל Ezek. 34:2
רוֹעַי 74 וּבֵין רֹעַי וּבֵין רֹעֶיךָ Gen. 13:8
75 וְלֹא־דָרְשׁוּ רֹעַי אֶת־צֹאנִי Ezek. 34:8
רוֹעֶיךָ 76 וּבֵין רֹעַי וּבֵין רֹעֶיךָ Gen. 13:8
77 נָמוּ רֹעֶיךָ מֶלֶךְ אַשּׁוּר Nah. 3:18
רוֹעַיִךְ 78 כָּל־רֹעַיִךְ תִּרְעֶה־רוּחַ Jer. 22:22
רוֹעֵיהֶם 79 צֹאן אֹבְדוֹת...רֹעֵיהֶם הִתְעוּם Jer. 50:6
וְרוֹעֵיהֶם 80 וְרֹעֵיהֶם לֹא יַחְמוֹל עֲלֵיהֶן Zech. 11:5

רוֹעָה

נ' מטפלת בעדר צאן
רוֹעָה 1 וְרָחֵל בָּאָה...כִּי רֹעָה הִוא Gen. 29:9

רוֹפֵא

ז' – עין רָפָא

רוֹפֵף

פ' התמוטט
יְרוֹפָפוּ 1 עַמּוּדֵי שָׁמַיִם יְרוֹפָפוּ Job 26:11

רוּץ

: רָץ, רוֹצֵץ, הִתְרוֹצֵץ, הֵרִיץ; מֵרוֹץ, מְרוּצָה

(רוּץ) רָץ פ' א) נע בהליכה מהירה מאוד
(גם בהשאלה): 1-72 [עין גם ערך רָץ ז']
ב) [פ' רוֹצֵץ] רץ מהרה: 73
ג) [הת' הִתְרוֹצֵץ] נדחק לכאן ולכאן: 74
ד) [הפ' הֵרִיץ] גרם לאחר שירוץ: 75-77, 79
ה) [כנ"ל] העביר מהר: 78, 80

רָץ אֶל־ 7, 31, 35, 39, 41, 45, 50, 52, 58, 61; רָץ לְ־ 4, 18, 59, 60; רָץ אַחֲרֵי־ 5, 15, 48, 56; רָץ לִפְנֵי־ 10, 16, 17, 47; רָץ לִקְרַאת־ 27, 34, 36, 37, 71; רָץ בְּ־ 66, 68; רָץ מִן־ 42, 43; רָץ עַד־ 25

רָצוֹא 1 וְהַחַיּוֹת רָצוֹא וָשׁוֹב כְּמַרְאֵה הַבָּזָק יחזק' 1:14
לָרוּץ 2 נִשְׁאַל...לָרוּץ בֵּית־לֶחֶם עִירוֹ ISh. 20:6
3 יָשִׂישׂ כְּגִבּוֹר לָרוּץ אֹרַח Ps. 19:6
4 רַגְלַיִם מְמַהֲרוֹת לָרוּץ לָרָעָה Prov. 6:18
רַצְתִּי 5 כִּי־אִם־רַצְתִּי אַחֲרָיו IIK. 5:20
רַצְתָּה 6 כִּי אֶת־רַגְלִים רַצְתָּה וַיַּלְאוּךָ Jer. 12:5
רָץ 7 וְאֶל־הַבָּקָר רָץ אַבְרָהָם Gen. 18:7
8 הַנַּעַר רָץ וְהוּא־יָרָה הַחֵצִי ISh. 20:36
רָצוּ 9 לֹא־שָׁלַחְתִּי...וְהֵם רָצוּ Jer. 23:21
וְרָצוּ 10 וְרָצוּ לִפְנֵי מֶרְכַּבְתּוֹ ISh. 8:11
רָץ (בינוני) 11 לָמָּה זֶּה אַתָּה רָץ בְּנִי IISh. 18:22
12 וְהִנֵּה־אִישׁ רָץ לְבַדּוֹ IISh. 18:24
13 וַיַּרְא הַצֹּפֶה אִישׁ־אַחֵר רָץ IISh. 18:26
14 הִנֵּה־אִישׁ רָץ לְבַדּוֹ IISh. 18:26
15 וַיִּרְאֶה נַעֲמָן רָץ אַחֲרָיו IIK. 5:21
רָצִים 16 וַחֲמִשִּׁים אִישׁ רָצִים לְפָנָיו IISh. 15:1
17 וַחֲמִשִּׁים אִישׁ רָצִים לְפָנָיו IK. 1:5
18 וְאַתֶּם רָצִים אִישׁ לְבֵיתוֹ Hag. 1:9
אָרוּץ 19 וִיהִי־מָה אָרוּץ IISh. 18:23
20 כִּי בְכָה אָרוּץ גְּדוּד IISh. 22:30
21 כִּי־בְךָ אָרֻץ גְּדוּד Ps. 18:30
22 דֶּרֶךְ־מִצְוֺתֶיךָ אָרוּץ Ps. 119:32
אָרוּצָה 23 אָרוּצָה נָּא וַאֲבַשְּׂרָה... IISh. 18:19
24 וִיהִי מָה אָרֻצָה־נָּא גַם־אָנִי IISh. 18:22
וְאָרוּצָה 25 וְאָרוּצָה עַד־אִישׁ הָאֱלֹהִים וְאָשׁוּבָה IIK. 4:22
תָּרוּץ 26 וְאִם־תָּרוּץ לֹא תִכָּשֵׁל Prov. 4:12
יָרוּץ 27 רָץ לִקְרַאת־רָץ יָרוּץ Jer. 51:31
28 לְמַעַן יָרוּץ קוֹרֵא בוֹ Hab. 2:2
29 עַד־מְהֵרָה יָרוּץ דְּבָרוֹ Ps. 147:15
30 בּוֹ־יָרוּץ צַדִּיק וְנִשְׂגָּב Prov. 18:10
31 יָרוּץ אֵלָיו בְּצַוָּאר Job 15:26
32 יָרֻץ עָלַי כְּגִבּוֹר Job 16:14
וַיָּרָץ 33 וַיַּרְא וַיָּרָץ לִקְרָאתָם Gen. 18:2
34 וַיָּרָץ הָעֶבֶד לִקְרָאתָהּ Gen. 24:17
35 וַיָּרָץ לָבָן אֶל־הָאִישׁ הַחוּצָה Gen. 24:29
36 וַיָּרָץ לִקְרָאתוֹ וַיְחַבֶּק־לוֹ Gen. 29:13
37 וַיָּרָץ עֵשָׂו לִקְרָאתוֹ וַיְחַבְּקֵהוּ Gen. 33:4
38 וַיָּרָץ הַנַּעַר וַיַּגֵּד לְמֹשֶׁה Num. 11:27
39 וַיִּקַּח...וַיָּרָץ אֶל־תּוֹךְ הַקָּהָל Num. 17:12
40 וַיָּרָץ כָּל־הַמַּחֲנֶה וַיָּרִיעוּ... Jud. 7:21
41 וַיָּרָץ אֶל־עֵלִי וַיֹּאמֶר ISh. 3:5
42 וַיָּרָץ אִישׁ־בִּנְיָמִן מֵהַמַּעֲרָכָה ISh. 4:12
43 וַיִּטֹּשׁ...וַיָּרָץ הַמַּעֲרָכָה ISh. 17:22
44 וַיָּרָץ הַמַּעֲרָכָה לִקְרַאת הַפְּלִשְׁתִּי ISh.17:48
45 וַיָּרָץ דָּוִד וַיַּעֲמֹד אֶל־הַפְּלִשְׁתִּי ISh. 17:51
46 וַיָּרָץ אֲחִימַעַץ דֶּרֶךְ הַכִּכָּר IISh. 18:23
47 וַיְשַׁנֵּס מָתְנָיו וַיָּרָץ לִפְנֵי אַחְאָב IK. 18:46
48 וַיָּרָץ אַחֲרֵי אֵלִיָּהוּ וַיֹּאמֶר IK. 19:20
49 וַיָּרָץ מִשָּׁם וְהִשְׁלִיךְ אֶת־עֲפָרָם IIK. 23:12
50 וַיָּרָץ אֵלָיו בַּחֲמַת כֹּחוֹ Dan. 8:6
וַיָּרֹץ 51 וַיִּשְׁתַּחוּ כוּשִׁי לְיוֹאָב וַיָּרֹץ IISh. 18:21
וַתָּרָץ 52 וַתָּרָץ עוֹד אֶל־הַבְּאֵר Gen. 24:20
53 וַתָּרָץ הַנַּעֲרָ וַתַּגֵּד לְבֵית אִמָּהּ Gen. 24:28
54 וַתָּרָץ וַתַּגֵּד לְאָבִיהָ Gen. 29:12
55 וַתָּרָץ וַתַּגֵּד לְאִישָׁהּ Jud. 13:10
נָרוּצָה 56 מָשְׁכֵנִי אַחֲרֶיךָ נָּרוּצָה S.ofS. 1:4
יָרוּצוּ 57 יָרוּצוּ וְלֹא יִיגָעוּ Is. 40:31
58 וְגוֹי לֹא־יְדָעוּךָ אֵלֶיךָ יָרוּצוּ Is. 55:5
59 רַגְלֵיהֶם לָרַע יָרֻצוּ Is. 59:7
60 כִּי רַגְלֵיהֶם לָרַע יָרוּצוּ Prov. 1:16
וַיָּרֻצוּ 61 וַיִּשְׁלַח...וַיָּרֻצוּ הָאֹהֱלָה Josh. 7:22
62 וַיָּרוּצוּ כִּנְטוֹת יָדוֹ Josh. 8:19
63 וַיָּרֻצוּ וַיִּקָּחֻהוּ מִשָּׁם ISh. 10:23
יְרוּצוּן 64 וּכְפָרָשִׁים כֵּן יְרוּצוּן Joel 2:4
65 כְּגִבּוֹרִים יְרֻצוּן Joel 2:7

66 בַּחוֹמָה יְרֻצוּן בַּבָּתִּים יַעֲלוּ Joel 2:9
67 בְּלִי־עָוֹן יְרֻצוּן וְיִכּוֹנָנוּ Ps. 59:5
הֵירוֹצוּן 68 הֲיְרֻצוּן בַּסֶּלַע סוּסִים Am. 6:12
רוּץ 69 רֻץ מְצָא־נָא אֶת־הַחִצִּים ISh. 20:36
70 וַיֹּאמֶר לוֹ רוּץ IISh. 18:23
71 עַתָּה רוּץ־נָא לִקְרָאתָהּ IIK. 4:26
72 רֻץ דַּבֵּר אֶל־הַנַּעַר הַלָּז Zech. 2:8
יְרוֹצֵצוּ 73 מַרְאֵיהֶן כַּלַּפִּידִים כַּבְּרָקִים יְרוֹצֵצוּ Nah. 2:5
וַיִּתְרֹצְצוּ 74 וַיִּתְרֹצְצוּ הַבָּנִים בְּקִרְבָּהּ Gen. 25:22
אֲרִיצֶנּוּ 75 כִּי־אַרְגִּיעָה אֲרִיצֶנּוּ מֵעָלֶיהָ Jer. 49:19
אֲרִיצֵם 76 כִּי־אַרְגִּיעָה אֲרִיצֵם (כת׳ ארוצם) מֵעָלֶיהָ Jer. 50:44
תָּרִיץ 77 כּוּשׁ תָּרִיץ יָדָיו לֵאלֹהִים Ps. 68:32
וַיָּרִיצוּ 78 וַיָּרִיצוּ לְכָל־בְּנֵי הָעָם IICh. 35:13
וַיְרִיצֻהוּ 79 וַיְרִיצֻהוּ מִן־הַבּוֹר Gen. 41:14
וְהָרֵץ 80 וְהָרֵץ הַמַּחֲנֶה לְאַחֶיךָ ISh. 17:17

רוֹצֵחַ ז׳ מי שהרג אדם בזדון או בשוגג: 1-31
[עין גם רָצַח]
דְּבַר הָרֹצֵחַ 23; נֶפֶשׁ רוֹצֵחַ 6; עִיר מִקְלַט הָרוֹצֵחַ 27-31

רוֹצֵחַ 1 וְנָס שָׁמָּה רֹצֵחַ מַכֵּה־נֶפֶשׁ Num. 35:11
2-5 רֹצֵחַ הוּא Num. 35:16, 17, 18, 21
6 וְלֹא־תִקְחוּ כֹפֶר לְנֶפֶשׁ רֹצֵחַ Num. 35:31
7 לָנֻס שָׁמָּה רוֹצֵחַ אֲשֶׁר יִרְצַח Deut. 4:42
8 וְהָיָה לָנוּס שָׁמָּה כָּל־רֹצֵחַ Deut. 19:3
9 לָנוּס שָׁמָּה רוֹצֵחַ מַכֵּה־נֶפֶשׁ Josh. 20:3
10 לָאוֹר יָקוּם רוֹצֵחַ Job 24:14
הָרוֹצֵחַ 11 לָנֻס שָׁמָּה הָרֹצֵחַ Num. 35:6
12 וְלֹא יָמוּת הָרֹצֵחַ Num. 35:12
13-15 מוֹת יוּמַת הָרֹצֵחַ Num. 35:16, 17, 18
16 גֹּאֵל הַדָּם הוּא יָמִית אֶת־הָרֹצֵחַ Num. 35:19
17 גֹּאֵל הַדָּם יָמִית אֶת־הָרֹצֵחַ Num. 35:21
18 וְהִצִּילוּ הָעֵדָה אֶת־הָרֹצֵחַ Num. 35:25
19 וְאִם־יָצֹא יֵצֵא הָרֹצֵחַ Num. 35:26
20 וְרָצַח גֹּאֵל הַדָּם אֶת־הָרֹצֵחַ Num. 35:27
21 יָשׁוּב הָרֹצֵחַ אֶל־אֶרֶץ אֲחֻזָּתוֹ Num. 35:28
22 לְפִי עֵדִים יִרְצַח אֶת־הָרֹצֵחַ Num. 35:30
23 וְזֶה דְּבַר הָרֹצֵחַ אֲשֶׁר־יָנוּס שָׁמָּה Deut. 19:4
24 פֶּן־יִרְדֹּף...אַחֲרֵי הָרֹצֵחַ Deut. 19:6
25 וְלֹא־יַסְגִּרוּ אֶת־הָרֹצֵחַ בְּיָדוֹ Josh. 20:5
26 אָז יָשׁוּב הָרוֹצֵחַ וּבָא אֶל־עִירוֹ Josh. 20:6
27-31 אֶת־עִיר מִקְלַט הָרֹצֵחַ Josh. 21:13
21:21, 27, 32, 36(38)

(רוק) – עין ריק

רוֹקֵחַ ז׳ – עין רָקַח **רוֹקֶם** ז׳ – עין רָקַם

(רושׁ) פ׳ – עין (רישׁ) **רוֹשׁ** ז׳ – עין רֹאשׁ (?)

רוּת שפ״נ – המואביה שנשאה לבועז: 1-12
רוּת הַמּוֹאֲבִיָּה 3-5, 9, 12

רוּת 1 שֵׁם הָאַחַת עָרְפָּה וְשֵׁם הַשֵּׁנִית רוּת Ruth 1:4
2 וַתֹּאמֶר רוּת אַל־תִּפְגְּעִי־בִי Ruth 1:16
3-5 רוּת הַמּוֹאֲבִיָּה Ruth 2:2, 21; 4:5
6 וַיֹּאמֶר בֹּעַז אֶל־רוּת Ruth 2:8
7 וַתֹּאמֶר נָעֳמִי אֶל־רוּת כַּלָּתָהּ Ruth 2:22
8 וַתֹּאמֶר אָנֹכִי רוּת אֲמָתֶךָ Ruth 3:9
9 וְגַם אֶת־רוּת הַמֹּאֲבִיָּה...קָנִיתִי Ruth 4:10
10 וַיִּקַּח בֹּעַז אֶת־רוּת Ruth 4:13
וְרוּת 11 וְרוּת דָּבְקָה בָּהּ Ruth 1:14
12 וַתָּשָׁב נָעֳמִי וְרוּת הַמּוֹאֲבִיָּה Ruth 1:22

רָז ז׳ ארמית: סוד, דבר סתר: 1-9

רָז 1 וְכָל־רָז לָא־אָנֵס לָךְ Dan. 4:6
רָזָא 2 וְרַחֲמִין לְמִבְעֵא...עַל־רָזָא דְנָה Dan. 2:18
3 לְדָנִיֵּאל בְּחֶזְוָא דִי־לֵילְיָא רָזָא גֲלִי Dan. 2:19
4 רָזָא דִּי־מַלְכָּא שָׁאֵל Dan. 2:27
5 לָא בְחָכְמָה...רָזָא דְנָה גֱּלִי לִי Dan. 2:30
6 דִּי יְכֵלְתָּ לְמִגְלֵא רָזָא דְנָה Dan. 2:47
רָזִין 7 אִיתַי אֱלָהּ בִּשְׁמַיָּא גָּלֵא רָזִין Dan. 2:28
8 הוּא אֱלָהּ אֱלָהִין...וְגָלֵה רָזִין Dan. 2:47
רָזַיָּא 9 וְגָלֵא רָזַיָּא הוֹדְעָךְ מָה־דִי לֶהֱוֵא Dan. 2:29

רזה : רָזָה, נִרְזָה; רָזֶה, רָזוֹן; רָזִי(?)

רָזָה פ׳ א) החליש, הכחיש: 1
ב) [נפ׳ נִרְזָה] כָּחַשׁ: 2

רָזָה 1 כִּי רָזָה אֵת כָּל־אֱלֹהֵי הָאָרֶץ Zep. 2:11
יֵרָזֶה 2 וּמִשְׁמַן בְּשָׂרוֹ יֵרָזֶה Is. 17:4

רָזֶה ת׳ כָּחוּשׁ, דל: 1, 2
(אֶרֶץ) רָזָה 1; שֶׂה רָזָה 2

רָזָה 1 הַשְּׁמֵנָה הִוא אִם־רָזָה Num. 13:20
2 בֵּין־שֶׂה בְרִיָּה וּבֵין שֶׂה רָזָה Ezek. 34:20

רָזוֹן1 ז׳ כחישות, דלות: 1-3 • אֵיפַת רָזוֹן 2

רָזוֹן 1 לָכֵן יְשַׁלַּח...בְּמִשְׁמַנָּיו רָזוֹן Is. 10:16
2 וְאֵיפַת רָזוֹן זְעוּמָה Mic. 6:10
3 וַיְשַׁלַּח רָזוֹן בְּנַפְשָׁם Ps. 106:15

רָזוֹן2 ז׳ רוזן

רָזוֹן 1 וּבְאֶפֶס לְאֹם מְחִתַּת רָזוֹן Prov. 14:28

רְזוֹן שפ״ז – מלך דמשק

רְזוֹן 1 וַיָּקֶם אֱלֹהִים לוֹ שָׂטָן אֶת־רְזוֹן IK. 11:23

רָזִי ז׳ צָרָה(?) אָבוֹי(?): 1, 2

רָזִי־ 1/2 רָזִי־לִי רָזִי־לִי אוֹי לִי Is. 24:16

רָזַם פ׳ רָמַז, קָרַץ

יִרְזְמוּן 1 מַה־יִקָּחֲךָ לִבֶּךָ וּמַה־יִּרְזְמוּן עֵינֶיךָ Job 15:12

רֹזֵן ז׳ – עין רוזן

רחב : רָחַב, נִרְחַב, הִרְחִיב; רָחָב, רַחַב, רֹחַב, רְחָבָה, רְחוֹב, מֶרְחָב, מֶרְחַבְיָה(?); ש״פ רְחָב, רְחַבְיָה(וּ), רְחַבְעָם, רְחוֹב, רְחוֹבוֹת

רָחַב פ׳ א) גדל, נעשה מרווח יותר (גם בהשאלה): 1-3
ב) [נפ׳ בינוני: נִרְחָב] רב בשטחו: 4
ג) [הפ׳ הִרְחִיב] הגדיל השטח: 5, 6, 8, 10-16, 18, 19, 21-25
ד) [כנ״ל, בהשאלה] הביא רווחה: 7, 9, 17, 20
– רָחַב לְבָבוֹ 2; רָחַב פִּיו 1
– כַּר נִרְחָב 4
– הִרְחִיב גְּבוּל 5, 6, 18, 19; הִרְחִיב לִבּוֹ 17; הִרְ׳ מָקוֹם 24; הִרְ׳ מִשְׁכָּבוֹ 8; הִרְ׳ נַפְשׁוֹ 11, 12; הִרְחִיב פֶּה 21-23; הִרְחִיב קָרְחָה 25

רָחַב 1 רָחַב פִּי עַל־אוֹיְבַי ISh. 2:1
וְרָחַב 2 וּפָחַד וְרָחַב לְבָבֵךְ Is. 60:5
וְרָחֲבָה 3 וְרָחֲבָה וְנָסְבָה לְמַעְלָה לְמַעְלָה Ezek. 41:7
נִרְחָב 4 יִרְעֶה מִקְנֶיךָ...כַּר נִרְחָב Is. 30:23
הִרְחִיב 5 לְמַעַן הַרְחִיב אֶת־גְּבוּלָם Am. 1:13
וְהִרְחַבְתִּי 6 וְהִרְחַבְתִּי אֶת־גְּבֻלֶךָ Ex. 34:24
הִרְחַבְתָּ 7 בְּקָרְאִי עֲנֵנִי...בַּצָּר הִרְחַבְתָּ לִּי Ps. 4:2
הִרְחַבְתְּ 8 הִרְחַבְתְּ מִשְׁכָּבֵךְ וַתִּכְרָת־לָךְ מֵהֶם Is. 57:8
הִרְחִיב 9 כִּי־עַתָּה הִרְחִיב יְיָ לָנוּ Gen. 26:22
10 לַמֶּלֶךְ הוּכָן הֶעְמִיק הִרְחִב Is. 30:33
11 אֲשֶׁר הִרְחִיב כִּשְׁאוֹל נַפְשׁוֹ Hab. 2:5
הִרְחִיבָה 12 לָכֵן הִרְחִיבָה שְּׁאוֹל נַפְשָׁהּ Is. 5:14
הִרְחִיבוּ 13 צָרוֹת לְבָבִי הִרְחִיבוּ Ps. 25:17
מַרְחִיב 14 בָּרוּךְ מַרְחִיב גָּד Deut. 33:20
תַּרְחִיב 15 תַּרְחִיב צַעֲדִי תַּחְתָּנִי IISh. 22:37
16 תַּרְחִיב צַעֲדִי תַחְתָּי Ps. 18:37
17 כִּי תַרְחִיב לִבִּי Ps. 119:32
יַרְחִיב 18 כִּי־יַרְחִיב יְיָ אֱלֹ׳ אֶת־גְּבֻלְךָ Deut. 12:20
19 וְאִם־יַרְחִיב יְיָ אֱלֹ׳ אֶת־גְּבֻלְךָ Deut. 19:8
20 מַתָּן אָדָם יַרְחִיב לוֹ Prov. 18:16
תַּרְחִיבוּ 21 עַל־מִי תַּרְחִיבוּ פֶה תַּאֲרִיכוּ לָשׁוֹן Is. 57:4
וַיַּרְחִיבוּ 22 וַיַּרְחִיבוּ עָלַי פִּיהֶם Ps. 35:21
הַרְחֶב־ 23 הַרְחֶב־פִּיךָ וַאֲמַלְאֵהוּ Ps. 81:11
הַרְחִיבִי 24 הַרְחִיבִי מְקוֹם אָהֳלֵךְ Is. 54:2
25 הַרְחִבִי קָרְחָתֵךְ כַּנֶּשֶׁר Mic. 1:16

רַחַב ז׳ מֶרְחָב: 1, 2 • רַחֲבֵי אֶרֶץ 2

רַחַב 1 רַחַב לֹא־מוּצָק תַּחְתֶּיהָ Job 36:16
רַחֲבֵי־ 2 הִתְבֹּנַנְתָּ עַד־רַחֲבֵי־אָרֶץ Job 38:18

רֹחַב ז׳ א) מדה נצבת לָאֹרֶךְ: 1-64, 66-70, 72-101
ב) [בהשאלה] שפע, רוב: 65, 71
רֹחַב אֹהֶל 59; ר׳ הָאָרֶץ 56; ר׳ בַּיִת 55, 61, 62, 70; ר׳ בִּנְיָן 57; ר׳ גָּדֵר 72; ר׳ חָצֵר 63, 64; רֹחַב לֵב 65; ר׳ מַיִם 71; ר׳ מָקוֹם 69; ר׳ פְּנֵי־ 70; ר׳ פֶּתַח 58, 67; ר׳ צֵלָע 68; ר׳ קִיר 60; ר׳ קֶרֶשׁ 53/4
רֹחַב שַׁעַר 66; לְאָרְכּוֹ וּלְרָחְבּוֹ 100

רֹחַב 1 וְחָמֵשׁ אַמּוֹת רֹחַב Ex. 27:1
2 וְאַרְבַּע אַמּוֹת רֹחַב Ex. 36:15
3 וְעֶשְׂרִים אַמָּה רֹחַב IK. 6:20
4/5 קָנֶה אֶחָד רֹחַב Ezek. 40:6²
6-24 רֹחַב Ezek. 40:7, 13, 19; 41:1², 7, 10, 12²
42:4; 43:13, 16, 17; 45:5, 6; 46:22; 48:8, 10²
וְרֹחַב 25-27 וְרֹחַב אַרְבַּע בָּאַמָּה Ex. 26:2, 8; 36:9
28 וְרֹחַב חֲמִשִּׁים בַּחֲמִשִּׁים Ex. 27:18
29 וְרֹחַב עַשְׁתֵּי עֶשְׂרֵה אַמָּה Ezek. 40:49
30-49 וְרֹחַב Ezek. 40:21, 25, 29
40:30, 33, 36, 42, 47; 41:2², 4; 42:20; 43:14²; 45:1, 3
48:9, 13² • IICh. 3:3
וְהָרֹחַב 50 וְהָרֹחַב חֲמִשִּׁים אַמּוֹת Ezek. 42:2
בְּרֹחַב 51 וְקוֹמָה בְּרֹחַב חָמֵשׁ אַמּוֹת Ex. 38:18
בָּרֹחַב 52 וַחֲמֵשֶׁת אֲלָפִים הַנּוֹתָר בָּרֹחַב Ezek. 48:15
רֹחַב־ 53/4 רֹחַב הַקֶּרֶשׁ הָאֶחָד Ex. 26:16; 36:21
55 עַל־פְּנֵי רֹחַב הַבָּיִת IK. 6:3
56 מֻטּוֹת כְּנָפָיו מְלֹא רֹחַב־אַרְצְךָ Is. 8:8
57 וַיָּמָד אֶת־רֹחַב הַבִּנְיָן Ezek. 40:5
58 וַיָּמָד אֶת־רֹחַב פֶּתַח־הַשַּׁעַר Ezek. 40:11
59 רֹחַב הָאֹהֶל Ezek. 41:1
60 רֹחַב הַקִּיר אֲשֶׁר־לַצֵּלָע Ezek. 41:9
61/2 עַל־פְּנֵי רֹחַב־הַבַּיִת IICh. 3:4, 8
וְרֹחַב־ 63 וְרֹחַב הֶחָצֵר לִפְאַת־יָם Ex. 27:12
64 וְרֹחַב הֶחָצֵר לִפְאַת קֵדְמָה Ex. 27:13
65 וּתְבוּנָה הַרְבֵּה מְאֹד וְרֹחַב לֵב IK. 5:9
66 וְרֹחַב הַשַּׁעַר שָׁלֹשׁ אַמּוֹת מִפּוֹ Ezek. 40:48
67 וְרֹחַב הַפֶּתַח שֶׁבַע אַמּוֹת Ezek. 41:3
68 וְרֹחַב הַצֵּלָע אַרְבַּע אַמּוֹת Ezek. 41:5
69 וְרֹחַב מְקוֹם הַמֻּנָּח חָמֵשׁ אַמּוֹת Ezek. 41:11
70 וְרֹחַב פְּנֵי הַבַּיִת וְהַגִּזְרָה Ezek. 41:14
71 וְרֹחַב מַיִם בְּמוּצָק Job 37:10

בְּרֹחַב־ 72 בְּרֹחַב גֶּדֶר הֶחָצֵר Ezek. 42:10
רָחְבּוֹ 73/4 וְאַמָּה וָחֵצִי רָחְבּוֹ Ex. 25:10; 37:1
75/6 אַמָּתַיִם אָרְכּוֹ וְאַמָּה רָחְבּוֹ Ex. 25:23; 37:10
77/8 זֶרֶת אָרְכּוֹ וְזֶרֶת רָחְבּוֹ Ex. 28:16; 39:9
79/80 אַמָּה אָרְכּוֹ וְאַמָּה רָחְבּוֹ Ex. 30:2; 37:25
81 חָמֵשׁ אַמּוֹת אָרְכּוֹ וְחָמֵשׁ־אַמּוֹת רָחְבּוֹ Ex. 38:1
82 שִׁשִּׁים־אַמָּה אָרְכּוֹ וְעֶשְׂרִים רָחְבּוֹ IK. 6:2
83 עֶשֶׂר בָּאַמָּה רָחְבּוֹ עַל־פְּנֵי הַבָּיִת IK. 6:3
84 מֵאָה אַמָּה אָרְכּוֹ וַחֲמִשִּׁים אַמָּה רָחְבּוֹ IK. 7:2
85 וּשְׁלֹשִׁים אַמָּה רָחְבּוֹ IK. 7:6
86 וְעֶשְׂרִים אַמָּה רָחְבּוֹ IICh. 4:1
87 חָמֵשׁ אַמּוֹת אָרְכּוֹ וְחָמֵשׁ אַמּוֹת רָחְ' IICh. 6:13
וְרָחְבּוֹ 88 מָדַד אָרְכּוֹ וְרָחְבּוֹ Ezek. 40:20
89 וְרָחְבּוֹ אַמּוֹת עֶשְׂרִים IICh. 3:8
רָחְבָּהּ 90 חֲמִשִּׁים אַמָּה רָחְבָּהּ Gen. 6:15
91/2 וְאַמָּה וָחֵצִי רָחְבָּהּ Ex. 25:17; 37:6
93 וְאַרְבַּע אַמּוֹת רָחְבָּהּ בְּאַמַּת־אִישׁ Deut. 3:11
94 הַיָּצִיעַ הַתַּחְתֹּנָה חָמֵשׁ בָּאַמָּה רָחְבָּהּ IK. 6:6
95 וְהַתִּיכֹנָה שֵׁשׁ בָּאַמָּה רָחְבָּהּ IK. 6:6
96 וְהַשְּׁלִישִׁית שֶׁבַע בָּאַמָּה רָחְבָּהּ IK. 6:6
97 וְאַרְבַּע בָּאַמָּה רָחְבָּהּ IK. 7:27
98 לִרְאוֹת כַּמָּה־רָחְבָּהּ וְכַמָּה אָרְכָּהּ Zech. 2:6
וְרָחְבָּהּ 99 וְרָחְבָּהּ עֶשֶׂר בָּאַמָּה Zech. 5:2
וּלְרָחְבָּהּ 100 הִתְהַלֵּךְ בָּא' לְאָרְכָּהּ וּלְרָחְבָּהּ Gen. 13:17
רָחְבָּן 101 כְּאָרְכָּן כֵּן רָחְבָּן Ezek. 42:11

רָחָב[1] מרווח, שאינו צר (גם בהשאלה): 1־20

– פֶּרֶץ רָחָב 1
– רְחַב יָדַיִם 4; ר' לֵב 5; ר' לֵבָב 3; רְחַב נֶפֶשׁ 2
– אֶרֶץ רְחָבָה 7, 12; חוֹמָה רְחָבָה 10, 11, 13; כּוֹס רְחָבָה 14; מְלָאכָה רְחָבָה 9; מִצְוָה רְחָבָה 6
– רַחֲבַת יָדַיִם 15־19; רַחֲבֵי יָדַיִם 20

רָחָב 1 כְּפֶרֶץ רָחָב יֶאֱתָיוּ Job 30:14
רְחַב־ 2 רְחַב־נֶפֶשׁ יְגָרֶה מָדוֹן Prov. 28:25
וּרְחַב־ 3 גְּבַהּ־עֵינַיִם וּרְחַב לֵבָב Ps. 101:5
4 זֶה הַיָּם גָּדוֹל וּרְחַב יָדָיִם Ps. 104:25
5 רוּם־עֵינַיִם וּרְחַב־לֵב Prov. 21:4
רְחָבָה 6 רְחָבָה מִצְוָתְךָ מְאֹד Ps. 119:96
וּרְחָבָה 7 וּלְהַעֲלֹתוֹ...אֶל־אֶרֶץ טוֹבָה וּרְחָבָה Ex. 3:8
8 אֲרֻכָּה מֵאֶרֶץ מִדָּהּ וּרְחָבָה מִנִּי־יָם Job 11:9
9 הַמְּלָאכָה הַרְבֵּה וּרְחָבָה Neh. 4:13
הָרְחָבָה 10 חֹמוֹת בָּבֶל הָרְחָבָה...תִּתְעַרְעָר Jer. 51:58
11 וַיַּעַזְבוּ יְרוּשָׁלַםִ עַד הַחוֹמָה הָרְחָבָה Neh. 3:8
12 וּבְאֶרֶץ הָרְחָבָה וְהַשְּׁמֵנָה Neh. 9:35
13 וְעַד הַחוֹמָה הָרְחָבָה Neh. 12:38
וְהָרְחָבָה 14 כּוֹס אֲחוֹתֵךְ...הָעֲמֻקָּה וְהָרְחָבָה Ezek. 23:32
רַחֲבַת־ 15 וְהָאָרֶץ...רַחֲבַת־יָדַיִם לִפְנֵיהֶם Gen. 34:21
16 וְהָאָרֶץ רַחֲבַת יָדַיִם Jud. 18:10
17 כַּדּוּר אֶל־אֶרֶץ רַחֲבַת יָדָיִם Is. 22:18
18 וְהָעִיר רַחֲבַת יָדַיִם וּגְדֹלָה Neh. 7:4
19 וְהָאָרֶץ רַחֲבַת יָדַיִם וְשֹׁקֶטֶת ICh. 4:40
רַחֲבֵי־ 20 מְקוֹם־נְהָרִים יְאֹרִים רַחֲבֵי יָדָיִם Is. 33:21

רָחָב[2] שפ״נ – אשה זונה מיריחו: 1־5

רָחָב 1 וַיָּבֹאוּ בֵּית אִשָּׁה זוֹנָה וּשְׁמָהּ רָחָב Josh. 2:1
2 וַיִּשְׁלַח מֶלֶךְ יְרִיחוֹ אֶל־רָחָב Josh. 2:3
3 רַק רָחָב הַזּוֹנָה תִּחְיֶה Josh. 6:17
4 וַיֹּצִיאוּ אֶת־רָחָב וְאֶת־אָבִיהָ Josh. 6:23
5 וְאֶת־רָחָב הַזּוֹנָה...הֶחֱיָה יְהוֹשֻׁעַ Josh. 6:25

רְחֹב – עין רחוב

רְחָבָה נ׳ רחבות, מרחב

בָּרְחָבָה 1 וְאֶתְהַלְּכָה בָרְחָבָה Ps. 119:45

רְחֹבוֹת – עין רחובות

רְחַבְיָה שפ״ז – בן אליעזר בן משה: 1, 2

רְחַבְיָה 1 וַיִּהְיוּ בְנֵי־אֱלִיעֶזֶר רְחַבְיָה הָרֹאשׁ ICh. 23:17
2 וּבְנֵי רְחַבְיָה רָבוּ לְמָעְלָה ICh. 23:17

רְחַבְיָהוּ שפ״ז – הוא רחביה: 1־3 • בְּנֵי רְחַבְיָהוּ 1, 3

רְחַבְיָהוּ 1 לִבְנֵי רְחַבְיָהוּ הָרֹאשׁ יִשִּׁיָּה ICh. 24:21
2 וְאֶחָיו לֶאֱלִיעֶזֶר רְחַבְיָהוּ בְנוֹ ICh. 26:25
לִרְחַבְיָהוּ 3 לִרְחַבְיָהוּ לִבְנֵי רְחַבְיָהוּ... ICh. 24:21

רְחַבְעָם שפ״ז – בן שלמה, מלך יהודה: 1־50

דִּבְרֵי רְחַבְעָם 7, 9; מִלְחֲמוֹת רְחַבְעָם 10; מַלְכוּת רְחַבְעָם 8

רְחַבְעָם 1 וַיִּמְלֹךְ רְחַבְעָם בְּנוֹ תַּחְתָּיו IK. 11:43
2 וַיֵּלֶךְ רְחַבְעָם שְׁכֶם IK. 12:1
3 וַיְדַבְּרוּ אֶל־רְחַבְעָם לֵאמֹר IK. 12:3
4 וַיִּוָּעַץ הַמֶּלֶךְ רְחַבְעָם אֶת־הַזְּקֵנִים IK. 12:6
5 וַיָּבוֹ יָרָבְעָם וְכָל־הָעָם אֶל־רְחַבְעָם IK.12:12
6 וּבְנֵי יִשְׂ'...וַיִּמְלֹךְ עֲלֵיהֶם רְחַבְעָם IK. 12:17
7 וְיֶתֶר דִּבְרֵי רְחַבְעָם IK. 14:29
8 וַיְהִי כְּהָכִין מַלְכוּת רְחַבְעָם IICh. 12:1
9 וְדִבְרֵי רְחַבְעָם הָרִאשֹׁנִים וְהָאַחֲרוֹנִים IICh.12:15
10 וּמִלְחֲמוֹת רְחַבְעָם וְיָרָבְעָם IICh. 12:15
11 וַיִּשְׁכַּב רְחַבְעָם עִם־אֲבֹתָיו IICh. 12:16
12 וַיִּתְאַמְּצוּ עַל־רְחַבְעָם בֶּן־שְׁלֹמֹה IICh.13:7
13־46 רְחַבְעָם IK. 12:18[2], 21, 23, 27[2]; 14:21, 25, 27, 30, 31; 15:6 • ICh. 3:10 • IICh. 9:31; 10:1, 3, 6, 12, 13, 17, 18[2]; 11:1, 3, 5, 17, 18, 21, 22; 12:2, 5, 10, 13[2]
וּרְחַבְעָם 47 וּרְחַבְעָם בֶּן־שְׁלֹמֹה מָלַךְ בִּיהוּדָה IK. 14:21
48 וּרְחַבְעָם הָיָה נַעַר וְרַךְ־לֵבָב IICh. 13:7
לִרְחַבְעָם 49 לְהָשִׁיב אֶת־הַמַּמְלָכָה לִרְחַבְעָם IK. 12:21
50 לְהָשִׁיב אֶת־הַמַּמְלָכָה לִרְחַבְעָם IICh. 11:1

רְחוֹב[1] ז׳ [נ׳ – 3 (?)] רחבה, מקום רחב ומרווח בין בתי העיר: 1־43

קרובים: חוּץ / כִּכָּר / שׁוּק

– רְחוֹב בֵּית אֱלֹהִים 16; רְחוֹב בֵּית שָׁן 20; ר' הַמִּזְרָח 19; ר' הָעִיר 10, 12־15; רְחוֹב שַׁעַר אֶפְרַיִם 18; רְחוֹב שַׁעַר הַמַּיִם 17; רְחוֹב שַׁעַר הָעִיר 11
– רְחוֹבוֹת יְרוּשָׁלַיִם 33; ר' עִיר 32, 35; רְחוֹבוֹת קִרְיָה 34

רְחוֹב 1 וַתַּעֲשִׂי־לָךְ רָמָה בְּכָל־רְחוֹב Ezek. 16:24
2 וְרָמָתֵךְ עָשִׂית בְּכָל־רְחוֹב Ezek. 16:31
3 תָּשׁוּב וְנִבְנְתָה רְחוֹב וְחָרוּץ Dan. 9:25
הָרְחוֹב 4 וַיֵּאָסְפוּ כָל־הָעָם...אֶל־הָרְחוֹב Neh. 8:1
5 וַיִּקְרָא־בוֹ לִפְנֵי הָרְחוֹב Neh. 8:3
בָרְחוֹב 6 וַיֹּאמְרוּ לֹּא כִּי בָרְחוֹב נָלִין Gen. 19:2
7 רַק בָּרְחוֹב אַל־תָּלַן Jud. 19:20
8 כִּי־כָשְׁלָה בָרְחוֹב אֱמֶת Is. 59:14
9 בָּרְחוֹב אָכִין מוֹשָׁבִי Job 29:7
רְחוֹב־ 10 וַיֵּצֵא הַתָּךְ...אֶל־רְחוֹב הָעִיר Es. 4:6
11 וַיִּקְבְּצֵם...אֶל־רְחוֹב שַׁעַר הָעִיר IICh. 32:6
בִּרְחוֹב־ 12 וַיָּבֹא וַיֵּשֶׁב בִּרְחוֹב הָעִיר Jud. 19:15
13 הָאִישׁ הָאֹרֵחַ בִּרְחֹב הָעִיר Jud. 19:17
14 וְהִרְכִּיבֻהוּ...בִּרְחוֹב הָעִיר Es. 6:9
15 וַיַּרְכִּיבֵהוּ בִּרְחוֹב הָעִיר Es. 6:11
16 וַיֵּשְׁבוּ...בִּרְחוֹב בֵּית הָאֱלֹהִים Ez. 10:9
וּבִרְחוֹב־ 17 סֻכּוֹת...וּבִרְחוֹב שַׁעַר הַמַּיִם Neh. 8:16
18 וּבִרְחוֹב שַׁעַר אֶפְרָיִם Neh. 8:16
לִרְחוֹב־ 19 וַיַּאַסְפֵם לִרְחוֹב הַמִּזְרָח IICh. 29:4
מֵרְחוֹב־ 20 אֲשֶׁר גְּנָבוּ אֹתָם מֵרְחֹב בֵּית־שַׁן IISh. 21:12
רְחֹבָהּ 21 שְׁלָלָהּ תִּקְבֹּץ אֶל־תּוֹךְ רְחֹבָהּ Deut. 13:17
מֵרְחֹבָהּ 22 וְלֹא־יָמִישׁ מֵרְחֹבָהּ תֹּךְ וּמִרְמָה Ps. 55:12
רְחֹבוֹת 23 בְּכָל־רְחֹבוֹת מִסְפֵּד Am. 5:16
24 אֲרִי בַחוּץ בְּתוֹךְ רְחֹבוֹת אֵרָצֵחַ Prov. 22:13
הָרְחֹבוֹת 25 שַׁחַל בַּדָּרֶךְ אֲרִי בֵּין הָרְחֹבוֹת Prov. 26:13
בָּרְחֹבוֹת 26 בַּחוּצוֹת...יִשְׁתַּקְשְׁקוּן בָּרְחֹבוֹת Nah. 2:5
27 בַּחוּץ תָּרֹנָּה בָּרְחֹבוֹת תִּתֵּן קוֹלָהּ Prov. 1:20
28 יָפוּצוּ...בָּרְחֹבוֹת פַּלְגֵי־מָיִם Prov. 5:16
29 פַּעַם בַּחוּץ פַּעַם בָּרְחֹבוֹת Prov. 7:12
וּבָרְחֹבוֹת 30 וַאֲסוֹבְבָה בָעִיר בַּשְּׁוָקִים וּבָרְחֹבוֹ' S.ofS. 3:2
מֵרְחֹבוֹת 31 לְהַכְרִית...בַּחוּרִים מֵרְחֹבוֹת Jer. 9:20
וּרְחֹבוֹת־ 32 וּרְחֹבוֹת הָעִיר יִמָּלְאוּ יְלָדִים וִילָדוֹת
מְשַׂחֲקִים בִּרְחֹבֹתֶיהָ Zech. 8:5
בִּרְחֹבוֹת־ 33 עֹד יֵשְׁבוּ...בִּרְחֹבוֹת יְרוּשָׁלָםִ Zech. 8:4
34 בֵּעָטֵף עוֹלֵל וְיוֹנֵק בִּרְחֹבוֹת קִרְיָה Lam. 2:11
35 בְּהִתְעַטְּפָם כֶּחָלָל בִּרְחֹבוֹת עִיר Lam. 2:12
בִּרְחוֹבוֹתֶיהָ 36 שׁוֹטְטוּ...וּבַקְשׁוּ בִרְחוֹבוֹתֶיהָ Jer. 5:1
37/8 לָכֵן יִפְּלוּ בַחוּרֶיהָ בִּרְחֹבֹתֶי' Jer. 49:26; 50:30
39 יְלָדִים וִילָדוֹת מְשַׂחֲקִים בִּרְחֹבֹתֶיהָ Zech. 8:5
וּבִרְחֹבֹתֶיהָ 40 עַל גַּגּוֹתֶיהָ וּבִרְחֹבֹתֶיהָ כֻּלֹּה יְיֵלִיל Is. 15:3
41 וּבִרְחֹבֹתֶיהָ כֻּלֹּה מִסְפֵּד Jer. 48:38
בִּרְחֹבֹתֵינוּ 42 וְאֵין צְוָחָה בִּרְחֹבֹתֵינוּ Ps. 144:14
43 צָדוּ צְעָדֵינוּ מִלֶּכֶת בִּרְחֹבֹתֵינוּ Lam. 4:18

רְחוֹב[2] א) עי׳ בגבול דן וארם, היא בֵּית רְחוֹב: 1, 7
ב) עיר בנחלת אשר: 2־6

רְחֹב 1 מִמִּדְבַּר־צִן עַד־רְחֹב לְבֹא חֲמָת Num. 13:21
2 וְאֶת־רְחֹב וְאֶת־מִגְרָשֶׁהָ Josh. 21:31
3 וְאֶת־אֲפִיק וְאֶת־רְחֹב Jud. 1:31
4 וְאֶת־רְחוֹב וְאֶת־מִגְרָשֶׁיהָ ICh. 6:60
וּרְחֹב 5 וְעֶבְרֹן וּרְחֹב וְחַמּוֹן וְקָנָה Josh. 19:28
6 וְעֻמָּה וַאֲפֵק וּרְחֹב Josh. 19:30
7 וַאֲרַם צוֹבָא וּרְחוֹב וְאִישׁ־טוֹב IISh. 10:8

רְחוֹב[3] שפ״ז א) אבי הדדעזר מלך צובה: 1, 2
ב) לוי מן החותמים על האמנה: 3

רְחֹב 1/2 הֲדַדְעֶזֶר בֶּן־רְחֹב מֶלֶךְ צוֹבָה IISh. 8:3, 12
3 מִיכָא רְחוֹב חֲשַׁבְיָה Neh. 10:12

רְחֹבוֹת ש״פ – שם הבאר בדרום כנען שחפר יצחק

רְחֹבוֹת 1 וַיִּקְרָא שְׁמָהּ רְחֹבוֹת Gen. 26:22

רְחֹבוֹת הַנָּהָר ש״פ – מקום בארץ אדום, שממנו בא שאול מלך אדום: 1, 2

מֵרְחֹבוֹת הַנָּ׳ 1 וַיִּמְלֹךְ תַּחְתָּיו שָׁאוּל מֵרְחֹבוֹת הַנָּהָר Gen. 36:37
2 וַיִּמְלֹךְ תַּחְתָּיו שָׁאוּל מֵרְחֹבוֹת הַנָּהָר ICh. 1:48

רְחֹבֹת עִיר ש״פ – עיר קדומה באשור בסביבות נינוה

רְחֹבֹת ע׳ 1 וַיִּבֶן אֶת־נִינְוֵה וְאֶת־רְחֹבֹת עִיר Gen. 10:11

רַחוּם ת׳ רחמן, מתארי יי: 1־13

רַחוּם וְחַנּוּן 1, 4־13

רַחוּם 1 יי יי אֵל רַחוּם וְחַנּוּן Ex. 34:6
2 כִּי אֵל רַחוּם יי אֱלֹהֶיךָ Deut. 4:31
3 וְהוּא רַחוּם יְכַפֵּר עָוֹן Ps. 78:38
4 וְאַתָּה אֲדֹנָי אֵל־רַחוּם וְחַנּוּן Ps. 86:15
5 רַחוּם וְחַנּוּן יי Ps. 103:8
וְרַחוּם 6 כִּי־חַנּוּן וְרַחוּם הוּא Joel 2:13

וְרַחוּם (המשך)

7 כִּי אַתָּה אֵל־חַנּוּן וְרַחוּם Jon. 4:2
8/9 חַנּוּן וְרַחוּם יְיָ Ps. 111:4; 145:8
10 חַנּוּן וְרַחוּם וְצַדִּיק Ps. 112:4
11 וְאַתָּה אֱלוֹהַּ סְלִיחוֹת חַנּוּן וְרַחוּם Neh. 9:17
12 כִּי אֵל־חַנּוּן וְרַחוּם אָתָּה Neh. 9:31
13 כִּי־חַנּוּן וְרַחוּם יְיָ אֱלֹהֵיכֶם IICh. 30:9

רְחוּם

שפ״ז א) יועץ לארתחשתא מלך פרס: 1-5
ב) לוי בימי נחמיה: 6, 8
ג) כֹּהן שעלה עם זרובבל: 7

רְחוּם
1 מִסְפַּר בְּנֵי רְחוּם בַּעֲנָה Ez. 2:2
2-4 רְחוּם בְּעֵל־טְעֵם Ez. 4:8, 9, 17
5 קֳדָם־רְחוּם וְשִׁמְשַׁי סָפְרָא Ez. 4:23
6 הֶחֱזִיקוּ הַלְוִיִּם רְחוּם בֶּן־בָּנִי Neh. 3:17
7 רְחוּם חֲשַׁבְנָה מַעֲשֵׂיָה Neh. 10:26
8 שְׁכַנְיָה רְחֻם מְרֵמֹת Neh. 12:3

רָחוֹק

ת׳ א) שאינו קרוב: רוב המקראות 1-85
ב) מופלג בזמן עבר או עתיד: 25,27-48,50,54,82
ג) [בהשאלה] שקשה להשיגו או להבינו: 8,58,66

– רָחוֹק וְקָרוֹב 7, 9, 13, 63, 68, 76, 79-81, 84, 85; בְּרָחוֹק 12; מֵרָחוֹק 14-47; לְמֵרָחוֹק 48-55
– אָח רָחוֹק 7; גּוֹי רָחוֹק 2, 3
– אֶרֶץ רְחוֹקָה 57,59,60,62-65,67,68; דֶּרֶךְ רְחוֹקָה 56; אִיִּים רְחוֹקִים 78; קַצְוֵי... רְחוֹקִים 72
– עָרִים רְחוֹקוֹת 83; עִתִּים רְחוֹקוֹת 82

רָחוֹק
1 אַךְ רָחוֹק יִהְיֶה בֵּינֵיכֶם Josh. 3:4
2 וּמְכָרוּם...אֶל־גּוֹי רָחוֹק Joel 4:8
3 וְהוֹכִיחַ לְגוֹיִם עֲצֻמִים עַד־רָחוֹק Mic. 4:3
4 רָחוֹק מִישׁוּעָתִי דִּבְרֵי שַׁאֲגָתִי Ps. 22:2
5 רָחוֹק מֵרְשָׁעִים יְשׁוּעָה Ps. 119:155
6 רָחוֹק יְיָ מֵרְשָׁעִים Prov. 15:29
7 טוֹב שָׁכֵן קָרוֹב מֵאָח רָחוֹק Prov. 27:10
8 רָחוֹק מַה־שֶּׁהָיָה Eccl. 7:24

וְרָחוֹק
9 קָרוֹב...וְרָחוֹק מִכִּלְיוֹתֵיהֶם Jer. 12:2
10 וְרָחֹק מִפְּנִינִים מִכְרָהּ Prov. 31:10

הָרָחוֹק
11 הָרָחוֹק בַּדֶּבֶר יָמוּת Ezek. 6:12

בְּרָחוֹק
12 לָמָה יְיָ תַּעֲמֹד בְּרָחוֹק Ps. 10:1

לָרָחוֹק
13 שָׁלוֹם שָׁלוֹם לָרָחוֹק וְלַקָּרוֹב Is. 57:19

מֵרָחֹק
14 וַיַּרְא אֶת־הַמָּקוֹם מֵרָחֹק Gen. 22:4
15 וַיִּרְאוּ אֹתוֹ מֵרָחֹק Gen. 37:18
16 וַתֵּתַצַּב אֲחֹתוֹ מֵרָחֹק Ex. 2:4
17 וַיָּנֻעוּ וַיַּעַמְדוּ מֵרָחֹק Ex. 20:16
18 וַיַּעֲמֹד הָעָם מֵרָחֹק Ex. 20:18
19 וְהִשְׁתַּחֲוִיתֶם מֵרָחֹק Ex. 24:1
20 יִשָּׂא יְיָ עָלֶיךָ גּוֹי מֵרָחֹק Deut. 28:49
21 וַיַּעֲמֹד עַל־רֹאשׁ־הָהָר מֵרָחֹק ISh. 26:13
22 וַיַּעַמְדוּ מִנֶּגֶד מֵרָחוֹק IIK. 2:7
23 וְנָשָׂא־נֵס לַגּוֹיִם מֵרָחוֹק Is. 5:26
24 כָּל־נִמְצָאַיִךְ...מֵרָחוֹק בָּרָחוּ Is. 22:3
25 וְיֹצְרָהּ מֵרָחוֹק לֹא רְאִיתֶם Is. 22:11
26 יֹבִלוּהָ רַגְלֶיהָ מֵרָחוֹק לָגוּר Is. 23:7
27 עֵצוֹת מֵרָחוֹק אֱמוּנָה אֹמֶן Is. 25:1
28 הָבִיאִי בָנַי מֵרָחוֹק Is. 43:6
29 וְהַקְשִׁיבוּ לְאֻמִּים מֵרָחוֹק Is. 49:1
30 הִנֵּה־אֵלֶּה מֵרָחוֹק יָבֹאוּ Is. 49:12
31 וַתְּשַׁלְּחִי צִירַיִךְ עַד־מֵרָחֹק Is. 57:9
32 וּצְדָקָה מֵרָחוֹק תַּעֲמֹד Is. 59:14
33 בָּנַיִךְ מֵרָחוֹק יָבֹאוּ Is. 60:4
34 לְהָבִיא בָנַיִךְ מֵרָחוֹק Is. 60:9

מֵרָחוֹק (המשך)
35 וְלֹא אֱלֹהֵי מֵרָחֹק Jer. 23:23
36 כִּי הִנְנִי מוֹשִׁיעֲךָ מֵרָחוֹק Jer. 30:10
37 מֵרָחוֹק יְיָ נִרְאָה לִי Jer. 31:3(2)
38 כִּי הִנְנִי מוֹשִׁעֲךָ מֵרָחוֹק Jer. 46:27
39 זִכְרוּ מֵרָחוֹק אֶת־יְיָ Jer. 51:50
40 וּפָרָשָׁיו מֵרָחוֹק יָבֹאוּ Hab. 1:8
41 וּקְרוֹבַי מֵרָחֹק עָמָדוּ Ps. 38:12
42 בַּנְתָּה לְרֵעִי מֵרָחוֹק Ps. 139:2
43 הָלַךְ בְּדֶרֶךְ מֵרָחוֹק Prov. 7:19
44 וַיִּשְׂאוּ אֶת־עֵינֵיהֶם מֵרָחוֹק Job 2:12
45 אֱנוֹשׁ יַבִּיט מֵרָחוֹק Job 36:25
46 וַתִּשָּׁמַע שִׂמְחַת יְרוּשָׁלִַם מֵרָחוֹק Neh. 12:43

וּמֵרָחוֹק
47 וּמֵרָחוֹק יָרִיחַ מִלְחָמָה Job 39:25

לְמֵרָחוֹק
48 וַתְּדַבֵּר גַּם אֶל־בֵּית־עַבְדְּךָ לְמֵרָחוֹק IISh.7:19
49 לְמֵרָחוֹק אֹתָהּ עָשִׂיתִי IIK. 19:25
50 לְמֵרָחוֹק אוֹתָהּ עָשִׂיתִי Is. 37:26
51 אֶשָּׂא דֵעִי לְמֵרָחוֹק Job 36:3
52 לְמֵרָחוֹק עֵינָיו יַבִּיטוּ Job 39:29
53 וְהַקּוֹל נִשְׁמַע עַד־לְמֵרָחוֹק Ez. 3:13
54 וַתְּדַבֵּר עַל־בֵּית עַבְדְּךָ לְמֵרָחוֹק ICh.17:17
55 וַיֵּצֵא שְׁמוֹ עַד־לְמֵרָחוֹק IICh. 26:15

רְחֹקָה
56 אוֹ בְדֶרֶךְ רְחֹקָה לָכֶם Num. 9:10
57 אֲשֶׁר יָבֹא מֵאֶרֶץ רְחוֹקָה Deut. 29:21
58 לֹא־נִפְלֵאת...וְלֹא־רְחֹקָה הִוא Deut. 30:11
59 מֵאֶרֶץ רְחוֹקָה בָּאנוּ Josh. 9:6
60 מֵאֶרֶץ רְחוֹקָה מְאֹד בָּאוּ עֲבָדֶיךָ Josh. 9:9
61 כִּי רְחוֹקָה־הִיא מִצִּידוֹן Jud. 18:28
62 וּבָא מֵאֶרֶץ רְחוֹקָה לְמַעַן שְׁמֶךָ IK. 8:41
63 אֶל־אֶרֶץ הָאוֹיֵב רְחוֹקָה אוֹ קְרוֹבָה IK. 8:46
64 מֵאֶרֶץ רְחוֹקָה בָּאוּ מִבָּבֶל IIK. 20:14
65 מֵאֶרֶץ רְחוֹקָה בָּאוּ אֵלַי מִבָּבֶל Is. 39:3
66 אָמַרְתִּי אֶחְכָּמָה וְהִיא רְחוֹקָה מִמֶּנִּי Eccl. 7:23
67 וּבָא מֵאֶרֶץ רְחוֹקָה IICh. 6:32
68 אֶל־אֶרֶץ רְחוֹקָה אוֹ קְרוֹבָה IICh. 6:36

רְחוֹקִים
69 רְחוֹקִים אֲנַחְנוּ מִכֶּם מְאֹד Josh. 9:22
70 שִׁמְעוּ רְחוֹקִים אֲשֶׁר עָשִׂיתִי Is. 33:13
71 לַמְנַצֵּחַ עַל־יוֹנַת אֵלֶם רְחֹקִים Ps. 56:1
72 כָּל־קַצְוֵי־אֶרֶץ וְיָם רְחֹקִים Ps. 65:6
73 רְחוֹקִים אִישׁ מֵאָחִיו Neh. 4:13

וּרְחוֹקִים
74 וּרְחוֹקִים הֵמָּה מִצִּידֹנִים Jud. 18:7
75 וּרְחוֹקִים יָבֹאוּ וּבָנוּ בְּהֵיכַל יְיָ Zech. 6:15

הָרְחוֹקִים
76 הַקְּרֹבִים אֵלֶיךָ אוֹ הָרְחֹקִים מִמֶּךָּ Deut.13:8
77 אַבִּירֵי לֵב הָרְחוֹקִים מִצְּדָקָה Is. 46:12
78 הָאִיִּים הָרְחֹקִים אֲשֶׁר לֹא־שָׁמְעוּ Is. 66:19

וְהָרְחֹקִים
79 הַקְּרֹבִים וְהָרְחֹקִים Jer. 25:26
80 הַיְּהוּדִים...הַקְּרוֹבִים וְהָרְחוֹקִים Es. 9:20
81 וּלְכָל־יִשְׂרָאֵל הַקְּרֹבִים וְהָרְחֹקִים Dan. 9:7

רְחוֹקוֹת
82 לְיָמִים רַבִּים וּלְעִתִּים רְחוֹקוֹת Ezek. 12:27

הָרְחוֹקֹת
83 הֶעָרִים הָרְחֹקֹת מִמְּךָ מְאֹד Deut. 20:15
84 כָּל־עָרֵי...הָרְחֹקוֹת וְהַקְּרֹבוֹת Jer. 48:24

וְהָרְחֹקוֹת
85 הַקְּרֹבוֹת וְהָרְחֹקוֹת מִמֵּךְ Ezek. 22:5

רְחִיטֵנוּ

(שה״ש א 17) כתיב – קרי רַהִיטֵנוּ

רֵחַיִם

ז״ז – טחנה: 1-5
קרובים: טַחֲנָה / מְדוֹכָה / רֶכֶב (ב)

קוֹל רֵחַיִם 3

רֵחַיִם
1 לֹא־יַחֲבֹל רֵחַיִם וָרָכֶב Deut. 24:6
2 קְחִי רֵחַיִם וְטַחֲנִי קָמַח Is. 47:2
3 קוֹל שָׂשׂוֹן...קוֹל רֵחַיִם וְאוֹר נֵר Jer. 25:10

הָרֵחָיִם
4 עַד בְּכוֹר הַשִּׁפְחָה אֲשֶׁר אַחַר הָרֵחָיִם Ex. 11:5

בָּרֵחַיִם
5 וְטָחֲנוּ בָרֵחַיִם אוֹ דָכוּ בַּמְּדֹכָה Num. 11:8

רַחִיק*

ת׳ ארמית: רחוק

רַחִיקִין
1 רַחִיקִין הֲווֹ מִן־תַּמָּה Ez. 6:6

רָחֵל[1]

נ׳ כבשה בוגרת: 1-4 • קרובים: ראה צֹאן

עֵדֶר רְחֵלִים 3

וּכְרָחֵל
1 וּכְרָחֵל לִפְנֵי גֹזְזֶיהָ נֶאֱלָמָה Is. 53:7

רְחֵלִים
2 רְחֵלִים מָאתַיִם וְאֵילִים עֶשְׂרִים Gen. 32:15

הָרְחֵלִים
3 שִׁנַּיִךְ כְּעֵדֶר הָרְחֵלִים S.ofS. 6:6

רְחֵלֶיךָ
4 רְחֵלֶיךָ וְעִזֶּיךָ לֹא שִׁכֵּלוּ Gen. 31:38

רָחֵל[2]

שפ״נ – בת לבן, אשת יעקב: 1-47

אֹהֶל רָחֵל 20; בְּנֵי רָ׳ 26, 28, 29; קְבוּרַת רָ׳ 25, 31; שִׁפְחַת רָחֵל 11, 27

רָחֵל
1 וְהִנֵּה רָחֵל בִּתּוֹ בָּאָה עִם־הַצֹּאן Gen. 29:6
2 כַּאֲשֶׁר רָאָה יַעֲקֹב אֶת־רָחֵל Gen. 29:10
3 וְשֵׁם הַקְּטַנָּה רָחֵל Gen. 29:16
4 וַיֶּאֱהַב יַעֲקֹב אֶת־רָחֵל Gen. 29:18
5 וַיִּתֶּן־לוֹ אֶת־רָחֵל בִּתּוֹ Gen. 29:28
6 וַיָּבֹא גַּם אֶל־רָחֵל Gen. 29:30
7 וַיֶּאֱהַב גַּם־אֶת־רָחֵל מִלֵּאָה Gen. 29:30
8 וַתֵּרֶא רָחֵל כִּי לֹא יָלְדָה לְיַעֲקֹב Gen. 30:1
9 וַתְּקַנֵּא רָחֵל בַּאֲחֹתָהּ Gen. 30:1
10 וַתֹּאמֶר רָחֵל דָּנַנִּי אֱלֹהִים Gen. 30:6
11 וַתֵּלֶד בִּלְהָה שִׁפְחַת רָחֵל Gen. 30:7
12 וַתֹּאמֶר רָחֵל נַפְתּוּלֵי אֱל׳ נִפְתַּלְתִּי Gen. 30:8
13 וַתֹּאמֶר רָחֵל אֶל־לֵאָה תְּנִי־נָא לִי Gen. 30:14
14 וַתֹּאמֶר רָחֵל לָכֵן־יִשְׁכַּב עִמָּךְ Gen. 30:15
15 וַיִּזְכֹּר אֱלֹהִים אֶת־רָחֵל Gen. 30:22
16 כַּאֲשֶׁר יָלְדָה רָחֵל אֶת־יוֹסֵף Gen. 30:25
17 וַתַּעַן רָחֵל וְלֵאָה Gen. 31:14
18 וַתִּגְנֹב רָחֵל אֶת־הַתְּרָפִים Gen. 31:19
19 וְלֹא־יָדַע יַעֲקֹב כִּי רָחֵל גְּנָבָתַם Gen. 31:32
20 וַיֵּצֵא...וַיָּבֹא בְּאֹהֶל רָחֵל Gen. 31:33
21 וַיַּחַץ...עַל־לֵאָה וְעַל־רָחֵל Gen. 33:1
22 וְאֶת־רָחֵל וְאֶת־יוֹסֵף אַחֲרֹנִים Gen. 33:2
23 וַתֵּלֶד רָחֵל וַתְּקַשׁ בְּלִדְתָּהּ Gen. 35:16
24 וַתָּמָת רָחֵל וַתִּקָּבֵר Gen. 35:19
25 הוּא מַצֶּבֶת קְבֻרַת־רָחֵל Gen. 35:20
26 בְּנֵי רָחֵל יוֹסֵף וּבִנְיָמִן Gen. 35:24
27 וּבְנֵי בִלְהָה שִׁפְחַת רָחֵל Gen. 35:25
28 בְּנֵי רָחֵל אֵשֶׁת יַעֲקֹב Gen. 46:19
29 אֵלֶּה בְּנֵי רָחֵל Gen. 46:22
30 בְּבֹאִי מִפַּדָּן מֵתָה עָלַי רָחֵל Gen. 48:7
31 עִם־קְבֻרַת רָחֵל בִּגְבוּל בִּנְיָמִן ISh. 10:2
32 רָחֵל מְבַכָּה עַל־בָּנֶיהָ Jer. 31:15(16)

וְרָחֵל
33 וְרָחֵל בָּאָה עִם־הַצֹּאן Gen. 29:9
34 וְרָחֵל הָיְתָה יְפַת־תֹּאַר Gen. 29:17
35 וְרָחֵל עֲקָרָה Gen. 29:31
36 וְרָחֵל לָקְחָה אֶת־הַתְּרָפִים Gen. 31:34
37 וְאַחַר נִגַּשׁ יוֹסֵף וְרָחֵל Gen. 33:7

בְּרָחֵל
38 אֶעֱבָדְךָ...בְּרָחֵל בִּתְּךָ הַקְּטַנָּה Gen. 29:18
39 וַיַּעֲבֹד יַעֲקֹב בְּרָחֵל Gen. 29:20
40 הֲלֹא בְרָחֵל עָבַדְתִּי עִמָּךְ Gen. 29:25
41 וַיִּחַר־אַף יַעֲקֹב בְּרָחֵל Gen. 30:2

כְּרָחֵל
42 יִתֵּן יְיָ אֶת־הָאִשָּׁה...כְּרָחֵל וּכְלֵאָ׳ Ruth 4:11

לְרָחֵל
43 וַיִּשַּׁק יַעֲקֹב לְרָחֵל Gen. 29:11
44 וַיַּגֵּד יַעֲקֹב לְרָחֵל Gen. 29:12
45 וַיִּתֵּן לָבָן לְרָחֵל בִּתּוֹ אֶת־בִּלְהָה Gen. 29:29
46 וַיִּקְרָא לְרָחֵל וּלְלֵאָה הַשָּׂדֶה Gen. 31:4
47 אֲשֶׁר־נָתַן לָבָן לְרָחֵל בִּתּוֹ Gen. 46:25

רחם : רָחַם, רִחַם, רֻחַם; רֶחֶם, רַחַם, רַחֲמִים, רַחֲמָנִי; רָחָם, רָחָמָה; ש״פ רַחַם, רַחֲמָה, יְרֹחָם, יְרַחְמְאֵל, אר׳ רַחֲמִין

רָחַם פ׳ א) אהב: 1
ב) [פ׳ רִחַם] חמל, חס, אהב: 2-43
ג) [פ׳ רֻחַם] חסו עליו, הוחן: 44-47

רחם (את־) 2, 3, 5-14, 16-43; רחם על־ 4, 15

אֶרְחָמְךָ 1 אֶרְחָמְךָ יְיָ חִזְקִי Ps. 18:2
רַחֵם 2 רַחֵם אֲרַחֲמֶנּוּ נְאֻם־יְיָ Jer. 31:20(19)
3 בְּרֹגֶז רַחֵם תִּזְכּוֹר Hab. 3:2
כְּרַחֵם 4 כְּרַחֵם אָב עַל־בָּנִים Ps. 103:13
מֵרַחֵם 5 הֲתִשְׁכַּח...מֵרַחֵם בֶּן־בִּטְנָהּ Is. 49:15
לְרַחֶמְכֶם 6 וְלָכֵן יָרוּם לְרַחֶמְכֶם Is. 30:18
וְרִחַמְתִּי 7 וְרִחַמְתִּי אֶת־אֲשֶׁר אֲרַחֵם Ex. 33:19
8 וְרִחַמְתִּי כָּל־בֵּית יִשְׂרָאֵל Ezek. 39:25
9 וְרִחַמְתִּי אֶת־לֹא רֻחָמָה Hosh. 2:25
רִחַמְתִּיךְ 10 וּבְחֶסֶד עוֹלָם רִחַמְתִּיךְ Is. 54:8
11 בְקִצְפִּי הִכִּיתִיךְ וּבִרְצוֹנִי רִחַמְתִּיךְ Is. 60:10
רִחַמְתִּים 12 וְהוֹשְׁבוֹתִים כִּי רִחַמְתִּים Zech. 10:6
וְרִחַמְתִּים 13 אַחֲרֵי נָתְשִׁי אוֹתָם אָשׁוּב וְרִחַמְתִּים Jer. 12:15
14 כִּי־אָשִׁיב״ אֶת־שְׁבוּתָם וְרִחַמְתִּים Jer. 33:26
רִחַם 15 רִחַם יְיָ עַל־יְרֵאָיו Ps. 103:13
וְרִחַם 16 וְאֶתֵּן לָכֶם רַחֲמִים וְרִחַם אֶתְכֶם Jer. 42:12
17 כִּי אִם־הוֹגָה וְרִחַם כְּרֹב חֲסָדָו Lam. 3:32
וְרִחַמְךָ 18 וְנָתַן לְךָ רַחֲמִים וְרִחַמְךָ וְהִרְבֶּךָ Deut. 13:18
וְרִחֲמֶךָ 19 וְשָׁב...אֶת־שְׁבוּתְךָ וְרִחֲמֶךָ Deut. 30:3
וְרִחֲמוּם 20 וּנְתַתָּם לְרַחֲמִים...וְרִחֲמוּם IK. 8:50
מְרַחֵם 21 חַנּוּן יְיָ וְצַדִּיק וֵאלֹהֵינוּ מְרַחֵם Ps. 116:5
מְרַחֲמֵךְ 22 אָמַר מְרַחֲמֵךְ יְיָ Is. 54:10
מְרַחֲמָם 23 כִּי־מְרַחֲמָם יְנַהֲגֵם Is. 49:10
אֲרַחֵם 24 וְרִחַמְתִּי אֶת־אֲשֶׁר אֲרַחֵם Ex. 33:19
25 לֹא־אֶחְמוֹל וְלֹא־אָחוּס וְלֹא אֲרַחֵם Jer. 13:14
26 הִנְנִי־שָׁב...וּמִשְׁכְּנֹתָיו אֲרַחֵם Jer. 30:18
27 לֹא אוֹסִיף עוֹד אֲרַחֵם אֶת־בֵּית יִשׂ׳ Hosh. 1:6
28 וְאֶת־בֵּית יְהוּדָה אֲרַחֵם Hosh. 1:7
29 וְאֶת־בָּנֶיהָ לֹא אֲרַחֵם Hosh. 2:6
אֲרַחֲמֶנּוּ 30 רַחֵם אֲרַחֲמֶנּוּ נְאֻם־יְיָ Jer. 31:20(19)
תְּרַחֵם 31 לֹא־תְרַחֵם אֶת־יְרוּשָׁלַםִ Zech. 1:12
32 אַתָּה תָקוּם תְּרַחֵם צִיּוֹן Ps. 102:14
יְרַחֵם 33 וְאֶת־אַלְמְנֹתָיו לֹא יְרַחֵם Is. 9:16
34 כִּי יְרַחֵם יְיָ אֶת־יַעֲקֹב Is. 14:1
35 כִּי־נִחַם יְיָ עַמּוֹ וַעֲנִיָּו יְרַחֵם Is. 49:13
36 לֹא־יָחוּס...וְלֹא יַחְמֹל וְלֹא יְרַחֵם Jer. 21:7
יְרַחֲמֶנּוּ 37 עַל־כֵּן לֹא־יְרַחֲמֶנּוּ עֹשֵׂהוּ Is. 27:11
וִירַחֲמֵהוּ 38 וְיָשֹׁב אֶל־יְיָ וִירַחֲמֵהוּ Is. 55:7
יְרַחֲמֵנוּ 39 יָשׁוּב יְרַחֲמֵנוּ יִכְבֹּשׁ עֲוֹנֹתֵינוּ Mic. 7:19
וַיְרַחֲמֵם 40 וַיָּחָן יְיָ אֹתָם וַיְרַחֲמֵם IIK. 13:23
יְרַחֵמוּ 41 וּפְרִי־בֶטֶן לֹא יְרַחֵמוּ Is. 13:18
42 אַכְזָרִי הוּא וְלֹא יְרַחֵמוּ Jer. 6:23
43 אַכְזָרִי הֵמָּה וְלֹא יְרַחֵמוּ Jer. 50:42
רֻחָמָה 44 אִמְרוּ...וְלַאֲחוֹתֵיכֶם רֻחָמָה Hosh. 2:3
45 וְרִחַמְתִּי אֶת־לֹא רֻחָמָה Hosh. 2:25
יְרֻחַם 46 אֲשֶׁר־בְּךָ יְרֻחַם יָתוֹם Hosh. 14:4
יְרֻחָם 47 וּמוֹדֶה וְעֹזֵב יְרֻחָם Prov. 28:13

רֶחֶם ז׳ א) אבר בגוף הנקבה שהעובר מתפתח בו: 1-12, 14-17, 20-26
ב) [בהשאלה] לֵדה: 13, 18, 19

רחם אמו 21; פטר רחם 2-5, 7, 20; פטרת רחם 6

רָחֶם 1 כִּי־עָצֹר עָצַר יְיָ בְּעַד כָּל־רֶחֶם Gen. 20:18
2 כָּל־בְּכוֹר פֶּטֶר כָּל־רֶחֶם Ex. 13:2
3 וְהַעֲבַרְתָּ כָל־פֶּטֶר־רֶחֶם לַייָ Ex. 13:12
4 כָּל־פֶּטֶר רֶחֶם לִי Ex. 34:19
5 תַּחַת כָּל־בְּכוֹר פֶּטֶר רֶחֶם מִבְּ״ Num. 3:12
6 תַּחַת פִּטְרַת כָּל־רֶחֶם Num. 8:16
7 כָּל־פֶּטֶר רֶחֶם לְכָל־בָּשָׂר Num. 18:15
8 תֵּן־לָהֶם רֶחֶם מַשְׁכִּיל Hosh. 9:14
9 יִשְׁכָּחֵהוּ רֶחֶם מְתָקוֹ רִמָּה Job 24:20
בָּרֶחֶם 10 וַיְכֻנֶנּוּ בָּרֶחֶם אֶחָד Job 31:15
מֵרֶחֶם 11 וּבְטֶרֶם תֵּצֵא מֵרֶחֶם הִקְדַּשְׁתִּיךָ Jer. 1:5
12 לָמָּה זֶּה מֵרֶחֶם יָצָאתִי Jer. 20:18
13 מֵרֶחֶם מִשְׁחָר לְךָ טַל יַלְדֻתֶיךָ Ps. 110:3
14 לָמָּה לֹּא מֵרֶחֶם אָמוּת Job 3:11
15 וְלָמָּה מֵרֶחֶם הֹצֵאתָנִי Job 10:18
16 בְּגִיחוֹ מֵרֶחֶם יֵצֵא Job 38:8
מֵרָחֶם 17 אֲשֶׁר לֹא־מוֹתְתַנִי מֵרָחֶם Jer. 20:17
18 עָלֶיךָ הָשְׁלַכְתִּי מֵרָחֶם Ps. 22:11
19 זֹרוּ רְשָׁעִים מֵרָחֶם Ps. 58:4
רֶחֶם־ 20 כָּל־פֶּטֶר רֶחֶם הַזְּכָרִים Ex. 13:15
מֵרֶחֶם־ 21 אֲשֶׁר בְּצֵאתוֹ מֵרֶחֶם אִמּוֹ Num. 12:12
רַחְמָהּ 22/3 וַיִּפְתַּח אֶת־רַחְמָהּ Gen. 29:31; 30:22
24 וַיְיָ סָגַר רַחְמָהּ ISh. 1:5
25 כִּי־סָגַר יְיָ בְּעַד רַחְמָהּ ISh. 1:6
וְרַחְמָהּ 26 אִמִּי קִבְרִי וְרַחְמָהּ הֲרַת עוֹלָם Jer. 20:17

רַחַם[1] ז׳ א) רחם: 2-5
ב) [בהשאלה] אשה: 1, 6

רחם רחמתים 1; עצר רחם 4; פטר רחם 3

רַחַם 1 רַחַם רַחֲמָתַיִם לְרֹאשׁ גֶּבֶר Jud. 5:30
רָחַם 2 הַנְּשֻׂאִים מִנִּי־רָחַם Is. 46:3
3 בְּהַעֲבִיר כָּל־פֶּטֶר רָחַם Ezek. 20:26
4 שְׁאוֹל וְעֹצֶר רָחַם Prov. 30:16
וָרָחַם 5 בִּרְכֹת שָׁדַיִם וָרָחַם Gen. 49:25
רַחֲמָתַיִם 6 רַחַם רַחֲמָתַיִם לְרֹאשׁ גֶּבֶר Jud. 5:30

רַחַם[2] שפ״ז – איש מצאצאי חברון בן כלב

רַחַם 1 וְשֶׁמַע הוֹלִיד אֶת־רַחַם ICh. 2:44

רָחָם, רָחָמָה ז׳ עוף דורס ממשפחת הנשרים: 1, 2

הָרָחָם 1 וְאֶת־הַקָּאָת וְאֶת־הָרָחָם Lev. 11:18
הָרָחָמָה 2 וְהַקָּאָת וְאֶת־הָרָחָמָה Deut. 14:17

רַחֲמִים ז״ר – חמלה, רגש אהבה או השתתפות בצער הזולת: 1-39

קרובים: חֶמְלָה | חֵן | חֶסֶד

– רחמים גדולים 10; רחמים רבים 24, 25, 27, 28, 30; חסד ורחמים 5, 7, 11, 16, 18, 38; רחמי רשעים 17
– אסף רחמיו 7; התאפקו ר׳ 26; כלא ר׳ 19; כלו ר׳ 35; נכמרו ר׳ 31, 39; עטרו רחמים 6; קפץ רחמיו 34; שחת רחמיו 33
– נתן לו רחמים 1, 2, 4; שם לו רחמים 3

רַחֲמִים 1 וְאֵל שַׁדַּי יִתֵּן לָכֶם רַחֲמִים Gen. 43:14
2 וְנָתַן־לְךָ רַחֲמִים וְרִחַמְךָ וְהִרְבֶּךָ Deut. 13:18
3 לֹא־שַׂמְתְּ לָהֶם רַחֲמִים Is. 47:6
4 וְאֶתֵּן לָכֶם רַחֲמִים וְרִחַם אֶתְכֶם Jer. 42:12
וְרַחֲמִים 5 וְחֶסֶד וְרַחֲמִים עֲשׂוּ אִישׁ אֶת־אָחִיו Zech. 7:9
6 הַמְעַטְּרֵכִי חֶסֶד וְרַחֲמִים Ps. 103:4
הָרַחֲמִים 7 אָסַפְתִּי...אֶת־הַחֶסֶד וְאֶת־הָרַחֲמִים Jer. 16:5
8 לַאדֹנָי אֱלֹהֵינוּ הָרַחֲמִים וְהַסְּלִחוֹת Dan. 9:9
בְּרַחֲמִים 9 שַׁבְתִּי לִירוּשָׁלַםִ בְּרַחֲמִים Zech. 1:16
וּבְרַחֲמִים 10 וּבְרַחֲמִים גְּדֹלִים אֲקַבְּצֵךְ Is. 54:7
11 בְּצֶדֶק וּבְמִשְׁפָּט וּבְחֶסֶד וּבְרַחֲמִים Hosh. 2:21
לְרַחֲמִים 12 וּנְתַתָּם לְרַחֲמִים לִפְנֵי שֹׁבֵיהֶם IK. 8:50
13 וַיִּתֵּן אוֹתָם לְרַחֲמִים לִפְנֵי...שׁוֹבֵיהֶם Ps. 106:46
14 וּתְנֵהוּ לְרַחֲמִים לִפְנֵי הָאִישׁ הַזֶּה Neh. 1:11
15 לְרַחֲמִים לִפְנֵי שׁוֹבֵיהֶם IICh. 30:9
וּלְרַחֲמִים 16 וַיִּתֵּן...לְחֶסֶד וּלְרַחֲמִים לִפְנֵי שַׂר... Dan. 1:9
וְרַחֲמֵי־ 17 וְרַחֲמֵי רְשָׁעִים אַכְזָרִי Prov. 12:10
רַחֲמֶיךָ 18 זְכֹר־רַחֲמֶיךָ יְיָ וַחֲסָדֶיךָ Ps. 25:6
19 לֹא־תִכְלָא רַחֲמֶיךָ מִמֶּנִּי Ps. 40:12
20 כְּרֹב רַחֲמֶיךָ מְחֵה פְשָׁעָי Ps. 51:3
21 כְּרֹב רַחֲמֶיךָ פְּנֵה אֵלָי Ps. 69:17
22 מַהֵר יְקַדְּמוּנוּ רַחֲמֶיךָ Ps. 79:8
23 יְבֹאוּנִי רַחֲמֶיךָ וְאֶחְיֶה Ps. 119:77
24 רַחֲמֶיךָ רַבִּים יְיָ Ps. 119:156
25 כִּי עַל־רַחֲמֶיךָ הָרַבִּים Dan. 9:18
וְרַחֲמֶיךָ 26 הֲמוֹן מֵעֶיךָ וְרַחֲמֶיךָ אֵלַי הִתְאַפָּקוּ Is. 63:15
בְּרַחֲמֶיךָ 27 וְאַתָּה בְּרַחֲמֶיךָ הָרַבִּים לֹא עֲזַבְתָּם Neh. 9:19
וּבְרַחֲמֶיךָ 28 וּבְרַחֲמֶיךָ הָרַבִּים לֹא־עֲשִׂיתָם כָּלָה Neh. 9:31
כְּרַחֲמֶיךָ 29 וְתַצִּילֵם כְּרַחֲמֶיךָ רַבּוֹת עִתִּים Neh. 9:28
וּכְרַחֲמֶיךָ 30 וּכְרַחֲמֶיךָ הָרַבִּים תִּתֵּן...מוֹשִׁיעִים Neh. 9:27
רַחֲמָיו 31 כִּי־נִכְמְרוּ רַחֲמָיו אֶל־אָחִיו Gen. 43:30
32 כִּי־רַבִּים רַחֲמָו IISh. 24:14
33 עַל־רָדְפוֹ...וְשִׁחֵת רַחֲמָיו Am. 1:11
34 קָפַץ בְּאַף רַחֲמָיו Ps. 77:10
35 כִּי לֹא־כָלוּ רַחֲמָיו Lam. 3:22
36 כִּי־רַבִּים רַחֲמָיו ICh. 21:13
וְרַחֲמָיו 37 וְרַחֲמָיו עַל־כָּל־מַעֲשָׂיו Ps. 145:9
כְּרַחֲמָיו 38 אֲשֶׁר־גְּמָלָם כְּרַחֲמָיו וּכְרֹב חֲסָדָיו Is. 63:7
רַחֲמֶיהָ 39 כִּי־נִכְמְרוּ רַחֲמֶיהָ עַל־בְּנָהּ IK. 3:26

רַחֲמִין ז״ר ארמית: רחמים

וְרַחֲמִין 1 וְרַחֲמִין לְמִבְעֵא מִן־קֳדָם אֱלָהּ שְׁמַיָּא Dan. 2:18

רַחֲמָנִי ת׳ חומל, מרחם

רַחֲמָנִיּוֹת 1 יְדֵי נָשִׁים רַחֲמָנִיּוֹת בִּשְּׁלוּ יַלְדֵיהֶן Lam. 4:10

רחף : רָחַף, רִחֵף

רָחַף פ׳ א) רעד, נע: 1
ב) [פ׳ רִחֵף] עף, פרח: 2, 3

רָחֲפוּ 1 רָחֲפוּ כָּל־עַצְמוֹתַי Jer. 23:9
מְרַחֶפֶת 2 וְרוּחַ אֱלֹהִים מְרַחֶפֶת עַל־פְּנֵי הַמָּיִם Gen. 1:2
יְרַחֵף 3 כְּנֶשֶׁר יָעִיר קִנּוֹ עַל־גּוֹזָלָיו יְרַחֵף Deut. 32:11

רחץ : רָחַץ, רֻחַץ, הִתְרַחֵץ; רַחַץ, רַחְצָה

רָחַץ[1] פ׳ א) שטף ונקה במים (בהשאלה גם בנוזלים אחרים): 1-69
ב) [פ׳ רֻחַץ] נקה במים: 70, 71
ג) [הת׳ הִתְרַחֵץ] נקה את עצמו: 72

בִּרְחֹץ 1 בִּרְחֹץ הֲלִיכַי בְּחֵמָה Job 29:6
לִרְחֹץ 2 וּמַיִם לִרְחֹץ רַגְלָיו Gen. 24:32
3 וַתֵּרֶד בַּת־פַּרְעֹה לִרְחֹץ עַל־הַיְאֹר Ex. 2:5
4 לִרְחֹץ רַגְלֵי עַבְדֵי אֲדֹנִי ISh. 25:41
לְרָחְצָה 5 כִּיּוֹר נְחֹשֶׁת וְכַנּוֹ נְחֹשֶׁת לְרָחְצָה Ex. 30:18
6 וַיִּתֵּן שָׁמָּה מַיִם לְרָחְצָה Ex. 40:30
7 וַיַּעַשׂ כִּיּוֹרִים עֲשָׂרָה...לְרָחְצָה בָהֶם IICh. 4:6
8 וְהַיָּם לְרָחְצָה לַכֹּהֲנִים בּוֹ IICh. 4:6
רָחַצְתִּי 9 רָחַצְתִּי אֶת־רַגְלַי אֵיכָכָה אֲטַנְּפֵם S.ofS. 5:3
וְרָחַצְתָּ 10/1 וְרָחַצְתָּ אֹתָם בַּמָּיִם Ex. 29:4; 40:12
12 וְרָחַצְתָּ קִרְבּוֹ וּכְרָעָיו Ex. 29:17
13 הָלוֹךְ וְרָחַצְתָּ שֶׁבַע־פְּעָמִים בַּיַּרְדֵּן IIK. 5:10

רחצת 14 לַאֲשֶׁר רָחַצְתְּ כָּחַלְתְּ עֵינַיִךְ Ezek. 23:40
ורחצת 15 וְרָחַצְתְּ וָסַכְתְּ Ruth 3:3
רחץ 16 וְאֶת־הַקֶּרֶב...רָחַץ בַּמָּיִם Lev. 8:21
17 כִּי אִם־רָחַץ בְּשָׂרוֹ בַּמָּיִם Lev. 22:6
18 אִם רָחַץ אֲדֹנָי אֵת צֹאַת בְּנוֹת־צִיּוֹן Is. 4:4
ורחץ 19 וְרָחַץ בַּמַּיִם וְטָהֵר Lev. 14:8
20/1 וְרָחַץ אֶת־בְּשָׂרוֹ בַּמַּיִם Lev. 14:9; 16:24
22-39 וְרָחַץ (בְּשָׂרוֹ) בַּמַּיִם Lev. 15:5, 6, 7, 8, 10
15:11,13,16,21,22,27; 16:4,26,28; 17:15; 19:7,8,19
רחצו 40 וַיָּלֹקּוּ הַכְּלָבִים...וְהַזֹּנוֹת רָחָצוּ IK. 22:38
ורחצו 41 וְרָחֲצוּ אַהֲרֹן וּבָנָיו מִמֶּנּוּ Ex. 30:19
42 וְרָחֲצוּ יְדֵיהֶם וְרַגְלֵיהֶם Ex. 30:21
43 וְרָחֲצוּ מִמֶּנּוּ מֹשֶׁה וְאַהֲרֹן וּבָנָיו Ex. 40:31
44 וְרָחֲצוּ בַמַּיִם וְטָמְאוּ עַד־הָעָרֶב Lev. 15:18
רוחצת 45 וַיַּרְא אִשָּׁה רֹחֶצֶת מֵעַל הַגָּג IISh. 11:2
רוחצות 46 עֵינָיו כְּיוֹנִים...רֹחֲצוֹת בֶּחָלָב S.ofS. 5:12
ארחץ 47 הֲלֹא־אֶרְחַץ בָּהֶם וְטָהַרְתִּי IIK. 5:12
48 אֶרְחַץ בְּנִקָּיוֹן כַּפָּי Ps. 26:6
וארחץ 49 וָאֶרְחַץ בְּנִקָּיוֹן כַּפָּי Ps. 73:13
וארחצך 50 וָאֶרְחָצֵךְ בַּמַּיִם וָאֶשְׁטֹף דָּמַיִךְ Ezek. 16:9
ירחץ 51 וְקִרְבּוֹ וּכְרָעָיו יִרְחַץ בַּמָּיִם Lev. 1:9
52 וְהַקֶּרֶב וְהַכְּרָעַיִם יִרְחַץ בַּמָּיִם Lev. 1:13
53 וְהָיָה לִפְנוֹת־עֶרֶב יִרְחַץ בַּמָּיִם Deut. 23:12
54 פְּעָמָיו יִרְחַץ בְּדַם הָרָשָׁע Ps. 58:11
ירחץ 55 וּבְשָׂרוֹ לֹא יִרְחָץ Lev. 17:16
וירחץ 56 וַיִּרְחַץ פָּנָיו וַיֵּצֵא Gen. 43:31
57 וַיִּרְחַץ אֹתָם בַּמָּיִם Lev. 8:6
58 וַיִּרְחַץ אֶת־הַקֶּרֶב וְאֶת־הַכְּרָעָיִם Lev. 9:14
59 וַיִּרְחַץ וַיָּסֶךְ וַיְחַלֵּף שִׂמְלֹתָו IISh. 12:20
ירחצו 60 יִרְחֲצוּ־מַיִם וְלֹא יָמֻתוּ Ex. 30:20
61 יִרְחֲצוּ אֶת־יְדֵיהֶם עַל־הָעֶגְלָה Deut. 21:6
ירחצו 62 וּבְקָרְבָתָם אֶל־הַמִּזְבֵּחַ יִרְחָצוּ Ex. 40:32
וירחצו 63 וַיִּתֶּן־מַיִם וַיִּרְחֲצוּ רַגְלֵיהֶם Gen. 43:24
64 וַיִּרְחֲצוּ רַגְלֵיהֶם וַיֹּאכְלוּ וַיִּשְׁתּוּ Jud. 19:21
רחץ 65 וְאַף כִּי־אָמַר אֵלֶיךָ רְחַץ וּטְהָר IIK. 5:13
ורחץ 66 רֵד לְבֵיתְךָ וּרְחַץ רַגְלֶיךָ IISh. 11:8
רחצו 67 רַחֲצוּ הִזַּכּוּ הָסִירוּ רֹעַ מַעַלְלֵיכֶם Is. 1:16
ורחצו 68 יֻקַּח־נָא מְעַט־מַיִם וְרַחֲצוּ רַגְלֵיכֶם Gen. 18:4
69 וְלִינוּ וְרַחֲצוּ רַגְלֵיכֶם Gen. 19:2
רחצת 70 וּבְמַיִם לֹא־רֻחַצְתְּ לְמִשְׁעִי Ezek. 16:4
רחץ 71 וּמִצֹּאָתוֹ לֹא רֻחָץ Prov. 30:12
התרחצתי 72 אִם־הִתְרָחַצְתִּי בְמֵי־שָׁלֶג Job 9:30

רַחַץ*2
ז' רחיצה, נקוי במים: 1, 2 • סִיר רַחְצִי 2,1
רחצי 1/2 מוֹאָב סִיר רַחְצִי Ps. 60:10; 108:10

(רחץ) אִתְרְחִיץ
אתפ' ארמית: בטח
התרחצו 1 לְעַבְדוֹהִי דִּי הִתְרְחִצוּ עֲלוֹהִי Dan. 3:28

רַחְצָה
נ' מקום רחיצה: 1, 2
הרחצה 1 כְּעֵדֶר הַקְּצוּבוֹת שֶׁעָלוּ מִן־הָרַחְצָה S.ofS. 4:2
2 כְּעֵדֶר הָרְחֵלִים שֶׁעָלוּ מִן־הָרַחְצָה S.ofS. 6:6

רחק :
רָחַק, רִחַק, הִרְחִיק; רָחוֹק, רָחֵק, מֶרְחָק; ארמית רְחִיק

רָחַק
פ' א) היה מופלג, היה לא־קרוב (במקום או בזמן): 1-3, 5-12, 20-27
ב) [בהשאלה] סר מן־: 4, 13-19, 28, 29
ג) [פ' רִחַק] העביר הלאה (גם בהשאלה): 30-33
ד) [הפ' מקור: הַרְחֵק] היות במקום רחוק: 34-37
ה) [הפ' הִרְחִיק] העביר למקום רחוק: 38-44
ו) [כנ"ל, בהשאלה] סלק, הסיר: 48-50, 53-57
ז) [כנ"ל] עבר דרך רחוקה: 45-47, 51, 52

כרחק 1 כִּרְחֹק מִזְרָח מִמַּעֲרָב Ps. 103:12
לרחק 2 עֵת לַחֲבוֹק וְעֵת לִרְחֹק מֵחַבֵּק Eccl. 3:5
לרחקה 3 לְרָחֳקָה מֵעַל מִקְדָּשִׁי Ezek. 8:6
רחק 4 עַל־כֵּן רָחַק מִשְׁפָּט מִמֶּנּוּ Is. 59:9
5 כִּי־רָחַק מִמֶּנִּי מְנַחֵם Lam. 1:16
רחקה 6 נְקַוֶּה...לִישׁוּעָה רָחֲקָה מִמֶּנּוּ Is. 59:11
7 עֲצַת רְשָׁעִים רָחֲקָה מֶנִּי Job 21:16
8 וַעֲצַת רְשָׁעִים רָחֲקָה מֶנִּי Job 22:18
רחקו 9 מַה־מָּצְאוּ...כִּי רָחֲקוּ מֵעָלָי Jer. 2:5
10 כִּי אִם־הַלְוִיִּם אֲשֶׁר רָחֲקוּ מֵעָלַי Ezek.44:10
11 אַף כִּי מְרֵעֵהוּ רָחֲקוּ מִמֶּנּוּ Prov. 19:7
12 תִּעֲבוּנִי רָחֲקוּ מֶנִּי Job 30:10
רחקו 13 מִתּוֹרָתְךָ רָחָקוּ Ps. 119:150
ורחקו 14 תֵּצְרִי מִיּוֹשֵׁב וְרָחֲקוּ מְבַלְּעָיִךְ Is. 49:19
תרחק 15-18 אַל־תִּרְחַק מִמֶּנִּי Ps. 22:12
35:22; 38:22; 71:12
תרחק 19 מִדְּבַר־שֶׁקֶר תִּרְחָק Ex. 23:7
20 וְאַתָּה יְיָ אַל־תִּרְחָק Ps. 22:20
ירחק 21/2 כִּי־יִרְחַק מִמְּךָ הַמָּקוֹם Deut. 12:21; 14:24
23 יוֹם הַהוּא יִרְחַק־חֹק Mic. 7:11
24 שׁוֹמֵר נַפְשׁוֹ יִרְחַק מֵהֶם Prov. 22:5
תרחק 25 קֵרַבְתִּי צִדְקָתִי לֹא תִרְחָק Is. 46:13
ותרחק 26 וְלֹא־חָפֵץ בִּבְרָכָה וַתִּרְחַק מִמֶּנּוּ Ps. 109:17
ירחקו 27 יִרְחֲקוּ בָנָיו מִיֶּשַׁע Job 5:4
רחקי 28 רַחֲקִי מֵעֹשֶׁק כִּי־לֹא תִירָאִי Is. 54:14
רחקו 29 אֲשֶׁר אָמְרוּ...רַחֲקוּ מֵעַל יְיָ Ezek. 11:15
רחקת 30 רִחַקְתָּ כָּל־קַצְוֵי־אָרֶץ Is. 26:15
רחק 31 וְלִבּוֹ רִחַק מִמֶּנִּי Is. 29:13
ורחק 32 וְרִחַק יְיָ אֶת־הָאָדָם Is. 6:12
ירחקו 33 עַתָּה יְרַחֲקוּ אֶת־זְנוּתָם...מִמֶּנִּי Ezek. 43:9
הרחק 34 וַתֵּשֶׁב...הַרְחֵק כִּמְטַחֲוֵי קֶשֶׁת Gen. 21:16
35 רַק הַרְחֵק לֹא־תַרְחִיקוּ לָלֶכֶת Ex. 8:24
36 וְנָטָה־לוֹ...הַרְחֵק מִן־הַמַּחֲנֶה Ex. 33:7
37 הַרְחֵק מְאֹד מֵאָדָם הָעִיר Josh. 3:16
הרחיק 38 לְמַעַן הַרְחִיק אֶתְכֶם מֵעַל אַדְמַתְ' Jer. 27:10
הרחיקם 39 לְמַעַן הַרְחִיקָם מֵעַל גְּבוּלָם Joel 4:6
הרחקתים 40 כִּי הִרְחַקְתִּים בַּגּוֹיִם Ezek. 11:16
הרחקת 41 הִרְחַקְתָּ מְיֻדָּעַי מִמֶּנִּי Ps. 88:9
42 הִרְחַקְתָּ מִמֶּנִּי אֹהֵב וָרֵעַ Ps. 88:19
הרחיק 43 הִרְחִיק מִמֶּנּוּ אֶת־פְּשָׁעֵינוּ Ps. 103:12
44 אַחַי מֵעָלַי הִרְחִיק Job 19:13
הרחיקו 45 הֵם יָצְאוּ אֶת־הָעִיר לֹא הִרְחִיקוּ Gen. 44:4
46 הֵמָּה הִרְחִיקוּ מִבֵּית מִיכָה Jud. 18:22
ארחיק 47 הִנֵּה אַרְחִיק נְדֹד אָלִין בַּמִּדְבָּר Ps. 55:8
48 וְאֶת־הַצְּפוֹנִי אַרְחִיק מֵעֲלֵיכֶם Joel 2:20
תרחיק 49 תַּרְחִיק עַוְלָה מֵאָהֳלֶךָ Job 22:23
ירחיקנה 50 שֵׁבֶט מוּסָר יַרְחִיקֶנָּה מִמֶּנּוּ Prov. 22:15
תרחיקו 51 רַק הַרְחֵק לֹא־תַרְחִיקוּ לָלֶכֶת Ex. 8:24
52 אַל־תַּרְחִיקוּ מִן־הָעִיר מְאֹד Josh. 8:4
הרחק 53 וּלְזוּת שְׂפָתַיִם הַרְחֵק מִמֶּךָּ Prov. 4:24
54 הַרְחֵק מֵעָלֶיהָ דַרְכֶּךָ Prov. 5:8
55 שָׁוְא וּדְבַר־כָּזָב הַרְחֵק מִמֶּנִּי Prov. 30:8
הרחק 56 כַּפְּךָ מֵעָלַי הַרְחַק Job 13:21
הרחיקהו 57 אִם־אָוֶן בְּיָדְךָ הַרְחִיקֵהוּ Job 11:14

רָחֵק
ת' מי שמתרחק, סר
רחקיך 1 כִּי־הִנֵּה רְחֵקֶיךָ יֹאבֵדוּ Ps. 73:27

רחש :
רָחַשׁ; מַרְחֶשֶׁת

רָחַשׁ
פ' הביע
רחש 1 רָחַשׁ לִבִּי דָּבָר טוֹב Ps. 45:2

רַחַת
נ' כלי כעין את או קלשון לזרות תבואה
ברחת 1 אֲשֶׁר זֹרֶה בָרַחַת וּבַמִּזְרֶה Is. 30:24

רטב :
רָטַב; רָטֹב

רָטַב
פ' נעשה לח
ירטבו 1 מִזֶּרֶם הָרִים יִרְטָבוּ Job 24:8

רָטֹב
ת' לח, ספוג מים
רטב 1 רָטֹב הוּא לִפְנֵי־שָׁמֶשׁ Job 8:16

רָטָה
פ' מסר(?)
ירטני 1 וְעַל־יְדֵי רְשָׁעִים יִרְטֵנִי Job 16:11

רֶטֶט
ז' רעד, זעזוע
קרובים: פִּיק / רַעַד / רְעָדָה / רְתֵת
ורטט 1 רָפְתָה דַמֶּשֶׂק...וְרֶטֶט הֶחֱזִיקָה Jer. 49:24

רֻטֲפַשׁ
פ' שמן
רטפש 1 רֻטֲפַשׁ בְּשָׂרוֹ מִנֹּעַר Job 33:25

רטש :
רִטֵּשׁ, רֻטַּשׁ

רִטֵּשׁ
פ' א) שסע, בקע: 1, 2
ב) [פ' רֻטַּשׁ] שֻׁסַּע: 3-6
קרובים: בָּקַע / בָּתַר / נִפֵּץ / שִׁסַּע
תרטש 1 וְעֹלְלֵיהֶם תְּרַטֵּשׁ וְהָרֹתֵיהֶם תְּבַקֵּעַ IIK. 8:12
תרטשנה 2 וּקְשָׁתוֹת נְעָרִים תְּרַטַּשְׁנָה Is. 13:18
רטשה 3 אֵם עַל־בָּנִים רֻטָּשָׁה Hosh. 10:14
ירטשו 4 וְעֹלְלֵיהֶם יְרֻטְּשׁוּ לְעֵינֵיהֶם Is. 13:16
5 גַּם עֹלָלֶיהָ יְרֻטְּשׁוּ בְּרֹאשׁ כָּל־חוּצוֹת Nah.3:10
ירטשו 6 עֹלְלֵיהֶם יְרֻטָּשׁוּ וְהָרִיּוֹתָיו יְבֻקָּעוּ Hosh. 14:1

רִי
ז' רויה? מים רבים?
ברי 1 אַף־בְּרִי יַטְרִיחַ עָב Job 37:11

ריב :
רָב, הֵרִיב; רִיב, יָרִיב, מְרִיבָה; ש"פ רִיבַי, יְרִיבַי, יָרֵב, יְרֻבַּעַל, יְרֻבֶּשֶׁת, יָרָבְעָם

(ריב) רָב
פ' א) התקוטט, נשפט: 1-66
ב) [הפ' הֵרִיב] הוכיח, יסר בדברים: 67, 68
[וַיָּרֶב, ש"א טו 5 – עין אָרַב (26)]
– רָב אֶת־ (אִתּוֹ), עִם־ רוב המקראות 1-66;
רָב אֶל־ 4, 11, 24, 50; רָב בְּ־ 44, 47, 65, 66; רָב לְ־ 12, 33, 43, 52, 53, 64; רָב עַל־ 15, 55
– רָב (אֶת־)רִיבוֹ 1, 10, 14, 18, 36, 37, 39, 40, 46, 61-63
ריב 1 רִיב יָרִיב אֶת־רִיבָם Jer. 50:34
הרוב 2 הֲרוֹב רָב עִם־יִשְׂרָאֵל Jud. 11:25
3 הֲרֹב עִם־שַׁדַּי יִסּוֹר Job 40:2
לריב 4 כִּי־יָבֹאוּ...לָרִיב (כת' לרוב) אֵלֵינוּ Jud. 21:22
5 נִצָּב לָרִיב יְיָ וְעֹמֵד לָדִין עַמִּים Is. 3:13
6 וְהִנֵּה קֹרֵא לָרִב בָּאֵשׁ Am. 7:4
7 אַל־תֵּצֵא לָרִב מַהֵר Prov. 25:8
8 אִם־יַחְפֹּץ לָרִיב עִמּוֹ Job 9:3
בריבם 9 מִשְׁפַּט עַבְדִּי וַאֲמָתִי בְּרִבָם עִמָּדִי Job 31:13
רבת 10 רַבְתָּ אֲדֹנָי רִיבֵי נַפְשִׁי Lam. 3:58
ריבות 11 מַדּוּעַ אֵלָיו רִיבוֹתָ Job 33:13
רב 12(?) יָדָיו רָב לוֹ Deut. 33:7

13 הָרוֹב רָב עִם־יִשְׂרָאֵל — Jud. 11:25
14 אֲשֶׁר רָב אֶת־רִיב חֶרְפָּתִי — ISh. 25:39
רָבוּ 15 וַיַּחְפְּרוּ בְּאֵר...וְלֹא רָבוּ עָלֶיהָ — Gen. 26:22
16 אֲשֶׁר־רָבוּ בְנֵי־יִשְׂרָאֵל אֶת־יְיָ — Num. 20:13
רָב(בינוני) 17 הוֹי רָב אֶת־יֹצְרוֹ — Is. 45:9
18 הִנְנִי־רָב אֶת־רִיבֵךְ — Jer. 51:36
וָרָב(?) 19 וְיִשְׁלַח לָהֶם מוֹשִׁיעַ וָרָב — Is. 19:20
אָרִיב 20 וְאֶת־יְרִיבֵךְ אָנֹכִי אָרִיב — Is. 49:25
21 כִּי לֹא לְעוֹלָם אָרִיב — Is. 57:16
22 לָכֵן עֹד אָרִיב אִתְּכֶם נְאֻם־יְיָ — Jer. 2:9
23 וְאֶת־בְּנֵי בְנֵיכֶם אָרִיב — Jer. 2:9
24 צַדִּיק אַתָּה יְיָ כִּי אָרִיב אֵלֶיךָ — Jer. 12:1
וָאָרִיב 25 וָאָרִיב עִמָּם וָאֲקַלְלֵם — Neh. 13:25
וָאָרִיבָה 26 וָאָרִיבָה אֶת־הַחֹרִים וְאֶת־הַסְּגָנִים — Neh. 5:7
27 וָאָרִיבָה אֶת־הַסְּגָנִים וָאֹמְרָה — Neh. 13:11
28 וָאָרִיבָה אֵת חֹרֵי יְהוּדָה — Neh. 13:17
תָּרִיב 29 אַל־תָּרִיב (כת׳ תרוב) עִם־אָדָם חִנָּם — Prov. 3:30
תְּרִיבֵנִי 30 הוֹדִיעֵנִי עַל מַה־תְּרִיבֵנִי — Job 10:2
תְּרִיבֵהוּ 31 תְּרִיבֵהוּ עַל־מֵי מְרִיבָה — Deut. 33:8
תְּרִיבֶנָּה 32 בְּסַאסְּאָה בְּשַׁלְחָהּ תְּרִיבֶנָּה — Is. 27:8
יָרִיב 33 אֲשֶׁר יָרִיב לוֹ יוּמַת עַד־הַבֹּקֶר — Jud. 6:31
34 מִי־יָרִיב אִתִּי נַעַמְדָה יָּחַד — Is. 50:8
35 אֲדֹנַיִךְ יְיָ וֵאלֹהַיִךְ יָרִיב עַמּוֹ — Is. 51:22
36 רִיב יָרִיב אֶת־רִיבָם — Jer. 50:34
37 יָרִיב רִיבִי וְעָשָׂה מִשְׁפָּטִי — Mic. 7:9
38 לֹא־לָנֶצַח יָרִיב — Ps. 103:9
39 כִּי־יְיָ יָרִיב רִיבָם — Prov. 22:23
40 הוּא־יָרִיב אֶת־רִיבָם אִתָּךְ — Prov. 23:11
41 מִי־הוּא יָרִיב עִמָּדִי — Job 13:19
42 הַבְּרָב־כֹּחַ יָרִיב עִמָּדִי — Job 23:6
יָרֶב 43 אִם־אֱלֹהִים הוּא יָרֶב לוֹ — Jud. 6:31
44 יָרֶב בּוֹ הַבָּעַל — Jud. 6:32
יָרֵב 45 אַךְ אִישׁ אַל־יָרֵב וְאַל־יוֹכַח אִישׁ — Hosh. 4:4
וְיָרֵב 46 וְיָרֵב אֶת־רִיבִי וְיִשְׁפְּטֵנִי מִיָּדֶךָ — ISh. 24:15
וַיָּרֶב 47 וַיִּחַר לְיַעֲקֹב וַיָּרֶב בְּלָבָן — Gen. 31:36
48 וַיָּרֶב הָעָם עִם־מֹשֶׁה וַיֹּאמְרוּ — Ex. 17:2
49 וַיָּרֶב הָעָם עִם־מֹשֶׁה וַיֹּאמְרוּ — Num. 20:3
תָּרִיבוּ 50 לָמָּה תָרִיבוּ אֵלָי — Jer. 2:29
תְּרִיבוּן 51 מַה־תְּרִיבוּן עִמָּדִי — Ex. 17:2
52 הַאַתֶּם תְּרִיבוּן לַבַּעַל — Jud. 6:31
53 הֲפָנָיו תִּשָּׂאוּן אִם־לָאֵל תְּרִיבוּן — Job 13:8
וַיָּרִיבוּ 54 וַיָּרִיבוּ רֹעֵי גְרָר עִם־רֹעֵי יִצְחָק — Gen. 26:20
55 וַיַּחְפְּרוּ בְּאֵר...וַיָּרִיבוּ גַּם־עָלֶיהָ — Gen. 26:21
יְרִיבֻן 56 יְרִיבֻן אֲנָשִׁים וְהִכָּה־אִישׁ אֶת־רֵעֵהוּ — Ex. 21:18
וַיְרִיבוּן 57 וַיְרִיבוּן אִתּוֹ בְּחָזְקָה — Jud. 8:1
רִיב 58 קוּם רִיב אֶת־הֶהָרִים — Mic. 6:1
59 רִיבְךָ רִיב אֶת־רֵעֶךָ — Prov. 25:9
רִיבָה 60 רִיבָה יְיָ אֶת־יְרִיבַי לְחַם אֶת־לֹחֲמָי — Ps. 35:1
61 קוּמָה אֱלֹהִים רִיבָה רִיבֶךָ — Ps. 74:22
62 רִיבָה רִיבִי וּגְאָלֵנִי — Ps. 119:154
וְרִיבָה 63 וְרִיבָה רִיבִי מִגּוֹי לֹא־חָסִיד — Ps. 43:1
רִיבוּ 64 שִׁפְטוּ יָתוֹם רִיבוּ אַלְמָנָה — Is. 1:17
65/6 רִיבוּ בְאִמְּכֶם רִיבוּ — Hosh. 2:4
כִּמְרִיבֵי־ 67 וְעַמְּךָ כִּמְרִיבֵי כֹהֵן — Hosh. 4:4
מְרִיבָיו 68 יְיָ יֵחַתּוּ מְרִיבָו — ISh. 2:10

רִיב
ז׳ קטטה, מחלוקת: 1-62

קרובים: מִלְחָמָה / מַצָּה / מְרִיבָה / עֵשֶׂק / קְרָב

– רִיב וּמָדוֹן 8, 13
– רִיב אַלְמָנָה 33; רִיב בְּנֵי יִשְׂרָאֵל 30; רִיב חֶרְפָּתוֹ 31; רִיב יְיָ 32; רִיב לְשֹׁנוֹת 35; רִיב צִיּוֹן 34
– אִישׁ רִיב 8, 42; אַנְשֵׁי רִיב 45; זִבְחֵי רִיב 15
– רִיבֵי־נַפְשִׁי 58; רִיבֵי־עָם 59,60; רִיבוֹת שְׂפָתַיִם 62; דִּבְרֵי רִיבוֹת 61
– רִיב לוֹ עִם־ 11, 12, 20
– בָּא רִיב 19; גִּלָּה רִיב 37, 38; הוֹצִיא רִיב 18; הִשְׁקִיט רִיב 14; הִתְגַּלַּע רִיב 24; חִרְחֵר רִיב 17; קָרַב רִיבוֹ 52; רָב (אֶת־) רִיב 31, 36, 39-41, 44, 46, 47, 54-56, 58
– בָּא בְּרִיב 25

רִיב 1 וַיְהִי־רִיב בֵּין רֹעֵי...וּבֵין רֹעֵי... — Gen. 13:7
2 וְלֹא־תַעֲנֶה עַל־רִב לִנְטֹת — Ex. 23:2
3 וְעַל־פִּיהֶם יִהְיֶה כָּל־רִיב וְכָל־נָגַע — Deut. 21:5
4 כִּי־יִהְיֶה רִיב בֵּין אֲנָשִׁים — Deut. 25:1
5 אִישׁ רִיב הָיִיתִי אֲנִי...וּבְנֵי־עַמּוֹן — Jud. 12:2
6 כָּל־הָאִישׁ אֲשֶׁר־יִהְיֶה־לּוֹ רִיב — IISh. 15:2
7 אֲשֶׁר יִהְיֶה־לּוֹ רִיב־וּמִשְׁפָּט — IISh. 15:4
8 אִישׁ רִיב וְאִישׁ מָדוֹן לְכָל־הָאָרֶץ — Jer. 15:10
9 כִּי רִיב לַייָ בַּגּוֹיִם — Jer. 25:31
10 וְעַל־רִיב הֵמָּה יַעַמְדוּ לְמִשְׁפָּט — Ezek. 44:24
11 כִּי רִיב לַייָ עִם־ יוֹשְׁבֵי הָאָרֶץ — Hosh. 4:1
12 כִּי רִיב לַייָ עִם־עַמּוֹ — Mic. 6:2
13 וַיְהִי רִיב וּמָדוֹן יִשָּׂא — Hab. 1:3
14 וְאֶרֶךְ אַפַּיִם יַשְׁקִיט רִיב — Prov. 15:18
15 טוֹב...מִבַּיִת מָלֵא זִבְחֵי־רִיב — Prov. 17:1
16 עֹבֵר מִתְעַבֵּר עַל־רִיב לֹא־לוֹ — Prov. 26:17
17 וְאִישׁ מִדְיָנִים לְחַרְחַר־רִיב — Prov. 26:21
18 וּמִיץ אַפַּיִם יוֹצִיא רִיב — Prov. 30:33
19 וְכָל־רִיב אֲשֶׁר־יָבוֹא עֲלֵיכֶם — IICh. 19:10
וְרִיב 20 וְרִיב לַייָ עִם־יְהוּדָה — Hosh. 12:3
21 כִּי־רָאִיתִי חָמָס וְרִיב בָּעִיר — Ps. 55:10
22 וְרִב לֹא־יָדַעְתִּי אֶחְקְרֵהוּ — Job 29:16
הָרִיב 23 וְעָמְדוּ...אֲשֶׁר־לָהֶם הָרִיב — Deut. 19:17
24 וְלִפְנֵי הִתְגַּלַּע הָרִיב נְטוֹשׁ — Prov. 17:14
בְּרִיב 25 שִׂפְתֵי כְסִיל יָבֹאוּ בְרִיב — Prov. 18:6
לְרִיב 26 הֵן לְרִיב וּמַצָּה תָּצוּמוּ — Is. 58:4
לָרִב 27 אַל־תֵּצֵא לָרִב מַהֵר — Prov. 25:8
וְלָרִיב 28 הֶעֱמִיד...לְמִשְׁפַּט יְיָ וְלָרִיב — IICh. 19:8
מֵרִיב 29 כָּבוֹד לָאִישׁ שֶׁבֶת מֵרִיב — Prov. 20:3
רִיב־ 30 עַל־רִיב בְּנֵי יִשְׂרָאֵל — Ex. 17:7
31 אֲשֶׁר רָב אֶת־רִיב חֶרְפָּתִי — ISh. 25:39
32 שִׁמְעוּ הָרִים אֶת־רִיב יְיָ — Mic. 4:2
וְרִיב־ 33 וְרִיב אַלְמָנָה לֹא־יָבוֹא אֲלֵיהֶם — Is. 1:23
לְרִיב־ 34 שְׁנַת שִׁלּוּמִים לְרִיב צִיּוֹן — Is. 34:8
מֵרִיב־ 35 תִּצְפְּנֵם בְּסֻכָּה מֵרִיב לְשֹׁנוֹת — Ps. 31:21
רִיבִי 36 וְיָרֵב אֶת־רִיבִי וְיִשְׁפְּטֵנִי מִיָּדֶךָ — ISh. 24:15
37/8 כִּי אֵלֶיךָ גִּלִּיתִי אֶת־רִיבִי — Jer. 11:20; 20:12
39 יָרִיב רִיבִי וְעָשָׂה מִשְׁפָּטִי — Mic. 7:9
40 וְרִיבָה רִיבִי מִגּוֹי לֹא־חָסִיד — Ps. 43:1
41 רִיבָה רִיבִי וּגְאָלֵנִי — Ps. 119:154
42 וְסֵפֶר כָּתַב אִישׁ רִיבִי — Job 31:35
לְרִיבִי 43 הָעִירָה...אֱלֹהַי וַאדֹנָי לְרִיבִי — Ps. 35:23
רִיבְךָ 44 רִיבְךָ רִיב אֶת־רֵעֶךָ — Prov. 25:9
רִיבֶךָ 45 יִהְיוּ כְאַיִן וְיֹאבְדוּ אַנְשֵׁי רִיבֶךָ — Is. 41:11
46 קוּמָה אֱלֹהִים רִיבָה רִיבֶךָ — Ps. 74:22
רִיבֵךְ 47 הִנְנִי־רָב אֶת־רִיבֵךְ — Jer. 51:36
בְּרִיבוֹ 48 וְדָל לֹא תֶהְדַּר בְּרִיבוֹ — Ex. 23:3
49 לֹא תַטֶּה מִשְׁפַּט אֶבְיֹנְךָ בְּרִיבוֹ — Ex. 23:6
50 צַדִּיק הָרִאשׁוֹן בְּרִיבוֹ — Prov. 18:17
51 לְעַוֵּת אָדָם בְּרִיבוֹ — Lam. 3:36
רִיבְכֶם 52 קָרְבוּ רִיבְכֶם יֹאמַר יְיָ — Is. 41:21
וְרִיבְכֶם 53 טָרְחֲכֶם וּמַשַּׂאֲכֶם וְרִיבְכֶם — Deut. 1:12
רִיבָם 54 רִיב יָרִיב אֶת־רִיבָם — Jer. 50:34
55 כִּי־יְיָ יָרִיב רִיבָם — Prov. 22:23
56 הוּא־יָרִיב אֶת־רִיבָם אִתָּךְ — Prov. 23:11
בְּרִיבָם(?) 57 מִשְׁפַּט עַבְדִּי וַאֲמָתִי בְּרִבָם עִמָּדִי — Job 31:13
רִיבֵי־ 58 רַבְתָּ אֲדֹנָי רִיבֵי נַפְשִׁי — Lam. 3:58
מֵרִיבֵי־ 59 וַתְּפַלְּטֵנִי מֵרִיבֵי עַמִּי — IISh. 22:44
60 תְּפַלְּטֵנִי מֵרִיבֵי עָם — Ps. 18:44
רִיבֹת 61 דִּבְרֵי רִיבֹת בִּשְׁעָרֶיךָ — Deut. 17:8
וְרִבוֹת־ 62 וְרִבוֹת שְׂפָתַי הַקְשִׁיבוּ — Job 13:6

רִיבַי
שפ״ז – אבי אחד מגבורי דוד: 1, 2

רִיבַי 1 אִתַּי בֶּן־רִיבַי מִגִּבְעַת בְּנֵי בִנְיָמִן — IISh. 23:29
2 אִיתַי בֶּן־רִיבַי מִגִּבְעַת בְּנֵי בִנְיָמִן — ICh. 11:31

(ריד) רָד
פ׳ רָגַז(?) צָעַק(?): 1, 2 [עין גם (רוד)]

אָרִיד 1 אָרִיד בְּשִׂיחִי וְאָהִימָה — Ps. 55:3
תָּרִיד 2 וְהָיָה כַּאֲשֶׁר תָּרִיד וּפָרַקְתָּ עֻלּוֹ — Gen. 27:40

ריח
: הֵרִיחַ; רֵיחַ

(ריח) הֵרִיחַ
הפ׳ א) קלט ריח, שאף: 1, 4, 5, 7-11
ב) [בהשאלה] חש, הבחין: 2, 6
ג) [כנ״ל] אצל, השפיע: 3

הֵרִיחַ בְּ־ 1, 3-5; הֵרִיחַ (אֶת־) 2, 6-11

לְהָרִיחַ 1 אֲשֶׁר־יַעֲשֶׂה כָמוֹהָ לְהָרִיחַ בָּהּ — Ex. 30:38
בַּהֲרִיחוֹ 2 כַּאֲשֶׁר יִנָּתֵק...בַּהֲרִיחוֹ אֵשׁ — Jud. 16:9
וַהֲרִיחוֹ 3 וַהֲרִיחוֹ בְּיִרְאַת יְיָ — Is. 11:3
אָרִיחַ 4 וְלֹא אָרִיחַ בְּרֵיחַ נִיחֹחֲכֶם — Lev. 26:31
5 וְלֹא אָרִיחַ בְּעַצְּרֹתֵיכֶם — Am. 5:21
יָרִיחַ 6 וּמֵרָחוֹק יָרִיחַ מִלְחָמָה — Job 39:25
יָרַח 7 אִם־יְיָ הֱסִיתְךָ בִי יָרַח מִנְחָה — ISh. 26:19
וַיָּרַח 8 וַיָּרַח יְיָ אֶת־רֵיחַ הַנִּיחֹחַ — Gen. 8:21
9 וַיָּרַח אֶת־רֵיחַ בְּגָדָיו — Gen. 27:27
יְרִיחוּן 10 וְלֹא יֹאכְלוּן וְלֹא יְרִיחֻן — Deut. 4:28
11 אַף לָהֶם וְלֹא יְרִיחוּן — Ps. 115:6

רֵיחַ[1]
ז׳ גַז הנדף מחמרים שונים ומגיע לאף: 1-58

– רֵיחַ אַף 34; רֵיחַ בְּגָדָיו 5; רֵיחַ בְּנוֹ 6, 37; רֵיחַ לְבָנוֹן 38; רֵיחַ מַיִם 55; רֵיחַ נִיחוֹחַ 4, 7-31, 35, 36, 39-53; רֵיחַ שָׂדֶה 6; רֵיחַ שַׂלְמוֹת 33, 38; רֵיחַ שְׁמָנִים 32, 54
– הִבְאִישׁ רֵיחוֹ 58; הֵרִיחַ רֵיחַ 4, 5, (35); נָמַר רֵיחוֹ 57; נָתַן רֵיחַ 1, 2, 56; שָׂם רֵיחַ 31

רֵיחַ 1 וְהַגְּפָנִים סְמָדַר נָתְנוּ רֵיחַ — S.ofS. 2:13
2 הַדּוּדָאִים נָתְנוּ־רֵיחַ — S.ofS. 7:14
וְרֵיחַ 3 וְרֵיחַ לוֹ כַּלְּבָנוֹן — Hosh. 14:7
רֵיחַ־ 4 וַיָּרַח יְיָ אֶת־רֵיחַ הַנִּיחֹחַ — Gen. 8:21
5 וַיָּרַח אֶת־רֵיחַ בְּגָדָיו וַיְבָרְכֵהוּ — Gen. 27:27
6 רְאֵה רֵיחַ בְּנִי כְּרֵיחַ שָׂדֶה — Gen. 27:27
7 רֵיחַ נִיחוֹחַ אִשֶּׁה לַייָ הוּא — Ex. 29:18
8 אִשֵּׁה רֵיחַ־נִיחוֹחַ לַייָ — Lev. 1:9
29-9 רֵיחַ נִיחֹחַ — Lev. 1:13, 17; 2:2, 9
3:5; 6:8, 14; 23:13, 18 • Num. 15:3, 7, 10, 13, 14; 28:8, 13, 24; 29:8, 13, 36 • Ezek. 6:13
30 קָרְבָּנִי לַחְמִי לְאִשַּׁי רֵיחַ נִיחֹחִי — Num. 28:2
31 וַיָּשִׂימוּ שָׁם רֵיחַ נִיחוֹחֵיהֶם — Ezek. 20:28
וְרֵיחַ־ 32 וְרֵיחַ שְׁמָנַיִךְ מִכָּל־בְּשָׂמִים — S.ofS. 4:10
33 וְרֵיחַ שַׂלְמֹתַיִךְ כְּרֵיחַ לְבָנוֹן — S.ofS. 4:11
34 וְרֵיחַ אַפֵּךְ כַּתַּפּוּחִים — S.ofS. 7:9
בְּרֵיחַ־ 35 וְלֹא אָרִיחַ בְּרֵיחַ נִיחֹחֲכֶם — Lev. 26:31
36 בְּרֵיחַ נִיחֹחַ אֶרְצֶה אֶתְכֶם — Ezek. 20:41
כְּרֵיחַ־ 37 רְאֵה רֵיחַ בְּנִי כְּרֵיחַ שָׂדֶה — Gen. 27:27
38 וְרֵיחַ שַׂלְמֹתַיִךְ כְּרֵיחַ לְבָנוֹן — S.ofS. 4:11

לְרֵיחַ־ 39 לְרֵיחַ נִיחֹחַ לִפְנֵי יְיָ Ex. 29:25
40 לְרֵיחַ נִיחֹחַ אִשֶּׁה לַייָ Ex. 29:41
41-53 לְרֵיחַ נִיחֹחַ Lev. 2:12; 3:16
4:31; 8:21, 28; 17:6 • Num. 15:24; 18:17; 28:6, 27;
29:2, 6 • Ezek. 16:19

54 לְרֵיחַ שְׁמָנֶיךָ טוֹבִים S.ofS. 1:3
מֵרֵיחַ־ 55 מֵרֵיחַ מַיִם יַפְרִחַ Job 14:9
רֵיחוֹ 56 עַד שֶׁהַמֶּלֶךְ...נִרְדִּי נָתַן רֵיחוֹ S.ofS. 1:12
וְרֵיחוֹ 57 עָמַד טַעְמוֹ בּוֹ וְרֵיחוֹ לֹא נָמָר Jer. 48:11
רֵיחֵנוּ 58 הִבְאַשְׁתֶּם אֶת־רֵיחֵנוּ בְּעֵינֵי פַרְעֹה Ex. 5:21

רֵיחַ²
ז׳ ארמית, כמו בעברית

וְרֵיחַ־ 1 וְרֵיחַ נוּר לָא עֲדָת בְּהוֹן Dan. 3:27

רִים
ז׳ – עין רְאֵם (4)

רֵיעַ
ז׳ – עין רֵעַ

רִיפוֹת
נ״ר – גריסי חטה(?): 1, 2

הָרִיפוֹת 1 וַתִּשְׁטַח עָלָיו הָרִפוֹת IISh. 17:19
2 בַּמַּכְתֵּשׁ בְּתוֹךְ הָרִיפוֹת בַּעֱלִי Prov. 27:22

רִיפַת
שפ״ז – בן גֹּמֶר בן יֶפֶת, הוא דִיפַת

וְרִיפַת 1 אַשְׁכְּנַז וְרִיפַת וְתֹגַרְמָה Gen. 10:2

ריק
: הֵרִיק, הוּרַק; רֵיק, רִיק

(ריק) הֵרִיק
הפ׳ א) הוציא כל מה שהיה בתוך־: 1, 3, 6, 13, 15, 16

ב) [בהשאלה] שָׁלַף, שָׁלַח: 2, 4, 5, 7-11, 14, 17
ג) [בהשאלה] עשה לאַיִן(?): 12
ד) [הפ׳ הוּרַק] הוּצא, הֻעֲבַר: 18, 19

הֵרִיק בְּרָכָה 3; הֵרִיק גֶּשֶׁם 16; הֵרִיק זָהָב 7;
הֵרִיק חֲנִיכָיו 14; הֵר׳ חֲנִית 17; הֵרִיק חֶרֶב
2, 4, 5, 8-11; הֵרִיק חֶרְמוֹ 13; הֵרִיק כֵּלִים 15;
הֵרִיק נֶפֶשׁ 1; הֵרִיק שַׂקִּים 6

לְהָרִיק 1 לְהָרִיק נֶפֶשׁ רָעֵב Is. 32:6
וַהֲרִיקֹתִי 2 וַהֲרִיקֹתִי אַחֲרֵיכֶם חָרֶב Lev. 26:33
3 וַהֲרִיקֹתִי לָכֶם בְּרָכָה... Mal. 3:10
וְהֵרִיקוּ 4 וְהֵרִיקוּ חַרְבוֹתָם עַל־יְפִי חָכְמָתֶךָ Ezek. 28:7
5 וְהֵרִיקוּ חַרְבוֹתָם עַל־מִצְרָיִם Ezek. 30:11
מְרִיקִים 6 וַיְהִי הֵם מְרִיקִים שַׂקֵּיהֶם Gen. 42:35
הַמְרִיקִים 7 הַמְרִיקִים...מֵעֲלֵיהֶם הַזָּהָב Zech. 4:12
אָרִיק 8 אָרִיק חַרְבִּי תּוֹרִישֵׁמוֹ יָדִי Ex. 15:9
9-11 וְחֶרֶב אָרִיק אַחֲרֵיהֶם Ezek. 5:2, 12; 12:14
אֲרִיקֵם 12 כְּטִיט חוּצוֹת אֲרִיקֵם Ps. 18:43
יָרִיק 13 הַעַל כֵּן יָרִיק חֶרְמוֹ Hab. 1:17
וַיָּרֶק 14 וַיָּרֶק אֶת־חֲנִיכָיו יְלִידֵי בֵיתוֹ Gen. 14:14
יָרִיקוּ 15 וְכֵלָיו יָרִיקוּ וְנִבְלֵיהֶם יְנַפֵּצוּ Jer. 48:12
16 גֶּשֶׁם עַל־הָאָרֶץ יָרִיקוּ Eccl. 11:3
וְהָרֵק 17 וְהָרֵק חֲנִית וּסְגֹר לִקְרַאת רֹדְפָי Ps. 35:3
הוּרַק 18 וְלֹא־הוּרַק מִכְּלִי אֶל־כֶּלִי Jer. 48:11
תּוּרַק(?) 19 שֶׁמֶן תּוּרַק שְׁמֶךָ S.ofS. 1:3

רִיק
ז׳ א) רֵיקָנוּת: 1
ב) [בהשאלה] אַיִן, אֶפֶס: 2-12
קרובים: ראה אַיִן

בְּדֵי רִיק 2, 3; כְּלִי רִיק 1; לְרִיק 8, 9;
לָרִיק 10-12; הֶבֶל וָרִיק 7

רִיק 1 אֲכָלַנִי...הִצִּיגַנִי כְּלִי רִיק Jer. 51:34
2 וְיִגְעוּ עַמִּים בְּדֵי־רִיק Jer. 51:58
3 וּלְאֻמִּים בְּדֵי־רִיק יִעָפוּ Hab. 2:13
4 וּלְאֻמִּים יֶהְגּוּ־רִיק Ps. 2:1
5 תֶּאֱהָבוּן רִיק תְּבַקְשׁוּ כָזָב Ps. 4:3
6 אַךְ־רִיק זִכִּיתִי לְבָבִי Ps. 73:13
וָרִיק 7 וּמִצְרַיִם הֶבֶל וָרִיק יַעְזֹרוּ Is. 30:7
לְרִיק 8 לְרִיק יָגַעְתִּי לְתֹהוּ...כֹּחִי כִלֵּיתִי Is. 49:4
9 לְרִיק יְגִיעָהּ בְּלִי־פָחַד Job 39:16
לָרִיק 10 וּזְרַעְתֶּם לָרִיק זַרְעֲכֶם Lev. 26:16
11 וְתַם לָרִיק כֹּחֲכֶם Lev. 26:20
12 לֹא יִגְעוּ לָרִיק וְלֹא יֵלְדוּ לַבֶּהָלָה Is. 65:23

רֵיק
ת׳ א) שאין בו כלום: 1-6, 9-11, 14
ב) [בהשאלה] חֲסַר כֹּל, נִקְלֶה: 7, 8, 12, 13

– נָעוּר וָרֵק 3; בּוֹר רֵיק 1; דָּבָר רֵיק 2
– נֶפֶשׁ רֵיקָה 5
– אֲנָשִׁים רֵיקִים 7, 8, 12; אַחַד הָרֵיקִים 13; כַּדִּים רֵיקִים 6; מְרַדֵּף רֵיקִים 10, 11
– שִׁבֳּלִים רֵיקוֹת 14

רֵיק 1 וְהַבּוֹר רֵק אֵין בּוֹ מָיִם Gen. 37:24
2 כִּי לֹא־דָבָר רֵק הוּא מִכֶּם Deut. 32:47
וָרֵיק 3 וְכָכָה יִהְיֶה נָעוּר וָרֵק Neh. 5:13
רֵיקָה 4 וְהַעֲמִידֶהָ עַל־גֶּחָלֶיהָ רֵקָה Ezek. 24:11
וְרֵיקָה 5 וְהֵקִיץ וְרֵקָה נַפְשׁוֹ Is. 29:8
רֵיקִים 6 וְכַדִּים רֵיקִים וְלַפִּדִים בְּתוֹךְ הַכַּדִּים Jud. 7:16
7 אֲנָשִׁים רֵיקִים וּפֹחֲזִים Jud. 9:4
8 וַיִּתְלַקְּטוּ...אֲנָשִׁים רֵיקִים Jud. 11:3
9 כֵּלִים רֵקִים אַל־תַּמְעִיטִי IIK. 4:3
10 וּמְרַדֵּף רֵיקִים חֲסַר־לֵב Prov. 12:11
11 וּמְרַדֵּף רֵיקִים יִשְׂבַּע־רִישׁ Prov. 28:19
12 אֲנָשִׁים רֵקִים בְּנֵי בְלִיַּעַל IICh. 13:7
הָרֵיקִים 13 כְּהִגָּלוֹת נִגְלוֹת אַחַד הָרֵקִים IISh. 6:20
הָרֵיקוֹת 14 הַשִּׁבֳּלִים הָרֵקוֹת שְׁדֻפוֹת הַקָּדִים Gen. 41:27

רֵיקָם
תה״פ – בחוסר כֹּל: 1-16

רֵיקָם 1 לוּלֵי...כִּי עַתָּה רֵיקָם שִׁלַּחְתָּנִי Gen. 31:42
2 וְהָיָה כִּי תֵלֵכוּן לֹא תֵלְכוּ רֵיקָם Ex. 3:21
3/4 וְלֹא־יֵרָאוּ פָנַי רֵיקָם Ex. 23:15; 34:20
5 לֹא תְשַׁלְּחֶנּוּ רֵיקָם Deut. 15:13
6 וְלֹא יֵרָאֶה אֶת־פְּנֵי יְיָ רֵיקָם Deut. 16:16
7 אַל־תְּשַׁלְּחוּ אֹתוֹ רֵיקָם ISh. 6:3
8 וְחֶרֶב שָׁאוּל לֹא תָשׁוּב רֵיקָם IISh. 1:22
9 דְּבָרִי...לֹא־יָשׁוּב אֵלַי רֵיקָם Is. 55:11
10 לֹא־מָצְאוּ מַיִם שָׁבוּ כְלֵיהֶם רֵיקָם Jer. 14:3
11 כְּגִבּוֹר מַשְׁכִּיל לֹא יָשׁוּב רֵיקָם Jer. 50:9
12 וָאֲחַלְּצָה צוֹרְרִי רֵיקָם Ps. 7:5
13 יֵבֹשׁוּ הַבּוֹגְדִים רֵיקָם Ps. 25:3
14 אַלְמָנוֹת שִׁלַּחְתָּ רֵיקָם Job 22:9
15 אַל־תָּבוֹאִי רֵיקָם אֶל־חֲמוֹתֵךְ Ruth 3:17
וְרֵיקָם 16 מְלֵאָה הָלַכְתִּי וְרֵיקָם הֱשִׁיבַנִי יְיָ Ruth 1:21

ריר
: רָר; רִיר

(ריר) רָר
פ׳ הפריש ריר (נוזל)

רָר 1 רָר בְּשָׂרוֹ אֶת־זוֹבוֹ Lev. 15;3

רִיר
ז׳ רוֹק, נוזל: 1, 2

בְּרִיר־ 1 אִם־יֶשׁ־טַעַם בְּרִיר חַלָּמוּת Job 6:6
רִירוֹ 2 וַיּוֹרֶד רִירוֹ אֶל־זְקָנוֹ ISh. 21:14

ריש
: רָשׁ פ׳; רָשׁ ז׳, רִישׁ, רֵאשׁ, רֵישׁ

(ריש) רָשׁ
פ׳ א) היה לעני: 1
ב) [הת׳ הִתְרוֹשֵׁשׁ] כנ״ל: 2

רָשׁוּ 1 כְּפִירִים רָשׁוּ וְרָעֵבוּ Ps. 34:11
מִתְרוֹשֵׁשׁ 2 יֵשׁ...מִתְרוֹשֵׁשׁ וְהוֹן רָב Prov. 13:7

רִישׁ, רֵישׁ, רָאשׁ
ז׳ מחסור, עוני: 1-7

רִישׁ 1 וּמְרַדֵּף רֵיקִים יִשְׂבַּע־רִישׁ Prov. 28:19
רֵישׁ 2 רֵישׁ וְקָלוֹן פּוֹרֵעַ מוּסָר Prov. 13:18
רֵאשׁ 3 רֵאשׁ וָעֹשֶׁר אַל־תִּתֶּן־לִי Prov. 30:8
רֵישֶׁךָ 4 וּבָא־מִתְהַלֵּךְ רֵישֶׁךָ Prov. 24:34
רֵאשֶׁךָ 5 וּבָא־כִמְהַלֵּךְ רֵאשֶׁךָ Prov. 6:11
רִישׁוֹ 6 יִשְׁתֶּה וְיִשְׁכַּח רִישׁוֹ Prov. 31:7
רֵישָׁם 7 מְחִתַּת דַּלִּים רֵישָׁם Prov. 10:15

רִישׁוֹן
ת׳ – עין רִאשׁוֹן (8)

רַךְ
ז׳ א) שאינו קשה: 12
ב) צעיר, עָדִין: 1-4, 6-11, 13-15
ג) נוֹחַ, נעים: 5, 16

– רַךְ וָטוֹב 1; רַךְ וְיָחִיד 4; רַךְ וְעָנֹג 10
– רַךְ לֵבָב 6, 7; מַעֲנֶה רַךְ 5
– רַכָּה וַעֲנֻגָּה 11, 13; לָשׁוֹן רַכָּה 12; יְלָדִים רַכִּים 14; עֵינַיִם רַכּוֹת 15
– דִּבֵּר רַכּוֹת 16

רַךְ 1 וַיִּקַּח בֶּן־בָּקָר רַךְ וָטוֹב Gen. 18:7
2 וְאָנֹכִי הַיּוֹם רַךְ וּמָשׁוּחַ מֶלֶךְ IISh. 3:39
3 מֵרֹאשׁ יֹנְקוֹתָיו רַךְ אֶקְטֹף Ezek. 17:22
4 רַךְ וְיָחִיד לִפְנֵי אִמִּי Prov. 4:3
5 מַעֲנֶה רַּךְ יָשִׁיב חֵמָה Prov. 15:1
וְרַךְ־ 6 מִי־הָאִישׁ הַיָּרֵא וְרַךְ הַלֵּבָב Deut. 20:8
7 וּרְחַבְעָם הָיָה נַעַר וְרַךְ־לֵבָב IICh. 13:7
וָרָךְ 8 שְׁלֹמֹה בְנִי נַעַר וָרָךְ ICh. 22:5(4)
9 בָּחַר־בּוֹ אֱלֹהִים נַעַר וָרָךְ ICh. 29:1
הָרַךְ 10 הָאִישׁ הָרַךְ בְּךָ וְהֶעָנֹג Deut. 28:54
רַכָּה 11 לֹא תוֹסִיפִי יִקְרְאוּ־לָךְ רַכָּה וַעֲנֻגָּה Is. 47:1
12 וְלָשׁוֹן רַכָּה תִּשְׁבָּר־גָּרֶם Prov. 25:15
הָרַכָּה 13 הָרַכָּה בְךָ וְהָעֲנֻגָּה Deut. 28:56
רַכִּים 14 אֲדֹנִי יֹדֵעַ כִּי־הַיְלָדִים רַכִּים Gen. 33:13
רַכּוֹת 15 וְעֵינֵי לֵאָה רַכּוֹת Gen. 29:17
16 אִם־יְדַבֵּר אֵלֶיךָ רַכּוֹת Job 40:27

רֹךְ
ז׳ עוֹנֶג

וּמֵרֹךְ 1 לֹא נִסְּתָה...מֵהִתְעַנֵּג וּמֵרֹךְ Deut. 28:56

רכב
: רָכַב, הִרְכִּיב; רֶכֶב, רַכָּב, רִכְבָּה, רְכוּב, מֶרְכָּב, מֶרְכָּבָה; ש״פ רֵכָב

רָכַב
פ׳ א) ישב על גב בהמה: 1-6, 8-10, 12-15, 18-45, 47-49, 51-57
ב) [בהשאלה] עָף, נִשָּׂא: 7, 11, 16, 17, 46, 50, 58
ג) [הפ׳ הִרְכִּיב] הושיב על בהמה, במרכבה וכד׳: 61, 62, 65, 68-77
ד) [כנ״ל, בהשאלה] שָׂם, העלה: 59, 60, 63, 64, 66, 67, 78

לִרְכֹּב 1 הַחֲמוֹרִים לְבֵית־הַמֶּלֶךְ לִרְכֹּב IISh. 16:2
2 אַל־תַּעֲצָר־לִי לִרְכֹּב IIK. 4:24
רָכַבְתָּ 3 אֲתֹנְךָ אֲשֶׁר־רָכַבְתָּ עָלַי מֵעוֹדְךָ Num. 22:30
רָכַב 4 וְסוּס אֲשֶׁר רָכַב עָלָיו הַמֶּלֶךְ Es. 6:8
רָכְבוּ 5 אֲשֶׁר־רָכְבוּ עַל־הַגְּמַלִּים ISh. 30:17
רוֹכֵב 6 וְהוּא רֹכֵב עַל־אֲתֹנוֹ Num. 22:22
7 רֹכֵב שָׁמַיִם בְּעֶזְרֶךָ Deut. 33:26
8 וְאַבְשָׁלוֹם רֹכֵב עַל־הַפֶּרֶד IISh. 18:9
9 וַיֵּלֶךְ רֹכֵב הַסּוּס לִקְרָאתוֹ IIK. 9:18
10 וַיִּשְׁלַח רֹכֵב סוּס שֵׁנִי IIK. 9:19
11 הִנֵּה יְיָ רֹכֵב עַל־עָב קַל Is. 19:1
12 וְהִנֵּה־אִישׁ רֹכֵב עַל־סוּס אָדֹם Zech. 1:8
13 הַבְּהֵמָה אֲשֶׁר אֲנִי רֹכֵב בָּהּ Neh. 2:12
וְרוֹכֵב 14 וְרֹכֵב הַסּוּס לֹא יְמַלֵּט נַפְשׁוֹ Am. 2:15

15 עָנִי וְרֹכֵב עַל־חֲמוֹר Zech. 9:9
לָרוֹכֵב 16 סֹלּוּ לָרֹכֵב בָּעֲרָבוֹת בְּיָהּ שְׁמוֹ Ps. 68:5
17 לָרֹכֵב בִּשְׁמֵי שְׁמֵי־קֶדֶם Ps. 68:34
רוֹכְבוֹ 18 וַיִּפֹּל רֹכְבוֹ אָחוֹר Gen. 49:17
וְרוֹכְבוֹ 19-20 סוּס וְרֹכְבוֹ רָמָה בַיָּם Ex. 15:1, 21
21 וְנִפַּצְתִּי בְךָ סוּס וְרֹכְבוֹ Jer. 51:21
22 וְנִפַּצְתִּי בְךָ רֶכֶב וְרֹכְבוֹ Jer. 51:21
23 אַכֶּה כָל־סוּס...וְרֹכְבוֹ בַּשִּׁגָּעוֹן Zech. 12:4
וּלְרוֹכְבוֹ 24 תִּשְׂחַק לַסּוּס וּלְרֹכְבוֹ Job 39:18
רוֹכֶבֶת 25 וְהָיָה הִיא רֹכֶבֶת עַל־הַחֲמוֹר ISh. 25:20
רוֹכְבִים 26 רֹכְבִים עַל־שְׁלֹשִׁים עֲיָרִים Jud. 10:4
27 רֹכְבִים עַל־שִׁבְעִים עֲיָרִם Jud. 12:14
28 רֹכְבִים צְמָדִים אַחֲרֵי אַחְאָב IIK. 9:25
29 לָתֵת לְךָ רֹכְבִים עֲלֵיהֶם IIK. 18:23
30 לָתֵת לְךָ רֹכְבִים עֲלֵיהֶם Is. 36:8
31/2 רֹכְבִים בָּרֶכֶב וּבַסּוּסִים Jer. 17:25; 22:4
רוֹכְבֵי־ 33 רֹכְבֵי אֲתֹנוֹת צְחֹרוֹת Jud. 5:10
34/5 פָּרָשִׁים רֹכְבֵי סוּסִים Ezek. 23:6, 12
36/7 רֹכְבֵי סוּסִים כֻּלָּם Ezek. 23:23; 38:15
38 וְהֹבִישׁוּ רֹכְבֵי סוּסִים Zech. 10:5
39-40 רֹכְבֵי הָרֶכֶשׁ הָאֲחַשְׁתְּרָנִים Es. 8:10, 14
וְרוֹכְבֶיהָ 41 וְהָפַכְתִּי מֶרְכָּבָה וְרֹכְבֶיהָ Hag. 2:22
וְרוֹכְבֵיהֶם 42 וְיָרְדוּ סוּסִים וְרֹכְבֵיהֶם Hag. 2:22
וְאֶרְכַּב 43 אֶחְבְּשָׁה־לִּי הַחֲמוֹר וְאֶרְכַּב עָלֶיהָ IISh.19:27
תִּרְכַּב 44 כִּי תִרְכַּב עַל־סוּסֶיךָ... Hab. 3:8
יִרְכַּב 45 וְכָל־הַמֶּרְכָּב אֲשֶׁר יִרְכַּב עָלָיו הַזָּב Lev. 15:9
וַיִּרְכַּב 46 וַיִּרְכַּב עַל־כְּרוּב וַיָּעֹף IISh. 22:11
47 וַיַּחְבְּשׁוּ־לוֹ הַחֲמוֹר וַיִּרְכַּב עָלָיו IK. 13:13
48 וַיִּרְכַּב אַחְאָב וַיֵּלֶךְ יִזְרְעֶאלָה IK. 18:45
49 וַיִּרְכַּב יֵהוּא וַיֵּלֶךְ יִזְרְעֶאלָה IIK. 9:16
50 וַיִּרְכַּב עַל־כְּרוּב וַיָּעֹף Ps. 18:11
וַתִּרְכַּב 51 וַתִּרְכַּב עַל־הַחֲמוֹר ISh. 25:42
נִרְכָּב 52 עַל־סוּס נָנוּס...וְעַל־קַל נִרְכָּב Is. 30:16
53 עַל־סוּס לֹא נִרְכָּב Hosh. 14:4
יִרְכָּבוּ 54/5 וְעַל־סוּסִים יִרְכָּבוּ Jer. 6:23; 50:42
וַיִּרְכְּבוּ 56 וַיִּרְכְּבוּ אִישׁ עַל־פִּרְדּוֹ IISh. 13:29
וַתִּרְכַּבְנָה 57 וַתִּרְכַּבְנָה עַל־הַגְּמַלִּים Gen. 24:61
רְכַב 58 צְלַח רְכַב עַל־דְּבַר־אֱמֶת Ps. 45:5
וְהִרְכַּבְתִּיךָ 59 וְהִרְכַּבְתִּיךָ עַל־בָּמֳתֵי° אָרֶץ Is. 58:14
הִרְכַּבְתָּ 60 הִרְכַּבְתָּ אֱנוֹשׁ לְרֹאשֵׁנוּ Ps. 66:12
וְהִרְכַּבְתֶּם 61 וְהִרְכַּבְתֶּם אֶת־שְׁלֹמֹה...עַל־הַפִּרְדָּה IK.1:33
וְהַרְכִּיבֻהוּ 62 וְהַרְכִּיבֻהוּ עַל־הַסּוּס בִּרְחוֹב הָעִיר Es. 6:9
אַרְכִּיב 63 אַרְכִּיב אֶפְרַיִם יַחֲרוֹשׁ יְהוּדָה Hosh. 10:11
תַּרְכִּיבֵנִי 64 תִּשָּׂאֵנִי אֶל־רוּחַ תַּרְכִּיבֵנִי Job 30:22
וַיַּרְכֵּב 65 וַיַּרְכֵּב אֹתוֹ בְּמִרְכֶּבֶת הַמִּשְׁנֶה Gen. 41:43
66 הַרְכֵּב יָדְךָ...וַיַּרְכֵּב יָדוֹ IIK. 13:16
יַרְכִּבֵהוּ 67 יַרְכִּבֵהוּ עַל־בָּמֳתֵי° אָרֶץ Deut. 32:13
וַיַּרְכִּיבֵהוּ 68 וַיַּרְכִּיבֵהוּ בִּרְחוֹב הָעִיר Es. 6:11
וַיַּרְכִּבֵם 69 וַיִּקַּח...וַיַּרְכִּבֵם עַל־הַחֲמֹר Ex. 4:20
וַיַּרְכִּבוּ 70 וַיַּרְכִּבוּ אֶת־אֲרוֹן הָאֱלֹהִים אֶל־עֲגָלָה IISh.6:3
71 וַיַּרְכִּבוּ אֶת־שְׁלֹמֹה עַל־פִּרְדַּת הַמֶּלֶךְ IK. 1:38
72 וַיַּרְכִּבוּ אֹתוֹ עַל פִּרְדַּת הַמֶּלֶךְ IK. 1:44
73 וַיַּרְכִּבוּ אֹתוֹ עֲבָדָיו יְרוּשָׁלָמָה IIK. 9:28
74 וַיַּרְכִּבוּ אֹתוֹ בְּרִכְבּוֹ IIK. 10:16
75 וַיַּרְכִּיבוּ אֶת־אֲרוֹן הָאֱ׳ עַל־עֲגָלָה ICh. 13:7
וַיַּרְכִּיבֻהוּ 76 וַיַּרְכִּבֻהוּ עֲבָדָיו מֵת IIK. 23:30
77 וַיַּרְכִּיבֻהוּ עַל־רֶכֶב הַמִּשְׁנֶה IICh. 35:24
הַרְכֵּב 78 הַרְכֵּב יָדְךָ עַל־הַקֶּשֶׁת IIK. 13:16

רֶכֶב
ז׳ א) עגלת מלחמה: 1, 2, 4, 5, 7-33, 35-119
ב) אבן־הרחים העליונה: 3, 6, 34
קרובים: כִּרְכָּרָה / מֶרְכָּבָה / עֲגָלָה / צַב

– רֶכֶב וָסוּס 10, 13, 27-31, 33, 35, 36, 68-73, 78, 83, 86, 94, 99, 111, 115, 117, 119; רֶכֶב וּפָרָשִׁים 1, 7, 8, 11, 18, 21, 37, 40, 42, 66/7, 71, 74-76, 78, 84/5, 87, 95, 99, 100, 105, 108-111
– רֶכֶב בָּחוּר 2
– רֶכֶב אָדָם 95; ר׳ אִישׁ 90; ר׳ אֱלֹהִים 91; ר׳ אֵשׁ 83, 94; רֶכֶב בַּרְזֶל 79-82, 93; רֶכֶב גָּמָל 89; ר׳ חֲמוֹר 88; ר׳ יִשְׂרָאֵל 84, 85; ר׳ מִצְרַיִם 77; ר׳ הַמִּשְׁנֶה 92; ר׳ סוּסִים 86; ר׳ פַּרְעֹה 78; רֶכֶב פָּרָשִׁים 87
– חֵיק הָרֶכֶב 64; מַחֲצִית הָרֶכֶב 44; עָרֵי ר׳ 42, 43, 56-58; פֶּלַח רֶכֶב 3, 6; קוֹל רֶכֶב 10; שָׂרֵי הָרֶכֶב (44), 45-47, 50, 59-61, 65, 105, 108
– רִכְבֵי פַרְעֹה 119

רֶכֶב 1 וַיַּעַל עִמּוֹ גַּם־רֶכֶב גַּם־פָּרָשִׁים Gen. 50:9
2 וַיִּקַּח שֵׁשׁ־מֵאוֹת רֶכֶב בָּחוּר Ex. 14:7
3 וַתַּשְׁלֵךְ אִשָּׁה אַחַת פֶּלַח רֶכֶב Jud. 9:53
4 שְׁלֹשִׁים אֶלֶף רֶכֶב ISh. 13:5
5 וַיַּהֲרֹג...שְׁבַע מֵאוֹת רֶכֶב IISh. 10:18
6 הִשְׁלִיכָה עָלָיו פֶּלַח רֶכֶב IISh. 11:21
7 וַיַּעַשׂ לוֹ רֶכֶב וּפָרָשִׁים IK. 1:5
8 וַיֶּאֱסֹף שְׁלֹמֹה רֶכֶב וּפָרָשִׁים IK. 10:26
9 אֶלֶף וְאַרְבַּע־מֵאוֹת רֶכֶב IK. 10:26
10 קוֹל רֶכֶב קוֹל סוּס IIK. 7:6
11 חֲמִשִּׁים פָּרָשִׁים וַעֲשָׂרָה רֶכֶב IIK. 13:7
12 וַיִּבְטְחוּ עַל־רֶכֶב כִּי רָב Is. 31:1
13 רֶכֶב־וָסוּס חַיִל וְעִזּוּז Is. 43:17
14 וְנִפַּצְתִּי בְךָ רֶכֶב וְרֹכְבוֹ Jer. 51:21
15 וּבָאוּ עָלַיִךְ הֹצֶן רֶכֶב וְגַלְגַּל Ezek. 23:24
16 וְהִכְרַתִּי־רֶכֶב מֵאֶפְרַיִם Zech. 9:10
17 וַיִּלְכֹּד דָּוִיד מִמֶּנּוּ אֶלֶף רֶכֶב ICh. 18:4
18 לִשְׂכֹּר לָהֶם...רֶכֶב וּפָרָשִׁים ICh. 19:6
19 שְׁנַיִם וּשְׁלֹשִׁים אֶלֶף רֶכֶב ICh. 19:7
20 וַיַּהֲרֹג...שִׁבְעַת אֲלָפִים רֶכֶב ICh. 19:18
21 וַיֶּאֱסֹף שְׁלֹמֹה רֶכֶב וּפָרָשִׁים IICh. 1:14
22 אֶלֶף וְאַרְבַּע־מֵאוֹת רֶכֶב IICh. 1:14
23 בְּאֶלֶף וּמָאתַיִם רֶכֶב IICh. 12:3
רָכֶב 24 וַיּוֹתֵר מִמֶּנּוּ מֵאָה רָכֶב IISh. 8:4
25 מִבְחַר־עֲמָקַיִךְ מָלְאוּ רָכֶב Is. 22:7
26 וַיּוֹתֵר מִמֶּנּוּ מֵאָה רָכֶב ICh. 18:4
וָרֶכֶב 27 וְסוּס־כַּסּוּס וָרֶכֶב כָּרֶכֶב IK. 20:25
28 סוּסִים וָרֶכֶב וְחַיִל כָּבֵד IIK. 6:14
29 מִגַּעֲרָתְךָ...נִרְדָּם וְרֶכֶב וָסוּס Ps. 76:7
וָרֶכֶב 30 וְרָאִיתָ סוּס וָרֶכֶב עַם רַב מִמְּךָ Deut. 20:1
31 וְסוּס וָרֶכֶב רַב־מְאֹד Josh. 11:4
32 מִקּוֹל פָּרַשׁ וְגַלְגַּל וָרֶכֶב Ezek. 26:10
33 וּשְׂבַעְתֶּם עַל־שֻׁלְחָנִי סוּס וָרֶכֶב Ezek.39:20
וָרָכֶב 34 לֹא־יַחֲבֹל רֵחַיִם וָרָכֶב Deut. 24:6
35 וּשְׁלֹשִׁים וּשְׁנַיִם מֶלֶךְ אִתּוֹ וְסוּס וָרֶכֶב IK.20:1
36 וְהִנֵּה־חַיִל...וְסוּס וָרֶכֶב IIK. 6:15
הָרֶכֶב 37 וַיְכַסּוּ אֶת־הָרֶכֶב וְאֶת־הַפָּרָשִׁים Ex. 14:28
38 וַיָּהָם יְיָ...וְאֶת־כָּל־הָרֶכֶב Jud. 4:15
39 וּבָרָק רָדַף אַחֲרֵי הָרֶכֶב Jud. 4:16
40 הָרֶכֶב וּבַעֲלֵי הַפָּרָשִׁים הִדְבִּקֻהוּ IISh. 1:6
41 וַיְעַקֵּר דָּוִד אֶת־כָּל־הָרֶכֶב IISh. 8:4
42 וְאֵת עָרֵי הָרֶכֶב וְאֵת עָרֵי הַפָּרָשִׁים IK. 9:19
43 וַיַּנְחֵם בְּעָרֵי הָרֶכֶב IK. 10:26
44 זִמְרִי שַׂר מַחֲצִית הָרֶכֶב IK. 16:9
45 צִוָּה אֶת־שָׂרֵי הָרֶכֶב אֲשֶׁר־לוֹ IK. 22:31
46/7 וַיְהִי כִּרְאוֹת שָׂרֵי הָרֶכֶב IK. 22:32, 33
48 וַיִּשְׁטֹף אֶת־הָרֶכֶב IK. 22:38
49 וַיַּעֲבֹר יוֹרָם צָעִירָה וְכָל־הָרֶ׳ עִמּוֹ IIK. 8:21

הָרֶכֶב (המשך) 50 וַיַּכֶּה...וְאֵת שָׂרֵי הָרֶכֶב IIK. 8:21
51 וְאִתְּכֶם הָרֶכֶב וְהַסּוּסִים IIK. 10:2
52 עֲלוּ הַסּוּסִים וְהִתְהֹלְלוּ הָרֶכֶב Jer. 46:9
53 בְּאֵשׁ־פְּלָדוֹת הָרֶכֶב בְּיוֹם הֲכִינוֹ Nah. 2:4
54 בַּחוּצוֹת יִתְהוֹלְלוּ הָרֶכֶב Nah. 2:5
55 וַיְעַקֵּר דָּוִיד אֶת־כָּל־הָרֶכֶב ICh. 18:4
56/7 וַיַּנִּיחֵם בְּעָרֵי הָרֶכֶב IICh. 1:14; 9:25
58 וְאֵת כָּל־עָרֵי הָרֶכֶב IICh. 8:6
59 צִוָּה אֶת־שָׂרֵי הָרֶכֶב אֲשֶׁר־לוֹ IICh. 18:30
60/1 וַיְהִי כִּרְאוֹת שָׂרֵי הָרֶכֶב IICh. 18:31, 32
62 וַיַּעֲבֹר יְהוֹרָם...וְכָל־הָרֶכֶב עִמּוֹ IICh. 21:9
הָרָכֶב 63 וַיַּךְ אֶת־הַסּוּס וְאֶת־הָרָכֶב IK. 20:21
64 וַיִּצֶק דַּם־הַמַּכָּה אֶל־חֵיק הָרָכֶב IK. 22:35
65 וַיַּךְ...וְאֵת שָׂרֵי הָרָכֶב IICh. 21:9
בְּרֶכֶב 66 וַיִּרְדְּפוּ...בְּרֶכֶב וּבְפָרָשִׁים יַם־סוּף Josh. 24:6
67 בְּרֶכֶב וּבְפָרָשִׁים וּבָאֳנִיּוֹת רַבּוֹת Dan. 11:40
בָּרֶכֶב 68/9 רֹכְבִים בָּרֶכֶב וּבַסּוּסִים Jer. 17:25; 22:4
70 אֵלֶּה בָרֶכֶב וְאֵלֶּה בַסּוּסִים Ps. 20:8
וּבְרֶכֶב 71 בְּסוּס וּבְרֶכֶב וּבְפָרָשִׁים Ezek. 26:7
וּבָרֶכֶב 72 בַּסּוּסִים וּבָרֶכֶב וּבַצַּבִּים Is. 66:20
כָּרֶכֶב 73 וְסוּס־כַּסּוּס וָרֶכֶב כָּרֶכֶב IK. 20:25
לְרֶכֶב 74 וַתִּבְטַח לְךָ...לְרֶכֶב וּלְפָרָשִׁים IIK. 18:24
75 וַתִּבְטַח לְךָ...לְרֶכֶב וּלְפָרָשִׁים Is. 36:9
76 לְרֶכֶב וּלְפָרָשִׁים לְהַרְבֵּה מְאֹד IICh. 16:8
רֶכֶב־ 77 וְכֹל רֶכֶב מִצְרָיִם Ex. 14:7
78 כָּל־סוּס רֶכֶב פַּרְעֹה וּפָרָשָׁיו וְחֵילוֹ Ex. 14:9
79 כִּי רֶכֶב בַּרְזֶל לוֹ כִּי חָזָק הוּא Josh. 17:18
80 כִּי־רֶכֶב בַּרְזֶל לָהֶם Jud. 1:19
81 כִּי תְּשַׁע מֵאוֹת רֶכֶב־בַּרְזֶל לוֹ Jud. 4:3
82 וַיַּזְעֵק...תְּשַׁע מֵאוֹת רֶכֶב בַּרְזֶל Jud. 4:13
83 וְהִנֵּה רֶכֶב־אֵשׁ וְסוּסֵי אֵשׁ IIK. 2:11
84/5 אָבִי אָבִי רֶכֶב יִשְׂרָ׳ וּפָרָשָׁיו IIK.2:12;13:14
86 וַיִּקְחוּ שְׁנֵי רֶכֶב סוּסִים IIK. 7:14
87 וְרָאָה רֶכֶב צֶמֶד פָּרָשִׁים Is. 21:7
88/9 רֶכֶב חֲמוֹר רֶכֶב גָּמָל Is. 21:7
90 וְהִנֵּה־זֶה בָא רֶכֶב אִישׁ Is. 21:8
91 רֶכֶב אֱלֹהִים רִבֹּתַיִם אַלְפֵי שִׁנְאָן Ps. 68:18
92 וַיַּרְכִּיבֻהוּ עַל רֶכֶב הַמִּשְׁנֶה IICh. 35:24
וְרֶכֶב־ 93 וְרֶכֶב בַּרְזֶל בְּכָל־הַכְּנַעֲנִי Josh. 17:16
94 מָלֵא סוּסִים וְרֶכֶב אֵשׁ IIK. 6:17
בְּרֶכֶב־ 95 נָשָׂא אַשְׁפָּה בְּרֶכֶב אָדָם פָּרָשִׁים Is. 22:6
רִכְבִּי 96 בְּרֹב° רִכְבִּי אֲנִי עָלִיתִי IIK. 19:23
97 בְּרֹב רִכְבִּי אֲנִי עָלִיתִי Is. 37:24
רִכְבּוֹ 98 וַיֶּאְסֹר אֶת־רִכְבּוֹ Ex. 14:6
99 כֹּל סוּס פַּרְעֹה רִכְבּוֹ וּפָרָשָׁיו Ex. 14:23
100 עַל־רִכְבּוֹ וְעַל־פָּרָשָׁיו Ex. 14:26
101 וְאֶת־רִכְבּוֹ וְאֶת־הֲמוֹנוֹ Jud. 4:7
102 וַיַּזְעֵק סִיסְרָא אֶת־כָּל־רִכְבּוֹ Jud. 4:13
103 מַדּוּעַ בֹּשֵׁשׁ רִכְבּוֹ לָבוֹא Jud. 5:28
104 וְלַעֲשׂוֹת כְּלֵי־מִלְחַמְתּוֹ וּכְלֵי רִכְבּוֹ ISh.8:12
105 וְשָׂרֵי רִכְבּוֹ וּפָרָשָׁיו IK. 9:22
106 וַיֹּאמֶר יְהוֹרָם אֱסֹר וַיֶּאְסֹר רִכְבּוֹ IIK. 9:21
107 חֶרֶב אֶל־סוּסָיו וְאֶל־רִכְבּוֹ Jer. 50:37
108 וְשָׂרֵי רִכְבּוֹ וּפָרָשָׁיו IICh. 8:9
בְּרִכְבּוֹ 109 וּבְכָל־חֵילוֹ בְּרִכְבּוֹ וּבְפָרָשָׁיו Ex. 14:17
110 בְּהִכָּבְדִי בְּפַרְעֹה בְּרִכְבּוֹ וּבְפָרָשָׁיו Ex. 14:18
111 סוּס פַּרְעֹה בְּרִכְבּוֹ וּבְפָרָשָׁיו בַּיָּם Ex. 15:19
112 וַיֵּצֵא יְהוֹרָם...אִישׁ בְּרִכְבּוֹ IIK. 9:21
113 וַיַּךְ אֶת־יְהוֹרָם...וַיִּכְרַע בְּרִכְבּוֹ IIK. 9:24
114 וַיַּרְכִּבוּ אֹתוֹ בְּרִכְבּוֹ IIK. 10:16
וּבְרִכְבּוֹ 115 וַיָּבֹא נַעֲמָן בְּסוּסָו וּבְרִכְבּוֹ IIK. 5:9
לְרִכְבּוֹ 116 מֵרַעַשׁ לְרִכְבּוֹ הֲמוֹן גַּלְגִּלָּיו Jer. 47:3

וּלְרִכְבּוֹ 117 לְחֵיל מִצְרַיִם לְסוּסָיו וּלְרִכְבּוֹ Deut. 11:4
רִכְבָּהּ 118 וְהִבְעַרְתִּי בֶעָשָׁן רִכְבָּהּ Nah. 2:14
בְּרִכְבֵי־ 119 לְסֻסָתִי בְּרִכְבֵי פַרְעֹה דִּמִּיתִיךְ S.ofS. 1:9

רַכָּב ז׳ נוהג ברכב: 1־3

רַכָּב 1 קַח רַכָּב וּשְׁלַח לִקְרָאתָם IIK. 9:17
לְרַכָּב 2 וַיֹּאמֶר לָרַכָּב הֲפֹךְ יָדֶךָ IICh. 18:33
לְרַכָּבוֹ 3 וַיֹּאמֶר לְרַכָּבוֹ הֲפֹךְ יָדְךָ IK. 22:34

רֵכָב שפ״ז א) אבי יהונדב, ממשפחת סופרים: 4־10, 12
ב) רוצחו של איש־בשת: 1־3, 13
ג) אבי שר פלך בימי נחמיה: 11
בֵּית רֵכָב 12; בֶּן רֵכָב 4־11

רֵכָב 1 שֵׁם הָאֶחָד בַּעֲנָה וְשֵׁם הַשֵּׁנִי רֵכָב IISh. 4:2
2 וַיֵּלְכוּ בְּנֵי־רִמּוֹן...רֵכָב וּבַעֲנָה IISh. 4:5
3 וַיַּעַן דָּוִד אֶת־רֵכָב וְאֶת־בַּעֲנָה IISh. 4:9
4 וַיִּמְצָא אֶת־יְהוֹנָדָב בֶּן־רֵכָב IIK. 10:15
5 וַיָּבֹא יֵהוּא וִיהוֹנָדָב בֶּן־רֵכָב IIK. 10:23
6 כִּי יוֹנָדָב בֶּן־רֵכָב אָבִינוּ צִוָּה Jer. 35:6
7־9 יְהוֹנָדָב בֶּן־רֵכָב Jer. 35:8, 14, 16
10 לֹא־יִכָּרֵת אִישׁ לְיוֹנָדָב בֶּן־רֵכָב Jer. 35:19
11 מַלְכִּיָּה בֶּן־רֵכָב שַׂר פֶּלֶךְ Neh. 3:14
12 מֵחַמַּת אֲבִי בֵית־רֵכָב ICh. 2:55
וְרֵכָב 13 וְרֵכָב וּבַעֲנָה אָחִיו נִמְלָטוּ IISh. 4:6

רִכְבָּה נ׳ רכיבה

לְרִכְבָּה 1 דְּדָן רֹכַלְתֵּךְ בְּבִגְדֵי־חֹפֶשׁ לְרִכְבָּה Ezek. 27:20

רֵכָבִים ת״ר – צאצאי יונדב (יהונדב) בן רֵכב: 1־4
בֵּית הָרֵכָבִים 1־4

הָרֵכָבִים 1 הָלוֹךְ אֶל־בֵּית הָרֵכָבִים Jer. 35:2
2 וְאֵת כָּל־בֵּית הָרֵכָבִים Jer. 35:3
3 וָאֶתֵּן לִפְנֵי בְּנֵי בֵית־הָרֵכָבִים Jer. 35:5
4 וּלְבֵית הָרֵכָבִים אָמַר יִרְמְיָהוּ Jer. 35:18

רֵכָה ש״פ – עיר ביהודה

רֵכָה 1 אֵלֶּה אַנְשֵׁי רֵכָה ICh. 4:12

רְכוּב* ז׳ מרכבה

רְכוּבוֹ 1 הַשָּׂם עָבִים רְכוּבוֹ Ps. 104:3

רְכוּשׁ ז׳ הון, נכסים: 1־28
קרובים: אוֹן / הוֹן / מִקְנֶה / נְכָסִים / עֹשֶׁר / קִנְיָן
– רְכוּשׁ גָּדוֹל 10, 11; רְכוּשׁ רַב 2, 13, 25, 26; שָׂרֵי הָרְכוּשׁ 7
– רְכוּשׁ הַמֶּלֶךְ 16; רְכוּשׁ סְדוֹם וַעֲמוֹרָה 15

רְכוּשׁ 1 וְשָׂרֵי כָל־רְכוּשׁ־וּמִקְנֶה ICh. 28:1
2 כִּי נָתַן־לוֹ אֱלֹהִים רְכוּשׁ רַב מְאֹד IICh. 32:29
וּרְכוּשׁ 3 בִּזָּה וְשָׁלָל וּרְכוּשׁ לָהֶם יִבְזוֹר Dan. 11:24
4 וּרְכוּשׁ וּפְגָרִים וּכְלֵי חֲמֻדוֹת IICh. 20:25
הָרְכוּשׁ 5 וַיָּשֶׁב אֵת כָּל־הָרְכֻשׁ Gen. 14:16
6 וַתִּבְלַע...וְאֵת כָּל־הָרְכוּשׁ Num. 16:32
7 כָּל־אֵלֶּה שָׂרֵי הָרְכוּשׁ ICh. 27:31
8 וַיִּשְׁבּוּ אֵת כָּל־הָרְכוּשׁ IICh. 21:17
וְהָרְכוּשׁ 9 תֶּן־לִי הַנֶּפֶשׁ וְהָרְכֻשׁ קַח־לָךְ Gen. 14:21
בִּרְכוּשׁ 10 וְאַחֲרֵי־כֵן יֵצְאוּ בִּרְכֻשׁ גָּדוֹל Gen. 15:14
11 וְיָשֹׁב אַרְצוֹ בִּרְכוּשׁ גָּדוֹל Dan. 11:28
בָּרְכוּשׁ 12 חִזְּקוּ בִידֵיהֶם...בָּרְכוּשׁ וּבַבְּהֵמָה Ez. 1:6
וּבִרְכוּשׁ 13 בְּחַיִל גָּדוֹל וּבִרְכוּשׁ רָב Dan. 11:13
14 יְנַשְּׂאוּהוּ...וּבִרְכוּשׁ וּבִבְהֵמָה Ez. 1:4
רְכוּשׁ־ 15 וַיִּקְחוּ אֶת־כָּל־רְכֻשׁ סְדֹם Gen. 14:11
מֵרְכוּשׁ־ 16 אֵלֶּה מֵרְכוּשׁ הַמֶּלֶךְ IICh. 35:7
רְכוּשֶׁךָ 17 מַגֵּפָה גְדוֹלָה...וּבְכָל־רְכוּשֶׁךָ IICh. 21:14
רְכוּשׁוֹ 18 וַיִּקְחוּ אֶת־לוֹט וְאֶת־רְכֻשׁוֹ Gen. 14:12
19 וְאֶת־כָּל־רְכֻשׁוֹ אֲשֶׁר רָכָשׁ Gen. 31:18
20 יָחֳרַם כָּל־רְכוּשׁוֹ Ez. 10:8
21 וּמְנָת הַמֶּלֶךְ מִן־רְכוּשׁוֹ לָעֹלוֹת IICh. 31:3
וּרְכוּשׁוֹ 22 וְגַם אֶת־לוֹט אָחִיו וּרְכֻשׁוֹ הֵשִׁיב Gen. 14:16
רְכוּשֵׁנוּ 23 לָנוּ וּלְטַפֵּנוּ וּלְכָל־רְכוּשֵׁנוּ Ez. 8:21
רְכוּשָׁם 24 וְאֶת־כָּל־רְכוּשָׁם אֲשֶׁר רָכָשׁוּ Gen. 12:5
25/6 כִּי־הָיָה רְכוּשָׁם רָב Gen. 13:6; 36:7
27 אֶת־מִקְנֵיהֶם וְאֶת־רְכוּשָׁם Gen. 46:6
וְלִרְכוּשָׁם 28 לִבְהֶמְתָּם וְלִרְכֻשָׁם וּלְכֹל חַיָּתָם Num. 35:3

רָכִיל ז׳ דִּבָּה, לשון הרע: 1־6
הָלַךְ רָכִיל 1,2,5,6; הֹלֵךְ רָכִיל 3; אַנְשֵׁי רָכִיל 4

רָכִיל 1 לֹא־תֵלֵךְ רָכִיל בְּעַמֶּיךָ Lev. 19:16
2 כֻּלָּם סָרֵי סוֹרְרִים הֹלְכֵי רָכִיל Jer. 6:28
3 וְכָל־רֵעַ רָכִיל יַהֲלֹךְ Jer. 9:3
4 אַנְשֵׁי רָכִיל הָיוּ בָךְ Ezek. 22:9
5 הוֹלֵךְ רָכִיל מְגַלֶּה־סּוֹד Prov. 11:13
6 גּוֹלֶה־סּוֹד הוֹלֵךְ רָכִיל Prov. 20:19

רכך : רַךְ, נָרֵךְ, רָכֵךְ, הֵרַךְ; רֹךְ, מֹרֶךְ

רָכַךְ, רַךְ פָּ׳ א) נעשה רך, חָלַשׁ: 1־6
ב) [פֻּ׳ רֻכַּךְ] נעשה רַךְ: 7
ג) [הפ׳ הֵרַךְ] החליש: 8
רַךְ לְבָבוֹ 1, 2, 4־6; רַכּוּ דְבָרָיו 3; הֵרַךְ לִבּוֹ 8

רַךְ 1/2 יַעַן רַךְ־לְבָבְךָ וַתִּכָּנַע IIK.22:19 • IICh.34:27
רַכּוּ 3 רַכּוּ דְבָרָיו מִשֶּׁמֶן Ps. 55:22
יֵרַךְ 4 אַל־יֵרַךְ לְבַבְכֶם אַל־תִּירְאוּ Deut. 20:3
5 אַל־תִּירָא וּלְבָבְךָ אַל־יֵרַךְ Is. 7:4
6 וּפֶן־יֵרַךְ לְבַבְכֶם וְתִירְאוּ Jer. 51:46
רֻכְּכָה 7 לֹא־זֹרוּ וְלֹא חֻבָּשׁוּ וְלֹא רֻכְּכָה בַּשָּׁמֶן Is. 1:6
הֵרַךְ 8 וְאֵל הֵרַךְ לִבִּי וְשַׁדַּי הִבְהִילָנִי Job 23:16

רכל : רוֹכֵל, רְכֻלָּה, מַרְכֹּלֶת, רָכִיל(?); ש״פ רָכָל

רָכָל ש״פ – עיר בנחלת יהודה

בְּרָכָל 1 וְלַאֲשֶׁר בְּרָכָל וְלַאֲשֶׁר בְּעָרֵי הַיְּרַחְמְאֵלִי ISh. 30:29

רְכֻלָּה* נ׳ סחורה: 1־4

רְכֻלָּתְךָ 1 בְּרֹב רְכֻלָּתְךָ מָלוּ תוֹכְךָ חָמָס Ezek. 28:16
2 מֵרֹב עֲוֹנֶיךָ בְּעֶוֶל רְכֻלָּתְךָ Ezek. 28:18
בִּרְכֻלָּתְךָ 3 בְּרֹב חָכְמָתְךָ בִּרְכֻלָּתְךָ Ezek. 28:5
רְכֻלָּתֵךְ 4 וְשָׁלְלוּ חֵילֵךְ וּבָזְזוּ רְכֻלָּתֵךְ Ezek. 26:12

רכס : רָכַס; רֶכֶס, רֹכֶס

רָכַס פָּ׳ חִבֵּר: 1, 2

וְיִרְכְּסוּ 1 וְיִרְכְּסוּ אֶת־הַחֹשֶׁן...בִּפְתִיל תְּכֵלֶת Ex. 28:28
וַיִּרְכְּסוּ 2 וַיִּרְכְּסוּ אֶת־הַחֹשֶׁן...בִּפְתִיל תְּכֵלֶת Ex. 39:21

רֶכֶס* ז׳ שרשרת הרים

וְהָרְכָסִים 1 וְהָיָה הֶעָקֹב לְמִישׁוֹר וְהָרְכָסִים לְבִקְעָה Is. 40:4

רֹכֶס* ז׳ עקמימות • רִכְסֵי אִישׁ 1

מֵרֻכְסֵי־ 1 תַּסְתִּירֵם...מֵרֻכְסֵי אִישׁ Ps. 31:21

רכש : רָכַשׁ; רְכוּשׁ, רֶכֶשׁ

רָכַשׁ פָּ׳ אסף, קנה: 1־5

רָכַשׁ 1 מִקְנֵה קִנְיָנוֹ אֲשֶׁר רָכַשׁ Gen. 31:18
2 וְאֵת כָּל־קִנְיָנוֹ אֲשֶׁר רָכַשׁ Gen. 36:6
רָכָשׁ 3 וְאֶת־כָּל־רְכֻשׁוֹ אֲשֶׁר רָכָשׁ Gen. 31:18
רָכְשׁוּ 4 וְאֶת־רְכוּשָׁם אֲשֶׁר רָכְשׁוּ בְּאֶרֶץ כְּנַעַן Gen. 46:6
רָכָשׁוּ 5 וְאֶת־כָּל־רְכוּשָׁם אֲשֶׁר רָכָשׁוּ Gen. 12:5

רֶכֶשׁ ז׳ סוס רכיבה או סוס מרכבה: 1־4

הָרֶכֶשׁ 1 הָרָצִים בַּסּוּסִים רֹכְבֵי הָרֶכֶשׁ Es. 8:10
2 הָרָצִים רֹכְבֵי הָרֶכֶשׁ Es. 8:14
לָרֶכֶשׁ 3 רְתֹם הַמֶּרְכָּבָה לָרֶכֶשׁ Mic. 1:13
וְלָרָכֶשׁ 4 וְהַשְּׂעֹרִים וְהַתֶּבֶן לַסּוּסִים וְלָרֶכֶשׁ IK. 5:8

רָם¹ ת׳ א) גבוה: 2, 7־28
ב) נִשָּׂא, עליון, נעלה: 3־6
ג) חָזָק: 1
קרובים: גָּבֹהַּ / מְרוֹמָם / נִשָּׂא / נִשְׂגָּב / עֶלְיוֹן
– כִּסֵּא רָם 2; עַם רָם 7־10; קוֹל רָם 1
– גִּבְעָה רָמָה 15־17; זְרוֹעַ רָ׳ 18; יָד רָמָה 12־14; צַמֶּרֶת רָמָה 19
– הָרִים רָמִים 23, 25; רָמֵי קוֹמָה 26
– עֵינַיִם רָמוֹת 27, 28

רָם 1 וְעָנוּ הַלְוִיִּם וְאָמְרוּ...קוֹל רָם Deut. 27:14
2 יֹשֵׁב עַל־כִּסֵּא רָם וְנִשָּׂא Is. 6:1
3 רָם וְנִשָּׂא שֹׁכֵן עַד Is. 57:15
4 רָם עַל־כָּל־גּוֹיִם יְיָ Ps. 113:4
5 כִּי־רָם יְיָ וְשָׁפָל יִרְאֶה Ps. 138:6
וְרָם 6 וְרָם הוּא עַל־כָּל־הָעַמִּים Ps. 99:2
וָרָם 7 עַם גָּדוֹל וָרָם מִמֶּנּוּ Deut. 1:28
8/9 עַם גָּדוֹל וְרַב וָרָם כָּעֲנָקִים Deut. 2:10, 21
10 עַם־גָּדוֹל וָרָם בְּנֵי עֲנָקִים Deut. 9:2
11 עַל כָּל־גֵּאֶה וָרָם Is. 2:12
רָמָה 12 וּבְנֵי יִשְׂרָאֵל יֹצְאִים בְּיָד רָמָה Ex. 14:8
13 וְהַנֶּפֶשׁ אֲשֶׁר־תַּעֲשֶׂה בְּיָד רָמָה Num. 15:30
14 יָצְאוּ בְנֵי־יִשְׂרָאֵל בְּיָד רָמָה Num. 33:3
15־17 כָּל־גִּבְעָה רָמָה Ezek. 6:13; 20:28; 34:6
18 וּזְרוֹעַ רָמָה תִּשָּׁבֵר Job 38:15
הָרָמָה 19 מִצַּמֶּרֶת הָאֶרֶז הָרָמָה Ezek. 17:22
רָמִים 20 וְעֵינֶיךָ עַל־רָמִים תַּשְׁפִּיל IISh. 22:28
21 וַיִּבֶן כְּמוֹ־רָמִים מִקְדָּשׁוֹ Ps. 78:69
22 וְהוּא רָמִים יִשְׁפּוֹט Job 21:22
הָרָמִים 23 עַל־הֶהָרִים הָרָמִים וְעַל־הַגְּבָעוֹת Deut. 12:2
24 אַרְזֵי הַלְּבָנוֹן הָרָמִים וְהַנִּשָּׂאִים Is. 2:13
25 וְעַל כָּל־הֶהָרִים הָרָמִים Is. 2:14
וְרָמֵי־ 26 וְרָמֵי הַקּוֹמָה גְּדֻעִים Is. 10:33
רָמוֹת 27 וְעֵינַיִם רָמוֹת תַּשְׁפִּיל Ps. 18:28
28 עֵינַיִם רָמוֹת לְשׁוֹן שָׁקֶר Prov. 6:17

רָם² שפ״ז א) אבי משפחת אליהוא רֵעַ איוב: 1
ב) בן חֶצרון, מאבות דוד: 2, 3, 6, 7
ג) נכד חֶצרון: 4, 5

רָם 1 אֱלִיהוּא...מִמִּשְׁפַּחַת רָם Job 32:2
2 וְחֶצְרוֹן הוֹלִיד אֶת־רָם Ruth 4:19
3 אֶת־יְרַחְמְאֵל וְאֶת־רָם ICh. 2:9
4 בְנֵי־יְרַחְמְאֵל...הַבְּכוֹר רָם ICh. 2:25
5 וַיִּהְיוּ בְנֵי־רָם בְּכוֹר יְרַחְמְאֵל ICh. 2:27
וְרָם 6 וְרָם הוֹלִיד אֶת־עַמִּינָדָב Ruth 4:19
7 וְרָם הוֹלִיד אֶת־עַמִּינָדָב ICh. 2:10

רְמָא פְּ׳ ארמית א) השליך: 1־7; [לְמִרְמֵא=להשליך]
ב) [אִתְפְּ׳ אִתְרְמֵא] הֻשְׁלַךְ: 8־12

לְמִרְמֵא 1 לְמִרְמֵא לְאַתּוּן נוּרָא יָקִדְתָּא Dan. 3:20
2 מִנְדָּה...לָא שַׁלִּיט לְמִרְמֵא עֲלֵיהֹם Ez. 7:24
רְמִיו 3 עַד דִּי כָרְסָוָן רְמִיו Dan. 7:9
וּרְמִיו 4 וּרְמִיו לְגוֹא־אַתּוּן נוּרָא Dan. 3:21
רְמֵינָא 5 גֻּבְרִין תְּלָתָה רְמֵינָא לְגוֹא־נוּרָא Dan. 3:24
רְמוֹ 6 וּלְגֹב אַרְיָוָתָא רְמוֹ אִנּוּן Dan. 6:25
וּרְמוֹ 7 וְהַיְתִיו...וּרְמוֹ לְגֻבָּא דִּי אַרְיָוָתָא Dan. 6:17

יִתְרְמֵא 8/9 יִתְרְמֵא לְגוֹא־אַתּוּן נוּרָא Dan. 3:6, 11
10 יִתְרְמֵא לְגֹב אַרְיָוָתָא Dan. 6:8
11 יִתְרְמֵא לְגוֹב אַרְיָוָתָא Dan. 6:13
תִּתְרְמוֹן 12 תִּתְרְמוֹן לְגוֹא־אַתּוּן נוּרָא יָקִדְתָּא Dan.3:15

רמה : א) רָמָה; רוֹמֶה
ב) רִמָּה; רְמִיָּה, מִרְמָה, תַּרְמִית

רָמָה פָּ׳ א) השליך: 1, 2
ב) יָרָה: 3, 4

רוֹמֵה קֶשֶׁת 3, 4

רָמָה 1/2 סוּס וְרֹכְבוֹ רָמָה בַיָּם Ex. 15:1, 21
וְרוֹמֵה־ 3 מִקּוֹל פָּרָשׁ וְרֹמֵה קֶשֶׁת Jer. 4:29
רוֹמֵי־ 4 בְּנֵי־אֶפְרַיִם נוֹשְׁקֵי רוֹמֵי־קָשֶׁת Ps. 78:9

רִמָּה פִּ׳ הטעה בשקר: 1-8
לְרַמּוֹתַנִי 1 וְאִם־לְרַמּוֹתַנִי לְצָרַי ICh. 12:17(18)
רִמִּיתָנִי 2 בְּרָחֵל עָבַדְתִּי עִמָּךְ וְלָמָּה רִמִּיתָנִי Gen. 29:25
3 לָמָּה רִמִּיתָנִי וְאַתָּה שָׁאוּל ISh. 28:12
רִמִּיתִנִי 4 לָמָּה כָּכָה רִמִּיתִנִי וַתְּשַׁלְּחִי אֶת־אֹיְבִי ISh.19:17
רִמָּה 5 כֵּן־אִישׁ רִמָּה אֶת־רֵעֵהוּ Prov. 26:19
רִמָּנִי 6 אֲדֹנִי הַמֶּלֶךְ עַבְדִּי רִמָּנִי IISh. 19:27
רִמִּיתֶם 7 לָמָּה רִמִּיתֶם אֹתָנוּ לֵאמֹר Josh. 9:22
רִמּוּנִי 8 קָרָאתִי לַמְאַהֲבַי הֵמָּה רִמּוּנִי Lam. 1:19

רָמָה[1] נ׳ מקום גבוה (לעבודת אלילים): 1-4
רָמָתֵךְ 1 וַתִּבְנִי־לָךְ גָּב וַתַּעֲשִׂי־לָךְ רָמָה Ezek. 16:24
וְרָמָתֵךְ 2 אֶל־כָּל־רֹאשׁ דֶּרֶךְ בָּנִית רָמָתֵךְ Ezek. 16:25
3 וְרָמָתֵךְ עָשִׂית° בְּכָל־רְחוֹב Ezek. 16:31
רָמֹתַיִךְ 4 וְהָרְסוּ גַבֵּךְ וְנִתְּצוּ רָמֹתַיִךְ Ezek. 16:39

(הָ)רָמָה[2] ש״פ א) עיר בהרי בנימין: 1, 4-14, 16, 17, 21, 23
ב) עיר בהר אפרים: 3, 18, 19, 24-31
ג) עיר בנחלת נפתלי: 15
ד) עיר בנחלת אָשֵׁר: 2
ה) עיר בגלעד: 20, 22

אַבְנֵי הָרָמָה 6, 13; אַנְשֵׁי הָרָמָה 10; בְּנֵי הָרָמָה 9

רָמָה 1 חָצוֹר רָמָה גִּתָּיִם Neh. 11:33
הָרָמָה 2 וְשָׁב הַגְּבוּל הָרָמָה Josh. 19:29
3 בֵּין־הָרָמָה וּבֵין בֵּית־אֵל בְּהַר אֶפְ׳ Jud. 4:5
4 וַיַּעַל בַּעְשָׁא...וַיִּבֶן אֶת־הָרָמָה IK. 15:17
5 וַיֶּחְדַּל מִבְּנוֹת אֶת־הָרָמָה IK. 15:21
6 וַיִּשְׂאוּ אֶת־אַבְנֵי הָרָמָה IK. 15:22
7 חָרְדָה הָרָמָה גִּבְעַת שָׁאוּל נָסָה Is. 10:29
8 אַחַר שַׁלַּח אֹתוֹ...מִן־הָרָמָה Jer. 40:1
9 בְּנֵי הָרָמָה וָגָבַע Ez. 2:26
10 אַנְשֵׁי הָרָמָה וָגָבַע Neh. 7:30
11 עָלָה בַעְשָׁא...וַיִּבֶן אֶת־הָרָמָה IICh. 16:1
12 וַיֶּחְדַּל מִבְּנוֹת אֶת־הָרָמָה IICh. 16:5
13 וַיִּשְׂאוּ אֶת־אַבְנֵי הָרָמָה IICh. 16:6
וְהָרָמָה 14 גִּבְעוֹן וְהָרָמָה וּבְאֵרוֹת Josh. 18:25
15 וַאֲדָמָה וְהָרָמָה וְחָצוֹר Josh. 19:36
בָּרָמָה 16 וְלַנּוּ בַגִּבְעָה אוֹ בָרָמָה Jud. 19:13
17 בַּגִּבְעָה תַּחַת־הָאֵשֶׁל בָּרָמָה ISh. 22:6
18 וַיִּקְבְּרֻהוּ בְּבֵיתוֹ בָּרָמָה ISh. 25:1
19 וַיִּקְבְּרֻהוּ בָרָמָה וּבְעִירוֹ ISh. 28:3
20 אֲשֶׁר יַכֻּהוּ אֲרַמִּים בָּרָמָה IIK. 8:29
21 תִּקְעוּ שׁוֹפָר בַּגִּבְעָה חֲצֹצְרָה בָּרָמָה Hosh. 5:8
22 הַמַּכִּים אֲשֶׁר הִכֻּהוּ בָרָמָה IICh. 22:6
בְּרָמָה(?) 23 קוֹל בְּרָמָה נִשְׁמָע Jer. 31:15(14)
הָרָמָתָה 24 וַיָּשֻׁבוּ וַיָּבֹאוּ אֶל־בֵּיתָם הָרָמָתָה ISh. 1:19
25 וַיֵּלֶךְ אֶלְקָנָה הָרָמָתָה עַל־בֵּיתוֹ ISh. 2:11
26 וּתְשֻׁבָתוֹ הָרָמָתָה כִּי־שָׁם בֵּיתוֹ ISh. 7:17

הָרָמָתָה (המשך) 27 וַיָּבֹאוּ אֶל־שְׁמוּאֵל הָרָמָתָה ISh. 8:4
28 וַיֵּלֶךְ שְׁמוּאֵל הָרָמָתָה ISh. 15:34
29 וַיָּקָם שְׁמוּאֵל וַיֵּלֶךְ הָרָמָתָה ISh. 16:13
30 וַיָּבֹא אֶל־שְׁמוּאֵל הָרָמָתָה ISh. 19:18
31 וַיֵּלֶךְ גַּם־הוּא הָרָמָתָה ISh. 19:22

רִמָּה נ׳ א) שם כללי לתולעי־רקבון: 1-3, 5-7
ב) [בהשאלה] כנוי לדבר חסר ערך ושפל: 4
רִמָּה 1 תַּחְתֶּיךָ יֻצַּע רִמָּה וּמְכַסֶּיךָ תּוֹלֵעָה Is. 14:11
2 לָבַשׁ בְּשָׂרִי רִמָּה וְגוּשׁ° עָפָר Job 7:5
3 יִשְׁכָּחֵהוּ רֶחֶם מְתָקוֹ רִמָּה Job 24:20
4 אֱנוֹשׁ רִמָּה וּבֶן־אָדָם תּוֹלֵעָה Job 25:6
וְרִמָּה 5 וְלֹא הִבְאִישׁ וְרִמָּה לֹא־הָיְתָה־בּוֹ Ex. 16:24
6 וְרִמָּה תְּכַסֶּה עֲלֵיהֶם Job 21:26
לָרִמָּה 7 לַשַּׁחַת קָרָאתִי...אִמִּי וַאֲחֹתִי לָרִמָּה Job 17:14

רִמּוֹן[1] ז׳ א) עץ פרי בעל פרי גדול המכיל גרגרים
רבים חמצמצים־מתוקים: 1, 6-12, 14, 27, 28
ב) קשוט לכלי או למבנה בתבנית פרי זה: 2-5,
13, 15-26, 29-32

קרובים: ראה פְּרִי

עֲסִיס רִמּוֹן 12; פֶּלַח רִמּוֹן 9,10; פַּרְדֵּס רִמּוֹנִים 14;
רִמּוֹנֵי תְכֵלֶת וְאַרְגָּמָן 31, 32

רִמּוֹן 1 רִמּוֹן גַּם־תָּמָר וְתַפּוּחַ Joel 1:12
וְרִמּוֹן 2/3 פַּעֲמֹן זָהָב וְרִמּוֹן Ex. 28:34[2]
4/5 פַּעֲמֹן וְרִמֹּן פַּעֲמֹן וְרִמֹּן Ex. 39:26
6 וּתְאֵנָה וְגֶפֶן וְרִמּוֹן Num. 20:5
7 וְגֶפֶן וּתְאֵנָה וְרִמּוֹן Deut. 8:8
הָרִמּוֹן 8 וְשָׁאוּל יוֹשֵׁב...תַּחַת הָרִמּוֹן ISh. 14:2
9/10 כְּפֶלַח הָרִמּוֹן רַקָּתֵךְ S.ofS. 4:3; 6:7
וְהָרִמּוֹן 11 וְעַד־הַגֶּפֶן וְהַתְּאֵנָה וְהָרִמּוֹן Hag. 2:19
רִמֹּנִי 12 אַשְׁקְךָ מִיַּיִן הָרֶקַח מֵעֲסִיס רִמֹּנִי S.ofS. 8:2
רִמּוֹנִים 13 שְׁנֵי־טוּרִים רִמּוֹנִים לַשְּׂבָכָה הָאֶחָת IK.7:42
14 פַּרְדֵּס רִמּוֹנִים עִם פְּרִי מְגָדִים S.ofS. 4:13
15 וַיַּעַשׂ רִמּוֹנִים מֵאָה וַיִּתֵּן בַּשַּׁרְשְׁרוֹת IICh.3:16
16 שְׁנַיִם טוּרִים רִמּוֹנִים לַשְּׂבָכָה הָאֶחָת IICh.4:13
וְרִמּוֹנִים 17 וְרִמֹּנִים עַל־הַכֹּתֶרֶת סָבִיב IIK. 25:17
18 וְרִמּוֹנִים עַל־הַכּוֹתֶרֶת סָבִיב Jer. 52:22
19 וְכָאֵלֶּה לָעַמּוּד הַשֵּׁנִי וְרִמּוֹנִים Jer. 52:22
הָרִמֹּנִים 20 וַיִּתְּנוּ...הַפַּעֲמֹנִים בְּתוֹךְ הָרִמֹּנִים Ex. 39:25
21 שׁוּלֵי הַמְּעִיל סָבִיב בְּתוֹךְ הָרִמֹּנִים Ex. 39:25
22 וּמִן־הָרִמֹּנִים וּמִן־הַתְּאֵנִים Num. 13:23
23 הַכֹּתָרֹת אֲשֶׁר עַל־רֹאשׁ הָרִמֹּנִים IK. 7:18
24 וְאֶת־הָרִמֹּנִים אַרְבַּע מֵאוֹת IK. 7:42
25 וַיִּהְיוּ הָרִמֹּנִים תִּשְׁעִים וְשִׁשָּׁה Jer. 52:23
26 כָּל־הָרִמּוֹנִים מֵאָה Jer. 52:23
27 הֲפָרְחָה הַגֶּפֶן הֵנֵצוּ הָרִמֹּנִים S.ofS. 6:11
28 פִּתַּח הַסְּמָדַר הֵנֵצוּ הָרִמּוֹנִים S.ofS. 7:13
29 וְאֶת־הָרִמּוֹנִים אַרְבַּע מֵאוֹת IICh. 4:13
וְהָרִמּוֹנִים 30 וְהָרִמּוֹנִים מָאתַיִם טֻרִים סָבִיב IK. 7:20
רִמּוֹנֵי־ 31 רִמֹּנֵי תְּכֵלֶת וְאַרְגָּמָן Ex. 28:33
32 רִמּוֹנֵי תְכֵלֶת וְאַרְגָּמָן Ex. 39:24

רִמּוֹן[2] ש״פ א) עיר בנחלת זבולון: 1-4
ב) עיר בנחלת שמעון: 5
רִמּוֹן 1 וְיָצָא רִמּוֹן הַמְּתֹאָר הַנֵּעָה Josh. 19:13
2 עַיִן רִמּוֹן וָעֶתֶר וְעָשָׁן Josh. 19:7
3 עֵיטָם וָעַיִן רִמּוֹן וְתֹכֶן וְעָשָׁן ICh. 4:32
וְרִמּוֹן 4 וּלְבָאוֹת וְשִׁלְחִים וְעַיִן וְרִמּוֹן Josh. 15:32
לְרִמּוֹן 5 יִסּוֹב...כָּעֲרָבָה מִגֶּבַע לְרִמּוֹן Zech. 14:10

רִמּוֹן[3] שפ״ז – אבי רֵכָב וּבַעֲנָה רוצחי איש־בשת: 1-3
בְּנֵי רִמּוֹן 1-3
רִמּוֹן 1-3 בְּנֵי(־)רִמּוֹן הַבְּאֵרֹתִי IISh. 4:2, 5, 9

רִמּוֹן[4] ז׳ מאלילי ארם (אליל הרעם?): 1-3
בֵּית רִמּוֹן 1-3
בֵּית־רִמּוֹן 1 בְּבוֹא אֲדֹנִי בֵית־רִמּוֹן לְהִשְׁתַּחֲוֹת... IIK. 5:18
2 וְהִשְׁתַּחֲוֵיתִי בֵּית רִמֹּן IIK. 5:18
3 בְּהִשְׁתַּחֲוָיָתִי בֵּית רִמֹּן יִסְלַח־נָא יְיָ IIK. 5:18

(גַּת) רִמּוֹן ש״פ – עין גַּת־רִמּוֹן (באות ג׳)

(סֶלַע) רִמּוֹן ש״פ – מקום בנחלת בנימין,
סמוך אל גִּבְעָה: 1-5
בְּסֶ׳ רִמּוֹן 1 וַיֵּשְׁבוּ בְּסֶלַע רִמּוֹן Jud. 20:47
2 בְּנֵי בִנְיָמִן אֲשֶׁר בְּסֶלַע רִמּוֹן Jud. 21:13
סֶ׳־הָרִמּוֹן 3/4 וַיָּנֻסוּ...אֶל־סֶלַע הָרִמּוֹן Jud. 20:45, 47
הָרִמּוֹן 5 תַּחַת הָרִמּוֹן אֲשֶׁר בְּמִגְרוֹן ISh. 14:2

רִמֹּן פֶּרֶץ ש״פ – מתחנות בני ישראל
במסעיהם במדבר: 1, 2
בְּרִמּוֹן פָּ׳ 1 וַיִּסְעוּ מֵרִתְמָה וַיַּחֲנוּ בְּרִמֹּן פָּרֶץ Num. 33:19
מֵרִמּוֹן פָּ׳ 2 וַיִּסְעוּ מֵרִמֹּן פָּרֶץ וַיַּחֲנוּ בְּלִבְנָה Num. 33:20

רִמּוֹנוֹ ש״פ – היא רִמּוֹן[2](א), עיר בנחלת זבולון
רִמּוֹנוֹ 1 אֶת־רִמּוֹנוֹ וְאֶת־מִגְרָשֶׁיהָ ICh. 6:62

רָמוּת* נ׳ גאוה? פגרים?
רָמוּתֶךָ 1 וּמִלֵּאתִי הַגֵּאָיוֹת רָמוּתֶךָ Ezek. 32:5

רָמוֹת[1] שפ״ז – איש בימי עזרא
וְרָמוֹת 1 יָשׁוּב וּשְׁאָל וְרָמוֹת (כת׳ וִירֵמוֹת) Ez. 10:29

רָמוֹת[2] ש״פ א) מקום בגלעד: 1 [עין רָאמוֹת]
ב) מקום בנגב: 2 [עין רָאמוֹת נֶגֶב]
רָמוֹת 1 אֶת־רָמֹת בַּגִּלְעָד וְאֶת־מִגְרָשֶׁהָ Josh. 21:36
בְּרָמוֹת 2 וְלַאֲשֶׁר בְּרָמוֹת־נֶגֶב ISh. 30:27

רָמוֹת גִּלְעָד ש״פ – עיר מקלט בגלעד בנחלת גָּד: 1-20
[גם רָאמוֹת גִּלְעָד – עין רָאמוֹת]
רָמוֹת גִּלְ׳ 1 הַיְדַעְתֶּם כִּי־לָנוּ רָמֹת גִּלְעָד IK. 22:3
2 הֲתֵלֵךְ אִתִּי לַמִּלְחָמָה רָמֹת גִּלְעָד IK. 22:4
3 הַאֵלֵךְ עַל־רָמֹת גִּלְעָד לַמִּלְחָמָה IK. 22:6
4-14 רָמֹת גִּלְעָד IK. 22:12, 15, 29
IIK. 9:1, 4 • IICh. 18:2, 3, 5, 11, 14, 28
בְּרָמוֹת גִּלְ׳ 15 בֶּן־גֶּבֶר בְּרָמֹת גִּלְעָד IK. 4:13
16 וְיַעַל וְיִפֹּל בְּרָמֹת גִּלְעָד IK. 22:20
17 לַמִּלְחָמָה עִם־חֲזָאֵל...בְּרָמֹת גִּלְעָד IIK. 8:28
18 וְיוֹרָם הָיָה שֹׁמֵר בְּרָמֹת גִּלְעָד IIK. 9:14
19 וְיַעַל וְיִפֹּל בְּרָמוֹת גִּלְעָד IICh. 18:19
20 לַמִּלְחָ׳ עַל־חֲזָאֵל...בְּרָמוֹת גִּלְעָד IICh. 22:5

רֹמַח ז׳ כלי־מלחמה כעין כידון קצר: 1-15
קרובים: ראה חֶרֶב

רֹמַח וְצִנָּה 2, 4-6, 8; מָגֵן וָרֹמַח 3, 9, 11; חֲרָבוֹת
וּרְמָחִים 13, 15

רֹמַח 1 וַיָּקָם...וַיִּקַּח רֹמַח בְּיָדוֹ Num. 25:7
2 יוֹצֵא צָבָא אֹחֵז רֹמַח וְצִנָּה IICh. 25:5
וָרֹמַח 3 מָגֵן אִם־יֵרָאֶה וָרֹמַח Jud. 5:8
4 אַנְשֵׁי צָבָא...עֹרְכֵי צִנָּה וָרֹמַח ICh. 12:8(9)
5 בְּנֵי יְהוּדָה נֹשְׂאֵי צִנָּה וָרֹמַח ICh. 12:24(25)
6 חַיִל נֹשֵׂא צִנָּה וָרֹמַח IICh. 14:7
וּבְרֹמַח 7 בְּקֶשֶׁת...וּבְמַקֵּל יָד וּבְרֹמַח Ezek. 39:9
וּרְמָחִים 8 וּבְכָל־עִיר וָעִיר צִנּוֹת וּרְמָחִים IICh. 11:12
9 מָגִנִּים וּרְמָחִים וְכוֹבָעִים IICh. 26:14
הָרְמָחִים 10 מִרְקוּ הָרְמָחִים לִבְשׁוּ הַסִּרְיֹנֹת Jer. 46:4
וְהָרְמָחִים 11 מַחֲזִיקִים וְהָרְמָחִים הַמָּגִנִּים Neh. 4:10

בְּרְמָחִים 12 וְחֲצָיִם מַחֲזִיקִים בָּרְמָחִים Neh. 4:15
וּבָרְמָחִים 13 וַיִּתְגֹּדְדוּ...בַּחֲרָבוֹת וּבָרְמָחִים IK. 18:28
לִרְמָחִים 14 כֹּתּוּ...וּמַזְמְרֹתֵיכֶם לִרְמָחִים Joel 4:10
רָמְחֵיהֶם 15 חַרְבֹתֵיהֶם רָמְחֵיהֶם וְקַשְּׁתֹתֵיהֶם Neh. 4:7

רְמִיָּה

ג׳ מרמה, כזב: 1-15 • קרובים: ראה אָוֶן

כַּף רְמִיָּה 10; לְשׁוֹן רְמִיָּה 8, 9; נֶפֶשׁ רְמִיָּה 12;
עוֹשֶׂה רְמִיָּה 5, 7; קֶשֶׁת רְמִיָּה 2, 6

רְמִיָּה 1 אָרוּר עֹשֶׂה מְלֶאכֶת יְיָ רְמִיָּה Jer. 48:10
2 יָשׁוּבוּ לֹא עָל הָיוּ כְּקֶשֶׁת רְמִיָּה Hosh. 7:16
3 וּלְשׁוֹנָם רְמִיָּה בְּפִיהֶם Mic. 6:12
4 וְאֵין בְּרוּחוֹ רְמִיָּה Ps. 32:2
5 כְּתַעַר מְלֻטָּשׁ עֹשֵׂה רְמִיָּה Ps. 52:4
6 נֶהְפְּכוּ כְּקֶשֶׁת רְמִיָּה Ps. 78:57
7 עֹשֵׂה רְמִיָּה דֹּבֵר שְׁקָרִים Ps. 101:7
8 מִשְּׂפַת־שֶׁקֶר מִלָּשׁוֹן רְמִיָּה Ps. 120:2
9 מַה־יִּתֵּן לְךָ...לָשׁוֹן רְמִיָּה Ps. 120:3
10 רָאשׁ עֹשֶׂה כַף־רְמִיָּה Prov. 10:4
11 לֹא־יַחֲרֹךְ רְמִיָּה צֵידוֹ Prov. 12:27
12 וְנֶפֶשׁ רְמִיָּה תִרְעָב Prov. 19:15
13 הַלְאֵל...וְלוֹ תְּדַבְּרוּ רְמִיָּה Job 13:7
14 וּלְשׁוֹנִי אִם־יֶהְגֶּה רְמִיָּה Job 27:4
וּרְמִיָּה 15 וּרְמִיָּה תִּהְיֶה לָמַס Prov. 12:24

רַמְיָה

שפ״ז – איש בימי עזרא

רַמְיָה 1 מִבְּנֵי פַרְעֹשׁ רַמְיָה וְיִזִּיָּה Ez. 10:25

רַמִּים

(דה״ב כב5) – עין אֲרַמִּי (12)

רַמָּךְ*

ז׳ סוג של סוסים גזעיים

הָרַמָּכִים 1 רֹכְבֵי הָרֶכֶשׁ...בְּנֵי הָרַמָּכִים Es. 8:10

רְמַלְיָהוּ

שפ״ז – אבי פֶּקַח מלך ישראל: 1-13
בֶּן־רְמַלְיָהוּ 1-13

רְמַלְיָהוּ 1-4 פֶּקַח בֶּן־רְמַלְיָהוּ IIK. 15:25, 27, 30, 37
5/6 לְפֶקַח בֶּן־רְמַלְיָהוּ IIK. 15:32; 16:1
7 רְצִין...וּפֶקַח בֶּן־רְמַלְיָהוּ IIK. 16:5
8 רְצִין מֶלֶךְ־אֲרָם וּפֶקַח בֶּן־רְמַלְיָהוּ Is. 7:1
9 רְצִין וַאֲרָם וּבֶן־רְמַלְיָהוּ Is. 7:4
10 אֶפְרַיִם וּבֶן־רְמַלְיָהוּ Is. 7:5
11 וְרֹאשׁ שֹׁמְרוֹן בֶּן־רְמַלְיָהוּ Is. 7:9
12 וּמְשׂוֹשׂ אֶת־רְצִין וּבֶן־רְמַלְיָהוּ Is. 8:6
13 וַיַּהֲרֹג פֶּקַח בֶּן־רְמַלְיָהוּ בִּיהוּדָה IICh. 28:6

רמם : רָמַם; רִמָּה; רִמּוֹן(?)

רָמַם1 פ׳ העלה רִמָּה

וַיָּרֻם 1 וַיָּרֻם תּוֹלָעִים וַיִּבְאַשׁ Ex. 16:20

(רמם)2 רֹמּוּ (איוב כד24), יֵרוֹמּוּ (יחזקאל י19) – עין (רום)

רֹמַמְתִּי עֶזֶר שפ״ז – עין רוֹמַמְתִּי עֶזֶר

רמס : רָמַס, נִרְמַס; מִרְמָס

רָמַס פ׳ א) דרס, דרך (גם בהשאלה): 1-18
ב) [נפ׳ נִרְמַס] נדרס: 19

קרובים: בּוּס (בוס) / בָּעַט / דָּרַךְ / רָמַס

רְמֹס 1 מִי־בִקֵּשׁ זֹאת מִיֶּדְכֶם רְמֹס חֲצֵרָי Is. 1:12
וְרָמַס 2 אֲשֶׁר אִם־עָבַר וְרָמַס וְטָרַף Mic. 5:7
רוֹמֵס 3 כָּלָה שֹׁד תַּמּוּ רֹמֵס מִן־הָאָרֶץ Is. 16:4
וְאֶרְמְסֵם 4 וְאֶדְרְכֵם בְּאַפִּי וְאֶרְמְסֵם בַּחֲמָתִי Is. 63:3
תִּרְמֹס 5 תִּרְמֹס כְּפִיר וְתַנִּין Ps. 91:13
יִרְמֹס 6 יִרְמֹס אֶת־כָּל־חוּצוֹתָיִךְ Ezek. 26:11
יִרְמָס־ 7 וּכְמוֹ יוֹצֵר יִרְמָס־טִיט Is. 41:25
וְיִרְמֹס 8 יִרְדֹּף...וְיַשֵּׂג וְיִרְמֹס לָאָרֶץ חַיָּי Ps. 7:6
וַיִּרְמְסֵהוּ 9 וַיַּשְׁלִיכֵהוּ אַרְצָה וַיִּרְמְסֵהוּ Dan. 8:7
וַיִּרְמְסֶנָּה 10 וַיִּז מִדָּמָהּ...וְאֶל־הַסּוּסִים וַיִּרְמְסֶנָּה IIK.9:33
וַתִּרְמֹס 11 וַתַּעֲבֹר...וַתִּרְמֹס אֶת־הַחוֹחַ IIK. 14:9
12 וַתַּעֲבֹר...וַתִּרְמֹס אֶת־הַחוֹחַ IICh. 25:18
תִּרְמְסֶנָּה 13 תִּרְמְסֶנָּה רָגֶל רַגְלֵי עָנִי Is. 26:6
וַתִּרְמְסֵם 14 וַתַּפֵּל...וּמִן־הַכּוֹכָבִים וַתִּרְמְסֵם Dan. 8:10
תִּרְמֹסוּ 15 וְיֶתֶר מִרְעֵיכֶם תִּרְמְסוּ בְּרַגְלֵיכֶם Is. 34:18
וַיִּרְמְסוּ 16 וַיִּרְמְסוּ אֹתוֹ הָעָם בַּשַּׁעַר וַיָּמֹת IIK. 7:20
וַיִּרְמְסֻהוּ 17 וַיִּרְמְסֻהוּ הָעָם בַּשַּׁעַר וַיָּמֹת IIK. 7:17
וְרִמְסִי 18 בֹּאִי בַטִּיט וְרִמְסִי בַחֹמֶר Nah. 3:14
תֵּרָמַסְנָה 19 בְּרַגְלַיִם תֵּרָמַסְנָה עֲטֶרֶת גֵּאוּת... Is. 28:3

רמשׂ : רָמַשׂ; רֶמֶשׂ

רָמַשׂ פ׳ זחל על הארץ: 1-17

רוֹמֵשׂ 1 וּלְכֹל רוֹמֵשׂ עַל־הָאָרֶץ Gen. 1:30
2 וְכֹל אֲשֶׁר־רֹמֵשׂ עַל־הָאֲדָמָה Gen. 7:8
3 כֹּל רוֹמֵשׂ עַל־הָאָרֶץ Gen. 8:19
4 תַּבְנִית כָּל־רֹמֵשׂ בָּאֲדָמָה Deut. 4:18
5 יְהַלְלוּהוּ...יַמִּים וְכָל־רֹמֵשׂ בָּם Ps. 69:35
הָרוֹמֵשׂ 6/7 וּבְכָל־הָרֶמֶשׂ הָרֹמֵשׂ עַל־הָאָ׳ Gen. 1:26; 8:17
8 וְכָל־הָרֶמֶשׂ הָרֹמֵשׂ עַל־הָאָרֶץ Gen. 7:14
9 וַיִּגְוַע כָּל־בָּשָׂר הָרֹמֵשׂ עַל־הָאָרֶץ Gen. 7:21
10 בְּכָל־הַשֶּׁרֶץ הָרֹמֵשׂ עַל־הָאָרֶץ Lev. 11:44
11 וְכָל־הָרֶמֶשׂ הָרֹמֵשׂ עַל־הָאֲדָמָה Ezek. 38:20
הָרוֹמֶשֶׂת 12 וְאֵת כָּל־נֶפֶשׁ הַחַיָּה הָרֹמֶשֶׂת Gen. 1:21
13 וּבְכָל־חַיָּה הָרֹמֶשֶׂת עַל־הָאָרֶץ Gen. 1:28
14 וּלְכֹל נֶפֶשׁ הַחַיָּה הָרֹמֶשֶׂת בַּמָּיִם Lev. 11:46
תִּרְמֹשׂ 15 בְּכֹל אֲשֶׁר תִּרְמֹשׂ הָאֲדָמָה Gen. 9:2
16 וּבְכֹל אֲשֶׁר תִּרְמֹשׂ הָאֲדָמָה Lev. 20:25
17 בּוֹ־תִרְמֹשׂ כָּל־חַיְתוֹ־יָעַר Ps. 104:20

רֶמֶשׂ

ז׳ שם כולל לבעלי־חיים חסרי חוליות הזוחלים על הארץ: 1-17

רֶמֶשׂ הָאֲדָמָה 15-17; תַּבְנִית רֶמֶשׂ 4

רֶמֶשׂ 1/2 עַד־רֶמֶשׂ וְעַד־עוֹף הַשָּׁמָיִם Gen. 6:7; 7:23
3 כָּל־רֶמֶשׂ אֲשֶׁר הוּא־חַי Gen. 9:3
4 כָל־תַּבְנִית רֶמֶשׂ וּבְהֵמָה שֶׁקֶץ Ezek. 8:10
5 שָׁם־רֶמֶשׂ וְאֵין מִסְפָּר Ps. 104:25
6 רֶמֶשׂ וְצִפּוֹר כָּנָף Ps. 148:10
וָרֶמֶשׂ 7 בְּהֵמָה וָרֶמֶשׂ וְחַיְתוֹ־אֶרֶץ לְמִינָהּ Gen. 1:24
הָרֶמֶשׂ 8/9 וּבְכָל־הָרֶמֶשׂ הָרֹמֵשׂ עַל־הָאָ׳ Gen. 1:26; 8:17
10 וְכָל־הָרֶמֶשׂ הָרֹמֵשׂ עַל־הָאָרֶץ Gen. 7:14
11 כָּל־הַחַיָּה כָּל־הָרֶמֶשׂ וְכָל־הָעוֹף Gen. 8:19
12 וְעַל־הָרֶמֶשׂ וְעַל־הַדָּגִים IK. 5:13
13 וְכָל־הָרֶמֶשׂ הָרֹמֵשׂ עַל־הָאֲדָמָה Ezek. 38:20
כְּרֶמֶשׂ 14 כִּדְגֵי הַיָּם כְּרֶמֶשׂ לֹא־מֹשֵׁל בּוֹ Hab. 1:14
רֶמֶשׂ־ 15 וְאֵת כָּל־רֶמֶשׂ הָאֲדָמָה Gen. 1:25
16 מִכֹּל רֶמֶשׂ הָאֲדָמָה לְמִינֵהוּ Gen. 6:20
וְרֶמֶשׂ־ 17 וְעִם־עוֹף הַשָּׁמַיִם וְרֶמֶשׂ הָאֲדָמָה Hosh. 2:20

רֶמֶת

ש״פ – עיר בנחלת יששכר, היא רָאמוֹת

וְרֶמֶת 1 וְרֶמֶת וְעֵין־גַּנִּים וְעֵין חַדָּה Josh. 19:21

רָמַת נֶגֶב

ש״פ – עין רָאמַת נֶגֶב

רָמָתִי

ת׳ תושב רָמָה

הָרָמָתִי 1 וְעַל־הַכְּרָמִים שִׁמְעִי הָרָמָתִי ICh. 27:27

רָמָתַיִם

ש״פ – היא רָמָה בנחלת בנימין

הָרָמָתַיִם 1 מִן־הָרָמָתַיִם צוֹפִים מֵהַר אֶפְרָיִם ISh. 1:1

רֹן*

ז׳ שיר, זמר

רָנֵּי 1 מִצַּר תִּצְּרֵנִי רָנֵּי פַלֵּט תְּסוֹבְבֵנִי Ps. 32:7

רִנָּה1

נ׳ א) זמרה, שירה: 1-6, 9-14, 18-24, 31
ב) שירת תְּפִלָּה: 7, 8, 15, 17, 25-30, 32, 33
ג) שמועה, שיחה: 16

קרובים: ראה זִמְרָה

– רִנָּה וּתְפִלָּה 7, 8, 15, 17, 26; קוֹל רִנָּה 3, 10-12
– נָשָׂא רִנָּה 7, 8; עָבַר (?) הָרִנָּה 16; פָּצַח רִנָּה 1, 2, 4-6; קָרְבָה רִנָּה 28; שָׁמַע רִנָּה 15, 27, 32, 33

רִנָּה 1 נָחָה שָׁקְטָה...פָּצְחוּ רִנָּה Is. 14:7
2 פִּצְחוּ הָרִים רִנָּה Is. 44:23
3 בְּקוֹל רִנָּה הַגִּידוּ הַשְׁמִיעוּ זֹאת Is. 48:20
4 רָנּוּ שָׁמַיִם...וּפִצְחוּ הָרִים רִנָּה Is. 49:13
5 פִּצְחִי רִנָּה וְצַהֲלִי לֹא־חָלָה Is. 54:1
6 הֶהָרִים...יִפְצְחוּ לִפְנֵיכֶם רִנָּה Is. 55:12
7/8 וְאַל־תִּשָּׂא בַעֲדָם רִנָּה וּתְפִלָּה Jer. 7:16; 11:14
9 בָּעֶרֶב יָלִין בֶּכִי וְלַבֹּקֶר רִנָּה Ps. 30:6
10 בְּקוֹל־רִנָּה וְתוֹדָה הָמוֹן חוֹגֵג Ps. 42:5
11 הָרִיעוּ לֵאלֹהִים בְּקוֹל רִנָּה Ps. 47:2
12 קוֹל רִנָּה וִישׁוּעָה בְּאָהֳלֵי צַדִּיקִים Ps. 118:15
13 יִמָּלֵא שְׂחוֹק פִּינוּ וּלְשׁוֹנֵנוּ רִנָּה Ps. 126:2
14 וּבַאֲבֹד רְשָׁעִים רִנָּה Prov. 11:10
הָרִנָּה 15 לִשְׁמֹעַ אֶל־הָרִנָּה וְאֶל־הַתְּפִלָּה IK. 8:28
16 וַיַּעֲבֹר הָרִנָּה בַּמַּחֲנֶה...לֵאמֹר IK. 22:36
17 לִשְׁמֹעַ אֶל־הָרִנָּה וְאֶל־הַתְּפִלָּה IICh. 6:19
בְּרִנָּה 18/9 וּבָאוּ צִיּוֹן בְּרִנָּה Is. 35:10; 51:11
20 יָגִיל עָלַיִךְ בְּרִנָּה Zep. 3:17
21 וַיּוֹצִא...בְּרִנָּה אֶת־בְּחִירָיו Ps. 105:43
22 וִיסַפְּרוּ מַעֲשָׂיו בְּרִנָּה Ps. 107:22
23 הַזֹּרְעִים בְּדִמְעָה בְּרִנָּה יִקְצֹרוּ Ps. 126:5
24 בֹּא־יָבֹא בְרִנָּה נֹשֵׂא אֲלֻמֹּתָיו Ps. 126:6
25 וּבְעֵת הֵחֵלּוּ בְרִנָּה וּתְהִלָּה IICh. 20:22
רִנָּתִי 26 הַקְשִׁיבָה רִנָּתִי הַאֲזִינָה תְפִלָּתִי Ps. 17:1
27 שִׁמְעָה אֱלֹהִים רִנָּתִי Ps. 61:2
28 תִּקְרַב רִנָּתִי לְפָנֶיךָ Ps. 119:169
29 הַקְשִׁיבָה אֶל־רִנָּתִי Ps. 142:7
לְרִנָּתִי 30 הַטֵּה אָזְנְךָ לְרִנָּתִי Ps. 88:3
רִנָּתָם 31 וְכַשְׂדִּים בָּאֳנִיּוֹת רִנָּתָם Is. 43:14
32 כִּי יָצֻמוּ אֵינֶנִּי שֹׁמֵעַ אֶל־רִנָּתָם Jer. 14:12
33 בְּצַר לָהֶם בְּשָׁמְעוֹ אֶת־רִנָּתָם Ps. 106:44

רִנָּה2

שפ״ז – איש משבט יהודה

וְרִנָּה 1 וּבְנֵי שִׁימוֹן אַמְנוֹן וְרִנָּה ICh. 4:20

רָנָה

פ׳ רעש? צלצל?

תִּרְנֶה 1 עָלָיו תִּרְנֶה אַשְׁפָּה Job 39:23

רנן : רָנַן, רִנֵּן, רֻנַּן, הִרְנִין, הִתְרוֹנֵן; רֹן, רִנָּה, רְנָנָה; ש״פ רִנָּה

רָנַן, רַן פ׳ א) שר, זמר, השמיע קול: 1-19
ב) [פ׳ רִנֵּן] זמר, שר: 20-47
ג) [פ׳ רֻנַּן] נשמע קול שיר: 48
ד) [הת׳ הִתְרוֹנֵן] צהל, השמיע קול תרועה: 49
ה) [הפ׳ הִרְנִין] שִׂמֵּחַ: 50
ו) [כנ״ל] רנן, שר: 51-54

בְּרָן־ 1 בְּרָן־יַחַד כּוֹכְבֵי בֹקֶר Job 38:7
יָרוּן 2 וְצַדִּיק יָרוּן וְשָׂמֵחַ Prov. 29:6
וְתָרֹן 3 וְתָרֹן לְשׁוֹן אִלֵּם Is. 35:6
תָּרֹנָּה 4 חָכְמוֹת בַּחוּץ תָּרֹנָּה Prov. 1:20
5 מְבוֹא פְתָחִים תָּרֹנָּה Prov. 8:3
יָרֹנּוּ 6 הֵמָּה יִשְׂאוּ קוֹלָם יָרֹנּוּ Is. 24:14

יָרֹנּוּ (המשך) 7 יָרֹנּוּ יֹשְׁבֵי סֶלַע — Is. 42:11
8 תַּחַת בָּשְׁתְּכֶם...יָרֹנּוּ חֶלְקָם — Is. 61:7
9 הִנֵּה עֲבָדַי יָרֹנּוּ מִטּוּב לֵב — Is. 65:14
10 יָרֹנּוּ וְיִשְׂמְחוּ חֲפֵצֵי צִדְקִי — Ps. 35:27
וַיָּרֹנּוּ 11 וַיָּרֹנּוּ וַיִּפְּלוּ עַל־פְּנֵיהֶם — Lev. 9:24
רָנִּי 12 רָנִּי עֲקָרָה לֹא יָלָדָה — Is. 54:1
13 רָנִּי בַּת־צִיּוֹן הָרִיעוּ יִשְׂרָאֵל — Zep. 3:14
14 רָנִּי וְשִׂמְחִי בַּת־צִיּוֹן — Zech. 2:14
רֹנִּי 15 קוּמִי רֹנִּי בַלַּיְלָה — Lam. 2:19
וָרֹנִּי 16 צַהֲלִי וָרֹנִּי יוֹשֶׁבֶת צִיּוֹן — Is. 12:6
רָנּוּ 17 רָנּוּ שָׁמַיִם כִּי־עָשָׂה יְיָ — Is. 44:23
18 רָנּוּ שָׁמַיִם וְגִילִי אָרֶץ — Is. 49:13
19 רָנּוּ לְיַעֲקֹב שִׂמְחָה — Jer. 31:7(6)
רַנֵּן 20 וַחֲסִידֶיהָ רַנֵּן יְרַנֵּנוּ — Ps. 132:16
וְרַנֵּן 21 פָּרֹחַ תִּפְרַח וְתָגֵל אַף גִּילַת וְרַנֵּן — Is. 35:2
וְרִנְּנוּ 22 וּבָאוּ וְרִנְּנוּ בִמְרוֹם־צִיּוֹן — Jer. 31:12(11)
23 וְרִנְּנוּ עַל־בָּבֶל שָׁמַיִם וָאָרֶץ — Jer. 51:48
אֲרַנֵּן 24 וּבְצֵל כְּנָפֶיךָ אֲרַנֵּן — Ps. 63:8
25 בְּמַעֲשֵׂה יָדֶיךָ אֲרַנֵּן — Ps. 92:5
וַאֲרַנֵּן 26 אָשִׁיר עֻזֶּךָ וַאֲרַנֵּן לַבֹּקֶר חַסְדֶּךָ — Ps. 59:17
תְּרַנֵּן 27 תְּרַנֵּן לְשׁוֹנִי צִדְקָתֶךָ — Ps. 51:16
נְרַנְּנָה 28 נְרַנְּנָה בִּישׁוּעָתֶךָ — Ps. 20:6
29 לְכוּ נְרַנְּנָה לַיְיָ נָרִיעָה לְצוּר יִשְׁעֵנוּ — Ps. 95:1
וּנְרַנְּנָה 30 וּנְרַנְּנָה וְנִשְׂמְחָה בְּכָל־יָמֵינוּ — Ps. 90:14
יְרַנְּנוּ 31 לִבִּי וּבְשָׂרִי יְרַנְּנוּ אֶל אֵל־חָי — Ps. 84:3
32 אָז יְרַנְּנוּ כָּל־עֲצֵי־יָעַר — Ps. 96:12
33 יַעְלְזוּ...יְרַנְּנוּ עַל־מִשְׁכְּבוֹתָם — Ps. 149:5
34 אָז יְרַנְּנוּ עֲצֵי הַיָּעַר — ICh. 16:33
יְרַנֵּנוּ 35 נָשְׂאוּ קוֹל יַחְדָּו יְרַנֵּנוּ — Is. 52:8
36 וְיִשְׂמְחוּ...לְעוֹלָם יְרַנֵּנוּ — Ps. 5:12
37 תָּבוֹר וְחֶרְמוֹן בְּשִׁמְךָ יְרַנֵּנוּ — Ps. 89:13
38 יַחַד הָרִים יְרַנֵּנוּ — Ps. 98:8
39 כֹּהֲנֶיךָ...וַחֲסִידֶיךָ יְרַנֵּנוּ — Ps. 132:9
40 וְכֹהֲנֶיהָ...וַחֲסִידֶיהָ רַנֵּן יְרַנֵּנוּ — Ps. 132:16
41 יַבִּיעוּ וְצִדְקָתְךָ יְרַנֵּנוּ — Ps. 145:7
וִירַנְּנוּ 42 יִשְׂמְחוּ וִירַנְּנוּ לְאֻמִּים — Ps. 67:5
תְּרַנֵּנָּה 43 תְּרַנֵּנָּה שְׂפָתַי כִּי אֲזַמְּרָה־לָּךְ — Ps. 71:23
רַנְּנוּ 44 פִּצְחוּ רַנְּנוּ יַחְדָּו חָרְבוֹת יְרוּשָׁ׳ — Is. 52:9
45 רַנְּנוּ צַדִּיקִים בַּיְיָ — Ps. 33:1
וְרַנְּנוּ 46 הָקִיצוּ וְרַנְּנוּ שֹׁכְנֵי עָפָר — Is. 26:19
47 פִּצְחוּ וְרַנְּנוּ וְזַמֵּרוּ — Ps. 98:4
יְרֻנָּן 48 וּבַכְּרָמִים לֹא־יְרֻנָּן לֹא יְרֹעָע — Is. 16:10
מִתְרוֹנֵן 49 וַיִּקַץ...כְּגִבּוֹר מִתְרוֹנֵן מִיָּיִן — Ps. 78:65
אַרְנִן 50 וְלֵב אַלְמָנָה אַרְנִן — Job 29:13
תַּרְנִין 51 מוֹצָאֵי־בֹקֶר וָעֶרֶב תַּרְנִין — Ps. 65:9
הַרְנִינוּ 52 הַרְנִינוּ גוֹיִם עַמּוֹ — Deut. 32:43
53 הַרְנִינוּ לֵאלֹהִים עוּזֵּנוּ הָרִיעוּ... — Ps. 81:2
וְהַרְנִינוּ 54 שִׂמְחוּ...וְהַרְנִינוּ כָּל־יִשְׁרֵי־לֵב — Ps. 32:11

רְנָנָה
נ׳ רנה, זמרה: 1-4 • קרובים: ראה זִמְרָה
רִנְנַת רְשָׁעִים 3; שִׂפְתֵי רְנָנוֹת 4
רְנָנָה 1 יְהִי גַלְמוּד אַל־תָּבֹא רְנָנָה בוֹ — Job 3:7
בִּרְנָנָה 2 בֹּאוּ לְפָנָיו בִּרְנָנָה — Ps. 100:2
רִנְנַת־ 3 כִּי רִנְנַת רְשָׁעִים מִקָּרוֹב — Job 20:5
רְנָנוֹת 4 וְשִׂפְתֵי רְנָנוֹת יְהַלֶּל־פִּי — Ps. 63:6

רְנָנִים
ז״ר – זמרה • כְּנַף רְנָנִים 1
רְנָנִים 1 כְּנַף־רְנָנִים נֶעֱלָסָה — Job 39:13

רִסָּה
ש״פ – מתחנות ישראל במסעיהם במדבר: 2,1
בְּרִסָּה 1 וַיִּסְעוּ מִלִּבְנָה וַיַּחֲנוּ בְּרִסָּה — Num. 33:21
מֵרִסָּה 2 וַיִּסְעוּ מֵרִסָּה וַיַּחֲנוּ בִּקְהֵלָתָה — Num. 33:22

רְסִיס*
ז׳ א) פֵּרוּר, שבר: 1
ב) טפה: 2
רְסִיסֵי לַיְלָה 2
רְסִיסִים 1 וְהִכָּה הַבַּיִת הַגָּדוֹל רְסִיסִים — Am. 6:11
רְסִיסֵי־ 2 שֶׁרֹּאשִׁי נִמְלָא־טָל קְוֻצּוֹתַי רְסִיסֵי לָיְלָה — S.ofS.5:2

רֶסֶן[1]
ז׳ א) רתמה לראש הבהמה: 3, 4
ב) [בהשאלה] מעצור, מחסום: 1, 2
מֶתֶג וָרֶסֶן 3; רֶסֶן מַתְעֶה 1; כֶּפֶל רִסְנוֹ 4
וְרֶסֶן 1 וְרֶסֶן מַתְעֶה עַל לְחָיֵי עַמִּים — Is. 30:28
2 וְרֶסֶן מִפָּנַי שִׁלֵּחוּ — Job 30:11
וָרֶסֶן 3 בְּמֶתֶג־וָרֶסֶן עֶדְיוֹ לִבְלוֹם — Ps. 32:9
רִסְנוֹ 4 בְּכֶפֶל רִסְנוֹ מִי יָבוֹא — Job 41:5

רֶסֶן[2]
ש״פ – מקום בארץ אשור
רֶסֶן 1 וְאֶת־רֶסֶן בֵּין נִינְוֵה וּבֵין כָּלַח — Gen. 10:12

רסס
: רסס (לָרֹס); רְסִיס; ש״פ רִסָּה

רָסַס, רַס
פ׳ בלל, הטיל טפות
לָרֹס 1 וְשֶׁמֶן...לָרֹס אֶת־הַסֹּלֶת — Ezek. 46:14

רַע, רָע
ת׳ א) לא טוב, גרוע, שלילי בטיבו, במוסריותו וכד׳: רוב המקראות 1-141
ב) מסוכן, משחית: 23, 24, 26, 27, 39, 40, 65, 66, 67, 77-80, 82, 98, 100, 105, 113, 115, 117, 120
ג) עין גם רעע
– רַע וָטוֹב 4, 17, 18, 68, 108, 109
– רַע רַע 10; רַע וָמָר 7
– רַע בְּעֵינָיו 5, 6, 8, 16, 66, 131
– רַע מַעֲלָלִים 44; רַע עַיִן 12, 13
– אָדָם רַע 31; אִישׁ רַע 25, 32, 38; אֹרַח רַע 30; דָּבָר רַע 20, 23, 27, 29, 33, 41, 42, 45, 48-51, 62; דּוֹר רַע 47; דֶּרֶךְ רַע 34, 35, 37, 58, 59; הָמָן הָרָע 61; חֳלִי רַע 40; יֵצֶר רַע 1; לֵב רַע 52-54, 56, 57; מוּם רַע 19; מוּסָר רַע 36; מַעֲשֶׂה רַע 14, 60; מָקוֹם רַע 46; מַרְאֶה רַע 3; עַם רַע 55; פֶּגַע רַע 26; רָשָׁע רַע 28; שְׁחִין רַע 24, 39; שֵׁם רַע 21, 22, 43
– אֶרֶץ רָעָה (68); דִּבָּה רָעָה 63, 69; דֶּרֶךְ רָעָה 85, 87-94; חַיָּה רָעָה 64, 65, 67, 77-80; מַחֲשָׁבָה רָעָה 95; מְצוֹדָה ר׳ 82; מִשְׁפָּחָה ר׳ 86; עֵדָה ר׳ 83, 84; רוּחַ רָעָה 70-75; שְׁמוּעָה רָעָה 76, 81
– אוֹתוֹת רָעִים 115; אֲנָשִׁים ר׳ (96), (103), (104); גְּאוֹן ר׳ 111; דְּבָרִים ר׳ 99, 101; דֶּרֶךְ ר׳ 106; דְּרָכִים ר׳ 118, 122-125, 129; חֳלָיִים ר׳ 98; חִצִּים ר׳ 120; יַד רָעִים 103-104; יָמִים ר׳ 110, 114; כֵּלִים ר׳ 102; מַדְוִים ר׳ 117; מוֹפְתִים ר׳ 115; מַיִם ר׳ 100; מַלְאֲכֵי ר׳ 105; מַעֲלָלִים ר׳ 126, 128; מַעֲשִׂים רָעִים 127; מְצוֹד רָעִים 107; פָּנִים רָעִים 97, 112; שְׁכֵנִים רָעִים 119; שְׁפָטִים רָעִים 121; תַּחֲלוּאִים רָעִים 113
– רָעֵי גוֹיִם 130; רָעוֹת מַרְאֶה 132, 133; רָעוֹת תֹּאַר 136
– פָּרוֹת...רָעוֹת 140, 141; תְּאֵנִים ר׳ 134, (135), 138; תּוֹעֲבוֹת רָעוֹת 139
רַע 1 יֵצֶר לֵב הָאָדָם רַע מִנְּעֻרָיו — Gen. 8:21
2 וַיְהִי עֵר...רַע בְּעֵינֵי יְיָ — Gen. 38:7
3 וּמַרְאֵיהֶן רַע כַּאֲשֶׁר בַּתְּחִלָּה — Gen. 41:21
4 וְלֹא־יָמִיר אֹתוֹ...רַע בְּטוֹב — Lev. 27:10

רַע (המשך) 5 אִם־רַע בְּעֵינֶיךָ אָשׁוּבָה לִּי — Num. 22:34
6 וְאִם רַע בְּעֵינֵיכֶם לַעֲבֹד... — Josh. 24:15
7 כִּי־רַע וָמָר עָזְבֵךְ אֶת־יְיָ — Jer. 2:19
8 וְאִם־רַע בְּעֵינֶיךָ לָבוֹא־אִתִּי — Jer. 40:4
9 אוֹיְבַי יֹאמְרוּ רַע לִי — Ps. 41:6
10/1 רַע רַע יֹאמַר הַקּוֹנֶה — Prov. 20:14
12 אַל־תִּלְחַם אֶת־לֶחֶם רַע עָיִן — Prov. 23:6
13 נִבְהָל לַהוֹן אִישׁ רַע עָיִן — Prov. 28:22
14 כִּי רַע עָלַי הַמַּעֲשֶׂה — Eccl. 2:17
15 וְלֹא־הָיִיתִי רַע לְפָנָיו — Neh. 2:1
16 וַיְהִי עֵר...רַע בְּעֵינֵי יְיָ — ICh. 2:3
רָע 17/8 בֵּין טוֹב וּבֵין רָע — Lev. 27:12, 14
19 פִּסֵּחַ אוֹ עִוֵּר כֹּל מוּם רָע — Deut. 15:21
20 אֲשֶׁר יִהְיֶה בוֹ מוּם כֹּל דָּבָר רָע — Deut. 17:1
21 וְהוֹצִא עָלֶיהָ שֵׁם רָע — Deut. 22:14
22 כִּי הוֹצִיא שֵׁם רָע — Deut. 22:19
23 וְנִשְׁמַרְתָּ מִכֹּל דָּבָר רָע — Deut. 23:10
24 יַכְּכָה יְיָ בִּשְׁחִין רָע — Deut. 28:35
25 וַיַּעַן כָּל־אִישׁ רָע וּבְלִיַּעַל — ISh. 30:22
26 אֵין שָׂטָן וְאֵין פֶּגַע רָע — IK. 5:18
27 וְלֹא הָיָה דָּבָר רָע בַּסִּיר — IIK. 4:41
28 אוֹי לְרָשָׁע רָע — Is. 3:11
29 יְחַזְּקוּ־לָמוֹ דָּבָר רָע — Ps. 64:6
30 מִכָּל־אֹרַח רָע כָּלִאתִי רַגְלָי — Ps. 119:101
31 חַלְּצֵנִי יְיָ מֵאָדָם רָע — Ps. 140:2
32 אִישׁ־חָמָס רָע — Ps. 140:12
33 אַל־תַּט־לִבִּי לְדָבָר רָע — Ps. 141:4
34 לְהַצִּילְךָ מִדֶּרֶךְ רָע — Prov. 2:12
35 גֵּאָה וְגָאוֹן וְדֶרֶךְ רָע...שָׂנֵאתִי — Prov. 8:13
36 מוּסָר רָע לְעֹזֵב אֹרַח — Prov. 15:10
37 מַשְׁגֶּה יְשָׁרִים בְּדֶרֶךְ רָע — Prov. 28:10
38 בְּפֶשַׁע אִישׁ רָע מוֹקֵשׁ — Prov. 29:6
39 וַיַּךְ אֶת־אִיּוֹב בִּשְׁחִין רָע — Job 2:7
40 זֶה הֶבֶל וָחֳלִי רָע הוּא — Eccl. 6:2
41 אַל־תַּעֲמֹד בְּדָבָר רָע — Eccl. 8:3
42 שׁוֹמֵר מִצְוָה לֹא יֵדַע דָּבָר רָע — Eccl. 8:5
43 וְהָיָה לָהֶם לְשֵׁם רָע — Neh. 6:13
וְרַע 44 וְהָאִישׁ קָשֶׁה וְרַע מַעֲלָלִים — ISh. 25:3
הָרָע 45 אֶת־הַדָּבָר הָרָע הַזֶּה — Ex. 33:4
46 אֶל־הַמָּקוֹם הָרָע הַזֶּה — Num. 20:5
47 הַדּוֹר הָרָע הַזֶּה — Deut. 1:35
48 לַעֲשׂוֹת כַּדָּבָר הָרָע הַזֶּה — Deut. 13:12
49 עָשׂוּ אֶת־הַדָּבָר הָרָע הַזֶּה — Deut. 17:5
50 לַעֲשׂוֹת עוֹד כַּדָּבָר הָרָע הַזֶּה — Deut. 19:20
51 כֵּן יָבִיא...אֵת כָּל־הַדָּבָר הָרָע — Josh. 23:15
52 אַחֲרֵי שְׁרִרוּת לִבָּם הָרָע — Jer. 3:17
53 בִּשְׁרִרוּת לִבָּם הָרָע — Jer. 7:24
54 בִּשְׁרִירוּת לִבָּם הָרָע — Jer. 11:8
55 הָעָם הַזֶּה הָרָע — Jer. 13:10
56 אַחֲרֵי שְׁרִרוּת לִבּוֹ־הָרָע — Jer. 16:12
57 וְאִישׁ שְׁרִרוּת לִבּוֹ־הָרָע נַעֲשֶׂה — Jer. 18:12
58 וִישִׁבוּם מִדַּרְכָּם הָרָע — Jer. 23:22
59 לְבִלְתִּי־שׁוּב מִדַּרְכּוֹ הָרָע — Ezek. 13:22
60 אֶת־הַמַּעֲשֶׂה הָרָע — Eccl. 4:3
61 אִישׁ צַר וְאוֹיֵב הָמָן הָרָע הַזֶּה — Es. 7:6
62 מָה־הַדָּבָר הָרָע הַזֶּה — Neh. 13:17
רָעָה 63 וַיָּבֵא יוֹסֵף אֶת־דִּבָּתָם רָעָה — Gen. 37:2
64/5 חַיָּה רָעָה אֲכָלָתְהוּ — Gen. 37:20, 33
66 אִם־רָעָה בְּעֵינֵי אֲדֹנֶיהָ — Ex. 21:8
67 וְהִשְׁבַּתִּי חַיָּה רָעָה מִן־הָאָרֶץ — Lev. 26:6
68 הֲטוֹבָה הִוא אִם־רָעָה — Num. 13:19
69 מוֹצִאֵי דִבַּת־הָאָרֶץ רָעָה — Num. 14:37

רָעָה (המשך)

70 וַיִּשְׁלַח אֱלֹהִים רוּחַ רָעָה בֵּין... Jud. 9:23
71 וּבִעֲתַתּוּ רוּחַ־רָעָה מֵאֵת יְיָ ISh. 16:14
72 רוּחַ־אֱלֹהִים רָעָה מְבַעִתֶּךָ ISh. 16:15
73 בִּהְיוֹת עָלֶיךָ רוּחַ־אֱלֹהִים רָעָה ISh. 16:16
74 וַתִּצְלַח רוּחַ אֱל' רָעָה אֶל־שָׁאוּל ISh. 18:10
75 וַתְּהִי רוּחַ יְיָ רָעָה אֶל־שָׁאוּל ISh. 19:9
76 כִּי־שְׁמֻעָה רָעָה שָׁמֵעוּ Jer. 49:23
77 וְשִׁלַּחְתִּי עֲלֵיכֶם רָעָב וְחַיָּה רָעָה Ezek. 5:17
78 לוּ־חַיָּה רָעָה אַעֲבִיר בָּאָרֶץ Ezek. 14:15
79 חֶרֶב וְרָעָב וְחַיָּה רָעָה וְדֶבֶר Ezek. 14:21
80 וְהִשְׁבַּתִּי חַיָּה־רָעָה מִן־הָאָרֶץ Ezek. 34:25
81 מִשְּׁמוּעָה רָעָה לֹא יִירָא Ps. 112:7
82 כַּדָּגִים שֶׁנֶּאֱחָזִים בִּמְצוֹדָה רָעָה Eccl. 9:12

הָרָעָה
83 עַד־מָתַי לָעֵדָה הָרָעָה הַזֹּאת Num. 14:27
84 לְכָל־הָעֵדָה הָרָעָה הַזֹּאת Num. 14:35
85 לֹא־שָׁב יָרָבְעָם מִדַּרְכּוֹ הָרָעָה IK. 13:33
86 מִן־הַמִּשְׁפָּחָה הָרָעָה הַזֹּאת Jer. 8:3
87 שׁוּבוּ נָא אִישׁ מִדַּרְכּוֹ הָרָעָה Jer. 18:11
88-93 מִדַּרְכּוֹ הָרָעָה Jer. 25:5; 26:3
35:15; 36:3, 7 • Jon. 3:8
94 וַיַּרְא...כִּי־שָׁבוּ מִדַּרְכָּם הָרָעָה Jon. 3:10
95 יָשׁוּב מַחֲשַׁבְתּוֹ הָרָעָה Es. 9:25

רָעִים
96 רָעִים וְחַטָּאִים לַייָ מְאֹד Gen. 13:13
97 מַדּוּעַ פְּנֵיכֶם רָעִים הַיּוֹם Gen. 40:7
98 וָחֳלָיִם רָעִים וְנֶאֱמָנִים Deut. 28:59
99 אָנֹכִי שֹׁמֵעַ אֶת־דִּבְרֵיכֶם רָעִים ISh. 2:23
100 וְהַמַּיִם רָעִים וְהָאָרֶץ מְשַׁכָּלֶת IIK. 2:19
101 וַיַּעֲשׂוּ דְּבָרִים רָעִים IIK. 17:11
102 וְכֵלַי כֵּלָיו רָעִים Is. 32:7
103 וְהִצַּלְתִּיךָ מִיַּד רָעִים Jer. 15:21
104 וּמָכַרְתִּי אֶת־הָאָרֶץ בְּיַד־רָעִים Ezek. 30:12
105 מִשְׁלַחַת מַלְאֲכֵי רָעִים Ps. 78:49
106 וְאַל־תְּאַשֵּׁר בְּדֶרֶךְ רָעִים Prov. 4:14
107 חָמַד רָשָׁע מְצוֹד רָעִים Prov. 12:12
108 שַׁחוּ רָעִים לִפְנֵי טוֹבִים Prov. 14:19
109 עֵינֵי יְיָ צֹפוֹת רָעִים וְטוֹבִים Prov. 15:3
110 כָּל־יְמֵי עָנִי רָעִים Prov. 15:15
111 וְלֹא יַעֲנֶה מִפְּנֵי גְּאוֹן רָעִים Job 35:12
112 מַדּוּעַ פָּנֶיךָ רָעִים Neh. 2:2
113 וַיָּמָת בְּתַחֲלֻאִים רָעִים IICh. 21:19

וְרָעִים
114 מְעַט וְרָעִים הָיוּ יְמֵי שְׁנֵי חַיַּי Gen. 47:9
115 אוֹתֹת וּמֹפְתִים גְּדֹלִים וְרָעִים Deut. 6:22
116 לַשָּׁוְא צָרַף צָרוֹף וְרָעִים לֹא נִתָּקוּ Jer. 6:29

הָרָעִים
117 וְכָל־מַדְוֵי מִצְרַיִם הָרָעִים Deut. 7:15
118 שֻׁבוּ מִדַּרְכֵיכֶם הָרָעִים IIK. 17:13
119 עַל־כָּל־שְׁכֵנַי הָרָעִים Jer. 12:14
120 אֶת־חִצֵּי הָרָעָב הָרָעִים Ezek. 5:16
121 אַף כִּי־אַרְבַּעַת שְׁפָטַי הָרָעִים Ezek. 14:21
122 לֹא כְדַרְכֵיכֶם הָרָעִים Ezek. 20:44
123 שׁוּבוּ מִדַּרְכֵיכֶם הָרָעִים Ezek. 33:11
124 וּזְכַרְתֶּם אֶת־דַּרְכֵיכֶם הָרָעִים Ezek. 36:31
125 שׁוּבוּ נָא מִדַּרְכֵיכֶם הָרָעִים Zech. 1:4
126 וּמַעַלְלֵיכֶם° הָרָעִים Zech. 1:4
127 בְּמַעֲשֵׂינוּ הָרָעִים וּבְאַשְׁמָתֵנוּ הַגְּדֹלָה Ez. 9:13
128 וְלֹא־שָׁבוּ מִמַּעַלְלֵיהֶם הָרָעִים Neh. 9:35
129 וְיָשֻׁבוּ מִדַּרְכֵיהֶם הָרָעִים IICh. 7:14

רָעֵי־
130 וְהֵבֵאתִי רָעֵי גוֹיִם וְיָרְשׁוּ... Ezek. 7:24

רָעוֹת
131 רָעוֹת בְּנוֹת כְּנָעַן בְּעֵינֵי יִצְחָק Gen. 28:8
132 רָעוֹת מַרְאֶה וְדַקּוֹת בָּשָׂר Gen. 41:3
133 רָעוֹת הַמַּרְאֶה וְדַקֹּת הַבָּשָׂר Gen. 41:4
134 וְהַדּוּד אֶחָד תְּאֵנִים רָעוֹת מְאֹד Jer. 24:2
135 וְהָרָעוֹת רָעוֹת מְאֹד Jer. 24:3

וְרָעוֹת
136 דַּלּוֹת וְרָעוֹת תֹּאַר מְאֹד Gen. 41:19

הָרָעוֹת
137 גַּם אֶת־הָרָעוֹת לִמַּדְתְּ אֶת־דְּרָכָיִךְ Jer. 2:33
138 וְכַתְּאֵנִים הָרָעוֹת... Jer. 24:8
139 הַתּוֹעֵבוֹת הָרָעוֹת אֲשֶׁר הֵם עֹשִׂים Ezek. 8:9

וְהָרָעוֹת
140 הַפָּרוֹת הָרַקּוֹת וְהָרָעוֹת Gen. 41:20
141 הַפָּרוֹת הָרַקּוֹת וְהָרָעֹת Gen. 41:27
142 וְהָרָעוֹת רָעוֹת מְאֹד Jer. 24:3

רַע, רָע² ז' א) רֶשַׁע, מעשה שלילי: רוב המקראות 1-203 ב) צרה, פורענות: 9, 24, 36, 39, 45, 48, 69, 70, 164, 165, 170, 172

– רָע וָטוֹב 2, 6, 7, 11-13, 21, 22, 66, 69, 79, 81-85, 163, 166, 173, 174, 178-182, 190, 191, 202

– רַע רְשָׁעִים 5

– אוֹהֲבֵי רָע 26; אֵין רָע 31, 32; אַנְשֵׁי רָע 65; אֵשֶׁת רָע 50; בּוֹרֵא רָע 15; דִּבְרֵי רָע 17; דּוֹבֵר רָע 44; חוֹרֵשׁ רָע 49, 54, 56; יוֹם רָע 23; יְמֵי רָע 39; (בְּ)כָל רָע 48; כַּף רָע 29; לֵב־רָע 63, 64; מוֹקֵשׁ רָע 53; מַחְשְׁבוֹת רָע 57; עוֹשֵׂה רָע 33, 37, 76; עִנְיַן רָע 71, 72, 74; עֲצַת רָע 19; פּוֹעֲלֵי רָע 25; תַּהְפֻּכוֹת רָע 47

– אָהַב רָע 40; אִוָּה רָע 62; בָּא רָע 69; בִּעֵר הָרָע 149-155; בִּקֵּשׁ רָע 58; גָּמַל רָע 35; דִּבֵּר רַע 2; הֵבִיא רָע 14; הִתְאוֹנֵן רַע 3; הִתְנַבֵּא רָע 11, 12; חָשַׁב רָע 20; יָדַע רָע 43; יָרֵא רָע 36; יָרַד רָע 24; מָלֵא רָע 55, 78; מָצָא רָע 70; נָגַע רָע 67; נֶחְשַׁךְ רָע 68; נִפְקַד רָע 59; עָשָׂה (הָ)רָע 4, 8, 10, 16, 18, 33, 46, 73, 75, 76, 80, 87-146, 159, 161, 162; קִבֵּל הָרָע 160; רָאָה רָע 27; שִׁלֵּם רָע 61; שָׂנֵא רָע 42, 51

– סָר מֵרָע 188, 190, 191, 192, 194-201

רַע
1 מַחְשְׁבֹת לִבּוֹ רַק רַע כָּל־הַיּוֹם Gen. 6:5
2 לֹא נוּכַל דַּבֵּר אֵלֶיךָ רַע אוֹ־טוֹב Gen. 24:50
3 כְּמִתְאֹנְנִים רַע בְּאָזְנֵי יְיָ Num. 11:1
4 יָשׁוּבוּ לַעֲשׂוֹת רַע לְפָנֶיךָ Neh. 9:28

רַע־
5 יִגְמָר־נָא רַע רְשָׁעִים Ps. 7:10

רָע
6/7 מִטּוֹב עַד רָע Gen. 38:24, 29
8 לַעֲשׂוֹת עִמָּכֶם רָע Gen. 31:29
9 הַמַּלְאָךְ הַגֹּאֵל אֹתִי מִכָּל־רָע Gen. 48:16
10 וְלֹא־תַעֲשֶׂה רָע בְּעֵינֵי... ISh. 29:7
11 לֹא־יִתְנַבֵּא עָלַי טוֹב כִּי אִם־רָע IK. 22:8
12 לוֹא־יִתְנַבֵּא עָלַי טוֹב כִּי אִם־רָע IK. 22:18
13 הָאֹמְרִים לָרַע טוֹב וְלַטּוֹב רָע Is. 5:20
14 וְגַם־הוּא חָכָם וַיָּבֵא רָע Is. 31:2
15 עֹשֶׂה שָׁלוֹם וּבוֹרֵא רָע Is. 45:7
16 וְשֹׁמֵר יָדוֹ מֵעֲשׂוֹת כָּל־רָע Is. 56:2
17 גַּם עָבְרוּ דִבְרֵי־רָע Jer. 5:28
18 וְאַל־תַּעַשׂ לוֹ מְאוּמָה רָע Jer. 39:12
19 וְהַיֹּעֲצִים עֲצַת־רָע בָּעִיר Ezek. 11:2
20 וְאֵלַי יְחַשְּׁבוּ־רָע Hosh. 7:15
21 דִּרְשׁוּ־טוֹב וְאַל־רָע Am. 5:14
22 שִׂנְאוּ־רָע וְאֶהֱבוּ טוֹב Am. 5:15
23 הַמְנַדִּים לְיוֹם רָע Am. 6:3
24 כִּי־יָרַד רָע מֵאֵת יְיָ Mic. 1:21
25 הוֹי חֹשְׁבֵי־אָוֶן וּפֹעֲלֵי רָע Mic. 2:1
26 שֹׂנְאֵי טוֹב וְאֹהֲבֵי רָע (כת' רעה) Mic. 3:2
27 טְהוֹר עֵינַיִם מֵרְאוֹת רָע Hab. 1:13
28 הוֹי בֹּצֵעַ בֶּצַע רָע לְבֵיתוֹ Hab. 2:9
29 לְהִנָּצֵל מִכַּף־רָע Hab. 2:9
30 לֹא־תִירְאִי רָע עוֹד Zep. 3:15
31 וְכִי־תַגִּשׁוּן עִוֵּר לִזְבֹּחַ אֵין רָע Mal. 1:8

רָע (המשך)
32 וְכִי תַגִּישׁוּ פִּסֵּחַ וְחֹלֶה אֵין רָע Mal. 1:8
33 כָּל־עֹשֵׂה רָע טוֹב בְּעֵינֵי יְיָ Mal. 2:17
34 לֹא יְגֻרְךָ רָע Ps. 5:5
35 אִם־גָּמַלְתִּי שׁוֹלְמִי רָע Ps. 7:5
36 לֹא־אִירָא רָע Ps. 23:4
37 פְּנֵי יְיָ בְּעֹשֵׂי רָע Ps. 34:17
38 רָע לֹא יִמְאָס Ps. 36:5
39 לָמָּה אִירָא בִּימֵי רָע Ps. 49:6
40 אָהַבְתָּ רָּע מִטּוֹב Ps. 52:5
41 לְהַשְׁקִיט לוֹ מִימֵי רָע Ps. 94:13
42 אֹהֲבֵי יְיָ שִׂנְאוּ רָע Ps. 97:10
43 רָע לֹא אֵדָע Ps. 101:4
44 וְהַדֹּבְרִים רָע עַל־נַפְשִׁי Ps. 109:20
45 יְיָ יִשְׁמָרְךָ מִכָּל־רָע Ps. 121:7
46 הַשְּׂמֵחִים לַעֲשׂוֹת רָע Prov. 2:14
47 יָגִילוּ בְּתַהְפֻּכוֹת רָע Prov. 2:14
48 כִּמְעַט הָיִיתִי בְכָל־רָע Prov. 5:14
49 חֹרֵשׁ רָע בְּכָל־עֵת Prov. 6:14
50 לִשְׁמָרְךָ מֵאֵשֶׁת רָע Prov. 6:24
51 יִרְאַת יְיָ שְׂנֹאת רָע Prov. 8:13
52 יָד לְיָד לֹא־יִנָּקֶה רָּע Prov. 11:21
53 בְּפֶשַׁע שְׂפָתַיִם מוֹקֵשׁ רָע Prov. 12:13
54 מִרְמָה בְּלֶב־חֹרְשֵׁי רָע Prov. 12:20
55 וּרְשָׁעִים מָלְאוּ רָע Prov. 12:21
56 הֲלוֹא־יִתְעוּ חֹרְשֵׁי רָע Prov. 14:22
57 תּוֹעֲבַת יְיָ מַחְשְׁבוֹת רָע Prov. 15:26
58 אַךְ־מְרִי יְבַקֶּשׁ־רָע Prov. 17:11
59 וְשָׂבֵעַ יָלִין בַּל־יִפָּקֶד רָע Prov. 19:23
60 מְזָרֶה בְעֵינָיו כָּל־רָע Prov. 20:8
61 אַל־תֹּאמַר אֲשַׁלְּמָה־רָע Prov. 20:22
62 נֶפֶשׁ רָשָׁע אִוְּתָה־רָע Prov. 21:10
63 וְשָׁר בַּשִּׁרִים עַל לֶב־רָע Prov. 25:20
64 שְׂפָתַיִם דֹּלְקִים וְלֶב־רָע Prov. 26:23
65 אַנְשֵׁי־רָע לֹא־יָבִינוּ מִשְׁפָּט Prov. 28:5
66 גְּמָלַתְהוּ טוֹב וְלֹא־רָע Prov. 31:12
67 וּבְשֶׁבַע לֹא־יִגַּע בְּךָ רָע Job 5:19
68 כִּי לְיוֹם אֵיד יֵחָשֶׂךְ רָע Job 21:30
69 כִּי טוֹב קִוִּיתִי וַיָּבֹא רָע Job 30:26
70 וְהִתְעֹרַרְתִּי כִּי־מְצָאוֹ רָע Job 31:29
71 הוּא עִנְיַן רָע נָתַן אֱלֹהִים Eccl. 1:13
72 גַּם־זֶה הֶבֶל וְעִנְיַן רָע הוּא Eccl. 4:8
73 כִּי־אֵינָם יוֹדְעִים לַעֲשׂוֹת רָע Eccl. 4:17
74 וְאָבַד הָעֹשֶׁר הַהוּא בְּעִנְיַן רָע Eccl. 5:13
75 מָלֵא לֵב בְּנֵי־הָאָדָם...לַעֲשׂוֹת רָע Eccl. 8:11
76 אֲשֶׁר חֹטֵא עֹשֶׂה רָע מְאַת Eccl. 8:12
77 זֶה רָע בְּכֹל אֲשֶׁר...תַּחַת הַשֶּׁמֶשׁ Eccl. 9:3
78 וְגַם לֵב בְּנֵי־הָאָדָם מָלֵא־רָע Eccl. 9:3
79 יָבִא בְמִשְׁפָּט...אִם־טוֹב וְאִם־רָע Eccl. 12:14
80 וַיֶּתַע...לַעֲשׂוֹת רָע מִן־הַגּוֹיִם IICh. 33:9

וָרָע
81 וְעֵץ הַדַּעַת טוֹב וָרָע Gen. 2:9
82 וּמֵעֵץ הַדַּעַת טוֹב וָרָע לֹא תֹאכַל Gen. 2:17
83 וִהְיִיתֶם כֵּאלֹהִים יֹדְעֵי טוֹב וָרָע Gen. 3:5
84 כְּאַחַד מִמֶּנּוּ לָדַעַת טוֹב וָרָע Gen. 3:22
85 אֲשֶׁר לֹא־יָדְעוּ הַיּוֹם טוֹב וָרָע Deut. 1:39
86 וָרָע תִּדְרוֹשׁ רִשְׁעוֹ Ps. 10:15

הָרַע
87 הַדּוֹר הָעֹשֶׂה הָרַע בְּעֵינֵי יְיָ Num. 32:13
88 וַעֲשִׂיתֶם הָרַע בְּעֵינֵי־יְיָ Deut. 4:25
89 לַעֲשׂוֹת הָרַע בְּעֵינֵי יְיָ Deut. 9:18
90 אֲשֶׁר יַעֲשֶׂה אֶת־הָרַע בְּעֵינֵי יְיָ Deut. 17:2
91 כִּי־תַעֲשׂוּ אֶת־הָרַע בְּעֵינֵי יְיָ Deut. 31:29
92-94 וַיַּעֲשׂוּ ב"י אֶת־הָרַע בְּעֵינֵי יְיָ
Jud. 2:11; 3:7; 6:1

הָרַע (המשך) 146-95 לַעֲשׂוֹת (וַיַּעַשׂ וכו׳) הָרַע בְּעֵינֵי יְיָ (בעיני)
Jud. 3:12²; 4:1; 10:6; 13:1 • ISh. 15:19 • IISh. 12:9 • IK. 11:6; 14:22; 15:26,34; 16:19,25,30; 21:20,25; 22:53 • IIK. 3:2; 8:18,27; 13:2,11; 14:24; 15:9,18,24,28; 17:2,17; 21:2,6,15,16,20; 23:32,37; 24:9,19 • Is. 65:12; 66:4 • Jer. 7:30; 18:10; 32:30; 52:2 • IICh. 21:6; 22:4; 29:6; 33:2,6,22; 36:5,9,12
147 עַל־הָרַע כַּפַּיִם לְהֵיטִיב Mic. 7:3
148 יָשִׁיב° הָרַע לְשֹׁרְרָי Ps. 54:7
הָרָע 155-149 וּבִעַרְתָּ הָרָע מִקִּרְבֶּךָ Deut. 13:6; 17:7; 19:19; 21:21; 22:21,24; 24:7
156/7 וּבִעַרְתָּ הָרָע מִיִּשְׂרָאֵל Deut. 17:12; 22:22
158 וְאֶת־הַמָּוֶת וְאֶת־הָרָע Deut. 30:15
159 לַעֲשׂוֹת אֶת־הָרָע מִן־הַגּוֹיִם IIK. 21:9
160 וְאֶת־הָרָע לֹא נְקַבֵּל Job 2:10
161 וַיַּעַשׂ הָרָע כִּי לֹא הֵכִין לִבּוֹ IICh. 12:14
וְהָרַע 162 וְהָרַע בְּעֵינֶיךָ עָשִׂיתִי Ps. 51:6
וְהָרָע 163 לִשְׁמֹעַ הַטּוֹב וְהָרָע IISh. 14:17
בְּרָע 164 וַיִּרְאוּ...אֹתָם בְּרָע לֵאמֹר Ex. 5:19
165 אַתָּה יָדַעְתָּ...כִּי בְרָע הוּא Ex. 32:22
166 וְלֹא־יָמִיר אֹתוֹ טוֹב בְּרָע Lev. 27:10
167 וְעֹצֵם עֵינָיו מֵרְאוֹת בְּרָע Is. 33:15
168 לְדֹר וָדֹר אֲשֶׁר לֹא־בְרָע Ps. 10:6
169 יָמִיקוּ וִידַבְּרוּ בְרָע Ps. 73:8
170 מַלְאָךְ רָשָׁע יִפֹּל בְּרָע Prov. 13:17
171 חַבֻּרוֹת פֶּצַע תַּמְרוּק° בְּרָע Prov. 20:30
בָּרָע 172 פֶּן־אֶרְאֶה בָרָע אֲשֶׁר יִמְצָא אֶת־אָבִי Gen. 44:34
173/4 מָאוֹס בָּרָע וּבָחוֹר בַּטּוֹב Is. 7:15,16
לְרַע 175 וְאַחֲרֵי...לֹא תֵלְכוּ לְרַע לָכֶם Jer. 7:6
176 וְלֹא־שְׁמַעְתֶּם אֵלַי...לְרַע לָכֶם Jer. 25:7
177 שָׁלַט הָאָדָם בְּאָדָם לְרַע לוֹ Eccl. 8:9
לְרָע 178 הַאֵדַע בֵּין־טוֹב לְרָע IISh. 19:36
179 לְהָבִין בֵּין־טוֹב לְרָע IK. 3:9
180 לֹא־יִתְנַבֵּא עָלַי טוֹב כִּי אִם־לְרָע IICh. 18:17
לָרַע 181 לֹא יְבַקֵּר בֵּין־טוֹב לָרַע Lev. 27:33
182 הָאֹמְרִים לָרַע טוֹב וְלַטּוֹב רָע Is. 5:20
183 רַגְלֵיהֶם לָרַע יָרֻצוּ Is. 59:7
184 כִּי רַגְלֵיהֶם לָרַע יָרוּצוּ Prov. 1:16
לָרָע 185 עָלַי כָּל־מַחְשְׁבֹתָם לָרָע Ps. 56:6
186 מְסַלֵּף רְשָׁעִים לָרָע Prov. 21:12
187 לֹא־תִהְיֶה אַחֲרִית לָרָע Prov. 24:20
מֵרָע 188 וְסָר מֵרָע מִשְׁתּוֹלֵל Is. 59:15
189 נְצֹר לְשׁוֹנְךָ מֵרָע Ps. 34:14
190/1 סוּר מֵרָע וַעֲשֵׂה־טוֹב Ps. 34:15; 37:27
192 יְרָא אֶת־יְיָ וְסוּר מֵרָע Prov. 3:7
193 הָסֵר רַגְלְךָ מֵרָע Prov. 4:27
194 וְתוֹעֲבַת כְּסִילִים סוּר מֵרָע Prov. 13:19
195 חָכָם יָרֵא וְסָר מֵרָע Prov. 14:16
196 וּבְיִרְאַת יְיָ סוּר מֵרָע Prov. 16:6
197 מְסִלַּת יְשָׁרִים סוּר מֵרָע Prov. 16:17
200-198 וִירֵא אֱלֹהִים וְסָר מֵרָע Job 1:1,8; 2:3
201 וְסוּר מֵרָע בִּינָה Job 28:28
לְמֵרָע 202 וְלֹא־דִבֶּר...לְמֵרָע וְעַד־טוֹב IISh. 13:22
203 וּשְׁנֵיהֶם הַמְּלָכִים לְבָבָם לְמֵרָע Dan. 11:27

רֹעַ

ז׳ רֶשַׁע, גְּרִיעוּת, תְּכוּנַת הָרַע: 1-19
רֹעַ לֵב 15; רֹעַ לֵבָב 7; רֹעַ מַעֲלָלִים 6, 8-14, 17, 18, 19; רֹעַ פָּנִים 16
לָרֹעַ 1 לֹא־רָאִיתִי כָהֵנָּה...לָרֹעַ Gen. 41:19
מֵרֹעַ 2-5 לֹא־תֵאָכַלְנָה מֵרֹעַ Jer. 24:2,3,8; 29:17
רֹעַ־ 6 מִפְּנֵי רֹעַ מַעֲלָלֶיךָ Deut. 28:20
7 אֶת־זְדֹנְךָ וְאֵת רֹעַ לְבָבֶךָ ISh. 17:28
8 הָסִירוּ רֹעַ מַעַלְלֵיכֶם Is. 1:16
9/10 מִפְּנֵי רֹעַ מַעַלְלֵיכֶם Jer. 4:4; 44:22
11/2 מִפְּנֵי רֹעַ מַעַלְלֵיהֶם° Jer. 21:12; 26:3
13 פֹּקֵד עֲלֵיכֶם אֶת־רֹעַ מַעַלְלֵיכֶם Jer. 23:2
14 שִׂנֵאתִים עַל רֹעַ מַעַלְלֵיהֶם Hosh. 9:15
15 אֵין זֶה כִּי־אִם רֹעַ לֵב Neh. 2:2
בְּרֹעַ־ 16 כִּי־בְרֹעַ פָּנִים יִיטַב לֵב Eccl. 7:3
וּכְרֹעַ־ 17 כְּפָעֳלָם וּכְרֹעַ מַעַלְלֵיהֶם Ps. 28:4
וּמֵרֹעַ־ 18 מִדַּרְכָּם הָרָע וּמֵרֹעַ מַעַלְלֵיהֶם Jer. 23:22
19 מִדַּרְכּוֹ הָרָעָה וּמֵרֹעַ מַעַלְלֵיכֶם Jer. 25:5

רֵעַ

ז׳ חָבֵר, יְדִיד: 1-187 • קרובים: ראה חָבֵר
– רֵעַ טוֹב 41; רֵעַ אָבִיו 18
– אָח וָרֵעַ 4, 9, 177; אוֹהֵב וָרֵעַ 5; שָׁכֵן וָרֵעַ 48
– אַהֲבַת רֵעַ 3; אֵשֶׁת רֵעֵהוּ 21, 24, 88, 94, 103, 108-112, 119; בֵּית רֵ׳ 20, 25, 35; בְּשַׂר רֵ׳ 106; גְּבוּל רֵ׳ 16, 95; דַּם רֵ׳ 23; יַד רֵ׳ 115-117; כַּף רֵ׳ 31; כֶּרֶם רֵ׳ 26; מַכֵּה רֵ׳ 96; מְלֶאכֶת רֵ׳ 85, 86; מֶתֶק רֵ׳ 127; פְּנֵי רֵ׳ 129; פֶּתַח רֵ׳ 12; צַד רֵ׳ 100; קָמַת רֵ׳ 27, 28; רֹאשׁ רֵ׳ 99; רָעַת רֵ׳ 114; שׁוֹר רֵ׳ 84; שַׂלְמַת רֵ׳ 22; שְׂפַת רֵעֵהוּ 78
– אִישׁ אֶל־ (אֶת־, עַל־, בְּ־, לְ־, מֵ־) רֵעֵהוּ 49-77, 133-137, 139, 141, 142, 145-153, 161, 162, 165
– אִישׁ רֵעִים 169; רֵעֵי אִיּוֹב 173; נְשֵׁי רֵעֵיהֶם 186

רֵעַ 1 וּלְאַמְנוֹן רֵעַ וּשְׁמוֹ יוֹנָדָב IISh. 13:3
2 וְכָל־רֵעַ רָכִיל יַהֲלֹךְ Jer. 9:3
3 אֱהַב־אִשָּׁה אֲהֻבַת רֵעַ וּמְנָאָפֶת Hosh. 3:1
וְרֵעַ 4 אָח...וְרֵעַ לִבְנוֹת יַעֲנָה Job 30:29
וָרֵעַ 5 הִרְחַקְתָּ מִמֶּנִּי אֹהֵב וָרֵעַ Ps. 88:19
הָרֵעַ 6 בְּכָל־עֵת אֹהֵב הָרֵעַ Prov. 17:17
7 וְכָל־הָרֵעַ לְאִישׁ מַתָּן Prov. 19:6
בְּרֵעַ 8 אַל־תַּאֲמִינוּ בְרֵעַ... Mic. 7:5
כְּרֵעַ 9 כְּרֵעַ־כְּאָח לִי הִתְהַלָּכְתִּי Ps. 35:14
רֵעַ־ 10 וְחוּשַׁי הָאַרְכִּי רֵעַ הַמֶּלֶךְ ICh. 27:33
וְרֵעַ־ 11 רֵעֲךָ וְרֵעַ (כ׳ ורעה) אָבִיךָ אַל־תַּעֲזֹב Prov. 27:10
רֵעִי 12 וְעַל־פֶּתַח רֵעִי אָרָבְתִּי Job 31:9
13 זֶה דוֹדִי וְזֶה רֵעִי S.ofS. 5:16
רֵעֲךָ 14 לֹא־תַעֲשֹׁק אֶת־רֵעֲךָ וְלֹא תִגְזֹל Lev. 19:13
15 אוֹ רֵעֲךָ אֲשֶׁר כְּנַפְשְׁךָ Deut. 13:7
16 לֹא תַסִּיג גְּבוּל רֵעֲךָ Deut. 19:14
17 אַל־תַּחֲרֹשׁ עַל־רֵעֲךָ רָעָה Prov. 3:29
18 רֵעֲךָ וְרֵעַ° אָבִיךָ אַל־תַּעֲזֹב Prov. 27:10
רֵעֶךָ 19 לָמָּה תַכֶּה רֵעֶךָ Ex. 2:13
20 לֹא תַחְמֹד בֵּית רֵעֶךָ Ex. 20:14
21 לֹא תַחְמֹד אֵשֶׁת רֵעֶךָ Ex. 20:14
22 אִם־חָבֹל תַּחְבֹּל שַׂלְמַת רֵעֶךָ Ex. 22:25
23 לֹא תַעֲמֹד עַל־דַּם רֵעֶךָ Lev. 19:16
24 וְלֹא תַחְמֹד אֵשֶׁת רֵעֶךָ Deut. 5:18
25 וְלֹא תִתְאַוֶּה בֵּית רֵעֶךָ Deut. 5:18
26 כִּי תָבֹא בְּכֶרֶם רֵעֶךָ Deut. 23:25
27 כִּי תָבֹא בְּקָמַת רֵעֶךָ Deut. 23:26
28 וְחֶרְמֵשׁ לֹא תָנִיף עַל קָמַת רֵעֶךָ Deut. 23:26
29 זֶה חַסְדְּךָ אֶת־רֵעֶךָ IISh. 16:17
30 לָמָּה לֹא־הָלַכְתָּ אֶת־רֵעֶךָ IISh. 16:17
31 כִּי בָאתָ בְכַף־רֵעֶךָ Prov. 6:3
32 לֵךְ הִתְרַפֵּס וּרְהַב רֵעֶיךָ (נ״א רֵעֶךָ) Prov. 6:3
33 בְּהַכְלִים אֹתְךָ רֵעֶךָ Prov. 25:8
34 רִיבְךָ רִיב אֶת־רֵעֶךָ Prov. 25:9
35 הֹקַר רַגְלְךָ מִבֵּית רֵעֶךָ Prov. 25:17
בְּרֵעֲךָ 36 לֹא־תַעֲנֶה בְרֵעֲךָ עֵד שָׁקֶר Ex. 20:13
37 וְלֹא־תַעֲנֶה בְרֵעֲךָ עֵד שָׁוְא Deut. 5:17
38 כִּי־תַשֶּׁה בְרֵעֲךָ מַשַּׁאת מְאוּמָה Deut. 24:10
בְּרֵעֶךָ 39 אַל־תְּהִי עֵד־חִנָּם בְּרֵעֶךָ Prov. 24:28
לְרֵעֲךָ 40 וְאָהַבְתָּ לְרֵעֲךָ כָּמוֹךָ Lev. 19:18
41 וּנְתָנָהּ לְרֵעֲךָ הַטּוֹב מִמֶּךָּ ISh. 15:28
42 וַיִּקְרַע...וַיִּתְּנָהּ לְרֵעֲךָ לְדָוִד ISh. 28:17
43 אַל־תֹּאמַר לְרֵעֲךָ (כ׳ לרעיך) לֵךְ וָשׁוּב Prov. 3:28
לְרֵעֶךָ 44 וְשׁוֹרוֹ וַחֲמֹרוֹ וְכֹל אֲשֶׁר לְרֵעֶךָ Ex. 20:14
45 שׁוֹרוֹ וַחֲמֹרוֹ וְכֹל אֲשֶׁר לְרֵעֶךָ Deut. 5:18
46 וְלָקַחְתִּי...וְנָתַתִּי לְרֵעֶיךָ וְשָׁכַב... IISh. 12:11
47 בְּנִי אִם־עָרַבְתָּ לְרֵעֶךָ Prov. 6:1
וְרֵעוֹ 48 וְכָשְׁלוּ בָם...שָׁכֵן וְרֵעוֹ וְאָבָדוּ° Jer. 6:21
רֵעֵהוּ 49 וַיֹּאמְרוּ אִישׁ אֶל־רֵעֵהוּ Gen. 11:3
77-50 אִישׁ אֶל (אֶת־, עַל־) רֵעֵהוּ Gen. 43:33; Ex. 21:14, 18; 22:6, 9; 32:27; 33:11 • Deut. 22:26 • Jud. 6:29; 10:18 • ISh. 10:11; 20:41² • IIK. 3:23; 7:3, 9 • Is. 13:8; 41:6 • Jer. 22:8; 23:35; 31:34(33); 36:16; 46:16 • Jon. 1:7 • Zech. 8:16 • Mal. 3:16 • Ps. 12:3 • Ruth 3:14
78 אֲשֶׁר לֹא יִשְׁמְעוּ אִישׁ שְׂפַת רֵעֵהוּ Gen. 11:7
79 וַיִּתֵּן אִישׁ־בִּתְרוֹ לִקְרַאת רֵעֵהוּ Gen. 15:10
80 הוּא וְחִירָה רֵעֵהוּ הָעֲדֻלָּמִי Gen. 38:12
81 וַיִּשְׁלַח...בְּיַד רֵעֵהוּ הָעֲדֻלָּמִי Gen. 38:20
82 וְיִשְׁאֲלוּ אִישׁ מֵאֵת רֵעֵהוּ Ex. 11:2
83 וְשָׁפַטְתִּי בֵּין אִישׁ וּבֵין רֵעֵהוּ Ex. 18:16
84 וְכִי־יִגֹּף שׁוֹר־אִישׁ אֶת־שׁוֹר רֵעֵהוּ Ex. 21:35
85/6 אִם־לֹא שָׁלַח יָדוֹ בִּמְלֶאכֶת רֵעֵהוּ Ex. 22:7, 10
87 וְכִי־יִשְׁאַל אִישׁ מֵעִם רֵעֵהוּ Ex. 22:13
88 אֲשֶׁר יִנְאַף אֶת־אֵשֶׁת רֵעֵהוּ Lev. 20:10
89 אֲשֶׁר יִרְצַח אֶת־רֵעֵהוּ בִּבְלִי־דַעַת Deut. 4:42
90 לֹא־יִגֹּשׂ אֶת־רֵעֵהוּ וְאֶת־אָחִיו Deut. 15:2
91 אֲשֶׁר יַכֶּה אֶת־רֵעֵהוּ בִּבְלִי־דַעַת Deut. 19:4
92 וַאֲשֶׁר יָבֹא אֶת־רֵעֵהוּ בַיַּעַר Deut. 19:5
93 וּמָצָא אֶת־רֵעֵהוּ וָמֵת Deut. 19:5
94 אֲשֶׁר־עִנָּה אֶת־אֵשֶׁת רֵעֵהוּ Deut. 22:24
95 אָרוּר מַסִּיג גְּבוּל רֵעֵהוּ Deut. 27:17
96 אָרוּר מַכֵּה רֵעֵהוּ בַּסָּתֶר Deut. 27:24
97 כִּי בִבְלִי־דַעַת הִכָּה אֶת־רֵעֵהוּ Josh. 20:5
98 וַיַּעַן רֵעֵהוּ וַיֹּאמֶר Jud. 7:14
99 וַיַּחֲזִקוּ אִישׁ בְּרֹאשׁ רֵעֵהוּ IISh. 2:16
100 וְחַרְבּוֹ בְּצַד רֵעֵהוּ IISh. 2:16
101 וְאִישׁ אֶחָד...אָמַר אֶל־רֵעֵהוּ IK. 20:35
102 וְשָׂעִיר עַל־רֵעֵהוּ יִקְרָא Is. 34:14
103 אִישׁ אֶל־אֵשֶׁת רֵעֵהוּ יִצְהָלוּ Jer. 5:8
104 מִשְׁפָּט בֵּין אִישׁ וּבֵין רֵעֵהוּ Jer. 7:5
105 בְּפִיו שָׁלוֹם אֶת־רֵעֵהוּ יְדַבֵּר Jer. 9:7
106 וְאִישׁ בְּשַׂר־רֵעֵהוּ יֹאכֵלוּ Jer. 19:9
107 מְגַנְּבֵי דְבָרַי אִישׁ מֵאֵת רֵעֵהוּ Jer. 23:30
108/9 (וְ)אֶת־אֵשֶׁת רֵעֵהוּ לֹא טִמֵּא Ezek. 18:6, 15
110 וְאֶת־אֵשֶׁת רֵעֵהוּ טִמֵּא Ezek. 18:11
111 אֶת־אֵשֶׁת רֵעֵהוּ עָשָׂה תּוֹעֵבָה Ezek. 22:11
112 וְאִישׁ אֶת־אֵשֶׁת רֵעֵהוּ טִמֵּאתֶם Ezek. 33:26
113 הוֹי מַשְׁקֵה רֵעֵהוּ...וְאַף שַׁכֵּר Hab. 2:15
114 וְאִישׁ אֶת־רָעַת רֵעֵהוּ אַל־תַּחְשְׁבוּ Zech. 8:17
115 אִישׁ בְּיַד־רֵעֵהוּ וּבְיַד מַלְכּוֹ Zech. 11:6
116 וְהֶחֱזִיקוּ אִישׁ יַד רֵעֵהוּ Zech. 14:13
117 וְעָלְתָה יָדוֹ עַל־יַד רֵעֵהוּ Zech. 14:13
118 מְלָשְׁנִי° בַסֵּתֶר רֵעֵהוּ Ps. 101:5
119 כֵּן הַבָּא אֶל־אֵשֶׁת רֵעֵהוּ Prov. 6:29
120 בְּפֶה חָנֵף יַשְׁחִת רֵעֵהוּ Prov. 11:9

רֵעֵהוּ (המשך) 121 אִישׁ חָמָס יְפַתֶּה רֵעֵהוּ Prov. 16:29
122 עֹרֵב עֲרֻבָּה לִפְנֵי רֵעֵהוּ Prov. 17:18
123 וּבָא־רֵעֵהוּ וַחֲקָרוֹ Prov. 18:17
124 לֹא־יֻחַן בְּעֵינָיו רֵעֵהוּ Prov. 21:10
125 חֵן שְׂפָתָיו רֵעֵהוּ מֶלֶךְ Prov. 22:11
126 כֵּן־אִישׁ רִמָּה אֶת־רֵעֵהוּ Prov. 26:19
127 וּמֶתֶק רֵעֵהוּ מֵעֲצַת־נָפֶשׁ Prov. 27:9
128 מְבָרֵךְ רֵעֵהוּ בְּקוֹל גָּדוֹל Prov. 27:14
129 וְאִישׁ יַחַד פְּנֵי־רֵעֵהוּ Prov. 27:17
130 גֶּבֶר מַחֲלִיק עַל־רֵעֵהוּ Prov. 29:5
וְרֵעֵהוּ 131 לֹא־הִשְׁאִיר לוֹ...וְגֹאֲלָיו וְרֵעֵהוּ IK. 16:11
בְּרֵעֵהוּ 132 מַשֵּׁה יָדוֹ אֲשֶׁר יַשֶּׁה בְּרֵעֵהוּ Deut. 15:2
133 וַיָּשֶׂם יְיָ אֶת־חֶרֶב אִישׁ בְּרֵעֵהוּ Jud. 7:22
134 וְהִנֵּה הָיְתָה חֶרֶב אִישׁ בְּרֵעֵהוּ ISh. 14:20
135 וְנִגַּשׂ הָעָם אִישׁ בְּאִישׁ וְאִישׁ בְּרֵעֵהוּ Is. 3:5
136 וְנִלְחֲמוּ אִישׁ בְּאָחִיו וְאִישׁ בְּרֵעֵהוּ Is. 19:2
137 וְאִישׁ בְּרֵעֵהוּ יְהָתֵלּוּ Jer. 9:4
138 בְּרֵעֵהוּ יַעֲבֹד חִנָּם Jer. 22:13
139 וַאֲשַׁלַּח אֶת־כָּל־הָאָדָם אִישׁ בְּרֵעֵהוּ Zech. 8:10
140 אִישׁ־עֹנֶה בְרֵעֵהוּ עֵד שָׁקֶר Prov. 25:18
141 עָזְרוּ אִישׁ בְּרֵעֵהוּ לְמַשְׁחִית IICh. 20:23
לְרֵעֵהוּ 142 וַיִּשְׁאֲלוּ אִישׁ־לְרֵעֵהוּ לְשָׁלוֹם Ex. 18:7
143 יְשַׁלֵּם שְׁנַיִם לְרֵעֵהוּ Ex. 22:8
144 וְכִי־יִהְיֶה אִישׁ שֹׂנֵא לְרֵעֵהוּ Deut. 19:11
145 וְהִנֵּה־אִישׁ מְסַפֵּר לְרֵעֵהוּ חֲלוֹם Jud. 7:13
146 אֵת אֲשֶׁר יֶחֱטָא אִישׁ לְרֵעֵהוּ IK. 8:31
147 אֲשֶׁר יְסַפְּרוּ אִישׁ לְרֵעֵהוּ Jer. 23:27
148-153 (וְ)אִישׁ לְרֵעֵהוּ Jer. 34:15, 17
Zech. 3:10 • Es. 9:19, 22 • IICh. 6:22
154 לֹא־עָשָׂה לְרֵעֵהוּ רָעָה Ps. 15:3
155 בָּז־לְרֵעֵהוּ חֲסַר־לֵב Prov. 11:12
156 גַּם־לְרֵעֵהוּ יִשָּׂנֵא רָשׁ Prov. 14:20
157 בָּז־לְרֵעֵהוּ חוֹטֵא Prov. 14:21
158 שְׂחֹק לְרֵעֵהוּ אֶהְיֶה Job 12:4
159 וְיוֹכַח...וּבֶן־אָדָם לְרֵעֵהוּ Job 16:21
160 שָׁלַף אִישׁ נַעֲלוֹ וְנָתַן לְרֵעֵהוּ Ruth 4:7
מֵרֵעֵהוּ 161 כִּי נִסָּתֵר אִישׁ מֵרֵעֵהוּ Gen. 31:49
162 אִישׁ מֵרֵעֵהוּ הִשָּׁמֵרוּ Jer. 9:3
163 יָתֵר מֵרֵעֵהוּ צַדִּיק Prov. 12:26
164 וְדַל מֵרֵעֵהוּ יִפָּרֵד Prov. 19:4
165 כִּי הִיא קִנְאַת־אִישׁ מֵרֵעֵהוּ Eccl. 4:4
מֵרֵעָהּ 166 אָכֵן בָּגְדָה אִשָּׁה מֵרֵעָהּ Jer. 3:20
רֵיעֲכֶם 167 וְתִכְרוּ עַל־רֵיעֲכֶם Job 6:27
רֵעִים 168 וְאַתְּ זָנִית רֵעִים רַבִּים Jer. 3:1
169 אִישׁ רֵעִים לְהִתְרֹעֵעַ Prov. 18:24
170 הוֹן יֹסִיף רֵעִים רַבִּים Prov. 19:4
171 לְחֵלֶק יַגִּיד רֵעִים Job 17:5
172 אִכְלוּ רֵעִים שְׁתוּ וְשִׁכְרוּ דּוֹדִים S.ofS. 5:1
רֵעֵי־ 173 וַיִּשְׁמְעוּ שְׁלֹשֶׁת רֵעֵי אִיּוֹב Job 2:11
רֵעָי 174 מְלִיצַי רֵעָי אֶל־אֱלוֹהַּ דָּלְפָה עֵינִי Job 16:20
175 חָנֻּנִי חָנֻּנִי אַתֶּם רֵעָי Job 19:21
וְרֵעַי 176 אֹהֲבַי וְרֵעַי מִנֶּגֶד נִגְעִי יַעֲמֹדוּ Ps. 38:12
וְרֵעָי 177 לְמַעַן אַחַי וְרֵעָי אֲדַבְּרָה־נָּא Ps. 122:8
רֵעֶיךָ 178 אֲשִׁיבְךָ מִלִּין וְאֶת־רֵעֶיךָ עִמָּךְ Job 35:4
179 חָרָה אַפִּי בְךָ וּבִשְׁנֵי רֵעֶיךָ Job 42:7
וְרֵעֶיךָ 180 אַתָּה וְרֵעֶיךָ הַיֹּשְׁבִים לְפָנֶיךָ Zech. 3:8
רֵעַיִךְ 181 וַתְּבַצְּעִי רֵעַיִךְ בַּעֹשֶׁק Ezek. 22:12
רֵעָיו 182 וּבִשְׁלֹשֶׁת רֵעָיו חָרָה אַפּוֹ Job 32:3
רֵעֵהוּ 183 בְּהִתְפַּלְלוֹ בְּעַד רֵעֵהוּ Job 42:10
לְרֵעֵהוּ 184 וַיְשַׁלַּח מֵהַשָּׁלָל לְזִקְנֵי יְהוּדָה לְרֵעֵהוּ ISh. 30:26
רֵעֶיהָ 185 כָּל־רֵעֶיהָ בָּגְדוּ בָהּ Lam. 1:2
רֵעֵיהֶם 186 וַיְנַאֲפוּ אֶת־נְשֵׁי רֵעֵיהֶם Jer. 29:23
187 דִּבְרֵי שָׁלוֹם עִם־רֵעֵיהֶם Ps. 28:3

רֵעַ²
ז׳ רצון, כוונה: 1, 2

לְרֵעִי 1 בַּנְתָּה לְרֵעִי מֵרָחוֹק Ps. 139:2
רֵעֶיךָ 2 וְלִי מַה־יָּקְרוּ רֵעֶיךָ אֵל Ps. 139:17

רֵעַ³
ז׳ תרועה, קול, רעש: 1-3

רֵעַ 1 עַתָּה לָמָּה תָרִיעִי רֵעַ Mic. 4:9
רֵעוֹ 2 יַגִּיד עָלָיו רֵעוֹ Job 36:33
בְּרֵעֹה 3 וַיִּשְׁמַע...אֶת־קוֹל הָעָם בְּרֵעֹה Ex. 32:17

רעב
: רָעֵב, הִרְעִיב; רָעֵב, רָעָב, רְעָבוֹן

רָעֵב
פ׳ א) סבל מחוסר אוכל: 1-10
ב) [הפ׳ הִרְעִיב] מנע אוכל ממישהו: 11, 12

וְרָעֵב 1 וַיִּגְזֹר עַל־יָמִין וְרָעֵב Is. 9:19
וְרָעֵבוּ 2 כְּפִירִים רָשׁוּ וְרָעֵבוּ Ps. 34:11
אֶרְעַב 3 אִם־אֶרְעַב לֹא אֹמַר לָךְ Ps. 50:12
יִרְעַב 4 וְהָיָה כִּי־יִרְעַב וְהִתְקַצַּף Is. 8:21
יִרְעָב 5 לְמַלֵּא נַפְשׁוֹ כִּי יִרְעָב Prov. 6:30
תִרְעָב 6 וְנֶפֶשׁ רְמִיָּה תִרְעָב Prov. 19:15
וַתִּרְעַב 7 וַתִּרְעַב כָּל־אֶרֶץ מִצְרַיִם Gen. 41:55
נִרְעָב 8 וְלַלֶּחֶם לֹא־נִרְעָב וְשָׁם נֵשֵׁב Jer. 42:14
תִּרְעָבוּ 9 עֲבָדַי יֹאכֵלוּ וְאַתֶּם תִּרְעָבוּ Is. 65:13
יִרְעָבוּ 10 לֹא יִרְעָבוּ וְלֹא יִצְמָאוּ Is. 49:10
יַרְעִיב 11 לֹא־יַרְעִיב יְיָ נֶפֶשׁ צַדִּיק Prov. 10:3
וַיַּרְעִבֶךָ 12 וַיְעַנְּךָ וַיַּרְעִבֶךָ וַיַּאֲכִלְךָ אֶת־הַמָּן Deut. 8:3

רָעֵב
ת׳ סובל מחוסר אוכל: 1-21

רָעֵב וְצָמֵא 1, 17; נֶפֶשׁ רָעֵב 2; נִקְשֶׁה וְרָעֵב 7; נֶפֶשׁ רְעֵבָה 14, 15

רָעֵב 1 רָעֵב וְעָיֵף וְצָמֵא בַּמִּדְבָּר IISh. 17:29
2 לְהָרִיק נֶפֶשׁ רָעֵב Is. 32:6
3 גַּם־רָעֵב וְאֵין כֹּחַ Is. 44:12
4 אִם־רָעֵב שֹׂנַאֲךָ הַאֲכִלֵהוּ לָחֶם Prov. 25:21
5 אֲשֶׁר קְצִירוֹ רָעֵב יֹאכֵל Job 5:5
6 יְהִי־רָעֵב אֹנוֹ Job 18:12
וְרָעֵב 7 וְעָבַר בָּהּ נִקְשֶׁה וְרָעֵב Is. 8:21
הָרָעֵב 8 כַּאֲשֶׁר יַחֲלֹם הָרָעֵב וְהִנֵּה אוֹכֵל Is. 29:8
לְרָעֵב 9 לַחְמוֹ לְרָעֵב יִתֵּן Ezek. 18:7
10 לַחְמוֹ לְרָעֵב נָתָן Ezek. 18:16
לָרָעֵב 11 הֲלוֹא פָרֹס לָרָעֵב לַחְמֶךָ Is. 58:7
12 וְתָפֵק לָרָעֵב נַפְשֶׁךָ Is. 58:10
וּמֵרָעֵב 13 וּמֵרָעֵב תִּמְנַע־לָחֶם Job 22:7
רְעֵבָה 14 וְנֶפֶשׁ רְעֵבָה מִלֵּא־טוֹב Ps. 107:9
15 וְנֶפֶשׁ רְעֵבָה כָּל־מַר מָתוֹק Prov. 27:7
רְעֵבִים 16 יָדְעוּ כִּי־רְעֵבִים אֲנָחְנוּ IIK. 7:12
17 רְעֵבִים גַּם־צְמֵאִים Ps. 107:5
18 וַיּוֹשֶׁב שָׁם רְעֵבִים Ps. 107:36
וּרְעֵבִים 19 שְׂבֵעִים בַּלֶּחֶם נִשְׂכָּרוּ וּרְעֵבִים חָדֵלּוּ ISh. 2:5
20 וּרְעֵבִים נָשְׂאוּ עֹמֶר Job 24:10
לָרְעֵבִים 21 נֹתֵן לֶחֶם לָרְעֵבִים Ps. 146:7

רָעָב
ז׳ סֵבֶל מחוסר מזון: 1-101

קרובים: כָּפָן / צָמָא / רְעָבוֹן

– רָעָב וְצָמָא 67, 70; דֶּבֶר וְרָעָב 15, 33, 52, 55, 64, 66, 75-80, 82, 86, 89-91, 95, 100; חֶרֶב וְרָעָב 28, 30, 32, 33, 51-55, 63, 64, 75-82, 87-94, 106

– רָעָב גָּדוֹל 11; רָעָב חָזָק 60; הָרָעָב הָרִאשׁוֹן 35

– אֲסוּפֵי רָעָב 17; זַלְעֲפוֹת רָ׳ 25; חַלְלֵי רָ׳ 24; חִצֵּי רָ׳ 57; חֶרְפַּת רָ׳ 19; מְזֵי רָ׳ 7; מְתֵי רָ׳ 12; שְׁנֵי רָ׳ 3, 4, 38, 40; שְׁנַת רָ׳ 39; תַּחֲלוּאֵי רָעָב 13

– חָזַק הָרָעָב 41, 42, 48-50; כָּבֵד הָרָעָב 34, 45, 46, 59

רָעָב 1/2 וַיְהִי רָעָב בָּאָרֶץ Gen. 12:10; 26:1
3 יִהְיוּ שֶׁבַע שְׁנֵי רָעָב Gen. 41:27
4 וְקָמוּ שֶׁבַע שְׁנֵי רָעָב אַחֲרֵיהֶן Gen. 41:30
5 וַיְהִי רָעָב בְּכָל־הָאֲרָצוֹת Gen. 41:54
6 כִּי־עוֹד חָמֵשׁ שָׁנִים רָעָב Gen. 45:11
7 מְזֵי רָעָב וּלְחֻמֵי רֶשֶׁף Deut. 32:24
8 וַיְהִי רָעָב בִּימֵי דָוִד שָׁלֹשׁ שָׁנִים IISh. 21:1
9 שֶׁבַע־שָׁנִים רָעָב בְּאַרְצֶךָ IISh. 24:13
10 רָעָב כִּי־יִהְיֶה בָאָרֶץ IK. 8:37
11 וַיְהִי רָעָב גָּדוֹל בְּשֹׁמְרוֹן IIK. 6:25
12 וּכְבוֹדוֹ מְתֵי רָעָב Is. 5:13
13 וְהִנֵּה תַּחֲלוּאֵי רָעָב Jer. 14:18
14 וְשִׁלַּחְתִּי עֲלֵיכֶם רָעָב Ezek. 5:17
15 וַאֲשֶׁר בָּעִיר רָעָב וָדֶבֶר יֹאכְלֶנּוּ Ezek. 7:15
16 וְהִשְׁלַחְתִּי־בָהּ רָעָב Ezek. 14:13
17 וְלֹא־יִהְיוּ עוֹד אֲסֻפֵי רָעָב בָּאָרֶץ Ezek. 34:29
18 וְלֹא־אֶתֵּן עֲלֵיכֶם רָעָב Ezek. 36:29
19 לֹא תִקְחוּ עוֹד חֶרְפַּת רָעָב בַּגּוֹיִם Ezek. 36:30
20 וְהִשְׁלַחְתִּי רָעָב בָּאָרֶץ Am. 8:11
21 לֹא־רָעָב לַלֶּחֶם וְלֹא־צָמָא לַמַּיִם Am. 8:11
22 וַיִּקְרָא רָעָב עַל־הָאָרֶץ Ps. 105:16
23 וַיְהִי רָעָב בָּאָרֶץ Ruth 1:1
24 טוֹבִים הָיוּ חַלְלֵי־חֶרֶב מֵחַלְלֵי רָעָב Lam. 4:9
25 מִפְּנֵי זַלְעֲפוֹת רָעָב Lam. 5:10
26 אִם־שָׁלוֹשׁ שָׁנִים רָעָב ICh. 21:12
27 רָעָב כִּי־יִהְיֶה בָאָרֶץ IICh. 6:28
וְרָעָב 28 וְחֶרֶב וְרָעָב לוֹא נִרְאֶה Jer. 5:12
29 וְרָעָב לֹא־יִהְיֶה לָכֶם Jer. 14:13
30 חֶרֶב וְרָעָב לֹא יִהְיֶה בָּאָרֶץ הַזֹּאת Jer. 14:15
31 וְרָעָב אֹסֵף עֲלֵיכֶם Ezek. 5:16
32 חֶרֶב וְרָעָב וְחַיָּה רָעָה Ezek. 14:21
33 חֶרֶב שְׁפוֹט וְדֶבֶר וְרָעָב IICh. 20:9
הָרָעָב 34 כִּי־כָבֵד הָרָעָב בָּאָרֶץ Gen. 12:10
35 מִלְּבַד הָרָעָב הָרִאשׁוֹן Gen. 26:1
36 וְכִלָּה הָרָעָב אֶת־הָאָרֶץ Gen. 41:30
37 וְלֹא־יִוָּדַע הַשָּׂבָע...מִפְּנֵי הָרָעָב Gen. 41:31
38 וְהָיָה...לְשֶׁבַע שְׁנֵי הָרָעָב Gen. 41:36
39 בְּטֶרֶם תָּבוֹא שְׁנַת הָרָעָב Gen. 41:50
40 וַתְּחִלֶּינָה שֶׁבַע שְׁנֵי הָרָעָב Gen. 41:54
41 וַיֶּחֱזַק הָרָעָב בְּאֶרֶץ מִצְרָיִם Gen. 41:56
42 כִּי־חָזַק הָרָעָב בְּכָל־הָאָרֶץ Gen. 41:57
43 כִּי־הָיָה הָרָעָב בְּאֶרֶץ כְּנָעַן Gen. 42:5
44 זֶה שְׁנָתַיִם הָרָעָב בְּקֶרֶב הָאָרֶץ Gen. 45:6
45 כִּי־כָבֵד הָרָעָב בְּאֶרֶץ כְּנָעַן Gen. 47:4
46 כִּי־כָבֵד הָרָעָב מְאֹד Gen. 47:13
47 וַתֵּלַהּ...וְאֶרֶץ כְּנַעַן מִפְּנֵי הָרָעָב Gen. 47:13
48 כִּי־חָזַק עֲלֵהֶם הָרָעָב Gen. 47:20
49-50 וַיֶּחֱזַק הָרָעָב בָּעִיר IIK. 25:3 • Jer. 52:6
51 מִפְּנֵי הָרָעָב וְהַחֶרֶב Jer. 14:16
52 מִן־הַדֶּבֶר מִן־הַחֶרֶב וּמִן־הָרָעָב Jer. 21:7
53/4 אֶת־הַחֶרֶב אֶת־הָרָעָב Jer. 24:10; 29:17
55 אֶל־הַחֶרֶב אֶל־הַדֶּבֶר וְאֶל־הָרָעָב Jer. 34:17
56 וַיָּמָת תַּחְתָּיו מִפְּנֵי הָרָעָב Jer. 38:9
57 אֶת־חִצֵּי הָרָעָב הָרָעִים Ezek. 5:16
וְהָרָעָב 58 וְהָרָעָב הָיָה עַל כָּל־פְּנֵי הָאָרֶץ Gen. 41:56
59 וְהָרָעָב כָּבֵד בָּאָרֶץ Gen. 43:1
60 וְהָרָעָב חָזָק בְּשֹׁמְרוֹן IK. 18:2
61 וֶאֱלִישָׁע שָׁב הַגִּלְגָּלָה וְהָרָעָב בָּאָרֶץ IIK. 4:38

וְהָרָעָב (המשך) 62 וְהָרָעָב בָּעִיר וָמַתְנוּ שָׁם IIK.7:4
63 הַשֹּׁד וְהַשֶּׁבֶר וְהָרָעָב וְהַחֶרֶב Is.51:19
64 מִפְּנֵי הַחֶרֶב וְהָרָעָב וְהַדָּבֶר Jer.32:24
65 וְהָרָעָב אֲשֶׁר־אַתֶּם דֹּאֲגִים מִמֶּנּוּ Jer.42:16
66 וְהַדֶּבֶר וְהָרָעָב מִבָּיִת Ezek.7:15
בְּרָעָב 67 בְּרָעָב וּבְצָמָא וּבְעֵירֹם Deut.28:48
68 בְּרָעָב פָּדְךָ מִמָּוֶת Job 5:20
69 נֶפֶשׁ עוֹלָלַיִךְ הָעֲטוּפִים בְּרָעָב Lam.2:19
70 לָתֵת אֶתְכֶם לָמוּת בְּרָעָב וּבְצָמָא IICh.32:11
בָּרָעָב 71 וְלֹא־תִכָּרֵת הָאָרֶץ בָּרָעָב Gen.41:36
72 לְהָמִית אֶת־כָּל־הַקָּהָל...בָּרָעָב Ex.16:3
73 וְהֵמַתִּי בָרָעָב שָׁרְשֵׁךְ Is.14:30
74 בְּנֵיהֶם וּבְנוֹתֵיהֶם יָמֻתוּ בָּרָעָב Jer.11:22
75-79 בַּחֶרֶב בָּרָעָב וּבַדָּבֶר Jer.27:13
29:18; 38:2; 42:17; 44:13
80 בַּחֶרֶב בָּרָעָב וּבַדֶּבֶר תָּמוּתוּ Jer.42:22
81 בַּחֶרֶב בָּרָעָב יִתַּמּוּ Jer.44:12
82 אֲשֶׁר בַּחֶרֶב בָּרָעָב וּבַדֶּבֶר יִפֹּלוּ Ezek.6:11
83 וְהַנִּשְׁאָר וְהַנָּצוּר בָּרָעָב יָמוּת Ezek.6:12
84 לְהַצִּיל...וּלְחַיּוֹתָם בָּרָעָב Ps.33:19
85 וְנִקְחָה דָגָן בָּרָעָב Neh.5:3
וּבָרָעָב 86 וּבָרָעָב וּבַדֶּבֶר אָנֹכִי מְכַלֶּה Jer.14:12
87 בַּחֶרֶב וּבָרָעָב יִתַּמּוּ הַנְּבִאִים Jer.14:15
88 וּבַחֶרֶב וּבָרָעָב יִכְלוּ Jer.16:4
89-90 בַּחֶרֶב וּבָרָעָב וּבַדָּבֶר Jer.21:9; 32:36
91 בַּחֶרֶב וּבָרָעָב וּבַדֶּבֶר אֶפְקֹד Jer.27:8
92 בַּחֶרֶב וּבָרָעָב יָמֻתוּ Jer.44:12
93 וּבַחֶרֶב וּבָרָעָב תָּמְנוּ Jer.44:18
94 וְתַמּוּ...בַּחֶרֶב וּבָרָעָב Jer.44:27
95 בַּדֶּבֶר...וּבָרָעָב יִכְלוּ בְתוֹכֵךְ Ezek.5:12
לָרָעָב 96 כִּי־קָרָא יְיָ לָרָעָב וְגַם־בָּא IIK.8:1
97/8 וַאֲשֶׁר לָרָעָב לָרָעָב Jer.15:2
99 לָכֵן תֵּן אֶת־בְּנֵיהֶם לָרָעָב Jer.18:21
מֵרָעָב 100 וְהוֹתַרְתִּי...מֵחֶרֶב מֵרָעָב וּמִדָּבֶר Ezek.12:16
לִרְעָבָם 101 וְלֶחֶם מִשָּׁמַיִם נָתַתָּ לָהֶם לִרְעָבָם Neh.9:15

רְעָבוֹן

ז׳ רָעָב: 1-3 • קרובים: ראה רָעָב

יְמֵי רְעָבוֹן 1; רַעֲבוֹן בָּתֵּיהֶם 2, 3

רְעָבוֹן 1 וּבִימֵי רְעָבוֹן יִשְׂבָּעוּ Ps.37:19
רַעֲבוֹן־ 2 הָבִיאוּ שֶׁבֶר רַעֲבוֹן בָּתֵּיכֶם Gen.42:19
3 וְאֶת־רַעֲבוֹן בָּתֵּיכֶם קְחוּ Gen.42:33

רעד

: רָעַד, הִרְעִיד; רַעַד, רְעָדָה

רָעַד

פָּ׳ א) רגז, התנודד: 1

ב) [הפ׳ הִרְעִיד] רעד, הזדעזע: 2, 3

וַתִּרְעָד 1 הַמַּבִּיט לָאָרֶץ וַתִּרְעָד Ps.104:32
מַרְעִיד 2 וּבְדַבְּרוֹ עִמִּי...עָמַדְתִּי מַרְעִיד Dan.10:11
מַרְעִידִים 3 מַרְעִידִים עַל־הַדָּבָר וּמֵהַגְּשָׁמִים Ez.10:9

רַעַד

ז׳ זעזוע, חִיל: 1, 2 • קרובים: ראה חִיל

רָעַד 1 אֵילֵי מוֹאָב יֹאחֲזֵמוֹ רָעַד Ex.15:15
וָרַעַד 2 יִרְאָה וָרַעַד יָבֹא בִי Ps.55:6

רְעָדָה

נ׳ רַעַד: 1-4 • קרובים: ראה חִיל

רְעָדָה 1 פָּחֲדוּ...אָחֲזָה רְעָדָה חֲנֵפִים Is.33:14
2 רְעָדָה אֲחָזָתַם שָׁם חִיל כַּיּוֹלֵדָה Ps.48:7
וּרְעָדָה 3 פַּחַד קְרָאַנִי וּרְעָדָה Job 4:14
בִּרְעָדָה 4 עִבְדוּ אֶת־יְיָ בְּיִרְאָה וְגִילוּ בִּרְעָדָה Ps.2:11

רעה

: א) רָעָה, רֵעָה, הִתְרָעָה; רוֹעֶה, מִרְעֶה, מַרְעִית;
רֵעַ, רֵעֶה, רְעוּת, רַעְיָה; ש״פ רְעוּ, רְעוּאֵל,
רֵעִי, רוּת (= רְעוּת?)

ב) רֵעַ², רַעְיוֹן

רָעָה

פָּ׳ א) נהג עֵדר אל מקום עשׂב: 1, 2, 5, 7-9, 11, 13, 14, 17, 21, 22, 24-26, 34-40, 47-53, 55, 59, 69, 74, 75, 80-82, 89, 92, 93

[עַיֵּן עוֹד ערך רוֹעֶה]

ב) אכל את העשׂב במרעה (גם בהשאלה): 10, 15, 16, 44-46, 57, 58, 63, 70-73, 76-78, 83-87

ג) [בהשאלה] הנהיג, הדריך: 3, 4, 6, 12, 18-20, 23, 33, 41-43, 54, 56, 60, 64-67, 79, 88, 91

ד) התחַבּר, נטה אחרי־: 27-32, 61, 62, 68, 90

ה) [פִּ׳ רֵעָה] התחבּר: 94

ו) [הת׳ הִתְרָעָה] התיַדּד: 95

– רָעָה אִוֶּלֶת 61; רָ׳ אֱמוּנָה 90; רָ׳ בְּכוֹרֵי דַלִּים 16; רָ׳ גְדִיּוֹת 92; רָעָה דֵעָה וְהַשְׂכֵּל 18; רָעָה חֲמוֹרִים 8; רָעָה עַם 3, 6, 42, 88; רָעָה צֹאן 1, 2, 7, 14, 17, 21, (22, 24-26), 40, 47, 49, 51, 52, 69, 71, 89, (93);
רָעָה רוּחַ 68

– רוֹעֶה אֵפֶר 27; ר׳ זוֹלְלִים 31; ר׳ זוֹנוֹת 32; רוֹעֶה כְּסִילִים 30; רוֹעֶה עֲקָרָה 29; רוֹעֶה רוּחַ 28

לִרְעוֹת 1 וַיֵּלְכוּ...לִרְעוֹת אֶת־צֹאן אֲבִיהֶם Gen.37:12
2 לִרְעוֹת אֶת־צֹאן אָבִיו ISh.17:15
3 אֲשֶׁר צִוִּיתִי לִרְעוֹת אֶת־עַמִּי IISh.7:7
4 הֱבִיאוֹ לִרְעוֹת בְּיַעֲקֹב עַמּוֹ Ps.78:71
5 לִרְעוֹת בַּגַּנִּים וְלִלְקֹט שׁוֹשַׁנִּים S.ofS.6:2
6 אֲשֶׁר צִוִּיתִי לִרְעוֹת אֶת־עַמִּי ICh.17:6
מֵרְעוֹת 7 וְהִשְׁבַּתִּים מֵרְעוֹת צֹאן Ezek.34:10
בִּרְעֹתוֹ 8 בִּרְעֹתוֹ אֶת־הַחֲמֹרִים לְצִבְעוֹן אָבִיו Gen.36:24
וּרְעִיתִים 9 וּרְעִיתִים אֶל־הָרֵי יִשְׂרָאֵל Ezek.34:13
וְרָעָה 10 וְרָעָה הַכַּרְמֶל וְהַבָּשָׁן Jer.50:19
11 וַהֲקִמֹתִי...רֹעֶה אֶחָד וְרָעָה אֶתְהֶן Ezek.34:23
12 וְעָמַד וְרָעָה בְּעֹז יְיָ Mic.5:3
רָעוּ 13 רָעוּ אִישׁ אֶת־יָדוֹ Jer.6:3
14 וְאֶת־צֹאנִי לֹא רָעוּ Ezek.34:8
וְרָעוּ 15 וְרָעוּ כְבָשִׂים כְּדָבְרָם Is.5:17
16 וְרָעוּ בְּכוֹרֵי דַלִּים Is.14:30
17 וְעָמְדוּ זָרִים וְרָעוּ צֹאנְכֶם Is.61:5
18 וְרָעוּ אֶתְכֶם דֵּעָה וְהַשְׂכֵּיל Jer.3:15
19 וְרָעוּ אֶת־אֶרֶץ אַשּׁוּר בַּחֶרֶב Mic.5:5
וְרָעוּם 20 וַהֲקִמֹתִי עֲלֵיהֶם רֹעִים וְרָעוּם Jer.23:4
רוֹעֶה 21 וְיַעֲקֹב רֹעֶה אֶת־צֹאן לָבָן Gen.30:36
22 הָיָה רֹעֶה אֶת־אֶחָיו בַּצֹּאן Gen.37:2
23 מִשָּׁם רֹעֶה אֶבֶן יִשְׂרָאֵל Gen.49:24
24 וּמֹשֶׁה הָיָה רֹעֶה אֶת־צֹאן יִתְרוֹ Ex.3:1
25 וְהִנֵּה רֹעֶה בַּצֹּאן ISh.16:11
26 רֹעֶה הָיָה עַבְדְּךָ לְאָבִיו בַּצֹּאן ISh.17:34
27 רֹעֶה אֵפֶר לֵב הוּתַל הִטָּהוּ Is.44:20
28 אֶפְרַיִם רֹעֶה רוּחַ וְרֹדֵף קָדִים Hosh.12:2
29 רֹעֶה עֲקָרָה לֹא תֵלֵד Job 24:21
וְרוֹעֶה 30 וְרֹעֶה כְסִילִים יֵרוֹעַ Prov.13:20
31 וְרֹעֶה זוֹלְלִים יַכְלִים אָבִיו Prov.28:7
32 וְרֹעֶה זוֹנוֹת יְאַבֶּד־הוֹן Prov.29:3
הָרוֹעֶה 33 הָאֱלֹהִים הָרֹעֶה אֹתִי מֵעוֹדִי Gen.48:15
34 דּוֹדִי לִי...הָרֹעֶה בַּשּׁוֹשַׁנִּים S.ofS.2:16
35 אֲנִי לְדוֹדִי...הָרוֹעֶה בַּשּׁוֹשַׁנִּים S.ofS.6:3
מֵרוֹעֶה 36 וַאֲנִי לֹא־אַצְתִּי מֵרֹעֶה אַחֲרֶיךָ Jer.17:16
רוֹעִים 37 הֲלוֹא אַחֶיךָ רֹעִים בִּשְׁכֶם Gen.37:13
38 הַגִּידָה־נָּא לִי אֵיפֹה הֵם רֹעִים Gen.37:16
39 וּבְנֵיהֶם יִהְיוּ רֹעִים בַּמִּדְבָּר Num.14:33
40 כָּל־יְמֵי הֱיוֹתֵנוּ עִמָּם רֹעִים הַצֹּאן ISh.25:16
41 רֹעֵי יִשְׂרָ׳ אֲשֶׁר הָיוּ רֹעִים אוֹתָם Ezek.34:2
הָרוֹעִים 42 עַל הָרֹעִים הָרֹעִים אֶת עַמִּי Jer.23:2
43 וְלֹא־יִרְעוּ עוֹד הָרֹעִים אוֹתָם Ezek.34:10
44 תְּאוֹמֵי צְבִיָּה הָרֹעִים בַּשּׁוֹשַׁנִּים S.ofS.4:5
45 וְעַל־הַבָּקָר הָרֹעִים בַּשָּׁרוֹן ICh.27:29
רוֹעוֹת 46 וְהָאֲתֹנוֹת רֹעוֹת עַל־יְדֵיהֶם Job 1:14
אֶרְעֶה 47 אָשׁוּבָה אֶרְעֶה צֹאנְךָ אֶשְׁמֹר Gen.30:31
48 בְּמִרְעֶה־טּוֹב אֶרְעֶה אֹתָם Ezek.34:14
49 אֲנִי אֶרְעֶה צֹאנִי וַאֲנִי אַרְבִּיצֵם Ezek.34:15
50 וָאֹמַר לֹא אֶרְעֶה אֶתְכֶם Zech.11:9
וָאֶרְעֶה 51 וָאֶרְעֶה אֶת־צֹאן הַהֲרֵגָה Zech.11:7
52 וָאֶרְעֶה אֶת־הַצֹּאן Zech.11:7
אֶרְעֶנָּה 53 וְאֶת־הַשְּׁמֵנָה...אֶרְעֶנָּה בְמִשְׁפָּט Ezek.34:16
תִּרְעֶה 54 אַתָּה תִרְעֶה אֶת־עַמִּי אֶת־יִשְׂרָאֵל IISh.5:2
55 אֵיכָה תִרְעֶה אֵיכָה תַּרְבִּיץ S.ofS.1:7
56 אַתָּה תִרְעֶה אֶת־עַמִּי אֶת־יִשְׂרָאֵל ICh.11:2
יִרְעֶה 57 שָׁם יִרְעֶה עֵגֶל וְשָׁם יִרְבָּץ Is.27:10
58 יִרְעֶה מִקְנֶיךָ...כַּר נִרְחָב Is.30:23
59 כְּרֹעֶה עֶדְרוֹ יִרְעֶה Is.40:11
60 הוּא יִרְעֶה אֹתָם Ezek.34:23
61 וּפִי° כְסִילִים יִרְעֶה אִוֶּלֶת Prov.15:14
יֵרַע(?) 62 תְּאָכְלֵהוּ אֵשׁ...יֵרַע שָׂרִיד בְּאָהֳלוֹ Job 20:26
יִרְעֶנָּה 63 וְזִיז שָׂדַי יִרְעֶנָּה Ps.80:14
יִרְעֵם 64 עַתָּה יִרְעֵם יְיָ כְּכֶבֶשׂ בַּמֶּרְחָב Hosh.4:16
65 גֹּרֶן וָיֶקֶב לֹא יִרְעֵם Hosh.9:2
66 כַּצֹּאן לִשְׁאוֹל שַׁתּוּ מָוֶת יִרְעֵם Ps.49:15
וַיִּרְעֵם 67 וַיִּרְעֵם כְּתֹם לְבָבוֹ Ps.78:72
תִּרְעֶה 68 כָּל־רֹעַיִךְ תִּרְעֶה־רוּחַ Jer.22:22
תִּרְעוּ 69 הַצֹּאן לֹא תִרְעוּ Ezek.34:3
70 הַמִּרְעֶה הַטּוֹב תִּרְעוּ Ezek.34:18
יִרְעוּ 71 גַּם־הַצֹּאן וְהַבָּקָר אַל־יִרְעוּ Ex.34:3
72 עַל־דְּרָכִים יִרְעוּ Is.49:9
73 זְאֵב וְטָלֶה יִרְעוּ כְאֶחָד Is.65:25
74 הֲלוֹא הַצֹּאן יִרְעוּ הָרֹעִים Ezek.34:2
75 וְלֹא־יִרְעוּ עוֹד הָרֹעִים אוֹתָם Ezek.34:10
76 אַל־יִרְעוּ וּמַיִם אַל־יִשְׁתּוּ Jon.3:7
77 יִרְעוּ בָשָׁן וְגִלְעָד כִּימֵי עוֹלָם Mic.7:14
78 כִּי־הֵמָּה יִרְעוּ וְרָבְצוּ Zep.3:13
79 שִׂפְתֵי צַדִּיק יִרְעוּ רַבִּים Prov.10:21
יִרְעוּן 80 וְהָיָה חֶבֶל...עֲלֵיהֶם יִרְעוּן Zep.2:7
וַיִּרְעוּ 81 וַיִּרְעוּ הָרֹעִים אוֹתָם Ezek.34:8
82 עֵדֶר גָּזְלוּ וַיִּרְעוּ Job 24:2
תִּרְעֶינָה 83 וּפָרָה וָדֹב תִּרְעֶינָה Is.11:7
84 וּמִרְעֶה שָׁמֵן תִּרְעֶינָה Ezek.34:14
85 מִרְמַס רַגְלֵיכֶם תִּרְעֶינָה Ezek.34:19
וַתִּרְעֶינָה 86/7 וַתִּרְעֶינָה בָּאָחוּ Gen.41:2, 18
רְעֵה 88 רְעֵה עַמְּךָ בְשִׁבְטֶךָ Mic.7:14
89 רְעֵה אֶת־צֹאן הַהֲרֵגָה Zech.11:4
וּרְעֵה 90 שְׁכָן־אֶרֶץ וּרְעֵה אֱמוּנָה Ps.37:3
וּרְעֵם 91 וּרְעֵם וְנַשְּׂאֵם עַד־הָעוֹלָם Ps.28:9
וּרְעִי 92 וּרְעִי אֶת־גְּדִיֹּתַיִךְ עַל מִשְׁכְּנוֹת הָרֹעִים S.ofS.1:8
רְעוּ 93 הַשְׁקוּ הַצֹּאן וּלְכוּ רְעוּ Gen.29:7
רֵעָה 94 וַתְּהִי...לְמֵרֵעֵהוּ אֲשֶׁר רֵעָה לוֹ Jud.14:20
תִּתְרַע 95 אַל־תִּתְרַע אֶת־בַּעַל אָף Prov.22:24

רֵעֶה

ז׳ רֵעַ, חָבֵר: 1-3

רֵעֵה דָוִד 1, 2; רֵעֵה הַמֶּלֶךְ 3

רֵעֵה־ 1 וַיָּבֹא חוּשַׁי רֵעֵה דָוִד IISh.15:37
2 חוּשַׁי הָאַרְכִּי רֵעֵה דָוִד IISh.16:16
3 וְזָבוּד בֶּן־נָתָן כֹּהֵן רֵעֵה הַמֶּלֶךְ IK.4:5

רֵעָה*

נ׳ חבֵרה: 1-3

וְרֵעוֹתָי 1 וְאֶבְכֶּה...אָנֹכִי וְרֵעוֹתָי (כ׳ ורעיתי) Jud.11:37
רֵעוֹתֶיהָ 2 בְּתוּלוֹת אַחֲרֶיהָ רֵעוֹתֶיהָ Ps.45:15
וְרֵעוֹתֶיהָ 3 וַתֵּלֶךְ הִיא וְרֵעוֹתֶיהָ וַתֵּבְךְּ Jud.11:38

רָעָה נ׳ א) צרה, פגע, אסון: רוב המקראות 5-310
ב) רע, מעשׂה רע, רשעה: 1-4, 6-15, 17, 18, 43, 45, 49, 50, 52, 57, 60, 65, 69, 71, 77, 80, 81, 83, 88, 91, 100, 109, 111, 114, 120, 125, 133, 142, 161, 203, 218, 221, 225-237, 249, 253-260, 262, 266-271, 273-276, 281-293, 297, 301, 302, 305, 307, 310, 315, 317-319

– רָעָה וְטוֹבָה 207-209; רָעָה וָפֶשַׁע 11; רָעָה תַּחַת טוֹבָה 2, 12, (43), 69, 71, 77, 88

– רָעָה גְדוֹלָה 49, 50, 60, 103, 104, 114, 124, 134, 149, 150, 185, 198; רָעָה חוֹלָה 94, 95; רָעָה רַבָּה 112, 249, 274, 287

– אַנְשֵׁי רָעָה 91; דּוֹרְשֵׁי רָ׳ 240; הוֹלֵלוֹת רָ׳ 100; חוֹשְׁבֵי רָ׳ 238; חֲפֵצֵי רָ׳ 241, 242; חֶרֶב רָ׳ 78; יוֹם רָעָה 40, 41, 54, 67, 72, 85, 97; יְמֵי רָ׳ 179; מְבַקְשֵׁי רָ׳ 243/4, 250, 290; מַחֲשֶׁבֶת רָ׳ 57; מַעֲשֵׂה רָ׳ 178; עֹצֶר רָ׳ 76; עֵת רָ׳ 39, 59, 62, 70, 98, 251, 278; פַּחַד רָ׳ 79; רוּחַ הָרָעָה 126; שְׂמֵחֵי רָעָתוֹ 239

– רָעַת אֲבִימֶלֶךְ 225; רָעַת הָאָדָם 224, 233; רָ׳ אִישׁ 235; רָ׳ אַנְשֵׁי שְׁכֶם 226; רָ׳ בֵּית יִשְׂרָאֵל 229; רָ׳ בְּנֵי יִשְׂרָאֵל 230; רָ׳ הָמָן 234; רָ׳ יוֹשְׁבִים 236, 237; רָ׳ נָבָל 227; רָ׳ הָעָם 228; רָ׳ רֵעֵהוּ 232; רָעַת רָעָתוֹ 231

– רָעוֹת רַבּוֹת 294, 295, 298, 303; רָ׳ אֲבוֹתָיו 310; רָ׳ מְלָכִים 311; רָ׳ נָשִׁים 312/3; רָעוֹת שׁוֹמְרוֹן 316

– תּוֹעֲבוֹת רָעוֹת 314

– אִנְּתָה רָעָה 75; בָּאָה רָ׳ 29, 30, 32, 47, 55, 56, 63, 107, 181, 289; דְּבָקַתּוּ רָ׳ 113; הָיְתָה רָ׳ 58; הִקְדִּימָה רָ׳ 171; הֵקָרָה רָ׳ 273; יָצְאָה רָ׳ 48; כָּלְתָה הָרָעָה 127, 128, 132, 180; מִהֲרָה רָ׳ 264; מוֹתְתָה רָ׳ 68; מָשָׁה רָעָה 89; נִגְלְתָה רָ׳ 257, 263; נָגְעָה רָ׳ 122, 123; נִהְיְתָה רָ׳ 120, 121; נִמְצְאָה רָ׳ 18, 109; נִפְתְּחָה הָרָעָה 148; נִשְׁקְפָה רָעָה 33; עָבְרָה רָעָה 248; עָלְתָה רָעָה 288; קְרָאַתּוּ רָעָה 119, 165

– בִּעֵר רָעָה 9; בִּקֵּשׁ רָ׳ 13, 20, 250; גָּמַל רָעָה 3, 26, 81, 115, 131; דִּבֶּר רָ׳ 22, 37, 106, 152, 157, 159, 160; דָּרַשׁ רָ׳ 83; הֵבִיא רָ׳ 19, 21, 24, 25, 31, 34, 36, 38, 44, 46, 51, 53, 103, 108, 136, 140, 143, 144, 163, 187; הִדִּיחַ רָ׳ 135; הֶחֱרִישׁ הָרָ׳ 130; הֵיטִיב רָ׳ 129; הִמְתִּיק רָ׳ 93; הֶעֱבִיר רָ׳ 102, 234; הֵקִים רָ׳ 16; הֵשִׁיב רָ׳ 12, 88, 247; זָכַר רָ׳ 285; חָרַשׁ רָעָה 80; חָשַׁב רָ׳ 4, 52, 61, 64, 73, 158, 235; יָדַע רָ׳ 139; יָסַף רָ׳ 10; יָעַץ רָ׳ 27; יָצַר רָ׳ 42; כִּלָּה רָ׳ 87; כָּרָה רָ׳ 86; מָצָא רָ׳ 15, 281; נָטָה רָ׳ 66; עָשָׂה רָעָה 6-8, 17, 23, 65, 105, 114, 118, 124, 125, 133, 142, 161, 168, 185, 268, 283; פָּקַד רָ׳ 28; רָאָה רָעָה 74, 90, 92, 94, 96, 99, 110, 146, 183, 188; רִדֵּף רָעָה 82, 84; שִׁלֵּם רָעָה 2, 43, 69, 71, 284; שָׂם רָעָה 77; שָׁמַע רָעָה 176; שָׁפַךְ רָעָה 280

– אָפְפוּ רָעוֹת 299; מְצָאוּהוּ רָעוֹת 295, 304

– חָשַׁב רָעוֹת 301; עָשָׂה רָעוֹת 297, 305, 306, 318; שָׁכַח רָעוֹת 310

רָעָה

1 אִם־תַּעֲשֵׂה עִמָּנוּ רָעָה Gen. 26:29
2 לָמָּה שִׁלַּמְתֶּם רָעָה תַּחַת טוֹבָה Gen. 44:4
3 שָׂא נָא פֶּשַׁע...כִּי־רָעָה גְמָלוּךָ Gen. 50:17
4 וְאַתֶּם חֲשַׁבְתֶּם עָלַי רָעָה Gen. 50:20
5 רְאוּ כִּי רָעָה נֶגֶד פְּנֵיכֶם Ex. 10:10
6 לַעֲשׂוֹת טוֹבָה אוֹ רָעָה Num. 24:13
7 וְאַתָּה עֹשֶׂה אִתִּי רָעָה Jud. 11:27
8 כִּי־עֹשֶׂה אֲנִי עִמָּם רָעָה Jud. 15:3
9 וּנְבַעֲרָה רָעָה מִיִּשְׂרָאֵל Jud. 20:13
10 יָסַפְנוּ עַל־כָּל־חַטֹּאתֵינוּ רָעָה ISh. 12:19

רָעָה (המשך)

11 כִּי אֵין בְּיָדִי רָעָה וָפֶשַׁע ISh. 24:11
12 וַיָּשֶׁב־לִי רָעָה תַּחַת טוֹבָה ISh. 25:21
13 וְהַמְבַקְשִׁים אֶל־אֲדֹנִי רָעָה ISh. 25:26
14 מֶה עָשִׂיתִי וּמַה־בְּיָדִי רָעָה ISh. 26:18
15 כִּי לֹא־מָצָאתִי בְךָ רָעָה ISh. 29:6
16 הִנְנִי מֵקִים עָלֶיךָ רָעָה מִבֵּיתֶךָ IISh. 12:11
17 וְאֵיךְ נֹאמַר אֵלָיו...וְעָשָׂה רָעָה IISh. 12:18
18 וְאִם־רָעָה תִמָּצֵא־בוֹ וָמֵת IK. 1:52
19 הִנְנִי מֵבִיא רָעָה אֶל־בֵּית יָרָבְעָם IK. 14:10
20 וּרְאוּ כִּי רָעָה זֶה מְבַקֵּשׁ IK. 20:7
21 הִנְנִי מֵבִיא° אֵלֶיךָ רָעָה IK. 21:21
22 וַיְיָ דִּבֶּר עָלֶיךָ רָעָה IK. 22:23
23 יָדַעְתִּי אֵת אֲשֶׁר־תַּעֲשֶׂה לִבְ״יִ רָעָה IIK. 8:12
24 הִנְנִי מֵבִיא רָעָה עַל־יְרוּשָׁלִַם IIK. 21:12
25 הִנְנִי מֵבִיא רָעָה אֶל־הַמָּקוֹם הַזֶּה IIK. 22:16
26 אוֹי לְנַפְשָׁם כִּי־גָמְלוּ לָהֶם רָעָה Is. 3:9
27 כִּי־יָעַץ עָלֶיךָ אֲרָם רָעָה Is. 7:5
28 וּפָקַדְתִּי עַל־תֵּבֵל רָעָה Is. 13:11
29 וּבָא עָלַיִךְ רָעָה לֹא תֵדְעִי שַׁחְרָהּ Is. 47:11
30 רָעָה תָּבֹא אֲלֵיהֶם נְאֻם־יְיָ Jer. 2:3
31 כִּי רָעָה אָנֹכִי מֵבִיא מִצָּפוֹן Jer. 4:6
32 וְלֹא־תָבוֹא עָלֵינוּ רָעָה Jer. 5:12
33 כִּי רָעָה נִשְׁקְפָה מִצָּפוֹן Jer. 6:1
34 אָנֹכִי מֵבִיא רָעָה אֶל־הָעָם הַזֶּה Jer. 6:19
35 כִּי מֵרָעָה אֶל־רָעָה יָצָאוּ Jer. 9:2
36 הִנְנִי מֵבִיא אֲלֵיהֶם רָעָה Jer. 11:11
37 וַיְיָ צְבָאוֹת...דִּבֶּר עָלַיִךְ רָעָה Jer. 11:17
38 כִּי־אָבִיא רָעָה אֶל־אַנְשֵׁי עֲנָתוֹת Jer. 11:23
39 אִם־לוֹא הִפְגַּעְתִּי בְךָ בְּעֵת רָעָה Jer. 15:11
40 מַחֲסִי־אַתָּה בְּיוֹם רָעָה Jer. 17:17
41 הָבִיא עֲלֵיהֶם יוֹם רָעָה Jer. 17:18
42 הִנֵּה אָנֹכִי יוֹצֵר עֲלֵיכֶם רָעָה Jer. 18:11
43 הַיְשֻׁלַּם תַּחַת־טוֹבָה רָעָה Jer. 18:20
44 הִנְנִי מֵבִיא רָעָה עַל־הַמָּקוֹם הַזֶּה Jer. 19:3
45 וַתְּהִי מְרוּצָתָם רָעָה Jer. 23:10
46 כִּי־אָבִיא עֲלֵיהֶם רָעָה Jer. 23:12
47 לֹא־תָבוֹא עֲלֵיכֶם רָעָה Jer. 23:17
48 הִנֵּה רָעָה יֹצֵאת מִגּוֹי אֶל־גּוֹי Jer. 25:32
49-50 עֹשִׂים רָעָה גְדוֹלָה Jer. 26:19; 44:7
51 הִנְנִי מֵבִיא רָעָה עַל־כָּל־בָּשָׂר Jer. 45:5
52 בְּחֶשְׁבּוֹן חָשְׁבוּ עָלֶיהָ רָעָה Jer. 48:2
53 וְהֵבֵאתִי עֲלֵיהֶם רָעָה Jer. 49:37
54 הָיוּ עָלֶיהָ מִסָּבִיב בְּיוֹם רָעָה Jer. 51:2
55/6 רָעָה אַחַת רָעָה הִנֵּה בָאָה Ezek. 7:5
57 וְחָשַׁבְתָּ מַחֲשֶׁבֶת רָעָה Ezek. 38:10
58 אִם־תִּהְיֶה רָעָה בְּעִיר Am. 3:6
59 כִּי עֵת רָעָה הִיא Am. 5:13
60 וַיֵּרַע אֶל־יוֹנָה רָעָה גְדוֹלָה Jon. 4:1
61 הִנְנִי חֹשֵׁב עַל־הַמִּשְׁפָּחָה הַזֹּאת רָעָה Mic. 2:3
62 כִּי עֵת רָעָה הִיא Mic. 2:3
63 לֹא־תָבוֹא עָלֵינוּ רָעָה Mic. 3:11
64 מִמֵּךְ יָצָא חֹשֵׁב עַל־יְיָ רָעָה Nah. 1:11
65 לֹא־עָשָׂה לְרֵעֵהוּ רָעָה Ps. 15:3
66 כִּי־נָטוּ עָלֶיךָ רָעָה Ps. 21:12
67 יִצְפְּנֵנִי בְּסֻכֹּה בְּיוֹם רָעָה Ps. 27:5
68 תְּמוֹתֵת רָשָׁע רָעָה Ps. 34:22
69 יְשַׁלְּמוּנִי רָעָה תַּחַת טוֹבָה Ps. 35:12
70 לֹא־יֵבֹשׁוּ בְּעֵת רָעָה Ps. 37:19
71 וּמְשַׁלְּמֵי רָעָה תַּחַת טוֹבָה Ps. 38:21
72 בְּיוֹם רָעָה יְמַלְּטֵהוּ יְיָ Ps. 41:2
73 עָלַי יַחְשְׁבוּ רָעָה לִי Ps. 41:8
74 שְׁנוֹת רָאִינוּ רָעָה Ps. 90:15

רָעָה (המשך)

75 לֹא־תְאֻנֶּה אֵלֶיךָ רָעָה Ps. 91:10
76 וַיִּמְעֲטוּ...מֵעֹצֶר רָעָה וְיָגוֹן Ps. 107:39
77 וַיָּשִׂימוּ עָלַי רָעָה תַּחַת טוֹבָה Ps. 109:5
78 הַפּוֹצֶה אֶת־דָּוִד...מֵחֶרֶב רָעָה Ps. 144:10
79 וְשַׁאֲנַן מִפַּחַד רָעָה Prov. 1:33
80 אַל־תַּחֲרֹשׁ עַל־רֵעֲךָ רָעָה Prov. 3:29
81 אִם־לֹא גְמָלְךָ רָעָה Prov. 3:30
82 וּמְרַדֵּף רָעָה לְמוֹתוֹ Prov. 11:19
83 וְדֹרֵשׁ רָעָה תְבוֹאֶנּוּ Prov. 11:27
84 חַטָּאִים תְּרַדֵּף רָעָה Prov. 13:21
85 וְגַם־רָשָׁע לְיוֹם רָעָה Prov. 16:4
86 אִישׁ בְּלִיַּעַל כֹּרֶה רָעָה Prov. 16:27
87 קֹרֵץ שְׂפָתָיו כִּלָּה רָעָה Prov. 16:30
88 מֵשִׁיב רָעָה תַּחַת טוֹבָה Prov. 17:13
89 לֹא־תָמוּשׁ° רָעָה מִבֵּיתוֹ Prov. 17:13
90 עָרוּם רָאָה רָעָה וְנִסְתָּר° Prov. 22:3
91 אַל־תְּקַנֵּא בְּאַנְשֵׁי רָעָה Prov. 24:1
92 עָרוּם רָאָה רָעָה נִסְתָּר Prov. 27:12
93 אִם־תַּמְתִּיק בְּפִיו רָעָה Job 20:12
94 יֵשׁ רָעָה חוֹלָה רָאִיתִי Eccl. 5:12
95 וְגַם־זֹה רָעָה חוֹלָה Eccl. 5:15
96 יֵשׁ רָעָה אֲשֶׁר רָאִיתִי תַּחַת הַשָּׁמֶשׁ Eccl. 6:1
97 וּבְיוֹם רָעָה רְאֵה Eccl. 7:14
98 לְעֵת רָעָה כְּשֶׁתִּפּוֹל עֲלֵיהֶם פִּתְאֹם Eccl. 9:12
99 יֵשׁ רָעָה רָאִיתִי תַּחַת הַשָּׁמֶשׁ Eccl. 10:5
100 וְאַחֲרִית פִּיהוּ הוֹלֵלוּת רָעָה Eccl. 10:13
101 לֹא תֵדַע מַה־יִּהְיֶה רָעָה עַל־הָאָ׳ Eccl. 11:2
102 וְהַעֲבֵר רָעָה מִבְּשָׂרֶךָ Eccl. 11:10
103 לְהָבִיא עָלֵינוּ רָעָה גְדֹלָה Dan. 9:12
104 וַיֵּרַע לָהֶם רָעָה גְדֹלָה Neh. 2:10
105 חֹשְׁבִים לַעֲשׂוֹת לִי רָעָה Neh. 6:2
106 וַיְיָ דִּבֶּר עָלֶיךָ רָעָה IICh. 18:22
107 אִם־תָּבוֹא עָלֵינוּ רָעָה IICh. 20:9
108 הִנְנִי מֵבִיא רָעָה עַל־הַמָּקוֹם הַזֶּה IICh. 34:24

וְרָעָה

109 וְרָעָה לֹא־תִמָּצֵא בְךָ מִיָּמֶיךָ ISh. 25:28
110 וַנִּהְיֶה טוֹבִים וְרָעָה לֹא רָאִינוּ Jer. 44:17
111 דֹּבְרֵי שָׁלוֹם...וְרָעָה בִּלְבָבָם Ps. 28:3
112 גַּם־זֶה הֶבֶל וְרָעָה רַבָּה Eccl. 2:21

הָרָעָה

113 פֶּן־תִּדְבָּקַנִי הָרָעָה וָמַתִּי Gen. 19:19
114 וְאֵיךְ אֶעֱשֶׂה הָרָעָה הַגְּדֹלָה הַזֹּאת Gen. 39:9
115 כָּל־הָרָעָה אֲשֶׁר גָּמַלְנוּ אֹתוֹ Gen. 50:15
116 וְהִנָּחֵם עַל־הָרָעָה לְעַמֶּךָ Ex. 32:12
117 וַיִּנָּחֶם יְיָ עַל־הָרָעָה Ex. 32:14
118 עַל כָּל־הָרָעָה אֲשֶׁר עָשָׂה Deut. 31:18
119 וְקָרָאת אֶתְכֶם הָרָעָה Deut. 31:29
120 אֵיכָה נִהְיְתָה הָרָעָה הַזֹּאת Jud. 20:3
121 מָה הָרָעָה הַזֹּאת אֲשֶׁר נִהְיְתָה Jud. 20:12
122 כִּי־נֹגַעַת עֲלֵיהֶם הָרָעָה Jud. 20:34
123 כִּי רָאָה כִּי־נָגְעָה עָלָיו הָרָעָה Jud. 20:41
124 הוּא עָשָׂה לָנוּ אֶת־הָרָעָה הַגְּדוֹלָה ISh. 6:9
125 אַתֶּם עֲשִׂיתֶם אֵת כָּל־הָרָעָה ISh. 12:20
126 וְסָרָה מֵעָלָיו רוּחַ הָרָעָה ISh. 16:23
127 כִּי־כָלְתָה הָרָעָה מֵעִמּוֹ ISh. 20:7
128 כִּי־כָלְתָה הָרָעָה מֵעִם אָבִי ISh. 20:9
129 יֵיטִב אֶל־אָבִי אֶת־הָרָעָה עָלֶיךָ ISh. 20:13
130 כִּי עָלָיו שָׁאוּל מַחֲרִישׁ הָרָעָה ISh. 23:9
131 וַאֲנִי גְּמַלְתִּיךָ הָרָעָה ISh. 24:17
132 כִּי־כָלְתָה הָרָעָה אֶל־אֲדֹנֵינוּ ISh. 25:17
133 יְשַׁלֵּם יְיָ לְעֹשֵׂה הָרָעָה כְּרָעָתוֹ IISh. 3:39
134 אַל־אוֹדֹת הָרָעָה הַגְּדוֹלָה הַזֹּאת IISh. 13:16
135 וְהִדִּיחַ עָלֵינוּ אֶת־הָרָעָה IISh. 15:14
136 לְבַעֲבוּר הָבִיא...אֶת־הָרָעָה IISh. 17:14

הָרָעָה (המשך)

137 וְרָעָה לְךָ זֹאת מִכָּל־הָרָעָה IISh.19:8
138 וַיִּנָּחֶם יְיָ אֶל־הָרָעָה IISh.24:16
139 אַתָּה יָדַעְתְּ אֵת כָּל־הָרָעָה IK.2:44
140 הֵבִיא...אֵת כָּל־הָרָעָה הַזֹּאת IK.9:9
141 וְאֶת־הָרָעָה אֲשֶׁר הֲדָד IK.11:25
142 וְעַל כָּל־הָרָעָה אֲשֶׁר־עָשָׂה IK.16:7
143 לֹא־אָבִיא הָרָעָה בְּיָמָיו IK.21:29
144 בִּימֵי בְנוֹ אָבִיא הָרָעָה עַל־בֵּיתוֹ IK.21:29
145 הִנֵּה־זֹאת הָרָעָה מֵאֵת יְיָ IIK.6:33
146 וְלֹא־תִרְאֶינָה עֵינֶיךָ בְּכֹל הָרָעָה IIK.22:20
147 כִּי־מִפְּנֵי הָרָעָה נֶאֱסַף הַצַּדִּיק Is.57:1
148 מִצָּפוֹן תִּפָּתַח הָרָעָה Jer.1:14
149/50 כָּל־הָרָעָה הַגְּדוֹלָה הַזֹּאת Jer.16:10; 32:42
151 וְנִחַמְתִּי עַל־הָרָעָה Jer.18:8
152 כָּל־הָרָעָה אֲשֶׁר דִּבַּרְתִּי עָלֶיהָ Jer.19:15
153 וְנִחַמְתִּי אֶל־הָרָעָה Jer.26:3
154 וַיִּנָּחֶם יְיָ אֶל־הָרָעָה Jer.26:13
155 וַיִּנָּחֶם יְיָ אֶל־הָרָעָה Jer.26:19
156 וַתִּקְרָא אֹתָם אֵת כָּל־הָרָעָה Jer.32:23
157 אֵת כָּל־הָרָעָה אֲשֶׁר דִּבַּרְתִּי Jer.35:17
158 כָּל־הָרָעָה אֲשֶׁר אָנֹכִי חֹשֵׁב Jer.36:3
159 אֵת כָּל־הָרָעָה אֲשֶׁר־דִּבַּרְתִּי Jer.36:31
160 יְיָ אֱלֹהֶיךָ דִּבֶּר אֶת־הָרָעָה הַזֹּאת Jer.40:2
161 כָּל־הָרָעָה אֲשֶׁר עָשָׂה יִשְׁמָעֵאל Jer.41:11
162 כִּי נִחַמְתִּי אֶל־הָרָעָה... Jer.42:10
163 מִפְּנֵי הָרָעָה אֲשֶׁר אֲנִי מֵבִיא Jer.42:17
164 אֵת כָּל־הָרָעָה אֲשֶׁר הֵבֵאתִי Jer.44:2
165 עַל־כֵּן קָרָאת אֶתְכֶם הָרָעָה Jer.44:23
166 וַיִּכְתֹּב יִרְמְיָהוּ אֵת כָּל־הָרָעָה Jer.51:60
167 וְלֹא־תָקוּם מִפְּנֵי הָרָעָה Jer.51:64
168 לַעֲשׂוֹת לָהֶם הָרָעָה הַזֹּאת Ezek.6:10
169 וְנִחַמְתֶּם עַל־הָרָעָה Ezek.14:22
170 כִּי־חַנּוּן...הוּא...וְנִחָם עַל־הָרָעָה Joel2:13
171 לֹא־תַגִּישׁ וְתַקְדִּים בַּעֲדֵינוּ הָרָעָה Am.9:10
172 בְּשֶׁלְּמִי הָרָעָה הַזֹּאת לָנוּ Jon.1:7
173 בַּאֲשֶׁר לְמִי־הָרָעָה הַזֹּאת לָנוּ Jon.1:8
174 וַיִּנָּחֶם הָאֱלֹהִים עַל־הָרָעָה Jon.3:10
175 כִּי אַתָּה אֵל־חַנּוּן...וְנִחָם עַל־הָרָעָה Jon.4:2
176 וַיִּשְׁמְעוּ...אֵת כָּל־הָרָעָה הַזֹּאת Job2:11
177 וַיְנַחֲמוּ אֹתוֹ עַל כָּל־הָרָעָה Job42:11
178 אֵין־נַעֲשָׂה פִתְגָם מַעֲשֵׂה הָרָעָה Eccl.8:11
179 עַד אֲשֶׁר לֹא־יָבֹאוּ יְמֵי הָרָעָה Eccl.12:1
180 כָלְתָה אֵלָיו הָרָעָה מֵאֵת הַמֶּלֶךְ Es.7:7
181 אֵת כָּל־הָרָעָה הַזֹּאת בָּאָה עָלֵינוּ Dan.9:13
182 וַיִּשְׁקֹד יְיָ עַל־הָרָעָה Dan.9:14
183 אַתֶּם רֹאִים הָרָעָה אֲשֶׁר אֲנַחְנוּ בָהּ Neh.2:17
184 וַיָּבֵא...עָלֵינוּ אֵת כָּל־הָרָעָה הַזֹּאת Neh.13:18
185 לַעֲשׂוֹת אֵת כָּל־הָרָעָה הַגְּדוֹלָה Neh.13:27
186 רָאָה יְיָ וַיִּנָּחֶם עַל־הָרָעָה ICh.21:15
187 הֵבִיא עֲלֵיהֶם אֵת כָּל־הָרָעָה הַזֹּאת IICh.7:22
188 וְלֹא־תִרְאֶינָה עֵינֶיךָ בְּכָל הָרָעָה IICh.34:28

בְּרָעָה 189 וְהוֹרַדְתֶּם...שֵׂיבָתִי בְּרָעָה שְׁאֹלָה Gen.44:29
190 בְּרָעָה הוֹצִיאָם לַהֲרֹג אֹתָם Ex.32:12
191 וְלָמָּה תִתְגָּרֶה בְּרָעָה IIK.14:10
192 פִּיךָ שָׁלַחְתָּ בְרָעָה Ps.50:19
193 מַה־תִּתְהַלֵּל בְּרָעָה הַגִּבּוֹר Ps.52:3
194 נַפְשָׁם בְּרָעָה תִתְמוֹגָג Ps.107:26
195 וְנֶהְפָּךְ בִּלְשׁוֹנוֹ יִפּוֹל בְּרָעָה Prov.17:20
196 וּרְשָׁעִים יִכָּשְׁלוּ בְרָעָה Prov.24:16
197 וּמַקְשֶׁה לִבּוֹ יִפּוֹל בְּרָעָה Prov.28:14
198 הַנִּשְׁאָרִים...בְּרָעָה גְדֹלָה וּבְחֶרְפָּה Neh.1:3
199 כִּי בְרָעָה הָיְתָה בְּבֵיתוֹ ICh.7:23
200 לָמָּה תִתְגָּרֶה בְּרָעָה IICh.25:19

בָּרָעָה 201 בָּרָעָה אֲשֶׁר־יִמְצָא אֶת־עַמִּי Es.8:6
202 וְאָבִינָה בָרָעָה אֲשֶׁר עָשָׂה אֶלְיָשִׁיב Neh.13:7

לְרָעָה 203 לֹא־תַעֲבֹר אֵלַי...לְרָעָה Gen.31:52
204 וְהִבְדִּילוֹ יְיָ לְרָעָה Deut.29:20
205 יַד־יְיָ הָיְתָה־בָּם לְרָעָה Jud.2:15
206 וְכֹל אֲשֶׁר־קָמוּ עָלֶיךָ לְרָעָה IISh.18:32
207-9 לְרָעָה וְלֹא לְטוֹבָה Jer.21:10; 39:16; 44:27
210 וּנְתַתִּים לְזַוֲעָה לְרָעָה Jer.24:9
211 מַחְשְׁבוֹת שָׁלוֹם וְלֹא לְרָעָה Jer.29:11
212 אֵינֶנּוּ דֹרֵשׁ לְשָׁלוֹם...כִּי אִם־לְרָעָה Jer.38:4
213 הִנְנִי שָׂם פָּנַי בָּכֶם לְרָעָה Jer.44:11
214 קוֹם יָקוּמוּ דְבָרַי עֲלֵיכֶם לְרָעָה Jer.44:29
215 וְשַׂמְתִּי עֵינִי עֲלֵיהֶם לְרָעָה Am.9:4
216 וְהֵמָּה עָזְרוּ לְרָעָה Zech.1:15
217 כִּי כָל־יָמָיו לְרָעָה IICh.18:7

לָרָעָה 218 רַגְלַיִם מְמַהֲרוֹת לָרוּץ לָרָעָה Prov.6:18

וּלְרָעָה 219 לְמִלְחָמָה וּלְרָעָה וּלְדָבֶר Jer.28:8

מֵרָעָה 220 וְאֶת־עַבְדּוֹ חָשַׂךְ מֵרָעָה ISh.25:39
221 כַּבְּסִי מֵרָעָה לִבֵּךְ יְרוּשָׁלַםִ Jer.4:14
222 כִּי מֵרָעָה אֶל־רָעָה יָצָאוּ Jer.9:2
223 וְעָשִׂיתָ מֵּרָעָה לְבִלְתִּי עָצְבִּי ICh.4:10

רָעַת־ 224 כִּי רַבָּה רָעַת הָאָדָם בָּאָרֶץ Gen.6:5
225 וַיָּשֶׁב אֱלֹהִים אֵת רָעַת אֲבִימֶלֶךְ Jud.9:56
226 וְאֵת כָּל־רָעַת אַנְשֵׁי שְׁכֶם הֵשִׁיב Jud.9:57
227 וְאֵת רָעַת נָבָל הֵשִׁיב יְיָ בְּרֹאשׁוֹ ISh.25:39
228 מִפְּנֵי רָעַת עַמִּי יִשְׂרָאֵל Jer.7:12
229 בִּגְלַל רָעַת בֵּית־יִשְׂרָאֵל Jer.11:17
230 עַל כָּל־רָעַת בְּ־י...אֲשֶׁר עָשׂוּ Jer.32:32
231 כָּכָה עָשָׂה...מִפְּנֵי רָעַת רָעַתְכֶם Hosh.10:15
232 וְאִישׁ אֶת־רָעַת רֵעֵהוּ אַל־תַּחְשְׁבוּ Zech.8:17
233 כִּי־רָעַת הָאָדָם רַבָּה עָלָיו Eccl.8:6
234 לְהַעֲבִיר אֶת־רָעַת הָמָן Es.8:3

וְרָעַת־ 235 וְרָעַת אִישׁ אָחִיו אַל־תַּחְשְׁבוּ Zech.7:10

מֵרָעַת־ 236 מֵרָעַת יֹשְׁבֵי־בָהּ Jer.12:4
237 מֵרָעַת יוֹשְׁבֵי בָהּ Ps.107:34

רָעָתִי 238 יִסֹּגוּ אָחוֹר וְיַחְפְּרוּ חֹשְׁבֵי רָעָתִי Ps.35:4
239 יֵבֹשׁוּ וְיַחְפְּרוּ יַחְדָּו שְׂמֵחֵי רָעָתִי Ps.35:26
240 מְבַקְשֵׁי נַפְשִׁי וְדֹרְשֵׁי רָעָתִי Ps.38:13
241/2 יִסֹּגוּ...וְיִכָּלְמוּ חֲפֵצֵי רָעָתִי Ps.40:15; 70:3
243 יַעֲטוּ חֶרְפָּה...מְבַקְשֵׁי רָעָתִי Ps.71:13
244 כִּי בֹשׁוּ כִּי־חָפְרוּ מְבַקְשֵׁי רָעָתִי Ps.71:24
245 כָּל־אֹיְבַי שָׁמְעוּ רָעָתִי שָׂשׂוּ Lam.1:21

בְּרָעָתִי 246 הָרְגֵנִי...וְאַל־אֶרְאֶה בְּרָעָתִי Num.11:15

רָעָתְךָ 247 וְהֵשִׁיב יְיָ אֶת־רָעָתְךָ בְּרֹאשֶׁךָ IK.2:44
248 עַל־מִי לֹא־עָבְרָה רָעָתְךָ תָּמִיד Nah.3:19
249 הֲלֹא רָעָתְךָ רַבָּה Job22:5

רָעָתֶךָ 250 הִנֵּה דָוִד מְבַקֵּשׁ רָעָתֶךָ ISh.24:9
251 אִם־יוֹשִׁיעוּךָ בְּעֵת רָעָתֶךָ Jer.2:28

בְּרָעָתֶךָ 252 וְהִנְּךָ בְּרָעָתֶךָ כִּי אִישׁ דָּמִים אָתָּה IISh.16:8

רָעָתֵךְ 253 תְּיַסְּרֵךְ רָעָתֵךְ וּמְשֻׁבוֹתַיִךְ תּוֹכִחֻךְ Jer.2:19
254 זֹאת רָעָתֵךְ כִּי מָר Jer.4:18
255 תֵּבֹשִׁי וְנִכְלַמְתְּ מִכֹּל רָעָתֵךְ Jer.22:22
256 וַיְהִי אַחֲרֵי כָּל־רָעָתֵךְ אוֹי אוֹי לָךְ Ezek.16:23
257 בְּטֶרֶם תִּגָּלֶה רָעָתֵךְ Ezek.16:57

רָעָתֵכִי 258 כִּי רָעָתֵכִי אָז תַּעֲלֹזִי Jer.11:15

בְּרָעָתֵךְ 259 וַתִּבְטְחִי בְרָעָתֵךְ Is.47:10

וּבְרָעָתֵךְ 260 וַתַּחֲנִיפִי אֶרֶץ בִּזְנוּתַיִךְ וּבְרָעָתֵךְ Jer.3:2

רָעָתוֹ 261 לֹא־אוֹיֵב לוֹ וְלֹא מְבַקֵּשׁ רָעָתוֹ Num.35:23
262 אֵין אִישׁ נִחָם עַל־רָעָתוֹ Jer.8:6
263 תִּגָּלֶה רָעָתוֹ בְקָהָל Prov.26:26

וְרָעָתוֹ 264 וְרָעָתוֹ מִהֲרָה מְאֹד Jer.48:16

בְּרָעָתוֹ 265 אַל־תֵּרֶא גַם־אַתָּה בְּרָעָתוֹ Ob.13
266 בְּרָעָתוֹ יִדָּחֶה רָשָׁע Prov.14:32
267 וְיֵשׁ רָשָׁע מַאֲרִיךְ בְּרָעָתוֹ Eccl.7:15

כְּרָעָתוֹ 268 יְשַׁלֵּם יְיָ לְעֹשֵׂה הָרָעָה כְּרָעָתוֹ IISh.3:39

לְרָעָתוֹ 269 עֹשֶׁר שָׁמוּר לִבְעָלָיו לְרָעָתוֹ Eccl.5:12

מֵרָעָתוֹ 270 וְשָׁב הַגּוֹי הַהוּא מֵרָעָתוֹ Jer.18:8
271 לְבִלְתִּי־שָׁבוּ אִישׁ מֵרָעָתוֹ Jer.23:14
272 לְהַצִּיל לוֹ מֵרָעָתוֹ Jon.4:6

רָעָתָהּ 273 כְּהָקִיר בַּיִר מֵימֶיהָ כֵּן הֵקֵרָה רָעָתָהּ Jer.6:7

רָעַתְכֶם 274 כִּי־רָעַתְכֶם רַבָּה...בְּעֵינֵי יְיָ ISh.12:17
275 כָּכָה עָשָׂה...מִפְּנֵי רָעַת רָעַתְכֶם Hosh.10:15

רָעָתָם 276 מִשְׁפָּטַי אוֹתָם עַל כָּל־רָעָתָם Jer.1:16
277 וּבְעֵת רָעָתָם יֹאמְרוּ קוּמָה וְהוֹשִׁיעֵנוּ Jer.2:27
278 לֹא־יוֹשִׁיעוּ לָהֶם בְּעֵת רָעָתָם Jer.11:12
279 בְּעֵת קָרְאָם אֵלַי בְּעַד רָעָתָם Jer.11:14
280 וְשָׁפַכְתִּי עֲלֵיהֶם אֶת־רָעָתָם Jer.14:16
281 גַּם־בְּבֵיתִי מָצָאתִי רָעָתָם Jer.23:11
282 הִסְתַּרְתִּי פָנַי...עַל כָּל־רָעָתָם Jer.33:5
283 מִפְּנֵי רָעָתָם אֲשֶׁר עָשׂוּ Jer.44:3
284 וְשִׁלַּמְתִּי...אֵת כָּל־רָעָתָם Jer.51:24
285 כָּל־רָעָתָם זָכָרְתִּי Hosh.7:2
286 כָּל־רָעָתָם בַּגִּלְגָּל Hosh.9:15
287 בֹּאוּ רְדוּ...כִּי רַבָּה רָעָתָם Joel4:13
288 כִּי־עָלְתָה רָעָתָם לְפָנָי Jon.1:2
289 תָּבֹא כָל־רָעָתָם לְפָנֶיךָ Lam.1:22
290 לִשְׁלֹחַ יָד בִּמְבַקְשֵׁי רָעָתָם Es.9:2

בְּרָעָתָם 291 בְּרָעָתָם יְשַׂמְּחוּ־מֶלֶךְ Hosh.7:3

וּבְרָעָתָם 292 וַיָּשֶׁב...אוֹנָם וּבְרָעָתָם יַצְמִיתֵם Ps.94:23

מֵרָעָתָם 293 וְלֹא שָׁמְעוּ...לָשׁוּב מֵרָעָתָם Jer44:5

רָעוֹת 294 וּמְצָאֻהוּ רָעוֹת רַבּוֹת וְצָרוֹת Deut.31:17
295 כִּי־תִמְצֶאןָ אֹתוֹ רָעוֹת רַבּוֹת Deut.31:21
296 אַסְפֶּה עָלֵימוֹ רָעוֹת Deut.32:23
297 כִּי־שְׁתַּיִם רָעוֹת עָשָׂה עַמִּי Jer.2:13
298 רַבּוֹת רָעוֹת צַדִּיק Ps.34:20
299 כִּי אָפְפוּ־עָלַי רָעוֹת Ps.40:13
300 כִּי־רָעוֹת בִּמְגוּרָם בְּקִרְבָּם Ps.55:16
301 אֲשֶׁר חָשְׁבוּ רָעוֹת בְּלֵב Ps.140:3
302 וּפִי רְשָׁעִים יַבִּיעַ רָעוֹת Prov.15:28

וְרָעוֹת 303 הִרְאִיתַנִי צָרוֹת רַבּוֹת וְרָעוֹת Ps.71:20

הָרָעוֹת 304 מְצָאוּנִי הָרָעוֹת הָאֵלֶּה Deut.31:17
305 תַּעֲשִׂי הָרָעוֹת וַתּוּכָל Jer.3:5
306 וְנָקֹטּוּ...אֶל־הָרָעוֹת אֲשֶׁר עָשׂוּ Ezek.6:9
307 מִפִּי עֶלְיוֹן לֹא תֵצֵא הָרָעוֹת וְהַטּוֹב Lam.3:38

בְּרָעוֹת 308 כִּי־שָׂבְעָה בְרָעוֹת נַפְשִׁי Ps.88:4

לְרָעֹת 309 לֹא־תִהְיֶה אַחֲרֵי־רַבִּים לְרָעֹת Ex.23:2

רָעוֹת־ 310 הַשְׁכַחְתֶּם אֶת־רָעוֹת אֲבוֹתֵיכֶם Jer.44:9
311 וְאֶת־רָעוֹת מַלְכֵי יְהוּדָה Jer.44:9
312 וְאֵת רָעוֹת נָשָׁיו Jer.44:9
313 וְאֵת רָעֹת נְשֵׁיכֶם Jer.44:9
314 כָּל־תּוֹעֲבוֹת רָעוֹת בֵּית יִשְׂרָאֵל Ezek.6:11

וְרָעוֹת־ 315 וְנִגְלָה עֲוֹן אֶפְרַיִם וְרָעוֹת שֹׁמְרוֹן Hosh.7:

רָעוֹתֵיכֶם 316 מוֹשִׁיעַ לָכֶם מִכָּל־רָעוֹתֵיכֶם ISh.10:19
317 וְאֵת רָעֹתֵיכֶם וְאֵת רָעֹת נְשֵׁיכֶם Jer.44:9
318 בְּכָל־רָעוֹתֵיכֶם אֲשֶׁר עֲשִׂיתֶם Ezek.20:43

בְּרָעוֹתֵיהֶם 319 וּתְפִלָּתִי בְּרָעוֹתֵיהֶם Ps.141:5

רְעוּ

שפ״ז – מצאצאי שם: 1־5

רְעוּ 1 וַיְחִי־פֶלֶג...וַיּוֹלֶד אֶת־רְעוּ Gen.11:18
2 וַיְחִי־פֶלֶג אַחֲרֵי הוֹלִידוֹ אֶת־רְעוּ Gen.11:19
3 וַיְחִי רְעוּ...וַיּוֹלֶד אֶת־שְׂרוּג Gen.11:20
4 וַיְחִי רְעוּ אַחֲרֵי הוֹלִידוֹ אֶת־שְׂרוּג Gen.11:21
5 עֵבֶר פֶּלֶג רְעוּ ICh.1:25

רְעוּאֵל שפ״ז א) בן עשו: 1-5, 9, 10
ב) הוא יִתְרוֹ חותן משה (ואולי אבי יתרו?): 6, 8
ג) אבי אליסף נשיא גד, הוא דְעוּאֵל: 7
ד) איש מבנימין: 11
בֶּן־רְעוּאֵל 8, 11; בְּנֵי רְעוּאֵל 3, 4, 10

רְעוּאֵל 1 וּבָשְׂמַת יָלְדָה אֶת־רְעוּאֵל Gen.36:4
2 רְעוּאֵל בֶּן־בָּשְׂמַת אֵשֶׁת עֵשָׂו Gen.36:10
3/4 וְאֵלֶּה בְּנֵי רְעוּאֵל Gen.36:13,17
5 אֵלֶּה אַלּוּפֵי רְעוּאֵל בְּא׳ אֱדוֹם Gen.36:17
6 וַתָּבֹאנָה אֶל־רְעוּאֵל אֲבִיהֶן Ex.2:18
7 אֶלְיָסָף בֶּן־רְעוּאֵל Num.2:14
8 לְחֹבָב בֶּן־רְעוּאֵל הַמִּדְיָנִי Num.10:29
9 בְּנֵי עֵשָׂו אֱלִיפַז רְעוּאֵל וִיעוּשׁ ICh.1:35
10 בְּנֵי רְעוּאֵל נַחַת זֶרַח שַׁמָּה וּמִזָּה ICh.1:37
11 וּמְשֻׁלָּם בֶּן־שְׁפַטְיָה בֶּן־רְעוּאֵל ICh.9:8

רְעוּת¹ נ׳ רעה, חברה: 1-6
אִשָּׁה רְעוּתָהּ 1-4; בְּשַׂר רְעוּתָהּ 5

רְעוּתָהּ 1 אִישׁ מֵאֵת רֵעֵהוּ וְאִשָּׁה מֵאֵת רְעוּתָהּ Ex.11:2
2 אַךְ־שָׁם נִקְבְּצוּ דַיּוֹת אִשָּׁה רְעוּתָהּ Is.34:15
3 אִשָּׁה רְעוּתָהּ לֹא פָקָדוּ Is.34:16
4 וְלַמֵּדְנָה...וְאִשָּׁה רְעוּתָהּ קִינָה Jer.9:19
5 תֹּאכַלְנָה אִשָּׁה אֶת־בְּשַׂר רְעוּתָהּ Zech.11:9
לִרְעוּתָהּ 6 יִתֵּן...לִרְעוּתָהּ הַטּוֹבָה מִמֶּנָּה Es.1:19

רְעוּת² נ׳ רעיה, התחברות: 1-7 • רְעוּת רוּחַ 1-7
וּרְעוּת־ 1-3 הַכֹּל הֶבֶל וּרְעוּת רוּחַ Eccl.1:14; 2:11,17
4-6 גַּם־זֶה הֶבֶל וּרְעוּת רוּחַ Eccl.2:26; 4:4; 6:9
7 מְלֹא חָפְנַיִם עָמָל וּרְעוּת רוּחַ Eccl.4:6

רְעוּת³ נ׳ ארמית רצון: 1, 2
וּרְעוּת־ 1 וּרְעוּת מַלְכָּא עַל־דְּנָה Ez.5:17
כִּרְעוּת־ 2 כִּרְעוּת אֱלָהֲכֹם תַּעַבְדוּן Ez.7:18

רְעִי ז׳ מִרְעֶה
רְעִי 1 וְעֶשְׂרִים בָּקָר רְעִי IK.5:3

רֵעִי שפ״ז – משרי דוד
וְרֵעִי 1 וְנָתָן הַנָּבִיא וְשִׁמְעִי וְרֵעִי IK.1:8

רַעְיָה* נ׳ כנוי לאשה אהובה: 1-9
אֲחֹתִי רַעְיָתִי 8; רַעְיָתִי יָפָתִי 5, 6

רַעְיָתִי 1 לְסֻסָתִי בְּרִכְבֵי...דִּמִּיתִיךְ רַעְיָתִי S.ofS.1:9
2/3 הִנָּךְ יָפָה רַעְיָתִי S.ofS.1:15; 4:1
4 כְּשׁוֹשַׁנָּה...כֵּן רַעְיָתִי בֵּין הַבָּנוֹת S.ofS.2:2
5 קוּמִי לָךְ רַעְיָתִי יָפָתִי S.ofS.2:10
6 קוּמִי לָךְ רַעְיָתִי יָפָתִי S.ofS.2:13
7 כֻּלָּךְ יָפָה רַעְיָתִי S.ofS.4:7
8 אֲחֹתִי רַעְיָתִי יוֹנָתִי תַמָּתִי S.ofS.5:2
9 יָפָה אַתְּ רַעְיָתִי כְּתִרְצָה S.ofS.6:4

רַעְיוֹן¹ ז׳ א) רעות², התחברות: 1, 2
ב) הרהור, מחשבה: 3
רַעְיוֹן לִבּוֹ 3; רַעְיוֹן רוּחַ 1, 2

רַעְיוֹן־ 1 שֶׁגַּם־זֶה הוּא רַעְיוֹן רוּחַ Eccl.1:17
וְרַעְיוֹן־ 2 כִּי־גַם־זֶה הֶבֶל וְרַעְיוֹן רוּחַ Eccl.4:16
וּבְרַעְיוֹן־ 3 בְּכָל־עֲמָלוֹ וּבְרַעְיוֹן לִבּוֹ Eccl.2:22

רַעְיוֹן*² ז׳ ארמית הרהור, מחשבה: 1-6
וְרַעְיוֹנֵי־ 1 וְרַעְיוֹנֵי לִבְבָךְ תִּנְדַּע Dan.2:30
רַעְיוֹנַי 2 שַׂגִּיא רַעְיוֹנַי יְבַהֲלֻנַּנִי Dan.7:28
רַעְיוֹנָךְ 3 רַעְיוֹנָךְ (כת׳ רעיוניך) עַל־מִשְׁכְּבָךְ סְלִקוּ Dan.2:29
4 אַל־יְבַהֲלוּךְ רַעְיוֹנָךְ Dan.5:10
וְרַעְיֹנֹהִי 5 אֶשְׁתּוֹמַם...וְרַעְיֹנֹהִי יְבַהֲלֻנֵּהּ Dan.4:16
6 זִיוֹהִי שְׁנוֹהִי וְרַעְיֹנֹהִי יְבַהֲלוּנֵּהּ Dan.5:6

רעל : הָרְעַל; רַעַל; רְעָלָה? ש״פ רְעֵלָיָה

(רעל) הָרְעַל הפ׳ הוּשַׂם בּוֹ רַעַל
הָרְעָלוּ 1 וְהַבְּרֹשִׁים הָרְעָלוּ Nah.2:4

רַעַל ז׳ סם מות • סַף רַעַל 1
רַעַל 1 סַף־רַעַל לְכָל־הָעַמִּים סָבִיב Zech.12:2

רְעָלָה* נ׳ צָעִיף
וְהָרְעָלוֹת 1 הַנְּטִפוֹת וְהַשֵּׁרוֹת וְהָרְעָלוֹת Is.3:19

רְעֵלָיָה שפ״ז–מעולי הגולה בימי עזרא; אולי הוא רַעַמְיָה
רְעֵלָיָה 1 יֵשׁוּעַ נְחֶמְיָה שְׂרָיָה רְעֵלָיָה Ez.2:2

רעם : רָעַם, הִרְעִים; רַעַם; רַעְמָה? ש״פ רַעְמָה, רַעְמָא, רַעַמְיָה

רָעַם פ׳ א) רעש, רגז: 1-4
ב) [הפ׳ הִרְעִים] הכעיס: 5
ג) [כנ״ל] השמיע קול רעש גדול: 6-13

רָעֲמוּ 1 וּמַלְכֵיהֶם שָׂעֲרוּ שַׂעַר רָעֲמוּ פָּנִים Ezek.27:35
יִרְעַם 2/3 יִרְעַם הַיָּם וּמְלֹאוֹ Ps.96:11; 98:7
4 יִרְעַם הַיָּם וּמְלוֹאוֹ ICh.16:32
הַרְּעִימָהּ 5 וְכִעֲסַתָּה...בַּעֲבוּר הַרְּעִמָהּ ISh.1:6
הִרְעִים 6 אֵל־הַכָּבוֹד הִרְעִים יְיָ עַל־מַיִם רַבִּים Ps.29:3
תַּרְעֵם 7 וּבְקוֹל כָּמֹהוּ תַרְעֵם Job40:9
יַרְעֵם 8 עָלָו בַּשָּׁמַיִם יַרְעֵם ISh.2:10
9 יַרְעֵם מִן־שָׁמַיִם יְיָ IISh.22:14
10 יַרְעֵם בְּקוֹל גְּאוֹנוֹ Job37:4
11 יַרְעֵם אֵל בְּקוֹלוֹ נִפְלָאוֹת Job37:5
וַיַּרְעֵם 12 וַיַּרְעֵם יְיָ בְּקוֹל־גָּדוֹל ISh.7:10
13 וַיַּרְעֵם בַּשָּׁמַיִם יְיָ Ps.18:14

רַעַם ז׳ א) הקול האדיר המלוה את הברק: 1, 4-6
ב) [בהשאלה] רעש, שאון: 2, 3
רַעַם גְּבוּרוֹתָיו 4; רַעַם שָׂרִים 3; סֵתֶר רַעַם 1; קוֹל רַעַם 5, 6

רַעַם 1 אֶעֶנְךָ בְּסֵתֶר רַעַם Ps.81:8
בְּרַעַם 2 בְּרַעַם וּבְרַעַשׁ וְקוֹל גָּדוֹל Is.29:6
רַעַם־ 3 רַעַם שָׂרִים וּתְרוּעָה Job39:25
וְרַעַם־ 4 וְרַעַם גְּבוּרֹתָו מִי יִתְבּוֹנָן Job26:14
רַעַמְךָ 5 קוֹל רַעַמְךָ בַּגַּלְגַּל Ps.77:19
6 מִן־קוֹל רַעַמְךָ יֵחָפֵזוּן Ps.104:7

רַעְמָא, רַעְמָה שפ״ז – מבני חם בן נח: 1-5
בְּנֵי רַעְמָא 1, 3; רֹכְלֵי רַעְמָה 5

רַעְמָא 1 וּבְנֵי רַעְמָא שְׁבָא וּדְדָן ICh.1:9
וְרַעְמָא 2 וְסַבְתָּא וְרַעְמָא וְסַבְתְּכָא ICh.1:9
רַעְמָה 3 וּבְנֵי רַעְמָה שְׁבָא וּדְדָן Gen.10:7
וְרַעְמָה 4 וְסַבְתָּה וְרַעְמָה וְסַבְתְּכָא Gen.10:7
5 רֹכְלֵי שְׁבָא וְרַעְמָה Ezek.27:22

רַעְמָה נ׳ קווצת שערות בעורף בהמה או חיה
רַעְמָה 1 הֲתַלְבִּישׁ צַוָּארוֹ רַעְמָה Job39:19

רַעַמְיָה שפ״ז – מעולי הגולה, אולי הוא רְעֵלָיָה
רַעַמְיָה 1 יֵשׁוּעַ נְחֶמְיָה עֲזַרְיָה רַעַמְיָה Neh.7:7

רַעְמְסֵס ש״פ – מחוז ועיר במצרים התחתונה: 1-5
רַעְמְסֵס 1 בְּמֵיטַב הָאָרֶץ בְּאֶרֶץ רַעְמְסֵס Gen.47:11
(רַעַמְסֵס) 2 וַיִּבֶן...אֶת־פִּתֹם וְאֶת־רַעַמְסֵס Ex.1:11
מֵרַעְמְסֵס 3 וַיִּסְעוּ בְ״י מֵרַעְמְסֵס סֻכֹּתָה Ex.12:37
4 וַיִּסְעוּ מֵרַעְמְסֵס בַּחֹדֶשׁ הָרִאשׁוֹן Num.33:3
5 וַיִּסְעוּ ב״י מֵרַעְמְסֵס וַיַּחֲנוּ בְּסֻכֹּת Num.33:5

רַעֲנָן ת׳ א) לח, טרי: 1-19
ב) [בהשאלה] מלא כוח עלומים, חיוני: 20
– אֶזְרָח רַעֲנָן 15; בְּרוֹשׁ רַעֲנָן 14; זַיִת רַ׳ 11, 16; עֵץ רַעֲנָן 1-10, 12; שֶׁמֶן רַעֲנָן 17
– כִּפָּה רַעֲנָנָה 18; עֶרֶשׂ רַעֲנָנָה 19
– דְּשֵׁנִים וְרַעֲנַנִּים 20

רַעֲנָן 1 וְתַחַת כָּל־עֵץ רַעֲנָן Deut.12:2
10-2 וְתַחַת כָּל־עֵץ רַעֲנָן IK.14:23
IIK.16:4; 17:10 • Is.57:5 • Jer.2:20; 3:6,13
Ezek.6:13 • IICh.28:4
11 זַיִת רַעֲנָן יְפֵה פְרִי־תֹאַר Jer.11:16
12 וַאֲשֵׁרֵיהֶם עַל־עֵץ רַעֲנָן Jer.17:2
13 וְהָיָה עָלֵהוּ רַעֲנָן Jer.17:8
14 אֲנִי כִּבְרוֹשׁ רַעֲנָן Hosh.14:9
15 וּמִתְעָרֶה כְּאֶזְרָח רַעֲנָן Ps.37:35
16 וַאֲנִי כְּזַיִת רַעֲנָן בְּבֵית אֱלֹהִים Ps.52:10
17 בַּלֹּתִי בְּשֶׁמֶן רַעֲנָן Ps.92:11
רַעֲנָנָה פ׳ ? 18 וְכִפָּתוֹ לֹא רַעֲנָנָה Job15:32
רַעֲנָנָה 19 אַף־עַרְשֵׂנוּ רַעֲנָנָה S.ofS.1:16
וְרַעֲנַנִּים 20 דְּשֵׁנִים וְרַעֲנַנִּים יִהְיוּ Ps.92:15

רַעֲנַן ת׳ ארמית: נִנוֹחַ, שָׁקֵט
וְרַעְנַן 1 שְׁלֵה הֲוֵית בְּבֵיתִי וְרַעְנַן בְּהֵיכְלִי Dan.4:1

רעע : א) רַע, הֵרַע; רַע ת׳, רַע ז׳, רֹעַ, רָעָה, מֵרַע; אר׳ רַע, מְרַעַע
ב) רָעַע², נֵרֹעַ, הִתְרוֹעַע

(רעע) רַע¹ פ׳ א) היה לא טוב: 1-25
ב) [הפ׳ הֵרַע] גרם רעה, הזיק: 26-95
– רַע (יֵרַע, וַיֵּרַע) בְּעֵינָיו 2, 3, 6, 9, 11-17, 22; רַע לְבָבוֹ 7, 8; רָעָה עֵינוֹ 4, 23, 24; רָעוּ פָנָיו 1, 25
– חָנֵף וּמֵרַע 58
– בֵּית מְרֵעִים 61; זֶרַע מְרַ׳ 59, 60; יַד מְרַ׳ 62, 72; יְדֵי מְרֵעִים 63; סוֹד מְרַ׳ 68; עֲדַת מְרֵעִים 64; קְהַל מְרֵעִים 65
– הֵרַע לְ־ 36, 43, 44, 46, 49-51, 75, 76, 81, 85, 92; הֵרַע אֶת־ 39, 40, 93; הֵרַע בְּ־ 48, 86; הֵרַע עַל־ 45

בְּרֹעַ 1 כִּי־בְרֹעַ פָּנִים יִיטַב לֵב Eccl.7:3
רָע 2 וַיִּחַר...וּבְעֵינֵי מֹשֶׁה רָע Num.11:10
וְרַע 3 פֶּן־יִרְאֶה יְיָ וְרַע בְּעֵינָיו Prov.24:18
וְרָעָה 4 וְרָעָה עֵינְךָ בְּאָחִיךָ Deut.15:9
5 וְרָעָה לְךָ זֹאת מִכָּל־הָרָעָה IISh.19:8
יֵרַע 6 אַל־יֵרַע בְּעֵינֶיךָ עַל־הַנַּעַר Gen.21:12
7 וְלֹא־יֵרַע לְבָבְךָ בְּתִתְּךָ לוֹ Deut.15:10
8 לָמֶה תִבְכִּי...וְלָמֶה יֵרַע לְבָבֵךְ ISh.1:8
9 אַל־יֵרַע בְּעֵינֶיךָ אֶת־הַדָּבָר הַזֶּה IISh.11:25
10 עַתָּה יֵרַע לָנוּ שֶׁבַע בֶּן־בִּכְרִי IISh.20:6
וַיֵּרַע 11 וַיֵּרַע הַדָּבָר מְאֹד בְּעֵינֵי אַבְרָהָם Gen.21:11
12 וַיֵּרַע בְּעֵינֵי יְיָ אֲשֶׁר עָשָׂה Gen.38:10
13 וַיַּרְא יוֹסֵף...וַיֵּרַע בְּעֵינָיו Gen.48:17
14 וַיֵּרַע הַדָּבָר בְּעֵינֵי שְׁמוּאֵל ISh.8:6

וַיֵּרַע (המשך)
15 וַיֵּרַע בְּעֵינָיו הַדָּבָר הַזֶּה ISh.18:8
16 וַיֵּרַע הַדָּבָר אֲשֶׁר־עָשָׂה דָוִד בְּעֵינֵי.. IISh.11:27
17 וַיַּרְא יְיָ וַיֵּרַע בְּעֵינָיו Is.59:15
18 וַיֵּרַע אֶל־יוֹנָה רָעָה גְדוֹלָה Jon.4:1
19 וַיֵּרַע לְמֹשֶׁה בַּעֲבוּרָם Ps.106:32
20 וַיֵּרַע לָהֶם רָעָה גְדֹלָה Neh.2:10
21 וַיֵּרַע לִי מְאֹד Neh.13:8
22 וַיֵּרַע בְּעֵינֵי הָאֱלֹהִים עַל־הַדָּבָר ICh.21:7
תֵּרַע 23 תֵּרַע עֵינוֹ בְאָחִיו Deut.28:54
24 תֵּרַע עֵינָהּ בְּאִישׁ חֵיקָהּ Deut.28:56
יֵרְעוּ 25 מַדּוּעַ לֹא־יֵרְעוּ פָנַי Neh.2:3
הָרֵעַ 26 וְאִם־הָרֵעַ תָּרֵעוּ...תִּסָּפוּ ISh.12:25
27 רַחֲצוּ הִזַּכּוּ...חִדְלוּ הָרֵעַ Is.1:16
28 תּוּכְלוּ לְהֵיטִיב לִמֻּדֵי הָרֵעַ Jer.13:23
וְהָרֵעַ 29 אֲשֶׁר־חָטָאתִי וְהָרֵעַ הֲרֵעוֹתִי ICh.21:17
לְהָרֵעַ 30 אַל־תִּתְחַר אַךְ־לְהָרֵעַ Ps.37:8
31 מְחַשֵּׁב לְהָרֵעַ Prov.24:8
לְהָרַע 32 וְלֹא־נְתָנוֹ אֱלֹהִים לְהָרַע עִמָּדִי Gen.31:7
33 כִּי תִשָּׁבַע...לְהָרַע אוֹ לְהֵיטִיב Le.5:4
34 חֲכָמִים הֵמָּה לְהָרַע Jer.4:22
35 בָּעִיר...אָנֹכִי מֵחֵל לְהָרַע Jer.25:29
36 כַּאֲשֶׁר זָמַמְתִּי לְהָרַע לָכֶם Zech.8:14
37 נִשְׁבַּע לְהָרַע וְלֹא יָמִר Ps.15:4
וּלְהָרֵעַ 38 לִנְתוֹשׁ...וּלְהַאֲבִיד וּלְהָרֵעַ Jer.31:28(27)
מֵהָרַע 39 אֲשֶׁר מְנָעַנִי מֵהָרַע אֹתָךְ ISh.25:34
הֲרֵעֹתִי 40 וְלֹא הֲרֵעֹתִי אֶת־אַחַד מֵהֶם Num.16:15
41 אֹסְפָה הַצֹּלֵעָה...וַאֲשֶׁר הֲרֵעֹתִי Mic.4:6
42 אֲשֶׁר־חָטָאתִי וְהָרֵעַ הֲרֵעוֹתִי ICh.21:17
הֲרֵעֹתָה 43 לָמָה הֲרֵעֹתָה לָעָם הַזֶּה Ex.5:22
44 לָמָה הֲרֵעֹתָ לְעַבְדֶּךָ Nm.11:11
45 הֲגַם עַל־הָאַלְמָנָה...הֲרֵעוֹתָ IK.17:20
הֵרַע 46 וּמֵאָז בָּאתִי...הֵרַע לָעָם הַזֶּה Ex.5:23
47 הֵרַע מִכֹּל אֲשֶׁר־עָשׂוּ הָאֱמֹרִי IIK.21:11
48 כָּל־הֵרַע אוֹיֵב בַּקֹּדֶשׁ Ps.74:3
49 וַיְיָ עָנָה בִי וְשַׁדַּי הֵרַע־לִי Ruth 1:21
וְהֵרַע 50 וְהֵרַע לָכֶם וְכִלָּה אֶתְכֶם Josh.24:20
הֲרֵעֹתֶם 51 לָמָה הֲרֵעֹתֶם לִי לְהַגִּיד לָאִישׁ... Gen.43:6
52 הֲרֵעֹתֶם אֲשֶׁר עֲשִׂיתֶם Gen.44:5
53 וְאַתֶּם הֲרֵעֹתֶם לַעֲשׂוֹת מֵאֲבוֹתֵכֶם Jer.16:12
הֵרֵעוּ 54 הֵרֵעוּ מֵאֲבוֹתָם Jer.7:26
55 הֵרֵעוּ...אֵת כָּל־אֲשֶׁר עָשׂוּ לְיִרְמְיָהוּ Jer.38:9
56 כַּאֲשֶׁר הֵרֵעוּ מַעַלְלֵיהֶם Mic.3:4
מֵרַע 57 מֵרַע מַקְשִׁיב עַל־שְׂפַת־אָוֶן Prov.17:4
וּמֵרַע 58 כִּי כֻלּוֹ חָנֵף וּמֵרַע Is.9:16
מְרֵעִים 59 זֶרַע מְרֵעִים בָּנִים מַשְׁחִיתִים Is.1:4
60 לֹא־יִקָּרֵא לְעוֹלָם זֶרַע מְרֵעִים Is.14:20
61 וְקָם עַל־בֵּית מְרֵעִים Is.31:2
62 כִּי הִצִּיל...מִיַּד מְרֵעִים Jer.20:13
63 וְחִזְּקוּ יְדֵי מְרֵעִים לְבִלְתִּי־שָׁבוּ Jer.23:14
64 עֲדַת מְרֵעִים הִקִּיפוּנִי Ps.22:17
65 שָׂנֵאתִי קְהַל מְרֵעִים Ps.26:5
66 בִּקְרֹב עָלַי מְרֵעִים Ps.27:2
67 כִּי־מְרֵעִים יִכָּרֵתוּן Ps.37:9
68 תַּסְתִּירֵנִי מִסּוֹד מְרֵעִים Ps.64:3
69 בַּקָּמִים עָלַי מְרֵעִים Ps.92:12
70 מִי־יָקוּם לִי עִם־מְרֵעִים Ps.94:16
71 סוּרוּ מִמֶּנִּי מְרֵעִים Ps.119:115
72 וְלֹא־יַחֲזִיק בְּיַד־מְרֵעִים Job 8:20
בַּמְּרֵעִים 73/4 אַל־תִּתְחַר בַּמְּרֵעִים Ps.37:1 • Prov.24:19
אָרַע 75 כִּי לֹא־אָרַע לְךָ עוֹד ISh.26:21
76 וְלֹא־תַכְעִיסוּ...וְלֹא אָרַע לָכֶם Jer.25:6
תָּרַע 77 תָּרַע לְאֻמִּים וַתְּשַׁלְּחֵם Ps.44:3
וַתָּרַע 78 וַתָּרַע לַעֲשׂוֹת מִכֹּל אֲשֶׁר־הָיוּ לְפָנֶיךָ K.14:9
יָרַע 79 לֹא־יֵיטִיב יְיָ וְלֹא יָרֵעַ Zep.1:12
וַיָּרַע 80 וַיָּרַע מִכֹּל אֲשֶׁר לְפָנָיו IK.16:25
נָרַע 81 עַתָּה נָרַע לְךָ מֵהֶם Gen.19:9
תָּרֵעוּ 82 אַל־נָא אַחַי תָּרֵעוּ Gen.19:7
83 אַל־אַחַי אַל־תָּרֵעוּ נָא Jud.19:23
84 וְאִם־הָרֵעַ תָּרֵעוּ...תִּסָּפוּ ISh.12:25
85 וְלִנְבִיאַי אַל־תָּרֵעוּ Ps.105:15
86 וּבִנְבִיאַי אַל־תָּרֵעוּ ICh.16:22
וְתָרֵעוּ 87 אַף־תֵּיטִיבוּ וְתָרֵעוּ Is.41:23
יָרֵעוּ 88/9 לֹא־יָרֵעוּ וְלֹא־יַשְׁחִיתוּ Is.11:9; 65:25
90 אַל־תִּירְאוּ מֵהֶם כִּי־לֹא יָרֵעוּ Jer.10:5
91 כִּי לֹא יִשְׁנוּ אִם־לֹא יָרֵעוּ Prov.4:16
וַיָּרֵעוּ 92 וַיָּרֵעוּ לָנוּ מִצְרַיִם וְלַאֲבֹתֵינוּ Num.20:15
93 וַיָּרֵעוּ אֹתָנוּ הַמִּצְרִים וַיְעַנּוּנוּ Deut.26:6

(רעע) רָעַ[2]
פ׳ א) רצץ, שבר: 1-4, 6-9
ב) נשבר, רָצַץ: 5, 10
ג) [נפ׳ נָרַע, יֵרוֹעַ] נשבר: 11, 12
ד) [הת׳ הִתְרֹעֵעַ] נשבר, התמוטט: 14,13

רַע 1 רַע־יֵרוֹעַ כִּי־עָרַב זָר Prov.11:15
רֹעָה 2 רֹעָה הִתְרֹעֲעָה הָאָרֶץ Is.24:19
וְרָעוּ 3 הִצִּית אֵשׁ עָלֶיהָ וְרָעוּ דָּלִיּוֹתָיו Jer.11:16
4 וְרָעוּ אֶת־אֶרֶץ אַשּׁוּר בַּחֶרֶב Mic.5:5
רֹעָה 5 שֵׁן רֹעָה וְרֶגֶל מוּעָדֶת Prov.25:19
יָרֹעַ 6 יָרֹעַ כַּבִּירִים לֹא־חֵקֶר Job 34:24
הֲיָרֹעַ 7 הֲיָרֹעַ בַּרְזֶל בַּרְזֶל מִצָּפוֹן Jer.15:12
תְּרֹעֵם 8 תְּרֹעֵם בְּשֵׁבֶט בַּרְזֶל Ps.2:9
יִרְעוּךְ 9 גַּם־בְּנֵי־נֹף...יִרְעוּךְ קָדְקֹד Jer.2:16
רֹעוּ 10 רֹעוּ עַמִּים וָחֹתּוּ Is.8:9
יֵרוֹעַ 11 רַע־יֵרוֹעַ כִּי־עָרַב זָר Prov.11:15
12 וְרֹעֶה כְסִילִים יֵרוֹעַ Prov.13:20
לְהִתְרֹעֵעַ 13 אִישׁ רֵעִים לְהִתְרֹעֵעַ Prov.18:24
הִתְרֹעֲעָה 14 רֹעָה הִתְרֹעֲעָה הָאָרֶץ Is.24:19

(רעע) רְעַ[3]
פ׳ ארמית: א) שבר, רוצץ: 1
ב) [פ׳ בינוני: מְרָעַע] מרוצץ: 2

וְתָרֹעַ 1 וּכְפַרְזְלָא...תַּדִּק וְתֵרֹעַ Dan.2:40
מְרָעַע 2 וּכְפַרְזְלָא דִּי־מְרָעַע Dan.2:40

רעף : רָעַף, הִרְעִיף

רָעַף
פ׳ א) נטף, נזל: 1-4
ב) [הפ׳ הִרְעִיף] הטיף, הזיל: 5

יִרְעֲפוּ 1 יִרְעֲפוּ נְאוֹת מִדְבָּר Ps.65:13
2 וּשְׁחָקִים יִרְעֲפוּ־טָל Prov.3:20
3 יִרְעֲפוּ עֲלֵי אָדָם רָב Job 36:28
יִרְעֲפוּן 4 וּמַעְגָּלֶיךָ יִרְעֲפוּן דָּשֶׁן Ps.65:12
הַרְעִיפוּ 5 הַרְעִיפוּ שָׁמַיִם מִמַּעַל Is.45:8

רעץ : רָעַץ

רָעַץ
פ׳ שבר, רצץ: 1, 2

תִּרְעַץ 1 יְמִינְךָ יְיָ תִּרְעַץ אוֹיֵב Ex.15:6
וַיִּרְעֲצוּ 2 וַיִּרְעֲצוּ וַיְרֹצְצוּ אֶת־בְּנֵי יִשְׂרָאֵל Jud.10:8

רעשׁ : רָעַשׁ, נִרְעַשׁ, הִרְעִישׁ; רַעַשׁ

רָעַשׁ
פ׳ א) הקים שאון, רגז, געש: 1-22
ב) [נפ׳ נִרְעַשׁ] חרד, הזדעזע: 23
ג) [הפ׳ הִרְעִישׁ] זעזע, החריד: 24-30

– רָעַשׁ פְּרִי 10; רָעֲשָׁה הָאָרֶץ 1-4, 8, 11-16; רָעֲשׁוּ אִיִּים 17; רָ׳ הָרִים 6, 9, 19; רָעֲשׁוּ חוֹמוֹת 22; רָ׳ מִגְרָשׁוֹת 18; רָ׳ מוֹסְדֵי אֶרֶץ 21; רָ׳ סִפִּים 20; רָעֲשׁוּ שָׁמַיִם 5, 8
– נִרְעֲשָׁה הָאָרֶץ 23
– הִרְעִישׁ אֶרֶץ 26, 28, 29; הִרְ׳ גּוֹיִם 24, 25; הִרְעִישׁ מַמְלָכוֹת 27; הִרְעִישׁ (סוּס) 30; הִרְעִישׁ שָׁמַיִם 28, 29

רָעֲשָׁה 1 נִשְׁמַע נַחְרַת...רָעֲשָׁה כָּל־הָאָרֶץ Jer.8:16
2 מִקּוֹל נִפְלָם רָעֲשָׁה הָאָרֶץ Jer.49:21
רָעָשָׁה 3 אֶרֶץ רָעָשָׁה גַּם־שָׁמַיִם נָטָפוּ Jud.5:4
4 אֶרֶץ רָעָשָׁה אַף־שָׁמַיִם נָטְפוּ Ps.68:9
רָעֲשׁוּ 5 לְפָנָיו רָגְזָה אֶרֶץ רָעֲשׁוּ שָׁמָיִם Joel 2:10
6 הָרִים רָעֲשׁוּ מִמֶּנּוּ Nah.1:5
וְרָעֲשׁוּ 7 וְרָעֲשׁוּ מִפָּנַי דְּגֵי הַיָּם Ezek.3:20
8 וַיְיָ מִצִּיּוֹן יִשְׁאָג...וְרָעֲשׁוּ שָׁמַיִם וָאָרֶץ Joel 4:16
רוֹעֲשִׁים 9 רָאִיתִי הֶהָרִים וְהִנֵּה רֹעֲשִׁים Jer.4:24
יִרְעַשׁ 10 יִרְעַשׁ כַּלְּבָנוֹן פִּרְיוֹ Ps.72:16
תִּרְעַשׁ 11 מִקִּצְפּוֹ תִּרְעַשׁ הָאָרֶץ Jer.10:10
וְתִרְעַשׁ 12 וְתִרְעַשׁ הָאָרֶץ מִמְּקוֹמָהּ Is.13:13
וַתִּרְעַשׁ 13 וַיִּתְגָּעַשׁ וַתִּרְעַשׁ הָאָרֶץ IISh.22:8
14 וַתִּרְעַשׁ הָאָרֶץ וַתָּחֹל Jer.51:29
15 וַתִּגְעַשׁ וַתִּרְעַשׁ הָאָרֶץ Ps.18:8
16 רָגְזָה וַתִּרְעַשׁ הָאָרֶץ Ps.77:19
יִרְעֲשׁוּ 17 מִקּוֹל מַפַּלְתֵּךְ...יִרְעֲשׁוּ הָאִיִּים Ezek.26:15
18 לְקוֹל זַעֲקַת...יִרְעֲשׁוּ מִגְרֹשׁוֹת Ezek.27:28
19 יִרְעֲשׁוּ־הָרִים בְּגַאֲוָתוֹ Ps.46:4
וְיִרְעֲשׁוּ 20 הַךְ הַכַּפְתּוֹר וְיִרְעֲשׁוּ הַסִּפִּים Am.9:1
וַיִּרְעֲשׁוּ 21 וַיִּרְעֲשׁוּ מוֹסְדֵי אָרֶץ Is.24:18
תִּרְעַשְׁנָה 22 מִקּוֹל פָּרָשׁ...תִּרְעַשְׁנָה חוֹמוֹתַיִךְ Ezek.26:10
נִרְעֲשָׁה 23 מִקּוֹל נִתְפְּשָׂה בָבֶל נִרְעֲשָׁה הָאָרֶץ Jer.50:46
הִרְעַשְׁתִּי 24 מִקּוֹל מַפַּלְתּוֹ הִרְעַשְׁתִּי גוֹיִם Ezek.31:16
וְהִרְעַשְׁתִּי 25 וְהִרְעַשְׁתִּי אֶת־כָּל־הַגּוֹיִם Hag.2:7
הִרְעַשְׁתָּה 26 הִרְעַשְׁתָּה אֶרֶץ פְּצַמְתָּהּ Ps.60:4
מַרְעִישׁ 27 מַרְגִּיז הָאָרֶץ מַרְעִישׁ מַמְלָכוֹת Is.14:16
28 וַאֲנִי מַרְעִישׁ אֶת־הַשָּׁמַיִם וְאֶת־הָאָרֶץ Hag.2:6
29 אֲנִי מַרְעִישׁ אֶת־הַשָּׁמַיִם וְאֶת־הָאָרֶץ Hag.2:21
הֲתַרְעִישֶׁנּוּ 30 (לְסוּס)...הֲתַרְעִישֶׁנּוּ כָּאַרְבֶּה Job 39:20

רַעַשׁ
ז׳ א) שאון, קול רם: 1-4, 6-8, 11, 13-17
ב) רעידה חזקה: 5, 9, 10
ג) [בהשאלה] רוגז: 12
– רַעַם וָרַעַשׁ 15; רַעַשׁ וְרֹגֶז 13
– רַעַשׁ גָּדוֹל 2,3,5,7; רַ׳ אוֹפָן 6; רַעַשׁ כִּידוֹן 16
– קוֹל רַעַשׁ 2, 3, 6

רַעַשׁ 1 וְאַחַר הָרוּחַ רַעַשׁ IK.19:11
2 וָאֶשְׁמַע אַחֲרַי קוֹל רַעַשׁ גָּדוֹל Ezek.3:12
3 וְקוֹל כַּנְפֵי הַחַיּוֹת...וְקוֹל רַעַשׁ גָּדוֹל Ezek.3:13
4 וַיְהִי־קוֹל כְּהִנָּבְאִי וְהִנֵּה־רַעַשׁ Ezek.37:7
5 יִהְיֶה רַעַשׁ גָּדוֹל עַל אַדְמַת יִשְׂרָ׳ Ezek.38:19
6 קוֹל שׁוֹט וְקוֹל רַעַשׁ אוֹפָן Nah.3:2
וְרַעַשׁ 7 וְרַעַשׁ גָּדוֹל מֵאֶרֶץ צָפוֹן Jer.10:22
הָרַעַשׁ 8 וְאַחַר הָרַעַשׁ אֵשׁ IK.19:12
9 כַּאֲשֶׁר נַסְתֶּם מִפְּנֵי הָרַעַשׁ Zech.14:5
הָרָעַשׁ 10 שְׁנָתַיִם לִפְנֵי הָרָעַשׁ Am.1:1
בְּרַעַשׁ 11 כִּי כָל־סְאוֹן סֹאֵן בְּרַעַשׁ Is.9:4
12 לַחְמְךָ בְּרַעַשׁ תֹּאכֵל Ezek.12:18
13 בְּרַעַשׁ וְרֹגֶז יְגַמֶּא־אֶרֶץ Job 39:24
בָּרַעַשׁ 14 לֹא בָרַעַשׁ יְיָ IK.19:11
וּבְרַעַשׁ 15 בְּרַעַם וּבְרַעַשׁ וְקוֹל גָּדוֹל Is.29:6
לְרַעַשׁ 16 וְיִשְׂחַק לְרַעַשׁ כִּידוֹן Job 41:21
מֵרַעַשׁ 17 מֵרַעַשׁ לְרִכְבּוֹ הֲמוֹן גַּלְגִּלָּיו Jer.47:3

רפא

רפא : רָפָא, נִרְפָּא, רִפֵּא, הִתְרַפֵּא; רוֹפֵא, רְפָאוּת, רִפְאוּת, רְפוּאָה, מַרְפֵּא; ש״פ רָפָא, רְפָאֵל, רָפוּא, יִרְפְּאֵל

רָפָא¹

פָּ׳ א) הסיר מחלה, השיב בריאות: 1-38
ב) [נִפ׳ נִרְפָּא] סרה מחלתו: 39-48, 50-52
ג) [כנ״ל, בהשאלה] שופר, תוקן: 49, 53-55
ד) [פִּ׳ רִפֵּא] רפא, הסיר מחלה: 56-58, 61,63,64
ה) [כנ״ל, בהשאלה] שפר, תקן: 57, 62
ו) [הת׳ הִתְרַפֵּא] טפל במחלתו: 65-67
רוֹפְאֵי אֱלִיל 18; רֹפֵא נֶפֶשׁ 36; רֹפֵא שְׁבָרִים 35

וְרָפוֹא 1 וְנָגַף יְיָ אֶת־מִצְרַיִם נָגֹף וְרָפוֹא Is.19:22
לִרְפֹּא 2 וְהוּא לֹא יוּכַל לִרְפֹּא לָכֶם Hosh.5:13
3 עֵת לַהֲרוֹג וְעֵת לִרְפּוֹא Eccl.3:3
כְּרָפְאִי 4 כְּרָפְאִי לְיִשְׂרָאֵל וְנִגְלָה עֲוֹן אֶפְרַיִם Hosh.7:1
וּרְפָאתִיו 5 שָׁלוֹם...לָרָחוֹק וְלַקָּרוֹב...וּרְפָאתִיו Is.57:19
רְפָאתִים 6 וְלֹא יָדְעוּ כִּי רְפָאתִים Hosh.11:3
וּרְפָאתִים 7 הִנְנִי מַעֲלֶה־לָּהּ אֲרֻכָה...וּרְפָאתִים Jer.33:6
וְרָפָא 8 וּלְבָבוֹ יָבִין וָשָׁב וְרָפָא לוֹ Is.6:10
וּרְפָאָם 9 וְנָגַף...וְנֶעְתַּר לָהֶם וּרְפָאָם Is.19:22
רוֹפֵא 10 שָׁמַעְתִּי אֶת־תְּפִלָּתֶךָ...הִנְנִי רֹפֵא לָךְ IIK.20:5
11 הַצֳרִי אֵין בְּגִלְעָד אִם־רֹפֵא אֵין שָׁם Jer.8:22
הָרוֹפֵא 12 הָרֹפֵא לְכָל־תַּחֲלוּאָיְכִי Ps.103:3
13 הָרוֹפֵא לִשְׁבוּרֵי לֵב Ps.147:3
רוֹפְאֶךָ 14 כִּי אֲנִי יְיָ רֹפְאֶךָ Ex.15:26
הָרוֹפְאִים 15 וַיְצַו יוֹסֵף...אֶת־הָרֹפְאִים Gen.50:2
16 וַיַּחַנְטוּ הָרֹפְאִים אֶת־יִשְׂרָאֵל Gen.50:2
בָּרוֹפְאִים 17 לֹא־דָרַשׁ אֶת־יְיָ כִּי בָּרֹפְאִים IICh.16:12
רוֹפְאֵי־ 18 רֹפְאֵי אֱלִל כֻּלְּכֶם Job 13:4
אֶרְפָּא 19 מָחַצְתִּי וַאֲנִי אֶרְפָּא Deut.32:39
20 אֶרְפָּא מְשׁוּבָתָם אֹהֲבֵם נְדָבָה Hosh.14:5
(אֶרְפָּה) 21 שׁוּבוּ...אֶרְפָּה מְשׁוּבֹתֵיכֶם Jer.3:22
וְאֶרְפָּא 22 וְאֶסְלַח...וְאֶרְפָּא אֶת־אַרְצָם IICh.7:14
אֶרְפָּאֵךְ 23 אַעֲלֶה אֲרֻכָה...וּמִמַּכּוֹתַיִךְ אֶרְפָּאֵךְ Jer.30:17
וְאֶרְפָּאֵהוּ 24 דְּרָכָיו רָאִיתִי וְאֶרְפָּאֵהוּ Is.57:18
וַתִּרְפָּאֵנִי 25 יְיָ אֱלֹהָי שִׁוַּעְתִּי אֵלֶיךָ וַתִּרְפָּאֵנִי Ps.30:3
יִרְפָּא 26 מָה אוֹת כִּי־יִרְפָּא יְיָ לִי IIK.20:8
27 וּמַחַץ מַכָּתוֹ יִרְפָּא Is.30:26
28 גָּדוֹל כַּיָּם שִׁבְרֵךְ מִי יִרְפָּא־לָךְ Lam.2:13
וַיִּרְפָּא 29 וַיִּרְפָּא אֱלֹהִים אֶת־אֲבִימֶלֶךְ Gen.20:17
30 וַיִּשְׁמַע יְיָ...וַיִּרְפָּא אֶת־הָעָם IICh.30:20
וְיִרְפָּאֵנוּ 31 כִּי הוּא טָרָף וְיִרְפָּאֵנוּ Hosh.6:1
וְיִרְפָּאֵם 32 יִשְׁלַח דְּבָרוֹ וְיִרְפָּאֵם Ps.107:20
(תִּרְפֶּינָה) 33 יִמְחַץ וְיָדָו תִּרְפֶּינָה Job 5:18
רְפָא 34 אֵל נָא רְפָא נָא לָהּ Num.12:13
(רְפָה) 35 רְפָה שְׁבָרֶיהָ כִּי־מָטָה Ps.60:4
רְפָאָה 36 רְפָאָה נַפְשִׁי כִּי־חָטָאתִי לָךְ Ps.41:5
רְפָאֵנִי 37 רְפָאֵנִי יְיָ וְאֵרָפֵא הוֹשִׁיעֵנִי וְאִוָּשֵׁעָה Jer.17:14
38 רְפָאֵנִי יְיָ כִּי נִבְהֲלוּ עֲצָמָי Ps.6:3
הֵרָפֵא 39 וּמַכָּתִי אֲנוּשָׁה מֵאֲנָה הֵרָפֵא Jer.15:18
לְהֵרָפֵא 40/1 אֲשֶׁר לֹא־תוּכַל לְהֵרָפֵא Deut.28:27,35
לְהֵרָפֵה 42 אֲשֶׁר לֹא־יוּכַל לְהֵרָפֵה עוֹד Jer.19:11
נִרְפָּא 43 נִרְפָּא הַנֶּתֶק טָהוֹר הוּא Lev.13:37
44 נִרְפָּא נֶגַע־הַצָּרַעַת מִן־הַצָּרוּעַ Lev.14:3
45 וְטִהַר...כִּי נִרְפָּא הַנָּגַע Lev.14:48
46 וּבַחֲבֻרָתוֹ נִרְפָּא־לָנוּ Is.53:5
וְנִרְפָּא 47 כִּי־יִהְיֶה בוֹ־בְעֹרוֹ שְׁחִין וְנִרְפָּא Lev.13:18
(נִרְפָּתָה) 48 רִפִּאנוּ אֶת־בָּבֶל וְלֹא נִרְפָּתָה Jer.51:9
וְנִרְפְּאוּ 49 וּבָאוּ הַיָּמָּה...וְנִרְפְּאוּ הַמָּיִם Ezek.47:8
וְאֵרָפֵא 50 רְפָאֵנִי יְיָ וְאֵרָפֵא Jer.17:14
תֵּרָפֵא 51 קְחוּ צֳרִי...אוּלַי תֵּרָפֵא Jer.51:8
תֵּרָפְאוּ 52 הָשֵׁב תָּשִׁיבוּ לוֹ אָשָׁם אָז תֵּרָפְאוּ ISh.6:3
יֵרָפְאוּ 53 בִּצֹּאתָו...לֹא יֵרָפְאוּ לְמֶלַח נִתָּנוּ Ezek.47:11
וְיֵרָפְאוּ 54 בָּאוּ שָׁמָּה הַמַּיִם...וְיֵרָפְאוּ וָחָי Ezek.47:9
(וַיֵּרָפוּ) 55 וַיֵּרָפוּ הַמַּיִם עַד הַיּוֹם הַזֶּה IIK.2:22
וְרַפֹּא 56 רַק שִׁבְתּוֹ יִתֵּן וְרַפֹּא יְרַפֵּא Ex.21:19
רִפִּאתִי 57 רִפִּאתִי לַמַּיִם הָאֵלֶּה IIK.2:21
רִפִּאנוּ 58 רִפִּאנוּ אֶת־בָּבֶל וְלֹא נִרְפָּתָה Jer.51:9
רִפֵּאתֶם 59 וְאֶת־הַחוֹלָה לֹא־רִפֵּאתֶם Ezek.34:4
יְרַפֵּא 60 רַק שִׁבְתּוֹ יִתֵּן וְרַפֹּא יְרַפֵּא Ex.21:19
61 וְהַנִּשְׁבֶּרֶת לֹא יְרַפֵּא Zech.11:16
וַיְרַפֵּא 62 וַיְרַפֵּא אֶת־מִזְבַּח יְיָ הֶהָרוּס IK.18:30
וַיְרַפְּאוּ 63 וַיְרַפְּאוּ אֶת־שֶׁבֶר עַמִּי עַל־נְקַלָּה Jer.6:14
(וַיְרַפּוּ) 64 וַיְרַפּוּ אֶת־שֶׁבֶר בַּת־עַמִּי עַל־נְקַלָּה Jer.8:11
לְהִתְרַפֵּא 65 וַיָּשָׁב יוֹרָם...לְהִתְרַפֵּא...מִן־הַמַּכִּים IIK.8:29
66 וַיָּשָׁב יְהוֹרָם...לְהִתְרַפֵּא...מִן־הַמַּכִּים IIK.9:15
67 וַיָּשָׁב לְהִתְרַפֵּא בְיִזְרְעֶאל IICh.22:6

רָפָא²

שפ״ז א) משפחה משבט יהודה: 1
ב) בן בנימין: 2

רָפָא 1 וְאֶשְׁתּוֹן הוֹלִיד אֶת־בֵּית רָפָא ICh.4:12
וְרָפָא 2 נוֹחָה הָרְבִיעִי וְרָפָא הַחֲמִישִׁי ICh.8:2

רִפְאוּת

נ׳ רפואה

רִפְאוּת 1 רִפְאוּת תְּהִי לְשָׁרֶּךָ וְשִׁקּוּי לְעַצְמוֹתֶיךָ Prov.3:8

רְפָאִים¹

ז״ר – כנוי למתים, שוכני שאול: 1-8
קְהַל רְפָאִים 7

רְפָאִים 1 עוֹרֵר לְךָ רְפָאִים Is.14:9
2 מֵתִים בַּל־יִחְיוּ רְפָאִים בַּל־יָקֻמוּ Is.26:14
3 וָאָרֶץ רְפָאִים תַּפִּיל Is.26:19
4 אִם־רְפָאִים יָקוּמוּ יוֹדוּךָ Ps.88:11
5 וְאֶל־רְפָאִים מַעְגְּלֹתֶיהָ Prov.2:18
6 וְלֹא־יָדַע כִּי־רְפָאִים שָׁם Prov.9:18
7 אָדָם תּוֹעֶה...בִּקְהַל רְפָאִים יָנוּחַ Prov.21:16
הָרְפָאִים 8 הָרְפָאִים יְחוֹלָלוּ מִתַּחַת מַיִם Job 26:5

רְפָאִים²

שפ״ז–שבט של ענקים בעבר הירדן המזרחי: 1-11
אֶרֶץ רְפָאִים 3, 5, (11); יְלִידֵי הָרְפָאִים 10; יֶתֶר הָרְפָאִים 7-9

רְפָאִים 1 וַיַּכּוּ אֶת־רְפָאִים בְּעַשְׁתְּרֹת קַרְנַיִם Gen.14:5
2 רְפָאִים יֵחָשְׁבוּ אַף־הֵם כָּעֲנָקִים Deut.2:11
3 אֶרֶץ־רְפָאִים תֵּחָשֵׁב אַף־הִוא Deut.2:20
4 רְפָאִים יָשְׁבוּ־בָהּ לְפָנִים Deut.2:20
5 לְכָל־הַבָּשָׁן...יִקָּרֵא אֶרֶץ רְפָאִים Deut.3:13
הָרְפָאִים 6 וְאֶת־הַפְּרִזִּי וְאֶת־הָרְפָאִים Gen.15:20
7 רַק־עוֹג...נִשְׁאַר מִיֶּתֶר הָרְפָאִים Deut.3:11
8 וּגְבוּל עוֹג...מִיֶּתֶר הָרְפָאִים Josh.12:4
9 הוּא נִשְׁאַר מִיֶּתֶר הָרְפָאִים Josh.13:12
10 אֶת־סִפַּי מִילִדֵי הָרְפָאִים ICh.20:4
וְהָרְפָאִים 11 בְּאֶרֶץ הַפְּרִזִּי וְהָרְפָאִים Josh.17:15

רְפָאֵל

שפ״ז – איש מבית עובד אדום

וּרְפָאֵל 1 בְּנֵי שְׁמַעְיָה עָתְנִי וּרְפָאֵל ICh.26:7

רפד

רפד : רָפַד, רִפֵּד; רְפִידָה; ש״פ רְפִידִים, אַרְפָּד

רָפַד

פָּ׳ א) רִבֵּד: 1
ב) [פִּ׳ רִפֵּד] הציע מצע: 2, 3

יִרְפַּד 1 יִרְפַּד חָרוּץ עֲלֵי־טִיט Job41:22
רִפַּדְתִּי 2 בַּחֹשֶׁךְ רִפַּדְתִּי יְצוּעָי Job17:13
רַפְּדוּנִי 3 סַמְּכוּנִי בָּאֲשִׁישׁוֹת רַפְּדוּנִי בַּתַּפּוּחִים S.ofS.2:5

רפה

רפה : רָפָה, נִרְפָּה, הִרְפָּה, הִתְרַפָּה; רָפֶה, רִפְיוֹן; ש״פ רָפָה, רָפָיָה

רָפָה

פָּ׳ א) נחלש: 1-14
ב) [נִפ׳ נִרְפָּה] התרשל: 15-17
ג) [פִּ׳ רִפָּה] החליש: 18-22
ד) [הִפ׳ הִרְפָּה] הניח, סלק: 23-43
ה) [הת׳ הִתְרַפָּה] התרשל: 44-46
– רָפָה הַיּוֹם 1; רָפְתָה דַמֶּשֶׂק 3; רָפְתָה רוּחוֹ 2; רָפוּ יָדָיו 4-6, 9-14
– רִפָּה יָדַיִם 19, 20; רִפָּה כְּנָפַיִם 21, 22
– הִרְפָּה (אֶת־) 23-26, 28-34, 39, 40, 42, 43; הִרְפָּה (אֶת־) מִן־ 27, 35, 37, 41; הִרְפָּה לְ־ 36, 38

רָפָה 1 הִנֵּה נָא רָפָה הַיּוֹם לַעֲרוֹב Jud.19:9
רָפְתָה 2 אָז רָפְתָה רוּחָם מֵעָלָיו Jud.8:3
3 רָפְתָה דַמֶּשֶׂק הִפְנְתָה לָנוּס Jer.49:24
רָפוּ 4 שָׁמַעְנוּ אֶת־שָׁמְעוֹ רָפוּ יָדֵינוּ Jer.6:24
וְרָפוּ 5 שָׁמַע...אֶת־שִׁמְעָם וְרָפוּ יָדָיו Jer.50:43
6 וְנָמֵס כָּל־לֵב וְרָפוּ כָל־יָדַיִם Ezek.21:12
יִרְפֶּה 7 וַחֲשַׁשׁ לֶהָבָה יִרְפֶּה Is.5:24
וַיִּרֶף 8 וַיִּרֶף מִמֶּנּוּ Ex.4:26
יִרְפּוּ 9 צִיּוֹן אַל־יִרְפּוּ יָדָיִךְ Zep.3:16
10 יִרְפּוּ יְדֵיהֶם מִן־הַמְּלָאכָה Neh.6:9
11 חִזְקוּ וְאַל־יִרְפּוּ יְדֵיכֶם IICh.15:7
וַיִּרְפּוּ 12 וַיִּשְׁמַע...וַיִּרְפּוּ יָדָיו IISh.4:1
תִּרְפֶּינָה 13 עַל־כֵּן כָּל־יָדַיִם תִּרְפֶּינָה Is.13:7
14 כָּל־הַיָּדַיִם תִּרְפֶּינָה Ezek.7:17
נִרְפִּים 15 כִּי־נִרְפִּים הֵם Ex.5:8
16/7 נִרְפִּים אַתֶּם נִרְפִּים Ex.5:17
רִפָּה 18 וּמְזִיחַ אֲפִיקִים רִפָּה Job 12:21
(מְרַפֵּא) 19 מְרַפֵּא אֶת־יְדֵי אַנְשֵׁי הַמִּלְחָמָה Jer.38:4
מְרַפִּים 20 מְרַפִּים יְדֵי עַם־יְהוּדָה Ez.4:4
תְּרַפֶּינָה 21/2 בְּעָמְדָם תְּרַפֶּינָה כַנְפֵיהֶן Ezek.1:24,25
אַרְפְּךָ 23 לֹא אַרְפְּךָ וְלֹא אֶעֶזְבֶךָּ Josh.1:5
אַרְפֶּנּוּ 24 אֲחַזְתִּיו וְלֹא אַרְפֶּנּוּ S.ofS.3:4
אַרְפֶּהָ 25 בְּצִדְקָתִי הֶחֱזַקְתִּי וְלֹא אַרְפֶּהָ Job27:6
26 לָמָּה תִשְׁבַּת הַמְּלָאכָה כַּאֲשֶׁר אַרְפֶּהָ Neh.6:3
תֶּרֶף 27 אַל־תֶּרֶף יָדֶיךָ מֵעֲבָדֶיךָ Josh.10:6
28 מַעֲשֵׂי יָדֶיךָ אַל־תֶּרֶף Ps.138:8
29 הַחֲזֵק בַּמּוּסָר אַל־תֶּרֶף Prov.4:13
תַּרְפֵּנִי 30 לֹא־תַרְפֵּנִי עַד־בִּלְעִי רֻקִּי Job 7:19
יַרְפְּךָ 31 לֹא יַרְפְּךָ וְלֹא יַשְׁחִיתֶךָ Deut.4:31
32/3 לֹא יַרְפְּךָ וְלֹא יַעַזְבֶךָּ Deut.31:6,8
34 לֹא יַרְפְּךָ וְלֹא יַעַזְבֶךָּ ICh.28:20
הַרְפֵּה 35 הַרְפֵּה מִמֶּנִּי שְׁנַיִם חֳדָשִׁים Jud.11:37
36 הַרְפֵּה־לָהּ כִּי־נַפְשָׁהּ מָרָה־לָהּ IIK.4:27
הֶרֶף 37 הֶרֶף מִמֶּנִּי וְאַשְׁמִידֵם Deut.9:14
38 הֶרֶף לָנוּ שִׁבְעַת יָמִים ISh.11:3
39 הֶרֶף וְאַגִּידָה לְּךָ ISh.15:16
40 רַב עַתָּה הֶרֶף יָדֶךָ IISh.24:16
41 הֶרֶף מֵאַף וַעֲזֹב חֵמָה Ps.37:8
42 רַב עַתָּה הֶרֶף יָדֶךָ ICh.21:15
הַרְפּוּ 43 הַרְפּוּ וּדְעוּ כִּי־אָנֹכִי אֱלֹהִים Ps.46:11
הִתְרַפִּיתָ 44 הִתְרַפִּיתָ בְּיוֹם צָרָה צַר כֹּחֶכָה Prov.24:10
מִתְרַפִּים 45 עַד־אָנָה אַתֶּם מִתְרַפִּים לָבוֹא לָרֶשֶׁת Josh.18:3
מִתְרַפֶּה 46 גַּם מִתְרַפֶּה בִמְלַאכְתּוֹ Prov.18:9

רְפָה

(תהלים ס) – עין רָפָא¹ (35)

רָפֶה

ת׳ חלש: 1-4 • רְפֵה יָדַיִם 2; יָדַיִם רָפוֹת 3, 4

הֲרָפֶה 1 הֶחָזָק הוּא הֲרָפֶה Num.13:8
וּרְפֵה־ 2 וְהוּא יָגֵעַ וּרְפֵה יָדַיִם IISh.17:2
רָפוֹת 3 חַזְּקוּ יָדַיִם רָפוֹת Is.35:3
4 וְיָדַיִם רָפוֹת תְּחַזֵּק Job4:3

רָפָה
שפ״ז א) איש מזרע יונתן בן שאול: 1
ב) [הָרָפָה] ראש שבט הענקים הרפאים: 2-7
יְלִידֵי הָרָפָה 2, 3

רָפָה 1 רָפָה בְנוֹ אֶלְעָשָׂה בְנוֹ ICh. 8:37
הָרָפָה 2 וְיִשְׁבִּי° בְּנֹב אֲשֶׁר בִּילִדֵי הָרָפָה IISh. 21:16
3 אֶת־סַף אֲשֶׁר בִּילִדֵי הָרָפָה IISh. 21:18
לְהָרָפָה 4 וְגַם־הוּא יֻלַּד לְהָרָפָה IISh. 21:20
5 אַרְבַּעַת אֵלֶּה יֻלְּדוּ לְהָרָפָה בְּגַת IISh. 21:22
לְהָרָפָא 6 וְגַם־הוּא נוֹלַד לְהָרָפָא ICh. 20:6
7 אֵל נוּלְּדוּ לְהָרָפָא בְּגַת ICh. 20:8

רָפוּא
שפ״ז – אבי נשיא לשבט בנימין

רָפוּא 1 לְמַטֵּה בִנְיָמִן פַּלְטִי בֶּן־רָפוּא Num. 13:9

רְפוּאָה*
נ׳ מרפא, הבראה ממחלה: 1-3

רְפוּאוֹת תְּעָלָה 1; הִרְבָּה רְפוּאוֹת 2; נָתַן רְפוּאוֹת 3

רְפוּאוֹת 1 רְפֻאוֹת תְּעָלָה אֵין לָךְ Jer. 30:13
2 לַשָּׁוְא הִרְבֵּית° רְפֻאוֹת Jer. 46:11
3 לָתֵת רְפֻאוֹת לָשׂוּם חִתּוּל Ezek. 30:21

רֶפַח
שפ״ז – איש מצאצאי אֶפְרַיִם

וְרֶפַח 1 וְרֶפַח בְּנוֹ וְרֶשֶׁף וְתֶלַח ICh. 7:25

רְפִידָה*
נ׳ מַצָּע

רְפִידָתוֹ 1 רְפִידָתוֹ זָהָב מֶרְכָּבוֹ אַרְגָּמָן S.ofS. 3:10

רְפִידִים
ש״פ – מתחנות בני ישראל
במסעיהם במדבר בדרום סיני: 1-5

בִּרְפִידִים 1 וַיִּסְעוּ...וַיַּחֲנוּ בִּרְפִידִים Ex. 17:1
2 וַיִּלָּחֶם עִם־יִשְׂרָאֵל בִּרְפִידִם Ex. 17:8
3 וַיִּסְעוּ מֵאָלוּשׁ וַיַּחֲנוּ בִּרְפִידִם Num. 33:14
מֵרְפִידִים 4 וַיִּסְעוּ מֵרְפִידִים וַיָּבֹאוּ מִדְבַּר סִינַי Ex. 19:2
5 וַיִּסְעוּ מֵרְפִידִם וַיַּחֲנוּ בְּמִדְבַּר סִינָי Num. 33:15

רְפָיָה
שפ״ז א) שׂר חצי פלך ירושלים: 1
ב) מבני זרובבל: 2
ג) מבני שמעון: 3
ד) מבני יששכר: 4
ה) מבני בנימין: 5

רְפָיָה 1 וְעַל־יָדָם הֶחֱזִיק רְפָיָה בֶן־חוּר Neh. 3:9
2 בְּנֵי רְפָיָה בְּנֵי אַרְנָן ICh. 3:21
וּרְפָיָה 3 וּפְלַטְיָה וּנְעַרְיָה וּרְפָיָה וְעֻזִּיאֵל ICh. 4:42
4 וּבְנֵי תוֹלָע עֻזִּי וּרְפָיָה ICh. 7:2
5 וּרְפָיָה בְנוֹ אֶלְעָשָׂה בְנוֹ ICh. 9:43

רִפְיוֹן
ז׳ חולשה

מֵרִפְיוֹן־ 1 לֹא־הִפְנוּ...מֵרִפְיוֹן יָדָיִם Jer. 47:3

רָפַס
פָּ׳ א) רמס דלח: 1 [עין גם רפשׂ]
ב) [הת׳ הִתְרַפֵּס] שׂם עצמו למרמס(?): 2, 3

וַתִּרְפֹּס 1 וַתִּדְלַח־מַיִם...וַתִּרְפֹּס נַהֲרֹתָם Ezek. 32:2
מִתְרַפֵּס 2 גְּעַר...מִתְרַפֵּס בְּרַצֵּי־כָסֶף Ps. 68:31
הִתְרַפֵּס 3 לֵךְ הִתְרַפֵּס וּרְהַב רֵעֶיךָ Prov. 6:3

רְפַס
פ׳ ארמית רמס, דרס: 1, 2

רָפְסָה 1/2 וּשְׁאָרָא בְּרַגְלַהּ° רָפְסָה Dan. 7:7, 19

רַפְסוֹדָה*
נ׳ דוֹברה

רַפְסוֹדוֹת 1 וּנְבִיאֵם לְךָ רַפְסֹדוֹת עַל־יָם יָפוֹ IICh. 2:15

(רפק) הִתְרַפֵּק
הת׳ נשען, התפנק

מִתְרַפֶּקֶת 1 מִי זֹאת...מִתְרַפֶּקֶת עַל־דּוֹדָהּ S.ofS. 8:5

רָפַשׂ
פָּ׳ א) רָמַס, דרך: 1 [עין גם רפס]
ב) [נפ׳ נִרְפַּשׂ] נעכר: 2
מַעְיָן נִרְפָּשׂ 2

תִּרְפֹּשׂוּן 1 וְאֵת הַנּוֹתָרִים בְּרַגְלֵיכֶם תִּרְפֹּשׂוּן Ezek. 34:18
נִרְפָּשׂ 2 מַעְיָן נִרְפָּשׂ וּמָקוֹר מָשְׁחָת Prov. 25:26

רֶפֶשׁ
ז׳ בּוֹץ

רֶפֶשׁ 1 וַיִּגְרְשׁוּ מֵימָיו רֶפֶשׁ וָטִיט Is. 57:20

רֶפֶת*
נ׳ דיר לבָקר

בָּרְפָתִים 1 וְאֵין בָּקָר בָּרְפָתִים Hab. 3:17

רָץ
ז׳ שָׁלִיחַ מָהִיר: 1-25 [עין גם (רוץ)]

יַד הָרָצִים 12, 14; קוֹל הָרָצִין 22; שַׁעַר הָרָ׳ 11; שָׂרֵי הָרָצִים 4, 16; תָּא הָרָצִים 6, 18

רָץ 1/2 רָץ לִקְרַאת־רָץ יָרוּץ Jer. 51:31
3 וְיָמַי קַלּוּ מִנִּי־רָץ Job 9:25
הָרָצִים 4 וְהִפְקִיד עַל־יַד שָׂרֵי הָרָצִים IK. 14:27
5/6 יִשָּׂאוּם הָרָצִים וֶהֱשִׁיבוּם אֶל־תָּא הָרָצִים IK. 14:28
7 וַיַּשְׁלִכוּ הָרָצִים וְהַשָּׁלִשִׁים IIF. 10:25
8 וְהַשְּׁלִשִׁית בְּשַׁעַר אַחַר הָרָצִים IIK. 11:6
9 וַיַּעַמְדוּ הָרָצִים אִישׁ וְכֵלָיו בְּיָדוֹ IIK. 11:11
10 וַיִּקַּח...וְאֶת־הַכָּרִי וְאֶת־הָרָצִים IIK. 11:19
11 וַיָּבוֹאוּ דֶּרֶךְ־שַׁעַר הָרָצִים IIK. 11:19
12 וְנִשְׁלוֹחַ סְפָרִים בְּיַד הָרָצִים Es. 3:13
13 הָרָצִים יָצְאוּ דְחוּפִים Es. 3:15
14 וַיִּשְׁלַח סְפָרִים בְּיַד הָרָצִים בַּסּוּסִים Es. 8:10
15 הָרָצִים רֹכְבֵי הָרֶכֶשׁ... Es. 8:14
16 וְהִפְקִיד עַל־יַד שָׂרֵי הָרָצִים IICh. 12:10
17 בָּאוּ הָרָצִים וּנְשָׂאוּם IICh. 12:11
18 וֶהֱשִׁבוּם אֶל־תָּא הָרָצִים IICh. 12:11
19 וַתִּשְׁמַע...אֶת־קוֹל הָעָם הָרָצִים IICh. 23:12
20 וַיֵּלְכוּ הָרָצִים בָּאִגְּרוֹת IICh. 30:6
21 וַיִּהְיוּ הָרָצִים עֹבְרִים מֵעִיר לְעִיר IICh. 30:10
הָרָצִין 22 וַתִּשְׁמַע...אֶת־קוֹל הָרָצִין הָעָם IIK. 11:13
לָרָצִים 23 וַיֹּאמֶר...לָרָצִים הַנִּצָּבִים עָלָיו ISh. 22:17
24 וַיֹּאמֶר יֵהוּא לָרָצִים וְלַשָּׁלִשִׁים IIK. 10:25
וְלָרָצִים 25 אֶת־שָׂרֵי הַמֵּאוֹת° לַכָּרִי וְלָרָצִים IIK. 11:4

רַץ*
ז׳ רְצוּעָה?

בְּרַצֵּי־ 1 מִתְרַפֵּס בְּרַצֵּי־כָסֶף Ps. 68:31

רָצַד
פ׳ רקד

תְּרַצְּדוּן 1 לָמָּה תְּרַצְּדוּן הָרִים גַּבְנֻנִּים Ps. 68:17

רצה
: רָצָה, נִרְצָה, רִצָּה, הִתְרַצָּה, הִרְצָה; רָצוֹן; ש״פ רִצְיָא, תִּרְצָה

רָצָה
פָּ׳ א) חפץ, קבל ברצון (ובהשאלה) אָהַב, חִבֵּב: רוב המקראות 1-46
ב) שלם, פָּרַע: 41, 42
ג) [פָּעוּל: רָצוּי] אהוב, חביב: 19, 20
ד) [נפ׳ נִרְצָה] נתקבל ברצון: 48-53
ה) [כנ״ל] נפרע, כֻּפַּר: 47
ו) [פִּ׳ רִצָּה] פִּיֵּס, כפר פניו: 54
ז) [הת׳ הִתְרַצָּה] התפיס: 55
ח) [הפ׳ הִרְצָה] קבל ברצון: 56

קרובים: אָבָה / אָהַב / הוֹאִיל / חָבַב / חָפֵץ / נָטָה

בִּרְצוֹת 1 בִּרְצוֹת יְיָ דַּרְכֵי־אִישׁ Pv. 16:7
לִרְצוֹת 2 וְלֹא־יֹסִיף לִרְצוֹת עוֹד Ps. 77:8
בִּרְצוֹתִי 3 וְעוֹד בִּרְצוֹתִי בְּבֵית אֱלֹהַי ICh. 29:3
בִּרְצוֹתוֹ 4 לֹא יִסְכָּן־גָּבֶר בִּרְצֹתוֹ עִם־אֱלֹהִים Job 34:9
(וְרָצִאתִי) 5 יַעֲשׂוּ הַכֹּהֲנִים...וְרָצִאתִי אֶתְכֶם Ezek. 43:27
רָצִיתָ 6 רָצִיתָ יְיָ אַרְצֶךָ Ps. 85:2
רְצִיתָם 7 כִּי־יְמִינְךָ...וְאוֹר פָּנֶיךָ כִּי רְצִיתָם Ps. 44:4
רָצָה 8 כִּי כְבָר רָצָה הָאֱלֹהִים אֶת־מַעֲשֶׂיךָ Eccl. 9:7
9 וּבִבְנֵי אָבִי בִּי רָצָה לְהַמְלִיךְ... ICh. 28:4
רָצָם 10 כֵּן אָהֲבוּ לָנוּעַ...וַיְיָ לֹא רָצָם Jer. 14:10
11 זִבְחֵי הַבְהָבַי...יְיָ לֹא רָצָם Hosh. 8:13
רָצְתָה 12 בְּחִירִי רָצְתָה נַפְשִׁי Is. 42:1
13 עַד־רָצְתָה הָאָרֶץ אֶת־שַׁבְּתוֹתֶיהָ IICh. 36:21
וּרְצִיתָם 14 אִם־תִּהְיֶה לְטוֹב לְהָעָם הַזֶּה וּרְצִיתָ׳ IICh. 10:7
רָצוּ 15 כִּי־רָצוּ עֲבָדֶיךָ אֶת־אֲבָנֶיהָ Ps. 102:15
רוֹצֶה 16 רוֹצֶה יְיָ אֶת־יְרֵאָיו Ps. 147:11
17 כִּי־רוֹצֶה יְיָ בְּעַמּוֹ Ps. 149:4
רוֹצָם 18 וְכִי יַעֲלוּ עֹלָה וּמִנְחָה אֵינֶנִּי רֹצָם Jer. 14:12
וְרָצוּי 19 וְגָדוֹל לַיְּהוּדִים וְרָצוּי לְרֹב אֶחָיו Es. 10:3
רְצוּי־ 20 בָּרוּךְ מִבָּנִים אָשֵׁר יְהִי רְצוּי אֶחָיו Deut. 33:24
אֶרְצֶה 21 בְּרֵיחַ נִיחֹחַ אֶרְצֶה אֶתְכֶם Ezek. 20:41
22 וּמִנְחֹתֵיכֶם לֹא אֶרְצֶה Am. 5:22
23 וּמִנְחָה לֹא־אֶרְצֶה מִיֶּדְכֶם Mal 1:10
וְאֶרְצֶה 24 וּבְנוּ הַבָּיִת וְאֶרְצֶה־בּוֹ וְאֶכָּבְדָה° Hag. 1:8
הַאֶרְצֶה 25 הַאֶרְצֶה אוֹתָהּ מִיֶּדְכֶם Mal. 1:13
אֶרְצֵם 26 כִּי בְהַר־קָדְשִׁי...שָׁם אֶרְצֵם Ezek. 20:40
תִּרְצֶה 27 בָּרֵךְ יְיָ חֵילוֹ וּפֹעַל יָדָיו תִּרְצֶה Deut. 33:11
28 עוֹלָה לֹא תִרְצֶה Ps. 51:18
29 בֹּחֵן לֵבָב וּמֵישָׁרִים תִּרְצֶה ICh. 29:17
וַתִּרֶץ 30 אִם־רָאִיתָ גַנָּב וַתִּרֶץ עִמּוֹ Ps. 50:18
וַתִּרְצֵנִי 31 כִּי עַל־כֵּן רָאִיתִי פָנֶיךָ...וַתִּרְצֵנִי Gen. 33:10
יִרְצֶה 32 לֹא־בְשׁוֹקֵי הָאִישׁ יִרְצֶה Ps. 147:10
33 וּכְאָב אֶת־בֵּן יִרְצֶה Prov. 3:12
34 עַד־יִרְצֶה כְּשָׂכִיר יוֹמוֹ Job 14:6
הֲיִרְצֶה 35 הֲיִרְצֶה יְיָ בְּאַלְפֵי אֵילִים Mic. 6:7
יִרְצֶךָ 36 יְיָ אֱלֹהֶיךָ יִרְצֶךָ IISh. 24:23
הֲיִרְצְךָ 37 הֲיִרְצְךָ אוֹ הֲיִשָּׂא פָנֶיךָ Mal. 1:8
וַיִּרְצֵהוּ 38 יֶעְתַּר אֶל־אֱלוֹהַּ וַיִּרְצֵהוּ Job 33:26
תִּרְצֶה 39 אָז תִּרְצֶה הָאָרֶץ אֶת־שַׁבְּתֹתֶיהָ Lev. 26:34
וְתִרֶץ 40 וְתִרֶץ אֶת־שַׁבְּתֹתֶיהָ Lev. 26:43
יִרְצוּ 41 וְאָז יִרְצוּ אֶת־עֲוֹנָם Lev. 26:41
42 וְהֵם יִרְצוּ אֶת־עֲוֹנָם Lev. 26:43
43 וְאַחֲרֵיהֶם בְּפִיהֶם יִרְצוּ Ps. 49:14
44 יִרְצוּ כָזָב בְּפִיו יְבָרֵכוּ Ps. 62:5
רְצֵה 45 רְצֵה יְיָ לְהַצִּילֵנִי Ps. 40:14
46 נִדְבוֹת פִּי רְצֵה־נָא יְיָ Ps. 119:108
נִרְצָה 47 כִּי מָלְאָה צְבָאָהּ כִּי נִרְצָה עֲוֺנָהּ Is. 40:2
וְנִרְצָה 48 וְנִרְצָה לוֹ לְכַפֵּר עָלָיו Lev. 1:4
יֵרָצֶה 49 לֹא־יֵרָצֶה...פִּגּוּל יִהְיֶה Lev. 7:18
50 פִּגּוּל הוּא לֹא יֵרָצֶה Lev. 19:7
51 וּלְנֵדֶר לֹא יֵרָצֶה Lev. 22:23
52 יֵרָצֶה לְקָרְבַּן אִשֶּׁה לַיְיָ Lev. 22:27
יֵרָצוּ 53 מוּם בָּם לֹא יֵרָצוּ לָכֶם Lev. 22:25
יְרַצּוּ 54 בָּנָיו יְרַצּוּ דַלִּים Job 20:10
יִתְרַצֶּה 55 וּבַמֶּה יִתְרַצֶּה זֶה אֶל־אֲדֹנָיו ISh. 29:4
וְהִרְצָת 56 וְהִרְצָת אֶת־שַׁבְּתֹתֶיהָ Lev. 26:34

רָצוֹא
פ׳ – עין (רוץ)

רָצוֹן ז׳ א) חֵפֶץ, משאלה: 22–24, 27, 29, 30, 34–40, 43–46, 52–56
ב) יחס לבבי, הענות: 15–21, 28, 42, 47–51
ג) [בהשאלה] בְּרָכָה, חסד: 1–14, 25, 26, 31–33, 41
קרובים: ראה אַוָּה

– יוֹם רָצוֹן 3; עֵת רָ׳ 2, 8; שְׂבַע רָ׳ 1; שְׁנַת רָצוֹן 5
– רְצוֹן אִישׁ 27; רְצוֹן יְרֵאָיו 22; רְצוֹן מֶלֶךְ 23; רְ׳ מְלָכִים 24; רְ׳ הָעָם 26; רְצוֹן שֹׁכְנִי סְנֶה 25
– בִּקֵּשׁ רָצוֹן 13; הֵפִיק רָ׳ 10, 11, 14; הִשְׂבִּיעַ רָ׳ 9; יָדַע רָ׳ 12; לָקַח רָ׳ 6; עָשָׂה רְצוֹנוֹ 29, 30, 34, 39;

רָצוֹן 1 שְׂבַע רָצוֹן וּמָלֵא בִּרְכַּת יְיָ Deut.33:23
2 בְּעֵת רָצוֹן עֲנִיתִיךָ Is.49:8
3 הֲלָזֶה תִּקְרָא־צוֹם וְיוֹם רָצוֹן לַייָ Is.58:5
4 יַעֲלוּ עַל־רָצוֹן מִזְבְּחִי Is.60:7
5 לִקְרֹא שְׁנַת־רָצוֹן לַייָ Is.61:2
6 וְלָקַחַת רָצוֹן מִיֶּדְכֶם Mal.2:13
7 כַּצִּנָּה רָצוֹן תַּעְטְרֶנּוּ Ps.5:13
8 וַאֲנִי תְפִלָּתִי־לְךָ יְיָ עֵת רָצוֹן Ps.69:14
9 וּמַשְׂבִּיעַ לְכָל־חַי רָצוֹן Ps.145:16
10/1 וַיָּפֶק רָצוֹן מֵיְיָ Prov.8:35; 18:22
12 שִׂפְתֵי צַדִּיק יֵדְעוּן רָצוֹן Prov.10:32
13 שֹׁחֵר טוֹב יְבַקֶּשׁ רָצוֹן Prov.11:27
14 טוֹב יָפִיק רָצוֹן מֵיְיָ Prov.12:2
15 וּבֵין יְשָׁרִים רָצוֹן Prov.14:9
לְרָצוֹן 16 לְרָצוֹן לָהֶם לִפְנֵי יְיָ Ex.28:38
17 כִּי־לֹא לְרָצוֹן יִהְיֶה לָכֶם Lev.22:20
18 תָּמִים יִהְיֶה לְרָצוֹן Lev.22:21
19 עוֹלֹתֵיהֶם...לְרָצוֹן עַל־מִזְבְּחִי Is.56:7
20 עֹלוֹתֵיכֶם לֹא לְרָצוֹן Jer.6:20
21 יִהְיוּ לְרָצוֹן אִמְרֵי־פִי Ps.19:15
רְצוֹן־ 22 רְצוֹן־יְרֵאָיו יַעֲשֶׂה Ps.145:19
23 רְצוֹן־מֶלֶךְ לְעֶבֶד מַשְׂכִּיל Prov.14:35
24 רְצוֹן מְלָכִים שִׂפְתֵי־צֶדֶק Prov.16:13
וּרְצוֹן־ 25 וּרְצוֹן שֹׁכְנִי סְנֶה Deut.33:16
בִּרְצוֹן־ 26 זָכְרֵנִי יְיָ בִּרְצוֹן עַמֶּךָ Ps.106:4
כִּרְצוֹן־ 27 לַעֲשׂוֹת כִּרְצוֹן אִישׁ־וָאִישׁ Es.1:8
וּבִרְצוֹנִי 28 בְקִצְפִּי הִכִּיתִיךָ וּבִרְצוֹנִי רִחַמְתִּיךָ Is.60:10
רְצוֹנְךָ 29 לַעֲשׂוֹת־רְצוֹנְךָ אֱלֹהַי חָפָצְתִּי Ps.40:9
רְצוֹנֶךָ 30 לַמְּדֵנִי לַעֲשׂוֹת רְצוֹנֶךָ Ps.143:10
בִּרְצוֹנְךָ 31 יְיָ בִּרְצוֹנְךָ הֶעֱמַדְתָּה לְהַרְרִי Ps.30:8
32 הֵיטִיבָה בִרְצוֹנְךָ אֶת־צִיּוֹן Ps.51:20
וּבִרְצוֹנְךָ 33 וּבִרְצוֹנְךָ תָּרוּם קַרְנֵנוּ Ps.89:18
רְצוֹנוֹ 34 בָּרְכוּ...מְשָׁרְתָיו עֹשֵׂי רְצוֹנוֹ Ps.103:21
35 וְאֶבֶן שְׁלֵמָה רְצוֹנוֹ Prov.11:1
36 וְעֹשֵׂי אֱמוּנָה רְצוֹנוֹ Prov.12:22
37 וּתְפִלַּת יְשָׁרִים רְצוֹנוֹ Prov.15:8
38 וּכְטַל עַל־עֵשֶׂב רְצוֹנוֹ Prov.19:12
39 תְּנוּ תוֹדָה לַייָ...וַעֲשׂוּ רְצוֹנוֹ Ez.10:11
וּרְצוֹנוֹ 40 וּרְצוֹנוֹ תְּמִימֵי דָרֶךְ Prov.11:20
41 וּרְצוֹנוֹ כְּעָב מַלְקוֹשׁ Prov.16:15
בִּרְצוֹנוֹ 42 כִּי רֶגַע בְּאַפּוֹ חַיִּים בִּרְצוֹנוֹ Ps.30:6
כִּרְצוֹנוֹ 43 וְעָשָׂה כִרְצוֹנוֹ וְהִגְדִּיל Dan.8:4
44 וּמָשַׁל...וְעָשָׂה כִּרְצוֹנוֹ Dan.11:3
45 וְיַעַשׂ הַבָּא אֵלָיו כִּרְצוֹנוֹ Dan.11:16
46 וְעָשָׂה כִרְצוֹנוֹ הַמֶּלֶךְ וְיִתְרוֹמֵם Dan.11:36
לִרְצוֹנוֹ 47 יַקְרִיב אֹתוֹ לִרְצֹנוֹ לִפְנֵי יְיָ Lev.1:3
לִרְצֹנְכֶם 48 וְכִי תִזְבְּחוּ...לִרְצֹנְכֶם תִּזְבָּחֻהוּ Lev.19:5
49 לִרְצֹנְכֶם תָּמִים זָכָר בַּבָּקָר Lev.22:19
50 וְכִי־תִזְבְּחוּ...לִרְצֹנְכֶם תִּזְבָּחוּ Lev.22:29
51 וְהֵנִיף...הָעֹמֶר לִפְנֵי יְיָ לִרְצֹנְכֶם Lev.23:11
רְצוֹנָם 52 וּבְכָל־רְצוֹנָם בִּקְשֻׁהוּ IICh.15:15
וּבִרְצוֹנָם 53 בְּאַפָּם...וּבִרְצֹנָם עִקְּרוּ־שׁוֹר Gen.49:6
כִּרְצוֹנָם 54 וַיַּעֲשׂוּ בְשֹׂנְאֵיהֶם כִּרְצוֹנָם Es.9:5
55 לַעֲשׂוֹת בָּהֶם כִּרְצוֹנָם Neh.9:24
56 וְעַל־גְּוִיֹּתֵינוּ מֹשְׁלִים וּבִבְהֶמְתֵּנוּ כִּרְצוֹנָם Neh.9:37

רָצוּף ת׳ משובץ, ממולא
רָצוּף 1 תּוֹכוֹ רָצוּף אַהֲבָה מִבְּנוֹת יְרוּשָׁלָםִ S.ofS.3:10

רָצוּץ ת׳ – עין רָצַץ (4–9)

רַצּוֹתִי (ש״א יב 3) – עין רָצַץ (1)

רצח : רָצַח, נִרְצַח, רִצַּח; רוֹצֵחַ, מְרַצֵּחַ, רֶצַח

רָצַח פ׳ א) הרג (בזדון): 1–9 [עין גם רוֹצֵחַ]
ב) [נפ׳ נִרְצַח] נהרג: 10, 11
ג) [פִּ׳ רִצַּח] רצח הרבה: 12–16

רָצֹחַ 1 הֲגָנֹב רָצֹחַ וְנָאֹף וְהִשָּׁבֵעַ לַשֶּׁקֶר Jer.7:9
וְרָצֹחַ 2 אָלֹה וְכַחֵשׁ וְרָצֹחַ וְגָנֹב וְנָאֹף Hosh.4:2
הֲרָצַחְתָּ 3 הֲרָצַחְתָּ וְגַם־יָרָשְׁתָּ IK.21:19
וְרָצַח 4 וְרָצַח גֹּאֵל הַדָּם אֶת־הָרֹצֵחַ Num.35:27
וּרְצָחוֹ 5 כַּאֲשֶׁר יָקוּם...וּרְצָחוֹ נֶפֶשׁ Deut.22:26
תִּרְצָח 6 לֹא תִרְצָח לֹא תִנְאָף Ex.20:13
7 לֹא תִרְצָח וְלֹא תִנְאָף Deut.5:17
יִרְצַח 8 לְפִי עֵדִים יִרְצַח אֶת־הָרֹצֵחַ Num.35:30
9 אֲשֶׁר־יִרְצַח אֶת־רֵעֵהוּ בִּבְלִי־דַעַת Deut.4:42
הַנִּרְצָחָה 10 וַיַּעַן...אִישׁ הָאִשָּׁה הַנִּרְצָחָה Jud.20:4
אֵרָצֵחַ 11 בְּתוֹךְ רְחֹבוֹת אֵרָצֵחַ Prov.22:13
הַמְרַצֵּחַ 12 כִּי־שָׁלַח בֶּן־הַמְרַצֵּחַ הַזֶּה IIK.6:32
מְרַצְּחִים 13 צֶדֶק יָלִין בָּהּ וְעַתָּה מְרַצְּחִים Is.1:21
תְּרָצְּחוּ 14 תְּהוֹתְתוּ עַל־אִישׁ תְּרָצְּחוּ כֻלְּכֶם Ps.62:4
יְרַצְּחוּ 15 דֶּרֶךְ יְרַצְּחוּ־שֶׁכְמָה Hosh.6:9
יְרַצֵּחוּ 16 אַלְמָנָה וְגֵר יַהֲרֹגוּ וִיתוֹמִים יְרַצֵּחוּ Ps.94:6

רֶצַח ז׳ [בהשאלה] רשעות, אכזריות: 1, 2
בְּרֶצַח 1 לִפְתֹּחַ פֶּה בְּרֶצַח לְהָרִים קוֹל בִּתְרוּעָה Ezek.21:27
2 בְּרֶצַח בְּעַצְמוֹתַי חֵרְפוּנִי צוֹרְרָי Ps.42:11

רִצְיָא שפ״ז – איש משבט אשר
וְרִצְיָא 1 וּבְנֵי עֻלָּא אָרַח וְחַנִּיאֵל וְרִצְיָא ICh.7:39

רְצִין שפ״ז א) מלך ארם: 1–9
ב) מעבדי שלמה הנתינים: 10, 11
בְּנֵי־רְצִין 10, 11; צָרֵי רְצִין 9

רְצִין 1 לְהַשְׁלִיחַ בִּיהוּדָה רְצִין מֶלֶךְ אֲרָם IIK.15:37
2 אָז יַעֲלֶה רְצִין מֶלֶךְ־אֲרָם IIK.16:5
3 הֵשִׁיב רְצִין...אֶת־אֵילַת לַאֲרָם IIK.16:6
4 וְאֶת־רְצִין הֵמִית IIK.16:9
5 עָלָה רְצִין מֶלֶךְ־אֲרָם Is.7:1
6 רְצִין וַאֲרָם וּבֶן־רְמַלְיָהוּ Is.7:4
7 וְרֹאשׁ דַּמֶּשֶׂק רְצִין Is.7:8
8 וּמְשׂוֹשׂ אֶת־רְצִין וּבֶן־רְמַלְיָהוּ Is.8:6
9 וַיְשַׂגֵּב יְיָ אֶת־צָרֵי רְצִין עָלָיו Is.9:10
10 בְּנֵי־רְצִין בְּנֵי־נְקוֹדָא Ez.2:48
11 בְּנֵי־רְצִין בְּנֵי נְקוֹדָא Neh.7:50

רצע : רָצַע; מַרְצֵעַ

רָצַע פ׳ נקב, דקר
וְרָצַע 1 וְרָצַע אֲדֹנָיו אֶת־אָזְנוֹ בַּמַּרְצֵעַ Ex.21:6

רצף : א) רָצוּף; רִצְפָּה, מַרְצֶפֶת; ש״פ רֶצֶף
ב) רִצְפָּה; ש״פ רִצְפָּה

רֶצֶף שפ״ז – מן הערים שכבש מלך אשור: 1, 2
וְרֶצֶף 1 וְרֶצֶף וּבְנֵי־עֶדֶן IIK.19:12
2 וְרֶצֶף וּבְנֵי עֶדֶן Is.37:12

רִצְפָּה¹ נ׳ גחלת אש: 1, 2
רִצְפָּה 1 וּבְיָדוֹ רִצְפָּה בְּמֶלְקַחַיִם לָקַח Is.6:6
רְצָפִים 2 עֻגַת רְצָפִים וְצַפַּחַת מָיִם IK.19:6

רִצְפָּה² נ׳ פילגש שאול: 1–4
בְּנֵי רִצְפָּה 2
רִצְפָּה 1 וּלְשָׁאוּל פִּלֶגֶשׁ וּשְׁמָהּ רִצְפָּה בַת־אַיָּה IISh.3:7
2 וַיִּקַּח...אֶת־שְׁנֵי בְּנֵי רִצְפָּה בַת־אַיָּה IISh.21:8
3 וַתִּקַּח רִצְפָּה בַת־אַיָּה אֶת־הַשַּׂק IISh.21:10
4 אֵת אֲשֶׁר־עָשְׂתָה רִצְפָּה בַת־אַיָּה IISh.21:11

רִצְפָּה נ׳ קרקע מרוצפת: 1–7
רִצְפַת בַּהַט־וָשֵׁשׁ 7
רִצְפָה 1 וָנֶגֶד רִצְפָה אֲשֶׁר לֶחָצֵר הַחִיצוֹנָה Ezek.42:3
וְרִצְפָה 2 וְרִצְפָה עָשׂוּי לֶחָצֵר סָבִיב סָבִיב Ezek.40:17
הָרִצְפָה 3 שְׁלֹשִׁים לְשָׁכוֹת אֶל־הָרִצְפָה Ezek.40:17
4 הָרִצְפָה הַתַּחְתּוֹנָה Ezek.40:18
5 וַיִּכְרְעוּ אַפַּיִם אַרְצָה עַל־הָרִצְפָה IICh.7:3
וְהָרִצְפָה 6 וְהָרִצְפָה אֶל־כֶּתֶף הַשְּׁעָרִים Ezek.40:18
רִצְפַת־ 7 עַל רִצְפַת בַּהַט־וָשֵׁשׁ Es.1:6

רצץ : רָצַץ, רָצוּץ, נָרֹץ, רִצֵּץ, רוֹצֵץ, הִתְרוֹצֵץ, הֵרֵץ; רַץ, מְרוּצָה²

רָצַץ פ׳ א) דכא, לחץ: 1–3
ב) [פָּעוּל: רָצוּץ] שבור, מעונה: 4–9
ג) [נפ׳ נָרֹץ] נשבר 12, 13 (ואולי גם 10, 11?)
ד) [פִּ׳ רִצֵּץ] שבר, נפץ: 14–16
ה) [פֹּ׳² רוֹצֵץ] כנ״ל: 17
ו) [הת׳ הִתְרוֹצֵץ] התלבט: 18
ז) [הפ׳ הֵרֵץ] רוצץ: 19
קרובים: דָּכָא / חָמַס / לָחַץ / נָגַשׂ / נִפֵּץ / נָתַץ / עָשַׁק / שָׁבַר
קָנֶה רָצוּץ 4, 6–7; רְצוּץ מִשְׁפָּט 8

רַצּוֹתִי 1 וְאֶת־מִי עָשַׁקְתִּי אֶת־מִי רַצּוֹתִי ISh.12:3
רַצּוֹתָנוּ 2 לֹא עֲשַׁקְתָּנוּ וְלֹא רַצּוֹתָנוּ ISh.12:4
הָרֹצְצוֹת 3 הָעֹשְׁקוֹת דַּלִּים הָרֹצְצוֹת אֶבְיוֹנִים Am.4:1
רָצוּץ 4 קָנֶה רָצוּץ לֹא יִשְׁבּוֹר Is.42:3
וְרָצוּץ 5 וְהָיִיתָ רַק עָשׁוּק וְרָצוּץ כָּל־הַיָּמִים Deut.28:33
הָרָצוּץ 6 עַל־מִשְׁעֶנֶת הַקָּנֶה הָרָצוּץ הַזֶּה IIK.18:21
7 עַל־מִשְׁעֶנֶת הַקָּנֶה הָרָצוּץ הַזֶּה Is.36:6
רְצוּץ־ 8 עָשׁוּק אֶפְרַיִם רְצוּץ מִשְׁפָּט Hosh.5:11
רְצוּצִים 9 וְשַׁלַּח רְצוּצִים חָפְשִׁים Is.58:6
יָרוּץ 10 (?)לֹא יִכְהֶה וְלֹא יָרוּץ Is.42:4
וְתָרֻץ 11 (?)וְתָרֻץ גֻּלַּת הַזָּהָב Eccl.12:6
וְנָרֹץ 12 וְנָרֹץ הַגַּלְגַּל אֶל־הַבּוֹר Eccl.12:6
תֵּרוֹץ 13 בְּתָפְשָׂם בְּךָ בַכַּף תֵּרוֹץ Ezek.29:7
רִצַּצְתָּ 14 אַתָּה רִצַּצְתָּ רָאשֵׁי לִוְיָתָן Ps.74:14
רִצַּץ 15 כִּי־רִצַּץ עָזַב דַּלִּים Job20:19
וַיְרַצֵּץ 16 וַיְרַצֵּץ אָסָא מִן־הָעָם IICh.16:10
וַיְרֹצְצוּ 17 וַיִּרְעֲצוּ וַיְרֹצְצוּ אֶת־בְּנֵי יִשְׂרָאֵל Jud.10:8
וַיִּתְרֹצְצוּ 18 וַיִּתְרֹצְצוּ הַבָּנִים בְּקִרְבָּהּ Gen.25:22
וַתָּרִץ 19 וַתַּשְׁלֵךְ...וַתָּרִץ אֶת־גֻּלְגָּלְתּוֹ Jud.9:53

רַק¹

מ״ח – מלת הגבלה או הסתייגות

א) בִּלְבַד, אַךְ, אֲבָל: 1-99, 106-108

ב) [אחרי מלות שלילה] אלא, כי אם: 100-105

רַק אִם 15, 27, 29, 39, 40; רַק אֲשֶׁר 2, 23; רַק לֹא 17, 28; הֲרַק אַךְ 106

רַק(א) 1 וְכָל־יֵצֶר...רַק רַע כָּל־הַיּוֹם Gen. 6:5
2 בִּלְעָדַי רַק אֲשֶׁר אָכְלוּ הַנְּעָרִים Gen. 14:24
3 רַק לָאֲנָשִׁים הָאֵל אַל־תַּעֲשׂוּ דָבָר Gen. 19:8
4 רַק אֵין־יִרְאַת אֱלֹהִים בַּמָּקוֹם הַזֶּה Gen. 20:11
5 רַק אֶת־בְּנִי לֹא תָשֵׁב שָׁמָּה Gen. 24:8
6 וְכַאֲשֶׁר עָשִׂינוּ עִמְּךָ רַק־טוֹב Gen. 26:29
7 רַק הַכִּסֵּא אֶגְדַּל מִמֶּךָּ Gen. 41:40
8 רַק אַדְמַת הַכֹּהֲנִים לֹא קָנָה Gen. 47:22
9 רַק אַדְמַת הַכֹּהֲנִים...לֹא הָיְתָה לְפַר׳ Gen. 47:26
10 רַק בַּיְאֹר תִּשָּׁאַרְנָה Ex. 8:5
11 רַק בְּאֶרֶץ גֹּשֶׁן...לֹא הָיָה בָּרָד Ex. 9:26
12 וְיָסֵר מֵעָלַי רַק אֶת־הַמָּוֶת הַזֶּה Ex. 10:17
13 רַק אֵין־דָּבָר בְּרַגְלַי אֶעֱבֹרָה Num. 20:19
14 רַק עַם־חָכָם וְנָבוֹן הַגּוֹי...הַזֶּה Deut. 4:6
15 רַק אִם־שָׁמוֹעַ תִּשְׁמַע בְּקוֹל יְיָ Deut. 15:5
16 רַק אֶת־דָּמוֹ לֹא תֹאכֵל Deut. 15:23
17 רַק לֹא־יַרְבֶּה־לּוֹ סוּסִים Deut. 17:16
18 וְהָיִיתָ רַק לְמַעְלָה Deut. 28:3
19 וְהָיִיתָ רַק עָשׁוּק וְרָצוּץ Deut. 28:33
20 רַק חֲזַק וֶאֱמַץ מְאֹד Josh. 1:7
21 רַק יִהְיֶה יְיָ אֱלֹהֶיךָ עִמְּךָ Josh. 1:17
22 רַק חֲזַק וֶאֱמָץ Josh. 1:18
23 רַק אֲשֶׁר־לְפָנִים לֹא יְדָעוּם Jud. 3:2
24 אֲנַסֶּה נָּא־רַק־הַפַּעַם בַּגִּזָּה Jud. 6:39
25 רַק־שְׂנֵאתַנִי וְלֹא אֲהַבְתָּנִי Jud. 14:16
26 רַק שְׂפָתֶיהָ נָּעוֹת וְקוֹלָהּ לֹא יִשָּׁמֵעַ ISh. 1:13
27 רַק אִם־יִשְׁמְרוּ בָנֶיךָ אֶת־דַּרְכָּם IK. 8:25
28 וַיַּעֲשֶׂה...רַק לֹא כְאָבִיו וּכְאִמּוֹ IIK. 3:2
29 רַק אִם־יִשְׁמְרוּ לַעֲשׂוֹת... IIK. 21:8
30 רַק יִקָּרֵא שִׁמְךָ עָלֵינוּ Is. 4:1
31 רַק אֶתְכֶם יָדַעְתִּי מִכֹּל מִשְׁפְּחוֹת הָאֲדָמָה Am. 3:2
32 רַק בְּעֵינֶיךָ תַבִּיט Ps. 91:8
33 רַק אֵלָיו אַל־תִּשְׁלַח יָדֶךָ Job 1:12
34-37 וָאִמָּלְטָה רַק־אֲנִי לְבַדִּי לְהַגִּיד לָךְ Job 1:15, 16, 17, 19
38 רַק אַתָּה לֹא תִבְנֶה הַבָּיִת IICh. 6:9
39 רַק אִם־יִשְׁמְרוּ בָנֶיךָ אֶת־דַּרְכָּם IICh. 6:16
40 רַק אִם־יִשְׁמְרוּ לַעֲשׂוֹת IICh. 33:8
41-99 רַק(א) Gen. 50:8

Ex. 8:24, 25; 10:24; 21:19 • Deut. 2:28, 35, 37; 3:11, 19; 4:9; 10:15; 12:15, 16, 23, 26; 20:14, 16, 20 • Josh. 6:15, 17, 24; 8:2, 27; 11:13, 14, 22; 13:6, 14; 22:5 • Jud. 3:2; 19:20² • ISh. 5:4 • IK. 3:2, 3; 8:19; 11:13; 14:8; 15:14, 23; 21:25 • IIK. 3:3; 10:29; 12:4; 14:3, 4; 15:4, 35; 17:2 • Is. 28:19 • Ps. 32:6 • Prov. 13:10 • IICh. 15:17; 25:2; 27:2; 28:10; 29:34; 33:17

רַק(ב) 100 אֵין בָּאָרוֹן רַק שְׁנֵי לֻחוֹת הָאֲבָנִים IK. 8:9
101 וְלֹא־סָר...רַק בִּדְבַר אוּרִיָּה IK. 15:5
102 אֲשֶׁר לֹא־תְדַבֵּר אֵלַי רַק־אֱמֶת IK. 22:16
103 לֹא נִשְׁאַר רַק שֵׁבֶט יְהוּדָה IIK. 17:18
104 אֵין בָּאָרוֹן רַק שְׁנֵי הַלֻּחוֹת IICh. 5:10
105 לֹא־תְדַבֵּר אֵלַי רַק אֱמֶת IICh. 18:15
הֲרַק 106 הֲרַק אַךְ־בְּמֹשֶׁה דִּבֶּר יְיָ Num. 12:2
וְרַק 107 וְרַק־אַתֶּם שִׁמְרוּ מִן־הַחֵרֶם Josh. 6:18
108 וְרַק הִיא יְחִידָה Jud. 11:34

רַק²

ת׳ דק, כָּחוּשׁ: 1-3

פָּרוֹת רַקּוֹת 2, 3; רַקּוֹת בָּשָׂר 1

וְרַקּוֹת 1 שֶׁבַע פָּרוֹת...דַּלּוֹת...וְרַקּוֹת בָּשָׂר Gen. 41:19
הָרַקּוֹת 2/3 הַפָּרוֹת הָרַקּוֹת וְהָרָע(וֹ)ת Gen. 41:20, 27

רֵק

ת׳ – עין ריק

רֹק

ז׳ ריר הַפֶּה: 1-3

רֹק 1 וּמִפָּנַי לֹא־חָשְׂכוּ רֹק Job 30:10
וָרֹק 2 פָּנַי לֹא הִסְתַּרְתִּי מִכְּלִמּוֹת וָרֹק Is. 50:6
רֻקִּי 3 לֹא־תַרְפֵּנִי עַד־בִּלְעִי רֻקִּי Job 7:19

רקב

: רָקַב; רָקָב, רִקָּבוֹן

רָקַב

פָּ׳ בלה, נשחת: 1, 2

יִרְקָב 1 עֵץ לֹא־יִרְקַב יִבְחַר Is. 40:20
יִרְקָב 2 וְשֵׁם רְשָׁעִים יִרְקָב Prov. 10:7

רָקָב

ז׳ רִקָּבוֹן: 1-5

רְקַב עֲצָמוֹת 5

רָקָב 1 יָבוֹא רָקָב בַּעֲצָמַי וְתַחְתַּי אֶרְגָּז Hab. 3:16
כְּרָקָב 2 כְּרָקָב יִבְלֶה כְּבֶגֶד אֲכָלוֹ עָשׁ Job 13:28
וּכְרָקָב 3 וּכְרָקָב בְּעַצְמוֹתָיו מְבִישָׁה Prov. 12:4
וְכָרָקָב 4 כָּעָשׁ...וְכָרָקָב לְבֵית יְהוּדָה Hosh. 5:12
וּרְקַב־ 5 וּרְקַב עֲצָמוֹת קִנְאָה Prov. 14:30

רִקָּבוֹן

ז׳ בְּלִיָּה, התמקמקות

רִקָּבוֹן 1 יַחְשֹׁב...לְעֵץ רִקָּבוֹן נְחוּשָׁה Job 41:19

רקד

: רָקַד, רִקֵּד, הִרְקִיד

רָקַד

פָּ׳ א) כרכר, קפץ: 1-3

ב) [פִּ׳ רִקֵּד] כנ״ל: 4-8

ג) [הִפְ׳ הִרְקִיד] גרם שירקוד, הקפיץ: 9

רְקוֹד 1 עֵת סְפוֹד וְעֵת רְקוֹד Eccl. 3:4
רָקְדוּ 2 הֶהָרִים רָקְדוּ כְאֵילִים Ps. 114:4
תִּרְקְדוּ 3 הֶהָרִים תִּרְקְדוּ כְאֵילִים Ps. 114:6
מְרַקֵּד 4 דָּוִיד מְרַקֵּד וּמְשַׂחֵק ICh. 15:29
מְרַקֵּדָה 5 וְסוּס דֹּהֵר וּמֶרְכָּבָה מְרַקֵּדָה Nah. 3:2
יְרַקְּדוּ 6 וּשְׂעִירִים יְרַקְּדוּ־שָׁם Is. 13:21
יְרַקֵּדוּן 7 עַל־רָאשֵׁי הֶהָרִים יְרַקֵּדוּן Joel 2:5
8 יְשַׁלְּחוּ...וְיַלְדֵיהֶם יְרַקֵּדוּן Job 21:11
וַיַּרְקִידֵם 9 וַיַּרְקִידֵם כְּמוֹ־עֵגֶל Ps. 29:6

רַקָּה

נ׳ צדע: 1-5

רַקָּתֵךְ 1/2 כְּפֶלַח הָרִמּוֹן רַקָּתֵךְ S.ofS. 4:3; 6:7
רַקָּתוֹ 3 וּמָחֲצָה וְחָלְפָה רַקָּתוֹ Jud. 5:26
בְּרַקָּתוֹ 4 וַתִּתְקַע אֶת־הַיָּתֵד בְּרַקָּתוֹ Jud. 4:21
5 סִיסְרָא נֹפֵל מֵת וְהַיָּתֵד בְּרַקָּתוֹ Jud. 4:22

רִקּוּחַ*

ז׳ מרקחת של בשמים

רִקֻּחָיִךְ 1 וַתָּשֻׁרִי לַמֶּלֶךְ בַּשֶּׁמֶן וַתַּרְבִּי רִקֻּחָיִךְ Is. 57:9

רַקּוֹן

ש״פ – ישוב בנחלת דן

וְהָרַקּוֹן 1 וּמֵי הַיַּרְקוֹן וְהָרַקּוֹן Josh. 19:46

רִקּוּעַ*

ז׳ חומר מרודד ומרוקע

רִקֻּעֵי פַחִים 1

רִקֻּעֵי־ 1 וְעָשׂוּ אֹתָם רִקֻּעֵי פַחִים צִפּוּי לַמִּזְבֵּחַ Num. 17:3

רקח

: רָקַח, רוֹקֵחַ, רֶקַח, הִרְקִיחַ; רֶקַח, רֹקַח, רִקּוּחַ, רַקָּח, רַקָּחָה, מֶרְקָח, מֶרְקָחָה, מִרְקַחַת

רָקַח

פָּ׳ א) עֵרֵב מִינֵי בשמים: 1-6

ב) [פָּ׳ בֵּינוֹנִי: מְרֻקָּח] מעורב: 7

ג) [הִפְ׳ הִרְקִיחַ] רקח, עֵרֵב בְּשָׂמִים: 8

מַעֲשֵׂה רוֹקֵחַ 1-3; שֶׁמֶן רוֹקֵחַ 4; זְנִים מְרֻקָּחִים 7

רוֹקֵחַ 1 רֹקַח מִרְקַחַת מַעֲשֵׂה רֹקֵחַ Ex. 30:25
2 קְטֹרֶת רֹקַח מַעֲשֵׂה רוֹקֵחַ Ex. 30:35
3 קְטֹרֶת הַסַּמִּים טָהוֹר מַעֲשֵׂה רֹקֵחַ Ex. 37:29
4 יַבְאִישׁ יַבִּיעַ שֶׁמֶן רוֹקֵחַ Eccl. 10:1
רֹקְחֵי־ 5 רֹקְחֵי הַמִּרְקַחַת לַבְּשָׂמִים ICh. 9:30
יִרְקַח 6 אִישׁ אֲשֶׁר יִרְקַח כָּמֹהוּ Ex. 30:33
מְרֻקָּחִים 7 בְּשָׂמִים וּזְנִים מְרֻקָּחִים IICh. 16:14
וְהַרְקַח 8 וְהַרְקַח הַמֶּרְקָחָה וְהָעֲצָמוֹת יֵחָרוּ Ezek. 24:10

רֶקַח

ז׳ מעשה מרקחת

הָרֶקַח 1 אַשְׁקְךָ מִיַּיִן הָרֶקַח מֵעֲסִיס רִמֹּנִי S.ofS. 8:2

רֹקַח

ז׳ רֶקַח, מעשה מרקחת: 1, 2

רֹקַח 1 רֹקַח מִרְקַחַת מַעֲשֵׂה רֹקֵחַ Ex. 30:25
2 קְטֹרֶת רֹקַח מַעֲשֵׂה רוֹקֵחַ Ex. 30:35

רַקָּח*

ז׳ רוקח, עושה מרקחת

הָרַקָּחִים 1 וְעַל־יָדוֹ הֶחֱזִיק חֲנַנְיָה בֶּן־הָרַקָּחִים Neh. 3:8

רַקָּחָה*

נ׳ עוֹשָׂה מעשה מרקחת

לְרַקָּחוֹת 1 לְרַקָּחוֹת וּלְטַבָּחוֹת וּלְאֹפוֹת ISh. 8:13

רָקִיעַ

ז׳ משטח (ובהרחבה) כִּפּוּי לַשָּׁמַיִם: 1-17

זֹהַר הָרָקִיעַ 7; רְקִיעַ עֻזּוֹ 17; רְקִיעַ הַשָּׁמַיִם 13-16

רָקִיעַ 1 וַיֹּאמֶר אֱלֹהִים יְהִי רָקִיעַ בְּתוֹךְ הַמָּיִם Gen. 1:6
2 וּדְמוּת...רָקִיעַ כְּעֵין הַקֶּרַח הַנּוֹרָא Ezek. 1:22
הָרָקִיעַ 3 וַיַּעַשׂ אֱלֹהִים אֶת־הָרָקִיעַ Gen. 1:7
4 וְתַחַת הָרָקִיעַ כַּנְפֵיהֶם יְשָׁרוֹת Ezek. 1:23
5 אֶל־הָרָקִיעַ אֲשֶׁר עַל־רֹאשׁ הַכְּרֻבִים Ezek. 10:1
6 וּמַעֲשֵׂה יָדָיו מַגִּיד הָרָקִיעַ Ps. 19:2
7 וְהַמַּשְׂכִּלִים יַזְהִרוּ כְּזֹהַר הָרָקִיעַ Dan. 12:3
לָרָקִיעַ 8 וַיַּבְדֵּל בֵּין הַמַּיִם אֲשֶׁר מִתַּחַת לָרָקִיעַ Gen. 1:7
9 וּבֵין הַמַּיִם אֲשֶׁר מֵעַל לָרָקִיעַ Gen. 1:7
10 וַיִּקְרָא אֱלֹהִים לָרָקִיעַ שָׁמָיִם Gen. 1:8
11 וַיְהִי־קוֹל מֵעַל לָרָקִיעַ Ezek. 1:25
12 וּמִמַּעַל לָרָקִיעַ אֲשֶׁר עַל־רֹאשָׁם Ezek. 1:26
רְקִיעַ־ 13 יְעוֹפֵף...עַל־פְּנֵי רְקִיעַ הַשָּׁמָיִם Gen. 1:20
בִּרְקִיעַ־ 14 יְהִי מְאֹרֹת בִּרְקִיעַ הַשָּׁמַיִם Gen. 1:14
15 וְהָיוּ לִמְאוֹרֹת בִּרְקִיעַ הַשָּׁמַיִם Gen. 1:15
16 וַיִּתֵּן אֹתָם אֱלֹהִים בִּרְקִיעַ הַשָּׁמָיִם Gen. 1:17
17 הַלְלוּהוּ בִּרְקִיעַ עֻזּוֹ Ps. 150:1

רָקִיק

ז׳ עוּגָה: 1-8

רְקִיק מַצָּה 3; רְקִיקֵי מַצּוֹת 4-8

וְרָקִיק 1 וְחַלַּת לֶחֶם...שֶׁמֶן אַחַת וְרָקִיק אֶחָד Ex. 29:23
2 וְחַלַּת לֶחֶם...שֶׁמֶן אַחַת וְרָקִיק אֶחָד Lev. 8:26
וּרְקִיק־ 3 וְחַלַּת מַצָּה...וּרְקִיק מַצָּה אֶחָד Num. 6:19
וּרְקִיקֵי־ 4 וּרְקִיקֵי מַצּוֹת מְשֻׁחִים בַּשָּׁמֶן Ex. 29:2
5/6 וּרְקִיקֵי מַצּוֹת מְשֻׁחִים בַּשָּׁמֶן Lev. 2:4; 7:12
7 וּרְקִיקֵי מַצּוֹת מְשֻׁחִים בַּשָּׁמֶן Num. 6:15
וְלִרְקִיקֵי־ 8 וּלְסֹלֶת לְמִנְחָה וְלִרְקִיקֵי הַמַּצּוֹת ICh. 23:29

רקם : רוֹקֵם; רִקְמָה; ש״פ רֶקֶם

רָקַם
פָּ׳ א) תפר בחוטים צבעוניים לקשוט: 8-1
ב) [פֻּ׳ רֻקַּם] (בהשאלה) נארג, נוצר: 9

מַעֲשֵׂה רוֹקֵם 6-1

רוֹקֵם 1-3 תְּכֵלֶת וְאַרְגָּמָן...וְשֵׁשׁ מָשְׁזָר מַעֲשֵׂה רֹקֵם Ex. 26:36; 27:16; 36:37
4 וְאַבְנֵט תַּעֲשֶׂה מַעֲשֵׂה רֹקֵם Ex. 28:39
5 וּמָסַךְ שַׁעַר הֶחָצֵר מַעֲשֵׂה רֹקֵם Ex. 38:18
6 שֵׁשׁ מָשְׁזָר וּתְכֵלֶת...מַעֲשֵׂה רֹקֵם Ex. 39:29
וְרוֹקֵם 7/8 וְרֹקֵם בַּתְּכֵלֶת וּבָאַרְגָּמָן Ex. 35:35; 38:23
רֻקַּמְתִּי 9 רֻקַּמְתִּי בְּתַחְתִּיּוֹת אָרֶץ Ps. 139:15

רֶקֶם[1]
שפ״ז א) ממלכי מדין: 1, 2
ב) בן חברון ממטה יהודה: 3, 4
ג) מצאצאי מָכִיר בן מנשה: 5

רֶקֶם 1 אֶת־אֱוִי וְאֶת־רֶקֶם וְאֶת־צוּר Num 31:8
2 אֶת־אֱוִי וְאֶת־רֶקֶם וְאֶת־צוּר Josh. 13:21
וְרֶקֶם 3 וּבְנֵי חֶבְרוֹן...וְרֶקֶם וָשָׁמַע ICh. 2:43
4 וְרֶקֶם הוֹלִיד אֶת־שַׁמָּי ICh. 2:44
וָרָקֶם 5 וּבָנָיו אוּלָם וָרָקֶם ICh. 7:16

רֶקֶם[2]
ש״פ – מקום בנחלת שבט בנימין

וְרֶקֶם 1 וְרֶקֶם וְיִרְפְּאֵל וְתַרְאֲלָה Josh. 18:27

רִקְמָה
נ׳ א) בגד מעשה רוקם, אריג או נוצות בצבעים שונים: 5-1, 12-7
ב) מעשה תשבץ של אבנים: 6

רִקְמָה 1 שְׁלַל צְבָעִים רִקְמָה Jud. 5:30
2 וָאַלְבִּשֵׁךְ רִקְמָה וָאֶנְעֲלֵךְ תָּחַשׁ Ezek. 16:10
וְרִקְמָה 3 וּמַלְבּוּשֵׁךְ שֵׁשׁ° וָמֶשִׁי וְרִקְמָה Ezek. 16:13
4 בְּנֹפֶךְ אַרְגָּמָן וְרִקְמָה וּבוּץ Ezek. 27:16
5 בִּגְלוֹמֵי תְּכֵלֶת וְרִקְמָה Ezek. 27:24
6 אַבְנֵי־שֹׁהַם...אַבְנֵי־פוּךְ וְרִקְמָה ICh. 29:2
הָרִקְמָה 7 מָלֵא הַנּוֹצָה אֲשֶׁר־לוֹ הָרִקְמָה Ezek. 17:3
בְּרִקְמָה 8 שֵׁשׁ בְּרִקְמָה מִמִּצְרַיִם Ezek. 27:7
רִקְמָתֵךְ 9 וַתִּקְחִי...בִּגְדֵי רִקְמָתֵךְ וַתְּכַסִּים Ezek. 16:18
רִקְמָתָם 10 וְאֶת־בִּגְדֵי רִקְמָתָם יִפְשֹׁטוּ Ezek. 26:16
רִקְמָתַיִם 11 צֶבַע רִקְמָתַיִם לְצַוְּארֵי שָׁלָל Jud. 5:30
לִרְקָמוֹת 12 לִרְקָמוֹת תּוּבַל לַמֶּלֶךְ Ps. 45:15

רקע : רָקַע, רִקַּע, רֻקַּע, הִרְקִיעַ; רִקּוּעַ, רָקִיעַ

רָקַע
פָּ׳ א) דרך, בעט: 1, 5, 6
ב) מתח, פרש: 4-2
ג) [פִּ׳ רִקַּע] שִׁטַּח, רִדֵּד: 9-7
ד) [פֻּ׳ בינוני: מְרֻקָּע] משוטח: 10
ה) [הפ׳ הִרְקִיעַ] שטח, רִקַּע: 11

רוֹקַע הָאָרֶץ 4-2

וְרַקְעֲךָ 1 יַעַן מַחְאֲךָ יָד וְרַקְעֲךָ בְּרָגֶל Ezek. 25:6
רוֹקַע 2 רֹקַע הָאָרֶץ וְצֶאֱצָאֶיהָ Is. 42:5
3 נֹטֶה שָׁמַיִם לְבַדִּי רֹקַע הָאָרֶץ מֵאִתִּי° Is. 44:24
לְרוֹקַע 4 לְרֹקַע הָאָרֶץ עַל־הַמָּיִם Ps. 136:6
אֶרְקָעֵם 5 כְּטִיט־חוּצוֹת אֲדִקֵּם אֶרְקָעֵם IISh. 22:43
וּרְקַע 6 הַכֵּה בְכַפְּךָ וּרְקַע בְּרַגְלְךָ Ezek. 6:11
יְרַקְּעֶנּוּ 7 וְצֹרֵף בַּזָּהָב יְרַקְּעֶנּוּ Is. 40:19
וַיְרַקְּעוּ 8 וַיְרַקְּעוּ אֶת־פַּחֵי הַזָּהָב Ex. 39:3
וַיְרַקְּעוּם 9 וַיְרַקְּעוּם צִפּוּי לַמִּזְבֵּחַ Num. 17:4
מְרֻקָּע 10 כֶּסֶף מְרֻקָּע מִתַּרְשִׁישׁ יוּבָא Jer. 10:9
תַּרְקִיעַ 11 תַּרְקִיעַ עִמּוֹ לִשְׁחָקִים Job 37:18

רקק : רָקַק; רֹק [עין גם יָרַק]

רָקַק
פָּ׳ ירק, פלט רוק

יָרֹק 1 וְכִי־יָרֹק הַזָּב בַּטָּהוֹר Lev. 15:8

רַקַּת
ש״פ–מקום מבוצר בנחלת נפתלי על חוף הכנרת

רַקַּת 1 וְחַמַּת רַקַּת וְכִנָּרֶת Josh. 19:35

רָשׁ, רָאשׁ
ז׳ דל, עני: 22-1
קרובים: ראה דַּל

– עָנִי וָרָשׁ 16; עָשִׁיר וָרָשׁ 17
– אֲחֵי רָשׁ 6; אִישׁ רָשׁ 1, 14; גֶּבֶר רָשׁ 8; כִּבְשַׂת(...)הָרָשׁ 14; עֹשֶׁק רָשׁ 11; נִיר רָאשִׁים 21

רָשׁ 1 וְאָנֹכִי אִישׁ־רָשׁ וְנִקְלֶה ISh. 18:23
2 גַּם־לְרֵעֵהוּ יִשָּׂנֵא רָשׁ Prov. 14:20
3 תַּחֲנוּנִים יְדַבֶּר־רָשׁ Prov. 18:23
4/5 טוֹב(־)רָשׁ הוֹלֵךְ בְּתֻמּוֹ Prov. 19:1; 28:6
6 כָּל אֲחֵי־רָשׁ שְׂנֵאֻהוּ Prov. 19:7
7 וְטוֹב־רָשׁ מֵאִישׁ כָּזָב Prov. 19:22
8 גֶּבֶר רָשׁ וְעֹשֵׁק דַּלִּים Prov. 28:3
9 רָשׁ וְאִישׁ תְּכָכִים נִפְגָּשׁוּ Prov. 29:13
10 כִּי גַּם בְּמַלְכוּתוֹ נוֹלַד רָשׁ Eccl. 4:14
11 אִם־עֹשֶׁק רָשׁ...תִּרְאֶה בַמְּדִינָה Eccl. 5:7
רָאשׁ 12 אֶחָד עָשִׁיר וְאֶחָד רָאשׁ IISh. 12:1
13 רָאשׁ עֹשֶׂה כַף־רְמִיָּה Prov. 10:4
הָרָאשׁ 14 אֶת־כִּבְשַׂת הָאִישׁ הָרָאשׁ IISh. 12:4
וְרָשׁ 15 וְרָשׁ לֹא־שָׁמַע גְּעָרָה Prov. 13:8
וָרָשׁ 16 עָנִי וָרָשׁ הַצְדִּיקוּ Ps. 82:3
17 עָשִׁיר וָרָשׁ נִפְגָּשׁוּ Prov. 22:2
לָרָשׁ 18 לֹעֵג לָרָשׁ חֵרֵף עֹשֵׂהוּ Prov. 17:5
19 נוֹתֵן לָרָשׁ אֵין מַחְסוֹר Prov. 28:27
וְלָרָשׁ 20 וְלָרָשׁ אֵין־כֹּל IISh. 12:3
רָאשִׁים 21 רָב־אֹכֶל נִיר רָאשִׁים Prov. 13:23
בְּרָשִׁים 22 עָשִׁיר בְּרָשִׁים יִמְשׁוֹל Prov. 22:7

רָשׁוּם
ת׳ כתוב

הָרָשׁוּם 1 אַגִּיד לְךָ אֶת־הָרָשׁוּם בִּכְתָב אֱמֶת Dan. 10:21

רִשְׁיוֹן*
ז׳ רשות, הֶתֵּר

כְּרִשְׁיוֹן־ 1 כְּרִשְׁיוֹן כּוֹרֶשׁ מֶלֶךְ־פָּרַס עֲלֵיהֶם Ez. 3:7

רֵשִׁית
– עין רֵאשִׁית

רשם : רָשׁוּם; אר׳ רְשַׁם; רְשִׁים

רְשַׁם
פְּ׳ ארמית כָּתַב: 7-1 [רְשִׁים=רָשׁוּם]

רְשַׁמְתָּ 1 הֲלָא אֱסָר רְשַׁמְתָּ Dan. 6:13
2 וְעַל־אֱסָרָא דִּי רְשַׁמְתָּ Dan. 6:14
רְשַׁם 3 מַלְכָּא...רְשַׁם כְּתָבָא וֶאֱסָרָא Dan. 6:10
רְשִׁים 4 וּכְתָבָא דְנָה רְשִׁים Dan. 5:24
5 וּדְנָה כְתָבָא דִּי רְשִׁים Dan. 5:25
6 כְּדִי יְדַע דִּי־רְשִׁים כְּתָבָא Dan. 6:11
וְתִרְשֻׁם 7 תְּקִים אֱסָרָא וְתִרְשֻׁם כְּתָבָא Dan. 6:9

רשע : רָשַׁע, הִרְשִׁיעַ; רָשָׁע, רֶשַׁע, רִשְׁעָה, מִרְשַׁעַת; ש״פ רִשְׁעָתַיִם

רָשַׁע
פָּ׳ א) עשה הרע, חָטא: 7-1, 10
ב) יצא חַיָּב בדין: 8, 9
ג) [הפ׳ הִרְשִׁיעַ] חִיֵּב בדין: 11, 24-17, 35-27
ד) [כנ״ל] רָשַׁע, חָטא: 16-12, 26
ה) [כנ״ל] הצליח(?): 25

לְרִשְׁעָה 1 וַתֶּמֶר אֶת־מִשְׁפָּטַי לְרִשְׁעָה מִן־הַגּוֹיִם Ezek. 5:6
רָשַׁעְתִּי 2/3 וְלֹא רָשַׁעְתִּי מֵאֱלֹהָי IISh. 22:22 • Ps. 18:22
4 אִם־רָשַׁעְתִּי אַלְלַי לִי Job 10:15
רָשָׁעְנוּ 5 חָטָאנוּ וְהֶעֱוִינוּ רָשָׁעְנוּ IK. 8:47
6 חָטָאנוּ רָשָׁעְנוּ Dan. 9:15
וְרָשָׁעְנוּ 7 חָטָאנוּ הֶעֱוִינוּ וְרָשָׁעְנוּ IICh. 6:37
אֶרְשָׁע 8 אָנֹכִי אֶרְשָׁע לָמָּה־זֶּה הֶבֶל אִיגָע Job 9:29
9 עַל־דַּעְתְּךָ כִּי־לֹא אֶרְשָׁע Job 10:7
תִּרְשַׁע 10 אַל־תִּרְשַׁע הַרְבֵּה וְאַל־תְּהִי סָכָל Eccl. 7:17
לְהַרְשִׁיעַ 11 לְהַרְשִׁיעַ רָשָׁע לָתֵת דַּרְכּוֹ בְּרֹאשׁוֹ IK. 8:32
12 כִּי אִמּוֹ הָיְתָה יוֹעַצְתּוֹ לְהַרְשִׁיעַ IICh. 22:3
הִרְשִׁיעַ 13 הוּא הִרְשִׁיעַ לַעֲשׂוֹת IICh. 20:35
הִרְשַׁעְנוּ 14 חָטָאנוּ וְעָוִינוּ הִרְשַׁעְנוּ° וּמָרָדְנוּ Dan. 9:5
הִרְשָׁעְנוּ 15 חָטָאנוּ...הֶעֱוִינוּ הִרְשָׁעְנוּ Ps. 106:6
16 כִּי־אֱמֶת עָשִׂיתָ וַאֲנַחְנוּ הִרְשָׁעְנוּ Neh. 9:33
וְהִרְשִׁיעוּ 17 וְהִרְשִׁיעוּ אֶת־הָרָשָׁע Deut. 25:1
18 וְהִרְשִׁיעוּ רְשָׁעִים Dan. 12:10
וּמַרְשִׁיעַ 19 מַצְדִּיק רָשָׁע וּמַרְשִׁיעַ צַדִּיק Prov. 17:15
וּמַרְשִׁיעֵי־ 20 וּמַרְשִׁיעֵי בְרִית יַחֲנִיף בַּחֲלַקּוֹת Dan. 11:32
תַּרְשִׁיעַ 21 וְאִם־צַדִּיק כַּבִּיר תַּרְשִׁיעַ Job 34:17
תַּרְשִׁיעֵנִי 22 אֹמַר אֶל־אֱלוֹהַ אַל־תַּרְשִׁיעֵנִי Job 10:2
23 תַּרְשִׁיעֵנִי לְמַעַן תִּצְדָּק Job 40:8
תַּרְשִׁיעִי 24 לָשׁוֹן תָּקוּם...לַמִּשְׁפָּט תַּרְשִׁיעִי Is. 54:17
יַרְשִׁיעַ 25 וּבְכֹל אֲשֶׁר־יִפְנֶה יַרְשִׁיעַ ISh. 14:47
26 וְאִישׁ מְזִמּוֹת יַרְשִׁיעַ Prov. 12:2
27 אַף־אָמְנָם אֵל לֹא־יַרְשִׁיעַ Job 34:12
28 וְהוּא יַשְׁקִט וּמִי יַרְשִׁעַ Job 34:29
יַרְשִׁיעֵנִי 29 אֲדֹנָי יֱהוִֹה יַעֲזָר־לִי מִי־הוּא יַרְשִׁיעֵנִי Is. 50:9
30 אִם־אֶצְדָּק פִּי יַרְשִׁיעֵנִי Job 9:20
יַרְשִׁיעֲךָ 31 יַרְשִׁיעֲךָ פִיךָ וְלֹא־אָנִי Job 15:6
יַרְשִׁיעֶנּוּ 32 וְלֹא יַרְשִׁיעֶנּוּ בְּהִשָּׁפְטוֹ Ps. 37:33
יַרְשִׁיעוּ 33 וְדָם נָקִי יַרְשִׁיעוּ Ps. 94:21
יַרְשִׁיעֻן 34 אֲשֶׁר יַרְשִׁיעֻן אֱלֹהִים יְשַׁלֵּם שְׁנַיִם Ex. 22:8
וַיַּרְשִׁיעוּ 35 וַיַּרְשִׁיעוּ אֶת־אִיּוֹב Job 32:3

רָשָׁע
תו״ז א) חוטא, פושע, רע מעללים: רוב המקראות 263-1
ב) אָשֵׁם, חַיָּב בדין: 4, 7, 19-12, 23-21, 47, 67, 103-98, 106, 107, 118-116, 127, 128

– צַדִּיק וְרָשָׁע 1, 2, 26, 27, 38, 40, 58, 67, 77, 93, 94, 106, 109, 111, 113, 124, 129, 176, 231, 239, 241; תָּם וְרָשָׁע 97

– אָדָם רָשָׁע 88,86,57; אִישׁ רָ׳ 74; בֵּית רָ׳ 52,28,25, 72; גַּאֲוַת רָ׳ 31; דִּין רָ׳ 91; דַּם רָשָׁע 104; דֶּרֶךְ רָ׳ 65; זְרוֹעַ רָ׳ 35; חֵיק רָ׳ 68; יַד רָ׳ 44, 84; יְדֵי רָ׳ 16, 50; יְמֵי רָ׳ 85; כֶּרֶם רָ׳ 87; מַאֲוַיֵּי רָ׳ 51; מְגוֹרַת רָ׳ 54; מוֹשֵׁל רָ׳ 80; מוֹת רָ׳ 17, 102; מַלְאָךְ רָ׳ 62; נֶפֶשׁ רָ׳ 71; עָקַת רָ׳ 43; פִּי רָ׳ 45; פְּנֵי רָ׳ 70; רִשְׁעַת רָ׳ 100, 103; תְּבוּאַת רָ׳ 53, 64; תּוֹעֲבַת רָשָׁע 83

– אֹהֶל רְשָׁעִים 216; אוֹר רְ׳ 220; אַחֲרִית רְ׳ 158; אַנְשֵׁי רְ׳ 242; אֹרַח רְ׳ 181; בֶּטֶן רְ׳ 200; בֵּית רְ׳ 201; דִּבְרֵי רְ׳ 195; דֶּרֶךְ רְ׳ 134, 141, 178, 182, 198; הַוַּת רְ׳ 183; הֲמוֹן רְ׳ 153; זֶבַח רְ׳ 202, 209; זְרוֹעוֹת רְ׳ 154; זֶרַע רְ׳ 156; חֶבְלֵי רְ׳ 173; חַלְלֵי רְ׳ 137; יַד רְ׳ 151, 165, 170; לֵב רְ׳ 187; מִזְרֵה רְ׳ 205; מַטֵּה רְ׳ 131; מַעֲשֵׂה רְ׳ 248; מִשְׁכְּנוֹת רְ׳ 225; נִיר רְ׳ 206; נֵר רְ׳ 199,210,224; עֲבוֹת רְ׳ 176; עֵינֵי רְ׳ 218; עֲצַת רְ׳ 139, 217, 223, 226; פִּי רְ׳ 184, 185, 190, 192, 203, 204; פְּנֵי רְ׳ 164; קַרְנֵי רְ׳ 163; רֹאשׁ רְ׳ 135, 136; רַחֲמֵי רְ׳ 197; רִנְנַת רְ׳ 221; רַע רְ׳ 143; שֹׁד־רְ׳ 207; שׁוֹאַת רְ׳ 180; שְׁלוֹם רְ׳ 161; שִׁלּוּמַת רְ׳ 166;

שֵׁם רְשָׁעִים 186; שְׁנוֹת ר׳ 188; שְׁנֵי רְשָׁעִים 142; תַּאֲוַת רְשָׁעִים 172; תַּחְבֻּלוֹת רְשָׁעִים 194; תִּקְוַת רְשָׁעִים 189, 193
– רִשְׁעֵי אֶרֶץ 260-263

רָשָׁע
1 הַאַף תִּסְפֶּה צַדִּיק עִם־רָשָׁע Gen. 18:23
2 לְהָמִית צַדִּיק עִם־רָשָׁע Gen. 18:25
3 אַל־תָּשֶׁת יָדְךָ עִם־רָשָׁע Ex. 23:1
4 כִּי לֹא־אַצְדִּיק רָשָׁע Ex. 23:7
5 אֲשֶׁר־הוּא רָשָׁע לָמוּת Num. 35:31
6 לְהַרְשִׁיעַ רָשָׁע לָתֵת דַּרְכּוֹ בְּרֹאשׁוֹ IK. 8:32
7 מַצְדִּיקֵי רָשָׁע עֵקֶב שֹׁחַד Is. 5:23
8 וּבְרוּחַ שְׂפָתָיו יָמִית רָשָׁע Is. 11:4
9 יֻחַן רָשָׁע בַּל־לָמַד צֶדֶק Is. 26:10
10 יַעֲזֹב רָשָׁע דַּרְכּוֹ Is. 55:7
11 לְהַזְהִיר רָשָׁע מִדַּרְכּוֹ הָרְשָׁעָה Ezek. 3:18
12/3 הוּא רָשָׁע בַּעֲוֹנוֹ יָמוּת Ezek. 3:18; 33:8
14/5 וְאַתָּה כִּי־הִזְהַרְתָּ רָשָׁע Ezek. 3:19; 33:9
16 וּלְחַזֵּק יְדֵי רָשָׁע לְבִלְתִּי־שׁוּב Ezek. 13:22
17 הֶחָפֹץ אֶחְפֹּץ מוֹת רָשָׁע Ezek. 18:23
18/9 וּבְשׁוּב רָשָׁע מֵרִשְׁעָתוֹ Ezek. 18:27; 33:19
20 וְאַתָּה חָלָל רָשָׁע נְשִׂיא יִשְׂרָאֵל Ezek. 21:30
21 בְּאָמְרִי לָרָשָׁע רָשָׁע מוֹת תָּמוּת Ezek. 33:8
22 לְהַזְהִיר רָשָׁע מִדַּרְכּוֹ Ezek. 33:8
23 כִּי אִם־בְּשׁוּב רָשָׁע מִדַּרְכּוֹ Ezek. 33:11
24 חֲבֹל יָשִׁיב רָשָׁע גְּזֵלָה יְשַׁלֵּם Ezek. 33:15
25 עוֹד הַאִשׁ בֵּית רָשָׁע אֹצְרוֹת רֶשַׁע Mic. 6:10
26 כִּי רָשָׁע מַכְתִּיר אֶת־הַצַּדִּיק Hab. 1:4
27 בְּבַלַּע רָשָׁע צַדִּיק מִמֶּנּוּ Hab. 1:13
28 מָחַצְתָּ רֹּאשׁ מִבֵּית רָשָׁע Hab. 3:13
29 גָּעַרְתָּ גוֹיִם אִבַּדְתָּ רָשָׁע Ps. 9:6
30 בְּפֹעַל כַּפָּיו נוֹקֵשׁ רָשָׁע Ps. 9:17
31 בְּגַאֲוַת רָשָׁע יִדְלַק עָנִי Ps. 10:2
32 כִּי־הִלֵּל רָשָׁע עַל־תַּאֲוַת נַפְשׁוֹ Ps. 10:3
33 רָשָׁע כְּגֹבַהּ אַפּוֹ בַּל־יִדְרֹשׁ Ps. 10:4
34 עַל־מֶה נִאֵץ רָשָׁע אֱלֹהִים Ps. 10:13
35 שְׁבֹר זְרוֹעַ רָשָׁע Ps. 10:15
36 תְּמוֹתֵת רָשָׁע רָעָה Ps. 34:22
37 וְעוֹד מְעַט וְאֵין רָשָׁע Ps. 37:10
38 זֹמֵם רָשָׁע לַצַּדִּיק Ps. 37:12
39 לֹוֶה רָשָׁע וְלֹא יְשַׁלֵּם Ps. 37:21
40 צוֹפֶה רָשָׁע לַצַּדִּיק Ps. 37:32
41 רָאִיתִי רָשָׁע עָרִיץ וּמִתְעָרֶה Ps. 37:35
42 בְּעֹד רָשָׁע לְנֶגְדִּי Ps. 39:2
43 מִקּוֹל אוֹיֵב מִפְּנֵי עָקַת רָשָׁע Ps. 55:4
44 אֱלֹהַי פַּלְּטֵנִי מִיַּד רָשָׁע Ps. 71:4
45 כִּי פִי רָשָׁע וּפִי־מִרְמָה עָלַי פָּתָחוּ Ps. 109:2
46 הַפְקֵד עָלָיו רָשָׁע Ps. 109:6
47 בְּהִשָּׁפְטוֹ יֵצֵא רָשָׁע Ps. 109:7
48 רָשָׁע יִרְאֶה וְכָעָס Ps. 112:10
49 אִם־תִּקְטֹל אֱלוֹהַּ רָשָׁע Ps. 139:19
50 שָׁמְרֵנִי יְיָ מִידֵי רָשָׁע Ps. 140:5
51 אַל־תִּתֵּן יְיָ מַאֲוַיֵּי רָשָׁע Ps. 140:9
52 מְאֵרַת יְיָ בְּבֵית רָשָׁע Prov. 3:33
53 תְּבוּאַת רָשָׁע לְחַטָּאת Prov. 10:16
54 מְגוֹרַת רָשָׁע הִיא תְבוֹאֶנּוּ Prov. 10:24
55 כַּעֲבוֹר סוּפָה וְאֵין רָשָׁע Prov. 10:25
56 וּבְרִשְׁעָתוֹ יִפֹּל רָשָׁע Prov. 11:5
57 בְּמוֹת אָדָם רָשָׁע תֹּאבַד תִּקְוָה Prov. 11:7
58 צַדִּיק...נֶחֱלָץ וַיָּבֹא רָשָׁע תַּחְתָּיו Prov. 11:8
59 רָשָׁע עֹשֶׂה פְּעֻלַּת־שָׁקֶר Prov. 11:18
60 אַף כִּי־רָשָׁע וְחוֹטֵא Prov. 11:31
61 חָמַד רָשָׁע מְצוֹד רָעִים Prov. 12:12

רָשָׁע (המשך)
62 מַלְאָךְ רָשָׁע יִפֹּל בְּרָע Prov. 13:17
63 בְּרָעָתוֹ יִדָּחֶה רָשָׁע Prov. 14:32
64 וּבִתְבוּאַת רָשָׁע נֶעְכָּרֶת Prov. 15:6
65 תּוֹעֲבַת יְיָ דֶּרֶךְ רָשָׁע Prov. 15:9
66 וְגַם־רָשָׁע לְיוֹם רָעָה Prov. 16:4
67 מַצְדִּיק רָשָׁע וּמַרְשִׁיעַ צַדִּיק Prov. 17:15
68 שֹׁחַד מֵחֵק רָשָׁע יִקָּח Prov. 17:23
69 בְּבוֹא־רָשָׁע בָּא גַם־בּוּז Prov. 18:3
70 שְׂאֵת פְּנֵי־רָשָׁע לֹא־טוֹב Prov. 18:5
71 נֶפֶשׁ רָשָׁע אִוְּתָה־רָע Prov. 21:10
72 מַשְׂכִּיל צַדִּיק לְבֵית רָשָׁע Prov. 21:12
73 כֹּפֶר לַצַּדִּיק רָשָׁע Prov. 21:18
74 הֵעֵז אִישׁ רָשָׁע בְּפָנָיו Prov. 21:29
75 אַל־תֶּאֱרֹב רָשָׁע לִנְוֵה צַדִּיק Prov. 24:15
76 הָגוֹ רָשָׁע לִפְנֵי־מֶלֶךְ Prov. 25:5
77 צַדִּיק מָט לִפְנֵי־רָשָׁע Prov. 25:26
78 נָסוּ וְאֵין־רֹדֵף רָשָׁע Prov. 28:1
79 עֹזְבֵי תוֹרָה יְהַלְלוּ רָשָׁע Prov. 28:4
80 אֲרִי־נֹהֵם...מוֹשֵׁל רָשָׁע עַל עַם־דָּל Prov. 28:15
81 וּבִמְשֹׁל רָשָׁע יֵאָנַח עָם Prov. 29:2
82 רָשָׁע לֹא־יָבִין דָּעַת Prov. 29:7
83 וְתוֹעֲבַת רָשָׁע יְשַׁר־דָּרֶךְ Prov. 29:27
84 אֶרֶץ נִתְּנָה בְיַד־רָשָׁע Job 9:24
85 כָּל־יְמֵי רָשָׁע הוּא מִתְחוֹלֵל Job 15:20
86 זֶה חֵלֶק־אָדָם רָשָׁע מֵאֱלֹהִים Job 20:29
87 וְכֶרֶם רָשָׁע יְלַקֵּשׁוּ Job 24:6
88 זֶה חֵלֶק־אָדָם רָשָׁע עִם־אֵל Job 27:13
89 הַאֲמֹר...רָשָׁע אֶל־נְדִיבִים Job 34:18
90 לֹא־יְחַיֶּה רָשָׁע Job 36:6
91 וְדִין־רָשָׁע מָלֵאתָ Job 36:17
92 וְיֵשׁ רָשָׁע מַאֲרִיךְ בְּרָעָתוֹ Eccl. 7:15

וְרָשָׁע
93 וְהִכְרַתִּי מִמֵּךְ צַדִּיק וְרָשָׁע Ezek. 21:8
94 אֲשֶׁר־הִכְרַתִּי מִמֵּךְ צַדִּיק וְרָשָׁע Ezek. 21:9
95 וְרָשָׁע וְאֹהֵב חָמָס שָׂנְאָה נַפְשׁוֹ Ps. 11:5
96 וְרָשָׁע יַבְאִישׁ וְיַחְפִּיר Prov. 13:5
97 תָּם וְרָשָׁע הוּא מְכַלֶּה Job 9:22

הָרָשָׁע
98 וְהִרְשִׁיעוּ אֶת־הָרָשָׁע Deut. 25:1
99 וְהָיָה אִם־בִּן הַכּוֹת הָרָשָׁע Deut. 25:2
100 וְרִשְׁעַת הָרָשָׁע (כת׳ רשע) עָלָיו Ezek. 18:20
101 כְּכֹל הַתּוֹעֵבוֹת אֲשֶׁר־עָשָׂה הָרָשָׁע Ezek. 18:24
102 אִם־אֶחְפֹּץ בְּמוֹת הָרָשָׁע Ezek. 33:11
103 וְרִשְׁעַת הָרָשָׁע לֹא־יִכָּשֶׁל בָּהּ Ezek. 33:12
104 פְּעָמָיו יִרְחַץ בְּדַם הָרָשָׁע Ps. 58:11
105 עֲווֹנוֹתָיו יִלְכְּדֻנוֹ אֶת־הָרָשָׁע Prov. 5:22
106 אֶת־הַצַּדִּיק וְאֶת־הָרָשָׁע יִשְׁפֹּט Eccl. 3:17

וְהָרָשָׁע
107 וְהָרָשָׁע כִּי יָשׁוּב מִכָּל־חַטֹּאתָו Ezek. 18:21

כְּרָשָׁע
108 יְהִי כְרָשָׁע אֹיְבִי וּמִתְקוֹמְמִי כְעַוָּל Job 27:7

כָּרָשָׁע
109 וְהָיָה כַצַּדִּיק כָּרָשָׁע Gen. 18:25

לְרָשָׁע
110 אוֹי לְרָשָׁע רָע Is. 3:11
111 וְשַׁבְתֶּם וּרְאִיתֶם בֵּין צַדִּיק לְרָשָׁע Mal. 3:18
112 ...וּמוֹכִיחַ לְרָשָׁע מוּמוֹ Prov. 9:7
113 אֹמֵר לְרָשָׁע צַדִּיק אָתָּה Prov. 24:24
114 לְהָשִׁב לְרָשָׁע לָתֵת דַּרְכּוֹ בְּרֹאשׁוֹ IICh. 6:23

לָרָשָׁע
115 וַיֹּאמֶר לָרָשָׁע לָמָּה תַכֶּה רֵעֶךָ Ex. 2:13
116/7 בְּאָמְרִי לָרָשָׁע מוֹת תָּמוּת Ezek. 3:18; 33:8
118 וּבְאָמְרִי לָרָשָׁע מוֹת תָּמוּת Ezek. 33:14
119 רַבִּים מַכְאוֹבִים לָרָשָׁע Ps. 32:10
120 נְאֻם־פֶּשַׁע לָרָשָׁע בְּקֶרֶב לִבִּי Ps. 36:2
121 עַד יִכָּרֶה לָרָשָׁע שָׁחַת Ps. 94:13
122 וְטוֹב לֹא־יִהְיֶה לָרָשָׁע Eccl. 8:13

וְלָרָשָׁע
123 וְלָרָשָׁע אָמַר אֱלֹהִים Ps. 50:16
124 מִקְרֶה אֶחָד לַצַּדִּיק וְלָרָשָׁע Eccl. 9:2

הֲלָרָשָׁע
125 הֲלָרָשָׁע לַעְזֹר וּלְשֹׂנְאֵי יְיָ תֶּאֱהָב IICh. 19:2

מֵרָשָׁע
126 פַּלְּטָה נַפְשִׁי מֵרָשָׁע חַרְבֶּךָ Ps. 17:13

הָרְשָׁעָה
127 לְהַזְהִיר רָשָׁע מִדַּרְכּוֹ הָרְשָׁעָה Ezek. 3:18
128 וְלֹא־שָׁב מֵרִשְׁעוֹ וּמִדַּרְכּוֹ הָרְשָׁעָה Ezek. 3:19

רְשָׁעִים
129 אֲנָשִׁים רְשָׁעִים הָרְגוּ אֶת־אִישׁ־צַדִּיק IISh. 4:11
130 וּפָקַדְתִּי...וְעַל־רְשָׁעִים עֲוֹנָם Is. 13:11
131 שָׁבַר יְיָ מַטֵּה רְשָׁעִים שֵׁבֶט מֹשְׁלִים Is. 14:5
132 וַיִּתֵּן אֶת־רְשָׁעִים קִבְרוֹ Is. 53:9
133 כִּי־נִמְצְאוּ בְעַמִּי רְשָׁעִים Jer. 5:26
134 מַדּוּעַ דֶּרֶךְ רְשָׁעִים צָלֵחָה Jer. 12:1
135/6 עַל רֹאשׁ רְשָׁעִים יָחוּל Jer. 23:19; 30:23
137 לָתֵת...אֶל־צַוְּארֵי חַלְלֵי רְשָׁעִים Ezek. 21:34
138 וְעַסּוֹתֶם רְשָׁעִים כִּי־יִהְיוּ אֵפֶר... Mal. 3:21
139 אֲשֶׁר לֹא הָלַךְ בַּעֲצַת רְשָׁעִים Ps. 1:1
140 לֹא־יָקֻמוּ רְשָׁעִים בַּמִּשְׁפָּט Ps. 1:5
141 וְדֶרֶךְ רְשָׁעִים תֹּאבֵד Ps. 1:6
142 שִׁנֵּי רְשָׁעִים שִׁבַּרְתָּ Ps. 3:8
143 יִגְמָר־נָא רַע רְשָׁעִים Ps. 7:10
144 יָשׁוּבוּ רְשָׁעִים לִשְׁאוֹלָה Ps. 9:18
145 יַמְטֵר עַל־רְשָׁעִים פַּחִים Ps. 11:6
146 סָבִיב רְשָׁעִים יִתְהַלָּכוּן Ps. 12:9
147 מִפְּנֵי רְשָׁעִים זוּ שַׁדּוּנִי Ps. 17:9
148 וְעִם־רְשָׁעִים לֹא אֵשֵׁב Ps. 26:5
149 אַל־תִּמְשְׁכֵנִי עִם־רְשָׁעִים Ps. 28:3
150 יֵבֹשׁוּ רְשָׁעִים יִדְּמוּ לִשְׁאוֹל Ps. 31:18
151 וְיַד־רְשָׁעִים אַל־תְּנִדֵנִי Ps. 36:12
152 חֶרֶב פָּתְחוּ רְשָׁעִים Ps. 37:14
153 טוֹב...מֵהֲמוֹן רְשָׁעִים רַבִּים Ps. 37:16
154 כִּי זְרוֹעוֹת רְשָׁעִים תִּשָּׁבַרְנָה Ps. 37:17
155 כִּי רְשָׁעִים יֹאבֵדוּ Ps. 37:20
156 וְזֶרַע רְשָׁעִים נִכְרָת Ps. 37:28
157 בְּהִכָּרֵת רְשָׁעִים תִּרְאֶה Ps. 37:34
158 אַחֲרִית רְשָׁעִים נִכְרָתָה Ps. 37:38
159 זֹרוּ רְשָׁעִים מֵרָחֶם Ps. 58:4
160 יֹאבְדוּ רְשָׁעִים מִפְּנֵי אֱלֹהִים Ps. 68:3
161 קִנֵּאתִי...שְׁלוֹם רְשָׁעִים אֶרְאֶה Ps. 73:3
162 הִנֵּה־אֵלֶּה רְשָׁעִים וְשַׁלְוֵי עוֹלָם Ps. 73:12
163 וְכָל־קַרְנֵי רְשָׁעִים אֲגַדֵּעַ Ps. 75:11
164 וּפְנֵי רְשָׁעִים תִּשְׂאוּ־סֶלָה Ps. 82:2
165 מִיַּד רְשָׁעִים הַצִּילוּ Ps. 82:4
166 וְשִׁלֻּמַת רְשָׁעִים תִּרְאֶה Ps. 91:8
167 בִּפְרֹחַ רְשָׁעִים כְּמוֹ עֵשֶׂב Ps. 92:8
168 עַד־מָתַי רְשָׁעִים יְיָ Ps. 94:3
169 עַד־מָתַי רְשָׁעִים יַעֲלֹזוּ Ps. 94:3
170 מִיַּד רְשָׁעִים יַצִּילֵם Ps. 97:10
171 לֶהָבָה תְּלַהֵט רְשָׁעִים Ps. 106:18
172 תַּאֲוַת רְשָׁעִים תֹּאבֵד Ps. 112:10
173 חֶבְלֵי רְשָׁעִים עִוְּדֻנִי Ps. 119:61
174 לִי קִוּוּ רְשָׁעִים לְאַבְּדֵנִי Ps. 119:95
175 נָתְנוּ רְשָׁעִים פַּח לִי Ps. 119:110
176 יְיָ צַדִּיק קִצֵּץ עֲבוֹת רְשָׁעִים Ps. 129:4
177 יִפְּלוּ בְמַכְמֹרָיו רְשָׁעִים יַחַד Ps. 141:10
178 וְדֶרֶךְ רְשָׁעִים יְעַוֵּת Ps. 146:9
179 מַשְׁפִּיל רְשָׁעִים עֲדֵי־אָרֶץ Ps. 147:6
180 אַל־תִּירָא...וּמִשֹּׁאַת רְשָׁעִים כִּי תָבֹא Prov. 3:25
181 בְּאֹרַח רְשָׁעִים אַל־תָּבֹא Prov. 4:14
182 דֶּרֶךְ רְשָׁעִים כָּאֲפֵלָה Prov. 4:19
183 וְהַוַּת רְשָׁעִים יֶהְדֹּף Prov. 10:3
184/5 וּפִי רְשָׁעִים יְכַסֶּה חָמָס Prov. 10:6, 11
186 וְשֵׁם רְשָׁעִים יִרְקָב Prov. 10:7
187 לֵב רְשָׁעִים כִּמְעָט Prov. 10:20
188 וּשְׁנוֹת רְשָׁעִים תִּקְצֹרְנָה Prov. 10:27

רְשָׁעִים (המשך)

189 וְתִקְוַת רְשָׁעִים תֹּאבֵד Prov.10:28
190 וּפִי רְשָׁעִים תַּהְפֻּכוֹת Prov.10:32
191 וּבַאֲבֹד רְשָׁעִים רִנָּה Prov.11:10
192 וּבְפִי רְשָׁעִים תֵּהָרֵס Prov.11:11
193 תִּקְוַת רְשָׁעִים עֶבְרָה Prov.11:23
194 תַּחְבֻּלוֹת רְשָׁעִים מִרְמָה Prov.12:5
195 דִּבְרֵי רְשָׁעִים אֱרָב־דָּם Prov.12:6
196 הָפוֹךְ רְשָׁעִים וְאֵינָם Prov.12:7
197 וְרַחֲמֵי רְשָׁעִים אַכְזָרִי Prov.12:10
198 וְדֶרֶךְ רְשָׁעִים תַּתְעֵם Prov.12:26
199 וְנֵר רְשָׁעִים יִדְעָךְ Prov.13:9
200 וּבֶטֶן רְשָׁעִים תֶּחְסָר Prov.13:25
201 בֵּית רְשָׁעִים יִשָּׁמֵד Prov.14:11
202 זֶבַח רְשָׁעִים תּוֹעֲבַת יְיָ Prov.15:8
203 וּפִי רְשָׁעִים יַבִּיעַ רָעוֹת Prov.15:28
204 וּפִי רְשָׁעִים יְבַלַּע־אָוֶן Prov.19:28
205 מְזָרֶה רְשָׁעִים מֶלֶךְ חָכָם Prov.20:26
206 רוּם־עֵינַיִם...נִר רְשָׁעִים חַטָּאת Prov.21:4
207 שֹׁד־רְשָׁעִים יְגוֹרֵם Prov.21:7
208 מְסַלֵּף רְשָׁעִים לָרָע Prov.21:12
209 זֶבַח רְשָׁעִים תּוֹעֵבָה Prov.21:27
210 נֵר רְשָׁעִים יִדְעָךְ Prov.24:20
211 וּבְקוּם רְשָׁעִים יְחֻפַּשׂ אָדָם Prov.28:12
212 בְּקוּם רְשָׁעִים יִסָּתֵר אָדָם Prov.28:28
213 מֹשֵׁל...כָּל־מְשָׁרְתָיו רְשָׁעִים Prov.29:12
214 בִּרְבוֹת רְשָׁעִים יִרְבֶּה־פָּשַׁע Prov.29:16
215 שָׁם רְשָׁעִים חָדְלוּ רֹגֶז Job 3:17
216 וְאֹהֶל רְשָׁעִים אֵינֶנּוּ Job 8:22
217 וְעַל־עֲצַת רְשָׁעִים הוֹפָעְתָּ Job 10:3
218 וְעֵינֵי רְשָׁעִים תִּכְלֶינָה Job 11:20
219 וְעַל־יְדֵי רְשָׁעִים יִרְטֵנִי Job 16:11
220 גַּם אוֹר רְשָׁעִים יִדְעָךְ Job 18:5
221 כִּי רִנְנַת רְשָׁעִים מִקָּרוֹב Job 20:5
222 מַדּוּעַ רְשָׁעִים יִחְיוּ Job 21:7
223 עֲצַת רְשָׁעִים רָחֲקָה מֶנִּי Job 21:16
224 כַּמָּה נֵר־רְשָׁעִים יִדְעָךְ Job 21:17
225 וְאַיֵּה אֹהֶל מִשְׁכְּנוֹת רְשָׁעִים Job 21:28
226 וַעֲצַת רְשָׁעִים רָחֲקָה מֶנִּי Job 22:18
227 תַּחַת־רְשָׁעִים סְפָקָם Job 34:26
228 וְיִנָּעֲרוּ רְשָׁעִים מִמֶּנָּה Job 38:13
229 וַהֲדֹךְ רְשָׁעִים תַּחְתָּם Job 40:12
230 וּבְכֵן רָאִיתִי רְשָׁעִים קְבֻרִים וָבָאוּ Eccl.8:10
231 וְיֵשׁ רְשָׁעִים שֶׁמַּגִּיעַ אֲלֵהֶם כְּמַעֲשֵׂה הַצַּדִּיקִים Eccl.8:14
232 יִתְבָּרְרוּ...וְהִרְשִׁיעוּ רְשָׁעִים Dan.12:10
233 וְלֹא יָבִינוּ כָּל־רְשָׁעִים Dan.12:10
וּרְשָׁעִים 234 וּרְשָׁעִים בַּחֹשֶׁךְ יִדָּמּוּ ISh.2:9
235 יִתַּמּוּ חַטָּאִים...וּרְשָׁעִים עוֹד אֵינָם Ps.104:35
236 וּרְשָׁעִים מֵאֶרֶץ יִכָּרֵתוּ Prov.2:22
237 וּרְשָׁעִים לֹא יִשְׁכְּנוּ־אָרֶץ Prov.10:30
238 וּרְשָׁעִים מָלְאוּ רָע Prov.12:21
239 וּרְשָׁעִים עַל־שַׁעֲרֵי צַדִּיק Prov.14:19
240 וּרְשָׁעִים יִכָּשְׁלוּ בְרָעָה Prov.24:16
הָרְשָׁעִים 241 יְיָ הַצַּדִּיק וַאֲנִי וְעַמִּי הָרְשָׁעִים Ex.9:27
242 אָהֳלֵי הָאֲנָשִׁים הָרְשָׁעִים הָאֵלֶּה Num.16:26
243 הָרְשָׁעִים נְתָנָם לַחֶרֶב Jer.25:31
244 וְהַמַּכְשֵׁלוֹת אֶת־הָרְשָׁעִים Zep.1:3
245 לֹא־כֵן הָרְשָׁעִים כִּי אִם־כַּמֹּץ... Ps.1:4
246 כִּי הִנֵּה הָרְשָׁעִים יִדְרְכוּן קֶשֶׁת Ps.11:2
247 וְאֵת כָּל־הָרְשָׁעִים יַשְׁמִיד Ps.145:20
248 מַגִּיעַ אֲלֵהֶם כְּמַעֲשֵׂה הָרְשָׁעִים Eccl.8:14
וְהָרְשָׁעִים 249 וְהָרְשָׁעִים כַּיָּם נִגְרָשׁ Is.57:20
בָּרְשָׁעִים 250 אַל־תְּקַנֵּא בָּרְשָׁעִים Prov.24:19
לָרְשָׁעִים 251 אֵין שָׁלוֹם אָמַר יְיָ לָרְשָׁעִים Is.48:22
252 אֵין שָׁלוֹם אָמַר אֱלֹהַי לָרְשָׁעִים Is.57:21
וְלָרְשָׁעִים 253 וְלָרְשָׁעִים אַל־תָּרִימוּ קָרֶן Ps.75:5
מֵרְשָׁעִים 254 מֵרְשָׁעִים יֵצֵא רֶשַׁע ISh.24:13
255 יְפַלְּטֵם מֵרְשָׁעִים וְיוֹשִׁיעֵם Ps.37:40
256 מֵרְשָׁעִים עֹזְבֵי תּוֹרָתֶךָ Ps.119:53
257 רָחוֹק מֵרְשָׁעִים יְשׁוּעָה Ps.119:155
258 רָחוֹק יְיָ מֵרְשָׁעִים Prov.15:29
259 וְיִמָּנַע מֵרְשָׁעִים אוֹרָם Job 38:15
רִשְׁעֵי־ 260 יִמְצוּ יִשְׁתּוּ כֹּל רִשְׁעֵי־אָרֶץ Ps.75:9
261 לַבְּקָרִים אַצְמִית כָּל־רִשְׁעֵי־אָרֶץ Ps.101:8
262 סִגִים הִשְׁבַּתָּ כָל־רִשְׁעֵי־אָרֶץ Ps.119:119
וּלְרִשְׁעֵי־ 263 וּנְתַתִּיו...וּלְרִשְׁעֵי הָאָרֶץ לְשָׁלָל Ezek.7:21

רֶשַׁע
ז׳ רוע, חטא, עוֶל: 1‑30 • קרובים: ראה אָוֶן

אֶגְרוֹף רֶשַׁע 2; אָהֳלֵי רֶשַׁע 10; אוֹצְרוֹת ר׳ 6, 13; אַנְשֵׁי רֶשַׁע 15; חַרְצֻבּוֹת ר׳ 3; לֶחֶם רֶשַׁע 11; מֹאזְנֵי רֶשַׁע 7; מַטֵּה רֶשַׁע 4; שֵׁבֶט הָרֶשַׁע 18

רֶשַׁע 1 מֵרְשָׁעִים יֵצֵא רֶשַׁע ISh.24:13
2 וּלְהַכּוֹת בְּאֶגְרֹף רֶשַׁע Is.58:4
3 פַּתֵּחַ חַרְצֻבּוֹת רֶשַׁע Is.58:6
4 הֶחָמָס קָם לְמַטֵּה־רֶשַׁע Ezek.7:11
5 חֲרַשְׁתֶּם־רֶשַׁע עַוְלָתָה קְצַרְתֶּם Hosh.10:13
6 עוֹד הַאִשׁ בֵּית רָשָׁע אֹצְרוֹת רֶשַׁע Mic.6:10
7 הַאֶזְכֶּה בְּמֹאזְנֵי רֶשַׁע Mic.6:11
8 כִּי לֹא אֵל־חָפֵץ רֶשַׁע אָתָּה Ps.5:5
9 אָהַבְתָּ צֶּדֶק וַתִּשְׂנָא רֶשַׁע Ps.45:8
10 בָּחַרְתִּי...מִדּוּר בְּאָהֳלֵי־רֶשַׁע Ps.84:11
11 כִּי לָחֲמוּ לֶחֶם רֶשַׁע Prov.4:17
12 וְתוֹעֲבַת שְׂפָתַי רֶשַׁע Prov.8:7
13 לֹא־יוֹעִילוּ אוֹצְרוֹת רֶשַׁע Prov.10:2
14 תּוֹעֲבַת מְלָכִים עֲשׂוֹת רֶשַׁע Prov.16:12
15 וְלָלֶכֶת עִם־אַנְשֵׁי־רֶשַׁע Job 34:8
16 וְלָדַעַת רֶשַׁע כֶּסֶל Eccl.7:25
17 וְלֹא־יְמַלֵּט רֶשַׁע אֶת־בְּעָלָיו Eccl.8:8
הָרֶשַׁע 18 לֹא יָנוּחַ שֵׁבֶט הָרֶשַׁע Ps.125:3
19 מְקוֹם הַמִּשְׁפָּט שָׁמָּה הָרֶשַׁע Eccl.3:16
הָרָשַׁע 20 וּמְקוֹם הַצֶּדֶק שָׁמָּה הָרָשַׁע Eccl.3:16
בְּרֶשַׁע 21 לְהִתְעוֹלֵל עֲלִלוֹת בְּרֶשַׁע Ps.141:4
22 לֹא־יִכּוֹן אָדָם בְּרֶשַׁע Prov.12:3
מֵרֶשַׁע 23 חָלִלָה לָאֵל מֵרֶשַׁע וְשַׁדַּי מֵעָוֶל Job 34:10
רִשְׁעֶךָ 24 לְאִישׁ־כָּמוֹךָ רִשְׁעֶךָ Job 35:8
רִשְׁעוֹ 25 אַל־תֵּפֶן...וְאֶל־רִשְׁעוֹ וְאֶל־חַטָּאתוֹ Deut.9:27
26 תִּדְרוֹשׁ־רִשְׁעוֹ בַל־תִּמְצָא Ps.10:15
בְּרִשְׁעוֹ 27 עָשׂוֹ יַעֲשֶׂה לוֹ כְּרִשְׁעוֹ גֵּרַשְׁתִּיהוּ Ezek.31:11
מֵרִשְׁעוֹ 28 וְלֹא־שָׁב מֵרִשְׁעוֹ Ezek.3:19
29 בְּיוֹם שׁוּבוֹ מֵרִשְׁעוֹ Ezek.33:12
רִשְׁעֵנוּ 30 יָדַעְנוּ יְיָ רִשְׁעֵנוּ עֲוֹן אֲבוֹתֵינוּ Jer.14:20

רִשְׁעָה
נ׳ רֶשַׁע: 1‑14 • קרובים: ראה אָוֶן

גְּבוּל רִשְׁעָה 2; עוֹשֵׂה רִשְׁעָה 4; עוֹשֵׂי רִשְׁעָה 3; רִשְׁעַת הַגּוֹיִם 9, 10; רִשְׁעַת רָשָׁע 7, 8

רִשְׁעָה 1 כִּי־בָעֲרָה כָאֵשׁ רִשְׁעָה Is.9:17
2 וְקָרְאוּ לָהֶם גְּבוּל רִשְׁעָה Mal.1:4
3 גַּם־נִבְנוּ עֹשֵׂי רִשְׁעָה Mal.3:15
4 וְכָל־עֹשֵׂה רִשְׁעָה קַשׁ Mal.3:19
וְרִשְׁעָה 5 וְרִשְׁעָה תְּסַלֵּף חַטָּאת Prov.13:6
הָרִשְׁעָה 6 וַיֹּאמֶר זֹאת הָרִשְׁעָה Zech.5:8
וְרִשְׁעַת־ 7 וְרִשְׁעַת הָרָשָׁע עָלָיו תִּהְיֶה Ezek.18:20
8 וְרִשְׁעַת הָרָשָׁע לֹא־יִכָּשֶׁל בָּהּ Ezek.33:12
בְּרִשְׁעַת־ 9 כִּי בְּרִשְׁעַת הַגּוֹיִם הָאֵלֶּה... Deut.9:5
וּבְרִשְׁעַת־ 10 וּבְרִשְׁעַת הַגּוֹיִם הָאֵלֶּה יְיָ מוֹרִישָׁם Deut.9:4
רִשְׁעָתוֹ 11 וְהִכָּהוּ לְפָנָיו כְּדֵי רִשְׁעָתוֹ בְּמִסְפָּר Deut.25:2
וּבְרִשְׁעָתוֹ 12 וּבְרִשְׁעָתוֹ יִפֹּל רָשָׁע Prov.11:5
מֵרִשְׁעָתוֹ 13/4 וּבְשׁוּב רָשָׁע מֵרִשְׁעָתוֹ Ezek.18:27; 33:19

רִשְׁעָתַיִם
שפ״ז – עין כּוּשַׁן רִשְׁעָתַיִם (באות כ׳)

רֶשֶׁף
ז׳ א) ניצוץ: 3, 5‑7
ב) [בהשאלה] הרס, אבדן: 1, 2, 4

לְחוּמֵי רֶשֶׁף 1; רִשְׁפֵּי אֵשׁ 6; רִשְׁפֵי קָשֶׁת 5

רֶשֶׁף 1 מְזֵי רָעָב וּלְחֻמֵי רֶשֶׁף Deut.32:24
2 לְפָנָיו יֵלֶךְ דָּבֶר וְיֵצֵא רֶשֶׁף לְרַגְלָיו Hab.3:5
3 וּבְנֵי־רֶשֶׁף יַגְבִּיהוּ עוּף Job 5:7
לָרְשָׁפִים 4 לַבָּרָד בְּעִירָם וּמִקְנֵיהֶם לָרְשָׁפִים Ps.78:48
רִשְׁפֵי־ 5 שָׁמָּה שִׁבַּר רִשְׁפֵי־קָשֶׁת Ps.76:4
רִשְׁפֵּי־ 6 רְשָׁפֶיהָ רִשְׁפֵּי אֵשׁ שַׁלְהֶבֶתְיָה S.ofS.8:6
רְשָׁפֶיהָ 7 רְשָׁפֶיהָ רִשְׁפֵּי אֵשׁ שַׁלְהֶבֶתְיָה S.ofS.8:6

(רשש) רוֹשֵׁשׁ
פ׳ א) דלדל: 1
ב) [פ׳ רָשַׁשׁ] נהרס: 2

יְרוֹשֵׁשׁ 1 יְרוֹשֵׁשׁ עָרֵי מִבְצָרֶיךָ Jer.5:17
רֻשַּׁשְׁנוּ 2 רֻשַּׁשְׁנוּ וְנָשׁוּב וְנִבְנֶה חֳרָבוֹת Mal.1:4

רֶשֶׁת
נ׳ א) מלכודת קלועה לציד, מוקש: 3‑7, 10‑22
ב) מעשה מקלעת, שבכה: 1, 2, 8, 9

– מַעֲשֵׂה רֶשֶׁת 1, 2; ר׳ מְזֹרָה 10; שַׁחַת רִשְׁתָּם 22
– הֵכִין רֶשֶׁת 3; טָמַן רֶשֶׁת 11, 14, 19, 22; פָּרַשׂ רֶשֶׁת 4‑7, 15‑18, 21
– מָשַׁךְ (בְּ)רֶשֶׁת 20

רֶשֶׁת 1/2 מִכְבַּר מַעֲשֵׂה רֶשֶׁת נְחֹשֶׁת Ex.27:4; 38:4
3 רֶשֶׁת הֵכִינוּ לִפְעָמַי Ps.57:7
4 פָּרְשׂוּ רֶשֶׁת לְיַד־מַעְגָּל Ps.140:6
5 רֶשֶׁת פּוֹרֵשׂ עַל־פְּעָמָיו Prov.29:5
6 פָּרַשׂ רֶשֶׁת לְרַגְלַי הֱשִׁיבַנִי אָחוֹר Lam.1:13
וְרֶשֶׁת 7 וְרֶשֶׁת פְּרוּשָׂה עַל־תָּבוֹר Hosh.5:1
הָרֶשֶׁת 8 וְעָשִׂיתָ עַל־הָרֶשֶׁת אַרְבַּע טַבְּעֹת נְחֹשֶׁת Ex.27:4
9 וְהָיְתָה הָרֶשֶׁת עַד חֲצִי הַמִּזְבֵּחַ Ex.27:5
הָרָשֶׁת 10 כִּי־חִנָּם מְזֹרָה הָרָשֶׁת Prov.1:17
בְּרֶשֶׁת 11 בְּרֶשֶׁת־זוּ טָמָנוּ נִלְכְּדָה רַגְלָם Ps.9:16
12 כִּי־שֻׁלַּח בְּרֶשֶׁת בְּרַגְלָיו Job 18:8
מֵרֶשֶׁת 13 כִּי הוּא־יוֹצִיא מֵרֶשֶׁת רַגְלָי Ps.25:15
14 תּוֹצִיאֵנִי מֵרֶשֶׁת זוּ טָמְנוּ לִי Ps.31:5
רִשְׁתִּי 15 וּפָרַשְׂתִּי אֶת־רִשְׁתִּי עָלָיו Ezek.12:13
16 וּפָרַשְׂתִּי עָלָיו רִשְׁתִּי Ezek.17:20
17 וּפָרַשְׂתִּי עָלֶיךָ אֶת־רִשְׁתִּי Ezek.32:3
18 כַּאֲשֶׁר יֵלֵכוּ אֶפְרוֹשׂ עֲלֵיהֶם רִשְׁתִּי Hosh.7:12
וְרִשְׁתּוֹ 19 וְרִשְׁתּוֹ אֲשֶׁר־טָמַן תִּלְכְּדוֹ Ps.35:8
בְּרִשְׁתּוֹ 20 יַחְטֹף עָנִי בְּמָשְׁכוֹ בְרִשְׁתּוֹ Ps.10:9
רִשְׁתָּם 21 וַיִּפְרְשׂוּ עָלָיו רִשְׁתָּם בְּשַׁחְתָּם נִתְפָּשׂ Ezek.19:8
22 כִּי־חִנָּם טָמְנוּ־לִי שַׁחַת רִשְׁתָּם Ps.35:7

רַתּוֹק
ז׳ כֶּבֶל, שרשרת: 1, 2

הָרַתּוֹק 1 עֲשֵׂה הָרַתּוֹק Ezek.7:23
בָּרַתּוּקוֹת 2 וַיְעַבֵּר בְּרַתּוּקוֹת (כת׳ ברתיקות) זָהָב IK.6:21

רְתוּקָה* נ׳ שרשרת

וּרְתוּקוֹת- 1 וּרְתֻקוֹת כֶּסֶף צוֹרֵף Is. 40:19

רתח : רְתַח, רָתַח, הִרְתִּיחַ; רֶתַח

רִתַּח פִּ׳ א) חִמֵּם הרבה באש: 1
ב) [פֻּ׳ רֻתַּח] חֻמַּם, [וּבהשאלה] סֹעַר: 2
ג) [הפ׳ הִרְתִּיחַ] חִמֵּם, הסעיר: 3

רַתַּח 1 רַתַּח רְתָחֶיהָ גַּם־בָּשְׁלוּ עֲצָמֶיהָ Ezek. 24:5
רֻתְּחוּ 2 מֵעַי רֻתְּחוּ וְלֹא־דָמּוּ Job 30:27
יַרְתִּיחַ 3 יַרְתִּיחַ כַּסִּיר מְצוּלָה Job 41:23

רֶתַח* ז׳ נתח מבושל

רְתָחֶיהָ 1 רַתַּח רְתָחֶיהָ גַּם־בָּשְׁלוּ עֲצָמֶיהָ Ezek. 24:5

רָתַם פִּ׳ אסר רכב לבהמה

רְתֹם 1 רְתֹם הַמֶּרְכָּבָה לָרֶכֶשׁ Mic. 1:13

רֹתֶם ז׳ שִׂיח בר מדבָּרִי: 1-4
גַּחֲלֵי רְתָמִים 3; שֹׁרֶשׁ רְתָמִים 4

רֹתֶם 1 וַיָּבֹא וַיֵּשֶׁב תַּחַת רֹתֶם אֶחָד° IK. 19:4
2 וַיִּשְׁכַּב וַיִּישַׁן תַּחַת רֹתֶם אֶחָד IK. 19:5
רְתָמִים 3 חִצֵּי גִבּוֹר שְׁנוּנִים עִם גַּחֲלֵי רְתָמִים Ps. 120:4
4 וְשֹׁרֶשׁ רְתָמִים לַחְמָם Job 30:4

רִתְמָה ש״פ–מתחנות ישראל במסעיהם במדבר סיני: 2,1

בְּרִתְמָה 1 וַיִּסְעוּ מֵחֲצֵרֹת וַיַּחֲנוּ בְּרִתְמָה Num. 33:18
מֵרִתְמָה 2 וַיִּסְעוּ מֵרִתְמָה וַיַּחֲנוּ בְּרִמֹּן פָּרֶץ Num. 33:19

רתק : נִרְתַּק, רֻתַּק; רַתּוּק, רְתוּקָה

(רתק) נִרְתַּק נִפ׳ א) נקשר: 1 ב) [פֻּ׳ רֻתַּק] נכבל: 2

יֵרָתֵק 1 לֹא-יֵרָתֵק (כת׳ ירחק) חֶבֶל הַכֶּסֶף Eccl. 12:6
רֻתְּקוּ 2 וְכָל־גְּדוֹלֶיהָ רֻתְּקוּ בַזִּקִּים Nah. 3:10

רְתֵת נ׳ רעד, רטט • קרובים: ראה חִיל

רְתֵת 1 כְּדַבֵּר אֶפְרַיִם רְתֵת Hosh. 13:1

ש׳ זעירא
פַּרְמַשְׁתָּא Es. 9:9

ש׳ רבתי
שִׁיר הַשִּׁירִים S.ofS. 1:1
עֶרֶשׂ (ז) Deut. 3:11

כתיב ש׳ ועיקרו ס׳
וְשַׂכֹּתִי (וְסַכֹּתִי) Ex. 33:22
וַיִּשָּׂתְרוּ (וַיִּסָּתְרוּ) ISh. 5:9
נָשׂוֹג (נָסוֹג) IISh. 1:22
וְשִׂפַּח (וְסִפַּח) Is. 3:17

ש

שין־ן בתורה 15 592

בְּשׂוּרַי (בְּסוּרִי) Hosh. 9:12
כַּעַשׂ (כַּעַס) Job 5:2
כַּעְשִׂי (כַּעְסִי) Job 6:2
כַּעַשְׂךָ (כַּעַסְךָ) Job 10:17
מִכַּעַשׂ (מִכַּעַס) Job 17:7
שֻׂכּוֹ (סֻכּוֹ) Lam. 2:6
שָׂתַם (סָתַם) Lam. 3:8
וּכְמַשְׂמְרוֹת (וּכְמַסְמְרוֹת) Eccl. 12:11

כתיב ס׳ ועיקרו ש׳
וְסִכְרִים (וְשִׂכְרִים) Ez. 4:5

שֶׁ־ (שַׁ־, שָׁ־, שְׁ־) הברת־זיקה בראש מלים

במשמעים שונים:
א) אֲשֶׁר: רוב המקראות 1-136
ב) כִּי (ביחוד אחרי פועל): 21, 22, 34, 35, 40, 55, 57, 67, 69, 70, 74, 76, 78, 79, 92-94, 96
ג) מפני, משום, יען: 33
ד) [בְּשֶׁ־] באשר: 97
ה) [בְּשַׁ־] כנ״ל: 98
ו) [כְּשֶׁ־] כאשר: 99-102
ז) [מִשֶּׁ־] מאשר: 103
ח) [בְּשֶׁלְּ־] משום, מפני: 133-135
ט) [שֶׁלְּ־] אֲשֶׁר לְ־: 130-132

שֶׁ־ 1-89; שַׁ־ 90-93; שְׁ־ 95,96; אַשְׁרֵי שֶׁ־ 20,104,105; יוֹתֵר שֶׁ־ 106; כָּל־עֻמַּת שֶׁ־ 107; כִּמְעַט שֶׁ־ 108; מַה־שֶּׁ־ 109-115; בַּמֶּה שֶׁ־ 116; עַל דִּבְרַת שֶׁ־ 126; עַד שֶׁ־ 117-125; עִם שֶׁ־ 127, 128; רַב שֶׁ־ 129; שֶׁלְּ־ 132; שֶׁלִּי 130, 131; בְּשֶׁל אֲשֶׁר 133; בְּשֶׁלְּמִי 134; בְּשֶׁלִּי 135; מִשֶּׁלָּנוּ 136

שֶׁ־
1 כְּחוֹל שֶׁעַל־שְׂפַת הַיָּם לָרֹב Jud. 7:12
2 וּבִגְדֵי הָאַרְגָּמָן שֶׁעַל מַלְכֵי מִדְיָן Jud. 8:26
3 יְרוּשָׁלִַם הַבְּנוּיָה כְּעִיר שֶׁחֻבְּרָה־לָּהּ יַחְדָּו Ps. 122:3
4 שֶׁשָּׁם עָלוּ שְׁבָטִים שִׁבְטֵי־יָהּ Ps. 122:4
5/6 לוּלֵי יְיָ שֶׁהָיָה לָנוּ Ps. 124:1,2
7 בָּרוּךְ יְיָ שֶׁלֹּא נְתָנָנוּ טֶרֶף לְשִׁנֵּיהֶם Ps. 124:6
8 כַּחֲצִיר גַּגּוֹת שֶׁקַּדְמַת שָׁלַף יָבֵשׁ Ps. 129:6
9 שֶׁלֹּא מִלֵּא כַפּוֹ קוֹצֵר Ps. 129:7
10 כַּשֶּׁמֶן...שֶׁיֹּרֵד עַל־פִּי מִדּוֹתָיו Ps. 133:2
11 כְּטַל־חֶרְמוֹן שֶׁיֹּרֵד עַל־הַרְרֵי צִיּוֹן Ps. 133:3
12 עַבְדֵי יְיָ...שֶׁעֹמְדִים בְּבֵית יְיָ Ps. 135:2
13 שֶׁהִכָּה בְּכוֹרֵי מִצְרָיִם Ps. 135:8
14 שֶׁהִכָּה גּוֹיִם רַבִּים Ps. 135:10
15 שֶׁבְּשִׁפְלֵנוּ זָכַר לָנוּ Ps. 136:23
16 אֶת־גְּמוּלֵךְ שֶׁגָּמַלְתְּ לָנוּ Ps. 137:8
17 אַשְׁרֵי הָעָם שֶׁכָּכָה לּוֹ Ps. 144:15
18 אַשְׁרֵי הָעָם שֶׁיְיָ אֱלֹהָיו Ps. 144:15
19 בְּבֶן־אָדָם שֶׁאֵין לוֹ תְשׁוּעָה Ps. 146:3
20 אַשְׁרֵי שֶׁאֵל יַעֲקֹב בְּעֶזְרוֹ Ps. 146:5
21 אַל־תִּרְאוּנִי שֶׁאֲנִי שְׁחַרְחֹרֶת S.ofS. 1:6
22 שֶׁשֱּׁזָפַתְנִי הַשָּׁמֶשׁ S.ofS. 1:6
23-27 שֶׁאָהֲבָה נַפְשִׁי S.ofS. 1:7; 3:1,2,3,4
28 בָּעֲטָרָה שֶׁעִטְּרָה־לּוֹ אִמּוֹ S.ofS. 3:11
29 כְּעֵדֶר הָעִזִּים שֶׁגָּלְשׁוּ מֵהַר גִּלְעָד S.ofS. 4:1
30 כְּעֵדֶר הַקְּצוּבוֹת שֶׁעָלוּ מִן־הָרַחְצָה S.ofS. 4:2
31/2 שֶׁכֻּלָּם מַתְאִימוֹת S.ofS. 4:2; 6:6
33 פִּתְחִי־לִי...שֶׁרֹּאשִׁי נִמְלָא־טָל S.ofS. 5:2
34 מַה־תַּגִּידוּ לוֹ שֶׁחוֹלַת אַהֲבָה אָנִי S.ofS. 5:8
35 מַה־דּוֹדֵךְ מִדּוֹד שֶׁכָּכָה הִשְׁבַּעְתָּנוּ S.ofS. 5:9
36 כְּעֵדֶר הָרְחֵלִים שֶׁעָלוּ מִן־הָרַחְצָה S.ofS. 6:6
37 מַה־נַּעֲשֶׂה לַאֲחֹתֵנוּ בַּיּוֹם שֶׁיְּדֻבַּר־בָּהּ S.ofS. 8:8
38 הֲזֹאת הָעִיר שֶׁיֹּאמְרוּ כְּלִילַת יֹפִי Lam. 2:15

שֶׁ־ (המשך)
39 אַךְ זֶה הַיּוֹם שֶׁקִּוִּינֻהוּ Lam. 2:16
40 שֶׁהֵם יָזֻבוּ מְדֻקָּרִים Lam. 4:9
41 עַל הַר־צִיּוֹן שֶׁשָּׁמֵם Lam. 5:18
42 בְּכָל־עֲמָלוֹ שֶׁיַּעֲמֹל תַּחַת הַשָּׁמֶשׁ Eccl. 1:3
43 אֶל־מְקוֹם שֶׁהַנְּחָלִים הֹלְכִים שָׁם Eccl. 1:7
44/5 הוּא שֶׁיִּהְיֶה...הוּא שֶׁיֵּעָשֶׂה Eccl. 1:9
46 יֵשׁ דָּבָר שֶׁיֹּאמַר רְאֵה־זֶה חָדָשׁ Eccl. 1:10
47 וְגַם לָאַחֲרֹנִים שֶׁיִּהְיוּ Eccl. 1:11
48 הַמַּעֲשִׂים שֶׁנַּעֲשׂוּ תַּחַת הַשָּׁמֶשׁ Eccl. 1:14
49 יָדַעְתִּי שֶׁגַּם־זֶה הוּא רַעְיוֹן רוּחַ Eccl. 1:17
50 מִכֹּל שֶׁהָיוּ לְפָנַי בִּירוּשָׁלִָם Eccl. 2:7
51 מִכֹּל שֶׁהָיָה לְפָנַי בִּירוּשָׁלִָם Eccl. 2:9
52 בְּכָל־מַעֲשַׂי שֶׁעָשׂוּ יָדַי Eccl. 2:11
53 וּבֶעָמָל שֶׁעָמַלְתִּי Eccl. 2:11
54 מֶה הָאָדָם שֶׁיָּבוֹא אַחֲרֵי הַמֶּלֶךְ Eccl. 2:12
55 וְרָאִיתִי אָנִי שֶׁיֵּשׁ יִתְרוֹן לַחָכְמָה Eccl. 2:13
56 וְיָדַעְתִּי...שֶׁמִּקְרֶה אֶחָד יִקְרֶה Eccl. 2:14
57 וְדִבַּרְתִּי בְלִבִּי שֶׁגַּם־זֶה הָבֶל Eccl. 2:15
58 הַמַּעֲשֶׂה שֶׁנַּעֲשָׂה תַּחַת הַשָּׁמֶשׁ Eccl. 2:17
59 עֲמָלִי שֶׁאֲנִי עָמֵל תַּחַת הַשָּׁמֶשׁ Eccl. 2:18
60/1 שֶׁאַנִּיחֶנּוּ לָאָדָם שֶׁיִּהְיֶה אַחֲרָי Eccl. 2:18
62/3 בְּכָל־עֲמָלִי שֶׁעָמַלְתִּי וְשֶׁחָכַמְתִּי Eccl. 2:19
64 עַל כָּל־הֶעָמָל שֶׁעָמַלְתִּי Eccl. 2:20
65 כִּי־יֵשׁ אָדָם שֶׁעֲמָלוֹ בְּחָכְמָה Eccl. 2:21
66 וּלְאָדָם שֶׁלֹּא עָמַל־בּוֹ יִתְּנֶנּוּ Eccl. 2:21
67 אֵין טוֹב בָּאָדָם שֶׁיֹּאכַל וְשָׁתָה Eccl. 2:24
68 כִּי לְאָדָם שֶׁטּוֹב לְפָנָיו נָתַן חָכְמָה Eccl. 2:26
69 וְגַם כָּל־הָאָדָם שֶׁיֹּאכַל וְשָׁתָה Eccl. 3:13
70 וְהָאֱלֹהִים עָשָׂה שֶׁיִּרְאוּ מִלְּפָנָיו Eccl. 3:14
71 וְשַׁבֵּחַ אֲנִי אֶת־הַמֵּתִים שֶׁכְּבָר מֵתוּ Eccl. 4:2
72 וְאִילוֹ הָאֶחָד שֶׁיִּפּוֹל וְאֵין שֵׁנִי לַהֲקִימוֹ Eccl. 4:10
73 וּמְאוּמָה לֹא־יִשָּׂא בַעֲמָלוֹ שֶׁיֹּלֵךְ בְּיָדוֹ Eccl. 5:14
74 וּמַה־יִּתְרוֹן לוֹ שֶׁיַּעֲמֹל לָרוּחַ Eccl. 5:15
75 בְּכָל־עֲמָלוֹ שֶׁיַּעֲמֹל תַּחַת־הַשֶּׁמֶשׁ Eccl. 5:17
76 שֶׁהַיָּמִים הָרִאשֹׁנִים הָיוּ טוֹבִים מֵאֵלֶּה Eccl. 7:10
77 וְיֵשׁ רְשָׁעִים שֶׁמַּגִּיעַ אֲלֵהֶם Eccl. 8:14
78 אָמַרְתִּי שֶׁגַּם־זֶה הָבֶל Eccl. 8:14
79 כִּי הַחַיִּים יוֹדְעִים שֶׁיָּמֻתוּ Eccl. 9:5
80 כַּדָּגִים שֶׁנֶּאֱחָזִים בִּמְצוֹדָה רָעָה Eccl. 9:12
81 כִּשְׁגָגָה שֶׁיֹּצָא מִלִּפְנֵי הַשַּׁלִּיט Eccl. 10:5
82 אִי־לָךְ אֶרֶץ שֶׁמַּלְכֵּךְ נָעַר Eccl. 10:16
83 אַשְׁרֵיךְ אֶרֶץ שֶׁמַּלְכֵּךְ בֶּן־חוֹרִים Eccl. 10:17
84 מְקוֹם שֶׁיִּפּוֹל הָעֵץ שָׁם יְהוּא Eccl. 11:3
85 כִּי־הַרְבֵּה יִהְיוּ כָּל־שֶׁבָּא הָבֶל Eccl. 11:8
86 בַּיּוֹם שֶׁיָּזֻעוּ שֹׁמְרֵי הַבַּיִת Eccl. 12:3
87 וּמִן־הַנְּתִינִים שֶׁנָּתַן דָּוִיד Ez. 8:20
88 הַהַגְרִיאִים וְכֹל שֶׁעִמָּהֶם ICh. 5:20
89 וְעַל שֶׁבַּכְּרָמִים לְאֹצְרוֹת הַיַּיִן ICh. 27:27
שַׁ־ 90 עַד שַׁקַּמְתִּי דְּבוֹרָה Jud. 5:7
91 שַׁקַּמְתִּי אֵם בְּיִשְׂרָאֵל Jud. 5:7
92 לְמַעַן תֵּדְעוּן שַׁדּוּן (כת׳ שדין) Job 19:29
93 שַׁלָּמָה אֶהְיֶה כְּעֹטְיָה עַל עֶדְרֵי... S.ofS. 1:7

שָׁ־ 94 וְעָשִׂיתָ לִּי אוֹת שָׁאַתָּה מְדַבֵּר עִמִּי Jud. 6:17
שְׁ־ 95 בְּכָל־עֲמָלוֹ...שְׁהוּא עָמֵל Eccl. 2:22
96 וְלִרְאוֹת שְׁהֶם־בְּהֵמָה הֵמָּה לָהֶם Eccl. 3:18
בְּשֶׁ־ 97 בְּשֶׁכְּבָר הַיָּמִים הַבָּאִים הַכֹּל נִשְׁכָּח Eccl. 2:16
בְּשַׁ־ 98 רוּחִי בָאָדָם...בְּשַׁגַּם הוּא בָשָׂר Gen. 6:3
כְּשֶׁ־ 99 עָרוֹם יָשׁוּב לָלֶכֶת כְּשֶׁבָּא Eccl. 5:14
100 לְעֵת רָעָה כְּשֶׁתִּפּוֹל עֲלֵיהֶם פִּתְאֹם Eccl. 9:12
101 בַּדֶּרֶךְ כְּשֶׁסָּכָל (כת׳ כשהסכל) הֹלֵךְ Eccl. 10:3
102 וְיָשֹׁב הֶעָפָר עַל־הָאָרֶץ כְּשֶׁהָיָה Eccl. 12:7
מִשֶּׁ־ 103 טוֹב...מִשֶּׁתִּדּוֹר וְלֹא תְשַׁלֵּם Eccl. 5:4
אַשְׁרֵי שֶׁ־ 104 אַשְׁרֵי שֶׁיְשַׁלֶּם־לָךְ אֶת־גְּמוּלֵךְ Ps. 137:8
105 אַשְׁרֵי שֶׁיֹּאחֵז וְנִפֵּץ אֶת־עֹלָלַיִךְ Ps. 137:9
יוֹתֵר שֶׁ־ 106 וְיֹתֵר שֶׁהָיָה קֹהֶלֶת חָכָם עוֹד לִמַּד Eccl. 12:9
כָּל־עֻמַּת שֶׁ־ 107 כָּל־עֻמַּת שֶׁבָּא כֵּן יֵלֵךְ Eccl. 5:15
כִּמְעַט שֶׁ־ 108 כִּמְעַט שֶׁעָבַרְתִּי מֵהֶם S.ofS. 3:4
מַה־שֶּׁ־ 109 מַה־שֶּׁהָיָה הוּא שֶׁיִּהְיֶה Eccl. 1:9
110 וּמַה־שֶּׁנַּעֲשָׂה הוּא שֶׁיֵּעָשֶׂה Eccl. 1:9
111 מַה־שֶּׁהָיָה כְּבָר הוּא Eccl. 3:15
112 מַה־שֶּׁהָיָה כְּבָר נִקְרָא שְׁמוֹ Eccl. 6:10
113 רָחוֹק מַה־שֶּׁהָיָה Eccl. 7:24
114 כִּי־אֵינֶנּוּ יֹדֵעַ מַה־שֶּׁיִּהְיֶה Eccl. 8:7
115 לֹא־יֵדַע הָאָדָם מַה־שֶּׁיִּהְיֶה Eccl. 10:14
בַּמֶּה שֶׁ־ 116 לִרְאוֹת בְּמֶה שֶׁיִּהְיֶה אַחֲרָיו Eccl. 3:22
עַד שֶׁ־ 117 עֵינֵינוּ אֶל־יְיָ...עַד שֶׁיְּחָנֵּנוּ Ps. 123:2
118 עַד שֶׁהַמֶּלֶךְ בִּמְסִבּוֹ S.ofS. 1:12
119/20 וְאִם־תְּעוֹרְרוּ אֶת־הָאַהֲבָה עַד שֶׁתֶּחְפָּץ S.ofS. 2:7; 3:5
121/2 עַד שֶׁיָּפוּחַ הַיּוֹם S.ofS. 2:17; 4:6
123 עַד שֶׁמָּצָאתִי אֵת שֶׁאָהֲבָה נַפְשִׁי S.ofS. 3:4
124 עַד־שֶׁהֲבֵיאתִיו אֶל־בֵּית אִמִּי S.ofS. 3:4
125 וּמַה־תְּעֹרְרוּ אֶת־הָאַהֲבָה עַד שֶׁתֶּחְפָּץ S.ofS. 8:4
עַל־דִּבְרַת שֶׁ־ 126 עַל־דִּבְרַת שֶׁלֹּא יִמְצָא הָאָדָם Eccl. 7:14
עִם שֶׁ־ 127 עִם שֶׁיִּהְיוּ לָאַחֲרֹנָה Eccl. 1:11
128 לָדִין עִם שֶׁתַּקִּיף (כת׳ שהתקיף) Eccl. 6:10
רַב שֶׁ־ 129 וְרַב שֶׁיִּהְיוּ יְמֵי־שָׁנָיו Eccl. 6:3
שֶׁלִּי 130 כַּרְמִי שֶׁלִּי לֹא נָטָרְתִּי S.ofS. 1:6
131 כַּרְמִי שֶׁלִּי לְפָנָי S.ofS. 8:12
שֶׁלִּשְׁלֹמֹה 132 הִנֵּה מִטָּתוֹ שֶׁלִּשְׁלֹמֹה S.ofS. 3:7
בְּשֶׁל־אֲשֶׁר 133 בְּשֶׁל אֲשֶׁר יַעֲמֹל הָאָדָם לְבַקֵּשׁ Eccl. 8:17
בְּשֶׁלְּמִי 134 בְּשֶׁלְּמִי הָרָעָה הַזֹּאת לָנוּ Jon. 1:7
בְּשֶׁלִּי 135 כִּי בְשֶׁלִּי הַסַּעַר הַגָּדוֹל הַזֶּה Jon. 1:12
מִשֶּׁלָּנוּ 136 מִי מִשֶּׁלָּנוּ אֶל־מֶלֶךְ יִשְׂרָאֵל IIK. 6:11

שאב : שָׁאַב; מַשְׁאַבִּים

שאב

פ׳ דלה, העלה מים מבאר או מבור: 1-19
שׁוֹאֵב (שׁוֹאֲבֵי) מַיִם 6-9

לִשְׁאֹב 1 וּבְנוֹת...יֹצְאֹת לִשְׁאֹב מָיִם Gen. 24:13
2 וַתָּרָץ עוֹד אֶל־הַבְּאֵר לִשְׁאֹב Gen. 24:20
3 וְהָיָה הָעַלְמָה הַיֹּצֵאת לִשְׁאֹב Gen. 24:43
4 נְעָרוֹת יֹצְאוֹת לִשְׁאֹב מָיִם ISh. 9:11
וּשְׁאַבְתֶּם 5 וּשְׁאַבְתֶּם־מַיִם בְּשָׂשׂוֹן Is. 12:3

שֹׁאֵב 6 מֵחֹטֵב עֵצֶיךָ עַד־שֹׁאֵב מֵימֶיךָ Deut. 29:10
וְשֹׁאֲבֵי־ 7 חֹטְבֵי עֵצִים וְשֹׁאֲבֵי־מַיִם Josh. 9:21
8 וְחֹטְבֵי עֵצִים וְשֹׁאֲבֵי מַיִם Josh. 9:23
9 חֹטְבֵי עֵצִים וְשֹׁאֲבֵי־מַיִם לָעֵדָה Josh. 9:27
הַשֹּׁאֲבֹת 10 לְעֵת עֶרֶב לְעֵת צֵאת הַשֹּׁאֲבֹת Gen. 24:11
אֶשְׁאָב 11 וַתֹּאמֶר גַּם לִגְמַלֶּיךָ אֶשְׁאָב Gen. 24:19
12 שְׁתֵה וְגַם לִגְמַלֶּיךָ אֶשְׁאָב Gen. 24:44
וַתִּשְׁאַב 13 וַתִּשְׁאַב לְכָל־גְּמַלָּיו Gen. 24:20
וַתִּשְׁאָב 14 וַתֵּרֶד הָעַיְנָה וַתִּשְׁאָב Gen. 24:45
וַיִּשְׁאֲבוּ 15 וַיִּשְׁאֲבוּ־מַיִם וַיִּשְׁפְּכוּ לִפְנֵי יְיָ ISh. 7:6
16 וַיִּשְׁאֲבוּ־מַיִם מִבֹּאר בֵּית־לֶחֶם IISh. 23:16
17 וַיִּשְׁאֲבוּ־מַיִם מִבּוֹר בֵּית־לֶחֶם ICh. 11:18
יִשְׁאֲבוּן 18 וְשָׁתִית מֵאֲשֶׁר יִשְׁאֲבוּן הַנְּעָרִים Ruth 2:9
שַׁאֲבִי 19 מֵי מָצוֹר שַׁאֲבִי־לָךְ Nah. 3:14

שאג : שָׁאַג; שְׁאָגָה

שָׁאַג
פ׳ א) נָהַם (אריה): 3, 5–10, 15, 18–20
ב) [בהשאלה] השמיע קול רם: 1, 2, 4, 11–14, 16, 17
שָׁאֹג 1 שָׁאֹג יִשְׁאַג עַל־נָוֵהוּ Jer. 25:30
שָׁאַגְתִּי 2 שָׁאַגְתִּי מִנַּהֲמַת לִבִּי Ps. 38:9
שָׁאָג 3 אַרְיֵה שָׁאָג מִי לֹא יִירָא Am. 3:8
שָׁאֲגוּ 4 שָׁאֲגוּ צֹרְרֶיךָ בְּקֶרֶב מוֹעֲדֶךָ Ps. 74:4
שֹׁאֵג 5 כְּפִיר אֲרָיוֹת שֹׁאֵג לִקְרָאתוֹ Jud. 14:5
6 כַּאֲרִי שׁוֹאֵג טֹרֵף טָרֶף Ezek. 22:25
וְשֹׁאֵג 7 פָּצוּ עָלַי פִּיהֶם אַרְיֵה טֹרֵף וְשֹׁאֵג Ps. 22:14
שֹׁאֲגִים 8 שָׂרֶיהָ בְקִרְבָּהּ אֲרָיוֹת שֹׁאֲגִים Zep. 3:3
9 הַכְּפִירִים שֹׁאֲגִים לַטָּרֶף Ps. 104:21
יִשְׁאַג 10 יִשְׁאַג (כת׳ ושאג) כַּכְּפִירִים וְיִנְהֹם Is. 5:29
11 שָׁאֹג יִשְׁאַג עַל־נָוֵהוּ Jer. 25:30
12 כִּי־הוּא יִשְׁאַג וְיֶחֶרְדוּ בָנִים Hosh. 11:10
13 אַחֲרָיו יִשְׁאַג־קוֹל Job 37:4
יִשְׁאָג 14 יְיָ מִמָּרוֹם יִשְׁאָג Jer. 25:30
15 אַחֲרֵי יְיָ יֵלְכוּ כְּאַרְיֵה יִשְׁאָג Hosh. 11:10
16 וַיְיָ מִצִּיּוֹן יִשְׁאָג Joel 4:16
17 יְיָ מִצִּיּוֹן יִשְׁאָג Am. 1:2
הֲיִשְׁאַג 18 הֲיִשְׁאַג אַרְיֵה בַּיַּעַר וְטֶרֶף אֵין לוֹ Am. 3:4
יִשְׁאֲגוּ 19 עָלָיו יִשְׁאֲגוּ כְפִרִים נָתְנוּ קוֹלָם Jer. 2:15
יִשְׁאָגוּ 20 יַחְדָּו כַּכְּפִרִים יִשְׁאָגוּ Jer. 51:38

שְׁאָגָה
נ׳ א) נהמת אריה: 1–3
ב) [בהשאלה] צעקה, זעקה: 4–7
קוֹל שְׁאָגָה 2, 6; שַׁאֲגַת אַרְיֵה 3; שַׁאֲגַת כְּפִירִים 2
שְׁאָגָה 1 שְׁאָגָה לוֹ כַּלָּבִיא Is. 5:29
שַׁאֲגַת־ 2 קוֹל שַׁאֲגַת כְּפִירִים Zech. 11:3
3 שַׁאֲגַת אַרְיֵה וְקוֹל שָׁחַל Job 4:10
שַׁאֲגָתִי 4 רָחוֹק מִישׁוּעָתִי דִּבְרֵי שַׁאֲגָתִי Ps. 22:2
בְּשַׁאֲגָתִי 5 בְּשַׁאֲגָתִי כָּל־הַיּוֹם Ps. 32:3
שַׁאֲגָתוֹ 6 וַתֵּשַׁם אֶרֶץ וּמְלֹאָהּ מִקּוֹל שַׁאֲגָתוֹ Ezek. 19:7
שַׁאֲגֹתָי 7 וַיִּתְּכוּ כַמַּיִם שַׁאֲגֹתָי Job 3:24

שאה :
א) שָׁאָה, נִשְׁאָה, הִשְׁאָה; שְׁאִיָּה, שֵׁאת, שׁוֹאָה
ב) נִשְׁאָה, הִשְׁתָּאָה; שָׁאוֹן

שָׁאָה1
פ׳ א) שָׁמֵם, חָרַב: 1
ב) [נפ׳ נִשְׁאָה] נעשה שומם: 2
ג) [הפ׳ הִשְׁאָה] החריב: 3, 4
קרובים: ראה: חָרַב
שָׁאוּ 1 אִם־שָׁאוּ עָרִים מֵאֵין יוֹשֵׁב Is. 6:11
תִּשָּׁאֶה 2 וְהָאֲדָמָה תִּשָּׁאֶה שְׁמָמָה Is. 6:11
לְהַשְׁאוֹת 3 וּתְהִי לְהַשְׁאוֹת גַּלִּים נִצִּים Is. 37:26
(לַהְשׁוֹת) 4 וּתְהִי לַהְשׁוֹת גַּלִּים נִצִּים IIK. 19:25

(שאה)2 נִשְׁאָה
נפ׳ א) נסער, נרעש: 1, 2
ב) [הת׳ הִשְׁתָּאָה] השתומם, התפלא: 3
יִשָּׁאוּן 1 כִּשְׁאוֹן מַיִם כַּבִּירִים יִשָּׁאוּן Is. 17:12
2 כִּשְׁאוֹן מַיִם רַבִּים יִשָּׁאוּן Is. 17:13
מִשְׁתָּאֵה 3 וְהָאִישׁ מִשְׁתָּאֵה לָהּ Gen. 24:21

שָׁאָה
ג׳ – עיין שׁוֹאָה

שְׁאוֹל
זו״נ [ז׳–17, 39; נ׳–1, 6, 7, 13, 52]
בור תחתיות, כנוי לעולם המתים: 1–65
קרובים: ראה אֲבַדּוֹן
– שְׁאוֹל וַאֲבַדָּה 33; שְׁאוֹל וַאֲבַדּוֹן 32
– שְׁאוֹל מַטָּה 53; שְׁאוֹל תַּחְתִּיָּה 52; שׁ׳ תַּחְתִּית 1
– בַּדֵּי שְׁאוֹל 37; בֶּטֶן שְׁאוֹל 19; דַּרְכֵי שְׁאוֹל 30; חֶבְלֵי שְׁאוֹל 3, 20; יַד שְׁאוֹל 23, 25; מְצָרֵי שְׁאוֹל 26; עִמְקֵי שְׁאוֹל 31; פִּי שְׁאוֹל 28; שַׁעֲרֵי שְׁאוֹל 12
– הוֹרִיד שְׁאוֹל 2, 4, 5; הֶעֱלָה שׁ׳ 2; חָטָא שׁ׳ 39; יָרַד שְׁאוֹל 16, 24, 35; עָרוֹם שְׁאוֹל 40
– הוֹרִיד שְׁאוֹלָה 57–59, 63; יָרַד שְׁאוֹלָה 56, 61, 62, 64
– קָשָׁה כִּשְׁאוֹל 47; עָמְקָה מִשְּׁאוֹל 55
– הִצִּיל מִשְּׁאוֹל 52, 54; סָר מִשְּׁאוֹל 53
שְׁאוֹל 1 וַתִּיקַד עַד־שְׁאוֹל תַּחְתִּית Deut. 32:22
2 יְיָ... מוֹרִיד שְׁאוֹל וַיָּעַל ISh. 2:6
3 חֶבְלֵי שְׁאוֹל סַבֻּנִי IISh. 22:6
4 וְלֹא־תוֹרֵד שֵׂיבָתוֹ בְּשָׁלֹם שְׁאֹל IK. 2:6
5 וְהוֹרַדְתָּ אֶת־שֵׂיבָתוֹ בְּדָם שְׁאוֹל IK. 2:9
6 לָכֵן הִרְחִיבָה שְּׁאוֹל נַפְשָׁהּ Is. 5:14
7 שְׁאוֹל מִתַּחַת רָגְזָה לְךָ Is. 14:9
8 הוּרַד שְׁאוֹל גְּאוֹנֶךָ Is. 14:11
9 אַךְ אֶל־שְׁאוֹל תּוּרָד Is. 14:15
10 וְעִם־שְׁאוֹל עָשִׂינוּ חֹזֶה Is. 28:15
11 וְחָזוּתְכֶם אֶת־שְׁאוֹל לֹא תָקוּם Is. 28:18
12 בִּדְמִי יָמַי אֵלֵכָה בְּשַׁעֲרֵי שְׁאוֹל Is. 38:10
13 כִּי לֹא שְׁאוֹל תּוֹדֶךָּ Is. 38:18
14 וַתַּשְׁפִּילִי עַד־שְׁאוֹל Is. 57:9
15 אֵלֵי גִבּוֹרִים מִתּוֹךְ שְׁאוֹל Ezek. 32:21
16 יָרְדוּ־שְׁאוֹל בִּכְלֵי־מִלְחַמְתָּם Ezek. 32:27
17 מִיַּד שְׁאוֹל אֶפְדֵּם מִמָּוֶת אֶגְאָלֵם Hosh. 13:14
18 אֱהִי קָטָבְךָ שְׁאוֹל Hosh. 13:14
19 מִבֶּטֶן שְׁאוֹל שִׁוַּעְתִּי Jon. 2:3
20 חֶבְלֵי שְׁאוֹל סְבָבוּנִי Ps. 18:6
21 יְיָ הֶעֱלִיתָ מִן־שְׁאוֹל נַפְשִׁי Ps. 30:4
22 לְבַלּוֹת שְׁאוֹל מִזְּבֻל לוֹ Ps. 49:15
23 יִפְדֶּה נַפְשִׁי מִיַּד שְׁאוֹל Ps. 49:16
24 יֵרְדוּ שְׁאוֹל חַיִּים Ps. 55:16
25 יְמַלֵּט נַפְשׁוֹ מִיַּד־שְׁאוֹל Ps. 89:49
26 וּמְצָרֵי שְׁאוֹל מְצָאוּנִי Ps. 116:3
27 וְאַצִּיעָה שְּׁאוֹל הִנֶּךָּ Ps. 139:8
28 נִפְזְרוּ עֲצָמֵינוּ לְפִי שְׁאוֹל Ps. 141:7
29 שְׁאוֹל צְעָדֶיהָ יִתְמֹכוּ Prov. 5:5
30 דַּרְכֵי שְׁאוֹל בֵּיתָהּ Prov. 7:27
31 בְּעִמְקֵי שְׁאוֹל קְרֻאֶיהָ Prov. 9:18
32 שְׁאוֹל וַאֲבַדּוֹן נֶגֶד יְיָ Prov. 15:11
33 שְׁאוֹל וַאֲבַדֹּה לֹא תִשְׂבַּעְנָה Prov. 27:20
34 שְׁאוֹל וְעֹצֶר רָחַם Prov. 30:16
35 כֵּן יוֹרֵד שְׁאוֹל לֹא יַעֲלֶה Job 7:9
36 אִם־אֲקַוֶּה שְׁאוֹל בֵּיתִי Job 17:13
37 בַּדֵּי שְׁאֹל תֵּרַדְנָה Job 17:16
38 וּבְרֶגַע שְׁאוֹל יֵחָתּוּ Job 21:13
39 צִיָּה גַם־חֹם... שְׁאוֹל חָטָאוּ Job 24:19
40 עָרוֹם שְׁאוֹל נֶגְדּוֹ Job 26:6
בִּשְׁאוֹל 41 אִם־יַחְתְּרוּ בִשְׁאוֹל מִשָּׁם יָדִי תִקָּחֵם Am. 9:2
42 בִּשְׁאוֹל מִי יוֹדֶה־לָּךְ Ps. 6:6
43 מִי יִתֵּן בִּשְׁאוֹל תַּצְפִּנֵנִי Job 14:13
44 בִּשְׁאוֹל אֲשֶׁר אַתָּה הֹלֵךְ שָׁמָּה Eccl. 9:10
כִּשְׁאוֹל 45 אֲשֶׁר הִרְחִיב כִּשְׁאוֹל נַפְשׁוֹ Hab. 2:5
46 נִבְלָעֵם כִּשְׁאוֹל חַיִּים Prov. 1:12
47 עַזָּה כַמָּוֶת אַהֲבָה קָשָׁה כִשְׁאוֹל קִנְאָה S.ofS. 8:6
לִשְׁאוֹל 48 כִּי לֹא־תַעֲזֹב נַפְשִׁי לִשְׁאוֹל Ps. 16:10
49 יֵבֹשׁוּ רְשָׁעִים יִדְּמוּ לִשְׁאוֹל Ps. 31:18
50 כַּצֹּאן לִשְׁאוֹל שַׁתּוּ Ps. 49:15
51 וְחַיַּי לִשְׁאוֹל הִגִּיעוּ Ps. 88:4
מִשְּׁאוֹל 52 וְהִצַּלְתָּ נַפְשִׁי מִשְּׁאוֹל תַּחְתִּיָּה Ps. 86:13
53 לְמַעַן סוּר מִשְּׁאוֹל מָטָּה Prov. 15:24
54 וְנַפְשׁוֹ מִשְּׁאוֹל תַּצִּיל Prov. 23:14
55 עֲמֻקָּה מִשְּׁאוֹל מַה־תֵּדָע Job 11:8
שְׁאֹלָה 56 כִּי־אֵרֵד אֶל־בְּנִי אָבֵל שְׁאֹלָה Gen. 37:35
57 וְהוֹרַדְתֶּם... בְּיָגוֹן שְׁאוֹלָה Gen. 42:38
58 וְהוֹרַדְתֶּם... בְּרָעָה שְׁאֹלָה Gen. 44:29
59 וְהוֹרִידוּ... בְּיָגוֹן שְׁאֹלָה Gen. 44:31
60 וּבָלְעָה אֹתָם... וְיָרְדוּ חַיִּים שְׁאֹלָה Num. 16:30
61 וַיֵּרְדוּ... חַיִּים שְׁאֹלָה Num. 16:33
62 בְּיוֹם רִדְתּוֹ שְׁאוֹלָה הֶאֱבַלְתִּי Ezek. 31:15
63 בְּהוֹרִדִי אֹתוֹ שְׁאוֹלָה Ezek. 31:16
64 יָרְדוּ שְׁאֹלָה אֶל־חַלְלֵי־חָרֶב Ezek. 31:17
לִשְׁאוֹלָה 65 יָשׁוּבוּ רְשָׁעִים לִשְׁאוֹלָה Ps. 9:18

שָׁאוּל
שפ״ז א) ממלכי אדום הקדמונים: 1, 2, 116, 117
ב) בן קיש, מלך ישראל: 3–115, 119–354, 357–364, 366–379, 381–407
ג) מבני שמעון: 118, 355, 356, 380
ד) מבני קהת לשבט לוי: 365
אֲבִי שָׁאוּל 4, 20; אֲחִי שׁ׳ 122, 124; אַף שׁ׳ 52; אֵשֶׁת שׁ׳ 18; בֵּית שׁ׳ 78–83, 94–100; בֶּן שׁ׳ 16, 48, 72–77, 90–92, 101, 105, 107, 108; בְּנֵי שׁ׳ 17, 64, 120; בַּת שׁ׳ 39, 40, 45, 84–89; גִּבְעַת שׁ׳ 22, 106; גְּוִיַּת שׁ׳ 66; גּוּפַת שׁ׳ 121; דּוֹד שׁ׳ 13, 14, 19; יַד שׁ׳ 36, 57, 59, 104, 115; יְמֵי שָׁאוּל 21, 28, 119, 125; כַּף שׁ׳ 113; מָגֵן שׁ׳ 68; מוֹת שׁ׳ 67; מַלְאֲכֵי שׁ׳ 49; מַלְכוּת שׁ׳ 123; מְרַאֲשֹׁתֵי שׁ׳ 58; נַעַר שׁ׳ 103; עֶבֶד שׁ׳ 62; עַבְדֵי שׁ׳ 27, 29, 41, 42, 46, 53, 54; עַצְמוֹת שׁ׳ 110–112; צַד שׁ׳ 51; שְׂדֵה שָׁאוּל 102; שְׁמוּעַת שָׁאוּל 93
שָׁאוּל 1 וַיִּמְלֹךְ... שָׁאוּל מֵרְחֹבוֹת הַנָּהָר Gen. 36:37
2 וַיָּמָת שָׁאוּל וַיִּמְלֹךְ תַּחְתָּיו... Gen. 36:38
3 וְלוֹ־הָיָה בֵן וּשְׁמוֹ שָׁאוּל ISh. 9:2
4 וַתֹּאבַדְנָה הָאֲתֹנוֹת לְקִישׁ אֲבִי שָׁאוּל ISh. 9:3
5 וַיֹּאמֶר קִישׁ אֶל־שָׁאוּל בְּנוֹ ISh. 9:3
6/7 וַיֹּאמֶר שָׁאוּל לְנַעֲרוֹ ISh. 9:7, 10
8 וַיֹּסֶף הַנַּעַר לַעֲנוֹת אֶת־שָׁאוּל ISh. 9:8
9 יוֹם אֶחָד לִפְנֵי בוֹא־שָׁאוּל ISh. 9:15
10 וּשְׁמוּאֵל רָאָה אֶת־שָׁאוּל ISh. 9:17
11 הֲגַם שָׁאוּל בַּנְּבִיאִים ISh. 10:11
12 הֲגַם שָׁאוּל בַּנְּבִאִים ISh. 10:12
13/4 וַיֹּאמֶר דּוֹד שָׁאוּל ISh. 10:14, 15
15 וַיִּלָּכֵד שָׁאוּל בֶּן־קִישׁ ISh. 10:21
16 וַיֹּאמֶר יוֹנָתָן בֶּן־שָׁאוּל ISh. 14:1
17 וַיִּהְיוּ בְּנֵי שָׁאוּל יוֹנָתָן וְיִשְׁוִי ISh. 14:49
18 וְשֵׁם אֵשֶׁת שָׁאוּל אֲחִינֹעַם... וְשֵׁם ISh. 14:50
19 שַׂר־צְבָאוֹ אֲבִינֵר... דּוֹד שָׁאוּל ISh. 14:50
20 וְקִישׁ אֲבִי־שָׁאוּל ISh. 14:51
21 הַמִּלְחָמָה חֲזָקָה... כֹּל יְמֵי שָׁאוּל ISh. 14:52

שָׁאוּל (המשך)

22 וְשָׁאוּל עָלָה אֶל־בֵּיתוֹ גִּבְעַת שָׁאוּל ISh.15:34
23 וְלֹא־יָסַף שְׁמוּאֵל לִרְאוֹת אֶת־שָׁאוּל ISh.15:35
24 כִּי־הִתְאַבֵּל שְׁמוּאֵל אֶל־שָׁאוּל ISh.15:35
25 וַיְיָ נִחָם כִּי־הִמְלִיךְ אֶת־שָׁאוּל ISh.15:35
26 וְרוּחַ יְיָ סָרָה מֵעִם שָׁאוּל ISh.16:14
27 וַיֹּאמְרוּ עַבְדֵי־שָׁאוּל אֵלָיו ISh.16:15
28 וְהָאִישׁ בִּימֵי שָׁאוּל זָקֵן ISh.17:12
29 וַיִּיטַב...וְגַם בְּעֵינֵי עַבְדֵי שָׁאוּל ISh.18:5
30 וַתֵּצֶאנָה...לִקְרַאת שָׁאוּל הַמֶּלֶךְ ISh.18:6
31-33 הִכָּה שָׁאוּל בַּאֲלָפָו ISh.18:7; 21:12; 29:5
34 וַיְהִי שָׁאוּל עוֹיֵן אֶת־דָּוִד ISh.18:9
35 וַתִּצְלַח רוּחַ אֱלֹהִים רָעָה אֶל־שָׁאוּל ISh.18:10
36 וְהַחֲנִית בְּיַד־שָׁאוּל ISh.18:10
37/8 וַיָּטֶל שָׁאוּל אֶת־הַחֲנִית ISh.18:11; 20:33
39 תֵּת אֶת־מֵרַב בַּת־שָׁאוּל לְדָוִד ISh.18:19
40 וַתֶּאֱהַב מִיכַל בַּת־שָׁאוּל אֶת־דָּוִד ISh.18:20
41 וַיְדַבְּרוּ עַבְדֵי שָׁאוּל בְּאָזְנֵי דָוִד ISh.18:23
42 וַיַּגִּדוּ עַבְדֵי שָׁאוּל לוֹ לֵאמֹר ISh.18:24
43 וַיֹּאמֶר שָׁאוּל כֹּה־תֹאמְרוּ לְדָוִד ISh.18:25
44 וַיִּתֶּן־לוֹ שָׁאוּל אֶת־מִיכַל בִּתּוֹ ISh.18:27
45 וּמִיכַל בַּת־שָׁאוּל אֲהֵבַתְהוּ ISh.18:28
46 שָׂכַל דָּוִד מִכֹּל עַבְדֵי שָׁאוּל ISh.18:30
47 וַיְדַבֵּר שָׁאוּל אֶל־יוֹנָתָן בְּנוֹ ISh.19:1
48 וִיהוֹנָתָן בֶּן־שָׁאוּל חָפֵץ בְּדָוִד מְאֹד ISh.19:1
49 וַתְּהִי עַל־מַלְאֲכֵי שָׁאוּל רוּחַ אֱלֹ׳ ISh.19:20
50 הֲגַם שָׁאוּל בַּנְּבִיאִם ISh.19:24
51 וַיֵּשֶׁב אַבְנֵר מִצַּד שָׁאוּל ISh.20:25
52 וַיִּחַר־אַף שָׁאוּל בִּיהוֹנָתָן ISh.20:30
53 וְשָׁם אִישׁ מֵעַבְדֵי שָׁאוּל ISh.21:8
54 וְהוּא נִצָּב עַל־עַבְדֵי־שָׁאוּל ISh.22:9
55 הֲיַסְגִּרוּ...אֹתִי...בְּיַד שָׁאוּל ISh.23:12
56 וַיָּקָם יְהוֹנָתָן בֶּן־שָׁאוּל וַיֵּלֶךְ ISh.23:16
57 כִּי לֹא תִמְצָאֲךָ יַד־שָׁאוּל אָבִי ISh.23:17
58 וַיִּקַּח דָּוִד...מֵרַאֲשֹׁתֵי שָׁאוּל ISh.26:12
59 עַתָּה אֶסָּפֶה יוֹם־אֶחָד בְּיַד־שָׁאוּל ISh.27:1
60 וְנוֹאַשׁ מִמֶּנִּי שָׁאוּל לְבַקְשֵׁנִי ISh.27:1
61 לָמָּה רִמִּיתָנִי וְאַתָּה שָׁאוּל ISh.28:12
62 הֲלוֹא־זֶה דָוִד עֶבֶד שָׁאוּל ISh.29:3
63 וַיַּדְבְּקוּ פְלִשְׁתִּים אֶת־שָׁאוּל ISh.31:2
64 וַיַּכּוּ פְלִשְׁתִּים אֶת...בְּנֵי שָׁאוּל ISh.31:2
65 וַיָּמָת שָׁאוּל וּשְׁלֹשֶׁת בָּנָיו ISh.31:6
66 וַיִּקְחוּ אֶת־גְּוִיַּת שָׁאוּל ISh.31:12
67 וַיְהִי אַחֲרֵי מוֹת שָׁאוּל IISh.1:1
68 מָגֵן שָׁאוּל בְּלִי מָשִׁיחַ בַּשָּׁמֶן IISh.1:21
69 וְחֶרֶב שָׁאוּל לֹא תָשׁוּב רֵיקָם IISh.1:22
70 שָׁאוּל וִיהוֹנָתָן הַנֶּאֱהָבִים IISh.1:23
71 בְּנוֹת יִשְׂרָאֵל אֶל־שָׁאוּל בְּכֶינָה IISh.1:24
72-77 אִישׁ־בֹּשֶׁת בֶּן־שָׁאוּל IISh.2:8
2:10, 12, 15; 3:14; 4:8
78/9 בֵּין בֵּית שָׁאוּל וּבֵין בֵּית דָּוִד IISh.3:1, 6
80 וּבֵית שָׁאוּל הֹלְכִים וְדַלִּים IISh.3:1
81 וְאַבְנֵר הָיָה מִתְחַזֵּק בְּבֵית שָׁאוּל IISh.3:6
82 אֶעֱשֶׂה־חֶסֶד עִם־בֵּית שָׁאוּל אָבִיךָ IISh.3:8
83 לְהַעֲבִיר הַמַּמְלָכָה מִבֵּית שָׁאוּל IISh.3:10
84-89 (וּ/וּל)מִיכַל בַּת־שָׁאוּל IISh.3:13
6:16, 20, 23; 21:8 • ICh.15:29
90 וַיִּשְׁמַע בֶּן־שָׁאוּל כִּי מֵת אַבְנֵר IISh.4:1
91 וּשְׁנֵי אֲנָשִׁים...הָיוּ בֶן־שָׁאוּל IISh.4:2
92 וְלִיהוֹנָתָן בֶּן־שָׁאוּל בֵּן נְכֵה רַגְלָיִם IISh.4:4
93 בְּבֹא שְׁמֻעַת שָׁאוּל וִיהוֹנָתָן IISh.4:4
94-100 בֵּית שָׁאוּל (לְבֵ/וּלְבֵ) IISh.9:1, 2, 3
16:5, 8; 19:18 • ICh.12:29(30)

שָׁאוּל (המשך)

101 מְפִיבֹשֶׁת בֶּן־יְהוֹנָתָן בֶּן־שָׁאוּל IISh.9:6
102 אֶת־כָּל־שְׂדֵה שָׁאוּל אָבִיךָ IISh.9:7
103 וַיִּקְרָא הַמֶּלֶךְ אֶל־צִיבָא נַעַר שָׁאוּל IISh.9:9
104 וְאָנֹכִי הִצַּלְתִּיךָ מִיַּד שָׁאוּל IISh.12:7
105 וּמְפִבֹשֶׁת בֶּן־שָׁאוּל יָרַד לִקְרַאת IISh.19:25
106 בְּגִבְעַת שָׁאוּל בְּחִיר יְיָ IISh.21:6
107 וַיַּחְמֹל...עַל־מְפִיבֹשֶׁת...בֶּן־שָׁאוּל IISh.21:7
108 בֵּין דָּוִד וּבֵין יְהוֹנָתָן בֶּן־שָׁאוּל IISh.21:7
109 רִצְפָּה בַת־אַיָּה פִּלֶגֶשׁ שָׁאוּל IISh.21:11
110 וַיִּקַּח אֶת־עַצְמוֹת שָׁאוּל IISh.21:12
111/2 עַצְמוֹת(־)שָׁאוּל IISh.21:13, 14
113 מִכַּף כָּל־אֹיְבָיו וּמִכַּף שָׁאוּל IISh.22:1
114 חָרְדָה הָרָמָה גִּבְעַת שָׁאוּל נָסָה Is.10:29
115 מִכַּף כָּל־אֹיְבָיו וּמִיַּד שָׁאוּל Ps.18:1
116 וַיִּמְלֹךְ...שָׁאוּל מֵרְחֹבוֹת הַנָּהָר ICh.1:48
117 וַיָּמָת שָׁאוּל וַיִּמְלֹךְ תַּחְתָּיו... ICh.1:49
118 בְּנֵי שִׁמְעוֹן...זֶרַח שָׁאוּל ICh.4:24
119 וּבִימֵי שָׁאוּל עָשׂוּ מִלְחָמָה ICh.5:10
120 וַיַּכּוּ פְלִשְׁתִּים אֶת...בְּנֵי שָׁאוּל ICh.10:2
121 וַיִּשְׂאוּ אֶת־גּוּפַת שָׁאוּל ICh.10:12
122 מֵאֲחֵי שָׁאוּל מִבִּנְיָמִן ICh.12:2
123 לְהָסֵב מַלְכוּת שָׁאוּל אֵלָיו ICh.12:23(24)
124 וּמִן־בְּנֵי בִנְיָמִן אֲחֵי שָׁאוּל ICh.12:29(30)
125 כִּי־לֹא דְרַשְׁנֻהוּ בִּימֵי שָׁאוּל ICh.13:3
126-354 שָׁאוּל ISh.9:18, 19, 21, 22, 24^2
9:25, 26^2, 27; 10:16, 26; 11:4, 5^2, 6, 7, 11, 12, 13, 15^2; 13:1, 2^2, 4^2, 9, 10, 11, 13, 15, 22; 14:17, 18, 19^2, 20; 14:21, 24, 34, 35, 36, 37, 38, 40, 41, 42, 43, 44, 45, 46; 14:52; 15:1, 4, 5, 6, 7, 9, 11, 12^2, 13^2, 15, 16, 20; 15:24, 26, 31^2; 16:1, 2, 17, 19, 20, 21, 22, 23; 17:11, 13, 14, 15, 31, 32, 33, 34, 37, 38, 39, 55, 57, 58; 18:1, 2, 5^2, 12^2, 13, 15, 17, 18, 21^2, 22, 28, 29^2; 19:2; 19:4, 6^2, 7, 9, 10^2, 11, 14, 15, 17^2, 18, 20, 21; 20:26, 27, 28; 20:32; 21:11; 22:6, 7, 12, 13, 21; 23:7, 8, 9, 10, 11, 14, 15, 17, 19, 21, 24, 25^2, 26^2, 27, 28; 24:2, 3, 4, 8; 24:9^2, 17^3, 23; 26:1, 2, 3^2, 4, 5^2, 6, 7, 17, 21, 25; 28:4, 5, 6, 7, 8, 9, 10, 12, 13, 14, 15^2, 20, 21, 25; 31:3, 4^2, 5, 7, 8 • IISh.1:2, 4, 5, 6, 12, 17; 2:4, 5, 7, 15; 4:10; 5:2; 7:15; 21:1, 2, 4, 12 • Ps.57:1; 59:1 • ICh.8:33; 9:39; 10:2, 3, 4^2, 5, 6, 7, 8, 13; 11:2; 12:1, 19(20)

וְשָׁאוּל
355/6 וְשָׁאוּל בֶּן־הַכְּנַעֲנִית Gen.46:10 • Ex.6:15
357 וְשָׁאוּל אָמַר לְנַעֲרוֹ אֲשֶׁר־עִמּוֹ ISh.9:5
358 וְשָׁאוּל תָּקַע בַּשּׁוֹפָר ISh.13:3
359 וְשָׁאוּל עוֹדֶנּוּ בַגִּלְגָּל ISh.13:7
360 וְשָׁאוּל וְיוֹנָתָן בְּנוֹ וְהָעָם... ISh.13:16
361 וְשָׁאוּל יוֹשֵׁב בִּקְצֵה הַגִּבְעָה ISh.14:2
362 וַיִּלָּכֵד יוֹנָתָן וְשָׁאוּל וְהָעָם יָצָאוּ ISh.14:41
363 וְשָׁאוּל לָכַד הַמְּלוּכָה עַל־יִשְׂרָאֵל ISh.14:47
364 וְשָׁאוּל עָלָה אֶל־בֵּיתוֹ גִּבְעַת שָׁאוּל ISh.15:34
365 עֻזִּיָּה בְנוֹ וְשָׁאוּל בְּנוֹ ICh.6:9
366-379 וְשָׁאוּל ISh.17:2, 19; 18:17, 25; 22:6 23:26; 24:8; 25:44; 26:5, 25; 28:3 • ICh.8:33; 9:39; 26:28

לְשָׁאוּל
380 לְשָׁאוּל מִשְׁפַּחַת הַשָּׁאוּלִי Num.26:13
381 וַתִּמָּצֵא לְשָׁאוּל וּלְיוֹנָתָן בְּנוֹ ISh.13:22
382 וַיִּרְאוּ הַצֹּפִים לְשָׁאוּל ISh.14:16
383 וַיַּגִּידוּ לְשָׁאוּל לֵאמֹר ISh.14:33
384 וְרָוַח לְשָׁאוּל וְטוֹב לוֹ ISh.16:23
385 וְאַתֶּם עֲבָדִים לְשָׁאוּל ISh.17:8
386 וַיִּחַר לְשָׁאוּל מְאֹד ISh.18:8
387-404 לְשָׁאוּל ISh. 18:20; 19:19.21; 21:8; 22:22; 23:7; 24:5.6.10.23; 27:4; 31:11 • IISh. 2:8; 9:9; 21:8 • Ps. 52:2; 54:2 • ICh. 10:11

וּלְשָׁאוּל
405 וּלְשָׁאוּל הֻגַּד כִּי־נִמְלַט דָּוִד ISh.23:13
406 וּלְשָׁאוּל פִּלֶגֶשׁ וּשְׁמָהּ רִצְפָּה IISh.3:7

מִשָּׁאוּל
407 וַיִּתֵּן...נְקָמוֹת...מִשָּׁאוּל וּמִזַּרְעוֹ IISh.4:8

שָׁאוּלִי

ת׳ המתיחס על בית שאול

הַשָּׁאוּלִי
1 לְשָׁאוּל מִשְׁפַּחַת הַשָּׁאוּלִי Num.26:13

שָׁאוֹן

ז׳ רעש, המולה: 1-18

קרובים: הָמוֹן / הֶמְיָה / הֲמֻלָּה / מְהוּמָה / מַשָּׁק / נְהָמָה / סְאוֹן? / קוֹל / רֹגֶז / רַעַשׁ

– בּוֹר שָׁאוֹן 6; בְּנֵי שָׁאוֹן 4; קוֹל שָׁאוֹן 1
– שְׁאוֹן גַּלִּים 13; שׁ׳ זָרִים 10; שׁ׳ יַמִּים 12; שׁ׳ לְאֻמִּים 15; שׁ׳ מַיִם 16, 17; שׁ׳ מַמְלָכוֹת 8; שְׁאוֹן עַלִּיזִים 9; שְׁאוֹן קוֹל 11; שְׁאוֹן קָמִים 14

שָׁאוֹן
1 קוֹל שָׁאוֹן מֵעִיר קוֹל מֵהֵיכָל Is.66:6
2 בָּא שָׁאוֹן עַד־קְצֵה הָאָרֶץ Jer.25:31
3 קָרְאוּ שָׁם פַּרְעֹה מֶ׳־מִצְרַיִם...שָׁאוֹן Jer.46:17
4 ? פְּאַת מוֹאָב וְקָדְקֹד בְּנֵי שָׁאוֹן Jer.48:45
5 וְקָאם שָׁאוֹן בְּעַמֶּךָ Hosh.10:14
6 וַיַּעֲלֵנִי מִבּוֹר שָׁאוֹן מִטִּיט הַיָּוֵן Ps.40:3

בְּשָׁאוֹן
7 וּמֵת בְּשָׁאוֹן מוֹאָב בִּתְרוּעָה Am.2:2

שְׁאוֹן־
8 קוֹל שְׁאוֹן מַמְלְכוֹת גּוֹיִם נֶאֱסָפִים Is.13:4
9 חָדַל שְׁאוֹן עַלִּיזִים Is.24:8
10 כְּחֹרֶב בְּצָיוֹן שְׁאוֹן זָרִים תַּכְנִיעַ Is.25:5
11 וְהָמוּ גַלֵּיהֶם...נִתַּן שְׁאוֹן קוֹלָם Jer.51:55
12 מַשְׁבִּיחַ שְׁאוֹן יַמִּים Ps.65:8
13 שְׁאוֹן גַּלֵּיהֶם וַהֲמוֹן לְאֻמִּים Ps.65:8
14 שְׁאוֹן קָמֶיךָ עֹלֶה תָמִיד Ps.74:23

וּשְׁאוֹן־
15 וּשְׁאוֹן לְאֻמִּים כִּשְׁאוֹן מַיִם כַּבִּירִים Is.17:12

כִּשְׁאוֹן־
16 כִּשְׁאוֹן מַיִם כַּבִּירִים יִשָּׁאוּן Is.17:12
17 כִּשְׁאוֹן מַיִם רַבִּים יִשָּׁאוּן Is.17:13

וּשְׁאוֹנָהּ
18 וְיָרַד הֲדָרָהּ וַהֲמוֹנָהּ וּשְׁאוֹנָהּ Is.5:14

שְׂאֹר

ז׳ בצק חמץ: 1-5

שְׂאֹר
1 תַּשְׁבִּיתוּ שְּׂאֹר מִבָּתֵּיכֶם Ex.12:15
2 שְׂאֹר לֹא יִמָּצֵא בְּבָתֵּיכֶם Ex.12:19
3 וְלֹא־יֵרָאֶה לְךָ שְׂאֹר בְּכָל־גְּבֻלֶךָ Ex.13:7
4 כָּל־שְׂאֹר וְכָל־דְּבַשׁ לֹא־תַקְטִירוּ Lev.2:11
5 וְלֹא־יֵרָאֶה לְךָ שְׂאֹר בְּכָל־גְּבֻלְךָ Deut.16:4

שאט

: שְׁאָט (שְׁאַט); שָׁאַט

שָׁאַט

(?) פ׳ בוז, תעב: 1-3

הַשָּׁאטִים
1 מִכֹּל סְבִיבֹתָם הַשָּׁאטִים אוֹתָם Ezek.28:24
2 בְּכֹל הַשָּׁאטִים אֹתָם מִסְּבִיבוֹתָם Ezek.28:26

הַשָּׁאטוֹת
3 הַשָּׁאטוֹת אוֹתָךְ מִסָּבִיב Ezek.16:57

שְׁאָט

ז׳ בוז, תעוב: 1-3

שְׁאָט נֶפֶשׁ 2; שְׁאָט בְּנֶפֶשׁ 3,1

בִּשְׁאָט
1 וַיִּנָּקְמוּ נָקָם בִּשְׁאָט בְּנֶפֶשׁ Ezek.25:15

בִּשְׁאָט־
2 בְּשִׂמְחַת כָּל־לֵבָב בִּשְׁאָט נֶפֶשׁ Ezek.36:5

שָׁאטְךָ
3 וַתִּשְׂמַח בְּכָל־שָׁאטְךָ בְּנֶפֶשׁ Ezek.25:6

שְׁאִיָּה

נ׳ שממה, הרס • קרובים: ראה חָרְבָּ (ב)

וּשְׁאִיָּה
1 וּשְׁאִיָּה יֻכַּת־שָׁעַר Is.24:12

שאל

: שָׁאַל, נִשְׁאַל, שֹׁאֵל, הִשְׁאִיל; שְׁאֵלָה, מִשְׁאָלָה; ש״פ שְׁאָל, שָׁאוּל, שְׁאַלְתִּיאֵל, אֶשְׁתָּאוֹל; אר׳ שְׁאֵל, שְׁאֵלָה

שָׁאַל

פ׳ א) חקר, בקש לדעת: 1,2,4-9,12-14,16-18,21,24, 31,36,38,39,43,49-52,57,58,59,62-66,68-76, 80-89,91,93-111,113,115,116,118-123,125, 130-146,150,152,153,157,159,160,162,163

ב) בקש, דרש: 3, 7, 8, 13, 17, 19, 20, 22, 23, 25–30, 32–35, 37, 40–42, 44–48, 53, 54, 56, 60, 61, 67, 77, 90, 112, 114, 117, 124, 126, 147–149, 151, 154, 161

ג) בקש וקבל באופן זמני: 5, 6, 55, 92, 127, 129, 155, 156, 158

ד) [פעול: שָׁאוּל] לקוח ממישהו או נתון לו באופן זמני: 78, 79

ה) [נפ׳ נִשְׁאַל] בקש רשות: 164–168

ו) [פי׳ שָׁאֵל] חקר ודרש: 170

ז) [כנ״ל] בקש: 169

ח) [הפ׳ הִשְׁאִיל] נתן דבר לשמוש זמני: 171, 172

קרובים: בָּעָה / בִּקֵּשׁ / דָּרַשׁ / חִפֵּשׂ / חָקַר / תָּר (תור)

– שָׁאַל (אֶת־) רוב המקראות 26–162; שָׁאַל (אֶת־) מִן־ (מֵאֵת־, מֵעִם־) 5, 6, 13, 19–23, 25, 37, 55, 68, 69, 71, 75, 77, 82, 92, 127, 129, 149, 151, 156, 161; שָׁאַל לְ־ 1, 3, 7, 8, 15, 16, 18, 27, 28, 38, 49, 88, 89, 98, 100, 102, 106, 110, 128, 132, 142, 152, 156, 158, 163; שָׁאַל בְּ־ 9, 14, 43, 49, 93, 94, 99, 102–105, 107–109, 115/6, 131, 133–136, 144; שָׁאַל עַל־ 31, 87

– שָׁאַל (לְ)שָׁלוֹם 11, 18, 58, 65, 98, 100, 106, 110, 130, 132, 162

– נִשְׁאַל מִן־ (מֵעִם־) 164–168

שָׁאוֹל 1 שָׁאוֹל שָׁאַל־הָאִישׁ לָנוּ Gen.43:7
2 שָׁאוֹל יִשְׁאֲלוּ בְּאָבֵל וְכֵן הֵתַמּוּ IISh.20:18
וְשָׁאוֹל 3 וְשָׁאוֹל לוֹ בֵּאלֹהִים ISh.22:13
שְׁאָלָה 4 הַעְמֵק שְׁאָלָה אוֹ הַגְבֵּהַ לְמָעְלָה Is.7:11
לִשְׁאוֹל 5 וַתְּסִיתֵהוּ לִשְׁאוֹל מֵאֵת־אָבִיהָ שָׂדֶה Josh.15:18
6 וַתְּסִיתֵהוּ לִשְׁאוֹל מֵאֵת־אָבִיהָ הַשָּׂדֶה Jud.1:14
7 רָעַתְכֶם...לִשְׁאוֹל לָכֶם מֶלֶךְ ISh.12:17
8 רָעָה לִשְׁאֹל לָנוּ מֶלֶךְ ISh.12:19
9 וַיּוֹסֶף עוֹד דָּוִד לִשְׁאוֹל בַּייָ ISh.23:4
10 וַיֹּאמֶר הִקְשִׁיתָ לִשְׁאוֹל IIK.2:10
11 וּמִי יָסוּר לִשְׁאֹל לְשָׁלֹם לָךְ Jer.15:5
12 לַחֲטֹא...לִשְׁאֹל בְּאָלָה נַפְשׁוֹ Job31:30
13 בֹּשְׁתִּי לִשְׁאוֹל מִן־הַמֶּלֶךְ חַיִל Ez.8:22
14 וְגַם־לִשְׁאוֹל בָּאוֹב לִדְרוֹשׁ ICh.10:13
לִשְׁאָל־ 15 לִשְׁאָל־ (כת׳ לשאול) לוֹ בֵּאלֹהִים ISh.22:15
16 לִשְׁאָל־לוֹ לְשָׁלוֹם וּלְבָרְכוֹ IISh.8:10
17 וַיְנַסּוּ־אֵל...לִשְׁאָל־אֹכֶל לְנַפְשָׁם Ps.78:18
18 לִשְׁאָל־ (כת׳ לשאול) לוֹ לְשָׁלוֹם ICh.18:10
שָׁאַלְתִּי 19 אֶת־שְׁאֵלָתִי אֲשֶׁר שָׁאַלְתִּי מֵעִמּוֹ ISh.1:27
20 אַחַת שָׁאַלְתִּי מֵאֵת־יְיָ אוֹתָהּ אֲבַקֵּשׁ Ps.27:4
21 שְׁתַּיִם שָׁאַלְתִּי מֵאִתָּךְ Prov.30:7
הֲשָׁאַלְתִּי 22 הֲשָׁאַלְתִּי בֵן מֵאֵת אֲדֹנִי IIK.4:28
שְׁאִלְתִּיו 23 שְׁמוּאֵל כִּי מֵייָ שְׁאִלְתִּיו ISh.1:20
שְׁאִלְתִּיהוּ 24 וְלֹא שְׁאִלְתִּיהוּ אֵי־מִזֶּה הוּא Jud.13:6
שָׁאַלְתָּ 25 כְּכֹל אֲשֶׁר־שָׁאַלְתָּ מֵעִם יְיָ אֱלֹהֶיךָ Deut.18:16
26 יַעַן אֲשֶׁר שָׁאַלְתָּ אֶת־הַדָּבָר הַזֶּה IK.3:11
27 וְלֹא־שָׁאַלְתָּ לְּךָ יָמִים רַבִּים IK.3:11
28 וְלֹא־שָׁאַלְתָּ לְּךָ עֹשֶׁר IK.3:11
29 וְלֹא שָׁאַלְתָּ נֶפֶשׁ אֹיְבֶיךָ IK.3:11
30 וְגַם אֲשֶׁר לֹא־שָׁאַלְתָּ נָתַתִּי לָךְ IK.3:13
31 כִּי לֹא מֵחָכְמָה שָׁאַלְתָּ עַל־זֶה Eccl.7:10
32 וְלֹא שָׁאַלְתָּ עֹשֶׁר נְכָסִים וְכָבוֹד IICh.1:11
שָׁאָלְתָּ 33 עוֹלָה וַחֲטָאָה לֹא שָׁאָלְתָּ Ps.40:7
34 וְגַם־יָמִים רַבִּים לֹא שָׁאָלְתָּ IICh.1:11
וְשָׁאַלְתָּ 35 וְשָׁאַלְתָּ לְּךָ הָבִין לִשְׁמֹעַ מִשְׁפָּט IK.3:11
וְשָׁאַלְתָּ 36 וְדָרַשְׁתָּ וְחָקַרְתָּ וְשָׁאַלְתָּ הֵיטֵב Deut.13:15
שָׁאַלְתְּ 37 יִתֵּן אֶת־שֵׁלָתֵךְ אֲשֶׁר שָׁאַלְתְּ מֵעִמּוֹ ISh.1:17
שָׁאַל 38 שָׁאוֹל שָׁאַל־הָאִישׁ לָנוּ... Gen.43:7
39 אֲדֹנִי שָׁאַל אֶת־עֲבָדָיו לֵאמֹר Gen.44:19
40 מַיִם שָׁאַל חָלָב נָתָנָה Jud.5:25

שָׁאַל (המשך) 41 תַּחַת הַשְּׁאֵלָה אֲשֶׁר שָׁאַל לַייָ ISh.2:20
42 כִּי שָׁאַל שְׁלֹמֹה אֶת־הַדָּבָר הַזֶּה IK.3:10
43 קִלְקַל בַּחִצִּים שָׁאַל בַּתְּרָפִים Ezek.21:26
44 חַיִּים שָׁאַל מִמְּךָ נָתַתָּה לּוֹ Ps.21:5
45 שָׁאַל וַיָּבֵא שְׂלָו Ps.105:40
שָׁאָל 46 נָתְנוּ לוֹ אֶת־הָעִיר אֲשֶׁר שָׁאָל Josh.19:50
47 מִשְׁקַל נִזְמֵי הַזָּהָב אֲשֶׁר שָׁאָל Jud.8:26
48 וַיָּבֵא אֱלֹהִים אֵת אֲשֶׁר־שָׁאָל ICh.4:10
וְשָׁאַל 49 וְשָׁאַל לוֹ בְּמִשְׁפַּט הָאוּרִים Num.27:21
50 וְשָׁאַל (כת׳ ישאל) בַּקָּצִיר וָאָיִן Prov.20:4
וּשְׁאֵלְךָ 51 כִּי יִפְגָּשְׁךָ...וּשְׁאֵלְךָ לֵאמֹר Gen.32:17
וּשְׁאֵלֵךְ 52 אִם־אִישׁ יָבוֹא וּשְׁאֵלֵךְ וְאָמַר Jud.4:20
שָׁאָלָה 53 אֶת־כָּל־חֶפְצָהּ אֲשֶׁר שָׁאָלָה IK.10:13
54 אֶת־כָּל־חֶפְצָהּ אֲשֶׁר שָׁאָלָה IICh.9:12
וְשָׁאֲלָה 55 וְשָׁאֲלָה אִשָּׁה מִשְּׁכֶנְתָּהּ...כְּלֵי־כֶסֶף Ex.3:22
שְׁאֶלְתֶּם 56 הִנֵּה הַמֶּלֶךְ...אֲשֶׁר שְׁאֶלְתֶּם ISh.12:13
57 הֲלֹא שְׁאֶלְתֶּם עוֹבְרֵי דֶרֶךְ Job21:29
וּשְׁאֶלְתֶּם 58 וּשְׁאֶלְתֶּם־לוֹ בִשְׁמִי לְשָׁלוֹם ISh.25:5
שָׁאֲלוּ 59 וְאֶת־בָּרוּךְ שָׁאֲלוּ לֵאמֹר Jer.36:17
60 עוֹלָלִים שָׁאֲלוּ לֶחֶם פֹּרֵשׂ אֵין לָהֶם Lam.4:4
61 וְכֹל אֲשֶׁר שָׁאֲלוּ עֵינַי לֹא אָצַלְתִּי מֵהֶם Eccl.2:10
שָׁאָלוּ 62 וַיִּקְחוּ...וְאֶת־פִּי יְיָ לֹא שָׁאָלוּ Josh.9:14
63 הַהֹלְכִים...וּפִי לֹא שָׁאָלוּ Is.30:2
64 נִדְרַשְׁתִּי לְלוֹא שָׁאָלוּ Is.65:1
וְשָׁאֲלוּ 65 וְשָׁאֲלוּ לְךָ לְשָׁלוֹם ISh.10:4
שְׁאָלוּנִי 66 הָאֹתִיּוֹת שְׁאָלוּנִי Is.45:11
שְׁאֵלוּנוּ 67 כִּי שָׁם שְׁאֵלוּנוּ שׁוֹבֵינוּ דִּבְרֵי־שִׁיר Ps.137:3
שֹׁאֵל 68 מָה יְיָ אֱלֹהֶיךָ שֹׁאֵל מֵעִמָּךְ Deut.10:12
69 דָּבָר אֶחָד אָנֹכִי שֹׁאֵל מֵאִתְּךָ IISh.3:13
70 אֲשֶׁר אָנֹכִי שֹׁאֵל אֹתָךְ IISh.14:18
71 שְׁאֵלָה אַחַת אָנֹכִי שֹׁאֵל מֵאִתָּךְ IK.2:16
72 שֹׁאֵל אֲנִי אֹתְךָ דָּבָר אַל־תְּכַחֵד Jer.38:14
73 הַשַּׂר שֹׁאֵל וְהַשֹּׁפֵט בַּשִּׁלּוּם Mic.7:3
וְשֹׁאֵל 74 וְשֹׁאֵל אוֹב וְיִדְּעֹנִי וְדֹרֵשׁ אֶל־הַמֵּתִים Deut.18:11
שֹׁאֶלֶת 75 שְׁאֵלָה אַחַת קְטַנָּה אָנֹכִי שֹׁאֶלֶת מֵאִתָּךְ IK.2:20
76 וְלָמָה אַתְּ שֹׁאֶלֶת אֶת־אֲבִישַׁג IK.2:22
הַשֹּׁאֲלִים 77 אֶל־הָעָם הַשֹּׁאֲלִים מֵאִתּוֹ מֶלֶךְ ISh.8:10
שָׁאוּל 78 כָּל־הַיָּמִים...הוּא שָׁאוּל לַייָ ISh.1:28
79 אֲהָהּ אֲדֹנִי וְהוּא שָׁאוּל IIK.6:5
אֶשְׁאַל 80 לֹא־אֶשְׁאַל וְלֹא־אֲנַסֶּה אֶת־יְיָ Is.7:12
וָאֶשְׁאַל 81 וָאֶשְׁאַל אֹתָהּ וָאֹמַר בַּת־מִי אַתְּ Gen.24:47
אֶשְׁאֲלָה 82 אֶשְׁאֲלָה מִכֶּם שְׁאֵלָה וּתְנוּ־לִי Jud.8:24
אֶשְׁאָלְךָ 83/4 אֶשְׁאָלְךָ וְהוֹדִיעֵנִי Job40:7; 42:4
וְאֶשְׁאָלְךָ 85 וְאֶשְׁאָלְךָ וְהוֹדִיעֵנִי Job38:3
וְאֶשְׁאָלֵם 86 וְאֶשְׁאָלֵם וְיָשִׁיבוּ דָבָר Is.41:28
וָאֶשְׁאָלֵם 87 וָאֶשְׁאָלֵם עַל־הַיְּהוּדִים...וְעַל־יְרוּשָׁ׳ Neh.1:2
תִּשְׁאַל 88 לָמָּה זֶּה תִּשְׁאַל לִשְׁמִי Gen.32:29
89 לָמָּה זֶּה תִּשְׁאַל לִשְׁמִי Jud.13:18
וַתִּשְׁאַל 90 וַתִּשְׁאַל־לְךָ חָכְמָה וּמַדָּע IICh.1:11
תִּשְׁאָלֵנִי 91 וְלָמָּה תִּשְׁאָלֵנִי וַייָ סָר מֵעָלֶיךָ ISh.28:16
יִשְׁאַל 92 וְכִי־יִשְׁאַל אִישׁ מֵעִם רֵעֵהוּ Ex.22:13
93 כַּאֲשֶׁר יִשְׁאַל אִישׁ בִּדְבַר הָאֱלֹהִים IISh.16:23
יִשְׁאָל 94 עַמִּי בְּעֵצוֹ יִשְׁאָל Hosh.4:12
וַיִּשְׁאַל 95 וַיִּשְׁאַל יַעֲקֹב וַיֹּאמֶר Gen.32:30
96 וַיִּשְׁאַל אֶת־אַנְשֵׁי מְקֹמָהּ לֵאמֹר Gen.38:21
97 וַיִּשְׁאַל אֶת־סְרִיסֵי פַרְעֹה Gen.40:7
98 וַיִּשְׁאַל לָהֶם לְשָׁלוֹם Gen.43:27
99 וַיִּשְׁאַל שָׁאוּל בֵּאלֹהִים ISh.14:37
100 וַיָּבֹא וַיִּשְׁאַל לְאֶחָיו לְשָׁלוֹם ISh.17:22
101 וַיִּשְׁאַל וַיֹּאמֶר אֵיפֹה שְׁמוּאֵל וְדָוִד ISh.19:22
102 וַיִּשְׁאַל־לוֹ בַּייָ ISh.22:10
103 וַיִּשְׁאַל דָּוִד בַּייָ לֵאמֹר ISh.23:2

וַיִּשְׁאַל (המשך) 104 וַיִּשְׁאַל שָׁאוּל בַּייָ וְלֹא עָנָהוּ יְיָ ISh.28:6
105 וַיִּשְׁאַל דָּוִד בַּייָ לֵאמֹר ISh.30:8
106 וַיִּגַּשׁ...וַיִּשְׁאַל לָהֶם לְשָׁלוֹם ISh.30:21
107/8 וַיִּשְׁאַל דָּוִד בַּייָ לֵאמֹר IISh.2:1; 5:19
109 וַיִּשְׁאַל דָּוִד בַּייָ וַיֹּאמֶר IISh.5:23
110 וַיִּשְׁאַל דָּוִד לִשְׁלוֹם יוֹאָב IISh.11:7
111 וַיִּשְׁאַל וַיָּשִׂימוּ לוֹ לֶחֶם IISh.12:20
112 וַיִּשְׁאַל אֶת־נַפְשׁוֹ לָמוּת IK.19:4
113 וַיִּשְׁאַל הַמֶּלֶךְ לָאִשָּׁה וַתְּסַפֶּר־לוֹ IIK.8:6
114 וַיִּשְׁאַל אֶת־נַפְשׁוֹ לָמוּת Jon.4:8
115 וַיִּשְׁאַל דָּוִיד בֵּאלֹהִים לֵאמֹר ICh.14:10
116 וַיִּשְׁאַל עוֹד דָּוִיד בֵּאלֹהִים ICh.14:14
117 וַיִּשְׁאַל הֲמוֹן נָשִׁים IICh.11:23
יִשְׁאָלְךָ 118 וְהָיָה כִּי־יִשְׁאָלְךָ בִנְךָ מָחָר Ex.13:14
119 כִּי־יִשְׁאָלְךָ בִנְךָ מָחָר לֵאמֹר Deut.6:20
120 וְכִי־יִשְׁאָלְךָ הָעָם הַזֶּה Jer.23:22
וַיִּשְׁאָלֵהוּ 121 וַיִּשְׁאָלֵהוּ הָאִישׁ לֵאמֹר Gen.37:15
122 וַיִּלְכָּד־נַעַר...וַיִּשְׁאָלֵהוּ Jud.8:14
123 וַיִּשְׁאָלֵהוּ הַמֶּלֶךְ בְּבֵיתוֹ בַּסֵּתֶר Jer.37:17
תִּשְׁאָלְךָ 124 וּבְכֹל אֲשֶׁר תִּשְׁאָלְךָ נַפְשֶׁךָ Deut.14:26
וְנִשְׁאֲלָה 125 נִקְרָא לַנַּעֲרָ וְנִשְׁאֲלָה אֶת־פִּיהָ Gen.24:57
יִשְׁאָלוּ 126 צִיּוֹן יִשְׁאָלוּ דֶּרֶךְ הֵנָּה פְנֵיהֶם Jer.50:5
וְיִשְׁאֲלוּ 127 וְיִשְׁאֲלוּ אִישׁ מֵאֵת רֵעֵהוּ Ex.11:2
וַיִּשְׁאֲלוּ 128 וַיִּשְׁאֲלוּ אַנְשֵׁי הַמָּקוֹם לְאִשְׁתּוֹ Gen.26:7
129 וַיִּשְׁאֲלוּ מִמִּצְרַיִם כְּלֵי־כֶסֶף... Ex.12:35
130 וַיִּשְׁאֲלוּ אִישׁ־לְרֵעֵהוּ לְשָׁלוֹם Ex.18:7
131 וַיִּשְׁאֲלוּ בְּנֵי יִשְׂרָאֵל בַּייָ לֵאמֹר Jud.1:1
132 וַיָּבֹאוּ...וַיִּשְׁאֲלוּ־לוֹ לְשָׁלוֹם Jud.18:15
133 וַיִּשְׁאֲלוּ בֵאלֹהִים וַיֹּאמְרוּ בְּ״י Jud.20:18
134 וַיִּשְׁאֲלוּ בַייָ לֵאמֹר Jud.20:23
135 וַיִּשְׁאֲלוּ בְנֵי־יִשְׂרָאֵל בַּייָ Jud.20:27
136 וַיִּשְׁאֲלוּ־עוֹד בַּייָ ISh.10:22
137 וַיִּשְׁאֲלוּ אֹתוֹ וַיַּגֵּד לָהֶם Jer.38:27
יִשְׁאָלוּן 138 כִּי־יִשְׁאָלוּן בְּנֵיכֶם מָחָר לֵאמֹר Josh.4:6
139 אֲשֶׁר יִשְׁאָלוּן בְּנֵיכֶם מָחָר...לֵאמֹר Josh.4:21
יִשְׁאָלוּנִי 140 יִשְׁאָלוּנִי מִשְׁפְּטֵי־צֶדֶק Is.58:2
141 אֲשֶׁר לֹא־יָדַעְתִּי יִשְׁאָלוּנִי Ps.35:11
שְׁאַל 142 כִּי שְׁאַל־נָא לְיָמִים רִאשֹׁנִים Deut.4:32
143 שְׁאַל אָבִיךָ וְיַגֵּדְךָ Deut.32:7
144 שְׁאַל־נָא בֵאלֹהִים וְנֵדְעָה Jud.18:5
145 שְׁאַל־אַתָּה בֶּן־מִי־זֶה הָעָלֶם ISh.17:56
146 שְׁאַל אֶת־נְעָרֶיךָ וְיַגִּידוּ לָךְ ISh.25:8
147 וַיֹּאמֶר אֱלֹהִים שְׁאַל מָה אֶתֶּן־לָךְ IK.3:5
148 שְׁאַל מָה אֶעֱשֶׂה־לָּךְ בְּטֶרֶם אֶלָּקַח IIK.2:9
149 שְׁאַל־לְךָ אוֹת מֵעִם יְיָ אֱלֹהֶיךָ Is.7:11
150 שְׁאַל־נָא אֶת־הַכֹּהֲנִים תּוֹרָה Hag.2:11
151 שְׁאַל מִמֶּנִּי וְאֶתְּנָה גוֹיִם נַחֲלָתֶךָ Ps.2:8
152 כִּי שְׁאַל־נָא לְדֹר רִישׁוֹן Job8:8
153 שְׁאַל־נָא בְהֵמוֹת וְתֹרֶךָּ Job12:7
154 וַיֹּאמֶר לוֹ שְׁאַל מָה אֶתֶּן־לָךְ IICh.1:7
שַׁאֲלִי 155 וַיֹּאמֶר לָהּ הַמֶּלֶךְ שַׁאֲלִי אִמִּי IK.2:20
156 שַׁאֲלִי־לָךְ כֵּלִים מִן־הַחוּץ IIK.4:3
157 שַׁאֲלִי־נָס וְנִמְלָטָה Jer.48:19
וְשַׁאֲלִי 158 וְשַׁאֲלִי־לוֹ אֶת־הַמְּלוּכָה IK.2:22
שַׁאֲלוּ 159 שַׁאֲלוּ־נָא בַּגּוֹיִם מִי שָׁמַע כָּאֵלֶּה Jer.18:13
160 שַׁאֲלוּ־נָא וּרְאוּ אִם־יֹלֵד זָכָר Jer.30:6
161 שַׁאֲלוּ מֵייָ מָטָר בְּעֵת מַלְקוֹשׁ Zech.10:1
162 שַׁאֲלוּ שְׁלוֹם יְרוּשָׁלִָם Ps.122:6
וְשַׁאֲלוּ 163 עִמְדוּ...וְשַׁאֲלוּ לִנְתִבוֹת עוֹלָם Jer.6:16
נִשְׁאֹל 164 נִשְׁאֹל נִשְׁאַל מִמֶּנִּי דָוִד לָרוּץ... ISh.20:6
165 נִשְׁאֹל נִשְׁאַל דָּוִד מֵעִמָּדִי... ISh.20:28
נִשְׁאַלְתִּי 166 וּלְקֵץ יָמִים נִשְׁאַלְתִּי מִן־הַמֶּלֶךְ Neh.13:6

נִשְׁאַל 167 נִשְׁאֹל נִשְׁאַל מִמֶּנִּי דָוִד לָרוּץ... ISh.20:6
168 נִשְׁאֹל נִשְׁאַל דָּוִד מֵעִמָּדִי ISh.20:28
וְשִׁאֲלוּ 169 וְנוֹעַ יָנוּעוּ בָנָיו וְשִׁאֵלוּ Ps.109:10
יְשָׁאֲלוּ 170 שָׁאוֹל יְשָׁאֲלוּ בְּאָבֵל וְכֵן הֵתַמּוּ IISh.20:18
הִשְׁאִלְתִּיהוּ 171 וְגַם אָנֹכִי הִשְׁאִלְתִּהוּ לַייָ ISh.1:28
וַיַּשְׁאִלוּם 172 וַיְנַצְּלוּ אֶת־מִצְרָיִם וַיַּשְׁאִלוּם Ex.12:36

שְׁאָל שם־ז – איש בימי עזרא
וּשְׁאָל 1 יָשׁוּב וּשְׁאָל וְרָמוֹת° Ez.10:29

שְׁאֵל פ׳ ארמית חקר, בקש: 1-6
שְׁאֵל 1 כָּל־מֶלֶךְ...מִלָּה כִדְנָה לָא שְׁאֵל Dan.2:10
שְׁאֵלְנָא 2 אֱדַיִן שְׁאֵלְנָא לְשָׂבַיָּא אִלֵּךְ Ez.5:9
3 וְאַף שְׁמָהָתְהֹם שְׁאֵלְנָא לְהֹם Ez.5:10
שָׁאֵל 4 וּמִלְּתָא דִי־מַלְכָּה שָׁאֵל יַקִּירָה Dan.2:11
5 רָזָא דִּי־מַלְכָּא שָׁאֵל Dan.2:27
יִשְׁאֲלֶנְכוֹן 6 כָּל־דִּי יִשְׁאֲלֶנְכוֹן עֶזְרָא...יִתְעֲבֵד Ez.7:21

שְׁאֵלָה[1] נ׳ בַּקָּשָׁה, משאלה: 1-14
– שְׁאֵלָה אַחַת 3,2; שְׁאֵלָה קְטַנָּה 3
– שָׁאַל שְׁאֵלָה 1, 4; בָּאָה שְׁאֵלָתוֹ 8; נָתַן שְׁאֵלָתוֹ 1, 7, 13, 14
שְׁאֵלָה 1 אֶשְׁאֲלָה מִכֶּם שְׁאֵלָה וּתְנוּ־לִי... Jud.8:24
2 שְׁאֵלָה אַחַת אָנֹכִי שֹׁאֵל מֵאִתָּךְ IK.2:16
3 שְׁאֵלָה אַחַת קְטַנָּה אָנֹכִי שֹׁאֶלֶת IK.2:20
הַשְּׁאֵלָה 4 תַּחַת הַשְּׁאֵלָה אֲשֶׁר שָׁאַל לַייָ ISh.2:20
שְׁאֵלָתִי 5 וַיִּתֵּן יְיָ לִי אֶת־שְׁאֵלָתִי ISh.1:27
6 וַתַּעַן...שְׁאֵלָתִי וּבַקָּשָׁתִי Es.5:7
7 לָתֵת אֶת־שְׁאֵלָתִי...בַּקָּשָׁתִי Es.5:8
שֶׁאֱלָתִי 8 מִי־יִתֵּן תָּבוֹא שֶׁאֱלָתִי Job 6:8
בִּשְׁאֵלָתִי 9 תִּנָּתֶן־לִי נַפְשִׁי בִּשְׁאֵלָתִי Es.7:3
שְׁאֵלָתֵךְ 10 מַה־שְּׁאֵלָתֵךְ וְיִנָּתֵן לָךְ Es.5:6
11 מַה־שְּׁאֵלָתֵךְ...וְתִנָּתֵן לָךְ Es.7:2
12 וּמַה־שְּׁאֵלָתֵךְ וְיִנָּתֵן לָךְ Es.9:12
(שֵׁלָתֵךְ) 13 וֵאלֹהֵי יִשְׂרָאֵל יִתֵּן אֶת־שֵׁלָתֵךְ ISh.1:17
שֶׁאֱלָתָם 14 וַיִּתֵּן לָהֶם שֶׁאֱלָתָם Ps.106:15

שְׁאֵלָה*[2] נ׳ ארמית [בידוע: שְׁאֵלְתָא] ענין, חוק
שְׁאֵלְתָא 1 וּמֵאמַר קַדִּישִׁין שְׁאֵלְתָא Dan.4:14

שְׁאַלְתִּיאֵל שם־ז – אביו של זרובבל, מבני המלך יהויכין: 1-7
בֶּן־שְׁאַלְתִּיאֵל 1-4, 6; בַּר־שְׁאַלְתִּיאֵל 5
שְׁאַלְתִּיאֵל 1/2 זְרֻבָּבֶל בֶּן־שְׁאַלְתִּיאֵל Hag.1:1; 2:23
3 וּזְרֻבָּבֶל בֶּן־שְׁאַלְתִּיאֵל Ez.3:2
4 זְרֻבָּבֶל בֶּן־שְׁאַלְתִּיאֵל וְיֵשׁוּעַ Ez.3:8
5 זְרֻבָּבֶל בַּר־שְׁאַלְתִּיאֵל וְיֵשׁוּעַ Ez.5:2
6 זְרֻבָּבֶל בֶּן־שְׁאַלְתִּיאֵל וְיֵשׁוּעַ Neh.12:1
7 וּבְנֵי יְכָנְיָה אַסִּר שְׁאַלְתִּיאֵל בְּנוֹ ICh.3:17

שאנן : שַׁאֲנַן; שַׁאֲנָן ת׳, שַׁאֲנָן ז׳
שַׁאֲנַן פ׳ היה שלו ושקט: 1-5
שַׁאֲנַן 1 שַׁאֲנַן מוֹאָב מִנְּעוּרָיו וְשֹׁקֵט Jer.48:11
וְשַׁאֲנַן 2/3 וְשָׁקַט וְשַׁאֲנַן וְאֵין מַחֲרִיד Jer.30:10; 46:27
4 יִשְׁכָּן־בֶּטַח וְשַׁאֲנַן מִפַּחַד רָעָה Prov.1:33
שַׁאֲנָנוּ 5 יַחַד אֲסִירִים שַׁאֲנָנוּ Job 3:18

שַׁאֲנָן[1] ת׳ שָׁלֵו, שרוי בבטחה: 1-8
נָוֶה שַׁאֲנָן 1; גּוֹיִם שַׁאֲנַנִּים 4; מְנוּחוֹת שַׁאֲנַנּוֹת 8; נָשִׁים שַׁאֲנַנּוֹת 6
שַׁאֲנָן 1 נָוֶה שַׁאֲנָן אֹהֶל בַּל־יִצְעָן Is.33:20
2 לַפִּיד בּוּז לְעַשְׁתּוּת שַׁאֲנָן Job 12:5

הַשַּׁאֲנַנִּים 3 הַשַּׁאֲנַנִּים בְּצִיּוֹן וְהַבֹּטְחִים בְּהַר שֹׁמְרוֹן Am.6:1
4 אֲנִי קֹצֵף עַל־הַגּוֹיִם הַשַּׁאֲנַנִּים Zech.1:15
5 הַלַּעַג הַשַּׁאֲנַנִּים הַבּוּז לִגְאֵי יוֹנִים° Ps.123:4
שַׁאֲנַנּוֹת 6 נָשִׁים שַׁאֲנַנּוֹת...בָּנוֹת בֹּטְחוֹת Is.32:9
7 חִרְדוּ שַׁאֲנַנּוֹת רְגָזָה בֹּטְחוֹת Is.32:11
8 בִּנְוֵה שָׁלוֹם...וּבִמְנוּחֹת שַׁאֲנַנּוֹת Is.32:18

שַׁאֲנָן*[2] ז׳ שָׁאוֹן? רוגז?: 1, 2
וְשַׁאֲנַנְךָ 1 הִתְרַגֶּזְךָ אֵלַי וְשַׁאֲנַנְךָ עָלָה בְאָזְנָי IIK.19:28
2 הִתְרַגֶּזְךָ אֵלַי וְשַׁאֲנַנְךָ עָלָה בְאָזְנָי Is.37:29

שֹׁאסַיִךְ (ירמיה 16ל) – עין שָׁסָה

שאף : א) שָׁאַף ב) שָׁאַף
שָׁאַף[1] פ׳ א) שאב לתוכו (רוח): 1, 2, 4, 5
ב) [בהשאלה] השתוקק, נטה: 3, 6, 7
שָׁאַף צֵל 7; שָׁאֲפָה רוּחַ 1, 2
שָׁאֲפָה 1 בְּאַוַּת נַפְשָׁהּ° שָׁאֲפָה רוּחַ Jer.2:24
שָׁאֲפוּ 2 וּפְרָאִים...שָׁאֲפוּ רוּחַ כַּתַּנִּים Jer.14:6
שׁוֹאֵף 3 וּבָא הַשָּׁמֶשׁ וְאֶל־מְקוֹמוֹ שׁוֹאֵף Eccl.1:5
וְאֶשְׁאַף 4 אֶשֹּׁם וְאֶשְׁאַף יָחַד Is.42:14
וָאֶשְׁאָפָה 5 פִּי־פָעַרְתִּי וָאֶשְׁאָפָה Ps.119:131
תִּשְׁאַף 6 אַל־תִּשְׁאַף הַלָּיְלָה Job 36:20
יִשְׁאַף 7 כְּעֶבֶד יִשְׁאַף־צֵל וּכְשָׂכִיר יְקַוֶּה פָעֳלוֹ Job 7:2

שָׁאַף[2] פ׳ דרס, רמס: 1-7
וְשָׁאֹף 1 שַׁמּוֹת וְשָׁאֹף אֶתְכֶם מִסָּבִיב Ezek.36:3
וְשָׁאַף 2 וְשָׁאַף צַמִּים חֵילָם Job 5:5
שְׁאָפַנִי 3 חָנֵּנִי אֱלֹהִים כִּי־שְׁאָפַנִי אֱנוֹשׁ Ps.56:2
שָׁאֲפוּ 4 שָׁאֲפוּ שׁוֹרְרַי כָּל־הַיּוֹם Ps.56:3
שֹׁאֲפִי 5 יִשְׁלַח מִשָּׁמַיִם וְיוֹשִׁיעֵנִי חֵרֵף שֹׁאֲפִי Ps.57:4
הַשֹּׁאֲפִים 6 הַשֹּׁאֲפִים עַל־עֲפַר־אֶרֶץ בְּרֹאשׁ דַּלִּים Am.2:7
7 הַשֹּׁאֲפִים אֶבְיוֹן וְלַשְׁבִּית עֲנִיֵּי°־אָרֶץ Am.8:4

שאר : א) שָׁאַר, נִשְׁאַר, הִשְׁאִיר; שְׁאָר, שְׁאֵרִית; ש״פ שְׁאֶרָה, שְׁאָר־יָשׁוּב; אר׳ שְׁאָר
ב) שְׁאֵר, שַׁאֲרָה

שָׁאַר פ׳ א) נותר: 1
ב) [נפ׳ נִשְׁאַר] נותר, שָׂרַד: 2-95
ג) [הפ׳ הִשְׁאִיר] הותיר, הניח: 96-133
שָׁאַר 1 עוֹד שָׁאַר הַקָּטָן וְהִנֵּה רֹעֶה בַּצֹּאן ISh.16:11
נִשְׁאַרְתִּי 2 הֵן אֲנִי נִשְׁאַרְתִּי לְבַדִּי Is.49:21
3 וַאֲנִי נִשְׁאַרְתִּי לְבַדִּי וָאֶרְאֶה Dan.10:8
נִשְׁאַר 4 לֹא נִשְׁאַר...בִּלְתִּי אִם־גְּוִיָּתֵנוּ Gen.47:18
5 וַיָּסַר הֶעָרֹב...לֹא נִשְׁאַר אֶחָד Ex.8:27
6 לֹא נִשְׁאַר אַרְבֶּה אֶחָד Ex.10:19
7 לֹא־נִשְׁאַר בָּהֶם עַד־אֶחָד Ex.14:28
8 וְאִם־מְעַט נִשְׁאַר בַּשָּׁנִים Lev.25:52
9 רַק־עוֹג...נִשְׁאַר מִיֶּתֶר הָרְפָאִים Deut.3:11
10 וְלֹא־נִשְׁאַר אִישׁ בָּעַי וּבֵית אֵל Josh.8:17
11 הוּא נִשְׁאַר מִיֶּתֶר הָרְפָאִים Josh.13:12
12 וַיִּפֹּל...לֹא נִשְׁאַר עַד־אֶחָד Jud.4:16
13 רַק דָּגוֹן נִשְׁאַר עָלָיו ISh.5:4
14 וְיֶתֶר הַקָּדֵשׁ אֲשֶׁר נִשְׁאַר בִּימֵי אָסָא IK.22:47
15 וְלֹא־נִשְׁאַר אִישׁ אֲשֶׁר לֹא־בָא IIK.10:21
16 לֹא נִשְׁאַר רַק שֵׁבֶט יְהוּדָה לְבַדּוֹ IIK.17:18
17 לֹא נִשְׁאַר זוּלַת דַּלַּת עַם־הָאָרֶץ IIK.24:14
18 נִשְׁאַר בָּעִיר שַׁמָּה וּשְׁאִיָּה יֻכַּת־שָׁעַר Is.24:12
19 וּתְשׁוּבֹתֵיכֶם נִשְׁאַר־מָעַל Job 21:34
20 וְלֹא נִשְׁאַר־בִּי כֹּחַ Dan.10:8
21 וְלֹא נִשְׁאַר־לוֹ בֵן כִּי אִם־יְהוֹאָחָז IICh.21:17
נִשְׁאָר 22 אָחִיו מֵת וְהוּא לְבַדּוֹ נִשְׁאָר Gen.42:38

וְנִשְׁאַר 23 וְנִשְׁאַר־בּוֹ עוֹלֵלֹת כְּנֹקֶף זַיִת Is.17:6
24 וְנִשְׁאַר אֱנוֹשׁ מִזְעָר Is.24:6
25 וְנִשְׁאַר גַּם־הוּא לֵאלֹהֵינוּ Zech.9:7
(וְנֶאשְׁאַר) 26 וַיְהִי כְּהַכּוֹתָם וְנֵאשֲׁאַר אֲנִי Ezek.9:8
נִשְׁאֲרָה 27 וְהָאָרֶץ נִשְׁאֲרָה הַרְבֵּה־מְאֹד לְרִשְׁתָּהּ Josh.13:1
28 וּנְשָׁמָה לֹא נִשְׁאֲרָה־בִי Dan.10:17
נִשְׁאָרָה 29 וְכִבּוּ אֶת־גַּחַלְתִּי אֲשֶׁר נִשְׁאָרָה IISh.14:7
נִשְׁאַרְנוּ 30 כִּי־נִשְׁאַרְנוּ מְעַט מֵהַרְבֵּה Jer.42:2
31 כִּי־נִשְׁאַרְנוּ פְלֵיטָה כְּהַיּוֹם הַזֶּה Ez.9:15
וְנִשְׁאַרְתֶּם 32 וְנִשְׁאַרְתֶּם מְתֵי מִסְפָּר בַּגּוֹיִם Deut.4:27
33 וְנִשְׁאַרְתֶּם בִּמְתֵי מְעָט Deut.28:62
נִשְׁאֲרוּ 34 וְלֹא נִשְׁאֲרוּ־בָם שְׁנַיִם יָחַד ISh.11:11
35/6 אֲשֶׁר נִשְׁאֲרוּ־בָהּ IIK.7:13[2]
37 הֵנָּה נִשְׁאֲרוּ בְּעָרֵי יְהוּדָה Jer.34:7
38 כָּל־הַנָּשִׁים אֲשֶׁר נִשְׁאֲרוּ...מוּצָאוֹת Jer.38:22
39 הַפְּלֵיטָה אֲשֶׁר־נִשְׁאֲרוּ מִן־הַשֶּׁבִי Neh.1:2
40 הַנִּשְׁאָרִים אֲשֶׁר נִשְׁאֲרוּ מִן־הַשְּׁבִי Neh.1:3
נִשְׁאָרוּ 41 רַק בְּעַזָּה בְּגַת וּבְאַשְׁדּוֹד נִשְׁאָרוּ Josh.11:22
42 וַיָּשָׁב...וַעֲשֶׂרֶת אֲלָפִים נִשְׁאָרוּ Jud.7:3
וְנִשְׁאֲרוּ 43 וְנִשְׁאֲרוּ־בָם אֲנָשִׁים מְדֻקָּרִים Jer.37:10
הַנִּשְׁאָר 44 וְהָיָה הַמַּחֲנֶה הַנִּשְׁאָר לִפְלֵיטָה Gen.32:8
45 הִנֵּה הַנִּשְׁאָר שִׂים־לְפָנֶיךָ ISh.9:24
46 וְהָעָם הַנִּשְׁאָר בְּאֶרֶץ יְהוּדָה IIK.25:22
47 הַנִּשְׁאָר בְּצִיּוֹן וְהַנּוֹתָר בִּירוּשָׁלַםִ Is.4:3
48 מִי בָכֶם הַנִּשְׁאָר אֲשֶׁר רָאָה Hag.2:3
49 וְכָל־הַנִּשְׁאָר מִכָּל־הַמְּקֹמוֹת Ez.1:4
50 וּבְעַד הַנִּשְׁאָר בְּיִשְׂרָאֵל וּבִיהוּדָה IICh.34:21
וְהַנִּשְׁאָר 51 וְהַנִּשְׁאָר בַּדָּם יִמָּצֵה אֶל־יְסוֹד הַמִּזְבֵּחַ Lev.5:9
52 וְהַנִּשְׁאָר וְהַנָּצוּר בָּרָעָב יָמוּת Ezek.6:12
הַנִּשְׁאָרָה 53 פְּלֵיטַת בֵּית־יְהוּדָה הַנִּשְׁאָרָה IIK.19:30
54 פְּלֵיטַת בֵּית־יְהוּדָה הַנִּשְׁאָרָה Is.37:31
הַנִּשְׁאֶרֶת 55 הַנִּשְׁאֶרֶת לָכֶם מִן־הַבָּרָד Ex.10:5
56 הַנִּשְׁאֶרֶת לָכֶם מִכַּף מַלְכֵי אַשּׁוּר IICh.30:6
הַנִּשְׁאָרֶת 57 זֹאת הָאָרֶץ הַנִּשְׁאָרֶת Josh.13:2
הַנִּשְׁאָרִים 58 עַד־אֲבֹד הַנִּשְׁאָרִים וְהַנִּסְתָּרִים Deut.7:20
59 אֶת־הַגּוֹיִם הַנִּשְׁאָרִים הָאֵלֶּה Josh.23:4
60/1 הַנִּשְׁאָרִים הָאֵלֶּה אִתְּכֶם Josh.23:7,12
62 וַיְהִי הַנִּשְׁאָרִים וַיָּפֻצוּ וְלֹא נִשְׁאֲרוּ ISh.11:11
63 הַסּוּסִים הַנִּשְׁאָרִים אֲשֶׁר נִשְׁאֲרוּ־בָהּ IIK.7:13
64 אֵת כָּל־הַנִּשְׁאָרִים לְבֵית־אַחְאָב IIK.10:11
65 אֶת־כָּל־הַנִּשְׁ׳ לְאַחְאָב בְּשֹׁמְרוֹן IIK.10:17
66 וְאֵת יֶתֶר הָעָם הַנִּשְׁאָרִים בָּעִיר IIK.25:11
67 הַשְּׁאֵרִית הַנִּשְׁאָרִים מִן־הַמִּשְׁפָּחָה Jer.8:3
68 בְּכָל־הַמְּקֹמוֹת הַנִּשְׁאָרִים Jer.8:3
69 וְאֶת־הַנִּשְׁאָרִים בָּעִיר הַזֹּאת Jer.21:7
70 שְׁאֵרִית יְרוּשָׁלַםִ הַנִּשְׁאָרִים בָּאָרֶץ Jer.24:8
71 אַנְשֵׁי הַמִּלְחָמָה הַנִּשְׁאָרִים בָּעִיר Jer.38:4
72 וְאֶת יֶתֶר הָעָם הַנִּשְׁאָרִים בָּעִיר Jer.39:9
73 וְאֶת יֶתֶר הָעָם הַנִּשְׁאָרִים Jer.39:9
74 בְּתוֹךְ הָעָם הַנִּשְׁאָרִים בָּאָרֶץ Jer.40:6
75 כָּל־הָעָם הַנִּשְׁאָרִים בַּמִּצְפָּה Jer.41:10
76 וְאֶת־יֶתֶר הָעָם הַנִּשְׁאָרִים בָּעִיר Jer.52:15
77 הַנִּשְׁאָרִים אֲשֶׁר נִשְׁאֲרוּ מִן־הַשְּׁבִי Neh.1:3
78 אַחֵינוּ הַנִּשְׁאָרִים בְּכֹל אַרְצוֹת יִשְׂר׳ ICh.13:2
וְהַנִּשְׁאָרִים 79 וַיָּנֻסוּ...וְהַנִּשְׁאָרִים הֶרָה נָּסוּ Gen.14:10
80 וְהַנִּשְׁאָרִים בָּכֶם...מֹרֶךְ בִּלְבָבָם Lev.26:36
81 וְהַנִּשְׁאָרִים בָּכֶם יִמַּקּוּ בַּעֲוֹנָם Lev.26:39
82 וְהַנִּשְׁאָרִים יִשְׁמְעוּ וְיִרָאוּ Deut.19:20
83 וְהַנִּשְׁאָרִים לְכָל־רוּחַ יִפָּרֵשׂוּ Ezek.17:21
הַנִּשְׁאָרוֹת 84 כֹּל הַמִּשְׁפָּחוֹת הַנִּשְׁאָרוֹת Zech.12:14
וְהַנִּשְׁאָרוֹת 85 וְהַנִּשְׁאָרוֹת תֹּאכַלְנָה
אִשָּׁה אֶת־בְּשַׂר רְעוּתָהּ Zech.11:9

יִשָּׁאֵר 86 שְׁאָר עַמּוֹ אֲשֶׁר יִשָּׁאֵר מֵאַשּׁוּר Is.11:11
87 לִשְׁאָר עַמּוֹ אֲשֶׁר יִשָּׁאֵר מֵאַשּׁוּר Is.11:16
וַיִּשָּׁאֶר 88 וַיִּשָּׁאֶר אַךְ־נֹחַ וַאֲשֶׁר אִתּוֹ בַּתֵּבָה Gen.7:23
תִשָּׁאֵר 89 וְגַם־מִקְנֵנוּ...לֹא תִשָּׁאֵר פַּרְסָה Ex.10:26
וַתִּשָּׁאֵר 90 וַתִּשָּׁאֵר הִיא וּשְׁנֵי בָנֶיהָ Ruth 1:3
91 וַתִּשָּׁאֵר הָאִשָּׁה מִשְּׁנֵי יְלָדֶיהָ Ruth 1:5
יִשָּׁאֲרוּ 92 הַגּוֹיִם אֲשֶׁר יִשָּׁאֲרוּ סְבִיבוֹתֵיכֶם Ezek.36:36
וַיִּשָּׁאֲרוּ 93 וַיִּשָּׁאֲרוּ שְׁנֵי־אֲנָשִׁים בַּמַּחֲנֶה Num.11:26
תִּשָּׁאַרְנָה 94/5 רַק בַּיְאֹר תִּשָּׁאַרְנָה Ex.8:5,7
לְהַשְׁאִיר 96 לְהַשְׁאִיר לָנוּ פְּלֵיטָה Ez.9:8
וְהִשְׁאַרְתִּי 97 וְהִשְׁאַרְתִּי בְיִשְׂרָאֵל שִׁבְעַת אֲלָפִים IK.19:18
98 וְהִשְׁאַרְתִּי בְקִרְבֵּךְ עַם עָנִי וָדָל Zep.3:12
הִשְׁאִיר 99 אֵת כָּל־אֲשֶׁר הִשְׁאִיר הַבָּרָד Ex.10:12
100 עַד־בִּלְתִּי הִשְׁאִיר־לוֹ שָׂרִיד Num.21:35
101 עַד־בִּלְתִּי הִשְׁאִיר־לוֹ שָׂרִיד Deut.3:3
102 מִבְּלִי הִשְׁאִיר־לוֹ כֹּל Deut.28:55
103 עַד־בִּלְתִּי הִשְׁאִיר־לוֹ שָׂרִיד וּפָלִיט Josh.8:22
107-104 לֹא(־)הִשְׁאִיר שָׂרִיד Josh.10:18,37,39,40
108 לֹא־הִשְׁאִיר בָּהּ שָׂרִיד Josh.10:30
109 עַד־בִּלְתִּי הִשְׁאִיר־לוֹ שָׂרִיד Josh.10:33
110 עַד־בִּלְתִּי הִשְׁאִיר־לָהֶם שָׂרִיד Josh.11:8
111 לֹא־הִשְׁאִיר כָּל־נְשָׁמָה IK.15:29
112 לֹא־הִשְׁאִיר לוֹ מַשְׁתִּין בְּקִיר IK.16:11
113 עַד־הִשְׁאִיר אֲבָנֶיהָ בַּקִּיר חֲרֶשֶׂת IIK.3:25
114 עַד־בִּלְתִּי הִשְׁאִיר־לוֹ שָׂרִיד IIK.10:11
115 וְלֹא־הִשְׁאִיר אִישׁ מֵהֶם IIK.10:14
116 כִּי לֹא הִשְׁאִיר לִיהוֹאָחָז עָם IIK.13:7
117 וּמִדַּלַּת הָאָרֶץ הִשְׁאִיר...לְכֹרְמִים IIK.25:12
118 וְהָעָם...אֲשֶׁר הִשְׁאִיר נְבוּכַדְנֶאצַּר IIK.25:22
119 וּמִן־...הַדַּלִּים...הִשְׁאִיר נְבוּזַרְאֲדָן Jer.39:10
120 וּמִדַּלּוֹת הָאָ׳ הִשְׁאִיר נְבוּזַרְאֲדָן Jer.52:16
וְהִשְׁאִיר 121 וְהִשְׁאִיר אַחֲרָיו בְּרָכָה Joel 2:14
הִשְׁאַרְנוּ 122 וַנַּחֲרֵם...לֹא הִשְׁאַרְנוּ שָׂרִיד Deut.2:34
הִשְׁאִירוּ 123 לֹא הִשְׁאִירוּ כָּל־נְשָׁמָה Josh.11:14
אַשְׁאִיר 124 אִם־אַשְׁאִיר מִכָּל־אֲשֶׁר־לוֹ ISh.25:22
125 כִּי אֶסְלַח לַאֲשֶׁר אַשְׁאִיר Jer.50:20
יַשְׁאִיר 126 אֲשֶׁר לֹא־יַשְׁאִיר לְךָ דָּגָן Deut.28:51
תַּשְׁאִיר 127 הָעִיר הַיֹּצֵאת אֶלֶף תַּשְׁאִיר מֵאָה Am.5:3
128 וְהַיּוֹצֵאת מֵאָה תַּשְׁאִיר עֲשָׂרָה Am.5:3
נַשְׁאֵר 129 וְלֹא־נַשְׁאֵר בָּהֶם אִישׁ ISh.14:36
יַשְׁאִירוּ 130 לֹא־יַשְׁאִירוּ מִמֶּנּוּ עַד־בֹּקֶר Num.9:12
131 וְלֹא־יַשְׁאִירוּ מִחְיָה בְּיִשְׂרָאֵל Jud.6:4
132 לֹא יַשְׁאִרוּ עוֹלֵלוֹת Jer.49:9
133 הֲלוֹא יַשְׁאִירוּ עֹלֵלוֹת Ob.5

שְׁאָר¹ ז׳ מותר: 1-26

קרובים: יֶתֶר / מוֹתָר / שְׁאֵרִית / שָׂרִיד

– שְׁאָר יָשׁוּב 1, 2; שָׁם וּשְׁאָר 3
– שְׁאָר אֶחָיו 16; שְׁאָר אֲרָם 12; שְׁ׳ הַבַּעַל 8; שְׁ׳ הַבְּרוּרִים 22; שְׁ׳ דִּבְרֵי 23; שְׁ׳ הַיְּהוּדִים 15; שְׁ׳ יַעֲקֹב 6; שְׁ׳ יִשְׂרָאֵל 5, 21; שְׁ׳ כְּנָוֺתָיו 18; שְׁ׳ הַכֶּסֶף 10; שְׁ׳ מְדִינוֹת 24; שְׁ׳ מִסְפַּר 13; שְׁ׳ הָעִיר 9; שְׁ׳ הָעָם 7, 19, 20, 25, 26; שְׁאָר עֵץ 11; שְׁאָר רוּחַ 14

שְׁאָר 1 שְׁאָר יָשׁוּב...אֶל־אֵל גִּבּוֹר Is.10:21
2 שְׁאָר יָשׁוּב בּוֹ Is.10:22
וּשְׁאָר 3 שֵׁם וּשְׁאָר וְנִין וָנֶכֶד Is.14:22
4 וּשְׁאָר מְעַט מִזְעָר לוֹא כַבִּיר Is.16:14
שְׁאָר־ 5 שְׁאָר יִשְׂרָאֵל וּפְלֵיטַת בֵּית־יַעֲקֹב Is.10:20
6 יָשׁוּב שְׁאָר יַעֲקֹב אֶל־אֵל גִּבּוֹר Is.10:21
7 יוֹסִיף...לִקְנוֹת אֶת־שְׁאָר עַמּוֹ Is.11:11

שְׁאָר־ (המשך) 8 וְהִכְרַתִּי...אֶת־שְׁאָר הַבַּעַל Zep.1:4
9 וְיוֹאָב יְחַיֶּה אֶת־שְׁאָר הָעִיר ICh.11:8
10 הֵבִיאוּ...אֶת־שְׁאָר הַכֶּסֶף IICh.24:14
וּשְׁאָר־ 11 וּשְׁאָר עֵץ יַעְרוֹ מִסְפָּר יִהְיוּ Is.10:19
12 וּשְׁאָר אֲרָם כִּכְבוֹד בְּ״יִ יִהְיוּ Is.17:3
13 וּשְׁאָר מִסְפַּר־קֶשֶׁת...יִמְעָטוּ Is.21:17
14 וְלֹא־אֶחָד עָשָׂה וּשְׁאָר רוּחַ לוֹ Mal.2:15
15 וּשְׁאָר הַיְּהוּדִים...נִקְהֲלוּ Es.9:16
16 וּשְׁאָר אֲחֵיהֶם הַכֹּהֲנִים וְהַלְוִיִּם Ez.3:8
17 וּשְׁאָר רָאשֵׁי הָאָבוֹת לְיִשְׂרָאֵל Ez.4:3
18 כָּתַב בִּשְׁלָם...וּשְׁאָר כְּנָוֺתָו Ez.4:7
19 וּשְׁאָר הָעָם הַכֹּהֲנִים הַלְוִיִּם Neh.10:29
20 וּשְׁאָר הָעָם הִפִּילוּ גוֹרָלוֹת Neh.11:1
21 וּשְׁאָר יִשְׂרָאֵל הַכֹּהֲנִים הַלְוִיִּם Neh.11:20
22 וְעִמָּהֶם הֵימָן...וּשְׁאָר הַבְּרוּרִים ICh.16:41
23 וּשְׁאָר דִּבְרֵי שְׁלֹמֹה IICh.9:29
בִּשְׁאָר־ 24 בִּשְׁאָר מְדִינוֹת הַמֶּלֶךְ מֶה עָשׂוּ Es.9:12
לִשְׁאָר־ 25 וְהָיְתָה מְסִלָּה לִשְׁאָר עַמּוֹ Is.11:16
26 לַעֲטֶרֶת צְבִי...לִשְׁאָר עַמּוֹ Is.28:5

שְׁאָר² ז׳ ארמית, כמו בעברית: 1-12 [שְׁאָרָא=הַשְּׁאָר]

שְׁאָר־ 1 לָא יְהֹבְדוּן...עִם־שְׁאָר חַכִּימֵי בָבֶל Dan.2:18
וּשְׁאָר־ 2 וּשְׁאָר חֵיוָתָא הֶעְדִּיו שָׁלְטָנְהוֹן Dan.7:12
3/4 רְחוּם...וּשְׁאָר כְּנָוָתְהוֹן Ez.4:9,17
5 וּשְׁאָר אֻמַּיָּא דִּי הַגְלִי אָסְנַפַּר Ez.4:10
6/7 וּשְׁאָר עֲבַר־נַהֲרָה Ez.4:10,17
8 כָּהֲנַיָּא...וּשְׁאָר בְּנֵי־גָלוּתָא Ez.6:16
9 וּשְׁאָר חַשְׁחוּת בֵּית אֱלָהָךְ Ez.7:20
בִּשְׁאָר־ 10 בִּשְׁאָר כַּסְפָּא וְדַהֲבָה Ez.7:18
וּשְׁאָרָא 11/2 וּשְׁאָרָא בְּרַגְלַהּ רָפְסָה Dan.7:7,19

שְׁאָר יָשׁוּב שפ״ז – בנו של ישעיהו הנביא

וּשְׁאָר יָשׁוּב 1 אַתָּה וּשְׁאָר יָשׁוּב בְּנֶךָ Is.7:3

שְׁאֵר ז׳ א) בָּשָׂר: 1, 2, 6, 8-12, 15, 16

ב) [בהשאלה] קרוב משפחה: 3-5, 7, 13, 14

שְׁאֵר אָבִיו 4; שְׁאֵר אִמּוֹ 5; שְׁאֵר בְּשָׂרוֹ 3, 7; שְׁאֵר עַמִּי 6

שְׁאֵר 1 אִם־יָכִין שְׁאֵר לְעַמּוֹ Ps.78:20
2 וַיַּמְטֵר עֲלֵיהֶם כֶּעָפָר שְׁאֵר Ps.78:27
שְׁאֵר־ 3 אֶל־כָּל־שְׁאֵר בְּשָׂרוֹ לֹא תִקְרְבוּ Lev.18:6
4 שְׁאֵר אָבִיךָ הוּא Lev.18:12
5 כִּי־שְׁאֵר אִמְּךָ הוּא Lev.18:13
6 וַאֲשֶׁר אָכְלוּ שְׁאֵר עַמִּי Mic.3:3
מִשְּׁאֵר־ 7 אוֹ־מִשְּׁאֵר בְּשָׂרוֹ מִמִּשְׁפַּחְתּוֹ Lev.25:49
שְׁאֵרִי 8 כָּלָה שְׁאֵרִי וּלְבָבִי Ps.73:26
וּשְׁאֵרִי 9 חֲמָסִי וּשְׁאֵרִי עַל־בָּבֶל Jer.51:35
וּשְׁאֵרֶךָ 10 וְנָהַמְתָּ...בִּכְלוֹת בְּשָׂרְךָ וּשְׁאֵרֶךָ Prov.5:11
שְׁאֵרוֹ 11 כִּי אֶת־שְׁאֵרוֹ הֶעֱרָה Lev.20:19
12 וְעֹכֵר שְׁאֵרוֹ אַכְזָרִי Prov.11:17
לִשְׁאֵרוֹ 13 כִּי אִם־לִשְׁאֵרוֹ הַקָּרֹב אֵלָיו Lev.21:2
14 לִשְׁאֵרוֹ הַקָּרֹב אֵלָיו מִמִּשְׁפַּחְתּוֹ Num.27:11
שְׁאֵרָהּ 15 שְׁאֵרָהּ כְּסוּתָהּ וְעֹנָתָהּ לֹא יִגְרָע Ex.21:10
וּשְׁאֵרָם 16 גֹּזְלֵי עוֹרָם...וּשְׁאֵרָם מֵעַל עַצְמוֹתָם Mic.3:2

שְׂאֹר ז׳ – עיין שְׂאוֹר

שַׁאֲרָה נ׳ קרבה של בני משפחה

שַׁאֲרָה 1 שַׁאֲרָה הֵנָּה זִמָּה הִוא Lev.18:17

שֶׁאֱרָה שפ״נ – בת אפרים בן יוסף

שֶׁאֱרָה 1 וּבִתּוֹ שֶׁאֱרָה וַתִּבֶן אֶת־בֵּית־חוֹרוֹן ICh.7:24

שְׁאֵרִית נ׳ שְׁאָר, שָׂרִיד, יֶתֶר: 1-66 • קרובים: ראה שְׁאָר

– שְׁאֵרִית וּפְלֵיטָה 7; שָׁם וּשְׁאֵרִית 8
– שְׁאֵרִית אֱדוֹם 49; שְׁ׳ אֲדָמָה 62; שְׁ׳ אִי 43; שְׁ׳ אַשְׁדּוֹד 27; שְׁ׳ בֵּית 17, 60; שְׁ׳ גּוֹיִם 46, 57, 58; שְׁ׳ הַחוֹף 45; שְׁ׳ חֲמֹת 53; שְׁ׳ יְהוּדָה 29, 38-42, 56; שְׁ׳ יוֹסֵף 48; שְׁ׳ יַעֲקֹב 50, 51; שְׁ׳ יְרוּשָׁלַם 26; שְׁ׳ יִשְׂרָאֵל 18-24, 55; שְׁ׳ הַנַּחֲלָה 16, 59; שְׁ׳ הָעָם 30-37, 52, 61; שְׁ׳ הָעֵמֶק 44; שְׁאֵרִית פְּלֵיטָה 54; שְׁאֵרִית פְּלִשְׁתִּים 47; שְׁ׳ הַצֹּאן 25; שְׁ׳ הַשָּׂרִים 28

שְׁאֵרִית 1 לָשׂוּם לָכֶם שְׁאֵרִית בָּאָרֶץ Gen.45:7
2 כִּי מִירוּשָׁלַם תֵּצֵא שְׁאֵרִית IIK.19:31
3 כִּי מִירוּשָׁלַם תֵּצֵא שְׁאֵרִית Is.37:32
4 כִּי־נָתַן...שְׁאֵרִית לִיהוּדָה Jer.40:11
5 לְבִלְתִּי הוֹתִיר לָכֶם שְׁאֵרִית Jer.44:7
6 אַל־תְּהִי־לָהּ שְׁאֵרִית Jer.50:26
7 עַד־כַּלֵּה לְאֵין שְׁאֵרִית וּפְלֵיטָה Ez.9:14
וּשְׁאֵרִית 8 שֵׁם וּשְׁאֵרִית עַל־פְּנֵי הָאֲדָמָה IISh.14:7
9 וּשְׁאֵרִית לֹא תִהְיֶה לָהֶם Jer.11:23
הַשְּׁאֵרִית 10 תְּפִלָּה בְּעַד הַשְּׁאֵרִית הַנִּמְצָאָה IIK.19:4
11 תְּפִלָּה בְּעַד הַשְּׁאֵרִית הַנִּמְצָאָה Is.37:4
12 לְכֹל הַשְּׁאֵרִית הַנִּשְׁאָרִים Jer.8:3
13 וְהִתְפַּלֵּל...בְּעַד כָּל־הַשְּׁאֵרִית הַזֹּאת Jer.42:2
14 וַיֶּגֶל הַשְּׁאֵרִית מִן־הַחֶרֶב אֶל־בָּבֶל IICh.36:20
לִשְׁאֵרִית 15 וְשַׂמְתִּי אֶת־הַצֹּלֵעָה לִשְׁאֵרִית Mic.4:7
שְׁאֵרִית־ 16 וְנָטַשְׁתִּי אֵת שְׁאֵרִית נַחֲלָתִי IIK.21:14
17 וְכָל־שְׁאֵרִית בֵּית יִשְׂרָאֵל Is.46:3
18 עוֹלֵל יְעוֹלְלוּ כַגֶּפֶן שְׁאֵרִית יִשְׂרָאֵל Jer.6:9
24-19 שְׁאֵרִית יִשְׂרָאֵל Jer.31:7(6) • Ezek.9:8 • 11:13 • Mic.2:12 • Zep.3:13 • IICh.34:9
25 אֲקַבֵּץ אֶת־שְׁאֵרִית צֹאנִי Jer.23:3
26 צִדְקִיָּהוּ...וְאֵת שְׁאֵרִית יְרוּשָׁלַם Jer.24:8
27 וְאֵת שְׁאֵרִית אַשְׁדּוֹד Jer.25:20
28 וְכָל־שְׁאֵרִית שָׂרֵי מֶלֶךְ־בָּבֶל Jer.39:3
29 וְאָבְדָה שְׁאֵרִית יְהוּדָה Jer.40:15
30 וַיִּשְׁבְּ...אֶת־כָּל־שְׁאֵרִית הָעָם Jer.41:10
37-31 שְׁאֵרִית הָעָם Jer.41:16 • Hag.1:12,14; 2:2 • Zech.8:6,12 • Neh.7:72(71)
38 שִׁמְעוּ דְבַר־יְיָ שְׁאֵרִית יְהוּדָה Jer.42:15
42-39 שְׁאֵרִית יְהוּדָה Jer.42:19; 43:5; 44:12,28
43 כִּי־שֹׁדֵד יְיָ...שְׁאֵרִית אִי כַפְתּוֹר Jer.47:4
44 נִדְמְתָה אַשְׁקְלוֹן שְׁאֵרִית עִמְקָם Jer.47:5
45 וְהַאֲבַדְתִּי אֶת־שְׁאֵרִית חוֹף הַיָּם Ezek.25:16
46 דִּבַּרְתִּי עַל־שְׁאֵרִית הַגּוֹיִם Ezek.36:5
47 וְאָבְדוּ שְׁאֵרִית פְּלִשְׁתִּים Am.1:8
48 אוּלַי יֶחֱנַן יְיָ...שְׁאֵרִית יוֹסֵף Am.5:15
49 לְמַעַן יִירְשׁוּ אֶת־שְׁאֵרִית אֱדוֹם Am.9:12
50/1 וְהָיָה שְׁאֵרִית יַעֲקֹב בְּקֶרֶב עַמִּים Mic.5:6,7
52 שְׁאֵרִית עַמִּי יְבָזּוּם וְיֶתֶר גּוֹי יִנְחָלוּם Zep.2:9
53 שְׁאֵרִית חֵמֹת תַּחְגֹּר Ps.76:11
54 וַיַּכּוּ אֶת־שְׁאֵרִית הַפְּלֵטָה לַעֲמָלֵק ICh.4:43
(שֵׁרִית־) 55 כָּל־שֵׁרִית יִשְׂרָאֵל לֵב אֶחָד ICh.12:38(39)
לִשְׁאֵרִית־ 56 פָּלִיט וְשָׂרִיד לִשְׁאֵרִית יְהוּדָה Jer.44:14
57 לִהְיוֹתְכֶם מוֹרָשָׁה לִשְׁאֵרִית הַגּוֹיִם Ezek.36:3
58 לְבַז וּלְלַעַג לִשְׁאֵרִית הַגּוֹיִם Ezek.36:4
59 נֹשֵׂא עָוֺן...לִשְׁאֵרִית נַחֲלָתוֹ Mic.7:18
60 וְהָיָה חֶבֶל לִשְׁאֵרִית בֵּית יְהוּדָה Zep.2:7
61 אֲנִי...לִשְׁאֵרִית הָעָם הַזֶּה Zech.8:11
וְלִשְׁאֵרִית־ 62 לִפְלֵיטַת מוֹאָב...וְלִשְׁאֵרִית אֲדָמָה Is.15:9
שְׁאֵרִיתֵךְ 63 וְזֵרִיתִי אֶת־כָּל־שְׁאֵרִיתֵךְ Ezek.5:10
וּשְׁאֵרִיתֵךְ 64 וּשְׁאֵרִיתֵךְ יַהֲרֹג Is.14:30
וּשְׁאֵרִיתוֹ 65 וּשְׁאֵרִיתוֹ לְאֵל עָשָׂה Is.44:17
וּשְׁאֵרִיתָם 66 וּשְׁאֵרִיתָם לַחֶרֶב אֶתֵּן Jer.15:9

שְׂאֵת¹ ג' רוממות, גדלות: 1-6 • יֶתֶר שְׂאֵת 1

שְׂאֵת 1 יֶתֶר שְׂאֵת וְיֶתֶר עָז Gen.49:3
שְׂאֵתוֹ 2 שְׂאֵתוֹ תְּבַעֵת אֶתְכֶם Job 13:11
וּשְׂאֵתוֹ 3 מִמֶּנּוּ מִשְׁפָּטוֹ וּשְׂאֵתוֹ יֵצֵא Hab.1:7
מִשְּׂאֵתוֹ 4 אַךְ מִשְּׂאֵתוֹ יָעֲצוּ לְהַדִּיחַ Ps.62:5
(מִשְּׁתוֹ) 5 מִשֵּׁתוֹ יָגוּרוּ אֵלִים Job 41:17
וּמִשְּׂאֵתוֹ 6 וּמִשְּׂאֵתוֹ לֹא אוּכָל Job 31:23

שְׂאֵת² ג' נגע, תפיחה בעור: 1-7

שְׂאֵת לְבָנָה 2, 3; שְׂאֵת מַכְוָה 4; שְׂאֵת נֶגַע 5

שְׂאֵת 1 בְּעוֹר בְּשָׂרוֹ שְׂאֵת אוֹ־סַפַּחַת Lev.13:2
2 וְהִנֵּה שְׂאֵת־לְבָנָה בָּעוֹר Lev.13:10
3 שְׂאֵת לְבָנָה אוֹ בַהֶרֶת לְבָנָה Lev.13:19
שְׂאֵת־ 4 שְׂאֵת הַמִּכְוָה הִוא Lev.13:28
5 וְהִנֵּה שְׂאֵת־הַנֶּגַע לְבָנָה Lev.13:43
בַּשְּׂאֵת 6 וּמִחְיַת בָּשָׂר חַי בַּשְּׂאֵת Lev.13:10
וְלַשְּׂאֵת 7 וְלַשְּׂאֵת וְלַסַּפַּחַת וְלַבֶּהָרֶת Lev.14:56

שֵׂאת שם־הפועל מן נָשָׂא, עין נָשָׂא (8-18)

שְׁאֵת ג' שואה, שבר

הַשֵּׁאת 1 פַּחַד וָפַחַת...הַשֵּׁאת וְהַשָּׁבֶר Lam.3:47

שָׂב ז' זָקֵן [עין גם שִׂיב]

שָׂב 1 גַּם־שָׂב גַּם־יָשִׁישׁ בָּנוּ Job 15:10

שָׂב² ז' ארמית, כמו בעברית: 1-5 • שָׂבֵי יְהוּדָיֵא 2-5

לְשָׂבַיָּא 1 אֱדַיִן שְׁאֵלְנָא לְשָׂבַיָּא אִלֵּךְ Ez.5:9
שָׂבֵי־ 2 וְעֵין אֱלָהֲהֹם הֲוָת עַל־שָׂבֵי יְהוּדָיֵא Ez.5:5
3 דִּי־תַעַבְדוּן עִם־שָׂבֵי יְהוּדָיֵא אִלֵּךְ Ez.6:8
וְשָׂבֵי־ 4 וְשָׂבֵי יְהוּדָיֵא בָּנַיִן וּמַצְלְחִין Ez.6:14
וּלְשָׂבֵי־ 5 פַּחַת יְהוּדָיֵא וּלְשָׂבֵי יְהוּדָיֵא Ez.6:7

שֵׁב ז' – עין שִׁיב

שְׁבָא שפ־ז א) מצאצאי חָם: 1, 19
ב) מצאצאי שֵׁם בן נֹחַ: 2, 20
ג) בן יָקְשָׁן בן אברהם וקטורה: 3, 21
ד) שבט המתייחס על הנ"ל
וכן שם ארצו בדרום ערב: 4-18, 22, 23

שְׁבָא 1 וּבְנֵי רַעְמָה שְׁבָא וּדְדָן Gen.10:7
2 וְאֶת־אֲבִימָאֵל וְאֶת־שְׁבָא Gen.10:28
3 וְיָקְשָׁן יָלַד אֶת־שְׁבָא וְאֶת־דְּדָן Gen.25:3
4 וּמַלְכַּת־שְׁבָא שֹׁמַעַת אֶת־שֵׁמַע שְׁלֹמֹה IK.10:1
5 וַתֵּרֶא מַלְכַּת־שְׁבָא...כָּל־חָכְמַת שְׁלֹמֹה IK.10:4
6-11 (ו/ל) מַלְכַּת שְׁבָא IK.10:10,13 IICh.9:1,3,9,12
12 רֹכְלֵי שְׁבָא וְרַעְמָה Ezek.27:22
13 חָרָן וְכַנֵּה וָעֶדֶן רֹכְלֵי שְׁבָא Ezek.27:23
14 שְׁבָא וּדְדָן וְסֹחֲרֵי תַרְשִׁישׁ Ezek.38:13
15 מַלְכֵי שְׁבָא וּסְבָא אֶשְׁכָּר יַקְרִיבוּ Ps.72:10
16 וִיחִי וְיִתֶּן־לוֹ מִזְּהַב שְׁבָא Ps.72:15
17 וַתִּפֹּל שְׁבָא וַתִּקָּחֵם Job 1:15
18 הֲלִיכֹת שְׁבָא קִוּוּ־לָמוֹ Job 6:19
19 וּבְנֵי רַעְמָא שְׁבָא וּדְדָן ICh.1:9
20 וְאֶת־אֲבִימָאֵל וְאֶת־שְׁבָא ICh.1:22
21 וּבְנֵי יָקְשָׁן שְׁבָא וּדְדָן ICh.1:32
מִשְּׁבָא 22 כֻּלָּם מִשְּׁבָא יָבֹאוּ Is.60:6
23 לָמָּה־זֶּה לִי לְבוֹנָה מִשְּׁבָא תָבוֹא Jer.6:20

שְׁבָאִים ת־ר – אנשי ארץ שְׁבָא

לִשְׁבָאִים 1 וּמְכָרוּם לִשְׁבָאִים אֶל־גּוֹי רָחוֹק Joel 4:8

שְׁבָבִים ז־ר – רסיסים

שְׁבָבִים 1 כִּי־שְׁבָבִים יִהְיֶה עֵגֶל שֹׁמְרוֹן Hosh.8:6

שבה : שָׁבָה, שָׁבוּי, נִשְׁבָּה; שְׁבוּת, שְׁבִי, שִׁבְיָה, שְׁבִיָּה, שְׁבִית; ש־פ שֹׁבִי, שֹׁבַי, שְׁבוּאֵל, תִּשְׁבִּי(?)

שָׁבָה פ' א) לקח בשבי, תפס: 1-23, 26-39
ב) [פָּעוּל: שָׁבוּי] לכוד: 24, 25
ג) [נפ' נִשְׁבָּה] נלקח בשבי, נלכד: 40-47
קרובים: כָּבַשׁ / לָכַד / צָד / תָּפַשׂ

שְׁבוֹת 1 בְּיוֹם שְׁבוֹת זָרִים חֵילוֹ Ob.11
שָׁבִיתָ 2 הַאֲשֶׁר שָׁבִיתָ בְּחַרְבְּךָ...אַתָּה מַכֶּה IIK.6:22
3 עָלִיתָ לַמָּרוֹם שָׁבִיתָ שֶּׁבִי Ps.68:19
וְשָׁבִיתָ 4 כִּי־תֵצֵא לַמִּלְחָמָה...וְשָׁבִיתָ שִׁבְיוֹ Deut.21:10
שָׁבָה 5 כָּל־הָעָם אֲשֶׁר שָׁבָה יִשְׁמָעֵאל Jer.46:14
וְשָׁבָם 6 וְהִצַּתִּי אֵשׁ...וּשְׂרָפָם וְשָׁבָם Jer.41:12
שְׁבִיתֶם 7 הַשִּׁבְיָה אֲשֶׁר שְׁבִיתֶם מֵאֲחֵיכֶם IICh.28:11
שָׁבוּ 8 וְאֶת־נְשֵׁיהֶם שָׁבוּ וַיָּבֹזּוּ Gen.34:29
9 בְּאֶרֶץ אֹיְבֵיהֶם אֲשֶׁר־שָׁבוּ אֹתָם IK.8:48
10 בְּאֶרֶץ שִׁבְיָם אֲשֶׁר־שָׁבוּ אֹתָם IICh.6:38
11 וַעֲשֶׂרֶת אֲלָפִים חַיִּים שָׁבוּ IICh.25:12
וְשָׁבוּם 12 וְשָׁבוּם שֹׁבֵיהֶם אֶל־אֶרֶץ הָאוֹיֵב IK.8:46
13 וְשָׁבוּם שׁוֹבֵיהֶם אֶל־אֶרֶץ רְחוֹקָה IICh.6:36
שֹׁבִים 14 וְהָיוּ שֹׁבִים לְשֹׁבֵיהֶם Is.14:2
שׁוֹבֵינוּ 15 שָׁם שְׁאֵלוּנוּ שׁוֹבֵינוּ דִּבְרֵי־שִׁיר Ps.137:3
שֹׁבֵיהֶם 16 וְשָׁבוּם שֹׁבֵיהֶם אֶל־אֶרֶץ הָאוֹיֵב IK.8:46
17 וְהִתְחַנְּנוּ אֵלֶיךָ בְּאֶרֶץ שֹׁבֵיהֶם IK.8:47
18 וּנְתַתָּם לְרַחֲמִים לִפְנֵי שֹׁבֵיהֶם IK.8:50
19 וְכָל־שֹׁבֵיהֶם הֶחֱזִיקוּ בָם Jer.50:33
20 לְרַחֲמִים לִפְנֵי כָּל־שׁוֹבֵיהֶם Ps.106:46
21 וְשָׁבוּם שׁוֹבֵיהֶם אֶל־אֶרֶץ רְחוֹקָה IICh.6:36
22 לְרַחֲמִים לִפְנֵי שׁוֹבֵיהֶם IICh.30:9
לְשֹׁבֵיהֶם 23 וְהָיוּ שֹׁבִים לְשֹׁבֵיהֶם Is.14:2
לִשְׁבוּיִם 24 לִקְרֹא לִשְׁבוּיִם דְּרוֹר Is.61:1
כִּשְׁבֻיוֹת 25 וַתְּנַהֵג אֶת־בְּנֹתַי כִּשְׁבֻיוֹת חָרֶב Gen.31:26
וַיִּשְׁבְּ 26 וַיִּלָּחֶם בְּיִשְׂרָאֵל וַיִּשְׁבְּ מִמֶּנּוּ שֶׁבִי Num.21:1
27 וַיִּשְׁבְּ...אֶת־כָּל־שְׁאֵרִית הָעָם Jer.41:10
וַיִּשְׁבֵּם 28 וַיִּשְׁבֵּם יִשְׁמָעֵאל בֶּן־נְתַנְיָה Jer.41:10
תִּשְׁבֶּךָּ 29 עַד־מָה אַשּׁוּר תִּשְׁבֶּךָּ Num.24:22
וַיִּשְׁבּוּ 30 וַיִּשְׁבּוּ ב"י אֶת־נְשֵׁי מִדְיָן Num.31:9
31 וַיִּשְׁבּוּ אֶת־הַנָּשִׁים אֲשֶׁר־בָּהּ ISh.30:2
32 וַיִּשְׁבּוּ מֵאֶרֶץ יִשְׂרָאֵל נַעֲרָה קְטַנָּה IIK.5:2
33 וַיִּשְׁבּוּ מִקְנֵיהֶם גְּמַלֵּיהֶם ICh.5:21
34 וַיִּשְׁבּוּ צֹאן לָרֹב וּגְמַלִּים IICh.14:14
35 וַיִּשְׁבּוּ אֵת כָּל־הָרְכוּשׁ IICh.21:17
36 וַיִּשְׁבּוּ מִמֶּנּוּ שִׁבְיָה גְדוֹלָה IICh.28:5
37 וַיִּשְׁבּוּ בְנֵי־יִשְׂרָאֵל מֵאֲחֵיהֶם IICh.28:8
38 וַיַּכּוּ בִיהוּדָה וַיִּשְׁבּוּ־שֶׁבִי IICh.28:17
וּשְׁבֵה 39 קוּם בָּרָק וּשְׁבֵה שֶׁבְיְךָ Jud.5:12
נִשְׁבָּה 40 וַיִּשְׁמַע אַבְרָם כִּי נִשְׁבָּה אָחִיו Gen.14:14
41 וּמֵת אוֹ־נִשְׁבַּר אוֹ־נִשְׁבָּה Ex.22:9
42 כִּי נִשְׁבָּה עֵדֶר יְיָ Jer.13:17
נִשְׁבּוּ 43 וּנְשֵׁיהֶם וּבְנֵיהֶם וּבְנֹתֵיהֶם נִשְׁבּוּ ISh.30:3
44 וּשְׁתֵּי נְשֵׁי־דָוִד נִשְׁבּוּ ISh.30:5
45 בְּאֶרֶץ אֲשֶׁר נִשְׁבּוּ־שָׁם IK.8:47
46 בַּגּוֹיִם אֲשֶׁר נִשְׁבּוּ־שָׁם Ezek.6:9
47 בְּאֶרֶץ אֲשֶׁר נִשְׁבּוּ־שָׁם IICh.6:37

שְׁבוֹ ז' אבן חן, מאבני החושן של הכהן הגדול: 1, 2

שְׁבוֹ 1/2 לֶשֶׁם שְׁבוֹ וְאַחְלָמָה Ex.28:19; 39:12

שְׁבוּאֵל שפ־ז א) ראש בני גרשום בן משה: 1, 3
ב) מבני הימן ממשוררי דוד: 2

שְׁבוּאֵל 1 בְּנֵי גֵרְשׁוֹם שְׁבוּאֵל הָרֹאשׁ ICh.23:16
2 עֻזִּיאֵל שְׁבוּאֵל וִירִימוֹת ICh.25:4
וּשְׁבֻאֵל 3 וּשְׁבֻאֵל בֶּן־גֵּרְשׁוֹם בֶּן־מֹשֶׁה ICh.26:24

שָׁבוּעַ ז' א) זמן של שבעה ימים: 3-5, 8, 9, 12-20
ב) תקופה של שבע שנים: 1, 2, 6, 7, 10, 11

– שָׁבוּעַ אֶחָד 1; חֲצִי הַשָּׁבוּעַ 2; שְׁבֻעַ זֹאת 3, 4; שְׁבֻעַיִם 5
– חַג (הַ)שָׁבֻעוֹת 12, 15-17; שְׁבֻעוֹת חֻקּוֹת 18; שְׁבֻעוֹת יָמִים 19

שָׁבוּעַ 1 שָׁבוּעַ אֶחָד וַחֲצִי הַשָּׁבוּעַ Dan.9:27
הַשָּׁבוּעַ 2 שָׁבוּעַ אֶחָד וַחֲצִי הַשָּׁבוּעַ Dan.9:27
שְׁבֻעַ 3 מַלֵּא שְׁבֻעַ זֹאת וְנִתְּנָה לְךָ Gen.29:27
4 וַיְמַלֵּא שְׁבֻעַ זֹאת וַיִּתֶּן־לוֹ... Gen.29:28
שְׁבֻעַיִם 5 וְטָמְאָה שְׁבֻעַיִם כְּנִדָּתָהּ Lev.12:5
שָׁבֻעִים 6 שָׁבֻעִים שִׁבְעִים נֶחְתַּךְ עַל־עַמְּךָ Dan.9:24
7 עַד־מָשִׁיחַ נָגִיד שָׁבֻעִים שִׁבְעָה Dan.9:25
8 מִתְאַבֵּל שְׁלֹשָׁה שָׁבֻעִים יָמִים Dan.10:2
9 עַד־מְלֹאת שְׁלֹשֶׁת שָׁבֻעִים יָמִים Dan.10:3
וְשָׁבֻעִים 10 וְשָׁבֻעִים שִׁשִּׁים וּשְׁנַיִם Dan.9:25
הַשָּׁבֻעִים 11 וְאַחֲרֵי הַשָּׁבֻעִים שִׁשִּׁים וּשְׁנַיִם Dan.9:26
שָׁבֻעֹת 12 וְחַג שָׁבֻעֹת תַּעֲשֶׂה לְךָ Ex.34:22
13 שִׁבְעָה שָׁבֻעֹת תִּסְפָּר־לָךְ Deut.16:9
14 תָּחֵל לִסְפֹּר שִׁבְעָה שָׁבֻעוֹת Deut.16:9
15 וְעָשִׂיתָ חַג שָׁבֻעוֹת לַיְיָ אֱלֹהֶיךָ Deut.16:10
הַשָּׁבֻעוֹת 16 בְּחַג הַמַּצּוֹת וּבְחַג הַשָּׁבֻעוֹת Deut.16:16
17 בְּחַג הַמַּצּוֹת וּבְחַג הַשָּׁבֻעוֹת IICh.8:13
שְׁבֻעֹת־ 18 שְׁבֻעֹת חֻקּוֹת קָצִיר יִשְׁמָר־לָנוּ Jer.5:24
19 שְׁבֻעוֹת יָמִים מַצּוֹת יֵאָכֵל Ezek.45:21
בְּשָׁבֻעֹתֵיכֶם 20 בְּהַקְרִיבְכֶם...בְּשָׁבֻעֹתֵיכֶם Num.28:26

שְׁבוּעָה ג' התחייבות בקודש או בחיי אלהים לקיֵם דבר או לאשר אותו או להמנע מדבר: 1-31

– שְׁבוּעָה גְדוֹלָה 7; אָלָה וּשְׁבוּעָה 11, 14, 16; בַּעֲלֵי שְׁבוּעָה 3
– שְׁבֻעַת אָלָה 23; שׁ' אֱלֹהִים 21; שׁ' אִסָּר 18; שְׁבֻעַת יְיָ 19, 20; שְׁבוּעַת שֶׁקֶר 22
– שְׁבֻעֵי שְׁבֻעוֹת 29; שְׁבוּעוֹת מַטּוֹת 30
– הָיְתָה שְׁבוּעָה 17; הֵקִים שְׁבוּעָה 9; נִשְׁבַּע שְׁבוּעָה 1, 2, 5, 6; בִּטֵּא בִשְׁבוּעָה 12

שְׁבוּעָה 1 אוֹ־הִשָּׁבַע שְׁבֻעָה לֶאְסֹר אִסָּר Num.30:3
2 הַנִּשְׁבָּע כַּאֲשֶׁר שְׁבוּעָה יָרֵא Eccl.9:2
3 רַבִּים בִּיהוּדָה בַּעֲלֵי שְׁבוּעָה לוֹ Neh.6:18
הַשְּׁבוּעָה 4 וַהֲקִמֹתִי אֶת־הַשְּׁבֻעָה...לְאַבְרָהָם Gen.26:3
5 וּמִשָּׁמְרוֹ אֶת־הַשְּׁבֻעָה אֲשֶׁר נִשְׁבַּע Deut.7:8
6 עַל־הַשְּׁבוּעָה אֲשֶׁר־נִשְׁבַּעְנוּ לָהֶם Josh.9:20
7 כִּי הַשְּׁבוּעָה הַגְּדוֹלָה הָיְתָה... Jud.21:5
8 כִּי־יָרֵא הָעָם אֶת־הַשְּׁבֻעָה ISh.14:26
9 לְמַעַן הָקִים אֶת־הַשְּׁבוּעָה Jer.11:5
10 וַיִּשְׂמְחוּ כָל־יְהוּדָה עַל־הַשְּׁבוּעָה IICh.15:15
וְהַשְּׁבוּעָה 11 וַתִּתַּךְ עָלֵינוּ הָאָלָה וְהַשְּׁבֻעָה Dan.9:11
בִּשְׁבוּעָה 12 לְכֹל אֲשֶׁר יְבַטֵּא הָאָדָם בִּשְׁבֻעָה Lev.5:4
13 אָסְרָה אִסָּר עַל־נַפְשָׁהּ בִּשְׁבֻעָה Num.30:11
וּבִשְׁבוּעָה 14 וּבָאִים בְּאָלָה וּבִשְׁבוּעָה לָלֶכֶת Neh.10:30
לִשְׁבוּעָה 15 וְהִנַּחְתֶּם שִׁמְכֶם לִשְׁבוּעָה לִבְחִירַי Is.65:15
וְלִשְׁבוּעָה 16 לְאָלָה וְלִשְׁבֻעָה בְּתוֹךְ עַמֵּךְ Num.5:21
שְׁבוּעַת־ 17 שְׁבֻעַת יְיָ תִּהְיֶה בֵּין שְׁנֵיהֶם Ex.22:10
18 כָּל־נֵדֶר וְכָל־שְׁבֻעַת אִסָּר Num.30:14
19 עַל־שְׁבֻעַת יְיָ אֲשֶׁר בֵּינֹתָם IISh.21:7
20 וּמַדּוּעַ לֹא שָׁמַרְתָּ אֵת שְׁבֻעַת יְיָ IK.2:43
21 וְעַל דִּבְרַת שְׁבוּעַת אֱלֹהִים Eccl.8:2
וּשְׁבוּעַת־ 22 וּשְׁבֻעַת שֶׁקֶר אַל־תֶּאֱהָבוּ Zech.8:17
בִּשְׁבוּעַת־ 23 וְהִשְׁבִּיעַ...בִּשְׁבֻעַת הָאָלָה Num.5:21
מִשְּׁבוּעָתִי 24 וְנִקִּיתָ מִשְּׁבֻעָתִי זֹאת Gen.24:8
מִשְּׁבוּעָתֵךְ 25 נְקִיִּם אֲנַחְנוּ מִשְּׁבֻעָתֵךְ הַזֶּה Josh.2:17

26 וְהָיִינוּ נְקִיִּם מִשְּׁבֻעָתֵךְ Josh. 2:20
וּשְׁבוּעָתוֹ 27 אֲשֶׁר כָּרַת...וּשְׁבוּעָתוֹ לְיִשְׂחָק Ps. 105:9
28 אֲשֶׁר כָּרַת...וּשְׁבוּעָתוֹ לְיִצְחָק ICh. 16:16
שְׁבוּעוֹת 29 שְׁבֻעֵי שְׁבֻעוֹת לָהֶם Ezek. 21:28
30 שְׁבֻעוֹת מַטּוֹת אֹמֶר סֶלָה Hab. 3:9
שְׁבוּעֵי־ 31 שְׁבֻעֵי שְׁבֻעוֹת לָהֶם Ezek. 21:28

שָׁבוּר ת׳ – עין שֶׁבֶר

שְׁבוּת נ׳ שיבה למצב הקודם, שיבה לאיתנו: 1-26

– שְׁבוּת אִיּוֹב 18; שׁ׳ הָאָרֶץ 6; שׁ׳ בְּנֵי עַמּוֹן 8; שׁ׳ יְהוּדָה 4, 14; שׁ׳ יַעֲקֹב 3, 12; שׁ׳ יְרוּשָׁלַיִם 14; שׁ׳ יִשְׂרָאֵל 5; שׁ׳ מוֹאָב 7; שׁ׳ מִצְרַיִם 1; שׁ׳ סְדוֹם 10; שׁ׳ עֵילָם 9; שׁ׳ הָעָם 2, 13, 15-17; שְׁבוּת שְׁבִיתָיו 19; שְׁבוּת שֹׁמְרוֹן 11

– הֵשִׁיב שְׁבוּת 4-6, 8, 9, 12, 14, 21, 24, 25; שָׁב שְׁבוּת 1-3, 7, 10, 11, 13, 15-18, 20, 22, 23, 26

שְׁבוּת־ 1 וְשַׁבְתִּי אֶת־שְׁבוּת מִצְרַיִם Ezek. 29:14
2 וְשַׁבְתִּי אֶת־שְׁבוּת עַמִּי יִשְׂרָאֵל Jer. 30:3
3 הִנְנִי־שָׁב שְׁבוּת אָהֳלֵי יַעֲקוֹב Jer. 30:18
4 וַהֲשִׁבֹתִי אֶת־שְׁבוּת יְהוּדָה Jer. 33:7
5 וְאֵת שְׁבוּת יִשְׂרָאֵל Jer. 33:7
6 אָשִׁיב אֶת־שְׁבוּת הָאָרֶץ כְּבָרִאשֹׁנָה Jer. 33:11
7 וְשַׁבְתִּי שְׁבוּת־מוֹאָב Jer. 48:47
8 אָשִׁיב אֶת־שְׁבוּת בְּנֵי־עַמּוֹן Jer. 49:6
9 אָשִׁיב° אֶת־שְׁבוּת (כ׳ שבית) עֵילָם Jer. 49:39
10 וְשַׁבְתִּי...אֶת־שְׁבוּת (כ׳ שבית) סְדוֹם Ezek. 16:53
11 וְאֶת־שְׁבוּת (כת׳ שבית) שֹׁמְרוֹן Ezek. 16:53
12 אָשִׁיב אֶת־שְׁבוּת (כת׳ שבית) יַעֲקֹב Ezek. 39:25
13 בְּשׁוּבִי שְׁבוּת עַמִּי Hosh. 6:11
14 אָשִׁיב אֶת־שְׁבוּת יְהוּדָה וִירוּשָׁלָםִ Joel 4:1
15 וְשַׁבְתִּי אֶת־שְׁבוּת עַמִּי יִשְׂרָאֵל Am. 9:14
16 בְּשׁוּב יְיָ שְׁבוּת עַמּוֹ Ps. 14:7
17 בְּשׁוּב אֱלֹהִים שְׁבוּת עַמּוֹ Ps. 53:7
18 וַיְיָ שָׁב אֶת־שְׁבוּת (כת׳ שבית) אִיּוֹב Job 42:10
וּשְׁבוּת־ 19 וּשְׁבוּת (כת׳ ושבית) שְׁבִיתַיִךְ בְּתוֹכָהְנָה Ezek. 16:53
שְׁבוּתְךָ 20 וְשָׁב יְיָ אֱלֹהֶיךָ אֶת־שְׁבוּתְךָ Deut. 30:3
שְׁבוּתֵךְ 21 וְלֹא־גִלּוּ עַל־עֲוֹנֵךְ לְהָשִׁיב שְׁבוּתֵךְ (כת׳ שביתך) Lam. 2:14
שְׁבוּתְכֶם 22 וְשַׁבְתִּי אֶת־שְׁבוּתְכֶם (כת׳ שביתכם) Jer. 29:14
שְׁבוּתָם 23 בְּשׁוּבִי אֶת־שְׁבוּתָם Jer. 31:23(22)
24 כִּי־אָשִׁיב אֶת־שְׁבוּתָם Jer. 32:44
25 אָשִׁיב° אֶת־שְׁבוּתָם וְרִחַמְתִּים Jer. 33:26
שְׁבוּתֵיכֶם 26 בְּשׁוּבִי אֶת־שְׁבוּתֵיכֶם לְעֵינֵיכֶם Zep. 3:20

שבח: שֶׁבַח, הִשְׁתַּבֵּחַ, הִשְׁבִּיחַ; אר׳ שַׁבַּח

שָׁבַח פ׳ א) הלל, אִשֵּׁר: 1, 2, 4, 6-8
ב) השקיט: 3, 5
ג) [הת׳ הִשְׁתַּבֵּחַ] התהלל: 9, 10
ד) [הפ׳ הִשְׁבִּיחַ] השקיט: 11

קרובים: אִשֵּׁר / הָדַר / הִלֵּל / פֵּאֵר / רוֹמֵם

וְשִׁבַּחְתִּי 1 וְשִׁבַּחְתִּי אֲנִי אֶת־הַשִּׂמְחָה Eccl. 8:15
וְשַׁבֵּחַ 2 וְשַׁבֵּחַ אֲנִי אֶת־הַמֵּתִים...מִן־הַחַיִּים Eccl. 4:2
תְּשַׁבְּחֵם 3 בְּשׂוֹא גַלָּיו אַתָּה תְשַׁבְּחֵם Ps. 89:10
יְשַׁבַּח 4 דּוֹר לְדוֹר יְשַׁבַּח מַעֲשֶׂיךָ Ps. 145:4
יְשַׁבְּחֶנָּה 5 וְחָכָם בְּאָחוֹר יְשַׁבְּחֶנָּה Prov. 29:11
יְשַׁבְּחוּנְךָ 6 שְׂפָתַי יְשַׁבְּחוּנְךָ Ps. 63:4
שַׁבְּחִי 7 שַׁבְּחִי יְרוּשָׁלַםִ אֶת־יְיָ Ps. 147:12
שַׁבְּחוּהוּ 8 שַׁבְּחוּהוּ כָּל־הָאֻמִּים Ps. 117:1
לְהִשְׁתַּבֵּחַ 9 לְהוֹדוֹת...לְהִשְׁתַּבֵּחַ בִּתְהִלָּתֶךָ Ps. 106:47
10 לְהוֹדוֹת...לְהִשְׁתַּבֵּחַ בִּתְהִלָּתֶךָ ICh. 16:35
מַשְׁבִּיחַ 11 מַשְׁבִּיחַ שְׁאוֹן יַמִּים...וַהֲמוֹן לְאֻמִּים Ps. 65:8

שְׁבַח פ׳ ארמית שִׁבַּח, הלל: 1-5

שַׁבְּחֵת 1 וּלְחַי עָלְמָא שַׁבְּחֵת וְהַדְּרֵת Dan. 4:31
שַׁבַּחְתָּ 2 וְלֵאלָהֵי כַסְפָּא...שַׁבַּחְתָּ Dan. 5:23
וְשַׁבַּחוּ 3 וְשַׁבַּחוּ לֵאלָהֵי דַהֲבָא וְכַסְפָּא Dan. 5:4
מְשַׁבַּח 4 אֲנָה...מְשַׁבַּח וּמְרוֹמֵם וּמְהַדַּר Dan. 4:34
וּמְשַׁבַּח 5 לָךְ...מְהוֹדֵא וּמְשַׁבַּח אֲנָה Dan. 2:23

שֵׁבֶט ז׳ א) מַקל, ענף, שוט: 9, 11, 12, 15, 18, 19, 22, 25-27, 29-34, 73, 74, 76, 82-84, 89-95, 100-103, 106
ב) שרביט המושל (ובהשאלה) שלטון: 1, 2, 10, 13, 14, 75, 78, 79, 88, 162
ג) [בהשאלה] קבוצת משפחות המתיחסת לאב אחד, בתי־אבות בעלי מוצא משותף: 3-8, 16, 17, 20, 21, 23, 24, 28, 35-72, 77, 80, 81, 85-87, 96-99, 104, 105, 107-161, 163-190

קרובים: א) ראה מַטֶּה ב) ראה אֹם

– שֵׁבֶט אֶחָד 4, 5, 7, 8; חֲצִי שֵׁבֶט 21, 44-62, 65, 86; תּוֹמֵךְ שֵׁבֶט 13, 14

– שֵׁבֶט אָבִיו 43; שׁ׳ אֱלוֹהַּ 84; שֵׁבֶט אֲנָשִׁים 91; שׁ׳ אַפּוֹ 74; שֵׁבֶט אֶפְרַיִם 96; שֵׁבֶט בֵּן 11; שׁ׳ בִּנְיָמִין 68, 69, 71; שׁ׳ בַּרְזֶל 93; שׁ׳ הַדָּנִי 67, 98; שֵׁבֶט יְהוּדָה 70, 72, 81; שׁ׳ לֵוִי 63, 64, 85, 97, 96; שׁ׳ מוּסָר 83; שֵׁבֶט מוֹשְׁלִים 75; שׁ׳ מִישׁוֹר 78; שׁ׳ מַכֵּהוּ 76; שׁ׳ מַלְכוּתוֹ 78; שׁ׳ הַמְנַשִּׁי 65, 86; שׁ׳ מִצְרַיִם 88; שֵׁבֶט מִשְׁפָּחוֹת 42; שׁ׳ נוֹגֵשׂ 73; שׁ׳ נַחֲלָתוֹ 77, 80, 87; שׁ׳ סוֹפֵר 90; שׁ׳ עֶבְרָתוֹ 89, 95; שֵׁבֶט פִּיו 92; שׁ׳ פִּשְׁעוֹ 94; שֵׁבֶט הָרֶשַׁע 82

– שִׁבְטֵי בְּנֵי יַעֲקֹב 159; שׁ׳ בְּנֵי יִשְׂרָאֵל 118, 155, 156; שׁ׳ בִּנְיָמִין 157, 158; שׁ׳ יָהּ 163; שׁ׳ יַעֲקֹב 160; שׁ׳ יִשְׂרָאֵל 115-117, 119-154, 164-171; שִׁבְטֵי מוֹשְׁלִים 162; שִׁבְטֵי נַחֲלָתוֹ 161

– זִקְנֵי שְׁבָטִים 183; פִּנַּת שְׁבָטִים 178; רָאשֵׁי שְׁבָטִים 179, 180

שֵׁבֶט 1 לֹא־יָסוּר שֵׁבֶט מִיהוּדָה Gen. 49:10
2 דָּרַךְ כּוֹכָב...וְקָם שֵׁבֶט מִיִּשְׂרָאֵל Num. 24:17
3 אוֹ מִשְׁפָּחָה אוֹ־שֵׁבֶט Deut. 29:17
4 לְהִפָּקֵד הַיּוֹם מִיִּשְׂ׳ שֵׁבֶט אֶחָד Jud. 21:3
5 נִגְדַּע הַיּוֹם שֵׁבֶט אֶחָד מִיִּשְׂרָאֵל Jud. 21:6
6 וְלֹא־יִמָּחֶה שֵׁבֶט מִיִּשְׂרָאֵל Jud. 21:17
7 שֵׁבֶט אֶחָד אֶתֵּן לִבְנֶךָ IK. 11:13
8 וְלִבְנוֹ אֶתֵּן שֵׁבֶט־אֶחָד IK. 11:36
9 כְּהָנִיף שֵׁבֶט (וְ)אֶת־מְרִימָיו Is. 10:15
10 מַטֵּה עֹז שֵׁבֶט לִמְשׁוֹל Ezek. 19:14
11 שֵׁבֶט בְּנִי מֹאֶסֶת כָּל־עֵץ Ezek. 21:15
12 אִם־גַּם־שֵׁבֶט מֹאֶסֶת לֹא יִהְיֶה Ezek. 21:18
13 וְהִכְרַתִּי...וְתוֹמֵךְ שֵׁבֶט מִבֵּית עֶדֶן Am. 1:5
14 וְהִכְרַתִּי...וְתוֹמֵךְ שֵׁבֶט מֵאַשְׁקְלוֹן Am. 1:8
15 שֵׁבֶט וְתוֹכַחַת יִתֵּן חָכְמָה Prov. 29:15
שָׁבֶט 16 לִשְׁנֵי עָשָׂר שָׁבֶט Ex. 28:21
17 לִשְׁנֵים עָשָׂר שָׁבֶט Ex. 39:14
וְשֵׁבֶט 18 וְשֵׁבֶט לְגֵו חֲסַר־לֵב Prov. 10:13
19 שׁוֹט לַסּוּס...וְשֵׁבֶט לְגֵו כְּסִילִים Prov. 26:3
הַשֵּׁבֶט 20 וְהָיָה הַשֵּׁבֶט אֲשֶׁר־יִלְכְּדֶנּוּ יְיָ Josh. 7:14
21 וַחֲצִי הַשֵּׁבֶט הַמְנַשֶּׁה Josh. 13:7
הַשָּׁבֶט 22 כֹּל אֲשֶׁר־יַעֲבֹר תַּחַת הַשָּׁבֶט Lev. 27:32
23 וְהַעֲבַרְתִּי אֶתְכֶם תַּחַת הַשָּׁבֶט Ezek. 20:37
וְהַשֵּׁבֶט 24 וְהַשֵּׁבֶט הָאֶחָד יִהְיֶה־לּוֹ IK. 11:32
בַּשֵּׁבֶט 25 וְכִי־יַכֶּה אִישׁ אֶת־עַבְדּוֹ...בַּשֵּׁבֶט Ex. 21:20
26 בַּשֵּׁבֶט יַכֶּכָּה וּמַטֵּהוּ יִשָּׂא־עָלֶיךָ Is. 10:24
27 מִקּוֹל יְיָ יֵחַת אַשּׁוּר בַּשֵּׁבֶט יַכֶּה Is. 30:31

בַּשֵּׁבֶט (המשך) 28 וְהָיָה בַשֵּׁבֶט אֲשֶׁר־גָּר הַגֵּר אִתּוֹ Ezek. 47:23
29 בַּשֵּׁבֶט יַכּוּ עַל־הַלְּחִי Mic. 4:14
30 כִּי־תַכֶּנּוּ בַשֵּׁבֶט לֹא יָמוּת Prov. 23:13
31 אַתָּה בַּשֵּׁבֶט תַּכֶּנּוּ Prov. 23:14
בַּשָּׁבֶט 32 וַיֵּרֶד אֵלָיו בַּשָּׁבֶט IISh. 23:21
33 בַּמַּטֶּה יֵחָבֶט קֶצַח וְכַמֹּן בַּשָּׁבֶט Is. 28:27
34 וַיֵּרֶד אֵלָיו בַּשָּׁבֶט ICh. 11:23
לְשֵׁבֶט 35 כֹּהֵן לְשֵׁבֶט וּלְמִשְׁפָּחָה בְּיִשְׂרָאֵל Jud. 18:19
36 אִם־לְשֵׁבֶט אִם־לְאַרְצוֹ Job 37:13
לַשָּׁבֶט 37 אִישׁ אֶחָד לַשָּׁבֶט Deut. 1:23
38 אִישׁ־אֶחָד אִישׁ־אֶחָד לַשָּׁבֶט Josh. 3:12
39 הָבוּ לָכֶם שְׁלֹשָׁה אֲנָשִׁים לַשָּׁבֶט Josh. 18:4
מִשָּׁבֶט 40/1 אִישׁ־אֶחָד אִישׁ־אֶחָד מִשָּׁבֶט Josh. 4:2,4
שֵׁבֶט־ 42 אֶת־שֵׁבֶט מִשְׁפְּחֹת הַקְּהָתִי Num. 4:18
43 מַטֵּה לֵוִי שֵׁבֶט אָבִיךָ Num. 18:2
44 וַיִּתֵּן...וְלַחֲצִי שֵׁבֶט מְנַשֶּׁה Num. 32:33
45-62 (וַ/לַ/וְלַ)חֲצִי שֵׁבֶט(־)(הַ)מְנַשֶּׁה Deut. 3:13
Josh. 1:12; 4:12; 12:6; 13:29; 18:7; 22:7,9,10,11,13, 15,21 • ICh. 5:18,23,26; 12:37(38); 27:20
63 הִבְדִּיל יְיָ אֶת־שֵׁבֶט הַלֵּוִי Deut. 10:8
64 לַכֹּהֲנִים הַלְוִיִּם כָּל־שֵׁבֶט לֵוִי Deut. 18:1
65 נִתְּנָהּ...וְלַחֲצִי שֵׁבֶט הַמְנַשִּׁי Deut. 29:7
66 וַיִּלָּכֵד שֵׁבֶט יְהוּדָה Josh. 7:16
67 שֵׁבֶט־הַדָּנִי מְבַקֶּשׁ־לוֹ נַחֲלָה Jud. 18:1
68 וַיִּלָּכֵד שֵׁבֶט בִּנְיָמִן ISh. 10:20
69 וַיַּקְרֵב אֶת־שֵׁבֶט בִּנְיָמִן לְמִשְׁפְּחֹתָו ISh. 10:21
70 זוּלָתִי שֵׁבֶט־יְהוּדָה לְבַדּוֹ IK. 12:20
71 וַיַּקְהֵל...וְאֶת־שֵׁבֶט בִּנְיָמִן IK. 12:21
72 לֹא נִשְׁאַר רַק שֵׁבֶט יְהוּדָה לְבַדּוֹ IIK. 17:18
73 מַטֵּה שִׁכְמוֹ שֵׁבֶט הַנֹּגֵשׂ בּוֹ Is. 9:3
74 הוֹי אַשּׁוּר שֵׁבֶט אַפִּי Is. 10:5
75 מַטֵּה רְשָׁעִים שֵׁבֶט מֹשְׁלִים Is. 14:5
76 כִּי נִשְׁבַּר שֵׁבֶט מַכֵּךְ Is. 14:29
77 וְיִשְׂרָאֵל שֵׁבֶט נַחֲלָתוֹ Jer. 10:16
78/9 שֵׁבֶט מִישֹׁר שֵׁבֶט מַלְכוּתֶךָ Ps. 45:7
80 גָּאַלְתָּ שֵׁבֶט נַחֲלָתֶךָ Ps. 74:2
81 וַיִּבְחַר אֶת־שֵׁבֶט יְהוּדָה Ps. 78:68
82 לֹא יָנוּחַ שֵׁבֶט הָרֶשַׁע עַל גּוֹרַל הַצַּדִּיקִים Ps. 125:3
83 שֵׁבֶט מוּסָר יַרְחִיקֶנָּה מִמֶּנּוּ Prov. 22:15
84 וְלֹא שֵׁבֶט אֱלוֹהַּ עֲלֵיהֶם Job 21:9
85 בָּנָיו יִקָּרְאוּ עַל־שֵׁבֶט הַלֵּוִי ICh. 23:14
86 וַחֲצִי שֵׁבֶט הַמְנַשִּׁי ICh. 26:32
וְשֵׁבֶט־ 87 יוֹצֵר הַכֹּל הוּא וְשֵׁבֶט נַחֲלָתוֹ Jer. 51:19
88 וְשֵׁבֶט מִצְרַיִם יָסוּר Zech. 10:11
89 וְשֵׁבֶט עֶבְרָתוֹ יִכְלֶה Prov. 22:8
בְּשֵׁבֶט־ 90 מֹשְׁכִים בְּשֵׁבֶט סֹפֵר Jud. 5:14
91 וְהֹכַחְתִּיו בְּשֵׁבֶט אֲנָשִׁים IISh. 7:14
92 וְהִכָּה־אֶרֶץ בְּשֵׁבֶט פִּיו Is. 11:4
93 תְּרֹעֵם בְּשֵׁבֶט בַּרְזֶל Ps. 2:9
94 וּפָקַדְתִּי בְשֵׁבֶט פִּשְׁעָם Ps. 89:33
95 אֲנִי הַגֶּבֶר רָאָה עֳנִי בְּשֵׁבֶט עֶבְרָתוֹ Lam. 3:1
וּבְשֵׁבֶט־ 96 וּבְשֵׁבֶט אֶפְרַיִם לֹא בָחָר Ps. 78:67
לְשֵׁבֶט־ 97 רַק לְשֵׁבֶט הַלֵּוִי לֹא נָתַן נַחֲלָה Josh. 13:14
98 הוּא וּבָנָיו הָיוּ כֹהֲנִים לְשֵׁבֶט הַדָּנִי Jud. 18:30
וּלְשֵׁבֶט־ 99 וּלְשֵׁבֶט הַלֵּוִי לֹא־נָתַן מֹשֶׁה נַחֲלָה Josh. 13:33
שִׁבְטְךָ 100 שִׁבְטְךָ וּמִשְׁעַנְתֶּךָ הֵמָּה יְנַחֲמֻנִי Ps. 23:4
בְּשִׁבְטֶךָ 101 רְעֵה עַמְּךָ בְשִׁבְטֶךָ Mic. 7:14
שִׁבְטוֹ 102 חוֹשֵׂךְ שִׁבְטוֹ שׂוֹנֵא בְנוֹ Prov. 13:24
103 יָסֵר מֵעָלַי שִׁבְטוֹ Job 9:34
לְשִׁבְטוֹ 104 אִישׁ לְשִׁבְטוֹ וּלְמִשְׁפַּחְתּוֹ Jud. 21:24
שְׁבָטִים 105 וַיִּוָּתְרוּ בִּבְ״יִ׳...שִׁבְעָה שְׁבָטִים Josh. 18:2

106 ויקח שלשה שבטים בכפו IISh.18:14
107 ששם עלו שבטים שבטי־יה Ps.122:4
השבטים 108 ועתה חלק...לתשעת השבטים Josh.13:7
109 מאת שני השבטים האלה Josh.21:16
110 ונתתי לך את עשרה השבטים IK.11:31
111 ונתתיה לך את עשרת השבטים IK.11:35
112 ואלה שמות השבטים Ezek.48:1
113 ויתר השבטים מפאת קדימה Ezek.48:23
114 שרי השבטים ושרי המחלקות ICh.28:1
שבטי־ 115 דן ידין עמו כאחד שבטי ישר׳ Gen.49:16
116 כל־אלה שבטי ישראל Gen.49:28
117 לשנים עשר שבטי ישראל Ex.24:4
118 והיו לאחד מבני שבטי ב״י לנשים Num.36:3
119 והבדילו...מכל שבטי ישראל Deut.29:20
154-120 שבטי ישראל Deut.33:5
Josh. 24:1 • Jud. 18:1; 20:2.10.12; 21:5 • ISh. 2:28; 9:21; 10:20; 15:17 • IISh. 5:1; 7:7; 15:2.10; 19:10; 20:14; 24:2 • IK. 8:16; 11:32; 14:21 • IIK. 21:7 • Ezek. 47:13.22; 48:19.31 • Zech. 9:1 • Ps. 78:55 • ICh. 27:16.22; 29:6 • IICh. 6:5; 11:16; 12:13; 33:7
155/6 למספר שבטי בני־ישראל Josh.4:5,8
157 בכל־שבטי בנימן לאמר Jud.20:12
158 הצערה מכל־משפחות שבטי בנימן ISh.9:21
159 כמספר שבטי בני־יעקב IK.18:31
160 להקים את־שבטי יעקב Is.49:6
161 למען עבדיך שבטי נחלתך Is.63:17
162 מטות עז אל־שבטי משלים Ezek.19:11
163 ששם עלו שבטים שבטי־יה Ps.122:4
ושבטי־ 164 ביד־אפרים ושבטי ישראל חברו Ezek.37:19
בשבטי־ 165 כי־עשה יי׳ פרץ בשבטי ישראל Jud.21:15
166 בשבטי ישראל הודעתי נאמנה Hosh.5:9
לשבטי־ 167 ויתנה יהושע לשבטי ישר׳ ירשה Josh.12:7
168 וחלקתם...לכם לשבטי ישראל Ezek.47:21
169 אשר־תפילו מנחלה לשבטי יש׳ Ezek.48:29
משבטי־ 170 שני עשר איש משבטי ישראל Josh.3:12
171 מי אחד משבטי ישראל Jud.21:8
שבטיך 172 אשר־יבחר יי׳ באחד שבטיך Deut.12:14
173 כי בו בחר יי׳...מכל־שבטיך Deut.18:5
לשבטיך 174 בכל־שעריך...לשבטיך Deut.16:18
בשבטיו 175 ואין בשבטיו כושל Ps.105:37
לשבטיו 176 וירא את־ישראל שכן לשבטיו Num.24:2
177 ויקרב את־ישראל לשבטיו Josh.7:16
שבטיה 178 התעו את־מצרים פנת שבטיה Is.19:13
שבטיכם 179 ואקח את־ראשי שבטיכם Deut.1:15
180 כל־ראשי שבטיכם וזקניכם Deut.5:20
181 אשר־יבחר יי׳...מכל־שבטיכם Deut.12:5
182 ראשיכם שבטיכם זקניכם Deut.29:9
183 כל־זקני שבטיכם ושטריכם Deut.31:28
לשבטיכם 184 חכמים ונבנים וידעים לשבטיכם Deut.1:13
185 שרי אלפים...ושטרים לשבטיכם Deut.1:15
186 ונקרבתם בבקר לשבטיכם Josh.7:14
187 הפלתי לכם...בנחלה לשבטיכם Josh.23:4
188 התיצבו...לשבטיכם ולאלפיכם ISh.10:19
לשבטיהם 189 לנחלה לישראל...לשבטיהם Josh.11:23
190 יתנו לבית־ישראל לשבטיהם Ezek.45:8

שבט* ז׳ ארמית: שבט

שבטי־ 1 תרי־עשר למנין שבטי ישראל Ez.6:17

שבט ז׳ החודש האחד עשר מניסן

שבט 1 לעשתי־עשר חדש הוא־חדש שבט Zech.1:7

שבי ז׳ א) תפיסת בני־אדם במלחמה: 1,14-34,44,46-49

ב) כלל התפוסים במלחמה (השבויים): 2-13, 35-43, 45
קרובים: מלקוח / שבות / שביה / שביה / שבית / שלל
– שבי גבור 37; ש׳ הגולה 40, 41; ש׳ ירושלים 38; שבי מצרים 35; ש׳ סוסים 39; שבי צדיק 36
– ארץ שבי 46-49; בכור הש׳ 6; מלקוח ש׳ 8; שמלת שבי 44
– אסף שבי 3; בא מן השבי 12, 13; הלך שבי 1; שבה שבי 2, 4, 5, 42,43
– הלך בשבי 14-20, 24, 25, 27, 28; לקח בשבי 26; נתן לשבי 32
שבי 1 עולליה הלכו שבי לפני־צר Lam.1:5
שבי 2 וילחם בישראל וישב ממנו שבי Num.21:1
3 ויאסף כחול שבי Hab.1:9
4 עלית למרום שבית שבי Ps.68:19
5 ויכו ביהודה וישבו־שבי IICh.28:17
השבי 6 עד בכור השבי אשר בבית הבור Ex.12:29
7 את־השבי ואת־המלקוח Num.31:12
8 מלקוח השבי באדם ובבהמה Num.31:26
9 אשר נשארו מן־השבי Neh.1:3
10 כל־הקהל השבים מן־השבי Neh.8:17
השבי 11 הפליטה אשר־נשארו מן־השבי Neh.1:2
מהשבי 12 וכל־הבאים מהשבי ירושלם Ez.3:8
13 הבאים מהשבי בני־הגולה Ez.8:35
בשבי 14 ונפשם בשבי הלכה Is.46:2
15 ומאהביך בשבי ילכו Jer.22:22
16 וכל־צריך...בשבי ילכו Jer.30:16
17 בגולה בשבי ילכו Ezek.12:11
18 והנה בשבי תלכנה Ezek.30:17
19 ובנותיה בשבי תלכנה Ezek.30:18
20 ואם־ילכו בשבי לפני איביהם Am.9:4
21 וגם אלהיהם...בשבי יבא מצרים Dan.11:8
22 בחרב בשבי ובבזה... Ez.9:7
23 ובנינו...בשבי על־זאת IICh.29:9
בשבי 24 ולא־יהיו לך כי ילכו בשבי Deut.28:41
25 וכל ישבי ביתך תלכו בשבי Jer.20:6
26 כי־לקחו בניך בשבי Jer.48:46
27 גם־היא לגלה הלכה בשבי Nah.3:10
28 בתולתי ובחורי הלכו בשבי Lam.1:18
בשבי 29 ונכשלו בחרב...בשבי ובבזה Dan.11:33
לשבי 30/1 אשר לשבי לשבי Jer.15:2; 43:11
32 ויתן לשבי עזו Ps.78:61
לשבי 33/4 ואשר לשבי לשבי Jer.15:2; 43:11
שבי־ 35 את־שבי מצרים ואת־גלות כוש Is.20:4
36 ואם־שבי צדיק ימלט Is.49:24
37 גם־שבי גבור יקח Is.49:25
38 קומי שבי ירושלם Is.52:2
39 בחוריכם עם שבי סוסיכם Am.4:10
משבי־ 40/1 העלים משבי הגולה Ez.2:1 • Neh.7:6
שביך 42 קום ברק ושבה שביך Jud.5:12
שביו 43 כי־תצא למלחמה...ושבית שביו Deut.21:10
שביה 44 והסירה את־שמלת שביה מעליה Deut.21:13
ושביכם 45 תתחטאו...אתם ושביכם Num.31:19
שבים 46/7 ...ואת־זרעך מארץ שבים Jer.30:10; 46:27
48 והתחננו אליך בארץ שבים IICh.6:37
49 ושבו אליך...בארץ שבים IICh.6:38

שבי שפ־ז – עין שובי

שבי שפ־ז – עין שובי

שביב*1 ז׳ ניצוץ

שביב־ 1 ולא־יגה שביב אשו Job 18:5

שביב*2 ז׳ ארמית, כמו בעברית: 1, 2

שביבא 1 קטל המון שביבא די נורא Dan.3:22
שביבין 2 כרסיה שביבין די־נור Dan.7:9

שביה נ׳ שבי • קרובים: ראה שבי

שביה 1 התפתחי...שביה בת־ציון Is.52:2

שביה נ׳ שבי: 1-9 • קרובים: ראה שבי

– שביה גדולה 2; ארץ שביה 1; דם שביה 3
– לקח בשביה 8
שביה 1 ותנם לבזה בארץ שביה Neh.3:36
2 וישבו ממנו שביה גדולה IICh.28:5
ושביה 3 מדם חלל ושביה Deut.32:42
השביה 4 והשיבו השביה אשר שביתם IICh.28:11
5 לא־תביאו את־השביה הנה IICh.28:13
6 את־השביה ואת־הבזה IICh.28:14
בשביה 7 וראית בשביה אשת יפת־תאר Deut.21:11
8 לקחו בניך בשבי ובנתיך בשביה Jer.48:46
9 ויקמו...ויחזיקו בשביה IICh.28:15

שביל ז׳ נתיב, דרך: 1, 2 • קרובים: ראה דרך

שבילי עולם 2
ושבילך 1 ושבילך (כת׳ ושביליך) במים רבים Ps.77:20
שבילי־ 2 בדרכיהם שבילי (כת׳ שבולי) עולם Jer.18:15

שביס* ז׳ מתכשיטי הראש של נשים

והשביסים 1 העכסים והשביסים והשהרנים Is.3:18

שביעי ת׳ מספר סודר של שבעה, הבא אחרי הששי: 1-97

– גורל שביעי 72; חדש שביעי 4, 50-71, (73), 80, (81-83); יום שביעי 1-3, 5-49; צום השביעי 73
– פעם שביעית 88; שבת ש׳ 84; שנה שביעית 85-87, 89-94, (95-97)
השביעי 1 ויכל אל׳ ביום השביעי מלאכתו Gen.2:2
2 וישבת ביום השביעי Gen.2:2
3 ויברך אלהים את־יום השביעי Gen.2:3
4 ותנח התבה בחדש השביעי Gen.8:4
5 מיום הראשן עד־יום השבעי Ex.12:15
6 וביום השביעי מקרא־קדש Ex.12:16
7 וביום השביעי חג ליי׳ Ex.13:6
8 וביום השביעי שבת Ex.16:26
9 ויהי ביום השביעי יצאו...ללקט Ex.16:27
10 אל־יצא איש...ביום השביעי Ex.16:29
11 וישבתו העם ביום השבעי Ex.16:30
12 ויום השביעי שבת ליי׳ אלהיך Ex.20:10
13 וינח ביום השביעי Ex.20:11
14/5 וביום השביעי תשבת Ex.23:12; 34:21
16 ויקרא אל־משה ביום השביעי Ex.24:16
17 וביום השביעי שבת שבתון Ex.31:15
18 וביום השביעי שבת וינפש Ex.31:17
19-49 (ו/ב/וב) יום השביעי Ex.35:2
Lev. 13:5, 6, 27, 32, 34, 51; 14:9, 39; 23:3, 8 • Num. 6:9; 7:48; 19:12^2, 19^2; 28:25; 29:32; 31:19, 24 • Deut. 5:14; 16:8 • Josh. 6:4, 15 • Jud. 14:15; 14:17, 18 • IISh. 12:18 • IK. 20:29 • Es. 1:10
50 בחדש השביעי בעשור לחדש Lev.16:29
51 בחדש השביעי באחד לחדש Lev.23:24
52-70 (ה/ב/ל) חדש השביעי Lev.23:27
23:34, 39, 41; 29:1, 7, 12 • IK. 8:2 • IIK. 25:25 • Jer. 28:17; 41:1 • Ez. 3:1, 6 • Neh. 7:73(72); 8:2, 14 • ICh. 27:10 • IICh. 7:10; 31:7
71 בחדש השבעי בעשור לחדש Lev.25:9

הַשְּׁבִיעִי (המשך)

72 לְמַטֵּה...יָצָא הַגּוֹרָל הַשְּׁבִיעִי Josh. 19:40
73 וְצוֹם הַשְּׁבִיעִי וְצוֹם הָעֲשִׂירִי Zech. 8:19
74 אֹצֶם הַשִּׁשִּׁי דָּוִיד הַשְּׁבִעִי ICh. 2:15
75 עַתַּי הַשִּׁשִּׁי אֱלִיאֵל הַשְּׁבִעִי (12) ICh. 12:11(12)
76 לְהַקּוֹץ הַשְּׁבִעִי לַאֲבִיָּה הַשְּׁמִינִי ICh. 24:10
77 הַשְּׁבִעִי יְשַׂרְאֵלָה בָּנָיו וְאֶחָיו ICh. 25:14
78 יְהוֹחָנָן הַשִּׁשִּׁי אֶלְיְהוֹעֵינַי הַשְּׁבִיעִי ICh. 26:3
79 עַמִּיאֵל הַשִּׁשִּׁי יִשָּׂשכָר הַשְּׁבִיעִי ICh. 26:5
80 הוּא הַחֹדֶשׁ הַשְּׁבִעִי IICh. 5:3
בַּשְּׁבִיעִי 81 בַּשְּׁבִיעִי בַּחֲמִשָּׁה עָשָׂר יוֹם לַחֹדֶשׁ Ezek. 45:25
82 בַּשְּׁבִיעִי בְּעֶשְׂרִים וְאֶחָד לַחֹדֶשׁ Hag. 2:1
וּבַשְּׁבִיעִי 83 כִּי־צַמְתֶּם וְסָפוֹד בַּחֲמִישִׁי וּבַשְּׁבִיעִי Zech. 7:5
הַשְּׁבִיעִת 84 עַד מִמָּחֳרַת הַשַּׁבָּת הַשְּׁבִיעִת Lev. 23:16
85 וּבַשָּׁנָה הַשְּׁבִיעִת שַׁבַּת שַׁבָּתוֹן Lev. 25:4
86 מַה־נֹּאכַל בַּשָּׁנָה הַשְּׁבִיעִת Lev. 25:20
87 וּבַשָּׁנָה הַשְּׁבִיעִת תְּשַׁלְּחֶנּוּ Deut. 15:12
88 וַיְהִי בַּפַּעַם הַשְּׁבִיעִית Josh. 6:16
89 וּבַשָּׁנָה הַשְּׁבִיעִית שָׁלַח יְהוֹיָדָע IIK. 11:4
90 הִיא הַשָּׁנָה הַשְּׁבִיעִית לְהוֹשֵׁעַ IIK. 18:9
91 וַיְהִי בַּשָּׁנָה הַשְּׁבִיעִית בַּחֲמִשִׁי Ezek. 20:1
92 הִיא שְׁנַת הַשְּׁבִיעִית לַמֶּלֶךְ Ez. 7:8
93 וְנִטֹּשׁ אֶת־הַשָּׁנָה הַשְּׁבִיעִית Neh. 10:32
94 וּבַשָּׁנָה הַשְּׁבִעִית הִתְחַזֵּק יְהוֹיָדָע IICh. 23:1
וְהַשְּׁבִיעִת 95 וְהַשְּׁבִיעִת תִּשְׁמְטֶנָּה וּנְטַשְׁתָּהּ Ex. 23:11
בַּשְּׁבִיעִית 96 וַיְהִי בַּשְּׁבִעִית וַיֹּאמֶר הִנֵּה עָב IK. 18:44
וּבַשְּׁבִיעִית 97 וּבַשְּׁבִעִת...יֵצֵא לַחָפְשִׁי חִנָּם Ex. 21:2

שְׁבִית
נ' שְׁבִי, שְׁבִיָּה: 1-6 [עין גם שבות]
קרובים: ראה שְׁבִי
שְׁבִית יַעֲקֹב 2; שָׁב שְׁבִית 2-6

בִּשְׁבִית 1 נָתַן בָּנָיו פְּלֵיטִם וּבְנֹתָיו בַּשְּׁבִית Num. 21:29
שְׁבִית־ 2 שַׁבְתָּ שְׁבִית (כת׳ שבות) יַעֲקֹב Ps. 85:2
שְׁבִיתַיִךְ 3 וּשְׁבוּת׳ שְׁבִיתַיִךְ בְּתוֹכְהֶנָה Ezek. 16:53
שְׁבִיתֵנוּ 4 שׁוּבָה יְיָ אֶת־שְׁבִיתֵנוּ (כת׳ שבותנו) Ps. 126:4
שְׁבִיתָם 5 כִּי יִפְקְדֵם...וְשָׁב שְׁבִיתָם (כת׳ שבותם) Zep. 2:7
שְׁבִיתְהֶן 6 וְשַׁבְתִּי אֶת־שְׁבִיתְהֶן Ezek. 16:53

שָׁבִךְ
ז' – עין שׂוֹבֵךְ

שַׂבְּכָא
ז'(?) ארמית: מכלי הזמר העתיקים: 1-3
[עין גם סַבְּכָא]

שַׂבְּכָא 1/2 שַׂבְּכָא פְּסַנְתֵּרִין Dan. 3:10, 15
3 שַׂבְּכָא פְּסַנְטֵרִין וְכֹל זְנֵי זְמָרָא Dan. 3:7

שְׂבָכָה
נ' א) רֶשֶׁת לכסוי פתח: 7
ב) מקלעת של קנים בבנין: 1-6, 8-16
קרובים: גְּדִילִים/מִקְלַעַת/מִשְׁבְּצַת/עֲבֹת/רֶשֶׁת/תַּשְׁבֵּץ
מַעֲשֵׂה שְׂבָכָה 1

שְׂבָכָה 1 שְׂבָכִים מַעֲשֵׂה שְׂבָכָה IK. 7:17
2 וְעַל־שְׂבָכָה יִתְהַלָּךְ Job 18:8
וּשְׂבָכָה 3 וּשְׂבָכָה וְרִמֹּנִים עַל־הַכֹּתֶרֶת IIK. 25:17
4 וּשְׂבָכָה וְרִמּוֹנִים עַל־הַכּוֹתֶרֶת Jer. 52:22
הַשְּׂבָכָה 5 וּשְׁנֵי טוּרִים סָבִיב עַל־הַשְּׂבָכָה הָאֶחָת IK. 7:18
6 אֲשֶׁר לְעֵבֶר הַשְּׂבָכָה (כת׳ שבכה) IK. 7:20
7 וַיִּפֹּל אֲחַזְיָה בְּעַד הַשְּׂבָכָה IIK. 1:2
8 וְכָאֵלֶּה לָעַמּוּד הַשֵּׁנִי עַל־הַשְּׂבָכָה IIK. 25:17
9 כָּל־הָרִמּוֹנִים מֵאָה עַל־הַשְּׂבָכָה Jer. 52:23
לַשְּׂבָכָה 10 שְׁנֵי־טוּרִים רִמֹּנִים לַשְּׂבָכָה הָאֶחָת IK. 7:42
11 שְׁנַיִם טוּרִים...לַשְּׂבָכָה הָאֶחָת IICh. 4:13
הַשְּׂבָכוֹת 12 וְאֶת־הָרִמֹּנִים...לִשְׁתֵּי הַשְּׂבָכוֹת IK. 7:42
13 וְאֶת־הָרִמּוֹנִים...לִשְׁתֵּי הַשְּׂבָכוֹת IICh. 4:13
וְהַשְּׂבָכוֹת 14/5 וְהַשְּׂבָכוֹת שְׁתַּיִם לְכַסּוֹת IK. 7:41 • IICh. 4:12
שְׂבָכִים 16 שְׂבָכִים מַעֲשֵׂה שְׂבָכָה IK. 7:17

שֹׁבֶל
ז' סרח עודף בשמלה

שֹׁבֶל 1 גַּלִּי צַמָּתֵךְ חֶשְׂפִּי־שֹׁבֶל Is. 47:2

שַׁבְּלוּל
ז' חלזון?

שַׁבְּלוּל 1 כְּמוֹ שַׁבְּלוּל תֶּמֶס יַהֲלֹךְ Ps. 58:9

שִׁבֹּלֶת[1]
נ' א) תפרחת של הדגנים המתמלאת גרגרים עם בשילתה: 1-14
ב) [בהשאלה] ראש ענף זית: 15
– ראש שִׁבֹּלֶת 1
– שִׁבֳּלִים בְּרִיאוֹת 2, 9; שִׁבֳּלִים דַּקּוֹת 3, 5, 8, 10; שִׁבֳּלִים טֹבוֹת 2, 4, 11, 12; שׁ' מְלֵאוֹת 4, 9; שִׁבֳּלִים צְנֻמוֹת 5; שִׁבֳּלִים רֵיקוֹת 13
– שִׁבֲּלֵי זֵיתִים 15

שִׁבֹּלֶת 1 וּכְרֹאשׁ שִׁבֹּלֶת יִמָּלוּ Job 24:24
שִׁבֳּלִים 2 שֶׁבַע שִׁבֳּלִים...בְּרִיאוֹת וְטֹבוֹת Gen. 41:5
3 שֶׁבַע שִׁבֳּלִים דַּקּוֹת וּשְׁדוּפֹת קָדִים Gen. 41:6
4 שֶׁבַע שִׁבֳּלִים...מְלֵאֹת וְטֹבוֹת Gen. 41:22
5 שֶׁבַע שִׁבֳּלִים צְנֻמוֹת דַּקּוֹת... Gen. 41:23
6 כֶּאֱסֹף קָצִיר...וּזְרֹעוֹ שִׁבֳּלִים יִקְצוֹר Is. 17:5
7 וְהָיָה כִּמְלַקֵּט שִׁבֳּלִים בְּעֵמֶק רְפָאִים Is. 17:5
הַשִּׁבֳּלִים 8 וַתִּבְלַעְנָה הַשִּׁבֳּלִים הַדַּקּוֹת Gen. 41:7
9 הַשִּׁבֳּלִים הַבְּרִיאוֹת וְהַמְּלֵאוֹת Gen. 41:7
10 וַתִּבְלַעְןָ הַשִּׁבֳּלִים הַדַּקֹּת Gen. 41:24
11 אֵת שֶׁבַע הַשִּׁבֳּלִים הַטֹּבוֹת Gen. 41:24
12 שֶׁבַע הַשִּׁבֳּלִים הַטֹּבֹת Gen. 41:26
13 וְשֶׁבַע הַשִּׁבֳּלִים הָרֵקוֹת Gen. 41:27
בַּשִּׁבֳּלִים 14 אֵלְכָה־נָּא הַשָּׂדֶה וַאֲלַקֳטָה בַשִּׁבֳּלִים Ruth 2:2
שִׁבֲּלֵי־ 15 מַה־שְּׁתֵּי שִׁבֲּלֵי הַזֵּיתִים Zech. 4:12

שִׁבֹּלֶת[2]
נ' זרם, מערבולת מים: 1-4
שִׁבֹּלֶת מַיִם 3; שִׁבֹּלֶת נָהָר 4

שִׁבֹּלֶת 1 אֱמָר־נָא שִׁבֹּלֶת וַיֹּאמֶר סִבֹּלֶת Jud. 12:6
וְשִׁבֹּלֶת 2 בָּאתִי בְמַעֲמַקֵּי־מַיִם וְשִׁבֹּלֶת שְׁטָפָתְנִי Ps. 69:3
שִׁבֹּלֶת־ 3 אַל־תִּשְׁטְפֵנִי שִׁבֹּלֶת מַיִם Ps. 69:16
מִשִּׁבֹּלֶת־ 4 יַחְבֹּט יְיָ מִשִּׁבֹּלֶת הַנָּהָר Is. 27:12

שְׂבָם
ש"פ – ישוב בנחלת ראובן

וּשְׂבָם 1 וּשְׂבָם וּנְבוֹ וּבְעֹן Num. 32:3

שִׂבְמָה
נ' היא שְׂבָם: 1-5 • גֶּפֶן שִׂבְמָה 2-4

שִׂבְמָה 1 וְאֶת־נְבוֹ...וְאֶת־שִׂבְמָה Num. 32:38
2/3 גֶּפֶן שִׂבְמָה Is. 16:8, 9
4 אֶבְכֶּה־לָּךְ הַגֶּפֶן שִׂבְמָה Jer. 48:32
וְשִׂבְמָה 5 וְקִרְיָתַיִם וְשִׂבְמָה וְצֶרֶת הַשַּׁחַר Josh. 13:19

שֶׁבְנָא, שֶׁבְנָה
שפ"ז – סוכן וסופר למלך חזקיהו: 1-9

שֶׁבְנָא 1 עַל־שֶׁבְנָא אֲשֶׁר עַל־הַבָּיִת Is. 22:15
2 וַיִּשְׁלַח...וְאֵת שֶׁבְנָא הַסּוֹפֵר Is. 37:2
וְשֶׁבְנָא 3 וְשֶׁבְנָא הַסֹּפֵר וְיוֹאָח IIK. 18:37
4 אֶת־אֶלְיָקִים...וְשֶׁבְנָא הַסֹּפֵר IIK. 19:2
5/6 וְשֶׁבְנָא הַסֹּפֵר וְיוֹאָח Is. 36:3, 22
7 וַיֹּאמֶר אֶלְיָקִים וְשֶׁבְנָא וְיוֹאָח Is. 36:11
וְשֶׁבְנָה 8 וְשֶׁבְנָה הַסֹּפֵר וְיוֹאָח IIK. 18:18
9 וַיֹּאמֶר אֶלְיָקִים...וְשֶׁבְנָה וְיוֹאָח IIK. 18:26

שְׁבַנְיָה
שפ"ז א) לוי מעולי הגולה: 1-5
ב) כהן בימי ישוע הכהן הגדול: 6

שְׁבַנְיָה 1 יֵשׁוּעַ וּבְנִי קַדְמִיאֵל שְׁבַנְיָה Neh. 9:4
2 יֵשׁוּעַ וְקַדְמִיאֵל בָּנִי...שְׁבַנְיָה Neh. 9:5
3 חַטּוּשׁ שְׁבַנְיָה מַלּוּךְ Neh. 10:5
4 וַאֲחֵיהֶם שְׁבַנְיָה הוֹדִיָּה Neh. 10:11
5 זַכּוּר שֵׁרֵבְיָה שְׁבַנְיָה Neh. 10:13
לִשְׁבַנְיָה 6 לִמְלִיכוּ׳ יוֹנָתָן לִשְׁבַנְיָה יוֹסֵף Neh. 12:14

שְׁבַנְיָהוּ
שפ"ז – כהן בימי דוד

וּשְׁבַנְיָהוּ 1 וּשְׁבַנְיָהוּ וְיוֹשָׁפָט...הַכֹּהֲנִים ICh. 15:24

שבע
: שָׂבַע, שֹׂבַע, הִשְׂבִּיעַ; שָׂבֵעַ, שָׂבָע, שֹׂבַע, שִׂבְעָה, שָׂבְעָה

שָׂבַע
פ' א) ספק רעבונו: רוב המקראות 1-78
ב) רוה, שבר צמאו: 17, 61, 67
ג) [בהשאלה] קבל די והותר: 6, 7, 12, 13, 15-17, 20, 29, 35, 36, 38-42, 44, 45, 50-52, 56, 63, 70, 75-78
ד) [פ' שֹׂבַע] האכיל לשובע (גם בהשאלה): 80, 81
ה) [הפ' הִשְׂבִּיעַ] כנ"ל: האכיל לשובע (ובהשאלה) ספק די הצורך: 82-97
– שָׂבַע (אָדָם) 45; שׂ' בּוּז 20; שׂ' דְּבַשׁ 31; שׂ' דָּגָן 23; שׂ' חָלָב 5; שׂ' טוֹב 34, 75; שׂ' טוּב 65; שׂ' יָמִים 15, 44; שָׂבַע כֹּחַ 63; שׂ' כֶּסֶף 39; שׂ' לֶחֶם 4, 32, 33, 37, 55, 64, 79; שׂ' מַיִם 18, 68; שׂ' נְדוּדִים 6; שָׂבַע עוֹלוֹת 5; שָׂבַע עֹשֶׁר 51; שָׂבַע קָלוֹן 7; שָׂבַע רֵישׁ 36; שׂ' תְּבוּאָה 42; שָׂבַע תְּמוּנָתוֹ 29
– שָׂבְעָה הָאָרֶץ 48; שׂ' בִּטְנוֹ 49; שׂ' נַפְשׁוֹ 17, 46, 47, 52; שָׂבְעָה עֵינוֹ 50, 51; שָׂבְעוּ עֵינָיו 77
– שַׂבַּע נֶפֶשׁ 80; שַׂבְּעוֹ חֶסֶד 81
– הִשְׂבִּיעוֹ דְבַשׁ 92; הִשׂ' חֵלֶב 96; הִשׂ' יָמִים 93; הִשְׂבִּיעַ לֶחֶם 90, 97; הִשְׂבִּיעַ מַמְּרוֹרִים 95; הִשְׂבִּיעַ נֶפֶשׁ 85, 86, 94; הִשְׂבִּיעוּ רָצוֹן 88

וְשָׂבוֹעַ 1 וַאֲכַלְתֶּם אָכוֹל וְשָׂבוֹעַ Joel 2:26
2 אָכוֹל וְשָׂבוֹעַ וְהוֹתֵר עַד־לָרוֹב IICh. 31:10
לִשְׂבֹּעַ 3 וְלֶחֶם בַּבֹּקֶר לִשְׂבֹּעַ Ex. 16:8
4 מִצְרַיִם נָתַנּוּ יָד אַשּׁוּר לִשְׂבֹּעַ לָחֶם Lam. 5:6
שָׂבַעְתִּי 5 שָׂבַעְתִּי עֹלוֹת אֵילִים וְחֵלֶב מְרִיאִים Is. 1:11
וְשָׂבַעְתִּי 6 וְשָׂבַעְתִּי נְדֻדִים עֲדֵי־נָשֶׁף Job 7:4
שָׂבַעְתָּ 7 שָׂבַעְתָּ קָלוֹן מִכָּבוֹד Hab. 2:16
וְשָׂבָעְתָּ 8-10 וְאָכַלְתָּ וְשָׂבָעְתָּ Deut. 6:11; 8:10; 11:15
11 פֶּן־תֹּאכַל וְשָׂבָעְתָּ Deut. 8:12
שָׂבָעַתְּ 12 וַתִּזְנִים וְגַם לֹא שָׂבָעַתְּ Ezek. 16:28
13 וְגַם־בְּזֹאת לֹא שָׂבָעַתְּ Ezek. 16:29
וְשָׂבַע 14 וְאָכַל וְשָׂבַע וְדָשֵׁן Deut. 31:20
15 וְדָוִיד זָקֵן וְשָׂבַע יָמִים ICh. 23:1
שָׂבְעָה 16 כִּי־שָׂבְעָה בְרָעוֹת נַפְשִׁי Ps. 88:4
17 רַבַּת שָׂבְעָה־לָּהּ נַפְשֵׁנוּ Ps. 123:4
18 אֶרֶץ לֹא־שָׂבְעָה מַּיִם Prov. 30:16
וְשָׂבְעָה 19 וְשָׂבְעָה וְרָוְתָה מִדָּמָם Jer. 46:10
שָׂבַעְנוּ 20 כִּי־רַב שָׂבַעְנוּ בוּז Ps. 123:3
וּשְׂבַעְתֶּם 21 לְמַעַן תִּינְקוּ וּשְׂבַעְתֶּם מִשֹּׁד תַּנְחֻמֶיהָ Is. 66:11
22 וּשְׂבַעְתֶּם עַל־שֻׁלְחָנִי סוּס וָרֶכֶב Ezek. 39:20
23 שֹׁלֵחַ...אֶת־הַדָּגָן...וּשְׂבַעְתֶּם אֹתוֹ Joel 2:19
שָׂבֵעוּ 24 שָׂבֵעוּ וַיָּרָם לִבָּם Hosh. 13:6
שָׂבֵעוּ 25 וַיֹּאכַל עַל־שְׂמֹאול וְלֹא שָׂבֵעוּ Is. 9:19
וְשָׂבֵעוּ 26 וּבָא הַלֵּוִי...וְאָכְלוּ וְשָׂבֵעוּ Deut. 14:29
27 וְאָכְלוּ בִשְׁעָרֶיךָ וְשָׂבֵעוּ Deut. 26:12
אֶשְׂבַּע 28 פֶּן־אֶשְׂבַּע וְכִחַשְׁתִּי Prov. 30:9
אֶשְׂבְּעָה 29 אֶשְׂבְּעָה בְהָקִיץ תְּמוּנָתֶךָ Ps. 17:15
תִשְׂבָּע 30 אַתָּה תֹאכַל וְלֹא תִשְׂבָּע Mic. 6:14
תִּשְׂבָּעֶנּוּ 31 פֶּן־תִּשְׂבָּעֶנּוּ וַהֲקֵאתוֹ Prov. 25:16
יִשְׂבַּע 32/3 עֹבֵד אַדְמָתוֹ יִשְׂבַּע־לָחֶם Prov. 12:11; 28:19
34 מִפְּרִי פִי־אִישׁ יִשְׂבַּע־טוֹב Prov. 12:14
35 מִדְּרָכָיו יִשְׂבַּע סוּג לֵב Prov. 14:14
36 וּמְרַדֵּף רֵקִים יִשְׂבַּע־רִישׁ Prov. 28:19
37 וְנָבָל כִּי יִשְׂבַּע־לָחֶם Prov. 30:22
38 יִתֵּן לְמַכֵּהוּ לֶחִי יִשְׂבַּע בְּחֶרְפָּה Lam. 3:30

39 אֹהֵב כֶּסֶף לֹא־יִשְׂבַּע כֶּסֶף Eccl. 5:9
יִשְׂבָּע 40 מֵעֲמַל נַפְשׁוֹ יִרְאֶה יִשְׂבָּע Is. 53:11
41 וְהוּא כַמָּוֶת וְלֹא יִשְׂבָּע Hab. 2:5
42 תְּבוּאַת שְׂפָתָיו יִשְׂבָּע Prov. 18:20
וְיִשְׂבָּע 43 יִצְלֶה צָלִי וְיִשְׂבָּע Is. 44:16
וַיִּשְׂבַּע 44 וַיִּזְקַן יְהוֹיָדָע וַיִּשְׂבַּע יָמִים וַיָּמֹת IICh. 24:15
יִשְׂבָּעֶךָּ 45 פֶּן־יִשְׂבָּעֲךָ וּשְׂנֵאֶךָ Prov. 25:17
תִּשְׂבַּע 46 וּבְהַר אֶפְרַיִם...תִּשְׂבַּע נַפְשׁוֹ Jer. 50:19
47 כְּמוֹ חֵלֶב וָדֶשֶׁן תִּשְׂבַּע נַפְשִׁי Ps. 63:6
48 מִפְּרִי מַעֲשֶׂיךָ תִּשְׂבַּע הָאָרֶץ Ps. 104:13
49 מִפְּרִי פִי־אִישׁ תִּשְׂבַּע בִּטְנוֹ Prov. 18:20
50 לֹא־תִשְׂבַּע עַיִן לִרְאוֹת Eccl. 1:8
51 גַּם־עֵינוֹ לֹא־תִשְׂבַּע עֹשֶׁר Eccl. 4:8
52 וְנַפְשׁוֹ לֹא־תִשְׂבַּע מִן־הַטּוֹבָה Eccl. 6:3
וַתִּשְׂבַּע 53 וַתֹּאכַל וַתִּשְׂבַּע וַתֹּתַר Ruth 2:14
נִשְׂבָּע 54 מִי־יִתֵּן מִבְּשָׂרוֹ לֹא נִשְׂבָּע Job 31:31
וַנִּשְׂבַּע 55 וַנִּשְׂבַּע־לֶחֶם וַנִּהְיֶה טוֹבִים Jer. 44:17
נִשְׂבְּעָה 56 נִשְׂבְּעָה בְּטוּב בֵּיתֶךָ Ps. 65:5
תִּשְׂבְּעוּ 57 וּבַבֹּקֶר תִּשְׂבְּעוּ־לָחֶם Ex. 16:12
תִשְׂבָּעוּ 58 וַאֲכַלְתֶּם וְלֹא תִשְׂבָּעוּ Lev. 26:26
59 וּמִבְּשָׂרִי לֹא תִשְׂבָּעוּ Job 19:22
יִשְׂבְּעוּ 60 יִשְׂבְּעוּ בָנִים וְהִנִּיחוּ יִתְרָם לְעוֹלְלֵיהֶם Ps. 17:14
61 אִם־לֹא יִשְׂבְּעוּ וַיָּלִינוּ Ps. 59:16
62 יִשְׂבְּעוּ עֲצֵי יְיָ אַרְזֵי לְבָנוֹן Ps. 104:16
63 פֶּן־יִשְׂבְּעוּ זָרִים כֹּחֶךָ Prov. 5:10
64 וְצֶאֱצָאָיו לֹא יִשְׂבְּעוּ־לָחֶם Job 27:14
יִשְׂבָּעוּ 65 וְעַמִּי אֶת־טוּבִי יִשְׂבָּעוּ Jer. 31:14(13)
66 כָּל־שֹׁלְלֶיהָ יִשְׂבָּעוּ Jer. 50:10
67 וְאָכְלוּ וְלֹא יִשְׂבָּעוּ Hosh. 4:10
68 וְנָעוּ...לִשְׁתּוֹת מַיִם וְלֹא יִשְׂבָּעוּ Am. 4:8
69 וּבִימֵי רְעָבוֹן יִשְׂבָּעוּ Ps. 37:19
70 וְיֹאכְלוּ...וּמִמֹּעֲצֹתֵיהֶם יִשְׂבָּעוּ Prov. 1:31
וְיִשְׂבָּעוּ 71 יֹאכְלוּ עֲנָוִים וְיִשְׂבָּעוּ Ps. 22:27
וַיִּשְׂבְּעוּ 72 וַיֹּאכְלוּ וַיִּשְׂבְּעוּ מְאֹד Ps. 78:29
73 וַיֹּאכְלוּ וַיִּשְׂבְּעוּ וַיַּשְׁמִינוּ Neh. 9:25
וַיִּשְׂבָּעוּ 74 כְּמַרְעִיתָם וַיִּשְׂבָּעוּ Hosh. 13:6
יִשְׂבְּעוּן 75 תִּפְתַּח יָדְךָ יִשְׂבְּעוּן טוֹב Ps. 104:28
תִשְׂבַּעְנָה 76 שְׁאוֹל וַאֲבַדֹּה לֹא תִשְׂבַּעְנָה Prov. 27:20
77 וְעֵינֵי הָאָדָם לֹא תִשְׂבַּעְנָה Prov. 27:20
78 שָׁלוֹשׁ הֵנָּה לֹא תִשְׂבַּעְנָה Prov. 30:15
שְׂבַע־ 79 פְּקַח עֵינֶיךָ שְׂבַע־לָחֶם Prov. 20:13
יְשַׂבֵּעוּ 80 נַפְשָׁם לֹא יְשַׂבֵּעוּ Ezek. 7:19
שַׂבְּעֵנוּ 81 שַׂבְּעֵנוּ בַבֹּקֶר חַסְדֶּךָ Ps. 90:14
לְהַשְׂבִּיעַ 82 לְהַשְׂבִּיעַ שֹׁאָה וּמְשֹׁאָה Job 38:27
וְהִשְׂבַּעְתִּי 83 וְהִשְׂבַּעְתִּי מִמְּךָ חַיַּת כָּל־הָאָרֶץ Ezek. 32:4
הִשְׂבַּעַתְּ 84 בְּצֵאת עִזְבוֹנַיִךְ...הִשְׂבַּעַתְּ עַמִּים רַבִּים Ezek. 27:33
הִשְׂבִּיעַ 85 כִּי־הִשְׂבִּיעַ נֶפֶשׁ שֹׁקֵקָה Ps. 107:9
וְהִשְׂבִּיעַ 86 וְהִשְׂבִּיעַ בְּצַחְצָחוֹת נַפְשֶׁךָ Is. 58:11
הִשְׂבִּיעַנִי 87 הִשְׂבִּיעַנִי בַמְּרוֹרִים הִרְוַנִי לַעֲנָה Lam. 3:15
וּמַשְׂבִּיעַ 88 וּמַשְׂבִּיעַ לְכָל־חַי רָצוֹן Ps. 145:16
הַמַּשְׂבִּיעַ 89 הַמַּשְׂבִּיעַ בַּטּוֹב עֶדְיֵךְ Ps. 103:5
אַשְׂבִּיעַ 90 אֶבְיוֹנֶיהָ אַשְׂבִּיעַ לָחֶם Ps. 132:15
וָאַשְׂבִּעַ 91 וָאַשְׂבִּעַ אוֹתָם וַיִּנְאָפוּ Jer. 5:7
אַשְׂבִּיעֶךָ 92 וּמִצּוּר דְּבַשׁ אַשְׂבִּיעֶךָ Ps. 81:17
אַשְׂבִּיעֵהוּ 93 אֹרֶךְ יָמִים אַשְׂבִּיעֵהוּ Ps. 91:16
תַּשְׂבִּיעַ 94 וְנֶפֶשׁ נַעֲנָה תַּשְׂבִּיעַ Is. 58:10
יַשְׂבִּעַנִי 95 כִּי יַשְׂבִּעַנִי מַמְּרֹרִים Job 9:18
יַשְׂבִּיעֵךְ 96 חֵלֶב חִטִּים יַשְׂבִּיעֵךְ Ps. 147:14
יַשְׂבִּיעֵם 97 וְלֶחֶם שָׁמַיִם יַשְׂבִּיעֵם Ps. 105:40

שָׂבֵעַ

ת׳ א) שמלא רעבונו: 2, 9, 10
ב) [בהשאלה] שקבל די צרכו: 1, 3-8

– שְׂבַע יָמִים 5, 6, 8; שְׂבַע קָלוֹן 4; שְׂבַע רֹגֶז 7; שְׂבַע רָצוֹן 3
– נֶפֶשׁ שְׂבֵעָה 9

וְשָׂבֵעַ 1 וַיִּגְוַע...בְּשֵׂיבָה טוֹבָה זָקֵן וְשָׂבֵעַ Gen. 25:8
2 וְשָׂבֵעַ יָלִין בַּל־יִפָּקֶד רָע Prov. 19:23
שְׂבַע־ 3 שְׂבַע רָצוֹן וּמָלֵא בִּרְכַּת יְיָ Deut. 33:23
4 שְׂבַע קָלוֹן וּרְאֵה עָנְיִי Job 10:15
5 שְׂבַע יָמִים עֹשֶׁר וְכָבוֹד ICh. 29:28
וּשְׂבַע־ 6 וַיֵּאָסֶף...זָקֵן וּשְׂבַע יָמִים Gen. 35:29
7 אָדָם...קְצַר יָמִים וּשְׂבַע־רֹגֶז Job 14:1
8 וַיָּמָת אִיּוֹב זָקֵן וּשְׂבַע יָמִים Job 42:17
שְׂבֵעָה 9 נֶפֶשׁ שְׂבֵעָה תָּבוּס נֹפֶת Prov. 27:7
שְׂבֵעִים 10 שְׂבֵעִים בַּלֶּחֶם נִשְׂכָּרוּ ISh. 2:5

שָׂבָע

ז׳ יבול רב: 1-8

שָׂבָע גָּדוֹל 1; שְׁנֵי הַשָּׂבָע 5-7

שָׂבָע 1 שָׂבָע גָּדוֹל בְּכָל־אֶרֶץ מִצְרָיִם Gen. 41:29
2 וְיִמָּלְאוּ אֲסָמֶיךָ שָׂבָע Prov. 3:10
הַשָּׂבָע 3 וְנִשְׁכַּח כָּל־הַשָּׂבָע בְּאֶרֶץ מִצְ׳ Gen. 41:30
4 וְלֹא־יִוָּדַע הַשָּׂבָע בָּאָרֶץ Gen. 41:31
5/6 בְּשֶׁבַע שְׁנֵי הַשָּׂבָע Gen. 41:34, 47
7 וַתִּכְלֶינָה שֶׁבַע שְׁנֵי הַשָּׂבָע Gen. 41:53
וְהַשָּׂבָע 8 וְהַשָּׂבָע לֶעָשִׁיר אֵינֶנּוּ מַנִּיחַ לוֹ לִישׁוֹן Eccl. 5:11

שֹׂבַע

ז׳ ספוק הרעבון: 1-8

אָכַל לָשֹׂבַע 1-3, 6; שֹׂבַע נַפְשׁוֹ 6; שֹׂבַע שְׂמָחוֹת 5

לָשֹׂבַע 1 בְּאָכְלֵנוּ לֶחֶם לָשֹׂבַע Ex. 16:3
2 וַאֲכַלְתֶּם לָשֹׂבַע Lev. 25:19
3 וַאֲכַלְתֶּם לַחְמְכֶם לָשֹׂבַע Lev. 26:5
4 צֵידָה שָׁלַח לָהֶם לָשֹׂבַע Ps. 78:25
שֹׂבַע־ 5 שֹׂבַע שְׂמָחוֹת אֶת־פָּנֶיךָ Ps. 16:11
לְשֹׂבַע־ 6 צַדִּיק אֹכֵל לְשֹׂבַע נַפְשׁוֹ Prov. 13:25
שָׂבְעֶךָ 7 וְאָכַלְתָּ עֲנָבִים כְּנַפְשְׁךָ שָׂבְעֶךָ Deut. 23:25
מִשָּׂבְעָהּ 8 אֵת אֲשֶׁר־הוֹתִרָה מִשָּׂבְעָהּ Ruth 2:18

שבע :

א) נִשְׁבַּע, הִשְׁבִּיעַ; שְׁבוּעָה; ש״פ שֶׁבַע, שִׁבְעָה, בְּאֵר שֶׁבַע, בַּת־שֶׁבַע
ב) שֶׁבַע, שְׁבִיעִי, שִׁבְעִים, שִׁבְעָתַיִם

(שבע) נִשְׁבַּע

נפ׳ א) התחייב בכל הקדוש לו, הצהיר בשבועה: 1-154
ב) [הפ׳ הִשְׁבִּיעַ] חייב בשבועה: 155-185

– נִשְׁבַּע לְ־ 2, 6-9, 11-17, 19, 23, 27, 32-39, 41-70, 74, 81, 82, 84, 85, 87, 91, 93, 95, 111, 116, 118, 119, 121, 128, 129, 131, 134, 136, 143, 144, 146, 148-154;
נִשְׁבַּע בְּ־ 4, 18, 19, 28, 29, 36, 76-80, 87, 89, 93, 97, 101, 103, 105, 111, 117, 120, 129, 131, 137, 145, 148, 151-153;
נִשְׁבַּע בְּשֵׁם־ 3, 26, 90, 100, 104, 113, 114, 140;
נִשְׁבַּע אֶל־ 135; נִשְׁבַּע עַל־ 86
– הִשְׁבִּיעַ (אֶת־) 155, 162-164, 169-171, 173-175, 176, 178, 180-184; הִשְׁבִּיעַ (אֶת־) בְּ־ 163, 170, 174, 177, 179

הִשָּׁבַע 1 אוֹ־הִשָּׁבַע שְׁבֻעָה לֶאְסֹר אִסָּר Num. 30:3
וְהִשָּׁבֵעַ 2 הֲגָנֹב רָצֹחַ וְנָאֹף וְהִשָּׁבֵעַ לַשֶּׁקֶר Jer. 7:9
לְהִשָּׁבֵעַ 3 יִלְמְדוּ...לְהִשָּׁבֵעַ בִּשְׁמִי חַי־יְיָ Jer. 12:16
4 כַּאֲשֶׁר לִמְּדוּ...לְהִשָּׁבֵעַ בַּבָּעַל Jer. 12:16
נִשְׁבַּעְתִּי 5 בִּי נִשְׁבַּעְתִּי נְאֻם־יְיָ Gen. 22:16
6 אֲשֶׁר נִשְׁבַּעְתִּי לְאַבְרָהָם אָבִיךָ Gen. 26:3
7 אֲשֶׁר נִשְׁבַּעְתִּי לְאַבְרָהָם...לֵאמֹר Ex. 33:1
8 הָאָרֶץ אֲשֶׁר נִשְׁבַּעְתִּי לַאֲבֹתָם Num. 14:23
9 הָאֲדָמָה אֲשֶׁר נִשְׁבַּעְתִּי לְאַבְרָהָם Num. 32:11

נִשְׁבַּעְתִּי (המשך) 10 אֲשֶׁר נִשְׁבַּעְתִּי לָתֵת לַאֲבֹתֵיכֶם Deut. 1:35
11 נִשְׁבַּעְתִּי לַאֲבֹתָם לָתֵת לָהֶם Deut. 10:11
12 הָאֲדָמָה אֲשֶׁר־נִשְׁבַּעְתִּי לַאֲבֹתָיו Deut. 31:20
13 הָאָרֶץ אֲשֶׁר־נִשְׁבַּעְתִּי לָהֶם Deut. 31:23
14 הָאָרֶץ אֲשֶׁר נִשְׁבַּעְתִּי לְאַבְרָהָם Deut. 34:4
15 אֲשֶׁר־נִשְׁבַּעְתִּי לַאֲבוֹתָם לָתֵת לָהֶם Josh. 1:6
16 הָאָרֶץ אֲשֶׁר נִשְׁבַּעְתִּי לַאֲבֹתֵיכֶם Jud. 2:1
17 וְלָכֵן נִשְׁבַּעְתִּי לְבֵית עֵלִי ISh. 3:14
18 כִּי בַייָ נִשְׁבַּעְתִּי כִּי־אֵינְךָ יוֹצֵא IISh. 19:8
19 כִּי כַּאֲשֶׁר נִשְׁבַּעְתִּי לָךְ בַּייָ IK. 1:30
20 בִּי נִשְׁבַּעְתִּי יָצָא מִפִּי צְדָקָה Is. 45:23
21 אֲשֶׁר נִשְׁבַּעְתִּי מֵעֲבֹר מֵי־נֹחַ עוֹד Is. 54:9
22 כֵּן נִשְׁבַּעְתִּי מִקְּצֹף עָלַיִךְ Is. 54:9
23 אֲשֶׁר־נִשְׁבַּעְתִּי לַאֲבוֹתֵיכֶם Jer. 11:5
24/5 בִּי נִשְׁבַּעְתִּי נְאֻם־יְיָ Jer. 22:5; 49:13
26 הִנְנִי נִשְׁבַּעְתִּי בִּשְׁמִי הַגָּדוֹל Jer. 44:26
27 נִשְׁבַּעְתִּי לְדָוִד עַבְדִּי Ps. 89:4
28 אַחַת נִשְׁבַּעְתִּי בְקָדְשִׁי Ps. 89:36
29 אֲשֶׁר־נִשְׁבַּעְתִּי בְאַפִּי אִם־יְבֹאוּן Ps. 95:11
30 נִשְׁבַּעְתִּי וָאֲקַיֵּמָה לִשְׁמֹר Ps. 119:106
נִשְׁבָּעְתִּי 31 אֶל־הָאָרֶץ אֲשֶׁר נִשְׁבָּעְתִּי Deut. 31:21
נִשְׁבַּעְתָּ 32 אֲשֶׁר נִשְׁבַּעְתָּ לָהֶם בָּךְ Ex. 32:13
33 עַל הָאֲדָמָה אֲשֶׁר נִשְׁבַּעְתָּ לַאֲבֹתָיו Num. 11:12
34 כַּאֲשֶׁר נִשְׁבַּעְתָּ לַאֲבֹתֵינוּ Deut. 26:15
35 הֲלֹא־אַתָּה...נִשְׁבַּעְתָּ לַאֲמָתְךָ לֵאמֹר IK. 1:13
36 אַתָּה נִשְׁבַּעְתָּ בַּייָ אֱלֹהֶיךָ לַאֲמָתֶךָ IK. 1:17
37 נִשְׁבַּעְתָּ לַאֲבוֹתָם לָתֵת לָהֶם Jer. 32:22
38 אֲשֶׁר־נִשְׁבַּעְתָּ לַאֲבֹתֵינוּ מִימֵי קֶדֶם Mic. 7:20
39 נִשְׁבַּעְתָּ לְדָוִד בֶּאֱמוּנָתֶךָ Ps. 89:50
וְנִשְׁבַּעְתָּ 40 וְנִשְׁבַּעְתָּ חַי־יְיָ בֶּאֱמֶת... Jer. 4:2
נִשְׁבַּע 41 וַאֲשֶׁר דִּבֶּר־לִי וַאֲשֶׁר נִשְׁבַּע־לִי Gen. 24:7
42 אֶל־הָאָרֶץ אֲשֶׁר נִשְׁבַּע לְאַבְרָהָם Gen. 50:24
43 אֲשֶׁר נִשְׁבַּע לַאֲבֹתֶיךָ לָתֶת לָךְ Ex. 13:5
44 כַּאֲשֶׁר נִשְׁבַּע לְךָ וְלַאֲבֹתֶיךָ Ex. 13:11
45 אֶל־הָאָרֶץ אֲשֶׁר־נִשְׁבַּע לָהֶם Num. 14:16
46-66 נִשְׁבַּע (יְיָ) לַאֲבֹתֵיכֶם (לַאֲבֹתֶיךָ וכד׳)
Deut. 1:8; 6:10, 18, 23; 7:8, 12, 13; 8:1, 18; 9:5; 11:9, 21; 13:18; 19:8; 26:3; 28:11; 29:12; 30:20; 31:7 • Josh. 5:6; 21:42
67 כַּאֲשֶׁר נִשְׁבַּע יְיָ לָהֶם Deut. 2:14
68 בְּרִית אֲבֹתֶיךָ אֲשֶׁר נִשְׁבַּע לָהֶם Deut. 4:31
69 כַּאֲשֶׁר נִשְׁבַּע־לָךְ Deut. 28:9
70 נִשְׁבַּע יְיָ לָהֶם לְבִלְתִּי הַרְאוֹתָם Josh. 5:6
71 אֲשֶׁר נִשְׁבַּע לָתֵת לַאֲבוֹתָם Josh. 21:41
72 וְכַאֲשֶׁר נִשְׁבַּע יְיָ לָהֶם Jud. 2:15
73 וְאִישׁ יִשְׂרָאֵל נִשְׁבַּע...לֵאמֹר Jud. 21:1
74 כִּי כַּאֲשֶׁר נִשְׁבַּע יְיָ לְדָוִד IISh. 3:9
75 נִשְׁבַּע יְיָ צְבָאוֹת לֵאמֹר Is. 14:24
76 נִשְׁבַּע יְיָ בִּימִינוֹ וּבִזְרוֹעַ עֻזּוֹ Is. 62:8
77 נִשְׁבַּע יְיָ צְבָאוֹת בְּנַפְשׁוֹ Jer. 51:14
78 נִשְׁבַּע אֲדֹנָי יֱהוִֹה בְּקָדְשׁוֹ Am. 4:2
79 נִשְׁבַּע אֲדֹנָי יֱהוִֹה בְּנַפְשׁוֹ Am. 6:8
80 נִשְׁבַּע יְיָ בִּגְאוֹן יַעֲקֹב Am. 8:7
81 נִשְׁבַּע לְהָרַע וְלֹא יָמִר Ps. 15:4
82 וְלֹא נִשְׁבַּע לְמִרְמָה Ps. 24:4
83 נִשְׁבַּע יְיָ וְלֹא יִנָּחֵם Ps. 110:4
84 נִשְׁבַּע לַייָ נָדַר לַאֲבִיר יַעֲקֹב Ps. 132:2
85 נִשְׁבַּע־יְיָ לְדָוִד אֱמֶת Ps. 132:11
וְנִשְׁבַּע 86 וְכִחֶשׁ בָּהּ וְנִשְׁבַּע עַל־שָׁקֶר Lev. 5:22
נִשְׁבַּעְנוּ 87 אֲנַחְנוּ נִשְׁבַּעְנוּ לָהֶם בַּייָ אֱלֹהֵי יִשׂ׳ Josh. 9:19
88 עַל־הַשְּׁבוּעָה אֲשֶׁר־נִשְׁבַּעְנוּ לָהֶם Josh. 9:20
89 נִשְׁבַּעְנוּ בַייָ לְבִלְתִּי תֵּת־לָהֶם Jud. 21:7
90 אֲשֶׁר נִשְׁבַּעְנוּ שְׁנֵינוּ אֲנַחְנוּ בְּשֵׁם יְיָ ISh. 20:42

נִשְׁבַּעְתֶּם 91 וְהוֹצִיאוּ...כַּאֲשֶׁר נִשְׁבַּעְתֶּם לָהּ Josh.6:22
נִשְׁבְּעוּ 92 כִּי שָׁם נִשְׁבְּעוּ שְׁנֵיהֶם Gen.21:31
93 כִּי־נִשְׁבְּעוּ לָהֶם נְשִׂיאֵי הָעֵדָה Josh.9:18
94 כִּי־נִשְׁבְּעוּ בְּ־י׳ לֵאמֹר אָרוּר... Jud.21:18
95 וּבְנֵי יִשְׂרָאֵל נִשְׁבְּעוּ לָהֶם IISh.21:2
96 אָז נִשְׁבְּעוּ אַנְשֵׁי־דָוִד לוֹ לֵאמֹר IISh.21:17
נִשְׁבָּעוּ 97 מְהוֹלָלַי בִּי נִשְׁבָּעוּ Ps.102:9
98 כִּי בְכָל־לְבָבָם נִשְׁבָּעוּ IICh.15:15
הַנִּשְׁבָּע 99 וְכָל־הַנִּשְׁבָּע מִזֶּה כָּמוֹהָ נִקָּה Zech.5:3
100 וְאֶל־בֵּית הַנִּשְׁבָּע בִּשְׁמִי לַשָּׁקֶר Zech.5:4
101 יִתְהַלֵּל כָּל־הַנִּשְׁבָּע בּוֹ Ps.63:12
102 הַנִּשְׁבָּע כַּאֲשֶׁר שְׁבוּעָה יָרֵא Eccl.9:2
וְהַנִּשְׁבָּע 103 וְהַנִּשְׁבָּע בָּאָ׳ יִשָּׁבַע בֵּאלֹהֵי אָמֵן Is.65:16
הַנִּשְׁבָּעִים 104 הַנִּשְׁבָּעִים בְּשֵׁם יְיָ Is.48:1
105 הַנִּשְׁבָּעִים בְּאַשְׁמַת שֹׁמְרוֹן Am.8:14
106 וְאֶת־הַמִּשְׁתַּחֲוִים הַנִּשְׁבָּעִים לַייָ Zep.1:5
וְהַנִּשְׁבָּעִים 107 הַנִּשְׁבָּעִים לַייָ וְהַנִּשְׁבָּעִים בְּמַלְכָּם Zep.1:5
וּבַנִּשְׁבָּעִים 108 בַּמְכַשְּׁפִים...וּבַנִּשְׁבָּעִים לַשָּׁקֶר Mal.3:5
וְנִשְׁבָּעוֹת 109 וְנִשְׁבָּעוֹת לַייָ צְבָאוֹת Is.19:18
אִשָּׁבֵעַ 110 וַיֹּאמֶר אַבְרָהָם אָנֹכִי אִשָּׁבֵעַ Gen.21:24
וָאִשָּׁבַע 111 וָאִשָּׁבַע לוֹ בַייָ לֵאמֹר IK.2:8
112 וָאִשָּׁבַע לָךְ וָאָבוֹא בִבְרִית אֹתָךְ Ezek.16:8
תִּשָּׁבֵעַ 113 וְאֹתוֹ תַעֲבֹד וּבִשְׁמוֹ תִּשָּׁבֵעַ Deut.6:13
114 וּבוֹ תִדְבָּק וּבִשְׁמוֹ תִּשָּׁבֵעַ Deut.10:20
יִשָּׁבַע 115 מִכֹּל אֲשֶׁר־יִשָּׁבַע עָלָיו לַשֶּׁקֶר Lev.5:24
116 יִשָּׁבַע־לִי כַיּוֹם הַמֶּלֶךְ שְׁלֹמֹה IK.1:51
117 וְהַנִּשְׁבָּע בָּאָ׳ יִשָּׁבַע בֵּאלֹהֵי אָמֵן Is.65:16
וַיִּשָּׁבַע 118 וַיִּשָּׁבַע לוֹ עַל־הַדָּבָר הַזֶּה Gen.24:9
119 הִשָּׁבְעָה לִּי כַּיּוֹם וַיִּשָּׁבַע לוֹ Gen.25:33
120 וַיִּשָּׁבַע יַעֲקֹב בְּפַחַד אָבִיו יִצְחָק Gen.31:53
121 וַיֹּאמֶר הִשָּׁבְעָה לִי וַיִּשָּׁבַע לוֹ Gen.47:31
122 וַיִּחַר־אַף יְיָ...וַיִּשָּׁבַע לֵאמֹר Num.32:10
123 וַיִּשְׁמַע...וַיִּקְצֹף וַיִּשָּׁבַע לֵאמֹר Deut.1:34
124 וַיִּשָּׁבַע לְבִלְתִּי עָבְרִי אֶת־הַיַּרְדֵּן Deut.4:21
125 וַיִּשָּׁבַע מֹשֶׁה בַּיּוֹם הַהוּא לֵאמֹר Josh.14:9
126 וַיִּשָּׁבַע שָׁאוּל חַי־יְיָ אִם־יוּמָת ISh.19:6
127 וַיִּשָּׁבַע עוֹד דָּוִד וַיֹּאמֶר ISh.20:3
128 וַיִּשָּׁבַע דָּוִד לְשָׁאוּל ISh.24:22
129 וַיִּשָּׁבַע לָהּ שָׁאוּל בַּייָ לֵאמֹר ISh.28:10
130 וַיִּשָּׁבַע דָּוִד לֵאמֹר IISh.3:35
131 וַיִּשָּׁבַע לוֹ הַמֶּלֶךְ IISh.19:24
132 וַיִּשָּׁבַע הַמֶּלֶךְ וַיֹּאמַר חַי־יְיָ... IK.1:29
133 וַיִּשָּׁבַע הַמֶּלֶךְ שְׁלֹמֹה בַּייָ לֵאמֹר IK.2:23
134 וַיִּשָּׁבַע לָהֶם גְּדַלְיָהוּ וּלְאַנְשֵׁיהֶם IIK.25:24
135 וַיִּשָּׁבַע הַמֶּ׳ צִדְקִיָּהוּ אֶל־יִרְמְיָהוּ Jer.38:16
136 וַיִּשָּׁבַע לָהֶם גְּדַלְיָהוּ...וּלְאַנְשֵׁיהֶם Jer.40:9
137 וַיָּרֶם יְמִינוֹ...וַיִּשָּׁבַע בְּחֵי הָעוֹלָם Dan.12:7
תִּשָּׁבַע 138 אוֹ נֶפֶשׁ כִּי תִשָּׁבַע לְבַטֵּא בִשְׂפָתַיִם Lev.5:4
139 כִּי־לִי...תִּשָּׁבַע כָּל־לָשׁוֹן Is.45:23
תִשָּׁבְעוּ 140 וְלֹא־תִשָּׁבְעוּ בִשְׁמִי לַשָּׁקֶר Lev.19:12
141 וְאַל־תִּשָּׁבְעוּ חַי־יְיָ Hosh.4:15
יִשָּׁבֵעוּ 142 וְאִם חַי־יְיָ יֹאמֵרוּ לָכֵן לַשֶּׁקֶר יִשָּׁבֵעוּ Jer.5:2
וַיִּשָּׁבְעוּ 143 וַיִּשָּׁבְעוּ אִישׁ לְאָחִיו Gen.26:31
144 וַיִּשָּׁבְעוּ לָהֶם נְשִׂיאֵי הָעֵדָה Josh.9:15
145 בָּנַיִךְ עֲזָבוּנִי וַיִּשָּׁבְעוּ בְּלֹא אֱלֹהִים Jer.5:7
146 וַיִּשָּׁבְעוּ לַייָ בְּקוֹל גָּדוֹל IICh.15:14
וַיִּשָּׁבֵעוּ 147 וַיַּשְׁבַּע אֶת־שָׂרֵי הַכֹּהֲנִים...וַיִּשָּׁבֵעוּ Ez.10:5
הִשָּׁבְעָה 148 וְעַתָּה הִשָּׁבְעָה לִּי בֵאלֹהִים הֵנָּה Gen.21:23
149 וַיֹּאמֶר יַעֲקֹב הִשָּׁבְעָה לִּי כַּיּוֹם Gen.25:33
150 וַיֹּאמֶר הִשָּׁבְעָה לִי Gen.47:31
151 וְעַתָּה הִשָּׁבְעָה לִּי בַּייָ ISh.24:22
152 הִשָּׁבְעָה לִּי בֵאלֹהִים אִם־תְּמִיתֵנִי ISh.30:15

הִשָּׁבְעוּ 153 הִשָּׁבְעוּ־נָא לִי בַּייָ Josh.2:12
154 הִשָּׁבְעוּ לִי פֶּן־תִּפְגְּעוּן בִּי אַתֶּם Jud.15:12
הַשְׁבֵּעַ 155 הַשְׁבֵּעַ הִשְׁבִּיעַ אֶת־בְּ־י׳ לֵאמֹר Ex.13:19
156 הַשְׁבֵּעַ הִשְׁבִּיעַ אָבִיךָ אֶת־הָעָם ISh.14:28
בְּהַשְׁבִּיעַ 157 לֹא־שָׁמַע בְּהַשְׁבִּיעַ אָבִיו אֶת־הָעָם ISh.14:27
לְהַשְׁבִּיעַ 158 וַיּוֹסֶף יְהוֹנָתָן לְהַשְׁבִּיעַ אֶת־דָּוִד ISh.20:17
הִשְׁבַּעְתִּי 159/60 הִשְׁבַּעְתִּי אֶתְכֶם בְּנוֹת יְרוּשָׁ׳ S.ofS.2:7; 3:5
161/2 הִשְׁבַּעְתִּי אֶתְכֶם בְּנוֹת יְרוּשָׁ׳ S.ofS.5:8; 8:4
הִשְׁבַּעְתִּיךָ 163 הֲלוֹא הִשְׁבַּעְתִּיךָ בַייָ IK.2:42
הִשְׁבַּעְתָּנוּ 164 מִשְּׁבֻעָתֵךְ הַזֶּה אֲשֶׁר הִשְׁבַּעְתָּנוּ Josh.2:17
165 נְקִיִּם...מִשְּׁבֻעָתֵךְ...אֲשֶׁר הִשְׁבַּעְתָּנוּ Josh.2:20
166 מַה־דּוֹדֵךְ מִדּוֹד שֶׁכָּכָה הִשְׁבַּעְתָּנוּ S.ofS.5:9
הִשְׁבִּיעַ 167 כִּי הַשְׁבֵּעַ הִשְׁבִּיעַ אֶת־בְּ־י׳ לֵאמֹר Ex.13:19
168 הַשְׁבֵּעַ הִשְׁבִּיעַ אָבִיךָ אֶת־הָעָם ISh.14:28
וְהִשְׁבִּיעַ 169 וְהִשְׁבִּיעַ אֹתָהּ הַכֹּהֵן Num.5:19
170 וְהִשְׁבִּיעַ הַכֹּהֵן אֶת־הָאִשָּׁה Num.5:21
171 וְהִשְׁבִּיעַ אֶת־הַמַּמְלָכָה IK.18:10
הִשְׁבִּיעַנִי 172 אָבִי הִשְׁבִּיעַנִי לֵאמֹר Gen.50:5
הִשְׁבִּיעֶךָ 173 וּקְבֹר אֶת־אָבִיךָ כַּאֲשֶׁר הִשְׁבִּיעֶךָ Gen.50:6
הִשְׁבִּיעוֹ 174 בַּמֶּלֶךְ...אֲשֶׁר הִשְׁבִּיעוֹ בֵּאלֹהִים IICh.36:13
מַשְׁבִּעֶךָ 175 עַד־כַּמֶּה פְעָמִים אֲנִי מַשְׁבִּעֶךָ IK.22:16
176 עַד־כַּמָּה פְעָמִים אֲנִי מַשְׁבִּעֶךָ IICh.18:15
וְאַשְׁבִּיעֲךָ 177 וְאַשְׁבִּיעֲךָ בַּייָ אֱלֹהֵי הַשָּׁמַיִם Gen.24:3
וָאַשְׁבִּיעֵם 178 וָאַשְׁבִּיעֵם לַעֲשׂוֹת כַּדָּבָר הַזֶּה Neh.5:12
179 וָאַשְׁבִּיעֵם בֵּאלֹהִים אִם־תִּתְּנוּ... Neh.13:25
וַיַּשְׁבַּע 180 וַיַּשְׁבַּע יוֹסֵף אֶת־בְּ־י׳ לֵאמֹר Gen.50:25
181 וַיַּשְׁבַּע יְהוֹשֻׁעַ בָּעֵת הַהִיא Josh.6:26
182 וַיִּכְרֹת...בְּרִית וַיַּשְׁבַּע אֹתָם בְּבֵית יְיָ IIK.11:4
183 וַיַּשְׁבַּע אֶת־שָׂרֵי הַכֹּהֲנִים...לַעֲשׂוֹת Ez.10:5
וַיַּשְׁבִּעֵנִי 184 וַיַּשְׁבִּעֵנִי אֲדֹנִי לֵאמֹר Gen.24:37
תַשְׁבִּיעוּ 185 וּבְשֵׁם אֱלֹהֵיהֶם לֹא־תַזְכִּירוּ
וְלֹא תַשְׁבִּיעוּ Josh.23:7

שֶׁבַע[1]

ש־מ — 7 לנקבה: 1-164

– שֶׁבַע אַמּוֹת 90; שׁ׳ בָּנוֹת 55; שׁ׳ כְּבָשׂת 6, 7;
שׁ׳ מַחְלְפוֹת 83, 84; שׁ׳ נְעָרוֹת 97; שׁ׳ נָשִׁים 87;
שֶׁבַע פְּעָמִים 12, 58-75; שֶׁבַע פָּרוֹת 13-19, 103;
שֶׁבַע שִׁבֳּלִים 20-25, 102, 104; שׁ׳ שַׁבָּתוֹת 76-78;
שֶׁבַע שָׁנִים 1, 4, 9-11, 26-54, 100, 101, 114, 115, 117;
שֶׁבַע תּוֹעֵבוֹת 93
– מַעֲלוֹת שֶׁבַע 89; שְׁנַת שֶׁבַע 86, 88, 98, 99, 113
– שֶׁבַע וְעֶשְׂרִים 94-96; שֶׁבַע וּשְׁלֹשִׁים 56, 57;
שֶׁבַע וְשִׁבְעִים 3; שֶׁבַע וּשְׁמוֹנִים 2
– שְׁבַע עֶשְׂרֵה 118, 119, 127, 129, 130, 163, 164
– שְׁבַע מֵאוֹת 120-126, 128, 131-162
– עֶשְׂרִים וָשֶׁבַע 106, 107, 109, 112; שְׁלֹשִׁים וָשֶׁבַע 108, 110, 111

שֶׁבַע 1 שֶׁבַע שָׁנִים וּשְׁמֹנֶה מֵאוֹת שָׁנָה Gen.5:7
2 שֶׁבַע וּשְׁמֹנִים שָׁנָה וּמְאַת שָׁנָה Gen.5:25
3 שֶׁבַע וְשִׁבְעִים שָׁנָה Gen.5:31
4 שֶׁבַע שָׁנִים וּמָאתַיִם שָׁנָה Gen.11:21
5 אֶת־שֶׁבַע כִּבְשֹׂת הַצֹּאן Gen.21:28
6 מָה הֵנָּה שֶׁבַע כְּבָשֹׂת הָאֵלֶּה Gen.21:29
7 אֶת־שֶׁבַע כְּבָשֹׂת תִּקַּח מִיָּדִי Gen.21:30
8 אֶעֱבָדְךָ שֶׁבַע שָׁנִים בְּרָחֵל Gen.29:18
9 וַיַּעֲבֹד יַעֲקֹב בְּרָחֵל שֶׁבַע שָׁנִים Gen.29:20
10/1 עוֹד שֶׁבַע־שָׁנִים אֲחֵרוֹת Gen.29:27,30
12 וַיִּשְׁתַּחוּ אַרְצָה שֶׁבַע פְּעָמִים Gen.33:3
13 שֶׁבַע פָּרוֹת יְפוֹת מַרְאֶה Gen.41:2
14-19 שֶׁבַע (הַ)פָּרוֹת ׀ Gen.41:3,4,18,19,20,26
20-25 שֶׁבַע (הַ)שִׁבֳּלִים Gen.41:5,6,7,22,23,24
26 הִנֵּה שֶׁבַע שָׁנִים בָּאוֹת Gen.41:29

שֶׁבַע (המשך) 27-54 שֶׁבַע שָׁנִים (שְׁנֵי...) Gen.41:26², 27
41:30,48,53,54; 47:28 • Num.13:22 • Deut.15:1; 31:10 • Jud.6:1,25; 12:9 • IISh.2:11; 5:5; 24:13 • IK.2:11; 6:38 • IIK.8:1,2,3; 12:1 • Jer.34:14 • Ezek.39:9 • ICh.3:4; 29:27 • IICh.24:1
55 וּלְכֹהֵן מִדְיָן שֶׁבַע בָּנוֹת Ex.2:16
56/7 שֶׁבַע וּשְׁלֹשִׁים וּמְאַת שָׁנָה Ex.6:16,20
58 וְהִזָּה מִן־הַדָּם שֶׁבַע פְּעָמִים Lev.4:6
59 וְהִזָּה שֶׁבַע פְּעָמִים לִפְנֵי יְיָ Lev.4:17
60 וַיַּז מִמֶּנּוּ...שֶׁבַע פְּעָמִים Lev.8:11
61-75 שֶׁבַע פְּעָמִים Lev.14:7,16,27,51 • 16:14,19; 25:8 • Num.19:4 • Josh.6:4,15² • IK. 18:43 • IIK.4:35; 5:10,14
76 שֶׁבַע שַׁבָּתוֹת תְּמִימֹת תִּהְיֶינָה Lev.23:15
77 וְסָפַרְתָּ לְךָ שֶׁבַע שַׁבְּתֹת שָׁנִים Lev.25:8
78 וְהָיוּ לְךָ יְמֵי שֶׁבַע שַׁבְּתֹת הַשָּׁנִים Lev.25:8
79 לְיַסְּרָה אֶתְכֶם שֶׁבַע עַל־חַטֹּאתֵיכֶם Lev.26:18
80 וְיָסַפְתִּי...מַכָּה שֶׁבַע כְּחַטֹּאתֵיכֶם Lev.26:21
81 וְהִכֵּיתִי...שֶׁבַע עַל־חַטֹּאתֵיכֶם Lev.26:24
82 וְיִסַּרְתִּי...שֶׁבַע עַל־חַטֹּאתֵיכֶם Lev.26:28
83 תַּאַרְגִי אֶת־שֶׁבַע מַחְלְפוֹת רֹאשִׁי Jud.16:13
84 וַתְּגַלַּח אֶת־שֶׁבַע מַחְלְפוֹת רֹאשׁוֹ Jud.16:19
85 וְהַשְּׁלִישִׁית שֶׁבַע בָּאַמָּה רָחְבָּהּ IK.6:6
86 בִּשְׁנַת־שֶׁבַע לְיֵהוּא מָלַךְ יְהוֹאָשׁ IIK.12:2
87 וְהֶחֱזִיקוּ שֶׁבַע נָשִׁים בְּאִישׁ אֶחָד Is.4:1
88 זֶה הָעָם אֲשֶׁר הֶגְלָה...בִּשְׁנַת־שֶׁבַע Jer.52:28
89 וּבְמַעֲלוֹת שֶׁבַע יַעֲלוּ־בוֹ Ezek.40:22
90 וְרֹחַב הַפֶּתַח שֶׁבַע אַמּוֹת Ezek.41:3
91 שֶׁבַע בַּיּוֹם הִלַּלְתִּיךָ Ps.119:164
92 כִּי שֶׁבַע יִפּוֹל צַדִּיק וָקָם Prov.24:16
93 כִּי שֶׁבַע תּוֹעֵבוֹת בְּלִבּוֹ Prov.26:25
94-96 שֶׁבַע וְעֶשְׂרִים וּמֵאָה מְדִינָה Es.1:1; 8:9; 9:30
97 וְאֵת שֶׁבַע הַנְּעָרוֹת הָרְאֻיוֹת Es.2:9
98 בִּשְׁנַת־שֶׁבַע לְמַלְכוּתוֹ Es.2:16
99 בִּשְׁנַת־שֶׁבַע לְאַרְתַּחְשַׁסְתְּא Ez.7:7
וְשֶׁבַע 100 וְעֶשְׂרִים שָׁנָה וְשֶׁבַע שָׁנִים Gen.23:1
101 וּשְׁלֹשִׁים שָׁנָה וְשֶׁבַע שָׁנִים Gen.25:17
102 וְשֶׁבַע הַשִּׁבֳּלִים הַטֹּבֹת Gen.41:26
103 וְשֶׁבַע הַפָּרוֹת הָרַקּוֹת וְהָרָעֹת Gen.41:27
104 וְשֶׁבַע הַשִּׁבֳּלִים הָרֵקוֹת Gen.41:27
105 וְשֶׁבַע תּוֹעֲבַת נַפְשׁוֹ Prov.6:16
וָשֶׁבַע 106/7 בִּשְׁנַת עֶשְׂרִים וָשֶׁבַע IK.16:10,15
108 בִּשְׁנַת שְׁלֹשִׁים וָשֶׁבַע שָׁנָה IIK.13:10
109 בִּשְׁנַת עֶשְׂרִים וָשֶׁבַע שָׁנָה IIK.15:1
110/1 בִּשְׁלֹשִׁים וָשֶׁבַע שָׁנָה IIK.25:27 • Jer.52:31
112 וַיְהִי בְּעֶשְׂרִים וָשֶׁבַע שָׁנָה Ezek.29:17
הַשֶּׁבַע 113 קָרְבָה שְׁנַת־הַשֶּׁבַע שְׁנַת הַשְּׁמִטָּה Deut.15:9
בְּשֶׁבַע 114/5 בְּשֶׁבַע שְׁנֵי הַשָּׂבָע Gen.41:34,47
וּבְשֶׁבַע 116 וּבְשֶׁבַע לֹא־יִגַּע בְּךָ רָע Job5:19
לְשֶׁבַע 117 וְהָיָה הָאֹכֶל...לְשֶׁבַע שְׁנֵי הָרָעָב Gen.41:36
שְׁבַע־ 118 יוֹסֵף בֶּן־שְׁבַע־עֶשְׂרֵה שָׁנָה Gen.37:2
119 וַיְחִי...בְּאֶרֶץ מִצְ׳ שְׁבַע עֶשְׂרֵה שָׁנָה Gen.47:28
120 אַלְפַּיִם שְׁבַע מֵאוֹת וַחֲמִשִּׁים Num.4:36
121 שְׁבַע מֵאוֹת וּשְׁלֹשִׁים Num.26:51
122 אֶלֶף שְׁבַע־מֵאוֹת וַחֲמִשִּׁים שָׁקֶל Num.31:52
123/4 שְׁבַע מֵאוֹת אִישׁ בָּחוּר Jud.20:15,16
125 וַיַּהֲרֹג...שְׁבַע מֵאוֹת רֶכֶב IISh.10:18
126 וַיְהִי־לוֹ נָשִׁים שָׂרוֹת שְׁבַע מֵאוֹת IK.11:3
127 בִּשְׁנַת שְׁבַע עֶשְׂרֵה לִיהוֹשָׁפָט IK.22:52
128 שְׁבַע־מֵאוֹת אִישׁ שֹׁלֵף חֶרֶב IIK.3:26
129 מֶלֶךְ...בְּשֹׁמְרוֹן שְׁבַע עֶשְׂרֵה שָׁנָה IIK.13:1
130 בִּשְׁנַת שְׁבַע־עֶשְׂרֵה שָׁנָה לְפֶקַח IIK.16:1

שֶׁבַע־ (המשך)
131 נֶפֶשׁ שֶׁבַע מֵאוֹת אַרְבָּעִים וַחֲמִשָּׁה Jer. 52:30
132-143 שֶׁבַע מֵאוֹת Ez. 2:5, 9, 25, 33, 66, 67
Neh. 7:14, 29, 37, 68, 69 • IICh. 15:11
וּשְׁבַע־ 144/5 וּשְׁבַע מֵאוֹת שָׁנָה Gen. 5:26, 31
146 וּשְׁבַע מֵאוֹת וּשְׁלֹשִׁים שָׁקֶל Ex. 38:24
147 וְאֶלֶף וּשְׁבַע מֵאוֹת...שֶׁקֶל Ex. 38:25
148 וְאֶת־הָאֶלֶף וּשְׁבַע הַמֵּאוֹת... Ex. 38:28
149-162 וּשְׁבַע מֵאוֹת Num. 1:39
2:26; 17:14; 26:7, 34 • Jud. 8:26 • IISh. 8:4 • ICh. 5:18; 9:13; 12:27(28); 26:30, 32 • IICh. 17:11[2]
וּשְׁבַע־ 163/4 וּשְׁבַע עֶשְׂרֵה שָׁנָה מָלַךְ IK. 14:21 • IICh. 12:13

שֶׁבַע[2]
שפ״ז א) בן בכרי שמרד בדוד: 1-8
ב) איש מבני גד: 9 • ראשׁ שֶׁבַע 8
שֶׁבַע 1 אִישׁ בְּלִיַּעַל וּשְׁמוֹ שֶׁבַע בֶּן־בִּכְרִי IISh. 20:1
2 וַיַּעַל...אַחֲרֵי שֶׁבַע בֶּן־בִּכְרִי IISh. 20:2
3 עַתָּה יֵרַע לָנוּ שֶׁבַע בֶּן־בִּכְרִי IISh. 20:6
4/5 לִרְדֹּף אַחֲרֵי שֶׁבַע בֶּן־בִּכְרִי IISh. 20:7, 13
6 רְדֹף אַחֲרֵי שֶׁבַע בֶּן־בִּכְרִי IISh. 20:10
7 שֶׁבַע בֶּן־בִּכְרִי שְׁמוֹ IISh. 20:21
8 וַיִּכְרְתוּ אֶת־רֹאשׁ שֶׁבַע בֶּן־בִּכְרִי IISh. 20:22
וָשֶׁבַע 9 מִיכָאֵל וּמְשֻׁלָּם וְשֶׁבַע ICh. 5:13

שֶׁבַע[3]
ש״פ – עיר בנחלת שמעון
וָשֶׁבַע 1 בְּאֵר־שֶׁבַע וָשֶׁבַע וּמוֹלָדָה Josh. 19:2

שָׂבְעָה
נ׳ שׂבע: 1-6
שָׂבְעָה 1 עַזֵּי־נֶפֶשׁ לֹא יָדְעוּ שָׂבְעָה Is. 56:11
לְשָׂבְעָה 2 לֶאֱכֹל לְשָׂבְעָה וְלִמְכַסֶּה עָתִיק Is. 23:18
3 וִיגִיעֲכֶם בְּלוֹא לְשָׂבְעָה Is. 55:2
4 וַאֲכַלְתֶּם־חֵלֶב לְשָׂבְעָה Ezek. 39:19
5 אָכוֹל וְאֵין־לְשָׂבְעָה Hag. 1:6
שָׂבְעָתֵךְ 6 וַתִּזְנִי אֶל־בְּנֵי...מִבִּלְתִּי שָׂבְעָתֵךְ Ezek. 16:28

שִׂבְעָה*
נ׳ שׂבעה
שִׂבְעַת־ 1 גְּאוֹן שִׂבְעַת־לֶחֶם וְשַׁלְוַת הַשְׁקֵט Ezek. 16:49

שִׁבְעָה[1]
ש״מ – המספר 7 לְזָכָר: 1-227
– שִׁבְעָה אֵילִים 62-65; שׁ׳ אֲנָשִׁים 34, 75; שׁ׳ בָּנִים (32), 45, 50, (59), 106; שׁ׳ גּוֹיִם 22; שׁ׳ דְּרָכִים 98, 99; שׁ׳ חֳדָשִׁים 33, 37, 38; שׁ׳ חֲלָקִים 30, 100, 101; שִׁבְעָה יָמִים 5; שׁ׳ יְתָרִים 31, 94; שׁ׳ כְּבָשִׂים 20, 57, 66; שִׁבְעָה כֹהֲנִים 67-70; שׁ׳ מוּצָקוֹת 42; שִׁבְעָה מִזְבְּחוֹת 11, 12, 15; שׁ׳ מְשִׁיבֵי טַעַם 105; שׁ׳ נְחָלִים 102; שׁ׳ נֵרוֹת 7, 8, 76; שׁ׳ עֵינַיִם 41(!); שִׁבְעָה פָרִים 13, 14, 46, 47; שִׁבְעָה רוֹעִים 40; שִׁבְעָה שָׁבֻעוֹת 23, 24; שִׁבְעָה שְׁבָטִים 29; שִׁבְעָה שׁוֹפָרוֹת 25-28; שִׁבְעָה שְׁקָלִים 36
– שִׁבְעָה עָשָׂר 49, 52, 53, 79, 91, 92, 104
– שִׁבְעָה וַחֲמִשִּׁים 9, 10, 61; שִׁבְעָה וְעֶשְׂרִים 93
– אַחִים שִׁבְעָה 51; אֵילִים שׁ׳ 54, 56; כְּבָשִׂים שׁ׳ 16-19, 57; מַעֲלוֹת שׁ׳ 39; עַמּוּדִים שׁ׳ 44; פָּרִים שׁ׳ 21, 55; צְפִירֵי עִזִּים שׁ׳ 58; שָׁבֻעִים שִׁבְעָה 48
– אַרְבָּעִים וְשִׁבְעָה 78, 85; עֶשְׂרִים וְשִׁבְעָה 73, 74; שִׁבְעִים וְשׁ׳ 60, 71, 81; שְׁלֹשִׁים וְשׁ׳ 72, 86, 88, 89; שְׁמוֹנִים וְשׁ׳ 88; שִׁשִּׁים וְשִׁבְעָה 82-84, 87
– שִׁבְעַת אֵילִים 215; שִׁבְעַת אֲלָפִים 192, 195, 198-207, 209, 212, 217-220; שׁ׳ בָּנָיו 197; שׁ׳ יָמִים 107-191, 196, 213, 214, 221, 226; שִׁבְעַת כְּבָשִׂים 222-225; שׁ׳ לֵילוֹת 216; שׁ׳ הַמִּזְבְּחוֹת 194; שׁ׳ הַנֵּרוֹת 193; שׁ׳ סָרִיסִים 210; שׁ׳ פָּרִים 208; שִׁבְעַת שָׂרִים 211
שִׁבְעָה 1/2 תִּקַּח־לְךָ שִׁבְעָה שִׁבְעָה אִישׁ וְאִשְׁתּוֹ Gen. 7:2
3/4 שִׁבְעָה שִׁבְעָה זָכָר וּנְקֵבָה Gen. 7:3
5 לְיָמִים עוֹד שִׁבְעָה אָנֹכִי מַמְטִיר Gen. 7:4

שִׁבְעָה (המשך)
6 וַתֵּלֶד...כָּל־נֶפֶשׁ שִׁבְעָה Gen. 46:25
7/8 אֶת־נֵרֹתֶיהָ שִׁבְעָה Ex. 25:37; 37:23
9/10 שִׁבְעָה וַחֲמִשִּׁים אָלֶף Num. 1:31; 2:8
11/2 בְּנֵה־לִי בָזֶה שִׁבְעָה מִזְבְּחֹת Num. 23:1, 29
13/4 וְהָכֵן לִי בָּזֶה שִׁבְעָה פָרִים Num. 23:1, 29
15 וַיִּבֶן שִׁבְעָה מִזְבְּחֹת Num. 23:14
16-19 כְּבָשִׂים...שִׁבְעָה תְּמִימִם Num. 28:11; 29:2, 8, 36
20 שִׁבְעָה כְבָשִׂים בְּנֵי שָׁנָה Num. 28:27
21 פָּרִים שִׁבְעָה אֵילִם שְׁנָיִם Num. 29:32
22 שִׁבְעָה גוֹיִם רַבִּים וַעֲצוּמִים מִמֶּךָּ Deut. 7:1
23 שִׁבְעָה שָׁבֻעֹת תִּסְפָּר־לָךְ Deut. 16:9
24 תָּחֵל לִסְפֹּר שִׁבְעָה שָׁבֻעוֹת Deut. 16:9
25-27 שִׁבְעָה שׁוֹפְרוֹת (הַ)יּוֹבְלִים Josh. 6:4, 6, 8
28 שִׁבְעָה שׁוֹפְרוֹת הַיֹּבְלִים Josh. 6:13
29 וַיִּוָּתְרוּ בִּבְ׳ י׳...שִׁבְעָה שְׁבָטִים Josh. 18:2
30 תִּכְתְּבוּ אֶת־הָאָרֶץ שִׁבְעָה חֲלָקִים Josh. 18:6
31 וַיַּעֲלוּ־לָהּ...שִׁבְעָה יְתָרִים לַחִים Jud. 16:8
32 עַד־עֲקָרָה יָלְדָה שִׁבְעָה ISh. 2:5
33 וַיְהִי...בִּשְׂדֵה פְלִשְׁתִּים שִׁבְעָה חֳדָשִׁים ISh. 6:1
34 יֻתַּן־לָנוּ שִׁבְעָה אֲנָשִׁים מִבָּנָיו IISh. 21:6
35 שִׁבְעָה לַכֹּתֶרֶת הָאֶחָת IK. 7:17
36 שִׁבְעָה שְׁקָלִים וַעֲשָׂרָה הַכָּסֶף Jer. 32:9
37 לְמַעַן טַהֵר אֶת־הָאָרֶץ שִׁבְעָה חֳדָ׳ Ezek. 39:12
38 מִקְצֵה שִׁבְעָה־חֳדָשִׁים יַחְקֹרוּ Ezek. 39:14
39 וּמַעֲלוֹת שִׁבְעָה עֹלוֹתָו Ezek. 40:26
40 וַהֲקֵמֹנוּ עָלָיו שִׁבְעָה רֹעִים Mic. 5:4
41 עַל־אֶבֶן אַחַת שִׁבְעָה עֵינָיִם Zech. 3:9
42 שִׁבְעָה וְשִׁבְעָה מוּצָקוֹת לַנֵּרוֹת Zech. 4:2
43 שִׁבְעָה־אֵלֶּה עֵינֵי יְיָ Zech. 4:10
44 חָצְבָה עַמּוּדֶיהָ שִׁבְעָה Prov. 9:1
45 וַיִּוָּלְדוּ לוֹ שִׁבְעָה בָנִים וְשָׁלוֹשׁ בָּנוֹת Job 1:2
46/7 שִׁבְעָה(־)פָרִים Job 42:8 • ICh. 15:26
48 עַד־מָשִׁיחַ נָגִיד שָׁבֻעִים שִׁבְעָה Dan. 9:25
49 בְּנֵי חָרִם אֶלֶף שִׁבְעָה עָשָׂר Neh. 7:42
50 וּבְנֵי אֶלְיוֹעֵינַי...שִׁבְעָה ICh. 3:24
51 וַאֲחֵיהֶם לְבֵית אֲבוֹתֵיהֶם...שִׁבְעָה ICh. 5:13
52 שִׁבְעָה־עָשָׂר אֶלֶף וּמָאתָיִם ICh. 7:11
53 לְחֵזִיר שִׁבְעָה עָשָׂר ICh. 24:15
54 בְּפַר בֶּן־בָּקָר וְאֵילִם שִׁבְעָה IICh. 13:9
55/6 פָּרִים־שִׁבְעָה וְאֵילִים שִׁבְעָה IICh. 29:21
57/8 וּכְבָשִׂים שִׁבְעָה וּצְפִירֵי...שִׁבְעָה IICh. 29:21
שִׁבְעָנָה 59 שִׁבְעָנָה בָנִים וְשָׁלוֹשׁ בָּנוֹת Job 42:13
וְשִׁבְעָה 60 וְלֶמֶךְ שִׁבְעִים וְשִׁבְעָה Gen. 4:24
61 וְשִׁבְעָה וַחֲמִשִּׁים אֶלֶף Num. 2:31
62-65 וְשִׁבְעָה אֵילִים Num. 23:1, 29
Job 42:8 • ICh. 15:26
66 וְשִׁבְעָה כְבָשִׂים בְּנֵי שָׁנָה Num. 28:19
67/8 וְשִׁבְעָה כֹהֲנִים יִשְׂאוּ Josh. 6:4, 6
69/70 וְשִׁבְעָה הַכֹּהֲנִים נֹשְׂאִים... Josh. 6:8, 13
71 וַיִּכְתֹּב אֵלָיו...שִׁבְעִים וְשִׁבְעָה אִישׁ Jud. 8:14
72 כֹּל שְׁלֹשִׁים וְשִׁבְעָה IISh. 23:39
73 עַל־עֶשְׂרִים וְשִׁבְעָה אֶלֶף אִישׁ IK. 20:30
74 בְּעֶשְׂרִים וְשִׁבְעָה לַחֹדֶשׁ IIK. 25:27
75 וְשִׁבְעָה אֲנָשִׁים מֵרֹאֵי פְנֵי־הַמֶּלֶךְ Jer. 52:25
76 וְשִׁבְעָה נֵרֹתֶיהָ עָלֶיהָ שִׁבְעָה Zech. 4:2
77 וְשִׁבְעָה מוּצָקוֹת לַנֵּרוֹת Zech. 4:2
78 אֶלֶף מָאתַיִם אַרְבָּעִים וְשִׁבְעָה Ez. 2:38
79 בְּנֵי חָרִם אֶלֶף וְשִׁבְעָה עָשָׂר Ez. 2:39
80 שְׁלֹשׁ מֵאוֹת שְׁלֹשִׁים וְשִׁבְעָה Ez. 2:65
81 כְּבָשִׂים שִׁבְעִים וְשִׁבְעָה Ez. 8:35
82-84 שִׁשִּׁים וְשִׁבְעָה Neh. 7:18, 19, 71
85 אֶלֶף מָאתַיִם אַרְבָּעִים וְשִׁבְעָה Neh. 7:41

וְשִׁבְעָה (המשך)
86 שְׁלֹשׁ מֵאוֹת שְׁלֹשִׁים וְשִׁבְעָה Neh. 7:67
87 וְכָתְנוֹת כֹּהֲנִים שִׁשִּׁים וְשִׁבְעָה Neh. 7:72(73)
88 וַאֲחֵיהֶם...שְׁמוֹנִים וְשִׁבְעָה אָלֶף ICh. 7:5
89 וְעִמָּהֶם...שְׁלֹשִׁים וְשִׁבְעָה אָ׳ ICh. 12:34(35)
הַשִּׁבְעָה 90 אֻמְלְלָה יֹלֶדֶת הַשִּׁבְעָה Jer. 15:9
בְּשִׁבְעָה 91/2 בְּשִׁבְעָה־עָשָׂר יוֹם לַחֹדֶשׁ Gen. 7:11; 8:4
93 בְּשִׁבְעָה וְעֶשְׂרִים יוֹם לַחֹדֶשׁ Gen. 8:14
94 אִם־יַאַסְרֻנִי בְּשִׁבְעָה יְתָרִים לַחִים Jud. 16:7
95 וּבַחֹדֶשׁ הַחֲמִישִׁי בְּשִׁבְעָה לַחֹדֶשׁ IIK. 25:8
96 בָּרִאשׁוֹן בְּשִׁבְעָה לַחֹדֶשׁ Ezek. 30:20
97 וְכֵן תַּעֲשֶׂה בְּשִׁבְעָה בַחֹדֶשׁ Ezek. 45:20
וּבְשִׁבְעָה 98 וּבְשִׁבְעָה דְרָכִים יָנוּסוּ לְפָנֶיךָ Deut. 28:7
99 וּבְשִׁבְעָה דְרָכִים תָּנוּס לְפָנָיו Deut. 28:25
לְשִׁבְעָה 100 וְהִתְחַלְּקוּ אֹתָהּ לְשִׁבְעָה חֲלָקִים Josh. 18:5
101 וַיִּכְתְּבוּהָ לֶעָרִים לְשִׁבְעָה חֲלָקִים Josh. 18:9
102 וְהִכָּהוּ לְשִׁבְעָה נְחָלִים Is. 11:15
103 תֶּן־חֵלֶק לְשִׁבְעָה וְגַם לִשְׁמוֹנָה Eccl. 11:2
104 לְשִׁבְעָה עָשָׂר לְיָשְׁבְּקָשָׁה ICh. 25:24
מִשִּׁבְעָה 105 חָכָם...מִשִּׁבְעָה מְשִׁיבֵי טָעַם Prov. 26:16
106 אֲשֶׁר־הִיא טוֹבָה לָךְ מִשִּׁב׳ בָּנִים Ruth 4:15
שִׁבְעַת־ 107 וַיָּחֶל עוֹד שִׁבְעַת יָמִים אֲחֵרִים Gen. 8:10
108 וַיִּיָּחֶל עוֹד שִׁבְעַת יָמִים אֲחֵרִים Gen. 8:12
109 וַיִּרְדֹּף אַחֲרָיו דֶּרֶךְ שִׁבְעַת יָמִים Gen. 31:23
110 וַיַּעַשׂ לְאָבִיו אֵבֶל שִׁבְעַת יָמִים Gen. 50:10
111 וַיִּמָּלֵא שִׁבְעַת יָמִים Ex. 7:25
112 שִׁבְעַת יָמִים מַצּוֹת תֹּאכֵלוּ Ex. 12:15
113 שִׁבְעַת יָמִים שְׂאֹר לֹא יִמָּצֵא בְּבָתֵּ׳ Ex. 12:19
114 שִׁבְעַת יָמִים תֹּאכַל מַצֹּת Ex. 13:6
115 מַצּוֹת יֵאָכֵל אֵת שִׁבְעַת הַיָּמִים Ex. 13:7
116-191 שִׁבְעַת (הַ)יָּמִים Ex. 22:29; 23:15
29:30, 35, 37; 34:18 • Lev. 8:33[2], 35; 12:2; 13:4, 5, 21; 13:26, 31, 33, 50, 54; 14:8, 38; 15:13, 19, 24, 28; 22:27; 23:6, 8, 18, 34, 36, 39, 40, 41, 42 • Num. 12:14[2]; 12:15; 19:11, 14, 16; 28:17, 24; 29:12; 31:19 • Deut. 16:3, 4, 13, 15 • Jud. 14:17 • ISh. 10:8; 11:3; 13:8; 31:13 • IK. 8:65; 16:15; 20:29 • IIK. 3:9 • Is. 30:26 • Ezek. 3:15, 16; 43:25, 26; 44:26; 45:23, 25 • Job 2:13 • Es. 1:5 • Ez. 6:22 • Neh. 8:18 • ICh. 10:12 • IICh. 7:8, 9[2]; 30:21, 22, 23[2]; 35:17
192 שִׁבְעַת אֲלָפִים וַחֲמֵשׁ מֵאוֹת Num. 3:22
193 אֶל־מוּל...יָאִירוּ שִׁבְעַת הַנֵּרוֹת Num. 8:2
194 אֶת־שִׁבְעַת הַמִּזְבְּחֹת עָרַכְתִּי Num. 23:4
195 שִׁבְעַת אֲלָפִים וַחֲמֵשׁ מֵאוֹת Num. 31:43
196 שִׁבְעַת יְמֵי הַמִּשְׁתֶּה Jud. 14:12
197 וַיַּעֲבֵר יִשַׁי שִׁבְעַת בָּנָיו לִפְנֵי שְׁמוּאֵל ISh. 16:10
198 וְהִשְׁאַרְתִּי בְיִשְׂרָאֵל שִׁבְעַת אֲלָפִים IK. 19:18
199-207 שִׁבְעַת אֲלָפִים IK. 20:15
IIK. 24:16 • Ez. 2:65 • Neh. 7:67 • ICh. 12:25(26); 19:18 • IICh. 15:11; 17:11[2]
208 שִׁבְעַת פָּרִים Ezek. 45:23
209 וַיְהִי מִקְנֵהוּ שִׁבְעַת אַלְפֵי־צֹאן Job 1:3
210 שִׁבְעַת הַסָּרִיסִים הַמְשָׁרְתִים Es. 1:10
211 שִׁבְעַת שָׂרֵי פָּרַס וּמָדַי Es. 1:14
וְשִׁבְעַת־ 212 וְשִׁבְעַת אֲלָפִים וַחֲמֵשׁ מֵאוֹת Num. 31:36
213 וְשִׁבְעַת יָמִים IK. 8:65
214 וְשִׁבְעַת יְמֵי־הֶחָג יַעֲשֶׂה עוֹלָה לַיְיָ Ezek. 45:23
215 וְשִׁבְעַת אֵילִים תְּמִימִם Ezek. 45:23
216 וְשִׁבְעַת לֵילוֹת Job 2:13
217 אֶלֶף רֶכֶב וְשִׁבְעַת אֲלָפִים פָּרָשִׁים ICh. 18:4
218 וְשִׁבְעַת אֲלָפִים כִּכַּר־כֶּסֶף מְזֻקָּק ICh. 29:4
219 וְשִׁבְעַת אֲלָפִים וַחֲמֵשׁ מֵאוֹת IICh. 26:13

220 אֶלֶף פָּרִים וְשִׁבְעַת אֲלָפִים צֹאן IICh.30:24
לְשִׁבְעַת־ 221 וַיְהִי לְשִׁבְעַת הַיָּמִים Gen.7:10
225-222 לְשִׁבְעַת הַכְּבָשִׂים Num.28:21
28:29; 29:4,10
226 לָבוֹא לְשִׁבְעַת הַיָּמִים...עִם־אֵלֶּה ICh.9:25
שִׁבְעָתָם 227 וַיִּפְּלוּ שִׁבְעָתָם (כת׳ שבעתים) יָחַד IISh.21:9

שִׁבְעָה² ש״מ ארמית המספר 7 לזכר: 1-7

שִׁבְעָה עִדָּנִין 2-4; חַד שִׁבְעָה 1; שִׁבְעַת יָעֲטֹהִי 5
שִׁבְעָה 1 לְמֵזֵא לְאַתּוּנָא חַד־שִׁבְעָה Dan.3:19
2 עַד דִּי־שִׁבְעָה עִדָּנִין יַחְלְפוּן עֲלוֹהִי Dan.4:20
וְשִׁבְעָה 3 וְשִׁבְעָה עִדָּנִין יַחְלְפוּן עֲלוֹהִי Dan.4:13
וְשִׁבְעַת־ 4 וְשִׁבְעַת עִדָּנִין יַחְלְפוּן עֲלָךְ Dan.4:29
5 וְשִׁבְעַת יָעֲטֹהִי שְׁלִיחַ לְבַקָּרָה Ez.7:14

שִׁבְעָה³ ש״פ – מבארות יצחק

שִׁבְעָה 1 וַיִּקְרָא אֹתָהּ שִׁבְעָה Gen.26:33

שִׁבְעִים ש״מ – שבע עשרות, 70 לזכרים ולנקבות: 1-91

– שִׁבְעִים אַחִים 34; שׁ׳ אִישׁ 20-28, 30, 87; שׁ׳ אֶלֶף 36-40,75,76,ח 83; שׁ׳ אַמָּה 53; שׁ׳ בָּנִים 31,33,41;
שׁ׳ זְכָרִים 61, 62; שׁ׳ זְקֵנִים 71, 72; שׁ׳ יוֹם 5;
שׁ׳ כִּכָּר 7; שׁ׳ כֶּסֶף 32; שׁ׳ מְלָכִים 29; שׁ׳ נֶפֶשׁ 4, 6, 91; שִׁבְעִים עֲיָרִים 35; שׁ׳ שָׁנָה 2,3,42-52,68,69;
שִׁבְעִים שֶׁקֶל 8-19; שִׁבְעִים תְּמָרִים 70, 86
– בָּקָר שִׁבְעִים 66; כְּבָשִׂים שׁ׳ 63; שָׁבֻעִים שׁ׳ 54
– שִׁבְעִים וְאַרְבָּעָה 60, 65; שִׁבְעִים וְשִׁבְעָה 1,30,63;
שִׁבְעִים וּשְׁלֹשָׁה 59, 64; שִׁבְעִים וּשְׁנַיִם 55-58, 89
– אַרְבָּעָה וְשִׁבְעִים 75, 76; חָמֵשׁ וְשׁ׳ 84; חֲמִשָּׁה וְשׁ׳ 73, 74, 88; שֶׁבַע וְשׁ׳ 67; שְׁלֹשָׁה וְשׁ׳ 77, 90;
שְׁנַיִם וְשִׁבְעִים 85

שִׁבְעִים 1 יֻקַּם־קַיִן וְלֶמֶךְ שִׁבְעִים וְשִׁבְעָה Gen.4:24
2 וַיְחִי־קֵינָן שִׁבְעִים שָׁנָה וַיּוֹלֶד... Gen.5:12
3 וַיְחִי־תֶרַח שִׁבְעִים שָׁנָה וַיּוֹלֶד Gen.11:26
4 כָּל־הַנֶּפֶשׁ לְבֵית־יַעֲקֹב...שִׁבְעִים Gen.46:27
5 וַיִּבְכּוּ אֹתוֹ מִצְרַיִם שִׁבְעִים יוֹם Gen.50:3
6 וַיְהִי כָּל־נֶפֶשׁ...שִׁבְעִים נָפֶשׁ Ex.1:5
7 וּנְחֹשֶׁת הַתְּנוּפָה שִׁבְעִים כִּכָּר Ex.38:29
8-19 שִׁבְעִים שֶׁקֶל בְּשֶׁקֶל הַקֹּדֶשׁ Num.7:13
7:19,25,31,37,43,49,55,61,67,73,79
20 אֶסְפָה־לִּי שִׁבְעִים אִישׁ Num.11:16
21-28 שִׁבְעִים אִישׁ Num.11:24,25
Jud.9:2,5,18 • ISh.6:19 • IIK.10:6,7
29 שִׁבְעִים מְלָכִים...הָיוּ מְלַקְּטִים Jud.1:7
30 וַיִּכְתֹּב אֵלָיו...שִׁבְעִים וְשִׁבְעָה אִישׁ Jud.8:14
31 וּלְגִדְעוֹן הָיוּ שִׁבְעִים בָּנִים Jud.8:30
32 וַיִּתְּנוּ־לוֹ שִׁבְעִים כֶּסֶף Jud.9:4
33 לָבוֹא חֲמַס שִׁבְעִים בְּנֵי־יְרֻבָּעַל Jud.9:24
34 לַהֲרֹג אֶת־שִׁבְעִים אֶחָיו Jud.9:56
35 רֹכְבִים עַל־שִׁבְעִים עֲיָרִם Jud.12:14
36 וַיָּמָת מִן־הָעָם...שִׁבְעִים אֶלֶף אִישׁ IISh.24:15
37-40 שִׁבְעִים אָלֶף IK.5:29
ICh.21:14 • IICh.2:1,17
41 וּלְאַחְאָב שִׁבְעִים בָּנִים בְּשֹׁמְרוֹן IIK.10:1
42 וְנִשְׁכַּחַת צֹר שִׁבְעִים שָׁנָה Is.23:15
43 מִקֵּץ שִׁבְעִים שָׁנָה יִהְיֶה לְצֹר... Is.23:15
44-52 שִׁבְעִים שָׁנָה Is.23:17
Jer.25:11,12; 29:10 • Zech.1:12; 7:5
Ps.90:10 • Dan.9:2 • IICh.36:21
53 וְהַבִּנְיָן...רֹחַב שִׁבְעִים אַמָּה Ezek.41:12
54 שָׁבֻעִים שִׁבְעִים נֶחְתַּךְ עַל־עַמְּךָ Dan.9:24
55 אַלְפַּיִם מֵאָה שִׁבְעִים וּשְׁנָיִם Ez.2:3
56-58 שִׁבְעִים וּשְׁנָיִם Ez.2:4 • Neh.7:9; 11:19

שִׁבְעִים (המשך) 59 תְּשַׁע מֵאוֹת שִׁבְעִים וּשְׁלֹשָׁה Ez.2:36
60 הַלְוִיִּם...שִׁבְעִים וְאַרְבָּעָה Ez.2:40
61 וְעִמּוֹ שִׁבְעִים הַזְּכָרִים Ez.8:7
62 וְעִמָּהֶם שִׁבְעִים הַזְּכָרִים Ez.8:14
63 כְּבָשִׂים שִׁבְעִים וְשִׁבְעָה Ez.8:35
64 תְּשַׁע מֵאוֹת שִׁבְעִים וּשְׁלֹשָׁה Neh.7:39
65 הַלְוִיִּם...שִׁבְעִים וְאַרְבָּעָה Neh.7:43
66 בָּקָר שִׁבְעִים אֵילִים מֵאָה IICh.29:32
וְשִׁבְעִים 67 שֶׁבַע וְשִׁבְעִים שָׁנָה Gen.5:31
68 בֶּן־חָמֵשׁ שָׁנִים וְשִׁבְעִים שָׁנָה Gen.12:4
69 מְאַת שָׁנָה וְשִׁבְעִים שָׁנָה וְחָמֵשׁ שָׁנִים Gen.25:7
70 עֵילִת מַיִם וְשִׁבְעִים תְּמָרִים Ex.15:27
71/2 וְשִׁבְעִים מִזִּקְנֵי יִשְׂרָאֵל Ex.24:1,9
73 וּשְׁבַע מֵאוֹת וַחֲמִשָּׁה וְשִׁבְעִים Ex.38:25
74 וּשְׁבַע הַמֵּאוֹת וַחֲמִשָּׁה וְשִׁבְעִים Ex.38:28
75/6 אַרְבָּעָה וְשִׁבְעִים אֶלֶף Num.1:27; 2:4
77-81 וְשִׁבְעִים אֶלֶף (אָלֶף) Num.26:22
82 שְׁלֹשָׁה וְשִׁבְעִים וּמָאתָיִם Num.3:43
83 וְשִׁבְעִים הַמִּזְרָק הָאֶחָד Num.7:85
31:32,33 • Es.9:16 • ICh.21:5
84 שֵׁשׁ מֵאוֹת חָמֵשׁ וְשִׁבְעִים Num.31:37
85 וּמִכְסָם לַיי שְׁנַיִם וְשִׁבְעִים Num.31:38
86 עֵילִת מַיִם וְשִׁבְעִים תְּמָרִים Num.33:9
87 וְשִׁבְעִים אִישׁ מִזִּקְנֵי בֵית־יִשְׂרָאֵל Ezek.8:11
88 שֶׁבַע מֵאוֹת חֲמִשָּׁה וְשִׁבְעִים Ez.2:5
89 אַלְפַּיִם מֵאָה וְשִׁבְעִים וּשְׁנָיִם Neh.7:8
וְהַשִּׁבְעִים 90 הַשְּׁלֹשָׁה וְהַשִּׁבְעִים וְהַמָּאתַיִם Num.3:46
בְּשִׁבְעִים 91 בְּשִׁבְעִים נֶפֶשׁ יָרְדוּ...מִצְרָיְמָה Deut.10:22

שִׁבְעָנָה (Job 43:13) – עין שִׁבְעָה (59)

שִׁבְעָתַיִם ש״מ – פי שבעה, כפול שבעה: 1-6

– שִׁבְעָתַיִם יֻקַּם 1, 2
– הֵשִׁיב שִׁבְעָתַיִם 4; מְזֻקָּק שׁ׳ 5; שִׁלֵּם שִׁבְעָתַיִם 6
שִׁבְעָתַיִם 1 כָּל־הֹרֵג קַיִן שִׁבְעָתַיִם יֻקָּם Gen.4:15
2 כִּי שִׁבְעָתַיִם יֻקַּם־קָיִן Gen.4:24
3 וְאוֹר הַחַמָּה יִהְיֶה שִׁבְעָתַיִם Is.30:26
4 וְהָשֵׁב לִשְׁכֵנֵינוּ שִׁבְעָתַיִם אֶל־חֵיקָם Ps.79:12
שִׁבְעָתָיִם 5 כֶּסֶף צָרוּף...מְזֻקָּק שִׁבְעָתָיִם Ps.12:7
6 וְנִמְצָא יְשַׁלֵּם שִׁבְעָתָיִם Prov.6:31

שבץ : שָׁבֵץ; מִשְׁבֶּצֶת; שָׁבָץ(?)

שָׁבֵץ פ׳ א) התקין מקלעת משבצות: 1

ב) [פ׳ בינוני: מְשֻׁבָּץ] נקבע במשבצות: 2
וְשִׁבַּצְתָּ 1 וְשִׁבַּצְתָּ הַכְּתֹנֶת שֵׁשׁ Ex.28:39
מְשֻׁבָּצִים 2 מְשֻׁבָּצִים זָהָב יִהְיוּ בְּמִלּוּאֹתָם Ex.28:20

שָׁבָץ ז׳ עוית־גסיסה

הַשָּׁבָץ 1 עֲמָד־נָא...וּמֹתְתֵנִי כִּי אֲחָזַנִי הַשָּׁבָץ IISh.1:9

שְׁבַק פ׳ ארמית א) עזב: 1-4 [לְמִשְׁבַּק = לעזוב]

ב) [אתפ׳ אִשְׁתְּבִק] נעזב: 5
לְמִשְׁבַּק 1 לְמִשְׁבַּק עִקַּר שָׁרְשׁוֹהִי Dan.4:23
שְׁבֻקוּ 2/3 עִקַּר שָׁרְשׁוֹהִי בְּאַרְעָא שְׁבֻקוּ Dan.4:12,20
4 שְׁבֻקוּ לַעֲבִידַת בֵּית־אֱלָהָא דֵךְ Ez.6:7
תִּשְׁתְּבִק 5 וּמַלְכוּתָה לְעַם אָחֳרָן לָא תִשְׁתְּבִק Dan.2:44

שבר : שָׂבַר, שֵׂבֶר; שֶׂבֶר

שָׂבַר פ׳ א) התבונן, סקר: 1, 2

ב) [פ׳ שִׂבֵּר] צִפָּה, קִוָּה: 3-8
שָׂבַר בְּ־ 1, 2; שִׂבֵּר אֶל־ 5-7; שִׂבֵּר לְ־ 3, 8
שֹׂבֵר 1 וָאֱהִי שֹׂבֵר בְּחוֹמֹת יְרוּשָׁלַם Neh.2:13
2 וָאֱהִי שֹׂבֵר בַּחוֹמָה Neh.2:15

שִׂבַּרְתִּי 3 שִׂבַּרְתִּי לִישׁוּעָתְךָ יְיָ Ps.119:166
שִׂבְּרוּ 4 בַּיּוֹם אֲשֶׁר שִׂבְּרוּ...לִשְׁלוֹט בָּהֶם Es.9:1
יְשַׂבְּרוּ 5 לֹא־יְשַׂבְּרוּ יוֹרְדֵי־בוֹר אֶל־אֲמִתֶּךָ Is.38:18
יְשַׂבֵּרוּ 6 עֵינֵי־כֹל אֵלֶיךָ יְשַׂבֵּרוּ Ps.145:15
יְשַׂבֵּרוּן 7 כֻּלָּם אֵלֶיךָ יְשַׂבֵּרוּן Ps.104:27
תְּשַׂבֵּרְנָה 8 הֲלָהֵן תְּשַׂבֵּרְנָה עַד אֲשֶׁר יִגְדָּלוּ Ruth 1:13

שֵׂבֶר* ז׳ צִפִּיָּה, תקוה: 1, 2

מִשִּׂבְרִי 1 וְאַל־תְּבִישֵׁנִי מִשִּׂבְרִי Ps.119:116
שִׂבְרוֹ 2 שִׂבְרוֹ עַל־יְיָ אֱלֹהָיו Ps.146:5

שבר : שָׁבַר, שָׁבוּר, נִשְׁבַּר, שִׁבֵּר, הִשְׁבִּיר; שֶׁבֶר, שִׁבָּרוֹן, מַשְׁבֵּר; ש״פ שֶׁבֶר

שָׁבַר¹ פ׳ א) נִפֵּץ, רצץ (גם בהשאלה): 1, 2, 5-9, 12-20, 22-42, 44-48, 50-52

ב) טרף: 21, 43
ג) [בהשאלה] הביס, השמיד: 3, 4, 10, 11, 49, 53
ד) [נפ׳ נִשְׁבַּר] נִפַּץ: 54, 56-58, 66-69, 71-77, 80, 86, 91, 92, 97-102, 104-110
ה) [כנ״ל, בהשאלה] הֻכָּה, נמחץ: 55, 59-65, 70, 78, 79, 81-85, 87-90, 93-96, 103
ו) [פ׳ שִׁבֵּר] נפץ, הרס: 111-146
ז) [הפ׳ הִשְׁבִּיר] הביא עד משבר: 147
ח) [הפ׳ הָשְׁבַּר] נשבר, הֻכָּה: 148
קרובים: ראה נִפֵּץ
– שָׁבַר (עֲצָמִים, כֵּלִים וכד׳) רוב המקראות 1-53;
שָׁבַר אַשּׁוּר 3; שׁ׳ בַּחוּרִים 4; שָׁבַר גְּאוֹנוֹ 11;
שָׁבַר זְרוֹעַ(ת) 14, 15, 18, 52; שָׁבַר חֲמוֹר 21;
שׁ׳ חֹק 40; שָׁבַר לֵב 26; שׁ׳ מוֹאָב 10; שׁ׳ מַטֵּה לֶחֶם 5, 12, 13, 23, 29; שָׁבַר עֹל 8, 9, 27, 34-36;
שָׁבַר עָם 33; שָׁבַר צְמָאוֹ 49
– שְׁבוּרֵי לֵב 32
– נִשְׁבַּר לִבּוֹ 58; לֵב נִשְׁבָּר 78; בּוֹרוֹת נִשְׁבָּרִים 86;
נִשְׁבְּרֵי־לֵב 88, 87
– נִשְׁבְּרָה אֳנִיָּה 54, 69, 106; נִשׁ׳ זְרוֹעוֹ 67, 99, 109;
נִשְׁבְּרָה מַלְכוּתוֹ 100; נִשְׁבְּרָה רוּחוֹ 79
– שִׁבֵּר אֳנִיּוֹת 136; שִׁבֵּר מְתַלְּעוֹתָיו 133; שִׁבֵּר עַצְמוֹתָיו 119, 137; שִׁבֵּר שִׁנָּיו 114

שָׁבוֹר 1 אַחֲרֵי שְׁבוֹר חֲנַנְיָה...אֶת־הַמּוֹטָה Jer.28:12
לִשְׁבֹּר 2 וַיִּגְּשׁוּ לִשְׁבֹּר הַדָּלֶת Gen.19:9
3 לִשְׁבֹּר אַשּׁוּר בְּאַרְצִי Is.14:25
4 קָרָא עָלַי מוֹעֵד לִשְׁבֹּר בַּחוּרָי Lam.1:15
בְּשִׁבְרִי 5 בְּשִׁבְרִי לָכֶם מַטֵּה־לֶחֶם Lev.26:26
6 בְּשִׁבְרִי־שָׁם אֶת־מֹטוֹת מִצְרַיִם Ezek.30:18
7 בְּשִׁבְרִי אֶת־מֹטוֹת עֻלָּם Ezek.34:27
שָׁבַרְתִּי 8 שָׁבַרְתִּי עֻלֵּךְ נִתַּקְתִּי מוֹסְרוֹתַיִךְ Jer.2:20
9 שָׁבַרְתִּי אֶת־עֹל מֶלֶךְ בָּבֶל Jer.28:2
10 כִּי־שָׁבַרְתִּי אֶת־מוֹאָב Jer.48:38
וְשָׁבַרְתִּי 11 וְשָׁבַרְתִּי אֶת־גְּאוֹן עֻזְּכֶם Lev.26:19
12 וְשָׁבַרְתִּי לָכֶם מַטֵּה־לָחֶם Ezek.5:16
13 וְשָׁבַרְתִּי לָהּ מַטֵּה־לָחֶם Ezek.14:13
14 וְשָׁבַרְתִּי אֶת־זְרֹעֹתָיו Ezek.30:22
15 וְשָׁבַרְתִּי אֶת־זְרֹעוֹת פַּרְעֹה Ezek.30:24
16 וְשָׁבַרְתִּי אֶת־קֶשֶׁת יִשְׂרָאֵל Hosh.1:5
17 וְשָׁבַרְתִּי בְּרִיחַ דַּמֶּשֶׂק Am.1:5
שָׁבָרְתִּי 18 אֶת־זְרוֹעַ פַּרְעֹה...שָׁבָרְתִּי Ezek.30:21
שָׁבָרְתָּ 19 מוֹטֹת עֵץ שָׁבָרְתָּ Jer.28:13
וְשָׁבַרְתָּ 20 וְשָׁבַרְתָּ הַבַּקְבֻּק לְעֵינֵי הָאֲנָשִׁים Jer.19:10
שָׁבַר 21 וְלֹא שָׁבַר אֶת־הַחֲמוֹר IK.13:28
22 שָׁבַר יְיָ מַטֵּה רְשָׁעִים Is.14:5
שָׁבָר 23 כָּל־מַטֵּה־לֶחֶם שָׁבָר Ps.105:16

שְׁבָרֵךְ 24 רוּחַ הַקָּדִים שְׁבָרֵךְ בְּלֵב יַמִּים Ezek. 27:26
וּשְׁבָרָהּ 25 וּשְׁבָרָהּ כְּשֵׁבֶר נֵבֶל יוֹצְרִים Is. 30:14
שָׁבְרָה 26 חֶרְפָּה שָׁבְרָה לִבִּי וָאָנוּשָׁה Ps. 69:21
שָׁבְרוּ 27 יַחְדָּו שָׁבְרוּ עֹל נִתְּקוּ מוֹסֵרוֹת Jer. 5:5
שׁוֹבֵר 28 הִנְנִי שֹׁבֵר אֶת־קֶשֶׁת עֵילָם Jer. 49:35
29 הִנְנִי שֹׁבֵר מַטֵּה־לֶחֶם בִּירוּשָׁלִַם Ezek. 4:16
30 קוֹל יְיָ שֹׁבֵר אֲרָזִים Ps. 29:5
שָׁבוּר 31 עַוֶּרֶת אוֹ שָׁבוּר Lev. 22:22
לִשְׁבוּרֵי־ 32 הָרֹפֵא לִשְׁבוּרֵי לֵב Ps. 147:3
אֶשְׁבֹּר 33 כָּכָה אֶשְׁבֹּר אֶת־הָעָם הַזֶּה Jer. 19:11
34 כִּי אֶשְׁבֹּר אֶת־עֹל מֶלֶךְ בָּבֶל Jer. 28:4
35 כָּכָה אֶשְׁבֹּר אֶת־עֹל נְבֻכַדְנֶאצַּר Jer. 28:11
36 אֶשְׁבֹּר עֻלּוֹ מֵעַל צַוָּארֶךָ Jer. 30:8
37 וְקֶשֶׁת...אֶשְׁבּוֹר מִן־הָאָרֶץ Hosh. 2:20
38 וְעַתָּה אֶשְׁבֹּר מֹטֵהוּ מֵעָלָיִךְ Nah. 1:13
וָאֶשְׁבֹּר 39 וָאֶשְׁבֹּר מֹטֹת עֻלְּכֶם Lev. 26:13
40 וָאֶשְׁבֹּר עָלָיו חֻקִּי Job 38:10
יִשְׁבֹּר 41 קָנֶה רָצוּץ לֹא יִשְׁבּוֹר Is. 42:3
42 כַּאֲשֶׁר יִשְׁבֹּר אֶת־כְּלִי הַיּוֹצֵר Jer. 19:11
וַיִּשְׁבְּרֵהוּ 43 וַיִּתְּנֵהוּ יְיָ לָאַרְיֵה וַיִּשְׁבְּרֵהוּ וַיְמִתֵהוּ IK. 13:26
44 וַיִּקַּח...אֶת־הַמּוֹטָה...וַיִּשְׁבְּרֵהוּ Jer. 28:10
תִּשְׁבָּר־ 45 וְלָשׁוֹן רַכָּה תִּשְׁבָּר־גָּרֶם Prov. 25:15
תִשְׁבְּרוּ 46 וְעֶצֶם לֹא־תִשְׁבְּרוּ־בוֹ Ex. 12:46
תִּשְׁבֹּרוּ 47 אֲשֶׁר בְּתוֹכוֹ יִטְמָא וְאֹתוֹ תִשְׁבֹּרוּ Lev. 11:33
יִשְׁבְּרוּ 48 וְעֶצֶם לֹא יִשְׁבְּרוּ־בוֹ Num. 9:12
49 יִשְׁבְּרוּ פְרָאִים צְמָאָם Ps. 104:11
וַיִּשְׁבְּרוּ 50 וַיִּתְקְעוּ...וַיִּשְׁבְּרוּ הַכַּדִּים Jud. 7:20
יִשְׁבְּרוּהוּ 51 וְאֹכְלֵי פַת־בָּגוֹ יִשְׁבְּרוּהוּ Dan. 11:26
שְׁבֹר 52 שְׁבֹר זְרוֹעַ רָשָׁע Ps. 10:15
שָׁבְרֵם 53 וּמִשְׁנֶה שִׁבָּרוֹן שָׁבְרֵם Jer. 17:18
לְהִשָּׁבֵר 54 וְהָאֳנִיָּה חִשְּׁבָה לְהִשָּׁבֵר Jon. 1:4
נִשְׁבַּרְתִּי 55 אֲשֶׁר נִשְׁבַּרְתִּי אֶת־לִבָּם הַזּוֹנֶה Ezek. 6:9
נִשְׁבַּר 56 וּמֵת אוֹ־נִשְׁבַּר אוֹ נִשְׁבָּה Ex. 22:9
57 אַל-תִּשְׂמְחִי...כִּי נִשְׁבַּר שֵׁבֶט מַכֵּךְ Is. 14:29
58 לַנְּבִאִים נִשְׁבַּר לִבִּי בְקִרְבִּי Jer. 23:9
59 אֵיכָה נִשְׁבַּר מַטֵּה־עֹז Jer. 48:17
נִשְׁבָּר 60 הַפַּח נִשְׁבָּר וַאֲנַחְנוּ נִמְלָטְנוּ Ps. 124:7
וְנִשְׁבַּר 61 וְכִי־יִשְׁאַל...וְנִשְׁבַּר אוֹ־מֵת Ex. 22:13
נִשְׁבְּרָה 62 נִשְׁבְּרָה קִרְיַת־תֹּהוּ Is. 24:10
63 שֶׁבֶר גָּדוֹל נִשְׁבְּרָה בְּתוּלַת בַּת-עַמִּי Jer. 14:17
64 נִשְׁבְּרָה מוֹאָב Jer. 48:4
65 נִשְׁבְּרָה דַּלְתוֹת הָעַמִּים Ezek. 26:2
66 וּכְעָצְמוֹ נִשְׁבְּרָה הַקֶּרֶן הַגְּדֹלָה Dan. 8:8
נִשְׁבָּרָה 67 נִגְדְּעָה קֶרֶן מוֹאָב וּזְרֹעוֹ נִשְׁבָּרָה Jer. 48:25
68 אַחַת מֵהֵנָּה לֹא נִשְׁבָּרָה Ps. 34:21
נִשְׁבְּרוּ 69 נִשְׁבְּרוּ (כת׳ נשברה) אֳנִיּוֹת בְּעֶצְיוֹן גָּבֶר IK. 22:49
70 כִּי נִשְׁבְּרוּ כָּל־מְאַהֲבָיִךְ Jer. 22:20
71 הִצִּיתוּ מִשְׁכְּנֹתֶיהָ נִשְׁבְּרוּ בְרִיחֶיהָ Jer. 51:30
72 כִּי־נִשְׁבְּרוּ לִפְנֵי־יְיָ IICh. 14:12
וְנִשְׁבְּרוּ 73 וְנָשַׁמּוּ מִזְבְּחוֹתֵיכֶם וְנִשְׁבְּרוּ חַמָּנֵי Ezek. 6:4
74 וְנִשְׁבְּרוּ וְנִשְׁבְּתוּ גִּלּוּלֵיכֶם Ezek. 6:6
75 וְנִשְׁבְּרוּ כָּל־עֹזְרֶיהָ Ezek. 30:8
וְנִשְׁבָּרוּ 76 וְנָפְלוּ וְנִשְׁבָּרוּ וְנוֹקְשׁוּ וְנִלְכָּדוּ Is. 8:15
77 וְכָשְׁלוּ אָחוֹר וְנִשְׁבָּרוּ Is. 28:13
נִשְׁבָּר 78 לֵב-נִשְׁבָּר וְנִדְכֶּה אֱל׳ לֹא תִבְזֶה Ps. 51:19
נִשְׁבָּרָה 79 זִבְחֵי אֱלֹהִים רוּחַ נִשְׁבָּרָה Ps. 51:19
נִשְׁבֶּרֶת 80 עֵת נִשְׁבֶּרֶת מִיַּמִּים Ezek. 27:34
הַנִּשְׁבָּרֶת 81 אֶת־הַחֲזָקָה וְאֶת־הַנִּשְׁבָּרֶת Ezek. 30:22
וְהַנִּשְׁבֶּרֶת 82 וְהַנִּשְׁבֶּרֶת לֹא יְרַפֵּא Zech. 11:16
83 וְהַנִּשְׁבֶּרֶת וַתַּעֲמֹדְנָה אַרְבַּע תַּחְתֶּיהָ Dan. 8:22
וְלַנִּשְׁבֶּרֶת 84 וְלַנִּשְׁבֶּרֶת לֹא חֲבַשְׁתֶּם Ezek. 34:4
85 וְלַנִּשְׁבֶּרֶת אֲחַבֵּשׁ Ezek. 34:16

נִשְׁבָּרִים 86 לַחְצֹב...בֹּארֹת בֹּארֹת נִשְׁבָּרִים Jer. 2:13
לְנִשְׁבְּרֵי־ 87 לַחֲבֹשׁ לְנִשְׁבְּרֵי־לֵב Is. 61:1
88 קָרוֹב יְיָ לְנִשְׁבְּרֵי־לֵב Ps. 34:19
תִּשָּׁבֵר 89 וּבְהִשָּׁעֲנָם עָלֶיךָ תִּשָּׁבֵר Ezek. 29:7
תִּשָּׁבַר 90 וְאַתָּה בְּתוֹךְ עֲרֵלִים תִּשָּׁבַר Ezek. 32:28
יִשָּׁבֵר 91/2 וּכְלִי־חֶרֶשׂ...יִשָּׁבֵר Lev. 6:21; 15:12
93/4 פֶּתַע יִשָּׁבֵר וְאֵין מַרְפֵּא Prov. 6:15; 29:1
95 וּבְאֶפֶס יָד יִשָּׁבֵר Dan. 8:25
96 וּבְיָמִים אֲחָדִים יִשָּׁבֵר Dan. 11:20
וַיִּשָּׁבֵר 97 אֵיךְ נִגְדַּע וַיִּשָּׁבֵר פַּטִּישׁ כָּל-הָאָרֶץ Jer. 50:23
תִּשָּׁבֵר 98 וְאֶזְרֹעִי מִקָּנָה תִשָּׁבֵר Job 31:22
99 וּזְרוֹעַ רָמָה תִּשָּׁבֵר Job 38:15
100 וּכְעָמְדוֹ תִּשָּׁבֵר מַלְכוּתוֹ Dan. 11:4
וְתִשָּׁבֶר 101 וְתִשָּׁבֶר כַּד עַל־הַמַּבּוּעַ Eccl. 12:6
וַתִּשָּׁבֵר 102 וַתִּשָּׁבֵר מַפְרַקְתּוֹ וַיָּמֹת ISh. 4:18
103 פִּתְאֹם נָפְלָה בָבֶל וַתִּשָּׁבֵר Jer. 51:8
104 וַתִּשָּׁבֵר כָּעֵץ עַוְלָה Job 24:20
וְיִשָּׁבֵרוּ 105 יִשָּׁטְפוּ מִלְּפָנָיו וְיִשָּׁבֵרוּ Dan. 11:22
וַיִּשָּׁבְרוּ 106 וַיִּשָּׁבְרוּ אֳנִיּוֹת וְלֹא עָצְרוּ לָלֶכֶת IICh. 20:37
תִּשָּׁבַרְנָה 107 בִּיבֹשׁ קְצִירָהּ תִּשָּׁבַרְנָה Is. 27:11
108 וְקַשְּׁתוֹתָם תִּשָּׁבַרְנָה Ps. 37:15
109 כִּי זְרוֹעוֹת רְשָׁעִים תִּשָּׁבַרְנָה Ps. 37:17
וַתִּשָּׁבַרְנָה 110 נָפְלוּ דָלִיּוֹתָיו וַתִּשָּׁבַרְנָה פֹארֹתָיו Ezek. 31:12
וְשַׁבֵּר 111 וְשַׁבֵּר תְּשַׁבֵּר מַצֵּבֹתֵיהֶם Ex. 23:24
שִׁבַּרְתָּ 112 עַל-הַלֻּחֹת הָרִאשֹׁנִים אֲשֶׁר שִׁבַּרְתָּ Ex. 34:1
113 עַל־הַלֻּחֹת הָרִאשֹׁנִים אֲשֶׁר שִׁבַּרְתָּ Deut. 10:2
114 שִׁנֵּי רְשָׁעִים שִׁבַּרְתָּ Ps. 3:8
115 שִׁבַּרְתָּ רָאשֵׁי תַנִּינִים עַל-הַמָּיִם Ps. 74:13
שִׁבַּר 116 וְכָל־פְּסִילֵי אֱלֹהֶיהָ שִׁבַּר לָאָרֶץ Is. 21:9
117 שָׁמָּה שִׁבַּר רִשְׁפֵי־קָשֶׁת Ps. 76:4
118 כִּי־שִׁבַּר דַּלְתוֹת נְחֹשֶׁת Ps. 107:16
119 בִּלָּה בְשָׂרִי וְעוֹרִי שִׁבַּר עַצְמוֹתָי Lam. 3:4
120 וְהַמַּסֵּכוֹת שִׁבַּר וְהֵדַק IICh. 34:4
שִׁבֵּר 121 וְאֶת־כָּל־עֵץ הַשָּׂדֶה שִׁבֵּר Ex. 9:25
וְשִׁבַּר 122 וְשִׁבַּר אֶת־הַמַּצֵּבֹת IIK. 18:4
123 וְשִׁבַּר אֶת־הַמַּצֵּבוֹת IIK. 23:14
124 וְשִׁבַּר אֶת־מַצְּבוֹת בֵּית שֶׁמֶשׁ Jer. 43:13
125 אִבַּד וְשִׁבַּר בְּרִיחֶיהָ Lam. 2:9
וְשִׁבַּרְתֶּם 126 וְשִׁבַּרְתֶּם אֶת־מַצֵּבֹתָם Deut. 12:3
שִׁבְּרוּ 127 וְאֶת־צְלָמָיו שִׁבְּרוּ הֵיטֵב IIK. 11:18
128 וְאֶת־הַמְּכֹנוֹת...שִׁבְּרוּ כַשְׂדִּים IIK. 25:13
129 וְאֶת־הַמְּכֹנוֹת...שִׁבְּרוּ כַשְׂדִּים Jer. 52:17
שִׁבֵּרוּ 130 וְאֶת־צְלָמָיו שִׁבֵּרוּ IICh. 23:17
וּמְשַׁבֵּר 131 מְפָרֵק הָרִים וּמְשַׁבֵּר סְלָעִים IK. 19:11
אֲשַׁבֵּר 132 דַּלְתוֹת נְחוּשָׁה אֲשַׁבֵּר Is. 45:2
וָאֲשַׁבְּרָה 133 וָאֲשַׁבְּרָה מְתַלְּעוֹת עַוָּל Job 29:17
וָאֲשַׁבְּרֵם 134 וָאֶתְפֹּשׂ...וָאֲשַׁבְּרֵם לְעֵינֵיכֶם Deut. 9:17
תְּשַׁבֵּר 135 וְשַׁבֵּר תְּשַׁבֵּר מַצֵּבֹתֵיהֶם Ex. 23:24
136 בְּרוּחַ קָדִים תְּשַׁבֵּר אֳנִיּוֹת תַּרְשִׁישׁ Ps. 48:8
יְשַׁבֵּר 137 כָּאֲרִי כֵּן יְשַׁבֵּר כָּל־עַצְמוֹתָי Is. 38:13
138 קֶשֶׁת יְשַׁבֵּר וְקִצֵּץ חֲנִית Ps. 46:10
וַיְשַׁבֵּר 139 וַיְשַׁבֵּר אֹתָם תַּחַת הָהָר Ex. 32:19
140 וַיְשַׁבֵּר יְיָ אֶת־אַרְזֵי הַלְּבָנוֹן Ps. 29:5
141 וַיְשַׁבֵּר עֵץ גְּבוּלָם Ps. 105:33
142 וַיְשַׁבֵּר אֶת־שְׁתֵּי קְרָנָיו Dan. 8:7
143 וַיְשַׁבֵּר אֶת־הַמַּצֵּבוֹת IICh. 14:2
תְּשַׁבֵּרוּ 144 מִזְבְּחֹתֵיהֶם תִּתֹּצוּ וּמַצֵּבֹתָם תְּשַׁבֵּרוּ Deut. 7:5
תְּשַׁבֵּרוּן 145 וְאֶת־מַצֵּבֹתָם תְּשַׁבֵּרוּן Ex. 34:13
וַיְשַׁבְּרוּ 146 וַיְשַׁבְּרוּ הַמַּצֵּבוֹת וַיְגַדְּעוּ הָאֲשֵׁרִים IICh. 31:1
אַשְׁבִּיר 147 הַאֲנִי אַשְׁבִּיר וְלֹא אוֹלִיד Is. 66:9
הָשְׁבַּרְתִּי 148 עַל־שֶׁבֶר בַּת־עַמִּי הָשְׁבַּרְתִּי Jer. 8:21

שָׁבַר[2]

פָּ׳ א) קנה אוכל: 1-8, 10-16

ב) מָכַר אוֹכֶל: 9

ג) [הפ׳ הִשְׁבִּיר] מָכַר אוכל: 17-21

לִשְׁבֹּר 1 בָּאוּ מִצְרַיְמָה לִשְׁבֹּר אֶל-יוֹסֵף Gen. 41:57
2 וַיֵּרְדוּ...לִשְׁבֹּר בָּר מִמִּצְרָיִם Gen. 42:3
3 וַיָּבֹאוּ בְּ״יִ לִשְׁבֹּר בְּתוֹךְ הַבָּאִים Gen. 42:5
לִשְׁבָּר־ 4 מֵאֶרֶץ כְּנַעַן לִשְׁבָּר־אֹכֶל Gen. 42:7
5 וַעֲבָדֶיךָ בָּאוּ לִשְׁבָּר־אֹכֶל Gen. 42:10
6 יָרֹד יָרַדְנוּ...לִשְׁבָּר־אֹכֶל Gen. 43:20
7 וְכֶסֶף אַחֵר...לִשְׁבָּר־אֹכֶל Gen. 43:22
שׁוֹבְרִים 8 בַּשֶּׁבֶר אֲשֶׁר־הֵם שֹׁבְרִים Gen. 47:14
וַיִּשְׁבֹּר 9 וַיִּפְתַּח יוֹסֵף...וַיִּשְׁבֹּר לְמִצְרַיִם Gen. 41:56
וְנִשְׁבְּרָה 10 נֵרְדָה וְנִשְׁבְּרָה לְךָ אֹכֶל Gen. 43:4
תִּשְׁבְּרוּ 11 אֹכֶל תִּשְׁבְּרוּ מֵאִתָּם בַּכֶּסֶף Deut. 2:6
שִׁבְרוּ 12/3 שֻׁבוּ שִׁבְרוּ-לָנוּ מְעַט-אֹכֶל Gen. 43:2; 44:25
14 לְכוּ שִׁבְרוּ וֶאֱכֹלוּ Is. 55:1
15 וּלְכוּ שִׁבְרוּ בְּלוֹא-כֶסֶף...יַיִן וְחָלָב Is. 55:1
וְשִׁבְרוּ 16 רְדוּ־שָׁמָּה וְשִׁבְרוּ־לָנוּ מִשָּׁם Gen. 42:2
מַשְׁבִּיר 17 וּבְרָכָה לְרֹאשׁ מַשְׁבִּיר Prov. 11:26
הַמַּשְׁבִּיר 18 הוּא הַמַּשְׁבִּיר לְכָל־עַם הָאָרֶץ Gen. 42:6
תַּשְׁבִּרֵנִי 19 אֹכֶל בַּכֶּסֶף תַּשְׁבִּרֵנִי וְאָכַלְתִּי Deut. 2:28
נַשְׁבִּיר 20 וּמַפַּל בַּר נַשְׁבִּיר Am. 8:6
וְנַשְׁבִּירָה 21 וְנַשְׁבִּירָה שֶּׁבֶר...וְנִפְתְּחָה־בָּר Am. 8:5

שֶׁבֶר[1]

ז׳ א) נֶפֶץ, פֶּרֶץ: 1, 2, 22, 23, 33

ב) מַכָּה, צָרָה, אָסוֹן: 3-21, 24-32, 34-41, 43, 44

ג) [שְׁבָרִים] שם מקום(?), מחצבות(?): 42

קרובים: ראה נֶפֶץ

– שֶׁבֶר עַל־שֶׁבֶר 4; שֶׁבֶר תַּחַת שֶׁבֶר 1; שֶׁבֶר גָּדוֹל 6, 12-16; שֵׁאת וָשֶׁבֶר 21; שֹׁד וָשֶׁבֶר 17-20

– שֶׁבֶר בַּת-עַמִּי 26-29, 31; שֶׁבֶר יָד 23; שֶׁבֶר יוֹסֵף 32; שֵׁבֶר נֵבֶל 33; שֶׁ׳ עָם 24, 25; שֶׁבֶר פּוֹשְׁעִים 30; שֶׁבֶר רֶגֶל 22; שֶׁבֶר רוּחַ 34

– זַעֲקַת שֶׁבֶר 3; צַעֲקַת שֶׁבֶר 7

שֶׁבֶר 1/2 שֶׁבֶר תַּחַת שֶׁבֶר עַיִן תַּחַת עַיִן Lev. 24:20
3 זַעֲקַת־שֶׁבֶר יְעֹעֵרוּ Is. 15:5
4/5 שֶׁבֶר עַל־שֶׁבֶר נִקְרָא Jer. 4:20
6 שֶׁבֶר גָּדוֹל נִשְׁבְּרָה בְּתוּלַת בַּת-עַמִּי Jer. 14:17
7 צָרֵי צַעֲקַת־שֶׁבֶר שָׁמֵעוּ Jer. 48:5
8 וְסֶלֶף בָּהּ שֶׁבֶר בְּרוּחַ Prov. 15:4
9 לִפְנֵי־שֶׁבֶר גָּאוֹן Prov. 16:18
10 לִפְנֵי־שֶׁבֶר יִגְבַּהּ לֶב־אִישׁ Prov. 18:12
שָׁבֶר 11 מַגְבִּיהַּ פִּתְחוֹ מְבַקֶּשׁ־שָׁבֶר Prov. 17:19
וְשֶׁבֶר 12/3 רָעָה...וְשֶׁבֶר גָּדוֹל Jer. 4:6; 6:1
14 קוֹל מִלְחָמָה בָּאָרֶץ וְשֶׁבֶר גָּדוֹל Jer. 50:22
15 קוֹל זְעָקָה...וְשֶׁבֶר גָּדוֹל Jer. 51:54
16 קוֹל צְעָקָה...וְשֶׁבֶר גָּדוֹל Zep. 1:10
וָשֶׁבֶר 17 שֹׁד וָשֶׁבֶר בִּמְסִלּוֹתָם Is. 59:7
18 לֹא־יִשָּׁמַע...שֹׁד וָשֶׁבֶר בִּגְבוּלָיִךְ Is. 60:18
19 קוֹל צְעָקָה...שֹׁד וָשֶׁבֶר גָּדוֹל Jer. 48:3
וְהַשֶּׁבֶר 20 הַשֹּׁד וְהַשֶּׁבֶר וְהָרָעָב וְהַחֶרֶב Is. 51:19
וְהַשָּׁבֶר 21 פַּחַד וָפַחַת הָיָה לָנוּ הַשֵּׁאת וְהַשָּׁבֶר Lam. 3:47
שֶׁבֶר־ 22/3 שֶׁבֶר רָגֶל אוֹ שֶׁבֶר יָד Lev. 21:19
24 בְּיוֹם חֲבֹשׁ יְיָ אֶת־שֶׁבֶר עַמּוֹ Is. 30:26
25 וַיְרַפְּאוּ אֶת־שֶׁבֶר עַמִּי עַל־נְקַלָּה Jer. 6:14
26 וַיְרַפּוּ אֶת־שֶׁבֶר בַּת־עַמִּי עַל־נְ׳ Jer. 8:11
27 עַל־שֶׁבֶר בַּת־עַמִּי הָשְׁבַּרְתִּי Jer. 8:21
28/9 עַל־שֶׁבֶר בַּת־עַמִּי Lam. 2:11; 3:48
וְשֶׁבֶר־ 30 וְשֶׁבֶר פֹּשְׁעִים וְחַטָּאִים יַחְדָּו Is. 1:28
בְּשֶׁבֶר־ 31 בִּשְּׁלוּ יַלְדֵיהֶן...בְּשֶׁבֶר־בַּת־עַמִּי Lam. 4:10
שֵׁבֶר־ 32 וְלֹא נֶחְלוּ עַל־שֵׁבֶר יוֹסֵף Am. 6:6

כְּשֵׁבֶר־ 33 וּשְׁבָרָהּ כְּשֵׁבֶר נֵבֶל יוֹצְרִים Is.30:14
וּמִשֵּׁבֶר־ 34 וּמִשֵּׁבֶר רוּחַ תְּיֵלִילוּ Is.65:14
שִׁבְרִי 35 אוֹי לִי עַל־שִׁבְרִי נַחְלָה מַכָּתִי Jer.10:19
שִׁבְרְךָ 36 בַּהֲבִיאִי שִׁבְרְךָ בַּגּוֹיִם Ezek.32:9
לְשִׁבְרֶךָ 37 אֵין־כֵּהָה לְשִׁבְרֶךָ נַחְלָה מַכָּתֶךָ Nah.3:19
שִׁבְרֵךְ 38 מַה־תִּזְעַק עַל־שִׁבְרֵךְ Jer.30:15
39 כִּי־גָדוֹל כַּיָּם שִׁבְרֵךְ Lam.2:13
לְשִׁבְרֵךְ 40 אָנוּשׁ לְשִׁבְרֵךְ נַחְלָה מַכָּתֵךְ Jer.30:12
שִׁבְרָהּ 41 אֲשֶׁר־פִּתְאֹם לְפֶתַע יָבוֹא שִׁבְרָהּ Is.30:13
הַשְּׁבָרִים 42 וַיִּרְדְּפוּם...עַד־הַשְּׁבָרִים Josh.7:5
מִשְּׁבָרִים 43 מִשֵּׂתוֹ יָגוּרוּ אֵלִים מִשְּׁבָרִים יִתְחַטָּאוּ Job41:17
שְׁבָרֶיהָ 44 רְפָה שְׁבָרֶיהָ כִי־מָטָה Ps.60:4

שֶׁבֶר²

ז׳ בר, תבואה: 1-9

שֶׁבֶר רַעֲבוֹן 7; כֶּסֶף שִׁבְרוֹ 8

שֶׁבֶר 1/2 כִּי יֶשׁ־שֶׁבֶר בְּמִצְרָיִם Gen.42:1,2
3 וְנַשְׁבִּירָה שֶׁבֶר...וְנִפְתְּחָה־בָּר Am.8:5
4 הַמְבִיאִים אֶת־הַמַּקָּחוֹת וְכָל־שֶׁבֶר Neh.10:32
הַשֶּׁבֶר 5 כַּאֲשֶׁר כִּלּוּ לֶאֱכֹל אֶת־הַשֶּׁבֶר Gen.43:2
בַּשֶּׁבֶר 6 בַּשֶּׁבֶר אֲשֶׁר־הֵם שֹׁבְרִים Gen.47:14
שֶׁבֶר־ 7 לְכוּ הָבִיאוּ שֶׁבֶר רַעֲבוֹן בָּתֵּיכֶם Gen.42:19
שִׁבְרוֹ 8 וְאֶת־גְּבִיעִי...וְאֵת כֶּסֶף שִׁבְרוֹ Gen.44:2
שִׁבְרָם 9 וַיִּשְׂאוּ אֶת־שִׁבְרָם עַל־חֲמֹרֵיהֶם Gen.42:26

שֶׁבֶר³

ז׳ פֵּשֶׁר, באור

שִׁבְרוֹ 1 אֶת־מִסְפַּר הַחֲלוֹם וְאֶת־שִׁבְרוֹ Jud.7:15

שֶׁבֶר⁴

שפ״ז – בן כָּלֵב

שֶׁבֶר 1 יָלַד שֶׁבֶר וְאֶת־תִּרְחֲנָה ICh.2:48

שִׁבָּרוֹן

ז׳ שֶׁבֶר: 1, 2

מִשְׁנֶה שִׁבָּרוֹן 1; שִׁבְרוֹן מָתְנַיִם 2

שִׁבָּרוֹן 1 וּמִשְׁנֶה שִׁבָּרוֹן שָׁבְרֵם Jer.17:18
בְּשִׁבְרוֹן־ 2 בְּשִׁבְרוֹן מָתְנַיִם וּבִמְרִירוּת תֵּאָנַח Ezek.21:11

(שַׁבֵּשׁ) הִשְׁתַּבֵּשׁ

אִתְפַּ׳ ארמית: נבוך

מִשְׁתַּבְּשִׁין 1 וְרַבְרְבָנוֹהִי מִשְׁתַּבְּשִׁין Dan.5:9

שבת :

שָׁבַת, נִשְׁבַּת, הִשְׁבִּית; שַׁבָּת, שַׁבָּתוֹן, מִשְׁבָּת; ש״פ שַׁבְּתַי

שָׁבַת

פָּ׳ א) בָּטַל ממלאכתּוֹ: 1, 2, 8, 10-16, 18, 20-23, 26

ב) חדל, פסק: 3-7, 9, 17, 19, 24, 25, 27

ג) [נפ׳ נִשְׁבַּת] פסק: 28-31

ד) [הפ׳ הִשְׁבִּית] הפסיק, בִּטל: 34-37, 51, 52, 59-61, 69

ה) [כנ״ל] הכרית: 32, 33, 38-50, 53-58, 62-68, 70, 71

שָׁבַת 1 כִּי בוֹ שָׁבַת מִכָּל־מְלַאכְתּוֹ Gen.2:3
2 וּבַיּוֹם הַשְּׁבִיעִי שָׁבַת וַיִּנָּפַשׁ Ex.31:17
3 אֵיךְ שָׁבַת נֹגֵשׂ שָׁבְתָה מַדְהֵבָה Is.14:4
4 שָׁבַת מְשׂוֹשׂ...חָדַל שְׁאוֹן עַלִּיזִים Is.24:8
5 שָׁבַת מְשׂוֹשׂ כִּנּוֹר Is.24:8
6 נָשַׁמּוּ מְסִלּוֹת שָׁבַת עֹבֵר אֹרַח Is.33:8
7 שָׁבַת מְשׂוֹשׂ לִבֵּנוּ Lam.5:15
שָׁבְתָה 8 אֲשֶׁר לֹא־שָׁבְתָה בְּשַׁבְּתֹתֵיכֶם Lev.26:35
9 אֵיךְ שָׁבַת נֹגֵשׂ שָׁבְתָה מַדְהֵבָה Is.14:4
שָׁבָתָה 10 כָּל־יְמֵי הָשַּׁמָּה שָׁבָתָה IICh.36:21
וְשָׁבְתָה 11 וְשָׁבְתָה הָאָרֶץ שַׁבָּת לַייָ Lev.25:2
שָׁבָתוּ 12 זְקֵנִים מִשַּׁעַר שָׁבָתוּ Lam.5:14
תִּשְׁבֹּת 13/4 וּבַיּוֹם הַשְּׁבִיעִי תִּשְׁבֹּת Ex.23:12; 34:12
15 בֶּחָרִישׁ וּבַקָּצִיר תִּשְׁבֹּת Ex.34:21
יִשְׁבּוֹת 16 יִשְׁבּוֹת מֵעִיר מִלּוּשׁ...עַד־חֻמְצָתוֹ Hosh.7:4

וְיִשְׁבֹּת 17 גָּרֵשׁ לֵץ...וְיִשְׁבֹּת דִּין וְקָלוֹן Prov.22:10
וַיִּשְׁבֹּת 18 וַיִּשְׁבֹּת בַּיּוֹם הַשְּׁבִיעִי מִכָּל־מְלַאכְתּוֹ Gen.2:2
19 וַיִּשְׁבֹּת הַמָּן מִמָּחֳרָת Josh.5:12
תִּשְׁבַּת 20 אָז תִּשְׁבַּת הָאָרֶץ Lev.26:34
21 לָמָּה תִשְׁבַּת הַמְּלָאכָה Neh.6:3
תִּשְׁבֹּת 22 כָּל־יְמֵי הָשַּׁמָּה תִּשְׁבֹּת Lev.26:35
תִּשְׁבְּתוּ 23 מֵעֶרֶב עַד־עֶרֶב תִּשְׁבְּתוּ שַׁבַּתְּכֶם Lev.23:32
יִשְׁבְּתוּ 24 זֶרַע יִשְׂ׳ יִשְׁבְּתוּ מִהְיוֹת גּוֹי לְפָנַי Jer.31:36(35)
יִשְׁבֹּתוּ 25 וְיוֹם וָלַיְלָה לֹא יִשְׁבֹּתוּ Gen.8:22
וַיִּשְׁבְּתוּ 26 וַיִּשְׁבְּתוּ הָעָם בַּיּוֹם הַשְּׁבִעִי Ex.16:30
27 וַיִּשְׁבְּתוּ...מֵעֲנוֹת אֶת־אִיּוֹב Job32:1
וְנִשְׁבַּת 28 וְנִשְׁבַּת מִבְצָר מֵאֶפְרַיִם Is.17:3
29 וְנִשְׁבַּת בָּהּ גְּאוֹן עֻזָּהּ Ezek.30:18
30 וְנִשְׁבַּת גְּאוֹן עֻזָּהּ Ezek.33:28
וְנִשְׁבְּתוּ 31 וְנִשְׁבְּרוּ וְנִשְׁבְּתוּ גִּלּוּלֵיכֶם Ezek.6:6
לְהַשְׁבִּית 32 לְהַשְׁבִּית אוֹיֵב וּמִתְנַקֵּם Ps.8:3
וְלַשְׁבִּית 33 וְלַשְׁבִּית עֲנִיֵּי־אָרֶץ Am.8:4
הִשְׁבַּתִּי 34 יַיִן בַּיְקָבִים...הֵידָד הִשְׁבַּתִּי Is.16:10
35 כָּל־אַנְחָתָה הִשְׁבַּתִּי Is.21:2
36 וְיַיִן מִיקָבִים הִשְׁבַּתִּי Jer.48:33
37 הִשְׁבַּתִּי אֶת־הַמָּשָׁל הַזֶּה Ezek.12:23
וְהִשְׁבַּתִּי 38 וְהִשְׁבַּתִּי חַיָּה רָעָה מִן־הָאָרֶץ Lev.26:6
39 וְהִשְׁבַּתִּי גְּאוֹן זֵדִים Is.13:11
40 וְהִשְׁבַּתִּי מֵעָרֵי יְהוּדָה...קוֹל שָׂשׂוֹן Jer.7:34
41 וְהִשְׁבַּתִּי לְמוֹאָב...מַעֲלֶה בָמָה Jer.48:35
42 וְהִשְׁבַּתִּי גְּאוֹן עַזִּים Ezek.7:24
43 וְהִשְׁבַּתִּי זִמָּתֵךְ מִמֵּךְ Ezek.23:27
44 וְהִשְׁבַּתִּי זִמָּה מִן־הָאָרֶץ Ezek.23:48
45 וְהִשְׁבַּתִּי הֲמוֹן שִׁירָיִךְ Ezek.26:13
46 וְהִשְׁבַּתִּי אֶת־הֲמוֹן מִצְרַיִם Ezek.30:10
47 וְהִשְׁבַּתִּי אֱלִילִים מִנֹּף Ezek.30:13
48 וְהִשְׁבַּתִּי חַיָּה־רָעָה מִן־הָאָרֶץ Ezek.34:25
49 וְהִשְׁבַּתִּי מַמְלְכוּת בֵּית יִשְׂרָאֵל Hosh.1:4
50 וְהִשְׁבַּתִּי כָּל־מְשׂוֹשָׂהּ Hosh.2:13
וְהִשְׁבַּתִּיךְ 51 וְהִשְׁבַּתִּיךְ מִזּוֹנָה Ezek.16:41
וְהִשְׁבַּתִּים 52 וְהִשְׁבַּתִּים מֵרְעוֹת צֹאן Ezek.34:10
הִשְׁבַּתָּ 53 הִשְׁבַּתָּ מִטְּהָרוֹ וְכִסְאוֹ...מִגַּרְתָּה Ps.89:45
54 סִגִים הִשְׁבַּתָּ כָל־רִשְׁעֵי־אָרֶץ Ps.119:119
הִשְׁבִּית 55 אֲשֶׁר לֹא הִשְׁבִּית לָךְ גֹּאֵל Ruth4:14
וְהִשְׁבִּית 56 וְהִשְׁבִּית אֶת־הַכְּמָרִים IIK.23:5
57 וְהִשְׁבִּית מִמֶּנָּה אָדָם וּבְהֵמָה Jer.36:29
58 וְהִשְׁבִּית קָצִין חֶרְפָּתוֹ לוֹ Dan.11:18
וְהִשְׁבַּתְנוּ 59 וְהִשְׁבַּתְנוּ אֶת־הַמְּלָאכָה Neh.4:5
וְהִשְׁבַּתֶּם 60 וְהִשְׁבַּתֶּם אֹתָם מִסִּבְלֹתָם Ex.5:5
וְהִשְׁבִּיתוּ 61 וְהִשְׁבִּיתוּ בְנֵיכֶם אֶת־בָּנֵינוּ Josh.22:25
מַשְׁבִּית 62 הִנְנִי מַשְׁבִּית מִן־הַמָּקוֹם הַזֶּה Jer.16:9
63 מַשְׁבִּית מִלְחָמוֹת עַד־קְצֵה הָאָרֶץ Ps.46:10
אַשְׁבִּיתָה 64 אַפְאֵיהֶם אַשְׁבִּיתָה מֵאֱנוֹשׁ זִכְרָם Deut.32:26
תַשְׁבִּית 65 לֹא תַשְׁבִּית מֶלַח בְּרִית אֱלֹהֶיךָ Lev.2:13
יַשְׁבִּית 66 מִדְיָנִים יַשְׁבִּית הַגּוֹרָל Prov.18:18
67 וַחֲצִי הַשָּׁבוּעַ יַשְׁבִּית זֶבַח וּמִנְחָה Dan.9:27
וַיַּשְׁבֵּת 68 וַיַּשְׁבֵּת אֶת־הַסּוּסִים IIK.23:11
69 וַיֶּחְדַּל מִבְּנוֹת...וַיַּשְׁבֵּת אֶת־מְלַאכְתּוֹ IICh.16:5
תַּשְׁבִּיתוּ 70 תַּשְׁבִּיתוּ שְּׂאֹר מִבָּתֵּיכֶם Ex.12:15
הַשְׁבִּיתוּ 71 הַשְׁבִּיתוּ מִפָּנֵינוּ אֶת־קְדוֹשׁ יִשְׂרָאֵל Is.30:11

שֶׁבֶת

נ׳ א) בטלה, המנוּעוּת: 1-3

ב) בטלה מאונס: 4

שֶׁבֶת 1 כָּבוֹד לָאִישׁ שֶׁבֶת מֵרִיב Prov.20:3
שָׁבֶת 2 קָרָאתִי לָזֹאת רַהַב הֵם שָׁבֶת Is.30:7
בַּשָּׁבֶת 3 שָׂרוֹף יִשָּׂרְפוּ בַּשָּׁבֶת IISh.23:7
שִׁבְתּוֹ 4 רַק שִׁבְתּוֹ יִתֵּן וְרַפֹּא יְרַפֵּא Ex.21:19

שַׁבָּת

זו״נ [ז׳ – 9-11, 74, 78; נ׳ – 4, 73, 80, 81, 90]

א) היום השביעי בשבוע: 1-4, 7-24, 26-80, 82-89, 92-105

ב) השנה השביעית, שנת השמִטה: 5, 6, 73, 106-111

ג) שבוע ימים: 25, 81

ד) שבע שנים משמִטה לשמִטה: 90, 91

– מִדֵּי שַׁבָּת בְּשַׁבַּתּוֹ 11, 78; עוֹלַת שַׁבַּת בְּשַׁבַּתּוֹ 74, 77; שַׁבַּת שַׁבָּת 12

– בָּאֵי הַשַּׁבָּת 48, 50, 56, 57; יוֹם הַשַּׁבָּת 16, 17, 19, 22, 26-47; יוֹצְאֵי הַשַּׁבָּת 49, 51, 58; מוּסַךְ הַשַּׁבָּת 52; עוֹלַת שַׁ׳ 74, 77; שׁוֹמֵר שַׁבָּת 9, 10

– שַׁבַּת הָאָרֶץ 73; שַׁבַּת קֹדֶשׁ 66, 75; שַׁבַּת שַׁבָּת 12; שַׁבַּת שַׁבָּתוֹן 67-72

– שַׁבָּתוֹת תְּמִימוֹת 81; שַׁבְּתוֹת יְיָ 89; שַׁבְּתוֹת שָׁנִים 90, 91

– חִלֵּל שַׁבָּת 53, 98-101 103, 104; עָשָׂה שַׁבָּת 21; קִדֵּשׁ שַׁבָּת 102, 105; שָׁבַת שַׁבָּת 80; שָׁמַר שַׁבָּת 20, 92-96

שַׁבָּת 1 אִכְלֻהוּ הַיּוֹם כִּי־שַׁבָּת הַיּוֹם לַייָ Ex.16:25
2 וּבַיּוֹם הַשְּׁבִיעִי שַׁבָּת לֹא יִהְיֶה־בּוֹ Ex.16:26
3 וְיוֹם הַשְּׁבִיעִי שַׁבָּת לַייָ אֱלֹהֶיךָ Ex.20:10
4 שַׁבָּת הִוא לַייָ בְּכֹל מוֹשְׁבֹתֵיכֶם Lev.23:3
5 וְשָׁבְתָה הָאָרֶץ שַׁבָּת לַייָ Lev.25:2
6 שַׁבָּת לַייָ שָׂדְךָ לֹא תִזְרָע Lev.25:4
7 וְיוֹם הַשְּׁבִיעִי שַׁבָּת לַייָ Deut.5:14
8 לֹא־חֹדֶשׁ וְלֹא שַׁבָּת IIK.4:23
9/10 שֹׁמֵר שַׁבָּת מֵחַלְּלוֹ Is.56:2,6
11 מִדֵּי חֹדֶשׁ בְּחָדְשׁוֹ וּמִדֵּי שַׁבָּת בְּשַׁבַּתּוֹ Is.66:23
12 לְהָכִין שַׁבַּת שַׁבָּת ICh.9:32
וְשַׁבָּת 13 חֹדֶשׁ וְשַׁבָּת קְרֹא מִקְרָא Is.1:13
14 שִׁכַּח יְיָ בְּצִיּוֹן מוֹעֵד וְשַׁבָּת Lam.2:6
הַשַּׁבָּת 15 רְאוּ כִּי־יְיָ נָתַן לָכֶם הַשַּׁבָּת Ex.16:29
16 זָכוֹר אֶת־יוֹם הַשַּׁבָּת לְקַדְּשׁוֹ Ex.20:8
17 עַל־כֵּן בֵּרַךְ יְיָ אֶת־יוֹם הַשַּׁבָּת Ex.20:11
18 וּשְׁמַרְתֶּם אֶת־הַשַּׁבָּת Ex.31:14
19 כָּל־הָעֹשֶׂה מְלָאכָה בְּיוֹם הַשַּׁבָּת Ex.31:15
20 וְשָׁמְרוּ בְנֵי־יִשְׂרָאֵל אֶת־הַשַּׁבָּת Ex.31:16
21 לַעֲשׂוֹת אֶת־הַשַּׁבָּת לְדֹרֹתָם Ex.31:16
22 לֹא־תְבַעֲרוּ אֵשׁ...בְּיוֹם הַשַּׁבָּת Ex.35:3
23 מִמָּחֳרַת הַשַּׁבָּת יְנִיפֶנּוּ הַכֹּהֵן Lev.23:11
24 וּסְפַרְתֶּם לָכֶם מִמָּחֳרַת הַשַּׁבָּת Lev.23:15
25 עַד מִמָּחֳרַת הַשַּׁבָּת הַשְּׁבִיעִת Lev.23:16
26/7 בְּיוֹם הַשַּׁבָּת בְּיוֹם הַשַּׁבָּת יַעַרְכֶנּוּ Lev.24:8
28-46 (בְּ/וּבְ/לְ)יוֹם הַשַּׁבָּת Num.15:32
28:9 • Deut.5:15 • Jer.17:21, 22², 24², 27² •
Ezek. 46:1,4,12 • Ps.92:1 • Neh.10:32; 13:15, 17,19,22
47 שָׁמוֹר אֶת־יוֹם הַשַּׁבָּת לְקַדְּשׁוֹ Deut.5:12
48 הַשְּׁלִשִׁית מִכֶּם בָּאֵי הַשַּׁבָּת... IIK.11:5
49 וּשְׁתֵּי הַיָּדוֹת בָּכֶם כֹּל יֹצְאֵי הַשַּׁבָּת IIK.11:7
50/1 בָּאֵי הַשַּׁבָּת עִם יֹצְאֵי הַשַּׁבָּת IIK.11:9
52 וְאֶת־מוּסַךְ° הַשַּׁבָּת אֲשֶׁר־בָּנוּ בַבַּיִת IIK.16:18
53 מוֹסִיפִים חָרוֹן...לְחַלֵּל אֶת־הַשַּׁבָּת Neh.13:18
54 צָלְלוּ שַׁעֲרֵי יְרוּשָׁלַםִ לִפְנֵי הַשַּׁבָּת Neh.13:19
55 אֲשֶׁר לֹא יִפְתָּחוּם עַד אַחַר הַשַּׁבָּת Neh.13:19
56 הַשְּׁלִשִׁית מִכֶּם בָּאֵי הַשַּׁבָּת IICh.23:4
57/8 בָּאֵי הַשַּׁבָּת עִם יוֹצְאֵי הַשַּׁבָּת IICh.23:8
וְהַשַּׁבָּת 59 מָתַי יַעֲבֹר...וְהַשַּׁבָּת וְנִפְתְּחָה־בָּר Am.8:5
בַּשַּׁבָּת 60 לֹא־נִקַּח מֵהֶם בַּשַּׁבָּת Neh.10:32
61 דֹּרְכִים־גִּתּוֹת בַּשַּׁבָּת Neh.13:15
62 וּמוֹכְרִים בַּשַּׁבָּת לִבְנֵי יְהוּדָה Neh.13:16
63 מִן־הָעֵת הַהִיא לֹא בָאוּ בַּשַּׁבָּת Neh.13:21

לְשַׁבַּת 64 וְקָרָאתָ לַשַּׁבָּת עֹנֶג Is.58:13
מִשַּׁבָּת 65 אִם־תָּשִׁיב מִשַּׁבָּת רַגְלֶךָ Is.58:13
שַׁבַּת־ 66 שַׁבָּתוֹן שַׁבַּת־קֹדֶשׁ לַיְיָ מָחָר Ex.16:23
67 שַׁבַּת שַׁבָּתוֹן קֹדֶשׁ לַיְיָ Ex.31:15
68 קֹדֶשׁ שַׁבַּת שַׁבָּתוֹן לַיְיָ Ex.35:2
69-72 שַׁבַּת שַׁבָּתוֹן Lev.16:31; 23:3,32; 25:4
73 וְהָיְתָה שַׁבַּת הָאָרֶץ לָכֶם לְאָכְלָה Lev.25:6
74 עֹלַת שַׁבַּת בְּשַׁבַּתּוֹ Num.28:10
75 וְאֶת־שַׁבַּת קָדְשְׁךָ הוֹדַעְתָּ לָהֶם Neh.9:14
76 לְהָכִין שַׁבַּת שַׁבָּת ICh.9:32
בְּשַׁבַּתּוֹ 77 עֹלַת שַׁבַּת בְּשַׁבַּתּוֹ Num.28:10
78 וּמִדֵּי שַׁבָּת בְּשַׁבַּתּוֹ Is.66:23
וְשַׁבַּתָּהּ 79 וְהִשְׁבַּתִּי...חַגָּהּ חָדְשָׁהּ וְשַׁבַּתָּהּ Hosh.2:13
שַׁבַּתְּכֶם 80 מֵעֶרֶב עַד־עֶרֶב תִּשְׁבְּתוּ שַׁבַּתְּכֶם Lev.23:32
שַׁבָּתוֹת 81 שֶׁבַע שַׁבָּתוֹת תְּמִימֹת תִּהְיֶינָה Lev.23:15
הַשַּׁבָּתוֹת 82 הַשַּׁבָּתוֹת הֶחֳדָשִׁים לַמּוֹעֲדִים Neh.10:34
בַּשַּׁבָּתוֹת 83 וְהִשְׁתַּחֲווּ...בַּשַּׁבָּתוֹת וּבֶחֳדָשִׁים Ezek.46:3
וּבַשַּׁבָּתוֹת 84 בַּחַגִּים וּבֶחֳדָשִׁים וּבַשַּׁבָּתוֹת Ezek.45:17
לַשַּׁבָּתוֹת 85 לַשַּׁבָּתוֹת לֶחֳדָשִׁים וְלַמֹּעֲדִים ICh.23:31
86 לַשַּׁבָּתוֹת וְלֶחֳדָשִׁים וּלְמוֹעֲדֵי יְיָ אֱלֹהֵ׳ IICh.2:3
87 לַשַּׁבָּתוֹת וְלֶחֳדָשִׁים וְלַמּוֹעֲדוֹת IICh.8:13
88 לַשַּׁבָּתוֹת וְלֶחֳדָשִׁים וְלַמֹּעֲדִים IICh.31:3
שַׁבְּתוֹת־ 89 מִלְּבַד שַׁבְּתֹת יְיָ Lev.23:38
90 וְסָפַרְתָּ לְךָ שֶׁבַע שַׁבְּתֹת שָׁנִים Lev.25:8
91 וְהָיוּ לְךָ יְמֵי שֶׁבַע שַׁבְּתֹת הַשָּׁנִים Lev.25:8
שַׁבְּתוֹתַי 92 אַךְ אֶת־שַׁבְּתֹתַי תִּשְׁמֹרוּ Ex.31:13
93 וְאֶת־שַׁבְּתֹתַי תִּשְׁמֹרוּ Lev.19:3
94/5 אֶת־שַׁבְּתֹתַי תִּשְׁמֹרוּ Lev.19:30; 26:2
96 אֲשֶׁר יִשְׁמְרוּ אֶת־שַׁבְּתוֹתַי Is.56:4
97 גַּם אֶת־שַׁבְּתוֹתַי נָתַתִּי לָהֶם Ezek.20:12
98 וְאֶת־שַׁבְּתֹתַי חִלְּלוּ מְאֹד Ezek.20:13
99-101 וְאֶת־שַׁבְּתוֹתַי חִלֵּלוּ Ezek.20:16,24; 23:38
102 וְאֶת־שַׁבְּתוֹתַי קַדֵּשׁוּ Ezek.20:20
103 אֶת־שַׁבְּתוֹתַי חִלֵּלוּ Ezek.20:21
104 קָדָשַׁי בָּזִית וְאֶת־שַׁבְּתֹתַי חִלָּלְתְּ Ezek.22:8
105 וְאֶת־שַׁבְּתוֹתַי יְקַדֵּשׁוּ Ezek.44:24
וּמִשַּׁבְּתוֹתַי 106 וּמִשַּׁבְּתוֹתַי הֶעְלִימוּ עֵינֵיהֶם Ezek.22:26
שַׁבְּתֹתֶיהָ 107 אָז תִּרְצֶה הָאָרֶץ אֶת־שַׁבְּתֹתֶיהָ Lev.26:34
108 וְהִרְצָת אֶת־שַׁבְּתֹתֶיהָ Lev.26:34
109 וְתִרֶץ אֶת־שַׁבְּתֹתֶיהָ Lev.26:43
110 עַד־רָצְתָה הָאָרֶץ אֶת־שַׁבְּתוֹתֶיהָ IICh.36:21
בְּשַׁבְּתֹתֵיכֶם 111 אֲשֶׁר לֹא־שָׁבְתָה בְּשַׁבְּתֹתֵיכֶם Lev.26:35

(וְ)שָׁבַת (יחזקאל מו 17) – עין (שוב) (166)

שַׁבָּתוֹן
ז׳ מנוחה שלמה מעבודה: 1-11
שַׁבַּת שַׁבָּתוֹן 2-5, 7, 10; שְׁנַת שַׁבָּתוֹן 11

שַׁבָּתוֹן 1 שַׁבָּתוֹן שַׁבַּת־קֹדֶשׁ לַיְיָ מָחָר Ex.16:23
2 שַׁבַּת שַׁבָּתוֹן קֹדֶשׁ לַיְיָ Ex.31:15
3 קֹדֶשׁ שַׁבַּת שַׁבָּתוֹן לַיְיָ Ex.35:2
4 שַׁבַּת שַׁבָּתוֹן הִיא לָכֶם Lev.16:31
5 שַׁבַּת שַׁבָּתוֹן מִקְרָא־קֹדֶשׁ Lev.23:3
6 יִהְיֶה לָכֶם שַׁבָּתוֹן...מִקְרָא־קֹדֶשׁ Lev.23:24
7 שַׁבַּת שַׁבָּתוֹן הוּא לָכֶם Lev.23:32
8 בַּיּוֹם הָרִאשׁוֹן שַׁבָּתוֹן Lev.23:39
9 וּבַיּוֹם הַשְּׁמִינִי שַׁבָּתוֹן Lev.23:39
10 שַׁבַּת שַׁבָּתוֹן יִהְיֶה לָאָרֶץ Lev.25:4
11 שְׁנַת שַׁבָּתוֹן יִהְיֶה לָאָרֶץ Lev.25:5

שַׁבְּתַי
שפ״ז – מראשי הלויים בין עולי הגולה: 1-3

שַׁבְּתַי 1 שַׁבְּתַי הוֹדִיָּה מַעֲשֵׂיָה Neh.8:7
וְשַׁבְּתַי 2 וּמְשֻׁלָּם וְשַׁבְּתַי הַלֵּוִי עֲזָרֻם Ez.10:15
3 וְשַׁבְּתַי וְיוֹזָבָד עַל־הַמְּלָאכָה Neh.11:16

שגא : שָׂגָא, הִשְׂגִּיא; שַׂגִּיא

שָׂגָא
פ׳ א) גדל, עלה: 1
ב) [הפ׳ הִשְׂגִּיא] הגדיל, העלה: 2, 3

יִשְׂגֶּא 1 הֲיִגְאֶה...יִשְׂגֶּא־אָחוּ בְלִי־מָיִם Job 8:11
מַשְׂגִּיא 2 מַשְׂגִּיא לַגּוֹיִם וַיְאַבְּדֵם Job 12:23
תַּשְׂגִּיא 3 זְכֹר כִּי־תַשְׂגִּיא פָעֳלוֹ Job 36:24

שְׂגָא
פ׳ ארמית גדל: 1-3

יִשְׂגֵּא 1/2 שְׁלָמְכוֹן יִשְׂגֵּא Dan.3:31; 6:26
3 לְמָה יִשְׂגֵּא חֲבָלָא לְהַנְזָקַת מַלְכִין Ez.4:22

שגב : שָׂגַב, נִשְׂגַּב, שִׂגֵּב, שֻׂגַּב, הִשְׂגִּיב; מִשְׂגָּב

שָׂגַב
פ׳ א) גָּבַר, חזק: 1, 2
ב) [נפ׳ נִשְׂגַּב] גדל, עלה: 3-12
ג) [פ׳ שִׂגֵּב] חזק, הגביר: 13-18
ד) [פֻ׳ שֻׂגַּב] חזק, הורם: 19
ה) [הפ׳ הִשְׂגִּיב] חזק: 20
קרובים: גָּבַר / גָּדַל / חָזַק / עָצַם / רוֹמֵם (רום)

– שֻׂגַּב יֶשַׁע 2
– נִשְׂגַּב יְיָ 8; נִשְׂגָּב שְׁמוֹ 7, 9
– חוֹמָה נִשְׂגָּבָה 11, 12; קִרְיָה נִשְׂגָּבָה 10

שָׂגְבָה 1 לֹא הָיְתָה קִרְיָה אֲשֶׁר שָׂגְבָה מִמֶּנּוּ Deut.2:36
שָׂגְבוּ 2 וְקֹדְרִים שָׂגְבוּ יֶשַׁע Job 5:11
וְנִשְׂגַּב 3/4 וְנִשְׂגַּב יְיָ לְבַדּוֹ בַּיּוֹם הַהוּא Is.2:11,17
וְנִשְׂגָּב 5 בּוֹ־יָרוּץ צַדִּיק וְנִשְׂגָּב Prov.18:10
נִשְׂגְּבָה 6 ...דָעַת...נִשְׂגְּבָה לֹא־אוּכַל לָהּ Ps.139:6
נִשְׂגָּב 7 הַזְכִּירוּ כִּי נִשְׂגָּב שְׁמוֹ Is.12:4
8 נִשְׂגָּב יְיָ כִּי שֹׁכֵן מָרוֹם Is.33:5
9 כִּי־נִשְׂגָּב שְׁמוֹ לְבַדּוֹ Ps.148:13
נִשְׂגָּבָה 10 יֹשְׁבֵי מָרוֹם קִרְיָה נִשְׂגָּבָה Is.26:5
11 כְּפֶרֶץ נֹפֵל נִבְעֶה בְּחוֹמָה נִשְׂגָּבָה Is.30:13
12 וּכְחוֹמָה נִשְׂגָּבָה בְּמַשְׂכִּיתוֹ Prov.18:11
אֲשַׂגְּבֵהוּ 13 אֲשַׂגְּבֵהוּ כִּי־יָדַע שְׁמִי Ps.91:14
תְּשַׂגְּבֵנִי 14 הַצִּילֵנִי...מִמִּתְקוֹמְמַי תְּשַׂגְּבֵנִי Ps.59:2
15 יְשׁוּעָתְךָ אֱלֹהִים תְּשַׂגְּבֵנִי Ps.69:30
וַיְשַׂגֵּב 16 וַיְשַׂגֵּב יְיָ אֶת־צָרֵי רְצִין עָלָיו Is.9:10
17 וַיְשַׂגֵּב אֶבְיוֹן מֵעוֹנִי Ps.107:41
יְשַׂגֶּבְךָ 18 יְשַׂגֶּבְךָ שֵׁם אֱלֹהֵי יַעֲקֹב Ps.20:2
יְשֻׂגָּב 19 וּבוֹטֵחַ בַּיְיָ יְשֻׂגָּב Prov.29:25
יַשְׂגִּיב 20 הֶן־אֵל יַשְׂגִּיב בְּכֹחוֹ Job 36:22

שגג : שָׁגַג; שְׁגָגָה

שָׁגַג
פ׳ טעה, אשם בלא כונה: 1-4

שָׁגָג 1 וְכִפֶּר...עַל שִׁגְגָתוֹ אֲשֶׁר־שָׁגָג Lev.5:18
שׁוֹגֵג 2 טֶרֶם אֶעֱנֶה אֲנִי שֹׁגֵג Ps.119:67
3 לוֹ שֹׁגֵג וּמַשְׁגֶּה Job 12:16
הַשֹּׁגֶגֶת 4 וְכִפֶּר הַכֹּהֵן עַל־הַנֶּפֶשׁ הַשֹּׁגֶגֶת Num.15:28

שְׁגָגָה
נ׳ טעות, אשמה בלא כונה: 1-19 • קרוב: שְׁגִיאָה

שְׁגָגָה 1 וְנִסְלַח לָהֶם כִּי־שְׁגָגָה הִוא Num.15:25
2 וְאַל־תֹּאמַר...כִּי שְׁגָגָה הִיא Eccl.5:5
בִּשְׁגָגָה 3 נֶפֶשׁ כִּי־תֶחֱטָא בִשְׁגָגָה Lev.4:2
4 וְעָשָׂה...בִּשְׁגָגָה וְאָשֵׁם Lev.4:22
5 וְאִם־נֶפֶשׁ אַחַת תֶּחֱטָא בִשְׁגָגָה Lev.4:27
6 וְחָטְאָה בִּשְׁגָגָה מִקָּדְשֵׁי יְיָ Lev.5:15
7 וְאִישׁ כִּי־יֹאכַל קֹדֶשׁ בִּשְׁגָגָה Lev.22:14
8 וְנִסְלַח...כִּי לְכָל־הָעָם בִּשְׁגָגָה Num.15:26
9 וְאִם־נֶפֶשׁ אַחַת תֶּחֱטָא בִשְׁגָגָה Num.15:27
10 עַל־הַנֶּפֶשׁ...בְּחֶטְאָה בִשְׁגָגָה Num.15:28
בִּשְׁגָגָה (המשך) 11 תּוֹרָה אַחַת...לָעֹשֶׂה בִּשְׁגָגָה Num.15:29
12/3 מַכֵּה־נֶפֶשׁ בִּשְׁגָגָה Num.35:11,15
14 מַכֵּה־נֶפֶשׁ בִּשְׁגָגָה בִּבְלִי־דָעַת Josh.20:3
15 כָּל־מַכֵּה־נֶפֶשׁ בִּשְׁגָגָה Josh.20:9
כִּשְׁגָגָה 16 כִּשְׁגָגָה שֶׁיֹּצָא מִלִּפְנֵי הַשַּׁלִּיט Eccl.10:5
לִשְׁגָגָה 17 אִם מֵעֵינֵי הָעֵדָה נֶעֶשְׂתָה לִשְׁגָגָה Num.15:24
שִׁגְגָתוֹ 18 וְכִפֶּר...עַל שִׁגְגָתוֹ אֲשֶׁר־שָׁגָג Lev.5:18
שִׁגְגָתָם 19 הֵבִיאוּ אֶת־קָרְבָּנָם...עַל־שִׁגְגָתָם Num.15:25

שגה : שָׂגָה, הִשְׂגָּה

שָׂגָה
פ׳ א) צמח, עלה: 1, 2
ב) [הפ׳ הִשְׂגָּה] הגדיל: 3

יִשְׂגֶּה 1 צַדִּיק...כְּאֶרֶז בַּלְּבָנוֹן יִשְׂגֶּה Ps.92:13
2 רֵאשִׁיתְךָ מִצְעָר וְאַחֲרִיתְךָ יִשְׂגֶּה מְאֹד Job 8:7
הִשְׂגּוּ 3 הִנֵּה־אֵלֶּה רְשָׁעִים...הִשְׂגּוּ־חָיִל Ps.73:12

שגה : שָׁגָה, הִשְׁגָּה; שִׁגָּיוֹן, שְׁגִיאָה, מִשְׁגֶּה; ש־פ שָׁגֵה

שָׁגָה
פ׳ א) טעה, נכשל בחטא בלא כונה: 1-11, 15, 16
ב) [בהשאלה] תעה: 17
ג) התמסר בלהיטות: 12-14
ד) [הפ׳ הִשְׁגָּה] הטעה, התעה, הכשיל: 18-21

לִשְׁגּוֹת 1 לִשְׁגוֹת מֵאִמְרֵי־דָעַת Prov.19:27
שָׁגִיתִי 2 וּמַה־שָּׁגִיתִי הָבִינוּ לִי Job 6:24
3 וְאַף־אָמְנָם שָׁגִיתִי Job 19:4
שָׁגוּ 4 וְגַם־אֵלֶּה בַּיַּיִן שָׁגוּ וּבַשֵּׁכָר תָּעוּ Is.28:7
5 כֹּהֵן וְנָבִיא שָׁגוּ בַשֵּׁכָר Is.28:7
6 שָׁגוּ בָּרֹאֶה פָּקוּ פְּלִילִיָּה Is.28:7
שֹׁגֶה 7 מֵאִישׁ שֹׁגֶה וּמִפֶּתִי Ezek.45:20
8 וְכָל־שֹׁגֶה בּוֹ לֹא יֶחְכָּם Prov.20:1
שׁוֹגִים 9 סָלִיתָ כָּל־שׁוֹגִים מֵחֻקֶּיךָ Ps.119:118
הַשֹּׁגִים 10 זֵדִים אֲרוּרִים הַשֹּׁגִים מִמִּצְוֹתֶיךָ Ps.119:21
וָאֶשְׁגֶּה 11 הִסְכַּלְתִּי וָאֶשְׁגֶּה הַרְבֵּה מְאֹד ISh.26:21
תִּשְׁגֶּה 12 בְּאַהֲבָתָהּ תִּשְׁגֶּה תָמִיד Prov.5:19
13 וְלָמָּה תִשְׁגֶּה בְנִי בְזָרָה Prov.5:20
יִשְׁגֶּה 14 וּבְרֹב אִוַּלְתּוֹ יִשְׁגֶּה Prov.5:23
תִשְׁגּוּ 15 וְכִי תִשְׁגּוּ וְלֹא תַעֲשׂוּ Num.15:22
יִשְׁגּוּ 16 וְאִם כָּל־עֲדַת יִשְׂרָאֵל יִשְׁגּוּ Lev.4:13
17 יִשְׁגּוּ צֹאנִי בְּכָל־הֶהָרִים Ezek.34:6
מַשְׁגֶּה 18 אָרוּר מַשְׁגֶּה עִוֵּר בַּדָּרֶךְ Deut.27:18
19 מַשְׁגֶּה יְשָׁרִים בְּדֶרֶךְ רָע Prov.28:10
וּמַשְׁגֶּה 20 לוֹ שֹׁגֵג וּמַשְׁגֶּה Job 12:16
תַּשְׁגֵּנִי 21 אַל־תַּשְׁגֵּנִי מִמִּצְוֹתֶיךָ Ps.119:10

שָׁגֵה
שפ״ז – אבי אחד מגבורי דוד

שָׁגֵה 1 יוֹנָתָן בֶּן־שָׁגֵה הַהֲרָרִי ICh.11:34

שְׂגוּב
שפ״ז א) הצעיר בבני חיאל: 3
ב) בן חצרון לשבט יהודה: 1, 2

שְׂגוּב 1 וַתֵּלֶד לוֹ אֶת־שְׂגוּב ICh.2:21
וּשְׂגוּב 2 וּשְׂגוּב הוֹלִיד אֶת־יָאִיר ICh.2:22
וּבִשְׂגוּב 3 וּבִשְׂגוּב (כת׳ ובשגיב) צְעִירוֹ הִצִּיב דְּלָתֶיהָ IK.16:34

שגח : הִשְׁגִּיחַ

(שגח) הִשְׁגִּיחַ
הפ׳ התבונן: 1-3 • קרובים: ראה רָאָה

הִשְׁגִּיחַ 1 הִשְׁגִּיחַ אֶל כָּל־יֹשְׁבֵי הָאָרֶץ Ps.33:14
מַשְׁגִּיחַ 2 מַשְׁגִּיחַ מִן־הַחֲלֹּנוֹת S.ofS.2:9
יַשְׁגִּיחוּ 3 רֹאֶיךָ אֵלֶיךָ יַשְׁגִּיחוּ אֵלֶיךָ יִתְבּוֹנָנוּ Is.14:16

שַׂגִּיא[1]
ת׳ נשגב, עצום: 1, 2 • קרובים: ראה אַבִּיר
אֵל שַׂגִּיא 1; שַׂגִּיא כֹחַ 2

שַׂגִּיא 1 הֶן־אֵל שַׂגִּיא וְלֹא נֵדָע Job 36:26
2 שַׁדַּי לֹא־מְצָאנֻהוּ שַׂגִּיא־כֹחַ Job 37:23

שַׂגִּיא² ת׳ ארמית א) גדול: 3, 4
ב) רב בכמות: 1, 5, 6, 10, 12, 13
ג) [תה״פ] הרבה, מאוד: 2, 7-9, 11

שַׂגִּיא 1 מַתְּנָן וּנְבִזְבָּה וִיקָר שַׂגִּיא Dan. 2:6
2 מַלְכָּא בְּנַס וּקְצַף שַׂגִּיא Dan. 2:12
3 וַאֲלוּ צְלֵם חַד שַׂגִּיא Dan. 2:31
4 וַאֲלוּ אִילָן...וְרוּמֵהּ שַׂגִּיא Dan. 4:7
5/6 וְאִנְבֵּהּ שַׂגִּיא Dan. 4:9, 18
7 אֱדַיִן מַלְכָּא...שַׂגִּיא מִתְבָּהַל Dan. 5:9
8 אֱדַיִן מַלְכָּא...שַׂגִּיא בְּאֵשׁ עֲלוֹהִי Dan. 6:15
9 בֵּאדַיִן מַלְכָּא שַׂגִּיא טְאֵב עֲלוֹהִי Dan. 6:24
10 קוּמִי אֲכֻלִי בְּשַׂר שַׂגִּיא Dan. 7:5
11 שַׂגִּיא רַעְיוֹנַי יְבַהֲלֻנַּנִי Dan. 7:28
שַׂגִּיאָן 12 וּמַתְּנָן רַבְרְבָן שַׂגִּיאָן יְהַב־לֵהּ Dan. 2:48
13 מִקַּדְמַת דְּנָה שְׁנִין שַׂגִּיאָן Ez. 5:11

שְׁגִיאָה* נ׳ טעות • קרוב: שְׁגָגָה
שְׁגִיאוֹת 1 שְׁגִיאוֹת מִי־יָבִין מִנִּסְתָּרוֹת נַקֵּנִי Ps. 19:13

שִׁגָּיוֹן ז׳ סוג של שיר(?) כלי־שיר(?): 1, 2
שִׁגָּיוֹן 1 שִׁגָּיוֹן לְדָוִד אֲשֶׁר־שָׁר לַיי׳ Ps. 7:1
שִׁגְיֹנוֹת 2 תְּפִלָּה לַחֲבַקּוּק הַנָּבִיא עַל שִׁגְיֹנוֹת Hab. 3:1

שגל : שָׁגַל, נִשְׁגַּל, שֻׁגְּלָה (כך כתיב, קרי: שכב); שֵׁגַל; אר׳ שֵׁגַל

שֵׁגַל¹ נ׳ אשת איש: 1, 2
שֵׁגַל 1 נִצְּבָה שֵׁגַל לִימִינְךָ בְּכֶתֶם אוֹפִיר Ps. 45:10
וְהַשֵּׁגַל 2 וְהַשֵּׁגַל יוֹשֶׁבֶת אֶצְלוֹ Neh. 2:6

שֵׁגַל²* נ׳ ארמית אשת איש: 1-3 [שֵׁגְלָתָא = נשים]
שֵׁגְלָתָךְ 1 שֵׁגְלָתָךְ וּלְחֵנָתָךְ Dan. 5:23
שֵׁגְלָתֵהּ 2/3 מַלְכָּא...שֵׁגְלָתֵהּ וּלְחֵנָתֵהּ Dan. 5:2, 3

שגע : שֻׁגָּע, הִשְׁתַּגֵּעַ; שִׁגָּעוֹן

שֻׁגַּע פ׳ א) [רק בינוני: מְשֻׁגָּע] שנטרפה דעתו: 1-5
ב) [הת׳ הִשְׁתַּגֵּעַ] התהולל, נטרפה דעתו: 6, 7
מְשֻׁגָּע 1 וְהָיִיתָ מְשֻׁגָּע מִמַּרְאֵה עֵינֶיךָ Deut. 28:34
2 לְכָל־אִישׁ מְשֻׁגָּע וּמִתְנַבֵּא Jer. 29:26
3 אֱוִיל הַנָּבִיא מְשֻׁגָּע אִישׁ הָרוּחַ Hosh. 9:7
הַמְשֻׁגָּע 4 מַדּוּעַ בָּא־הַמְשֻׁגָּע הַזֶּה אֵלֶיךָ IIK. 9:11
מְשֻׁגָּעִים 5 חֲסַר מְשֻׁגָּעִים אָנִי ISh. 21:16
לְהִשְׁתַּגֵּעַ 6 כִּי־הֲבֵאתֶם אֶת־זֶה לְהִשְׁתַּגֵּעַ עָלָי ISh. 21:16
מִשְׁתַּגֵּעַ 7 הִנֵּה תִרְאוּ אִישׁ מִשְׁתַּגֵּעַ ISh. 21:15

שִׁגָּעוֹן ז׳ טרוף דעת, הוללות: 1-3
בְּשִׁגָּעוֹן 1 יַכְּכָה יי׳ בְּשִׁגָּעוֹן וּבְעִוָּרוֹן Deut. 28:28
2 כִּי בְשִׁגָּעוֹן יִנְהָג IIK. 9:20
בַּשִּׁגָּעוֹן 3 כָּל־סוּס בַּתִּמָּהוֹן וְרֹכְבוֹ בַּשִּׁגָּעוֹן Zech. 12:4

שֶׁגֶר ז׳ ולד בהמה: 1-5
שְׁגַר בְּהֵמָה 1; שְׁגַר אֲלָפִים 2-5
שֶׁגֶר־ 1 וְכָל־פֶּטֶר שֶׁגֶר בְּהֵמָה Ex. 13:12
שְׁגַר־ 2/3 שְׁגַר אֲלָפֶיךָ וְעַשְׁתְּרֹת צֹאנֶךָ Deut. 7:28; 28:51
4/5 שְׁגַר אֲלָפֶיךָ וְעַשְׁתְּר(וֹ)ת צֹאנֶךָ Deut. 28:4, 18

שִׂגְשֵׂג פ׳ צמח, עלה
תְּשַׂגְשֵׂגִי 1 בְּיוֹם נִטְעֵךְ תְּשַׂגְשֵׂגִי Is. 17:11

שֵׁד* ז׳ רוח רעה, שטן: 1, 2
לַשֵּׁדִים 1 יִזְבְּחוּ לַשֵּׁדִים לֹא אֱלֹהַ Deut. 32:17
2 וַיִּזְבְּחוּ אֶת־בְּנֵיהֶם...לַשֵּׁדִים Ps. 106:37

שַׁד ז׳ דד האשה להנקת הילוד: 1-21
– שָׁדַיִם צוֹמְקִים 7; בִּרְכֹת שָׁדַיִם 2; יוֹנְקֵי שָׁדַיִם 6
– שְׁדֵי אִמּוֹ 11, 12; שְׁדֵי נְעוּרִים 10
– חָלְצָה שַׁד 1; יָנַק שָׁדַיִם 5
שַׁד 1 גַּם־תַּנִּים° חָלְצוּ שַׁד Lam. 4:3
שָׁדַיִם 2 בִּרְכֹת שָׁדַיִם וָרָחַם Gen. 49:25
3 עַל־שָׁדַיִם סֹפְדִים Is. 32:12
4 שָׁדַיִם נָכֹנוּ וּשְׂעָרֵךְ צִמֵּחַ Ezek. 16:7
5 וּמַה־שָּׁדַיִם כִּי אִינָק Job 3:12
שָׁדָיִם 6 אִסְפוּ עוֹלָלִים וְיֹנְקֵי שָׁדָיִם Joel 2:16
וְשָׁדַיִם 7 רֶחֶם מַשְׁכִּיל וְשָׁדַיִם צֹמְקִים Hosh. 9:14
8 אָחוֹת לָנוּ קְטַנָּה וְשָׁדַיִם אֵין לָהּ S.ofS. 8:8
מִשָּׁדָיִם 9 גְּמוּלֵי מֵחָלָב עַתִּיקֵי מִשָּׁדָיִם Is. 28:9
שְׁדֵי־ 10 לְמַעַן שְׁדֵי נְעוּרָיִךְ Ezek. 23:21
11 מַבְטִיחִי עַל־שְׁדֵי אִמִּי Ps. 22:10
12 מִי יִתֶּנְךָ כְּאָח לִי יוֹנֵק שְׁדֵי אִמִּי S.ofS. 8:1
שָׁדַי 13 צְרוֹר הַמֹּר...בֵּין שָׁדַי יָלִין S.ofS. 1:13
וְשָׁדַי 14 אֲנִי חוֹמָה וְשָׁדַי כַּמִּגְדָּלוֹת S.ofS. 8:10
שָׁדַיִךְ 15/16 שְׁנֵי שָׁדַיִךְ כִּשְׁנֵי עֳפָרִים S.ofS. 4:5; 7:4
17 שָׁדַיִךְ כְּאֶשְׁכְּלוֹת הַגֶּפֶן S.ofS. 7:9
וְשָׁדַיִךְ 18 וְשָׁדַיִךְ תְּנַתֵּקִי Ezek. 23:34
19 קוֹמָתֵךְ...לְתָמָר וְשָׁדַיִךְ לְאַשְׁכֹּלוֹת S.ofS. 7:8
שָׁדֶיהָ 20 וְתָסֵר...וְנַאֲפוּפֶיהָ מִבֵּין שָׁדֶיהָ Hosh. 2:4
שְׁדֵיהֶן 21 שָׁמָּה מֹעֲכוּ שְׁדֵיהֶן Ezek. 23:3

שֹׁד¹ ז׳ שַׁד: 1-3
שֹׁד מְלָכִים 1; שֹׁד תַּנְחֻמִים 2
וְשֹׁד־ 1 וְשֹׁד מְלָכִים תִּינָקִי Is. 60:16
מִשֹּׁד־ 2 לְמַעַן תִּינְקוּ...מִשֹּׁד תַּנְחֻמֶיהָ Is. 66:11
3 יִגְזְלוּ מִשֹּׁד יָתוֹם Job 24:9

שֹׁד² ז׳ גזל, חמס: 1-25 • קרובים: ראה חָמָס
שֹׁד וְחָמָס 9; חָמָס וָשֹׁד 10-12, 14; שֹׁד וָשֶׁבֶר 2-4, 15; שֹׁד וָכָפָן 18; שֹׁד מִשַּׁדַּי 16, 17; שֹׁד בְּהֵמוֹת 23; שֹׁד בַּת עַמִּי 21; שֹׁד עֲנִיִּים 25; שֹׁד רְשָׁעִים 22; שֹׁד שַׁלְמַן 24
שֹׁד 1 כָּלָה שֹּׁד תַּמּוּ רֹמֵס מִן־הָאָרֶץ Is. 16:4
2 שֹׁד וָשֶׁבֶר בִּמְסִלּוֹתָם Is. 59:7
3 לֹא־יִשָּׁמַע...שֹׁד וָשֶׁבֶר בִּגְבוּלָיִךְ Is. 60:18
4 שֹׁד וָשֶׁבֶר גָּדוֹל Jer. 48:3
5 שֹׁד לָהֶם כִּי־פָשְׁעוּ בִי Hosh. 7:13
6 הַמַּבְלִיג שֹׁד עַל־עָז Am. 5:9
7 כִּי־שֹׁד יֶהְגֶּה לִבָּם Prov. 24:2
וְשֹׁד 8 וְשֹׁד עַל־מִבְצָר יָבוֹא Am. 5:9
9 וְשֹׁד וְחָמָס לְנֶגְדִּי Hab. 1:3
וָשֹׁד 10 חָמָס וָשֹׁד יִשָּׁמַע בָּהּ Jer. 6:7
11 חָמָס וָשֹׁד אֶקְרָא Jer. 20:8
12 חָמָס וָשֹׁד הָסִירוּ Ezek. 45:9
13 כָּזָב וָשֹׁד יַרְבֶּה Hosh. 12:2
14 הָאוֹצְרִים חָמָס וָשֹׁד בְּאַרְמְנוֹתֵיהֶם Am. 3:10
הַשֹּׁד 15 הַשֹּׁד וְהַשֶּׁבֶר וְהָרָעָב Is. 51:19
כְּשֹׁד 16 כְּשֹׁד מִשַּׁדַּי יָבוֹא Is. 13:6
וּכְשֹׁד 17 וּכְשֹׁד מִשַּׁדַּי יָבוֹא Joel 1:15
לְשֹׁד 18 לְשֹׁד וּלְכָפָן תִּשְׂחָק Job 5:22
מִשֹּׁד 19 כִּי־הִנֵּה הָלְכוּ מִשֹּׁד Hosh. 9:6
20 וְלֹא־תִירָא מִשֹּׁד כִּי יָבוֹא Job 5:21
שֹׁד־ 21 לְנַחֲמֵנִי עַל־שֹׁד בַּת־עַמִּי Is. 22:4
22 שֹׁד־רְשָׁעִים יְגוֹרֵם Prov. 21:7
וְשֹׁד־ 23 וְשֹׁד בְּהֵמוֹת יְחִיתַן Hab. 2:17
כְּשֹׁד־ 24 כְּשֹׁד שַׁלְמַן בֵּית אַרְבֵאל Hosh. 10:14
מִשֹּׁד־ 25 מִשֹּׁד עֲנִיִּים מֵאַנְקַת אֶבְיוֹנִים Ps. 12:6

שדד : שִׂדֵּד
שִׂדֵּד פ׳ תִּחֵחַ רגבי אדמה: 1-3
יְשַׂדֶּד־ 1 יַחֲרוֹשׁ יְהוּדָה יְשַׂדֶּד־לוֹ יַעֲקֹב Hosh. 10:11
יְשַׂדֵּד 2 אִם־יְשַׂדֵּד עֲמָקִים אַחֲרֶיךָ Job 39:10
וִישַׂדֵּד 3 יְפַתַּח וִישַׂדֵּד אַדְמָתוֹ Is. 28:24

שדד : שָׁדַד, שָׁדוּד, נָשַׁד, שִׁדֵּד, שׁוֹדֵד פ׳, הוּשַׁד; שֹׁד, שׁוֹדֵד ז׳, שַׁדַּי; ש״פ אַשְׁדּוֹד

שָׁדַד פ׳ א) גזל, חמס: 1-6, 17 [עין גם שׁוֹדֵד]
ב) הכריע: 7-9, 14-16
ג) [פעול: שָׁדוּד] קטול, הרוג: 10
ד) [כנ״ל] בזוז, גזול: 11, 12, 13(?)
ה) [נפ׳ נָשַׁד] נגזל: 18
ו) [פ¹ שִׁדֵּד] גזל, הכריע: 19, 20
ז) [פ² שׁוֹדֵד] כנ״ל: 21
ח) [פ׳ שֻׁדַּד] נגזל, הוכרע: 22-41
ט) [הפ׳ הוּשַׁד] הוכרע, הושמד: 42, 43
שֹׁדֵד גְּאוֹנוֹ 3, 31; שׁ׳ מַרְעִיתוֹ 7; שִׁדֵּד אָב 19; שִׁדֵּד רִבְצוֹ 20; שֻׁדַּד אֹהֶל 32, 38; שֻׁדַּד גְּאוֹנוֹ 31; שֻׁדַּד דָּגָן 30; שׁ׳ זַרְעוֹ 28; שׁ׳ מוֹאָב 26, 27; שׁ׳ מָעֻזּוֹ 25; שׁ׳ שָׂדֶה 29; שֻׁדְּדָה אַדַּרְתּוֹ 35; שֻׁדְּדָה הָאָרֶץ 33; שֻׁדְּדָה עַי 34; שֻׁדְּדָה נִינְוֵה 37; שֻׁדְּדוּ אַדִּירִים 39

שָׁדוֹד 1 שָׁדוֹד נְשַׁדֻּנוּ Mic. 2:4
לִשְׁדוֹד 2 לִשְׁדוֹד אֶת־כָּל־פְּלִשְׁתִּים Jer. 47:4
וְשָׁדְדוּ 3 וְשָׁדְדוּ אֶת־גְּאוֹן מִצְרַיִם Ezek. 32:12
שַׁדּוּנִי 4 מִפְּנֵי רְשָׁעִים זוּ שַׁדּוּנִי Ps. 17:9
שׁוֹדֵד 5 הַבּוֹגֵד בּוֹגֵד וְהַשּׁוֹדֵד שׁוֹדֵד Is. 21:2
6 הוֹי שׁוֹדֵד וְאַתָּה לֹא שָׁדוּד Is. 33:1
7 כִּי־שֹׁדֵד יי׳ אֶת־מַרְעִיתָם Jer. 25:36
8 כִּי־שֹׁדֵד יי׳ אֶת־פְּלִשְׁתִּים Jer. 47:4
9 כִּי־שֹׁדֵד יי׳ אֶת־בָּבֶל Jer. 51:55
שָׁדוּד 10 בַּאֲשֶׁר כָּרַע שָׁם נָפַל שָׁדוּד Jud. 5:27
11 הוֹי שׁוֹדֵד וְאַתָּה לֹא שָׁדוּד Is. 33:1
12 וְאַתְּ° שָׁדוּד מַה־תַּעֲשִׂי Jer. 4:30
הַשְּׁדוּדָה 13 בַּת־בָּבֶל הַשְּׁדוּדָה Ps. 137:8
יָשׁוּד 14 מִקֶּטֶב יָשׁוּד צָהֳרָיִם Ps. 91:6
יְשָׁדֵּם 15 וְסֶלֶף בּוֹגְדִים יְשָׁדֵּם (כת׳ ושדם) Prov. 11:3
יְשָׁדְדֵם 16 זְאֵב עֲרָבוֹת יְשָׁדְדֵם Jer. 5:6
וְשָׁדְדוּ 17 קוּמוּ...וְשָׁדְדוּ אֶת־בְּנֵי־קֶדֶם Jer. 49:28
נְשַׁדֻּנוּ 18 שָׁדוֹד נְשַׁדֻּנוּ Mic. 2:4
מְשַׁדֶּד־ 19 מְשַׁדֶּד־אָב יַבְרִיחַ אֵם Prov. 19:26
תְּשַׁדֵּד 20 אַל־תְּשַׁדֵּד רִבְצוֹ Prov. 24:15
יְשֹׁדֵד 21 יַעֲרֹף מִזְבְּחוֹתָם יְשֹׁדֵד מַצֵּבוֹתָם Hosh. 10:2
שֻׁדַּד 22 כִּי בְּלֵיל שֻׁדַּד עָר מוֹאָב נִדְמָה Is. 15:1
23 כִּי בְּלֵיל שֻׁדַּד קִיר־מוֹאָב נִדְמָה Is. 15:1
24 כִּי־שֻׁדַּד מִבַּיִת מִבּוֹא Is. 23:1
25 הֵילִילוּ...כִּי שֻׁדַּד מָעֻזְּכֶן Is. 23:14
26 שֻׁדַּד מוֹאָב וְעָרֶיהָ עָלָה Jer. 48:15
27 הַגִּידוּ בְאַרְנוֹן כִּי שֻׁדַּד מוֹאָב Jer. 48:20
28 שֻׁדַּד זַרְעוֹ וְאֶחָיו וּשְׁכֵנָיו Jer. 49:10
29 שֻׁדַּד שָׂדֶה אָבְלָה אֲדָמָה Joel 1:10
30 כִּי שֻׁדַּד דָּגָן הוֹבִישׁ תִּירוֹשׁ Joel 1:10
31 כִּי שֻׁדַּד גְּאוֹן הַיַּרְדֵּן Zech. 11:3
שֻׁדָּד 32 אָהֳלִי שֻׁדָּד וְכָל־מֵיתָרַי נִתָּקוּ Jer. 10:20
שֻׁדְּדָה 33 כִּי־שֻׁדְּדָה כָּל־הָאָרֶץ Jer. 4:20
34 הֵילִילִי חֶשְׁבּוֹן כִּי שֻׁדְּדָה־עַי Jer. 49:3
35 כִּי שֻׁדְּדָה אַדַּרְתָּם Zech. 11:3
שֻׁדָּדָה 36 הוֹי אֶל־נְבוֹ כִּי שֻׁדָּדָה Jer. 48:1
שָׁדְּדָה 37 שָׁדְּדָה נִינְוֵה מִי יָנוּד לָהּ Nah. 3:7
שֻׁדְּדוּ 38 פִּתְאֹם שֻׁדְּדוּ אֹהָלָי Jer. 4:20
שֻׁדָּדוּ 39 אֲשֶׁר אַדִּרִים שֻׁדָּדוּ Zech. 11:2

שֻׁדָּדְנוּ
40 אוֹי לָנוּ כִּי שֻׁדָּדְנוּ Jer. 4:13
41 קוֹל נְהִי...אֵיךְ שֻׁדָּדְנוּ Jer. 9:18

תּוּשַּׁד
42 כַּהֲתִמְךָ שׁוֹדֵד תּוּשַּׁד Is. 33:1

יֻשַּׁד
43 וְכָל־מִבְצָרַיִךְ יוּשַּׁד Hosh. 10:14

שִׁדָּה
נ׳ [סתום] אשה? מַשְׁקֶה?: 1, 2

שִׁדָּה
1 וְתַעֲנֻגוֹת בְּנֵי הָאָדָם שִׁדָּה וְשִׁדּוֹת Eccl. 2:8

וְשִׁדּוֹת
2 וְתַעֲנֻגוֹת בְּנֵי הָאָדָם שִׁדָּה וְשִׁדּוֹת Eccl. 2:8

שָׂדֶה
ז׳ א) חלקת אדמה למרעה או לחריש ולזריעה: רוב המקראות 3-333

ב) מקום בר: 1, 2, 6, 24-54, 61-63, 89, 116-118, 160, 177, 178, 243-245, 295, 322, 323, 328, 332

ג) אזור, חבל ארץ: 228, 232, 237-239, 246-249, 251-253, 257, 258, 260, 261, 263-266, 271, 293, 296, 299-302, 312, 313

קרובים: ראה אֲדָמָה

– שָׂדֶה אַחֵר 158, 159; שָׂדֶה טוֹב 14

– אַבְנֵי הַשָּׂדֶה 116; אַיְלוֹת הַשָּׂדֶה 117, 118; אִישׁ שָׂדֶה 1; בַּהֲמוֹת שָׂ׳ 17; בֶּהֱמַת שָׂ׳ 89; גֶּפֶן שָׂ׳ 8; זֶרַע הַשָּׂ׳ 69; חַיַּת הַשָּׂ׳ 26-54; חֶלְקַת הַשָּׂ׳ 66, 88, 93, 121-123; יַעַר הַשָּׂדֶה 106; יֶרֶק הַשָּׂדֶה 85; כֶּסֶף הַשָּׂ׳ 57; מְחִיר הַשָּׂ׳ 19; מֵיטַב הַשָּׂדֶה 285; מְלֶאכֶת הַשָּׂ׳ 124; מְעָרַת שָׂדֶה 230; מִקְנֵה הַשָּׂ׳ 72; מְרוֹמֵי שָׂ׳ 6; נַחֲלַת שָׂדֶה 4; עִי הַשָּׂ׳ 114; עֵץ הַשָּׂדֶה 75, 84, 86, 100, 112; עֲצֵי הַשָּׂדֶה 98, 105, 107-111; עָרֵי הַשָּׂדֶה 90; עֵשֶׂב שָׂ׳ 10, 12, 25, 55, 73, 74, 77; פְּאַת שָׂדֶה 276, 278; פְּנֵי הַשָּׂדֶה 80-82, 96, 101; פַּקֻּעֹת שָׂ׳ 9; צִיץ הַשָּׂ׳ 97, 115; צֶמֶד שָׂ׳ 7; צֶמַח שָׂ׳ 104; קְצֵה שָׂ׳ 283; קְצִיר שָׂ׳ 16; רֵיחַ הַשָּׂדֶה 2; שִׂיחַ הַשָּׂ׳ 24; תְּבוּאַת שָׂ׳ 21; תְּבוּאוֹת הַשָּׂדֶה 95; תְּנוּבַת הַשָּׂדֶה 113

– שְׂדֵה אֱדוֹם 232, 271; שְׂדֵה אֲחֻזָּה 269, 270, 273; שְׂדֵה אַחֵר 256; שְׂ׳ אִישׁ 250; שְׂ׳ אֶפְרַיִם 247; שְׂ׳ אֲרָם 246; שְׂ׳ הָאָרֶץ 235; שְׂ׳ זֶרַע 262; שְׂ׳ חֵרֶם 268; שְׂ׳ יְהוֹשֻׁעַ 240, 259; שְׂ׳ כוֹבֵס 243-245; שְׂדֵה מִגְרָשׁ 252; שְׂדֵה מוֹאָב 253, 257, 264-266; שְׂדֵה הַמַּכְפֵּלָה 230, 234, 255; שְׂדֵה מִקְנָה 236; שְׂ׳ נָבוֹת 242; שְׂ׳ נַחֲלָה 239; שְׂ׳ הָעֲמָלֵקִי 228; שְׂ׳ הָעִיר 233, 238, 251; שְׂ׳ עֶפְרוֹן 229, 231, 254; שְׂדֵה פְלִשְׁתִּים 258, 260, 261; שְׂ׳ צֹפִים 237; שְׂ׳ צֹעַן 249, 263; שְׂ׳ קְבוּרָה 267; שְׂ׳ שָׁאוּל 241; שְׂדֵה שֹׁמְרוֹן 248

– שְׂדֵי חֶמֶד 292; שְׂ׳ יַעַר 295; שְׂ׳ יְתוֹמִים 298; שְׂדֵי מִגְרָשׁ 297; שְׂדֵי מוֹאָב 293, 296, 300-302; שְׂדֵי הֶעָרִים 299; שְׂדֵי תְרוּמֹת 294

– שְׂדוֹת גֶּבַע 312

– בַּהֲמוֹת שָׂדַי 323, 331; זִיז שָׂדַי 324, 325; חַיְתוֹ שָׂדַי 328, 332; צוּר שָׂדַי 322; שֹׁמְרֵי שָׂדַי 321; תַּלְמֵי שָׂדָי 330; תְּנוּבוֹת שָׂדָי 327, 333

שָׂדֶה
1 וַיְהִי עֵשָׂו אִישׁ יֹדֵעַ צַיִד אִישׁ שָׂדֶה Gen. 25:27
2 רְאֵה רֵיחַ בְּנִי כְּרֵיחַ שָׂדֶה Gen. 27:27
3 כִּי יַבְעֶר־אִישׁ שָׂדֶה אוֹ־כֶרֶם Ex. 22:4
4 וַתִּתֶּן־לָנוּ נַחֲלַת שָׂדֶה וָכָרֶם Num. 16:14
5 לִשְׁאוֹל מֵאֵת־אָבִיהָ שָׂדֶה Josh. 15:18
6 וְנַפְתָּלִי עַל מְרוֹמֵי שָׂדֶה Jud. 5:18
7 כְּבַחֲצִי מַעֲנָה צֶמֶד שָׂדֶה ISh. 14:14
8 וַיֵּצֵא...לְלַקֵּט אֹרֹת וַיִּמְצָא גֶּפֶן שָׂדֶה IIK. 4:39
9 וַיְלַקֵּט מִמֶּנּוּ פַּקֻּעֹת שָׂדֶה IIK. 4:39
10 הָיוּ עֵשֶׂב שָׂדֶה וִירַק דֶּשֶׁא IIK. 19:26
11 שָׂדֶה בְשָׂדֶה יַקְרִיבוּ Is. 5:8
12 הָיוּ עֵשֶׂב שָׂדֶה וִירַק דֶּשֶׁא Is. 37:27
13 צִיּוֹן שָׂדֶה תֵחָרֵשׁ Jer. 26:18

שָׂדֶה (המשך)
14 אֶל־שָׂדֶה טוֹב...הִיא שְׁתוּלָה Ezek. 17:8
15 שֻׁדַּד שָׂדֶה אָבְלָה אֲדָמָה Joel 1:10
16 כִּי אָבַד קְצִיר שָׂדֶה Joel 1:11
17 גַּם־בַּהֲמוֹת שָׂדֶה תַּעֲרוֹג אֵלֶיךָ Joel 1:20
18 צִיּוֹן שָׂדֶה תֵחָרֵשׁ Mic. 3:12
19 וּמְחִיר שָׂדֶה עַתּוּדִים Prov. 27:26
20 זָמְמָה שָׂדֶה וַתִּקָּחֵהוּ Prov. 31:16
21 רֵאשִׁית דָּגָן...וְכֹל תְּבוּאַת שָׂדֶה IICh. 31:5

וְשָׂדֶה
22 וְשָׂדֶה וָזֶרַע לֹא יִהְיֶה־לָּנוּ Jer. 35:9
23 וְשָׂדֶה לֹא קָנִינוּ Neh. 5:16

הַשָּׂדֶה
24 וְכֹל שִׂיחַ הַשָּׂדֶה טֶרֶם יִהְיֶה בָאָרֶץ Gen. 2:5
25 וְכָל־עֵשֶׂב הַשָּׂדֶה טֶרֶם יִצְמָח Gen. 2:5
26 וַיִּצֶר...כָּל־חַיַּת הַשָּׂדֶה Gen. 2:19
27-54 (וְ)חַיַּת הַשָּׂדֶה Gen. 2:20; 3:1, 14
Ex. 23:11,29 • Lev. 26:22 • Deut. 7:22 • IISh. 21:10 • IIK. 14:9 • Is. 43:20 • Jer. 12:9; 27:6; 28:14 • Ezek. 31:6,13; 34:5,8, 38:20; 39:4,17 • Hosh. 2:14,20; 4:3; 13:8 • Job 5:23; 39:15; 40:20 • IICh. 25:18
55 וְאָכַלְתָּ אֶת־עֵשֶׂב הַשָּׂדֶה Gen. 3:18
56 הַשָּׂדֶה נָתַתִּי לָךְ Gen. 23:11
57 נָתַתִּי כֶּסֶף הַשָּׂדֶה קַח מִמֶּנִּי Gen. 23:13
58 הַשָּׂדֶה וְהַמְּעָרָה אֲשֶׁר־בּוֹ Gen. 23:17
59 וַיָּקָם הַשָּׂדֶה...לַאֲחֻזַּת־קָבֶר Gen. 23:20
60 הַשָּׂדֶה אֲשֶׁר־קָנָה אַבְרָהָם... Gen. 25:10
61 וַיָּבֹא עֵשָׂו מִן־הַשָּׂדֶה וְהוּא עָיֵף Gen. 25:29
62 וְצֵא הַשָּׂדֶה וְצוּדָה לִּי צָיִד Gen. 27:3
63 וַיֵּלֶךְ עֵשָׂו הַשָּׂדֶה לָצוּד צַיִד Gen. 27:5
64 וַיָּבֹא יַעֲקֹב מִן־הַשָּׂדֶה בָּעֶרֶב Gen. 30:16
65 וַיִּקְרָא לְרָחֵל...הַשָּׂדֶה אֶל־צֹאנוֹ Gen. 31:4
66 וַיִּקֶן אֶת־חֶלְקַת הַשָּׂדֶה Gen. 33:19
67 וּבְנֵי יַעֲקֹב בָּאוּ מִן־הַשָּׂדֶה כְּשָׁמְעָם Gen. 34:7
68 מְאַלְּמִים אֲלֻמִּים בְּתוֹךְ הַשָּׂדֶה Gen. 37:7
69 לְזֶרַע הַשָּׂדֶה וּלְאָכְלְכֶם Gen. 47:24
70/1 קָנָה אַבְרָהָם אֶת־הַשָּׂדֶה Gen. 49:30; 50:13
72 מִקְנֵה הַשָּׂדֶה וְהַמְּעָרָה אֲשֶׁר־בּוֹ Gen. 49:32
73 וִיהִי בָרָד...וְעַל כָּל־עֵשֶׂב הַשָּׂדֶה Ex. 9:22
74 וְאֵת כָּל־עֵשֶׂב הַשָּׂדֶה הִכָּה הַבָּרָד Ex. 9:25
75 וְאֶת־כָּל־עֵץ הַשָּׂדֶה שִׁבֵּר Ex. 9:25
76 הַצֹּמֵחַ לָכֶם מִן־הַשָּׂדֶה Ex. 10:5
77 כָּל־יֶרֶק בָּעֵץ וּבְעֵשֶׂב הַשָּׂדֶה Ex. 10:15
78 וְנֶאֱכַל גָּדִישׁ אוֹ הַקָּמָה אוֹ הַשָּׂדֶה Ex. 22:5
79 בְּאָסְפְּךָ אֶת־מַעֲשֶׂיךָ מִן־הַשָּׂדֶה Ex. 23:16
80 וְשִׁלַּח...עַל־פְּנֵי הַשָּׂדֶה Lev. 14:7
81 וְשִׁלַּח...אֶל־פְּנֵי הַשָּׂדֶה Lev. 14:53
82 אֲשֶׁר הֵם זֹבְחִים עַל־פְּנֵי הַשָּׂדֶה Lev. 17:5
83 מִן־הַשָּׂדֶה תֹּאכְלוּ אֶת־תְּבוּאָתָהּ Lev. 25:12
84 וְעֵץ הַשָּׂדֶה יִתֵּן פִּרְיוֹ Lev. 26:4
85 כִּלְחֹךְ הַשּׁוֹר אֵת יֶרֶק הַשָּׂדֶה Num. 22:4
86 כִּי הָאָדָם עֵץ הַשָּׂדֶה לָבֹא מִפָּנֶיךָ Deut. 20:19
87 זֶרַע רַב תּוֹצִיא הַשָּׂדֶה Deut. 28:38
88 בְּחֶלְקַת הַשָּׂדֶה אֲשֶׁר קָנָה יַעֲקֹב Josh. 24:32
89 לְעוֹף הַשָּׁמַיִם וּלְבֶהֱמַת הַשָּׂדֶה ISh. 17:44
90 מָקוֹם בְּאַחַת עָרֵי הַשָּׂדֶה ISh. 27:5
91 אַתָּה וְצִיבָא תַּחְלְקוּ אֶת־הַשָּׂדֶה IISh. 19:30
92 וַיַּסֵּב...מִן־הַמְסִלָּה הַשָּׂדֶה IISh. 20:12
93 וַתְּהִי־שָׁם חֶלְקַת הַשָּׂדֶה IISh. 23:11
94 וַיֵּצֵא אֶחָד אֶל־הַשָּׂדֶה לְלַקֵּט IIK. 4:39
95 וְאֵת כָּל־תְּבוּאַת הַשָּׂדֶה IIK. 8:6
96 כְּדֹמֶן עַל־פְּנֵי הַשָּׂדֶה IIK. 9:37
97 וְכָל־חַסְדּוֹ כְּצִיץ הַשָּׂדֶה Is. 40:6
98 וְכָל־עֲצֵי הַשָּׂדֶה יִמְחֲאוּ־כָף Is. 55:12

הַשָּׂדֶה (המשך)
99 אַל־תֵּצְאִי◦ הַשָּׂדֶה וּבַדֶּרֶךְ אַל־תֵּלֵכִי◦ Jer. 6:25
100 וְעַל־עֵץ הַשָּׂדֶה Jer. 7:20
101 כְּדֹמֶן עַל־פְּנֵי הַשָּׂדֶה Jer. 9:21
102 וְעֵשֶׂב כָּל־הַשָּׂדֶה יִיבָשׁ Jer. 12:4
103 וְנִקְנָה הַשָּׂדֶה בָּאָרֶץ הַזֹּאת Jer. 32:43
104 רְבָבָה כְּצֶמַח הַשָּׂדֶה נְתַתִּיךְ Ezek. 16:7
105 וְיָדְעוּ כָּל־עֲצֵי הַשָּׂדֶה Ezek. 17:24
106 וְהִנָּבֵא אֶל־יַעַר הַשָּׂדֶה נֶגֶב Ezek. 21:2
107 וְכָל־עֲצֵי הַשָּׂדֶה עָלָיו עֻלְפֶּה Ezek. 31:15
108-111 עֲצֵי הַשָּׂדֶה Ezek. 31:4,5 • Joel 1:12,19
112 וְנָתַן עֵץ הַשָּׂדֶה אֶת־פִּרְיוֹ Ezek. 34:27
113 אֶת־פְּרִי הָעֵץ וּתְנוּבַת הַשָּׂדֶה Ezek. 36:30
114 וְשַׂמְתִּי שֹׁמְרוֹן לְעִי הַשָּׂדֶה Mic. 1:6
115 כְּצִיץ הַשָּׂדֶה כֵּן יָצִיץ Ps. 103:15
116 כִּי עִם־אַבְנֵי הַשָּׂדֶה בְרִיתֶךָ Job 5:23
117/8 בִּצְבָאוֹת אוֹ בְּאַיְלוֹת הַשָּׂדֶה S.ofS. 2:7; 3:5
119 לְכָה דוֹדִי נֵצֵא הַשָּׂדֶה S.ofS. 7:12
120 אֵלְכָה־נָּא הַשָּׂדֶה וַאֲלַקֳטָה Ruth 2:2
121 וַיִּקֶר מִקְרֶהָ חֶלְקַת הַשָּׂדֶה לְבֹעַז Ruth 2:3
122 חֶלְקַת הַשָּׂדֶה אֲשֶׁר לְאָחִינוּ Ruth 4:3
123 חֶלְקַת הַשָּׂדֶה מְלֵאָה שְׂעוֹרִים ICh. 11:13
124 וְעַל עֹשֵׂי מְלֶאכֶת הַשָּׂדֶה ICh. 27:26
125-154 הַשָּׂדֶה Lev. 27:19,20[2],21,24
Num. 19:16 • Deut. 14:22 • Jud. 1:14; 9:27, 42; 19:16 • ISh. 11:5; 14:25; 20:11[2], 35 • IISh. 11:11; 11:23; 18:6 • Jer. 14:18; 32:9,25 • Ezek. 16:5; 29:5; 32:4; 33:27; 39:5,10 • Ruth 4:5 • ICh. 16:32

בְּשָׂדֶה
155 לֹא נַעֲבֹר בְּשָׂדֶה וּבְכֶרֶם Num. 20:17
156 לֹא נִטֶּה בְּשָׂדֶה וּבְכֶרֶם Num. 21:22
157 שָׂדֶה בְשָׂדֶה יַקְרִיבוּ Is. 5:8
158 אַל־תֵּלְכִי לִלְקֹט בְּשָׂדֶה אַחֵר Ruth 2:8
159 וְלֹא יִפְגְּעוּ־בָךְ בְּשָׂדֶה אַחֵר Ruth 2:22

בַּשָּׂדֶה
160 וַיְהִי בִּהְיוֹתָם בַּשָּׂדֶה וַיָּקָם קַיִן Gen. 4:8
161 וְכָל־הָעֵץ אֲשֶׁר בַּשָּׂדֶה Gen. 23:17
162 וַיֵּצֵא יִצְחָק לָשׂוּחַ בַּשָּׂדֶה Gen. 24:63
163 הַהֹלֵךְ בַּשָּׂדֶה לִקְרָאתֵנוּ Gen. 24:65
164 וַיַּרְא וְהִנֵּה בְאֵר בַּשָּׂדֶה Gen. 29:2
165 וַיִּמְצָא דוּדָאִים בַּשָּׂדֶה Gen. 30:14
166 וּבָנָיו הָיוּ אֶת־מִקְנֵהוּ בַּשָּׂדֶה Gen. 34:5
167 וְאֵת־אֲשֶׁר בַּשָּׂדֶה לָקָחוּ Gen. 34:28
168 וְהִנֵּה תֹעֶה בַּשָּׂדֶה Gen. 37:15
169 וּבְכָל־עֲבֹדָה בַּשָּׂדֶה Ex. 1:14
170 יַד־יְיָ הוֹיָה בְּמִקְנְךָ אֲשֶׁר בַּשָּׂדֶה Ex. 9:3
171 הָעֵז...כָּל־אֲשֶׁר לְךָ בַּשָּׂדֶה Ex. 9:19
172 אֲשֶׁר־יִמָּצֵא בַשָּׂדֶה וְלֹא יֵאָסֵף Ex. 9:19
173 בִּכּוּרֵי מַעֲשֶׂיךָ אֲשֶׁר תִּזְרַע בַּשָּׂדֶה Ex. 23:16
174 וַתֵּט הָאָתוֹן...וַתֵּלֶךְ בַּשָּׂדֶה Num. 22:23
175 ...בָּעִיר וּבָרוּךְ אַתָּה בַּשָּׂדֶה Deut. 28:3
176 ...בָּעִיר וְאָרוּר אַתָּה בַּשָּׂדֶה Deut. 28:16
177 כְּאַחַד הַצְּבָיִם אֲשֶׁר בַּשָּׂדֶה IISh. 2:18
178 וּמָרֵי נֶפֶשׁ הֵמָּה כְּדֹב שַׁכּוּל בַּשָּׂ׳ IISh. 17:8
179 כִּי־יֶשׁ־לָנוּ מַטְמֹנִים בַּשָּׂדֶה Jer. 41:8
180 אֲשֶׁר בַּשָּׂדֶה בַּחֶרֶב יָמוּת Ezek. 7:15
181 וְעַל הָאֹצָרוֹת בַּשָּׂדֶה בֶּעָרִים ICh. 27:25
182-225 בַּשָּׂדֶה Ex. 9:21,25; 16:25
22:30 • Deut. 21:1; 22:25,27; 24:19 • Josh. 8:24 • Jud. 9:32,43,44; 13:9; 20:31 • ISh. 4:2; 14:15; 19:3; 20:5, 24; 25:15; 30:11 • IISh. 10:8; 14:6 • IK. 11:29; 14:11; 16:4; 21:24 • IIK. 7:12 • Jer. 13:27; 14:5; 17:3; 40:7, 13 • Ezek. 26:6, 8 • Mic. 4:10 • Zech. 10:1 • Mal. 3:11 • Prov. 24:27 • Job 24:6 • Ruth 2:3, 9, 17 • ICh. 19:9

וּבַשָּׂדֶה 226 בְּכָל־אֲשֶׁר יֶשׁ־לוֹ בַּבַּיִת וּבַשָּׂדֶה Gen. 39:5
לְשָׂדֶה 227 מֶלֶךְ לְשָׂדֶה נֶעֱבָד Eccl. 5:8
שְׂדֵה־ 228 וַיַּכּוּ אֶת־כָּל־שְׂדֵה הָעֲמָלֵקִי Gen. 14:7
229 וַיָּקָם שְׂדֵה עֶפְרוֹן... Gen. 23:17
230 קָבַר...אֶל־מְעָרַת שְׂדֵה הַמַּכְפֵּלָה Gen. 23:19
231 וַיִּקְבְּרוּ אֹתוֹ...אֶל־שְׂדֵה עֶפְרֹן Gen. 25:9
232 וַיִּשְׁלַח...אַרְצָה שֵׂעִיר שְׂדֵה אֱדוֹם Gen. 32:3
233 אֹכֶל שְׂדֵה־הָעִיר...נָתַן בְּתוֹכָהּ Gen. 41:48
234 בִּמְעָרַת שְׂדֵה הַמַּכְפֵּלָה Gen. 50:13
235 עַל־שְׂדֵה הָאָרֶץ יֵחָשֵׁב Lev. 25:31
236 אֶת־שְׂדֵה מִקְנָתוֹ...יַקְדִּישׁ לַיְיָ Lev. 27:22
237 וַיִּקָּחֵהוּ שְׂדֵה צֹפִים Num. 23:14
238 וְאֶת־שְׂדֵה הָעִיר וְאֶת־חֲצֵרֶיהָ Josh. 21:12
239 בְּכָל־שְׂדֵה נַחֲלַת יִשְׂרָאֵל Jud. 20:6
240 וְהָעֲגָלָה בָּאָה אֶל־שְׂדֵה יְהוֹשֻׁעַ ISh. 6:14
241 וַהֲשִׁבֹתִי לְךָ אֶת־כָּל־שְׂדֵה שָׁאוּל IISh. 9:7
242 בְּחֶלְקַת שְׂדֵה נָבוֹת הַיִּזְרְעֵאלִי IIK. 9:25
243 אֲשֶׁר בִּמְסִלַּת שְׂדֵה כוֹבֵס IIK. 18:17
244 אֶל־מְסִלַּת שְׂדֵה כוֹבֵס Is. 7:3
245 וַיַּעֲמֹד...בִּמְסִלַּת שְׂדֵה כוֹבֵס Is. 36:2
246 וַיִּבְרַח יַעֲקֹב שְׂדֵה אֲרָם Hosh. 12:13
247 וְיָרְשׁוּ אֶת־שְׂדֵה אֶפְרַיִם Ob. 19
248 וְאֵת שְׂדֵה שֹׁמְרוֹן Ob. 19
249 בְּאֶרֶץ מִצְרַיִם שְׂדֵה־צֹעַן Ps. 78:12
250 עַל־שְׂדֵה אִישׁ־עָצֵל עָבַרְתִּי Prov. 24:30
251 וְאֶת־שְׂדֵה הָעִיר וְאֶת־חֲצֵרֶיהָ ICh. 6:41
וּשְׂדֵה־ 252 וּשְׂדֵה מִגְרַשׁ עָרֵיהֶם לֹא יִמָּכֵר Lev. 25:34
בִּשְׂדֵה־ 253 הַמַּכֶּה אֶת־מִדְיָן בִּשְׂדֵה מוֹאָב Gen. 36:35
254 אֲשֶׁר בִּשְׂדֵה עֶפְרוֹן הַחִתִּי Gen. 49:29
255 בַּמְּעָרָה אֲשֶׁר בִּשְׂדֵה הַמַּכְפֵּלָה Gen. 49:30
256 וְשִׁלַּח...וּבִעֵר בִּשְׂדֵה אַחֵר Ex. 22:4
257 וּמִבָּמוֹת הַגַּיְא אֲשֶׁר בִּשְׂדֵה מוֹאָב Num. 21:20
258 וַיְהִי אֲרוֹן־יְיָ בִּשְׂדֵה פְלִשְׁתִּים ISh. 6:1
259 בִּשְׂדֵה יְהוֹשֻׁעַ בֵּית־הַשִּׁמְשִׁי ISh. 6:18
260 אֲשֶׁר־יָשַׁב דָּוִד בִּשְׂדֵה פְלִשְׁתִּים ISh. 27:7
261 הַיָּמִים אֲשֶׁר יָשַׁב בִּשְׂדֵה פְלִשְׁתִּים ISh. 27:11
262 וַיִּקַּח...וַיִּתְּנֵהוּ בִּשְׂדֵה־זָרַע Ezek. 17:5
263 וּמוֹפְתָיו בִּשְׂדֵה־צֹעַן Ps. 78:43
264 כִּי שָׁמְעָה בִּשְׂדֵה מוֹאָב Ruth 1:6
265 הַמַּכֶּה אֶת־מִדְיָן בִּשְׂדֵה מוֹאָב ICh. 1:46
266 וְשַׁחֲרַיִם הוֹלִיד בִּשְׂדֵה מוֹאָב ICh. 8:8
267 בִּשְׂדֵה הַקְּבוּרָה אֲשֶׁר לַמְּלָכִים IICh. 26:23
כִּשְׂדֵה־ 268 וְהָיָה הַשָּׂדֶה...כִּשְׂדֵה הַחֵרֶם Lev. 27:21
מִשְּׂדֵה־ 269 וְאִם מִשְּׂדֵה אֲחֻזָּתוֹ יַקְדִּישׁ Lev. 27:16
270 אֲשֶׁר לֹא מִשְּׂדֵה אֲחֻזָּתוֹ Lev. 27:22
271 בְּצַעְדְּךָ מִשְּׂדֵה אֱדוֹם Jud. 5:4
272 מָכְרָה נָעֳמִי הַשָּׁבָה מִשְּׂדֵה מוֹאָב Ruth 4:3
וּמִשְּׂדֵה־ 273 אֲשֶׁר יַחֲרִם...וּמִשְּׂדֵה אֲחֻזָּתוֹ Lev. 27:28
שָׂדִי 274 קְנֵה לְךָ אֶת־שָׂדִי אֲשֶׁר בַּעֲנָתוֹת Jer. 32:7
275 קְנֵה נָא אֶת־שָׂדִי אֲשֶׁר־בַּעֲנָתוֹת Jer. 32:8
שָׂדְךָ 276 לֹא תְכַלֶּה פְּאַת שָׂדְךָ לִקְצֹר Lev. 19:9
277 שָׂדְךָ לֹא־תִזְרַע כִּלְאָיִם Lev. 19:19
278 לֹא־תְכַלֶּה פְּאַת שָׂדְךָ בְּקֻצְרֶךָ Lev. 23:22
279 שָׂדְךָ לֹא תִזְרָע וְכַרְמְךָ לֹא תִזְמֹר Lev. 25:4
שָׂדֶךָ 280 שֵׁשׁ שָׁנִים תִּזְרַע שָׂדֶךָ Lev. 25:3
בְּשָׂדְךָ 281 וְנָתַתִּי עֵשֶׂב בְּשָׂדְךָ לִבְהֶמְתֶּךָ Deut. 11:15
בְּשָׂדֶךָ 282 כִּי תִקְצֹר קְצִירְךָ בְשָׂדֶךָ Deut. 24:19
שָׂדֵהוּ 283 מְעָרַת...אֲשֶׁר בִּקְצֵה שָׂדֵהוּ Gen. 23:9
284 כִּי־מָכְרוּ מִצְרַיִם אִישׁ שָׂדֵהוּ Gen. 47:20
285 מֵיטַב שָׂדֵהוּ וּמֵיטַב כַּרְמוֹ יְשַׁלֵּם Ex. 22:4
286 אִם־מִשְּׁנַת הַיֹּבֵל יַקְדִּישׁ שָׂדֵהוּ Lev. 27:17
287 וְאִם־אַחַר הַיֹּבֵל יַקְדִּישׁ שָׂדֵהוּ Lev. 27:18
288 וְלֹא תִתְאַוֶּה בֵּית רֵעֶךָ שָׂדֵהוּ Deut. 5:18
לְשָׂדֵהוּ 289 וַיִּבְרְחוּ אִישׁ־לְשָׂדֵהוּ Neh. 13:10
שָׂדָהּ 290 לִצְעֹק אֶל־הַמֶּ' אֶל־בֵּיתָהּ וְאֶל־שָׂדָהּ IIK. 8:3
291 צֹעֶקֶת אֶל־הַמֶּ' עַל־בֵּיתָהּ וְעַל־שָׂדָהּ IIK. 8:5
שְׂדֵי־ 292 עַל־שְׂדֵי־חֶמֶד עַל־גֶּפֶן פֹּרִיָּה Is. 32:12
293 וַיָּבֹאוּ שְׂדֵי־מוֹאָב וַיִּהְיוּ־שָׁם Ruth 1:2
וּשְׂדֵי־ 294 הָרֵי בַגִּלְבֹּעַ...וּשְׂדֵי תְרוּמֹת IISh. 1:21
בִּשְׂדֵי־ 295 מְצָאנוּהָ בִּשְׂדֵי־יָעַר Ps. 132:6
296 וַיֵּלֶךְ...לָגוּר בִּשְׂדֵי מוֹאָב Ruth 1:1
297 בִּשְׂדֵי מִגְרַשׁ עָרֵיהֶם IICh. 31:19
וּבִשְׂדֵי־ 298 וּבִשְׂדֵי יְתוֹמִים אַל־תָּבֹא Prov. 23:10
לִשְׂדֵי־ 299 לִכְנוֹס בָּהֶם לִשְׂדֵי הֶעָרִים Neh. 12:44
מִשְּׂדֵי־ 300 וַתָּקָם...וַתָּשָׁב מִשְּׂדֵי מוֹאָב Ruth 1:6
301 וְרוּת...הַשָּׁבָה מִשְּׂדֵי מוֹאָב Ruth 1:22
302 הַשָּׁבָה עִם־נָעֳמִי מִשְּׂדֵי מוֹאָב Ruth 2:6
שָׂדֶיךָ 303 עֲנָתֹת לֵךְ עַל־שָׂדֶיךָ IK. 2:26
שָׂדֵינוּ 304 לְשׁוֹבֵב שָׂדֵינוּ יְחַלֵּק Mic. 2:4
שָׂדוֹת 305 גַּם־לְכֻלְּכֶם יִתֵּן...שָׂדוֹת וּכְרָמִים ISh. 22:7
306 וְנָסַבּוּ...לַאֲחֵרִים שָׂדוֹת וְנָשִׁים יַחְדָּו Jer. 6:12
307 שָׂדוֹת בַּכֶּסֶף יִקְנוּ Jer. 32:44
308 וְחָמְדוּ שָׂדוֹת וְגָזָלוּ Mic. 2:2
309 וַיִּזְרְעוּ שָׂדוֹת וַיִּטְּעוּ כְרָמִים Ps. 107:37
וְשָׂדוֹת 310 עוֹד יִקָּנוּ בָתִּים וְשָׂדוֹת וּכְרָמִים Jer. 32:15
הַשָּׂדֹת 311 מִן־הַבָּתִּים מִן־הַחֲצֵרֹת וּמִן־הַשָּׂדֹת Ex. 8:9
וּמִשְּׂדוֹת־ 312 וּמִבֵּית הַגִּלְגָּל וּמִשְּׂדוֹת גֶּבַע Neh. 12:29
וּשְׂדֹתֶיהָ 313 לָכִישׁ וּשְׂדֹתֶיהָ עֲזֵקָה וּבְנֹתֶיהָ Neh. 11:30
שְׂדֹתֵינוּ 314 שְׂדֹתֵינוּ וּכְרָמֵינוּ...אֲנַחְנוּ עֹרְבִים Neh. 5:3
315 לָוִינוּ כֶסֶף...שְׂדֹתֵינוּ וּכְרָמֵינוּ Neh. 5:4
וּשְׂדֹתֵנוּ 316 וּשְׂדֹתֵנוּ וּכְרָמֵינוּ לַאֲחֵרִים Neh. 5:5
שְׂדוֹתֵיכֶם 317 וְאֶת־שְׂדוֹתֵיכֶם וְאֶת־כַּרְמֵיכֶם..יִקָּח ISh. 8:14
שְׂדוֹתֵיהֶם 318 לָכֵן אֶתֵּן...שְׂדוֹתֵיהֶם לְיוֹרְשִׁים Jer. 8:10
319 הָשִׁיבוּ נָא...שְׂדֹתֵיהֶם כַּרְמֵיהֶם Neh. 5:11
בִּשְׂדֹתָם 320 וְאֶל־הַחֲצֵרִים בִּשְׂדֹתָם Neh. 11:25
שָׂדָי 321 כְּשֹׁמְרֵי שָׂדַי הָיוּ עָלֶיהָ מִסָּבִיב Jer. 4:17
322 הֲיַעֲזֹב מִצּוּר שָׂדַי שֶׁלֶג לְבָנוֹן Jer. 18:14
323 אַל־תִּירְאוּ בַּהֲמוֹת שָׂדַי Joel 2:22
324 וְזִיז שָׂדַי עִמָּדִי Ps. 50:11
325 וְזִיז שָׂדַי יִרְעֶנָּה Ps. 80:14
326 יַעֲלֹז שָׂדַי וְכָל־אֲשֶׁר־בּוֹ Ps. 96:12
שָׂדָי 327 וַיֹּאכַל תְּנוּבֹת שָׂדָי Deut. 32:13
328 כֹּל חַיְתוֹ שָׂדָי אֵתָיוּ לֶאֱכֹל Is. 56:9
329 וּפָרַח כָּרֹאשׁ...עַל תַּלְמֵי שָׂדָי Hosh. 10:4
330 כְּגַלִּים עַל תַּלְמֵי שָׂדָי Hosh. 12:12
331 צֹנֶה...וְגַם בַּהֲמוֹת שָׂדָי Ps. 8:8
332 יַשְׁקוּ כָּל־חַיְתוֹ שָׂדָי Ps. 104:11
333 שֶׁהֵם יָזוּבוּ מְדֻקָּרִים מִתְּנוּבֹת שָׂדָי Lam. 4:9

שִׁדּוּן

[מלה סתומה] שְׁדִין(?)

שַׁדּוּן 1 לְמַעַן תֵּדְעוּן שַׁדּוּן (כת' שדין) Job 19:29

שָׁדוּף*

ת' שהוכה בשדפון: 1-3

שְׁדוּפוֹת קָדִים 1-3

שְׁדוּפוֹת 1 צְנֻמוֹת דַּקּוֹת שְׁדֻפוֹת קָדִים Gen. 41:23
2 הַשִּׁבֳּלִים הָרֵקוֹת שְׁדֻפוֹת הַקָּדִים Gen. 41:27
וּשְׁדוּפוֹת 3 דַּקּוֹת וּשְׁדוּפֹת קָדִים Gen. 41:6

שַׁדַּי

תו״ז – חזק, נשגב – מתארי אלהי ישראל: 1-48

אֵל שַׁדַּי 1-5, 10, 37; חֲמַת שׁ' 22; חִצֵּי שׁ' 14; יִרְאַת שׁ' 15; מוּסַר שׁ' 13; מַחֲזֵה שׁ' 7, 8; נַחֲלַת שׁ' 30; נִשְׁמַת שׁ' 32, 33; צֵל שׁ' 12; קוֹל שׁ' 9; תַּכְלִית שַׁדַּי 18; שֹׁד מִשַּׁדַּי 45, 46

שַׁדַּי 1/2 אֲנִי(־)אֵל שַׁדַּי Gen. 17:1; 35:11
3 וְאֵל שַׁדַּי יְבָרֵךְ אֹתְךָ Gen. 28:3
4 וְאֵל שַׁדַּי יִתֵּן לָכֶם רַחֲמִים Gen. 43:14
5 אֵל שַׁדַּי נִרְאָה־אֵלַי בְּלוּז Gen. 48:3
6 מֵאֵל אָבִיךָ...וְאֵת שַׁדַּי וִיבָרְכֶךָּ Gen. 49:25
7/8 מַחֲזֵה שַׁדַּי יֶחֱזֶה Num. 24:4, 16
9 וָאֶשְׁמַע...כְּקוֹל־שַׁדַּי בְּלֶכְתָּם Ezek. 1:24
10 כְּקוֹל אֵל־שַׁדַּי בְּדַבְּרוֹ Ezek. 10:5
11 בְּפָרֵשׂ שַׁדַּי מְלָכִים Ps. 68:15
12 בְּצֵל שַׁדַּי יִתְלוֹנָן Ps. 91:1
13 וּמוּסַר שַׁדַּי אַל־תִּמְאָס Job 5:17
14 כִּי חִצֵּי שַׁדַּי עִמָּדִי Job 6:4
15 וְיִרְאַת שַׁדַּי יַעֲזוֹב Job 6:14
16 וְאִם־שַׁדַּי יְעַוֵּת־צֶדֶק Job 8:3
17 תְּשַׁחֵר אֶל־אֵל וְאֶל־שַׁדַּי תִּתְחַנָּן Job 8:5
18 אִם עַד־תַּכְלִית שַׁדַּי תִּמְצָא Job 11:7
19 אוּלָם אֲנִי אֶל־שַׁדַּי אֲדַבֵּר Job 13:3
20 נָטָה אֶל־אֵל יָדוֹ וְאֶל־שַׁדַּי יִתְגַּבָּר Job 15:25
21 מַה־שַׁדַּי כִּי־נַעַבְדֶנּוּ Job 21:15
22 וּמֵחֲמַת שַׁדַּי יִשְׁתֶּה Job 21:20
23 וּמַה־יִּפְעַל שַׁדַּי לָמוֹ Job 22:17
24 אִם־תָּשׁוּב עַד־שַׁדַּי תִּבָּנֶה Job 22:23
25 וְהָיָה שַׁדַּי בְּצָרֶיךָ Job 22:25
26 כִּי־אָז עַל־שַׁדַּי תִּתְעַנָּג Job 22:26
27 אִם־עַל־שַׁדַּי יִתְעַנָּג Job 27:10
28 אֲשֶׁר עִם־שַׁדַּי לֹא אֲכַחֵד Job 27:11
29 בְּעוֹד שַׁדַּי עִמָּדִי Job 29:5
30 וְנַחֲלַת שַׁדַּי מִמְּרֹמִים Job 31:2
31 הֶן־תָּוִי שַׁדַּי יַעֲנֵנִי Job 31:35
32 וְנִשְׁמַת שַׁדַּי תְּבִינֵם Job 32:8
33 וְנִשְׁמַת שַׁדַּי תְּחַיֵּנִי Job 33:4
34 שַׁדַּי לֹא־מְצָאנֻהוּ שַׂגִּיא־כֹחַ Job 37:23
35 הֲרֹב עִם־שַׁדַּי יִסּוֹר Job 40:2
36 כִּי־הֵמַר שַׁדַּי לִי מְאֹד Ruth 1:20
שַׁדָּי 37 וָאֵרָא אֶל־אַבְרָהָם...בְּאֵל שַׁדָּי Ex. 6:3
וְשַׁדַּי 38 וְאֵל הֵרַךְ לִבִּי וְשַׁדַּי הִבְהִילָנִי Job 23:16
39 וְשַׁדַּי הֵמַר נַפְשִׁי Job 27:2
40 חָלִלָה לָאֵל מֵרֶשַׁע וְשַׁדַּי מֵעָוֶל Job 34:10
41 וְשַׁדַּי לֹא־יְעַוֵּת מִשְׁפָּט Job 34:12
42 וְשַׁדַּי לֹא יְשׁוּרֶנָּה Job 35:13
43 וַיְיָ עָנָה בִי וְשַׁדַּי הֵרַע־לִי Ruth 1:21
לְשַׁדַּי 44 הַחֵפֶץ לְשַׁדַּי כִּי תִצְדָּק Job 22:3
מִשַּׁדַּי 45 כְּשֹׁד מִשַּׁדַּי יָבוֹא Is. 13:6
46 וּכְשֹׁד מִשַּׁדַּי יָבוֹא Joel 1:15
47 מַדּוּעַ מִשַּׁדַּי לֹא־נִצְפְּנוּ עִתִּים Job 24:1
48 וְנַחֲלַת עָרִיצִים מִשַּׁדַּי יִקָּחוּ Job 27:13

שְׁדֵיאוּר

שפ״ז – נשיא מטה ראובן: 1-5

שְׁדֵיאוּר 1-5 אֱלִיצוּר בֶּן־שְׁדֵיאוּר Num. 1:5; 2:10; 7:30, 35; 10:18

שִׂדִּים

– עין עֵמֶק הַשִּׂדִּים (באות ע')

שְׁדֵמָה

נ' שדה תבואה: 1-6

קרובים: יָגֵב / כַּר / נִיר / שָׂדֶה

שַׁדְמוֹת חֶשְׁבּוֹן 4; שׁ' עֲמֹרָה 6; שׁ' קִדְרוֹן 5

וּשְׁדֵמָה 1 חֲצִיר גַּגּוֹת וּשְׁדֵמָה לִפְנֵי קָמָה Is. 37:27
וּשְׁדֵמוֹת 2 וּשְׁדֵמוֹת לֹא־עָשָׂה אֹכֶל Hab. 3:17
הַשְּׁדֵמוֹת 3 וְכָל־הַשְּׁדֵמוֹת (כת' השרמות) Jer. 31:39
שַׁדְמוֹת־ 4 כִּי שַׁדְמוֹת חֶשְׁבּוֹן אֻמְלָל Is. 16:8
בְּשַׁדְמוֹת־ 5 וַיִּשְׂרְפֵם...בְּשַׁדְמוֹת קִדְרוֹן IIK. 23:4
וּמִשַּׁדְמֹת־ 6 מִגֶּפֶן סְדֹם גַּפְנָם וּמִשַּׁדְמֹת עֲמֹרָה Deut. 32:32

שדף: שָׁדוּף; שְׁדֵפָה, שִׁדָּפוֹן

שְׁדֵפָה נ׳ תבואה שלקתה בשדפון

וּשְׁדֵפָה 1 חֲצִיר גַּגּוֹת וּשְׁדֵפָה לִפְנֵי קָמָה IIK. 19:26

שִׁדָּפוֹן ז׳ מכת יובש בצמחים: 1-5

שִׁדָּפוֹן 1 דֶּבֶר כִּי־יִהְיֶה שִׁדָּפוֹן יֵרָקוֹן IK. 8:37

2 דֶּבֶר כִּי־יִהְיֶה שִׁדָּפוֹן וְיֵרָקוֹן IICh. 6:28

בַּשִּׁדָּפוֹן 3 הִכֵּיתִי אֶתְכֶם בַּשִּׁדָּפוֹן וּבַיֵּרָקוֹן Am. 4:9

4 הִכֵּיתִי אֶתְכֶם בַּשִּׁדָּפוֹן וּבַיֵּרָקוֹן וּבַבָּרָד Hag. 2:17

וּבַשִּׁדָּפוֹן 5 יַכְּכָה יְיָ...וּבַשִּׁדָּפוֹן וּבַיֵּרָקוֹן Deut. 28:22

(שדר) אִשְׁתַּדַּר אתפ׳ ארמית: השתדל, התאמץ

מִשְׁתַּדַּר 1 הֲוָה מִשְׁתַּדַּר לְהַצָּלוּתֵהּ Dan. 6:15

שְׂדֵרָה* נ׳ שורה, מערכת סדורה (עמודים, אנשים וכד׳): 1-4

וּשְׂדֵרֹת 1 וַיִּסְפֹּן...גֵּבִים וּשְׂדֵ־ת בָּאֲרָזִים IK. 6:9

הַשְּׂדֵרוֹת 2 וְהַבָּא אֶל־הַשְּׂדֵרוֹת יוּמָת IIK. 11:8

3 הוֹצִיאוּהָ אֶל־מִבֵּית הַשְּׂדֵרוֹת IICh. 23:14

לַשְּׂדֵרוֹת 4 הוֹצִיאוּ אֹתָהּ אֶל־מִבֵּית לַשְּׂדֵרֹת IIK. 11:15

שַׁדְרַךְ שפ״ז – שמו הבבלי של חֲנַנְיָה, מֵרֵעֵי דניאל: 1-15

שַׁדְרַךְ 1 וַיָּשֶׂם...וְלַחֲנַנְיָה שַׁדְרַךְ Dan. 1:7

2-9 שַׁדְרַךְ מֵישַׁךְ וַעֲבֵד נְגוֹ Dan. 3:12

3:14, 16, 19, 23, 26², 28

10 שַׁדְרַךְ מֵישַׁךְ וַעֲבֵד נְגוֹא Dan. 3:29

לְשַׁדְרַךְ 11-15 לְשַׁדְרַךְ מֵישַׁךְ וַעֲבֵד נְגוֹ Dan. 2:49

3:13, 20, 22, 30

שֶׂה זו״נ [ז׳ – 1, 2, 5, 26, 27, 37, 38; נ׳ – 18, 20, 21, 24] יחידת צֹאן, וָלָד עז או כבשה: 1-47

קרובים: ראה צֹאן

– שֶׂה אֹבֵד 37; שֶׂה אַחַת 24; שֶׂה בְרִיָּה 20; שֶׂה חוּם 2; שֶׂה טָלוּא 1; שֶׂה נָקֹד 1; שֶׂה פְזוּרָה 18; שֶׂה רָזָה 21; שֶׂה תָמִים 5

– מִרְמַס שֶׂה 17; פֶּטֶר שֶׂה 25

– שֵׂה כְשָׂבִים 44; שֵׂה עוֹלוֹת 43; שֵׂה עִזִּים 45

שֶׂה 1 הָסֵר מִשָּׁם כָּל־שֶׂה נָקֹד וְטָלוּא Gen. 30:32

2 וְכָל־שֶׂה־חוּם בַּכְּשָׂבִים Gen. 30:32

3/4 שֶׂה לְבֵית־אָבֹת שֶׂה לַבָּיִת Ex. 12:3

5 שֶׂה תָמִים זָכָר בֶּן־שָׁנָה Ex. 12:5

6 כִּי יִגְנֹב־אִישׁ שׁוֹר אוֹ־שֶׂה Ex. 21:37

7 מִשּׁוֹר עַד־חֲמוֹר עַד־שֶׂה Ex. 22:3

8 עַל־שׁוֹר עַל־חֲמוֹר עַל־שֶׂה Ex. 22:8

9 חֲמוֹר אוֹ־שׁוֹר אוֹ־שֶׂה Ex. 22:9

10 וְאִם־לֹא תַגִּיעַ יָדוֹ דֵּי שֶׂה Lev. 5:7

11 וְאִם־לֹא תִמְצָא יָדָהּ דֵּי שֶׂה Lev. 12:8

12 וְשׁוֹר אוֹ־שֶׂה אֹתוֹ וְאֶת־בְּנוֹ... Lev. 22:28

13 אִם־שׁוֹר אִם־שֶׂה לַיְיָ הוּא Lev. 27:26

14 זֹבְחֵי הַזֶּבַח אִם־שׁוֹר אִם־שֶׂה Deut. 18:3

15 מִשּׁוֹר וְעַד־שֶׂה מִגָּמָל וְעַד־חֲמוֹר ISh. 15:3

16 וּבָא הָאֲרִי...וְנָשָׂא שֶׂה מֵהָעֵדֶר ISh. 17:34

17 לְמִשְׁלַח שׁוֹר וּלְמִרְמַס שֶׂה Is. 7:25

18 שֶׂה פְזוּרָה יִשְׂרָאֵל Jer. 50:17

19 הִנְנִי שֹׁפֵט בֵּין־שֶׂה לָשֶׂה Ezek. 34:17

20/1 וְשָׁפַטְתִּי בֵּין־שֶׂה בְרִיָּה וּבֵין שֶׂה רָזָה Ezek. 34:20

22 וְשָׁפַטְתִּי בֵּין שֶׂה לָשֶׂה Ezek. 34:22

וָשֶׂה 23 וְלֹא־יַשְׁאִירוּ...וָשֶׂה וָשׁוֹר וַחֲמוֹר Jud. 6:4

24 וְשֶׂה־אַחַת מִן־הַצֹּאן Ezek. 45:15

וָשֶׂה 25 פֶּטֶר שׁוֹר וָשֶׂה Ex. 34:19

26 וְשׁוֹר וָשֶׂה שָׂרוּעַ וְקָלוּט Lev. 22:23

27 שׁוֹר וָשֶׂה אֲשֶׁר יִהְיֶה בוֹ מוּם Deut. 17:1

28 וַיַּחֲרִימוּ...וְעַד שׁוֹר וָשֶׂה וַחֲמוֹר Josh. 6:21

29 וְשׁוֹר וַחֲמוֹר וָשֶׂה לְפִי־חָרֶב ISh. 22:19

הַשֶּׂה 30 וְאַיֵּה הַשֶּׂה לְעֹלָה Gen. 22:7

31 אֱלֹהִים יִרְאֶה־לּוֹ הַשֶּׂה לְעֹלָה Gen. 22:8

32 אִישׁ לְפִי אָכְלוֹ תָּכֹסּוּ עַל־הַשֶּׂה Ex. 12:4

33 וְאַרְבַּע־צֹאן תַּחַת הַשֶּׂה Ex. 21:37

34 זוֹבֵחַ הַשֶּׂה עֹרֵף כֶּלֶב Is. 66:3

בְשֶׂה 35 וְכָל־פֶּטֶר חֲמֹר תִּפְדֶּה בְשֶׂה Ex. 13:13

36 וּפֶטֶר חֲמוֹר תִּפְדֶּה בְשֶׂה Ex. 34:20

כְּשֶׂה 37 תָּעִיתִי כְּשֶׂה אֹבֵד Ps. 119:176

כַּשֶּׂה 38 כַּשֶּׂה לַטֶּבַח יוּבָל Is. 53:7

לַשֶּׂה 39 אוֹ־לַשֶּׂה בַכְּבָשִׂים אוֹ בָעִזִּים Num. 15:11

לָשֶׂה 40 הִנְנִי שֹׁפֵט בֵּין־שֶׂה לָשֶׂה Ezek. 34:17

41 וְשָׁפַטְתִּי בֵּין שֶׂה לָשֶׂה Ezek. 34:22

מִשֶּׂה 42 וְאִם־יִמְעַט הַבַּיִת מִהְיוֹת מִשֶּׂה Ex. 12:4

שֵׂה־ 43 לֹא־הֵבֵיאתָ לִּי שֵׂה עֹלֹתֶיךָ Is. 43:23

שֵׂה־...וְשֵׂה־ 44/5 שׁוֹר שֵׂה כְשָׂבִים וְשֵׂה עִזִּים Deut. 14:4

שֵׂיוֹ 46 אֶת־שׁוֹר אָחִיךָ אוֹ אֶת־שֵׂיוֹ נִדָּחִים Deut. 22:1

שֵׂיֵהוּ 47 הַגִּישׁוּ אֵלַי אִישׁ שׁוֹרוֹ וְאִישׁ שֵׂיֵהוּ ISh. 14:34

שָׂהֵד* ז׳ עֵד

וְשָׂהֲדִי 1 בַּשָּׁמַיִם עֵדִי וְשָׂהֲדִי בַּמְּרוֹמִים Job 16:19

שָׂהֲדוּתָא נ׳ ארמית: עֵדוּת

שָׂהֲדוּתָא 1 וַיִּקְרָא־לוֹ לָבָן יְגַר שָׂהֲדוּתָא Gen. 31:47

שֹׁהַם¹ ז׳ אבן חן (onyx), מאבני החושן: 1-11

קרובים: ראה אֹדֶם

שֹׁהַם יָקָר 11; אֶבֶן הַשֹּׁהַם 8; אַבְנֵי שֹׁהַם 1-3, 6, 9, 10

שֹׁהַם 1 אַבְנֵי־שֹׁהַם וְאַבְנֵי מִלֻּאִים Ex. 25:7

2 וְלָקַחְתָּ אֶת־שְׁתֵּי אַבְנֵי־שֹׁהַם Ex. 28:9

3 וְאַבְנֵי־שֹׁהַם וְאַבְנֵי מִלֻּאִים Ex. 35:9

4/5 תַּרְשִׁישׁ שֹׁהַם וְיָשְׁפֵה Ex. 39:13 • Ezek. 28:13

6 אַבְנֵי־שֹׁהַם וּמִלּוּאִים ICh. 29:2

וְשֹׁהַם 7 תַּרְשִׁישׁ וְשֹׁהַם וְיָשְׁפֵה Ex. 28:20

הַשֹּׁהַם 8 שָׁם הַבְּדֹלַח וְאֶבֶן הַשֹּׁהַם Gen. 2:12

9 אֵת אַבְנֵי הַשֹּׁהַם וְאֵת אַבְנֵי הַמִּלֻּאִים Ex. 35:37

10 וַיַּעֲשׂוּ אֶת־אַבְנֵי הַשֹּׁהַם Ex. 39:6

בְּשֹׁהַם 11 לֹא תְסֻלֶּה...בְּשֹׁהַם יָקָר וְסַפִּיר Job 28:16

שֹׁהַם² שפ״ז – לוי מבני מררי

וְשֹׁהַם 1 וְשֹׁהַם וְזַכּוּר וְעִבְרִי ICh. 24:27

שַׂהֲרוֹן* ז׳ תכשיט בתבנית חצי סהר: 1-3

הַשַּׂהֲרֹנִים 1 הַשַּׂהֲרֹנִים אֲשֶׁר בְּצַוְּארֵי גְמַלֵּיהֶם Jud. 8:21

2 לְבַד מִן־הַשַּׂהֲרֹנִים וְהַנְּטִיפוֹת Jud. 8:26

וְהַשַּׂהֲרֹנִים 3 הָעֲכָסִים וְהַשְּׁבִיסִים וְהַשַּׂהֲרֹנִים Is. 3:18

שׂוֹא ז׳ רום, גובה • שׂוֹא גַלִּים 1

בְּשׂוֹא 1 בְּשׂוֹא גַלָּיו אַתָּה תְשַׁבְּחֵם Ps. 89:10

שָׁוְא ז׳ א) הבל, ריק, אָוֶן: 1-22, 24, 28-37, 40-42

ב) תה״פ חנם, לָריק: 23, 25-27, 38, 39

ג) [לַשָּׁוְא] לחנם: 43-53

קרובים: ראה אָוֶן

– אֱלוֹת שָׁוְא 15; הַבְלֵי שָׁ׳ 17, 21; חַבְלֵי שָׁ׳ 40; חֲזוֹן שָׁ׳ 6; יַרְחֵי שָׁ׳ 31; מַחֲזֵה שָׁ׳ 8; מִנְחַת שָׁ׳ 3; מַשְׂאוֹת שָׁוְא 37; מְתֵי שָׁוְא 20, 32; נָפַת שָׁוְא 4; עֵד שָׁוְא 2; שֵׁמַע שָׁוְא 1

– דִּבֶּר שָׁוְא 5, 9, 19, 22, 28, 29, 41; חָזָה שָׁוְא 7, 10, 11, 13, 14, 36; קֶסֶם שָׁוְא 12; רָאָה שָׁוְא 24

שָׁוְא 1 לֹא תִשָּׂא שֵׁמַע שָׁוְא Ex. 23:1

2 וְלֹא תַעֲנֶה בְרֵעֲךָ עֵד שָׁוְא Deut. 5:17

3 לֹא תוֹסִיפוּ הָבִיא מִנְחַת־שָׁוְא Is. 1:13

4 לַהֲנָפָה גוֹיִם בְּנָפַת שָׁוְא Is. 30:28

5 בָּטוֹחַ עַל־תֹּהוּ וְדַבֶּר־שָׁוְא Is. 59:4

6 כָּל־חֲזוֹן שָׁוְא וּמִקְסַם חָלָק Ezek. 12:24

7 חָזוּ שָׁוְא וְקֶסֶם כָּזָב Ezek. 13:6

8 הֲלוֹא מַחֲזֵה־שָׁוְא חֲזִיתֶם... Ezek. 13:7

9 יַעַן דַּבֶּרְכֶם שָׁוְא וַחֲזִיתֶם כָּזָב Ezek. 13:8

10 הַחֹזִים שָׁוְא וְהַקֹּסְמִים כָּזָב Ezek. 13:9

11 לָכֵן שָׁוְא לֹא תֶחֱזֶינָה Ezek. 13:23

12 וְהָיָה לָהֶם כִּקְסָם°־שָׁוְא בְּעֵינֵיהֶם Ezek. 21:28

13 בַּחֲזוֹת לָךְ שָׁוְא בִּקְסָם־לָךְ כָּזָב Ezek. 21:34

14 חֹזִים שָׁוְא וְקֹסְמִים לָהֶם כָּזָב Ezek. 22:28

15 דִּבְּרוּ דְבָרִים אָלוֹת שָׁוְא Hosh. 10:4

16 אִם־גִּלְעָד אָוֶן אַךְ־שָׁוְא הָיוּ Hosh. 12:12

17 מְשַׁמְּרִים הַבְלֵי־שָׁוְא חַסְדָּם יַעֲזֹבוּ Jon. 2:9

18 אֲמַרְתֶּם שָׁוְא עֲבֹד אֱלֹהִים Mal. 3:14

19 שָׁוְא יְדַבְּרוּ אִישׁ אֶת־רֵעֵהוּ Ps. 12:3

20 לֹא־יָשַׁבְתִּי עִם־מְתֵי־שָׁוְא Ps. 26:4

21 שָׂנֵאתִי הַשֹּׁמְרִים הַבְלֵי־שָׁוְא Ps. 31:7

22 וְאִם־בָּא לִרְאוֹת שָׁוְא יְדַבֵּר Ps. 41:7

23 עַל־מַה־שָּׁוְא בָּרָאתָ כָל־בְּנֵי־אָדָם Ps. 89:48

24 הַעֲבֵר עֵינַי מֵרְאוֹת שָׁוְא Ps. 119:37

25 שָׁוְא עָמְלוּ בוֹנָיו בּוֹ Ps. 127:1

26 שָׁוְא שָׁקַד שׁוֹמֵר Ps. 127:1

27 שָׁוְא לָכֶם מַשְׁכִּימֵי קוּם Ps. 127:2

28/9 אֲשֶׁר־פִּיהֶם דִּבֶּר־שָׁוְא Ps. 144:8, 11

30 שָׁוְא וּדְבַר־כָּזָב הַרְחֵק מִמֶּנִּי Prov. 30:8

31 כֵּן הָנְחַלְתִּי לִי יַרְחֵי־שָׁוְא Job 7:3

32 כִּי־הוּא יָדַע מְתֵי־שָׁוְא Job 11:11

33 כִּי־שָׁוְא תִּהְיֶה תְמוּרָתוֹ Job 15:31

34 אִם־הָלַכְתִּי עִם־שָׁוְא Job 31:5

35 אַךְ־שָׁוְא לֹא־יִשְׁמַע אֵל Job 35:13

36 נְבִיאַיִךְ חָזוּ לָךְ שָׁוְא וְתָפֵל Lam. 2:14

37 וַיֶּחֱזוּ לָךְ מַשְׂאוֹת שָׁוְא וּמַדּוּחִים Lam. 2:14

וְשָׁוְא 38/9 וְשָׁוְא תְּשׁוּעַת אָדָם Ps. 60:13; 108:13

הַשָּׁוְא 40 הוֹי מֹשְׁכֵי הֶעָוֹן בְּחַבְלֵי הַשָּׁוְא Is. 5:18

41 וַחֲלֹמוֹת הַשָּׁוְא יְדַבֵּרוּ Zech. 10:2

בַּשָּׁוְא 42 אַל־יַאֲמֵן בַּשָּׁוְא (כת׳ בשו) נִתְעָה Job 15:31

לַשָּׁוְא 43/4 לֹא תִשָּׂא אֶת־שֵׁם־יְיָ אֱלֹהֶיךָ לַשָּׁוְא

Ex. 20:7 • Deut. 5:11

45/6 אֲשֶׁר־יִשָּׂא אֶת־שְׁמוֹ לַשָּׁוְא Ex. 20:7

Deut. 5:11

47 לַשָּׁוְא הִכֵּיתִי אֶת־בְּנֵיכֶם Jer. 2:30

48 לַשָּׁוְא תִּתְיַפִּי Jer. 4:30

49 לַשָּׁוְא צָרַף צָרוֹף Jer. 6:29

50 כִּי־שְׁכֵחֻנִי עַמִּי לַשָּׁוְא יְקַטֵּרוּ Jer. 18:15

51 לַשָּׁוְא הִרְבֵּית° רְפֻאוֹת Jer. 46:11

52 אֲשֶׁר לֹא־נָשָׂא לַשָּׁוְא נַפְשִׁי° Ps. 24:4

53 נָשׂוּא לַשָּׁוְא עָרֶיךָ Ps. 139:20

שְׁוָא שפ״ז א) מצאצאי כָּלֵב בן יְפֻנֶּה: 1

ב) הוא שְׂרָיָה, מסופרי המלך דוד: 2

שְׁוָא 1 אֶת־שְׁוָא אֲבִי מַכְבֵּנָה ICh. 2:49

וּשְׁוָא 2 וּשְׁוָא (כת׳ ושיא) סֹפֵר וְצָדוֹק...כֹּהֲנִים IISh. 20:25

שׁוֹאָה נ׳ הרס, חורבן: 1-13

קרובים: אַבְדָן / אָסוֹן / הֶרֶס / חָרְבָּה / כִּלָּיוֹן / מְשׁוֹאָה / מְשֹׁאָה / שְׁאִיָּה / שַׁמָּה

שׁוֹאָה וּמְשׁוֹאָה 2, 4, 6; יוֹם שׁוֹאָה 2; שׁוֹאַת רְשָׁעִים 12

שׁוֹאָה 1 וְתָבֹא עָלַיִךְ...שׁוֹאָה לֹא תֵדְעִי Is.47:11
2 יוֹם שֹׁאָה וּמְשׁוֹאָה Zep.1:15
3 תְּבוֹאֵהוּ שׁוֹאָה לֹא־יֵדָע Ps.35:8
4 אֶמֶשׁ שׁוֹאָה וּמְשֹׁאָה Job 30:3
5 תַּחַת שֹׁאָה הִתְגַּלְגָּלוּ Job 30:14
6 לְהַשְׂבִּיעַ שֹׁאָה וּמְשֹׁאָה Job 38:27
בְּשׁוֹאָה 7 וְרִשְׁתּוֹ...בְּשׁוֹאָה יִפָּל־בָּהּ Ps.35:8
כְּשׁוֹאָה 8 בְּבֹא כְשׁוֹאָה (כת׳ כשאוה) פַּחְדְּכֶם Prov.1:27
כַּשּׁוֹאָה 9 וְעָלִיתָ כַּשֹּׁאָה תָבוֹא Ezek.38:9
לְשׁוֹאָה 10 וְהֵמָּה לְשׁוֹאָה יְבַקְשׁוּ נַפְשִׁי Ps.63:10
וּלְשׁוֹאָה 11 וּלְשׁוֹאָה מִמֶּרְחָק תָּבוֹא Is.10:3
וּמִשֹּׁאַת־ 12 וּמִשֹּׁאַת רְשָׁעִים כִּי תָבֹא Prov.3:25
מִשֹּׁאֵיהֶם 13 הָשִׁיבָה נַפְשִׁי מִשֹּׁאֵיהֶם Ps.35:17

שוב

: שָׁב, שׁוֹבֵב, שׁוֹבַב, הֵשִׁיב, הוּשַׁב; שׁוּבָה, שִׁיבָה, שׁוֹבָב, שׁוֹבֵב, מְשׁוּבָה, תְּשׁוּבָה; ש״פ יָשׁוּב, שׁוּבָאֵל, יָשָׁבְעָם, אֶלְיָשִׁיב, מְשׁוֹבָב, שׁוֹבָב, יוֹשַׁב חֶסֶד

(שוב) שָׁב פ׳ א) חזר, בא למקום שיצא ממנו:
רוב המקראות 1-685
ב) הגיע למצבו הקודם: 143, 147, 148, 164, 286, 287, 353, 367, 382, 498, 539, 595-597, 645
ג) [שָׁב ואחריו פועל אחֵר] עשה דבר־מה שֵׁנית, חזר ועשׂה: 48, 78, 79, 87, 88, 134, 140, 145, 147, 154, 156-158, 164, 185, 202, 203, 209, 210, 212, 238, 241, 246, 248-252, 263, 273-275, 278, 279, 283, 284, 287, 294, 335, 336, 338, 340, 362, 370, 376, 378-381, 383-385, 473, 492-494, 514, 522, 536, 540, 542-545
ד) חזר בתשובה: 15, 44-47, 49, 60, 61, 72, 74, 108, 149, 161, 171, 186, 195, 201, 204, 206, 213, 225, 229, 263, 264, 280, 322, 342, 480-482, 521, 593, 594, 627, 638, 654-668, 671, 672, 675
ה) התחרט: 13, 16, 20-22, 27-30, 39, 54, 95, 103, 109-114, 116, 117, 119-121, 146, 151, 172, 192, 193, 196, 198, 236, 237, 242, 292, 303, 310, 316, 319, 321, 328, 330, 337, 345, 346, 358, 360, 369, 386, 486, 507, 526-528, 531, 546, 585, 602
ו) השיב, החזיר: 19, 65-67, 81-86, 89, 122, 123, 133, 152, 216, 634, 636
ז) [פִּ׳ שׁוֹבֵב] החזיר, הביא אל מקומו הקודם: 686-690, 694-696
ח) [כנ״ל] הטָה מן הדרך הנכונה: 691-693
ט) [פֻ׳ שׁוֹבַב] הוחזר, הובא למצבו הקודם: 697
י) [הִפ׳ הֵשִׁיב] החזיר, הביא אל המקום הקודם, נתן בחזרה מה שלקח וכדומה:
רוב המקראות 698-1054
יא) [כנ״ל] ענה, נתן תשובה: 725, 729, 736, 740, 749, 837, 848, 851, 864, 873, 875-877, 881, 884, 885, 897, 898, 952, 971, 987, 990, 991, 1000, 1001, 1003, 1005, 1008, 1009, 1011-1013, 1015, 1016, 1038-1040
יב) [כנ״ל] בִּטל, הפיר: 718, 723, 724, 732, 734, 778, 899, 941, 943, 975-977, 999, 1029
יג) [כנ״ל, בהשאלה] העביר על חטא, סלח: 889-896
יד) [הָפ׳ הוּשַׁב] הוחזר, הובא בחזרה: 1055-1059

– הָלוֹךְ וָשׁוֹב 8; יָצוֹא וָשׁוֹב 9; רָצוֹא וָשׁוֹב 10
– שָׁב אַפּוֹ 13, 16, 110-114, 116, 117, 121, 125, 310, 342, 345; שָׁב לִבּוֹ 141; שָׁב לְאֵיתָנוֹ 367
– שָׁב שְׁבוּת־ 24, 25, 65-67, 81-83, 85, 86, 123, 133, 216; שָׁב שְׁבִית־ 84, 634; שָׁב שִׁיבַת־ 26, 152
– הוֹלֵךְ וָשָׁב 220; עוֹבֵר וָשָׁב 221-223
– שָׁב אֶל־, לְ־, מִן־ רוב המקראות 683; שָׁב מֵאַחֲרֵי־ 4, 37, 38, 42, 53, 57, 95, 96, 99, 132, 172, 184, 239, 285, 486, 495, 496; שָׁב עַל־ 75, 190, 217, 218, 333, 355, 368, 387, 449, 455, 463, 490, 519, 525; שָׁב מֵעַל־ 220, 373; שָׁב עַד־ 90, 91, 115, 174-178, 206, 280, 327, 481, 628, 666; שָׁב בְּ־ 200, 215, 266, 302, 320, 324; שָׁב מִפְּנֵי־ 330, 334; שָׁב אַחֲרֵי־ 501, 644; שָׁב אָחוֹר 23
– שׁוֹבֵב נֶפֶשׁ 696; שׁוֹבֵב נְתִיבוֹת 694
– הֵשִׁיב אָחוֹר 791, 810, 834, 919; הֵשִׁיב אֲמָרָיו 987; הֵשִׁיב אַף 723, 808, 943, 999; הֵשִׁיב גְּמוּל 755, 908, 940, 1027, 1028; הֵשִׁיב דָּבָר 714, 749, 837, 839, 840, 851, 873, 875, 877, 881, 952, 960, 964, 971, 990, 991, 1000, 1001, 1003-1005, 1008, 1009, 1012, 1015, 1016, 1039; הֵשִׁ׳ חֵמָה 718, 724, 941; הֵשִׁ׳ חָרוֹן 734; הֵשִׁ׳ חֶרְפָּה 945; הֵשִׁ׳ יָדוֹ 709, 721, 756-758, 779, 789, 792, 843, 869, 879, 900, 905, 933, 950, 956, 982, 1020, 1026; הֵשִׁיב לֵב 806, 828, 829; הֵשִׁיב נֶפֶשׁ 726, 727, 844, 845, 942, 1002, 1035; הֵשִׁיב נָקָם 850, 927; הֵשִׁיב פָּנָיו 911-913, 921, 930, 946, 1048; הֵשִׁיב רַגְלוֹ 904; הֵשִׁיב רוּחַ 702, 907; הֵשִׁיב שְׁבוּת 728, 753, 854-858, 860, 862; הֵשִׁיב שָׂשׂוֹן 1036
– מְשִׁיבֵי טַעַם 848

שׁוּב 1 שׁוֹב אָשׁוּב אֵלֶיךָ כָּעֵת חַיָּה Gen.18:10
2 וְנַחְבֵּתֶם...עַד שׁוֹב הָרֹדְפִים Josh.2:16
3 כִּי אִם־שׁוֹב תָּשׁוּבוּ וּדְבַקְתֶּם Josh.23:12
4 אִם־שׁוֹב תְּשֻׁבוּן...מֵאַחֲרַי IK.9:6
5 אִם־שׁוֹב תָּשׁוּב בְּשָׁלוֹם IK.22:28
6 אִם־שׁוֹב תֵּשְׁבוּ בָּאָרֶץ הַזֹּאת Jer.42:10
7 אִם־שׁוֹב תָּשׁוּב בְּשָׁלוֹם IICh.18:27
וָשׁוֹב 8 וַיָּשֻׁבוּ הַמַּיִם...הָלוֹךְ וָשׁוֹב Gen.8:3
9 וַיְשַׁלַּח...וַיֵּצֵא יָצוֹא וָשׁוֹב Gen.8:7
10 וְהַחַיּוֹת רָצוֹא וָשׁוֹב Ezek.1:14
וְשׁוֹב 11 וְאַתְּ זָנִית רֵעִים רַבִּים וְשׁוֹב אֵלַי Jer.3:1
שׁוּב 12 וְלֹא־יָסְפָה שׁוּב־אֵלָיו עוֹד Gen.8:12
13 עַד־שׁוּב אַף־אָחִיךָ מִמְּךָ Gen.27:45
14 הֲלוֹא טוֹב לָנוּ שׁוּב מִצְרָיְמָה Num.14:3
15 לְבִלְתִּי־שׁוּב מִדַּרְכּוֹ הָרָע Ezek.13:22
16 תַּסְתִּירֵנִי עַד־שׁוּב אַפֶּךָ Job 14:13
17 לֹא־יַאֲמִין שׁוּב מִנִּי־חֹשֶׁךְ Job 15:22
בְּשׁוּב 18 בְּשׁוּב דָּוִד מֵהַכּוֹת אֶת־הַפְּלִשְׁתִּי ISh.18:6
19 עַיִן בְּעַיִן יִרְאוּ בְּשׁוּב יְיָ צִיּוֹן Is.52:8
20/1 בְּשׁוּב־צַדִּיק מִצִּדְקָתוֹ Ezek.18:26; 33:18
22 כִּי אִם בְּשׁוּב רָשָׁע מִדַּרְכּוֹ Ezek.33:11
23 בְּשׁוּב־אוֹיְבַי אָחוֹר Ps.9:4
24 בְּשׁוּב יְיָ שְׁבוּת עַמּוֹ Ps.14:7
25 בְּשׁוּב אֱלֹהִים שְׁבוּת עַמּוֹ Ps.53:7
26 בְּשׁוּב יְיָ אֶת־שִׁיבַת צִיּוֹן Ps.126:1
וּבְשׁוּב 27 וּבְשׁוּב צַדִּיק מִצִּדְקוֹ Ezek.3:20
28 וּבְשׁוּב צַדִּיק מִצִּדְקָתוֹ Ezek.18:24
29-30 וּבְשׁוּב רָשָׁע מֵרִשְׁעָתוֹ Ezek.18:27; 33:19
כְּשׁוּב 31 וְאָשִׁיבָה...כְּשׁוּב הַכֹּל IISh.17:3
וּכְשׁוּב 32 וּכְשׁוּב דָּוִד מֵהַכּוֹת אֶת־הַפְּלִשְׁתִּי ISh.17:57
לָשׁוּב 33 בְּלֶכְתְּךָ לָשׁוּב מִצְרַיְמָה Ex.4:21
34 לָשׁוּב לָשֶׁבֶת בָּאָרֶץ Num.35:32
35 לֹא תֹסִפוּן לָשׁוּב בַּדֶּרֶךְ הַזֶּה עוֹד Deut.17:16
36 לֹא־יוּכַל...לָשׁוּב לְקַחְתָּהּ Deut.24:4
37 לָשׁוּב הַיּוֹם מֵאַחֲרֵי יְיָ Josh.22:16

לָשׁוּב (המשך) 38 לָשׁוּב מֵאַחֲרֵי יְיָ Josh.22:23
39 פָּצִיתִי פִי אֶל־יְיָ וְלֹא אוּכַל לָשׁוּב Jud.11:35
40 וְלֹא נְתָנוֹ לָשׁוּב בֵּית אָבִיו ISh.18:2
41 לָשׁוּב אֶל־אֶרֶץ פְּלִשְׁתִּים ISh.29:11
42 לָשׁוּב מֵאַחֲרֵי אֲחֵיהֶם IISh.2:26
43 לֹא אוּכַל לָשׁוּב אִתָּךְ IK.13:16
44 חִזְּקוּ פְנֵיהֶם מִסֶּלַע מֵאֲנוּ לָשׁוּב Jer.5:3
45 הֶחֱזִיקוּ בַּתַּרְמִת מֵאֲנוּ לָשׁוּב Jer.8:5
46 מְנַשְּׂאִים אֶת־נַפְשָׁם לָשׁוּב שָׁם Jer.22:27
47 וְלֹא שָׁמְעוּ...לָשׁוּב מֵרָעָתָם Jer.44:5
48 לָשׁוּב לָשֶׁבֶת שָׁם Jer.44:14
49 הִזְהַרְתָּ רָשָׁע מִדַּרְכּוֹ לָשׁוּב מִמֶּנָּה Ezek.33:9
50 לֹא יִתְּנוּ מַעַלְלֵ׳ לָשׁוּב אֶל־אֱלֹהֵיהֶם Hosh.5:4
51 לֹא יָשׁוּב...כִּי מֵאֲנוּ לָשׁוּב Hosh.11:5
52 וַתֵּלַכְנָה...לָשׁוּב אֶל־אֶרֶץ יְהוּדָה Ruth 1:7
53 לְעָזְבֵךְ לָשׁוּב מֵאַחֲרָיִךְ Ruth 1:16
54 לָשׁוּב מֵעֲוֹנֵנוּ וּלְהַשְׂכִּיל בַּאֲמִתֶּךָ Dan.9:13
55 וַיִּתְּנוּ־רֹאשׁ לָשׁוּב לְעַבְדֻתָם Neh.9:17
56 לָשׁוּב אֶל־יְרוּשָׁלַםִ בְּשִׂמְחָה IICh.20:27
וְלָשׁוּב 57 וְלָשׁוּב הַיּוֹם מֵאַחֲרֵי יְיָ Josh.22:29
58 וְלָשׁוּב אֶרֶץ יְהוּדָה Jer.44:14
59 וְלָשׁוּב לָאָרֶץ הַזֹּאת IICh.30:9
מִשּׁוּב 60 וַיְאַמֵּץ אֶת־לְבָבוֹ מִשּׁוּב אֶל־יְיָ IICh.36:13
שׁוּבִי 61 כִּי־אַחֲרֵי שׁוּבִי נִחַמְתִּי Jer.31:18
62 עַד שׁוּבִי בְשָׁלוֹם IICh.18:26
בְּשׁוּבִי 63 בְּשׁוּבִי בְשָׁלוֹם אֶתֹּץ אֶת־הַמִּגְדָּל Jud.8:9
64 בְּשׁוּבִי בְשָׁלוֹם מִבְּנֵי עַמּוֹן Jud.11:31
65 בְּשׁוּבִי אֶת־שְׁבוּתָם Jer.31:22
66 בְּשׁוּבִי שְׁבוּת עַמִּי Hosh.6:11
67 בְּשׁוּבִי אֶת־שְׁבוּתֵיכֶם לְעֵינֵיכֶם Zep.3:20
בְּשׁוּבֵנִי 68 בְּשׁוּבֵנִי וְהִנֵּה אֶל־שְׂפַת הַנַּחַל Ezek.47:7
שׁוּבְךָ 69 עַד שׁוּבְךָ אֶל־הָאֲדָמָה Gen.3:19
שׁוּבֶךָ 70 אָנֹכִי אֵשֵׁב עַד־שׁוּבֶךָ Jud.6:18
שׁוּבוֹ 71 אַחֲרֵי שׁוּבוֹ מֵהַכּוֹת... Gen.14:17
72 בְּיוֹם שׁוּבוֹ מֵרִשְׁעוֹ Ezek.33:12
בְּשׁוּבוֹ 73 בְּשֻׁבוֹ מֵהַכּוֹתוֹ אֶת־אֲרָם IISh.8:13
74 הֲלוֹא בְּשׁוּבוֹ מִדְּרָכָיו וְחָיָה Ezek.18:23
בְּשׁוּבְכֶם 75 כִּי בְשׁוּבְכֶם עַל־יְיָ IICh.30:9
שַׁבְתִּי 76 שַׁבְתִּי לִירוּשָׁלַםִ בְּרַחֲמִים Zech.1:16
77 שַׁבְתִּי אֶל־צִיּוֹן Zech.8:3
78 כֵּן שַׁבְתִּי זָמַמְתִּי...לְהֵיטִיב... Zech.8:15
79 שַׁבְתִּי וְרָאֹה תַחַת־הַשֶּׁמֶשׁ Eccl.9:11
וְשַׁבְתִּי 80 וְשַׁבְתִּי בְשָׁלוֹם אֶל־בֵּית אָבִי Gen.28:21
81 וְשַׁבְתִּי אֶת־שְׁבוּתְכֶם° Jer.29:14
82 וְשַׁבְתִּי אֶת־שְׁבוּת עַמִּי יִשְׂרָאֵל Jer.30:3
83 וְשַׁבְתִּי שְׁבוּת־מוֹאָב Jer.48:47
84 וְשַׁבְתִּי אֶת־שְׁבִיתְהֶן Ezek.16:53
85 וְשַׁבְתִּי אֶת־שְׁבוּת מִצְרַיִם Ezek.29:14
86 וְשַׁבְתִּי אֶת־שְׁבוּת עַמִּי Am.9:14
וְשַׁבְתִּי 87/8 וְשַׁבְתִּי אֲנִי וָאֶרְאֶה Eccl.4:1, 7
שַׁבְתָּ 89 שַׁבְתָּ שְׁבִית יַעֲקֹב Ps.85:2
וְשַׁבְתָּ 90/1 וְשַׁבְתָּ עַד־יְיָ אֱלֹהֶיךָ Deut.4:30; 30:2
92 וְשַׁבְתָּ וְכִסִּיתָ אֶת־צֵאָתֶךָ Deut.23:14
שָׁב 93 וְאַבְרָהָם שָׁב לִמְקֹמוֹ Gen.18:33
94 וְהוּא שָׁב מִן־הַפְּסִילִים Jud.3:19
95 כִּי־שָׁב מֵאַחֲרַי...דְּבָרַי לֹא הֵקִים ISh.15:11
96 כַּאֲשֶׁר שָׁב שָׁאוּל מֵאַחֲרֵי פְלִשְׁתִּים ISh.24:1
97 וְשָׁאוּל שָׁב לִמְקוֹמוֹ ISh.26:25
98 וְדָוִד שָׁב מֵהַכּוֹת אֶת־הָעֲמָלֵק IISh.1:1
99 וְיוֹאָב שָׁב מֵאַחֲרֵי אַבְנֵר IISh.2:30
100 וְיוֹאָב שָׁב יְרוּשָׁלַםִ אֶל־הַמֶּלֶךְ IISh.20:22
101 וַיְהִי כִּשְׁמֹעַ...כִּי־שָׁב יָרָבְעָם IK.12:20

שָׁב (המשך) 102 וְלֹא־שָׁב בַּדֶּרֶךְ אֲשֶׁר בָּא בָהּ IK. 13:10
103 לֹא־שָׁב יָרָבְעָם מִדַּרְכּוֹ IK. 13:33
104 וּמִשָּׁם שָׁב שֹׁמְרוֹן IIK. 2:25
105 וֶאֱלִישָׁע שָׁב הַגִּלְגָּלָה IIK. 4:38
106 בָּא־הַמַּלְאָךְ עַד־הֵם וְלֹא־שָׁב IIK. 9:18
107 בָּא עַד־אֲלֵיהֶם וְלֹא־שָׁב IIK. 9:20
108 אֲשֶׁר־שָׁב אֶל־יְיָ בְּכָל־לְבָבוֹ IIK. 23:25
109 לֹא־שָׁב יְיָ מֵחֲרוֹן אַפּוֹ IIK. 23:26
110-114 בְּכָל־זֹאת לֹא־שָׁב אַפּוֹ Is. 5:25
9:11, 16, 20; 10:4
115 וְהָעָם לֹא־שָׁב עַד־הַמַּכֵּהוּ Is. 9:12
116 אַךְ שָׁב אַפּוֹ מִמֶּנִּי Jer. 2:35
117 לֹא־שָׁב חֲרוֹן אַף־יְיָ מִמֶּנּוּ Jer. 4:8
118 חֵיל פַּרְעֹה...שָׁב לְאַרְצוֹ מִצְרָיִם Jer. 37:7
119 וְלֹא־שָׁב מֵרִשְׁעוֹ Ezek. 3:19
120 וְלֹא־שָׁב מִדַּרְכּוֹ Ezek. 33:9
121 כִּי שָׁב אַפִּי מִמֶּנּוּ Hosh. 14:5
122 כִּי שָׁב יְיָ אֶת־גְּאוֹן יַעֲקֹב Nah. 2:3
123 וַייָ שָׁב אֶת־שְׁבוּת° אִיּוֹב Job 42:10
124 וְהַמֶּלֶךְ שָׁב מִגִּנַּת הַבִּיתָן Es. 7:8
125 וּבְהִכָּנְעוֹ שָׁב מִמֶּנּוּ אַף־יְיָ IICh. 12:12
הַשָּׁב 126 הַכֶּסֶף הַשָּׁב בְּאַמְתְּחֹתֵינוּ Gen. 43:18
וְשָׁב 127 וְשָׁב אֶל־הַמַּחֲנֶה Ex. 33:11
128 וְשָׁב הַכֹּהֵן בַּיּוֹם הַשְּׁבִיעִי Lev. 14:39
129/30 וְשָׁב לַאֲחֻזָּתוֹ Lev. 25:27, 28
131 וְשָׁב אֶל־מִשְׁפַּחְתּוֹ Lev. 25:41
132 וְלֹא־יִרְאֶה...וְשָׁב מֵאַחֲרֶיךָ Deut. 23:15
133 וְשָׁב יְיָ אֱלֹהֶיךָ אֶת־שְׁבוּתְךָ Deut. 30:3
134 וְשָׁב וְקִבֶּצְךָ מִכָּל־הָעַמִּים Deut. 30:3
135 וְשָׁב מִשָּׂרִיד קֵדְמָה... Josh. 19:12
136 וְשָׁב מִזְרַח הַשֶּׁמֶשׁ בֵּית דָּגֹן Josh. 19:27
137 וְשָׁב הַגְּבוּל הָרָמָה Josh. 19:29
138 וְשָׁב הַגְּבוּל חֹסָה Josh. 19:29
139 וְשָׁב הַגְּבוּל יָמָּה אַזְנוֹת תָּבוֹר Josh. 19:34
140 וְשָׁב וְהֵרַע לָכֶם... Josh. 24:20
141 וְשָׁב לֵב הָעָם הַזֶּה אֶל־אֲדֹנֵיהֶם IK. 12:27
142 וְשָׁמַע שְׁמוּעָה וְשָׁב לְאַרְצוֹ IIK. 19:7
143 וְשָׁב לְבָנוֹן לַכַּרְמֶל Is. 29:17
144 וְשָׁמַע שְׁמוּעָה וְשָׁב אֶל־אַרְצוֹ Is. 37:7
145 וְשָׁב וַיַּעֲשֵׂהוּ כְּלִי אַחֵר Jer. 18:4
146 וְשָׁב הַגּוֹי הַהוּא מֵרָעָתוֹ Jer. 18:8
147 וְשָׁב יַעֲקֹב וְשָׁקַט וְשַׁאֲנַן Jer. 30:10
148 וְשָׁב יַעֲקוֹב וְשָׁקַט וְשַׁאֲנַן Jer. 46:27
149 וְשָׁב מֵחַטָּאתוֹ וְעָשָׂה מִשְׁפָּט Ezek. 33:14
150 וְשָׁב אֶפְרַיִם מִצְרַיִם Hosh. 9:3
151 וְנִחַם הָאֱלֹהִים וְשָׁב מֵחֲרוֹן אַפּוֹ Jon. 3:9
152 כִּי יִפְקְדֵם...וְשָׁב שְׁבִיתָם° Zep. 2:7
153 וּבָא...וְשָׁב אֶל־אַדְמָתוֹ Dan. 11:9
154 וְשָׁב מֶלֶךְ הַצָּפוֹן וְהֶעֱמִיד... Dan. 11:13
155 וְעָשָׂה וְשָׁב לְאַרְצוֹ Dan. 11:28
156 וְשָׁב וְזָעַם עַל־בְּרִית־קוֹדֶשׁ וְעָשָׂה Dan. 11:30
157 וְשָׁב וְיָבֵן עַל־עֹזְבֵי בְּרִית קֹדֶשׁ Dan. 11:30
וָשָׁב 158 וּלְבָבוֹ יָבִין וָשָׁב וְרָפָא לוֹ Is. 6:10
שָׁבָה 159 וְהִנֵּה־שָׁבָה כִּבְשָׂרוֹ Ex. 4:7
160 וָאֹמַר...אֵלַי תָּשׁוּב וְלֹא־שָׁבָה Jer. 3:7
161 לֹא־שָׁבָה אֵלַי בָּגוֹדָה אֲחוֹתָהּ Jer. 3:10
162 הִנֵּה שָׁבָה יְבִמְתֵּךְ אֶל־עַמָּהּ Ruth 1:15
וְשָׁבָה 163 וְשָׁבָה אֶל־בֵּית אָבִיהָ כִּנְעוּרֶיהָ Lev. 22:13
164 וְשָׁבָה וְהָיְתָה לְבָעֵר Is. 6:13
165 וְשָׁבָה לְאֶתְנַנָּהּ וְזָנְתָה Is. 23:17
וְשָׁבַת(?) 166 וְהָיְתָה לוֹ...וְשָׁבַת לַנָּשִׂיא Ezek. 46:17
הַשָּׁבָה 167 וְרוּת...הַשָּׁבָה מִשְּׂדֵי מוֹאָב Ruth 1:22

168 הַשָּׁבָה עִם־נָעֳמִי מִשְּׂדֵי מוֹאָב Ruth 2:6
169 הַשָּׁבָה מִשְּׂדֵה מוֹאָב Ruth 4:3
שַׁבְנוּ 170 כִּי־עַתָּה שַׁבְנוּ זֶה פַעֲמָיִם Gen. 43:10
171 לָכֵן עַתָּה שַׁבְנוּ אֵלֶיךָ Jud. 11:8
שַׁבְתֶּם 172 כִּי־עַל־כֵּן שַׁבְתֶּם מֵאַחֲרֵי יְיָ Num. 14:43
173 וַיֹּאמֶר אֲלֵיהֶם מַה־זֶּה שַׁבְתֶּם IIK. 1:5
174-178 וְלֹא־שַׁבְתֶּם עָדַי Am. 4:6, 8, 9, 10, 11
וְשַׁבְתֶּם 179 וְשַׁבְתֶּם אִישׁ אֶל־אֲחֻזָּתוֹ Lev. 25:10
180 וְשַׁבְתֶּם אִישׁ לִירֻשָּׁתוֹ Deut. 3:20
181 וְשַׁבְתֶּם לְאֶרֶץ יְרֻשַּׁתְכֶם Josh. 1:15
182 וְשַׁבְתֶּם אֵלַי אֶל־נָכוֹן ISh. 23:23
183 שְׁבוּ...עַד־יְצַמַּח זְקַנְכֶם וְשַׁבְתֶּם IISh. 10:5
184 וְשַׁבְתֶּם מֵאַחֲרָיו וְנִכָּה וָמֵת IISh. 11:15
185 וְשַׁבְתֶּם וּרְאִיתֶם בֵּין צַדִּיק לְרָשָׁע Mal. 3:18
186 וְשַׁבְתֶּם אֵלַי וּשְׁמַרְתֶּם מִצְוֹתַי Neh. 1:9
187 עַד אֲשֶׁר־יְצַמַּח זְקַנְכֶם וְשַׁבְתֶּם ICh. 19:5
שָׁבוּ 188 וַיֵּשְׁבוּ...עַד־שָׁבוּ הָרֹדְפִים Josh. 2:22
189 וְאִישׁ יִשְׂרָאֵל שָׁבוּ אֶל־בְּנֵי בִנְיָמִן Jud. 20:48
190 שָׁבוּ עַל־עֲוֹנֹת אֲבוֹתָם Jer. 11:10
191 שָׁבוּ כְלֵיהֶם רֵיקָם Jer. 14:3
192 מִדַּרְכֵיהֶם לוֹא שָׁבוּ Jer. 15:7
193 לְבִלְתִּי־שָׁבוּ אִישׁ מֵרָעָתוֹ Jer. 23:14
194 אֲשֶׁר־שָׁבוּ מִכָּל־הַגּוֹיִם Jer. 43:5
195 וְלֹא־שָׁבוּ אֶל־יְיָ אֱלֹהֵיהֶם Hosh. 7:10
196 כִּי־שָׁבוּ מִדַּרְכָּם הָרָעָה Jon. 3:10
197 יָצְאוּ וְלֹא־שָׁבוּ לָמוֹ Job 39:4
198 וְלֹא־שָׁבוּ מִמַּעַלְלֵיהֶם הָרָעִים Neh. 9:35
וְשָׁבוּ 199 פֶּן־יִנָּחֵם הָעָם...וְשָׁבוּ מִצְרָיְמָה Ex. 13:17
200 וְשָׁבוּ דְמֵיהֶם בְּרֹאשׁ יוֹאָב IK. 2:33
201 וְשָׁבוּ אֵלֶיךָ וְהוֹדוּ אֶת־שְׁמֶךָ IK. 8:33
202/3 וְשָׁבוּ וְהִתְחַנְּנוּ אֵלֶיךָ IK. 8:47 • IICh. 6:37
204 וְשָׁבוּ אֵלֶיךָ בְּכָל־לְבָבָם IK. 8:48
205 וְשָׁבוּ אֶל־רְחַבְעָם מֶלֶךְ־יְהוּדָה IK. 12:27
206 וְשָׁבוּ עַד־יְיָ וְנֶעְתַּר לָהֶם Is. 19:22
207 וְשָׁבוּ מֵאֶרֶץ אוֹיֵב Jer. 31:15
208 וְשָׁבוּ בָנִים לִגְבוּלָם Jer. 31:16
209 וְשָׁבוּ...וְנִלְחֲמוּ עַל־הָעִיר Jer. 37:8
210 וְשָׁבוּ וְשִׁחֲרוּ־אֵל Ps. 78:34
211 וְשָׁבוּ הֶעָבִים אַחַר הַגָּשֶׁם Eccl. 12:2
212 וְשָׁבוּ וְהוֹדוּ אֶת־שְׁמֶךָ IICh. 6:24
213 וְשָׁבוּ אֵלֶיךָ בְּכָל־לִבָּם IICh. 6:38
וָשָׁבוּ 214 וְחָיוּ אֶת־בְּנֵיהֶם וָשָׁבוּ Zech. 10:9
שָׁב (בינוני) 215 כֻּלֹּה שָׁב בִּמְרוּצָתָם° Jer. 8:6
216 הִנְנִי־שָׁב שְׁבוּת אָהֳלֵי יַעֲקוֹב Jer. 30:18
217 כְּכֶלֶב שָׁב עַל־קֵאוֹ Prov. 26:11
218 וְעַל־סְבִיבֹתָיו שָׁב הָרוּחַ Eccl. 1:6
219 וְהַכֹּל שָׁב אֶל־הֶעָפָר Eccl. 3:20
וָשָׁב 220 וְדָוִד הֹלֵךְ וָשָׁב מֵעַל שָׁאוּל ISh. 17:15
221 וְהִכְרַתִּי מִמֶּנּוּ עֹבֵר וָשָׁב Ezek. 35:7
וּמִשָּׁב 222 וְהָאָרֶץ נָשַׁמָּה...מֵעֹבֵר וּמִשָּׁב Zech. 7:14
223 וְחָנִיתִי לְבֵיתִי מִצָּבָה מֵעֹבֵר וּמִשָּׁב Zech. 9:8
שָׁבָה 224 וּבַבֹּקֶר הִיא שָׁבָה Es. 2:14
שָׁבִים 225 אִם־בְּכָל־לְבַבְ֯ אַתֶּם שָׁבִים אֶל־יְיָ ISh. 7:3
226 אֶל־מְקוֹם...שָׁם הֵם שָׁבִים לָלָכֶת Eccl. 1:7
הַשָּׁבִים 227 וַיֹּאכְלוּ בְנֵי יִשְׂרָ׳ הַשָּׁבִים מֵהַגּוֹלָה Ez. 6:21
228 כָל־הַקָּהָל הַשָּׁבִים מִן־הַשְּׁבִי Neh. 8:17
וּלְשָׁבֵי־ 229 וּבָא לְצִיּוֹן גּוֹאֵל וּלְשָׁבֵי פֶשַׁע בְּיַעֲקֹב Is. 59:20
וְשָׁבֶיהָ 230 צִיּוֹן בְּמִשְׁפָּט תִּפָּדֶה וְשָׁבֶיהָ בִּצְדָקָה Is. 1:27
שׁוּבֵי־ 231 מֵעֹבְרִים בֶּטַח שׁוּבֵי מִלְחָמָה Mic. 2:8
וְשׁוּבוּ 232 וְשֻׁבוּ (כת׳ ושבי) עוֹד צִדְקִי־בָהּ Job 6:29
אָשׁוּב 233 שׁוֹב אָשׁוּב אֵלֶיךָ כָּעֵת חַיָּה Gen. 18:10
234 לַמּוֹעֵד אָשׁוּב אֵלֶיךָ כָּעֵת חַיָּה Gen. 18:14

אָשׁוּב (המשך) 235 וַיֹּאמֶר שְׁמוּאֵל...לֹא אָשׁוּב עִמָּךְ ISh. 15:26
236 וְלֹא אָשׁוּב עַד־כַּלּוֹתָם IISh. 22:38
237 וְלֹא נִחַמְתִּי וְלֹא־אָשׁוּב מִמֶּנָּה Jer. 4:28
238 אָשׁוּב וְרִחַמְתִּים Jer. 12:15
239 אֲשֶׁר לֹא־אָשׁוּב מֵאַחֲרֵיהֶם Jer. 32:40
240 אָשׁוּב וְלָקַחְתִּי דְגָנִי בְּעִתּוֹ Hosh. 2:11
241 לֹא אָשׁוּב לְשַׁחֵת אֶפְרָיִם Hosh. 11:9
242 וְלֹא־אָשׁוּב עַד־כַּלּוֹתָם Ps. 18:38
243 וְעָרֹם אָשׁוּב שָׁמָּה Job 1:21
244 בְּטֶרֶם אֵלֵךְ וְלֹא אָשׁוּב Job 10:21
245 וְאֹרַח לֹא־אָשׁוּב אֶהֱלֹךְ Job 16:22
246 אָשׁוּב לְהִלָּחֵם עִם־שַׂר פָּרָס Dan. 10:20
וְאָשׁוּב 247 שׁוּבוּ אֵלַי...וְאָשׁוּב אֲלֵיכֶם Zech. 1:3
וָאָשׁוּב 248 וָאָשׁוּב וָאֶשָּׂא עֵינַי וָאֶרְאֶה Zech. 5:1
249 וָאָשֻׁב וָאֶשָּׂא עֵינַי וָאֶרְאֶה Zech. 6:1
250/1 וָאָשׁוּב וָאָבוֹא בְּשַׁעַר הַגַּיְא וָאָשׁוּב Neh. 2:15
אָשׁוּבָה 252 אָשׁוּבָה אֶרְעֶה צֹאנְךָ אֶשְׁמֹר Gen. 30:31
253 אִם־רַע בְּעֵינֶיךָ אָשׁוּבָה לִּי Num. 22:34
254 אֵלֵךְ אָשׁוּבָה אֶל־מְקוֹמִי Hosh. 5:15
וְאָשׁוּבָה 255 וְאֶקְבְּרָה אֶת־אָבִי וְאָשׁוּבָה Gen. 50:5
256 אֵלְכָה־נָּא וְאָשׁוּבָה אֶל־אַחַי Ex. 4:18
257 וְאָרוּצָה עַד־אִישׁ הָאֱלֹהִים וְאָשׁוּבָה IIK. 4:22
258 הֲשִׁבֵנִי וְאָשׁוּבָה... Jer. 31:17
259 אֵלְכָה וְאָשׁוּבָה אֶל־אִישִׁי הָרִאשׁוֹן Hosh. 2:9
260 שׁוּבוּ אֵלַי וְאָשׁוּבָה אֲלֵיכֶם Mal. 3:7
תָּשׁוּב 261 כִּי־עָפָר אַתָּה וְאֶל־עָפָר תָּשׁוּב Gen. 3:19
262 וְשָׁכַחְתָּ...לֹא תָשׁוּב לְקַחְתּוֹ Deut. 24:19
263 וְאַתָּה תָשׁוּב וְשָׁמַעְתָּ בְּקוֹל יְיָ Deut. 30:8
264 כִּי תָשׁוּב אֶל־יְיָ אֱלֹהֶיךָ Deut. 30:10
265 וְאִם־הָעִיר תָּשׁוּב וְאָמַרְתָּ IISh. 15:34
266 וְלֹא תָשׁוּב בַּדֶּרֶךְ אֲשֶׁר הָלָכְתָּ IK. 13:9
267 לֹא־תָשׁוּב לָלֶכֶת בַּדֶּרֶךְ IK. 13:17
268 אִם־שׁוֹב תָּשׁוּב בְּשָׁלוֹם IK. 22:28
269/70 אִם־תָּשׁוּב יִשְׂרָאֵל...אֵלַי תָּשׁוּב Jer. 4:1
271 אִם־תָּשׁוּב וַאֲשִׁיבְךָ לְפָנַי תַּעֲמֹד Jer. 15:19
272 וְאַתָּה לֹא־תָשׁוּב אֲלֵיהֶם Jer. 15:19
273 וְעוֹד תָּשׁוּב תִּרְאֶה תּוֹעֵבוֹת Ezek. 8:6
274/5 עוֹד תָּשׁוּב תִּרְאֶה תּוֹעֵבוֹת Ezek. 8:13, 15
276 וְאַתָּה בֵּאלֹהֶיךָ תָשׁוּב Hosh. 12:7
277 תָּשׁוּב תְּחַיֵּינִי° Ps. 71:20
278 וּמִתְּהוֹמוֹת הָאָרֶץ תָּשׁוּב תַּעֲלֵנִי Ps. 71:20
279 הֲלֹא־אַתָּה תָּשׁוּב תְּחַיֵּינוּ Ps. 85:7
280 אִם־תָּשׁוּב עַד־שַׁדַּי תִּבָּנֶה Job 22:23
281 עַד־מָתַי יִהְיֶה מַהֲלָכְךָ וּמָתַי תָּשׁוּב Neh. 2:6
282 אִם־שׁוֹב תָּשׁוּב בְּשָׁלוֹם IICh. 18:27
וְתָשֹׁב 283 וְתָשֹׁב תִּתְפַּלָּא בִי Job 10:16
וַתָּשָׁב 284 וַתָּשָׁב וַתֹּאכַל לֶחֶם וַתֵּשְׁתְּ מָיִם IK. 13:22
תָּשׁוּבִי 285 וּמֵאַחֲרַי לֹא תָשׁוּבִי (כת׳ תשובו) Jer. 3:19
יָשׁוּב 286 אוֹ כִי־יָשׁוּב...וְנֶהְפַּךְ לְלָבָן Lev. 13:16
287 וְאִם־יָשׁוּב הַנֶּגַע וּפָרַח בַּבַּיִת Lev. 14:43
288 וְאֶל־אֲחֻזַּת אֲבֹתָיו יָשׁוּב Lev. 25:41
289 בִּשְׁנַת הַיּוֹבֵל יָשׁוּב הַשָּׂדֶה Lev. 27:24
290 יָשׁוּב מִצְּבָא הָעֲבֹדָה Num. 8:25
291 יָשׁוּב הָרֹצֵחַ אֶל־אֶרֶץ אֲחֻזָּתוֹ Num. 35:28
292 לְמַעַן יָשׁוּב יְיָ מֵחֲרוֹן אַפּוֹ Deut. 13:18
293 חֲמֹרְךָ גָּזוּל...וְלֹא יָשׁוּב לָךְ Deut. 28:31
294 יָשׁוּב יְיָ לָשׂוּשׂ עָלֶיךָ לְטוֹב Deut. 30:9
295 אָז יָשׁוּב הָרוֹצֵחַ וּבָא אֶל־עִירוֹ Josh. 20:6
296 וְהוּא לֹא־יָשׁוּב אֵלָי IISh. 12:23
297 בַּדֶּרֶךְ אֲשֶׁר־יָבֹא בָּהּ יָשׁוּב IIK. 19:33
298 אִם־יָשׁוּב עֶשֶׂר מַעֲלוֹת IIK. 20:9
299 כִּי יָשׁוּב הַצֵּל אֲחֹרַנִּית IIK. 20:10

יָשׁוּב (המשך)
300 שְׁאָר יָשׁוּב שְׁאָר יַעֲקֹב Is. 10:21
301 שְׁאָר יָשׁוּב בּוֹ Is. 10:22
302 בַּדֶּרֶךְ אֲשֶׁר־בָּא בָּהּ יָשׁוּב Is. 37:34
303 יָצָא מִפִּי...דָּבָר וְלֹא יָשׁוּב Is. 45:23
304 וְשָׁמָּה לֹא יָשׁוּב Is. 55:10
305 לֹא־יָשׁוּב אֵלַי רֵיקָם Is. 55:11
306/7 אִם־יָשׁוּב וְלֹא יָשׁוּב Jer. 8:4
308 כִּי לֹא יָשׁוּב עוֹד Jer. 22:10
309 לֹא־יָשׁוּב שָׁם עוֹד Jer. 22:11
310 לֹא יָשׁוּב אַף־יְיָ Jer. 23:20
311 לֹא יָשׁוּב חֲרוֹן אַף־יְיָ Jer. 30:24
312 וְעוֹדֶנּוּ לֹא־יָשׁוּב וְשֻׁבָה Jer. 40:5
313 כְּגִבּוֹר מַשְׂכִּיל לֹא יָשׁוּב רֵיקָם Jer. 50:9
314 כִּי הַמּוֹכֵר אֶל־הַמִּמְכָּר לֹא יָשׁוּב Ezek. 7:13
315 חָזוֹן אֶל־כָּל־הֲמוֹנָהּ לֹא יָשׁוּב Ezek. 7:13
316 כִּי יָשׁוּב מִכָּל־חַטֹּאתָו Ezek. 18:21
317 לֹא יָשׁוּב דֶּרֶךְ הַשַּׁעַר Ezek. 46:9
318 לֹא יָשׁוּב אֶל־אֶרֶץ מִצְרַיִם Hosh. 11:5
319 מִי יוֹדֵעַ יָשׁוּב וְנִחָם Joel 2:14
320 גְּמֻלְךָ יָשׁוּב בְּרֹאשֶׁךָ Ob. 15
321 מִי־יוֹדֵעַ יָשׁוּב וְנִחַם הָאֱלֹהִים Jon. 3:9
322 יָשׁוּב יְרַחֲמֵנוּ יִכְבֹּשׁ עֲוֹנֹתֵינוּ Mic. 7:19
323 אִם־לֹא יָשׁוּב חַרְבּוֹ יִלְטוֹשׁ Ps. 7:13
324 יָשׁוּב עֲמָלוֹ בְרֹאשׁוֹ Ps. 7:17
325 לָכֵן יָשׁוּב (כת׳ ישיב) עַמּוֹ הֲלֹם Ps. 73:10
326 רוּחַ הוֹלֵךְ וְלֹא יָשׁוּב Ps. 78:39
327 כִּי־עַד־צֶדֶק יָשׁוּב מִשְׁפָּט Ps. 94:15
328 אֱמֶת לֹא־יָשׁוּב מִמֶּנָּה Ps. 132:11
329 תֵּצֵא רוּחוֹ יָשֻׁב לְאַדְמָתוֹ Ps. 146:4
330 וְלֹא־יָשׁוּב מִפְּנֵי־כֹל Prov. 30:30
331 לֹא־יָשׁוּב עוֹד לְבֵיתוֹ Job 7:10
332 יָשׁוּב לִימֵי עֲלוּמָיו Job 33:25
333 וְאָדָם עַל־עָפָר יָשׁוּב Job 34:15
334 וְלֹא־יָשׁוּב מִפְּנֵי־חָרֶב Job 39:22
335 אַךְ בִּי יָשֻׁב יַהֲפֹךְ יָדוֹ כָּל־הַיּוֹם Lam. 3:3
336 עָרוֹם יָשׁוּב לָלֶכֶת כְּשֶׁבָּא Eccl. 5:14
337 יָשׁוּב מַחֲשַׁבְתּוֹ הָרָעָה Es. 9:25
338 לַמּוֹעֵד יָשׁוּב וּבָא בַנֶּגֶב Dan. 11:29
הֲיָשׁוּב 339 הֵן יְשַׁלַּח...הֲיָשׁוּב אֵלֶיהָ עוֹד Jer. 3:1
יָשֹׁב 340 יָשֹׁב וְיִצְפֹּר מֵהַר הַגִּלְעָד Jud. 7:3
341 ?אִם־יָשׁוֹב (כת׳ ישיב) יְשִׁיבֵנִי יְיָ יְרוּשָׁלַםִ IISh. 15:8
342 יָשֹׁב אַפְּךָ וּתְנַחֲמֵנִי Is. 12:1
343 אַל־יָשֹׁב דַּךְ נִכְלָם Ps. 74:21
יָשָׁב־ 344 יָשָׁב־נָא עַבְדְּךָ וְאָמֻת בְּעִירִי IISh. 19:38
345 יָשָׁב־נָא אַפְּךָ...מֵעִירְךָ... Dan. 9:16
וְיָשֹׁב 346 וְיָשֹׁב חֲרוֹן אַף־יְיָ מִיִּשְׂרָאֵל Num. 25:4
347-350 יֵלֵךְ וְיָשֹׁב לְבֵיתוֹ Deut. 20:5, 6, 7, 8
351 שַׁלְּחוּ אֶת־אֲרוֹן...וְיָשֹׁב לִמְקֹמוֹ ISh. 5:11
352 הָשֵׁב אֶת־הָאִישׁ וְיָשֹׁב אֶל־מְקוֹמוֹ ISh. 29:4
353 הָלוֹךְ וְרָחַצְתָּ...וְיָשֹׁב בְּשָׂרְךָ IIK. 5:10
354 וְיָשֹׁב אֶל־יְיָ וִירַחֲמֵהוּ Is. 55:7
355 וְיָשֹׁב הֶעָפָר עַל־הָאָרֶץ כְּשֶׁהָיָה Eccl. 12:7
356 וְיָשֹׁב וְיִתְגָּרֶה עַד־מָעֻזֹּה Dan. 11:11
357 וְיָשֹׁב אַרְצוֹ בִּרְכוּשׁ גָּדוֹל Dan. 11:28
358 וְיָשֹׁב מִמֶּנּוּ חֲרוֹן אַפּוֹ IICh. 29:10
359 וְיָשֹׁב אֶל־הַפְּלֵיטָה הַנִּשְׁאֶרֶת לָכֶם IICh. 30:6
360 וְיָשֹׁב מִכֶּם חֲרוֹן אַפּוֹ IICh. 30:8
וַיָּשָׁב 361 וַיָּשָׁב אַבְרָהָם אֶל־נְעָרָיו Gen. 22:19
362 וַיָּשָׁב יִצְחָק וַיַּחְפֹּר Gen. 26:18
363 וַיֵּלֶךְ וַיָּשָׁב לָבָן לִמְקֹמוֹ Gen. 31:55
364 וַיָּשָׁב בַּיּוֹם הַהוּא עֵשָׂו לְדַרְכּוֹ Gen. 33:16

וַיָּשָׁב (המשך)
365 וַיָּשָׁב רְאוּבֵן אֶל־הַבּוֹר Gen. 37:29
366 וַיָּשָׁב אֶל־אֶחָיו וַיֹּאמַר Gen. 37:30
367 וַיָּשָׁב הַיָּם לִפְנוֹת בֹּקֶר לְאֵיתָנוֹ Ex. 14:27
368 וַיָּשָׁב עַל־פִּי הַחִירֹת Num. 33:7
369 וַיָּשָׁב יְיָ מֵחֲרוֹן אַפּוֹ Josh. 7:26
370 וַיָּשָׁב יְהוֹשֻׁעַ בָּעֵת הַהִיא וַיִּלְכֹּד Josh. 11:10
371 וַיָּשָׁב גִּדְעוֹן...מִן הַמִּלְחָמָה Jud. 8:13
372 וַיָּשָׁב מִיָּמִים לְקַחְתָּהּ Jud. 14:8
373 וַיָּשָׁב יוֹאָב מֵעַל בְּנֵי עַמּוֹן IISh. 10:14
374 וַיָּשָׁב דָּוִד וְכָל־הָעָם יְרוּשָׁלָםִ IISh. 12:31
375 וַיָּשָׁב הָעָם מִרְדֹף אַחֲרֵי יִשְׂרָאֵל IISh. 18:16
376 וַיָּשָׁב וַיַּעַשׂ...כֹּהֲנֵי בָמוֹת IK. 13:33
377 וַיֹּאכַל וַיֵּשְׁתְּ וַיָּשָׁב וַיִּשְׁכָּב IK. 19:6
378 וַיָּשָׁב מַלְאַךְ יְיָ שֵׁנִית וַיִּגַּע־בּוֹ IK. 19:7
379 וַיָּשָׁב וַיִּשְׁלַח אֵלָיו שַׂר־חֲמִשִּׁים IIK. 1:11
380 וַיָּשָׁב וַיִּשְׁלַח שַׂר־חֲמִשִּׁים IIK. 1:13
381 וַיָּשָׁב וַיַּעֲמֹד עַל־שְׂפַת הַיַּרְדֵּן IIK. 2:13
382 וַיָּשָׁב בְּשָׂרוֹ כִּבְשַׂר נַעַר קָטֹן IIK. 5:14
383 וַיָּשָׁב וַיִּשְׁלַח מַלְאָכִים IIK. 19:9
384 וַיָּשָׁב וַיִּבֶן אֶת־הַבָּמוֹת IIK. 21:3
385 וַיָּשָׁב וַיִּמְרָד־בּוֹ IIK. 24:1
386 וַיָּשָׁב (כת׳ וישוב) מִכָּל־פְּשָׁעָיו Ezek. 18:28
387 וַיָּשָׁב בַּצַּר־לוֹ עַל־יְיָ אֱלֹהֵי יִשְׂרָאֵל IICh. 15:4
388-441 וַיָּשָׁב Gen. 38:22; 42:24; 50:14
Ex. 4:18, 20; 5:22; 32:31 • Num. 17:25; 23:6; 24:15 • Josh. 10:15, 38, 43; 22:32 • Jud. 7:3, 15; 18:26; 19:7; 21:14 • ISh. 15:31; 23:28; 27:9 • IISh. 3:27; 6:20; 19:16, 40 • IK. 13:19; 19:21 • IIK. 4:31, 35; 5:15; 8:29; 9:15; 13:25; 14:14; 15:20; 19:8, 36; 23:20 • Is. 37:8, 37 • Zech. 4:1 • Ps. 60:2 • Es. 6:12 • ICh. 20:3; 21:20 • IICh. 10:2; 19:1, 4; 22:6; 25:24; 32:21; 33:3; 34:7

וַיָּשֹׁב 442 וַיֹּאמֶר אֵלָיו אַבְנֵר לֵךְ שׁוּב וַיָּשֹׁב IISh. 3:16
443 כִּי־הָלַךְ שִׁמְעִי...גַּת וַיָּשֹׁב IK. 2:41
תָּשׁוּב 444 עַד אֲשֶׁר־תָּשׁוּב חֲמַת אָחִיךָ Gen. 27:44
445 וְחֶרֶב שָׁאוּל לֹא תָשׁוּב רֵיקָם IISh. 1:22
446 עַתָּה תָּשׁוּב הַמַּמְלָכָה לְבֵית־דָּוִד IK. 12:26
447 וָאֹמַר...אֵלַי תָּשׁוּב וְלֹא שָׁבָה Jer. 3:7
448 הוֹצֵאתִי חַרְבִּי...לֹא תָשׁוּב עוֹד Ezek. 21:10
449 וּתְפִלָּתִי עַל־חֵיקִי תָשׁוּב Ps. 35:13
450 פֶּן־יְחַסֶּדְךָ...וְדִבָּתְךָ לֹא תָשׁוּב Prov. 25:10
451 וְגֹלֵל אֶבֶן אֵלָיו תָּשׁוּב Prov. 26:27
452 לֹא־תָשׁוּב עֵינִי לִרְאוֹת טוֹב Job 7:7
453 וְהָרוּחַ תָּשׁוּב אֶל־הָאֱלֹהִים Eccl. 12:7
454 תָּשׁוּב וְנִבְנְתָה רְחוֹב וְחָרוּץ Dan. 9:25
תָּשָׁב־ 455 תָּשָׁב־נָא נֶפֶשׁ־הַיֶּלֶד הַזֶּה עַל־קִרְבּוֹ IK. 17:21
וְתָשֹׁב 456 וְהִתְפַּלֵּל בַּעֲדִי וְתָשֹׁב יָדִי אֵלָי IK. 13:6
וַתָּשָׁב 457 וַתָּשָׁב אֵלָיו אֶל־הַתֵּבָה Gen. 8:9
458 וַתָּשָׁב אֶל־אָבִיהָ וַיַּעַשׂ לָהּ Jud. 11:39
459 וַיֵּשְׁתְּ וַתָּשָׁב רוּחוֹ וַיֶּחִי Jud. 15:19
460 וַיֹּאכַל וַתָּשָׁב רוּחוֹ אֵלָיו ISh. 30:12
461 וַתָּבוֹא אֵלָיו...וַתָּשָׁב אֶל־בֵּיתָהּ IISh. 11:4
462 וַתָּשָׁב יַד־הַמֶּלֶךְ אֵלָיו IK. 13:6
463 וַתָּשָׁב נֶפֶשׁ־הַיֶּלֶד עַל־קִרְבּוֹ IK. 17:22
464 וַתָּשָׁב הָאִשָּׁה מֵאֶרֶץ פְּלִשְׁתִּים IIK. 8:3
465 וַתָּשָׁב הַשֶּׁמֶשׁ עֶשֶׂר מַעֲלוֹת Is. 38:8
466 וַתָּקָם...וַתָּשָׁב מִשְּׂדֵי מוֹאָב Ruth 1:6
467 וַתָּשָׁב נָעֳמִי וְרוּת הַמּוֹאֲבִיָּה Ruth 1:22
468 גַּם־הִיא נֶאֶנְחָה וַתָּשָׁב אָחוֹר Lam. 1:8
נָשׁוּב 469 עַד אֲשֶׁר־נָשׁוּב אֲלֵיכֶם Ex. 24:14
470 לֹא נָשׁוּב אֶל־בָּתֵּינוּ Num. 32:18
471 וַאֲמַרְתֶּם בַּמֶּה נָשׁוּב Mal. 3:7

472 כִּי־אִתָּךְ נָשׁוּב לְעַמֵּךְ Ruth 1:10
הֲנָשׁוּב 473 הֲנָשׁוּב לְהָפֵר מִצְוֹתֶיךָ Ez. 9:14
וְנָשׁוּב 474 רֻשַּׁשְׁנוּ וְנָשׁוּב וְנִבְנֶה חֳרָבוֹת Mal. 1:4
וַנָּשָׁב 475 וַנָּשָׁב (כת׳ ונשוב) כֻּלָּנוּ אֶל־הַחוֹמָה Neh. 4:9
וְנָשׁוּבָה 476 וְנִשְׁתַּחֲוֶה וְנָשׁוּבָה אֲלֵיכֶם Gen. 22:5
477 נִתְּנָה רֹאשׁ וְנָשׁוּבָה מִצְרָיְמָה Num. 14:4
478 וְשָׁאוּל אָמַר...לְכָה וְנָשׁוּבָה ISh. 9:5
479 קוּמָה וְנָשֻׁבָה אֶל־עַמֵּנוּ Jer. 46:16
480 לְכוּ וְנָשׁוּבָה אֶל־יְיָ Hosh. 6:1
481 נַחְפְּשָׂה דְרָכֵינוּ...וְנָשׁוּבָה עַד־יְיָ Lam. 3:40
482 הֲשִׁיבֵנוּ יְיָ אֵלֶיךָ וְנָשׁוּבָה (כת׳ ונשוב) Lam. 5:21
תָּשֻׁבוּ 483 וְאִישׁ אֶל־מִשְׁפַּחְתּוֹ תָּשֻׁבוּ Lev. 25:10
484 תָּשֻׁבוּ אִישׁ אֶל־אֲחֻזָּתוֹ Lev. 25:13
485 וְנִכְבְּשָׁה הָאָרֶץ...וְאַחַר תָּשֻׁבוּ Num. 32:22
486 וְאַתֶּם תָּשֻׁבוּ הַיּוֹם מֵאַחֲרֵי יְיָ Josh. 22:18
487 אִם־שׁוֹב תָּשׁוּבוּ וּדְבַקְתֶּם... Josh. 23:12
488 תָּשׁוּבוּ לְתוֹכַחְתִּי Prov. 1:23
489 וְאֻלָּם כֻּלָּם תָּשֻׁבוּ וּבֹאוּ נָא Job 17:10
490 מִכָּל־הַמְּקֹמוֹת אֲשֶׁר־תָּשׁוּבוּ עָלֵינוּ Neh. 4:6
491 אִם־תְּשׁוּבוּ אֵלָיו IICh. 30:9
וַתָּשֻׁבוּ 492 וַתָּשֻׁבוּ וַתִּבְכּוּ לִפְנֵי יְיָ Deut. 1:45
493 וַתָּשֻׁבוּ...וַתַּעֲשׂוּ אֶת־הַיָּשָׁר Jer. 34:15
494 וַתָּשֻׁבוּ וַתְּחַלְּלוּ אֶת־שְׁמִי Jer. 34:16
תְּשׁוּבֻן 495 כִּי תְשׁוּבֻן מֵאַחֲרָיו Num. 32:15
496 אִם־שׁוֹב תְּשֻׁבוּן...מֵאַחֲרַי IK. 9:6
497 וְאִם־תְּשׁוּבוּן אַתֶּם וַעֲזַבְתֶּם חֻקּוֹתַי IICh. 7:19
תְּשֻׁבֶינָה 498 וְאַתְּ וּבְנוֹתַיִךְ תְּשֻׁבֶינָה לְקַדְמַתְכֶן Ezek. 16:55
יָשׁוּבוּ 499 וְדוֹר רְבִיעִי יָשׁוּבוּ הֵנָּה Gen. 15:16
500 יָשֻׁבוּ וְהִשְׁחִיתוּ מֵאֲבוֹתָם Jud. 2:19
501 וְהָעָם יָשֻׁבוּ אַחֲרָיו IISh. 23:10
502 יָשׁוּבוּ אִישׁ־לְבֵיתוֹ בְּשָׁלוֹם IK. 22:17
503 יָשֻׁבוּ הֵמָּה אֵלֶיךָ Jer. 15:19
504 שָׁמָּה לֹא יָשׁוּבוּ Jer. 22:27
505 כִּי־יָשֻׁבוּ אֵלַי בְּכָל־לִבָּם Jer. 24:7
506 קָהָל גָּדוֹל יָשׁוּבוּ הֵנָּה Jer. 31:8(7)
507 לְמַעַן יָשׁוּבוּ אִישׁ מִדַּרְכּוֹ הָרָעָה Jer. 36:3
508 לֹא־יָשׁוּבוּ כִּי אִם־פְּלֵטִים Jer. 44:14
509 אַחַר יָשֻׁבוּ בְּנֵי יִשְׂרָאֵל וּבִקְשׁוּ אֶת־יְיָ Hosh. 3:5
510 יָשׁוּבוּ לֹא עָל Hosh. 7:16
511 הֵמָּה מִצְרַיִם יָשׁוּבוּ Hosh. 8:13
512 יָשֻׁבוּ יֹשְׁבֵי בְצִלּוֹ Hosh. 14:8
513 וְעַד־אֶתְנַן זוֹנָה יָשׁוּבוּ Mic. 1:7
514 יָשֻׁבוּ יֵבֹשׁוּ רָגַע Ps. 6:11
515 יָשׁוּבוּ רְשָׁעִים לִשְׁאוֹלָה Ps. 9:18
516 וְחַטָּאִים אֵלֶיךָ יָשׁוּבוּ Ps. 51:15
517 אָז יָשׁוּבוּ אוֹיְבַי אָחוֹר Ps. 56:10
518 יָשׁוּבוּ לָעֶרֶב יֶהֱמוּ כַכָּלֶב Ps. 59:7
519 יָשׁוּבוּ עַל־עֵקֶב בָּשְׁתָּם Ps. 70:4
520 וְאַל־יָשׁוּבוּ לְכִסְלָה Ps. 85:9
521 יָשׁוּבוּ לִי יְרֵאֶיךָ Ps. 119:79
522 וּכְנוֹחַ לָהֶם יָשׁוּבוּ לַעֲשׂוֹת רַע Neh. 9:28
523 יָשׁוּבוּ אִישׁ־לְבֵיתוֹ בְּשָׁלוֹם IICh. 18:16
וְיָשֻׁבוּ 524 וְיָשֻׁבוּ וְיַחֲנוּ לִפְנֵי פִּי הַחִירֹת Ex. 14:2
525 וְיָשֻׁבוּ הַמַּיִם עַל־מִצְרַיִם Ex. 14:26
526/7 וְיָשֻׁבוּ אִישׁ מִדַּרְכּוֹ הָרָעָה Jer. 26:3; 36:7
528 וְיָשֻׁבוּ אִישׁ מִדַּרְכּוֹ הָרָעָה Jon. 3:8
529 יִזְכְּרוּ וְיָשֻׁבוּ אֶל־יְיָ Ps. 22:28
530 וְיָשׁוּבוּ לָעֶרֶב יֶהֱמוּ כַכָּלֶב Ps. 59:15
531 וְיָשֻׁבוּ מִדַּרְכֵיהֶם הָרָעִים IICh. 7:14
וַיָּשֻׁבוּ 532 וַיָּשֻׁבוּ הַמַּיִם מֵעַל הָאָרֶץ Gen. 8:3
533 וַיָּשֻׁבוּ וַיָּבֹאוּ אֶל־עֵין מִשְׁפָּט Gen. 14:7
534 וַיָּשֻׁבוּ אֶל־אֶרֶץ פְּלִשְׁתִּים Gen. 21:32

וַיָּשֻׁבוּ (המשך)
535 וַיָּשֻׁבוּ הַמַּיִם וַיְכַסּוּ אֶת־הָרֶכֶב Ex. 14:28
536 וַיָּשֻׁבוּ וַיִּבְכּוּ גַּם בְּנֵי יִשְׂרָאֵל Num. 11:4
537 וַיָּשֻׁבוּ מִתּוּר הָאָרֶץ Num. 13:25
538 וַיָּשֻׁבוּ וַיַּלִּינוּ° עָלָיו Num. 14:36
539 וַיָּשֻׁבוּ מֵי־הַיַּרְדֵּן לִמְקוֹמָם Josh. 4:18
540 וַיָּשׁוּבוּ ב״י וַיִּזְנוּ אַחֲרֵי הַבְּעָלִים Jud. 8:33
541 וַיָּשֻׁבוּ וַיָּבֹאוּ אֶל־אֹהֶל אַחֵר IIK. 7:8
542 וַיָּשֻׁבוּ לְהַכְעִיסֵנִי Ezek. 8:17
543 וַיָּשׁוּבוּ וַיֹּאמְרוּ כַּאֲשֶׁר זָמַם Zech. 1:6
544 וַיָּשׁוּבוּ וַיְנַסּוּ אֵל Ps. 78:41
545 תַּעַזְבֵם...וַיָּשׁוּבוּ וַיִּזְעָקוּךָ Neh. 9:28
546 וַיָּשֻׁבוּ מִלֶּכֶת אֶל־יָרָבְעָם IICh. 11:4
547-584 וַיָּשֻׁבוּ Gen. 32:7; 44:13
Ex. 34:31 • Josh. 2:23; 6:14; 7:3; 8:21, 24; 10:21; 22:9 • Jud. 21:23 • ISh. 1:19; 6:16; 17:53; 25:12 • IISh. 17:20 • IK. 12:24; 20:5; 22:33 • IIK. 1:5; 2:18; 3:27; 7:15; 9:36 • Jer. 34:11; 40:12; 41:14 • Ez. 2:1 • Neh. 7:6 • IICh. 14:14; 18:32; 19:8; 20:27; 25:10; 28:15; 31:1; 34:9

יְשׁוּבוּן 585 וּמֵחַטָּאתָם יְשׁוּבוּן כִּי תַעֲנֵם IK. 8:35
586 וּפְדוּיֵי יְיָ יְשֻׁבוּן Is. 35:10
587 וּפְדוּיֵי יְיָ יְשׁוּבוּן Is. 51:11
588 וּפְלִיטֵי חֶרֶב יְשֻׁבוּן Jer. 44:28
589 וְיֶתֶר אֶחָיו יְשׁוּבוּן עַל־ב״י Mic. 5:2
590 בַּל־יְשׁוּבוּן לְכַסּוֹת הָאָרֶץ Ps. 104:9
591 וְאֶל־עֲפָרָם יְשׁוּבוּן Ps. 104:29
592 כָּל־בָּאֶיהָ לֹא יְשׁוּבוּן Prov. 2:19
593 וַיֹּאמֶר כִּי־יְשׁוּבוּן מֵאָוֶן Job 36:10
594 מֵחַטָּאתָם יְשׁוּבוּן כִּי תַעֲנֵם IICh. 6:26
תְּשֻׁבְןָ 595/6 תְּשֻׁבְןָ לְקַדְמָתָן Ezek. 16:55²
תָּשֹׁבְנָה 597 וְעָרַיִךְ לֹא תָשֹׁבְנָה (כת׳ תישבנה) Ezek. 35:9
וַתָּשֹׁבְנָה 598 וַתָּשֹׁבְנָה הֶעָרִים...לְיִשְׂרָאֵל ISh. 7:14
שׁוּב 599 שׁוּב אֶל־אֶרֶץ אֲבוֹתֶיךָ Gen. 31:3
600 שׁוּב לְאַרְצְךָ וּלְמוֹלַדְתְּךָ Gen. 32:10
601 לֵךְ שֻׁב מִצְרָיִם Ex. 4:19
602 שׁוּב מֵחֲרוֹן אַפֶּךָ Ex. 32:12
603/4 שׁוּב אֶל־בָּלָק וְכֹה תְדַבֵּר Num. 23:5, 16
605/6 שׁוּב שְׁכָב ISh. 3:5, 6
607 חָטָאתִי שׁוּב בְּנִי־דָוִד ISh. 26:21
608 וְעַתָּה שׁוּב וְלֵךְ בְּשָׁלוֹם ISh. 29:7
609 וַיֹּאמֶר אֵלָיו אַבְנֵר לֵךְ שׁוּב IISh. 3:16
610 שׁוּב וְשֵׁב עִם־הַמֶּלֶךְ IISh. 15:19
611 שׁוּב וְהָשֵׁב אֶת־אַחֶיךָ IISh. 15:20
612 שׁוּב אַתָּה וְכָל־עֲבָדֶיךָ IISh. 19:15
613 וַיֹּאמֶר שֻׁב שֶׁבַע פְּעָמִים IK. 18:43
614 לֵךְ שׁוּב לְדַרְכְּךָ IK. 19:15
615 לֵךְ שׁוּב כִּי מֶה־עָשִׂיתִי לָךְ IK. 19:20
616 חָטָאתִי שׁוּב מֵעָלַי IIK. 18:14
617 שׁוּב וְאָמַרְתָּ אֶל־חִזְקִיָּהוּ IIK. 20:5
618 שׁוּב לְמַעַן עֲבָדֶיךָ Is. 63:17
619 שׁוּב קַח־לְךָ מְגִלָּה אַחֶרֶת Jer. 36:28
620 שׁוּב נָא הַבֵּט מִשָּׁמַיִם Ps. 80:15
וְשׁוּב 621 וְשׁוּב אֶל־אֶרֶץ מוֹלַדְתֶּךָ Gen. 31:13
622 וְשׁוּב מֹל אֶת־בְּנֵי־יִשְׂרָאֵל שֵׁנִית Josh. 5:2
623 וְשׁוּב עִמִּי וְאֶשְׁתַּחֲוֶה לַיְיָ ISh. 15:25
624 וְשׁוּב עִמִּי וְהִשְׁתַּחֲוֵיתִי לַיְיָ אֱלֹהֶיךָ ISh. 15:30
וָשׁוּב 625 לֵךְ וָשׁוּב וּמָחָר אֶתֵּן Prov. 3:28
שֻׁבָה 626 שֻׁבָה הָעִיר בְּשָׁלוֹם IISh. 15:27
627 שׁוּבָה מְשֻׁבָה יִשְׂרָאֵל Jer. 3:12
628 שׁוּבָה יִשְׂרָאֵל עַד יְיָ אֱלֹהֶיךָ Hosh. 14:2
629 וְעָלֶיהָ לַמָּרוֹם שׁוּבָה Ps. 7:8
שׁוּבָה 630 שׁוּבָה יְיָ רִבְבוֹת אַלְפֵי יִשְׂרָאֵל Num. 10:36

שׁוּבָה (המשך)
631 שׁוּבָה אֵלַי כִּי גְאַלְתִּיךָ Is. 44:22
632 שׁוּבָה יְיָ חַלְּצָה נַפְשִׁי Ps. 6:5
633 שׁוּבָה יְיָ עַד־מָתָי Ps. 90:13
634 שׁוּבָה יְיָ אֶת־שְׁבִיתֵנוּ° Ps. 126:4
וְשֻׁבָה 635 וְעוֹדֶנּוּ לֹא־יָשׁוּב וְשֻׁבָה אֶל־גְּדַלְיָה Jer. 40:5
שׁוּבֵנוּ 636 שׁוּבֵנוּ אֱלֹהֵי יִשְׁעֵנוּ Ps. 85:5
שׁוּבִי 637 שׁוּבִי אֶל־גְּבִרְתֵּךְ Gen. 16:9
638 שׁוּבִי בְּתוּלַת יִשְׂרָאֵל Jer. 31:20
639 שֻׁבִי אֶל־עָרַיִךְ אֵלֶּה Jer. 31:20
640/1 שׁוּבִי שׁוּבִי הַשּׁוּלַמִּית S.ofS. 7:1
642/3 שׁוּבִי שׁוּבִי וְנֶחֱזֶה־בָּךְ S.ofS. 7:1
644 שׁוּבִי אַחֲרֵי יְבִמְתֵּךְ Ruth 1:15
שׁוּבִי 645 שׁוּבִי נַפְשִׁי לִמְנוּחָיְכִי Ps. 116:7
שׁוּבוּ 646/7 שֻׁבוּ שִׁבְרוּ־לָנוּ מְעַט־אֹכֶל Gen. 43:2; 44:25
648 וְקוּמוּ שׁוּבוּ אֶל־הָאִישׁ Gen. 43:13
649 שׁוּבוּ לָכֶם לְאָהֳלֵיכֶם Deut. 5:27
650 בִּנְכָסִים רַבִּים שׁוּבוּ אֶל־אָהֳלֵיכֶם Josh. 22:8
651 שׁוּבוּ אֵלַי בַּיּוֹם הַשְּׁלִישִׁי IK. 12:12
652 שׁוּבוּ אִישׁ לְבֵיתוֹ IK. 12:24
653 לְכוּ שׁוּבוּ אֶל־הַמֶּלֶךְ IIK. 1:6
654 שֻׁבוּ מִדַּרְכֵיכֶם הָרָעִים IIK. 17:13
655 אִם־תִּבְעָיוּן בְּעָיוּ שֻׁבוּ אֵתָיוּ Is. 21:12
656 שׁוּבוּ לַאֲשֶׁר הֶעְמִיקוּ סָרָה Is. 31:6
657/8 שׁוּבוּ בָנִים (בָּנִים) שׁוֹבָבִים Jer. 3:14, 22
659/60 שׁוּבוּ נָא אִישׁ מִדַּרְכּוֹ הָרָעָה Jer. 18:11; 25:5
661 שֻׁבוּ־נָא אִישׁ מִדַּרְכּוֹ הָרָעָה Jer. 35:15
662 שׁוּבוּ וְהָשִׁיבוּ מֵעַל גִּלּוּלֵיכֶם Ezek. 14:6
663 שׁוּבוּ וְהָשִׁיבוּ מִכָּל־פִּשְׁעֵיכֶם Ezek. 18:30
664/5 שׁוּבוּ שׁוּבוּ מִדַּרְכֵיכֶם הָרָעִים Ezek. 33:11
666 שֻׁבוּ עָדַי בְּכָל־לְבַבְכֶם Joel 2:12
667 שׁוּבוּ אֵלַי...וְאָשׁוּב אֲלֵיכֶם Zech. 1:3
668 שׁוּבוּ נָא מִדַּרְכֵיכֶם הָרָעִים Zech. 1:4
669 שׁוּבוּ לְבִצָּרוֹן אֲסִירֵי הַתִּקְוָה Zech. 9:12
670 שׁוּבוּ אֵלַי וְאָשׁוּבָה אֲלֵיכֶם Mal. 3:7
671 וַתֹּאמֶר שׁוּבוּ בְנֵי־אָדָם Ps. 90:3
672 שֻׁבוּ־נָא אַל־תְּהִי עַוְלָה Job 6:29
673 שׁוּבוּ אֵלַי בַּיּוֹם הַשְּׁלִישִׁי IICh. 10:12
674 שׁוּבוּ אִישׁ לְבֵיתוֹ IICh. 11:4
675 שׁוּבוּ אֶל־יְיָ אֱלֹהֵי אַבְרָהָם IICh. 30:6
וְשׁוּבוּ 676 וְהִתְהַלְּכוּ בָאָרֶץ...וְשׁוּבוּ אֵלַי Josh. 18:8
677 לְכוּ־עַד שְׁלֹשָׁה יָמִים וְשׁוּבוּ אֵלָי IK. 12:5
678 קְחוּ עִמָּכֶם דְּבָרִים וְשׁוּבוּ אֶל־יְיָ Hosh. 14:3
679 וְשׁוּבוּ אֶל־יְיָ אֱלֹהֵיכֶם Joel 2:13
680 וְשֻׁבוּ (כת׳ ושבי) עוֹד צִדְקִי־בָהּ Job 6:29
681 עוֹד שְׁלֹשֶׁת יָמִים וְשׁוּבוּ אֵלָי IICh. 10:5
וָשׁוּבוּ 682 עִבְרוּ וָשׁוּבוּ מִשַּׁעַר לָשַׁעַר Ex. 32:27
שֹׁבְנָה 683 לֵכְנָה שֹּׁבְנָה אִשָּׁה לְבֵית אִמָּהּ Ruth 1:8
684 שֹׁבְנָה בְנֹתַי לָמָּה תֵלַכְנָה עִמִּי Ruth 1:11
685 שֹׁבְנָה בְנֹתַי לֵכְןָ Ruth 1:12
לְשׁוֹבֵב 686 לְשׁוֹבֵב יַעֲקֹב אֵלָיו וְיִשׂ׳ לוֹ° יֵאָסֵף Is. 49:5
בְּשׁוֹבְבִי 687 בְּשׁוֹבְבִי אוֹתָם מִן־הָעַמִּים Ezek. 39:27
וְשֹׁבַבְתִּי 688 וְשֹׁבַבְתִּי אֶת־יִשְׂרָאֵל אֶל־נָוֵהוּ Jer. 50:19
וְשׁוֹבַבְתִּיךָ 689 וְשׁוֹבַבְתִּיךָ וְנָתַתִּי חַחִים בִּלְחָיֶיךָ Ezek. 38:4
690 וְשֹׁבַבְתִּיךָ וְשִׁשֵּׁאתִיךָ וְהַעֲלִיתִיךָ Ezek. 39:2
שׁוֹבְבָה 691 מַדּוּעַ שׁוֹבְבָה הָעָם הַזֶּה...מְשֻׁבָה Jer. 8:5
שׁוֹבְבָתֶךְ 692 חָכְמָתֵךְ וְדַעְתֵּךְ הִיא שׁוֹבְבָתֶךְ Is. 47:10
שׁוֹבְבוּם 693 רֹעֵיהֶם הִתְעוּם
הָרִים שׁוֹבְבוּם (כת׳ שובבים) Jer. 50:6
מְשׁוֹבֵב 694 מְשֹׁבֵב נְתִיבוֹת לָשָׁבֶת Is. 58:12
תְּשׁוֹבֵב 695 אָנַפְתָּ תְּשׁוֹבֵב לָנוּ Ps. 60:3
יְשׁוֹבֵב 696 נַפְשִׁי יְשׁוֹבֵב יַנְחֵנִי בְמַעְגְּלֵי־צֶדֶק Ps. 23:3
מְשׁוֹבֶבֶת 697 מְשׁוֹבֶבֶת מֵחֶרֶב מְקֻבֶּצֶת מֵעַמִּים Ezek. 38:8

הָשֵׁב 698 הָשֵׁב תְּשִׁיבֶנּוּ לוֹ Ex. 23:4
699 הָשֵׁב תְּשִׁיבֵם לְאָחִיךָ Deut. 22:1
700 הָשֵׁב תָּשִׁיב לוֹ אֶת־הָעֲבוֹט Deut. 24:13
701 כִּי־הָשֵׁב תָּשִׁיבוּ לוֹ אָשָׁם ISh. 6:3
702 לֹא־יִתְּנֵנִי הָשֵׁב רוּחִי Job 9:18
וְהָשֵׁב 703 וְהָשֵׁב יָשִׁיב לָנוּ אֵת כָּל־הָרָעָה Gen. 50:15
הֶהָשֵׁב 704 הֶהָשֵׁב אָשִׁיב אֶת־בִּנְךָ אֶל־הָאָרֶץ Gen. 24:5
הָשִׁיב 705 וְאִם לֹא־מָצְאָה יָדוֹ דֵּי הָשִׁיב לוֹ Lev. 25:28
706 לְבִלְתִּי הָשִׁיב הַמֶּלֶךְ אֶת־נִדְּחוֹ IISh. 14:13
לְהָשִׁיב 707 לְהָשִׁיב הָאָשָׁם אֵלָיו Num. 5:8
708 לְהָשִׁיב אֶת־אַבְנֵר דָּבָר IISh. 3:11
709 בְּלֶכְתּוֹ לְהָשִׁיב יָדוֹ IISh. 8:3
710/1 לְהָשִׁיב אֶת־הַמֶּלֶךְ IISh. 19:11, 13
712 לְהָשִׁיב אֶת־הַמֶּלֶךְ אֶל־בֵּיתוֹ IISh. 19:12
713 לְהָשִׁיב אֶת־מַלְכִּי IISh. 19:44
714 לְהָשִׁיב אֶת־הָעָם־הַזֶּה דָּבָר IK. 12:6
715 לְהָשִׁיב אֶת־הַמְּלוּכָה לִרְחַבְעָם IK. 12:21
716 וּנְצוּרֵי° יִשְׂרָאֵל לְהָשִׁיב Is. 49:6
717 לְהָשִׁיב בְּחֵמָה אַפּוֹ Is. 66:15
718 לְהָשִׁיב אֶת־חֲמָתְךָ מֵהֶם Jer. 18:20
719 לְהָשִׁיב כְּלֵי בֵית־יְיָ...מִבָּבֶל Jer. 28:6
720 לְהָשִׁיב אֶתְכֶם אֶל־הַמָּקוֹם הַזֶּה Jer. 29:10
721 לְהָשִׁיב יָדְךָ עַל־חֳרָבוֹת Ezek. 38:12
722 וַיַּחְתְּרוּ...לְהָשִׁיב אֶל־הַיַּבָּשָׁה Jon. 1:13
723 וְהִרְבָּה לְהָשִׁיב אַפּוֹ Ps. 78:38
724 לְהָשִׁיב חֲמָתוֹ מֵהַשְׁחִית Ps. 106:23
725 לְהָשִׁיב אֲמָרִים אֱמֶת לְשֹׁלְחֶיךָ Prov. 22:21
726 לְהָשִׁיב נַפְשׁוֹ מִנִּי־שָׁחַת Job 33:30
727 נָתְנוּ מַחֲמַדֵּיהֶם° בְּאֹכֶל לְהָשִׁיב נָפֶשׁ Lam. 1:11
728 וְלֹא־גִלּוּ עַל־עֲוֹנֵךְ לְהָשִׁיב שְׁבוּתֵךְ° Lam. 2:14
729 וַיֹּאמֶר מָרְדֳּכַי לְהָשִׁיב אֶל־אֶסְתֵּר Es. 4:13
730 וַתֹּאמֶר אֶסְתֵּר לְהָשִׁיב אֶל־מָרְדֳּכָי Es. 4:15
731 יִכָּתֵב לְהָשִׁיב אֶת־הַסְּפָרִים Es. 8:5
732 כְתָב אֲשֶׁר־נִכְתָּב...אֵין לְהָשִׁיב Es. 8:8
733 לְהָשִׁיב וְלִבְנוֹת יְרוּשָׁלַםִ Dan. 9:25
734 עַד לְהָשִׁיב חֲרוֹן אַף־אֱלֹהֵינוּ מִמֶּנּוּ Ez. 10:14
735 לְהָשִׁב לְרָשָׁע לָתֵת דַּרְכּוֹ בְּרֹאשׁוֹ IICh. 6:23
736 לְהָשִׁיב לָעָם־הַזֶּה דָּבָר IICh. 10:6
737 לְהָשִׁיב אֶת־הַמַּמְלָכָה לִרְחַבְעָם IICh. 11:1
וּלְהָשִׁיב 738 וּלְהָשִׁיב כַּסְפֵּיהֶם אִישׁ אֶל־שַׂקּוֹ Gen. 42:25
הֲשִׁיבֵנִי 739 לְבִלְתִּי הֲשִׁיבֵנִי בֵּית יְהוֹנָתָן Jer. 38:26
740 אִם־תּוּכַל הֲשִׁיבֵנִי Job 33:5
לַהֲשִׁיבוֹ 741 לַהֲשִׁיבוֹ אֶל־אָבִיו Gen. 37:22
742 הַאוּכַל לַהֲשִׁיבוֹ עוֹד IISh. 12:23
לַהֲשִׁיבָהּ 743 לְדַבֵּר עַל־לִבָּהּ לַהֲשִׁיבָהּ (כת׳ להשיבו)
Jud. 19:3
744 וְלֹא יָכֹל לַהֲשִׁיבָהּ אֵלָיו IK. 13:4
745 נִלְאָה לַהֲשִׁיבָהּ אֶל־פִּיו Prov. 26:15
לַהֲשִׁיבָם 746 אֲשֶׁר־הֵעִידוּ בָם לַהֲשִׁיבָם אֵלֶיךָ Neh. 9:26
747 וַתָּעַד בָּהֶם לַהֲשִׁיבָם אֶל־תּוֹרָתֶךָ Neh. 9:29
748 וַיִּשְׁלַח בָּהֶם נְבִאִ׳ לַהֲשִׁיבָם אֶל־יְיָ IICh. 24:19
וַהֲשִׁבֹתִי 749 וַהֲשִׁבֹתִי אֶתְכֶם דָּבָר Num. 22:8
750 וַהֲשִׁבֹתִי לְךָ אֶת־כָּל־שְׂדֵה שָׁאוּל IISh. 9:7
751 וַהֲשִׁבֹתִי אֶתְהֶן עַל־נְוֵהֶן Jer. 23:3
752 וַהֲשִׁבֹתִי אֶתְכֶם אֶל־הַמָּקוֹם Jer. 29:14
753 וַהֲשִׁבֹתִי אֶת־שְׁבוּת יְהוּדָה Jer. 33:7
754 וַהֲשִׁבֹתִי אֹתָם אֶרֶץ פַּתְרוֹס Ezek. 29:14
755 וַהֲשִׁבֹתִי גְמֻלְכֶם בְּרֹאשְׁכֶם Joel 4:7
756 וַהֲשִׁבֹתִי יָדִי עַל־הַצֹּעֲרִים Zech. 13:7
וַהֲשִׁיבוֹתִי 757 וַהֲשִׁבֹתִי אֶת־יָדִי וָאַעַשׂ Ezek. 20:22
758 וַהֲשִׁיבוֹתִי יָדִי עַל־עֶקְרוֹן Am. 1:8
וַהֲשִׁבֹתִיךָ 759 וַהֲשִׁבֹתִיךָ אֶל־הָאֲדָמָה הַזֹּאת Gen. 28:15

760 וַהֲשִׁבֹתִיךָ בַּדֶּרֶךְ אֲשֶׁר־בָּאתָ בָּהּ IIK.19:28
761 וַהֲשִׁבֹתִיךָ בַּדֶּרֶךְ אֲשֶׁר־בָּאתָ בָּהּ Is.37:29
וַהֲשִׁבֹתִים 762 וַהֲשִׁבֹתִים אִישׁ לְנַחֲלָתוֹ Jer.12:15
763 וַהֲשִׁבֹתִים עַל־אַדְמָתָם Jer.16:15
764 וַהֲשִׁבֹתִים עַל־הָאָרֶץ הַזֹּאת Jer.24:6
765 וַהֲשִׁבֹתִים אֶל־הַמָּקוֹם הַזֶּה Jer.27:22
766 וַהֲשִׁבֹתִים אֶל־הָאָרֶץ...וִירֵשׁוּהָ Jer.30:3
767 וַהֲשִׁבֹתִים אֶל־הַמָּקוֹם הַזֶּה Jer.32:37
768 וַהֲשִׁבֹתִים אֶל־הָעִיר הַזֹּאת Jer.34:22
769 וַהֲשִׁבוֹתִים מֵאֶרֶץ מִצְרַיִם Zech.10:10
הֱשִׁיבוֹתָ 770 הֱשִׁיבוֹתָ מֵחֲרוֹן אַפֶּךָ Ps.85:4
וַהֲשֵׁבֹתָ 771/2 וַהֲשֵׁבֹתָ אֶל־לְבָבֶךָ Deut.4:39; 30:1
וַהֲשֵׁבֹתוֹ 773 וְהָיָה עִמְּךָ...וַהֲשֵׁבֹתוֹ לוֹ Deut.22:2
וַהֲשֵׁבֹתָם 774 וַהֲשֵׁבֹתָם אֶל־הָאֲדָמָה IK.8:34
וַהֲשִׁיבוֹתָם 775 וַהֲשִׁיבוֹתָם אֶל־הָאֲדָמָה IICh.6:25
הֵשִׁיב 776 וְגַם אֶת־לוֹט אָחִיו וּרְכֻשׁוֹ הֵשִׁיב Gen.14:16
777 אֹתִי הֵשִׁיב עַל־כַּנִּי Gen.41:13
778 הֵשִׁיב אֶת־חֲמָתִי מֵעַל בְּנֵי־יִשְׂרָ' Num.25:11
779 וִיהוֹשֻׁעַ לֹא־הֵשִׁיב יָדוֹ Josh.8:26
780 כָּל־רָעַת...הֵשִׁיב אֱלֹ' בְּרֹאשָׁם Jud.9:57
781 וְאֵת רָעַת נָבָל הֵשִׁיב יְיָ בְּרֹאשׁוֹ ISh.25:39
782 הַכֹּל הֵשִׁיב דָּוִד ISh.30:19
783 הֵשִׁיב עָלֶיךָ יְיָ כֹּל דְּמֵי בֵית שָׁאוּל IISh.16:8
784 הוּא הֵשִׁיב אֶת־גְּבוּל יִשְׂרָאֵל IIK.14:25
785 וַאֲשֶׁר הֵשִׁיב אֶת־דַּמֶּשֶׂק...לִיהוּדָה IIK.14:28
786 הֵשִׁיב רְצִין...אֶת־אֵילַת לַאֲרָם IIK.16:6
787 הָעָם אֲשֶׁר הֵשִׁיב מֵאֵת יִשְׁמָעֵאל Jer.41:16
788 וְנָשִׁים...אֲשֶׁר הֵשִׁיב מִגִּבְעוֹן Jer.41:16
789 מֵעָנִי הֵשִׁיב יָדוֹ Ezek.18:17
790 וְרַבִּים הֵשִׁיב מֵעָוֹן Mal.2:6
791 הֵשִׁיב אָחוֹר יְמִינוֹ מִפְּנֵי אוֹיֵב Lam.2:3
792 לֹא־הֵשִׁיב יָדוֹ מִבַּלֵּעַ Lam.2:8
793 אֲשֶׁר הֵשִׁיב אֲמַצְיָהוּ מִלֶּכֶת עִמּוֹ IICh.25:13
794 וְלֹא־כִגְמֻל עָלָיו הֵשִׁיב יְחִזְקִיָּהוּ IICh.32:25
וְהֵשִׁיב 795 וְהֵשִׁיב אֶתְכֶם אֶל־אֶרֶץ אֲבֹתֵיכֶם Gen.48:21
796 וְהֵשִׁיב מֹשֶׁה אֶת־הַמַּסְוֶה עַל־פָּנָיו Ex.34:35
797 וְהֵשִׁיב אֶת־הַגְּזֵלָה אֲשֶׁר גָּזָל Lev.5:23
798 וְהֵשִׁיב אֶת־הָעֹדֵף לָאִישׁ Lev.25:27
799 וְהֵשִׁיב אֶת־אֲשָׁמוֹ בְּרֹאשׁוֹ Num.5:7
800 וְהֵשִׁיב בְּךָ אֵת כָּל־מַדְוֵה מִצְרַיִם Deut.28:60
801 וְהֵשִׁיב יְיָ לִי טוֹבָה תַּחַת קִלְלָתוֹ IISh.16:12
802 וְהֵשִׁיב יְיָ אֶת־דָּמוֹ עַל־רֹאשׁוֹ IK.2:32
803 וְהֵשִׁיב יְיָ אֶת־רָעָתְךָ בְּרֹאשֶׁךָ IK.2:44
804 וְהֵשִׁיב לְמֶלֶךְ־יִשְׂ' מֵאָה־אֶלֶף כָּרִים IIK.3:4
805 וְהֵשִׁיב אֶתְכֶם אֶל־אַדְמַתְכֶם Jer.42:12
806 וְהֵשִׁיב לֵב־אָבוֹת עַל־בָּנִים Mal.3:24
807 וְהֵשִׁיב לְאָדָם כְּפָעֳלוֹ Prov.24:12
808 וְהֵשִׁיב מֵעָלָיו אַפּוֹ Prov.24:18
הֱשִׁיבַנִי 809 מְלֵאָה הָלַכְתִּי וְרֵיקָם הֱשִׁיבַנִי יְיָ Ruth 1:21
810 פָּרַשׂ רֶשֶׁת לְרַגְלַי הֱשִׁיבַנִי אָחוֹר Lam.1:13
וֶהֱשִׁבַנִי 811 אִם־אֶמְצָא חֵן בְּעֵינֵי יְיָ וֶהֱשִׁבַנִי IISh.15:25
וַהֲשִׁיבְךָ 812 וַהֲשִׁיבְךָ עַל־כַּנֶּךָ Gen.40:13
וֶהֱשִׁיבְךָ 813 וֶהֱשִׁיבְךָ יְיָ מִצְרַיִם בָּאֳנִיּוֹת Deut.28:68
הֱשִׁיבוֹ 814 וַיְהִי דְּבַר־יְיָ אֶל־הַנָּבִיא אֲשֶׁר הֱשִׁי' IK.13:20
815 וַיַּחֲבָשׁ־לוֹ הַחֲמוֹר לַנָּבִיא אֲשֶׁר הֱשִׁי' IK.13:23
816 הַנָּבִיא אֲשֶׁר הֱשִׁיבוֹ מִן־הַדֶּרֶךְ IK.13:26
הֱשִׁיבֹנוּ 817 כֶּסֶף...הֱשִׁיבֹנוּ אֵלֶיךָ מֵאֶ' כְּנַעַן Gen.44:8
הֲשֵׁבֹתֶם 818 אֲשֶׁר הֲשֵׁבֹתֶם לוֹ אָשָׁם ISh.6:8
819 וְאֶת־הַנִּדַּחַת לֹא הֲשֵׁבֹתֶם Ezek.34:4
וַהֲשֵׁבֹתֶם 820 וַהֲשֵׁבֹתֶם בְּנֵיהֶם מֵאַחֲרֵיהֶם הַבָּיְתָה ISh.6:7
הֵשִׁיבוּ 821 אֲשֶׁר הֵשִׁיבוּ פְלִשְׁתִּים אָשָׁם לַיְיָ ISh.6:17
822 הֵשִׁבוּ פְלִשְׁתִּים אֶת־אֲרוֹן יְיָ ISh.6:21

823 קַרְנוֹת שֵׁן...הֵשִׁיבוּ אֶשְׁכָּרֵךְ Ezek.27:15
824 זֹאת הֵשִׁיבוּ לוֹ בְּנֵי עַמּוֹן IICh.27:5
וְהֵשִׁיבוּ 825 וְהֵשִׁיבוּ אֶת־הָאֶבֶן עַל־פִּי הַבְּאֵר Gen.29:3
826 וְהֵשִׁיבוּ לַחְמְכֶם בַּמִּשְׁקָל Lev.26:26
827 וְהֵשִׁיבוּ אֹתוֹ...אֶל־עִיר מִקְלָטוֹ Num.35:25
828 וְהֵשִׁיבוּ אֶל־לִבָּם בָּאָרֶץ IK.8:47
829 וְהֵשִׁיבוּ אֶל־לְבָבָם בְּאֶרֶץ IICh.6:37
וֶהֱשִׁיבוּם 830 וֶהֱשִׁיבוּם אֶל־תָּא הָרָצִים IK.14:28
831 וֶהֱשִׁבוּם אֶל־תָּא הָרָצִים IICh.12:11
מֵשִׁיב 832 וְאִם־אֵינְךָ מֵשִׁיב דַּע... Gen.20:7
833 הִנְנִי מֵשִׁיב אֶת־צֵל הַמַּעֲלוֹת Is.38:8
834 מֵשִׁיב חֲכָמִים אָחוֹר וְדַעְתָּם יְסַכֵּל Is.44:25
835/6 אֲנִי מֵשִׁיב אֶל־הַמָּקוֹם הַזֶּה Jer.28:3,4
837 וְהִנֵּה הָאִישׁ...מֵשִׁיב דָּבָר לֵאמֹר Ezek.9:11
838 מֵשִׁיב רָעָה תַּחַת טוֹבָה Prov.17:13
839 מֵשִׁיב דָּבָר בְּטֶרֶם יִשְׁמָע Prov.18:13
840 מֵשִׁיב דְּבָרִים נְכֹחִים Prov.24:26
841 מֵשִׁיב יָגָע וְלֹא יִבְלָע Job 20:18
842 רָחַק מִמֶּנִּי מְנַחֵם מֵשִׁיב נַפְשִׁי Lam.1:16
כְּמֵשִׁיב 843 וַיְהִי כְּמֵשִׁיב יָדוֹ Gen.38:29
לְמֵשִׁיב 844 וְהָיָה לָךְ לְמֵשִׁיב נֶפֶשׁ Ruth 4:15
מְשִׁיבַת־ 845 תּוֹרַת יְיָ תְּמִימָה מְשִׁיבַת נָפֶשׁ Ps.19:8
מְשִׁיבִים 846 אִם־מְשִׁיבִים אַתֶּם אוֹתִי לְהִלָּחֵם Jud.11:9
מְשִׁיבֵי־ 847 מְשִׁיבֵי מִלְחָמָה שָׁעְרָה Is.28:6
848 חָכָם...מִשִּׁבְעָה מְשִׁיבֵי טָעַם Prov.26:16
אָשִׁיב 849 הֶהָשֵׁב אָשִׁיב אֶת־בִּנְךָ אֶל־הָאָרֶץ Gen.24:5
850 אָשִׁיב נָקָם לְצָרָי וְלִמְשַׂנְאַי אֲשַׁלֵּם Deut.32:41
851 מָה־אָשִׁיב שֹׁלְחִי דָּבָר IISh.24:13
852 כִּי לֹא־אָשִׁיב אֶת־פָּנָיִךְ IK.2:20
853 הֶעָרִים אֲשֶׁר־לָקַח־אָבִי...אָשִׁיב IK.20:34
854 כִּי־אָשִׁיב אֶת־שְׁבוּתָם Jer.32:44
855 כִּי־אָשִׁיב אֶת־שְׁבוּת הָאָרֶץ Jer.33:11
856 כִּי־אָשִׁיב (כת' אשוב) אֶת־שְׁבוּתָם Jer.33:26
857 אָשִׁיב אֶת־שְׁבוּת בְּנֵי־עַמּוֹן Jer.49:6
858 אָשִׁיב (כ' אשוב) אֶת־שְׁבוּת° עֵילָם Jer.49:39
859 וְאֶת־הַנִּדַּחַת אָשִׁיב Ezek.34:16
860 עַתָּה אָשִׁיב אֶת־שְׁבוּת° יַעֲקֹב Ezek.39:25
861 וּמַעֲלָלָיו אָשִׁיב לוֹ Hosh.4:9
862 אָשִׁיב (כת' אשוב) אֶת־שְׁבוּת יְהוּדָה Joel 4:1
863 קַל מְהֵרָה אָשִׁיב גְּמֻלְכֶם בְּרֹאשְׁכֶם Joel 4:4
864 וּמָה אָשִׁיב עַל־תּוֹכַחְתִּי Hab.2:1
865 מַגִּיד מִשְׁנֶה אָשִׁיב לָךְ Zech.9:12
866 אָמַר אֲדֹנָי מִבָּשָׁן אָשִׁיב Ps.68:23
867 אָשִׁיב מִמְּצֻלוֹת יָם Ps.68:23
868 אֲשֶׁר לֹא־גָזַלְתִּי אָז אָשִׁיב Ps.69:5
869 וְעַל־צָרֵיהֶם אָשִׁיב יָדִי Ps.81:15
870 מָה־אָשִׁיב לַיְיָ כָּל־תַּגְמוּלוֹהִי עָלָי Ps.116:12
871 אָשִׁיב לָאִישׁ כְּפָעֳלוֹ Prov.24:29
872 זֹאת אָשִׁיב אֶל־לִבִּי Lam.3:21
873 מָה־אָשִׁיב אֶת־שֹׁלְחִי דָּבָר ICh.21:12
וְאָשִׁיב 874 אֶת־שׁוֹר מִי לָקַחְתִּי...וְאָשִׁיב לָכֶם ISh.12:3
וָאָשִׁיב 875 וָאָשִׁיב אֹתָם דָּבָר וָאוֹמַר לָהֶם Neh.2:20
876 וָאָשִׁיב אוֹתָם כַּדָּבָר הַזֶּה Neh.6:4
וָאָשֵׁב 877 וָאָשֵׁב אֹתוֹ דָּבָר כַּאֲשֶׁר עִם־לְבָבִי Josh.14:7
וְאָשִׁיבָה 878 וְאָשִׁיבָה כָל־הָעָם אֵלֶיךָ IISh.17:3
879 וְאָשִׁיבָה יָדִי עָלַיִךְ Is.1:25
880 וְאָשִׁיבָה שֹׁפְטַיִךְ כְּבָרִאשֹׁנָה Is.1:26
881 וְאָשִׁיבָה חֹרְפִי דָבָר Prov.27:11
וָאָשִׁיבָה 882 וָאָשִׁיבָה רַגְלַי אֶל־עֵדֹתֶיךָ Ps.119:59
883 וָאָשִׁיבָה שָּׁם כְּלֵי בֵּית הָאֱלֹהִים Neh.13:9
אֲשִׁיבְךָ 884 אֲנִי אֲשִׁיבְךָ מִלִּין Job 35:4
אֲשִׁיבֶךָּ 885 הֵן קַלֹּתִי מָה אֲשִׁיבֶךָּ Job 40:4

וַאֲשִׁיבְךָ 886 אִם־תָּשׁוּב וַאֲשִׁיבְךָ לְפָנַי תַּעֲמֹד Jer.15:19
אֲשִׁיבֶנּוּ 887 וַאֲנִי אֲשִׁיבֶנּוּ אֵלֶיךָ Gen.42:37
888 וְעַתָּה אֲשִׁיבֶנּוּ לָךְ Jud.17:3
896-889 וְעַל־אַרְבָּעָה לֹא אֲשִׁיבֶנּוּ Am.1:3
1:6, 9, 11, 13; 2:1, 4, 6
897 וְכִי־יִפְקֹד מָה אֲשִׁיבֶנּוּ Job 31:14
898 וּבְאִמְרֵיכֶם לֹא אֲשִׁיבֶנּוּ Job 32:14
אֲשִׁיבֶנָּה 899 וּבֵרֵךְ וְלֹא אֲשִׁיבֶנָּה Num.23:20
תָּשִׁיב 900 פֶּן־תָּשִׁיב אֶת־בְּנִי שָׁמָּה Gen.24:6
901 הָשֵׁב תָּשִׁיב לוֹ אֶת־הָעֲבוֹט Deut.24:13
902 וְאֵיךְ תָּשִׁיב אֵת פְּנֵי פַחַת IIK.18:24
903 וְאֵיךְ תָּשִׁיב אֵת פְּנֵי פַחַת Is.36:9
904 אִם־תָּשִׁיב מִשַּׁבָּת רַגְלֶךָ Is.58:13
905 לָמָּה תָשִׁיב יָדְךָ וִימִינֶךָ Ps.74:11
906 אַף־תָּשִׁיב צוּר חַרְבּוֹ Ps.89:44
907 כִּי־תָשִׁיב אֶל־אֵל רוּחֶךָ Job 15:13
908 תָּשִׁיב לָהֶם גְּמוּל Lam.3:64
תָּשֵׁב 909 רַק אֶת־בְּנִי לֹא תָשֵׁב שָׁמָּה Gen.24:8
910 תָּשֵׁב אֱנוֹשׁ עַד־דַּכָּא Ps.90:3
911 אַל־תָּשֵׁב פְּנֵי מְשִׁיחֶךָ Ps.132:10
912 אַל־תָּשֵׁב פְּנֵי מְשִׁיחֶךָ IICh.6:42
תָּשֶׁב 913 אַל־תָּשֶׁב אֶת־פָּנָי IK.2:20
תְּשִׁבֵנִי 914 וְאַל־תְּשִׁבֵנִי בֵּית יְהוֹנָתָן הַסֹּפֵר Jer.37:20
915 וְאֶל־עָפָר תְּשִׁיבֵנִי Job 10:9
916 כִּי־יָדַעְתִּי מָוֶת תְּשִׁיבֵנִי Job 30:23
תְּשִׁיבֶנּוּ 917 עַד־בֹּא הַשֶּׁמֶשׁ תְּשִׁיבֶנּוּ לוֹ Ex.22:25
918 הָשֵׁב תְּשִׁיבֶנּוּ לוֹ Ex.23:4
תְּשִׁיבֵנוּ 919 תְּשִׁיבֵנוּ אָחוֹר מִנִּי־צָר Ps.44:11
תְּשִׁיבֵם 920 הָשֵׁב תְּשִׁיבֵם לְאָחִיךָ Deut.22:1
תְּשִׁבִי 921 אַל־תְּשִׁבִי אֶת־פָּנָי IK.2:16
יָשִׁיב 922 וְהָשֵׁב יָשִׁיב לָנוּ אֵת כָּל־הָרָעָה Gen.50:15
923 כֶּסֶף יָשִׁיב לִבְעָלָיו Ex.21:34
924 לְפִיהֶן יָשִׁיב גְּאֻלָּתוֹ Lev.25:51
925 כְּפִי שָׁנָיו יָשִׁיב אֶת־גְּאֻלָּתוֹ Lev.25:52
926 וְלֹא־יָשִׁיב אֶת־הָעָם מִצְרַיְמָה Deut.17:16
927 וְנָקָם יָשִׁיב לְצָרָיו Deut.32:43
928 וַיְיָ יָשִׁיב לָאִישׁ אֶת־צִדְקָתוֹ ISh.26:23
929 כְּבֹר יָדַי יָשִׁיב לִי IISh.22:21
930 כִּי לֹא־יָשִׁיב אֶת־פָּנָיִךְ IK.2:17
931 וְלֹא־יָשִׁיב אֶל־לִבּוֹ Is.44:19
932 חֲבֹלָתוֹ חוֹב יָשִׁיב גְּזֵלָה לֹא יִגְזֹל Ezek.18:7
933 מֵעָוֶל יָשִׁיב יָדוֹ Ezek.18:8
934 גְּזֵלוֹת גָּזָל חֲבֹל לֹא יָשִׁיב Ezek.18:12
935 חֲבֹל יָשִׁיב רָשָׁע גְּזֵלָה יְשַׁלֵּם Ezek.33:15
936 כְּמַעֲלָלָיו יָשִׁיב לוֹ Hosh.12:3
937 וְחֶרְפָּתוֹ יָשִׁיב לוֹ אֲדֹנָיו Hosh.12:15
938 כְּבֹר יָדַי יָשִׁיב לִי Ps.18:21
939 יָשִׁיב (כת' ישוב) הָרַע לְשֹׁרְרָי Ps.54:7
940 וּגְמוּל יְדֵי־אָדָם יָשִׁיב (כת' ישוב) לוֹ Prov.12:14
941 מַעֲנֶה־רַּךְ יָשִׁיב חֵמָה Prov.15:1
942 וְנֶפֶשׁ אֲדֹנָיו יָשִׁיב Prov.25:13
943 אֱלוֹהַּ לֹא־יָשִׁיב אַפּוֹ Job 9:13
944 הֲתַאֲמִין בּוֹ כִּי־יָשִׁיב (כת' ישוב) זַרְעֶךָ Job 39:12
945 בִּלְתִּי חֶרְפָּתוֹ יָשִׁיב לוֹ Dan.11:18
וְיָשֵׁב 946 וְיָשֵׁב פָּנָיו לְמָעוּזֵּי אַרְצוֹ Dan.11:19
וַיָּשֶׁב 947 וַיָּשֶׁב אֵת כָּל־הָרְכֻשׁ Gen.14:16
948 וַיָּשֶׁב לוֹ אֵת שָׂרָה אִשְׁתּוֹ Gen.20:14
949 וַיָּשֶׁב אֶת־שַׂר הַמַּשְׁקִים עַל־מַשְׁקֵהוּ Gen.40:21
950 וַיָּשֶׁב יָדוֹ אֶל־חֵיקוֹ Ex.4:7
951 וַיָּשֶׁב יְיָ עֲלֵהֶם אֶת־מֵי הַיָּם Ex.15:19
952 וַיָּשֶׁב מֹשֶׁה אֶת־דִּבְרֵי הָעָם אֶל־יְיָ Ex.19:8

וַיָּשֶׁב (המשך)
953 וַיָּשֶׁב אֱלֹהִים אֵת רָעַת אֲבִימֶלֶךְ Jud. 9:56
954 וַיָּשֶׁב אֶת־אֶלֶף־וּמֵאָה הַכֶּסֶף לְאִמּוֹ Jud. 17:3
955 וַיָּשֶׁב אֶת־הַכֶּסֶף לְאִמּוֹ Jud. 17:4
956 וַיָּשֶׁב יָדוֹ אֶל־פִּיו ISh. 14:27
957 וַיָּשֶׁב־לִי רָעָה תַּחַת טוֹבָה ISh. 25:21
958 וַיָּשֶׁב צָדוֹק...אֶת־אֲרוֹן הָאֱלֹהִים IISh. 15:29
959 וַיָּשֶׁב יְיָ לִי כְּצִדְקָתִי IISh. 22:25
960 וַיָּשֶׁב בְּנָיָהוּ אֶת־הַמֶּלֶךְ דָּבָר IK. 2:30
961 וַיָּשֶׁב אֶת־עָרֵי יִשְׂרָאֵל IIK. 13:25
962 וַיָּשֶׁב לוֹ מִנְחָה IIK. 17:3
963 וַיָּשֶׁב אֶת־הַצֵּל בַּמַּעֲלוֹת IIK. 20:11
964 וַיָּשֶׁב אֶת־הַמֶּלֶךְ דָּבָר IIK. 22:9
965 וַיָּשֶׁב אֹתִי דֶּרֶךְ שַׁעַר הַמִּקְדָּשׁ Ezek. 44:1
966 וַיָּשֶׁב־יְיָ לִי כְצִדְקִי Ps. 18:25
967 וַיָּשֶׁב עֲלֵיהֶם אֶת־אוֹנָם Ps. 94:23
968 וַיָּשֶׁב עֲלֵיהֶם אוֹפָן Prov. 20:26
969 וַיָּשֶׁב לֶאֱנוֹשׁ צִדְקָתוֹ Job 33:26
970 וַיָּשֶׁב חַרְבּוֹ אֶל־נְדָנָהּ ICh. 21:27
971 וַיָּשֶׁב עוֹד אֶת־הַמֶּלֶךְ דָּבָר IICh. 34:16
יְשִׁיבַנִי 972 אִם־יָשׁוֹב° יְשִׁיבֵנִי יְיָ יְרוּשָׁלַםִ IISh. 15:8
וַיְשִׁבֵנִי 973 וַיְשִׁבֵנִי אֶל־פֶּתַח הַבַּיִת Ezek. 47:1
974 וַיְשִׁבֵנִי שְׂפַת הַנָּחַל Ezek. 47:6
יְשִׁיבֶנּוּ 975 הֵן יַחְתֹּף מִי יְשִׁיבֶנּוּ Job 9:12
976 וְיַקְהִיל וּמִי יְשִׁיבֶנּוּ Job 11:10
977 וְהוּא בְאֶחָד וּמִי יְשִׁיבֶנּוּ Job 23:13
וַיְשִׁיבֵהוּ 978 וַיַּנִּחֵהוּ אֶל־הַחֲמוֹר וַיְשִׁיבֵהוּ IK. 13:29
979 וַיְשִׁיבֵהוּ יְרוּשָׁלַםִ לְמַלְכוּתוֹ IICh. 33:13
וַיְשִׁבֶהָ 980 הוּא בָּנָה אֶת־אֵילַת וַיְשִׁבֶהָ לִיהוּדָה IIK. 14:22
981 בָּנָה אֶת־אֵילוֹת וַיְשִׁיבֶהָ לִיהוּדָה IICh. 26:2
יְשִׁיבֶנָּה 982 וְיָדוֹ הַנְּטוּיָה וּמִי יְשִׁיבֶנָּה Is. 14:27
983 אֶפְעַל וּמִי יְשִׁיבֶנָּה Is. 43:13
984 תַּאֲנָתָהּ מִי יְשִׁיבֶנָּה Jer. 2:24
985 גַּם־אֶל־פִּיהוּ לֹא יְשִׁיבֶנָּה Prov. 19:24
וַיְשִׁיבֵם 986 וַיְשִׁיבֵם אֶל־יְיָ אֱלֹהֵי אֲבוֹתֵיהֶם IICh. 19:4
תָּשִׁיב 987 אַף־הִיא תָּשִׁיב אֲמָרֶיהָ לָהּ Jud. 5:29
נָשִׁיב 988 מָה הָאָשָׁם אֲשֶׁר נָשִׁיב לוֹ ISh. 6:4
989 וַיֹּאמְרוּ נָשִׁיב וּמֵהֶם לֹא נְבַקֵּשׁ Neh. 5:12
וְנָשִׁיב 990 וְנָשִׁיב דָּבָר אֶת־הָעָם IK. 12:9
991 וְנָשִׁיב דָּבָר אֶת־הָעָם IICh. 10:9
וַנָּשֶׁב 992 וַנָּשֶׁב אֹתוֹ בְּיָדֵנוּ Gen. 43:21
תָּשִׁיבוּ 993 וְאֶת־הַכֶּסֶף...תָּשִׁיבוּ בְיֶדְכֶם Gen. 43:12
994 כִּי־הָשֵׁב תָּשִׁיבוּ לוֹ אָשָׁם ISh. 6:3
וַתָּשִׁבוּ 995 וַתָּשִׁבוּ אִישׁ אֶת־עַבְדּוֹ Jer. 34:16
יָשִׁיבוּ 996 כָּל־קָרְבָּנָם...אֲשֶׁר יָשִׁיבוּ לִי Num. 18:9
997 הַיּוֹם יָשִׁיבוּ לִי...אֵת מַמְלְכוּת אָבִי IISh. 16:3
998 מַלְכֵי תַרְשִׁישׁ וְאִיִּים מִנְחָה יָשִׁיבוּ Ps. 72:10
999 וַחֲכָמִים יָשִׁיבוּ אָף Prov. 29:8
וְיָשִׁבוּ 1000 וְיָשִׁבוּ אֹתָנוּ דָּבָר Deut. 1:22
1001 וְאֶשְׁאָלֵם וְיָשִׁיבוּ דָבָר Is. 41:28
1002 בִּקְשׁוּ אֹכֶל לָמוֹ וְיָשִׁיבוּ אֶת־נַפְשָׁם Lam. 1:19
וַיָּשִׁיבוּ 1003 וַיָּשִׁיבוּ אֹתָם דָּבָר Num. 13:26
1004 וַיָּשִׁבוּ אֹתָנוּ דָבָר וַיֹּאמְרוּ Deut. 1:25
1005 וַיָּשִׁבוּ אוֹתָם דָּבָר Josh. 22:32
1006 וַיָּשִׁבוּ אֹתוֹ לִמְקוֹמוֹ ISh. 5:3
1007 וַיָּשִׁבוּ אֹתוֹ מִבּוֹר הַסִּרָה IISh. 3:26
1008 וַיָּשִׁבוּ הָעָם אֶת־הַמֶּלֶךְ דָּבָר IK. 12:16
1009 וַיָּשִׁבוּ אֶת־הַמֶּלֶךְ דָּבָר IIK. 22:20
1010 וַיָּשִׁבוּ אֶת־הָעֲבָדִים וְאֶת... Jer. 34:11
1011 וַיָּשִׁיבוּ הָעָם אֶת־הַמֶּלֶךְ לֵאמֹר IICh. 10:16
1012 וַיָּשִׁיבוּ אֶת־הַמֶּלֶךְ דָּבָר IICh. 34:28
יְשִׁיבוּנִי 1013 לָכֵן שְׂעִפַּי יְשִׁיבוּנִי Job 20:2
וַיְשִׁיבֻהוּ 1014 וַיִּשָּׂאֻהוּ וַיְשִׁיבֻהוּ אֶל־מְקֹמוֹ IICh. 24:11
וַיְשִׁיבֻהוּ 1015 וַיְשִׁבֻהוּ הָעָם דָּבָר ISh. 17:30
1016 וַיֵּלְכוּ הַמַּלְאָכִים וַיְשִׁבֻהוּ דָּבָר IK. 20:9
וִישִׁבוּם 1017 וִישִׁבוּם מִדַּרְכָּם הָרָע Jer. 23:22
תָּשֵׁבְנָה 1018 וְיָדָיו תָּשֵׁבְנָה אוֹנוֹ Job 20:10
הָשֵׁב 1019 וְעַתָּה הָשֵׁב אֵשֶׁת־הָאִישׁ Gen. 20:7
1020 הָשֵׁב יָדְךָ אֶל־חֵיקֶךָ Ex. 4:7
1021 הָשֵׁב אֶת־מַטֵּה אַהֲרֹן Num. 17:25
1022 הָשֵׁב אֶת־הָאִישׁ וְיָשֹׁב אֶל־מְקוֹמוֹ ISh. 29:4
1023 וְלֵךְ הָשֵׁב אֶת־הַנַּעַר IISh. 14:21
1024 הָשֵׁב אֶת־אֲרוֹן הָאֱלֹהִים הָעִיר IISh. 15:25
1025 הָשִׁיב אֶת־כָּל־אֲשֶׁר־לָהּ IIK. 8:6
1026 הָשֵׁב יָדְךָ כְּבוֹצֵר עַל־סַלְסִלּוֹת Jer. 6:9
1027 הָשֵׁב גְּמוּלָם לָהֶם Ps. 28:4
1028 הָשֵׁב גְּמוּל עַל־גֵּאִים Ps. 94:2
הָשַׁב 1029 מְשִׁסָּה וְאֵין־אֹמֵר הָשַׁב Is. 42:22
1030 הָשַׁב אֶל־תַּעְרָהּ Ezek. 21:35
וְהָשֵׁב 1031 שׁוּב וְהָשֵׁב אֶת־אַחֶיךָ עִמָּךְ IISh. 15:20
1032 וְהָשֵׁב לִשְׁכֵנֵינוּ שִׁבְעָתַיִם אֶל־חֵיקָם Ps. 79:12
1033 וְהָשֵׁב חֶרְפָּתָם אֶל־רֹאשָׁם Neh. 3:36
הָשִׁיבָה 1034 וְעַתָּה הָשִׁיבָה אֶתְהֶן בְּשָׁלוֹם Jud. 11:13
1035 הָשִׁיבָה נַפְשִׁי מִשֹּׁאֵיהֶם Ps. 35:17
1036 הָשִׁיבָה לִּי שְׂשׂוֹן יִשְׁעֶךָ Ps. 51:14
הֲשִׁיבֵנִי 1037 הֲשִׁבֵנִי וְאָשׁוּבָה כִּי אַתָּה יְיָ Jer. 31:17
1038 אִם־יֵשׁ־מִלִּין הֲשִׁיבֵנִי Job 33:32
וַהֲשִׁבֵנִי 1039 לֶךְ־נָא...וַהֲשִׁבֵנִי דָּבָר Gen. 37:14
1040 ...אוֹ־אֲדַבֵּר וַהֲשִׁיבֵנִי Job 13:22
הֲשִׁבֵהוּ 1041 הֲשִׁבֵהוּ אִתְּךָ אֶל־בֵּיתֶךָ IK. 13:18
וַהֲשִׁיבֵהוּ 1042 קַח...וַהֲשִׁיבֵהוּ אֶל־אָמֹן IK. 22:26
הֲשִׁיבֵנוּ 1043 אֱלֹהִים הֲשִׁיבֵנוּ Ps. 80:4
1044 אֱלֹהִים צְבָאוֹת הֲשִׁיבֵנוּ Ps. 80:8
1045 יְיָ אֱלֹהִים צְבָאוֹת הֲשִׁיבֵנוּ Ps. 80:20
1046 הֲשִׁיבֵנוּ יְיָ אֵלֶיךָ וְנָשׁוּבָה° Lam. 5:21
הָשִׁיבוּ 1047 הָשִׁיבוּ פוֹשְׁעִים עַל־לֵב Is. 46:8
1048 וּמֵעַל כָּל־תּוֹעֲבֹתֵיכֶם הָשִׁיבוּ פְנֵיכֶם Ezek. 14:6
1049 הָשִׁיבוּ נָא לָהֶם כְּהַיּוֹם שְׂדֹתֵיהֶם Neh. 5:11
וְהָשִׁיבוּ 1050 שׁוּבוּ וְהָשִׁיבוּ מֵעַל גִּלּוּלֵיכֶם Ezek. 14:6
1051 שׁוּבוּ וְהָשִׁיבוּ מִכָּל־פִּשְׁעֵיכֶם Ezek. 18:30
1052 וְהָשִׁיבוּ וִחְיוּ Ezek. 18:32
1053 שְׁמָעוּנִי וְהָשִׁיבוּ הַשִּׁבְיָה IICh. 28:11
וַהֲשִׁיבֻהוּ 1054 וַהֲשִׁיבֻהוּ אֶל־אָמוֹן שַׂר־הָעִיר IICh. 18:25
הוּשַׁב 1055 וַיֹּאמֶר אֶל־אֶחָיו הוּשַׁב כַּסְפִּי Gen. 42:28
הַמּוּשָׁב 1056 וְאֶת־הַכֶּסֶף הַמּוּשָׁב... Gen. 43:12
הַמּוּשָׁב 1057 הָאָשָׁם הַמּוּשָׁב לַייָ לַכֹּהֵן Num. 5:8
מוּשָׁבִים 1058 כְּלֵי בֵית־יְיָ מוּשָׁבִים מִבָּבֶלָה Jer. 27:16
וַיּוּשַׁב 1059 וַיּוּשַׁב אֶת־מֹשֶׁה...אֶל־פַּרְעֹה Ex. 10:8

שׁוּבָאֵל שפ״ז א) לוי מבני עמרם (הוא שְׁבוּאֵל): 1, 2
ב) מבני הימן המשורר לדוד: 3
שׁוּבָאֵל 1 לִבְנֵי עַמְרָם שׁוּבָאֵל ICh. 24:20
2 לִבְנֵי שׁוּבָאֵל יֶחְדְּיָהוּ ICh. 24:20
3 לִשְׁלֹשָׁה עָשָׂר שׁוּבָאֵל ICh. 25:20

שׁוֹבָב[1] ת׳ פָּרוּעַ, הולך בשרירות לבו: 1-3
בָּנִים שׁוֹבָבִים 2, 3
שׁוֹבָב 1 וַיֵּלֶךְ שׁוֹבָב בְּדֶרֶךְ לִבּוֹ Is. 57:17
שׁוֹבָבִים 2/3 שׁוּבוּ בָנִים שׁוֹבָבִים Jer. 3:14, 22

שׁוֹבָב[2] שפ״ז א) מבני דוד מאשתו בת־שבע: 1, 3, 4
ב) בן כלב בן חצרון: 2
וְשׁוֹבָב 1 שַׁמּוּעַ וְשׁוֹבָב וְנָתָן וּשְׁלֹמֹה IISh. 5:14
2 יֵשֶׁר וְשׁוֹבָב וְאַרְדּוֹן ICh. 2:18
3 שִׁמְעָא וְשׁוֹבָב וְנָתָן וּשְׁלֹמֹה ICh. 3:5
4 שַׁמּוּעַ וְשׁוֹבָב נָתָן וּשְׁלֹמֹה ICh. 14:4

שׁוֹבֵב ת׳ שׁוֹבָב, פרוע: 1-3 • הַבַּת הַשּׁוֹבֵבָה 2, 3
לְשׁוֹבֵב (?) 1 לְשׁוֹבֵב שָׂדֵינוּ יְחַלֵּק Mic. 2:4
הַשּׁוֹבֵבָה 2 עַד־מָתַי תִּתְחַמָּקִין הַבַּת הַשּׁוֹבֵבָה Jer. 31:21
3 זָב עִמְקֵךְ הַבַּת הַשּׁוֹבֵבָה Jer. 49:4

שׁוּבָה נ׳ מתינות, נחת־רוח
בְּשׁוּבָה 1 בְּשׁוּבָה וָנַחַת תִּוָּשֵׁעוּן Is. 30:15

שׁוֹבַי* שפ״ז – מן השוערים עולי הגולה: 1, 2
שֹׁבָי 1 בְּנֵי חֲטִיטָא בְּנֵי שֹׁבָי Ez. 2:42
2 בְּנֵי חֲטִיטָא בְּנֵי שֹׁבָי Neh. 7:45

שֹׁבִי שפ״ז – איש מרבת בני־עמון
וְשֹׁבִי 1 וְשֹׁבִי בֶן־נָחָשׁ מֵרַבַּת בְּנֵי־עַמּוֹן IISh. 17:27

שׁוֹבָךְ שפ״ז – שר צבא הדדעזר מלך צובה: 1, 2
[עין גם שׁוֹפָךְ]
שׁוֹבַךְ 1 וְאֵת שׁוֹבַךְ שַׂר־צְבָאוֹ הִכָּה IISh. 10:18
וְשׁוֹבַךְ 2 וְשׁוֹבַךְ שַׂר־צְבָא הֲדַדְעֶזֶר IISh. 10:16

שׂוֹבֶךְ ז׳ סבך ענפים
שׂוֹבֶךְ־ 1 תַּחַת שׂוֹבֶךְ הָאֵלָה הַגְּדוֹלָה IISh. 18:9

שׁוֹבָל שפ״ז א) מאלופי שֵׂעִיר: 1-3, 6, 7
ב) מבני כָלֵב בן חור מיהודה: 4, 5, 8, 9
שׁוֹבָל 1 וְאֵלֶּה בְּנֵי שׁוֹבָל עַלְוָן וּמָנַחַת Gen. 36:23
2 אַלּוּף לוֹטָן אַלּוּף שׁוֹבָל Gen. 36:29
3 בְּנֵי שׁוֹבָל עַלְיָן וּמָנַחַת ICh. 1:40
4 שׁוֹבָל אֲבִי קִרְיַת יְעָרִים ICh. 2:50
5 וּרְאָיָה בֶן־שׁוֹבָל הוֹלִיד אֶת־יַחַת ICh. 4:2
6/7 לוֹטָן וְשׁוֹבָל וְצִבְעוֹן Gen. 36:20 • ICh. 1:38
וְשׁוֹבָל 8 בְּנֵי יְהוּדָה...וְחוּר וְשׁוֹבָל ICh. 4:1
לְשׁוֹבָל 9 וַיִּהְיוּ בָנִים לְשׁוֹבָל ICh. 2:52

שׁוֹבֵק שפ״ז – מן החותמים על האמנה בימי נחמיה
שׁוֹבֵק 1 הַלּוֹחֵשׁ פִּלְחָא שׁוֹבֵק Neh. 10:25

שׂוּג : נָשׂוֹג; שִׂיג(?)

(שׂוּג) נָשׂוֹג נפ׳ נסוג, נרתע [עין גם (סוג)]
נָשׂוֹג 1 קֶשֶׁת יְהוֹנָתָן לֹא נָשׂוֹג אָחוֹר IISh. 1:22

שׁוֹדֵד ז׳ גזלן, חומס: 1-15 [עין גם שָׁדַד]
שׁוֹדְדֵי לַיְלָה 15
שׁוֹדֵד 1 הֱוִי־סֵתֶר לָמוֹ מִפְּנֵי שׁוֹדֵד Is. 16:4
2 כַּהֲתִמְךָ שׁוֹדֵד תּוּשַּׁד Is. 33:1
3 הֵבֵאתִי לָהֶם...שֹׁדֵד בַּצָּהֳרָיִם Jer. 15:8
4 וְיָבֹא שֹׁדֵד אֶל־כָּל־עִיר Jer. 48:8
5 כִּי־שֹׁדֵד מוֹאָב עָלָה בָךְ Jer. 48:18
6 עַל־קֵיצֵךְ...שֹׁדֵד נָפָל Jer. 48:32
7 כִּי בָא עָלֶיהָ עַל־בָּבֶל שׁוֹדֵד Jer. 51:56
8 בַּשָּׁלוֹם שׁוֹדֵד יְבוֹאֶנּוּ Job 15:21
הַשֹּׁדֵד 9 כִּי פִתְאֹם יָבֹא הַשֹּׁדֵד עָלֵינוּ Jer. 6:26
וְהַשּׁוֹדֵד 10 הַבּוֹגֵד בּוֹגֵד וְהַשּׁוֹדֵד שׁוֹדֵד Is. 21:2
שֹׁדְדִים 11 עַל־כָּל־שְׁפָיִם בַּמִּדְבָּר בָּאוּ שֹׁדְדִים Jer. 12:12
12 מֵאִתִּי יָבֹאוּ שֹׁדְדִים לָהּ Jer. 51:53
הַשּׁוֹדְדִים 13 מִצָּפוֹן יָבוֹא־לָהּ הַשּׁוֹדְדִים Jer. 51:48
לְשֹׁדְדִים 14 יִשְׁלָיוּ אֹהָלִים לְשֹׁדְדִים Job 12:6
שֹׁדְדֵי־ 15 אִם־גַּנָּבִים בָּאוּ־לְךָ אִם־שׁוֹדְדֵי לַיְלָה Ob. 5

שוה : שָׁוָה, שָׁוָה, הִשְׁוָה, נִשְׁתָּוָה; ש״פ שָׁוֶה, יִשְׁוֶה, יִשְׁוִי; אר׳ שַׁוִּי, אִשְׁתַּוָּה

שָׁוָה פ׳ א) היה ראוי: 1-4
ב) דמה, היה כמו־: 5-8
ג) [פ׳ שִׁוָּה] דמה, תאר, הציג: 9-13, 15-18
ד) [כנ״ל השוה, ישר החליק(?): 14
ה) [הפ׳ הִשְׁוָה] דמה, הקביל: 19, 20
ו) [הת׳ הִשְׁתַּוָּה?] דמה, היה שוה: 21

שָׁוָה 1 וְיָשָׁר הֶעֱוֵיתִי וְלֹא־שָׁוָה לִי Job 33:27
שֹׁוֶה 2 וְלַמֶּלֶךְ אֵין־שֹׁוֶה לְהַנִּיחָם Es. 3:8
3 וְכָל־זֶה אֵינֶנּוּ שֹׁוֶה לִי Es. 5:13
4 כִּי אֵין הַצָּר שֹׁוֶה בְּנֵזֶק הַמֶּלֶךְ Es. 7:4
וְאֶשְׁוֶה 5 וְאֶל־מִי תְדַמְּיוּנִי וְאֶשְׁוֶה Is. 40:25
תִּשְׁוֶה 6 פֶּן־תִּשְׁוֶה־לּוֹ גַם־אָתָּה Prov. 26:4
יִשְׁווּ 7 וְכָל־חֲפָצֶיךָ לֹא יִשְׁווּ־בָהּ Prov. 3:15
8 וְכָל־חֲפָצִים לֹא יִשְׁווּ־בָהּ Prov. 8:11
שִׁוִּיתִי 9 שִׁוִּיתִי עַד־בֹּקֶר Is. 38:13
10 שִׁוִּיתִי יְיָ לְנֶגְדִּי תָמִיד Ps. 16:8
11 שִׁוִּיתִי עֵזֶר עַל־גִּבּוֹר Ps. 89:20
12 מִשְׁפָּטֶיךָ שִׁוִּיתִי Ps. 119:30
13 אִם־לֹא שִׁוִּיתִי וְדוֹמַמְתִּי נַפְשִׁי Ps. 131:2
שִׁוָּה 14 הֲלוֹא אִם־שִׁוָּה פָנֶיהָ Is. 28:25
מְשַׁוֶּה 15 מְשַׁוֶּה רַגְלַי כָּאַיָּלוֹת IISh. 22:34
16 מְשַׁוֶּה רַגְלַי כָּאַיָּלוֹת Ps. 18:34
תְּשַׁוֶּה 17 הוֹד וְהָדָר תְּשַׁוֶּה עָלָיו Ps. 21:6
יְשַׁוֶּה 18 גֶּפֶן בּוֹקֵק יִשְׂרָאֵל פְּרִי יְשַׁוֶּה־לּוֹ Hosh. 10:1
אַשְׁוֶה 19 מָה אַשְׁוֶה־לָּךְ וַאֲנַחֲמֵךְ Lam. 2:13
וְתַשְׁווּ 20 לְמִי תְדַמְּיוּנִי וְתַשְׁווּ Is. 46:5
נִשְׁתָּוָה 21 דֶּלֶף טוֹרֵד...וְאֵשֶׁת מִדְיָנִים נִשְׁתָּוָה Prov. 27:15

(שוה) שַׁוִּי פ׳ ארמית א) דמה: 1
ב) [אתפ׳ אִשְׁתַּוָּה] נעשה: 2
שַׁוִּיו 1 וְלִבְבֵהּ עִם־חֵיוְתָא שַׁוִּיו (כת׳ שוי) Dan. 5:21
יִשְׁתַּוֵּה 2 וּבַיְתֵהּ נְוָלִי יִשְׁתַּוֵּה Dan. 3:29

שָׁוֵה קִרְיָתַיִם ש״פ – מישור ליד העיר קִרְיָתַיִם בדרום עבר הירדן המזרחי
בְּשָׁוֵה קִר׳ 1 וַיַּכּוּ...וְאֵת הָאֵימִים בְּשָׁוֵה קִרְיָתָיִם Gen. 14:5

(עֵמֶק) שָׁוֵה – עין עֵמֶק שָׁוֵה (באות ע׳)

(שוח) שָׁח פ׳ שפל, שקע – עין שָׁחַח

שׁוּחַ שפ״ז – בן אברהם וקטורה: 1, 2
שׁוּחַ 1 וַתֵּלֶד לוֹ...וְאֶת־יִשְׁבָּק וְאֶת־שׁוּחַ Gen. 25:2
וְשׁוּחַ 2 ...וּמִדְיָן וְיִשְׁבָּק וְשׁוּחַ ICh. 1:32

(שוח) שָׂח פ׳ טיל
לָשׂוּחַ 1 וַיֵּצֵא יִצְחָק לָשׂוּחַ בַּשָּׂדֶה לִפְנוֹת עָרֶב Gen. 24:63

שׁוּחָה[1] נ׳ בור: 1-5 • קרובים: ראה בּוֹר
שׁוּחָה עֲמֻקָּה 3, 4; כָּרָה שׁוּחָה 1, 2
שׁוּחָה 1 כִּי־כָרוּ שׁוּחָה לְנַפְשִׁי Jer. 18:20
2 כִּי־כָרוּ שׁוּחָה (כת׳ שיחה) לְלָכְדֵנִי Jer. 18:22
3 שׁוּחָה עֲמֻקָּה פִּי זָרוֹת Prov. 22:14
4 כִּי־שׁוּחָה עֲמֻקָּה זוֹנָה Prov. 23:27
וְשׁוּחָה 5 בְּאֶרֶץ עֲרָבָה וְשׁוּחָה Jer. 2:6

שׁוּחָה[2] שפ״ז – איש מצאצאי יהודה
שׁוּחָה 1 וּכְלוּב אֲחִי־שׁוּחָה הוֹלִיד ICh. 4:11

שׁוּחִי ת׳ המתיחס על בית שׁוּחַ: 1-5
הַשּׁוּחִי 1/2 אֱלִיפַז...וּבִלְדַּד הַשּׁוּחִי Job 2:11; 42:9
3 וַיַּעַן בִּלְדַּד הַשּׁוּחִי וַיֹּאמַר Job 8:1
4/5 וַיַּעַן בִּלְדַּד הַשֻּׁחִי וַיֹּאמַר Job 18:1; 25:1

שׁוּחָם שפ״ז – בן דן בן יעקב
לְשׁוּחָם 1 לְשׁוּחָם מִשְׁפַּחַת הַשּׁוּחָמִי Num. 26:42

שׁוּחָמִי ת׳ המתיחס על בית שׁוּחָם: 1, 2
הַשּׁוּחָמִי 1 לְשׁוּחָם מִשְׁפַּחַת הַשּׁוּחָמִי Num. 26:42
2 כָּל־מִשְׁפְּחֹת הַשּׁוּחָמִי לִפְקֻדֵיהֶם Num. 26:43

שׂוּט : שָׂט

(שוט) שָׂט פ׳ שטה, נטה, סר
וְשָׂטֵי־ 1 וְלֹא־פָנָה אֶל־רְהָבִים וְשָׂטֵי כָזָב Ps. 40:5

שׁוּט : שָׁט, שׁוֹטֵט, הִתְשׁוֹטֵט; שׁוֹט, שׁוֹטֵט, שַׁיִט, מָשׁוֹט, מִשּׁוֹט

(שוט) שָׁט פ׳ א) התהלך לכאן ולכאן: 1-3, 6, 7
ב) הפליג במים: 4, 5
ג) [פ׳ שׁוֹטֵט] נע הרבה, נע ונד: 8-12
ד) [הת׳ הִתְשׁוֹטֵט] התרוצץ: 13
מִשּׁוּט 1 מִשּׁוּט בָּאָרֶץ וּמֵהִתְהַלֵּךְ בָּהּ Job 1:7
2 מִשֻּׁט בָּאָרֶץ וּמֵהִתְהַלֵּךְ בָּהּ Job 2:2
שָׁטוּ 3 שָׁטוּ הָעָם וְלָקְטוּ וְטָחֲנוּ בָרֵחַיִם Num. 11:8
שָׁטִים 4 יֹשְׁבֵי צִידוֹן וְאַרְוַד הָיוּ שָׁטִים לָךְ Ezek. 27:8
הַשָּׁטִים 5 בְּמַיִם רַבִּים הֱבִאוּךְ הַשָּׁטִים אֹתָךְ Ezek. 27:26
וַיָּשֻׁטוּ 6 וַיָּשֻׁטוּ בְּכָל־הָאָרֶץ וַיָּבֹאוּ IISh. 24:8
שׁוּט 7 שׁוּט־נָא בְּכָל־שִׁבְטֵי יִשְׂרָאֵל IISh. 24:2
מְשׁוֹטְטִים 8 עֵינֵי יְיָ הֵמָּה מְשׁוֹטְטִים בְּכָל־הָאָרֶץ Zech. 4:10
מְשֹׁטְטוֹת 9 כִּי יְיָ עֵינָיו מְשֹׁטְטוֹת בְּכָל־הָאָרֶץ IICh. 16:9
יְשׁוֹטְטוּ 10 יְשׁוֹטְטוּ לְבַקֵּשׁ אֶת־דְּבַר־יְיָ Am. 8:12
11 יְשֹׁטְטוּ רַבִּים וְתִרְבֶּה הַדָּעַת Dan. 12:4
שׁוֹטְטוּ 12 שׁוֹטְטוּ בְּחוּצוֹת יְרוּשָׁלַם וּרְאוּ־נָא Jer. 5:1
וְהִתְשׁוֹטַטְנָה 13 וְהִתְשׁוֹטַטְנָה בַּגְּדֵרוֹת Jer. 49:3

שׁוֹט ז׳ שֵׁבֶט להלקאה: 1-11 • קרובים: ראה מַטֶּה
שׁוֹט שׁוֹטֵף 2, 3; שׁוֹט לָשׁוֹן 7; קוֹל שׁוֹט 4
שׁוֹט 1 וְעוֹרֵר עָלָיו יְיָ צְבָאוֹת שׁוֹט Is. 10:26
2/3 שׁוֹט (כת׳ שיט) שׁוֹטֵף כִּי־יַעֲבֹר Is. 28:15, 18
4 קוֹל שׁוֹט וְקוֹל רַעַשׁ אוֹפָן Nah. 3:2
5 שׁוֹט לַסּוּס מֶתֶג לַחֲמוֹר Prov. 26:3
6 אִם־שׁוֹט יָמִית פִּתְאֹם Job 9:23
בְּשׁוֹט־ 7 בְּשׁוֹט לָשׁוֹן תֵּחָבֵא Job 5:21
בַּשּׁוֹטִים 8/9 אָבִי יִסַּר אֶתְכֶם בַּשּׁוֹטִים IK. 12:11, 14
10/1 אָבִי יִסַּר אֶתְכֶם בַּשּׁוֹטִים IICh. 10:11, 14

שׁוֹטֵט ז׳ שוט, מקל חובלים
וּלְשֹׁטֵט 1 וּלְשֹׁטֵט בְּצִדֵּיכֶם וְלִצְנִנִים בְּעֵינֵיכֶם Josh. 23:13

שׁוֹטֵר ז׳ ממונה על הסדר ועל קיום פקודות ראשי העם ושופטיו: 1-25
שׁוֹפְטִים וְשׁוֹטְרִים 4-6, 13, 21, 22; שׁוֹטְרֵי בְּנֵי יִשְׂרָאֵל 14-16; שׁוֹטְרֵי הָעָם 17
שׁוֹטֵר 1 אֲשֶׁר אֵין־לָהּ קָצִין שֹׁטֵר וּמֹשֵׁל Prov. 6:7
הַשּׁוֹטֵר 2 יְעִיאֵל הַסּוֹפֵר וּמַעֲשֵׂיָהוּ הַשּׁוֹטֵר IICh. 26:11
וְשֹׁטְרִים 3 שָׂרֵי אֲלָפִים...וְשֹׁטְרִים לְשִׁבְטֵיכֶם Deut. 1:15
4 שֹׁפְטִים וְשֹׁטְרִים תִּתֶּן־לְךָ Deut. 16:18
5 וּזְקֵנָיו וְשֹׁטְרִים וְשֹׁפְטָיו Josh. 8:33
6 וְשֹׁטְרִים וְשֹׁפְטִים שֵׁשֶׁת אֲלָפִים ICh. 23:4
7 וְשֹׁטְרִים הַלְוִיִּם לִפְנֵיכֶם IICh. 19:11
8 סוֹפְרִים וְשֹׁטְרִים וְשׁוֹעֲרִים IICh. 34:13
הַשֹּׁטְרִים 9 וְדִבְּרוּ הַשֹּׁטְרִים אֶל־הָעָם לֵאמֹר Deut. 20:5
10 וְיָסְפוּ הַשֹּׁטְרִים לְדַבֵּר אֶל־הָעָם Deut. 20:8
11 וְהָיָה כְּכַלֹּת הַשֹּׁטְרִים לְדַבֵּר אֶל־הָעָם Deut. 20:9
12 וַיַּעַבְרוּ הַשֹּׁטְרִים בְּקֶרֶב הַמַּחֲנֶה Josh. 3:2
לְשֹׁטְרִים 13 לְשֹׁטְרִים וּלְשֹׁפְטִים ICh. 26:29
שֹׁטְרֵי־ 14 וַיֻּכּוּ שֹׁטְרֵי בְּנֵי יִשְׂרָאֵל Ex. 5:14
15 וַיָּבֹאוּ שֹׁטְרֵי בְּנֵי יִשְׂרָאֵל וַיִּצְעֲקוּ Ex. 5:15
16 וַיִּרְאוּ שֹׁטְרֵי בְנֵי־יִשְׂרָאֵל אֹתָם בְּרָע Ex. 5:19
17 וַיְצַו יְהוֹשֻׁעַ אֶת־שֹׁטְרֵי הָעָם לֵאמֹר Josh. 1:10
שֹׁטְרָיו 18 אֶת־הַנֹּגְשִׂים בָּעָם וְאֶת־שֹׁטְרָיו Ex. 5:6
וְשֹׁטְרָיו 19 וַיֵּצְאוּ נֹגְשֵׂי הָעָם וְשֹׁטְרָיו Ex. 5:10
20 כִּי־הֵם זִקְנֵי הָעָם וְשֹׁטְרָיו Num. 11:16
וּלְשֹׁטְרָיו 21/2 לִרְאשָׁיו וּלְשֹׁפְטָיו וּלְשֹׁטְרָיו Josh. 23:2; 24:1
וְשֹׁטְרֵיכֶם 23 רָאשֵׁיכֶם...זִקְנֵיכֶם וְשֹׁטְרֵיכֶם Deut. 29:9
24 זִקְנֵי שִׁבְטֵיכֶם וְשֹׁטְרֵיכֶם Deut. 31:28
וְשֹׁטְרֵיהֶם 25 וְשֹׁטְרֵיהֶם הַמְשָׁרְתִים אֶת־הַמֶּלֶךְ ICh. 27:1

שׂוֹךְ : שָׂךְ, שׂוֹכֵךְ; שׂוֹךְ, שׂוֹכָה, מְשׂוּכָה; ש״פ שְׂכָיָה, שׂוֹכוֹ, שׂוֹכָתִים

(שוך) שָׂךְ פ׳ גדר: 1, 2
שַׂכְתָּ 1 הֲלֹא־אַתָּ שַׂכְתָּ בַעֲדוֹ Job 1:10
שָׂךְ 2 הִנְנִי־שָׂךְ אֶת־דַּרְכֵּךְ בַּסִּירִים Hosh. 2:8

שׂוֹךְ ז׳ ענף מסובך
שׂוֹכוֹ 1 וַיִּכְרְתוּ גַם־כָּל־הָעָם אִישׁ שׂוֹכֹה Jud. 9:49

שׂוֹכָה נ׳ שוך, ענף מסועף
שׂוֹכַת־ 1 וַיִּכְרֹת שׂוֹכַת עֵצִים Jud. 9:48

שׂוֹכֹה, שׂוֹכוֹ ש״פ א) עיר בשפלת יהודה: 1-7
ב) עיר בהר יהודה: 8
שׂוֹכֹה 1 יַרְמוּת וַעֲדֻלָּם שׂוֹכֹה וַעֲזֵקָה Josh. 15:35
2 וַיֵּאָסְפוּ שֹׂכֹה אֲשֶׁר לִיהוּדָה ISh. 17:1
3 וַיַּחֲנוּ בֵּין־שׂוֹכֹה וּבֵין־עֲזֵקָה ISh. 17:1
4 לוֹ שֹׂכֹה וְכָל־אֶרֶץ חֵפֶר IK. 4:10
שׂוֹכוֹ 5 וְאֶת־חֶבֶר אֲבִי שׂוֹכוֹ ICh. 4:18
6 וְאֶת־שׂוֹכוֹ וְאֶת־עֲדֻלָּם IICh. 11:7
7 וְאֶת־שׂוֹכוֹ וּבְנוֹתֶיהָ IICh. 28:18
וְשׂוֹכֹה 8 וּבָהָר שָׁמִיר וְיַתִּיר וְשׂוֹכֹה Josh. 15:48

שׂוּכָתִים ת׳ תושבי מקום בשם שׂוֹכָה(?)
שׂוּכָתִים 1 תִּרְעָתִים שִׁמְעָתִים שׂוּכָתִים ICh. 2:55

שׁוּלַיִם* ז״ז – שובל בגד, סרח יריעה: 1-11
שׁוּלֵי־ 1-3 עַל־שׁוּלֵי הַמְּעִיל סָבִיב Ex. 28:34; 39:25, 26
4 וַיַּעֲשׂוּ עַל־שׁוּלֵי הַמְּעִיל Ex. 39:24
שׁוּלַיִךְ 5 נִגְלוּ שׁוּלַיִךְ נֶחְמְסוּ עֲקֵבָיִךְ Jer. 13:22
6 חָשַׂפְתִּי שׁוּלַיִךְ עַל־פָּנָיִךְ Jer. 13:26
7 וְגִלֵּיתִי שׁוּלַיִךְ עַל־פָּנָיִךְ Nah. 3:5
שׁוּלָיו 8 וְעָשִׂיתָ עַל־שׁוּלָיו רִמֹּנֵי תְּכֵלֶת Ex. 28:33
9 עַל־שׁוּלָיו סָבִיב Ex. 28:33
וְשׁוּלָיו 10 וְשׁוּלָיו מְלֵאִים אֶת־הַהֵיכָל Is. 6:1
בְּשׁוּלֶיהָ 11 טֻמְאָתָהּ בְּשׁוּלֶיהָ Lam. 1:9

שׁוֹלָל ת׳ א) חשוף, מגולה: 1
ב) [בהשאלה] שוגה, אובד עצות: 2, 3
שׁוֹלָל 1 אֵילְכָה שׁוֹלָל (כת׳ שילל) וְעָרוֹם Mic. 1:8
2 מוֹלִיךְ יוֹעֲצִים שׁוֹלָל Job 12:17
3 מוֹלִיךְ כֹּהֲנִים שׁוֹלָל Job 12:19

שׁוּלַמִּי
(תהלים ז 5) – עין שָׁלֵם (3)

שׁוּלַמִּית
ת׳ – בת העיר שׁלם(?) או שׁוּנֵם: 1, 2

הַשּׁוּלַמִּית 1 שׁוּבִי שׁוּבִי הַשּׁוּלַמִּית...וְנֶחֱזֶה־בָּךְ S.ofS.7:1
בַּשּׁוּלַמִּית 2 מַה־תֶּחֱזוּ בַּשּׁוּלַמִּית S.ofS.7:1

(שׁוּם)
– עין (שׂים) שָׂם

שׁוּם*
ז׳ ירק־תבול מסוג הבצלים

הַשּׁוּמִים 1 וְאֶת־הַבְּצָלִים וְאֶת־הַשּׁוּמִים Num.11:5

שׁוּמָה
(ש״ב יג 32) – עין (שׂים) שָׂם (243)

שׁוֹמֵם
ת׳ א) ריק, עזוב: 1, 9–12
ב) [בהשאלה] גלמוד, נוגה: 5–8
ג) כנוי־גנאי לאליל, לפסל: 2–4

פֶּשַׁע שֹׁמֵם 2; שִׁקּוּץ שֹׁמֵם 4; בָּנִים שׁוֹמֵמִים 8; שְׁעָרִים שׁוֹמֵמִים(ן) 9; חֳרָבוֹת שׁוֹמֵמוֹת 12; נְחָלוֹת שׁוֹמֵמוֹת 10

שֹׁמֵם 1 דְּרָכַי סוֹרֵר...שָׂמַנִי שֹׁמֵם Lam.3:11
2 הֶחָזוֹן הַתָּמִיד וְהַפֶּשַׁע שֹׁמֵם Dan.8:13
3 וְעַד־כָּלָה...תִּתַּךְ עַל־שֹׁמֵם Dan.9:27
4 הוּסַר הַתָּמִיד וְלָתֵת שִׁקּוּץ שֹׁמֵם Dan.12:11
שׁוֹמֵמָה 5 רַבִּים בְּנֵי־שׁוֹמֵמָה מִבְּנֵי בְעוּלָה Is.54:1
6 נְתָנַנִי שֹׁמֵמָה כָּל־הַיּוֹם דָּוָה Lam.1:13
וְשֹׁמֵמָה 7 וַתֵּשֶׁב תָּמָר וְשֹׁמֵמָה בֵּית אַבְשָׁלוֹם IISh.13:20
שׁוֹמֵמִים 8 הָיוּ בָנַי שׁוֹמֵמִים Lam.1:16
שׁוֹמֵמִין 9 כָּל־שְׁעָרֶיהָ שׁוֹמֵמִין Lam.1:4
שֹׁמֵמוֹת 10 לְהַנְחִיל נְחָלוֹת שֹׁמֵמוֹת Is.49:8
11 וְעַד קֵץ מִלְחָמָה נֶחֱרֶצֶת שֹׁמֵמוֹת Dan.9:26
הַשֹּׁמְמוֹת 12 וְלֶחֳרָבוֹת הַשֹּׁמְמוֹת וְלֶעָרִים הַנֶּעֱזָבוֹת Ezek.36:4

שׁוֹמְמָה
נ׳ חָרְבָּה, שְׁמָמָה: 1–4

שֹׁמְמוֹת־ 1 שֹׁמְמוֹת רִאשֹׁנִים יְקוֹמֵמוּ Is.61:4
2 וְחִדְּשׁוּ עָרֵי חֹרֶב שֹׁמְמוֹת דּוֹר וָדוֹר Is.61:4
וְשֹׁמְמֹתַיִךְ 3 חָרְבֹתַיִךְ וְשֹׁמְמֹתַיִךְ וְאֶרֶץ הֲרִסֻתֵךְ Is.49:19
שֹׁמְמֹתֵינוּ 4 פְּקַח עֵינֶיךָ וּרְאֵה שֹׁמְמֹתֵינוּ Dan.9:18

שׁוֹמֵר
ז׳ מי שתפקידו לשמור: 1–56
[עין עוד ערך שָׁמַר]

– שׁוֹמֵר אָחִיו 19; שׁ׳ הַבְּגָדִים 9, 18; שׁוֹמֵר יִשְׂרָאֵל 11; שׁ׳ הַכֵּלִים 8; שׁ׳ הַנָּשִׁים 12–14; שׁ׳ הַסַּף 10; שׁ׳ הַפִּילַגְשִׁים 15; שׁ׳ הַפַּרְדֵּס 16; שׁוֹמֵר שַׁעַר 17
– שֹׁמְרֵי הַבַּיִת 49; שׁ׳ הַחוֹמוֹת 48; שׁ׳ הַמָּבוֹא 51; שׁ׳ מִשְׁמֶרֶת־ 35–38, 45–47, 52; שׁ׳ הַסַּף 39–44, 55, 56; שֹׁמְרֵי הַסִּפִּים 50; שֹׁמְרֵי שָׂדַי 53

שֹׁמֵר 1 וַיִּטֹּשׁ אֶת־הַצֹּאן עַל־שֹׁמֵר ISh.17:20
2 לָכֵן שֹׁמֵר לְרֹאשִׁי אֲשִׂימְךָ ISh.28:2
3 וְיוֹרָם הָיָה שֹׁמֵר בְּרָמֹת גִּלְעָד IIK.9:14
4 שֹׁמֵר מַה־מִּלַּיְלָה Is.21:11
5 שֹׁמֵר מַה־מִּלֵּיל Is.21:11
6 אָמַר שֹׁמֵר אָתָא בֹקֶר Is.21:12
7 שָׁוְא שָׁקַד שׁוֹמֵר Ps.127:1
שֹׁמֵר־ 8 וַיִּטֹּשׁ...עַל־יַד שׁוֹמֵר הַכֵּלִים ISh.17:22
9 בֶּן־חַרְחַס שֹׁמֵר הַבְּגָדִים IIK.22:14
10 בֶּן־שַׁלֻּם שֹׁמֵר הַסַּף Jer.35:4
11 לֹא־יָנוּם...שׁוֹמֵר יִשְׂרָאֵל Ps.121:4
12/3 סָרִיס(־)הַמֶּלֶךְ שֹׁמֵר הַנָּשִׁים Es.2:3,15
14 אֶל־יַד הֵגֵי שֹׁמֵר הַנָּשִׁים Es.2:8
שֹׁמֵר־ (המשך) 15 סְרִיס הַמֶּלֶךְ שֹׁמֵר הַפִּילַגְשִׁים Es.2:14
16 וְאִגֶּרֶת אֶל־אָסָף שֹׁמֵר הַפַּרְדֵּס Neh.2:8
17 שְׁמַעְיָה...שֹׁמֵר שַׁעַר הַמִּזְרָח Neh.3:29
18 אֵשֶׁת שַׁלֻּם...שׁוֹמֵר הַבְּגָדִים IICh.34:22
הֲשֹׁמֵר־ 19 הֲשֹׁמֵר אָחִי אָנֹכִי Gen.4:9
שֹׁמְרֶךָ 20 ...אַל־יָנוּם שֹׁמְרֶךָ Ps.121:3
21 יְיָ שֹׁמְרֶךָ יְיָ צִלְּךָ עַל־יַד יְמִינֶךָ Ps.121:5
שֹׁמְרִים 22 עַל־חוֹמֹתַיִךְ יְרוּ׳ הִפְקַדְתִּי שֹׁמְרִים Is.62:6
23 הָקִימוּ שֹׁמְרִים הָכִינוּ הָאֹרְבִים Jer.51:12
24 נַפְשִׁי לַאדֹנָי...שֹׁמְרִים לַבֹּקֶר Ps.130:6
25 שֹׁמְרִים שׁוֹעֲרִים מִשְׁמָר Neh.12:25
26 וּבָאִים שֹׁמְרִים הַשְּׁעָרִים Neh.13:22
הַשֹּׁמְרִים 27 וַיִּרְאוּ הַשֹּׁמְרִים אִישׁ יוֹצֵא Jud.1:24
28 אַךְ הָקֵם הֵקִימוּ אֶת־הַשֹּׁמְרִים Jud.7:19
29 הַשֹּׁמְרִים פֶּתַח בֵּית הַמֶּלֶךְ IK.14:27
30/1 הַשֹּׁמְרִים הַסֹּבְבִים בָּעִיר S.ofS.3:3; 5:7
32 וַאֲחֵיהֶם הַשֹּׁמְרִים בַּשְּׁעָרִים Neh.11:19
33 הַשֹּׁמְרִים פֶּתַח בֵּית הַמֶּלֶךְ IICh.12:10
מִשֹּׁמְרִים 34 נַפְשִׁי לַאדֹנָי מִשֹּׁמְרִים לַבֹּקֶר Ps.130:6
שֹׁמְרֵי־ 35/6 שֹׁמְרֵי מִשְׁמֶרֶת הַקֹּדֶשׁ Num.3:28,32
37/8 שֹׁמְרֵי מִשְׁמֶרֶת מִשְׁכַּן יְיָ Num.31:30,47
39 הַכֹּהֲנִים שֹׁמְרֵי הַסַּף IIK.12:10
40-44 שֹׁמְרֵי הַסַּף IIK.22:4
23:4; 25:18 • Jer.52:24 • IICh.34:9
45/6 שֹׁמְרֵי מִשְׁמֶרֶת הַבָּיִת Ezek.40:45; 44:14
47 שֹׁמְרֵי מִשְׁמֶרֶת הַמִּזְבֵּחַ Ezek.40:46
48 נָשְׂאוּ אֶת־רְדִידִי מֵעָלַי שֹׁמְרֵי הַחֹמוֹת S.ofS.5:7
49 בַּיּוֹם שֶׁיָּזֻעוּ שֹׁמְרֵי הַבַּיִת Eccl.12:3
50 שֹׁמְרֵי הַסִּפִּים לָאֹהֶל וַאֲבֹתֵיהֶם ICh.9:19
51 עַל־מַחֲנֵה יְיָ שֹׁמְרֵי הַמָּבוֹא ICh.9:19
וְשֹׁמְרֵי־ 52 וְשֹׁמְרֵי מִשְׁמֶרֶת בֵּית הַמֶּלֶךְ IIK.11:5
כְּשֹׁמְרֵי־ 53 כְּשֹׁמְרֵי שָׂדַי הָיוּ עָלֶיהָ מִסָּבִיב Jer.4:17
לְשֹׁמְרֵי־ 54 וַתְּשִׂימוּן לְשֹׁמְרֵי מִשְׁמַרְתִּי בְּמִקְדָּשִׁי Ezek.44:8
מִשֹּׁמְרֵי־ 55/6 סָרִיסֵי הַמֶּלֶךְ מִשֹּׁמְרֵי הַסַּף Es.2:21; 6:2

שׁוֹמֵר
שפ״ז א) אבי רוצחו של יואש מלך יהודה: 1
ב) איש משבט אָשֵׁר: 2

שֹׁמֵר 1 וִיהוֹזָבָד בֶּן־שֹׁמֵר...הִכֻּהוּ IIK.12:22
2 וְחֶבֶר הוֹלִיד...וְאֶת־שׁוֹמֵר ICh.7:32

שֹׁמְרוֹן, שֹׁמְרוֹן
ש״פ – עיר הממלכה בממלכת אפרים: 1–110

אַשְׁמַת שֹׁמְרוֹן 40; בְּרֵכַת שֹׁמְרוֹן 9; הַר שׁ׳ 38, 39; הָרֵי שׁ׳ 26, 37; חֵיל שׁ׳ 45; יוֹשֵׁב שׁ׳ 23; מֶלֶךְ שׁ׳ 6, 10; נְבִיאֵי שׁ׳ 25; עֵגֶל שׁ׳ 33; עֲפַר שׁ׳ 5; עָרֵי שׁ׳ 1, 13, 15, 19; רֹאשׁ שׁ׳ 21; רָעוֹת שׁ׳ 31; שְׁבוּת שׁ׳ 28; שְׂדֵה שׁ׳ 41; שֹׁכֵן שׁ׳ 34; שְׁלַל שׁ׳ 22; שַׁעַר שֹׁמְרוֹן 7, 11, 12, 46

שֹׁמְרוֹן 1 בָּתֵּי הַבָּמוֹת אֲשֶׁר בְּעָרֵי שֹׁמְרוֹן IK.13:32
2 וַיִּקֶן אֶת־הָהָר שֹׁמְרוֹן מֵאֵת שֶׁמֶר IK.16:24
3 עַל שֶׁם־שֶׁמֶר אֲדֹנֵי הָהָר שֹׁמְרוֹן IK.16:24
4 וַיָּצַר עַל־שֹׁמְרוֹן וַיִּלָּחֶם בָּהּ IK.20:1
5 אִם־יִשְׂפֹּק עֲפַר שֹׁמְרוֹן לִשְׁעָלִים IK.20:10
6 אֵצֶל הֵיכַל אַחְאָב מֶלֶךְ שֹׁמְרוֹן IK.21:1
7 בְּגֹרֶן פֶּתַח שַׁעַר שֹׁמְרוֹן IK.22:10
8 וַיָּמָת הַמֶּלֶךְ וַיָּבוֹא שֹׁמְרוֹן IK.22:37
9 וַיִּשְׁטֹף...עַל בְּרֵכַת שֹׁמְרוֹן IK.22:38
10 עֲלֵה לִקְרַאת מַלְאֲכֵי מֶלֶךְ־שֹׁמְרוֹן IIK.1:3
11 כָּעֵת מָחָר...בְּשַׁעַר שֹׁמְרוֹן IIK.7:1
12 כָּעֵת מָחָר בְּשַׁעַר שֹׁמְרוֹן IIK.7:18
13 וַיָּבֵא מֶ׳ אַשּׁוּר...וַיֹּשֶׁב בְּעָרֵי שֹׁמְרוֹן IIK.17:24
שֹׁמְרוֹן (המשך) 14 וַיִּרְשׁוּ אֶת־שֹׁמְרוֹן וַיֵּשְׁבוּ בְּעָרֶיהָ IIK.17:24
15 אֲשֶׁר הִגְלִיתָ וַתּוֹשֶׁב בְּעָרֵי שֹׁמְרוֹן IIK.17:26
16 עָלָה...עַל־שֹׁמְרוֹן וַיָּצַר עָלֶיהָ IIK.18:9
17 מִקְצֵה שָׁלֹשׁ שָׁנִים...נִלְכְּדָה שֹׁמְרוֹן IIK.18:10
18 וְנָטִיתִי עַל־יְרוּשָׁלִַם אֵת קַו שֹׁמְרוֹן IIK.21:13
19 בָּתֵּי הַבָּמוֹת אֲשֶׁר בְּעָרֵי שֹׁמְרוֹן IIK.23:19
20 וְרֹאשׁ אֶפְרַיִם שֹׁמְרוֹן Is.7:9
21 וְרֹאשׁ שֹׁמְרוֹן בֶּן־רְמַלְיָהוּ Is.7:9
22 אֶת־חֵיל דַּמֶּשֶׂק וְאֵת שְׁלַל שֹׁמְרוֹן Is.8:4
23 וְיָדְעוּ...אֶפְרַיִם וְיוֹשֵׁב שֹׁמְרוֹן Is.9:8
24 אִם־לֹא כְדַמֶּשֶׂק שֹׁמְרוֹן Is.10:9
25 וּבִנְבִיאֵי שֹׁמְרוֹן רָאִיתִי תִפְלָה Jer.23:13
26 עוֹד תִּטְּעִי כְרָמִים בְּהָרֵי שֹׁמְרוֹן Jer.31:5
27 וַאֲחוֹתֵךְ הַגְּדוֹלָה שֹׁמְרוֹן Ezek.16:46
28 וְאֶת־שְׁבוּת שֹׁמְרוֹן וּבְנוֹתֶיהָ Ezek.16:53
29 שֹׁמְרוֹן אָהֳלָה וִירוּשָׁלִַם אָהֳלִיבָה Ezek.23:4
30 כּוֹס שַׁמָּה...כּוֹס אֲחוֹתֵךְ שֹׁמְרוֹן Ezek.23:33
31 וְנִגְלָה עֲוֹן אֶפְרַיִם וְרָעוֹת שֹׁמְרוֹן Hosh.7:1
32 זָנַח עֶגְלֵךְ שֹׁמְרוֹן Hosh.8:5
33 כִּי־שְׁבָבִים יִהְיֶה עֵגֶל שֹׁמְרוֹן Hosh.8:6
34 לְעֶגְלוֹת בֵּית אָוֶן יָגוּרוּ שְׁכַן שֹׁמְרוֹן Hosh.10:5
35 נִדְמֶה שֹׁמְרוֹן מַלְכָּהּ Hosh.10:7
36 תֶּאְשַׁם שֹׁמְרוֹן כִּי מָרְתָה בֵּאלֹהֶיהָ Hosh.14:1
37 הֵאָסְפוּ עַל־הָרֵי שֹׁמְרוֹן Am.3:9
38 פָּרוֹת הַבָּשָׁן אֲשֶׁר בְּהַר שֹׁמְרוֹן Am.4:1
39 וְהַבֹּטְחִים בְּהַר שֹׁמְרוֹן Am.6:1
40 הַנִּשְׁבָּעִים בְּאַשְׁמַת שֹׁמְרוֹן Am.8:14
41 אֶת־שְׂדֵה אֶפְרַיִם וְאֵת שְׂדֵה שֹׁמְרוֹן Ob.19
42 אֲשֶׁר־חָזָה עַל־שֹׁמְרוֹן וִירוּשָׁלִָם Mic.1:1
43 מִי־פֶשַׁע יַעֲקֹב הֲלוֹא שֹׁמְרוֹן Mic.1:5
44 וְשַׂמְתִּי שֹׁמְרוֹן לְעִי הַשָּׂדֶה Mic.1:6
45 וַיֹּאמֶר לִפְנֵי אֶחָיו וְחֵיל שֹׁמְרוֹן Neh.3:34
46 בְּגֹרֶן פֶּתַח שַׁעַר שֹׁמְרוֹן IICh.18:9
47-60 שֹׁמְרוֹן IIK.2:25; 6:20², 24; 10:1, 12, 17; 15:14
17:5, 6; 18:34 • Is.36:19 • IICh.25:23; 28:15
שֹׁמְרוֹנָה 61 וַיֵּלֶךְ...וַיָּבֹא שֹׁמְרוֹנָה IK.20:43
62 וַיֹּלֶךְ אוֹתָם שֹׁמְרוֹנָה IIK.6:19
63 וְלָקַח...וַיָּשָׁב שֹׁמְרוֹנָה IIK.14:14
וְשֹׁמְרוֹן 64 וְשֹׁמְרוֹן כַּחֲצִי חַטֹּאתַיִךְ לֹא חָטָאָה Ezek.16:51
65 וְשֹׁמְרוֹן וּבְנוֹתֶיהָ תָּשֹׁבְןָ לְקַדְמָתָן Ezek.16:55
בְּשֹׁמְרוֹן 66 וַיִּשְׁכַּב עָמְרִי...וַיִּקָּבֵר בְּשֹׁמְרוֹן IK.16:28
67 וַיִּמְלֹךְ אַחְאָב...עַל־יִשְׂר׳ בְּשֹׁמְרוֹן IK.16:29
68 בֵּית הַבַּעַל אֲשֶׁר בָּנָה בְּשֹׁמְרוֹן IK.16:32
69 וְהָרָעָב חָזָק בְּשֹׁמְרוֹן IK.18:2
70-99 בְּשֹׁמְרוֹן IK.20:34; 21:18
22:37, 52 • IIK.1:2; 3:1; 5:3; 6:25; 10:1, 17, 35, 36; 13:1, 6, 9, 10, 13; 14:16, 23; 15:8, 13, 14, 17, 23, 25, 27; 17:1 • Am.3:12 • IICh.22:9
לְשֹׁמְרוֹן 100 כַּאֲשֶׁר עָשִׂיתִי לְשֹׁמְרוֹן וְלֶאֱלִילֶיהָ Is.10:11
101 וַיֵּרֶד...אֶל־אַחְאָב לְשֹׁמְרוֹן IICh.18:2
102 וַיָּבִיאוּ אֶת־הַשָּׁלָל לְשֹׁמְרוֹן IICh.28:8
103 לִפְנֵי הַצָּבָא הַבָּא לְשֹׁמְרוֹן IICh.28:9
מִשֹּׁמְרוֹן 104 אֲנָשִׁים יָצְאוּ מִשֹּׁמְרוֹן IK.20:17
105 וַיֵּצֵא הַמֶּלֶךְ יְהוֹרָם...מִשֹּׁמְרוֹן IIK.3:6
106 מֵהַכֹּהֲנִים אֲשֶׁר הִגְלוּ מִשֹּׁמְרוֹן IIK.17:28
107 הַנָּבִיא אֲשֶׁר־בָּא מִשֹּׁמְרוֹן IIK.23:18
108 מִשֹּׁמְרוֹן וְעַד־בֵּית חוֹרוֹן IICh.25:13
וּמִשֹּׁמְרוֹן 109 וּפְסִילֵיהֶם מִירוּשָׁלִַם וּמִשֹּׁמְרוֹן Is.10:10
110 מִשְּׁכֶם מִשִּׁלוֹ וּמִשֹּׁמְרוֹן Jer.41:5

שֹׁמְרֹנִים
ז״ר – תושבי שומרון

הַשֹּׁמְרֹנִים 1 בְּבֵית הַבָּמוֹת אֲשֶׁר עָשׂוּ הַשֹּׁמְרֹנִים IIK.17:29

שׂוֹנֵא ז׳ אוֹיֵב, צוֹרֵר: 1-34 [עין עוד ערך שָׂנֵא]
קרובים: ראה אוֹיֵב
– חֲמוֹר שׂוֹנַאֲךָ 4; יַד שׂוֹנֵא 1; נְשִׁיקוֹת שׂוֹנֵא 3
– שׂוֹנְאֵי חִנָּם 7, 9; שׂוֹנְאֵי שֶׁקֶר 8
– שַׁעַר שׂוֹנְאָיו 25; נֶפֶשׁ שׂוֹנְאוֹתַיִךְ 34
שׂוֹנֵא 1 וַיּוֹשִׁיעֵם מִיַּד שׂוֹנֵא Ps. 106:10
2 בִּשְׂפָתָו יִנָּכֵר שׂוֹנֵא Prov. 26:24
3 וְנַעְתָּרוֹת נְשִׁיקוֹת שׂוֹנֵא Prov. 27:6
שׂוֹנַאֲךָ 4 כִּי־תִרְאֶה חֲמוֹר שֹׂנַאֲךָ רֹבֵץ Ex. 23:5
5 אִם־רָעֵב שֹׂנַאֲךָ הַאֲכִלֵהוּ לָחֶם Prov. 25:21
לְשׂוֹנְאוֹ 6 לֹא יְאַחֵר לְשֹׂנְאוֹ אֶל־פָּנָיו יְשַׁלֶּם־לוֹ Deut. 7:10
שׂוֹנְאַי 7 שֹׂנְאַי חִנָּם יִקְרְצוּ־עָיִן Ps. 35:19
8 וְרַבּוּ שֹׂנְאַי שָׁקֶר Ps. 38:20
9 רַבּוּ מִשַּׂעֲרוֹת רֹאשִׁי שֹׂנְאַי חִנָּם Ps. 69:5
10 וְיִרְאוּ שֹׂנְאַי וְיֵבֹשׁוּ Ps. 86:17
שׂוֹנְאָי 11 יַחַד עָלַי יִתְלַחֲשׁוּ כָּל־שֹׂנְאָי Ps. 41:8
בְּשׂוֹנְאָי 12 וַאֲנִי אֶרְאֶה בְשֹׂנְאָי Ps. 118:7
לְשׂוֹנְאָי 13 פֹּקֵד...עַל־שִׁלֵּשִׁים...לְשֹׂנְאָי Ex. 20:5
14 פֹּקֵד...וְעַל־שִׁלֵּשִׁים...לְשֹׂנְאָי Deut. 5:9
מִשּׂוֹנְאַי 15 יַצִּילֵנִי...מִשֹּׂנְאַי כִּי אָמְצוּ מִמֶּנִּי IISh. 22:18
16 אִנָּצְלָה מִשֹּׂנְאַי וּמִמַּעֲמַקֵּי־מָיִם Ps. 69:15
מִשּׂוֹנְאָי 17 חָנְנֵנִי יְיָ רְאֵה עָנְיִי מִשֹּׂנְאָי Ps. 9:14
וּמִשּׂוֹנְאַי 18 יַצִּילֵנִי...וּמִשֹּׂנְאַי כִּי־אָמְצוּ מִמֶּנִּי Ps. 18:18
שׂוֹנְאֶיךָ 19 וּנְתָנָם בְּכָל־שֹׂנְאֶיךָ Deut. 7:15
20 וְעַל־שֹׂנְאֶיךָ אֲשֶׁר רְדָפוּךָ Deut. 30:7
21 לְאַהֲבָה אֶת־שֹׂנְאֶיךָ IISh. 19:7
22 יְמִינְךָ תִּמְצָא שֹׂנְאֶיךָ Ps. 21:9
23 שֹׂנְאֶיךָ יִלְבְּשׁוּ־בֹשֶׁת Job 8:22
24 וְלֹא־שָׁאַלְתָּ...וְאֵת נֶפֶשׁ שֹׂנְאֶיךָ IICh. 1:11
שׂוֹנְאָיו 25 וְיִירַשׁ זַרְעֵךְ אֵת שַׁעַר שֹׂנְאָיו Gen. 24:60
לְשׂוֹנְאָיו 26 וּמְשַׁלֵּם לְשֹׂנְאָיו אֶל־פָּנָיו Deut. 7:10
שׂוֹנְאֵינוּ 27 וְנוֹסַף גַּם־הוּא עַל־שֹׂנְאֵינוּ Ex. 1:10
שׂוֹנְאֵיכֶם 28 וְרָדוּ בָכֶם שֹׂנְאֵיכֶם Lev. 26:17
29 אָמְרוּ אֲחֵיכֶם שֹׂנְאֵיכֶם מְנַדֵּיכֶם Is. 66:5
שׂוֹנְאֵיהֶם 30 וַיִּמְשְׁלוּ בָהֶם שֹׂנְאֵיהֶם Ps. 106:41
בְּשׂוֹנְאֵיהֶם 31 יִשְׁלְטוּ הַיְּהוּדִים הֵמָּה בְּשֹׂנְאֵיהֶם Es. 9:1
32 וַיַּעֲשׂוּ בְשֹׂנְאֵיהֶם כִּרְצוֹנָם Es. 9:5
33 וְנוֹחַ מֵאֹיְבֵיהֶם וְהָרוֹג בְּשֹׂנְאֵיהֶם Es. 9:16
שׂוֹנְאוֹתַיִךְ 34 וָאֶתְּנֵךְ בְּנֶפֶשׁ שֹׂנְאוֹתַיִךְ Ezek. 16:27

שׁוּנִי1 שפ״ז – בן גד בן יעקב: 1, 2
שׁוּנִי 1 צִפְיוֹן וְחַגִּי שׁוּנִי וְאֶצְבֹּן Gen. 46:16
לְשׁוּנִי 2 לְשׁוּנִי מִשְׁפַּחַת הַשּׁוּנִי Num. 26:15

שׁוּנִי2 ת׳ המתיחס על בית שׁוּנִי1
הַשּׁוּנִי 1 לְשׁוּנִי מִשְׁפַּחַת הַשּׁוּנִי Num. 26:15

שׁוּנֵם ש״פ – עיר בנחלת יששכר בקרבת הגלבוע: 1-3
שׁוּנֵם 1 וַיַּעֲבֹר אֱלִישָׁע אֶל־שׁוּנֵם IIK. 4:8
וְשׁוּנֵם 2 יִזְרְעֶאלָה וְהַכְּסֻלּוֹת וְשׁוּנֵם Josh. 19:18
בְּשׁוּנֵם 3 וַיָּבֹאוּ וַיַּחֲנוּ בְשׁוּנֵם ISh. 28:4

שׁוּנַמִּי* ת׳ מתושבי שׁוּנֵם: 1-8
הַשּׁוּנַמִּית 1 וַיִּמְצְאוּ אֶת־אֲבִישַׁג הַשּׁוּנַמִּית IK. 1:3
2 וַאֲבִישַׁג הַשּׁוּנַמִּית מְשָׁרַת אֶת־הַמֶּלֶךְ IK. 1:15
3 יִתֶּן־לִי אֶת־אֲבִישַׁג הַשּׁוּנַמִּית לְאִשָּׁה; IK. 2:17
4/5 ...אֶת־אֲבִישַׁג הַשֻּׁנַמִּית לַאֲדֹנִיָּהוּ IK. 2:21, 22
6 הִנֵּה הַשּׁוּנַמִּית הַלָּז IIK. 4:25
7 קְרָא אֶל־הַשֻּׁנַמִּית הַזֹּאת IIK. 4:36
לַשּׁוּנַמִּית 8 קְרָא לַשּׁוּנַמִּית הַזֹּאת IIK. 4:12

שׁוע : שׁוּעַ; שֶׁוַע, שַׁוְעָה

שׁוּעַ* פ׳ צעק, זעק: 1-21 • קרובים: ראה זָעַק
בְּשַׁוְּעִי 1 שְׁמַע קוֹל תַּחֲנוּנַי בְּשַׁוְּעִי אֵלֶיךָ Ps. 28:2
2 שָׁמַעְתָּ קוֹל תַּחֲנוּנַי בְּשַׁוְּעִי אֵלֶיךָ Ps. 31:23
וּבְשַׁוְּעוֹ 3 וּבְשַׁוְּעוֹ אֵלָיו שָׁמֵעַ Ps. 22:25
שִׁוַּעְתִּי 4 מִבֶּטֶן שְׁאוֹל שִׁוַּעְתִּי שָׁמַעְתָּ קוֹלִי Jon. 2:3
5 עַד־אָנָה יְיָ שִׁוַּעְתִּי וְלֹא תִשְׁמָע Hab. 1:2
6 יְיָ אֱלֹהָי שִׁוַּעְתִּי אֵלֶיךָ וַתִּרְפָּאֵנִי Ps. 30:3
7 וַאֲנִי אֵלֶיךָ יְיָ שִׁוַּעְתִּי Ps. 88:14
מְשַׁוֵּעַ 8 כִּי־יַצִּיל אֶבְיוֹן מְשַׁוֵּעַ Ps. 72:12
9 כִּי־אֲמַלֵּט עָנִי מְשַׁוֵּעַ Job 29:12
אֲשַׁוַּע 10 אֲשַׁוַּע וְאֵין מִשְׁפָּט Job 19:7
11 אֲשַׁוַּע אֵלֶיךָ וְלֹא תַעֲנֵנִי Job 30:20
אֲשַׁוֵּעַ 12 אֶקְרָא יְיָ וְאֶל־אֱלֹהַי אֲשַׁוֵּעַ Ps. 18:7
13 קַמְתִּי בַקָּהָל אֲשַׁוֵּעַ Job 30:28
וַאֲשַׁוֵּעַ 14 גַּם כִּי אֶזְעַק וַאֲשַׁוֵּעַ... Lam. 3:8
וָאֲשַׁוֵּעָה 15 קִדַּמְתִּי בַנֶּשֶׁף וָאֲשַׁוֵּעָה Ps. 119:147
תְּשַׁוַּע 16 תְּשַׁוַּע וְיֹאמַר הִנֵּנִי Is. 58:9
תְּשַׁוֵּעַ 17 וְנֶפֶשׁ־חֲלָלִים תְּשַׁוֵּעַ Job 24:12
יְשַׁוְּעוּ 18 יְשַׁוְּעוּ וְאֵין מוֹשִׁיעַ Ps. 18:42
19 יְשַׁוְּעוּ מִזְּרוֹעַ רַבִּים Job 35:9
20 לֹא יְשַׁוְּעוּ כִּי אֲסָרָם Job 36:13
יְשַׁוֵּעוּ 21 כִּי־יְלָדָו אֶל־אֵל יְשַׁוֵּעוּ Job 38:41

שֶׁוַע* ז׳ זעקה • קרובים: ראה צְעָקָה
שַׁוְעִי 1 הַקְשִׁיבָה לְקוֹל שַׁוְעִי מַלְכִּי וֵאלֹהָי Ps. 5:3

שׁוּעַ1 ז׳ שֶׁוַע, זעקה?: 1, 2
שׁוּעַ 1 אִם־בְּפִידוֹ לָהֶן שׁוּעַ Job 30:24
שׁוּעֲךָ 2 הֲיַעֲרֹךְ שׁוּעֲךָ לֹא בְצָר Job 36:19

שׁוּעַ2 שפ״ז – חותן יהודה בן יעקב
שׁוּעַ 1 בַּת־אִישׁ כְּנַעֲנִי וּשְׁמוֹ שׁוּעַ Gen. 38:2

(בַּת־)שׁוּעַ – עין בַּת־שׁוּעַ (באות ב׳)

שׁוֹעַ1 ז׳ אציל, נכבד: 1, 2
שׁוֹעַ 1 וּלְכִילַי לֹא יֵאָמֵר שׁוֹעַ Is. 32:5
2 וְלֹא נִכַּר־שׁוֹעַ לִפְנֵי־דָל Job 34:19

שׁוֹעַ2 שפ״ז – עם מבעלי ברית אשור: 1, 2
וְשׁוֹעַ 1 מְקַרְקַר קִר וְשׁוֹעַ אֶל־הָהָר Is. 22:5
2 בְּנֵי בָבֶל...פְּקוֹד וְשׁוֹעַ וְקוֹעַ Ezek. 23:23

שׁוּעָא שפ״נ – בת חֶבֶר משבט אשר
שׁוּעָא 1 וְאֵת שׁוּעָא אֲחוֹתָם ICh. 7:32

שַׁוְעָה* נ׳ זעקה, צעקה: 1-11 • קרובים: ראה צְעָקָה
שַׁוְעַת בַּת־עַמִּי 2; שַׁוְעַת הָעִיר 1
שַׁוְעַת־ 1 וַתַּעַל שַׁוְעַת הָעִיר הַשָּׁמָיִם ISh. 5:12
2 הִנֵּה־קוֹל שַׁוְעַת בַּת־עַמִּי Jer. 8:19
שַׁוְעָתִי 3 וַיֵּט אֵלַי וַיִּשְׁמַע שַׁוְעָתִי Ps. 40:2
וְשַׁוְעָתִי 4 וַיִּשְׁמַע...קוֹלִי וְשַׁוְעָתִי בְּאָזְנָיו IISh. 22:7
5 וְשַׁוְעָתִי לְפָנָיו תָּבוֹא בְאָזְנָיו Ps. 18:7
6 שִׁמְעָה תְפִלָּתִי יְיָ וְשַׁוְעָתִי הַאֲזִינָה Ps. 39:13
7 שִׁמְעָה תְפִלָּתִי וְשַׁוְעָתִי אֵלֶיךָ תָבוֹא Ps. 102:2
לְשַׁוְעָתִי 8 אַל־תַּעְלֵם אָזְנְךָ לְרַוְחָתִי לְשַׁוְעָתִי Lam. 3:56
שַׁוְעָתָם 9 וַתַּעַל שַׁוְעָתָם אֶל־הָאֱלֹהִים Ex. 2:23
10 וְאָזְנָיו אֶל־שַׁוְעָתָם Ps. 34:16
11 וְאֶת־שַׁוְעָתָם יִשְׁמַע וְיוֹשִׁיעֵם Ps. 145:19

שׁוּעָל1 ז׳ חיה טורפת ממשפחת הכלבים, תַּן המדבר: 1-7
שׁוּעָל 1 אִם־יַעֲלֶה שׁוּעָל וּפָרַץ... Neh. 3:35
שׁוּעָלִים 2 וַיִּלְכֹּד שְׁלֹשׁ־מֵאוֹת שׁוּעָלִים Jud. 15:4
3 מְנָת שֻׁעָלִים יִהְיוּ Ps. 63:11
4 אֶחֱזוּ־לָנוּ שׁוּעָלִים S.ofS. 2:15
5 שֻׁעָלִים קְטַנִּים מְחַבְּלִים כְּרָמִים S.ofS. 2:15
6 עַל הַר־צִיּוֹן...שׁוּעָלִים הִלְּכוּ־בוֹ Lam. 5:18
כְּשׁוּעָלִים 7 כְּשֻׁעָלִים בָּחֳרָבוֹת נְבִיאֶיךָ יִשְׂרָאֵל Ezek. 13:4

שׁוּעָל2 שפ״ז – איש ממטה אשר
וְשׁוּעָל 1 ...וְשׁוּעָל וּבֵרִי וְיִמְרָה ICh. 7:36

שׁוּעָל3 ש״פ – אזור בנחלת שבט בנימין
שׁוּעָל 1 אֶל־דֶּרֶךְ עָפְרָה אֶל־אֶרֶץ שׁוּעָל ISh. 13:17

שׁוֹעֵר ז׳ שומר השער (בעיר, בהיכל וכד׳): 1-37
– שׁוֹעֵר הָעִיר 1; שׁוֹעֵר פֶּתַח 2
– גִּבּוֹרֵי שׁוֹעֲרִים 18; מַחְלְקוֹת הַשּׁוֹעֲרִים 20, 21; שׁוֹעֲרֵי הַסִּפִּים 37
שׁוֹעֵר־ 1 וַיִּקְרְאוּ אֶל־שֹׁעֵר הָעִיר IIK. 7:10
2 שֹׁעֵר פֶּתַח לְאֹהֶל מוֹעֵד ICh. 9:21
הַשּׁוֹעֵר 3 וַיִּקְרָא הַצֹּפֶה אֶל־הַשֹּׁעֵר IISh. 18:26
4 וְקוֹרֵא...הַשּׁוֹעֵר לַמִּזְרָחָה IICh. 31:14
שׁוֹעֲרִים 5 שֹׁמְרִים שׁוֹעֲרִים מִשְׁמָר Neh. 12:25
6/7 שֹׁעֲרִים לָאָרוֹן ICh. 15:23, 24
8 וְאַרְבַּעַת אֲלָפִים שֹׁעֲרִים ICh. 23:5
וְשׁוֹעֲרִים 9 סוֹפְרִים וְשֹׁטְרִים וְשׁוֹעֲרִים IICh. 34:13
הַשּׁוֹעֲרִים 10 וַיִּקְרָא הַשֹּׁעֲרִים וַיַּגִּידוּ IIK. 7:11
11 בְּנֵי הַשֹּׁעֲרִים בְּנֵי־שַׁלּוּם Ez. 2:42
12 וּמִן־הַשֹּׁעֲרִים שַׁלֻּם וָטֶלֶם Ez. 10:24
13 הַשּׁוֹעֲרִים וְהַמְשֹׁרְרִים וְהַלְוִיִּם Neh. 7:1
14 הַשֹּׁעֲרִים בְּנֵי־שַׁלֻּם Neh. 7:45
15 הַשּׁוֹעֲרִים הַמְשֹׁרְרִים הַנְּתִינִים Neh. 10:29
16 הֵמָּה הַשֹּׁעֲרִים לְמַחֲנוֹת בְּנֵי לֵוִי ICh. 9:18
17 לְאַרְבַּע רוּחוֹת יִהְיוּ הַשֹּׁעֲרִים ICh. 9:24
18 גִּבֹּרֵי הַשֹּׁעֲרִים הֵם הַלְוִיִּם ICh. 9:26
19 וְעֹבֵד אֱדֹם וִיעִיאֵל הַשֹּׁעֲרִים ICh. 15:18
20 לְאֵלֶּה מַחְלְקוֹת הַשֹּׁעֲרִים ICh. 26:12
21 אֵלֶּה מַחְלְקוֹת הַשֹּׁעֲרִים ICh. 26:19
22 וַיַּעֲמֵד הַשּׁוֹעֲרִים עַל־שַׁעֲרֵי בֵּית יְיָ IICh. 23:19
וְהַשּׁוֹעֲרִים 23 וְהַמְשֹׁרְרִים וְהַשּׁוֹעֲרִים וְהַנְּתִינִים Ez. 2:70
24 וְהַמְשֹׁרְרִים וְהַשֹּׁעֲרִים וְהַנְּתִינִים Ez. 7:7
25/6 וְהַשּׁוֹעֲרִים וְהַמְשֹׁרְרִים Neh. 7:72; 10:40
27 וְהַשּׁוֹעֲרִים עַקּוּב טַלְמוֹן וַאֲחֵיהֶם Neh. 11:19
28 וְהַמְשֹׁרְרִים וְהַשֹּׁעֲרִים Neh. 12:45
29 הַמְשֹׁרְרִים וְהַשֹּׁעֲרִים Neh. 12:47
30 הַלְוִיִּם וְהַמְשֹׁרְרִים וְהַשֹּׁעֲרִים Neh. 13:5
31 וְהַשֹּׁעֲרִים שַׁלּוּם וְעַקּוּב וְטַלְמֹן ICh. 9:17
32 וְהַשּׁוֹעֲרִים בְּמַחְלְקוֹתָם לְשַׁעַר וָשָׁעַר IICh. 8:14
33 וְהַשֹּׁעֲרִים לְשַׁעַר וָשָׁעַר IICh. 35:15
לְשׁוֹעֲרִים 34 כֻּלָּם הַבְּרוּרִים לְשֹׁעֲרִים בַּסִּפִּים ICh. 9:22
35 וְעֹבֵד אֱדֹם...וְחֹסָה לְשֹׁעֲרִים ICh. 16:38
36 לְמַחְלְקוֹת לְשֹׁעֲרִים... ICh. 26:1
לְשׁוֹעֲרֵי־ 37 לַכֹּהֲנִים וְלַלְוִיִּם לְשֹׁעֲרֵי הַסִּפִּים IICh. 23:4

שׁוֹעָר ת׳ גרוע, מקולקל
הַשּׁוֹעָרִים 1 כַּתְּאֵנִים הַשֹּׁעָרִים
אֲשֶׁר לֹא־תֵאָכַלְנָה מֵרֹעַ Jer. 29:17

(שׁוּף) שָׁף פ׳ מחץ, פצע: 1-4
תְּשׁוּפֶנּוּ 1 וְאַתָּה תְּשׁוּפֶנּוּ עָקֵב Gen. 3:15
יְשׁוּפֵנִי 2 וָאֹמַר אַךְ־חֹשֶׁךְ יְשׁוּפֵנִי Ps. 139:11
3 אֲשֶׁר־בִּשְׂעָרָה יְשׁוּפֵנִי Job 9:17
יְשׁוּפְךָ 4 הוּא יְשׁוּפְךָ רֹאשׁ Gen. 3:15

שׁוֹפֵט ז׳ א) דַּיָּן, עושה משפט: 1-22, 28-60
ב) מושל, מנהיג: 23-27 • קרוב: דַּיָּן
– שׁוֹפֵט וְנָבִיא 2; שַׂר וְשֹׁפֵט 12
– שׁוֹפֵט הָאָרֶץ 11; שׁוֹפֵט יִשְׂרָאֵל 6; שׁוֹפֵט צֶדֶק 4, 8; יְמֵי הַשֹּׁפֵט 17
– שׁוֹפְטִים וְשׁוֹטְרִים 22, 32, 38, 50-52; יְמֵי הַשּׁוֹפְטִים 34; פְּנֵי שׁוֹפְטִים 54

– שׁוֹפְטֵי אֶרֶץ 41-44; שׁוֹפְטֵי יִשְׂרָאֵל 40, 45; שׁוֹפְטֵי נַפְשׁוֹ 46

שׁוֹפֵט 1 מִי־יְשִׂמֵנִי שֹׁפֵט בָּאָרֶץ IISh. 15:4
2 שׁוֹפֵט וְנָבִיא וְקֹסֵם וְזָקֵן Is. 3:2
3 שֹׁפֵט וְדֹרֵשׁ מִשְׁפָּט Is. 16:5
4 וַיְיָ צְבָאוֹת שֹׁפֵט צֶדֶק Jer. 11:20
5 וְהִכְרַתִּי שׁוֹפֵט מִקִּרְבָּהּ Am. 2:3
6 בַּשֵּׁבֶט יַכּוּ...אֵת שֹׁפֵט יִשְׂרָאֵל Mic. 4:14
7 אֱלֹהִים שׁוֹפֵט צַדִּיק Ps. 7:12
8 יָשַׁבְתָּ לְכִסֵּא שׁוֹפֵט צֶדֶק Ps. 9:5
9 כִּי־אֱלֹהִים שֹׁפֵט הוּא Ps. 50:6
10 כִּי־אֱלֹהִים שֹׁפֵט זֶה יַשְׁפִּיל... Ps. 75:8
שֹׁפֵט־ 11 הִנָּשֵׂא שֹׁפֵט הָאָרֶץ הָשֵׁב גְּמוּל Ps. 94:2
וְשֹׁפֵט 12 מִי שָׂמְךָ לְאִישׁ שַׂר וְשֹׁפֵט עָלֵינוּ Ex. 2:14
הַשֹּׁפֵט 13 אֶל־הַכֹּהֲנִים הַלְוִיִּם וְאֶל־הַשֹּׁפֵט Deut. 17:9
14 לְבִלְתִּי שְׁמֹעַ...אוֹ אֶל־הַשֹּׁפֵט Deut. 17:12
15 וְהִפִּילוֹ הַשֹּׁפֵט וְהִכָּהוּ לְפָנָיו Deut. 25:2
16 וְהָיָה יְיָ עִם־הַשֹּׁפֵט וְהוֹשִׁיעָם Jud. 2:18
17 כֹּל יְמֵי הַשּׁוֹפֵט Jud. 2:18
18 וְהָיָה בְּמוֹת הַשּׁוֹפֵט יָשֻׁבוּ Jud. 2:19
וְהַשּׁוֹפֵט 19 הַשַּׂר שֹׁאֵל וְהַשֹּׁפֵט בַּשִּׁלּוּם Mic. 7:3
מִשֹּׁפְטִי 20 וַאֲפַלְּטָה לָנֶצַח מִשֹּׁפְטִי Job 23:7
שֹׁפְטֵנוּ 21 כִּי יְיָ שֹׁפְטֵנוּ יְיָ מְחֹקְקֵנוּ Is. 33:22
שֹׁפְטִים 22 שֹׁפְטִים וְשֹׁטְרִים תִּתֶּן־לְךָ Deut. 16:18
23 וַיָּקֶם יְיָ שֹׁפְטִים וַיּוֹשִׁיעוּם Jud. 2:16
24 וְכִי־הֵקִים יְיָ לָהֶם שֹׁפְטִים Jud. 2:18
25 וַיָּשֶׂם אֶת־בָּנָיו שֹׁפְטִים לְיִשְׂרָאֵל ISh. 8:1
26 שֹׁפְטִים בִּבְאֵר שָׁבַע ISh. 8:2
27 אֲשֶׁר צִוִּיתִי שֹׁפְטִים עַל־עַמִּי יִשְׂר׳ IISh. 7:11
28 אַךְ יֵשׁ־אֱלֹהִים שֹׁפְטִים בָּאָרֶץ Ps. 58:12
29 אֲשֶׁר צִוִּיתִי שֹׁפְטִים עַל־עַמִּי יִשְׂרָ׳ ICh. 17:10
30 וַיַּעֲמֵד שֹׁפְטִים בָּאָרֶץ IICh. 19:5
וְשֹׁפְטִים 31 וְשֹׁפְטִים יְהוֹלֵל Job 12:17
32 וְשֹׁטְרִים וְשֹׁפְטִים שֵׁשֶׁת אֲלָפִים ICh. 23:4
הַשֹּׁפְטִים 33 וְדָרְשׁוּ הַשֹּׁפְטִים הֵיטֵב Deut. 19:18
34 לֹא נַעֲשָׂה כַּפֶּסַח הַזֶּה מִימֵי הַשֹּׁפְטִים IIK. 23:22
35 וַיְהִי בִּימֵי שְׁפֹט הַשֹּׁפְטִים Ruth 1:1
36 וַיֹּאמֶר אֶל־הַשֹּׁפְטִים רְאוּ... IICh. 19:6
וְהַשֹּׁפְטִים 37 וְעָמְדוּ...לִפְנֵי הַכֹּהֲנִים וְהַשֹּׁפְטִים Deut. 19:17
וּלְשֹׁפְטִים 38 כְּנַנְיָהוּ וּבָנָיו...לְשֹׁטְרִים וּלְשֹׁפְטִים ICh. 26:29
וְלַשֹּׁפְטִים 39 וְלַשֹּׁפְטִים וּלְכֹל נָשִׂיא IICh. 1:2
שֹׁפְטֵי־ 40 וַיֹּאמֶר מֹשֶׁה אֶל־שֹׁפְטֵי יִשְׂרָאֵל Num. 25:5
41 שֹׁפְטֵי אֶרֶץ כַּתֹּהוּ עָשָׂה Is. 40:23
42 הִוָּסְרוּ שֹׁפְטֵי אָרֶץ Ps. 2:10
43 שָׂרִים וְכָל־שֹׁפְטֵי אָרֶץ Ps. 148:11
44 וּנְדִיבִים כָּל־שֹׁפְטֵי אָרֶץ Prov. 8:16
45 הֲדָבָר דִּבַּרְתִּי אֶת־אַחַד שֹׁפְטֵי יִשׂ׳ ICh. 17:6
מִשֹּׁפְטֵי־ 46 לְהוֹשִׁיעַ מִשֹּׁפְטֵי נַפְשׁוֹ Ps. 109:31
וְשֹׁפְטֶיךָ 47 וְיָצְאוּ זְקֵנֶיךָ וְשֹׁפְטֶיךָ Deut. 21:2
48 אֱהִי מַלְכְּךָ אֵפוֹא...וְשֹׁפְטֶיךָ Hosh. 13:10
שֹׁפְטַיִךְ 49 וְאָשִׁיבָה שֹׁפְטַיִךְ כְּבָרִאשֹׁנָה Is. 1:26
וְשֹׁפְטָיו 50 וּזְקֵנָיו וְשֹׁטְרִים וְשֹׁפְטָיו Josh. 8:33
וּלְשֹׁפְטָיו 51/2 וּלְרָאשָׁיו וּלְשֹׁפְטָיו וּלְשֹׁטְרָיו Josh. 23:2; 24:1
שֹׁפְטֶיהָ 53 שֹׁפְטֶיהָ זְאֵבֵי עֶרֶב Zep. 3:3
54 פְּנֵי־שֹׁפְטֶיהָ יְכַסֶּה Job 9:24
וְשֹׁפְטֶיהָ 55 זִקְנֵי־עִיר וָעִיר וְשֹׁפְטֶיהָ Ez. 10:14
שֹׁפְטֵינוּ 56 וְעַל־שֹׁפְטֵינוּ אֲשֶׁר שְׁפָטוּנוּ Dan. 9:12
שֹׁפְטֵיכֶם 57 וָאֲצַוֶּה אֶת־שֹׁפְטֵיכֶם Deut. 1:16
שֹׁפְטֵיהֶם 58 וְגַם אֶל־שֹׁפְטֵיהֶם לֹא שָׁמֵעוּ Jud. 2:17
59 וְאָכְלוּ אֶת־שֹׁפְטֵיהֶם Hosh. 7:7
60 נִשְׁמְטוּ בִידֵי־סֶלַע שֹׁפְטֵיהֶם Ps. 141:6

שׁוֹפָךְ

שפ־ז – שַׂר צְבָא הֲדַדְעֶזֶר, הוּא שׁוֹבָךְ: 1, 2

שׁוֹפַךְ 1 וְאֵת שׁוֹפַךְ שַׂר־הַצָּבָא הֵמִית ICh. 19:18
וְשׁוֹפַךְ 2 וְשׁוֹפַךְ שַׂר־צְבָא הֲדַדְעֶזֶר ICh. 19:16

שׁוּפָמִי

ת׳ המתיחס על משפחת שְׁפוּפָם (שׁוּפָם?)

הַשּׁוּפָמִי 1 לִשְׁפוּפָם מִשְׁפַּחַת הַשּׁוּפָמִי Num. 26:39

שׁוֹפָן

ש־פ – עין עַטְרוֹת שׁוֹפָן (באות ע׳)

שׁוֹפָר

ז׳ כלי־נשיפה עשוי מקרן איל להכרזות בימי מועד או להזעקת הצבא: 1-72

קרובים: חֲצֹצְרָה / קֶרֶן הַיּוֹבֵל

– שׁוֹפָר גָּדוֹל 35; בְּדֵי שׁוֹפָר 24; יוֹם שׁוֹפָר 18; קוֹל שׁוֹפָר 1, 3, 6, 7, 9, 10, 16, 19, 21, 23, 25-34; תֶּקַע שׁוֹפָר 22
– שׁוֹפַר תְּרוּעָה 52; תּוֹקְעֵי שׁוֹפָרוֹת 54
– שׁוֹפְרוֹת יוֹבְלִים 68-71
– הֶעֱבִיר שׁוֹפָר 2, 52; תָּקַע שׁוֹפָר 4, 5, 8, 11, 12, 14, 15, (17), 20, 55, 56; תָּקַע בְּשׁוֹפָר 36-50, 57-66

שׁוֹפָר 1 וְקֹל שֹׁפָר חָזָק מְאֹד Ex. 19:16
2 תַּעֲבִירוּ שׁוֹפָר בְּכָל־אַרְצְכֶם Lev. 25:9
3 בִּתְרוּעָה וּבְקוֹל שׁוֹפָר IISh. 6:15
4 וְכִתְקֹעַ שׁוֹפָר תִּשְׁמָעוּ Is. 18:3
5 תִּקְעוּ שׁוֹפָר בָּאָרֶץ Jer. 4:5
6 קוֹל שׁוֹפָר שָׁמַעַתְּ נַפְשִׁי Jer. 4:19
7 אֶרְאֶה־נֵּס אֶשְׁמְעָה קוֹל שׁוֹפָר Jer. 4:21
8 וּבִתְקוֹעַ תִּקְעוּ שׁוֹפָר Jer. 6:1
9 הַקְשִׁיבוּ לְקוֹל שׁוֹפָר Jer. 6:17
10 וְקוֹל שׁוֹפָר לֹא נִשְׁמָע Jer. 42:14
11 תִּקְעוּ שׁוֹפָר בַּגּוֹיִם Jer. 51:27
12 תִּקְעוּ שׁוֹפָר בַּגִּבְעָה חֲצֹצְרָה בָּרָמָה Hosh. 5:8
13 אֶל־חִכְּךָ שֹׁפָר כַּנֶּשֶׁר עַל־בֵּית יְיָ Hosh. 8:1
14/5 תִּקְעוּ שׁוֹפָר בְּצִיּוֹן Joel 2:1, 15
16 בִּתְרוּעָה בְּקוֹל שׁוֹפָר Am. 2:2
17 אִם־יִתָּקַע שׁוֹפָר בְּעִיר Am. 3:6
18 יוֹם שׁוֹפָר וּתְרוּעָה Zep. 1:16
19 עָלָה אֱלֹ׳ בִּתְרוּעָה יְיָ בְּקוֹל שׁוֹפָר Ps. 47:6
20 תִּקְעוּ בַחֹדֶשׁ שׁוֹפָר Ps. 81:4
21 בַּחֲצֹצְרוֹת וְקוֹל שׁוֹפָר Ps. 98:6
22 הַלְלוּהוּ בְּתֵקַע שׁוֹפָר Ps. 150:3
23 וְלֹא־יַאֲמִין כִּי־קוֹל שׁוֹפָר Job 39:24
24 בְּדֵי שֹׁפָר יֹאמַר הֶאָח Job 39:25
25 בִּתְרוּעָה וּבְקוֹל שׁוֹפָר ICh. 15:28
הַשּׁוֹפָר 26 קוֹל הַשֹּׁפָר הוֹלֵךְ וְחָזֵק מְאֹד Ex. 19:19
27 וְאֶת־הַלַּפִּידִם וְאֵת קוֹל הַשֹּׁפָר Ex. 20:14
28 כְּשָׁמְעֲכֶם אֶת־קוֹל הַשּׁוֹפָר Josh. 6:5
29 כִּשְׁמֹעַ הָעָם אֶת־קוֹל הַשּׁוֹפָר Josh. 6:20
30 כְּשָׁמְעֲכֶם אֶת־קוֹל הַשֹּׁפָר IISh. 15:10
31 וַיִּשְׁמַע יוֹאָב אֶת־קוֹל הַשּׁוֹפָר IK. 1:41
32 וְשָׁמַע הַשֹּׁמֵעַ אֶת־קוֹל הַשּׁוֹפָר Ezek. 33:4
33 אֵת קוֹל הַשּׁוֹפָר שָׁמַע Ezek. 33:5
34 אֲשֶׁר תִּשְׁמְעוּ אֶת־קוֹל הַשּׁוֹפָר Neh. 4:14
בְּשׁוֹפָר 35 בַּיּוֹם הַהוּא יִתָּקַע בְּשׁוֹפָר גָּדוֹל Is. 27:13
בַּשּׁוֹפָר 36 וַיִּתְקַע בַּשּׁוֹפָר בְּהַר אֶפְרָיִם Jud. 3:27
37 וַיִּתְקַע בַּשּׁוֹפָר וַיִּזָּעֵק אֲבִיעֶזֶר Jud. 6:34
38 וְתָקַעְתִּי בַּשּׁוֹפָר אָנֹכִי Jud. 7:18
39 וְשָׁאוּל תָּקַע בַּשּׁוֹפָר בְּכָל־הָאָרֶץ ISh. 13:3
40 וַיִּתְקַע יוֹאָב בַּשּׁוֹפָר IISh. 2:28
41 וַיִּתְקַע יוֹאָב בַּשֹּׁפָר IISh. 18:16
42 וַיִּתְקַע בַּשּׁוֹפָר וַיֹּאמֶר IISh. 20:1
43 וַיִּתְקַע בַּשֹּׁפָר וַיָּפֻצוּ מֵעַל־הָעִיר IISh. 20:22
בַּשּׁוֹפָר (המשך) 44 וּתְקַעְתֶּם בַּשּׁוֹפָר וַאֲמַרְתֶּם IK. 1:34
45/6 וַיִּתְקְעוּ בַּשּׁוֹפָר וַיֹּאמְרוּ IK. 1:39 • IIK. 9:13
47 וְתָקַע בַּשּׁוֹפָר וְהִזְהִיר אֶת־הָעָם Ezek. 33:3
48 וְהַצֹּפֶה...וְלֹא־תָקַע בַּשּׁוֹפָר Ezek. 33:6
49 וַאדֹנָי יֱהוִה בַּשּׁוֹפָר יִתְקָע Zech. 9:14
50 וְהַתּוֹקֵעַ בַּשּׁוֹפָר אֶצְלִי Neh. 4:12
כַּשּׁוֹפָר 51 כַּשּׁוֹפָר הָרֵם קוֹלֶךָ Is. 58:1
שׁוֹפַר־ 52 וְהַעֲבַרְתָּ שׁוֹפַר תְּרוּעָה Lev. 25:9
שׁוֹפָרוֹת 53 וַיִּתֵּן שׁוֹפָרוֹת בְּיַד־כֻּלָּם Jud. 7:16
הַשּׁוֹפָרוֹת 54 לִפְנֵי הַכֹּהֲנִים תֹּקְעֵי הַשּׁוֹפָרוֹת Josh. 6:9
55 וּבְיַד־יְמִינָם הַשּׁוֹפָרוֹת לִתְקוֹעַ Jud. 7:20
56 וַיִּתְקְעוּ שְׁלֹשׁ־מֵאוֹת הַשּׁוֹפָרוֹת Jud. 7:22
בַּשּׁוֹפָרוֹת 57 וְהַכֹּהֲנִים יִתְקְעוּ בַּשּׁוֹפָרוֹת Josh. 6:4
58 עִבְרוּ וְתִקְעוּ בַּשּׁוֹפָרוֹת Josh. 6:8
59 הָלוֹךְ וְתָקוֹעַ בַּשּׁוֹפָרוֹת Josh. 6:9
60 הֹלְכִים הָלוֹךְ וְתָקְעוּ בַּשּׁוֹפָרוֹת Josh. 6:13
61 הָלוֹךְ וְתָקוֹעַ בַּשּׁוֹפָרוֹת Josh. 6:13
62 תָּקְעוּ הַכֹּהֲנִים בַּשּׁוֹפָרוֹת Josh. 6:16
63 וַיָּרַע הָעָם וַיִּתְקְעוּ בַּשֹּׁפָרוֹת Josh. 6:20
64 וּתְקַעְתֶּם בַּשּׁוֹפָרוֹת גַּם־אַתֶּם Jud. 7:18
65 וַיִּתְקְעוּ בַּשּׁוֹפָרוֹת Jud. 7:19
66 וַיִּתְקְעוּ שְׁלֹשֶׁת הָרָאשִׁים בַּשּׁוֹפָרוֹת Jud. 7:20
וּבַשּׁוֹפָרוֹת 67 וַיִּשָּׁבְעוּ...וּבַחֲצֹצְרוֹת וּבַשּׁוֹפָרוֹת IICh. 15:14
שׁוֹפְרוֹת־ 68/9 שִׁבְעָה שׁוֹפְרוֹת הַיּוֹבְלִים Josh. 6:4, 8
70 שִׁבְעָה שׁוֹפְרוֹת יוֹבְלִים Josh. 6:6
71 שִׁבְעָה שׁוֹפְרוֹת הַיֹּבְלִים Josh. 6:13
שׁוֹפְרֹתֵיהֶם 72 וַיִּקְחוּ...וְאֵת שׁוֹפְרֹתֵיהֶם Jud. 7:8

שׁוּק : הֵשִׁיק, שׁוֹקֵק; שׁוּק, שׁוֹק

(שׁוּק) הֵשִׁיק

הפ׳ א) הֵצִיף: 1, 2
ב) [פ׳ שׁוֹקֵק] השקה: 3

הֵשִׁיקוּ 1 כִּי־מָלְאָה גַּת הֵשִׁיקוּ הַיְקָבִים Joel 4:13
וְהֵשִׁיקוּ 2 וְהֵשִׁיקוּ הַיְקָבִים תִּירוֹשׁ וְיִצְהָר Joel 2:24
וַתְּשֹׁקְקֶהָ 3 פָּקַדְתָּ הָאָרֶץ וַתְּשֹׁקְקֶהָ Ps. 65:10

שׁוּק

ז׳ מגרש או רחוב בעיר למקח־וממכר: 1-4

קרובים: חוּץ / כִּכָּר / רְחוֹב

בַּשּׁוּק 1 עֹבֵר בַּשּׁוּק אֵצֶל פִּנָּהּ Prov. 7:8
2 וְסֻגְּרוּ דְלָתַיִם בַּשּׁוּק Eccl. 12:4
3 וְסָבְבוּ בַשּׁוּק הַסּוֹפְדִים Eccl. 12:5
בַּשְּׁוָקִים 4 וַאֲסוֹבְבָה בָעִיר בַּשְּׁוָקִים וּבָרְחֹבוֹת S.ofS. 3:2

שׁוֹק

נ׳ חלק הרגל מכף־הרגל ועד הברך באדם ובבהמה: 1-19

קרובים: בֶּרֶךְ / זְרוֹעַ / יָרֵךְ / קַרְסֹל / רֶגֶל

– שׁוֹק הַיָּמִין 4-7, 11, 12, 15; שׁוֹק תְּרוּמָה 8-10, 13, 14; שׁוֹקֵי אִישׁ 18
– שׁוֹק עַל יָרֵךְ 1

שׁוֹק 1 וַיַּךְ אוֹתָם שׁוֹק עַל־יָרֵךְ Jud. 15:8
2 חֶשְׂפִּי־שֹׁבֶל גַּלִּי־שׁוֹק Is. 47:2
הַשּׁוֹק 3 וַיָּרֶם הַטַּבָּח אֶת־הַשּׁוֹק וְהֶעָלֶיהָ ISh. 9:24
שׁוֹק־ 4-7 שׁוֹק הַיָּמִין Ex. 29:22 • Lev. 7:32; 8:25; 9:21
8-10 שׁוֹק הַתְּרוּמָה Ex. 29:27 • Lev. 7:34; 10:14
11 לוֹ תִהְיֶה שׁוֹק הַיָּמִין לְמָנָה Lev. 7:33
12 וְעַל שׁוֹק הַיָּמִין Lev. 8:26
13 שׁוֹק הַתְּרוּמָה וַחֲזֵה הַתְּנוּפָה Lev. 10:15
14 וְעַל שׁוֹק הַתְּרוּמָה Num. 6:20
וּכְשׁוֹק־ 15 כַּחֲזֵה הַתְּנוּפָה וּכְשׁוֹק הַיָּמִין Num. 18:18
שֹׁקַיִם 16 דַּלְיוּ שֹׁקַיִם מִפִּסֵּחַ Prov. 26:7
הַשֹּׁקָיִם 17 עַל־הַבִּרְכַּיִם וְעַל־הַשֹּׁקַיִם Deut. 28:35
בְּשׁוֹקֵי־ 18 לֹא־בְשׁוֹקֵי הָאִישׁ יִרְצֶה Ps. 147:10
שׁוֹקָיו 19 שׁוֹקָיו עַמּוּדֵי שֵׁשׁ S.ofS. 5:15

שׁוֹקֵק ת' צָמֵא, נִכְסָף: 1, 2
נֶפֶשׁ שׁוֹקֵקָה 1, 2
שׁוֹקֵקָה 1 וְהִנֵּה עָיֵף וְנַפְשׁוֹ שׁוֹקֵקָה Is. 29:8
2 כִּי־הִשְׂבִּיעַ נֶפֶשׁ שֹׁקֵקָה Ps. 107:9

(שׂוּר)1 שָׂר פ' נסר, גזר
וַיָּשַׂר 1 וַיָּשַׂר בַּמְּגֵרָה וּבַחֲרִיצֵי הַבַּרְזֶל ICh. 20:3

(שׂוּר)2 שָׂר פ' סָר, נטה [עין גם סור]
בְּשׂוּרִי 1 אוֹי לָהֶם בְּשׂוּרִי מֵהֶם Hosh. 9:12

שׁור : שָׁר, שׁוֹרֵר; שׁוּר, שׁוּרָה, תְּשׁוּרָה; ש־פ שׁוּר; אר׳ שׁוּר

(שׁוּר) שָׁר פ' א) הסתכל, התבונן: 1-17
ב) [פ' שׁוֹרֵר] צפה, ארב: 18-23
אָשׁוּר 1 כְּנָמֵר עַל־דֶּרֶךְ אָשׁוּר Hosh. 13:7
אֲשׁוּרֶנּוּ 2 מֵרֹאשׁ צֻרִים אֶרְאֶנּוּ וּמִגְּבָעוֹת אֲשׁוּרֶנּוּ Num. 23:9
3 אֶרְאֶנּוּ וְלֹא עַתָּה אֲשׁוּרֶנּוּ וְלֹא קָרוֹב Num. 24:17
וַאֲשׁוּרֶנּוּ 4 אֲנִי עָנִיתִי וַאֲשׁוּרֶנּוּ Hosh. 14:9
תְשׁוּרֶנּוּ 5 אַף כִּי־תֹאמַר לֹא תְשׁוּרֶנּוּ Job 35:14
תָּשׁוּרִי 6 תָּשׁוּרִי מֵרֹאשׁ אֲמָנָה S.of S. 4:8
וַתָּשֻׁרִי 7 וַתָּשֻׁרִי לַמֶּלֶךְ בַּשֶּׁמֶן Is. 57:9
יָשׁוּר 8 יָשׁוּר כְּשַׁךְ יְקוּשִׁים Jer. 5:26
יָשֹׁר 9 יָשֹׁר עַל־אֲנָשִׁים וַיֹּאמֶר Job 33:27
יְשׁוּרֶנּוּ 10 וְיַסְתֵּר פָּנִים וּמִי יְשׁוּרֶנּוּ Job 34:29
יְשׁוּרֶנָּה 11 וְתִקְוָתִי מִי יְשׁוּרֶנָּה Job 17:15
12 וּבִשְׁתַּיִם לֹא יְשׁוּרֶנָּה Job 33:14
13 וְשַׁדַּי לֹא יְשׁוּרֶנָּה Job 35:13
תְשׁוּרֵנִי 14 לֹא־תְשׁוּרֵנִי עֵין רֹאִי Job 7:8
15 לֹא־תְשׁוּרֵנִי עָיִן Job 24:15
תְּשׁוּרֶנּוּ נ' 16 וְלֹא־עוֹד תְּשׁוּרֶנּוּ מְקוֹמוֹ Job 20:9
וְשׁוּר 17 וְשׁוּר שְׁחָקִים גָּבְהוּ מִמֶּךָּ Job 35:5
שֹׁרְרוּ(?) 18 ...אֲשֶׁר שֹׁרְרוּ אֲנָשִׁים Job 36:24
שׁוֹרְרַי 19 שָׁאֲפוּ שׁוֹרְרַי כָּל־הַיּוֹם Ps. 56:3
שׁוֹרְרָי 20 נְחֵנִי בְצִדְקָתֶךָ לְמַעַן שׁוֹרְרָי Ps. 5:9
21 וּנְחֵנִי בְּאֹרַח מִישׁוֹר לְמַעַן שׁוֹרְרָי Ps. 27:11
בְשֹׁרְרָי 22 אֱלֹהִים יַרְאֵנִי בְשֹׁרְרָי Ps. 59:11
לְשֹׁרְרָי 23 יָשִׁיב הָרַע לְשֹׁרְרָי Ps. 54:7

שׁוּר*1 ז' אורב, אויב
בְּשׁוּרָי 1 וַתַּבֵּט עֵינִי בְּשׁוּרָי Ps. 92:12

שׁוּר2 ז' חומה: 1-3
שׁוּר 1 בָּנוֹת צָעֲדָה עֲלֵי־שׁוּר Gen. 49:22
2 בֵּאלֹהַי אֲדַלֶּג־שׁוּר IISh. 22:30
3 וּבֵאלֹהַי אֲדַלֶּג־שׁוּר Ps. 18:30

שׁוּר3 ז' ארמית, כמו בעברית – חומה: 1-3
וְשׁוּרַיָּא 1 וְשׁוּרַיָּא (כת' ושורי) שַׁכְלִלוּ Ez. 4:12
2 וְשׁוּרַיָּא יִשְׁתַּכְלְלוּן Ez. 4:13
וְשׁוּרַיָּה 3 וְשׁוּרַיָּה יִשְׁתַּכְלְלוּן Ez. 4:16

שׁוּר4 ש־פ – המדבר שעברו בני ישראל במסעיהם ממצרים: 1-6
דֶּרֶךְ שׁוּר 1; מִדְבַּר שׁוּר 4
שׁוּר 1 בַּמִּדְבָּר עַל־הָעַיִן בְּדֶרֶךְ שׁוּר Gen. 16:7
2 וַיֵּשֶׁב בֵּין־קָדֵשׁ וּבֵין שׁוּר Gen. 20:1
3 וַיִּשְׁכְּנוּ מֵחֲוִילָה עַד־שׁוּר Gen. 25:18
4 וַיֵּצְאוּ אֶל־מִדְבַּר־שׁוּר Ex. 15:22
5 וַיַּךְ...מֵחֲוִילָה בּוֹאֲךָ שׁוּר ISh. 15:7
שׁוּרָה 6 בּוֹאֲךָ שׁוּרָה וְעַד־אֶרֶץ מִצְרָיִם ISh. 27:8

שׁוֹר ז' הַזָּכָר בַּבָּקָר (ביחוד מסורס – לעבודה): 1-79
קרובים: אַלּוּף / אֶלֶף / בָּקָר / מְרִיא / עֵגֶל / פַּר / פָּרָה
– שׁוֹר וַחֲמוֹר 1, 5, 9, 10, 25, 36, 37, 49, 52, 55, 66, 69, 71, 72, 74, 78; שׁוֹר וּמְרִיא 22-24; שׁוֹר וָשֶׂה 8-11, 15, 17-19, 21, 26, 33, 34, 36, 37, 55, 57, 75
– שׁוֹר אָבוּס 59; שׁוֹר חַי 42; שׁוֹר נַגָּח 4, 6
– שׁוֹר אוֹיִבוֹ 62; שׁוֹר אִישׁ 60; שׁוֹר אַלְמָנָה 65; שׁוֹר מִי 64; שׁוֹר פָּר 58; שׁוֹר רֵעֵהוּ 61
– בְּכוֹר שׁוֹר 16, 68, 73; בַּעַל שׁוֹר 39; חֵלֶב שׁוֹר 12; כֹּחַ שׁוֹר 29; מִשְׁלַח שׁוֹר 26; פֶּטֶר שׁוֹר 11; פְּנֵי שׁוֹר 27; פַּר הַשּׁוֹר 48; רֶגֶל שׁוֹר 49; תַּבְנִית שׁוֹר 28
שׁוֹר 1 וַיְהִי־לִי שׁוֹר וַחֲמוֹר Gen. 32:5
2 וּבִרְצֹנָם עִקְּרוּ־שׁוֹר Gen. 49:6
3 וְכִי־יִגַּח שׁוֹר אֶת־אִישׁ Ex. 21:28
4 וְאִם שׁוֹר נַגָּח הוּא Ex. 21:29
5 וְנָפַל־שָׁמָּה שׁוֹר אוֹ חֲמוֹר Ex. 21:33
6 אוֹ נוֹדַע כִּי שׁוֹר נַגָּח הוּא Ex. 21:36
7 שַׁלֵּם יְשַׁלֵּם שׁוֹר תַּחַת הַשּׁוֹר Ex. 21:36
8 כִּי יִגְנֹב־אִישׁ שׁוֹר אוֹ־שֶׂה Ex. 21:37
9 עַל־שׁוֹר עַל־חֲמוֹר עַל־שֶׂה Ex. 22:8
10 חֲמוֹר אוֹ־שׁוֹר אוֹ־שֶׂה Ex. 22:9
11 פֶּטֶר שׁוֹר וָשֶׂה Ex. 34:19
12 כָּל־חֵלֶב שׁוֹר וְכֶשֶׂב וָעֵז Lev. 7:23
13/4 שׁוֹר אוֹ־כֶשֶׂב אוֹ־עֵז Lev. 17:3; 22:27
15 אִם־שׁוֹר אִם־שֶׂה לַיי הוּא Lev. 27:26
16 אַךְ בְּכוֹר־שׁוֹר אוֹ־בְכוֹר כֶּשֶׂב Num. 18:17
17 שׁוֹר שֵׂה כְשָׂבִים וְשֵׂה עִזִּים Deut. 14:4
18 שׁוֹר וָשֶׂה אֲשֶׁר יִהְיֶה בוֹ מוּם Deut. 17:1
19 אִם־שׁוֹר אִם־שֶׂה Deut. 18:3
20 לֹא־תַחְסֹם שׁוֹר בְּדִישׁוֹ Deut. 25:4
21 וַיַּחֲרִימוּ...וְעַד שׁוֹר וָשֶׂה וַחֲמוֹר Josh. 6:21
22 וַיִּזְבַּח שׁוֹר וּמְרִיא IISh. 6:13
23/4 וַיִּזְבַּח שׁוֹר וּמְרִיא־וְצֹאן לָרֹב IK. 1:19, 25
25 יָדַע שׁוֹר קֹנֵהוּ וַחֲמוֹר אֵבוּס בְּעָלָיו Is. 1:3
26 לְמִשְׁלַח שׁוֹר וּלְמִרְמַס שֶׂה Is. 7:25
27 וּפְנֵי־שׁוֹר מֵהַשְּׂמֹאול לְאַרְבַּעְתָּן Ezek. 1:10
28 בְּתַבְנִית שׁוֹר אֹכֵל עֵשֶׂב Ps. 106:20
29 וְרָב־תְּבוּאוֹת בְּכֹחַ שׁוֹר Prov. 14:4
30 אִם יִגְעֶה־שׁוֹר עַל־בְּלִילוֹ Job 6:5
31 שׁוֹר אֶחָד צֹאן שֵׁשׁ־בְּרֻרוֹת Neh. 5:18
וְשׁוֹר 32 וְשׁוֹר וָאַיִל לִשְׁלָמִים Lev. 9:4
33 וְשׁוֹר וָשֶׂה שָׂרוּעַ וְקָלוּט Lev. 22:23
34 וְשׁוֹר אוֹ־שֶׂה אֹתוֹ וְאֶת־בְּנוֹ... Lev. 22:28
35 עֲגָלָה עַל־שְׁנֵי הַנְּשִׂאִים וְשׁוֹר לְאֶחָד Num. 7:3
36 הִכָּה...וְשׁוֹר וַחֲמוֹר וָשֶׂה ISh. 22:19
וָשׁוֹר 37 וָשֶׂה וָשׁוֹר וַחֲמוֹר Jud. 6:4
הַשּׁוֹר 38 סָקוֹל יִסָּקֵל הַשּׁוֹר Ex. 21:28
39 וּבַעַל הַשּׁוֹר נָקִי Ex. 21:28
40 הַשּׁוֹר יִסָּקֵל וְגַם־בְּעָלָיו יוּמָת Ex. 21:29
41 אִם־עֶבֶד יִגַּח הַשּׁוֹר Ex. 21:32
42 וּמָכְרוּ אֶת־הַשּׁוֹר הַחַי Ex. 21:35
43 שַׁלֵּם יְשַׁלֵּם שׁוֹר תַּחַת הַשּׁוֹר Ex. 21:36
44 חֲמִשָּׁה בָקָר יְשַׁלֵּם תַּחַת הַשּׁוֹר Ex. 21:37
45 וַיִּשְׁחַט אֶת־הַשּׁוֹר וְאֶת־הָאַיִל Lev. 9:18
46 וְאֶת־הַחֲלָבִים מִן־הַשּׁוֹר Lev. 9:19
47 כִּלְחֹךְ הַשּׁוֹר אֵת יֶרֶק הַשָּׂדֶה Num. 22:4
48 קַח אֶת־פַּר־הַשּׁוֹר אֲשֶׁר לְאָבִיךָ Jud. 6:25
49 מְשַׁלְּחֵי רֶגֶל־הַשּׁוֹר וְהַחֲמוֹר Is. 32:20
50 שׁוֹחֵט הַשּׁוֹר מַכֵּה־אִישׁ Is. 66:3
וְהַשּׁוֹר 51 כֶּסֶף...יִתֵּן לַאדֹנָיו וְהַשּׁוֹר יִסָּקֵל Ex. 21:32
בְּשׁוֹר 52 לֹא־תַחֲרֹשׁ בְּשׁוֹר־וּבַחֲמֹר יַחְדָּו Deut. 22:10
כְּשׁוֹר 53 כְּשׁוֹר אֶל־טָבַח יָבֹא Prov. 7:22
לַשּׁוֹר 54 כָּכָה יֵעָשֶׂה לַשּׁוֹר הָאֶחָד Num. 15:11
מִשּׁוֹר 55 מִשּׁוֹר עַד־חֲמוֹר עַד־שֶׂה Ex. 22:3
56 כַּאֲשֶׁר יוּרַם מִשּׁוֹר זֶבַח הַשְּׁלָמִים Lev. 4:10
57 וְהֵמַתָּה...מִשּׁוֹר וְעַד־שֶׂה ISh. 15:3
58 וְתִיטַב לַיי מִשּׁוֹר פָּר Ps. 69:32
59 טוֹב...מִשּׁוֹר אָבוּס וְשִׂנְאָה־בוֹ Prov. 15:17
שׁוֹר־ 60/1 וְכִי־יִגֹּף שׁוֹר־אִישׁ אֶת־שׁוֹר רֵעֵהוּ Ex. 21:35
62 כִּי תִפְגַּע שׁוֹר אֹיִבְךָ...תֹּעֶה Ex. 23:4
63 לֹא־תִרְאֶה אֶת־שׁוֹר אָחִיךָ Deut. 22:1
64 אֶת־שׁוֹר מִי לָקַחְתִּי ISh. 12:3
65 יַחְבְּלוּ שׁוֹר אַלְמָנָה Job 24:3
שׁוֹרְךָ 66 לְמַעַן יָנוּחַ שׁוֹרְךָ וַחֲמֹרֶךָ Ex. 23:12
67 שׁוֹרְךָ טָבוּחַ לְעֵינֶיךָ Deut. 28:31
שׁוֹרֶךָ 68 לֹא תַעֲבֹד בִּבְכֹר שׁוֹרֶךָ Deut. 15:19
וְשׁוֹרְךָ 69 וְשׁוֹרְךָ וַחֲמֹרְךָ וְכָל־בְּהֶמְתֶּךָ Deut. 5:14
לְשֹׁרְךָ 70 כֵּן־תַּעֲשֶׂה לְשֹׁרְךָ לְצֹאנֶךָ Ex. 22:29
שׁוֹרוֹ 71 וְלֹא תִתְאַוֶּה...שׁוֹרוֹ וַחֲמֹרוֹ Deut. 5:18
72 אֶת־חֲמוֹר אָחִיךָ אוֹ שׁוֹרוֹ Deut. 22:4
73 בְּכוֹר שׁוֹרוֹ הָדָר לוֹ Deut. 33:17
74 וְאֶת־שׁוֹרוֹ וְאֶת־חֲמֹרוֹ וְאֶת־צֹאנוֹ Josh. 7:24
75 הַגִּישׁוּ...אִישׁ שׁוֹרוֹ וְאִישׁ שֵׂיֵהוּ ISh. 14:34
76 וַיַּגִּשׁוּ כָל־הָעָם אִישׁ שׁוֹרוֹ בְיָדוֹ ISh. 14:34
77 שׁוֹרוֹ עִבַּר וְלֹא יַגְעִל Job 21:10
וְשׁוֹרוֹ 78 לֹא־תַחְמֹד...וְשׁוֹרוֹ וַחֲמֹרוֹ Ex. 20:14
שְׁוָרִים 79 בַּגִּלְגָּל שְׁוָרִים זִבֵּחוּ Hosh. 12:12

שׁוּרָה* נ' טור, שדרה
שׁוּרֹתָם 1 בֵּין־שׁוּרֹתָם יַצְהִירוּ Job 24:11

שׂוֹרָה נ' חלקת שדה? תבואה?
שׂוֹרָה 1 וְשָׂם חִטָּה שׂוֹרָה וּשְׂעֹרָה נִסְמָן Is. 28:25

שׂוֹרֵק ז' זן מעולה של ענבים: 1, 2
שֹׂרֵק 1 וַיְעַזְּקֵהוּ וַיְסַקְּלֵהוּ וַיִּטָּעֵהוּ שֹׂרֵק Is. 5:2
2 וְאָנֹכִי נְטַעְתִּיךְ שׂוֹרֵק Jer. 2:21

(נַחַל) שׂוֹרֵק ש־פ – עמק בין אשקלון לעזה
שׂוֹרֵק 1 וַיֶּאֱהַב אִשָּׁה בְּנַחַל שׂוֹרֵק Jud. 16:4

שׂוֹרֵקָה נ' הוא שורק, זן מעולה של ענבים
וְלַשֹּׂרֵקָה 1 אֹסְרִי...וְלַשֹּׂרֵקָה בְּנִי אֲתֹנוֹ Gen. 49:11

(שׂושׂ) – עין (שׂישׂ)

שַׁוְשָׁא שפ־ז – סופר למלך דוד, הוא שְׂרָיָה
וְשַׁוְשָׁא 1 וְצָדוֹק...כֹּהֲנִים וְשַׁוְשָׁא סוֹפֵר ICh. 18:16

שׁוּשַׁן1 ז' א) גלוף־קשוט בתבנית פרח: 1
ב) אחד מכלי־הזמר העתיקים: 2
שׁוּשַׁן 1 וְכֹתָרֹת...מַעֲשֵׂה שׁוּשַׁן בָּאוּלָם IK. 7:19
2 לַמְנַצֵּחַ עַל־שׁוּשַׁן עֵדוּת Ps. 60:1

שׁוּשַׁן2, שׁוּשָׁן ש־פ – עיר הבירה של מלכי פרס: 1-21
שׁוּשַׁן 1 וְיִקְבְּצוּ...אֶל־שׁוּשַׁן הַבִּירָה Es. 2:3
2 וּבְהִקָּבֵץ...אֶל־שׁוּשַׁן הַבִּירָה Es. 2:8
שׁוּשָׁן 3 וְהָעִיר שׁוּשָׁן נָבוֹכָה Es. 3:15
4 וְהָעִיר שׁוּשָׁן צָהֲלָה וְשָׂמֵחָה Es. 8:15
בְּשׁוּשַׁן 5 כְּסֵּא מַלְכוּתוֹ אֲשֶׁר בְּשׁוּשַׁן הַבִּירָה Es. 1:2
6 הָעָם הַנִּמְצְאִים בְּשׁוּשַׁן הַבִּירָה Es. 1:5
7 אִישׁ יְהוּדִי הָיָה בְּשׁוּשַׁן הַבִּירָה Es. 2:5
8 וְהַדָּת נִתְּנָה בְּשׁוּשַׁן הַבִּירָה Es. 3:15
9-13 בְּשׁוּשַׁן הַבִּירָה Es. 8:14; 9:11, 12
Dan. 8:2 • Neh. 1:1

בְּשׁוּשָׁן 14 כְּתָב־הַדָּת אֲשֶׁר־נִתַּן בְּשׁוּשָׁן Es. 4:8
15 כָּל־הַיְּהוּדִים הַנִּמְצְאִים בְּשׁוּשָׁן Es. 4:16
20-16 בְּשׁוּשָׁן Es. 9:13, 14, 15^{2}, 18
וּבְשׁוּשַׁן 21 וּבְשׁוּשַׁן הַבִּירָה הָרְגוּ הַיְּהוּדִים Es. 9:6

שׁוֹשָׁן
ז׳ א) פרח-גן לבן (Lilium): 6-11
ב) גלוף־קשוט בבניה בתבנית פרח זה: 1, 2
ג) אחד מכלי־הזמר העתיקים: 3-5 [עין שׁוּשַׁן 1]

קרוב: חֲבַצֶּלֶת

שׁוֹשָׁן 1 וְעַל רֹאשׁ הָעַמּוּדִים מַעֲשֵׂה שׁוֹשָׁן IK. 7:22
2 כְּמַעֲשֵׂה שְׂפַת־כּוֹס פֶּרַח שׁוֹשָׁן IK. 7:26
שֹׁשַׁנִּים 3 לַמְנַצֵּחַ עַל־שֹׁשַׁנִּים Ps. 45:1
4 לַמְנַצֵּחַ עַל־שׁוֹשַׁנִּים Ps. 69:1
5 לַמְנַצֵּחַ אֶל־שֹׁשַׁנִּים Ps. 80:1
6 שִׂפְתוֹתָיו שׁוֹשַׁנִּים S.ofS. 5:13
7 לִרְעוֹת בַּגַּנִּים וְלִלְקֹט שׁוֹשַׁנִּים S.ofS. 6:2
בַּשּׁוֹשַׁנִּים 8 דּוֹדִי לִי...הָרֹעֶה בַּשּׁוֹשַׁנִּים S.ofS. 2:16
9 כִּשְׁנֵי עֳפָרִים...הָרוֹעִים בַּשּׁוֹשַׁנִּים S.ofS. 4:5
10 אֲנִי לְדוֹדִי...הָרוֹעֶה בַּשּׁוֹשַׁנִּים S.ofS. 6:3
11 בִּטְנֵךְ עֲרֵמַת חִטִּים סוּגָה בַּשּׁוֹשַׁנִּים S.ofS. 7:3

שׁוֹשַׁנָּה
נ׳ פרח השׁוֹשָׁן: 1-4 [עין שׁוֹשָׁן]

שׁוֹשַׁנַּת הָעֲמָקִים 4

שׁוֹשַׁנָּה 1 כְּמַעֲשֵׂה שְׂפַת־כּוֹס פֶּרַח שׁוֹשַׁנָּה IICh. 4:5
כְּשׁוֹשַׁנָּה 2 כְּשׁוֹשַׁנָּה בֵּין הַחוֹחִים S.ofS. 2:2
כַּשּׁוֹשַׁנָּה 3 אֶהְיֶה כַטַּל לְיִשְׂרָאֵל יִפְרַח כַּשּׁוֹשַׁנָּה Hosh. 14:6
שׁוֹשַׁנַּת־ 4 חֲבַצֶּלֶת הַשָּׁרוֹן שׁוֹשַׁנַּת הָעֲמָקִים S.ofS. 2:1

שׁוּשַׁנְכָיֵא
ת׳ ארמית: תושבי שׁוּשַׁן

שׁוּשַׁנְכָיֵא 1 בַּבְלָיֵא שׁוּשַׁנְכָיֵא דֶּהָיֵא° עֵלְמָיֵא Ez. 4:9

שׁוֹשְׁתִי
(ישעיה י 13) – עין שָׁסָה (12)

שׁוּתֶלַח*
שפ״ז – בן אפרים בן יוסף: 1-4

שׁוּתָלַח 1 וְאֵלֶּה בְּנֵי שׁוּתָלַח Num. 26:36
2 וּבְנֵי אֶפְרַיִם שׁוּתָלַח ICh. 7:20
וְשׁוּתֶלַח 3 וְזָבָד בְּנוֹ וְשׁוּתֶלַח בְּנוֹ ICh. 7:21
לְשׁוּתֶלַח 4 לְשׁוּתֶלַח מִשְׁפַּחַת הַשֻּׁתַלְחִי Num. 26:35

שׁוּתַלְחִי
ת׳ המתיַחס על בית שׁוּתֶלַח

הַשּׁוּתַלְחִי 1 לְשׁוּתֶלַח מִשְׁפַּחַת הַשֻּׁתַלְחִי Num. 26:35

שָׁזַף
פָּ׳ א) שָׂרַף, צרב: 1
ב) [בהשאלה] הביט, ראה: 2, 3

שֶׁשְּׁזָפַתְנִי 1 אַל־תִּרְאוּנִי שֶׁאֲנִי שְׁחַרְחֹרֶת
שֶׁשְּׁזָפַתְנִי הַשָּׁמֶשׁ S.ofS. 1:6
שְׁזָפַתּוּ 2 עַיִן שְׁזָפַתּוּ וְלֹא תוֹסִיף Job 20:9
3 וְלֹא שְׁזָפַתּוּ עֵין אַיָּה Job 28:7

שזר
: מָשְׁזָר

(שזר) מָשְׁזָר
הָפ׳ בינוני: קלוּע, ארוּג: 1-21

שֵׁשׁ מָשְׁזָר 1-20; שָׁנִי מָשְׁזָר 21

מָשְׁזָר 1 עֶשֶׂר יְרִיעֹת שֵׁשׁ מָשְׁזָר Ex. 26:1
20-2 (וְ)שֵׁשׁ מָשְׁזָר Ex. 26:31, 36
27:9, 16, 18; 28:6, 8, 15; 36:8, 35, 37; 38:9, 16, 18;
39:2, 5, 8, 28, 29
21 תְּכֵלֶת וְאַרְגָּמָן וְתוֹלַעַת שָׁנִי מָשְׁזָר Ex. 39:24

שֵׂחַ
ז׳ שִׂיח, דבּוּר [עין גם שִׂיחַ[2]]

שֵׂחוֹ 1 וּמַגִּיד לְאָדָם מַה־שֵּׂחוֹ Am. 4:13

שַׁח
ת׳ כפוּף, מוּשפל [עין גם שָׁחַח]

וְשַׁח־ 1 וְשַׁח עֵינַיִם יוֹשִׁעַ Job 22:29

שחד
: שָׁחַד; שֹׁחַד

שָׁחַד
פָּ׳ נתן שלמונים לנטות לטובתו: 1, 2

וַתִּשְׁחֳדִי 1 וַתִּשְׁחֳדִי אוֹתָם לָבוֹא אֵלַיִךְ Ezek. 16:33
שִׁחֲדוּ 2 הָבוּ לִי וּמִכֹּחֲכֶם שִׁחֲדוּ בַעֲדִי Job 6:22

שֹׁחַד
ז׳ שלמונים, כסף או שוה־כסף שנִּתָּן
לשופט כדי שיַטה את הדין לטובתו: 1-23

אָהֳלֵי שֹׁחַד 13; אוֹהֵב שֹׁחַד 7; מִקַּח שֹׁחַד 14

שֹׁחַד 1 לֹא־יִשָּׂא פָנִים וְלֹא יִקַּח שֹׁחַד Deut. 10:17
2 לֹא תַכִּיר פָּנִים וְלֹא־תִקַּח שֹׁחַד Deut. 16:19
3 אָרוּר לֹקֵחַ שֹׁחַד לְהַכּוֹת נֶפֶשׁ Deut. 27:25
4 וַיִּקְחוּ־שֹׁחַד וַיַּטּוּ מִשְׁפָּט ISh. 8:3
5 שָׁלַחְתִּי לְךָ שֹׁחַד כֶּסֶף וְזָהָב IK. 15:19
6 וַיִּשְׁלַח לְמֶלֶךְ־אַשּׁוּר שֹׁחַד IIK. 16:8
7 כֻּלּוֹ אֹהֵב שֹׁחַד וְרֹדֵף שַׁלְמֹנִים Is. 1:23
8 מַצְדִּיקֵי רָשָׁע עֵקֶב שֹׁחַד Is. 5:23
9 שֹׁחַד לָקְחוּ־בָךְ לְמַעַן שְׁפָךְ־דָּם Ezek. 22:12
10 וִימִינָם מָלְאָה שֹּׁחַד Ps. 26:10
11 וְלֹא־יֹאבֶה כִּי תַרְבֶּה־שֹׁחַד Prov. 6:35
12 שֹׁחַד מֵחֵק רָשָׁע יִקָּח Prov. 17:23
13 וְאֵשׁ אָכְלָה אָהֳלֵי־שֹׁחַד Job 15:34
14 וּמַשֹּׂא פָנִים וּמִקַּח־שֹׁחַד IICh. 19:7
וְשֹׁחַד 15 וְשֹׁחַד לֹא תִקָּח Ex. 23:8
16 וְשֹׁחַד עַל־נָקִי לֹא־לָקָח Ps. 15:5
17 וְשֹׁחַד בַּחֵק חֵמָה עַזָּה Prov. 21:14
הַשֹּׁחַד 18 כִּי הַשֹּׁחַד יְעַוֵּר פִּקְחִים Ex. 23:8
19 כִּי הַשֹּׁחַד יְעַוֵּר עֵינֵי חֲכָמִים Deut. 16:19
20 אֶבֶן־חֵן הַשֹּׁחַד בְּעֵינֵי בְעָלָיו Prov. 17:8
בְּשֹׁחַד 21 לֹא בִמְחִיר וְלֹא בְשֹׁחַד Is. 45:13
22 רָאשֶׁיהָ בְּשֹׁחַד יִשְׁפֹּטוּ Mic. 3:11
בַּשֹּׁחַד 23 נֹעֵר כַּפָּיו מִתְּמֹךְ בַּשֹּׁחַד Is. 33:15

שׂחה
: שָׂחָה, הִשְׂחָה; שָׂחוּ

שָׂחָה
פָּ׳ א) שט, צף בַּמים: 1, 2
ב) [הפ׳ הִשְׂחָה] הציף, הרטיב: 3

לִשְׂחוֹת 1 כַּאֲשֶׁר יְפָרֵשׂ הַשֹּׂחֶה לִשְׂחוֹת Is. 25:11
הַשֹּׂחֶה 2 כַּאֲשֶׁר יְפָרֵשׂ הַשֹּׂחֶה לִשְׂחוֹת Is. 25:11
אַשְׂחֶה 3 אַשְׂחֶה בְכָל־לַיְלָה מִטָּתִי Ps. 6:7

שחה
: שָׁחָה, הִשְׁחָה, הִשְׁתַּחֲוָה; הִשְׁתַּחֲוָיָה;
שְׁחוּת, שְׁחִית(?)

שָׁחָה
פָּ׳ א) גָּחַן, נטה כלפי מטה: 1
ב) [הִפ׳ הִשְׁחָה] כָּפַף, הִטה למטה: 2
ג) [הת׳ הִשְׁתַּחֲוָה] התכופף מלוא קומתו, כרע
והשתטח להבעת כבוד או כניעה: 3-172

הִשְׁתַּחֲוָה לְ־ רוב המקראות 3-172; הִשְׁתַּחֲוָה
לִפְנֵי־ 10, 26, 69, 119-121, 132, 134; הִשְׁתַּחֲוָה
אֶל־ 51, 52, 124; הִשְׁתַּחֲוָה עַל־ 38, 73

שְׁחִי 1 אֲשֶׁר־אָמְרוּ לְנַפְשֵׁךְ שְׁחִי וְנַעֲבֹרָה Is. 51:23
יַשְׁחֶנָּה 2 דְּאָגָה בְלֶב־אִישׁ יַשְׁחֶנָּה Prov. 12:25
לְהִשְׁתַּחֲוֹת 3 נָבוֹא...לְהִשְׁתַּחֲוֹת לְךָ אָרְצָה Gen. 37:10
4 וְאֶבֶן מַשְׂכִּית...לְהִשְׁתַּחֲוֹת עָלֶיהָ Lev. 26:1
5 לְהִשְׁתַּחֲוֹת וְלִזְבֹּחַ לַייָ צְבָאוֹת בְּשִׁלֹה ISh. 1:3
6 יָבוֹא לְהִשְׁתַּחֲוֹת לוֹ לַאֲגוֹרַת כֶּסֶף ISh. 2:36
7 בִּקְרָב־אִישׁ לְהִשְׁתַּחֲוֹת לוֹ IISh. 15:5
8 בְּבוֹא...בֵית־רִמּוֹן לְהִשְׁתַּחֲוֹת שָׁמָּה IIK. 5:18
9 אֲשֶׁר עָשׂוּ־לוֹ לְהִשְׁתַּחֲוֹת Is. 2:20
10 יָבוֹא כָל־בָּשָׂר לְהִשְׁתַּחֲוֹת לְפָנַי Is. 66:23
11 הַבָּאִים...לְהִשְׁתַּחֲוֹת לַייָ Jer. 7:2
12 הַבָּאִים לְהִשְׁתַּחֲוֹת בֵּית־ייָ Jer. 26:2
13 הַבָּא דֶּרֶךְ שַׁעַר צָפוֹן לְהִשְׁתַּחֲוֹת Ezek. 46:9
14/5 לְהִשְׁתַּחֲוֹת לְמֶלֶךְ ייָ צְבָאוֹת Zech. 14:16, 17
16 נָפְלוּ לִפְנֵי ייָ לְהִשְׁתַּחֲוֹת לַייָ IICh. 20:18
וּלְהִשְׁתַּחֲוֹת 17 לְעָבְדָם וּלְהִשְׁתַּחֲוֹת לָהֶם Jud. 2:19
18/9 לְעָבְדָם וּלְהִשְׁתַּחֲוֹת לָהֶם Jer. 13:10; 25:6
בְּהִשְׁתַּחֲוָיָתִי 20 בְּהִשְׁתַּחֲוָיָתִי בֵּית רִמֹּן IIK. 5:18
הִשְׁתַּחֲוֵיתִי 21 הִשְׁתַּחֲוֵיתִי אֶמְצָא־חֵן בְּעֵינֶיךָ IISh. 16:4
וְהִשְׁתַּחֲוֵיתִי 22 וְשׁוּב עִמִּי וְהִשְׁתַּחֲוֵיתִי לַייָ אֱלֹהֶיךָ ISh. 15:30
23 וְהִשְׁתַּחֲוֵיתִי בֵּית רִמֹּן IIK. 5:18
וְהִשְׁתַּחֲוִיתָ 24 וְהִשְׁתַּחֲוִיתָ לָהֶם וַעֲבַדְתָּם Deut. 4:19
25 וַעֲבַדְתָּם וְהִשְׁתַּחֲוִיתָ לָהֶם Deut. 8:19
26 וְהִשְׁתַּחֲוִיתָ לִפְנֵי ייָ אֱלֹהֶיךָ Deut. 26:10
27 וְהִשְׁתַּחֲוִיתָ לֵאלֹהִים אֲחֵרִים Deut. 30:17
וְהִשְׁתַּחֲוָה 28 וְהִשְׁתַּחֲוָה עַל־מִפְתַּן הַשַּׁעַר Ezek. 46:2
וְהִשְׁתַּחֲוִיתֶם 29 עֲלֵה אֶל־ייָ...וְהִשְׁתַּחֲוִיתֶם מֵרָחֹק Ex. 24:1
30-33 וַעֲבַדְתֶּם...וְהִשְׁתַּחֲוִיתֶם לָהֶם Deut. 11:16
Josh. 23:16 • IK. 9:6 • IICh. 7:19
הִשְׁתַּחֲווּ 34 וַאֲשֶׁר דְּרָשׁוּם וַאֲשֶׁר הִשְׁתַּחֲווּ לָהֶם Jer. 8:2
וְהִשְׁתַּחֲווּ 35 וְיָרְדוּ...אֵלַי וְהִשְׁתַּחֲווּ־לִי לֵאמֹר Ex. 11:8
36 וְהִשְׁתַּחֲווּ אִישׁ פֶּתַח אָהֳלוֹ Ex. 33:10
37 וְהִשְׁתַּחֲווּ לַייָ בְּהַר הַקֹּדֶשׁ בִּירוּשָׁלִָם
Is. 27:13
38 וְהִשְׁתַּחֲווּ עַל־כַּפּוֹת רַגְלַיִךְ Is. 60:14
39 וְהִשְׁתַּחֲווּ עַם־הָאָרֶץ פֶּתַח הַשַּׁעַר Ezek. 46:3
מִשְׁתַּחֲוֶה 40/1 הוּא מִשְׁתַּחֲוֶה בֵּית נִסְרֹךְ אֱלֹהָיו IIK. 19:37
Is. 37:38
וּמִשְׁתַּחֲוֶה 42 כִּי־אֵין מָרְדֳּכַי כֹּרֵעַ וּמִשְׁתַּחֲוֶה לוֹ Es. 3:5
מִשְׁתַּחֲוִים 43 וְהִנֵּה הַשֶּׁמֶשׁ וְהַיָּרֵחַ...מִשְׁתַּחֲוִים לִי Gen. 37:9
44 וּצְבָא הַשָּׁמַיִם לְךָ מִשְׁתַּחֲוִים Neh. 9:6
45 וְכָל־הַקָּהָל מִשְׁתַּחֲוִים IICh. 29:28
מִשְׁתַּחֲוִיתֶם 46 וְהֵמָּה מִשְׁתַּחֲוִיתֶם קֵדְמָה Ezek. 8:16
וּמִשְׁתַּחֲוִים 47 כֹּרְעִים וּמִשְׁתַּחֲוִים לְהָמָן Es. 3:2
48 מִתְוַדִּים וּמִשְׁתַּחֲוִים לַייָ אֱלֹהֵיהֶם Neh. 9:3
הַמִּשְׁתַּחֲוִים 49 וְאֶת־הַמִּשְׁתַּחֲוִים עַל־הַגַּגּוֹת
לִצְבָא הַשָּׁמָיִם Zep. 1:5
50 וְאֶת־הַמִּשְׁתַּחֲוִים הַנִּשְׁבָּעִים לַייָ Zep. 1:5
אֶשְׁתַּחֲוֶה 51/2 אֶשְׁתַּחֲוֶה אֶל־הֵיכַל קָדְשְׁךָ Ps. 5:8; 138:2
וְאֶשְׁתַּחֲוֶה 53 וְשׁוּב עִמִּי וְאֶשְׁתַּחֲוֶה לַייָ ISh. 15:25
וָאֶשְׁתַּחֲוֶה 54 וָאֶקֹּד וָאֶשְׁתַּחֲוֶה לַייָ Gen. 24:48
תִשְׁתַּחֲוֶה 55 לֹא־תִשְׁתַּחֲוֶה לָהֶם וְלֹא תָעָבְדֵם Ex. 20:5
56 לֹא־תִשְׁתַּחֲוֶה לֵאלֹהֵיהֶם וְלֹא תָעָבְדֵם
Ex. 23:24
57 כִּי לֹא תִשְׁתַּחֲוֶה לְאֵל אַחֵר Ex. 34:14
58 לֹא־תִשְׁתַּחֲוֶה לָהֶם וְלֹא תָעָבְדֵם Deut. 5:9
59 וְלֹא־תִשְׁתַּחֲוֶה עוֹד לְמַעֲשֵׂה יָדֶיךָ Mic. 5:12
60 וְלֹא תִשְׁתַּחֲוֶה לְאֵל נֵכָר Ps. 81:10
יִשְׁתַּחֲוֶה 61 אֲשֶׁר־יִשְׁתַּחֲוֶה שָׁם לֵאלֹהִים IISh. 15:32
62 וּמָרְדֳּכַי לֹא יִכְרַע וְלֹא יִשְׁתַּחֲוֶה Es. 3:2
63 וְלִפְנֵיהֶם יִשְׁתַּחֲוֶה וְלָהֶם יְקַטֵּר IICh. 25:14
וַיִּשְׁתַּחֲוֶה 64 וַיַּעֲבֹד אֶת־הַבַּעַל וַיִּשְׁתַּחֲוֶה לוֹ IK. 22:54
וְיִשְׁתָּחוּ 65 וְיִשְׁתַּחוּ וְיִתְפַּלֵּל אֵלָיו Is. 44:17
וַיִּשְׁתָּחוּ 66 וַיָּרָץ לִקְרָאתָם...וַיִּשְׁתַּחוּ אָרְצָה Gen. 18:2
67 וַיָּקָם...וַיִּשְׁתַּחוּ אַפַּיִם אָרְצָה Gen. 19:1
68 וַיָּקָם אַבְ׳ וַיִּשְׁתַּחוּ לְעַם־הָאָרֶץ Gen. 23:7
69 וַיִּשְׁתַּחוּ אַבְרָ׳ לִפְנֵי עַם־הָאָרֶץ Gen. 23:12
70 וַיִּקֹּד הָאִישׁ וַיִּשְׁתַּחוּ לַייָ Gen. 24:26
71 וַיִּשְׁתַּחוּ אַרְצָה לַייָ Gen. 24:52
72 וַיִּשְׁתַּחוּ אַרְצָה שֶׁבַע פְּעָמִים Gen. 33:3
73 וַיִּשְׁתַּחוּ יִשְׂרָאֵל עַל־רֹאשׁ הַמִּטָּה Gen. 47:31
74 וַיִּשְׁתַּחוּ לְאַפָּיו אָרְצָה Gen. 48:12
75 וַיֵּצֵא...וַיִּשְׁתַּחוּ וַיִּשַּׁק־לוֹ Ex. 18:7
76 וַיִּפֹּל...וַיִּשְׁתַּחוּ שָׁלֹשׁ פְּעָמִים ISh. 20:41
77 וַיִּשְׁתַּחוּ וַיֹּאמֶר מֶה עַבְדֶּךָ כִּי פָנִיתָ IISh. 9:8

וַיִּשְׁתַּחוּ (המשך) 78 וַיִּפֹּל יוֹאָב אֶל־פָּנָיו אַרְצָה וַיִּשְׁתַּ׳ IISh. 14:22
79 וַיִּשְׁתַּחוּ הַמֶּלֶךְ עַל־הַמִּשְׁכָּב IK. 1:47
95-80 וַיִּשְׁתַּחוּ לְ־ Num. 22:31
Deut. 17:3 • ISh. 1:28; 15:31 • IISh. 14:33; 18:21, 28; 24:20 • IK. 1:23, 53; 2:19; 16:31 • IIK. 21:3, 21 • ICh. 21:21; 33:3

וַיִּשְׁתָּחוּ 96 וַיִּקֹּד אַרְצָה וַיִּשְׁתָּחוּ Ex. 34:8
97 וַיִּפֹּל...אֶל־פָּנָיו אַרְצָה וַיִּשְׁתָּחוּ Josh. 5:14
98 וַיְהִי כִשְׁמֹעַ...וַיִּשְׁתָּחוּ Jud. 7:15
99 וַיִּקֹּד דָּוִד אַפַּיִם אַרְצָה וַיִּשְׁתָּחוּ ISh. 24:9
100 וַיִּקֹּד אַפַּיִם אַרְצָה וַיִּשְׁתָּחוּ ISh. 28:14
101/2 וַיִּפֹּל אַרְצָה וַיִּשְׁתָּחוּ IISh. 1:2 • Job 1:20
103 וַיִּפֹּל עַל־פָּנָיו וַיִּשְׁתָּחוּ IISh. 9:6
104 וַיָּבֹא בֵית־יְיָ וַיִּשְׁתָּחוּ IISh. 12:20
105 אַף־יִפְעַל־אֵל וַיִּשְׁתָּחוּ Is. 44:15
וַתִּשְׁתַּחוּ 106 וַתִּפֹּל...וַתִּשְׁתַּחוּ אָרֶץ ISh. 25:23
107 וַתָּקָם וַתִּשְׁתַּחוּ אַפַּיִם אַרְצָה ISh. 25:41
108 וַתִּקֹּד בַּת־שֶׁבַע וַתִּשְׁתַּחוּ לַמֶּלֶךְ IK. 1:16
109 וַתִּקֹּד...אַפַּיִם אֶרֶץ וַתִּשְׁתַּחוּ לַמֶּלֶךְ IK. 1:31
110 וַתִּפֹּל עַל־רַגְלָיו וַתִּשְׁתַּחוּ אָרְצָה IIK. 4:37
111 וַתִּפֹּל עַל־פָּנֶיהָ וַתִּשְׁתַּחוּ אָרְצָה Ruth 2:10
וַתִּשְׁתָּחוּ 112 וַתִּפֹּל עַל־אַפֶּיהָ וַתִּשְׁתָּחוּ IISh. 14:4
נִשְׁתַּחֲוֶה 113 בֹּאוּ נִשְׁתַּחֲוֶה וְנִכְרָעָה... Ps. 95:6
114 נִשְׁתַּחֲוֶה לַהֲדֹם רַגְלָיו Ps. 132:7
וְנִשְׁתַּחֲוֶה 115 נֵלְכָה עַד־כֹּה וְנִשְׁתַּחֲוֶה Gen. 22:5
תִּשְׁתַּחֲווּ 116 וְלֹא תַעַבְדוּם וְלֹא תִשְׁתַּחֲווּ לָהֶם Josh. 23:7
117 וְלֹא־תִשְׁתַּחֲווּ לָהֶם וְלֹא תַעַבְדוּם IIK. 17:35
118 וְלוֹ תִשְׁתַּחֲווּ וְלוֹ תִזְבָּחוּ IIK. 17:36
119 לִפְנֵי הַמִּזְבֵּחַ הַזֶּה תִּשְׁתַּחֲווּ IIK. 18:22
120 לִפְנֵי הַמִּזְבֵּחַ הַזֶּה תִּשְׁתַּחֲווּ Is. 36:7
121 לִפְנֵי מִזְבֵּחַ אֶחָד תִּשְׁתַּחֲווּ IICh. 32:12
יִשְׁתַּחֲווּ 122 יִשְׁתַּחֲווּ לְךָ בְּנֵי אָבִיךָ Gen. 49:8
123 לְמַעֲשֵׂה יָדָיו יִשְׁתַּחֲווּ Is. 2:8
124 וְאֵלַיִךְ יִשְׁתַּחֲווּ אֵלַיִךְ יִתְפַּלָּלוּ Is. 45:14
125 יִסְגְּדוּ אַף־יִשְׁתַּחֲווּ Is. 46:6
126 אַפַּיִם אֶרֶץ יִשְׁתַּחֲווּ־לָךְ Is. 49:23
127 כָּל־הָאָרֶץ יִשְׁתַּחֲווּ לָךְ Ps. 66:4
וְיִשְׁתַּחוּ 128 יַעַבְדוּךָ עַמִּים וְיִשְׁתַּחֻו לְךָ לְאֻמִּים Gen. 27:29
129 וְיִשְׁתַּחֲווּ לְךָ בְּנֵי אִמֶּךָ Gen. 27:29
130 מְלָכִים יִרְאוּ וָקָמוּ שָׂרִים וְיִשְׁתַּחֲווּ Is. 49:7
131 וְיִשְׁתַּחֲווּ־לוֹ אִישׁ מִמְּקוֹמוֹ Zep. 2:11
132 וְיִשְׁתַּחֲווּ לְפָנֶיךָ כָּל־מִשְׁפְּחוֹת... Ps. 22:28
133 וְיִשְׁתַּחֲווּ־לוֹ כָל־מְלָכִים Ps. 72:11
134 יָבוֹאוּ וְיִשְׁתַּחֲווּ לְפָנֶיךָ Ps. 86:9
וַיִּשְׁתַּחֲווּ 135 וַתִּגַּשׁ גַּם־לֵאָה וִילָדֶיהָ וַיִּשְׁתַּחֲווּ Gen. 33:7
136 וְאַחַר נִגַּשׁ יוֹסֵף וְרָחֵל וַיִּשְׁתַּחֲווּ Gen. 33:7
137 וַיִּשְׁתַּחֲווּ־לוֹ אַפַּיִם אַרְצָה Gen. 42:6
138 וַיִּשְׁתַּחֲווּ־לוֹ אָרְצָה Gen. 43:26
139 וַיִּקְּדוּ וַיִּשְׁתַּחֲוֻ Gen. 43:28
140 וַיִּשְׁמְעוּ...וַיִּקְּדוּ וַיִּשְׁתַּחֲווּ Ex. 4:31
141 וַיִּקֹּד הָעָם וַיִּשְׁתַּחֲווּ Ex. 12:27
142 וַיִּשְׁתַּחֲווּ־לוֹ וַיִּזְבְּחוּ־לוֹ Ex. 32:8
143 אָכְלוּ וַיִּשְׁתַּחֲווּ כָּל־דִּשְׁנֵי־אֶרֶץ Ps. 22:30
144 וַיִּכְרְעוּ אַפַּיִם אַרְצָה...וַיִּשְׁתַּחֲווּ IICh. 7:3
145 כָּרְעוּ הַמֶּלֶךְ...וַיִּשְׁתַּחֲווּ IICh. 29:29
146 וַיְהַלְלוּ...וַיִּקְּדוּ וַיִּשְׁתַּחֲווּ IICh. 29:30
163-147 וַיִּשְׁתַּחֲווּ לְ־ Num. 25:2
Deut. 29:25 • Jud. 2:12, 17 • ISh. 1:19 • IK. 9:9; 11:33 • IIK. 2:15; 17:16 • Jer. 1:16; 16:11; 22:9 • Ps. 106:19 • Neh. 8:6 • ICh. 29:20 • IICh. 7:22; 24:17

וַתִּשְׁתַּחֲוֶיןָ 164 וַתִּגַּשְׁןָ הַשְּׁפָחוֹת...וַתִּשְׁתַּחֲוֶיןָ Gen. 33:6
165 תְּסֻבֶּינָה...וַתִּשְׁתַּחֲוֶיןָ לַאֲלֻמָּתִי Gen. 37:7
וְהִשְׁתַּחֲוִי 166 כִּי־הוּא אֲדֹנַיִךְ וְהִשְׁתַּחֲוִי־לוֹ Ps. 45:12
הִשְׁתַּחֲווּ 167/8 הִשְׁתַּחֲווּ לַייָ בְּהַדְרַת־קֹדֶשׁ Ps. 29:2; 96:9
169 הִשְׁתַּחֲווּ־לוֹ כָּל־אֱלֹהִים Ps. 97:7
170 הִשְׁתַּחֲווּ לַייָ בְּהַדְרַת־קֹדֶשׁ ICh. 16:29
וְהִשְׁתַּחֲווּ 171 וְהִשְׁתַּחֲווּ לַהֲדֹם רַגְלָיו Ps. 99:5
172 וְהִשְׁתַּחֲווּ לְהַר קָדְשׁוֹ Ps. 99:9

שָׂחוּ
ז׳ שחיה • מֵי שָׂחוּ 1

שָׂחוּ 1 כִּי־גָאוּ הַמַּיִם מֵי שָׂחוּ Ezek. 47:5

שְׁחוֹחַ
תה״פ – בקומה כפופה

שְׁחוֹחַ 1 וְהָלְכוּ אֵלַיִךְ שְׁחוֹחַ בְּנֵי מְעַנַּיִךְ Is. 60:14

שְׂחוֹק
ז׳ א) צחוק, צהלת שמחה: 1, 2, 6, 10, 11, 13-15
ב) לעג, לגלוג: 3-5, 7-9 ג) שעשוע: 12, 16

קרובים: צְהָלָה / צְחוֹק / רִנָּה; בּוּז / בּוּזָה / לַעַג

שְׂחוֹק הַכְּסִיל 15; שְׂחוֹק צַדִּיק 14

שְׂחוֹק 1 אָז יִמָּלֵא שְׂחוֹק פִּינוּ Ps. 126:2
2 עַד־יְמַלֵּה שְׂחוֹק פִּיךָ Job 8:21
3 שְׂחֹק לְרֵעֵהוּ אֶהְיֶה Job 12:4
4 הָיִיתִי שְׂחֹק לְכָל־עַמִּי Lam. 3:14
הַשְּׂחוֹק 5 וְאִם לוֹא הַשְּׂחֹק הָיָה לְךָ יִשְׂרָאֵל Jer. 48:27
בִּשְׂחוֹק 6 גַּם־בִּשְׂחֹק יִכְאַב־לֵב Prov. 14:13
לִשְׂחוֹק 7 הָיִיתִי לִשְׂחוֹק כָּל־הַיּוֹם Jer. 20:7
8 וְהָיָה לִשְׂחֹק גַּם־הוּא Jer. 48:26
9 וְהָיָה מוֹאָב לִשְׂחֹק וְלִמְחִתָּה Jer. 48:39
10 לִשְׂחוֹק אָמַרְתִּי מְהוֹלָל Eccl. 2:2
11 לִשְׂחוֹק עֹשִׂים לֶחֶם Eccl. 10:19
כִּשְׂחוֹק 12 כִּשְׂחוֹק לִכְסִיל עֲשׂוֹת זִמָּה Prov. 10:23
מִשְּׂחוֹק 13 טוֹב כַּעַס מִשְּׂחוֹק Eccl. 7:3
שְׂחוֹק־ 14 שְׂחוֹק צַדִּיק תָּמִים Job 12:4
15 כְּקוֹל הַסִּירִים...כֵּן שְׂחֹק הַכְּסִיל Eccl. 7:6
בִּשְׂחוֹק־ 16 הָרֹאִים בִּשְׂחוֹק שִׁמְשׁוֹן Jud. 16:27

שָׁחוֹר
ת׳ – עין שָׁחֹר

שְׁחוֹר
ז׳ צבע השחור

מִשְּׁחוֹר 1 חָשַׁךְ מִשְּׁחוֹר תָּאֳרָם Lam. 4:8

שְׁחוּת
נ׳ שוחה, בור

בִּשְׁחוּתוֹ 1 בִּשְׁחוּתוֹ הוּא־יִפּוֹל Prov. 28:10

שחח :
שַׁח, שָׁחַח, נָשַׁח, הֵשַׁח, הִשְׁתּוֹחֵחַ; שַׁח, שְׁחוֹחַ־ ש״פ יְשׁוֹחָה

שָׁחַח
פ׳ א) שָׁפַל, שחה, נטה למטה: 1-13 [עין גם שַׁח]
ב) [נפ׳ נָשַׁח] נכפף, הושפל: 14-17
ג) [הפ׳ הֵשַׁח] השפיל, הכריע: 18, 19
ד) [התפ׳ הִשְׁתּוֹחֵחַ] הושפל, דוכא: 20-23

שַׁחוֹתִי 1 כַּאֲבֶל־אֵם קֹדֵר שַׁחוֹתִי Ps. 35:14
2 נַעֲוֵיתִי שַׁחֹתִי עַד־מְאֹד Ps. 38:7
וְשַׁח 3 וְשַׁח רוּם אֲנָשִׁים Is. 2:11
4 וְשַׁח גַּבְהוּת הָאָדָם Is. 2:17
שָׁחָה 5 כִּי שָׁחָה לֶעָפָר נַפְשֵׁנוּ Ps. 44:26
6 כִּי שָׁחָה אֶל־מָוֶת בֵּיתָהּ Prov. 2:18
שַׁחוּ 7 שַׁחוּ גִּבְעוֹת עוֹלָם Hab. 3:6
8 שַׁחוּ רָעִים לִפְנֵי טוֹבִים Prov. 14:19
שָׁחֲחוּ 9 תַּחְתָּו שָׁחֲחוּ עֹזְרֵי רָהַב Job 9:13
יָשֹׁחַ 10 יִדְכֶּה יָשֹׁחַ וְנָפַל בַּעֲצוּמָיו Ps. 10:10
וְתָשֹׁחַ 11 זָכוֹר תִּזְכּוֹר וְתָשׁוֹחַ (כת׳ ותשיח) עָלַי נַפְשִׁי Lam. 3:20
יָשֹׁחוּ 12 כִּי־יָשֹׁחוּ בַמְּעוֹנוֹת Job 38:40
וַיָּשֹׁחוּ 13 וַיִּמְעֲטוּ וַיָּשֹׁחוּ מֵעֹצֶר רָעָה וְיָגוֹן Ps. 107:39
וַיִּשַּׁח 14/5 וַיִּשַּׁח אָדָם וַיִּשְׁפַּל־אִישׁ Is. 2:9; 5:15

תִּשַּׁח 16 וּמֵעָפָר תִּשַּׁח אִמְרָתֵךְ Is. 29:4
וְיִשַּׁחוּ 17 וְיִשַּׁחוּ כָּל־בְּנוֹת הַשִּׁיר Eccl. 12:4
הֵשַׁח 18 הֵשַׁח הִשְׁפִּיל הִגִּיעַ לָאָרֶץ Is. 25:12
19 כִּי הֵשַׁח יֹשְׁבֵי מָרוֹם... Is. 26:5
תִּשְׁתּוֹחֲחִי 20 מַה־תִּשְׁתּוֹחֲחִי נַפְשִׁי וַתֶּהֱמִי עָלָי Ps. 42:6
21/2 מַה־תִּשְׁתּוֹחֲחִי נַפְשִׁי Ps. 42:12; 43:5
תִּשְׁתּוֹחָח 23 אֱלֹהַי עָלַי נַפְשִׁי תִשְׁתּוֹחָח Ps. 42:7

שָׂחַט
פ׳ לחץ והוציא מיץ

וָאֶשְׂחַט 1 וָאֶשְׂחַט אֹתָם אֶל־כּוֹס פַּרְעֹה Gen. 40:11

שחט : שָׁחַט, שָׁחוּט, שְׁחִיטָה

שָׁחַט
פ׳ א) זבח, טבח (בעל־חיים – לאכילה, לקרבן וכד׳): 1, 3-8, 11-28, 30, 31, 41-51, 54-57, 61-70, 72-78, 81-83
ב) הרג, המית אדם: 2, 9, 10, 29, 32, 52, 53, 58-60, 71, 79, 80
ג) [פעול: שָׁחוּט] שנזבח: 39, 40
ד) [כנ״ל, בהשאלה] מושחז, מרוקע: 33-38
ה) [נפ׳ נִשְׁחַט] נטבח: 84-86

קרובים: ראה זָבַח

זָהָב שָׁחוּט 33, 34, 36-38; חֵץ שָׁחוּט 35; צִפּוֹר שְׁחוּטָה 39, 40

וְשָׁחֹט 1 הָרֹג בָּקָר וְשָׁחֹט צֹאן Is. 22:13
לִשְׁחֹט 2 וַיִּקַּח אֶת־הַמַּאֲכֶלֶת לִשְׁחֹט אֶת־בְּנוֹ Gen. 22:10
3 לִשְׁחוֹט אֲלֵיהֶם הָעוֹלָה וְהַחַטָּאת Ezek. 40:39
וְשַׁחֲטָה(?) 4 וְשַׁחֲטָה שֵׂטִים הֶעְמִיקוּ Hosh. 5:2
וּבְשַׁחֲטָם 5 וּבְשַׁחֲטָם אֶת־בְּנֵיהֶם לְגִלּוּלֵיהֶם Ezek. 23:39
וְשָׁחַטְתָּ 6 וְשָׁחַטְתָּ אֶת־הַפָּר לִפְנֵי יְיָ Ex. 29:11
7 וְשָׁחַטְתָּ אֶת־הָאַיִל וְלָקַחְתָּ אֶת־דָּמוֹ Ex. 29:16
8 וְשָׁחַטְתָּ אֶת־הָאַיִל וְלָקַחְתָּ מִדָּמוֹ Ex. 29:20
שָׁחַט 9 וְאֵת כָּל־חֹרֵי יְהוּדָה שָׁחַט Jer. 39:6
10 וְגַם אֶת־כָּל־שָׂרֵי יְהוּדָה שָׁחַט Jer. 52:10
וְשָׁחַט 11 וְשָׁחַט אֶת־בֶּן הַבָּקָר לִפְנֵי יְיָ Lev. 1:5
12 וְשָׁחַט אֹתוֹ עַל יֶרֶךְ הַמִּזְבֵּחַ Lev. 1:11
13/4 וְשָׁחַט אֹתוֹ לִפְנֵי אֹהֶל מוֹעֵד Lev. 3:8, 13
15/6 וְשָׁחַט אֶת־הַפָּר לִפְנֵי יְיָ Lev. 4:4, 15
17 וְשָׁחַט אֹתוֹ...לִפְנֵי יְיָ Lev. 4:24
18 וְשָׁחַט אֶת־הַחַטָּאת בִּמְקוֹם הָעֹלָה Lev. 4:29
19 וְשָׁחַט אֹתָהּ לְחַטָּאת Lev. 4:33
20 וְשָׁחַט אֶת־הַצִּפּוֹר הָאֶחָת Lev. 14:5
21 וְשָׁחַט אֶת־הַכֶּבֶשׂ...בִּמְקוֹם הַקֹּדֶשׁ Lev. 14:13
22 וְשָׁחַט אֶת־כֶּבֶשׂ הָאָשָׁם Lev. 14:25
23 וְשָׁחַט אֶת־הַצִּפֹּר הָאֶחָת Lev. 14:50
24 וְשָׁחַט אֶת־פַּר הַחַטָּאת אֲשֶׁר־לוֹ Lev. 16:11
25 וְשָׁחַט אֶת־שְׂעִיר הַחַטָּאת אֲשֶׁר לָעָם Lev. 16:15
26 וְשָׁחַט אֹתָהּ לְפָנָיו Num. 19:3
וּשְׁחָטוֹ 27 וּשְׁחָטוֹ פֶּתַח אֹהֶל מוֹעֵד Lev. 3:2
וּשְׁחַטְתֶּם 28 וּשְׁחַטְתֶּם בָּזֶה וַאֲכַלְתֶּם ISh. 14:34
שָׁחֲטוּ 29 וְאֶת־בְּנֵי צִדְקִיָּהוּ שָׁחֲטוּ לְעֵינָיו IIK. 25:7
וְשָׁחֲטוּ 30 וְשָׁחֲטוּ אֹתוֹ כֹּל קְהַל עֲדַת־יִשְׂרָאֵל Ex. 12:6
שׁוֹחֵט 31 שׁוֹחֵט הַשּׁוֹר מַכֵּה־אִישׁ Is. 66:3
שֹׁחֲטֵי־ 32 שֹׁחֲטֵי הַיְלָדִים בַּנְּחָלִים Is. 57:5
שָׁחוּט 33 וַיַּעַשׂ...מָאתַיִם צִנָּה זָהָב שָׁחוּט IK. 10:16
34 וּשְׁלֹשׁ־מֵאוֹת מָגִנִּים זָהָב שָׁחוּט IK. 10:17
35 חֵץ שָׁחוּט (כת׳ שוחט) לְשׁוֹנָם Jer. 9:7
36 וַיַּעַשׂ...מָאתַיִם צִנָּה זָהָב שָׁחוּט IICh. 9:15
37 שֵׁשׁ מֵאוֹת זָהָב שָׁחוּט יַעֲלֶה... IICh. 9:15
38 וּשְׁלֹשׁ־מֵאוֹת מָגִנִּים זָהָב שָׁחוּט IICh. 9:16
הַשְּׁחֻטָה 39 וְטָבַל...בְּדַם הַצִּפֹּר הַשְּׁחֻטָה Lev. 14:6
40 וְטָבַל אֹתָם בְּדַם הַצִּפּוֹר הַשְּׁחוּטָה Lev. 14:51

תִּשְׁחַט 41 לֹא־תִשְׁחַט עַל־חָמֵץ דַּם־זִבְחִי Ex.34:25
וַתִּשְׁחֲטִי 42 וַתִּשְׁחֲטִי אֶת־בָּנַי Ezek.16:21
יִשְׁחַט 43/4 אֲשֶׁר(־)יִשְׁחַט אֶת־הָעֹלָה Lev.4:24,33
45 בִּמְקוֹם אֲשֶׁר יִשְׁחַט אֶת־הַחַטָּאת Lev.14:13
46 וְאַחַר יִשְׁחַט אֶת־הָעֹלָה Lev.14:19
47 אֲשֶׁר יִשְׁחַט שׁוֹר אוֹ־כֶשֶׂב Lev.17:3
48 אֲשֶׁר יִשְׁחַט מִחוּץ לַמַּחֲנֶה Lev.17:3
וַיִּשְׁחַט 49 וַיִּשְׁחַט אֶת־עֵגֶל הַחַטָּאת Lev.9:8
50 וַיִּשְׁחַט אֶת־הָעֹלָה Lev.9:12
51 וַיִּשְׁחַט אֶת־הַשּׁוֹר וְאֶת־הָאַיִל Lev.9:18
52/3 וַיִּשְׁחַט...אֶת־בְּנֵי צִדְקִיָּהוּ Jer.39:6; 52:10
וַיִּשְׁחָט 54 וַיִּשְׁחָט וַיִּקַּח מֹשֶׁה אֶת־הַדָּם Lev.8:15
55 וַיִּשְׁחָט וַיִּזְרֹק מֹשֶׁה אֶת־הַדָּם Lev.8:19
56 וַיִּשְׁחָט וַיִּקַּח מֹשֶׁה מִדָּמוֹ Lev.8:23
וַיִּשְׁחָטֵהוּ 57 וַיִּשְׁחָטֵהוּ וַיְחַטְּאֵהוּ כָּרִאשׁוֹן Lev.9:15
וַיִּשְׁחָטֵם 58 מִבִּלְתִּי יְכֹלֶת...וַיִּשְׁחָטֵם בַּמִּדְבָּר Num.14:16
59 וַיּוֹרִדֵם...וַיִּשְׁחָטֵם שָׁם IK.18:40
60 וַיִּשְׁחָטֵם יִשְׁמָעֵאל...אֶל־תּוֹךְ הַבּוֹר Jer.41:7
תִשְׁחֲטוּ 61 לֹא תִשְׁחֲטוּ בְּיוֹם אֶחָד Lev.22:28
יִשְׁחֲטוּ 62 בִּמְקוֹם אֲשֶׁר יִשְׁחֲטוּ אֶת־הָעֹלָה Lev.7:2
63 יִשְׁחֲטוּ אֶת־הָאָשָׁם Lev.7:2
64 אֲשֶׁר יִשְׁחֲטוּ אֶת־הָעוֹלָה בָּם Ezek.40:42
65 הֵמָּה יִשְׁחֲטוּ אֶת־הָעֹלָה...לָעָם Ezek.44:11
יִשְׁחָטוּ 66 שְׁמֹנָה שֻׁלְחָנוֹת אֲלֵיהֶם יִשְׁחָטוּ Ezek.40:41
וַיִּשְׁחֲטוּ 67 וַיִּשְׁחֲטוּ שְׂעִיר עִזִּים Gen.37:31
68 וַיִּשְׁחֲטוּ אֶת־הַפָּר ISh.1:25
69 וַיִּקְחוּ צֹאן וּבָקָר...וַיִּשְׁחֲטוּ אָרְצָה ISh.14:32
70 וַיַּגִּשׁוּ...וַיִּשְׁחֲטוּ־שָׁם ISh.14:34
71 וַיִּשְׁחֲטוּ שִׁבְעִים אִישׁ IIK.10:7
72 וַיִּשְׁחֲטוּ הַפֶּסַח לְכָל־בְּנֵי הַגּוֹלָה Ez.6:20
73/4 וַיִּשְׁחֲטוּ הַבָּקָר...וַיִּשְׁחֲטוּ הָאֵלִים IICh.29:22
75 וַיִּשְׁחֲטוּ הַכְּבָשִׂים וַיִּזְרְקוּ הַדָּם IICh.29:22
76/7 וַיִּשְׁחֲטוּ הַפֶּסַח בְּאַרְבָּעָה עָשָׂ׳ IICh.30:15;35:1
78 וַיִּשְׁחֲטוּ הַפָּסַח וַיִּזְרְקוּ הַכֹּהֲנִים IICh.35:11
וַיִּשְׁחָטוּהוּ 79 וַיִּשְׁחָטוּהוּ אֶל־מַעְבְּרוֹת הַיַּרְדֵּן Jud.12:6
וַיִּשְׁחָטוּם 80 וַיִּשְׁחָטוּם אֶל־בּוֹר בֵּית־עֵקֶד IIK.10:14
81 וַיִּשְׁחָטוּם הַכֹּהֲנִים וַיְחַטְּאוּ אֶת־דָּמָם IICh.29:24
וְשַׁחֲטוּ 82 וּקְחוּ לָכֶם צֹאן...וְשַׁחֲטוּ הַפָּסַח Ex.12:21
83 וְשַׁחֲטוּ הַפָּסַח וְהִתְקַדְּשׁוּ IICh.35:6
יִשָּׁחֵט 84 הֲצֹאן וּבָקָר יִשָּׁחֵט לָהֶם Num.11:22
תִּשָּׁחֵט 85 בִּמְקוֹם אֲשֶׁר תִּשָּׁחֵט הָעֹלָה Lev.6:18
86 תִּשָּׁחֵט הַחַטָּאת לִפְנֵי יְיָ Lev.6:18

שַׁחֲטָה [סתום] שׁחט? שַׁחַת? שׁחת?

וְשַׁחֲטָה 1 וְשַׁחֲטָה שֵׂטִים הֶעְמִיקוּ Hosh.5:2

שְׁחִיטָה* נ׳ זביחה

שְׁחִיטַת־ 1 וְהַלְוִיִּם עַל־שְׁחִיטַת הַפְּסָחִים IICh.30:17

שְׁחִין ז׳ נגע דלקתי בעור ממיני הצרעת: 1-13

קרובים: אֲבַעְבֻּעוֹת / בֹּהַק / בַּהֶרֶת / גָּרָב / יַלֶּפֶת / יֵרָקוֹן / מִסְפַּחַת / נֶתֶק / סַפַּחַת / צָרֶבֶת / צָרַעַת / קַדַּחַת / שְׂאֵת / שַׁחֶפֶת

שְׁחִין מִצְרַיִם 13; שְׁחִין רָע 10,9; צָרֶבֶת הַשְּׁחִין 6

שְׁחִין 1 וַיְהִי שְׁחִין אֲבַעְבֻּעֹת פֹּרֵחַ Ex.9:10
2 וּבָשָׂר כִּי־יִהְיֶה בוֹ־בְעֹרוֹ שְׁחִין Lev.13:18
הַשְּׁחִין 3 וְלֹא־יָכְלוּ...לַעֲמֹד...מִפְּנֵי הַשְּׁחִין Ex.9:11
4 כִּי־הָיָה הַשְּׁחִין בַּחַרְטֻמִּם Ex.9:11
5 וְהָיָה בִּמְקוֹם הַשְּׁחִין שְׂאֵת לְבָנָה Lev.13:19
6 צָרֶבֶת הַשְּׁחִין הוּא Lev.13:23
7 וַיִּקְחוּ וַיָּשִׂימוּ עַל־הַשְּׁחִין וַיֶּחִי IIK.20:7
8 וְיִמְרְחוּ עַל־הַשְּׁחִין וְיֶחִי Is.38:21
בִּשְׁחִין 9 יַכְּכָה יְיָ בִּשְׁחִין רָע Deut.28:35
10 וַיַּךְ אֶת־אִיּוֹב בִּשְׁחִין רָע Job2:7
בַּשְּׁחִין 11 נֶגַע־צָרַעַת הוּא בַּשְּׁחִין פָּרָחָה Lev.13:20
לִשְׁחִין 12 וְהָיָה...לִשְׁחִין פֹּרֵחַ אֲבַעְבֻּעֹת Ex.9:9
בִּשְׁחִין־ 13 יַכְּכָה יְיָ בִּשְׁחִין מִצְרַיִם Deut.28:27

שָׁחִיס ז׳ סָחִישׁ, ספיח מן הספיח

שָׁחִיס 1 אָכוֹל...וּבַשָּׁנָה הַשֵּׁנִית שָׁחִיס Is.37:30

שְׂחִיף* ז׳ נֶסֶר, קֶרֶשׁ

שְׂחִיף־ 1 נֶגֶד הַסַּף שְׂחִיף עֵץ סָבִיב סָבִיב Ezek.41:16

שְׁחִית* 1 נ׳ שחת, בּוֹר (גם בהשאלה): 1, 2

בִּשְׁחִיתוֹתָם 1 מְשִׁיחַ יְיָ נִלְכַּד בִּשְׁחִיתוֹתָם Lam.4:20
מִשְּׁחִיתוֹתָם 2 וִירַפָּאֵם וִימַלֵּט מִשְּׁחִיתוֹתָם Ps.107:20

שְׁחִית 2 ת׳ ארמית: מַשְׁחַת (ובהשאלה) שקר, כזב: 1-3

וּשְׁחִיתָה 1 וּמִלָּה כִדְבָה וּשְׁחִיתָה Dan.2:9
2 וְכָל־עִלָּה וּשְׁחִיתָה לָא־יָכְלִין לְהַשְׁכָּחָה Dan.6:5
3 וְכָל־שָׁלוּ וּשְׁחִיתָה לָא־הִשְׁתְּכַחַת Dan.6:5

שַׁחַל ז׳ אחד משמות האריה: 1-7 • קרובים: ראה אַרְיֵה

קוֹל שַׁחַל 4

שַׁחַל 1 עַל־שַׁחַל וָפֶתֶן תִּדְרֹךְ Ps.91:13
2 אָמַר עָצֵל שַׁחַל בַּדָּרֶךְ Prov.26:13
שָׁחַל 3 וָאֱהִי לָהֶם כְּמוֹ־שָׁחַל Hosh.13:7
4 שַׁאֲגַת אַרְיֵה וְקוֹל שָׁחַל Job4:10
5 לֹא־עָדָה עָלָיו שָׁחַל Job28:8
כַּשַּׁחַל 6 כִּי אָנֹכִי כַשַּׁחַל לְאֶפְרַיִם Hosh.5:14
7 וְיִגְאֶה כַּשַּׁחַל תְּצוּדֵנִי Job10:16

שְׁחֵלֶת נ׳ מצמחי הבשמים לקטורת

קרובים: חֶלְבְּנָה / כַּרְכֹּם / לְבוֹנָה / מֹר / מָר־דְּרוֹר / נָטָף / נֵרְדְּ / צֳרִי / קִדָּה / קָנֶה / קִנָּמוֹן

וּשְׁחֵלֶת 1 נָטָף וּשְׁחֵלֶת וְחֶלְבְּנָה Ex.30:34

שַׁחַף* ז׳ עוף מים טמא: 1, 2

הַשָּׁחַף 1 וְאֶת־הַתַּחְמָס וְאֶת־הַשָּׁחַף Lev.11:16
2 וְאֶת־הַתַּחְמָס וְאֶת־הַשָּׁחַף Deut.14:15

שַׁחֶפֶת נ׳ נגע מחלה בגוף הגורם רזון: 1, 2

הַשַּׁחֶפֶת 1 אֶת־הַשַּׁחֶפֶת וְאֶת־הַקַּדַּחַת Lev.26:16
בַּשַּׁחֶפֶת 2 יַכְּכָה יְיָ בַּשַּׁחֶפֶת וּבַקַּדַּחַת Deut.28:22

שַׁחַץ* ז׳ גאוה, גסות: 1, 2 • בְּנֵי שַׁחַץ 1, 2

שָׁחַץ 1 לֹא־הִדְרִיכֻהוּ בְנֵי־שָׁחַץ Job28:8
2 הוּא מֶלֶךְ עַל־כָּל־בְּנֵי־שָׁחַץ Job41:26

שַׁחֲצִימָה ש״פ – מקום בנחלת יששכר

וְשַׁחֲצִימָה 1 וּפָגַע הַגְּבוּל בְּתָבוֹר וְשַׁחֲצִימָה (כת׳ ושחצומה) Josh.19:22

שחק : שָׂחַק, שָׂחֵק, הִשְׂחִיק; שְׂחוֹק, מִשְׂחָק; ש״פ יִשְׂחָק

שָׂחַק פ׳ א) צחק: 1, 2, 5

ב) לָעַג, בָּז: 3, 4, 6-17
ג) [פ׳ שִׂחֵק] השתעשע, התעלס: 18-34
ד) [הפ׳ הִשְׂחִיק] לגלג: 35

קרובים: הָתֵל (תלל) / לָעַג / צָחַק

– מְחוֹל מְשַׂחֲקִים 27; סוֹד מְשַׂ׳ 25; קוֹל מְשַׂחֲקִים 26
– שָׂחַק עַל־ 17,4,3; שָׂ׳ לְ־ 7-12,14-16; שָׂחֲקָה אֶל־ 5
– שִׂחֵק בְּ־ 18, 23, 24, 31; שִׂחֵק לְ־ 32; שִׂ׳ לִפְנֵי 19, 22, 29, 34; הִשְׂחִיק עַל־ 35

לִשְׂחוֹק 1 עֵת לִבְכּוֹת וְעֵת לִשְׂחוֹק Eccl.3:4
וְשָׂחַק 2 וְרָגַז וְשָׂחַק וְאֵין נָחַת Prov.29:9
שָׂחֲקוּ 3 שָׂחֲקוּ עָלַי צְעִירִים מִמֶּנִּי לְיָמִים Job30:1
4 רָאוּהָ צָרִים שָׂחֲקוּ עַל־מִשְׁבַּתֶּהָ Lam.1:7
אֶשְׂחַק 5 אֶשְׂחַק אֲלֵהֶם לֹא יַאֲמִינוּ Job29:24
אֶשְׂחָק 6 גַּם־אֲנִי בְּאֵידְכֶם אֶשְׂחָק Prov.1:26
תִּשְׂחַק־ 7 וְאַתָּה יְיָ תִּשְׂחַק־לָמוֹ Ps.59:9
תִּשְׂחָק 8 לְשֹׁד וּלְכָפָן תִּשְׂחָק Job5:22
יִשְׂחַק 9 אֲדֹנָי יִשְׂחַק־לוֹ Ps.37:13
10 יִשְׂחַק לַהֲמוֹן קִרְיָה Job39:7
11 יִשְׂחַק לְפַחַד וְלֹא יֵחָת Job39:22
יִשְׂחָק 12 הוּא לְכָל־מִבְצָר יִשְׂחָק Hab.1:10
13 יוֹשֵׁב בַּשָּׁמַיִם יִשְׂחָק Ps.2:4
וְיִשְׂחַק 14 וְיִשְׂחַק לְרַעַשׁ כִּידוֹן Job41:21
תִּשְׂחַק 15 תִּשְׂחַק לַסּוּס וּלְרֹכְבוֹ Job39:18
וַתִּשְׂחַק 16 וַתִּשְׂחַק לְיוֹם אַחֲרוֹן Prov.31:25
יִשְׂחָקוּ 17 וְיִרְאוּ...וְעָלָיו יִשְׂחָקוּ Ps.52:8
לְשַׂחֶק־ 18 לִוְיָתָן זֶה־יָצַרְתָּ לְשַׂחֶק־בּוֹ Ps.104:26
וְשִׂחַקְתִּי 19 וְשִׂחַקְתִּי לִפְנֵי יְיָ IISh.6:21
מְשַׂחֵק 20 כְּמִתְלַהְלֵהַּ...וְאָמַר הֲלֹא־מְשַׂחֵק אָנִי Prov.26:19
וּמְשַׂחֵק 21 וַתֵּרֶא אֶת־הַמֶּ׳ דָּוִיד מְרַקֵּד וּמְשַׂחֵק ICh.15:29
מְשַׂחֶקֶת 22 מְשַׂחֶקֶת לְפָנָיו בְּכָל־עֵת Prov.8:30
23 מְשַׂחֶקֶת בְּתֵבֵל אַרְצוֹ Prov.8:31
מְשַׂחֲקִים 24 מְשַׂחֲקִים לִפְנֵי יְיָ בְּכֹל עֲצֵי בְרוֹשִׁים IISh.6:5
25 לֹא־יָשַׁבְתִּי בְסוֹד־מְשַׂחֲקִים וָאֶעְלֹז Jer.15:17
26 וְיָצָא מֵהֶם תּוֹדָה וְקוֹל מְשַׂחֲקִים Jer.30:19
27 וְיָצָאת בִּמְחוֹל מְשַׂחֲקִים Jer.31:3
28 יְלָדִים וִילָדוֹת מְשַׂחֲקִים בִּרְחֹבֹתֶיהָ Zech.8:5
29 מְשַׂחֲקִים לִפְנֵי הָאֱלֹהִים בְּכָל־עֹז ICh.13:8
הַמְשַׂחֲקוֹת 30 וַתַּעֲנֶינָה הַנָּשִׁים הַמְשַׂחֲקוֹת וַתֹּאמַרְןָ ISh.18:7
הַתְשַׂחֶק־ 31 הַתְשַׂחֶק־בּוֹ כַּצִּפּוֹר Job40:29
וִישַׂחֶק 32 קִרְאוּ לְשִׁמְשׁוֹן וִישַׂחֶק־לָנוּ Jud.16:25
יְשַׂחֲקוּ 33 וְכָל־חַיַּת הַשָּׂדֶה יְשַׂחֲקוּ־שָׁם Job40:20
וִישַׂחֲקוּ 34 יָקוּמוּ נָא הַנְּעָרִים וִישַׂחֲקוּ לְפָנֵינוּ IISh.2:14
מַשְׂחִיקִים 35 מַשְׂחִיקִים עֲלֵיהֶם וּמַלְעִגִים בָּם IICh.30:10

שחק : שָׁחַק; שַׁחַק, שְׁחָקִים

שָׁחַק פ׳ א) כָּתַשׁ, פּוֹרֵר לְאָבָק: 1, 2

ב) [בהשאלה] השמיד, מוטט: 3, 4

וְשָׁחַקְתָּ 1 וְשָׁחַקְתָּ מִמֶּנָּה הָדֵק Ex.30:36
שָׁחֲקוּ 2 אֲבָנִים שָׁחֲקוּ מַיִם Job14:19
וְאֶשְׁחָקֵם 3 וְאֶשְׁחָקֵם כַּעֲפַר־אֶרֶץ IISh.22:43
4 וְאֶשְׁחָקֵם כְּעָפָר עַל־פְּנֵי־רוּחַ Ps.18:43

שַׁחַק ז׳ א) אָבָק של דבר שנשחק: 1

ב) [בהשאלה] כנוי מליצי לעננים ולשמים: 2-21

שַׁחַק מֹאזְנַיִם 1; עָבֵי שְׁחָקִים 5, 7

וּכְשַׁחַק 1 וּכְשַׁחַק מֹאזְנַיִם נֶחְשָׁבוּ Is.40:15
בַּשַּׁחַק 2 כִּי מִי בַשַּׁחַק יַעֲרֹךְ לַיְיָ Ps.89:7
3 כְּיָרֵחַ...וְעֵד בַּשַּׁחַק נֶאֱמָן Ps.89:38
שְׁחָקִים 4 רֹכֵב שָׁמַיִם...וּבְגַאֲוָתוֹ שְׁחָקִים Deut.33:26
5 חַשְׁרַת־מַיִם עָבֵי שְׁחָקִים IISh.22:12
6 נָגַע אֶל־הַשָּׁמַיִם...וְנִשָּׂא עַד־שְׁחָקִים Jer.51:9
7 חֶשְׁכַת־מַיִם עָבֵי שְׁחָקִים Ps.18:12
8 אֱמוּנָתְךָ עַד־שְׁחָקִים Ps.36:6
9/10 וְעַד־שְׁחָקִים אֲמִתֶּךָ Ps.57:11; 108:5
11 קוֹל נָתְנוּ שְׁחָקִים Ps.77:18
12 וַיְצַו שְׁחָקִים מִמָּעַל Ps.78:23
13 בְּאַמְּצוֹ שְׁחָקִים מִמָּעַל Prov.8:28
14 וְשׁוּר שְׁחָקִים גָּבְהוּ מִמֶּךָּ Job35:5
15 אֲשֶׁר־יִזְּלוּ שְׁחָקִים Job36:28
16 מִי־יְסַפֵּר שְׁחָקִים בְּחָכְמָה Job38:37
וּשְׁחָקִים 17 וּשְׁחָקִים יִזְּלוּ־צֶדֶק Is.45:8
18 וּשְׁחָקִים יִרְעֲפוּ־טָל Prov.3:20
בַּשְּׁחָקִים 19 עַל־יִשְׂרָאֵל גַּאֲוָתוֹ וְעֻזּוֹ בַּשְּׁחָקִים Ps.68:35
20 לֹא רָאוּ אוֹר בָּהִיר הוּא בַּשְּׁחָקִים Job37:21
לִשְׁחָקִים 21 תַּרְקִיעַ עִמּוֹ לִשְׁחָקִים Job37:18

שחר: א) שָׁחַר, שַׁחַר; שַׁחַר, שַׁחֲרוּת, מִשְׁחָר;
ש״פ שְׁחַרְיָה, אֲחִישַׁחַר, אַשְׁחוּר
ב) שָׁחֹר; שָׁחֹר, שְׁחוֹר

שָׁחַר1 פ׳ א) הקדים לבקש: 1
ב) [פ׳ שִׁחֵר] קדם, בקש: 2-13
שׁוֹחֵר טוֹב 1; שַׁחֵר אֵל 6; שַׁחֵר פָּנָיו 2; שִׁחֲרוֹ מוּסָר 5

שׁוֹחֵר 1 שֹׁחֵר טוֹב יְבַקֵּשׁ רָצוֹן Prov. 11:27
לְשַׁחֵר 2 יָצָאתִי לִקְרָאתֶךָ לְשַׁחֵר פָּנֶיךָ Prov. 7:15
שַׁחְרָהּ(?) 3 וּבָא...רָעָה לֹא תֵדְעִי שַׁחְרָהּ Is. 47:11
וְשִׁחַרְתַּנִי 4 לֶעָפָר אֶשְׁכָּב וְשִׁחַרְתַּנִי וְאֵינֶנִּי Job 7:21
שִׁחֲרוֹ 5 וְאֹהֲבוֹ שִׁחֲרוֹ מוּסָר Prov. 13:24
וְשִׁחֲרוּ 6 וּדְרָשׁוּהוּ וְשָׁבוּ וְשִׁחֲרוּ־אֵל Ps. 78:34
מְשַׁחֲרֵי־ 7 פְּרָאִים בַּמִּדְבָּר...מְשַׁחֲרֵי לַטָּרֶף Job 24:5
וּמְשַׁחֲרַי 8 וּמְשַׁחֲרַי יִמְצָאֻנְנִי Prov. 8:17
אֲשַׁחֲרֶךָּ 9 אַף־רוּחִי בְקִרְבִּי אֲשַׁחֲרֶךָּ Is. 26:9
10 אֱלֹהִים אֵלִי אַתָּה אֲשַׁחֲרֶךָּ Ps. 63:2
תְּשַׁחֵר 11 אִם־אַתָּה תְּשַׁחֵר אֶל־אֵל Job 8:5
יְשַׁחֲרֻנְנִי 12 בַּצַּר לָהֶם יְשַׁחֲרֻנְנִי Hosh. 5:15
13 יְשַׁחֲרֻנְנִי וְלֹא יִמְצָאֻנְנִי Prov. 1:28

שָׁחַר2 פ׳ קדר, נעשה שחור
שָׁחַר 1 עוֹרִי שָׁחַר מֵעָלָי Job 30:30

שַׁחַר ז׳ א) נצנוצי זריחה, קרני אור ראשונות: 1, 3-23
ב) [בהשאלה] פֵּשֶׁר, טעם: 2, 24
– שַׁחַר פָּרֻשׂ 22; אֵין לוֹ שָׁחַר 2
– אַיֶּלֶת הַשַּׁחַר 14; הֵילֵל בֶּן־שָׁחַר 3; כַּנְפֵי שָׁחַר 6; עַפְעַפֵּי שָׁחַר 7, 8
– הָעִיר שַׁחַר 4, 5; עָלָה הַשַּׁחַר 10-13, 16-19

שַׁחַר 1 עֹשֵׂה שַׁחַר עֵיפָה Am. 4:13
שָׁחַר 2 כַּדָּבָר הַזֶּה אֲשֶׁר אֵין־לוֹ שָׁחַר Is. 8:20
3 אֵיךְ נָפַלְתָּ מִשָּׁמַיִם הֵילֵל בֶּן־שָׁחַר Is. 14:12
4/5 אָעִירָה שָּׁחַר Ps. 57:9; 108:3
6 אֶשָּׂא כַנְפֵי־שָׁחַר Ps. 139:9
7 וְאַל־יִרְאֶה בְּעַפְעַפֵּי־שָׁחַר Job 3:9
8 וְעֵינָיו כְּעַפְעַפֵּי־שָׁחַר Job 41:10
9 מִי־זֹאת הַנִּשְׁקָפָה כְּמוֹ־שָׁחַר S.ofS. 6:10
הַשַּׁחַר 10 וּכְמוֹ הַשַּׁחַר עָלָה וַיָּאִיצוּ Gen. 19:15
11 וַיַּשְׁכִּמוּ כַּעֲלוֹת הַשַּׁחַר Josh. 6:15
12 וַיְהִי כַּעֲלוֹת הַשַּׁחַר ISh. 9:26
13 וַיְמַן...בַּעֲלוֹת הַשַּׁחַר לַמָּחֳרָת Jon. 4:7
14 לַמְנַצֵּחַ עַל־אַיֶּלֶת הַשַּׁחַר Ps. 22:1
15 יִדַּעְתָּה הַשַּׁחַר (כ׳ שחר) מְקֹמוֹ Job 38:12
16 מֵעֲלוֹת הַשַּׁחַר עַד צֵאת הַכּוֹכָבִים Neh. 4:15
הַשָּׁחַר 17 וַיֵּאָבֵק...עַד עֲלוֹת הַשָּׁחַר Gen. 32:24
18 שַׁלְּחֵנִי כִּי עָלָה הַשָּׁחַר Gen. 32:26
19 וַיְשַׁלְּחוּהָ כַּעֲלוֹת הַשָּׁחַר Jud. 19:25
בַּשַּׁחַר 20 בַּשַּׁחַר נִדְמֹה נִדְמָה מֶלֶךְ יִשְׂרָאֵל Hosh. 10:15
כְּשַׁחַר 21 כְּשַׁחַר נָכוֹן מֹצָאוֹ Hosh. 6:3
22 כְּשַׁחַר פָּרֻשׂ עַל־הֶהָרִים Joel 2:2
כַּשַּׁחַר 23 אָז יִבָּקַע כַּשַּׁחַר אוֹרֶךָ Is. 58:8
שַׁחְרָהּ(?) 24 רָעָה לֹא תֵדְעִי שַׁחְרָהּ Is. 47:11

שָׁחֹר, שָׁחוֹר ת׳ שצבעו כצבע הפחם: 1-6
שֵׂעָר שָׁחֹר 1, 2; סוּסִים שְׁחֹרִים 4, 5

שָׁחֹר 1 וְשֵׂעָר שָׁחֹר אֵין בּוֹ Lev. 13:31
2 וְשֵׂעָר שָׁחֹר צָמַח־בּוֹ Lev. 13:37
שְׁחוֹרָה 3 שְׁחוֹרָה אֲנִי וְנָאוָה בְּנוֹת יְרוּשָׁלָ‍ִם S.ofS. 1:5
שְׁחֹרִים 4 וּבַמֶּרְכָּבָה הַשֵּׁנִית סוּסִים שְׁחֹרִים Zech. 6:2
הַשְּׁחֹרִים 5 אֲשֶׁר־בָּהּ הַסּוּסִים הַשְּׁחֹרִים Zech. 6:6
שְׁחֹרוֹת 6 קְוֻצּוֹתָיו תַּלְתַּלִּים שְׁחֹרוֹת כָּעוֹרֵב S.ofS. 5:11

שְׁחוֹר – עיין שָׁחוֹר

שַׁחֲרוּת נ׳ נוער, נעורים
וְהַשַּׁחֲרוּת 1 כִּי־הַיַּלְדוּת וְהַשַּׁחֲרוּת הָבֶל Eccl. 11:10

שְׁחַרְחֹרֶת ת׳ כהה ושזוף מאוד
שְׁחַרְחֹרֶת 1 אַל־תִּרְאוּנִי שֶׁאֲנִי שְׁחַרְחֹרֶת S.ofS. 1:6

שְׁחַרְיָה שפ״ז – מצאצאי בנימין
וּשְׁחַרְיָה 1 וְשַׁמְשְׁרַי וּשְׁחַרְיָה וַעֲתַלְיָה ICh. 8:26

שַׁחֲרַיִם שפ״ז – מראשי האבות לשבט בנימין
וְשַׁחֲרַיִם 1 וְשַׁחֲרַיִם הוֹלִיד בִּשְׂדֵה מוֹאָב ICh. 8:8

שחת: שָׁחַת, נִשְׁחַת, הִשְׁחִית, הָשְׁחַת; שְׁחִית, שַׁחַת, מַשְׁחִית, מִשְׁחָת, מָשְׁחָת; א״ר שְׁחַת, שְׁחִית

שָׁחַת פ׳ א) אבד, הרס, השמיד: 1-19, 25, 26, 28, 31, 34, 35, 37-39
ב) קלקל, הפר, השבית: 20, 21, 27, 29, 32, 33
ג) [בהשאלה] חטא, סטה מדרך הישר: 22-24, 30, 36
ד) [נפ׳ נִשְׁחַת] התקלקל (גם בהשאלה): 40-45
ה) [הפ׳ הִשְׁחִית] השמיד: 46-71, 74, 80-91, 93-112, 114-122, 124-138
ו) [כנ״ל, בהשאלה] חטא, סטה מדרך הישר: 72, 73, 75-79, 92, 113, 123
ז) [הפ׳ בינוני: מָשְׁחָת] מקולקל, פגום: 139, 140
– שִׁחֵת דְּבָרָיו 21; שִׁחַת חָכְמָתוֹ 20; שִׁ׳ מוֹעֲדוֹ 27; שִׁחֵת רַחֲמָיו 29
– עֲלִילוֹת נִשְׁחָתוֹת 43
– עַד לְהַשְׁחִית 55; הִשְׁחִית דַּרְכּוֹ 69; הִשְׁחִית נַפְשׁוֹ 82; אַל תַּשְׁחֵת(?) 106-109
– מְקוֹר מָשְׁחָת 140

שַׁחֵת 1 לִפְנֵי שַׁחֵת יְיָ אֶת־סְדֹם Gen. 13:10
בְּשַׁחֵת 2 בְּשַׁחֵת אֱלֹהִים אֶת־עָרֵי הַכִּכָּר Gen. 19:29
לְשַׁחֵת 3/4 לְשַׁחֵת כָּל־בָּשָׂר Gen. 6:17; 9:15
5 מַבּוּל לְשַׁחֵת הָאָרֶץ Gen. 9:11
6 לְשַׁחֵת אֶת־הָאָרֶץ Josh. 22:33
7 לְשַׁחֵת לָעִיר בַּעֲבוּרִי ISh. 23:10
8 לִשְׁלֹחַ יָדְךָ לְשַׁחֵת אֶת־מְשִׁיחַ יְיָ IISh. 1:14
9 מֵהַרְבַּת גֹּאֵל הַדָּם לְשַׁחֵת IISh. 14:11
10 מוּבָאִים לְשַׁחֵת הָאָרֶץ Ezek. 30:11
11 בְּבֹאִי לְשַׁחֵת אֶת־הָעִיר Ezek. 43:3
12 לֹא אָשׁוּב לְשַׁחֵת אֶפְרָיִם Hosh. 11:9
לְשַׁחֶתְכֶם 13 אֲשֶׁר־אֲשַׁלַּח אוֹתָם לְשַׁחֶתְכֶם Ezek. 5:16
שַׁחֲתָהּ 14 וְעֹמֵד בַּפֶּרֶץ...לְבִלְתִּי שַׁחֲתָהּ Ezek. 22:30
לְשַׁחֲתָהּ 15 וַיְשַׁלְּחֵנוּ יְיָ לְשַׁחֲתָהּ Gen. 19:13
16 וַיָּבֹאוּ בָאָרֶץ לְשַׁחֲתָהּ Jud. 6:5
17 וַיִּשְׁלַח יָדוֹ הַמַּלְאָךְ יְרוּשָׁ׳ לְשַׁחֲתָהּ IISh. 24:16
מִשַּׁחֲתָם 18 וַתָּחָס עֵינִי עֲלֵיהֶם מִשַּׁחֲתָם Ezek. 20:17
שִׁחַתָּ 19 כִּי־אַרְצְךָ שִׁחַתָּ עַמְּךָ הָרַגְתָּ Is. 14:20
20 שִׁחַתָּ חָכְמָתְךָ עַל־יִפְעָתֶךָ Ezek. 28:17
וְשִׁחַתָּ 21 וְשִׁחַתָּ דְּבָרֶיךָ הַנְּעִימִים Prov. 23:8
שִׁחֵת 22 לֶךְ־רֵד כִּי שִׁחֵת עַמְּךָ Ex. 32:7
23 קוּם רֵד...כִּי שִׁחֵת עַמְּךָ Deut. 9:12
24 שִׁחֵת לוֹ לֹא בָּנָיו מוּמָם Deut. 32:5
25 עָלָה בָךְ שִׁחֵת מִבְצָרָיִךְ Jer. 48:18
26 בִּלַּע כָּל־אַרְמְנוֹתֶיהָ שִׁחֵת מִבְצָרָיו Lam. 2:5
27 וַיַּחְמֹס כַּגַּן שֻׂכּוֹ שִׁחֵת מֹעֲדוֹ Lam. 2:6
וְשִׁחֵת 28 בָּא אֶל־אֵשֶׁת אָחִיו וְשִׁחֵת אַרְצָה Gen. 38:9
29 וְשִׁחֵת רַחֲמָיו וַיִּטְרֹף לָעַד אַפּוֹ Am. 1:11
שִׁחֶתְךָ 30 שִׁחֶתְךָ יִשְׂרָאֵל כִּי־בִי בְעֶזְרֶךָ Hosh. 13:9
וְשִׁחֲתָהּ 31 יַכֶּה...אֶת־עֵין עַבְדּוֹ...וְשִׁחֲתָהּ Ex. 21:26
שִׁחַתֶּם 32 שִׁחַתֶּם בְּרִית הַלֵּוִי Mal. 2:8
וְשִׁחַתֶּם 33 וְשִׁחַתֶּם לְכָל־הָעָם הַזֶּה Num. 32:15
שִׁחֲתוּ 34 אֲשֶׁר שִׁחֲתוּ אֲבוֹתַי IIK. 19:12
35 רֹעִים רַבִּים שִׁחֲתוּ כַרְמִי Jer. 12:10
שִׁחֵתוּ 36 הֶעְמִיקוּ שִׁחֵתוּ כִּימֵי הַגִּבְעָה Hosh. 9:9
37 כִּי בְקָקוּם בֹּקְקִים וּזְמֹרֵיהֶם שִׁחֵתוּ Nah. 2:3
וְשִׁחֲתוּ 38 וְשִׁחֲתוּ חֹמוֹת צֹר וְהָרְסוּ מִגְדָּלֶיהָ Ezek. 26:4
וְשַׁחֵתוּ 39 עֲלוּ בְשָׁרוֹתֶיהָ וְשַׁחֵתוּ... Jer. 5:10
נִשְׁחַת 40 וְהִנֵּה נִשְׁחַת הָאֵזוֹר לֹא יִצְלַח לַכֹּל Jer. 13:7
וְנִשְׁחַת 41 וְנִשְׁחַת הַכְּלִי אֲשֶׁר הוּא עֹשֶׂה Jer. 18:4
נִשְׁחָתָה 42 וַיַּרְא אֱלֹ׳ אֶת־הָאָרֶץ וְהִנֵּה נִשְׁחָתָה Gen. 6:12
הַנִּשְׁחָתוֹת 43 וְכַעֲלִילוֹתֵיכֶם הַנִּשְׁחָתוֹת Ezek. 20:44
תִּשָּׁחֵת 44 תִּשָּׁחֵת הָאָרֶץ מִפְּנֵי הֶעָרֹב Ex. 8:20
וַתִּשָּׁחֵת 45 וַתִּשָּׁחֵת הָאָרֶץ לִפְנֵי הָאֱלֹהִים Gen. 6:11
הַשְׁחֵת 46 כִּי־הַשְׁחֵת תַּשְׁחִתוּן... Deut. 31:29
הַשְׁחִית 47 לְבִלְתִּי הַשְׁחִית הַכֹּל Is. 65:8
וּכְהַשְׁחִית 48 וּכְהַשְׁחִית רָאָה יְיָ וַיִּנָּחֶם ICh. 21:15
לְהַשְׁחִית 49 לְהַשְׁחִית אֶת־הַמֶּלֶךְ אֲדֹנֶיךָ ISh. 26:15
50 וְלֹא־אָבָה יְיָ לְהַשְׁחִית אֶת־יְהוּדָה IIK. 8:19
51 כַּאֲשֶׁר כּוֹנֵן לְהַשְׁחִית Is. 51:13
52 חָשַׁב יְיָ לְהַשְׁחִית חוֹמַת בַּת־צִיּוֹן Lam. 2:8
53 וְלֹא לְהַשְׁחִית לְכָלָה IICh. 12:12
54 וְלֹא־אָבָה יְיָ לְהַשְׁחִית אֶת־בֵּית דָּוִיד IICh. 21:7
55 וּכְחֶזְקָתוֹ גָּבַהּ לִבּוֹ עַד־לְהַשְׁחִית IICh. 26:16
56 וְכָל־כְּלֵי מַחֲמַדֶּיהָ לְהַשְׁחִית IICh. 36:19
וּלְהַשְׁחִית 57 וְאֶת־עוֹף הַשָּׁמַ׳...לֶאֱכֹל וּלְהַשְׁחִית Jer. 15:3
מֵהַשְׁחִית 58 לְהָשִׁיב חֲמָתוֹ מֵהַשְׁחִית Ps. 106:23
הַשְׁחִיתֶךָ 59 לֹא־אָבָה יְיָ הַשְׁחִיתֶךָ Deut. 10:10
לְהַשְׁחִיתֶךָ 60 כִּי־יָעַץ אֱלֹהִים לְהַשְׁחִיתֶךָ IICh. 25:16
לְהַשְׁחִתוֹ 61 עָלִיתִי עַל־הַמָּקוֹם הַזֶּה לְהַשְׁחִתוֹ IIK. 18:25
לְהַשְׁחִיתָהּ 62 עָלִיתִי עַל־הָאָרֶץ...לְהַשְׁחִיתָהּ Is. 36:10
63 עַל־בָּבֶל מְזִמָּתוֹ לְהַשְׁחִיתָהּ Jer. 51:11
64 וּבַת הַנָּשִׁים יִתֶּן־לוֹ לְהַשְׁחִיתָהּ Dan. 11:17
65 וַיִּשְׁלַח...מַלְאָךְ לִירוּשָׁ׳ לְהַשְׁחִיתָהּ ICh. 21:15
הַשְׁחִיתָם 66 וְלֹא אָבָה הַשְׁחִיתָם IIK. 13:23
מֵהַשְׁחִיתָם 67 וְלֹא אֲרַחֵם מֵהַשְׁחִיתָם Jer. 13:14
וְהִשְׁחַתִּי 68 וְהִשְׁחַתִּי בְךָ מַמְלָכוֹת Jer. 51:20
הִשְׁחִית 69 כִּי־הִשְׁחִית כָּל־בָּשָׂר אֶת־דַּרְכּוֹ Gen. 6:12
וְהִשְׁחִית 70 וְהִשְׁחִית אֶת־הָאָרֶץ הַזֹּאת Jer. 36:29
71 וְהִשְׁחִית עֲצוּמִים וְעַם־קְדֹשִׁים Dan. 8:24
וְהִשְׁחַתֶּם 72 וְהִשְׁחַתֶּם וַעֲשִׂיתֶם פֶּסֶל Deut. 4:25
הִשְׁחִיתוּ 73 אֲשֶׁר הִשְׁחִיתוּ אֲבוֹתַי Is. 37:12
74 אִם־גַּנָּבִים בַּלַּיְלָה הִשְׁחִיתוּ דַיָּם Jer. 49:9
75 הִשְׁחִיתוּ כֹּל עֲלִילוֹתָם Zep. 3:7
76 הִשְׁחִיתוּ הִתְעִיבוּ עֲלִילָה Ps. 14:1
77 הִשְׁחִיתוּ וְהִתְעִיבוּ עָוֶל Ps. 53:2
78 אֲשֶׁר הִשְׁחִיתוּ מַלְכֵי יְהוּדָה IICh. 34:11
וְהִשְׁחִיתוּ 79 יָשֻׁבוּ וְהִשְׁחִיתוּ מֵאֲבוֹתָם Jud. 2:19
מַשְׁחִית 80 כִּי־מַשְׁחִית יְיָ אֶת־הָעִיר Gen. 19:14
81 אָכְלָה...כְּאַרְיֵה מַשְׁחִית Jer. 2:30
82 מַשְׁחִית נַפְשׁוֹ הוּא יַעֲשֶׂנָּה Prov. 6:32
83 וּמַלְאַךְ יְיָ מַשְׁחִית... ICh. 21:12
הַמַּשְׁחִית 84 הֲמַשְׁחִית אַתָּה אֵת כָּל־שְׁאֵרִית יִשְׂרָ׳ Ezek. 9:8
הַמַּשְׁחִית 85 וַיֹּאמֶר לַמַּלְאָךְ הַמַּשְׁחִית בָּעָם רַב IISh. 24:16
86 הַמַּשְׁחִית אֶת־כָּל־הָאָרֶץ Jer. 51:25
87 וַיֹּאמֶר לַמַּלְאָךְ הַמַּשְׁחִית רַב ICh. 21:15
מַשְׁחִיתָם 88 וְהִנְנִי מַשְׁחִיתָם אֶת־הָאָרֶץ Gen. 6:13
מַשְׁחִיתִים 89 מַשְׁחִתִים אֲנַחְנוּ אֶת־הַמָּקוֹם Gen. 19:13
90 מַשְׁחִיתִים אוֹתוֹ בְּתוֹכוֹ Jud. 20:42
91 מַשְׁחִיתִם לְהַפִּיל הַחוֹמָה IISh. 20:15
92 וְעוֹד הָעָם מַשְׁחִיתִים IICh. 27:2
הַמַּשְׁחִיתִים 93 עַכְבְּרֵיכֶם הַמַּשְׁחִיתִם אֶת־הָאָרֶץ ISh. 6:5

אַשְׁחִית 94 לֹא אַשְׁחִית אִם־אֶמְצָא שָׁם... Gen. 18:28
95 לֹא אַשְׁחִית בַּעֲבוּר הָעֶשְׂרִים Gen. 18:31
96 לֹא אַשְׁחִית בַּעֲבוּר הָעֲשָׂרָה Gen. 18:32
97 אִם־אֲבַלַּע וְאִם־אַשְׁחִית IISh. 20:20
98 כָּכָה אַשְׁחִית אֶת־גְּאוֹן יְהוּדָה Jer. 13:9
99 פֶּן־אַשְׁחִית אֶת־נַחֲלָתִי Ruth 4:6
וָאַשְׁחִיתֵךְ 100 וָאַט אֶת־יָדִי עָלַיִךְ וָאַשְׁחִיתֵךְ Jer. 15:6
אַשְׁחִיתֵם 101 נִכְנְעוּ לֹא אַשְׁחִיתֵם IICh. 12:7
תַשְׁחִית 102 וְלֹא תַשְׁחִית אֵת פְּאַת זְקָנֶךָ Lev. 19:27
103 לֹא־תַשְׁחִית אֶת־עֵצָהּ Deut. 20:19
104 רַק עֵץ...אֹתוֹ תַשְׁחִית וְכָרָתָּ Deut. 20:20
תַּשְׁחֵת 105 אַל־תַּשְׁחֵת עַמְּךָ וְנַחֲלָתְךָ Deut. 9:26
106-108 לַמְנַצֵּחַ אַל־תַּשְׁחֵת לְדָוִד מִכְתָּם Ps. 57:1; 58:1; 59:1
109 לַמְנַצֵּחַ אַל־תַּשְׁחֵת מִזְמוֹר לְאָסָף Ps. 75:1
הֲתַשְׁחִית 110 הֲתַשְׁחִית בַּחֲמִשָּׁה אֶת־כָּל־הָעִיר Gen. 18:28
תַּשְׁחִיתֵהוּ 111 וַיֹּאמֶר דָּוִד...אַל־תַּשְׁחִיתֵהוּ ISh. 26:9
112 אַל־תַּשְׁחִיתֵהוּ כִּי בְרָכָה בּוֹ Is. 65:8
וַתַּשְׁחִתִי 113 וַתַּשְׁחִתִי מֵהֵן בְּכָל־דְּרָכָיִךְ Ezek. 16:47
יַשְׁחִת 114 וְלֹא־יַשְׁחִת לָכֶם אֶת־פְּרִי הָאֲדָמָה Mal. 3:11
115 וְהוּא רַחוּם...וְלֹא־יַשְׁחִית Ps. 78:38
116 בְּפֶה חָנֵף יַשְׁחִת רֵעֵהוּ Prov. 11:9
117 וְנִפְלָאוֹת יַשְׁחִית וְהִצְלִיחַ Dan. 8:24
118 וּבְשַׁלְוָה יַשְׁחִית רַבִּים Dan. 8:25
119 וְהָעִיר וְהַקֹּדֶשׁ יַשְׁחִית עַם Dan. 9:26
וַיַּשְׁחֵת 120 וַיַּשְׁחֵת אֶת־אֶרֶץ בְּנֵי־עַמּוֹן ICh. 20:1
יַשְׁחִיתֶךָ 121 לֹא יַרְפְּךָ וְלֹא יַשְׁחִיתֶךָ Deut. 4:31
122 חֲדַל־לְךָ מֵאֱלֹהִים...וְאַל־יַשְׁחִיתֶךָ IICh. 35:21
וַתַּשְׁחֵת 123 וַתַּשְׁחֵת עַגְבָתָהּ מִמֶּנָּה Ezek. 23:11
וַתַּשְׁחִיתֵם 124 יְשַׁלַּח בָּהֶם...וּצְפַרְדֵּעַ וַתַּשְׁחִיתֵם Ps. 78:45
נַשְׁחִיתָה 125 נַשְׁחִיתָה עֵץ בְּלַחְמוֹ Jer. 11:19
וְנַשְׁחִיתָה 126 קוּמוּ...וְנַשְׁחִיתָה אַרְמְנוֹתֶיהָ Jer. 6:5
תַּשְׁחִתוּן 127 פֶּן־תַּשְׁחִתוּן וַעֲשִׂיתֶם לָכֶם פֶּסֶל Deut. 4:16
128 כִּי־הַשְׁחֵת תַּשְׁחִתוּן Deut. 31:29
יַשְׁחִיתוּ 129/30 לֹא־יָרֵעוּ וְלֹא־יַשְׁחִיתוּ Is. 11:9; 65:25
וַיַּשְׁחִיתוּ 131 וַיַּשְׁחִיתוּ אֶת־יְבוּל הָאָרֶץ Jud. 6:4
132 וַיַּשְׁחִיתוּ בְיִשְׂרָאֵל...שְׁנַיִם וְעֶשְׂרִים אֶלֶף אִישׁ אָרְצָה Jud. 20:21
133 וַיַּשְׁחִיתוּ בִבְנֵי יִשְׂרָאֵל עוֹד Jud. 20:25
134 וַיַּשְׁחִיתוּ בְנֵי יִשְׂרָאֵל בְּבִנְיָמִן Jud. 20:35
135 וַיַּשְׁחִתוּ אֶת־בְּנֵי עַמּוֹן IISh. 11:1
136 וַיַּשְׁחִיתוּ אֶת־כָּל־שָׂרֵי הָעָם מֵעָם IICh. 24:23
וְהַשְׁחִיתָהּ 137 עֲלֵה עַל־הָאָרֶץ הַזֹּאת וְהַשְׁחִיתָהּ IIK. 18:25
138 עֲלֵה אֶל־הָאָרֶץ...וְהַשְׁחִיתָהּ Is. 36:10
מָשְׁחָת 139 וְנֹדֵר וְזֹבֵחַ מָשְׁחָת לַאדֹנָי Mal. 1:14
140 מַעְיָן נִרְפָּשׂ וּמָקוֹר מָשְׁחָת Prov. 25:26

שְׁחַת
פ׳ ארמית – עין שְׁחִית²

שַׁחַת
נ׳ א) שוחה, בור: 1, 2, 6, 10-12, 20, 22, 23
ב) [בהשאלה] קֶבֶר: 3-5, 7-9, 13-19, 21
קרובים: בּוֹר / פַּחַת / שׁוּחָה / שִׁיחָה
שַׁחַת בְּלִי 21; שַׁחַת רֶשֶׁת 20; בְּאֵר שַׁחַת 1

שַׁחַת 1 וְאַתָּה אֱלֹהִים תּוֹרִדֵם לִבְאֵר שַׁחַת Ps. 55:24
2 כֹּרֶה־שַּׁחַת בָּהּ יִפֹּל Prov. 26:27
3 פְּדָעֵהוּ מֵרֶדֶת שָׁחַת Job 33:24
שָׁחַת 4 לֹא־תִתֵּן חֲסִידְךָ לִרְאוֹת שָׁחַת Ps. 16:10
5 מַה־בֶּצַע בְּדָמִי בְּרִדְתִּי אֶל שָׁחַת Ps. 30:10
6 עַד יִכָּרֶה לָרָשָׁע שָׁחַת Ps. 94:13
7 יַחְשֹׂךְ נַפְשׁוֹ מִנִּי־שָׁחַת Job 33:18
8 לְהָשִׁיב נַפְשׁוֹ מִנִּי־שָׁחַת Job 33:30
הַשָּׁחַת 9 לֹא יִרְאֶה הַשָּׁחַת Ps. 49:10
בְּשַׁחַת 10 בּוֹר כָּרָה...וַיִּפֹּל בְּשַׁחַת יִפְעָל Ps. 7:16
11 טָבְעוּ גוֹיִם בְּשַׁחַת עָשׂוּ Ps. 9:16
בַּשַּׁחַת 12 אָז בַּשַּׁחַת תִּטְבְּלֵנִי Job 9:31
בַּשָּׁחַת 13 פָּדָה נַפְשׁוֹ מֵעֲבֹר בַּשָּׁחַת Job 33:28
לַשַּׁחַת 14 וְלֹא־יָמוּת לַשַּׁחַת Is. 51:14
15 לַשַּׁחַת יוֹרִדוּךָ וָמַתָּה Ezek. 28:8
16 לַשַּׁחַת קָרָאתִי אָבִי אָתָּה Job 17:14
17 וַתִּקְרַב לַשַּׁחַת נַפְשׁוֹ Job 33:22
מִשַּׁחַת 18 וַתַּעַל מִשַּׁחַת חַיַּי יְיָ אֱלֹהָי Jon. 2:7
19 הַגּוֹאֵל מִשַּׁחַת חַיָּיְכִי Ps. 103:4
שַׁחַת־ 20 כִּי־חִנָּם טָמְנוּ־לִי שַׁחַת רִשְׁתָּם Ps. 35:7
מִשַּׁחַת־ 21 וְאַתָּה חָשַׁקְתָּ נַפְשִׁי מִשַּׁחַת בְּלִי Is. 38:17
בְּשַׁחְתָּם 22 וַיִּשְׁמְעוּ אֵלָיו גּוֹיִם בְּשַׁחְתָּם נִתְפָּשׂ Ezek. 19:4
23 וַיִּפְרְשׂוּ עָלָיו רִשְׁתָּם בְּשַׁחְתָּם נִתְפָּשׂ Ezek. 19:8

שֵׂט*
ז׳ סורר, זד: 1, 2
שֵׂטִים 1 וְשַׁחֲטָה שֵׂטִים הֶעְמִיקוּ Hosh. 5:2
(סֵטִים) 2 עֲשֹׂה־סֵטִים שָׂנֵאתִי Ps. 101:3

שָׁט*
(תהלים מ5) – עין (שׁוּט) שָׁט

שׂטה : שָׂטָה; שֵׂט

שָׂטָה
פ׳ א) סטה, נטה מדרך הישר: 1-5
ב) סר, נטה: 6
שָׂטִית 1 וְאִם־לֹא שָׂטִית טֻמְאָה תַּחַת אִישֵׁךְ Num. 5:19
2 וְאַתְּ כִּי שָׂטִית תַּחַת אִישֵׁךְ Num. 5:20
יֵשְׂטְ 3 אַל־יֵשְׂטְ אֶל־דְּרָכֶיהָ לִבֶּךָ Prov. 7:25
תִשְׂטֶה 4 כִּי־תִשְׂטֶה אִשְׁתּוֹ וּמָעֲלָה בוֹ מָעַל Num. 5:12
5 אֲשֶׁר תִּשְׂטֶה אִשָּׁה תַּחַת אִישָׁהּ Num. 5:29
שְׂטֵה 6 פְּרָעֵהוּ...שְׂטֵה מֵעָלָיו וַעֲבוֹר Prov. 4:15

שִׁטָּה
נ׳ עץ ממשפחת הקטניות
ששמש לבנין המשכן וכליו: 1-28
קרובים: אֵלָה / אַלָּה / אַלּוֹן / אֶרֶז / אֹרֶן / בָּכָא / בְּרוֹשׁ / בְּרוֹת / הָבְנֶה / לִבְנֶה / לוּז / צַפְצָפָה / רֹתֶם / תְּאַשּׁוּר / תִּדְהָר / תִּרְזָה
שִׁטָּה 1 אֶתֵּן בַּמִּדְבָּר אֶרֶז שִׁטָּה Is. 41:19
שִׁטִּים 2/3 וְעֹרֹת תְּחָשִׁים וַעֲצֵי שִׁטִּים Ex. 25:5; 35:7
4 וְעָשׂוּ אֲרוֹן עֲצֵי שִׁטִּים Ex. 25:10
5-7 בַּדֵּי עֲצֵי שִׁטִּים Ex. 25:13; 27:6; 37:4
8 וְעָשִׂיתָ שֻׁלְחָן עֲצֵי שִׁטִּים Ex. 25:23
9/10 וְעָשִׂיתָ אֶת־הַבַּדִּים עֲצֵי שִׁטִּים Ex. 25:28; 30:5
11/2 עֲצֵי שִׁטִּים עֹמְדִים Ex. 26:15; 36:20
13-28 עֲצֵי שִׁטִּים Ex. 26:26, 32, 37
27:1; 30:1; 35:24; 36:31,36; 37:1, 10, 15, 25, 28; 38:1, 6 • Deut. 10:3

(בֵּית) הַשִּׁטָּה
– עין ערך בֵּית־הַשִּׁטָּה (באות ב׳)

שִׁטִּים
ש״פ – מקום בערבות מואב בעבר הירדן המזרחי, התחנה האחרונה במסעי ישראל ממצרים: 1-5
נַחַל הַשִּׁטִּים 2
הַשִּׁטִּים 1 וַיִּשְׁלַח יְהוֹשֻׁעַ בִּן־נוּן מִן־הַשִּׁטִּים Josh. 2:1
2 וְהִשְׁקָה אֶת־נַחַל הַשִּׁטִּים Joel 4:18
3 מִן־הַשִּׁטִּים עַד־הַגִּלְגָּל Mic. 6:5
בַּשִּׁטִּים 4 וַיֵּשֶׁב יִשְׂרָאֵל בַּשִּׁטִּים Num. 25:1
מֵהַשִּׁטִּים 5 וַיִּסְעוּ מֵהַשִּׁטִּים וַיָּבֹאוּ עַד־הַיַּרְדֵּן Josh. 3:1

שטח : שָׁטַח, שֹׁטֵחַ; מִשְׁטָח, מִשְׁטוֹחַ

שָׁטַח
פ׳ א) פרש: 1-5
ב) [פ׳ שִׁטֵּחַ] פֵּרֵשׂ: 6
שִׁטַּח כַּפָּיו 6
שָׁטוֹחַ 1 וַיִּשְׁטְחוּ לָהֶם שָׁטוֹחַ סְבִיבוֹת הַמַּחֲנֶה Num. 11:32
וּשְׁטָחוּם 2 וּשְׁטָחוּם לַשֶּׁמֶשׁ וְלַיָּרֵחַ Jer. 8:2
שֹׁטֵחַ 3 שֹׁטֵחַ לַגּוֹיִם וַיַּנְחֵם Job 12:23
וַתִּשְׁטַח 4 וַתִּשְׁטַח עָלָיו הָרִפוֹת IISh. 17:19
וַיִּשְׁטְחוּ 5 וַיִּשְׁטְחוּ לָהֶם שָׁטוֹחַ Num. 11:32
שִׁטַּחְתִּי 6 שִׁטַּחְתִּי אֵלֶיךָ כַפָּי Ps. 88:10

שׁטט
ז׳ – עין שׁוֹטֵט

שׂטם : שָׂטַם; מַשְׂטֵמָה

שָׂטַם
פ׳ שָׂנֵא: 1-6 • קרובים: ראה שָׂנֵא
תִּשְׂטְמֵנִי 1 בְּעֹצֶם יָדְךָ תִשְׂטְמֵנִי Job 30:21
וַיִּשְׂטֹם 2 וַיִּשְׂטֹם עֵשָׂו אֶת־יַעֲקֹב Gen. 27:41
וַיִּשְׂטְמֵנִי 3 אַפּוֹ טָרַף וַיִּשְׂטְמֵנִי Job 16:9
יִשְׂטְמֵנוּ 4 לוּ יִשְׂטְמֵנוּ יוֹסֵף Gen. 50:15
יִשְׂטְמוּנִי 5 כִּי־יָמִיטוּ עָלַי אָוֶן וּבְאַף יִשְׂטְמוּנִי Ps. 55:4
וַיִּשְׂטְמֻהוּ 6 וַיְמָרֲרֻהוּ...וַיִּשְׂטְמֻהוּ בַּעֲלֵי חִצִּים Gen. 49:23

שׂטן : שָׂטַן; שָׂטָן, שִׂטְנָה; ש״פ שִׂטְנָה

שָׂטַן
פ׳ שׂטם, קטרג: 1-6 • קרובים: ראה שָׂנֵא
שֹׂטְנֵי נַפְשִׁי 2; פְּעֻלַּת שֹׂטְנַי 3
לְשִׂטְנוֹ 1 וְהַשָּׂטָן עֹמֵד עַל־יְמִינוֹ לְשִׂטְנוֹ Zech. 3:1
שֹׂטְנֵי־ 2 יֵבֹשׁוּ יִכְלוּ שֹׂטְנֵי נַפְשִׁי Ps. 71:13
שֹׂטְנַי 3 זֹאת פְּעֻלַּת שֹׂטְנַי מֵאֵת יְיָ Ps. 109:20
4 יִלְבְּשׁוּ שׂוֹטְנַי כְּלִמָּה Ps. 109:29
יִשְׂטְנוּנִי 5 יִשְׂטְנוּנִי תַּחַת רָדְפִי־טוֹב Ps. 38:21
6 תַּחַת־אַהֲבָתִי יִשְׂטְנוּנִי Ps. 109:4

שָׂטָן
ז׳ א) מכשול, פגע, מפריע: 1-4, 24-27
ב) כנוי למלאך המקטרג: 5-23
שָׂטָן 1 אֵין שָׂטָן וְאֵין פֶּגַע רָע IK. 5:18
2 וַיָּקֶם יְיָ שָׂטָן לִשְׁלֹמֹה אֵת הֲדַד IK. 11:14
3 וַיָּקֶם אֱלֹהִים לוֹ שָׂטָן אֶת־רְזוֹן IK. 11:23
4 וַיְהִי שָׂטָן לְיִשְׂרָאֵל כָּל־יְמֵי שְׁלֹמֹה IK. 11:25
5 וַיַּעֲמֹד שָׂטָן עַל־יִשְׂרָאֵל וַיָּסֶת... ICh. 21:1
וְשָׂטָן 6 וְשָׂטָן יַעֲמֹד עַל־יְמִינוֹ Ps. 109:6
הַשָּׂטָן 7/8 וַיֹּאמֶר יְיָ אֶל־הַשָּׂטָן יִגְעַר יְיָ בְּךָ הַשָּׂטָן Zech. 3:2
9 וַיָּבוֹא גַם־הַשָּׂטָן בְּתוֹכָם Job 1:6
10-15 וַיֹּאמֶר יְיָ אֶל־הַשָּׂטָן Job 1:7, 8, 12; 2:2, 3, 6
16-19 וַיַּעַן הַשָּׂטָן אֶת־יְיָ Job 1:7, 9; 2:2, 4
20 וַיֵּצֵא הַשָּׂטָן מֵעִם פְּנֵי יְיָ Job 1:12
21 וַיָּבוֹא גַם־הַשָּׂטָן בְּתֹכָם Job 2:1
22 וַיֵּצֵא הַשָּׂטָן מֵאֵת פְּנֵי יְיָ Job 2:7
וְהַשָּׂטָן 23 וְהַשָּׂטָן עֹמֵד עַל־יְמִינוֹ לְשִׂטְנוֹ Zech. 3:1
לְשָׂטָן 24 וַיִּתְיַצֵּב מַלְאַךְ יְיָ בַּדֶּרֶךְ לְשָׂטָן לוֹ Num. 22:22
25 הִנֵּה אָנֹכִי יָצָאתִי לְשָׂטָן Num. 22:32
26 וְלֹא־יִהְיֶה־לָּנוּ לְשָׂטָן בַּמִּלְחָמָה ISh. 29:4
27 כִּי־תִהְיוּ־לִי הַיּוֹם לְשָׂטָן IISh. 19:23

שִׂטְנָה¹
נ׳ דִּבָּה, עלילות דברים
שִׂטְנָה 1 כָּתְבוּ שִׂטְנָה עַל־יֹשְׁבֵי יְהוּדָה וִירוּשָׁלִָם Ez. 4:6

שִׂטְנָה²
ש״פ – שם אחת הבארות שחפרו עבדי יצחק
שִׂטְנָה 1 וַיִּקְרָא שְׁמָהּ שִׂטְנָה Gen. 26:21

שטף : שָׁטַף, נִשְׁטַף, שֻׁטַּף; שֶׁטֶף

שָׁטַף פָּ׳ א) הֵדִיחַ, רחץ בזרם: 1, 19, 21
ב) זָרַם: 10, 11, 13-18, 24, 25
ג) [בהשאלה] פָּרַץ, זנק: 2-4, 7-9, 12, 20
ד) הֵצִיף: 5, 6, 22, 23, 26-28
ה) [נפ׳ נִשְׁטַף] הודח, רוחץ: 29
ו) [כנ״ל] נסחף: 30
ז) [פֻּ׳ שֻׁטַּף] רוחץ: 31
שׁוֹטֵף צְדָקָה 7; גֶּשֶׁם שׁוֹטֵף 14-16; נַחַל שׁוֹטֵף 10, 13, 17; סוּס שׁוֹטֵף 12; שׁוֹט שׁוֹטֵף 8, 9; מַיִם שֹׁטְפִים 18

שָׁטַף 1 וְיָדָיו לֹא שָׁטַף בַּמָּיִם Lev. 15:11
2 וְחָלַף בִּיהוּדָה שָׁטַף וְעָבַר Is. 8:8
וְשָׁטַף 3 וּבָא בוֹא וְשָׁטַף וְעָבָר Dan. 11:10
4 וּבָא בַאֲרָצוֹת וְשָׁטַף וְעָבָר Dan. 11:40
שְׁטָפָתְנִי 5 בָּאתִי בְמַעֲמַקֵּי־מַיִם וְשִׁבֹּלֶת שְׁטָפָתְנִי Ps. 69:3
שְׁטָפוּנוּ 6 אֲזַי הַמַּיִם שְׁטָפוּנוּ Ps. 124:4
שׁוֹטֵף 7 כִּלָּיוֹן חָרוּץ שׁוֹטֵף צְדָקָה Is. 10:22
8 שׁוֹט° שׁוֹטֵף כִּי־יַעֲבֹר° Is. 28:15
9 שׁוֹט שׁוֹטֵף כִּי־יַעֲבֹר Is. 28:18
10 וְרוּחוֹ כְּנַחַל שׁוֹטֵף Is. 30:28
11 וּכְנַחַל שׁוֹטֵף כְּבוֹד גּוֹיִם Is. 66:12
12 כְּסוּס שׁוֹטֵף בַּמִּלְחָמָה Jer. 8:6
13 וְהָיוּ לְנַחַל שׁוֹטֵף Jer. 47:2
14 הָיָה גֶּשֶׁם שׁוֹטֵף Ezek. 13:11
15 וְגֶשֶׁם שֹׁטֵף בְּאַפִּי יִהְיֶה Ezek. 13:13
16 וְגֶשֶׁם שׁוֹטֵף וְאַבְנֵי אֶלְגָּבִישׁ Ezek. 38:22
הַשּׁוֹטֵף 17 וְאֶת־הַנַּחַל הַשּׁוֹטֵף בְּתוֹךְ־הָאָרֶץ IICh. 32:4
שֹׁטְפִים 18 כְּזֶרֶם מַיִם כַּבִּירִים שֹׁטְפִים Is. 28:2
וָאֶשְׁטֹף 19 וָאֶשְׁטֹף דָּמַיִךְ מֵעָלָיִךְ Ezek. 16:9
יִשְׁטוֹף 20 יִשְׁבְּרוּהוּ וְחֵילוֹ יִשְׁטוֹף Dan. 11:26
וַיִּשְׁטֹף 21 וַיִּשְׁטֹף אֶת־הָרֶכֶב עַל בְּרֵכַת שֹׁמְרוֹן IK. 22:38
תִּשְׁטֹף 22 תִּשְׁטֹף־סְפִיחֶיהָ עֲפַר־אָרֶץ Job 14:19
תִּשְׁטְפֵנִי 23 אַל־תִּשְׁטְפֵנִי שִׁבֹּלֶת מַיִם Ps. 69:16
יִשְׁטֹפוּ 24 וְסֵתֶר מַיִם יִשְׁטֹפוּ Is. 28:17
25 וַיָּזוּבוּ מַיִם וּנְחָלִים יִשְׁטֹפוּ Ps. 78:20
וְיִשְׁטְפוּ 26 וְיִשְׁטְפוּ אֶרֶץ וּמְלוֹאָהּ Jer. 47:2
יִשְׁטְפוּךָ 27 כִּי־תַעֲבֹר...וּבַנְּהָרוֹת לֹא יִשְׁטְפוּךָ Is. 43:2
יִשְׁטְפוּהָ 28 וּנְהָרוֹת לֹא יִשְׁטְפוּהָ S.ofS. 8:7
יִשָּׁטֵף 29 וְכָל־כְּלִי־עֵץ יִשָּׁטֵף בַּמָּיִם Lev. 15:12
יִשָּׁטְפוּ 30 יִשָּׁטְפוּ מִלְּפָנָיו וְיִשָּׁבֵרוּ Dan. 11:22
וְשֻׁטַּף 31 וּמֹרַק וְשֻׁטַּף בַּמָּיִם Lev. 6:21

שֶׁטֶף ז׳ זרם (גם בהשאלה): 1-6
שֶׁטֶף אַף 5; שֶׁטֶף מַיִם 6; שֶׁטֶף עוֹבֵר 3; זְרוֹעוֹת הַשֶּׁטֶף 1

הַשֶּׁטֶף 1 וּזְרֹעוֹת הַשֶּׁטֶף יִשָּׁטְפוּ מִלְּפָנָיו Dan. 11:22
בַּשֶּׁטֶף 2 יַשְׁחִית עַם נָגִיד...וְקִצּוֹ בַשֶּׁטֶף... Dan. 9:26
וּבְשֶׁטֶף 3 וּבְשֶׁטֶף עֹבֵר כָּלָה יַעֲשֶׂה מְקוֹמָהּ Nah. 1:8
לַשֶּׁטֶף 4 מִי־פִלַּג לַשֶּׁטֶף תְּעָלָה Job 38:25
וְשֶׁטֶף־ 5 אַכְזְרִיּוּת חֵמָה וְשֶׁטֶף אָף Prov. 27:4
לְשֵׁטֶף־ 6 לְשֵׁטֶף מַיִם רַבִּים אֵלָיו לֹא יַגִּיעוּ Ps. 32:6

שטר : שׁוֹטֵר, מִשְׁטָר

שׁטר עין שׁוֹטֵר

שְׂטַר ז׳ ארמית: צַד, עֵבֶר

וְלִשְׂטַר־ 1 חֵיוָה אָחֳרִי...וְלִשְׂטַר־חַד הֳקִמַת Dan. 7:5

שִׁטְרַי שפ״ז (דה״א כז 29) – קרי: שִׁרְטַי

שַׁי ז׳ מתנה: 1-3 • קרובים: ראה מַתָּנָה

שַׁי 1 בָּעֵת הַהִיא יוּבַל־שַׁי לַיְיָ צְבָאוֹת Is. 18:7
2 כָּל־סְבִיבָיו יוֹבִילוּ שַׁי לַמּוֹרָא Ps. 76:12
שָׁי 3 לְךָ יוֹבִילוּ מְלָכִים שָׁי Ps. 68:30

שִׂיא* ז׳ רום, גובה

שִׂיאוֹ 1 אִם־יַעֲלֶה לַשָּׁמַיִם שִׂיאוֹ Job 20:6

שִׂיאֹן שפ״ז – הוא הר החרמון

שִׂיאֹן 1 וְעַד־הַר שִׂיאֹן הוּא חֶרְמוֹן Deut. 4:48

שִׁיאֹן ש״פ – מקום בנחלת יששכר

וְשִׁיאֹן 1 וַחֲפָרַיִם וְשִׁיאֹן וַאֲנָחֲרַת Josh. 19:19

שיב : שָׂב, שֵׂיבָה, שֵׂיב

(שִׂיב) שָׂב פָּ׳ הגיע לגיל שֵׂיבָה: 1, 2

וָשַׂבְתִּי 1 וַאֲנִי זָקַנְתִּי וָשַׂבְתִּי ISh. 12:2
שָׂב 2 גַּם־שָׂב גַּם־יָשִׁישׁ בָּנוּ Job 15:10

שֵׂיב* ז׳ שֵׂיבָה

מִשֵּׂיבוֹ 1 כִּי קָמוּ עֵינָיו מִשֵּׂיבוֹ IK. 14:4

שֵׂיבָה נ׳ א) שער שהלבין מזקנה: 2-6
ב) [בהשאלה] זקנה מופלגת: 3, 7-19
ג) [כנ״ל] כנוי לאיש לזקן: 1
שֵׂיבָה טוֹבָה 8-10, 12; אִישׁ שֵׂיבָה 2; זִקְנָה וְשֵׂיבָה 7; שֵׂיבַת עַבְדּוֹ 14

שֵׂיבָה 1 מִפְּנֵי שֵׂיבָה תָּקוּם Lev. 19:32
2 יוֹנֵק עִם־אִישׁ שֵׂיבָה Deut. 32:25
3 וְעַד־שֵׂיבָה אֲנִי אֶסְבֹּל Is. 46:4
4 גַּם־שֵׂיבָה זָרְקָה בּוֹ Hosh. 7:9
5 עֲטֶרֶת תִּפְאֶרֶת שֵׂיבָה Prov. 16:31
6 וַהֲדַר זְקֵנִים שֵׂיבָה Prov. 20:29
וְשֵׂיבָה 7 עַד־זִקְנָה וְשֵׂיבָה...אַל־תַּעַזְבֵנִי Ps. 71:18
בְּשֵׂיבָה 8 תִּקָּבֵר בְּשֵׂיבָה טוֹבָה Gen. 15:15
9 וַיִּגְוַע...בְּשֵׂיבָה טוֹבָה זָקֵן וְשָׂבֵעַ Gen. 25:8
10 וַיָּמָת גִּדְעוֹן...בְּשֵׂיבָה טוֹבָה Jud. 8:32
11 עוֹד יְנוּבוּן בְּשֵׂיבָה Ps. 92:15
12 וַיָּמָת בְּשֵׂיבָה טוֹבָה שְׂבַע יָמִים ICh. 29:28
לְשֵׂיבָה 13 יַחְשֹׁב תְּהוֹם לְשֵׂיבָה Job 41:24
שֵׂיבַת־ 14 וְהוֹרִידוּ...אֶת־שֵׂיבַת עַבְדְּךָ... בְּיָגוֹן שְׁאֹלָה Gen. 44:31
שֵׂיבָתִי 15 וְהוֹרַדְתֶּם אֶת־שֵׂיבָתִי בְּיָגוֹן שְׁאוֹלָה Gen. 42:38
16 וְהוֹרַדְתֶּם אֶת־שֵׂיבָתִי בְּרָעָה שְׁאֹלָה Gen. 44:29
שֵׂיבָתֵךְ 17 לְמֵשִׁיב נֶפֶשׁ וּלְכַלְכֵּל אֶת־שֵׂיבָתֵךְ Ruth 4:15
שֵׂיבָתוֹ 18 וְלֹא־תוֹרֵד שֵׂיבָתוֹ בְּשָׁלֹם שְׁאֹל IK. 2:6
19 וְהוֹרַדְתָּ אֶת־שֵׂיבָתוֹ בְּדָם שְׁאוֹל IK. 2:9

שִׁיבָה* נ׳ א) חזרה למצב הקודם: 1
ב) יְשִׁיבָה: 2

שִׁיבַת־ 1 בְּשׁוּב יְיָ אֶת־שִׁיבַת צִיּוֹן Ps. 126:1
בְּשִׁיבָתוֹ 2 וְהוּא כִלְכַּל אֶת־הַמֶּלֶךְ בְּשִׁיבָתוֹ בְמַחֲנַיִם IISh. 19:33

שִׂיג ז׳ [סתום] עסק? ענין?

שִׂיג 1 כִּי־שִׂיחַ וְכִי־שִׂיג לוֹ IK. 18:27

שיד : שָׂד; שִׂיד

(שִׂיד) שָׂד פָּ׳ סִיֵּד, טח: 1, 2

וְשַׂדְתָּ 1/2 וְשַׂדְתָּ אֹתָם בַּשִּׂיד Deut. 27:2,4

שִׂיד ז׳ סִיד, תערובת אבן גיר לסיוד: 1-4
מִשְׂרְפוֹת שִׂיד 1

שִׂיד 1 וְהָיוּ עַמִּים מִשְׂרְפוֹת שִׂיד Is. 33:12
בַּשִּׂיד 2/3 וְשַׂדְתָּ אֹתָם בַּשִּׂיד Deut. 27:2,4
לַשִּׂיד 4 עַל־שָׂרְפוֹ עַצְמוֹת מֶלֶךְ־אֱדוֹם לַשִּׂיד Am. 2:1

שֵׂיו (דברים כב1) – עין שֶׂה

שִׁיזָא שפ״ז – מגבורי דוד

שִׁיזָא 1 עֲדִינָא בֶן־שִׁיזָא הָראוּבֵנִי ICh. 11:42

שֵׁיזִב שפ׳ ארמית הִצִּיל, חִלֵּץ: 1-9

לְשֵׁיזָבוּתַנָא 1 אִיתַי אֱלָהַנָא...יָכִל לְשֵׁיזָבוּתַנָא Dan. 3:17
לְשֵׁיזָבוּתָךְ 2 הַיְכִל לְשֵׁיזָבוּתָךְ מִן־אַרְיָוָתָא Dan. 6:21
לְשֵׁיזָבוּתֵהּ 3 וְעַל דָּנִיֵּאל שָׂם בָּל לְשֵׁיזָבוּתֵהּ Dan. 6:15
שֵׁיזִב 4 דִּי שֵׁיזִב לְדָנִיֵּאל מִן־יַד אַרְיָוָתָא Dan. 6:28
וְשֵׁיזִב 5 דִּי־שְׁלַח...וְשֵׁיזִב לְעַבְדוֹהִי Dan. 3:28
מְשֵׁיזִב 6 מְשֵׁיזִב וּמַצִּל וְעָבֵד אָתִין Dan. 6:28
יְשֵׁיזִב 7 וּמִן־יְדָךְ מַלְכָּא יְשֵׁיזִב Dan. 3:17
יְשֵׁיזְבִנָּךְ 8 אֱלָהָךְ...הוּא יְשֵׁיזְבִנָּךְ Dan. 6:17
יְשֵׁיזְבִנְכוֹן 9 וּמַן־הוּא אֱלָהּ דִּי יְשֵׁיזְבִנְכוֹן מִן־יְדָי Dan. 3:15

שיח : שָׂח, שׂוֹחֵחַ; שִׂיחַ, שִׂיחָה

(שִׂיחַ) שָׂח פָּ׳ א) דִּבֵּר, הָגָה, סִפֵּר: 1-18
ב) [פִּ׳ שׂוֹחֵחַ] דִּבֵּר: 19, 20
קרובים: אָמַר / דִּבֵּר / הִבִּיעַ (נבע) / הָגָה / הִגִּיד (נגד) / הוֹדִיעַ (ידע) / סִפֵּר / תִּנָּה
שָׂח (אֶת־) 3, 4, 8, 16; שָׂח בְּ־ 1, 2, 6, 7, 9-12, 14, 17, 18; שָׂח עִם־ 5; שָׂח לְ־ 15

לָשִׂיחַ 1 קִדְּמוּ עֵינַי...לָשִׂיחַ בְּאִמְרָתֶךָ Ps. 119:148
אָשִׂיחַ 2 אֲנִי אָשִׂיחַ בְּפִקּוּדֶיךָ Ps. 119:78
אָשִׂיחָה 3 עֶרֶב וָבֹקֶר...אָשִׂיחָה וְאֶהֱמֶה Ps. 55:18
4 אָשִׂיחָה וְתִתְעַטֵּף רוּחִי Ps. 77:4
5 עִם־לְבָבִי אָשִׂיחָה Ps. 77:7
6 וְהָגִיתִי...וּבַעֲלִילוֹתֶיךָ אָשִׂיחָה Ps. 77:13
7 בְּפִקֻּדֶיךָ אָשִׂיחָה וְאַבִּיטָה אֹרְחֹתֶיךָ Ps. 119:15
8 וְדִבְרֵי נִפְלְאוֹתֶיךָ אָשִׂיחָה Ps. 145:5
9 אָשִׂיחָה בְּמַר נַפְשִׁי Job 7:11
וְאָשִׂיחָה 10 וְאָשִׂיחָה בְּנִפְלְאוֹתֶיךָ Ps. 119:27
11 וְאָשִׂיחָה בְחֻקֶּיךָ Ps. 119:48
יָשִׂיחַ 12 עַבְדְּךָ יָשִׂיחַ בְּחֻקֶּיךָ Ps. 119:23
תְשִׂיחֶךָ 13 וַהֲקִיצוֹתָ הִיא תְשִׂיחֶךָ Prov. 6:22
יָשִׂיחוּ 14 יָשִׂיחוּ בִי יֹשְׁבֵי שָׁעַר Ps. 69:13
שִׂיחַ 15 אוֹ שִׂיחַ לָאָרֶץ וְתֹרֶךָּ Job 12:8
שִׂיחוּ 16 וְהֹלְכֵי עַל־דֶּרֶךְ שִׂיחוּ Jud. 5:10
17/8 שִׂיחוּ בְּכָל־נִפְלְאוֹתָיו Ps. 105:2 • ICh. 16:9
אֲשׂוֹחֵחַ 19 בְּמַעֲשֵׂה יָדֶיךָ אֲשׂוֹחֵחַ Ps. 143:5
יְשׂוֹחֵחַ 20 וְאֶת־דּוֹרוֹ מִי יְשׂוֹחֵחַ Is. 53:8

שִׂיחַ1 ז׳ צֶמַח מעוצה רב־שנתי, נמוך מעץ: 1-4
שִׂיחַ הַשָּׂדֶה 2; אַחַד הַשִּׂיחִים 4

שִׂיחַ 1 הַקֹּטְפִים מַלּוּחַ עֲלֵי־שִׂיחַ Job 30:4
שִׂיחַ־ 2 וְכֹל שִׂיחַ הַשָּׂדֶה טֶרֶם יִהְיֶה בָאָרֶץ Gen. 2:5
שִׂיחִים 3 בֵּין־שִׂיחִים יִנְהָקוּ Job 30:7
הַשִּׂיחִם 4 וַתַּשְׁלֵךְ...תַּחַת אַחַד הַשִּׂיחִם Gen. 21:15

שִׂיחַ2 ז׳ א) שִׂיחָה, חלופי דברים: 1, 2, 13
ב) הֲגוּת, השתפכות הנפש: 3-12, 14
קרובים: דָּבָר / הָגוּת / הִגָּיוֹן / עִנְיָן / שַׂח / שִׂיחָה / תְּלוּנָה
– שִׂיחַ וָשִׂיג 1; שִׂיחַ וָכַעַס 3; מְרִי שִׂיחַ 9
– שָׁפַךְ שִׂיחַ 14; רַד (יָרִיד) בְּשִׂיחוֹ 10

שִׂיחַ

שִׂיחַ 1 כִּי־שִׂיחַ וְכִי־שִׂיג לוֹ IK.18:27
2 לְמִי מְדָנִים° לְמִי שִׂיחַ Prov.23:29
שִׂיחִי 3 מֵרֹב שִׂיחִי וְכַעְסִי דִּבַּרְתִּי ISh.1:16
4 יֶעֱרַב עָלָיו שִׂיחִי Ps.104:34
5 אֶשְׁפֹּךְ לְפָנָיו שִׂיחִי Ps.142:3
6 אִם־אָמְרִי אֶשְׁכְּחָה שִׂיחִי Job 9:27
7 אֶעֶזְבָה עָלַי שִׂיחִי Job 10:1
8 הֶאָנֹכִי לְאָדָם שִׂיחִי Job 21:4
9 גַּם־הַיּוֹם מְרִי שִׂחִי... Job 23:2
בְּשִׂיחִי 10 אָרִיד בְּשִׂיחִי וְאָהִימָה Ps.55:3
11 שְׁמַע־אֱלֹהִים קוֹלִי בְשִׂיחִי Ps.64:2
12 יִשָּׂא בְשִׂיחִי מִשְׁכָּבִי Job 7:13
שִׂיחוֹ 13 אַתֶּם יְדַעְתֶּם אֶת־הָאִישׁ וְאֶת־שִׂיחוֹ IIK.9:11
14 וְלִפְנֵי יְיָ יִשְׁפֹּךְ שִׂיחוֹ Ps.102:1

שִׂיחָה

נ׳ שִׂיחַ, ספור: 1-3 • קרובים: ראה שִׂיחַ2
שִׂיחָה 1 כִּי עֵדְוֹתֶיךָ שִׂיחָה לִי Ps.119:99
2 וְתִגְרַע שִׂיחָה לִפְנֵי־אֵל Job 15:4
שִׂיחָתִי 3 כָּל־הַיּוֹם הִיא שִׂיחָתִי Ps.119:97

שִׁיחָה

נ׳ שׁוּחָה, בּוֹר: 1, 2
שִׁיחָה 1 כָּרוּ לְפָנַי שִׁיחָה נָפְלוּ בְתוֹכָהּ Ps.57:7
שִׁיחוֹת 2 כָּרוּ־לִי זֵדִים שִׁיחוֹת Ps.119:85

שִׁיחוֹר

כנוי ליאור מצרים (הנילוס): 1-4
זֶרַע שִׁיחֹר 1; מֵי שִׁיחוֹר 2
שִׁיחוֹר 1 וּבְמַיִם רַבִּים זֶרַע שִׁחֹר Is.23:3
2 מַה־לָּךְ...לִשְׁתּוֹת מֵי שִׁחוֹר Jer.2:18
3 מִן־שִׁיחוֹר מִצְרַיִם וְעַד־לְבוֹא חֲמָת ICh.13:5
הַשִּׁיחוֹר 4 מִן־הַשִּׁיחוֹר אֲשֶׁר עַל־פְּנֵי מִצְרַיִם Josh.13:3

שִׁיחוֹר לִבְנָת

ש״פ – נהר בדרום נחלת אשר
וּבְשִׁיחוֹר לב׳ 1 וּפָגַע בְּכַרְמֶל...וּבְשִׁיחוֹר לִבְנָת Josh.19:26

שַׁיִט

ז׳ הפלגה על־פני מים • אֳנִי שַׁיִט 1
שַׁיִט 1 בַּל־תֵּלֶךְ בּוֹ אֳנִי־שַׁיִט Is.33:21

שִׁילֹה, שִׁילוֹ

ש״פ – עיר בנחלת אפרים,
בה שכן בראשונה המשכן: 1-33
בְּנוֹת שִׁילֹה 10, 11; מִשְׁכַּן שִׁילוֹ 13
שִׁילֹה 1 עַד כִּי־יָבֹא שִׁילֹה Gen.49:10
2/3 וַיִּקָּהֲלוּ כָּל־עֲדַת בְּ״יִ שִׁלֹה Josh.18:1; 22:12
4 וַיָּבֹאוּ אֶל־יְהוֹשֻׁעַ...שִׁלֹה Josh.18:9
5 וַיָּבִאוּ אוֹתָם אֶל־הַמַּחֲנֶה שִׁלֹה Jud.21:12
6 וַיִּשְׁלַח הָעָם שִׁלֹה ISh.4:4
7 וַיָּרָץ אִישׁ־בִּנְיָמִן...וַיָּבֹא שִׁלֹה ISh.4:12
8 קוּמִי נָא...וְהָלַכְתְּ שִׁלֹה IK.14:2
9 וַתֵּלֶךְ שִׁלֹה וַתָּבֹא בֵּית אֲחִיָּה IK.14:4
שִׁילוֹ 10 אִם־יֵצְאוּ בְנוֹת־שִׁילוֹ לָחוּל Jud.21:21
11 וַחֲטַפְתֶּם לָכֶם...מִבְּנוֹת שִׁילוֹ Jud.21:21
12 וַתְּבִאֵהוּ בֵית־יְיָ שִׁלוֹ ISh.1:24
13 וַיִּטֹּשׁ מִשְׁכַּן שִׁלוֹ Ps.78:60
בְּשִׁלֹה 14 אַשְׁלִיךְ...גּוֹרָל לִפְנֵי יְיָ בְּשִׁלֹה Josh.18:8
15 וַיַּשְׁלֵךְ...גּוֹרָל בְּשִׁלֹה לִפְנֵי יְיָ Josh.18:10
16 נִחֲלוּ...בְּגוֹרָל בְּשִׁלֹה לִפְנֵי יְיָ Josh.19:51
17 וַיְדַבְּרוּ אֲלֵיהֶם בְּשִׁלֹה בְּאֶרֶץ כְּנַעַן Josh.21:2
18 כָּל־יְמֵי הֱיוֹת בֵּית־הָאֱלֹהִים בְּשִׁלֹה Jud.18:31
19 וְלִזְבֹּחַ לַייָ צְבָאוֹת בְּשִׁלֹה ISh.1:3
20 וַתָּקָם חַנָּה אַחֲרֵי אָכְלָה בְשִׁלֹה ISh.1:9
21 לְכָל־יִשְׂרָאֵל הַבָּאִים שָׁם בְּשִׁלֹה ISh.2:14
22 וַיֹּסֶף יְיָ לְהֵרָאֹה בְשִׁלֹה ISh.3:21
23 אֲשֶׁר דִּבֶּר עַל־בֵּית עֵלִי בְּשִׁלֹה IK.2:27
בְּשִׁלוֹ 24 הִנֵּה חַג־יְיָ בְּשִׁלוֹ Jud.21:19
25 כִּי־נִגְלָה יְיָ אֶל־שְׁמוּאֵל בְּשִׁלוֹ ISh.3:21
26 וַאֲחִיָּה...כֹּהֵן יְיָ בְּשִׁלוֹ ISh.14:3
27 לְכוּ־נָא אֶל־מְקוֹמִי אֲשֶׁר בְּשִׁילוֹ Jer.7:12
כְּשִׁלֹה 28 וְנָתַתִּי אֶת־הַבַּיִת הַזֶּה כְּשִׁלֹה Jer.26:6
כְּשִׁלוֹ 29 כְּשִׁלוֹ יִהְיֶה הַבַּיִת הַזֶּה Jer.26:9
לְשִׁלוֹ 30 וְעָשִׂיתִי...כַּאֲשֶׁר עָשִׂיתִי לְשִׁלוֹ Jer.7:14
מִשִּׁלֹה 31 מִשִּׁלֹה אֲשֶׁר בְּאֶרֶץ כְּנָעַן Josh.22:9
32 נִקְחָה אֵלֵינוּ מִשִּׁלֹה אֶת־אֲרוֹן בְּרִית ISh.4:3
מִשִּׁילוֹ 33 מִשְּׁכֶם מִשִּׁלוֹ וּמִשֹּׁמְרוֹן Jer.41:5

שִׁילוֹנִי

ת׳ א) שהוא מתושבי שִׁילֹה: 1-3, 6, 7
ב) ממשפחת שֵׁלָה בן יהודה (?): 4, 5
הַשִּׁילֹנִי 1-3 אֲחִיָּה הַשִּׁילֹנִי IK.11:29; 12:15; 15:29
4 בֶּן־זְכַרְיָה בֶּן־הַשִּׁלֹנִי Neh.11:5
5 הַשִּׁילוֹנִי עֲשָׂיָה הַבְּכוֹר ICh.9:5
6 וְעַל־נְבוּאַת אֲחִיָּה הַשִּׁילוֹנִי IICh.9:29
7 אֲשֶׁר דִּבֶּר בְּיַד אֲחִיָּהוּ הַשִּׁלוֹנִי IICh.10:15

שים

: שָׂם, הֵשִׂים, הוּשַׂם; תְּשׂוּמֶת(?); ש״פ יְשִׂימִיאֵל; אר׳ שָׂם, אִתְּשָׂם

(שים) שָׂם1

פ׳ א) הניח, קבע, השכין וכד׳:
רוב המקראות 2-581
ב) עשׂה, גרם שיהיה: 5, 8, 19, 21-24, 29, 34, 39, 40, 55-58, 66, 71, 73, 77, 78, 80, 84, 89-91, 93, 103, 190-192, 205, 218, 233, 238, 239, 249-251, 253-261, 272, 280, 282-287, 308-314, 323, 335, 339, 340, 358, 380-382, 444, 460
ג) מִנָּה, הפקיד: 1, 33, 88, 107, 128, 129, 151, 227, 228, 275, 281, 289, 293, 294, 307, 319, 368, 371, 372, 378, 432, 437, 439-443, 455, 470
ד) ערך, סִדר: 65, 144, 146, 156, 167, 175, 180, 187, 292, 321, 359, 364, 557
ה) [הפ׳ הֵשִׂים] שָׂם, עשׂה: 582, 583
ו) [הָפ׳ הוּשַׂם] נִתַּן, שֻׂמוּ אותו: 585, 586
– שָׂם אֶבֶן עַל אֶבֶן 4; שָׂם לְאַל 345; שָׂם אַף 484; שָׂם אָשָׁם 299; שָׂם בְּרִית 154; שָׂם חֹק 39, 55, 144; שָׂם כָּבוֹד 476, 528, 576; שָׂם כִּסְלוֹ 52; שָׂם (אֶל־, עַל־)לֵב 15, 104, 105, 122, 135, 143, 160, 161, 203, 240, 304, 320, 322, 333, 338, 386, 459, 465, 472, 473, 547, 555, 565, 571-575; שָׂ׳ מִבְטַחוֹ 165; שָׂ׳ מוֹעֵד 357; שָׂ׳ מוּעָקָה 100; שָׂם נַפְשׁוֹ (בְּכַפּוֹ) 235, 246, 263, 268, 278, 369; שָׂם עֵינוֹ 72, 76, 265, 276, 535; שָׂם עֲלִילוֹת 173, 230; שָׂם פְּדוּת 58; שָׂם (אֶת־) פָּנָיו 2, 35, 46, 49, 60, 213, 214, 231, 346, 347, 356, 379, 467, 536-545; שָׂם פְּעָמָיו 344; שָׂם קֵץ 169; שָׂם רַחֲמִים 131; שָׂם שְׁאֵרִית 8; שׂוּם שֵׂכֶל 3; שָׂם שָׁלוֹם 342; שָׂם שֵׁם (שְׁמוֹ) 5, 10-12, 16-18, 30-32, 125, 157, 226, 247, 248, 264, 367, 384; שָׂם תְּהִלָּה 328; שָׂם תּוֹרָה 167; שָׂם תְּפִלָּה 331
– בְּלִי מֵשִׂים 583

שׂוֹם 1 שׂוֹם תָּשִׂים עָלֶיךָ מֶלֶךְ Deut.17:15
2 שׂוֹם תְּשִׂמוּן פְּנֵיכֶם לָבֹא מִצְרַיִם Jer.42:15
וְשׂוֹם 3 וְשׂוֹם שֶׂכֶל וַיָּבִינוּ בַּמִּקְרָא Neh.8:8
שׂוּם 4 מִטֶּרֶם שׂוּם־אֶבֶן אֶל־אֶבֶן Hag.2:15
שִׂים 5 לְבִלְתִּי שִׂים (כ׳ שום) לְאִישִׁי שֵׁם IISh.14:7
6 מִנִּי שִׂים אָדָם עֲלֵי־אָרֶץ Job 20:4
בְּשׂוּם 7 הֲתֵדַע בְּשׂוּם־אֱלוֹהַּ עֲלֵיהֶם Job 37:15
לָשׂוּם 8 לָשׂוּם לָכֶם שְׁאֵרִית בָּאָרֶץ Gen.45:7
9 לָשׂוּם אֶת־מַשָּׂא כָּל־הָעָם הַזֶּה עָלָי Num.11:11
10 לָשׂוּם אֶת־שְׁמוֹ שָׁם Deut.12:5
11/2 לָשׂוּם שְׁמוֹ שָׁם Deut.12:21; 14:24
13 וְדָמָם לָשׂוּם עַל־אֲבִימֶלֶךְ Jud.9:24
14 לָשׂוּם לֶחֶם חֹם בְּיוֹם הִלָּקְחוֹ ISh.21:7
15 לָשׂוּם הַמֶּלֶךְ אֶל־לִבּוֹ IISh.19:20
16/7 לָשׂוּם(־)שְׁמִי שָׁם IK.9:3; 11:36
18 לָשׂוּם אֶת־שְׁמוֹ שָׁם IK.14:21
לָשׂוּם (המשך) 19 לָשׂוּם הָאָרֶץ לְשַׁמָּה Is.13:9
20 לָשׂוּם לַאֲבֵלֵי צִיּוֹן Is.61:3
21 לָשׂוּם אַרְצֵךְ לְשַׁמָּה Jer.4:7
22 לָשׂוּם אֶת־עָרֵי יְהוּדָה שְׁמָמָה Jer.10:22
23 לָשׂוּם אַרְצָם לְשַׁמָּה Jer.18:16
24 לָשׂוּם אֶת־אֶרֶץ בָּבֶל לְשַׁמָּה Jer.51:29
25 לָשׂוּם כָּרִים לִפְתֹּחַ פֶּה בְּרֶצַח Ezek.21:27
26 לָשׂוּם כָּרִים עַל־שְׁעָרִים Ezek.21:27
27 לָשׂוּם חִתּוּל לְחָבְשָׁה Ezek.30:21
28 לָשׂוּם בַּמָּרוֹם קִנּוֹ Hab.2:9
29 לָשׂוּם שְׁפָלִים לְמָרוֹם Job 5:11
30 לָשׂוּם לְךָ שֵׁם גְּדֻלּוֹת וְנֹרָאוֹת ICh.17:21
31 אֲשֶׁר אָמַרְתָּ לָשׂוּם שִׁמְךָ שָׁם IICh.6:20
32 לָשׂוּם אֶת־שְׁמוֹ שָׁם IICh.12:13
וְלָשׂוּם 33 וְלָשׂוּם לוֹ שָׂרֵי אֲלָפִים ISh.8:12
34 לִפְדּוֹת־לוֹ לְעָם וְלָשׂוּם לוֹ שֵׁם IISh.7:23
בְּשׂוּמִי 35 בְּשׂוּמִי אֶת־פָּנַי בָּהֶם Ezek.15:7
36 בְּשׂוּמִי עָנָן לְבֻשׁוֹ Job 38:9
מִשּׂוּמִי 37 מִשּׂוּמִי עַם־עוֹלָם Is.44:7
בְּשׂוּמוֹ 38 בְּשׂוּמוֹ כָּל־אַבְנֵי מִזְבֵּחַ כְּאַבְנֵי־גִר Is.27:9
39 בְּשׂוּמוֹ לַיָּם חֻקּוֹ Prov.8:29
וּלְשׂוּמוֹ 40 וּלְשׂוּמוֹ (כ׳ ולשימו) מִרְמָס כְּחֹמֶר חוּצוֹת Is.10:6
מִשֻּׂמוֹ 41 אוֹי מִי יִחְיֶה מִשֻּׂמוֹ אֵל Num.24:23
שַׂמְתִּי 42 וְהָאֶבֶן הַזֹּאת אֲשֶׁר־שַׂמְתִּי מַצֵּבָה Gen.28:22
43 כָּל־הַמֹּפְתִים אֲשֶׁר־שַׂמְתִּי בְיָדֶךָ Ex.4:21
44 וְאֶת־אֹתֹתַי אֲשֶׁר־שַׂמְתִּי בָם Ex.10:2
45 כָּל־הַמַּחֲלָה אֲשֶׁר־שַׂמְתִּי בְמִצְרַיִם Ex.15:26
46 עַל־כֵּן שַׂמְתִּי פָנַי כַּחַלָּמִישׁ Is.50:7
47 וּדְבָרַי אֲשֶׁר־שַׂמְתִּי בְּפִיךָ Is.59:21
48 אֲשֶׁר־שַׂמְתִּי חוֹל גְּבוּל לַיָּם Jer.5:22
49 שַׂמְתִּי פָנַי בָּעִיר הַזֹּאת לְרָעָה Jer.21:10
50 בַּהֲדָרִי אֲשֶׁר־שַׂמְתִּי עָלַיִךְ Ezek.16:14
51 וְאֶת־יָדִי אֲשֶׁר־שַׂמְתִּי בָהֶם Ezek.39:21
52 אִם־שַׂמְתִּי זָהָב כִּסְלִי Job 31:24
53 אֲשֶׁר־שַׂמְתִּי עֲרָבָה בֵיתוֹ Job 39:6
54 יָדִי שַׂמְתִּי לְמוֹ־פִי Job 40:4
שָׂמְתִּי 55 חֻקּוֹת שָׁמַיִם וָאָרֶץ לֹא־שָׂמְתִּי Jer.33:25
וְשַׂמְתִּי 56 וְשַׂמְתִּי אֶת־זַרְעֲךָ כַּעֲפַר הָאָרֶץ Gen.13:16
57 וְשַׂמְתִּי אֶת־זַרְעֲךָ כְּחוֹל הַיָּם Gen.32:12
58 וְשַׂמְתִּי פְדֻת בֵּין עַמִּי וּבֵין עַמֶּךָ Ex.8:19
59 וְשַׂמְתִּי לְךָ מָקוֹם אֲשֶׁר יָנוּס שָׁמָּה Ex.21:13
60 וְשַׂמְתִּי אֲנִי אֶת־פָּנַי בָּאִישׁ הַהוּא Lev.20:5
61 וְאָצַלְתִּי מִן־הָרוּחַ...וְשַׂמְתִּי עֲלֵיהֶם Num.11:17
62 וְשַׂמְתִּי מָקוֹם לְעַמִּי לְיִשְׂרָאֵל IISh.7:10
63/4 וְשַׂמְתִּי חַחִי בְּאַפֶּךָ IIK.19:28 • Is.37:29
65 וְשַׂמְתִּי מִשְׁפָּט לְקָו Is.28:17
66 וְשַׂמְתִּי נְהָרוֹת לָאִיִּים Is.42:15
67 וְשַׂמְתִּי כָל־הָרַי לַדָּרֶךְ Is.49:11
68 וְשַׂמְתִּי כַּדְכֹד שִׁמְשֹׁתַיִךְ Is.54:12
69 וְשַׂמְתִּי פְקֻדָּתֵךְ שָׁלוֹם Is.60:17
70 וְשַׂמְתִּי בָהֶם אוֹת וְשִׁלַּחְתִּי... Is.66:19
71 וְשַׂמְתִּי אֶת־הָעִיר הַזֹּאת לְשַׁמָּה Jer.19:8
72 וְשַׂמְתִּי עֵינִי עֲלֵיהֶם לְטוֹבָה Jer.24:6
73 וְשַׂמְתִּי אֹתוֹ לְשִׁמְמוֹת עוֹלָם Jer.25:12
74 וְשַׂמְתִּי כִסְאוֹ מִמַּעַל לָאֲבָנִים Jer.43:10
75 וְשַׂמְתִּי כִסְאִי בְּעֵילָם Jer.49:38
76 וְשַׂמְתִּי עֵינִי עֲלֵיהֶם לְרָעָה Am.9:4
77 וְשַׂמְתִּי שֹׁמְרוֹן לְעִי הַשָּׂדֶה Mic.1:6
78 וְשַׂמְתִּי אֶת־הַצֹּלֵעָה לִשְׁאֵרִית Mic.4:7
79 וְשַׂמְתִּי בַיָּם יָדוֹ וּבַנְּהָרוֹת יְמִינוֹ Ps.89:26
80 וְשַׂמְתִּי לָעַד זַרְעוֹ Ps.89:30
81 וְשַׂמְתִּי מָקוֹם לְעַמִּי יִשְׂרָאֵל ICh.17:9

וְשַׂמְתִּיךָ
82 וְשַׂמְתִּיךָ בְּנִקְרַת הַצּוּר Ex.33:22
83 אֶקָּחֲךָ זְרֻבָּבֶל...וְשַׂמְתִּיךָ כַּחוֹתָם Hag.2:23
שַׂמְתִּיךְ
84 הִנֵּה שַׂמְתִּיךְ לְמוֹרַג חָרוּץ Is.41:15
וְשַׂמְתִּיךְ
85 וְשַׂמְתִּיךְ לִגְאוֹן עוֹלָם Is.60:15
86 וְנִבַּלְתִּיךְ וְשַׂמְתִּיךְ כְּרֹאִי Nah.3:6
87 וְשַׂמְתִּיךְ כְּחֶרֶב גִּבּוֹר Zech.9:13
שַׂמְתִּיו
88 הֵן גְּבִיר שַׂמְתִּיו לָךְ Gen.27:37
שַׂמְתִּיהָ
89 זֹאת יְרוּשָׁלַםִ בְּתוֹךְ הַגּוֹיִם שַׂמְתִּיהָ Ezek.5:5
וְשַׂמְתִּיהָ
90 וְשַׂמְתִּיהָ חֶרְפָּה עַל־כָּל־יִשְׂרָאֵל ISh.11:2
91 וְשַׂמְתִּיהָ לְמוֹרַשׁ קִפֹּד Is.14:23
92 וְשַׂמְתִּיהָ בְּיַד־מוֹגַיִךְ Is.51:23
93 וְשַׂמְתִּיהָ כַמִּדְבָּר וְשַׁתִּהָ כְּאֶרֶץ צִיָּה Hosh.2:5
94 וְשַׂמְתִּיהָ כְּאֵבֶל יָחִיד Am.8:10
וְשַׂמְתִּים
95 וְשַׂמְתִּים לְשַׁמָּה וְלִשְׁרֵקָה Jer.25:9
96 וְשַׂמְתִּים לְיַעַר וַאֲכָלָתַם חַיַּת הַשָּׂדֶה Hosh.2:14
97 וְשַׂמְתִּים לִתְהִלָּה וּלְשֵׁם Zep.3:19
שַׂמְתָּ
98 כִּי שַׂמְתָּ מֵעִיר לַגָּל Is.25:2
99 אֲשֶׁר שַׂמְתָּ אֹתוֹת...בְּאֶרֶץ מִצְרַ׳ Jer.32:20
100 שַׂמְתָּ מוּעָקָה בְמָתְנֵינוּ Ps.66:11
101 שַׂמְתָּ מִבְצָרָיו מְחִתָּה Ps.89:41
102 עֶלְיוֹן שַׂמְתָּ מְעוֹנֶךָ Ps.91:9
103 גְּבוּל־שַׂמְתָּ בַּל־יַעֲבֹרוּן Ps.104:9
הֲשַׂמְתָּ
104 הֲשַׂמְתָּ לִבְּךָ עַל־עַבְדִּי אִיּוֹב Job 1:8
105 הֲשַׂמְתָּ לִבְּךָ אֶל־עַבְדִּי אִיּוֹב Job 2:3
וְשַׂמְתָּ
106 וְשַׂמְתָּ אֶת־הַדְּבָרִים בְּפִיו Ex.4:15
107 וְשַׂמְתָּ עֲלֵהֶם שָׂרֵי אֲלָפִים Ex.18:21
108 וְשַׂמְתָּ אֶת־הַשֻּׁלְחָן מִחוּץ לַפָּרֹכֶת Ex.26:35
109 וְשַׂמְתָּ אֶת־שְׁתֵּי הָאֲבָנִים עַל... Ex.28:12
110 וְשַׂמְתָּ אֹתָם עַל־שְׁנֵי קְצוֹת הַחֹשֶׁן Ex.28:26
111 וְשַׂמְתָּ אֹתוֹ עַל־פְּתִיל תְּכֵלֶת Ex.28:37
112 וְשַׂמְתָּ הַמִּצְנֶפֶת עַל־רֹאשׁוֹ Ex.29:6
113 וְשַׂמְתָּ הַכֹּל עַל כַּפֵּי אַהֲרֹן Ex.29:24
114 וְשַׂמְתָּ שָׁם אֵת אֲרוֹן הָעֵדוּת Ex.40:3
115 וְשַׂמְתָּ אֶת־מָסַךְ הַפֶּתַח לַמִּשְׁכָּן Ex.40:5
116 וְשַׂמְתָּ אֶת־הֶחָצֵר סָבִיב Ex.40:8
117 וְשַׂמְתָּ עָלֶיהָ לְבֹנָה Lev.2:15
118 וְשַׂמְתָּ אוֹתָם שְׁתַּיִם מַעֲרָכוֹת Lev.24:6
119 וְלָקַחְתָּ...וְשַׂמְתָּ בַטֶּנֶא Deut.26:2
120 וְשַׂמְתָּ מִשְׁעַנְתִּי עַל־פְּנֵי הַנָּעַר IIK.4:29
121 וְשַׂמְתָּ אֶת־עֲוֹן בֵּית־יִשְׂרָ׳ עָלָיו Ezek.4:4
122 וְשַׂמְתָּ לִבְּךָ לִמְבוֹא הַבַּיִת Ezek.44:5
123 וְעָשִׂיתָ עֲטָרוֹת וְשַׂמְתָּ בְּרֹאשׁ יְהוֹשֻׁעַ Zech.6:11
124 וְשַׂמְתָּ שַׂכִּין בְּלֹעֶךָ Prov.23:2
125 וְשַׂמְתָּ שְּׁמוֹ אַבְרָהָם Neh.9:7
שַׂמְתַּנִי
126 לָמָה שַׂמְתַּנִי לְמִפְגָּע לָךְ Job 7:20
שַׂמְתּוֹ
127 יְיָ לְמִשְׁפָּט שַׂמְתּוֹ Hab.1:12
וְשַׂמְתּוֹ
128 וְשַׂמְתּוֹ עַל־מָתְנֶיךָ Jer.13:1
וְשַׂמְתָּם
129 וְשַׂמְתָּם שָׂרֵי מִקְנֶה עַל־אֲשֶׁר־לִי Gen.47:6
130 וְשַׂמְתָּם בָּאָרוֹן Deut.10:2
שַׂמְתְּ
131 לֹא־שַׂמְתְּ לָהֶם רַחֲמִים Is.47:6
132 עַד לֹא־שַׂמְתְּ אֵלֶּה עַל־לִבֵּךְ Is.47:7
133 עַל הַר־גָּבֹהַּ וְנִשָּׂא שַׂמְתְּ מִשְׁכָּבֵךְ Is.57:7
134 וְאַחַר הַדֶּלֶת...שַׂמְתְּ זִכְרוֹנֵךְ Is.57:8
135 וְאוֹתִי לֹא זָכַרְתְּ לֹא־שַׂמְתְּ עַל־לִבֵּךְ Is.57:11
136 וּקְטָרְתִּי וְשַׁמְנִי שַׂמְתְּ עָלֶיהָ Ezek.23:41
וְשַׂמְתְּ
137 וְשַׂמְתְּ שִׂמְלֹתַיִךְ עָלַיִךְ Ruth 3:3
שָׂם
138 וַיִּתֵּן אֶל־הָגָר שָׂם עַל־שִׁכְמָהּ Gen.21:14
139 אֶת־הָאֶבֶן אֲשֶׁר־שָׂם מְרַאֲשֹׁתָיו Gen.28:18
140 מִי־שָׂם כַּסְפֵּנוּ בְּאַמְתְּחֹתֵינוּ Gen.43:22
141 מִי שָׂם פֶּה לָאָדָם Ex.4:11
142 הַצְפַרְדְּעִים אֲשֶׁר־שָׂם לְפַרְעֹה Ex.8:8
143 וַאֲשֶׁר לֹא־שָׂם לִבּוֹ אֶל־דְּבַר יְיָ Ex.9:21

שָׂם (המשך)
144 שָׁם שָׂם לוֹ חֹק וּמִשְׁפָּט Ex.15:25
145 וְאֵת מִזְבַּח הָעֹלָה שָׂם פֶּתַח... Ex.40:29
146 הַתּוֹרָה אֲשֶׁר־שָׂם מֹשֶׁה לִפְנֵי בְּ״יִ Deut.4:44
147 הַבָּשָׂר שָׂם בַּסַּל Jud.6:19
148 וְהַמָּרַק שָׂם בַּפָּרוּר Jud.6:19
149 אֵת אֲשֶׁר־עָשָׂה...אֲשֶׁר שָׂם־לוֹ בַּדֶּרֶךְ ISh.15:2
150 וְאֶת־כֵּלָיו שָׂם בְּאָהֳלוֹ ISh.17:54
151 בְּכָל־אֱדוֹם שָׂם נְצִבִים IISh.8:14
152 וְהוּא שָׂם בְּפִי שִׁפְחָתְךָ...הַדְּבָרִים IISh.14:19
153 וְאֶת־עֲמָשָׂא שָׂם...תַּחַת יוֹאָב IISh.17:25
154 כִּי בְרִית עוֹלָם שָׂם לִי IISh.23:5
155 כַּאֲשֶׁר־שָׂם אָבִי בְּשֹׁמְרוֹן IK.20:34
156 וְיֵהוּא שָׂם־לוֹ בַחוּץ שְׁמֹנִים אִישׁ IIK.10:24
157 אֲשֶׁר־שָׂם שְׁמוֹ יִשְׂרָאֵל IIK.17:34
158 שָׂם תֵּבֵל כַּמִּדְבָּר Is.14:17
159 אֵת נֶשֶׁף חִשְׁקִי שָׂם לִי לַחֲרָדָה Is.21:4
160 וְאֵין אִישׁ שָׂם עַל־לֵב Is.57:1
161 כִּי אֵין אִישׁ שָׂם עַל־לֵב Jer.12:11
162 שָׂם גַּפְנִי לְשַׁמָּה וּתְאֵנָתִי לִקְצָפָה Joel 1:7
163 מָצוֹר שָׂם עָלֵינוּ Mic.4:14
164 לַשֶּׁמֶשׁ שָׂם־אֹהֶל בָּהֶם Ps.19:5
165 אֲשֶׁר־שָׂם יְיָ מִבְטַחוֹ Ps.40:5
166 אֲשֶׁר־שָׂם שַׁמּוֹת בָּאָרֶץ Ps.46:9
167 וַיָּקֶם...וְתוֹרָה שָׂם בְּיִשְׂרָאֵל Ps.78:5
168 אֲשֶׁר־שָׂם בְּמִצְרַיִם אֹתוֹתָיו Ps.78:43
169 קֵץ שָׂם לַחֹשֶׁךְ Job 28:3
170 וּמִי שָׂם תֵּבֵל כֻּלָּהּ Job 34:13
171 מִי־שָׂם מְמַדֶּיהָ כִּי תֵדָע Job 38:5
וְשָׂם
172 וְשָׂם...אֶת־הַמַּקְלוֹת...בָּרְהָטִים Gen.30:41
173 וְשָׂם לָהּ עֲלִילֹת דְּבָרִים Deut.22:14
174 אֲשֶׁר יַעֲשֶׂה פֶסֶל...וְשָׂם בַּסָּתֶר Deut.27:15
175 וְשָׂם לוֹ בְּמֶרְכַּבְתּוֹ וּבְפָרָשָׁיו ISh.8:11
176 וְשָׂם חִטָּה שׂוֹרָה... Is.28:25
177 אֲשֶׁר יִבְטַח בָּאָדָם וְשָׂם בָּשָׂר זְרֹעוֹ Jer.17:5
178 וְשָׂם אוֹתָם כְּסוּס הוֹדוֹ בַּמִּלְחָמָה Zech.10:3
179 וְשָׂם דֶּרֶךְ אַרְאֶנּוּ בְּיֵשַׁע אֱלֹהִים Ps.50:23
שָׂמַנִי
180 שָׂמַנִי אֱלֹהִים לְאָדוֹן לְכָל־מִצְרָ׳ Gen.45:9
181 דְּרָכַי סוֹרֵר...שָׂמַנִי שֹׁמֵם Lam.3:11
שָׂמְךָ
182 מִי שָׂמְךָ לְאִישׁ שַׂר וְשֹׁפֵט עָלֵינוּ Ex.2:14
183 שָׂמְךָ יְיָ אֱלֹהֶיךָ כְּכוֹכְבֵי הַשָּׁמַיִם Deut.10:22
שָׂמוֹ
184 בְּעִיר רֹכְלִים שָׂמוֹ Ezek.17:4
185 קָח עַל־מַיִם רַבִּים צַפְצָפָה שָׂמוֹ Ezek.17:5
186 עֵדוּת בִּיהוֹסֵף שָׂמוֹ Ps.81:6
187 שָׂמוֹ אָדוֹן לְבֵיתוֹ Ps.105:21
וְשָׂמוֹ
188 ...אֶת־הַדֶּשֶׁן...וְשָׂמוֹ אֵצֶל הַמִּזְבֵּחַ Lev.6:3
שָׂמֵהוּ
189 וּצְבִי עֶדְיוֹ לְגָאוֹן שָׂמֵהוּ Ezek.7:20
שָׂמָהּ
190 עוֹרְרוּ אַרְמְנוֹתֶיהָ שָׂמָהּ לְמַפֵּלָה Is.23:13
191 שָׂמָהּ לִשְׁמָמָה אָבְלָה עָלַי שְׁמֵמָה Jer.12:11
וְשָׂמָהּ
192 וְקִוִּיתֶם לְאוֹר וְשָׂמָהּ לְצַלְמָוֶת Jer.13:16
שָׂמָה
193 וְאֵת כְּבִיר הָעִזִּים שָׂמָה מְרַאֲשֹׁתָיו ISh.19:13
הַשָּׂמָה
194 הַשָּׂמָה מַעֲמַקֵּי־יָם דֶּרֶךְ לַעֲבֹר Is.51:10
שָׂמַתְנִי
195 לֹא יָדַעְתִּי נַפְשִׁי שָׂמַתְנִי S.ofS.6:12
שָׂמָתְהוּ
196 וַתִּקַּח אֶחָד מִגֻּרֶיהָ כְּפִיר שָׂמָתְהוּ Ezek.19:5
197 עַל־צְחִיחַ סֶלַע שָׂמָתְהוּ Ezek.24:7
שַׂמְנוּ
198 כִּי שַׂמְנוּ כָזָב מַחְסֵנוּ Is.28:15
שַׂמְתֶּם
199 וְנַחֲלָתִי שַׂמְתֶּם לְתוֹעֵבָה Jer.2:7
200 שַׂמְתֶּם מִזְבְּחוֹת לַבֹּשֶׁת Jer.11:13
201 חַלְלֵיכֶם אֲשֶׁר שַׂמְתֶּם בְּתוֹכָהּ Ezek.11:7
וְשַׂמְתֶּם
202 וְשָׁאֲלָה...וְשַׂמְתֶּם עַל־בְּנֵיכֶם Ex.3:22
203 וְשַׂמְתֶּם אֶת־דְּבָרַי...עַל־לְבַבְכֶם Deut.11:18
204 וְשַׂמְתֶּם אֹתוֹ מִצַּד אֲרוֹן בְּרִית־יְיָ Deut.31:26
205 וְשַׂמְתֶּם אֶת־מַחֲנֵה יִשְׂרָאֵל לְחֵרֶם Josh.6:18

206 וְשַׂמְתֶּם עַל־כִּסֵּא אָבִיו IIK.10:3
שָׂמוּ
207 כִּי־שָׂמוּ אֹתִי בַּבּוֹר Gen.40:15
שָׂמוּ
208 שֹׁטְרֵי בְּ״יִ אֲשֶׁר־שָׂמוּ עֲלֵהֶם Ex.5:14
209 וְגַם גָּנְבוּ...וְגַם־שָׂמוּ בִכְלֵיהֶם Josh.7:11
210 הָאֹרֵב אֲשֶׁר שָׂמוּ אֶל־הַגִּבְעָה Jud.20:36
211 וְעָלַי שָׂמוּ כָל־יִשְׂרָאֵל פְּנֵיהֶם IK.2:15
212 שָׂמוּ שִׁקּוּצֵיהֶם בַּבַּיִת Jer.7:30
213 שָׂמוּ אֶת־פְּנֵיהֶם לָבוֹא מִצְרַיִם Jer.42:17
214 שָׂמוּ פְנֵיהֶם לָבוֹא אֶרֶץ־מִצְרַיִם Jer.44:12
215 וְלִבָּם שָׂמוּ שָׁמִיר מִשְּׁמוֹעַ Zech.7:12
216 לֹא שָׂמוּ אֱלֹהִים לְנֶגְדָּם Ps.54:5
217 שָׂמוּ אוֹתֹתָם אֹתוֹת Ps.74:4
218 שָׂמוּ אֶת־יְרוּשָׁלַםִ לְעִיִּים Ps.79:1
219 שָׂמוּ־בָם דִּבְרֵי אֹתוֹתָיו Ps.105:27
220 כַּשְׂדִּים שָׂמוּ שְׁלֹשָׁה רָאשִׁים Job 1:17
וְשָׂמוּ
221/2 וּפָרְשׂוּ...וְשָׂמוּ בַּדָּיו Num.4:6, 14
223/4 ...וְשָׂמוּ אֶת־בַּדָּיו Num.4:8, 11
225 וְשָׂמוּ אוֹתָם אִישׁ אִישׁ עַל־עֲבֹדָתוֹ Num.4:19
226 וְשָׂמוּ אֶת־שְׁמִי עַל־בְּנֵי יִשְׂרָאֵל Num.6:27
227 וְשָׂמוּ לָהֶם רֹאשׁ אֶחָד... Hosh.2:2
שָׂמֻנִי
228 שָׂמֻנִי נֹטֵרָה אֶת־הַכְּרָמִים S.ofS.1:6
שָׂמוּךָ
229 וְלֹא שָׂמוּךָ לְנֶגְדָּם Ps.86:14
שָׂם
230 וְהִנֵּה־הוּא שָׂם עֲלִילֹת דְּבָרִים Deut.22:17
231 הִנְנִי שָׂם פָּנַי בָּכֶם לְרָעָה Jer.44:11
232 הִנְנִי שָׂם אֲנָךְ בְּקֶרֶב עַמִּי יִשְׂרָאֵל Am.7:8
233 הִנֵּה אָנֹכִי שָׂם אֶת־יְרוּשָׁ׳ סַף־רַעַל Zech.12:12
הַשָּׂם
234 הַשָּׂם בְּקִרְבּוֹ אֶת־רוּחַ קָדְשׁוֹ Is.63:11
235 הַשָּׂם נַפְשֵׁנוּ בַּחַיִּים Ps.66:9
236 הַשָּׂם־עָבִים רְכוּבוֹ Ps.104:3
237 הַשָּׂם־גְּבוּלֵךְ שָׁלוֹם Ps.147:14
שָׂמִים
238 שָׂמִים חֹשֶׁךְ לְאוֹר וְאוֹר לְחֹשֶׁךְ Is.5:20
239 שָׂמִים מַר לְמָתוֹק וּמָתוֹק לְמָר Is.5:20
240 כִּי אֵינְכֶם שָׂמִים עַל־לֵב Mal.2:2
שִׂים
241 וְאִם־בֵּין כּוֹכָבִים שִׂים קִנֶּךָ Ob.4
וְשִׂים
242 אֵיתָן מוֹשָׁבֶךָ וְשִׂים בַּסֶּלַע קִנֶּךָ Num.24:21
שׂוּמָה
243 כִּי־עַל־פִּי אַבְשָׁלוֹם הָיְתָה שׂוּמָה (כת׳ שימה) IISh.13:32
אָשִׂים
244 כָּל־הַמַּחֲלָה...לֹא־אָשִׂים עָלֶיךָ Ex.15:26
245 וְנָתַתִּי עַל־הָעֵצִים וְאֵשׁ לֹא אָשִׂים IK.18:23
246 אָשִׂים אֶת־נַפְשְׁךָ כְּנֶפֶשׁ אַחַד מֵהֶם IK.19:2
247 בִּירוּשָׁלַםִ אָשִׂים אֶת־שְׁמִי IIK.21:4
248 בַּבַּיִת הַזֶּה...אָשִׂים אֶת־שְׁמִי לְעוֹלָם IIK.21:7
249 אָשִׂים מִדְבָּר לַאֲגַם־מַיִם Is.41:18
250 אָשִׂים בָּעֲרָבָה בְּרוֹשׁ תִּדְהָר Is.41:19
251 אָשִׂים מַחְשָׁךְ לִפְנֵיהֶם לָאוֹר Is.42:16
252 אָשִׂים בַּמִּדְבָּר דֶּרֶךְ Is.43:19
253 אַחֲרִיב יָם אָשִׂים נְהָרוֹת מִדְבָּר Is.50:2
254 וְשַׂק אָשִׂים כְּסוּתָם Is.50:3
255 עָרֶיךָ חָרְבָּה אָשִׂים Ezek.35:4
256 וְכָל־עֲצַבֶּיהָ אָשִׂים שְׁמָמָה Mic.1:7
257 כִּי קַרְנֵךְ אָשִׂים בַּרְזֶל Mic.4:13
258 וּפַרְסֹתַיִךְ אָשִׂים נְחוּשָׁה Mic.4:13
259 אָשִׂים קִבְרֶךָ כִּי קַלּוֹתָ Nah.1:14
260 אָשִׂים אֶת־יְרוּשָׁלַםִ אֶבֶן מַעֲמָסָה Zech.12:3
261 אָשִׂים אֶת־אַלֻּפֵי יְהוּדָה כְּכִיּוֹר אֵשׁ Zech:12:6
262 וְאֶל־אֱלֹהִים אָשִׂים דִּבְרָתִי Job 5:8
263 וְנַפְשִׁי אָשִׂים בְּכַפִּי Job 13:14
264 אָשִׂים אֶת־שְׁמִי לְעֵילוֹם IICh.33:7
וְאָשִׂים
265 וְאָשִׂים אֶת־עֵינִי עָלֶיךָ Jer.40:4
וָאָשִׂם
266 וָאָשִׂם הַנֶּזֶם עַל־אַפָּהּ Gen.24:47
267 וָאָשִׂם אֶת־הַלֻּחֹת בָּאָרוֹן Deut.10:5
268 וָאָשִׂים נַפְשִׁי בְּכַפִּי ISh.28:21

וָאָשִׂים (המשך)	269	וָאָשִׂם שָׁם מָקוֹם לָאָרוֹן	IK. 8:21
	270	וָאָשִׂם דְּבָרַי בְּפִיךָ	Is. 51:16
	271	וָאֶקְנֶה...הָאֵזוֹר...וָאָשִׂם עַל-מָתְנָי	Jer. 13:2
	272	וָאָשִׂים אֶת־הָרָיו שְׁמָמָה	Mal. 1:3
	273	וָאָשִׂים בְּרִיחַ וּדְלָתָיִם	Job 38:10
	274	וָאָשִׂים שָׁם אֶת־הָאָרוֹן	IICh. 6:11
אָשִׂימָה	275	אָשִׂימָה עָלַי מֶלֶךְ כְּכָל־הַגּוֹיִם	Deut. 17:14
וְאָשִׂימָה	276	הוֹרִדֻהוּ אֵלָי וְאָשִׂימָה עֵינִי עָלָיו	Gen. 44:21
	277	וְאָשִׂמָה לְפָנֶיךָ פַּת־לֶחֶם	ISh. 28:22
וָאָשִׂימָה	278	וָאָשִׂימָה נַפְשִׁי בְכַפִּי	Jud. 12:3
	279	וָאָשִׂימָה בְּפִיהֶם דְּבָרִים	Ez. 8:17
אֲשִׂימְךָ	280	כִּי־לְגוֹי גָּדוֹל אֲשִׂימְךָ שָׁם	Gen. 46:3
	281	שֹׁמֵר לְרֹאשִׁי אֲשִׂימְךָ כָּל־הַיָּמִים	ISh. 28:2
	282	אֵיךְ...אֲשִׂימְךָ כִּצְבֹאיִם	Hosh. 11:8
אֲשִׂימֵךְ	283	פֶּן־אֲשִׂימֵךְ שְׁמָמָה	Jer. 6:8
אֲשִׂימֶנּוּ	284	וְגַם אֶת-בֶּן-הָאָמָה לְגוֹי אֲשִׂימֶנּוּ	Gen. 21:13
	285	כִּי־לְגוֹי גָּדוֹל אֲשִׂימֶנּוּ	Gen. 21:18
	286	אֲשִׂימֶנּוּ כְּצֹאן בָּצְרָה	Mic. 2:12
אֲשִׂימֶנָּה	287	עַוָּה עַוָּה אֲשִׂימֶנָּה	Ezek. 21:32
אֲשִׂימֵם	288	וַאֲנִי אֲשִׂימֵם דֹּבְרוֹת בַּיָּם	IK. 5:23
וַאֲשִׂימֵם	289	הָבוּ...אֲנָשִׁים..וַאֲשִׂימֵם בְּרָאשֵׁיכֶם	Deut. 1:13
תָּשִׂים	290	וּפֶתַח הַתֵּבָה בְּצִדָּהּ תָּשִׂים	Gen. 6:16
	291	תָּשִׂים בְּפִי אַמְתַּחַת הַקָּטֹן	Gen. 44:2
	292	הַמִּשְׁפָּטִים אֲשֶׁר תָּשִׂים לִפְנֵיהֶם	Ex. 21:1
	293	שׂוֹם תָּשִׂים עָלֶיךָ מֶלֶךְ	Deut. 17:15
	294	מִקֶּרֶב אַחֶיךָ תָּשִׂים עָלֶיךָ מֶלֶךְ	Deut. 17:15
	295	וְלֹא־תָשִׂים דָּמִים בְּבֵיתֶךָ	Deut. 22:8
	296	כִּי־מֶלֶךְ תָּשִׂים עָלֵינוּ	ISh. 10:19
	297	וְחֻצוֹת תָּשִׂים לְךָ בְדַמֶּשֶׂק	IK. 20:34
	298	וּגְבָעוֹת כַּמֹּץ תָּשִׂים	Is. 41:15
	299	אִם־תָּשִׂים אָשָׁם נַפְשׁוֹ	Is. 53:10
	300	דֶּרֶךְ תָּשִׂים לָבוֹא חֶרֶב	Ezek. 21:25
	301	וּנְעָלֶיךָ תָּשִׂים בְּרַגְלֶיךָ	Ezek. 24:17
	302	כִּי־תָשִׂים עָלַי מִשְׁמָר	Job 7:12
	303	אִם־תָּשִׂים מִשְׁטָרוֹ בָאָרֶץ	Job 38:33
תָּשֶׂם	304	אַל־תָּשֶׂם אֶת־לִבְּךָ לָהֶם	ISh. 9:20
הֲתָשִׂים	305	הֲתָשִׂים אַגְמֹן בְּאַפּוֹ	Job 40:26
וְתָשֵׂם	306	וְתָשֵׂם בַּסַּד רַגְלַי	Job 13:27
תְּשִׂימֵנִי	307	תְּשִׂימֵנִי לְרֹאשׁ גּוֹיִם	Ps. 18:44
	308	חֶרְפַּת נָבָל אַל־תְּשִׂימֵנִי	Ps. 39:9
תְּשִׂימֵנוּ	309	תְּשִׂימֵנוּ חֶרְפָּה לִשְׁכֵנֵינוּ	Ps. 44:14
	310	תְּשִׂימֵנוּ מָשָׁל בַּגּוֹיִם	Ps. 44:15
	311	תְּשִׂימֵנוּ מָדוֹן לִשְׁכֵנֵינוּ	Ps. 80:7
	312	סְחִי וּמָאוֹס תְּשִׂימֵנוּ בְּקֶרֶב הָעַמִּים	Lam. 3:45
וַתָּשִׂימִי	313	וַתָּשִׂימִי כָאָרֶץ גֵּוֵךְ	Is. 51:23
יָשׂוּם	314	אוֹ מִי־יָשׂוּם אִלֵּם אוֹ חֵרֵשׁ	Ex. 4:11
יָשִׂים	315	וּבְהַעֲטִיף הַצֹּאן לֹא יָשִׂים	Gen. 30:42
	316	לֹא־יָשִׂים עָלֶיהָ שֶׁמֶן	Lev. 5:11
	317	הַדָּבָר אֲשֶׁר יָשִׂים אֱלֹהִים בְּפִי	Num. 22:38
	318	הֲלֹא אֵת אֲשֶׁר יָשִׂים יְיָ בְּפִי	Num. 23:12
	319	לְכֻלְּכֶם יָשִׂים שָׂרֵי אֲלָפִים	ISh. 22:7
	320	אַל־נָא יָשִׂים אֲדֹנִי אֶת־לִבּוֹ	ISh. 25:25
	321	עַד־יָשִׂים בָּאָרֶץ מִשְׁפָּט	Is. 42:4
	322	וְלֹא־יָשִׂים עַל־לֵב	Is. 42:25
	323	וְעַד־יָשִׂים אֶת-יְרוּשָׁ׳ תְּהִלָּה בָּאָרֶץ	Is. 62:7
	324	וּבְקִרְבּוֹ יָשִׂים אָרְבּוֹ	Jer. 9:7
	325/6	וּמִכְשׁוֹל עֲוֹנוֹ יָשִׂים נֹכַח פָּנָיו	Ezek. 14:4, 7
	327	לֹא־יָשִׂים אֱלֹהִים מָעוּזּוֹ	Ps. 52:9
	328	וּבְמַלְאָכָיו יָשִׂים תָּהֳלָה	Job 4:18
	329	וְעַל־נְתִיבוֹתַי חֹשֶׁךְ יָשִׂים	Job 19:8
	330	לֹא אַךְ־הוּא יָשִׂם בִּי	Job 23:6
	331	וֶאֱלוֹהַּ לֹא־יָשִׂים תִּפְלָה	Job 24:12
יָשִׂים (המשך)	332	וְסֵתֶר פָּנִים יָשִׂים	Job 24:15
	333	אִם־יָשִׂים אֵלָיו לִבּוֹ	Job 34:14
	334	כִּי לֹא עַל־אִישׁ יָשִׂים עוֹד	Job 34:23
	335	יָם יָשִׂים כַּמֶּרְקָחָה	Job 41:23
יָשֵׂם	336	יָשֵׂם יְיָ לְךָ זֶרַע	ISh. 2:20
	337	אַל־יָשֵׂם הַמֶּלֶךְ בְּעַבְדּוֹ דָבָר	ISh. 22:15
	338	אַל-יָשֵׂם אֲדֹנִי הַמֶּלֶךְ אֶל-לִבּוֹ דָּבָ׳	IISh. 13:33
	339	יָשֵׂם נְהָרוֹת לְמִדְבָּר	Ps. 107:33
	340	יָשֵׂם מִדְבָּר לַאֲגַם־מַיִם	Ps. 107:35
	341	יָשֵׂם בַּסַּד רַגְלָי	Job 33:11
וְיָשֵׂם	342	יִשָּׂא יְיָ פָּנָיו אֵלֶיךָ וְיָשֵׂם לְךָ שָׁלוֹם	Num. 6:26
	343	וְיָשֵׂם אֶת־נִינְוֵה לִשְׁמָמָה	Zep. 2:13
	344	צֶדֶק לְפָנָיו יְהַלֵּךְ וְיָשֵׂם לְדֶרֶךְ פְּעָמָיו	Ps. 85:14
	345	מִי יַכְזִיבֵנִי וְיָשֵׂם לְאַל מִלָּתִי	Job 24:25
	346	וְיָשֵׂם פָּנָיו לָבוֹא בְּתֹקֶף..מַלְכוּתוֹ	Dan. 11:17
	347	וְיָשֵׂם (כת׳ וישב) פָּנָיו לְאִיִּים	Dan. 11:18
וַיָּשֶׂם	348	וַיָּשֶׂם שָׁם אֶת־הָאָדָם אֲשֶׁר יָצָר	Gen. 2:8
	349	וַיָּשֶׂם יְיָ לְקַיִן אוֹת	Gen. 4:15
	350	וַיִּקַּח...וַיָּשֶׂם עַל־יִצְחָק בְּנוֹ	Gen. 22:6
	251	וַיָּשֶׂם אֹתוֹ עַל־הַמִּזְבֵּחַ	Gen. 22:9
	352	וַיָּשֶׂם הָעֶבֶד אֶת־יָדוֹ תַּחַת יֶרֶךְ אַבְרָהָם	Gen. 24:9
	353	וַיִּקַּח...וַיָּשֶׂם מְרַאֲשֹׁתָיו	Gen. 28:11
	354	וַיִּקַּח...וַיָּשֶׂם אֹתָהּ מַצֵּבָה	Gen. 28:18
	355	וַיָּשֶׂם דֶּרֶךְ שְׁלֹשֶׁת יָמִים בֵּינוֹ וּבֵין..	Gen. 30:36
	356	וַיָּשֶׂם אֶת־פָּנָיו הַר הַגִּלְעָד	Gen. 31:21
	357	וַיָּשֶׂם יְיָ מוֹעֵד לֵאמֹר	Ex. 9:5
	358	וַיָּשֶׂם אֶת־הַיָּם לֶחָרָבָה	Ex. 14:21
	359	וַיָּשֶׂם לִפְנֵיהֶם אֵת כָּל־הַדְּבָרִים	Ex. 19:7
	360	וַיָּשֶׂם יְיָ דָּבָר בְּפִי בִלְעָם	Num. 23:5
	361	וַיִּקָּר יְיָ...וַיָּשֶׂם דָּבָר בְּפִיו	Num. 23:16
	362	וַיָּשֶׂם אוֹתָם אֹרֵב בֵּין בֵּית-אֵל...	Josh. 8:12
	363	וַיָּשֶׂם מַאֲפֵל בֵּינֵיכֶם	Josh. 24:7
	364	וַיָּשֶׂם לוֹ חֹק וּמִשְׁפָּט	Josh. 24:25
	365	וַיָּשֶׂם אֶת־הַכְּנַעֲנִי לָמַס	Jud. 1:28
	366	וַיָּשֶׂם יְיָ אֶת־חֶרֶב אִישׁ בְּרֵעֵהוּ	Jud. 7:22
	367	וַיָּשֶׂם אֶת־שְׁמוֹ אֲבִימֶלֶךְ	Jud. 8:31
	368	וַיָּשֶׂם אֶת־בָּנָיו שֹׁפְטִים לְיִשְׂרָאֵל	ISh. 8:1
	369	וַיָּשֶׂם אֶת־נַפְשׁוֹ בְכַפּוֹ	ISh. 19:5
	370	וַיָּשֶׂם דָּוִד אֶת־הַדְּבָרִים...בִּלְבָבוֹ	ISh. 21:13
	371	וַיָּשֶׂם דָּוִד נְצִבִים בַּאֲרַם דַּמֶּשֶׂק	IISh. 5:6
	372	וַיָּשֶׂם בֶּאֱדוֹם נְצִבִים	IISh. 8:14
	373	וַיָּשֶׂם בַּמְּגֵרָה וּבַחֲרִצֵי הַבַּרְזֶל	IISh. 12:31
	374	וַיָּשֶׂם יוֹאָב אֶת־הַדְּבָרִים בְּפִיהָ	IISh. 14:3
	375	וַיָּשֶׂם עֲלֵיהֶם שָׂרֵי אֲלָפִים	IISh. 18:1
	376	וַיָּשֶׂם דְּמֵי־מִלְחָמָה בְּשָׁלֹם	IK. 2:5
	377	וַיַּעֲמֵד אֶת־פָּנָיו וַיָּשֶׂם עַד־בֹּשׁ	IIK. 8:11
	378	וַיָּשֶׂם הַכֹּהֵן פְּקֻדֹּת עַל־בֵּית יְיָ	IIK. 11:18
	379	וַיָּשֶׂם חֲזָאֵל פָּנָיו לַעֲלוֹת עַל־יְרוּ׳	IIK. 12:18
	380	וַיָּשֶׂם פִּי כְּחֶרֶב חַדָּה	Is. 49:2
	381	וַיָּשֶׂם מִדְבָּרָהּ כְּעֵדֶן	Is. 51:3
	382	וַיָּשֶׂם רַגְלַי כָּאַיָּלוֹת	Hab. 3:19
	383	וַיָּשֶׂם כַּצֹּאן מִשְׁפָּחוֹת	Ps. 107:41
	384	וַיָּשֶׂם לָהֶם שַׂר הַסָּרִיסִים שֵׁמוֹת	Dan. 1:7
	385	וַיָּשֶׂם לְדָנִיֵּאל בֵּלְטְשַׁאצַּר	Dan. 1:7
	386	וַיָּשֶׂם דָּנִיֵּאל עַל־לִבּוֹ	Dan. 1:8
	431-387	וַיָּשֶׂם	Gen. 33:2; 37:34; 41:42; 47:26; 48:20 • Ex. 24:6; 39:7; 40:18, 19, 20, 21, 24; 40:26, 28, 30 • Lev. 8:8, 9², 26 • Jud. 9:48; 15:4; 16:3; 20:29 • ISh. 7:12; 9:24; 11:11; 17:40 • IK. 2:19; 12:29; 18:33, 42; 21:27 • IIK. 4:31; 4:34; 13:16; 18:14; 21:7 • Es. 2:17; 3:1; 10:1 • ICh. 18:6, 13 • IICh. 23:18; 33:7, 14
יְשִׂמְנִי	432	מִי־יְשִׂמֵנִי שֹׁפֵט בָּאָרֶץ	IISh. 15:4
וַיְשִׂימֵנִי	433	וַיְשִׂימֵנִי לְאָב לְפַרְעֹה	Gen. 45:8
	434	וַיְשִׂימֵנִי לְחֵץ בָּרוּר	Is. 49:2
יְשִׂמְךָ	435	יְשִׂמְךָ אֱלֹהִים כְּאֶפְרַיִם וְכִמְנַשֶּׁה	Gen. 48:20
	436	יְשִׂמְךָ יְיָ כְּצִדְקִיָּהוּ וּכְאֶחָב	Jer. 29:22
וַיְשִׂימְךָ	437	וַיְשִׂימְךָ לְמֶלֶךְ לַעֲשׂוֹת מִשְׁפָּט	IK. 10:9
וַיְשִׂמֵהוּ	438	וַיְשִׂמֵהוּ עַל־הַנֵּס	Num. 21:9
	439	וַיְשִׂמֵהוּ שָׁאוּל עַל אַנְשֵׁי הַמִּלְחָמָה	ISh. 18:5
	440	וַיְשִׂמֵהוּ לוֹ שַׂר־אָלֶף	ISh. 18:13
	441	וַיְשִׂמֵהוּ דָוִד אֶל־מִשְׁמַעְתּוֹ	IISh. 23:23
	442	וַיְשִׂימֵהוּ דָוִיד עַל־מִשְׁמַעְתּוֹ	ICh. 11:25
	443	וַיְשִׂימֵהוּ אָבִיהוּ לְרֹאשׁ	ICh. 26:10
וַיְשִׂימֶהָ	444	וַיְשִׂימֶהָ תֵּל־עוֹלָם שְׁמָמָה	Josh. 8:28
	445	וַיְשִׂמֶהָ לְחֹק וּלְמִשְׁפָּט לְיִשְׂרָאֵל	ISh. 30:25
יְשִׂימָם	446	מַדְוֵי מִצְרַיִם...לֹא יְשִׂימָם בָּךְ	Deut. 7:15
וַיְשִׂמֵם	447	וַיְשִׂמֵם כֶּעָפָר לָדֻשׁ	IIK. 13:7
וַתָּשֶׂם	448	וַתָּשֶׂם בָּהּ אֶת־הַיֶּלֶד	Ex. 2:3
	449	וַתָּשֶׂם בַּסּוּף עַל־שְׂפַת הַיְאֹר	Ex. 2:3
	450	וַתָּשֶׂם אֶת־הַמַּקֶּבֶת בְּיָדָהּ	Jud. 4:21
	451	וַתִּקַּח...וַתָּשֶׂם אֶל־הַמִּטָּה	ISh. 19:13
	452	וַתִּקַּח...וַתָּשֶׂם עַל־הַחֲמֹרִים	ISh. 25:18
	453	וַתָּשֶׂם יָדָהּ עַל־רֹאשָׁהּ	IISh. 13:19
	454	וַתָּשֶׂם בַּפּוּךְ עֵינֶיהָ	IIK. 9:30
	455	וַתָּשֶׂם...אֶת-מָרְדֳּכַי עַל-בֵּית הָמָן	Es. 8:2
וַתְּשִׂמֵם	456	וַתְּשִׂמֵם בְּכַר הַגָּמָל וַתֵּשֶׁב עֲלֵיהֶם	Gen. 31:34
וְנָשִׂים	457	וְנָשִׂים לוֹ שָׁם מִטָּה וְשֻׁלְחָן	IIK. 4:10
נָשִׂימָה	458	נָשִׂימָה נָּא שַׂקִּים בְּמָתְנֵינוּ	IK. 20:31
וְנָשִׂימָה	459	וְנָשִׂימָה לִבֵּנוּ וְנֵדְעָה אַחֲרִיתָן	Is. 41:22
תָּשִׂימוּ	460	וְרֶוַח תָּשִׂימוּ בֵּין עֵדֶר וּבֵין עֵדֶר	Gen. 32:16
	461	מַתְכֹּנֶת הַלְּבֵנִים...תָּשִׂימוּ עֲלֵיהֶם	Ex. 5:8
	462	וְלֹא-תָשִׂימוּ קָרְחָה בֵּין עֵינֵיכֶם לָמֵת	Deut. 4:1
	463	וְאֵת כְּלֵי הַזָּהָב...תָּשִׂימוּ בָאַרְגַּז מִצִּדּוֹ	ISh. 6:8
	464	וְאֵשׁ לֹא תָשִׂימוּ	IK. 18:25
	465	וְאִם־לֹא תָשִׂימוּ עַל־לֵב	Mal. 2:2
תְּשִׂימוּן	466	לֹא תְשִׂימוּן עָלָיו נֶשֶׁךְ	Ex. 22:24
	467	שׂוֹם תְּשִׂמוּן פְּנֵיכֶם לָבֹא מִצְרַיִם	Jer. 42:15
	468	עַד־אָנָה תְּשִׂימוּן קִנְצֵי לְמִלִּין	Job 18:2
וַתְּשִׂימוּן	469	וַתְּשִׂימוּן לְשֹׁמְרֵי מִשְׁמַרְתִּי	Ezek. 44:8
תְּשִׂימֻנִי	470	לֹא תְשִׂימֻנִי קְצִין עָם	Is. 3:7
יָשִׂימוּ	471	יָשִׂימוּ קְטוֹרָה בְּאַפֶּךָ	Deut. 33:10
	472/3	לֹא־יָשִׂימוּ אֵלֵינוּ לֵב	IISh. 18:3²
	474	וְיָשִׂימוּ עַל־הָעֵצִים וְאֵשׁ לֹא יָשִׂימוּ	IK. 18:23
	475	כָּל-מַחְמַד עֵינֶיךָ יָשִׂימוּ בְיָדָם וְלָקָחוּ	IK. 20:6
	476	יָשִׂימוּ לַיְיָ כָּבוֹד	Is. 42:12
	477	צִנָּה...יָשִׂימוּ עָלַיִךְ סָבִיב	Ezek. 23:24
	478	וַאֲבָנַיִךְ...בְּתוֹךְ מַיִם יָשִׂימוּ	Ezek. 26:12
	479	לַחְמְךָ יָשִׂימוּ מָזוֹר תַּחְתֶּיךָ	Ob. 7
	480	יָשִׂימוּ יָד עַל־פֶּה	Mic. 7:16
	481	יָשִׂימוּ צָנִיף טָהוֹר עַל־רֹאשׁוֹ	Zech. 3:5
	482	לַיְלָה לְיוֹם יָשִׂימוּ	Job 17:12
	483	וְכַף יָשִׂימוּ לְפִיהֶם	Job 29:9
	484	וְחַנְפֵי־לֵב יָשִׂימוּ אָף	Job 36:13
וְיָשִׂימוּ	485	וִינַתְּחֻהוּ וְיָשִׂימוּ עַל־הָעֵצִים	IK. 18:23
	486	יִרְאוּ וְיֵדְעוּ וְיָשִׂימוּ וְיַשְׂכִּילוּ	Is. 41:20
	487	וְיָשִׂימוּ בֵאלֹהִים כִּסְלָם	Ps. 78:7
וַיָּשִׂימוּ	488	וַיָּשִׂימוּ עַל־שְׁכֶם שְׁנֵיהֶם	Gen. 9:23
	489	וַיָּשִׂימוּ לוֹ לְבַדּוֹ וְלָהֶם לְבַדָּם	Gen. 43:32
	490	וַיָּשִׂימוּ עָלָיו שָׂרֵי מִסִּים	Ex. 1:11
	491	וַיִּקְחוּ־אֶבֶן וַיָּשִׂימוּ תַחְתָּיו	Ex. 17:12
	492	וַיָּשִׂימוּ...אוֹתוֹ עֲלֵיהֶם לְרֹאשׁ	Jud. 11:11

וַיָּשִׂמוּ 493 וַיָּשִׂמוּ לָהּ יָדַיִם וַתָּבוֹא IIK.11:16
(המשך) 494 וַיָּשִׂימוּ אֶרֶץ־חֶמְדָּה לְשַׁמָּה Zech.7:14
495 וַיָּשִׂימוּ עָלַי רָעָה תַּחַת טוֹבָה Ps.109:5
496 וַיֵּשׁ־מֵהֶם נָשִׁים וַיָּשִׂימוּ בָּנִים Ez.10:44
497 וַיָּשִׂמוּ לָהּ יָדַיִם וַתָּבוֹא IICh.23:15
498-522 וַיָּשִׂימוּ Ex.39:19
Lev. 9:20; 10:1 • Num. 16:18 • Josh. 8:13; 10:24,27 • Jud. 8:33; 9:25,49; 18:21,31 • ISh. 6:11,15; 31:10 • IISh. 12:20 • IK. 20:12 • IIK. 9:13; 10:7; 20:7 • Jer. 32:34 • Ezek. 20:28 • Zech. 3:5 • Prov. 30:26 • ICh. 10:10

וַיְשִׂמֻהוּ 523 וַיְשִׂמֻהוּ לְמוֹצָאוֹת (כת׳ למחראות) IIK.10:27
שִׂים 524/5 שִׂים־נָא יָדְךָ תַּחַת יְרֵכִי Gen.24:2; 47:29
526 שִׂים כֹּה נֶגֶד אַחַי וְאַחֶיךָ Gen.31:37
527 שִׂים יְמִינְךָ עַל־רֹאשׁוֹ Gen.48:18
528 שִׂים־נָא כָבוֹד לַייָ אֱלֹהֵי יִשְׂרָאֵל Josh.7:19
529 שִׂים־לְךָ אֹרֵב לָעִיר מֵאַחֲרֶיהָ Josh.8:2
530 שִׂים־יָדְךָ עַל־פִּיךָ וְלֵךְ עִמָּנוּ Jud.18:19
531 שִׂים אֹתָהּ עִמָּךְ ISh.9:23
532 הִנֵּה הַנִּשְׁאָר שִׂים־לְפָנֶיךָ אֱכֹל ISh.9:24
533 שִׂים לֶחֶם וָמַיִם לִפְנֵיהֶם IIK.6:22
534 שִׂים נָא בְּלוֹאֵי הַסְּחָבוֹת Jer.38:12
535 קָחֶנּוּ וְעֵינֶיךָ שִׂים עָלָיו Jer.39:12
536 שִׂים פָּנֶיךָ אֶל־הָרֵי יִשְׂרָאֵל Ezek.6:2
537-545 שִׂים פָּנֶיךָ Ezek.13:17
21:2, 7,24; 25:2; 28:21; 29:2; 35:2; 38:2
546 שִׂים־לְךָ שְׁנַיִם דְּרָכִים Ezek.21:24
547 שִׂים לִבְּךָ וּרְאֵה בְעֵינֶיךָ Ezek.44:5
548 שִׂים־עָלָיו כַּפֶּךָ Job 40:32
וְשִׂים 549 וְשִׂים כֶּסֶף־אִישׁ בְּפִי אַמְתַּחְתּוֹ Gen.44:1
550 כְּתֹב...וְשִׂים בְּאָזְנֵי יְהוֹשֻׁעַ Ex.17:14
551 קַח אֶת־הַמַּחְתָּה...וְשִׂים קְטֹרֶת Num.17:11
552 וְשִׂים אֹתוֹ עַל־נֵס Num.21:8
553 וְשִׂים פַּחוֹת תַּחְתֵּיהֶם IK.20:24
554 וְשִׂים־עָלֶיהָ כָּרִים סָבִיב Ezek.4:2
555 רְאֵה בְעֵינֶיךָ...וְשִׂים לִבְּךָ Ezek.40:4
556 וְשִׂים אֲמָרָיו בִּלְבָבֶךָ Job 22:22
שִׂימָה 557 עַתָּה שִׂימָה־לָּנוּ מֶלֶךְ ISh.8:5
558 שִׂימָה דִמְעָתִי בְנֹאדֶךָ Ps.56:9
559 שִׂימָה־נָּא עָרְבֵנִי עִמָּךְ Job 17:3
שִׂימֵנִי 560 שִׂימֵנִי כַחוֹתָם עַל־לִבֶּךָ S.ofS.8:6
שִׂימָהּ 561 וְלַמְּדָהּ אֶת־בְּ־יִ׳ שִׂימָהּ בְּפִיהֶם Deut.31:19
שִׂימִי 562 שִׂימִי לָךְ תַּמְרוּרִים Jer.31:21(20)
שִׂימוּ 563 וַיִּתְאַפַּק וַיֹּאמֶר שִׂימוּ לָחֶם Gen.43:31
564 שִׂימוּ אִישׁ־חַרְבּוֹ עַל־יְרֵכוֹ Ex.32:27
565 שִׂימוּ לְבַבְכֶם לְכָל־הַדְּבָרִים Deut.32:46
566 שִׂימוּ...רַגְלֵיכֶם עַל־צַוְּארֵי הַמְּלָכִים Josh.10:24
567 שִׂימוּ־לָכֶם עָלֶיהָ עֻצוּ וְדַבֵּרוּ Jud.19:30
568 וַיֹּאמֶר אֶל־עֲבָדָיו שִׂימוּ IK.20:12
569 שִׂימוּ אֶת־זֶה בֵּית הַכֶּלֶא IK.22:27
570 שִׂימוּ אֹתָם שְׁנֵי צִבֻּרִים IIK.10:8
571/2 שִׂימוּ לְבַבְכֶם עַל־דַּרְכֵיכֶם Hag.1:5,7
573/4 שִׂימוּ־נָא לְבַבְכֶם Hag.2:15,18
575 שִׂימוּ לְבַבְכֶם Hag.2:18
576 זַמְּרוּ...שִׂימוּ כָבוֹד תְּהִלָּתוֹ Ps.66:2
577 שִׂימוּ זֶה בֵּית הַכֶּלֶא IICh.18:26
וְשִׂימוּ 578 וְשִׂימוּ עֲלֵיהֶן קְטֹרֶת Num.16:7
579 וְשִׂימוּ שָׁם מֶלַח IIK.2:20
580 אִסְפוּ יַיִן...וְשִׂמוּ בִּכְלֵיכֶם Jer.40:10
581 וְשִׂימוּ יָד עַל־פֶּה Job 21:5
וַהֲשִׂמֹתִיהוּ 582 וַהֲשִׂמֹתִיהוּ לְאוֹת וְלִמְשָׁלִים Ezek.14:8

מֵשִׂים 583 מִבְּלִי מֵשִׂים לָנֶצַח יֹאבֵדוּ Job 4:20
הָשִׂימִי 584 הִתְאַחֲדִי הֵימִינִי הָשִׂימִי הַשְׂמִילִי Ezek.21:21
וַיּוּשַׂם 585 וַיּוּשַׂם (כת׳ ויישם) לְפָנָיו לֶאֱכֹל Gen.24:33
וַיִּשֶׂם 586 וַיַּחַנְטוּ אֹתוֹ וַיִּשֶׂם בָּאָרוֹן בְּמִצְ׳ Gen.50:26

(שִׂים) שָׂם
פ׳ ארמית א) כמו בעברית – שִׂים: 1-23
ב) [אִתְפְּ׳ אִתְּשָׂם] הוּשַׂם, נעשה: 24-26
שָׂם בָּל 5; שָׂם (עַל־) טְעֵם 1, 2, 4, 6-10, 12-21, 23;
שָׂם שְׁמֵהּ 11

שָׂמֶת 1 אֲנָה דָרְיָוֶשׁ שָׂמֶת טְעֵם Ez.6:12
שַׂמְתָּ 2 אַנְתְּ מַלְכָּא שַׂמְתָּ טְעֵם Dan.3:10
שָׂם 3 דִּי־מַלְכָּא שָׂם־שְׁמֵהּ בֵּלְטְשַׁאצַּר Dan.5:12
4 לָא־שָׂם עֲלָךְ° מַלְכָּא טְעֵם Dan.6:14
5 וְעַל דָּנִיֵּאל שָׂם בָּל לְשֵׁיזָבוּתֵהּ Dan.6:15
6/7 מַן־שָׂם לְכֹם טְעֵם Ez.5:3,9
8/9 כּוֹרֶשׁ מַלְכָּא שָׂם טְעֵם Ez.5:13; 6:3
10 בֵּאדַיִן דָּרְיָוֶשׁ מַלְכָּא שָׂם טְעֵם Ez.6:1
שָׂמֵהּ 11 וִיהִיבוּ לְשֵׁשְׁבַּצַּר שְׁמֵהּ דִּי פֶחָה שָׂמֵהּ Ez.5:14
שָׂמוּ 12 לָא־שָׂמוּ עֲלָךְ° מַלְכָּא טְעֵם Dan.3:12
שִׂים 13/4 וּמִנִּי שִׂים טְעֵם Dan.3:29; 4:3
15 מִן־קֳדָמַי שִׂים טְעֵם Dan.67:27
16-18 וּמִנִּי שִׂים טְעֵם Ez.4:19; 6:8,11
19 מִן־כּוֹרֶשׁ מַלְכָּא שִׂים טְעֵם Ez.5:17
20 מִנִּי שִׂים טְעֵם Ez.7:13
21 וּמִנִּי אֲנָה...מַלְכָּא שִׂים טְעֵם Ez.7:21
וְשֻׂמַת 22 וְשֻׂמַת עַל־פֻּם גֻּבָּא Dan.6:18
שִׂימוּ 23 כְּעַן שִׂימוּ טְעֵם לְבַטָּלָא Ez.4:21
מִתְּשָׂם 24 וְאָע מִתְּשָׂם בְּכֻתְלַיָּא Ez.5:8
יִתְּשָׂם 25 עַד־מִנִּי טַעְמָא יִתְּשָׂם Ez.4:21
יִתְּשָׂמוּן 26 וּבָתֵּיכוֹן נְוָלִי יִתְּשָׂמוּן Dan.2:5

שִׁמְעוֹן
שפ״ז – איש משבט יהודה
שִׁימוֹן 1 וּבְנֵי שִׁימוֹן אַמְנוֹן וְרִנָּה ICh.4:20

שיניהם
כך כתיב – IIK. 18:27 • Is. 36:12
קרי מֵימֵי רַגְלֵיהֶם, עין מַיִם (553 ,552)

שֵׁיצִיא
שפ׳ ארמית: שלם, נגמר
וְשֵׁיצִיא 1 וְשֵׁיצִיא בַּיְתָה דְנָה עַד יוֹם תְּלָתָה Ez.6:15

שיר
: שָׁר, שׁוֹרֵר; שִׁיר, שִׁירָה, מְשׁוֹרֵר

(שיר) שָׁר
פ׳ א) השמיע קול זמרה: 1-49
ב) [פ׳ שׁוֹרֵר] שָׁר, השמיע זמרה: 50-85
ג) [הִפְ׳ הוּשַׁר] הושמע שיר: 86
קרובים: זִמֵּר / עָנָה / צָהַל / רָנַן / רִנֵּן

שָׁרִים וְשָׁרוֹת 4, 7, 9; לְשָׁכוֹת שָׁרִים 5;
קוֹל שָׁרִים 12; מְשׁוֹרְרִים וּמְשׁוֹרְרוֹת 52, 53;
מְנָיוֹת הַמְשׁוֹרְרִים 65; רֹאשׁ הַמְשׁוֹרְרִים 64

לָשִׁיר 1 וַתֵּצֶאנָה...לָשִׁיר (כת׳ לשור) וְהַמְּחֹלוֹת ISh.18:6
שָׁר 2 שִׁגָּיוֹן לְדָוִד אֲשֶׁר־שָׁר לַייָ Ps.7:1
וְשָׁר 3 וְשָׁר בַּשִּׁרִים עַל לֶב־רָע Prov.25:20
שָׁרִים 4 אִם־אֶשְׁמַע עוֹד בְּקוֹל שָׁרִים וְשָׁרוֹת IISh.19:36
5 לִשְׁכוֹת שָׁרִים בֶּחָצֵר הַפְּנִימִי Ezek.40:44
6 קִדְּמוּ שָׁרִים אַחַר נֹגְנִים Ps.68:26
7 עָשִׂיתִי לִי שָׁרִים וְשָׁרוֹת Eccl.2:8
וְשָׁרִים 8 וְשָׁרִים כְּחֹלְלִים כָּל־מַעְיָנַי בָּךְ Ps.87:7
הַשָּׁרִים 9 וַיֹּאמְרוּ כָל־הַשָּׁרִים וְהַשָּׁרוֹת IICh.35:25
לַשָּׁרִים 10 וְכִנֹּרוֹת וּנְבָלִים לַשָּׁרִים IK.10:12
11 וְכִנֹּרוֹת וּנְבָלִים לַשָּׁרִים IICh.9:11
וְשָׁרוֹת 12 אִם־אֶשְׁמַע עוֹד בְּקוֹל שָׁרִים וְשָׁ׳ IISh.19:36
13 עָשִׂיתִי לִי שָׁרִים וְשָׁרוֹת Eccl.2:8
וְהַשָּׁרוֹת 14 וַיֹּאמְרוּ כָל־הַשָּׁרִים וְהַשָּׁרוֹת IICh.35:25

אָשִׁיר 15 וַאֲנִי אָשִׁיר עֻזֶּךָ Ps.59:17
אָשִׁירָה 16 אָשִׁירָה לַייָ כִּי־גָאֹה גָּאָה Ex.15:1
17 אָנֹכִי לַייָ אָנֹכִי אָשִׁירָה Jud.5:3
18 אָשִׁירָה נָּא לִידִידִי שִׁירַת דּוֹדִי... Is.5:1
19 אָשִׁירָה לַייָ כִּי גָמַל עָלָי Ps.13:6
20 אָשִׁירָה וַאֲזַמְּרָה לַייָ Ps.27:6
21 נָכוֹן לִבִּי...אָשִׁירָה וַאֲזַמֵּרָה Ps.57:8
22 חַסְדֵי יְיָ עוֹלָם אָשִׁירָה Ps.89:2
23 חֶסֶד־וּמִשְׁפָּט אָשִׁירָה Ps.101:1
24 אָשִׁירָה לַייָ בְּחַיָּי Ps.104:33
25 אָשִׁירָה וַאֲזַמְּרָה אַף־כְּבוֹדִי Ps.108:2
26 שִׁיר חָדָשׁ אָשִׁירָה לָּךְ Ps.144:9
יָשִׁיר 27 אָז יָשִׁיר־מֹשֶׁה וּבְנֵי יִשְׂרָאֵל Ex.15:1
28 אָז יָשִׁיר יִשְׂרָאֵל אֶת־הַשִּׁירָה Num.21:17
וַתָּשַׁר 29 וַתָּשַׁר דְּבוֹרָה וּבָרָק...לֵאמֹר Jud.5:1
נָשִׁיר 30 אֵיךְ נָשִׁיר אֶת־שִׁיר־יְיָ Ps.137:4
נָשִׁירָה 31 נָשִׁירָה וּנְזַמְּרָה גְּבוּרָתֶךָ Ps.21:14
יָשִׁירוּ 32 יִתְרוֹעֲעוּ אַף־יָשִׁירוּ Ps.65:14
33 וַיַּאֲמִינוּ בִדְבָרָיו יָשִׁירוּ תְּהִלָּתוֹ Ps.106:12
וְיָשִׁירוּ 34 וְיָשִׁירוּ בְּדַרְכֵי יְיָ Ps.138:5
שִׁירוּ 35 שִׁירוּ לַייָ כִּי־גָאֹה גָּאָה Ex.15:21
36 שִׁירוּ לַייָ שִׁיר חָדָשׁ Is.42:10
37 שִׁירוּ לַייָ הַלְלוּ אֶת־יְיָ Jer.20:13
38 שִׁירוּ־לוֹ שִׁיר חָדָשׁ Ps.33:3
39 שִׁירוּ לֵאלֹהִים זַמְּרוּ שְׁמוֹ Ps.68:5
40 שִׁירוּ לֵאלֹהִים זַמְּרוּ אֲדֹנָי Ps.68:33
41-43 שִׁירוּ לַייָ שִׁיר חָדָשׁ Ps.96:1; 98:1; 149:1
44/5 שִׁירוּ לַייָ כָּל־הָאָרֶץ Ps.96:1 • ICh.16:23
46 שִׁירוּ לַייָ בָּרְכוּ שְׁמוֹ Ps.96:2
47/8 שִׁירוּ־לוֹ זַמְּרוּ־לוֹ... Ps.105:2 • ICh.16:9
49 שִׁירוּ לָנוּ מִשִּׁיר־צִיּוֹן Ps.137:3
מְשׁוֹרֵר 50 וְהַשִּׁיר מְשׁוֹרֵר וְהַחֲצֹצְרוֹת מַחְצְרִ׳° IICh.29:28
הַמְשׁוֹרֵר 51 מִבְּנֵי הַקְּהָתִי הֵימָן הַמְשׁוֹרֵר ICh.6:18
מְשׁוֹרְרִים 52 וְלָהֶם מְשֹׁרְרִים וּמְשֹׁרְרוֹת מָאתָיִם Ez.2:65
53 וְלָהֶם מְשֹׁרְרִים וּמְשֹׁרְרוֹת מָאתָיִם Neh.7:76
54 וַיַּעֲמֵד מְשֹׁרְרִים לַייָ IICh.20:21
הַמְשׁוֹרְרִים 55/6 הַמְשֹׁרְרִים בְּנֵי אָסָף Ez.2:41 • Neh.7:44
57 וּמִן־הַמְשֹׁרְרִים אֶלְיָשִׁיב Ez.10:24
58 הַשּׁוֹעֲרִים הַמְשֹׁרְרִים הַנְּתִינִים Neh.10:29
59 מִבְּנֵי אָסָף הַמְשֹׁרְרִים Neh.11:22
60 וֶאֱמָנָה עַל־הַמְשֹׁרְרִים Neh.11:23
61 וַיֵּאָסְפוּ בְּנֵי הַמְשֹׁרְרִים Neh.12:28
62 חֲצֵרִים בָּנוּ לָהֶם הַמְשֹׁרְרִים Neh.12:29
63 וַיַּשְׁמִיעוּ הַמְשֹׁרְרִים Neh.12:42
64 רֹאשׁ הַמְשֹׁרְרִים וְשִׁיר־תְּהִלָּה Neh.12:46
65 מְנָיוֹת הַמְשֹׁרְרִים וְהַשֹּׁעֲרִים Neh.12:47
66 וְאֵלֶּה הַמְשֹׁרְרִים רָאשֵׁי אָבוֹת ICh.9:33
67 הַמְשֹׁרְרִים בִּכְלֵי־שִׁיר ICh.15:16
68 וּכְנַנְיָה הַשַּׂר הַמַּשָּׂא הַמְשֹׁרְרִים ICh.15:27
69 וְהַלְוִיִּם הַמְשֹׁרְרִים לְכֻלָּם IICh.5:12
וְהַמְשׁוֹרְרִים 70 וְהַמְשֹׁרְרִים וְהַשּׁוֹעֲרִים וְהַנְּתִינִים Ez.2:70
71 וְהַמְשֹׁרְרִים וְהַשֹּׁעֲרִים וְהַנְּתִינִים Ez.7:7
72 הַשּׁוֹעֲרִים וְהַמְשֹׁרְרִים וְהַלְוִיִּם Neh.7:1
73 וְהַלְוִיִּם וְהַשּׁוֹעֲרִים וְהַמְשֹׁרְרִים Neh.7:72
74 וְהַכֹּהֲנִים...וְהַשּׁוֹעֲרִים וְהַמְשֹׁרְרִים Neh.10:40
75 וַיִּשְׁמְרוּ...וְהַמְשֹׁרְרִים וְהַשֹּׁעֲרִים Neh.12:45
76 מִצְוַת הַלְוִיִּם וְהַמְשֹׁרְרִים וְהַשּׁוֹעֲ׳ Neh.13:5
77 הַלְוִיִּם וְהַמְשֹׁרְרִים עֹשֵׂי הַמְּלָאכָה Neh.13:10
78 וְהַמְשֹׁרְרִים הֵימָן אָסָף וְאֵיתָן ICh.15:19
79 וְכָל־הַלְוִיִּם...וְהַמְשֹׁרְרִים ICh.15:27
80 וְהַמְשׁוֹרְרִים בִּכְלֵי הַשִּׁיר IICh.23:13
81 וְהַמְשֹׁרְרִים בְּנֵי־אָסָף עַל־מַעֲמָדָם IICh.35:15

ולמשוררים 82 ויהי כאחד למחצרים ולמשררים IICh.5:13
ומשוררות 83 ולהם משררים ומשררות מאתים Ez.2:65
84 ולהם משררים ומשררות מאתים Neh.7:67
ישורר 85 קול ישורר בחלון Zep.2:14
יושר 86 יושר השיר־הזה בארץ יהודה Is.26:1

שיר
ז׳ יצירה מליצית־חגיגית הנאמרת
או מושרה או מונגנת: 1-77
קרובים: זמרה / מזמור / מנגינה / נגינה / רן / רנה / רננה / שירה
– שיר חדש 5, 6, 15-17, 20
– שיר האלהים 62; שיר בית יי 60; שיר יי 56; שיר ידידות 36; שיר כסילים 58; שיר מזמור 37-41; שיר המעלות 42-55; שיר למעלות 18; שיר עגבים 66; שיר ציון 67; שיר השירים 57; שיר תהלה 65
– בנות השיר 25; דברי שיר 19; כלי שיר 4, 22, 26, 27, 59, 61-63; מזמור שיר 9, 10, 13, 14, 35; מלמדי שיר 21; עלמות שיר 7
– המון שירים 75, 76

שיר 1 עורי עורי דברי־שיר Jud.5:12
2 היטיבי נגן הרבי־שיר Is.23:16
3 שירו ליי שיר חדש Is.42:10
4 כדויד חשבו להם כלי־שיר Am.6:5
5 שירו־לו שיר חדש Ps.33:3
6 ויתן בפי שיר חדש Ps.40:4
7 למנצח...על־עלמות שיר Ps.46:1
8 למנצח מזמור לדוד שיר Ps.65:1
9 למנצח בנגינת מזמור שיר Ps.67:1
10 למנצח לדוד מזמור שיר Ps.68:1
11/2 מזמור לאסף שיר Ps.75:1; 76:1
13 לבני־קרח מזמור שיר Ps.87:1
14 מזמור שיר ליום השבת Ps.92:1
15-17 שירו ליי שיר חדש Ps.96:1; 98:1; 149:1
18 שיר למעלות Ps.121:1
19 שם שאלונו שובינו דברי־שיר Ps.137:3
20 אלהים שיר חדש אשירה לך Ps.144:9
21 מלמדי־שיר ליי ICh.25:7
22 והלוים כל־מבין בכלי־שיר IICh.34:12
השיר 23 יושר השיר־הזה בארץ יהודה Is.26:1
24 השיר יהיה לכם כליל התקדש־חג Is.30:29
25 וישחו כל־בנות השיר Eccl.12:4
26 ובכלי השיר ובהלל ליי IICh.5:13
27 והמשוררים בכלי השיר IICh.23:13
והשיר 28 והשיר משורר והחצצרות מחצצרים IICh.29:28
בשיר 29 אהללה שם־אלהים בשיר Ps.69:31
בשיר 30 בשיר לא ישתו־יין Is.24:9
31 ויהיו משרתים...בשיר ICh.6:17
32 בשיר בית יי במצלתים ICh.25:6
ובשיר 33 חנכה ושמחה ובתודות ובשיר Neh.12:27
34 בשמחה ובשיר על ידי דויד IICh.23:18
שיר־ 35 מזמור שיר־חנכת הבית לדוד Ps.30:1
36 משכיל שיר ידידת Ps.45:1
37/8 שיר מזמור לבני(־)קרח Ps.48:1; 88:1
39 למנצח שיר מזמור Ps.66:1
40 שיר מזמור לאסף Ps.83:1
41 שיר מזמור לדוד Ps.108:1
42-55 שיר המעלות Ps.120:1; 122:1; 123:1; 124:1; 125:1; 126:1; 127:1; 128:1; 129:1; 130:1; 131:1; 132:1; 133:1; 134:1
55 א שיר למעלות Ps.121:1
56 איך נשיר את־שיר־יי Ps.137:4
57 שיר השירים אשר לשלמה S.ofS.1:1
58 טוב...מאיש שמע שיר כסילים Eccl.7:5

שיר־ (המשך) 59 בכלי־שיר דויד איש האלהים Neh.12:36
60 על־ידי־שיר בית יי ICh.6:16
61 בכלי־שיר נבלים וכנרות... ICh.15:16
62 וכלי שיר האלהים ICh.16:42
63 והלוים בכלי־שיר יי IICh.7:6
64 החל שיר־יי והחצצרות IICh.29:27
ושיר־ 65 ושיר־תהלה והודות לאלהים Neh.12:46
כשיר־ 66 והנך להם כשיר עגבים Ezek.33:32
משיר־ 67 שירו לנו משיר ציון Ps.137:3
ומשירי 68 ויעלז לבי ומשירי אהודנו Ps.28:7
שירו 69 ויהי שירו חמשה ואלף IK.5:12
(שירה) 70 ובלילה שירה עמי Ps.42:9
השירים 71 שיר השירים אשר לשלמה S.ofS.1:1
בשירים 72 ושר בשרים על לב־רע Prov.25:20
ובשירים 73 בשמחה ובשרים בתף ובכנור Gen.31:27
74 ובשירים ובכנרות ובנבלים ICh.13:8
שריך 75 הסר מעלי המון שריך Am.5:23
שיריך 76 והשבתי המון שיריך Ezek.26:13
שיריכם 77 והפכתי...וכל־שיריכם לקינה Am.8:10

שירה
נ׳ שיר חגיגי: 1-13 • קרובים: ראה שיר
– השירה הזאת 1-10; דברי השירה 7-10
– שירת דודי 11; ש׳ הזונה 12; שירות ההיכל 13

השירה 1 אז ישיר...את־השירה הזאת ליי Ex.15:1
2 אז ישיר ישראל את־השירה הזאת Num.21:17
3 ועתה כתבו לכם את־השירה הזאת Deut.31:19
4 למען תהיה־לי השירה הזאת לעד Deut.31:19
5 וענתה השירה הזאת לפניו לעד Deut.31:21
6 ויכתב משה את־השירה הזאת Deut.31:22
7 וידבר...את־דברי השירה הזאת Deut.31:30
8 וידבר את־כל־דברי השירה הזאת Deut.32:44
9 וידבר...את־דברי השירה הזאת IISh.22:1
10 דבר ליי את־דברי השירה הזאת Ps.18:1
שירת־ 11 אשירה נא...שירת דודי לכרמו Is.5:1
כשירת־ 12 יהיה לצר כשירת הזונה Is.23:15
שירות־ 13 והילילו שירות היכל Am.8:3

שוש
: פ׳ שיש, שוש; שש, ששון

(שיש, שוש) שש פ׳ שמח: 1-27 • קרובים: ראה שמח
שש 8, 9, 16, 19, 22, 23, 25-27; שש ב־ 1, 3, 4, 12, 17, 18, 20, 21, 24; שש על־ 2, 5-7, 11, 13-15

שוש 1 שוש אשיש ביי תגל נפשי באלהי Is.61:10
לשוש 2 כי ישוב יי לשוש עליך לטוב Deut.30:9
ששתי 3 בדרך עדותיך ששתי Ps.119:14
וששתי 4 וגלתי בירושלם וששתי בעמי Is.65:19
5 וששתי עליהם להטיב אותם Jer.32:41
שש 6 והיה כאשר־שש יי עליכם Deut.28:63
7 כאשר־שש על־אבתיך Deut.30:9
ושש 8 וראיתם ושש לבכם Is.66:14
ששו 9 כל־איבי שמעו רעתי ששו Lam.1:21
שש 10 פגעת את־שש ועשה צדק Is.64:4
11 שש אנכי על־אמרתך Ps.119:162
אשיש 12 שוש אשיש ביי תגל נפשי באלהי Is.61:10
ישיש 13 כן ישיש יי עליכם להאביד Deut.28:63
14 ישיש עליך אלהיך Is.62:5
15 ישיש עליך בשמחה Zep.3:17
16 ישיש כגבור לרוץ ארח Ps.19:6
וישיש 17 יחפרו בעמק וישיש בכח Job39:21
תשיש 18 ונפשי תגיל ביי תשיש בישועתו Ps.35:9
נשיש 19 או נשיש שבט בני מאסת כל־עץ Ezek.21:15
ישישו 20/1 ישישו וישמחו בך Ps.40:17; 70:5

22 ששו כי ימצאו־קבר Job3:22
ישושום 23 ישושום מדבר וציה ותגל ערבה Is.35:1
וישישו 24 יעלצו לפני אל׳ וישישו בשמחה Ps.68:4
שישי 25 שישי ושמחי בת־אדום Lam.4:21
שישו 26 שישו וגילו עדי־עד Is.65:18
27 שישו אתה משוש כל־המתאבלים Is.66:10

שיש
ז׳ אבן־גיר לבנה קשה
שיש 1 ואבני־שיש לרב ICh.29:2

שישא
שפ״ז – סופר דוד, הוא שריה
שישא 1 אליחרף ואחיה בני שישא ספרים IK.4:3

שישק
שפ״ז – מלך מצרים בימי ירבעם: 1-7
שישק מלך מצרים 1-4; יד שישק 6, 7
שישק 1 ויברח מצרים אל־שישק מלך־מצר׳ IK.11:40
2 עלה שישק (כת׳ שושק) מלך־מצרים IK.14:25
3 עלה שישק מלך־מצרים IICh.12:2
4 ויעל שישק מלך־מצרים IICh.12:9
שישק 5 אשר־נאספו אל־ירוש׳ מפני שישק IICh.12:5
6 עזבתי אתכם ביד־שישק IICh.12:5
7 ולא־תתך חמתי...ביד־שישק IICh.12:7

שית
: שת, הושת; שת, שית, שית(?); ש״פ שת

(שית, שות) שת פ׳ א) שם, הניח, קבע:
רוב המקראות 1-83
ב) עשה, גרם שיהיה: 2, 8, 13, 26, 32, 35, 38, 46, 58, 73, 77-81
ג) מנה, הפקיד: 37, 52, 69
ד) [הפ׳ הושת] הושם, הוטל: 84, 85
שת לבו 14, 18, 34, 41, 42, 53, 71, 75, 82, 83; שת ממנו 76; שת עיניו 72; שת עליו 22, 56; שת עצות 30; שת בחלקות 40

שות 1 והפרשים שת שתו השערה Is.22:7
ושית 2 ושמה לצלמות ושית (כת׳ ישית) לערפל Jer.13:16
3 ושית־על־עפר בצר Job22:24
לשית 4 לשית עם־כלבי צאני Job30:1
שתי 5 למען שתי אתתי אלה בקרבו Ex.10:1
שתי 6 שתי באדני יהוה מחסי Ps.73:28
ושתי 7 ושתי את־גבלך מים־סוף... Ex.23:31
ושתיה 8 ושתה כארץ ציה Hosh.2:5
שתה 9 כל שתה תחת־רגליו Ps.8:7
שתה 10 שתה (כת׳ שת) עונתינו לנגדך Ps.90:8
שתני 11 שתני בבור תחתיות Ps.88:7
12 שתני תועבות למו Ps.88:9
שת 13 כי שת־לי אלהים זרע אחר Gen.4:25
14 ולא־שת לבו גם־לזאת Ex.7:23
15 גם־יהודה שת קציר לך Hosh.6:11
16 מי־שת בטחות חכמה Job38:36
שתם 17 ולא שתם על־צאן לבן Gen.30:40
שתה 18 ולא ענתה ולא־שתה לבה ISh.4:20
19 שתה אפרחיה את־מזבחותיך Ps.84:4
שתו 20 ולא־שתו איש עדיו עליו Ex.33:4
21 והפרשים שת שתו השערה Is.22:7
22 אשר סביב שתו עלי Ps.3:7
23 מקשים שתו־לי Ps.140:6
שתו 24 כצאן לשאול שתו Ps.49:15
25 שתו בשמים פיהם Ps.73:9
אשית 26 ואיבה אשית בינך ובין האשה Gen.3:15
27 כי־אשית על־דימון נוספות Is.15:9
28 בחמם אשית את־משתיהם Jer.51:39
29 אשית בישע יפיח לו Ps.12:6

אָשִׁית (המשך)
30 עַד־אָנָה אָשִׁית עֵצוֹת בְּנַפְשִׁי Ps. 13:3
31 לֹא־אָשִׁית לְנֶגֶד עֵינַי דְּבַר־בְּלִיָּעַל Ps. 101:3
32 עַד־אָשִׁית אֹיְבֶיךָ הֲדֹם לְרַגְלֶיךָ Ps. 110:1
33 מִפְּרִי בִטְנְךָ אָשִׁית לְכִסֵּא־לָךְ Ps. 132:11
34 וָאֶחֱזֶה אָנֹכִי אָשִׁית לִבִּי Prov. 24:32
אֲשִׁיתְךָ 35 אִם־לֹא אֲשִׁיתְךָ מִדְבָּר Jer. 22:6
אֲשִׁיתֵךְ 36 אֵיךְ אֲשִׁיתֵךְ בַּבָּנִים Jer. 3:19
אֲשִׁתֶנּוּ 37 כִּי נָשִׂיא אֲשִׁתֶנּוּ כֹּל יְמֵי חַיָּיו IK. 11:34
וַאֲשִׁיתֵהוּ 38 וַאֲשִׁיתֵהוּ בָתָה לֹא יִזָּמֵר וְלֹא יֵעָדֵר Is. 5:6
תָּשִׁית 39 תָּשִׁית לְרֹאשׁוֹ עֲטֶרֶת פָּז Ps. 21:4
40 אַךְ בַּחֲלָקוֹת תָּשִׁית לָמוֹ Ps. 73:18
41 וְלִבְּךָ תָּשִׁית לְדַעְתִּי Prov. 22:17
42 וְכִי־תָשִׁית אֵלָיו לִבֶּךָ Job 7:17
43 תָּשִׁית לִי חֹק וְתִזְכְּרֵנִי Job 14:13
תָּשֵׁת 44 אַל־נָא תָשֵׁת עָלֵינוּ חַטָּאת Num. 12:11
תָּשֶׁת 45 אַל־תָּשֶׁת יָדְךָ עִם־רָשָׁע Ex. 23:1
46 תָּשֶׁת־חֹשֶׁךְ וִיהִי לָיְלָה Ps. 104:20
וַתָּשֶׁת 47 וַתָּשֶׁת אֶת־עַבְדְּךָ בְּאֹכְלֵי שֻׁלְחָנֶךָ IISh. 19:29
48 וַתָּשֶׁת עָלַי כַּפֶּכָה Ps. 139:5
תְּשִׁיתֵהוּ 49 תְּשִׁיתֵהוּ בְרָכוֹת לָעַד Ps. 21:7
תְּשִׁיתֵמוֹ 50 תְּשִׁיתֵמוֹ כְּתַנּוּר אֵשׁ Ps. 21:10
51 כִּי תְּשִׁיתֵמוֹ שֶׁכֶם Ps. 21:13
52 תְּשִׁיתֵמוֹ לְשָׂרִים בְּכָל־הָאָרֶץ Ps. 45:17
תָּשִׁיתִי 53 אַל־תָּשִׁיתִי אֶת־לִבֵּךְ לַדָּבָר הַזֶּה IISh. 13:20
יָשִׁית 54 וְיוֹסֵף יָשִׁית יָדוֹ עַל־עֵינֶיךָ Gen. 46:4
55 יָשִׁית אָבִיו יַד־יְמִינוֹ עַל־רֹאשׁ אֶפְרַיִם Gen. 48:17
56 כַּאֲשֶׁר יָשִׁית עָלָיו בַּעַל הָאִשָּׁה Ex. 21:22
57 יְשׁוּעָה יָשִׁית חוֹמוֹת וָחֵל Is. 26:1
58 יָשִׁית אֶת־אַרְצָהּ לְשַׁמָּה Jer. 50:3
59 וּבְקִרְבּוֹ יָשִׁית מִרְמָה Prov. 26:24
60 וּפֹא־יָשִׁית בִּגְאוֹן גַּלֶּיךָ Job 38:11
יָשֵׁת 61 יָשֵׁת יָדוֹ עַל־שְׁנֵינוּ Job 9:33
יָשֶׁת 62 יָשֶׁת חֹשֶׁךְ סִתְרוֹ Ps. 18:12
וַיָּשֶׁת 63 וַיָּשֶׁת לוֹ עֲדָרִים לְבַדּוֹ Gen. 30:40
64 וַיָּשֶׁת עַל־רֹאשׁ אֶפְרַיִם Gen. 48:14
65 וַיָּשֶׁת אֶל־הַמִּדְבָּר פָּנָיו Num. 24:1
66 לַיְיָ מְצֻקֵי אֶרֶץ וַיָּשֶׁת עֲלֵיהֶם תֵּבֵל ISh. 2:8
67 וַיָּשֶׁת חֹשֶׁךְ סְבִיבֹתָיו IISh. 22:12
68 וַיָּמָד שֵׁשׁ־שְׂעֹרִים וַיָּשֶׁת עָלֶיהָ Ruth 3:15
וִישִׁיתֵהוּ 69 וִישִׁיתֵהוּ עַל־אֶרֶץ מִצְרָיִם Gen. 41:33
וַתְּשִׁתֵהוּ 70 וַתִּקַּח...וַתְּשִׁתֵהוּ בְחֵיקָהּ Ruth 4:16
תָּשִׁיתוּ 71 חַיִל כִּי־יָנוּב אַל־תָּשִׁיתוּ לֵב Ps. 62:11
יָשִׁיתוּ 72 עֵינֵיהֶם יָשִׁיתוּ לִנְטוֹת בָּאָרֶץ Ps. 17:11
וַיָּשִׁיתוּ 73 וַיָּשִׁיתוּ אַרְצוֹ לְשַׁמָּה Jer. 2:15
יְשִׁיתוּהוּ 74 עֹבְרֵי בְּעֵמֶק הַבָּכָא מַעְיָן יְשִׁיתוּהוּ Ps. 84:7
שִׁית 75 שִׁית לִבְּךָ לַעֲדָרִים Prov. 27:23
וְשִׁית 76 וְשִׁית (כת׳ ישית) מִמֶּנִּי וְאַבְלִיגָה מְּעָט Job 10:20
שִׁיתָה 77 שִׁיתָה יְיָ מוֹרָה לָהֶם Ps. 9:21
78 שִׁיתָה יְיָ שָׁמְרָה לְפִי Ps. 141:3
שִׁיתֵמוֹ 79 שִׁיתֵמוֹ נְדִיבֵמוֹ כְּעֹרֵב וְכִזְאֵב Ps. 83:12
80 אֱלֹהַי שִׁיתֵמוֹ כַגַּלְגַּל Ps. 83:14
שִׁיתִי 81 שִׁיתִי כַלַּיִל צִלֵּךְ בְּתוֹךְ צָהֳרָיִם Is. 16:3
82 שִׁתִי לִבֵּךְ לַמְסִלָּה דֶּרֶךְ הָלָכְתִּי° Jer. 31:20
שִׁיתוּ 83 שִׁיתוּ לִבְּכֶם לְחֵילָה Ps. 48:14
יוּשַׁת 84 אִם־כֹּפֶר יוּשַׁת עָלָיו וְנָתַן פִּדְיֹן Ex. 21:30
85 כְּכֹל אֲשֶׁר־יוּשַׁת עָלָיו Ex. 21:30

שִׁית2
ז׳ לְבוּשׁ, בגד(?): 1, 2

שִׁית 1 יַעֲטָף־שִׁית חָמָס לָמוֹ Ps. 73:6
2 שִׁית זוֹנָה וּנְצֻרַת לֵב Prov. 7:10

שַׁיִת
ז׳ אחד ממיני הקוצים (רק בצרוף עם "שָׁמִיר"): 1-7
קרובים: ראה קוֹץ

שָׁיִת 1 מִי־יִתְּנֵנִי שָׁמִיר שַׁיִת בַּמִּלְחָמָה Is. 27:4
וָשַׁיִת 2 כִּי־שָׁמִיר וָשַׁיִת תִּהְיֶה כָל־הָאָרֶץ Is. 7:24
3 כִּי־בָעֲרָה...שָׁמִיר וָשַׁיִת תֹּאכֵל Is. 9:17
וָשָׁיִת 4 וְעָלָה שָׁמִיר וָשָׁיִת Is. 5:6
5 לֹא־תָבוֹא שָׁמָּה יִרְאַת שָׁמִיר וָשָׁיִת Is. 7:25
וְלַשַּׁיִת 6 לַשָּׁמִיר וְלַשַּׁיִת יִהְיֶה Is. 7:23
שִׁיתוֹ 7 וְאָכְלָה שִׁיתוֹ וּשְׁמִירוֹ בְּיוֹם אֶחָד Is. 10:17

שֵׂךְ*
ז׳ חוד, קוץ דוקר

לְשִׂכִּים 1 לְשִׂכִּים בְּעֵינֵיכֶם וְלִצְנִנִים בְּצִדֵּיכֶם Num. 33:55

שַׁךְ
ז׳ דממה(?)

כְּשַׁךְ 1 יָשׁוּר כְּשַׁךְ יְקוּשִׁים Jer. 5:26

שכב
: שָׁכַב, נִשְׁכַּב, שֻׁכַּב, הִשְׁכִּיב, הָשְׁכַּב; שְׁכָבָה, שְׁכֹבֶת, מִשְׁכָּב

שָׁכַב
פָּ׳ א) השתטח מלא קומתו, רבץ:
רוב המקראות 1-198
ב) [שָׁכַב אֶת־, אֵצֶל־, עִם] (בהשאלה) בָּעַל, הזדוג:
1, 5-7, 12, 19, 29, 30, 32, 39-43, 45, 52, 56-61, 72, 73, 86, 94, 96, 97, 99-105, 112-114, 118, 120, 122, 165, 170, 171, 175, 184, 194-197
ג) [נפ׳ נִשְׁכַּב] נאנסה להבעל: 199, 200
ד) [פֻּ׳ שֻׁכְּבָה] כנ״ל: 201
ה) [הפ׳ הִשְׁכִּיב] גרם שישכב: 202-209
ו) [הָפ׳ הָשְׁכַּב] הוטל בשכיבה: 210-212
שָׁכַב אֶת־(אֵצֶל־, עִם־) אִשָּׁה – ראה לעיל (ב); שָׁכַב עִם־אֲבוֹתָיו 2-4, 23, 25, 34, 124-156; שָׁכַב לְמַעֲצֵבָה 177; שׁוֹכְבֵי קֶבֶר 82

שָׁכֹב 1 וְאִם שָׁכֹב יִשְׁכַּב אִישׁ אֹתָהּ Lev. 15:24
שְׁכַב 2 אַחֲרֵי שְׁכַב־הַמֶּלֶךְ עִם־אֲבֹתָיו IIK. 14:22
3 אַחֲרֵי שְׁכַב־הַמֶּלֶךְ עִם־אֲבֹתָיו IICh. 26:2
כִּשְׁכַב 4 כִּשְׁכַב אֲדֹנִי־הַמֶּלֶךְ עִם־אֲבֹתָיו IK. 1:21
לִשְׁכַּב 5 לִשְׁכַּב אֶת־בַּת־יַעֲקֹב Gen. 34:7
6 לִשְׁכַּב אֶצְלָהּ לִהְיוֹת עִמָּהּ Gen. 39:10
7 בָּא אֵלַי לִשְׁכַּב עִמִּי Gen. 39:14
8 לִשְׁכַּב בְּמִשְׁכָּבוֹ עִם־עַבְדֵי אֲדֹנָיו IISh. 11:13
9 וַיָּבֹא לִשְׁכַּב בִּקְצֵה הָעֲרֵמָה Ruth 3:7
לִשְׁכָּב 10/1 מְעַט חִבֻּק יָדַיִם לִשְׁכָּב Prov. 6:10; 24:33
וְלִשְׁכַּב 12 לֶאֱכֹל וְלִשְׁתּוֹת וְלִשְׁכַּב עִם־אִשְׁתִּי IISh. 11:11
בְּשָׁכְבְּךָ 13 בְּשָׁכְבְּךָ תִּשְׁמֹר עָלֶיךָ Prov. 6:22
וּבְשָׁכְבְּךָ 14/5 וּבְשָׁכְבְּךָ וּבְקוּמֶךָ Deut. 6:7; 11:19
בְשָׁכְבוֹ 16 וִיהִי בְשָׁכְבוֹ וְיָדַעְתָּ אֶת־הַמָּקוֹם Ruth 3:4
בְּשִׁכְבָהּ 17 וְלֹא־יָדַע בְּשִׁכְבָהּ וּבְקוּמָהּ Gen. 19:33
18 וְלֹא־יָדַע בְּשִׁכְבָהּ וּבְקֻמָהּ Gen. 19:35
שָׁכַבְתִּי 19 הֵן־שָׁכַבְתִּי אֶמֶשׁ אֶת־אָבִי Gen. 19:34
20 אֲנִי שָׁכַבְתִּי וָאִישָׁנָה Ps. 3:6
21 כִּי־עַתָּה שָׁכַבְתִּי וְאֶשְׁקוֹט Job 3:13
22 אִם־שָׁכַבְתִּי וְאָמַרְתִּי מָתַי אָקוּם Job 7:4
וְשָׁכַבְתִּי 23 וְשָׁכַבְתִּי עִם־אֲבֹתַי Gen. 47:30
שָׁכַבְתָּ 24 מֵאָז שָׁכַבְתָּ לֹא־יַעֲלֶה הַכֹּרֵת עָלֵינוּ Is. 14:8
וְשָׁכַבְתָּ 25 וְשָׁכַבְתָּ אֶת־אֲבֹתֶיךָ IISh. 7:12
26 וְשָׁכַבְתָּ עַל־צִדְּךָ הַיְמָנִי° שֵׁנִית Ezek. 4:6
27 וְשָׁכַבְתָּ וְעָרְבָה שְׁנָתֶךָ Prov. 3:24
וְשָׁכָבְתְּ 28 וְגִלִּית מַרְגְּלֹתָיו וְשָׁכָבְתְּ (כת׳ ושכבתי) Ruth 3:4
שָׁכַב 29 כִּמְעַט שָׁכַב אַחַד הָעָם אֶת־אִשְׁתֶּךָ Gen. 26:10
30 אִם־לֹא שָׁכַב אִישׁ אֹתָךְ Num. 5:19
31 כָּרַע שָׁכַב כַּאֲרִי Num. 24:9
32 וּמֵת הָאִישׁ אֲשֶׁר־שָׁכַב עִמָּהּ Deut. 22:25

שָׁכַב (המשך)
33 אֶת־הַמָּקוֹם אֲשֶׁר שָׁכַב־שָׁם שָׁאוּל ISh. 26:5
34 כִּי־שָׁכַב דָּוִד עִם־אֲבֹתָיו IK. 11:21
35 וַאֲשֶׁר שָׁכַב לֹא־יוֹסִיף לָקוּם Ps. 41:9
36 וְאִישׁ שָׁכַב וְלֹא־יָקוּם Job 14:12
37 גַּם־בַּלַּיְלָה לֹא־שָׁכַב לִבּוֹ Eccl. 2:23
שָׁכָב 38 בֵּין רַגְלֶיהָ כָּרַע נָפַל שָׁכָב Jud. 5:27
וְשָׁכַב 39 וְכִי־יְפַתֶּה אִישׁ בְּתוּלָה...וְשָׁכַב עִמָּהּ Ex. 22:15
40 וְשָׁכַב אִישׁ אֹתָהּ שִׁכְבַת־זֶרַע Num. 5:13
41 וּמְצָאָהּ אִישׁ בָּעִיר וְשָׁכַב עִמָּהּ Deut. 22:23
42 וְהֶחֱזִיק־בָּהּ הָאִישׁ וְשָׁכַב עִמָּהּ Deut. 22:25
43 וּתְפָשָׂהּ וְשָׁכַב עִמָּהּ Deut. 22:28
44 וְשָׁכַב בְּשַׂלְמָתוֹ וּבֵרְכֶךָּ Deut. 24:13
45 וְשָׁכַב עִם־נָשֶׁיךָ לְעֵינֵי הַשֶּׁמֶשׁ IISh. 12:11
46 וּבָא וְלָן וְשָׁכַב אָרְצָה IISh. 12:16
שָׁכְבָה 47 וַיָּמָת...אֲשֶׁר שָׁכְבָה עָלָיו IK. 3:19
וְשָׁכְבָה 48 וּתְהִי־לוֹ סֹכֶנֶת וְשָׁכְבָה בְחֵיקֶךָ IK. 1:2
וּשְׁכַבְתֶּם 49 וּשְׁכַבְתֶּם וְאֵין מַחֲרִיד Lev. 26:6
שָׁכְבוּ 50 שָׁכְבוּ בְכָבוֹד אִישׁ בְּבֵיתוֹ Is. 14:18
51 שָׁכְבוּ בְּרֹאשׁ כָּל־חוּצוֹת Is. 51:20
52 כִּי אוֹתָהּ שָׁכְבוּ בִנְעוּרֶיהָ Ezek. 23:8
53 יָרְדוּ שָׁכְבוּ הָעֲרֵלִים חַלְלֵי חָרֶב Ezek. 32:21
54 שָׁכְבוּ לָאָרֶץ חוּצוֹת נַעַר וְזָקֵן Lam. 2:21
שֹׁכֵב 55 הָאָרֶץ אֲשֶׁר אַתָּה שֹׁכֵב עָלֶיהָ Gen. 28:13
56 כָּל־שֹׁכֵב עִם־בְּהֵמָה מוֹת יוּמָת Ex. 22:18
57 כִּי־יִמָּצֵא אִישׁ שֹׁכֵב עִם־אִשָּׁה Deut. 22:22
58 אָרוּר שֹׁכֵב עִם־אֵשֶׁת אָבִיו Deut. 27:20
59 אָרוּר שֹׁכֵב עִם־כָּל־בְּהֵמָה Deut. 27:21
60 אָרוּר שֹׁכֵב עִם־אֲחֹתוֹ Deut. 27:22
61 אָרוּר שֹׁכֵב עִם־חֹתַנְתּוֹ Deut. 27:23
62 הִנְּךָ שֹׁכֵב עִם־אֲבֹתֶיךָ Deut. 31:16
63 וְעֵלִי שֹׁכֵב בִּמְקֹמוֹ ISh. 3:2
64 וּשְׁמוּאֵל שֹׁכֵב בְּהֵיכַל יְיָ ISh. 3:3
65 וְשָׁאוּל שֹׁכֵב בַּמַּעְגָּל ISh. 26:5
66 וְהִנֵּה שָׁאוּל שֹׁכֵב יָשֵׁן בַּמַּעְגָּל ISh. 26:7
67 וְהוּא שֹׁכֵב אֵת מִשְׁכַּב הַצָּהֳרָיִם IISh. 4:5
68 וְהוּא־שֹׁכֵב עַל־מִטָּתוֹ IISh. 4:7
69 וַתֵּלֶךְ תָּמָר בֵּית אַמְנוֹן אָחִיהָ וְהוּא שֹׁכֵ׳ IISh. 13:8
70 כִּי יוֹרָם שֹׁכֵב שָׁמָּה IIK. 9:16
71 אֲשֶׁר־אַתָּה שׁוֹכֵב עַל־צִדְּךָ Ezek. 4:9
הַשֹּׁכֵב 72 הָאִישׁ הַשֹּׁכֵב עִם־הָאִשָּׁה Deut. 22:22
73 וְנָתַן הָאִישׁ הַשֹּׁכֵב עִמָּהּ Deut. 22:29
וְהַשֹּׁכֵב 74 וְהַשֹּׁכֵב בַּבַּיִת יְכַבֵּס אֶת־בְּגָדָיו Lev. 14:47
כְּשֹׁכֵב 75 וְהָיִיתָ כְּשֹׁכֵב בְּלֶב־יָם Prov. 23:34
וּכְשֹׁכֵב 76 וּכְשֹׁכֵב בְּרֹאשׁ חִבֵּל Prov. 23:34
שֹׁכֶבֶת 77 וְהִנֵּה אִשָּׁה שֹׁכֶבֶת מַרְגְּלֹתָיו Ruth 3:8
מִשֹּׁכֶבֶת 78 מִשֹּׁכֶבֶת חֵיקֶךָ שְׁמֹר פִּתְחֵי־פִיךָ Mic. 7:5
שֹׁכְבִים 79 וְהָעָם שֹׁכְבִים סְבִיבֹתָו ISh. 26:7
80 הֹזִים שֹׁכְבִים אֹהֲבֵי לָנוּם Is. 56:10
הַשֹּׁכְבִים 81 הַשֹּׁכְבִים עַל־מִטּוֹת שֵׁן Am. 6:4
שֹׁכְבֵי־ 82 כְּמוֹ חֲלָלִים שֹׁכְבֵי קֶבֶר Ps. 88:6
אֶשְׁכָּב 83 כִּי־עַתָּה לֶעָפָר אֶשְׁכָּב Job 7:21
אֶשְׁכְּבָה 84 בְּשָׁלוֹם יַחְדָּו אֶשְׁכְּבָה וְאִישָׁן Ps. 4:9
85 נַפְשִׁי בְּתוֹךְ לְבָאִם אֶשְׁכְּבָה Ps. 57:5
תִשְׁכַּב 86 וְאֶת־זָכָר לֹא תִשְׁכַּב מִשְׁכְּבֵי אִשָּׁה Lev. 18:22
87 לֹא תִשְׁכַּב בַּעֲבֹטוֹ Deut. 24:12
88 מִסְפַּר הַיָּמִים אֲשֶׁר תִּשְׁכַּב עָלָיו Ezek. 4:4
89 בְּתוֹךְ עֲרֵלִים תִּשְׁכַּב Ezek. 31:18
90 אִם־תִּשְׁכַּב לֹא־תִפְחָד Prov. 3:24
תִּשְׁכָּב 91 עַד־מָתַי עָצֵל תִּשְׁכָּב Prov. 6:9
92 וְחָפַרְתָּ לָבֶטַח תִּשְׁכָּב Job 11:18
וְתִשְׁכַּב 93 וְתִשְׁכַּב אֶת־חַלְלֵי־חָרֶב Ezek. 32:28
יִשְׁכַּב 94 לָכֵן יִשְׁכַּב עִמָּךְ הַלַּיְלָה Gen. 30:15

יִשְׁכַּב (המשך) 95 אֲשֶׁר יִשְׁכַּב עָלָיו הַזָּב Lev. 15:4
96 אֲשֶׁר יִשְׁכַּב אִישׁ אֹתָהּ שִׁכְבַת־זָרַע Lev. 15:18
97 וְאִם שָׁכֹב יִשְׁכַּב אִישׁ אֹתָהּ Lev. 15:24
98 וְכָל־הַמִּשְׁכָּב אֲשֶׁר־יִשְׁכַּב עָלָיו Lev. 15:24
99 וּלְאִישׁ אֲשֶׁר יִשְׁכַּב עִם־טְמֵאָה Lev. 15:33
100 כִּי־יִשְׁכַּב אֶת־אִשָּׁה שִׁכְבַת־זֶרַע Lev. 19:20
101 אֲשֶׁר יִשְׁכַּב אֶת־אֵשֶׁת אָבִיו Lev. 20:11
102 אֲשֶׁר יִשְׁכַּב אֶת־כַּלָּתוֹ Lev. 20:12
103 אֲשֶׁר יִשְׁכַּב אֶת־זָכָר מִשְׁכְּבֵי אִשָּׁה Lev. 20:13
104 אֲשֶׁר־יִשְׁכַּב אֶת־אִשָּׁה דָּוָה Lev. 20:18
105 אֲשֶׁר יִשְׁכַּב אֶת־דֹּדָתוֹ Lev. 20:20
106 לֹא יִשְׁכַּב עַד־יֹאכַל טֶרֶף Num. 23:24
107 עָשִׁיר יִשְׁכַּב וְלֹא יֵאָסֵף Job 27:19
108 אֶת־הַמָּקוֹם אֲשֶׁר יִשְׁכַּב־שָׁם Ruth 3:4
יִשְׁכָּב 109 הוּא שִׂמְלָתוֹ לְעֹרוֹ בַּמֶּה יִשְׁכָּב Ex. 22:26
110 תַּחַת־צֶאֱלִים יִשְׁכָּב Job 40:21
וַיִּשְׁכַּב 111 וַיִּשְׁכַּב בַּמָּקוֹם הַהוּא Gen. 28:11
112 וַיִּשְׁכַּב עִמָּהּ בַּלַּיְלָה הוּא Gen. 30:16
113 וַיִּקַּח אֹתָהּ וַיִּשְׁכַּב אֹתָהּ וַיְעַנֶּהָ Gen. 34:2
114 וַיִּשְׁכַּב אֶת־בִּלְהָה פִּילֶגֶשׁ אָבִיו Gen. 35:22
115 וַיִּשְׁכַּב שִׁמְשׁוֹן עַד־חֲצִי הַלַּיְלָה Jud. 16:3
116 וַיֵּלֶךְ שְׁמוּאֵל וַיִּשְׁכַּב בִּמְקוֹמוֹ ISh. 3:9
117 וַיִּשְׁכַּב שְׁמוּאֵל עַד־הַבֹּקֶר ISh. 3:15
118 וַתָּבוֹא אֵלָיו וַיִּשְׁכַּב עִמָּהּ IISh. 11:4
119 וַיִּשְׁכַּב אוּרִיָּה פֶּתַח בֵּית הַמֶּלֶךְ IISh. 11:9
120 וַיָּבֹא אֵלֶיהָ וַיִּשְׁכַּב עִמָּהּ IISh. 12:24
121 וַיִּשְׁכַּב אַמְנוֹן וַיִּתְחָל IISh. 13:6
122 וַיֶּחֱזַק מִמֶּנָּה וַיְעַנֶּהָ וַיִּשְׁכַּב אֹתָהּ IISh. 13:14
123 וַיִּקְרַע אֶת־בְּגָדָיו וַיִּשְׁכַּב אָרְצָה IISh.13:31
124 וַיִּשְׁכַּב דָּוִד עִם־אֲבֹתָיו IK. 2:10
125 וַיִּשְׁכַּב שְׁלֹמֹה עִם־אֲבֹתָיו IK. 11:43
126־156 וַיִּשְׁכַּב(...)עִם־אֲבֹתָיו IK. 14:20, 31
15:8, 24; 16:6, 28; 22:40, 51 • IIK. 8:24; 10:35; 13:9, 13; 14:16, 29; 15:7, 22, 38; 16:20; 20:21; 21:18; 24:6 • IICh. 9:31; 12:16; 13:23; 16:13; 21:1; 26:23; 27:9; 28:27; 32:33; 33:20
157 וַיִּשְׁכַּב וַיִּישַׁן תַּחַת רֹתֶם אֶחָד IK. 19:5
158 וַיִּשְׁכַּב עַל־מִטָּתוֹ וַיַּסֵּב אֶת־פָּנָיו IK. 21:4
159 וַיִּשְׁכַּב בַּשָּׂק וַיְהַלֵּךְ אַט IK. 21:27
160 וַיָּסַר אֶל־הָעֲלִיָּה וַיִּשְׁכַּב־שָׁמָּה IIK. 4:11
161 וַיַּעַל וַיִּשְׁכַּב עַל־הַיֶּלֶד IIK. 4:34
162 וַיִּשְׁכַּב וַיֵּרָדַם Jon. 1:5
וַיִּשְׁכָּב 163 שׁוּב שְׁכָב וַיֵּלֶךְ וַיִּשְׁכָּב ISh. 3:5
164 וַיֹּאכַל וַיֵּשְׁתְּ וַיָּשָׁב וַיִּשְׁכָּב IK. 19:6
יִשְׁכָּבֶנָּה 165 אִשָּׁה תְאָרֵשׂ וְאִישׁ אַחֵר יִשְׁכָּבֶנָּה° Deut. 28:30
תִּשְׁכַּב 166 וְכֹל אֲשֶׁר תִּשְׁכַּב עָלָיו בְּנִדָּתָהּ Lev. 15:20
167 כָּל־הַמִּשְׁכָּב אֲשֶׁר תִּשְׁכַּב עָלָיו Lev. 15:26
תִּשְׁכָּב 168 מִפִּתּוֹ תֹאכַל...וּבְחֵיקוֹ תִשְׁכָּב IISh. 12:3
169 וְעִמּוֹ עַל־עָפָר תִּשְׁכָּב Job 20:11
וַתִּשְׁכַּב 170 וַתָּבֹא הַבְּכִירָה וַתִּשְׁכַּב אֶת־אָבִיהָ Gen. 19:33
171 וַתָּקָם הַצְּעִירָה וַתִּשְׁכַּב עִמּוֹ Gen. 19:35
172 וַתִּשְׁכַּב מַרְגְּלוֹתָו עַד־הַבֹּקֶר Ruth 3:14
וַתִּשְׁכָּב 173 וַתְּגַל מַרְגְּלֹתָיו וַתִּשְׁכָּב Ruth 3:7
נִשְׁכְּבָה 174 נִשְׁכְּבָה בְּבָשְׁתֵּנוּ וּתְכַסֵּנוּ כְּלִמָּתֵנוּ Jer. 3:25
וְנִשְׁכְּבָה 175 וְנִשְׁכְּבָה עִמּוֹ וּנְחַיֶּה מֵאָבִינוּ זָרַע Gen. 19:32
תִּשְׁכְּבוּן 176 אִם־תִּשְׁכְּבוּן בֵּין שְׁפַתָּיִם Ps. 68:14
תִּשְׁכָּבוּן 177 לְמַעֲצֵבָה תִּשְׁכָּבוּן Is. 50:11
יִשְׁכְּבוּ 178 יַחְדָּו יִשְׁכְּבוּ בַּל־יָקוּמוּ Is. 43:17
179 וְלֹא יִשְׁכְּבוּ אֶת־גִּבּוֹרִים Ezek. 32:27
180 גַּם אִם־יִשְׁכְּבוּ שְׁנַיִם וְחַם לָהֶם Eccl. 4:11
יִשְׁכָּבוּ 181 טֶרֶם יִשְׁכָּבוּ וְאַנְשֵׁי הָעִיר...נָסַבּוּ Gen. 19:4
182 הֵמָּה אֶת־עֲרֵלִים יִשְׁכָּבוּ Ezek. 32:29
183 יַחַד עַל־עָפָר יִשְׁכָּבוּ Job 21:26
יִשְׁכְּבוּן 184 וְאֵת אֲשֶׁר־יִשְׁכְּבֻן אֶת־הַנָּשִׁים ISh. 2:22
יִשְׁכָּבוּן 185 וְהֵמָּה טֶרֶם יִשְׁכָּבוּן Josh. 2:8
186 וְעֹרְקַי לֹא יִשְׁכָּבוּן Job 30:17
וַיִּשְׁכְּבוּ 187 וַיָּבֹאוּ בֵּית אִשָּׁה זוֹנָה...וַיִּשְׁכְּבוּ־שָׁמָּה Josh. 2:1
188 וַיִּשְׁכְּבוּ עֲרֵלִים אֶת־חַלְלֵי־חֶרֶב Ezek.22:30
שְׁכַב 189 שְׁכַב עַל־מִשְׁכָּבְךָ וְהִתְחָל IISh. 13:5
190 שְׁכַב עַל־צִדְּךָ הַשְּׂמָאלִי Ezek. 4:4
שְׁכָב 191/2 שׁוּב שְׁכָב ISh. 3:5, 6
193 לֵךְ שְׁכָב ISh. 3:9
שִׁכְבָה 194/5 שִׁכְבָה עִמִּי Gen. 39:7, 12
שִׁכְבִי 196 וּבֹאִי שִׁכְבִי עִמּוֹ Gen. 19:34
197 בּוֹאִי שִׁכְבִי עִמִּי אֲחוֹתִי IISh. 13:11
198 שִׁכְבִי עַד־הַבֹּקֶר Ruth 3:13
תִּשָּׁכַבְנָה 199 וּנְשֵׁיהֶם תִּשָּׁכַבְנָה (כת׳ תשגלנה) Is. 13:16
200 וְהַנָּשִׁים תִּשָּׁכַבְנָה (כת׳ תשגלנה) Zech. 14:2
שֻׁכַּבְתְּ 201 שְׂאִי־עֵינַיִךְ...וּרְאִי אֵיפֹה לֹא שֻׁכַּבְתְּ (כת׳ שגלת) Jer. 3:2
הַשְׁכֵּב 202 וַיְמַדְּדֵם בַּחֶבֶל הַשְׁכֵּב אוֹתָם אַרְצָה IISh.8:2
וְהִשְׁכַּבְתִּים 203 וְהִשְׁכַּבְתִּים לָבֶטַח Hosh. 2:20
הִשְׁכִּיבָה 204 וְאֶת־בְּנָהּ הַמֵּת הִשְׁכִּיבָה בְחֵיקִי IK. 3:20
יַשְׁכִּיב 205 וְנִבְלֵי שָׁמַיִם מִי יַשְׁכִּיב Job 38:37
וַיַּשְׁכִּבֵהוּ 206 וַיַּשְׁכִּבֵהוּ עַל־מִטָּתוֹ IK. 17:19
וַתַּשְׁכִּיבֵהוּ 207 וַתִּקַּח...וַתַּשְׁכִּיבֵהוּ בְּחֵיקָהּ IK. 3:20
208 וַתַּשְׁכִּבֵהוּ עַל־מִטַּת אִישׁ הָאֱלֹהִים IIK. 4:21
וַיַּשְׁכִּיבֻהוּ 209 וַיַּשְׁכִּיבֻהוּ בַּמִּשְׁכָּב IICh. 16:14
וְהֻשְׁכַּב 210 וְהֻשְׁכַּב בְּתוֹךְ עֲרֵלִים אֶת־חַלְלֵי־חֶרֶב Ezek. 32:32
מֻשְׁכָּב 211 הַנַּעַר מֵת מֻשְׁכָּב עַל־מִטָּתוֹ IIK. 4:32
וְהָשְׁכְּבָה 212 רְדָה וְהָשְׁכְּבָה אֶת־עֲרֵלִים Ezek. 32:19

שְׁכָבָה* נ׳ רוֹבֶד, מִשְׁטָח: 1־9

שִׁכְבַת זֶרַע 3־9; שִׁכְבַת טַל 1, 2

שִׁכְבַת־ 1 שִׁכְבַת הַטַּל סָבִיב לַמַּחֲנֶה Ex. 16:13
2 וַתַּעַל שִׁכְבַת הַטָּל Ex. 16:14
3 כִּי־תֵצֵא מִמֶּנּוּ שִׁכְבַת־זָרַע Lev. 15:16
4 אֲשֶׁר־יִהְיֶה עָלָיו שִׁכְבַת־זָרַע Lev. 15:17
5/6 שִׁכְבַת־זָרַע Lev. 15:18; 22:4
7־9 שִׁכְבַת־זֶרַע Lev. 15:32; 19:20 • Num. 5:13

שְׁכֹבֶת* נ׳ שכבת זרע: 1־4

שְׁכָבְתְּךָ 1 לֹא־תִתֵּן שְׁכָבְתְּךָ לְזָרַע Lev. 18:20
2 לֹא־תִתֵּן שְׁכָבְתְּךָ לְטָמְאָה־בָהּ Lev. 18:23
שְׁכָבְתּוֹ 3 אֲשֶׁר יִתֵּן שְׁכָבְתּוֹ בִּבְהֵמָה Lev. 20:15
4 וַיִּתֵּן אִישׁ בָּךְ אֶת־שְׁכָבְתּוֹ Num. 5:20

שֻׂכָּה* נ׳ שֵׂךְ, קוֹץ

בְשֻׂכּוֹת 1 הַתְמַלֵּא בְשֻׂכּוֹת עוֹרוֹ Job 40:31

שֶׂכוּ מקום בנחלת מטה בנימין

בַּשֶּׂכוּ 1 עַד־בּוֹר הַגָּדוֹל אֲשֶׁר בַּשֶּׂכוּ ISh. 19:22

שֶׂכְוִי ז׳ [סתום] לב(?); (לפי התלמוד) תרנגול

לַשֶּׂכְוִי 1 אוֹ מִי־נָתַן לַשֶּׂכְוִי בִינָה Job 38:36

שְׁכוֹל ז׳ א) אבדן בנים: 1, 2

ב) (בהשאלה) יגון עמוק, צרה: 3

שְׁכוֹל 1 לֹא אֵשֵׁב אַלְמָנָה וְלֹא אֵדַע שְׁכוֹל Is. 47:8
2 וְתָבֹאנָה לָּךְ...שְׁכוֹל וְאַלְמֹן Is. 47:9
3 יְשַׁלְּמוּנִי רָעָה...שְׁכוֹל לְנַפְשִׁי Ps. 35:12

שַׁכּוּל ת׳ שמתו בניו: 1־6

דֹּב שַׁכּוּל 1־3; נָשִׁים שַׁכֻּלוֹת 6

שַׁכּוּל 1 וּמָרֵי נֶפֶשׁ הֵמָּה כְּדֹב שַׁכּוּל בַּשָּׂדֶה IISh. 17:8
2 אֶפְגְּשֵׁם כְּדֹב שַׁכּוּל Hosh. 13:8
3 פָּגוֹשׁ דֹּב שַׁכּוּל בְּאִישׁ Prov. 17:12
וְשַׁכֻּלָה 4/5 שֶׁכֻּלָּם מַתְאִימוֹת וְשַׁ׳ אֵין בָּהֶם S.ofS.4:2; 6:6
שַׁכֻּלוֹת 6 וְתִהְיֶנָה נְשֵׁיהֶם שַׁכֻּלוֹת וְאַלְמָנוֹת Jer. 18:21

שִׁכֻּלִים* ז״ר – שְׁכוֹל

שִׁכֻּלָיִךְ 1 עוֹד יֹאמְרוּ בְאָזְנַיִךְ בְּנֵי שִׁכֻּלָיִךְ Is. 49:20

שִׁכּוֹר ת״ז – סוֹבֵא, שָׁתוּי, הָלוּם יַיִן: 1־13 • קרוב: סוֹבֵא

אִישׁ שִׁכּוֹר 5; יַד שִׁכּוֹר 6; שִׁכּוֹרֵי אֶפְרַיִם 12, 13

שִׁכֹּר 1 וְהוּא שִׁכֹּר עַד־מְאֹד ISh. 25:36
שִׁכּוֹר 2 וְהוּא בְתִרְצָה שֹׁתֶה שִׁכּוֹר IK. 16:9
3 וּבֶן־הֲדַד שֹׁתֶה שִׁכּוֹר בַּסֻּכּוֹת IK. 20:16
4 כְּהִתָּעוֹת שִׁכּוֹר בְּקִיאוֹ Is. 19:14
5 כְּאִישׁ שִׁכּוֹר וּכְגֶבֶר עֲבָרוֹ יָיִן Jer. 23:9
6 חוֹחַ עָלָה בְיַד־שִׁכּוֹר Prov. 26:9
כַּשִּׁכּוֹר 7 נוֹעַ תָּנוּעַ אֶרֶץ כַּשִּׁכּוֹר Is. 24:20
8 יָחוֹגּוּ וְיָנוּעוּ כַּשִּׁכּוֹר Ps. 107:27
9 יְמַשְׁשׁוּ־חֹשֶׁךְ...וַיַּתְעֵם כַּשִּׁכּוֹר Job 12:25
לְשִׁכֹּרָה 10 וַיַּחְשְׁבֶהָ עֵלִי לְשִׁכֹּרָה ISh. 1:13
שִׁכּוֹרִים 11 הָקִיצוּ שִׁכּוֹרִים וּבְכוּ Joel 1:5
שִׁכּוֹרֵי־ 12 עֲטֶרֶת גֵּאוּת שִׁכֹּרֵי אֶפְרַיִם Is. 28:1
13 עֲטֶרֶת גֵּאוּת שִׁכּוֹרֵי אֶפְרָיִם Is. 28:3

שכח : שָׁכַח, נִשְׁכַּח, שִׁכַּח, הִשְׁתַּכַּח, הִשְׁכִּיחַ; שָׁכֵחַ

שָׁכַח פ׳ א) לֹא זָכַר: 1־86

ב) [נפ׳ נִשְׁכַּח] נעלם מן הזכרון: 87־99
ג) [פ׳ שִׁכַּח] מחה מן הזכרון, בִּטֵּל: 100
ד) [הת׳ הִשְׁתַּכַּח] נמחה מן הזכרון: 101
ה) [הפ׳ הִשְׁכִּיחַ] שִׁכַּח: 102

שָׁכֹחַ 1 אִם־שָׁכֹחַ תִּשְׁכַּח אֶת־יְיָ אֱלֹהֶיךָ Deut. 8:19
שָׁכַחְתִּי 2 כִּי־שָׁכַחְתִּי מֵאֲכֹל לַחְמִי Ps. 102:5
שָׁכָחְתִּי 3 לֹא־עָבַרְתִּי...וְלֹא שָׁכָחְתִּי Deut. 26:13
4 תּוֹרָתְךָ לֹא שָׁכָחְתִּי Ps. 119:61
5 חֻקֶּיךָ לֹא שָׁכָחְתִּי Ps. 119:83
6 וְתוֹרָתְךָ לֹא שָׁכָחְתִּי Ps. 119:109
7 פִּקֻּדֶיךָ לֹא שָׁכָחְתִּי Ps. 119:141
8 כִּי־תוֹרָתְךָ לֹא שָׁכָחְתִּי Ps. 119:153
9 כִּי מִצְוֺתֶיךָ לֹא שָׁכָחְתִּי Ps. 119:176
וְשָׁכַחְתָּ 10 וְשָׁכַחְתָּ אֶת־יְיָ אֱלֹהֶיךָ Deut. 8:14
11 וְשָׁכַחְתָּ עֹמֶר בַּשָּׂדֶה Deut. 24:19
שְׁכַחְתָּנִי 12 לָמָה שְׁכַחְתָּנִי Ps. 42:10
שָׁכַחַתְּ 13 כִּי שָׁכַחַתְּ אֱלֹהֵי יִשְׁעֵךְ Is. 17:10
14 אֲשֶׁר שָׁכַחַתְּ אוֹתִי וַתִּבְטְחִי בַּשָּׁקֶר Jer. 13:25
15 וַתְּבַצְּעִי רֵעַיִךְ בַּעֹשֶׁק וְאֹתִי שָׁכַחַתְּ Ezek. 22:12
16 יַעַן שָׁכַחַתְּ אוֹתִי Ezek. 23:35
שָׁכַח 17 לֹא שָׁכַח צַעֲקַת עֲנָוִים° Ps. 9:13
18 שָׁכַח אֵל הִסְתִּיר פָּנָיו Ps. 10:11
הֲשָׁכַח 19 הֲשָׁכַח חַנּוֹת אֵל Ps. 77:10
וְשָׁכַח 20 וְשָׁכַח אֵת אֲשֶׁר־עָשִׂיתָ לּוֹ Gen. 27:45
שְׁכֵחָנִי 21 עֲזָבַנִי יְיָ וַאדֹנָי שְׁכֵחָנִי Is. 49:14
שָׁכְחָה 22 וַתֵּלֶךְ אַחֲרֵי מְאַהֲבֶיהָ וְאֹתִי שָׁכְחָה Hosh. 2:15
שָׁכֵחָה 23 וְאֶת־בְּרִית אֱלֹהֶיהָ שָׁכֵחָה Prov. 2:17
שָׁכַחְנוּ 24 אִם־שָׁכַחְנוּ שֵׁם אֱלֹהֵינוּ Ps. 44:21
שְׁכַחֲנוּךָ 25 כָּל־זֹאת בָּאַתְנוּ וְלֹא שְׁכַחֲנוּךָ Ps. 44:18
הַשְׁכַחְתֶּם 26 הַשְׁכַחְתֶּם אֶת־רָעוֹת אֲבוֹתֵיכֶם Jer. 44:9
שָׁכְחוּ 27 שָׁכְחוּ אֶת־יְיָ אֱלֹהֵיהֶם Jer. 3:21
28 שָׁכְחוּ אֲבוֹתָם אֶת־שְׁמִי בַּבָּעַל Jer. 23:27

שכחו (המשך) 29 מהר אל־גבעה הלכו שכחו רבצם Jer. 50:6
30 מהרו שכחו מעשיו Ps. 106:13
31 שכחו אל מושיעם Ps. 106:21
32 כי־שכחו דבריך צרי Ps. 119:139
שכחוני 33 ועמי שכחוני ימים אין מספר Jer. 2:32
34 כי־שכחני עמי Jer. 18:15
35 וירם לבם על־כן שכחוני Hosh. 13:6
36 חדלו קרובי ומידעי שכחוני Job 19:14
שכחוך 37 כל־מאהביך שכחוך Jer. 30:14
שוכחי־ 38 בינו־נא זאת שכחי אלוה Ps. 50:22
39 כן ארחות כל־שכחי אל Job 8:13
אשכח 40 ותשכח...אשכח בניך גם־אני Hosh. 4:6
41 אם־אשכח לנצח כל־מעשיהם Am. 8:7
42 לא אשכח דברך Ps. 119:16
43 לעולם לא־אשכח פקודיך Ps. 119:93
אשכחה 44 אם־אמרי אשכחה שיחי Job 9:27
אשכחך 45 ואנכי לא אשכחך Is. 49:15
46 אם־אשכחך ירושלם תשכח ימיני Ps. 137:5
תשכח ז׳ 47 פן־תשכח את־הדברים Deut. 4:9
48/9 השמר לך פן־תשכח את־יי Deut. 6:12; 8:11
50 אם־שכח תשכח את־יי אלהיך Deut. 8:19
51 זכר אל־תשכח את אשר־הקצפת Deut. 9:7
52 וזכרתני ולא־תשכח את־אמתך ISh. 1:11
53 קומה יי...אל־תשכח ענוים Ps. 10:12
54 למה...תשכח עניינו ולחצנו Ps. 44:25
55 חית ענייך אל־תשכח לנצח Ps. 74:19
56 אל־תשכח קול צרריך Ps. 74:23
57 אל־תשכח ואל־תט מאמרי־פי Prov. 4:5
תשכח 58 תמחה...לא תשכח Deut. 25:19
59 בני תורתי אל־תשכח Prov. 3:1
60 כי־אתה עמל תשכח Job 11:16
ותשכח 61 ותשכח אל מחללך Deut. 32:18
62 ותשכח יי עשך Is. 51:13
63 ותשכח תורת אלהיך Hosh. 4:6
תשכחי 64 ואל־תשכחי כל־גמוליו Ps. 103:2
תשכחי 65 כי בשת עלומיך תשכחי Is. 54:4
תשכחני 66 עד־אנה יי תשכחני נצח Ps. 13:2
תשכחנו 67 למה לנצח תשכחנו Lam. 5:20
ישכח 68 ולא ישכח את־ברית אבתיך Deut. 4:31
וישכח 69 פן־ישתה וישכח מחקק Prov. 31:5
70 ישתה וישכח רישו Prov. 31:7
וישכח 71 וישכח ישראל את־עשהו Hosh. 8:14
ישכחהו 72 ישכחהו רחם מתקו רמה Job 24:20
וישכחהו 73 ולא־זכר...את־יוסף וישכחהו Gen. 40:23
תשכח נ׳ 74 אם־אשכחך ירושלם תשכח ימיני Ps. 137:5
התשכח 75 התשכח אשה עולה Is. 49:15
76 התשכח בתולה עדיה Jer. 2:32
ותשכח 77 ותשכח כי־רגל תזורה Job 39:15
תשכחו 78 פן־תשכחו את־ברית יי Deut. 4:23
תשכחו 79 והברית...לא תשכחו IIK. 17:38
ישכחו 80 אל־תהרגם פן־ישכחו עמי Ps. 59:12
81 ולא ישכחו מעללי־אל Ps. 78:7
וישכחו 82 וישכחו את־יי אלהיהם Jud. 3:7
83 וישכחו את־יי אלהיהם ISh. 12:9
84 וישכחו עלילותיו Ps. 78:11
תשכחנה 85 גם־אלה תשכחנה Is. 49:15
ושכחי 86 ושכחי עמך ובית אביך Ps. 45:11
נשכחתי 87 נשכחתי כמת מלב Ps. 31:13
נשכח 88 כי נשכח זכרם Eccl. 9:5
נשכח 89 בשכבר הימים הבאים הכל נשכח Eccl. 2:16
ונשכח 90 ונשכח כל־השבע בא׳ מצרים Gen. 41:30
נשכחו 91 כי נשכחו הצרות הראשנות Is. 65:16
נשכחה 92 קחי כנור...זונה נשכחה Is. 23:16
ונשכחת 93 ונשכחת צר שבעים שנה Is. 23:15
הנשכחים 94 הנשכחים מני־רגל Job 28:4
ישכח 95 כי לא לנצח ישכח אביון Ps. 9:19
תשכח 96 כי לא תשכח מפי זרעו Deut. 31:21
תשכח 97 כלמת עולם לא תשכח Jer. 20:11
98 וכלמות עולם אשר לא תשכח Jer. 23:40
99 ברית עולם לא תשכח Jer. 50:5
שכח 100 שכח יי בציון מועד ושבת Lam. 2:6
וישתכחו 101 וישתכחו בעיר אשר כן־עשו Eccl. 8:10
להשכיח 102 החשבים להשכיח את־עמי שמי Jer. 23:27

שָׁכֵחַ*
ת׳ שוכח, מוחה מן הזכרון: 1, 2
שכחי אלהים 2
השכחים 1 השכחים את־הר קדשי Is. 65:11
שכחי־ 2 כל־גוים שכחי אלהים Ps. 9:18

(שכח) הַשְׁכַּח
הפ׳ ארמית א) מצא: 1-9
ב) [התפ׳ השתכח] נמצא: 10-18
להשכחה 1 הוו בעין עלה להשכחה לדניאל Dan. 6:5
2 וכל־עלה...לא־יכלין להשכחה Dan. 6:5
השכחת 3 די־השכחת גבר מן־בני גלותא Dan. 2:25
השכחנא 4 להן השכחנא עלוהי בדת אלהה Dan. 6:6
והשכחו 5 והשכחו לדניאל בעה ומתחנן Dan. 6:12
6 ובקרו והשכחו די קריתא דך Ez. 4:19
תהשכח 7 וכל כסף ודהב די תהשכח Ez. 7:16
ותהשכח 8 ותהשכח בספר דכרניא Ez. 4:15
נהשכח 9 לא נהשכח לדניאל דנה כל־עלא Dan. 6:6
והשתכחת 10 תקילתא במאזניא והשתכחת חסיר Dan. 5:27
השתכח 11 וכל־אתר לא־השתכח להון Dan. 2:35
12 וכל־חבל לא־השתכח בה Dan. 6:24
13 והשתכח באחמתא...מגלה חדה Ez. 6:2
השתכחת 14 וחכמה...השתכחת בה Dan. 5:11
15 רוח יתירה...השתכחת בה בדניאל Dan. 5:12
16 וחכמה יתירה השתכחת בך Dan. 5:14
17 וכל־שלו...לא השתכחת עלוהי Dan. 6:5
18 קדמוהי זכו השתכחת לי Dan. 6:23

שְׂכִיָּה*
נ׳ דבר חן, משכית • שכיות חמדה 1
שכיות־ 1 ועל כל־שכיות החמדה Is. 2:16

שָׂכְיָה
שפ״ז – איש משבט אפרים
שכיה 1 ואת־יעוץ ואת־שכיה ICh. 8:10

שַׂכִּין
ז׳(?) סכין, מאכלת
שכין 1 ושמת שכין בלעך Prov. 23:2

שָׂכִיר
ז׳ א) עובד בשכר לזמן קבוע: 1-16
ב) איש צבא שנשכר להלחם: 17
ג) דבר שנלקח בשכירות: 18
– ימי שכיר 3, 9; פעלת שכיר 2; שכר שכיר 4, 8; שני שכיר 6, 7
– תושב ושכיר 10, 11, (12), (16); שכיר שנה 15
– תער השכירה 18
שכיר 1 אם־שכיר הוא בא בשכרו Ex. 22:14
2 לא־תלין פעלת שכיר Lev. 19:13
3 כימי שכיר יהיה עמו Lev. 25:50
4 כי משנה שכר שכיר עבדך Deut. 15:18
5 לא־תעשק שכיר עני ואביון Deut. 24:14
6 בשלש שנים כשני שכיר Is. 16:14
7 בעוד שנה כשני שכיר Is. 21:16
8 ובעשקי שכר־שכיר Mal. 3:5
9 וכימי שכיר ימיו Job 7:1
ושכיר 10 תושב ושכיר לא־יאכל בו Ex. 12:45
11 תושב כהן ושכיר לא־יאכל קדש Lev. 22:10
כשכיר 12 כשכיר כתושב יהיה עמך Lev. 25:40
13 עד־ירצה כשכיר יומו Job 14:6
וכשכיר 14 וכשכיר יקוה פעלו Job 7:2
כשכיר־ 15 כשכיר שנה בשנה יהיה עמו Lev. 25:53
ולשכירך 16 ולשכירך ולתושבך הגרים עמך Lev. 25:6
שכיריה 17 גם־שכיריה בקרבה כעגלי מרבק Jer. 46:21
השכירה 18 יגלח אדני בתער השכירה Is. 7:20

שׂכך
: שך, שוכך; שך, שכה

שָׂכַךְ
פ׳ א) סכך, כסה: 1
ב) [פ׳ שׂוֹכֵךְ] כנ״ל: 2
ושכתי 1 ושכתי כפי עליך עד־עברי Ex. 33:22
תשוככני 2 ובעצמות וגידים תשככני Job 10:11

שׁכך
: שכך, השך

שָׁכַךְ
פ׳ א) שקט, נרגע: 1-3
ב) [הפ׳ השך] השקיט, הרגיע: 4
כשך 1 כשך חמת המלך אחשורוש Es. 2:1
שככה 2 וחמת המלך שככה Es. 7:10
וישכו 3 ויעבר אלהים רוח...וישכו המים Gen. 8:1
והשכתי 4 והשכתי מעלי את־תלנות ב״י Num. 17:20

שׂכל
: שכל, שכל, השכיל; שכל, משכיל

שָׂכַל
פ׳ א) נהג בתבונה: 1
ב) [פ׳ שִׂכֵּל] עשה בערמה, החליף הסדר: 2
ג) [הפ׳ השכיל] קנה שכל ודעת, היה נבון: 3-9, 11-13, 16, 17, 20-23, 27, 28, 30-32, 34, 36-44, 46, 51, 54, 58-61
ד) [כנ״ל] התבונן: 10, 29, 33, 35
ה) [כנ״ל] הצליח: 19, 24-26, 48-50, 52, 53, 56, 57
ו) [כנ״ל] הקנה דעת: 14, 15, 18, 45, 47, 55
ז) עין עוד ערך משכיל (באות מ׳)
– שכל ידיו 2
– מדע והשכל 6; דרך השכל 5; מוסר השכל 4
– בן משכיל 30; עבד משכיל 32; אשה משכלת 39
– משכילי עם 45
שכל 1 שכל דוד מכל עבדי שאול ISh. 18:30
שכל 2 שכל את־ידיו Gen. 48:14
השכל 3 השכל וידע אותי Jer. 9:23
4 לקחת מוסר השכל Prov. 1:3
5 אדם תועה מדרך השכל Prov. 21:16
והשכל 6 מדע והשכל בכל־ספר וחכמה Dan. 1:17
והשכיל 7 ורעו אתכם דעה והשכיל Jer. 3:15
בהשכיל 8 ודבריו לא בהשכיל Job 34:35
ובהשכיל 9 ובהשכיל לחכם יקח־דעת Prov. 21:11
להשכיל 10 ונחמד העץ להשכיל Gen. 3:6
11 חדל להשכיל להיטיב Ps. 36:4
ולהשכיל 12 לשוב מעוננו ולהשכיל באמתך Dan. 9:13
13 ולהשכיל אל־דברי התורה Neh. 8:13
להשכילך 14 עתה יצאתי להשכילך בינה Dan. 9:22
להשכילם 15 ורוחך הטובה נתת להשכילם Neh. 9:20
מהשכיל 16 טח מראות עיני מהשכיל לבתם Is. 44:18
השכלתי 17 מכל־מלמדי השכלתי Ps. 119:99
השכיל 18 הכל בכתב מיד יי עלי השכיל ICh. 28:19
והשכיל 19 ומלך מלך והשכיל Jer. 23:5
השכילו 20 על־כן לא השכילו Jer. 10:21
21 בשו מאד כי־לא השכילו Jer. 20:11
22 ויגידו פעל אל׳ ומעשהו השכילו Ps. 64:10
23 לא־השכילו נפלאותיך Ps. 106:7
24 וכל־דרכיו לא השכילו Job 34:27

מַשְׂכִּיל 25 וַיְהִי דָוִד לְכָל־דְּרָכָו מַשְׂכִּיל ISh. 18:14
26 אֲשֶׁר הוּא מַשְׂכִּיל מְאֹד ISh. 18:15
27/8 הֲיֵשׁ מַשְׂכִּיל דֹּרֵשׁ אֶת־אֱלֹהִים Ps. 14:2; 13:3
29 אַשְׁרֵי מַשְׂכִּיל אֶל־דָּל Ps. 41:2
30 אֹגֵר בַּקַּיִץ בֵּן מַשְׂכִּיל Prov. 10:5
31 וְחֹשֵׂךְ שְׂפָתָיו מַשְׂכִּיל Prov. 10:19
32 רְצוֹן מֶלֶךְ לְעֶבֶד מַשְׂכִּיל Prov. 14:35
33 מַשְׂכִּיל עַל־דָּבָר יִמְצָא טוֹב Prov. 16:20
34 עֶבֶד מַשְׂכִּיל יִמְשֹׁל בְּבֵן מֵבִישׁ Prov. 17:2
35 מַשְׂכִּיל צַדִּיק לְבֵית רָשָׁע Prov. 21:12
36 כִּי־יִסְכֹּן עָלֵימוֹ מַשְׂכִּיל Job 22:2
הַמַּשְׂכִּיל 37 לָכֵן הַמַּשְׂכִּיל בָּעֵת הַהִיא יִדֹּם Am. 5:13
לְמַשְׂכִּיל 38 אֹרַח חַיִּים לְמַעְלָה לְמַשְׂכִּיל Prov. 15:24
מַשְׂכָּלֶת 39 וּמֵיְיָ אִשָּׁה מַשְׂכָּלֶת Prov. 19:14
וּמַשְׂכִּילִים 40 וּמַשְׂכִּילִים בְּכָל־חָכְמָה Dan. 1:4
הַמַּשְׂכִּילִים 41 וּמִן־הַמַּשְׂכִּילִים יִכָּשְׁלוּ Dan. 11:35
42 הַלְוִיִּם הַמַּשְׂכִּילִים שֵׂכֶל־טוֹב לַיְיָ IICh. 30:22
וְהַמַּשְׂכִּלִים 43 וְהַמַּשְׂכִּלִים יַזְהִרוּ כְּזֹהַר הָרָקִיעַ Dan. 12:3
44 וְהַמַּשְׂכִּלִים יָבִינוּ Dan. 12:10
וּמַשְׂכִּילֵי־ 45 וּמַשְׂכִּילֵי עָם יָבִינוּ לָרַבִּים Dan. 11:33
אַשְׂכִּילָה 46 אַשְׂכִּילָה בְּדֶרֶךְ תָּמִים Ps. 101:2
אַשְׂכִּילְךָ 47 אַשְׂכִּילְךָ וְאוֹרְךָ בְּדֶרֶךְ־זוּ תֵלֵךְ Ps. 32:8
תַּשְׂכִּיל 48 לְמַעַן תַּשְׂכִּיל בְּכֹל אֲשֶׁר תֵּלֵךְ Josh. 1:7
49 אָז תַּצְלִיחַ...דְּרָכֶךָ וְאָז תַּשְׂכִּיל Josh. 1:8
50 לְמַעַן תַּשְׂכִּיל אֵת כָּל־אֲשֶׁר תַּעֲשֶׂה IK. 2:3
וְתַשְׂכֵּל 51 וְתֵדַע וְתַשְׂכֵּל מִן־מֹצָא דָבָר Dan. 9:25
יַשְׂכִּיל 52 בְּכֹל אֲשֶׁר יִשְׁלָחֶנּוּ שָׁאוּל יַשְׂכִּיל ISh. 18:5
53 בְּכֹל אֲשֶׁר־יֵצֵא יַשְׂכִּיל IIK. 18:7
54 הִנֵּה יַשְׂכִּיל עַבְדִּי יָרוּם וְנִשָּׂא Is. 52:13
55 לֵב חָכָם יַשְׂכִּיל פִּיהוּ Prov. 16:23
56 אֶל־כָּל־אֲשֶׁר יִפְנֶה יַשְׂכִּיל Prov. 17:8
תַּשְׂכִּילוּ 57 תַּשְׂכִּילוּ אֵת כָּל־אֲשֶׁר תַּעֲשׂוּן Deut. 29:8
58 וּכְסִילִים מָתַי תַּשְׂכִּילוּ Ps. 94:8
יַשְׂכִּילוּ 59 לוּ חָכְמוּ יַשְׂכִּילוּ זֹאת Deut. 32:29
וְיַשְׂכִּילוּ 60 לְמַעַן יִרְאוּ...וְיַשְׂכִּילוּ יַחְדָּו Is. 41:20
הַשְׂכִּילוּ 61 וְעַתָּה מְלָכִים הַשְׂכִּילוּ Ps. 2:10

(שׂכל) אֶשְׁתַּכַּל
אִתְפּ׳ ארמית: הסתכל
מִשְׁתַּכַּל 1 מִשְׁתַּכַּל הֲוֵית בְּקַרְנַיָּא Dan. 7:8

שֵׂכֶל, שֶׂכֶל
ז׳ תבונה, חכמה: 1-16 • קרובים: ראה חָכְמָה
– שֵׂכֶל וּבִינָה 6,7; שֵׂכֶל אָדָם 13; שֵׂכֶל בְּעָלָיו 12; שֵׂכֶל טוֹב 4, 5, 8, 9; שֵׂכֶל מִלִּים 14
– אִישׁ שֵׂכֶל 2; טוֹבַת שֵׂכֶל 1; שׂוֹם שֶׂכֶל 3
שֵׂכֶל 1 וְהָאִשָּׁה טוֹבַת־שֵׂכֶל וִיפַת תֹּאַר ISh. 25:3
2 אִישׁ שֶׂכֶל מִבְּנֵי מַחְלִי Ez. 8:18
3 וַיִּקְרְאוּ בַסֵּפֶר...מְפֹרָשׁ וְשׂוֹם שֶׂכֶל Neh. 8:8
שֵׂכֶל 4 שֵׂכֶל טוֹב לְכָל־עֹשֵׂיהֶם Ps. 111:10
5 שֵׂכֶל־טוֹב יִתֶּן־חֵן Prov. 13:15
6 יִתֶּן־לְךָ יְיָ שֵׂכֶל וּבִינָה ICh. 22:12
7 בֵּן חָכָם יוֹדֵעַ שֵׂכֶל וּבִינָה IICh. 2:11
8 הַלְוִיִּם הַמַּשְׂכִּילִים שֵׂכֶל־טוֹב לַיְיָ IICh. 30:22
וְשֵׂכֶל 9 וּמְצָא־חֵן וְשֵׂכֶל־טוֹב בְּעֵינֵי אֱל׳ וְאָדָם Prov. 3:4
בְּשֵׂכֶל 10 וּזְכַרְיָהוּ בְנוֹ יוֹעֵץ בְּשֵׂכֶל ICh. 26:14
מִשָּׂכֶל 11 כִּי־לִבָּם צָפַנְתָּ מִשָּׂכֶל Job 17:4
שֵׂכֶל־ 12 מְקוֹר חַיִּים שֵׂכֶל בְּעָלָיו Prov. 16:22
13 שֵׂכֶל אָדָם הֶאֱרִיךְ אַפּוֹ Prov. 19:11
לְשֵׂכֶל 14 כִּי־יָבוּז לְשֵׂכֶל מִלֶּיךָ Prov. 23:9
שִׂכְלוֹ 15 לְפִי־שִׂכְלוֹ יְהֻלַּל־אִישׁ Prov. 12:8
16 וְעַל־שִׂכְלוֹ וְהִצְלִיחַ מִרְמָה בְּיָדוֹ Dan. 8:25

שכל
שכל : שָׁכֹל, שִׁכֵּל, הִשְׁכִּיל; שָׁכוּל, שַׁכּוּל, שַׁכּוּל, שְׁכוֹל, שִׁכּוּלִים

שָׁכֹל
פָּ׳ א) אבד לו בנו או בניו: 1-5
ב) [פִּ׳ שִׁכֵּל] המית פרי בטן (ובהשאלה) השמיד, אבד: 6-13, 15, 17-20, 23
ג) [כנ״ל] ילד ולדות שמתו: 14, 16, 22
ד) [כנ״ל] הצמיח פרי באושים: 21
ה) [הפ׳ הִשְׁכִּיל] שִׁכֵּל: 24, 25
מְשַׁכֵּלָה וַעֲקָרָה 16; אֶרֶץ מְשַׁכָּלֶת 17
גִּבּוֹר מַשְׂכִּיל 24; רֶחֶם מַשְׁכִּיל 25
שָׁכֹלְתִּי 1 וַאֲנִי כַּאֲשֶׁר שָׁכֹלְתִּי שָׁכָלְתִּי Gen. 43:14
שָׁכָלְתִּי 2 וַאֲנִי כַּאֲשֶׁר שָׁכֹלְתִּי שָׁכָלְתִּי Gen. 43:14
שְׁכוּלָה 3 מִי יָלַד־לִי...וַאֲנִי שְׁכוּלָה Is. 49:21
אֶשְׁכַּל 4 לָמָה אֶשְׁכַּל גַּם־שְׁנֵיכֶם יוֹם אֶחָד Gen. 27:45
תִּשְׁכַּל 5 כֵּן־תִּשְׁכַּל מִנָּשִׁים אִמֶּךָ ISh. 15:33
לְשַׁכְּלָם 6 וְלֹא־תוֹסִף עוֹד לְשַׁכְּלָם Ezek. 36:12
שִׁכַּלְתִּי 7 שִׁכַּלְתִּי אִבַּדְתִּי אֶת־עַמִּי Jer. 15:7
וְשִׁכַּלְתִּים 8 יְגַדְּלוּ אֶת־בְּנֵיהֶם וְשִׁכַּלְתִּים מֵאָדָם Hosh. 9:12
שִׁכְּלָה 9 כַּאֲשֶׁר שִׁכְּלָה נָשִׁים חַרְבֶּךָ ISh. 15:33
10 מִחוּץ שִׁכְּלָה־חֶרֶב בַּבַּיִת כַּמָּוֶת Lam. 1:20
וְשִׁכְּלָה 11 וְהִשְׁלַחְתִּי בָכֶם...וְשִׁכְּלָה אֶתְכֶם Lev. 26:22
וְשִׁכְּלַתָּה 12 חַיָּה רָעָה אַעֲבִיר בָּאָרֶץ וְשִׁכְּלַתָּה Ezek. 14:15
שִׁכַּלְתֶּם 13 אֹתִי שִׁכַּלְתֶּם יוֹסֵף אֵינֶנּוּ Gen. 42:36
שִׁכֵּלוּ 14 רְחֵלֶיךָ וְעִזֶּיךָ לֹא שִׁכֵּלוּ Gen. 31:38
וְשִׁכְּלֻךְ 15 שִׁלַּחְתִּי...רָעָב וְחַיָּה רָעָה וְשִׁכְּלֻךְ Ezek. 5:17
מְשַׁכֵּלָה 16 לֹא תִהְיֶה מְשַׁכֵּלָה וַעֲקָרָה בְּאַרְצֶךָ Ex. 23:26
מְשַׁכָּלֶת 17 וְהַמַּיִם רָעִים וְהָאָרֶץ מְשַׁכָּלֶת IIK. 2:19
וּמְשַׁכֶּלֶת 18 וּמְשַׁכֶּלֶת גּוֹיַיִךְ° הָיִית Ezek. 36:13
וּמְשַׁכָּלֶת 19 לֹא־יִהְיֶה מִשָּׁם עוֹד מָוֶת וּמְשַׁכָּלֶת IIK. 2:21
תְשַׁכְּלִי 20 וְגוֹיַיִךְ לֹא תְשַׁכְּלִי (כ׳ תכשלי)־עוֹד Ezek. 36:14
תְשַׁכֵּל 21 וְלֹא־תְשַׁכֵּל לָכֶם הַגֶּפֶן בַּשָּׂדֶה Mal. 3:11
22 תְּפַלֵּט פָּרָתוֹ וְלֹא תְשַׁכֵּל Job 21:10
תְּשַׁכֶּל־ 23 מִחוּץ תְּשַׁכֶּל־חֶרֶב Deut. 32:25
מַשְׁכִּיל 24 חִצָּיו כְּגִבּוֹר מַשְׁכִּיל Jer. 50:9
25 תֵּן־לָהֶם רֶחֶם מַשְׁכִּיל Hosh. 9:14

שִׂכְלוּת
נ׳ סכלות, אולת [עין גם סִכְלוּת]
וְשִׂכְלוּת 1 וְדַעַת הוֹלֵלוֹת וְשִׂכְלוּת Eccl. 1:17

שכלל
שכלל : שַׁכְלֵל, אִשְׁתַּכְלַל

שַׁכְלֵל
שַׁפ׳ ארמית א) שִׁפֵּר, השלים: 1-5
ב) [אִשְׁתַּ׳ אִשְׁתַּכְלַל] הושלם: 6, 7
לְשַׁכְלָלָה 1/2 וְאֻשַּׁרְנָא דְנָה לְשַׁכְלָלָה Ez. 5:3, 9
וְשַׁכְלְלֵהּ 3 וּמֶלֶךְ לְיִשְׂרָאֵל רַב בְּנָהִי וְשַׁכְלְלֵהּ Ez. 5:11
שַׁכְלִלוּ 4 וְשׁוּרַיָּא שַׁכְלִלוּ (כת׳ אשכללו) Ez. 4:12
וְשַׁכְלִלוּ 5 וּבְנוֹ וְשַׁכְלִלוּ מִן־טַעַם אֱלָהּ יִשְׂרָאֵל Ez. 6:14
יִשְׁתַּכְלְלוּן 6 וְשׁוּרַיָּא יִשְׁתַּכְלְלוּן Ez. 4:13
7 וְשׁוּרַיָּה יִשְׁתַּכְלְלוּן Ez. 4:16

שָׂכְלְתָנוּ
נ׳ ארמית: שֵׂכֶל, בינה: 1-3
וְשָׂכְלְתָנוּ 1 נַהִירוּ וְשָׂכְלְתָנוּ וְחָכְמָה Dan. 5:11
2 רוּחַ יַתִּירָה וּמַנְדַּע וְשָׂכְלְתָנוּ Dan. 5:12
3 וְנַהִירוּ וְשָׂכְלְתָנוּ וְחָכְמָה יַתִּירָה Dan. 5:14

שכם
שכם : הִשְׁכִּים; שְׁכֶם; ש״פ שֶׁכֶם, שִׁכְמִי(?)

(שכם) הִשְׁכִּים
הפ׳ א) הקדים לקום (בבוקר):
רוב המקראות 1-66
ב) [הַשְׁכֵּם וְהַעֲרֵב] מדי בוקר וערב: 1
ג) [הַשְׁכֵּם וְדַבֵּר (וְשָׁלוֹחַ וכד׳)] חוזרת על דבר עוד ועוד: 2-11, 13, 14
טַל מַשְׁכִּים 21,22; מַשְׁכִּימֵי (בַ)בֹּקֶר 24; מ׳ קוּם 25
הַשְׁכֵּם 1 וַיִּגַּשׁ הַפְּלִשְׁתִּי הַשְׁכֵּם וְהַעֲרֵב ISh. 17:16
2 וָאֲדַבֵּר אֲלֵיכֶם הַשְׁכֵּם וְדַבֵּר Jer. 7:13
הַשְׁכֵּם (המשך) 3 וָאֶשְׁלַח...יוֹם הַשְׁכֵּם וְשָׁלֹחַ Jer. 7:25
4 כִּי הָעֵד הַעִדֹתִי...הַשְׁכֵּם וְהָעֵד Jer. 11:7
5 וְשָׁלַח יְיָ אֲלֵיכֶם...הַשְׁכֵּם וְשָׁלֹחַ Jer. 25:4
6 אֲשֶׁר שָׁלַחְתִּי...הַשְׁכֵּם וְשָׁלֹחַ Jer. 29:19
7 וְלַמֵּד אֹתָם הַשְׁכֵּם וְלַמֵּד Jer. 32:33
8 דִּבַּרְתִּי אֲלֵיכֶם הַשְׁכֵּם וְדַבֵּר Jer. 35:14
9 וָאֶשְׁלַח אֲלֵיכֶם...הַשְׁכֵּם וְשָׁלֹחַ Jer. 35:15
10 וַיִּשְׁלַח יְיָ...הַשְׁכֵּם וְשָׁלוֹחַ IICh. 36:15
(הַשְׁכִּים) 11 וָאֶשְׁלַח אֲלֵיכֶם...הַשְׁכִּים וְשָׁלֹחַ Jer. 44:4
12 מְבָרֵךְ רֵעֵהוּ...בַּבֹּקֶר הַשְׁכִּים Prov. 27:14
(אַשְׁכִּים) 13 וָאֲדַבֵּר אֲלֵיכֶם אַשְׁכִּים וְדַבֵּר Jer. 25:3
וְהַשְׁכֵּם 14 וְהַשְׁכֵּם וְשָׁלֹחַ וְלֹא שְׁמַעְתֶּם Jer. 26:5
וְהִשְׁכִּים 15 וְהִשְׁכִּים אַבְשָׁלוֹם וְעָמַד... IISh. 15:2
16 וְהִשְׁכִּים בַּבֹּקֶר וְהֶעֱלָה עֹלוֹת Job 1:5
וְהִשְׁכַּמְתֶּם 17 וְהִשְׁכַּמְתֶּם וַהֲלַכְתֶּם לְדַרְכְּכֶם Gen. 19:2
18 וְהִשְׁכַּמְתֶּם מָחָר לְדַרְכְּכֶם Jud. 19:9
19 וְהִשְׁכַּמְתֶּם בַּבֹּקֶר וְאוֹר לָכֶם וָלֵכוּ ISh. 29:10
הִשְׁכִּימוּ 20 אָכֵן הִשְׁכִּימוּ הִשְׁחִיתוּ Zep. 3:7
מַשְׁכִּים 21/2 כַּעֲנַן־בֹּקֶר וְכַטַּל מַשׁ׳ הֹלֵךְ Hosh. 6:4; 13:3
מַשְׁכִּים(?) 23 סוּסִים מְיֻזָּנִים° מַשְׁכִּים הָיוּ Jer. 5:8
מַשְׁכִּימֵי־ 24 מַשְׁכִּימֵי בַבֹּקֶר שֵׁכָר יִרְדֹּפוּ Is. 5:11
25 שָׁוְא לָכֶם מַשְׁכִּימֵי קוּם Ps. 127:2
תַּשְׁכִּים 26 וְהָיָה בַבֹּקֶר כִּזְרֹחַ הַשֶּׁמֶשׁ תַּשְׁכִּים Jud. 9:33
וַיַּשְׁכֵּם 27-29 וַיַּשְׁכֵּם אַבְרָהָם בַּבֹּקֶר Gen. 19:27
21:14; 22:3
30-40 וַיַּשְׁכֵּם(...)בַּבֹּקֶר Gen. 20:8
28:18; 32:1 • Ex. 24:4; 34:4 • Josh. 3:1; 6:12; 7:16; 8:10 • Jud. 19:8 • ISh. 17:20
41 וַיַּשְׁכֵּם מִמָּחֳרָת וַיָּזַר אֶת־הַגִּזָּה Jud. 6:38
42 וַיַּשְׁכֵּם יְרֻבַּעַל...וְכָל־הָעָם Jud. 7:1
43 וַיַּשְׁכֵּם שְׁמוּאֵל לִקְרַאת שָׁאוּל ISh. 15:12
44 וַיַּשְׁכֵּם דָּוִד הוּא וַאֲנָשָׁיו ISh. 29:11
45 וַיַּשְׁכֵּם מְשָׁרֵת אִישׁ הָאֱלֹהִים לָקוּם IIK. 6:15
46 וַיַּשְׁכֵּם יְחִזְקִיָּהוּ הַמֶּלֶךְ IICh. 29:20
נַשְׁכִּימָה 47 נַשְׁכִּימָה לַכְּרָמִים נִרְאֶה אִם פָּרְחָה S.ofS. 7:13
וַיַּשְׁכִּימוּ 48 וַיַּשְׁכִּימוּ בַבֹּקֶר וַיִּשָּׁבְעוּ Gen. 26:31
49 וַיַּשְׁכִּימוּ מִמָּחֳרָת וַיַּעֲלוּ עֹלֹת Ex. 32:6
50 וַיַּשְׁכִּמוּ בַבֹּקֶר וַיַּעֲלוּ אֶל...הָהָר Num. 14:40
51 וַיַּשְׁכִּמוּ כַּעֲלוֹת הַשַּׁחַר Josh. 6:15
52 וַיְמַהֲרוּ וַיַּשְׁכִּימוּ וַיֵּצְאוּ Josh. 8:14
53 וַיַּשְׁכִּימוּ אַנְשֵׁי הָעִיר בַּבֹּקֶר Jud. 6:28
54-58 וַיַּשְׁכִּימוּ בַבֹּקֶר Jud. 19:5
IIK. 3:22; 19:35 • Is. 37:36 • IICh. 20:20
59 וַיְהִי מִמָּחֳרָת וַיַּשְׁכִּימוּ הָעָם Jud. 21:4
60/1 וַיַּשְׁכִּמוּ בַבֹּקֶר ISh. 1:19; 5:4
62 וַיַּשְׁכִּמוּ אַשְׁדּוֹדִים מִמָּחֳרָת ISh. 5:3
63 וַיַּשְׁכִּמוּ וַיְהִי כַּעֲלוֹת הַשַּׁחַר ISh. 9:26
הַשְׁכֵּם 64/5 הַשְׁכֵּם בַּבֹּקֶר וְהִתְיַצֵּב לִפְנֵי פַרְעֹה Ex. 8:16; 9:13
66 וְעַתָּה הַשְׁכֵּם בַּבֹּקֶר ISh. 29:10

שְׁכֶם, שֶׁכֶם
ז׳ א) החלק בגוף בין הכתפים: 1, 3-22
ב) [בהשאלה] חֵלֶק: 2
שְׁכֶם אֶחָד 2, 3; שְׁכֶם שְׁנֵיהֶם 4; מַטֵּה שִׁכְמוֹ 11
מִשִּׁכְמוֹ וָמַעְלָה 16, 17
שֶׁכֶם 1 כִּי תְּשִׁיתֵמוֹ שֶׁכֶם Ps. 21:13
שְׁכֶם 2 נָתַתִּי לְךָ שְׁכֶם אַחַד עַל־אַחֶיךָ Gen. 48:22
3 לְעָבְדוֹ שְׁכֶם אֶחָד Zep. 3:9
שְׁכֶם־ 4 וַיָּשִׂימוּ עַל־שְׁכֶם שְׁנֵיהֶם Gen. 9:23
שִׁכְמִי 5 אִם־לֹא עַל־שִׁכְמִי אֶשָּׂאֶנּוּ Job 31:36
שִׁכְמֶךָ 6 יָסוּר סֻבֳּלוֹ מֵעַל שִׁכְמֶךָ Is. 10:27
שִׁכְמוֹ 7 וַיֵּט שִׁכְמוֹ לִסְבֹּל וַיְהִי לְמַס־עֹבֵד Gen. 49:15

שִׁכְמוֹ (המשך)
8 וְהָרִימוּ...אִישׁ אֶבֶן אַחַת עַל־שִׁכְמוֹ Josh. 4:5
9 וַיִּשָּׂאֶהָ וַיָּשֶׂם עַל־שִׁכְמוֹ Jud. 9:48
10 וְהָיָה כְּהַפְנֹתוֹ שִׁכְמוֹ לָלֶכֶת ISh. 10:9
11 אֶת־עֹל סֻבֳּלוֹ וְאֵת מַטֵּה שִׁכְמוֹ Is. 9:3
12 וַתְּהִי הַמִּשְׂרָה עַל־שִׁכְמוֹ Is. 9:5
13 וְסֻבֳּלוֹ מֵעַל שִׁכְמוֹ יָסוּר Is. 14:25
14 וְנָתַתִּי מַפְתֵּחַ בֵּית־דָּוִד עַל־שִׁכְמוֹ Is. 22:22
15 הֲסִירוֹתִי מִסֵּבֶל שִׁכְמוֹ Ps. 81:7
מִשִּׁכְמוֹ 16 מִשִּׁכְמוֹ וָמַעְלָה גָּבֹהַּ מִכָּל־הָעָם ISh. 9:2
17 וַיִּגְבַּהּ מִכָּל־הָעָם מִשִּׁכְמוֹ וָמָעְלָה ISh. 10:23
שִׁכְמָהּ 18 וַיִּתֵּן אֶל־הָגָר שָׂם עַל־שִׁכְמָהּ Gen. 21:14
20-19 וְכַדָּהּ עַל־שִׁכְמָהּ Gen. 24:15, 45
(מִשִּׁכְמָה) 21 כְּתֵפִי מִשִּׁכְמָה תִפּוֹל Job 31:22
שִׁכְמָם 22 צְרֻרֹת בְּשִׂמְלֹתָם עַל־שִׁכְמָם Ex. 12:34

שֶׁכֶם²
שפ״ז א) בן גלעד בן מנשה: 2
ב) איש משבט מנשה: 1, 3

שֶׁכֶם 1 וְלִבְנֵי אַשְׂרִיאֵל וְלִבְנֵי־שֶׁכֶם Josh. 17:2
וְשֶׁכֶם 2 וְשֶׁכֶם מִשְׁפַּחַת הַשִּׁכְמִי Num. 26:31
וָשֶׁכֶם 3 בְּנֵי שְׁמִידָע אַחְיָן וָשֶׁכֶם ICh. 7:19

שְׁכֶם¹
ש״פ–עיר בנחלת אפרים בין הרי גריזים ועיבל: 1-48
אַנְשֵׁי שְׁכֶם 24; בַּעֲלֵי שׁ׳ 7-19; מִגְדַּל שׁ׳ 21-23;
מְקוֹם שְׁכֶם 1; עִיר שְׁכֶם 2

שְׁכֶם 1 וַיַּעֲבֹר...עַד מְקוֹם שְׁכֶם Gen. 12:6
2 וַיָּבֹא יַעֲקֹב שָׁלֵם עִיר שְׁכֶם Gen. 33:18
3 תַּחַת הָאֵלָה אֲשֶׁר עִם־שְׁכֶם Gen. 35:4
4 הַמִּכְמְתָת אֲשֶׁר עַל־פְּנֵי שְׁכֶם Josh. 17:7
5 וְאֶת־שְׁכֶם בְּהַר אֶפְרַיִם Josh. 20:7
6 אֶת־שְׁכֶם וְאֶת־מִגְרָשֶׁהָ Josh. 21:21
7-9 כָּל־בַּעֲלֵי שְׁכֶם Jud. 9:2, 3, 6
10 שִׁמְעוּ אֵלַי בַּעֲלֵי שְׁכֶם Jud. 9:7
11-19 (מ)בַּעֲלֵי שְׁכֶם Jud. 9:18, 20² 9:23², 24, 25, 26, 39
20 וַיֶּאֶרְבוּ עַל־שְׁכֶם Jud. 9:34
21/2 כָּל־בַּעֲלֵי מִגְדַּל־שְׁכֶם Jud. 9:46, 47
23 וַיָּמֻתוּ גַּם כָּל־אַנְשֵׁי מִגְדַּל־שְׁכֶם Jud. 9:49
24 וְאֵת כָּל־רָעַת אַנְשֵׁי שְׁכֶם Jud. 9:57
25 וַיֵּלֶךְ רְחַבְעָם שְׁכֶם IK. 12:1
26 כִּי שְׁכֶם בָּא כָל־יִשְׂרָאֵל IK. 12:1
27 וַיִּבֶן יָרָבְעָם אֶת־שְׁכֶם IK. 12:25
28/9 אֶעְלֹזָה אֲחַלְּקָה שְׁכֶם Ps. 60:8; 108:8
30 אֶת־שְׁכֶם וְאֶת־מִגְרָשֶׁיהָ ICh. 6:52
31 כִּי שְׁכֶם בָּאוּ כָל־יִשְׂרָאֵל IICh. 10:1
וּשְׁכֶם 32 גֶּזֶר וּבְנֹתֶיהָ וּשְׁכֶם וּבְנֹתֶיהָ ICh. 7:28
בִּשְׁכֶם 33 לִרְעוֹת אֶת־צֹאן אֲבִיהֶם בִּשְׁכֶם Gen. 37:12
34 הֲלוֹא אַחֶיךָ רֹעִים בִּשְׁכֶם Gen. 37:13
35 וַיָּשֶׂם לוֹ חֹק וּמִשְׁפָּט בִּשְׁכֶם Josh. 24:25
36 עַצְמוֹת יוֹסֵף...קָבְרוּ בִשְׁכֶם Josh. 24:32
37 וּפִילַגְשׁוֹ אֲשֶׁר בִּשְׁכֶם יָלְדָה־לּוֹ Jud. 8:31
38 עִם־אֵלוֹן מֻצָּב אֲשֶׁר בִּשְׁכֶם Jud. 9:6
39 וַיָּבֹא גַּעַל...וְאֶחָיו וַיַּעַבְרוּ בִּשְׁכֶם Jud. 9:26
40 וַיְגָרֶשׁ זְבֻל...מִשֶּׁבֶת בִּשְׁכֶם Jud. 9:41
מִשְּׁכֶם 41 מִשְּׁכֶם מִשִּׁלוֹ וּמִשֹּׁמְרוֹן Jer. 41:5
שְׁכֶמָה 42 וַיִּשְׁלָחֵהוּ...וַיָּבֹא שְׁכֶמָה Gen. 37:14
43 וַיֶּאֱסֹף יְהוֹשֻׁעַ...שְׁכֶמָה Josh. 24:1
44 וַיֵּלֶךְ אֲבִימֶלֶךְ...שְׁכֶמָה Jud. 9:1
45 גַּעַל...וְאֶחָיו בָּאִים שְׁכֶמָה Jud. 9:31
46 הָעֹלָה מִבֵּית־אֵל שְׁכֶמָה Jud. 21:19
47 וַיֵּלֶךְ רְחַבְעָם שְׁכֶמָה IICh. 10:1
שֶׁכְמָה 48 חֶבֶר כֹּהֲנִים דֶּרֶךְ יְרַצְּחוּ־שֶׁכְמָה Hosh. 6:9

שְׁכֶם²
שפ״ז – בן חֲמוֹר החִוִּי בימי יעקב: 1-15
אֲבִי שְׁכֶם 1, 12, 14

שְׁכֶם 1 מִיַּד בְּנֵי־חֲמוֹר אֲבִי שְׁכֶם Gen. 33:19
2 וַיַּרְא אֹתָהּ שְׁכֶם בֶּן־חֲמוֹר Gen. 34:2
3 וַיֹּאמֶר שְׁכֶם אֶל־חֲמוֹר אָבִיו Gen. 34:4
4 וַיֵּצֵא חֲמוֹר אֲבִי־שְׁכֶם אֶל־יַעֲקֹב Gen. 34:6
5 שְׁכֶם בְּנִי חָשְׁקָה נַפְשׁוֹ בְּבִתְּכֶם Gen. 34:8
6 וַיֹּאמֶר שְׁכֶם אֶל־אָבִיהָ Gen. 34:11
7 וַיַּעֲנוּ בְנֵי־יַעֲקֹב אֶת־שְׁכֶם Gen. 34:13
8 וַיִּיטְבוּ...וּבְעֵינֵי שְׁכֶם בֶּן־חֲמוֹר Gen. 34:18
9 וַיִּשְׁמְעוּ אֶל־חֲמוֹר וְאֶל־שְׁכֶם Gen. 34:24
10 וְאֶת־חֲמוֹר וְאֶת־שְׁכֶם בְּנוֹ הָרְגוּ Gen. 34:26
11 וַיִּקְחוּ אֶת־דִּינָה מִבֵּית שְׁכֶם Gen. 34:26
12 מֵאֵת בְּנֵי־חֲמוֹר אֲבִי־שְׁכֶם Josh. 24:32
13 מִי־אֲבִימֶלֶךְ וּמִי־שְׁכֶם כִּי נַעַבְדֶנּוּ Jud. 9:28
14 עִבְדוּ אֶת־אַנְשֵׁי חֲמוֹר אֲבִי שְׁכֶם Jud. 9:28
וּשְׁכֶם 15 וַיָּבֹא חֲמוֹר וּשְׁכֶם בְּנוֹ Gen. 34:20

שִׁכְמִי
ת׳ המתיחס על בית שֶׁכֶם² (א)

הַשִּׁכְמִי 1 וְשֶׁכֶם מִשְׁפַּחַת הַשִּׁכְמִי Num. 26:31

שכן
: שָׁכַן, שִׁכֵּן, הִשְׁכִּין; שָׁכֵן, שְׁכֵנָה, מִשְׁכָּן;
ש״פ שְׁכַנְיָה, שְׁכַנְיָהוּ; אר׳ שְׁכַן, שַׁכֵּן

שָׁכַן
פ׳ א) חנה, נח, ישב במקום: 1-63, 68-111
ב) שמש מקום ישוב: 64-67
ג) [פ׳ שִׁכֵּן] הושיב, הכין מקום לשבת בו: 112-123
ד) [הפ׳ הִשְׁכִּין] הושיב, הֶחֱנָה
(גם בהשאלה): 124-129
קרובים: גָּר (גור) / דָּר (דור) / חָנָה / יָשַׁב

בִּשְׁכֹּן 1 וַיְהִי בִּשְׁכֹּן יִשְׂרָאֵל בָּאָרֶץ הַהִוא Gen. 35:22
לִשְׁכֹּן 2 בְּהַאֲרִיךְ הֶעָנָן עַל־הַמִּשְׁכָּן לִשְׁכֹּן עָלָיו Num. 9:22
3 יְיָ אָמַר לִשְׁכֹּן בָּעֲרָפֶל IK. 8:12
4 וְאַף סוֹרְרִים לִשְׁכֹּן יָהּ אֱלֹהִים Ps. 68:19
5 לִשְׁכֹּן כָּבוֹד בְּאַרְצֵנוּ Ps. 85:10
6 בַּעֲרוּץ נְחָלִים לִשְׁכֹּן Job 30:6
7 יְיָ אָמַר לִשְׁכּוֹן בָּעֲרָפֶל IICh. 6:1
לְשָׁכְנִי 8 הוֹצֵאתִי אֹתָם...לְשָׁכְנִי בְתוֹכָם Ex. 29:46
לְשִׁכְנוֹ 9 לְשִׁכְנוֹ תִדְרְשׁוּ וּבָאתָ שָׁמָּה Deut. 12:5
שָׁכַנְתִּי 10 שָׁכַנְתִּי עִם־אָהֳלֵי קֵדָר Ps. 120:5
11 אֲנִי־חָכְמָה שָׁכַנְתִּי עָרְמָה Prov. 8:12
וְשָׁכַנְתִּי 12 וְעָשׂוּ לִי מִקְדָּשׁ וְשָׁכַנְתִּי בְּתוֹכָם Ex. 25:8
13/4 וְשָׁכַנְתִּי בְּתוֹךְ בְּ״י Ex. 29:45 • IK. 6:13
15 וְשָׁכַנְתִּי בְתוֹכָם לְעוֹלָם Ezek. 43:9
16/7 וְשָׁכַנְתִּי בְתוֹכֵךְ Zech. 2:14, 15
18 שַׁבְתִּי אֶל־צִיּוֹן וְשָׁכַנְתִּי בְּתוֹךְ יְרוּשׁ׳ Zech. 8:3
שָׁכַנְתָּ 19 הַר־צִיּוֹן זֶה שָׁכַנְתָּ בּוֹ Ps. 74:2
וְשָׁכַנְתְּ 20 תֵצְאִי מִקִּרְיָה וְשָׁכַנְתְּ בַּשָּׂדֶה Mic. 4:10
שָׁכַן 21 כִּי־שָׁכַן עָלָיו הֶעָנָן Ex. 40:35
22 אֲשֶׁר שָׁכַן־שָׁם מִשְׁכַּן יְיָ Josh. 22:19
שָׁכֵן 23 וּבֵין כְּתֵפָיו שָׁכֵן Deut. 33:12
24 כְּלָבִיא שָׁכֵן וְטָרַף זְרוֹעַ Deut. 33:20
25 גִּלְעָד בְּעֵבֶר הַיַּרְדֵּן שָׁכֵן Jud. 5:17
וְשָׁכַן 26 וְשָׁכַן תַּחְתָּיו וְלֹא יִרְגַּז עוֹד IISh. 7:10
27 וְשָׁכַן בַּמִּדְבָּר מִשְׁפָּט Is. 32:16
28 וְשָׁכַן חֲרֵרִים בַּמִּדְבָּר Jer. 17:6
29 וְשָׁכַן תַּחְתָּיו וְלֹא יִרְגַּז עוֹד ICh. 17:9
שָׁכְנָה 30 כִּמְעַט שָׁכְנָה דוּמָה נַפְשִׁי Ps. 94:17
31 רַבַּת שָׁכְנָה־לָּהּ נַפְשִׁי Ps. 120:6
שָׁכְנוּ 32 אַךְ סוֹרְרִים שָׁכְנוּ צְחִיחָה Ps. 68:7
וְשָׁכְנוּ 33 וְשָׁכְנוּ שָׁם בְּנוֹת יַעֲנָה Is. Is. 13:21
34 וְשָׁכְנוּ תַחְתָּיו כֹּל צִפּוֹר Ezek. 17:23
35 וְשָׁכְנוּ בְּתוֹךְ יְרוּשָׁלָםִ Zech. 8:8
שֹׁכֵן 36 וְהוּא שֹׁכֵן בְּאֵלֹנֵי מַמְרֵא Gen. 14:13
37 אֲשֶׁר אֲנִי שֹׁכֵן בְּתוֹכָם Num. 5:3
38 וַיַּרְא אֶת־יִשְׂרָאֵל שֹׁכֵן לִשְׁבָטָיו Num. 24:2
39 הָאָרֶץ...אֲשֶׁר אֲנִי שֹׁכֵן בְּתוֹכָהּ Num. 35:34
40 כִּי אֲנִי יְיָ שֹׁכֵן בְּתוֹךְ בְּנֵי יִשׂ׳ Num. 35:34
41 כִּי שֹׁכֵן מָרוֹם Is. 33:5
42 רָם וְנִשָּׂא שֹׁכֵן עַד וְקָדוֹשׁ שְׁמוֹ Is. 57:15
43 כִּי אֲנִי יְיָ אֱלֹהֵיכֶם שֹׁכֵן בְּצִיּוֹן Joel 4:17
44 וַיְיָ שֹׁכֵן בְּצִיּוֹן Joel 4:21
45 בָּרוּךְ יְיָ מִצִּיּוֹן שֹׁכֵן יְרוּשָׁלָםִ Ps. 135:21
שֹׁכְנִי 46 וּרְצוֹן שֹׁכְנִי סְנֶה Deut. 33:16
47 שֹׁכְנִי בְּחַגְוֵי הַסֶּלַע Jer. 49:16
48 שֹׁכְנִי בְחַגְוֵי־סֶלַע מְרוֹם שִׁבְתּוֹ Ob. 3
49 שֹׁכְנִי לְבָדָד יַעַר בְּתוֹךְ כַּרְמֶל Mic. 7:14
הַשֹּׁכֵן 50 הַשֹּׁכֵן אִתָּם בְּתוֹךְ טֻמְאֹתָם Lev. 16:16
51 מֵעִם יְיָ צְבָאוֹת הַשֹּׁכֵן בְּהַר צִיּוֹן Is. 8:18
שֹׁכַנְתְּ 52 שֹׁכַנְתְּ (כ׳ שכנתי) עַל־מַיִם רַבִּים Jer. 51:13
הַשֹּׁכְנִים 53 מַלְכֵי הָעֶרֶב הַשֹּׁכְנִים בַּמִּדְבָּר Jer. 25:24
שֹׁכְנֵי־ 54 הָקִיצוּ וְרַנְּנוּ שֹׁכְנֵי עָפָר Is. 26:19
55 אַף שֹׁכְנֵי בָתֵּי־חֹמֶר Job 4:19
וְשֹׁכְנֵי־ 56 כָּל־יֹשְׁבֵי תֵבֵל וְשֹׁכְנֵי אָרֶץ Is. 18:3
וְשֹׁכְנֵיהֶם 57 הָרְפָאִים...מִתַּחַת מַיִם וְשֹׁכְנֵיהֶם Job 26:5
הַשְּׁכוּנֵי־ 58 וַיַּעַל גִּדְעוֹן דֶּרֶךְ הַשְּׁכוּנֵי בָאֳהָלִים Jud. 8:11
אֶשְׁכּוֹן 59 מָרוֹם וְקָדוֹשׁ אֶשְׁכּוֹן Is. 57:15
אֶשְׁכָּן־ 60 וְאֶת־מְקוֹם...אֲשֶׁר אֶשְׁכָּן־שָׁם Ezek. 43:7
וְאֶשְׁכּוֹן 61 וְאֵשֵׁב רֹאשׁ וְאֶשְׁכּוֹן כְּמֶלֶךְ בַּגְּדוּד Job 29:25
אֶשְׁכְּנָה 62 אֶשְׁכְּנָה בְּאַחֲרִית יָם Ps. 139:9
וְאֶשְׁכֹּנָה 63 אָעוּפָה וְאֶשְׁכֹּנָה Ps. 55:7
תִּשְׁכֹּן 64 וְלֹא תִשְׁכֹּן עַד־דּוֹר וָדוֹר Is. 13:20
65 וִירוּשָׁלַםִ תִּשְׁכּוֹן לָבֶטַח Jer. 33:16
66 וְאַחֲרֵי־כֵן תִּשְׁכֹּן כִּימֵי־קֶדֶם Jer. 46:26
67 וְלֹא תִשְׁכּוֹן עַד־דּוֹר וָדֹר Jer. 50:39
68 תִּשְׁכּוֹן בְּאָהֳלוֹ מִבְּלִי־לוֹ Job 18:15
69 וּבִמְעוֹנֹתֶיהָ תִשְׁכֹּן Job 37:8
תִּשְׁכָּן־ 70 תִּשְׁכָּן־עָלָיו עֲנָנָה Job 3:5
יִשְׁכֹּן 71 וְעַל־פְּנֵי כָל־אֶחָיו יִשְׁכֹּן Gen. 16:12
72 זְבוּלֻן לְחוֹף יַמִּים יִשְׁכֹּן Gen. 49:13
73 אֲשֶׁר יִשְׁכֹּן הֶעָנָן עַל־הַמִּשְׁכָּן Num. 9:18
74 הֶן־עָם לְבָדָד יִשְׁכֹּן Num. 23:9
75 יְדִיד יְיָ יִשְׁכֹּן לָבֶטַח עָלָיו Deut. 33:12
76 וְעַל־מִפְרָצָיו יִשְׁכּוֹן Jud. 5:17
77 הוּא מְרוֹמִים יִשְׁכֹּן Is. 33:16
78 וְיִשְׂרָאֵל יִשְׁכֹּן לָבֶטַח Jer. 23:6
79 מִי־יִשְׁכֹּן בְּהַר קָדְשֶׁךָ Ps. 15:1
80 אַף־בְּשָׂרִי יִשְׁכֹּן לָבֶטַח Ps. 16:9
81 אַשְׁרֵי...יִשְׁכֹּן חֲצֵרֶיךָ Ps. 65:5
82 אַף־יְיָ יִשְׁכֹּן לָנֶצַח Ps. 68:17
83 עֲלֵיהֶם עוֹף־הַשָּׁמַיִם יִשְׁכּוֹן Ps. 104:12
84 סֶלַע יִשְׁכֹּן וְיִתְלֹנָן Job 39:28
יִשְׁכָּן־ 85 וּבִמְקוֹם אֲשֶׁר יִשְׁכָּן־שָׁם הֶעָנָן Num. 9:17
86 וְשֹׁמֵעַ לִי יִשְׁכָּן־בֶּטַח Prov. 1:33
87 אֵי־זֶה הַדֶּרֶךְ יִשְׁכָּן־אוֹר Job 38:19
וְיִשְׁכֹּן 88 יַפְתְּ אֱלֹ׳ לְיֶפֶת וְיִשְׁכֹּן בְּאָהֳלֵי־שֵׁם Gen. 9:27
וַיִּשְׁכֹּן 89 וַיִּשְׁכֹּן כְּבוֹד־יְיָ עַל־הַר סִינַי Ex. 24:16
90 וַיִּשְׁכֹּן הֶעָנָן בְּמִדְבַּר פָּארָן Num. 10:12
91 וַיִּשְׁכֹּן יִשְׂרָאֵל בֶּטַח בָּדָד Deut. 33:28
92 וַיִּשְׁכּוֹן עָרִים נִכְחָדוֹת Job 15:28
93 וַיִּשְׁכֹּן בִּירוּשָׁלַםִ עַד־לְעוֹלָם ICh. 23:25

יִשְׁכְּנוּ 94 וְיַנְשׁוֹף וְעֹרֵב יִשְׁכְּנוּ־בָהּ Is. 34:11
95 לְדוֹר וָדוֹר יִשְׁכְּנוּ־בָהּ Is. 34:17
96 וַעֲבָדַי יִשְׁכְּנוּ־שָׁמָּה Is. 65:9
97 עַל־מַפַּלְתּוֹ יִשְׁכְּנוּ כָּל־עוֹף הַשָּׁ׳ Ezek. 31:13
98 נָמוּ רֹעֶיךָ...יִשְׁכְּנוּ אַדִּירֶיךָ Nah. 3:18
99 וְאֹהֲבֵי שְׁמוֹ יִשְׁכְּנוּ־בָהּ Ps. 69:37
100 כִּי־יְשָׁרִים יִשְׁכְּנוּ־אָרֶץ Prov. 2:21
101 בְּבֵיתָהּ לֹא־יִשְׁכְּנוּ רַגְלֶיהָ Prov. 7:11
102 וּרְשָׁעִים לֹא יִשְׁכְּנוּ־אָרֶץ Prov. 10:30
יִשְׁכֹּנוּ 103 לֹא־דְלָתַיִם...בָּדָד יִשְׁכֹּנוּ Jer. 49:31
104 בְּנֵי־עֲבָדֶיךָ יִשְׁכּוֹנוּ Ps. 102:29
וְיִשְׁכְּנוּ 105 יִירְשׁוּ־אָרֶץ וְיִשְׁכְּנוּ לָעַד עָלֶיהָ Ps. 37:29
וַיִּשְׁכְּנוּ 106 וַיִּשְׁכְּנוּ מֵחֲוִילָה עַד־שׁוּר Gen. 25:18
תִּשְׁכֹּנָּה 107 כֹּל צִפּוֹר...בְּצֵל דָּלִיּוֹתָיו תִּשְׁכֹּנָּה Ezek.17:23
שְׁכֹן 108 שְׁכֹן בָּאָרֶץ אֲשֶׁר אֹמַר אֵלֶיךָ Gen. 26:2
שְׁכָן־ 109 שְׁכָן־אֶרֶץ וּרְעֵה אֱמוּנָה Ps. 37:3
וּשְׁכֹן 110 וַעֲשֵׂה־טוֹב וּשְׁכֹן לְעוֹלָם Ps. 37:27
וְשִׁכְנוּ 111 עִזְבוּ עָרִים וְשִׁכְנוּ בַּסֶּלַע Jer. 48:28
לְשַׁכֵּן 112 לְשַׁכֵּן אֶתְכֶם בָּהּ Num. 14:30
113-118 לְשַׁכֵּן שְׁמוֹ שָׁם Deut.12:11;14:23;16:2,6,11;26:2
119 לְשַׁכֵּן אֶת־שְׁמִי שָׁם Neh. 1:9
שִׁכַּנְתִּי 120 אֲשֶׁר שִׁכַּנְתִּי שְׁמִי שָׁם בָּרִאשׁוֹנָה Jer. 7:12
וְשִׁכַּנְתִּי 121 וְשִׁכַּנְתִּי אֶתְכֶם בַּמָּקוֹם הַזֶּה Jer. 7:7
שִׁכֵּן 122 אֹהֶל שִׁכֵּן בָּאָדָם Ps. 78:60
וַאֲשַׁכְּנָה 123 וַאֲשַׁכְּנָה אֶתְכֶם בַּמָּקוֹם הַזֶּה Jer. 7:3
וְהִשְׁכַּנְתִּי 124 וְהִשְׁכַּנְתִּי עָלֶיךָ...עוֹף הַשָּׁמַיִם Ezek. 32:4
תַּשְׁכֵּן 125 וְאַל־תַּשְׁכֵּן בְּאֹהָלֶיךָ עַוְלָה Job 11:14
יַשְׁכֵּן 126 וּכְבוֹדִי לֶעָפָר יַשְׁכֵּן Ps. 7:6
וַיַּשְׁכֵּן 127 וַיַּשְׁכֵּן מִקֶּדֶם לְגַן־עֵדֶן Gen. 3:24
128 וַיַּשְׁכֵּן בְּאָהֳלֵיהֶם שִׁבְטֵי יִשְׂרָאֵל Ps. 78:55
וַיַּשְׁכִּינוּ 129 וַיַּשְׁכִּינוּ שָׁם אֶת־אֹהֶל מוֹעֵד Josh. 18:1

שְׁכַן

פְּ׳ ארמית א) כמו בעברית – שָׁכַן: 1
ב) [פַּ׳ שַׁכֵּן] שִׁכֵּן: 2

יִשְׁכְּנָן 1 וּבְעַנְפוֹהִי יִשְׁכְּנָן צִפֲּרֵי שְׁמַיָּא Dan. 4:18
שַׁכִּן 2 וֵאלָהָא דִּי שַׁכִּן שְׁמֵהּ תַּמָּה Ez. 6:12

שָׁכֵן

תו״ז – הגר בקרבת מישהו: 1-18

שָׁכֵן קָרוֹב 3; שָׁכֵן וְרֵעוֹ 2; שְׁכַן שׁוֹמְרוֹן 4; שְׁכֵנִים רָעִים 6

שָׁכֵן 1 וּבַל־יֹאמַר שָׁכֵן חָלִיתִי Is. 33:24
2 וְכָשְׁלוּ...שָׁכֵן וְרֵעוֹ וְאָבָדוּ° Jer. 6:21
3 טוֹב שָׁכֵן קָרוֹב מֵאָח רָחוֹק Prov. 27:10
שְׁכַן־ 4 לְעֶגְלוֹת בֵּית אָוֶן יָגוּרוּ שְׁכַן שֹׁמְרוֹן Hosh. 10:5
וּשְׁכֵנוֹ 5 וְלָקַח הוּא וּשְׁכֵנוֹ הַקָּרֹב אֶל־בֵּיתוֹ Ex. 12:4
שְׁכֵנַי 6 עַל־כָּל־שְׁכֵנַי הָרָעִים Jer. 12:14
וְלִשְׁכֵנַי 7 הָיִיתִי חֶרְפָּה וְלִשְׁכֵנַי מְאֹד Ps. 31:12
לִשְׁכֵנֵינוּ 8 תְּשִׂימֵנוּ חֶרְפָּה לִשְׁכֵנֵינוּ Ps. 44:14
9 הָיִינוּ חֶרְפָּה לִשְׁכֵנֵינוּ Ps. 79:4
10 וְהָשֵׁב לִשְׁכֵנֵינוּ...חֶרְפָּתָם Ps. 79:12
11 תְּשִׂימֵנוּ מָדוֹן לִשְׁכֵנֵינוּ Ps. 80:7
שְׁכֵנַיִךְ 12 וַתִּזְנִי אֶל־בְּנֵי־מִצְרַיִם שְׁכֵנַיִךְ Ezek. 16:26
שְׁכֵנָיִךְ 13 שַׁאֲלִי...מֵאֵת כָּל־שְׁכֵנָיִךְ (כת׳ שכניכי) IIK. 4:3
שְׁכֵנָיו 14 וּבֹאוּ הַר הָאֱמֹרִי וְאֶל־כָּל־שְׁכֵנָיו Deut. 1:7
וּשְׁכֵנָיו 15 שֻׁדַּד זַרְעוֹ וְאֶחָיו וּשְׁכֵנָיו Jer. 49:10
לִשְׁכֵנָיו 16 הָיָה חֶרְפָּה לִשְׁכֵנָיו Ps. 89:42
שְׁכֵנֶיהָ 17 אֶת־סְדֹם...וְאֶת־שְׁכֵנֶיהָ Jer. 50:40
וּשְׁכֵנֶיהָ 18 כְּמַהְפֵּכַת סְדֹם וַעֲמֹרָה וּשְׁכֵנֶיהָ Jer. 49:18

שְׁכֵנָה

תו״נ – הגרה בקרבת מישהו: 1, 2

מִשְּׁכֶנְתָּהּ 1 וְשָׁאֲלָה אִשָּׁה מִשְּׁכֶנְתָּהּ Ex. 3:22
הַשְּׁכֵנוֹת 2 וַתִּקְרֶאנָה לוֹ הַשְּׁכֵנוֹת שֵׁם Ruth 4:17

שְׁכַנְיָה

שפ״ז – אנשים שונים בימי עזרא ונחמיה: 1-8

שְׁכַנְיָה 1 מִבְּנֵי שְׁכַנְיָה מִבְּנֵי פַרְעֹשׁ Ez. 8:3
2 מִבְּנֵי שְׁכַנְיָה בֶּן־יַחֲזִיאֵל Ez. 8:5
3 וַיַּעַן שְׁכַנְיָה בֶן־יְחִיאֵל Ez. 10:2
4 וְאַחֲרָיו הֶחֱזִיק שְׁמַעְיָה בֶן־שְׁכַנְיָה Neh. 3:29
5 שְׁכַנְיָה רְחֻם מְרֵמֹת Neh. 12:3
6 בְּנֵי עֹבַדְיָה בְּנֵי שְׁכַנְיָה ICh. 3:21
7 וּבְנֵי שְׁכַנְיָה שְׁמַעְיָה ICh. 3:22
לִשְׁכַנְיָה 8 כִּי־חָתָן הוּא לִשְׁכַנְיָה בֶן־אָרַח Neh. 6:18

שְׁכַנְיָהוּ

שפ״ז א) ראש אבות הכהנים בימי דוד: 1
ב) כהן בימי המלך חזקיהו: 2

וּשְׁכַנְיָהוּ 1 וּשְׁמַעְיָהוּ אֲמַרְיָהוּ וּשְׁכַנְיָהוּ IICh. 31:15
לִשְׁכַנְיָהוּ 2 לְיֵשׁוּעַ הַתְּשִׁעִי לִשְׁכַנְיָהוּ הָעֲשִׂרִי ICh. 24:11

שכר

: שָׂכַר, שָׂכוּר, נִשְׂכַּר, הִשְׂתַּכֵּר; שָׂכָר, שָׂכִיר, מַשְׂכֹּרֶת

שָׂכַר

פָּ׳ א) הזמין אדם לעבודה או לתפקיד מסוים תמורת תשלום: 1-18
ב) [נפ׳ נִשְׂכַּר] עבד אצל אַחר תמורת תשלום: 19
ג) [הת׳ הִשְׂתַּכֵּר] קבל שכר תמורת עבודתו: 20,21

שָׂכֹר 1 כִּי שָׂכֹר שְׂכַרְתִּיךָ בְּדוּדָאֵי בְּנִי Gen. 30:16
לִשְׂכֹּר 2 לִשְׂכֹּר לָהֶם...רֶכֶב וּפָרָשִׁים ICh. 19:6
שְׂכַרְתִּיךָ 3 כִּי שָׂכֹר שְׂכַרְתִּיךָ בְּדוּדָאֵי בְּנִי Gen. 30:16
שָׂכַר 4 וַאֲשֶׁר שָׂכַר עָלֶיךָ אֶת־בִּלְעָם Deut. 23:5
5 שָׂכַר־עָלֵינוּ...אֶת־מַלְכֵי הַחִתִּים IIK. 7:6
שְׂכָרוֹ 6 וְטוֹבִיָּה וְסַנְבַלַּט שְׂכָרוֹ Neh. 6:12
וְשֹׂכֵר 7/8 וְשֹׂכֵר כְּסִיל וְשֹׂכֵר עֹבְרִים Prov. 26:10
שֹׂכְרִים 9 וַיִּהְיוּ שֹׂכְרִים חֹצְבִים וְחָרָשִׁים IICh. 24:12
(וְסֹכְרִים) 10 וְסֹכְרִים עֲלֵיהֶם יוֹעֲצִים Ez. 4:5
שָׂכוּר 11 לְמַעַן שָׂכוּר הוּא לְמַעַן־אִירָא Neh. 6:13
וַיִּשְׂכֹּר 12 וַיִּשְׂכֹּר בָּהֶם אֲבִימֶלֶךְ אֲנָשִׁים רֵיקִים Jud. 9:4
13 וַיִּשְׂכֹּר עָלָיו אֶת־בִּלְעָם Neh. 13:2
14 וַיִּשְׂכֹּר מִיִּשְׂרָ׳ מֵאָה אֶלֶף גִּבּוֹר חָיִל IICh. 25:6
וַיִּשְׂכְּרֵנִי 15 וַיִּשְׂכְּרֵנִי וָאֱהִי־לוֹ לְכֹהֵן Jud. 18:4
יִשְׂכְּרוּ 16 יִשְׂכְּרוּ צוֹרֵף וְיַעֲשֵׂהוּ אֵל Is. 46:6
וַיִּשְׂכְּרוּ 17 וַיִּשְׂכְּרוּ אֶת־אֲרַם...עֶשְׂרִים אֶלֶף רַ׳ IISh. 10:6
18 וַיִּשְׂכְּרוּ...שְׁנַיִם וּשְׁלֹשִׁים אֶלֶף רֶכֶב ICh. 19:7
נִשְׂכָּרוּ 19 שְׂבֵעִים בַּלֶּחֶם נִשְׂכָּרוּ ISh. 2:5
מִשְׂתַּכֵּר 20 וְהַמִּשְׂתַּכֵּר מִשְׂ׳ אֶל־צְרוֹר נָקוּב Hag. 1:6
וְהַמִּשְׂתַּכֵּר 21 וְהַמִּשְׂ׳ מִשְׂתַּכֵּר אֶל־צְרוֹר נָקוּב Hag. 1:6

שָׂכָר[1]

ז׳ א) גמול עבודה: 1-27
ב) תשלום בעד שמוש בדבר: 28

– שָׂכָר הַרְבֵּה 19; שָׂכָר טוֹב 5; שְׂכַר אָדָם 10; שְׂכַר בְּהֵמָה 13; שְׂ׳ עֲבָדִים 12; שְׂ׳ שָׂכִיר 9, 11
– נָקְבָה שְׂכָרוֹ 20; בָּא בִּשְׂכָרוֹ 27; בָּא עַל שְׂכָרוֹ 16

שָׂכָר 1 שָׂכָר הוּא לָכֶם חֵלֶף עֲבֹדַתְכֶם Num. 18:31
2 כִּי יֵשׁ שָׂכָר לִפְעֻלָּתֵךְ Jer. 31:15
3 וְהָיְתָה שָׂכָר לְחֵילוֹ Ezek. 29:19
4 שָׂכָר פְּרִי הַבָּטֶן Ps. 127:3
5 אֲשֶׁר יֵשׁ־לָהֶם שָׂכָר טוֹב בַּעֲמָלָם Eccl. 4:9
6 וְאֵין־עוֹד לָהֶם שָׂכָר Eccl. 9:5
7 כִּי יֵשׁ שָׂכָר לִפְעֻלַּתְכֶם IICh. 15:7
וְשָׂכָר 8 וְשָׂכָר לֹא־הָיָה לוֹ וּלְחֵילוֹ מִצֹּר Ezek. 29:18
שְׂכַר־ 9 כִּי מִשְׁנֶה שְׂכַר שָׂכִיר עֲבָדְךָ Deut. 15:18
10 שְׂכַר הָאָדָם לֹא נִהְיָה Zech. 8:10
11 וּבְעֹשְׁקֵי שְׂכַר־שָׂכִיר Mal. 3:5
וּשְׂכַר־ 12 וּשְׂכַר עֲבָדֶיךָ אֶתֵּן לְךָ IK. 5:20
13 וּשְׂכַר הַבְּהֵמָה אֵינֶנָּה Zech. 8:10
שְׂכָרִי 14 נָתַן אֱלֹהִים שְׂכָרִי Gen. 30:18
15 כָּל־שֶׂה נָקֹד...וְהָיָה שְׂכָרִי Gen. 30:32
שְׂכָרִי (המשך) 16 כִּי־תָבוֹא עַל־שְׂכָרִי Gen. 30:33
17 אִם־טוֹב בְּעֵינֵיכֶם הָבוּ שְׂכָרִי Zech. 11:12
18 וַיִּשְׁקְלוּ אֶת־שְׂכָרִי שְׁלֹשִׁים כָּסֶף Zech. 11:12
שְׂכָרְךָ 19 אָנֹכִי מָגֵן לָךְ שְׂכָרְךָ הַרְבֵּה מְאֹד Gen. 15:1
20 נָקְבָה שְׂכָרְךָ עָלַי וְאֶתֵּנָה Gen. 30:28
שְׂכָרֶךָ 21 נְקֻדִּים יִהְיֶה שְׂכָרֶךָ Gen. 31:8
22 עֲקֻדִּים יִהְיֶה שְׂכָרֶךָ Gen. 31:8
שְׂכָרֵךְ 23 וְהֵינִקִהוּ לִי וַאֲנִי אֶתֵּן אֶת־שְׂכָרֵךְ Ex. 2:9
שְׂכָרוֹ 24 בְּיוֹמוֹ תִתֵּן שְׂכָרוֹ Deut. 24:15
25/6 שְׂכָרוֹ אִתּוֹ וּפְעֻלָּתוֹ לְפָנָיו Is. 40:10; 62:11
בִּשְׂכָרוֹ 27 אִם־שָׂכִיר הוּא בָּא בִּשְׂכָרוֹ Ex. 22:14
שְׂכָרָהּ 28 וַיִּמְצָא אָנִיָּה...וַיִּתֵּן שְׂכָרָהּ Jon. 1:3

שָׂכָר[2]

שפ״ז א) מגבורי דוד: 1
ב) בן עובד אדום הגתי: 2

שָׂכָר 1 אֲחִיאָם בֶּן־שָׂכָר הַהֲרָרִי ICh. 11:35
וְשָׂכָר 2 יוֹאָח הַשְּׁלִשִׁי וְשָׂכָר הָרְבִיעִי ICh. 26:4

שֶׂכֶר

ז׳ א) שָׂכָר: 2 • שֶׂכֶר אֱמֶת 2
ב) סֶכֶר למים(?): 1

שֶׂכֶר 1 כָּל־עֹשֵׂי שֶׂכֶר אַגְמֵי־נָפֶשׁ Is. 19:10
2 וְזֹרֵעַ צְדָקָה שֶׂכֶר אֱמֶת Prov. 11:18

שכר

: שָׁכַר, שָׁכוּר, שִׁכֵּר, הִשְׁתַּכֵּר, הִשְׁכִּיר; שֵׁכָר, שִׁכּוֹר, שִׁכָּרוֹן; ש״פ שִׁכְּרוֹן

שָׁכַר

פָּ׳ א) סָבָא, שתה יַיִן במדה מופרזת (גם בהשאלה): 1, 2, 4-10
ב) [פָּעוּל: שָׁכוּר] שָׁתוּי, מבוסם: 3
ג) [פִּ׳ שִׁכֵּר] הִשְׁקָה יַיִן עד לבלבול החושים: 11-14
ד) [הת׳ הִשְׁתַּכֵּר] שתה יין עד לבלבול חושים: 15
ה) [הפ׳ הִשְׁכִּיר] השקה יין, שִׁכֵּר (גם בהשאלה): 16-19

לְשָׁכְרָה 1 שָׁתוֹ וְאֵין־לְשָׁכְרָה Hag. 1:6
שָׁכְרוּ 2 שָׁכְרוּ וְלֹא־יַיִן נָעוּ וְלֹא שֵׁכָר Is. 29:9
וּשְׁכֻרַת־ 3 עֲנִיָּה וּשְׁכֻרַת וְלֹא מִיָּיִן Is. 51:21
תִּשְׁכְּרִי 4 גַּם־אַתְּ תִּשְׁכְּרִי תְּהִי נַעֲלָמָה Nah. 3:11
5 גַּם־עָלַיִךְ תַּעֲבָר־כּוֹס תִּשְׁכְּרִי Lam. 4:21
וַיִּשְׁכָּר 6 וַיֵּשְׁתְּ מִן־הַיַּיִן וַיִּשְׁכָּר Gen. 9:21
וַיִּשְׁכְּרוּ 7 וַיִּשְׁתּוּ וַיִּשְׁכְּרוּ עִמּוֹ Gen. 43:34
יִשְׁכָּרוּן 8 וְכֶעָסִיס דָּמָם יִשְׁכָּרוּן Is. 49:26
וְשִׁכְרוּ 9 שְׁתוּ וְשִׁכְרוּ וּקְיוּ וְנִפְלוּ Jer. 25:27
10 שְׁתוּ וְשִׁכְרוּ דּוֹדִים S.ofS. 5:1
שַׁכֵּר 11 מְסַפֵּחַ חֲמָתְךָ וְאַף שַׁכֵּר Hab. 2:15
מְשַׁכֶּרֶת 12 כּוֹס־זָהָב...מְשַׁכֶּרֶת כָּל־הָאָרֶץ Jer. 51:7
וַאֲשַׁכְּרֵם 13 וְאָבוּס עַמִּים...וַאֲשַׁכְּרֵם בַּחֲמָתִי Is. 63:6
וַיְשַׁכְּרֵהוּ 14 וַיֹּאכַל לְפָנָיו וַיֵּשְׁתְּ וַיְשַׁכְּרֵהוּ IISh. 11:13
תִּשְׁתַּכָּרִין 15 עַד־מָתַי תִּשְׁתַּכָּרִין ISh. 1:14
וְהִשְׁכַּרְתִּי 16 וְהִשְׁכַּרְתִּי שָׂרֶיהָ וַחֲכָמֶיהָ Jer. 51:57
וְהִשְׁכַּרְתִּים 17 אָשִׁית אֶת־מִשְׁתֵּיהֶם וְהִשְׁכַּרְתִּים Jer. 51:39
אַשְׁכִּיר 18 אַשְׁכִּיר חִצַּי מִדָּם Deut. 32:42
הַשְׁכִּירוּהוּ 19 הַשְׁכִּירֻהוּ כִּי עַל־יְיָ הִגְדִּיל Jer. 48:26

שֵׁכָר

ז׳ משקה מְשַׁכֵּר: 1-23

קרובים: חֹמֶץ / יַיִן / מֶזֶג / מִמְסָךְ / מֶסֶךְ / מַשְׁקֶה / סֹבֶא / עָסִיס

יַיִן וְשֵׁכָר 1,6,7,9,11-19, 21-23; חֹמֶץ שֵׁכָר 1; נֶסֶךְ שֵׁכָר 2; שׁוֹתֵי שֵׁכָר 8

שֵׁכָר 1 חֹמֶץ יַיִן וְחֹמֶץ שֵׁכָר לֹא יִשְׁתֶּה Num. 6:3
2 הַסֵּךְ נֶסֶךְ שֵׁכָר לַייָ Num. 28:7
3 מַשְׁכִּימֵי בַבֹּקֶר שֵׁכָר יִרְדֹּפוּ Is. 5:11
4 וְאַנְשֵׁי חַיִל לִמְסֹךְ שֵׁכָר Is. 5:22
5 יֵמַר שֵׁכָר לְשֹׁתָיו Is. 24:9

שֵׁכָר (המשך)

6 שִׁכְרוּ וְלֹא־יַיִן נָעוּ וְלֹא שֵׁכָר Is. 29:9
7 אֶקְחָה־יַיִן וְנִסְבְּאָה שֵׁכָר Is. 56:12
8 וּנְגִינוֹת שׁוֹתֵי שֵׁכָר Ps. 69:13
9 לֵץ הַיַּיִן הֹמֶה שֵׁכָר Prov. 20:1
10 וּלְרוֹזְנִים אֵי° שֵׁכָר Prov. 31:4
11 תְּנוּ־שֵׁכָר לְאוֹבֵד וְיַיִן לְמָרֵי נָפֶשׁ Prov. 31:6
וְשֵׁכָר 12 יַיִן וְשֵׁכָר אַל־תֵּשְׁתְּ Lev. 10:9
13 מִיַּיִן וְשֵׁכָר יַזִּיר Num. 6:3
14 וְיַיִן וְשֵׁכָר לֹא שְׁתִיתֶם Deut. 29:5
15 וְאַל־תִּשְׁתִּי יַיִן וְשֵׁכָר Jud. 13:4
16 וְעַתָּה אַל־תִּשְׁתִּי יַיִן וְשֵׁכָר Jud. 13:7
17 וְיַיִן וְשֵׁכָר אַל־תֵּשְׁתְּ Jud. 13:14
18 וְיַיִן וְשֵׁכָר לֹא שָׁתִיתִי ISh. 1:15
הַשֵּׁכָר 19 נִבְלְעוּ מִן־הַיַּיִן תָּעוּ מִן־הַשֵּׁכָר Is. 28:7
בַּשֵּׁכָר 20 כֹּהֵן וְנָבִיא שָׁגוּ בַשֵּׁכָר Is. 28:7
וּבַשֵּׁכָר 21 וְנָתַתָּה הַכֶּסֶף...וּבַיַּיִן וּבַשֵּׁכָר Deut. 14:26
22 בַּיַּיִן שָׁגוּ וּבַשֵּׁכָר תָּעוּ Is. 28:7
וְלַשֵּׁכָר 23 אַטִּף לְךָ לַיַּיִן וְלַשֵּׁכָר Mic. 2:11

שִׁכְרָה
(חגי א6) – עין שָׂכָר(1)

שִׁכָּרוֹן[1]
ז׳ בִּלְבּוּל החושים ממשקה מְשַׁכֵּר: 1-3

שִׁכָּרוֹן 1 מְמַלֵּא...כָּל־יֹשְׁבֵי יְרוּשָׁלִַם שִׁכָּרוֹן Jer. 13:13
2 שִׁכָּרוֹן וְיָגוֹן תִּמָּלֵאִי Ezek. 23:33
לְשִׁכָּרוֹן 3 וּשְׁתִיתֶם דָּם לְשִׁכָּרוֹן Ezek. 39:19

שִׁכְּרוֹן[2]
ש״פ – עיר בגבול הצפוני של נחלת יהודה

שִׁכְּרוֹנָה 1 וְתָאַר הַגְּבוּל שִׁכְּרוֹנָה Josh. 15:11

שֶׁל
(שֶׁלִּי, בְּשֶׁל־, בְּשֶׁלִּי, מִשֶּׁלָּנוּ וכו׳) – עין שֶׁ־ (130-136)

שַׁל
ז׳ שגגה(?)

הַשַּׁל 1 וַיַּכֵּהוּ שָׁם הָאֱלֹהִים עַל־הַשַּׁל IISh. 6:7

שַׁל
(שמות ג5) – עין נָשַׁל (6,5)

שֹׁל
(רות ב16) – עין שָׁלַל (1)

שַׁלְאֲנָן
ת׳ שאנן

שַׁלְאֲנָן 1 כֻּלּוֹ שַׁלְאֲנַן וְשָׁלֵיו Job 21:23

שלב
: מְשֻׁלָּב; שָׁלָב°

שָׁלַב
פ׳ חִבֵּר: 1, 2

מְשֻׁלָּבוֹת 1 מְשֻׁלָּבֹת אִשָּׁה אֶל־אֲחֹתָהּ Ex. 26:17
2 מְשֻׁלָּבֹת אַחַת אֶל־אֶחָת Ex. 36:22

שָׁלָב*
ז׳ קָנֶה־חִבּוּר(?): 1-3

הַשְּׁלַבִּים 1 וּמִסְגְּרֹת בֵּין הַשְּׁלַבִּים IK. 7:28
2 וְעַל־הַמִּסְגְּרוֹת...בֵּין הַשְּׁלַבִּים אֲרָיוֹת IK. 7:29
3 וְעַל־הַשְּׁלַבִּים כֵּן מִמָּעַל IK. 7:29

שלג
: הִשְׁלִיג; שֶׁלֶג

(שלג) הִשְׁלִיג
הפ׳ הוֹרִיד שֶׁלֶג

תַּשְׁלֵג 1 בָּהּ תַּשְׁלֵג בְּצַלְמוֹן Ps. 68:15

שֶׁלֶג
ז׳ טִפּוֹת מַיִם שקפאו במרומים ונפלו על הארץ בצורת גְּבִישִׁים מְשֻׁשִּׁים: 1-20

שֶׁלֶג לְבָנוֹן 20; אוֹצְרוֹת שֶׁלֶג 7; יוֹם הַשֶּׁלֶג 8,9; מֵי שֶׁלֶג 6; מֵימֵי שֶׁלֶג 4; צִנַּת שֶׁלֶג 3

שֶׁלֶג 1 הַנֹּתֵן שֶׁלֶג כַּצָּמֶר Ps. 147:16
2 אֵשׁ וּבָרָד שֶׁלֶג וְקִיטוֹר Ps. 148:8
3 כְּצִנַּת־שֶׁלֶג בְּיוֹם קָצִיר Prov. 25:13
4 צִיָּה גַם־חֹם יִגְזְלוּ מֵימֵי־שֶׁלֶג Job 24:19
שָׁלֶג 5 עָלֵימוֹ יִתְעַלֶּם־שָׁלֶג Job 6:16
6 אִם־הִתְרָחַצְתִּי בְמֵי° שָׁלֶג Job 9:30
7 הֲבָאתָ אֶל־אֹצְרוֹת שָׁלֶג Job 38:22
הַשֶּׁלֶג 8 בְּתוֹךְ הַבֹּאר בְּיוֹם הַשָּׁלֶג IISh. 23:20
9 בְּתוֹךְ הַבּוֹר בְּיוֹם הַשָּׁלֶג ICh. 11:22
וְהַשֶּׁלֶג 10 כַּאֲשֶׁר יֵרֵד הַגֶּשֶׁם וְהַשֶּׁלֶג... Is. 55:10
כַּשֶּׁלֶג 11 אִם־יִהְיוּ...כַּשָּׁנִים כַּשֶּׁלֶג יַלְבִּינוּ Is. 1:18
12 כַּשֶּׁלֶג בַּקַּיִץ וְכַמָּטָר בַּקָּצִיר Prov. 26:1
כַּשָּׁלֶג 13 וְהִנֵּה יָדוֹ מְצֹרַעַת כַּשָּׁלֶג Ex. 4:6
14 וְהִנֵּה מִרְיָם מְצֹרַעַת כַּשָּׁלֶג Num. 12:10
15 וַיֵּצֵא מִלְּפָנָיו מְצֹרָע כַּשָּׁלֶג IIK. 5:27
לַשֶּׁלֶג 16 כִּי לַשֶּׁלֶג יֹאמַר הֱוֵא אָרֶץ Job 37:6
מִשֶּׁלֶג 17 זַכּוּ נְזִירֶיהָ מִשֶּׁלֶג צַחוּ מֵחָלָב Lam. 4:7
מִשָּׁלֶג 18 לֹא־תִירָא לְבֵיתָהּ מִשָּׁלֶג Prov. 31:21
וּמִשֶּׁלֶג 19 תְּכַבְּסֵנִי וּמִשֶּׁלֶג אַלְבִּין Ps. 51:9
שֶׁלֶג־ 20 הֲיַעֲזֹב מִצּוּר שָׂדַי שֶׁלֶג לְבָנוֹן Jer. 18:14

שלה
: שָׁלָה, נִשְׁלָה, הִשְׁלָה [עיין גם שלו]; אר׳ שְׁלֵה; ש״פ שֵׁלָה, שִׁילֹה(?)

שָׁלָה
פ׳ א) היה שָׁקֵט ושאנן: 1-4
ב) [נפ׳ נִשְׁלָה] היה רגוע ושקט: 5
ג) [הפ׳ הִשְׁלָה] הרגיע בהבטחות שוא: 6, 7

שָׁלוּ 1 שָׁלוּ כָּל־בֹּגְדֵי בָגֶד Jer. 12:1
2 הָיוּ צָרֶיהָ לְרֹאשׁ אֹיְבֶיהָ שָׁלוּ Lam. 1:5
יִשְׁלָיוּ 3 שַׁאֲלוּ שְׁלוֹם יְרוּשָׁ׳ יִשְׁלָיוּ אֹהֲבָיִךְ Ps. 122:6
4 יִשְׁלָיוּ אֹהָלִים לְשֹׁדְדִים Job 12:6
תִּשָּׁלוּ 5 בָּנַי עַתָּה אַל־תִּשָּׁלוּ IICh. 29:11
תַשְׁלֶה 6 הֲלֹא אָמַרְתִּי לֹא תַשְׁלֶה אֹתִי IIK. 4:28
יֵשֶׁל 7 כִּי יֵשֶׁל אֱלוֹהַּ נַפְשׁוֹ Job 27:8

שְׁלֵה
ת׳ ארמית: שָׁלֵו, שאנן

שְׁלֵה 1 שְׁלֵה הֲוֵית בְּבֵיתִי וְרַעְנַן בְּהֵיכְלִי Dan. 4:1

שֵׁלָה
שפ״ז – בן יהודה בן יעקב: 1-8 • בְּנֵי שֵׁלָה 4

שֵׁלָה 1 וַתִּקְרָא אֶת־שְׁמוֹ שֵׁלָה Gen. 38:5
2 שְׁבִי...עַד־יִגְדַּל שֵׁלָה בְנִי Gen. 38:11
3 כִּי רָאֲתָה כִּי־גָדַל שֵׁלָה Gen. 38:14
4 בְּנֵי שֵׁלָה בֶן־יְהוּדָה עֵר אֲבִי לֵכָה ICh. 4:21
וְשֵׁלָה 5 וּבְנֵי יְהוּדָה עֵר וְאוֹנָן וְשֵׁלָה Gen. 46:12
6 בְּנֵי יְהוּדָה עֵר וְאוֹנָן וְשֵׁלָה ICh. 2:3
לְשֵׁלָה 7 כִּי־עַל־כֵּן לֹא־נְתַתִּיהָ לְשֵׁלָה בְנִי Gen. 38:26
8 לְשֵׁלָה מִשְׁפַּחַת הַשֵּׁלָנִי Num. 26:20

שִׁלֹה
– עין שִׁילֹה

שַׁלְהֶבֶת
נ׳ לֶהָבָה: 1-3 • שַׁלְהֶבֶתְיָה [שלהבת יָהּ] 3
קרובים: אוּר / אֵשׁ / לֶהָבָה / לֶהָבֶת / לַהַט

שַׁלְהֶבֶת 1 לֹא תִכְבֶּה לַהֶבֶת שַׁלְהֶבֶת Ezek. 21:3
שַׁלְהֶבֶת 2 יַנְקוֹתוֹ תְּיַבֵּשׁ שַׁלְהָבֶת Job 15:30
שַׁלְהֶבֶתְיָה 3 רְשָׁפֶיהָ רִשְׁפֵּי אֵשׁ שַׁלְהֶבֶתְיָה S.ofS. 8:6

שְׂלָו, שְׂלָיו
ז׳ [כשם קבוצי – נ׳ (2)] סוג של עופות קטנים מסדרת התרנגולות (coturnix): 1-4

שְׂלָו 1 שָׁאַל וַיָּבֵא שְׂלָו Ps. 105:40
הַשְּׂלָו 2 וַתַּעַל הַשְּׂלָו וַתְּכַס אֶת־הַמַּחֲנֶה Ex. 16:13
3 וַיָּקָם הָעָם...וַיַּאַסְפוּ אֶת־הַשְּׂלָו Num. 11:32
שַׂלְוִים 4 וַיָּגָז שַׂלְוִים מִן־הַיָּם Num. 11:31

שָׁלוּ
ז׳ ארמית שגגה, סרחה(?): 1-4

שָׁלוּ 1 דִּי־יֵאמַר שָׁלוּ (כ׳ שלה) עַל־אֱלָהֲהוֹן Dan. 3:29
2 וְכָל־שָׁלוּ וּשְׁחִיתָה Dan. 6:5
3 וּזְהִירִין הֱווֹ שָׁלוּ לְמֶעְבַּד Ez. 4:22
4 לֶהֱוֵא מִתְיְהֵב...דִּי־לָא שָׁלוּ Ez. 6:9

שלו
: שָׁלֵו; שָׁלֵו, שָׁלֵו, שַׁלְוָה; אר׳ שְׁלֵה, שְׁלֵוָה

שָׁלַו
פ׳ שָׁקַט, היה בטוח

שָׁלַוְתִּי 1 לֹא שָׁלַוְתִּי וְלֹא שָׁקַטְתִּי וְלֹא־נָחְתִּי Job 3:26

שָׁלֵו
ת׳ שָׁקֵט, רגוע: 1-8

שַׁלְאֲנָן וְשָׁלֵו 5; הָמוֹן שָׁלֵו 1; שַׁלְוֵי עוֹלָם 8

שָׁלֵו 1 וְקוֹל הָמוֹן שָׁלֵו בָהּ Ezek. 23:42
2 שָׁלֵו הָיִיתִי וַיְפַרְפְּרֵנִי Job 16:12
3 כִּי לֹא־יָדַע שָׁלֵו בְּבִטְנוֹ Job 20:20
שְׁלֵיו 4 עֲלוּ אֶל־גּוֹי שְׁלֵיו יוֹשֵׁב לָבֶטַח Jer. 49:31
וְשָׁלֵיו 5 כֻּלּוֹ שַׁלְאֲנַן וְשָׁלֵיו Job 21:23
וּשְׁלֵוָה 6 בִּהְיוֹת יְרוּשָׁלִַם יֹשֶׁבֶת וּשְׁלֵוָה Zech. 7:7
7 רַחֲבַת יָדַיִם וְשֹׁקֶטֶת וּשְׁלֵוָה ICh. 4:40
וְשַׁלְוֵי־ 8 רְשָׁעִים וְשַׁלְוֵי עוֹלָם הִשְׂגּוּ־חָיִל Ps. 73:12

שֶׁלֶו*
ז׳ שֶׁקֶט

בְשַׁלְוִי 1 וַאֲנִי אָמַרְתִּי בְשַׁלְוִי בַּל־אֶמּוֹט Ps. 30:7

שַׁלְוָה
נ׳ שֶׁקֶט, מנוחה, בטחון: 1-8
קרובים: בִּטָּחוֹן / הַשְׁקֵט / מָנוֹחַ / מְנוּחָה / מַרְגּוֹעַ / נַחַת / שֶׁקֶט

שַׁלְוַת הַשְׁקֵט 6; שַׁלְוַת כְּסִילִים 7

שַׁלְוָה 1 שָׁלוֹם בְּחֵילֵךְ שַׁלְוָה בְּאַרְמְנוֹתָיִךְ Ps. 122:7
וְשַׁלְוָה 2 טוֹב פַּת חֲרֵבָה וְשַׁלְוָה־בָהּ Prov. 17:1
בְשַׁלְוָה 3 וּבָא בְשַׁלְוָה וְהֶחֱזִיק מַלְכוּת Dan. 11:21
4 בְּשַׁלְוָה וּבְמִשְׁמַנֵּי מְדִינָה יָבוֹא Dan. 11:24
וּבְשַׁלְוָה 5 וּבְשַׁלְוָה יַשְׁחִית רַבִּים Dan. 8:25
וְשַׁלְוַת־ 6 שִׂבְעַת־לֶחֶם וְשַׁלְוַת הַשְׁקֵט הָיָה לָהּ Ezek. 16:49
7 וְשַׁלְוַת כְּסִילִים תְּאַבְּדֵם Prov. 1:32
בְּשַׁלְוֹתַיִךְ 8 דִּבַּרְתִּי אֵלַיִךְ בְּשַׁלְוֹתַיִךְ Jer. 22:21

שְׁלֵוָה*
נ׳ ארמית: שַׁלְוָה

לִשְׁלֵוְתָךְ 1 הֵן תֶּהֱוֵה אַרְכָה לִשְׁלֵוְתָךְ Dan. 4:24

שְׁלוּחָה*
נ׳ גבעול המתפשט לאורך על פני הקרקע
קרוב: נְטִישָׁה

שְׁלֻחוֹתֶיהָ 1 שְׁלֻחוֹתֶיהָ נִטְּשׁוּ עָבְרוּ יָם Is. 16:8

שִׁלּוּחִים
ז״ר א) החזרה אל מקום המוצא: 3
ב) מוהר הֶתָּן לבת הנשאת: 1
ג) [בהשאלה] מס: 2

שִׁלּוּחִים 1 וַיִּתְּנָהּ שִׁלֻּחִים לְבִתּוֹ IK. 9:16
2 תִּתְּנִי שִׁלּוּחִים עַל מוֹרֶשֶׁת גַּת Mic. 1:14
שִׁלּוּחֶיהָ 3 אֶת־צִפֹּרָה אֵשֶׁת מֹשֶׁה אַחַר שִׁלּוּחֶיהָ Ex. 18:2

שָׁלוֹם
ז׳ א) שלוה, בטחון מפגע, מלחץ, מריב וכדומה: רוב המקראות 1-237
ב) יחסים טובים בין בני אדם או בין מדינות, הפך מן ״מלחמה״: 4, 8, 10, 11, 16, 28, 29, 34, 44, 57-64, 66, 73-78, 81, 82, 98, 110
ג) מצב, מעמד: 210, 211, 219-223
ד) [הֲשָׁלוֹם?] שאלה בפי הדואג למצבו הטוב של מישהו: 117-130
קרובים: בֶּטַח / בִּטְחָה / בִּטָּחוֹן / הַשְׁקֵט / מְנוּחָה / מַרְגּוֹעַ / שַׁלְוָה / שֶׁקֶט

– שָׁלוֹם שָׁלוֹם 36, 50, 59, 60, 114
– שָׁלוֹם וֶאֱמֶת 34, 71; שָׁלוֹם וּמִישׁוֹר 167; אֱמֶת וְשָׁלוֹם 140; חַיִּים וְשָׁלוֹם 133, 141; צֶדֶק וְשָׁלוֹם 132; שָׁלוֹם רַב 96

– אֵין שָׁלוֹם 47, 52, 67, 70, 74, 76, 84, 92, 116; אִישׁ שָׁלוֹם 91; אֶרֶץ שָׁ׳ 66; בְּרִית שָׁ׳ 6, 77, 78, 224; דִּבְרֵי שָׁ׳ 7, 111; דּוֹבֵר שָׁ׳ 87, 112; דֶּרֶךְ שָׁ׳ 53; זֶרַע שָׁ׳ 139; יוֹעֲצֵי שָׁ׳ 105; מַחְשְׁבוֹת שָׁ׳ 69; מַלְאֲכֵי שָׁ׳ 43; מִשְׁפַּט שָׁ׳ 85; מַשְׁמִיעַ שָׁ׳ 48, 81; נְאוֹת שָׁ׳ 137; נְוֵה שָׁ׳ 42; עוֹשֶׂה שָׁ׳ 46, 108; עֲצַת שָׁ׳ 83; עֵת שָׁ׳ 110; עֲתֶרֶת שָׁ׳ 71; רֹב שָׁלוֹם 90, 94; שׂוֹנֵא שָׁ׳ 97; שַׂר שָׁלוֹם 35

– הֲשָׁלוֹם 118, 120, 121, 125-130; הֲשָׁלוֹם לְ־ 117, 119, 122-124

– שְׁלוֹם אֶחָיו 210; שְׁלוֹם אֱמֶת 214; שְׁ׳ אֶסְתֵּר 219; שְׁ׳ בָּנָיו 213; שְׁלוֹם בְּנֵי הַמֶּלֶךְ 221; שְׁ׳ יוֹאָב 220; שְׁלוֹם יְרוּשָׁלַיִם 218; שְׁ׳ הַמִּלְחָמָה 223; שְׁ׳ עַבְדּוֹ 216; שְׁ׳ הָעִיר 215; שְׁ׳ הָעָם 222; שְׁ׳ פַּרְעֹה 212; שְׁלוֹם הַצֹּאן 211; שְׁלוֹם רְשָׁעִים 217

– אִישׁ שְׁלוֹמוֹ 227; אַנְשֵׁי שְׁלוֹמוֹ 226, 229, 230; מוּסַר שְׁלוֹמוֹ 232

– הָגְלָת שְׁלוֹמִים 235; בָּא שָׁלוֹם 49; בִּקֵּשׁ שָׁ׳ 72, 88; דִּבֶּר שָׁ׳ 65, 86, 89, 95, 100; הָיָה שָׁ׳ 99, 131; יָדַע שָׁ׳ 54; מָצָא שָׁ׳ 109; נָשָׂא שָׁ׳ 93; נָתַן שָׁ׳ 4, 82; עָנָה שָׁלוֹם 8; עָשָׂה שָׁלוֹם 10, 39, 40, 46, 108; קָרָא שָׁלוֹם 79; שָׂם שָׁ׳ 5; שָׁפַת שָׁלוֹם 38

– בָּא בְשָׁלוֹם 142, 146, 157, 158, 162; הוּבַל בְּשָׁ׳ 177; הוֹרִיד בְּשָׁ׳ 160; הָלַךְ בְּשָׁ׳ 144, 152-154, 167; הֵשִׁיב בְּשָׁ׳ 149; יָצָא בְשָׁ׳ 166; מֵת בְּשָׁ׳ 165; נֶאֱסַף בְּשָׁ׳ 164, 174; פָּדָה בְשָׁ׳ 169; שָׁב בְּשָׁ׳ 145, 147, 148, 150, 156, 161, 163, 170-173; שָׁכַב בְּשָׁ׳ 168; שִׁלַּח בְּשָׁ׳ 143

– בָּא לְשָׁלוֹם 204; דִּבְּרוֹ לְשָׁלוֹם 178; דָּרַשׁ לְשָׁ׳ 203; הָלַךְ לְשָׁ׳ 190; יָצָא לְשָׁ׳ 196; נִבָּא לְשָׁ׳ 202; עָלָה לְשָׁ׳ 180, 193; פָּקַד לְשָׁ׳ 188; קִוָּה לְשָׁ׳ 199, 200; קָרָא לְשָׁלוֹם 183; שָׁאַל לְשָׁלוֹם 179, 182, 185, 187, 189, 192, 194, 195, 201, 205

– שָׁלוֹם לְךָ 2, 12, 14, 20, 113

– לֵךְ בְּשָׁלוֹם 151, 155, 184

– לֵךְ (לְכוּ, לְכִי) לְשָׁלוֹם 181, 184, 186, 191, 197

– אָסַף שְׁלוֹם־ 225; דָּרַשׁ שְׁלוֹם 215, 233, 234; חָפֵץ שְׁלוֹם 216; לָדַעַת שְׁלוֹם 219; עָנָה שְׁ׳ 212; רָאָה שְׁלוֹם 210, 217; שָׁאַל שְׁלוֹם־ 218

– שָׁאַל לִשְׁלוֹם־ 220, 222, 223

שָׁלוֹם

1 הֲשָׁלוֹם לוֹ וַיֹּאמְרוּ שָׁלוֹם Gen. 29:6
2 שָׁלוֹם לָכֶם אַל־תִּירָאוּ Gen. 43:23
3 שָׁלוֹם לְעַבְדְּךָ לְאָבִינוּ Gen. 43:28
4 וְנָתַתִּי שָׁלוֹם בָּאָרֶץ Lev. 26:6
5 יִשָּׂא יְיָ פָּנָיו אֵלֶיךָ וְיָשֵׂם לְךָ שָׁלוֹם Num. 6:26
6 הִנְנִי נֹתֵן לוֹ אֶת־בְּרִיתִי שָׁלוֹם Num. 25:12
7 וָאֶשְׁלַח מַלְאָכִים...דִּבְרֵי שָׁלוֹם Deut. 2:26
8 וְהָיָה אִם־שָׁלוֹם תַּעַנְךָ Deut. 20:11
9 וְהִתְבָּרֵךְ בִּלְבָבוֹ...שָׁלוֹם יִהְיֶה־לִּי Deut. 29:18
10 וַיַּעַשׂ לָהֶם יְהוֹשֻׁעַ שָׁלוֹם Josh. 9:15
11 כִּי שָׁלוֹם בֵּין יָבִין...וּבֵין... Jud. 4:17
12 שָׁלוֹם לְךָ אַל־תִּירָא לֹא תָּמוּת Jud. 6:23
13 וַיִּקְרָא־לוֹ יְיָ שָׁלוֹם Jud. 6:24
14 שָׁלוֹם לְךָ רַק כָּל־מַחְסוֹרְךָ עָלָי Jud. 19:20
15 וַיִּשְׁלְחוּ...וַיִּקְרְאוּ לָהֶם שָׁלוֹם Jud. 21:13
16 וַיְהִי שָׁלוֹם בֵּין יִשְׂרָאֵל וּבֵין הָאֱמֹרִי ISh. 7:14
17 וַיֹּאמֶר שָׁלֹם בּוֹאֶךָ ISh. 16:4
18 וַיֹּאמֶר שָׁלוֹם לִזְבֹּחַ לַייָ בָּאתִי ISh. 16:5
19 אִם־כֹּה יֹאמַר טוֹב שָׁלוֹם לְעַבְדֶּךָ ISh. 20:7
20 כִּי־שָׁלוֹם לְךָ וְאֵין דָּבָר ISh. 20:21
21/2 וְאַתָּה שָׁלוֹם וּבֵיתְךָ שָׁלוֹם ISh. 25:6
23 וְכֹל אֲשֶׁר־לְךָ שָׁלוֹם ISh. 25:6

שָׁלוֹם (המשך)

24 כָּל־הָעָם יִהְיֶה שָׁלוֹם IISh. 17:3
25 וַיֹּאמֶר אֶל־הַמֶּלֶךְ שָׁלוֹם IISh. 18:28
26 שָׁלוֹם לַנַּעַר לְאַבְשָׁלוֹם IISh. 18:29
27 הֲשָׁלוֹם בֹּאֶךָ וַיֹּאמֶר שָׁלוֹם IK. 2:13
28 וּלְדָוִד...יִהְיֶה שָׁלוֹם עַד־עוֹלָם IK. 2:33
29 וַיְהִי שָׁלֹם בֵּין חִירָם וּבֵין שְׁלֹמֹה IK. 5:26
30 מַדּוּעַ אַתְּ הֹלֶכֶת...וַתֹּאמֶר שָׁלוֹם IIK. 4:23
31 הֲשָׁלוֹם לַיָּלֶד וַתֹּאמֶר שָׁלוֹם IIK. 4:26
32 וַיֹּאמֶר שָׁלוֹם אֲדֹנִי שְׁלָחַנִי לֵאמֹר IIK. 5:22
33 כֹּה־אָמַר הַמֶּלֶךְ שָׁלוֹם IIK. 9:19
34 הֲלוֹא אִם־שָׁלוֹם וֶאֱמֶת יִהְיֶה בְיָמָי IIK. 20:19
35 אֵל גִּבּוֹר אֲבִי־עַד שַׂר־שָׁלוֹם Is. 9:5
36/7 שָׁלוֹם שָׁלוֹם כִּי בְךָ בָּטוּחַ Is. 26:3
38 יְיָ תִּשְׁפֹּת שָׁלוֹם לָנוּ Is. 26:12
39 אוֹ יַחֲזֵק בְּמָעֻזִּי יַעֲשֶׂה שָׁלוֹם לִי Is. 27:5
40 שָׁלוֹם יַעֲשֶׂה־לִּי Is. 27:5
41 וְהָיָה מַעֲשֵׂה הַצְּדָקָה שָׁלוֹם Is. 32:17
42 וְיָשַׁב עַמִּי בִּנְוֵה שָׁלוֹם Is. 32:18
43 מַלְאֲכֵי שָׁלוֹם מַר יִבְכָּיוּן Is. 33:7
44 כִּי יִהְיֶה שָׁלוֹם וֶאֱמֶת בְּיָמָי Is. 39:8
45 יִרְדְּפֵם יַעֲבוֹר שָׁלוֹם Is. 41:3
46 עֹשֶׂה שָׁלוֹם וּבוֹרֵא רָע Is. 45:7
47 אֵין שָׁלוֹם אָמַר יְיָ לָרְשָׁעִים Is. 48:22
48 מַשְׁמִיעַ שָׁלוֹם מְבַשֵּׂר טוֹב Is. 52:7
49 יָבוֹא שָׁלוֹם יָנוּחוּ עַל־מִשְׁכְּבוֹתָם Is. 57:2
50/1 שָׁלוֹם שָׁלוֹם לָרָחוֹק וְלַקָּרוֹב Is. 57:19
52 אֵין שָׁלוֹם אָמַר אֱלֹהַי לָרְשָׁעִים Is. 57:21
53 דֶּרֶךְ שָׁלוֹם לֹא יָדָעוּ Is. 59:8
54 כֹּל דֹּרֵךְ בָּהּ לֹא יָדַע שָׁלוֹם Is. 59:8
55 וְשַׂמְתִּי פְקֻדָּתֵךְ שָׁלוֹם Is. 60:17
56 הִנְנִי נֹטֶה־אֵלֶיהָ כְּנָהָר שָׁלוֹם Is. 66:12
57/8 שָׁלוֹם יִהְיֶה לָכֶם Jer. 4:10; 23:17
59-64 שָׁלוֹם שָׁלוֹם וְאֵין שָׁלוֹם Jer. 6:14; 8:11
65 בְּפִיו שָׁלוֹם אֶת־רֵעֵהוּ יְדַבֵּר Jer. 9:7
66 וּבְאֶרֶץ שָׁלוֹם אַתָּה בוֹטֵחַ Jer. 12:5
67 אֵין שָׁלוֹם לְכָל־בָּשָׂר Jer. 12:12
68 כִּי בִשְׁלוֹמָהּ יִהְיֶה לָכֶם שָׁלוֹם Jer. 29:7
69 מַחְשְׁבוֹת שָׁלוֹם וְלֹא לְרָעָה Jer. 29:11
70 פַּחַד וְאֵין שָׁלוֹם Jer. 30:5
71 וְגִלֵּיתִי לָהֶם עֲתֶרֶת שָׁלוֹם וֶאֱמֶת Jer. 33:6
72 קְפָדָה־בָא וּבִקְשׁוּ שָׁלוֹם וָאָיִן Ezek. 7:25
73/4 לֵאמֹר שָׁלוֹם וְאֵין שָׁלוֹם Ezek. 13:10
75/6 וְהַחֹזִים לָהּ חֲזוֹן שָׁלֹם וְאֵין שָׁלֹם Ezek. 13:16
77/8 וְכָרַתִּי לָהֶם בְּרִית שָׁלוֹם Ezek. 34:25; 37:26
79 הַנֹּשְׁכִים בְּשִׁנֵּיהֶם וְקָרְאוּ שָׁלוֹם Mic. 3:5
80 וְהָיָה זֶה שָׁלוֹם Mic. 5:4
81 רַגְלֵי מְבַשֵּׂר מַשְׁמִיעַ שָׁלוֹם Nah. 2:1
82 וּבַמָּקוֹם הַזֶּה אֶתֵּן שָׁלוֹם Hag. 2:9
83 וַעֲצַת שָׁלוֹם תִּהְיֶה בֵּין שְׁנֵיהֶם Zech. 6:13
84 וְלַיּוֹצֵא וְלַבָּא אֵין־שָׁלוֹם מִן־הַצָּר Zech. 8:10
85 וּמִשְׁפַּט שָׁלוֹם שִׁפְטוּ בְּשַׁעֲרֵיכֶם Zech. 8:16
86 וְדִבֶּר שָׁלוֹם לַגּוֹיִם Zech. 9:10
87 דֹּבְרֵי שָׁלוֹם עִם־רֵעֵיהֶם Ps. 28:3
88 בַּקֵּשׁ שָׁלוֹם וְרָדְפֵהוּ Ps. 34:15
89 כִּי לֹא שָׁלוֹם יְדַבֵּרוּ Ps. 35:20
90 וְהִתְעַנְּגוּ עַל־רֹב שָׁלוֹם Ps. 37:11
91 כִּי־אַחֲרִית לְאִישׁ שָׁלוֹם Ps. 37:37
92 אֵין־שָׁלוֹם בַּעֲצָמַי מִפְּנֵי חַטָּאתִי Ps. 38:4
93 יִשְׂאוּ הָרִים שָׁלוֹם לָעָם Ps. 72:3
94 וְרֹב שָׁלוֹם עַד־בְּלִי יָרֵחַ Ps. 72:7
95 כִּי יְדַבֵּר שָׁלוֹם אֶל־עַמּוֹ Ps. 85:9
96 שָׁלוֹם רָב לְאֹהֲבֵי תוֹרָתֶךָ Ps. 119:165

שָׁלוֹם (המשך)

97 שָׁכְנָה־לָּהּ נַפְשִׁי עִם שׂוֹנֵא שָׁלוֹם Ps. 120:6
98 אֲנִי־שָׁלוֹם...הֵמָּה לַמִּלְחָמָה Ps. 120:7
99 יְהִי־שָׁלוֹם בְּחֵילֵךְ Ps. 122:7
100 אֲדַבְּרָה־נָּא שָׁלוֹם בָּךְ Ps. 122:8
101/2 שָׁלוֹם עַל־יִשְׂרָאֵל Ps. 125:5; 128:6
103 הַשָּׂם־גְּבוּלֵךְ שָׁלוֹם Ps. 147:14
104 וְכָל־נְתִיבֹתֶיהָ שָׁלוֹם Prov. 3:17
105 וּלְיֹעֲצֵי שָׁלוֹם שִׂמְחָה Prov. 12:20
106 וְיָדַעְתָּ כִּי־שָׁלוֹם אָהֳלֶךָ Job 5:24
107 בָּתֵּיהֶם שָׁלוֹם מִפָּחַד Job 21:9
108 עֹשֶׂה שָׁלוֹם בִּמְרוֹמָיו Job 25:2
109 אָז הָיִיתִי בְעֵינָיו כְּמוֹצְאֵת שָׁלוֹם S.ofS. 8:10
110 עֵת מִלְחָמָה וְעֵת שָׁלוֹם Eccl. 3:8
111 וַיִּשְׁלַח...דִּבְרֵי שָׁלוֹם וֶאֱמֶת Es. 9:30
112 וְדֹבֵר שָׁלוֹם לְכָל־זַרְעוֹ Es. 10:3
113 שָׁלוֹם לָךְ חֲזַק וַחֲזָק Dan. 10:19
114/5 שָׁלוֹם שָׁלוֹם לְךָ ICh. 12:19
116 אֵין שָׁלוֹם לַיּוֹצֵא וְלַבָּא IICh. 15:5

הֲשָׁלוֹם

117 הֲשָׁלוֹם לוֹ וַיֹּאמְרוּ שָׁלוֹם Gen. 29:6
118 הֲשָׁלוֹם אֲבִיכֶם הַזָּקֵן Gen. 43:27
119 הֲשָׁלוֹם לַנַּעַר לְאַבְשָׁלוֹם IISh. 18:32
120 הֲשָׁלוֹם אַתָּה אָחִי IISh. 20:9
121 הֲשָׁלוֹם בֹּאֶךָ וַיֹּאמֶר שָׁלוֹם IK. 2:13
122-124 הֲשָׁלוֹם לָךְ הֲשָׁלוֹם לְאִישֵׁךְ הֲשָׁלוֹם לַיָּלֶד IIK. 4:26
125 וַיַּרְא נַעֲמָן...וַיֹּאמֶר הֲשָׁלוֹם IIK. 6:21
126 וַיֹּאמֶר לוֹ הֲשָׁלוֹם IIK. 9:11
127 וּשְׁלַח לִקְרָאתָם וְיֹאמַר הֲשָׁלוֹם IIK. 9:17
128 כֹּה־אָמַר הַמֶּלֶךְ הֲשָׁלוֹם IIK. 9:18
129 וַיֹּאמֶר הֲשָׁלוֹם יֵהוּא IIK. 9:22
130 הֲשָׁלוֹם זִמְרִי הֹרֵג אֲדֹנָיו IIK. 9:31

וְשָׁלוֹם

131 וְשָׁלוֹם הָיָה לוֹ מִכָּל־עֲבָרָיו מִסָּבִיב IK. 5:4
132 צֶדֶק וְשָׁלוֹם נָשָׁקוּ Ps. 85:11
133 וּשְׁנוֹת חַיִּים וְשָׁלוֹם יוֹסִיפוּ לָךְ Prov. 3:2
134 שָׁלוֹם שָׁלוֹם לְךָ וְשָׁלוֹם לְעֹזְרֶךָ ICh. 12:19
135 וְשָׁלוֹם וָשֶׁקֶט אֶתֵּן עַל־יִשְׂרָאֵל ICh. 22:9

הַשָּׁלוֹם

136 מָה הַשָּׁלוֹם עַד־זְנוּנֵי אִיזֶבֶל IIK. 9:22
137 וְנָדַמּוּ נְאוֹת הַשָּׁלוֹם Jer. 25:37
138 עַל כָּל־הַטּוֹבָה וְעַל כָּל־הַשָּׁלוֹם Jer. 33:9
139 כִּי־זֶרַע הַשָּׁלוֹם הַגֶּפֶן תִּתֵּן פִּרְיָהּ Zech. 8:12

וְהַשָּׁלוֹם

140 וְהָאֱמֶת וְהַשָּׁלוֹם אֱהָבוּ Zech. 8:19
141 בְּרִיתִי הָיְתָה אִתּוֹ הַחַיִּים וְהַשָּׁלוֹם Mal. 2:5

בְּשָׁלוֹם

142 תָּבוֹא אֶל־אֲבֹתֶיךָ בְּשָׁלוֹם Gen. 15:15
143 וַנְּשַׁלֵּחֲךָ בְּשָׁלוֹם Gen. 26:29
144 וַיֵּלְכוּ מֵאִתּוֹ בְּשָׁלוֹם Gen. 26:31
145 וְשַׁבְתִּי בְשָׁלוֹם אֶל־בֵּית אָבִי Gen. 28:21
146 הָעָם הַזֶּה עַל־מְקֹמוֹ יָבֹא בְשָׁלוֹם Ex. 18:23
147 וַיָּשֻׁבוּ כָל־הָעָם...בְּשָׁלוֹם Josh. 10:21
148 בְּשׁוּבִי בְשָׁלוֹם אֶתֹּץ אֶת־הַמִּגְדָּל Jud. 8:9
149 הָשִׁיבָה אֶתְהֶן בְּשָׁלוֹם Jud. 11:13
150 בְּשׁוּבִי בְשָׁלוֹם מִבְּנֵי עַמּוֹן Jud. 11:31
151 וְעַתָּה שׁוּב וְלֵךְ בְּשָׁלוֹם ISh. 29:7
152-154 וַיֵּלֶךְ בְּשָׁלוֹם IISh. 3:21, 22, 23
155 וַיֹּאמֶר־לוֹ הַמֶּלֶךְ לֵךְ בְּשָׁלוֹם IISh. 15:9
156 שֻׁבָה הָעִיר בְּשָׁלוֹם IISh. 15:27
157 עַד־הַיּוֹם אֲשֶׁר־בָּא בְשָׁלוֹם IISh. 19:25
158 אֲשֶׁר־בָּא...בְּשָׁלוֹם אֶל־בֵּיתוֹ IISh. 19:31
159 וַיָּשֶׂם דְּמֵי־מִלְחָמָה בְּשָׁלֹם IK. 2:5
160 וְלֹא־תוֹרֵד שֵׂיבָתוֹ בְּשָׁלֹם שְׁאֹל IK. 2:6
161 יָשׁוּבוּ אִישׁ־לְבֵיתוֹ בְּשָׁלוֹם IK. 22:17
162 עַד בֹּאִי בְשָׁלוֹם IK. 22:27
163 אִם־שׁוֹב תָּשׁוּב בְּשָׁלוֹם IK. 22:28

בְּשָׁלוֹם (המשך) 164 וְנֶאֱסַפְתָּ אֶל־קִבְרֹתֶיךָ בְּשָׁלוֹם IIK. 22:20
165 בְּשָׁלוֹם תָּמוּת Jer. 34:5
166 וְיָצָא מִשָּׁם בְּשָׁלוֹם Jer. 43:12
167 בְּשָׁלוֹם וּבְמִישׁוֹר הָלַךְ אִתִּי Mal. 2:6
168 בְּשָׁלוֹם יַחְדָּו אֶשְׁכְּבָה וְאִישָׁן Ps. 4:9
169 פָּדָה בְשָׁלוֹם נַפְשִׁי מִקְּרָב־לִי Ps. 55:19
170 יָשׁוּבוּ אִישׁ־לְבֵיתוֹ בְּשָׁלוֹם IICh. 18:16
171 עַד שׁוּבִי בְשָׁלוֹם IICh. 18:26
172 אִם־שׁוֹב תָּשׁוּב בְּשָׁלוֹם IICh. 18:27
173 וַיָּשָׁב...אֶל־בֵּיתוֹ בְּשָׁלוֹם IICh. 19:1
174 וְנֶאֱסַפְתָּ אֶל־קִבְרוֹתֶיךָ בְּשָׁלוֹם IICh. 34:28
בַשָּׁלוֹם 175 יְיָ יְבָרֵךְ אֶת־עַמּוֹ בַשָּׁלוֹם Ps. 29:11
176 בַּשָּׁלוֹם שׁוֹדֵד יְבוֹאֶנּוּ Job 15:21
וּבְשָׁלוֹם 177 בְּשִׂמְחָה תֵצֵאוּ וּבְשָׁלוֹם תּוּבָלוּן Is. 55:12
לְשָׁלוֹם 178 וְלֹא יָכְלוּ דַּבְּרוֹ לְשָׁלֹם Gen. 37:4
179 וַיִּשְׁאַל לָהֶם לְשָׁלוֹם Gen. 43:27
180 עֲלוּ לְשָׁלוֹם אֶל־אֲבִיכֶם Gen. 44:17
181 וַיֹּאמֶר יִתְרוֹ לְמֹשֶׁה לֵךְ לְשָׁלוֹם Ex. 4:18
182 וַיִּשְׁאֲלוּ אִישׁ־לְרֵעֵהוּ לְשָׁלוֹם Ex. 18:7
183 וְקָרָאתָ אֵלֶיהָ לְשָׁלוֹם Deut. 20:10
184 לְכוּ לְשָׁלוֹם נֹכַח יְיָ דַּרְכְּכֶם Jud. 18:6
185 וַיִּשְׁאֲלוּ־לוֹ לְשָׁלוֹם Jud. 18:15
186 וַיַּעַן עֵלִי וַיֹּאמֶר לְכִי לְשָׁלוֹם ISh. 1:17
187 וְשָׁאֲלוּ לְךָ לְשָׁלוֹם ISh. 10:4
188 וְאֶת־אַחֶיךָ תִּפְקֹד לְשָׁלוֹם ISh. 17:18
189 וַיָּבֹא וַיִּשְׁאַל לְאֶחָיו לְשָׁלוֹם ISh. 17:22
190 וְשִׁלַּחְתִּיךָ וְהָלַכְתָּ לְשָׁלוֹם ISh. 20:13
191 וַיֹּאמֶר יְהוֹנָתָן לְדָוִד לֵךְ לְשָׁלוֹם ISh. 20:42
192 וּשְׁאֶלְתֶּם־לוֹ בִשְׁמִי לְשָׁלוֹם ISh. 25:5
193 וְלָהּ אָמַר עֲלִי לְשָׁלוֹם לְבֵיתֵךְ ISh. 25:35
194 וַיִּשְׁאַל לָהֶם לְשָׁלוֹם ISh. 30:21
195 לִשְׁאָל־לוֹ לְשָׁלוֹם וּלְבָרְכוֹ IISh. 8:10
196 אִם־לְשָׁלוֹם יָצָאוּ תִּפְשׂוּם חַיִּים IK. 20:18
197 וַיֹּאמֶר לוֹ לֵךְ לְשָׁלוֹם IIK. 5:19
198 הִנֵּה לְשָׁלוֹם מַר־לִי מָר Is. 38:17
199-200 קַוֵּה לְשָׁלוֹם וְאֵין טוֹב Jer. 8:15; 14:19
201 וּמִי יָסוּר לִשְׁאֹל לְשָׁלֹם לָךְ Jer. 15:5
202 הַנָּבִיא אֲשֶׁר יִנָּבֵא לְשָׁלוֹם Jer. 28:9
203 אֵינֶנּוּ דֹרֵשׁ לְשָׁלוֹם לָעָם הַזֶּה Jer. 38:4
204 אִם־לְשָׁלוֹם בָּאתֶם אֵלַי ICh. 12:18
205 לִשְׁאָל־לוֹ לְשָׁלוֹם וּלְבָרְכוֹ ICh. 18:10
וּלְשָׁלוֹם 206/7 מַה־לְּךָ וּלְשָׁלוֹם IIK. 9:18, 19
208 לְמַרְבֵּה הַמִּשְׂרָה וּלְשָׁלוֹם אֵין־קֵץ Is. 9:6
מִשָּׁלוֹם 209 וַתִּזְנַח מִשָּׁלוֹם נַפְשִׁי Lam. 3:17
שְׁלוֹם־ 210 לֶךְ־נָא רְאֵה אֶת־שְׁלוֹם אַחֶיךָ Gen. 37:14
211 וְאֶת־שְׁלוֹם הַצֹּאן Gen. 37:14
212 אֱלֹ׳ יַעֲנֶה אֶת־שְׁלוֹם פַּרְעֹה Gen. 41:16
213 וְרַב שְׁלוֹם בָּנָיִךְ Is. 54:13
214 כִּי־שְׁלוֹם אֱמֶת אֶתֵּן לָכֶם Jer. 14:13
215 וְדִרְשׁוּ אֶת־שְׁלוֹם הָעִיר Jer. 29:7
216 יִגְדַּל יְיָ הֶחָפֵץ שְׁלוֹם עַבְדּוֹ Ps. 35:27
217 שְׁלוֹם רְשָׁעִים אֶרְאֶה Ps. 73:3
218 שַׁאֲלוּ שְׁלוֹם יְרוּשָׁלָםִ Ps. 122:6
219 לָדַעַת אֶת־שְׁלוֹם אֶסְתֵּר Es. 2:11
לִשְׁלוֹם־ 220 וַיִּשְׁאַל דָּוִד לִשְׁלוֹם יוֹאָב IISh. 11:7
221 וַנֵּרֶד לִשְׁלוֹם בְּנֵי־הַמֶּלֶךְ IIK. 10:13
וְלִשְׁלוֹם־ 222/3 וַיִּשְׁאַל...וְלִשְׁלוֹם הָעָם
וְלִשְׁלוֹם הַמִּלְחָמָה IISh. 11:7
שְׁלוֹמִי 224 וּבְרִית שְׁלוֹמִי לֹא תָמוּט Is. 54:10
225 אָסַפְתִּי אֶת־שְׁלוֹמִי מֵאֵת הָעָם Jer. 16:5
226 כֹּל אֱנוֹשׁ שְׁלוֹמִי שֹׁמְרֵי צַלְעִי Jer. 20:10
227 אִישׁ שְׁלוֹמִי אֲשֶׁר־בָּטַחְתִּי בוֹ Ps. 41:10

שְׁלוֹמֶךָ 228 וַיְהִי כַנָּהָר שְׁלוֹמֶךָ Is. 48:18
229 הִסִּיתוּךָ וְיָכְלוּ לְךָ אַנְשֵׁי שְׁלֹמֶךָ Jer. 38:22
230 הִשִּׁיאוּךָ יָכְלוּ לְךָ אַנְשֵׁי שְׁלֹמֶךָ Ob. 7
בִּשְׁלוֹמָהּ 231 כִּי בִשְׁלוֹמָהּ יִהְיֶה לָכֶם שָׁלוֹם Jer. 29:7
שְׁלוֹמֵנוּ 232 מוּסַר שְׁלוֹמֵנוּ עָלָיו Is. 53:5
שְׁלֹמָם 233 לֹא־תִדְרֹשׁ שְׁלֹמָם וְטֹבָתָם Deut. 23:7
234 וְלֹא־תִדְרְשׁוּ שְׁלֹמָם וְטוֹבָתָם Ez. 9:12
שְׁלוֹמִים 235 הָגְלָת יְהוּדָה כֻּלָּהּ הָגְלָת שְׁלוֹמִים Jer. 13:19
וְלִשְׁלוֹמִים 236 יְהִי...לְפַח וְלִשְׁלוֹמִים לְמוֹקֵשׁ Ps. 69:23
בִּשְׁלֹמָיו 237 שָׁלַח יָדָיו בִּשְׁלֹמָיו חִלֵּל בְּרִיתוֹ Ps. 55:21

שָׁלוֹם* ת׳ שָׁלֵם, תמים [עין גם שָׁלֵם1]
שְׁלֻמֵי־ 1 אָנֹכִי שְׁלֻמֵי אֱמוּנֵי יִשְׂרָאֵל IISh. 20:19

שַׁלּוּם שפ״ז א) מלך ישראל: 1-4
ב) בעלה של חולדה הנביאה: 5
ג) בן יאשיהו, הוא יְהוֹאָחָז: 6
ד) דוד הנביא ירמיהו: 7
ה-יד) אנשים שונים, לויים וכהנים
מימי דוד ועד עזרא: 8-27
אֵשֶׁת שַׁלּוּם 5, 22; בֶּן־שַׁלּוּם 7, 8, 10, 21;
בְּנֵי־שַׁלּוּם 9, 14; דִּבְרֵי שַׁלּוּם 4
שַׁלּוּם 1 וַיִּקְשֹׁר עָלָיו שַׁלֻּם בֶּן־יָבֵשׁ IIK. 15:10
2 שַׁלּוּם בֶּן־יָבֵישׁ מָלַךְ בִּשְׁנַת שְׁלֹשִׁים IIK. 15:13
3 וַיַּךְ אֶת־שַׁלּוּם בֶּן־יָבֵישׁ IIK. 15:14
4 וְיֶתֶר דִּבְרֵי שַׁלּוּם וְקִשְׁרוֹ IIK. 15:15
5 אֵשֶׁת שַׁלֻּם בֶּן־תִּקְוָה IIK. 22:14
6 אֶל־שַׁלֻּם בֶּן־יֹאשִׁיָּהוּ מֶלֶךְ יְהוּדָה Jer. 22:11
7 חֲנַמְאֵל בֶּן־שַׁלֻּם דֹּדְךָ Jer. 32:7
8 מַעֲשֵׂיָהוּ בֶן־שַׁלֻּם שֹׁמֵר הַסַּף Jer. 35:4
9 בְּנֵי הַשֹּׁעֲרִים בְּנֵי־שַׁלּוּם Ez. 2:42
10 בֶּן־שַׁלּוּם בֶּן־צָדוֹק Ez. 7:2
11 וּמִן־הַשֹּׁעֲרִים שַׁלֻּם וָטֶלֶם Ez. 10:24
12 שַׁלּוּם אֲמַרְיָה יוֹסֵף Ez. 10:42
13 הֶחֱזִיק שַׁלּוּם בֶּן־הַלּוֹחֵשׁ Neh. 3:12
14 הַשֹּׁעֲרִים בְּנֵי־שַׁלֻּם Neh. 7:45
15 וְסִסְמַי הוֹלִיד אֶת־שַׁלּוּם ICh. 2:40
16 הָרְבִיעִי שַׁלּוּם ICh. 3:15
17 שַׁלֻּם בְּנוֹ מִבְשָׂם בְּנוֹ ICh. 4:25
18 וְצָדוֹק הוֹלִיד אֶת־שַׁלּוּם ICh. 5:38
19 וְהַשֹּׁעֲרִים שַׁלּוּם וְעַקּוּב ICh. 9:17
20 וַאֲחִיהֶם שַׁלּוּם הָרֹאשׁ ICh. 9:17
21 וִיחִזְקִיָּהוּ בֶּן־שַׁלֻּם IICh. 28:12
22 אֵשֶׁת שַׁלּוּם בֶּן־תָּקְהַת IICh. 34:22
וְשַׁלּוּם 23 וְשַׁלּוּם הוֹלִיד אֶת־יְקַמְיָה ICh. 2:41
24 וְשַׁלּוּם הוֹלִיד אֶת־חִלְקִיָּה ICh. 5:39
25 בְּנֵי נַפְתָּלִי...וְיֵצֶר וְשַׁלּוּם ICh. 7:13
26 וְשַׁלּוּם בֶּן־קוֹרֵא בֶּן־אֶבְיָסָף ICh. 9:19
לְשַׁלּוּם 27 הוּא הַבְּכוֹר לְשַׁלֻּם הַקָּרְחִי ICh. 9:31

שִׁלּוּם ז׳ גמול, שכר: 1-3
קרובים: גְּמוּל / שָׂכָר / שִׁלּוּמָה / תַּגְמוּל
יְמֵי הַשִּׁלּוּם 1; שְׁנַת שִׁלּוּמִים 3
הַשִּׁלֻּם 1 בָּאוּ יְמֵי הַפְּקֻדָּה בָּאוּ יְמֵי הַשִּׁלֻּם Hosh. 9:7
בַּשִּׁלּוּם 2 הַשַּׂר שֹׁאֵל וְהַשֹּׁפֵט בַּשִּׁלּוּם Mic. 7:3
שִׁלּוּמִים 3 שְׁנַת שִׁלּוּמִים לְרִיב צִיּוֹן Is. 34:8

שִׁלֻּמָה* נ׳ שִׁלּוּם, גמול • קרובים: ראה שִׁלּוּם
וְשִׁלֻּמַת־ 1 וְשִׁלֻּמַת רְשָׁעִים תִּרְאֶה Ps. 91:8

שְׁלֹמוֹת שפ״ז – לוי מבני יצהר (ראה שְׁלֹמִית2): 1-3
שְׁלֹמוֹת 1 לַיִּצְהָרִי שְׁלֹמוֹת ICh. 24:22
2 לִבְנֵי שְׁלֹמוֹת יָחַת ICh. 24:22
3 הוּא שְׁלֹמוֹת וְאֶחָיו ICh. 26:26

שְׁלֹמִי שפ״ז – אבי הנשיא למטה אשר
שְׁלֹמִי 1 נָשִׂיא אֲחִיהוּד בֶּן־שְׁלֹמִי Num. 34:27

שְׁלֻמִיאֵל שפ״ז – נשיא למטה שמעון: 1-5
שְׁלֻמִיאֵל 1 לְשִׁמְעוֹן שְׁלֻמִיאֵל בֶּן־צוּרִישַׁדָּי Num. 1:6
2-5 שְׁלֻמִיאֵל בֶּן־צוּרִישַׁדָּי Num. 2:12; 7:36, 41; 10:19

שְׁלֹמִית1 שפ״נ א) אשה ממטה דן: 1
ב) בת זרובבל: 2
שְׁלֹמִית 1 שְׁלֹמִית בַּת־דִּבְרִי לְמַטֵּה־דָן Lev. 24:11
וּשְׁלֹמִית 2 מְשֻׁלָּם וַחֲנַנְיָה וּשְׁלֹמִית אֲחוֹתָם ICh. 3:19

שְׁלֹמִית2 שפ״ז א) מבני יצהר: 3
ב) בן שמעי הגרשוני: 2
ג) מצאצאי גרשום בן משה: 6
ד) מבני המלך רחבעם: 5
ה) איש בימי עזרא: 1
ו) איש בימי דוד: 4
שְׁלוֹמִית 1 וּמִבְּנֵי שְׁלוֹמִית בֶּן־יוֹסִפְיָה Ez. 8:10
2 בְּנֵי שִׁמְעִי שְׁלֹמִית (כ׳ שלומות) וַחֲזִיאֵל ICh. 23:9
3 בְּנֵי יִצְהָר שְׁלֹמִית הָרֹאשׁ ICh. 23:18
4 עַל יַד־שְׁלֹמִית וְאֶחָיו ICh. 26:28
5 וְאֶת־זִיזָא וְאֶת־שְׁלֹמִית IICh. 11:20
וּשְׁלֹמִית 6 וְזִכְרִי בְנוֹ וּשְׁלֹמִית (כ׳ ושלמות) בְּנוֹ ICh. 26:25

שֶׁלַח שפ״ז – שר פלך המצפה בימי נחמיה
שֶׁלַח 1 וְאֵת שַׁעַר הָעַיִן הֶחֱזִיק שַׁלּוּן Neh. 3:15

שָׁלוּף ת׳ – עין שָׁלַף

שָׁלוֹשׁ, שְׁלוֹשָׁה, שְׁלוֹשִׁים – עין שָׁלֹשׁ, שְׁלֹשָׁה, שְׁלֹשִׁים

שִׁלְיוֹנוֹת (חבקוק ב8) – עין שָׁלַל (6)

שלח : שָׁלַח, נִשְׁלַח, שִׁלַּח, שֻׁלַּח, הִשְׁלִיחַ; שִׁלּוּחִים, שֶׁלַח, שְׁלוּחָה, מִשְׁלוֹחַ, מִשְׁלָח, מִשְׁלַחַת

שָׁלַח פ׳ א) שִׁגֵּר, הורה ללכת למקום מסוים:
רוב המקראות 1-561
ב) העביר דבר בידי שליח: 31, 35, 38, 42, 62, 68-70, 76, 80, 87, 178-180, 187, 207, 210, 229, 249, 252-254, 267, 268, 281-283, 285, 294, 313, 314, 317, 493-495, 508, 534, 548, 562
ג) הושיט, פשט: 11, 17-20, 24-28, 32, 44, 63, 72-74, 78, 79, 81, 85, 86, 88, 89, 134, 182, 189-191, 231, 235, 236, 240, 262, 265, 266, 273, 284, 287, 288, 290, 295, 296, 301, 303, 305, 307, 311, 316, 318-322, 324, 500, 504, 505, 530, 539, 543-545, 560
ד) גֵּרֵשׁ, הוציא: 555, 800, 804
ה) [נפ׳ נִשְׁלַח] הֻעֲבַר, נמסר: 563
ו) [פ׳ שִׁלַּח] פטר, נתן ללכת, שחרר: רוב המקראות 565-831
ז) גֵּרֵשׁ, סִלֵּק: 564, 569, 589, 591, 599, 628, 629, 661-663, 692, 736
ח) [כנ״ל] לִוָּה בדרך החוצה: 595, 680
ט) [כנ״ל] העביר, מסר: 582, 600-603, 605-625, 637, 676, 687-689, 693, 696, 699, 702-704, 714, 717, 720, 733, 738-741, 751, 752, 758, 759, 763-766, 775, 803, 805, 823, 829
י) [כנ״ל] פשט, הושיט: 667, 668, 737, 788
יא) [פ׳ שִׁלַּח] נתן לו ללכת: 833, 837
יב) [כנ״ל] גורש: 836
יג) [כנ״ל] נעזב, הופקר: 838-840
יד) [כנ״ל] נשלח, יצא בשליחות: 832, 834/5, 841
טו) [הפ׳ הִשְׁלִיחַ] שִׁלַּח, הביא: 842-846

– שָׁלַח אֶצְבַּע 11; שָׁלַח אֵשׁ 87; שָׁלַח יָד 17-20, 24-28, 32, 44, 72-74, 78, 79, 81, 85, 86, 88, 89, 134, 182, 189-191, 231, 235, 236, 240, 262, 265, 266, 273, 284, 287, 288, 290, 296, 301, 305, 311, 316, 318-322, 324, 500, 504, 505, 530, 533, 543-545; שָׁלַח דָּבָר 281, 283; שָׁלַח יְמִינוֹ 295; שָׁלַח מַגָּל 560; שָׁלַח מַגֵּפוֹת 194; שָׁלַח פִּיו 63

– מַלְאָךְ שָׁלוּחַ 228; צִיר שָׁלוּחַ 226; אַיָּלָה שְׁלוּחָה 230; יָד שְׁלוּחָה 231; מִנְחָה שְׁלוּחָה 229

– שִׁלַּח אֵשׁ 617-624; שִׁלַּח בָּאֵשׁ 672, 673 675, 719; שִׁלַּח דֶּבֶר 616, 703, 704; שִׁלַּח חָפְשִׁי 584, 635, 670, 674, 723, 724; שִׁלַּח לַחָפְשִׁי 767, 768; שִׁלַּח חֲרוֹנוֹ 717, 739, 741; שִׁלַּח יָדָיו 667, 668; שִׁלַּח מְאֵרָה 625, 734; שִׁלַּח מָדוֹן 740; שִׁלַּח מְדָנִים 689, (743); שִׁלַּח רָזוֹן 735, 766; שִׁלַּח שָׁרָשָׁיו 737

– נָוֶה מְשֻׁלָּח 839; נַעַר מְשֻׁלָּח 840; קֵן מְשֻׁלָּח 838

– שָׁלַח אֶת־, אֶל־, לְ־ רוב המקראות 1-562; שָׁלַח בְּ־ 18, 19, 24-28, 78, 81, 88, 189-191, 240, 325, 482, 500; שָׁלַח עַל־ 79, 89, 497

– שִׁלַּח אֶת־, אֶל־, לְ־, מִן־ רוב המקראות 564-831; שִׁלַּח בְּ־ 582, 602, 603, 606, 610, 614, 616-625, 667, 672, 673, 675, 687, 688, 700, 704, 714, 716, 733, 734, 739, 741, 751, 756, 763-766; שִׁלַּח עַל־ 613

– הִשְׁלִיחַ בְּ־ 842-846

שָׁלֹחַ 1 הֲלֹא שָׁלֹחַ שָׁלַחְתִּי אֵלֶיךָ Num. 22:37
וְשָׁלוֹחַ 2-5 הַשְׁכֵּם וְשָׁלֹחַ Jer. 7:25; 25:4; 29:19; 35:15
6 אָנֹכִי שֹׁלֵחַ אֲלֵיכֶם וְהַשְׁכֵּם וְשָׁלֹחַ Jer. 26:5
7 וָאֶשְׁלַח אֲלֵיכֶם...הַשְׁכֵּים וְשָׁלֹחַ Jer. 44:4
8 וַיִּשְׁלַח יְיָ...הַשְׁכֵּם וְשָׁלוֹחַ IICh. 36:15
שְׁלֹחַ 9 וַיֹּסֶף...שְׁלֹחַ שָׂרִים רַבִּים Num. 22:15
10 כַּאֲשֶׁר בְּיוֹם שְׁלֹחַ אוֹתִי מֹשֶׁה Josh. 14:11
שְׁלַח 11 אִם־תָּסִיר...שְׁלַח אֶצְבַּע וְדַבֶּר־אָוֶן Is. 58:9
בִּשְׁלֹחַ 12 בִּשְׁלֹחַ מֹשֶׁה...אֹתִי מִקָּדֵשׁ Josh. 14:7
13 בִּשְׁלֹחַ אֹתוֹ סַרְגוֹן...וַיִּלָּחֶם... Is. 20:1
14 בִּשְׁלֹחַ אֵלָיו הַמֶּלֶךְ...אֶת־פַּשְׁחוּר Jer. 21:1
15 בִּשְׁלֹחַ שָׁאוּל וַיִּשְׁמְרוּ אֶת־הַבַּיִת Ps. 59:1
וּבִשְׁלֹחַ 16 וּבִשְׁלֹחַ יְיָ אֶתְכֶם מִקָּדֵשׁ בַּרְנֵעַ Deut. 9:23
לִשְׁלֹחַ 17 וְלֹא־אָבוּ...לִשְׁלֹחַ אֶת־יָדָם לִפְגֹּעַ. ISh. 22:17
18 אִם־אֶעֱשֶׂה...לִשְׁלֹחַ יָדִי בּוֹ ISh. 24:6
19 וְלֹא אָבִיתִי לִשְׁלֹחַ יָדִי בִּמְשִׁיחַ יְיָ ISh. 26:23
20 אֵיךְ לֹא יָרֵאתָ לִשְׁלֹחַ יָדְךָ לְשַׁחֵת IISh. 1:14
21 וַיִּשְׁלַח...לִשְׁלֹחַ אֹתוֹ אֶל־הַמֶּלֶךְ IISh. 14:29
22 לִשְׁלֹחַ אֶת־עֶבֶד הַמֶּלֶךְ יוֹאָב IISh. 18:29
23 וַיִּמְרָד־בּוֹ לִשְׁלֹחַ מַלְאָכָיו מִצְרַיִם Ezek. 17:15
24 וַיְבַקְשׁוּ לִשְׁלֹחַ יָד בַּמֶּלֶךְ Es. 2:21
25 לִשְׁלֹחַ יָד בְּמָרְדֳּכַי לְבַדּוֹ Es. 3:6
26 אֲשֶׁר בִּקְשׁוּ לִשְׁלֹחַ יָד בַּמֶּלֶךְ Es. 6:2
27 לִשְׁלֹחַ יָד בִּמְבַקְשֵׁי רָעָתָם Es. 9:2
מִשְּׁלֹחַ 28 חָלִילָה לִּי...מִשְּׁלֹחַ יָדִי בִּמְשִׁיחַ יְיָ ISh. 26:11
בְּשָׁלְחִי 29 בְּשָׁלְחִי אֹתָם מִקָּדֵשׁ בַּרְנֵעַ Num. 32:8
שָׁלְחֶךָ 30 אִם־תִּתֵּן עֵרָבוֹן עַד שָׁלְחֶךָ Gen. 38:17
שָׁלַחְתִּי 31 הִנֵּה שָׁלַחְתִּי הַגְּדִי הַזֶּה Gen. 38:23
32 כִּי עַתָּה שָׁלַחְתִּי אֶת־יָדִי וָאַךְ אוֹתְךָ Ex. 9:15
33 שָׁלֹחַ שָׁלַחְתִּי אֵלֶיךָ לִקְרֹא־לָךְ Num. 22:37
34 הִנֵּה שָׁלַחְתִּי אֵלֶיךָ לֵאמֹר IISh. 14:32
35 הִנֵּה שָׁלַחְתִּי לְךָ שֹׁחַד IK. 15:19
36 כִּי־שָׁלַחְתִּי אֵלֶיךָ לֵאמֹר IK. 20:5
37 הִנֵּה שָׁלַחְתִּי אֵלֶיךָ אֶת־נַעֲמָן IIK. 5:6
38 וַאֲשֶׁר שָׁלַחְתִּי אֲלֵיכֶם בְּיַד עֲבָדַי IIK. 17:13
39 לֹא־שָׁלַחְתִּי אֶת־הַנְּבִאִים וְהֵם רָצוּ Jer. 23:21

שָׁלַחְתִּי (המשך) 40 אֲשֶׁר שָׁלַחְתִּי אֲלֵיהֶם אֶת־עֲבָדַי Jer. 29:19
41 וְעַתָּה שָׁלַחְתִּי אִישׁ־חָכָם IICh. 2:12
42 הִנֵּה שָׁלַחְתִּי לְךָ כֶּסֶף וְזָהָב IICh. 16:3
וְשָׁלַחְתִּי 43 וְשָׁלַחְתִּי וּלְקַחְתִּיךָ מִשָּׁם Gen. 27:45
44 וְשָׁלַחְתִּי אֶת־יָדִי וְהִכֵּיתִי אֶת־מִצְ׳ Ex. 3:20
45 וְשָׁלַחְתִּי אֶת־הַצִּרְעָה לְפָנֶיךָ Ex. 23:28
46 וְשָׁלַחְתִּי לְפָנֶיךָ מַלְאָךְ וְגֵרַשְׁתִּי Ex. 33:2
שְׁלַחְתִּיךָ 47 וְזֶה־לְּךָ הָאוֹת כִּי אָנֹכִי שְׁלַחְתִּיךָ Ex. 3:12
48 לֵךְ בְּכֹחֲךָ זֶה...הֲלֹא שְׁלַחְתִּיךָ Jud. 6:14
49 אִם־לֹא אֲלֵיהֶם שְׁלַחְתִּיךָ Ezek. 3:6
שְׁלַחְתִּיו 50 וְהִצְלִיחַ אֲשֶׁר שְׁלַחְתִּיו Is. 55:11
51 יַעַן אֲשֶׁר נִבָּא...וַאֲנִי לֹא שְׁלַחְתִּיו Jer. 29:31
שְׁלַחְתִּים 52/3 לֹא(־)שְׁלַחְתִּים וְלֹא צִוִּיתִים Jer. 14:14; 23:32
54 הַנִּבְּאִים בִּשְׁמִי וַאֲנִי לֹא־שְׁלַחְתִּים Jer. 14:15
55 כִּי לֹא שְׁלַחְתִּים...וְהֵם נִבְּאִים בִּשְׁמִי Jer. 27:15
56 כִּי בְשֶׁקֶר...לֹא שְׁלַחְתִּים Jer. 29:9
שָׁלַחְתָּ 57 אֶל־מַלְאָכֶיךָ אֲשֶׁר־שָׁלַחְתָּ אֵלַי Num. 24:12
58 אִישׁ הָאֱלֹהִים אֲשֶׁר שָׁלַחְתָּ יָבוֹא־נָא Jud. 13:8
59 שָׁמַעְתִּי אֵת אֲשֶׁר־שָׁלַחְתָּ אֵלָי IK. 5:22
60 כֹּל אֲשֶׁר־שָׁלַחְתָּ אֶל־עַבְדְּךָ IK. 20:9
61 יַעַן אֲשֶׁר־שָׁלַחְתָּ מַלְאָכִים לִדְרֹשׁ IIK. 1:16
62 שָׁלַחְתָּ...סְפָרִים אֶל־כָּל־הָעָם Jer. 29:25
63 פִּיךָ שָׁלַחְתָּ בְרָעָה Ps. 50:19
שָׁלָחְתָּ 64 אֶת־נַעֲרֵי אֲדֹנִי אֲשֶׁר שָׁלָחְתָּ ISh. 25:25
שְׁלַחְתָּנִי 65 לָמָּה זֶּה שְׁלַחְתָּנִי Ex. 5:22
שְׁלַחְתָּנוּ 66 בָּאנוּ אֶל־הָאָרֶץ אֲשֶׁר שְׁלַחְתָּנוּ Num. 13:27
שָׁלַח 67 וְאֶת־בִּנְיָמִין...לֹא־שָׁלַח יַעֲקֹב Gen. 42:4
68 וּלְאָבִיו שָׁלַח כְּזֹאת Gen. 45:23
69 אֶת־הָעֲגָלוֹת אֲשֶׁר־שָׁלַח יוֹסֵף Gen. 45:27
70 בָּעֲגָלוֹת אֲשֶׁר־שָׁלַח פַּרְעֹה Gen. 46:5
71 וְאֶת־יְהוּדָה שָׁלַח לְפָנָיו אֶל־יוֹסֵף Gen. 46:28
72/3 אִם־לֹא שָׁלַח יָדוֹ בִּמְלֶאכֶת רֵעֵהוּ Ex. 22:7, 10
74 וְאֶל־אֲצִילֵי בְּ״יִ לֹא שָׁלַח יָדוֹ Ex. 24:11
75 הָאֲנָשִׁים אֲשֶׁר־שָׁלַח מֹשֶׁה לָתוּר Num. 13:16
76 ...אֶל־דִּבְרֵי יִפְתָּח אֲשֶׁר שָׁלַח אֵלָיו Jud. 11:28
77 אֹתִי שָׁלַח יְיָ לִמְשָׁחֳךָ לְמֶלֶךְ ISh. 15:1
78 כִּי מִי שָׁלַח יָדוֹ בִּמְשִׁיחַ יְיָ וְנִקָּה ISh. 26:9
79 וַתִּיבַשׁ יָדוֹ אֲשֶׁר שָׁלַח עָלָיו IK. 13:4
80 דָּבָר שָׁלַח אֲדֹנָי בְּיַעֲקֹב Is. 9:7
81 שָׁלַח יָדָיו בִּשְׁלֹמָיו Ps. 55:21
82 שָׁלַח חֹשֶׁךְ וַיַּחְשִׁךְ Ps. 105:28
83 פְּדוּת שָׁלַח לְעַמּוֹ Ps. 111:9
84 שָׁלַח אוֹתֹת...בְּתוֹכֵכִי מִצְרָיִם Ps. 135:9
85 בַּחַלָּמִישׁ שָׁלַח יָדוֹ Job 28:9
86 דּוֹדִי שָׁלַח יָדוֹ מִן־הַחוֹר S.ofS. 5:4
87 מִמָּרוֹם שָׁלַח־אֵשׁ בְּעַצְמֹתַי Lam. 1:13
88 עַל אֲשֶׁר־שָׁלַח יָדוֹ בַּיְּהוּדִים° Es. 8:7
89 עַל אֲשֶׁר־שָׁלַח יָדוֹ עַל־הָאָרוֹן ICh. 13:10
90-133 שָׁלַח Num. 14:36; 22:10 • Josh. 6:25 • Jud. 6:35[2]; 7:24; 11:17 • ISh. 25:14 • IISh. 10:3[2]; 19:12 • IK. 18:10; 20:7 • IIK. 1:6; 6:32; 11:4; 14:8, 9; 16:11; 17:4; 20:12; 22:3; 22:15 • Is. 37:17; 39:1 • Jer. 29:1, 3; 29:28; 40:14 • Zech. 1:10; 7:12 • Ps. 78:25; 105:17, 20, 26 • Neh. 6:19 • ICh. 19:3 • IICh. 17:7; 25:18; 28:16; 32:9; 34:8, 23; 36:10
וְשָׁלַח 134 וְשָׁלַח אֶת־יָדוֹ וְהֶחֱזִיק לוֹ IISh. 15:5
135 וְשָׁלַח יְיָ אֲלֵיכֶם...הַשְׁכֵּם וְשָׁלֹחַ Jer. 25:4
שְׁלָחַנִי 136 לְמִחְיָה שְׁלָחַנִי אֱלֹהִים לִפְנֵיכֶם Gen. 45:5
137 אֱלֹהֵי אֲבוֹתֵיכֶם שְׁלָחַנִי אֲלֵיכֶם Ex. 3:13
138 אֶהְיֶה שְׁלָחַנִי אֲלֵיכֶם Ex. 3:14
139 יְיָ אֱלֹהֵי אֲבֹתֵיכֶם...שְׁלָחַנִי אֲלֵיכֶם Ex. 3:15

שְׁלָחַנִי (המשך) 140 יְיָ אֱלֹהֵי הָעִבְ׳ שְׁלָחַנִי אֵלֶיךָ לֵאמֹר Ex. 7:16
141 כִּי־יְיָ שְׁלָחַנִי לַעֲשׂוֹת Num. 16:28
142 וָאֵלֵךְ בַּדֶּרֶךְ אֲשֶׁר־שְׁלָחַנִי יְיָ ISh. 15:20
143 כִּי יְיָ שְׁלָחַנִי עַד־בֵּית־אֵל IIK. 2:2
144 כִּי יְיָ שְׁלָחַנִי יְרִיחוֹ IIK. 2:4
145 כִּי יְיָ שְׁלָחַנִי הַיַּרְדֵּנָה IIK. 2:6
146 אֲדֹנִי שְׁלָחַנִי לֵאמֹר IIK. 5:22
147 מֶלֶךְ־אֲרָם שְׁלָחַנִי אֵלֶיךָ לֵאמֹר IIK. 8:9
148 הַעַל אֲדֹנֶיךָ וְאֵלֶיךָ שְׁלָחַנִי אֲדֹנִי IIK. 18:27
149 הַאֶל אֲדֹנֶיךָ וְאֵלֶיךָ שְׁלָחַנִי אֲדֹנִי Is. 36:12
150 אֲדֹנָי יֱהוִה שְׁלָחַנִי וְרוּחוֹ Is. 48:16
151 שְׁלָחַנִי לַחֲבֹשׁ לְנִשְׁבְּרֵי־לֵב Is. 61:1
152 אֲשֶׁר־שְׁלָחַנִי יְיָ אֲלֵיהֶם Jer. 25:17
153 יְיָ שְׁלָחַנִי לְהִנָּבֵא אֶל־הַבַּיִת הַזֶּה Jer. 26:12
154 כִּי בֶאֱמֶת שְׁלָחַנִי יְיָ עֲלֵיכֶם Jer. 26:15
155 וּלְכֹל אֲשֶׁר־שְׁלָחַנִי אֲלֵיכֶם Jer. 42:21
156 אַחַר כָּבוֹד שְׁלָחַנִי אֶל־הַגּוֹיִם Zech. 2:12
157 כִּי־יְיָ צְבָאוֹת שְׁלָחַנִי אֵלָיִךְ Zech. 2:15
158/9 כִּי־יְיָ צְבָאוֹת שְׁלָ׳ אֲלֵיכֶם Zech. 4:9; 6:15
שְׁלָחָנִי 160 אִם־כְּמוֹת...לֹא יְיָ שְׁלָחָנִי Num. 16:29
161 כִּי־יְיָ צְבָאוֹת שְׁלָחָנִי Zech. 2:13
שְׁלָחֲךָ 162 לֹא־שְׁלָחֲךָ יְיָ Jer. 28:15
163 לֹא שְׁלָחֲךָ יְיָ אֱלֹהֵינוּ לֵאמֹר Jer. 43:2
שְׁלָחֵךְ 164 אֲשֶׁר שְׁלָחֵךְ הַיּוֹם הַזֶּה לִקְרָאתִי ISh. 25:32
שְׁלָחוֹ 165 אֵת כָּל־דִּבְרֵי יְיָ אֲשֶׁר שְׁלָחוֹ Ex. 4:28
166 הָאֹתֹת...אֲשֶׁר שְׁלָחוֹ יְיָ לַעֲשׂוֹת Deut. 34:11
167 וַיַּגֵּד לְדָוִד אֵת כָּל־אֲשֶׁר שְׁלָ׳ יוֹאָב IISh. 11:22
168 שְׁלָחוֹ מֶלֶךְ־אַשּׁוּר...לְחָרֵף אֱלֹהִים IIK. 19:4
169 אֲשֶׁר שְׁלָחוֹ לְחָרֵף אֱלֹהִים חָי IIK. 19:16
170 שְׁלָחוֹ מֶלֶךְ־אַשּׁוּר...לְחָרֵף אֱלֹ׳ Is. 37:4
171 אֲשֶׁר שְׁלָחוֹ יְיָ שָׁם לְהִנָּבֵא Jer. 19:14
172 יִוָּדַע הַנָּבִיא אֲשֶׁר־שְׁלָחוֹ יְיָ בֶּאֱמֶת Jer. 28:9
173 אֲשֶׁר שְׁלָחוֹ יְיָ אֱלֹהֵיהֶם אֲלֵיהֶם Jer. 43:1
174 כַּאֲשֶׁר שְׁלָחוֹ יְיָ אֱלֹהֵיהֶם Hag. 1:12
175 וָאַכִּירָה וְהִנֵּה לֹא־אֱלֹהִים שְׁלָחוֹ Neh. 6:12
שְׁלָחָנוּ 176 דָּוִד שְׁלָחָנוּ אֵלַיִךְ לְקַחְתֵּךְ ISh. 25:40
שְׁלָחָם 177 הָאֹמְרִים נְאֻם־יְיָ וַיְיָ לֹא שְׁלָחָם Ezek. 13:6
שָׁלְחָה 178 וְהִיא שָׁלְחָה אֶל־חָמִיהָ לֵאמֹר Gen. 38:25
179 כַּאֲשֶׁר שָׁלְחָה אֲלֵיהֶם אִיזָבֶל IK. 21:11
180 בַּסְּפָרִים אֲשֶׁר שָׁלְחָה אֲלֵיהֶם IK. 21:11
181 שָׁלְחָה נַעֲרֹתֶיהָ תִקְרָא עַל־גַּפֵּי... Prov. 9:3
וְשָׁלְחָה 182 וְשָׁלְחָה יָדָהּ וְהֶחֱזִיקָה בִּמְבֻשָׁיו Deut. 25:11
שָׁלָחְנוּ 183 אֶת־הַמַּלְאָכִים אֲשֶׁר שָׁלָחְנוּ Josh. 6:17
שְׁלַחְתֶּם 184 לֹא־אַתֶּם שְׁלַחְתֶּם אֹתִי הֵנָּה Gen. 45:8
185 אֲשֶׁר שְׁלַחְתֶּם אֹתִי אֵלָיו Jer. 42:9
186 כִּי־אַתֶּם שְׁלַחְתֶּם אֹתִי אֶל־יְיָ Jer. 42:20
וּשְׁלַחְתֶּם 187 וּשְׁלַחְתֶּם בְּיָדָם אֵלַי כָּל־דָּבָר... IISh. 15:36
שָׁלְחוּ 188 וְאַדִּרֵיהֶם שָׁלְחוּ צְעִירֵיהֶם° לַמָּיִם Jer. 14:3
189-191 וּבַבִּזָּה לֹא שָׁלְחוּ אֶת־יָדָם Es. 9:10, 15, 16
וְשָׁלְחוּ 192 וְשָׁלְחוּ זִקְנֵי עִירוֹ וְלָקְחוּ אֹתוֹ Deut. 19:12
193 וְשָׁלְחוּ וְקָרְאוּ לִשְׁלֹשֶׁת אַחְיֹתֵיהֶם Job 1:4
שׁוֹלֵחַ 194 אֲנִי שֹׁלֵחַ אֶת־כָּל־מַגֵּפֹתַי אֶל־לִבְּךָ Ex. 9:14
195 הִנֵּה אָנֹכִי שֹׁלֵחַ מַלְאָךְ לְפָנֶיךָ Ex. 23:20
196 אַתָּה שֹׁלֵחַ לִדְרֹשׁ בְּבַעַל זְבוּב IIK. 1:6
197 שֹׁלֵחַ אֵלַי לֶאֱסֹף אִישׁ מִצָּרַעְתּוֹ IIK. 5:7
198 הִנְנִי שֹׁלֵחַ לְדַיָּגִים° רַבִּים Jer. 16:16
199-200 הִנְנִי שֹׁלֵחַ וְלָקַחְתִּי Jer. 25:9; 43:10
201 אֲשֶׁר אָנֹכִי שֹׁלֵחַ אוֹתְךָ אֲלֵיהֶם Jer. 25:15
202 הַחֶרֶב אֲשֶׁר אָנֹכִי שֹׁלֵחַ בֵּינֹתָם Jer. 25:16
203 הַחֶרֶב אֲשֶׁר אָנֹכִי שֹׁלֵחַ בֵּינֵיכֶם Jer. 25:27
204 הַנְּבִאִים אֲשֶׁר אָנֹכִי שֹׁלֵחַ אֲלֵיכֶם Jer. 26:5
205 שׁוֹלֵחַ אֲנִי אוֹתְךָ אֶל־בְּנֵי יִשְׂרָאֵל Ezek. 2:3

שׁוֹלֵחַ (המשך)

206 אֲנִי שׁוֹלֵחַ אוֹתְךָ אֲלֵיהֶם Ezek. 2:4
207 הִנְנִי שֹׁלֵחַ לָכֶם אֶת־הַדָּגָן Joel 2:19
208 הִנְנִי שֹׁלֵחַ מַלְאָכִי וּפִנָּה־דֶרֶךְ לְפָנָי Mal. 3:1
209 אָנֹכִי שֹׁלֵחַ לָכֶם אֵת אֵלִיָּה הַנָּבִיא Mal. 3:23
210 שֹׁלֵחַ דְּבָרִים בְּיַד־כְּסִיל Prov. 26:6

וְשֹׁלֵחַ 211 וְשֹׁלֵחַ מַיִם עַל־פְּנֵי חוּצוֹת Job 5:10

הַשֹּׁלֵחַ 212 הַשֹּׁלֵחַ אֶתְכֶם לִדְרֹשׁ אֶת־יְיָ IIK. 22:18
213 הַשֹּׁלֵחַ בַּיָּם צִירִים Is. 18:2
214 הַשֹּׁלֵחַ אֶתְכֶם אֵלַי לְדָרְשֵׁנִי Jer. 37:7
215 הַשֹּׁלֵחַ אִמְרָתוֹ אָרֶץ Ps. 147:15
216 הַשֹּׁלֵחַ אֶתְכֶם לִדְרוֹשׁ בַּייָ IICh. 34:26

שֹׁלְחִי 217 מָה־אָשִׁיב שֹׁלְחִי דָּבָר IISh. 24:13
218 מָה־אָשִׁיב אֶת־שֹׁלְחִי דָּבָר ICh. 21:12

שֹׁלְחֶךָ 219 אֶת־הַדָּבָר אֲשֶׁר־אָנֹכִי שֹׁלְחֶךָ ISh. 21:3

לְשֹׁלְחֶיךָ 220 לְהָשִׁיב אֲמָרִים אֱמֶת לְשֹׁלְחֶיךָ Prov. 22:21

שֹׁלְחִים 221 אֲשֶׁר אֲנַחְנוּ שֹׁלְחִים אֹתְךָ אֵלָיו Jer. 42:6
222 וְהִנָּם שֹׁלְחִים אֶת־הַזְּמוֹרָה אֶל־אַפָּם Ezek. 8:17

לְשֹׁלְחָיו 223 כֵּן הֶעָצֵל לְשֹׁלְחָיו Prov. 10:26
224 צִיר נֶאֱמָן לְשֹׁלְחָיו Prov. 25:13

שָׁלוּחַ 225 וְאָנֹכִי שָׁלוּחַ אֵלַיִךְ קָשָׁה IK. 14:6
226 וְצִיר בַּגּוֹיִם שָׁלוּחַ Jer. 49:14
227 לֹא אֶל־עַם עִמְקֵי שָׂפָה...אַתָּה שָׁלוּ׳ Ezek. 3:5
228 אֲשֶׁר מַלְאָךְ שָׁלוּחַ אֲלֵיהֶם Ezek. 23:40

שְׁלוּחָה 229 מִנְחָה הִוא שְׁלוּחָה לַאדֹנִי Gen. 32:19
230 נַפְתָּלִי אַיָּלָה שְׁלֻחָה Gen. 49:21
231 וָאֶרְאֶה וְהִנֵּה־יָד שְׁלוּחָה אֵלָי Ezek. 2:9

אֶשְׁלַח 232 אֶשְׁלַח אֵלֶיךָ אִישׁ מֵאֶרֶץ בִּנְיָמִן ISh. 9:16
233 וְלֹא־אָז אֶשְׁלַח אֵלֶיךָ ISh. 20:12
234 וְהִנֵּה אֶשְׁלַח אֶת־הַנַּעַר לֵךְ ISh. 20:21
235 וָאֹמַר לֹא־אֶשְׁלַח יָדִי בַּאדֹנִי ISh. 24:10
236 לֹא־אֶשְׁלַח יָדִי אֶל־בֶּן־הַמֶּלֶךְ IISh. 18:12
237 אֶשְׁלַח אֶת־עֲבָדַי אֵלֶיךָ IK. 20:6
238 אֶת־מִי אֶשְׁלַח וּמִי יֵלֶךְ־לָנוּ Is. 6:8
239 וְאַחֲרֵי־כֵן אֶשְׁלַח לְרַבִּים צַיָּדִים Jer. 16:16
240 אִם־תִּשְׁנוּ יָד אֶשְׁלַח בָּכֶם Neh. 13:21

אֶשְׁלָח 241 מִי...וְחֵרֵשׁ כְּמַלְאָכִי אֶשְׁלָח Is. 42:19

וְאֶשְׁלַח 242 לְכוּ וּרְאוּ...וְאֶשְׁלַח וְאֶקָּחֵהוּ IIK. 6:13

וָאֶשְׁלַח 243 וָאֶשְׁלַח מַלְאָכִים...אֶל־סִיחוֹן Deut. 2:26
244 וָאֶשְׁלַח אֶת־מֹשֶׁה...וָאֶגֹּף אֶת־מִצְ׳ Josh. 24:5
245 וָאֶשְׁלַח לִפְנֵיכֶם אֶת־הַצִּרְעָה Josh. 24:12
246-248 וָאֶשְׁלַח אֲלֵיכֶם אֶת־כָּל־עֲבָדַי
Jer. 7:25; 35:15; 44:4
249 וָאֶשְׁלַח אֲלֵיכֶם לֵאמֹר Jer. 23:38
250 וָאֶשְׁלַח לְפָנֶיךָ אֶת־מֹשֶׁה Mic. 6:4

וְאֶשְׁלְחָה 251 וְאֶשְׁלְחָה אֹתְךָ אֶל־הַמֶּלֶךְ IISh. 14:32
252 וְאֶשְׁלְחָה סֵפֶר אֶל־מֶלֶךְ יִשְׂרָאֵל IIK. 5:5

וָאֶשְׁלְחָה 253 וָאֶשְׁלְחָה לְהַגִּיד לַאדֹנִי Gen. 32:5
254 וָאֶשְׁלְחָה לֶאֱלִיעֶזֶר לַאֲרִיאֵל Ez. 8:16
255 וָאֶשְׁלְחָה עֲלֵיהֶם מַלְאָכִים לֵאמֹר Neh. 6:3
256 וָאֶשְׁלְחָה אֵלָיו לֵאמֹר Neh. 6:8

אֶשְׁלָחֲךָ 257 לֵךְ אֶשְׁלָחֲךָ אֶל־יִשַׁי ISh. 16:1
258 עַל־כָּל־אֲשֶׁר אֶשְׁלָחֲךָ תֵּלֵךְ Jer. 1:7

וְאֶשְׁלָחֲךָ 259 לְכָה וְאֶשְׁלָחֲךָ אֲלֵיהֶם Gen. 37:13
260 וְעַתָּה לְכָה וְאֶשְׁלָחֲךָ אֶל־פַּרְעֹה Ex. 3:10

וְאֶשְׁלָחֵם 261 וְאֶשְׁלָחֵם וְיָקֻמוּ וְיִתְהַלְּכוּ בָאָרֶץ Josh. 18:4

תִּשְׁלַח 262 אַל־תִּשְׁלַח יָדְךָ אֶל־הַנַּעַר Gen. 22:12
263 לֹא הוֹדַעְתַּנִי אֵת אֲשֶׁר־תִּשְׁלַח עִמִּי Ex. 33:12
264 עַד־הַמָּקוֹם אֲשֶׁר־תִּשְׁלַח אֵלַי IK. 5:23
265 עַל אַף אֹיְבַי תִּשְׁלַח יָדֶךָ Ps. 138:7
266 רַק אֵלָיו אַל־תִּשְׁלַח יָדֶךָ Job 1:12

תִּשְׁלָח 267 שְׁלַח־נָא בְּיַד־תִּשְׁלָח Ex. 4:13

וַתִּשְׁלַח 268 וַתִּשְׁלַח־לוֹ אֲרָזִים לִבְנוֹת־לוֹ בַיִת IICh. 2:2

תִּשְׁלָחֵנִי 269 אֲשֶׁר תִּשְׁלָחֵנִי אֶל־יְהוּדָה Neh. 2:5

תִּשְׁלָחֵנוּ 270 וְאֶל־כָּל־אֲשֶׁר תִּשְׁלָחֵנוּ נֵלֵךְ Josh. 1:16

תִּשְׁלָחֵם 271 כִּי־יֵצֵא עַמְּךָ...בַּדֶּרֶךְ אֲשֶׁר תִּשְׁלָחֵם IK. 8:44
272 כִּי־יֵצְאוּ עַמְּךָ...בַּדֶּרֶךְ אֲשֶׁר תִּשְׁלָחֵ׳ IICh. 6:34

יִשְׁלַח 273 וְעַתָּה פֶּן־יִשְׁלַח יָדוֹ וְלָקַח Gen. 3:22
274 הוּא יִשְׁלַח מַלְאָכוֹ לְפָנֶיךָ Gen. 24:7
275 יְיָ...יִשְׁלַח מַלְאָכוֹ אִתָּךְ Gen. 24:40
276/7 יִשְׁלַח מִמָּרוֹם יִקָּחֵנִי IISh. 22:17 • Ps. 18:17
278 יִשְׁלַח־עֶזְרְךָ מִקֹּדֶשׁ Ps. 20:3
279 יִשְׁלַח מִשָּׁמַיִם וְיוֹשִׁיעֵנִי Ps. 57:4
280 יִשְׁלַח אֱלֹהִים חַסְדּוֹ וַאֲמִתּוֹ Ps. 57:4
281 יִשְׁלַח דְּבָרוֹ וְיִרְפָּאֵם Ps. 107:20
282 מַטֵּה עֻזְּךָ יִשְׁלַח יְיָ Ps. 110:2
283 יִשְׁלַח דְּבָרוֹ וְיַמְסֵם Ps. 147:18
284 אַךְ לֹא־בְעִי יִשְׁלַח־יָד Job 30:24
285 הַחִטִּים וְהַשְּׂעֹרִים...יִשְׁלַח לַעֲבָדָיו IICh. 2:14

וְיִשְׁלַח 286 וְיִשְׁלַח לָהֶם מוֹשִׁיעַ וָרָב Is. 19:20
287 וְיִשְׁלַח יָדוֹ בַּאֲרָצוֹת Dan. 11:42

וַיִּשְׁלַח 288 וַיִּשְׁלַח יָדוֹ וַיִּקָּחֶהָ Gen. 8:9
289 וַיִּשְׁלַח אֲבִימֶלֶךְ...וַיִּקַּח אֶת־שָׂרָה Gen. 20:2
290 וַיִּשְׁלַח אַבְרָהָם אֶת־יָדוֹ וַיִּקַּח Gen. 22:10
291 וַיִּשְׁלַח יִצְחָק אֶת־יַעֲקֹב וַיֵּלֶךְ Gen. 28:5
292 וַיִּשְׁלַח יַעֲקֹב וַיִּקְרָא לְרָחֵל וּלְלֵאָה Gen. 31:4
293 וַיִּשְׁלַח יַעֲקֹב מַלְאָכִים לְפָנָיו Gen. 32:3
294 וַיִּשְׁלַח יְהוּדָה...בְּיַד רֵעֵהוּ Gen. 38:20
295 וַיִּשְׁלַח יִשְׂרָאֵל אֶת־יְמִינוֹ Gen. 48:14
296 וַיִּשְׁלַח יָדוֹ וַיַּחֲזֶק־בּוֹ Ex. 4:4
297 וַיִּשְׁלַח אֹתָם מֹשֶׁה לָתוּר Num. 13:17
298 וַיִּשְׁלַח מֹשֶׁה לִקְרֹא לְדָתָן Num. 16:12
299 וַיִּשְׁלַח מֹשֶׁה מַלְאָכִים מִקָּדֵשׁ Num. 20:14
300 וַיִּשְׁלַח מַלְאָךְ וַיֹּצִאֵנוּ מִמִּצְרָיִם Num. 20:16
301 וַיִּשְׁלַח אֵהוּד אֶת־יַד שְׂמֹאלוֹ Jud. 3:21
302 וַיִּשְׁלַח יְיָ אִישׁ נָבִיא אֶל־בְּ״י Jud. 6:8
303 וַיִּשְׁלַח...אֶת־קְצֵה הַמִּשְׁעֶנֶת Jud. 6:21
304 וַיִּשְׁלַח אֱלֹהִים רוּחַ רָעָה בֵּין... Jud. 9:23
305 וַיִּשְׁלַח יָדוֹ וַיִּקָּחֶהָ Jud. 15:15
306 וַיִּשְׁלַח הָעָם שִׁלֹה וַיִּשְׂאוּ מִשָּׁם... ISh. 4:4
307 וַיִּשְׁלַח אֶת־קְצֵה הַמַּטֶּה...וַיִּטְבֹּל ISh. 14:27
308 וַיִּשְׁלַח וַיְבִיאֵהוּ וְהוּא אַדְמוֹנִי ISh. 16:12
309 וַיִּשְׁלַח בְּיַד־דָּוִד בְּנוֹ אֶל־שָׁאוּל ISh. 16:20
310 וַיִּשְׁלַח שָׁאוּל אֶל־יִשַׁי לֵאמֹר ISh. 16:22
311 וַיִּשְׁלַח דָּוִד אֶת־יָדוֹ אֶל־הַכֶּלִי ISh. 17:49
312 וַיִּשְׁלַח עֻזָּה אֶל־אֲרוֹן הָאֱלֹהִים IISh. 6:6
313 וַיִּכְתֹּב...וַיִּשְׁלַח בְּיַד אוּרִיָּה IISh. 11:14
314 וַיִּשְׁלַח בְּיַד נָתָן הַנָּבִיא IISh. 12:25
315 וַיִּשְׁלַח חִצִּים וַיְפִיצֵם IISh. 22:15
316 וַיִּשְׁלַח יָדוֹ הַמַּלְאָךְ יְרוּשָׁלַם IISh. 24:16
317 וַיִּשְׁלַח הַמֶּלֶךְ שְׁלֹמֹה בְּיַד בְּנָיָהוּ IK. 2:25
318 וַיִּשְׁלַח יָרָבְעָם אֶת־יָדוֹ מֵעַל הַמִּזְבֵּחַ IK. 13:4
319 וַיִּשְׁלַח יָדוֹ וַיִּקָּחֵהוּ IIK. 6:7
320 וַיִּשְׁלַח יְיָ אֶת־יָדוֹ וַיַּגַּע עַל־פִּי Jer. 1:9
321 וַיִּשְׁלַח תַּבְנִית יָד וַיִּקָּחֵנִי Ezek. 8:3
322 וַיִּשְׁלַח הַכְּרוּב אֶת־יָדוֹ Ezek. 10:7
323 וַיִּשְׁלַח חִצָּיו וַיְפִיצֵם Ps. 18:15
324 וַיִּשְׁלַח עֻזָּא אֶת־יָדוֹ לֶאֱחֹז ICh. 13:9
325 וַיִּשְׁלַח בָּהֶם נְבִאִים לַהֲשִׁיבָם IICh. 24:19
326-476 וַיִּשְׁלַח Gen. 41:8, 14
Ex. 9:7, 27; 24:5 • Num. 13:3; 21:21, 32; 22:5; 31:6 • Josh. 2:1, 3; 7:2, 22; 10:3; 11:1; 24:9 • Jud. 9:31; 11:12, 14, 17, 19, 38 • ISh. 12:8; 12:11; 16:19; 19:11, 14, 15, 20, 21²; 22:11; 25:5, 39; 26:4 • IISh. 2:5; 3:12, 14, 15, 26; 5:11; 8:10; 9:5; 10:2, 5, 7, 16; 11:1, 3, 4, 6²,

וַיִּשְׁלַח (המשך) 18, 27; 12:1, 27; 13:7, 27; 14:2, 29²; 15:10, 12 • IK. 1:44, 53; 2:29, 36, 42; 5:15, 16, 22; 7:13; 9:14, 27; 12:18; 15:20; 18:20; 20:2, 10, 17 • IIK. 1:2; 1:9, 11, 13; 3:7; 5:8, 10; 6:9, 10, 14, 32; 7:14; 9:19; 10:1, 5, 21; 12:19; 14:9; 16:7, 8, 10; 18:14, 17; 19:2, 9, 20; 23:1, 16 • Is. 36:2; 37:2, 9, 21 • Jer. 26:22; 36:21; 37:3, 17; 38:14; 39:13 • Hosh. 5:13 • Am. 7:10 • Zech. 7:2 • Job 1:5 • Es. 1:22; 5:10; 8:10; 9:20, 30 • Neh. 2:9; 6:2, 5 • ICh. 14:1; 18:10; 19:2, 5, 6, 8; 21:15 • IICh. 2:2, 10; 8:18; 10:18; 16:2, 4; 25:15, 17, 18; 30:1; 32:21; 34:29; 35:21; 36:15

וַיִּשְׁלָחֵנִי 477 וַיִּשְׁלָחֵנִי אֱלֹהִים לִפְנֵיכֶם Gen. 45:7
478 וַיִּיטַב לִפְנֵי־הַמֶּלֶךְ וַיִּשְׁלָחֵנִי Neh. 2:6

יִשְׁלָחֲךָ 479 כְּכָל־הַדָּבָר אֲשֶׁר יִשְׁלָחֲךָ יְיָ Jer. 42:5

וַיִּשְׁלָחֲךָ 480 וַיִּשְׁלָחֲךָ יְיָ בְּדָרֶךְ ISh. 15:18

וַיִּשְׁלָחֵהוּ 481 וַיִּשְׁלָחֵהוּ מֵעֵמֶק חֶבְרוֹן Gen. 37:14

יִשְׁלָחֶנּוּ 482 בְּכֹל אֲשֶׁר יִשְׁלָחֶנּוּ שָׁאוּל יַשְׂכִּיל ISh. 18:5

וַיִּשְׁלָחֵם 483 וַיִּבְחַר...גִּבּוֹרֵי הַחַיִל וַיִּשְׁלָחֵם לָיְלָה Josh. 8:3
484 וַיִּשְׁלָחֵם יְהוֹשֻׁעַ וַיֵּלְכוּ אֶל־הַמַּאְרָב Josh. 8:9
485 וַיִּשְׁלָחֵם לְבָנוֹנָה עֲשֶׂרֶת אֲלָפִים IK. 5:28
486 וַיִּשְׁלָחֵם הַמֶּלֶךְ אָסָא אֶל־בֶּן־הֲדַד IK. 15:18

וַתִּשְׁלַח 487 וַתִּשְׁלַח וַתִּקְרָא לְיַעֲקֹב Gen. 27:42
488 וַתִּשְׁלַח אֶת־אֲמָתָהּ וַתִּקָּחֶהָ Ex. 2:5
489 וַתִּשְׁלַח וַתִּקְרָא לְבָרָק Jud. 4:6
490 וַתִּשְׁלַח וַתִּקְרָא לְסַרְנֵי פְלִשְׁתִּים Jud. 16:18
491 וַתִּשְׁלַח וַתַּגֵּד לְדָוִד IISh. 11:5
492 וַתִּשְׁלַח אִיזֶבֶל מַלְאָךְ אֶל־אֵלִיָּהוּ IK. 19:2
493 וַתִּשְׁלַח סְפָרִים אֶל־הַזְּקֵנִים IK. 21:8
494 וַתִּשְׁלַח מַלְאָכִים אֲלֵיהֶם כַּשְׂדִּימָ׳ Ezek. 23:16
495 וַתִּשְׁלַח בְּגָדִים לְהַלְבִּישׁ אֶת־מָרְדֳּכַי Es. 4:4

נִשְׁלְחָה 496 נִשְׁלְחָה אֲנָשִׁים לְפָנֵינוּ Deut. 1:22
497 נִשְׁלְחָה עַל־אַחֵינוּ הַנִּשְׁאָרִים ICh. 13:2

וְנִשְׁלְחָה 498 וְנִשְׁלְחָה מַלְאָכִים בְּכֹל גְּבוּל יִשְׂרָאֵל ISh. 11:3
499 וְנִשְׁלְחָה וְנִרְאֶה IIK. 7:13

תִּשְׁלְחוּ 500 וְיָד אַל־תִּשְׁלְחוּ־בוֹ Gen. 37:22
501 אֶלֶף לַמַּטֶּה...תִּשְׁלְחוּ לַצָּבָא Num. 31:4

תִּשְׁלָחוּ 502 אִישׁ...לְמַטֵּה אֲבֹתָיו תִּשְׁלָחוּ Num. 13:2
503 ...וַיֹּאמֶר לֹא תִשְׁלָחוּ IIK. 2:16

יִשְׁלְחוּ 504 לֹא־יִשְׁלְחוּ הַצַּדִּיקִים
בְּעַוְלָתָה יְדֵיהֶם Ps. 125:3

וַיִּשְׁלְחוּ 505 וַיִּשְׁלְחוּ הָאֲנָשִׁים אֶת־יָדָם וַיָּבִיאוּ Gen. 19:10
506 וַיִּשְׁלְחוּ אַנְשֵׁי גִבְעוֹן אֶל־יְהוֹשֻׁעַ Josh. 10:6
507 וַיִּשְׁלְחוּ ב״י אֶל־בְּנֵי־רְאוּבֵן Josh. 22:13
508 וַיִּשְׁלְחוּ ב״י בְּיָדוֹ מִנְחָה Jud. 3:15
509 וַיִּשְׁלְחוּ בְנֵי־דָן...חֲמִשָּׁה אֲנָשִׁים Jud. 18:2
510 וַיִּשְׁלְחוּ שִׁבְטֵי יִשְׂרָאֵל אֲנָשִׁים Jud. 20:12
511 וַיִּשְׁלְחוּ־שָׁם הָעֵדָה...מִבְּנֵי הֶחָיִל Jud. 21:10
512 וַיִּשְׁלְחוּ אַחֲרָיו לָכִישָׁה וַיְמִתֻהוּ שָׁם IIK. 14:19
513-529 וַיִּשְׁלְחוּ Jud. 21:13
ISh. 5:8, 11; 6:21 • IISh. 10:6; 19:15 • IK. 12:3, 20; 21:14 • IIK. 2:17; 10:7 • Jer. 36:14; 39:14 • Neh. 6:4 • ICh. 19:16 • IICh. 10:3; 25:27

תִּשְׁלַחְנָה 530 יָדָהּ לַיָּתֵד תִּשְׁלַחְנָה Jud. 5:26
531 וְאַף כִּי תִשְׁלַחְנָה לַאֲנָשִׁים Ezek. 23:40
532 וְאַל־תִּשְׁלַחְנָה בְחֵילוֹ בְּיוֹם אֵידוֹ Ob. 13

שְׁלַח 533 שְׁלַח יָדְךָ וֶאֱחֹז בִּזְנָבוֹ Ex. 4:4
534 שְׁלַח־נָא בְּיַד־תִּשְׁלָח Ex. 4:13
535 וְעַתָּה שְׁלַח הָעֵז אֶת־מִקְנְךָ Ex. 9:19
536 שְׁלַח־לְךָ אֲנָשִׁים וְיָתֻרוּ Num. 13:2
537 וְעַתָּה שְׁלַח וְקַח אֹתוֹ אֵלַי ISh. 20:31
538 שְׁלַח אֵלַי אֶת־אוּרִיָּה הַחִתִּי IISh. 11:6

שְׁלַח (המשך)	539	שְׁלַח קִבֹץ אֵלַי אֶת־כָּל־יִשְׂרָאֵל	IK. 18:19
	540	שְׁלַח עַל־כָּל־הַגּוֹלָה לֵאמֹר	Jer. 29:31
	541	שְׁלַח־אוֹרְךָ וַאֲמִתְּךָ הֵמָּה יַנְחוּנִי	Ps. 43:3
	542	שְׁלַח חִצֶּיךָ וּתְהֻמֵּם	Ps. 144:6
	543	שְׁלַח יָדֶיךָ מִמָּרוֹם פְּצֵנִי	Ps. 144:7
	544	שְׁלַח־נָא יָדְךָ וְגַע בְּכָל־אֲשֶׁר־לוֹ	Job 1:11
	545	שְׁלַח־נָא יָדְךָ וְגַע אֶל־עַצְמוֹ	Job 2:5
	546	וְעַתָּה שְׁלַח־לִי אִישׁ־חָכָם	IICh. 2:6
וּשְׁלַח	547	קַח רַכָּב וּשְׁלַח לִקְרָאתָם	IIK. 9:17
	548	וּשְׁלַח־לִי עֲצֵי אֲרָזִים	IICh. 2:7
שִׁלְחָה	549	שִׁלְחָה הַנַּעַר אִתִּי...וְנֵלֵכָה	Gen. 43:8
	550	וַיֹּאמֶר שְׁמוּאֵל...שִׁלְחָה וְקָחֶנּוּ	ISh. 16:11
	551	שִׁלְחָה אֵלַי אֶת־דָּוִד בִּנְךָ	ISh. 16:19
	552	שִׁלְחָה נָא לִי אֶחָד מִן־הַנְּעָרִים	IIK. 4:22
שְׁלָחֵנִי	553	וָאֹמַר הִנְנִי שְׁלָחֵנִי	Is. 6:8
שִׁלְחוּ	554	שִׁלְחוּ מִכֶּם אֶחָד וְיִקַּח...	Gen. 42:16
	555	שִׁלְחוּ־נָא אֶת־זֹאת מֵעָלַי הַחוּצָה	IISh.13:17
	556	וְעַתָּה שִׁלְחוּ מְהֵרָה וְהַגִּידוּ לְדָוִד	IISh.17:16
	557	שִׁלְחוּ־כַר מֹשֵׁל־אֶרֶץ מִסֶּלַע	Is. 16:1
	558	וְקֵדָר שִׁלְחוּ וְהִתְבּוֹנְנוּ מְאֹד	Jer. 2:10
	559	וְאֶל־הַחֲכָמוֹת שִׁלְחוּ וְתָבוֹאנָה	Jer. 9:16
	560	שִׁלְחוּ מַגָּל כִּי בָשַׁל קָצִיר	Joel 4:13
שְׁלָחוּ	561	וַיִּפְצְרוּ־בוֹ...וַיֹּאמֶר שְׁלָחוּ	IIK. 2:17
וְשִׁלְחוּ	562	וְשִׁלְחוּ מָנוֹת לְאֵין נָכוֹן לוֹ	Neh. 8:10
וְנִשְׁלוֹחַ	563	וְנִשְׁלוֹחַ סְפָרִים בְּיַד הָרָצִים	Es. 3:13
שַׁלֵּחַ	564	שַׁלֵּחַ תְּשַׁלַּח אֶת־הָאֵם	Deut. 22:7
	565	לֹא כִּי שַׁלֵּחַ תְּשַׁלְּחֵנִי	IK. 11:22
שַׁלַּח	566	וַיֹּסֶף שַׁלַּח אֶת־הַיּוֹנָה	Gen. 8:10
	567	לְבִלְתִּי שַׁלַּח אֶת־הָעָם	Ex. 8:25
	568	אַחַר שַׁלַּח אֹתוֹ...מִן־הָרָמָה	Jer. 40:1
	569	כִּי־שָׂנֵא שַׁלַּח אָמַר יְיָ	Mal. 2:16
וְשַׁלַּח	570	וְשַׁלַּח רְצוּצִים חָפְשִׁים	Is. 58:6
בְּשַׁלַּח	571	וַיְהִי בְּשַׁלַּח פַּרְעֹה אֶת־הָעָם	Ex. 13:17
לְשַׁלַּח	572	אֲשֶׁר אֶשְׁמַע בְּקֹלוֹ לְשַׁלַּח אֶת־יִשְׂר׳	Ex. 5:2
	573	מֵאֵן לְשַׁלַּח הָעָם	Ex. 7:14
	574	לְשַׁלַּח אֹתוֹ לַעֲזָאזֵל הַמִּדְבָּרָה	Lev. 16:10
	575	לְשַׁלַּח־לִי לְמַטָּרָה	ISh. 20:20
	576/7	לְשַׁלַּח אִישׁ אֶת־עַבְדּוֹ...חָפְשִׁים	Jer. 34:9, 10
לְשַׁלֵּחַ	578	וְאִם־מָאֵן אַתָּה לְשַׁלֵּחַ	Ex. 7:27
	579	כִּי אִם־מָאֵן אַתָּה לְשַׁלֵּחַ	Ex. 9:2
	580	אִם־מָאֵן אַתָּה לְשַׁלֵּחַ אֶת־עַמִּי	Ex. 10:4
וּלְשַׁלַּח	581	לֶאֱכֹל וְלִשְׁתּוֹת וּלְשַׁלַּח מָנוֹת	Neh. 8:12
בְּשַׁלְּחִי	582	בְּשַׁלְּחִי אֶת־חִצֵּי הָרָעָב...בָּהֶם	Ezek. 5:16
לְשַׁלְּחֵנִי	583	הָרָעָה...אֲשֶׁר־עָשִׂיתָ עִמִּי לְשַׁלְּ׳	IISh. 13:16
בְּשַׁלֵּחֲךָ	584	בְּשַׁלֵּחֲךָ אֹתוֹ חָפְשִׁי מֵעִמָּךְ	Deut. 15:18
בְּשַׁלְּחוֹ	585	וַתַּאַרְכְנָה...מִמַּיִם רַבִּים בְּשַׁלְּחוֹ	Ezek. 31:5
כְּשַׁלְּחוֹ	586	כְּשַׁלְּחוֹ כָּלָה גָּרֵשׁ יְגָרֵשׁ אֶתְכֶם מִזֶּה	Ex. 11:1
לְשַׁלְּחוֹ	587	שַׁלַּח אֶת־בְּנִי...וַתְּמָאֵן לְשַׁלְּחוֹ	Ex. 4:23
	588	וַיַּעֲבֹר...לְשַׁלְּחוֹ אֶת־הַיַּרְדֵּן	IISh. 19:32
שַׁלְּחָהּ	589	לֹא־יוּכַל שַׁלְּחָהּ כָּל־יָמָיו	Deut. 22:29
בְּשַׁלְּחָהּ	590	בְּסַאסְּאָה בְּשַׁלְחָהּ תְּרִיבֶנָּה	Is. 27:8
לְשַׁלְּחָהּ	591	לֹא־יוּכַל לְשַׁלְּחָהּ כָּל־יָמָיו	Deut. 22:19
לְשַׁלְּחֵנוּ	592	וַיְהִי כִּי־הִקְשָׁה פַרְעֹה לְשַׁלְּחֵנוּ	Ex. 13:15
שַׁלְּחָם	593	עוֹדְךָ מִסְתּוֹלֵל בְּעַמִּי לְבִלְתִּי שַׁלְּחָם	Ex. 9:17
	594	הֶחֱזִיקוּ בָם מֵאֲנוּ שַׁלְּחָם	Jer. 50:33
לְשַׁלְּחָם	595	וְאַבְרָהָם הֹלֵךְ עִמָּם לְשַׁלְּחָם	Gen. 18:16
	596	וְלֹא אָבָה לְשַׁלְּחָם	Ex. 10:27
	597	לְמַהֵר לְשַׁלְּחָם מִן־הָאָרֶץ	Ex. 12:33
שִׁלַּחְתִּי	598	לְמַעַנְכֶם שִׁלַּחְתִּי בָבֶלָה	Is. 43:14
	599	אֲשֶׁר שִׁלַּחְתִּי מִן־הַמָּקוֹם הַזֶּה	Jer. 24:5
	600	אֲשֶׁר־שִׁלַּחְתִּי מִירוּשָׁלַםִ בָּבֶלָה	Jer. 29:20
	601	שְׁפָטַי...שִׁלַּחְתִּי אֶל־יְרוּשָׁלָםִ	Ezek. 14:21

שִׁלַּחְתִּי (המשך)	602	חֵילִי הַגָּדוֹל אֲשֶׁר שִׁלַּחְתִּי בָּכֶם	Joel 2:25
	603	שִׁלַּחְתִּי בָכֶם דֶּבֶר בְּדֶרֶךְ מִצְרַיִם	Am. 4:10
	604	שִׁלַּחְתִּי אֲסִירַיִךְ מִבּוֹר אֵין מַיִם בּוֹ	Zech. 9:11
	605	כִּי שִׁלַּחְתִּי אֲלֵיכֶם אֵת הַמִּצְוָה הַזֹּאת	Mal. 2:4
וְשִׁלַּחְתִּי	606	וְשִׁלַּחְתִּי דֶבֶר בְּתוֹכְכֶם	Lev. 26:25
	607	וְשִׁלַּחְתִּי מֵהֶם פְּלֵיטִים אֶל־הַגּוֹיִם	Is. 66:19
	608/9	וְשִׁלַּחְתִּי אַחֲרֵיהֶם אֶת־הַחֶרֶב	Jer. 9:15; 49:37
	610	וְשִׁלַּחְתִּי בָם אֶת־הַחֶרֶב	Jer. 24:10
	611	וְשִׁלַּחְתִּי־לוֹ צֹעִים וְצֵעֻהוּ	Jer. 48:12
	612	וְשִׁלַּחְתִּי לְבָבֶל זָרִים וְזֵרוּהָ	Jer. 51:2
	613	וְשִׁלַּחְתִּי עֲלֵיכֶם רָעָב וְחַיָּה רָעָה	Ezek. 5:17
	614	וְשִׁלַּחְתִּי אַפִּי בָךְ וּשְׁפַטְתִּיךְ	Ezek. 7:3
	615	וְשִׁלַּחְתִּי אֶת־הַנְּפָשׁוֹת	Ezek. 13:20
	616	וְשִׁלַּחְתִּי־בָהּ דֶּבֶר וָדָם בְּחוּצוֹתֶיהָ	Ezek.28:23
	617	וְשִׁלַּחְתִּי־אֵשׁ בְּמָגוֹג	Ezek. 39:6
	618	וְשִׁלַּחְתִּי־אֵשׁ בְּעָרָיו	Hosh. 8:14
	619-624	וְשִׁלַּחְתִּי אֵשׁ בְּ־...	Am.1:4, 7, 10,12; 2:2,5
	625	וְשִׁלַּחְתִּי בָכֶם אֶת־הַמְּאֵרָה	Mal. 2:2
וְשִׁלַּחְתִּיךָ	626	וַאֲכַלְתֶּם...וְשִׁלַּחְתִּיךָ בַבֹּקֶר	ISh. 9:19
	627	וְשִׁלַּחְתִּיךָ וְהָלַכְתָּ לְשָׁלוֹם	ISh. 20:13
שִׁלַּחְתִּיהָ	628	אֵי זֶה סֵפֶר כְּרִיתוּת אִמְּכֶם אֲשֶׁר שִׁלַּחְתִּיהָ	Is. 50:1
	629	שִׁלַּחְתִּיהָ וָאֶתֵּן אֶת־סֵפֶר כְּרִיתֻתֶיהָ	Jer. 3:8
שִׁלַּחְתָּ	630	יַעַן שִׁלַּחְתָּ אֶת־אִישׁ־חֶרְמִי מִיָּד	IK. 20:42
	631	אַלְמָנוֹת שִׁלַּחְתָּ רֵיקָם	Job 22:9
שִׁלַּחְתָּנִי	632	כִּי עַתָּה רֵיקָם שִׁלַּחְתָּנִי	Gen. 31:42
וְשִׁלַּחְתַּנִי	633	וְשִׁלַּחְתַּנִי וְנִסְתַּרְתִּי בַשָּׂדֶה	ISh. 20:5
שִׁלַּחְתּוֹ	634	לָמָּה־זֶּה שִׁלַּחְתּוֹ וַיֵּלֶךְ הָלוֹךְ	IISh. 3:24
וְשִׁלַּחְתּוֹ	635	וְשִׁלַּחְתּוֹ חָפְשִׁי מֵעִמָּךְ	Jer. 34:14
וְשִׁלַּחְתָּהּ	636	וְשִׁלַּחְתָּהּ לְנַפְשָׁהּ...לֹא תִמְכְּרֶנָּה	Deut. 21:14
וְשִׁלַּחְתָּם	637	וְשִׁלַּחְתָּם אֶל־מֶלֶךְ אֱדוֹם	Jer. 27:3
שִׁלַּח	638/9	וְלֹא שִׁלַּח אֶת־הָעָם	Ex. 8:28; 9:7
	640/1	וְלֹא שִׁלַּח אֶת־בְּ״יִ	Ex. 9:35; 10:20
	642	וְלֹא־שִׁלַּח אֶת־בְּ״יִ מֵאַרְצוֹ	Ex. 11:10
	643	שִׁלַּח אִישׁ לְאֹהָלָיו	Jud. 7:8
	644	וּשְׁלֹשִׁים בָּנוֹת שִׁלַּח הַחוּצָה	Jud. 12:9
	645	וְיֶתֶר הָעָם שִׁלַּח אִישׁ לְאֹהָלָיו	ISh. 13:2
	646	בַּיּוֹם הַשְּׁמִינִי שִׁלַּח אֶת־הָעָם	IK. 8:66
	647	מִי־שִׁלַּח פֶּרֶא חָפְשִׁי	Job 39:5
	648	שִׁלַּח אֶת־הָעָם לְאָהֳלֵיהֶם	IICh. 7:10
וְשִׁלַּח	649	וְשִׁלַּח אֹתוֹ פַּדֶּנָה אֲרָם	Gen. 28:6
	650	וְשִׁלַּח לָכֶם אֶת־אֲחִיכֶם	Gen. 43:14
	651	וְשִׁלַּח אֶת־בְּנֵי־יִשְׂרָאֵל מֵאַרְצוֹ	Ex. 7:2
	652	וְשִׁלַּח אֶת־בְּעִירֹה וּבִעֵר	Ex. 22:4
	653/4	וְשִׁלַּח אֶת־הַצִּפֹּר הַחַיָּה	Lev. 14:7, 53
	655	וְשִׁלַּח בְּיַד־אִישׁ עִתִּי הַמִּדְבָּרָה	Lev. 16:21
	656	וְשִׁלַּח אֶת־הַשָּׂעִיר בַּמִּדְבָּר	Lev. 16:22
שִׁלַּחֲךָ	657	לֵךְ כִּי שִׁלַּחֲךָ יְיָ	ISh. 20:22
שִׁלְּחוֹ	658	כִּי שִׁלְּחוֹ וַיֵּלֶךְ בְּשָׁלוֹם	IISh. 3:22
	659	וְשַׁחֲרַיִם הוֹלִיד...מִן־שִׁלְחוֹ אֹתָם	ICh. 8:8
וְשִׁלְּחוֹ	660	וְשִׁלְּחוֹ בְּדֶרֶךְ טוֹבָה	ISh. 24:19
שִׁלְּחָהּ	661	בַּעְלָהּ הָרִאשׁוֹן אֲשֶׁר־שִׁלְּחָהּ	Deut. 24:4
וְשִׁלְּחָהּ	662/3	וְכָתַב לָהּ...וְשִׁלְּחָהּ מִבֵּיתוֹ	Deut. 24:1, 3
שִׁלְּחָם	664	כִּי שִׁלְּחָם יְהוֹשֻׁעַ אֶל־אָהֳלֵיהֶם	Josh. 22:7
שִׁלְּחָה	665	וְדָלִיּוֹתָיו שִׁלְּחָה־לוֹ	Ezek. 17:7
	666	וְאֶת־תְּעָלֹתֶיהָ שִׁלְחָה	Ezek. 31:4
	667	יָדֶיהָ שִׁלְּחָה בַכִּישׁוֹר	Prov. 31:19
	668	וְיָדֶיהָ שִׁלְּחָה לָאֶבְיוֹן	Prov. 31:20
שִׁלַּחְנוּ	669	כִּי־שִׁלַּחְנוּ אֶת־יִשְׂרָאֵל מֵעָבְדֵנוּ	Ex. 14:5
שִׁלַּחְתֶּם	670	אֲשֶׁר־שִׁלַּחְתֶּם חָפְשִׁים לְנַפְשָׁם	Jer. 34:16
וְשִׁלַּחְתֶּם	671	וְשִׁלַּחְתֶּם אֹתוֹ וְהָלָךְ	ISh. 6:8
שִׁלְּחוּ	672	וְאֶת־הָעִיר שִׁלְּחוּ בָאֵשׁ	Jud. 1:8

שִׁלְּחוּ (המשך)	673	כָּל־הֶעָרִים הַנִּמְצָאוֹת שִׁלְּחוּ בָאֵשׁ	Jud. 20:48
	674	וַיָּשׁוּבוּ...אֲשֶׁר שִׁלְּחוּ חָפְשִׁים	Jer. 34:11
	675	שִׁלְּחוּ בָאֵשׁ מִקְדָּשֶׁךָ	Ps. 74:7
	676	וְכָל־שְׁלָלָם שִׁלְּחוּ לְמֶלֶךְ דַּרְמָשֶׂק	IICh. 24:23
שִׁלֵּחוּ	677	וְאֶת־כָּל־מִשְׁפַּחְתּוֹ שִׁלֵּחוּ	Jud. 1:25
	678	וְרֶסֶן מִפָּנַי שִׁלֵּחוּ	Job 30:11
	679	פִּרְחַח יָקוּמוּ רַגְלַי שִׁלֵּחוּ	Job 30:12
שִׁלְּחוּךָ	680	עַד־הַגְּבוּל שִׁלְּחוּךָ כֹּל אַנְשֵׁי בְרִיתֶךָ	Ob. 7
שִׁלְּחֻהוּ	681	כִּי בְעֵצָה שִׁלְּחֻהוּ סַרְנֵי פְלִשְׁתִּים	ICh. 12:20
מְשַׁלֵּחַ	682	אִם־יֶשְׁךָ מְשַׁלֵּחַ אֶת־אָחִינוּ אִתָּנוּ	Gen. 43:4
	683	וְאִם־אֵינְךָ מְשַׁלֵּחַ לֹא נֵרֵד	Gen. 43:5
	684	אִם־אֵינְךָ מְשַׁלֵּחַ אֶת־עַמִּי	Ex. 8:17
	685/6	אֲשֶׁר־אֲנִי מְשַׁלֵּחַ מִפְּנֵיכֶם	Lev. 18:24; 20:23
	687	הִנְנִי מְשַׁלֵּחַ בָּכֶם נְחָשִׁים צִפְעֹנִים	Jer. 8:17
	688	הִנְנִי מְשַׁלֵּחַ בָּם אֶת־הַחֶרֶב	Jer. 29:17
וּמְשַׁלֵּחַ	689	וּמְשַׁלֵּחַ מְדָנִים בֵּין אַחִים	Prov. 6:19
הַמְשַׁלֵּחַ	690	הַמְשַׁלֵּחַ מַעְיָנִים בַּנְּחָלִים	Ps. 104:10
וְהַמְשַׁלֵּחַ	691	וְהַמְשַׁלֵּחַ אֶת־הַשָּׂעִיר לַעֲזָאזֵל	Lev. 16:26
מְשַׁלֵּחֲךָ	692	הִנְנִי מְשַׁלֵּחֲךָ מֵעַל פְּנֵי הָאֲדָמָה	Jer. 28:16
מְשַׁלְּחִים	693	אִם־מְשַׁלְּחִים אֶת־אֲרוֹן אֱלֹהֵי יִשְׂ׳	ISh.6:3
הַמְשַׁלְּחִים	694	הַמְשַׁלְּחִים עָלָיו לִדְרֹשׁ הַמּוֹפֵת	IICh. 32:31
מְשַׁלְּחֵי	695	מְשַׁלְּחֵי רֶגֶל־הַשּׁוֹר וְהַחֲמוֹר	Is. 32:20
אֲשַׁלַּח	696	אָנֹכִי אֲשַׁלַּח גְּדִי־עִזִּים	Gen. 38:17
	697	אָנֹכִי אֲשַׁלַּח אֶתְכֶם וּזְבַחְתֶּם לַיְיָ	Ex. 8:24
	698	יְהִי כֵן יְיָ עִמָּכֶם כַּאֲשֶׁר אֲשַׁלַּח אֶתְכֶם	Ex.10:10
	699	אֶת־אֵימָתִי אֲשַׁלַּח לְפָנֶיךָ	Ex. 23:27
	700	וְשֶׁן־בְּהֵמֹת אֲשַׁלַּח־בָּם	Deut. 32:24
	701	וְאֶת־הַבַּיִת...אֲשַׁלַּח מֵעַל פָּנָי	IK. 9:7
	702	אֲשֶׁר־אֲשַׁלַּח אוֹתָם לְשַׁחֶתְכֶם	Ezek. 5:16
	703	אוֹ דֶּבֶר אֲשַׁלַּח אֶל־הָאָרֶץ הַהִיא	Ezek.14:19
	704	וְאִם־אֲשַׁלַּח דֶּבֶר בְּעַמִּי	IICh. 7:13
אֲשַׁלֵּחַ	705	וְגַם אֶת־יִשְׂרָאֵל לֹא אֲשַׁלֵּחַ	Ex. 5:2
וָאֲשַׁלַּח	706	וָאֲשַׁלַּח אֶת־כָּל־הָאָדָם אִישׁ בְּרֵעֵהוּ	Zech. 8:10
וַאֲשַׁלְּחָה	707	וַאֲשַׁלְּחָה אֶת־הָעָם וְיִזְבְּחוּ לַיְיָ	Ex. 8:4
	708	וַאֲשַׁלְּחָה אֶתְכֶם וְלֹא תֹסִפוּן לַעֲמֹד	Ex. 9:28
אֲשַׁלֵּחֲךָ	709	לֹא אֲשַׁלֵּחֲךָ כִּי אִם־בֵּרַכְתָּנִי	Gen. 32:26
אֲשַׁלְּחֶךָּ	710	שֵׁב בָּזֶה...וּמָחָר אֲשַׁלְּחֶךָּ	IISh. 11:12
	711	וַאֲנִי בַּבְּרִית אֲשַׁלְּחֶךָּ	IK. 20:34
וָאֲשַׁלֵּחֲךָ	712	וָאֲשַׁלֵּחֲךָ בְּשִׂמְחָה וּבְשִׁרִים	Gen. 31:27
וַאֲשַׁלְּחֶךָּ	713	קוּמָה וַאֲשַׁלְּחֶךָּ	ISh. 9:26
אֲשַׁלְּחֶנּוּ	714	בְּגוֹי חָנֵף אֲשַׁלְּחֶנּוּ	Is. 10:6
וָאֲשַׁלְּחֵהוּ	715	וָאֲשַׁלְּחֵהוּ בִּשְׁרִירוּת לִבָּם	Ps. 81:13
וָאֲשַׁלְּחֶהָ	716	וָאֲשַׁלְּחֶהָ בְּכָל־שְׂדֵה נַחֲלַת יִשְׂ׳	Jud. 20:6
תְּשַׁלַּח	717	תְּשַׁלַּח חֲרֹנְךָ יֹאכְלֵמוֹ כַּקַּשׁ	Ex. 15:7
	718	שַׁלֵּחַ תְּשַׁלַּח אֶת־הָאֵם	Deut. 22:7
	719	מִבְצְרֵיהֶם תְּשַׁלַּח בָּאֵשׁ	IIK. 8:12
	720	תְּשַׁלַּח רוּחֲךָ יִבָּרֵאוּן	Ps. 104:30
הַתְשַׁלַּח	721	הַתְשַׁלַּח בְּרָקִים וְיֵלֵכוּ	Job 38:35
תְּשַׁלְּחֵנִי	722	לֹא כִּי שַׁלֵּחַ תְּשַׁלְּחֵנִי	IK. 11:22
תְּשַׁלְּחֶנּוּ	723	וּבַשָּׁנָה הַשְּׁבִיעִת תְּשַׁלְּחֶנּוּ חָפְשִׁי	Deut. 15:12
	724	וְכִי־תְשַׁלְּחֶנּוּ חָפְשִׁי מֵעִמָּךְ	Deut. 15:13
	725	לֹא תְשַׁלְּחֶנּוּ רֵיקָם	Deut. 15:13
וַתְּשַׁלְּחֵהוּ	726	מְשַׁנֶּה פָנָיו וַתְּשַׁלְּחֵהוּ	Job 14:20
וַתְּשַׁלְּחֵם	727	תָּרַע לְאֻמִּים וַתְּשַׁלְּחֵם	Ps. 44:3
וַתְּשַׁלְּחִי	728	וַתְּשַׁלְּחִי אֶת־אֹיְבִי וַיִּמָּלֵט	ISh. 19:17
	729	וַתְּשַׁלְּחִי צִירַיִךְ עַד־מֵרָחֹק	Is. 57:9
יְשַׁלַּח	730	וְאַחֲרֵי־כֵן יְשַׁלַּח אֶתְכֶם	Ex. 3:20
	731	וְלֹא יְשַׁלַּח אֶת־הָעָם	Ex. 4:21
	732	אַחֲרֵי־כֵן יְשַׁלַּח אֶתְכֶם מִזֶּה	Ex. 11:1
	733	וְגַם אֶת־הַצִּרְעָה יְשַׁלַּח...בָּם	Deut. 7:20
	734	יְשַׁלַּח יְיָ בְּךָ אֶת־הַמְּאֵרָה	Deut. 28:20
	735	לָכֵן יְשַׁלַּח...בְּמִשְׁמַנָּיו רָזוֹן	Is. 10:16

יְשַׁלַּח (המשך)

736 הֵן יְשַׁלַּח אִישׁ אֶת־אִשְׁתּוֹ... Jer. 3:1
737 וְעַל־יוּבַל יְשַׁלַּח שָׁרָשָׁיו Jer. 17:8
738 יְשַׁלַּח בָּהֶם עָרֹב וַיֹּאכְלֵם Ps. 78:45
739 יְשַׁלַּח־בָּם חֲרוֹן אַפּוֹ Ps. 78:49
740 אִישׁ תַּהְפֻּכוֹת יְשַׁלַּח מָדוֹן Prov. 16:28
741 יְשַׁלַּח־בּוֹ חֲרוֹן אַפּוֹ Job 20:23

יְשַׁלֵּחַ
742 יִבְנֶה עִירִי וְגָלוּתִי יְשַׁלֵּחַ Is. 45:13
743 חֹרֵשׁ רָע...מְדָנִים יְשַׁלֵּחַ Prov. 6:14

וַיְשַׁלַּח
744 וַיְשַׁלַּח אֶת־בְּנֵי יִשְׂרָאֵל מֵאַרְצוֹ Ex. 6:11

וַיְשַׁלַּח
745 וַיְשַׁלַּח אֶת־הָעֹרֵב וַיֵּצֵא Gen. 8:7
746 וַיְשַׁלַּח אֶת־הַיּוֹנָה מֵאִתּוֹ לִרְאוֹת Gen. 8:8
747 וַיְשַׁלַּח אֶת־הַיּוֹנָה וְלֹא־יָסְפָה שׁוּב Gen. 8:12
748 וַיְשַׁלַּח אֶת־לוֹט מִתּוֹךְ הַהֲפֵכָה Gen. 19:29
749 וַיְשַׁלַּח אֶת־אֶחָיו וַיֵּלֵכוּ Gen. 45:24
750 וַיְשַׁלַּח מֹשֶׁה אֶת־חֹתְנוֹ Ex. 18:27
751 וַיְשַׁלַּח יְיָ בָּעָם אֵת הַנְּחָשִׁים Num. 21:6
752 וַיִּזְבַּח...וַיְשַׁלַּח לְבִלְעָם וְלַשָּׂרִים Num. 22:40
753 וַיְשַׁלַּח יְהוֹשֻׁעַ אֶת־הָעָם Josh. 24:28
754 וַיְשַׁלַּח יְהוֹשֻׁעַ אֶת־הָעָם Jud. 2:6
755 וַיְשַׁלַּח אֶת־הָעָם נֹשְׂאֵי הַמִּנְחָה Jud. 3:18
756 וַיְשַׁלַּח בְּקָמוֹת פְּלִשְׁתִּים Jud. 15:5
757 וַיְשַׁלַּח שְׁמוּאֵל אֶת־כָּל־הָעָם ISh. 10:25
758 וַיְנַתְּחֵהוּ וַיְשַׁלַּח בְּכָל־גְּבוּל יִשְׂרָאֵל ISh. 11:7
759 וַיְשַׁלַּח מֵהַשָּׁלָל לְזִקְנֵי יְהוּדָה ISh. 30:26
760 וַיְשַׁלַּח דָּוִד אֶת־אַבְנֵר וַיֵּלַךְ IISh. 3:21
761 וַיְשַׁלַּח דָּוִד אֶת־הָעָם IISh. 18:2
762 וַיְשַׁלַּח אֶת־הָאֲנָשִׁים וַיֵּלֵכוּ IIK. 5:24
763 וַיְשַׁלַּח יְיָ בָּהֶם אֶת־הָאֲרָיוֹת IIK. 17:25
764 וַיְשַׁלַּח־בָּם אֶת־הָאֲרָיוֹת IIK. 17:26
765 וַיְשַׁלַּח יְיָ בּוֹ אֶת־גְּדוּדֵי כַשְׂדִּים IIK. 24:2
766 וַיְשַׁלַּח רָזוֹן בְּנַפְשָׁם Ps. 106:15

יְשַׁלְּחֶנּוּ
767 לַחָפְשִׁי יְשַׁלְּחֶנּוּ תַּחַת עֵינוֹ Ex. 21:26
768 לַחָפְשִׁי יְשַׁלְּחֶנּוּ תַּחַת שִׁנּוֹ Ex. 21:27
769 אֶת־אֹיִבְךָ אֲשֶׁר יְשַׁלְּחֶנּוּ יְיָ בָּךְ Deut. 28:48

וַיְשַׁלְּחֵהוּ
770 וַיְשַׁלְּחֵהוּ יְיָ אֱלֹהִים מִגַּן־עֵדֶן Gen. 3:23
771 וַיְשַׁלְּחֵהוּ וַיֵּלֶךְ בְּשָׁלוֹם IISh. 3:23
772 וַיִּכְרָת־לוֹ בְרִית וַיְשַׁלְּחֵהוּ IK. 20:34
773 וַיִּתֶּן־לוֹ...אֲרֻחָה וּמַשְׂאֵת וַיְשַׁלְּחֵהוּ Jer. 40:5

וַיְשַׁלְּחֶהָ
774 וַיִּתֵּן אֶל־הָגָר...וַיְשַׁלְּחֶהָ Gen. 21:14
775 וַיְשַׁלְּחֶהָ בְּכֹל גְּבוּל יִשְׂרָאֵל Jud. 19:29

וַיְשַׁלְּחֵנוּ
776 וַיְשַׁלְּחֵנוּ יְיָ לְשַׁחֲתָהּ Gen. 19:13

יְשַׁלְּחֵם
777 כִּי בְיָד חֲזָקָה יְשַׁלְּחֵם Ex. 6:1

וִישַׁלְּחֵם
778 וִישַׁלְּחֵם וְיַהַפְכוּ־אָרֶץ Job 12:15

וַיְשַׁלְּחֵם
779 וַיְשַׁלְּחֵם מֵעַל יִצְחָק בְּנוֹ Gen. 25:6
780 וַיְשַׁלְּחֵם יִצְחָק וַיֵּלְכוּ מֵאִתּוֹ Gen. 26:31
781 וַיְשַׁלְּחֵם וַיֵּלְכוּ אֶל־אָהֳלֵיהֶם Josh. 22:6
782 וַיְגַלַּח אֶת־חֲצִי זְקָנָם...וַיְשַׁלְּחֵם IISh. 10:4
783 וַיְשַׁלְּחֵם וַיֵּלְכוּ אֶל־אֲדֹנֵיהֶם IIK. 6:23
784 וַיְשַׁלְּחֵם בִּיהוּדָה לְהַאֲבִידוֹ IIK. 24:2
785 וַיְשַׁלְּחֵם אֶל־יִרְמְיָהוּ אֶל־הַבּוֹר Jer. 38:11
786 וַיְשַׁלְּחֵם בְּיַד־פִּשְׁעָם Job 8:4
787 וַיְגַלְּחֵם...וַיְשַׁלְּחֵם ICh. 19:4

תְּשַׁלַּח
788 תְּשַׁלַּח קְצִירֶהָ עַד־יָם Ps. 80:12

וַתְּשַׁלַּח
789 וַתַּעַשׂ בַּדִּים וַתְּשַׁלַּח פֹּארוֹת Ezek. 17:6

וַתְּשַׁלְּחֵם
790 וַתְּשַׁלְּחֵם וַיֵּלֵכוּ Josh. 2:21

וַנְּשַׁלֵּחֲךָ
791 עָשִׂינוּ עִמְּךָ רַק־טוֹב
וַנְּשַׁלֵּחֲךָ בְּשָׁלוֹם Gen. 26:29

נְשַׁלְּחֶנּוּ
792 הוֹדִעֻנוּ בַּמָּה נְשַׁלְּחֶנּוּ לִמְקוֹמוֹ ISh. 6:2

תְּשַׁלְּחוּ
793 אַל־תְּשַׁלְּחוּ אֹתוֹ רֵיקָם ISh. 6:3
794 תְּשַׁלְּחוּ אִישׁ אֶת־אָחִיו הָעִבְרִי Jer. 34:14

תְּשַׁלֵּחוּ
795 מִזָּכָר עַד־נְקֵבָה תְּשַׁלֵּחוּ Num. 5:3

וַתְּשַׁלְּחוּנִי
796 שְׂנֵאתֶם אֹתִי וַתְּשַׁלְּחוּנִי מֵאִתְּכֶם Gen. 26:27

תְּשַׁלְּחוּם
797 מִחוּץ לַמַּחֲנֶה תְּשַׁלְּחוּם Num. 5:3

יְשַׁלְּחוּ
798 יְשַׁלְּחוּ כַצֹּאן עֲוִילֵיהֶם Job 21:11

יְשַׁלֵּחוּ
799 וּפֶרַע לֹא יְשַׁלֵּחוּ Ezek. 44:20

וִישַׁלְּחוּ
800 וִישַׁלְּחוּ מִן־הַמַּחֲנֶה כָּל־צָרוּעַ Num. 5:2

וַיְשַׁלְּחוּ
801 וַיְשַׁלְּחוּ אֹתוֹ וְאֶת־אִשְׁתּוֹ Gen. 12:20
802 וַיְשַׁלְּחוּ אֶת־רִבְקָה אֲחֹתָם Gen. 24:59
803 וַיְשַׁלְּחוּ אֶת־כְּתֹנֶת הַפַּסִּים Gen. 37:32
804 וַיְשַׁלְּחוּ אוֹתָם אֶל־מִחוּץ לַמַּחֲנֶה Num. 5:4
805 וַיְשַׁלְּחוּ אֶת־אֲרוֹן הָאֱלֹהִים עֶקְרוֹן ISh. 5:10
806/7 וַיְשַׁלְּחוּ בְאֶרֶץ־פְּלִשְׁתִּים ISh. 31:9 • ICh. 10:9
808 וַיְשַׁלְּחוּ אֶת־יִרְמְיָהוּ בַּחֲבָלִים Jer. 38:6

וַיְשַׁלֵּחוּ
809 וַיִּשְׁמְעוּ וַיְשַׁלֵּחוּ Jer. 34:10

וַיְשַׁלְּחוּהָ
810 וַיְשַׁלְּחוּהָ כַּעֲלוֹת הַשָּׁחַר Jud. 19:25

וַיְשַׁלְּחוּם
811 כַּאֲשֶׁר הִתְעַלֵּל בָּהֶם וַיְשַׁלְּחוּם וַיֵּלֵכוּ ISh. 6:6

תְּשַׁלַּחְנָה
812 תִּכְרַעְנָה...חֶבְלֵיהֶם תְּשַׁלַּחְנָה Job 39:3

שַׁלַּח
813 שַׁלַּח אֶת־בְּנִי וְיַעַבְדֵנִי Ex. 4:23
814 שַׁלַּח אֶת־עַמִּי וְיָחֹגּוּ לִי בַּמִּדְבָּר Ex. 5:1
815 שַׁלַּח אֶת־עַמִּי וְיַעַבְדֻנִי בַּמִּדְבָּר Ex. 7:16
816-818 שַׁלַּח אֶת־עַמִּי וְיַעַבְדֻנִי Ex. 7:26; 9:1, 13
819-820 שַׁלַּח עַמִּי וְיַעַבְדֻנִי Ex. 8:16; 10:3
821 שַׁלַּח אֶת־הָאֲנָשִׁים וְיַעַבְדוּ Ex. 10:7
822 שַׁלַּח מֵעַל־פָּנַי וְיֵצֵאוּ Jer. 15:1
823 שַׁלַּח לַחְמְךָ עַל־פְּנֵי הַמָּיִם Eccl. 11:1

שַׁלְּחֵנִי
824 שַׁלְּחֵנִי וְאֵלְכָה אֶל־מְקוֹמִי Gen. 30:25
825 שַׁלְּחֵנִי כִּי עָלָה הַשָּׁחַר Gen. 32:26
826 שַׁלְּחֵנִי נָא כִּי זֶבַח מִשְׁפָּחָה לָנוּ ISh. 20:29
827 שַׁלְּחֵנִי וְאֵלֵךְ אֶל־אַרְצִי IK. 11:21

שַׁלְּחִנִי
828 שַׁלְּחִנִי לָמָה אֲמִיתֵךְ ISh. 19:17

שַׁלְּחוּ
829 שַׁלְּחוּ אֶת־אֲרוֹן אֱלֹהֵי יִשְׂרָאֵל ISh. 5:11

שַׁלְּחֻנִי
830 וַיֹּאמֶר שַׁלְּחֻנִי לַאדֹנִי Gen. 24:54
831 שַׁלְּחוּנִי וְאֵלְכָה לַאדֹנִי Gen. 24:56

שֻׁלַּחְתִּי
832 כִּי עַתָּה שֻׁלַּחְתִּי אֵלֶיךָ Dan. 10:11

שֻׁלַּח
833 כִּי־שֻׁלַּח בְּרֶשֶׁת בְּרַגְלָיו Job 18:8
834 וְיִשָּׂשכָר...בָּעֵמֶק שֻׁלַּח בְּרַגְלָיו Jud. 5:15

שֻׁלָּח
835 שְׁמוּעָה שָׁמַעְנוּ...וְצִיר בַּגּוֹיִם שֻׁלָּח Ob. 1

שֻׁלְּחָה
836 וּבְפִשְׁעֵיכֶם שֻׁלְּחָה אִמְּכֶם Is. 50:1

שֻׁלְּחוּ
837 הַבֹּקֶר אוֹר וְהָאֲנָשִׁים שֻׁלְּחוּ Gen. 44:3

מְשֻׁלָּח
838 וְהָיָה כְעוֹף־נוֹדֵד קֵן מְשֻׁלָּח Is. 16:2
839 נָוֶה מְשֻׁלָּח וְנֶעֱזָב כַּמִּדְבָּר Is. 27:10
840 וְנַעַר מְשֻׁלָּח מֵבִישׁ אִמּוֹ Prov. 29:15

יְשֻׁלַּח
841 וּמַלְאָךְ אַכְזָרִי יְשֻׁלַּח־בּוֹ Prov. 17:11

לְהַשְׁלִיחַ
842 הֵחֵל יְיָ לְהַשְׁלִיחַ בִּיהוּדָה רְצִין IIK. 15:37

וְהִשְׁלַחְתִּי
843 וְהִשְׁלַחְתִּי בָכֶם אֶת־חַיַּת הַשָּׂדֶה Lev. 26:22
844 וְהִשְׁלַחְתִּי־בָהּ רָעָב Ezek. 14:13
845 וְהִשְׁלַחְתִּי רָעָב בָּאָרֶץ Am. 8:11

מַשְׁלִיחַ
846 הִנְנִי מַשְׁלִיחַ בְּךָ...אֶת־הֶעָרֹב Ex. 8:17

שְׁלַח
פ׳ ארמית, כמו בעברית: שלח: 1–14

שְׁלַח
1 שְׁלַח לְמִכְנַשׁ לַאֲחַשְׁדַּרְפְּנַיָּא Dan. 3:2
2 דִּי־שְׁלַח מַלְאֲכֵהּ וְשֵׁיזִב Dan. 3:28
3 אֱלָהִי שְׁלַח מַלְאֲכֵהּ וּסֲגַר Dan. 6:23
4 פִּתְגָמָא שְׁלַח מַלְכָּא עַל־רְחוּם Ez. 4:17
5 פַּרְשֶׁגֶן אִגַּרְתָּא דִּי־שְׁלַח תַּתְּנַי Ez. 5:6
6 לָקֳבֵל דִּי־שְׁלַח דָּרְיָוֶשׁ Ez. 6:13

שְׁלַחוּ
7 פַּרְשֶׁגֶן אִגַּרְתָּא דִּי שְׁלַחוּ עֲלוֹהִי Ez. 4:11
8 פִּתְגָמָא שְׁלַחוּ עֲלוֹהִי Ez. 5:7

שְׁלַחְנָא
9 שְׁלַחְנָא וְהוֹדַעְנָא לְמַלְכָּא Ez. 4:14

שְׁלַחְתּוּן
10 נִשְׁתְּוָנָא דִּי שְׁלַחְתּוּן עֲלֶינָא Ez. 4:18

שְׁלִיחַ
11 מִן־קֳדָמוֹהִי שְׁלִיחַ פַּסָּא דִי־יְדָא Dan. 5:24
12 מִן־קֳדָם מַלְכָּא...שְׁלִיחַ לְבַקָּרָא Ez. 7:14

יִשְׁלַח
13 וּרְעוּת מַלְכָּא...יִשְׁלַח עֲלֶינָא Ez. 5:17
14 דִּי יִשְׁלַח יְדֵהּ לְהַשְׁנָיָה Ez. 6:12

שֶׁלַח1
ז׳ חֶרֶב, חֲנִית(?): 1–7

שֶׁלַח
1 וַיַּעַשׂ שֶׁלַח לָרֹב וּמָגִנִּים IICh. 32:5

הַשֶּׁלַח
2 וּבְעַד הַשֶּׁלַח יִפֹּלוּ לֹא יִבְצָעוּ Joel 2:8

הַשָּׁלַח
3 וְאַחַת מַחֲזֶקֶת הַשָּׁלַח Neh. 4:11

בַּשֶּׁלַח
4 וְאִם־לֹא יִשְׁמְעוּ בַּשֶּׁלַח יַעֲבֹרוּ Job 36:12

בַּשָּׁלַח
5 יַחְשֹׂךְ...וְחַיָּתוֹ מֵעֲבֹר בַּשָּׁלַח Job 33:18

שִׁלְחוֹ
6 אִישׁ שִׁלְחוֹ הַמָּיִם Neh. 4:17
7 וְאִישׁ שִׁלְחוֹ בְּיָדוֹ IICh. 23:10

שֶׁלַח2
ז׳ תְּעָלַת השקיה: 1, 2

הַשֶּׁלַח
1 וְאֵת חוֹמַת בְּרֵכַת הַשֶּׁלַח... Neh. 3:15

שְׁלָחַיִךְ
2 שְׁלָחַיִךְ פַּרְדֵּס רִמּוֹנִים... S.ofS. 4:13

שֶׁלַח3
שפ״ז – מצאצאי שֵׁם בן נח: 1–9

שָׁלַח
1 אַחֲרֵי הוֹלִידוֹ אֶת־שֶׁלַח Gen. 11:13
2 וַיְחִי שֶׁלַח אַחֲרֵי הוֹלִידוֹ אֶת־עֵבֶר Gen. 11:15

שָׁלַח
3 וְאַרְפַּכְשַׁד יָלַד אֶת־שָׁלַח Gen. 10:24
4 וַיּוֹלֶד אֶת־שָׁלַח Gen. 11:12
5 וְאַרְפַּכְשַׁד יָלַד אֶת־שָׁלַח ICh. 1:18
6 שֵׁם אַרְפַּכְשַׁד שָׁלַח ICh. 1:24

וְשֶׁלַח
7 וְשֶׁלַח יָלַד אֶת־עֵבֶר Gen. 10:24
8 וְשֶׁלַח חַי...וַיּוֹלֶד אֶת־עֵבֶר Gen. 11:14
9 וְשֶׁלַח יָלַד אֶת־עֵבֶר ICh. 1:18

שִׁלֹחַ
שפ״ז – בְּרֵכָה ותעלה בירושלים שזרמו בהן מי מעין גיחון

מֵי הַשִּׁלֹחַ 1

הַשִּׁלֹחַ
1 אֵת מֵי הַשִּׁלֹחַ הַהֹלְכִים לְאַט Is. 8:6

שִׁלְחִי
שפ״ז – אביה של עזובה אם המלך יהושפט: 1, 2

שִׁלְחִי
1 וְשֵׁם אִמּוֹ עֲזוּבָה בַּת־שִׁלְחִי IK. 22:42
2 וְשֵׁם אִמּוֹ עֲזוּבָה בַּת־שִׁלְחִי IICh. 20:31

שִׁלְחִים
ש״פ – עיר בנחלת יהודה

וְשִׁלְחִים
1 וּלְבָאוֹת וְשִׁלְחִים וְעַיִן וְרִמּוֹן Josh. 15:32

שֻׁלְחָן
ז׳ לוח מוגבה לערוך עליו דברי מזון לאכילה: 1–71

– שֻׁלְחָן טָהוֹר 25; שׁ׳ מְגֹאָל 41; שֻׁלְחָן נִבְזֶה 40; שֻׁלְחָן עָרוּךְ 7
– שֻׁלְחַן אִיזֶבֶל 39; שֻׁלְחַן יְיָ 40, 41; שֻׁלְחַן הַמֶּלֶךְ 36–38; שֻׁלְחַן הַמַּעֲרֶכֶת 42; שֻׁלְחַן הַפָּנִים 35
– אוֹכְלֵי שֻׁלְחָנוֹ 39, 51, 52; מַאֲכַל שֻׁלְחָנוֹ 54, 55; נַחַת שֻׁלְחָנְךָ 50
– שֻׁלְחֲנוֹת כֶּסֶף 71; שֻׁלְחֲנוֹת הַמַּעֲרֶכֶת 70
– עָרַךְ שֻׁלְחָן 2, 4, 29, 56

שֻׁלְחָן
1 וְעָשִׂיתָ שֻׁלְחָן עֲצֵי שִׁטִּים Ex. 25:23
2 הָעֹרְכִים לַגַּד שֻׁלְחָן Is. 65:11
3 תַּעֲרֹךְ לְפָנַי שֻׁלְחָן נֶגֶד צֹרְרָי Ps. 23:5
4 הֲיוּכַל אֵל לַעֲרֹךְ שֻׁלְחָן בַּמִּדְבָּר Ps. 78:19
5 וְעַל־שֻׁלְחָן אֶחָד כָּזָב יְדַבֵּרוּ Dan. 11:27

וְשֻׁלְחָן
6 וְשֻׁלְחָן וְכִסֵּא וּמְנוֹרָה IIK. 4:10
7 וְשֻׁלְחָן עָרוּךְ לְפָנֶיהָ Ezek. 23:41
8 הַמַּעֲרֶכֶת לְשֻׁלְחַן וְשֻׁלְחָן ICh. 28:16

הַשֻּׁלְחָן
9-11 לָשֵׂאת אֶת־הַשֻּׁלְחָן Ex. 25:27; 37:14, 15
12 וְנִשָּׂא־בָם אֶת־הַשֻּׁלְחָן Ex. 25:28
13 וְנָתַתָּ עַל־הַשֻּׁלְחָן לֶחֶם פָּנִים Ex. 25:30
14 וְשַׂמְתָּ אֶת־הַשֻּׁלְחָן מִחוּץ לַפָּרֹכֶת Ex. 26:35
15 וְאֶת־הַמְּנֹרָה נֹכַח הַשֻּׁלְחָן Ex. 26:35
16 וְאֶת־הַשֻּׁלְחָן וְאֶת־כָּל־כֵּלָיו Ex. 30:27
17 וְאֶת־הַשֻּׁלְחָן וְאֶת־כֵּלָיו Ex. 31:8
18 אֶת־הַשֻּׁלְחָן וְאֶת־בַּדָּיו Ex. 35:13
19 וַיַּעַשׂ אֶת־הַשֻּׁלְחָן עֲצֵי שִׁטִּים Ex. 37:10
20 אֶת־הַכֵּלִים אֲשֶׁר עַל־הַשֻּׁלְחָן Ex. 37:16
21 אֶת־הַשֻּׁלְחָן אֶת־כָּל־כֵּלָיו Ex. 39:36

הַשֻּׁלְחָן (המשך) 22 וְהֵבֵאתָ אֶת־הַשֻּׁלְחָן וְעָרַכְתָּ Ex. 40:4
23 וַיִּתֵּן אֶת־הַשֻּׁלְחָן בְּאֹהֶל מוֹעֵד Ex. 40:22
24 וַיָּשֶׂם אֶת־הַמְּנֹרָה...נֹכַח הַשֻּׁלְחָן Ex. 40:24
25 עַל הַשֻּׁלְחָן הַטָּהֹר לִפְנֵי יְיָ Lev. 24:6
26 וַיָּקָם יְהוֹנָתָן מֵעִם הַשֻּׁלְחָן ISh. 20:34
27 וְאֶת־הַשֻּׁלְחָן אֲשֶׁר עָלָיו לֶחֶם הַפָּנִים IK. 7:48
28 וַיְהִי הֵם יֹשְׁבִים אֶל־הַשֻּׁלְחָן IK. 13:20
29 עָרֹךְ הַשֻּׁלְחָן צָפֹה הַצָּפִית Is. 21:5
30 זֶה הַשֻּׁלְחָן אֲשֶׁר לִפְנֵי יְיָ Ezek. 41:22
31 וּמַעֲרֶכֶת לֶחֶם עַל־הַשֻּׁלְחָן IICh. 13:11
וְהַשֻּׁלְחָן 32 וְהַשֻּׁלְחָן תִּתֵּן עַל־צֶלַע צָפוֹן Ex. 26:35
33 הָאָרֹן וְהַשֻּׁלְחָן וְהַמְּנֹרָה Num. 3:31
לְשֻׁלְחָן 34 הַמַּעֲרֶכֶת לְשֻׁלְחָן וְשֻׁלְחָן ICh. 28:16
שֻׁלְחַן־ 35 וְעַל שֻׁלְחַן הַפָּנִים יִפְרְשׂוּ Num. 4:7
36 עַל־כֵּן לֹא־בָא אֶל־שֻׁלְחַן הַמֶּלֶךְ ISh. 20:29
37 עַל־שֻׁלְחַן הַמֶּלֶךְ תָּמִיד הוּא אֹכֵל IISh. 9:13
38 כָּל־הַקָּרֵב אֶל־שֻׁלְחַן הַמֶּלֶךְ־שְׁלֹמֹה IK. 5:7
39 אֹכְלֵי שֻׁלְחַן אִיזָבֶל IK. 18:19
40 בֶּאֱמָרְכֶם שֻׁלְחַן יְיָ נִבְזֶה הוּא Mal. 1:7
41 בֶּאֱמָרְכֶם שֻׁלְחַן אֲדֹנָי מְגֹאָל הוּא Mal. 1:12
42 וְאֶת־שֻׁלְחַן הַמַּעֲרֶכֶת... IICh. 29:18
שֻׁלְחָנִי 43 הָיוּ מְלַקְּטִים תַּחַת שֻׁלְחָנִי Jud. 1:7
44 וְאַתָּה תֹּאכַל לֶחֶם עַל־שֻׁלְחָנִי תָּמִיד IISh. 9:7
45 יֹאכַל תָּמִיד לֶחֶם עַל־שֻׁלְחָנִי IISh. 9:10
46 וּמְפִיבֹשֶׁת אֹכֵל עַל־שֻׁלְחָנִי IISh. 9:11
47 וּשְׂבַעְתֶּם עַל־שֻׁלְחָנִי סוּס וָרֶכֶב Ezek. 39:20
48 וְהֵמָּה יִקְרְבוּ אֶל־שֻׁלְחָנִי לְשָׁרְתֵנִי Ezek. 44:16
49 וְהַיְּהוּדִים וְהַסְּגָנִים...עַל־שֻׁלְחָנִי Neh. 5:17
שֻׁלְחָנְךָ 50 וְנַחַת שֻׁלְחָנְךָ מָלֵא דָשֶׁן Job 36:16
שֻׁלְחָנֶךָ 51 וַתָּשֶׁת אֶת־עַבְדְּךָ בְּאֹכְלֵי שֻׁלְחָנֶךָ IISh. 19:29
52 וְהָיוּ בְּאֹכְלֵי שֻׁלְחָנֶךָ IK. 2:7
לְשֻׁלְחָנֶךָ 53 בָּנֶיךָ...סָבִיב לְשֻׁלְחָנֶךָ Ps. 128:3
שֻׁלְחָנוֹ 54 וּמַאֲכַל שֻׁלְחָנוֹ וּמוֹשַׁב עֲבָדָיו IK. 10:5
55 וּמַאֲכַל שֻׁלְחָנוֹ וּמוֹשַׁב עֲבָדָיו IICh. 9:4
שֻׁלְחָנָהּ 56 מָסְכָה יֵינָהּ אַף עָרְכָה שֻׁלְחָנָהּ Prov. 9:2
שֻׁלְחָנָם 57 יְהִי־שֻׁלְחָנָם לִפְנֵיהֶם לְפָח Ps. 69:23
שֻׁלְחָנוֹת 58 כִּי כָּל־שֻׁלְחָנוֹת מָלְאוּ קִיא צֹאָה Is. 28:8
59/60 שְׁנַיִם שֻׁלְחָנוֹת...וּשְׁנַיִם שֻׁלְחָנוֹת Ezek. 40:39
61/2 וְאֶל־הַכָּתֵף...שְׁנַיִם שֻׁלְחָנוֹת Ezek. 40:40^2
63-65 אַרְבָּעָה שֻׁלְחָנוֹת מִפֹּה וְאַרְבָּעָה שֻׁלְחָנוֹת מִפֹּה...שְׁמוֹנָה שֻׁלְחָנוֹת Ezek. 40:41
66 וְאַרְבָּעָה שֻׁלְחָנוֹת לָעוֹלָה Ezek. 40:42
67 וַיַּעַשׂ שֻׁלְחָנוֹת עֲשָׂרָה IICh. 4:8
הַשֻּׁלְחָנוֹת 68 וְאֶל־הַשֻּׁלְחָנוֹת בְּשַׂר הַקָּרְבָּן Ezek. 40:43
69 הַשֻּׁלְחָנוֹת וַעֲלֵיהֶם לֶחֶם הַפָּנִים IICh. 4:19
לְשֻׁלְחֲנוֹת 70 הַזָּהָב מִשְׁקָל לְשֻׁלְחֲנוֹת הַמַּעֲרֶכֶת ICh. 28:16
71 וְכֶסֶף לְשֻׁלְחֲנוֹת הַכָּסֶף ICh. 28:16

שלט : שָׁלַט, הִשְׁלִיט; שַׁלִּיט, שֶׁלֶט, שִׁלְטוֹן; אר׳ שְׁלֵט, הַשְׁלֵט, שִׁלְטוֹן, שָׁלְטָן

שָׁלַט
פ׳ א) מָשַׁל: 1-5
ב) [הִפ׳ הִשְׁלִיט] הִמְשִׁיל: 6-8
קרובים: מָלַךְ / מָשַׁל עָצַר רָדָה שָׂרַר
שָׁלַט בְּ־ 1, 2, 4, 5; שָׁלַט עַל־ 3

לִשְׁלוֹט 1 אֲשֶׁר שִׂבְּרוּ...לִשְׁלוֹט בָּהֶם Es. 9:1
שָׁלַט 2 עֵת אֲשֶׁר שָׁלַט הָאָדָם בְּאָדָם Eccl. 8:9
שָׁלְטוּ 3 גַּם נַעֲרֵיהֶם שָׁלְטוּ עַל־הָעָם Neh. 5:15
וְיִשְׁלַט 4 וְיִשְׁלַט בְּכָל־עֲמָלִי Eccl. 2:19
יִשְׁלְטוּ 5 אֲשֶׁר יִשְׁלְטוּ הַיְּהוּדִים הֵמָּה בְּשֹׂנְאֵיהֶם Es. 9:1
וְהִשְׁלִיטוֹ 6 וְהִשְׁלִיטוֹ לֶאֱכֹל מִמֶּנּוּ Eccl. 5:18
תַּשְׁלֶט־ 7 וְאַל־תַּשְׁלֶט־בִּי כָל־אָוֶן Ps. 119:133
יַשְׁלִיטֶנּוּ 8 וְלֹא־יַשְׁלִיטֶנּוּ הָאֱלֹהִים לֶאֱכֹל מִמֶּנּוּ Eccl. 6:2

שְׁלֵט
פ׳ ארמית א) מְשַׁל: 1-5
ב) [הַפ׳ הַשְׁלֵט] המשיל: 6, 7

שְׁלֵט 1 דִּי לָא־שְׁלֵט נוּרָא בְּגֶשְׁמְהוֹן Dan. 3:27
שְׁלִטוּ 2 עַד דִּי־שְׁלִטוּ בְהוֹן אַרְיָוָתָא Dan. 6:25
תִּשְׁלַט ז׳ 3 וְתַלְתָּא בְמַלְכוּתָא תִּשְׁלַט Dan. 5:16
יִשְׁלַט 4 וְתַלְתִּי בְמַלְכוּתָא יִשְׁלַט Dan. 5:7
תִּשְׁלַט נ׳ 5 וּמַלְכוּ...דִּי תִשְׁלַט בְּכָל־אַרְעָא Dan. 2:39
וְהַשְׁלְטָךְ 6 יְהַב בִּידָךְ וְהַשְׁלְטָךְ בְּכָלְּהוֹן Dan. 2:38
וְהַשְׁלְטֵהּ 7 וְהַשְׁלְטֵהּ עַל כָּל־מְדִינַת בָּבֶל Dan. 2:48

שֶׁלֶט*
ז׳ מָגֵן(?): 1-7
שִׁלְטֵי גִבּוֹרִים 5; שִׁלְטֵי זָהָב 4, 6

הַשְּׁלָטִים 1 אֶת־הַחֲנִית וְאֶת־הַשְּׁלָטִים IIK. 11:10
2 הָבֵרוּ הַחִצִּים מִלְאוּ הַשְּׁלָטִים Jer. 51:11
3 וְאֶת־הַמָּגִנּוֹת וְאֶת־הַשְּׁלָטִים IICh. 23:9
שִׁלְטֵי־ 4 וַיִּקַּח דָּוִד אֵת שִׁלְטֵי הַזָּהָב IISh. 8:7
5 תָּלוּי עָלָיו כֹּל שִׁלְטֵי הַגִּבֹּרִים S.ofS. 4:4
6 וַיִּקַּח דָּוִיד אֵת שִׁלְטֵי הַזָּהָב ICh. 18:7
שִׁלְטֵיהֶם 7 שִׁלְטֵיהֶם תָּלוּ עַל־חוֹמוֹתַיִךְ סָבִיב Ezek. 27:11

שִׁלְטוֹן1
ז׳ תּוֹקֶף, מֶמְשָׁלָה: 1, 2

שִׁלְטוֹן 1 בַּאֲשֶׁר דְּבַר־מֶלֶךְ שִׁלְטוֹן Eccl. 8:4
2 וְאֵין שִׁלְטוֹן בְּיוֹם הַמָּוֶת Eccl. 8:8

שִׁלְטוֹן2
ז׳ ארמית מוֹשֵׁל: 1, 2

שִׁלְטֹנֵי־ 1/2 וְכֹל שִׁלְטֹנֵי מְדִינָתָא Dan. 3:2, 3

שָׁלְטָן
ז׳ ארמית ממשלה, שְׂרָרָה: 1-14
שָׁלְטָן וִיקָר 1; שָׁלְטָן מַלְכוּת 4; שָׁלְטָן עָלַם 2, 3

שָׁלְטָן 1 וְלֵהּ יְהִב שָׁלְטָן וִיקָר וּמַלְכוּ Dan. 7:14
שָׁלְטָן־ 2/3 שָׁלְטָנֵהּ שָׁלְטָן עָלַם Dan. 4:31; 7:14
4 דִּי בְּכָל־שָׁלְטָן מַלְכוּתִי Dan. 6:27
וְשָׁלְטָן 5 וְשָׁלְטָן יְהִיב לַהּ Dan. 7:6
וְשָׁלְטָנָא 6 וּמַלְכוּתָא וְשָׁלְטָנָא וּרְבוּתָא Dan. 7:27
וְשָׁלְטָנָךְ 7 וְשָׁלְטָנָךְ לְסוֹף אַרְעָא Dan. 4:19
שָׁלְטָנֵהּ 8/9 שָׁלְטָנֵהּ שָׁלְטָן עָלַם Dan. 4:31; 7:14
וְשָׁלְטָנֵהּ 10 וְשָׁלְטָנֵהּ עִם־דָּר וְדָר Dan. 3:33
11 וְשָׁלְטָנֵהּ עַד־סוֹפָא Dan. 6:27
12 וְשָׁלְטָנֵהּ יְהַעְדּוֹן לְהַשְׁמָדָה Dan. 7:26
שָׁלְטָנְהוֹן 13 וּשְׁאָר חֵיוָתָא הֶעְדִּיו שָׁלְטָנְהוֹן Dan. 7:12
שָׁלְטָנַיָּא 14 וְכֹל שָׁלְטָנַיָּא לֵהּ יִפְלְחוּן Dan. 7:27

שַׁלֶּטֶת
ת״נ – עין שַׁלִּיט

שֶׁלִי
ז׳ צְנִעָה, סֵתֶר(?)

בַּשֶּׁלִי 1 וַיַּטֵּהוּ...לְדַבֵּר אִתּוֹ בַּשֶּׁלִי וַיַּכֵּהוּ IISh. 3:27

שֶׁלִּי
(שה״ש א6) – עין שֶׁ־ (שֶׁל־)

שִׁלְיָה*
נ׳ קְרוּם העוטף את העובר במעי אמו

וּבְשִׁלְיָתָהּ 1 וּבְשִׁלְיָתָהּ הַיּוֹצֵת מִבֵּין רַגְלֶיהָ Deut. 28:57

שַׁלִּיט1
תו״ז – מוֹשֵׁל, אָדוֹן: 1-5 • קרובים: ראה אָדוֹן

שַׁלִּיט 1 אֵין אָדָם שַׁלִּיט בָּרוּחַ Eccl. 8:8
הַשַּׁלִּיט 2 וְיוֹסֵף הוּא הַשַּׁלִּיט עַל־הָאָרֶץ Gen. 42:6
3 כִּשְׁגָגָה שֶׁיֹּצָא מִלִּפְנֵי הַשַּׁלִּיט Eccl. 10:5
שַׁלֶּטֶת 4 מַעֲשֵׂה אִשָּׁה זוֹנָה שַׁלָּטֶת Ezek. 16:30
שַׁלִּיטִים 5 מֵעֲשָׂרָה שַׁלִּיטִים אֲשֶׁר הָיוּ בָּעִיר Eccl. 7:19

שַׁלִּיט2
תו״ז ארמית, כמו בעברית: 1-10

שַׁלִּיט 1 דִּי־שַׁלִּיט עִלָּאָה בְּמַלְכוּת אֲנָשָׁא Dan. 4:14
2/3 דִּי־שַׁלִּיט עִלָּאָה בְּמַלְכוּת אֲנָשָׁא Dan. 4:22, 29
4 דִּי־שַׁלִּיט אֱלָהָא בְּמַלְכוּת אֲנָשָׁא Dan. 5:21
5 דִּי־לֶהֱוֵא שַׁלִּיט תַּלְתָּא בְּמַלְכוּתָא Dan. 5:29
6 מִנְדָּה...לָא שַׁלִּיט לְמִרְמֵא עֲלֵיהֹם Ez. 7:24
וְשַׁלִּיט 7 דִּי כָל־מֶלֶךְ רַב וְשַׁלִּיט...לָא שְׁאֵל Dan. 2:10
שַׁלִּיטָא 8 לְאַרְיוֹךְ שַׁלִּיטָא דִּי־מַלְכָּא Dan. 2:15
שַׁלִּטִן 9 מִן־דִּי תִנְדַּע דִּי שַׁלִּטִן שְׁמַיָּא Dan. 4:23
וְשַׁלִּיטִין 10 וְשַׁלִּיטִין בְּכֹל עֲבַר נַהֲרָה Ez. 4:20

שָׁלִישׁ1
ז׳ מִדַּת נֶפַח: 1, 2

שָׁלִישׁ 1 וַתַּשְׁקֵמוֹ בִּדְמָעוֹת שָׁלִישׁ Ps. 80:6
בַּשָּׁלִשׁ 2 וְכָל בַּשָּׁלִשׁ עֲפַר הָאָרֶץ Is. 40:12

שָׁלִישׁ2
ז׳ מפקד צבא: 1-17
מִבְחַר הַשָּׁלִישִׁים 15; מַרְאֵה שָׁלִישִׁים 6; רֹאשׁ הַשָּׁלִישִׁים (10), 11, 12; שָׂרֵי הַשָּׁלִישִׁים 16

הַשָּׁלִישׁ 1 הַשָּׁלִישׁ אֲשֶׁר לַמֶּלֶךְ נִשְׁעָן עַל־יָדוֹ IIK. 7:2
2 וְהַמֶּלֶךְ הִפְקִיד אֶת־הַשָּׁלִישׁ IIK. 7:17
3 וַיַּעַן הַשָּׁלִישׁ אֶת־אִישׁ הָאֱלֹהִים IIK. 7:19
שָׁלִשׁוֹ 4 וַיֹּאמֶר אֶל־בִּדְקַר שָׁלִשֹׁה IIK. 9:25
5 וַיִּקְשֹׁר עָלָיו פֶּקַח...שָׁלִישׁוֹ IIK. 15:25
שָׁלִישִׁים 6 מַרְאֵה שָׁלִישִׁים כֻּלָּם Ezek. 23:15
7 שָׁלִישִׁים וּקְרוּאִים רֹכְבֵי סוּסִים כֻּלָּם Ezek. 23:23
8 כָּתַבְתִּי לְךָ שָׁלִישִׁים (כת׳ שלשום) Prov. 22:20
וְשָׁלִשִׁים 9 שֵׁשׁ־מֵאוֹת רֶכֶב...וְשָׁלִשִׁם עַל־כֻּלּוֹ Ex. 14:7
הַשָּׁלִשִׁי 10 יֹשֵׁב בַּשֶּׁבֶת תַּחְכְּמֹנִי רֹאשׁ הַשָּׁלִשִׁי IISh. 23:8
הַשָּׁלִישִׁים 11 רֹאשׁ הַשָּׁלִישִׁים (כת׳ השלושים) ICh. 11:11
12 עֲמָשַׂי רֹאשׁ הַשָּׁלִישִׁים (כ׳ השלושים) ICh. 12:19
וְהַשָּׁלִשִׁים 13 וַיַּשְׁלִכוּ הָרָצִים וְהַשָּׁלִשִׁים IIK. 10:25
וְלַשָּׁלִשִׁים 14 וַיֹּאמֶר יֵהוּא לָרָצִים וְלַשָּׁ׳ בֹּאוּ IIK. 10:25
שָׁלִשָׁיו 15 וּמִבְחַר שָׁלִשָׁיו טֻבְּעוּ בְיַם־סוּף Ex. 15:4
16 וְשָׂרֵי שָׁלִישָׁיו וְשָׂרֵי רִכְבּוֹ וּפָרָשָׁיו IICh. 8:9
וְשָׁלִשָׁיו 17 וְשָׁלִשָׁיו וְשָׂרֵי רִכְבּוֹ וּפָרָשָׁיו IK. 9:22

שָׁלִישׁ3
ז׳ כְּלִי־נגינה (משולש, או בעל שלושה מיתרים)

וּבְשָׁלִשִׁים 1 בְּתֻפִּים בְּשִׂמְחָה וּבְשָׁלִשִׁים ISh. 18:6

שָׁלִשָׁה
ש״פ – אזור בקרבת הר אפרים
[עין גם בַּעַל שָׁלִשָׁה (באות ב׳)]

שָׁלִשָׁה 1 וַיַּעֲבֹר בְּאֶרֶץ־שָׁלִשָׁה וְלֹא מָצָאוּ ISh. 9:4

שְׁלִישִׁי
ת׳ א) מספר סודר של ״שְׁלֹשָׁה״, הבא אחרי השני: 1-62, 66-68
ב) [שְׁלִישִׁית, שְׁלִשִׁיָּה] כנ״ל מן ״שָׁלֹשׁ״: 69-82
ג) [שְׁלִישִׁים] הבאים אחרי השניים: 63-65
– גּוֹרָל שְׁלִישִׁי 36; דּוֹר שְׁלִישִׁי 2; חֹדֶשׁ שְׁ׳ 33, 39, 41, 44, 45; טוּר שְׁ׳ 34, 35; יוֹם שְׁ׳ 1, 4, 5, 7-27, 32, 42, 43; מָבוֹא שְׁ׳ 38; נָהָר שְׁ׳ 3; שַׂר שְׁלִישִׁי 37, 40
– מֶרְכָּבָה שְׁלִישִׁית 76; שָׁנָה שְׁלִישִׁית 69, 72-75, 78; הָעֶרֶב הַשְּׁלִישִׁית 70; עֶגְלַת שְׁלִשִׁיָּה 80, 82
– מַלְאָכִים שִׁלֵּשִׁים 63; שְׁנִיִּים וּשְׁלִשִׁים 65

שְׁלִישִׁי 1 וַיְהִי־עֶרֶב וַיְהִי־בֹקֶר יוֹם שְׁלִישִׁי Gen. 1:13
2 דּוֹר שְׁלִישִׁי יָבֹא לָהֶם בִּקְהַל יְיָ Gen. 23:9
הַשְּׁלִישִׁי 3 וְשֵׁם הַנָּהָר הַשְּׁלִישִׁי חִדֶּקֶל Gen. 2:14
4 בַּיּוֹם הַשְּׁלִישִׁי וַיִּשָּׂא אַבְ׳ אֶת־עֵינָיו Gen. 22:4
5 וַיֻּגַּד לְלָבָן בַּיּוֹם הַשְּׁלִישִׁי Gen. 31:22
6 גַּם אֶת־הַשֵּׁנִי גַּם אֶת־הַשְּׁלִישִׁי Gen. 32:19
7 וַיְהִי בַּיּוֹם הַשְּׁלִישִׁי Gen. 34:25; 40:20
8-32 (בּ/וּב/לַ)יּוֹם הַשְּׁלִישִׁי Gen. 42:18
Ex. 19:11^2, 16 • Lev. 7:17, 18; 19:6, 7 • Num. 7:24; 19:12^2, 19; 29:20; 31:19 • Josh. 9:17 • Jud. 20:30 • ISh. 30:1 • IISh. 1:2 • IK. 3:18; 12:12^2 • IIK. 20:5, 8 • Hosh. 6:2 • Es. 5:1
33 בַּחֹדֶשׁ הַשְּׁלִישִׁי לְצֵאת בְּנֵי יִשְׂרָאֵל Ex. 19:1
34/5 וְהַטּוּר הַשְּׁלִישִׁי Ex. 28:19; 39:12

הַשְּׁלִישִׁי (המשך) 36 וַיַּעַל הַגּוֹרָל הַשְּׁלִישִׁי Josh. 19:10
37 וַיָּבֹא שַׂר־הַחֲמִשִּׁים הַשְּׁלִישִׁי IIK. 1:13
38 אֶל־מָבוֹא הַשְּׁלִישִׁי אֲשֶׁר בְּבֵית יְיָ Jer. 38:14
39 וַיִּקָּרְאוּ...בַּחֹדֶשׁ הַשְּׁלִישִׁי Es. 8:9
40/1 שַׂר הַצָּבָא הַשְּׁלִישִׁי לַחֹדֶשׁ הַשְּׁלִישִׁי ICh. 27:5
42 וַיָּבֹא יָרָבְעָם...בַּיּוֹם הַשְּׁלִשִׁי IICh. 10:12
43 שׁוּבוּ אֵלַי בַּיּוֹם הַשְּׁלִשִׁי IICh. 10:12
44 וַיִּקָּבְצוּ...בַּחֹדֶשׁ הַשְּׁלִישִׁי IICh. 15:10
45 בַּחֹדֶשׁ הַשְּׁלִשִׁי הֵחֵלּוּ IICh. 31:7
46-50 הַשְּׁלִישִׁי ICh. 8:1; 23:19; 24:8, 23; 26:2
51-58 הַשְּׁלִשִׁי ICh. 2:13; 3:2, 15
8:39; 12:9(10); 25:10; 26:4, 11
וְהַשְּׁלִשִׁי 59 וּמִשְׁנֵהוּ אֲבִינָדָב וְהַשְּׁלִשִׁי שַׁמָּה ISh. 17:13
60 וּמִשְׁנֵהוּ כִלְאָב...וְהַשְּׁלִשִׁי אַבְשָׁלוֹם IISh. 3:3
61 וְהַשְּׁלִישִׁי פְּנֵי אַרְיֵה Ezek. 10:14
בִּשְׁלִישִׁי 62 בִּשְׁלִישִׁי בְּאֶחָד לַחֹדֶשׁ Ezek. 31:1
שְׁלִשִׁים 63 וַיִּשְׁלַח מַלְאָכִים שְׁלִשִׁים ISh. 19:21
64 וַיִּשְׁלַח שַׂר־חֲמִשִּׁים שְׁלִשִׁים IIK. 1:13
וּשְׁלִשִׁים 65 תַּחְתִּיִּם שְׁנִיִּם וּשְׁלִשִׁים תַּעֲשֶׂהָ Gen. 6:16
66 וּשְׁלִשִׁים יִסָּעוּ Num. 2:24
הַשְּׁלִשִׁים 67 וּמִן־הַתִּיכֹנָה אֶל־הַשְּׁלִשִׁים IK. 6:8
בַּשְּׁלִשִׁים 68 אַתִּיק אֶל־פְּנֵי־אַתִּיק בַּשְּׁלִשִׁים Ezek. 42:3
הַשְּׁלִישִׁת 69 בַּשָּׁנָה הַשְּׁלִישִׁת שְׁנַת הַמַּעֲשֵׂר Deut. 26:12
70 עַד הָעֶרֶב הַשְּׁלִישִׁית ISh. 20:5
71 כָּעֵת מָחָר הַשְּׁלִישִׁית ISh. 20:12
72 וּדְבַר־יְיָ...בַּשָּׁנָה הַשְּׁלִישִׁית IK. 18:1
73 וַיְהִי בַּשָּׁנָה הַשְּׁלִישִׁית IK. 22:2
74/5 וּבַשָּׁנָה הַשְּׁלִישִׁית זִרְעוּ IIK. 19:29 • Is. 37:30
76 וּבַמֶּרְכָּבָה הַשְּׁלִשִׁית סוּסִים לְבָנִים Zech. 6:3
77 וְשֵׁם הַשְּׁלִישִׁית קֶרֶן הַפּוּךְ Job 42:14
וְהַשְּׁלִשִׁית 78 וּבַשָּׁנָה הַשֵּׁנִית וְהַשְּׁלִשִׁית IICh. 27:5
בַּשְּׁלִשִׁית 79 וַיֹּסֶף יְיָ קְרֹא־שְׁמוּאֵל בַּשְּׁלִשִׁית ISh. 3:8
שְׁלִשִׁיָּה 80 בְּרִיחֶהָ עַד־צֹעַר עֶגְלַת שְׁלִשִׁיָּה Is. 15:5
81 יִהְיֶה יִשְׂר׳ שְׁלִישִׁיָּה לְמִצ׳ וּלְאַשּׁוּר Is. 19:24
82 מִצֹּעַר עַד־חֹרֹנַיִם עֶגְלַת שְׁלִשִׁיָּה Jer. 48:34

שְׁלִישִׁית נ׳ שליש, חלק אחד משלשה: 1-24

שְׁלִישִׁית הַהִין 18-20, 22; שְׁלִישִׁית הַשֶּׁקֶל 21

שְׁלִישִׁית 1 שְׁלִישִׁית בָּאוּר תַּבְעִיר Ezek. 5:2
הַשְּׁלִשִׁית 2 וַיְשַׁלַּח...הַשְּׁלִשִׁית בְּיַד־יוֹאָב IISh. 18:2
3 הַשְּׁלִשִׁית מִכֶּם בָּאֵי הַשַּׁבָּת IIK. 11:5
4 וְלָקַחְתָּ אֶת־הַשְּׁלִישִׁית Ezek. 5:2
5 וְהֵבֵאתִי אֶת־הַשְּׁלִשִׁית בָּאֵשׁ Zech. 13:9
6 הַשְּׁלִשִׁית מִכֶּם בָּאֵי הַשַּׁבָּת IICh. 23:4
וְהַשְּׁלִשִׁית 7 וְהַשְּׁלִשִׁית בְּיַד אֲבִישַׁי IISh. 18:2
8 וְהַשְּׁלִשִׁית בְּיַד אִתַּי הַגִּתִּי IISh. 18:2
9 וְהַשְּׁלִישִׁית שֶׁבַע בָּאַמָּה רָחְבָּהּ IK. 6:6
10 וְהַשְּׁלִשִׁית בְּשַׁעַר סוּר IIK. 11:6
11 וְהַשְּׁלִשִׁית בַּשַּׁעַר אַחַר הָרָצִים IIK. 11:6
12 וְהַשְּׁלִישִׁית תִּזְרֶה לָרוּחַ Ezek. 5:2
13 וְהַשְּׁלִישִׁית בַּחֶרֶב יִפְּלוּ סְבִיבוֹתָיִךְ Ezek. 5:12
14 וְהַשְּׁלִישִׁית לְכָל־רוּחַ אֱזָרֶה Ezek. 5:12
15 וְהַשְּׁלִשִׁית יִוָּתֶר בָּהּ Zech. 13:8
16 וְהַשְּׁלִשִׁית בְּבֵית הַמֶּלֶךְ IICh. 23:5
17 וְהַשְּׁלִשִׁית בְּשַׁעַר הַיְסוֹד IICh. 23:5
שְׁלִישִׁית־ 18 בְּלוּלָה בַשֶּׁמֶן שְׁלִשִׁית הַהִין Num. 15:6
19 וְיַיִן לַנֶּסֶךְ שְׁלִשִׁית הַהִין Num. 15:7
20 וְשֶׁמֶן שְׁלִישִׁית הַהִין Ezek. 46:14
21 לָתֵת...שְׁלִשִׁית הַשֶּׁקֶל בַּשָּׁנָה Neh. 10:33
וּשְׁלִישִׁת־ 22 וּשְׁלִישִׁת הַהִין לָאַיִל Num. 28:14
שְׁלִשִׁתֵךְ 23 שְׁלִשִׁתֵךְ בַּדֶּבֶר יָמוּתוּ Ezek. 5:12
שְׁלִישִׁתָה 24 וְתִכָּפֵל חֶרֶב שְׁלִישִׁתָה Ezek. 21:19

שלך : הִשְׁלִיךְ, הָשְׁלַךְ; שָׁלָךְ, שַׁלֶּכֶת

(שלך) הִשְׁלִיךְ הפ׳ א) זרק, הטיל: 1-4, 9-25, 28-42, 44-51, 53-112
ב) גרש, הדיח: 5-8, 26, 27, 43, 52
ג) [הפ׳ הָשְׁלַךְ] הוטל, נזרק: 113-125

קרובים: הֵטִיל (טול) / הִפִּיל (נפל) / זָרַק / יָדָה / יָרָה / סָקַל / קָלַע / רָמָה

– הִשְׁלִיךְ אֱמֶת 79; הִשׁ׳ גּוֹרָל 39, 62; הִשׁ׳ הַס 20; הִשׁ׳ חֶבֶל 36; הִשׁ׳ חַטֹּאתָיו 49; הִשׁ׳ חַכָּה 38; הִשׁ׳ יְהָבוֹ 103; הִשׁ׳ מֶלַח 74; הִשׁ׳ נַעֲלוֹ 40, 41; הִשׁ׳ נַפְשׁוֹ 63; הִשׁ׳ עָפָר 44, 69; הִשׁ׳ פְּשָׁעָיו 111; הִשׁ׳ שִׁקּוּצִים 9, 33, 112; הִשְׁלִיךְ תּוֹרָתוֹ 98

– הִשְׁלִיךְ (אֶת־) אֶל־, לְ־ 2, 14, 23, 24, 32, 34, 45, 66, 67, (68), 70-72, (77), 78, 85, (89), 91, 93, 94, 97, 99, 100, 108, 110; הִשְׁלִיךְ (אֶת־) עַל־ 9, 10, 16-18, 28, 35, 40, 41, 58, 65, 69, 103; הִשְׁלִיךְ (אֶת־) מֵעַל־ 5, 6, 8, 26, 43, 48, 111; הִשְׁלִיךְ (אֶת־) אַחֲרֵי 11, 12, 50, 55, 98; הִשְׁלִיךְ מִן־ 21, 27, 61, 64, 83, 102; הִשְׁלִיךְ מִלִּפְנֵי־ 51; הִשְׁלִיךְ מִנֶּגֶד 63; הִשְׁלִיךְ בְּ־ 13, 38, 47, 49, 53, 76, 84, 93, 96, 106, 107

– הָשְׁלַךְ לְ־, אֶל־ 116, 118, 122, 124; הָשְׁלַךְ עַל־ 113, 117; הָשְׁלַךְ בְּ־ 119-121, 123

וְהַשְׁלֵךְ 1 סָחוֹב וְהַשְׁלֵךְ מֵהָלְאָה לְשַׁעֲרֵי יְרוּ׳ Jer. 22:19
2 יִקְרָעֶהָ...וְהַשְׁלֵךְ אֶל־הָאֵשׁ Jer. 36:23
לְהַשְׁלִיךְ 3 עֵת לְהַשְׁלִיךְ אֲבָנִים וְעֵת כְּנוֹס אֲבָנִים Eccl. 3:5
4 עֵת לִשְׁמוֹר וְעֵת לְהַשְׁלִיךְ Eccl. 3:6
הִשְׁלִכוֹ 5 עַד־הִשְׁלִכוֹ אֹתָם מֵעַל פָּנָיו IIK. 24:20
6 עַד־הִשְׁלִיכוֹ אוֹתָם מֵעַל פָּנָיו Jer. 52:3
הִשְׁלַכְתִּי 7 כַּאֲשֶׁר הִשְׁלַכְתִּי אֶת־כָּל־אֲחֵיכֶם Jer. 7:15
וְהִשְׁלַכְתִּי 8 וְהִשְׁלַכְתִּי אֶתְכֶם מֵעַל פָּנָי Jer. 7:15
9 וְהִשְׁלַכְתִּי עָלַיִךְ שִׁקֻּצִים וְנִבַּלְתִּיךְ Nah. 3:6
הִשְׁלַכְתִּיךָ 10 עַל־אֶרֶץ הִשְׁלַכְתִּיךָ Ezek. 28:17
הִשְׁלַכְתָּ 11 וְאֹתִי הִשְׁלַכְתָּ אַחֲרֵי גַוֶּךָ IK. 14:9
12 כִּי הִשְׁלַכְתָּ אַחֲרֵי גֵוְךָ כָּל־חֲטָאָי Is. 38:17
13 וְאֶת־רֹדְפֵיהֶם הִשְׁלַכְתָּ בִמְצוֹלֹת Neh. 9:11
וְהִשְׁלַכְתָּ 14 וְהִשְׁלַכְתָּ אוֹתָם אֶל־תּוֹךְ הָאֵשׁ Ezek. 5:4
וְהִשְׁלַכְתּוֹ 15 וְהִשְׁלַכְתּוֹ אֶל־תּוֹךְ פְּרָת Jer. 51:63
הִשְׁלִיךְ 16 אוֹ־הִשְׁלִיךְ עָלָיו בִּצְדִיָּה וַיָּמֹת Num. 35:20
17 הִשְׁלִיךְ עָלָיו...כְּלִי בְּלֹא צְדִיָּה Num. 35:22
18 וַיְיָ הִשְׁלִיךְ עֲלֵיהֶם אֲבָנִים גְּדֹלוֹת Josh. 10:11
19 וְהַבּוֹר אֲשֶׁר הִשְׁלִיךְ שָׁם יִשְׁמָעֵאל Jer. 41:9
20 בְּכָל־מָקוֹם הִשְׁלִיךְ הָס Am. 8:3
21 הִשְׁלִיךְ מִשָּׁמַיִם אֶרֶץ תִּפְאֶרֶת יִשְׂר׳ Lam. 2:1
וְהִשְׁלִיךְ 22 וְהִשְׁלִיךְ אֹתָהּ אֵצֶל הַמִּזְבֵּחַ Lev. 1:16
23 וְהִשְׁלִיךְ אֶל־תּוֹךְ שְׂרֵפַת הַפָּרָה Num. 19:6
24 וְהִשְׁלִיךְ אֶת־עֲפָרָם אֶל־נַחַל קִדְרוֹן IIK. 23:12
25 חָשֹׂף חֲשָׂפָהּ וְהִשְׁלִיךְ Joel 1:7
הִשְׁלִיכָם 26 וְלֹא־הִשְׁלִיכָם מֵעַל־פָּנָיו IIK. 13:23
27 עַד אֲשֶׁר הִשְׁלִיכָם מִפָּנָיו IIK. 17:20
הִשְׁלִיכָה 28 הִשְׁלִיכָה עָלָיו פֶּלַח רֶכֶב IISh. 11:21
וְהִשְׁלַכְתֶּנָה 29 תֵּצֶאנָה...וְהִשְׁלַכְתֶּנָה הַהַרְמוֹנָה Am. 4:3
הִשְׁלִיכוּ 30 אֲשֶׁר־הִשְׁלִיכוּ אֲרָם בְּחָפְזָם° IIK. 7:15
31 כִּי הִשְׁלִיכוּ מִשְׁכְּנוֹתֵינוּ Jer. 9:18
32 אֵת אֲשֶׁר־הִשְׁלִיכוּ אֶל־הַבּוֹר Jer. 38:9
33 אִישׁ־שִׁקּוּצֵי עֵינֵיהֶם לֹא הִשְׁלִיכוּ Ezek. 20:8
וְהִשְׁלִיכוּ 34 וְהִשְׁלִיכוּ אֶתְהֶן אֶל־מִחוּץ לָעִיר Lev. 14:40
35 וְהִשְׁלִיכוּ הַכֹּהֲנִים עֲלֵיהֶם מֶלַח Ezek. 43:24
מַשְׁלִיךְ 36 מַשְׁלִיךְ חֶבֶל בְּגוֹרָל בִּקְהַל יְיָ Mic. 2:5
37 מַשְׁלִיךְ קַרְחוֹ כְפִתִּים Ps. 147:17
מַשְׁלִיכֵי־ 38 וְאָבְלוּ כָּל־מַשְׁלִיכֵי בַיְאוֹר חַכָּה Is. 19:8

אַשְׁלִיךְ 39 וּפֹה אַשְׁלִיךְ לָכֶם גּוֹרָל Josh. 18:8
40/1 עַל־אֱדוֹם אַשְׁלִיךְ נַעֲלִי Ps. 60:10; 108:10
42 וּמִשִּׁנָּיו אַשְׁלִיךְ טָרֶף Job 29:17
43 וְאֶת־הַבַּיִת...אַשְׁלִיךְ מֵעַל פָּנָי IICh. 7:20
וָאַשְׁלִךְ 44 וָאַשְׁלִךְ אֶת־עֲפָרוֹ אֶל־הַנַּחַל Deut. 9:21
45 וָאַשְׁלִיךְ אֹתוֹ בֵּית יְיָ אֶל־הַיּוֹצֵר Zech. 11:13
וָאַשְׁלִיכָה 46 וָאַשְׁלִיכָה אֶת־כָּל־כְּלֵי בֵית־טוֹבִיָּה הַחוּץ Neh. 13:8
וָאַשְׁלִכֵהוּ 47 וָאַשְׁלִכֵהוּ בָאֵשׁ וַיֵּצֵא הָעֵגֶל הַזֶּה Ex. 32:24
וָאַשְׁלִכֵם 48 וָאַשְׁלִכֵם מֵעַל שְׁתֵּי יָדָי Deut. 9:17
וְתַשְׁלִיךְ 49 וְתַשְׁלִיךְ בִּמְצֻלוֹת יָם כָּל־חַטֹּאתָם Mic. 7:19
וַתַּשְׁלֵךְ 50 וַתַּשְׁלֵךְ דְּבָרַי אַחֲרֶיךָ Ps. 50:17
תַּשְׁלִיכֵנִי 51 אַל־תַּשְׁלִיכֵנִי מִלְּפָנֶיךָ Ps. 51:13
52 אַל־תַּשְׁלִיכֵנִי לְעֵת זִקְנָה Ps. 71:9
וַתַּשְׁלִיכֵנִי 53 וַתַּשְׁלִיכֵנִי מְצוּלָה בִּלְבַב יַמִּים Jon. 2:4
54 כִּי נְשָׂאתַנִי וַתַּשְׁלִיכֵנִי Ps. 102:11
וַתַּשְׁלִיכִי 55 וַתַּשְׁלִיכִי אוֹתִי אַחֲרֵי גַוֵּךְ Ezek. 23:35
יַשְׁלִיךְ 56 יַשְׁלִיךְ הָאָדָם אֵת אֱלִילֵי כַסְפּוֹ Is. 2:20
וְיַשְׁלֵךְ 57 וְיַשְׁלֵךְ כַּזַּיִת נִצָּתוֹ Job 15:33
58 וְיַשְׁלֵךְ עָלָיו וְלֹא יַחְמֹל Job 27:22
וַיַּשְׁלֵךְ 59 וַיַּשְׁלֵךְ אַהֲרֹן אֶת־מַטֵּהוּ Ex. 7:10
60 וַיּוֹרֵהוּ יְיָ עֵץ וַיַּשְׁלֵךְ אֶל־הַמַּיִם Ex. 15:25
61 וַיַּשְׁלֵךְ מִיָּדָו אֶת־הַלֻּחֹת Ex. 32:19
62 וַיַּשְׁלֵךְ לָהֶם יְהוֹשֻׁעַ גּוֹרָל Josh. 18:10
63 וַיַּשְׁלֵךְ אֶת־נַפְשׁוֹ מִנֶּגֶד וַיַּצֵּל Jud. 9:17
64 וַיַּשְׁלֵךְ הַלְּחִי מִיָּדוֹ Jud. 15:17
65 וַיַּשְׁלֵךְ עָלָיו בֶּגֶד IISh. 20:12
66 וַיַּשְׁלֵךְ אַדַּרְתּוֹ אֵלָיו IK. 19:19
67 וּקְחוּ־קֶמַח וַיַּשְׁלֵךְ אֶל־הַסִּיר IIK. 4:41
68 וַיִּקְצָב־עֵץ וַיַּשְׁלֶךְ־שָׁמָּה IIK. 6:6
69 וַיַּשְׁ׳ אֶת־עֲפָרָהּ עַל־קֶבֶר בְּנֵי הָעָם IIK. 23:6
70 וַיַּשְׁלֵךְ אֶת־נִבְלָתוֹ אֶל־קִבְרֵי... Jer. 26:23
71 וַיַּשְׁלֵךְ אֹתָהּ אֶל־תּוֹךְ הָאֵיפָה Zech. 5:8
72 וַיַּשְׁלֵךְ אֶת־אֶבֶן הָעוֹפֶרֶת אֶל־פִּיהָ Zech. 5:8
73 וַיָּסַר...וַיַּשְׁלֵךְ חוּצָה לָעִיר IICh. 33:15
וַיַּשְׁלֶךְ־ 74 וַיֵּצֵא...וַיַּשְׁלֶךְ־שָׁם מֶלַח IIK. 2:21
וַיַּשְׁלִכֵהוּ 75 וַיַּשְׁלִכֵהוּ אַרְצָה וַיְהִי לְנָחָשׁ Ex. 4:3
76 וַיַּשְׁלִכֵהוּ בְּאַחַד הֶהָרִים IIK. 2:16
77 וַיַּשְׁלִיכֵהוּ אַרְצָה וַיִּרְמְסֵהוּ Dan. 8:7
וַיַּשְׁלִכֵם 78 וַיַּשְׁלִכֵם אֶל־אֶרֶץ אַחֶרֶת Deut. 29:27
וְתַשְׁלֵךְ 79 וְתַשְׁלֵךְ אֱמֶת אַרְצָה Dan. 8:12
וַתַּשְׁלֵךְ 80 וַתַּשְׁלֵךְ...הַיֶּלֶד תַּחַת...הַשִּׂיחִם Gen. 21:15
81 וַתַּשְׁלֵךְ אִשָּׁה אַחַת פֶּלַח רֶכֶב Jud. 9:53
וְתַשְׁלִיכֵהוּ 82 יֵצְרוּ צַעֲדֵי אוֹנוֹ וְתַשְׁלִיכֵהוּ עֲצָתוֹ Job 18:7
וְנַשְׁלִיכָה 83 וְנַשְׁלִיכָה מִמֶּנּוּ עֲבֹתֵימוֹ Ps. 2:3
וְנַשְׁלִכֵהוּ 84 וְנַהַרְגֵהוּ וְנַשְׁלִכֵהוּ בְּאַחַד הַבֹּרוֹת Gen. 37:20
תַּשְׁלִכוּן 85 לֹא תֹאכֵלוּ לַכֶּלֶב תַּשְׁלִכוּן אֹתוֹ Ex. 22:30
תַּשְׁלִיכֻהוּ 86 כָּל־הַבֵּן הַיִּלּוֹד הַיְאֹרָה תַּשְׁלִיכֻהוּ Ex. 1:22
יַשְׁלִיכוּ 87 יַשְׁלִיכוּ אִישׁ־אַבְנוֹ וּמִלְאוּהָ IIK. 3:25
88 כַּסְפָּם בַּחוּצוֹת יַשְׁלִיכוּ Ezek. 7:19
וַיַּשְׁלִכוּ 89 וַיִּקָּחֻהוּ וַיַּשְׁלִכוּ אֹתוֹ הַבֹּרָה Gen. 37:24
90 וַיַּשְׁלִיכוּ אִישׁ מַטֵּהוּ וַיִּהְיוּ לְתַנִּינִם Ex. 7:12
91 וַיַּשְׁלִיכוּ אוֹתָהּ אֶל־פֶּתַח שַׁעַר הָעִיר Josh. 8:29
92 וַיַּשְׁלִיכוּ שָׁמָּה אִישׁ נֶזֶם שְׁלָלוֹ Jud. 8:25
93 וַיַּשְׁלִכוּ אֹתוֹ בַיַּעַר אֶל־הַפַּחַת IISh. 18:17
94 וַיִּכְרְתוּ...וַיַּשְׁלִכוּ אֶל־יוֹאָב IISh. 20:22
95 וַיַּשְׁלִכוּ הָרָצִים וְהַשָּׁלִשִׁים IIK. 10:25
96 וַיַּשְׁלִיכוּ אֶת־הָאִישׁ בְּקֶבֶר אֱלִישָׁע IIK. 13:21
97 וַיַּשְׁלִכוּ אֹתוֹ אֶל־הַבּוֹר Jer. 38:6
98 וַיַּשְׁלִכוּ אֶת־תּוֹרָתְךָ אַחֲרֵי גַוָּם Neh. 9:26
99 וַיָּבִיאוּ וַיַּשְׁלִיכוּ לָאָרוֹן IICh. 24:10
100 הֵסִירוּ וַיַּשְׁלִיכוּ לְנַחַל קִדְרוֹן IICh. 30:14

וַיַּשְׁלִיכוּם 101 וַיֹּרִידוּם...וַיַּשְׁלִכֻם אֶל־הַמְּעָרָה Josh. 10:27
102 וַיַּשְׁלִיכוּם מֵרֹאשׁ הַסֶּלַע IICh. 25:12
הַשְׁלֵךְ 103 הַשְׁלֵךְ עַל־יְיָ יְהָבְךָ וְהוּא יְכַלְכְּלֶךָ Ps. 55:23
וְהַשְׁלֵךְ 104 קַח אֶת־מַטְּךָ וְהַשְׁלֵךְ לִפְנֵי־פַרְעֹה Ex. 7:9
הַשְׁלִיכֵהוּ 105 וַיֹּאמֶר הַשְׁלִיכֵהוּ אַרְצָה Ex. 4:3
106 שָׂא הַשְׁלִכֵהוּ בְּחֶלְקַת שְׂדֵה נָבוֹת IIK. 9:25
107 וְעַתָּה שָׂא הַשְׁלִכֵהוּ בַּחֶלְקָה IIK. 9:26
108 הַשְׁלִיכֵהוּ אֶל־הַיּוֹצֵר אֶדֶר הַיְקָר Zech. 11:13
וְהַשְׁלִיכִי 109 גָּזִּי נִזְרֵךְ וְהַשְׁלִיכִי Jer. 7:29
הַשְׁלִיכוּ 110 הַשְׁלִיכוּ אֹתוֹ אֶל־הַבּוֹר הַזֶּה Gen. 37:22
111 הַשְׁלִיכוּ מֵעֲלֵיכֶם...כָּל־פִּשְׁעֵיכֶם Ezek. 18:31
112 אִישׁ שִׁקּוּצֵי עֵינָיו הַשְׁלִיכוּ Ezek. 20:7
הָשְׁלַכְתִּי 113 עָלֶיךָ הָשְׁלַכְתִּי מֵרָחֶם Ps. 22:11
הָשְׁלַכְתָּ 114 הָשְׁלַכְתָּ מִקִּבְרְךָ כְּנֵצֶר נִתְעָב Is. 14:9
וְהֻשְׁלַךְ 115 וְהֻשְׁלַךְ מְכוֹן מִקְדָּשׁוֹ Dan. 8:11
הֻשְׁלָכָה 116 וַתֻּתַּשׁ בְּחֵמָה לָאָרֶץ הֻשְׁלָכָה Ezek. 19:12
וְהֻשְׁלְכוּ 117 מַדּוּעַ הוּטְלוּ...וְהֻשְׁלְכוּ עַל־הָאָ׳ Jer. 22:28
מֻשְׁלָךְ 118 הִנֵּה רֹאשׁוֹ מֻשְׁ׳ אֵלֶיךָ בְּעַד הַחוֹמָה IISh. 20:21
מֻשְׁלֶכֶת 119 וַתְּהִי נִבְלָתוֹ מֻשְׁלֶכֶת בַּדֶּרֶךְ IK. 13:24
120 וַיִּרְאוּ אֶת־הַנְּבֵלָה מֻשְׁלֶכֶת בַּדֶּרֶךְ IK. 13:25
121 וַיִּמְצָא אֶת־נִבְלָתוֹ מֻשְׁלֶכֶת בַּדֶּרֶךְ IK. 13:28
122 וְנִבְלָתוֹ תִּהְיֶה מֻשְׁלֶכֶת לַחֹרֶב Jer. 36:30
מֻשְׁלָכִים 123 וְהָעָם...יִהְיוּ מֻשְׁלָכִים בְּחֻצוֹת Jer. 14:16
וַתֻּשְׁלְכִי 124 וַתֻּשְׁלְכִי אֶל־פְּנֵי הַשָּׂדֶה בְּגֹעַל נַפְשֵׁךְ Ezek. 16:5
יֻשְׁלָכוּ 125 וְחַלְלֵיהֶם יֻשְׁלָכוּ Is. 34:3

שָׁלָךְ ז׳ עוֹף דּוֹרֵס, מִן הָעוֹפוֹת הַטְּמֵאִים: 1, 2

הַשָּׁלָךְ 1 וְאֶת־הַכּוֹס וְאֶת־הַשָּׁלָךְ Lev. 11:17
2 וְאֶת־הָרָחָמָה וְאֶת־הַשָּׁלָךְ Deut. 14:17

שַׁלֶּכֶת[1] נ׳ נשירת העלים מעצים שונים בסתו

בְּשַׁלֶּכֶת 1 כָּאֵלָה וְכָאַלּוֹן אֲשֶׁר בְּשַׁלֶּכֶת מַצֶּבֶת בָּם Is. 6:13

שַׁלֶּכֶת[2] ש״פ – שם אחד השערים בבית־המקדש

שַׁלֶּכֶת 1 עִם שַׁעַר שַׁלֶּכֶת בַּמְסִלָּה הָעוֹלָה ICh. 26:16

שלל : שָׁלַל, הִשְׁתּוֹלֵל; שָׁלָל, שׁוֹלָל

שָׁלַל פָּ׳ א) בזז, גזל במלחמה: 2־12, 14
ב) השמיט, שָׁלַף: 1, 13
ג) [הת׳ הִשְׁתּוֹלֵל] התהולל: 15, 16
[אֶשְׁתּוֹלֵל = הִשְׁתּוֹלֵל]

שֹׁל 1 שֹׁל־תָּשֹׁלּוּ לָהּ מִן־הַצְּבָתִים Ruth 2:16
לִשְׁלֹל 2 לִשְׁלֹל שָׁלָל וְלָבֹז בַּז Is. 10:6
3 לִשְׁלֹל שָׁלָל וְלָבֹז בַּז Ezek. 38:12
4 לִשְׁלֹל שָׁלָל גָּדוֹל Ezek. 38:13
הֲלִשְׁלֹל 5 הֲלִשְׁלֹל שָׁלָל אַתָּה בָא Ezek. 38:13
שַׁלּוֹתָ 6 כִּי־אַתָּה שַׁלּוֹתָ גּוֹיִם רַבִּים Hab. 2:8
וְשָׁלַל 7 וְשָׁלַל שְׁלָלָהּ וּבָזַז בִּזָּהּ Ezek. 29:19
וְשָׁלְלוּ 8 וְשָׁלְלוּ חֵילֵךְ וּבָזְזוּ רְכֻלָּתֵךְ Ezek. 26:12
9 וְשָׁלְלוּ אֶת־שֹׁלְלֵיהֶם Ezek. 39:10
הַשֹּׁלְלִים 10 אֶל־הַגּוֹיִם הַשֹּׁלְלִים אֶתְכֶם Zech. 2:12
שֹׁלְלֶיהָ 11 כָּל־שֹׁלְלֶיהָ יִשְׂבָּעוּ Jer. 50:10
שֹׁלְלֵיהֶם 12 וְשָׁלְלוּ אֶת־שֹׁלְלֵיהֶם Ezek. 39:10
תָּשֹׁלּוּ 13 שֹׁל־תָּשֹׁלּוּ לָהּ מִן־הַצְּבָתִים Ruth 2:16
יְשָׁלּוּךָ 14 יְשָׁלּוּךָ כָּל־יֶתֶר עַמִּים Hab. 2:8
אֶשְׁתּוֹלְלוּ 15 אֶשְׁתּוֹלְלוּ אַבִּירֵי לֵב Ps. 76:6
מִשְׁתּוֹלֵל 16 וְסָר מֵרָע מִשְׁתּוֹלֵל Is. 59:15

שָׁלָל ז׳ בִּזָּה, רכוש שנשלל במלחמה: 1־75

קרובים: בַּז / בִּזָּה / מַלְקוֹחַ / עַד[2]

– שָׁלָל גָּדוֹל 13, 28; שָׁלָל הַרְבֵּה 19; שָׁלָל רַב 16, 20, 21; צַוְּארֵי שָׁלָל 4
– שְׁלַל אוֹיְבִים 47, 49, 59, 60; שְׁלַל דָּוִד 52; שׁ׳ הֲדַדְעֶזֶר 61; שׁ׳ הָעִיר 56־58; שׁ׳ הֶעָרִים 48,54, 55; שְׁלַל צְבָעִים 50, 51; שְׁלַל שֹׁמְרוֹן 53

שָׁלָל 1 בַּבֹּקֶר יֹאכַל עַד וְלָעֶרֶב יְחַלֵּק שָׁלָל Gen. 49:27
2 אֶרְדֹּף אַשִּׂיג אֲחַלֵּק שָׁלָל Ex. 15:9
3 הֲלֹא יִמְצְאוּ יְחַלְּקוּ שָׁלָל Jud. 5:30
4 צֶבַע רִקְמָתַיִם לְצַוְּארֵי שָׁלָל Jud. 5:30
5 לְמַהֵר שָׁלָל חָשׁ בַּז Is. 8:1
6 קְרָא שְׁמוֹ מַהֵר שָׁלָל חָשׁ בַּז Is. 8:3
7 כַּאֲשֶׁר יָגִילוּ בְּחַלְּקָם שָׁלָל Is. 9:2
8 לִשְׁלֹל שָׁלָל וְלָבֹז בַּז Is. 10:6
9 אָז חֻלַּק עַד־שָׁלָל... Is. 33:23
10 וְאֶת־עֲצוּמִים יְחַלֵּק שָׁלָל Is. 53:12
11 לִשְׁלֹל שָׁלָל וְלָבֹז בַּז Ezek. 38:12
12 הֲלִשְׁלֹל שָׁלָל אַתָּה בָא Ezek. 38:13
13 לִשְׁלֹל שָׁלָל גָּדוֹל Ezek. 38:13
14 וְהָיוּ שָׁלָל לְעַבְדֵיהֶם Zech. 2:13
15 וּנְוַת־בַּיִת תְּחַלֵּק שָׁלָל Ps. 68:13
16 שָׂשׂ אָנֹכִי...כְּמוֹצֵא שָׁלָל רָב Ps. 119:162
17 נְמַלֵּא בָתֵּינוּ שָׁלָל Prov. 1:13
18 טוֹב...מֵחַלֵּק שָׁלָל אֶת־גֵּאִים Prov. 16:19
19 וַיִּשְׂאוּ שָׁלָל הַרְבֵּה מְאֹד IICh. 14:12
20 וְגַם־שָׁלָל רָב בָּזְזוּ מֵהֶם IICh. 28:2
וְשָׁלָל 21 וְשָׁלָל רָב עִמָּם הֵבִיאוּ IISh. 3:22
22 בָּטַח בָּהּ...וְשָׁלָל לֹא יֶחְסָר Prov. 31:11
23 בִּזָּה וְשָׁלָל וּרְכוּשׁ לָהֶם יִבְזוֹר Dan. 11:24
הַשָּׁלָל 24 אֶת־כָּל־הַשָּׁלָל וְאֵת כָּל־הַמַּלְקוֹחַ Num. 31:11
25 וְאֶת־הַמַּלְקוֹחַ וְאֶת־הַשָּׁלָל Num. 31:12
26 וַיַּעַט° הָעָם אֶל־הַשָּׁלָל (כת׳ שלל) ISh. 14:32
27 וַתַּעַט אֶל־הַשָּׁלָל ISh. 15:19
28 אֹכְלִים...בְּכֹל הַשָּׁלָל הַגָּדוֹל ISh. 30:16
29 מִן־הַמִּלְחָמוֹת וּמִן־הַשָּׁלָל הִקְדִּישׁוּ ICh. 26:27
30 וַיִּזְבְּחוּ...מִן־הַשָּׁלָל הֵבִיאוּ IICh. 15:11
31 בֹּזְזִים אֶת־הַשָּׁלָל כִּי רַב־הוּא IICh. 20:25
32 וַיָּבִיאוּ אֶת־הַשָּׁלָל לְשֹׁמְרוֹן IICh. 28:8
33 מַעֲרֻמֵּיהֶם הִלְבִּישׁוּ מִן־הַשָּׁלָל IICh. 28:15
מֵהַשָּׁלָל 34 וַיִּקַּח הָעָם מֵהַשָּׁלָל צֹאן וּבָקָר ISh. 15:21
35 לֹא־נִתֵּן לָהֶם מֵהַשָּׁלָל ISh. 30:22
36 וַיְשַׁלַּח מֵהַשָּׁלָל לְזִקְנֵי יְהוּדָה ISh. 30:26
בַּשָּׁלָל 37 וָאֵרֶא° בַשָּׁלָל אַדֶּרֶת שִׁנְעָר אַחַת Josh. 7:21
לְשָׁלָל 38/9 וְהָיְתָה־לּוֹ נַפְשׁוֹ לְשָׁלָל Jer. 21:9; 38:2
40 וְהָיְתָה לְךָ נַפְשְׁךָ לְשָׁלָל Jer. 39:18
41 וְנָתַתִּי לְךָ אֶת־נַפְשְׁךָ לְשָׁלָל Jer. 45:5
42 וְהָיוּ...וַהֲמוֹן מִקְנֵיהֶם לְשָׁלָל Jer. 49:32
43 וְהָיְתָה כַשְׂדִּים לְשָׁלָל Jer. 50:10
44 וּנְתַתִּיו...וּלְרִשְׁעֵי הָאָרֶץ לְשָׁלָל Ezek. 7:21
לַשָּׁלָל 45 וְעַתָּה לַשָּׁלָל מוֹאָב IIK. 3:23
וּמִשָּׁלָל 46 וְלֹא־נֶעְדַּר...וְעַד־בָּנִים וּבָנוֹת וּמִשָּׁ׳ ISh. 30:19
שְׁלַל־ 47 וְאָכַלְתָּ אֶת־שְׁלַל אֹיְבֶיךָ Deut. 20:14
48 שְׁלַל הֶעָרִים הָאֵלֶּה וְהַבְּהֵמָה Josh. 11:14
49 חִלְקוּ שְׁלַל־אֹיְבֵיכֶם עִם־אֲחֵיכֶם Josh. 22:8
50 שְׁלַל צְבָעִים לְסִיסְרָא Jud. 5:30
51 שְׁלַל צְבָעִים רִקְמָה Jud. 5:30
52 וַיֹּאמְרוּ זֶה שְׁלַל דָּוִד ISh. 30:20
53 אֶת־חֵיל דַּמֶּשֶׂק וְאֵת שְׁלַל שֹׁמְרוֹן Is. 8:4
וּשְׁלַל־ 54 וּשְׁלַל הֶעָרִים אֲשֶׁר לָכָדְנוּ Deut. 2:35
55 וְכָל־הַבְּהֵמָה וּשְׁלַל הֶעָרִים בַּזּוֹנוּ Deut. 3:7
56 הַבְּהֵמָה וּשְׁלַל הָעִיר הַהִיא Josh. 8:27
57 וּשְׁלַל הָעִיר הוֹצִיא הַרְבֵּה מְאֹד IISh. 12:30
58 וּשְׁלַל הָעִיר הוֹצִיא הַרְבֵּה מְאֹד ICh. 20:2
מִשְּׁלַל־ 59 אָכַל...מִשְּׁלַל אֹיְבָיו אֲשֶׁר מָצָא ISh. 14:30
60 הִנֵּה לָכֶם בְּרָכָה מִשְּׁלַל אֹיְבֵי יְיָ ISh. 30:26
וּמִשְּׁלַל־ 61 מֵאֲרָם...וּמִשְּׁלַל הֲדַדְעֶזֶר... IISh. 8:12
שְׁלָלֵךְ 62 וְחֻלַּק שְׁלָלֵךְ בְּקִרְבֵּךְ Zech. 14:1
שְׁלָלוֹ 63 וּתְנוּ־לִי אִישׁ נֶזֶם שְׁלָלוֹ Jud. 8:24
64 וַיַּשְׁלִיכוּ שָׁמָּה אִישׁ נֶזֶם שְׁלָלוֹ Jud. 8:25
שְׁלָלָהּ 65 וְאֶת־כָּל־שְׁלָלָהּ תִּקְבֹּץ Deut. 13:17
66 וְשָׂרַפְתָּ בָאֵשׁ...וְאֶת־כָּל־שְׁלָלָהּ Deut. 13:17
67 כָּל־שְׁלָלָהּ תָּבֹז לָךְ Deut. 20:14
68 רַק־שְׁלָלָהּ וּבְהֶמְתָּהּ תָּבֹזּוּ לָכֶם Josh. 8:2
69 וְשָׁלַל שְׁלָלָהּ וּבָזַז בִּזָּהּ Ezek. 29:19
שְׁלַלְכֶם 70 וְאֻסַּף שְׁלַלְכֶם אֹסֶף הֶחָסִיל Is. 33:4
שְׁלָלָם 71 לִהְיוֹת אַלְמָנוֹת שְׁלָלָם Is. 10:2
72 וַיָּבֹא...לָבֹז אֶת־שְׁלָלָם IICh. 20:25
73 וְכָל־שְׁלָלָם שִׁלְּחוּ לְמֶלֶךְ דַּרְמָשֶׂק IICh. 24:23
וּשְׁלָלָם 74/5 וּשְׁלָלָם לָבוֹז Es. 3:13; 8:11

שלם : שָׁלֵם, שִׁלֵּם, שֻׁלַּם, הִשְׁלִים, הָשְׁלַם; שָׁלֵם, שָׁלוֹם, שָׁלוֹם, שִׁלּוּם, שִׁלֵּם, שִׁלּוּמָה, שַׁלְמֹנִים; ש״פ שׁוּלַמִּית, שְׁלֹמֹה, שְׁלוֹמוֹת, שְׁלוֹמִית, מְשֻׁלָּם, מְשֻׁלֶּמֶת, מְשִׁלֵּמוֹת, מְשֶׁלֶמְיָה, שַׁלּוּם, שָׁלֵם, שִׁלֵּם, שֶׁלֶמְיָה, שֶׁלֶמְיָהוּ, יְרוּשָׁלַם; אר׳ שְׁלֵם, הַשְׁלֵם; שְׁלָמָא

שָׁלֵם פָּ׳ א) תַּם, נגמר: 1, 2, 6־8
ב) יצא בשלום: 5, 9
ג) גמל, שִׁלֵּם: 3
ד) [פָּעוּל: שָׁלוּם] תמים: 4
ה) [פ׳ שִׁלֵּם] סִיֵּם, גמר: 29
ו) [כנ״ל] פרע חוב, קִיֵּם התחַיבוּת: 10־28, 30־98
ז) [פ׳ שֻׁלַּם] נפרע, סוּלק חוב: 99־103
ח) [הפ׳ הִשְׁלִים] כִּלה, גמר: 107־110, 112
ט) [כנ״ל] עשה שלום: 104־106, 111, 113־116
י) [הָפ׳ הָשְׁלַם] הוּבא למצב שלום: 117

– שָׁלֵם עֲוֹנוֹ 1; שׁוֹלֵם רָע 3; שָׁלְמוּ יָמָיו 2
– שִׁלֵּם גְּמוּל 34, 38, 73, 82, 86; שִׁ׳ טוֹב 81; שִׁ׳ טוֹבָה 87; שִׁ׳ נְדָרָיו 16־18, 20, 32, 41, 43־46, 50, 53, 94, 95; שִׁ׳ נִחוּמִים 47; שִׁ׳ נְשָׁיו 96; שִׁ׳ פָּעֳלוֹ 79; שִׁ׳ רָע 49; שִׁ׳ רָעָה 31, 39, 92; שִׁלֵּם תּוֹדוֹת 42
– הִשְׁלִים (אֶת־), (אִתּוֹ) 104, 106־112, 115; הִשְׁלִים אֶל־ 105; הִשְׁלִים עִם־ 113, 114, 116
– הָשְׁלַם לְ־ 117

שָׁלֵם 1 לֹא־שָׁלֵם עֲוֹן הָאֱמֹרִי עַד־הֵנָּה Gen. 15:16
וְשָׁלְמוּ 2 וְשָׁלְמוּ יְמֵי אֶבְלֵךְ Is. 60:20
שׁוֹלְמִי 3 אִם־גָּמַלְתִּי שׁוֹלְמִי רָע Ps. 7:5
שְׁלוּמֵי־ 4 אָנֹכִי שְׁלֻמֵי אֱמוּנֵי יִשְׂרָאֵל IISh. 20:19
וַיִּשְׁלָם 5 מִי־הִקְשָׁה אֵלָיו וַיִּשְׁלָם Job 9:4
וַתִּשְׁלַם 6 וַתִּשְׁלַם כָּל־הַמְּלָאכָה IK. 7:51
7 וַתִּשְׁלַם הַחוֹמָה...לַחֲמִשִּׁים וּשְׁנַיִם יוֹם Neh. 6:15
8 וַתִּשְׁלַם כָּל־הַמְּלָאכָה IICh. 5:1
וּשְׁלָם 9 הַסְכֶּן־נָא עִמּוֹ וּשְׁלָם Job 22:21
שַׁלֵּם 10 שַׁלֵּם יְשַׁלֵּם שׁוֹר תַּחַת הַשּׁוֹר Ex. 21:36
11 דָּמִים לוֹ שַׁלֵּם יְשַׁלֵּם Ex. 22:2
12 שַׁלֵּם יְשַׁלֵּם הַמַּבְעִר אֶת־הַבְּעֵרָה Ex. 22:5
13 בְּעָלָיו אֵין־עִמּוֹ שַׁלֵּם יְשַׁלֵּם Ex. 22:13
14 כִּי אֵל גְּמֻלוֹת יְיָ שַׁלֵּם יְשַׁלֵּם Jer. 51:56
לְשַׁלֵּם 15 אִם־אֵין־לְךָ לְשַׁלֵּם Prov. 22:27
לְשַׁלְּמִי 16 לְשַׁלְּמִי נְדָרַי יוֹם יוֹם Ps. 61:9
לְשַׁלְּמוֹ 17 כִּי־תִדֹּר נֶדֶר...לֹא תְאַחֵר לְשַׁלְּמוֹ Deut. 23:22
18 תִּדֹּר נֶדֶר...אַל־תְּאַחֵר לְשַׁלְּמוֹ Eccl. 5:3
שִׁלַּמְתִּי 19 לֹא אֶחֱשֶׁה כִּי אִם־שִׁלַּמְתִּי Is. 65:6
20 הַיּוֹם שִׁלַּמְתִּי נְדָרָי Prov. 7:14
וְשִׁלַּמְתִּי 21 וְשִׁלַּמְתִּי לְךָ בַּחֶלְקָה הַזֹּאת IIK. 9:26
22 וְשִׁלַּמְתִּי עַל־חֵיקָם Is. 65:6
23 וְשִׁלַּמְתִּי רִאשׁוֹנָה מִשְׁנֵה עֲוֹנָם Jer. 16:18
24 וְשִׁלַּמְתִּי לָהֶם כְּפָעֳלָם Jer. 25:14

25 וְשִׁלַּמְתִּי לְבָבֶל...אֵת כָּל־רָעָתָם Jer. 51:24
26 וְשִׁלַּמְתִּי לָכֶם אֶת־הַשָּׁנִים Joel 2:25
שִׁלַּם 27 כַּאֲשֶׁר עָשִׂיתִי כֵּן שִׁלַּם-לִי אֱלֹהִים Jud. 1:7
וְשִׁלַּם 28 וְשִׁלַּם אֹתוֹ בְּרֹאשׁוֹ Lev. 5:24
29 וְשִׁלַּם אֶת־הַבָּיִת IK. 9:25
30 יָעִיר עָלֶיךָ וְשִׁלַּם נְוַת צִדְקֶךָ Job 8:6
שִׁלַּמְתֶּם 31 לָמָּה שִׁלַּמְתֶּם רָעָה תַּחַת טוֹבָה Gen. 44:4
וְשִׁלֵּמוּ 32 וְנָדְרוּ־נֵדֶר לַיָי וְשִׁלֵּמוּ Is. 19:21
מְשַׁלֵּם 33 קוֹל יְיָ מְשַׁלֵּם גְּמוּל לְאֹיְבָיו Is. 66:6
34 גְּמוּל הוּא מְשַׁלֵּם לָהּ Jer. 51:6
וּמְשַׁלֵּם 35 וּמְשַׁלֵּם לְשֹׂנְאָיו אֶל־פָּנָיו Deut. 7:10
36 וּמְשַׁלֵּם עֲוֹן אָבוֹת אֶל-חֵיק בְּנֵיהֶם Jer. 32:18
37 וּמְשַׁלֵּם עַל־יֶתֶר עֹשֵׂה גַאֲוָה Ps. 31:24
מְשַׁלְּמִים 38 הַגְּמוּל אַתֶּם מְשַׁלְּמִים עָלָי Joel 4:4
וּמְשַׁלְּמֵי־ 39 וּמְשַׁלְּמֵי רָעָה תַּחַת טוֹבָה Ps. 38:21
אֲשַׁלֵּם 40 אָשִׁיב נָקָם לְצָרָי וְלִמְשַׂנְאַי אֲשַׁלֵּם Deut. 32:41
41 נְדָרַי אֲשַׁלֵּם נֶגֶד יְרֵאָיו Ps. 22:26
42 אֲשַׁלֵּם תּוֹדֹת לָךְ Ps. 56:13
43 אֲשַׁלֵּם לְךָ נְדָרָי Ps. 66:13
44/5 נְדָרַי לַיָי אֲשַׁלֵּם Ps. 116:14, 18
וַאֲשַׁלֵּם 46 אֵלְכָה־נָּא וַאֲשַׁלֵּם אֶת־נִדְרִי IISh. 15:7
47 וַאֲשַׁלֵּם נִחֻמִים לוֹ וְלַאֲבֵלָיו Is. 57:18
48 מִי הִקְדִּימַנִי וַאֲשַׁלֵּם Job 41:3
אֲשַׁלְּמָה 49 אַל־תֹּאמַר אֲשַׁלְּמָה־רָע Prov. 20:22
אֲשַׁלֵּמָה 50 אֲשֶׁר נָדַרְתִּי אֲשַׁלֵּמָה Jon. 2:10
וַאֲשַׁלְּמָה 51 חָנֵּנִי וַהֲקִימֵנִי וַאֲשַׁלְּמָה לָהֶם Ps. 41:11
תְּשַׁלֵּם 52 כִּי־אַתָּה תְשַׁלֵּם לְאִישׁ כְּמַעֲשֵׂהוּ Ps. 62:13
53 תַּעְתִּיר אֵלָיו...וּנְדָרֶיךָ תְשַׁלֵּם Job 22:27
54 טוֹב...מִשֶּׁתִּדּוֹר וְלֹא תְשַׁלֵּם Eccl. 5:4
יְשַׁלֵּם 55 בַּעַל הַבּוֹר יְשַׁלֵּם Ex. 21:34
56 שַׁלֵּם יְשַׁלֵּם שׁוֹר תַּחַת הַשּׁוֹר Ex. 21:36
57 חֲמִשָּׁה בָקָר יְשַׁלֵּם תַּחַת הַשּׁוֹר Ex. 21:37
58 דָּמִים לוֹ שַׁלֵּם יְשַׁלֵּם Ex. 22:2
59 אִם־הִמָּצֵא תִמָּצֵא...שְׁנַיִם יְשַׁלֵּם Ex. 22:3
60 מֵיטַב שָׂדֵהוּ וּמֵיטַב כַּרְמוֹ יְשַׁלֵּם Ex. 22:4
61 שַׁלֵּם יְשַׁלֵּם הַמַּבְעִר אֶת־הַבְּעֵרָה Ex. 22:5
62 אִם־יִמָּצֵא הַגַּנָּב יְשַׁלֵּם שְׁנָיִם Ex. 22:6
63 יְשַׁלֵּם שְׁנַיִם לְרֵעֵהוּ Ex. 22:8
64 וְלָקַח בְּעָלָיו וְלֹא יְשַׁלֵּם Ex. 22:10
65 וְאִם־גָּנֹב יִגָּנֵב...יְשַׁלֵּם לִבְעָלָיו Ex. 22:11
66 יְבִאֵהוּ עֵד הַטְּרֵפָה לֹא יְשַׁלֵּם Ex. 22:12
67 בְּעָלָיו אֵין־עִמּוֹ שַׁלֵּם יְשַׁלֵּם Ex. 22:13
68 אִם־בְּעָלָיו עִמּוֹ לֹא יְשַׁלֵּם Ex. 22:14
69 וְאֵת אֲשֶׁר חָטָא מִן־הַקֹּדֶשׁ יְשַׁלֵּם Lev. 5:16
70 יְשַׁלֵּם יְיָ לְעֹשֵׂה הָרָעָה כְּרָעָתוֹ IISh. 3:39
71 וְאֶת־הַכִּבְשָׂה יְשַׁלֵּם אַרְבַּעְתָּיִם IISh. 12:6
72 כְּעַל גְּמֻלוֹת כְּעַל יְשַׁלֵּם Is. 59:18
73 לָאִיִּים גְּמוּל יְשַׁלֵּם Is. 59:18
74 כִּי אֵל גְּמֻלוֹת יְיָ שַׁלֵּם יְשַׁלֵּם Jer. 51:56
75 חֲבֹל יָשִׁיב רָשָׁע גְּזֵלָה יְשַׁלֵּם Ezek. 33:15
76 לֹוֶה רָשָׁע וְלֹא יְשַׁלֵּם Ps. 37:21
77 וְנִמְצָא יְשַׁלֵּם שִׁבְעָתָיִם Prov. 6:31
78 יְשַׁלֵּם אֵלָיו וְיֵדָע Job 21:19
79 יְשַׁלֵּם יְיָ פָּעֳלֵךְ Ruth 2:12
יְשַׁלֶּם־ 80 לֹא יְאַחֵר לְשֹׂנְאוֹ אֶל-פָּנָיו יְשַׁלֶּם-לוֹ Deut. 7:10
81 וְאֶת־צַדִּיקִים יְשַׁלֶּם־טוֹב Prov. 13:21
82 וּגְמֻלוֹ יְשַׁלֶּם־לוֹ Prov. 19:17
83 וַיָי יְשַׁלֶּם־לָךְ Prov. 25:22
84 וְהוּא־עָשָׂה מִי יְשַׁלֶּם־לוֹ Job 21:31
85 כִּי פֹעַל אָדָם יְשַׁלֶּם־לוֹ Job 34:11
שֶׁיְּשַׁלֶּם־ 86 אַשְׁרֵי שֶׁיְשַׁלֶּם־לָךְ אֶת־גְּמוּלֵךְ Ps. 137:8
יְשַׁלֶּמְךָ 87 וַיָי יְשַׁלֶּמְךָ טוֹבָה תַּחַת הַיּוֹם הַזֶּה ISh. 24:19

יְשַׁלְּמֶנָּה 88 וּמַכֵּה נֶפֶשׁ־בְּהֵמָה יְשַׁלְּמֶנָּה Lev. 24:18
89 וּמַכֵּה בְהֵמָה יְשַׁלְּמֶנָּה Lev. 24:21
90 הֲמֵעִמְּךָ יְשַׁלְּמֶנָּה כִּי־מָאַסְתָּ Job 34:33
וּנְשַׁלְּמָה 91 וּנְשַׁלְּמָה פָרִים שְׂפָתֵינוּ Hosh. 14:3
יְשַׁלְּמוּנִי 92 יְשַׁלְּמוּנִי רָעָה תַּחַת טוֹבָה Ps. 35:12
שַׁלֵּם 93 אֵת אֲשֶׁר־תִּדֹּר שַׁלֵּם Eccl. 5:3
וְשַׁלֵּם 94 זְבַח...וְשַׁלֵּם לְעֶלְיוֹן נְדָרֶיךָ Ps. 50:14
שַׁלְּמִי 95 חָגִּי יְהוּדָה חַגַּיִךְ שַׁלְּמִי נְדָרָיִךְ Nah. 2:1
וְשַׁלְּמִי 96 מִכְרִי אֶת־הַשֶּׁמֶן וְשַׁלְּמִי אֶת־נִשְׁיֵךְ IIK. 4:7
שַׁלְּמוּ 97 שַׁלְּמוּ־לָהּ כְּפָעֳלָהּ Jer. 50:29
וְשַׁלְּמוּ 98 נִדְרוּ וְשַׁלְּמוּ לַיָי אֱלֹהֵיכֶם Ps. 76:12
יְשֻׁלַּם־ 99 וּלְךָ יְשֻׁלַּם־נֶדֶר Ps. 65:2
יְשֻׁלָּם 100 הֵן צַדִּיק בָּאָרֶץ יְשֻׁלָּם Prov. 11:31
101 וִירֵא מִצְוָה הוּא יְשֻׁלָּם Prov. 13:13
הַיְשֻׁלַּם 102 הַיְשֻׁלַּם תַּחַת־טוֹבָה רָעָה Jer. 18:20
כִּמְשֻׁלָּם 103 מִי עִוֵּר כִּמְשֻׁלָּם Is. 42:19
הִשְׁלִימָה 104 כִּי־הִשְׁלִימָה אֶת־יְהוֹשֻׁעַ Josh. 10:4
105 אֲשֶׁר הִשְׁלִימָה אֶל־בְּנֵי יִשְׂרָאֵל Josh. 11:19
הִשְׁלִימוּ 106 וְכִי הִשְׁלִימוּ יֹשְׁבֵי גִבְעוֹן אֶת־יִשְׂרָ׳ Josh. 10:1
תַּשְׁלִימֵנִי 107/8 מִיּוֹם עַד־לַיְלָה תַּשְׁלִימֵנִי Is. 38:12, 13
יַשְׁלִים 109 מֵקִים...וַעֲצַת מַלְאָכָיו יַשְׁלִים Is. 44:26
110 וְכָל־חֶפְצִי יַשְׁלִם Is. 44:28
111 גַּם־אוֹיְבָיו יַשְׁלִם אִתּוֹ Prov. 16:7
112 כִּי יַשְׁלִים חֻקִּי 23:14
וַיַּשְׁלֵם 113 וַיַּשְׁלֵם יְהוֹשָׁפָט עִם־מֶלֶךְ יִשְׂרָאֵל IK. 22:45
תַשְׁלִים 114 וְאִם־לֹא תַשְׁלִים עִמָּךְ Deut. 20:12
וַיַּשְׁלִימוּ 115 וַיַּשְׁלִמוּ אֶת־יִשְׂרָאֵל וַיַּעַבְדוּם IISh. 10:19
116 וַיַּשְׁלִימוּ עִם־דָּוִיד וַיַּעַבְדֻהוּ ICh. 19:19
הָשְׁלְמָה 117 וְחַיַּת הַשָּׂדֶה הָשְׁלְמָה־לָךְ Job 5:23

שְׁלֵם

פְּ׳ ארמית א) כָּלָה, תם: 1

ב) [הַפ׳ הַשְׁלֵם] כִּלָּה, גמר: 2, 3

שְׁלִם 1 וְעַד־כְּעַן מִתְבְּנֵא וְלָא שְׁלִם Ez. 5:16
וְהַשְׁלְמַהּ 2 מְנָה־אֱלָהָא מַלְכוּתָךְ וְהַשְׁלְמַהּ Dan. 5:26
הַשְׁלֵם 3 וּמָאנַיָּא...הַשְׁלֵם קֳדָם אֱלָהּ יְרוּשְׁלֶם Ez. 7:19

שָׁלֵם[1]

ת׳ א) תָּמִים, ללא תקלה: 1

ב) לא פגום, בלי מגרעת: 14, 17־23, 26, 27

ג) [בהשאלה] תָּם, נאמן: 2־13, 15, 16, 24, 25

קרובים: מָלֵא / תָּם / תָּמִים

לֵבָב (לֵב) שָׁלֵם 2־13,15,16; אֶבֶן שְׁלֵמָה 17,19,22; אֵיפָה שְׁלֵמָה 18; גָּלוּת שְׁלֵמָה 20, 21; אֲבָנִים שְׁלֵמוֹת 26, 27

שָׁלֵם 1 וַיָּבֹא יַעֲקֹב שָׁלֵם עִיר שְׁכֶם Gen. 33:18
2 וְהָיָה לְבַבְכֶם שָׁלֵם עִם יְיָ אֱלֹהֵינוּ IK. 8:61
3/4 וְלֹא-הָיָה לְבָבוֹ שָׁלֵם עִם-יְיָ אֱל׳ IK. 11:4; 15:3
5 רַק לְבַב־אָסָא הָיָה שָׁלֵם עִם־יְיָ IK. 15:14
6 הִתְהַלַּכְתִּי...בֶּאֱמֶת וּבְלֵבָב שָׁלֵם IIK. 20:3
7 הִתְהַלַּכְתִּי...בֶּאֱמֶת וּבְלֵב שָׁלֵם Is. 38:3
8־11 (וּ)בְלֵבָב שָׁלֵם ICh. 12:38(39)
29:19 • IICh. 19:9; 25:2
12 בְּלֵב שָׁלֵם וּבְנֶפֶשׁ חֲפֵצָה ICh. 28:9
13 כִּי בְּלֵב שָׁלֵם הִתְנַדְּבוּ לַיָי ICh. 29:9
14 שָׁלֵם בֵּית יְיָ IICh. 8:16
15 לְבַב־אָסָא הָיָה שָׁלֵם כָּל־יָמָיו IICh. 15:17
16 לְהִתְחַזֵּק עִם־לְבָבָם שָׁלֵם אֵלָיו IICh. 16:9
שְׁלֵמָה 17 אֶבֶן שְׁלֵמָה וָצֶדֶק יִהְיֶה־לָּךְ Deut. 25:15
18 אֵיפָה שְׁלֵמָה וָצֶדֶק יִהְיֶה־לָּךְ Deut. 25:15
19 אֶבֶן־שְׁלֵמָה מַסָּע נִבְנָה IK. 6:7
20 עַל־הַגְלוֹתָם גָּלוּת שְׁלֵמָה Am. 1:6
21 עַל־הַסְגִּירָם גָּלוּת שְׁלֵמָה Am. 1:9
22 וְאֶבֶן שְׁלֵמָה רְצוֹנוֹ Prov. 11:1
23 וּתְהִי מַשְׂכֻּרְתֵּךְ שְׁלֵמָה מֵעִם יְיָ Ruth 2:12
שְׁלֵמִים 24 הָאֲנָשִׁים הָאֵלֶּה שְׁלֵמִים הֵם אִתָּנוּ Gen. 34:21
25 אִם־שְׁלֵמִים וְכֵן רַבִּים Nah. 1:12
שְׁלֵמוֹת 26 אֲבָנִים שְׁלֵמוֹת תִּבְנֶה אֶת-מִזְבַּח יְיָ Deut. 27:6
27 מִזְבַּח אֲבָנִים שְׁלֵמוֹת Josh. 8:31

שָׁלֵם[2]

ש״פ – שמה הקדום של ירושלים: 1, 2

שָׁלֵם 1 וּמַלְכִּי־צֶדֶק מֶלֶךְ שָׁלֵם Gen. 14:18
בְּשָׁלֵם 2 וַיְהִי בְשָׁלֵם סֻכּוֹ וּמְעוֹנָתוֹ בְצִיּוֹן Ps. 76:3

שְׁלָם

ז׳ ארמית שָׁלוֹם: 1־4

שְׁלָם 1 וּשְׁאָר עֲבַר־נַהֲרָה שְׁלָם וּכְעֶת Ez. 4:17
שְׁלָמָא 2 לְדָרְיָוֶשׁ מַלְכָּא שְׁלָמָא כֹלָּא Ez. 5:7
שְׁלָמְכוֹן 3/4 שְׁלָמְכוֹן יִשְׂגֵּא Dan. 3:31; 6:26

שֶׁלֶם ז׳ שְׁלָמִים

ז״ר – קָרְבַּן־שלום, זבח לאות ברית בין אדם לה׳: 1־87

קרובים: ראה קָרְבָּן

– שֶׁלֶם מְרִיאִים 1

– עוֹלוֹת (עוֹלָה) וּשְׁלָמִים 3, 18, 20־28, 61, 62־67, 70, 71, 73, 79־81, 83, 84

– דַּם שְׁלָמִים 56, 57, 60; זֶבַח (זִבְחֵי) שְׁלָמִים 4־15, 29־54, 76־78, 82, 83, 86, 87; זְבָחִים שְׁלָמִים 2, 19; חֶלְבֵי שְׁלָמִים 55,58,59,62,63; תּוֹדַת שְׁלָמִים 74,75

– שַׁלְמֵי בְנֵי יִשְׂרָאֵל 72

וְשֶׁלֶם־ 1 וְשֶׁלֶם מְרִיאֵיכֶם לֹא אַבִּיט Am. 5:22
שְׁלָמִים 2 וַיִּזְבְּחוּ זְבָחִים שְׁלָמִים לַיָי פָּרִים Ex. 24:5
3 וַיַּעֲלוּ עֹלֹת וַיַּגִּשׁוּ שְׁלָמִים Ex. 32:6
4 וְאִם־זֶבַח שְׁלָמִים קָרְבָּנוֹ Lev. 3:1
5 קָרְבָּנוֹ לְזֶבַח שְׁלָמִים לַיָי Lev. 3:6
6 וְזָבְחוּ זִבְחֵי שְׁלָמִים לַיָי אוֹתָם Lev. 17:5
7 וְכִי תִזְבְּחוּ זֶבַח שְׁלָמִים לַיָי Lev. 19:5
8־15 זֶבַח (זִבְחֵי) שְׁלָמִים Lev. 22:21; 23:19
Num. 6:17 • Josh. 22:23 • ISh. 10:8
Prov. 7:14 • IICh. 30:22; 33:16
16 לְפַלֵּא־נֶדֶר אוֹ־שְׁלָמִים Num. 15:8
17 וְזָבַחְתָּ שְׁלָמִים וְאָכַלְתָּ שָּׁם Deut. 27:7
18 וַיַּעֲלוּ...עֹלוֹת לַיָי וַיִּזְבְּחוּ שְׁלָמִים Josh. 8:31
19 וַיִּזְבְּחוּ־שָׁם זְבָחִים שְׁלָמִים לִפְנֵי יְיָ ISh.11:15
20 וַיַּעַל עֹלוֹת וַיַּעַשׂ שְׁלָמִים IK. 3:15
21 עוֹלָה אוֹ־שְׁלָמִים נְדָבָה לַיָי Ezek. 46:12
וּשְׁלָמִים 22/3 וַיַּעֲלוּ עֹלוֹת וּשְׁלָמִים Jud. 20:26; 21:4
24 וַיַּעַל דָּוִד עֹלוֹת לִפְנֵי יְיָ וּשְׁלָמִים IISh. 6:17
25 וַיַּעַל עֹלוֹת וּשְׁלָמִים IISh. 24:25
26 וְהֶעֱלָה...עֹלוֹת וּשְׁלָמִים IK. 9:25
27 וַיַּקְרִיבוּ עֹלוֹת וּשְׁלָמִים לִפְנֵי הָאֱל׳ ICh. 16:1
28 וַיַּעַל עֹלוֹת וּשְׁלָמִים ICh. 21:26
הַשְּׁלָמִים 29־30 וְהִקְרִיב מִזֶּבַח הַשְּׁלָמִים Lev. 3:3, 9
31 כַּאֲשֶׁר יוּרַם מִשּׁוֹר זֶבַח הַשְּׁלָמִים Lev. 4:10
32־54 (וּלְ־/מִ)זֶּבַח הַשְּׁלָמִים Lev. 4:26, 31, 35
7:11, 20, 21, 37; 9:18 • Num. 6:18; 7:17, 23, 29, 35;
7:41, 47, 53, 59, 65, 71, 77, 83, 88 • IK. 8:63
55 וְהִקְטִיר עָלֶיהָ חֶלְבֵי הַשְּׁלָמִים Lev. 6:5
56 הַזֹּרֵק אֶת־דַּם הַשְּׁלָמִים לוֹ יִהְיֶה Lev. 7:14
57 הַמַּקְרִיב אֶת־דַּם הַשְּׁלָמִים Lev. 7:33
58/9 וְאֵת חֶלְבֵי הַשְּׁלָמִים IK. 8:64[2]
60 וַיִּזְרֹק אֶת־דַּם־הַשְּׁלָמִים אֲשֶׁר-לוֹ IIK. 16:13
61 וְאֶת־הָעוֹלָה וְאֶת־הַשְּׁלָמִים Ezek. 45:17
62 הָעֹלוֹת וְאֵת חֶלְבֵי הַשְּׁלָמִים IICh. 7:7
63 וְגַם־עֹלָה לָרֹב בְּחֶלְבֵי הַשְּׁלָמִים IICh. 29:35

וְהַשְּׁלָמִים 64 הַחַטָּאת וְהָעֹלָה וְהַשְּׁלָמִים Lev. 9:22
65 הַגִּשׁוּ אֵלַי הָעֹלָה וְהַשְּׁלָמִים ISh. 13:9
66 וַיְכַל דָּוִד מֵהַעֲלוֹת הָעוֹלָה וְהַשְּׁל׳ IISh. 6:18
67 וַיְכַל...מֵהַעֲלוֹת הָעֹלָה וְהַשְּׁלָמִים ICh. 16:2
לִשְׁלָמִים 68 וְשׁוֹר וָאַיִל לִשְׁלָמִים Lev. 9:4
69 וְאַיִל־אֶחָד תָּמִים לִשְׁלָמִים Num. 6:14
וְלִשְׁלָמִים 70 לְמִנְחָה וּלְעוֹלָה וְלִשְׁלָמִים Ezek. 45:15
71 לַכֹּהֲנִים וְלַלְוִיִּם לְעֹלָה וְלִשְׁלָמִים IICh. 31:2
שַׁלְמֵי־ 72 נִתְּנוּ מִזִּבְחֵי שַׁלְמֵי בְּנֵי יִשְׂרָאֵל Lev. 10:14
שְׁלָמֶיךָ 73 אֶת־עֹלֹתֶיךָ וְאֶת־שְׁלָמֶיךָ Ex. 20:21
שְׁלָמָיו 74 עַל־זֶבַח תּוֹדַת שְׁלָמָיו Lev. 7:13
75 וּבְשַׂר זֶבַח תּוֹדַת שְׁלָמָיו Lev. 7:15
76 הֵאָכֹל יֵאָכֵל מִבְּשַׂר־זֶבַח שְׁלָמָיו Lev. 7:18
77 הַמַּקְרִיב אֶת־זֶבַח שְׁלָמָיו לַיי יָבִיא Lev. 7:29
78 אֶת־קָרְבָּנוֹ לַיי מִזֶּבַח שְׁלָמָיו Lev. 7:29
79 אֶת־עוֹלָתוֹ וְאֶת־שְׁלָמָיו Ezek. 46:2
80 וְעָשָׂה אֶת־עֹלָתוֹ וְאֶת־שְׁלָמָיו Ezek. 46:12
וּבִשְׁלָמֵינוּ 81 בְּעֹלוֹתֵינוּ וּבִזְבָחֵינוּ וּבִשְׁלָמֵינוּ Josh. 22:27
שַׁלְמֵיכֶם 82 תִּתְּנוּ תְרוּמָה לַכֹּהֵן מִזִּבְחֵי שַׁלְמֵיכֶם Lev. 7:32
83 עַל עֹלֹתֵיכֶם וְעַל זִבְחֵי שַׁלְמֵיכֶם Num. 10:10
84 אֶת־עוֹלוֹתֵיכֶם וְאֶת־שַׁלְמֵיכֶם Ezek. 43:27
וּלְשַׁלְמֵיכֶם 85 וּלְנִסְכֵּיכֶם וּלְשַׁלְמֵיכֶם Num. 29:39
שַׁלְמֵיהֶם 86 מִזִּבְחֵי שַׁלְמֵיהֶם תְּרוּמָתָם לַיי Ex. 29:28
87 וְאֵת שׁוֹק הַתְּרוּמָה...מִזִּבְחֵי שַׁלְמֵיהֶם Lev. 7:34

שִׁלֵּם1
ז׳ גמול • נָקָם וְשִׁלֵּם 1

וְשִׁלֵּם 1 לִי נָקָם וְשִׁלֵּם לְעֵת תָּמוּט רַגְלָם Deut. 32:35

שִׁלֵּם2
שפ״ז – בן נפתלי: 1, 2

וְשִׁלֵּם 1 וּבְנֵי נַפְתָּלִי...וְיֵצֶר וְשִׁלֵּם Gen. 46:24
לְשִׁלֵּם 2 לְשִׁלֵּם מִשְׁפַּחַת הַשִּׁלֵּמִי Num. 26:49

שַׂלְמָא1
שפ״ז א) אבי בֹּעַז, הוא שַׂלְמָה: 1, 4
ב) מבני כלב בן חור: 2, 3

שַׂלְמָא 1 וְנַחְשׁוֹן הוֹלִיד אֶת־שַׂלְמָא ICh. 2:11
2 שַׂלְמָא אֲבִי בֵּית־לָחֶם ICh. 2:51
3 בְּנֵי שַׂלְמָא בֵּית לֶחֶם וּנְטוֹפָתִי ICh. 2:54
וְשַׂלְמָא 4 וְשַׂלְמָא הוֹלִיד אֶת־בֹּעַז ICh. 2:11

שַׂלְמָה2
שפ״ז – אבי בֹּעַז, הוא שַׂלְמָא

שַׂלְמָה 1 וְנַחְשׁוֹן הוֹלִיד אֶת־שַׂלְמָה Ruth 4:20

שַׂלְמָה
נ׳ שִׂמְלָה, בגד רחב להתעטף בו: 1-16
קרובים: ראה בֶּגֶד

שַׂלְמָה חֲדָשָׁה 3, 4; שַׂלְמַת רֵעוֹ 6; שַׂלְמוֹת בָּלוֹת 8, (14-16); רֵיחַ שַׂלְמוֹת 13

שַׂלְמָה 1 עַל־שֶׂה עַל־שַׂלְמָה עַל־כָּל־אֲבֵדָה Ex. 22:8
2 מִמּוּל שַׂלְמָה אֶדֶר תַּפְשִׁטוּן Mic. 2:8
בְּשַׂלְמָה 3 וְהוּא מִתְכַּסֶּה בְּשַׂלְמָה חֲדָשָׁה IK. 11:29
בַּשַּׂלְמָה 4 וַיִּתְפֹּשׂ...בַּשַּׂלְמָה הַחֲדָשָׁה אֲשֶׁר עָלָיו IK. 11:30
כַּשַּׂלְמָה 5 עֹטֶה־אוֹר כַּשַּׂלְמָה Ps. 104:2
שַׂלְמַת־ 6 אִם־חָבֹל תַּחְבֹּל שַׂלְמַת רֵעֶךָ Ex. 22:25
בְּשַׂלְמָתוֹ 7 וְשָׁכַב בְּשַׂלְמָתוֹ וּבֵרְכֶךָּ Deut. 24:13
וּשְׂלָמוֹת 8 וּשְׂלָמוֹת בָּלוֹת עֲלֵיהֶם Josh. 9:5
9 כְּלֵי־כֶסֶף וּכְלֵי זָהָב וּשְׂלָמוֹת וְנֵשֶׁק IK. 10:25
10 כְּלֵי כֶסֶף וּכְלֵי זָהָב וּשְׂלָמוֹת IICh. 9:24
וּבִשְׂלָמוֹת 11 בְּכֶסֶף...וּבִשְׂלָמוֹת הַרְבֵּה מְאֹד Josh. 22:8
שַׂלְמוֹתָי 12 בַּשַּׁחַת תִּטְבְּלֵנִי וְתִעֲבוּנִי שַׂלְמוֹתָי Job 9:31
שַׂלְמֹתַיִךְ 13 וְרֵיחַ שַׂלְמֹתַיִךְ כְּרֵיחַ לְבָנוֹן S.ofS. 4:11
שַׂלְמוֹתֵינוּ 14 וְאֵלֶּה שַׂלְמוֹתֵינוּ וּנְעָלֵינוּ בָּלוּ Josh. 9:13
שַׂלְמֹתֵיכֶם 15 לֹא־בָלוּ שַׂלְמֹתֵיכֶם מֵעֲלֵיכֶם Deut. 29:4
שַׂלְמֹתֵיהֶם 16 שַׂלְמֹתֵיהֶם לֹא בָלוּ Neh. 9:21

שְׁלֹמֹה
שפ״ז – בן דוד, מלך ישראל: 1-293

– שְׁלֹמֹה הַמֶּלֶךְ 110, 253; הַמֶּלֶךְ שְׁלֹמֹה 11, 12, 16-62, 84, 101, 102

– אֵם־שְׁלֹמֹה 4,3; אֵשֶׁת שׁ׳ 77; בּוֹנֵי שׁ׳ 72; בֶּן־שׁ׳ 94-96, 109, 122, 123, 125; בַּת־שׁ׳ 64, 65; דִּבְרֵי שׁ׳ 70, 90, 91, 121; זִקְנַת שׁ׳ 86; חָכְמַת שׁ׳ 68, 69, 82, 117; חֵשֶׁק שׁ׳ 76, 79, 112; יַד שׁ׳ 63, 88; יְמֵי שׁ׳ 67, 83, 87, 119, 126; יְרִיעוֹת שׁ׳ 100; לֵב שׁ׳ 111; לֶחֶם שׁ׳ 66; מוֹת שׁ׳ 89; מִכְתַּב שׁ׳ 127; מְלֶאכֶת שׁ׳ 113; מִשְׁלֵי שׁ׳ 97-99; עֶבֶד שׁ׳ 124; עַבְדֵי שׁ׳ 80, 104-108, 115, 118; פְּנֵי שְׁלֹמֹה 85, 93, 120; שֵׁם שְׁלֹמֹה 15; שֵׁמַע שְׁלֹמֹה 81, 116

שְׁלֹמֹה 1 וַתִּקְרָא° אֶת־שְׁמוֹ שְׁלֹמֹה IISh. 12:24
2 וְאֶת־שְׁלֹמֹה אָחִיו לֹא קָרָא IK. 1:10
3/4 בַּת־שֶׁבַע אֵם־שְׁלֹמֹה IK. 1:11; 2:13
5 וְאֶת־נֶפֶשׁ בְּנֵךְ שְׁלֹמֹה IK. 1:12
6/7 כִּי־שְׁלֹמֹה בְנֵךְ יִמְלֹךְ אַחֲרַי IK. 1:13, 30
8 כִּי־שְׁלֹמֹה בְנֵךְ יִמְלֹךְ אַחֲרָי IK. 1:17
9 וְהָיִיתִי אֲנִי וּבְנִי שְׁלֹמֹה חַטָּאִים IK. 1:21
10 וְהִרְכַּבְתֶּם אֶת־שְׁלֹמֹה בְנִי IK. 1:33
11/2 יְחִי הַמֶּלֶךְ שְׁלֹמֹה IK. 1:34, 39
13 כֵּן יִהְיֶ° עִם־שְׁלֹמֹה IK. 1:37
14 וְגַם יָשַׁב שְׁלֹמֹה עַל־כִּסֵּא הַמְּלוּכָה IK. 1:46
15 יֵיטֵב אֱלֹהִים° אֶת־שֵׁם שְׁלֹמֹה IK. 1:47
16 הִנֵּה אֲדֹנִיָּהוּ יָרֵא אֶת־הַמֶּלֶךְ שְׁלֹמֹה IK. 1:51
17 יִשָּׁבַע לִי כַיּוֹם הַמֶּלֶךְ שְׁלֹמֹה IK. 1:51
18-62 (ה/וה/ב/ל)מֶּלֶךְ שְׁלֹמֹה IK. 1:53²
2:19, 22, 23, 25, 29, 45; 4:1; 5:7², 27; 6:2; 7:13, 14, 40, 45; 51; 8:1, 2, 5; 9:11, 15, 26, 28; 10:10, 13², 16, 21; 11:1, 27; 12:2 • Jer. 52:20 • IICh. 4:11, 16; 5:6; 7:5; 8:10, 18; 9:9, 12, 15, 20, 22
63 וְהַמַּמְלָכָה נָכוֹנָה בְּיַד־שְׁלֹמֹה IK. 2:46
64 טָפַת בַּת־שְׁלֹמֹה הָיְתָה לּוֹ לְאִשָּׁה IK. 4:11
65 לָקַח אֶת־בָּשְׂמַת בַּת־שְׁלֹמֹה IK. 4:15
66 וַיְהִי לֶחֶם־שְׁלֹמֹה לְיוֹם אֶחָד IK. 5:2
67 כֹּל יְמֵי שְׁלֹמֹה IK. 5:5
68 וַתֵּרֶב חָכְמַת שְׁלֹמֹה מֵחָכְמַת כָּל־בְּנֵי... IK. 5:10
69 וַיָּבֹאוּ...לִשְׁמֹעַ אֵת חָכְמַת שְׁלֹמֹה IK. 5:14
70 וַיְהִי כִּשְׁמֹעַ חִירָם אֶת־דִּבְרֵי שְׁלֹמֹה IK. 5:21
71 וַיְהִי שָׁלֹם בֵּין חִירָם וּבֵין שְׁלֹמֹה IK. 5:26
72 וַיִּפְסְלוּ בֹּנֵי שְׁלֹמֹה וּבֹנֵי חִירוֹם IK. 5:32
73 לִמְלֹךְ שְׁלֹמֹה עַל־יִשְׂרָאֵל IK. 6:1
74 לְבַת־פַּרְעֹה אֲשֶׁר לָקַח שְׁלֹמֹה IK. 7:8
75 וַיְהִי כְּכַלּוֹת שְׁלֹמֹה לִבְנוֹת IK. 9:1
76 וְאֵת כָּל־חֵשֶׁק שְׁלֹמֹה IK. 9:1
77 וַיִּתְּנָהּ שִׁלֻּחִים לְבִתּוֹ אֵשֶׁת שְׁלֹמֹה IK. 9:16
78 וַיִּבֶן שְׁלֹמֹה אֶת־גָּזֶר IK. 9:17
79 וְאֵת חֵשֶׁק שְׁלֹמֹה אֲשֶׁר חָשַׁק IK. 9:19
80 וַיִּשְׁלַח...עִם עַבְדֵי שְׁלֹמֹה IK. 9:27
81 וּמַלְכַּת־שְׁבָא שֹׁמַעַת אֶת־שֵׁמַע שְׁל׳ IK. 10:1
82 וַתֵּרֶא...אֵת כָּל־חָכְמַת שְׁלֹמֹה IK. 10:4
83 אֵין כֶּסֶף לֹא נֶחְשָׁב בִּימֵי שְׁלֹמֹה IK. 10:21
84 וַיִּגְדַּל הַמֶּלֶךְ שְׁלֹמֹה IK. 10:23
85 וְכָל־הָאָרֶץ מְבַקְשִׁים אֶת־פְּנֵי שְׁלֹמֹה IK. 10:24
86 וַיְהִי לְעֵת זִקְנַת שְׁלֹמֹה IK. 11:4
87 וַיְהִי שָׂטָן לְיִשְׂרָאֵל כָּל־יְמֵי שְׁלֹמֹה IK. 11:25
88 קֹרֵעַ אֶת־הַמַּמְלָכָה מִיַּד שְׁלֹמֹה IK. 11:31
89 וַיְהִי בְמִצְרַיִם עַד־מוֹת שְׁלֹמֹה IK. 11:40
90/1 וְיֶתֶר דִּבְרֵי שְׁלֹמֹה...הֲלוֹא־הֵם כְּתֻבִים עַל־סֵפֶר דִּבְרֵי שְׁלֹמֹה IK. 11:41
92 וַיִּשְׁכַּב שְׁלֹמֹה עִם־אֲבֹתָיו IK. 11:43

שְׁלֹמֹה (המשך)
93 אֲשֶׁר־הָיוּ עֹמְדִים אֶת־פְּנֵי שְׁלֹמֹה IK. 12:6
94 לְהָשִׁיב...לִרְחַבְעָם בֶּן־שְׁלֹמֹה IK. 12:21
95 אֱמֹר אֶל־רְחַבְעָם בֶּן־שְׁלֹמֹה IK. 12:23
96 וּרְחַבְעָם בֶּן־שְׁלֹמֹה מָלַךְ בִּיהוּדָה IK. 14:21
97 מִשְׁלֵי שְׁלֹמֹה בֶן־דָּוִד מֶלֶךְ יִשְׂרָאֵל Prov. 1:1
98 מִשְׁלֵי שְׁלֹמֹה בֵּן חָכָם יְשַׂמַּח־אָב Prov. 10:1
99 גַּם־אֵלֶּה מִשְׁלֵי שְׁלֹמֹה Prov. 25:1
100 כְּאָהֳלֵי קֵדָר כִּירִיעוֹת שְׁלֹמֹה S.ofS. 1:5
101 אַפִּרְיוֹן עָשָׂה לוֹ הַמֶּלֶךְ שְׁלֹמֹה S.ofS. 3:9
102 צְאֶינָה וּרְאֶינָה...בַּמֶּלֶךְ שְׁלֹמֹה S.ofS. 3:11
103 הָאֶלֶף לְךָ שְׁלֹמֹה S.ofS. 8:12
104 בְּנֵי עַבְדֵי שְׁלֹמֹה Ez. 2:55
105 כָּל־הַנְּתִינִים וּבְנֵי עַבְדֵי שְׁלֹמֹה Ez. 2:58
106 בְּנֵי עַבְדֵי שְׁלֹמֹה Neh. 7:57
107/8 וּבְנֵי עַבְדֵי שְׁלֹמֹה Neh. 7:60; 11:3
109 וּבֶן־שְׁלֹמֹה רְחַבְעָם ICh. 3:10
110 נָתְנוּ יָד תַּחַת שְׁלֹמֹה הַמֶּלֶךְ ICh. 29:24
111 וְאֵת כָּל־הַבָּא עַל־לֵב שְׁלֹמֹה IICh. 7:11
112 וְאֵת כָּל־חֵשֶׁק שְׁלֹמֹה IICh. 8:6
113 וַתִּכֹּן כָּל־מְלֶאכֶת שְׁלֹמֹה IICh. 8:16
114 אָז הָלַךְ שְׁלֹמֹה לְעֶצְיוֹן־גֶּבֶר IICh. 8:17
115 וַיָּבוֹאוּ עִם־עַבְדֵי שְׁלֹמֹה אוֹפִירָה IICh. 8:18
116 וּמַלְכַּת־שְׁבָא שָׁמְעָה אֶת־שֵׁמַע שְׁלֹמֹה IICh. 9:1
117 וַתֵּרֶא...אֵת חָכְמַת שְׁלֹמֹה IICh. 9:3
118 וְגַם עַבְדֵי חוּרָם° וְעַבְדֵי שְׁלֹמֹה IICh. 9:10
119 אֵין כֶּסֶף נֶחְשָׁב בִּימֵי שְׁלֹמֹה IICh. 9:20
120 וְכֹל מַלְכֵי...מְבַקְשִׁים...פְּנֵי שְׁלֹמֹה IICh. 9:23
121 וּשְׁאָר דִּבְרֵי שְׁלֹמֹה... IICh. 9:29
122 אֱמֹר אֶל־רְחַבְעָם בֶּן־שְׁלֹמֹה IICh. 11:3
123 וַיְאַמְּצוּ אֶת־רְחַבְעָם בֶּן־שְׁלֹמֹה IICh. 11:17
124 יָרָבְעָם...עֶבֶד שְׁלֹמֹה בֶן־דָּוִיד IICh. 13:6
125 וַיִּתְאַמְּצוּ עַל־רְחַבְעָם בֶּן־שְׁלֹמֹה IICh. 13:7
126 מִימֵי שְׁלֹמֹה בֶן־דָּוִיד מֶלֶךְ יִשְׂרָ׳ IICh. 30:26
127 וּבְמִכְתַּב שְׁלֹמֹה בְנוֹ IICh. 35:4
128-242 שְׁלֹמֹה IK. 1:38, 39, 43, 50, 52, 53
2:1, 27, 29; 3:1, 3, 4, 5, 6, 10, 15; 5:1, 15, 16, 22, 25; 6:11, 14, 21; 7:1, 47, 48, 51; 8:1, 12, 22, 54, 63, 65; 9:2, 10, 11, 12, 21, 22, 25; 10:2, 3, 26; 11:2, 5, 6, 7, 28, 40, 42; 14:26 • IIK. 21:7; 23:13; 24:13; 25:16 • Neh. 12:45; 13:26 • ICh. 5:36; 6:17; 18:8; 22:5(4), 9(8); 23:1; 28:6, 9; 29:1, 23, 25, 28 • IICh. 1:1, 2, 3, 5, 6, 8, 13, 14, 18; 2:1, 2, 10, 16; 3:1, 3; 4:18, 19; 5:1², 2; 6:1, 13; 7:1, 7², 8, 11, 12; 8:1, 2, 3, 8, 9, 11, 12; 9:1², 2, 30, 31; 10:2, 6; 12:9; 33:7; 35:3
וּשְׁלֹמֹה 243 שַׁמּוּעַ וְשׁוֹבָב וְנָתָן וּשְׁלֹמֹה IISh. 5:14
244 וּשְׁלֹמֹה יָשַׁב עַל־כִּסֵּא דָּוִד אָבִיו IK. 2:12
245 וּשְׁלֹמֹה הָיָה מוֹשֵׁל בְּכָל־הַמַּמְלָכוֹת IK. 5:1
246 וּשְׁלֹמֹה נָתַן לְחִירָם...חִטִּים מַכֹּלֶת IK. 5:25
247 שִׁמְעָא וְשׁוֹבָב וְנָתָן וּשְׁלֹמֹה ICh. 3:5
248 שַׁמּוּעַ וְשׁוֹבָב נָתָן וּשְׁלֹמֹה ICh. 14:4
249 כִּי הָלְכוּ בְּדֶרֶךְ דָּוִיד וּשְׁלֹמֹה IICh. 11:17
בִּשְׁלֹמֹה 250 וַיִּתְאַנַּף יְיָ בִּשְׁלֹמֹה IK. 11:9
251 וַיִּבְחַר בִּשְׁלֹמֹה בְנִי ICh. 28:5
לִשְׁלֹמֹה 252 וַיֻּגַּד לִשְׁלֹמֹה לֵאמֹר IK. 1:51
253 אִמְרִי־נָא לִשְׁלֹמֹה הַמֶּלֶךְ IK. 2:17
254 וַיֻּגַּד לִשְׁלֹמֹה כִּי־הָלַךְ שִׁמְעִי IK. 2:41
255 וַיְהִי לִשְׁלֹמֹה אַרְבָּעִים אֶלֶף אֻרְוֹת IK. 5:6
256 וַיִּתֵּן אֱלֹהִים חָכְמָה לִשְׁלֹמֹה IK. 5:9
257 וַיְהִי לִשְׁלֹמֹה שִׁבְעִים אֶלֶף נֹשֵׂא סַבָּל IK. 5:29
258 שִׁיר הַמַּעֲלוֹת לִשְׁלֹמֹה Ps. 127:1
259 שִׁיר הַשִּׁירִים אֲשֶׁר לִשְׁלֹמֹה S.ofS. 1:1
260 כֶּרֶם הָיָה לִשְׁלֹמֹה בְּבַעַל הָמוֹן S.ofS. 8:11

286-261 לִשְׁלֹמֹה IK. 5:24, 26, 30
9:19, 23; 10:14, 28; 11:11, 14, 26 • Ps. 72:1 • ICh.
22:6(5), 7(6), 17(16); 28:11, 20; 29:22 • IICh. 1:7,
11, 16; 8:2, 6; 9:13, 14, 25, 28

וְלִשְׁלֹמֹה 287/8 וְלִשְׁלֹמֹה עַבְדְּךָ לֹא קָרָא IK. 1:19, 26
289 וְלִשְׁלֹמֹה שְׁנֵים־עָשָׂר נִצָּבִים IK. 4:7
290 וְלִשְׁלֹמֹה בְנִי תֵּן לֵבָב שָׁלֵם ICh. 29:19
291 אֲשֶׁר עָשָׂה יְיָ לְדָוִיד וְלִשְׁלֹמֹה IICh. 7:10
מִשְּׁלֹמֹה 292 וְלֹא־נֶעְלַם דָּבָר מִשְּׁלֹמֹה IICh. 9:2
שֶׁלִּשְׁלֹמֹה 293 הִנֵּה מִטָּתוֹ שֶׁלִּשְׁלֹמֹה S.ofS. 3:7

שַׂלְמוֹן
שפ״ז – אבי בֹּעַז, הוא שַׂלְמָה
וְשַׂלְמוֹן 1 וְשַׂלְמוֹן הוֹלִיד אֶת־בֹּעַז Ruth 4:21

שַׁלְמֹנִים
ז״ר – שִׁלּוּם, שֹׁחַד • רוֹדֵף שַׁלְמֹנִים 1
שַׁלְמֹנִים 1 כֻּלּוֹ אֹהֵב שֹׁחַד וְרֹדֵף שַׁלְמֹנִים Is. 1:23

שַׁלְמַי
שפ״ז – מן הנתינים עולי הגולה: 1, 2
שַׁלְמַי 1 בְּנֵי־חָגָב בְּנֵי־שַׁלְמַי (כת׳ שמלי) Ez. 2:46
שַׁלְמָי 2 בְּנֵי־חֲגָבָא בְּנֵי שַׁלְמָי Neh. 7:48

שִׁלֵּמִי
ת׳ המתיחס על בית שִׁלֵּם²
הַשִּׁלֵּמִי 1 לְשִׁלֵּם מִשְׁפַּחַת הַשִּׁלֵּמִי Num. 26:49

שֶׁלֶמְיָה
שפ״ז א) אבי יְהוּכַל, מִשָּׂרֵי צדקיהו: 1
ב) אבי יראייה, בעל פקידות לצדקיהו: 2
ג-ד) אנשים בימי עזרא ונחמיה: 3-5
שֶׁלֶמְיָה 1 וַיִּשְׁלַח...יְהוּכַל בֶּן־שֶׁלֶמְיָה Jer. 37:3
2 יִרְאִיָּיה בֶּן־שֶׁלֶמְיָה בֶּן־חֲנַנְיָה Jer. 37:13
3 אַחֲרָיו הֶחֱזִיק חֲנַנְיָה בֶּן־שֶׁלֶמְיָה Neh. 3:30
4 עַל־אוֹצָרוֹת שֶׁלֶמְיָה הַכֹּהֵן Neh. 13:13
וְשֶׁלֶמְיָה 5 וְשֶׁלֶמְיָה וְנָתָן וַעֲדָיָה Ez. 10:39

שֶׁלֶמְיָהוּ
שפ״ז א) משוטרי המלך יהויקים: 1
ב) אבי שר למלך יהויקים: 2
ג) אבי שר למלך צדקיהו: 3
ד-ה) אנשים בימי עזרא ונחמיה: 4, 5
שֶׁלֶמְיָהוּ 1 אֶת־יְהוּדִי בֶּן־נְתַנְיָהוּ בֶּן־שֶׁלֶמְיָהוּ Jer. 36:14
2 וַיְצַוֶּה...וְאֶת־שֶׁלֶמְיָהוּ בֶּן־עַבְדְּאֵל Jer. 36:26
3 וַיִּשְׁמַע...וְיוּכַל בֶּן־שֶׁלֶמְיָהוּ Jer. 38:1
וְשֶׁלֶמְיָהוּ 4 עֲזַרְאֵל וְשֶׁלֶמְיָהוּ שְׁמַרְיָה Ez. 10:41
לְשֶׁלֶמְיָהוּ 5 וַיִּפֹּל הַגּוֹרָל מִזְרָחָה לְשֶׁלֶמְיָהוּ ICh. 26:14

שַׁלְמַן
שפ״ז – הוא שַׁלְמַנְאֶסֶר מלך אַשּׁוּר
שַׁלְמַן 1 כְּשֹׁד שַׁלְמַן בֵּית אַרְבֵאל Hosh. 10:14

שַׁלְמַנְאֶסֶר
שפ״ז – מלך אשור בימי הושע בן אלה מלך ישראל: 1, 2
שַׁלְמַנְאֶסֶר 1 עָלָיו עָלָה שַׁלְמַנְאֶסֶר מֶלֶךְ אַשּׁוּר IIK. 17:3
2 עָלָה שַׁלְמַנְאֶסֶר מ׳־אַשּׁוּר עַל־שֹׁמְרוֹן IIK. 18:9

שֵׁלָנִי
ת׳ המתיחס על בית שֵׁלָה
הַשֵּׁלָנִי 1 לְשֵׁלָה מִשְׁפַּחַת הַשֵּׁלָנִי Num. 26:20

שִׁלֹנִי
ת׳ – עיין שִׁילוֹנִי

שלף :
שָׁלַף, שָׁלוּף; ש״פ שֶׁלֶף

שָׁלַף
פ׳ א) הוציא, חלץ: 1, 2, 4-25
ב) נעקר: 3
שָׁלַף חֶרֶב 1, 2, 6-16, 22-25; שָׁלַף נַעֲלוֹ 5, 21;
חֶרֶב שְׁלוּפָה 17-20
שָׁלַף 1 כִּי לֹא שָׁלַף הַחֶרֶב מִבִּטְנוֹ Jud. 3:22
2 וְלֹא־שָׁלַף הַנַּעַר חַרְבּוֹ Jud. 8:20
3 שֶׁקַּדְמַת שָׁלַף יָבֵשׁ Ps. 129:6
4 שָׁלַף וַיֵּצֵא מִגֵּוָה Job 20:25
5 שָׁלַף אִישׁ נַעֲלוֹ וְנָתַן לְרֵעֵהוּ Ruth 4:7

שֹׁלֵף 6 מֵאָה...אֶלֶף אִישׁ שֹׁלֵף חָרֶב Jud. 8:10
7 אַרְבַּע מֵאוֹת אֶלֶף אִישׁ...שֹׁלֵף חָרֶב Jud. 20:2
8-15 שֹׁלֵף חֶרֶב(חָ־) Jud. 20:15, 17, 35, 46
שמואל־ב IISh. 24:9 • IIK. 3:26 • ICh. 21:5²
שׁוֹלְפֵי־ 16 כָּל־אֵלֶּה שֹׁלְפֵי חָרֶב Jud. 20:25
שְׁלוּפָה 17-19 וְחַרְבּוֹ שְׁלוּפָה בְּיָדוֹ Num. 22:23
Josh. 5:13 • ICh. 21:16
20 וְחַרְבּוֹ שְׁלֻפָה בְּיָדוֹ Num. 22:31
וַיִּשְׁלֹף 21 קְנֵה־לָךְ וַיִּשְׁלֹף נַעֲלוֹ Ruth 4:8
וַיִּשְׁלְפָהּ 22 וַיִּקַּח אֶת־חַרְבּוֹ וַיִּשְׁלְפָהּ מִתַּעְרָהּ ISh. 17:51
שְׁלֹף 23 שְׁלֹף חַרְבְּךָ וּמוֹתְתֵנִי Jud. 9:54
24/5 שְׁלֹף חַרְבְּךָ וְדָקְרֵנִי בָהּ ISh. 31:4 • ICh. 10:4

שֶׁלֶף
שפ״ז – מצאצאי עבר בן שם: 1, 2
שָׁלֶף 1 וְיָקְטָן יָלַד אֶת־אַלְמוֹדָד וְאֶת־שָׁלֶף Gen. 10:26
2 וְיָקְטָן יָלַד אֶת־אַלְמוֹדָד וְאֶת־שָׁלֶף ICh. 1:20

שלש :
שִׁלֵּשׁ, מְשֻׁלָּשׁ; שָׁלֹשׁ, שְׁלֹשָׁה, שְׁלֹשִׁים, שָׁלִישׁ, שְׁלִישִׁי, שְׁלִישִׁית; שָׁלִשׁ, שִׁלֵּשׁ, שִׁלְשׁוֹם; ש״פ שִׁלֵּשׁ, שִׁלְשָׁה, שָׁלִישָׁה

שִׁלֵּשׁ
פ׳ א) חלק לשלושה חלקים: 1
ב) עשה ביום השלישי(?): 2
ג) עשה פעם שלישית: 3, 4
ד) [פ׳ בינוני: מְשֻׁלָּשׁ] בן שלוש שנים: 5, 7, 8
ה) [כנ״ל] שזור משלושה חוטים: 6
ו) [כנ״ל] בן שלוש קומות: 9
וְשִׁלַּשְׁתָּ 1 וְשִׁלַּשְׁתָּ אֶת־גְּבוּל אַרְצְךָ Deut. 19:3
2 וְשִׁלַּשְׁתָּ תֵּרֵד מְאֹד וּבָאתָ ISh. 20:19
וַיְשַׁלֵּשׁוּ 3 וַיֹּאמֶר שַׁלֵּשׁוּ וַיְשַׁלֵּשׁוּ IK. 18:34
שַׁלֵּשׁוּ 4 וַיֹּאמֶר שַׁלֵּשׁוּ וַיְשַׁלֵּשׁוּ IK. 18:34
מְשֻׁלָּשׁ 5 וְעֵז מְשֻׁלֶּשֶׁת וְאַיִל מְשֻׁלָּשׁ Gen. 15:9
הַמְשֻׁלָּשׁ 6 וְהַחוּט הַמְשֻׁלָּשׁ לֹא בִמְהֵרָה יִנָּתֵק Eccl. 4:12
מְשֻׁלֶּשֶׁת 7/8 עֶגְלָה מְשֻׁלֶּשֶׁת וְעֵז מְשֻׁלֶּשֶׁת Gen. 15:9
מְשֻׁלָּשׁוֹת 9 כִּי מְשֻׁלָּשׁוֹת הֵנָּה Ezek. 42:6

שָׁלֹשׁ, שָׁלוֹשׁ
ש״מ, 3 לנקבה: 1-172
– שְׁתַּיִם שָׁלֹשׁ 48; פְּעָמִים שָׁלֹשׁ 55
– שָׁלֹשׁ אַמּוֹת 43, 47, 52, 73, 74, 82; שׁ׳ בָּנוֹת 83, 84, 85; שׁ׳ דְּלָתוֹת 45; שׁ׳ עָרִים 16, 18, 19, 48, 50, 85; שׁ׳ פְּעָמִים 6-9, 14, 22-29, 49, 66; שׁ׳ רְגָלִים 5, 11-13; שָׁלֹשׁ שָׁנִים 1, 2, 10, 17, 21, 30-38, 63, 69, 70, 89, 90, 91
– אַמּוֹת שָׁלֹשׁ 65; בָּנוֹת שָׁלֹשׁ 64; עָרִים שָׁלֹשׁ 20; שָׁנִים שָׁלֹשׁ 61, 67, 68; שְׁנַת שָׁלֹשׁ 40-42, 56-60
– שָׁלֹשׁ וְעֶשְׂרִים 15, 44, 46, 71; שָׁלֹשׁ וּשְׁלֹשִׁים 3, 51; שָׁלֹשׁ וּשְׁמוֹנִים 4
– עֶשְׂרִים וְשָׁלֹשׁ 75, 79-81, 85; שְׁלֹשִׁים וְשָׁלֹשׁ 72, 76, 77, 86, 87
– שְׁלֹשׁ מֵאוֹת 92-94, 97-99, 111-151, 155, 157-167, 169; שְׁלֹשׁ סְאִים 96; שְׁלֹשׁ הֶעָרִים 100, 101; שׁ׳ עֶשְׂרֵה 95, 102-110, 153, 156, 168; שׁ׳ קִלְּשׁוֹן 171; שְׁלֹשׁ הַשָּׁנִים 95; שְׁלֹשׁ הַשָּׁנִים 170; כִּמְשֹׁלֹשׁ חֳדָשִׁים 172
– שְׁלָשׁ־אֵלֶּה 154
שָׁלֹשׁ 1/2 שָׁלֹשׁ שָׁנִים וְאַרְבַּע מֵאוֹת שָׁנָה Gen. 11:13, 15
3 שָׁלֹשׁ וּשְׁלֹשִׁים וּמְאַת שָׁנָה Ex. 6:18
4 וְאַהֲרֹן בֶּן־שָׁלֹשׁ וּשְׁמֹנִים שָׁנָה Ex. 7:7
5 שָׁלֹשׁ רְגָלִים תָּחֹג לִי בַּשָּׁנָה Ex. 23:14
6-9 שָׁלֹשׁ פְּעָמִים בַּשָּׁנָה Ex. 23:17
34:23, 24 • IK. 9:25
10 שָׁלֹשׁ שָׁנִים יִהְיֶה לָכֶם עֲרֵלִים Lev. 19:23
11/2 זֶה שָׁלֹשׁ רְגָלִים Num. 22:28, 33
13 הִכִּיתָ...זֶה שָׁלוֹשׁ רְגָלִים Num. 22:32
14 בֵּרַכְתָּ בָרֵךְ זֶה שָׁלֹשׁ פְּעָמִים Num. 24:10

שָׁלֹשׁ (המשך) 15 בֶּן־שָׁלֹשׁ וְעֶשְׂרִים וּמְאַת שָׁנָה Num. 33:39
16 אָז יַבְדִּיל מֹשֶׁה שָׁלֹשׁ עָרִים Deut. 4:41
17 מִקְצֵה שָׁלֹשׁ שָׁנִים תּוֹצִיא Deut. 14:28
18 שָׁלֹשׁ עָרִים תַּבְדִּיל לָךְ Deut. 19:7
19 וְיָסַפְתָּ לְךָ עוֹד שָׁלֹשׁ עָרִים Deut. 19:9
20 אֶת־קֶדֶשׁ בַּגָּלִיל...עָרִים שָׁלֹשׁ Josh. 21:32
21 וַיָּשַׂר...עַל־יִשְׂרָאֵל שָׁלֹשׁ שָׁנִים Jud. 9:22
22 זֶה שָׁלֹשׁ פְּעָמִים הֵתַלְתָּ בִּי Jud. 16:15
23-29 שָׁלֹשׁ פְּעָמִים ISh. 20:41
IK. 7:4, 5; 17:21 • IIK. 13:18, 19, 25
30 וַיְהִי־שָׁם שָׁלֹשׁ שָׁנִים IISh. 13:38
31-38 שָׁלֹשׁ שָׁנִים IISh. 21:1 • IK. 2:39
15:2; 22:1 • IIK. 17:5; 18:10; 24:1 • Is. 20:3
39 שָׁלֹשׁ אָנֹכִי נוֹטֵל עָלֶיךָ IISh. 24:12
1/40 בִּשְׁנַת שָׁלֹשׁ לְאָסָא IK. 15:28, 33
42 וַיְהִי בִּשְׁנַת שָׁלֹשׁ לְהוֹשֵׁעַ IIK. 18:1
43 וְקוֹמַת הַכֹּתֶרֶת שָׁלֹשׁ אַמּוֹת IIK. 25:17
44 זֶה שָׁלֹשׁ וְעֶשְׂרִים שָׁנָה Jer. 25:3
45 שָׁלֹשׁ דְּלָתוֹת וְאַרְבָּעָה Jer. 36:23
46 בִּשְׁנַת שָׁלֹשׁ וְעֶשְׂרִים Jer. 52:30
47 שָׁלֹשׁ אַמּוֹת מִפֹּה Ezek. 40:48
48 וְנָעוּ שְׁתַּיִם שָׁלֹשׁ עָרִים Am. 4:8
שָׁלוֹשׁ 49 שָׁלוֹשׁ פְּעָמִים בַּשָּׁנָה Deut. 16:16
50 שָׁלוֹשׁ עָרִים תַּבְדִּיל לָךְ Deut. 19:2
51 שָׁלוֹשׁ וּשְׁלֹשִׁים פְּעָמִים Ezek. 41:6
52 שָׁלוֹשׁ אַמּוֹת גָּבֹהַּ Ezek. 41:22
53 שָׁלוֹשׁ הֵנָּה לֹא תִשְׂבַּעְנָה Prov. 30:15
54 תַּחַת שָׁלוֹשׁ רָגְזָה אֶרֶץ Prov. 30:21
55 יִפְעַל־אֵל פַּעֲמַיִם שָׁלוֹשׁ Job 33:29
56 בִּשְׁנַת שָׁלוֹשׁ לְמָלְכוֹ Es. 1:3
57-60 (וּ)בִשְׁנַת שָׁ׳ Dan. 1:1; 8:1; 10:1 • IICh. 17:7
61 וּלְגַדְּלָם שָׁנִים שָׁלוֹשׁ Dan. 1:5
62 שָׁלוֹשׁ אֲנִי נֹטֶה עָלֶיךָ ICh. 21;10
63 אִם־שָׁלוֹשׁ שָׁנִים רָעָב ICh. 21:12
64 בָּנִים...וּבָנוֹת שָׁלוֹשׁ ICh. 25:5
65 וְאַמּוֹת שָׁלוֹשׁ קוֹמָתוֹ IICh. 6:13
66 לְהַעֲלוֹת...שָׁלוֹשׁ פְּעָמִים בַּשָּׁנָה IICh. 8:13
67 וַיְאַמְּצוּ אֶת־רְחַבְעָם...לְשָׁנִים שָׁלוֹשׁ IICh. 11:17
68 בְּדֶרֶךְ דָּוִיד וּשְׁלֹמֹה לְשָׁנִים שָׁלוֹשׁ IICh. 11:17
69 שָׁלוֹשׁ שָׁנִים מָלַךְ בִּירוּשָׁלִַם IICh. 13:2
70 מִבֶּן שָׁלוֹשׁ שָׁנִים וּלְמַעְלָה IICh. 31:16
71 בֶּן־שָׁלוֹשׁ וְעֶשְׂרִים שָׁנָה IICh. 36:2
וְשָׁלֹשׁ 72 כָּל־נֶפֶשׁ...שְׁלֹשִׁים וְשָׁלֹשׁ Gen. 46:15
73/4 וְשָׁלֹשׁ אַמּוֹת קֹמָתוֹ Ex. 27:1; 38:1
75 וַיִּשְׁפֹּט...עֶשְׂרִים וְשָׁלֹשׁ שָׁנָה Jud. 10:2
76 מָלַךְ שְׁלֹשִׁים וְשָׁלֹשׁ שָׁנָה IISh. 5:5
77 מָלַךְ שְׁלֹשִׁים וְשָׁלֹשׁ שָׁנִים IK. 2:11
78 וְשָׁלֹשׁ בָּאַמָּה קוֹמָתָהּ IK. 7:27
79-80 בִּשְׁנַת עֶשְׂרִים וְשָׁלֹשׁ שָׁנָה IIK. 12:7; 13:1
81 בֶּן־עֶשְׂרִים וְשָׁלֹשׁ שָׁנָה IIK. 23:31
82 וְשָׁלֹשׁ אַמּוֹת מִפּוֹ Ezek. 40:48
וְשָׁלוֹשׁ 83 שִׁבְעָה בָנִים וְשָׁלוֹשׁ בָּנוֹת Job 1:2
84 שִׁבְעָנָה בָנִים וְשָׁלוֹשׁ בָּנוֹת Job 42:13
85 וַיְהִי־לוֹ עֶשְׂרִים וְשָׁלוֹשׁ עָרִים ICh. 2:22
86 וּשְׁלֹשִׁים וְשָׁלוֹשׁ שָׁנָה מָלַךְ בִּירוּשָׁ׳ ICh. 3:4
87 וּבִירוּשָׁלַם מָלַךְ שְׁלֹשִׁים וְשָׁלוֹשׁ ICh. 29:27
הַשָּׁלֹשׁ 88 וְיָסַפְתָּ לְךָ...עַל הַשָּׁלֹשׁ הָאֵלֶּה Deut. 19:9
בְּשָׁלֹשׁ 89 בְּשָׁלֹשׁ שָׁנִים כִּשְׁנֵי שָׂכִיר Is. 16:14
לְשָׁלֹשׁ 90 אַחַת לְשָׁלֹשׁ שָׁנִים תָּבוֹא אֳנִי IK. 10:22
לְשָׁלוֹשׁ 91 אַחַת לְשָׁלוֹשׁ שָׁנִים תָּבוֹאנָה IICh. 9:21
שְׁלֹשׁ־ 92/3 שְׁלֹשׁ מֵאוֹת שָׁנָה Gen. 5:22; 9:28
94 שְׁלֹשׁ מֵאוֹת אַמָּה אֹרֶךְ הַתֵּבָה Gen. 6:15

שָׁלֹשׁ- (המשך)

95 בֶּן־שְׁלֹשׁ עֶשְׂרֵה שָׁנָה Gen. 17:25
96 שְׁלֹשׁ סְאִים קֶמַח סֹלֶת Gen. 18:6
97 וּלְבִנְיָמִן נָתַן שְׁלֹשׁ מֵאוֹת כֶּסֶף Gen. 45:22
98/9 שְׁלֹשׁ מֵאוֹת אֶלֶף Num. 31:36, 43
100 שְׁלֹשׁ הֶעָרִים תִּתְּנוּ מֵעֵבֶר לַיַּרְדֵּן Num. 35:14
101 וְאֵת שְׁלֹשׁ הֶעָרִים תִּתְּנוּ Num. 35:14
102 עָרִים שְׁלֹשׁ־עֶשְׂרֵה וְחַצְרֵיהֶן Josh. 19:6
103-110 שְׁלֹשׁ עשׂרה Josh. 21:4, 6, 19, 33
IK. 7:1 • Jer. 25:3 • ICh. 6:45, 47
111 וַיְהִי מִסְפַּר...שְׁלֹשׁ מֵאוֹת אִישׁ Jud. 7:6
112 וַיַּחַץ אֶת־שְׁלֹשׁ־מֵאוֹת הָאִישׁ Jud. 7:16
113-151 שְׁלֹשׁ מֵאוֹת Jud. 7:22; 11:26
15:4 • ISh. 11:8 • IISh. 2:31; 21:16; 23:18 • IK.
11:3 • IIK. 18:14 • Ezek. 4:5, 9 • Es. 9:15 • Dan.
12:12 • Ez. 2:4, 17, 32, 34, 58, 64, 65; 8:5 • Neh.
7:9, 17, 22, 23, 35, 36, 60; 7:66, 67 • ICh. 11:11, 20 •
IICh. 9:16; 14:7, 8; 17:14; 25:5; 26:13; 35:8
152 וְהַמַּזְלֵג שְׁלֹשׁ הַשִּׁנַּיִם בְּיָדוֹ ISh. 2:13
153 אֹרֶךְ...שְׁלוֹשׁ עֶשְׂרֵה אַמּוֹת Ezek. 40:11

שְׁלָשׁ־ 154 וְאִם־שְׁלָשׁ־אֵלֶּה לֹא יַעֲשֶׂה לָהּ Ex. 21:11

וּשְׁלֹשׁ 155 וּשְׁלֹשׁ מֵאוֹת שָׁנָה Gen. 5:23
156 וּשְׁלֹשׁ־עֶשְׂרֵה שָׁנָה מָרָדוּ Gen. 14:4
157 שְׁמֹנָה עָשָׂר וּשְׁלֹשׁ מֵאוֹת Gen. 14:14
158/9 וַחֲמִשִּׁים אֶלֶף וּשְׁלֹשׁ מֵאוֹת Num. 1:23; 2:13
160-166 וּשְׁלֹשׁ מֵאוֹת Num. 3:50; 26:25
Jud. 8:4 • IK. 5:30: 10:17 • Dan. 8:14 • IICh. 9:16

בִּשְׁלֹשׁ 167 בִּשְׁלֹשׁ מֵאוֹת הָאִישׁ...אוֹשִׁיעַ Jud. 7:7
168 בִּשְׁלֹשׁ־עֶשְׂרֵה שָׁנָה לְמָלְכוֹ Jer. 1:2

וּבִשְׁלֹשׁ־ 169 וּבִשְׁלֹשׁ־מֵאוֹת הָאִישׁ הֶחֱזִיק Jud. 7:8

לִשְׁלֹשׁ־ 170 וְעָשָׂת...לִשְׁלֹשׁ הַשָּׁנִים Lev. 25:21

וְלִשְׁלֹשׁ־ 171 וְלִשְׁלֹשׁ קִלְּשׁוֹן וּלְהַקַּרְדֻּמִּים ISh. 13:21

כְּמִשְׁלֹשׁ־ 172 וַיְהִי כְּמִשְׁלֹשׁ חֳדָשִׁים Gen. 38:24

שֵׁלֶשׁ

שפ״ז – איש מצאצאי אָשֵׁר

וְשֵׁלֶשׁ 1 צוֹפַח וְיִמְנָע וְשֵׁלֶשׁ וְעָמָל ICh. 7:35

שִׁלֵּשׁ*

ז׳ בן הדור השלישי, בן הנכד: 1-5

שִׁלֵּשִׁים 1 וַיַּרְא יוֹסֵף לְאֶפְרַיִם בְּנֵי שִׁלֵּשִׁים Gen. 50:23
2/3 עַל־שִׁלֵּשִׁים וְעַל־רִבֵּעִים Ex. 20:5; 34:7
4 עַל־שִׁלֵּשִׁים וְעַל־רִבֵּעִים Num. 14:18
5 וְעַל־שִׁלֵּשִׁים וְעַל־רִבֵּעִים Deut. 5:9

שִׁלְשָׁה

שפ״ז – ראש בית אב מצאצאי אָשֵׁר

וְשִׁלְשָׁה 1 בֶּצֶר וָהוֹד וְשַׁמָּא וְשִׁלְשָׁה ICh. 7:37

שְׁלֹשָׁה, שְׁלוֹשָׁה

ש״מ, 3 לזכר: 1-258

– שְׁנַיִם שְׁלֹשָׁה 64, 65; רֹאשׁ הַשְּׁלֹשָׁה 137, 143

– שְׁלֹשָׁה אֲנָשִׁים 3, 36, 37; שְׁ׳ בָּנִים (בְּנֵי־) 1, 2, 5, 38, 44, 51, 94, 95; שְׁ׳ בָּקָר 62, 63, (112-116); שְׁלֹשָׁה הַגִּבּוֹרִים 146, 147, 154, 155; שְׁ׳ גְּבִיעִים 11, 12, 105, 106; שְׁ׳ הַגְּדוֹלִים 109; שְׁ׳ גְדָיִים 45; שְׁלֹשָׁה גַּרְגְּרִים 65; שְׁ׳ חֳדָשִׁים 52-56, 117-120; שְׁלֹשָׁה טוּרִים 59-61; שְׁ׳ יָמִים 46-49; שְׁ׳ יְרָחִים 8; שְׁ׳ לֵילוֹת 110, 111; שְׁ׳ מְלָכִים 82; שְׁ׳ סַלִּים 7; שְׁ׳ סָרִיסִים 64; שְׁ׳ עֵדִים 34, 35; שְׁ׳ עֲדָרִים 4; שְׁלֹשָׁה עָשָׂר 33, 80, 91, 93, 148-151, 153, 158, 160; שְׁלֹשָׁה עֶשְׂרֹנִים 25, 28-32, 107, 108; שְׁלֹשָׁה פְּשָׁעִים 70-77; שְׁלֹשָׁה קָנִים 9, 10, 103, 104; שְׁ׳ רָאשִׁים 39-42, 159; שְׁלֹשָׁה שָׁבוּעִים 81; שְׁלֹשָׁה שְׁבָטִים 57; שְׁלֹשָׁה שָׂרִיגִים 6; שְׁלֹשָׁה תָּאִים 66, 122, 123

– אֲדָנִים שְׁלֹשָׁה 17-20; בָּנִים שְׁלֹשָׁה 86, 89, 90; יָמִים שְׁלֹשָׁה 83-85, 100, 102; עַמּוּדִים שְׁלֹשָׁה 13-16; פָּרִים שְׁלֹשָׁה 43; שְׁעָרִים שְׁלֹשָׁה 67-69, 97

– שְׁלֹשָׁה וְאַרְבָּעִים 26; שְׁלֹשָׁה וַחֲמִשִּׁים 21-23; שְׁ׳ וְעֶשְׂרִים 27, 92, 152, 161; שְׁלֹשָׁה וְשִׁבְעִים 24

– אַרְבָּעִים וּשְׁלֹשָׁה 131, 133; עֶשְׂרִים וּשְׁלֹשָׁה 121, 124-130; שִׁבְעִים וּשְׁלֹשָׁה 132, 134

– שְׁלֹשֶׁת אַחְיוֹתֵיהֶם 252; שְׁלֹשֶׁת אֲלָפִים 121, 193, 196-214, 233, 235, 236, 240-242, 244-247; שְׁ׳ הָאֲנָשִׁים 226-228, 239; שְׁלֹשֶׁת בָּנָיו 216, 217, 219, 237, 238, 240; שְׁלֹשֶׁת הַגִּבֹּרִים 220-222; שְׁלֹשֶׁת הַחִצִּים 218; שְׁ׳ יָמִים 162-191, 234, 248, 251, 253, 254; שְׁלֹשֶׁת כִּכְּרוֹת לֶחֶם 215; שְׁלֹשֶׁת הַמְּלָכִים 249, 250; שְׁלֹשֶׁת מָנִים 223; שְׁ׳ הַנָּפֶת 194; שְׁ׳ נְשֵׁי בָנָיו 232; שְׁלֹשֶׁת הָרָאשִׁים 195; שְׁ׳ הָרוֹעִים 229; שְׁ׳ רֵעָיו 230, 243; שְׁלֹשֶׁת שָׁבוּעִים 231; שְׁלֹשֶׁת הַשּׁוֹמְרִים 224, 225; שְׁלֹשֶׁת שְׁקָלִים 192

שְׁלֹשָׁה 1 וַיּוֹלֶד נֹחַ שְׁלֹשָׁה בָנִים Gen. 6:10
2 שְׁלֹשָׁה אֵלֶּה בְּנֵי־נֹחַ Gen. 9:19
3 וְהִנֵּה שְׁלֹשָׁה אֲנָשִׁים נִצָּבִים עָלָיו Gen. 18:2
4 וְהִנֵּה־שָׁם שְׁלֹשָׁה עֶדְרֵי־צֹאן Gen. 29:2
5 כִּי־יָלַדְתִּי לוֹ שְׁלֹשָׁה בָנִים Gen. 29:34
6 וּבַגֶּפֶן שְׁלֹשָׁה שָׂרִיגִם Gen. 40:10
7 וְהִנֵּה שְׁלֹשָׁה סַלֵּי חֹרִי Gen. 40:16
8 וַתִּצְפְּנֵהוּ שְׁלֹשָׁה יְרָחִים Ex. 2:2
9/10 שְׁלֹשָׁה קְנֵי מְנֹרָה Ex. 25:32; 37:18
11/2 שְׁלֹשָׁה גְבִיעִים מְשֻׁקָּדִים Ex. 25:33; 37:19
13-16 עַמֻּ(ו)דֵיהֶם שְׁלֹשָׁה Ex. 27:14, 15; 38:14, 15
17-20 וְאַדְנֵיהֶם שְׁלֹשָׁה Ex. 27:14, 15; 38:14, 15
21-23 שְׁלֹשָׁה וַחֲמִשִּׁים אֶלֶף Num. 1:43; 2:30; 26:47
24 שְׁלֹשָׁה וְשִׁבְעִים וּמָאתָיִם Num. 3:43
25 סֹלֶת שְׁלֹשָׁה עֶשְׂרֹנִים Num. 15:9
26 שְׁלֹשָׁה וְאַרְבָּעִים אָלֶף Num. 26:7
27 שְׁלֹשָׁה וְעֶשְׂרִים אָלֶף Num. 26:62
28-32 שְׁלֹשָׁה עֶשְׂרֹנִים לַפָּר Num. 28:20, 28
29:2, 9, 14
33 פָּרִים בְּנֵי־בָקָר שְׁלֹשָׁה עָשָׂר Num. 29:13
34 שְׁנַיִם...אוֹ שְׁלֹשָׁה עֵדִים Deut. 17:6
35 אוֹ עַל־פִּי שְׁלֹשָׁה־עֵדִים Deut. 19:15
36/7 שְׁלֹשָׁה אֲנָשִׁים Josh. 18:4 • ISh. 10:3
38 אֶת־שְׁלֹשָׁה בְּנֵי הָעֲנָק Jud. 1:20
39-42 שְׁלֹשָׁה רָאשִׁים Jud. 7:16
ISh. 11:11; 13:17 • Job 1:17
43 גְּמָלַתּוּ בְּפָרִים שְׁלֹשָׁה ISh. 1:24
44 וַתֵּלֶד שְׁלֹשָׁה־בָנִים ISh. 2:21
45 שְׁלֹשָׁה גְדָיִים ISh. 10:3
46-49 שְׁלֹשָׁה יָמִים ISh. 30:12
IK. 12:5 • IIK. 2:17 • Jon. 2:1
50 כִּי חָלִיתִי הַיּוֹם שְׁלֹשָׁה ISh. 30:13
51 שְׁלֹשָׁה בְּנֵי צְרוּיָה IISh. 2:18
52-56 שְׁלֹשָׁה חֳדָשִׁים IISh. 6:11
24:13 • Am. 4:7 • ICh. 13:14; 21:12
57 וַיִּקַּח שְׁלֹשָׁה שְׁבָטִים בְּכַפּוֹ IISh. 18:14
58 וַיֵּרְדוּ שְׁלֹשָׁה (כת׳ שלשים) מֵהַשְּׁלֹשִׁים IISh. 23:13
59 שְׁלֹשָׁה טוּרֵי גָזִית IK. 6:36
60 וּשְׁקֻפִים שְׁלֹשָׁה טוּרִים IK. 7:4
61 שְׁלֹשָׁה טוּרִים גָּזִית IK. 7:12
62/3 שְׁלֹשָׁה (בָקָר) פֹּנִים צָפוֹנָה IK. 7:25 • IICh. 4:4
64 שְׁנַיִם שְׁלֹשָׁה סָרִיסִים IIK. 9:32
65 שְׁנַיִם שְׁלֹשָׁה גַרְגְּרִים בְּרֹאשׁ אָמִיר Is. 17:6
66 שְׁלֹשָׁה (תָּאִים) מִפֹּה Ezek. 40:10

שְׁלֹשָׁה (המשך)

67/8 וּשְׁעָרִים שְׁלֹשָׁה Ezek. 48:32, 33
69 שַׁעֲרֵיהֶם שְׁלֹשָׁה Ezek. 48:34
70 עַל־שְׁלֹשָׁה פִּשְׁעֵי דַמֶּשֶׂק Am. 1:3
71 עַל־שְׁלֹשָׁה פִּשְׁעֵי עַזָּה Am. 1:6
72-77 עַל שְׁלֹשָׁה פִּשְׁעֵי... Am. 1:9, 11, 13; 2:1, 4, 6
78 שְׁלֹשָׁה הֵמָּה נִפְלְאוּ מִמֶּנִּי Prov. 30:18
79 שְׁלֹשָׁה הֵמָּה מֵיטִיבֵי צָעַד Prov. 30:29
80 בְּיוֹם־שְׁלוֹשָׁה עָשָׂר לְחֹדֶשׁ אֲדָר Es. 9:17
81 שְׁלֹשָׁה שָׁבֻעִים יָמִים Dan. 10:2
82 שְׁלֹשָׁה מְלָכִים Dan. 11:2
83-85 יָמִים שְׁלֹשָׁה Ez. 8:15, 32 • Neh. 2:11
86 וּבְנֵי צְרוּיָה...שְׁלֹשָׁה ICh. 2:16
87 וּבֶן־נְעַרְיָה...שְׁלֹשָׁה ICh. 3:23
88 בִּנְיָמִן בֶּלַע וָבֶכֶר...שְׁלֹשָׁה ICh. 7:8
89-90 בְּנֵי...שְׁלֹשָׁה ICh. 23:8, 9
91 לְחֻפָּה שְׁלֹשָׁה עָשָׂר ICh. 24:13
92 לִדְלָיָהוּ שְׁלֹשָׁה וְעֶשְׂרִים ICh. 24:18
93 בָּנִים וְאַחִים לְחֹסָה שְׁלֹשָׁה עָשָׂר ICh. 26:11

שְׁלוֹשָׁה 94 אֶת־שְׁלוֹשָׁה בְּנֵי הָעֲנָק Josh. 15:14
95 שְׁלוֹשָׁה בָנִים וּבַת אַחַת IISh. 14:27
96 שְׁלוֹשָׁה מִפּוֹ וּשְׁלֹשָׁה מִפּוֹ Ezek. 40:21
97 שְׁעָרִים שְׁלוֹשָׁה צָפוֹנָה Ezek. 48:31
98 שְׁלוֹשָׁה נוֹלַד לוֹ מִבַּת־שׁוּעַ ICh. 2:3
99 וַיֵּרְדוּ שְׁלוֹשָׁה מִן־הַשְּׁלוֹשִׁים ICh. 11:15
100 וַיִּהְיוּ־שָׁם...יָמִים שְׁלוֹשָׁה ICh. 12:39(40)
101 מַחְלִי וְעֵדֶר וִירֵמוֹת שְׁלוֹשָׁה ICh. 23:23
102 וַיִּהְיוּ יָמִים שְׁלוֹשָׁה בֹּזְזִים IICh. 20:25

וּשְׁלֹשָׁה 103/4 וּשְׁלֹשָׁה קְנֵי מְנֹרָה Ex. 25:32; 37:18
105/6 וּשְׁלֹשָׁה גְבִעִים מְשֻׁקָּדִים Ex. 25:33; 37:19
107/8 וּשְׁלֹשָׁה עֶשְׂרֹנִים סֹלֶת Lev. 14:10 • Num. 28:12
109 וּשְׁלֹשָׁה הַגְּדֹלִים הָלְכוּ ISh. 17:14
110/1 וּשְׁלֹשָׁה לֵילוֹת ISh. 30:12 • Jon. 2:1
112-116 וּשְׁלֹשָׁה (בָקָר) פֹּנִים IK. 7:25[3] • IICh. 4:4[2]
117-120 וּשְׁלֹ׳ חֳדָשִׁים IIK. 23:31; 24:8 • IICh. 36:2, 9
121 שְׁלֹשֶׁת אֲלָפִים וְעֶשְׂרִים וּשְׁלֹשָׁה Jer. 52:28
122 וּשְׁלֹשָׁה (תָאִים) מִפֹּה Ezek. 40:10
123 וּשְׁלֹשָׁה (תָאִים) מִפּוֹ Ezek. 40:21
124 שֵׁשׁ מֵאוֹת עֶשְׂרִים וּשְׁלֹשָׁה Ez. 2:11
125-130 עֶשְׂרִים וּשְׁלֹשָׁה Ez. 2:17
2:19, 21, 28 • Neh. 7:32 • IICh. 7:10
131 שְׁבַע מֵאוֹת וְאַרְבָּעִים וּשְׁלֹשָׁה Ez. 2:25
132 תְּשַׁע מֵאוֹת שִׁבְעִים וּשְׁלֹשָׁה Ez. 2:36
133 שְׁבַע מֵאוֹת אַרְבָּעִים וּשְׁלֹשָׁה Neh. 7:29
134 תְּשַׁע מֵאוֹת שִׁבְעִים וּשְׁלֹשָׁה Neh. 7:39

וּשְׁלוֹשָׁה 135 וּשְׁלוֹשָׁה פֹנִים יָמָּה IICh. 4:4

הַשְּׁלֹשָׁה 136 הַשְּׁלֹשָׁה וְהַשִּׁבְעִים וְהַמָּאתָיִם Num. 3:46
137 הוּא רֹאשׁ הַשְּׁלֹשָׁה (כת׳ השלשי) IISh. 23:18
138 מִן־הַשְּׁלֹשָׁה הֲכִי נִכְבָּד IISh. 23:19
139 וְעַד־הַשְּׁלֹשָׁה לֹא־בָא IISh. 23:19
140/1 וְאֶל־הַשְּׁ׳ לֹא־בָא IISh. 23:23 • ICh. 11:25
142 וַיִּבְקְעוּ הַשְּׁלֹשָׁה בְּמַחֲנֵה פְלִשְׁתִּים ICh. 11:18

הַשְּׁלוֹשָׁה 143 הוּא הָיָה רֹאשׁ הַשְּׁלוֹשָׁה ICh. 11:20
144 מִן־הַשְּׁלוֹשָׁה בַשְּׁנַיִם נִכְבָּד ICh. 11:21
145 וְעַד־הַשְּׁלוֹשָׁה לֹא־בָא ICh. 11:21

בִּשְׁלֹשָׁה 146 בִּשְׁלֹשָׁה הַגִּבֹּרִים° עִם־דָּוִד IISh. 23:9
147 וְלוֹ־שֵׁם בִּשְׁלֹשָׁה הַגִּבֹּרִים IISh. 23:22

בִּשְׁלוֹשָׁה 148/9 בִּשְׁלוֹשָׁה עָשָׂר יוֹם בּוֹ Es. 3:12; 9:1
150/1 בִּשְׁלוֹשָׁה עָשָׂר לְחֹדֶשׁ... Es. 3:13; 8:12
152 בִּשְׁלוֹשָׁה וְעֶשְׂרִים בּוֹ Es. 8:9
153 בִּשְׁלוֹשָׁה עָשָׂר בּוֹ Es. 9:18
154 הוּא בִּשְׁלוֹשָׁה הַגִּבֹּרִים ICh. 11:12
155 וְלוֹ־שֵׁם בִּשְׁלוֹשָׁה הַגִּבֹּרִים ICh. 11:24

בַּשְּׁלֹשָׁה 156 וְלוֹ־שֵׁם בַּשְּׁלֹשָׁה IISh. 23:18
בַּשְּׁלוֹשָׁה 157 וְלוֹ־שֵׁם בַּשְּׁלוֹשָׁה ICh. 11:20
לִשְׁלֹשָׁה 158 לִשְׁלֹשָׁה עָשָׂר פָּרִים Num. 29:14
159 וַיֶּחֱצֵם לִשְׁלֹשָׁה רָאשִׁים Jud. 9:43
160 לִשְׁלֹשָׁה עָשָׂר שׁוּבָאֵל ICh. 25:20
161 לִשְׁלֹשָׁה וְעֶשְׂרִים לְמַחֲזִיאוֹת... ICh. 25:30
שְׁלֹשֶׁת־ 162 וַיָּשֶׂם דֶּרֶךְ שְׁלֹשֶׁת יָמִים Gen. 30:36
163/4 שְׁלֹשֶׁת הַשָּׂרִגִים שְׁלֹשֶׁת יָמִים הֵם Gen. 40:12
165/6 בְּעוֹד שְׁלֹשֶׁת יָמִים Gen. 40:13, 19
167-191 שְׁלֹשֶׁת יָמִים Gen. 40:18; 42:17
Ex. 3:18; 5:3; 8:23; 10:22, 23; 15:22 • Num. 10:33²; 33:8 • Josh. 1:11; 2:16, 22; 3:2; 9:16 • Jud. 14:14; 19:4 • ISh. 9:20 • IISh. 20:4; 24:13 • Jon. 3:3 • Es. 4:16 • ICh. 21:12 • IICh. 10:5
192 שְׁלֹשֶׁת שְׁקָלִים כָּסֶף Lev. 27:6
193 שְׁלֹשֶׁת אֲלָפִים וּמָאתָיִם Num. 4:44
194 וַיְהִי לִמְנַשֶּׁה...שְׁלֹשֶׁת הַנָּפֶת Josh. 17:11
195 וַיִּתְקְעוּ שְׁלֹשֶׁת הָרָאשִׁים בַּשּׁוֹפָרוֹת Jud. 7:20
196 וַיֵּרְדוּ שְׁלֹשֶׁת אֲלָפִים אִישׁ Jud. 15:11
197-214 שְׁלֹשֶׁת אֲלָפִים ISh. 13:2; 24:3
25:2; 26:2 • IK. 5:12, 30 • Jer. 52:28 • Ezek. 14:14 • Ez. 2:35 • Neh. 7:38 • ICh. 12:27(28), 29(30); 29:4 • IICh. 2:1; 4:5; 25:13; 29:33; 35:7
215 וְאֶחָד נֹשֵׂא שְׁלֹשֶׁת כִּכְּרוֹת לֶחֶם ISh. 10:3
216 וַיֵּלְכוּ שְׁלֹשֶׁת בְּנֵי־יִשַׁי הַגְּדֹלִים ISh. 17:13
217 וְשֵׁם שְׁלֹשֶׁת בָּנָיו אֲשֶׁר הָלְכוּ ISh. 17:13
218 שְׁלֹשֶׁת הַחִצִּים צִדָּה אוֹרֶה ISh. 20:20
219 אֶת־שָׁאוּל וְאֵת־שְׁלֹשֶׁת בָּנָיו ISh. 31:8
2-220 שְׁלֹשֶׁת הַגִּבֹּרִים IISh. 23:16, 17 • ICh. 11:19
223 שְׁלֹשֶׁת מָנִים זָהָב יַעֲלֶה IK. 10:17
224/5 וְאֶת־שְׁלֹשֶׁת שֹׁמְרֵי הַסַּף IIK. 25:18 • Jer. 52:24
226-8 שְׁלֹשֶׁת הָאֲנָשִׁ׳ הָאֵלֶּה Ezek. 14:16 • Job 32:1, 5
229 וָאַכְחִד אֶת־שְׁלֹשֶׁת הָרֹעִים Zech. 11:8
230 וַיִּשְׁמְעוּ שְׁלֹשֶׁת רֵעֵי אִיּוֹב Job 2:11
231 עַד־מְלֹאת שְׁלֹשֶׁת שָׁבֻעִים יָמִים Dan. 10:3
וּשְׁלֹשֶׁת־ 232 וּשְׁלֹשֶׁת נְשֵׁי־בָנָיו אִתָּם Gen. 7:13
233 לְשֵׁשׁ־מֵאוֹת אֶלֶף וּשְׁלֹשֶׁת אֲלָפִים Ex. 38:26
234 וּשְׁלֹשִׁים יוֹם וּשְׁלֹשֶׁת יָמִים Lev. 12:4
235/6 מֵאוֹת אֶלֶף וּשְׁלֹשֶׁת אֲלָפִים Num. 1:46; 2:32
237/8 וַיָּמָת שָׁאוּל וּשְׁלֹשֶׁת בָּנָיו ISh. 31:6 • ICh. 10:6
239 וּשְׁלֹשֶׁת הָאֲנָשִׁים הָאֵלֶּה בְּתוֹכָהּ Ezek. 14:18
240 וּשְׁלֹשֶׁת אַלְפֵי גְמַלִּים Job 1:3
241/2 וּשְׁלֹשֶׁת אֲלָפִים וְשֵׁשׁ מֵאוֹת IICh. 2:16, 17
וּבִשְׁלֹשֶׁת־ 243 וּבִשְׁלֹשֶׁת רֵעָיו חָרָה אַפּוֹ Job 32:3
כִּשְׁלֹשֶׁת־ 244 וַיִּפֹּל...כִּשְׁלֹשֶׁת אַלְפֵי אִישׁ Ex. 32:28
245 כִּשְׁלֹשֶׁת אֲלָפִים אִישׁ יַעֲלוּ Josh. 7:3
246 וַיַּעֲלוּ...כִּשְׁלֹשֶׁת אֲלָפִים אִישׁ Josh. 7:4
247 וְעַל־הַגָּג כִּשְׁלֹשֶׁת אֲלָפִים אִישׁ Jud. 16:27
לִשְׁלֹשֶׁת־ 248 הֱיוּ נְכֹנִים לִשְׁלֹשֶׁת יָמִים Ex. 19:15
249/50 קָרָא יְיָ לִשְׁלֹשֶׁת הַמְּלָכִים הָאֵלֶּ׳ IIK. 3:10, 13
251 וְהָבִיאוּ...לִשְׁלֹשֶׁת יָמִים מַעְשְׂרֹתֵיכֶם Am. 4:4
252 וְקָרְאוּ לִשְׁלֹשֶׁת אַחְיֹתֵיהֶם Job 1:4
253 אֲשֶׁר לֹא־יָבוֹא לִשְׁלֹשֶׁת הַיָּמִים Ez. 10:8
254 וַיִּקָּבְצוּ...לִשְׁלֹשֶׁת הַיָּמִים Ez. 10:9
שְׁלָשְׁתְּכֶם 255 צְאוּ שְׁלָשְׁתְּכֶם אֶל־אֹהֶל מוֹעֵד Num. 12:4
שְׁלָשְׁתָּם 256 צְאוּ...וַיֵּצְאוּ שְׁלָשְׁתָּם Num. 12:4
לִשְׁלָשְׁתָּם 257 מִדָּה אַחַת לִשְׁלָשְׁתָּם Ezek. 40:10
258 וְהָאַתִּיקִים סָבִיב לִשְׁלָשְׁתָּם Ezek. 41:16

שִׁלְשׁוֹם תה״פ–בּיום שלפני אתמול (רק בצרוף עם ״תְּמוֹל״ או ״אֶתְמוֹל״ במשמע מורחב – בזמן שקדם ליום המדובר): 1-24
תְּמוֹל שִׁלְשׁוֹם 4, 20, 22, 23; אֶתְמוֹל שִׁ׳ 16, 21; כִּתְמוֹל שִׁ׳ 1-3, 5, 6, 13, 14; כְּאֶתְמוֹל שִׁ׳ 18, 19; מִתְּמוֹל שִׁ׳ 7-12, 15; מֵאִתְּמוֹל שִׁ׳ 17; מִתְּמוֹל... מִשִּׁלְשׁוֹם 24

שִׁלְשׁוֹם 1 אֵינֶנּוּ עִמּוֹ כִּתְמוֹל שִׁלְשׁוֹם Gen. 31:2
2 כִּי־אֵינֶנּוּ אֵלַי כִּתְמֹל שִׁלְשֹׁם Gen. 31:5
3 לִלְבֹּן הַלְּבֵנִים כִּתְמוֹל שִׁלְשֹׁם Ex. 5:7
4 אֲשֶׁר הֵם עֹשִׂים תְּמוֹל שִׁלְשֹׁם Ex. 5:8
5/6 כִּתְמוֹל שִׁלְשֹׁם Ex. 5:14 • ISh. 21:6
7 וְאִם שׁוֹר נַגָּח הוּא מִתְּמֹל שִׁלְשֹׁם Ex. 21:29
8 כִּי שׁוֹר נַגָּח הוּא מִתְּמוֹל שִׁלְשֹׁם Ex. 21:36
9/10 לֹא־שֹׂנֵא לוֹ מִתְּמֹל שִׁלְשֹׁם Deut. 4:42; 19:4
11 לֹא־שֹׂנֵא הוּא לוֹ מִתְּמוֹל שִׁלְשׁוֹם Deut. 19:6
12 לֹא עֲבַרְתֶּם בַּדֶּרֶךְ מִתְּמוֹל שִׁלְשׁוֹם Josh. 3:4
13/4 כִּתְמוֹל שִׁלְשׁוֹם Josh. 4:18 • IIK. 13:5
15 וְלֹא־שֹׂנֵא הוּא לוֹ מִתְּמוֹל שִׁלְשׁוֹם Josh. 20:5
16 לֹא הָיְתָה כָּזֹאת אֶתְמוֹל שִׁלְשֹׁם ISh. 4:7
17 כָּל־יוֹדְעוֹ מֵאִתְּמוֹל שִׁלְשֹׁם ISh. 10:11
18 הָיוּ לַפְּלִשְׁתִּים כְּאֶתְמוֹל שִׁלְשׁוֹם ISh. 14:21
19 וַיְהִי לְפָנָיו כְּאֶתְמוֹל שִׁלְשׁוֹם ISh. 19:7
20 גַּם־תְּמוֹל גַּם־שִׁלְשֹׁם IISh. 3:17
21 גַּם־אֶתְמוֹל גַּם־שִׁלְשׁוֹם IISh. 5:2
22 אֲשֶׁר לֹא־יָדַעַתְּ תְּמוֹל שִׁלְשׁוֹם Ruth 2:11
23 גַּם־תְּמוֹל גַּם־שִׁלְשׁוֹם ICh. 11:2
מִשִּׁלְשׁוֹם 24 גַּם מִתְּמוֹל גַּם מִשִּׁלְשֹׁם Ex. 4:10

שְׁלֹשִׁים ש״מ – שלוש עשׂרות, 30 לזכר ולנקבה: 1-172
– שְׁלֹשִׁים אִישׁ 54, 169-172; שְׁ׳ אֶלֶף 42, 43, 46, 55-60, 121-134; שְׁ׳ (בָּ)אַמָּה 25, 26, 66, 103, 110, 142-144; שְׁ׳ אֲנָשִׁים 79; שְׁ׳ בָּנוֹת 137,138; שְׁ׳ בָּנִים 48,49,139; שְׁ׳ חֲלִיפוֹת 140, 141; שְׁ׳ יוֹם 41, 45, 107, 120; שְׁ׳ כּוֹר 65; שְׁ׳ כִּכָּר 147; שְׁ׳ כֶּסֶף 82,83; שְׁ׳ לְשָׁכוֹת 81; שְׁ׳ מֵרֵעִים 51; שְׁ׳ נֶפֶשׁ 135; שְׁ׳ סְדִינִים 52, 53; שְׁ׳ עֲיָרִים 50, 136; שְׁ׳ פְּעָמִים 150; שְׁ׳ (צַדִּיקִים) 19, 20; שְׁ׳ רֹאשׁ 161; שְׁלֹשִׁים שָׁנָה 1-18, 23, 44, 68,69, 72-78, 106, 109, 111-118, 148,149, 154, 164-166; שְׁלֹשִׁים שֶׁקֶל 27, 119; שְׁ׳ שְׁקָלִים 24
– אֲגַרְטְלִים שְׁלֹשִׁים 85; אַחִים שְׁ׳ 156; אַמּוֹת שְׁ׳ 102; בָּנִים שְׁ׳ 21, 152, 153, 155; כְּפוֹרִים שְׁ׳ 86; מְלָכִים שְׁלֹשִׁים 47; נְעָרִים שְׁ׳ 146; נֶפֶשׁ שְׁ׳ 22; שְׁנַת שְׁלֹשִׁים 104, 105, 108
– שְׁלֹשִׁים וְאֶחָד 47; שְׁ׳ וְאַחַת 67,148,149; שְׁ׳ וּשְׁנַיִם 70,71,80,145; שְׁ׳ וּשְׁתַּיִם 73-75,94,95; שְׁ׳ וְשָׁלֹשׁ 22, 61-63, 154; שְׁ׳ וְאַרְבָּעָה 155; שְׁ׳ וַחֲמִשָּׁה 84, 92, 93; שְׁ׳ וְחָמֵשׁ 72, 102, 104; שְׁ׳ וְשִׁשָּׁה 91,97,98,169; שְׁ׳ וָשֵׁשׁ 105; שְׁ׳ וְשִׁבְעָה 64, 88-90; שְׁ׳ וָשֶׁבַע 76, 164, 165; שְׁ׳ וּשְׁמֹנָה 96, 101; שְׁ׳ וּשְׁמוֹנֶה 44, 68, 69; שְׁלֹשִׁים וְתִשְׁעָה 87; שְׁ׳ וָתֵשַׁע 77, 78, 108; שְׁלֹשִׁים וּמֵאָה 28-40
– שְׁנַיִם וּשְׁלֹשִׁים 121-125,135,146; שָׁלֹשׁ וּשְׁ׳ 118,150; חֲמִשָּׁה וּשְׁ׳ 126, 127; חָמֵשׁ וּשְׁ׳ 111; שִׁשָּׁה וּשְׁ׳ 133, 134; שֶׁבַע וּשְׁלֹשִׁים 116, 117; מֵאָה וּשְׁלֹשִׁים 156

שְׁלֹשִׁים 1 וַיְחִי אָדָם שְׁלֹשִׁים וּמְאַת שָׁנָה Gen. 5:3
2 שְׁלֹשִׁים שָׁנָה וּשְׁמֹנֶה מֵאוֹת שָׁנָה Gen. 5:16
3 וְשֶׁלַח חַי שְׁלֹשִׁים שָׁנָה וַיּוֹלֶד... Gen. 11:14
4-18 שְׁלֹשִׁים שָׁנָה Gen. 11:17, 18, 22
41:46 • Ex. 12:40, 41 • Num. 4:3, 23, 30, 35
4:39, 43, 47 • IISh. 5:4 • ICh. 23:3
19 אוּלַי יִמָּצְאוּן שָׁם שְׁלֹשִׁים Gen. 18:30
20 אִם־אֶמְצָא שָׁם שְׁלֹשִׁים Gen. 18:30
21 גְּמַלִּים...וּבְנֵיהֶם שְׁלֹשִׁים Gen. 32:16

שְׁלֹשִׁים (המשך) 22 כָּל־נֶפֶשׁ...שְׁלֹשִׁים וְשָׁלֹשׁ Gen. 46:15
23 יְמֵי שְׁנֵי מְגוּרַי שְׁלֹשִׁים וּמְאַת שָׁנָה Gen. 47:9
24 כֶּסֶף שְׁלֹשִׁים שְׁקָלִים יִתֵּן Ex. 21:32
25/6 אֹרֶךְ...שְׁלֹשִׁים בָּאַמָּה Ex. 26:8; 36:15
27 וְהָיָה עֶרְכְּךָ שְׁלֹשִׁים שָׁקֶל Lev. 27:4
28-39 שְׁלֹשִׁים וּמֵאָה מִשְׁקָלָהּ Num. 7:13, 19
25, 31, 37, 43, 49, 55, 61, 67, 73, 79
40 שְׁלֹשִׁים וּמֵאָה הַקְּעָרָה הָאַחַת Num. 7:85
41 וַיִּבְכּוּ אֶת־אַהֲרֹן שְׁלֹשִׁים יוֹם Num. 20:29
42/3 שְׁלֹשִׁים אֶלֶף וַחֲמֵשׁ מֵאוֹת Num. 31:39, 45
44 וְהַיָּמִים...שְׁלֹשִׁים וּשְׁמֹנֶה שָׁנָה Deut. 2:14
45 וַיִּבְכּוּ בְ״יִ אֶת־מֹשֶׁה...שְׁלֹשִׁים יוֹם Deut. 34:8
46 שְׁלֹשִׁים אֶלֶף אִישׁ גִּבּוֹרֵי הַחַיִל Josh. 8:3
47 כָּל־מְלָכִים שְׁלֹשִׁים וְאֶחָד Josh. 12:24
48/9 וַיְהִי־לוֹ שְׁלֹשִׁים בָּנִים Jud. 10:4; 12:9
50 רֹכְבִים עַל־שְׁלֹשִׁים עֲיָרִים Jud. 10:4
51 וַיִּקְחוּ שְׁלֹשִׁים מֵרֵעִים Jud. 14:11
52/3 שְׁלֹשִׁים סְדִינִים Jud. 14:12, 13
54 וַיַּךְ מֵהֶם שְׁלֹשִׁים אִישׁ Jud. 14:19
55-60 שְׁלֹשִׁים אֶלֶף (אָ־) ISh. 4:10; 11:8; 13:5
IISh. 6:1 • IK. 5:27 • IICh. 35:7
61-63 שְׁלֹשִׁים וְשָׁלֹשׁ IISh. 5:5 • IK. 2:11 • ICh. 29:27
64 כֹּל שְׁלֹשִׁים וְשִׁבְעָה IISh. 23:39
65 שְׁלֹשִׁים כֹּר סֹלֶת IK. 5:2
66 וְקָו שְׁלֹשִׁים בָּאַמָּה יָסֹב אֹתוֹ IK. 7:23
67 בִּשְׁנַת שְׁלֹשִׁים וְאַחַת שָׁנָה IK. 16:23
68/9 בִּשְׁנַת שְׁלֹשִׁים וּשְׁמֹנֶה IK. 16:29 • IIK. 15:8
70 שְׁלֹשִׁים־וּשְׁנַיִם מֶלֶךְ עֹזֵר אֹתוֹ IK. 20:16
71 אֶת־שָׂרֵי הָרֶכֶב...שְׁלֹשִׁים וּשְׁנַיִם IK. 22:31
72 בֶּן־שְׁלֹשִׁים וְחָמֵשׁ שָׁנָה IK. 22:42
73-75 בֶּן־שְׁלֹשִׁים וּשְׁתַּיִם שָׁנָה IIK. 8:17
IICh. 21:5, 20
76 בִּשְׁנַת שְׁלֹשִׁים וָשֶׁבַע שָׁנָה IIK. 13:10
77/8 בִּשְׁנַת שְׁלֹשִׁים וָתֵשַׁע שָׁנָה IIK. 15:13, 17
79 קַח בְּיָדְךָ מִזֶּה שְׁלֹשִׁים אֲנָשִׁים Jer. 38:10
80 שְׁמֹנֶה מֵאוֹת שְׁלֹשִׁים וּשְׁנָיִם Jer. 52:29
81 שְׁלֹשִׁים לְשָׁכוֹת אֶל־הָרִצְפָה Ezek. 40:17
82 וַיִּשְׁקְלוּ אֶת־שְׂכָרִי שְׁלֹשִׁים כָּסֶף Zech. 11:12
83 וָאֶקְחָה שְׁלֹשִׁים הַכֶּסֶף Zech. 11:13
84 אֶלֶף שְׁלֹשׁ מֵאוֹת שְׁלֹשִׁים וַחֲמִשָּׁה Dan. 12:12
85 אֲגַרְטְלֵי זָהָב שְׁלֹשִׁים Ez. 1:9
86 כְּפוֹרֵי זָהָב שְׁלֹשִׁים Ez. 1:10
87 הַכֹּל מֵאָה שְׁלֹשִׁים וְתִשְׁעָה Ez. 2:42
88-90 שְׁלֹשִׁים וְשִׁבְעָה Ez. 2:65 • Neh. 7:67
ICh. 12:34(35)
91 שְׁבַע מֵאוֹת שְׁלֹשִׁים וְשִׁשָּׁה Ez. 2:66
92/3 שְׁלֹשִׁים וַחֲמִשָּׁה Ez. 2:67 • Neh. 7:68
94/5 בִּשְׁנַת שְׁלֹשִׁים וּשְׁתַּיִם Neh. 5:14; 13:6
96 מֵאָה שְׁלֹשִׁים וּשְׁמֹנָה Neh. 7:45
97/8 שְׁלֹשִׁים וְשִׁשָּׁה (Neh. 7:68) • ICh. 7:4
99 שְׁלֹשִׁים וַחֲמֵשׁ מֵאוֹת Neh. 7:69
100 רֹאשׁ לָרְאוּבֵנִי וְעָלָיו שְׁלֹשִׁים ICh. 11:42
101 שְׁלֹשִׁים וּשְׁמוֹנָה אָלֶף ICh. 23:3
102 אַמּוֹת שְׁלֹשִׁים וְחָמֵשׁ אֹרֶךְ IICh. 3:15
103 וְקָו שְׁלֹשִׁים בָּאַמָּה יָסֹב אֹתוֹ IICh. 4:2
104 עַד שְׁנַת־שְׁלֹשִׁים וְחָמֵשׁ IICh. 15:19
105 בִּשְׁנַת שְׁלֹשִׁים וָשֵׁשׁ לְמַלְכוּת אָסָא IICh. 16:1
106 בֶּן־שְׁלֹשִׁים וְחָמֵשׁ שָׁנָה IICh. 20:31
שְׁלוֹשִׁים 107 לֹא נִקְרֵאתִי...זֶה שְׁלוֹשִׁים יוֹם Es. 4:11
108 בִּשְׁנַת שְׁלוֹשִׁים וָתֵשַׁע לְמַלְכוּתוֹ IICh. 16:12
וּשְׁלֹשִׁים 109 תְּשַׁע מֵאוֹת שָׁנָה וּשְׁלֹשִׁים שָׁנָה Gen. 5:5
110 וּשְׁלֹשִׁים אַמָּה קוֹמָתָהּ Gen. 6:15

וּשְׁלֹשִׁים (המשך) 111 וְאַרְפַּכְשַׁד חַי חָמֵשׁ וּשְׁלֹשִׁים שָׁנָה Gen. 11:12
112-5 וּשׁ׳ שָׁנָה Gen. 11:16, 20; 25:17 • IICh. 24:15
116/7 שֶׁבַע וּשְׁלֹשִׁים וּמְאַת שָׁנָה Ex. 6:16, 20
118 שָׁלֹשׁ וּשְׁלֹשִׁים וּמְאַת שָׁנָה Ex. 6:18
119 וּשְׁבַע מֵאוֹת וּשְׁלֹשִׁים שָׁקֶל Ex. 38:24
120 וּשְׁלֹשִׁים יוֹם Lev. 12:4
121-125 שְׁנַיִם וּשְׁלֹשִׁים אֶלֶף Num. 1:35
2:21; 26:37; 31:35 • ICh. 19:7
126/7 חֲמִשָּׁה וּשְׁלֹשִׁים אֶלֶף Num. 1:37; 2:23
128 פְּקֻדֵיהֶם...וְשֵׁשׁ מֵאוֹת וּשְׁלֹשִׁים Num. 4:40
129/30 (וּ)שְׁבַע מֵאוֹת וּשְׁלֹשִׁים Num. 26:7, 51
131/2 שְׁלֹשׁ מֵאוֹת...וּשְׁלֹשִׁים אֶלֶף Num. 31:36, 43
133/4 שִׁשָּׁה וּשְׁלֹשִׁים אֶלֶף Num. 31:38, 44
135 שְׁנַיִם וּשְׁלֹשִׁים נָפֶשׁ Num. 31:40
136 וּשְׁלֹשִׁים עֲיָרִים לָהֶם Jud. 10:4
137/8 וּשְׁלֹשִׁים בָּנוֹת Jud. 12:9²
139 וּשְׁלֹשִׁים בְּנֵי בָנִים Jud. 12:14
140/1 וּשְׁלֹשִׁים חֲלִ(י)פוֹת בְּגָדִים Jud. 14:12, 13
142-144 וּשְׁלֹשִׁים אַמָּה IK. 6:2; 7:2, 6
145 וּשְׁלֹשִׁים וּשְׁנַיִם מֶלֶךְ אִתּוֹ IK. 20:1
146 נַעֲרֵי...מָאתַיִם שְׁנַיִם וּשְׁלֹשִׁים IK. 20:15
147 וּשְׁלֹשִׁים כִּכַּר זָהָב IIK. 18:14
148/9 וּשׁ׳ וְאַחַת שָׁנָה מָלַךְ IIK. 22:1 • IICh. 34:1
150 שָׁלוֹשׁ וּשְׁלֹשִׁים פְּעָמִים Ezek. 41:6
151 אַרְבָּעִים אֹרֶךְ וּשְׁלֹשִׁים רֹחַב Ezek. 46:22
152 בְּנֵי סְנָאָה...וְשֵׁשׁ מֵאוֹת וּשְׁלֹשִׁים Ez. 2:35
153 בְּנֵי סְנָאָה...תְּשַׁע מֵאוֹת וּשְׁלֹשִׁים Neh. 7:38
154 וּשְׁלֹשִׁים וְשָׁלוֹשׁ שָׁנָה מָלַךְ בִּירוּשׁ׳ ICh. 3:4
155 וּבְנֵי...וּשְׁלֹשִׁים וְאַרְבָּעָה ICh. 7:7
156 וְאֶחָיו מֵאָה וּשְׁלֹשִׁים ICh. 15:7
הַשְּׁלֹשִׁים 157 מִן־הַשְּׁלֹשִׁים נִכְבָּד IISh. 23:23
158 גִּבּוֹר בַּשְּׁלֹשִׁים וְעַל־הַשְּׁלֹשִׁים ICh. 12:4
159/60 גִּבּוֹר הַשְּׁלֹשִׁים וְעַל־הַשְּׁלֹשִׁים ICh. 27:6
הַשְּׁלוֹשִׁים 161 וַיֵּרְדוּ שְׁלוֹשָׁה מִן הַשְּׁלוֹשִׁים רֹאשׁ ICh. 11:15
162 מִן־הַשְּׁלוֹשִׁים הִנּוֹ נִכְבָּד הוּא ICh. 11:25
מֵהַשְּׁלֹשִׁים 163 וַיֵּרְדוּ שְׁלֹשָׁה מֵהַשְּׁלֹשִׁים רֹאשׁ IISh. 23:13
בִּשְׁלֹשִׁים 164/5 בִּשְׁלֹשִׁים וָשֶׁבַע שָׁנָה IIK. 25:27 • Jer. 52:31
166 וַיְהִי בִּשְׁלֹשִׁים שָׁנָה בָּרְבִיעִי Ezek. 1:1
בַּשְּׁלֹשִׁים 167 עֲשָׂהאֵל אֲחִי־יוֹאָב בַּשְּׁלֹשִׁים IISh. 23:24
168 גִּבּוֹר בַּשְּׁלֹשִׁים וְעַל־הַשְּׁלֹשִׁים ICh. 12:4
כִּשְׁלֹשִׁים 169 וַיַּכּוּ...כִּשְׁלֹשִׁים וְשִׁשָּׁה אִישׁ Josh. 7:5
170/1 לְהַכּוֹת...כִּשְׁלֹשִׁים אִישׁ Jud. 20:31, 39
172 וְהֵמָּה כִּשְׁלֹשִׁים אִישׁ ISh. 9:22

שַׁלְתִּיאֵל שפ־ז – הוא שְׁאַלְתִּיאֵל אבי זרובבל: 1-3
שַׁלְתִּיאֵל 1-3 זְרֻבָּבֶל בֶּן־שַׁלְתִּיאֵל Hag. 1:12, 14; 2:2

שַׁלְתֵּךְ (ש״א 17א) – עין שְׁאֵלָה

שֵׁם ז׳ א) כנוי לאדם או למקום וכדומה – להבדילו מאחרים: רוב המקראות 1-864
ב) כנוי כבוד לאלהים: 2, 31, 36-37, 88-95, 99, 101, 102, 109, 113-128, 132-139, 142-145, 147-151, 159, 258-300, 311, 312, 318, 319, 321-324, 329-344, 346, 358, 362-428, 431-443, 450-488, 494-497, 499-501, 503-518, 520-525, 528-536, 538-555, 611-614, 618-627, 633, 648, 660, 662, 664-669, 671-675, 677-690, 699, 727, 731-739
ג) זכרון, אות: 1, 7, 16, 34, 238, 345, 347, 661, 767-769
ד) פרסום (על־פי־רוב לתהלה ולכבוד): 3, 5, 6-9, 15-19, 24, 27-30, 32, 33, 35, 46-53, 129-131, 161, 327, 330, 449, 489, 519, 636, 640, 702, 703, 799, 800
ה) [בְּשֵׁם־] מטעם־, בשליחותו, באשורו של־: 301, 303, 307, 310, 313-371, 538, 733
– שֵׁם וּשְׁאָר 16; שֵׁם וּשְׁאֵרִית 12; שֵׁם וּתְהִלָּה 48, 51-53; שֵׁם וְתִפְאֶרֶת 50-52; יָד וָשֵׁם 34
– שֵׁם אַחֵר 18; שֵׁם גָּדוֹל 9, 396, 397, 543, 633, 683; שֵׁם חָדָשׁ 17; שֵׁם מְנֹאָץ 373; שֵׁם נוֹרָא 409; שֵׁם נִכְבָּד 37; שֵׁם קָדוֹשׁ 662; שֵׁם רָע 5, 6, 49
– שֵׁם אָבִיו 98; שֵׁם אֲבוֹתָיו 180; שֵׁם אַהֲרֹן 97; שֵׁם אַחְאָב 307; שֵׁם הָאֶחָד 54, 58, 87, 96, 108, 160, 182, 198, 199; שֵׁם אָחִיו 100, 172, 173, 245; שֵׁם אֲחוֹתוֹ 251, 252; שֵׁם (הָ)אַחַת 57, 86, 106, 152, 153; שֵׁם הָאִישׁ 154, 186, 205, 241; שֵׁם אֱלֹהִים 89, 90, 92, 142-144, 151, 183, 301, 304, 305, 310, 319, 321; שֵׁם אִמּוֹ 184, 208-236; שֵׁם הָאִשָּׁה 55, 59, 174, 179, 187, 190, 202, 206, 242, 249, 250, 255, 256; שֵׁם הַבְּאֵר 63; שֵׁם הַבְּכוֹר 83; שֵׁם הַבְּכִירָה 107; שֵׁם בְּנוֹ 163-165, 168, 323; שֵׁם הַבָּנוֹת 188, 200, 201; שֵׁם בָּנָיו 204, 243; שֵׁם הַבַּעַל 306; שֵׁם הַבַּת 189; שֵׁם הַגְּדוֹלָה 67; שֵׁם הַגְּדוֹלִים 327/8; שׁ׳ דְּבִיר 192, 194; שׁ׳ דָּוִד 161, 303; שֵׁם דָּן 302, 306, 326; שֵׁם חֶבְרוֹן 191, 193; שֵׁם יוֹם 347; שׁ׳ הַיּוֹם 140; שֵׁם יוֹסֵף 82; שֵׁם יְיָ 60, 88, 95, 99, 101, 102, 109, 113-128, 148/9, 258-300, 322-324, 329-344; שֵׁם הַיְמָנִי 162; שֵׁם יַעֲקֹב 308; שֵׁם יִשְׂרָאֵל 112, 146, 309, 320; שֵׁם כְּבוֹדוֹ 145, 159; שֵׁם הַכְּמָרִים 141; שֵׁם הַמֶּלֶךְ 314-317; שֵׁם הַמָּקוֹם 62, 65, 68-81; שֵׁם מָרְדֳּכַי 313; שֵׁם מִשְׁנֵהוּ 197; שֵׁם הַמֵּת 155-157; שֵׁם הַנָּהָר 169, 170; שֵׁם עוֹלָם 129, 130; שֵׁם הָעִיר 56, 61, 64, 66, 103-105, 111, 167, 176-178, 195, 237, 246-248; שֵׁם קָדְשׁוֹ 91, 93/4, 132-139, 147, 150, 311/2, 318, 346, 348-350, 352; שֵׁם הַקְּטַנָּה 175; שֵׁם רְשָׁעִים 238; שֵׁם הַשְּׁלִישִׁית 240; שֵׁם שְׁלֹמֹה 110; שֵׁם הַשְּׂמָאלִי 257; שֵׁם הַשֵּׁנִי 84, 185, 207, 253; שֵׁם הַשֵּׁנִית 171, 181, 196, 239, 244; שֵׁם שָׂר 203; שֵׁם שָׁשׁוֹן 345; שֵׁם תִּפְאֶרֶת 131, 351
– עַל שֵׁם אֲחֵיהֶם 85; ע״שׁ הַפּוּר 158; ע״שׁ שֶׁמֶר 166
– אַנְשֵׁי שֵׁם 3, 35; בְּלִי שֵׁם 23; טְמֵאַת הַשֵּׁם 38; מוּסַבּוֹת שֵׁם 4
– הוֹצִיא שֵׁם 5, 6; הָיָה שֵׁם 21; הֵקִים שֵׁם 7; יָצָא שֵׁם 20; נָקַב שֵׁם 2, 36, 95; נִקְרָא שֵׁם 8, 31; עָשָׂה שֵׁם 1, 9, 11, 19, 28, 29, 32; קָרָא שֵׁם (17), 18, 25, 26, 55, 56, 60-63, 65-68, 84-102, 104-111, 152, 162-164 (ועין עוד להלן קָרָא שְׁמוֹ); שָׂם שֵׁם 10, 33
– אָמַר בְּשֵׁם 313; דִּבֵּר בְּשֵׁם 301, 303, 536, 538; יָדַע בְּשֵׁם 40, 41; נִקְרָא בְּשֵׁם 45, 309; קָרָא בְשֵׁם 39, 42-44, 258-300, 304-306, 320-324, 529, 539, 540; רִנֵּן בְּשֵׁם 534
– אֹהֲבֵי שְׁמוֹ 505, 516, 680; חוֹשְׁבֵי שְׁמוֹ 671; יוֹדְעֵי שׁ׳ 506, 665; יִרְאֵי שׁ׳ 399, 507; כְּבוֹד שְׁמוֹ 512, 673, 674, 677, 699; מַה שְּׁמוֹ 168, 490, 610, 692; מִי שְׁמוֹ 493; מִשְׁכַּן שְׁמוֹ 508; קוֹרְאֵי שְׁמוֹ 685
– אָבַד שְׁמוֹ 676; אִבֵּד שְׁמוֹ 773; בָּזָה שׁ׳ 395, 504; בִּקֵּשׁ שׁ׳ 471; בֵּרַךְ שׁ׳ 479, 684, 686; גִּדֵּל שׁ׳ 449, 489; הוֹדָה שׁ׳ 474, 517/8, 521, 522, 525; הִזְכִּיר שׁ׳ 356, 361, 372, 465, 499; הִכְרִית שׁ׳ 767; הָלַךְ שְׁמוֹ 702; הִלֵּל שׁ׳ 480, 510, 690; הֵסֵב שׁ׳ 645, 646, 705; הִקְדִּישׁ שׁ׳ 369; הִשְׁכִּיחַ שׁ׳ 384; הִשְׁמִיד שׁ׳ 359; זִמֵּר שׁ׳ 461, 468, 469, 678; חִלֵּל שׁ׳ 387; יָדַע שׁ׳ 374, 383, 400, 523; יִנּוֹן שׁ׳ 682; יָקַר שׁ׳ 636; כִּבֵּד שׁ׳ 473; מָחָה שׁ׳ 630, 772, 774; נִאֵץ שׁ׳ 470, 509; נוֹרָא שׁ׳ 409, 688; נִמְחָה שׁ׳ 628, 775; נִקְרָא שׁ׳ 353, 360, 376-381, 386, 388, 394, 405, 444, 448, 451, 452, 454, 458, 482, 483, 487, 524, 629, 696/7; נָשָׂא שׁ׳ 88, 99, 612, 618; נִשְׂגָּב שׁ׳ 648, 689, 755, 776/7; נִשְׁמַד שׁ׳ 661; סִפֵּר שׁ׳ 355, 462; קִדֵּשׁ שׁ׳ 393; קִוָּה שׁ׳ 466; קָרָא שׁ׳ 481, 502, 558, 561-609, 641, 647, 745-753, 756; רוֹמֵם שׁ׳ 675; שִׁכֵּן שׁ׳ 382, 401, 620-624, 627; שָׂם שְׁמוֹ 358, 364-367, 407, 485, 619, 625, 626, 631, 643, 644
– אַנְשֵׁי שֵׁמוֹת 799, 800; מִסְפַּר שׁ׳ 781-796, 801, 851
– שְׁמוֹת אַלּוּפֵי־ 817; שְׁמוֹת הָאֲנָשִׁים 828-831; שְׁמוֹת בְּנוֹתָיו 835, 836; שְׁמוֹת בְּנֵי־ 815, 818-821, 823-827, 832-834, 844; שְׁמוֹת הַבְּעָלִים 842; שׁ׳ גִּבּוֹרִים 839; שְׁמוֹת הַיִּלּוֹדִים 838; שׁ׳ הַיְלוּדִים 845; שׁ׳ מַטּוֹת 846; שׁ׳ עֲצַבִּים 843; שׁ׳ עָרִים 837; שְׁמוֹת הַשְּׁבָטִים 840, 841; שְׁמוֹת הַשִּׁשָּׁה 822; מִסְפַּר שְׁמוֹת 781-796, 801, 851; נָשָׂא שֵׁמוֹת 827, 848, 857; קָרָא שֵׁמוֹת 779, 780, 797, 814; שָׂם שֵׁמוֹת 798

שֵׁם 1 נִבְנֶה־לָּנוּ עִיר...וְנַעֲשֶׂה־לָּנוּ שֵׁם Gen. 11:4
2 בְּנָקְבוֹ־שֵׁם יוּמָת Lev. 24:16
3 קְרִאֵי מוֹעֵד אַנְשֵׁי־שֵׁם Num. 16:2
4 וְאֶת־נְבוֹ...מוּסַבֹּת שֵׁם Num. 32:38
5 וְהוֹצִא עָלֶיהָ שֵׁם רָע Deut. 22:14
6 הוֹצִיא שֵׁם רָע עַל בְּתוּלַת יִשְׂרָאֵל Deut. 22:19
7 לְהָקִים לְאָחִיו שֵׁם בְּיִשְׂרָאֵל Deut. 25:7
8 אֲשֶׁר־נִקְרָא שֵׁם...עָלָיו IISh. 6:2
9 וְעָשִׂתִי לְךָ שֵׁם גָּדוֹל IISh. 7:9
10 וְלָשׂוּם לוֹ שֵׁם IISh. 7:23
11 וַיַּעַשׂ דָּוִד שֵׁם בְּשֻׁבוֹ IISh. 8:13
12 שֵׁם וּשְׁאֵרִית עַל־פְּנֵי הָאֲדָמָה IISh. 14:7
13/4 וְלוֹ־שֵׁם בַּשְּׁל(וֹ)שָׁה IISh. 23:18 • ICh. 11:20
15 וְלוֹ־שֵׁם בִּשְׁלֹשָׁה הַגִּבֹּרִים IISh. 23:22
16 שֵׁם וּשְׁאָר וְנִין וָנֶכֶד Is. 14:22
17 וְקֹרָא לָךְ שֵׁם חָדָשׁ Is. 62:2
18 וְלַעֲבָדָיו יִקְרָא שֵׁם אַחֵר Is. 65:15
19 וַתַּעֲשֶׂה־לְּךָ שֵׁם כַּיּוֹם הַזֶּה Jer. 32:20
20 וַיֵּצֵא לָךְ שֵׁם בַּגּוֹיִם בְּיָפְיֵךְ Ezek. 16:14
21 וַתְּהִי־שֵׁם לַנָּשִׁים Ezek. 23:10
22 נִבְחָר שֵׁם מֵעֹשֶׁר רָב Prov. 22:1
23 וְלֹא־שֵׁם לוֹ עַל־פְּנֵי־חוּץ Job 18:17
24 בְּנֵי־נָבָל גַּם־בְּנֵי בְלִי־שֵׁם Job 30:8
25 וּקְרָא־שֵׁם בְּבֵית לָחֶם Ruth 4:11
26 וַתִּקְרֶאנָה לוֹ הַשְּׁכֵנוֹת שֵׁם Ruth 4:17
27 טוֹב שֵׁם מִשֶּׁמֶן טוֹב Eccl. 7:1
28/9 וַתַּעַשׂ־לְךָ שֵׁם Dan. 9:15 • Neh. 9:10
30 וְלוֹ־שֵׁם בִּשְׁלוֹשָׁה הַגִּבֹּרִים ICh. 11:24
31 יְיָ יוֹשֵׁב הַכְּרוּבִים אֲשֶׁר־נִקְרָא שֵׁם ICh. 13:6
32 וְעָשִׂיתִי לְךָ שֵׁם כְּשֵׁם הַגְּדוֹלִים ICh. 17:8
33 לָשׂוּם לְךָ שֵׁם גְּדֻלּוֹת וְנֹרָאוֹת ICh. 17:21
וָשֵׁם 34 וְנָתַתִּי לָהֶם בְּבֵיתִי...יָד וָשֵׁם Is. 56:5
הַשֵּׁם 35 הַגִּבֹּרִים אֲשֶׁר מֵעוֹלָם אַנְשֵׁי הַשֵּׁם Gen. 6:4
36 וַיִּקֹּב בֶּן־הָאִשָּׁה...אֶת־הַשֵּׁם Lev. 24:11
37 לְיִרְאָה אֶת־הַשֵּׁם הַנִּכְבָּד Deut. 28:58
38 טְמֵאַת הַשֵּׁם רַבַּת הַמְּהוּמָה Ezek. 22:5
בְּשֵׁם 39 רְאֵה קָרָאתִי בְשֵׁם בְּצַלְאֵל Ex. 31:2
40 יְדַעְתִּיךָ בְשֵׁם וְגַם־מָצָאתָ חֵן בְּעֵינָי Ex. 33:12
41 מָצָאתָ חֵן בְּעֵינַי וָאֵדָעֲךָ בְּשֵׁם Ex. 33:17
42 רְאוּ קָרָא יְיָ בְּשֵׁם בְּצַלְאֵל Ex. 35:30
43 אֲשֶׁר־יִקְרָא אֶתְהֶן בְּשֵׁם Josh. 21:9
44 לְכֻלָּם בְּשֵׁם יִקְרָא Is. 40:26
45 אִם־חָפֵץ בָּהּ הַמֶּלֶךְ וְנִקְרְאָה בְשֵׁם Es. 2:14
לְשֵׁם 46 וְהָיָה לַייָ לְשֵׁם לְאוֹת עוֹלָם Is. 55:13
47 וַהֲקִמֹתִי לָהֶם מַטָּע לְשֵׁם Ezek. 34:29
48 לְשֵׁם וְלִתְהִלָּה בְּכֹל עַמֵּי הָאָרֶץ Zep. 3:20
49 וְהָיָה לָהֶם לְשֵׁם רָע Neh. 6:13
50 לְשֵׁם וּלְתִפְאֶרֶת לְכָל־הָאֲרָצוֹת ICh. 22:5(4)
וּלְשֵׁם 51 לִתְהִלָּה וּלְשֵׁם וּלְתִפְאָרֶת Deut. 26:19
52 וּלְשֵׁם וְלִתְהִלָּה וּלְתִפְאָרֶת Jer. 13:11
53 וְשַׂמְתִּים לִתְהִלָּה וּלְשֵׁם Zep. 3:19
שֵׁם־ 54 שֵׁם הָאֶחָד פִּישׁוֹן Gen. 2:11
55 וַיִּקְרָא הָאָדָם שֵׁם אִשְׁתּוֹ חַוָּה Gen. 3:20

שֵׁם־ (המשך)

56 וַיִּקְרָא שֵׁם הָעִיר כְּשֵׁם בְּנוֹ Gen. 4:17
57 שְׁתֵּי נָשִׁים שֵׁם הָאַחַת עָדָה Gen. 4:19
58 שְׁנֵי בָנִים שֵׁם הָאֶחָד פֶּלֶג Gen. 10:25
59 שֵׁם אֵשֶׁת־אַבְרָם שָׂרָי Gen. 11:29
60 וַתִּקְרָא שֵׁם־יְיָ הַדֹּבֵר אֵלֶיהָ Gen. 16:13
61 עַל־כֵּן קָרָא שֵׁם־הָעִיר צוֹעַר Gen. 19:22
62 וַיִּקְרָא אַבְרָהָם שֵׁם־הַמָּקוֹם הַהוּא Gen. 22:14
63 וַיִּקְרָא שֵׁם־הַבְּאֵר עֵשֶׂק Gen. 26:20
64 עַל־כֵּן שֵׁם־הָעִיר בְּאֵר שֶׁבַע Gen. 26:33
65 וַיִּקְרָא אֶת־שֵׁם־הַמָּקוֹם...בֵּית־אֵל Gen. 28:19
66 וְאוּלָם לוּז שֵׁם־הָעִיר לָרִאשֹׁנָה Gen. 28:19
67 שֵׁם הַגְּדֹלָה לֵאָה Gen. 29:16
68 וַיִּקְרָא שֵׁם־הַמָּקוֹם הַהוּא מַחֲנָיִם Gen. 32:2
69-81 וַיִּקְרָא (קָרָא וכו׳) שֵׁם(־)הַמָּקוֹם...
Gen. 32:31; 33:17; 35:15 • Ex. 17:7 • Num. 11:3, 34; 21:3 • Josh. 5:9; 7:26 • Jud. 2:5 • IISh. 5:20 • ICh. 14:11 • IICh. 20:26
82 וַיִּקְרָא פַרְעֹה שֵׁם־יוֹסֵף Gen. 41:45
83 וַיִּקְרָא...אֶת־שֵׁם הַבְּכוֹר מְנַשֶּׁה Gen. 41:51
84 וְאֵת שֵׁם הַשֵּׁנִי קָרָא אֶפְרָיִם Gen. 41:52
85 עַל שֵׁם אֲחֵיהֶם יִקָּרְאוּ בְּנַחֲלָתָם Gen. 48:6
86 שֵׁם הָאַחַת שִׁפְרָה Ex. 1:15
87 אֲשֶׁר שֵׁם הָאֶחָד גֵּרְשֹׁם Ex. 18:3
88 לֹא תִשָּׂא אֶת־שֵׁם־יְיָ אֱלֹהֶיךָ לַשָּׁוְא Ex. 20:7
89 וְלֹא תְחַלֵּל אֶת־שֵׁם אֱלֹהֶיךָ Lev. 18:21
90 וְחִלַּלְתָּ אֶת־שֵׁם אֱלֹהֶיךָ Lev. 19:12
91 וּלְחַלֵּל אֶת־שֵׁם קָדְשִׁי Lev. 20:3
92 וְלֹא יְחַלְּלוּ שֵׁם אֱלֹהֵיהֶם Lev. 21:6
93 וְלֹא יְחַלְּלוּ אֶת־שֵׁם קָדְשִׁי Lev. 22:2
94 וְלֹא תְחַלְּלוּ אֶת־שֵׁם קָדְשִׁי Lev. 22:32
95 וְנֹקֵב שֵׁם־יְיָ מוֹת יוּמָת Lev. 24:16
96 וַיִּשָּׁאֲרוּ...שֵׁם הָאֶחָד אֶלְדָּד Num. 11:26
97 וְאֵת שֵׁם אַהֲרֹן תִּכְתֹּב Num. 17:18
98 לָמָּה יִגָּרַע שֵׁם־אָבִינוּ Num. 27:4
99 לֹא תִשָּׂא אֶת־שֵׁם־יְיָ אֱלֹהֶיךָ לַשָּׁוְא Deut. 5:11
100 יָקוּם עַל־שֵׁם אָחִיו הַמֵּת Deut. 25:6
101 וְרָאוּ...כִּי שֵׁם יְיָ נִקְרָא עָלֶיךָ Deut. 28:10
102 כִּי שֵׁם יְיָ אֶקְרָא Deut. 32:3
103 וַיִּקְרָא אֶת־שֵׁם־הָעִיר חָרְמָה Jud. 1:17
104 וַיִּקְרְאוּ שֵׁם־הָעִיר דָּן Jud. 18:29
105 לַיִשׁ שֵׁם־הָעִיר לָרִאשֹׁנָה Jud. 18:29
106 וְלוֹ שְׁתֵּי נָשִׁים שֵׁם אַחַת חַנָּה ISh. 1:2
107 שְׁתֵּי בְנֹתָיו שֵׁם הַבְּכִירָה מֵרַב ISh. 14:49
108 שָׂרֵי־גְדוּדִים...שֵׁם הָאֶחָד בַּעֲנָה IISh. 4:2
109 אֲשֶׁר־נִקְרָא...שֵׁם יְיָ צְבָאוֹת...עָלָיו IISh.6:2
110 יֵיטֵב אֱלֹהִים אֶת־שֵׁם שְׁלֹמֹה מִשְּׁמֶךָ IK. 1:47
111 וַיִּקְרָא אֶת־שֵׁם הָעִיר אֲשֶׁר בָּנָה IK. 16:24
112 לִמְחוֹת אֶת־שֵׁם יִשְׂרָאֵל IIK. 14:27
113 אֶל־מְקוֹם שֵׁם־יְיָ צְבָאוֹת הַר־צִיּוֹן Is. 18:7
114-128 שֵׁם יְיָ Is. 24:15; 30:27
56:6; 59:19 • Joel 2:26 • Mic. 5:3 • Ps. 7:18 • 102:16, 22; 113:1, 3; 135:1; 148:5, 13 • Prov. 18:10
129 שֵׁם עוֹלָם אֶתֶּן־לוֹ Is. 56:5
130 לַעֲשׂוֹת לוֹ שֵׁם עוֹלָם Is. 63:12
131 לַעֲשׂוֹת לְךָ שֵׁם תִּפְאָרֶת Is. 63:14
132 וְאֶת־שֵׁם קָדְשִׁי לֹא תְחַלְּלוּ־עוֹד Ezek.20:39
133-139 שֵׁם קָדְשִׁי Ezek. 36:20, 21
39:7²; 43:7, 8 • Am. 2:7
140 כְּתָב־לְךָ אֶת־שֵׁם הַיּוֹם Ezek. 24:2
141 וְהִכְרַתִּי...אֶת־שֵׁם הַכְּמָרִים Zep. 1:4
142 יְשַׂגֶּבְךָ שֵׁם אֱלֹהֵי יַעֲקֹב Ps. 20:2
143 אִם־שָׁכַחְנוּ שֵׁם אֱלֹהֵינוּ Ps. 44:21
144 אֲהַלְלָה שֵׁם־אֱלֹהִים בְּשִׁיר Ps. 69:31
145 וּבָרוּךְ שֵׁם כְּבוֹדוֹ לְעוֹלָם Ps. 72:19
146 וְלֹא־יִזָּכֵר שֵׁם־יִשְׂרָאֵל עוֹד Ps. 83:5
147 וְכָל־קְרָבַי אֶת־שֵׁם קָדְשׁוֹ Ps. 103:1
148/9 יְהִי שֵׁם יְיָ מְבֹרָךְ Ps. 113:2 • Job 1:21
150 וִיבָרֵךְ כָּל־בָּשָׂר שֵׁם קָדְשׁוֹ Ps. 145:21
151 וְגָנַבְתִּי וְתָפַשְׂתִּי שֵׁם אֱלֹהָי Prov. 30:9
152 וַיִּקְרָא שֵׁם־הָאַחַת יְמִימָה Job 42:14
153 שֵׁם הָאַחַת עָרְפָּה Ruth 1:4
154 וַתֹּאמֶר שֵׁם הָאִישׁ...בֹּעַז Ruth 2:19
155/6 לְהָקִים שֵׁם־הַמֵּת עַל־נַחֲלָתוֹ Ruth 4:5,10
157 וְלֹא־יִכָּרֵת שֵׁם־הַמֵּת מֵעִם אֶחָיו Ruth 4:10
158 קָרְאוּ...פוּרִים עַל־שֵׁם הַפּוּר Es. 9:26
159 וִיבָרְכוּ שֵׁם כְּבֹדֶךָ Neh. 9:5
160 יָלַּד שְׁנֵי בָנִים שֵׁם הָאֶחָד פֶּלֶג ICh. 1:19
161 וַיֵּצֵא שֵׁם־דָּוִיד בְּכָל־הָאֲרָצוֹת ICh. 14:17
162 וַיִּקְרָא שֵׁם־הַיְמָנִי° יָכִין IICh. 3:17

שֶׁם־

163 וַיִּקְרָא אַבְרָם שֶׁם־בְּנוֹ Gen. 16:15
164 וַיִּקְרָא אַבְרָהָם אֶת־שֶׁם־בְּנוֹ Gen. 21:3
165 וַיְהִי שֶׁם־בְּנוֹ הַבְּכוֹר יוֹאֵל ISh. 8:2
166 עַל שֶׁם־שֶׁמֶר אֲדֹנֵי הָהָר IK. 16:24
167 וְגַם שֶׁם־עִיר הֲמוֹנָה Ezek. 39:16
168 מַה־שְּׁמוֹ וּמַה־שֶּׁם־בְּנוֹ Prov. 30:4

וְשֵׁם־

169 וְשֵׁם־הַנָּהָר הַשֵּׁנִי גִּיחוֹן Gen. 2:13
170 וְשֵׁם הַנָּהָר הַשְּׁלִישִׁי חִדֶּקֶל Gen. 2:14
171 וְשֵׁם הַשֵּׁנִית צִלָּה Gen. 4:19
172 וְשֵׁם אָחִיו יוּבָל Gen. 4:21
173 וְשֵׁם אָחִיו יָקְטָן Gen. 10:25
174 וְשֵׁם אֵשֶׁת־נָחוֹר מִלְכָּה Gen. 11:29
175 וְשֵׁם הַקְּטַנָּה רָחֵל Gen. 29:16
176 וַיִּמְלֹךְ...וְשֵׁם עִירוֹ דִּנְהָבָה Gen. 36:32
177 וַיִּמְלֹךְ תַּחְתָּיו...וְשֵׁם עִירוֹ עֲוִית Gen. 36:35
178 וַיִּמְלֹךְ תַּחְתָּיו הֲדַר וְשֵׁם עִירוֹ פָּעוּ Gen.36:39
179 וְשֵׁם אִשְׁתּוֹ מְהֵיטַבְאֵל Gen. 36:39
180 וְיִקָּרֵא בָהֶם שְׁמִי וְשֵׁם אֲבֹתַי Gen. 48:16
181 וְשֵׁם הַשֵּׁנִית פּוּעָה Ex. 1:15
182 וְשֵׁם הָאֶחָד אֱלִיעֶזֶר Ex. 18:4
183 וְשֵׁם אֱלֹהִים אֲחֵרִים לֹא תַזְכִּירוּ Ex. 23:13
184 וְשֵׁם אִמּוֹ שְׁלֹמִית בַּת־דִּבְרִי Lev. 24:11
185 וְשֵׁם הַשֵּׁנִי מֵידָד Num. 11:26
186 וְשֵׁם אִישׁ יִשְׂרָאֵל הַמֻּכֶּה... Num. 25:14
187 וְשֵׁם הָאִשָּׁה הַמֻּכָּה הַמִּדְיָנִית כָּזְבִּי Num.25:15
188 וְשֵׁם בְּנוֹת צְלָפְחָד Num. 26:33
189 וְשֵׁם בַּת־אָשֵׁר שָׂרַח Num. 26:46
190 וְשֵׁם אֵשֶׁת עַמְרָם יוֹכֶבֶד Num. 26:59
191 וְשֵׁם חֶבְרוֹן לְפָנִים קִרְיַת אַרְבַּע Josh. 14:15
192 וְשֵׁם־דְּבִר לְפָנִים קִרְיַת־סֵפֶר Josh. 15:15
193 וְשֵׁם־חֶבְרוֹן לְפָנִים קִרְיַת אַרְבַּע Jud. 1:10
194 וְשֵׁם־דְּבִיר לְפָנִים קִרְיַת־סֵפֶר Jud. 1:11
195 וְשֵׁם־הָעִיר לְפָנִים לוּז Jud. 1:23
196 וְשֵׁם הַשֵּׁנִית פְּנִנָּה ISh. 1:2
197 וְשֵׁם מִשְׁנֵהוּ אֲבִיָּה ISh. 8:2
198 וְשֵׁם הָאֶחָד בּוֹצֵץ ISh. 14:4
199 וְשֵׁם הָאֶחָד סֶנֶּה ISh. 14:4
200/1 וְשֵׁם שְׁתֵּי בְנֹתָיו...וְשֵׁם הַקְּטַנָּה מִיכַל ISh.14:49
202 וְשֵׁם אֵשֶׁת שָׁאוּל אֲחִינֹעַם ISh. 14:50
203 וְשֵׁם שַׂר־צְבָאוֹ אֲבִינֵר ISh. 14:50
204 וְשֵׁם שְׁלֹשֶׁת בָּנָיו ISh. 17:13
205 וְשֵׁם הָאִישׁ נָבָל ISh. 25:3
206 וְשֵׁם אִשְׁתּוֹ אֲבִגָיִל ISh. 25:3
207 וְשֵׁם הַשֵּׁנִי רֵכָב IISh. 4:2
208 וְשֵׁם אִמּוֹ צְרוּעָה IK. 11:26

וְשֵׁם־ (המשך)

209-236 וְשֵׁם אִמּוֹ IK. 14:21, 31; 15:2, 10; 22:42
IIK. 8:26; 12:2; 14:2; 15:2, 33; 18:2; 21:1, 19; 22:1; 23:31, 36; 24:8, 18 • Jer. 52:1 • IICh. 12:13; 13:2; 20:31; 22:2; 24:1; 25:1; 26:3; 27:1; 29:1
237 וְשֵׁם־הָעִיר מִיּוֹם יְיָ שָׁמָּה Ezek. 48:35
238 וְשֵׁם רְשָׁעִים יִרְקָב Prov. 10:7
239 וְשֵׁם הַשֵּׁנִית קְצִיעָה Job 42:14
240 וְשֵׁם הַשְּׁלִישִׁית קֶרֶן הַפּוּךְ Job 41:14
241/2 וְשֵׁם הָאִישׁ אֱלִימֶלֶךְ וְשֵׁם אִשְׁתּוֹ נָעֳ׳ Ruth 1:2
243 וְשֵׁם שְׁנֵי־בָנָיו מַחְלוֹן וְכִלְיוֹן Ruth 1:2
244 וְשֵׁם הַשֵּׁנִית רוּת Ruth 1:4
245 וְשֵׁם אָחִיו יָקְטָן ICh. 1:19
246 בֶּלַע...וְשֵׁם עִירוֹ דִּנְהָבָה ICh. 1:43
247/8 וְשֵׁם עִירוֹ ICh. 1:46, 50
249 וְשֵׁם אִשְׁתּוֹ מְהֵיטַבְאֵל ICh. 1:50
250 וְשֵׁם אֵשֶׁת אֲבִישׁוּר אֲבִיהָיִל ICh. 2:29
251 וְשֵׁם אֲחוֹתָם הַצְלֶלְפּוֹנִי ICh. 4:3
252 וְשֵׁם אֲחֹתוֹ מַעֲכָה ICh. 7:15
253 וְשֵׁם הַשֵּׁנִי צְלָפְחָד ICh. 7:15
254 וְשֵׁם אָחִיו שָׁרֶשׁ ICh. 7:16
255/6 וְשֵׁם אִשְׁתּוֹ מַעֲכָה ICh. 8:29; 9:35
257 וְשֵׁם הַשְּׂמָאלִי בֹּעַז IICh. 3:17

בְּשֵׁם־

258 אָז הוּחַל לִקְרֹא בְּשֵׁם יְיָ Gen. 4:26
259 וַיִּקְרָא בְּשֵׁם יְיָ Gen. 12:8
260-268 וַיִּקְרָא (וְקָרָאתִי וכד׳)...בְּשֵׁם יְיָ
Gen. 13:4; 21:33; 26:25 • Ex. 33:19; 34:5 • IK. 18:24 • IIK. 5:11 • Joel 3:5 • Zep. 3:9
269-300 בְּשֵׁם יְיָ Deut. 18:5, 7, 22
21:5 • ISh. 17:45; 20:42 • IISh. 6:18 • IK. 18:32; 22:16 • IIK. 2:24 • Is. 48:1; 50:10 • Jer. 11:21; 26:9, 16, 20; 44:16 • Am. 6:10 • Mic. 4:5 • Zep. 3:12 • Zech. 13:3 • Ps. 20:8; 118:10, 11, 12, 26; 124:8; 129:8 • ICh. 16:2; 21:19 • IICh. 18:15; 33:18

301 וַאֲשֶׁר יְדַבֵּר בְּשֵׁם אֱלֹהִים אֲחֵרִים Deut. 18:20
302 וַיִּקְרְאוּ...בְּשֵׁם דָּן אֲבִיהֶם Jud. 18:29
303 וַיְדַבְּרוּ אֶל־נָבָל...בְּשֵׁם דָּוִד ISh. 25:9
304 וּקְרָאתֶם בְּשֵׁם אֱלֹהֵיכֶם IK. 18:24
305 וְקִרְאוּ בְּשֵׁם אֱלֹהֵיכֶם IK. 18:25
306 וַיִּקְרְאוּ בְשֵׁם־הַבַּעַל IK. 18:26
307 וַתִּכְתֹּב סְפָרִים בְּשֵׁם אַחְאָב IK. 21:8
308 וְזֶה יִקְרָא בְשֵׁם־יַעֲקֹב Is. 44:5
309 בֵּית־יַעֲקֹב הַנִּקְרָאִים בְּשֵׁם יִשְׂרָ׳ Is. 48:1
310 כָּל־הָעַמִּים יֵלְכוּ אִישׁ בְּשֵׁם אֱלֹהָיו Mic. 4:5
311 כִּי בְשֵׁם קָדְשׁוֹ בָטָחְנוּ Ps. 33:21
312 הִתְהַלְלוּ בְּשֵׁם קָדְשׁוֹ Ps. 105:3
313 וַתֹּאמֶר...בְּשֵׁם מָרְדֳּכָי Es. 2:22
314 בְּשֵׁם הַמֶּלֶךְ...נִכְתָּב Es. 3:12
315 כִּתְבוּ עַל־הַיְּהוּדִים...בְּשֵׁם הַמֶּלֶךְ Es. 8:8
316 כְּתָב אֲשֶׁר־נִכְתָּב בְּשֵׁם־הַמֶּלֶךְ Es. 8:8
317 וַיִּכָּתֵב בְּשֵׁם הַמֶּלֶךְ Es. 8:10
318 הִתְהַלְלוּ בְּשֵׁם קָדְשׁוֹ ICh. 16:10

וּבְשֵׁם־

319 וּבְשֵׁם אֱלֹהֵיהֶם לֹא־תַזְכִּירוּ Josh. 23:7
320 וּבְשֵׁם יִשְׂרָאֵל יְכַנֶּה Is. 44:5
321 וּבְשֵׁם־אֱלֹהֵינוּ נִדְגֹּל Ps. 20:6
322-324 וּבְשֵׁם־יְיָ אֶקְרָא Ps. 116:4, 13, 17

כְּשֵׁם־

325 וַיִּקְרָא...כְּשֵׁם בְּנוֹ חֲנוֹךְ Gen. 4:17
326 וַיִּקְרְאוּ...כְּשֵׁם דָּן אֲבִיהֶם Josh. 19:47
327 שֵׁם גָּדוֹל כְּשֵׁם הַגְּדֹלִים IISh. 7:9
328 וְעָשִׂיתִי לְךָ שֵׁם כְּשֵׁם הַגְּדוֹלִים ICh. 17:8

לְשֵׁם־

329 בָּאוּ עֲבָדֶיךָ לְשֵׁם יְיָ אֱלֹהֶיךָ Josh. 9:9
330 כִּי לֹא־נִבְנָה בַיִת לְשֵׁם יְיָ IK. 3:2

לְשֵׁם־ (המשך)

331-344 לְשֵׁם יְיָ IK. 5:17, 19
8:17, 20; 10:1 • Is. 60:9 • Jer. 3:17 • Ps. 122:4 •
ICh. 22:7(6), 19(18) • IICh. 1:18; 2:3; 6:7, 10
345 וְהָיְתָה לִּי לְשֵׁם שָׂשׂוֹן Jer. 33:9
346 לֹא לְמַעַנְכֶם...כִּי אִם־לְשֵׁם־קָדְ׳ Ezek. 36:22
347 וְהָיָה לָהֶם לְשֵׁם יוֹם הִכָּבְדִי Ezek. 39:13
348 וְקִנֵּאתִי לְשֵׁם קָדְשִׁי Ezek. 39:25
349 לְהוֹדוֹת לְשֵׁם קָדְשֶׁךָ Ps. 106:47
350 לְהֹדוֹת לְשֵׁם קָדְשֶׁךָ ICh. 16:35
351 וּמְהַלְלִים לְשֵׁם תִּפְאַרְתֶּךָ ICh. 29:13
352 לִבְנוֹת־לְךָ בַיִת לְשֵׁם קָדְשֶׁךָ ICh. 29:16

שְׁמִי

353 וְיִקָּרֵא בָהֶם שְׁמִי וְשֵׁם אֲבֹתַי Gen. 48:16
354 זֶה־שְּׁמִי לְעֹלָם וְזֶה זִכְרִי Ex. 3:15
355 וּלְמַעַן סַפֵּר שְׁמִי בְּכָל־הָאָרֶץ Ex. 9:16
356 בְּכָל־הַמָּקוֹם אֲשֶׁר אַזְכִּיר אֶת־שְׁמִי Ex. 20:21
357 לֹא יִשָּׂא לְפִשְׁעֲכֶם כִּי שְׁמִי בְּקִרְבּוֹ Ex. 23:21
358 וְשָׂמוּ אֶת־שְׁמִי עַל־בְּנֵי יִשְׂרָאֵל Num. 6:27
359 וְאִם־תַּשְׁמִיד אֶת־שְׁמִי מִבֵּית אָבִי ISh. 24:21
360 אֶלְכֹּד...אֶת־הָעִיר וְנִקְרָא שְׁ׳ עָלֶיהָ IISh.12:28
361 אֵין־לִי בֵן בַּעֲבוּר הַזְכִּיר שְׁמִי IISh. 18:18
362 לִבְנוֹת בַּיִת לִהְיוֹת שְׁמִי שָׁם IK. 8:16
363 אֲשֶׁר אָמַרְתָּ יִהְיֶה שְׁמִי שָׁם IK. 8:29
364/5 לָשׂוּם(־)שְׁמִי שָׁם IK. 9:3; 11:36
366 בִּירוּשָׁלַםִ אָשִׂים אֶת־שְׁמִי IIK. 21:4
367 אָשִׂים אֶת־שְׁמִי לְעוֹלָם IIK. 21:7
368 אֲשֶׁר אָמַרְתִּי יִהְיֶה שְׁמִי שָׁם IIK. 23:27
369 בִרְאֹתוֹ יְלָדָיו...יַקְדִּישׁוּ שְׁמִי Is. 29:23
370 אֲנִי יְיָ הוּא שְׁמִי Is. 42:8
371 לְמַעַן שְׁמִי אַאֲרִיךְ אַפִּי Is. 48:9
372 מִמְּעֵי אִמִּי הִזְכִּיר שְׁמִי Is. 49:1
373 וְתָמִיד כָּל־הַיּוֹם שְׁמִי מִנֹּאָץ Is. 52:5
374 לָכֵן יֵדַע עַמִּי שְׁמִי Is. 52:6
375 לְמַעַן שְׁמִי יִכְבַּד יְיָ Is. 66:5
376-381 אֲשֶׁר(־)נִקְרָא־שְׁמִי עָלָיו Jer. 7:10
7:11, 14, 30; 32:34; 34:15
382 אֲשֶׁר שִׁכַּנְתִּי שְׁמִי שָׁם Jer. 7:12
383 וְיָדְעוּ כִּי־שְׁמִי יְיָ Jer. 16:21
384 הַחֹשְׁבִים לְהַשְׁכִּיחַ אֶת־עַמִּי שְׁמִי Jer. 23:27
385 כַּאֲשֶׁר שָׁכְחוּ אֲבוֹתָם אֶת־שְׁמִי Jer. 23:27
386 בָעִיר אֲשֶׁר־נִקְרָא שְׁמִי עָלֶיהָ Jer. 25:29
387 וַתָּשֻׁבוּ וַתְּחַלְּלוּ אֶת־שְׁמִי Jer. 34:16
388 אִם־יִהְיֶה עוֹד שְׁמִי נִקְרָא Jer. 44:26
389/90 וָאַעַשׂ לְמַעַן שְׁמִי Ezek. 20:9, 22
391 וָאֶעֱשֶׂה לְמַעַן שְׁמִי Ezek. 20:14
392 בַּעֲשׂוֹתִי אִתְּכֶם לְמַעַן שְׁמִי Ezek. 20:44
393 וְקִדַּשְׁתִּי אֶת־שְׁמִי הַגָּדוֹל Ezek. 36:23
394 אֲשֶׁר־נִקְרָא שְׁמִי עֲלֵיהֶם Am. 9:12
395 לָכֶם הַכֹּהֲנִים בּוֹזֵי שְׁמִי Mal. 1:6
396 מִמִּזְרַח־שֶׁמֶשׁ...גָּדוֹל שְׁמִי בַּגּוֹיִם Mal. 1:11
397 כִּי־גָדוֹל שְׁמִי בַּגּוֹיִם Mal. 1:11
398 וּמִפְּנֵי שְׁמִי נִחַת הוּא Mal. 2:5
399 וְזָרְחָה לָכֶם יִרְאֵי שְׁמִי שֶׁמֶשׁ צְדָקָה Mal. 3:20
400 אֲשַׂגְּבֵהוּ כִּי־יָדַע שְׁמִי Ps. 91:14
401 לְשַׁכֵּן אֶת־שְׁמִי שָׁם Neh. 1:9
402-404 לִהְיוֹת שְׁמִי שָׁם IICh. 6:5, 6; 7:16
405 אֲשֶׁר נִקְרָא־שְׁמִי עֲלֵיהֶם IICh. 7:14
406 בִּירוּשָׁלַםִ יִהְיֶה־שְּׁמִי לְעוֹלָם IICh. 33:4
407 וּבִירוּשָׁ׳...אָשִׂים אֶת־שְׁמִי לְעֵילוֹם IICh.33:7

וּשְׁמִי

408 וּשְׁמִי יְיָ לֹא נוֹדַעְתִּי לָהֶם Ex. 6:3
409 וּשְׁמִי נוֹרָא בַגּוֹיִם Mal. 1:14

בִּשְׁמִי

410 וְלֹא־תִשָּׁבְעוּ בִשְׁמִי לַשָּׁקֶר Lev. 19:12
411 אֶל־דְּבָרַי אֲשֶׁר יְדַבֵּר בִּשְׁמִי Deut. 18:19

בִּשְׁמִי (המשך)

412 אֲשֶׁר יָזִיד לְדַבֵּר דָּבָר בִּשְׁמִי Deut. 18:20
413 וּשְׁאֶלְתֶּם־לוֹ בִשְׁמִי לְשָׁלוֹם ISh. 25:5
414 מִמִּזְרַח־שֶׁמֶשׁ יִקְרָא בִשְׁמִי Is. 41:25
415 כֹּל הַנִּקְרָא בִשְׁמִי וְלִכְבוֹדִי בְּרָאתִיו Is. 43:7
416 אֶל־גּוֹי לֹא־קֹרָא בִשְׁמִי Is. 65:1
417 לְהִשָּׁבֵעַ בִּשְׁמִי חַי־יְיָ Jer. 12:16
418 שֶׁקֶר הַנְּבִאִים נִבְּאִים בִּשְׁמִי Jer. 14:14
419 עַל־הַנְּבִאִים הַנִּבְּאִים בִּשְׁמִי Jer. 14:15
420 הַנִּבְּאִים בִּשְׁמִי שֶׁקֶר לֵאמֹר Jer. 23:25
421 וְהֵם נִבְּאִים בִּשְׁמִי לַשָּׁקֶר Jer. 27:15
422 בְּשֶׁקֶר הֵם נִבְּאִים לָכֶם בִּשְׁמִי Jer. 29:9
423 הַנִּבְּאִים לָכֶם בִּשְׁמִי שָׁקֶר Jer. 29:21
424 וַיְדַבְּרוּ דָבָר בִּשְׁמִי שֶׁקֶר Jer. 29:23
425 הִנְנִי נִשְׁבַּעְתִּי בִּשְׁמִי הַגָּדוֹל Jer. 44:26
426 וְאֶל־בֵּית הַנִּשְׁבָּע בִּשְׁמִי לַשָּׁקֶר Zech. 5:4
427 הוּא יִקְרָא בִשְׁמִי וַאֲנִי אֶעֱנֶה אֹתוֹ Zech. 13:9

וּבִשְׁמִי

428 וּבִשְׁמִי תָּרוּם קַרְנוֹ Ps. 89:25

לִשְׁמִי

429/30 לָמָּה זֶּה תִּשְׁאַל לִשְׁ׳ Gen. 32:30 • Jud. 13:18
431 הוּא יִבְנֶה־בַּיִת לִשְׁמִי IISh. 7:13
432/3 הוּא־יִבְנֶה הַבַּיִת לִשְׁמִי IK. 5:19; 8:19
434/5 לִבְנוֹת בַּיִת לִשְׁמִי IK. 8:18 • IICh. 6:8
436 וְאֶת־הַבַּיִת אֲשֶׁר הִקְדַּשְׁתִּי לִשְׁמִי IK. 9:7
437 וּבְכָל־מָקוֹם מֻקְטָר מֻגָּשׁ לִשְׁמִי Mal. 1:11
438 לָתֵת כָּבוֹד לִשְׁמִי Mal. 2:2
439/40 לֹא־תִבְנֶה בַיִת לִשְׁמִי ICh. 22:8(7); 28:3
441 הוּא־יִבְנֶה בַיִת לִשְׁמִי ICh. 22:10(9)
442 הוּא־יִבְנֶה הַבַּיִת לִשְׁמִי IICh. 6:9
443 הַבַּיִת הַזֶּה אֲשֶׁר־הִקְדַּשְׁתִּי לִשְׁמִי IICh. 7:20

שִׁמְךָ

444 וְלֹא־יִקָּרֵא עוֹד אֶת־שִׁמְךָ אַבְרָם Gen. 17:5
445 וְהָיָה שִׁמְךָ אַבְרָהָם Gen. 17:5
446 לֹא יַעֲקֹב יֵאָמֵר עוֹד שִׁמְךָ Gen. 32:28
447 וַיֹּאמֶר־לוֹ אֱלֹהִים שִׁמְךָ יַעֲקֹב Gen. 35:10
448 לֹא־יִקָּרֵא שִׁמְךָ עוֹד יַעֲקֹב Gen. 35:10
449 וְיִגְדַּל שִׁמְךָ עַד־עוֹלָם IISh. 7:26
450 כִּי יִשְׁמְעוּן אֶת־שִׁמְךָ הַגָּדוֹל IK. 8:42
451 כִּי־שִׁמְךָ נִקְרָא עַל־הַבַּיִת הַזֶּה IK. 8:43
452 רַק יִקָּרֵא שִׁמְךָ עָלֵינוּ Is. 4:1
453 אוֹדֶה שִׁמְךָ כִּי עָשִׂיתָ פֶּלֶא Is. 25:1
454 לֹא־נִקְרָא שִׁמְךָ עֲלֵיהֶם Is. 63:19
455 לְהוֹדִיעַ שִׁמְךָ לְצָרֶיךָ Is. 64:1
456 וְגָדוֹל שִׁמְךָ בִּגְבוּרָה Jer. 10:6
457 אַל־תִּנְאַץ לְמַעַן שִׁמְךָ Jer. 14:21
458 כִּי־נִקְרָא שִׁמְךָ עָלַי Jer. 15:16
459/60 מָה־אַדִּיר שִׁמְךָ בְּכָל־הָאָרֶץ Ps. 8:2, 10
461 אֲזַמְּרָה שִׁמְךָ עֶלְיוֹן Ps. 9:3
462 אֲסַפְּרָה שִׁמְךָ לְאֶחָי Ps. 22:23
463 לְמַעַן־שִׁמְךָ יְיָ וְסָלַחְתָּ לַעֲוֹנִי Ps. 25:11
464 וּלְמַעַן שִׁמְךָ תַּנְחֵנִי וּתְנַהֲלֵנִי Ps. 31:4
465 אַזְכִּירָה שִׁמְךָ בְּכָל־דֹּר וָדֹר Ps. 45:18
466 וַאֲקַוֶּה שִׁמְךָ כִּי־טוֹב Ps. 52:11
467 אוֹדֶה שִׁמְךָ יְיָ כִּי־טוֹב Ps. 54:8
468 אֲזַמְּרָה שִׁמְךָ לָעַד Ps. 61:9
469 כָּל־הָאָרֶץ...יְזַמְּרוּ שִׁמְךָ Ps. 66:4
470 יְנָאֵץ אוֹיֵב שִׁמְךָ לָנֶצַח Ps. 74:10
471 וִיבַקְשׁוּ שִׁמְךָ יְיָ Ps. 83:17
472 כִּי־אַתָּה שִׁמְךָ יְיָ לְבַדֶּךָ Ps. 83:19
473 וַאֲכַבְּדָה שִׁמְךָ לְעוֹלָם Ps. 86:12
474 יוֹדוּ שִׁמְךָ גָּדוֹל וְנוֹרָא Ps. 99:3
475 זָכַרְתִּי בַלַּיְלָה שִׁמְךָ יְיָ Ps. 119:55
476 יְיָ שִׁמְךָ לְעוֹלָם Ps. 135:13
477 הִגְדַּלְתָּ עַל־כָּל־שִׁמְךָ אִמְרָתֶךָ Ps. 138:2
478 לְמַעַן־שִׁמְךָ יְיָ תְּחַיֵּנִי Ps. 143:11

שִׁמְךָ (המשך)

479 וַאֲבָרְכָה שִׁמְךָ לְעוֹלָם וָעֶד Ps. 145:1
480 וַאֲהַלְלָה שִׁמְךָ לְעוֹלָם וָעֶד Ps. 145:2
481 קָרָאתִי שִׁמְךָ יְיָ מִבּוֹר תַּחְתִּיּוֹת Lam. 3:55
482 וְהָעִיר אֲשֶׁר־נִקְרָא שִׁמְךָ עָלֶיהָ Dan. 9:18
483 כִּי־שִׁמְךָ נִקְרָא עַל־עִירְךָ Dan. 9:19
484 וְיִגְדַּל שִׁמְךָ עַד־עוֹלָם ICh. 17:24
485 אֲשֶׁר אָמַרְתָּ לָשׂוּם שִׁמְךָ שָׁם IICh. 6:20
486 וּבָא...לְמַעַן שִׁמְךָ הַגָּדוֹל IICh. 6:32
487 כִּי־שִׁמְךָ נִקְרָא עַל־הַבַּיִת הַזֶּה IICh. 6:33
488 כִּי שִׁמְךָ בַּבַּיִת הַזֶּה IICh. 20:9

שְׁמֶךָ

489 וַאֲבָרֶכְךָ וַאֲגַדְּלָה שְׁמֶךָ Gen. 12:2
490 וַיֹּאמֶר אֵלָיו מַה־שְּׁמֶךָ Gen. 32:27
491 וַיֹּאמֶר הַגִּידָה־נָּא שְׁמֶךָ Gen. 32:30
492 כִּי אִם־יִשְׂרָאֵל יִהְיֶה שְׁמֶךָ Gen. 35:10
493 וַיֹּאמֶר מָנוֹחַ...מִי שְׁמֶךָ Jud. 13:17
494/5 וְהוֹדוּ אֶת־שְׁמֶךָ IK. 8:33, 35
496 וּבָא מֵאֶרֶץ רְחוֹקָה לְמַעַן שְׁמֶךָ IK. 8:41
497 לְמַעַן יֵדְעוּן...עַמֵּי הָאָרֶץ אֶת־שְׁמֶךָ IK. 8:43
498 יִשְׂרָאֵל יִהְיֶה שְׁמֶךָ IK. 18:31
499 לְבַד־בְּךָ נַזְכִּיר שְׁמֶךָ Is. 26:13
500 אָבִינוּ גֹּאֲלֵנוּ מֵעוֹלָם שְׁמֶךָ Is. 63:16
501 יְיָ עֲשֵׂה לְמַעַן שְׁמֶךָ Jer. 14:7
502 לֹא פַשְׁחוּר קָרָא יְיָ שְׁמֶךָ Jer. 20:3
503 וְתוּשִׁיָּה יִרְאֶה שְׁמֶךָ Mic. 6:9
504 בַּמֶּה בָזִינוּ אֶת־שְׁמֶךָ Mal. 1:6
505 וְיַעְלְצוּ בְךָ אֹהֲבֵי שְׁמֶךָ Ps. 5:12
506 וְיִבְטְחוּ בְךָ יוֹדְעֵי שְׁמֶךָ Ps. 9:11
507 נָתַתָּ יְרֻשַּׁת יִרְאֵי שְׁמֶךָ Ps. 61:6
508 לָאָרֶץ חִלְּלוּ מִשְׁכַּן־שְׁמֶךָ Ps. 74:7
509 וְעַם־נָבָל נִאֲצוּ שְׁמֶךָ Ps. 74:18
510 עָנִי וְאֶבְיוֹן יְהַלְלוּ שְׁמֶךָ Ps. 74:21
510 הוֹדִינוּ וְקָרוֹב שְׁמֶךָ Ps. 75:2
512 עָזְרֵנוּ...עַל־דְּבַר כְּבוֹד־שְׁמֶךָ Ps. 79:9
513 וְכַפֵּר עַל־חַטֹּאתֵינוּ לְמַעַן שְׁמֶךָ Ps. 79:9
514 יַחֵד לְבָבִי לְיִרְאָה שְׁמֶךָ Ps. 86:11
515 עֲשֵׂה־אִתִּי לְמַעַן שְׁמֶךָ Ps. 109:21
516 וְחָנֵּנִי כְּמִשְׁפָּט לְאֹהֲבֵי שְׁמֶךָ Ps. 119:132
517 אֶשְׁתַּחֲוֶה...וְאוֹדֶה אֶת־שְׁמֶךָ Ps. 138:2
518 לְהוֹדוֹת אֶת־שְׁמֶךָ Ps. 142:8
519 שֶׁמֶן תּוּרַק שְׁמֶךָ S.ofS. 1:3
520 הַחֲפֵצִים לְיִרְאָה אֶת־שְׁמֶךָ Neh. 1:11
521/2 וְהוֹדוּ אֶת־שְׁמֶךָ IICh. 6:24, 26
523 יֵדְעוּ כָל־עַמֵּי הָאָרֶץ אֶת־שְׁמֶךָ IICh. 6:33

וְשִׁמְךָ

524 וְשִׁמְךָ עָלֵינוּ נִקְרָא Jer. 14:9
525 וְשִׁמְךָ לְעוֹלָם נוֹדֶה Ps. 44:9

בְשִׁמְךָ

526 קָרָאתִי בְשִׁמְךָ לִי־אָתָּה Is. 43:1
527 אֲנִי יְיָ הַקּוֹרֵא בְשִׁמְךָ אֱלֹהֵי יִשְׂ׳ Is. 45:3
528 וְאֵין־קוֹרֵא בְשִׁמְךָ Is. 64:6
529 אֲשֶׁר בְּשִׁמְךָ לֹא קָרָאוּ Jer. 10:25
530 בְּשִׁמְךָ נָבוּס קָמֵינוּ Ps. 44:6
531 אֱלֹהִים בְּשִׁמְךָ הוֹשִׁיעֵנִי Ps. 54:3
532 אֲבָרֶכְךָ בְחַיָּי בְּשִׁמְךָ אֶשָּׂא כַפָּי Ps. 63:5
533 אֲשֶׁר בְּשִׁמְךָ לֹא קָרָאוּ Ps. 79:6
534 תָּבוֹר וְחֶרְמוֹן בְּשִׁמְךָ יְרַנֵּנוּ Ps. 89:13
535 בְּשִׁמְךָ יְגִילוּן כָּל־הַיּוֹם Ps. 89:17
536 הַנְּבִיאִים אֲשֶׁר דִּבְּרוּ בְּשִׁמְךָ Dan. 9:6

בְּשִׁמְכָה

537 שָׁלַחְתָּ בְשִׁמְכָה סְפָרִים Jer. 29:25

בִּשְׁמֶךָ

538 וּמֵאָז בָּאתִי...לְדַבֵּר בִּשְׁמֶךָ Ex. 5:23
539 וָאֶקְרָא לְךָ בִּשְׁמֶךָ Is. 45:4

וּבְשִׁמְךָ

540 תְּחַיֵּנוּ וּבְשִׁמְךָ נִקְרָא Ps. 80:19
541 וּבְשִׁמְךָ בָאנוּ עַל־הֶהָמוֹן הַזֶּה IICh. 14:10

כְּשִׁמְךָ

542 כְּשִׁמְךָ אֱלֹהִים כֵּן תְּהִלָּתְךָ Ps. 48:11

לְשִׁמְךָ 543 וּמַה־תַּעֲשֶׂה לְשִׁמְךָ הַגָּדוֹל Josh. 7:9
544 לְשִׁמְךָ וּלְזִכְרְךָ תַּאֲוַת־נָפֶשׁ Is. 26:8
545 וּלְזַמֵּר לְשִׁמְךָ עֶלְיוֹן Ps. 92:2
546 כִּי־לְשִׁמְךָ תֵּן כָּבוֹד Ps. 115:1
547 וַיִּבְנוּ לְךָ בָּהּ מִקְדָּשׁ לְשִׁמְךָ IICh. 20:8
לִשְׁמֶךָ 548 וְהַבַּיִת אֲשֶׁר־בָּנִתִי לִשְׁמֶךָ IK. 8:44
549 וְהַבַּיִת אֲשֶׁר־בָּנִיתִי לִשְׁמֶךָ IK. 8:48
550 יָבוֹאוּ...וִיכַבְּדוּ לִשְׁמֶךָ Ps. 86:9
551 אַךְ צַדִּיקִים יוֹדוּ לִשְׁמֶךָ Ps. 140:14
552 וְהַבַּיִת אֲשֶׁר־בָּנִיתִי לִשְׁמֶךָ IICh. 6:34
553 וְלַבַּיִת אֲשֶׁר־בָּנִיתִי לִשְׁמֶךָ IICh. 6:38
וּלְשִׁמְךָ 554 אוֹדְךָ יְיָ בַּגּוֹיִם וּלְשִׁמְךָ אֲזַמֵּר IISh. 22:50
555 אוֹדְךָ בַגּוֹיִם יְיָ וּלְשִׁמְךָ אֲזַמֵּרָה Ps. 18:50
מִשִּׁמְךָ 556 לֹא־יִזָּרַע מִשִּׁמְךָ עוֹד Nah. 1:14
מִשְּׁמֶךָ 557 יֵיטֵב...אֶת־שֵׁם שְׁלֹמֹה מִשְּׁמֶךָ IK. 1:47
שְׁמֵךְ 558 זַיִת רַעֲנָן...קָרָא יְיָ שְׁמֵךְ Jer. 11:16
559 וַתִּבְטְחִי בְיָפְיֵךְ וַתִּזְנִי עַל־שְׁמֵךְ Ezek. 16:15
שְׁמוֹ 560 אֲשֶׁר יִקְרָא־לוֹ הָאָדָם...הוּא שְׁמוֹ Gen. 2:19
561 וַתִּקְרָא אֶת־שְׁמוֹ שֵׁת Gen. 4:25
562 וַיִּקְרָא אֶת־שְׁמוֹ אֱנוֹשׁ Gen. 4:26
609-563 וַיִּקְרָא (וַתִּקְרָא, וְקָרָאת וכד׳) (אֶת־) שְׁמוֹ
Gen. 5:3, 29; 16:11; 17:19; 19:37, 38; 25:25, 26, 30; 27:36; 29:32, 33, 34, 35; 30:6, 8, 11, 13, 18, 20, 24; 31:48; 35:8, 10, 18; 38:3, 4, 5, 29, 30 • Ex. 2:10, 22; 16:31; 17:15 • Jud. 13:24 • ISh. 1:20 • IISh. 12:24, 25 • IK. 7:21 • Is. 7:14; 9:5 • Hosh. 1:4, 9 • Ruth 4:17 • ICh. 4:9; 7:16, 23
610 וְאָמְרוּ־לִי מַה־שְּׁמוֹ Ex. 3:13
611 יְיָ אִישׁ מִלְחָמָה יְיָ שְׁמוֹ Ex. 15:3
612 אֵת אֲשֶׁר־יִשָּׂא אֶת־שְׁמוֹ לַשָּׁוְא Ex. 20:7
613 פִּתּוּחֵי חוֹתָם אִישׁ עַל־שְׁמוֹ Ex. 28:21
614 כִּי יְיָ קַנָּא שְׁמוֹ אֵל קַנָּא Ex. 34:14
615 פִּתּוּחֵי חֹתָם אִישׁ עַל־שְׁמוֹ Ex. 39:14
616 אִישׁ אֶת־שְׁמוֹ תִּכְתֹּב עַל־מַטֵּהוּ Num. 17:17
617 וַיִּקְרָא אֹתָם עַל־שְׁמוֹ Deut. 3:14
618 אֵת אֲשֶׁר־יִשָּׂא אֶת־שְׁמוֹ לַשָּׁוְא Deut. 5:11
619 לָשׂוּם אֶת־שְׁמוֹ שָׁם Deut. 12:5
624-620 לְשַׁכֵּן שְׁמוֹ שָׁם Deut. 12:11
14:23; 16:2, 11; 26:2
625/6 לָשׂוּם שְׁמוֹ שָׁם Deut. 12:21; 14:24
627 אֲשֶׁר־יִבְחַר יְיָ אֱלֹהֶיךָ לְשַׁכֵּן שְׁמוֹ Deut. 16:6
628 וְלֹא־יִמָּחֶה שְׁמוֹ מִיִּשְׂרָאֵל Deut. 25:6
629 וְנִקְרָא שְׁמוֹ בְּיִשְׂרָאֵל Deut. 25:10
630 וּמָחָה יְיָ אֶת־שְׁמוֹ מִתַּחַת הַשָּׁמָיִם Deut. 29:19
631 וַיָּשֶׂם אֶת־שְׁמוֹ אֲבִימֶלֶךְ Jud. 8:31
632 וְאֶת־שְׁמוֹ לֹא־הִגִּיד לִי Jud. 13:6
633 לֹא־יִטֹּשׁ...בַּעֲבוּר שְׁמוֹ הַגָּדוֹל ISh. 12:22
634 אִישׁ־הַבֵּנַיִם...גָּלְיָת שְׁמוֹ מִגַּת ISh. 17:4
635 גָּלְיָת הַפְּלִשְׁתִּי שְׁמוֹ מִגַּת ISh. 17:23
636 וַיִּיקַר שְׁמוֹ מְאֹד ISh. 18:30
637 נָבָל שְׁמוֹ וּנְבָלָה עִמּוֹ ISh. 25:25
638 וַיִּקְרָא לַמַּצֶּבֶת עַל־שְׁמוֹ IISh. 18:18
639 שֶׁבַע בֶּן־בִּכְרִי שְׁמוֹ IISh. 20:21
640 וַיְהִי־שְׁמוֹ בְכָל־הַגּוֹיִם סָבִיב IK. 5:11
641 וַיָּקֶם אֶת־הָעַמֻּדִים...וַיִּקְרָא
אֶת־שְׁמוֹ יָכִין IK. 7:21
642 הִנֵּה־בֵן נוֹלָד...יֹאשִׁיָּהוּ שְׁמוֹ IK. 13:2
643 לָשׂוּם אֶת־שְׁמוֹ שָׁם IK. 14:21
644 אֲשֶׁר־שָׂם שְׁמוֹ יִשְׂרָאֵל IIK. 17:34
645 וַיַּסֵּב אֶת־שְׁמוֹ יְהוֹיָקִים IIK. 23:34
646 וַיַּסֵּב אֶת־שְׁמוֹ צִדְקִיָּהוּ IIK. 24:17
647 קְרָא שְׁמוֹ מַהֵר שָׁלָל חָשׁ בַּז Is. 8:3

שְׁמוֹ (המשך) 648 הַזְכִּירוּ כִּי נִשְׂגָּב שְׁמוֹ Is. 12:4
660-649 יְיָ צְבָאוֹת שְׁמוֹ Is. 47:4
48:2; 51:15; 54:5 • Jer. 10:16; 31:35; 32:18; 46:18; 48:15; 50:34; 51:19, 57
661 וְלֹא־יִשָּׁמֵד שְׁמוֹ מִלְּפָנָי Is. 48:19
662 שֹׁכֵן עַד וְקָדוֹשׁ שְׁמוֹ Is. 57:15
663 וְזֶה־שְּׁמוֹ אֲשֶׁר־יִקְרְאוֹ יְיָ צִדְקֵנוּ Jer. 23:6
664 יוֹצֵר אוֹתָהּ לַהֲכִינָהּ יְיָ שְׁמוֹ Jer. 33:2
665 כָּל־סְבִיבָיו וְכֹל יֹדְעֵי שְׁמוֹ Jer. 48:17
666/7 יְיָ אֱלֹהֵי־צְבָאוֹת שְׁמוֹ Am. 4:13; 5:27
668/9 יְיָ שְׁמוֹ Am. 5:8; 9:6
670 הִנֵּה־אִישׁ צֶמַח שְׁמוֹ Zech. 6:12
671 לְיִרְאֵי יְיָ וּלְחֹשְׁבֵי שְׁמוֹ Mal. 3:16
672 יַנְחֵנִי בְמַעְגְּלֵי־צֶדֶק לְמַעַן שְׁמוֹ Ps. 23:3
673/4 הָבוּ לַייָ כְּבוֹד שְׁמוֹ Ps. 29:2; 96:8
675 וּנְרוֹמְמָה שְׁמוֹ יַחְדָּו Ps. 34:4
676 מָתַי יָמוּת וְאָבַד שְׁמוֹ Ps. 41:6
677 זַמְּרוּ כְבוֹד־שְׁמוֹ Ps. 66:2
678 שִׁירוּ לֵאלֹהִים זַמְּרוּ שְׁמוֹ Ps. 68:5
679 סֹלּוּ...בְּיָהּ שְׁמוֹ וְעִלְזוּ לְפָנָיו Ps. 68:5
680 וְאֹהֲבֵי שְׁמוֹ יִשְׁכְּנוּ־בָהּ Ps. 69:37
681 יְהִי שְׁמוֹ לְעוֹלָם Ps. 72:17
682 לִפְנֵי־שֶׁמֶשׁ יִנּוֹן׳ שְׁמוֹ Ps. 72:17
683 נוֹדָע...בְּיִשְׂרָאֵל גָּדוֹל שְׁמוֹ Ps. 76:2
684 שִׁירוּ לַייָ בָּרְכוּ שְׁמוֹ Ps. 96:2
685 וּשְׁמוּאֵל בְּקֹרְאֵי שְׁמוֹ Ps. 99:6
686 הוֹדוּ לוֹ בָּרְכוּ שְׁמוֹ Ps. 100:4
687 וַיּוֹשִׁיעֵם לְמַעַן שְׁמוֹ Ps. 106:8
688 קָדוֹשׁ וְנוֹרָא שְׁמוֹ Ps. 111:9
689 כִּי־נִשְׂגָּב שְׁמוֹ לְבַדּוֹ Ps. 148:3
690 יְהַלְלוּ שְׁמוֹ בְמָחוֹל Ps. 149:3
691 זֵד יָהִיר לֵץ שְׁמוֹ Prov. 21:24
692 מַה־שְּׁמוֹ וּמַה־שֶּׁם־בְּנוֹ כִּי תֵדָע Prov. 30:4
693 אִישׁ הָיָה בְאֶרֶץ־עוּץ אִיּוֹב שְׁמוֹ Job 1:1
694 וְיִקָּרֵא שְׁמוֹ בְּיִשְׂרָאֵל Ruth 4:14
695 וּבַחֹשֶׁךְ שְׁמוֹ יְכֻסֶּה Eccl. 6:4
696 מַה־שֶּׁהָיָה כְּבָר נִקְרָא שְׁמוֹ Eccl. 6:10
697 אֲשֶׁר־נִקְרָא שְׁמוֹ בֵּלְטְשַׁאצַּר Dan. 10:1
698 וְשַׂמְתָּ שְּׁמוֹ אַבְרָהָם Neh. 9:7
699 הָבוּ לַייָ כְּבוֹד שְׁמוֹ ICh. 16:29
700 כִּי שְׁלֹמֹה יִהְיֶה שְׁמוֹ ICh. 22:9(8)
701 לָשׂוּם אֶת־שְׁמוֹ שָׁם IICh. 12:13
702 וַיֵּלֶךְ שְׁמוֹ עַד־לְבוֹא מִצְרַיִם IICh. 26:8
703 וַיֵּצֵא שְׁמוֹ עַד־לְמֵרָחוֹק IICh. 26:15
704 וְשָׁם הָיָה נָבִיא לַייָ עֹדֵד שְׁמוֹ IICh. 28:9
705 וַיַּסֵּב אֶת־שְׁמוֹ יְהוֹיָקִים IICh. 36:4
וּשְׁמוֹ 706 וּלְרִבְקָה אָח וּשְׁמוֹ לָבָן Gen. 24:29
707 אִישׁ עֲדֻלָּמִי וּשְׁמוֹ חִירָה Gen. 38:1
708 בַּת־אִישׁ כְּנַעֲנִי וּשְׁמוֹ שׁוּעַ Gen. 38:2
709 וַיְהִי אִישׁ אֶחָד...וּשְׁמוֹ מָנוֹחַ Jud. 13:2
718-710 ...אִישׁ...וּשְׁמוֹ... Jud. 17:1 • ISh. 1:1
9:1; 17:12; 21:8 • IISh. 16:5; 17:25; 20:1 • Es. 2:5
719 וְלוֹ־הָיָה בֵן וּשְׁמוֹ שָׁאוּל ISh. 9:2
720 וַיִּמָּלֵט בֵּן־אֶחָד...וּשְׁמוֹ אֶבְיָתָר ISh. 22:20
721 בֵּן נְכֵה רַגְלָיִם...וּשְׁמוֹ מְפִיבֹשֶׁת IISh. 4:4
722 וּלְבֵית שָׁאוּל עֶבֶד וּשְׁמוֹ צִיבָא IISh. 9:2
723 וְלִמְפִיבֹשֶׁת בֵּן־קָטָן וּשְׁמוֹ מִיכָא IISh. 9:12
724 וּלְאַמְנוֹן רֵעַ וּשְׁמוֹ יוֹנָדָב IISh. 13:3
725 וּשְׁמוֹ לֹא־יִזָּכֵר עוֹד Jer. 11:19
726 וְשָׁם בַּעַל פְּקִדֻת וּשְׁמוֹ יִרְאִיָּיה Jer. 37:13
727 יִהְיֶה יְיָ אֶחָד וּשְׁמוֹ אֶחָד Zech. 14:9
728 וּלְנָעֳמִי מוֹדַע׳ לְאִישָׁהּ...וּשְׁמוֹ בֹּעַז Ruth 2:1

729 וּלְשֵׁשָׁן עֶבֶד מִצְרִי וּשְׁמוֹ יַרְחָע ICh. 2:34
בִּשְׁמוֹ 730 וַיִּקְרָא לָהּ נֹבַח בִּשְׁמוֹ Num. 32:42
731 לַעֲמֹד לִפְנֵי יְיָ...וּלְבָרֵךְ בִּשְׁמוֹ Deut. 10:8
732 הוֹדוּ לַייָ קִרְאוּ בִשְׁמוֹ Is. 12:4
733 וְלֹא־אֲדַבֵּר עוֹד בִּשְׁמוֹ Jer. 20:9
734/5 הוֹדוּ לַייָ קִרְאוּ בִשְׁמוֹ Ps. 105:1 • ICh. 16:8
736 לְשָׁרְתוֹ וּלְבָרֵךְ בִּשְׁמוֹ ICh. 23:13
וּבִשְׁמוֹ 737 וְאֹתוֹ תַעֲבֹד וּבִשְׁמוֹ תִּשָּׁבֵעַ Deut. 6:13
738 וּבוֹ תִדְבָּק וּבִשְׁמוֹ תִּשָּׁבֵעַ Deut. 10:20
739 וְגִבַּרְתִּים בַּייָ וּבִשְׁמוֹ יִתְהַלָּכוּ Zech. 10:12
כִּשְׁמוֹ 740 כִּי כִשְׁמוֹ כֶּן־הוּא ISh. 25:25
לִשְׁמוֹ 741 זַמְּרוּ לִשְׁמוֹ כִּי נָעִים Ps. 135:3
שְׁמָהּ 742 עַל־כֵּן קָרָא שְׁמָהּ בָּבֶל Gen. 11:9
743 לֹא־תִקְרָא אֶת־שְׁמָהּ שָׂרָי Gen. 17:15
744 כִּי שָׂרָה שְׁמָהּ Gen. 17:15
745 וַיִּקְרָא שְׁמָהּ שִׂטְנָה Gen. 26:21
753-746 וַיִּקְרָא (וַתִּקְרָא, קָרָא וכו׳) (אֶת־) שְׁמָהּ
Gen. 26:22; 30:21; 50:11 • Ex. 15:23 • Jud. 1:26; 15:19 • ISh. 7:12 • IIK. 14:7
754 הוּא שְׁמָהּ עַד הַיּוֹם הַזֶּה Jud. 1:26
755 וַיִּקָּרֵא שְׁמָהּ בָּמָה Ezek. 20:29
756 קְרָא שְׁמָהּ לֹא רֻחָמָה Hosh. 1:6
וּשְׁמָהּ 757 וְלָהּ שִׁפְחָה מִצְרִית וּשְׁמָהּ הָגָר Gen. 16:1
758 וּפִילַגְשׁוֹ וּשְׁמָהּ רְאוּמָה Gen. 22:24
759 וַיִּקַּח אִשָּׁה וּשְׁמָהּ קְטוּרָה Gen. 25:1
760 אִשָּׁה לְעֵר בְּכוֹרוֹ וּשְׁמָהּ תָּמָר Gen. 38:6
761 בֵּית אִשָּׁה זוֹנָה וּשְׁמָהּ רָחָב Josh. 2:1
762 וַיֶּאֱהַב אִשָּׁה...וּשְׁמָהּ דְּלִילָה Jud. 16:4
763 וּלְשָׁאוּל פִּלֶגֶשׁ וּשְׁמָהּ רִצְפָּה IISh. 3:7
764 וּלְאַבְשָׁלוֹם...אָחוֹת יָפָה וּשְׁמָהּ תָּמָר IISh.13:1
765 וּבַת אַחַת וּשְׁמָהּ תָּמָר IISh. 14:27
766 אִשָּׁה...לִירַחְמְאֵל וּשְׁמָהּ עֲטָרָה ICh. 2:26
שְׁמֵנוּ 767 וְהִכְרִיתוּ אֶת־שְׁמֵנוּ מִן־הָאָרֶץ Josh. 7:9
שִׁמְכֶם 768 וְהִנַּחְתֶּם שִׁמְכֶם לִשְׁבוּעָה לִבְחִירַי Is. 65:15
וְשִׁמְכֶם 769 כֵּן יַעֲמֹד זַרְעֲכֶם וְשִׁמְכֶם Is. 66:22
שְׁמָם 770 וַיִּקְרָא אֶת־שְׁמָם אָדָם Gen. 5:2
771 וְהַאֲבַדְתָּ אֶת־שְׁמָם Deut. 7:24
772 וְאֶמְחֶה אֶת־שְׁמָם מִתַּחַת הַשָּׁמָיִם Deut. 9:14
773 וְאִבַּדְתֶּם אֶת־שְׁמָם מִן־הַמָּקוֹם Deut. 12:3
774 שְׁמָם מָחִיתָ לְעוֹלָם וָעֶד Ps. 9:6
775 בְּדוֹר אַחֵר יִמַּח שְׁמָם Ps. 109:13
776/7 וַיִּקָּרֵא עַל־שְׁמָם Ez. 2:61 • Neh. 7:63
בִּשְׁמָם 778 וְלֹא־יִזָּכְרוּ עוֹד בִּשְׁמָם Hosh. 2:19
שֵׁמוֹת 779 וַיִּקְרָא הָאָדָם שֵׁמוֹת לְכָל־הַבְּהֵמָה Gen. 2:20
780 וַיִּקְרָא לָהֶן שֵׁמוֹת Gen. 26:18
796-781 בְּמִסְפַּר שֵׁמוֹת Num. 1:2, 18, 20
1:22, 24, 26, 28, 30, 32, 34, 36, 38, 40, 42; 3:43; 26:53
797 לְכֻלָּם שֵׁמוֹת יִקְרָא Ps. 147:4
798 וַיָּשֶׂם לָהֶם שַׂר הַסָּרִיסִים שֵׁמוֹת Dan. 1:7
799 אַנְשֵׁי שֵׁמוֹת רָאשִׁים לְבֵית אֲבוֹתָם ICh. 5:24
800 אַנְשֵׁי שֵׁמוֹת לְבֵית אֲבוֹתָם ICh. 12:30(31)
801 בְּמִסְפַּר שֵׁמוֹת לְגֻלְגְּלֹתָם ICh. 23:24
בְּשֵׁמוֹת 802 הָאֲנָשִׁים...אֲשֶׁר נִקְּבוּ בְּשֵׁמוֹת Num. 1:17
803 וַיִּקְרְאוּ בְשֵׁמֹת אֶת־שְׁמוֹת הֶעָרִים Num.32:38
804 כֻּלָּם נִקְּבוּ בְשֵׁמוֹת Ez. 8:20
805 אֲנָשִׁים...וְכֻלָּם בְּשֵׁמוֹת Ez. 10:16
806 אֵלֶּה הַבָּאִים בְּשֵׁמוֹת נְשִׂיאִים ICh. 4:38
807 וַיָּבֹאוּ אֵלֶּה הַכְּתוּבִים בְּשֵׁמוֹת ICh. 4:41
808 אֲשֶׁר־יִקְרְאוּ אֶתְהֶם בְּשֵׁמוֹת ICh. 6:50
809/10 אֲשֶׁר נִקְּבוּ בְּשֵׁמוֹת ICh. 12:32; 16:41
811/12 אֲשֶׁר(־)נִקְּבוּ בְשֵׁמוֹת IICh. 28:15; 31:19
וּבְשֵׁמוֹת 813 וּבְשֵׁמֹת תִּפְקְדוּ אֶת־כְּלֵי...מַשָּׂאָם Num. 4:32

כִּשְׁמוֹת 814 כִּשְׁמֹת אֲשֶׁר־קָרָא לָהֶן אָבִיו Gen. 26:18
שְׁמוֹת־ 815 וְאֵלֶּה שְׁמוֹת בְּנֵי יִשְׁמָעֵאל Gen. 25:13
816 אֵלֶּה שְׁמוֹת בְּנֵי־עֵשָׂו Gen. 36:10
817 וְאֵלֶּה שְׁמוֹת אַלּוּפֵי עֵשָׂו Gen. 36:40
818/9 וְאֵלֶּה שְׁמוֹת בּ״י Gen. 46:8 • Ex. 1:1
820 וְאֵלֶּה שְׁמוֹת בְּנֵי לֵוִי Ex. 6:16
821 וּפִתַּחְתָּ עֲלֵיהֶם שְׁמוֹת בּ״י Ex. 28:9
822 וְאֶת־שְׁמוֹת הַשִּׁשָּׁה הַנּוֹתָרִים Ex. 28:10
823-826 עַל־שְׁמֹת בּ״י Ex. 28:11, 21; 39:6, 14
827 וְנָשָׂא אַהֲרֹן אֶת־שְׁמוֹת בּ״י Ex. 28:29
828-831 וְאֵלֶּה שְׁמוֹת הָאֲנָשִׁים Num. 1:5
13:16; 34:17, 19
832/3 וְאֵלֶּה שְׁמוֹת בְּנֵי אַהֲרֹן Num. 3:2, 3
834 וְאֵלֶּה שְׁמוֹת בְּנֵי גֵרְשׁוֹן Num. 3:18
835/6 וְאֵלֶּה שְׁמוֹת בְּנֹתָיו Num. 27:1
Josh. 17:3
837 אֶת־שְׁמוֹת הֶעָרִים אֲשֶׁר בָּנוּ Num. 32:38
838 וְאֵלֶּה שְׁמוֹת הַיִּלֹּדִים לוֹ IISh. 5:14
839 אֵלֶּה שְׁמוֹת הַגִּבֹּרִים IISh. 23:8
840 וְאֵלֶּה שְׁמוֹת הַשְּׁבָטִים Ezek. 48:1
841 עַל־שְׁמוֹת שִׁבְטֵי יִשְׂרָאֵל Ezek. 48:31
842 וַהֲסִרֹתִי אֶת־שְׁמוֹת הַבְּעָלִים מִפִּי׳ Hosh. 2:19
843 אַכְרִית אֶת־שְׁמוֹת הָעֲצַבִּים Zech. 13:2
844 וְאֵלֶּה שְׁמוֹת בְּנֵי גֵרְשׁוֹם ICh. 6:2
845 וְאֵלֶּה שְׁמוֹת הַיִּלּוּדִים ICh. 14:4
לִשְׁמוֹת־ 846 לִשְׁמוֹת מַטּוֹת־אֲבֹתָם יִנְחָלוּ Num. 26:55
שְׁמֹתָם 847 וְאֵלֶּה שְׁמֹתָם בְּחַצְרֵיהֶם Gen. 25:16
848 וְנָשָׂא אַהֲרֹן אֶת־שְׁמוֹתָם Ex. 28:12
849/50 וְהָאֲבָנִים...שְׁתֵּים עֶשְׂרֵה עַל־שְׁמֹתָם
Ex. 28:21; 39:14
851 וְשָׂא אֵת מִסְפַּר שְׁמֹתָם Num. 3:40
852-856 וְאֵלֶּה שְׁמוֹתָם Num. 13:4
IK. 4:8 • Ez. 8:13 • ICh. 8:38; 9:44
857 וּבַל־אֶשָּׂא אֶת־שְׁמוֹתָם עַל־שְׂפָתָי Ps. 16:4
בִּשְׁמוֹתָם 858 בִּשְׁמֹתָם לְתוֹלְדֹתָם Gen. 25:13
859 לְמִשְׁפְּחֹתָם לִמְקֹמֹתָם בִּשְׁמֹתָם Gen. 36:40
860 וַיִּהְיוּ־אֵלֶּה בְנֵי־לֵוִי בִּשְׁמֹתָם Num. 3:17
861 קָרְאוּ בִשְׁמוֹתָם עֲלֵי אֲדָמוֹת Ps. 49:12
מִשְּׁמוֹתָם 862 שִׁשָּׁה מִשְּׁמֹתָם עַל הָאֶבֶן הָאֶחָת Ex. 28:10
וּשְׁמוֹתָן 863 וּשְׁמוֹתָן אָהֳלָה הַגְּדוֹלָה וְאָהֳלִיבָה Ezek. 23:4
864 וּשְׁמוֹתָן שֹׁמְרוֹן אָהֳלָה וִירוּשָׁלִַם Ezek. 23:4

שֵׁם² שם־ז׳ – בכור נח: 1-17
אָהֳלֵי שֵׁם 6; אֱלֹהֵי שֵׁם 5; בְּנֵי שֵׁם 9, 14;
תּוֹלְדוֹת שֵׁם 10

שֵׁם 1/2 אֶת־שֵׁם אֶת־חָם וְאֶת־יָפֶת Gen. 5:32; 6:10
3 וַיִּהְיוּ בְנֵי־נֹחַ...שֵׁם וְחָם וָיָפֶת Gen. 9:18
4 וַיִּקַּח שֵׁם וָיֶפֶת אֶת־הַשִּׂמְלָה Gen. 9:23
5 בָּרוּךְ יְיָ אֱלֹהֵי שֵׁם Gen. 9:26
6 וְיִשְׁכֹּן בְּאָהֳלֵי־שֵׁם Gen. 9:27
7 בְּנֵי־נֹחַ שֵׁם חָם וָיָפֶת Gen. 10:1
8 בְּנֵי שֵׁם עֵילָם וְאַשּׁוּר Gen. 10:22
9 אֵלֶּה בְנֵי־שֵׁם לְמִשְׁפְּחֹתָם Gen. 10:31
10 אֵלֶּה תּוֹלְדֹת שֵׁם Gen. 11:10
11 שֵׁם בֶּן־מְאַת שָׁנָה וַיּוֹלֶד... Gen. 11:10
12 וַיְחִי־שֵׁם אַחֲרֵי הוֹלִידוֹ... Gen. 11:11
13 נֹחַ שֵׁם חָם וָיָפֶת ICh. 1:4
14 בְּנֵי שֵׁם עֵילָם וְאַשּׁוּר ICh. 1:17
15 שֵׁם אַרְפַּכְשַׁד שָׁלַח ICh. 1:24
וְשֵׁם 16 וְשֵׁם־וְחָם וָיֶפֶת בְּנֵי־נֹחַ Gen. 7:13
וּלְשֵׁם 17 וּלְשֵׁם יֻלַּד גַּם־הוּא Gen. 10:21

שָׁם תה״פ א) במקום ההוא, לא פה: 1-507,535-573,689
ב) למקום ההוא: 508-534
ג) [מִשָּׁם] מן המקום ההוא: 574-688
ד) [שָׁמָּה] למקום ההוא: 690-792, 824-827
ה) [כנ״ל] שם, במקום ההוא: 793-823,828-831

שָׁם(א) 1 וַיִּטַּע...וַיָּשֶׂם שָׁם אֶת־הָאָדָם Gen. 2:8
2 אֲשֶׁר־שָׁם הַזָּהָב Gen. 2:11
3 שָׁם הַבְּדֹלַח וְאֶבֶן הַשֹּׁהַם Gen. 2:12
4 וַיִּמְצְאוּ בִקְעָה...וַיֵּשְׁבוּ שָׁם Gen. 11:2
5 הָבָה נֵרְדָה וְנָבְלָה שָׁם שְׂפָתָם Gen. 11:7
6 כִּי־שָׁם בָּלַל יְיָ שְׂפַת כָּל־הָאָרֶץ Gen. 11:9
7 וַיָּבֹאוּ עַד־חָרָן וַיֵּשְׁבוּ שָׁם Gen. 11:31
8-10 וַיִּבֶן(־)שָׁם מִזְבֵּחַ לַייָ Gen. 12:7, 8; 13:18
11 וַיֵּרֶד אַבְרָם...לָגוּר שָׁם Gen. 12:10
12 עַד־הַמָּקוֹם אֲשֶׁר־הָיָה שָׁם אָהֳלֹה Gen. 13:3
13 אֶל־מְקוֹם הַמִּזְבֵּחַ אֲשֶׁר־עָשָׂה שָׁם Gen. 13:4
14 וַיִּקְרָא שָׁם אַבְרָם בְּשֵׁם יְיָ Gen. 13:4
15 מִן־הַמָּקוֹם אֲשֶׁר־אַתָּה שָׁם Gen. 13:14
16 אִם־אֶמְצָא שָׁם אַרְבָּעִים וַחֲמִשָּׁה Gen. 18:28
17-20 אוּלַי יִמָּצְאוּן שָׁם... Gen. 18:29, 30, 31, 32
21 אִם־אֶמְצָא שָׁם שְׁלֹשִׁים Gen. 18:30
22 אֶל־הַמָּקוֹם אֲשֶׁר־עָמַד שָׁם Gen. 19:27
23 בַּאֲשֶׁר הוּא־שָׁם Gen. 21:17
24 כִּי שָׁם נִשְׁבְּעוּ שְׁנֵיהֶם Gen. 21:31
25 וַיִּקְרָא־שָׁם בְּשֵׁם יְיָ אֵל עוֹלָם Gen. 21:33
26 וְהַעֲלֵהוּ שָׁם לְעֹלָה Gen. 22:2
27 וַיִּבֶן שָׁם אַבְרָהָם אֶת־הַמִּזְבֵּחַ Gen. 22:9
28 שָׁם שָׂם לוֹ חֹק וּמִשְׁפָּט Ex. 15:25
29 וַיָּגָר שָׁם בִּמְתֵי מְעָט Deut. 26:5
30 וַיְהִי־שָׁם לְגוֹי גָּדוֹל Deut. 26:5
31-34 זְעֵיר שָׁם זְעֵיר שָׁם Is. 28:10, 13
35 אִם־אֶסַּק שָׁמַיִם שָׁם אָתָּה Ps. 139:8
36-506 שָׁם Gen. 26:8, 17, 19, 25^{3}; 28:11
29:2; 31:13^{2}, 46; 32:14, 30; 33:19, 20; 35:1^{2}, 3, 7^{2};
35:15, 27; 38:2; 39:11, 20, 22; 40:3; 43:25; 44:14;
45:11; 46:3; 48:7; 50:10 • Ex. 8:18; 9:26; 12:13, 30;
15:27; 17:3, 6; 18:5; 19:2; 20:21; 24:12; 25:22;
29:42; 34:2, 5, 28; 40:3, 7 • Lev. 16:23 • Num. 9:17^{2};
11:16, 17, 34; 13:28; 14:43; 19:18; 20:1, 4, 26, 28;
21:32; 32:26; 33:9, 14, 38 • Deut. 1:28, 37; 4:28;
10:5, 6; 12:2, 5, 7, 11, 14^{2}, 21; 13:13; 14:23, 24, 26;
16:2, 6, 11; 17:12; 18:6, 7; 21:4; 26:2; 27:5, 7; 28:36,
64, 65, 68; 31:26; 33:19, 21; 34:5 • Josh. 2:22; 3:1;
4:8, 9; 8:32; 10:27; 14:12; 17:15; 18:1, 10; 22:10, 19;
24:26 • Jud. 1:7; 2:5; 5:11, 27; 6:24; 7:4; 8:27; 9:21;
14:10; 16:1; 17:7; 18:2, 10; 19:2, 4, 7, 15, 26; 20:22,
26; 21:2, 4, 9, 10 • ISh. 1:22, 28; 2:14; 3:3; 5:11; 6:14;
7:6, 17^{2}; 9:10; 10:3, 5; 11:14, 15^{3}; 14:11, 34; 19:3;
20:6, 19; 21:7; 22:22; 23:22, 23; 26:5^{2}; 27:5; 29:4;
30:31; 31:12 • IISh. 1:21; 2:4, 18, 23^{2}; 3:27; 4:3;
5:20, 21; 6:7^{2}; 10:18; 11:16; 13:38; 14:30, 32;
15:21^{2}, 29, 32; 15:35, 36; 16:14; 17:12, 13; 18:7^{2}, 8,
11; 23:9, 11; 24:25 • IK. 1:14, 34; 2:36; 3:4; 5:8, 23;
6:19; 7:7, 8; 8:8, 9, 16, 21^{2}, 29, 47, 64; 9:3^{2}; 10:20;
11:16, 36; 13:17; 14:2, 21; 17:4, 9^{2}, 10, 19; 18:40;
19:3, 9 • IIK. 2:20; 4:10; 6:1, 2^{2}, 9, 10; 7:4, 5, 10; 9:2,
27; 11:16; 12:6; 14:19; 15:20; 16:6; 17:11, 25, 27, 29;
19:32; 23:7, 16, 20, 27, 34 • Is. 7:23; 13:20^{2}, 21^{3};
23:12; 27:10; 33:21; 34:12, 14, 15; 35:8, 9^{2}; 48:16;
52:4; 57:7 • Jer. 2:6; 3:6; 7:2, 12; 8:3, 14, 22; 13:4, 6;
16:13; 19:2; 22:1, 12, 26; 23:3, 8; 24:9; 29:6, 14, 18;
30:11; 32:37; 35:7; 36:12; 37:16, 20; 38:26; 40:12;
41:1, 3, 9; 42:15, 16^{2}, 17, 22; 43:2, 5; 44:8, 12, 14^{2}, 28;
46:17; 47:7; 49:18, 33, 36; 50:40 • Ezek. 1:3, 20;

שָׁם(א) (המשך)
3:15^{2}, 22, 23; 4:13; 6:9, 13; 8:1, 3, 4, 14; 13:20; 17:20;
20:28^{4}, 29, 43, 40^{2}; 29:14; 30:18; 32:22, 24, 26;
34:12, 14; 35:10; 39:11^{2}, 28; 42:13^{2}; 43:7; 46:19, 20,
24; 57:23 • Hosh. 6:7, 10; 9:15; 10:9; 13:8 • Joel 4:2,
12 • Am. 7:12 • Jon. 4:5 • Mic. 4:10^{2} • Nah. 2:12;
3:15 • Zep. 1:14 • Hag. 2:14 • Zech. 5:11 • Ps. 14:5;
36:13; 48:7; 53:6; 66:6; 68:28; 69:36; 87:4, 6;
104:17, 25, 26; 107:36; 132:17; 133:3; 137:1, 3;
139:10 • Prov. 8:27; 9:18; 15:17; 22:14 • Job 3:17,
19; 23:7; 34:22; 35:12; 39:30; 40:20 • S.ofS. 7:13 •
Ruth 1:2, 4; 3:4; 4:1 • Eccl. 1:5, 7; 3:17; 11:3 • Dan.
9:7; 10:13 • Ez. 1:4; 8:15^{2}, 21, 32; 10:6 • Neh. 1:3, 9;
2:11; 5:16; 13:9 • ICh. 3:4; 4:23, 40, 41, 43; 11:13;
12:40; 13:10; 14:11, 12; 16:37; 21:26, 28 • IICh. 1:3,
6; 5:9; 6:5, 6, 11^{2}, 20, 37; 7:7, 16^{2}; 8:2; 9:19; 12:13;
20:26; 23:15; 25:27; 28:18; 32:21

שָׁם (ב) 507 הֵמָּה עִם־בֵּית מִיכָה...וַיָּסוּרוּ שָׁם Jud. 18:3
508 עַתָּה נֵלְכָה שָּׁם ISh. 9:6
509 וִיהִי כְבֹאֲךָ שָׁם הָעִיר ISh. 10:5
510 וַיָּבֹאוּ שָׁם הַגִּבְעָתָה ISh. 10:10
511 וַיֵּלֶךְ שָׁם אֶל־נָיוֹת בָּרָמָה ISh. 19:23
512 וַיַּעַל שָׁם דָּוִד IISh. 2:2
513 וְלוֹ בְאֵר בַּחֲצֵרוֹ וַיֵּרְדוּ שָׁם IISh. 17:18
514 וְאֵת כָּל־אֲשֶׁר תִּפְנֶה שָׁם IK. 2:3
515 אֲשֶׁר לֹא־שָׁלַח...שָׁם לְבַקֶּשְׁךָ IK. 18:10
516 בְּכֶרֶם נָבוֹת אֲשֶׁר־יָרַד שָׁם IK. 21:18
517-519 הַמִּטָּה אֲשֶׁר־עָלִיתָ שָּׁם IIK. 1:4, 6, 16
520 וַיֵּצֵא...וַיַּשְׁלֶךְ־שָׁם מֶלַח IIK. 2:21
521 אֲשֶׁר נַסְנוּ שָׁם לְעֶזְרָה Is. 20:6
522 וְלֹא־יוֹרֶה שָׁם חֵץ Is. 37:33
523 אֲשֶׁר שְׁלָחוֹ יְיָ שָׁם לְהִנָּבֵא Jer. 19:14
524 לֹא־יָשׁוּב שָׁם עוֹד Jer. 22:11
525 מְנַשְּׂאִים אֶת־נַפְשָׁם לָשׁוּב שָׁם Jer. 22:27
526 עַל כָּל־הַמְּקֹמוֹת אֲשֶׁר תֵּלֶךְ־שָׁם Jer. 45:5
527 בָּאֲרָצוֹת אֲשֶׁר־בָּאוּ שָׁם Ezek. 11:16
528 בַּגּוֹיִם אֲשֶׁר־בָּאוּ שָׁם Ezek. 12:16
529 הַבָּמָה אֲשֶׁר־אַתֶּם הַבָּאִים שָׁם Ezek. 20:29
530 וְנִשְׁפַּטְתִּי אִתְּכֶם שָׁם Ezek. 20:35
531 וַיָּבוֹא אֶל־הַגּוֹיִם אֲשֶׁר־בָּאוּ שָׁם Ezek. 36:20
532 בַּגּוֹיִם אֲשֶׁר־בָּאתֶם שָׁם Ezek. 36:22
533 מִבֵּין הַגּוֹיִם אֲשֶׁר הָלְכוּ־שָׁם Ezek. 37:21
534 אֶל כָּל־אֲשֶׁר יָבוֹא שָׁם נַחֲלַיִם Ezek. 47:9
וְשָׁם(א) 535 וְשָׁם אִתָּנוּ נַעַר עִבְרִי Gen. 41:12
536 וְשָׁם נִסָּהוּ Ex. 15:25
537 וְשָׁם שְׁתֵּים עֶשְׂרֵה עֵינֹת מַיִם Ex. 15:27
538 וְשָׁם תֹּאכְלוּ אֹתוֹ Lev. 8:31
539 וְשָׁם אֲחִימַן שֵׁשַׁי וְתַלְמַי Num. 13:22
540 וְשָׁם רָאִינוּ אֶת־הַנְּפִילִים Num. 13:33
541 בַּמִּדְבָּר הַזֶּה יִתַּמּוּ וְשָׁם יָמֻתוּ Num. 14:35
542 וְשָׁם תַּעֲשֶׂה כֹּל אֲשֶׁר אָנֹכִי מְצַוֶּךָּ Deut. 12:14
543 וְשָׁם אֲרוֹן בְּרִית הָאֱלֹהִים Jud. 20:27
544-573 וְשָׁם ISh. 1:3; 4:4; 6:14
7:17; 21:8; 24:4 • IISh. 20:1 • IIK. 4:8 • Is. 27:10 •
Jer. 20:6^{2}; 22:26; 32:5; 37:13; 42:14, 16 • Ezek.
3:22; 12:13; 20:40; 23:3; 42:14 • Hosh. 12:5 • Am.
7:12 • Hab. 3:4 • Job 3:17 • Ruth 1:17 • Neh.
10:40; 13:5 • ICh. 11:4 • IICh. 28:9
מִשָּׁם 574 אֶת־הָאֲדָמָה אֲשֶׁר לֻקַּח מִשָּׁם Gen. 3:23
575 אֲשֶׁר יָצְאוּ מִשָּׁם פְּלִשְׁתִּים Gen. 10:14
576 וַיָּפֶץ יְיָ אֹתָם מִשָּׁם Gen. 11:8
577 וַיַּעְתֵּק מִשָּׁם הָהָרָה Gen. 12:8
578 וַיָּקֻמוּ מִשָּׁם הָאֲנָשִׁים Gen. 18:16
579 וַיִּפְנוּ מִשָּׁם הָאֲנָשִׁים Gen. 18:22

מִשָּׁם (המשך)
480 וַיִּסַּע מִשָּׁם אַבְרָהָם Gen. 20:1
581 אֶל־הָאָרֶץ אֲשֶׁר־יָצָאתָ מִשָּׁם Gen. 24:5
582 וְלָקַחְתָּ אִשָּׁה לִבְנִי מִשָּׁם Gen. 24:7
583 וַיֵּלֶךְ מִשָּׁם יִצְחָק Gen. 26:17
584 וַיַּעְתֵּק מִשָּׁם וַיַּחְפֹּר Gen. 26:22
585 וַיַּעַל מִשָּׁם בְּאֵר שָׁבַע Gen. 26:23
586 וְקַח־לִי מִשָּׁם שְׁנֵי גְּדָיֵי עִזִּים Gen. 27:9
587 מִשָּׁם רֹעֶה אֶבֶן יִשְׂרָאֵל Gen. 49:24
588-680 מִשָּׁם Gen. 27:45; 28:2, 6; 30:32; 42:2, 26
Lev. 2:2 • Num. 13:23, 24; 21:12, 13; 22:41; 23:13[2], 27 • Deut. 4:29; 5:15; 6:23; 9:28; 10:7; 11:10; 19:12; 24:18; 30:4 • Josh. 6:22; 15:14, 15; 18:13; 19:34; 20:6 • Jud. 1:11, 20; 8:8, 11; 18:13; 19:18; 21:24[2] • ISh. 4:4; 10:3, 12, 23; 17:49; 22:1, 3; 24:1 • IISh. 6:2; 14:2; 16:5; 21:13 • IK. 1:45; 2:36; 9:28; 12:25; 17:13; 19:19 • IIK. 2:21, 23, 25; 6:2; 7:8[2]; 10:15; 17:27, 33; 23:12; 24:13 • Is. 52:11; 65:20 • Jer. 13:6; 22:24; 29:14; 37:12; 38:11; 43:12; 49:16, 38; 50:9 • Ezek. 5:3 • Hosh. 2:17 • Am. 6:2; 9:2[2], 3[2], 4 • Ob. 4 • Mic. 2:3 • Job 39:29 • Neh. 1:9 • ICh. 1:12; 13:6 • IICh. 8:18; 26:20

וּמִשָּׁם 681 וּמִשָּׁם יִפָּרֵד וְהָיָה לְאַרְבָּעָה רָאשִׁים Gen. 2:10
682 וּמִשָּׁם הֱפִיצָם יְ׳ עַל־פְּנֵי כָּל־הָאָ׳ Gen. 11:9
683 וּמִשָּׁם בְּאֵרָה הִוא הַבְּאֵר... Num. 21:16
684 מִשָּׁם יְקַבֶּצְךָ...וּמִשָּׁם יִקָּחֶךָ Deut. 30:4
685 וּמִשָּׁם עָבַר קֵדְמָה מִזְרָחָה Josh. 19:13
686 וַיֵּלֶךְ...וּמִשָּׁם שָׁב שֹׁמְרוֹן IIK. 2:25
687/8 וּמִשָּׁם לֹא תֹאכֵל IIK. 7:2, 19
שֶׁשָּׁם 689 שֶׁשָּׁם עָלוּ שְׁבָטִים שִׁבְטֵי־יָהּ Ps. 122:4
שָׁמָּה (ד) 690 וַיָּנֻסוּ...וַיִּפְּלוּ־שָׁמָּה Gen. 14:10
691 הָעִיר הַזֹּאת קְרֹבָה לָנוּס שָׁמָּה Gen. 19:20
692 אִמָּלְטָה נָּא שָׁמָּה Gen. 19:20
693 מַהֵר הִמָּלֵט שָׁמָּה Gen. 19:22
694 לֹא אוּכַל...עַד־בֹּאֲךָ שָׁמָּה Gen. 19:22
695 אֶל כָּל־הַמָּקוֹם אֲשֶׁר נָבוֹא שָׁמָּה Gen. 20:13
696 וְאֶקְבְּרָה אֶת־מֵתִי שָׁמָּה Gen. 23:13
697 פֶּן־תָּשִׁיב אֶת־בְּנִי שָׁמָּה Gen. 24:6
698 רַק אֶת־בְּנִי לֹא תָשֵׁב שָׁמָּה Gen. 24:8
699 מִן־הָעַמִּים אֲשֶׁר־נָפֹצוּ שָׁמָּה Ezek. 29:13
700 אֲשֶׁר־מְכַרְתֶּם אֹתָם שָׁמָּה Joel 4:7
701 עָרֹם יָצָתִי...וְעָרֹם אָשׁוּב שָׁמָּה Job 1:21
702-792 שָׁמָּה (א) Gen. 29:3; 39:1; 42:2 • Ex. 10:26; 16:33; 21:13, 33; 26:33; 30:18; 40:30 • Lev. 18:3; 20:22 • Num. 14:24; 15:18; 33:54; 35:6, 11; 35:15, 25, 26 • Deut. 1:38, 39; 3:21; 4:5, 14, 26, 27; 4:42; 6:1; 7:1; 11:8, 10, 11, 29; 12:5, 6, 11, 29; 19:3, 4; 23:13, 21; 28:21, 37, 63; 30:1, 3, 16, 18; 31:13, 16; 32:47, 50 • Josh. 7:3, 4; 20:3, 9 • Jud. 8:25; 9:51; 18:15, 17 • ISh. 22:1 • IIK. 4:8, 10, 11[2]; 5:18; 6:6, 14; 9:2; 12:10; 17:27; 23:8 • Is. 7:24, 25 • Jer. 16:15; 22:27; 29:7; 40:4; 46:28 • Ezek. 1:12, 20; 11:18; 36:21; 40:1, 3; 47:9[2] • Joel 4:11 • Eccl. 9:10 • Neh. 4:14
שָׁמָּה (ה) 793 שָׁמָּה קָבַר אַבְרָהָם וְשָׂרָה Gen. 25:20
794 וַיָּבֹא הַחַדְרָה וַיֵּבְךְּ שָׁמָּה Gen. 43:30
795 שָׁמָּה קָבְרוּ אֶת־אַבְרָהָם Gen. 49:31
796 שָׁמָּה קָבְרוּ אֶת־יִצְחָק Gen. 49:31
797 בְּקִבְרִי...שָׁמָּה תִּקְבְּרֵנִי Gen. 50:5
798 אֲשֶׁר אִוָּעֵד לָכֶם שָׁמָּה Ex. 29:42
799 וְנֹעַדְתִּי שָׁמָּה לִבְנֵי יִשְׂרָאֵל Ex. 29:43
800/1 אֲשֶׁר אִוָּעֵד לְךָ שָׁמָּה Ex. 30:6, 36
802 אֲשֶׁר אִוָּעֵד לָכֶם שָׁמָּה Num. 17:19

שָׁמָּה (ה) (המשך)
803 וַיָּבֹאוּ...וַיִּשְׁכְּבוּ־שָׁמָּה Josh. 2:1
804 וְנַחְבֵּתֶם שָׁמָּה שְׁלֹשֶׁת יָמִים Josh. 2:16
805 תְּלוּם שָׁמָּה (כת׳ שם) הַפְּלִשְׁתִּים IISh. 21:12
806 כִּי יוֹרָם שֹׁכֵב שָׁמָּה IIK. 9:16
807 שָׁמָּה תָמוּת Is. 22:18
808 שָׁמָּה קִנְּנָה קִפּוֹז וַתְּמַלֵּט Is. 34:15
809 וַעֲבָדַי יִשְׁכְּנוּ־שָׁמָּה Is. 65:9
810 מִן־הַמָּקוֹם אֲשֶׁר־טְמַנְתִּיו שָׁמָּה Jer. 13:7
811 שָׁמָּה מֹעֲכוּ שְׁדֵיהֶן Ezek. 23:3
812 שָׁמָּה אֱדוֹם מְלָכֶיהָ Ezek. 32:29
813 שָׁמָּה נְסִיכֵי צָפוֹן כֻּלָּם Ezek. 32:30
814 וְשֵׁם־הָעִיר מִיּוֹם יְיָ שָׁמָּה Ezek. 48:35
815 וְעָנְתָה שָׁמָּה כִּימֵי נְעוּרֶיהָ Hosh. 2:17
816 שָׁמָּה שִׁבַּר רִשְׁפֵי־קָשֶׁת Ps. 76:4
817 כִּי שָׁמָּה יָשְׁבוּ כִסְאוֹת לְמִשְׁפָּט Ps. 122:5
818 שָׁמָּה חִבְּלַתְךָ אִמֶּךָ S.ofS. 8:5
819 שָׁמָּה חִבְּלָה יְלָדַתְךָ S.ofS. 8:5
820 מִן־הַמָּקוֹם אֲשֶׁר־הָיְתָה שָׁמָּה Ruth 1:7
821 מְקוֹם הַמִּשְׁפָּט שָׁמָּה הָרֶשַׁע Eccl. 3:16
822 וּמְקוֹם הַצֶּדֶק שָׁמָּה הָרָשַׁע Eccl. 3:16
823 וְאֶת־הַמְּעוּנִים° אֲשֶׁר נִמְצְאוּ־שָׁמָּה ICh. 4:41
וְשָׁמָּה (ד) 824 מִנֶּגֶד תִּרְאֶה...וְשָׁמָּה לֹא תָבוֹא Deut. 32:52
825 הֶרְאִיתִיךָ...וְשָׁמָּה לֹא תַעֲבֹר Deut. 34:4
826 יֵרֵד הַגֶּשֶׁם...וְשָׁמָּה לֹא יָשׁוּב Is. 55:10
827 בָּבֶלָה יוּבָאוּ וְשָׁמָּה יִהְיוּ Jer. 27:22
וְשָׁמָּה (ה) 828 וְשָׁמָּה קָבַרְתִּי אֶת־לֵאָה Gen. 49:31
829 וְשָׁמָּה כֹּל סַרְנֵי פְלִשְׁתִּים Jud. 16:27
830 וְשָׁמָּה מַרְכְּבוֹת כְּבוֹדֶךָ Is. 22:18
831 וְשָׁמָּה אַשְׁמִיעֲךָ אֶת־דְּבָרָי Jer. 18:2

שֵׁם
ז׳ ארמית שם: 1-11
שֵׁם 1 שֵׁם־גֻּבְרַיָּא דִּי בְרָאשֵׁיהֹם Ez. 5:10
בְּשֻׁם־ 2 וְהִתְנַבִּי...בְּשֻׁם אֱלָהּ יִשְׂרָאֵל Ez. 5:1
כְּשֻׁם־ 3 דִּי־שְׁמֵהּ בֵּלְטְשַׁאצַּר כְּשֻׁם אֱלָהִי Dan. 4:5
שְׁמֵהּ 4 לֶהֱוֵא שְׁמֵהּ דִּי־אֱלָהָא מְבָרַךְ Dan. 2:20
5-7 דִּי(־)שְׁמֵהּ בֵּלְטְשַׁאצַּר Dan. 2:26; 4:5, 16
8 דִּי־מַלְכָּא שָׂם־שְׁמֵהּ בֵּלְטְשַׁאצַּר Dan. 5:12
9 וִיהִיבוּ לְשֵׁשְׁבַּצַּר שְׁמֵהּ Ez. 5:14
שְׁמָהָת 10 מַן־אִנּוּן שְׁמָהָת גֻּבְרַיָּא Ez. 5:4
שְׁמָהָתְהֹם 11 וְאַף שְׁמָהָתְהֹם שְׁאֵלְנָא לְהֹם Ez. 5:10

שַׁמָּא
שפ״ז – איש משבט אשר
וְשַׁמָּא 1 בֶּצֶר וָהוֹד וְשַׁמָּא וְשִׁלְשָׁה ICh. 7:37

שֶׁמְאֵבֶר
שפ״ז – מלך צבויים
וְשֶׁמְאֵבֶר 1 וְשֶׁמְאֵבֶר מֶלֶךְ צְבִיִּים° Gen. 14:2

שִׁמְאָה
שפ״ז – איש מבנימין
שִׁמְאָה 1 וּמִקְלוֹת הוֹלִיד אֶת־שִׁמְאָה ICh. 8:32

שמאל
הִשְׂמְאִיל (הִשְׂמִיל); שְׂמֹאל, שְׂמָאלִי
(שמאל) הִשְׂמְאִיל, הִשְׂמִיל הפ׳
א) פנה לצד שמאל: 1, 5-3
ב) פעל ביד שמאל: 2
וּלְהַשְׂמִיל 1 אִם־אִשׁ לְהֵמִין וּלְהַשְׂמִיל IISh. 14:19
וּמַשְׂמְאִלִים 2 מַיְמִינִים וּמַשְׂמְאִלִים בָּאֲבָנִים ICh. 12:2
וְאַשְׂמְאִילָה 3 וְאִם הַיָּמִין וְאַשְׂמְאִלָה Gen. 13:9
תַשְׂמְאִילוּ 4 כִּי תַאֲמִינוּ וְכִי תַשְׂמְאִילוּ Is. 30:21
הַשְׂמִילִי 5 הִתְאַחֲדִי הֵימִינִי הָשִׂימִי הַשְׂמִילִי Ezek. 21:21

שְׂמֹאל
ז״נ א) הצד שמול הצד הימני: 1-34, 40, 44-51, 53, 54
ב) היד שבצד הלב, מול ״ימין״: 35-39, 41-43, 52
– יָמִין וּשְׂמֹאל 1, 4, 6-21, 24, 26, 28-32, 37-40, 46-51, 53, 54
– יַד שְׂמֹאל 33, 36, 52
שְׂמֹאל 1 וְאֶפְנֶה עַל־יָמִין אוֹ עַל־שְׂמֹאל Gen. 24:49
שְׂמֹאול 2 אֲשֶׁר־עַל־שְׂמֹאול אִישׁ בְּשַׁעַר הָעִיר IIK. 23:8
3 וַיֹּאכַל עַל־שְׂמֹאול וְלֹא שָׂבֵעוּ Is. 9:19
4 וְאָכְלוּ עַל־יָמִין וְעַל־שְׂמֹאול Zech. 12:6
5 שְׂמֹאול בַּעֲשֹׂתוֹ וְלֹא־אָחַז Job 23:9
וּשְׂמֹאל 6 לֹא תָסֻרוּ יָמִין וּשְׂמֹאל Deut. 5:30(32)
7 לֹא תָסוּר...יָמִין וּשְׂמֹאל Deut. 17:11
וּשְׂמֹאול 8 לֹא נִטֶּה יָמִין וּשְׂמֹאול Num. 20:17
9 אֵין־דֶּרֶךְ לִנְטוֹת יָמִין וּשְׂמֹאול Num. 22:26
10 לֹא אָסוּר יָמִין וּשְׂמֹאול Deut. 2:27
11 וּלְבִלְתִּי סוּר...יָמִין וּשְׂמֹאול Deut. 17:20
12 וְלֹא תָסוּר...יָמִין וּשְׂמֹאול Deut. 28:14
13 אַל־תָּסוּר מִמֶּנּוּ יָמִין וּשְׂמֹאול Josh. 1:7
14 לְבִלְתִּי סוּר־מִמֶּנּוּ יָמִין וּשְׂמֹאול Josh. 23:6
15 וְלֹא־סָרוּ יָמִין וּשְׂמֹאול ISh. 6:12
16/7 וְלֹא־סָר יָמִין וּשְׂמֹאול IIK. 22:2 • IICh. 34:2
18 כִּי־יָמִין וּשְׂמֹאול תִּפְרֹצִי Is. 54:3
19 אַל־תֵּט־יָמִין וּשְׂמֹאול Prov. 4:27
הַשְּׂמֹאל 20 אִם־הַשְּׂמֹאל וְאֵימִנָה Gen. 13:9
הַשְּׂמֹאול 21 לָלֶכֶת עַל־הַיָּמִין וְעַל־הַשְּׂמֹאול IISh. 2:19
22 וּבְנֵי מְרָרִי אֲחֵיהֶם עַל־הַשְּׂמֹאול ICh. 6:29
מֵהַשְּׂמֹאול 23 וּפְנֵי־שׁוֹר מֵהַשְּׂמֹאול לְאַרְבַּעְתָּן Ezek. 1:10
24 אֶחָד מִיָּמִין וְאֶחָד מֵהַשְּׂמֹאול IICh. 3:17
מִשְּׂמֹאל 25 עַד־חוֹבָה אֲשֶׁר מִשְּׂמֹאל לְדַמָּשֶׂק Gen. 14:15
26 אֶפְרַיִם בִּימִינוֹ מִשְּׂמֹאל יִשְׂרָאֵל Gen. 48:13
27 וְיָצָא אֶל־כָּבוּל מִשְּׂמֹאל Josh. 19:27
28 חָמֵשׁ מִיָּמִין וְחָמֵשׁ מִשְּׂמֹאל IK. 7:49
מִשְּׂמֹאול 29-30 חֲמִשָּׁה מִיָּמִין וַחֲמִשָּׁה מִשְּׂמֹאול IICh. 4:6, 8
31 חָמֵשׁ מִיָּמִין וְחָמֵשׁ מִשְּׂמֹאול IICh. 4:7
שְׂמֹאלֶךָ 32 נְטֵה לְךָ עַל־יְמִינְךָ אוֹ עַל־שְׂמֹאלֶךָ IISh. 2:21
שְׂמֹאולְךָ 33 וְהִכֵּיתִי קַשְׁתְּךָ מִיַּד שְׂמֹאולֶךָ Ezek. 39:3
שְׂמֹאולֵךְ 34 ...הַיּוֹשֶׁבֶת עַל־שְׂמֹאולֵךְ Ezek. 16:46
שְׂמֹאלוֹ 35 וְאֶת־שְׂמֹאלוֹ עַל־רֹאשׁ מְנַשֶּׁה Gen. 48:14
36 וַיִּשְׁלַח אֵהוּד אֶת־יַד שְׂמֹאלוֹ... Jud. 3:21
37 שְׂמֹאלוֹ תַּחַת לְרֹאשִׁי וִימִינוֹ תְּחַבְּקֵנִי S.ofS. 2:6
38 שְׂמֹאלוֹ תַּחַת רֹאשִׁי וִימִינוֹ תְּחַבְּקֵנִי S.ofS. 8:3
וּשְׂמֹאלוֹ 39 וַיָּרֶם יְמִינוֹ וּשְׂמֹאלוֹ אֶל־הַשָּׁמַיִם Dan. 12:7
40 עֹמְדִים עַל־יְמִינוֹ וּשְׂמֹאלוֹ IICh. 18:18
בִּשְׂמֹאלוֹ 41 ...וְאֶת־מְנַשֶּׁה בִשְׂמֹאלוֹ Gen. 48:13
42 אֶחָד בִּימִינוֹ וְאֶחָד בִּשְׂמֹאלוֹ Jud. 16:29
לִשְׂמֹאלוֹ 43 אֲשֶׁר לֹא־יָדַע בֵּין־יְמִינוֹ לִשְׂמֹאלוֹ Jon. 4:11
44 וְלֵב כְּסִיל לִשְׂמֹאלוֹ Eccl. 10:2
מִשְּׂמֹאלוֹ 45 וְחָמֵשׁ עַל־כֶּתֶף הַבַּיִת מִשְּׂמֹאלוֹ IK. 7:39
וּמִשְּׂמֹאלוֹ 46 וְכָל־הַגִּבֹּרִים מִימִינוֹ וּמִשְּׂמֹאלוֹ IISh. 16:6
47 עֹמֵד עָלָיו מִימִינוֹ וּמִשְּׂמֹאלוֹ IK. 22:19
48 וַיַּעֲמֹד אֶצְלוֹ...עַל־יְמִינוֹ וּמִשְּׂמֹאלוֹ Neh. 8:4
שְׂמֹאלָהּ 49 אֶחָד מִימִין הַגֻּלָּה וְאֶ׳ עַל־שְׂמֹאלָהּ Zech. 4:3
שְׂמֹאולָהּ 50 עַל־יְמִין הַמְּנוֹרָה וְעַל־שְׂמֹאולָהּ Zech. 4:11
בִּשְׂמֹאולָהּ 51 בִּשְׂמֹאולָהּ עֹשֶׁר וְכָבוֹד Prov. 3:16
שְׂמֹאולָם 52 וַיַּחֲזִיקוּ בְיַד־שְׂמֹאולָם בַּלַּפִּדִים Jud. 7:20
וּמִשְּׂמֹאלָם 53 וְהַמַּיִם...חוֹמָה מִימִינָם וּמִשְּׂמֹאלָם Ex. 14:22
54 וְהַמַּיִם...חֹמָה מִימִינָם וּמִשְּׂמֹאלָם Ex. 14:29

שְׂמָאלִי
ת׳ הנמצא בצד שמאל: 1-9
עַמּוּד שְׂמָאלִי 1,(3); צַד שְׂמָאלִי 2; כַּף שְׂמָאלִית 4-7; כָּתֵף שְׂמָאלִית 8, 9
הַשְּׂמָאלִי 1 וַיָּקֶם אֶת־הָעַמּוּד הַשְּׂמָאלִי IK. 7:21
2 וְאַתָּה שְׁכַב עַל־צִדְּךָ הַשְּׂמָאלִי Ezek. 4:4
3 וַיִּקְרָא...וְשֵׁם הַשְּׂמָאלִי בֹּעַז IICh. 3:17

הַשְּׂמָאלִית 4/5 עַל־כַּף הַכֹּהֵן הַשְּׂמָאלִית Lev. 14:15, 26
6/7 אֲשֶׁר עַל־כַּפּוֹ הַשְּׂמָאלִית Lev. 14:16, 27
8 עַד־כֶּתֶף הַבַּיִת הַשְּׂמָאלִית IIK. 11:11
9 עַד־כֶּתֶף הַבַּיִת הַשְּׂמָאלִית IICh. 23:10

שִׁמְאָם
שפ״ז – איש מבנימין, הוא שִׁמְאָה

שִׁמְאָם 1 וּמִקְלוֹת הוֹלִיד אֶת־שִׁמְאָם ICh. 9:38

שַׁמְגַּר
שפ״ז – השופט השלישי בישראל: 1, 2

שַׁמְגַּר 1 וְאַחֲרָיו הָיָה שַׁמְגַּר בֶּן־עֲנָת Jud. 3:31
2 בִּימֵי שַׁמְגַּר בֶּן־עֲנָת...חָדְלוּ אֳרָחוֹת Jud. 5:6

שמד :
נִשְׁמַד, הִשְׁמִיד; אר׳ הַשְׁמֵד; ש״פ שֶׁמֶד

(שמד) נִשְׁמַד
נפ׳ א) נכרת, כלה: 1-21
ב) [הפ׳ הִשְׁמִיד] הכרית, כלה: 22-90
קרובים: ראה חָרַב • מַטְאֲטֵא הַשְׁמֵד 22

הִשָּׁמֵד 1 כִּי הִשָּׁמֵד תִּשָּׁמֵדוּן Deut. 4:26
הִשָּׁמֶדְךָ 2 עַד הִשָּׁמֶדְךָ וְעַד־אֲבָדְךָ מַהֵר Deut. 28:20
הִשָּׁמְדָךְ 3 יֵרֵד עָלֶיךָ עַד הִשָּׁמְדָךְ Deut. 28:24
4 וּרְדָפוּךָ וְהִשִּׂיגוּךָ עַד הִשָּׁמְדָךְ Deut. 28:45
5 וְאָכַל פְּרִי בְהֶמְתְּךָ...עַד הִשָּׁמְדָךְ Deut. 28:51
6 יַעְלֵם יְיָ עָלֶיךָ עַד הִשָּׁמְדָךְ Deut. 28:61
הִשָּׁמְדָם 7 וְהָמָם מְהוּמָה...עַד הִשָּׁמְדָם Deut. 7:23
8 אַחֲרֵי הִשָּׁמְדָם מִפָּנֶיךָ Deut. 12:30
לְהִשָּׁמְדָם 9 לְהִשָּׁמְדָם עֲדֵי־עַד Ps. 92:8
וְנִשְׁמַדְתִּי 10 וְהִכּוּנִי וְנִשְׁמַדְתִּי אֲנִי וּבֵיתִי Gen. 34:30
וְנִשְׁמַד 11 וְאָבַד הָעֵמֶק וְנִשְׁמַד הַמִּישֹׁר Jer. 48:8
12 וְנִשְׁמַד מוֹאָב מֵעָם Jer. 48:42
13 וְשָׁדְדוּ...וְנִשְׁמַד כָּל־הֲמוֹנָהּ Ezek. 32:12
נִשְׁמְדָה 14 כִּי־נִשְׁמְדָה מִבִּנְיָמִן אִשָּׁה Jud. 21:16
נִשְׁמַדְנוּ 15 נִשְׁמַדְנוּ מֵהִתְיַצֵּב בְּכָל־גְּבֻל יִשְׂרָאֵל IISh. 21:5
נִשְׁמְדוּ 16 וּפֹשְׁעִים נִשְׁמְדוּ יַחְדָּו Ps. 37:38
17 נִשְׁמְדוּ בְעֵין־דֹּאר הָיוּ דֹּמֶן Ps. 83:11
וְנִשְׁמְדוּ 18 וְנִשְׁמְדוּ בָּמוֹת אָוֶן Hosh. 10:8
יִשָּׁמֵד 19 וְלֹא יִשָּׁמֵד שְׁמוֹ מִלְּפָנָי Is. 48:19
20 בֵּית רְשָׁעִים יִשָּׁמֵד Prov. 14:11
תִּשָּׁמֵדוּן 21 כִּי הִשָּׁמֵד תִּשָּׁמֵדוּן Deut. 4:26
הַשְׁמֵד 22 וְטֵאטֵאתִיהָ בְּמַטְאֲטֵא הַשְׁמֵד Is. 14:23
23 לֹא הַשְׁמֵיד אַשְׁמִיד אֶת־בֵּית יַעֲקֹב Am. 9:8
לְהַשְׁמִיד 24 וַיִּתְאַנַּף יְיָ בָּכֶם לְהַשְׁמִיד אֶתְכֶם Deut. 9:8
25 אֲשֶׁר קָצַף...לְהַשְׁמִיד אֶתְכֶם Deut. 9:19
26 כִּי־אָמַר יְיָ לְהַשְׁמִיד אֶתְכֶם Deut. 9:25
27 לְהַשְׁמִיד אֹתִי...מִנַּחֲלַת אֱלֹהִים IISh. 14:16
28 כִּי לְהַשְׁמִיד בִּלְבָבוֹ וּלְהַכְרִית Is. 10:7
29 לְהַשְׁמִיד אֶת־כָּל־הַגּוֹיִם Zech. 12:9
30 לְהַשְׁמִיד אֶת־כָּל־הַיְּהוּדִים Es. 3:6
31 לְהַשְׁמִיד לַהֲרֹג וּלְאַבֵּד Es. 3:13
32 לְהַשְׁמִיד לַהֲרוֹג וּלְאַבֵּד Es. 7:4
33 לְהַשְׁמִיד וְלַהֲרֹג וּלְאַבֵּד Es. 8:11
34 לְהַשְׁמִיד וּלְהַחֲרִים רַבִּים Dan. 11:44
לַשְׁמִיד 35 יְיָ צִוָּה...לַשְׁמִד מָעֻזְנֶיהָ Is. 23:11
וּלְהַשְׁמִיד 36 לְהַאֲבִיד...וּלְהַשְׁמִיד אֶתְכֶם Deut. 28:63
37 וּלְהַשְׁמִיד אֶת־כָּל־יֹשְׁבֵי הָאָרֶץ Josh. 9:24
38 וּלְהַשְׁמִיד מֵעַל פְּנֵי הָאֲדָמָה IK. 13:34
39 וַיַּעַמְדוּ...לְהַחֲרִים וּלְהַשְׁמִיד IICh. 20:23
הַשְׁמִדְךָ 40 לֹא־יִתְיַצֵּב...עַד הִשְׁמִדְךָ אֹתָם Deut. 7:24
הַשְׁמִידוֹ 41 עַד־הַשְׁמִידוֹ אוֹתְכֶם מֵעַל הָאֲדָמָה Josh. 23:15
הִשְׁמִידוֹ 42 וְנָתַן עֹל בַּרְזֶל...עַד הִשְׁמִידוֹ אֹתָךְ Deut. 28:48
לְהַשְׁמִידוֹ 43 וּבְאַהֲרֹן הִתְאַנַּף יְיָ מְאֹד לְהַשְׁמִידוֹ Deut. 9:20
לְהַשְׁמִידֵנוּ 44 לָתֵת אֹתָנוּ בְּיַד הָאֱמֹרִי לְהַשְׁמִידֵנוּ Deut. 1:27
הַשְׁמִידָם 45 כִּי לְמַעַן הַשְׁמִידָם Josh. 11:20
הִשְׁמִדָם 46 הִכּוּ לְפִי־חֶרֶב עַד־הִשְׁמִדָם Josh. 11:14
לְהַשְׁמִידָם 47 וַיֹּאמֶר לְהַשְׁמִידָם לוּלֵי מֹשֶׁה Ps. 106:23
48 פַּתְשֶׁגֶן כְּתָב־הַדָּת...לְהַשְׁמִידָם Es. 4:8
הִשְׁמַדְתִּי 49 הִשְׁמַדְתִּי אֶת־הָאֱמֹרִי מִפְּנֵיהֶם Am. 2:9
וְהִשְׁמַדְתִּי 50 וְהִשְׁמַדְתִּי אֶת־בָּמֹתֵיכֶם Lev. 26:30
51 וְהִשְׁמַדְתִּי אֹתָהּ מֵעַל פְּנֵי הָאֲדָמָה Am. 9:8
52 וְנָתַשְׁתִּי...וְהִשְׁמַדְתִּי עָרֶיךָ Mic. 5:13
53 וְהִשְׁמַדְתִּי חֹזֶק מַמְלְכוֹת הַגּוֹיִם Hag. 2:22
וְהִשְׁמַדְתִּיו 54 וְהִשְׁמַדְתִּיו מִתּוֹךְ עַמִּי Ezek. 14:9
הִשְׁמִיד 55 אֲשֶׁר הִשְׁמִיד אֶת־הַחֹרִי מִפְּנֵיהֶם Deut. 2:22
56 אֲשֶׁר הִשְׁמִיד אֹתָם Deut. 31:4
57 אֲשֶׁר הִשְׁמִיד יְיָ מִפְּנֵי בְּ״י IIK. 21:9
58 אֲשֶׁר־הִשְׁמִיד אֱלֹהִים מִפְּנֵיהֶם ICh. 5:25
59 אֲשֶׁר הִשְׁמִיד יְיָ מִפְּנֵי בְּ״י IICh. 33:9
וְהִשְׁמִידְךָ 60 וְהִשְׁמִידְךָ מֵעַל פְּנֵי הָאֲדָמָה Deut. 6:15
61 וְחָרָה אַף־יְיָ בָּכֶם וְהִשְׁמִידְךָ מַהֵר Deut. 7:4
הִשְׁמִידוֹ 62 הִשְׁמִידוֹ יְיָ אֱלֹהֶיךָ מִקִּרְבֶּךָ Deut. 4:3
63 לֹא־הִשְׁאִיר...עַד־הִשְׁמִדוֹ IK. 15:29
64 וַיַּךְ...עַד־הִשְׁמִידוֹ כִּדְבַר יְיָ IIK. 10:17
הִשְׁמִידוּ 65 לֹא־הִשְׁמִידוּ אֶת־הָעַמִּים Ps. 106:34
הִשְׁמִידוּם 66 הִשְׁמִידֻם וַיֵּשְׁבוּ תַחְתָּם Deut. 2:23
67 סָרוּ מֵעֲלֵיהֶם וְלֹא הִשְׁמִידוּם IICh. 20:10
אַשְׁמִיד 68 וְאֶת־הַחֲזָקָה אַשְׁמִיד Ezek. 34:16
69 לֹא הַשְׁמֵיד אַשְׁמִיד אֶת־בֵּית יַעֲקֹב Am. 9:8
וָאַשְׁמִיד 70 וָאַשְׁמִיד פִּרְיוֹ מִמַּעַל וְשָׁרָשָׁיו מִתָּחַת Am. 2:9
אַשְׁמִידְךָ 71 אַשְׁמִידְךָ וְיָדַעְתָּ כִּי־אֲנִי יְיָ Ezek. 25:7
וְאַשְׁמִידֵם 72 הֶרֶף מִמֶּנִּי וְאַשְׁמִידֵם Deut. 9:14
וָאַשְׁמִידֵם 73 וַתִּירְשׁוּ...וָאַשְׁמִידֵם מִפְּנֵיכֶם Josh. 24:8
74 אֶרְדְּפָה אֹיְבַי וָאַשְׁמִידֵם IISh. 22:38
תַּשְׁמִיד 75 וְאִם־תַּשְׁמִיד אֶת־שְׁמִי מִבֵּית אָבִי ISh. 24:21
וְתַשְׁמִידֵם 76 וְתַשְׁמִידֵם מִתַּחַת שְׁמֵי יְיָ Lam. 3:66
וַתַּשְׁמִידֵם 77 וַתַּשְׁמִידֵם וַתְּאַבֵּד כָּל־זֵכֶר לָמוֹ Is. 26:14
יַשְׁמִיד 78 הוּא־יַשְׁמִיד אֶת־הַגּוֹיִם הָאֵלֶּה Deut. 31:3
79 וְחַטָּאֶיהָ יַשְׁמִיד מִמֶּנָּה Is. 13:9
80 וְאֵת כָּל־הָרְשָׁעִים יַשְׁמִיד Ps. 145:20
וַיַּשְׁמֵד 81 וַיַּשְׁמֵד זִמְרִי אֵת כָּל־בֵּית בַּעְשָׁא IK. 16:12
82 וַיַּשְׁמֵד יֵהוּא אֶת־הַבַּעַל מִיִּשְׂרָאֵל IIK. 10:28
יַשְׁמִידֵם 83 הוּא יַשְׁמִידֵם וְהוּא יַכְנִיעֵם לְפָנֶיךָ Deut. 9:3
וַיַּשְׁמִידֵם 84 וַיַּשְׁמִידֵם יְיָ מִפְּנֵיהֶם Deut. 2:21
וְנַשְׁמִידָה 85 וְנַשְׁמִידָה גַּם אֶת־הַיּוֹרֵשׁ IISh. 14:7
תַּשְׁמִידוּ 86 וְאֵת כָּל־בָּמוֹתָם תַּשְׁמִידוּ Num. 33:52
87 אִם־לֹא תַשְׁמִידוּ הַחֵרֶם מִקִּרְבְּכֶם Josh. 7:12
יַשְׁמִידוּ 88 וְלֹא יַשְׁמִידוּ אֶת־בְּנִי IISh. 14:11
וַיַּשְׁמִידוּם 89 וַיַּשְׁמִידוּם מִפְּנֵיהֶם וַיֵּשְׁבוּ תַחְתָּם Deut. 2:12
הַשְׁמֵד 90 וַיְגָרֶשׁ מִפָּנֶיךָ אוֹיֵב וַיֹּאמֶר הַשְׁמֵד Deut. 33:27

(שמד) הַשְׁמֵד
הפ׳ ארמית, כמו בעברית

לְהַשְׁמָדָה 1 לְהַשְׁמָדָה וּלְהוֹבָדָה עַד־סוֹפָא Dan. 7:26

שֶׁמֶד*
שפ״ז – איש מבנימין

וָשָׁמֶד 1 וּבְנֵי אֶלְפַּעַל עֵבֶר וּמִשְׁעָם וָשָׁמֶד ICh. 8:12

שָׁמָּה
– עין שָׁם

שַׁמָּה[1]
נ׳ א) שממה, חָרְבָּה, הֶרֶס (גם בהשאלה): 1-7, 13-18, 21, 34, 36-38
ב) השתוממות, תמהון: 8-12, 19, 20, 22-33, 35, 39
קרובים: ראה חֹרֶב(ב)

שַׁמָּה וְחֶרְפָּה 21; שַׁמָּה וּשְׁמָמָה 5; שַׁ׳ וְשַׁעֲרוּרָה 2; שַׁמָּה וּשְׁרֵקָה 4, 13, 14, 16, 34, 36; שַׁמָּה וּקְלָלָה 7, (16), (21), 37, 38

שַׁמָּה 1 נִשְׁאַר בָּעִיר שַׁמָּה Is. 24:12
2 שַׁמָּה וְשַׁעֲרוּרָה נִהְיְתָה בָּאָרֶץ Jer. 5:30
שַׁמָּה (המשך) 3 קָדַרְתִּי שַׁמָּה הֶחֱזִקָתְנִי Jer. 8:21
4 שַׁמָּה וּשְׁרֵקָה מֵאֵין יוֹשֵׁב Jer. 51:37
5 כּוֹס שַׁמָּה וּשְׁמָמָה Ezek. 23:33
לְשַׁמָּה 6 וְהָיִיתָ לְשַׁמָּה לְמָשָׁל וְלִשְׁנִינָה Deut. 28:37
7 דִּבַּרְתִּי...לִהְיוֹת לְשַׁמָּה וְלִקְלָלָה IIK. 22:19
8 אִם־לֹא בָּתִּים רַבִּים לְשַׁמָּה יִהְיוּ Is. 5:9
9 לָשׂוּם הָאָרֶץ לְשַׁמָּה Is. 13:9
10 וַיָּשִׁיתוּ אַרְצוֹ לְשַׁמָּה Jer. 2:15
11 לָשׂוּם אַרְצֵךְ לְשַׁמָּה Jer. 4:7
12 לָשׂוּם אַרְצָם לְשַׁמָּה Jer. 18:16
13/4 לְשַׁמָּה וְלִשְׁרֵקָה Jer. 19:8; 25:9
15 וְהָיְתָה...לְחָרְבָּה לְשַׁמָּה Jer. 25:11
16 לְחָרְבָּה לְשַׁמָּה לִשְׁרֵקָה וְלִקְלָלָה Jer. 25:18
17 כִּי־הָיְתָה אַרְצָם לְשַׁמָּה Jer. 25:38
18 לְאָלָה לְשַׁמָּה וְלִקְלָלָה וּלְחֶרְפָּה Jer. 44:12
19 כִּי־נֹף לְשַׁמָּה תִהְיֶה Jer. 46:19
20 וְעָרֶיהָ לְשַׁמָּה תִהְיֶינָה מֵאֵין יוֹשֵׁב Jer. 48:9
21 לְשַׁמָּה לְחֶרְפָּה לְחֹרֶב וְלִקְלָלָה Jer. 49:13
22 וְהָיְתָה אֱדוֹם לְשַׁמָּה Jer. 49:17
23 הוּא־יָשִׁית אֶת־אַרְצָהּ לְשַׁמָּה Jer. 50:3
24/5 אֵיךְ הָיְתָה לְשַׁמָּה בָּבֶל בַּגּוֹיִם Jer. 50:23; 51:41
26 לָשׂוּם אֶת־אֶרֶץ בָּבֶל לְשַׁמָּה Jer. 51:29
27 הָיוּ עָרֶיהָ לְשַׁמָּה Jer. 51:43
28 אֶפְרַיִם לְשַׁמָּה תִהְיֶה Hosh. 5:9
29 שָׂם גַּפְנִי לְשַׁמָּה וּתְאֵנָתִי לִקְצָפָה Joel 1:7
30 לְמַעַן תִּתִּי אֹתְךָ לְשַׁמָּה Mic. 6:16
31 אֵיךְ הָיְתָה לְשַׁמָּה מַרְבֵּץ לַחַיָּה Zep. 2:15
32 וַיָּשִׂימוּ אֶרֶץ־חֶמְדָּה לְשַׁמָּה Zech. 7:14
33 אֵיךְ הָיוּ לְשַׁמָּה כְרָגַע Ps. 73:19
34 וַיִּתְּנֵם לְזַעֲוָה° לְשַׁמָּה וְלִשְׁרֵקָה IICh. 29:8
35 אֲשֶׁר מָעֲלוּ בַּייָ...וַיִּתְּנֵם לְשַׁמָּה IICh. 30:7
וּלְשַׁמָּה 36 לְאָלָה וּלְשַׁמָּה וְלִשְׁרֵקָה וּלְחֶרְפָּה Jer. 29:18
37 לְאָלָה וּלְשַׁמָּה וְלִקְלָלָה וּלְחֶרְפָּה Jer. 42:18
38 לְחָרְבָּה וּלְשַׁמָּה וְלִקְלָלָה Jer. 44:22
שַׁמּוֹת 39 אֲשֶׁר־שָׂם שַׁמּוֹת בָּאָרֶץ Ps. 46:9

שַׁמָּה[2]
שפ״ז א) מאלופי אדום: 1, 2, 8
ב) בנו השלישי של ישי, הוא שִׁמְעָא: 3, 4
ג) מגבורי דוד: 5-7

שַׁמָּה 1 נַחַת וָזֶרַח שַׁמָּה וּמִזָּה Gen. 36:13
2 אַלּוּף שַׁמָּה אַלּוּף מִזָּה Gen. 36:17
3 וַיַּעֲבֵר יִשַׁי שַׁמָּה ISh. 16:9
4 אֱלִיאָב הַבְּכוֹר...וְהַשְּׁלִשִׁי שַׁמָּה ISh. 17:13
5 וְאַחֲרָיו שַׁמָּה בֶן־אָגֵא הָרָרִי IISh. 23:11
6 שַׁמָּה הַחֲרֹדִי אֱלִיקָא הַחֲרֹדִי IISh. 23:25
7 שַׁמָּה הַהֲרָרִי אֲחִיאָם בֶּן־שָׁרָר IISh. 23:33
8 נַחַת זֶרַח שַׁמָּה וּמִזָּה ICh. 1:37

שַׁמְהוּת
שפ״ז – מגבורי דוד, הוא שַׁמָּה[2](ג)

שַׁמְהוּת 1 הַשַּׂר שַׁמְהוּת הַיִּזְרָח ICh. 27:8

שְׁמוּאֵל
שפ״ז א) הנביא בן אלקנה: 2-135, 137-140
ב) בן עמיהוד, נשיא שבט שמעון: 1
ג) בן תולע, איש מישׂשכר: 136

אֹזֶן שְׁמוּאֵל 24; בֶּן שְׁ׳ 29; בְּנֵי שְׁ׳ 28; דְּבַר שְׁ׳ 17; דִּבְרֵי שְׁ׳ 32; יַד שְׁ׳ 30; יְמֵי שְׁ׳ 18, 33; עֵינֵי שְׁ׳ 21; קוֹל שְׁמוּאֵל 23

שְׁמוּאֵל 1 וּלְמַטֵּה...שִׁמְעוֹן שְׁמוּאֵל בֶּן־עַמִּיהוּד Num. 34:20
2 וַתִּקְרָא אֶת־שְׁמוֹ שְׁמוּאֵל ISh. 1:20
3 וַיִּגְדַּל הַנַּעַר שְׁמוּאֵל עִם־יְיָ ISh. 2:21
4 וְהַנַּעַר שְׁמוּאֵל הֹלֵךְ וְגָדֵל וָטוֹב ISh. 2:26
5 וְהַנַּעַר שְׁמוּאֵל מְשָׁרֵת אֶת־יְיָ ISh. 3:1

שְׁמוּאֵל (המשך)

6 וַיִּקְרָא יְיָ אֶל־שְׁמוּאֵל וַיֹּאמֶר הִנֵּנִי ISh. 3:4
7 וַיֹּסֶף יְיָ קְרֹא עוֹד שְׁמוּאֵל ISh. 3:6
8 וַיָּקָם שְׁמוּאֵל וַיֵּלֶךְ אֶל־עֵלִי ISh. 3:6
9 וַיֹּסֶף יְיָ קְרֹא־שְׁמוּאֵל בַּשְּׁלִשִׁית ISh. 3:8
10 וַיֵּלֶךְ שְׁמוּאֵל וַיִּשְׁכַּב בִּמְקוֹמוֹ ISh. 3:9
11/2 וַיִּקְרָא כְפַעַם־בְּפַעַם שְׁמוּאֵל שְׁמוּאֵל ISh. 3:10
13 וַיֹּאמֶר שְׁמוּאֵל דַּבֵּר ISh. 3:10
14 וַיִּגְדַּל שְׁמוּאֵל וַיְיָ הָיָה עִמּוֹ ISh. 3:19
15 כִּי־נֶאֱמָן שְׁמוּאֵל לְנָבִיא לַייָ ISh. 3:20
16 כִּי־נִגְלָה יְיָ אֶל־שְׁמוּאֵל בְּשִׁלוֹ ISh. 3:21
17 וַיְהִי דְבַר־שְׁמוּאֵל לְכָל־יִשְׂרָאֵל ISh. 4:1
18 יַד־יְיָ בַּפְּלִשְׁתִּים כֹּל יְמֵי שְׁמוּאֵל ISh. 7:13
19 וַיִּשְׁפֹּט שְׁמוּאֵל אֶת־יִשְׂרָאֵל ISh. 7:15
20 וַיְהִי כַּאֲשֶׁר זָקֵן שְׁמוּאֵל ISh. 8:1
21 וַיֵּרַע הַדָּבָר בְּעֵינֵי שְׁמוּאֵל ISh. 8:6
22 וַיִּתְפַּלֵּל שְׁמוּאֵל אֶל־יְיָ ISh. 8:6
23 וַיְמָאֲנוּ הָעָם לִשְׁמֹעַ בְּקוֹל שְׁמוּאֵל ISh. 8:19
24 וַייָ גָּלָה אֶת־אֹזֶן שְׁמוּאֵל ISh. 9:15
25 וַיְשַׁסֵּף שְׁמוּאֵל אֶת־אֲגָג ISh. 15:33
26 וַיֵּלֶךְ שְׁמוּאֵל הָרָמָתָה ISh. 15:34
27 וַיָּמָת שְׁמוּאֵל...וַיִּסְפְּדוּ־לוֹ ISh. 25:1
28 וּבְנֵי שְׁמוּאֵל הַבְּכֹר וַשְׁנִי וַאֲבִיָּה ICh. 6:13
29 הֵימָן הַמְשׁוֹרֵר בֶּן־יוֹאֵל בֶּן־שְׁמוּאֵל ICh. 6:18
30 כִּדְבַר יְיָ בְּיַד־שְׁמוּאֵל ICh. 11:3
31 וְכֹל הַהִקְדִּישׁ שְׁמוּאֵל הָרֹאֶה ICh. 26:28
32 כְּתוּבִים עַל־דִּבְרֵי שְׁמוּאֵל הָרֹאֶה ICh. 29:29
33 וְלֹא־נַעֲשָׂה...מִימֵי שְׁמוּאֵל הַנָּבִיא IICh. 35:18
34-123 שְׁמוּאֵל ISh. 3:11, 15, 16^2, 18; 7:3, 5, 6
7:8, 9^2, 10, 12; 8:4, 7, 10, 21, 22^2; 9:14, 18, 19, 22, 23, 24, 26; 10:1, 9, 14, 15, 16, 17, 20, 24, 25^2; 11:7, 12, 14; 12:1, 6, 11, 18^2, 19, 20; 13:8^2, 10, 11, 13, 15; 15:1, 10, 12, 13, 14, 16, 17, 20, 22, 24, 26, 27, 28, 31, 32, 33, 35^2; 16:1, 2, 4, 7, 8, 10^2, 11^2, 13^2; 19:18, 22, 24; 28:11, 12, 14, 15, 16, 20

וּשְׁמוּאֵל
124 וּשְׁמוּאֵל מְשָׁרֵת אֶת־פְּנֵי יְיָ ISh. 2:18
125 וְנֵר אֱלֹ׳ טֶרֶם יִכְבֶּה וּשְׁמוּאֵל שֹׁכֵב ISh. 3:3
126 וּשְׁמוּאֵל טֶרֶם יָדַע אֶת־יְיָ ISh. 3:7
127 וּשְׁמוּאֵל יָרֵא מֵהַגִּיד...אֶל־עֵלִי ISh. 3:15
128 וּשְׁמוּאֵל רָאָה אֶת־שָׁאוּל ISh. 9:17
129 וַיֵּצְאוּ שְׁנֵיהֶם הוּא וּשְׁמוּאֵל ISh. 9:26
130 וּשְׁמוּאֵל אָמַר אֶל־שָׁאוּל ISh. 9:27
131 וַיֵּלֶךְ הוּא וּשְׁמוּאֵל וַיֵּשְׁבוּ בְּנָיוֹת ISh. 19:18
132 וּשְׁמוּאֵל עֹמֵד נִצָּב עֲלֵיהֶם ISh. 19:20
133 וּשְׁמוּאֵל מֵת וַיִּסְפְּדוּ־לוֹ כָּל־יִשׂ׳ ISh. 28:3
134 אִם־יַעֲמֹד מֹשֶׁה וּשְׁמוּאֵל לְפָנַי Jer. 15:1
135 וּשְׁמוּאֵל בְּקֹרְאֵי שְׁמוֹ Ps. 99:6
136 וּבְנֵי תוֹלָע עֻזִּי...וְיִבְשָׂם וּשְׁמוּאֵל ICh. 7:2
137 דָּוִיד וּשְׁמוּאֵל הָרֹאֶה ICh. 9:22

לִשְׁמוּאֵל
138 וַיֹּאמֶר עֵלִי לִשְׁמוּאֵל לֵךְ שְׁכָב ISh. 3:9
139 וַיִּחַר לִשְׁמוּאֵל וַיִּזְעַק אֶל־יְיָ ISh. 15:11
140 וַיֻּגַּד לִשְׁמוּאֵל לֵאמֹר ISh. 15:12

שְׁמוֹנָה, שְׁמֹנָה ש״מ – 8 לזכר: 1-52

– שְׁמוֹנָה אֲנָשִׁים 42; שְׁ׳ בָּנִים 7, 40; שְׁ׳ נְסִיכִים 20; שְׁמוֹנָה עָשָׂר 1, 6, 8-12, 14-16, 25, 44; שְׁ׳ קְרָשִׁים 3, 4; שְׁמוֹנָה שֻׁלְחָנוֹת 13
– בָּנִים שְׁמוֹנָה 17; יוֹם שְׁמוֹנָה 18; יָמִים שְׁמוֹנָה 19; פָּרִים שְׁמוֹנָה 5
– אַרְבָּעִים וּשְׁמוֹנָה 32, 34; עֶשְׂרִים וּשְׁ׳ 23, 24, 26-31, 37, 41; שְׁלֹשִׁים וּשְׁ׳ 35, 39; שְׁמוֹנִים וּשְׁמוֹנָה 33, 40; שִׁשִּׁים וּשְׁמוֹנָה 36, 38; תִּשְׁעִים וּשְׁמוֹנָה 21, 22
– שְׁמֹנַת אֲלָפִים 47, 48, 51, 52; שְׁמֹנַת בָּקָר 49; שְׁמֹנַת יָמִים 45, 46; שְׁמֹנַת עָשָׂר אֶלֶף 50

שְׁמוֹנָה
1 שְׁמֹנָה עָשָׂר וּשְׁלֹשׁ מֵאוֹת Gen. 14:14
2 שְׁמֹנָה אֵלֶּה יָלְדָה מִלְכָּה לְנָחוֹר Gen. 22:23
3/4 וְהָיוּ שְׁמֹנָה קְרָשִׁים Ex. 26:25; 36:30
5 פָּרִים שְׁמֹנָה אֵילִם שְׁנָיִם Num. 29:29
6 שְׁמֹנָה־עָשָׂר אֶלֶף אִישׁ Jud. 20:44
7 וְלוֹ שְׁמֹנָה בָנִים ISh. 17:12
8-12 שְׁמוֹנָה עָשָׂר אָלֶף IISh. 8:13
ICh. 12:31(32); 18:12; 24:15; 26:9
13 שְׁמֹנָה שֻׁלְחָנוֹת אֲלֵיהֶם יִשְׁחָטוּ Ezek. 40:41
14-16 שְׁמֹנָה עָשָׂר Ezek. 48:35 • Ez. 8:18 • Neh. 7:11
17 וְלִבְנֵי אִיתָמָר...שְׁמוֹנָה ICh. 24:4
18 וּבְיוֹם שְׁמוֹנָה לַחֹדֶשׁ בָּאוּ IICh. 29:17
19 וַיְקַדְּשׁוּ אֶת־בֵּית־יְיָ לְיָמִים שְׁמוֹנָה IICh. 29:17

וּשְׁמֹנָה
20 שִׁבְעָה רֹעִים וּשְׁמֹנָה נְסִיכֵי אָדָם Mic. 5:4
21/2 בְּנֵי...תִּשְׁעִים וּשְׁמֹנָה Ez. 2:16 • Neh. 7:21
23/4 מֵאָה עֶשְׂרִים וּשְׁמֹנָה Ez. 2:23, 41
25 וְעִמּוֹ מָאתַיִם וּשְׁמֹנָה עָשָׂר הַזְּכָרִים Ez. 8:9
26-31 עֶשְׂרִים וּשְׁמֹנָה Ez. 8:11
Neh. 7:16, 22, 27; 11:8, 14
32 שֵׁשׁ מֵאוֹת אַרְבָּעִים וּשְׁמֹנָה Neh. 7:15
33 מֵאָה שְׁמֹנִים וּשְׁמֹנָה Neh. 7:26
34 מֵאָה אַרְבָּעִים וּשְׁמֹנָה Neh. 7:44
35 מֵאָה שְׁלֹשִׁים וּשְׁמֹנָה Neh. 7:45
36 אַרְבַּע מֵאוֹת שִׁשִּׁים וּשְׁמֹנָה Neh. 11:6
37 עֶשְׂרִים־וּשְׁמוֹנָה אֶלֶף ICh. 12:35(36)
38 וַאֲחֵיהֶם שִׁשִּׁים וּשְׁמוֹנָה ICh. 16:38
39 שְׁלֹשִׁים וּשְׁמוֹנָה אָלֶף ICh. 23:3
40 מָאתַיִם שְׁמוֹנִים וּשְׁמוֹנָה ICh. 25:7
41 וַיּוֹלֶד עֶשְׂרִים וּשְׁמוֹנָה בָּנִים IICh. 11:21

בִּשְׁמֹנָה
42 וְיִשְׁמָעֵאל...נִמְלַט בִּשְׁמֹנָה אֲנָשִׁים Jer. 41:15

לִשְׁמוֹנָה
43 תֶּן־חֵלֶק לְשִׁבְעָה וְגַם לִשְׁמוֹנָה Eccl. 11:2
44 לִשְׁמוֹנָה עָשָׂר לַחֲנָנִי ICh. 25:25

שְׁמֹנַת־
45 וּבֶן־שְׁמֹנַת יָמִים יִמּוֹל לָכֶם Gen. 17:12
46 וַיָּמָל...אֶת־יִצְחָק...בֶּן־שְׁמֹנַת יָמִים Gen. 21:4
47 שְׁמֹנַת אֲלָפִים וְשֵׁשׁ מֵאוֹת Num. 3:28
48 שְׁמֹנַת אֲלָפִים וַחֲמֵשׁ מֵאוֹת Num. 4:48
49 וְאֵת שְׁמֹנַת הַבָּקָר נָתַן לִבְנֵי... Num. 7:8
50 שְׁמֹנַת עָשָׂר אֶלֶף אִישׁ Jud. 20:25

וּשְׁמֹנַת־
51 מְאַת אֶלֶף וּשְׁמֹנַת־אֲלָפִים Num. 2:24
52 וּשְׁמוֹנַת אֲלָפִים כִּכָּרִים ICh. 29:7

שְׁמוֹנֶה, שְׁמֹנֶה ש״מ – 8 לנקבה: 1-56

– שְׁמוֹנֶה אַמּוֹת 15, 25; שְׁ׳ מֵאוֹת 1, 2, 9-14, 32-36, 47-49, 54; שְׁ׳ מַעֲלוֹת 45, 46; שְׁמוֹנֶה עֶשְׂרֵה 6, 7, 16-21, 23, 27-29, 52, 53, 55; שְׁ׳ וְעֶשְׂרִים 3, 4; שְׁמוֹנֶה שָׁנָה 22; שְׁמוֹנֶה שָׁנִים 5, 8, 30, 31, 42, 50, 51, 56
– מַעֲלוֹת שְׁמוֹנֶה 26; שְׁנַת שְׁמוֹנֶה 24
– אַרְבָּעִים וּשְׁמֹנֶה 37, 39; עֶשְׂרִים וּשְׁמֹנֶה 43; שְׁלֹשִׁים וּשְׁמֹנֶה 38, 41; תִּשְׁעִים וּשְׁמֹנֶה 40

שְׁמֹנֶה
1 שְׁמֹנֶה מֵאוֹת שָׁנָה Gen. 5:4
2 שְׁמֹנֶה מֵאוֹת שָׁנָה Gen. 5:19
3/4 שְׁמֹנֶה וְעֶשְׂרִים בָּאַמָּה Ex. 26:2; 36:9
5 וַיַּעַבְדוּ ב״י...שְׁמֹנֶה שָׁנִים Jud. 3:8
6 וַיַּעַבְדוּ ב״י...שְׁמֹנֶה עֶשְׂרֵה שָׁנָה Jud. 3:14
7 וַיְרֹעֲצוּ...שְׁמֹנֶה עֶשְׂרֵה שָׁנָה Jud. 10:8
8 וַיִּשְׁפֹּט אֶת־יִשְׂרָאֵל שְׁמֹנֶה שָׁנִים Jud. 12:14
9 עַל־שְׁמֹנֶה מֵאוֹת חָלָל בְּפַעַם אֶחָת IISh. 23:8
10-14 שְׁמֹנֶה מֵאוֹת IISh. 24:9
Jer. 52:29 • Ez. 2:6 • Neh. 7:13; 11:12
15 וְאַבְנֵי שְׁמֹנֶה אַמּוֹת IK. 7:10
16 שְׁמֹנֶה עֶשְׂרֵה אַמָּה קוֹמַת הָעַמּוּד IK. 7:15
17 וּבִשְׁנַת שְׁמֹנֶה עֶשְׂרֵה לַמֶּלֶךְ יָרָבְעָם IK. 15:1

שְׁמֹנֶה (המשך)
18-21 שְׁמֹנֶה עֶשְׂרֵה IIK. 3:1; 25:17 • Jer. 32:1; 52:21
22 בֶּן־שְׁמֹנֶה שָׁנָה יֹאשִׁיָּהוּ בְמָלְכוֹ IIK. 22:1
23 בֶּן־שְׁמֹנֶה עֶשְׂרֵה שָׁנָה יְהוֹיָכִין IIK. 24:8
24 בִּשְׁנַת שְׁמֹנֶה לְמָלְכוֹ IIK. 24:12
25 אֶת־אֻלָם הַשַּׁעַר שְׁמֹנֶה אַמּוֹת Ezek. 40:9
26 וּמַעֲלוֹת שְׁמוֹנֶה מַעֲלוֹ Ezek. 40:31
27-29 שְׁמוֹנֶה עֶשְׂרֵה IICh. 11:21; 13:1; 34:8
30 בֶּן־שְׁמוֹנֶה שָׁנִים יֹאשִׁיָּהוּ בְמָלְכוֹ IICh. 34:1
31 בֶּן־שְׁמוֹנֶה שָׁנִים יְהוֹיָכִין בְּמָלְכוֹ IICh. 36:9

וּשְׁמֹנֶה
32-36 וּשְׁמֹנֶה מֵאוֹת שָׁנָה Gen. 5:7, 10, 13, 16, 17
37 אַרְבָּעִים וּשְׁמֹנֶה עִיר Num. 35:7
38 וְהַיָּמִים...שְׁלֹשִׁים וּשְׁמֹנֶה שָׁנָה Deut. 2:14
39 עָרִים אַרְבָּעִים וּשְׁמֹנֶה Josh. 21:39
40 וְעֵלִי בֶּן־תִּשְׁעִים וּשְׁמֹנֶה שָׁנָה ISh. 4:15
41 בִּשְׁנַת שְׁלֹשִׁים וּשְׁמֹנֶה שָׁנָה IK. 16:29
42 וּשְׁמֹנֶה שָׁנִים מָלַךְ בִּירוּשָׁלָם IIK. 8:17
43 וְהַיָּמִים...עֶשְׂרִים־וּשְׁמֹנֶה שָׁנָה IIK. 10:36
44 בִּשְׁנַת שְׁלֹשִׁים וּשְׁמֹנֶה שָׁנָה IIK. 15:8
45/6 וּשְׁמֹנֶה מַעֲלוֹת מַעֲלָו Ezek. 40:34, 37
47 אַלְפַּיִם וּשְׁמֹנֶה מֵאוֹת Neh. 7:11
48 שֵׁשֶׁת אֲלָפִים וּשְׁמוֹנֶה מֵאוֹת ICh. 12:24(25)
49 עֶשְׂרִים אֶלֶף וּשְׁמוֹנֶה מֵאוֹת ICh. 12:30(31)
50/1 וּשְׁמוֹנֶה שָׁנִים מָלַךְ בִּירוּשָׁלָם IICh. 21:5, 20

בִּשְׁמֹנֶה
52 וַיְהִי בִּשְׁמֹנֶה עֶשְׂרֵה שָׁנָה לַמֶּלֶךְ IIK. 22:3
53 כִּי אִם־בִּשְׁמֹנֶה עֶשְׂרֵה שָׁנָה לַמֶּלֶךְ IIK. 23:23
54 בִּשְׁמוֹנֶה מֵאוֹת אֶלֶף אִישׁ בָּחוּר IICh. 13:3
55 בִּשְׁמוֹנֶה עֶשְׂרֵה שָׁנָה לְמַלְכוּת... IICh. 35:19

וּבִשְׁמוֹנֶה
56 וּבִשְׁמוֹנֶה שָׁנִים לְמָלְכוֹ IICh. 34:3

שְׁמוֹנִים, שְׁמֹנִים ש״מ – 80 לזכר ולנקבה: 1-38

– שְׁמוֹנִים אִישׁ (4), 7, 9; שְׁ׳ אֶלֶף 24, 27, 28, 31-36; שְׁ׳ בְּנֵי חַיִל 18; שְׁ׳ זְכָרִים 12; שְׁמוֹנִים יוֹם (11); שְׁ׳ כֶּסֶף 38; שְׁ׳ פִּילַגְשִׁים 30; שְׁמוֹנִים שָׁנָה 1-3, 5, 6, 10, 19-23, 26, 37
– חָמֵשׁ וּשְׁמוֹנִים 26; שָׁלֹשׁ וּשְׁ׳ 23; שֶׁבַע וּשְׁמוֹנִים 19; שְׁתַּיִם וּשְׁ׳ 20, 21; שְׁמוֹנִים וְאַרְבָּעָה 14; שְׁ׳ וַחֲמִשָּׁה 4, 8; שְׁמוֹנִים וְשִׁבְעָה 15; שְׁמוֹנִים וּשְׁמוֹנָה 13, 17
– אֶחָיו שְׁמוֹנִים 16

שְׁמוֹנִים
1 וְאַבְרָם בֶּן־שְׁמֹנִים שָׁנָה וְשֵׁשׁ שָׁנִים Gen. 16:16
2 וּמֹשֶׁה בֶּן־שְׁמֹנִים שָׁנָה Ex. 7:7
3 וַתִּשְׁקֹט הָאָרֶץ שְׁמוֹנִים שָׁנָה Jud. 3:30
4 וַיָּמֶת...שְׁמֹנִים וַחֲמִשָּׁה אִישׁ ISh. 22:18
5 זָקֵן מְאֹד בֶּן־שְׁמֹנִים שָׁנָה IISh. 19:33
6 בֶּן־שְׁמֹנִים שָׁנָה אָנֹכִי הַיּוֹם IISh. 19:36
7 וְיֵהוּא שָׂם־לוֹ בַחוּץ שְׁמֹנִים אִישׁ IIK. 10:24
8 מֵאָה שְׁמוֹנִים וַחֲמִשָּׁה אָלֶף IIK. 19:35
9 שְׁמֹנִים אִישׁ מְגֻלְּחֵי זָקָן Jer. 41:5
10 וְאִם בִּגְבוּרֹת שְׁמוֹנִים שָׁנָה Ps. 90:10
11 יָמִים רַבִּים שְׁמוֹנִים וּמְאַת יוֹם Es. 1:4
12 וְעִמּוֹ שְׁמֹנִים הַזְּכָרִים Ez. 8:8
13 מֵאָה שְׁמֹנִים וּשְׁמֹנָה Neh. 7:26
14 מָאתַיִם שְׁמֹנִים וְאַרְבָּעָה Neh. 11:18
15 שְׁמוֹנִים וְשִׁבְעָה אָלֶף ICh. 7:5
16 אֱלִיאֵל הַשָּׂר וְאֶחָיו שְׁמוֹנִים ICh. 15:9
17 מָאתַיִם שְׁמוֹנִים וּשְׁמוֹנָה ICh. 25:7
18 כֹּהֲנִים לַייָ שְׁמוֹנִים בְּנֵי־חָיִל IICh. 26:17

וּשְׁמוֹנִים
19 שֶׁבַע וּשְׁמֹנִים שָׁנָה וּמְאַת שָׁנָה Gen. 5:25
20 שְׁתַּיִם וּשְׁמוֹנִים שָׁנָה Gen. 5:26
21 שְׁתַּיִם וּשְׁמֹנִים שָׁנָה וּמְאַת שָׁנָה Gen. 5:28
22 מְאַת שָׁנָה וּשְׁמֹנִים שָׁנָה Gen. 35:28
23 וְאַהֲרֹן בֶּן־שָׁלֹשׁ וּשְׁמֹנִים שָׁנָה Ex. 7:7
24 מְאַת אֶלֶף וּשְׁמֹנִים אֶלֶף Num. 2:9

וּשְׁמֹנִים (המשך)
25 וַחֲמֵשׁ מֵאוֹת וּשְׁמֹנִים Num. 4:8
26 בֶּן־חָמֵשׁ וּשְׁמֹנִים שָׁנָה Josh. 14:10
27 וּשְׁמֹנִים אֶלֶף חֹצֵב בָּהָר IK. 5:29
28 מֵאָה וּשְׁמֹנִים אֶלֶף בָּחוּר IK. 12:21
29 מֵאָה וּשְׁמֹנִים וַחֲמִשָּׁה אָלֶף Is. 37:36
30 וּשְׁמֹנִים פִּילַגְשִׁים S.ofS. 6:8
31 וּשְׁמוֹנִים אֶלֶף אִישׁ חֹצֵב בָּהָר IICh. 2:1
32 וּשְׁמֹנִים אֶלֶף חֹצֵב בָּהָר IICh. 2:17
33 מֵאָה וּשְׁמוֹנִים אֶלֶף בָּחוּר IICh. 11:1
34/5 מָאתַיִם וּשְׁמוֹנִים אָלֶף IICh. 14:7; 17:15
36 מֵאָה־וּשְׁמוֹנִים אֶלֶף חֲלוּצֵי צָבָא IICh. 17:18
בִּשְׁמוֹנִים 37 וַיְהִי בִשְׁמוֹנִים שָׁנָה וְאַרְבַּע מֵאוֹת שָׁנָה IK. 6:1
38 רֹאשׁ־חֲמוֹר בִּשְׁמֹנִים כֶּסֶף IIK. 6:25

שַׁמּוּעַ
שפ״ז א) מִתָּרֵי הארץ משבט ראובן: 1
ב) בן דוד מבת־שבע: 2, 5
ג) לוי בימי עזרא ונחמיה: 3
ד) כֹּהן בימי עזרא ונחמיה: 4

שַׁמּוּעַ 1 לְמַטֵּה רְאוּבֵן שַׁמּוּעַ בֶּן־זַכּוּר Num. 13:4
2 שַׁמּוּעַ וְשׁוֹבָב וְנָתָן וּשְׁלֹמֹה IISh. 5:14
3 וְעַבְדָּא בֶּן־שַׁמּוּעַ בֶּן־גָּלָל Neh. 11:17
4 לְבִלְגָּה שַׁמּוּעַ לִשְׁמַעְיָה יְהוֹנָתָן Neh. 12:18
5 שַׁמּוּעַ וְשׁוֹבָב נָתָן וּשְׁלֹמֹה ICh. 14:4

שְׁמוּעָה
נ׳ ידיעה, בשׂורה: 1-27 • קרוב: בְּשׂוֹרָה
– שְׁמוּעָה טוֹבָה 11, 13; שְׁמוּעָה רָעָה 7, 24; קוֹל שְׁמוּעָה 5
– שְׁמוּעַת שָׁאוּל וִיהוֹנָתָן 25
– בָּאָה שְׁמוּעָה 5, 9, 17, 20, 21, 25; הֵבִין שְׁ׳ 2, 3; נִשְׁמְעָה שְׁ׳ 22; שָׁמַע שְׁמוּעָה 1, 4, 6, 7, 10, 15, 16
– בְּהֲלוּהוּ שְׁמוּעוֹת 27

שְׁמוּעָה 1 וְשָׁמַע שְׁמוּעָה וְשָׁב לְאַרְצוֹ IIK. 19:7
2 וְאֶת־מִי יָבִין שְׁמוּעָה Is. 28:9
3 וְהָיָה רַק־זְוָעָה הָבִין שְׁמוּעָה Is. 28:19
4 וְשָׁמַע שְׁמוּעָה וְשָׁב אֶל־אַרְצוֹ Is. 37:7
5 קוֹל שְׁמוּעָה הִנֵּה בָאָה Jer. 10:22
6 שְׁמוּעָה שָׁמַעְתִּי מֵאֵת יְיָ Jer. 49:14
7 כִּי־שְׁמֻעָה רָעָה שָׁמְעוּ נָמֹגוּ Jer. 49:23
8 וּשְׁמֻעָה אֶל־שְׁמוּעָה תִּהְיֶה Ezek. 7:26
9 וְאָמַרְתָּ אֶל־שְׁמוּעָה כִי־בָאָה Ezek. 21:12
10 שְׁמוּעָה שָׁמַעְנוּ מֵאֵת יְיָ Ob. 1
11 שְׁמוּעָה טוֹבָה תְּדַשֶּׁן־עָצֶם Prov. 15:30
וּשְׁמוּעָה 12 וּשְׁמֻעָה אֶל־שְׁמוּעָה תִּהְיֶה Ezek. 7:26
13 וּשְׁמוּעָה טוֹבָה מֵאֶרֶץ מֶרְחָק Prov. 25:25
הַשְּׁמוּעָה 14 כִּי לוֹא־טוֹבָה הַשְּׁמֻעָה ISh. 2:24
15 וַתִּשְׁמַע אֶת־הַשְּׁמֻעָה אֶל־הִלָּקַח ISh. 4:19
16 הוֹסַפְתָּ...אֶל־הַשְּׁמוּעָה אֲשֶׁר שָׁמָעְתִּי IK. 10:7
17 וּבָא בַשָּׁנָה הַשְּׁמוּעָה Jer. 51:46
18 וְאַחֲרָיו בַּשָּׁנָה הַשְּׁמוּעָה Jer. 51:46
19 יָסַפְתָּ עַל־הַשְּׁמוּעָה אֲשֶׁר שָׁמָעְתִּי IICh. 9:6
וְהַשְּׁמוּעָה 20 וְהַשְּׁמֻעָה בָאָה אֶל־דָּוִד לֵאמֹר IISh. 13:30
21 וְהַשְּׁמֻעָה בָּאָה עַד־יוֹאָב IK. 2:28
בִּשְׁמוּעָה 22 בַּשְּׁמוּעָה הַנִּשְׁמַעַת בָּאָרֶץ Jer. 51:46
לִשְׁמוּעָה 23 וְלוֹא הָיְתָה...לִשְׁמוּעָה בְּפִיךָ Ezek. 16:56
מִשְּׁמוּעָה 24 מִשְּׁמוּעָה רָעָה לֹא יִירָא Ps. 112:7
שְׁמֻעַת־ 25 בְּבֹא שְׁמֻעַת שָׁאוּל וִיהוֹנָתָן מִיִּזְרְעֶאל IISh. 4:4
לִשְׁמֻעָתֵנוּ 26 מִי הֶאֱמִין לִשְׁמֻעָתֵנוּ Is. 53:1
וּשְׁמֻעוֹת 27 וּשְׁמֻעוֹת יְבַהֲלֻהוּ מִמִּזְרָח וּמִצָּפוֹן Dan. 11:44

שָׁמוּר
ת׳ – עין שָׁמַר

שְׁמוּרָה*
נ׳ עַפְעַף העין
שְׁמֻרוֹת־ 1 אָחַזְתָּ שְׁמֻרוֹת עֵינָי Ps. 77:5

שִׁמּוּרִים
ז״ר – שמירה, משמרת: 1, 2 • לֵיל שִׁמּוּרִים 1
שִׁמֻּרִים 1 לֵיל שִׁמֻּרִים הוּא לַייָ לְהוֹצִיאָם Ex. 12:42
2 שִׁמֻּרִים לְכָל־בְּ״יִ לְדֹרֹתָם Ex. 12:42

שַׁמּוֹת
שפ״ז – מגבורי דוד, הוא שַׁמָּה
שַׁמּוֹת 1 שַׁמּוֹת הַהֲרוֹרִי חֶלֶץ הַפְּלוֹנִי ICh. 27:11

שׂמח : שָׂמַח, שִׂמַּח, הִשְׂמִיחַ; שָׂמֵחַ, שִׂמְחָה

שָׂמַח
פָּ׳ א) עָלַז, היה מרוצה מאוד: 1-126 [עין גם שָׂמֵחַ]
ב) [פִּ׳ שִׂמַּח] גרם שמחה: 127-153
ג) [הִפ׳ הִשְׂמִיחַ] כנ״ל: 154
קרובים: גָּל (גיל) / חָדָה / עָלַז / עָלַס / עָלַץ / צָהַל / שָׂשׂ (שׂישׂ)
– שָׂמַח, שָׂמַח בְּ־ רוב המקראות 2-126; שָׂמַח לְ־ 25, 36, 41, 82-84, 99; שָׂמַח לִפְנֵי־ 13, 21, 23, 24, 86; שָׂמַח אֶל־ 35; שָׂמַח עַל־ 42, 71, 72, 106, 107; שָׂמַח לִקְרַאת־ 67; שָׂמַח מִן־ 117
– שִׂמַּח אֶת־ רוב המקראות 127-153; שִׂמַּח (אֶת־) מִן־ 136, 137; שִׂמַּח (אֶת־) עַל־ 147

כִּשְׂמֹחַ 1 כִּשְׂמֹחַ כָּל־הָאָרֶץ Ezek. 35:14
לִשְׂמֹחַ 2 לִשְׂמֹחַ בְּשִׂמְחַת גּוֹיֶךָ Ps. 106:5
3 אֵין טוֹב בָּם כִּי אִם־לִשְׂמוֹחַ Eccl. 3:12
וְלִשְׂמֹחַ 4 לֶאֱכֹל מִמֶּנּוּ...וְלִשְׂמֹחַ בַּעֲמָלוֹ Eccl. 5:18
5 לֶאֱכוֹל וְלִשְׁתּוֹת וְלִשְׂמוֹחַ Eccl. 8:15
שָׂמַחְתִּי 6 כִּי שָׂמַחְתִּי בִּישׁוּעָתֶךָ ISh. 2:1
7 שָׂמַחְתִּי בְּאֹמְרִים לִי בֵּית יְיָ נֵלֵךְ Ps. 122:1
וְשָׂמַחְתָּ 8/9 וְשָׂמַחְתָּ לִפְנֵי יְיָ אֱלֹהֶיךָ Deut. 12:18; 16:11
10 וְשָׂמַחְתָּ אַתָּה וּבֵיתֶךָ Deut. 14:26
11 וְשָׂמַחְתָּ בְּחַגֶּךָ Deut. 16:14
12 וְשָׂמַחְתָּ בְכָל־הַטּוֹב אֲשֶׁר נָתַן Deut. 26:11
13 וְשָׂמַחְתָּ לִפְנֵי יְיָ אֱלֹהֶיךָ Deut. 27:7
שָׂמַח 14 לָכֵן שָׂמַח לִבִּי וַיָּגֶל כְּבוֹדִי Ps. 16:9
15 שָׂמַח מִצְרַיִם בְּצֵאתָם Ps. 105:38
16 וְגַם דָּוִיד...שָׂמַח שִׂמְחָה גְדוֹלָה ICh. 29:9
וְשָׂמַח 17 וְרָאֲךָ וְשָׂמַח בְּלִבּוֹ Ex. 4:14
18 וְשָׂמַח לִבָּם כְּמוֹ־יָיִן Zech. 10:7
וְשָׂמֵחַ 19 וְצַדִּיק יָרוּן וְשָׂמֵחַ Prov. 29:6
וְשָׂמֵחָה 20 וְהָעִיר שׁוּשָׁן צָהֲלָה וְשָׂמֵחָה Es. 8:15
וּשְׂמַחְתֶּם 21 וּשְׂמַחְתֶּם לִפְנֵי יְיָ אֱלֹהֵיכֶם Lev. 23:40
22 וּשְׂמַחְתֶּם בְּכֹל מִשְׁלַח יֶדְכֶם Deut. 12:7
23 וּשְׂמַחְתֶּם לִפְנֵי יְיָ אֱלֹהֵיכֶם Deut. 12:12
שָׂמְחוּ 24 שָׂמְחוּ לְפָנֶיךָ כְּשִׂמְחַת בַּקָּצִיר Is. 9:2
25 גַּם־בְּרוֹשִׁים שָׂמְחוּ לְךָ Is. 14:8
26 וּבְצַלְעִי שָׂמְחוּ וְנֶאֱסָפוּ Ps. 35:15
שָׂמֵחוּ 27 וְגַם הַנָּשִׁים וְהַיְלָדִים שָׂמֵחוּ Neh. 12:43
וְשָׂמְחוּ 28 וְשָׂמְחוּ וְרָאוּ אֶת־הָאֶבֶן הַבְּדִיל Zech. 4:10
וְשָׂמֵחוּ 29 וּבְנֵיהֶם יִרְאוּ וְשָׂמֵחוּ Zech. 10:7
אֶשְׂמַח 30 אָנֹכִי אֶשְׂמַח בַּייָ Ps. 104:34
31 אִם־אֶשְׂמַח כִּי־רַב חֵילִי Job 31:25
32 אִם־אֶשְׂמַח בְּפִיד מְשַׂנְאִי Job 31:29
אֶשְׂמְחָה 33 אֶשְׂמְחָה וְאֶעֶלְצָה בָךְ Ps. 9:3
וְאֶשְׂמְחָה 34 אָגִילָה וְאֶשְׂמְחָה בְּחַסְדֶּךָ Ps. 31:8
תִּשְׂמַח 35 אַל־תִּשְׂמַח יִשְׂרָאֵל אֶל־גִּיל כָּעַמִּים Hosh. 9:1
36 וְאַל־תִּשְׂמַח לִבְנֵי־יְהוּדָה Ob. 12
תִּשְׂמָח 37 בִּנְפֹל אוֹיִבְךָ אַל־תִּשְׂמָח Prov. 24:17
וַתִּשְׂמַח 38 וַתִּשְׂמַח בְּכָל־שָׁאטְךָ בְּנֶפֶשׁ Ezek. 25:6
וַתִּשְׂמָח 39 וַיַּעַשׂ יְיָ תְּשׁוּעָה...רָאִיתָ וַתִּשְׂמָח ISh. 19:5
תִּשְׂמְחִי 40 אַל־תִּשְׂמְחִי פְּלֶשֶׁת כֻּלֵּךְ Is. 14:29
41 אַל־תִּשְׂמְחִי אֹיַבְתִּי לִי Mic. 7:8
יִשְׂמַח 42 עַל־בַּחוּרָיו לֹא־יִשְׂמַח אֲדֹנָי Is. 9:16
43 עַל־כֵּן יִשְׂמַח וְיָגִיל Hab. 1:15
יִשְׂמַח (המשך) 44/5 יָגֵל יַעֲקֹב יִשְׂמַח יִשְׂרָאֵל Ps. 14:7; 53:7
46 יְיָ בְּעָזְּךָ יִשְׂמַח־מֶלֶךְ Ps. 21:2
47 כִּי־בוֹ יִשְׂמַח לִבֵּנוּ Ps. 33:21
48 יִשְׂמַח הַר־צִיּוֹן תָּגֵלְנָה בְּנוֹת יְהוּדָה Ps. 48:12
49 יִשְׂמַח צַדִּיק כִּי־חָזָה נָקָם Ps. 58:11
50 וְהַמֶּלֶךְ יִשְׂמַח בֵּאלֹהִים Ps. 63:12
51 יִשְׂמַח צַדִּיק בַּייָ וְחָסָה בוֹ Ps. 64:11
52 יִשְׂמַח יְיָ בְּמַעֲשָׂיו Ps. 104:31
53 יִשְׂמַח לֵב מְבַקְשֵׁי יְיָ Ps. 105:3
54 יִשְׂמַח יִשְׂרָאֵל בְּעֹשָׂיו Ps. 149:2
55 וְלֹא־יִשְׂמַח אֲבִי נָבָל Prov. 17:21
56 יִשְׂמַח לִבִּי גַם־אָנִי Prov. 23:15
57 יוֹלֵד֯ חָכָם יִשְׂמַח (כת׳ וישמח) בּוֹ Prov. 23:24
58 יִשְׂמַח־אָבִיךָ וְאִמֶּךָ Prov. 23:25
59 בִּרְבוֹת צַדִּיקִים יִשְׂמַח הָעָם Prov. 29:2
60 יִשְׂמַח הָאָדָם בְּמַעֲשָׂיו Eccl. 3:22
61 יִשְׂמַח לֵב מְבַקְשֵׁי יְיָ ICh. 16:10
יִשְׂמָח 62 הַקּוֹנֶה אַל־יִשְׂמָח Ezek. 7:12
63 קָמוּ וַיֵּבֹשׁוּ וְעַבְדְּךָ יִשְׂמָח Ps. 109:28
64 אוֹר־צַדִּיקִים יִשְׂמָח Prov. 13:9
65 אִם־שָׁנִים הַרְבֵּה יִחְיֶה הָאָדָם בְּכֻלָּם יִשְׂמָח Eccl. 11:8
וְיִשְׂמַח 66 וְיִשְׂמַח גַּם־הוּא בָּכֶם Jud. 9:19
וַיִּשְׂמַח 67 וַיִּרְאֵהוּ...וַיִּשְׂמַח לִקְרָאתוֹ Jud. 19:3
68 וַיִּשְׂמַח שָׁם שָׁאוּל...עַד־מְאֹד ISh. 11:15
69 וַיְהִי כִּשְׁמֹעַ חִירָם...וַיִּשְׂמַח מְאֹד IK. 5:21
70 וַיִּשְׂמַח כָּל־עַם־הָאָרֶץ IIK. 11:20
71 וַיִּשְׂמַח עֲלֵיהֶם חִזְקִיָּהוּ Is. 39:2
72 וַיִּשְׂמַח יוֹנָה עַל־הַקִּיקָיוֹן Jon. 4:6
73 וַיִּשְׂמַח יְחִזְקִיָּהוּ וְכָל־הָעָם IICh. 29:36
תִּשְׂמַח 74 אָז תִּשְׂמַח בְּתוּלָה בְּמָחוֹל Jer. 31:13(12)
וַתִּשְׂמַח 75 שָׁמְעָה וַתִּשְׂמַח צִיּוֹן Ps. 97:8
נִשְׂמְחָה 76 שָׁם נִשְׂמְחָה־בּוֹ Ps. 66:6
וְנִשְׂמְחָה 77 נָגִילָה וְנִשְׂמְחָה בִּישׁוּעָתוֹ Is. 25:9
78 וּנְרַנְּנָה וְנִשְׂמְחָה בְּכָל־יָמֵינוּ Ps. 90:14
79 זֶה־הַיּוֹם...נָגִילָה וְנִשְׂמְחָה בוֹ Ps. 118:24
80 נָגִילָה וְנִשְׂמְחָה בָּךְ S.ofS. 1:4
תִשְׂמְחוּ 81 כִּי תִשְׂמְחוּ (כת׳ תשמחי) כִּי תַעַלְזוּ Jer. 50:11
יִשְׂמְחוּ 82 אַל־יִשְׂמְחוּ־לִי אֹיְבַי שֶׁקֶר Ps. 35:19
83 שָׁפְטֵנִי...וְאַל־יִשְׂמְחוּ־לִי Ps. 35:24
84 כִּי־אָמַרְתִּי פֶּן־יִשְׂמְחוּ־לִי Ps. 38:17
85 יִשְׂמְחוּ וִירַנְּנוּ לְאֻמִּים Ps. 67:5
86 וְצַדִּיקִים יִשְׂמְחוּ...לִפְנֵי אֱלֹהִים Ps. 68:4
87 וְעַמְּךָ יִשְׂמְחוּ־בָךְ Ps. 85:7
88 יִשְׂמְחוּ הַשָּׁמַיִם וְתָגֵל הָאָרֶץ Ps. 96:11
89 יִשְׂמְחוּ אִיִּים רַבִּים Ps. 97:1
90 גַּם הָאַחֲרוֹנִים לֹא יִשְׂמְחוּ־בוֹ Eccl. 4:16
91 יִשְׂמְחוּ הַשָּׁמַיִם וְתָגֵל הָאָרֶץ ICh. 16:31
92 וַחֲסִידֶיךָ יִשְׂמְחוּ בַטּוֹב IICh. 6:41
יִשְׂמָחוּ 93 עֲבָדַי יִשְׂמָחוּ וְאַתֶּם תֵּבֹשׁוּ Is. 65:13
94 רָאוּ עֲנָוִים יִשְׂמָחוּ Ps. 69:33
וְיִשְׂמְחוּ 95 וְיִשְׂמְחוּ כָל־חוֹסֵי בָךְ Ps. 5:12
96 יָרֹנּוּ וְיִשְׂמְחוּ חֲפֵצֵי צִדְקִי Ps. 35:27
97/8 יָשִׂישׂוּ וְיִשְׂמְחוּ בְּךָ כָּל־מְבַקְשֶׁיךָ Ps. 40:17; 70:5
99 וְיִשְׂמְחוּ לְקוֹל עוּגָב Job 21:12
וְיִשְׂמָחוּ 100 יִשְׁמְעוּ עֲנָוִים וְיִשְׂמָחוּ Ps. 34:3
101 יִרְאוּ יְשָׁרִים וְיִשְׂמָחוּ Ps. 107:42
102 יְרֵאֶיךָ יִרְאוּנִי וְיִשְׂמָחוּ Ps. 119:74
103 יִרְאוּ צַדִּיקִים וְיִשְׂמָחוּ Job 22:19
וַיִּשְׂמְחוּ 104 וַיִּרְאוּ אֶת־הָאָרוֹן וַיִּשְׂמְחוּ לִרְאוֹת ISh. 6:13
105 וַיִּשְׂמְחוּ כִי־יִשְׁתֹּקוּ Ps. 107:30
106 וַיִּשְׂמְחוּ הָעָם עַל־הִתְנַדְּבָם ICh. 29:9

וַיִּשְׂמְחוּ (המשך)	107	וַיִּשְׂמְחוּ כָל־יְהוּדָה עַל־הַשְּׁבוּעָה	IICh.15:15
	108	וַיִּשְׂמְחוּ כָל־עַם־הָאָרֶץ	IICh. 23:21
	109	וַיִּשְׂמְחוּ כָל־הַשָּׂרִים וְכָל־הָעָם	IICh. 24:10
	110	וַיִּשְׂמְחוּ כָּל־קְהַל יְהוּדָה	IICh. 30:25
וַיִּשְׂמָחוּ	111	וַיַּגִּידוּ לְאַנְשֵׁי יָבֵישׁ וַיִּשְׂמָחוּ	ISh. 11:9
	112	כִּרְאוֹת כָּל־הָעָם...וַיִּשְׂמָחוּ	Jer. 41:13
	113	וַיִּזְבְּחוּ בַיּוֹם הַהוּא...וַיִּשְׂמָחוּ	Neh. 12:43
תִּשְׂמַחְנָה	114	פֶּן־תִּשְׂמַחְנָה בְּנוֹת פְּלִשְׁתִּים	IISh. 1:20
שְׂמַח	115	שְׂמַח זְבוּלֻן בְּצֵאתֶךָ	Deut. 33:18
	116	שְׂמַח בָּחוּר בְּיַלְדוּתֶיךָ	Eccl. 11:9
וּשְׂמַח	117	וּשְׂמַח מֵאֵשֶׁת נְעוּרֶךָ	Prov. 5:18
שִׂמְחִי	118	שִׂמְחִי וְעָלְזִי בְּכָל־לֵב	Zep. 3:14
וְשִׂמְחִי	119	רָנִּי וְשִׂמְחִי בַּת־צִיּוֹן	Zech. 2:14
	120	שִׂישִׂי וְשִׂמְחִי בַּת־אֱדוֹם	Lam. 4:21
וּשְׂמָחִי	121	אַל־תִּירְאִי אֲדָמָה גִּילִי וּשְׂמָחִי	Joel 2:21
שִׂמְחוּ	122	שִׂמְחוּ בַּאֲבִימֶלֶךְ	Jud. 9:19
	123	שִׂמְחוּ אֶת־יְרוּשָׁלַםִ וְגִילוּ בָהּ	Is. 66:10
	124	שִׂמְחוּ בַיְיָ וְגִילוּ צַדִּיקִים	Ps. 32:11
	125	שִׂמְחוּ צַדִּיקִים בַּיְיָ	Ps. 97:12
וְשִׂמְחוּ	126	גִּילוּ וְשִׂמְחוּ בַּיְיָ	Joel 2:23
שַׂמֵּחַ	127	שַׂמֵּחַ שִׂמְּחָהוּ	Jer. 20:15
וְשִׂמַּחְתִּים	128	וְשִׂמַּחְתִּים בְּבֵית תְּפִלָּתִי	Is. 56:7
	129	וְנִחַמְתִּים וְשִׂמַּחְתִּים מִיגוֹנָם	Jer. 31:13(12)
שִׂמַּחְתָּ	130	וְלֹא־שִׂמַּחְתָּ אֹיְבַי לִי	Ps. 30:2
שִׂמַּחְתַּנִי	131	כִּי שִׂמַּחְתַּנִי יְיָ בְּפָעֳלֶךָ	Ps. 92:5
וְשִׂמַּח	132	וְשִׂמַּח אֶת־אִשְׁתּוֹ	Deut. 24:5
שִׂמְּחָהוּ	133	בִּשַּׂר אֶת־אָבִי...שַׂמֵּחַ שִׂמְּחָהוּ	Jer. 20:15
שִׂמְּחָם	134	כִּי שִׂמְּחָם יְיָ	Ez. 6:22
	135	כִּי הָאֱלֹהִים שִׂמְּחָם שִׂמְחָה גְדוֹלָה	Neh.12:43
	136	כִּי־שִׂמְּחָם יְיָ מֵאוֹיְבֵיהֶם	IICh. 20:27
שִׂמְּחוּךָ	137	מִן־הֵיכְלֵי שֵׁן מִנִּי שִׂמְּחוּךָ	Ps. 45:9
הַמְשַׂמֵּחַ	138	הַמְשַׂמֵּחַ אֱלֹהִים וַאֲנָשִׁים	Jud. 9:13
מְשַׂמְּחֵי־	139	פִּקּוּדֵי יְיָ יְשָׁרִים מְשַׂמְּחֵי־לֵב	Ps. 19:9
יְשַׂמַּח	140	וְיַיִן יְשַׂמַּח לְבַב־אֱנוֹשׁ	Ps. 104:15
	141/2	בֵּן חָכָם יְשַׂמַּח־אָב	Prov. 10:1; 15:20
	143	מְאוֹר־עֵינַיִם יְשַׂמַּח־לֵב	Prov. 15:30
	144	שֶׁמֶן וּקְטֹרֶת יְשַׂמַּח־לֵב	Prov. 27:9
	145	אֹהֵב חָכְמָה יְשַׂמַּח אָבִיו	Prov. 29:3
	146	לֶחֶם וְיַיִן יְשַׂמַּח חַיִּים	Eccl. 10:19
וַיְשַׂמַּח	147	וַיְשַׂמַּח עָלַיִךְ אוֹיֵב	Lam. 2:17
יְשַׂמְּחֶנָּה	148	וְדָבָר טוֹב יְשַׂמְּחֶנָּה	Prov. 12:25
יְשַׂמְּחוּ	149	בְּרָעָתָם יְשַׂמְּחוּ־מֶלֶךְ	Hosh. 7:3
	150	נָהָר פְּלָגָיו יְשַׂמְּחוּ עִיר־אֱלֹהִים	Ps. 46:5
שַׂמַּח	151	שַׂמַּח נֶפֶשׁ עַבְדֶּךָ	Ps. 86:4
וְשַׂמַּח	152	חֲכַם בְּנִי וְשַׂמַּח לִבִּי	Prov. 27:11
שַׂמְּחֵנוּ	153	שַׂמְּחֵנוּ כִּימוֹת עִנִּיתָנוּ	Ps. 90:15
הִשְׂמַחְתָּ	154	הִשְׂמַחְתָּ כָּל־אוֹיְבָיו	Ps. 89:43

שָׂמֵחַ
ת׳ עליז, שָׂשׂ: 1-21

קרובים: עָלֵז / צוֹהֵל (צהל) / שָׂשׂ (שׂישׂ)

שָׂמֵחַ וְטוֹב־לֵב 7, 12, 14; לֵב שָׂמֵחַ 3, 5, 6; עַם שָׂמֵחַ 2, 9; אֵם שְׂמֵחָה 10; שִׂמְחֵי לֵב 21; שְׂמֵחֵי רָעָתוֹ 20

שָׂמֵחַ	1	וְהָיִיתָ אַךְ שָׂמֵחַ	Deut. 16:15
	2	וְכָל־עַם־הָאָרֶץ שָׂמֵחַ	IIK. 11:14
	3	לֵב שָׂמֵחַ יֵיטִב פָּנִים	Prov. 15:13
	4	שָׂמֵחַ לְאֵיד לֹא יִנָּקֶה	Prov. 17:5
	5	לֵב שָׂמֵחַ יֵיטִב גֵּהָה	Prov. 17:22
	6	כִּי־לִבִּי שָׂמֵחַ מִכָּל־עֲמָלִי	Eccl. 2:10
	7	וַיֵּצֵא הָמָן...שָׂמֵחַ וְטוֹב לֵב	Es. 5:9
	8	וּבֹא...אֶל־הַמִּשְׁתֶּה שָׂמֵחַ	Es. 5:14
	9	וְכָל־עַם־הָאָרֶץ שָׂמֵחַ	IICh. 23:13
שְׂמֵחָה	10	אֵם־הַבָּנִים שְׂמֵחָה	Ps. 113:9
שְׂמֵחִים	11	וַיַּעֲלוּ מִשָּׁם שְׂמֵחִים	IK. 1:45
	12	וַיֵּלְכוּ...שְׂמֵחִים וְטוֹבֵי לֵב	IK. 8:66
	13	הִגְדִּיל יְיָ לַעֲשׂוֹת...הָיִינוּ שְׂמֵחִים	Ps. 126:3
	14	שְׂמֵחִים וְטוֹבֵי לֵב עַל־הַטּוֹבָה	IICh. 7:10
וּשְׂמֵחִים	15	וּשְׂמֵחִים שִׂמְחָה גְדוֹלָה	IK. 1:40
	16	אֹכְלִים וְשֹׁתִים וּשְׂמֵחִים	IK. 4:20
הַשְּׂמֵחִים	17	הַשְּׂמֵחִים לְלֹא דָבָר	Am. 6:13
	18	הַשְּׂמֵחִים לַעֲשׂוֹת רָע	Prov. 2:14
	19	הַשְּׂמֵחִים אֱלֵי־גִיל	Job 3:22
שְׂמֵחֵי־	20	יֵבֹשׁוּ וְיַחְפְּרוּ יַחְדָּו שְׂמֵחֵי רָעָתִי	Ps. 35:26
שִׂמְחֵי־	21	נֶאֶנְחוּ כָּל־שִׂמְחֵי־לֵב	Is. 24:7

שִׂמְחָה
נ׳ גִּיל, שָׂשׂוֹן: 1-94 • קרובים: ראה גִּיל

– שִׂמְחָה וָגִיל 2, 10, 11; אוֹרָה וְשִׂמְחָה 41; שָׂשׂוֹן וְשִׂמְחָה 5-8, 26, 35-39, 41, 72; מִשְׁתֶּה וְשִׂמְחָה 27, 42-44

– שִׂמְחָה גְדוֹלָה 1, 12, 28-30, 32, 34, 64, 67

– אוֹהֵב שִׂמְחָה 23; בֵּית שׂ׳ 25; יוֹם שִׂמְחָה 91; קוֹל שׂ׳ 5-8; רֹאשׁ שִׂמְחָתוֹ 88; תְּרוּעַת שִׂמְחָה 48

– שִׂמְחַת גּוֹי 84; שִׂמְחַת גִּילוֹ 75; שִׂמְחַת חָנֵף 82; שׂ׳ יְהוּדָה 78; שׂ׳ יְרוּשָׁלַיִם 77; שׂ׳ לֵבָב 79, 83, 87; שִׂמְחַת לִבּוֹ 76, 85; שִׂמְחַת עוֹלָם 74, 80, 81

– שְׂמָחוֹת וָגִיל 94; שֹׂבַע שְׂמָחוֹת 93

שִׂמְחָה	1	וּשְׂמֵחִים שִׂמְחָה גְדוֹלָה	IK. 1:40
	2	וְנֶאֱסַף שִׂמְחָה וָגִיל מִן־הַכַּרְמֶל	Is. 16:10
	3	עָרְבָה כָּל־שִׂמְחָה	Is. 24:11
	4	וְיָסְפוּ עֲנָוִים בַּייָ שִׂמְחָה	Is. 29:19
	5-8	קוֹל שָׂשׂוֹן וְקוֹל שׂ׳	Jer. 7:34; 16:9; 25:10; 33:11
	9	רָנּוּ לְיַעֲקֹב שִׂמְחָה	Jer. 31:7(6)
	10	וְנֶאֶסְפָה שִׂמְחָה וָגִיל מִכַּרְמֶל	Jer. 48:33
	11	(נִכְרַת) מִבֵּית אֱלֹהֵינוּ שִׂמְחָה וָגִיל	Joel 1:16
	12	וַיִּשְׂמַח יוֹנָה...שִׂמְחָה גְדוֹלָה	Jon. 4:6
	13	נָתַתָּה שִׂמְחָה בְלִבִּי	Ps. 4:8
	14	פִּתַּחְתָּ שַׂקִּי וַתְּאַזְּרֵנִי שִׂמְחָה	Ps. 30:12
	15	וּלְיִשְׁרֵי־לֵב שִׂמְחָה	Ps. 97:11
	16	שָׁם שְׁאֵלוּנוּ...וְתוֹלָלֵינוּ שִׂמְחָה	Ps. 137:3
	17	תּוֹחֶלֶת צַדִּיקִים שִׂמְחָה	Prov. 10:28
	18	וּלְיֹעֲצֵי שָׁלוֹם שִׂמְחָה	Prov. 12:20
	19	וְאַחֲרִיתָהּ שִׂמְחָה תוּגָה	Prov. 14:13
	20	אִוֶּלֶת שִׂמְחָה לַחֲסַר־לֵב	Prov. 15:21
	21	שִׂמְחָה לָאִישׁ בְּמַעֲנֵה־פִיו	Prov. 15:23
	22	שִׂמְחָה לַצַּדִּיק עֲשׂוֹת מִשְׁפָּט	Prov. 21:15
	23	אִישׁ מַחְסוֹר אֹהֵב שִׂמְחָה	Prov. 21:17
	24	לֹא־מָנַעְתִּי אֶת־לִבִּי מִכָּל־שִׂמְחָה	Eccl. 2:10
	25	וְלֵב כְּסִילִים בְּבֵית שִׂמְחָה	Eccl. 7:4
	26	שִׂמְחָה וְשָׂשׂוֹן לַיְּהוּדִים	Es. 8:17
	27	שִׂמְחָה וּמִשְׁתֶּה וְיוֹם טוֹב	Es. 9:19
	28	וְלַעֲשׂוֹת שִׂמְחָה גְדוֹלָה	Neh. 8:12
	29	וַתְּהִי שִׂמְחָה גְּדוֹלָה מְאֹד	Neh. 8:17
	30	הָאֱלֹהִים שִׂמְּחָם שִׂמְחָה גְדוֹלָה	Neh. 12:43
	31	כִּי שִׂמְחָה בְּיִשְׂרָאֵל	ICh. 12:40(41)
	32	וְגַם דָּוִיד...שָׂמַח שִׂמְחָה גְדוֹלָה	ICh. 29:9
	33	וַיַּעֲשׂוּ שִׁבְעַת יָמִים שִׂמְחָה	IICh. 30:23
	34	וַתְּהִי שִׂמְחָה גְדוֹלָה בִּירוּשָׁלָםִ	IICh. 30:26
וְשִׂמְחָה	35	וְהִנֵּה שָׂשׂוֹן וְשִׂמְחָה הָרֹג בָּקָר...	Is. 22:13
	36	שָׂשׂוֹן וְשִׂמְחָה יַשִּׂיגוּ	Is. 35:10
	37	שָׂשׂוֹן וְשִׂמְחָה יִמָּצֵא בָהּ	Is. 51:3
	38	שָׂשׂוֹן וְשִׂמְחָה יַשִּׂיגוּן	Is. 51:11
	39	תַּשְׁמִיעֵנִי שָׂשׂוֹן וְשִׂמְחָה	Ps. 51:10
	40	לְאָדָם...נָתַן חָכְמָה וְדַעַת וְשִׂמְחָה	Eccl. 2:26
	41	אוֹרָה וְשִׂמְחָה וְשָׂשֹׂן וִיקָר	Es. 8:16
	42/3	יוֹם מִשְׁתֶּה וְשִׂמְחָה	Es. 9:17, 18
	44	לַעֲשׂוֹת אוֹתָם יְמֵי מִשְׁתֶּה וְשִׂמְחָה	Es. 9:22
	45	לַעֲשֹׂת חֲנֻכָּה וְשִׂמְחָה	Neh. 12:27
הַשִּׂמְחָה	46	הִרְבִּיתָ הַגּוֹי לוֹ׳ הִגְדַּלְתָּ הַשִּׂמְחָה	Is. 9:2
	47	וְשִׁבַּחְתִּי אֲנִי אֶת־הַשִּׂמְחָה	Eccl. 8:15
	48	קוֹל תְּרוּעַת הַשִּׂמְחָה	Ez. 3:13
בְּשִׂמְחָה	49	וָאֲשַׁלֵּחֲךָ בְּשִׂמְחָה וּבְשִׁרִים	Gen. 31:27
	50	לֹא־עָבַדְתָּ...בְּשִׂמְחָה וּבְטוּב לֵבָב	Deut. 28:47
	51	בְּתֻפִּים בְּשִׂמְחָה וּבְשָׁלִשִׁים	ISh. 18:6
	52	וַיַּעַל אֶת־אֲרוֹן הָאֱלֹהִים...בְּשִׂמְ׳	IISh. 6:12
	53	בְּשִׂמְחָה תֵצֵאוּ וּבְשָׁלוֹם תּוּבָלוּן	Is. 55:12
	54	יָשִׂישׂ עָלַיִךְ בְּשִׂמְחָה	Zep. 3:17
	55	תְּחַדֵּהוּ בְשִׂמְחָה אֶת־פָּנֶיךָ	Ps. 21:7
	56	יִשְׂמְחוּ יַעַלְצוּ...וְיָשִׂישׂוּ בְשִׂמְחָה	Ps. 68:4
	57	עִבְדוּ אֶת־יְיָ בְּשִׂמְחָה	Ps. 100:2
	58	לְכָה־נָּא אֲנַסְּכָה בְשִׂמְחָה	Eccl. 2:1
	59	לֵךְ אֱכֹל בְּשִׂמְחָה לַחְמֶךָ	Eccl. 9:7
	60	וְרַבִּים בִּתְרוּעָה בְשִׂמְחָה	Ez. 3:12
	61	שִׁבְעַת יָמִים בְּשִׂמְחָה	Ez. 6:22
	62	לְהַעֲלוֹת אֶת־אֲרוֹן...יְיָ...בְּשִׂמְחָה	ICh. 15:25
	63	רָאִיתִי בְשִׂמְחָה לְהִתְנַדֶּב־לָךְ	ICh. 29:17
	64	וַיֹּאכְלוּ וַיִּשְׁתּוּ...בְּשִׂמְחָה גְדוֹלָה	ICh. 29:22
	65	לָשׁוּב אֶל־יְרוּשָׁלַםִ בְּשִׂמְחָה	IICh. 20:27
	66	לְהַעֲלוֹת עֹלוֹת...בְּשִׂמְחָה וּבְשִׁיר	IICh. 23:18
	67	שִׁבְעַת יָמִים בְּשִׂמְחָה גְדוֹלָה	IICh. 30:21
לְשִׂמְחָה	68	אֲשֶׁר נֶהְפַּךְ לָהֶם מִיָּגוֹן לְשִׂמְחָה	Es. 9:22
	69	מַשְׁמִיעִים לְהָרִים־בְּקוֹל לְשִׂמְחָה	ICh. 15:16
	70	וַיְהַלְלוּ עַד־לְשִׂמְחָה	IICh. 29:30
וּלְשִׂמְחָה	71	נֶאֶסְפוּ לִזְבֹּחַ...וּלְשִׂמְחָה	Jud. 16:23
	72	לְשָׂשׂוֹן וּלְשִׂמְחָה וּלְמֹעֲדִים טוֹבִים	Zech. 8:19
	73	וּלְשִׂמְחָה מַה־זֹּה עֹשָׂה	Eccl. 2:2
שִׂמְחַת־	74	שִׂמְחַת עוֹלָם תִּהְיֶה לָהֶם	Is. 61:7
	75	וְאָבוֹאָה...אֶל־אֵל שִׂמְחַת גִּילִי	Ps. 43:4
	76	בְּיוֹם חֲתֻנָּתוֹ וּבְיוֹם שִׂמְחַת לִבּוֹ	S.ofS. 3:11
	77	וַתִּשָּׁמַע שִׂמְחַת יְרוּשָׁלַםִ מֵרָחוֹק	Neh. 12:43
	78	כִּי שִׂמְחַת יְהוּדָה עַל־הַכֹּהֲנִים	Neh. 12:44
וְשִׂמְחַת־	79	וְשִׂמְחַת לֵבָב כַּהוֹלֵךְ בֶּחָלִיל	Is. 30:29
	80/1	וְשִׂמְחַת עוֹלָם עַל־רֹאשָׁם	Is. 35:10; 51:11
	82	וְשִׂמְחַת חָנֵף עֲדֵי־רָגַע	Job 20:5
בְּשִׂמְחַת־	83	בְּשִׂמְחַת כָּל־לֵבָב בִּשְׁאָט נֶפֶשׁ	Ezek. 36:5
	84	לִשְׂמֹחַ בְּשִׂמְחַת גּוֹיֶךָ	Ps. 106:5
	85	כִּי הָאֱלֹהִים מַעֲנֶה בְּשִׂמְחַת לִבּוֹ	Eccl. 5:19
כְּשִׂמְחַת־	86	שָׂמְחוּ לְפָנֶיךָ כְּשִׂמְחַת בַּקָּצִיר	Is. 9:2
וּלְשִׂמְחַת־	87	לְשָׂשׂוֹן וּלְשִׂמְחַת לְבָבִי	Jer. 15:16
שִׂמְחָתִי	88	אִם־לֹא אַעֲלֶה...עַל־רֹאשׁ שִׂמְחָתִי	Ps. 137:6
כְּשִׂמְחָתְךָ	89	כְּשִׂמְחָתְךָ לְנַחֲלַת בֵּית־יִשְׂרָאֵל	Ezek. 35:15
וּבְשִׂמְחָתוֹ	90	וּבְשִׂמְחָתוֹ לֹא־יִתְעָרַב זָר	Prov. 14:10
שִׂמְחַתְכֶם	91	וּבְיוֹם שִׂמְחַתְכֶם וּבְמוֹעֲדֵיכֶם	Num. 10:10
בְּשִׂמְחַתְכֶם	92	וְנֵרָאֶה בְּשִׂמְחַתְכֶם וְהֵם יֵבֹשׁוּ	Is. 66:5
שְׂמָחוֹת	93	שֹׂבַע שְׂמָחוֹת אֶת־פָּנֶיךָ	Ps. 16:11
בִּשְׂמָחוֹת	94	תּוּבַלְנָה בִּשְׂמָחֹת וָגִיל	Ps. 45:16

שמט
: שָׁמַט, נִשְׁמַט, הִשְׁמִיט; שְׁמִטָּה

שָׁמַט
פ׳ א) נטש, עזב: 1, 2, 5

ב) השליך, הפיל: 6, 7

ג) מעד, הוזז ממקומו: 3, 4

ד) [נפ׳ נִשְׁמַט] הוזז, הודח: 8

ה) [הפ׳ הִשְׁמִיט] הרחיק, סלק: 9

שָׁמוֹט	1	שָׁמוֹט כָּל־בַּעַל מַשֵּׁה יָדוֹ	Deut. 15:2
וְשָׁמַטְתָּה	2	וְשָׁמַטְתָּה וּבְךָ מִנַּחֲלָתְךָ	Jer. 17:4
שָׁמְטוּ	3	וַיֹּאחֶז בּוֹ כִּי שָׁמְטוּ הַבָּקָר	IISh. 6:6
	4	לֶאֱחֹז אֶת־הָאָרֹן כִּי שָׁמְטוּ הַבָּקָר	ICh. 13:9

תִּשְׁמְטֶנָּה 5 וְהַשְּׁבִיעִת תִּשְׁמְטֶנָּה וּנְטַשְׁתָּהּ Ex. 23:11

וַיִּשְׁמְטוּהָ 6 וַיֹּאמֶר שִׁמְטוּהָ° וַיִּשְׁמְטוּהָ IIK. 9:33

שִׁמְטוּהָ 7 וַיֹּאמֶר שִׁמְטוּהָ (כת׳ שמטוהו) וַיִּשְׁמְטוּהָ IIK. 9:33

נִשְׁמְטוּ 8 נִשְׁמְטוּ בִידֵי־סֶלַע שֹׁפְטֵיהֶם Ps. 141:6

תַּשְׁמֵט 9 וַאֲשֶׁר...אֶת־אָחִיךָ תַּשְׁמֵט יָדֶךָ Deut. 15:3

שְׁמִטָּה

נ׳ נטישת השדה ללא עבוד וזריעה (כל שנה שביעית): 1-5

דְּבַר הַשְּׁמִטָּה 3; שְׁנַת הַשְּׁמִטָּה 4, 5

שְׁמִטָּה 1 מִקֵּץ שֶׁבַע־שָׁנִים תַּעֲשֶׂה שְׁמִטָּה Deut. 15:1

2 כִּי־קָרָא שְׁמִטָּה לַיְיָ Deut. 15:2

הַשְּׁמִטָּה 3 וְזֶה דְּבַר הַשְּׁמִטָּה Deut. 15:2

4 קָרְבָה שְׁנַת־הַשֶּׁבַע שְׁנַת הַשְּׁמִטָּה Deut. 15:9

5 בְּמֹעֵד שְׁנַת הַשְּׁמִטָּה Deut. 31:10

שַׁמַּי

שפ״ז – שלושה אנשים משבט יהודה: 1-6

שַׁמַּי 1 וַיִּהְיוּ בְנֵי־אוֹנָם שַׁמַּי וְיָדָע ICh. 2:28

2 וּבְנֵי שַׁמַּי נָדָב וַאֲבִישׁוּר ICh. 2:28

3 וּבְנֵי יָדָע אֲחִי שַׁמַּי יֶתֶר וְיוֹנָתָן ICh. 2:32

4 וּבֶן־שַׁמַּי מָעוֹן ICh. 2:45

5 וַתַּהַר אֶת־מִרְיָם וְאֶת־שַׁמַּי ICh. 4:17

שַׁמָּי 6 וְרֶקֶם הוֹלִיד אֶת־שַׁמָּי ICh. 2:44

שְׁמַיָּא

ז״ר ארמית, הַשָּׁמַיִם: 1-38

אֱלָהּ שְׁמַיָּא 3-14; חֵיל שְׁ׳ 27; טַל שְׁ׳ 18, 19, 22, 25, 26; מֶלֶךְ שְׁ׳ 28; מָרֵא שְׁ׳ 29; עוֹף שְׁ׳ 15; עֲנָנֵי שְׁמַיָּא 31; צִפְּרֵי שְׁ׳ 16, 20; רוּחֵי שְׁמַיָּא 30

שְׁמַיָּא 1 אֱלָהַיָּא דִּי־שְׁמַיָּא וְאַרְקָא לָא עֲבַדוּ Jer. 10:11

2 מֵאַרְעָא וּמִן־תְּחוֹת שְׁמַיָּא אֵלֶּה Jer. 10:11

3 לְמִבְעֵא מִן־קֳדָם אֱלָהּ שְׁמַיָּא Dan. 2:18

4 אֱדַיִן דָּנִיֵּאל בָּרִךְ לֶאֱלָהּ שְׁמַיָּא Dan. 2:19

5-14 (לֶ)אֱלָהּ שְׁמַיָּא Dan. 2:37, 44

Ez. 5:11, 12; 6:9, 10; 7:12, 21, 23²

15 חֵיוַת בָּרָא וְעוֹף־שְׁמַיָּא Dan. 2:38

16 וּבְעַנְפוֹהִי יְדוּרָן° צִפְּרֵי שְׁמַיָּא Dan. 4:9

17 עִיר וְקַדִּישׁ מִן־שְׁמַיָּא נָחִת Dan. 4:10

18/9 וּבְטַל שְׁמַיָּא יִצְטַבַּע Dan. 4:12, 20

20 וּבְעַנְפוֹהִי יִשְׁכְּנָן צִפְּרֵי שְׁמַיָּא Dan. 4:18

21 עִיר וְקַדִּישׁ נָחִת מִן־שְׁמַיָּא Dan. 4:20

22 וּמִטַּל שְׁמַיָּא לָךְ מְצַבְּעִין Dan. 4:22

23 מִן־דִּי תִנְדַּע דִּי שַׁלִּטִן שְׁמַיָּא Dan. 4:23

24 קָל מִן־שְׁמַיָּא נְפַל Dan. 4:28

25/6 וּמִטַּל שְׁמַיָּא גִּשְׁמֵהּ יִצְטַבַּע Dan. 4:30; 5:21

27 וּכְמִצְבְּיֵהּ עָבֵד בְּחֵיל שְׁמַיָּא Dan. 4:32

28 מְשַׁבַּח...וּמְהַדַּר לְמֶלֶךְ שְׁמַיָּא Dan. 4:34

29 וְעַל מָרֵא־שְׁמַיָּא הִתְרוֹמַמְתָּ Dan. 5:23

30 וַאֲרוּ אַרְבַּע רוּחֵי שְׁמַיָּא מְגִיחָן Dan. 7:2

31 וַאֲרוּ עִם־עֲנָנֵי שְׁמַיָּא...אָתֵה הֲוָא Dan. 7:13

32 ...דִּי מַלְכְוָת תְּחוֹת כָּל־שְׁמַיָּא Dan. 7:27

בִּשְׁמַיָּא 33 בְּרַם אִיתַי אֱלָהּ בִּשְׁמַיָּא... Dan. 2:28

34 וְעָבֵד אָתִין...בִּשְׁמַיָּא וּבְאַרְעָא Dan. 6:28

לִשְׁמַיָּא 35/6 וְרוּמֵהּ יִמְטֵא לִשְׁמַיָּא Dan. 4:8, 17

37 וּרְבוּתָךְ רְבָת וּמְטָת לִשְׁמַיָּא Dan. 4:19

38 עַיְנַי לִשְׁמַיָּא נִטְלֵת Dan. 4:31

שְׁמִידָע

שפ״ז – מצאצאי מָכִיר בן מנשה: 1-3

שְׁמִידָע 1 וְלִבְנֵי־חֵפֶר וְלִבְנֵי שְׁמִידָע Josh. 17:2

2 וַיִּהְיוּ בְּנֵי שְׁמִידָע אַחְיָן וָשֶׁכֶם ICh. 7:19

וּשְׁמִידָע 3 וּשְׁמִידָע מִשְׁפַּחַת הַשְּׁמִידָעִי Num. 26:32

שְׁמִידָעִי

ת׳ המתיַחס על בית שְׁמִידָע

הַשְּׁמִידָעִי 1 וּשְׁמִידָע מִשְׁפַּחַת הַשְּׁמִידָעִי Num. 26:32

שְׁמִיכָה

נ׳ יריעה להתכסות בה

בַּשְּׂמִיכָה 1 וַיָּסַר אֵלֶיהָ...וַתְּכַסֵּהוּ בַּשְּׂמִיכָה Jud. 4:18

שָׁמַיִם

ז״ר כפת הרקיע הפרושה במרומים, [ובהשאלה] גבהי מרום לאין סוף – זבול אלהים ומלאכיו: 1-421

קרובים: מְרוֹמִים / עֲרָבוֹת / רָקִיעַ / שְׁחָקִים

– שָׁמַיִם וָאָרֶץ 1, 2, 7, 12, 20, 23-25, 30, 31, 33, 44, 45, 50, 52, 57-60, 63, 67, 85, 93-95, 129, 130, 143, 144, 152, 157, 162-169, 173, 207, 222, 232, 249, 250, 253, 315, 337, 338, 351, 358, 359, 362-364, 390; שָׁמַיִם חֲדָשִׁים 27, 208

– אוֹתוֹת הַשָּׁמַיִם 212; אֵל הַשָּׁמַיִם 317; אֱלֹהֵי הַשָּׁ׳ 135, 136, 224, 244, 246, 267, 324-326; אֲרֻבּוֹת הַשָּׁ׳ 131,227,273; בּוֹרֵא שָׁ׳ 204,205; בִּרְכוֹת שָׁ׳ 3; גֹּבַהּ שָׁמַיִם 88; גָּבְהֵי שָׁ׳ 70; דְּגַן שָׁ׳ 47; דַּלְתֵי שָׁ׳ 46; הוֹבְרֵי שָׁ׳ 19; חוּג שָׁ׳ 73; חֲצִי הַשָּׁ׳ 172; חֻקּוֹת שָׁמַיִם 30, 89; טַל הַשָּׁ׳ 138, 139; יְמֵי הַשָּׁ׳ 86, 157; כּוֹכְבֵי הַשָּׁ׳ 134,137,147-149,202,281,313,327, 328; כְּפוֹר שָׁ׳ 77; לֵב הַשָּׁ׳ 150; לֶחֶם שָׁ׳ 54; מֶגֶד שָׁ׳ 5; מוֹסְדוֹת הַשָּׁ׳ 174; מְטַר שָׁ׳ 155; מְלֶכֶת הַשָּׁ׳ 211, 214-217; נִבְלֵי שָׁמַיִם 78; נוֹטֶה שָׁ׳ 16,23,36,53,69; נִשְׁרֵי שָׁ׳ 90; עוֹף הַשָּׁמַיִם 99-128,241,270,299-304; עוֹשֵׂה הַשָּׁ׳ 236; עַמּוּדֵי שָׁ׳ 74; עֶצֶם הַשָּׁ׳ 146; צְבָא הַשָּׁ׳ 151, 158, 185-194, 307-309, 314, 323, 330; צִפּוֹר שָׁ׳ 37; קוֹנֵה שָׁ׳ 1,2; קְצֵה שָׁ׳ 153,229,245, 284,294,310; קְצוֹת הַשָּׁ׳ 218; רוּחוֹת הַשָּׁ׳ 225,226, 321,322; רוֹכֵב שָׁמַיִם 6; רְקִיעַ הַשָּׁ׳ 97,98,268,269; שְׁמֵי הַשָּׁמַיִם 80, 176, 248, 251, 252, 254, 293, 318, 408, 410-414; שַׁעַר הַשָּׁמַיִם 277; תַּחַת הַשָּׁמַיִם 271, 272, 280, 282, 283, 285-292

– שְׁמֵי יְיָ 409; שְׁמֵי קֶדֶם 407; שְׁמֵי קָדְשׁוֹ 416; שְׁמֵי הַשָּׁמַיִם – ראה לעיל הַשָּׁמַיִם

שָׁמַיִם 1 לְאֵל עֶלְיוֹן קֹנֵה שָׁמַיִם וָאָרֶץ Gen. 14:19

2 אֵל עֶלְיוֹן קֹנֵה שָׁמַיִם וָאָרֶץ Gen. 14:22

3 בִּרְכֹת שָׁמַיִם מֵעָל Gen. 49:25

4 כִּי־אֶשָּׂא אֶל־שָׁמַיִם יָדִי Deut. 32:40

5 מִמֶּגֶד שָׁמַיִם מִטָּל Deut. 33:13

6 רֹכֵב שָׁמַיִם בְּעֶזְרֶךָ Deut. 33:26

7 אֶרֶץ רָעָשָׁה גַּם־שָׁמַיִם נָטָפוּ Jud. 5:4

8 מִן־שָׁמַיִם נִלְחָמוּ Jud. 5:20

9 וַיֵּט שָׁמַיִם וַיֵּרַד IISh. 22:10

10 יַרְעֵם מִן־שָׁמַיִם יְיָ IISh. 22:14

11 בְּהֵעָצֵר שָׁמַיִם וְלֹא־יִהְיֶה מָטָר IK. 8:35

12 שִׁמְעוּ שָׁמַיִם וְהַאֲזִינִי אֶרֶץ Is. 1:2

13 עַל־כֵּן שָׁמַיִם אַרְגִּיז Is. 13:13

14 הַנּוֹטֶה כַדֹּק שָׁמַיִם Is. 40:22

15 רָנּוּ שָׁמַיִם כִּי־עָשָׂה יְיָ Is. 44:23

16 נֹטֶה שָׁמַיִם לְבַדִּי Is. 44:24

17 הַרְעִיפוּ שָׁמַיִם מִמַּעַל Is. 45:8

18 אֲנִי יָדַי נָטוּ שָׁמַיִם Is. 45:12

19 הֹבְרֵי° שָׁמַיִם הַחֹזִים בַּכּוֹכָבִים Is. 47:13

20 רָנּוּ שָׁמַיִם וְגִילִי אָרֶץ Is. 49:13

21 אַלְבִּישׁ שָׁמַיִם קַדְרוּת Is. 50:3

22 כִּי־שָׁמַיִם כֶּעָשָׁן נִמְלָחוּ Is. 51:6

23 נוֹטֶה שָׁמַיִם וְיֹסֵד אָרֶץ Is. 51:13

24 לִנְטֹעַ שָׁמַיִם וְלִיסֹד אָרֶץ Is. 51:16

25 כִּי־גָבְהוּ שָׁמַיִם מֵאָרֶץ Is. 55:9

26 לוּא־קָרַעְתָּ שָׁמַיִם יָרַדְתָּ Is. 63:19

27 כִּי־הִנְנִי בוֹרֵא שָׁמַיִם חֲדָשִׁים Is. 65:17

28 שֹׁמּוּ שָׁמַיִם עַל־זֹאת Jer. 2:12

29 אִם־יִמַּדּוּ שָׁמַיִם מִלְמַעְלָה Jer. 31:37(36)

30 חֻקּוֹת שָׁמַיִם וָאָרֶץ לֹא־שָׂמְתִּי Jer. 33:25

שָׁמַיִם (המשך) 31 וְרִנְּנוּ עַל־בָּבֶל שָׁמַיִם וָאָרֶץ Jer. 51:48

32 וְכִסֵּיתִי בְכַבּוֹתְךָ שָׁמַיִם Ezek. 32:7

33 וְרָעֲשׁוּ שָׁמַיִם וָאָרֶץ Joel 4:16

34 כִּסָּה שָׁמַיִם הוֹדוֹ Hab. 3:3

35 עַל־כֵּן עֲלֵיכֶם כָּלְאוּ שָׁמַיִם מִטָּל Hag. 1:10

36 נֹטֶה שָׁמַיִם וְיֹסֵד אָרֶץ Zech. 12:1

37 צִפּוֹר שָׁמַיִם וּדְגֵי הַיָּם Ps. 8:9

38 וַיֵּט שָׁמַיִם וַיֵּרַד Ps. 18:10

39 בִּדְבַר יְיָ שָׁמַיִם נַעֲשׂוּ Ps. 33:6

40 וַיַּגִּידוּ שָׁמַיִם צִדְקוֹ Ps. 50:6

41 כִּי־גָדֹל עַד־שָׁמַיִם חַסְדֶּךָ Ps. 57:11

42/3 רוּמָה עַל־שָׁמַיִם אֱלֹהִים Ps. 57:12; 108:6

44 אֶרֶץ רָעָשָׁה אַף־שָׁמַיִם נָטְפוּ Ps. 68:9

45 יְהַלְלוּהוּ שָׁמַיִם וָאָרֶץ Ps. 69:35

46 וְדַלְתֵי שָׁמַיִם פָּתָח Ps. 78:23

47 וּדְגַן־שָׁמַיִם נָתַן לָמוֹ Ps. 78:24

48 שָׁמַיִם תָּכִן אֱמוּנָתְךָ בָהֶם Ps. 89:3

49 וְיוֹדוּ שָׁמַיִם פִּלְאֲךָ יְיָ Ps. 89:6

50 לְךָ שָׁמַיִם אַף־לְךָ אָרֶץ Ps. 89:12

51 וַיְיָ שָׁמַיִם עָשָׂה Ps. 96:5

52 כִּגְבֹהַּ שָׁמַיִם עַל־הָאָרֶץ Ps. 103:11

53 נוֹטֶה שָׁמַיִם כַּיְרִיעָה Ps. 104:2

54 וְלֶחֶם שָׁמַיִם יַשְׂבִּיעֵם Ps. 105:40

55 יַעֲלוּ שָׁמַיִם יֵרְדוּ תְהוֹמוֹת Ps. 107:26

56 כִּי־גָדוֹל מֵעַל־שָׁמַיִם חַסְדֶּךָ Ps. 108:5

57-60 עֹשֵׂה שָׁמַיִם וָאָרֶץ Ps. 115:15

121:2; 124:8; 134:3

61 הַשָּׁמַיִם שָׁמַיִם לַיְיָ Ps. 115:16

62 אִם־אֶסַּק שָׁמַיִם שָׁם אָתָּה Ps. 139:8

63 עֹשֶׂה שָׁמַיִם וָאָרֶץ Ps. 146:6

64 הַמְכַסֶּה שָׁמַיִם בְּעָבִים Ps. 147:8

65 כּוֹנֵן שָׁמַיִם בִּתְבוּנָה Prov. 3:19

66 בַּהֲכִינוֹ שָׁמַיִם שָׁם אָנִי Prov. 8:27

67 שָׁמַיִם לָרוּם וָאָרֶץ לָעֹמֶק Prov. 25:3

68 מִי עָלָה־שָׁמַיִם וַיֵּרַד Prov. 30:4

69 נֹטֶה שָׁמַיִם לְבַדּוֹ Job 9:8

70 גָּבְהֵי שָׁמַיִם מַה־תִּפְעָל Job 11:8

71 עַד־בִּלְתִּי שָׁמַיִם לֹא יָקִיצוּ Job 14:12

72 יְגַלּוּ שָׁמַיִם עֲוֹנוֹ Job 20:27

73 וְחוּג שָׁמַיִם יִתְהַלָּךְ Job 22:14

74 עַמּוּדֵי שָׁמַיִם יְרוֹפָפוּ Job 26:11

75 בְּרוּחוֹ שָׁמַיִם שִׁפְרָה Job 26:13

76 הַבֵּט שָׁמַיִם וּרְאֵה וְשׁוּר שְׁחָקִים Job 35:5

77 וּכְפֹר שָׁמַיִם מִי יְלָדוֹ Job 38:29

78 וְנִבְלֵי שָׁמַיִם מִי יַשְׁכִּיב Job 38:37

79 וַיְיָ שָׁמַיִם עָשָׂה ICh. 16:26

80 שָׁמַיִם וּשְׁמֵי הַשָּׁמַיִם לֹא יְכַלְכְּלוּךָ IICh. 6:18

שָׁמָיִם 81 וַיִּקְרָא אֱלֹהִים לָרָקִיעַ שָׁמָיִם Gen. 1:8

82 וִימִינִי טִפְּחָה שָׁמָיִם Is. 48:13

83/4 וּבִתְבוּנָתוֹ נָטָה שָׁמָיִם Jer. 10:12; 51:15

85 רָגְזָה אֶרֶץ רָעֲשׁוּ שָׁמָיִם Joel 2:10

86 וְכִסְאוֹ כִּימֵי שָׁמָיִם Ps. 89:30

87 וּמַעֲשֵׂה יָדֶיךָ שָׁמָיִם Ps. 102:26

88 הֲלֹא־אֱלוֹהַּ גֹּבַהּ שָׁמָיִם Job 22:12

89 הֲיָדַעְתָּ חֻקּוֹת שָׁמָיִם Job 38:33

90 קַלִּים הָיוּ רֹדְפֵינוּ מִנִּשְׁרֵי שָׁמָיִם Lam. 4:19

וְשָׁמַיִם 91 וְשָׁמַיִם בַּזֶּרֶת תִּכֵּן Is. 40:12

92 וְשָׁמַיִם לֹא־זַכּוּ בְעֵינָיו Job 15:15

וְשָׁמָיִם 93 בְּיוֹם עֲשׂוֹת יְיָ אֱלֹהִים אֶרֶץ וְשָׁמָיִם Gen. 2:4

94 הוֹדוֹ עַל־אֶרֶץ וְשָׁמָיִם Ps. 148:13

הַשָּׁמַיִם 95 בָּרָא אֱל׳ אֵת הַשָּׁמַיִם וְאֵת הָאָרֶץ Gen. 1:1

96 יִקָּווּ הַמַּיִם מִתַּחַת הַשָּׁמַיִם Gen. 1:9

הַשָּׁמַיִם (המשך)

97 יְהִי מְאֹרֹת בִּרְקִיעַ הַשָּׁמַיִם Gen. 1:14
98 וְהָיוּ לִמְאוֹרֹת בִּרְקִיעַ הַשָּׁמַ׳ Gen. 1:15
99/100 בִּדְגַת הַיָּם וּבְעוֹף הַשָּׁמַיִם Gen. 1:26, 28
128-101 (וּ/לְ/כְ/מֵ/וּמֵ)עוֹף הַשָּׁמַיִם Gen. 1:30
2:19, 20; 7:3, 23; 9:2 • Deut. 28:26 • ISh. 17:44, 46 •
IISh. 21:10 • Jer. 4:25; 7:33; 9:9; 15:3; 16:4; 19:7;
34:20 • Ezek. 29:5; 31:6; 32:4; 38:20 • Hosh. 2:20;
7:12 • Zep. 1:3 • Ps. 104:12 • Job 12:7; 28:21; 35:11
129 וַיְכֻלּוּ הַשָּׁמַיִם וְהָאָרֶץ Gen. 2:1
130 אֵלֶּה תוֹלְדוֹת הַשָּׁמַיִם וְהָאָרֶץ Gen. 2:4
131 וַאֲרֻבֹּת הַשָּׁמַיִם נִפְתָּחוּ Gen. 7:11
132 וַיִּקְרָא...אֶל־הָגָר מִן־הַשָּׁמַיִם Gen. 21:17
133 וַיִּקְרָא אֵלָיו...מִן הַשָּׁמַיִם Gen. 22:11
134 אַרְבֶּה אֶת־זַרְעֲךָ כְּכוֹכְבֵי הַשָּׁמַיִם Gen. 22:17
135 וְאַשְׁבִּיעֲךָ בַּיְיָ אֱלֹהֵי הַשָּׁמַיִם Gen. 24:3
136 יְיָ אֱלֹהֵי הַשָּׁמַיִם אֲשֶׁר לְקָחַנִי Gen. 24:7
137 וְהִרְבֵּיתִי...זַרְעֲךָ כְּכוֹכְבֵי הַשָּׁמַיִם Gen. 26:4
138 מִטַּל הַשָּׁמַיִם וּמִשְׁמַנֵּי הָאָרֶץ Gen. 27:28
139 וּמִטַּל הַשָּׁמַיִם מֵעָל Gen. 27:39
140 נְטֵה אֶת־יָדְךָ עַל־הַשָּׁמַיִם Ex. 9:22
141 וַיֵּט מֹשֶׁה אֶת־מַטֵּהוּ עַל־הַשָּׁמַיִם Ex. 9:23
142 נְטֵה יָדְךָ עַל־הַשָּׁמַיִם Ex. 10:21
143/4 עָשָׂה יְיָ אֶת־הַשָּׁמַיִם וְאֶת־הָאָ׳ Ex. 20:11; 31:17
145 כִּי מִן־הַשָּׁמַיִם דִּבַּרְתִּי עִמָּכֶם Ex. 20:19
146 וּכְעֶצֶם הַשָּׁמַיִם לָטֹהַר Ex. 24:10
147-9 כְּכוֹכְבֵי הַשָּׁ׳ לָרֹב Deut. 1:10; 10:22; 28:62
150 וְהָהָר בֹּעֵר בָּאֵשׁ עַד־לֵב הַשָּׁמַיִם Deut. 4:11
151 אֶת־הַשֶּׁמֶשׁ...כֹּל צְבָא הַשָּׁמַיִם Deut. 4:19
152 הַעִידֹתִי...אֶת־הַשָּׁמַיִם וְאֶת־הָאָרֶץ Deut. 4:26
153 לְמִקְצֵה הַשָּׁמַיִם וְעַד־קְצֵה הַשָּׁמָיִם Deut. 4:32
154 מִן־הַשָּׁמַיִם הִשְׁמִיעֲךָ אֶת־קֹלוֹ Deut. 4:36
154א לַיְיָ אֱלֹהֶיךָ הַשָּׁמַיִם Deut. 10:14
155 לִמְטַר הַשָּׁמַיִם תִּשְׁתֶּה־מָּיִם Deut. 11:11
156 וְעָצַר אֶת־הַשָּׁמַיִם וְלֹא־יִהְיֶה מָטָר Deut. 11:17
157 כִּימֵי הַשָּׁמַיִם עַל־הָאָרֶץ Deut. 11:21
158 וְלַשֶּׁמֶשׁ...לְכָל־צְבָא הַשָּׁמַיִם Deut. 17:3
159 מִמְּעוֹן קָדְשְׁךָ מִן־הַשָּׁמַיִם Deut. 26:15
160 אֶת־אוֹצָרוֹ הַטּוֹב אֶת־הַשָּׁמַיִם Deut. 28:12
161 מִן־הַשָּׁמַיִם יֵרֵד עָלֶיךָ Deut. 28:24
169-162 אֶת־הַשָּׁמַיִם וְאֶת־הָאָרֶץ Deut. 30:19
31:28 • IIK. 19:15 • Jer. 37:16 • Jer. 23:24
32:17 • Hag. 2:6, 21
170 הַאֲזִינוּ הַשָּׁמַיִם וַאֲדַבֵּרָה Deut. 32:1
171 וַיְיָ הִשְׁלִיךְ עֲלֵיהֶם...מִן־הַשָּׁמַיִם Josh. 10:11
172 וַיַּעֲמֹד הַשֶּׁמֶשׁ בַּחֲצִי הַשָּׁמַיִם Josh. 10:13
173 וַיֻּתַּן בֵּין הַשָּׁמַיִם וּבֵין הָאָרֶץ IISh. 18:9
174 מוֹסְדוֹת הַשָּׁמַיִם יִרְגָּזוּ IISh. 22:8
175/6 הַשָּׁמַיִם וּשְׁמֵי הַשָּׁמַיִם לֹא יְכַלְכְּלוּךָ IK. 8:27
177 אֶל־מְקוֹם שִׁבְתְּךָ אֶל־הַשָּׁמַיִם IK. 8:30
182-178 (וְ)אַתָּה תִּשְׁמַע הַשָּׁמַ׳ IK. 8:32, 34, 36, 39, 43
183 וְשָׁמַעְתָּ הַשָּׁמַיִם אֶת־תְּפִלָּתָם IK. 8:45
184 וְשָׁמַעְתָּ הַשָּׁמַיִם מְכוֹן שִׁבְתְּךָ IK. 8:49
185 וְכָל־צְבָא הַשָּׁמַיִם עֹמֵד עָלָיו IK. 22:19
194-186 (לְ)צְבָא הַשָּׁמַיִם IIK. 17:16; 21:3 • Is. 34:4
Jer. 8:2; 19:13; 33:22 • Neh. 9:6 • IICh. 18:18; 33:3
195/6 תֵּרֶד אֵשׁ מִן־הַשָּׁמַיִם וְתֹאכַל IIK. 1:10, 12
201-197 אֵשׁ(...)מִן־הַשָּׁמַיִם IIK. 1:10, 12, 14
Job 1:16 • ICh. 21:26
202 כּוֹכְבֵי הַשָּׁמַיִם וּכְסִילֵיהֶם Is. 13:10
203 וְאַתָּה אָמַרְתָּ...הַשָּׁמַיִם אֶעֱלֶה Is. 14:13
204 בּוֹרֵא הַשָּׁמַיִם וְנוֹטֵיהֶם Is. 42:5
205 בּוֹרֵא הַשָּׁמַיִם הוּא הָאֱלֹהִים Is. 45:18

הַשָּׁמַיִם (המשך)

206 כַּאֲשֶׁר יֵרֵד הַגֶּשֶׁם...מִן־הַשָּׁמַיִם Is. 55:10
207 הַשָּׁמַיִם כִּסְאִי וְהָאָרֶץ הֲדֹם רַגְלָי Is. 66:1
208 כַּאֲשֶׁר הַשָּׁמַיִם הַחֲדָשִׁים Is. 66:22
209 רָאִיתִי...וְאֶל־הַשָּׁמַיִם וְאֵין אוֹרָם Jer. 4:23
210 וְקָדְרוּ הַשָּׁמַיִם מִמָּעַל Jer. 4:28
211 לַעֲשׂוֹת כַּוָּנִים לִמְלֶכֶת הַשָּׁמַיִם Jer. 7:18
212 וּמֵאֹתוֹת הַשָּׁמַיִם אַל־תֵּחָתּוּ Jer. 10:2
213 וְאִם־הַשָּׁמַיִם יִתְּנוּ רְבִבִים Jer. 14:22
216-214 לְקַטֵּר לִמְלֶכֶת הַשָּׁמַיִם Jer. 44:17, 18, 25
217 מְקַטְּרִים לִמְלֶכֶת הַשָּׁמַיִם Jer. 44:19
218 מֵאַרְבַּע קְצוֹת הַשָּׁמַיִם Jer. 49:36
219 כִּי־נָגַע אֶל־הַשָּׁמַיִם מִשְׁפָּטָהּ Jer. 51:9
220 כִּי־תַעֲלֶה בָבֶל הַשָּׁמַיִם Jer. 51:53
221 נִפְתְּחוּ הַשָּׁמַיִם וָאֶרְאֶה Ezek. 1:1
222 בֵּין־הָאָרֶץ וּבֵין הַשָּׁמַיִם Ezek. 8:3
223 וְאִם־יַעֲלוּ הַשָּׁמַיִם מִשָּׁם אוֹרִידֵם Am. 9:2
224 וְאֶת־יְיָ אֱלֹהֵי הַשָּׁמַיִם אֲנִי יָרֵא Jon. 1:9
225 כְּאַרְבַּע רוּחוֹת הַשָּׁמַיִם Zech. 2:10
226 אֵלֶּה אַרְבַּע רֻחוֹת הַשָּׁמַיִם Zech. 6:5
227 אֶפְתַּח...אֵת אֲרֻבּוֹת הַשָּׁמַיִם Mal. 3:10
228 הַשָּׁמַיִם מְסַפְּרִים כְּבוֹד־אֵל Ps. 19:2
229 מִקְצֵה הַשָּׁמַיִם מוֹצָאוֹ Ps. 19:7
230 יִקְרָא אֶל־הַשָּׁמַיִם מֵעָל Ps. 50:4
231 רוּמָה עַל־הַשָּׁמַיִם אֱלֹהִים Ps. 57:6
232 יִשְׂמְחוּ הַשָּׁמַיִם וְתָגֵל הָאָרֶץ Ps. 96:11
233 הִגִּידוּ הַשָּׁמַיִם צִדְקוֹ Ps. 97:6
234 עַל הַשָּׁמַיִם כְּבוֹדוֹ Ps. 113:4
235 הַשָּׁמַיִם שָׁמַיִם לַייָ Ps. 115:16
236 לְעֹשֵׂה הַשָּׁמַיִם בִּתְבוּנָה Ps. 136:5
237 הַלְלוּ אֶת־יְיָ מִן־הַשָּׁמַיִם Ps. 148:1
240-238 תַּחַת כָּל־הַשָּׁמַיִם Job 28:24; 37:3; 41:3
241 עוֹף הַשָּׁמַיִם יוֹלִיךְ אֶת־הַקּוֹל Eccl. 10:20
242 לֹא־נֶעֶשְׂתָה תַּחַת כָּל־הַשָּׁמַיִם Dan. 9:12
243 וַיָּרֶם יְמִינוֹ וּשְׂמֹאלוֹ אֶל־הַשָּׁמַיִם Dan. 12:7
244 אָנָּא יְיָ אֱלֹהֵי הַשָּׁמַיִם Neh. 1:5
245 אִם־יִהְיֶה נִדַּחֲכֶם בִּקְצֵה הַשָּׁמַיִם Neh. 1:9
246 אֱלֹהֵי הַשָּׁמַיִם הוּא יַצְלִיחַ לָנוּ Neh. 2:20
247 אַתָּ עָשִׂיתָ אֶת־הַשָּׁמַיִם Neh. 9:6
248 שְׁמֵי הַשָּׁמַיִם וְכָל־צְבָאָם Neh. 9:6
249 יִשְׂמְחוּ הַשָּׁמַיִם וְתָגֵל הָאָרֶץ ICh. 16:31
250 עֹמֵד בֵּין הָאָרֶץ וּבֵין הַשָּׁמַיִם ICh. 21:16
251/2 הַשָּׁמַיִם וּשְׁמֵי הַשָּׁמַיִם IICh. 2:5
253 עָשָׂה אֶת־הַשָּׁמַיִם וְאֶת־הָאָרֶץ IICh. 2:11
254 שָׁמַיִם וּשְׁמֵי הַשָּׁמַיִם לֹא יְכַלְכְּלוּךָ IICh. 6:18
255 מִמְּקוֹם שִׁבְתְּךָ מִן־הַשָּׁמַיִם IICh. 6:21
260-257 תִּשְׁמַע מִן־הַשָּׁמַיִם IICh. 6:23, 25, 30, 33
261 בְּהֵעָצֵר הַשָּׁמַיִם וְלֹא־יִהְיֶה מָטָר IICh. 6:26
262 וְאַתָּה תִּשְׁמַע הַשָּׁמַיִם וְסָלַחְתָּ IICh. 6:27
263/4 וְשָׁמַעְתָּ מִן־הַשָּׁמַיִם IICh. 6:35, 39
265 אֶעֱצֹר הַשָּׁמַיִם וְלֹא־יִהְיֶה מָטָר IICh. 7:13
266 וַאֲנִי אֶשְׁמַע מִן־הַשָּׁמַיִם IICh. 7:14
267 נָתַן לִי יְיָ אֱלֹהֵי הַשָּׁמַיִם IICh. 36:23

הַשָּׁמָיִם

268 וַיִּתֵּן אֹתָם אֱלֹ׳ בִּרְקִיעַ הַשָּׁמָיִם Gen. 1:17
269 יְעוֹפֵף...עַל־פְּנֵי רְקִיעַ הַשָּׁמָיִם Gen. 1:20
270 עַד־רֶמֶשׂ וְעַד־עוֹף הַשָּׁמָיִם Gen. 6:7
271 לְשַׁחֵת כָּל־בָּשָׂר...מִתַּחַת הַשָּׁמָיִם Gen. 6:17
272 וַיְכֻסּוּ...תַּחַת כָּל־הַשָּׁמָיִם Gen. 7:19
273 מַעְיְנֹת תְּהוֹם וַאֲרֻבֹּת הַשָּׁמָיִם Gen. 8:2
274 וַיִּכָּלֵא הַגֶּשֶׁם מִן־הַשָּׁמָיִם Gen. 8:2
275 מֵאֵת יְיָ מִן־הַשָּׁמָיִם Gen. 19:24
276 וַיִּקְרָא...שֵׁנִית מִן־הַשָּׁמָיִם Gen. 22:15
277 וְזֶה שַׁעַר הַשָּׁמָיִם Gen. 28:17

הַשָּׁמָיִם (המשך)

278 וַיֵּט מֹשֶׁה אֶת־יָדוֹ עַל־הַשָּׁמָיִם Ex. 10:22
279 הִנְנִי מַמְטִיר...מִן־הַשָּׁמָיִם Ex. 16:4
280 כִּי־מָחֹה אֶמְחֶה...מִתַּחַת הַשָּׁמָיִם Ex. 17:14
281 אַרְבֶּה...כְּכוֹכְבֵי הַשָּׁמָיִם Ex. 32:13
282 עַל־פְּנֵי הָעַמִּים תַּחַת כָּל־הַשָּׁמָיִם Deut. 2:25
283 לְכֹל הָעַמִּים תַּחַת כָּל־הַשָּׁמָיִם Deut. 4:19
284 לְמִקְצֵה הַשָּׁמַיִם וְעַד־קְצֵה הַשָּׁמָיִם Deut. 4:32
285 וְהַאֲבַדְתָּ...שְׁמָם מִתַּחַת הַשָּׁמָיִם Deut. 7:24
292-286 (מִ)תַּחַת הַשָּׁמָיִם Deut. 9:14; 25:19
29:19 • IIK. 14:27 • Eccl. 1:13; 2:3; 3:1
293 לַייָ אֱלֹהֶיךָ הַשָּׁמַיִם וּשְׁמֵי הַשָּׁמָיִם Deut. 10:14
294 אִם־יִהְיֶה נִדַּחֲךָ בִּקְצֵה הַשָּׁמָיִם Deut. 30:4
295 וַתַּעַל שַׁוְעַת הָעִיר הַשָּׁמָיִם ISh. 5:12
296 עַד נִתַּךְ־מַיִם עֲלֵיהֶם מִן־הַשָּׁמָיִם IISh. 21:10
297 וַיִּפְרֹשׂ כַּפָּיו הַשָּׁמָיִם IK. 8:22
298 וְכַפָּיו פְּרֻשׂוֹת הַשָּׁמָיִם IK. 8:54
299 יֹאכְלוּ עוֹף הַשָּׁמָיִם IK. 14:11
304-300 (וּ/לְ)עוֹף הַשָּׁמָיִם IK. 16:4; 21:24
Ezek. 31:13 • Hosh. 4:3 • Ps. 79:2
305 בְּהַעֲלוֹת יְיָ...בַּסְעָרָה הַשָּׁמָיִם IIK. 2:1
306 וַיַּעַל אֵלִיָּהוּ בַּסְעָרָה הַשָּׁמָיִם IIK. 2:11
307 וַיִּבֶן מִזְבְּחוֹת לְכָל־צְבָא הַשָּׁמָיִם IIK. 21:5
308/9 וּלְכֹל צְבָא הַשָּׁמָיִם IIK. 23:4, 5
310 מֵאֶרֶץ מֶרְחָק מִקְצֵה הַשָּׁמָיִם Is. 13:5
311 וְנָגֹלּוּ כַסֵּפֶר הַשָּׁמָיִם Is. 34:4
312 אֶעֱנֶה אֶת־הַשָּׁמָיִם Hosh. 2:23
313 הִרְבֵּית רֹכְלַיִךְ מִכּוֹכְבֵי הַשָּׁמָיִם Nah. 3:16
314 וְאֶת־הַמִּשְׁתַּחֲוִים...לִצְבָא הַשָּׁמָיִם Zep. 1:5
315 וַתִּשֶּׂאנָה...בֵּין הָאָרֶץ וּבֵין הַשָּׁמָיִם Zech. 5:9
316 אֲשֶׁר־תְּנָה הוֹדְךָ עַל־הַשָּׁמָיִם Ps. 8:2
317 הוֹדוּ לְאֵל הַשָּׁמָיִם Ps. 136:26
318 הַלְלוּהוּ שְׁמֵי הַשָּׁמָיִם Ps. 148:4
319 וְהַמַּיִם אֲשֶׁר מֵעַל הַשָּׁמָיִם Ps. 148:4
320 כְּנֶשֶׁר יָעוּף הַשָּׁמָיִם Prov. 23:5
321/2 לְאַרְבַּע רוּחוֹת הַשָּׁמָיִם Dan. 8:8; 11:4
323 וַתִּגְדַּל עַד־צְבָא הַשָּׁמָיִם Dan. 8:10
324 כֹּל...נָתַן לִי יְיָ אֱלֹהֵי הַשָּׁמָיִם Ez. 1:2
325 וּמִתְפַּלֵּל לִפְנֵי אֱלֹהֵי הַשָּׁמָיִם Neh. 1:4
326 וָאֶתְפַּלֵּל אֶל־אֱלֹהֵי הַשָּׁמָיִם Neh. 2:4
327 וּבְנֵיהֶם הִרְבִּיתָ כְּכֹכְבֵי הַשָּׁמָיִם Neh. 9:23
328 לְהַרְבּוֹת...כְּכוֹכְבֵי הַשָּׁמָיִם ICh. 27:23
329 וַיִּתְפַּלֵּל...וַיִּזְעֲקוּ הַשָּׁמָיִם IICh. 32:20
330 וַיִּבֶן מִזְבְּחוֹת לְכָל־צְבָא הַשָּׁמָיִם IICh. 33:5

וְהַשָּׁמַיִם

331 וְהַשָּׁמַיִם הִתְקַדְּרוּ עָבִים וְרוּחַ IK. 18:45
332 וְהַשָּׁמַיִם יִתְּנוּ טַלָּם Zech. 8:12

בְּהַשָּׁמַיִם

333 יְיָ בְּהַשָּׁמַיִם חַסְדֶּךָ Ps. 36:6

מֵהַשָּׁמַיִם

334 וְהָאֵשׁ יָרְדָה מֵהַשָּׁמַיִם וַתֹּאכַל IICh. 7:1

בַּשָּׁמַיִם

335 וּמִגְדָּל וְרֹאשׁוֹ בַשָּׁמַיִם Gen. 11:4
336 וְכָל־תְּמוּנָה אֲשֶׁר בַּשָּׁמַיִם מִמַּעַל Ex. 20:4
337 אֲשֶׁר מִי־אֵל בַּשָּׁמַיִם וּבָאָרֶץ Deut. 3:24
338 בַּשָּׁמַיִם מִמַּעַל וְעַל־הָאָ׳ מִתָּחַת Deut. 4:39
341-339 בַּשָּׁמַיִם מִמַּעַל Deut. 5:8
Josh. 2:11 • IK. 8:23
342 לֹא בַשָּׁמַיִם הִוא Deut. 30:12
343 עָלָו בַּשָּׁמַיִם יַרְעֵם ISh. 2:10
344/5 הִנֵּה יְיָ עֹשֶׂה אֲרֻבּוֹת בַּשָּׁמַיִם IIK. 7:2, 19
346 כִּי־רִוְּתָה בַשָּׁמַיִם חַרְבִּי Is. 34:5
347 גַּם־חֲסִידָה בַשָּׁמַיִם יָדְעָה מוֹעֲדֶיהָ Jer. 8:7
348/9 לְקוֹל תִּתּוֹ הֲמוֹן מַיִם בַּשָּׁ׳ Jer. 10:13; 51:16
350 כָּל־מְאוֹרֵי אוֹר בַּשָּׁמַיִם Ezek. 32:8
351 וְנָתַתִּי מוֹפְתִים בַּשָּׁמַיִם וּבָאָרֶץ Joel 3:3
352 הַבּוֹנֶה בַשָּׁמַיִם מַעֲלוֹתָו Am. 9:6

בַּשָּׁמַיִם (המשך)
353 יוֹשֵׁב בַּשָּׁמַיִם יִשְׂחָק Ps. 2:4
354 יְיָ בְּהֵיכַל קָדְשׁוֹ יְיָ בַּשָּׁמַיִם כִּסְאוֹ Ps. 11:4
355 וַיַּרְעֵם בַּשָּׁמַיִם יְיָ Ps. 18:14
356 שַׁתּוּ בַשָּׁמַיִם פִּיהֶם Ps. 73:9
357 יְיָ בַּשָּׁמַיִם הֵכִין כִּסְאוֹ Ps. 103:19
358 הַמַּשְׁפִּילִי לִרְאוֹת בַּשָּׁמַיִם וּבָא׳ Ps. 113:6
359 אֲשֶׁר־חָפֵץ יְיָ עָשָׂה בַּשָּׁמַיִם וּבָא׳ Ps. 135:6
360 דֶּרֶךְ הַנֶּשֶׁר בַּשָּׁמַיִם Prov. 30:19
361 בַּשָּׁמַיִם עֵדִי וְשָׂהֲדִי בַּמְּרוֹמִים Job 16:19
362 הָאֱלֹהִים בַּשָּׁמַיִם וְאַתָּה עַל־הָאָרֶץ Eccl. 5:1
363 כִּי־כֹל בַּשָּׁמַיִם וּבָאָרֶץ ICh. 29:11
364 אֵין־כָּמוֹךָ אֱלֹהִים בַּשָּׁמַיִם וּבָאָרֶץ IICh. 6:14
365 הֲלֹא אַתָּה־הוּא אֱלֹהִים בַּשָּׁמַיִם IICh. 20:6
בַּשָּׁמָיִם 366 עָרִים גְּדֹלֹת וּבְצוּרֹת בַּשָּׁמָיִם Deut. 1:28
367 צִפּוֹר כָּנָף אֲשֶׁר תָּעוּף בַּשָּׁמָיִם Deut. 4:17
368 עָרִים גְּדֹלֹת וּבְצֻרֹת בַּשָּׁמָיִם Deut. 9:1
369 מִי־לִי בַשָּׁמָיִם Ps. 73:25
370 יַסַּע קָדִים בַּשָּׁמָיִם Ps. 78:26
371 וֵאלֹהֵינוּ בַשָּׁמָיִם...אֲשֶׁר־חָפֵץ עָשָׂה Ps. 115:3
372 לְעוֹלָם יְיָ דְּבָרְךָ נִצָּב בַּשָּׁמָיִם Ps. 119:89
373 אֵלֶיךָ...הַיֹּשְׁבִי בַּשָּׁמָיִם Ps. 123:1
374 נִשָּׂא לְבָבֵנוּ...אֶל־אֵל בַּשָּׁמָיִם Lam. 3:41
לַשָּׁמַיִם 375 שְׂאוּ לַשָּׁמַיִם עֵינֵיכֶם Is. 51:6
376 אִם־יַעֲלֶה לַשָּׁמַיִם שִׂיאוֹ Job 20:6
377 בְּזַעַף עַד לַשָּׁמַיִם הִגִּיעַ IICh. 28:9
לַשָּׁמָיִם 378 וְאַשְׁמָתֵנוּ גָדְלָה עַד לַשָּׁמָיִם Ez. 9:6
379 לִמְעוֹן קָדְשׁוֹ לַשָּׁמָיִם IICh. 30:27
מִשָּׁמַיִם 380 נָפַלְתָּ מִשָּׁמַיִם הֵילֵל בֶּן־שָׁחַר Is. 14:12
381 הַבֵּט מִשָּׁמַיִם וּרְאֵה Is. 63:15
382 יְיָ מִשָּׁמַיִם הִשְׁקִיף עַל־בְּנֵי־אָדָם Ps. 14:2
383 מִשָּׁמַיִם הִבִּיט יְיָ Ps. 33:13
384 אֱלֹהִים מִשָּׁמַיִם הִשְׁקִיף Ps. 53:3
385 יִשְׁלַח מִשָּׁמַיִם וְיוֹשִׁיעֵנִי Ps. 57:4
386 מִשָּׁמַיִם הִשְׁמַעְתָּ דִּין Ps. 76:9
387 הַבֵּט מִשָּׁמַיִם וּרְאֵה Ps. 80:15
388 וְצֶדֶק מִשָּׁמַיִם נִשְׁקָף Ps. 85:12
389 יְיָ מִשָּׁמַיִם אֶל־אֶרֶץ הִבִּיט Ps. 102:20
390 הִשְׁלִיךְ מִשָּׁמַיִם אֶרֶץ תִּפְאֶרֶת יִשְׂרָ׳ Lam. 2:1
391 וְלֶחֶם מִשָּׁמַיִם נָתַתָּה לָהֶם לִרְעָבָם Neh. 9:15
392 וְאַתָּה מִשָּׁמַיִם תִּשְׁמָע Neh. 9:27
393 וְאַתָּה מִשָּׁמַיִם תִּשְׁמַע וְתַצִּילֵם Neh. 9:28
מִשָּׁמָיִם 394 עַד־יַשְׁקִיף וְיֵרֶא יְיָ מִשָּׁמָיִם Lam. 3:50
395 וְדַבֵּר עִמָּהֶם מִשָּׁמָיִם Neh. 9:13
הַשָּׁמַיְמָה 396 הַבֶּט־נָא הַשָּׁמַיְמָה וּסְפֹר הַכּוֹכָ׳ Gen. 15:5
397 וּזְרָקוֹ מֹשֶׁה הַשָּׁמַיְמָה לְעֵינֵי פַרְעֹה Ex. 9:8
398 וּפֶן־תִּשָּׂא עֵינֶיךָ הַשָּׁמַיְמָה Deut. 4:19
399 מִי יַעֲלֶה־לָּנוּ הַשָּׁמַיְמָה Deut. 30:12
400 וְהִנֵּה עָלָה עֲשַׁן הָעִיר הַשָּׁמַיְמָה Josh. 8:20
401 וַיְהִי בַעֲלוֹת הַלַּהַב...הַשָּׁמַיְמָה Jud. 13:20
הַשָּׁמָיְמָה 402 וְרֹאשׁוֹ מַגִּיעַ הַשָּׁמָיְמָה Gen. 28:12
403 וַיִּזְרֹק אֹתוֹ מֹשֶׁה הַשָּׁמַיְמָה Ex. 9:10
404 עָלָה כְלִיל־הָעִיר הַשָּׁמַיְמָה Jud. 20:40
405 וַיִּזְרְקוּ עָפָר עַל־רָאשֵׁיהֶם הַשָּׁמָיְמָה Job 2:12
406 וַיִּפְרֹשׂ כַּפָּיו הַשָּׁמָיְמָה IICh. 6:13
שְׁמֵי־ 407 לָרֹכֵב בִּשְׁמֵי שְׁמֵי־קֶדֶם Ps. 68:34
408 הַלְלוּהוּ שְׁמֵי הַשָּׁמָיִם Ps. 148:4
409 וְתַשְׁמִידֵם מִתַּחַת שְׁמֵי יְיָ Lam. 3:66
410 שְׁמֵי הַשָּׁמַיִם וְכָל־צְבָאָם Neh. 9:6
וּשְׁמֵי־ 411 לַיְיָ אֱלֹהֶיךָ הַשָּׁמַיִם וּשְׁמֵי הַשָּׁמָ׳ Deut. 10:14
412 הַשָּׁמַיִם וּשְׁמֵי הַשָּׁמַיִם לֹא יְכַלְכְּלוּךָ IK. 8:27
413 הַשָּׁמַיִם וּשְׁמֵי הַשָּׁמַיִם לֹא יְכַלְכְּלֻהוּ IICh. 2:5
414 שָׁמַיִם וּשְׁמֵי הַשָּׁמַיִם לֹא יְכַלְכְּלוּךָ IICh. 6:18

בִּשְׁמֵי־ 415 לָרֹכֵב בִּשְׁמֵי שְׁמֵי־קֶדֶם Ps. 68:34
מִשְּׁמֵי־ 416 יַעֲנֵהוּ מִשְּׁמֵי קָדְשׁוֹ Ps. 20:7
שָׁמֶיךָ 417 וְהָיוּ שָׁמֶיךָ...עַל־רֹאשְׁךָ נְחֹשֶׁת Deut. 28:23
418 אֶרְאֶה שָׁמֶיךָ מַעֲשֵׂה אֶצְבְּעֹתֶיךָ Ps. 8:4
419 יְיָ הַט־שָׁמֶיךָ וְתֵרֵד Ps. 144:5
שָׁמָיו 420 אַף־שָׁמָיו יַעַרְפוּ־טָל Deut. 33:28
שְׁמֵיכֶם 421 וְנָתַתִּי אֶת־שְׁמֵיכֶם כַּבַּרְזֶל Lev. 26:19

שְׁמַיִן
ז״ר – עין שְׁמַיָּא

שְׁמִינִי
ת׳ הבא אחרי שבעה: 1-27
הַחֹדֶשׁ הַשְּׁמִינִי 18-22; הַיּוֹם הַשְּׁמִינִי 1-17; הַשָּׁנָה הַשְּׁמִינִת 27

הַשְּׁמִינִי 1 בַּיּוֹם הַשְּׁמִינִי תִּתְּנוֹ־לִי Ex. 22:29
2 וַיְהִי בַּיּוֹם הַשְּׁמִינִי קָרָא מֹשֶׁה... Lev. 9:1
3 וּבַיּוֹם הַשְּׁמִינִי יִמּוֹל Lev. 12:3
4-17 (בַּ/וּבַ/וּמ)יּוֹם הַשְּׁמִינִי Lev. 14:10, 23
15:14, 29; 22:27; 23:36, 39 • Num. 6:10; 7:54; 29:35
• IK. 8:66 • Ezek. 43:27 • Neh. 8:18 • IICh. 7:9
18 בְּיֶרַח בּוּל הוּא הַחֹדֶשׁ הַשְּׁמִינִי IK. 6:38
19 וַיַּעַשׂ יָרָבְעָם חָג בַּחֹדֶשׁ הַשְּׁמִינִי IK. 12:32
20-22 (בַּ/לַ)חֹדֶשׁ הַשְּׁמִינִי IK. 12:33
Zech. 1:1 • ICh. 27:11
23 יוֹחָנָן הַשְּׁמִינִי אֶלְזָבָד הַתְּשִׁיעִי ICh. 12:12(13)
24 לְהַקּוֹץ הַשְּׁבִעִי לַאֲבִיָּה הַשְּׁמִינִי ICh. 24:10
25 הַשְּׁמִינִי יְשַׁעְיָהוּ בָּנָיו וְאֶחָיו ICh. 25:15
26 יִשָּׂשכָר הַשְּׁבִיעִי פְּעֻלְּתַי הַשְּׁמִינִי ICh. 26:5
הַשְּׁמִינִת 27 וּזְרַעְתֶּם אֵת הַשָּׁנָה הַשְּׁמִינִת Lev. 25:22

שְׁמִינִית
נ׳ כלי־נגינה קדום (בעל שמונה מיתרים?): 1-3
הַשְּׁמִינִית 1 לַמְנַצֵּחַ בִּנְגִינוֹת עַל־הַשְּׁמִינִית Ps. 6:1
2 לַמְנַצֵּחַ עַל־הַשְּׁמִינִית Ps. 12:1
3 בְּכִנֹּרוֹת עַל־הַשְּׁמִינִית לְנַצֵּחַ ICh. 15:21

שָׁמִיר¹
ז׳ צמח קוצני: 1-8 • קרובים: ראה קוֹץ
שָׁמִיר וָשַׁיִת 1-5, 7, 8; קוֹץ שָׁמִיר 6
שָׁמִיר 1 וְעָלָה שָׁמִיר וָשָׁיִת Is. 5:6
2 שָׁמִיר וָשַׁיִת תִּהְיֶה כָל־הָאָרֶץ Is. 7:24
3 לֹא־תָבוֹא שָׁמָּה יִרְאַת שָׁמִיר וָשָׁיִת Is. 7:25
4 שָׁמִיר וָשַׁיִת תֹּאכֵל Is. 9:17
5 מִי יִתְּנֵנִי שָׁמִיר שַׁיִת בַּמִּלְחָמָה Is. 27:4
6 עַל אַדְמַת עַמִּי קוֹץ שָׁמִיר תַּעֲלֶה Is. 32:13
לַשָּׁמִיר 7 כָּל־מָקוֹם...לַשָּׁמִיר וְלַשַּׁיִת יִהְיֶה Is. 7:23
וּשְׁמִירוֹ 8 וְאָכְלָה שִׁיתוֹ וּשְׁמִירוֹ בְּיוֹם אֶחָד Is. 10:17

שָׁמִיר²
ז׳ אבן קשה וחזקה מאוד, בדומה ליהלום: 1-3
שָׁמִיר חָזָק 3; צִפֹּרֶן שָׁמִיר 1
שָׁמִיר 1 בְּעֵט בַּרְזֶל בְּצִפֹּרֶן שָׁמִיר Jer. 17:1
2 וְלִבָּם שָׂמוּ שָׁמִיר מִשְּׁמוֹעַ אֶת־הַתּוֹרָה Zech. 7:12
כְּשָׁמִיר 3 כְּשָׁמִיר חָזָק מִצֹּר נָתַתִּי מִצְחֶךָ Ezek. 3:9

שָׁמִיר³
ש״פ – עיר בהר יהודה: 1-3
שָׁמִיר 1 וּבָהָר שָׁמִיר וְיַתִּיר וְשׂוֹכֹה Josh. 15:48
בְּשָׁמִיר 2 וְהוּא־יֹשֵׁב בְּשָׁמִיר בְּהַר אֶפְרָיִם Jud. 10:1
3 וַיָּמָת וַיִּקָּבֵר בְּשָׁמִיר Jud. 10:2

שָׁמִיר⁴
שפ״ז – ראש הלויים מבני מיכה
שָׁמִיר 1 לִבְנֵי מִיכָה שָׁמִיר (כת׳ שמור) ICh. 24:24

שְׁמִירָמוֹת
שפ״ז א) שוער ומשורר בימי דוד: 1-3
ב) לוי בימי יהושפט: 4
וּשְׁמִירָמוֹת 1-3 וּשְׁמִירָמוֹת וִיחִיאֵל ICh. 15:18, 20; 16:5
4 וַעֲשָׂהאֵל וּשְׁמִירָמוֹת (כת׳ ושמרימות) IICh. 17:8

שִׂמְלָה
נ׳ כסוּתוֹת או מעטפת רחבה לאשה או לגבר: 1-29
קרובים: ראה בֶּגֶד
לֶחֶם וְשִׂמְלָה 2, 3; שִׂמְלַת אִשָּׁה 11; שִׂמְלַת שִׁבְיָהּ 10; חֲלִיפוֹת שְׂמָלוֹת 16, 17

שִׂמְלָה 1 שִׂמְלָה לְכָה קָצִין תִּהְיֶה־לָּנוּ Is. 3:6
2 וּבְבֵיתִי אֵין לֶחֶם וְאֵין שִׂמְלָה Is. 3:7
וְשִׂמְלָה 3 וְאֹהֵב גֵּר לָתֶת לוֹ לֶחֶם וְשִׂמְלָה Deut. 10:18
4 וְשִׂמְלָה מְגוֹלָלָה בְדָמִים Is. 9:4
הַשִּׂמְלָה 5 וַיִּקַּח שֵׁם וָיֶפֶת אֶת־הַשִּׂמְלָה Gen. 9:23
6 וּפָרְשׂוּ הַשִּׂמְלָה לִפְנֵי זִקְנֵי הָעִיר Deut. 22:17
7 וַיִּפְרְשׂוּ אֶת־הַשִּׂמְלָה וַיַּשְׁלִיכוּ שָׁמָּה Jud. 8:25
בַּשִּׂמְלָה 8 הִנֵּה־הִיא לוּטָה בַשִּׂמְלָה ISh. 21:10
9 מִי צָרַר־מַיִם בַּשִּׂמְלָה Prov. 30:4
שִׂמְלַת־ 10 וְהֵסִירָה אֶת־שִׂמְלַת שִׁבְיָהּ מֵעָלֶיהָ Deut. 21:13
11 וְלֹא־יִלְבַּשׁ גֶּבֶר שִׂמְלַת אִשָּׁה Deut. 22:5
שִׂמְלָתְךָ 12 שִׂמְלָתְךָ לֹא בָלְתָה מֵעָלֶיךָ Deut. 8:4
שִׂמְלָתוֹ 13 הִוא שִׂמְלָתוֹ לְעֹרוֹ Ex. 22:26
לְשִׂמְלָתוֹ 14 וְכֵן תַּעֲשֶׂה לְשִׂמְלָתוֹ Deut. 22:3
וְשִׂמְלָתֵנוּ 15 לַחְמֵנוּ נֹאכֵל וְשִׂמְלָתֵנוּ נִלְבָּשׁ Is. 4:1
שְׂמָלוֹת 16 לְכֻלָּם נָתַן לָאִישׁ חֲלִפוֹת שְׂמָלֹת Gen. 45:22
17 נָתַן...וְחָמֵשׁ חֲלִפֹת שְׂמָלֹת Gen. 45:22
וּשְׂמָלוֹת 18/9 כְּלֵי־כֶסֶף וּכְלֵי זָהָב וּשְׂמָלֹת Ex. 3:22; 12:35
שִׂמְלוֹתַיִךְ 20 וְשַׂמְתְּ שִׂמְלֹתַיִךְ (כת׳ שמלתך) עָלַיִךְ Ruth 3:3
שִׂמְלוֹתָיו 21 וַיִּקְרַע יַעֲקֹב שִׂמְלֹתָיו Gen. 37:34
22 וַיְגַלַּח וַיְחַלֵּף שִׂמְלֹתָיו Gen. 41:14
23 וַיִּקְרַע יְהוֹשֻׁעַ שִׂמְלֹתָיו Josh. 7:6
24 וַיִּרְחַץ וַיָּסֶךְ וַיְחַלֵּף שִׂמְלֹתָו IISh. 12:20
שִׂמְלוֹתֵיכֶם 25 וְהִטַּהֲרוּ וְהַחֲלִיפוּ שִׂמְלֹתֵיכֶם Gen. 35:2
שִׂמְלוֹתָם 26 וַיִּקְרְעוּ שִׂמְלֹתָם Gen. 44:13
27 וְקִדַּשְׁתָּם...וְכִבְּסוּ שִׂמְלֹתָם Ex. 19:10
28 וַיְקַדֵּשׁ אֶת־הָעָם וַיְכַבְּסוּ שִׂמְלֹתָם Ex. 19:14
בְּשִׂמְלוֹתָם 29 מִשְׁאֲרֹתָם צְרֻרֹת בְּשִׂמְלֹתָם Ex. 12:34

שַׂמְלָה
שפ״ז – אחד ממלכי אדום הקדמונים: 1-4
שַׂמְלָה 1 וַיִּמְלֹךְ תַּחְתָּיו שַׂמְלָה מִמַּשְׂרֵקָה Gen. 36:36
2 וַיָּמָת שַׂמְלָה וַיִּמְלֹךְ תַּחְתָּיו שָׁאוּל Gen. 36:37
3 וַיִּמְלֹךְ תַּחְתָּיו שַׂמְלָה מִמַּשְׂרֵקָה ICh. 1:47
4 וַיָּמָת שַׂמְלָה וַיִּמְלֹךְ תַּחְתָּיו שָׁאוּל ICh. 1:48

שמם
שָׁמֵם, נָשַׁם, שׁוֹמֵם, הַשֵּׁם, הַשְּׁמִים, הֻשַּׁם, הִשְׁתּוֹמֵם; שָׁמֵם, שְׁמָמָה, שִׁמְמָה, שִׁמָּמוֹן, שַׁמָּה, מְשַׁמָּה; אר׳ אֶשְׁתּוֹמַם

שָׁמֵם
פ׳ א) חרב, נעזב: 1, 2, 9, 12-15
ב) [בהשאלה] נדהם, התחלחל: 3-8, 10, 11, 16
ג) [נפ׳ נָשַׁם] נהרס, נעזב: 17-22, 25, 28-41
ד) [כנ״ל] נדהם: 23, 24, 26, 27
ה) [פ׳ שׁוֹמֵם] עורר חיל וזועה: 42, 43
ו) [כנ״ל] נדהם: 44, 45
ז) [הפ״י הִשְׁמִים] החריד: 46
ח) [כנ״ל] נבוך, נרגז: 56
ט) [הפ״² הֵשַׁם] החריב, הרס: 47-50, 52, 54, 55, 57-61
י) [כנ״ל] החריד, הבעית: 51, 53
יא) [הָפ׳ הֻשַּׁם] היה חרב ושומם: 62-65
יב) [כנ״ל] הָחרד: 66
יג) [הת׳ הִשְׁתּוֹמֵם, הִשְׁתּוֹמֵם] התפלא: 67, 68, 70, 71
יד) [כנ״ל] חרד: 69
קרובים: ראה חָרַב
– שֹׁמּוּ שָׁמַיִם 16
– אֶרֶץ נְשַׁמָּה 33; אֲרָצוֹת נְשַׁמּוֹת 29, 37, 38; עָרִים נְשַׁמּוֹת 36, 39, 41
– כְּנַף שִׁקּוּצִים מְשֹׁמֵם 42; שִׁקּוּץ מְשֹׁמֵם 43
– הִשְׁתּוֹמֵם לִבּוֹ 70

שַׁמּוֹת 1 יַעַן וּבְיַעַן שַׁמּוֹת וְשָׁאֹף אֶתְכֶם מִסָּבִיב Ezek. 36:3
שָׁמֵמָה 2 כְּשִׂמְחָתְךָ...עַל אֲשֶׁר־שָׁמֵמָה Ezek. 35:15
שָׁמְמוּ 3 כַּאֲשֶׁר שָׁמְמוּ עָלֶיךָ רַבִּים Is. 52:14
4 כֹּל יֹשְׁבֵי הָאִיִּים שָׁמְמוּ עָלָיִךְ Ezek. 27:35
5 כָּל־יוֹדְעֶיךָ בָּעַמִּים שָׁמְמוּ עָלֶיךָ Ezek. 28:19
שָׁמֵמוּ 6 הָרֵי יִשְׂרָאֵל...שָׁמֵמוּ (כת׳ שממה) Ezek. 35:12
וְשָׁמְמוּ 7 וְשָׁמְמוּ עָלֶיהָ אֹיְבֵיכֶם Lev. 26:32
וְשָׁמְמוּ 8 וְחָרְדוּ לִרְגָעִים וְשָׁמְמוּ עָלָיִךְ Ezek. 26:16
9 וְשָׁמְמוּ הָרֵי יִשְׂרָאֵל מֵאֵין עוֹבֵר Ezek. 33:28
יָשֹׁמּוּ 10 יָשֹׁמּוּ עַל־עֵקֶב בָּשְׁתָּם Ps. 40:16
11 יָשֹׁמּוּ יְשָׁרִים עַל־זֹאת Job 17:8
תֵּשַׁם 12 לְמַעַן תֵּשַׁם אַרְצָהּ מִמְּלֹאָהּ Ezek. 12:19
תֵּשָׁם 13 וְהָאֲדָמָה לֹא תֵשָׁם Gen. 47:19
וַתֵּשַׁם 14 וַתֵּשַׁם אֶרֶץ וּמְלֹאָהּ מִקּוֹל שַׁאֲגָתוֹ Ezek. 19:7
תִּישָׁמְנָה 15 הֶעָרִים תֶּחֱרַבְנָה וְהַבָּמוֹת תִּישָׁמְנָה Ezek. 6:6
שֹׁמּוּ 16 שֹׁמּוּ שָׁמַיִם עַל־זֹאת Jer. 2:12
נָשַׁמָּה 17 נָשַׁמָּה כָּל־הָאָרֶץ Jer. 12:11
18 וְאֶל־אַדְמַת יִשְׂרָאֵל כִּי נָשַׁמָּה Ezek. 25:3
19 וְהָאָרֶץ נָשַׁמָּה אַחֲרֵיהֶם מֵעֹבֵר וּמִשָּׁב Zech. 7:14
נָשַׁמּוּ 20 נָשַׁמּוּ מְסִלּוֹת שָׁבַת עֹבֵר אֹרַח Is. 33:8
21 נָשַׁמּוּ אֹצָרוֹת נֶהֶרְסוּ מַמְּגֻרוֹת Joel 1:17
22 נָשַׁמּוּ פִּנּוֹתָם הֶחֱרַבְתִּי חוּצוֹתָם Zep. 3:6
23 עַל־יוֹמוֹ נָשַׁמּוּ אַחֲרֹנִים Job 18:20
24 הָאֹכְלִים לְמַעֲדַנִּים נָשַׁמּוּ בַּחוּצוֹת Lam. 4:5
וְנָשַׁמּוּ 25 וְהִמְעִיטָה אֶתְכֶם וְנָשַׁמּוּ דַּרְכֵיכֶם Lev. 26:22
26 וְנָשַׁמּוּ הַכֹּהֲנִים וְהַנְּבִאִים יִתְמָהוּ Jer. 4:9
27 וְנָשַׁמּוּ אִישׁ וְאָחִיו וְנָמַקּוּ בַּעֲוֹנָם Ezek. 4:17
28 וְנָשַׁמּוּ מִזְבְּחוֹתֵיכֶם וְנִשְׁבְּרוּ חַמָּנֵיכֶם Ezek. 6:4
29 וְנָשַׁמּוּ בְּתוֹךְ אֲרָצוֹת נְשַׁמּוֹת Ezek. 30:7
30 וְנָשַׁמּוּ בָּמוֹת יִשְׂחָק Am. 7:9
נְשַׁמָּה 31 תְּהִי־טִירָתָם נְשַׁמָּה Ps. 69:26
וּנְשַׁמָּה 32 שְׁמָמָה וּנְשַׁמָּה אֶרֶץ מִמְּלֹאָהּ Ezek. 32:15
הַנְּשַׁמָּה 33 וְהָאָרֶץ הַנְּשַׁמָּה תֵּעָבֵד Ezek. 36:34
34 הָאָרֶץ הַלֵּזוּ הַנְּשַׁמָּה...כְּגַן־עֵדֶן Ezek. 36:35
35 בָּנִיתִי הַנֶּהֱרָסוֹת נָטַעְתִּי הַנְּשַׁמָּה Ezek. 36:36
נְשַׁמּוֹת 36 וְעָרִים נְשַׁמּוֹת יוֹשִׁיבוּ Is. 54:3
37 שְׁמָמָה בְּתוֹךְ אֲרָצוֹת נְשַׁמּוֹת Ezek. 29:12
38 וְנָשַׁמּוּ בְּתוֹךְ אֲרָצוֹת נְשַׁמּוֹת Ezek. 30:7
39 וּבָנוּ עָרִים נְשַׁמּוֹת וְיָשָׁבוּ Am. 9:14
הַנְּשַׁמּוֹת 40 וּבְחֻצוֹת יְרוּ׳ הַנְּשַׁמּוֹת מֵאֵין אָדָם Jer. 33:10
וְהַנְּשַׁמּוֹת 41 וְהֶעָרִים הֶחֳרֵבוֹת וְהַנְּשַׁמּוֹת Ezek. 36:35
מְשׁוֹמֵם 42 וְעַל כְּנַף שִׁקּוּצִים מְשֹׁמֵם Dan. 9:27
43 וְנָתְנוּ הַשִּׁקּוּץ מְשֹׁמֵם Dan. 11:31
44 קָרַעְתִּי אֶת־בִּגְדִי...וָאֵשְׁבָה מְשׁוֹמֵם Ez. 9:3
45 וַאֲנִי יֹשֵׁב מְשׁוֹמֵם Ez. 9:4
הַשְׁמֵם 46 הַשְׁמֵם עַל־חַטֹּאתֶךָ Mic. 6:13
וַהֲשִׁמּוֹתִי 47 וַהֲשִׁמּוֹתִי אֶת־מִקְדְּשֵׁיכֶם Lev. 26:31
48 וַהֲשִׁמֹּתִי אֲנִי אֶת־הָאָרֶץ Lev. 26:32
49 וַהֲשִׁמֹּתִי אֶרֶץ וּמְלֹאָהּ בְּיַד־זָרִים Ezek. 30:12
50 וַהֲשִׁמֹּתִי אֶת־פַּתְרוֹס Ezek. 30:14
51 וַהֲשִׁמּוֹתִי עָלֶיךָ עַמִּים רַבִּים Ezek. 32:10
52 וַהֲשִׁמֹּתִי גַּפְנָהּ וּתְאֵנָתָהּ Hosh. 2:14
הֲשִׁמּוֹתָ 53 הֲשִׁמּוֹתָ כָּל־עֲדָתִי Job 16:7
הֵשַׁמּוּ 54/5 וְאֶת־נָוֵהוּ הֵשַׁמּוּ Jer. 10:25 • Ps. 79:7
מַשְׁמִים 56 וָאֵשֵׁב שָׁם...מַשְׁמִים בְּתוֹכָם Ezek. 3:15
אֲשִׁמֵּם 57 וַאֲטַמֵּא אוֹתָם...לְמַעַן אֲשִׁמֵּם Ezek. 20:26
יַשִּׁים 58 אִם־לֹא־יַשִּׁים עֲלֵיהֶם נְוֵהֶם Jer. 49:20
59 אִם־לֹא יַשִּׁים עֲלֵיהֶם נָוֶה Jer. 50:45
וַיְשִׁמֵּם 60 וַתִּכְבַּד יַד־יְיָ אֶל־הָאַשְׁדּוֹדִים וַיְשִׁמֵּם ISh. 5:6
וַנַּשִּׁים 61 וַנִּירָם...וַנַּשִּׁים עַד־נֹפַח Num. 21:30
הָשַּׁמָּה 62 אָז תִּרְצֶה...כֹּל יְמֵי הָשַּׁמָּה Lev. 26:34
63 כָּל־יְמֵי הָשַּׁמָּה תִּשְׁבֹּת Lev. 26:35
64 כָּל־יְמֵי הָשַּׁמָּה שָׁבָתָה IICh. 36:21
בָּהְשַׁמָּה 65 וְתִרֶץ אֶת־שַׁבְּתֹתֶיהָ בָּהְשַׁמָּה מֵהֶם Lev. 26:43
וְהָשַׁמּוּ 66 פְּנוּ־אֵלַי וְהָשַׁמּוּ וְשִׂימוּ יָד עַל־פֶּה Job 21:5
וְאֶשְׁתּוֹמֵם 67 וְאֶשְׁתּוֹמֵם וְאֵין סוֹמֵךְ Is. 63:5
וָאֶשְׁתּוֹמֵם 68 וָאֶשְׁתּוֹמֵם עַל־הַמַּרְאֶה וְאֵין מֵבִין Dan. 8:27
תִּשּׁוֹמֵם 69 וְאַל־תִּתְחַכַּם יוֹתֵר לָמָּה תִּשּׁוֹמֵם Eccl. 7:16
יִשְׁתּוֹמֵם 70 בְּתוֹכִי יִשְׁתּוֹמֵם לִבִּי Ps. 143:4
וַיִּשְׁתּ מֵם 71 וַיִּשְׁתּוֹמֵם כִּי אֵין מַפְגִּיעַ Is. 59:16

(שמם) אֶשְׁתּוֹמַם אֶתְפּ׳ ארמית: נבעת, הָחרד

אֶשְׁתּוֹמַם 1 אֱדַיִן דָּנִיֵּאל...אֶשְׁתּוֹמַם כְּשָׁעָה חֲדָה Dan. 4:16

שָׁמֵם ת׳ חָרֵב, הרוס: 1-3

הַשָּׁמֵם 1 וְהָאֵר פָּנֶיךָ עַל־מִקְדָּשְׁךָ הַשָּׁמֵם Dan. 9:17
שֶׁשָּׁמֵם 2 עַל הַר־צִיּוֹן שֶׁשָּׁמֵם Lam. 5:18
שְׁמֵמָה 3 שָׂמָהּ לִשְׁמָמָה אָבְלָה עָלַי שְׁמֵמָה Jer. 12:11

שְׁמָמָה נ׳ א) חָרְבָּה, הרס, עזובה: 1-20, 22-40, 42-56 ב) [בהשאלה] דאגה, חרדה: 21, 41

קרובים: ראה חֹרֶב[2]

– שְׁמָמָה וּמְשַׁמָּה 30, 31; שְׁמָמָה וּנְשַׁמָּה 29; חָרְבָּה וּשְׁמָמָה 46, 47; שַׁמָּה וּשְׁמָמָה 41; שִׁמְמָה וּשְׁמָמָה 42; צִיָּה וּשְׁמָמָה 43
– מִדְבַּר שְׁמָמָה 14, 36, 37; תֵּל שְׁמָמָה 16
– שִׁמְמוֹת עוֹלָם 53-56

שְׁמָמָה 1 פֶּן־תִּהְיֶה הָאָרֶץ שְׁמָמָה Ex. 23:29
2 וְהָיְתָה אַרְצְכֶם שְׁמָמָה Lev. 26:33
3 וַיְשִׂימֶהָ תֵּל־עוֹלָם שְׁמָמָה Josh. 8:28
4 אַרְצְכֶם שְׁמָמָה עָרֵיכֶם שְׂרֻפוֹת אֵשׁ Is. 1:7
5 וְהָאֲדָמָה תִּשָּׁאֶה שְׁמָמָה Is. 6:11
6 וְהָיְתָה שְׁמָמָה Is. 17:9
7 וּלְאַרְצֵךְ לֹא־יֵאָמֵר עוֹד שְׁמָמָה Is. 62:4
8 צִיּוֹן מִדְבָּר הָיָתָה יְרוּשָׁלַםִ שְׁמָמָה Is. 64:9
9 שְׁמָמָה תִהְיֶה כָּל־הָאָרֶץ Jer. 4:27
10 הִוָּסְרִי יְרוּשָׁלַםִ...פֶּן־אֲשִׂימֵךְ שְׁמָמָה Jer. 6:8
11/2 וְאֶת־עָרֵי יְהוּדָה אֶתֵּן שְׁמָמָה Jer. 9:10; 34:22
13 לָשׂוּם אֶת־עָרֵי יְהוּדָה שְׁמָמָה Jer. 10:22
14 נָתְנוּ...לְמִדְבַּר שְׁמָמָה Jer. 12:10
15 שְׁמָמָה הִיא מֵאֵין אָדָם Jer. 32:43
16 וְהָיְתָה לְתֵל שְׁמָמָה Jer. 49:2
17 לִמְעוֹן תַּנִּים שְׁמָמָה עַד־עוֹלָם Jer. 49:33
18 וְהָיְתָה שְׁמָמָה כֻּלָּהּ Jer. 50:13
19/20 הָאָרֶץ שְׁמָמָה וּמְשַׁמָּה Ezek. 6:14; 33:28
21 וְנָשִׂיא יִלְבַּשׁ שְׁמָמָה Ezek. 7:27
22 וְהָאָרֶץ שְׁמָמָה תִהְיֶה Ezek. 12:20
23 וְהָיְתָה שְׁמָמָה מִבְּלִי עוֹבֵר Ezek. 14:15
24 וְהָאָרֶץ תִּהְיֶה שְׁמָמָה Ezek. 14:16
25 וְנָתַתִּי אֶת־הָאָרֶץ שְׁמָמָה Ezek. 15:8
26 וְנָתַתִּי...לְחָרְבוֹת חֹרֶב שְׁמָמָה Ezek. 29:10
27 וְנָתַתִּי אֶת־אֶרֶץ מִצְרַיִם שְׁמָמָה Ezek. 29:12
28 עָרִים מָחֳרָבוֹת תִּהְיֶיןָ שְׁמָמָה Ezek. 29:12
29 בְּתִתִּי אֶת־אֶרֶץ מִצ׳ שְׁמָמָה וּנְשַׁמָּה Ezek. 32:15
30 בְּתִתִּי אֶת־הָאָרֶץ שְׁמָמָה וּמְשַׁמָּה Ezek. 33:29
31 וּנְתַתִּיךָ שְׁמָמָה וּמְשַׁמָּה Ezek. 35:3
32 וְאַתָּה שְׁמָמָה תִהְיֶה Ezek. 35:4
33 שְׁמָמָה אֶעֱשֶׂה־לָּךְ Ezek. 35:14
34 שְׁמָמָה תִהְיֶה הַר־שֵׂעִיר Ezek. 35:15
35 תַּחַת אֲשֶׁר הָיְתָה שְׁמָמָה Ezek. 36:34
36 וְאַחֲרָיו מִדְבַּר שְׁמָמָה Joel 2:3
37 וֶאֱדוֹם לְמִדְבַּר שְׁמָמָה תִּהְיֶה Joel 4:19
38 וְכָל־עֲצַבֶּיהָ אָשִׂים שְׁמָמָה Mic. 1:7
39 וָאָשִׂים אֶת־הָרָיו שְׁמָמָה Mal. 1:3
וּשְׁמָמָה 40 וּשְׁמָמָה כְּמַהְפֵּכַת זָרִים Is. 1:7
41 כּוֹס שַׁמָּה וּשְׁמָמָה Ezek. 23:33
42 וְנָתַתִּי...הַר שֵׂעִיר לְשִׁמְמָה וּשְׁמָמָה Ezek. 35:7
43 וְהִדַּחְתִּיו אֶל־אֶרֶץ צִיָּה וּשְׁמָמָה Joel 2:20
44 וּשְׁמָמָה עַד־עוֹלָם Zep. 2:9
לִשְׁמָמָה 45 שָׂמָהּ לִשְׁמָמָה Jer. 12:11
46 וַתִּהְיֶינָה לְחָרְבָּה לִשְׁמָמָה Jer. 44:6
47 וְהָיְתָה אֶ׳־מִצְרַיִם לִשְׁמָמָה וְחָרְבָּה Ezek. 29:9
48 מִצְרַיִם לִשְׁמָמָה תִהְיֶה Joel 4:19
49 וְהָיְתָה הָאָרֶץ לִשְׁמָמָה עַל־יֹשְׁבֶיהָ Mic. 7:13
50 חֵילָם לִמְשִׁסָּה וּבָתֵּיהֶם לִשְׁמָמָה Zep. 1:13
51 עַזָּה עֲזוּבָה תִהְיֶה וְאַשְׁקְלוֹן לִשְׁמָמָה Zep. 2:4
52 וְיָשֵׂם אֶת־נִינְוֵה לִשְׁמָמָה Zep. 2:13
שִׁמְמוֹת־ 53/4 כִּי־שִׁמְמוֹת עוֹלָם תִּהְיֶה Jer. 51:26, 62
55 שִׁמְמוֹת עוֹלָם אֶתֶּנְךָ Ezek. 35:9
לְשִׁמְמוֹת־ 56 וְשַׂמְתִּי אֹתוֹ לְשִׁמְמוֹת עוֹלָם Jer. 25:12

שִׁמְמָה נ׳ שְׁמָמָה

לְשִׁמְמָה 1 וְנָתַתִּי...לְשִׁמְמָה וּשְׁמָמָה Ezek. 35:7

שִׁמָּמוֹן ז׳ דכאון, חרדה: 1, 2

בְּשִׁמָּמוֹן 1 וּמֵימֵיהֶם בְּשִׁמָּמוֹן יִשְׁתּוּ Ezek. 12:19
וּבְשִׁמָּמוֹן 2 וּמַיִם בִּמְשׂוּרָה וּבְשִׁמָּמוֹן יִשְׁתּוּ Ezek. 4:16

שְׂמָמִית נ׳ סוג לטאה לֵילִית

שְׂמָמִית 1 שְׂמָמִית בְּיָדַיִם תְּתַפֵּשׂ Prov. 30:28

שמן : שָׁמַן, הִשְׁמִין; שָׁמֵן, שֶׁמֶן

שָׁמַן פָּ׳ א) נוסף לו שומן, דָשן (גם בהשאלה): 1-3 ב) [הפ׳ הִשְׁמִין] הוסיף שומן, הכביד: 4 ג) [כנ״ל] נעשה שָׁמֵן: 5

שָׁמַנְתָּ 1 שָׁמַנְתָּ עָבִיתָ כָּשִׂיתָ Deut. 32:15
שָׁמְנוּ 2 שָׁמְנוּ עָשְׁתוּ גַּם עָבְרוּ דִבְרֵי־רָע Jer. 5:28
וַיִּשְׁמַן 3 וַיִּשְׁמַן יְשֻׁרוּן וַיִּבְעָט Deut. 32:15
הַשְׁמֵן 4 הַשְׁמֵן לֵב־הָעָם הַזֶּה Is. 6:10
וַיַּשְׁמִינוּ 5 וַיֹּאכְלוּ וַיִּשְׂבְּעוּ וַיַּשְׁמִינוּ Neh. 9:25

שָׁמֵן ת׳ רב־שומן, דָשן, בָּרִיא (אדם, צומח, אדמה): 1-10

דָּשֵׁן וְשָׁמֵן 5; חֵלֶק שָׁמֵן 3; מִרְעֶה שָׁמֵן 2, 4; אֲדָמָה שְׁמֵנָה 7; אֶרֶץ שְׁמֵנָה 8, 10

שָׁמֵן 1 כָּל־שָׁמֵן וְכָל־אִישׁ חָיִל Jud. 3:29
2 וּמִרְעֶה שָׁמֵן תִּרְעֶינָה Ezek. 34:14
3 כִּי בָהֵמָּה שָׁמֵן חֶלְקוֹ Hab. 1:16
4 וַיִּמְצְאוּ מִרְעֶה שָׁמֵן וָטוֹב ICh. 4:40
וְשָׁמֵן 5 וְהָיָה דָשֵׁן וְשָׁמֵן Is. 30:23
שְׁמֵנָה 6 מֵאָשֵׁר שְׁמֵנָה לַחְמוֹ Gen. 49:20
7 וַיִּלְכְּדוּ עָרִים בְּצֻרוֹת וַאֲדָמָה שְׁמֵנָה Neh. 9:25
הַשְּׁמֵנָה? 8 וּמָה הָאָרֶץ הַשְּׁמֵנָה הִוא אִם־רָזָה Num. 13:20
הַשְּׁמֵנָה 9 וְאֶת־הַשְּׁמֵנָה וְאֶת־הַחֲזָקָה Ezek. 34:16
וְהַשְּׁמֵנָה 10 וּבְאֶרֶץ הָרְחָבָה וְהַשְּׁמֵנָה Neh. 9:35

שֶׁמֶן ז׳ א) מיץ שָׁמֵן הנסחט מן הַזַּיִת, יצהר: 1-28, 31-143, 145-186, 188-193 ב) שומן, לשד: 29, 30, 144, 187

קרוב: יִצְהָר

– שֶׁמֶן טוֹב 15, 72, 137, 142; שֶׁמֶן כָּתִית 12, 85, 86; שֶׁמֶן רַעֲנָן 87
– שֶׁמֶן זַיִת 145, 146, 169; שֶׁמֶן הַמָּאוֹר 159-161; שֶׁ׳ הַמּוֹר 173; שֶׁמֶן הַמִּשְׁחָה 147-158, 162, 163, 170, 174-179; שֶׁמֶן הַקֹּדֶשׁ 171, 172; שֶׁמֶן רֹאשׁ 166; שֶׁמֶן רוֹקֵחַ 168; שֶׁמֶן שָׂשׂוֹן 164; שֶׁמֶן תּוּרַק 167

– אוֹצְרוֹת שֶׁמֶן 76; אָסוּךְ שֶׁמֶן 28; בֶּן־שָׁמֶן 29; זֵית שֶׁמֶן 9; חֹק הַשֶּׁמֶן 73; יֶתֶר הַשֶּׁמֶן 58; כְּלֵי־שֶׁמֶן 183; לֹג שֶׁמֶן 22,23,79-81; לֶחֶם שֶׁ׳ 3,7; לְשַׁד הַשֶּׁ׳ 82; מְעַט שֶׁמֶן 14; נַחֲלֵי שֶׁמֶן 32; עֵץ שֶׁמֶן 19, 31; עֲצֵי שֶׁמֶן 13, 25, 27; פַּךְ שֶׁמֶן 63, 69, 70; פַּלְגֵי שֶׁ׳ 33; צַפַּחַת שֶׁ׳ 66, 67; קֶרֶן הַשֶּׁמֶן 64, 65

– סֹלֶת וְשֶׁמֶן 23, 50, 51, 84, 89-92, 127-132; מִסָּלְתָּהּ וּמִשַּׁמְנָהּ 184, (186)

– שְׁמָנִים מְמֻחָיִים 188

– גֵּיא שְׁמָנִים 189, 190; מִשְׁתֵּה שְׁ׳ 187; רֵאשִׁית שְׁ׳ 191; רֵיחַ שְׁמָנִים 192, 193

שֶׁמֶן 1 וַיִּצֹק שֶׁמֶן עַל־רֹאשָׁהּ Gen. 28:18
2 שֶׁמֶן לַמָּאֹר Ex. 25:6
3 וְחַלַּת לֶחֶם שֶׁמֶן אַחַת Ex. 29:23
4 וְיָצַק עָלֶיהָ שֶׁמֶן Lev. 2:1
5 וְנָתַתָּ עָלֶיהָ שֶׁמֶן Lev. 2:15
6 לֹא־יָשִׂים עָלֶיהָ שֶׁמֶן Lev. 5:11
7 וְחַלַּת לֶחֶם שֶׁמֶן אַחַת Lev. 8:26
8 לֹא־יִצֹק עָלָיו שֶׁמֶן Num. 5:15
9 אֶרֶץ־זֵית שֶׁמֶן וּדְבָשׁ Deut. 8:8
10 מַלֵּא קַרְנְךָ שֶׁמֶן ISh. 16:1
11 הִתְאַבְּלִי־נָא...וְאַל־תָּסוּכִי שֶׁמֶן IISh. 14:2
12 וְעֶשְׂרִים כֹּר שֶׁמֶן כָּתִית IK. 5:25
13 וּשְׁתֵּי דַּלְתוֹת עֲצֵי־שֶׁמֶן IK. 6:32
14 וּמְעַט־שֶׁמֶן בַּצַּפָּחַת IK. 17:12
15 וְאֶת־הַבְּשָׂמִים וְאֵת שֶׁמֶן הַטּוֹב IIK. 20:13
16 תִּדְרֹךְ זַיִת וְלֹא־תָסוּךְ שֶׁמֶן Mic. 6:15
17 וְנָגַע...וְאֶל־הַיַּיִן וְאֶל־שֶׁמֶן... Hag. 2:12
18 שֶׁמֶן וּקְטֹרֶת יְשַׂמַּח־לֵב Prov. 27:9
19 עֲלֵי־זַיִת וַעֲלֵי־עֵץ שֶׁמֶן Neh. 8:15
שָׁמֶן 20 וַיִּצֹק עָלֶיהָ שָׁמֶן Gen. 35:14
21 וְיָצַקְתָּ עָלֶיהָ שָׁמֶן Lev. 2:6
22 וְלֹג אֶחָד שָׁמֶן Lev. 14:10
23 וְעִשָּׂרוֹן סֹלֶת...וְלֹג שָׁמֶן Lev. 14:21
24 בָּלוּל בִּרְבִעִית הַהִין שָׁמֶן Num. 15:4
25 שְׁנֵי כְרוּבִים עֲצֵי־שָׁמֶן IK. 6:23
26 עָשָׂה דַּלְתוֹת עֲצֵי־שָׁמֶן IK. 6:31
27 מְזוּזוֹת עֲצֵי־שָׁמֶן IK. 6:33
28 אֵין...כִּי אִם־אָסוּךְ שָׁמֶן IIK. 4:2
29 כֶּרֶם...בְּקֶרֶן בֶּן־שָׁמֶן Is. 5:1
30 וְחֻבַּל עֹל מִפְּנֵי־שָׁמֶן Is. 10:27
31 אֶרֶז שִׁטָּה וַהֲדַס וְעֵץ שָׁמֶן Is. 41:19
32 הֲיִרְצֶה...בְּרִבְבוֹת נַחֲלֵי־שָׁמֶן Mic. 6:7
33 וְצוּר יָצוּק עִמָּדִי פַּלְגֵי־שָׁמֶן Job 29:6
וְשֶׁמֶן 34 וְשֶׁמֶן לַמָּאוֹר Ex. 35:8
35 וְשֶׁמֶן לֹא תָסוּךְ כִּי יִשַּׁל זֵיתֶךָ Deut. 28:40
36 וְשֶׁמֶן מֵחַלְמִישׁ צוּר Deut. 32:13
37 אִסְפוּ יַיִן וְקַיִץ וְשֶׁמֶן Jer. 40:10
38 חִטִּים וּשְׂעֹרִים וְשֶׁמֶן וּדְבָשׁ Jer. 41:8
39-42 וְשֶׁמֶן הִין לָאֵיפָה Ezek. 45:24; 46:5, 7, 11
43 וְשֶׁמֶן שְׁלִישִׁית הַהִין Ezek. 46:14
44 וְשֶׁמֶן לְמִצְרַיִם יוּבָל Hosh. 12:2
45 וְשֶׁמֶן יְמִינוֹ יִקְרָא Prov. 27:16
46 וְשֶׁמֶן עַל־רֹאשְׁךָ אַל־יֶחְסָר Eccl. 9:8
47 וְיַיִן וְשֶׁמֶן וּבָקָר וְצֹאן ICh. 12:40(41)
48 וְשֶׁמֶן בַּתִּים עֶשְׂרִים אָלֶף IICh. 2:9
49 וְאֹצְרוֹת מַאֲכָל וְשֶׁמֶן וָיָיִן IICh. 11:11
וָשֶׁמֶן 50 סֹלֶת וּדְבַשׁ וָשֶׁמֶן אָכָלְתְּ° Ezek. 16:13
51 סֹלֶת וָשֶׁמֶן וּדְבַשׁ הֶאֱכַלְתִּיךְ Ezek. 16:19
52 וּדְבַשׁ וָשֶׁמֶן וָצֹרִי Ezek. 27:17
53 אֹהֵב יַיִן־וָשֶׁמֶן לֹא יַעֲשִׁיר Prov. 21:17
54 אוֹצָר נֶחְמָד וָשֶׁמֶן בִּנְוֵה חָכָם Prov. 21:20
55 וּמַאֲכָל וּמִשְׁתֶּה וָשֶׁמֶן... Ez. 3:7
הַשֶּׁמֶן 56 וְטָבַל הַכֹּהֵן...אֶצְבָּעוֹ...מִן־הַשֶּׁמֶן Lev. 14:16
57 וְהִזָּה מִן־הַשֶּׁמֶן בְּאֶצְבָּעוֹ Lev. 14:16
58 וּמִיֶּתֶר הַשֶּׁמֶן אֲשֶׁר עַל־כַּפּוֹ Lev. 14:17
59 וּמִן־הַשֶּׁמֶן יִצֹק הַכֹּהֵן Lev. 14:26
60 וְהִזָּה הַכֹּהֵן...מִן־הַשֶּׁמֶן Lev. 14:27
61 וְנָתַן הַכֹּהֵן מִן־הַשֶּׁמֶן Lev. 14:28
62 וְהַנּוֹתָר מִן־הַשֶּׁמֶן...יִתֵּן Lev. 14:29
63 וַיִּקַּח שְׁמוּאֵל אֶת־פַּךְ הַשֶּׁמֶן ISh. 10:1
64 וַיִּקַּח שְׁמוּאֵל אֶת־קֶרֶן הַשֶּׁמֶן ISh. 16:13
65 וַיִּקַּח צָדוֹק הַכֹּהֵן אֶת־קֶרֶן הַשֶּׁמֶן IK. 1:39
66 וְצַפַּחַת הַשֶּׁמֶן לֹא תֶחְסָר IK. 17:14
67 וְצַפַּחַת הַשֶּׁמֶן לֹא חָסֵר IK. 17:16
68 לְכִי מִכְרִי אֶת־הַשֶּׁמֶן IIK. 4:7
69 וְקַח פַּךְ הַשֶּׁמֶן הַזֶּה בְּיָדֶךָ IIK. 9:1
70 וְלָקַחְתָּ פַךְ־הַשֶּׁמֶן וְיָצַקְתָּ עַל־רֹאשׁוֹ IIK. 9:3
71 וַיִּצֹק הַשֶּׁמֶן אֶל־רֹאשׁוֹ IIK. 9:6
72 וְאֶת־הַבְּשָׂמִים וְאֵת הַשֶּׁמֶן הַטּוֹב Is. 39:2
73/4 וְחֹק הַשֶּׁמֶן הַבַּת הַשֶּׁמֶן Ezek. 45:14
75 וְאֶת־הַמִּנְחָה וְאֶת־הַשֶּׁמֶן Ezek. 46:15
76 וְעַל־אֹצְרוֹת הַשֶּׁמֶן יוֹעָשׁ ICh. 27:28
77 הַחִטִּים וְהַשְּׂעֹרִים הַשֶּׁמֶן וְהַיַּיִן IICh. 2:14
הַשָּׁמֶן 78 וְאֶת־הַבֹּשֶׂם וְאֶת־הַשָּׁמֶן Ex. 35:28
79/80 וְאֶת־לֹג הַשָּׁמֶן Lev. 14:12, 24
81 וְלָקַח הַכֹּהֵן מִלֹּג הַשָּׁמֶן Lev. 14:15
82 וְהָיָה טַעְמוֹ כְּטַעַם לְשַׁד הַשָּׁמֶן Num. 11:8
83 אֵין עוֹד כֶּלִי וַיַּעֲמֹד הַשָּׁמֶן IIK. 4:6
וְהַשֶּׁמֶן 84 וְעַל־הַסֹּלֶת וְהַיַּיִן וְהַשֶּׁמֶן ICh. 9:29
בְּשֶׁמֶן 85 בָּלוּל בְּשֶׁמֶן כָּתִית רֶבַע הַהִין Ex. 29:40
86 בְּלוּלָה בְּשֶׁמֶן כָּתִית רְבִיעִת הַהִין Num. 28:5
87 בַּלֹּתִי בְּשֶׁמֶן רַעֲנָן Ps. 92:11
בַּשֶּׁמֶן 88 וְחַלֹּת מַצֹּת בְּלוּלֹת בַּשֶּׁמֶן Ex. 29:2
89 סֹלֶת חַלֹּת מַצֹּת בְּלוּלֹת בַּשֶּׁמֶן Lev. 2:4
90/1 סֹלֶת בְּלוּלָה בַשֶּׁמֶן Lev. 2:5; 23:13
92 סֹלֶת בַּשֶּׁמֶן תֵּעָשֶׂה Lev. 2:7
93 עַל־מַחֲבַת בַּשֶּׁמֶן תֵּעָשֶׂה Lev. 6:14
94 וְכָל־מִנְחָה בְלוּלָה־בַשֶּׁמֶן וַחֲרֵבָה Lev. 7:10
95-116 בְּלוּלָה (בָּלוּל, בְּלוּלֹת) בַשֶּׁמֶן Lev. 7:10
14:10, 21 • Num. 6:15; 7:13, 19, 25, 31, 37, 43; 7:49, 55, 61, 67, 73, 79; 15:6, 9; 28:9, 12², 13
117 וְהַנּוֹתָר בַּשֶּׁמֶן...יִתֵּן עַל רֹאשׁ... Lev. 14:18
118 וְטֹבֵל בַּשֶּׁמֶן רַגְלוֹ Deut. 33:24
119 וַתָּשֻׁרִי לַמֶּלֶךְ בַּשֶּׁמֶן Is. 57:9
120 דִּשַּׁנְתָּ בַשֶּׁמֶן רֹאשִׁי כּוֹסִי רְוָיָה Ps. 23:5
בַּשָּׁמֶן 121-124 וּרְקִיקֵי מַצּוֹת מְשֻׁחִים בַּשָּׁמֶן Ex. 29:2
Lev. 2:4; 7:12 • Num. 6:15
125 מֻרְבֶּכֶת חַלֹּת בְּלוּלֹת בַּשָּׁמֶן Lev. 7:12
126 וּמִנְחָה בְּלוּלָה בַשָּׁמֶן Lev. 9:4
127-132 סֹלֶת בְּלוּלָה בַשָּׁמֶן Num. 8:8
28:20, 28; 29:3, 9, 14
133 מָגֵן שָׁאוּל בְּלִי מָשִׁיחַ בַּשָּׁמֶן IISh. 1:21
134 לֹא־זֹרוּ...וְלֹא רֻכְּכָה בַּשָּׁמֶן Is. 1:6
135 וָאֶרְחָצֵךְ בַּמַּיִם...וָאֲסֻכֵךְ בַּשָּׁמֶן Ezek. 16:9
כַּשֶּׁמֶן 136 וְנַהֲרוֹתָם כַּשֶּׁמֶן אוֹלִיךְ Ezek. 32:14
137 כַּשֶּׁמֶן הַטּוֹב עַל־הָרֹאשׁ Ps. 133:2
וְכַשֶּׁמֶן 138 כַּמַּיִם בְּקִרְבּוֹ וְכַשֶּׁמֶן בְּעַצְמוֹתָיו Ps. 109:18
וְכַשָּׁמֶן 139 כַּחַטָּאת כָּעֹלָה וְכַמִּנְחָה וְכַשָּׁמֶן Ezek. 45:25
מִשֶּׁמֶן 140 רַכּוּ דְבָרָיו מִשֶּׁמֶן Ps. 55:22
141 וְחָלָק מִשֶּׁמֶן חִכָּהּ Prov. 5:3
142 טוֹב שֵׁם מִשֶּׁמֶן טוֹב Eccl. 7:1
מִשָּׁמֶן 143 לְהַצְהִיל פָּנִים מִשָּׁמֶן Ps. 104:15
144 וּבְשָׂרִי כָּחַשׁ מִשָּׁמֶן Ps. 109:24
שֶׁמֶן־ 145/6 שֶׁמֶן זַיִת זָךְ כָּתִית לַמָּאוֹר Ex. 27:20
Lev. 24:2
147/8 וְלָקַחְתָּ אֶת־שֶׁמֶן הַמִּשְׁחָה Ex. 29:7; 40:9
149-151 שֶׁמֶן מִשְׁחַת־קֹדֶשׁ Ex. 30:25², 31
152-158 שֶׁמֶן הַמִּשְׁחָה Ex. 31:11
35:15; 37:29 • 39:38 • Lev. 8:2, 10; 21:10
159-161 שֶׁמֶן הַמָּאוֹר Ex. 35:14; 39:37 • Num. 4:16
162 כִּי־שֶׁמֶן מִשְׁחַת יְיָ עֲלֵיכֶם Lev. 10:7
163 נֵזֶר שֶׁמֶן מִשְׁחַת אֱלֹהָיו עָלָיו Lev. 21:12
164 שֶׁמֶן שָׂשׂוֹן תַּחַת אֵבֶל Is. 61:3
165 מְשָׁחֲךָ...שֶׁמֶן שָׂשׂוֹן מֵחֲבֵרֶךָ Ps. 45:8
166 שֶׁמֶן רֹאשׁ אַל־יָנִי רֹאשִׁי Ps. 141:5
167 שֶׁמֶן תּוּרַק שְׁמֶךָ S.ofS. 1:3
168 יַבְאִישׁ יַבִּיעַ שֶׁמֶן רוֹקֵחַ Eccl. 10:1
וְשֶׁמֶן־ 169 וְשֶׁמֶן זַיִת הִין Ex. 30:24
170 וּמִנְחַת הַתָּמִיד וְשֶׁמֶן הַמִּשְׁחָה Num. 4:16
בְּשֶׁמֶן־ 171 אֲשֶׁר־מָשַׁח אֹתוֹ בְּשֶׁמֶן הַקֹּדֶשׁ Num. 35:25
172 בְּשֶׁמֶן קָדְשִׁי מְשַׁחְתִּיו Ps. 89:21
173 שִׁשָּׁה חֳדָשִׁים בְּשֶׁמֶן הַמֹּר Es. 2:12
לְשֶׁמֶן־ 174 בְּשָׂמִים לְשֶׁמֶן הַמִּשְׁחָה Ex. 25:6
175 וּבְשָׂמִים לְשֶׁמֶן הַמִּשְׁחָה Ex. 35:8
וּלְשֶׁמֶן־ 176 לַמָּאוֹר וּלְשֶׁמֶן הַמִּשְׁחָה Ex. 35:28
מִשֶּׁמֶן־ 177 וַיִּצֹק מִשֶּׁמֶן הַמִּשְׁחָה עַל רֹאשׁ אַהֲרֹן Lev. 8:12
178 וַיִּקַּח מֹשֶׁה מִשֶּׁמֶן הַמִּשְׁחָה Lev. 8:30
וּמִשֶּׁמֶן־ 179 וְלָקַחְתָּ מִן־הַדָּם...וּמִשֶּׁמֶן הַמִּשְׁחָה Ex. 29:21
שַׁמְנִי 180 לַחְמִי וּמֵימַי...שַׁמְנִי וְשִׁקּוּיָי Hosh. 2:7
וְשַׁמְנִי 181 וְשַׁמְנִי וּקְטָרְתִּי נָתַתְּ לִפְנֵיהֶם Ezek. 16:18
182 וּקְטָרְתִּי וְשַׁמְנִי שַׂמְתְּ עָלֶיהָ Ezek. 23:41
שַׁמְנָהּ 183 וְאֵת כָּל־כְּלֵי שַׁמְנָהּ Num. 4:9
וּמִשַּׁמְנָהּ 184 וְקָמַץ מִשָּׁם...מִסָּלְתָּהּ וּמִשַּׁמְנָהּ Lev. 2:2
185 וְהִקְטִיר...מִגִּרְשָׂהּ וּמִשַּׁמְנָהּ Lev. 2:16
186 מִסֹּלֶת הַמִּנְחָה וּמִשַּׁמְנָהּ Lev. 6:8
שְׁמָנִים 187 מִשְׁתֵּה שְׁמָנִים מִשְׁתֵּה שְׁמָרִים Is. 25:6
188 שְׁמָנִים מְמֻחָיִם שְׁמָרִים מְזֻקָּקִים Is. 25:6
189/90 עַל־רֹאשׁ גֵּיא(־)שְׁמָנִים Is. 28:1, 4
191 וְרֵאשִׁית שְׁמָנִים יִמְשָׁחוּ Am. 6:6
שְׁמָנֶיךָ 192 לְרֵיחַ שְׁמָנֶיךָ טוֹבִים S.ofS. 1:3
שְׁמָנַיִךְ 193 וְרֵיחַ שְׁמָנַיִךְ מִכָּל־בְּשָׂמִים S.ofS. 4:10

שְׁמֹנָה, שְׁמֹנֶה, שְׁמֹנִים – עין שְׁמוֹנָה, שְׁמוֹנֶה, שְׁמוֹנִים

שמע

: שָׁמַע, נִשְׁמַע, שִׁמַּע, הִשְׁמִיעַ; שֶׁמַע, שֵׁמַע, שְׁמוּעָה, הַשְׁמָעוּת, מִשְׁמָע, מִשְׁמַעַת; ש״פ שְׁמָע, שָׁמָע, שִׁמְעָא, שָׁמְעָה, שְׁמָעָה, שִׁמְעוֹן, שִׁמְעִי, שְׁמַעְיָה, שְׁמַעְיָהוּ, שִׁמְעָת, שִׁמְעָתִי, יִשְׁמָעֵאל, יִשְׁמַעְיָה מִשְׁמָע; אר׳ שְׁמַע, אִשְׁתַּמַּע

שָׁמַע

פָּ׳ א) קלט באזניו קול או דברים, הקשיב, הגיעה אליו שמועה או ידיעה (ובהשאלה ביחוד בצרופים שָׁמַע אֶל־, לְ־, בְּקוֹל־, לְקוֹל־) נַענה, קבל רצונו, צִיֵּת: רוב המקראות 1-1050

ב) הבין, ידע, הכיר: 5,74,76,85,102,108,113,114, 188, 302, 303, 359, 459, 466, 472, 509, 511, 512, 533, 553, 566, 577, 579, 620, 633, 733, 766, 776, 862

ג) [נפ׳ נִשְׁמַע] נקלט באזנים: רוב המקראות 1051-1094

ד) [כנ״ל] נתקבל על הלב: 1071, 1076, 1094

ה) [כנ״ל] צִיֵּת, קבל מרות: 1092, 1093

ו) [פִּ׳ שִׁמַּע] הזעיק: 1095, 1096

ז) [הפ׳ הִשְׁמִיעַ] נתן קולו, הודיע, הכריז: רוב המקראות 1097-1159

ח) [כנ״ל] הזעיק: 1150-1152

קרובים: הֶאֱזִין (אזן) / הִסְכִּית (סכת) / קָשַׁב / הִקְשִׁיב

– שָׁמַע (אֶת־) רוב המקראות 1-1050; שָׁמַע אֶל־, לְ־ 6, 11, 12, 18, 22, 59, 62, 66, 73, 78-81, 90-92, 94, 101, 104, 191, 219, 222, 233, 239, 250, 256-271, 306, 307, 336, 353, 376, 381-383, 388-395, 429, 433, 439, 440, 480, 482-484, 487, 491, 513, 514, 525, 556, 557, 564, 569, 578, 581, 595-599, 603, 627, 634-643, 669, 676, 728, 731, 740, 742-757, 771, 774, 788, 796, 800, 809, 813, 814, 820, 821, 860, 873, 895, 896, 898, 899, 927, 946, 981-986, 1016, 1019-1021, 1028, 1033; שָׁמַע בְּ־, עין להלן "שָׁמַע בְּקוֹל", ועוד 16; שָׁמַע עַל־ 89, 384, 760

– שָׁמַע בְּקוֹל־ 2, 4, 7, 8, 14, 24, 26, 27, 57, 64, 65, 70-72, 97, 105, 152, 153, 156, 176, 196, 201, 202, 204-206, 226, 227, 230, 231, 247, 252, 254, 273, 279, 292, 326, 328, 343, 354, 355, 363-368, 371, 385, 399-406, 463, 464, 475, 522, 524, 537, 555, 559-563, 565, 653, 659, 663, 667, 673, 729, 731, 735, 741, 758, 763, 767, 770, 772, 777, 850-859, 906, 926, 997-999, 1037; שָׁמַע לְקוֹל־ 1, 195, 301, 408, 453, 508, 513, 514, 554, 611, 631, 647, 664, 668, 773, 786, 866, 911

– נִשְׁמַע רוב המקראות 1051-1094; נִשְׁמַע לְ־ 1087, 1092, 1093

– הִשְׁמִיעַ (אֶת־) רוב המקראות 1097-1159; הִשְׁמִיעַ (אֶת־) אֶל־ 1102, 1110, 1126, 1150; הִשְׁמִיעַ (אֶת־) עַל־ 1115, 1147, 1151, 1152

שָׁמוֹעַ
1 אִם־שָׁמוֹעַ תִּשְׁמַע לְקוֹל יְיָ Ex. 15:26
2 אִם־שָׁמוֹעַ תִּשְׁמְעוּ בְּקֹלִי Ex. 19:5
3 שָׁמֹעַ אֶשְׁמַע צַעֲקָתוֹ Ex. 22:22
4 כִּי אִם־שָׁמוֹעַ תִּשְׁמַע בְּקֹלוֹ Ex. 23:22
5 שָׁמֹעַ בֵּין־אֲחֵיכֶם וּשְׁפַטְתֶּם צֶדֶק Deut. 1:16
6 אִם־שָׁמֹעַ תִּשְׁמְעוּ אֶל־מִצְוֹתַי Deut. 11:13
7 רַק אִם־שָׁמוֹעַ תִּשְׁמַע בְּקוֹל יְיָ Deut. 15:5
8 וְהָיָה אִם־שָׁמוֹעַ תִּשְׁמַע בְּקוֹל יְיָ Deut. 28:1
9 שָׁמֹעַ שָׁמַע עַבְדְּךָ... ISh. 23:10
10 שִׁמְעוּ שָׁמוֹעַ וְאַל־תָּבִינוּ Is. 6:9
11 שִׁמְעוּ שָׁמוֹעַ אֵלַי וְאִכְלוּ־טוֹב Is. 55:2
12 וְהָיָה אִם־שָׁמֹעַ תִּשְׁמְעוּן אֵלַי Jer. 17:24
13 שָׁמוֹעַ שָׁמַעְתִּי אֶפְרַיִם מִתְנוֹדֵד Jer. 31:18(17)
14 אִם־שָׁמוֹעַ תִּשְׁמְעוּן בְּקוֹל יְיָ Zech. 6:15
15 שִׁמְעוּ שָׁמוֹעַ מִלָּתִי Job 13:17; 21:2
16 שִׁמְעוּ שָׁמוֹעַ בְּרֹגֶז קֹלוֹ Job 37:2

שְׁמֹעַ
17 וְאִם בְּיוֹם שְׁמֹעַ אִישָׁהּ Num. 30:9
18 לְבִלְתִּי שְׁמֹעַ אֶל־הַכֹּהֵן Deut. 17:12
19 הִנֵּה שְׁמֹעַ מִזֶּבַח טוֹב ISh. 15:22
20 וְלֹא אָבוּא שְׁמוֹעַ Is. 28:12
21 לֹא־אָבוּ שְׁמוֹעַ תּוֹרַת יְיָ Is. 30:9
22 לְבִלְתִּי שְׁמֹעַ אֵלָי Jer. 16:12
23 לְבִ׳ שְׁמוֹעַ (כת׳ שומע)...קַחַת מוּסָר Jer. 17:23
24 לְבִלְתִּי שְׁמֹעַ בְּקוֹלִי Jer. 18:10
25 לְבִלְתִּי שְׁמוֹעַ אֶת־דְּבָרָי Jer. 19:15
26 לְבִלְתִּי שְׁמֹעַ בְּקוֹל יְיָ אֱלֹהֵיכֶם Jer. 42:13
27 לְבִלְתִּי שְׁמוֹעַ בְּקֹלֶךָ Dan. 9:11

בִּשְׁמֹעַ
28 בִּשְׁמֹעַ יְיָ אֶת־תְּלֻנֹּתֵיכֶם Ex. 16:8

כִּשְׁמֹעַ
29 כִּשְׁמֹעַ עֵשָׂו אֶת־דִּבְרֵי אָבִיו Gen. 27:34
30 כִּשְׁמֹעַ לָבָן אֶת־שֵׁמַע יַעֲקֹב Gen. 29:13
31 וַיְהִי כִשְׁמֹעַ אֲדֹנָיו אֶת־דִּבְרֵי אִשְׁתּוֹ Gen. 39:19
32 וַיְהִי כִשְׁמֹעַ כָּל־מַלְכֵי הָאֱמֹרִי Josh. 5:1
33 וַיְהִי כִשְׁמֹעַ הָעָם אֶת־קוֹל הַשּׁוֹפָר Josh. 6:20
34 וַיְהִי כִשְׁמֹעַ כָּל־הַמְּלָכִים Josh. 9:1

כִּשְׁמֹעַ (המשך)
35 וַיְהִי כִּשְׁמֹעַ אֲדֹנִי־צֶדֶק Josh. 10:1
36-56 וַיְהִי כִּשְׁמֹעַ... Josh. 11:1; 7:15 IK. 5:21; 12:2, 20; 13:4; 14:6; 15:21; 19:13; 20:12; 21:15, 16, 27 • IIK. 5:8; 6:30; 19:1; 22:11 • Is. 37:1 • IICh. 10:2; 16:5; 34:19
57 הַחֵפֶץ לַיְיָ...כִּשְׁמֹעַ בְּקוֹל יְיָ ISh. 15:22

וְכִשְׁמֹעַ
58 וְכִשְׁמֹעַ אָסָא הַדְּבָרִים הָאֵלֶּה IICh. 15:8

לִשְׁמֹעַ
59 וְלֹא תֹאבוּ לִשְׁמֹעַ לִי Lev. 26:21
60 אִם־יֹסְפִים אֲנַחְנוּ לִשְׁמֹעַ Deut. 5:22
61 לֹא אֹסֵף לִשְׁמֹעַ אֶת־קוֹל יְיָ אֱלֹהָי Deut. 18:16
62 וְלֹא־אָבָה...לִשְׁמֹעַ אֶל־בִּלְעָם Deut. 23:6
63 וְעֵינַיִם לִרְאוֹת וְאָזְנַיִם לִשְׁמֹעַ Deut. 29:3
64 לִשְׁמֹעַ בְּקֹלוֹ וּלְדָבְקָה־בוֹ Deut. 30:20
65 לִשְׁמֹעַ יְיָ בְּקוֹל אִישׁ Josh. 10:14
66 וְלֹא אָבִיתִי לִשְׁמֹעַ לְבִלְעָם Josh. 24:10
67 לִשְׁמֹעַ מִצְוֹת־יְיָ Jud. 2:17
68 לִשְׁמֹעַ שְׁרִקוֹת עֲדָרִים Jud. 5:16
69 וְלֹא־אָבוּ הָאֲנָשִׁים לִשְׁמֹעַ Jud. 19:25
70 וְלֹא־אָבוּ...לִשְׁמֹעַ בְּקוֹל אֲחֵיהֶם Jud. 20:13
71 וַיְמָאֲנוּ הָעָם לִשְׁמֹעַ בְּקוֹל שְׁמוּאֵל ISh. 8:19
72 וְלֹא אָבָה לִשְׁמֹעַ בְּקוֹלָהּ IISh. 13:14
73 וְלֹא אָבָה לִשְׁמֹעַ לָהּ IISh. 13:16
74 לִשְׁמֹעַ הַטּוֹב וְהָרָע IISh. 14:17
75 לִשְׁמוֹעַ אֹזֶן יִשָּׁמְעוּ לִי IISh. 22:45
76 וְשָׁאַלְתָּ לְּךָ הָבִין לִשְׁמֹעַ מִשְׁפָּט IK. 3:11
77 לִשְׁמֹעַ אֵת חָכְמַת שְׁלֹמֹה IK. 5:14
78 לִשְׁמֹעַ אֶל־הָרִנָּה וְאֶל־הַתְּפִלָּה IK. 8:28
79/80 לִשְׁמֹעַ אֶל־הַתְּפִלָּה IK. 8:29 • IICh. 6:20
81 לִשְׁמֹעַ אֲלֵיהֶם בְּכֹל קָרְאָם אֵלֶיךָ IK. 8:52
82/3 לִשְׁמֹעַ אֶת־חָכְמָתוֹ IK. 10:24 • IICh. 9:23
84 קִרְבוּ גוֹיִם לִשְׁמֹעַ Is. 34:1
85 יָעִיר לִי אֹזֶן לִשְׁמֹעַ כַּלִּמּוּדִים Is. 50:4
86 אֲשֶׁר מֵאֲנוּ לִשְׁמוֹעַ אֶת־דְּבָרַי Jer. 11:10
87 הַמֵּאֲנִים לִשְׁמוֹעַ אֶת־דְּבָרַי Jer. 13:10
88 לֹא־הִטִּיתֶם אֶת־אָזְנְכֶם לִשְׁמֹעַ Jer. 25:4
89 לִשְׁמֹעַ עַל־דִּבְרֵי עֲבָדַי Jer. 26:5
90 לִשְׁמֹעַ אֶל־דְּבָרָי Jer. 35:13
91 וּבֵית יִשְׂרָאֵל לֹא יֹאבוּ לִשְׁמֹעַ אֵלֶיךָ Ezek. 3:7
92 כִּי־אֵינָם אֹבִים לִשְׁמֹעַ אֵלָי Ezek. 3:7
93 אָזְנַיִם לָהֶם לִשְׁמֹעַ וְלֹא שָׁמֵעוּ Ezek. 12:2
94 וְלֹא אָבוּ לִשְׁמֹעַ אֵלַי Ezek. 20:8
95 כִּי אִם־לִשְׁמֹעַ אֵת דִּבְרֵי יְיָ Am. 8:11
96 לִשְׁמֹעַ אֶנְקַת אָסִיר Ps. 102:21
97 לִשְׁמֹעַ בְּקוֹל דְּבָרוֹ Ps. 103:20
98 חֲדַל־בְּנִי לִשְׁמֹעַ מוּסָר Prov. 19:27
99 וְקָרוֹב לִשְׁמֹעַ מִתֵּת הַכְּסִילִים זָבַח Eccl. 4:17
100 טוֹב לִשְׁמוֹעַ גַּעֲרַת חָכָם Eccl. 7:5
101 לִשְׁמֹעַ אֶל־תְּפִלַּת עַבְדְּךָ Neh. 1:6
102 לִפְנֵי הַקָּהָל...וְכֹל מֵבִין לִשְׁמֹעַ Neh. 8:2
103 וַיְמָאֲנוּ לִשְׁמֹעַ וְלֹא־זָכְרוּ נִפְלְאֹתֶיךָ Neh. 9:17
104 לִשְׁמֹעַ אֶל־הָרִנָּה וְאֶל־הַתְּפִלָּה IICh. 6:19

וְלִשְׁמֹעַ
105 וְלִשְׁמֹר חֻקָּיו...וְלִשְׁמֹעַ בְּקֹלוֹ Deut. 26:17

מִשְּׁמֹעַ
106 נַעֲוֵיתִי מִשְּׁמֹעַ נִבְהַלְתִּי מֵרְאוֹת Is. 21:3
107 אֹטֵם אָזְנוֹ מִשְּׁמֹעַ דָּמִים Is. 33:15
108 עַם עִמְקֵי שָׂפָה מִשְּׁמוֹעַ Is. 33:19
109 וְלֹא־כָבְדָה אָזְנוֹ מִשְּׁמוֹעַ Is. 59:1
110 הִסְתִּירוּ פָנִים מִכֶּם מִשְּׁמוֹעַ Is. 59:2
111 וְאָזְנֵיהֶם הִכְבִּידוּ מִשְּׁמוֹעַ Zech. 7:11
112 וְלִבָּם שָׂמוּ שָׁמִיר מִשְּׁמוֹעַ Zech. 7:12
113 מֵסִיר אָזְנוֹ מִשְּׁמֹעַ תּוֹרָה Prov. 28:9
114 וְלֹא־תִמָּלֵא אֹזֶן מִשְּׁמֹעַ Eccl. 1:8

כְּשָׁמְעִי
115 וַיְהִי כְּשָׁמְעִי אֶת־הַדְּבָרִים הָאֵלֶּה Neh. 1:4

וּכְשָׁמְעִי
116 וּכְשָׁמְעִי אֶת־קוֹל דְּבָרָיו Dan. 10:9
117 וּכְשָׁמְעִי אֶת־הַדָּבָר הַזֶּה Ez. 9:3

בְּשָׁמְעֲךָ
118 וַתִּכָּנַע...בְּשָׁמְעֲךָ אֲשֶׁר דִּבַּרְתִּי IIK. 22:19
119 וַתִּכָּנַע...בְּשָׁמְעֲךָ אֶת־דְּבָרָיו IICh. 34:27

כְּשָׁמְעֲךָ
120 כְּשָׁמְעֲךָ (כת׳ בשמעך) אֶת־קוֹל IISh. 5:24
121 וַיְהִי כְּשָׁמְעֲךָ אֶת־קוֹל הַצְּעָדָה ICh. 14:15

שָׁמְעוֹ
122 וְאִם־הֵנִיא...בְּיוֹם שָׁמְעוֹ Num. 30:6
123 וְשָׁמַע אִישָׁהּ בְּיוֹם שָׁמְעוֹ Num. 30:8
124 וְאִם־הָפֵר יָפֵר...בְּיוֹם שָׁמְעוֹ Num. 30:13
125 כִּי־הֶחֱרִשׁ לָהּ בְּיוֹם שָׁמְעוֹ Num. 30:15
126 וְאִם־הָפֵר יָפֵר אֹתָם אַחֲרֵי שָׁמְ׳ Num. 30:16

בְּשָׁמְעוֹ
127 בְּשָׁמְעוֹ אֶת־תְּלֻנֹּתֵיכֶם עַל־יְיָ Ex. 16:7
128 וְהָיָה בְּשָׁמְעוֹ אֶת־דִּבְרֵי הָאָלָה Deut. 29:18
129 וַיַּרְא...בְּשָׁמְעוֹ אֶת־רִנָּתָם Ps. 106:44

כְּשָׁמְעוֹ
130 וַיְהִי כְשָׁמְעוֹ כִּי־הֲרִימֹתִי קוֹלִי Gen. 39:15
131 כְּשָׁמְעוֹ (כת׳ בשמעו) אֶת־הַדְּבָרִים ISh. 11:6

וּכְשָׁמְעוֹ
132 וּכְשָׁמְעוֹ אֶת־דִּבְרֵי רִבְקָה אֲחֹתוֹ Gen. 24:30

כְּשָׁמְעָתוֹ
133 יָחְנְךָ לְקוֹל זַעֲקֶךָ כְּשָׁמְעָתוֹ עָנָךְ Is. 30:19

כְּשָׁמְעֲכֶם
134 וַיְהִי כְּשָׁמְעֲכֶם אֶת־הַקּוֹל... Deut. 5:20
135 וְהָיָה...כְּשָׁמְעֲכֶם (כת׳ בשמעכם) אֶת־קוֹל הַשּׁוֹפָר Josh. 6:5
136 כְּשָׁמְעֲכֶם אֶת־קוֹל הַשֹּׁפָר IISh. 15:10

בְּשָׁמְעָם
137 בְּשָׁמְעָם כִּי נִלְחַם יְיָ עִם אוֹיְבֵי יִשְׂ׳ IICh. 20:29

כְּשָׁמְעָם
138 וּבְנֵי יַעֲקֹב בָּאוּ מִן־הַשָּׂדֶה כְּשָׁמְעָם Gen. 34:7
139 וַיְהִי כְּשָׁמְעָם אֶת־כָּל־הַדְּבָרִים Jer. 36:16
140 כְּשָׁמְעָם אֶת־דִּבְרֵי הַתּוֹרָה Neh. 8:9
141 וַיְהִי כְּשָׁמְעָם אֶת־הַתּוֹרָה Neh. 13:3

שָׁמַעְתִּי
142 אֶת־קֹלְךָ שָׁמַעְתִּי בַּגָּן Gen. 3:10
143 וְגַם אָנֹכִי לֹא שָׁמַעְתִּי בִּלְתִּי הַיּוֹם Gen. 21:26
144 הִנֵּה שָׁמַעְתִּי אֶת־אָבִיךָ מְדַבֵּר Gen. 27:6
145 כִּי שָׁמַעְתִּי אֹמְרִים נֵלְכָה דֹּתָיְנָה Gen. 37:17
146 וַאֲנִי שָׁמַעְתִּי עָלֶיךָ לֵאמֹר Gen. 41:15
147 הִנֵּה שָׁמַעְתִּי כִּי יֶשׁ־שֶׁבֶר בְּמִצְרָיִם Gen. 42:2
148 וְאֶת־צַעֲקָתָם שָׁמַעְתִּי מִפְּנֵי נֹגְשָׂיו Ex. 3:7
149 וְגַם אֲנִי שָׁמַעְתִּי אֶת־נַאֲקַת בְּ״יִ Ex. 6:5
150 שָׁמַעְתִּי אֶת־תְּלוּנֹּת בְּ״יִ Ex. 16:12
151 שָׁמַעְתִּי אֶת־קוֹל דִּבְרֵי הָעָם הַזֶּה Deut. 5:25
152 שָׁמַעְתִּי בְּקוֹל יְיָ אֱלֹהָי Deut. 26:14
153 הִנֵּה שָׁמַעְתִּי בְקֹלְכֶם ISh. 12:1
154 אֲשֶׁר שָׁמַעְתִּי בְּקוֹל יְיָ ISh. 15:20
155 וְעַתָּה שָׁמַעְתִּי כִּי גֹזְזִים לָךְ ISh. 25:7
156 רְאִי שָׁמַעְתִּי בְקוֹלֵךְ ISh. 25:35
157 שָׁמַעְתִּי אֵת אֲשֶׁר־שָׁלַחְתָּ אֵלָי IK. 5:22
158 שָׁמַעְתִּי אֶת־תְּפִלָּתְךָ IK. 9:3
159 אֱמֶת הָיָה הַדָּבָר אֲשֶׁר שָׁמַעְתִּי IK. 10:6
160/1 שָׁמַעְתִּי אֶת־תְּפִלָּתֶךָ IIK. 20:5 • Is. 38:5
162 וַתִּבְכֶּה לְפָנָי וְגַם־אָנֹכִי שָׁמַעְתִּי IIK. 22:19
163 אֲשֶׁר שָׁמַעְתִּי מֵאֵת יְיָ...הִגַּדְתִּי Is. 21:10
164 כָלָה וְנֶחֱרָצָה שָׁמַעְתִּי מֵאֵת אֲדֹנָי Is. 28:22
165 קוֹל כְּחוֹלָה שָׁמַעְתִּי Jer. 4:31
166 כִּי שָׁמַעְתִּי דִּבַּת רַבִּים Jer. 20:10
167 שָׁמַעְתִּי אֵת אֲשֶׁר־אָמְרוּ הַנְּבִאִים Jer. 23:25
168 שָׁמוֹעַ שָׁמַעְתִּי אֶפְרַיִם מִתְנוֹדֵד Jer. 31:18(17)
169 וַיֹּאמֶר אֲלֵיהֶם...שָׁמַעְתִּי Jer. 42:4
170 שְׁמוּעָה שָׁמַעְתִּי מֵאֵת יְיָ Jer. 49:14
171 שָׁמַעְתִּי אֶת־כָּל־נָאָצוֹתֶיךָ Ezek. 35:12
172 יְיָ שָׁמַעְתִּי שִׁמְעֲךָ יָרֵאתִי Hab. 3:2
173 שָׁמַעְתִּי וַתִּרְגַּז בִּטְנִי Hab. 3:16
174 שָׁמַעְתִּי חֶרְפַּת מוֹאָב Zep. 2:8
175 כִּי שָׁמַעְתִּי דִּבַּת רַבִּים Ps. 31:14
176 וְלֹא־שָׁמַעְתִּי בְּקוֹל מוֹרָי Prov. 5:13
177 שָׁמַעְתִּי כָאֵלֶּה רַבּוֹת Job 16:2

שָׁמַעְתִּי (המשך) 178 וַאֲנִי שָׁמַעְתִּי וְלֹא אָבִין Dan. 12:8
179 כַּאֲשֶׁר שָׁמַעְתִּי אֶת־זַעֲקָתָם Neh. 5:6
180 שָׁמַעְתִּי אֶת־תְּפִלָּתֶךָ IICh. 7:12
181 אֱמֶת הַדָּבָר אֲשֶׁר שָׁמַעְתִּי בְּאַרְצִי IICh. 9:5
182 וַתֵּבְךְּ לְפָנַי וְגַם־אֲנִי שָׁמַעְתִּי IICh. 34:27
שָׁמָעְתִּי 183 אֶת־תְּלֻנּוֹת בְּ״יִ...שָׁמָעְתִּי Num. 14:27
184 וַתֹּאמֶר אֵלַי טוֹב הַדָּבָר שָׁמָעְתִּי IK. 2:42
185 הוֹסַפְתָּ...אֶל־הַשְּׁמוּעָה אֲשֶׁר שָׁמָעְ׳ IK. 10:7
186 אֲשֶׁר הִתְפַּלַּלְתָּ אֵלַי...שָׁמָעְתִּי IIK. 19:20
187 וְהַעְתַּרְתֶּם...דִּבְרֵיכֶם אֲנִי שָׁמָעְתִּי Ezek. 35:13
188 אַחַת דִּבֶּר אֱלֹ׳ שְׁתַּיִם־זוּ שָׁמָעְתִּי Ps. 62:12
189 יָסַפְתָּ עַל־הַשְּׁמוּעָה אֲשֶׁר שָׁמָעְתִּי IICh. 9:6
וְשָׁמַעְתִּי 190 וְהָיָה כִּי־יִצְעַק אֵלַי וְשָׁמַעְתִּי Ex. 22:26
191 וְהִתְפַּלַּלְתֶּם...וְשָׁמַעְתִּי אֲלֵיכֶם Jer. 29:12
שְׁמַעְתִּיךָ 192 וּלְיִשְׁמָעֵאל שְׁמַעְתִּיךָ Gen. 17:20
193 לְשֵׁמַע־אֹזֶן שְׁמַעְתִּיךָ Job 42:5
וּשְׁמַעְתִּיו 194 וְהַדָּבָר...תַּקְרִבוּן אֵלַי וּשְׁמַעְתִּיו Deut. 1:17
שָׁמַעְתָּ 195 כִּי שָׁמַעְתָּ לְקוֹל אִשְׁתֶּךָ Gen. 3:17
196 עֵקֶב אֲשֶׁר שָׁמַעְתָּ בְּקֹלִי Gen. 22:18
197 וְהִנֵּה לֹא־שָׁמַעְתָּ עַד־כֹּה Ex. 7:16
198 הֲשָׁמַע...כַּאֲשֶׁר־שָׁמַעְתָּ אַתָּה וַיֶּחִי Deut. 4:33
199 וּדְבָרָיו שָׁמַעְתָּ מִתּוֹךְ הָאֵשׁ Deut. 4:36
200 אֲשֶׁר אַתָּה יָדַעְתָּ וְאַתָּה שָׁמַעְתָּ... Deut. 9:2
201/2 לֹא שָׁמַעְתָּ בְּקוֹל יְיָ אֱלֹהֶיךָ Deut. 28:45, 62
203 כִּי־אַתָּה שָׁמַעְתָּ...כִּי־עֲנָקִים שָׁם Josh. 14:12
204-206 לֹא־שָׁמַעְתָּ בְּקוֹל יְיָ ISh. 15:19
28:18 • IK. 20:36
207 אַל־תִּירָא מִפְּנֵי הַדְּבָרִים אֲשֶׁר שָׁמַעְתָּ IIK. 19:6
208 הִנֵּה אַתָּה שָׁמַעְתָּ אֵת אֲשֶׁר עָשׂוּ IIK. 19:11
209 הֲלֹא־שָׁמַעְתָּ לְמֵרָחוֹק אֹתָהּ עָשִׂיתִי IIK. 19:25
210 מִפְּנֵי הַדְּבָרִים אֲשֶׁר שָׁמַעְתָּ Is. 37:6
211 הִנֵּה אַתָּה שָׁמַעְתָּ אֲשֶׁר עָשׂוּ Is. 37:11
212 הֲלוֹא־שָׁמַעְתָּ לְמֵרָחוֹק Is. 37:26
213 הֲלוֹא יָדַעְתָּ אִם־לֹא שָׁמַעְתָּ Is. 40:28
214 שָׁמַעְתָּ חֲזֵה כֻּלָּהּ Is. 48:6
215 גַּם לֹא־שָׁמַעְתָּ גַּם לֹא יָדַעְתָּ Is. 48:8
216 מִבֶּטֶן שְׁאוֹל שִׁוַּעְתִּי שָׁמַעְתָּ קוֹלִי Jon. 2:3
217 תַּאֲוַת עֲנָוִים שָׁמַעְתָּ יְיָ Ps. 10:17
218 אָכֵן שָׁמַעְתָּ קוֹל תַּחֲנוּנַי Ps. 31:23
219 כִּי־אַתָּה אֱלֹהִים שָׁמַעְתָּ לִנְדָרָי Ps. 61:6
220 שָׁמַעְתָּ חֶרְפָּתָם יְיָ Lam. 3:61
221 וְאֶת־זַעֲקָתָם שָׁמַעְתָּ עַל־יַם־סוּף Neh. 9:9
222 וְלֹא שָׁמַעְתָּ לַעֲצָתִי IICh. 25:16
שָׁמָעְתָּ 223/4 הַדְּבָר׳ אֲשֶׁר שָׁ׳ IIK. 22:18 • IICh. 34:26
225 קוֹלִי שָׁמָעְתָּ אַל־תַּעְלֵם אָזְנְךָ Lam. 3:56
וְשָׁמַעְתָּ 226/7 וְשַׁבְתָּ עַד־יְיָ...וְשָׁמַעְתָּ בְקֹלוֹ Deut.4:30;30:2
228 וְשָׁמַעְתָּ יִשְׂרָאֵל וְשָׁמַרְתָּ לַעֲשׂוֹת Deut. 6:3
229 וְשָׁמַעְתָּ אֵת כָּל־הַדְּבָרִים הָאֵלֶּה Deut. 12:28
230 וְשָׁמַעְתָּ בְּקוֹל יְיָ אֱלֹהֶיךָ Deut. 27:10
231 וְאַתָּה תָשׁוּב וְשָׁמַעְתָּ בְּקוֹל יְיָ Deut. 30:8
232 וְשָׁמַעְתָּ מַה־יְּדַבֵּרוּ Jud. 7:11
233 וְשָׁמַעְתָּ אֶל־תְּחִנַּת עַבְדְּךָ IK. 8:30
234 וְשָׁמַעְתָּ וְסָלָחְתָּ IK. 8:30
235/6 וְשָׁמַעְתָּ הַשָּׁמַיִם(...)אֶת־תְּפִלָּתָם IK. 8:45,49
237/8 וְשָׁמַעְתָּ מִפִּי דָּבָר וְהִזְהַרְתָּ Ezek. 3:17; 33:7
239 וְשָׁמַעְתָּ אֶל־תַּחֲנוּנֵי עַבְדְּךָ IICh. 6:21
240 וְשָׁמַעְתָּ וְסָלָחְתָּ IICh. 6:21
241/2 וְשָׁמַעְתָּ מִן־הַשָּׁמַיִם...תְּפִלָּתָם IICh.6:35,39
וְשָׁמָעְתָּ 243 וְהֻגַּד־לְךָ וְשָׁמָעְתָּ Deut. 17:4
שְׁמַעְתָּם 244 וְלִפְנֵי־יוֹם וְלֹא שְׁמַעְתָּם Is. 48:7
שָׁמַעַתְּ 245 הֲלוֹא שָׁמַעַתְּ כִּי מָלַךְ אֲדֹנִיָּהוּ IK. 1:11
246 קוֹל שׁוֹפָר שָׁמַעַתְּ(כ׳ שמעתי) נַפְשִׁי Jer. 4:19

247 כִּי לֹא־שָׁמַעַתְּ בְּקוֹלִי Jer. 22:21
248 הֲלוֹא שָׁמַעַתְּ בִּתִּי אַל־תֵּלְכִי Ruth 2:8
שָׁמַע 249 כִּי־שָׁמַע יְיָ אֶל־עָנְיֵךְ Gen. 16:11
250 כִּי־שָׁמַע אֱלֹהִים אֶל־קוֹל הַנַּעַר Gen. 21:17
251 וַיְהִי כַּאֲשֶׁר שָׁמַע..אֶת־דִּבְרֵיהֶם Gen. 24:52
252 עֵקֶב אֲשֶׁר־שָׁמַע אַבְרָהָם בְּקֹלִי Gen. 26:5
253 שָׁמַע יְיָ כִּי־שְׂנוּאָה אָנֹכִי Gen. 29:33
254 דָּנַנִּי אֱלֹהִים וְגַם שָׁמַע בְּקֹלִי Gen. 30:6
255 וְיַעֲקֹב שָׁמַע כִּי טִמֵּא אֶת־דִּינָה Gen. 34:5
256 וְלֹא־שָׁמַע אֵלֶיהָ לִשְׁכַּב אֶצְלָהּ Gen. 39:10
257-271 (וְ)לֹא שָׁמַע אֲלֵיהֶם (אֶל־, אֵלַי וכו׳)
Ex. 7:13, 22; 8:11, 15; 9:12 • Deut. 3:26 • Jud. 11:28
• IIK. 12:15, 16 • Jer. 36:25; 37:2, 14 • Es. 3:4 •
IICh. 10:15; 35:22
272 כִּי שָׁמַע אֶת תְּלֻנֹּתֵיכֶם Ex. 16:9
273 וְלֹא־שָׁמַע יְיָ בְּקֹלְכֶם Deut. 1:45
274 אֲשֶׁר שָׁמַע קוֹל אֱלֹהִים חַיִּים Deut. 5:23
275 וְלֹא שָׁמַע מֶלֶךְ אֱדוֹם Jud. 11:17
276 וְיוֹנָתָן לֹא־שָׁמַע בְּהַשְׁבִּיעַ אָבִיו ISh. 14:27
277 שָׁמֹעַ שָׁמַע עַבְדְּךָ ISh. 23:10
278 הֲיֵרֵד שָׁאוּל כַּאֲשֶׁר שָׁמַע עַבְדֶּךָ ISh. 23:11
279 וְלֹא־שָׁמַע בְּקוֹלֵנוּ IISh. 12:18
280 שָׁמַע אֵת כָּל־הַדְּבָרִים הָאֵלֶּה IISh. 13:21
281 כִּי־שָׁמַע הָעָם בַּיּוֹם הַהוּא לֵאמֹר IISh. 19:3
282 כִּי שָׁמַע כִּי אֹתוֹ מָשְׁחוּ לְמֶלֶךְ IK. 5:15
283 וַהֲדַד שָׁמַע בְּמִצְרַיִם IK. 11:21
284 וְלֹא־שָׁמַע אֲמַצְיָהוּ IIK. 14:11
285 וְהוֹכִיחַ בַּדְּבָרִים אֲשֶׁר שָׁמַע יְיָ IIK. 19:4
286 כִּי שָׁמַע כִּי נָסַע מִלָּכִישׁ IIK. 19:8
287 כִּי שָׁמַע כִּי חָלָה חִזְקִיָּהוּ IIK. 20:12
288 וְהוֹכִיחַ בַּדְּבָרִים אֲשֶׁר שָׁמַע יְיָ Is. 37:4
289 כִּי שָׁמַע כִּי נָסַע מִלָּכִישׁ Is. 37:8
290 מִי־שָׁמַע כָּזֹאת מִי רָאָה כָּאֵלֶּה Is. 66:8
291 שַׁאֲלוּ־נָא בַּגּוֹיִם מִי שָׁמַע כָּאֵלֶּה Jer. 18:13
292 וְלֹא־שָׁמַע יוֹחָנָן...בְּקוֹל יְיָ Jer. 43:4
293 שָׁמַע מֶלֶךְ־בָּבֶל אֶת־שִׁמְעָם Jer. 50:43
294 אֵת קוֹל הַשּׁוֹפָר שָׁמַע Ezek. 33:5
295 כִּי־שָׁמַע יְיָ קוֹל בִּכְיִי Ps. 6:9
296 שָׁמַע יְיָ תְּחִנָּתִי Ps. 6:10
297 כִּי־שָׁמַע קוֹל תַּחֲנוּנָי Ps. 28:6
298 אָכֵן שָׁמַע אֱלֹהִים Ps. 66:19
299 לָכֵן שָׁמַע יְיָ וַיִּתְעַבָּר Ps. 78:21
300 שָׁמַע אֱלֹהִים וַיִּתְעַבָּר Ps. 78:59
301 וְלֹא־שָׁמַע עַמִּי לְקוֹלִי Ps. 81:12
302 וְלֵץ לֹא־שָׁמַע גְּעָרָה Prov. 13:1
303 וְרָשׁ לֹא־שָׁמַע גְּעָרָה Prov. 13:8
304/5 וַיְהִי כַּאֲשֶׁר שָׁמַע סַנְבַלַּט Neh. 3:33; 4:1
306 כִּי לֹא־שָׁמַע הַמֶּלֶךְ לָהֶם IICh. 10:16
307 אָז שָׁמַע הַמֶּלֶךְ אֲלֵיהֶם IICh. 24:17
308 וְלֹא־שָׁמַע אֲמַצְיָהוּ IICh. 25:20
שָׁמֵעַ 309 אֵת כָּל־הַדְּבָרִים אֲשֶׁר שָׁמֵעַ Jer. 36:13
310 וּבְשַׁוְּעוֹ אֵלָיו שָׁמֵעַ Ps. 22:25
311 זֶה עָנִי קָרָא וַיְיָ שָׁמֵעַ Ps. 34:7
312 צָעֲקוּ וַיְיָ שָׁמֵעַ Ps. 34:18
הֲשָׁמַע 313 הֲשָׁמַע עָם קוֹל אֱלֹהִים מְדַבֵּר Deut. 4:33
וְשָׁמַע 314 וְשָׁמַע אָבִיהָ אֶת־נִדְרָהּ Num. 30:5
315 וְשָׁמַע אִישָׁהּ בְּיוֹם שָׁמְעוֹ Num. 30:8
316 וְשָׁמַע אִישָׁהּ וְהֶחֱרִשׁ לָהּ Num. 30:12
317 וְשָׁמַע אֵת כָּל־אֲשֶׁר יַעֲשׂוּן בָּנָיו ISh. 2:22
318 וְשָׁמַע שָׁאוּל וַהֲרָגָנִי ISh. 16:2
319 וְשָׁמַע כָּל־יִשְׂרָאֵל כִּי־נִבְאַשְׁתָּ IISh. 16:21
320 וְשָׁמַע הַשֹּׁמֵעַ וְאָמַר IISh. 17:9

וְשָׁמַע (המשך) 321 וְשָׁמַע שְׁמוּעָה וְשָׁב לְאַרְצוֹ IIK. 19:7
322 וְשָׁמַע שְׁמוּעָה וְשָׁב אֶל־אַרְצוֹ Is. 37:7
323 וְשָׁמַע זְעָקָה בַּבֹּקֶר Jer. 20:16
324 וְשָׁמַע הַשֹּׁמֵעַ אֶת־קוֹל הַשּׁוֹפָר Ezek. 33:4
שָׁמְעָה 325 כִּי־הִיא שָׁמְעָה אֵת כָּל־אִמְרֵי יְיָ Josh. 24:27
326 הִנֵּה שָׁמְעָה שִׁפְחָתְךָ בְּקוֹלֶךָ ISh. 28:21
327 וְאִיזֶבֶל שָׁמְעָה וַתָּשֶׂם בַּפּוּךְ עֵינֶיהָ IIK. 9:30
328 לֹא שָׁמְעָה בְּקוֹל לֹא לָקְחָה מוּסָר Zep. 3:2
329 שָׁמְעָה וַתִּשְׂמַח צִיּוֹן Ps. 97:8
330 שָׁמְעָה אָזְנִי וַתָּבֶן לָהּ Job 13:1
331 אֹזֶן שָׁמְעָה וַתְּאַשְּׁרֵנִי Job 29:11
332 כִּי שָׁמְעָה בִּשְׂדֵה מוֹאָב Ruth 1:6
333 שָׁמְעָה אֶת־שֵׁמַע שְׁלֹמֹה IICh. 9:1
וְשָׁמְעָה 334 וְשָׁמְעָה קוֹל אָלָה וְהוּא עֵד Lev. 5:1
שָׁמַעְנוּ 335 וְאֶת־קֹלוֹ שָׁמַעְנוּ מִתּוֹךְ הָאֵשׁ Deut. 5:21
336 כְּכֹל אֲשֶׁר־שָׁמַעְנוּ אֶל־מֹשֶׁה Josh. 1:17
337 שָׁמַעְנוּ אֵת אֲשֶׁר־הוֹבִישׁ יְיָ Josh. 2:10
338 כִּי־שָׁמַעְנוּ שָׁמְעוֹ Josh. 9:9
339 בְּכֹל אֲשֶׁר־שָׁמַעְנוּ בְּאָזְנֵינוּ IISh. 7:22
340 הִנֵּה־נָא שָׁמַעְנוּ... IK. 20:31
341 שָׁמַעְנוּ גְאוֹן־מוֹאָב גֵּא מְאֹד Is. 16:6
342 מִכְּנַף הָאָרֶץ זְמִרֹת שָׁמַעְנוּ Is. 24:16
343 וְלֹא־שָׁמַעְנוּ בְּקוֹל יְיָ אֱלֹהֵינוּ Jer. 3:25
344 שָׁמַעְנוּ אֶת־שָׁמְעוֹ רָפוּ יָדֵינוּ Jer. 6:24
345 שָׁמַעְנוּ גְאוֹן־מוֹאָב גֵּאֶה מְאֹד Jer. 48:29
346 בֹּשְׁנוּ כִּי־שָׁמַעְנוּ חֶרְפָּה Jer. 51:51
347 שְׁמוּעָה שָׁמַעְנוּ מֵאֵת יְיָ Ob. 1
348 כִּי שָׁמַעְנוּ אֱלֹהִים עִמָּכֶם Zech. 8:23
349 אֱלֹהִים בְּאָזְנֵינוּ שָׁמַעְנוּ Ps. 44:2
350 כַּאֲשֶׁר שָׁמַעְנוּ כֵּן רָאִינוּ Ps. 48:9
351 אֲשֶׁר שָׁמַעְנוּ וַנֵּדָעֵם Ps. 78:3
352 בְּאָזְנֵינוּ שָׁמַעְנוּ שִׁמְעָהּ Job 28:22
353 וְלֹא שָׁמַעְנוּ אֶל־עֲבָדֶיךָ הַנְּבִיאִים Dan. 9:6
354 וְלֹא שָׁמַעְנוּ בְּקוֹל יְיָ אֱלֹהֵינוּ Dan. 9:10
355 וְלֹא שָׁמַעְנוּ בְּקֹלוֹ Dan. 9:14
356 בְּכֹל אֲשֶׁר־שָׁמַעְנוּ בְּאָזְנֵינוּ ICh. 17:20
שָׁמָעְנוּ 357 בְּהִתְחַנְנוֹ אֵלֵינוּ וְלֹא שָׁמָעְנוּ Gen. 42:21
358 קוֹל חֲרָדָה שָׁמָעְנוּ Jer. 30:5
וְשָׁמַעְנוּ 359 וְשָׁמַעְנוּ וְעָשִׂינוּ Deut. 5:24
שְׁמַעֲנוּהָ 360 הִנֵּה־שְׁמַעֲנוּהָ בְאֶפְרָתָה Ps. 132:6
שְׁמַעְתֶּם 361 אָמַרְתִּי אֲלֵיכֶם...וְלֹא שְׁמַעְתֶּם Gen. 42:22
362 וָאֲדַבֵּר אֲלֵיכֶם וְלֹא שְׁמַעְתֶּם Deut. 1:43
363 וְלֹא שְׁמַעְתֶּם בְּקֹלוֹ Deut. 9:23
364-368 וְלֹא שְׁמַעְתֶּם בְּקוֹל... Jud. 2:2; 6:10
Jer. 40:3; 42:21; 44:23
369 הוּא הַקּוֹל אֲשֶׁר שְׁמַעְתֶּם IK. 1:45
370 יַעַן...דִּבַּרְתִּי וְלֹא שְׁמַעְתֶּם Is. 65:12
371 וּבְקוֹלִי לֹא־שְׁמַעְתֶּם Jer. 3:13
372/3 וָאֲדַבֵּר אֲלֵיכֶם..וְלֹא שְׁמַעְתֶּם Jer. 7:13; 25:3
374/5 הַשְׁכֵּם וְשָׁלֹחַ וְלֹא שְׁמַעְתֶּם Jer. 25:4; 29:19
376 וְלֹא־שְׁמַעְתֶּם אֵלַי..לְמַעַן הַכְעִיסֵנִי Jer. 25:7
377 יַעַן אֲשֶׁר לֹא־שְׁמַעְתֶּם אֶת־דְּבָרָי Jer. 25:8
378 וְהַשְׁכֵּם וְשָׁלֹחַ וְלֹא שְׁמַעְתֶּם Jer. 26:5
379 כַּאֲשֶׁר שְׁמַעְתֶּם בְּאָזְנֵיכֶם Jer. 26:11
380 אֵת כָּל־הַדְּבָרִים אֲשֶׁר שְׁמַעְתֶּם Jer. 26:12
381 אַתֶּם לֹא־שְׁמַעְתֶּם אֵלַי Jer. 34:17
382/3 וְלֹא שְׁמַעְתֶּם אֵלָי Jer. 35:14, 15
384 אֲשֶׁר שְׁמַעְתֶּם עַל־מִצְוַת יְהוֹנָדָב Jer. 35:18
וּשְׁמַעְתֶּם 385 וַעֲבַדְתֶּם אֹתוֹ וּשְׁמַעְתֶּם בְּקֹלוֹ ISh. 12:14
386 אִם־תֹּאבוּ וּשְׁמַעְתֶּם Is. 1:19
שָׁמְעוּ 387 כִּי שָׁמְעוּ כִּי־שָׁם יֹאכְלוּ לָחֶם Gen. 43:25
388/9 וְלֹא(־)שָׁמְעוּ אֶל־מֹשֶׁה Ex. 6:9; 16:20

שָׁמְעוּ (המשך)

390-395 (ו)לֹא שָׁמְעוּ אֶל־... Ex. 6:12

Jer. 7:26; 29:19; 34:14; 35:16 • Neh. 9:16

396 שָׁמְעוּ עַמִּים יִרְגָּזוּן Ex. 15:14

397 שָׁמְעוּ כִּי־אַתָּה יְיָ בְּקֶרֶב הָעָם Num. 14:14

398 אֲשֶׁר־שָׁמְעוּ אֶת־שִׁמְעֲךָ Num. 14:15

399 וְלֹא שָׁמְעוּ בְּקוֹלִי Num. 14:22

400-406 (ו)לֹא שָׁמְעוּ בְּקוֹל... Josh.5:6 • IIK.18:12

• Jer. 7:28; 9:12; 32:23; 43:7 • Ps. 106:25

407 וְיֹשְׁבֵי גִבְעוֹן שָׁמְעוּ Josh. 9:3

408 וְלֹא שָׁמְעוּ לְקוֹלִי Jud. 2:20

409 וְכָל־יִשְׂרָאֵל שָׁמְעוּ לֵאמֹר ISh. 13:4

410 שָׁמְעוּ כִּי־נָסוּ פְלִשְׁתִּים ISh. 14:22

411 וְכָל־הָעָם שָׁמְעוּ בְּצַוֺּת הַמֶּלֶךְ IISh. 18:5

412 אֲשֶׁר שָׁמְעוּ אֶת־חָכְמָתוֹ IK. 5:14

413 וְכָל־מוֹאָב שָׁמְעוּ כִּי־עָלוּ הַמְּלָכִים IIK. 3:21

414 וְלֹא שָׁמְעוּ וְלֹא עָשׂוּ IIK. 18:12

415 עַל אֲשֶׁר לֹא־שָׁמְעוּ אֲבֹתֵינוּ IIK. 22:13

416 וְלֹא שָׁמְעוּ בְּתוֹרָתוֹ Is. 42:24

417 וַאֲשֶׁר לֹא־שָׁמְעוּ הִתְבּוֹנָנוּ Is. 52:15

418 וּמֵעוֹלָם לֹא־שָׁמְעוּ לֹא הֶאֱזִינוּ Is. 64:3

419 אֲשֶׁר לֹא־שָׁמְעוּ אֶת־שִׁמְעִי Is. 66:19

420-423 וְלֹא שָׁמְעוּ וְלֹא־הִטּוּ אֶת־אָזְנָם

Jer. 7:24; 11:8; 17:23; 44:5

424 וְלֹא שָׁמְעוּ קוֹל מִקְנֶה Jer. 9:9

425 כִּי שָׁמְעוּ אֵת מִצְוַת אֲבִיהֶם Jer. 35:14

426 שָׁמְעוּ כִּי־נָתַן...שְׁאֵרִית לִיהוּדָה Jer. 40:11

427 שָׁמְעוּ גוֹיִם קְלוֹנֵךְ Jer. 46:12

428 כִּי־שְׁמֻעָה רָעָה שָׁמְעוּ נָמֹגוּ Jer. 49:23

429 יִמְאָסֵם אֱלֹהַי כִּי לֹא שָׁמְעוּ לוֹ Hosh. 9:17

430 וְלֹא שָׁמְעוּ וְלֹא־הִקְשִׁיבוּ אֵלַי Zech. 1:4

431 כִּי־שָׁמְעוּ אִמְרֵי־פִיךָ Ps. 138:4

432 לֹא שָׁמְעוּ קוֹל נֹגֵשׂ Job 3:18

433 לִי־שָׁמְעוּ וְיִחֵלּוּ Job 29:21

434 שָׁמְעוּ כִּי־נֶאֱנָחָה אָנִי Lam. 1:21

435 כָּל־אֹיְבַי שָׁמְעוּ רָעָתִי שָׂשׂוּ Lam. 1:21

436 אֲשֶׁר שָׁמְעוּ אֶת־דְּבַר הַמַּלְכָּה Es. 1:18

437 וַיְהִי כַּאֲשֶׁר שָׁמְעוּ אוֹיְבֵינוּ Neh. 4:9

438 וַיְהִי כַּאֲשֶׁר שָׁמְעוּ כָּל־אוֹיְבֵינוּ Neh. 6:16

439 וְלֹא־שָׁמְעוּ לְמִצְוֺתֶיךָ Neh. 9:29

שָׁמֵעוּ

440 וְגַם אֶל־שֹׁפְטֵיהֶם לֹא שָׁמֵעוּ Jud. 2:17

441-444 וְלֹא שָׁמֵעוּ IIK.17:14,40; 21:9 • Jer.13:11

445 יַעַן...דִּבַּרְתִּי וְלֹא שָׁמֵעוּ Is. 66:4

446/7 דִּבַּרְתִּי אֲלֵיהֶם וְלֹא שָׁמֵעוּ Jer. 35:17; 36:31

448 צָרֵי צַעֲקַת־שֶׁבֶר שָׁמֵעוּ Jer. 48:5

449 אָזְנַיִם לָהֶם לִשְׁמֹעַ וְלֹא שָׁמֵעוּ Ezek. 12:2

450 אֶת־הַגּוֹיִם אֲשֶׁר לֹא שָׁמֵעוּ Mic. 5:14

451 וַיְהִי כַּאֲשֶׁר־קָרָא וְלֹא שָׁמֵעוּ Zech. 7:13

452 וְעָרְפָּם הִקְשׁוּ וְלֹא שָׁמֵעוּ Neh. 9:29

וְשָׁמְעוּ

453 וְשָׁמְעוּ לְקֹלֶךָ Ex. 3:18

454 וְשָׁמְעוּ מִצְרַיִם כִּי־הֶעֱלִיתָ... Num. 14:13

455 וְשָׁמְעוּ...הַחֵרְשִׁים דִּבְרֵי־סֵפֶר Is. 29:18

456/7 וְשָׁמְעוּ אֶת־דְּבָרֶיךָ Ezek. 33:31, 32

458 וְשָׁמְעוּ אֲמָרַי כִּי נָעֵמוּ Ps. 141:6

שׁוֹמֵעַ

459 וְהֵם לֹא יָדְעוּ כִּי שֹׁמֵעַ יוֹסֵף Gen. 42:23

460 קוֹל עַנּוֹת אָנֹכִי שֹׁמֵעַ Ex. 32:18

461/2 נְאֻם שֹׁמֵעַ אִמְרֵי־אֵל Num. 24:4, 16

463 אֵינֶנּוּ שֹׁמֵעַ בְּקוֹל אָבִיו Deut. 21:18

464 אֵינֶנּוּ שֹׁמֵעַ בְּקֹלֵנוּ Deut. 21:20

465 יְיָ יִהְיֶה שֹׁמֵעַ בֵּינוֹתֵינוּ Jud. 11:10

466 אָנֹכִי שֹׁמֵעַ אֶת־דִּבְרֵיכֶם רָעִים ISh. 2:23

467 הַשְּׁמֻעָה אֲשֶׁר אָנֹכִי שֹׁמֵעַ ISh. 2:24

468 דַּבֵּר יְיָ כִּי שֹׁמֵעַ עַבְדֶּךָ ISh. 3:9

שׁוֹמֵעַ (המשך)

469 דַּבֵּר כִּי שֹׁמֵעַ עַבְדֶּךָ ISh. 3:10

470 וְקוֹל הַבָּקָר אֲשֶׁר אָנֹכִי שֹׁמֵעַ ISh. 15:14

471 וַיֹּאמֶר שֹׁמֵעַ אָנֹכִי IISh. 20:17

472 וְנָתַתָּ לְעַבְדְּךָ לֵב שֹׁמֵעַ IK. 3:9

473 כִּי־תַרְבּוּ תְפִלָּה אֵינֶנִּי שֹׁמֵעַ Is. 1:15

474 אַף אֵין־שֹׁמֵעַ אִמְרֵיכֶם Is. 41:26

475 יְרֵא יְיָ שֹׁמֵעַ בְּקוֹל עַבְדּוֹ Is. 50:10

476 כִּי־אֵינֶנִּי שֹׁמֵעַ אֹתָךְ Jer. 7:16

477 כִּי אֵינֶנִּי שֹׁמֵעַ בְּעֵת קָרְאָם אֵלַי Jer. 11:14

478 אֵינֶנִּי שֹׁמֵעַ אֶל־רִנָּתָם Jer. 14:12

479 וָאֱהִי כְּאִישׁ אֲשֶׁר לֹא־שֹׁמֵעַ Ps. 38:15

480 כִּי־מִי שֹׁמֵעַ Ps. 59:8

481 שֹׁמֵעַ תְּפִלָּה עָדֶיךָ כָּל־בָּשָׂר יָבֹאוּ Ps. 65:3

482 כִּי־שֹׁמֵעַ אֶל־אֶבְיוֹנִים יְיָ Ps. 69:34

483 לוּ עַמִּי שֹׁמֵעַ לִי Ps. 81:14

484 אַשְׁרֵי־אָדָם שֹׁמֵעַ לִי Prov. 8:34

485 וְאִישׁ שׁוֹמֵעַ לָנֶצַח יְדַבֵּר Prov. 21:28

486 פֶּן־יְחַסֶּדְךָ שֹׁמֵעַ Prov. 25:10

487 מִי יִתֶּן־לִי שֹׁמֵעַ לִי Job 31:35

488 וְגֶבֶר חָכָם שֹׁמֵעַ לִי Job 34:34

489 מֵאִישׁ שֹׁמֵעַ שִׁיר כְּסִילִים Eccl. 7:5

וְשׁוֹמֵעַ

490 וְשֹׁמֵעַ אֵין־לְךָ מֵאֵת הַמֶּלֶךְ IISh. 15:3

491 וְשֹׁמֵעַ לִי יִשְׁכָּן־בֶּטַח Prov. 1:33

492 וְשֹׁמֵעַ לְעֵצָה חָכָם Prov. 12:15

493 וְשׁוֹמֵעַ תּוֹכַחַת קוֹנֶה לֵּב Prov. 15:32

הַשּׁוֹמֵעַ

494 כָּל־הַשֹּׁמֵעַ יִצְחַק־לִי Gen. 21:6

495 וְשָׁמַע הַשֹּׁמֵעַ וְאָמַר IISh. 17:9

496 הַשֹּׁמֵעַ יִשְׁמָע וְהֶחָדֵל יֶחְדָּל Ezek. 3:27

497 וְשָׁמַע הַשֹּׁמֵעַ אֶת־קוֹל הַשּׁוֹפָר Ezek. 33:4

שׁוֹמְעוֹ

498 כָּל־שֹׁמְעוֹ תְּצִלֶּינָה שְׁתֵּי אָזְנָיו ISh. 3:11

שׁוֹמְעָהּ

499 אֲשֶׁר כָּל־שֹׁמְעָהּ (כת׳ שמעיו)
תְּצִלֶּנָה שְׁתֵּי אָזְנָיו IIK. 21:12

500 אֲשֶׁר כָּל־שֹׁמְעָהּ תְּצִלֶּנָה אָזְנָיו Jer. 19:3

שׁוֹמַעַת

501 וְשָׂרָה שֹׁמַעַת פֶּתַח הָאֹהֶל Gen. 18:10

502 וְרִבְקָה שֹׁמַעַת בְּדַבֵּר יִצְחָק Gen. 27:5

503 וּמַלְכַּת־שְׁבָא שֹׁמַעַת אֶת־שֵׁמַע שְׁלֹמֹה IK.10:1

504 אֹזֶן שֹׁמַעַת תּוֹכַחַת חַיִּים Prov. 15:31

505 אֹזֶן שֹׁמַעַת וְעַיִן רֹאָה Prov. 20:12

שֹׁמָעַת

506 מוֹכִיחַ חָכָם עַל־אֹזֶן שֹׁמָעַת Prov. 25:12

שׁוֹמְעִים

507 קוֹל דְּבָרִים אַתֶּם שֹׁמְעִים Deut. 4:12

508 אִם־לִי אַתֶּם וּלְקֹלִי אַתֶּם שֹׁמְעִים IIK.10:6

509 דַּבֵּר...אֲרָמִית כִּי שֹׁמְעִים אֲנָחְנוּ IIK. 18:26

510 וְאָזְנֵי שֹׁמְעִים תִּקְשַׁבְנָה Is. 32:3

511 דַּבֵּר...אֲרָמִית כִּי שֹׁמְעִים אֲנָחְנוּ Is. 36:11

512 וְאֵינָם שֹׁמְעִים לָקַחַת מוּסָר Jer. 32:33

513 הַדָּבָר...אֵינֶנּוּ שֹׁמְעִים אֵלֶיךָ Jer. 44:16

514 אִם־אֵינְכֶם שֹׁמְעִים אֵלָי Ezek. 20:39

וְשׁוֹמְעִים

515 וְשֹׁמְעִים אֶת־חָכְמָתֶךָ IICh. 9:7

הַשּׁוֹמְעִים

516 וְסָמְכוּ כָל־הַשֹּׁמְעִים אֶת־יְדֵיהֶם Lev. 24:14

517 הַשֹּׁמְעִים אֶת־חָכְמָתֶךָ IK. 10:8

518 הַשֹּׁמְעִים אֶת...הַדְּבָרִים הָאֵלֶּה Jer. 36:24

519 הַשֹּׁמְעִים...אֵת הַדְּבָרִים הָאֵלֶּה Zech. 8:9

שׁוֹמְעֵי־

520 בְּכַזֶּבְכֶם לְעַמִּי שֹׁמְעֵי כָזָב Ezek. 13:19

521 כֹּל שֹׁמְעֵי שִׁמְעֲךָ תָּקְעוּ כַף עָלֶיךָ Nah. 3:19

אֶשְׁמַע

522 מִי יְיָ אֲשֶׁר אֶשְׁמַע בְּקֹלוֹ Ex. 5:2

523 שָׁמֹעַ אֶשְׁמַע צַעֲקָתוֹ Ex. 22:22

524 אִם־אֶשְׁמַע עוֹד בְּקוֹל שָׁרִים וְשָׁרוֹת IISh.19:36

525 וְזָעֲקוּ אֵלַי וְלֹא אֶשְׁמַע אֲלֵיהֶם Jer. 11:11

526 וְקָרְאוּ...וְלֹא אֶשְׁמַע אוֹתָם Ezek. 8:18

527 וַאֲנִי אֶשְׁמַע מִן־הַשָּׁמַיִם IICh. 7:14

אֶשְׁמָע

528 עוֹד הֵם מְדַבְּרִים וַאֲנִי אֶשְׁמָע Is. 65:24

529 דִּבַּרְתִּי...אָמַרְתְּ לֹא אֶשְׁמָע Jer. 22:21

אֶשְׁמָע (המשך)

530 וְזִמְרַת נְבָלֶיךָ לֹא אֶשְׁמָע Am. 5:23

531 כֵּן יִקְרְאוּ וְלֹא אֶשְׁמָע Zech. 7:13

532 וַאֲנִי כְחֵרֵשׁ לֹא אֶשְׁמָע Ps. 38:14

533 שְׂפַת לֹא־יָדַעְתִּי אֶשְׁמָע Ps. 81:6

534 דְּמָמָה וָקוֹל אֶשְׁמָע Job 4:16

535 מוּסַר כְּלִמָּתִי אֶשְׁמָע Job 20:3

536 וְקוֹל מִלִּין אֶשְׁמָע Job 33:8

וָאֶשְׁמַע

537 כִּי יָרֵאתִי...וָאֶשְׁמַע בְּקוֹלָם ISh. 15:24

538 וָאֶשְׁמַע אֶת־דְּבָרֶיךָ אֲשֶׁר דִּבַּרְתָּ ISh. 28:21

539 וָאֶשְׁמַע אֶת־קוֹל אֲדֹנָי אֹמֵר Is. 6:8

540 וָאֶשְׁמַע אֶת־קוֹל כַּנְפֵיהֶם Ezek. 1:24

541 וָאֶשְׁמַע קוֹל מְדַבֵּר Ezek. 1:28

542 וָאֶשְׁמַע אֵת מִדַּבֵּר אֵלָי Ezek. 2:2

543 וָאֶשְׁמַע אַחֲרַי קוֹל רַעַשׁ גָּדוֹל Ezek. 3:12

544 וָאֶשְׁמַע מִדַּבֵּר אֵלַי מֵהַבָּיִת Ezek. 43:6

545 וָאֶשְׁמַע קוֹל־אָדָם בֵּין אוּלָי Dan. 8:16

546 וָאֶשְׁמַע אֶת־קוֹל דְּבָרָיו Dan. 10:9

547 וָאֶשְׁמַע אֶת־הָאִישׁ לְבוּשׁ הַבַּדִּים Dan. 12:7

וָאֶשְׁמָע

548 הִקְשַׁבְתִּי וָאֶשְׁמָע לוֹא־כֵן יְדַבֵּרוּ Jer. 8:6

אֶשְׁמְעָה

549 עַד־מָתַי...אֶשְׁמְעָה קוֹל שׁוֹפָר Jer. 4:21

550 אֶשְׁמְעָה מַה־יְדַבֵּר הָאֵל Ps. 85:9

וְאֶשְׁמְעָה

551 עִמְדוּ וְאֶשְׁמְעָה מַה־יְצַוֶּה יְיָ לָכֶם Num. 9:8

וָאֶשְׁמְעָה

552 וָאֶשְׁמְעָה אֶחָד־קָדוֹשׁ מְדַבֵּר Dan. 8:13

תִּשְׁמַע

553 תִּשְׁמַע חֲלוֹם לִפְתֹּר אֹתוֹ Gen. 41:15

554 אִם־שָׁמוֹעַ תִּשְׁמַע לְקוֹל יְיָ אֱלֹהֶיךָ Ex. 15:26

555 כִּי אִם־שָׁמוֹעַ תִּשְׁמַע בְּקֹלוֹ Ex. 23:22

556 לֹא תִשְׁמַע אֶל־דִּבְרֵי הַנָּבִיא הַהוּא Deut. 13:4

557 לֹא־תֹאבֶה לוֹ וְלֹא תִשְׁמַע אֵלָיו Deut. 13:9

558 כִּי־תִשְׁמַע בְּאַחַת עָרֶיךָ Deut. 13:13

559-561 תִשְׁמַע בְּקוֹל יְיָ Deut. 13:19; 28:2; 30:10

562/3 אִם־שָׁמוֹעַ תִּשְׁמַע בְּקוֹל יְיָ Deut. 15:5; 28:1

564 כִּי־תִשְׁמַע אֶל־מִצְוֺת יְיָ אֱלֹהֶיךָ Deut. 28:13

565 אִם־לֹא תִשְׁמַע בְּקוֹל יְיָ אֱלֹהֶיךָ Deut. 28:15

566 גּוֹי אֲשֶׁר לֹא־תִשְׁמַע לְשֹׁנוֹ Deut. 28:49

567 לָמָּה תִשְׁמַע אֶת־דִּבְרֵי אָדָם ISh. 24:9

568 כָּל־הַדָּבָר אֲשֶׁר תִּשְׁ׳ מִבֵּית הַמֶּ׳ IISh.15:35

569 וְאַתָּה תִּשְׁמַע אֶל־מְקוֹם שִׁבְתְּךָ IK. 8:30

570-573 וְאַתָּה תִּשְׁמַע הַשָּׁמַיִם IK. 8:32, 34, 36, 39

574 אַתָּה תִּשְׁמַע הַשָּׁמַיִם מְכוֹן שִׁבְתֶּךָ IK. 8:43

575 אִם־תִּשְׁמַע אֶת־כָּל־אֲשֶׁר אֲצַוֶּךָ IK. 11:38

576 אַל־תִּשְׁמַע וְלוֹא תֹאבֶה IK. 20:8

577 וְלֹא תִשְׁמַע מַה־יְדַבֵּר Jer. 5:15

578 וְכִי אִיעָצְךָ לֹא תִשְׁמַע אֵלָי Jer. 38:15

579 אֲשֶׁר לֹא־תִשְׁמַע דִּבְרֵיהֶם Ezek. 3:6

580 יְיָ בֹּקֶר תִּשְׁמַע קוֹלִי Ps. 5:4

581 יִשְׂרָאֵל אִם־תִּשְׁמַע־לִי Ps. 81:9

582 אֲשֶׁר לֹא־תִשְׁמַע אֶת־עַבְדְּךָ מְקַלְלֶךָ Eccl. 7:21

583 וְאַתָּה מִשָּׁמַיִם תִּשְׁמַע וְתַצִּילֵם Neh. 9:28

584 וְאַתָּה תִּשְׁמַע מִמְּקוֹם שִׁבְתְּךָ IICh. 6:21

585-588 וְאַתָּה תִּשְׁמַע מִן־הַשָּׁמַיִם IICh.6:23,25,30,33

589 וְאַתָּה תִּשְׁמַע הַשָּׁמַיִם IICh. 6:27

תִּשְׁמָע

590 וְאִם־יִפְנֶה לְבָבְךָ וְלֹא תִשְׁמָע Deut. 30:17

591 עַד־אָנָה יְיָ שִׁוַּעְתִּי וְלֹא תִשְׁמָע Hab. 1:2

592 הַבְסוֹד אֱלוֹהַּ תִּשְׁמָע Job 15:8

593 וְאַתָּה מִשָּׁמַיִם תִּשְׁמָע Neh. 9:27

וְתִשְׁמַע

594 וְנִזְעַק אֵלֶיךָ...וְתִשְׁמַע וְתוֹשִׁיעַ IICh. 20:9

יִשְׁמַע

595 וְאֵיךְ יִשְׁמַע אֵלַי פַּרְעֹה Ex. 6:30

596 וְלֹא־יִשְׁמַע אֲלֵכֶם פַּרְעֹה Ex. 7:4

597-599 (ו)לֹא יִשְׁמַע אֶל־... Ex. 11:9

Deut. 18:19; 21:18

600 בַּעֲבוּר יִשְׁמַע הָעָם בְּדַבְּרִי עִמָּךְ Ex. 19:9

601 וְלֹא־יִשְׁמַע אֶת־דְּבָרֶיךָ Josh. 1:18

יִשְׁמַע (המשך)
602 יִשְׁמַע־נָא...אֵת דִּבְרֵי עַבְדּוֹ ISh. 26:19
603 וּמִי יִשְׁמַע לָכֶם לַדָּבָר הַזֶּה ISh. 30:24
604 כִּי יִשְׁמַע הַמֶּלֶךְ לְהַצִּיל אֶת־אֲמָתוֹ IISh.14:16
605/6 אוּלַי יִשְׁמַע יְיָ אֱלֹהֶיךָ IIK. 19:4 • Is. 37:4
607 אֲשֶׁר לֹא יִשְׁמַע אֶת־דִּבְרֵי הַבְּרִית Jer. 11:3
608 יְיָ יִשְׁמַע בְּקָרְאִי אֵלָיו Ps. 4:4
609 יִשְׁמַע מֵהֵיכָלוֹ קוֹלִי Ps. 18:7
610 יִשְׁמַע אֵל וְיַעֲנֵם Ps. 55:20
611 אֲשֶׁר לֹא־יִשְׁמַע לְקוֹל מְלַחֲשִׁים Ps. 58:6
612 אָוֶן...לֹא יִשְׁמַע אֲדֹנָי Ps. 66:18
613 אָהַבְתִּי כִּי־יִשְׁמַע יְיָ אֶת־קוֹלִי Ps. 116:1
614 וְאֶת־שַׁוְעָתָם יִשְׁמַע וְיוֹשִׁיעֵם Ps. 145:19
615 יִשְׁמַע חָכָם וְיוֹסֶף לֶקַח Prov. 1:5
616 אָלָה יִשְׁמַע וְלֹא יַגִּיד Prov. 29:24
617 הֲצַעֲקָתוֹ יִשְׁמַע אֵל Job 27:9
618 אַךְ־שָׁוְא לֹא־יִשְׁמַע אֵל Job 35:13

יִשְׁמָע
619 פֶּן־יִרְאֶה בְעֵינָיו וּבְאָזְנָיו יִשְׁמָע Is. 6:10
620 פָּקוֹחַ אָזְנַיִם וְלֹא יִשְׁמָע Is. 42:20
621 הַשֹּׁמֵעַ יִשְׁמָע וְהֶחָדֵל יֶחְדָּל Ezek. 3:27
622 הֲנֹטַע אֹזֶן הֲלֹא יִשְׁמָע Ps. 94:9
623 וּתְפִלַּת צַדִּיקִים יִשְׁמָע Prov. 15:29
624 מֵשִׁיב דָּבָר בְּטֶרֶם יִשְׁמָע Prov. 18:13
625 וְצַעֲקַת עֲנִיִּים יִשְׁמָע Job 34:28
626 תְּשֻׁאוֹת נוֹגֵשׂ לֹא יִשְׁמָע Job 39:7

וְיִשְׁמַע
627 וְיִשְׁמַע אֲלֵיכֶם אֱלֹהִים Jud. 9:7
628 יַקְשִׁב וְיִשְׁמַע לְאָחוֹר Is. 42:23
629 וַיֵּרֶא וְיִשְׁמַע אֶת־דְּבָרוֹ Jer. 23:18

וַיִּשְׁמַע
630 וַיִּשְׁמַע אַבְרָם כִּי נִשְׁבָּה אָחִיו Gen. 14:14
631 וַיִּשְׁמַע אַבְרָם לְקוֹל שָׂרָי Gen. 16:2
632 וַיִּשְׁמַע אֱלֹהִים אֶת־קוֹל הַנַּעַר Gen. 21:17
633 וַיִּשְׁמַע אַבְרָהָם אֶל־עֶפְרוֹן Gen. 23:16
634 וַיִּשְׁמַע יַעֲקֹב אֶל־אָבִיו Gen. 28:7
635-643 וַיִּשְׁמַע...אֶל־ (אֵלָיו וכד׳)
Gen. 30:17, 22 • Deut. 9:19; 10:10 • IK. 15:20 • IIK. 13:4; 16:9 • IICh. 16:4; 30:20
644 וַיִּשְׁמַע אֶת־דִּבְרֵי בְנֵי־לָבָן Gen. 31:1
645 וַיִּשְׁמַע פַּרְעֹה אֶת־הַדָּבָר הַזֶּה Ex. 2:15
646 וַיִּשְׁמַע אֱלֹהִים אֶת־נַאֲקָתָם Ex. 2:24
647 וַיִּשְׁמַע מֹשֶׁה לְקוֹל חֹתְנוֹ Ex. 18:24
648 וַיִּשְׁמַע...אֶת־קוֹל הָעָם בְּרֵעֹה Ex. 32:17
649 וַיִּשְׁמַע הָעָם אֶת־הַדָּבָר הָרָע הַזֶּה Ex. 33:4
650 וַיִּשְׁמַע אֶת־הַקּוֹל מִדַּבֵּר אֵלָיו Num. 7:89
651 וַיִּשְׁמַע מֹשֶׁה אֶת־הָעָם בֹּכֶה Num. 11:10
652 וַנִּצְעַק אֶל־יְיָ וַיִּשְׁמַע קֹלֵנוּ Num. 20:16
653 וַיִּשְׁמַע יְיָ בְּקוֹל יִשְׂרָאֵל Num. 21:3
654/5 וַיִּשְׁמַע יְיָ אֶת־קוֹל דִּבְרֵיכֶם Deut.1:34; 5:25
656 וַיִּשְׁמַע יְיָ אֶת־קֹלֵנוּ Deut. 26:7
657 וַיִּשְׁמַע פִּינְחָס...אֶת־הַדְּבָרִים Josh. 22:30
658 וַיִּשְׁמַע זְבֻל...אֶת־דִּבְרֵי גַעַל Jud. 9:30
659 וַיִּשְׁמַע הָאֱלֹהִים בְּקוֹל מָנוֹחַ Jud. 13:9
660 וַיִּשְׁמַע עֵלִי אֶת־קוֹל הַצְּעָקָה ISh. 4:14
661 וַיִּשְׁמַע שְׁמוּאֵל אֵת כָּל־דִּבְרֵי הָעָם ISh. 8:21
662 וַיִּשְׁמַע שָׁאוּל...אֶת־דִּבְרֵי הַפְּלִשְׁתִּי ISh.17:11
663 וַיִּשְׁמַע שָׁאוּל בְּקוֹל יְהוֹנָתָן ISh. 19:6
664 וַיִּפְרְצוּ־בוֹ...וַיִּשְׁמַע לְקֹלָם ISh. 28:23
665 וַיִּשְׁמַע מֵהֵיכָלוֹ קוֹלִי IISh. 22:7
666 וַיִּשְׁמַע יוֹאָב אֶת־קוֹל הַשּׁוֹפָר IK. 1:41
667 וַיִּשְׁמַע יְיָ בְּקוֹל אֵלִיָּהוּ IK. 17:22
668 וַיִּשְׁמַע לְקֹלָם וַיַּעַשׂ כֵּן IK. 20:25
669 וַיִּשְׁמַע אֶל־תִּרְהָקָה...לֵאמֹר IIK. 19:9
670 וַיִּשְׁמַע מִכָיְהוּ...אֶת־כָּל־דִּבְרֵי יְיָ Jer. 36:11
671 וַיִּשְׁמַע שְׁפַטְיָה...אֶת־הַדְּבָרִים Jer. 38:1

וַיִּשְׁמַע (המשך)
672 וַיִּשְׁמַע יוֹחָנָן...אֵת כָּל־הָרָעָה Jer. 41:11
673 וַיִּשְׁמַע זְרֻבָּבֶל...בְּקוֹל יְיָ אֱלֹהֵיהֶם Hag.1:12
674 וַיֵּט אֵלַי וַיִּשְׁמַע שַׁוְעָתִי Ps. 40:2
675 אָשִׂיחָה וְאֶהֱמֶה וַיִּשְׁמַע קוֹלִי Ps. 55:18
676 וַיִּשְׁמַע לָהֶם לַדָּבָר הַזֶּה Dan. 1:14
677 וַיֵּעָתֶר לוֹ וַיִּשְׁמַע תְּחִנָּתוֹ IICh. 33:13
678-716 וַיִּשְׁמַע Gen. 35:22; 37:21; 45:2
Ex. 18:1 • Lev. 10:20 • Num. 11:1; 12:2; 16:4; 21:1; 22:36; 33:40 • ISh. 17:23, 28; 22:6; 23:25; 25:4, 39 • IISh. 3:28; 4:1; 5:17; 8:9; 10:7 • IK. 1:41; 13:26; 16:16 • IIK. 20:13 • Is. 37:9[2]; 39:1 • Jer. 20:1; 26:21[2]; 38:7 • Neh. 2:10, 19 • ICh. 14:8; 18:9; 19:8

וַיִּשְׁמָע
717 מִי־הִקְשִׁיב דְּבָרוֹ° וַיִּשְׁמָע Jer. 23:18
718 וַיַּקְשֵׁב יְיָ וַיִּשְׁמָע Mal. 3:16

יִשְׁמָעֵנִי
719 וְאֵיךְ יִשְׁמָעֵנִי פַרְעֹה Ex. 6:12
720 בַּייָ אֲצַפֶּה...יִשְׁמָעֵנִי אֱלֹהָי Mic. 7:7

וְיִשְׁמָעֶךָּ
721 תַּעְתִּיר אֵלָיו וְיִשְׁמָעֶךָּ Job 22:27

תִּשְׁמַע
722 תִּשְׁמַע הָאָרֶץ וּמְלֹאָהּ Is. 34:1

וְתִשְׁמַע
723 וְתִשְׁמַע הָאָרֶץ אִמְרֵי־פִי Deut. 32:1

וַתִּשְׁמַע
724 וַתִּשְׁמַע אֶת־הַשְּׁמֻעָה ISh. 4:19
725 וַתִּשְׁמַע אֵשֶׁת אוּרִיָּה כִּי־מֵת אוּרִיָּה IISh.11:26
726 וַתִּשְׁמַע עֲתַלְיָה אֶת־קוֹל הָרָצִין IIK. 11:13
727 וַתִּשְׁמַע עֲתַלְיָהוּ אֶת־קוֹל הָעָם IICh. 23:12

נִשְׁמַע
728 כְּכֹל אֲשֶׁר־שָׁמַעְנוּ...כֵּן נִשְׁמַע אֵלֶיךָ Josh. 1:17
729 כִּי נִשְׁמַע בְּקוֹל יְיָ אֱלֹהֵינוּ Jer. 42:6

נִשְׁמָע
730 אֶת־יְיָ אֱלֹ׳ נַעֲבֹד וּבְקוֹלוֹ נִשְׁמָע Josh. 24:24
731 בְּקוֹל יְיָ אֱלֹהֵינוּ...אֵלָיו נִשְׁמָע Jer. 42:6
732 וּלְקוֹל שׁוֹפָר לֹא נִשְׁמָע Jer. 42:14

וְנִשְׁמָע
733 כֹּל אֲשֶׁר־דִּבֶּר יְיָ נַעֲשֶׂה וְנִשְׁמָע Ex. 24:7

וַנִּשְׁמַע
734 וַנִּשְׁמַע וַיִּמַּס לְבָבֵנוּ Josh. 2:11
735 וַנִּשְׁמַע בְּקוֹל יְהוֹנָדָב...אָבִינוּ Jer. 35:8
736 וַנִּשְׁמַע וַנַּעַשׂ כְּכֹל אֲשֶׁר־צִוָּנוּ Jer. 35:10

וְנִשְׁמְעָה
737 וְנִשְׁמְעָה מַה־בְּפִיו גַּם־הוּא IISh. 17:5

וְנִשְׁמָעָה
738 דַּבֵּר־אַתָּה עִמָּנוּ וְנִשְׁמָעָה Ex. 20:16

וְנִשְׁמָעֶנָּה
739 חוּדָה חִידָתְךָ וְנִשְׁמָעֶנָּה Jud. 14:13

תִשְׁמְעוּ
740 וְאִם־לֹא תִשְׁמְעוּ אֵלֵינוּ Gen. 34:17
741 וְעַתָּה אִם־שָׁמוֹעַ תִּשְׁמְעוּ בְּקֹלִי Ex. 19:5
742 וְאִם־לֹא תִשְׁמְעוּ לִי Lev. 26:14
743 וְאִם־עַד־אֵלֶּה לֹא תִשְׁמְעוּ לִי Lev. 26:18
744 וְאִם־בְּזֹאת לֹא תִשְׁמְעוּ לִי Lev. 26:27
745 אִם־שָׁמֹעַ תִּשְׁמְעוּ אֶל־מִצְוֺתַי Deut. 11:13
746-757 תִּשְׁמְעוּ אֶל־(אֵלַי וכד׳) Deut. 11:27, 28
IIK. 18:31, 32 • Is.36:16 • Jer. 17:27; 26:4; 27:9, 14, 16, 17; 29:8
758 וְאִם־לֹא תִשְׁמְעוּ בְּקוֹל יְיָ ISh. 12:15
759 וְאִם לֹא תִשְׁמְעוּ אֶת־הַדְּבָרִים Jer. 22:5
760 אַל־תִּשְׁמְעוּ עַל־דִּבְרֵי הַנְּבִאִים Jer. 23:16
761 אִם־לֹא תִשְׁמְעוּ...וְשִׁלַּחְתִּי־ Mal. 2:2
762 אֲשֶׁר תִּשְׁמְעוּ אֶת־קוֹל הַשּׁוֹפָר Neh. 4:14

תִשְׁמָעוּ
763 מִצְוֺתָיו תִּשְׁמֹרוּ וּבְקֹלוֹ תִשְׁמָעוּ Deut. 13:5
764 וּשְׁלַחְתֶּם...כָּל־דָּבָר אֲשֶׁר תִּשְׁ׳ IISh. 15:36
765 וְכִתְקֹעַ שׁוֹפָר תִּשְׁמָעוּ Is. 18:3
766 הֲלוֹא תֵדְעוּ הֲלוֹא תִשְׁמָעוּ Is. 40:21
767 הַיּוֹם אִם־בְּקֹלוֹ תִשְׁמָעוּ Ps. 95:7

וַתִּשְׁמְעוּ
768 וַתִּשְׁמְעוּ בְקוֹלִי לְכֹל אֲשֶׁר־צִוִּיתִי Josh. 22:2

תִּשְׁמְעוּן
769 עֵקֶב תִּשְׁמְעוּן אֵת הַמִּשְׁפָּטִים Deut. 7:12
770 עֵקֶב לֹא תִשְׁמְעוּן בְּקוֹל יְיָ Deut. 8:20
771 וְהָיָה אִם־שָׁמֹעַ תִּשְׁמְעוּן אֵלַי Jer. 17:24
772 וְהָיָה אִם־שָׁמוֹעַ תִּשְׁמְעוּן בְּקוֹל Zech. 6:15

תִּשְׁמָעוּן
773 כַּקָּטֹן כַּגָּדֹל תִּשְׁמָעוּן Deut. 1:17
774 נָבִיא מִקִּרְבְּךָ...אֵלָיו תִּשְׁמָעוּן Deut. 18:15

תִּשְׁמָעוּהָ
775 וְאִם לֹא תִשְׁמָעוּהָ...תִּבְכֶּה־נַפְשִׁי Jer. 13:17

יִשְׁמְעוּ
776 לֹא יִשְׁמְעוּ אִישׁ שְׂפַת רֵעֵהוּ Gen. 11:7
777 לֹא־יַאֲמִינוּ לִי וְלֹא יִשְׁמְעוּ בְּקֹלִי Ex. 4:1
778 וְלֹא יִשְׁמְעוּ לְקֹל הָאֹת הָרִאשׁוֹן Ex. 4:8
779 לְמַעַן יִשְׁמְעוּ כָּל־עֲדַת בְּ״י Num. 27:20
780 וְכָל־יִשְׂרָאֵל יִשְׁמְעוּ וְיִרָאוּן Deut. 13:12
781 וְכָל־הָעָם יִשְׁמְעוּ וְיִרָאוּ Deut. 17:13
782 וְהַנִּשְׁאָרִים יִשְׁמְעוּ וְיִרָאוּ Deut. 19:20
783 וְכָל־יִשְׂרָאֵל יִשְׁמְעוּ וְיִרָאוּ Deut. 21:21
784 לְמַעַן יִשְׁמְעוּ וּלְמַעַן יִלְמְדוּ Deut. 31:12
785 יִשְׁמְעוּ וְלָמְדוּ לְיִרְאָה אֶת־יְיָ Deut. 31:13
786 וְלֹא יִשְׁמְעוּ לְקוֹל אֲבִיהֶם ISh. 2:25
787 לֵאמֹר יִשְׁמְעוּ הָעִבְרִים ISh. 13:3
788 וְדִבַּרְתָּ...וְלֹא יִשְׁמְעוּ אֵלֶיךָ Jer. 7:27
789 אוּלַי יִשְׁמְעוּ וְיָשֻׁבוּ Jer. 26:3
790 אֲשֶׁר יִשְׁמְעוּ אֶת־כָּל־הַטּוֹבָה Jer. 33:9
791 אוּלַי יִשְׁמְעוּ בֵּית יְהוּדָה Jer. 36:3
792 יִשְׁמְעוּ הַשָּׂרִים כִּי־דִבַּרְתִּי אִתָּךְ Jer. 38:25
793-795 אִם־יִשְׁמְעוּ וְאִם־יֶחְדָּלוּ Ezek. 2:5, 7; 3:11
796 הֵמָּה יִשְׁמְעוּ אֵלֶיךָ Ezek. 3:6
797 יִשְׁמְעוּ עֲנָוִים וְיִשְׂמָחוּ Ps. 34:3
798 אִם־יִשְׁמְעוּ וְיַעֲבֹדוּ Job 36:11
799 וְאִם־לֹא יִשְׁמְעוּ בְּשֶׁלַח יַעֲבֹרוּ Job 36:12

יִשְׁמָעוּ
800 אֶל־מְעֹנְנִים וְאֶל־קֹסְמִים יִשְׁמָעוּ Deut.18:14
801 אָזְנַיִם לָהֶם וְלֹא יִשְׁמָעוּ Jer. 5:21
802 וְאִם לֹא יִשְׁמָעוּ וְנָתַשְׁתִּי אֶת־הַגּוֹי Jer. 12:17
803 אָזְנַיִם לָהֶם וְלֹא יִשְׁמָעוּ Ps. 115:6

הֲיִשְׁמְעוּ
804 לָדַעַת הֲיִשְׁמְעוּ אֶת־מִצְוֺת יְיָ Jud. 3:4

וְיִשְׁמְעוּ
805 וְיִשְׁמְעוּ הַכְּנַעֲנִי...וְנָסַבּוּ עָלֵינוּ Josh. 7:9
806 וְיִשְׁמְעוּ וְיֹאמְרוּ אֱמֶת Is. 43:9

וְיִשְׁמָעוּ
807 עַל־מִי אֲדַבְּרָה וְאָעִידָה וְיִשְׁמָעוּ Jer. 6:10

וַיִּשְׁמְעוּ
808 וַיִּשְׁמְעוּ אֶת־קוֹל יְיָ אֱלֹהִים Gen. 3:8
809 וַיִּשְׁמְעוּ אֶל־חֲמוֹר וְאֶל־שְׁכֶם בְּנוֹ Gen. 34:24
810 וַיִּשְׁמְעוּ אֶחָיו Gen. 37:27
811 וַיִּתֵּן אֶת־קֹלוֹ בִּבְכִי וַיִּשְׁמְעוּ מִצְ׳ Gen. 45:2
812 וַיִּשְׁמְעוּ כִּי־פָקַד יְיָ אֶת־בְּנֵי יִשְׂרָאֵל Ex. 4:31
813 וַיִּשְׁמְעוּ אֵלָיו בְּנֵי יִשְׂרָאֵל וַיַּעֲשׂוּ Deut. 34:9
814 וַיִּשְׁמְעוּ אֵלָיו יֹשְׁבֵי יָבֵישׁ גִּלְעָד ISh. 31:11
815 וַיִּשְׁמְעוּ כָל־יִשְׂרָאֵל אֶת־הַמִּשְׁפָּט IK. 3:28
816 וַיִּשְׁמְעוּ אֶת־דְּבַר יְיָ וַיָּשֻׁבוּ IK. 12:24
817 וַיִּשְׁמְעוּ...אֶת־יִרְמְיָהוּ מְדַבֵּר Jer. 26:7
818 וַיִּשְׁמְעוּ...אֶת הַדְּבָרִים הָאֵלֶּה Jer. 26:10
819 וַיִּשְׁמְעוּ הַכַּשְׂדִּים...אֶת־שִׁמְעָם Jer. 37:5
820 וַיִּשְׁמְעוּ אֵלָיו גּוֹיִם בְּשַׁחְתָּם נִתְפָּשׂ Ezek.19:4
821 וַיִּשְׁמְעוּ אֵלָיו כָּל־יִשְׂרָאֵל ICh. 29:23
822 וַיִּשְׁמְעוּ אֶת־דִּבְרֵי יְיָ וַיָּשֻׁבוּ IICh. 11:4
823-841 וַיִּשְׁמְעוּ Josh. 9:16; 22:11, 12
Jud. 9:46; 20:3 • ISh. 4:6; 7:7[2]; 13:3; 22:1 • IISh. 5:17 • IIK.25:23 • Jer. 34:10[2]; 40:7 • Job 2:11 • Ez. 4:1 • ICh. 10:11; 14:8

יִשְׁמְעוּן
842 וְלֹא יִשְׁמְעוּן לְקֹלֶךָ Ex. 4:9
843 אֲשֶׁר יִשְׁמְעוּן שִׁמְעֲךָ וְרָגְזוּ Deut. 2:25
844 אֲשֶׁר יִשְׁמְעוּן אֵת כָּל־הַחֻקִּים Deut. 4:6
845 אֲשֶׁר לֹא־יִרְאוּן וְלֹא יִשְׁמְעוּן Deut. 4:28
846 כִּי יִשְׁמְעוּן אֶת־שִׁמְךָ הַגָּדוֹל IK. 8:42

תִּשְׁמַעְנָה
847 וְאָזְנֶיךָ תִּשְׁמַעְנָה דָבָר מֵאַחֲרֶיךָ Is. 30:21
848 בַּקָּמִים עָלַי מְרֵעִים תִּשְׁמַעְנָה אָזְנָי Ps. 92:12

וְתִשְׁמַעְנָה
849 וְתִשְׁמַעְנָה הַגְּבָעוֹת קוֹלֶךָ Mic. 6:1

שְׁמַע
850 אֲשֶׁר תֹּאמַר...שְׁמַע בְּקֹלָהּ Gen. 21:12
851/2 וְעַתָּה בְנִי שְׁמַע בְּקֹלִי Gen. 27:8, 43
853-859 שְׁמַע בְּקוֹל (בְּקֹלִי וכד׳) Gen. 27:13
Ex. 18:19 • ISh. 8:7, 9, 22; 28:22
Jer. 38:20

שְׁמַע (המשך)
860 שְׁמַע אֶל־הַחֻקִּים וְאֶל־הַמִּשְׁפָּטִים Deut. 4:1
861 שְׁמַע יִשְׂרָאֵל אֶת־הַחֻקִּים Deut. 5:1
862 שְׁמַע יִשְׂרָאֵל יְיָ אֱלֹהֵינוּ יְיָ אֶחָד Deut. 6:4
863 שְׁמַע יִשְׂרָאֵל אַתָּה עֹבֵר הַיּוֹם... Deut. 9:1
864 שְׁמַע יִשְׂרָאֵל אַתֶּם קְרֵבִים הַיּוֹם Deut. 20:3
865 שְׁמַע יְיָ קוֹל יְהוּדָה Deut. 33:7
866 וְעַתָּה שְׁמַע לְקוֹל דִּבְרֵי יְיָ ISh. 15:1
867 שְׁמַע־נָא בֶּן־אֲחִיטוּב ISh. 22:12
868 שְׁמַע דִּבְרֵי אֲמָתֶךָ IISh. 20:17
869 וַיֹּאמֶר לָכֵן שְׁמַע דְּבַר־יְיָ IK. 22:19
870 וַיֹּאמֶר יְשַׁעְיָהוּ...שְׁמַע דְּבַר־יְיָ IIK. 20:16
871 שְׁמַע דְּבַר־יְיָ צְבָאוֹת Is. 39:5
872 וְעַתָּה שְׁמַע יַעֲקֹב עַבְדִּי Is. 44:1
873 שְׁמַע אֵלַי יַעֲקֹב וְיִשְׂרָאֵל מְקֹרָאִי Is. 48:12
874 שְׁמַע דְּבַר־יְיָ מֶלֶךְ יְהוּדָה Jer. 22:2
875 אַךְ שְׁמַע־נָא הַדָּבָר הַזֶּה Jer. 28:7
876 שְׁמַע־נָא חֲנַנְיָה Jer. 28:15
877 אַךְ שְׁמַע דְּבַר־יְיָ צִדְקִיָּהוּ Jer. 34:4
878 וְעַתָּה שְׁמַע־נָא אֲדֹנִי הַמֶּלֶךְ Jer. 37:20
879 שְׁמַע אֵת אֲשֶׁר־אֲנִי מְדַבֵּר אֵלֶיךָ Ezek. 2:8
880 וְאָמַרְתָּ לְיַעַר הַנֶּגֶב שְׁמַע דְּבַר־יְיָ Ezek. 21:3
881 וְעַתָּה שְׁמַע דְּבַר־יְיָ Am. 7:16
882 שְׁמַע־נָא יְהוֹשֻׁעַ הַכֹּהֵן הַגָּדוֹל Zech. 3:8
883 הַט־אָזְנְךָ לִי שְׁמַע אִמְרָתִי Ps. 17:6
884 שְׁמַע־יְיָ קוֹלִי אֶקְרָא Ps. 27:7
885 שְׁמַע קוֹל תַּחֲנוּנַי בְּשַׁוְּעִי אֵלֶיךָ Ps. 28:2
886 שְׁמַע־יְיָ וְחָנֵּנִי Ps. 30:11
887 אֱלֹהִים שְׁמַע תְּפִלָּתִי Ps. 54:4
888 שְׁמַע־אֱלֹהִים קוֹלִי בְשִׂיחִי Ps. 64:2
889 שְׁמַע עַמִּי וְאָעִידָה בָּךְ Ps. 81:9
890 יְיָ שְׁמַע תְּפִלָּתִי Ps. 143:1
891 שְׁמַע בְּנִי מוּסַר אָבִיךָ Prov. 1:8
892 שְׁמַע בְּנִי וְקַח אֲמָרָי Prov. 4:10
893 שְׁמַע עֵצָה וְקַבֵּל מוּסָר Prov. 19:20
894 שְׁמַע־אַתָּה בְנִי וַחֲכָם Prov. 23:19
895 שְׁמַע לְאָבִיךָ זֶה יְלָדֶךָ Prov. 23:22
896 אֲחַוְּךָ שְׁמַע־לִי Job 15:17
897 וְאוּלָם שְׁמַע־נָא אִיּוֹב מִלָּי Job 33:1
898 הַקְשֵׁב אִיּוֹב שְׁמַע־לִי Job 33:31
899 אִם־אַיִן אַתָּה שְׁמַע־לִי Job 33:33
900 שְׁמַע־נָא וְאָנֹכִי אֲדַבֵּר Job 42:4
901 שְׁמַע אֱלֹהֵינוּ אֶל־תְּפִלַּת עַבְדְּךָ Dan. 9:17
902 שְׁמַע אֱלֹהֵינוּ כִּי־הָיִינוּ בוּזָה Neh. 3:36
שְׁמָע
903 קַח בִּלְבָבְךָ וּבְאָזְנֶיךָ שְׁמָע Ezek. 3:10
904 רְאֵה בְעֵינֶיךָ וּבְאָזְנֶיךָ שְׁמָע Ezek. 40:4
905 שִׂים לִבְּךָ...וּבְאָזְנֶיךָ שְׁמָע Ezek. 44:5
וּשְׁמַע
906 הִשָּׁמֶר מִפָּנָיו וּשְׁמַע בְּקֹלוֹ Ex. 23:21
907 הַסְכֵּת וּשְׁמַע יִשְׂרָאֵל Deut. 27:9
908 וּשְׁמַע אֵת דִּבְרֵי אֲמָתֶךָ ISh. 25:24
909 וּשְׁמַע אֵת דִּבְרֵי סַנְחֵרִיב IIK. 19:16
910 וּשְׁמַע אֵת כָּל־דִּבְרֵי סַנְחֵרִיב Is. 37:17
911 הַקְשִׁיבָה יְיָ...וּשְׁמַע לְקוֹל יְרִיבָי Jer. 18:19
912 חָנֵּנִי וּשְׁמַע תְּפִלָּתִי Ps. 4:2
913 הַט אָזְנְךָ וּשְׁמַע דִּבְרֵי חֲכָמִים Prov. 22:17
וּשְׁמָע
914 קוּם בָּלָק וּשְׁמָע Num. 23:18
915 קְרַב אַתָּה וּשְׁמָע Deut. 5:24
916/7 הַטֵּה יְיָ אָזְנְךָ וּשְׁמָע IIK. 19:16 • Is. 37:17
918 הַטֵּה אֱלֹהַי אָזְנְךָ וּשְׁמָע Dan. 9:18
שִׁמְעָה
919 שִׁמְעָה יְיָ צֶדֶק הַקְשִׁיבָה רִנָּתִי Ps. 17:1
920 שִׁמְעָה תְפִלָּתִי יְיָ Ps. 39:13
921 שִׁמְעָה עַמִּי וַאֲדַבֵּרָה Ps. 50:7
922 שִׁמְעָה אֱלֹהִים רִנָּתִי Ps. 61:2

שִׁמְעָה (המשך)
923 יְיָ אֱלֹהִים צְבָאוֹת שִׁמְעָה תְפִלָּתִי Ps. 84:9
924 יְיָ שִׁמְעָה תְפִלָּתִי Ps. 102:2
925 קוֹלִי שִׁמְעָה כְחַסְדֶּךָ Ps. 119:149
926 אֲדֹנָי שִׁמְעָה בְקוֹלִי Ps. 130:2
927 שִׁמְעָה־לִּי אֲחַוֶּה דֵעִי אַף־אָנִי Job 32:10
928 וְאִם־בִּינָה שִׁמְעָה־זֹּאת Job 34:16
שְׁמָעָה
929 אֲדֹנָי שְׁמָעָה אֲדֹנָי סְלָחָה Dan. 9:19
שְׁמָעֵנִי
930 לֹא־אֲדֹנִי שְׁמָעֵנִי Gen. 23:11
931 אַךְ אִם־אַתָּה לוּ שְׁמָעֵנִי Gen. 23:13
932 אֲדֹנִי שְׁמָעֵנִי Gen. 23:15
שְׁמָעֵנוּ
933 שְׁמָעֵנוּ אֲדֹנִי נְשִׂיא אֱלֹהִים אַתָּה Gen. 23:6
שְׁמָעֶנָּה
934 שְׁמָעֶנָּה וְאַתָּה דַע־לָךְ Job 5:27
שִׁמְעִי
935 וְעַתָּה שִׁמְעִי־זֹאת עֲדִינָה Is. 47:8
936 לָכֵן שִׁמְעִי־נָא זֹאת עֲנִיָּה Is. 51:21
937 שִׁמְעִי הָאָרֶץ הִנֵּה אָנֹכִי מֵבִיא רָעָה Jer. 6:19
938 אֶרֶץ אֶרֶץ אָרֶץ שִׁמְעִי דְּבַר־יְיָ Jer. 22:29
939 לָכֵן זוֹנָה שִׁמְעִי דְּבַר־יְיָ Ezek. 16:35
940 שִׁמְעִי־בַת וּרְאִי וְהַטִּי אָזְנֵךְ Ps. 45:11
שִׁמְעוּ
941 שִׁמְעוּ־נָא הַחֲלוֹם הַזֶּה Gen. 37:6
942 וַיֹּאמֶר שִׁמְעוּ־נָא דְבָרָי Num. 12:6
943 שִׁמְעוּ־נָא בְּנֵי לֵוִי Num. 16:8
944 שִׁמְעוּ־נָא הַמֹּרִים Num. 20:10
945 שִׁמְעוּ מְלָכִים הַאֲזִינוּ רֹזְנִים Jud. 5:3
946 שִׁמְעוּ אֵלַי בַּעֲלֵי שְׁכֶם Jud. 9:7
947 שִׁמְעוּ־נָא בְּנֵי יְמִינִי ISh. 22:7
948/9 שִׁמְעוּ שִׁמְעוּ אִמְרוּ־נָא אֶל־יוֹאָ׳ IISh. 20:16
950 וַיֹּאמֶר שִׁמְעוּ עַמִּים כֻּלָּם IK. 22:28
974-951 שִׁמְעוּ(...)דְּבַר־יְיָ IIK. 7:1 • Is. 1:10
28:14; 66:5 • Jer. 2:4; 7:2; 17:20; 19:3; 21:11; 29:20;
31:9(10); 42:15; 44:24, 26 • Ezek. 6:3; 13:2; 25:3;
34:7, 9; 36:1, 4; 37:4 • Hosh. 4:1 • IICh. 18:18
975 שִׁמְעוּ דְּבַר־הַמֶּלֶךְ הַגָּדוֹל IIK. 18:28
976 שִׁמְעוּ שָׁמַיִם וְהַאֲזִינִי אֶרֶץ Is. 1:2
977 שִׁמְעוּ שָׁמוֹעַ וְאַל־תָּבִינוּ Is. 6:9
978 וַיֹּאמֶר שִׁמְעוּ־נָא בֵּית דָּוִד Is. 7:13
979 שִׁמְעוּ רְחוֹקִים אֲשֶׁר עָשִׂיתִי Is. 33:13
980 שִׁמְעוּ אֶת־דִּבְרֵי הַמֶּלֶךְ הַגָּדוֹל Is. 36:13
981 שִׁמְעוּ אֵלַי בֵּית יַעֲקֹב Is. 46:3
986-982 שִׁמְעוּ(...)אֵלַי Is. 46:12; 49:1; 51:1,7; 55:2
987 שִׁמְעוּ־זֹאת בֵּית־יַעֲקֹב Is. 48:1
994-988 שִׁמְעוּ(...)זֹאת Is. 48:16
Jer. 5:21 • Hosh. 5:1 • Joel 1:2 • Am. 8:4
Mic. 3:9 • Ps. 49:2
995 שִׁמְעוּ וּתְחִי נַפְשְׁכֶם Is. 55:3
996 לָכֵן שִׁמְעוּ הַגּוֹיִם Jer. 6:18
999-997 שִׁמְעוּ בְקוֹלִי Jer. 7:23; 11:4, 7
1000 שִׁמְעוּ אֶת־הַדָּבָר אֲשֶׁר דִּבֶּר יְיָ Jer. 10:1
1001/2 שִׁמְעוּ אֶת־דִּבְרֵי הַבְּרִית הַזֹּאת Jer. 11:2, 6
1003 שִׁמְעוּ וְהַאֲזִינוּ אַל־תִּגְבָּהוּ Jer. 13:15
1004/5 לָכֵן שִׁמְעוּ עֲצַת־יְיָ Jer. 49:20; 50:45
1006 שִׁמְעוּ־נָא בֵּית יִשְׂרָאֵל Ezek. 18:25
1007/8 שִׁמְעוּ אֶת־הַדָּבָר הַזֶּה Am. 3:1; 5:1
1009 שִׁמְעוּ וְהָעִידוּ בְּבֵית יַעֲקֹב Am. 3:13
1010 שִׁמְעוּ הַדָּבָר הַזֶּה פָּרוֹת הַבָּשָׁן Am. 4:1
1011 שִׁמְעוּ עַמִּים כֻּלָּם Mic. 1:2
1012 שִׁמְעוּ־נָא רָאשֵׁי יַעֲקֹב Mic. 3:1
1013 שִׁמְעוּ־נָא אֵת אֲשֶׁר־יְיָ אֹמֵר Mic. 6:1
1014 שִׁמְעוּ הָרִים אֶת־רִיב יְיָ Mic. 6:2
1015 שִׁמְעוּ מַטֶּה וּמִי יְעָדָהּ Mic. 6:9
1016 לְכוּ־בָנִים שִׁמְעוּ־לִי Ps. 34:12
1017 לְכוּ שִׁמְעוּ וַאֲסַפְּרָה Ps. 66:16
1018 שִׁמְעוּ בָנִים מוּסַר אָב Prov. 4:1

שִׁמְעוּ (המשך)
1021-1019 וְעַתָּה בָנִים שִׁמְעוּ־לִי Prov. 5:7; 7:24; 8:32
1022 שִׁמְעוּ כִּי־נְגִידִים אֲדַבֵּר Prov. 8:6
1023 שִׁמְעוּ מוּסָר וַחֲכָמוּ Prov. 8:33
1024 שִׁמְעוּ־נָא תוֹכַחְתִּי Job 13:6
1025/6 שִׁמְעוּ שָׁמוֹעַ מִלָּתִי Job 13:17; 21:2
1027 שִׁמְעוּ חֲכָמִים מִלָּי Job 34:2
1028 לָכֵן אַנְשֵׁי לֵבָב שִׁמְעוּ לִי Job 34:10
1029 שִׁמְעוּ שָׁמוֹעַ בְּרֹגֶז קֹלוֹ Job 37:2
1030 שִׁמְעוּ־נָא כָל־הָעַמִּים° Lam. 1:18
1031 וַיֹּאמֶר שִׁמְעוּ עַמִּים כֻּלָּם IICh. 18:27
וְשִׁמְעוּ
1032 הִקָּבְצוּ וְשִׁמְעוּ בְּנֵי יַעֲקֹב Gen. 49:2
1033 וְשִׁמְעוּ אֶל־יִשְׂרָאֵל אֲבִיכֶם Gen. 49:2
1034 וְשִׁמְעוּ אֶת־דִּבְרֵי יְיָ אֱלֹהֵיכֶם Josh. 3:9
1035 הַאֲזִינוּ וְשִׁמְעוּ קוֹלִי Is. 28:23
1036 הַקְשִׁיבוּ וְשִׁמְעוּ אִמְרָתִי Is. 28:23
1037 וְשִׁמְעוּ בְּקוֹל יְיָ אֱלֹהֵיכֶם Jer. 26:13
1038 בֹּאוּ־נָא וְשִׁמְעוּ מָה הַדָּבָר Ezek. 33:30
וּשֲׁמָעוּ
1039 הִקָּבְצוּ כֻלְּכֶם וּשֲׁמָעוּ Is. 48:14
שְׁמָעוּנִי
1040 שְׁמָעוּנִי וּפִגְעוּ־לִי בְּעֶפְרוֹן Gen. 23:8
1041 שְׁמָעוּנִי אַחַי וְעַמִּי ICh. 28:2
1042 שְׁמָעוּנִי יָרָבְעָם וְכָל־יִשְׂרָאֵל IICh. 13:4
1043 שְׁמָעוּנִי אָסָא וְכָל־יְהוּדָה IICh. 15:2
1044 שְׁמָעוּנִי יְהוּדָה וְיֹשְׁבֵי יְרוּשָׁלִַם IICh. 20:20
1045 וְעַתָּה שְׁמָעוּנִי וְהָשִׁיבוּ הַשִּׁבְיָה IICh. 28:11
1046 שְׁמָעוּנִי הַלְוִיִּם עַתָּה הִתְקַדְּשׁוּ IICh. 29:5
שְׁמָעוּ
1047 הַחֵרְשִׁים שְׁמָעוּ Is. 42:18
שְׁמַעְנָה
1048 נָשִׁים...קֹמְנָה שְׁמַעְנָה קוֹלִי Is. 32:9
1049 כִּי־שְׁמַעְנָה נָשִׁים דְּבַר־יְיָ Jer. 9:19
שְׁמַעַן
1050 עָדָה וְצִלָּה שְׁמַעַן קוֹלִי Gen. 4:23
בְּהִשָּׁמַע
1051 וַיְהִי בְּהִשָּׁמַע דְּבַר־הַמֶּלֶךְ וְדָתוֹ Es. 2:8
נִשְׁמַע
1052 וְהַקֹּל נִשְׁמַע בֵּית פַּרְעֹה לֵאמֹר Gen. 45:16
1053 וּמַקָּבוֹת...לֹא־נִשְׁמַע בַּבַּיִת בְּהִבָּנֹתוֹ IK. 6:7
1054 עַד־יַהַץ נִשְׁמַע קוֹלָם Is. 15:4
1055 מִדָּן נִשְׁמַע נַחְרַת סוּסָיו Jer. 8:16
1056 כִּי קוֹל נְהִי נִשְׁמַע מִצִּיּוֹן Jer. 9:18
1057 כִּי לֹא־נִשְׁמַע הַדָּבָר Jer. 38:27
1058 בְּיַם־סוּף נִשְׁמַע קוֹלָהּ Jer. 49:21
1059 וְקוֹל כַּנְפֵי הַכְּרוּבִים נִשְׁמַע Ezek. 10:5
1060 וּמַה־שֵּׁמֶץ דָּבָר נִשְׁמַע־בּוֹ Job 26:14
1061 וְקוֹל הַתּוֹר נִשְׁמַע בְּאַרְצֵנוּ S.ofS. 2:12
1062 וְהַקּוֹל נִשְׁמַע עַד־לְמֵרָחוֹק Ez. 3:13
1063 וַיְהִי כַּאֲשֶׁר נִשְׁמַע לְסַנְבַלַּט Neh. 6:1
נִשְׁמָע
1064 וּזְעָקָה בַּגּוֹיִם נִשְׁמָע Jer. 50:46
1065 סוֹף דָּבָר הַכֹּל נִשְׁמָע Eccl. 12:13
1066 בַּגּוֹיִם נִשְׁמָע וְגַשְׁמוּ אֹמֵר Neh. 6:6
וְנִשְׁמַע
1067 וְנִשְׁמַע קוֹלוֹ בְּבֹאוֹ אֶל־הַקֹּדֶשׁ Ex. 28:35
1068 וְנִשְׁמַע פִּתְגָם הַמֶּלֶךְ Es. 1:20
הֲנִשְׁמַע
1069 הֲנִהְיָה...אוֹ הֲנִשְׁמַע כָּמֹהוּ Deut. 4:32
1070 הֲנִשְׁמַע לַעֲשֹׂת אֵת כָּל־הָרָעָה Neh. 13:27
נִשְׁמְעוּ
1071 מִן־הַיּוֹם הָרִאשׁוֹן...נִשְׁמְעוּ דְבָרֶיךָ Dan. 10:12
נִשְׁמָע
1072 קוֹל עַל־שְׁפָיִים נִשְׁמָע Jer. 3:21
1073 קוֹל בְּרָמָה נִשְׁמָע Jer. 31:15(14)
1074 אֵין־אֹמֶר...בְּלִי נִשְׁמָע קוֹלָם Ps. 19:4
הַנִּשְׁמַעַת
1075 בַּשְּׁמוּעָה הַנִּשְׁמַעַת בָּאָרֶץ Jer. 51:46
נִשְׁמָעִים
1076 וּדְבָרָיו אֵינָם נִשְׁמָעִים Eccl. 9:16
1077 דִּבְרֵי חֲכָמִים בְּנַחַת נִשְׁמָעִים Eccl. 9:17
יִשָּׁמַע
1078 וְשֵׁם...לֹא יִשָּׁמַע עַל־פִּיךָ Ex. 23:13
1079 לֹא יִשָּׁמַע עוֹד חָמָס בְּאַרְצֵךְ Is. 60:18
1080 וְלֹא־יִשָּׁמַע בָּהּ עוֹד קוֹל בְּכִי Is. 65:19
1081 חָמָס וָשֹׁד יִשָּׁמַע בָּהּ Jer. 6:7
1082 עוֹד יִשָּׁמַע בַּמָּקוֹם־הַזֶּה Jer. 33:10
1083 לֹא־יִשָּׁמַע קוֹלוֹ עוֹד אֶל־הָרֵי יִשׂ׳ Ezek. 19:9

יִשָּׁמַע (המשך) 1084 וְקוֹל כִּנּוֹרַיִךְ לֹא יִשָּׁמַע עוֹד Ezek. 26:13
1085 וְלֹא־יִשָּׁמַע עוֹד קוֹל מַלְאָכֵכֵה Nah. 2:14
1086 וְלֹא יְעַקְּבֵם כִּי־יִשָּׁמַע קוֹלוֹ Job 37:4
1087 וְעַתָּה יִשָּׁמַע לַמֶּלֶךְ כַּדְּבָר׳ הָאֵלֶּה Neh. 6:7
יִשָּׁמֵעַ 1088 שְׂפָתֶיהָ נָּעוֹת וְקוֹלָהּ לֹא יִשָּׁמֵעַ ISh. 1:13
וַיִּשָּׁמַע 1089 וַיְבָרְכוּ אֶת־הָעָם וַיִּשָּׁמַע בְּקוֹל׳ IICh.30:27
תִּשָּׁמַע 1090 תִּשָּׁמַע זְעָקָה מִבָּתֵּיהֶם Jer. 18:22
וַתִּשָּׁמַע 1091 וַתִּשָּׁמַע שִׂמְחַת יְרוּשָׁלַםִ מֵרָחוֹק Neh. 12:43
יִשָּׁמְעוּ 1092 לִשְׁמוֹעַ אֹזֶן יִשָּׁמְעוּ לִי IISh. 22:45
1093 לְשֵׁמַע אֹזֶן יִשָּׁמְעוּ לִי Ps. 18:45
וַיִּשָּׁמְעוּ 1094 וַיִּשָּׁמְעוּ הַדְּבָרִים אֲשֶׁר דִּבֶּר דָּוִד ISh. 17:31
וַיְשַׁמַּע 1095 וַיְשַׁמַּע שָׁאוּל אֶת־הָעָם ISh. 15:4
1096 וַיְשַׁמַּע שָׁאוּל אֶת־כָּל־הָעָם ISh. 23:8
לְהַשְׁמִיעַ 1097 לְהַשְׁמִיעַ בַּמָּרוֹם קוֹלְכֶם Is. 58:4
1098 בִּמְצִלְתַּיִם נְחֹשֶׁת לְהַשְׁמִיעַ ICh. 15:19
1099 לְהַשְׁמִיעַ קוֹל־אֶחָד לְהַלֵּל IICh. 5:13
לַשְׁמִעַ 1100 לַשְׁמִעַ בְּקוֹל תּוֹדָה Ps. 26:7
וְהִשְׁמַעְתִּי 1101 אָנֹכִי הִגַּדְתִּי וְהוֹשַׁעְתִּי וְהִשְׁמַעְתִּי Is. 43:12
1102 וְהִשְׁמַעְתִּי אֶל־רַבַּת..תְּרוּעַת מִלְ׳ Jer. 49:2
הִשְׁמַעְתִּיךָ 1103 הֲלֹא מֵאָז הִשְׁמַעְתִּיךָ וְהִגַּדְתִּי Is. 44:8
1104 בְּטֶרֶם תָּבוֹא הִשְׁמַעְתִּיךָ Is. 48:5
1105 הִשְׁמַעְתִּיךָ חֲדָשׁוֹת מֵעַתָּה Is. 48:6
הִשְׁמַעְתָּ 1106 מִשָּׁמַיִם הִשְׁמַעְתָּ דִּין Ps. 76:9
הִשְׁמִיעַ 1107 וְהַמֶּ׳ אָסָא הִשְׁמִיעַ אֶת־כָּל־יְהוּדָה IK.15:22
1108 וַאדֹנָי הִשְׁמִיעַ אֶת־מַחֲנֵה אֲרָם IIK. 7:6
1109 מִי הִשְׁמִיעַ זֹאת מִקֶּדֶם Is. 45:21
1110 הִנֵּה יְיָ הִשְׁמִיעַ אֶל־קְצֵה הָאָרֶץ Is. 62:11
וְהִשְׁמִיעַ 1111 וְהִשְׁמִיעַ יְיָ אֶת־הוֹד קוֹלוֹ Is. 30:30
הִשְׁמִיעֲךָ 1112 מִן־הַשָּׁמַיִם הִשְׁמִיעֲךָ אֶת־קֹלוֹ Deut. 4:36
הִשְׁמִיעָנוּ 1113 וְכָעֵת לֹא הִשְׁמִיעָנוּ כָּזֹאת Jud. 13:23
הִשְׁמִיעוּ 1114 הִשְׁמִיעוּ זְעָקָה צְעִירֶיהָ Jer. 48:4
וְהִשְׁמִיעוּ 1115 וְהִשְׁמִיעוּ עָלַיִךְ בְּקוֹלָם Ezek. 27:30
מַשְׁמִיעַ 1116 אַף אֵין־מַגִּיד אַף אֵין מַשְׁמִיעַ Is. 41:26
1117 רַגְלֵי מְבַשֵּׂר מַשְׁמִיעַ שָׁלוֹם Is. 52:7
1118 מְבַשֵּׂר טוֹב מַשְׁמִיעַ יְשׁוּעָה Is. 52:7
1119 מְבַשֵּׂר מַשְׁמִיעַ שָׁלוֹם Nah. 2:1
1120 וְאָסָף בִּמְצִלְתַּיִם מַשְׁמִיעַ ICh. 16:5
וּמַשְׁמִיעַ 1121 וּמַשְׁמִיעַ אָוֶן מֵהַר אֶפְרָיִם Jer. 4:15
מַשְׁמִיעִים 1122 מַשְׁמִיעִים לְהָרִים־בְּקוֹל ICh. 15:16
1123 מַשְׁמִעִים בִּנְבָלִים וְכִנֹּרוֹת ICh. 15:28
לְמַשְׁמִיעִים 1124 חֲצֹצְרוֹת וּמְצִלְתַּיִם לְמַשְׁמִיעִים ICh.16:42
אַשְׁמִיעַ 1125 בְּטֶרֶם תִּצְמַחְנָה אַשְׁמִיעַ אֶתְכֶם Is. 42:9
1126 וְלֹא־אַשְׁמִיעַ אֵלַיִךְ...כְּלִמַּת הַגּוֹיִם Ezek.36:15
אַשְׁמִיעֲךָ 1127 וְשָׁמָּה אַשְׁמִיעֲךָ אֶת־דְּבָרָי Jer. 18:2
וְאַשְׁמִיעֲךָ 1128 וְאַשְׁמִיעֲךָ אֶת־דְּבַר אֱלֹהִים ISh. 9:27
וְאַשְׁמִעֵם 1129 וְאַשְׁמִעֵם אֶת־דְּבָרָי Deut. 4:10
1130 וּמִפִּי יָצְאוּ וְאַשְׁמִיעֵם Is. 48:3
תַּשְׁמַע 1131 אַל־תַּשְׁמַע קוֹלְךָ עִמָּנוּ Jud. 18:25
תַּשְׁמִיעֵנִי 1132 תַּשְׁמִיעֵנִי שָׂשׂוֹן וְשִׂמְחָה Ps. 51:10
יַשְׁמִיעַ 1133 וְלֹא־יַשְׁמִיעַ בַּחוּץ קוֹלוֹ Is. 42:2
1134 מִי־יְמַלֵּל...יַשְׁמִיעַ כָּל־תְּהִלָּתוֹ Ps. 106:2
וְיַשְׁמִיעֵנוּ 1135/6 וְיַשְׁמִעֵנוּ אֹתָהּ וְנַעֲשֶׂנָּה Deut. 20:12, 13
תַּשְׁמִיעוּ 1137 וְלֹא־תַשְׁמִיעוּ אֶת־קוֹלְכֶם Josh. 6:10
יַשְׁמִיעוּ 1138 וַאֲשֶׁר יַשְׁמִיעוּ וְיַעֲבִירוּ קוֹל Neh. 8:15
וְיַשְׁמִיעוּ 1139 וְיַשְׁמִעוּ דְבָרַי אֶת־עַמִּי Jer. 23:22
וַיַּשְׁמִיעוּ 1140 וַיַּשְׁמִיעוּ הַמְשֹׁרְרִים וְיִזְרַחְיָה Neh. 12:42
יַשְׁמִיעֻנוּ 1141 מִי...יַגִּיד זֹאת וְרִאשֹׁנוֹת יַשְׁמִיעֻנוּ Is. 43:9
הַשְׁמִיעֵנִי 1142 הַשְׁמִיעֵנִי בַבֹּקֶר חַסְדֶּךָ Ps. 143:8
הַשְׁמִיעִינִי 1143 הַשְׁמִיעִינִי אֶת־קוֹלֵךְ S.ofS. 2:14
1144 חֲבֵרִים מַקְשִׁיבִים...הַשְׁמִיעִנִי S.ofS. 8:13
הַשְׁמִיעוּ 1145 הַגִּידוּ הַשְׁמִיעוּ זֹאת Is. 48:20
1146 הַגִּידוּ בִיהוּדָה וּבִירוּשָׁ׳ הַשְׁמִיעוּ Jer. 4:5

הַשְׁמִיעוּ (המשך) 1147 הִנֵּה הַשְׁמִיעוּ עַל־יְרוּשָׁלַםִ Jer. 4:16
1148 הַשְׁמִיעוּ הַלְלוּ וְאִמְרוּ Jer. 31:7(6)
1149 וּשְׂאוּ־נֵס הַשְׁמִיעוּ אַל־תְּכַחֵדוּ Jer. 50:2
1150 הַשְׁמִיעוּ אֶל־בָּבֶל רַבִּים Jer. 50:29
1151 הַשְׁמִיעוּ עָלֶיהָ מַמְלְכוֹת Jer. 51:27
1152 הַשְׁמִיעוּ עַל־אַרְמְנוֹת בְּאַשְׁדּוֹד Am. 3:9
1153 וְקִרְאוּ נְדָבוֹת הַשְׁמִיעוּ Am. 4:5
וְהַשְׁמִיעוּ 1154 הַגִּידוּ בְמִצְ׳ וְהַשְׁמִיעוּ בְמִגְדּוֹל Jer. 46:14
1155 וְהַשְׁמִיעוּ בְנֹף וּבְתַחְפַּנְחֵס Jer. 46:14
1156 הַגִּידוּ בַגּוֹיִם וְהַשְׁמִיעוּ Jer. 50:2
1157 וְהַשְׁמִיעוּ קוֹל תְּהִלָּתוֹ Ps. 66:8
וְהַשְׁמִיעוּהָ 1158 הַגִּידוּ...וְהַשְׁמִיעוּהָ בִיהוּדָה Jer. 5:20
הַשְׁמִיעֻנוּ 1159 אוֹ הַבָּאוֹת הַשְׁמִיעֻנוּ Is. 41:22

שְׁמַע
פ׳ ארמית א) כמו בעברית: שָׁמַע: 1-8
ב) [אתפ׳ אִשְׁתְּמַע] צִיֵּת, קבל מרות: 9

שָׁמְעֵת 1 וַאֲנָה שִׁמְעֵת עֲלָךְ׳ דִּי־תִכּוּל׳... Dan. 5:16
וְשִׁמְעֵת 2 וְשִׁמְעֵת עֲלָךְ׳ דִּי רוּחַ אֱלָהִין בָּךְ Dan. 5:14
שְׁמַע 3 אֱדַיִן מַלְכָּא כְּדִי מִלְּתָא שְׁמַע Dan. 6:15
שָׁמְעִין 4 כְּדִי שָׁמְעִין כָּל־עַמְמַיָּא Dan. 3:7
5 דִּי לָא־חָזַיִן וְלָא־שָׁמְעִין Dan. 5:23
יִשְׁמַע 6 דִּי כָל־אֱנָשׁ דִּי־יִשְׁמַע קָל קַרְנָא Dan. 3:10
תִּשְׁמְעוּן 7/8 בְּעִדָּנָא דִּי־תִשְׁמְעוּן קָל קַרְנָא Dan. 3:5, 15
וְיִשְׁתַּמְעוּן 9 לֵהּ יִפְלְחוּן וְיִשְׁתַּמְעוּן Dan. 7:27

שֵׁמַע
ז׳ א) שמיעה, קליטה באוזן: 8, 9
ב) שמועה, ידיעה: 1-7, 10-17
שֵׁמַע אֹזֶן 8, 9; שֵׁמַע יַעֲקֹב 3; שֵׁמַע צוֹר 7; שֵׁמַע שָׁוְא 4; שֵׁמַע שְׁלֹמֹה 5,6; שֵׁמַע שִׁמְעוֹ 3,5,6,10-17

שֵׁמַע 1 כַּאֲשֶׁר־שֵׁמַע לְמִצְרָיִם Is. 23:5
2 אַיְסִרֵם כְּשֵׁמַע לַעֲדָתָם Hosh. 7:12
שֵׁמַע־ 3 כִּשְׁמֹעַ לָבָן אֶת־שֵׁמַע יַעֲקֹב Gen. 29:13
4 לֹא תִשָּׂא שֵׁמַע שָׁוְא Ex. 23:1
5 שֹׁמַעַת אֶת־שֵׁמַע שְׁלֹמֹה לְשֵׁם יְיָ IK. 10:1
6 וּמַלְכַּת־שְׁבָא שָׁמְעָה אֶת־שֵׁמַע שְׁלֹמֹה IICh. 9:1
כְּשֵׁמַע־ 7 יָחִילוּ כְּשֵׁמַע צֹר Is. 23:5
לְשֵׁמַע־ 8 לְשֵׁמַע אֹזֶן יִשָּׁמְעוּ לִי Ps. 18:45
9 לְשֵׁמַע־אֹזֶן שְׁמַעְתִּיךָ Job 42:5
שִׁמְעִי 10 אֲשֶׁר לֹא־שָׁמְעוּ אֶת־שִׁמְעִי Is. 66:19
שִׁמְעֲךָ 11 הַגּוֹיִם אֲשֶׁר־שָׁמְעוּ אֶת־שִׁמְעֲךָ Num. 14:15
12 אֲשֶׁר יִשְׁמְעוּן שִׁמְעֲךָ וְרָגְזוּ Deut. 2:25
13 כֹּל שֹׁמְעֵי שִׁמְעֲךָ תָּקְעוּ כַף Nah. 3:19
14 יְיָ שָׁמַעְתִּי שִׁמְעֲךָ יָרֵאתִי Hab. 3:2
שִׁמְעָהּ 15 בְּאָזְנֵינוּ שָׁמַעְנוּ שִׁמְעָהּ Job 28:22
שִׁמְעָם 16 וַיִּשְׁמְעוּ הַכַּשְׂדִּים...אֶת־שִׁמְעָם Jer. 37:5
17 שָׁמַע מֶלֶךְ־בָּבֶל אֶת־שִׁמְעָם Jer. 50:43

שֶׁמַע*[1]
ז׳ צליל נגינה • צִלְצְלֵי שָׁמַע 1

שָׁמַע 1 הַלְלוּהוּ בְצִלְצְלֵי־שָׁמַע Ps. 105:5

שֶׁמַע[2]
שפ״ז א) איש משבט ראובן: 1
ב) בן חברון מיהודה: 3, 5
ג) מראשי האבות מבנימין: 4
ד) כהן בימי נחמיה: 2

שֶׁמַע 1 וּבֶלַע בֶּן־עָזָז בֶּן־שֶׁמַע ICh. 5:8
וְשֶׁמַע 2 וַיַּעֲמֹד אֶצְלוֹ מַתִּתְיָה וְשֶׁמַע Neh. 8:4
3 וְשֶׁמַע הוֹלִיד אֶת־רַחַם ICh. 2:44
וָשֶׁמַע 4 וּבְרִעָה וָשֶׁמַע הֵמָּה רָאשֵׁי הָאָבוֹת ICh. 8:13
וָשָׁמַע 5 וּבְנֵי חֶבְרוֹן...וְרֶקֶם וָשָׁמַע ICh. 2:43

שֹׁמַע
ז׳ שמועה, פרסום: 1-4
הָיָה שָׁמְעוֹ 1; הָלַךְ שָׁמְעוֹ 4; שָׁמַע שָׁמְעוֹ 2,3

שָׁמְעוֹ 1 וַיְהִי שָׁמְעוֹ בְּכָל־הָאָרֶץ Josh. 6:27
2 כִּי־שָׁמַעְנוּ שָׁמְעוֹ Josh. 9:9
3 שָׁמַעְנוּ אֶת־שָׁמְעוֹ רָפוּ יָדֵינוּ Jer. 6:24
וְשָׁמְעוֹ 4 וְשָׁמְעוֹ הוֹלֵךְ בְּכָל־הַמְּדִינוֹת Es. 9:4

שְׁמַע
ש״פ – עיר בנגב יהודה

וּשְׁמַע 1 אֲמָם וּשְׁמַע וּמוֹלָדָה Josh. 15:26

שָׁמָע
שפ״ז – מגבורי דוד

שָׁמָע 1 שָׁמָע וִיעִיאֵל בְּנֵי חוֹתָם הָעֲרֹעֵרִי ICh. 11:44

שִׁמְעָא
שפ״ז א) בן דוד מבת־שבע: 1
ב) אחי דוד: 4, 5
ג) לוי מבני קהת: 3
ד) לוי מבני מררי: 2

שִׁמְעָא 1 שִׁמְעָא וְשׁוֹבָב וְנָתָן וּשְׁלֹמֹה ICh. 3:5
2 שִׁמְעָא בְנוֹ חַגִּיָּה בְנוֹ... ICh. 6:15
3 אָסָף בֶּן־בֶּרֶכְיָהוּ בֶּן־שִׁמְעָא ICh. 6:24
4 יְהוֹנָתָן בֶּן־שִׁמְעָא אֲחִי דָוִיד ICh. 20:7
וְשִׁמְעָא 5 וַאֲבִינָדָב הַשֵּׁנִי וְשִׁמְעָא הַשְּׁלִישִׁי ICh. 2:13

שִׁמְעָה
שפ״ז – הוא שִׁמְעָא, אחי דוד: 1-3

שִׁמְעָה 1/2 יוֹנָדָב בֶּן־שִׁמְעָה אֲחִי(־)דָוִד IISh. 13:3, 32
3 יְהוֹנָתָן בֶּן־שִׁמְעָה(כ׳ שמעי) אֲחִי דָוִד IISh.21:21

שְׁמָעָה
שפ״ז – איש מבנימין בימי דוד

הַשְּׁמָעָה 1 בְּנֵי הַשְּׁמָעָה הַגִּבְעָתִי ICh. 12:3

שִׁמְעוֹן
שפ״ז א) בנו השני של יעקב מאשתו לאה: 1-9, 29, 36-39
ב) בני השבט המתיחסים על צאצאיו, וכן נחלתם בארץ כנען: 10-28, 30-34, 40-44
ג) איש בימי עזרא ונחמיה: 35
בְּנֵי שִׁמְעוֹן 6, 9, 11, 15-28; גְּבוּל שׁ׳ 33; מַטֵּה שִׁמְעוֹן 12-14; מִשְׁפְּחוֹת שׁ׳ 10; שַׁעַר שִׁמְעוֹן 34

שִׁמְעוֹן 1 וַתִּקְרָא שְׁמוֹ שִׁמְעוֹן Gen. 29:33
2 שִׁמְעוֹן וְלֵוִי אֲחֵי דִינָה Gen. 34:25
3 וַיֹּאמֶר יַעֲקֹב אֶל־שִׁמְעוֹן וְאֶל־לֵוִי Gen. 34:30
4 וַיִּקַּח מֵאִתָּם אֶת־שִׁמְעוֹן Gen. 42:24
5 וַיּוֹצֵא אֲלֵהֶם אֶת־שִׁמְעוֹן Gen. 43:23
6 וּבְנֵי שִׁמְעוֹן יְמוּאֵל וְיָמִין Gen. 46:10
7 שִׁמְעוֹן וְלֵוִי אַחִים Gen. 49:5
8 רְאוּבֵן שִׁמְעוֹן לֵוִי וִיהוּדָה Ex. 1:2
9 וּבְנֵי שִׁמְעוֹן יְמוּאֵל וְיָמִין Ex. 6:15
10 אֵלֶּה מִשְׁפְּחֹת שִׁמְעוֹן Ex. 6:15
11 לִבְנֵי שִׁמְעוֹן תּוֹלְדֹתָם לְמִשְׁפְּחֹתָם Num. 1:22
12 פְּקֻדֵיהֶם לְמַטֵּה שִׁמְעוֹן Num. 1:23
13/4 (לְ)מַטֵּה שִׁמְעוֹן Num. 2:12; 13:5
15 וְנָשִׂיא לִבְנֵי שִׁמְעוֹן שְׁלֻמִיאֵל Num. 2:12
16-28 בְּנֵי (לִבְ־) שִׁמְעוֹן Num. 7:36
10:19; 26:12; 34:20 • Josh. 19:1, 8, 9[2]; 21:9 • ICh. 4:24, 42; 6:50; 12:25(26)
29 שִׁמְעוֹן וְלֵוִי וִיהוּדָה Deut. 27:12
30 וַיֵּלֶךְ אִתּוֹ שִׁמְעוֹן Jud. 1:3
31 וַיֵּלֶךְ יְהוּדָה אֶת־שִׁמְעוֹן אָחִיו Jud. 1:17
32 וְעַל גְּבוּל בִּנְיָמִן...שִׁמְעוֹן אֶחָד Ezek. 48:24
33 וְעַל גְּבוּל שִׁמְעוֹן...יִשָּׂשכָר אֶחָד Ezek. 48:25
34 שַׁעַר שִׁמְעוֹן אֶחָד Ezek. 48:33
35 וּבְנֵי חָרִם...שְׁמַעְיָה שִׁמְעוֹן Ez. 10:31
36 רְאוּבֵן שִׁמְעוֹן לֵוִי וִיהוּדָה ICh. 2:1
וְשִׁמְעוֹן 37 וְשִׁמְעוֹן וְלֵוִי וִיהוּדָה Gen. 35:23
38 יוֹסֵף אֵינֶנּוּ וְשִׁמְעוֹן אֵינֶנּוּ Gen. 42:36
39 כִּרְאוּבֵן וְשִׁמְעוֹן יִהְיוּ־לִי Gen. 48:5
40 וּבְעָרֵי מְנַשֶּׁה וְאֶפְרַיִם וְשִׁמְעוֹן IICh. 34:6

לְשִׁמְעוֹן 41 לְשִׁמְעוֹן שְׁלֻמִיאֵל בֶּן־צוּרִישַׁדָּי Num. 1:6
42 וַיֵּצֵא הַגּוֹרָל הַשֵּׁנִי לְשִׁמְעוֹן Josh. 19:1
43 וַיֹּאמֶר יְהוּדָה לְשִׁמְעוֹן אָחִיו Jud. 1:3
וּמִשִּׁמְעוֹן 44 מֵאֶפְרַיִם וּמְנַשֶּׁה וּמִשִּׁמְעוֹן IICh. 15:9

שִׁמְעוֹנִי ת׳ המתיחס על זרע שמעון בן יעקב: 1-4
מַטֵּה שִׁמְעוֹנִי 2; מִשְׁפְּחוֹת הַשִּׁמְעֹנִי 1

הַשִּׁמְעֹנִי 1 אֵלֶּה מִשְׁפְּחֹת הַשִּׁמְעֹנִי Num. 26:14
2 מִמַּטֵּה יְהוּדָה וּמִמַּטֵּה הַשִּׁמְעֹנִי Josh. 21:4
לַשִּׁמְעֹנִי 3 נְשִׂיא בֵית־אָב לַשִּׁמְעֹנִי Num. 25:14
4 לַשִּׁמְעוֹנִי שְׁפַטְיָהוּ בֶּן־מַעֲכָה ICh. 27:16

שִׁמְעִי שפ״ז א) בן גרא מבנימין: 1-12, 39-42
ב) סבו של מרדכי: 14
ג-יד) לויים ואנשים אחרים בישראל
בזמנים שונים: 13, 15-38, 43

שִׁמְעִי 1 וְהִנֵּה...אִישׁ...וּשְׁמוֹ שִׁמְעִי בֶּן־גֵּרָא IISh. 16:5
2 וְכֹה־אָמַר שִׁמְעִי בְּקַלְלוֹ IISh. 16:7
3 שִׁמְעִי בֶן־גֵּרָא בֶּן־הַיְמִינִי IISh. 19:17
4 הֲתַחַת זֹאת לֹא יוּמַת שִׁמְעִי IISh. 19:22
5 וַיֹּאמֶר הַמֶּלֶךְ אֶל־שִׁמְעִי לֹא תָמוּת IISh. 19:24
6 וְהִנֵּה עִמְּךָ שִׁמְעִי בֶן־גֵּרָא... IK. 2:8
7-12 שִׁמְעִי IK. 2:38², 40², 41, 44
13 שִׁמְעִי בֶן־אֵלָא בְּבִנְיָמִן IK. 4:18
14 מָרְדֳּכַי בֶּן יָאִיר בֶּן־שִׁמְעִי Es. 2:5
15 מִבְּנֵי חָשֻׁם...יְרֵמַי מְנַשֶּׁה שִׁמְעִי Ez. 10:33
16 וּבָנִי וּבִנּוּי שִׁמְעִי Ez. 10:38
17 וּבְנֵי מִשְׁמָע...זַכּוּר בְּנוֹ שִׁמְעִי בְנוֹ ICh. 4:26
18 בְּנֵי יוֹאֵל...גּוֹג בְּנוֹ שִׁמְעִי בְנוֹ ICh. 5:4
19 בְּנֵי מְרָרִי...שִׁמְעִי בְנוֹ עֻזָּה בְנוֹ ICh. 6:14
20 בֶּן־אֵיתָן בֶּן־זִמָּה בֶּן־שִׁמְעִי ICh. 6:27
21 וַעֲדָיָה...וְשִׁמְרָת בְּנֵי שִׁמְעִי ICh. 8:21
22 בְּנֵי שִׁמְעִי שְׁלֹמִית° וַחֲזִיאֵל ICh. 23:9
23 וּבְנֵי שִׁמְעִי יַחַת זִינָא וִיעוּשׁ וּבְרִיעָה ICh. 23:10
24 אֵלֶּה בְנֵי־שִׁמְעִי אַרְבָּעָה ICh. 23:10
25 הָעֲשִׂירִי שִׁמְעִי ICh. 25:17
26 וְעַל־הַכְּרָמִים שִׁמְעִי הָרָמָתִי ICh. 27:27
וְשִׁמְעִי 27 בְּנֵי גֵרְשׁוֹן לִבְנִי וְשִׁמְעִי Ex. 6:17
28 בְּנֵי־גֵרְשׁוֹן לְמִשְׁפְּחֹתָם לִבְנִי וְשִׁמְ׳ Num. 3:18
29 וְשִׁמְעִי הֹלֵךְ בְּצֵלַע הָהָר לְעֻמָּתוֹ IISh. 16:13
30 וְשִׁמְעִי בֶן־גֵּרָא נָפַל לִפְנֵי הַמֶּלֶךְ IISh. 19:19
31 וְנָתָן הַנָּבִיא וְשִׁמְעִי וְרֵעִי IK. 1:8
32 וּמִן־הַלְוִיִּם יוֹזָבָד וְשִׁמְעִי Ez. 10:23
33 וּבְנֵי פְדָיָה זְרֻבָּבֶל וְשִׁמְעִי ICh. 3:19
34 בְּנֵי־גֵרְשׁוֹם לִבְנִי וְשִׁמְעִי ICh. 6:2
35 לַגֵּרְשֻׁנִּי לַעְדָּן וְשִׁמְעִי ICh. 23:7
36 מִן־בְּנֵי הֵימָן יְחִיאֵל° וְשִׁמְעִי IICh. 29:14
37 כָּנַנְיָהוּ° הַלֵּוִי וְשִׁמְעִי אָחִיהוּ IICh. 31:12
38 מִיַּד כָּנַנְיָהוּ° וְשִׁמְעִי אָחִיו IICh. 31:13
לְשִׁמְעִי 39/40 וַיִּשְׁלַח הַמֶּלֶךְ וַיִּקְרָא לְשִׁמְעִי IK. 2:36, 42
41 וַיִּבְרְחוּ שְׁנֵי־עֲבָדִים לְשִׁמְעִי IK. 2:39
42 וַיַּגִּידוּ לְשִׁמְעִי לֵאמֹר IK. 2:39
וּלְשִׁמְעִי 43 וּלְשִׁמְעִי בָּנִים שִׁשָּׁה עָשָׂר ICh. 4:27

שִׁמְעִי ת׳ המתיחס על זרע שמעי: 1, 2
הַשִּׁמְעִי 1 מִשְׁפַּחַת הַלִּבְנִי וּמִשְׁפַּחַת הַשִּׁמְעִי Num. 3:21
2 מִשְׁפַּחַת הַשִּׁמְעִי לְבָד Zech. 12:31

שְׁמַעְיָה שפ״ז א) איש אלהים (נביא) בימי רחבעם: 1, 24, 25, 31
ב) נביא שקר בימי ירמיהו: 2-4
ג-כא) לויים ואנשים בישראל
בזמנים שונים: 5-23, 26-30, 32-34

שְׁמַעְיָה 1 דְּבַר הָאֱלֹהִים אֶל־שְׁמַעְיָה אִישׁ־הָאֱלֹהִים IK. 12:22
2 כֹּה אָמַר יְיָ אֶל־שְׁמַעְיָה הַנֶּחֱלָמִי Jer. 29:31
3 יַעַן אֲשֶׁר נִבָּא לָכֶם שְׁמַעְיָה Jer. 29:31
4 הִנְנִי פֹקֵד עַל־שְׁמַעְיָה הַנֶּחֱלָמִי Jer. 29:32
5 וּבְנֵי חָרִם...מַלְכִּיָּה שְׁמַעְיָה Ez. 10:31
6 וְאַחֲרָיו הֶחֱזִיק שְׁמַעְיָה בֶן־שְׁכַנְיָה Neh. 3:29
7 בֵּית שְׁמַעְיָה בֶּן־דְּלָיָה Neh. 6:10
8 מַעַזְיָה בִלְגַּי שְׁמַעְיָה Neh. 10:9
9 וּמִן־הַלְוִיִּם שְׁמַעְיָה בֶן־חַשּׁוּב Neh. 11:15
10 שְׁמַעְיָה וְיוֹיָרִיב יְדַעְיָה Neh. 12:6
11 זְכַרְיָה בֶן־יוֹנָתָן בֶּן־שְׁמַעְיָה Neh. 12:35
12 וְאֶחָיו שְׁמַעְיָה וַעֲזַרְאֵל Neh. 12:36
13 וּבְנֵי שְׁכַנְיָה שְׁמַעְיָה ICh. 3:22
14 וּבְנֵי שְׁמַעְיָה חַטּוּשׁ וְיִגְאָל ICh. 3:22
15 וְזִיזָא...בֶּן־שִׁמְרִי בֶּן־שְׁמַעְיָה ICh. 4:37
16 בְּנֵי יוֹאֵל שְׁמַעְיָה בְנוֹ ICh. 5:4
17 וּמִן־הַלְוִיִּם שְׁמַעְיָה בֶן־חַשּׁוּב ICh. 9:14
18 וְעֹבַדְיָה בֶּן־שְׁמַעְיָה ICh. 9:16
19 לִבְנֵי אֱלִיצָפָן שְׁמַעְיָה הַשָּׂר ICh. 15:8
20 וְלַלְוִיִּם לְאוּרִיאֵל...שְׁמַעְיָה ICh. 15:11
21 וַיִּכְתְּבֵם שְׁמַעְיָה בֶן־נְתַנְאֵל הַסּוֹפֵר ICh. 24:6
22 שְׁמַעְיָה הַבְּכוֹר יְהוֹזָבָד הַשֵּׁנִי ICh. 26:4
23 בְּנֵי שְׁמַעְיָה עָתְנִי וּרְפָאֵל ICh. 26:7
24 הָיָה דְבַר־יְיָ אֶל־שְׁמַעְיָה IICh. 12:7
25 כְּתוּבִים בְּדִבְרֵי שְׁמַעְיָה הַנָּבִיא IICh. 12:15
26 וּמִן־בְּנֵי יְדוּתוּן שְׁמַעְיָה וְעֻזִּיאֵל IICh. 29:14
וּשְׁמַעְיָה 27 אֱלִיפֶלֶט יְעִיאֵל וּשְׁמַעְיָה Ez. 8:13
28 מַעֲשֵׂיָה וְאֵלִיָּה וּשְׁמַעְיָה Ez. 10:21
29 יְהוּדָה וּבִנְיָמִן וּשְׁמַעְיָה וְיִרְמְיָה Neh. 12:34
30 וּמַעֲשֵׂיָה וּשְׁמַעְיָה וְאֶלְעָזָר Neh. 12:42
31 וּשְׁמַעְיָה הַנָּבִיא בָּא אֶל־רְחַבְעָם IICh. 12:5
לִשְׁמַעְיָה 32 לֶאֱלִיעֶזֶר לַאֲרִיאֵל לִשְׁמַעְיָה Ez. 8:16
33 לְבִלְגָּה שַׁמּוּעַ לִשְׁמַעְיָה יְהוֹנָתָן Neh. 12:18
וְלִשְׁמַעְיָה 34 וְלִשְׁמַעְיָה בְנוֹ נוֹלַד בָּנִים ICh. 26:6

שְׁמַעְיָהוּ שפ״ז א) אבי הנביא אוריה בימי יהויקים: 1
ב) נביא שקר בימי ירמיה, הוא שְׁמַעְיָה: 2
ג) איש אלהים בימי רחבעם, הוא שְׁמַעְיָה: 4
ד-ו) אנשים שונים: 3, 5-7

שְׁמַעְיָהוּ 1 אוּרִיָּהוּ בֶּן־שְׁמַעְיָהוּ מִקִּרְיַת הַיְּעָרִים Jer. 26:20
2 וְאֶל־שְׁמַעְיָהוּ הַנֶּחֱלָמִי תֹּאמַר Jer. 29:24
3 הַשָּׂרִים...וּדְלָיָהוּ בֶן־שְׁמַעְיָהוּ Jer. 36:12
4 דְּבַר־יְיָ אֶל־שְׁמַעְיָהוּ אִישׁ־הָאֱלֹהִים IICh.11:2
5 וְעִמָּהֶם הַלְוִיִּם שְׁמַעְיָהוּ וּנְתַנְיָהוּ IICh. 17:8
וּשְׁמַעְיָהוּ 6 וְעַל־יָדוֹ עֵדֶן...וְיֵשׁוּעַ וּשְׁמַעְיָהוּ IICh. 31:15
7 וְכָנַנְיָהוּ° וּשְׁמַעְיָהוּ וּנְתַנְאֵל אֶחָיו IICh. 35:9

שִׁמְעָת שפ״נ – אשה עמונית: 1, 2
שִׁמְעָת 1 וְיוֹזָכָר בֶּן־שִׁמְעָת...הִכֻּהוּ IIK. 12:22
2 זָבָד בֶּן־שִׁמְעָת הָעַמּוֹנִית IICh. 24:26

שִׁמְעָתִי ת׳ מתושבי המקום שִׁמְעָה(?) ביהודה
שִׁמְעָתִים 1 תִּרְעָתִים שִׁמְעָתִים שׂוּכָתִים ICh. 2:55

שמץ: שֶׁמֶץ, שִׁמְצָה

שֶׁמֶץ ז׳ משהו, שמועה בלתי ברורה: 1, 2
שֶׁמֶץ דָּבָר 2

שֶׁמֶץ 1 וַתִּקַּח אָזְנִי שֵׁמֶץ מֶנְהוּ Job 4:12
שֶׁמֶץ־ 2 וּמַה־שֵּׁמֶץ דָּבָר נִשְׁמַע־בּוֹ Job 26:14

שִׁמְצָה נ׳ גנאי, דופי
לְשִׁמְצָה 1 כִּי־פְרָעֹה אַהֲרֹן לְשִׁמְצָה בְּקָמֵיהֶם Ex. 32:25

שמר: שָׁמַר, נִשְׁמַר, שִׁמֵּר, הִשְׁתַּמֵּר; שׁוֹמֵר, שְׁמָרִים, שִׁמֻּרִים, שְׁמָרָה, שְׁמוּרָה, אַשְׁמוּרָה, אַשְׁמֹרֶת, מִשְׁמָר, מִשְׁמֶרֶת; ש״פ שֶׁמֶר, שׁוֹמֵר, שֹׁמְרוֹן, שִׁמְרוֹן, שִׁמְרִי, שְׁמַרְיָה, שְׁמַרְיָהוּ, שִׁמְרִית, שִׁמְרָת; אר׳ שָׁמְרַיִן

שָׁמַר פ׳ א) נצר, השגיח על מישהו או על משהו מפגיעה וכדומה (ובהשאלה) מלא דבר,
קִיֵּם: רוב המקראות 1-370
ב) שם לב, הקפיד, נזהר: 19, 22, 25-27, 48-58, 90-92, 97, 100, 136-139, 141, 148, 171, 232, 251, 262, 272, 293, 300, 301, 313, 315, 319, 328, 363, 364, 368-370
[עין עוד ערך שׁוֹמֵר]
ג) [נפ׳ נִשְׁמַר] נזהר, שמר עצמו: 371-407
ד) [פִּ׳ שִׁמֵּר] הקפיד לשמור: 408
ה) [התפ׳ הִשְׁתַּמֵּר] נזהר: 409, 410
ו) [כנ״ל] שמרו אותו: 411
קרובים: נָטַר / נָצַר

– שָׁמַר אֱמוּנִים 180; שָׁ׳ אִמְרָתוֹ 74, 147, 161; שָׁ׳ אֱמֶת 209; שָׁ׳ אֳרָחוֹת 70, 257, 265, 274; שָׁ׳ בְּרִית 35, 81, 107, 126, 143, 153, 177, 179, 200-203, 221, 245, 294, 325; שָׁ׳ דַּעַת 323; שָׁ׳ דֶּרֶךְ 8, 69, 71, 73, 2/161, 211, 214, 235, 273, 317/8, 326, 332, 353; שָׁ׳ הַבְלֵי שָׁוְא 216; שָׁ׳ חֶסֶד 177, 200-203, 234, 266, 340; שָׁ׳ חֹק (חֻקּוֹת, חֻקִּים) 15, 32-34, 38, 49, 81, 84-86, 90, 91, 99, 104, 108, 121, 129-131, 133, 134, 142, 159, 232, 253, 262, 275, 295, 302, 306, 316, 322, 324, 329, 369; שָׁ׳ לְשׁוֹנוֹ 194; שָׁ׳ מוּסָר 188; שָׁ׳ מְזִמּוֹת 43, 290; שָׁ׳ מִצְוָה (מִצְוֹת) 2, 3, 5, 6, 9, 13, 14, 16-19, 3/22, 32, 41, 46, 48-56, 58, 76, 82, 86, 9/88, 95, 99, 100, 102, 117, 135, 141, 146, 192, 198, 222-224, 226, 248, 250, 264, 279, 281, 293, 297, 302, 309, 311-314, 331, 3/342, 348, 367, 369; שָׁ׳ מִשְׁמֶרֶת 12, 90, 99, 116, 120, 128, 132, 136, 144, 145, 151, 152, 157, 164-166, 169-171, 173-175, 210, 212, 213, 255, 279, 327, 335; שָׁ׳ מִשְׁפָּט (מִשְׁפָּטִים) 42, 103, 150, 218, 253, 262, 296, 303, 310, 321, 340, 365, 366; שָׁ׳ נֶפֶשׁ 113, 184, 189, 190, 193, 195, 196, 219, 272, 345, 352, 354, 355; שָׁ׳ עֶבְרָה 112; שָׁ׳ עֵדוּת 113, 154, 160, 240, 242; שָׁ׳ פִּיו 178, 194; שָׁ׳ פִּקּוּדִים 72, 225, 241; שָׁמַר רוּחַ 199; שָׁ׳ שְׁבוּעָתוֹ 64, 79; שָׁ׳ (הַ)שַּׁבָּת 1, 127, 163, 181, 182, 304, 305, 307, 308, 320; שָׁ׳ תּוֹכַחַת 205, 206; שָׁמַר תּוֹרָה 57, 155, 158, 172, 208, 220, 239, 243; שֹׁמֵר תָּם 351
– שָׁמַר אֶת־ רוב המקראות 1-370; שָׁ׳ אֶל־ 7, 78; שָׁ׳ לְ־ 47, 83; שָׁ׳ בְּ־ 105, 364; שָׁמַר עַל־ 119, 290, 291; שָׁמַר מִן־ 362
– נִשְׁמַר לְנַפְשׁוֹ 376, 377; נִשְׁ׳ בְּרוּחוֹ 378, 379; נִשְׁמַר בְּנַפְשׁוֹ 406
– הִשָּׁמֶר לְךָ פֶּן־ 385-391, 396, 397, 404, 405
– מִשְׁתַּמֵּר הַבְלֵי שָׁוְא 408

שָׁמוֹר 1 שָׁמוֹר אֶת־יוֹם הַשַּׁבָּת לְקַדְּשׁוֹ Deut. 5:12
2 שָׁמוֹר תִּשְׁמְרוּן אֶת־מִצְוֹת יְיָ Deut. 6:17
3 שָׁמֹר תִּשְׁמְרוּן אֶת־כָּל־הַמִּצְוָה Deut. 11:22
4 שָׁמוֹר אֶת־חֹדֶשׁ הָאָבִיב Deut. 16:1
5 שָׁמֹר אֶת־כָּל־הַמִּצְוָה Deut. 27:1
שְׁמֹר 6 לְבִלְתִּי שְׁמֹר מִצְוֹתָיו Deut. 8:11
בִּשְׁמוֹר 7 וַיְהִי בִּשְׁמוֹר יוֹאָב אֶל־הָעִיר IISh. 11:16
לִשְׁמֹר 8 לִשְׁמֹר אֶת־דֶּרֶךְ עֵץ הַחַיִּים Gen. 3:24
9 מֵאַנְתֶּם לִשְׁמֹר מִצְוֹתַי... Ex. 16:28
10 כִּי־יִתֵּן...כֶּסֶף אוֹ־כֵלִים לִשְׁמֹר Ex. 22:6
11 כִּי־יִתֵּן...וְכָל־בְּהֵמָה לִשְׁמֹר Ex. 22:9
12 וְשֵׁרֵת...לִשְׁמֹר מִשְׁמֶרֶת Num. 8:26
13/4 לִשְׁמֹר אֶת־מִצְוֹת יְיָ Deut. 4:2; 10:13
15 לִשְׁמֹר אֶת־כָּל־חֻקֹּתָיו Deut. 6:2
16-18 לִשְׁמֹר (...)מִצְוֹתָיו Deut.13:19; 28:45; 30:10

לִשְׁמֹר (המשך)

19 לִשְׁמֹר לַעֲשׂוֹת אֶת־כָּל־הַמִּצְוָה Deut. 15:5
20 לִשְׁמֹר אֶת־כָּל־דִּבְרֵי הַתּוֹרָה Deut. 17:19
21 הִשָּׁמֵר...לִשְׁמֹר מְאֹד וְלַעֲשׂוֹת Deut. 24:8
22/3 לִשְׁמֹר לַעֲשׂוֹת אֶת־כָּל־מִצְוֹתָיו Deut. 28:1, 15
24 מְצַוְּךָ הַיּוֹם לִשְׁמֹר וְלַעֲשׂוֹת Deut. 28:13
25 לִשְׁמֹר לַעֲשׂוֹת אֶת־כָּל־דִּבְרֵי... Deut. 32:46
26 לִשְׁמֹר לַעֲשׂוֹת כְּכָל־הַתּוֹרָה Josh. 1:7
27 לִשְׁמֹר וְלַעֲשׂוֹת אֵת כָּל־הַכָּתוּב Josh. 23:6
28 קִדְּשׁוּ לִשְׁמֹר אֶת־אֲרוֹן יְיָ ISh. 7:1
29 עֶשֶׂר נָשִׁים פִּלַגְשִׁים לִשְׁמֹר הַבָּיִת IISh.15:16
30 אֲשֶׁר הִנִּיחַ לִשְׁמוֹר הַבָּיִת IISh. 16:21
31 אֲשֶׁר הִנִּיחַ לִשְׁמֹר הַבַּיִת IISh. 20:3
32 לִשְׁמֹר חֻקֹּתָיו מִצְוֹתָיו... IK. 2:3
33/4 לִשְׁמֹר חֻקַּי (חֻקּוֹתַי) IK. 3:14; 11:38
35 לִשְׁמֹר אֶת־בְּרִיתוֹ לְעָמְדָהּ Ezek. 17:14
36 כִּי אֶת־יְיָ עָזְבוּ לִשְׁמֹר Hosh. 4:10
37 צִוִּיתָה פִקֻּדֶיךָ לִשְׁמֹר מְאֹד Ps. 119:4
38 יִכֹּנוּ דְרָכַי לִשְׁמֹר חֻקֶּיךָ Ps. 119:5
39 בַּמֶּה יְזַכֶּה...לִשְׁמֹר כִּדְבָרֶךָ Ps. 119:9
40 חֶלְקִי יְיָ...לִשְׁמֹר דְּבָרֶיךָ Ps. 119:57
41 חַשְׁתִּי...לִשְׁמֹר מִצְוֹתֶיךָ Ps. 119:60
42 לִשְׁמֹר מִשְׁפְּטֵי צִדְקֶךָ Ps. 119:106
43 לִשְׁמֹר מְזִמּוֹת Prov. 5:2
44 לִשְׁמֹר מְזוּזֹת פְּתָחָי Prov. 8:34
45 עֵת לִשְׁמוֹר וְעֵת לְהַשְׁלִיךְ Eccl. 3:6
46 לִשְׁמוֹר מִצְוֹתֶיךָ עֵדְוֹתֶיךָ ICh. 29:19
47 אֵין לִשְׁמוֹר לְמַחְלְקוֹת IICh. 5:11

וְלִשְׁמֹר

48 וְלִשְׁמֹר אֶת־כָּל־מִצְוֹתַי Deut. 5:26
49 וְלִשְׁמֹר חֻקָּיו וּמִצְוֹתָיו Deut. 26:17
50 וְלִשְׁמֹר כָּל־מִצְוֹתָיו Deut. 26:18
51-55 וְלִשְׁמֹר מִצְוֹתָיו Deut. 30:16
Josh. 22:5 • IK. 8:58, 61 • IIK. 23:3
56 וְלִשְׁמוֹר וְלַעֲשׂוֹת אֶת־כָּל־מִצְוֹת יְיָ Neh. 10:30
57 וְלִשְׁמוֹר אֶת־תּוֹרַת יְיָ ICh. 22:12(11)
58 וְלִשְׁמוֹר אֶת־מִצְוֹתָיו IICh. 34:31

לִשְׁמָרְךָ

59 מַלְאָךְ...לִשְׁמָרְךָ בַּדָּרֶךְ Ex. 23:20
60 לִשְׁמָרְךָ בְּכָל־דְּרָכֶיךָ Ps. 91:11
61 לִשְׁמָרְךָ מֵאֵשֶׁת רָע Prov. 6:24
62 לִשְׁמָרְךָ מֵאִשָּׁה זָרָה Prov. 7:5

לְשָׁמְרוֹ

63 וַיִּשְׁלַח...אֶל־בֵּית דָּוִד לְשָׁמְרוֹ ISh. 19:11

וּמִשָּׁמְרוֹ

64 וּמִשָּׁמְרוֹ אֶת־הַשְּׁבֻעָה Deut. 7:8

וּלְשָׁמְרָהּ

65 וַיַּנִּחֵהוּ בְגַן־עֵדֶן לְעָבְדָהּ וּלְשָׁמְרָהּ Gen. 2:15

בְּשָׁמְרָם

66 בְּשָׁמְרָם עֵקֶב רָב Ps. 19:12

לְשָׁמְרָם

67 וְהַפְקִידוּ עָלֶיהָ אֲנָשִׁים לְשָׁמְרָם Josh. 10:18

שָׁמַרְתִּי

68 לַשֶּׁקֶר שָׁמַרְתִּי אֶת־כָּל־אֲשֶׁר לָזֶה ISh. 25:21
69 כִּי שָׁמַרְתִּי דַּרְכֵי יְיָ IISh. 22:22
70 אֲנִי שָׁמַרְתִּי אָרְחוֹת פָּרִיץ Ps. 17:4
71 כִּי־שָׁמַרְתִּי דַּרְכֵי יְיָ Ps. 18:22
72 שָׁמַרְתִּי פִקּוּדֶיךָ וְעֵדֹתֶיךָ Ps. 119:168
73 דַּרְכּוֹ שָׁמַרְתִּי וְלֹא־אָט Job 23:11

שָׁמָרְתִּי

74 וְעַתָּה אִמְרָתְךָ שָׁמָרְתִּי Ps. 119:67

וּשְׁמַרְתִּיךָ

75 וּשְׁמַרְתִּיךָ בְּכֹל אֲשֶׁר־תֵּלֵךְ Gen. 28:15

שָׁמַרְתָּ

76 לֹא שָׁמַרְתָּ אֶת־מִצְוַת יְיָ אֱלֹהֶיךָ ISh. 13:13
77 כִּי לֹא שָׁמַרְתָּ אֵת אֲשֶׁר־צִוְּךָ יְיָ ISh. 13:14
78 וְלָמָּה לֹא שָׁמַרְתָּ אֶל־אֲדֹנֶיךָ ISh. 26:15
79 וּמַדּוּעַ לֹא שָׁמַרְתָּ אֵת שְׁבֻעַת יְיָ IK. 2:43
80 אֲשֶׁר שָׁמַרְתָּ לְעַבְדְּךָ דָּוִד אָבִי IK. 8:24
81 וְלֹא שָׁמַרְתָּ בְּרִיתִי וְחֻקֹּתַי IK. 11:11
82 וְלֹא שָׁמַרְתָּ אֶת־הַמִּצְוָה IK. 13:21
83 אֲשֶׁר שָׁמַרְתָּ לְעַבְדְּךָ דָּוִיד אָבִי IICh. 6:15

וְשָׁמַרְתָּ

84 וְשָׁמַרְתָּ אֶת־הַחֻקָּה הַזֹּאת Ex. 13:10
85 וְהַאֲזַנְתָּ לְמִצְוֹתָיו וְשָׁמַרְתָּ כָּל־חֻקָּיו Ex. 15:26

וְשָׁמַרְתָּ (המשך)

86 וְשָׁמַרְתָּ אֶת־חֻקָּיו וְאֶת־מִצְוֹתָיו Deut. 4:40
87 וְשָׁמַעְתָּ יִשְׂרָאֵל וְשָׁמַרְתָּ לַעֲשׂוֹת Deut. 6:3
88 וְשָׁמַרְתָּ אֶת־הַמִּצְוָה וְאֶת־הַחֻקִּים Deut. 7:11
89 וְשָׁמַרְתָּ אֶת־מִצְוֹת יְיָ אֱלֹהֶיךָ Deut. 8:6
90 וְשָׁמַרְתָּ מִשְׁמַרְתּוֹ וְחֻקֹּתָיו Deut. 11:1
91 וְשָׁמַרְתָּ וְעָשִׂיתָ אֶת־הַחֻקִּים הָאֵלֶּה Deut.16:12
92 וְשָׁמַרְתָּ לַעֲשׂוֹת כְּכֹל אֲשֶׁר יוֹרוּךָ Deut.17:10
93 וְשָׁמַרְתָּ וְעָשִׂיתָ אוֹתָם Deut. 26:16
94 וְשָׁמַרְתָּ אֶת־מִשְׁמֶרֶת יְיָ IK. 2:3
95 וְשָׁמַרְתָּ אֶת־כָּל־מִצְוֹתַי לָלֶכֶת בָּהֶם IK. 6:12

וּשְׁמַרְתָּנִי

96 אִם־חָטָאתִי וּשְׁמַרְתָּנִי Job 10:14

שָׁמַר

97 וְאָבִיו שָׁמַר אֶת־הַדָּבָר Gen. 37:11
98 וְלֹא שָׁמַר אֵת אֲשֶׁר־צִוָּה יְיָ IK. 11:10
99 אֲשֶׁר שָׁמַר מִצְוֹתַי וְחֻקֹּתָי IK. 11:34
100 כְּעַבְדִּי דָוִד אֲשֶׁר שָׁמַר מִצְוֹתַי IK. 14:8
101 וְיֵהוּא לֹא שָׁמַר לָלֶכֶת בְּתוֹרַת־יְיָ IIK.10:31
102 לֹא שָׁמַר אֶת־מִצְוֹת יְיָ אֱלֹהֵיהֶם IIK. 17:19
103 וּמִשְׁפָּטַי שָׁמַר לַעֲשׂוֹת אֱמֶת Ezek. 18:9
104 אֵת כָּל־חֻקּוֹתַי שָׁמַר Ezek. 18:19

שָׁמָר

105 וַיַּעֲבֹד יִשְׂרָ' בְּאִשָּׁה וּבְאִשָּׁה שָׁמָר Hosh.12:13
106 עַל־דְּבַר יְיָ אֲשֶׁר לֹא־שָׁמָר ICh. 10:13

וְשָׁמַר

107 וְשָׁמַר יְיָ אֱלֹהֶיךָ לְךָ אֶת־הַבְּרִית Deut. 7:12
108 וְשָׁמַר אֶת־כָּל־חֻקּוֹתַי Ezek. 18:21
109 וְשָׁמַר רַגְלְךָ מִלָּכֶד Prov. 3:26

וּשְׁמָרַנִי

110 וּשְׁמָרַנִי בַּדֶּרֶךְ הַזֶּה Gen. 28:20

וּשְׁמָרוֹ

111 וּשְׁמָרוֹ כְּרֹעֶה עֶדְרוֹ Jer. 31:10(9)

שְׁמָרָה

112 וְעֶבְרָתוֹ שְׁמָרָה נֶצַח Am. 1:11

שָׁמְרָה

113 שָׁמְרָה נַפְשִׁי עֵדֹתֶיךָ Ps. 119:167
114 וּפְקֻדָּתְךָ שָׁמְרָה רוּחִי Job 10:12
115 וְעֵין נֹאֵף שָׁמְרָה נֶשֶׁף Job 24:15

שָׁמַרְנוּ

116 וּמַה־בֶּצַע כִּי שָׁמַרְנוּ מִשְׁמַרְתּוֹ Mal. 3:14
117 וְלֹא־שָׁמַרְנוּ אֶת־הַמִּצְוֹת... Neh. 1:7

שְׁמַרְתֶּם

118 אַתֶּם שְׁמַרְתֶּם אֵת כָּל־אֲשֶׁר צִוָּה Josh. 22:2
119 אֲשֶׁר לֹא־שְׁמַרְתֶּם עַל־אֲדֹנֵיכֶם ISh. 26:16
120 וְלֹא שְׁמַרְתֶּם מִשְׁמֶרֶת קָדָשָׁי Ezek. 44:8
121 סַרְתֶּם מֵחֻקַּי וְלֹא שְׁמַרְתֶּם Mal. 3:7

וּשְׁמַרְתֶּם

122 וּשְׁמַרְתֶּם אֶת־הַמַּצּוֹת Ex. 12:17
123 וּשְׁמַרְתֶּם אֶת־הַיּוֹם הַזֶּה לְדֹרֹתֵיכֶם Ex. 12:17
124 וּשְׁמַרְתֶּם אֶת־הַדָּבָר הַזֶּה לְחָק־לְךָ Ex. 12:24
125 וּשְׁמַרְתֶּם אֶת־הָעֲבֹדָה הַזֹּאת Ex. 12:25
126 וּשְׁמַרְתֶּם אֶת־בְּרִיתִי Ex. 19:5
127 וּשְׁמַרְתֶּם אֶת־הַשַּׁבָּת Ex. 31:14
128 וּשְׁמַרְתֶּם אֶת־מִשְׁמֶרֶת יְיָ Lev. 8:35
129/30 וּשְׁמַרְתֶּם אֶת־חֻקֹּתַי Lev. 18:5; 20:8
131 וּשְׁמַרְתֶּם אַתֶּם אֶת־חֻקֹּתַי Lev. 18:26
132 וּשְׁמַרְתֶּם אֶת־מִשְׁמַרְתִּי Lev. 18:30
133/4 וּשְׁמַרְתֶּם אֶת־כָּל־חֻקֹּתַי Lev.19:37; 20:22
135 וּשְׁמַרְתֶּם מִצְוֹתַי וַעֲשִׂיתֶם אֹתָם Lev. 22:31
136 וּשְׁמַרְתֶּם אֵת מִשְׁמֶרֶת הַקֹּדֶשׁ Num. 18:5
137 וּשְׁמַרְתֶּם וַעֲשִׂיתֶם Deut. 4:6
138 וּלְמַדְתֶּם אֹתָם וּשְׁמַרְתֶּם לַעֲשֹׂתָם Deut. 5:1
139 וּשְׁמַרְתֶּם לַעֲשׂוֹת...לֹא תָסֻרוּ... Deut. 5:29
140 וּשְׁמַרְתֶּם וַעֲשִׂיתֶם אֹתָם Deut. 7:12
141 וּשְׁמַרְתֶּם אֶת־כָּל־הַמִּצְוָה Deut. 11:8
142 וּשְׁמַרְתֶּם לַעֲשׂוֹת אֵת כָּל־הַחֻקִּים Deut.11:32
143 וּשְׁמַרְתֶּם אֶת־דִּבְרֵי הַבְּרִית Deut. 29:8
144 וּשְׁמַרְתֶּם אֶת־מִשְׁמֶרֶת מִצְוַת יְיָ Josh. 22:3
145 וּשְׁמַרְתֶּם אֶת־מִשְׁמֶרֶת הַבַּיִת מַסָּח IIK.11:6
146 וּשְׁמַרְתֶּם מִצְוֹתַי וַעֲשִׂיתֶם אֹתָם Neh. 1:9

שָׁמְרוּ

147 כִּי שָׁמְרוּ אִמְרָתֶךָ וּבְרִיתְךָ יִנְצֹרוּ Deut. 33:9
148 כַּאֲשֶׁר שָׁמְרוּ אֲבוֹתָם Jud. 2:22
149 וְתֹר...שָׁמְרוּ אֶת־עֵת בֹּאָנָה Jer. 8:7

שָׁמְרוּ (המשך)

150 וְאֶת־מִשְׁפָּטַי לֹא־שָׁמְרוּ Ezek. 20:21
151 אֲשֶׁר שָׁמְרוּ אֶת־מִשְׁמֶרֶת מִקְדָּשִׁי Ezek. 44:15
152 לַכֹּהֲנִים...אֲשֶׁר שָׁמְרוּ מִשְׁמַרְתִּי Ezek. 48:11
153 לֹא שָׁמְרוּ בְּרִית אֱלֹהִים... Ps. 78:10
154 שָׁמְרוּ עֵדֹתָיו וְחֹק נָתַן־לָמוֹ Ps. 99:7
155 עַל לֹא־שָׁמְרוּ תוֹרָתֶךָ Ps. 119:136
156 לֹא־שָׁמְרוּ אֲבוֹתֵינוּ אֶת־דְּבַר יְיָ IICh. 34:21

שָׁמָרוּ

157 אֶת־מִשְׁמֶרֶת יְיָ שָׁמָרוּ Num. 9:23
158 וְאֶת־תּוֹרָתִי לֹא שָׁמָרוּ Jer. 16:11
159 וְחֻקָּיו לֹא שָׁמָרוּ Am. 2:4
160 וְעֵדוֹתָיו לֹא שָׁמָרוּ Ps. 78:56
161 אֲשֶׁר אִמְרָתְךָ לֹא שָׁמָרוּ Ps. 119:158

וְשָׁמְרוּ

162 וְשָׁמְרוּ דֶּרֶךְ יְיָ לַעֲשׂוֹת צְדָקָה Gen. 18:19
163 וְשָׁמְרוּ בְנֵי־יִשְׂרָאֵל אֶת־הַשַּׁבָּת Ex. 31:16
164 וְשָׁמְרוּ אֶת־מִשְׁמַרְתִּי Lev. 22:9
165 וְשָׁמְרוּ הַלְוִיִּם...מִשְׁמֶרֶת מִשְׁכַּן... Num. 1:53
166 וְשָׁמְרוּ אֶת־מִשְׁמַרְתּוֹ Num. 3:7
167 וְשָׁמְרוּ אֶת־כָּל־כְּלֵי אֹהֶל מוֹעֵד Num. 3:8
168 וְשָׁמְרוּ אֶת־כְּהֻנָּתָם Num. 3:10
169 וְשָׁמְרוּ בְנֵי־יִשְׂרָאֵל אֶת־מִשְׁמֶרֶת Num. 9:19
170 וְשָׁמְרוּ מִשְׁמַרְתְּךָ Num. 18:3
171 וְשָׁמְרוּ אֶת־מִשְׁמֶרֶת אֹהֶל מוֹעֵד Num. 18:4
172 וְשָׁמְרוּ לַעֲשׂוֹת...דִּבְרֵי הַתּוֹרָה Deut. 31:12
173 וְשָׁמְרוּ אֶת־מִשְׁמֶרֶת בֵּית־יְיָ IIK. 11:7
174 וְשָׁמְרוּ אֶת־מִשְׁמַרְתִּי Ezek. 44:16
175 וְשָׁמְרוּ אֶת־מִשְׁמֶרֶת אֹהֶל־מוֹעֵד ICh. 23:32

וְשָׁמָרוּ

176 וַיִּצְבְּרוּ...אֹכֶל בֶּעָרִים וְשָׁמָרוּ Gen. 41:35

שׁוֹמֵר

177 שֹׁמֵר הַבְּרִית וְהַחֶסֶד לְאֹהֲבָיו Deut. 7:9
178 וְעֵלִי שֹׁמֵר אֶת־פִּיהָ ISh. 1:12
179 שֹׁמֵר הַבְּרִית וְהַחֶסֶד לַעֲבָדֶיךָ IK. 8:23
180 גּוֹי־צַדִּיק שֹׁמֵר אֱמֻנִים Is. 26:2
181 שֹׁמֵר שַׁבָּת מֵחַלְּלוֹ Is. 56:2
182 כָּל־שֹׁמֵר שַׁבָּת מֵחַלְּלוֹ Is. 56:6
183 שֹׁמֵר כָּל־עַצְמוֹתָיו Ps. 34:21
184 שֹׁמֵר נַפְשׁוֹת חֲסִידָיו Ps. 97:10
185 שֹׁמֵר פְּתָאיִם יְיָ Ps. 116:6
186 שׁוֹמֵר יְיָ אֶת־כָּל־אֹהֲבָיו Ps. 145:20
187 יְיָ שֹׁמֵר אֶת־גֵּרִים Ps. 146:9
188 אֹרַח לְחַיִּים שׁוֹמֵר מוּסָר Prov. 10:17
189 נֹצֵר פִּיו שֹׁמֵר נַפְשׁוֹ Prov. 13:3
190 שֹׁמֵר נַפְשׁוֹ נֹצֵר דַּרְכּוֹ Prov. 16:17
191 שֹׁמֵר תְּבוּנָה לִמְצֹא־טוֹב Prov. 19:8
192/3 שֹׁמֵר מִצְוָה שֹׁמֵר נַפְשׁוֹ Prov. 19:16
194 שֹׁמֵר פִּיו וּלְשׁוֹנוֹ Prov. 21:23
195 שֹׁמֵר מִצָּרוֹת נַפְשׁוֹ Prov. 21:23
196 שׁוֹמֵר נַפְשׁוֹ יִרְחַק מֵהֶם Prov. 22:5
197 כִּי גָבֹהַּ מֵעַל גָּבֹהַּ שֹׁמֵר Eccl. 5:7
198 שׁוֹמֵר מִצְוָה לֹא יֵדַע דָּבָר רָע Eccl. 8:5
199 שֹׁמֵר רוּחַ לֹא יִזְרָע Eccl. 11:4
200 שֹׁמֵר הַבְּרִית וְהַחֶסֶד לְאֹהֲבָיו Dan. 9:4
201 שֹׁמֵר הַבְּרִית וָחֶסֶד לְאֹהֲבָיו Neh. 1:5
202 שׁוֹמֵר הַבְּרִית וְהַחֶסֶד Neh. 9:32
203 שֹׁמֵר הַבְּרִית וְהַחֶסֶד לַעֲבָדֶיךָ IICh. 6:14

וְשׁוֹמֵר

204 וְשֹׁמֵר יָדוֹ מֵעֲשׂוֹת כָּל־רָע Is. 56:2
205 וְשֹׁמֵר תּוֹכַחַת יְכֻבָּד Prov. 13:18
206 וְשֹׁמֵר תּוֹכַחַת יַעְרִם Prov. 15:5
207 וְשֹׁמֵר אֲדֹנָיו יְכֻבָּד Prov. 27:18
208 וְשֹׁמֵר תּוֹרָה אַשְׁרֵהוּ Prov. 29:18

הַשּׁוֹמֵר

209 הַשֹּׁמֵר אֱמֶת לְעוֹלָם Ps. 146:6

שׁוֹמְרִים

210 שֹׁמְרִים מִשְׁמֶרֶת הַמִּקְדָּשׁ Num. 3:38
211 כְּפִי אֲשֶׁר אֵינְכֶם שֹׁמְרִים אֶת־דְּרָכַי Mal. 2:9
212 שֹׁמְרִים מִשְׁמֶרֶת בֵּית שָׁאוּל ICh. 12:29(30)

213 שֹׁמְרִים אֲנַחְנוּ אֶת־מִשְׁמֶרֶת יְיָ IICh. 13:11
הַשּׁוֹמְרִים 214 הֲשֹׁמְרִים הֵם אֶת־דֶּרֶךְ יְיָ Jud. 2:22
הַשּׁוֹמְרִים 215 עֲנִיֵּי הַצֹּאן הַשֹּׁמְרִים אֹתִי Zech. 11:11
216 שָׂנֵאתִי הַשֹּׁמְרִים הַבְלֵי־שָׁוְא Ps. 31:7
שׁוֹמְרֵי־ 217 כֹּל אֱנוֹשׁ שְׁלֹמִי שֹׁמְרֵי צַלְעִי Jer. 20:10
218 אַשְׁרֵי שֹׁמְרֵי מִשְׁפָּט Ps. 106:3
וְשׁוֹמְרֵי־ 219 וְשֹׁמְרֵי נַפְשִׁי נוֹעֲצוּ יַחְדָּו Ps. 71:10
220 וְשֹׁמְרֵי תוֹרָה יִתְגָּרוּ בָם Prov. 28:4
לְשׁוֹמְרֵי־ 221 לְשֹׁמְרֵי בְרִיתוֹ וּלְזֹכְרֵי פִקֻּדָיו Ps. 103:18
וּלְשׁוֹמְרֵי־ 222 לְאֹהֲבַי וּלְשֹׁמְרֵי מִצְוֹתָי Ex. 20:6
223 לְאֹהֲבַי וּלְשֹׁמְרֵי מִצְוֹתָי° Deut. 5:10
224 לְאֹהֲבָיו וּלְשֹׁמְרֵי מִצְוֹתָו Deut. 7:9
225 לְכָל־אֲשֶׁר יְרֵאוּךָ וּלְשֹׁמְרֵי פִּקּוּדֶיךָ Ps. 119:63
226 לְאֹהֲבָיו וּלְשֹׁמְרֵי מִצְוֹתָיו Dan. 9:4
שָׁמוּר 227 כִּי לַמּוֹעֵד שָׁמוּר־לְךָ לֵאמֹר ISh. 9:24
228 עֹשֶׁר שָׁמוּר לִבְעָלָיו לְרָעָתוֹ Eccl. 5:12
וּשְׁמוּרָה 229 עֲרוּכָה בַכֹּל וּשְׁמֻרָה IISh. 23:5
אֶשְׁמֹר 230 אָשׁוּבָה אֶרְעֶה צֹאנְךָ אֶשְׁמֹר Gen. 30:31
231 אֹתוֹ אֶשְׁמֹר לְדַבֵּר Num. 23:12
232 אֶת־חֻקֶּיךָ אֶשְׁמֹר Ps. 119:8
233 לְמַעַן אֶשְׁמֹר דְּבָרֶךָ Ps. 119:101
אֶשְׁמָר־ 234 לְעוֹלָם אֶשְׁמָר־(כ׳ אשמור)..חַסְדִּי Ps. 89:29
אֶשְׁמְרָה 235 אֶשְׁמְרָה דְרָכַי מֵחֲטוֹא בִלְשׁוֹנִי Ps. 39:2
236 אֶשְׁמְרָה־לְפִי מַחְסוֹם Ps. 39:2
אֶשְׁמֹרָה 237 עֻזּוֹ אֵלֶיךָ אֶשְׁמֹרָה Ps. 59:10
וְאֶשְׁמְרָה 238 אֶחְיֶה וְאֶשְׁמְרָה דְבָרֶךָ Ps. 119:17
239 וְאֶשְׁמְרָה תוֹרָתְךָ תָמִיד Ps. 119:44
240 וְאֶשְׁמְרָה עֵדוּת פִּיךָ Ps. 119:88
241 פְּדֵנִי...וְאֶשְׁמְרָה פִּקּוּדֶיךָ Ps. 119:134
242 הוֹשִׁיעֵנִי וְאֶשְׁמְרָה עֵדֹתֶיךָ Ps. 119:146
וָאֶשְׁמְרָה 243 זָכַרְתִּי...וָאֶשְׁמְרָה תּוֹרָתֶךָ Ps. 119:55
וְאֶשְׁמְרֶנָּה 244 וְאֶשְׁמְרֶנָּה בְכָל־לֵב Ps. 119:34
תִּשְׁמֹר 245 וְאַתָּה אֶת־בְּרִיתִי תִשְׁמֹר Gen. 17:9
246/7 אֶת־חַג הַמַּצּוֹת תִּשְׁמֹר Ex. 23:15; 34:18
248 כִּי־תִשְׁמֹר אֶת־כָּל־הַמִּצְוָה הַזֹּאת Deut. 19:9
249 מוֹצָא שְׂפָתֶיךָ תִּשְׁמֹר Deut. 23:24
250 כִּי תִשְׁמֹר אֶת־מִצְוֹת יְיָ אֱלֹהֶיךָ Deut. 28:9
251 אִם־לֹא תִשְׁמֹר לַעֲשׂוֹת Deut. 28:58
252 לְמַעַן תִּשְׁמֹר לַעֲשׂוֹת Josh. 1:8
253 חֻקַּי וּמִשְׁפָּטַי תִּשְׁמֹר IK. 9:4
254 רָאוֹת° רַבּוֹת וְלֹא תִשְׁמֹר Is. 42:20
255 וְאִם אֶת־מִשְׁמַרְתִּי תִשְׁמֹר Zech. 3:7
256 וְגַם תִּשְׁמֹר אֶת־חֲצֵרָי Zech. 3:7
257 וְאָרְחוֹת צַדִּיקִים תִּשְׁמֹר Prov. 2:20
258 לֹא־תִשְׁמֹר עַל־חַטָּאתִי Job 14:16
259 הַאֹרַח עוֹלָם תִּשְׁמוֹר Job 22:15
260 חֹלֵל אַיָּלוֹת תִּשְׁמֹר Job 39:1
261 אִם־תִּשְׁמוֹר לַעֲשׂוֹת ICh. 22:13
262 וְחֻקַּי וּמִשְׁפָּטַי תִּשְׁמוֹר IICh. 7:17
תִּשְׁמָר־ 263 אִם־עֲוֹנוֹת תִּשְׁמָר־יָהּ Ps. 130:3
הֲתִשְׁמֹר 264 הֲתִשְׁמֹר מִצְוֹתָו אִם־לֹא Deut. 8:2
וְתִשְׁמוֹר 265 וְתִשְׁמוֹר כָּל־אָרְחֹתָי Job 13:27
וַתִּשְׁמָר־ 266 וַתִּשְׁמָר־לוֹ אֶת־הַחֶסֶד IK. 3:6
תִּשְׁמְרֵנִי 267 תִּשְׁמְרֵנִי לְרֹאשׁ גּוֹיִם IISh. 22:44
תִּשְׁמְרֵם 268 אַתָּה יְיָ תִּשְׁמְרֵם Ps. 12:8
269 כִּי־נָעִים כִּי־תִשְׁמְרֵם בְּבִטְנֶךָ Prov. 22:18
יִשְׁמֹר 270 רַגְלֵי חֲסִידָו יִשְׁמֹר ISh. 2:9
271 הֲיִנְטֹר לְעוֹלָם אִם־יִשְׁמֹר לָנֶצַח Jer. 3:5
272 יְיָ...יִשְׁמֹר אֶת־נַפְשֶׁךָ Ps. 121:7
273 וְדֶרֶךְ חֲסִידָו יִשְׁמֹר Prov. 2:8
274 יִשְׁמֹר כָּל־אָרְחֹתָי Job 33:11
יִשְׁמָר־ 275 חֻקּוֹת קָצִיר יִשְׁמָר־לָנוּ Jer. 5:24

276 יְיָ יִשְׁמָר־צֵאתְךָ וּבוֹאֶךָ Ps. 121:8
277 אִם־יְיָ לֹא־יִשְׁמָר־עִיר Ps. 127:1
וְיִשְׁמָר־ 278 מִי־חָכָם וְיִשְׁמָר־אֵלֶּה Ps. 107:43
וַיִּשְׁמֹר 279 וַיִּשְׁמֹר מִשְׁמַרְתִּי מִצְוֹתַי Gen. 26:5
280 אֵת אֲשֶׁר־נָתַן יְיָ לָנוּ וַיִּשְׁמֹר אֹתָנוּ ISh.30:23
281 וַיִּשְׁמֹר מִצְוֹתָיו אֲשֶׁר־צִוָּה יְיָ IIK. 18:6
יִשְׁמְרֵנִי 282 מִי־יִתְּנֵנִי...כִּימֵי אֱלוֹהַּ יִשְׁמְרֵנִי Job 29:2
יִשְׁמָרְךָ 283 יְיָ יִשְׁמָרְךָ מִכָּל־רָע Ps. 121:7
וְיִשְׁמְרֶךָ 284 יְבָרֶכְךָ יְיָ וְיִשְׁמְרֶךָ Num. 6:24
יִשְׁמְרֵהוּ 285 יְיָ יִשְׁמְרֵהוּ וִיחַיֵּהוּ Ps. 41:3
יִשְׁמְרֶנּוּ 286 וְהוּעַד בִּבְעָלָיו וְלֹא יִשְׁמְרֶנּוּ Ex. 21:29
287 וְלֹא יִשְׁמְרֶנּוּ בְּעָלָיו Ex. 21:36
וַיִּשְׁמְרֵנוּ 288 וַיִּשְׁמְרֵנוּ בְּכָל־הַדֶּרֶךְ Josh. 24:17
תִּשְׁמֹר 289 כֹּל אֲשֶׁר־צִוִּיתִיהָ תִּשְׁמֹר Jud. 13:14
290 מְזִמָּה תִּשְׁמֹר עָלֶיךָ Prov. 2:11
291 בְּשָׁכְבְּךָ תִּשְׁמֹר עָלֶיךָ Prov. 6:22
וְתִשְׁמְרֶךָּ 292 אַל־תַּעַזְבֶהָ וְתִשְׁמְרֶךָּ Prov. 4:6
נִשְׁמֹר 293 נִשְׁמֹר לַעֲשׂוֹת אֶת־כָּל־הַמִּצְוָה Deut. 6:25
תִּשְׁמְרוּ 294 זֹאת בְּרִיתִי אֲשֶׁר תִּשְׁמְרוּ Gen. 17:10
295 וְאֶת־חֻקֹּתַי תִּשְׁמְרוּ לָלֶכֶת בָּהֶם Lev. 18:4
296 וְאֶת־מִשְׁפָּטַי תִּשְׁמְרוּ Lev. 25:18
297 וְאֶת־מִצְוֹתַי תִּשְׁמְרוּ Lev. 26:3
298 תִּשְׁמְרוּ אֶת־כְּהֻנַּתְכֶם Num. 18:7
299 תִּשְׁמְרוּ לְהַקְרִיב לִי בְּמוֹעֲדוֹ Num. 28:2
300 אֵת כָּל־הַדָּבָר...אֹתוֹ תִשְׁמְרוּ לַעֲשׂ׳ Deut.13:1
301 כְּכֹל אֲשֶׁר־יוֹרוּ...תִּשְׁמְרוּ לַעֲשׂוֹת Deut. 24:8
302 וְלֹא תִשְׁמְרוּ מִצְוֹתַי חֻקֹּתַי IK. 9:6
303 וּמִשְׁפָּטַי תִּשְׁמְרוּ וַעֲשִׂיתֶם Ezek. 36:27
תִּשְׁמֹרוּ 304 אַךְ אֶת־שַׁבְּתֹתַי תִּשְׁמֹרוּ Ex. 31:13
305 וְאֶת־שַׁבְּתֹתַי תִּשְׁמֹרוּ Lev. 19:3
306 אֶת־חֻקֹּתַי תִּשְׁמֹרוּ Lev. 19:19
307/8 אֶת־שַׁבְּתֹתַי תִּשְׁמֹרוּ Lev. 19:30; 26:2
309 וְאֶת־מִצְוֹתָיו תִּשְׁמֹרוּ Deut. 13:5
310 וְאֶת־מִשְׁפְּטֵיהֶם אַל־תִּשְׁמֹרוּ Ezek. 20:18
וַתִּשְׁמְרוּ 311 וַתִּשְׁמְרוּ אֶת־כָּל־מִצְוֹתָיו Jer. 35:18
תִּשְׁמְרוּן 312 שָׁמוֹר תִּשְׁמְרוּן אֶת־מִצְוֹת יְיָ Deut. 6:17
313 כָּל־הַמִּצְוָה...תִּשְׁמְרוּן לַעֲשׂוֹת Deut. 8:1
314 אִם־שָׁמֹר תִּשְׁמְרוּן אֶת־כָּל־הַמִּצְוָ׳ Deut. 11:22
315 אֲשֶׁר תִּשְׁמְרוּן לַעֲשׂוֹת בָּאָרֶץ Deut. 12:1
316 וְאֶת־הַחֻקִּים...תִּשְׁמְרוּן לַעֲשׂוֹת IIK. 17:37
יִשְׁמְרוּ 317/8 אִם־יִשְׁמְרוּ בָנֶיךָ אֶת־דַּרְכָּם IK. 2:4; 8:25
319 אִם־יִשְׁמְרוּ לַעֲשׂוֹת כְּכֹל אֲשֶׁר צִוִּיתִים IIK.21:8
320 אֲשֶׁר יִשְׁמְרוּ אֶת־שַׁבְּתוֹתַי Is. 56:4
321 וְאֶת־מִשְׁפָּטַי יִשְׁמְרוּ Ezek. 11:20
322 וְחֻקּוֹתַי יִשְׁמְרוּ וְעָשׂוּ אוֹתָם Ezek. 37:24
323 כִּי־שִׂפְתֵי כֹהֵן יִשְׁמְרוּ־דַעַת Mal. 2:7
324 בַּעֲבוּר יִשְׁמְרוּ חֻקָּיו Ps. 105:45
325 אִם־יִשְׁמְרוּ בָנֶיךָ בְּרִיתִי Ps. 132:12
326 אִם־יִשְׁמְרוּ בָנֶיךָ אֶת־דַּרְכָּם IICh. 6:16
327 וְכָל־הָעָם יִשְׁמְרוּ מִשְׁמֶרֶת יְיָ IICh. 23:6
328 יִשְׁמְרוּ לַעֲשׂוֹת...כָּל־אֲשֶׁר צִוִּיתִים IICh.33:8
יִשְׁמֹרוּ 329 חֻקֹּתַי בְּכָל־מוֹעֲדַי יִשְׁמֹרוּ Ezek. 44:24
330 הֵמָּה עֲקֵבַי יִשְׁמֹרוּ Ps. 56:7
331 וּמִצְוֹתַי לֹא יִשְׁמֹרוּ Ps. 89:32
332 וְאַשְׁרֵי דְּרָכַי יִשְׁמֹרוּ Prov. 8:32
וְיִשְׁמְרוּ 333 וְיִשְׁמְרוּ אֶת־כָּל־צוּרָתוֹ Ezek. 43:11
וַיִּשְׁמְרוּ 334 וַיִּשְׁמְרוּ אֶת־הַבַּיִת לַהֲמִיתוֹ Ps. 59:1
335 וַיִּשְׁמְרוּ מִשְׁמֶרֶת אֱלֹהֵיהֶם Neh. 12:45
(תִּשְׁמוּרֵם) 336 וְשִׂפְתֵי חֲכָמִים תִּשְׁמוּרֵם Prov. 14:3
שְׁמֹר 337 שְׁמֹר וְשָׁמַעְתָּ אֵת כָּל־הַדְּבָרִים Deut. 12:28
338 שְׁמֹר לְעַבְדְּךָ...אֵת אֲשֶׁר דִּבַּרְתָּ לוֹ IK.8:25
339 שְׁמֹר אֶת־הָאִישׁ הַזֶּה IK. 20:39

שְׁמֹר (המשך) 340 חֶסֶד וּמִשְׁפָּט שְׁמֹר Hosh. 12:7
341 מִשֹּׁכֶבֶת חֵיקֶךָ שְׁמֹר פִּתְחֵי־פִיךָ Mic. 7:5
342/3 שְׁמֹר מִצְוֹתַי וֶחְיֵה Prov. 4:4; 7:2
344 בְּנִי שְׁמֹר אֲמָרָי Prov. 7:1
345 אַךְ אֶת־נַפְשׁוֹ שְׁמֹר Job 2:6
346 שְׁמֹר רַגְלְךָ° כַּאֲשֶׁר תֵּלֵךְ Eccl. 4:17
347 אֲנִי פִּי־מֶלֶךְ שְׁמֹר Eccl. 8:2
348 וְאֶת־מִצְוֹתָיו שְׁמוֹר Eccl. 12:13
349 שְׁמֹר לְעַבְדְּךָ...אֵת אֲשֶׁר דִּבַּרְתָּ IICh. 6:16
שְׁמָר־ 350 שְׁמָר־לְךָ אֵת אֲשֶׁר אָנֹכִי מְצַוְּךָ Ex. 34:11
351 שְׁמָר־תָּם וּרְאֵה יָשָׁר Ps. 37:37
וּשְׁמֹר 352 הִשָּׁמֶר לְךָ וּשְׁמֹר נַפְשְׁךָ מְאֹד Deut. 4:9
353 קַוֵּה אֶל־יְיָ וּשְׁמֹר דַּרְכּוֹ Ps. 37:34
שָׁמְרָה 354 שָׁמְרָה נַפְשִׁי וְהַצִּילֵנִי Ps. 25:20
355 שָׁמְרָה נַפְשִׁי כִּי־חָסִיד אָנִי Ps. 86:2
356 שָׁמְרָה־זֹּאת לְעוֹלָם ICh. 29:18
שָׁמְרֵנִי 357 שָׁמְרֵנִי אֵל כִּי־חָסִיתִי בָךְ Ps. 16:1
358 שָׁמְרֵנִי כְּאִישׁוֹן בַּת־עָיִן Ps. 17:8
359 שָׁמְרֵנִי יְיָ מִידֵי רָשָׁע Ps. 140:5
360 שָׁמְרֵנִי מִידֵי פַח יָקְשׁוּ לִי Ps. 141:9
שָׁמְרֵם 361 שָׁמְרֵם בְּתוֹךְ לְבָבֶךָ Prov. 4:21
שִׁמְרוּ 362 וְרַק־אַתֶּם שִׁמְרוּ מִן־הַחֵרֶם Josh. 6:18
363 רַק שִׁמְרוּ מְאֹד לַעֲשׂוֹת Josh. 22:5
364 שִׁמְרוּ־מִי בַּנַּעַר בְּאַבְשָׁלוֹם IISh. 18:12
365 שִׁמְרוּ מִשְׁפָּט וַעֲשׂוּ צְדָקָה Is. 56:1
366 וְאֶת־מִשְׁפָּטַי שִׁמְרוּ וַעֲשׂוּ אוֹתָם Ezek. 20:19
367 שִׁמְרוּ וְדִרְשׁוּ כָּל־מִצְוֹת יְיָ ICh. 28:8
368 שִׁמְרוּ וַעֲשׂוּ כִּי־אֵין עִם־יְיָ...עַוְלָה IICh.19:7
וְשִׁמְרוּ 369 וְשִׁמְרוּ מִצְוֹתַי חֻקּוֹתַי IIK. 17:13
370 שִׁקְדוּ וְשִׁמְרוּ עַד־תִּשְׁקְלוּ Ez. 8:29
וְנִשְׁמַרְתָּ 371 וְנִשְׁמַרְתָּ מִכֹּל דָּבָר רָע Deut. 23:10
נִשְׁמַר 372 וַעֲמָשָׂא לֹא־נִשְׁמַר בַּחֶרֶב IISh. 20:10
וְנִשְׁמַר 373 וְהִזְהִירֹה וְנִשְׁמַר־שָׁם IIK. 6:10
נִשְׁמָר 374 וּבְנָבִיא הֶעֱלָה...וּבְנָבִיא נִשְׁמָר Hosh.12:14
וְנִשְׁמַרְתֶּם 375 אַתֶּם עֹבְרִים...וְנִשְׁמַרְתֶּם מְאֹד Deut. 2:4
376 וְנִשְׁמַרְתֶּם מְאֹד לְנַפְשֹׁתֵיכֶם Deut. 4:15
377 וְנִשְׁמַרְתֶּם מְאֹד לְנַפְשֹׁתֵיכֶם Josh. 23:11
378/9 וְנִשְׁמַרְתֶּם בְּרוּחֲכֶם Mal. 2:15, 16
נִשְׁמְרוּ 380 אִם־נִשְׁמְרוּ הַנְּעָרִים אַךְ מֵאִשָּׁה ISh. 21:5
נִשְׁמָרוּ 381 חֲסִידָיו לְעוֹלָם נִשְׁמָרוּ Ps. 37:28
תִּשָּׁמֵר 382 מִכֹּל אֲשֶׁר־אָמַרְתִּי...תִּשָּׁמֵר Jud. 13:13
תִּשָּׁמֵרוּ 383 וּבְכֹל אֲשֶׁר־אָמַרְתִּי אֲלֵיכֶם תִּשָּׁמֵרוּ Ex. 23:13
הִשָּׁמֵר 384 הִשָּׁמֵר וְהַשְׁקֵט אַל־תִּירָא Is. 7:4
הִשָּׁמֶר 385 הִשָּׁמֶר לְךָ פֶּן־תָּשִׁיב אֶת־בְּנִי Gen. 24:6
386-391 הִשָּׁמֶר לְךָ פֶּן... Gen. 31:24
Ex. 34:12 • Deut. 12:13, 19, 30; 15:9
392 הִשָּׁמֶר־לְךָ מִדַּבֵּר עִם־יַעֲקֹב Gen. 31:29
393 הִשָּׁמֶר לְךָ אַל־תֹּסֶף רְאוֹת פָּנַי Ex. 10:28
394 הִשָּׁמֶר מִפָּנָיו וּשְׁמַע בְּקֹלוֹ Ex. 23:21
395 הִשָּׁמֶר לְךָ וּשְׁמֹר נַפְשְׁךָ מְאֹד Deut. 4:9
396/7 הִשָּׁמֶר לְךָ פֶּן־תִּשְׁכַּח Deut. 6:12; 8:11
398 הִשָּׁמֶר בְּנֶגַע־הַצָּרַעַת לִשְׁמֹר Deut. 24:8
399 הִשָּׁמֶר־נָא בַבֹּקֶר וְיָשַׁבְתָּ בַסֵּתֶר ISh. 19:2
400 הִשָּׁמֶר מֵעֲבֹר הַמָּקוֹם הַזֶּה IIK. 6:9
401 הִשָּׁמֶר אַל־תֵּפֶן אֶל־אָוֶן Job 36:21
הִשָּׁמְרִי 402 הִשָּׁמְרִי נָא וְאַל־תִּשְׁתִּי Jud. 13:4
הִשָּׁמְרוּ 403 הִשָּׁמְרוּ לָכֶם עֲלוֹת בָּהָר Ex. 19:12
404 הִשָּׁמְרוּ לָכֶם פֶּן־תִּשְׁכְּחוּ... Deut. 4:23
405 הִשָּׁמְרוּ לָכֶם פֶּן־יִפְתֶּה לְבַבְכֶם Deut. 11:16
406 הִשָּׁמְרוּ בְּנַפְשׁוֹתֵיכֶם וְאַל־תִּשְׂאוּ Jer. 17:21
הִשָּׁמֵרוּ 407 אִישׁ מֵרֵעֵהוּ הִשָּׁמֵרוּ Jer. 9:3
מְשַׁמְּרִים 408 מְשַׁמְּרִים הַבְלֵי־שָׁוְא חַסְדָּם יַעֲזֹבוּ Jon. 2:9

וָאֶשְׁתַּמֵּר 409 וָאֱהִי תָמִים עִמּוֹ וָאֶשְׁתַּמֵּר מֵעֲוֹנִי Ps. 18:24
וָאֶשְׁתַּמְּרָה 410 וָאֶהְיֶה תָמִים לוֹ וָאֶשְׁתַּמְּרָה מֵעֲוֹנִי IISh.22:24
וְיִשְׁתַּמֵּר 411 וְיִשְׁתַּמֵּר חֻקּוֹת עָמְרִי Mic. 6:16

שֶׁמֶר¹ ז׳ – עין שְׁמָרִים

שֶׁמֶר² שפ״ז א) בעליו הראשון של הר שומרון: 1, 2

ב) לוי מבית מררי: 3
ג) איש משבט אשר: 4
בֶּן־שָׁמֶר 3; בְּנֵי שָׁמֶר 4; שֵׁם שֶׁמֶר 2

שֶׁמֶר 1 וַיִּקֶן אֶת־הָהָר שֹׁמְרוֹן מֵאֵת שֶׁמֶר IK. 16:24
2 וַיִּקְרָא אֶת־שֵׁם הָעִיר...עַל שֶׁם־שֶׁמֶר IK.16:24
שָׁמֶר 3 בֶּן־אַמְצִי בֶּן־בָּנִי בֶּן־שָׁמֶר ICh. 6:31
4 וּבְנֵי שָׁמֶר אֲחִי וְרָהְגָּה° ICh. 7:34

שֹׁמֵר שפ״ז – עין שׁוֹמֵר

שָׁמְרָה נ׳ משמר, מחסום

שָׁמְרָה 1 שִׁיתָה יְיָ שָׁמְרָה לְפִי Ps. 141:3

שִׁמְרוֹן¹ ש״פ – עירו של אחד ממלכי כנען: 1, 2

שִׁמְרוֹן 1 וַיִּשְׁלַח...וְאֶל־מֶלֶךְ שִׁמְרוֹן Josh. 11:1
וְשִׁמְרוֹן 2 וְקַטָּת וְנַהֲלָל וְשִׁמְרוֹן Josh. 19:15

שִׁמְרוֹן² שפ״ז – בן יששכר: 1-3

וְשִׁמְרוֹן 1 תּוֹלָע וּפֻוָּה וְיוֹב וְשִׁמְרֹן Gen. 46:13
2 תּוֹלָע וּפוּאָה יָשׁוּב° וְשִׁמְרוֹן ICh. 7:1
לְשִׁמְרוֹן 3 לְשִׁמְרֹן מִשְׁפַּחַת הַשִּׁמְרֹנִי Num. 26:24

שִׁמְרוֹן מְראוֹן ש״פ – היא העיר שִׁמְרוֹן¹

שִׁמְרוֹן מ׳ 1 מֶלֶךְ שִׁמְרוֹן מְראוֹן אֶחָד Josh. 12:20

שֹׁמְרוֹן ש״פ – עין שׁוֹמְרוֹן

שִׁמְרֹנִי ת׳ המתיחס על זרע שִׁמְרוֹן²

הַשִּׁמְרֹנִי 1 לְשִׁמְרֹן מִשְׁפַּחַת הַשִּׁמְרֹנִי Num. 26:24

שִׁמְרִי שפ״ז א) איש משבט שמעון: 1

ב) אבי אחד מגבורי דוד: 2
ג) לוי מבית מררי: 3
ד) לוי בימי חזקיהו: 4

שִׁמְרִי 1 וְזִיזָא...בֶּן־שִׁמְרִי בֶּן־שְׁמַעְיָה ICh. 4:37
2 יְדִיעֲאֵל בֶּן־שִׁמְרִי ICh. 11:45
3 שִׁמְרִי הָרֹאשׁ כִּי לֹא־הָיָה בְכוֹר ICh. 26:10
4 וּמִן־בְּנֵי אֱלִיצָפָן שִׁמְרִי וִיעִיאֵל° IICh. 29:13

שְׁמַרְיָה שפ״ז א) בן רחבעם בן שלמה: 3

ב, ג) שני אנשים בימי עזרא: 1, 2

שְׁמַרְיָה 1 בִּנְיָמִן מַלּוּךְ שְׁמַרְיָה Ez. 10:32
2 עֲזַרְאֵל וְשֶׁלֶמְיָהוּ שְׁמַרְיָה Ez. 10:41
3 אֶת־יְעוּשׁ וְאֶת־שְׁמַרְיָה וְאֶת־זָהַם IICh.11:19

שְׁמַרְיָהוּ שפ״ז – מאנשי דוד בצקלג

וּשְׁמַרְיָהוּ 1 וִירִימוֹת וּבְעַלְיָה וּשְׁמַרְיָהוּ ICh. 12:5

שְׁמָרִים ז״ר א) משקע של יין או של משקה אחר לאחר התסיסה: 1, 2, 4

ב) [בהשאלה] בתאור מליצי של מנוחה שלמה: 3, 5
שְׁמָרִים מְזֻקָּקִים 2; מִשְׁתֵּה שְׁמָרִים 1; שׁוֹקֵט אֶל־שְׁמָרָיו 3; קוֹפֵא עַל־שְׁמָרָיו 5

שְׁמָרִים 1 וְעָשָׂה יְיָ...מִשְׁתֵּה שְׁמָרִים Is. 25:6
2 שְׁמָנִים מְמֻחָיִם שְׁמָרִים מְזֻקָּקִים Is. 25:6
שְׁמָרָיו 3 שַׁאֲנַן...וְשֹׁקֵט הוּא אֶל־שְׁמָרָיו Jer. 48:11
שְׁמָרֶיהָ 4 אַךְ־שְׁמָרֶיהָ יִמְצוּ יִשְׁתּוּ Ps. 75:9
שִׁמְרֵיהֶם 5 הָאֲנָשִׁים הַקֹּפְאִים עַל־שִׁמְרֵיהֶם Zep. 1:12

שָׁמְרַיִן ש״פ – שמה הארמי של העיר שומרון: 1, 2

שָׁמְרָיִן 1 וְהוֹתֵב הִמּוֹ בְּקִרְיָה דִּי שָׁמְרָיִן Ez. 4:10
בְּשָׁמְרָיִן 2 דִּי יָתְבִין בְּשָׁמְרָיִן Ez. 4:17

שִׁמְרִית שפ״נ – אמו של רוצח המלך יואש

שִׁמְרִית 1 וִיהוֹזָבָד בֶּן־שִׁמְרִית הַמּוֹאֲבִית IICh. 24:26

שִׁמְרָת שפ״ז – איש מבנימין

וְשִׁמְרָת 1 וַעֲדָיָה...וְשִׁמְרָת בְּנֵי שִׁמְעִי ICh. 8:21

שֶׁמֶשׁ זו״נ [ז׳ – 1, 11, 18, 20, 25, 33-35, 37, 40, 49, 50, 56, 63, 65, 66, 72, 74, 96, 132

נ׳ – 14, 32, 38, 48, 58, 61, 64, 69-71, 81, 94, 122, 123, 131, 133]
"המאור הגדול", חמה: 1-133
קרובים: חַמָּה / חֶרֶס / חַרְסָה / מָאוֹר

– שֶׁמֶשׁ וְיָרֵחַ 1, 12, 13, 15, 19, 36, 41, 49, 66, 126, 128, 130; שֶׁמֶשׁ צְדָקָה 131
– בּוֹא הַשֶּׁמֶשׁ 39, 43-47, 51, 60, 83, 121; בֵּית שֶׁמֶשׁ 10; חֹם הַשֶּׁ׳ 82, 91; מְבוֹא הַשֶּׁ׳ 42, 86, 90, 93; מִזְרַח שֶׁ׳ 2-8, 21, 22, 24, 52-55, 59, 84, 87-89; מַרְכְּבוֹת הַשֶּׁ׳ 62; נֶגֶד הַשֶּׁ׳ 85, 92; עֵינֵי הַשֶּׁ׳ 61; רוֹאֵי הַשֶּׁמֶשׁ 119; תְּבוּאֹת שֶׁמֶשׁ 23; תַּחַת הַשֶּׁמֶשׁ 75-80, 95, 97-118
– בָּא הַשֶּׁמֶשׁ (31), 34, 40, 48, 96, 132; בָּאָה הַשֶּׁ׳ 32, 58, 70, 122, 133; דָּמַם הַשֶּׁמֶשׁ 1, 49; הִכָּה הַשֶּׁ׳ 72; הִכְּתָה הַשֶּׁ׳ 69; זָרַח הַשֶּׁ׳ 25, 35, 57, 68, 74; זָרְחָה הַשֶּׁמֶשׁ 14, 38, 71, 123; חַם הַשֶּׁ׳ 37; חָשַׁךְ הַשֶּׁ׳ 63; חָשְׁכָה הַשֶּׁ׳ 81; יָצָא הַשֶּׁ׳ 33, 56, 63; עָמַד הַשֶּׁ׳ 15, 50; שָׁבָה הַשֶּׁמֶשׁ 64; שְׁזָפַתּוּ הַשֶּׁמֶשׁ 94

שֶׁמֶשׁ 1 שֶׁמֶשׁ בְּגִבְעוֹן דּוֹם Josh. 10:12
2 מִמִּזְרַח־שֶׁמֶשׁ לְאֶרֶץ מוֹאָב Jud. 11:18
3 מִמִּזְרַח־שֶׁמֶשׁ יִקְרָא בִשְׁמִי Is. 41:25
4 מִמִּזְרַח־שֶׁמֶשׁ וּמִמַּעֲרָבָה Is. 45:6
5-8 (וּ)מִמִּזְרַח־שֶׁמֶשׁ Is. 59:19 • Mal. 1:11 • Ps. 50:1; 113:3
9 נֹתֵן שֶׁמֶשׁ לְאוֹר יוֹמָם Jer. 31:35
10 וְשִׁבַּר אֶת־מַצְּבוֹת בֵּית שֶׁמֶשׁ Jer. 43:13
11 שֶׁמֶשׁ בֶּעָנָן אֲכַסֶּנּוּ Ezek. 32:7
12/3 שֶׁמֶשׁ וְיָרֵחַ קָדָרוּ Joel 2:10; 4:15
14 שֶׁמֶשׁ זָרְחָה וְנוֹדַד Nah. 3:17
15 שֶׁמֶשׁ יָרֵחַ עָמַד זְבֻלָה Hab. 3:11
16 לִפְנֵי־שֶׁמֶשׁ יִנּוֹן שְׁמוֹ Ps. 72:17
17 כִּי שֶׁמֶשׁ וּמָגֵן יְיָ אֱלֹהִים Ps. 84:12
18 שֶׁמֶשׁ יָדַע מְבוֹאוֹ Ps. 104:19
19 הַלְלוּהוּ שֶׁמֶשׁ וְיָרֵחַ Ps. 148:3
20 גַּם־שֶׁמֶשׁ לֹא־רָאָה וְלֹא יָדָע Eccl. 6:5
שָׁמֶשׁ 21 בְּעֵבֶר הַיַּרְדֵּן מִזְרְחָה שָׁמֶשׁ Deut. 4:41
22 בְּעֵבֶר הַיַּרְדֵּן מִזְרַח שָׁמֶשׁ Deut. 4:47
23 וּמִמֶּגֶד תְּבוּאֹת שָׁמֶשׁ Deut. 33:14
24 נֹכַח הַגִּבְעָה מִמִּזְרַח־שָׁמֶשׁ Jud. 20:43
25 וּכְאוֹר בֹּקֶר יִזְרַח־שָׁמֶשׁ IISh. 23:4
26 נֵפֶל אֵשֶׁת בַּל־חָזוּ שָׁמֶשׁ Ps. 58:9
27 יִירָאוּךָ עִם־שָׁמֶשׁ Ps. 72:5
28 רָטֹב הוּא לִפְנֵי־שָׁמֶשׁ Job 8:16
וָשָׁמֶשׁ 29 וְלֹא־יַכֵּם שָׁרָב וָשָׁמֶשׁ Is. 49:10
30 אַתָּה הֲכִינוֹתָ מָאוֹר וָשָׁמֶשׁ Ps. 74:16
הַשֶּׁמֶשׁ 31 וַיְהִי הַשֶּׁמֶשׁ לָבוֹא Gen. 15:12
32 וַיְהִי הַשֶּׁמֶשׁ בָּאָה וַעֲלָטָה הָיָה Gen. 15:17
33 הַשֶּׁמֶשׁ יָצָא עַל־הָאָרֶץ Gen. 19:23
34 וַיָּלֶן שָׁם כִּי־בָא הַשֶּׁמֶשׁ Gen. 28:11
35 וַיִּזְרַח־לוֹ הַשֶּׁמֶשׁ כַּאֲשֶׁר עָבַר Gen. 32:32
36 הַשֶּׁמֶשׁ וְהַיָּרֵחַ...מִשְׁתַּחֲוִים לִי Gen. 37:9
37 וְחַם הַשֶּׁמֶשׁ וְנָמָס Ex. 16:21

הַשֶּׁמֶשׁ (המשך)
38 אִם־זָרְחָה הַשֶּׁמֶשׁ עָלָיו Ex. 22:2
39 עַד־בֹּא הַשֶּׁמֶשׁ תְּשִׁיבֶנּוּ לוֹ Ex. 22:25
40 וּבָא הַשֶּׁמֶשׁ וְטָהֵר Lev. 22:7
41 וְרָאִיתָ אֶת־הַשֶּׁמֶשׁ וְאֶת־הַיָּרֵחַ Deut. 4:19
42 אַחֲרֵי דֶּרֶךְ מְבוֹא הַשֶּׁמֶשׁ Deut. 11:30
43 שָׁם תִּזְבַּח...בָּעֶרֶב כְּבוֹא הַשֶּׁמֶשׁ Deut. 16:6
44/5 וּכְבֹ(ו)א הַשֶּׁמֶשׁ Deut. 23:12 • Josh. 8:29
46/7 כְּבֹ(ו)א הַשֶּׁמֶשׁ Deut. 24:13 • IK. 22:36
48 וְלֹא־תָבוֹא עָלָיו הַשֶּׁמֶשׁ Deut. 24:15
49 וַיִּדֹּם הַשֶּׁמֶשׁ וְיָרֵחַ עָמָד Josh. 10:13
50 וַיַּעֲמֹד הַשֶּׁמֶשׁ בַּחֲצִי הַשָּׁמַיִם Josh. 10:13
51 וַיְהִי לְעֵת בּוֹא הַשֶּׁמֶשׁ Josh. 10:27
52 וְכָל־הַלְּבָנוֹן מִזְרַח הַשֶּׁמֶשׁ Josh. 13:5
53-55 מִזְרַח הַשֶּׁמֶשׁ Josh. 19:12, 27 • IIK. 10:33
56 וְאֹהֲבָיו כְּצֵאת הַשֶּׁמֶשׁ בִּגְבֻרָתוֹ Jud. 5:31
57 וְהָיָה בַבֹּקֶר כִּזְרֹחַ הַשֶּׁמֶשׁ Jud. 9:33
58 וַתָּבֹא לָהֶם הַשֶּׁמֶשׁ אֵצֶל הַגִּבְעָה Jud. 19:14
59 מִצְּפוֹנָה לְבֵית־אֵל מִזְרְחָה הַשֶּׁמֶשׁ Jud. 21:19
60 כִּי אִם־לִפְנֵי בוֹא־הַשֶּׁמֶשׁ אֶטְעַם־לֶחֶם׳ IISh.3:35
61 וְשָׁכַב...לְעֵינֵי הַשֶּׁמֶשׁ הַזֹּאת IISh. 12:11
62 וְאֶת־מַרְכְּבוֹת הַשֶּׁמֶשׁ שָׂרַף בָּאֵשׁ IIK. 23:11
63 חָשַׁךְ הַשֶּׁמֶשׁ בְּצֵאתוֹ Is. 13:10
64 וַתָּשָׁב הַשֶּׁמֶשׁ עֶשֶׂר מַעֲלוֹת Is. 38:8
65 לֹא־יִהְיֶה...עוֹד הַשֶּׁמֶשׁ לְאוֹר יוֹמָם Is. 60:19
66 הַשֶּׁמֶשׁ יֵהָפֵךְ לְחֹשֶׁךְ וְהַיָּרֵחַ לְדָם Joel 3:4
67 וְהֵבֵאתִי הַשֶּׁמֶשׁ בַּצָּהֳרָיִם Am. 8:9
68 וַיְהִי כִּזְרֹחַ הַשֶּׁמֶשׁ וַיְמַן אֱלֹהִים רוּחַ Jon. 4:8
69 וַתַּךְ הַשֶּׁמֶשׁ עַל־רֹאשׁ יוֹנָה Jon. 4:8
70 וּבָאָה הַשֶּׁמֶשׁ עַל־הַנְּבִיאִים Mic. 3:6
71 תִּזְרַח הַשֶּׁמֶשׁ יֵאָסֵפוּן Ps. 104:22
72 יוֹמָם הַשֶּׁמֶשׁ לֹא־יַכֶּכָּה Ps. 121:6
73 אֶת־הַשֶּׁמֶשׁ לְמֶמְשֶׁלֶת בַּיּוֹם Ps. 136:8
74 וְזָרַח הַשֶּׁמֶשׁ וּבָא הַשָּׁמֶשׁ Eccl. 1:5
75 בְּכָל־עֲמָלוֹ שֶׁיַּעֲמֹל תַּחַת־הַשָּׁמֶשׁ Eccl. 5:17
76-80 תַּחַת(־)הַשָּׁמֶשׁ Eccl. 8:15, 17; 9:3, 9, 11
81 עַד אֲשֶׁר לֹא־תֶחְשַׁךְ הַשֶּׁמֶשׁ וְהָאוֹר Eccl. 12:2
82 לֹא יִפָּתְחוּ...עַד־חֹם הַשֶּׁמֶשׁ Neh. 7:3
הַשָּׁמֶשׁ 83 וַיְהִי יָדָיו אֱמוּנָה עַד־בֹּא הַשָּׁמֶשׁ Ex. 17:12
84 וַיַּחֲנוּ...מִמִּזְרַח הַשָּׁמֶשׁ Num. 21:11
85 וְהוֹקַע אוֹתָם לַייָ נֶגֶד הַשָּׁמֶשׁ Num. 25:4
86 עַד־הַיָּם הַגָּדוֹל מְבוֹא הַשָּׁמֶשׁ Josh. 1:4
87/8 הַיַּרְדֵּן מִזְרַח הַשָּׁמֶשׁ Josh. 1:15; 19:34
89 בְּעֵבֶר הַיַּרְדֵּן מִזְרְחָה הַשָּׁמֶשׁ Josh. 12:1
90 וְהַיָּם הַגָּדוֹל מְבוֹא הַשָּׁמֶשׁ Josh. 23:4
91 מָחָר...כְּחֹם הַשָּׁמֶשׁ ISh. 11:9
92 נֶגֶד כָּל־יִשְׂרָאֵל וְנֶגֶד הַשָּׁמֶשׁ IISh. 12:12
93 וּמֵאֶרֶץ מְבוֹא הַשָּׁמֶשׁ Zech. 8:7
94 שֶׁאֲנִי שְׁחַרְחֹרֶת שֶׁשְּׁזָפַתְנִי הַשָּׁמֶשׁ S.ofS. 1:6
95 בְּכָל־עֲמָלוֹ שֶׁיַּעֲמֹל תַּחַת הַשָּׁמֶשׁ Eccl. 1:3
96 וְזָרַח הַשֶּׁמֶשׁ וּבָא הַשָּׁמֶשׁ Eccl. 1:5
97 וְאֵין כָּל־חָדָשׁ תַּחַת הַשָּׁמֶשׁ Eccl. 1:9
98 הַמַּעֲשִׂים שֶׁנַּעֲשׂוּ תַּחַת הַשָּׁמֶשׁ Eccl. 1:14
99 וְאֵין יִתְרוֹן תַּחַת הַשָּׁמֶשׁ Eccl. 2:11
100-118 תַּחַת הַשָּׁמֶשׁ Eccl. 2:17, 18, 19, 20, 22 3:16; 4:1, 3, 7, 15; 5:12; 6:1, 12; 8:9, 15; 9:6, 9, 13; 10:5
119 טוֹבָה חָכְמָה...וְיֹתֵר לְרֹאֵי הַשָּׁמֶשׁ Eccl. 7:11
120 וְטוֹב לַעֵינַיִם לִרְאוֹת אֶת־הַשָּׁמֶשׁ Eccl. 11:7
121 וַיָּמָת לְעֵת בּוֹא הַשָּׁמֶשׁ IICh. 18:34
וְהַשֶּׁמֶשׁ 122 וְהַשֶּׁמֶשׁ בָּאָה וְהֵמָּה בָּאוּ IISh. 2:24
123 וְהַשֶּׁמֶשׁ זָרְחָה עַל־הַמָּיִם IIK. 3:22
בַּשֶּׁמֶשׁ 124 אֲשֶׁר יָרְדָה בְמַעֲלוֹת אָחָז בַּשֶּׁמֶשׁ Is. 38:8
כַּשֶּׁמֶשׁ 125 וְכִסְאוֹ כַשֶּׁמֶשׁ נֶגְדִּי Ps. 89:37

לַשֶּׁמֶשׁ 126 לַשֶּׁמֶשׁ וְלַיָּרֵחַ וְלַמַּזָּלוֹת IIK. 23:5

127 אֲשֶׁר נָתְנוּ מַלְכֵי יְהוּדָה לַשֶּׁמֶשׁ IIK. 23:11

128 וּשְׁטָחוּם לַשֶּׁמֶשׁ וְלַיָּרֵחַ Jer. 8:2

129 לַשֶּׁמֶשׁ שָׂם־אֹהֶל בָּהֶם Ps. 19:5

וְלַשֶּׁמֶשׁ 130 וַיִּשְׁתַּחוּ לָהֶם וְלַשֶּׁמֶשׁ אוֹ לַיָּרֵחַ Deut. 17:3

שֶׁמֶשׁ־ 131 שֶׁמֶשׁ צְדָקָה וּמַרְפֵּא בִּכְנָפֶיהָ Mal. 3:20

שִׁמְשֵׁךְ 132 לֹא־יָבוֹא עוֹד שִׁמְשֵׁךְ Is. 60:20

שִׁמְשָׁהּ 133 בָּאָה שִׁמְשָׁהּ בְּעֹד יוֹמָם Jer. 15:9

שִׁמְשֹׁתַיִךְ 134 וְשַׂמְתִּי כַּדְכֹד שִׁמְשֹׁתַיִךְ Is. 54:12

שֶׁמֶשׁ² ז' ארמית: שִׁמְשָׁא = הַשֶּׁמֶשׁ;
[מֶעָלֵי שִׁמְשָׁא = מְבוֹא השמש]

שִׁמְשָׁא 1 וְעַד מֶעָלֵי שִׁמְשָׁא הֲוָה מִשְׁתַּדַּר Dan. 6:15

שׁמשׁ פ' ארמית: שֵׁרֵת

יְשַׁמְּשׁוּנֵּהּ 1 אֶלֶף אַלְפִין יְשַׁמְּשׁוּנֵּהּ Dan. 7:10

שִׁמְשׁוֹן שפ־ז – השופט האחרון של ישראל: 1-38
אֵשֶׁת שִׁמְשׁוֹן 7-9; שְׂחוֹק שִׁמְשׁוֹן 17

שִׁמְשׁוֹן 1 וַתִּקְרָא אֶת־שְׁמוֹ שִׁמְשׁוֹן Jud. 13:24

2 וַיֵּרֶד שִׁמְשׁוֹן תִּמְנָתָה Jud. 14:1

3 וַיֹּאמֶר שִׁמְשׁוֹן אֶל־אָבִיו Jud. 14:3

4 וַיֵּרֶד שִׁמְשׁוֹן וְאָבִיו וְאִמּוֹ תִּמְנָתָה Jud. 14:5

5 וַתִּישַׁר בְּעֵינֵי שִׁמְשׁוֹן Jud. 14:7

6 וַיַּעַשׂ שָׁם שִׁמְשׁוֹן מִשְׁתֶּה Jud. 14:10

7 וַיֹּאמְרוּ לְאֵשֶׁת־שִׁמְשׁוֹן פַּתִּי...אִישֵׁךְ Jud. 14:15

8 וַתֵּבְךְּ אֵשֶׁת שִׁמְשׁוֹן עָלָיו Jud. 14:16

9 וַתְּהִי אֵשֶׁת שִׁמְשׁוֹן לְמֵרֵעֵהוּ Jud. 14:20

10 וַיִּפְקֹד שִׁמְשׁוֹן אֶת־אִשְׁתּוֹ Jud. 15:1

11 שִׁמְשׁוֹן חֲתַן הַתִּמְנִי Jud. 15:6

12-15 פְּלִשְׁתִּים עָלֶיךָ שִׁמְשׁוֹן Jud. 16:9, 12, 14, 20

16 נָתַן אֱלֹ' בְּיָדֵנוּ אֵת שִׁמְשׁוֹן אוֹיְבֵנוּ Jud. 16:23

17 הָרֹאִים בִּשְׂחוֹק שִׁמְשׁוֹן Jud. 16:27

18 תָּמוֹת נַפְשִׁי עִם־פְּלִשְׁתִּים Jud. 16:30

19-35 שִׁמְשׁוֹן Jud. 14:12
15:3, 4, 7, 10, 12, 16; 16:1, 2, 3, 6, 7, 10, 13, 26, 28, 29

לְשִׁמְשׁוֹן 36 וַיֹּאמְרוּ לְשִׁמְשׁוֹן הֲלֹא יָדַעְתָּ Jud. 15:11

37 קִרְאוּ לְשִׁמְשׁוֹן וִישַׂחֶק־לָנוּ Jud. 16:25

38 וַיִּקְרְאוּ לְשִׁמְשׁוֹן מִבֵּית הָאֲסוּרִים Jud. 16:25

שִׁמְשַׁי שפ־ז – סופר ארתחשסתא מלך פרס: 1-4

וְשִׁמְשַׁי 1-4 וְשִׁמְשַׁי סָפְרָא Ez. 4:8, 9, 17, 23

שַׁמְשְׁרַי שפ־ז – ראש אבות בני בנימן

וְשַׁמְשְׁרַי 1 וְשַׁמְשְׁרַי וּשְׁחַרְיָה וַעֲתַלְיָה ICh. 8:26

שֻׁמָתִי – עין שוּמָתִי

שֵׁן נ' א) כל אחת מן העצמות הבולטות שבפה הנוגסות וטוחנות את האוכל: 1-5, 11, 13, 15, 16, 19-21, 25-28, 30-55
ב) קרן הפיל שמשני עברי הפה: 6-10, 12, 14, 17, 18
ג) בליטה חדה כעין השן שבפה: 22-24, 29
קרובים: מַלְתָּעוֹת / מְתַלְּעוֹת

– שֵׁן בְּשֵׁן 5; שֵׁן תַּחַת שֵׁן 1-4

– שֵׁן רֹעָה 11; בֵּית הַשֵּׁן 16; בָּתֵּי שֵׁן 17; הֵיכְלֵי שֵׁן 10; כִּסֵּא שֵׁן 6, 14; מִגְדַּל הַשֵּׁן 18; מִטּוֹת שֵׁן 9; עֶשֶׁת שֵׁן 12; קַרְנוֹת שֵׁן 8

– שֵׁן אֲמָתוֹ 21; שֵׁן בְּהֵמוֹת 25; שֵׁן־סֶלַע 22-24; שֵׁן עַבְדּוֹ 20

– לְבֶן־שִׁנַּיִם 27; נִקְיוֹן שִׁנַּיִם 28; עוֹר שִׁנַּיִם 36; שְׁלֹשׁ הַשִּׁנָּיִם 29

– שִׁנֵּי אַרְיֵה 31; שִׁנֵּי בָנִים 33, 34; שִׁנֵּי כְפִירִים 35; שִׁנֵּי רְשָׁעִים 32; סְבִיבוֹת שִׁנָּיו 47

– הַגְרִיס שִׁנָּיו 37; הֲרֹס שִׁנֵּימוֹ 55; חָרַק שֵׁן 13; חָרַק (בְּ)שִׁנָּיו 44, 45, 48, 54; קֵהוּ שִׁנָּיו 33, 34, 41; שִׁבֵּר שִׁנָּיו 32

שֵׁן 1/2 עַיִן תַּחַת עַיִן שֵׁן תַּחַת שֵׁן Ex. 21:24

3/4 עַיִן תַּחַת עַיִן שֵׁן תַּחַת שֵׁן Lev. 24:20

5 עַיִן בְּעַיִן שֵׁן בְּשֵׁן Deut. 19:21

6 וַיַּעַשׂ הַמֶּלֶךְ כִּסֵּא־שֵׁן גָּדוֹל IK. 10:18

7 קַרְשֵׁךְ עָשׂוּ־שֵׁן בַּת־אֲשֻׁרִים Ezek. 27:6

8 קַרְנוֹת שֵׁן וְהָבְנִים° Ezek. 27:15

9 הַשֹּׁכְבִים עַל־מִטּוֹת שֵׁן Am. 6:4

10 מִן־הֵיכְלֵי שֵׁן מִנִּי שִׂמְּחוּךָ Ps. 45:9

11 שֵׁן רֹעָה וְרֶגֶל מוּעָדֶת Prov. 25:19

12 מֵעָיו עֶשֶׁת שֵׁן מְעֻלֶּפֶת סַפִּירִים S.ofS. 5:14

13 שָׁרְקוּ וַיַּחַרְקוּ־שֵׁן Lam. 2:16

14 וַיַּעַשׂ הַמֶּלֶךְ כִּסֵּא־שֵׁן גָּדוֹל IICh. 9:17

הַשֵּׁן 15 הַשֵּׁן הָאֶחָד מָצוּק מִצָּפוֹן ISh. 14:5

16 וּבֵית הַשֵּׁן אֲשֶׁר בָּנָה IK. 22:39

17 וְאָבְדוּ בָּתֵּי הַשֵּׁן Am. 3:15

18 צַוָּארֵךְ כְּמִגְדַּל הַשֵּׁן S.ofS. 7:5

בְּשֵׁן 19 עַיִן בְּעַיִן שֵׁן בְּשֵׁן Deut. 19:21

שֵׁן־ 20/1 וְאִם־שֵׁן עַבְדּוֹ אוֹ־שֵׁן אֲמָתוֹ יַפִּיל Ex. 21:27

22 שֵׁן־הַסֶּלַע מֵהָעֵבֶר מִזֶּה ISh. 14:4

שֶׁן־ 23 עַל־שֶׁן־סֶלַע וּמְצוּדָה Job 39:28

וְשֵׁן־ 24 וְשֵׁן־הַסֶּלַע מֵהָעֵבֶר מִזֶּה ISh. 14:4

וְשֶׁן־ 25 וְשֶׁן־בְּהֵמוֹת אֲשַׁלַּח־בָּם Deut. 32:24

שִׁנּוֹ 26 לַחָפְשִׁי יְשַׁלְּחֶנּוּ תַּחַת שִׁנּוֹ Ex. 21:27

שִׁנַּיִם 27 וּלְבֶן־שִׁנַּיִם מֵחָלָב Gen. 49:12

28 וְגַם אֲנִי נָתַתִּי לָכֶם נִקְיוֹן שִׁנַּיִם Am. 4:6

הַשִּׁנָּיִם 29 וְהַמַּזְלֵג שְׁלֹשׁ הַשִּׁנַּיִם בְּיָדוֹ ISh. 2:13

לַשִּׁנַּיִם 30 כַּחֹמֶץ לַשִּׁנַּיִם וְכֶעָשָׁן לָעֵינָיִם Prov. 10:26

שִׁנֵּי־ 31 שִׁנָּיו שִׁנֵּי אַרְיֵה וּמְתַלְּעוֹת לָבִיא לוֹ Joel 1:6

32 שִׁנֵּי רְשָׁעִים שִׁבַּרְתָּ Ps. 3:8

וְשִׁנֵּי־ 33 וְשִׁנֵּי בָנִים תִּקְהֶינָה Jer. 31:28

34 וְשִׁנֵּי הַבָּנִים תִּקְהֶינָה Ezek. 18:2

35 וְשִׁנֵּי כְפִירִים נִתָּעוּ Job 4:10

שִׁנָּי 36 וָאֶתְמַלְּטָה בְּעוֹר שִׁנָּי Job 19:20

37 וַיַּגְרֵס בֶּחָצָץ שִׁנָּי Lam. 3:16

בְשִׁנָּי 38 עַל־מָה אֶשָּׂא בְשָׂרִי בְשִׁנָּי Job 13:14

שִׁנַּיִךְ 39 שִׁנַּיִךְ כְּעֵדֶר הַקְּצוּבוֹת S.ofS. 4:2

40 שִׁנַּיִךְ כְּעֵדֶר הָרְחֵלִים S.ofS. 6:6

שִׁנָּיו 41 הָאֹכֵל הַבֹּסֶר תִּקְהֶינָה שִׁנָּיו Jer. 31:29

42 שִׁנָּיו שִׁנֵּי אַרְיֵה וּמְתַלְּעוֹת לָבִיא לוֹ Joel 1:6

43 וַהֲסִרֹתִי...וְשִׁקֻּצָיו מִבֵּין שִׁנָּיו Zech. 9:7

44 זֹמֵם...וְחֹרֵק עָלָיו שִׁנָּיו Ps. 37:12

45 שִׁנָּיו יַחֲרֹק וְנָמָס Ps. 112:10

46 דּוֹר חֲרָבוֹת שִׁנָּיו Prov. 30:14

47 סְבִיבוֹת שִׁנָּיו אֵימָה Job 41:6

בְּשִׁנָּיו 48 חָרַק עָלַי בְּשִׁנָּיו Job 16:9

וּמִשִּׁנָּיו 49 וּמִשִּׁנָּיו אַשְׁלִיךְ טָרֶף Job 29:17

שִׁנֵּיהֶם 50 הַבָּשָׂר עוֹדֶנּוּ בֵּין שִׁנֵּיהֶם Num. 11:33

51 שִׁנֵּיהֶם חֲנִית וְחִצִּים Ps. 57:5

בְּשִׁנֵּיהֶם 52 הַנֹּשְׁכִים בְּשִׁנֵּיהֶם וְקָרְאוּ שָׁלוֹם Mic. 3:5

לְשִׁנֵּיהֶם 53 שֶׁלֹּא נְתָנָנוּ טֶרֶף לְשִׁנֵּיהֶם Ps. 124:6

שִׁנֵּימוֹ 54 חָרֹק עָלַי שִׁנֵּימוֹ Ps. 35:16

55 אֱלֹהִים הֲרָס־שִׁנֵּימוֹ בְּפִימוֹ Ps. 58:7

שֵׁן² ש־פ – מקום ליד העיר מצפה

הַשֵּׁן 1 וַיָּשֶׂם בֵּין־הַמִּצְפָּה וּבֵין הַשֵּׁן ISh. 7:12

שֵׁן³ נ' ארמית, כמו בעברית: 1-3

וְשִׁנַּיִן 1 וְשִׁנַּיִן דִּי־פַרְזֶל לַהּ רַבְרְבָן Dan. 7:7

שִׁנַּהּ 2 עִלְעִין בְּפֻמַּהּ בֵּין שִׁנַּהּ (כת' שניה) Dan. 7:5

3 שִׁנַּהּ (כת' שניה) דִּי־פַרְזֶל Dan. 7:19

שׂנא : שָׂנֵא, שָׂנֵא; שׂוֹנֵא, שִׂנְאָה, שָׂנוּא, שָׂנִיא

שָׂנֵא פ' א) שטם, חש איבה למישהו או למשהו: 1-73, 83-95 [עין עוד ע' שׂוֹנֵא]
ב) [פעול: שָׂנוּא] שאינו אהוב: 74-82
ג) [נפ' נִשְׂנָא] לא היה אהוב: 96, 97
ד) [פ' בינוני: מְשַׂנֵּא] שׂוֹנֵא, אוֹיֵב: 98-112
קרובים: אָיַב / מָאַס / עָיַן / צָרַר / שָׂטַם / שָׂטַן

– שׂוֹנֵא בְנוֹ 61; שׂוֹנֵא בֶצַע 63, 69; שׂ' גָּזֵל 59; שׂ' טוֹב 70; שׂ' יְיָ 73; שׂ' מִשְׁפָּט 65; שׂ' מַתָּנוֹת 68; שׂוֹנֵא נַפְשׁוֹ 64; שׂ' צַדִּיק 72; שׂוֹנְאֵי צִיּוֹן 71; שׂוֹנֵא תוֹכַחַת 62, 67

– אַהֲבָה וְשִׂנְאָה 76, 81; בֶּן הַשְּׂנוּאָה 79, 80; שְׂנוּאֵי נֶפֶשׁ 82; מְשַׂנְאֵי יְיָ 100

שָׂנֵא 1 אָמֹר אָמַרְתִּי כִּי־שָׂנֹא שְׂנֵאתָהּ Jud. 15:2

שְׂנֹא 2/3 וַיּוֹסִפוּ עוֹד שְׂנֹא אֹתוֹ Gen. 37:5, 8

לִשְׂנֹא 4 לִמְצֹא עֲוֹנוֹ לִשְׂנֹא Ps. 36:3

5 הָפַךְ לִבָּם לִשְׂנֹא עַמּוֹ Ps. 105:25

6 עֵת לֶאֱהֹב וְעֵת לִשְׂנֹא Eccl. 3:8

וְלִשְׂנֹא 7 וְלִשְׂנֹא אֶת־אֹהֲבֶיךָ IISh. 19:7

שְׂנֹאת 8 יִרְאַת יְיָ שְׂנֹאת רָע Prov. 8:13

שָׂנֵאתִי 9 דְּבַר־הַתֹּעֵבָה הַזֹּאת אֲשֶׁר שָׂנֵאתִי Jer. 44:4

10 שָׂנֵאתִי מָאַסְתִּי חַגֵּיכֶם Am. 5:21

11 מְתָאֵב אָנֹכִי...וְאַרְמְנֹתָיו שָׂנֵאתִי Am. 6:8

12 כִּי אֶת־כָּל־אֵלֶּה אֲשֶׁר שָׂנֵאתִי Zech. 8:17

13 וְאֶת־עֵשָׂו שָׂנֵאתִי Mal. 1:3

14 שָׂנֵאתִי קְהַל מְרֵעִים Ps. 26:5

15 שָׂנֵאתִי הַשֹּׁמְרִים הַבְלֵי־שָׁוְא Ps. 31:7

16 עֲשֹׂה־סֵטִים שָׂנֵאתִי Ps. 101:3

17 שָׂנֵאתִי כָּל־אֹרַח שָׁקֶר Ps. 119:104

18 סֵעֲפִים שָׂנֵאתִי וְתוֹרָתְךָ אָהָבְתִּי Ps. 119:113

19 כָּל־אֹרַח שֶׁקֶר שָׂנֵאתִי Ps. 119:128

20 שֶׁקֶר שָׂנֵאתִי וַאֲתַעֵבָה Ps. 119:163

21 וְאָמַרְתָּ אֵיךְ שָׂנֵאתִי מוּסָר Prov. 5:12

22 וּפִי תַהְפֻּכוֹת שָׂנֵאתִי Prov. 8:13

וְשָׂנֵאתִי 23 וְשָׂנֵאתִי אֶת־הַחַיִּים Eccl. 2:17

24 וְשָׂנֵאתִי אֲנִי אֶת־כָּל־עֲמָלִי Eccl. 2:18

שְׂנֵאתִיו 25 עוֹד אִישׁ־אֶחָד...וַאֲנִי שְׂנֵאתִיו IK. 22:8

שְׂנֵאתִיהוּ 26 עוֹד אִישׁ־אֶחָד...וַאֲנִי שְׂנֵאתִיהוּ IICh. 18:7

שְׂנֵאתִיהָ 27 נָתְנָה עָלַי בְּקוֹלָהּ עַל־כֵּן שְׂנֵאתִיהָ Jer. 12:8

שְׂנֵאתִים 28 כָּל־רָעָתָם בַּגִּלְגָּל כִּי־שָׁם שְׂנֵאתִים Hosh. 9:15

29 תַּכְלִית שִׂנְאָה שְׂנֵאתִים Ps. 139:22

שָׂנֵאתָ 30 אִם־לֹא דָם שָׂנֵאתָ וְדָם יִרְדֲּפֶךָ Ezek. 35:6

31 שָׂנֵאתָ כָּל־פֹּעֲלֵי אָוֶן Ps. 5:6

32 וְאַתָּה שָׂנֵאתָ מוּסָר Ps. 50:17

שְׂנֵאתַנִי 33 רַק־שְׂנֵאתַנִי וְלֹא אֲהַבְתָּנִי Jud. 14:16

שְׂנֵאתָהּ 34 אָמֹר אָמַרְתִּי כִּי־שָׂנֹא שְׂנֵאתָהּ Jud. 15:2

שָׂנֵאת 35 עַל כָּל־אֲשֶׁר שָׂנֵאת Ezek. 16:37

36 הִנְנִי נֹתְנָךְ בְּיַד אֲשֶׁר שָׂנֵאת Ezek. 23:28

שָׂנֵא 37 כָּל־תּוֹעֲבַת יְיָ אֲשֶׁר שָׂנֵא Deut. 12:31

38 אֲשֶׁר שָׂנֵא יְיָ אֱלֹהֶיךָ Deut. 16:22

39 כִּי־שָׂנֵא אַבְשָׁלוֹם אֶת־אַמְנוֹן IISh. 13:22

40 כִּי־שָׂנֵא שַׁלַּח אָמַר יְיָ אֱלֹהֵי יִשְׂרָאֵל Mal. 2:16

41 שֶׁשׁ־הֵנָּה שָׂנֵא יְיָ וְשֶׁבַע תּוֹעֲבַת° נַפְשׁוֹ Prov. 6:16

וּשְׂנֵאֶךָ 42 פֶּן־יִשְׂבָּעֲךָ וּשְׂנֵאֶךָ Prov. 25:17

שְׂנֵאָהּ 43 כִּי גְדוֹלָה הַשִּׂנְאָה אֲשֶׁר שְׂנֵאָהּ IISh. 13:15

וּשְׂנֵאָהּ 44 וּבָא אֵלֶיהָ וּשְׂנֵאָהּ Deut. 22:13

45 וּשְׂנֵאָהּ הָאִישׁ הָאַחֲרוֹן Deut. 24:3

שָׂנְאָה 46 חָדְשֵׁיכֶם וּמוֹעֲדֵיכֶם שָׂנְאָה נַפְשִׁי Is. 1:14

47 וְרָשָׁע וְאֹהֵב חָמָס שָׂנְאָה נַפְשׁוֹ Ps. 11:5

שְׂנֵאתֶם 48 וְאַתֶּם שְׂנֵאתֶם אֹתִי Gen. 26:27

49 הֲלֹא אַתֶּם שְׂנֵאתֶם אוֹתִי Jud. 11:7

שָׂנְאוּ 50 שָׂנְאוּ בַשַּׁעַר מוֹכִיחַ Am. 5:10
51 תַּחַת כִּי־שָׂנְאוּ דַעַת Prov. 1:29
שְׂנֵאוּנִי 52 וְשִׂנְאַת חָמָס שְׂנֵאוּנִי Ps. 25:19
שְׂנֵאוּהוּ 53 כָּל־אֲחֵי־רָשׁ שְׂנֵאֻהוּ Prov. 19:7
שׂוֹנֵא 54/5 לֹא־שֹׂנֵא לוֹ מִתְּמוֹל שִׁלְשֹׁם Deut. 4:42; 19:4
56 לֹא־שֹׂנֵא הוּא לוֹ מִתְּמוֹל שִׁלְשׁוֹם Deut. 19:6
57 וְכִי־יִהְיֶה אִישׁ שֹׂנֵא לְרֵעֵהוּ Deut. 19:11
58 וְלֹא־שֹׂנֵא הוּא לוֹ מִתְּמוֹל שִׁלְשׁוֹם Josh. 20:5
59 שֹׂנֵא גָזֵל בְּעוֹלָה Is. 61:8
60 שָׁכְנָה־לָּהּ נַפְשִׁי עִם שׂוֹנֵא שָׁלוֹם Ps. 120:6
61 חוֹשֵׂךְ שִׁבְטוֹ שׂוֹנֵא בְנוֹ Prov. 13:24
62 שׂוֹנֵא תוֹכַחַת יָמוּת Prov. 15:10
63 שֹׂנֵא (כת׳ שונאי) בֶצַע יַאֲרִיךְ יָמִים Prov. 28:16
64 חוֹלֵק עִם־גַּנָּב שׂוֹנֵא נַפְשׁוֹ Prov. 29:24
65 הַאַף שׂוֹנֵא מִשְׁפָּט יַחֲבוֹשׁ Job 34:17
וְשׂוֹנֵא 66 וְשֹׂנֵא תֹקְעִים בּוֹטֵחַ Prov. 11:15
67 וְשׂוֹנֵא תוֹכַחַת בָּעַר Prov. 12:1
68 וְשׂוֹנֵא מַתָּנֹת יִחְיֶה Prov. 15:27
שֹׂנְאֵי־ 69 אַנְשֵׁי אֱמֶת שֹׂנְאֵי בָצַע Ex. 18:21
70 שֹׂנְאֵי טוֹב וְאֹהֲבֵי רָע° Mic. 3:2
71 יֵבֹשׁוּ...כֹּל שֹׂנְאֵי צִיּוֹן Ps. 129:5
וְשֹׂנְאֵי־ 72 וְשֹׂנְאֵי צַדִּיק יֶאְשָׁמוּ Ps. 34:22
וּלְשֹׂנְאֵי־ 73 הֲלָרָשָׁע לַעְזֹר וּלְשֹׂנְאֵי יְיָ תֶּאֱהָב IICh. 19:2
שְׂנוּאָה 74 וַיַּרְא יְיָ כִּי־שְׂנוּאָה לֵאָה Gen. 29:31
75 כִּי־שָׁמַע יְיָ כִּי־שְׂנוּאָה אָנֹכִי Gen. 29:33
76 הָאַחַת אֲהוּבָה וְהָאַחַת שְׂנוּאָה Deut. 21:15
77 תַּחַת שְׂנוּאָה כִּי תִבָּעֵל Prov. 30:23
וּשְׂנוּאָה 78 תַּחַת הֱיוֹתֵךְ עֲזוּבָה וּשְׂנוּאָה Is. 60:15
הַשְּׂנוּאָה 79 לְבַכֵּר..עַל־פְּנֵי בֶן־הַשְּׂנוּאָה הַבְּכֹר Deut. 21:16
80 אֶת־הַבְּכֹר בֶּן־הַשְּׂנוּאָה יַכִּיר Deut. 21:17
וְהַשְּׂנוּאָה 81 וְיָלְדוּ־לוֹ...הָאֲהוּבָה וְהַשְּׂנוּאָה Deut. 21:15
שְׂנֻאֵי־ 82 שְׂנֻאֵי (כת׳ שנוא) נֶפֶשׁ דָּוִד IISh. 5:8
אֶשְׂנָא 83 הֲלוֹא־מְשַׂנְאֶיךָ יְיָ אֶשְׂנָא Ps. 139:21
תִשְׂנָא 84 לֹא־תִשְׂנָא אֶת־אָחִיךָ בִּלְבָבֶךָ Lev. 19:17
וַתִּשְׂנָא 85 אָהַבְתָּ צֶּדֶק וַתִּשְׂנָא רֶשַׁע Ps. 45:8
יִשְׂנָא 86 דְּבַר־שֶׁקֶר יִשְׂנָא צַדִּיק Prov. 13:5
87 לְשׁוֹן־שֶׁקֶר יִשְׂנָא דַכָּיו Prov. 26:28
יִשְׂנָאֶךָּ 88 אַל־תּוֹכַח לֵץ פֶּן־יִשְׂנָאֶךָּ Prov. 9:8
וַיִּשְׂנָאֶהָ 89 נָתַתִּי לָאִישׁ הַזֶּה לְאִשָּׁה וַיִּשְׂנָאֶהָ Deut. 22:16
90 וַיִּשְׂנָאֶהָ אַמְנוֹן שִׂנְאָה גְּדוֹלָה מְאֹד IISh.13:15
יִשְׂנְאוּ 91 וּכְסִילִים יִשְׂנְאוּ־דָעַת Prov. 1:22
92 אַנְשֵׁי דָמִים יִשְׂנְאוּ־תָם Prov. 29:10
וַיִּשְׂנְאוּ 93 וַיִּרְאוּ אֶחָיו...וַיִּשְׂנְאוּ אֹתוֹ Gen. 37:4
שִׂנְאוּ 94 שִׂנְאוּ־רָע וְאֶהֱבוּ טוֹב Am. 5:15
95 אֹהֲבֵי יְיָ שִׂנְאוּ רָע Ps. 97:10
יִשָּׂנֵא 96 וְאִישׁ מְזִמּוֹת יִשָּׂנֵא Prov. 14:17
97 גַּם־לְרֵעֵהוּ יִשָּׂנֵא רָשׁ Prov. 14:20
מְשַׂנְאִי 98 לֹא־מְשַׂנְאִי עָלַי הִגְדִּיל Ps. 55:13
99 אִם־אֶשְׂמַח בְּפִיד מְשַׂנְאִי Job 31:29
מְשַׂנְאֵי־ 100 מְשַׂנְאֵי יְיָ יְכַחֲשׁוּ־לוֹ Ps. 81:16
מְשַׂנְאַי 101 מְשַׂנְאַי וָאַצְמִיתֵם IISh. 22:41
102 כָּל־מְשַׂנְאַי אָהֲבוּ מָוֶת Prov. 8:36
וּמְשַׂנְאַי 103 וּמְשַׂנְאַי אַצְמִיתֵם Ps. 18:41
וְלִמְשַׂנְאַי 104 אָשִׁיב נָקָם לְצָרָי וְלִמְשַׂנְאַי אֲשַׁלֵּם Deut. 32:41
מְשַׂנְאֶיךָ 105 וְיָנֻסוּ מְשַׂנְאֶיךָ מִפָּנֶיךָ Num. 10:35
106 הֲלוֹא־מְשַׂנְאֶיךָ יְיָ אֶשְׂנָא Ps. 139:21
וּמְשַׂנְאֶיךָ 107 וּמְשַׂנְאֶיךָ נָשְׂאוּ רֹאשׁ Ps. 83:3
מְשַׂנְאָיו 108 וְיָנוּסוּ מְשַׂנְאָיו מִפָּנָיו Ps. 68:2
וּמְשַׂנְאָיו 109 מְחַץ...וּמְשַׂנְאָיו מִן־יְקוּמוּן Deut. 33:11
110 וְכַתּוֹתִי מִפָּנָיו צָרָיו וּמְשַׂנְאָיו אֶגּוֹף Ps. 89:24
וּמְשַׂנְאֵינוּ 111 הוֹשַׁעְתָּנוּ מִצָּרֵינוּ וּמְשַׂנְאֵינוּ הֱבִישׁוֹתָ Ps. 44:8
112 וּמְשַׂנְאֵינוּ שָׁסוּ לָמוֹ Ps. 44:11

שְׂנָא*
ז׳ ארמית: שונא, אויב
לְשָׂנְאָךְ 1 חֶלְמָא לְשָׂנְאָךְ (כת׳ לשנאיך) וּפִשְׁרֵהּ לְעָרָךְ° Dan. 4:16

שְׁנָא
פ׳ ארמית א) התחלף, הפך מראהו: 1-8
ב) [פ׳ שַׁנִּי] שנה, הפך לאחר: 9-11
ג) [אתפ׳ אֶשְׁתַּנִּי] השתנה, התחלף: 12-15
ד) [הפ׳ הַשְׁנָא] שִׁנָּה, החליף: 16-21
שְׁנוֹהִי 1 זִיוֹהִי שְׁנוֹהִי וְרַעְיֹנֹהִי יְבַהֲלוּנֵּהּ Dan. 5:6
שְׁנוֹ 2 וְסָרְבָּלֵיהוֹן לָא שְׁנוֹ Dan. 3:27
שָׁנְיָה 3 דִּי־הֲוָת שָׁנְיָה מִן־כָּלְּהֵין° Dan. 7:19
שָׁנַיִן 4 וְזִיוֹהִי שָׁנַיִן עֲלוֹהִי Dan. 5:9
שָׁנְיָן 5 חֵיוָן...שָׁנְיָן דָּא מִן־דָּא Dan. 7:3
יִשְׁנֵא 6 וְהוּא יִשְׁנֵא מִן־קַדְמָיֵא Dan. 7:24
תִשְׁנֵא 7 דִּי לָא־תִשְׁנֵא צְבוּ בְּדָנִיֵּאל Dan. 6:18
8 דִּי תִשְׁנֵא מִן־כָּל־מַלְכְוָתָא Dan. 7:23
שַׁנִּיו 9 וּמִלַּת מַלְכָּא שַׁנִּיו Dan. 3:28
מְשַׁנְּיָה 10 וְהִיא מְשַׁנְּיָה מִן־כָּל־חֵיוָתָא Dan. 7:7
יְשַׁנּוֹן 11 לִבְבֵהּ מִן־אֲנָשָׁא יְשַׁנּוֹן Dan. 4:13
אֶשְׁתַּנִּי 12 וּצְלֵם אַנְפּוֹהִי אֶשְׁתַּנִּי (כת׳ אשתנו) Dan. 3:19
יִשְׁתַּנֵּא 13 עַד דִּי עִדָּנָא יִשְׁתַּנֵּא Dan. 2:9
יִשְׁתַּנּוֹ 14 וְזִיוָךְ° אַל־יִשְׁתַּנּוֹ Dan. 5:10
יִשְׁתַּנּוֹן 15 וְזִיוַי יִשְׁתַּנּוֹן עֲלַי Dan. 7:28
מְהַשְׁנֵא 16 וְהוּא מְהַשְׁנֵא עִדָּנַיָּא וְזִמְנַיָּא Dan. 2:21
לְהַשְׁנָיָה 17 דִּי לָא לְהַשְׁנָיָה כְּדָת־מָדַי Dan. 6:9
18 כָּל־אֱסָר...יְהָקִים לָא לְהַשְׁנָיָה Dan. 6:16
19 וְיִסְבַּר לְהַשְׁנָיָה זִמְנִין וְדָת Dan. 7:25
20 דִּי יִשְׁלַח יְדֵהּ לְהַשְׁנָיָה Ez. 6:12
יְהַשְׁנֵא 21 דִּי יְהַשְׁנֵא פִּתְגָמָא דְנָה Ez. 6:11

שֵׁנָא
(תהלים קכז 2) – עין שֵׁנָה

שִׁנְאָב
שפ״ז – מֶלֶךְ בימי אברהם
שִׁנְאָב 1 עָשׂוּ מִלְחָמָה...שִׁנְאָב מֶלֶךְ אַדְמָה Gen. 14:2

שִׂנְאָה
נ׳ איבה, משטמה: 1-17
קרובים: אֵיבָה / חֵמָה / כַּעַס / מַשְׂטֵמָה / עֶבְרָה / קִנְאָה / קֶצֶף / שִׂטְנָה
– אַהֲבָה וְשִׂנְאָה 7, 8, 17; שִׂנְאָה גְדוֹלָה 1, 10; דִּבְרֵי שִׂנְאָה 2; תַּכְלִית שִׂנְאָה 3
– שִׂנְאַת חָמָס 13; שִׂנְאַת יְיָ 14
שִׂנְאָה 1 וַיִּשְׂנָאֶהָ אַמְנוֹן שִׂנְאָה גְּדוֹלָה מְאֹד IISh.13:15
2 וְדִבְרֵי שִׂנְאָה סְבָבוּנִי וַיִּלָּחֲמוּנִי Ps. 109:3
3 תַּכְלִית שִׂנְאָה שְׂנֵאתִים Ps. 139:22
4 שִׂנְאָה תְּעֹרֵר מְדָנִים Prov. 10:12
5 מְכַסֶּה שִׂנְאָה שִׂפְתֵי־שָׁקֶר Prov. 10:18
6 תִּכַּסֶּה שִׂנְאָה בְּמַשָּׁאוֹן Prov. 26:26
7 גַּם־אַהֲבָה גַּם־שִׂנְאָה Eccl. 9:1
וְשִׂנְאָה 8 וְשִׂנְאָה תַּחַת אַהֲבָתִי Ps. 109:5
9 טוֹב...מִשּׁוֹר אָבוּס וְשִׂנְאָה־בוֹ Prov. 15:17
הַשִּׂנְאָה 10 כִּי גְדוֹלָה הַשִּׂנְאָה אֲשֶׁר שְׂנֵאָהּ IISh. 13:15
בְּשִׂנְאָה 11 וְאִם־בְּשִׂנְאָה יֶהְדָּפֶנּוּ Num. 35:20
12 וְעָשׂוּ אוֹתָךְ בְּשִׂנְאָה Ezek. 23:29
וְשִׂנְאַת־ 13 וְשִׂנְאַת חָמָס שְׂנֵאוּנִי Ps. 25:19
בְּשִׂנְאַת־ 14 בְּשִׂנְאַת יְיָ אֹתָנוּ הוֹצִיאָנוּ Deut. 1:27
מִשִּׂנְאָתֶיךָ 15 אֲשֶׁר עָשִׂיתָה מִשִּׂנְאָתֶיךָ בָּם Ezek. 35:11
וּמִשִּׂנְאָתוֹ 16 וּמִשִּׂנְאָתוֹ אוֹתָם הוֹצִיאָם Deut. 9:28
שִׂנְאָתָם 17 גַּם־אַהֲבָתָם גַּם־שִׂנְאָתָם גַּם־קִנְאָתָם Eccl. 9:6

שִׁנְאָן
ז׳ מלאך?
שִׁנְאָן 1 רֶכֶב אֱלֹהִים רִבֹּתַיִם אַלְפֵי שִׁנְאָן Ps. 68:18

שֶׁנְאַצַּר
שפ״ז – מצאצאי יכניה מלך יהודה
וְשֶׁנְאַצַּר 1 וּמַלְכִּירָם וּפְדָיָה וְשֶׁנְאַצַּר ICh. 3:18

שנה
: א) שָׁנָה¹, שָׁנָה, שְׁנָה, הִשְׁתַּנָּה; אר׳ שְׁנָא, שַׁנִּי, אִשְׁתַּנִּי, הַשְׁנָא
ב) שָׁנָה², נִשְׁנָה; שָׁנָה, שָׁנִים, שֵׁנִי, מִשְׁנֶה; אר׳ שְׁנָה

שָׁנָה¹
פ׳ א) התחלף, הפך לאחר: 1-6
ב) [פ׳ שִׁנָּה] החליף: 7-15
ג) [פ׳ שֻׁנָּה] הוחלף: 16
ד) [הת׳ הִשְׁתַּנָּה] התחפש: 17
שְׁנוֹת(?) 1 חַלּוֹתִי הִיא שְׁנוֹת יְמִין עֶלְיוֹן Ps. 77:11
שָׁנִיתִי 2 אֲנִי יְיָ לֹא שָׁנִיתִי Mal. 3:6
שׁוֹנִים 3 עִם־שׁוֹנִים אַל־תִּתְעָרָב Prov. 24:21
4 וְכֵלִים מִכֵּלִים שׁוֹנִים Es. 1:7
שׁוֹנוֹת 5 וְדָתֵיהֶם שֹׁנוֹת מִכָּל־עָם Es. 3:8
(יִשְׁנֶא) 6 אֵיכָה יוּעַם זָהָב יִשְׁנֶא הַכֶּתֶם הַטּוֹב Lam. 4:1
לְשַׁנּוֹת 7 מַה־תֵּזְלִי מְאֹד לְשַׁנּוֹת אֶת־דַּרְכֵּךְ Jer. 2:36
בְּשַׁנּוֹתוֹ 8 בְּשַׁנּוֹתוֹ אֶת־טַעְמוֹ לִפְנֵי אֲבִימֶלֶךְ Ps. 34:1
וְשִׁנָּה 9 וְשִׁנָּה אֵת בִּגְדֵי כִלְאוֹ Jer. 52:33
(וְשִׁנָּא) 10 וְשִׁנָּא אֵת בִּגְדֵי כִלְאוֹ IIK. 25:29
מְשַׁנֶּה 11 מְשַׁנֶּה פָנָיו וַתְּשַׁלְּחֵהוּ Job 14:20
אֲשַׁנֶּה 12 וּמוֹצָא שְׂפָתַי לֹא אֲשַׁנֶּה Ps. 89:35
וִישַׁנֶּה 13 וִישַׁנֶּה דִּין כָּל־בְּנֵי־עֹנִי Prov. 31:5
וַיְשַׁנּוֹ 14 וַיְשַׁנּוֹ אֶת־טַעְמוֹ בְּעֵינֵיהֶם ISh. 21:14
וַיְשַׁנֶּהָ 15 וַיְשַׁנֶּהָ...לְטוֹב בֵּית הַנָּשִׁים Es. 2:9
(יְשֻׁנֶּא) 16 וְעֹז פָּנָיו יְשֻׁנֶּא Eccl. 8:1
וְהִשְׁתַּנִּית 17 קוּמִי נָא וְהִשְׁתַּנִּית IK. 14:2

שָׁנָה²
פ׳ א) עשה שנית, חזר: 1-8
ב) [נפ׳ נִשְׁנָה] נעשה שנית: 9
שָׁנָה 1 וַיַּכֵּהוּ...וְלֹא־שָׁנָה לוֹ וַיָּמֹת IISh. 20:10
שׁוֹנֶה 2 כְּסִיל שׁוֹנֶה בְאִוַּלְתּוֹ Prov. 26:11
וְשׁוֹנֶה 3 וְשֹׁנֶה בְדָבָר מַפְרִיד אַלּוּף Prov. 17:9
אֶשְׁנֶה 4 אַכֶּנּוּ נָא...פַּעַם אַחַת וְלֹא אֶשְׁנֶה לוֹ ISh. 26:8
תִּשְׁנוּ 5 אִם־תִּשְׁנוּ יָד אֶשְׁלַח בָּכֶם Neh. 13:21
יִשְׁנוּ 6 אַחֲרֵי דְבָרִי לֹא יִשְׁנוּ Job 29:22
וַיִּשְׁנוּ 7 וַיֹּאמֶר שְׁנוּ וַיִּשְׁנוּ IK. 18:34
שְׁנוּ 8 וַיֹּאמֶר שְׁנוּ וַיִּשְׁנוּ IK. 18:34
הִשָּׁנוֹת 9 וְעַל הִשָּׁנוֹת הַחֲלוֹם...פַּעֲמָיִם Gen. 41:32

שָׁנָה³
נ׳ א) תקופה של שנים עשר חודש: 1-874
ב) [הַשָּׁנָה] במשך שנה זאת: 433, 434, 436
קרובים: ראה חֹדֶשׁ
– שָׁנָה שָׁנָה 50; שָׁנָה עַל שָׁנָה 65; יָמִים עַל שָׁנָה 67; שָׁנָה בְשָׁנָה 446-459; אַחַת בַּשָּׁנָה 472, 473; שָׁנָה תְמִימָה 39
– אַחֲרִית הַשָּׁנָה 49; בְּכָל־שָׁנָה 78; בֶּן־שָׁנָה 31; בְּנֵי שׁ׳ 71; דְּבַר שָׁנָה 453,458; חָדְשֵׁי הַשָּׁנָה 422, 427,442; יְמֵי שׁ׳ 77; מִדֵּי שׁ׳ 455,459; צֵאת הַשׁ׳ 423; רֹאשׁ הַשָּׁנָה 439; רֵאשִׁית הַשׁ׳ 428; שְׂכִיר שׁ׳ 446; תְּקוּפַת הַשָּׁנָה 424, 443; תְּשׁוּבַת הַשָּׁנָה 429-431, 441, 444
– שְׁנַת בּוֹא 577; שׁ׳ בַּצֹּרֶת 640; שְׁנַת גְּאוּלִים 562; שׁ׳ הַדְּרוֹר 554; שׁ׳ הַחֲמִשִּׁים 533,534; שְׁנַת טוֹבָתוֹ 555; שְׁנַת הַיּוֹבֵל 535, 537-541, 564-566, 648; שְׁנַת הַמִּכְרוֹ 647; שׁ׳ מוֹת 575, 576; שׁ׳ מָלְכוֹ 574; שׁ׳ מַלְכוּתוֹ 578; שׁ׳ מִמְכָּרוֹ 536; שְׁנַת הַמַּעֲשֵׂר 544; שְׁנַת פְּקֻדָּתָם 550-552; שְׁנַת רָעָב 531; שׁ׳ רָצוֹן 549; שְׁנַת שַׁבָּתוֹן 532; שׁ׳ שִׁלּוּמִים 548; שְׁנַת הַשְּׁמִטָּה 542, 545
– בֶּן שְׁנָתוֹ 650-666; בַּת שְׁנָתָהּ 667-669
– שְׁנָתַיִם 670, 672, 676-680; שְׁנָתַיִם יָמִים 671, 673-675, 681
– שָׁנִים הַרְבֵּה 711; שָׁנִים טוֹבוֹת 809; שָׁנִים נוֹתָרוֹת 804; שָׁנִים קַדְמוֹנִיּוֹת 822; שָׁנִים רַבּוֹת 717, 808

– רַבּוֹת בַּשָּׁנִים 819
– אַחֲרִית הַשָּׁנִים 816; בְּקֶרֶב שָׁנִים 705,704; מִסְפַּר שְׁ׳ 708, 818; קֵץ שָׁנִים 714, 718; רֹב שָׁנִים 709, 811
– שְׁנֵי דוֹר 844; שְׁנֵי חַיָּיו 825–827, 835, 837–839, 842, 845–847; שְׁנֵי מְגוּרָיו 836; שְׁ׳ מִמְכָּרוֹ 841; שְׁ׳ עֲוֹנוֹ 843; שְׁנֵי רָעָב 828, 829, 831, 834; שְׁנֵי שָׂבָע 830, 832, 833; שְׁנֵי שָׂכִיר 848, 849; שְׁנֵי תְבוּאוֹת 840
– שְׁנוֹת דּוֹר 855; שְׁ׳ חַיִּים 859,860,862; שְׁ׳ יָמִין 857; שְׁ׳ מִסְפָּר 861; שְׁ׳ עוֹלָמִים 856; שְׁנוֹת רְשָׁעִים 863
– יְמֵי שָׁנָיו 852; מִסְפַּר שָׁנָיו 851
– יְמֵי שְׁנוֹתָיו 873; יֶתֶר שְׁנוֹתָיו 865

שָׁנָה

1 וַיְחִי אָדָם שְׁלֹשִׁים וּמְאַת שָׁנָה Gen. 5:3
2 וַיִּהְיוּ...שְׁמֹנֶה מֵאֹת שָׁנָה Gen. 5:4
3/4 תְּשַׁע מֵאוֹת שָׁנָה וּשְׁלֹשִׁים שָׁנָה Gen. 5:5
5 וַיְחִי־שֵׁת חָמֵשׁ שָׁנִים וּמְאַת שָׁנָה Gen. 5:6
6 שֶׁבַע שָׁנִים וּשְׁמֹנֶה מֵאוֹת שָׁנָה Gen. 5:7
7/8 שְׁתֵּים עֶשְׂרֵה שָׁנָה וּתְשַׁע מֵאוֹת שָׁנָה Gen. 5:8
9 וַיְחִי אֱנוֹשׁ תִּשְׁעִים שָׁנָה Gen. 5:9
10/1 חֲמֵשׁ עֶשְׂרֵה שָׁנָה וּשְׁמֹנֶה מֵאוֹת שָׁנָה Gen. 5:10
12 חָמֵשׁ שָׁנִים וּתְשַׁע מֵאוֹת שָׁנָה Gen. 5:11
13 וַיְחִי קֵינָן שִׁבְעִים שָׁנָה Gen. 5:12
14 וַיִּתְהַלֵּךְ...שְׁלֹשׁ מֵאוֹת שָׁנָה Gen. 5:22
15/6 חָמֵשׁ וְשִׁשִּׁים שָׁנָה וּשְׁלֹשׁ מֵאוֹת שָׁנָה Gen. 5:23
17/8 שֶׁבַע וּשְׁמֹנִים שָׁנָה וּמְאַת שָׁנָה Gen. 5:25
19/20 שְׁתַּיִם וּשְׁמוֹנִים שָׁנָה וּשְׁבַע מֵאוֹת שָׁנָה Gen. 5:26
21 וְהָיוּ יָמָיו מֵאָה וְעֶשְׂרִים שָׁנָה Gen. 6:3
22 וְעִנּוּ אֹתָם אַרְבַּע מֵאוֹת שָׁנָה Gen. 15:13
23 הַלְּבֶן מֵאָה־שָׁנָה יִוָּלֵד Gen. 17:17
24 הֲבַת־תִּשְׁעִים שָׁנָה תֵּלֵד Gen. 17:17
25 בֶּן־תִּשְׁעִים וָתֵשַׁע שָׁנָה Gen. 17:24
26 בֶּן־שְׁלֹשׁ עֶשְׂרֵה שָׁנָה בְּהִמֹּלוֹ Gen. 17:25
27 וְאַבְרָהָם בֶּן־מְאַת שָׁנָה בְּהִוָּלֶד... Gen. 21:5
28/9 מֵאָה שָׁנָה וְעֶשְׂרִים שָׁנָה Gen. 23:1
30 זֶה עֶשְׂרִים שָׁנָה אָנֹכִי עִמָּךְ Gen. 31:38
31 שֶׂה תָמִים זָכָר בֶּן־שָׁנָה Ex. 12:5
32-35 שְׁלֹשִׁים שָׁנָה וְאַרְבַּע מֵאוֹת שָׁנָה Ex. 12:40, 41
36 אָכְלוּ אֶת־הַמָּן אַרְבָּעִים שָׁנָה Ex. 16:35
37 וְקִדַּשְׁתֶּם אֵת שְׁנַת הַחֲמִשִּׁים שָׁנָה Lev. 25:10
38 יוֹבֵל הִוא שְׁנַת הַחֲמִשִּׁים שָׁנָה Lev. 25:11
39 עַד־מְלֹאת לוֹ שָׁנָה תְמִימָה Lev. 25:30
40-46 מִבֶּן שְׁלֹשִׁים שָׁנָה וָמַעְלָה Num. 4:3
4:23, 30, 35, 39, 43, 47
47 מִבֶּן חָמֵשׁ וְעֶשְׂרִים שָׁנָה וָמַעְלָה Num. 8:24
48 וַיְנִעֵם בַּמִּדְבָּר אַרְבָּעִים שָׁנָה Num. 32:13
49 מֵרֵשִׁית הַשָּׁנָה וְעַד אַחֲרִית שָׁנָה Deut. 11:12
50/1 הַיֹּצֵא הַשָּׂדֶה שָׁנָה שָׁנָה Deut. 14:22
52/3 בֶּן־מֵאָה וְעֶשְׂרִים שָׁנָה Deut. 31:2; 34:7
54 אַרְבָּעִים שָׁנָה הָלְכוּ ב״י בַּמִּדְבָּר Josh. 5:6
55-57 וַתִּשְׁקֹט הָאָ׳ אַרְבָּעִים שָׁ׳ Jud. 3:11; 5:31; 8:28
58 וַיִּשְׁפֹּט...עֶשְׂרִים וְשָׁלֹשׁ שָׁנָה Jud. 10:2
59 וַיִּשְׁפֹּט...עֶשְׂרִים וּשְׁתַּיִם שָׁנָה Jud. 10:3
60 וְעֵלִי בֶּן־תִּשְׁעִים וּשְׁמֹנֶה שָׁנָה ISh. 4:15
61/2 שָׁלֹשׁ שָׁנִים שָׁנָה אַחֲרֵי שָׁנָה IISh. 21:1
63 בֶּן־שְׁמֹנֶה שָׁנָה יֹאשִׁיָּהוּ בְמָלְכוֹ IIK. 22:1
64 וּשְׁלֹשִׁים וְאַחַת שָׁנָה מָלַךְ בִּירוּשָׁלָ͏ִם IIK. 22:1
65/6 סְפוּ שָׁנָה עַל־שָׁנָה Is. 29:1
67 יָמִים עַל־שָׁנָה תִּרְגַּזְנָה בֹּטְחוֹת Is. 32:10
68 כִּי הַנַּעַר בֶּן־מֵאָה שָׁנָה יָמוּת Is. 65:20
69 וְהַחוֹטֶא בֶּן־מֵאָה שָׁנָה יְקֻלָּל Is. 65:20
70 וַיְהִי בְּעֶשְׂרִים וָשֶׁבַע שָׁנָה Ezek. 29:17
71 בְּעוֹלוֹת בַּעֲגָלִים בְּנֵי שָׁנָה Mic. 6:6
72 אֲשֶׁר זָעַמְתָּה זֶה שִׁבְעִים שָׁנָה Zech. 1:12

שָׁנָה (המשך)

73 כִּי־צַמְתֶּם...וְזֶה שִׁבְעִים שָׁנָה Zech. 7:5
74 יְמֵי־שְׁנוֹתֵינוּ בָהֶם שִׁבְעִים שָׁנָה Ps. 90:10
75 וְאִם בִּגְבוּרֹת שְׁמוֹנִים שָׁנָה Ps. 90:10
76 אַרְבָּעִים שָׁנָה אָקוּט בְּדוֹר Ps. 95:10
77 אַל־יִחַדְּ בִּימֵי שָׁנָה Job 3:6
78/9 בְּכָל־שָׁנָה וְשָׁנָה Es. 9:21, 27
80-416 שָׁנָה Gen. 5:13^2, 14, 15, 16^2, 17^2
5:18^2, 19, 20^2, 21, 27^2, 28^2, 30^2, 31^2, 32; 7:6, 11; 8:13; 9:28^2, 29^2; 11:10, 11, 12, 13, 14, 15, 16, 17^2, 18, 19, 20, 21, 22, 23, 24, 25^2, 26, 32; 12:4; 14:4^2, 5; 16:16; 17:1; 25:7^2, 17^2, 20, 26; 26:34; 31:41^2; 35:28^2; 37:2; 41:46; 47:9, 28^2 • Ex. 6:16, 18, 20; 7:7^2; 29:38; 30:14; 38:26 • Lev. 9:3; 23:18, 19; 25:8, 53; 27:3^2, 5, 7 • Num. 1:3, 18, 20, 22, 24, 26, 28, 30, 32, 34, 36, 38, 40, 42, 45; 4:3, 23, 30, 35, 39, 43, 47; 7:17, 23, 29, 35, 41, 47, 53, 59, 65, 71, 77, 83, 87, 88; 8:25; 14:29, 33, 34; 26:2, 4; 28:3, 9, 11, 19, 27; 29:2, 8, 13, 17, 20, 23, 26, 29, 32, 36; 32:11; 33:39 • Deut. 1:3; 2:7, 14; 8:2, 4; 15:20; 24:5; 29:4 • Josh. 14:7, 10^2 • Jud. 3:14, 30; 4:3; 10:8; 11:26; 13:1; 15:20; 16:31 • ISh. 1:7; 4:18; 7:2, 16; 13:1 • IISh. 2:10; 5:4^2, 5; 15:7; 19:33, 36 • IK. 2:11; 5:25; 6:1^2; 7:1; 9:10; 10:25; 11:42; 14:20, 21^2; 15:10, 33; 16:8, 15, 23^2, 29; 22:42^2 • IIK. 3:1; 8:17, 25, 26; 9:29; 10:36; 12:2, 7; 13:1^2, 10^2, 20; 14:2^2, 17, 21, 23^2; 15:1, 2^2, 8, 13, 17, 23, 27^2, 33^2; 16:1^2, 2^2; 18:2, 13; 20:6; 21:1^2, 19; 22:3; 23:23, 31, 36^2; 24:8, 18^2; 25:2, 8, 27 • Is. 7:8; 21:16; 23:15^2, 17; 36:1; 38:5 • Jer. 1:2, 3; 25:3^2, 11, 12; 29:10; 32:1; 39:2; 52:1^2, 5, 12, 31 • Ezek. 1:1; 26:1; 29:11, 12, 13; 30:20; 31:1; 32:1, 17; 33:21; 40:1^2 • Am. 2:10; 5:25 • Zech. 14:16 • Job 42:16 • Dan. 9:2 • Ez. 3:8 • Neh. 9:21; 10:35, 36 • ICh. 2:21; 3:4; 23:3, 24, 37; 27:23; 29:27 • IICh. 8:1; 9:24, 30; 12:13^2; 20:31^2; 21:5; 22:2; 24:1, 5, 15; 25:1^2, 5, 25; 26:1, 3^2; 27:1^2, 8^2; 28:1^2; 29:1^2; 31:17; 33:1^2, 21; 34:1, 3; 35:19; 36:2, 5^2, 11^2, 21

וְשָׁנָה

417 וְשָׁנָה אַחַת מָלַךְ בִּירוּשָׁלָ͏ִם IIK. 8:26
418/9 בְּכָל־שָׁנָה וְשָׁנָה Es. 9:21, 27
420 וְשָׁנָה אַחַת מָלַךְ בִּירוּשָׁלָ͏ִם IICh. 22:2

הַשָּׁנָה

421 וַתִּתֹּם הַשָּׁנָה הַהִוא Gen. 47:18
422 רִאשׁוֹן הוּא לָכֶם לְחָדְשֵׁי הַשָּׁנָה Ex. 12:2
423 וְחַג הָאָסִף בְּצֵאת הַשָּׁנָה Ex. 23:16
424 וְחַג הָאָסִיף תְּקוּפַת הַשָּׁנָה Ex. 34:22
425 וּזְרַעְתֶּם אֵת הַשָּׁנָה הַשְּׁמִינִת Lev. 25:22
426 עַד הַשָּׁנָה הַתְּשִׁיעִת Lev. 25:22
427 עֹלַת חֹדֶשׁ בְּחָדְשׁוֹ לְחָדְשֵׁי הַשָּׁנָה Num. 28:14
428 מֵרֵשִׁית הַשָּׁנָה וְעַד אַחֲרִית שָׁנָה Deut. 11:12
429/30 וַיְהִי לִתְשׁוּבַת הַשָּׁ׳ IISh. 11:1 • IK. 20:26
431 כִּי לִתְשׁוּבַת הַשָּׁנָה...עֹלֶה עָלֶיךָ IK. 20:22
432 הִיא הַשָּׁנָה הַשְּׁבִיעִית לְהוֹשֵׁעַ IIK. 18:9
433/4 אָכוֹל הַשָּׁנָה סָפִיחַ IIK. 19:29 • Is. 37:30
435 הַשָּׁנָה הָרִאשֹׁנִית לִנְבוּכַדְרֶאצַּר Jer. 25:1
436 הַשָּׁנָה אַתָּה מֵת כִּי סָרָה דִבַּרְתָּ Jer. 28:16
437 הִיא הַשָּׁנָה שְׁמֹנֶה־עֶשְׂרֵה שָׁנָה Jer. 32:1
438 הִיא הַשָּׁנָה הַחֲמִישִׁית לְגָלוּת Ezek. 1:2
439 בְּרֹאשׁ הַשָּׁנָה בֶּעָשׂוֹר לַחֹדֶשׁ Ezek. 40:1
440 וְנִטֹּשׁ אֶת־הַשָּׁנָה הַשְּׁבִיעִית Neh. 10:32
441 וַיְהִי לְעֵת תְּשׁוּבַת הַשָּׁנָה ICh. 20:1
442 לְכֹל חָדְשֵׁי הַשָּׁנָה ICh. 27:1
443 וַיְהִי לִתְקוּפַת הַשָּׁנָה IICh. 24:23
444 וְלִתְשׁוּבַת הַשָּׁנָה שָׁלַח הַמֶּלֶךְ IICh. 36:10

בְּשָׁנָה

445 לֹא אֲגָרְשֶׁנּוּ מִפָּנֶיךָ בְּשָׁנָה אֶחָת Ex. 23:29
446/7 בָּא לִשְׁלֹמֹה בְּשָׁנָה אֶחָת IK. 10:94 • IICh. 9:13
448 כִּשְׂכִיר שָׁנָה בְּשָׁנָה יִהְיֶה עִמּוֹ Lev. 25:53
449 לִפְנֵי יְיָ אֱלֹהֶיךָ תֹאכְלֶנּוּ שָׁנָה בְשָׁ׳ Deut. 15:20
450 וְכֵן יַעֲשֶׂה שָׁנָה בְשָׁנָה ISh. 1:7
451 וְהָלַךְ מִדֵּי שָׁנָה בְּשָׁנָה ISh. 7:16
452 כֹּה־יִתֵּן שְׁלֹמֹה לְחִירָם שָׁנָה בְשָׁנָה IK. 5:25
453 וְהֵמָּה מְבִיאִים...דְּבַר־שָׁנָה בְּשָׁ׳ IK. 10:25
454 וְלֹא־הֶעֱלָה מִנְחָה...כְּשָׁנָה בְשָׁנָה IIK. 17:4
455 וְעָלוּ מִדֵּי שָׁנָה בְשָׁנָה Zech. 14:16
456 לְעִתִּים מְזֻמָּנִים שָׁנָה בְשָׁנָה Neh. 10:35
457 וּלְהָבִיא...שָׁנָה בְשָׁנָה לְבֵית יְיָ Neh. 10:36
458 וְהֵם מְבִיאִים...דְּבַר־שָׁנָה בְּשָׁנָה IICh. 9:24
459 וְקִבְצוּ...מִדֵּי שָׁנָה בְּשָׁנָה IICh. 24:5

בַּשָּׁנָה

460 לַמּוֹעֵד הַזֶּה בַּשָּׁנָה הָאַחֶרֶת Gen. 17:21
461 וַיִּמְצָא בַּשָּׁנָה הַהִוא מֵאָה שְׁעָרִים Gen. 26:12
462 וַיְנַהֲלֵם בַּלֶּחֶם...בַּשָּׁנָה הַהִוא Gen. 47:17
463 וַיָּבֹאוּ אֵלָיו בַּשָּׁנָה הַשֵּׁנִית Gen. 47:18
464 שָׁלֹשׁ רְגָלִים תָּחֹג לִי בַּשָּׁנָה Ex. 23:14
465-470 שָׁלֹשׁ פְּעָמִים בַּשָּׁנָה Ex. 23:17
34:23, 24 • Deut. 16:16 • IK. 9:25 • IICh. 8:13
471 וְכִפֶּר אַהֲרֹן עַל־קַרְנֹתָיו אַחַת בַּשָּׁנָה Ex. 30:10
472/3 אַחַת בַּשָּׁנָה Ex. 30:10 • Lev. 16:34
474 בַּשָּׁנָה הַשֵּׁנִית בְּאֶחָד לַחֹדֶשׁ Ex. 40:17
475 וְחַגֹּתֶם...שִׁבְעַת יָמִים בַּשָּׁנָה Lev. 23:41
476 מַה־נֹּאכַל בַּשָּׁנָה הַשְּׁבִיעִת Lev. 25:20
477 וְצִוִּיתִי...בַּשָּׁנָה הַשִּׁשִּׁית Lev. 25:21
478/9 בַּשָּׁנָה הַשֵּׁנִית לְצֵאתָם Num. 1:1; 9:1
480 וַיְהִי בַּשָּׁנָה הַשֵּׁנִית Num. 10:11
481 כָּל־מַעְשַׂר תְּבוּאָתְךָ בַּשָּׁנָה הַהִוא Deut. 14:28
482 בַּשָּׁנָה הַשְּׁלִישִׁת שְׁנַת הַמַּעֲשֵׂר Deut. 26:12
483-512 בַּשָּׁנָה Josh. 5:12
Jud. 10:8; 11:40 • IK. 4:7; 6:1, 37; 14:25; 18:1; 22:2 • IIK. 18:9 • Jer. 25:1; 28:1^2, 17; 32:1; 36:1, 9; 39:1; 45:1; 51:46^2; 52:4 • Ezek. 8:1; 20:1; 24:1; 29:1 • Neh. 10:33 • IICh. 12:2; 27:5; 29:3

וּבַשָּׁנָה

513 וּבַשָּׁנָה הָרְבִיעִת...קֹדֶשׁ הִלּוּלִים Lev. 19:24
514 וּבַשָּׁנָה הַחֲמִישִׁת תֹּאכְלוּ אֶת־פִּרְיוֹ Lev. 19:25
515 וּבַשָּׁנָה הַשְּׁבִיעִת שַׁבַּת שַׁבָּתוֹן Lev. 25:4
516-525 וּבַשָּׁנָה Deut. 15:12
IK. 6:38 • IIK. 11:4; 19:29^2 • Is. 37:30^2 • Ez. 3:8 • IICh. 23:1; 27:5

כְּשָׁנָה

526 וְלֹא־הֶעֱלָה מִנְחָה...כְּשָׁנָה בְשָׁנָה IIK. 17:4

לַשָּׁנָה

527/8 יוֹם לַשָּׁנָה יוֹם לַשָּׁנָה תִּשְׂאוּ... Num. 14:34
529/30 יוֹם לַשָּׁנָה יוֹם לַשָּׁנָה נְתַתִּיו לָךְ Ezek. 4:6

שְׁנַת־

531 בְּטֶרֶם תָּבוֹא שְׁנַת הָרָעָב Gen. 41:50
532 שְׁנַת שַׁבָּתוֹן יִהְיֶה לָאָרֶץ Lev. 25:5
533/4 שְׁנַת הַחֲמִשִּׁים שָׁנָה Lev. 25:10, 11
535 עַד שְׁנַת הַיּוֹבֵל Lev. 25:28
536 עַד־תֹּם שְׁנַת מִמְכָּרוֹ Lev. 25:29
537-541 שְׁנַת הַיֹּבֵל Lev. 25:40, 50, 52; 27:18, 23
542/3 שְׁנַת־הַשֶּׁבַע שְׁנַת הַשְּׁמִטָּה Deut. 15:9
544 בַּשָּׁנָה הַשְּׁלִישִׁת שְׁנַת הַמַּעֲשֵׂר Deut. 26:12
545 בְּמֹעֵד שְׁנַת הַשְּׁמִטָּה Deut. 31:10
546 הִיא שְׁנַת־תֵּשַׁע לְהוֹשֵׁעַ IIK. 18:10
547 הִיא שְׁנַת תְּשַׁע־עֶשְׂרֵה שָׁנָה IIK. 25:8
548 שְׁנַת שִׁלּוּמִים לְרִיב צִיּוֹן Is. 34:8
549 לִקְרֹא שְׁנַת־רָצוֹן לַייָ Is. 61:2
550-552 שְׁנַת פְּקֻדָּתָם Jer. 11:23; 23:12; 48:44
553 הִיא שְׁנַת תְּשַׁע־עֶשְׂרֵה שָׁנָה Jer. 52:12
554 וְהָיְתָה לּוֹ עַד־שְׁנַת הַדְּרוֹר Ezek. 46:17
555 עִטַּרְתָּ שְׁנַת טוֹבָתֶךָ Ps. 65:12
556 עַד־שְׁנַת אַחַת לְכוֹרֶשׁ הַמֶּלֶךְ Dan. 1:21

שנת- (המשך)
557 היא שנת השביעית למלך — Ez. 7:8
558 ויהי בחדש־כסלו שנת עשרים — Neh. 1:1
559 שנת עשרים לארתחשסתא — Neh. 2:1
560 ועד שנת שלשים ושתים — Neh. 5:14
561 עד שנת־שלשים וחמש — IICh. 15:19
ושנת- 562 ושנת גאולי באה — Is. 63:4
בשנת- 563 בשנת שש־מאות שנה — Gen. 7:11
564 בשנת היובל הזאת תשבו — Lev. 25:13
565 ויצא בשנת היבל — Lev. 25:54
566 בשנת היובל ישוב השדה — Lev. 27:24
567 בשנת הארבעים לצאת ב״י — Num. 33:38
568 בשנת שתים לאסא — IK. 15:25
569 בשנת שמנה עשרה ליהושפט — IIK. 3:1
570 בשנת שתים־עשרה שנה ליורם — IIK. 8:25
571 בשנת־שבע ליהוא מלך יהואש — IIK. 12:2
572 בשנת התשעית להושע — IIK. 17:6
573 ויהי בשנת התשיעית למלכו — IIK. 25:1
574 נשא...בשנת מלכו את־ראש — IIK. 25:27
575 בשנת־מות המלך עזיהו — Is. 6:1
576 בשנת־מות המלך אחז — Is. 14:28
577 בשנת בא תרתן אשדודה — Is. 20:1
578 נשא...בשנת מלכתו את־ראש — Jer. 52:31
579 בשנת אחת לדריוש — Dan. 9:1
580-635 בשנת — IK. 15:28, 33; 16:8, 10, 15, 23, 29
22:41, 52 • IIK. 12:7; 13:1, 10; 14:1, 23; 15:1, 8, 13;
15:17, 23, 27, 30, 32; 16:1; 17:1; 18:1, 10; 24:12 •
Jer. 28:1; 32:1; 46:2; 51:59; 52:28, 29, 30 • Hag. 1:1;
1:15; 2:10 • Zech. 1:1, 7; 7:1 • Es. 1:3; 2:16; 3:7 •
Dan. 1:1; 8:1; 9:2; 10:1; 11:1 • Ez. 7:7 • Neh. 13:6 •
ICh. 26:31 • IICh. 3:2; 13:1; 16:1, 12, 13
ובשנת- 636 ובשנת שמנה עשרה למלך ירבעם — IK. 15:1
637 ובשנת עשרים לירבעם — IK. 15:9
638 ובשנת חמש ליורם — IIK. 8:16
639 ובשנת אחת־עשרה שנה — IIK. 9:29
640 ובשנת בצרת לא ידאג — Jer. 17:8
641 ובשנת שתים למלכות נבכדנצר — Dan. 2:1
642/3 ובשנת אחת לכורש — Ez. 1:1 • IICh. 36:22
644 ובשנת שלוש למלכו שלח — IICh. 17:7
645 ובשנת שמונה עשרה למלכו — IICh. 34:8
לשנת- 646 לשנת חמש־עשרה למלכות אסא — IICh.15:10
משנת- 647 וחשב...משנת המכרו לו — Lev. 25:50
648 אם־משנת היבל יקדיש — Lev. 27:17
649 משנת עשרים ועד שנת שלשים — Neh. 5:14
שנתו 650 כבש בן־שנתו לעלה — Lev. 12:6
651 כבש תמים בן־שנתו לעלה ליי — Lev. 23:12
652 כבש בן־שנתו לאשם — Num. 6:12
653 כבש בן־שנתו תמים... — Num. 6:14
654-665 כבש־אחד בן־שנתו — Num. 7:15
7:21, 27, 33, 39, 45, 51, 57, 63, 69, 75, 81
666 וכבש בן־שנתו תמים... — Ezek. 46:13
שנתה 667 וכבשה אחת בת־שנתה תמימה — Lev. 14:10
668 וכבשה אחת בת־שנתה תמימה — Num. 6:14
669 והקריבה עז בת־שנתה לחטאת — Num. 15:27
שנתים 670 שנתים אחר המבול — Gen. 11:10
671 ויהי מקץ שנתים ימים — Gen. 41:1
672 זה שנתים הרעב בקרב הארץ — Gen. 45:6
673 וישב...בירושלם שנתים ימים — IISh. 14:28
674/5 בעוד שנתים ימים — Jer. 28:3, 11
676 שנתים לפני הרעש — Am. 1:1
שנתים 677/8 וימלך על־ישראל שנתים — IK. 15:25;22:52
679 מלך אלה...בתרצה שנתים — IK. 16:8
680 מלך פקחיה...בשמרון שנתים — IIK. 15:23

לשנתים 681 ויהי לשנתים ימים — IISh. 13:23
שנים 682 חמש שנים ומאת שנה — Gen. 5:6
683 שבע שנים ושמנה מאות שנה — Gen. 5:7
684 בן־חמש שנים ושבעים שנה — Gen. 12:4
685 מקץ עשר שנים לשבת אברם — Gen. 16:3
686 בן־שמנים שנה ושש שנים — Gen. 16:16
687 בן־תשעים שנה ותשע שנים — Gen. 17:1
688 אעבדך שבע שנים ברחל — Gen. 29:18
689 ויעבד יעקב ברחל שבע שנים — Gen. 29:20
690 הנה שבע שנים באות — Gen. 41:29
691 את־כל־אכל שבע שנים — Gen. 41:48
692 ויחי יוסף מאה ועשר שנים — Gen. 50:22
693 שש שנים יעבד — Ex. 21:2
694 ושש שנים תזרע את־ארצך — Ex. 23:10
695 וספרת לך שבע שבתת שנים — Lev. 25:8
696 שבע שנים שבע פעמים — Lev. 25:8
697 במספר שנים אחר היובל — Lev. 25:15
698 במספר שנים כימי שכיר — Lev. 25:50
699 ואם מבן־חמש שנים... — Lev. 27:5
700 ושתי שנים מלך על־ישראל — ISh. 13:1
701 זה ימים או־זה שנים — ISh. 29:3
702 אחת לשלש שנים תבוא אני... — IK. 10:22
703 הנבאים בימים ההם שנים — Ezek. 38:17
704 פעלך בקרב שנים חייהו — Hab. 3:2
705 בקרב שנים תודיע — Hab. 3:2
706 כאשר עשיתי זה כמה שנים — Zech. 7:3
707 אלף שנים בעיניך כיום אתמול — Ps. 90:4
708 ומספר שנים נצפנו לעריץ — Job 15:20
709 ורב שנים ידיעו חכמה — Job 32:7
710 ואלו חיה אלף שנים פעמים — Eccl. 6:6
711 כי אם־שנים הרבה יחיה האדם — Eccl. 11:8
712 והגיעו שנים אשר תאמר
אין־לי בהם חפץ — Eccl. 12:1
713 ולגדלם שנים שלוש — Dan. 1:5
714 ולקץ שנים יתחברו — Dan. 11:6
715 והוא שנים יעמד ממלך הצפון — Dan. 11:8
716 ולקץ העתים שנים יבוא בוא — Dan. 11:13
717 ותמשך עליהם שנים רבות — Neh. 9:30
718 וירד לקץ שנים אל־אחאב — IICh. 18:2
719-806 שנים — Gen. 5:11, 14, 15; 11:13, 15
11:19, 21, 32; 23:1; 25:7, 17; 29:27, 30; 31:41;
41:26², 27; 45:6, 11; 47:28; 50:26 • Lev. 19:23;
25:3²; 27:6 • Num. 13:22 • Deut. 14:28; 15:1, 12,
18; 31:10 • Josh. 24:29 • Jud. 2:8; 3:8; 6:1, 25; 9:22;
12:7, 9; 12:11, 14 • IISh. 2:10, 11; 4:4; 5:5; 13:38;
21:1; 24:13 • IK. 2:11², 39; 6:38; 15:2; 16:23; 22:1
• IIK. 8:1, 2, 3; 11:3; 12:1; 15:17; 17:1, 5; 18:10;
21:19; 24:1 • Is. 16:14; 20:3 • Jer. 34:14² • Ezek.
39:9 • Ruth 1:4 • Neh. 5:14 • ICh. 3:4; 21:12; 29:27
• IICh. 9:21; 13:2, 23; 21:5, 20; 22:12; 24:1; 31:16;
33:31; 34:1, 3; 36:9
ושנים 807 לאתת ולמועדים ולימים ושנים — Gen. 1:14
808 ושנים רבות יחיה — Eccl. 6:3
השנים 809 השנים הטבות הבאת האלה — Gen. 41:35
810 ימי שבע שבתת השנים — Lev. 25:8
811 לפי רב השנים תרבה מקנתו — Lev. 25:16
812 ולפי מעט השנים תמעיט מקנתו — Lev. 25:16
813 ועשת...לשלש השנים — Lev. 25:21
814 על־פי השנים הנותרת — Lev. 27:18
815 אם־יהיה השנים האלה טל ומטר — IK. 17:1
816 באחרית השנים תבוא — Ezek. 38:8
817 ושלמתי לכם את־השנים — Joel 2:25

818 בינתי בספרים מספר השנים — Dan. 9:2
בשנים 819 אם־עוד רבות בשנים — Lev. 25:51
820 ואם־מעט נשאר בשנים — Lev. 25:52
821 ואין־עמו מלחמה בשנים האלה — IICh.14:5
וכשנים 822 כימי עולם וכשנים קדמניות — Mal. 3:4
לשנים 823 ויאמצו את־רחבעם...לשנים שלוש — IICh.11:17
824 הלכו בדרך דויד...לשנים שלוש — IICh.11:17
שני- 825 ויהיו חיי שרה...שני חיי שרה — Gen. 23:1
826 ואלה ימי שני־חיי אברהם — Gen. 25:7
827 ואלה שני חיי ישמעאל — Gen. 25:17
828 יהיו שבע שני רעב — Gen. 41:27
829 וקמו שבע שני רעב אחריהן — Gen. 41:30
830 וחמש...בשבע שני השבע — Gen. 41:34
831 לפקדון לא׳ לשבע שני הרעב — Gen. 41:36
832 ותעש הארץ בשבע שני השבע — Gen. 41:47
833 ותכלינה שבע שני השבע — Gen. 41:53
834 ותחלינה שבע שני הרעב — Gen. 41:54
835 כמה ימי שני חייך — Gen. 47:8
836 ימי שני מגורי שלשים ומאת שנה — Gen. 47:9
837 מעט ורעים היו ימי שני חיי — Gen. 47:9
838 ולא השיגו את־ימי שני חיי אבתי — Gen. 47:9
839 ויהי ימי־יעקב שני חייו — Gen. 47:28
840 במספר שני־תבואת — Lev. 25:15
841 וחשב את־שני ממכרו — Lev. 25:27
842 כמה ימי שני חיי כי־אעלה... — IISh. 19:35
843 ואני נתתי לך את־שני עונם — Ezek. 4:5
844 לא יוסף עד־שני דור ודור — Joel 2:2
ושני- 845 ושני חיי לוי — Ex. 6:16
846 ושני חיי קהת — Ex. 6:18
847 ושני חיי עמרם — Ex. 6:20
כשני- 848 בשלש שנים כשני שכיר — Is. 16:14
849 בעוד שנה כשני שכיר — Is. 21:16
שניו 850 וחשב־לו כפי שניו — Lev. 25:52
851 מספר שניו ולא־חקר — Job 36:26
852 ורב שיהיו ימי־שניו — Eccl. 6:3
שנינו 853 כלינו שנינו כמו־הגה — Ps. 90:9
ושניהם 854 יכלו ימיהם בטוב ושניהם בנעימים — Job 36:11
שנות- 855 בינו שנות דר־ודר — Deut. 32:7
856 ימים מקדם שנות עולמים — Ps. 77:6
857 שנות ימין עליון — Ps. 77:11
858 שנות ראינו רעה — Ps. 90:15
859 וירבו לך שנות חיים — Prov. 4:10
860 ויוסיפו לך שנות חיים — Prov. 9:11
861 כי־שנות מספר יאתיו — Job 16:22
ושנות- 862 ארך ימים ושנות חיים — Prov. 3:2
863 ושנות רשעים תקצרנה — Prov. 10:27
שנותי 864 אדדה כל־שנותי על־מר נפשי — Is. 38:15
שנותי 865 פקדתי יתר שנותי — Is. 38:10
ושנותי 866 כלו ביגון חיי ושנותי באנחה — Ps. 31:11
שנותיך 867 בדור דורים שנותיך — Ps. 102:25
868 אם־שנותיך כימי גבר — Job 10:5
ושנותיך 869 ואתה־הוא ושנותיך לא יתמו — Ps. 102:28
870 פן־תתן...ושנתך לאכזרי — Prov. 5:9
שנותיך 871 ותקריבי ימיך ותבוא עד־שנותיך — Ezek. 22:4
שנותיו 872 שנותיו כמו־דר ודר — Ps. 61:7
שנותינו 873 ימי־שנותינו בהם שבעים שנה — Ps. 90:10
ושנותם 874 בהבל ימיהם ושנותם בבהלה — Ps. 78:33

שנה* ג׳ ארמית שנה: 1-7 [שנין = שנים]
שנת- 1 עד שנת תרתין למלכות דריוש — Ez. 4:24
2 שנת־שת למלכות דריוש מלכא — Ez. 6:15
בשנת- 3 בשנת חדה לבלאשצר — Dan. 7:1

4/5 בִּשְׁנַת חֲדָה לְכוֹרֶשׁ Ez. 5:13; 6:3
שְׁנִין 6 כְּבַר שְׁנִין שִׁתִּין וְתַרְתֵּין Dan. 6:1
7 מִקַּדְמַת דְּנָה שְׁנִין שַׂגִּיאָן Ez. 5:11

שֵׁנָה
נ׳ מנוחת הישן, תנומה: 1-23
קרובים: נומה / תְּנוּמָה / תַּרְדֵּמָה

– שְׁנַת הַמֶּלֶךְ 9; שְׁנַת הָעוֹבֵד 8; שְׁנַת עוֹלָם 6, 7
– אָהַב שֵׁנָה 3; נִגְזְלָה שֵׁנָה 20; נָדְדָה שֵׁנָה 9, 10; נִהְיְתָה שֵׁנָה 14; נָם שְׁנָתוֹ 19; נָתַן שֵׁנָה 2, 5; עָרְבָה שֵׁנָה 11, 12
– הֵקִיץ מִשְּׁנָתוֹ 15-17; נֵעוֹר מִשְּׁנָתוֹ 18, 21; קָם מִשְּׁנָתוֹ 13; מְעַט שֵׁנוֹת 22, 23

שֵׁנָה 1 זְרַמְתָּם שֵׁנָה יִהְיוּ Ps. 90:5
2 אַל־תִּתֵּן שֵׁנָה לְעֵינֶיךָ Prov. 6:4
3 אַל־תֶּאֱהַב שֵׁנָה פֶּן־תִּוָּרֵשׁ Prov. 20:13
4 וּבַלַּיְלָה שֵׁנָה בְּעֵינָיו אֵינֶנּוּ רֹאֶה Eccl. 8:16
(שֵׁנָא) 5 כֵּן יִתֵּן לִידִידוֹ שֵׁנָא Ps. 127:2
שְׁנַת־ 6/7 וְיָשְׁנוּ שְׁנַת־עוֹלָם Jer. 51:39, 57
8 מְתוּקָה שְׁנַת הָעֹבֵד Eccl. 5:11
9 בַּלַּיְלָה הַהוּא נָדְדָה שְׁנַת הַמֶּלֶךְ Es. 6:1
שְׁנָתִי 10 וַתִּדַּד שְׁנָתִי מֵעֵינָי Gen. 31:40
וּשְׁנָתִי 11 וּשְׁנָתִי עָרְבָה לִּי Jer. 31:25
שְׁנָתֶךָ 12 וְשָׁכַבְתָּ וְעָרְבָה שְׁנָתֶךָ Prov. 3:24
מִשְּׁנָתֶךָ 13 מָתַי תָּקוּם מִשְּׁנָתֶךָ Prov. 6:9
וּשְׁנָתוֹ 14 נִתְפָּעֶם רוּחוֹ וּשְׁנָתוֹ נִהְיְתָה עָלָיו Dan. 2:1
מִשְּׁנָתוֹ 15 וַיִּיקַץ יַעֲקֹב מִשְּׁנָתוֹ וַיֹּאמֶר Gen. 28:16
16 וַיִּיקַץ מִשְּׁנָתוֹ וַיִּסַּע אֶת־הַיְתַד Jud. 16:14
17 וַיִּקַץ מִשְּׁנָתוֹ וַיֹּאמֶר Jud. 16:20
18 כְּאִישׁ אֲשֶׁר־יֵעוֹר מִשְּׁנָתוֹ Zech. 4:1
שְׁנָתָם 19 אֶשְׁתּוֹלְלוּ...נָמוּ שְׁנָתָם Ps. 76:6
20 וְנִגְזְלָה שְׁנָתָם אִם־לֹא יַכְשׁוֹלוּ° Prov. 4:16
מִשְּׁנָתָם 21 לֹא יָקִיצוּ וְלֹא־יֵעֹרוּ מִשְּׁנָתָם Job 14:12
שֵׁנוֹת 22/3 מְעַט שֵׁנוֹת מְעַט תְּנוּמוֹת Prov. 6:10; 24:33

שֶׁנְהַבִּ*
ז׳ שן הפיל(?): 1, 2

שֶׁנְהַבִּים 1 שֶׁנְהַבִּים וְקֹפִים וְתֻכִּיִּים IK. 10:22
2 שֶׁנְהַבִּים וְקוֹפִים וְתוּכִּיִּים IICh. 9:21

שָׁנוֹן
ת׳ חד – עין שָׁנַן

שְׁנוּתִי
(דברים לב 41) – עין שָׁנַן

שָׁנִי
ז׳ א) צבע אדום המופק מביצי תולעת מיוחדת: 2-22, 26-31, 35-40
ב) חוטים ואריגים צבועים בצבע זה: 1, 23-25, 32-34, 41, 42

חוּט הַשָּׁנִי 32, 34; תּוֹלַעַת שָׁנִי 2-22, 26-31; תִּקְוַת הַשָּׁנִי 33; שְׁנִי תוֹלַעַת 35-40

שָׁנִי 1 וַתִּקְשֹׁר עַל־יָדוֹ שָׁנִי Gen. 38:28
2-21 וּתְכֵלֶת וְאַרְגָּמָן (וְ)ת(וֹ)לַעַת שָׁנִי Ex. 25:4 • 26:1, 31, 36; 27:16; 28:6, 8, 15, 33; 35:6, 23; 36:8; 36:35, 37; 38:18; 39:2, 5, 8, 24, 29
22 וּפָרְשׂוּ עֲלֵיהֶם בֶּגֶד תּוֹלַעַת שָׁנִי Num. 4:8
23 הַמַּלְבִּשְׁכֶם שָׁנִי עִם־עֲדָנִים IISh. 1:24
24 כִּי־תִלְבְּשִׁי שָׁנִי Jer. 4:30
הַשָּׁנִי 25 אֲשֶׁר עַל־יָדוֹ הַשָּׁנִי Gen. 38:30
26 וְאֶת־תּוֹלַעַת הַשָּׁנִי וְאֶת־הַשֵּׁשׁ Ex. 28:5
27 אֶת־תּוֹלַעַת הַשָּׁנִי וְאֶת־הַשֵּׁשׁ Ex. 35:25
28 בְּתוֹלַעַת הַשָּׁנִי וּבַשֵּׁשׁ Ex. 35:35
29 וּבְתוֹלַעַת הַשָּׁנִי וּבַשֵּׁשׁ Ex. 38:23
30 וּמִן־הַתְּכֵלֶת...וְתוֹלַעַת הַשָּׁנִי Ex. 39:1
31 וּבְתוֹךְ תּוֹלַעַת הַשָּׁנִי Ex. 39:3
32 אֶת־תִּקְוַת חוּט הַשָּׁנִי הַזֶּה Josh. 2:18
33 וַתִּקְשֹׁר אֶת־תִּקְוַת הַשָּׁנִי בַּחַלּוֹן Josh. 2:21
34 כְּחוּט הַשָּׁנִי שִׂפְתוֹתַיִךְ S.ofS. 4:3
שְׁנִי־ 35/6 וְאֶת־שְׁנִי הַתּוֹלַעַת Lev. 14:6, 51
וּשְׁנִי־ 37/8 וּשְׁנִי תוֹלַעַת וְאֵזֹב Lev. 14:4, 49
39 עֵץ אֶרֶז וְאֵזוֹב וּשְׁנִי תוֹלָעַת Num. 19:6
וּבִשְׁנִי־ 40 וּבָאֵזֹב וּבִשְׁנִי הַתּוֹלַעַת Lev. 14:52
שָׁנִים 41 כִּי כָל־בֵּיתָהּ לָבֻשׁ שָׁנִים Prov. 31:21
כַּשָּׁנִים 42 אִם־יִהְיוּ חֲטָאֵיכֶם כַּשָּׁנִים Is. 1:18

שֵׁנִי
ת׳ מספר סודר של "שנים", הבא אחרי הראשון: 1-124

– אַיִל שֵׁנִי 45, 51; בַּיִת שֵׁנִי 8; בֵּן שֵׁנִי 2, 3; גּוֹרָל שֵׁנִי 55; חֹדֶשׁ שֵׁנִי 12-27, 83; טוּר שֵׁנִי 43, 44; יוֹם שֵׁנִי 1, 30-40; יֶלֶד שֵׁנִי 68; כֶּבֶשׂ שֵׁנִי 46-49; כְּרוּב שֵׁנִי 59-61; מִדָּה שֵׁנִי 9; מַקֵּל שֵׁנִי 67; נָהָר שֵׁנִי 11; עַמּוּד שֵׁנִי 63-65; פְּנֵי הַשֵּׁנִי 66; פַּר שֵׁנִי 4, 56-58; צַד שֵׁנִי 41, 42; קִיר שֵׁנִי 62; רֹכֵב שֵׁנִי 5; שֵׁם הַשֵּׁנִי 29, 52-54
– אֶבֶן שֵׁנִית 112; אִגֶּרֶת שֵׁנִית 120; דֶּלֶת שֵׁ׳ 114; חוֹבֶרֶת שֵׁנִית 104, 105; כּוֹתֶרֶת שֵׁנִית 115-118; כָּנָף שֵׁנִית 113; כָּתֵף שֵׁנִית 110, 111; מַחְבֶּרֶת שֵׁנִית 100-103; מֶרְכָּבָה שֵׁנִית 119; צֵלָע שֵׁנִית 98, 99, 106-109; שֵׁם הַשֵּׁנִית 84, 94-97; שָׁנָה שֵׁנִית 85-93; תּוֹדָה שֵׁנִית 122
– שְׁנִיִּם וּשְׁלִשִׁים 123

שֵׁנִי 1 וַיְהִי־עֶרֶב וַיְהִי־בֹקֶר יוֹם שֵׁנִי Gen. 1:8
2/3 וַתֵּלֶד...בֵּן שֵׁנִי לְיַעֲקֹב Gen. 30:7, 12
4 וּפַר־שֵׁנִי בֶן־בָּקָר תִּקַּח לְחַטָּאת Num. 8:8
5 וַיִּשְׁלַח רֹכֵב סוּס שֵׁנִי IIK. 9:19
6 יֵשׁ אֶחָד וְאֵין שֵׁנִי Eccl. 4:8
7 וְאֵין שֵׁנִי לַהֲקִימוֹ Eccl. 4:10
8 הִיא שָׁבָה אֶל־בֵּית הַנָּשִׁים שֵׁנִי Es. 2:14
9 אַחֲרָיו° הֶחֱזִיק...מִדָּה שֵׁנִי Neh. 3:30
10 הַבְּכוֹר אַמְנֹן...שֵׁנִי דָּנִיֵּאל ICh. 3:1
הַשֵּׁנִי 11 וְשֵׁם־הַנָּהָר הַשֵּׁנִי גִּיחוֹן Gen. 2:13
12 בִּשְׁנַת...בַּחֹדֶשׁ הַשֵּׁנִי Gen. 7:11
13-27 (הַ/בַּ/וּבַ/לַ)חֹדֶשׁ הַשֵּׁנִי Gen. 8:14 • Ex. 16:1 • Num. 1:1, 18; 9:11; 10:11 • ISh. 20:27, 34 • IK. 6:1 • Ez. 3:8 • ICh. 27:4 • IICh. 3:2; 30:2, 13, 15
28 וַיְצַו גַּם אֶת־הַשֵּׁנִי Gen. 32:19
29 וְאֵת שֵׁם הַשֵּׁנִי קָרָא אֶפְרָיִם Gen. 41:52
30-40 (בַּ/וּבַ)יּוֹם הַשֵּׁנִי Ex. 2:13 • Num. 7:18 • 29:17 • Josh. 6:14; 10:32 • Jud. 20:24, 25 • Jer. 41:4 • Ezek. 43:22 • Es. 7:2 • Neh. 8:13
41/2 וּשְׁלֹשָׁה...מִצִּדָּהּ הַשֵּׁנִי Ex. 25:32; 37:18
43/4 וְהַטּוּר הַשֵּׁנִי Ex. 28:18; 39:11
45 וְלָקַחְתָּ אֵת הָאַיִל הַשֵּׁנִי Ex. 29:19
46-49 וְאֵת הַכֶּבֶשׂ הַשֵּׁנִי תַּעֲשֶׂה Ex. 29:39, 41 • Num. 28:4, 8
50 וְאֶת־הַשֵּׁנִי יַעֲשֶׂה עֹלָה Lev. 5:10
51 וַיַּקְרֵב אֶת־הָאַיִל הַשֵּׁנִי Lev. 8:22
52-54 וְשֵׁם הַשֵּׁנִי Num. 11:26 • IISh. 4:2 • ICh. 7:15
55 וַיֵּצֵא הַגּוֹרָל הַשֵּׁנִי לְשִׁמְעוֹן Josh. 19:1
56-58 (הַ/וּבַ)פַּר הַשֵּׁנִי Jud. 6:25, 26, 28
59-61 הַכְּרוּב הַשֵּׁנִי IK. 6:25, 26, 27
62 נֹגַעַת בַּקִּיר הַשֵּׁנִי IK. 6:27
63-65 (הָ/לָ)עַמּוּד הַשֵּׁנִי IK. 7:15 • IIK. 25:17 • Jer. 52:22
66 וּפְנֵי הַשֵּׁנִי פְּנֵי אָדָם Ezek. 10:14
67 וָאֶגְדַּע אֶת־מַקְלִי הַשֵּׁנִי Zech. 11:14
68 הַמְהַלְּכִים...עִם הַיֶּלֶד הַשֵּׁנִי Eccl. 4:15
69-82 הַשֵּׁנִי ICh. 2:13; 3:15; 8:1, 39 • 12:9(10); 23:11, 19, 20; 24:7, 23; 25:9; 26:2, 4, 11
בַּשֵּׁנִי 83 וַיָּחֶל לִבְנוֹת בַּחֹדֶשׁ הַשֵּׁנִי בַּשֵּׁנִי IICh. 3:2
הַשֵּׁנִית 84 וְשֵׁם הַשֵּׁנִית צִלָּה Gen. 4:19
85-93 (בַּ/וּבַ)שָּׁנָה הַשֵּׁנִית Gen. 47:18 • Ex. 40:17 • Num. 1:1; 9:1; 10:11 • IIK. 19:29 • Is. 37:30 • Ez. 3:8 • IICh. 27:5
94-97 וְשֵׁם הַשֵּׁנִית Ex. 1:15 • ISh. 1:2 • Job 42:14 • Ruth 1:4
98/9 עַל־צַלְעוֹ הַשֵּׁנִית Ex. 25:12; 37:3
100-103 בַּמַּחְבֶּרֶת הַשֵּׁנִית Ex. 26:4, 5; 36:11, 12
104/5 הַחֹבֶרֶת הַשֵּׁנִית Ex. 26:10; 36:17
106/7 וּלְצֶלַע הַמִּשְׁכָּן הַשֵּׁנִית Ex. 26:20; 36:25
108/9 צֶלַע־הַמִּשְׁכָּן הַשֵּׁנִית Ex. 26:27; 36:32
110/1 וְלַכָּתֵף הַשֵּׁנִית Ex. 27:15; 38:15
112 וְאֶת־שְׁמוֹת...עַל־הָאֶבֶן הַשֵּׁנִית Ex. 28:10
113 וְחָמֵשׁ אַמּוֹת כְּנַף הַכְּרוּב הַשֵּׁנִית IK. 6:24
114 וּשְׁנֵי קְלָעִים הַדֶּלֶת הַשֵּׁנִית IK. 6:34
115-118 (הַ/לַ)כֹּתֶרֶת הַשֵּׁנִית IK. 7:16, 17, 18, 20
119 וּבַמֶּרְכָּבָה הַשֵּׁנִית סוּסִים שְׁחֹרִים Zech. 6:2
120 אִגֶּרֶת הַפֻּרִים הַזֹּאת הַשֵּׁנִית Es. 9:29
121 וְהָאַחַת גְּבֹהָה מִן־הַשֵּׁנִית Dan. 8:3
122 וְהַתּוֹדָה הַשֵּׁנִית הַהוֹלֶכֶת לְמוֹאל Neh. 12:38
שְׁנִיִּם 123 שְׁנִיִּם וּשְׁלִשִׁים תַּעֲשֶׂהָ Gen. 6:16
וּשְׁנִיִּם 124 וּשְׁנִיִּם יִסָּעוּ Num. 2:16

שָׂנִיא*
ת׳ שָׂנוּא

לַשְּׂנִיאָה 1 וְהָיָה הַבֵּן הַבְּכֹר לַשְּׂנִיאָה Deut. 21:15

שְׁנַיִם
ש״מ – 2 לזכר: 1-516

– שְׁנַיִם שְׁנַיִם 4-7, 72, 91; שְׁנַיִם שְׁלֹשָׁה 59, 62
– שְׁנַיִם וְעֶשְׂרִים 24-28, 150; שְׁנַיִם וּשְׁלֹשִׁים 15-21; שְׁנַיִם וַחֲמִשִּׁים 41; שְׁנַיִם וְשִׁשִּׁים 22, 23; שְׁנַיִם וְשִׁבְעִים 45, 46
– שְׁנַיִם אֲחֵרִים 70; שְׁנַיִם אֲנָשִׁים 49, 50, 152; שְׁ׳ אֲרָיוֹת 103, 115; שְׁ׳ דְּרָכִים 63; שְׁ׳ זֵיתִים 110; שְׁ׳ חֳדָשִׁים 51-53; שְׁ׳ טוּרִים 77, 78; שְׁ׳ כְּרוּבִים 11; שְׁ׳ נִבְלֵי יַיִן 102; שְׁ׳ עֲבֹתִים 144; שְׁ׳ עֵדִים 47; שְׁ׳ עֵצִים 56; שְׁ׳ פָּנִים 109; שְׁ׳ פָּרִים 57; שְׁנַיִם קְרָעִים 147; שְׁנַיִם שֻׁלְחָנוֹת 64-66, 108
– אֵילִים שְׁנַיִם 12, 82-89; בָּקָר שְׁ׳ 29-40; יָמִים שְׁ׳ 79, 90; כְּבָשִׂים שְׁ׳ 13, 14; כֵּלִים שְׁ׳ 71; כְּרוּבִים שְׁנַיִם 74; נֶפֶשׁ שְׁ׳ 80; עַמּוּדִים שְׁ׳ 55, 60, 61, 75, 76; פִּי שְׁנַיִם 48, 58, 68; פָּרִים שְׁנַיִם 42-44
– עֶשְׂרִים וּשְׁנַיִם 93-99, 116, 124, 129-133; שְׁלֹשִׁים וּשְׁ׳ 104-106, 117; אַרְבָּעִים וּשְׁ׳ 100, 101, 123, 125-128; חֲמִשִּׁים וּשְׁנַיִם 114, 134-139; שִׁשִּׁים וּשְׁ׳ 111-113; שִׁבְעִים וּשְׁנַיִם 118-122; תִּשְׁעִים וּשְׁנַיִם 140, 141
– שְׁנַיִם עָשָׂר 153-228, 231-240; הַשְּׁנַיִם עָשָׂר 229, 230 [יתר פרוט ליד הערך "עָשָׂר"]
– שְׁנֵי אֲדָנִים 267-273, 390-394; שְׁנֵי אוֹתוֹת 428; שְׁ׳ אַחִים 425; שְׁ׳ אֵילִים 278, 279, 433; שְׁ׳ אֲנָשִׁים 253, 318-324, 409, 411, 418; שְׁ׳ אֲרִיאֵל 353, 354; שְׁ׳ בָּנִים 242, 247, 249-252, 255, 296-301, 305, 341-343, 345-351, 378, 389, 408, 415, 416, 432; שְׁ׳ בָּתִּים 362, 439; שְׁ׳ גְּדָיִים 246; שְׁ׳ גוֹיִם 245, 375, 440; שְׁ׳ דוּדָאִים 373; שְׁ׳ דְּרָכִים 374; שְׁ׳ הָרִים 379; שְׁ׳ זֵיתִים 376; שְׁ׳ זְנָבוֹת 338, 446; שְׁ׳ חֲבָלִים 344; שְׁנֵי חֳדָשִׁים 337; שְׁנֵי חֲרִיטִים 419; שְׁנֵי חֲשִׂיפִים 422; שְׁנֵי טוּרִים 359, 360, 413; שְׁנֵי יְלָדִים 365, 414, 447; שְׁנֵי יָמִים 385; שְׁנֵי כְבָשִׂים 302-304, 399; שְׁנֵי כְּרוּבִים 260, 293-295, 438; שְׁנֵי לְאֻמִּים 388; שְׁנֵי לוּחוֹת 282-292, 386, 397, 398, 405

406, 417; שְׁנֵי מְאוֹרוֹת 241; שְׁנֵי מַחֲנוֹת 426, 427; שְׁנֵי מַטּוֹת 325, 326, 332; שְׁנֵי מַלְאָכִים 243; שְׁנֵי מְלָכִים 327-329, 336, 369, 372, 434-436; שְׁ׳ מַקְלוֹת 380; שְׁ׳ מִקְצוֹעוֹת 429, 430; שְׁ׳ נְעָרִים 244, 366, 367, 401; שְׁ׳ נְשִׂיאִים 317; שְׁ׳ סָרִיסִים 248, 383, 384; שְׁ׳ עֲבָדִים 355; שְׁ׳ עֲבָרָיו 444; שְׁ׳ עֲגָלִים 363, 371; שְׁ׳ עֵדִים 330; שְׁ׳ עַמּוּדִים 339, 357, 358; שְׁ׳ הָעֹמֶר 254; שְׁנֵי עֳפָרִים 423, 424; שְׁנֵי עָשָׂר 331, 361, 400, 420, 431, 441; שְׁ׳ עֶשְׂרֹנִים 309-316, 402-404; שְׁנֵי פֵיוֹת 334; שְׁ׳ צִבּוּרִים 370; שְׁ׳ צְדָיו 280, 281; שְׁ׳ צְלָעִים 356; שְׁ׳ צִמּוּקִים 410; שְׁ׳ צְמִידִים 387; שְׁ׳ צַנְתְּרוֹת 377; שְׁ׳ קְלָעִים 412; שְׁ׳ קָנִים 261-266; שְׁ׳ קְצוֹת 256-259, 274-277, 442, 443, 445; שְׁ׳ קְרָשִׁים 395, 396; שְׁ׳ רָאשִׁים 407; שְׁ׳ רֶכֶב 368; שְׁ׳ רֵעִים 421; שְׁ׳ שְׁבָטִים 333; שְׁנֵי שָׂדַיִם 381, 382; שְׁנֵי שְׂעִירִים 306-308; שְׁנֵי שְׁעָרִים 352; שְׁנֵי שָׂרִים 335, 364, 437

— בֵּין שְׁנֵיהֶם 462, 496, 501; גַּם שְׁנֵיהֶם 483, 485, 502-504, 507; דְּבַר שְׁנֵיהֶם 461; עֵינֵי שְׁנֵיהֶם 453, 506; שִׁכְבַם שְׁנֵיהֶם 454

שְׁנַיִם
1 שְׁנַיִם מִכֹּל תָּבִיא אֶל־הַתֵּבָה Gen. 6:19
2 שְׁנַיִם מִכֹּל יָבֹאוּ אֵלֶיךָ Gen. 6:20
3 שְׁנַיִם אִישׁ וְאִשְׁתּוֹ Gen. 7:2
4/5 שְׁנַיִם שְׁנַיִם בָּאוּ אֶל־נֹחַ אֶל־הַתֵּבָה Gen. 7:9
6/7 שְׁנַיִם שְׁנַיִם מִכָּל־הַבָּשָׂר Gen. 7:15
8 כִּי שְׁנַיִם יָלְדָה־לִּי אִשְׁתִּי Gen. 44:27
9 מִשּׁוֹר עַד־חֲמוֹר...שְׁנַיִם יְשַׁלֵּם Ex. 22:3
10 יְשַׁלֵּם שְׁנַיִם לְרֵעֵהוּ Ex. 22:8
11 וְעָשִׂיתָ שְׁנַיִם כְּרֻבִים זָהָב Ex. 25:18
12 וְאֵילִם שְׁנַיִם תְּמִימִם Ex. 29:1
13/4 כְּבָשִׂים...שְׁנַיִם לַיּוֹם Num. 28:3
Ex. 29:38
15-21 שְׁנַיִם וּשְׁלֹשִׁים Num. 1:35
2:21; 26:37; 31:35, 40 • IK. 20:15 • ICh. 19:7
22/3 שְׁנַיִם וְשִׁשִּׁים Num. 1:39; 2:26
24-28 שְׁנַיִם וְעֶשְׂרִים Num. 3:39, 43
26:14 • Jud. 20:21 • ICh. 24:17
29-40 וּלְזֶבַח הַשְּׁלָמִים בָּקָר שְׁנַיִם Num. 7:17
7:23, 29, 35, 41, 47, 53, 59, 63, 71, 77, 83
41 שְׁנַיִם וַחֲמִשִּׁים Num. 26:34
42-44 פָּרִים בְּנֵי־בָקָר שְׁנַיִם Num. 28:11, 19, 27
45/6 שְׁנַיִם וְשִׁבְעִים Num. 31:33, 38
47 עַל־פִּי שְׁנַיִם עֵדִים...יוּמַת Deut. 17:6
48 לָתֶת לוֹ פִּי שְׁנַיִם Deut. 21:17
49/50 שְׁנַיִם אֲנָשִׁים Josh. 2:1 • IK. 21:10
51-53 שְׁנַיִם חֳדָשִׁים Jud. 11:37, 39 • IK. 5:28
54 וְלֹא נִשְׁאֲרוּ־בָם שְׁנַיִם יָחַד ISh. 11:11
55 עַמֻּדִים שְׁנַיִם IK. 7:41
56 וְהִנְנִי מְקֹשֶׁשֶׁת שְׁנַיִם עֵצִים IK. 17:12
57 וְיִתְּנוּ־לָנוּ שְׁנַיִם פָּרִים IK. 8:23
58 וִיהִי־נָא פִּי־שְׁנַיִם בְּרוּחֲךָ אֵלָי IIK. 2:9
59 וַיַּשְׁקִיפוּ אֵלָיו שְׁנַיִם שְׁלֹשָׁה סָרִיסִים IIK. 9:32
60/1 הָעַמּוּדִים שְׁנַיִם IIK. 25:16 • Jer. 52:20
62 שְׁנַיִם שְׁלֹשָׁה גַּרְגְּרִים בְּרֹאשׁ אָמִיר Is. 17:6
63 שִׂים לְךָ שְׁנַיִם דְּרָכִים Ezek. 21:24
64-66 שְׁנַיִם שֻׁלְחָנוֹת Ezek. 40:39, 40[2]
67 הֲיֵלְכוּ שְׁנַיִם יַחְדָּו בִּלְתִּי אִם־נוֹעָדוּ Am. 3:3
68 פִּי־שְׁנַיִם בָּהּ יִכָּרְתוּ יִגְוָעוּ Zech. 13:8
69 גַּם אִם־יִשְׁכְּבוּ שְׁנַיִם וְחַם לָהֶם Eccl. 4:11
70 וְהִנֵּה שְׁנַיִם אֲחֵרִים עֹמְדִים Dan. 12:5
71 וּכְלֵי נְחֹשֶׁת...שְׁנַיִם Ez. 8:27
72 וְלָאֲסֻפִּים שְׁנַיִם שְׁנָיִם ICh. 26:17

שְׁנַיִם (המשך)
73 אַרְבָּעָה לַמְסִלָּה שְׁנַיִם לַפַּרְבָּר ICh. 26:18
74 וַיַּעַשׂ כְּרוּבִים שְׁנַיִם IICh. 3:10
75/6 עַמּוּדִים שְׁנַיִם IICh. 3:15; 4:12
77/8 שְׁנַיִם טוּרִים IICh. 4:3, 13
79 וּכְעֵת צֵאת...לְיָמִים שְׁנַיִם IICh. 21:19

שְׁנָיִם
80 וּבְנֵי יוֹסֵף...נֶפֶשׁ שְׁנָיִם Gen. 46:27
81 אִם־יִמָּצֵא הַגַּנָּב יְשַׁלֵּם שְׁנָיִם Ex. 22:6
82-89 (וְ)אֵילִם שְׁנָיִם Lev. 23:18
Num. 29:13, 17, 20, 23, 26, 29, 32
90 וַיֵּשֶׁב דָּוִד בְּצִקְלָג יָמִים שְׁנָיִם IISh. 1:1
91 וְלָאֲסֻפִּים שְׁנַיִם שְׁנָיִם ICh. 26:17

וּשְׁנַיִם
92 וּשְׁנַיִם יָנִיסוּ רְבָבָה Deut. 32:30
93-99 עֶשְׂרִים וּשְׁנַיִם אָלֶף Jud. 7:3
IISh. 8:5 • IK. 8:63 • ICh. 7:2, 7; 18:5 • ICh. 7:5
100/1 אַרְבָּעִים וּשְׁנָיִם Jud. 12:6 • IIK. 10:14
102 מָאתַיִם לֶחֶם וּשְׁנַיִם נִבְלֵי־יַיִן ISh. 25:18
103 וּשְׁנַיִם אֲרָיוֹת עֹמְדִים IK. 10:19
104-106 שְׁלֹשִׁים וּשְׁנָיִם IK. 20:1, 16; 22:31
107 אֶחָד מֵעִיר וּשְׁנַיִם מִמִּשְׁפָּחָה Jer. 3:14
108 וּשְׁנַיִם שֻׁלְחָנוֹת מִפֹּה Ezek. 40:39
109 וּשְׁנַיִם פָּנִים לַכְּרוּב Ezek. 41:18
110 וּשְׁנַיִם זֵיתִים עָלֶיהָ Zech. 4:3
111-113 שִׁשִּׁים וּשְׁנַיִם Dan. 9:25, 26 • ICh. 26:8
114 לַחֲמִשִּׁים וּשְׁנַיִם יוֹם Neh. 6:15
115 וּשְׁנַיִם אֲרָיוֹת עֹמְדִים IICh. 9:18
116 עֶשְׂרִים וּשְׁנַיִם בָּנִים IICh. 13:21

וּשְׁנָיִם
117 שְׁמֹנֶה מֵאוֹת שְׁלֹשִׁים וּשְׁנָיִם Jer. 52:29
118 אַלְפַּיִם מֵאָה שִׁבְעִים וּשְׁנָיִם Ez. 2:3
119-122 שִׁבְעִים וּשְׁנָיִם Ez. 2:4 • Neh. 7:8, 9; 11:19
123 שֵׁשׁ מֵאוֹת אַרְבָּעִים וּשְׁנָיִם Ez. 2:10
124 אֶלֶף מָאתַיִם עֶשְׂרִים וּשְׁנָיִם Ez. 2:12
125-128 (וְ)אַרְבָּעִים וּשְׁנָיִם Ez. 2:24
Neh. 7:28, 62; 11:13
129-133 עֶשְׂרִים וּשְׁנָיִם Ez. 2:27
Neh. 7:17, 31; 11:12 • ICh. 12:28(29)
134 בְּנֵי נְבוֹ חֲמִשִּׁים וּשְׁנָיִם Ez. 2:29
135-139 חֲמִשִּׁים וּשְׁנָיִם Ez. 2:37, 60
Neh. 7:10, 33, 40
140/1 שְׁלֹשׁ מֵאוֹת תִּשְׁעִים וּשְׁנָיִם Ez. 2:58
Neh. 7:60

הַשְּׁנַיִם
142 טוֹבִים הַשְּׁנַיִם מִן־הָאֶחָד Eccl. 4:9
143 הַשְּׁנַיִם יַעַמְדוּ נֶגְדּוֹ Eccl. 4:12

בִּשְׁנַיִם
144 וַיַּאַסְרֻהוּ בִּשְׁנַיִם עֲבֹתִים חֲדָשִׁים Jud. 15:13

בִּשְׁנָיִם
145 וַיִּשָּׂאֻהוּ בַמּוֹט בִּשְׁנָיִם Num. 13:23

בַּשְּׁנַיִם
146 מִן־הַשְּׁלוֹשָׁה בַשְּׁנַיִם נִכְבָּד ICh. 11:21

לִשְׁנַיִם
147 וַיִּקְרָעֵם לִשְׁנַיִם קְרָעִים IIK. 2:12
148 הָעֵגֶל אֲשֶׁר כָּרְתוּ לִשְׁנַיִם Jer. 34:18
149 לֹא־לְיוֹם אֶחָד וְלֹא לִשְׁנַיִם Ez. 10:13
150 לִשְׁנַיִם וְעֶשְׂרִים לְגִדַּלְתִּי ICh. 25:29

לִשְׁנָיִם
151 גִּזְרוּ אֶת־הַיֶּלֶד הַחַי לִשְׁנָיִם IK. 3:25

וְלִשְׁנַיִם
152 וְלִשְׁנַיִם הָאֲנָשִׁים הַמְרַגְּלִים Josh. 6:22

שְׁנֵים־
153 שְׁנֵים־עָשָׂר נְשִׂיאִם יוֹלִיד Gen. 17:20
154 וַיִּהְיוּ בְנֵי־יַעֲקֹב שְׁנֵים עָשָׂר Gen. 35:22
155 שְׁנֵים עָשָׂר עֲבָדֶיךָ אַחִים אֲנַחְנוּ Gen. 42:13
156 שְׁנֵים־עָשָׂר אֲנַחְנוּ אַחִים Gen. 42:32
157 שִׁבְטֵי יִשְׂרָאֵל שְׁנֵים עָשָׂר Gen. 49:28
158-216 שְׁנֵים עָשָׂר Gen. 25:16
Num. 1:44; 7:78, 84, 87[4]; 17:17, 21; 29:17; 31:5 • Deut. 1:23 • Josh. 4:2; 8:25 • Jud. 21:10 • IISh. 2:15; 10:6; 17:1 • IK. 4:7; 7:44; 11:30; 19:19 • Jer. 52:20 • Ps. 60:2 • Es. 2:12; 3:7, 13; 8:12 • Ez. 8:24, 35[2] • Neh. 7:24 • ICh. 24:12; 25:9; 25:10, 11, 12, 13,

שְׁנֵים־ (המשך)
14, 15, 16, 17, 18, 19, 20, 21, 22; 25:23, 24, 25, 26, 27, 28, 29, 30, 31 • IICh. 4:4, 15
217 וַיִּקְרָא יְהוֹשֻׁעַ אֶל־שְׁנֵים הֶעָשָׂר אִישׁ Josh. 4:4

וּשְׁנֵים־
218 וּשְׁנֵים עָשָׂר מֵעַבְדֵי דָוִד IISh. 2:15
219-220 וּשְׁנֵים־עָשָׂר אֶלֶף פָּרָשִׁים IK. 5:6; 10:26
221-228 וּשְׁנֵים עָשָׂר IK. 10:20 • Ez. 2:6, 18
ICh. 9:22; 15:10 • IICh. 1:14; 9:19, 25

הַשְּׁנֵים־
229 הַשְּׁנֵים עָשָׂר לַחֲשַׁבְיָה ICh. 25:19
230 הַשְּׁנֵים עָשָׂר לִשְׁנֵים עָשָׂר הַחֹדֶשׁ ICh. 27:15

בִּשְׁנֵים־
231 וְהוּא בִּשְׁנֵים הֶעָשָׂר IK. 19:19
232/3 בִּשְׁנֵים עָשָׂר חֹדֶשׁ IIK. 25:27 • Jer. 52:31
234 בְּעֶשְׂרֵי בִּשְׁנֵים עָשָׂר לַחֹדֶשׁ Ezek. 29:1
235 בִּשְׁנֵים עָשָׂר לַחֹדֶשׁ הָרִאשׁוֹן Ez. 8:31

וּבִשְׁנֵים־
236 וּבִשְׁנֵים עָשָׂר חֹדֶשׁ Es. 9:1

לִשְׁנֵים־
237 לִשְׁנֵים עָשָׂר שִׁבְטֵי יִשְׂרָאֵל Ex. 24:4
238 לִשְׁנֵים עָשָׂר שָׁבֶט Ex. 39:14
239 וַיְנַתְּחֶהָ...לִשְׁנֵים עָשָׂר נְתָחִים Jud. 19:29
240 הַשְּׁנֵים עָשָׂר לִשְׁנֵים עָשָׂר הַחֹדֶשׁ ICh. 27:15

שְׁנֵי־
241 אֶת־שְׁנֵי הַמְּאֹרֹת הַגְּדֹלִים Gen. 1:16
242 וּלְעֵבֶר יֻלַּד שְׁנֵי בָנִים Gen. 10:25
243 וַיָּבֹאוּ שְׁנֵי הַמַּלְאָכִים סְדֹמָה Gen. 19:1
244 וַיִּקַּח אֶת־שְׁנֵי נְעָרָיו אִתּוֹ Gen. 22:3
245 שְׁנֵי גֹיִים בְּבִטְנֵךְ Gen. 25:23
246 שְׁנֵי גְּדָיֵי עִזִּים טֹבִים Gen. 27:9
247 שְׁנֵי בְנֵי־יַעֲקֹב שִׁמְעוֹן וְלֵוִי Gen. 34:25
248 וַיִּקְצֹף פַּרְעֹה עַל שְׁנֵי סָרִיסָיו Gen. 40:2
249 וּלְיוֹסֵף יֻלַּד שְׁנֵי בָנִים Gen. 41:50
250 אֶת־שְׁנֵי בָנַי תָּמִית Gen. 42:37
251 וַיִּקַּח אֶת־שְׁנֵי בָנָיו עִמּוֹ Gen. 48:1
252 שְׁנֵי־בָנֶיךָ הַנּוֹלָדִים לְךָ Gen. 48:5
253 וְהִנֵּה שְׁנֵי־אֲנָשִׁים עִבְרִים נִצִּים Ex. 2:13
254 לֶחֶם מִשְׁנֶה שְׁנֵי הָעֹמֶר לָאֶחָד Ex. 16:22
255 וְאֵת שְׁנֵי בָנֶיהָ Ex. 18:3
256-259 שְׁנֵי קְצוֹתָיו Ex. 25:19
28:7; 39:4 • Ezek. 15:4
260 וְדִבַּרְתִּי...מִבֵּין שְׁנֵי הַכְּרֻבִים Ex. 25:22
261-266 תַּחַת שְׁנֵי הַקָּנִים Ex. 25:35[3]; 37:21[3]
267-273 שְׁנֵי אֲדָנִים Ex. 26:19, 21, 25
36:24, 26, 30[2]
274-277 שְׁנֵי קְצוֹת הַחֹשֶׁן Ex. 28:23, 26; 39:16, 19
278/9 שְׁנֵי הָאֵיל(ִ)ם Ex. 29:3 • Lev. 8:2
280/1 עַל־שְׁנֵי צְדָיו Ex. 30:4; 37:27
282 וַיִּתֵּן...שְׁנֵי לֻחֹת הָעֵדֻת Ex. 31:18
283-292 שְׁנֵי לֻ(ו)חֹ(ו)ת (הָ)אֲבָנִים Ex. 34:1, 4[2]
Deut. 4:13; 5:19; 9:10, 11; 10:1, 3 • IK. 8:9
293-295 שְׁנֵי (הַ)כְּרֻ(ו)בִים Ex. 37:7
Num. 7:89 • IK. 6:23
296-301 שְׁנֵי בְנֵי יוֹנָה Lev. 5:7
12:8; 14:22; 15:14, 29 • Num. 6:10
302-304 שְׁנֵי כְבָשִׂים Lev. 14:10
23:20 • Num. 28:9
305 שְׁנֵי בְּנֵי אַהֲרֹן Lev. 16:1
306 שְׁנֵי שְׂעִירֵי עִזִּים Lev. 16:5
307/8 שְׁנֵי הַשְּׂעִירִם Lev. 16:7, 8
309-316 שְׁנֵי עֶשְׂרֹנִים Lev. 23:13, 17
24:5 • Num. 15:6; 28:28; 29:3, 9, 14
317 עֲגָלָה עַל־שְׁנֵי הַנְּשִׂאִים Num. 7:3
318-324 שְׁנֵי (הָ)אֲנָשִׁים Num. 11:26
Deut. 19:17 • Josh. 2:4, 23 • ISh. 10:2 • IISh. 12:1
IK. 21:13
325/6 שְׁנֵי הַמַּטּוֹת וַחֲצִי הַמַּטֶּה Num. 34:15
Josh. 14:3

שְׁנֵי־ (המשך)

327-329 שְׁנֵי מַלְכֵי הָאֱמֹרִי Deut. 3:8; 4:47 Josh. 24:12
330 עַל־פִּי שְׁנֵי עֵדִים...יָקוּם דָּבָר Deut. 19:15
331 קְחוּ לָכֶם שְׁנֵי עָשָׂר אִישׁ Josh. 3:12
332 הָיוּ בְנֵי־יוֹסֵף שְׁנֵי מַטּוֹת Josh. 14:4
333 מֵאֵת שְׁנֵי הַשְּׁבָטִים Josh. 21:16
334 וַיַּעַשׂ...חֶרֶב וְלָהּ שְׁנֵי פֵיוֹת Jud. 3:16
335 וַיִּלְכְּדוּ שְׁנֵי שָׂרֵי מִדְיָן Jud. 7:25
336 וַיִּלְכֹּד אֶת־שְׁנֵי מַלְכֵי מִדְיָן Jud. 8:12
337 וַיִּשְׁלַח אוֹתָהּ שְׁנֵי חֳדָשִׁים Jud. 11:38
338 לַפִּיד אֶחָד בֵּין שְׁנֵי הַזְּנָבוֹת Jud. 15:4
339 וַיִּלְפֹּת...אֶת שְׁנֵי עַמּוּדֵי הַתָּוֶךְ Jud. 16:29
340/1 וְשָׁם שְׁנֵי בְנֵי עֵלִי ISh. 1:3; 4:4
342/3 שְׁנֵי בָנֶיךָ ISh. 2:34; 4:17
344 שְׁנֵי חֲבָלִים לְהָמִית IISh. 8:2
345-351 שְׁנֵי בָנִים (בְּנֵי־, בָּנָיו וכד׳) IISh. 14:6 15:27, 36; 21:8 • Zech. 4:14 • Ruth 1:2 • ICh. 1:19
352 וְדָוִד יוֹשֵׁב בֵּין שְׁנֵי הַשְּׁעָרִים IISh. 18:24
353/4 שְׁנֵי אֲרִ(י)אֵל מוֹאָב IISh. 23:20 ICh. 11:22
355 וַיִּבְרְחוּ שְׁנֵי עֲבָדִים לְשִׁמְעִי IK. 2:39
356 שְׁנֵי צְלָעִים הַדֶּלֶת הָאַחַת IK. 6:34
357/8 שְׁנֵי הָעַמּוּדִים IK. 7:15, 20
359/60 שְׁנֵי טוּרִים IK. 7:24, 42
361 עֹמֵד עַל־שְׁנֵי עָשָׂר בָּקָר IK. 7:25
362 אֲשֶׁר בָּנָה...אֶת־שְׁנֵי הַבָּתִּים IK. 9:10
363 וַיַּעַשׂ שְׁנֵי עֶגְלֵי זָהָב IK. 12:28
364 אֶת־שְׁנֵי שָׂרֵי הַחֲמִשִּׁים IIK. 1:14
365 בָּא לָקַחַת אֶת־שְׁנֵי יְלָדַי IIK. 4:1
366 שְׁנֵי נְעָרִים מֵהַר אֶפְרָיִם IIK. 5:22
367 וַיִּתֵּן אֶל־שְׁנֵי נְעָרָיו IIK. 5:23
368 וַיִּקְחוּ שְׁנֵי רֶכֶב סוּסִים IIK. 7:14
369 שְׁנֵי הַמְּלָכִים לֹא עָמְדוּ לְפָנָיו IIK. 10:4
370 שִׂימוּ אֹתָם שְׁנֵי צִבֻּרִים IIK. 10:8
371 וַיַּעֲשׂוּ לָהֶם...שְׁנֵי (כת׳ שנים) עֲגָלִים IIK. 17:16
372 תֵּעָזֵב מִפְּנֵי שְׁנֵי מְלָכֶיהָ Is. 7:16
373 וְהִנֵּה שְׁנֵי דוּדָאֵי תְאֵנִים Jer. 24:1
374 בְּרֹאשׁ שְׁנֵי הַדְּרָכִים Ezek. 21:26
375 אֶת־שְׁנֵי הַגּוֹיִם Ezek. 35:10
376 מַה־שְּׁנֵי הַזֵּיתִים הָאֵלֶּה Zech. 4:11
377 בְּיַד שְׁנֵי צַנְתְּרוֹת הַזָּהָב Zech. 4:12
378 אֵלֶּה שְׁנֵי בְנֵי־הַיִּצְהָר Zech. 4:14
379 יֹצְאוֹת מִבֵּין שְׁנֵי הֶהָרִים Zech. 6:1
380 וָאֶקַּח לִי שְׁנֵי מַקְלוֹת Zech. 11:7
381/2 שְׁנֵי שָׁדַיִךְ כִּשְׁנֵי עֳפָרִים S.ofS. 4:5; 7:4
383/4 שְׁנֵי(־)סָרִיסֵי הַמֶּלֶךְ Es. 2:21; 6:2
385 אֶת־שְׁנֵי הַיָּמִים הָאֵלֶּה Es. 9:27
386 אֵין בָּאָרוֹן רַק שְׁנֵי הַלֻּחוֹת IICh. 5:10

וּשְׁנֵי־

387 וּשְׁנֵי צְמִידִים עַל־יָדֶיהָ Gen. 24:22
388 וּשְׁנֵי לְאֻמִּים מִמֵּעַיִךְ יִפָּרֵדוּ Gen. 25:23
389 וְאִשְׁתְּךָ וּשְׁנֵי בָנֶיהָ עִמָּהּ Ex. 18:6
390-394 וּשְׁנֵי אֲדָנִים Ex. 26:19, 21, 25; 36:24, 26
395/6 וּשְׁנֵי קְרָשִׁים Ex. 26:23; 36:28
397/8 וּשְׁנֵי לֻחֹת הָעֵדֻת Ex. 32:15; 34:29
399 וּשְׁנֵי כְבָשִׂים בְּנֵי שָׁנָה Lev. 23:19
400 וּשְׁנֵי־עָשָׂר בָּקָר Num. 7:3
401 וּשְׁנֵי נְעָרָיו עִמּוֹ Num. 22:22
402-404 וּשְׁנֵי עֶשְׂרֹנִים Num. 28:9, 12, 20
405 וּשְׁנֵי לוּחֹת הַבְּרִית Deut. 9:15
406 וּשְׁנֵי הַלֻּחֹת בְּיָדִי Deut. 10:3
407 וּשְׁנֵי הָרָאשִׁים פָּשְׁטוּ Jud. 9:44
408 וּשְׁנֵי בְנֵי עֵלִי מֵתוּ ISh. 4:11

וּשְׁנֵי־ (המשך)

409 הוּא וּשְׁנֵי אֲנָשִׁים עִמּוֹ ISh. 28:8
410 פֶּלַח דְּבֵלָה וּשְׁנֵי צִמֻּקִים ISh. 30:12
411 וּשְׁנֵי אֲנָשִׁים שָׂרֵי גְדוּדִים IISh. 4:2
412 וּשְׁנֵי קְלָעִים הַדֶּלֶת הַשֵּׁנִית IK. 6:34
413 וּשְׁנֵי טוּרִים סָבִיב IK. 7:18
414 אַרְבָּעִים וּשְׁנֵי יְלָדִים IIK. 2:24
415 הוּא וְאִשְׁתּוֹ וּשְׁנֵי בָנָיו Ruth 1:1
416 וַתִּשָּׁאֵר הִיא וּשְׁנֵי בָנֶיהָ Ruth 1:3

בִּשְׁנֵי־

417 וָאֶתְפֹּשׂ בִּשְׁנֵי הַלֻּחֹת וָאַשְׁלִכֵם Deut. 9:17
418 אֲשֶׁר פָּגַע בִּשְׁנֵי־אֲנָשִׁים IK. 2:32
419 וַיָּצַר...בִּשְׁנֵי חֲרִטִים IIK. 5:23
420 בִּשְׁנֵי־עָשָׂר חֹדֶשׁ בְּאֶחָד לַחֹדֶשׁ Ezek. 32:1

וּבִשְׁנֵי־

421 חָרָה אַפִּי בְךָ וּבִשְׁנֵי רֵעֶיךָ Job 42:7

כִּשְׁנֵי־

422 וַיַּחֲנוּ...כִּשְׁנֵי חֲשִׂפֵי עִזִּים IK. 20:27
423/4 שְׁנֵי שָׁדַיִךְ כִּשְׁנֵי עֳפָרִים S.ofS. 4:5; 7:4

לִשְׁנֵי־

425 וַיַּגֵּד לִשְׁנֵי־אֶחָיו בַּחוּץ Gen. 9:22
426 וַיַּחַץ אֶת־הָעָם...לִשְׁנֵי מַחֲנוֹת Gen. 32:7
427 וְעַתָּה הָיִיתִי לִשְׁנֵי מַחֲנוֹת Gen. 32:10
428 גַּם לִשְׁנֵי הָאֹתוֹת הָאֵלֶּה Ex. 4:9
429/30 לִשְׁנֵי הַמִּקְצֹעֹת Ex. 26:24; 36:29
431 תִּהְיֶיןָ לִשְׁנֵי עָשָׂר שָׁבֶט Ex. 28:21
432 אוֹ לִשְׁנֵי בְנֵי־יוֹנָה Lev. 5:11
433 לִשְׁנֵי הָאֵילִם Num. 29:14
434 עָשָׂה...לִשְׁנֵי הַמְּלָכִים הָאֵלֶּה Deut. 3:21
435/6 לִשְׁנֵי מַלְכֵי הָאֱמֹרִי Josh. 2:10; 9:10
437 לִשְׁנֵי־שָׂרֵי צִבְאוֹת יִשְׂרָאֵל IK. 2:5
438 מִדָּה אַחַת...לִשְׁנֵי הַכְּרֻבִים IK. 6:25
439 וּלְאֶבֶן נֶגֶף...לִשְׁנֵי בָתֵּי יִשְׂרָאֵל Is. 8:14
440 וְלֹא יִהְיוּ־עוֹד לִשְׁנֵי גוֹיִם Ezek. 37:22
441 לִשְׁנֵי עָשָׂר שִׁבְטֵי יִשְׂרָאֵל Ezek. 47:13

מִשְּׁנֵי־

442/3 מִשְּׁנֵי קְצוֹת הַכַּפֹּרֶת Ex. 25:18; 37:7
444 כְּתֻבִים מִשְּׁנֵי עֶבְרֵיהֶם Ex. 32:15
445 מִן־הַכַּפֹּרֶת...מִשְּׁנֵי קְצוֹתָו° Ex. 37:8
446 אַל־תִּירָא...מִשְּׁנֵי זַנְבוֹת הָאוּדִים Is. 7:4
447 וַתִּשָּׁאֵר...מִשְּׁנֵי יְלָדֶיהָ וּמֵאִישָׁהּ Ruth 1:5

שְׁנֵינוּ

448 שִׂים כֹּה...וְיוֹכִיחוּ בֵּין שְׁנֵינוּ Gen. 31:37
449 אֲשֶׁר נִשְׁבַּעְנוּ שְׁנֵינוּ אֲנַחְנוּ ISh. 20:42
450 יָשֵׁת יָדוֹ עַל־שְׁנֵינוּ Job 9:33

שְׁנֵיכֶם

451 לָמָה אֶשְׁכַּל גַּם־שְׁנֵיכֶם Gen. 27:45

שְׁנֵיהֶם

452 וַיִּהְיוּ שְׁנֵיהֶם עֲרוּמִּים Gen. 2:25
453 וַתִּפָּקַחְנָה עֵינֵי שְׁנֵיהֶם Gen. 3:7
454 וַיָּשִׂימוּ עַל־שְׁכֶם שְׁנֵיהֶם Gen. 9:23
455 וַיִּכְרְתוּ שְׁנֵיהֶם בְּרִית Gen. 21:27
456 כִּי שָׁם נִשְׁבְּעוּ שְׁנֵיהֶם Gen. 21:31
457/8 וַיֵּלְכוּ שְׁנֵיהֶם יַחְדָּו Gen. 22:6, 8
459 וַיַּחַלְמוּ חֲלוֹם שְׁנֵיהֶם Gen. 40:5
460 וַיִּקַּח יוֹסֵף אֶת־שְׁנֵיהֶם Gen. 48:13
461 עַד הָאֱלֹהִים יָבֹא דְּבַר־שְׁנֵיהֶם Ex. 22:8
462 שְׁבֻעַת יְיָ תִּהְיֶה בֵּין שְׁנֵיהֶם Ex. 22:10
463/4 מוֹת יוּמְתוּ שְׁנֵיהֶם Lev. 20:11, 12
465 תּוֹעֵבָה עָשׂוּ שְׁנֵיהֶם Lev. 20:13
466 וְנִכְרְתוּ שְׁנֵיהֶם מִקֶּרֶב עַמָּם Lev. 20:18
467-478 שְׁנֵיהֶם מְלֵאִים סֹלֶת Num. 7:13 7:19, 25, 31, 37, 43, 49, 55, 61, 67, 73, 79
479-481 וַיֵּצְאוּ שְׁנֵיהֶם Num. 12:5 • ISh. 9:26; 20:1
482 וַיָּבֹא...וַיִּדְקֹר אֶת־שְׁנֵיהֶם Num. 25:8
483 וּמֵתוּ גַּם־שְׁנֵיהֶם Deut. 22:22
484 וְהוֹצֵאתֶם אֶת־שְׁנֵיהֶם Deut. 22:24
485 תּוֹעֲבַת יְיָ אֱלֹהֶיךָ גַּם־שְׁנֵיהֶם Deut. 23:19
486 וַיֹּאכְלוּ שְׁנֵיהֶם יַחְדָּו Jud. 19:6
487 סְעָד־נָא לְבָבְךָ...וַיֹּאכְלוּ שְׁנֵיהֶם Jud. 19:8
488 בְּיוֹם אֶחָד יָמוּתוּ שְׁנֵיהֶם ISh. 2:34

שְׁנֵיהֶם (המשך)

489 וַיִּגָּלוּ שְׁנֵיהֶם אֶל־מַצַּב פְּלִשְׁתִּים ISh. 14:11
490 וַיִּכְרְתוּ שְׁנֵיהֶם בְּרִית ISh. 23:11
491 וַיִּנָּצוּ שְׁנֵיהֶם בַּשָּׂדֶה IISh. 14:6
492/3 וַיֵּלְכוּ שְׁנֵיהֶם IISh. 17:18 • IIK. 2:6
494 וַיִּכְרְתוּ בְרִית שְׁנֵיהֶם IK. 5:26
495 וַיַּעַבְרוּ שְׁנֵיהֶם בֶּחָרָבָה IIK. 2:8
496 וַיַּפְרִדוּ בֵּין שְׁנֵיהֶם IIK. 2:11
497 וַיִּסְגֹּר הַדֶּלֶת בְּעַד שְׁנֵיהֶם IIK. 4:33
498 וּבָעֲרוּ שְׁנֵיהֶם יַחְדָּו Is. 1:31
499 יַחְדָּיו נָפְלוּ שְׁנֵיהֶם Jer. 46:12
500 מֵאֶרֶץ אֶחָד יֵצְאוּ שְׁנֵיהֶם Ezek. 21:24
501 וַעֲצַת שָׁלוֹם תִּהְיֶה בֵּין שְׁנֵיהֶם Zech. 6:13
502/3 תּוֹעֲבַת יְיָ גַּם־שְׁנֵיהֶם Prov. 17:15; 20:10
504 יְיָ עָשָׂה גַם־שְׁנֵיהֶם Prov. 20:12
505 וּפִיד שְׁנֵיהֶם מִי יוֹדֵעַ Prov. 24:22
506 מֵאִיר־עֵינֵי שְׁנֵיהֶם יְיָ Prov. 29:13
507 וַיָּמֻתוּ גַם־שְׁנֵיהֶם מַחְלוֹן וְכִלְיוֹן Ruth 1:5
508 וְאִם שְׁנֵיהֶם כְּאֶחָד טוֹבִים Eccl. 11:6
509 וַיִּתָּלוּ שְׁנֵיהֶם עַל־עֵץ Es. 2:23

וּשְׁנֵיהֶם

510 וּשְׁנֵיהֶם לְבַדָּם בַּשָּׂדֶה IK. 11:29
511 וּשְׁנֵיהֶם עָמְדוּ עַל־הַיַּרְדֵּן IIK. 2:7
512 וּשְׁנֵיהֶם הַמְּלָכִים לְבָבָם לְמֵרָע Dan. 11:27

לִשְׁנֵיהֶם

513 כֵּן יִהְיֶה לִשְׁנֵיהֶם Ex. 26:24
514 כֵּן עָשָׂה לִשְׁנֵיהֶם Ex. 36:29

מִשְּׁנֵיהֶם

515 וְכַעַס אֱוִיל כָּבֵד מִשְּׁנֵיהֶם Prov. 27:3
516 וְטוֹב מִשְּׁנֵיהֶם אֵת אֲשֶׁר־עֲדֶן לֹא הָיָה Eccl. 4:3

שְׁנִינָה

ג׳ דבור עוקץ וחריף: 1-4

מָשָׁל וּשְׁנִינָה 1-4

לִשְׁנִינָה

1 לְחֶרְפָּה וּלְמָשָׁל לִשְׁנִינָה וְלִקְלָלָה Jer. 24:9

וְלִשְׁנִינָה

2 וְהָיִיתָ לְשַׁמָּה לְמָשָׁל וְלִשְׁנִינָה Deut. 28:37
3 לְמָשָׁל וְלִשְׁנִינָה בְּכָל־הָעַמִּים IK. 9:7
4 וְאֶתְּנֶנּוּ לְמָשָׁל וְלִשְׁנִינָה בְּכָל־הָעַמִּים IICh. 7:20

שְׂנִיר

שמו של הר חֶרְמוֹן בפי האמורים: 1-4

רֹאשׁ שְׂנִיר 2

שְׂנִיר

1 וְהָאֱמֹרִי יִקְרְאוּ־לוֹ שְׂנִיר Deut. 3:9
2 מֵרֹאשׁ שְׂנִיר וְחֶרְמוֹן S.ofS. 4:8

וּשְׂנִיר

3 עַד־בַּעַל חֶרְמוֹן וּשְׂנִיר ICh. 5:23

מִשְּׂנִיר

4 בְּרוֹשִׁים מִשְּׂנִיר בָּנוּ לָךְ Ezek. 27:5

שֵׁנִית

תה״פ א) בפעם השניה, שוב: 1-31
ב) [וְהַשֵּׁנִית] וטעם נוסף: 32

שֵׁנִית

1 וַיִּקְרָא...שֵׁנִית מִן־הַשָּׁמָיִם Gen. 22:15
2 וַיִּישָׁן וַיַּחֲלֹם שֵׁנִית Gen. 41:5
3-5 שִׁבְעַת יָמִים שֵׁנִית Lev. 13:5, 33, 54
6 וְרָאָה...בַּיּוֹם הַשְּׁבִיעִי שֵׁנִית Lev. 13:6
7 וְשׁוּב מֹל אֶת־בְּנֵי־יִשְׂרָאֵל שֵׁנִית Josh. 5:2
8 וַיֵּרָא יְיָ אֶל־שְׁלֹמֹה שֵׁנִית IK. 9:2
9 וַיָּשָׁב מַלְאַךְ יְיָ שֵׁנִית וַיִּגַּע־בּוֹ IK. 19:7
10/1 וַיְהִי דְבַר־יְיָ אֵלַי שֵׁנִית Jer. 1:13; 13:3
12 וְזֹאת שֵׁנִית תַּעֲשׂוּ Mal. 2:13
13-31 שֵׁנִית Lev. 13:7, 58 Num. 10:6 • IISh. 14:29 • IIK. 10:6 • Is. 11:11 • Jer. 33:1 • Ezek. 4:6 • Jon. 3:1 • Hag. 2:20 • Zech. 4:12 • Es. 2:19 • Neh. 3:11, 19, 20; 3:21, 24, 27 • ICh. 29:22

וְהַשֵּׁנִית

32 וְהַשֵּׁנִית לְמִי אֲנִי אֶעֱבֹד IISh. 16:19

שנן : שָׁנַן, שָׁנוּן, שִׁנֵּן, הִשְׁתּוֹנֵן; שֵׁן, שְׁנִינָה; ש״פ שֵׁן

שָׁנַן פ׳ א) לטש, השחיז (גם בהשאלה): 1-3

ב) [פָּעוּל: שָׁנוּן] חד, מושחז: 4-7

ג) [פ׳ שִׁנֵּן] חדד (בהשאלה) חזר ולמד: 8

ד) [התי׳ הִשְׁתּוֹנֵן] נדקר, נפגע: 9

שָׁנַן בָּרָק 1; שָׁנַן לְשׁוֹנוֹ 2, 3; חֵץ שָׁנוּן 4
חִצִּים שְׁנוּנִים 5-7

שַׁנּוֹתִי 1 אִם־שַׁנּוֹתִי בְּרַק חַרְבִּי Deut. 32:41
שָׁנְנוּ 2 אֲשֶׁר שָׁנְנוּ כַחֶרֶב לְשׁוֹנָם Ps. 64:4
3 שָׁנְנוּ לְשׁוֹנָם כְּמוֹ־נָחָשׁ Ps. 140:4
שָׁנוּן 4 מֵפִיץ וְחֶרֶב וְחֵץ שָׁנוּן Prov. 25:18
שְׁנוּנִים 5 אֲשֶׁר חִצָּיו שְׁנוּנִים Is. 5:28
6 חִצֶּיךָ שְׁנוּנִים Ps. 45:6
7 חִצֵּי גִבּוֹר שְׁנוּנִים Ps. 120:4
וְשִׁנַּנְתָּם 8 וְשִׁנַּנְתָּם לְבָנֶיךָ וְדִבַּרְתָּ בָּם Deut. 6:7
אֶשְׁתּוֹנָן 9 יִתְחַמֵּץ לְבָבִי וְכִלְיוֹתַי אֶשְׁתּוֹנָן Ps. 73:21

שָׁנַס פ׳ אזר, חגר

קרובים: אָזַר / חָגַר / צָרַר / קָשַׁר

שִׁנֵּס מָתְנָיו 1

וַיְשַׁנֵּס 1 וַיְשַׁנֵּס מָתְנָיו וַיָּרָץ לִפְנֵי אַחְאָב IK. 18:46

שִׁנְעָר ש״פ – שם אחר לארץ בבל וסביבותיה: 1-8

אַדֶּרֶת שִׁנְעָר 5; אֶרֶץ שִׁנְעָר 1, 2, 6, 7

שִׁנְעָר 1 בָּבֶל וְאֶרֶךְ...בְּאֶרֶץ שִׁנְעָר Gen. 10:10
2 וַיִּמְצְאוּ בִקְעָה בְּאֶרֶץ שִׁנְעָר Gen. 11:2
3 וַיְהִי בִּימֵי אַמְרָפֶל מֶלֶךְ־שִׁנְעָר Gen. 14:1
4 וְאַמְרָפֶל מֶלֶךְ שִׁנְעָר Gen. 14:9
5 אַדֶּרֶת שִׁנְעָר אַחַת טוֹבָה Josh. 7:21
6 לִבְנוֹת־לָהּ בַיִת בְּאֶרֶץ שִׁנְעָר Zech. 5:11
7 וַיְבִיאֵם אֶרֶץ־שִׁנְעָר בֵּית אֱלֹהָיו Dan. 1:2
וּמִשִּׁנְעָר 8 וּמֵעֵילָם וּמִשִּׁנְעָר וּמֵחֲמָת Is. 11:11

שְׁנָת נ׳ שֵׁנָה, תנומה • קרובים: ראה שֵׁנָה

שְׁנָת 1 אִם־אֶתֵּן שְׁנָת לְעֵינָי Ps. 132:4

שסה : שָׁסָה, שׁוֹסֶה, שָׁסוּי

שָׁסָה פ׳ א) בזז, גזל: 1-9, 11

ב) [פָּעוּל: שָׁסוּי] בזוז, גזול: 10

ג) [פ׳ שׁוֹשָׂה = שׁוֹסֶה] גזל, הרס: 12

שָׁסוּ 1 וּמְשַׂנְאֵינוּ שָׁסוּ לָמוֹ Ps. 44:11
שֹׁסֵהוּ 2 וַיַּצֵּל אֶת־יִשְׂרָאֵל מִיַּד שֹׁסֵהוּ ISh. 14:48
שֹׁסִים 3 וַיִּתְּנֵם בְּיַד שֹׁסִים וַיָּשֹׁסּוּ אוֹתָם Jud. 2:14
4 וְהֵמָּה שֹׁסִים אֶת־הַגֳּרָנוֹת ISh. 23:1
5 וַיְעַנֵּם וַיִּתְּנֵם בְּיַד־שֹׁסִים IIK. 17:20
שֹׁאסַיִךְ 6 וְהָיוּ שֹׁאסַיִךְ לִמְשִׁסָּה Jer. 30:16
שֹׁסֵי־ 7 כִּי תִשְׂמְחוּ...שֹׁסֵי נַחֲלָתִי Jer. 50:11
שׁוֹסֵינוּ 8 זֶה חֵלֶק שׁוֹסֵינוּ וְגוֹרָל לְבֹזְזֵינוּ Is. 17:14
שֹׁסֵיהֶם 9 וַיּוֹשִׁיעוּם מִיַּד שֹׁסֵיהֶם Jud. 2:16
וְשָׁסוּי 10 וְהוּא עַם־בָּזוּז וְשָׁסוּי Is. 42:22
יִשְׁסֶה 11 יִשְׁסֶה אוֹצַר כָּל־כְּלִי חֶמְדָּה Hosh. 13:15
(שׁוֹשֵׂתִי) 12 וַעֲתוּדֹתֵיהֶם שׁוֹשֵׂתִי Is. 10:13

שַׁסֻּהוּ (תהלים פט 42) – עיין שָׁסַס (1)

שָׁסוּי ת׳ – עיין שָׁסָה **שָׁסוּעַ** ת׳ – עיי׳ שָׁסַע

שסס : שָׁסַס, נָשַׁס; מְשִׁסָּה

שָׁסַס פ׳ א) שסה, בזז: 1-3

ב) [נפ׳ נָשַׁס] נגזל, נבזז: 4, 5

שַׁסֻּהוּ 1 שַׁסֻּהוּ כָּל־עֹבְרֵי דָרֶךְ Ps. 89:42
וַיָּשֹׁסּוּ 2 וַיִּתְּנֵם בְּיַד שֹׁסִים וַיָּשֹׁסּוּ אוֹתָם Jud. 2:14
3 וַיָּשֹׁסּוּ אֶת־מַחֲנֵיהֶם ISh. 17:53
וְנָשַׁסּוּ 4 וְנָשַׁסּוּ הַבָּתִּים וְהַנָּשִׁים תִּשָּׁכַבְנָה° Zech. 14:2
יִשַּׁסּוּ 5 יִשַּׁסּוּ בָּתֵּיהֶם וּנְשֵׁיהֶם תִּשָּׁכַבְנָה° Is. 13:16

שסע : שָׁסַע; שָׁסוּעַ, שִׁסַּע; שֶׁסַע

שָׁסַע פ׳ א) בקע: 1-4

ב) [פָּעוּל: שָׁסוּעַ] בקוע: 5

ג) [פ׳ שִׁסַּע] בִּקַּע: 6, 7, 9

ד) [כנ״ל, בהשאלה] הפסיק, הסה: 8

וְשֹׁסַע 1 וְשֹׁסַע שֶׁסַע פַּרְסָה Lev. 11:7
שֹׁסַעַת 2 וְשֶׁסַע אֵינֶנָּה שֹׁסַעַת Lev. 11:26
וְשֹׁסַעַת 3 וְשֹׁסַעַת שֶׁסַע פְּרָסֹת Lev. 11:3
4 וְשֹׁסַעַת שֶׁסַע שְׁתֵּי פְרָסוֹת Deut. 14:6
הַשְּׁסוּעָה 5 וּמִמַּפְרִיסֵי הַפַּרְסָה הַשְּׁסוּעָה Deut. 14:7
כְּשַׁסַּע 6 וַיְשַׁסְּעֵהוּ כְּשַׁסַּע הַגְּדִי Jud. 14:6
וְשִׁסַּע 7 וְשִׁסַּע אֹתוֹ בִכְנָפָיו לֹא יַבְדִּיל Lev. 1:17
וַיְשַׁסַּע 8 וַיְשַׁסַּע דָּוִד אֶת־אֲנָשָׁיו בַּדְּבָרִים ISh. 24:7
וַיְשַׁסְּעֵהוּ 9 וַיְשַׁסְּעֵהוּ כְּשַׁסַּע הַגְּדִי Jud. 14:6

שֶׁסַע ז׳ בקיע, חתך: 1-4

שֶׁסַע פַּרְסָה (פְּרָסוֹת) 1-3

שֶׁסַע 1 וְשֹׁסַעַת שֶׁסַע פְּרָסֹת Lev. 11:3
2 וְשֹׁסַע שֶׁסַע פַּרְסָה Lev. 11:7
3 וְשֹׁסַעַת שֶׁסַע שְׁתֵּי פְרָסוֹת Deut. 14:6
וְשֶׁסַע 4 וְשֶׁסַע אֵינֶנָּה שֹׁסַעַת Lev. 11:26

שסף : שִׁסֵּף

שִׁסֵּף פ׳ שסע, בקע

וַיְשַׁסֵּף 1 וַיְשַׁסֵּף שְׁמוּאֵל אֶת־אֲגָג לִפְנֵי יְיָ ISh. 15:33

שעה : שָׁעָה, הִשְׁעָה, הִשְׁתָּעָה; מַשְׁעִי(?); אר׳ שָׁעָה

שָׁעָה פ׳ א) [שָׁעָה אֶל־, עַל־] פָּנָה (גם בהשאלה): 1-3, 5-10

ב) [שָׁעָה מִן־] סָר: 4, 11, 12

ג) [הפ׳ הִשְׁעָה] הפנה, הסיר: 13, 14

ד) [התפ׳ הִשְׁתָּעָה] פנה זה אל זה: 15

[עיין גם שָׁעַע, שָׁתַע]

שָׁעָה 1 וְאֶל־קַיִן וְאֶל־מִנְחָתוֹ לֹא שָׁעָה Gen. 4:5
שָׁעוּ 2 וְלֹא שָׁעוּ עַל־קְדוֹשׁ יִשְׂרָאֵל Is. 31:1
וְאֶשְׁעָה 3 וְאֶשְׁעָה בְחֻקֶּיךָ תָמִיד Ps. 119:117
תִּשְׁעֶה 4 כַּמָּה לֹא־תִשְׁעֶה מִמֶּנִּי Job 7:19
יִשְׁעֶה 5 יִשְׁעֶה הָאָדָם עַל־עֹשֵׂהוּ Is. 17:7
6 וְלֹא יִשְׁעֶה אֶל־הַמִּזְבְּחוֹת Is. 17:8
וַיִּשַׁע 7 וַיִּשַׁע יְיָ אֶל־הֶבֶל וְאֶל־מִנְחָתוֹ Gen. 4:4
יִשְׁעוּ 8 וְאַל־יִשְׁעוּ בְּדִבְרֵי־שָׁקֶר Ex. 5:9
9 יִשְׁעוּ וְאֵין מוֹשִׁיעַ IISh. 22:42
תִשְׁעֶינָה 10 וְלֹא תִשְׁעֶינָה עֵינֵי רֹאִים Is. 32:3
שְׁעֵה 11 שְׁעֵה מֵעָלָיו וְיֶחְדָּל Job 14:6
שְׁעוּ 12 שְׁעוּ מִנִּי אֲמָרֵר בַּבֶּכִי Is. 22:4
הָשַׁע 13 הַשְׁמֵן לֵב־הָעָם הַזֶּה...וְעֵינָיו הָשַׁע Is. 6:10
14 הָשַׁע מִמֶּנִּי וְאַבְלִיגָה Ps. 39:14
וְנִשְׁתָּעָה 15 וְנִשְׁתָּעָה וְנִרְאֶה° יַחְדָּו Is. 41:23

שָׁעָה נ׳ ארמית: זמן קצר, רגע: 1-5 [שַׁעְתָּא = הַשָּׁעָה]

בַּהּ שַׁעֲתָא 2-5

כְּשָׁעָה 1 דָּנִיֵּאל...אֶשְׁתּוֹמַם כְּשָׁעָה חֲדָה Dan. 4:16
שַׁעֲתָא 2 בַּהּ־שַׁעֲתָא יִתְרְמֵא לְגוֹא־אַתּוּן Dan. 3:6
3 בַּהּ־שַׁעֲתָא תִתְרְמוֹן לְגוֹא־אַתּוּן Dan. 3:15
4 בַּהּ־שַׁעֲתָא מִלְּתָא סָפַת Dan. 4:30
שַׁעֲתָה 5 בַּהּ־שַׁעֲתָה נְפַקָה° אֶצְבְּעָן דִּי יַד... Dan. 5:5

שְׁעוּ (ישעיה כט9) – עין שָׁעַע (צווי)

שְׂעוֹרָה[1] נ׳ תבואת חורף מן הדגנים (Hordeum): 1-34

קרובים: ראה חִטָּה

אֵיפָה שְׂעֹרִים 21; גֹּרֶן שְׂעוֹרִים 31; חֹמֶר שׂ׳ 7, 18, 29; לֶחֶם שְׂעֹרִים 9, 12; לֶתֶךְ שׂ׳ 19; עֻגַת שׂ׳ 16; קֶמַח שְׂעֹרִים 8; קְצִיר שְׂעוֹרִים 11, 20, 30; שַׁעֲלֵי שְׂעֹרִים 17

שְׂעֹרָה 1 הֵילִילוּ...עַל־חִטָּה וְעַל־שְׂעֹרָה Joel 1:11
2 וְתַחַת־שְׂעֹרָה בָאְשָׁה Job 31:40
וּשְׂעֹרָה 3 אֶרֶץ חִטָּה וּשְׂעֹרָה Deut. 8:8
4 וְשָׂם חִטָּה שׂוֹרָה וּשְׂעֹרָה נִסְמָן Is. 28:25
הַשְּׂעֹרָה 5 כִּי הַשְּׂעֹרָה אָבִיב וְהַפִּשְׁתָּה גִּבְעֹל Ex. 9:31
וְהַשְּׂעֹרָה 6 וְהַפִּשְׁתָּה וְהַשְּׂעֹרָה נֻכָּתָה Ex. 9:31
שְׂעֹרִים 7 זֶרַע חֹמֶר שְׂעֹרִים Lev. 27:16
8 עֲשִׂירִת הָאֵיפָה קֶמַח שְׂעֹרִים Num. 5:15
9 צְלִיל° לֶחֶם שְׂעֹרִים מִתְהַפֵּךְ Jud. 7:13
10 חֶלְקַת יוֹאָב...וְלוֹ־שָׁם שְׂעֹרִים IISh. 14:30
11 בִּתְחִלַּת° קְצִיר שְׂעֹרִים IISh. 21:9
12 עֶשְׂרִים־לֶחֶם שְׂעֹרִים IIK. 4:42
13/4 וְסָאתַיִם שְׂעֹרִים בְּשָׁקֶל IIK. 7:1, 16
15 סָאתַיִם שְׂעֹרִים בְּשֶׁקֶל IIK. 7:18
16 וְעֻגַת שְׂעֹרִים תֹּאכְלֶנָּה Ezek. 4:12
17 בְּשַׁעֲלֵי שְׂעֹרִים וּבִפְתוֹתֵי לֶחֶם Ezek. 13:19
18/9 וְחֹמֶר שְׂעֹרִים וְלֶתֶךְ שְׂעֹרִים Hosh. 3:2
20 בִּתְחִלַּת קְצִיר שְׂעֹרִים Ruth 1:22
21 וַתַּחְבֹּט...וַיְהִי כְּאֵיפָה שְׂעֹרִים Ruth 2:17
22 וַיָּמָד שֵׁשׁ־שְׂעֹרִים וַיָּשֶׁת עָלֶיהָ Ruth 3:15
23 חֶלְקַת הַשָּׂדֶה מְלֵאָה שְׂעוֹרִים ICh. 11:13
וּשְׂעֹרִים 24 וְחִטִּים וּשְׂעֹרִים וְקֶמַח וְקָלִי IISh. 17:28
25 חִטִּים וּשְׂעֹרִים וְשֶׁמֶן וּדְבָשׁ Jer. 41:8
26 חִטִּין וּשְׂעֹרִים וּפוֹל וַעֲדָשִׁים Ezek. 4:9
27 וּשְׂעֹרִים כֹּרִים עֶשְׂרִים אָלֶף IICh. 2:9
28 וּשְׂעוֹרִים עֲשֶׂרֶת אֲלָפִים IICh. 27:5
הַשְּׂעֹרִים 29 וְשִׁשִּׁיתֶם הָאֵיפָה מֵחֹמֶר הַשְּׂעֹרִים Ezek. 45:13
30 קְצִיר הַשְּׂעֹרִים וּקְצִיר הַחִטִּים Ruth 2:23
31 הוּא זֹרֶה אֶת־גֹּרֶן הַשְּׂעֹרִים הַלָּיְלָה Ruth 3:2
32 שֵׁשׁ־הַשְּׂעֹרִים הָאֵלֶּה נָתַן לִי Ruth 3:17
וְהַשְּׂעֹרִים 33 וְהַשְּׂעֹרִים וְהַתֶּבֶן לַסּוּסִים וְלָרֶכֶשׁ IK. 5:8
34 הַחִטִּים וְהַשְּׂעֹרִים הַשֶּׁמֶן וְהַיַּיִן IICh. 2:14

שְׂעוֹרִים[2] שפ״ז – כהן בימי דוד

לִשְׂעֹרִים 1 לְחָרִם הַשְּׁלִשִׁי לִשְׂעֹרִים הָרְבִעִי ICh. 24:8

שַׁעֲטָה* נ׳ דפיקה חזקה

שַׁעֲטַת פַּרְסוֹת 1

שַׁעֲטַת־ 1 מִקּוֹל שַׁעֲטַת פַּרְסוֹת אַבִּירָיו Jer. 47:3

שַׁעַטְנֵז ז׳ ארג ארוג ממינים שונים: 1, 2

שַׁעַטְנֵז 1 וּבֶגֶד כִּלְאַיִם שַׁעַטְנֵז לֹא יַעֲלֶה עָלֶיךָ Lev. 19:19
2 לֹא תִלְבַּשׁ שַׁעַטְנֵז Deut. 22:11

שָׂעִיר[1] ת׳ בַּעַל שֵׂעָר: 1, 2

אִישׁ שָׂעִיר 1; יָדַיִם שְׂעִירֹת 2

שָׂעִיר 1 הֵן עֵשָׂו אָחִי אִישׁ שָׂעִר Gen. 27:11
שְׂעִירוֹת 2 כִּידֵי עֵשָׂו אָחִיו שְׂעִרֹת Gen. 27:23

שָׂעִיר[2] ז׳ א) חיה(?) שיוחסו לה כחות שֵׁדִים: 1, 50

ב) תַּיִשׁ, זכר בעזים: 2-49, 51-57

– דַּם הַשָּׂעִיר 2, 7; רֹאשׁ הַשָּׂעִיר 4;

– שְׂעִיר עִזִּים 13-38, 32, 43; שְׂעִיר חַטָּאת 33-37, 44-49; שְׂעִירֵי חַטָּאת 56; שְׂעִירֵי עִזִּים 55, 57

וְשָׂעִיר 1 וְשָׂעִיר עַל־רֵעֵהוּ יִקְרָא Is.34:14
הַשָּׂעִיר 2 וְסָמַךְ יָדוֹ עַל־רֹאשׁ הַשָּׂעִיר Lev.4:24
3 הַשָּׂעִיר אֲשֶׁר עָלָה עָלָיו הַגּוֹרָל Lev.16:9
4 וְלָקַח מִדַּם הַפָּר וּמִדַּם הַשָּׂעִיר Lev.16:18
5 וְהִקְרִיב אֶת־הַשָּׂעִיר הֶחָי Lev.16:20
6 וְסָמַךְ...יָדָו עַל־רֹאשׁ הַשָּׂעִיר הַחַי Lev.16:21
7 וְנָתַן אֹתָם עַל־רֹאשׁ הַשָּׂעִיר Lev.16:21
8 וְנָשָׂא הַשָּׂעִיר עָלָיו אֶת־כָּל־עֲוֹנֹתָם Lev.16:22
9 וְשִׁלַּח אֶת־הַשָּׂעִיר בַּמִּדְבָּר Lev.16:22
10 וְהַמְשַׁלֵּחַ אֶת־הַשָּׂעִיר לַעֲזָאזֵל Lev.16:26
11 וְהַצָּפִיר הַשָּׂעִיר מֶלֶךְ יָוָן Dan.8:21
וְהַשָּׂעִיר 12 וְהַשָּׂעִיר אֲשֶׁר עָלָה עָלָיו הַגּוֹרָל Lev.16:10
שְׂעִיר־ 13 וַיִּשְׁחֲטוּ שְׂעִיר עִזִּים וַיִּטְבְּלוּ Gen.37:31
14 שְׂעִיר עִזִּים זָכָר תָּמִים Lev.4:23
15 קְחוּ שְׂעִיר עִזִּים לְחַטָּאת Lev.9:3
16-32 שְׂעִיר־עִזִּים Lev.23:19
Num. 7:16, 22, 28, 34, 40, 46, 52, 58, 64, 70, 76, 82;
28:30; 29:11 • Ezek. 43:22; 45:23
33/4 שְׂעִיר הַחַטָּאת אֲשֶׁר לָעָם Lev.9:15; 16:15
35-37 שְׂעִיר (הַ)חַטָּאת Lev.10:16
16:27 • Ezek.43:25
וּשְׂעִיר־ 38-43 וּשְׂעִיר־עִזִּים אֶחָד Num.15:24
28:15; 29:5,16,19,25
44-49 וּשְׂעִיר חַטָּאת אֶחָד Num.28:22
29:22,28,31,34,38
וּשְׂעִירִים 50 וּשְׂעִירִים יְרַקְּדוּ־שָׁם Is.13:21
הַשְּׂעִירִם 51 וְלָקַח אֶת־שְׁנֵי הַשְּׂעִירִם Lev.16:7
52 וְנָתַן...עַל־שְׁנֵי הַשְּׂעִירִם גֹּרָלוֹת Lev.16:8
לַשְּׂעִירִם 53 וְלֹא־יִזְבְּחוּ עוֹד...לַשְּׂעִירִם Lev.17:7
וְלַשְּׂעִירִים 54 לַבָּמוֹת וְלַשְּׂעִירִים וְלָעֲגָלִים IICh.11:15
שְׂעִירֵי־ 55 שְׁנֵי־שְׂעִירֵי עִזִּים לְחַטָּאת Lev.16:5
56 וַיַּגִּישׁוּ אֶת־שְׂעִירֵי הַחַטָּאת IICh.29:23
וּשְׂעִירֵי־ 57 וּשְׂעִירֵי עִזִּים שְׁנֵים עָשָׂר Num.7:87

שֵׂעִיר1 שפ״ז – שֵׁם אחר לאדום בן עֵשָׂו: 1-3

שֵׂעִיר 1 אֵלֶּה בְנֵי־שֵׂעִיר הַחֹרִי Gen.36:20
2 בְּנֵי שֵׂעִיר בְּאֶרֶץ אֱדוֹם Gen.36:21
3 וּבְנֵי שֵׂעִיר לוֹטָן וְשׁוֹבָל ICh.1:38

שֵׂעִיר2 ש״פ א) היא ארץ אדום מדרום לים המלח

וכן שם העם שישב בה: 1-10, 12-36
ב) הר ביהודה ממערב לקרית יערים: 11
בְּנֵי שֵׂעִיר 22, 23; הַר שֵׂעִיר 3, 4, 7-9, 11-20;
יוֹשְׁבֵי שֵׂעִיר 21
שֵׂעִיר 1 וְאֶת־הַחֹרִי בְּהַרְרָם שֵׂעִיר Gen.14:6
2 וַיִּשְׁלַח...אַרְצָה שֵׂעִיר שְׂדֵה אֱדוֹם Gen.32:3
3 וַיֵּשֶׁב עֵשָׂו בְּהַר שֵׂעִיר Gen.36:8
4 עֵשָׂו אֲבִי אֱדוֹם בְּהַר שֵׂעִיר Gen.36:9
5 לְאַלֻּפֵיהֶם בְּאֶרֶץ שֵׂעִיר Gen.36:30
6 וְהָיָה יְרֵשָׁה שֵׂעִיר אֹיְבָיו Num.24:18
7 מֵחֹרֵב דֶּרֶךְ הַר־שֵׂעִיר Deut.1:2
8 וַנָּסָב אֶת־הַר־שֵׂעִיר יָמִים רַבִּים Deut.2:1
9 יְרֻשָּׁה לְעֵשָׂו נָתַתִּי אֶת־הַר שֵׂעִיר Deut.2:5
10 מִן־הָהָר הֶחָלָק הָעוֹלֶה שֵׂעִיר Josh.11:17
11 וְנָסַב...יָמָּה אֶל־הַר שֵׂעִיר Josh.15:10
12-20 (וְ/לְ)הַר שֵׂעִיר Josh.24:4
Ezek.35:2,3,7,15 • ICh.4:42 • IICh.20:10,22,23
21 וּכְכַלּוֹתָם בְּיוֹשְׁבֵי שֵׂעִיר IICh.20:23
22 וַיַּךְ אֶת־בְּנֵי־שֵׂעִיר עֲשֶׂרֶת אֲלָפִים IICh.25:11
23 וַיָּבֵא אֶת־אֱלֹהֵי בְּנֵי שֵׂעִיר IICh.25:14
שֵׂעִירָה 24 אָבֹא אֶל־אֲדֹנִי שֵׂעִירָה Gen.33:14
25 וַיָּשָׁב...עֵשָׂו לְדַרְכּוֹ שֵׂעִירָה Gen.33:16
26 וְעַד־הָהָר הֶחָלָק הָעֹלֶה שֵׂעִירָה Josh.12:7
וְשֵׂעִיר 27 יַעַן אֱמֹר מוֹאָב וְשֵׂעִיר Ezek.25:8
בְּשֵׂעִיר 28 וַיַּכְּתוּ אֶתְכֶם בְּשֵׂעִיר עַד־חָרְמָה Deut.1:44
29-31 בְּנֵי־עֵשָׂו הַיֹּשְׁבִים בְּשֵׂעִיר Deut.2:4,8,29
32 לִבְנֵי עֵשָׂו הַיֹּשְׁבִים בְּשֵׂעִיר Deut.2:22
וּבְשֵׂעִיר 33 וּבְשֵׂעִיר יָשְׁבוּ הַחֹרִים לְפָנִים Deut.2:12
מִשֵּׂעִיר 34 וְזָרַח מִשֵּׂעִיר לָמוֹ Deut.33:2
35 יְיָ בְּצֵאתְךָ מִשֵּׂעִיר Jud.5:4
36 מַשָּׂא דּוּמָה אֵלַי קֹרֵא מִשֵּׂעִיר Is.21:11

שְׂעִירָה*1 נ׳ עז נקבה: 1, 2

שְׂעִירַת עִזִּים 1, 2
שְׂעִירַת־ 1 שְׂעִירַת עִזִּים תְּמִימָה נְקֵבָה Lev.4:28
2 כִּשְׂבָּה אוֹ־שְׂעִירַת עִזִּים לְחַטָּאת Lev.5:6

שְׂעִירָה*2 ש״פ – עיר בנחלת בנימין

הַשְּׂעִירָתָה 1 וַיִּמָּלֵט הַשְּׂעִירָתָה Jud.3:26

שְׂעִירִים ז״ר – אחד מסוגי הגשם

קרובים: ראה מָטָר
כִּשְׂעִירִם 1 כִּשְׂעִירִם עֲלֵי־דֶשֶׁא וְכִרְבִיבִים עֲלֵי־עֵשֶׂב Deut.32:2

שֹׁעַל* ז׳ חופן, מלוא כף היד: 1-3

שַׁעֲלֵי שְׂעֹרִים 3
בְּשָׁעֳלוֹ 1 מִי־מָדַד בְּשָׁעֳלוֹ מַיִם Is.40:12
לִשְׁעָלִים 2 אִם־יִשְׂפֹּק עֲפַר שֹׁמְרוֹן לִשְׁעָלִים IK.20:10
בְּשַׁעֲלֵי־ 3 בְּשַׁעֲלֵי שְׂעֹרִים וּבִפְתוֹתֵי לֶחֶם Ezek.13:19

שַׁעַלְבֹנִי ת׳ מתושבי שַׁעַלְבִים: 1, 2

הַשַּׁעַלְבֹנִי 1/2 אֶלְיַחְבָּא הַשַּׁעַלְבֹנִי IISh.23:32
ICh.11:33

שַׁעַלְבִים ש״פ – עיר בנחלת מטה דן: 1, 2

וּבְשַׁעַלְבִים 1 בְּהַר־חֶרֶס בְּאַיָּלוֹן וּבְשַׁעַלְבִים Jud.1:35
2 בֶּן־דֶּקֶר בְּמָקַץ וּבְשַׁעַלְבִים IK.4:9

שַׁעַלַבִּין ש״פ – היא שַׁעַלְבִים

וְשַׁעֲלַבִּין 1 וְשַׁעֲלַבִּין וְאַיָּלוֹן וְיִתְלָה Josh.19:42

שַׁעֲלִים ש״פ – אזור בגבול בנימין

שַׁעֲלִים 1 וַיַּעַבְרוּ בְאֶרֶץ־שַׁעֲלִים וָאַיִן ISh.9:4

שען : נִשְׁעַן; מִשְׁעָן, מַשְׁעֵן, מַשְׁעֵנָה, מִשְׁעֶנֶת; ש״פ אֶשְׁעָן

(שען) נִשְׁעַן נפ׳ א) נתמך: 10-14, 16, 22

ב) [בהשאלה] בטח ב־: 1-5, 7-9, 15, 17-21
ג) היה סמוך אל־: 6
נִשְׁעַן עַל־ 1-5, 7-14, 16, 19-21; נִשְׁעַן אֶל־ 15;
נִשְׁעַן בְּ־ 17; נִשְׁעַן לְ־ 6; נִשְׁעַן תַּחַת־ 22
לְהִשָּׁעֵן 1 לֹא־יוֹסִיף...לְהִשָּׁעֵן עַל־מַכֵּהוּ Is.10:20
בְּהִשָּׁעֶנְךָ 2 בְּהִשָּׁעֶנְךָ עַל־מֶלֶךְ אֲרָם IICh.16:7
וּבְהִשָּׁעֶנְךָ 3 וּבְהִשָּׁעֶנְךָ עַל־יְיָ נְתָנָם בְּיָדֶךָ IICh.16:8
וּבְהִשָּׁעֲנָם 4 וּבְהִשָּׁעֲנָם עָלֶיךָ תִּשָּׁבֵר Ezek.29:7
נִשְׁעַנְתָּ 5 וְלֹא נִשְׁעַנְתָּ עַל־יְיָ אֱלֹהֶיךָ IICh.16:7
וְנִשְׁעַן 6 אֲשֶׁר נָטָה...וְנִשְׁעַן לִגְבוּל מוֹאָב Num.21:15
7 וְנִשְׁעַן עַל־יְיָ...בֶּאֱמֶת Is.10:20
נִשְׁעַנּוּ 8 כִּי־עָלֶיךָ נִשְׁעַנּוּ וּבְשִׁמְךָ בָאנוּ IICh.14:10
נִשְׁעֲנוּ 9 כִּי נִשְׁעֲנוּ עַל־יְיָ אֱלֹהֵי אֲבוֹתֵיהֶם IICh.13:18
נִשְׁעָן 10 וְהִנֵּה שָׁאוּל נִשְׁעָן עַל־חֲנִיתוֹ IISh.1:6
11 וְהוּא נִשְׁעָן עַל־יָדִי IIK.5:18
12 הַשָּׁלִישׁ אֲשֶׁר לַמֶּלֶךְ נִשְׁעָן עַל־יָדוֹ IIK.7:2
13 אֶת־הַשָּׁלִישׁ אֲשֶׁר־נִשְׁעָן עַל־יָדוֹ IIK.7:17
וְאִשָּׁעֵן 14 אֶת־הָעַמֻּדִים...וְאִשָּׁעֵן עֲלֵיהֶם Jud.16:26
תִּשָּׁעֵן 15 וְאֶל־בִּינָתְךָ אַל־תִּשָּׁעֵן Prov.3:5
יִשָּׁעֵן 16 יִשָּׁעֵן עַל־בֵּיתוֹ וְלֹא יַעֲמֹד Job8:15
וְיִשָּׁעֵן 17 יִבְטַח בְּשֵׁם יְיָ וְיִשָּׁעֵן בֵּאלֹהָיו Is.50:10
18 יִתֶּן־לוֹ לָבֶטַח וְיִשָּׁעֵן Job24:23
וַתִּשָּׁעֲנוּ 19 וַתִּבְטְחוּ בְּעֹשֶׁק...וַתִּשָּׁעֲנוּ עָלָיו Is.30:12
יִשָּׁעֵנוּ 20 עַל־סוּסִים יִשָּׁעֵנוּ Is.31:1
21 וְעַל־יְיָ יִשָּׁעֵנוּ Mic.3:11
וְהִשָּׁעֲנוּ 22 וְהִשָּׁעֲנוּ תַּחַת הָעֵץ Gen.18:4

שָׁעַע פ׳ התפלא(?) [עין גם שָׁעָה]

וָשֹׁעוּ 1 הִתְמַהְמְהוּ וּתְמָהוּ הִשְׁתַּעַשְׁעוּ וָשֹׁעוּ Is.29:9

שָׂעִף* ז׳ מחשבה: 1, 2 [עין גם סָעִף, סַרְעַף]

בִּשְׂעִפִּים 1 בִּשְׂעִפִּים מֵחֶזְיֹנוֹת לָיְלָה Job4:13
שְׂעִפַּי 2 שְׂעִפַּי יְשִׁיבוּנִי וּבַעֲבוּר חוּשִׁי בִי Job20:2

שַׁעַף שפ״ז א) בן מעכה פילגש כָּלֵב: 1

ב) איש מיהודה: 2
שַׁעַף 1 וַתֵּלֶד (אֶת־) שַׁעַף אֲבִי מַדְמַנָּה ICh.2:49
וָשָׁעַף 2 וּבְנֵי יָהְדָּי...וְעֵיפָה וָשָׁעַף ICh.2:47

שער : שַׂעַר, נִשְׂעַר, שֵׂעֵר, הִשְׂתָּעֵר; שַׂעַר

שָׂעַר פ׳ א) סער, חרד: 1, 2, 4, 5

ב) הסעיר, החריד: 3
ג) [נפ׳ נִשְׂעַר] התחולל סער: 6
ד) [פ׳ שֵׂעֵר] נשא בסער: 7
ה) [הת׳ הִשְׂתָּעֵר] התנפל: 8
שָׂעֲרוּ 1 וּמַלְכֵיהֶם שָׂעֲרוּ שַׂעַר רָעֲמוּ פָּנִים Ezek.27:35
שְׂעָרוּם 2 חֲדָשִׁים...לֹא שְׂעָרוּם אֲבֹתֵיכֶם Deut.32:17
יִשְׂעָרֶנּוּ 3 כְּמוֹ־חַי כְּמוֹ־חָרוֹן יִשְׂעָרֶנּוּ Ps.58:10
יִשְׂעֲרוּ 4 וּמַלְכֵיהֶם יִשְׂעֲרוּ עָלֶיךָ שַׂעַר Ezek.32:10
וְשַׂעֲרוּ 5 שֹׁמּוּ שָׁמַיִם...וְשַׂעֲרוּ חָרְבוּ מְאֹד Jer.2:12
נִשְׂעֲרָה 6 וּסְבִיבָיו נִשְׂעֲרָה מְאֹד Ps.50:3
וִישָׂעֲרֵהוּ 7 יִשָּׂאֵהוּ קָדִים...וִישָׂעֲרֵהוּ מִמְּקֹמוֹ Job27:21
וְיִשְׂתָּעֵר 8 וְיִשְׂתָּעֵר עָלָיו מֶלֶךְ הַצָּפוֹן Dan.11:40

שַׂעַר ז׳ א) סער, רוח סערה: 1

ב) רוגז, חרדה: 2-4
קרובים: חִיל / חַלְחָלָה / חֲרָדָה / רֶגֶז / רְעָדָה / רֶטֶט / רֶתֶת
שַׂעַר קֶטֶב 3; אָחֲזוּ שַׂעַר 4; שָׂעֲרוּ שַׂעַר 1, 2
שַׂעַר 1 וּמַלְכֵיהֶם שָׂעֲרוּ שַׂעַר רָעֲמוּ פָּנִים Ezek.27:35
2 וּמַלְכֵיהֶם יִשְׂעֲרוּ עָלֶיךָ שַׂעַר Ezek.32:10
שַׂעַר־ 3 כְּזֶרֶם בָּרָד שַׂעַר קָטֶב Is.28:2
שָׂעַר 4 נָשַׁמּוּ אַחֲרֹנִים וְקַדְמֹנִים אָחֲזוּ שָׂעַר Job18:20

שֵׂעָר ז׳ הסיבים המכסים את העור באדם ובבהמה: 1-28

– שֵׂעָר דַּק 6; שֵׂעָר לָבָן 2-5, 11, 27, 28; שֵׂעָר צָהֹב 6, 7, 14; שֵׂעָר שָׁחֹר 12, 13
– אַדֶּרֶת שֵׂעָר 1, 9; בַּעַל שֵׂעָר 8; קָדְקֹד שֵׂעָר 10
– שְׂעַר הָרֹאשׁ 15-18, 20; שְׂעַר הָרַגְלָיִם 19
– גִּדֵּל שֵׂעָר 15; גִּלַּח שְׂעָרוֹ 19, 24-26; מָרַט שֵׂעָר 20; צִמַּח שְׂעָרוֹ 17, 23; שָׁקַל שְׂעָרוֹ 18
שֵׂעָר 1 וַיֵּצֵא...כֻּלּוֹ כְּאַדֶּרֶת שֵׂעָר Gen.25:25
2 וְהִיא הָפְכָה שֵׂעָר לָבָן Lev.13:10
3 וְהִנֵּה אֵין־בָּהּ שֵׂעָר לָבָן Lev.13:21
4 וְהִנֵּה נֶהְפַּךְ שֵׂעָר לָבָן בַּבַּהֶרֶת Lev.13:25
5 וְהִנֵּה אֵין־בַּבַּהֶרֶת שֵׂעָר לָבָן Lev.13:26
6 וּבוֹ שֵׂעָר צָהֹב דָּק Lev.13:30
7 וְלֹא־הָיָה בוֹ שֵׂעָר צָהֹב Lev.13:32
8 אִישׁ בַּעַל שֵׂעָר IIK.1:8

9 וְלֹא יִלְבְּשׁוּ אַדֶּרֶת שֵׂעָר לְמַעַן כַּחֵשׁ Zech. 13:4
10 יִמְחַץ רֹאשׁ אֹיְבָיו קָדְקֹד שֵׂעָר Ps. 68:22

וְשֵׂעָר 11 וְשֵׂעָר בַּנֶּגַע הָפַךְ לָבָן Lev. 13:3
12 וְשֵׂעָר שָׁחֹר אֵין בּוֹ Lev. 13:31
13 וְשֵׂעָר שָׁחֹר צָמַח־בּוֹ Lev. 13:37

לַשֵּׂעָר 14 לֹא־יְבַקֵּר הַכֹּהֵן לַשֵּׂעָר הַצָּהֹב Lev. 13:36

שְׂעַר־ 15 גַּדֵּל פֶּרַע שְׂעַר רֹאשׁוֹ Num. 6:5
16 וְלָקַח אֶת־שְׂעַר רֹאשׁ נִזְרוֹ Num. 6:18
17 וַיָּחֶל שְׂעַר־רֹאשׁוֹ לְצַמֵּחַ Jud. 16:22
18 וְשָׁקַל אֶת־שְׂעַר רֹאשׁוֹ IISh. 14:26

וְשַׂעַר־ 19 יְגַלַּח...אֶת־הָרֹאשׁ וְשַׂעַר הָרַגְלָיִם Is. 7:20

מִשְּׂעַר־ 20 וָאֶמְרְטָה מִשְּׂעַר רֹאשִׁי Ez. 9:3

שַׂעְרֵךְ 21/2 שַׂעְרֵךְ כְּעֵדֶר הָעִזִּים S.ofS. 4:1; 6:5

וּשְׂעָרֵךְ 23 שָׁדַיִם נָכֹנוּ וּשְׂעָרֵךְ צִמֵּחַ Ezek. 16:7

שְׂעָרוֹ 24 וְגִלַּח אֶת־כָּל־שְׂעָרוֹ Lev. 14:8
25 יְגַלַּח אֶת־כָּל־שְׂעָרוֹ אֶת־רֹאשׁוֹ Lev. 14:9
26 וְאֶת־כָּל־שְׂעָרוֹ יְגַלֵּחַ Lev. 14:9

וּשְׂעָרָהּ 27 וּשְׂעָרָה לֹא־הָפַךְ לָבָן Lev. 13:4
28 וּשְׂעָרָה הָפַךְ לָבָן Lev. 13:20

שְׂעַר

ז׳ ארמית שְׂעַר: 1, 2

וּשְׂעַר־ 1 וּשְׂעַר רֵאשְׁהוֹן לָא הִתְחָרַךְ Dan. 3:27
2 וּשְׂעַר רֵאשֵׁהּ כַּעֲמַר נְקֵא Dan. 7:9

שער

: שָׁעַר; שַׁעַר1, שַׁעַר2, שׁוֹעֵר, שַׁעֲרוּרָה, שַׁעֲרוּרִיָּה, שַׁעֲרוּרִית; ש״פ שְׁעַרְיָה, שַׁעֲרַיִם

שָׁעַר

פָּ׳ תֵּאֵר, דִּמָּה

שָׁעַר 1 כְּמוֹ־שָׁעַר בְּנַפְשׁוֹ כֶּן הוּא Prov. 23:7

שַׁעַר1

ז׳ א) פתח רחב בקיר, בחומת עיר,
בהיכל וכדומה: 2-109, 111-113, 115-331
ב) [בהשאלה] מקום ישוב: 1, 110, 114, 332-348

– הַשַּׁעַר הָאִיתוֹן 48; הַשַּׁ׳ הַדָּרוֹם 54; הַשַּׁ׳ הֶחָדָשׁ 141; הַשַּׁעַר הַפְּנִימִי 106; שַׁעַר הָעֶלְיוֹן 2, 10; (הַ)שַּׁעַר הָרִאשׁוֹן 8, 50; הַשַּׁעַר הַתַּחְתּוֹנָה 49

– אַדְנֵי הַשַּׁעַר 125; אוּלָם הַשַּׁ׳ 32-42; גַּג הַשַּׁ׳ 25; דַּלְתוֹת הַשַּׁ׳ 22; דֶּרֶךְ שַׁ׳ 2,6,58,63,75,139,145,154, 155, 158-162; יַד הַשַּׁעַר 21, 24; יוֹשְׁבֵי שַׁעַר 12; כֶּתֶף הַשַּׁ׳ 66,76,152,153; מְבוֹא הַשַּׁ׳ 207; מִדַּת הַשַּׁ׳ 50,51; מְזוּזַת הַשַּׁ׳ 60; מָסַךְ שַׁ׳ 121-124; מִפְתַּן הַשַּׁ׳ 61; סַף הַשַּׁ׳ 30, 31; עֲלִיַּת הַשַּׁ׳ 26; פִּנַּת שַׁעַר 143; פֶּתַח הַשַּׁעַר 20, 28, 29, 44, 56, 62, 69-73, 126, 134, 138, 140, 141, 146-148, 206; רֹחַב הַשַּׁעַר 58; תָּאֵי הַשַּׁעַר 43; תּוֹךְ הַשַּׁעַר 23; בְּתוֹךְ הַשַּׁעַר 74

– שַׁעַר אוֹיְבָיו 113; שַׁעַר אֶפְרַיִם 199, 220, 251, 254; שַׁ׳ הָאַשְׁפּוֹת 183, 190, 250; שַׁ׳ אָשֵׁר 173; שַׁ׳ בֵּין הַחוֹמֹתַיִם 139,145,228; שַׁ׳ בֵּית יְיָ 137,144,147-149, 211, 222, 243; שַׁ׳ בִּנְיָמִן 167, 224-226, 256; שַׁ׳ בַּת רַבִּים 177; שַׁ׳ גָּד 172; שַׁ׳ הַגַּיְא 188, 210, 239, 240; שַׁ׳ הַדָּגִים 186,203,244,253; שַׁ׳ דָּן 168; שַׁ׳ הַדָּרוֹם 229; שַׁ׳ זְבוּלוּן 171; שַׁ׳ הַחוּץ 163; שַׁ׳ הֶחָצֵר 121-126,156,157,245,246,252; שַׁעַר הַחַרְסִית 140; שַׁעַר יְהוּדָה 165; שַׁ׳ יְהוֹשֻׁעַ 138; שַׁ׳ יוֹסֵף 213; שַׁעַר יְיָ 141; שַׁ׳ הַיְסוֹד 242; שַׁ׳ יְרוּשָׁלַיִם 248; שַׁ׳ הַיְשָׁנָה 187, 202; שַׁ׳ יִשָּׂשכָר 170; שַׁ׳ לֵוִי 166; שַׁ׳ הַמִּזְבֵּחַ 247; שַׁ׳ הַמִּזְרָח 194; שַׁ׳ הַמַּחֲנֶה 215; שַׁ׳ הַמַּטָּרָה 241; שַׁ׳ הַמַּיִם 192, 196-198, 201; שַׁ׳ הַמֶּלֶךְ 179-182, 231-238; שַׁ׳ מְקוֹמוֹ 127, 255; שַׁ׳ הַמִּפְקָד 195; שַׁ׳ הַמִּקְדָּשׁ 154; שַׁ׳ נֶגֶב 159, 160; שַׁ׳ נַפְתָּלִי 174; שַׁ׳ סְדוֹם 214; שַׁ׳ הַסּוּסִים 143,193, 207; שַׁ׳ סוּר 219; שַׁעַר הָעַיִן 184,191,200; שַׁ׳ הָעִיר 114, 115, 118-120, 128-133, 216, 221; שַׁעַר עַמִּי 175, 178, 230; שַׁעַר הַפּוֹנֶה 208; שַׁ׳ הַפִּנָּה 136,142,209; שַׁעַר הַפָּנִים 176; שַׁ׳ הַפְּנִימִית 146; שַׁ׳ הַצֹּאן 185, 204, 249; שַׁ׳ הַצָּפוֹן 151,152,155,158; שַׁ׳ הַקָּדִים 153; שַׁ׳ רְאוּבֵן 164; שַׁ׳ הָרָצִים 135; שַׁ׳ שׁוֹמְרוֹן 134, 206, 217, 218; שַׁ׳ שׂוֹנְאָיו 116; שַׁ׳ שַׁלֶּכֶת 205; שַׁעַר הַשָּׁמַיִם 117; שַׁ׳ שִׁמְעוֹן 169; שַׁעַר הָשְׁפוֹת 189; שַׁעַר הַתָּוֶךְ 227

– שְׁעָרִים גְּבוֹהִים 366; שְׁעָרִים שׁוֹמֵמִין 363

– אַסֻפֵּי הַשְּׁעָרִים 277; אֹרֶךְ הַשְּׁ׳ 275; בָּמוֹת הַשְּׁ׳ 273; דַּלְתוֹת הַשְּׁ׳ 282; יַד שְׁ׳ 268; כֶּתֶף שְׁ׳ 274; פִּתְחֵי שְׁעָרִים 267

– שַׁעֲרֵי הָאָרֶץ 298, 311; שַׁ׳ הַבִּירָה 304; שַׁ׳ הַבַּיִת 295,307,316; שַׁ׳ בַּת־צִיּוֹן 318; שַׁ׳ הֶחָצֵר 296, 317; שַׁ׳ יְרוּשָׁלַםִ 293, 294, 305, 306, 312, 315, 319, 321; שַׁ׳ מָוֶת 300,303, 322; שַׁ׳ מַחֲנוֹת יְיָ 320; שַׁ׳ נְהָרוֹת 297; שַׁעֲרֵי הָעִיר 308, 313, 314; שַׁ׳ עֶקְרוֹן 292; שַׁעֲרֵי צַדִּיק 302; שַׁעֲרֵי צֶדֶק 301; שַׁ׳ צִיּוֹן 299; שַׁעֲרֵי צַלְמָוֶת 309; שַׁעֲרֵי שְׁאוֹל 310

– אֶרֶץ שְׁעָרָיו 359, 362

שַׁעַר 1 הֵילִילִי שַׁעַר זַעֲקִי־עִיר Is. 14:31
2 בָּאִים מִדֶּרֶךְ־שַׁעַר הָעֶלְיוֹן Ezek. 9:2
3 שַׁעַר אֲשֶׁר פָּנָיו דֶּרֶךְ הַקָּדִימָה Ezek. 40:6
4 וַיָּמָד מִשַּׁעַר אֶל־שַׁעַר מֵאָה אַמָּה Ezek. 40:23
5 שַׁעַר אֲשֶׁר פֹּנֶה דֶּרֶךְ הַקָּדִים Ezek. 43:1
6 דֶּרֶךְ שַׁעַר אֲשֶׁר פָּנָיו דֶּרֶךְ הַקָּדִים Ezek. 43:4
7 פָּרְצוּ וַיַּעֲבֹרוּ שַׁעַר וַיֵּצְאוּ בוֹ Mic. 2:13
8 עַד־מְקוֹם שַׁעַר הָרִאשׁוֹן Zech. 14:10
9 בְּצֵאתִי שַׁעַר עֲלֵי־קָרֶת Job 29:7
10 וַיָּבֹאוּ בְּתוֹךְ־שַׁעַר הָעֶלְיוֹן IICh. 23:20

שָׁעַר 11 וּשְׁאִיָּה יֻכַּת־שָׁעַר Is. 24:12
12 יָשִׂיחוּ בִי יֹשְׁבֵי שָׁעַר Ps. 69:13

וְשַׁעַר 13/4 וְשַׁעַר לֶחָצֵר הַפְּנִימִי Ezek. 40:23, 27

וָשָׁעַר 15 לְבֵית אֲבוֹתָם לְשַׁעַר וָשָׁעַר ICh. 26:13
16/7 וְהַשֹּׁעֲרִים...לְשַׁעַר וָשָׁעַר IICh. 8:14; 35:15

הַשַּׁעַר 18 וַיְהִי הַשַּׁעַר לִסְגּוֹר Josh. 2:5
19 וַיִּרְדְּפוּם לִפְנֵי הַשַּׁעַר Josh. 7:5
20 וְהַכֹּהֵן נִצָּב פֶּתַח הַשַּׁעַר Jud. 18:17
21 וַיִּפֹּל...בְּעַד יַד הַשַּׁעַר ISh. 4:18
22 וַיְתָו עַל־דַּלְתוֹת הַשַּׁעַר ISh. 21:14
23 וַיַּטֵּהוּ יוֹאָב אֶל־תּוֹךְ הַשַּׁעַר IISh. 3:27
24 וַיַּעֲמֹד הַמֶּלֶךְ אֶל־יַד הַשַּׁעַר IISh. 18:4
25 וַיֵּלֶךְ הַצֹּפֶה אֶל־גַּג הַשַּׁעַר IISh. 18:24
26 וַיַּעַל עַל־עֲלִיַּת הַשַּׁעַר IISh. 19:1
27 אֲשֶׁר־נִשְׁעָן עַל־יָדוֹ עַל־הַשַּׁעַר IIK. 7:17
28 שִׂימוּ אֹתָם...פֶּתַח הַשַּׁעַר IIK. 10:8
29 בְּפֶתַח הַשַּׁעַר עֶשְׂרִים...אִישׁ Ezek. 11:1
30 וַיָּמָד אֶת־סַף הַשַּׁעַר Ezek. 40:6
31/2 וְסַף הַשַּׁעַר מֵאֵצֶל אֻלָם הַשַּׁעַר Ezek. 40:7
33/4 וַיָּמָד אֶת־אֻלָם הַשַּׁעַר Ezek. 40:8, 9
35-42 (וְ/וּבְ/לְ) אֻ(וּ)לָם הַשַּׁעַר Ezek. 40:9
40:15, 39, 40; 44:3; 46:2, 8
43 וְתָאֵי הַשַּׁעַר דֶּרֶךְ הַקָּדִים Ezek. 40:10
44 רֹחַב פֶּתַח־הַשַּׁעַר עֶשֶׂר אַמּוֹת Ezek. 40:11
45 אֹרֶךְ הַשַּׁעַר שְׁלוֹשׁ עֶשְׂרֵה אַמּוֹת Ezek. 40:11
46 וַיָּמָד אֶת־הַשַּׁעַר מִגַּג הַתָּא לְגַגּוֹ Ezek. 40:13
47 וְאֶל־אֵיל הֶחָצֵר הַשַּׁעַר סָבִיב Ezek. 40:14
48 וְעַל־פְּנֵי הַשַּׁעַר הָאִיתוֹן° Ezek. 40:15
49 מִלִּפְנֵי הַשַּׁעַר הַתַּחְתּוֹנָה Ezek. 40:19
50 כְּמִדַּת הַשַּׁעַר הָרִאשׁוֹן Ezek. 40:21

הַשַּׁעַר (המשך) 51 כְּמִדַּת הַשַּׁעַר אֲשֶׁר פָּנָיו...הַקָּדִים Ezek. 40:22
52 נֶגֶד הַשַּׁעַר לַצָּפוֹן וְלַקָּדִים Ezek. 40:23
53 וַיָּמָד מִשַּׁעַר אֶל־הַשַּׁעַר Ezek. 40:27
54 וַיָּמָד אֶת־הַשַּׁעַר הַדָּרוֹם Ezek. 40:28
55 וַיָּמָד אֶת־הַשַּׁעַר כַּמִּדּוֹת הָאֵלֶּה Ezek. 40:32
56 לְפֶתַח הַשַּׁעַר הַצָּפוֹנָה Ezek. 40:40
57 וְרֹחַב הַשַּׁעַר שָׁלֹשׁ אַמּוֹת מִפּוֹ Ezek. 40:48
58 וְהוֹצִיאַנִי דֶּרֶךְ הַשַּׁעַר Ezek. 42:15
59 הַשַּׁעַר הַזֶּה סָגוּר יִהְיֶה Ezek. 44:2
60 וְעָמַד עַל־מְזוּזַת הַשַּׁעַר Ezek. 46:2
61 וְהִשְׁתַּחֲוָה עַל-מִפְתַּן הַשַּׁעַר וְיָצָא Ezek. 46:2
62 וְהִשְׁתַּחֲווּ עַם־הָאָרֶץ פֶּתַח הַשַּׁעַר Ezek. 46:3
63 לֹא יָשׁוּב דֶּרֶךְ הַשַּׁעַר Ezek. 46:9
64 וּפָתַח...אֶת-הַשַּׁעַר הַפֹּנֶה קָדִים Ezek. 46:12
65 וְסָגַר אֶת־הַשַּׁעַר אַחֲרֵי צֵאתוֹ Ezek. 46:12
66 בַמָּבוֹא אֲשֶׁר עַל־כֶּתֶף הַשַּׁעַר Ezek. 46:19
67 זֶה-הַשַּׁעַר לַיְיָ צַדִּיקִים יָבֹאוּ בוֹ Ps. 118:20
68 וּבֹעַז עָלָה הַשַּׁעַר וַיֵּשֶׁב שָׁם Ruth 4:1

הַשָּׁעַר 69 וַיִּפְּלוּ...עַד־פֶּתַח הַשָּׁעַר Jud. 9:40
70-73 פֶּתַח הַשָּׁעַר Jud. 18:16
IISh. 10:8; 11:23 • IIK. 7:3
74 וַיִּגַּשׁ שָׁאוּל...בְּתוֹךְ הַשָּׁעַר ISh. 9:18
75 וְעָמַד עַל־יַד דֶּרֶךְ הַשָּׁעַר IISh. 15:2
76 מִפֹּה לְכֶתֶף הַשָּׁעַר Ezek. 40:41
77 וַיּוֹלִכֵנִי אֶל־הַשָּׁעַר Ezek. 43:1

וְהַשַּׁעַר 78 וְהַשַּׁעַר סָגָרוּ אַחֲרֵי כַּאֲשֶׁר יָצְאוּ Josh. 2:7
79 וְהַשַּׁעַר אֲשֶׁר פָּנָיו דֶּרֶךְ הַצָּפוֹן Ezek. 40:20
80 וְהַשַּׁעַר לֹא־יִסָּגֵר עַד־הָעָרֶב Ezek. 46:2

בַּשַּׁעַר 81 הִנֵּה הַמֶּלֶךְ יוֹשֵׁב בַּשַּׁעַר IISh. 19:9
82 מִבֹּאר בֵּית־לֶחֶם אֲשֶׁר בַּשַּׁעַר IISh. 23:16
83 וַיִּרְמְסֻהוּ הָעָם בַּשַּׁעַר וַיָּמֹת IIK. 7:17
84 וַיִּרְמְסוּ אֹתוֹ הָעָם בַּשַּׁעַר וַיָּמֹת IIK. 7:20
85 וְהַשְּׁלִשִׁית בַּשַּׁעַר אַחַר הָרָצִים IIK. 11:6
86 וְלַמּוֹכִיחַ בַּשַּׁעַר יְקֹשׁוּן Is. 29:21
87 שָׂנְאוּ בַשַּׁעַר מוֹכִיחַ Am. 5:10
88 וְאֶבְיוֹנִים בַּשַּׁעַר הִטּוּ Am. 5:12
89 וְהַצִּיגוּ בַשַּׁעַר מִשְׁפָּט Am. 5:15
90 בַּשַּׁעַר לֹא יִפְתַּח־פִּיהוּ Prov. 24:7
91 וְיִדַּכְּאוּ בַשַּׁעַר וְאֵין מַצִּיל Job 5:4
92 כִּי־אֶרְאֶה בַשַּׁעַר עֶזְרָתִי Job 31:21
93 וַיֹּאמְרוּ כָּל־הָעָם אֲשֶׁר־בַּשַּׁעַר Ruth 4:11
94 מִבּוֹר בֵּית־לֶחֶם אֲשֶׁר בַּשַּׁעַר ICh. 11:18

בַּשָּׁעַר 95 וַיָּקָם הַמֶּלֶךְ וַיֵּשֶׁב בַּשָּׁעַר IISh. 19:9
96 מִבֹּאר בֵּית־לֶחֶם אֲשֶׁר בַּשָּׁעַר IISh. 23:15
97 וְיֵהוּא בָּא בַשָּׁעַר IIK. 9:31
98 וְהוּא עֹמֵד בַּשָּׁעַר Ezek. 40:3
99 כִּי־יְדַבְּרוּ אֶת־אוֹיְבִים בַּשָּׁעַר Ps. 127:5
100 וְאַל־תְּדַכֵּא עָנִי בַשָּׁעַר Prov. 22:22
101 מִבּוֹר בֵּית־לֶחֶם אֲשֶׁר בַּשָּׁעַר ICh. 11:17

לְשַׁעַר 102 לְבֵית אֲבוֹתָם לְשַׁעַר וָשָׁעַר ICh. 26:13
103 בְּמַחְלְקוֹתָם לְשַׁעַר וָשָׁעַר IICh. 8:14
104 וְהַשֹּׁעֲרִים לְשַׁעַר וָשָׁעַר IICh. 35:15

לַשַּׁעַר 105 לִפְנִימָה לַשַּׁעַר סָבִיב סָבִיב Ezek. 40:16
106 וּמִחוּצָה לַשַּׁעַר הַפְּנִימִי Ezek. 40:44

לַשָּׁעַר 107 וּבְנֵי יְדוּתוּן לַשָּׁעַר ICh. 16:42

לָשַׁעַר 108 עִבְרוּ וָשׁוּבוּ מִשַּׁעַר לָשַׁעַר בַּמַּחֲנֶה Ex. 32:27

מִשַּׁעַר 109 עִבְרוּ וָשׁוּבוּ מִשַּׁעַר לָשַׁעַר בַּמַּחֲנֶה Ex. 32:27
110 וַיָּמָד מִשַּׁעַר אֶל־שַׁעַר Ezek. 40:23
111 וַיָּמָד מִשַּׁעַר אֶל־הַשַּׁעַר Ezek. 40:27
112 זְקֵנִים מִשַּׁעַר שָׁבָתוּ Lam. 5:14

שַׁעַר־ 113 וְיִרַשׁ זַרְעֲךָ אֵת שַׁעַר אֹיְבָיו Gen. 22:17
114 לְכֹל בָּאֵי שַׁעַר־עִירוֹ Gen. 23:10

שַׁעַר־ (המשך)

115 בְּכֹל בָּאֵי שַׁעַר־עִירוֹ Gen. 23:18
116 וְיִירַשׁ זַרְעֵךְ אֵת שַׁעַר שֹׂנְאָיו Gen. 24:60
117 וְזֶה שַׁעַר הַשָּׁמָיִם Gen. 28:17
118 וַיָּבֹא...אֶל־שַׁעַר עִירָם Gen. 34:20
119/20 כָּל־יֹצְאֵי שַׁעַר עִירוֹ Gen. 34:24²
121-123 מָסַךְ שַׁעַר הֶחָצֵר Ex. 35:17; 40:8,33
124 וּמָסַךְ שַׁעַר הֶחָצֵר Ex. 38:18
125 וְאֶת־אַדְנֵי שַׁעַר הֶחָצֵר Ex. 38:31
126 וְאֶת־מָסַךְ פֶּתַח שַׁעַר הֶחָצֵר Num. 4:26
127 אֶל־זִקְנֵי עִירוֹ וְאֶל־שַׁעַר מְקֹמוֹ Deut. 21:19
128 וְהוֹצֵאתֶם...אֶל־שַׁעַר הָעִיר Deut. 22:24
129/30 פֶּתַח שַׁעַר הָעִיר Josh. 8:29; 20:4
131/2 פֶּתַח שַׁעַר הָעִיר Jud. 9:35,44
133 וַיֶּאֱחֹז בְּדַלְתוֹת שַׁעַר־הָעִיר Jud. 16:3
134 בְּגֹרֶן פֶּתַח שַׁעַר שֹׁמְרוֹן IK. 22:10
135 וַיָּבוֹאוּ דֶּרֶךְ־שַׁעַר הָרָצִים IIK. 11:19
136 וַיִּפְרֹץ...עַד־שַׁעַר הַפִּנָּה IIK. 14:13
137 הוּא בָּנָה אֶת־שַׁעַר בֵּית־יְיָ הָעֶלְיוֹן IIK. 15:35
138 אֲשֶׁר־פֶּתַח שַׁעַר יְהוֹשֻׁעַ IIK. 23:8
139 דֶּרֶךְ שַׁעַר בֵּין הַחֹמֹתַיִם IIK. 25:4
140 אֲשֶׁר פֶּתַח שַׁעַר הַחַרְסִית° Jer. 19:2
141 וַיֵּשְׁבוּ בְּפֶתַח שַׁעַר־יְיָ הֶחָדָשׁ Jer. 26:10
142 מִמִּגְדַּל חֲנַנְאֵל עַד־שַׁעַר הַפִּנָּה Jer. 31:37(38)
143 עַד־פִּנַּת שַׁעַר הַסּוּסִים Jer. 31:39(40)
144 פֶּתַח שַׁעַר בֵּית־יְיָ Jer. 36:10
145 דֶּרֶךְ שַׁעַר בֵּין־הַחֹמֹתַיִם Jer. 52:7
146 אֶל־פֶּתַח שַׁעַר הַפְּנִימִית Ezek. 8:3
147 אֶל־פֶּתַח שַׁעַר בֵּית־יְיָ Ezek. 8:14
148 פֶּתַח שַׁעַר בֵּית־יְיָ הַקַּדְמוֹנִי Ezek. 10:19
149 אֶל־שַׁעַר בֵּית־יְיָ הַקַּדְמוֹנִי Ezek. 11:1
150 וְהִנֵּה־שַׁעַר דֶּרֶךְ הַדָּרוֹם Ezek. 40:24
151 וַיְבִיאֵנִי אֶל־שַׁעַר הַצָּפוֹן Ezek. 40:35
152 אֲשֶׁר אֶל־כֶּתֶף שַׁעַר הַצָּפוֹן Ezek. 40:44
153 אֶחָד אֶל־כֶּתֶף שַׁעַר הַקָּדִים Ezek. 40:44
154 דֶּרֶךְ שַׁעַר הַמִּקְדָּשׁ הַחִיצוֹן Ezek. 44:1
155 וַיְבִיאֵנִי דֶּרֶךְ־שַׁעַר הַצָּפוֹן Ezek. 44:4
156/7 שַׁעַר הֶחָצֵר הַפְּנִימִית Ezek. 45:19; 46:1
158 הַבָּא דֶּרֶךְ שַׁעַר צָפוֹן לְהִשְׁתַּחֲוֹת Ezek. 46:9
159 יֵצֵא דֶּרֶךְ־שַׁעַר נֶגֶב Ezek. 46:9
160 וְהַבָּא דֶּרֶךְ־שַׁעַר נֶגֶב Ezek. 46:9
161 יֵצֵא דֶּרֶךְ־שַׁעַר צָפוֹנָה Ezek. 46:9
162 וַיּוֹצִיאֵנִי דֶּרֶךְ־שַׁעַר צָפוֹנָה Ezek. 47:2
163 וַיְסִבֵּנִי דֶּרֶךְ חוּץ אֶל־שַׁעַר הַחוּץ Ezek. 47:2
164-166 שַׁעַר רְאוּבֵן אֶחָד שַׁעַר יְהוּדָה
אֶחָד שַׁעַר לֵוִי אֶחָד Ezek. 48:31
167/8 שַׁעַר בִּנְיָמִן אֶחָד שַׁעַר דָּן אֶחָד Ezek. 48:32
169-171 שַׁעַר שִׁמְעוֹן אֶחָד שַׁעַר יִשָּׂשכָר אֶחָד
שַׁעַר זְבוּלֻן אֶחָד Ezek. 48:33
172-174 שַׁעַר גָּד אֶחָד שַׁעַר אָשֵׁר אֶחָד
שַׁעַר נַפְתָּלִי אֶחָד Ezek. 48:34
175 נָגַע עַד־שַׁעַר עַמִּי עַד־יְרוּשָׁלִָם Mic. 1:9
176 עַד־שַׁעַר הַפִּנִּים Zech. 14:10
177 עַל־שַׁעַר בַּת־רַבִּים S.of S. 7:5
178 כִּי יוֹדֵעַ כָּל־שַׁעַר עַמִּי Ruth 3:11
179 וַיָּבוֹא עַד לִפְנֵי שַׁעַר־הַמֶּלֶךְ Es. 4:2
180 כִּי אֵין לָבוֹא אֶל־שַׁעַר הַמֶּלֶךְ Es. 4:2
181 רְחוֹב הָעִיר אֲשֶׁר לִפְנֵי שַׁעַר־הַמֶּלֶךְ Es. 4:6
182 וַיָּשָׁב מָרְדֳּכַי אֶל־שַׁעַר הַמֶּלֶךְ Es. 6:12
183 וָאֵצְאָה...וְאֶל־שַׁעַר הָאַשְׁפֹּת Neh. 2:13
184 וָאֶעֱבֹר אֶל־שַׁעַר הָעַיִן Neh. 2:14
185 וַיִּבְנוּ אֶל שַׁעַר הַצֹּאן Neh. 3:1

שַׁעַר־ (המשך)

186 וְאֵת שַׁעַר הַדָּגִים בָּנוּ Neh. 3:3
187 וְאֵת שַׁעַר הַיְשָׁנָה הֶחֱזִיקוּ Neh. 3:6
188 אֵת שַׁעַר הַגַּיְא הֶחֱזִיק חָנוּן Neh. 3:13
189 עַד שַׁעַר הָשְׁפוֹת Neh. 3:13
190 וְאֵת שַׁעַר הָאַשְׁפּוֹת הֶחֱזִיק Neh. 3:14
191 וְאֵת שַׁעַר הָעַיִן הֶחֱזִיק... Neh. 3:15
192 עַד נֶגֶד שַׁעַר הַמַּיִם לַמִּזְרָח Neh. 3:26
193 מֵעַל שַׁעַר הַסּוּסִים הֶחֱזִיקוּ Neh. 3:28
194 שְׁמַעְיָה...שֹׁמֵר שַׁעַר הַמִּזְרָח Neh. 3:29
195 נֶגֶד שַׁעַר הַמִּפְקָד Neh. 3:31
196 אֶל־הָרְחוֹב אֲשֶׁר לִפְנֵי שַׁעַר־הַמָּיִם Neh. 8:1
197 הָרְחוֹב אֲשֶׁר לִפְנֵי שַׁעַר־הַמַּיִם Neh. 8:3
198 וּבִרְחוֹב שַׁעַר הַמַּיִם Neh. 8:16
199 וּבִרְחוֹב שַׁעַר אֶפְרָיִם Neh. 8:16
200 וְעַל שַׁעַר הָעַיִן וְנֶגְדָּם עָלוּ Neh. 12:37
201 וְעַד שַׁעַר הַמַּיִם מִזְרָח Neh. 12:37
202/3 שַׁעַר הַיְשָׁנָה...שַׁעַר הַדָּגִים Neh. 12:39
204 וְעַד שַׁעַר הַצֹּאן Neh. 12:39
205 עִם שַׁעַר שַׁלֶּכֶת בַּמְסִלָּה ICh. 26:16
206 בְּגֹרֶן פֶּתַח שַׁעַר שֹׁמְרוֹן IICh. 18:9
207 אֶל־מְבוֹא שַׁעַר הַסּוּסִים IICh. 23:15
208 וַיִּפְרֹץ...עַד־שַׁעַר הַפּוֹנֶה IICh. 25:23
209/10 עַל־שַׁעַר הַפִּנָּה וְעַל־שַׁעַר הַגַּיְא IICh. 26:9
211 הוּא בָּנָה אֶת־שַׁעַר בֵּית יְיָ הָעֶלְיוֹן IICh. 27:3
212 וַיִּקְבְּצֵם...אֶל־רְחוֹב שַׁעַר הָעִיר IICh. 32:6

וְשַׁעַר־
213 וְשַׁעַר יוֹסֵף אֶחָד Ezek. 48:32

בְּשַׁעַר־
214 וְלוֹט יֹשֵׁב בְּשַׁעַר־סְדֹם Gen. 19:1
215 וַיַּעֲמֹד מֹשֶׁה בְּשַׁעַר הַמַּחֲנֶה Ex. 32:26
216 וַיֶּאֶרְבוּ־לוֹ...בְּשַׁעַר הָעִיר Jud. 16:2
217 סְאָה־סֹלֶת בְּשֶׁקֶל...בְּשַׁעַר שֹׁמְרוֹן IIK. 7:1
218 יִהְיֶה כָּעֵת מָחָר בְּשַׁעַר שֹׁמְרוֹן IIK. 7:18
219 וְהַשְּׁלִשִׁית בְּשַׁעַר סוּר IIK. 11:6
220 וַיִּפְרֹץ...בְּשַׁעַר אֶפְרַיִם IIK. 14:13
221 אֲשֶׁר־עַל־שְׂמֹאול אִישׁ בְּשַׁעַר הָעִיר IIK. 23:8
222 עֲמֹד בְּשַׁעַר בֵּית יְיָ Jer. 7:2
223 הָלֹךְ וְעָמַדְתָּ בְּשַׁעַר בְּנֵי־הָעָם Jer. 17:19
224 וַיִּתֵּן אֹתוֹ...בְּשַׁעַר בִּנְיָמִן הָעֶלְיוֹן Jer. 20:2
225 וַיְהִי־הוּא בְּשַׁעַר בִּנְיָמִן Jer. 37:13
226 וְהַמֶּלֶךְ יוֹשֵׁב בְּשַׁעַר בִּנְיָמִן Jer. 38:7
227 וַיָּבֹאוּ...וַיֵּשְׁבוּ בְּשַׁעַר הַתָּוֶךְ Jer. 39:3
228 בְּשַׁעַר בֵּין הַחֹמֹתָיִם Jer. 39:4
229 אֶל־חָצֵר הַפְּנִימִי בְּשַׁעַר הַדָּרוֹם Ezek. 40:28
230 אַל־תָּבוֹא בְשַׁעַר עַמִּי בְּיוֹם אֵידָם Ob. 13
231 וּמָרְדֳּכַי יֹשֵׁב בְּשַׁעַר־הַמֶּלֶךְ Es. 2:19
232-238 בְּשַׁעַר(־)הַמֶּלֶךְ Es. 2:21
3:2,3; 5:9,13; 6:10 • ICh. 9:18
239 וָאֵצְאָה בְשַׁעַר־הַגַּיְא לַיְלָה Neh. 2:13
240 וָאָבוֹא בְּשַׁעַר הַגַּיְא וָאָשׁוּב Neh. 2:15
241 וְעָמְדוּ בְּשַׁעַר הַמַּטָּרָה Neh. 12:39
242 וְהַשְּׁלִשִׁית בְּשַׁעַר הַיְסוֹד IICh. 23:5
243 וַיִּתְּנֻהוּ בְּשַׁעַר בֵּית־יְיָ IICh. 24:8
244 וְלָבוֹא בְּשַׁעַר הַדָּגִים IICh. 33:14

לְשַׁעַר־
245 מִזֶּה וּמִזֶּה לְשַׁעַר הֶחָצֵר Ex. 38:15
246 וְאֶת־הַמָּסָךְ לְשַׁעַר הֶחָצֵר Ex. 39:40
247 וְהִנֵּה מִצָּפוֹן לְשַׁעַר הַמִּזְבֵּחַ Ezek. 8:5
248 כִּי־יָרַד רָע...לְשַׁעַר יְרוּשָׁלִָם Mic. 1:12
249 וּבֵין עֲלִיַּת הַפִּנָּה לְשַׁעַר הַצֹּאן Neh. 3:32
250 מֵעַל לַחוֹמָה לְשַׁעַר הָאַשְׁפֹּת Neh. 12:31
251 וּמֵעַל לְשַׁעַר־אֶפְרַיִם Neh. 12:39

וּלְשַׁעַר־
252 וּלְשַׁעַר הֶחָצֵר מָסָךְ Ex. 27:16

מִשַּׁעַר־
253 קוֹל צְעָקָה מִשַּׁעַר הַדָּגִים Zep. 1:10
254 וַיִּפְרֹץ...מִשַּׁעַר אֶפְרַיִם IICh. 25:23

וּמִשַּׁעַר
255 וְלֹא יִכָּרֵת...וּמִשַּׁעַר מְקוֹמוֹ Ruth 4:10

לְמִשַּׁעַר
256 וְיָשְׁבָה תַחְתֶּיהָ לְמִשַּׁעַר בִּנְיָמִן Zech. 14:10

שָׁעְרָה
257 מְשִׁיבֵי מִלְחָמָה שָׁעְרָה Is. 28:6

הַשַּׁעְרָה
258 וְעָלְתָה...הַשַּׁעְרָה אֶל־הַזְּקֵנִים Deut. 25:7

הַשָּׁעְרָה
259 וְהוֹצִיאוּ...אֶל־זִקְנֵי הָעִיר הַשָּׁעְרָה Deut. 22:15
260 וְהַפָּרָשִׁים שֹׁת שָׁתוּ הַשָּׁעְרָה Is. 22:7

שְׁעָרִים
261 יִבְחַר אֱלֹ׳ חֲדָשִׁים אָז לָחֶם שְׁעָרִים Jud. 5:8
262 פִּתְחוּ שְׁעָרִים וְיָבֹא גוֹי־צַדִּיק Is. 26:2
263 לָשׂוּם כָּרִים עַל־שְׁעָרִים Ezek. 21:27
264 שְׁעָרִים שְׁלוֹשָׁה צָפוֹנָה Ezek. 48:31
265/6 שְׂאוּ שְׁעָרִים רָאשֵׁיכֶם Ps. 24:7,9
267 בְּפִתְחֵי שְׁעָרִים בָּעִיר Prov. 1:21
268 לְיַד־שְׁעָרִים לְפִי־קָרֶת Prov. 8:3

וּשְׁעָרִים
269 וּשְׁעָרִים לֹא יִסָּגֵרוּ Is. 45:1
270/1 וּשְׁעָרִים שְׁלֹשָׁה Ezek. 48:32,33

הַשְּׁעָרִים
272 וְדָוִד יוֹשֵׁב בֵּין־שְׁנֵי הַשְּׁעָרִים IISh. 18:24
273 וְנָתַץ אֶת־בָּמוֹת הַשְּׁעָרִים IIK. 23:8
274 וְהָרִצְפָה אֶל־כֶּתֶף הַשְּׁעָרִים Ezek. 40:18
275 לְעֻמַּת אֹרֶךְ הַשְּׁעָרִים Ezek. 40:18
276 וְלִשְׁכָּה וּפִתְחָהּ בְּאֵילִים הַשְּׁעָרִים Ezek. 40:38
277 שֹׁמְרִים...בַּאֲסֻפֵּי הַשְּׁעָרִים Neh. 12:25
278 וַיְטַהֲרוּ אֶת־הָעָם וְאֶת־הַשְּׁעָרִים Neh. 12:30
279 וּמִנְּעָרַי הֶעֱמַדְתִּי עַל־הַשְּׁעָרִים Neh. 13:19
280 מִטַּהֲרִים וּבָאִים שֹׁמְרִים הַשְּׁעָרִים Neh. 13:22
281 וְהֵם וּבְנֵיהֶם עַל־הַשְּׁעָרִים ICh. 9:23
282 לְדַלְתוֹת הַשְּׁעָרִים וְלַמְחַבְּרוֹת ICh. 22:3

בַּשְּׁעָרִים
283 עִבְרוּ עִבְרוּ בַּשְּׁעָרִים Is. 62:10
284-286 הַבָּאִים בַּשְּׁעָרִים הָאֵלֶּה Jer. 7:2; 17:20; 22:2
287 נוֹדָע בַּשְּׁעָרִים בַּעְלָהּ Prov. 31:23
288 וִיהַלְלוּהָ בַשְּׁעָרִים מַעֲשֶׂיהָ Prov. 31:31
289 דְּלָתוֹת לֹא־הֶעֱמַדְתִּי בַשְּׁעָרִים Neh. 6:1
290 וַאֲחֵיהֶם הַשֹּׁמְרִים בַּשְּׁעָרִים Neh. 11:19

לַשְּׁעָרִים
291 אָז יָרְדוּ לַשְּׁעָרִים עַם־יְיָ Jud. 5:11

שַׁעֲרֵי־
292 וַיִּרְדְּפוּ...וְעַד שַׁעֲרֵי עֶקְרוֹן ISh. 17:52
293 וְנָתְנוּ...פֶּתַח שַׁעֲרֵי יְרוּשָׁלִַם Jer. 1:15
294 וּבְכֹל שַׁעֲרֵי יְרוּשָׁלִָם Jer. 17:19
295 פְּקֻדּוֹת אֶל־שַׁעֲרֵי הַבַּיִת Ezek. 44:11
296 בְּבוֹאָם אֶל־שַׁעֲרֵי הֶחָצֵר הַפְּנִימִית Ezek. 44:17
297 שַׁעֲרֵי הַנְּהָרוֹת נִפְתָּחוּ Nah. 2:7
298 פָּתוֹחַ נִפְתְּחוּ שַׁעֲרֵי אַרְצֵךְ Nah. 3:13
299 אֹהֵב יְיָ שַׁעֲרֵי צִיּוֹן Ps. 87:2
300 וַיַּגִּיעוּ עַד־שַׁעֲרֵי מָוֶת Ps. 107:18
301 פִּתְחוּ־לִי שַׁעֲרֵי־צֶדֶק Ps. 118:19
302 וּרְשָׁעִים עַל־שַׁעֲרֵי צַדִּיק Prov. 14:19
303 הֲנִגְלוּ לְךָ שַׁעֲרֵי־מָוֶת Job 38:17
304 לְקָרוֹת אֶת־שַׁעֲרֵי הַבִּירָה Neh. 2:8
305 לֹא יִפָּתְחוּ שַׁעֲרֵי יְרוּשָׁלִַם Neh. 7:3
306 וַיְהִי כַּאֲשֶׁר צָלְלוּ שַׁעֲרֵי יְרוּשָׁלִַם Neh. 13:19
307 הַשּׁוֹעֲרִים עַל־שַׁעֲרֵי בֵּית יְיָ IICh. 23:19

וְשַׁעֲרֵי־
308 וְשַׁעֲרֵי הָעִיר עַל־שְׁמוֹת שִׁבְטֵי יִשְׂרָאֵל Ezek. 48:31
309 וְשַׁעֲרֵי צַלְמָוֶת תִּרְאֶה Job 38:17

בְּשַׁעֲרֵי־
310 בִּדְמִי יָמַי אֵלֵכָה בְּשַׁעֲרֵי שְׁאוֹל Is. 38:10
311 וָאֶזְרֵם בְּמִזְרֶה בְּשַׁעֲרֵי הָאָרֶץ Jer. 15:7
312 וַהֲבֵאתֶם בְּשַׁעֲרֵי יְרוּשָׁלִָם Jer. 17:21
313/4 בְּשַׁעֲרֵי הָעִיר הַזֹּאת Jer. 17:24,25
315 וּבָא בְּשַׁעֲרֵי יְרוּשָׁלִָם Jer. 17:27
316 וּבָאוּ בְשַׁעֲרֵי הַבַּיִת הַזֶּה Jer. 22:4
317 בְּשַׁעֲרֵי הֶחָצֵר הַפְּנִימִית וָבָיְתָה Ezek. 44:17
318 אֲסַפְּרָה...בְּשַׁעֲרֵי בַת־צִיּוֹן Ps. 9:15

319 כִּי יָבֹא צַר וְאוֹיֵב בְּשַׁעֲרֵי יְרוּשָׁלָםִ Lam. 4:12
320 לְשָׁרֵת...בְּשַׁעֲרֵי מַחֲנוֹת יְיָ IICh. 31:2
לְשַׁעֲרֵי־ 321 מֵהָלְאָה לְשַׁעֲרֵי יְרוּשָׁלָםִ Jer. 22:19
מִשַּׁעֲרֵי־ 322 מְרוֹמְמִי מִשַּׁעֲרֵי־מָוֶת Ps. 9:14
שְׁעָרֶיךָ 323 וְאָכַלְתָּ בָשָׂר...בְּכָל־שְׁעָרֶיךָ Deut. 12:15
324 מֵאַחַד אַחֶיךָ בְּאַחַד שְׁעָרֶיךָ Deut. 15:7
325 לֹא תוּכַל לִזְבֹּחַ...בְּאַחַד שְׁעָרֶיךָ Deut. 16:5
326 שֹׁפְטִים וְשֹׁטְרִים תִּתֶּן־לְךָ בְּכָל־שְׁעָרֶיךָ Deut. 16:18
327 כִּי־יִמָּצֵא בְקִרְבְּךָ בְּאַחַד שְׁעָרֶיךָ Deut. 17:2
328 וְהוֹצֵאתָ אֶת־הָאִישׁ...אֶל־שְׁעָרֶיךָ Deut. 17:5
329 וְכִי־יָבֹא הַלֵּוִי מֵאַחַד שְׁעָרֶיךָ Deut. 18:6
330 בַּמָּקוֹם אֲשֶׁר־יִבְחַר בְּאַחַד שְׁעָרֶיךָ Deut. 23:17
331/2 וְהֵצַר לְךָ בְּכָל־שְׁעָרֶיךָ Deut. 28:52[2]
333 אֲשֶׁר יָצִיק לְךָ אֹיִבְךָ בְּכָל־שְׁעָרֶיךָ Deut. 28:55
בִּשְׁעָרֶיךָ 334 וְגֵרְךָ אֲשֶׁר בִּשְׁעָרֶיךָ Ex. 20:10
335/6 וְגֵרְךָ אֲשֶׁר בִּשְׁעָרֶיךָ Deut. 5:14; 31:12
337 לֹא־תוּכַל לֶאֱכֹל בִּשְׁעָרֶיךָ Deut. 12:17
338/40 וְהַלֵּוִי אֲשֶׁר בִּשְׁעָרֶיךָ Deut. 12:18; 14:27; 16:11
341 וְאָכַלְתָּ בִּשְׁעָרֶיךָ בְּכֹל אַוַּת נַפְשֶׁךָ Deut. 12:21
342 לַגֵּר אֲשֶׁר־בִּשְׁעָרֶיךָ תִּתְּנֶנָּה Deut. 14:21
343 תּוֹצִיא...וְהִנַּחְתָּ בִּשְׁעָרֶיךָ Deut. 14:28
344/5 וְהַגֵּר...אֲשֶׁר בִּשְׁעָרֶיךָ Deut. 14:29; 16:14
346 בִּשְׁעָרֶיךָ תֹּאכֲלֶנּוּ Deut. 15:22
347 דִּבְרֵי רִיבֹת בִּשְׁעָרֶיךָ Deut. 17:8
348 אוֹ מִגֵּרְךָ אֲשֶׁר בְּאַרְצְךָ בִּשְׁעָרֶיךָ Deut. 24:14
349 וְאָכְלוּ בִשְׁעָרֶיךָ וְשָׂבֵעוּ Deut. 26:12
350 יָצִיק לְךָ אֹיִבְךָ בִּשְׁעָרֶיךָ Deut. 28:57
וּבִשְׁעָרֶיךָ 351 וּכְתַבְתָּם עַל־מְזֻזוֹת בֵּיתֶךָ וּבִשְׁעָרֶיךָ Deut. 6:9
352 וּכְתַבְתָּם עַל־מְזוּזוֹת בֵּיתֶךָ וּבִשְׁעָרֶיךָ Deut. 11:20
שְׁעָרַיִךְ 353 וּפִתְּחוּ שְׁעָרַיִךְ תָּמִיד Is. 60:11
שְׁעָרָיִךְ 354 כִּי־חִזַּק בְּרִיחֵי שְׁעָרָיִךְ Ps. 147:13
וּשְׁעָרַיִךְ 355 וּשְׁעָרַיִךְ לְאַבְנֵי אֶקְדָּח Is. 54:12
356 וְקָרָאת...וּשְׁעָרַיִךְ תְּהִלָּה Is. 60:18
בִּשְׁעָרַיִךְ 357 בְּבֹאוֹ בִּשְׁעָרַיִךְ... Ezek. 26:10
358 עֹמְדוֹת...בִּשְׁעָרַיִךְ יְרוּשָׁלָםִ Ps. 122:2
שְׁעָרָיו 359 כִּי יָצַר־לוֹ אֹיְבוֹ בְּאֶרֶץ שְׁעָרָיו IK. 8:37
360 וְנָכְרִים בָּאוּ שְׁעָרָו Ob. 11
361 בֹּאוּ שְׁעָרָיו בְּתוֹדָה Ps. 100:4
362 כִּי יָצַר־לוֹ אֹיְבָיו בְּאֶרֶץ שְׁעָרָיו IICh. 6:28
שְׁעָרֶיהָ 363 כָּל־שְׁעָרֶיהָ שׁוֹמֵמִין Lam. 1:4
364 טָבְעוּ בָאָרֶץ שְׁעָרֶיהָ Lam. 2:9
וּשְׁעָרֶיהָ 365 וּשְׁעָרֶיהָ אֻמְלְלוּ קָדְרוּ לָאָרֶץ Jer. 14:2
366 וּשְׁעָרֶיהָ הַגְּבֹהִים בָּאֵשׁ יִצַּתּוּ Jer. 51:58
367/8 וּשְׁעָרֶיהָ נִצְּתוּ בָאֵשׁ Neh. 1:3; 2:17
369/70 וּשְׁעָרֶיהָ אֻכְּלוּ בָאֵשׁ Neh. 2:3, 13
בִּשְׁעָרֶיהָ 371 וְהִצַּתִּי אֵשׁ בִּשְׁעָרֶיהָ Jer. 17:27
בְּשַׁעֲרֵיכֶם 372 וְהַלֵּוִי אֲשֶׁר בְּשַׁעֲרֵיכֶם Deut. 12:12
373 אֱמֶת וּמִשְׁפַּט שָׁלוֹם שִׁפְטוּ בְּשַׁעֲרֵיכֶם Zech. 8:16
שַׁעֲרֵיהֶם 374 עַל כָּל־שַׁעֲרֵיהֶם נָתַתִּי אִבְחַת־חָרֶב Ezek. 21:20
375 שַׁעֲרֵיהֶם שְׁלֹשָׁה Ezek. 48:34

שַׁעַר*[2]
ז׳ מִדָּה, שִׁעוּר • מֵאָה שְׁעָרִים 1

שְׁעָרִים 1 וַיִּמְצָא בַּשָּׁנָה הַהִוא מֵאָה שְׁעָרִים Gen. 26:12

שֹׁעָר
ת׳ – עַיֵּן שׁוֹעָר

שַׂעֲרָה
נ׳ חוּט של שֵׂעָר: 1-7

שַׂעֲרַת בְּנוֹ 4; שַׂ׳ בְּשָׂרוֹ 2; שַׂעֲרַת רֹאשׁוֹ 3; שַׂעֲרוֹת רֹאשׁוֹ 6, 7

הַשַּׂעֲרָה 1 קֹלֵעַ בָּאֶבֶן אֶל־הַשַּׂעֲרָה Jud. 20:16
שַׂעֲרַת־ 2 תְּסַמֵּר שַׂעֲרַת בְּשָׂרִי Job 4:15
מִשַּׂעֲרַת־ 3 אִם־יִפֹּל מִשַּׂעֲרַת רֹאשׁוֹ אַרְצָה ISh. 14:45
4 אִם־יִפֹּל מִשַּׂעֲרַת בְּנֵךְ אָרְצָה IISh. 14:11
מִשַּׂעֲרָתוֹ 5 לֹא־יִפֹּל מִשַּׂעֲרָתוֹ אָרְצָה IK. 1:52
מִשַּׂעֲרוֹת־ 6 עָצְמוּ מִשַּׂעֲרוֹת רֹאשִׁי Ps. 40:13
7 רַבּוּ מִשַּׂעֲרֹת רֹאשִׁי שֹׂנְאַי חִנָּם Ps. 69:5

שְׂעָרָה
נ׳ סערה: 1, 2

בִּשְׂעָרָה 1 אֲשֶׁר־בִּשְׂעָרָה יְשׁוּפֵנִי Job 9:17
וּבִשְׂעָרָה 2 יְיָ בְּסוּפָה וּבִשְׂעָרָה דַּרְכּוֹ Nah. 1:3

שַׁעֲרוּרָה
נ׳ קלקול, שחיתות: 1, 2

שַׁעֲרוּרָה 1 וּבִנְבִאֵי יְרוּשָׁלַםִ רָאִיתִי שַׁעֲרוּרָה Jer. 23:14
וְשַׁעֲרוּרָה 2 שַׁמָּה וְשַׁעֲרוּרָה נִהְיְתָה בָּאָרֶץ Jer. 5:30

שַׁעֲרוּרִיָּה, שַׁעֲרֻרִית
נ׳ שערורה, שחיתות: 1, 2

שַׁעֲרוּרִיָּה 1 בְּבֵית יִשְׂרָאֵל רָאִיתִי שַׁעֲרוּרִיָּה (כת׳ שעריריה) Hosh. 6:10
שַׁעֲרֻרִית 2 שַׁעֲרֻרִת עָשְׂתָה מְאֹד בְּתוּלַת יִשְׂ׳ Jer. 18:13

שְׁעַרְיָה
שפ״ז – איש ממשפחת יהונתן בן שאול: 1, 2

וּשְׁעַרְיָה 1/2 בֹּכְרוּ וְיִשְׁמָעֵאל וּשְׁעַרְיָה ICh. 8:38; 9:44

שַׁעֲרַיִם
ש״פ א) עיר בנחלת יהודה: 1, 2

ב) עיר בנחלת שמעון: 3

שַׁעֲרַיִם 1 וַיִּפְּלוּ...בְּדֶרֶךְ שַׁעֲרַיִם ISh. 17:52
וְשַׁעֲרַיִם 2 וְשַׁעֲרַיִם וַעֲדִיתַיִם וְהַגְּדֵרָה Josh. 15:36
וּבְשַׁעֲרָיִם 3 וּבְבֵית בִּרְאִי וּבְשַׁעֲרָיִם ICh. 4:31

שְׂעֹרִים
– עַיֵּן שְׂעוֹרִים

שַׁעַשְׁגַז
שפ״ז – מסריסי המלך אחשורוש

שַׁעַשְׁגַז 1 אֶל־יַד שַׁעַשְׁגַז סְרִיס הַמֶּלֶךְ Es. 2:14

שַׁעֲשׁוּעִים*
ז״ר – עִנּוּגִים, תענוגות: 1-9

יֶלֶד שַׁעֲשׁוּעִים 1; נְטַע שַׁעֲשׁוּעִים 9

שַׁעֲשׁוּעִים 1 הֲבֵן יַקִּיר לִי...אִם יֶלֶד שַׁעֲשׁוּעִים Jer. 31:20
2 וָאֶהְיֶה שַׁעֲשׁוּעִים יוֹם יוֹם Prov. 8:30
שַׁעֲשֻׁעַי 3 גַּם־עֵדֹתֶיךָ שַׁעֲשֻׁעָי Ps. 119:24
שַׁעֲשֻׁעָי 4 כִּי־תוֹרָתְךָ שַׁעֲשֻׁעָי Ps. 119:77
5 לוּלֵי תוֹרָתְךָ שַׁעֲשֻׁעָי Ps. 119:92
6 מִצְוֹתֶיךָ שַׁעֲשֻׁעָי Ps. 119:143
7 תָּאַבְתִּי...וְתוֹרָתְךָ שַׁעֲשֻׁעָי Ps. 119:174
וְשַׁעֲשׁוּעַי 8 וְשַׁעֲשֻׁעַי אֶת־בְּנֵי אָדָם Prov. 8:31
שַׁעֲשׁוּעָיו 9 וְאִישׁ יְהוּדָה נְטַע שַׁעֲשׁוּעָיו Is. 5:7

שעשע :
שִׁעֲשַׁע, שָׁעֳשַׁע, הִשְׁתַּעֲשַׁע; שַׁעֲשׁוּעִים

שִׁעֲשַׁע
פִּ׳ א) שִׂמַּח, עִנֵּג: 1-3

ב) [פֻּ׳ שָׁעֳשַׁע] נגרם לו עונג: 4

ג) [הת׳ הִשְׁתַּעֲשַׁע] התענג: 5, 6

ד) [כנ״ל] השתומם, התפלא: 7

שִׁעֲשָׁעְתִּי 1 אֲנִי תּוֹרָתְךָ שִׁעֲשָׁעְתִּי Ps. 119:70
וְשִׁעֲשַׁע 2 וְשִׁעֲשַׁע יוֹנֵק עַל־חֻר פָּתֶן Is. 11:8
יְשַׁעַשְׁעוּ 3 תַּנְחוּמֶיךָ יְשַׁעַשְׁעוּ נַפְשִׁי Ps. 94:19
תְּשָׁעֳשָׁעוּ 4 עַל־צַד תִּנָּשֵׂאוּ וְעַל־בִּרְכַּיִם תְּשָׁעֳשָׁעוּ Is. 66:12
אֶשְׁתַּעֲשָׁע 5 בְּחֻקֹּתֶיךָ אֶשְׁתַּעֲשָׁע Ps. 119:16
וְאֶשְׁתַּעֲשַׁע 6 וְאֶשְׁתַּעֲשַׁע בְּמִצְוֹתֶיךָ Ps. 119:47
הִשְׁתַּעַשְׁעוּ 7 הִתְמַהְמְהוּ וּתְמָהוּ הִשְׁתַּעַשְׁעוּ וָשֹׁעוּ Is. 29:9

שָׂפָה
נ׳ א) קָצָה, פאת דבר, חוף: 2, 3, 14-38, 41, 42, 49-54, 56-59, 61-67

ב) כל אחד מקפלי הבשר בקצות הפה: 11, 60

ג) [בהשאלה] דבור־פה, לשון: 1, 4-10, 12, 13, 39, 40, 43-48, 55, 62, 68

ד) [שְׂפָתַיִם, שְׂפָתוֹת] שני קפלי הבשר בקצות הפה (ובהשאלה) דבור, השמעת דברים: 69-176

[עַיֵּן עוד בצרופים להלן]

– שָׂפָה אַחַת 1, 10; שָׂפָה בְרוּרָה 8
– לַעֲגֵי שָׂפָה 4; עִמְקֵי שָׂפָה 5-7
– שְׂפַת אָבֵל 33; שְׂפַת אָוֶן 46; שְׂפַת אֱמֶת 45; שְׂ׳ הָאָרֶץ 13; שְׂ׳ חֲלָקוֹת 43; שְׂ׳ הַיְאוֹר 15-18, 53, 54; שְׂ׳ הַיָּם 14, 19, 31, 32, 34, 35, 37, 50; שְׂ׳ הַיַּרְדֵּן 38; שְׂפַת יְרִיעָה 20-25, 51, 52; שְׂ׳ יֶתֶר 47; שְׂ׳ כּוֹס 36, 49; שְׂ׳ כְּנַעַן 39; שְׂ׳ לָשׁוֹן 40; שְׂ׳ נַחַל 26-30, 41, 42; שְׂפַת רֵעֵהוּ 12; שְׂפַת שֶׁקֶר 48, 55
– שְׂפָתַיִם דּוֹלְקִים 81
– אֱוִיל שְׂפָתַיִם 75, 76; אִישׁ שְׂ׳ 82; דְּבַר שְׂ׳ 70, 73, 78; טְמֵא שְׂ׳ 71, 72; לְזוּת שְׂ׳ 74; מֶתֶק שְׂ׳ 79; נִיב שְׂפָתַיִם 84; עֲרַל שְׂ׳ 69, 83; פֶּשַׁע שְׂפָתַיִם 77
– אֲרֶשֶׁת שְׂפָתָיו 141; דְּבַר שְׂ׳ 128, 167; דַּל שְׂ׳ 123; דַּעַת שְׂ׳ 120, 129; חֵלֶק שְׂ׳ 163; חֵן שְׂ׳ 150; מִבְטָא שְׂ׳ 159, 160; מוֹצָא שְׂ׳ 106, 112, 126, 161; מִפְתַּח שְׂ׳ 114; מִצְוַת שְׂ׳ 152; נִיד שְׂפָתָיו 117; עֲמַל שְׂ׳ 166, 169; עִקֵּשׁ שְׂ׳ 148; רוּחַ שְׂ׳ 139; רִיבוֹת שְׂ׳ 116; תּוֹעֲבַת שְׂפָתָיו 115
– שִׂפְתֵי דַעַת 95, 100; שִׂ׳ זָרָה 90; שִׂ׳ חֲכָמִים 96, 104; שִׂ׳ חֲלָקוֹת 87; שִׂ׳ יְשֵׁנִים 101; שִׂ׳ כֹהֵן 86; שִׂ׳ כְסִיל 99; שִׂ׳ מֶלֶךְ 97; שִׂ׳ מִרְמָה 88; שִׂ׳ נָבוֹן 105; שִׂ׳ צַדִּיק 92, 93; שִׂ׳ צֶדֶק 98; שִׂ׳ קָמִים 102; שִׂפְתֵי רְנָנוֹת 103; שִׂפְתֵי שֶׁקֶר 89, 91, 94
– שִׂפְתוֹת כְּסִיל 170

שָׂפָה 1 וַיְהִי כָל־הָאָרֶץ שָׂפָה אֶחָת Gen. 11:1
2 שָׂפָה יִהְיֶה לְפִיו סָבִיב מַעֲשֵׂה אֹרֵג Ex. 28:32
3 שָׂפָה לְפִיו סָבִיב לֹא יִקָּרֵעַ Ex. 39:23
4 בְּלַעֲגֵי שָׂפָה וּבְלָשׁוֹן אַחֶרֶת יְדַבֵּר Is. 28:11
5 עַם עִמְקֵי שָׂפָה מִשְּׁמוֹעַ Is. 33:19
6/7 עִמְקֵי שָׂפָה וְכִבְדֵי לָשׁוֹן Ezek. 3:5, 6
8 אֶהְפֹּךְ אֶל־עַמִּים שָׂפָה בְרוּרָה Zep. 3:9
9 מֵסִיר שָׂפָה לְנֶאֱמָנִים Job 12:20
וְשָׂפָה 10 הֵן עַם אֶחָד וְשָׂפָה אַחַת לְכֻלָּם Gen. 11:6
בְּשָׂפָה 11 יַפְטִירוּ בְשָׂפָה יָנִיעוּ רֹאשׁ Ps. 22:8
שְׂפַת־ 12 אֲשֶׁר לֹא יִשְׁמְעוּ אִישׁ שְׂפַת רֵעֵהוּ Gen. 11:7
13 כִּי־שָׁם בָּלַל יְיָ שְׂפַת כָּל־הָאָרֶץ Gen. 11:9
14 וְכַחוֹל אֲשֶׁר עַל־שְׂפַת הַיָּם Gen. 22:17
15 וַתַּעֲמֹדְנָה...עַל־שְׂפַת הַיְאֹר Gen. 41:3
16-18 עַל־שְׂפַת הַיְאֹר Gen. 41:17 Ex. 2:3; 7:15
19 מִצְרַיִם מֵת עַל־שְׂפַת הַיָּם Ex. 14:30
20-22 עַל שְׂפַת הַיְרִיעָה הָאֶחָת Ex. 26:4, 10; 36:11
23-25 עַל(־)שְׂפַת הַיְרִיעָה Ex. 26:10; 36:17[2]
26-30 עַל־שְׂפַת־נַחַל אַרְנ(וֹ)ן Deut. 2:36 4:48 • Josh. 12:2; 13:9, 16
31 כַּחוֹל אֲשֶׁר עַל־שְׂפַת־הַיָּם לָרֹב Josh. 11:4
32 כַּחוֹל שֶׁעַל־שְׂפַת הַיָּם לָרֹב Jud. 7:12
33 וַיָּנָס...עַד שְׂפַת־אָבֵל מְחוֹלָה Jud. 7:22
34 כַּחוֹל אֲשֶׁר עַל־שְׂפַת־הַיָּם לָרֹב ISh. 13:5
35 כַּחוֹל אֲשֶׁר עַל־שְׂפַת הַיָּם IK. 5:9
36 כְּמַעֲשֵׂה שְׂפַת־כּוֹס פֶּרַח שׁוֹשָׁן IK. 7:26

שְׂפַת- (המשך) 37 וַאֲנִי עָשָׂה...עַל-שְׂפַת יַם-סוּף IK.9:26
38 וַיַּעֲמֹד עַל-שְׂפַת הַיַּרְדֵּן IIK.2:13
39 מְדַבְּרוֹת שְׂפַת כְּנַעַן Is.19:18
40 וַתֵּעָלוּ עַל-שְׂפַת לָשׁוֹן וְדִבַּת-עָם Ezek.36:3
41 וַיְשִׁבֵנִי שְׂפַת הַנָּחַל Ezek.47:6
42 אֶל-שְׂפַת הַנַּחַל עֵץ רַב מְאֹד Ezek.47:7
43 שָׁוְא יְדַבְּרוּ...שְׂפַת חֲלָקוֹת Ps.12:3
44 שְׂפַת לֹא-יָדַעְתִּי אֶשְׁמָע Ps.81:6
45 שְׂפַת-אֱמֶת תִּכּוֹן לָעַד Prov.12:19
46 מֵרַע מַקְשִׁיב עַל-שְׂפַת-אָוֶן Prov.17:4
47 לֹא-נָאוָה לְנָבָל שְׂפַת-יֶתֶר Prov.17:7
48 אַף כִּי-לְנָדִיב שְׂפַת-שָׁקֶר Prov.17:7
49 כְּמַעֲשֵׂה שְׂפַת-כּוֹס פֶּרַח שׁוֹשַׁנָּה IICh.4:5
50 וְאֶל-אֵילוֹת עַל-שְׂפַת הַיָּם IICh.8:17
בִּשְׂפַת- 51/2 בִּשְׂפַת הַיְרִיעָה הַקִּיצוֹנָה Ex.26:4; 36:11
לִשְׂפַת- 53 עֹמְדִים אֶחָד הֵנָּה לִשְׂפַת הַיְאֹר Dan.12:5
54 וְאֶחָד הֵנָּה לִשְׂפַת הַיְאֹר Dan.12:5
מִשְּׂפַת- 55 הַצִּילָה נַפְשִׁי מִשְּׂפַת-שֶׁקֶר Ps.120:2
שְׂפָתוֹ 56/7 קְצוֹת הַחֹשֶׁן עַל-שְׂפָתוֹ Ex.28:26; 39:19
58 מִשְּׂפָתוֹ עַד-שְׂפָתוֹ עָגֹל סָבִיב IK.7:23
59 וְעַל-הַנַּחַל יַעֲלֶה עַל-שְׂפָתוֹ Ezek.47:12
60 וְעַל-שְׂפָתוֹ (כת׳ שפתיו) כְּאֵשׁ צָרָבֶת Prov.16:27
61 מִשְּׂפָתוֹ אֶל-שְׂפָתוֹ עָגוֹל סָבִיב IICh.4:2
וּשְׂפָתוֹ 62/3 וּשְׂפָתוֹ כְּמַעֲשֵׂה שְׂפַת-כּוֹס IK.7:26
IICh.4:5
לִשְׂפָתוֹ 64 וּפְקָעִים מִתַּחַת לִשְׂפָתוֹ סָבִיב IK.7:24
מִשְּׂפָתוֹ 65 מִשְּׂפָתוֹ עַד-שְׂפָתוֹ עָגֹל סָבִיב IK.7:23
66 מִשְּׂפָתוֹ אֶל-שְׂפָתוֹ עָגוֹל סָבִיב IICh.4:2
שְׂפָתָהּ 67 וּגְבוּלָהּ אֶל-שְׂפָתָהּ סָבִיב זֶרֶת Ezek.43:13
שְׂפָתָם 68 הָבָה נֵרְדָה וְנָבְלָה שָׁם שְׂפָתָם Gen.11:7
שְׂפָתָיִם 69 הֵן אֲנִי עֲרַל שְׂפָתָיִם Ex.6:30
70 אָמַרְתָּ אַךְ-דְּבַר שְׂפָתַיִם IIK.18:20
71 כִּי אִישׁ טְמֵא-שְׂפָתַיִם אָנֹכִי Is.6:5
72 וּבְתוֹךְ עַם-טְמֵא שְׂפָתַיִם אָנֹכִי יֹשֵׁב Is.6:5
73 אָמַרְתִּי אַךְ-דְּבַר-שְׂפָתַיִם Is.36:5
74 עִקְּשׁוּת פֶּה וּלְזוּת שְׂפָתַיִם Prov.4:24
75/6 וֶאֱוִיל שְׂפָתַיִם יִלָּבֵט Prov.10:8, 10
77 בְּפֶשַׁע שְׂפָתַיִם מוֹקֵשׁ רָע Prov.12:13
78 וּדְבַר-שְׂפָתַיִם אַךְ-לְמַחְסוֹר Prov.14:23
79 וּמֶתֶק שְׂפָתַיִם יֹסִיף לֶקַח Prov.16:21
80 שְׂפָתַיִם יִשָּׁק מֵשִׁיב דְּבָרִים נְכֹחִים Prov.24:26
81 שְׂפָתַיִם דֹּלְקִים וְלֶב-רָע Prov.26:23
82 וְאִם-אִישׁ שְׂפָתַיִם יִצְדָּק Job 11:2
שְׂפָתָיִם 83 וַאֲנִי עֲרַל שְׂפָתָיִם Ex.6:12
84 בּוֹרֵא נִיב° שְׂפָתָיִם Is.57:19
בִשְׂפָתַיִם 85 כִּי תִשָּׁבַע לְבַטֵּא בִשְׂפָתַיִם Lev.5:4
שִׂפְתֵי- 86 כִּי-שִׂפְתֵי כֹהֵן יִשְׁמְרוּ-דַעַת Mal.2:7
87 יַכְרֵת יְיָ כָּל-שִׂפְתֵי חֲלָקוֹת Ps.12:4
88 הַאֲזִינָה תְפִלָּתִי בְּלֹא שִׂפְתֵי מִרְמָה Ps.17:1
89 תֵּאָלַמְנָה שִׂפְתֵי שָׁקֶר Ps.31:19
90 כִּי נֹפֶת תִּטֹּפְנָה שִׂפְתֵי זָרָה Prov.5:3
91 מְכַסֶּה שִׂנְאָה שִׂפְתֵי-שָׁקֶר Prov.10:18
92 שִׂפְתֵי צַדִּיק יִרְעוּ רַבִּים Prov.10:21
93 שִׂפְתֵי צַדִּיק יֵדְעוּן רָצוֹן Prov.10:32
94 תּוֹעֲבַת יְיָ שִׂפְתֵי-שָׁקֶר Prov.12:22
95 וּבַל-יָדַעְתָּ שִׂפְתֵי-דָעַת Prov.14:7
96 שִׂפְתֵי חֲכָמִים יְזָרוּ דָעַת Prov.15:7
97 קֶסֶם עַל-שִׂפְתֵי-מֶלֶךְ Prov.16:10
98 רְצוֹן מְלָכִים שִׂפְתֵי-צֶדֶק Prov.16:13
99 שִׂפְתֵי כְסִיל יָבֹאוּ בְרִיב Prov.18:6
100 וּכְלִי יְקָר שִׂפְתֵי-דָעַת Prov.20:15
101 כְּיֵין הַטּוֹב...דּוֹבֵב שִׂפְתֵי יְשֵׁנִים S.ofS.7:10

102 שִׂפְתֵי קָמַי וְהֶגְיוֹנָם עָלַי כָּל-הַיּוֹם Lam.3:62
וְשִׂפְתֵי- 103 וְשִׂפְתֵי רְנָנוֹת יְהַלֶּל-פִּי Ps.63:6
104 וְשִׂפְתֵי חֲכָמִים תִּשְׁמוּרֵם Prov.14:3
בְּשִׂפְתֵי- 105 בְּשִׂפְתֵי נָבוֹן תִּמָּצֵא חָכְמָה Prov.10:13
שְׂפָתַי 106 מוֹצָא שְׂפָתַי נֹכַח פָּנֶיךָ הָיָה Jer.17:16
107 וַתִּרְגַּז בִּטְנִי לְקוֹל צָלְלוּ שְׂפָתַי Hab.3:16
108 בִּשַּׂרְתִּי...הִנֵּה שְׂפָתַי לֹא אֶכְלָא Ps.40:10
109 אֲדֹנָי שְׂפָתַי תִּפְתָּח Ps.51:17
110 שְׂפָתַי יְשַׁבְּחוּנְךָ Ps.63:4
111 תְּרַנֵּנָּה שְׂפָתַי כִּי אֲזַמְּרָה-לָּךְ Ps.71:23
112 וּמוֹצָא שְׂפָתַי לֹא אֲשַׁנֶּה Ps.89:35
113 תַּבַּעְנָה שְׂפָתַי תְּהִלָּה Ps.119:171
114 וּמִפְתַּח שְׂפָתַי מֵישָׁרִים Prov.8:6
115 וְתוֹעֲבַת שְׂפָתַי רֶשַׁע Prov.8:7
116 וְרִבוֹת שְׂפָתַי הַקְשִׁיבוּ Job 13:6
117 וְנִיד שְׂפָתַי יַחְשֹׂךְ Job 16:5
118 אִם-תְּדַבֵּרְנָה שְׂפָתַי עַוְלָה Job 27:4
119 אֶפְתַּח שְׂפָתַי וְאֶעֱנֶה Job 32:20
120 וְדַעַת שְׂפָתַי בָּרוּר מִלֵּלוּ Job 33:3
שְׂפָתָי 121 וּבַל-אֶשָּׂא אֶת-שְׁמוֹתָם עַל-שְׂפָתָי Ps.16:4
122 אֲשֶׁר-פָּצוּ שְׂפָתָי Ps.66:14
123 נִצְּרָה עַל-דַּל שְׂפָתָי Ps.141:3
124 כִּדְמוּת בְּנֵי אָדָם נֹגֵעַ עַל-שְׂפָתָי Dan.10:16
בִּשְׂפָתַי 125 בִּשְׂפָתַי סִפַּרְתִּי כֹּל מִשְׁפְּטֵי-פִיךָ Ps.119:13
שְׂפָתֶיךָ 126 מוֹצָא שְׂפָתֶיךָ תִּשְׁמֹר Deut.23:24
127 הִנֵּה נָגַע זֶה עַל-שְׂפָתֶיךָ Is.6:7
128 לִפְעֻלּוֹת אָדָם בִּדְבַר שְׂפָתֶיךָ Ps.17:4
129 וְדַעַת שְׂפָתֶיךָ יִנְצֹרוּ Prov.5:2
130 יִכֹּנוּ יַחְדָּו עַל-שְׂפָתֶיךָ Prov.22:18
131 בְּדַבֵּר שְׂפָתֶיךָ מֵישָׁרִים Prov.23:16
132 יְהַלֶּלְךָ...נָכְרִי וְאַל-שְׂפָתֶיךָ Prov.27:2
וּשְׂפָתֶיךָ 133 נְצֹר...וּשְׂפָתֶיךָ מִדַּבֵּר מִרְמָה Ps.34:14
134 יְמַלֵּה שְׂחוֹק פִּיךָ וּשְׂפָתֶיךָ תְרוּעָה Job 8:21
135 וּשְׂפָתֶיךָ יַעֲנוּ-בָךְ Job 15:6
בִּשְׂפָתֶיךָ 136 וְשַׂמְתִּי חַחִי בְּאַפֶּךָ וּמִתְגִּי בִּשְׂפָתֶיךָ IIK.19:28
137 וְשַׂמְתִּי חַחִי בְּאַפֶּךָ וּמִתְגִּי בִּשְׂפָתֶיךָ Is.37:29
138 וַהֲפִתִּיתָ בִּשְׂפָתֶיךָ Prov.24:28
שְׂפָתָיו 139 וּבְרוּחַ שְׂפָתָיו יָמִית רָשָׁע Is.11:4
140 שְׂפָתָיו מָלְאוּ זַעַם Is.30:27
141 וַאֲרֶשֶׁת שְׂפָתָיו בַּל-מָנַעְתָּ Ps.21:3
142 וְחוֹשֵׂךְ שְׂפָתָיו מַשְׂכִּיל Prov.10:19
143 פֹּשֵׂק שְׂפָתָיו מְחִתָּה-לוֹ Prov.13:3
144 וְעַל-שְׂפָתָיו יֹסִיף לֶקַח Prov.16:23
145 קֹרֵץ שְׂפָתָיו כִּלָּה רָעָה Prov.16:30
146 אֹטֵם שְׂפָתָיו נָבוֹן Prov.17:28
147 תְּבוּאַת שְׂפָתָיו יִשְׂבָּע Prov.18:20
148 טוֹב...מֵעִקֵּשׁ שְׂפָתָיו וְהוּא כְסִיל Prov.19:1
149 וּלְפֹתֶה שְׂפָתָיו לֹא תִתְעָרָב Prov.20:19
150 חֵן שְׂפָתָיו רֵעֵהוּ מֶלֶךְ Prov.22:11
151 וְיִפְתַּח שְׂפָתָיו עִמָּךְ Job 11:5
152 מִצְוַת שְׂפָתָיו וְלֹא אָמִישׁ Job 23:12
וּשְׂפָתָיו 153 וּשְׂפָתָיו מוֹקֵשׁ נַפְשׁוֹ Prov.18:7
בִּשְׂפָתָיו 154 וְעַוְלָה לֹא-נִמְצָא בִשְׂפָתָיו Mal.2:6
155 הִמְרוּ אֶת-רוּחוֹ וַיְבַטֵּא בִּשְׂפָתָיו Ps.106:33
156 בִּשְׂפָתָו יִנָּכֵר שׂוֹנֵא Prov.26:24
157 בְּכָל-זֹאת לֹא-חָטָא אִיּוֹב בִּשְׂפָתָיו Job 2:10
וּבִשְׂפָתָיו 158 בְּפִיו וּבִשְׂפָתָיו כִּבְּדוּנִי Is.29:13
שְׂפָתֶיהָ 159 וּנְדָרֶיהָ עָלֶיהָ אוֹ מִבְטָא שְׂפָתֶיהָ Num.30:7
160 וְאֵת מִבְטָא שְׂפָתֶיהָ אֲשֶׁר אָסְרָה Num.30:9
161 כָּל-מוֹצָא שְׂפָתֶיהָ לִנְדָרֶיהָ Num.30:13
162 רַק שְׂפָתֶיהָ נָּעוֹת וְקוֹלָהּ לֹא יִשָּׁמֵעַ ISh.1:13
163 בְּחֵלֶק שְׂפָתֶיהָ תַּדִּיחֶנּוּ Prov.7:21

שְׂפָתֵינוּ 164 וּנְשַׁלְּמָה פָרִים שְׂפָתֵינוּ Hosh.14:3
165 שְׂפָתֵינוּ אִתָּנוּ מִי אָדוֹן לָנוּ Ps.12:5
שִׂפְתֵיהֶם 166 וְעָמָל שִׂפְתֵיהֶם תְּדַבֵּרְנָה Prov.24:2
שְׂפָתֵימוֹ 167 חַטַּאת-פִּימוֹ דְּבַר-שְׂפָתֵימוֹ Ps.59:13
168 חֲמַת עַכְשׁוּב תַּחַת שְׂפָתֵימוֹ Ps.140:4
169 עֲמַל שְׂפָתֵימוֹ יְכַסֵּמוֹ° Ps.140:10
וְשִׂפְתוֹת- 170 וְשִׂפְתוֹת כְּסִיל תְּבַלְּעֶנּוּ Eccl.10:12
בְּשִׂפְתוֹתֶיךָ 171 הוּצַק חֵן בְּשִׂפְתוֹתֶיךָ Ps.45:3
שִׂפְתוֹתַיִךְ 172 כְּחוּט הַשָּׁנִי שִׂפְתוֹתַיִךְ S.ofS.4:3
173 נֹפֶת תִּטֹּפְנָה שִׂפְתוֹתַיִךְ כַּלָּה S.ofS.4:11
שִׂפְתוֹתָיו 174 שִׂפְתוֹתָיו שׁוֹשַׁנִּים נֹטְפוֹת מוֹר עֹבֵר S.ofS.5:13
שִׂפְתוֹתֵיכֶם 175 שִׂפְתוֹתֵיכֶם דִּבְּרוּ-שֶׁקֶר Is.59:3
בְּשִׂפְתוֹתֵיהֶם 176 יַבִּיעוּן בְּפִיהֶם חֲרָבוֹת בְּשִׂפְתוֹתֵיהֶם Ps.59:8

שפה : נִשְׁפֶּה, שָׁפָה; שְׁפִי, שְׁפוֹת(?), יָשְׁפֵה(?);
ש״פ שְׁפוֹ, יִשְׁפָּה, שְׁפָיִם

(שפה) נִשְׁפֶּה
נפ׳ א) נחשף, היה חָלָק: 1
ב) [פ׳ שָׁפָה] התבלט, נראה כחשוף: 2
הַר נִשְׁפֶּה 1; שְׁפוּ עַצְמוֹתָיו 2
נִשְׁפֶּה 1 עַל הַר-נִשְׁפֶּה שְׂאוּ-נֵס Is.13:2
וְשֻׁפּוּ 2 וְשֻׁפּוּ (כת׳ ושפי) עַצְמוֹתָיו לֹא רֻאּוּ Job 33:21

שְׁפוֹ
שפ״ז – מבני שֵׂעִיר החורי
שְׁפוֹ 1 וּמָנַחַת וְעֵיבָל שְׁפוֹ וְאוֹנָם Gen.36:23

שְׁפוֹט
ז׳ משפט, עונש: 1, 2
שְׁפוֹט 1 חֶרֶב שְׁפוֹט וְדֶבֶר וְרָעָב IICh.20:9
וּשְׁפוּטִים 2 וּשְׁפוּטִים עָשׂוּ בָהּ Ezek.23:10

שָׂפוּן*
ת׳ צפון, טמון
וּשְׂפֻנֵי- 1 וּשְׂפֻנֵי טְמוּנֵי חוֹל Deut.33:19

שְׁפוּפָם
שפ״ז – איש מבנימין
לִשְׁפוּפָם 1 לִשְׁפוּפָם מִשְׁפַּחַת הַשּׁוּפָמִי Num.26:39

שְׁפוּפָן
שפ״ז – איש מבנימין
וּשְׁפוּפָן 1 וְגֵרָא וּשְׁפוּפָן וְחוּרָם ICh.8:5

שְׁפוֹת
נ״ר – חריצי חלב, גבינה(?)
וּשְׁפוֹת 1 וְחֶמְאָה וְצֹאן וּשְׁפוֹת בָּקָר IISh.17:29

שׂפח : שִׂפַּח; מִשְׂפָּח

שִׂפַּח
פ׳ נגע בספחת
וְשִׂפַּח 1 וְשִׂפַּח אֲדֹנָי קָדְקֹד בְּנוֹת צִיּוֹן Is.3:17

שׁפח : שִׁפְחָה, מִשְׁפָּחָה

שִׁפְחָה
נ׳ א) אשה שהיא קִנְיָנוֹ של מישהו ומשועבדת לו כל חייה, בהקבלה לעֶבֶד: 1-21, 35-63
ב) דבור של עֲנָוָה בפי אשה בפנייתה אל גדול ונכבד: 22-34

קרובים: אָמָה / עֶבֶד

– עֶבֶד וְשִׁפְחָה 5, 9, 38-40; עֲבָדִים וּשְׁפָחוֹת 44-49, 53-55, 60, 63; שִׁפְחָה מִצְרִית 1; שִׁפְחָה נֶחֱרֶפֶת 3; בְּכוֹר הַשִּׁפְחָה 7; אַחַת הַשְּׁפָחוֹת 61
– שִׁפְחַת לֵאָה 15, 16, 18; שִׁפְחַת רָחֵל 14, 17; שִׁפְחַת שָׂרָה 13; שִׁפְחַת שָׂרַי 12
– לֵב שִׁפְחָתוֹ 31; פִּי שִׁפְחָתוֹ 28; קוֹל שִׁפְחָתוֹ 29

שִׁפְחָה 1 וְלָהּ שִׁפְחָה מִצְרִית וּשְׁמָהּ הָגָר Gen. 16:1
2 וַיִּתֵּן לָבָן...לְלֵאָה בִתּוֹ שִׁפְחָה Gen. 29:24
3 וְהִוא שִׁפְחָה נֶחֱרֶפֶת לְאִישׁ Lev. 19:20
4 כְּעֵינֵי שִׁפְחָה אֶל־יַד גְּבִרְתָּהּ Ps. 123:2
וְשִׁפְחָה 5 וַיְהִי־לִי שׁוֹר...וְעֶבֶד וְשִׁפְחָה Gen. 32:5
6 וְשִׁפְחָה כִּי־תִירַשׁ גְּבִרְתָּהּ Prov. 30:23
הַשִּׁפְחָה 7 עַד בְּכוֹר הַשִּׁפְחָה אֲשֶׁר אַחַר הָרֵחָיִם Ex. 11:5
8 וְהָלְכָה הַשִּׁפְחָה וְהִגִּידָה לָהֶם IISh. 17:17
כַּשִּׁפְחָה 9 כָּעֶבֶד כַּאדֹנָיו כַּשִּׁפְחָה כַּגְּבִרְתָּהּ Is. 24:2
לְשִׁפְחָה 10 וַיִּתֵּן לָבָן...לָהּ לְשִׁפְחָה Gen. 29:29
11 הִנֵּה אֲמָתְךָ לְשִׁפְחָה לִרְחֹץ רַגְלֵי... ISh. 25:41
שִׁפְחַת־ 12 הָגָר שִׁפְחַת שָׂרַי אֵי־מִזֶּה בָאת Gen. 16:8
13 הָגָר הַמִּצְרִית שִׁפְחַת שָׂרָה Gen. 25:12
14 וַתֵּלֶד בִּלְהָה שִׁפְחַת רָחֵל Gen. 30:7
15/6 וַתֵּלֶד זִלְפָּה שִׁפְחַת לֵאָה Gen. 30:10, 12
17 וּבְנֵי בִלְהָה שִׁפְחַת רָחֵל Gen. 35:25
18 וּבְנֵי זִלְפָּה שִׁפְחַת לֵאָה Gen. 35:26
שִׁפְחָתִי 19 בֹּא־נָא אֶל־שִׁפְחָתִי אוּלַי אִבָּנֶה Gen. 16:2
20 אָנֹכִי נָתַתִּי שִׁפְחָתִי בְּחֵיקֶךָ Gen. 16:5
21 אֲשֶׁר־נָתַתִּי שִׁפְחָתִי לְאִישִׁי Gen. 30:18
שִׁפְחָתְךָ 22 תִּמְצָא שִׁפְחָתְךָ חֵן בְּעֵינֶיךָ ISh. 1:18
23 אֲשֶׁר־הֵבִיא שִׁפְחָתְךָ לַאדֹנִי ISh. 25:27
24 הִנֵּה שָׁמְעָה שִׁפְחָתְךָ בְּקוֹלֶךָ ISh. 28:21
25 תְּדַבֶּר־נָא שִׁפְחָתְךָ אֶל־אֲדֹנִי IISh. 14:12
26/7 וַתֹּאמֶר שִׁפְחָתְךָ IISh. 14:15, 17
28 וְהוּא שָׂם בְּפִי שִׁפְחָתְךָ IISh. 14:19
שִׁפְחָתֶךָ 29 שְׁמַע־נָא...בְּקוֹל שִׁפְחָתֶךָ ISh. 28:22
30 קָמָה כָל־הַמִּשְׁפָּחָה עַל־שִׁפְחָתֶךָ IISh. 14:7
31 וְכִי דִבַּרְתָּ עַל־לֵב שִׁפְחָתֶךָ Ruth 2:13
בְּשִׁפְחָתֶךָ 32 אַל־תְּכַזֵּב בְּשִׁפְחָתֶךָ IIK. 4:16
לְשִׁפְחָתְךָ 33 אֵין לְשִׁפְחָתְךָ כֹל בַּבַּיִת IIK. 4:2
וּלְשִׁפְחָתְךָ 34 וּלְשִׁפְחָתְךָ שְׁנֵי בָנִים IISh. 14:6
שִׁפְחָתֵךְ 35 הִנֵּה שִׁפְחָתֵךְ בְּיָדֵךְ Gen. 16:6
שִׁפְחָתוֹ 36 וַיִּתֵּן לָבָן לָהּ אֶת־זִלְפָּה שִׁפְחָתוֹ Gen. 29:24
37 וַיִּתֵּן לָבָן...אֶת־בִּלְהָה שִׁפְחָתוֹ Gen. 29:29
38/9 לְשַׁלַּח אִישׁ אֶת־עַבְדּוֹ
וְאִישׁ אֶת־שִׁפְחָתוֹ Jer. 34:9, 10
40 אִישׁ אֶת־עַבְדּוֹ וְאִישׁ אֶת־שִׁפְחָתוֹ Jer. 34:16
שִׁפְחָתָהּ 41 וַתִּקַּח...אֶת־הָגָר הַמִּצְרִית שִׁפְחָתָהּ Gen. 16:3
42 וַתִּתֶּן־לוֹ אֶת־בִּלְהָה שִׁפְחָתָהּ לְאִשָּׁה Gen. 30:4
43 וַתִּקַּח אֶת־זִלְפָּה שִׁפְחָתָהּ Gen. 30:9
וּשְׁפָחוֹת 44 צֹאן־וּבָקָר...וַעֲבָדִים וּשְׁפָחֹת Gen. 12:16
45 צֹאן וּבָקָר וַעֲבָדִים וּשְׁפָחֹת Gen. 20:14
46 צֹאן וּבָקָר...וַעֲבָדִם וּשְׁפָחֹת Gen. 24:35
47 צֹאן רַבּוֹת וּשְׁפָחוֹת וַעֲבָדִים Gen. 30:43
48 וְצֹאן וּבָקָר וַעֲבָדִים וּשְׁפָחוֹת IIK. 5:26
49 קָנִיתִי עֲבָדִים וּשְׁפָחוֹת Eccl. 2:7
הַשְּׁפָחוֹת 50 וַיַּחַץ...וְעַל שְׁתֵּי הַשְּׁפָחוֹת Gen. 33:1
51 אֶת־הַשְּׁפָחוֹת וְאֶת־יַלְדֵיהֶן Gen. 33:2
52 וַתִּגַּשְׁןָ הַשְּׁפָחוֹת הֵנָּה וְיַלְדֵיהֶן Gen. 33:6
53 וַיָּשִׁבוּ אֶת־הָעֲבָדִים וְאֶת־הַשְּׁפָחוֹת Jer. 34:11
54 וְעַל־הַשְּׁפָחוֹת...אֶשְׁפּוֹךְ אֶת־רוּחִי Joel 3:2
וְלִשְׁפָחוֹת 55 וְהִתְמַכַּרְתֶּם...לַעֲבָדִים וְלִשְׁפָחוֹת Deut. 28:68
56 וְהִתְנַחֲלוּם...לַעֲבָדִים וְלִשְׁפָחוֹת Is. 14:2
57 וַיִּכְבְּשׁוּם לַעֲבָדִים וְלִשְׁפָחוֹת Jer. 34:11
58 וַתִּכְבְּשׁוּ...לַעֲבָדִים וְלִשְׁפָחוֹת Jer. 34:16
59 וְאִלּוּ לַעֲבָדִים וְלִשְׁפָחוֹת נִמְכַּרְנוּ Es. 7:4
60 לִכְבֹּשׁ לַעֲבָדִים וְלִשְׁפָחוֹת לָכֶם IICh. 28:10
שִׁפְחוֹתֶיךָ 61 וְאָנֹכִי לֹא אֶהְיֶה כְּאַחַת שִׁפְחֹתֶיךָ Ruth 2:13
שִׁפְחוֹתָיו 62 וַיִּקַּח...וְאֶת־שְׁתֵּי שִׁפְחֹתָיו Gen. 32:23
שִׁפְחוֹתֵיכֶם 63 וְאֶת־עַבְדֵיכֶם וְאֶת־שִׁפְחוֹתֵיכֶם ISh. 8:16

שפט : שָׁפַט, נִשְׁפַּט; שׁוֹפֵט, שְׁפוֹט, שְׁפָטִים, מִשְׁפָּט; מִשְׁפּוֹט; ש״פ שָׁפָט, שְׁפַטְיָה, שְׁפַטְיָהוּ, שִׁפְטָן, יְהוֹשָׁפָט

שָׁפַט פ׳ א) בֵּרֵר דינם של אנשים, הביא למשפט, הוכיח, ענש, עמד לימין העשוק: רוב המקראות 1-124
[עין גם שׁוֹפֵט]
ב) [בהשאלה] מָשַׁל, שָׁלַט: 2, 13, 14, 24-28, 35, 37, 45, 48, 51, 54, 65, 88-100
ג) [נפ׳ נִשְׁפַּט] התדיין, בא למשפט: 125-127, 133, 137, 139, 141
ד) [כנ״ל] הוכיח, יסר, ענש: 128-132, 134-136, 138, 140
ה) [פ׳ בינוני: מִשְׁפּוֹט] שׁוֹפֵט, דַּיָּן: 142
קריבים: דָּן (דין) / הוֹכִיחַ (יכח) / יִסֵּר / עָנַשׁ / רָב (ריב)
— שָׁפַט, שָׁפַט אֶת־ רוב המקראות 1-124; שָׁפַט בֵּין־ 15-17, 29, 30, 32, 36, 41, 49, 53, 72, 74, 105, 121; שָׁפַט לְ־ 104
— נִשְׁפַּט אֶת־ (אותו) 135; נִשְׁפַּט עִם־ (אתו) 125, 128-132, 137-139; נִשְׁפַּט לְ־ 136

שְׁפוֹט 1 הָאֶחָד בָּא־לָגוּר וַיִּשְׁפֹּט שָׁפוֹט Gen. 19:9
שְׁפֹט 2 וַיְהִי בִּימֵי שְׁפֹט הַשֹּׁפְטִים Ruth 1:1
לִשְׁפֹּט 3 וַיֵּשֶׁב מֹשֶׁה לִשְׁפֹּט אֶת־הָעָם Ex. 18:13
4 לֵב שֹׁמֵעַ לִשְׁפֹּט אֶת־עַמְּךָ IK. 3:9
5 כִּי מִי יוּכַל לִשְׁפֹּט אֶת־עַמְּךָ IK. 3:9
6 אֵשֵׁב לִשְׁפֹּט אֶת־כָּל־הַגּוֹיִם Joel 4:12
7 וְעָלוּ מוֹשִׁעִים...לִשְׁפֹּט אֶת־הַר עֵשָׂו Ob. 21
8 לִשְׁפֹּט יָתוֹם וָדָךְ Ps. 10:18
9/10 כִּי בָא לִשְׁפֹּט הָאָרֶץ Ps. 96:13; 98:9
11 כִּי־בָא לִשְׁפוֹט אֶת־הָאָרֶץ ICh. 16:33
בְשָׁפְטֶךָ 12 לְמַעַן תִּצְדַּק...תִּזְכֶּה בְשָׁפְטֶךָ Ps. 51:6
לְשָׁפְטֵנוּ 13 עַתָּה שִׂימָה־לָּנוּ מֶלֶךְ לְשָׁפְטֵנוּ ISh. 8:5
14 תְּנָה־לָּנוּ מֶלֶךְ לְשָׁפְטֵנוּ ISh. 8:6
וְשָׁפַטְתִּי 15 וְשָׁפַטְתִּי בֵּין אִישׁ וּבֵין רֵעֵהוּ Ex. 18:16
16 וְשָׁפַטְתִּי בֵּין־שֶׂה בִרְיָה וּבֵין שֶׂה רָזָה Ezek. 34:20
17 וְשָׁפַטְתִּי בֵּין שֶׂה לָשֶׂה Ezek. 34:22
וּשְׁפַטְתִּיךְ 18/9 וּשְׁפַטְתִּיךְ כִּדְרָכָיִךְ Ezek. 7:3, 8
20 וּשְׁפַטְתִּיךְ מִשְׁפְּטֵי נֹאֲפוֹת Ezek. 16:38
שְׁפַטְתִּים 21 כְּדַרְכָּם וְכַעֲלִילוֹתָם שְׁפַטְתִּים Ezek. 36:19
וְשָׁפַטְתָּ 22 וְשָׁפַטְתָּ אֶת־עֲבָדֶיךָ לְהַרְשִׁיעַ רָשָׁע IK. 8:32
23 וְשָׁפַטְתָּ אֶת־עֲבָדֶיךָ לְהָשִׁיב לְרָשָׁע IICh. 6:23
שָׁפַט 24 וְהוּא שָׁפַט אֶת־יִשְׂרָאֵל Jud. 16:31
25 וְהוּא שָׁפַט אֶת־יִשְׂרָאֵל ISh. 4:18
26 אֶת־הַמִּשְׁפָּט אֲשֶׁר שָׁפַט הַמֶּלֶךְ IK. 3:28
שָׁפָט 27 וְשָׁם שָׁפָט אֶת־יִשְׂרָאֵל ISh. 7:17
וְשָׁפַט 28 וְהָלַךְ...וְשָׁפַט אֶת־יִשְׂרָאֵל ISh. 7:16
29 וְהָיָה יְיָ לְדַיָּן וְשָׁפַט בֵּינִי וּבֵינֶךָ ISh. 24:15
30 וְשָׁפַט בֵּין הַגּוֹיִם Is. 2:4
31 וְשָׁפַט בְּצֶדֶק דַּלִּים Is. 11:4
32 וְשָׁפַט בֵּין עַמִּים רַבִּים Mic. 4:3
שְׁפָטְךָ 33 כִּי־שְׁפָטְךָ יְיָ הַיּוֹם מִיַּד כָּל־הַקָּמִים IISh. 18:31
שְׁפָטוֹ 34 כִּי־שְׁפָטוֹ יְיָ מִיַּד אֹיְבָיו IISh. 18:19
וּשְׁפָטָנוּ 35 וּשְׁפָטָנוּ מַלְכֵּנוּ וְיָצָא לְפָנֵינוּ ISh. 8:20
וּשְׁפַטְתֶּם 36 וּשְׁפַטְתֶּם צֶדֶק בֵּין־אִישׁ וּבֵין־אָחִיו Deut. 1:16
שָׁפְטוּ 37 אֲשֶׁר שָׁפְטוּ אֶת־יִשְׂרָאֵל IIK. 23:22
שָׁפָטוּ 38 וּמִשְׁפַּט אֶבְיוֹנִים לֹא שָׁפָטוּ Jer. 5:28
וְשָׁפְטוּ 39/40 וְשָׁפְטוּ אֶת־הָעָם בְּכָל־עֵת Ex. 18:22, 26
41 וְשָׁפְטוּ הָעֵדָה בֵּין הַמַּכֶּה... Num. 35:24
42 וְשָׁפְטוּ אֶת־הָעָם מִשְׁפַּט־צֶדֶק Deut. 16:18
שְׁפָטוּךְ 43 כְּדַרְכֵיךְ וְכַעֲלִילוֹתַיִךְ שְׁפָטוּךְ Ezek. 24:14

וּשְׁפָטוּךְ 44 וּשְׁפָטוּךְ בְּמִשְׁפְּטֵיהֶם Ezek. 23:24
שְׁפָטוּנוּ 45 וְעַל־שֹׁפְטֵינוּ אֲשֶׁר שְׁפָטוּנוּ Dan. 9:12
וּשְׁפָטוּם 46 וְנִגְּשׁוּ אֶל־הַמִּשְׁפָּט וּשְׁפָטוּם Deut. 25:1
שֹׁפֵט 47 כִּי־שֹׁפֵט אֲנִי אֶת־בֵּיתוֹ ISh. 3:13
48 וְיוֹתָם...שֹׁפֵט אֶת־עַם הָאָרֶץ IIK. 15:5
49 הִנְנִי שֹׁפֵט בֵּין־שֶׂה לָשֶׂה Ezek. 34:17
50 מֶלֶךְ שׁוֹפֵט בֶּאֱמֶת דַּלִּים Prov. 29:14
51 וְיוֹתָם...שׁוֹפֵט אֶת־עַם הָאָרֶץ IICh. 26:21
הֲשֹׁפֵט 52 הֲשֹׁפֵט כָּל־הָאָרֶץ לֹא יַעֲשֶׂה מִשְׁפָּט Gen. 18:25
הַשֹּׁפֵט 53 יִשְׁפֹּט יְיָ הַשֹּׁפֵט הַיּוֹם בֵּין... Jud. 11:27
שֹׁפְטָה 54 הִיא שֹׁפְטָה אֶת־יִשְׂרָאֵל בָּעֵת הַהִיא Jud. 4:4
אֶשְׁפֹּט 55 עַל־גְּבוּל יִשְׂרָאֵל אֶשְׁפּוֹט אֶתְכֶם Ezek. 11:10
56 אֶל־גְּבוּל יִשְׂרָאֵל אֶשְׁפֹּט אֶתְכֶם Ezek. 11:11
57 אִישׁ כִּדְרָכָיו אֶשְׁפֹּט אֶתְכֶם Ezek. 18:30
58 בְּאֶרֶץ מְכֻרוֹתַיִךְ אֶשְׁפֹּט אֹתָךְ Ezek. 21:35
59 אִישׁ כִּדְרָכָיו אֶשְׁפּוֹט אֶתְכֶם Ezek. 33:20
60 אֲנִי מֵישָׁרִים אֶשְׁפֹּט Ps. 75:3
אֶשְׁפְּטֵךְ 61 וְנוֹדַעְתִּי בָם כַּאֲשֶׁר אֶשְׁפְּטֵךְ Ezek. 35:11
אֶשְׁפְּטֵם 62 וּבְמִשְׁפְּטֵיהֶם אֶשְׁפְּטֵם Ezek. 7:27
תִּשְׁפֹּט 63 בְּצֶדֶק תִּשְׁפֹּט עֲמִיתֶךָ Lev. 19:15
64 כִּי־תִשְׁפֹּט עַמִּים מִישֹׁר Ps. 67:5
65 אֲשֶׁר תִּשְׁפּוֹט אֶת־עַמִּי IICh. 1:11
תִשְׁפָּט־ 66 אֱלֹהֵינוּ הֲלֹא תִשְׁפָּט־בָּם IICh. 20:12
הֲתִשְׁפֹּט 67/8 הֲתִשְׁפֹּט אֹתָם הֲתִשְׁפּוֹט בֶּן־אָדָם Ezek. 20:4
69 וְאַתָּה בֶן־אָדָם הֲתִשְׁפֹּט Ezek. 22:2
70 הֲתִשְׁפֹּט אֶת־עִיר הַדָּמִים Ezek. 22:2
71 הֲתִשְׁפּוֹט אֶת־אָהֳלָה Ezek. 23:36
יִשְׁפֹּט 72 יִשְׁפֹּט יְיָ בֵּינִי וּבֵינֶיךָ Gen. 16:5
73 יִשְׁפֹּט יְיָ הַשֹּׁפֵט הַיּוֹם Jud. 11:27
74 יִשְׁפֹּט יְיָ בֵּינִי וּבֵינֶךָ ISh. 24:12
75 וְלֹא־לְמַרְאֵה עֵינָיו יִשְׁפּוֹט Is. 11:3
76 וְהוּא יִשְׁפֹּט־תֵּבֵל בְּצֶדֶק Ps. 9:9
77 יִשְׁפֹּט עֲנִיֵּי־עָם Ps. 72:4
78 בְּקֶרֶב אֱלֹהִים יִשְׁפֹּט Ps. 82:1
79/80 יִשְׁפֹּט־תֵּבֵל בְּצֶדֶק Ps. 96:13; 98:9
81 וְהוּא רָמִים יִשְׁפּוֹט Job 21:22
82 הַבְעַד עֲרָפֶל יִשְׁפּוֹט Job 22:13
83 אֶת־הַצַּדִּיק וְאֶת־הָרָשָׁע יִשְׁפֹּט Eccl. 3:17
84 כִּי־מִי יִשְׁפֹּט אֶת־עַמְּךָ IICh. 1:10
יִשְׁפָּט־ 85 וְאוּלָם הַכִּסֵּא אֲשֶׁר יִשְׁפָּט־שָׁם IK. 7:7
וְיִשְׁפֹּט 86 יֵרֶא יְיָ עֲלֵיכֶם וְיִשְׁפֹּט Ex. 5:21
וַיִּשְׁפֹּט 87 הָאֶחָד בָּא־לָגוּר וַיִּשְׁפֹּט שָׁפוֹט Gen. 19:9
88-94 וַיִּשְׁפֹּט אֶת־יִשְׂרָאֵל Jud. 3:10; 10:2, 3; 12:9, 11, 14; 15:20
95 וַיִּשְׁפֹּט יִפְתָּח אֶת־יִשְׂרָאֵל Jud. 12:7
96-98 וַיִּשְׁפֹּט אַחֲרָיו אֶת־יִשְׂ׳ Jud. 12:8, 11, 13
99 וַיִּשְׁפֹּט שְׁמוּאֵל אֶת־בְּנֵי יִשׂ׳ בַּמִּצְפָּה ISh. 7:6
100 וַיִּשְׁפֹּט שְׁמוּאֵל אֶת־יִשְׂרָאֵל ISh. 7:15
וְיִשְׁפְּטֵנִי 101 וְיָרֵב אֶת־רִיבִי וְיִשְׁפְּטֵנִי מִיָּדֶךָ ISh. 24:15
תִּשְׁפְּטוּ 102 מֵישָׁרִים תִּשְׁפְּטוּ בְּנֵי אָדָם Ps. 58:2
103 עַד־מָתַי תִּשְׁפְּטוּ־עָוֶל Ps. 82:2
104 כִּי לֹא לְאָדָם תִּשְׁפְּטוּ כִּי לַיְיָ IICh. 19:6
יִשְׁפְּטוּ 105 אֱלֹהֵי אַבְרָהָם...יִשְׁפְּטוּ בֵינֵינוּ Gen. 31:53
106 וְכָל־הַדָּבָר הַקָּטֹן יִשְׁפְּטוּ־הֵם Ex. 18:22
107 הֵמָּה יִשְׁפְּטוּ אוֹתְהֶם מִשְׁפַּט נֹאֲפוֹת Ezek. 23:45
יִשְׁפֹּטוּ 108 רָאשֶׁיהָ בְּשֹׁחַד יִשְׁפֹּטוּ Mic. 3:11
109 יָתוֹם לֹא יִשְׁפֹּטוּ Is. 1:23
110 וּזְרֹעַי עַמִּים יִשְׁפֹּטוּ Is. 51:5
יִשְׁפּוּטוּ 111 וְכָל־הַדָּבָר הַקָּטֹן יִשְׁפּוּטוּ הֵם Ex. 18:26
יִשְׁפְּטוּהוּ 112 בְּמִשְׁפָּטַי יִשְׁפְּטֻהוּ (כ׳ ושפטהו) Ezek. 44:24
שְׁפָט־ 113 פְּתַח־פִּיךָ שְׁפָט־צֶדֶק Prov. 31:9

שְׁפְטָה 114 קוּמָה אֱלֹהִים שָׁפְטָה הָאָרֶץ Ps. 82:8
115 רָאִיתָה יְיָ עַוָּתָתִי שָׁפְטָה מִשְׁפָּטִי Lam. 3:59
שָׁפְטֵנִי 116 שָׁפְטֵנִי יְיָ כְּצִדְקִי וּכְתֻמִּי עָלָי Ps. 7:9
117 שָׁפְטֵנִי יְיָ כִּי־אֲנִי בְּתֻמִּי הָלַכְתִּי Ps. 26:1
118 שָׁפְטֵנִי כְצִדְקְךָ יְיָ אֱלֹהָי Ps. 35:24
119 שָׁפְטֵנִי אֱלֹהִים וְרִיבָה רִיבִי Ps. 43:1
שִׁפְטוּ 120 שִׁפְטוּ יָתוֹם רִיבוּ אַלְמָנָה Is. 1:17
121 שִׁפְטוּ־נָא בֵּינִי וּבֵין כַּרְמִי Is. 5:3
122 וּמִשְׁפַּט שָׁלוֹם שִׁפְטוּ בְּשַׁעֲרֵיכֶם Zech. 8:16
123 שִׁפְטוּ־דַל וְיָתוֹם Ps. 82:3
שְׁפֹטוּ 124 מִשְׁפַּט אֱמֶת שְׁפֹטוּ Zech. 7:9
כְּהִשָּׁפֵט 125 וַיְהִי כְּהִשָּׁפֵט יֵהוּא עִם־בֵּית אַחְאָב IICh. 22:8
בְּהִשָּׁפְטוֹ 126 וְלֹא יַרְשִׁיעֶנּוּ בְּהִשָּׁפְטוֹ Ps. 37:33
127 בְּהִשָּׁפְטוֹ יֵצֵא רָשָׁע Ps. 109:7
נִשְׁפַּטְתִּי 128 כַּאֲשֶׁר נִשְׁפַּטְתִּי אֶת־אֲבוֹתֵיכֶם Ezek. 20:36
וְנִשְׁפַּטְתִּי 129 וְנִשְׁפַּטְתִּי אִתּוֹ שָׁם Ezek. 17:20
130 וְנִשְׁפַּטְתִּי אִתְּכֶם שָׁם פָּנִים אֶל־פָּנִים Ezek. 20:35
131 וְנִשְׁפַּטְתִּי אִתּוֹ בְּדֶבֶר וּבְדָם Ezek. 38:22
132 וְנִשְׁפַּטְתִּי עִמָּם שָׁם עַל־עַמִּי Joel 4:2
נִשְׁפָּט 133 וְאֵין נִשְׁפָּט בֶּאֱמוּנָה Is. 59:4
134 כִּי בָאֵשׁ יְיָ נִשְׁפָּט Is. 66:16
135 הִנְנִי נִשְׁפָּט אוֹתָךְ עַל־אָמְרֵךְ Jer. 2:35
136 נִשְׁפָּט הוּא לְכָל־בָּשָׂר Jer. 25:31
137 אִישׁ־חָכָם נִשְׁפָּט אֶת־אִישׁ אֱוִיל Prov. 29:9
אִשָּׁפֵט 138 כַּאֲשֶׁר נִשְׁפַּטְתִּי...כֵּן אִשָּׁפֵט אִתְּכֶ׳ Ezek. 20:36
וְאִשָּׁפְטָה 139 וְאִשָּׁפְטָה אִתְּכֶם לִפְנֵי יְיָ ISh. 12:7
נִשָּׁפְטָה 140 הַזְכִּירֵנִי נִשָּׁפְטָה יָחַד Is. 43:26
יִשָּׁפְטוּ 141 יִשָּׁפְטוּ גוֹיִם עַל־פָּנֶיךָ Ps. 9:20
לִמְשֹׁפְטִי 142 לִמְשֹׁפְטִי אֶתְחַנָּן Job 9:15

שָׁפַט* ז׳ ארמית: שופט

שָׁפְטִין 1 וְאַנְתְּ...מֶנִּי שָׁפְטִין וְדַיָּנִין Ez. 7:25

שֶׁפֶט* ז׳ – עין שְׁפָטִים

שָׁפָט שפ״ז א) איש משבט שמעון: 1

ב) אביו של אלישע הנביא: 2־5
ג) שר הבקר של המלך דוד: 6
ד) איש משבט גד: 8
ה) איש מבית זרובבל: 7

שָׁפָט 1 לְמַטֵּה שִׁמְעוֹן שָׁפָט בֶּן־חוֹרִי Num. 13:5
2־5 אֱלִישָׁע בֶּן־שָׁפָט IK. 19:16, 19 • IIK. 3:11; 6:31
6 וְעַל־הַבָּקָר...שָׁפָט בֶּן־עַדְלָי ICh. 27:29
וְשָׁפָט 7 וּבְנֵי שְׁמַעְיָה...וּנְעַרְיָה וְשָׁפָט ICh. 3:22
8 וְיַעְנַי וְשָׁפָט בַּבָּשָׁן ICh. 5:12

שְׁפַטְיָה שפ״ז א) בן דוד מאשתו אביטל: 1

ב) שר לצדקיהו: 2
ג) אנשים שונים בין עולי הגולה: 3־10

שְׁפַטְיָה 1 וְהַחֲמִישִׁי שְׁפַטְיָה בֶן־אֲבִיטָל IISh. 3:4
2 וַיִּשְׁמַע שְׁפַטְיָה בֶּן־מַתָּן Jer. 38:1
3 בְּנֵי שְׁפַטְיָה שְׁלֹשׁ מֵאוֹת Ez. 2:4
4/5 בְּנֵי שְׁפַטְיָה בְנֵי־חַטִּיל Ez. 2:57 • Neh. 7:59
6 וּמִבְּנֵי שְׁפַטְיָה זְבַדְיָה בֶּן־מִיכָאֵל Ez. 8:8
7 בְּנֵי שְׁפַטְיָה שְׁלֹשׁ מֵאוֹת... Neh. 7:9
8 מִבְּנֵי יְהוּדָה עֲתָיָה...בֶּן־שְׁפַטְיָה Neh. 11:4
9 הַחֲמִישִׁי שְׁפַטְיָה לַאֲבִיטָל ICh. 3:3
10 וּמְשֻׁלָּם בֶּן־שְׁפַטְיָה בֶּן־רְעוּאֵל ICh. 9:8

שְׁפַטְיָהוּ שפ״ז א) גבור מבנימין שהצטרף אל דוד בצקלג: 2

ב) שר לדוד: 1
ג) בן יהושפט מלך יהודה: 3

שְׁפַטְיָהוּ 1 לַשִּׁמְעוֹנִי שְׁפַטְיָהוּ בֶּן־מַעֲכָה ICh. 27:16
וּשְׁפַטְיָהוּ 2 וּשְׁמַרְיָהוּ וּשְׁפַטְיָהוּ הַחֲרוּפִי° ICh. 12:5
3 בְּנֵי יְהוֹשָׁפָט...וּמִיכָאֵל וּשְׁפַטְיָהוּ IICh. 21:2

שְׁפָטִים ז״ר – עֳנשים: 1־16

שְׁפָטִים גְּדֹלִים 14, 15; שְׁפָטִים רָעִים 16
עָשָׂה שְׁפָטִים 1־11, 13

שְׁפָטִים 1 וּבְכָל־אֱלֹהֵי מִצְרַיִם אֶעֱשֶׂה שְׁפָטִים Ex. 12:12
2 וּבֵאלֹהֵיהֶם עָשָׂה יְיָ שְׁפָטִים Num. 33:4
3 וְעָשִׂיתִי בָךְ שְׁפָטִים Ezek. 5:10
4 בַּעֲשׂוֹתִי בָךְ שְׁפָטִים בְּאַף Ezek. 5:15
5 וְעָשִׂיתִי בָכֶם שְׁפָטִים Ezek. 11:9
6 וְעָשׂוּ־בָךְ שְׁפָטִים Ezek. 16:41
7 וּבְמוֹאָב אֶעֱשֶׂה שְׁפָטִים Ezek. 25:11
8 בַּעֲשׂוֹתִי בָהּ שְׁפָטִים Ezek. 28:22
9 בַּעֲשׂוֹתִי שְׁפָטִים בְּכֹל הַשָּׁאטִים Ezek. 28:26
10 וְעָשִׂיתִי שְׁפָטִים בְּנֹא Ezek. 30:14
11 וְעָשִׂיתִי שְׁפָטִים בְּמִצְרָיִם Ezek. 30:19
12 נָכוֹנוּ לַלֵּצִים שְׁפָטִים Prov. 19:29
13 וְאֶת־יוֹאָשׁ עָשׂוּ שְׁפָטִים IICh. 24:24
בִּשְׁפָטִים 14 וְהוֹצֵאתִי...בִּשְׁפָטִים גְּדֹלִים Ex. 7:4
וּבִשְׁפָטִים 15 בִּזְרוֹעַ נְטוּיָה וּבִשְׁפָטִים גְּדֹלִים Ex. 6:6
שְׁפָטַי 16 אַף כִּי־אַרְבַּעַת שְׁפָטַי הָרָעִים Ezek. 14:21

שִׁפְטָן שפ״ז – אבי הנשיא למטה אפרים

שִׁפְטָן 1 נָשִׂיא קְמוּאֵל בֶּן־שִׁפְטָן Num. 34:24

שְׁפִי* ז׳ א) גבעה גבוהה וחשופה: 2־9

ב) תה״פ – לאט, במתינות(?), קוממיות(?): 1

שֶׁפִי 1 וַיֵּלֶךְ שֶׁפִי Num. 23:3
שְׁפָיִים 2 אֶפְתַּח עַל־שְׁפָיִים נְהָרוֹת Is. 41:18
3 וּבְכָל־שְׁפָיִים מַרְעִיתָם Is. 49:9
4 שְׂאִי־עֵינַיִךְ עַל־שְׁפָיִם וּרְאִי Jer. 3:2
5 קוֹל עַל־שְׁפָיִים נִשְׁמָע Jer. 3:21
6 רוּחַ צַח שְׁפָיִם בַּמִּדְבָּר Jer. 4:11
7 וּשְׂאִי עַל־שְׁפָיִם קִינָה Jer. 7:29
8 עַל־כָּל־שְׁפָיִם בַּמִּדְבָּר Jer. 12:12
9 וּפְרָאִים עָמְדוּ עַל־שְׁפָיִם Jer. 14:6

שֻׁפִּים שפ״ז א) איש מבנימין: 1, 3

ב) לוי בימי דוד: 2

וְשֻׁפִּם 1 וְשֻׁפִּם וְחֻפִּם בְּנֵי עִיר ICh. 7:12
לְשֻׁפִּים 2 לְשֻׁפִּים וּלְחֹסָה לַמַּעֲרָב ICh. 26:16
וּלְשֻׁפִּים 3 וּמָכִיר לָקַח אִשָּׁה לְחֻפִּים וּלְשֻׁפִּים ICh. 7:15

שְׁפִיפוֹן ז׳ נחש ארסי ממשפחת הצפעונים

קרובים: אֶפְעֶה / נָחָשׁ / פֶּתֶן / צֶפַע / צִפְעוֹנִי / שָׂרָף

שְׁפִיפוֹן 1 נָחָשׁ עֲלֵי־דֶרֶךְ שְׁפִיפֹן עֲלֵי־אֹרַח Gen. 49:17

שָׁפִיר ש״פ – עיר בנחלת אפרים

שָׁפִיר 1 עִבְרִי לָכֶם יוֹשֶׁבֶת שָׁפִיר Mic. 1:11

שַׁפִּיר ת׳ ארמית: יָפֶה: 1, 2

שַׁפִּיר 1 עָפְיֵהּ שַׁפִּיר וְאִנְבֵּהּ שַׂגִּיא Dan. 4:9
2 וְעָפְיֵהּ שַׁפִּיר וְאִנְבֵּהּ שַׂגִּיא Dan. 4:18

שפך : שָׁפַךְ, נִשְׁפַּךְ, שֻׁפַּךְ, הִשְׁתַּפֵּךְ; שֶׁפֶךְ, שָׁפְכָה

שָׁפַךְ פָּ׳ א) הוציא נוזלים, יצק החוצה:

רוב המקראות 1־100
ב) זרק, השליך: 5, 11, 28, 44, 81, 82, 91, 101
ג) [בהשאלה] הטיל, הוציא: 12, 18־23, 33, 34, 47, 48, 56־66, 71, 83, 92, 95־100
ד) [נפ׳ נִשְׁפַּךְ] נוצק, הוצא, נזרק (נוזל או יבש): 102־109
ה) [פֻּ׳ שֻׁפַּךְ] כנ״ל: 110־112
ו) [הת׳ הִשְׁתַּפֵּךְ] התגלגל: 115
(ובהשאלה) שפך שיחו או נפשו: 113, 114

– שָׁפַךְ בּוּז 47, 48; שָׁפַךְ דָּם (דָּמִים) 1־4, 6, 7, 13־15, 24־26, 30־32, 35־37, 39־43, 45, 46, 49־55, 67־70, 72־76, 86־89, 93; שָׁ׳ זַעְמוֹ 12, 21, 64, 98; שָׁ׳ חֵמָה 8־10, 16, 17, 20, 22, 33, 58, 65, 83, 96־97; שָׁ׳ חֲרוֹן 34; שָׁ׳ לִבּוֹ 99, 100; שָׁ׳ מַיִם 27, 84, 85, 90; שָׁ׳ מֵעָיו 82; שָׁ׳ מָרָק 94; שָׁ׳ מְרֵרָתוֹ 80; שָׁ׳ נֶסֶךְ 29; שָׁ׳ נַפְשׁוֹ 63, 66; שָׁ׳ סוֹלְלָה 5, 11, 28, 38, 77, 78, 81, 91, 101; שָׁ׳ עֶבְרָתוֹ 59; שָׁ׳ עָפָר 44; שָׁ׳ רוּחוֹ 18, 23, 60, 61; שָׁ׳ רָעָתוֹ 19; שָׁ׳ שִׂיחוֹ 62, 79; שָׁפַךְ תַּזְנוּת 71, 92
– נִשְׁפַּךְ דָּם 106־108; נִשְׁפַּךְ דֶּשֶׁן 105, 109; נִשְׁפַּךְ כְּבֵדוֹ 104; נִשְׁפַּךְ נְחֻשְׁתּוֹ 102
– שֻׁפַּךְ דָּם 110, 111; שֻׁפְּכוּ אֲשֻׁרָיו 112
– הִשְׁתַּפְּכָה נַפְשׁוֹ 113, 114; הִשְׁתַּפְּכוּ אַבְנֵי 115

שְׁפָךְ־ 1 עַד־שְׁפָךְ־דָּם עֲלֵיהֶם IK. 18:28
2־4 לְמַעַן שְׁפָךְ־דָּם Ezek. 22:6, 9, 12
בִּשְׁפֹּךְ 5 בִּשְׁפֹּךְ סֹלְלָה וּבִבְנוֹת דָּיֵק Ezek. 17:17
לִשְׁפֹּךְ 6 וִימַהֲרוּ לִשְׁפֹּךְ דָּם נָקִי Is. 59:7
7 וְעַל דַּם־הַנָּקִי לִשְׁפּוֹךְ Jer. 22:17
8־10 לִשְׁפֹּךְ חֲמָתִי עֲלֵיהֶם Ezek. 20:8, 13, 21
11 לִשְׁפֹּךְ סֹלְלָה לִבְנוֹת דָּיֵק Ezek. 21:27
12 לִשְׁפֹּךְ עֲלֵיהֶם זַעְמִי Zep. 3:8
לִשְׁפָּךְ־ 13 לִשְׁפָּךְ־דָּם לְאַבֵּד נְפָשׁוֹת Ezek. 22:27
14 וִימַהֲרוּ לִשְׁפָּךְ־דָּם Prov. 1:16
וְלִשְׁפָּךְ־ 15 וְלִשְׁפָּךְ־דָּם חִנָּם ISh. 25:31
בְּשָׁפְכְּךָ 16 בְּשָׁפְכְּךָ אֶת־חֲמָתְךָ עַל־יְרוּשָׁלִָם Ezek. 9:8
שָׁפַכְתִּי 17 אֲנִי יְיָ שָׁפַכְתִּי חֲמָתִי עֲלֵיכֶם Ezek. 22:22
18 שָׁפַכְתִּי אֶת־רוּחִי עַל־בֵּית יִשְׂרָאֵל Ezek. 39:29
וְשָׁפַכְתִּי 19 וְשָׁפַכְתִּי עֲלֵיהֶם אֶת־רָעָתָם Jer. 14:16
20 וְשָׁפַכְתִּי חֲמָתִי עָלֶיהָ Ezek. 14:19
21 וְשָׁפַכְתִּי עָלַיִךְ זַעְמִי Ezek. 21:36
22 וְשָׁפַכְתִּי חֲמָתִי עַל־סִין Ezek. 30:15
23 וְשָׁפַכְתִּי עַל־בֵּית דָּוִיד...רוּחַ חֵן Zech. 12:10
שָׁפַכְתָּ 24 דָּם לָרֹב שָׁפַכְתָּ ICh. 22:8(7)
25 דָּמִים רַבִּים שָׁפַכְתָּ אַרְצָה ICh. 22:8(7)
שָׁפָכְתָּ 26 אִישׁ מִלְחָמוֹת אַתָּה וְדָמִים שָׁפָכְתָּ ICh. 28:3
וְשָׁפַכְתָּ 27 וְלָקַחְתָּ מִמֵּימֵי הַיְאֹר וְשָׁפַכְתָּ הַיַּבָּשָׁה Ex. 4:9
28 וּבָנִיתָ עָלֶיהָ דָּיֵק וְשָׁפַכְתָּ עָלֶיהָ סֹלְלָה Ezek. 4:2
שָׁפַכְתְּ 29 גַּם־לָהֶם שָׁפַכְתְּ נֶסֶךְ Is. 57:6
30 בְּדָמֵךְ אֲשֶׁר־שָׁפַכְתְּ אָשַׁמְתְּ Ezek. 22:4
שָׁפַךְ 31 דְּמֵי חִנָּם אֲשֶׁר שָׁפַךְ יוֹאָב IK. 2:31
32 וְגַם דָּם נָקִי שָׁפַךְ מְנַשֶּׁה IIK. 21:16
33 בְּאֹהֶל בַּת־צִיּוֹן שָׁפַךְ כָּאֵשׁ חֲמָתוֹ Lam. 2:4
34 שָׁפַךְ חֲרוֹן אַפּוֹ Lam. 4:11
שָׁפָךְ 35 דָּם יֵחָשֵׁב לָאִישׁ הַהוּא דָּם שָׁפָךְ Lev. 17:4
36 וְגַם דַּם־הַנָּקִי אֲשֶׁר שָׁפָךְ IIK. 24:4
וְשָׁפַךְ 37 וְשָׁפַךְ אֶת־דָּמוֹ וְכִסָּהוּ בֶּעָפָר Lev. 17:13
38 וְנָתַן עָלַיִךְ דָּיֵק וְשָׁפַךְ עָלַיִךְ סֹלְלָה Ezek. 26:8
שְׁפָכַתְהוּ 39 לֹא שְׁפָכַתְהוּ עַל־הָאָרֶץ Ezek. 24:7
שָׁפְכוּ 40 יָדֵינוּ לֹא שָׁפְכוּ (כת׳ שפכה) אֶת־הַדָּם Deut. 21:7
41 הַדָּם אֲשֶׁר־שָׁפְכוּ עַל־הָאָרֶץ Ezek. 36:18
42 אֲשֶׁר שָׁפְכוּ דָם־נָקִיא בְּאַרְצָם Joel 4:19
43 שָׁפְכוּ דָמָם כַּמַּיִם סְבִיבוֹת יְרוּשָׁלִָם Ps. 79:3

וְשָׁפְכוּ 44 וְשָׁפְכוּ אֶת־הֶעָפָר...אֶל־מִחוּץ לָעִיר Lev. 14:41

שֹׁפֵךְ 45 שֹׁפֵךְ דַּם הָאָדָם בָּאָדָם דָּמוֹ יִשָּׁפֵךְ Gen. 9:6

46 וְהוֹלִיד בֵּן־פָּרִיץ שֹׁפֵךְ דָּם Ezek. 18:10

47 שֹׁפֵךְ בּוּז עַל־נְדִיבִים Ps. 107:40

48 שׁוֹפֵךְ בּוּז עַל־נְדִיבִים Job 12:21

שֹׁפְכוֹ 49 לֹא יְכֻפַּר...כִּי־אִם בְּדַם שֹׁפְכוֹ Num. 35:33

שֹׁפֶכֶת 50 עִיר שֹׁפֶכֶת דָּם בְּתוֹכָהּ Ezek. 22:3

הַשֹּׁפְכִים 51 הַשֹּׁפְכִים בְּקִרְבָּהּ דַּם צַדִּיקִים Lam. 4:13

שֹׁפְכוֹת 52 וּמִשְׁפַּט שֹׁפְכוֹת דָּם Ezek. 23:45

53 וְיָדַיִם שֹׁפְכוֹת דָּם־נָקִי Prov. 6:17

וְשֹׁפְכוֹת 54 מִשְׁפְּטֵי נֹאֲפוֹת וְשֹׁפְכֹת דָּם Ezek. 16:38

הַשָּׁפוּךְ 55 נִקְמַת דַּם־עֲבָדֶיךָ הַשָּׁפוּךְ Ps. 79:10

שְׁפוּכָה 56/7 בְּיָד חֲזָקָה...וּבְחֵמָה שְׁפוּכָה Ezek. 20:33, 34

אֶשְׁפּוֹךְ 58 אֶשְׁפּוֹךְ חֲמָתִי עָלַיִךְ Ezek. 7:8

59 עֲלֵיהֶם אֶשְׁפּוֹךְ כַּמַּיִם עֶבְרָתִי Hosh. 5:10

60 אֶשְׁפּוֹךְ אֶת־רוּחִי עַל־כָּל־בָּשָׂר Joel 3:1

61 עַל־הָעֲבָדִים...אֶשְׁפּוֹךְ אֶת־רוּחִי Joel 3:2

62 אֶשְׁפֹּךְ לְפָנָיו שִׂיחִי Ps. 142:3

וָאֶשְׁפֹּךְ 63 וָאֶשְׁפֹּךְ אֶת־נַפְשִׁי לִפְנֵי יְיָ ISh. 1:15

64 וָאֶשְׁפֹּךְ עֲלֵיהֶם זַעְמִי Ezek. 22:31

65 וָאֶשְׁפֹּךְ חֲמָתִי עֲלֵיהֶם Ezek. 36:18

וְאֶשְׁפְּכָה 66 אֵלֶּה אֶזְכְּרָה וְאֶשְׁפְּכָה עָלַי נַפְשִׁי Ps. 42:5

תִּשְׁפֹּךְ 67 וְאֶת־כָּל־הַדָּם תִּשְׁפֹּךְ Ex. 29:12

תִּשְׁפְּכֶנּוּ 68-70 (הַדָּם)...עַל־הָאָרֶץ תִּשְׁפְּכֶנּוּ כַּמָּיִם Deut. 12:16, 24; 15:23

וַתִּשְׁפְּכִי 71 וַתִּשְׁפְּכִי אֶת־תַּזְנוּתַיִךְ עַל־כָּל־עוֹבֵר Ezek. 16:15

יִשְׁפֹּךְ 72-74 (הַדָּם)...יִשְׁפֹּךְ אֶל־יְסוֹד מִזְבַּח הָעֹלָה Lev. 4:7, 18, 25

75/6 דָּמָהּ יִשְׁפֹּךְ אֶל־יְסוֹד הַמִּזְבֵּחַ Lev. 4:30, 34

77 וְלֹא־יִשְׁפֹּךְ עָלֶיהָ סֹלְלָה IIK. 19:32

78 וְלֹא־יִשְׁפֹּךְ עָלֶיהָ סֹלְלָה Is. 37:33

79 וְלִפְנֵי יְיָ יִשְׁפֹּךְ שִׂיחוֹ Ps. 102:1

80 יִשְׁפֹּךְ לָאָרֶץ מְרֵרָתִי Job 16:13

וְיִשְׁפֹּךְ 81 וְיָבֹא...וְיִשְׁפֹּךְ סוֹלְלָה Dan. 11:15

וַיִּשְׁפֹּךְ 82 וַיִּשְׁפֹּךְ מֵעָיו אַרְצָה IISh. 20:10

83 וַיִּשְׁפֹּךְ עָלָיו חֵמָה אַפּוֹ Is. 42:25

וַיִּשְׁפְּכֵם 84/5 וַיִּשְׁפְּכֵם עַל־פְּנֵי הָאָרֶץ Am. 5:8; 9:6

תִּשְׁפְּכוּ 86 אַל־תִּשְׁפְּכוּ־דָם Gen. 37:22

87/8 וְדָם נָקִי אַל־תִּשְׁפְּכוּ Jer. 7:6; 22:3

תִּשְׁפֹּכוּ 89 עַל־הַדָּם תֹּאכֵלוּ...וְדָם תִּשְׁפֹּכוּ Ezek. 33:25

וַיִּשְׁפְּכוּ 90 וַיִּשְׁאֲבוּ־מַיִם וַיִּשְׁפְּכוּ לִפְנֵי יְיָ ISh. 7:6

91 וַיִּשְׁפְּכוּ סֹלְלָה אֶל־הָעִיר IISh. 20:15

92 וַיִּשְׁפְּכוּ תַזְנוּתָם עָלֶיהָ Ezek. 23:8

93 וַיִּשְׁפְּכוּ דָם נָקִי Ps. 106:38

שְׁפֹךְ 94 וְאֶת־הַמָּרָק שְׁפוֹךְ Jud. 6:20

95 שְׁפֹךְ עַל־עוֹלָל בַּחוּץ Jer. 6:11

96 שְׁפֹךְ חֲמָתְךָ עַל־הַגּוֹיִם Jer. 10:25

97 שְׁפֹךְ חֲמָתְךָ אֶל־הַגּוֹיִם Ps. 79:6

שְׁפָךְ־ 98 שְׁפָךְ־עֲלֵיהֶם זַעְמֶךָ Ps. 69:25

שִׁפְכִי 99 שִׁפְכִי כַמַּיִם לִבֵּךְ נֹכַח פְּנֵי אֲדֹנָי Lam. 2:19

שִׁפְכוּ 100 עָם שִׁפְכוּ־לְפָנָיו לְבַבְכֶם Ps. 62:9

וְשִׁפְכוּ 101 וְשִׁפְכוּ עַל־יְרוּשָׁלִַם סֹלְלָה Jer. 6:6

הִשָּׁפֵךְ 102 יַעַן הִשָּׁפֵךְ נְחָשְׁתֵּךְ Ezek. 16:36

נִשְׁפַּכְתִּי 103 כַּמַּיִם נִשְׁפַּכְתִּי וְהִתְפָּרְדוּ כָּל־עַצְמוֹתָי Ps. 22:15

נִשְׁפַּךְ 104 נִשְׁפַּךְ לָאָרֶץ כְּבֵדִי Lam. 2:11

וְנִשְׁפַּךְ 105 וְנִשְׁפַּךְ הַדֶּשֶׁן אֲשֶׁר־עָלָיו IK. 13:3

יִשָּׁפֵךְ 106 שֹׁפֵךְ דַּם הָאָדָם בָּאָדָם דָּמוֹ יִשָּׁפֵךְ Gen. 9:6

107 וְדַם־זְבָחֶיךָ יִשָּׁפֵךְ עַל־מִזְבַּח יְיָ Deut. 12:27

108 וְלֹא יִשָּׁפֵךְ דָּם נָקִי בְּקֶרֶב אַרְצְךָ Deut. 19:10

וַיִּשָּׁפֵךְ 109 וַיִּשָּׁפֵךְ הַדֶּשֶׁן מִן־הַמִּזְבֵּחַ IK. 13:5

שֻׁפַּךְ־ 110 לֹא־יְכֻפַּר לַדָּם אֲשֶׁר שֻׁפַּךְ־בָּהּ Num. 35:33

וְשֻׁפַּךְ 111 וְשֻׁפַּךְ דָּמָם כֶּעָפָר וּלְחֻמָם כַּגְּלָלִים Zep. 1:17

שֻׁפְּכוּ 112 כְּאַיִן שֻׁפְּכוּ (כת׳ שפכה) אֲשֻׁרָי Ps. 73:2

בְּהִשְׁתַּפֵּךְ 113 בְּהִשְׁתַּפֵּךְ נַפְשָׁם אֶל־חֵיק אִמֹּתָם Lam. 2:12

תִּשְׁתַּפֵּךְ 114 וְעַתָּה עָלַי תִּשְׁתַּפֵּךְ נַפְשִׁי Job 30:16

תִּשְׁתַּפֵּכְנָה 115 תִּשְׁתַּפֵּכְנָה אַבְנֵי־קֹדֶשׁ בְּרֹאשׁ כָּל־חוּצוֹת Lam. 4:1

שֶׁפֶךְ

ז׳ שפיכה, הטלה: 1, 2 • שֶׁפֶךְ הַדֶּשֶׁן 1, 2

שֶׁפֶךְ־ 1 עַל־שֶׁפֶךְ הַדֶּשֶׁן יִשָּׂרֵף Lev. 4:12

2 וְהוֹצִיא...אֶל־שֶׁפֶךְ הַדֶּשֶׁן Lev. 4:12

שָׁפְכָה

נ׳ אבר השתן של הזכר

שָׁפְכָה 1 פְּצוּעַ־דַּכָּה וּכְרוּת שָׁפְכָה Deut. 23:2

שפל

: שָׁפֵל, הִשְׁפִּיל; שָׁפָל, שֵׁפֶל, שְׁפֵלָה, שִׁפְלָה, שִׁפְלוּת; אר׳ הַשְׁפֵּל; שְׁפַל

שָׁפֵל

פ׳ א) קטנה קומתו, הונמך: 1, 8-10

ב) [בהשאלה] נחלש, ירד מגדולתו: 2-7, 11

ג) [הפ׳ הִשְׁפִּיל] הנמיך: 12, 14, 15, 20, 22-24, 30

ד) [כנ״ל, בהשאלה] הוריד מגדולתו: 13, 16-19, 21, 25-29

שְׁפַל קוֹל 1; שְׁפַל רוּם 4; שָׁפְלוּ עֵינָיו 3; הִשְׁפִּיל גַּאֲוָה 16, 21; הִשְׁפִּיל עֵינַיִם 22, 23

בִּשְׁפַל 1 וְסֻגְּרוּ...בִּשְׁפַל קוֹל הַטַּחֲנָה Eccl. 12:4

וְשָׁפַלְתְּ 2 וְשָׁפַלְתְּ מֵאֶרֶץ תְּדַבֵּרִי Is. 29:4

שָׁפֵל 3 עֵינֵי גַּבְהוּת אָדָם שָׁפֵל Is. 2:11

וְשָׁפֵל (עבר) 4 וְשַׁפַל רוּם אֲנָשִׁים Is. 2:17

וְשָׁפֵל (בינוני) 5 וְעַל כָּל־נִשָּׂא וְשָׁפֵל Is. 2:12

וַיִּשְׁפַּל 6/7 וַיִּשַּׁח אָדָם וַיִּשְׁפַּל־אִישׁ Is. 2:9; 5:15

תִּשְׁפַּל 8 וּבַשִּׁפְלָה תִּשְׁפַּל הָעִיר Is. 32:19

יִשְׁפָּלוּ 9 וְהַגְּבֹהִים יִשְׁפָּלוּ Is. 10:33

10 וְכָל־הַר וְגִבְעָה יִשְׁפָּלוּ Is. 40:4

תִּשְׁפַּלְנָה 11 וְעֵינֵי גְבֹהִים תִּשְׁפַּלְנָה Is. 5:15

הַשְׁפִּיל 12 הַשָּׁפָלָה הַגְבֵּהַ וְהַגָּבֹהַּ הַשְׁפִּיל Ezek. 21:31

מֵהַשְׁפִּילְךָ 13 כִּי טוֹב...מֵהַשְׁפִּילְךָ לִפְנֵי נָדִיב Prov. 25:7

הִשְׁפַּלְתִּי 14 אֲנִי יְיָ הִשְׁפַּלְתִּי עֵץ גָּבֹהַּ Ezek. 17:24

הִשְׁפִּיל 15 הֵשַׁח הִשְׁפִּיל הִגִּיעַ לָאָרֶץ Is. 25:12

וְהִשְׁפִּיל 16 וְהִשְׁפִּיל גַּאֲוָתוֹ עִם אָרְבּוֹת יָדָיו Is. 25:11

הִשְׁפִּילוּ 17 כִּי־הִשְׁפִּילוּ וַתֹּאמֶר גֵּוָה Job 22:29

מַשְׁפִּיל 18 מוֹרִישׁ וּמַעֲשִׁיר מַשְׁפִּיל אַף־מְרוֹמֵם ISh. 2:7

19 מַשְׁפִּיל רְשָׁעִים עֲדֵי־אָרֶץ Ps. 147:6

הַמַּשְׁפִּילִי 20 הַמַּשְׁפִּילִי לִרְאוֹת בַּשָּׁמַיִם וּבָאָרֶץ Ps. 113:6

אַשְׁפִּיל 21 וְגַאֲוַת עָרִיצִים אַשְׁפִּיל Is. 13:11

תַּשְׁפִּיל 22 וְעֵינֶיךָ עַל־רָמִים תַּשְׁפִּיל IISh. 22:28

23 וְעֵינַיִם רָמוֹת תַּשְׁפִּיל Ps. 18:28

וַתַּשְׁפִּילִי 24 וַתַּשְׁפִּילִי עַד־שְׁאוֹל Is. 57:9

יַשְׁפִּיל 25 אֱלֹהִים שֹׁפֵט זֶה יַשְׁפִּיל וְזֶה יָרִים Ps. 75:8

יַשְׁפִּילָהּ 26 יַשְׁפִּילֶנָּה יַשְׁפִּילָהּ עַד־אֶרֶץ Is. 26:5

יַשְׁפִּילֶנָּה 27 יַשְׁפִּילֶנָּה יַשְׁפִּילָהּ עַד־אֶרֶץ Is. 26:5

תַּשְׁפִּילֶנּוּ 28 גַּאֲוַת אָדָם תַּשְׁפִּילֶנּוּ Prov. 29:23

וְהַשְׁפִּילֵהוּ 29 וּרְאֵה כָל־גֵּאֶה וְהַשְׁפִּילֵהוּ Job 40:11

הַשְׁפִּילוּ 30 אֱמֹר לַמֶּלֶךְ וְלַגְּבִירָה הַשְׁפִּילוּ שֵׁבוּ Jer. 13:18

שָׁפָל

ת׳ א) נמוך: 4, 6, 15

ב) עמוק, שקוע: 1, 2, 13, 14

ג) [בהשאלה] קל־ערך, חלש, צנוע: 3, 5, 7-12, 16-18

– עֵץ שָׁפָל 4; שְׁפַל רוּחַ 7-9

– מַמְלָכָה שְׁפָלָה 10-12; שִׁפְלַת קוֹמָה 15

– נִבְזִים וּשְׁפָלִים 18; רוּחַ שְׁפָלִים 16

שָׁפָל 1 וְהִנֵּה מַרְאֶהָ שָׁפָל מִן־הָעוֹר Lev. 13:20

2 וּמַרְאֵיהֶן שָׁפָל מִן־הַקִּיר Lev. 14:37

3 וּנְקַלֹּתִי...וְהָיִיתִי שָׁפָל בְּעֵינָי IISh. 6:22

4 הִגְבַּהְתִּי עֵץ שָׁפָל Ezek. 17:24

וְשָׁפָל 5 כִּי־רָם יְיָ וְשָׁפָל יִרְאֶה Ps. 138:6

הַשָּׁפָלָה 6 הַשָּׁפָלָה הַגְבֵּהַ וְהַגָּבֹהַּ הַשְׁפִּיל Ezek. 21:31

שְׁפַל־ 7 טוֹב שְׁפַל־רוּחַ אֶת־עֲנָוִים° Prov. 16:19

וּשְׁפַל־ 8 וְאֶת־דַּכָּא וּשְׁפַל־רוּחַ Is. 57:15

9 וּשְׁפַל־רוּחַ יִתְמֹךְ כָּבוֹד Prov. 29:23

שְׁפָלָה 10 מַמְלָכָה שְׁפָלָה לְבִלְתִּי הִתְנַשֵּׂא Ezek. 17:14

11 וְהָיוּ שָׁם מַמְלָכָה שְׁפָלָה Ezek. 29:14

12 מִן־הַמַּמְלָכוֹת תִּהְיֶה שְׁפָלָה Ezek. 29:15

וּשְׁפָלָה 13/4 וּשְׁפָלָה אֵינֶנָּה מִן־הָעוֹר Lev. 13:21, 26

שִׁפְלַת־ 15 וַיְהִי לְגֶפֶן סֹרַחַת שִׁפְלַת קוֹמָה Ezek. 17:6

שְׁפָלִים 16 לְהַחֲיוֹת רוּחַ שְׁפָלִים Is. 57:15

17 לָשׂוּם שְׁפָלִים לְמָרוֹם Job 5:11

וּשְׁפָלִים 18 נָתַתִּי...נִבְזִים וּשְׁפָלִים לְכָל־הָעָם Mal. 2:9

(שְׁפַל) הַשְׁפֵּל

הפ׳ ארמית השפיל: 1-4

הַשְׁפֶּלְתְּ 1 וְאַנְתְּ...לָא הַשְׁפֶּלְתְּ לִבְבָךְ Dan. 5:22

מַשְׁפִּיל 2 וְדִי־הֲוָא צָבֵא הֲוָא מַשְׁפִּל Dan. 5:19

לְהַשְׁפָּלָה 3 וְדִי מַהְלְכִין בְּגֵוָה יָכִל לְהַשְׁפָּלָה Dan. 4:34

יְהַשְׁפִּל 4 וּתְלָתָה מַלְכִין יְהַשְׁפִּל Dan. 7:24

שְׁפַל

ת׳ ארמית: שפל, נקלה

וּשְׁפַל 1 וּשְׁפַל אֲנָשִׁים יְקִים עֲלַהּ° Dan. 4:14

שֵׁפֶל

ז׳ נמיכות, מעמד שפל: 1, 2

בַּשֵּׁפֶל 1 וַעֲשִׁירִים בַּשֵּׁפֶל יֵשֵׁבוּ Eccl. 10:6

שֶׁבְּשִׁפְלֵנוּ 2 שֶׁבְּשִׁפְלֵנוּ זָכַר לָנוּ Ps. 136:23

שְׁפֵלָה

נ׳ אזור המישור, ביחוד אזור הגבעות הנמוכות שעל חוף הים התיכון, להבדיל מן "הָהָר" ומן "הָעֲרָבָה": 1-20

עָרֵי הַשְּׁפֵלָה 3-5

הַשְּׁפֵלָה 1 וְאֶת־הַשְּׁפֵלָה וְאֶת־הָעֲרָבָה Josh. 11:16

2 וּמִן־הַשְּׁפֵלָה וּמִן־הָהָר Jer. 17:26

3 וּבְעָרֵי הָהָר וּבְעָרֵי הַשְּׁפֵלָה Jer. 32:44

4 בְּעָרֵי הָהָר בְּעָרֵי הַשְּׁפֵלָה Jer. 33:13

5 וּפְלִשְׁתִּים פָּשְׁטוּ בְּעָרֵי הַשְּׁפֵלָה IICh. 28:18

וְהַשְּׁפֵלָה 6 הָהָר וְהַנֶּגֶב וְהַשְּׁפֵלָה Josh. 10:40

7 יוֹשֵׁב הָהָר וְהַנֶּגֶב וְהַשְּׁפֵלָה Jud. 1:9

8 הַנֶּגֶב אֶת־הַר עֵשָׂו וְהַשְּׁפֵלָה Ob. 19

9 וְהַנֶּגֶב וְהַשְּׁפֵלָה יֹשֵׁב Zech. 7:7

בַּשְּׁפֵלָה 10 בַּשְּׁפֵלָה אֶשְׁתָּאוֹל וְצָרְעָה Josh. 15:33

11 כַּשִּׁקְמִים אֲשֶׁר־בַּשְּׁפֵלָה לָרֹב IK. 10:27

12 וְהַשִּׁקְמִים אֲשֶׁר בַּשְּׁפֵלָה ICh. 27:28

13/4 כַּשִּׁקְמִים אֲשֶׁר־בַּשְּׁפֵלָה לָרֹב IICh. 1:15; 9:27

וּבַשְּׁפֵלָה 15 בָּהָר וּבַשְּׁפֵלָה וּבַנֶּגֶב Deut. 1:7

16 בָּהָר וּבַשְּׁפֵלָה Josh. 9:1

17 נֶגֶב כִּנֲרוֹת וּבַשְּׁפֵלָה Josh. 11:2

18 בָּהָר וּבַשְּׁפֵלָה וּבָעֲרָבָה Josh. 12:8

19 וּבַשְּׁפֵלָה וּבַמִּישׁוֹר IICh. 26:10

וּשְׁפֵלָתֹה 20 וְאֶת־הַר יִשְׂרָאֵל וּשְׁפֵלָתֹה Josh. 11:16

שִׁפְלָה

נ׳ שְׁפֵלָה

וּבַשִּׁפְלָה 1 וּבַשִּׁפְלָה תִּשְׁפַּל הָעִיר Is. 32:19

שִׁפְלוּת

נ׳ רפיון • שִׁפְלוּת יָדַיִם 1

וּבְשִׁפְלוּת־ 1 וּבְשִׁפְלוּת יָדַיִם יִדְלֹף הַבָּיִת Eccl. 10:18

שָׂפָם

ז׳ הַשֵּׂעָר שעל השפה העליונה: 1-5

שָׂפָם 1 וְהַצָּרוּעַ...וְעַל־שָׂפָם יַעְטֶה Lev. 13:45

2 וְלֹא תַעְטֶה עַל־שָׂפָם Ezek. 24:17

3 על־שפם לא תעטו Ezek.24:22
4 ועטו על־שפם כלם Mic.3:7
שפמו 5 ולא־עשה רגליו ולא־עשה שפמו IISh.19:25

שפם שפ״ז – משנה ליואל ראש בני גד
ושפם 1 יואל הראש ושפם המשנה ICh.5:12

שפם ש״פ – מקום בצפון ארץ כנען: 1, 2
שפמה 1 והתאויתם...מחצר עינן שפמה Num.34:10
משפם 2 וירד הגבל משפם הרבלה Num.34:11

שפמות ש״פ – עיר בנגב יהודה
בשפמות 1 ולאשר בערער ולאשר בשפמות ISh.30:28

שפמי ת׳ מתושבי שפם
השפמי 1 ועל שבכרמים...זבדי השפמי ICh.27:27

שפן – עין שפון

שפן1 ז׳ יונק קטן השוכן בנקיקי הסלעים: 1-4
השפן 1 ואת־השפן כי־מעלה גרה הוא Lev.11:5
2 ואת־הארנבת ואת־השפן Deut.14:7
שפנים 3 שפנים עם לא־עצום Prov.30:26
לשפנים 4 סלעים מחסה לשפנים Ps.104:18

שפן2 שפ״ז – סופר המלך יאשיהו: 1-30
שפן הסופר 2, 4-9; בן־שפן 11-24, 29
שפן 1 שלח המלך את־שפן בן־אצליהו IIK.22:3
2 ויאמר חלקיהו...על־שפן הספר... IIK.22:8
3 ויתן חלקיה את־הספר אל־שפן IIK.22:8
4 ויבא שפן הספר אל־המלך IIK.22:9
5-9 שפן הס(ו)פר IIK.22:10, 12 • IICh.34:15, 18, 20
10 ויקראהו שפן לפני המלך IIK.22:10
11 ויצו המלך...ואת־אחיקם בן־שפן IIK.22:12
12 את־גדליהו בן־אחיקם בן־שפן IIK.25:22
13-19 אחיקם בן־שפן Jer.26:24
39:14; 40:5, 9, 11; 41:2; 43:6
20 ביד אלעשה בן־שפן Jer.29:3
21 בלשכת גמריהו בן־שפן הספר Jer.36:10
22 מכיהו בן־גמריהו בן־שפן Jer.36:11
23 וגמריהו בן־שפן וצדקיהו Jer.36:12
24 ויאזניהו בן־שפן עמד בתוכם Ezek.8:11
25 שלח את־שפן בן־אצליהו IICh.34:8
26 ויתן חלקיהו את־הספר אל־שפן IICh.34:15
27 ויבא שפן את־הספר אל־המלך IICh.34:16
28 ויקרא־בו שפן לפני המלך IICh.34:18
29 ויצו המלך...ואת־אחיקם בן־שפן IICh.34:20
ושפן 30 ואחיקם ועכבור ושפן IIK.22:14

שפע : שפע, שפעה; ש״פ שפעי

שפע ז׳ רוב
שפע 1 כי שפע ימים יינקו Deut.33:19

שפעה* נ׳ שפע, המון: 1-6
שפעת גמלים 3; שפעת יהוא 2; שפעת מים 4,5; שפעת סוסים 6
שפעת 1 ויאמר שפעת אני ראה IIK.9:17
שפעת־ 2 וירא את־שפעת יהוא בבאו IIK.9:17
3 שפעת גמלים תכסך Is.60:6
ושפעת־ 4/5 ושפעת־מים תכסך Job22:11; 38:34
משפעת־ 6 משפעת סוסיו יכסך אבקם Ezek.26:10

שפעי שפ״ז – איש משבט שמעון
שפעי 1 וזיזא בן־שפעי בן־אלון ICh.4:37

שפק : שפק, השפיק; שפק

שפק פ׳ א) היה די, הספיק: 1
ב) [הפ׳ השפיק] היה לו רב: 2
ישפק 1 אם־ישפק עפר שמרון לשעלים IK.20:10
ישפיקו 2 ובילדי נכרים ישפיקו Is.2:6

שפק*1 ז׳ ספק?
בשפק 1 כי־חמה פן־יסיתך בשפק Job36:18

שפק*2 ז׳ ספוק, צורך
שפקו 1 במלאות שפקו יצר לו Job20:22

שפר : שפר; שפר, שפרה, שפריר; אשפר?; ש״פ שפר, שפרה; אר׳ שפר, שפרפרא

שפר פ׳ נעם, היה טוב
שפרה 1 אף־נחלת שפרה עלי Ps.16:6

שפר פ׳ ארמית: היה טוב, נרצה: 1-3
שפר 1 אתיא...שפר קדמי להחויה Dan.3:32
2 שפר קדם דריוש Dan.6:2
ישפר 3 מלכא מלכי ישפר עלך Dan.4:24

שפר*1 ז׳ יופי, נועם • אמרי שפר 1
שפר 1 אילה שלחה הנתן אמרי־שפר Gen.49:21

שפר*2 ש״פ – הר במדבר סיני: 1, 2
שפר 1 ויסעו...ויחנו בהר־שפר Num.33:23
2 ויסעו מהר־שפר ויחנו בחרדה Num.33:24

שפרה נ׳ שפר, יופי
שפרה 1 ברוחו שמים שפרה Job26:13

שפרה שפ״נ – מילדת עבריה בימי הולדת משה
שפרה 1 שם האחת שפרה...השנית פועה Ex.1:15

שפריר ז׳ אוהל, כפה
שפרירו 1 ונטה את־שפרירו (כת׳ שפרורו) Jer.43:10

שפרפרא ז׳ ארמית: אור הבוקר
בשפרפרא 1 בשפרפרא יקום בנגהא Dan.6:20

שפת : שפת; שפתים, משפתים

שפת פ׳ שם, הכין, קבע (גם בהשאלה): 1-5
שפת סיר 3-5; שפת שלום 1
תשפת 1 יי תשפת שלום לנו Is.26:12
תשפתני 2 ולעפר־מות תשפתני Ps.22:16
שפת 3 שפת הסיר הגדולה ובשל נזיד IIK.4:38
4/5 שפת הסיר שפת וגם־יצק Ezek.24:3

שפתים ז״ז א) גדרות צאן או בקר: 1
[עין גם משפתים]
ב) ווים לתלית בהמות שחוטות(?): 2
שפתים 1 אם־תשכבון בין שפתים Ps.68:14
והשפתים 2 והשפתים טפח אחד מוכנים Ezek.40:43

שצף ז׳ שטף • שצף קצף 1
בשצף־ 1 בשצף קצף הסתרתי פני רגע ממך Is.54:8

שק ז׳ א) אמתחת: 8, 21, 28-32, 48
ב) מעטה אריג גס שלובשים על הגוף
לאות אבל: 1-7, 9-20, 22-27, 33-47
– שק ואפר 4, 6, 7, 12, 19, 20; חגורת שק 3; לבוש שק (15), 17; מחגרת שק 9; שקים בלים 32
– הריק שק 48; התכסה (ב)שק 25, 26, 41, 43, 44; חגר שק 10-12, 33, 35-39, 42; כסה שק 4; לבש שק 6, 40; פתח שק 29; פתח שק 23, 27; שם שק 1, 2, 34; תפר שק 5

שק 1 וישם שק במתניו Gen.37:34
2 וישם־שק על־בשרו IK.21:27
3 אלי כבתולה חגרת־שק Joel1:8
4 ויכס שק וישב על־האפר Jon.3:6
5 שק תפרתי עלי גלדי Job16:15
6 וילבש שק ואפר Es.4:1
7 שק ואפר יצע לרבים Es.4:3
שק 8 או בגד או־עור או שק Lev.11:32
9 ותחת פתיגיל מחגרת שק Is.3:24
10 בחוצתיו חגרו שק Is.15:3
11 לבכי...ולקרחה ולחגר שק Is.22:12
12 חגרי־שק והתפלשי באפר Jer.6:26
13 ועל־מתנים שק Jer.48:37
14 והעליתי על־כל־מתנים שק Am.8:10
15 ואני בחלותם לבושי שק Ps.35:13
16 ואתנה לבושי שק Ps.69:12
17 כי אין לבוא...בלבוש שק Es.4:2
ושק 18 ושק אשים כסותם Is.50:3
19 ושק ואפר יציע Is.58:5
20 לבקש...בצום ושק ואפר Dan.9:3
השק 21 ותקח רצפה...את־השק IISh.21:10
22 והנה השק על־בשרו מבית IIK.6:30
23 ופתחת השק מעל מתניך Is.20:2
בשק 24 וישכב בשק ויהלך אט IK.21:27
25 ויתכס בשק ויבא בית יי IIK.19:1
26 ויתכס בשק ויבא בית יי Is.37:1
שקי 27 פתחת שקי ותאזרני שמחה Ps.30:12
שקו 28 ולהשיב כספיהם איש אל־שקו Gen.42:25
29 ויפתח האחד את־שקו Gen.42:27
30 ולהסיר שקו מעליו Es.4:4
בשקו 31 והנה־איש צרור־כספו בשקו Gen.42:35
שקים 32 ויקחו שקים בלים לחמוריהם Josh.9:4
33 קרעו בגדיכם וחגרו שקים IISh.3:31
34 נשימה נא שקים במתנינו IK.20:31
35 ויחגרו שקים במתניהם IK.20:32
36 על־זאת חגרו שקים ספדו והילילו Jer.4:8
37 חגרנה שקים ספדנה Jer.49:3
38 וחגרו שקים וכסתה אותם פלצות Ezek.7:18
39 והקריחו...קרחה וחגרו שקים Ezek.27:31
40 ויקראו־צום וילבשו שקים Jon.3:5
41 ויתכסו שקים האדם והבהמה Jon.3:8
42 העלו עפר על־ראשם חגרו שקים Lam.2:10
בשקים 43 וזקני הכהנים מתכסים בשקים IIK.19:2
44 וזקני הכהנים מתכסים בשקים Is.37:2
45 באו לינו בשקים משרתי אלהי Joel1:13
46 דויד והזקנים מכסים בשקים ICh.21:16
ובשקים 47 בצום ובשקים ואדמה עליהם Neh.9:1
שקיהם 48 ויהי הם מריקים שקיהם Gen.42:35

שק* נ׳ ארמית: שוק
שקוהי 1 שקוהי די פרזל Dan.2:33

(שקד) נשקד נפ׳ נקשר(?), הסתבך(?)
נשקד 1 נשקד על פשעי בידו Lam.1:14

שקד : שָׁקֵד, מְשֻׁקָּד; שָׁקֵד

שָׁקַד
פ׳ א) היה ער תמיד: 1-12
ב) [פ׳ בינוני: מְשֻׁקָּד] עשוי בתבנית שקד: 13-18
שָׁקֵד 3, 4, 8, 12; שָׁקַד עַל־ 1, 2, 5-7, 9-11; גְּבִיעִים מְשֻׁקָּדִים 13-16

לִשְׁקֹד 1 לִשְׁקֹד עַל־דַּלְתֹתַי יוֹם יוֹם Prov.8:34
שָׁקַדְתִּי 2 כַּאֲשֶׁר שָׁקַדְתִּי עֲלֵיהֶם לִנְתוֹשׁ Jer.31:28
3 שָׁקַדְתִּי וָאֶהְיֶה כְּצִפּוֹר בּוֹדֵד Ps.102:8
שָׁקַד 4 שָׁוְא שָׁקַד שׁוֹמֵר Ps.127:1
שֹׁקֵד 5 כִּי־שֹׁקֵד אֲנִי עַל־דְּבָרִי לַעֲשֹׂתוֹ Jer.1:12
6 נָמֵר שֹׁקֵד עַל־עָרֵיהֶם Jer.5:6
7 הִנְנִי שֹׁקֵד עֲלֵיהֶם לְרָעָה Jer.44:27
שֹׁקְדֵי־ 8 וְנִכְרְתוּ כָּל־שֹׁקְדֵי אָוֶן Is.29:20
אֶשְׁקֹד 9 כֵּן אֶשְׁקֹד עֲלֵיהֶם לִבְנוֹת Jer.31:27
יִשְׁקוֹד 10 לִקְבָרוֹת יוּבָל וְעַל־גָּדִישׁ יִשְׁקוֹד Job21:32
וַיִּשְׁקֹד 11 וַיִּשְׁקֹד יְיָ עַל־הָרָעָה וַיְבִיאֶהָ עָלֵינוּ Dan.9:14
שִׁקְדוּ 12 שִׁקְדוּ וְשִׁמְרוּ עַד־תִּשְׁקְלוּ... Ez.8:29
מְשֻׁקָּדִים 13/4 שְׁלֹשָׁה גְבִעִים מְשֻׁקָּדִים Ex.25:33; 37:19
15/6 וּשְׁלֹשָׁה גְבִעִים מְשֻׁקָּדִים Ex.25:33; 37:19
17/8 מְשֻׁקָּדִים כַּפְתֹּרֶיהָ וּפְרָחֶיהָ Ex.25:34; 37:20

שָׁקֵד
ז׳ עץ ממשפחת הורדניים, פריו עשיר בשמן: 1-4
מַקֵּל שָׁקֵד 1; בָּטְנִים וּשְׁקֵדִים 4

שָׁקֵד 1 וָאֹמַר מַקֵּל שָׁקֵד אֲנִי רֹאֶה Jer.1:11
הַשָּׁקֵד 2 וְיָנֵאץ הַשָּׁקֵד וְיִסְתַּבֵּל הֶחָגָב Eccl.12:5
שְׁקֵדִים 3 וַיָּצֵץ צִיץ וַיִּגְמֹל שְׁקֵדִים Num.17:23
וּשְׁקֵדִים 4 נְכֹאת וָלֹט בָּטְנִים וּשְׁקֵדִים Gen.43:11

שקה : הִשְׁקָה, שֻׁקָּה; שִׁקּוּי, מַשְׁקֶה; שֶׁקֶת(?)

(שקה) הִשְׁקָה
הפ׳ א) נתן לשתות, הרוה: 1-60
ב) [פ׳ שֻׁקָּה] רוה, שבע: 61

וְהַשְׁקוֹת 1 וְהַשְׁקוֹת בִּכְלֵי זָהָב Es.1:7
לְהַשְׁקוֹת 2 וְנָהָר יֹצֵא מֵעֵדֶן לְהַשְׁקוֹת אֶת־הַגָּן Gen.2:10
3 וַתִּדְלֶנָה...לְהַשְׁקוֹת צֹאן אֲבִיהֶן Ex.2:16
4 נְהָרוֹת...לְהַשְׁקוֹת עַמִּי בְחִירִי Is.43:20
5 לְהַשְׁקוֹת אוֹתָהּ מֵעֲרֻגוֹת מַטָּעָהּ Ezek.17:7
6 לְהַשְׁקוֹת מֵהֶם יַעַר צוֹמֵחַ עֵצִים Eccl.2:6
לְהַשְׁקֹתוֹ 7 וַתְּכַל לְהַשְׁקֹתוֹ וַתֹּאמֶר Gen.24:19
וְהִשְׁקֵיתִי 8 וְהִשְׁקֵיתִי אֶרֶץ צָפָתְךָ מִדָּמְךָ Ezek.32:6
וְהִשְׁקִיתִים 9 וְהִשְׁקִיתִים מֵי־רֹאשׁ Jer.9:14
10 וְהִשְׁקִתִים מֵי־רֹאשׁ Jer.23:15
וְהִשְׁקִיתָ 11 וְהִשְׁקִיתָ אֶת־הָעֵדָה וְאֶת־בְּעִירָם Num.20:8
12 וְהִשְׁקִיתָ בְרַגְלְךָ כְּגַן הַיָּרָק Deut.11:10
13 וְהִשְׁקִיתָ אוֹתָם יָיִן Jer.35:2
וְהִשְׁקִיתָה 14 וְהִשְׁקִיתָה אֹתוֹ אֶת־כָּל־הַגּוֹיִם Jer.25:15
הִשְׁקִיתָנוּ 15 הִשְׁקִיתָנוּ יַיִן תַּרְעֵלָה Ps.60:5
וְהִשְׁקָה 16 וְאֵד...וְהִשְׁקָה אֶת־כָּל־פְּנֵי הָאֲדָמָה Gen.2:6
17 וְהִשְׁקָה אֶת־הָאִשָּׁה אֶת־מֵי הַמָּרִים Num.5:24
18 וְהִשְׁקָה אֶת־נַחַל הַשִּׁטִּים Joel4:18
וְהִשְׁקָהּ 19 וְהִשְׁקָהּ אֶת־הַמָּיִם Num.5:27
הִשְׁקָתָה 20 וָאֵשְׁתְּ וְגַם הַגְּמַלִּים הִשְׁקָתָה Gen.24:46
וְהִשְׁקִינוּ 21 וְגָלְלוּ...וְהִשְׁקִינוּ הַצֹּאן Gen.29:8
וְהִשְׁקוּ 22 וְגָלְלוּ...וְהִשְׁקוּ אֶת־הַצֹּאן Gen.29:3
מַשְׁקֶה 23 מַשְׁקֶה הָרִים מֵעֲלִיּוֹתָיו Ps.104:13
מַשְׁקֵה־ 24 הוֹי מַשְׁקֵה רֵעֵהוּ Hab.2:15
אַשְׁקֶה 25/6 וְגַם־גְּמַלֶּיךָ אַשְׁקֶה Gen.24:14,46
וָאַשְׁקֶה 27 וָאַשְׁקֶה אֶת־כָּל־הַגּוֹיִם Jer.25:17
אַשְׁקְךָ 28 אַשְׁקְךָ מִיַּיִן הָרֶקַח מֵעֲסִיס רִמֹּנִי S.ofS.8:2
אַשְׁקֶנָּה 29 אֲנִי יְיָ נֹצְרָהּ לִרְגָעִים אַשְׁקֶנָּה Is.27:3
תַּשְׁקֶה 30 לֹא־מַיִם עָיֵף תַּשְׁקֶה Job22:7
תַּשְׁקֵם 31 יִרְוְיֻן...וְנַחַל עֲדָנֶיךָ תַשְׁקֵם Ps.36:9
וַתַּשְׁקֵמוֹ 32 וַתַּשְׁקֵמוֹ בִּדְמָעוֹת שָׁלִישׁ Ps.80:6
יַשְׁקֶה 33 וְאַחַר יַשְׁקֶה אֶת־הָאִשָּׁה אֶת־הַמָּיִם Num.5:26
וַיַּשְׁקְ 34 וַיָּגֶל...וַיַּשְׁקְ אֶת־צֹאן לָבָן Gen.29:10
35 וַיָּקָם...וַיַּשְׁקְ אֶת־צֹאנָם Ex.2:17
36 וְגַם־דָּלֹה דָלָה לָנוּ וַיַּשְׁקְ אֶת־הַצֹּאן Ex.2:19
37 וַיִּזֶר...וַיַּשְׁקְ אֶת־בְּנֵי יִשְׂרָאֵל Ex.32:20
38 וַיַּשְׁקְ כִּתְהֹמוֹת רַבָּה Ps.78:15
יַשְׁקֵנִי 39 מִי יַשְׁקֵנִי מַיִם מִבֹּאר בֵּית־לֶחֶם IISh.23:15
40 מִי יַשְׁקֵנִי מַיִם מִבּוֹר בֵּית־לֶחֶם ICh.11:17
וַיַּשְׁקֵנוּ 41 יְיָ...הֲדִמָּנוּ וַיַּשְׁקֵנוּ מֵי־רֹאשׁ Jer.8:14
וַתַּשְׁקְ 42 וַתְּמַלֵּא...וַתַּשְׁקְ אֶת־הַנָּעַר Gen.21:19
וַתַּשְׁקֵהוּ 43 וַתֹּרֶד כַּדָּהּ עַל־יָדָהּ וַתַּשְׁקֵהוּ Gen.24:18
44 וַתִּפְתַּח אֶת־נֹאוד הֶחָלָב וַתַּשְׁקֵהוּ Jud.4:19
נַשְׁקֶה 45 לְכָה נַשְׁקֶה אֶת־אָבִינוּ יַיִן Gen.19:32
נַשְׁקֶנּוּ 46 נַשְׁקֶנּוּ יַיִן גַּם־הַלַּיְלָה Gen.19:34
וַתַּשְׁקוּ 47 וַתַּשְׁקוּ אֶת־הַנְּזִרִים יָיִן Am.2:12
יַשְׁקוּ 48 מִן־הַבְּאֵר הַהִוא יַשְׁקוּ הָעֲדָרִים Gen.29:2
49 וְלֹא־יַשְׁקוּ אוֹתָם כּוֹס תַּנְחוּמִים Jer.16:7
50 יַשְׁקוּ כָּל־חַיְתוֹ שָׂדָי Ps.104:11
יַשְׁקוּנִי 51 וְלִצְמָאִי יַשְׁקוּנִי חֹמֶץ Ps.69:22
וַיַּשְׁקֻהוּ 52 וַיִּתְּנוּ־לוֹ לֶחֶם וַיֹּאכַל וַיַּשְׁקֻהוּ מָיִם ISh.30:11
וַיַּשְׁקוּם 53 וַיַּאֲכִלוּם וַיַּשְׁקוּם וַיְסֻכוּם IICh.28:15
וַתַּשְׁקֶיןָ 54 וַתַּשְׁקֶיןָ אֶת־אֲבִיהֶן יַיִן Gen.19:33
55 וַתַּשְׁקֶיןָ...אֶת־אֲבִיהֶן יָיִן Gen.19:35
הַשְׁקֵהוּ 56 וְאִם־צָמֵא הַשְׁקֵהוּ מָיִם Prov.25:21
הַשְׁקִינִי 57 הַשְׁקִינִי־נָא מְעַט־מַיִם מִכַּדֵּךְ Gen.24:43
58 וָאֹמַר אֵלֶיהָ הַשְׁקִינִי נָא Gen.24:45
59 הַשְׁקִינִי־נָא מְעַט־מָיִם Jud.4:19
הַשְׁקוּ 60 הַשְׁקוּ הַצֹּאן וּלְכוּ רְעוּ Gen.29:7
יְשֻׁקֶּה 61 וּמֹחַ עַצְמוֹתָיו יְשֻׁקֶּה Job21:24

שָׁקָה
(בראשית כו 26) – עין נָשַׁק (26)

שִׁקּוּי
ז׳ משקה, נוזל לשתיה: 1-3

וְשִׁקּוּי 1 רִפְאוּת...וְשִׁקּוּי לְעַצְמוֹתֶיךָ Prov.3:8
וְשִׁקֻּוַי 2 וְשִׁקֻּוַי בִּבְכִי מָסָכְתִּי Ps.102:10
וְשִׁקּוּיָי 3 נֹתְנֵי לַחְמִי...שַׁמְנִי וְשִׁקּוּיָי Hosh.2:7

שְׁקוּף*
ת׳ חדיר לאור: 1, 2

שְׁקֻפִים 1 וַיַּעַשׂ לַבָּיִת חַלּוֹנֵי שְׁקֻפִים אֲטֻמִים IK.6:4
וּשְׁקֻפִים 2 וּשְׁקֻפִים שְׁלֹשָׁה טוּרִים IK.7:4

שִׁקּוּץ
ז׳ א) תועבה, נבלה: 8, 9, 16, 19
ב) כנוי גנאי לאליל: 1-7, 10-15, 17, 18, 20-28
קרובים: ראה פֶּסֶל
– שִׁקּוּץ שׁוֹמֵם 1; שִׁקּוּץ מְשׁוֹמֵם 2
– שִׁקּוּץ בְּנֵי עַמּוֹן 5; שִׁקּוּץ מוֹאָב 4, 7; שִׁקּוּץ צִידוֹנִים 6
– שִׁקּוּצֵי עֵינָיו 13, 14
– לֵב שִׁקּוּצֵיהֶם 25; נִבְלַת שׁ׳ 22; צַלְמֵי שׁ׳ 24

שִׁקּוּץ 1 וְלָתֵת שִׁקּוּץ שֹׁמֵם Dan.12:11
הַשִּׁקּוּץ 2 וְנָתְנוּ הַשִּׁקּוּץ מְשׁוֹמֵם Dan.11:31
שִׁקֻּץ־ 3 וְאַחֲרֵי מִלְכֹּם שִׁקֻּץ עַמֹּנִים IK.11:5
4 בָּמָה לִכְמוֹשׁ שִׁקֻּץ מוֹאָב IK.11:7
5 וּלְמֹלֶךְ שִׁקֻּץ בְּנֵי עַמּוֹן IK.11:7
6 אֲשֶׁר בָּנָה...לְעַשְׁתֹּרֶת שִׁקֻּץ צִידֹנִים IIK.23:13
7 וְלִכְמוֹשׁ שִׁקֻּץ מוֹאָב IIK.23:13
שִׁקּוּצִים 8 וַיִּהְיוּ שִׁקּוּצִים כְּאָהֳבָם Hosh.9:10
9 וְהִשְׁלַכְתִּי עָלַיִךְ שִׁקֻּצִים Nah.3:6
10 וְעַל כְּנַף שִׁקּוּצִים מְשֹׁמֵם Dan.9:27
הַשִּׁקֻּצִים 11 וְאֶת־הַגִּלֻּלִים וְאֵת כָּל־הַשִּׁקֻּצִים IIK.23:24
12 וַיַּעֲבֵר הַשִּׁקּוּצִים מִכָּל־אֶרֶץ יְהוּדָה IICh.15:8
שִׁקּוּצֵי־ 13 אִישׁ שִׁקּוּצֵי עֵינָיו הַשְׁלִיכוּ Ezek.20:7
14 אִישׁ אֶת־שִׁקּוּצֵי עֵינֵיהֶם לֹא הִשְׁלִיכוּ Ezek.20:8
שִׁקּוּצֶיךָ 15 וְאִם־תָּסִיר שִׁקּוּצֶיךָ מִפָּנַי Jer.4:1
שִׁקּוּצַיִךְ 16 בְּכָל־שִׁקּוּצַיִךְ וּבְכָל־תּוֹעֲבֹתָיִךְ Ezek.5:11
שִׁקּוּצָיִךְ 17 עַל־גְּבָעוֹת...רָאִיתִי שִׁקּוּצָיִךְ Jer.13:27
וְשִׁקֻּצָיו 18 וַהֲסִרֹתִי...וְשִׁקֻּצָיו מִבֵּין שִׁנָּיו Zech.9:7
שִׁקּוּצֶיהָ 19 אֶת־כָּל־שִׁקּוּצֶיהָ...תּוֹעֲבוֹתֶיהָ Ezek.11:18
שִׁקּוּצֵיהֶם 20 אֶת־שִׁקּוּצֵיהֶם וְאֵת גִּלֻּלֵיהֶם Deut.29:16
21 שָׂמוּ שִׁקּוּצֵיהֶם בַּבַּיִת Jer.7:30
22 בְּנִבְלַת שִׁקּוּצֵיהֶם וְתוֹעֲבוֹתֵיהֶם Jer.16:18
23 וַיָּשִׂימוּ שִׁקּוּצֵיהֶם בַּבַּיִת Jer.32:34
24 וְצַלְמֵי תוֹעֲבֹתָם שִׁקּוּצֵיהֶם עָשׂוּ בוֹ Ezek.7:20
25 וְאֶל־לֵב שִׁקּוּצֵיהֶם...לִבָּם הֹלֵךְ Ezek.11:21
26 וְאַחֲרֵי שִׁקּוּצֵיהֶם אַתֶּם זֹנִים Ezek.20:30
וּבְשִׁקּוּצֵיהֶם 27 וּבְשִׁקּוּצֵיהֶם נַפְשָׁם חָפֵצָה Is.66:3
28 בְּגִלּוּלֵיהֶם וּבְשִׁקּוּצֵיהֶם Ezek.37:23

שקט : שָׁקַט, הִשְׁקִיט; הַשְׁקֵט, שֶׁקֶט

שָׁקַט
פ׳ א) היה שָׁלֵו, ישב בשלוה, נח: 1-31
ב) [הפ׳ הִשְׁקִיט] הניח, הרגיע: 32-41
קרובים: בָּטַח | נָח | שַׁאֲנָן | שָׁלֵו
שׁוֹקֵט וּבוֹטֵחַ 13, 14; הַשְׁקֵט וָבֶטַח 32; הַשְׁקֵט וּבִטְחָה 36; שַׁלְוַת הַשְׁקֵט 35

שָׁקַטְתִּי 1 לֹא שָׁלַוְתִּי וְלֹא שָׁקַטְתִּי וְלֹא־נָחְתִּי Job3:26
וְשָׁקַטְתִּי 2 וְשָׁקַטְתִּי וְלֹא אֶכְעַס עוֹד Ezek.16:42
וְשָׁקַט 3/4 וְשָׁקַט וְשַׁאֲנַן וְאֵין מַחֲרִיד Jer.30:10; 46:27
שָׁקְטָה 5/6 וְהָאָרֶץ שָׁקְטָה מִמִּלְחָמָה Josh.11:23; 14:15
7 נָחָה שָׁקְטָה כָּל־הָאָרֶץ Is.14:7
8 בְּיָמָיו שָׁקְטָה הָאָרֶץ עֶשֶׂר שָׁנִים IICh.13:23
9 שָׁקְטָה הָאָרֶץ וְאֵין־עִמּוֹ מִלְחָמָה IICh.14:5
שָׁקָטָה 10 וַיִּשְׂמַח...וְהָעִיר שָׁקָטָה IIK.11:20
11 וַיִּשְׂמְחוּ...וְהָעִיר שָׁקָטָה IICh.23:21
וְשָׁקָטָה 12 אֶרֶץ יָרְאָה וְשָׁקָטָה Ps.76:9
שׁוֹקֵט 13 וַיִּרְאוּ אֶת־הָעָם...שֹׁקֵט וּבֹטֵחַ Jud.18:7
14 וַיָּבֹאוּ...עַל־עַם שֹׁקֵט וּבֹטֵחַ Jud.18:27
וְשֹׁקֵט 15 שַׁאֲנַן...וְשֹׁקֵט הוּא אֶל־שְׁמָרָיו Jer.48:11
וְשֹׁקֶטֶת 16 וְהָאָרֶץ רַחֲבַת יָדַיִם וְשֹׁקֶטֶת וּשְׁלֵוָה ICh.4:40
וְשֹׁקָטֶת 17 כָּל־הָאָרֶץ יֹשֶׁבֶת וְשֹׁקָטֶת Zech.1:11
הַשֹּׁקְטִים 18 אָבוֹא הַשֹּׁקְטִים יֹשְׁבֵי לָבֶטַח Ezek.38:11
אֶשְׁקוֹט 19 וּלְמַעַן יְרוּשָׁלַםִ לֹא אֶשְׁקוֹט Is.62:1
וְאֶשְׁקוֹט 20 כִּי־עַתָּה שָׁכַבְתִּי וְאֶשְׁקוֹט Job3:13
אֶשְׁקֳטָה 21 אֶשְׁקֳטָה (כ״ו אשקוטה) וְאַבִּיטָה Is.18:4
תִּשְׁקֹט 22 אַל־תֶּחֱרַשׁ וְאַל־תִּשְׁקֹט אֵל Ps.83:2
תִּשְׁקֹטִי 23 חֶרֶב לַיְיָ עַד־אָנָה לֹא תִשְׁקֹטִי Jer.47:6
24 אֵיךְ תִּשְׁקֹטִי וַיְיָ צִוָּה־לָהּ Jer.47:7
יִשְׁקֹט 25 כִּי לֹא יִשְׁקֹט הָאִישׁ כִּי אִם־כִּלָּה Ruth3:18
וַתִּשְׁקֹט 26-28 וַתִּשְׁקֹט הָאָרֶץ אַרְבָּעִים שָׁנָה Jud.3:11; 5:31; 8:28
29 וַתִּשְׁקֹט הָאָרֶץ שְׁמוֹנִים שָׁנָה Jud.3:30
30 וַתִּשְׁקֹט הַמַּמְלָכָה לְפָנָיו IICh.14:4
31 וַתִּשְׁקֹט מַלְכוּת יְהוֹשָׁפָט IICh.20:30
הַשְׁקֵט 32 שָׁלוֹם...הַשְׁקֵט וָבֶטַח עַד־עוֹלָם Is.32:17
33 כַּיָּם נִגְרָשׁ כִּי הַשְׁקֵט לֹא יוּכָל Is.57:20
34 בַּיָּם דְּאָגָה הַשְׁקֵט לֹא יוּכָל Jer.49:23
35 וְשַׁלְוַת הַשְׁקֵט הָיָה לָהּ Ezek.16:49
בְּהַשְׁקֵט 36 בְּהַשְׁקֵט וּבְבִטְחָה תִּהְיֶה גְּבוּרַתְכֶם Is.30:15
37 בְּהַשְׁקִט אֶרֶץ מִדָּרוֹם Job37:17
לְהַשְׁקִיט 38 לְהַשְׁקִיט לוֹ מִימֵי רָע Ps.94:13

יַשְׁקִיט 39 וְאֶרֶךְ אַפַּיִם יַשְׁקִיט רִיב Prov. 15:18
40 וְהוּא יַשְׁקִט וּמִי יַרְשִׁעַ Job 34:29
וְהַשְׁקֵט 41 הִשָּׁמֵר וְהַשְׁקֵט אַל־תִּירָא Is. 7:4

שֶׁקֶט ז׳ מנוחה, שלוה
קרובים: בִּטְחָה / בִּטָּחוֹן / מָנוֹחַ / מְנוּחָה / מַרְגּוֹעַ / נַחַת / שַׁלְוָה
שָׁלוֹם וָשֶׁקֶט 1
וָשֶׁקֶט 1 וְשָׁלוֹם וָשֶׁקֶט אֶתֵּן עַל־יִשְׂרָאֵל ICh. 22:9

שקל : שָׁקַל, נִשְׁקַל; שֶׁקֶל, מִשְׁקָל, מִשְׁקוֹל, מִשְׁקֶלֶת, מִשְׁקֹלֶת; ש״פ אַשְׁקְלוֹן

שָׁקַל פ׳ א) קבע כֹּבדו של דבר: 1, 3, 4, 15
ב) [בהשאלה] שִׁלֵּם במשקל כסף או זהב וכדומה: 2, 5-14, 16-19
ג) [נפ׳ נִשְׁקַל] נקבע כבדו של דבר [ובהשאלה] שוּלַם: 20-22
שָׁקוֹל 1 לוּ שָׁקוֹל יִשָּׁקֵל כַּעְשִׂי Job 6:2
לִשְׁקוֹל 2 לִשְׁקוֹל עַל־גִּנְזֵי הַמֶּלֶךְ Es. 4:7
וְשָׁקַל 3 וְשָׁקַל אֶת־שְׂעַר רֹאשׁוֹ IISh. 14:26
4 וְשָׁקַל בַּפֶּלֶס הָרִים Is. 40:12
שֹׁקֵל 5 וְלוּ אָנֹכִי שֹׁקֵל עַל־כַּפַּי אֶלֶף כֶּסֶף IISh. 18:12
6 אַיֵּה סֹפֵר אַיֵּה שֹׁקֵל...אֶת־הַמִּגְדָּלִים Is. 33:18
אֶשְׁקוֹל 7 אֶשְׁקוֹל עַל־יְדֵי עֹשֵׂי הַמְּלָאכָה Es. 3:9
וָאֶשְׁקֹל 8 וָאֶשְׁקֹל הַכֶּסֶף בְּמֹאזְנָיִם Jer. 32:10
וָאֶשְׁקֲלָה 9 וָאֶשְׁקֲלָה־לּוֹ אֶת־הַכֶּסֶף Jer. 32:9
10 וָאֶשְׁקֲלָה עַל־יָדָם כֶּסֶף Ez. 8:26
וָאֶשְׁקֲלָה 11 וָאֶשְׁקֲלָה (כת׳ ואשקולה) לָהֶם אֶת־הַכֶּסֶף Ez. 8:25
תִּשְׁקוֹל 12 אוֹ כִכַּר־כֶּסֶף תִּשְׁקוֹל IK. 20:39
יִשְׁקֹל 13 כֶּסֶף יִשְׁקֹל כְּמֹהַר הַבְּתוּלֹת Ex. 22:16
וַיִּשְׁקֹל 14 וַיִּשְׁקֹל אַבְרָהָם לְעֶפְרֹן אֶת־הַכֶּסֶף Gen. 23:16
יִשְׁקְלֵנִי 15 יִשְׁקְלֵנִי בְמֹאזְנֵי־צֶדֶק Job 31:6
תִשְׁקְלוּ 16 לָמָּה תִשְׁקְלוּ־כֶסֶף בְּלוֹא־לֶחֶם Is. 55:2
17 עַד תִּשְׁקְלוּ לִפְנֵי שָׂרֵי הַכֹּהֲנִים Ez. 8:29
יִשְׁקֹלוּ 18 וְכֶסֶף בַּקָּנֶה יִשְׁקֹלוּ Is. 46:6
וַיִּשְׁקְלוּ 19 וַיִּשְׁקְלוּ אֶת־שְׂכָרִי שְׁלֹשִׁים כָּסֶף Zech. 11:12
נִשְׁקַל 20 נִשְׁקַל הַכֶּסֶף וְהַזָּהָב וְהַכֵּלִים Ez. 8:33
יִשָּׁקֵל 21 לוּ שָׁקוֹל יִשָּׁקֵל כַּעְשִׂי Job 6:2
22 וְלֹא יִשָּׁקֵל כֶּסֶף מְחִירָהּ Job 28:15

שֶׁקֶל ז׳ א) משקל ומטבע בימי המקרא השוה לעשרים גרה: 1-41, 67-88
ב) [שֶׁקֶל הַקֹּדֶשׁ] משקל ומטבע כפולים מן השקל הרגיל: 42-66
קרובים: אֲגוֹרָה / אֲדַרְכּוֹן / בֶּקַע / גֵּרָה / דַּרְכְּמוֹן / כִּכָּר / כֶּסֶף / מָנֶה / קְשִׂיטָה
שֶׁקֶל כֶּסֶף 37-41; שֶׁ׳ הַקֹּדֶשׁ 42-66; שִׁקְלֵי זָהָב 88; מַחֲצִית הַשֶּׁקֶל 22, 24, 25, 27; רֶבַע שֶׁקֶל 41
שָׁקֶל 1 וּשְׁבַע מֵאוֹת וּשְׁלֹשִׁים שָׁקֶל Ex. 38:24
2 וַחֲמִשָּׁה וְשִׁבְעִים שָׁקֶל Ex. 38:25
3-14 מִזְרָק אֶחָד כֶּסֶף שִׁבְעִים שֶׁקֶל Num. 7:13
7:19, 25, 31, 37, 43, 49, 55, 61, 67, 73, 79
15 וּמַאֲכָלְךָ...עֶשְׂרִים שֶׁקֶל לַיּוֹם Ezek. 4:10
16 עֲשָׂרָה וַחֲמִשָּׁה שֶׁקֶל Ezek. 45:12
17 לְהַקְטִין אֵיפָה וּלְהַגְדִּיל שֶׁקֶל Am. 8:5
שָׁקֶל 18 וְאַלְפַּיִם וְאַרְבַּע־מֵאוֹת שָׁקֶל Ex. 38:29
19 וְהָיָה עֶרְכְּךָ שְׁלֹשִׁים שָׁקֶל Lev. 27:4
20 וְהָיָה עֶרְכְּךָ חֲמִשָּׁה עָשָׂר שָׁקֶל Lev. 27:7
21 אֶלֶף שְׁבַע־מֵאוֹת וַחֲמִשִּׁים שָׁקֶל Num. 31:52
הַשֶּׁקֶל 22 זֶה יִתְּנוּ...מַחֲצִית הַשֶּׁקֶל Ex. 30:13
23 עֶשְׂרִים גֵּרָה הַשֶּׁקֶל Ex. 30:13
24 מַחֲצִית הַשֶּׁקֶל תְּרוּמָה לַיי Ex. 30:13
25 בֶּקַע לַגֻּלְגֹּלֶת מַחֲצִית הַשָּׁקֶל Ex. 38:26
26 שְׁלִשִׁית הַשֶּׁקֶל בַּשָּׁנָה Neh. 10:33
הַשָּׁקֶל 27 לֹא יַמְעִיט מִמַּחֲצִית הַשָּׁקֶל Ex. 30:15
28 עֶשְׂרִים גֵּרָה יִהְיֶה הַשָּׁקֶל Lev. 27:25
29 עֶשְׂרִים גֵּרָה הַשָּׁקֶל Num. 3:47
וְהַשֶּׁקֶל 30 וְהַשֶּׁקֶל עֶשְׂרִים גֵּרָה Ezek. 45:12
בְּשֶׁקֶל 31/2 סְאָה־סֹלֶת בְּשֶׁקֶל IIK. 7:1, 16
33/4 וְסָאתַיִם שְׂעֹרִים בְּשֶׁקֶל IIK. 7:1, 16
35 סָאתַיִם שְׂעֹרִים בְּשֶׁקֶל IIK. 7:18
36 וּסְאָה־סֹלֶת בְּשֶׁקֶל IIK. 7:18
שֶׁקֶל־ 37 אֶרֶץ אַרְבַּע מֵאֹת שֶׁקֶל־כֶּסֶף Gen. 23:15
38 שֶׁקֶל כֶּסֶף עֹבֵר לַסֹּחֵר Gen. 23:16
39 וְהָיָה עֶרְכְּךָ חֲמִשִּׁים שֶׁקֶל כֶּסֶף Lev. 27:3
40 בַּחֲמִשִּׁים שֶׁקֶל כָּסֶף Lev. 27:16
41 הִנֵּה נִמְצָא בְיָדִי רֶבַע שֶׁקֶל כָּסֶף ISh. 9:8
בְּשֶׁקֶל־ 42-66 בְּשֶׁקֶל הַקֹּדֶשׁ Ex. 30:13, 24
38:24, 25, 26 • Lev. 5:15; 27:3, 25 • Num. 3:47; 3:50; 7:13, 19, 25, 31, 37, 43, 49, 55, 61, 67, 73; 7:79, 85, 86; 18:16
שְׁקָלִים 67 כֶּסֶף שְׁלֹשִׁים שְׁקָלִים יִתֵּן לַאדֹנָיו Ex. 21:32
68 בְּעֶרְכְּךָ כֶּסֶף־שְׁקָלִים Lev. 5:15
69 וְהָיָה עֶרְכְּךָ הַזָּכָר עֶשְׂרִים שְׁקָלִים Lev. 27:5
70 וְלַנְּקֵבָה עֲשֶׂרֶת שְׁקָלִים Lev. 27:5
71 עֶרְכְּךָ הַזָּכָר חֲמִשָּׁה שְׁקָלִים כָּסֶף Lev. 27:6
72 וְלַנְּקֵבָה עֶרְכְּךָ שְׁלֹשֶׁת שְׁקָלִים כָּסֶף Lev. 27:6
73 וְלַנְּקֵבָה עֲשָׂרָה שְׁקָלִים Lev. 27:7
74 חֲמֵשֶׁת חֲמֵשֶׁת שְׁקָלִים לַגֻּלְגֹּלֶת Num. 3:47
75 בְּעֶרְכְּךָ כֶּסֶף חֲמֵשֶׁת שְׁקָלִים Num. 18:16
76 וּמָאתַיִם שְׁקָלִים כֶּסֶף Josh. 7:21
77 חֲמִשִּׁים שְׁקָלִים מִשְׁקָלוֹ Josh. 7:21
78 חֲמֵשֶׁת־אֲלָפִים שְׁקָלִים נְחֹשֶׁת ISh. 17:5
79 שֵׁשׁ־מֵאוֹת שְׁקָלִים בַּרְזֶל ISh. 17:7
80 וְשָׁקַל...מָאתַיִם שְׁקָלִים בְּאֶבֶן הַמֶּלֶךְ IISh. 14:26
81 וְאֶת־הַבָּקָר בְּכֶסֶף שְׁקָלִים חֲמִשִּׁים IISh. 24:24
82 חֲמִשִּׁים שְׁקָלִים כֶּסֶף לְאִישׁ אֶחָד IIK. 15:20
83 שִׁבְעָה שְׁקָלִים וַעֲשָׂרָה הַכָּסֶף Jer. 32:9
84 עֶשְׂרִים שְׁקָלִים Ezek. 45:12
85 חֲמִשָּׁה וְעֶשְׂרִים שְׁקָלִים Ezek. 45:12
86 כֶּסֶף־שְׁקָלִים אַרְבָּעִים Neh. 5:15
לִשְׁקָלִים 87 וּמִשְׁקָל...לִשְׁקָלִים חֲמִשִּׁים זָהָב IICh. 3:9
שִׁקְלֵי־ 88 שִׁקְלֵי זָהָב מִשְׁקָל שֵׁשׁ מֵאוֹת ICh. 21:25

שִׁקְמָה* נ׳ עץ ממשפחת התותיים, קרוב לתאנה: 1-7
שִׁקְמִים 1 שִׁקְמִים גֻּדָּעוּ וַאֲרָזִים נַחֲלִיף Is. 9:9
2 בוֹקֵר אָנֹכִי וּבוֹלֵס שִׁקְמִים Am. 7:14
וְהַשִּׁקְמִים 3 וְעַל־הַזֵּיתִים וְהַשִּׁקְמִים ICh. 27:28
כַּשִּׁקְמִים 4 כַּשִּׁקְמִים אֲשֶׁר־בַּשְּׁפֵלָה לָרֹב IK. 10:27
5/6 כַּשִּׁקְמִים אֲשֶׁר־בַּשְּׁפֵלָה לָרֹב IICh. 1:15; 9:27
וְשִׁקְמוֹתָם 7 יַהֲרֹג...וְשִׁקְמוֹתָם בַּחֲנָמַל Ps. 78:47

שקע : שָׁקַע, נִשְׁקַע, הִשְׁקִיעַ; מִשְׁקָע

שָׁקַע א) צלל, ירד: 1, 2
ב) [בהשאלה] כבה, דעך: 3
ג) [נפ׳ נִשְׁקַע] צלל: 4
ד) [הפ׳ הִשְׁקִיעַ] הוריד, השפיל: 5, 6
וְשָׁקְעָה 1 וְעָלְתָה...וְשָׁקְעָה כִּיאֹר מִצְרָיִם Am. 9:5
תִּשְׁקַע 2 כָּכָה תִּשְׁקַע בָּבֶל וְלֹא־תָקוּם Jer. 51:64
וַתִּשְׁקַע 3 וַיִּתְפַּלֵּל מֹשֶׁה...וַתִּשְׁקַע הָאֵשׁ Num. 11:2
וְנִשְׁקְעָה 4 וְנִשְׁקְעָה (כת׳ ונשקה) כִּיאוֹר מִצְרָיִם Am. 8:8
אַשְׁקִיעַ 5 אָז אַשְׁקִיעַ מֵימֵיהֶם Ezek. 32:14
תַּשְׁקִיעַ 6 וּבְחֶבֶל תַּשְׁקִיעַ לְשֹׁנוֹ Job 40:25

שְׁקַעֲרוּרָה* נ׳ שֶׁקַע
שְׁקַעֲרוּרֹת 1 בְּקִירֹת הַבַּיִת שְׁקַעֲרוּרֹת יְרַקְרַקֹּת Lev. 14:37

שקף : נִשְׁקַף, הִשְׁקִיף; שָׁקוּף, שֶׁקֶף, מַשְׁקוֹף

(שקף) נִשְׁקַף נפ׳ א) נראה, נגלה: 2, 5, 7-10
[עין גם ערך שָׁקוּף]
ב) הביט, הסתכל: 1, 3, 4, 6
ג) [הפ׳ הִשְׁקִיף] הביט, הסתכל: 11-22
– נִשְׁקַף בְּעַד־ 1, 3, 4, 6; נִשְׁקַף מִן־ 5; נִשְׁקַף עַל־ 9; נִשְׁקַף עַל־פְּנֵי־ 7, 8
– הִשְׁקִיף עַל־ 11, 12; הִשׁ׳ עַל־פְּנֵי־ 15, 20; הִשְׁקִיף אֶל־ 17, 21; הִשְׁקִיף בְּעַד־ 16
נִשְׁקָפְתִּי 1 בְּחַלּוֹן בֵּיתִי בְּעַד אֶשְׁנַבִּי נִשְׁקָפְתִּי Prov. 7:6
נִשְׁקָף 2 וְצֶדֶק מִשָּׁמַיִם נִשְׁקָף Ps. 85:12
נִשְׁקְפָה 3 בְּעַד הַחַלּוֹן נִשְׁקְפָה וַתְּיַבֵּב Jud. 5:28
4 וּמִיכַל...נִשְׁקְפָה בְּעַד הַחַלּוֹן IISh. 6:16
5 כִּי רָעָה נִשְׁקְפָה מִצָּפוֹן Jer. 6:1
6 וּמִיכַל...נִשְׁקְפָה בְּעַד הַחַלּוֹן ICh. 15:29
וְנִשְׁקָפָה 7 וְנִשְׁקָפָה עַל־פְּנֵי הַיְשִׁימֹן Num. 21:20
הַנִּשְׁקָף 8 הַנִּשְׁקָף עַל־פְּנֵי הַיְשִׁימֹן Num. 23:28
9 הַנִּשְׁקָף עַל־גֵּי הַצְּבֹעִים הַמִּדְבָּרָה ISh. 13:18
הַנִּשְׁקָפָה 10 מִי־זֹאת הַנִּשְׁקָפָה כְּמוֹ־שָׁחַר S.ofS. 6:10
הִשְׁקִיף 11 יי מִשָּׁמַיִם הִשְׁקִיף עַל־בְּנֵי־אָדָם Ps. 14:2
12 אֱלֹ׳ מִשָּׁמַיִם הִשְׁקִיף עַל־בְּנֵי־אָדָם Ps. 53:3
13 כִּי־הִשְׁקִיף מִמְּרוֹם קָדְשׁוֹ Ps. 102:20
יַשְׁקִיף 14 עַד־יַשְׁקִיף וְיֵרֶא יי מִשָּׁמָיִם Lam. 3:50
וַיַּשְׁקֵף 15 וַיַּשְׁקֵף עַל־פְּנֵי סְדֹם וַעֲמֹרָה Gen. 19:28
16 וַיַּשְׁקֵף אֲבִימֶלֶךְ...בְּעַד הַחַלּוֹן Gen. 26:8
17 וַיַּשְׁקֵף יי אֶל־מַחֲנֵה מִצְרַיִם Ex. 14:24
18 וַיַּשְׁקֵף אֲרַוְנָה וַיַּרְא אֶת־הַמֶּלֶךְ IISh. 24:20
וַתַּשְׁקֵף 19 וַתַּשְׁקֵף בְּעַד הַחַלּוֹן IIK. 9:30
וַיַּשְׁקִפוּ 20 וַיַּשְׁקִפוּ עַל־פְּנֵי סְדֹם Gen. 18:16
21 וַיַּשְׁקִיפוּ אֵלָיו שְׁנַיִם שְׁלֹשָׁה סָרִיסִים IIK. 9:32
הַשְׁקִיפָה 22 הַשְׁקִיפָה מִמְּעוֹן קָדְשְׁךָ Deut. 26:15

שֶׁקֶף ז׳ משקוף(?)
שָׁקֶף 1 הַפְּתָחִים וְהַמְּזוּזוֹת רְבֻעִים שָׁקֶף IK. 7:5

שקץ : שִׁקֵּץ; שִׁקּוּץ, שֶׁקֶץ

שִׁקֵּץ פ׳ תִּעֵב, מאס: 1-7 • קרובים: ראה מָאַס
שַׁקֵּץ 1 שַׁקֵּץ תְּשַׁקְּצֶנּוּ וְתַעֵב תְּתַעֲבֶנּוּ Deut. 7:26
שִׁקַּץ 2 לֹא־בָזָה וְלֹא שִׁקַּץ עֱנוּת עָנִי Ps. 22:25
תְּשַׁקְּצֶנּוּ 3 שַׁקֵּץ תְּשַׁקְּצֶנּוּ וְתַעֵב תְּתַעֲבֶנּוּ Deut. 7:26
תְּשַׁקְּצוּ 4 וְאֶת־אֵלֶּה תְּשַׁקְּצוּ מִן־הָעוֹף Lev. 11:13
5 אַל־תְּשַׁקְּצוּ אֶת־נַפְשֹׁתֵיכֶם Lev. 11:43
6 וְלֹא־תְשַׁקְּצוּ אֶת־נַפְשֹׁתֵיכֶם בַּבְּהֵמָה Lev. 20:25
תְּשַׁקֵּצוּ 7 וְאֶת־נִבְלָתָם תְּשַׁקֵּצוּ Lev. 11:11

שֶׁקֶץ ז׳ דבר מאוס, תועבה: 1-11
קרובים: טֻמְאָה / מָאוֹס / נְבֵלָה / סְחִי / פִּגּוּל / תּוֹעֵבָה
שֶׁקֶץ 1 אוֹ בְּכָל־שֶׁקֶץ טָמֵא Lev. 7:21
2 שֶׁקֶץ הֵם לָכֶם Lev. 11:10
3-5 שֶׁקֶץ הוּא לָכֶם Lev. 11:12, 20, 23
6 לֹא יֵאָכְלוּ שֶׁקֶץ הֵם Lev. 11:13
7 שֶׁקֶץ הוּא לֹא יֵאָכֵל Lev. 11:41
8 לֹא תֹאכְלוּם כִּי־שֶׁקֶץ הֵם Lev. 11:42

9 כָּל־תַּבְנִית רֶמֶשׂ וּבְהֵמָה שֶׁקֶץ Ezek. 8:10
וְשֶׁקֶץ 10 וְשֶׁקֶץ יִהְיוּ לָכֶם Lev. 11:11
וְהַשֶּׁקֶץ 11 אֹכְלֵי...וְהַשֶּׁקֶץ וְהָעַכְבָּר Is. 66:17

שקק : שָׁקַק, הִשְׁתַּקְשֵׁק; מַשָּׁק

שָׁקַק פ׳ התרוצץ ברעש, הרעיש: 1-3

שׁוֹקֵק 1 כְּמַשַּׁק גֵּבִים שֹׁקֵק בּוֹ Is. 33:4
2 אֲרִי־נֹהֵם וְדֹב שׁוֹקֵק Prov. 28:15
יָשֹׁקּוּ 3 בָּעִיר יָשֹׁקּוּ בַּחוֹמָה יְרֻצוּן Joel 2:9

שָׂקַר פ׳ רמז, קרץ

וּמְשַׂקְּרוֹת 1 נְטוּיוֹת° גָּרוֹן וּמְשַׂקְּרוֹת עֵינָיִם Is. 3:16

שקר : שָׁקַר, שִׁקֵּר; שֶׁקֶר

שִׁקֵּר פ׳ א) כזב, אמר שקר: 1
ב) [פ׳ שִׁקֵּר] כנ״ל: 2-6

תִּשְׁקֹר 1 אִם־תִּשְׁקֹר לִי וּלְנִינִי וּלְנֶכְדִּי Gen. 21:23
שִׁקַּרְנוּ 2 וְלֹא־שִׁקַּרְנוּ בִּבְרִיתֶךָ Ps. 44:18
אֲשַׁקֵּר 3 וְלֹא אֲשַׁקֵּר בֶּאֱמוּנָתִי Ps. 89:34
יְשַׁקֵּר 4 נֵצַח יִשְׂרָאֵל לֹא יְשַׁקֵּר וְלֹא יִנָּחֵם ISh. 15:29
תְּשַׁקְּרוּ 5 וְלֹא־תְכַחֲשׁוּ וְלֹא־תְשַׁקְּרוּ Lev. 19:11
יְשַׁקֵּרוּ 6 אַךְ־עַמִּי הֵמָּה בָּנִים לֹא יְשַׁקֵּרוּ Is. 63:8

שֶׁקֶר ז׳ א) כָּזָב, הפך מן ״אֱמֶת״: 1-99, 102-113
ב) [לַשֶּׁקֶר] לחנם, לשוא: 100, 101
ג) [שֶׁקֶר!] אין זה נכון!: 7, 26
קרובים: ראה אָוֶן

– אוֹיְבֵי שֶׁקֶר 35, 37; אִמְרֵי שֶׁקֶר 9; אֹרַח שׁ׳ 43, 71; דְּבַר שׁ׳ 1, 46, 86; דִּבְרֵי שׁ׳ 53, 57, 89, 90; דּוֹבְרֵי שׁ׳ 69; דֶּרֶךְ שׁ׳ 38; זֶרַע שׁ׳ 56; חֲזוֹן שׁ׳ 18; חֲלוֹמוֹת שׁ׳ 21; טוֹפְלֵי שׁ׳ 87; יְמִין שֶׁקֶר 72, 73; לֶחֶם שׁ׳ 82; לְשׁוֹן שׁ׳ 48, 70, 74, 78, 83; מוֹרֶה שֶׁקֶר 8, 65; מַתַּת שׁ׳ 84; נְבִיאֵי שׁ׳ 91; עֵד שֶׁקֶר 2, 54, 75, 80, 85; עֵדֵי שׁ׳ 33; עֵט שׁ׳ 12; פְּעֻלַּת שׁ׳ 77; רוּחַ שׁ׳ 5, 6, 51, 52; שְׁבוּעַת שׁ׳ 30; שׂוֹנְאֵי שׁ׳ 68; שְׂפַת שׁ׳ 45, 81; שִׂפְתֵי שֶׁקֶר 67, 76, 79

– דּוֹבֵר שְׁקָרִים 109; עֵד שְׁקָרִים 110-112

– אָהַב שֶׁקֶר 36; דָּבַר שׁ׳ 27; דִּבֵּר שׁ׳ 11, 14, 25, 28, 32, 64; חָזָה שׁ׳ 31; טָפַל שׁ׳ 39; יָלַד שׁ׳ 66; נִבָּא שׁ׳ 22-24; עָנָה שׁ׳ 3; עָשָׂה שׁ׳ 4, 58, 59; פָּעַל שֶׁקֶר 63; שָׂנֵא שֶׁקֶר 44

– הִבְטִיחַ עַל־שֶׁקֶר 60, 62; נִשְׁבַּע עַל־שֶׁקֶר 55

שָׁקֶר 1 מִדְּבַר־שֶׁקֶר תִּרְחָק Ex. 23:7
2 וְהִנֵּה עֵד־שֶׁקֶר הָעֵד Deut. 19:18
3 שֶׁקֶר עָנָה בְאָחִיו Deut. 19:18
4 אוֹ־עָשִׂיתִי בְנַפְשׁוֹ° שֶׁקֶר IISh. 18:13
5 וְהָיִיתִי רוּחַ שֶׁקֶר בְּפִי כָּל־נְבִיאָיו IK. 22:22
6 נָתַן יְיָ רוּחַ שֶׁקֶר בְּפִי כָּל־נְבִיאֶיךָ IK. 22:23
7 וַיֹּאמְרוּ שֶׁקֶר הַגֶּד־נָא לָנוּ IIK. 9:12
8 וְנָבִיא מוֹרֶה־שֶׁקֶר הוּא הַזָּנָב Is. 9:14
9 לְחַבֵּל עֲנִיִּים° בְּאִמְרֵי־שֶׁקֶר Is. 32:7
10 וְלֹא יֹאמַר הֲלוֹא שֶׁקֶר בִּימִינִי Is. 44:20
11 שִׂפְתוֹתֵיכֶם דִּבְּרוּ־שֶׁקֶר Is. 59:3
12 עֵט שֶׁקֶר סֹפְרִים Jer. 8:8
13 וַיַּדְרְכוּ אֶת־לְשׁוֹנָם קַשְׁתָּם שֶׁקֶר Jer. 9:2
14 לִמְּדוּ לְשׁוֹנָם דַּבֶּר־שֶׁקֶר Jer. 9:4
15/6 כִּי שֶׁקֶר נִסְכּוֹ Jer. 10:14; 51:17
17 שֶׁקֶר הַנְּבִאִים נִבְּאִים בִּשְׁמִי Jer. 14:14
18 חֲזוֹן שֶׁקֶר וְקֶסֶם וֶאֱלִיל° Jer. 14:14
19 אַךְ־שֶׁקֶר נָחֲלוּ אֲבוֹתֵינוּ Jer. 16:19

שֶׁקֶר (המשך)
20 הַנְּבִאִים הַנִּבְּאִים בִּשְׁמִי שֶׁקֶר Jer. 23:25
21 הִנְנִי עַל־נִבְּאֵי חֲלֹמוֹת שֶׁקֶר Jer. 23:32
22/3 כִּי שֶׁקֶר הֵם נִבְּאִים לָכֶם Jer. 27:10, 14
24 כִּי שֶׁקֶר הֵמָּה נִבְּאִים לָכֶם Jer. 27:16
25 וַיְדַבְּרוּ דָבָר בִּשְׁמִי שֶׁקֶר Jer. 29:23
26 שֶׁקֶר אֵינֶנִּי נֹפֵל עַל־הַכַּשְׂדִּים Jer. 37:14
27 כִּי־שֶׁקֶר אַתָּה דֹבֵר אֶל־יִשְׁמָעֵאל Jer. 40:16
28 שֶׁקֶר אַתָּה מְדַבֵּר Jer. 43:2
29 יַעַן הַכְאוֹת לֵב־צַדִּיק שֶׁקֶר Ezek. 13:22
30 וּשְׁבֻעַת שֶׁקֶר אַל־תֶּאֱהָבוּ Zech. 8:17
31 וְהַקּוֹסְמִים חָזוּ שֶׁקֶר Zech. 10:2
32 כִּי שֶׁקֶר דִּבַּרְתָּ בְּשֵׁם יְיָ Zech. 13:3
33 כִּי קָמוּ־בִי עֵדֵי־שֶׁקֶר Ps. 27:12
34 שֶׁקֶר הַסּוּס לִתְשׁוּעָה Ps. 33:17
35 אַל־יִשְׂמְחוּ־לִי אֹיְבַי שֶׁקֶר Ps. 35:19
36 אָהַבְתָּ...שֶׁקֶר מִדַּבֵּר צֶדֶק Ps. 52:5
37 עָצְמוּ מַצְמִיתַי אֹיְבַי שֶׁקֶר Ps. 69:5
38 דֶּרֶךְ־שֶׁקֶר הָסֵר מִמֶּנִּי Ps. 119:29
39 טָפְלוּ עָלַי שֶׁקֶר זֵדִים Ps. 119:69
40 יֵבֹשׁוּ זֵדִים כִּי־שֶׁקֶר עִוְּתוּנִי Ps. 119:78
41 שֶׁקֶר רְדָפוּנִי עָזְרֵנִי Ps. 119:86
42 כִּי־שֶׁקֶר תַּרְמִיתָם Ps. 119:118
43 כָּל־אֹרַח שֶׁקֶר שָׂנֵאתִי Ps. 119:128
44 שֶׁקֶר שָׂנֵאתִי וַאֲתַעֵבָה Ps. 119:163
45 יְיָ הַצִּילָה נַפְשִׁי מִשְּׂפַת־שֶׁקֶר Ps. 120:2
46 דְּבַר־שֶׁקֶר יִשְׂנָא צַדִּיק Prov. 13:5
47 שֶׁקֶר מֵזִין עַל־לְשׁוֹן הַוֹּת Prov. 17:4
48 לְשׁוֹן־שֶׁקֶר יִשְׂנָא דַכָּיו Prov. 26:28
49 שֶׁקֶר הַחֵן וְהֶבֶל הַיֹּפִי Prov. 31:30
50 אָמְנָם לֹא־שֶׁקֶר מִלָּי Job 36:4
51 וְהָיִיתִי לְרוּחַ שֶׁקֶר בְּפִי כָּל־נְבִיאָיו IICh. 18:21
52 נָתַן יְיָ רוּחַ שֶׁקֶר בְּפִי נְבִיאֶיךָ אֵלֶּה IICh. 18:22
שָׁקֶר 53 וְאַל־יִשְׁעוּ בְּדִבְרֵי־שָׁקֶר Ex. 5:9
54 לֹא־תַעֲנֶה בְרֵעֲךָ עֵד שָׁקֶר Ex. 20:16
55 וְכִחֶשׁ בָּהּ וְנִשְׁבַּע עַל־שָׁקֶר Lev. 5:22
56 יַלְדֵי־פֶשַׁע זֶרַע שָׁקֶר Is. 57:4
57 הֹרוֹ וְהֹגוֹ מִלֵּב דִּבְרֵי־שָׁקֶר Is. 59:13
58 כֻּלּוֹ עֹשֶׂה שָׁקֶר Jer. 6:13
59 כֻּלֹּה עֹשֶׂה שָׁקֶר Jer. 8:10
60 וְאַתָּה הִבְטַחְתָּ...עַל־שָׁקֶר Jer. 28:15
61 הַנִּבְּאִים לָכֶם בִּשְׁמִי שָׁקֶר Jer. 29:21
62 וַיַּבְטַח אֶתְכֶם עַל־שָׁקֶר Jer. 29:31
63 כִּי פָעֲלוּ שָׁקֶר Hosh. 7:1
64 וְיֹשְׁבֶיהָ דִּבְּרוּ־שָׁקֶר Mic. 6:12
65 מַסֵּכָה וּמוֹרֶה שָׁקֶר Hab. 2:18
66 וְהָרָה עָמָל וְיָלַד שָׁקֶר Ps. 7:15
67 תֵּאָלַמְנָה שִׂפְתֵי שָׁקֶר Ps. 31:19
68 וְרַבּוּ שֹׂנְאַי שָׁקֶר Ps. 38:20
69 כִּי יִסָּכֵר פִּי דוֹבְרֵי־שָׁקֶר Ps. 63:12
70 דִּבְּרוּ אִתִּי לְשׁוֹן שָׁקֶר Ps. 109:2
71 שָׂנֵאתִי כָּל־אֹרַח שָׁקֶר Ps. 119:104
72/3 וִימִינָם יְמִין שָׁקֶר Ps. 144:8, 11
74 עֵינַיִם רָמוֹת לְשׁוֹן שָׁקֶר Prov. 6:17
75 יָפִיחַ כְּזָבִים עֵד שָׁקֶר Prov. 6:19
76 מְכַסֶּה שִׂנְאָה שִׂפְתֵי־שָׁקֶר Prov. 10:18
77 רָשָׁע עֹשֶׂה פְעֻלַּת־שָׁקֶר Prov. 11:18
78 וְעַד־אַרְגִּיעָה לְשׁוֹן שָׁקֶר Prov. 12:19
79 תּוֹעֲבַת יְיָ שִׂפְתֵי־שָׁקֶר Prov. 12:22
80 וְיָפִיחַ כְּזָבִים עֵד שָׁקֶר Prov. 14:5
81 אַף כִּי־לְנָדִיב שְׂפַת־שָׁקֶר Prov. 17:7
82 עָרֵב לָאִישׁ לֶחֶם שָׁקֶר Prov. 20:17
83 פֹּעַל אֹצָרוֹת בִּלְשׁוֹן שָׁקֶר Prov. 21:6

שָׁקֶר (המשך)
84 אִישׁ מִתְהַלֵּל בְּמַתַּת־שָׁקֶר Prov. 25:14
85 אִישׁ־עֹנֶה בְרֵעֵהוּ עֵד שָׁקֶר Prov. 25:18
86 מֹשֵׁל מַקְשִׁיב עַל־דְּבַר־שָׁקֶר Prov. 29:12
87 וְאוּלָם אַתֶּם טֹפְלֵי־שָׁקֶר Job 13:4
וָשֶׁקֶר 88 לוּ־אִישׁ הֹלֵךְ רוּחַ וָשֶׁקֶר כִּזֵּב Mic. 2:11
הַשֶּׁקֶר 89 אַל־תִּבְטְחוּ לָכֶם אֶל־דִּבְרֵי הַשֶּׁקֶר Jer. 7:4
הַשָּׁקֶר 90 אַתֶּם בֹּטְחִים לָכֶם עַל־דִּבְרֵי הַשָּׁקֶר Jer. 7:8
91 הֲיֵשׁ בְּלֵב הַנְּבִאִים נִבְּאֵי הַשָּׁקֶר Jer. 23:26
בְּשֶׁקֶר 92 לֹא־שָׁבָה אֵלַי...כִּי אִם־בְּשֶׁקֶר Jer. 3:10
93 כִּי בְשֶׁקֶר הֵם נִבְּאִים לָכֶם בִּשְׁמִי Jer. 29:9
בַּשֶּׁקֶר 94 הַנְּבִאִים נִבְּאוּ בַשֶּׁקֶר Jer. 5:31
95 נָאוֹף וְהָלֹךְ בַּשֶּׁקֶר Jer. 23:14
בַּשָּׁקֶר 96 שָׁכַחַתְּ אוֹתִי וַתִּבְטְחִי בַּשָּׁקֶר Jer. 13:25
97 אֲשֶׁר־נִבֵּאתָ לָהֶם בַּשָּׁקֶר Jer. 20:6
וּבַשֶּׁקֶר 98 שַׂמְנוּ כָזָב מַחְסֵנוּ וּבַשֶּׁקֶר נִסְתָּרְנוּ Is. 28:15
לַשֶּׁקֶר 99 מִכֹּל אֲשֶׁר־יִשָּׁבַע עָלָיו לַשֶּׁקֶר Lev. 5:24
100 אַךְ לַשֶּׁקֶר שָׁמַרְתִּי...בַּמִּדְבָּר ISh. 25:21
101 אָכֵן לַשֶּׁקֶר מִגְּבָעוֹת Jer. 3:23
102 לָכֵן לַשֶּׁקֶר יִשָּׁבֵעוּ Jer. 5:2
103 הֲגָנֹב...וְהִשָּׁבֵעַ לַשֶּׁקֶר Jer. 7:9
104 לַשֶּׁקֶר עָשָׂה עֵט שֶׁקֶר סֹפְרִים Jer. 8:8
לַשָּׁקֶר 105 וְלֹא תִשָּׁבְעוּ בִשְׁמִי לַשָּׁקֶר Lev. 19:12
106 וְהֵם נִבְּאִים בִּשְׁמִי לַשָּׁקֶר Jer. 27:15
107 וְאֶל־בֵּית הַנִּשְׁבָּע בִּשְׁמִי לַשָּׁקֶר Zech. 5:4
108 בַּמְכַשְּׁפִים...וּבַנִּשְׁבָּעִים לַשָּׁקֶר Mal. 3:5
שְׁקָרִים 109 דֹּבֵר שְׁקָרִים לֹא־יִכּוֹן לְנֶגֶד עֵינָי Ps. 101:7
110 וְעֵד שְׁקָרִים מִרְמָה Prov. 12:17
111/2 עֵד שְׁקָרִים לֹא יִנָּקֶה Prov. 19:5, 9
בְּשִׁקְרֵיהֶם 113 וַיַּתְעוּ...בְּשִׁקְרֵיהֶם וּבְפַחֲזוּתָם Jer. 23:32

(שקשק) הִשְׁתַּקְשֵׁק הת׳ התרוצץ ברעש

יִשְׁתַּקְשְׁקוּן 1 בַּחוּצוֹת יִתְהוֹלְלוּ הָרֶכֶב
יִשְׁתַּקְשְׁקוּן בָּרְחֹבוֹת Nah. 2:5

שֹׁקֶת נ׳ משקע באבן או בעץ להשקית בהמות: 1, 2

הַשֹּׁקֶת 1 וַתְּמַהֵר וַתְּעַר כַּדָּהּ אֶל־הַשֹּׁקֶת Gen. 24:20
בְּשִׁקְתוֹת־ 2 וַיַּצֵּג...בָּרְהָטִים בְּשִׁקְתוֹת הַמָּיִם Gen. 30:38

שַׂר ז׳ מוֹשֵׁל, מְפַקֵּד, שַׁלִּיט: 1-42 • קרובים: ראה נָגִיד

– שַׂר וְגָדוֹל 2; שַׂר וְנָגִיד 4; שַׂר וְשׁוֹפֵט 1, 5, 122; רֹאשׁ וְשָׂר 22; הַשַּׂר הַגָּדוֹל 6; רֹאשׁ שַׂר 38, 39

– שַׂר הָאוֹפִים 32, 37, 39, 41, 44; שַׂר אֶלֶף 71, 109; שַׂר הַבִּירָה 101; שַׂר בֵּית־הַסֹּהַר 28-30; שַׂר גְּדוּד 73; שַׂר הַחַיִל 72; שַׂר חֲמִשִּׁים 76-81; שַׂר חֲצִי פֶלֶךְ 93, 94, 97-99; שַׂר הַטַּבָּחִים 26, 27, 33-35, 108; שַׂר יָוָן 92; שַׂר הַלְוִיִּם 102; שַׂר מַחֲצִית הָרֶכֶב 74; שַׂר מַלְכוּת 106; שַׂר מְנוּחָה 84; שַׂר הַמִּצְפָּה 100; שַׂר הַמַּשְׁקִים 31, 36, 38, 40, 42, 43; שַׂר הַסָּרִיסִים 85-89, 110; שַׂר הָעִיר 48, 75, 82, 103, 104; שַׂר פֶּלֶךְ 95, 96; שַׂר פָּרַס 91; שַׂר צָבָא 23-25, 45-47, 49-70, 105, 107; שַׂר שָׁלוֹם 83; שַׂר שָׂרִים 90, (129)

– מֶלֶךְ (מְלָכִים) וְשָׂרִים 116, 117, 119, 133-135, 137, 141, 145, 172-176, 180, 366, 368, 370, 378, 379, 384, 392-395, 397, 400, 403, 410-418

שָׂרִים וְגִבּוֹרִים 152, 386; שָׂרִים וּזְקֵנִים 151; שָׂרִים וַחֲכָמִים 401/2; שָׂרִים וּסְגָנִים 150; שָׂרִים וַעֲבָדִים 114, 136, 382, 383, 387, 388; שָׂר׳ נִכְבָּדִים 113; שָׂרִים סוֹרְרִים 372, 420; שָׂרִים רַבִּים 113

– אַחַד הַשָּׂרִים 146, 148; יַד הַשָּׂ׳ 150; לִשְׁכַּת הַשָּׂ׳ 144; נַעֲרֵי שָׂ׳ 233-236; עַצְמוֹת שָׂ׳ 377; פְּנֵי שָׂ׳ 126; רֵעַם שָׂרִים 127; שְׁאֵרִית הַשָּׂרִים 275

– שָׂרֵי הָאָבוֹת 309, 337; שָׂרֵי הָאֱלֹהִים 339; שָׂרֵי אֲלָפִים 191, 192, 203-205, 207-213, 338, 342, 344, 348, 354, 355; שָׂ' בָּבֶל 315; שָׂ' בָלָק 198, 202; שָׂ' בְּנֵי עַמּוֹן 227, 298; שָׂ' גְדוּדִים 226; שָׂ' גִלְעָד 219; שָׂ' זְבוּלוּן 287; שָׂ' הֶחָיִל 228, 246, 296, 317, 331; שָׂ' חֲמִשִּׁים 195,196,245,326, 328; שָׂ' הַחֲיָלִים 232, 255, 276-285, 333; שָׂ' יְהוּדָה 260-270, 351; שָׂ' יִזְרְעֶאל 247; שָׂ' יְרוּשָׁלִַם 334; שָׂ' יִשְׂרָאֵל 300-303, 364; שָׂ' הַכֹּהֲנִים 294, 295, 319, 363; שָׂ' הַלְוִיִּם 318, 353; שָׂ' מֵאוֹת 193,194, 206, 248-254, 323-325,329, 330, 342, 345, 344, 348, 352, 355-357, 360; שָׂרֵי מָדַי 289; שָׂ' מִדְיָן 215,216; שָׂ' מְדִינוֹת 233-336, 292, 335, 336; שָׂרֵי מוֹאָב 197, 199-201, 322; שָׂ' מַחְלְקוֹת 343; שָׂ' מְלֶאכֶת הַמֶּלֶךְ 359; שָׂרֵי מִלְחָמוֹת 314; שָׂ' הַמֶּלֶךְ 271-275, 290, 293, 362, 365; שָׂ' מִסִּים 190; שָׂ' מִקְנֶה 189, 346; שָׂ' נְדִיבִים 310, 361; שָׂ' נֹת 258; שָׂרֵי נַפְתָּלִי 288; שָׂרֵי הַנִּצָּבִים 230; שָׂ' סֻכּוֹת 217, 218; שָׂרֵי הָעִיר 313; שָׂ' הָעָם 286, 291, 297, 299, 312; שָׂ' עֲשָׂרוֹת 320, 321, 327; שָׂ' פְּלִשְׁתִּים 220-225; שָׂ' פָּרַס 289; שָׂ' פַּרְעֹה 188; שָׂ' פָּרָשִׁים 296, 332, 350; שָׂרֵי הַצָּבָא 316, 340, 341, 358; שָׂ' צְבָאוֹת 214, 229, 305; שָׂ' צֹעַן 256, 257; שָׂ' קֹדֶשׁ 259, 304; שָׂ' הָרֶכֶב 237-244, 332, 350; שָׂרֵי רְכוּשׁ 307, 346; שָׂרֵי הָרָצִים 231, 311; שָׂרֵי הַשְּׁבָטִים 306, 308, 347; שָׂרֵי שָׁלִישִׁים 349

שַׂר 1 מִי שָׂמְךָ לְאִישׁ שַׂר וְשֹׁפֵט עָלֵינוּ Ex.2:14
2 כִּי־שַׂר וְגָדוֹל נָפַל הַיּוֹם IISh.3:38
שָׂר 3 אֵין מֶלֶךְ וְאֵין שָׂר Hosh.3:4
וְשָׂר 4 כָּל־גִּבּוֹר חַיִל וְנָגִיד וְשָׂר IICh.32:21
הַשַּׂר 5 הַשַּׂר שֹׁאֵל וְהַשֹּׁפֵט בַּשִּׁלּוּם Mic.7:3
6 יַעֲמֹד מִיכָאֵל הַשַּׂר הַגָּדוֹל Dan.12:1
7 וּכְנַנְיָה הַשַּׂר הַמַּשָּׂא הַמְשֹׁרְרִים ICh.15:27
8 הַחֲמִשִׁי...הַשַּׂר שַׁמְהוּת הַיִּזְרָח ICh.27:8
הַשָּׂר 9 וַיֹּאמֶר דָּבָר לִי אֵלֶיךָ הַשָּׂר IIK.9:5
10 וַיֹּאמֶר אֵלֶיךָ הַשָּׂר IIK.9:5
11 לִבְנֵי קְהָת אוּרִיאֵל הַשָּׂר ICh.15:5
12 לִבְנֵי מְרָרִי עֲשָׂיָה הַשָּׂר ICh.15:6
13 לִבְנֵי גֵרְשׁוֹם יוֹאֵל הַשָּׂר ICh.15:7
14 לִבְנֵי אֱלִיצָפָן שְׁמַעְיָה הַשָּׂר ICh.15:8
15 לִבְנֵי חֶבְרוֹן אֱלִיאֵל הַשָּׂר ICh.15:9
16 לִבְנֵי עֻזִּיאֵל עַמִּינָדָב הַשָּׂר ICh.15:10
17 לִיהוּדָה...עַדְנָה הַשָּׂר IICh.17:14
18 וְעַל־יָדוֹ יְהוֹחָנָן הַשָּׂר IICh.17:15
לְשָׂר 19 וַיְהִי עֲלֵיהֶם לְשָׂר ISh.22:2
20/1 וַיְהִי לָהֶם לְשָׂר IISh.23:19 • ICh.11:21
וּלְשָׂר 22 כָּל־מַכֵּה...יִהְיֶה לְרֹאשׁ וּלְשָׂר ICh.11:6
שַׂר־ 23-25 וּפִיכֹל שַׂר־צְבָאוֹ Gen.21:22,32; 26:26
26/7 סְרִיס פַּרְעֹה שַׂר הַטַּבָּחִים Gen.37:36; 39:1
28-30 שַׂר בֵּית־הַסֹּהַר Gen.39:21,22,23
31 וַיִּקְצֹף פַּרְעֹה...עַל שַׂר הַמַּשְׁקִים Gen.40:2
32 וְעַל שַׂר הָאוֹפִים Gen.40:2
33/4 בְּמִשְׁמַר בֵּית שַׂר הַטַּבָּחִים Gen.40:3; 41:10
35 וַיִּפְקֹד שַׂר הַטַּבָּחִים אֶת־יוֹסֵף Gen.40:4
36 וַיְסַפֵּר שַׂר־הַמַּשְׁקִים...לְיוֹסֵף Gen.40:9
37 וַיַּרְא שַׂר־הָאֹפִים כִּי טוֹב פָּתָר Gen.40:16
38 וַיִּשָּׂא אֶת־רֹאשׁ שַׂר הַמַּשְׁקִים Gen.40:20
39 וְאֶת־רֹאשׁ שַׂר הָאֹפִים Gen.40:20
40 וַיָּשֶׁב אֶת־שַׂר הַמַּשְׁקִים עַל־מַשְׁקֵהוּ Gen.40:21

שַׂר־ (המשך) 41 וְאֵת שַׂר הָאֹפִים תָּלָה Gen.40:22
42 וְלֹא־זָכַר שַׂר־הַמַּשְׁקִים אֶת־יוֹסֵף Gen.40:23
43 וַיְדַבֵּר שַׂר הַמַּשְׁקִים...לֵאמֹר Gen.41:9
44 אֹתִי וְאֵת שַׂר הָאֹפִים Gen.41:10
45 וַיֹּאמֶר לֹא כִּי אֲנִי שַׂר־צְבָא־יְיָ Josh.5:14
46 וַיֹּאמֶר שַׂר־צְבָא יְיָ אֶל־יְהוֹשֻׁעַ Josh.5:15
47 אֶת־סִיסְרָא שַׂר־צְבָא יָבִין Jud.4:7
48 וַיִּשְׁמַע זְבֻל שַׂר הָעִיר Jud.9:30
49 בְּיַד סִיסְרָא שַׂר־צְבָא חָצוֹר ISh.12:9
50 וְשֵׁם שַׂר־צְבָאוֹ אֲבִינֵר... ISh.14:50
51-70 שַׂר (הַ)צָּבָא (צָבָא, צְבָאוֹ) ISh.17:55
26:5 • IISh.2:8; 10:16,18; 19:14 • IK.1:19; 2:32[2]; 11:15,21; 16:16 • IIK.4:13; 5:1; 25:19 • Jer. 52:25 • Dan.8:11 • ICh.19:16,18; 27:5
71 וַיְשִׂמֵהוּ לוֹ שַׂר־אָלֶף ISh.18:13
72 וַיֹּאמֶר הַמֶּלֶךְ אֶל־יוֹאָב שַׂר־הַחַיִל IISh.24:2
73 וַיִּקְבֹּץ עָלָיו אֲנָשִׁים וַיְהִי שַׂר־גְּדוּד IK.11:24
74 זִמְרִי שַׂר מַחֲצִית הָרָכֶב IK.16:9
75 וַהֲשִׁיבֵהוּ אֶל־אָמֹן שַׂר־הָעִיר IK.22:26
76 וַיִּשְׁלַח אֵלָיו שַׂר־חֲמִשִּׁים וַחֲמִשָּׁיו IIK.1:9
77 וַיְדַבֵּר אֶל־שַׂר הַחֲמִשִּׁים IIK.1:10
78-81 שַׂר (הַ)חֲמִשִּׁים IIK.1:11,13[2] • Is.3:3
82 שַׁעַר יְהוֹשֻׁעַ שַׂר־הָעִיר IIK.23:8
83 אֲבִי־עַד שַׂר־שָׁלוֹם Is.9:5
84 וּשְׂרָיָה שַׂר־מְנוּחָה Jer.51:59
85 וַיָּשֶׂם לָהֶם שַׂר הַסָּרִיסִים שֵׁמוֹת Dan.1:7
86-89 שַׂר הַסָּרִיסִים Dan.1:9,10,11,18
90 וְעַל שַׂר־שָׂרִים יַעֲמֹד Dan.8:25
91 וְעַתָּה אָשׁוּב לְהִלָּחֵם עִם־שַׂר פָּרָס Dan.10:20
92 וַאֲנִי יוֹצֵא וְהִנֵּה שַׂר־יָוָן בָּא Dan.10:20
93/4 שַׂר חֲצִי פֶּלֶךְ יְרוּשָׁלָם Neh.3:9,12
95 שַׂר פֶּלֶךְ בֵּית־הַכָּרֶם Neh.3:14
96 שַׂר פֶּלֶךְ הַמִּצְפָּה Neh.3:15
97 שַׂר חֲצִי פֶּלֶךְ בֵּית־צוּר Neh.3:16
98 שַׂר־חֲצִי־פֶלֶךְ קְעִילָה Neh.3:17
99 שַׂר חֲצִי פֶּלֶךְ קְעִילָה Neh.3:18
100 עֵזֶר בֶּן־יֵשׁוּעַ שַׂר הַמִּצְפָּה Neh.3:19
101 וְאֶת־חֲנַנְיָה שַׂר הַבִּירָה Neh.7:2
102 וּכְנַנְיָהוּ שַׂר־הַלְוִיִּם בְּמַשָּׂא ICh.15:22
103 וַהֲשִׁיבֻהוּ אֶל־אָמוֹן שַׂר־הָעִיר IICh.18:25
104 וְאֶת־מַעֲשֵׂיָהוּ שַׂר־הָעִיר IICh.34:8
וְשַׂר־ 105 וְשַׂר־צְבָאוֹ סִיסְרָא Jud.4:2
106 וְשַׂר מַלְכוּת פָּרַס עֹמֵד Dan.10:13
107 וְשַׂר־צָבָא לַמֶּלֶךְ יוֹאָב ICh.27:34
לְשַׂר־ 108 עֶבֶד לְשַׂר הַטַּבָּחִים Gen.41:12
109 תָּבִיא לְשַׂר הָאָלֶף ISh.17:18
מִשַּׂר־ 110 וַיְבַקֵּשׁ מִשַּׂר הַסָּרִיסִים Dan.1:8
שַׂרְכֶם 111 כִּי אִם־מִיכָאֵל שַׂרְכֶם Dan.10:21
שָׂרִים 112 בְּאֵר חֲפָרוּהָ שָׂרִים Num.21:18
113 שָׂרִים רַבִּים וְנִכְבָּדִים מֵאֵלֶּה Num.22:15
114 כִּי אֵין לְךָ שָׂרִים וַעֲבָדִים IISh.19:7
115 אֲשֶׁר סֹחֲרֶיהָ שָׂרִים Is.23:8
116 מְלָכִים...וְקָמוּ שָׂרִים וְיִשְׁתַּחֲווּ Is.49:7
117 בְּרָעָתָם יְשַׂמְּחוּ־מֶלֶךְ וּבְכַחֲשֵׁיהֶם שָׂרִים Hosh.7:3
118 הֶחֱלוּ שָׂרִים חֲמַת מִיָּיִן Hosh.7:5
119 וַיָּחֵלּוּ מְּעָט מִמַּשָּׂא מֶלֶךְ שָׂרִים Hosh.8:10
120 גַּם יָשְׁבוּ שָׂרִים בִּי נִדְבָּרוּ Ps.119:23
121 שָׂרִים רְדָפוּנִי חִנָּם Ps.119:161
122 שָׂרִים וְכָל־שֹׁפְטֵי אָרֶץ Ps.148:11
123 בִּי שָׂרִים יָשֹׂרוּ Prov.8:16
124 עִם־שָׂרִים זָהָב לָהֶם Job3:15

שָׂרִים (המשך) 125 שָׂרִים עָצְרוּ בְמִלִּים Job29:9
126 אֲשֶׁר לֹא־נָשָׂא פְּנֵי שָׂרִים Job34:19
127 רַעַם שָׂרִים וּתְרוּעָה 39:25
128 שָׂרִים בְּיָדָם נִתְלוּ Lam.5:12
129 וְעַל שַׂר־שָׂרִים יַעֲמֹד Dan.8:25
130 וַיִּהְיוּ שָׂרִים בַּצָּבָא ICh.12:22
131 שָׂרִים עֶשְׂרִים וּשְׁנָיִם ICh.12:29
132 וּמִנַּפְתָּלִי שָׂרִים אָלֶף ICh.12:35
וְשָׂרִים 133 מְלָכִים וְשָׂרִים יֹשְׁבִים עַל־כִּסֵּא דָוִד Jer. 17:25
134 וְהַאֲבַדְתִּי מִשָּׁם מֶלֶךְ וְשָׂרִים Jer.49:38
135 תְּנָה־לִּי מֶלֶךְ וְשָׂרִים Hosh.13:10
136 וְשָׂרִים הֹלְכִים כַּעֲבָדִים עַל־הָאָרֶץ Eccl.10:7
הַשָּׂרִים 137 בְּצַוֹּת הַמֶּלֶךְ אֶת־כָּל־הַשָּׂרִים IISh.18:5
138 וְאֵלֶּה הַשָּׂרִים אֲשֶׁר־לוֹ IK.4:2
139 וְהִגְלָה...וְאֶת־כָּל־הַשָּׂרִים IIK.14:14
140 קוּמוּ הַשָּׂרִים מִשְׁחוּ מָגֵן Is.21:5
141 יֹאבַד לֵב־הַמֶּלֶךְ וְלֵב הַשָּׂרִים Jer.4:9
142 אֶל־הַשָּׂרִים וְאֶל־כָּל־הָעָם Jer.26:11
143 אֶל־כָּל־הַשָּׂרִים וְאֶל־כָּל־הָעָם Jer.26:12
144 אֲשֶׁר־אֵצֶל לִשְׁכַּת הַשָּׂרִים Jer.35:4
145 וּפָקַדְתִּי עַל־הַשָּׂרִים וְעַל־בְּנֵי הַמֶּ' Zep.1:8
146 וּכְאַחַד הַשָּׂרִים תִּפֹּלוּ Ps.82:7
147 וְאֵת אֲשֶׁר נִשְּׂאוֹ עַל־הַשָּׂרִים Es.5:11
148 אַחַד הַשָּׂרִים הָרִאשֹׁנִים Dan.10:13
149 נִגְּשׁוּ אֵלַי הַשָּׂרִים לֵאמֹר Ez.9:1
150 וְיַד הַשָּׂרִים וְהַסְּגָנִים הָיְתָה בַּמַּעַל Ez.9:2
151 כַּעֲצַת הַשָּׂרִים וְהַזְּקֵנִים Ez.10:8
152 וְכָל־הַשָּׂרִים וְהַגִּבֹּרִים...נָתְנוּ יָד ICh.29:24
153-169 הַשָּׂרִים Jer.26:16
26:21; 34:10; 36:12[2], 14, 19, 21; 37:14, 15; 38:4, 25, 27 • Es.1:16; 3:1 • IICh.24:10; 28:14
וְהַשָּׂרִים 170 וְהַשָּׂרִים וְהַחֲצֹצְרוֹת אֶל־הַמֶּלֶךְ IIK.11:14
171 לְהַרְאוֹת הָעַמִּים וְהַשָּׂרִים Es.1:11
172 וַיֹּאמֶר מְמוּכָן לִפְנֵי הַמֶּלֶךְ וְהַשָּׂרִים Es.1:16
173-176 הַמֶּלֶךְ וְהַשָּׂרִים Es.1:21
ICh.24:6 • IICh.28:21; 30:12
177 וְהַשָּׂרִים לַעֲבֹדַת הַלְוִיִּם Ez.8:20
178 וְהַשָּׂרִים אַחֲרֵי כָּל־בֵּית יְהוּדָה Neh.4:10
179 וְהַשָּׂרִים וְכָל־הָעָם לְכָל־דְּבָרֶיךָ ICh.28:21
180 וְהַשָּׂרִים וְהַחֲצֹצְרוֹת עַל־הַמֶּלֶךְ IICh.23:13
181 וַיֹּאמֶר יְחִזְקִיָּהוּ...וְהַשָּׂרִים IICh.29:30
182 וְהַשָּׂרִים הֵרִימוּ לַקָּהָל פָּרִים אֶלֶ' IICh.30:24
183 וַיָּבֹאוּ יְחִזְקִיָּהוּ וְהַשָּׂרִים וַיִּרְאוּ IICh.31:8
בְּשָׂרִים 184 אַף כִּי־לְעֶבֶד מְשֹׁל בְּשָׂרִים Prov.19:10
לְשָׂרִים 185 תְּשִׁיתֵמוֹ לְשָׂרִים בְּכָל־הָאָרֶץ Ps.45:17
וּלְשָׂרִים 186 וּלְשָׂרִים לְמִשְׁפָּט יָשֹׂרוּ Is.32:1
וְלַשָּׂרִים 187 לְבִלְעָם וְלַשָּׂרִים אֲשֶׁר אִתּוֹ Num.22:40
שָׂרֵי־ 188 וַיִּרְאוּ אֹתָהּ שָׂרֵי פַרְעֹה Gen.12:15
189 וְשַׂמְתָּם שָׂרֵי מִקְנֶה Gen.47:6
190 וַיָּשִׂימוּ עָלָיו שָׂרֵי מִסִּים Ex.1:11
191-194 שָׂרֵי אֲלָפִים שָׂרֵי מֵאוֹת Ex.18:21,25
195/6 שָׂרֵי חֲמִשִּׁים Ex.18:21,25
197 וַיֵּשְׁבוּ שָׂרֵי־מוֹאָב עִם־בִּלְעָם Num.22:8
198 וַיָּקָם...וַיֹּאמֶר אֶל־שָׂרֵי בָלָק Num.22:13
199 וַיָּקוּמוּ שָׂרֵי מוֹאָב וַיָּבֹאוּ Num.22:14
200/1 שָׂרֵי מוֹאָב Num.22:21; 23:6
202 וַיֵּלֶךְ בִּלְעָם עִם־שָׂרֵי בָלָק Num.22:35
203/4 שָׂרֵי הָאֲלָפִים Num.31:14,48
205 מֵאֵת שָׂרֵי הָאֲלָפִים Num.31:52
206 וּמֵאֵת שָׂרֵי הַמֵּאוֹת Num.31:52

שָׂרֵי־ (המשך)

207-213 שָׂרֵי (הָ)אֲלָפִים Num. 31:54
Deut. 1:15 • ISh. 8:12; 22:7 • IISh. 18:1 • ICh. 13:1 • IICh. 17:14
214 וּפָקְדוּ שָׂרֵי צְבָאוֹת בְּרֹאשׁ הָעָם Deut. 20:9
215 וַיִּלְכְּדוּ שְׁנֵי־שָׂרֵי מִדְיָן Jud. 7:25
216 בְּיֶדְכֶם נָתַן אֱלֹהִים אֶת־שָׂרֵי מִדְיָן Jud. 8:3
217 וַיֹּאמֶר שָׂרֵי סֻכּוֹת Jud. 8:6
218 אֶת־שָׂרֵי סֻכּוֹת וְאֶת־זְקֵנֶיהָ Jud. 8:14
219 וַיֹּאמְרוּ הָעָם שָׂרֵי גִלְעָד Jud. 10:18
220 וַיֵּצְאוּ שָׂרֵי פְלִשְׁתִּים ISh. 18:30
221-225 שָׂרֵי פְלִשְׁתִּים ISh. 29:3², 4², 9
226 וּשְׁנֵי אֲנָשִׁים שָׂרֵי־גְדוּדִים הָיוּ IISh. 4:2
227 וַיֹּאמְרוּ שָׂרֵי בְנֵי־עַמּוֹן אֶל־חָנוּן IISh. 10:3
228 וַיֶּחֱזַק...אֶל־יוֹאָב וְעַל שָׂרֵי הֶחָיִל IISh. 24:4
229 לִשְׁנֵי־שָׂרֵי צִבְאוֹת יִשְׂרָאֵל IK. 2:5
230 אֵלֶּה שָׂרֵי הַנִּצָּבִים לִשְׁלֹמֹה IK. 9:23
231 וְהִפְקִיד עַל־יַד שָׂרֵי הָרָצִים IK. 14:27
232 וַיִּשְׁלַח אֶת־שָׂרֵי הַחֲיָלִים IK. 15:20
233-236 בְּנַעֲרֵי שָׂרֵי הַמְּדִינוֹת IK. 20:14, 15, 17, 19
237 אֶת־שָׂרֵי הָרֶכֶב אֲשֶׁר־לוֹ IK. 22:31
238-244 שָׂרֵי הָרֶכֶב (הָרָ־) IK. 22:32, 33
IIK. 8:21 • IICh. 18:30, 31, 32; 21:9
245 וַתֹּאכַל אֶת־שְׁנֵי שָׂרֵי הַחֲמִשִּׁים IIK. 1:14
246 וְהִנֵּה שָׂרֵי הַחַיִל יֹשְׁבִים IIK. 9:5
247 אֶל־שָׂרֵי יִזְרְעֶאל הַזְּקֵנִים IIK. 10:1
248 וַיִּקַּח אֶת־שָׂרֵי הַמֵּאוֹת° IIK. 11:4
249-254 שָׂרֵי הַמֵּאוֹת IIK. 11:9, 15, 19
IICh. 23:1, 14, 20
255 וַיִּשְׁמְעוּ כָל־שָׂרֵי הַחֲיָלִים IIK. 25:23
256 אַךְ־אֱוִלִים שָׂרֵי צֹעַן Is. 19:11
257/8 נוֹאֲלוּ שָׂרֵי צֹעַן נִשְּׁאוּ שָׂרֵי נֹף Is. 19:13
259 וַאֲחַלֵּל שָׂרֵי קֹדֶשׁ Is. 43:28
260 אֶת־יְכָנְיָהוּ...וְאֶת־שָׂרֵי יְהוּדָה Jer. 24:1
261-270 שָׂרֵי יְהוּדָה Jer. 26:10
52:10; 29:2; 34:19 • Hosh. 5:10 • Ps. 68:28 • Neh. 12:31, 32 • IICh. 22:8; 24:17
271-273 שָׂרֵי מֶלֶךְ־בָּבֶל Jer. 38:17, 18, 22
274 וַיָּבֹאוּ כֹּל שָׂרֵי מֶלֶךְ־בָּבֶל Jer. 39:3
275 וְכָל־שְׁאֵרִית שָׂרֵי מֶלֶךְ־בָּבֶל Jer. 39:3
276 וַיִּשְׁמְעוּ כָל־שָׂרֵי הַחֲיָלִים Jer. 40:7
277-285 שָׂרֵי הַחֲיָלִים Jer. 40:13
41:11, 13, 16; 42:1, 8; 43:4, 5 • IICh. 16:4
286 וָאֶרְאֶה בְתוֹכָם...שָׂרֵי הָעָם Ezek. 11:1
287/8 שָׂרֵי זְבֻלוּן שָׂרֵי נַפְתָּלִי Ps. 68:28
289 שִׁבְעַת שָׂרֵי פָּרַס וּמָדַי Es. 1:14
290 תֹּאמַרְנָה...לְכֹל שָׂרֵי הַמֶּלֶךְ Es. 1:18
291 וְאֶל־שָׂרֵי עַם וָעָם Es. 3:12
292 וְכָל־שָׂרֵי הַמְּדִינוֹת וְהָאֲחַשְׁדַּרְפְּנִים Es. 9:3
293 וּלְכָל־שָׂרֵי הַמֶּלֶךְ הַגִּבֹּרִים Ez. 7:28
294 לִפְנֵי שָׂרֵי הַכֹּהֲנִים וְהַלְוִיִּם Ez. 8:29
295 וַיַּשְׁבַּע אֶת־שָׂרֵי הַכֹּהֲנִים הַלְוִיִּם Ez. 10:5
296 וַיִּשְׁלַח עִמִּי...שָׂרֵי חַיִל וּפָרָשִׁים Neh. 2:9
297 וַיֵּשְׁבוּ שָׂרֵי־הָעָם בִּירוּשָׁלִָם Neh. 11:1
298 וַיֹּאמְרוּ שָׂרֵי בְנֵי־עַמּוֹן לְחָנוּן ICh. 19:3
299 אֶל־יוֹאָב וְאֶל־שָׂרֵי הָעָם ICh. 21:2
300 וַיְצַו דָּוִיד לְכָל־שָׂרֵי יִשְׂרָאֵל ICh. 22:17(16)
301-303 שָׂרֵי יִשְׂרָאֵל ICh. 23:2
28:1 • IICh. 12:6
304 כִּי־הָיוּ שָׂרֵי־קֹדֶשׁ ICh. 24:5
305 הָרֹאשׁ לְכָל־שָׂרֵי הַצְּבָאוֹת ICh. 27:3
306 אֵלֶּה שָׂרֵי שִׁבְטֵי יִשְׂרָאֵל ICh. 27:22

שָׂרֵי־ (המשך)

307 כָּל־אֵלֶּה שָׂרֵי הָרְכוּשׁ ICh. 27:31
308 שָׂרֵי הַשְּׁבָטִים ICh. 28:1
309 וַיִּתְנַדְּבוּ שָׂרֵי הָאָבוֹת ICh. 29:6
310 וְאֵלֶּה שָׂרֵי הַנִּצָּבִים° IICh. 8:10
311 וְהִפְקִיד עַל־יַד שָׂרֵי הָרָצִים IICh. 12:10
312 וַיַּשְׁחִיתוּ אֶת־כָּל־שָׂרֵי הָעָם IICh. 24:23
313 וַיֶּאֱסֹף אֵת שָׂרֵי הָעִיר IICh. 29:20
314 וַיִּתֵּן שָׂרֵי מִלְחָמוֹת עַל־הָעָם IICh. 32:6
315 וְכֵן בִּמְלִיצֵי שָׂרֵי בָבֶל IICh. 32:31
316 שָׂרֵי הַצָּבָא אֲשֶׁר לְמֶלֶךְ אַשּׁוּר IICh. 33:11
317 וַיָּשֶׂם שָׂרֵי־חַיִל בְּכָל־הֶעָרִים IICh. 33:14
318 וְכָנַנְיָהוּ°...וְיוֹזָבָד שָׂרֵי הַלְוִיִּם IICh. 35:9
319 גַּם כָּל־שָׂרֵי הַכֹּהֲנִים וְהָעָם IICh. 36:14

וְשָׂרֵי־

320/1 וְשָׂרֵי עֲשָׂרוֹת Ex. 18:21, 25
322 וְשָׂרֵי מוֹאָב אִתּוֹ Num. 23:17
323/4 וְשָׂרֵי הַמֵּאוֹת Num. 31:14, 48
325/6 וְשָׂרֵי מֵאוֹת וְשָׂרֵי חֲמִשִּׁים Deut. 1:15
327 וְשָׂרֵי עֲשָׂרֹת Deut. 1:15
328 וְשָׂרֵי חֲמִשִּׁים ISh. 8:12
329/30 וְשָׂרֵי מֵאוֹת ISh. 22:7 • IISh. 18:1
331 וַיֵּצֵא יוֹאָב וְשָׂרֵי הַחַיִל לִפְנֵי הַמֶּלֶךְ IISh. 24:4
332 וְשָׂרֵי רִכְבּוֹ וּפָרָשָׁיו IK. 9:22
333 וַיָּקֻמוּ כָל־הָעָם...וְשָׂרֵי הַחֲיָלִים IIK. 25:26
334 וְשָׂרֵי יְרוּשָׁלִַם Jer. 34:19
335 וְשָׂרֵי הַמְּדִינוֹת לְפָנָיו Es. 1:3
336 וְהַפַּחוֹת וְשָׂרֵי הַמְּדִינוֹת Es. 8:9
337 וְשָׂרֵי־הָאָבוֹת לְיִשְׂרָאֵל Ez. 8:29
338 וְזִקְנֵי יִשְׂרָאֵל וְשָׂרֵי הָאֲלָפִים ICh. 15:5
339 וְשָׂרֵי הָאֱלֹהִים ICh. 24:25
340 וַיַּבְדֵּל דָּוִיד וְשָׂרֵי הַצָּבָא ICh. 25:1
341 וְרָאשֵׁי הָאָבוֹת...וְשָׂרֵי הַצָּבָא ICh. 26:26
342 וְשָׂרֵי הָאֲלָפִים וְהַמֵּאוֹת ICh. 27:1
343 וְשָׂרֵי הַמַּחְלְקוֹת ICh. 28:1
344/5 וְשָׂרֵי הָאֲלָפִים וְשָׂרֵי הַמֵּאוֹת ICh. 28:1
346 וְשָׂרֵי כָל־רְכוּשׁ־וּמִקְנֶה ICh. 28:1
347 וְשָׂרֵי שִׁבְטֵי יִשְׂרָאֵל ICh. 29:6
348 וְשָׂרֵי הָאֲלָפִים וְהַמֵּאוֹת ICh. 29:6
349/50 וְשָׂרֵי שָׁלִשָׁיו וְשָׂרֵי רִכְבּוֹ וּפָרָשָׁיו IICh. 8:9
351 בָּא אֶל־רְחַבְעָם וְשָׂרֵי יְהוּדָה IICh. 12:5

לְשָׂרֵי־

352 וַיִּתֵּן הַכֹּהֵן לְשָׂרֵי הַמֵּאוֹת° IIK. 11:10
353 וַיֹּאמֶר דָּוִיד לְשָׂרֵי הַלְוִיִּם ICh. 15:16
354 וְרָאשֵׁי הָאָבוֹת לְשָׂרֵי־הָאֲלָפִים ICh. 26:26
355 וַיֹּאמֶר...לְשָׂרֵי הָאֲלָפִים וְהַמֵּאוֹת IICh. 1:2
356 וַיִּתֵּן יְהוֹיָדָע הַכֹּהֵן לְשָׂרֵי הַמֵּאוֹת IICh. 23:9
357 לְשָׂרֵי הָאֲלָפִים וּלְשָׂרֵי הַמֵּאוֹת IICh. 25:5

וּלְשָׂרֵי־

358 וַיִּקְרָא...וּלְשָׂרֵי הַצָּבָא וּלְאֶבְיָתָר IK. 1:25
359 וּלְשָׂרֵי מְלֶאכֶת הַמֶּלֶךְ ICh. 29:6
360 וּלְשָׂרֵי הַמֵּאוֹת IICh. 25:5

מִשָּׂרֵי־

361 לְבַד מִשָּׂרֵי הַנִּצָּבִים לִשְׁלֹמֹה IK. 5:30
362 עַל־יַד אִישׁ מִשָּׂרֵי הַמֶּלֶךְ Es. 6:9
363 וָאַבְדִּילָה מִשָּׂרֵי הַכֹּהֲנִים Ez. 8:24
364 וַיַּהֲרֹג...וְגַם מִשָּׂרֵי יִשְׂרָאֵל IICh. 21:4
365 עַל יַד־חֲנַנְיָהוּ מִשָּׂרֵי הַמֶּלֶךְ IICh. 26:11

שָׂרַי 366 הֲלֹא שָׂרַי יַחְדָּו מְלָכִים Is. 10:8

וְשָׂרַי 367 וְשָׂרַי בְּיִשָּׂשכָר עִם־דְּבֹרָה Jud. 5:15

שָׂרֵינוּ

368 אֶל־מְלָכֵינוּ שָׂרֵינוּ וַאֲבֹתֵינוּ Dan. 9:6
369 יַעַמְדוּ־נָא שָׂרֵינוּ לְכָל־הַקָּהָל Ez. 10:14
370 וְאֶת־מְלָכֵינוּ שָׂרֵינוּ כֹּהֲנֵינוּ... Neh. 9:34
371 וְעַל הֶחָתוּם שָׂרֵינוּ לְוִיֵּנוּ כֹּהֲנֵינוּ Neh. 10:1

שָׂרַיִךְ 372 שָׂרַיִךְ סוֹרְרִים וְחַבְרֵי גַּנָּבִים Is. 1:23

וְשָׂרַיִךְ

373 וְשָׂרַיִךְ בַּבֹּקֶר יֹאכֵלוּ Eccl. 10:16
374 וְשָׂרַיִךְ בָּעֵת יֹאכֵלוּ Eccl. 10:17

שָׂרָיו

375 כִּי־הָיוּ בְצֹעַן שָׂרָיו Is. 30:4
376 וְחַתּוּ מִנֵּס שָׂרָיו Is. 31:9
377 יוֹצִיאוּ°...וְאֶת־עַצְמוֹת שָׂרָיו Jer. 8:1
378/9 מֶלֶךְ־יְהוּדָה וְאֶת־שָׂרָיו Jer. 24:8; 34:21
380 וְאֶת־שָׂרָיו וְאֶת־כָּל־עַמּוֹ Jer. 25:19
381 לֶאְסֹר שָׂרָיו בְּנַפְשׁוֹ Ps. 105:22
382 עָשָׂה מִשְׁתֶּה לְכָל־שָׂרָיו וַעֲבָדָיו Es. 1:3
383 מִשְׁתֶּה גָדוֹל לְכָל־שָׂרָיו וַעֲבָדָיו Es. 2:18
384 וַיֶּחֱזַק מֶלֶךְ־הַנֶּגֶב וּמִן־שָׂרָיו Dan. 11:5
385 וַיַּעֲבֹר יְהוֹרָם עִם־שָׂרָיו IICh. 21:9
386 וַיִּוָּעַץ עִם־שָׂרָיו וְגִבֹּרָיו IICh. 32:3

וְשָׂרָיו

387 וַעֲבָדָיו וְשָׂרָיו וְשָׁלִישָׁיו IK. 9:22
388 וַעֲבָדָיו וְשָׂרָיו וְסָרִיסָיו IIK. 24:12
389 בְּמִשְׁפָּט יָבוֹא עִם־זִקְנֵי עַמּוֹ וְשָׂרָיו Is. 3:14
390 וְיָצָא...כֹּהֲנָיו וְשָׂרָיו יַחְדָּו° Jer. 48:7
391 בַּגּוֹלָה יֵלֵךְ כֹּהֲנָיו וְשָׂרָיו יַחְדָּיו Jer. 49:3
392 וְהָלַךְ מַלְכָּם בַּגּוֹלָה הוּא וְשָׂרָיו Am. 1:15
393 הַהֵרִימוּ הַמֶּלֶךְ וְיֹעֲצָיו וְשָׂרָיו Ez. 8:25
394 וַיִּוָּעַץ הַמֶּלֶךְ וְשָׂרָיו IICh. 30:2
395 בָּאִגְּרוֹת מִיַּד הַמֶּלֶךְ וְשָׂרָיו IICh. 30:6
396 וְשָׂרָיו לִנְדָבָה לָעָם IICh. 35:8
397 וְאֹצְרוֹת הַמֶּלֶךְ וְשָׂרָיו IICh. 36:18

לְשָׂרָיו 398 שָׁלַח לְשָׂרָיו...לְלַמֵּד בְּעָרֵי יְהוּדָה IICh. 17:7

שָׂרֶיהָ

399 וְכָל־שָׂרֶיהָ יִהְיוּ אָפֶס Is. 34:12
400 וְאֶת־מְלָכֶיהָ אֶת־שָׂרֶיהָ Jer. 25:18
401 וְאֶל־שָׂרֶיהָ וְאֶל־חֲכָמֶיהָ Jer. 50:35
402 וְהִשְׁכַּרְתִּי שָׂרֶיהָ וַחֲכָמֶיהָ Jer. 51:57
403 וַיִּקַּח אֶת־מַלְכָּהּ וְאֶת־שָׂרֶיהָ Ezek. 17:12
404 שָׂרֶיהָ בְקִרְבָּהּ כִּזְאֵבִים Ezek. 22:27
405 וְכָל־שָׂרֶיהָ אֶהֱרוֹג עִמּוֹ Am. 2:3
406 שָׂרֶיהָ בְקִרְבָּהּ אֲרָיוֹת שֹׁאֲגִים Zep. 3:3
407 בְּפֶשַׁע אֶרֶץ רַבִּים שָׂרֶיהָ Prov. 28:2
408 הָיוּ שָׂרֶיהָ כְּאַיָּלִים Lam. 1:6

וְשָׂרֶיהָ

409 חִלֵּל מַמְלָכָה וְשָׂרֶיהָ Lam. 2:2
410 מַלְכָּהּ וְשָׂרֶיהָ בַגּוֹיִם אֵין תּוֹרָה Lam. 2:9

לְשָׂרֶיהָ 411 לְמַלְכֵי יְהוּדָה לְשָׂרֶיהָ לְכֹהֲנֶיהָ Jer. 1:18

וְשָׂרֵינוּ 412 אֲנַחְנוּ וַאֲבֹתֵינוּ מְלָכֵינוּ וְשָׂרֵינוּ Jer. 44:17

לְשָׂרֵינוּ

413 לִמְלָכֵינוּ לְשָׂרֵינוּ וְלַאֲבֹתֵינוּ Dan. 9:8
414 לִמְלָכֵינוּ לְשָׂרֵינוּ וּלְכֹהֲנֵינוּ Neh. 9:32

וְשָׂרֵיכֶם 415 מַלְכֵיכֶם וְשָׂרֵיכֶם וְעַם הָאָרֶץ Jer. 44:21

שָׂרֵיהֶם

416 וְנָתַתִּי נְעָרִים שָׂרֵיהֶם Is. 3:4
417 הֵמָּה מַלְכֵיהֶם שָׂרֵיהֶם וְכֹהֲנֵיהֶם Jer. 2:26
418 הֵמָּה מַלְכֵיהֶם שָׂרֵיהֶם כֹּהֲנֵיהֶם Jer. 32:32
419 יִפְּלוּ בַחֶרֶב שָׂרֵיהֶם Hosh. 7:16
420 כָּל־שָׂרֵיהֶם סֹרְרִים Hosh. 9:15

וְשָׂרֵיהֶם 421 רֹכְבִים...הֵמָּה וְשָׂרֵיהֶם Jer. 17:25

שֹׁר*

ז׳ טבּוּר: 1, 2 [עין גם שֹׁרֶר]

שָׁרֵּךְ 1 בְּיוֹם הוּלֶּדֶת אוֹתָךְ לֹא־כָרַּת שָׁרֵּךְ Ezek. 16:4
לְשָׁרֶּךָ 2 רִפְאוּת תְּהִי לְשָׁרֶּךָ וְשִׁקּוּי לְעַצְמוֹתֶיךָ Prov. 3:8

שְׁרָא

פ׳ ארמית א) שָׁרָה, שָׁכַן: 1
ב) [שְׁרֵי] לֹא אסור, חפשי: 2
ג) התיר קֶשֶׁר: 3
ד) [בהשאלה] התחיל: 4
ה) [פַּ׳ שָׁרֵא] התיר קֶשֶׁר: 5
ו) [אִתְפַּ׳ אִשְׁתָּרֵא] הִתְפַּתַּח, הוּתַּר: 6

שְׁרֵא 1 וּנְהוֹרָא° עִמֵּהּ שְׁרֵא Dan. 2:22
שְׁרַיִן 2 גֻּבְרִין אַרְבְּעָה שְׁרַיִן מַהְלְכִין Dan. 3:25
לְמִשְׁרֵא 3 פִּשְׁרִין לְמִפְשַׁר וְקִטְרִין לְמִשְׁרֵא Dan. 5:16
וְשָׁרִיו 4 וְשָׁרִיו לְמִבְנֵא בֵּית אֱלָהָא Ez. 5:2
וּמְשָׁרֵא 5 וְאַחֲוָיַת אֲחִידָן וּמְשָׁרֵא קִטְרִין Dan. 5:12
מִשְׁתָּרַיִן 6 וְקִטְרֵי חַרְצֵהּ מִשְׁתָּרַיִן Dan. 5:6

שַׂרְאֶצֶר שפ״ז א) איש בימי דריוש מלך פרס: 1
ב) בן סנחריב מלך אשור: 2, 3
[עין עוד נֵרְגַל שַׂרְאֶצֶר – באות נ׳]

שַׂרְאֶצֶר 1 וַיִּשְׁלַח בֵּית-אֵל שַׂרְאֶצֶר וְרֶגֶם מֶלֶךְ Zech. 7:2
וְשַׂרְאֶצֶר 2 וְאַדְרַמֶּלֶךְ וְשַׂרְאֶצֶר הִכֻּהוּ בַחֶרֶב IIK. 19:37
3 וְאַדְרַמֶּלֶךְ וְשַׂרְאֶצֶר בָּנָיו הִכֻּהוּ בַחֶרֶב Is. 37:38

שָׁרָב ז׳ א) חם רב ויבש: 1
ב) מראה תעתועים (?): 2
שָׁרָב 1 וְלֹא-יַכֵּם שָׁרָב וָשָׁמֶשׁ Is. 49:10
הַשָּׁרָב 2 וְהָיָה הַשָּׁרָב לַאֲגַם Is. 35:7

שֵׁרֵבְיָה שפ״ז – לוי בימי עזרא ונחמיה: 1-8
שֵׁרֵבְיָה 1 בָּנִי שֵׁרֵבְיָה בָּנִי כְנָנִי Neh. 9:4
2 בָּנִי חֲשַׁבְנְיָה שֵׁרֵבְיָה הוֹדִיָּה Neh. 9:5
3 זַכּוּר שֵׁרֵבְיָה שְׁבַנְיָה Neh. 10:13
4 קַדְמִיאֵל שֵׁרֵבְיָה יְהוּדָה מַתַּנְיָה Neh. 12:8
5 וְרָאשֵׁי הַלְוִיִּם חֲשַׁבְיָה שֵׁרֵבְיָה Neh. 12:24
וְשֵׁרֵבְיָה 6 וְשֵׁרֵבְיָה וּבָנָיו וְאֶחָיו Ez. 8:18
7 וְיֵשׁוּעַ וּבָנִי וְשֵׁרֵבְיָה Neh. 8:7
לְשֵׁרֵבְיָה 8 וָאַבְדִּילָה...לְשֵׁרֵבְיָה חֲשַׁבְיָה Ez. 8:24

שַׁרְבִיט ז׳ שבט מושלים: 1-4 • קרובים: ראה מַטֶּה
שַׁרְבִיט זָהָב 1-3; רֹאשׁ הַשַּׁרְבִיט 4
שַׁרְבִיט- 1 יוֹשִׁיט-לוֹ...אֶת-שַׁרְבִיט הַזָּהָב Es. 4:11
2 וַיּוֹשֶׁט...אֶת-שַׁרְבִיט הַזָּהָב Es. 5:2
3 וַיּוֹשֶׁט...אֵת שַׁרְבִט הַזָּהָב Es. 8:4
הַשַּׁרְבִיט 4 וַתִּקְרַב...וַתִּגַּע בְּרֹאשׁ הַשַּׁרְבִיט Es. 5:2

שׂרג : שֹׂרֶג, הִשְׂתָּרֵג; שָׂרִיג; ש״פ שְׂרוּג
שׂרג פ׳ א) סִבֵּךְ: 1
ב) [הת׳ הִשְׂתָּרֵג] הסתבך: 2
יְשֹׂרָגוּ 1 גִּידֵי פַחֲדָו יְשֹׂרָגוּ Job 40:17
יִשְׂתָּרְגוּ 2 יִשְׂתָּרְגוּ עָלוּ עַל-צַוָּארִי Lam. 1:14

שׂרד : שָׂרַד, שְׂרָד, שֶׂרֶד
שָׂרַד פ׳ נמלט, נשאר
שָׂרְדוּ 1 וְהַשְּׂרִידִים שָׂרְדוּ מֵהֶם וַיָּבֹאוּ... Josh. 10:20

שְׂרָד ז׳ פקידות, שֵׁרוּת(?): 1-4 • בִּגְדֵי שְׂרָד 1-4
שְׂרָד 1 עָשׂוּ בִגְדֵי-שְׂרָד לְשָׁרֵת בַּקֹּדֶשׁ Ex. 39:1
הַשְּׂרָד 2 וְאֵת בִּגְדֵי הַשְּׂרָד וְאֶת-בִּגְדֵי הַקֹּדֶשׁ Ex. 31:10
3/4 בִּגְדֵי הַשְּׂרָד לְשָׁרֵת בַּקֹּדֶשׁ Ex. 35:19; 39:41

שֶׂרֶד ז׳ קנה שרטוט
בַּשֶּׂרֶד 1 נָטָה קָו יְתָאֲרֵהוּ בַשֶּׂרֶד Is. 44:13

שׂרה : שָׂרָה, מִשְׂרָה; ש״פ שָׂרָה, שָׂרַי, שְׂרָיָה, שְׂרָיָהוּ, יִשְׂרָאֵל
שָׂרָה¹ פ׳ נאבק, נלחם: 1-3
שָׂרָה עִם- 1; שָׂרָה אֶת- 2; שָׂרָה אֶל- 3
שָׂרִיתָ 1 כִּי-שָׂרִיתָ עִם-אֱלֹהִים...וַתּוּכָל Gen. 32:29
שָׂרָה 2 וּבְאוֹנוֹ שָׂרָה אֶת-אֱלֹהִים Hosh. 12:4
וַיָּשַׂר 3 וַיָּשַׂר אֶל-מַלְאָךְ וַיֻּכָל Hosh. 12:5

שָׂרָה² נ׳ גבירה, שלטת: 1-5
נָשִׁים שָׂרוֹת 2; שָׂרוֹת פָּרַס וּמָדַי 3;
חַכְמוֹת שָׂרוֹת 4
שָׂרָתִי 1 רַבָּתִי בַגּוֹיִם שָׂרָתִי בַּמְּדִינוֹת Lam. 1:1
שָׂרוֹת 2 וַיְהִי-לוֹ נָשִׁים שָׂרוֹת שְׁבַע מֵאוֹת IK. 11:3
שָׂרוֹת- 3 תֹּאמַרְנָה שָׂרוֹת פָּרַס-וּמָדַי Es. 1:18
שָׂרוֹתֶיהָ 4 חַכְמוֹת שָׂרוֹתֶיהָ תַּעֲנֶינָּה Jud. 5:29
וְשָׂרוֹתֵיהֶם 5 מְלָכִים אֹמְנַיִךְ וְשָׂרוֹתֵיהֶם מֵינִיקֹתַיִךְ Is. 49:23

שָׂרָה³ שפ״ז – אשת אברהם: 1-38 [עין גם שָׂרַי]
חַיֵּי שָׂרָה 21, 22; שִׁפְחַת שָׂרָה 27
שָׂרָה 1 לֹא-תִקְרָא...כִּי שָׂרָה שְׁמָהּ Gen. 17:15
2 וְאִם-שָׂרָה הֲבַת-תִּשְׁעִים שָׁנָה תֵּלֵד Gen. 17:17
3 שָׂרָה אִשְׁתְּךָ יֹלֶדֶת לְךָ בֵּן Gen. 17:19
4 אֶת-יִצְחָק אֲשֶׁר תֵּלֵד לְךָ שָׂרָה Gen. 17:21
5 וַיְמַהֵר אַבְרָהָם הָאֹהֱלָה אֶל-שָׂרָה Gen. 18:6
6 אַיֵּה שָׂרָה אִשְׁתֶּךָ Gen. 18:9
7 וַתִּצְחַק שָׂרָה בְּקִרְבָּהּ Gen. 18:12
8 לָמָּה זֶּה צָחֲקָה שָׂרָה Gen. 18:13
9 וַתְּכַחֵשׁ שָׂרָה לֵאמֹר Gen. 18:15
10 וַיֹּאמֶר אַבְרָהָם אֶל-שָׂרָה אִשְׁתּוֹ
אֲחֹתִי הִוא Gen. 20:2
11 וַיִּשְׁלַח אֲבִימֶלֶךְ...וַיִּקַּח אֶת-שָׂרָה Gen. 20:2
12 וַיָּשֶׁב לוֹ אֵת שָׂרָה אִשְׁתּוֹ Gen. 20:14
13 עַל-דְּבַר שָׂרָה אֵשֶׁת אַבְרָהָם Gen. 20:18
14 וַיְיָ פָּקַד אֶת-שָׂרָה Gen. 21:1
15 וַתֵּלֶד שָׂרָה לְאַבְרָהָם בֵּן Gen. 21:2
16 אֲשֶׁר-יָלְדָה-לּוֹ שָׂרָה Gen. 21:3
17 וַתֹּאמֶר שָׂרָה צְחֹק עָשָׂה לִי אֱלֹ׳ Gen. 21:6
18 מִי מִלֵּל...הֵינִיקָה בָנִים שָׂרָה Gen. 21:7
19 וַתֵּרֶא שָׂרָה אֶת-בֶּן-הָגָר. . Gen. 21:9
20 כֹּל אֲשֶׁר תֹּאמַר אֵלֶיךָ שָׂרָה Gen. 21:12
21/2 וַיִּהְיוּ חַיֵּי שָׂרָה...שְׁנֵי חַיֵּי שָׂרָה Gen. 23:1
23 וַתָּמָת שָׂרָה בְּקִרְיַת אַרְבַּע Gen. 23:2
24 קָבַר אַבְרָהָם אֶת-שָׂרָה אִשְׁתּוֹ Gen. 23:19
25 וַתֵּלֶד שָׂרָה...בֵן לַאדֹנִי Gen. 24:36
26 וַיְבִאֶהָ...הָאֹהֱלָה שָׂרָה אִמּוֹ Gen. 24:67
27 הָגָר הַמִּצְרִית שִׁפְחַת שָׂרָה Gen. 25:12
28 אֶת-אַבְרָהָם וְאֵת שָׂרָה אִשְׁתּוֹ Gen. 49:31
29 הַבִּיטוּ...וְאֶל-שָׂרָה תְּחוֹלֶלְכֶם Is. 51:2
וְשָׂרָה 30 וְשָׂרָה שֹׁמַעַת פֶּתַח הָאֹהֶל Gen. 18:10
31 וְאַבְרָהָם וְשָׂרָה זְקֵנִים Gen. 18:11
32 שָׁמָּה קֻבַּר אַבְרָהָם וְשָׂרָה אִשְׁתּוֹ Gen. 25:10
לְשָׂרָה 33 וְהִנֵּה-בֵן לְשָׂרָה אִשְׁתֶּךָ Gen. 18:10
34 חָדַל לִהְיוֹת לְשָׂרָה אֹרַח כַּנָּשִׁים Gen. 18:11
35 וַיַּעַשׂ יְיָ לְשָׂרָה כַּאֲשֶׁר דִּבֵּר Gen. 21:1
36 לִסְפֹּד לְשָׂרָה וְלִבְכֹּתָהּ Gen. 23:2
וּלְשָׂרָה 37 כָּעֵת חַיָּה וּלְשָׂרָה בֵן Gen. 18:14
38 וּלְשָׂרָה אָמַר הִנֵּה נָתַתִּי...לְאָחִיךְ Gen. 20:16

שרה : שָׁרָה, שֵׁרָה; שְׁרִיָּה, שִׁרְיוֹן(?); מִשְׁרָה(?)
שָׁרָה פ׳ א) התיר(?): 1
ב) [פ׳ שֵׁרָה] השאיר(?): 2
יִשְׁרֵהוּ 1 תַּחַת כָּל-הַשָּׁמַיִם יִשְׁרֵהוּ Job 37:3
שֵׁרִיתִךָ 2 אִם-לֹא שֵׁרִיתִךָ (כת׳ שרותך) לְטוֹב Jer. 15:11

שֵׁרָה* נ׳ שרשרת, מתכשיטי הנשים
וְהַשֵּׁרוֹת 1 הַנְּטִפוֹת וְהַשֵּׁרוֹת וְהָרְעָלוֹת Is. 3:19

שָׁרָה* נ׳ שורה
בְּשָׁרוֹתֶיהָ 1 עֲלוּ בְשָׁרוֹתֶיהָ וְשַׁחֵתוּ Jer. 5:10

שְׂרוּג שפ״ז – אבי נָחוֹר אבי תֶּרַח: 1-5
שְׂרוּג 1 וַיְחִי רְעוּ...וַיּוֹלֶד אֶת-שְׂרוּג Gen. 11:20
2 וַיְחִי רְעוּ אַחֲרֵי הוֹלִידוֹ אֶת-שְׂרוּג Gen. 11:21
3 וַיְחִי שְׂרוּג...וַיּוֹלֶד אֶת-נָחוֹר Gen. 11:22
4 וַיְחִי שְׂרוּג אַחֲרֵי הוֹלִידוֹ אֶת-נָחוֹר Gen. 11:23
5 שְׂרוּג נָחוֹר תָּרַח ICh. 1:26

שָׁרוּחֶן ש״פ – עיר קדומה בשפלת הנגב
וְשָׁרוּחֶן 1 וּבֵית לְבָאוֹת וְשָׁרוּחֶן Josh. 19:6

שְׂרוֹךְ ז׳ פתיל, חוט: 1, 2 • שְׂרוֹךְ נַעַל 1, 2
שְׂרוֹךְ- 1 אִם-מִחוּט וְעַד שְׂרוֹךְ-נַעַל Gen. 14:23
2 וְלֹא נִתַּק שְׂרוֹךְ נְעָלָיו Is. 5:27

שָׁרוֹן ש״פ – המישור הצפוני של אזור החוף בארץ-ישראל: 1-7
הֲדַר הַשָּׁרוֹן 5; חֲבַצֶּלֶת הַשָּׁרוֹן 4; מִגְרְשֵׁי שָׁרוֹן 1
שָׁרוֹן 1 וַיֵּשְׁבוּ בַּגִּלְעָד...וּבְכָל-מִגְרְשֵׁי שָׁרוֹן ICh. 5:16
הַשָּׁרוֹן 2 הָיָה הַשָּׁרוֹן כָּעֲרָבָה Is. 33:9
3 וְהָיָה הַשָּׁרוֹן לִנְוֵה-צֹאן Is. 65:10
4 אֲנִי חֲבַצֶּלֶת הַשָּׁרוֹן S.ofS. 2:1
וְהַשָּׁרוֹן 5 הֲדַר הַכַּרְמֶל וְהַשָּׁרוֹן Is. 35:2
בַּשָּׁרוֹן 6 וְעַל-הַבָּקָר הָרֹעִים בַּשָּׁרוֹן ICh. 27:29
לַשָּׁרוֹן 7 מֶלֶךְ לַשָּׁרוֹן אֶחָד Josh. 12:18

שָׁרוֹנִי ת׳ מתושבי השרון
הַשָּׁרוֹנִי 1 וְעַל-הַבָּקָר...שִׁטְרַי הַשָּׁרֹנִי ICh. 27:29

שְׁרוּקִים* (ישעיה טז 8) – עין שֹׂרֵק

שֶׂרַח שפ״ז – בַּת אָשֵׁר בֶּן יעקב: 1-3
שָׂרַח 1 וְשֵׁם בַּת-אָשֵׁר שָׂרַח Num. 26:46
וְשֶׂרַח 2 וְיִשְׁוִי וּבְרִיעָה וְשֶׂרַח אֲחֹתָם Gen. 46:17
3 וְיִשְׁוִי וּבְרִיעָה וְשֶׂרַח אֲחוֹתָם ICh. 7:30

שׂרט : שָׂרַט, נִשְׂרַט; שֶׂרֶט, שָׂרֶטֶת
שָׂרַט פ׳ א) סרט, גֵּרד ופצע: 1, 2
ב) [נפ׳ נִשְׂרַט] נסרט, גורד ונפצע: 3
שָׂרוֹט 1 כָּל-עֹמְסֶיהָ שָׂרוֹט יִשָּׂרֵטוּ Zech. 12:3
יִשְׂרְטוּ 2 וּבִבְשָׂרָם לֹא יִשְׂרְטוּ שָׂרָטֶת Lev. 21:5
יִשָּׂרֵטוּ 3 כָּל-עֹמְסֶיהָ שָׂרוֹט יִשָּׂרֵטוּ Zech. 12:3

שֶׂרֶט ז׳ שריטה, פצע בעור
וְשֶׂרֶט 1 וְשֶׂרֶט לָנֶפֶשׁ לֹא תִתְּנוּ בִּבְשַׂרְכֶם Lev. 19:28

שִׁרְטַי שפ״ז – שר רועי הבקר בשרון למלך דוד
שִׁרְטַי 1 וְעַל הַבָּקָר...שִׁרְטַי (כ׳ שטרי) הַשָּׁרוֹנִי ICh. 27:29

שָׂרֶטֶת נ׳ שריטה, פצע בעור
שָׂרָטֶת 1 וּבִבְשָׂרָם לֹא יִשְׂרְטוּ שָׂרָטֶת Lev. 21:5

שָׂרַי שפ״ז – שמה הראשון של שָׂרָה אשת אברהם: 1-17
עַל-דְּבַר שָׂרַי 5; קוֹל שָׂרַי 16; שִׁפְחַת שָׂרַי 11
שָׂרַי 1 וַתְּהִי שָׂרַי עֲקָרָה Gen. 11:30
2 וְאֵת שָׂרַי כַּלָּתוֹ אֵשֶׁת אַבְרָם Gen. 11:31
3 וַיִּקַּח אַבְרָם אֶת-שָׂרַי אִשְׁתּוֹ Gen. 12:5
4 וַיֹּאמֶר אֶל-שָׂרַי אִשְׁתּוֹ Gen. 12:11
5 עַל-דְּבַר שָׂרַי אֵשֶׁת אַבְרָם Gen. 12:17
6/7 וַתֹּאמֶר שָׂרַי אֶל-אַבְרָם Gen. 16:2,5
8 וַתִּקַּח שָׂרַי אֵשֶׁת אַבְרָם Gen. 16:3
9 וַיֹּאמֶר אַבְרָם אֶל-שָׂרַי Gen. 16:6
10 וַתְּעַנֶּהָ שָׂרַי וַתִּבְרַח מִפָּנֶיהָ Gen. 16:6
11 הָגָר שִׁפְחַת שָׂרַי אֵי-מִזֶּה בָאת Gen. 16:8
12 מִפְּנֵי שָׂרַי גְּבִרְתִּי אָנֹכִי בֹּרַחַת Gen. 16:8
13 שָׂרַי אִשְׁתְּךָ Gen. 17:15
וְשָׂרַי 14 וְשָׂרַי אֵשֶׁת אַבְרָם לֹא יָלְדָה לוֹ Gen. 16:1
שָׂרָי 15 אֵשֶׁת-אַבְרָם שָׂרָי Gen. 11:29
16 וַיִּשְׁמַע אַבְרָם לְקוֹל שָׂרָי Gen. 16:2
17 לֹא-תִקְרָא אֶת-שְׁמָהּ שָׂרָי Gen. 17:15

שָׂרַי* שפ״ז – איש בימי עזרא ונחמיה

שָׂרַי 1 מִכְנַדְבַי שָׁשַׁי שָׂרָי Ez. 10:40

שָׂרִיג* ז׳ ענף הגפן: 1-3 • קרובים: ראה עָנָף

שָׂרִיגִם 1 וּבַגֶּפֶן שְׁלֹשָׁה שָׂרִיגִם Gen. 40:10
הַשָּׂרִגִים 2 שְׁלֹשֶׁת הַשָּׂרִגִים שְׁלֹשֶׁת יָמִים הֵם Gen. 40:12
שָׂרִיגֶיהָ 3 חֲשָׂפָהּ וְהִשְׁלִיךְ הִלְבִּינוּ שָׂרִיגֶיהָ Joel 1:7

שָׂרִיד¹ ז׳ פָּלִיט, נמלט: 1-28

שָׂרִיד וּפָלִיט 7, 16; פָּלִיט וְשָׂרִיד 22, 23
שְׂרִידֵי חֶרֶב 26

שָׂרִיד 1-4 עַד־בִּלְתִּי הִשְׁאִיר־לוֹ שָׂרִיד Num. 21:35
Deut. 3:3 • Josh. 10:33 • IIK. 10:11
5 וְהֶאֱבִיד שָׂרִיד מֵעִיר Num. 24:19
6 נַחֲרִם...לֹא הִשְׁאַרְנוּ שָׂרִיד Deut. 2:34
7 עַד־בִּלְתִּי הִשְׁאִיר...שָׂרִיד וּפָלִיט Josh. 8:22
8-11 לֹא(־)הִשְׁאִיר שָׂרִיד Josh. 10:28, 37, 39, 40
12 לֹא־הִשְׁאִיר בָּהּ שָׂרִיד Josh. 10:30
13 עַד־בִּלְתִּי הִשְׁאִיר־לָהֶם שָׂרִיד Josh. 11:8
14 אָז יְרַד שָׂרִיד לְאַדִּירִים עָם Jud. 5:13
15 לוּלֵי...הוֹתִיר לָנוּ שָׂרִיד כִּמְעָט Is. 1:9
16 וְלֹא־יִהְיֶה לָהֶם שָׂרִיד וּפָלִיט Jer. 42:17
17 לְהַכְרִית...כֹּל שָׂרִיד עֹזֵר Jer. 47:4
18 וְלֹא־יִהְיֶה שָׂרִיד לְבֵית עֵשָׂו Ob. 18
19 וְאֵין שָׂרִיד בִּמְגוּרָיו Job 18:19
20 אֵין־שָׂרִיד לְאָכְלוֹ Job 20:21
21 יֵרַע שָׂרִיד בְּאָהֳלוֹ Job 20:26
וְשָׂרִיד 22 פָּלִיט וְשָׂרִיד לִשְׁאֵרִית יְהוּדָה Jer. 44:14
23 וְלֹא הָיָה...פָּלִיט וְשָׂרִיד Lam. 2:22
וְהַשְּׂרִידִים 24 וְהַשְּׂרִידִים שָׂרְדוּ מֵהֶם וַיָּבֹאוּ Josh. 10:20
וּבַשְּׂרִידִים 25 וּבַשְּׂרִידִים אֲשֶׁר יְיָ קֹרֵא Joel 3:5
שְׂרִידֵי־ 26 מָצָא חֵן...עַם שְׂרִידֵי חָרֶב Jer. 31:1
שְׂרִידָיו 27 וְאַל־תַּסְגֵּר שְׂרִידָיו בְּיוֹם צָרָה Ob. 14
28 שְׂרִידָיו בַּמָּוֶת יִקָּבֵרוּ Job 27:15

שָׂרִיד² ש״פ – מקום בנגב בגבול זבולון: 1, 2

שָׂרִיד 1 וַיְהִי גְּבוּל נַחֲלָתָם עַד־שָׂרִיד Josh. 19:10
מִשָּׂרִיד 2 וְשָׁב מִשָּׂרִיד קֵדְמָה Josh. 19:12

שִׁרְיָה נ׳ שריון, מגן • קרובים: ראה מָגֵן

וְשִׁרְיָה 1 חֲנִית מַסָּע וְשִׁרְיָה Job 41:18

שְׂרָיָה שפ״ז א) סופר המלך דוד: 12
ב) שר מנוחה למלך צדקיהו: 2, 3, 15
ג) כהן גדול בימי צדקיהו: 1, 4
ד) מן הבאים אל גדליהו בן אחיקם: 13, 14
ה) אנשים שונים: 5-11, 16-19

שְׂרָיָה 1 וַיִּקַּח...אֶת־שְׂרָיָה כֹּהֵן הָרֹאשׁ IIK. 25:18
2 אֶת־שְׂרָיָה בֶן־נֵרִיָּה בֶּן־מַחְסֵיָה Jer. 51:59
3 וַיֹּאמֶר יִרְמְיָהוּ אֶל־שְׂרָיָה Jer. 51:61
4 וַיִּקַּח...אֶת־שְׂרָיָה כֹּהֵן הָרֹאשׁ Jer. 52:24
5 יֵשׁוּעַ נְחֶמְיָה שְׂרָיָה רְעֵלָיָה Ez. 2:2
6 עֶזְרָא בֶּן־שְׂרָיָה בֶּן־עֲזַרְיָה Ez. 7:1
7 שְׂרָיָה עֲזַרְיָה יִרְמְיָה Neh. 10:3
8 שְׂרָיָה בֶן־חִלְקִיָּה Neh. 11:11
9 שְׂרָיָה יִרְמְיָה עֶזְרָא Neh. 12:1
10 וְיֵהוּא בֶּן־יוֹשִׁבְיָה בֶּן־שְׂרָיָה ICh. 4:35
11 וַעֲזַרְיָה הוֹלִיד אֶת־שְׂרָיָה ICh. 5:40
וּשְׂרָיָה 12 וּשְׂרָיָה סוֹפֵר IISh. 8:17
13 וּשְׂרָיָה בֶן־תַּנְחֻמֶת הַנְּטֹפָתִי IIK. 25:23
14 וּשְׂרָיָה בֶן־תַּנְחֻמֶת Jer. 40:8
15 וּשְׂרָיָה שַׂר־מְנוּחָה Jer. 51:59

וּשְׂרָיָה (המשך) 16 וּבְנֵי קְנַז עָתְנִיאֵל וּשְׂרָיָה ICh. 4:13
17 וּשְׂרָיָה הוֹלִיד אֶת־יוֹאָב ICh. 4:14
18 וּשְׂרָיָה הוֹלִיד אֶת־יְהוֹצָדָק ICh. 5:40
לִשְׂרָיָה 19 לִשְׂרָיָה מְרָיָה לְיִרְמְיָה חֲנַנְיָה Neh. 12:12

שְׂרָיָהוּ שפ״ז – משרי יהויקים מלך יהודה

שְׂרָיָהוּ 1 וַיְצַוֶּה...וְאֶת־שְׂרָיָהוּ בֶן־עַזְרִיאֵל Jer. 36:26

שִׁרְיוֹן ז׳ מגן: 1-5 • קרובים: ראה מָגֵן

שִׁרְיוֹן קַשְׂקַשִּׂים 2

שִׁרְיוֹן 1 וַיִּלְבַּשׁ אֹתוֹ שִׁרְיוֹן ISh. 17:38
וְשִׁרְיוֹן־ 2 וְשִׁרְיוֹן קַשְׂקַשִּׂים הוּא לָבוּשׁ ISh. 17:5
הַשִּׁרְיוֹן 3 וּמִשְׁקַל הַשִּׁרְיוֹן חֲמֵשֶׁת־אֲלָפִים... ISh. 17:5
וְשִׁרְיֹנוֹת 4 מָגִנִּים...וְשִׁרְיֹנוֹת וּקְשָׁתוֹת IICh. 26:14
וְהַשִּׁרְיֹנִים 5 הַמָּגִנִּים וְהַקְּשָׁתוֹת וְהַשִּׁרְיֹנִים Neh. 4:10

שִׂרְיֹן ש״פ – שמו של הר חרמון בפי הצידונים: 1, 2

שִׂרְיֹן 1 צִידֹנִים יִקְרְאוּ לְחֶרְמוֹן שִׂרְיֹן Deut. 3:9
וְשִׂרְיֹן 2 לְבָנוֹן וְשִׂרְיֹן כְּמוֹ בֶן־רְאֵמִים Ps. 29:6

שִׁרְיָן ז׳ שִׁרְיוֹן: 1-3 • קרובים: ראה מָגֵן

הַשִּׁרְיָן 1 בֵּין הַדְּבָקִים וּבֵין הַשִּׁרְיָן IK. 22:34
2 בֵּין הַדְּבָקִים וּבֵין הַשִּׁרְיָן IICh. 18:33
כַּשִּׁרְיָן 3 וַיִּלְבַּשׁ צְדָקָה כַּשִּׁרְיָן Is. 59:17

שָׂרִיק* ת׳ סרוק, מנוקה • פִּשְׁתִּים שְׂרִיקוֹת 1

שְׂרִיקוֹת 1 וּבֹשׁוּ עֹבְדֵי פִשְׁתִּים שְׂרִיקוֹת Is. 19:9

שְׁרִיקָה* נ׳ צפצוף: 1, 2

שְׁרִיקוֹת עֲדָרִים 1; שְׁרִיקוֹת עוֹלָם 2

שְׁרִיקוֹת־ 1 לִשְׁמֹעַ שְׁרִקוֹת עֲדָרִים Jud. 5:16
2 לְשַׁמָּה שְׁרִיקוֹת (כת׳ שרוקת) עוֹלָם Jer. 18:16

שְׁרִיר* ז׳ רקמת בשר גמישה בגוף המניעה את האברים

בִּשְׁרִירֵי־ 1 כֹּחוֹ בְמָתְנָיו וְאוֹנוֹ בִּשְׁרִירֵי בִטְנוֹ Job 40:16

שְׁרִרוּת נ׳ [רק בצירוף אל ״לֵב״] קשיות, עקשות: 1-10

שְׁרִרוּת־ 1 וְלֹא יֵלְכוּ עוֹד אַחֲרֵי שְׁרִרוּת לִבָּם הָרָע Jer. 3:17
2 וַיֵּלְכוּ אַחֲרֵי שְׁרִרוּת לִבָּם Jer. 9:13
3 הֹלְכִים אִישׁ אַחֲרֵי שְׁרִרוּת לִבּוֹ Jer. 16:12
4 וְאִישׁ שְׁרִרוּת לִבּוֹ־הָרָע נַעֲשֶׂה Jer. 18:12
בִּשְׁרִרוּת־ 5 כִּי בִּשְׁרִרוּת לִבִּי אֵלֵךְ Deut. 29:18
6 בְּמֹעֵצוֹת בִּשְׁרִרוּת לִבָּם הָרָע Jer. 7:24
7 וַיֵּלְכוּ אִישׁ בִּשְׁרִירוּת לִבָּם הָרָע Jer. 11:8
8 הַהֹלְכִים בִּשְׁרִרוּת לִבָּם Jer. 13:10
9 וְכֹל הֹלֵךְ בִּשְׁרִרוּת לִבּוֹ Jer. 23:17
10 וָאֲשַׁלְּחֵהוּ בִּשְׁרִירוּת לִבָּם Ps. 81:13

שֵׁרִית (דה״א יב38(39)) – עין שְׁאֵרִית(55)

שׂרך : שָׂרַךְ; שְׂרוֹךְ

שָׂרַךְ פ׳ פָּתַל, עִקֵּם

מְשָׂרֶכֶת 1 בִּכְרָה קַלָּה מְשָׂרֶכֶת דְּרָכֶיהָ Jer. 2:23

שַׂר־סְכִים שפ״ז – שר הסריסים לנבוכדנאצר

שַׂר־סְכִים 1 שַׂר־סְכִים רַב־סָרִיס Jer. 39:3

שׂרע : שָׂרוּעַ, הִשְׂתָּרֵעַ

שָׂרַע פ׳ א) [בינוני: שָׂרוּעַ] מֹארך באחד מאבריו: 1, 2
ב) [הת׳ הִשְׂתָּרֵעַ] התפרש, השתטח: 3

שָׂרוּעַ 1 אוֹ חָרֻם אוֹ שָׂרוּעַ Lev. 21:18
2 וְשׁוֹר וָשֶׂה שָׂרוּעַ וְקָלוּט Lev. 22:23
מֵהִשְׂתָּרֵעַ 3 כִּי־קָצַר הַמַּצָּע מֵהִשְׂתָּרֵעַ Is. 28:20

שַׂרְעַפִּים* ז׳ מחשבות: 1, 2

קרובים: ראה מַחֲשָׁבָה

שַׂרְעַפַּי 1 בְּרֹב שַׂרְעַפַּי בְּקִרְבִּי Ps. 94:19
שַׂרְעַפָּי 2 בְּחָנֵנִי וְדַע שַׂרְעַפָּי Ps. 139:23

שׂרף : שָׂרַף, נִשְׂרַף, שֹׂרֵף; שָׂרָף, שְׂרֵפָה, מִשְׂרָפָה; ש״פ שָׂרָף

שָׂרַף פ׳ א) העלה באש, הבעיר: 1-102
ב) [נפ׳ נִשְׂרַף] עלה באש: 103-116
ג) [פ׳ שֹׂרֵף] כנ״ל: 117

שָׂרוֹף 1 וּבָאֵשׁ שָׂרוֹף יִשָּׂרְפוּ בַּשָּׁבֶת IISh. 23:7
שְׂרֹף 2 לְבִלְתִּי שְׂרֹף אֶת־הַמְּגִלָּה Jer. 36:25
3 אַחֲרֵי שְׂרֹף הַמֶּלֶךְ אֶת־הַמְּגִלָּה Jer. 36:27
לִשְׂרֹף 4/5 לִשְׂרֹף אֶת־בְּנֵיהֶם(...)בָּאֵשׁ Jer. 7:31; 19:5
שָׂרְפוֹ 6 עַל־שָׂרְפוֹ עַצְמוֹת מֶלֶךְ־אֱדוֹם לַשִּׂיד Am. 2:1
לְשָׂרְפוֹ 7 וַיִּגַּשׁ עַד־פֶּתַח הַמִּגְדָּל לְשָׂרְפוֹ בָאֵשׁ Jud. 9:52
שָׂרַפְתִּי 8 חֶצְיוֹ שָׂרַפְתִּי בְמוֹ־אֵשׁ Is. 44:19
שָׂרַפְתָּ 9 אַתָּה שָׂרַפְתָּ אֶת־הַמְּגִלָּה הַזֹּאת Jer. 36:29
וְשָׂרַפְתָּ 10 וְשָׂרַפְתָּ אֶת־הַנּוֹתָר בָּאֵשׁ Ex. 29:34
11 וְשָׂרַפְתָּ בָאֵשׁ אֶת־הָעִיר...כָּלִיל Deut. 13:17
12 וְשָׂרַפְתָּ אֹתָם בָּאֵשׁ Ezek. 5:4
שָׂרַף 13 כַּאֲשֶׁר שָׂרַף אֵת הַפָּר הָרִאשׁוֹן Lev. 4:21
14/5 שָׂרַף בָּאֵשׁ מִחוּץ לַמַּחֲנֶה Lev. 8:17; 9:11
16 יִבְכּוּ אֶת־הַשְּׂרֵפָה אֲשֶׁר שָׂרַף יְיָ Lev. 10:6
17 וְאֶת־מַרְכְּבֹתֵיהֶם שָׂרַף בָּאֵשׁ Josh. 11:9
18 וְאֶת־חָצוֹר שָׂרַף בָּאֵשׁ Josh. 11:11
19 זוּלָתִי אֶת־חָצוֹר לְבַדָּהּ שָׂרַף Josh. 11:13
20 וְאֶת־מַרְכְּבוֹת הַשֶּׁמֶשׁ שָׂרַף בָּאֵשׁ IIK. 23:11
21 וְאֶת־כָּל־בֵּית גָּדוֹל שָׂרַף בָּאֵשׁ IIK. 25:9
22 חֶצְיוֹ שָׂרַף בְּמוֹ־אֵשׁ Is. 44:16
23 הַמְּגִלָּה...אֲשֶׁר שָׂרַף יְהוֹיָקִים Jer. 36:28
24 הַסֵּפֶר אֲשֶׁר שָׂרַף יְהוֹיָקִים Jer. 36:32
25 כָּל־בֵּית הַגָּדוֹל שָׂרַף בָּאֵשׁ Jer. 52:13
26 וְעַצְמוֹת כֹּהֲנִים שָׂרַף עַל־מִזְבְּחוֹתָם IICh. 34:5
וְשָׂרַף 27 וְשָׂרַף אֹתוֹ עַל־עֵצִים בָּאֵשׁ Lev. 4:12
28 וְשָׂרַף אֹתוֹ כַּאֲשֶׁר שָׂרַף אֵת הַפָּר Lev. 4:21
29 וְשָׂרַף אֶת־הַבֶּגֶד Lev. 13:52
30 וְשָׂרַף אֶת־הַפָּרָה לְעֵינָיו Num. 19:5
31 הֵדַק לְעָפָר וְשָׂרַף אֲשֵׁרָה IIK. 23:15
וּשְׂרָפוֹ 32 וּשְׂרָפוֹ בְּמִפְקַד הַבַּיִת Ezek. 43:21
וּשְׂרָפָהּ 33/4 וּשְׂרָפָהּ בָּאֵשׁ Jer. 21:10; 34:2
שְׂרָפָם 35 כָּל־הֶעָרִים...לֹא־שְׂרָפָם יִשְׂרָאֵל Josh. 11:13
וּשְׂרָפָם 36 וְהִצַּתִּי אֵשׁ...וּשְׂרָפָם וְשָׁבָם Jer. 43:12
שְׂרָפָתַם 37 הִנֵּה הָיוּ כְקַשׁ אֵשׁ שְׂרָפָתַם Is. 47:14
שְׂרָפֻהָ 38 וְאֶת־צִקְלַג שְׂרְפוּ בָּאֵשׁ ISh. 30:14
שָׂרְפוּ 39 וְאֵת כָּל־טִירֹתָם שָׂרְפוּ בָּאֵשׁ Num. 31:10
40 וְהָעִיר שָׂרְפוּ בָאֵשׁ וְכָל־אֲשֶׁר־בָּהּ Josh. 6:24
41 וְאֶת־הָעִיר שָׂרְפוּ בָאֵשׁ Jud. 18:27
42 וְאֶת־בֵּית הַמֶּלֶךְ...שָׂרְפוּ...בָּאֵשׁ Jer. 39:8
43 וְאֶת־הָאֲגַמִּים שָׂרְפוּ בָאֵשׁ Jer. 51:32
44 שָׂרְפוּ כָל־מוֹעֲדֵי־אֵל בָּאָרֶץ Ps. 74:8
45 וְכָל־אַרְמְנוֹתֶיהָ שָׂרְפוּ בָאֵשׁ IICh. 36:19
וְשָׂרְפוּ 46 וְשָׂרְפוּ בָאֵשׁ אֶת־עֹרֹתָם Lev. 16:27
47 וְשָׂרְפוּ אֶת־הָעִיר הַזֹּאת בָּאֵשׁ Jer. 37:10
48 וְשָׂרְפוּ בָתַּיִךְ בָּאֵשׁ Ezek. 16:41
וּשְׂרָפוּהָ 49 וְהִצִּיתוּ...בָּאֵשׁ וּשְׂרָפוּהָ Jer. 32:29
50/1 וּלְכָדוּהָ וּשְׂרָפֻהָ בָאֵשׁ Jer. 34:22; 37:8
52 וְנִתְּנָה...בְּיַד הַכַּשְׂדִּים וּשְׂרָפוּהָ בָּאֵשׁ Jer. 38:18
וְהַשֹּׂרֵף 53 וְהַשֹּׂרֵף אֹתָם יְכַבֵּס בְּגָדָיו Lev. 16:28
54 וְהַשֹּׂרֵף אֹתָהּ יְכַבֵּס בְּגָדָיו Num. 19:8

שׂוֹרְפִים 55 שֹׂרְפִים אֶת־בְּנֵיהֶם בָּאֵשׁ IIK. 17:31
שְׂרוּפָה 56 וַיָּבֹא...אֶל־הָעִיר וְהִנֵּה שְׂרוּפָה בָּאֵשׁ ISh. 30:3
57 שְׂרֻפָה בָאֵשׁ כְּסוּחָה Ps. 80:17
הַשְּׂרֻפִים 58 מַחְתּוֹת...אֲשֶׁר הִקְרִיבוּ הַשְּׂרֻפִים Num. 17:4
שְׂרֻפוֹת 59 עָרֵיכֶם שְׂרֻפוֹת אֵשׁ Is. 1:7
60 הַיְחַיּוּ אֶת־הָאֲבָנִים...וְהֵמָּה שְׂרוּפוֹת Neh. 3:34
וָאֶשְׂרֹף 61 וָאֶשְׂרֹף אֹתוֹ בָּאֵשׁ Deut. 9:21
תִּשְׂרֹף 62 וְאֶת־עֹרוֹ וְאֶת־פִּרְשׁוֹ תִּשְׂרֹף בָּאֵשׁ Ex. 29:14
63 וְאֶת־מַרְכְּבֹתֵיהֶם תִּשְׂרֹף בָּאֵשׁ Josh. 11:6
64 וְאֶת־הָעִיר הַזֹּאת תִּשְׂרֹף בָּאֵשׁ Jer. 38:23
תִּשְׂרְפֶנּוּ 65/6 בָּאֵשׁ תִּשְׂרְפֶנּוּ Lev. 13:55, 57
יִשְׂרֹף 67 וְאֶת־בְּשָׂרָהּ...עַל־פִּרְשָׁהּ יִשְׂרֹף Num. 19:5
68 וְאֶת־בָּתֵּי אֱלֹהֵי מִצ׳ יִשְׂרֹף בָּאֵשׁ Jer. 43:13
69 עֲגָלוֹת יִשְׂרֹף בָּאֵשׁ Ps. 46:10
וַיִּשְׂרֹף 70 וַיִּקַּח אֶת־הָעֵגֶל...וַיִּשְׂרֹף בָּאֵשׁ Ex. 32:20
71 וַיִּשְׂרֹף יְהוֹשֻׁעַ אֶת־הָעָי Josh. 8:28
72 וַיִּכְרֹת...וַיִּשְׂרֹף בְּנַחַל קִדְרוֹן IK. 15:13
73 וַיִּשְׂרֹף עָלָיו אֶת־בֵּית־מֶלֶךְ בָּאֵשׁ IK. 16:18
74 וַיִּשְׂרֹף אֹתָהּ בְּנַחַל קִדְרוֹן IIK. 23:6
75 וַיִּשְׂרֹף אֶת־הַבָּמָה הֵדַק לְעָפָר IIK. 23:15
76 הָעֲצָמוֹת...וַיִּשְׂרֹף עַל־הַמִּזְבֵּחַ IIK. 23:16
77 וַיִּשְׂרֹף אֶת־עַצְמוֹת אָדָם עֲלֵיהֶם IIK. 23:20
78/9 וַיִּשְׂרֹף אֶת־בֵּית יְיָ IIK. 25:9 • Jer. 52:13
80 וַיָּדֶק וַיִּשְׂרֹף בְּנַחַל קִדְרוֹן IICh. 15:16
וַיִּשְׂרְפָהּ 81 וַיִּלְכֹּד אֶת־גֶּזֶר וַיִּשְׂרְפָהּ בָּאֵשׁ IK. 9:16
וַיִּשְׂרְפֵם 82 וַיִּשְׂרְפֵם מִחוּץ לִירוּשָׁלִַם IIK. 23:4
נִשְׂרֹף 83 בֵּיתְךָ נִשְׂרֹף עָלֶיךָ בָּאֵשׁ Jud. 12:1
84 פֶּן־נִשְׂרֹף אוֹתָךְ...בָּאֵשׁ Jud. 14:15
וְנִשְׂרְפָה 85 נִלְבְּנָה לְבֵנִים וְנִשְׂרְפָה לִשְׂרֵפָה Gen. 11:3
תִּשְׂרֹפוּ 86 וְהַנֹּתָר מִמֶּנּוּ עַד־בֹּקֶר בָּאֵשׁ תִּשְׂרֹפוּ Ex. 12:10
87 וְהַנּוֹתָר בַּבָּשָׂר...בָּאֵשׁ תִּשְׂרֹפוּ Lev. 8:32
תִּשְׂרְפוּן 88 וּפְסִילֵיהֶם תִּשְׂרְפוּן בָּאֵשׁ Deut. 7:5
89 פְּסִילֵי אֱלֹהֵיהֶם תִּשְׂרְפוּן בָּאֵשׁ Deut. 7:25
90 וַאֲשֵׁרֵיהֶם תִּשְׂרְפוּן בָּאֵשׁ Deut. 12:3
יִשְׂרְפוּ 91 בָּאֵשׁ יִשְׂרְפוּ אֹתוֹ וְאֶתְהֶן Lev. 20:14
92 בְּנֵיהֶם...יִשְׂרְפוּ בָאֵשׁ לֵאלֹהֵיהֶם Deut. 12:31
93 וְעַצְמוֹת אָדָם יִשְׂרְפוּ עָלֶיךָ IK. 13:2
94 וּבְמִשְׂרְפוֹת אֲבוֹתֶיךָ...יִשְׂרְפוּ־לָךְ Jer. 34:5
יִשְׂרֹפוּ 95 וּבָתֵּיהֶן בָּאֵשׁ יִשְׂרֹפוּ Ezek. 23:47
וַיִּשְׂרְפוּ 96 וַיִּשְׂרְפוּ אֹתָם בָּאֵשׁ Josh. 7:25
97 וַיִּשְׂרְפוּ אוֹתָהּ וְאֶת־אָבִיהָ בָּאֵשׁ Jud. 15:6
98 וַיַּכּוּ אֶת־צִקְלַג וַיִּשְׂרְפוּ אֹתָהּ בָּאֵשׁ ISh. 30:1
99 וַיִּשְׂרְפוּ אֹתָם שָׁם ISh. 31:12
100 וַיִּשְׂרְפוּ־לוֹ שְׂרֵפָה גְּדוֹלָה IICh. 16:14
101 וַיִּשְׂרְפוּ אֶת־בֵּית הָאֱלֹהִים IICh. 36:19
וַיִּשְׂרְפוּהָ 102 וַיֹּצִאוּ אֶת־מַצְּבוֹת...וַיִּשְׂרְפוּהָ IIK. 10:26
יִשָּׂרֵף 103 עַל־שֶׁפֶךְ הַדֶּשֶׁן יִשָּׂרֵף Lev. 4:12
104/5 וְהַנּוֹתָר...בָּאֵשׁ יִשָּׂרֵף Lev. 7:17; 19:6
106 לֹא יֵאָכֵל בָּאֵשׁ יִשָּׂרֵף Lev. 7:19
107 וְהָיָה הַנִּלְכָּד בַּחֵרֶם יִשָּׂרֵף בָּאֵשׁ Josh. 7:15
תִּשָּׂרֵף 108 וְכָל־חַטָּאת...בָּאֵשׁ תִּשָּׂרֵף Lev. 6:23
109 צָרַעַת מַמְאֶרֶת הִוא בָּאֵשׁ תִּשָּׂרֵף Lev. 13:52
110 אֶת־אָבִיהָ הִיא מְחַלֶּלֶת בָּאֵשׁ תִּשָּׂרֵף Lev. 21:9
111 וְהָעִיר הַזֹּאת לֹא תִשָּׂרֵף בָּאֵשׁ Jer. 38:17
וְתִשָּׂרֵף 112 הוֹצִיאוּהָ וְתִשָּׂרֵף Gen. 38:24
יִשָּׂרְפוּ 113 וּבָאֵשׁ שָׂרוֹף יִשָּׂרְפוּ בַּשָּׁבֶת IISh. 23:7
114 וְכָל־אֶתְנַנֶּיהָ יִשָּׂרְפוּ בָאֵשׁ Mic. 1:7
וַיִּשָּׂרְפוּ 115 וַיֹּאמֶר דָּוִיד וַיִּשָּׂרְפוּ בָּאֵשׁ ICh. 14:12
תִּשָּׂרַפְנָה 116 הֲיַחְתֶּה...וּבְגָדָיו לֹא תִשָּׂרַפְנָה Prov. 6:27
שֹׂרָף 117 וְאֵת שְׂעִיר...דָּרֹשׁ...וְהִנֵּה שֹׂרָף Lev. 10:16

שָׂרָף¹
ז׳ א) כנוי לנחש ארסי: 1־4, 6
ב) [בהשאלה] מלאך: 5, 7
שָׂרָף מְעוֹפֵף 3, 4

שָׂרָף 1 עֲשֵׂה לְךָ שָׂרָף וְשִׂים אֹתוֹ עַל־נֵס Num. 21:8
2 בַּמִּדְבָּר...נָחָשׁ שָׂרָף וְעַקְרָב Deut. 8:15
3 וּפִרְיוֹ שָׂרָף מְעוֹפֵף Is. 14:29
וְשָׂרָף 4 אֶפְעֶה וְשָׂרָף מְעוֹפֵף Is. 30:6
שְׂרָפִים 5 שְׂרָפִים עֹמְדִים מִמַּעַל לוֹ Is. 6:2
הַשְּׂרָפִים 6 וַיְשַׁלַּח...אֵת הַנְּחָשִׁים הַשְּׂרָפִים Num. 21:6
7 וַיָּעָף אֵלַי אֶחָד מִן־הַשְּׂרָפִים Is. 6:6

שָׂרָף²
שפ״ז – בן שלה למטה יהודה
וְשָׂרָף 1 וְיוֹאָשׁ וְשָׂרָף אֲשֶׁר־בָּעֲלוּ לְמוֹאָב ICh. 4:22

שְׂרֵפָה
נ׳ בערה, מוקד אש: 1־13
– הַר שְׂרֵפָה 2
– שְׂרֵפַת אֲבוֹתָיו 12; שְׂ׳ אֵשׁ 13; שְׂ׳ הַחַטָּאת 11; שְׂרֵפַת הַפָּרָה 10

שְׂרֵפָה 1 גָּפְרִית וָמֶלַח שְׂרֵפָה כָל־אַרְצָהּ Deut. 29:22
2 וּנְתַתִּיךָ לְהַר שְׂרֵפָה Jer. 51:25
3 וַיִּשְׂרְפוּ־לוֹ שְׂרֵפָה גְּדוֹלָה IICh. 16:14
4 וְלֹא־עָשׂוּ לוֹ עַמּוֹ שְׂרֵפָה IICh. 21:19
הַשְּׂרֵפָה 5 כָּל־בֵּית יִשְׂרָאֵל יִבְכּוּ אֶת־הַשְּׂרֵפָה Lev. 10:6
6 וְיָרֵם אֶת־הַמַּחְתֹּת מִבֵּין הַשְּׂרֵפָה Num. 17:2
לִשְׂרֵפָה 7 נִלְבְּנָה לְבֵנִים וְנִשְׂרְפָה לִשְׂרֵפָה Gen. 11:3
8 וְהָיְתָה לִשְׂרֵפָה מַאֲכֹלֶת אֵשׁ Is. 9:4
מִשְּׂרֵפָה 9 וַתִּהְיוּ כְּאוּד מֻצָּל מִשְּׂרֵפָה Am. 4:11
שְׂרֵפַת־ 10 וְהִשְׁלִיךְ אֶל־תּוֹךְ שְׂרֵפַת הַפָּרָה Num. 19:6
11 וְלָקְחוּ...מֵעֲפַר שְׂרֵפַת הַחַטָּאת Num. 19:17
כִּשְׂרֵפַת־ 12 וְלֹא־עָשׂוּ...שְׂרֵפָה כִּשְׂרֵפַת אֲבֹתָיו IICh. 21:19
לִשְׂרֵפַת־ 13 בֵּית קָדְשֵׁנוּ...הָיָה לִשְׂרֵפַת אֵשׁ Is. 64:10

שרץ
: שָׁרַץ; שֶׁרֶץ

שָׁרַץ
פ׳ א) הוציא שרצים וזוחלים שונים: 1־3, 12
ב) זחל, רחש: 5־11
ג) [בהשאלה] התרבה: 4, 13, 14

שָׁרַץ 1 שָׁרַץ אַרְצָם צְפַרְדְּעִים Ps. 105:30
וְשָׁרַץ 2 וְשָׁרַץ הַיְאֹר צְפַרְדְּעִים Ex. 7:28
שָׁרְצוּ 3 אֲשֶׁר שָׁרְצוּ הַמַּיִם לְמִינֵהֶם Gen. 1:21
וְשָׁרְצוּ 4 וְשָׁרְצוּ בָאָרֶץ וּפָרוּ וְרָבוּ Gen. 8:17
הַשֹּׁרֵץ 5 וּבְכָל־הַשֶּׁרֶץ הַשֹּׁרֵץ עַל־הָאָרֶץ Gen. 7:21
6־8 ...הַשֶּׁרֶץ הַשֹּׁרֵץ עַל־הָאָרֶץ Lev. 11:29, 41, 42
9 אַל־תְּשַׁקְּצוּ...בְּכָל־הַשֶּׁרֶץ הַשֹּׁרֵץ Lev. 11:43
הַשֹּׁרֶצֶת 10 וּלְכָל־נֶפֶשׁ הַשֹּׁרֶצֶת עַל־הָאָרֶץ Lev. 11:46
יִשְׁרֹץ 11 כָל־נֶפֶשׁ חַיָּה אֲשֶׁר־יִשְׁרֹץ Ezek. 47:9
יִשְׁרְצוּ 12 יִשְׁרְצוּ הַמַּיִם שֶׁרֶץ נֶפֶשׁ חַיָּה Gen. 1:20
וַיִּשְׁרְצוּ 13 וּבְנֵי יִשׂ׳ פָּרוּ וַיִּשְׁרְצוּ וַיִּרְבּוּ וַיַּעַצְמוּ Ex. 1:7
שִׁרְצוּ 14 שִׁרְצוּ בָאָרֶץ וּרְבוּ־בָהּ Gen. 9:7

שֶׁרֶץ
ז׳ כנוי לבעלי־חיים קטנים הגדלים ביבשה או במים: 1־15
שֶׁרֶץ הַמַּיִם 11; שֶׁרֶץ נֶפֶשׁ חַיָּה 10; שֶׁרֶץ הָעוֹף 12־15; נִבְלַת שֶׁרֶץ 1

שֶׁרֶץ 1 אוֹ בְּנִבְלַת שֶׁרֶץ טָמֵא Lev. 5:2
2 בְּכָל־שֶׁרֶץ אֲשֶׁר יִטְמָא־לוֹ Lev. 22:5
הַשֶּׁרֶץ 3 וּבְכָל־הַשֶּׁרֶץ הַשֹּׁרֵץ עַל־הָאָרֶץ Gen. 7:21
4/5 הַשֶּׁרֶץ הַשֹּׁרֵץ עַל־הָאָרֶץ Lev. 11:41, 42
6 אַל־תְּשַׁקְּצוּ...בְּכָל־הַשֶּׁרֶץ הַשֹּׁרֵץ Lev. 11:43
7 בְּכָל־הַשֶּׁרֶץ הָרֹמֵשׂ עַל־הָאָרֶץ Lev. 11:44
8 אֵלֶּה הַטְּמֵאִים לָכֶם בְּכָל־הַשָּׁרֶץ Lev. 11:31
בַּשֶּׁרֶץ 9 בַּשֶּׁרֶץ הַשֹּׁרֵץ עַל־הָאָרֶץ Lev. 11:29

שֶׁרֶץ־ 10 יִשְׁרְצוּ הַמַּיִם שֶׁרֶץ נֶפֶשׁ חַיָּה Gen. 1:20
11 מִכֹּל שֶׁרֶץ הַמַּיִם Lev. 11:10
12/3 שֶׁרֶץ הָעוֹף הַהֹלֵךְ עַל־אַרְבַּע Lev. 11:20, 21
14 שֶׁרֶץ הָעוֹף אֲשֶׁר־לוֹ אַרְבַּע רַגְלָיִם Lev. 11:23
15 וְכֹל שֶׁרֶץ הָעוֹף טָמֵא הוּא לָכֶם Deut. 14:19

שרק
: א) שָׂרִיק
ב) שֹׂרֵק, שׂוֹרֵק, שׂוֹרֵקָה; ש״פ מַשְׂרֵקָה

שָׂרֹק*
א) ת׳ אדמדם: 1
ב) [שְׂרוּקִים] ז״ר – זן של ענבים אדמדמים: 2

שְׂרֻקִּים 1 סוּסִים אֲדֻמִּים שְׂרֻקִּים וּלְבָנִים Zech. 1:8
שְׂרוּקֶּיהָ 2 גֶּפֶן שִׂבְמָה...הָלְמוּ שְׂרוּקֶּיהָ Is. 16:8

שרק
: שָׁרַק; שְׁרִיקָה, שְׁרֵקָה

שָׁרַק
פ׳ א) צפצף, השמיע קול חד
לאות קריאה והזמנה: 1, 6, 7
ב) [כנ״ל] להבעת השתוממות: 2־5, 8־12
שָׁרַק לְ־ 1, 6, 7; שָׁרַק עַל־ 9־12

וְשָׁרַק 1 וְשָׁרַק לוֹ מִקְצֵה הָאָרֶץ Is. 5:26
וְשָׁרָק 2 כָּל־עֹבֵר עָלָיו יִשֹּׁם וְשָׁרָק IK. 9:8
שָׁרְקוּ 3 סֹחֲרִים בָּעַמִּים שָׁרְקוּ עָלַיִךְ Ezek. 27:36
4 שָׁרְקוּ וַיָּנִעוּ רֹאשָׁם Lam. 2:15
5 כָּל־אֹיְבַיִךְ שָׁרְקוּ וַיַּחַרְקוּ־שֵׁן Lam. 2:16
אֶשְׁרְקָה 6 אֶשְׁרְקָה לָהֶם וַאֲקַבְּצֵם Zech. 10:8
יִשְׁרֹק 7 יִשְׁרֹק יְיָ לַזְּבוּב אֲשֶׁר בִּקְצֵה... Is. 7:18
8 כֹּל עוֹבֵר עָלֶיהָ יִשְׁרֹק יָנִיעַ יָדוֹ Zep. 2:15
וְיִשְׁרֹק 9 יִשֹּׁם וְיִשְׁרֹק עַל־כָּל־מַכֹּתֶהָ Jer. 19:8
10 יִשֹּׁם וְיִשְׁרֹק עַל־כָּל־מַכּוֹתֶהָ Jer. 49:17
11 יִשֹּׁם וְיִשְׁרֹק עַל־כָּל־מַכּוֹתֶיהָ Jer. 50:13
12 וְיִשְׁרֹק עָלָיו מִמְּקֹמוֹ Job 27:23

שְׁרֵקָה
נ׳ צפצוף מתוך תמהון או לעג: 1־7
שַׁמָּה וּשְׁרֵקָה 1־7

וּשְׁרֵקָה 1 מְעוֹן־תַּנִּים שַׁמָּה וּשְׁרֵקָה Jer. 51:37
לִשְׁרֵקָה 2 לְחָרְבָּה לְשַׁמָּה לִשְׁרֵקָה וְלִקְלָלָה Jer. 25:18
3 תִּתִּי אֹתְךָ לְשַׁמָּה וְיֹשְׁבֶיהָ לִשְׁרֵקָה Mic. 6:16
וְלִשְׁרֵקָה 4 וְשַׂמְתִּי...לְשַׁמָּה וְלִשְׁרֵקָה Jer. 19:8
5 לְשַׁמָּה וְלִשְׁרֵקָה וּלְחָרְבוֹת עוֹלָם Jer. 25:9
6 לְאָלָה וּלְשַׁמָּה וְלִשְׁרֵקָה וּלְחֶרְפָּה Jer. 29:18
7 וַיִּתְּנֵם לְזַעֲוָה לְשַׁמָּה וְלִשְׁרֵקָה IICh. 29:8

שרר
: שָׂרַר, הִשְׂתָּרֵר; שַׂר, שָׂרָה; ש״פ שָׂרָה, שָׂרַי

שָׂרַר
פ׳ א) משל, שלט: 1־4
ב) [הת׳ הִשְׂתָּרֵר] השתלט: 5, 6
ג) [הפ׳ הֵשִׂיר (= הֵשֵׂר)] הִשְׁלִיט: 7

שׂוֹרֵר 1 לִהְיוֹת כָּל־אִישׁ שֹׂרֵר בְּבֵיתוֹ Es. 1:22
וַיָּשַׂר 2 וַיָּשַׂר אֲבִימֶלֶךְ עַל־יִשְׂרָאֵל Jud. 9:22
יָשֹׂרוּ 3 וּלְשָׂרִים לְמִשְׁפָּט יָשֹׂרוּ Is. 32:1
4 בִּי שָׂרִים יָשֹׂרוּ Prov. 8:16
הִשְׂתָּרֵר 5 כִּי־תִשְׂתָּרֵר עָלֵינוּ גַּם־הִשְׂתָּרֵר Num. 16:13
תִשְׂתָּרֵר 6 כִּי־תִשְׂתָּרֵר עָלֵינוּ גַּם־הִשְׂתָּרֵר Num. 16:13
הֵשִׂירוּ 7 הֵם הִמְלִיכוּ...הֵשִׂירוּ וְלֹא יָדָעְתִּי Hosh. 8:4

שרר
: שֹׁר, שֹׁרֶר, שָׁרִיר, שְׁרִירוּת; ש״פ שָׁרָר

שֹׁרֶר*
ז׳ שֹׁר, טבור

שָׁרְרֵךְ 1 שָׁרְרֵךְ אַגַּן הַסַּהַר אַל־יֶחְסַר הַמָּזֶג S.of S. 7:3

שָׁרָר
שפ״ז – מגבורי דוד, הוא שָׂכָר

שָׁרָר 1 אֲחִיאָם בֶּן־שָׁרָר הָאֲרָרִי IISh. 23:33

שרש : שֵׁרֵשׁ, שֹׁרֶשׁ, הִשְׁרִישׁ; שָׁרֶשׁ; [שַׁרְשָׁה? שַׁרְשֶׁרֶת?]
ש״פ שָׁרֶשׁ; אר׳ שְׁרֹשׁ; שְׁרֹשִׁי

שֵׁרֵשׁ פ׳ א) עקר: 1, 2
ב) [פֻ׳ שֹׁרַשׁ] נעקר: 5
ג) [כנ״ל במשמע הפוך] הכה שורש: 3, 4
ד) [הפ׳ הִשְׁרִישׁ] העמיק שרשיו (גם בהשאלה): 6-8

וְשֵׁרֶשְׁךָ 1 וְשֵׁרֶשְׁךָ מֵאֶרֶץ חַיִּים Ps.52:7
תְשָׁרֵשׁ 2 וּבְכָל־תְּבוּאָתִי תְשָׁרֵשׁ Job 31:12
שֹׁרֵשׁ 3 אַף בַּל־שֹׁרֵשׁ בָּאָרֶץ גִּזְעָם Is.40:24
שֹׁרָשׁוּ 4 נְטַעְתָּם גַּם־שֹׁרָשׁוּ Jer.12:2
יְשֹׁרָשׁוּ 5 אֶזְרְעָה...וְצֶאֱצָאַי יְשֹׁרָשׁוּ Job 31:8
מַשְׁרִישׁ 6 אֲנִי־רָאִיתִי אֱוִיל מַשְׁרִישׁ Job 5:3
יַשְׁרֵשׁ 7 יַשְׁרֵשׁ יַעֲקֹב יָצִיץ וּפָרַח יִשְׂרָאֵל Is.27:6
וַתַּשְׁרֵשׁ 8 וַתַּשְׁרֵשׁ שָׁרָשֶׁיהָ וַתְּמַלֵּא־אָרֶץ Ps.80:10

שֹׁרֶשׁ[1] ז׳ א) החלק באדמה שממנו הצמח מתפתח: 1, 2, 4-6, 11, 13-16, 18, 19, 22-33
ב) [בהשאלה] עקר, יסוד: 3, 7-10, 12, 17, 20, 21
– שֹׁרֶשׁ וְעָנָף 4; שֹׁרֶשׁ יָבֵשׁ 19; שֹׁרֶשׁ פֹּרֶה 1
– שֹׁרֶשׁ דָּבָר 10; שֹׁרֶשׁ יִשַׁי 7; שֹׁרֶשׁ נָחָשׁ 12; שֹׁרֶשׁ צַדִּיקִים 8, 9; שֹׁרֶשׁ רְתָמִים 11
– שָׁרְשֵׁי הַיָּם 21; שָׁרְשֵׁי רַגְלָיו 20

שֹׁרֶשׁ 1 שֹׁרֶשׁ פֹּרֶה רֹאשׁ וְלַעֲנָה Deut.29:17
2/3 וְיָסְפָה...שֹׁרֶשׁ לְמָטָּה IIK.19:30 • Is.37:31
4 אֲשֶׁר לֹא־יַעֲזֹב לָהֶם שֹׁרֶשׁ וְעָנָף Mal.3:19
וְכַשֹּׁרֶשׁ 5 וַיַּעַל...וְכַשֹּׁרֶשׁ מֵאֶרֶץ צִיָּה Is.53:2
מִשֹּׁרֶשׁ 6 הָפַךְ מִשֹּׁרֶשׁ הָרִים Job 28:9
שֹׁרֶשׁ־ 7 שֹׁרֶשׁ יִשַׁי אֲשֶׁר עֹמֵד לְנֵס עַמִּים Is.11:10
וְשֹׁרֶשׁ־ 8 וְשֹׁרֶשׁ צַדִּיקִים בַּל־יִמּוֹט Prov.12:3
9 וְשֹׁרֶשׁ צַדִּיקִים יִתֵּן Prov.12:12
10 וְשֹׁרֶשׁ דָּבָר נִמְצָא־בִי Job 19:28
11 וְשֹׁרֶשׁ רְתָמִים לַחְמָם Job 30:4
מִשֹּׁרֶשׁ־ 12 כִּי־מִשֹּׁרֶשׁ נָחָשׁ יֵצֵא צֶפַע Is.14:29
שָׁרְשִׁי 13 שָׁרְשִׁי פָתוּחַ אֱלֵי־מָיִם Job 29:19
שָׁרְשֵׁךְ 14 וְהֵמַתִּי בָרָעָב שָׁרְשֵׁךְ Is.14:30
שָׁרְשׁוֹ 15 כִּי־הָיָה שָׁרְשׁוֹ אֶל־מַיִם רַבִּים Ezek.31:7
16 אִם־יַזְקִין בָּאָרֶץ שָׁרְשׁוֹ Job 14:8
שָׁרְשָׁם 17 מִנִּי אֶפְרַיִם שָׁרְשָׁם בַּעֲמָלֵק Jud.5:14
18 שָׁרְשָׁם כַּמָּק יִהְיֶה Is.5:24
19 שָׁרְשָׁם יָבֵשׁ פְּרִי בַל־יַעֲשׂוּן Hosh.9:16
שָׁרְשֵׁי־ 20 עַל־שָׁרְשֵׁי רַגְלַי תִּתְחַקֶּה Job 13:27
וְשָׁרְשֵׁי־ 21 וְשָׁרְשֵׁי הַיָּם כִּסָּה Job 36:30
שָׁרָשָׁיו 22 וְעַל־יוּבַל יְשַׁלַּח שָׁרָשָׁיו Jer.17:8
23 וְיַךְ שָׁרָשָׁיו כַּלְּבָנוֹן Hosh.14:6
24 עַל־גַּל שָׁרָשָׁיו יְסֻבָּכוּ Job 8:17
25 מִתַּחַת שָׁרָשָׁיו יִבָשׁוּ Job 18:16
וְשָׁרָשָׁיו 26 וְשָׁרָשָׁיו תַּחְתָּיו יִהְיוּ Ezek.17:6
27 וָאַשְׁמִיד פִּרְיוֹ מִמַּעַל וְשָׁרָשָׁיו מִתָּחַת Am.2:9
מִשָּׁרָשָׁיו 28 וְנֵצֶר מִשָּׁרָשָׁיו יִפְרֶה Is.11:1
שָׁרָשֶׁיהָ 29 כָּפְנָה שָׁרָשֶׁיהָ עָלָיו Ezek.17:7
30 הֲלוֹא אֶת־שָׁרָשֶׁיהָ יְנַתֵּק Ezek.17:9
31 וַתַּשְׁרֵשׁ שָׁרָשֶׁיהָ וַתְּמַלֵּא־אָרֶץ Ps.80:10
32 וְעָמַד מִנֵּצֶר שָׁרָשֶׁיהָ כַּנּוֹ Dan.11:7
מִשָּׁרָשֶׁיהָ 33 לְמַשְׂאוֹת אוֹתָהּ מִשָּׁרָשֶׁיהָ Ezek.17:9

שֹׁרֶשׁ*[2] ז׳ ארמית, כמו בעברית: 1-3
עִקַּר שָׁרְשׁוֹהִי 1-3
שָׁרְשׁוֹהִי 1/2 עִקַּר שָׁרְשׁוֹהִי בְּאַרְעָא שְׁבֻקוּ Dan.4:12,20
3 לְמִשְׁבַּק עִקַּר שָׁרְשׁוֹהִי דִּי אִילָנָא Dan.4:23

שֶׁרֶשׁ* שפ״ז – בן מכיר בן מנשה
שָׁרֶשׁ 1 וְשֵׁם אָחִיו שָׁרֶשׁ ICh.7:16

שַׁרְשָׁה* נ׳ שרשרת, כבל
שַׁרְשֹׁת־ 1 שַׁרְשֹׁת גַּבְלֻת מַעֲשֵׂה עֲבֹת Ex.28:22

שְׁרֹשִׁי ז׳ ארמית: עקירה
לִשְׁרֹשִׁי 1 הֵן לְמוֹת הֵן לִשְׁרֹשִׁי (כת׳ לשרשו) Ez.7:26

שַׁרְשֶׁרֶת* נ׳ שלשלת, טבעות מחוברות יחד: 1-7
מַעֲשֵׂה שַׁרְשְׁרוֹת 1; שַׁרְשְׁרוֹת גַּבְלֻת 7; שַׁרְשְׁרוֹת זָהָב 5; שַׁרְשְׁרוֹת עֲבֹתוֹת 6

שַׁרְשְׁרוֹת 1 גְּדִלִים מַעֲשֵׂה שַׁרְשְׁרוֹת IK.7:17
2 וַיַּעַשׂ שַׁרְשְׁרוֹת בַּדְּבִיר IICh.3:16
וְשַׁרְשְׁרֹת 3 וַיַּעַל עָלָיו תִּמֹרִים וְשַׁרְשְׁרֹת IICh.3:5
בַּשַּׁרְשְׁרוֹת 4 וַיַּעַשׂ רִמּוֹנִים מֵאָה וַיִּתֵּן בַּשַּׁרְשְׁרוֹת IICh.3:16
שַׁרְשְׁרֹת־ 5 וּשְׁתֵּי שַׁרְשְׁרֹת זָהָב טָהוֹר Ex.28:14
6 וְנָתַתָּה אֶת־שַׁרְשְׁרֹת הָעֲבֹתֹת Ex.28:14
7 שַׁרְשְׁרֹת גַּבְלֻת מַעֲשֵׂה עֲבֹת Ex.39:15

שרת : שֵׁרֵת; שָׁרֵת, מְשָׁרֵת

שֵׁרֵת פ׳ א) עבד למען אחר, שִׁמֵּשׁ: 31, 32, 38-41, 43, 46, 47, 49, 50, 59-62
ב) כהן, עשה מלאכת הקודש, עבד עבודת אלהים: 1-11, 13-30, 33-37, 42, 44, 45, 48, 51-57
ג) [כנ״ל] בעבודה זרה: 12, 58
[עין עוד ערך מְשָׁרֵת (באות מ׳)]

לְשָׁרֵת 1 וְהָיָה עַל־אַהֲרֹן לְשָׁרֵת Ex.28:35
2 בְּגִשְׁתָּם אֶל־הַמִּזְבֵּחַ לְשָׁרֵת בַּקֹּדֶשׁ Ex.28:43
3-7 לְשָׁרֵת בַּקֹּדֶשׁ Ex.29:30 • 35:19; 39:1,41 • Ezek.44:27
8 לְשָׁרֵת לְהַקְטִיר אִשֶּׁה לַיָי Ex.30:20
9 לְשָׁרֵת כַּאֲשֶׁר צִוָּה יְיָ אֶת־מֹשֶׁה Ex.39:26
10 לַעֲמֹד לְשָׁרֵת בְּשֵׁם־יְיָ Deut.18:5
11 וְלֹא־יָכְלוּ הַכֹּהֲנִים לַעֲמֹד לְשָׁרֵת IK.8:11
12 נִהְיֶה כַגּוֹיִם...לְשָׁרֵת עֵץ וָאָבֶן Ezek.20:32
13 הַקְּרֵבִים לְשָׁרֵת אֶת־יְיָ Ezek.45:4
14 לְשָׁרֵת לִפְנֵי הָאָרוֹן תָּמִיד ICh.16:37
15 מִשְׁמָרוֹת...לְשָׁרֵת בְּבֵית יְיָ ICh.26:12
16 וְלֹא־יָכְלוּ הַכֹּהֲנִים לַעֲמוֹד לְשָׁרֵת IICh.5:14
17 לְשָׁרֵת וּלְהֹדוֹת וּלְהַלֵּל IICh.31:2
לְשָׁרֶת 18 לְשָׁרֶת שָׁם אֶת־יְיָ אֱלֹהֶיךָ Deut.17:12
וּלְשָׁרֵת 19 לְהַלֵּל וּלְשָׁרֵת נֶגֶד הַכֹּהֲנִים IICh.8:14
לְשָׁרְתֵנִי 20 הַקְּרֹבִים אֵלַי...לְשָׁרְתֵנִי Ezek.43:19
21 הֵמָּה יִקְרְבוּ אֵלַי לְשָׁרְתֵנִי Ezek.44:15
22 יִקְרְבוּ אֶל־שֻׁלְחָנִי לְשָׁרְתֵנִי Ezek.44:16
לְשָׁרְתוֹ 23 לַעֲמֹד לִפְנֵי יְיָ לְשָׁרְתוֹ Deut.10:8
24 בָּחַר...לְשָׁרְתוֹ וּלְבָרֵךְ בְּשֵׁם יְיָ Deut.21:5
25 וּבְנֵי הַנֵּכָר הַנִּלְוִים עַל־יְיָ לְשָׁרְתוֹ Is.56:6
26 הַקְּרֵבִים...אֶל־יְיָ לְשָׁרְתוֹ Ezek.40:46
27 לְהַקְטִיר...לְשָׁרְתוֹ וּלְבָרֵךְ בִּשְׁמוֹ ICh.23:13
28 לַעֲמֹד לְפָנָיו לְשָׁרְתוֹ IICh.29:11
וּלְשָׁרְתוֹ 29 לָשֵׂאת אֶת־אֲרוֹן הָאֱלֹהִים וּלְשָׁרְתוֹ ICh.15:2
בְּשָׁרְתָם 30 בְּשָׁרְתָם בְּשַׁעֲרֵי הֶחָצֵר הַפְּנִימִית Ezek.44:17
לְשָׁרְתָם 31 וְלַעֲמֹד לִפְנֵי הָעֵדָה לְשָׁרְתָם Num.16:9
32 וְהֵמָּה יַעַמְדוּ לִפְנֵיהֶם לְשָׁרְתָם Ezek.44:11
וְשֵׁרֵת 33 וְשֵׁרֵת אֶת־אֶחָיו בְּאֹהֶל מוֹעֵד Num.8:26
34 וְשֵׁרֵת בְּשֵׁם יְיָ אֱלֹהָיו Deut.18:7
וְשֵׁרְתוּ 35 וְהַעֲמַדְתָּ...וְשֵׁרְתוּ אֹתוֹ Num.3:6
מְשָׁרֵת 36 וּשְׁמוּאֵל מְשָׁרֵת אֶת־פְּנֵי יְיָ ISh.2:18
37 וְהַנַּעַר שְׁמוּאֵל מְשָׁרֵת אֶת־יְיָ לִפְנֵי עֵלִי ISh.3:1
מְשָׁרַת 38 וַאֲבִישַׁג...מְשָׁרַת אֶת־הַמֶּלֶךְ IK.1:15
מְשָׁרְתִים 39 אֲשֶׁר־הֵמָּה מְשָׁרְתִם בָּם Ezek.44:19
וּמְשָׁרְתִים 40 וּמְשָׁרְתִים אֶת־הַבָּיִת Ezek.44:11
הַמְשָׁרְתִים 41 הַמְשָׁרְתִים אֶת־פְּנֵי הַמֶּלֶךְ Es.1:10
42 לַכֹּהֲנִים הַמְשָׁרְתִים בְּבֵית אֱלֹהֵינוּ Neh.10:37
43/4 הַמְשָׁרְתִים אֶת־הַמֶּלֶךְ ICh.27:1; 28:1
45 אֵלֶּה הַמְשָׁרְתִים אֶת־הַמֶּלֶךְ IICh.17:19
וַיְשָׁרֶת 46 וַיִּמְצָא יוֹסֵף חֵן בְּעֵינָיו וַיְשָׁרֶת אֹתוֹ Gen.39:4
47 וַיִּפְקֹד...אֶת־יוֹסֵף אִתָּם וַיְשָׁרֶת אֹתָם Gen.40:4
יְשָׁרְתֵנִי 48 הֹלֵךְ בְּדֶרֶךְ תָּמִים הוּא יְשָׁרְתֵנִי Ps.101:6
וַיְשָׁרְתֵהוּ 49 וַיֵּלֶךְ אַחֲרֵי אֵלִיָּהוּ וַיְשָׁרְתֵהוּ IK.19:21
וַתְּשָׁרְתֵהוּ 50 וַתְּהִי לַמֶּלֶךְ סֹכֶנֶת וַתְּשָׁרְתֵהוּ IK.1:4
יְשָׁרְתוּ 51 וּכְלֵי הַקֹּדֶשׁ אֲשֶׁר יְשָׁרְתוּ בָּהֶם Num.3:31
52 אֲשֶׁר יְשָׁרְתוּ־לָהּ בָּהֶם Num.4:9
53 אֲשֶׁר יְשָׁרְתוּ־בָם בַּקֹּדֶשׁ Num.4:12
54 אֲשֶׁר יְשָׁרְתוּ עָלָיו בָּהֶם Num.4:14
יְשָׁרְתוּ 55 כְּלֵי הַנְּחֹשֶׁת אֲשֶׁר־יְשָׁרְתוּ בָם IIK.25:14
56 כְּלֵי הַנְּחֹשֶׁת אֲשֶׁר־יְשָׁרְתוּ בָהֶם Jer.52:18
57 בִּגְדֵיהֶם אֲשֶׁר־יְשָׁרְתוּ בָהֶן Ezek.42:14
58 אֲשֶׁר יְשָׁרְתוּ אוֹתָם לִפְנֵי גִלּוּלֵיהֶם Ezek.44:12
וִישָׁרְתוּךָ 59 וְיִלָּווּ עָלֶיךָ וִישָׁרְתוּךָ Num.18:2
יְשָׁרְתוּנֶךָ 60 אֵילֵי נְבָיוֹת יְשָׁרְתוּנֶךָ Is.60:7
61 וּמַלְכֵיהֶם יְשָׁרְתוּנֶךָ Is.60:10
יְשָׁרְתֻהוּ 62 הֵמָּה יִשְׂאוּ...וְהֵם יְשָׁרְתֻהוּ Num.1:50

שָׁרֵת ז׳ שֵׁרוּת, עבודת הקודש: 1, 2
כְּלֵי שָׁרֵת 1
שָׁרֵת 1 כֵּלִים לְבֵית־יְיָ כְּלֵי שָׁרֵת IICh.24:14
הַשָּׁרֵת 2 כְּלֵי הַשָּׁרֵת אֲשֶׁר יְשָׁרְתוּ־בָם Num.4:12

שֵׁשׁ[1] ש״מ – 6 לנקבה: 1-135
– שֵׁשׁ אַמּוֹת 62, 64-70, 117, 118; שֵׁשׁ יְרִיעֹת 38, 39; שֵׁשׁ כְּנָפַיִם 76, 77; שֵׁשׁ מֵאוֹת 1, 2, 4-36, 85, 90-111, 128, 130-135; שֵׁשׁ מַעֲלוֹת 71-73, 119; שֵׁשׁ עֲגָלוֹת 42; שֵׁשׁ עֶשְׂרֵה 3, 55-61, 112-116, 120; שֵׁשׁ עָרִים 43-47; שֵׁשׁ פְּעָמִים 74; שֵׁשׁ צָרוֹת 129; שֵׁשׁ רִבּוֹאת 80; שֵׁשׁ שָׁנִים 37, 41, 48-54, 86-89; שֵׁשׁ שְׂעֹרִים 78, 79
– אֶצְבְּעוֹת שֵׁשׁ וָשֵׁשׁ 63, 83; בָּנוֹת שֵׁשׁ 82; צֹאן שֵׁשׁ 81; שְׁנַת שֵׁשׁ 75
– עֶשְׂרִים וָשֵׁשׁ 124; שְׁלֹשִׁים וָשֵׁשׁ 127; שִׁשִּׁים וָשֵׁשׁ 121, 123, 126

שֵׁשׁ 1 וְנֹחַ בֶּן־שֵׁשׁ מֵאוֹת שָׁנָה Gen.7:6
2 בִּשְׁנַת שֵׁשׁ־מֵאוֹת שָׁנָה Gen.7:11
3 וַתֵּלֶד...שֵׁשׁ־עֶשְׂרֵה נָפֶשׁ Gen.46:18
4-36 שֵׁשׁ(־)מֵאוֹת Ex.14:7 • Num.1:46; 2:32 • 11:21; 26:51; 31:32,37 • Jud.3:31; 18:11; 20:47 • ISh.17:7 • IISh.15:18 • IK.10:14,16 • Ez.2:10,11, 13, 26, 60; 8:26 • Neh.7:10, 15, 16, 18, 20, 30, 62 • ICh.9:6; 21:25 • IICh.3:8; 9:13, 15; 29:33
37 שֵׁשׁ שָׁנִים יַעֲבֹד Ex.21:2
38/9 וְאֶת־שֵׁשׁ הַיְרִיעֹת לְבָד Ex.26:9; 36:16
40 וְשַׂמְתָּ אוֹתָם...שֵׁשׁ הַמַּעֲרָכֶת Lev.24:6
41 שֵׁשׁ שָׁנִים תִּזְרַע שָׂדֶךָ Lev.25:3
42 שֵׁשׁ־עֶגְלֹת צָב Num.7:3
43 אֵת שֵׁשׁ־עָרֵי הַמִּקְלָט Num.35:6
44-47 שֵׁשׁ עָרֵי (הֶעָרִים) Num.35:13,15 • Josh.15:59,62
48 וַעֲבָדְךָ שֵׁשׁ שָׁנִים Deut.15:12
49-54 שֵׁשׁ שָׁנִים Deut.15:18 • Jud.12:7 • IK.16:23 • IIK.11:3 • Jer.34:14 • IICh.22:12

שֵׁשׁ (המשך)

55-61 שֵׁשׁ(־)עֶשְׂרֵה Josh. 15:41; 19:22

IIK. 13:10; 14:21; 15:2 • IICh. 26:1, 3

62 גָּבְהוֹ שֵׁשׁ אַמּוֹת וָזָרֶת ISh. 17:4

63 וְאֶצְבְּעוֹת רַגְלָיו שֵׁשׁ וָשֵׁשׁ IISh. 21:20

64-70 שֵׁשׁ(־)אַמּוֹת (בָּאַמָּה וכו׳) IK. 6:6

Ezek. 40:5, 12; 41:1, 3, 5, 8

71 שֵׁשׁ מַעֲלוֹת לַכִּסֵּה IK. 10:19

72/3 שֵׁשׁ (הַ)מַּעֲלוֹת IK. 10:20 • IICh. 9:19

74 חָמֵשׁ אוֹ־שֵׁשׁ פְּעָמִים IIK. 13:19

75 בִּשְׁנַת־שֵׁשׁ לְחִזְקִיָּה IIK. 18:10

76/7 שֵׁשׁ כְּנָפַיִם שֵׁשׁ כְּנָפַיִם לְאֶחָד Is. 6:2

78 וַיָּמָד שֵׁשׁ־שְׂעֹרִים Ruth 3:15

79 שֵׁשׁ־הַשְּׂעֹרִים הָאֵלֶּה נָתַן לִי Ruth 3:17

80 דַּרְכְּמוֹנִים שֵׁשׁ־רִבֹּאות וָאֶלֶף Ez. 2:69

81 שׁוֹר אֶחָד צֹאן שֵׁשׁ־בְּרֻרוֹת Neh. 5:18

82 בָּנִים שִׁשָּׁה עָשָׂר וּבָנוֹת שֵׁשׁ ICh. 4:27

83 וְאֶצְבְּעֹתָיו שֵׁשׁ־וָשֵׁשׁ ICh. 20:6

שֶׁשׁ־ 84 שֶׁשׁ־הֵנָּה שָׂנֵא יְיָ Prov. 6:16

וְשֵׁשׁ 85 וַיְהִי בְּאַחַת וְשֵׁשׁ־מֵאוֹת Gen. 8:13

86 בֶּן־שְׁמֹנִים שָׁנָה וְשֵׁשׁ שָׁנִים Gen. 16:16

87 עֲבַדְתִּיךָ...וְשֵׁשׁ שָׁנִים בְּצֹאנֶךָ Gen. 31:41

88 וְשֵׁשׁ שָׁנִים תִּזְרַע אֶת־אַרְצֶךָ Ex. 23:10

89 וְשֵׁשׁ שָׁנִים תִּזְמֹר כַּרְמֶךָ Lev. 25:3

90/1 וְשֵׁשׁ מֵאוֹת וַחֲמִשִּׁים Num. 1:25; 2:15

92-95 אֶלֶף וְשֵׁשׁ מֵאוֹת Num. 1:27; 2:4, 31; 26:41

96-111 וְשֵׁשׁ מֵאוֹת Num. 3:28; 4:40

Jud. 18:16, 17 • ISh. 27:2; 30:9 • Jer. 52:30 •

Ez. 2:35 • ICh. 7:2; 12:26(27), 35(36) • IICh. 2:1, 16,

17; 26:12; 35:8

112-116 וְשֵׁשׁ(־)עֶשְׂרֵה שָׁנָה מָלַךְ בִּירוּשָׁלָם

IIK. 15:33; 16:2 • IICh. 27:1, 8; 28:1

117 וְשֵׁשׁ אַמּוֹת מִפּוֹ Ezek. 40:12

118 וְשֵׁשׁ־אַמּוֹת רֹחַב־מִפּוֹ Ezek. 41:1

119 וְשֵׁשׁ מַעֲלוֹת לַכִּסֵּא IICh. 9:18

120 וַיּוֹלֶד...וְשֵׁשׁ עֶשְׂרֵה בָּנוֹת IICh. 13:21

וָשֵׁשׁ 121 כָּל־נֶפֶשׁ שִׁשִּׁים וָשֵׁשׁ Gen. 46:26

122 וְאֶצְבְּעוֹת רַגְלָיו שֵׁשׁ וָשֵׁשׁ IISh. 21:20

123 שֵׁשׁ מֵאוֹת שִׁשִּׁים וָשֵׁשׁ IK. 10:14

124 בִּשְׁנַת עֶשְׂרִים וָשֵׁשׁ שָׁנָה IK. 16:8

125 וְאֶצְבְּעֹתָיו שֵׁשׁ־וָשֵׁשׁ ICh. 20:6

126 שֵׁשׁ מֵאוֹת וְשִׁשִּׁים וָשֵׁשׁ IICh. 9:13

127 בִּשְׁנַת שְׁלֹשִׁים וָשֵׁשׁ IICh. 16:1

בְּשֵׁשׁ 128 מֶרְכָּבָה...בְּשֵׁשׁ מֵאוֹת כֶּסֶף IK. 10:29

129 בְּשֵׁשׁ צָרוֹת יַצִּילֶךָּ Job 5:19

130 מֶרְכָּבָה בְּשֵׁשׁ מֵאוֹת כֶּסֶף IICh. 1:17

כְּשֵׁשׁ 131 כְּשֵׁשׁ־מֵאוֹת אֶלֶף רַגְלִי Ex. 12:37

132-134 כְּשֵׁשׁ(־)מֵאוֹת אִישׁ ISh. 13:15; 14:2; 23:13

לְשֵׁשׁ 135 לְשֵׁשׁ־מֵאוֹת אֶלֶף Ex. 38:26

שֵׁשׁ[2]

ז׳ אריג לָבָן משובח: 1-38

– שֵׁשׁ מָשְׁזָר 2-9, 21-32; שֵׁשׁ וָמֶשִׁי 15, 36; שָׁנִי וְשֵׁשׁ 18-20, 33-35, 37, 38

– בִּגְדֵי שֵׁשׁ 1; כְּתֹנֶת שֵׁשׁ (10, 12); מִצְנֶפֶת שֵׁשׁ 11, (13); פַּאֲרֵי הַמִּגְבָּעוֹת שֵׁשׁ (14)

שֵׁשׁ 1 וַיַּלְבֵּשׁ אֹתוֹ בִּגְדֵי־שֵׁשׁ Gen. 41:42

2-9 שֵׁשׁ מָשְׁזָר Ex. 26:1

27:9, 18; 36:8; 38:9, 16; 39:28, 29

10 וְשִׁבַּצְתָּ הַכְּתֹנֶת שֵׁשׁ Ex. 28:39

11 וְעָשִׂיתָ מִצְנֶפֶת שֵׁשׁ Ex. 28:39

12 וַיַּעֲשׂוּ אֶת־הַכָּתְנֹת שֵׁשׁ Ex. 39:27

13 וְאֵת הַמִּצְנֶפֶת שֵׁשׁ Ex. 39:28

14 וְאֶת־פַּאֲרֵי הַמִּגְבָּעֹת שֵׁשׁ Ex. 39:28

שֵׁשׁ (המשך) 15 וּמַלְבּוּשֵׁךְ שֵׁשׁ (כת׳ ששי) וָמֶשִׁי Ezek. 16:13

16 שֵׁשׁ בְּרִקְמָה מִמִּצְרַיִם Ezek. 27:7

17 שֵׁשׁ וְאַרְגָּמָן לְבוּשָׁהּ Prov. 31:22

וְשֵׁשׁ 18-20 וְתוֹלַעַת שָׁנִי וְשֵׁשׁ Ex. 25:4; 35:6, 23

21-32 וְשֵׁשׁ מָשְׁזָר Ex. 26:31, 36

27:16; 28:6, 8, 15; 36:35, 37; 38:18; 39:2, 5, 8

הַשֵּׁשׁ 33 וְאֶת־תּוֹלַעַת הַשָּׁנִי וְאֶת־הַשֵּׁשׁ Ex. 28:5

34 אֶת־תּוֹלַעַת הַשָּׁנִי וְאֶת־הַשֵּׁשׁ Ex. 35:25

35 וּבְתוֹךְ תּוֹלַעַת הַשָּׁנִי וּבְתוֹךְ הַשֵּׁשׁ Ex. 39:3

בַּשֵּׁשׁ 36 וָאֶחְבְּשֵׁךְ בַּשֵּׁשׁ וַאֲכַסֵּךְ מֶשִׁי Ezek. 16:10

וּבַשֵּׁשׁ 37 וְרֹקֵם...בְּתוֹלַעַת הַשָּׁנִי וּבַשֵּׁשׁ Ex. 35:35

38 וְרֹקֵם...וּבְתוֹלַעַת הַשָּׁנִי וּבַשֵּׁשׁ Ex. 38:23

שֵׁשׁ[3]

ז׳ שַׁיִשׁ: 1-3

עַמּוּדֵי שֵׁשׁ 1, 2

שֵׁשׁ 1 שׁוֹקָיו עַמּוּדֵי שֵׁשׁ S. of S. 5:15

2 עַל־גְּלִילֵי כֶסֶף וְעַמּוּדֵי שֵׁשׁ Es. 1:6

וָשֵׁשׁ 3 עַל רִצְפַת בַּהַט־וָשֵׁשׁ Es. 1:6

שִׁשֵּׁא

פ׳ הִשִּׁיא, פִּתָּה

וְשִׁשֵּׁאתִיךָ 1 וְשֹׁבַבְתִּיךָ וְשִׁשֵּׁאתִיךָ וְהַעֲלִיתִיךָ Ezek. 39:2

שֵׁשְׁבַּצַּר

שפ״ז – שמו הפרסי של זרובבל(?): 1-4

שֵׁשְׁבַּצַּר 1 הַכֹּל הֶעֱלָה שֵׁשְׁבַּצַּר Ez. 1:11

2 אֱדַיִן שֵׁשְׁבַּצַּר דֵּךְ אֲתָא Ez. 5:16

לְשֵׁשְׁבַּצַּר 3 וַיִּסְפְּרֵם לְשֵׁשְׁבַּצַּר הַנָּשִׂיא לִיהוּדָה Ez. 1:8

4 וִיהִיבוּ לְשֵׁשְׁבַּצַּר שְׁמֵהּ דִּי פֶחָה שָׂמֵהּ Ez. 5:14

שִׁשָּׁה[1]

פ׳ חִלֵּק לששה חלקים

וְשִׁשִּׁיתֶם 1 וְשִׁשִּׁיתֶם הָאֵיפָה מֵחֹמֶר הַשְּׂעֹרִים Ezek. 45:13

שִׁשָּׁה[2]

ש״מ – 6 לזכר: 1-81

– שִׁשָּׁה אֲנָשִׁים 20; שִׁשָּׁה בָנִים 1, 25, 26; שִׁשָּׁה חֳדָשִׁים 19, 22, 34, 35, 37, 38; שִׁשָּׁה כְבָשִׂים 21; שִׁשָּׁה עָשָׂר 4, 5, 12-17, 29, 50; שִׁשָּׁה צְעָדִים 18; שׁ׳ קָנִים 30, 31; שִׁשָּׁה קְרָשִׁים 2, 3; שִׁשָּׁה שְׁמוֹת 6

– בָּנִים(...)שִׁשָּׁה 23, 24, 27; לְוִיִּם שִׁשָּׁה 28

– עֶשְׂרִים וְשִׁשָּׁה 33, 47; שְׁלֹשִׁים וְשִׁשָּׁה 32, 43, 45, 46; חֲמִשִּׁים וְשִׁשָּׁה 40-42, 48; שִׁשִּׁים וְשִׁשָּׁה 39; תִּשְׁעִים וְשִׁשָּׁה 36, 44

– שֵׁשֶׁת אֲלָפִים 65, 68-71, 73-76; שֵׁשֶׁת חֳדָשִׁים 66; שֵׁשֶׁת יָמִים 51-64, 67, 72; שֵׁשֶׁת כְּבָשִׂים 77; שֵׁשֶׁת קָנִים 78-81

שִׁשָּׁה 1 כִּי־יָלַדְתִּי לוֹ שִׁשָּׁה בָנִים Gen. 30:20

2/3 שִׁשָּׁה קְרָשִׁים Ex. 26:22; 36:27

4/5 שִׁשָּׁה עָשָׂר אֲדָנִים Ex. 26:25; 36:30

6 שִׁשָּׁה מִשְּׁמֹתָם עַל הָאֶבֶן הָאֶחָת Ex. 28:10

7/8 שִׁשָּׁה וְאַרְבָּעִים אֶלֶף Num. 1:21; 2:11

9 שִׁשָּׁה וְשִׁבְעִים אֶלֶף Num. 26:22

10/1 שִׁשָּׁה וּשְׁלֹשִׁים אָלֶף Num. 31:38, 44

12/3 שִׁשָּׁה עָשָׂר אָלֶף Num. 31:40, 46

14-17 שִׁשָּׁה עָשָׂר Num. 31:52

ICh. 4:27; 24:4, 14

18 וַיְהִי כִּי צָעֲדוּ...שִׁשָּׁה צְעָדִים IISh. 6:13

19 מָלַךְ...בְּשֹׁמְרוֹן שִׁשָּׁה חֳדָשִׁים IIK. 15:8

20 וְהִנֵּה שִׁשָּׁה אֲנָשִׁים בָּאִים Ezek. 9:2

21 שִׁשָּׁה כְבָשִׂים תְּמִימִם Ezek. 46:4

22 שִׁשָּׁה חֳדָשִׁים בְּשֶׁמֶן הַמֹּר Es. 2:12

23 שִׁשָּׁה נוֹלַד־לוֹ בְחֶבְרוֹן ICh. 3:4

24 וּבְנֵי שְׁמַעְיָה חַטּוּשׁ...שִׁשָּׁה ICh. 3:22

25/6 וּלְאָצֵל שִׁשָּׁה בָנִים ICh. 8:38; 9:44

27 בְּנֵי יְדוּתוּן גְּדַלְיָהוּ...שִׁשָּׁה ICh. 25:3

28 לַמִּזְרָח הַלְוִיִּם שִׁשָּׁה ICh. 26:17

29 וּבְיוֹם שִׁשָּׁה עָשָׂר לַחֹדֶשׁ IICh. 29:17

וְשִׁשָּׁה 30/1 וְשִׁשָּׁה קָנִים יֹצְאִים Ex. 25:32; 37:18

32 וַיַּכּוּ...כִּשְׁלֹשִׁים וְשִׁשָּׁה אִישׁ Josh. 7:5

33 עֶשְׂרִים וְשִׁשָּׁה אֶלֶף אִישׁ Jud. 20:15

34/5 שֶׁבַע שָׁנִים וְשִׁשָּׁה חֳדָשִׁים IISh. 2:11; 5:5

36 וַיִּהְיוּ הָרִמֹּנִים תִּשְׁעִים וְשִׁשָּׁה Jer. 52:23

37/8 וְשִׁשָּׁה חֳדָשִׁים Es. 2:12 • ICh. 3:4

39 שֵׁשׁ מֵאוֹת שִׁשִּׁים וְשִׁשָּׁה Ez. 2:13

40-42 חֲמִשִּׁים וְשִׁשָּׁה Ez. 2:14, 22, 30

43 שְׁבַע מֵאוֹת שְׁלֹשִׁים וְשִׁשָּׁה Ez. 2:66

44 אֵילִים תִּשְׁעִים וְשִׁשָּׁה Ez. 8:35

45/6 שְׁלֹשִׁים וְשִׁשָּׁה Neh. 7:68 • ICh. 7:4

47 עֶשְׂרִים וְשִׁשָּׁה אָלֶף ICh. 7:40

48 תְּשַׁע מֵאוֹת וַחֲמִשִּׁים וְשִׁשָּׁה ICh. 9:9

הַשִּׁשָּׁה 49 וְאֶת־שְׁמוֹת הַשִּׁשָּׁה הַנּוֹתָרִים Ex. 28:10

לְשִׁשָּׁה 50 לְשִׁשָּׁה עָשָׂר לַחֲנַנְיָהוּ ICh. 25:23

שֵׁשֶׁת־ 51 שֵׁשֶׁת יָמִים תִּלְקְטֻהוּ Ex. 16:26

52/3 שֵׁשֶׁת יָמִים תַּעֲבֹד Ex. 20:9; 34:21

54/5 שֵׁשֶׁת(־)יָמִים עָשָׂה יְיָ אֶת־הַשָּׁמַיִם וְאֶת־הָאָרֶץ Ex. 20:11; 31:17

56-64 שֵׁשֶׁת יָמִים Ex. 23:12

24:16; 31:15; 35:2 • Lev. 23:3 • Deut. 5:13; 16:8 •

Josh. 6:3, 14

65 שֵׁשֶׁת אֲלָפִים וּמָאתָיִם Num. 3:34

66 כִּי שֵׁשֶׁת חֳדָשִׁים יָשַׁב־שָׁם יוֹאָב IK. 11:16

67 שֵׁשֶׁת יְמֵי הַמַּעֲשֶׂה Ezek. 46:1

68 חֲמֹרִים שֵׁשֶׁת אֲלָפִים Ez. 2:67

69-71 שֵׁשֶׁת אֲלָפִים Neh. 7:68

ICh. 12:24(25); 23:4

וְשֵׁשֶׁת־ 72 וְשִׁשִּׁים יוֹם וְשֵׁשֶׁת יָמִים Lev. 12:5

73 וְשֵׁשֶׁת־אֲלָפִים וְאַרְבַּע־מֵאוֹת Num. 2:9

74-76 וְשֵׁשֶׁת אֲלָפִים ISh. 13:5

IIK. 5:5 • Job 42:12

77 וְשֵׁשֶׁת כְּבָשִׂים וָאָיִל Ezek. 46:6

לְשֵׁשֶׁת־ 78-81 לְשֵׁשֶׁת הַקָּנִים Ex. 25:33, 35; 37:19, 21

שָׂשׂוֹן

ז׳ שמחה, גיל: 1-22

קרובים: ראה שִׂמְחָה

– שָׂשׂוֹן וְשִׂמְחָה 1-4, 6-9, 13, 18, 20; שִׂמְחָה וְשָׂשׂוֹן 14, 15

– קוֹל שָׂשׂוֹן 6-9; שֵׁם שָׂשׂוֹן 10; שֶׁמֶן שָׂשׂוֹן 5, 12

– שְׂשׂוֹן יִשְׁעוֹ 21; שְׂשׂוֹן לִבּוֹ 22

שָׂשׂוֹן 1 וְהִנֵּה שָׂשׂוֹן וְשִׂמְחָה Is. 22:13

2 שָׂשׂוֹן וְשִׂמְחָה יַשִּׂיגוּ Is. 35:10

3 שָׂשׂוֹן וְשִׂמְחָה יִמָּצֵא בָהּ Is. 51:3

4 שָׂשׂוֹן וְשִׂמְחָה יַשִּׂיגוּן Is. 51:11

5 שֶׁמֶן שָׂשׂוֹן תַּחַת אֵבֶל Is. 61:3

6-9 קוֹל שָׂשׂוֹן וְקוֹל שִׂמְחָה Jer. 7:34

16:9; 25:10; 33:11

10 וְהָיְתָה לִּי לְשֵׁם שָׂשׂוֹן Jer. 33:9

11 כִּי־הֹבִישׁ שָׂשׂוֹן מִן־בְּנֵי אָדָם Joel 1:12

12 מְשָׁחֲךָ...שֶׁמֶן שָׂשׂוֹן מֵחֲבֵרֶךָ Ps. 45:8

13 תַּשְׁמִיעֵנִי שָׂשׂוֹן וְשִׂמְחָה Ps. 51:10

וְשָׂשׂוֹן 14 אוֹרָה וְשִׂמְחָה וְשָׂשֹׂן וִיקָר Es. 8:16

15 שִׂמְחָה וְשָׂשׂוֹן לַיְּהוּדִים Es. 8:17

בְּשָׂשׂוֹן 16 וּשְׁאַבְתֶּם־מַיִם בְּשָׂשׂוֹן Is. 12:3

17 וַיּוֹצִא עַמּוֹ בְשָׂשׂוֹן Ps. 105:43

לְשָׂשׂוֹן 18 לְשָׂשׂוֹן וּלְשִׂמְחַת לְבָבִי Jer. 15:16

19 וְהָפַכְתִּי אֶבְלָם לְשָׂשׂוֹן Jer. 31:12

20 לְשָׂשׂוֹן וּלְשִׂמְחָה וּלְמֹעֲדִים טוֹבִים Zech. 8:19

שְׂשׂוֹן־ 21 הָשִׁיבָה לִּי שְׂשׂוֹן יִשְׁעֶךָ Ps. 51:14

22 כִּי־שְׂשׂוֹן לִבִּי הֵמָּה Ps. 119:111

שִׁשִּׁי ת׳ מספר סודר של ״שִׁשָּׁה״,
הבא אחרי החמישי: 1־25

בֵּן שִׁשִּׁי 1; גּוֹרָל שִׁשִּׁי 8; חֹדֶשׁ שִׁשִּׁי 9, 18, 19, 22;
יוֹם שִׁשִּׁי 2־7; יְרִיעָה שִׁשִּׁית 23; שָׁנָה שִׁשִּׁית 24, 25

שִׁשִּׁי 1 וַתֵּלֶד בֵּן־שִׁשִּׁי לְיַעֲקֹב Gen. 30:19
הַשִּׁשִּׁי 2 וַיְהִי־עֶרֶב וַיְהִי־בֹקֶר יוֹם הַשִּׁשִּׁי Gen. 1:31
3 וְהָיָה בַּיּוֹם הַשִּׁשִּׁי וְהֵכִינוּ Ex. 16:5
4־7 (וּ)בַיּוֹם הַשִּׁשִּׁי Ex. 16:22, 29 • Num. 7:42; 29:29
8 לִבְנֵי נַפְתָּלִי יָצָא הַגּוֹרָל הַשִּׁשִּׁי Josh. 19:32
9 בַּחֹדֶשׁ הַשִּׁשִּׁי בְּיוֹם אֶחָד לַחֹדֶשׁ Hag. 1:1
10 וְחָנוּן בֶּן־צָלָף הַשִּׁשִּׁי Neh. 3:30
11 אֹצֶם הַשִּׁשִּׁי דָּוִיד הַשְּׁבִעִי ICh. 2:15
12־17 הַשִּׁשִּׁי ICh. 3:3; 12:11(12); 24:9; 25:13; 26:3, 5
18/9 הַשִּׁשִּׁי לַחֹדֶשׁ הַשִּׁשִּׁי ICh. 27:9
וְהַשִּׁשִּׁי 20 וְהַשִּׁשִּׁי יִתְרְעָם לְעֶגְלָה אֵשֶׁת דָּוִד IISh. 3:5
בַּשִּׁשִּׁי 21 בַּשִּׁשִּׁי בַּחֲמִשָּׁה לַחֹדֶשׁ Ezek. 8:1
22 בְּיוֹם עֶשְׂרִים וְאַרְבָּעָה לַחֹדֶשׁ בַּשִּׁשִּׁי Hag. 1:15
הַשִּׁשִּׁית 23 וְכָפַלְתָּ אֶת־הַיְרִיעָה הַשִּׁשִּׁית Ex. 26:9
24 בִּרְכָתִי לָכֶם בַּשָּׁנָה הַשִּׁשִּׁית Lev. 25:21
25 וַיְהִי בַּשָּׁנָה הַשִּׁשִּׁית בַּשִּׁשִּׁי Ezek. 8:1

שָׁשַׁי שפ״ז – איש בימי עזרא
שָׁשַׁי 1 מַכְנַדְבַי שָׁשַׁי שָׁרָי Ez. 10:40

שֵׁשַׁי שפ״ז – מילידי הענק בחברון: 1־3
שֵׁשַׁי 1 אֲחִימַן שֵׁשַׁי וְתַלְמַי יְלִידֵי הָעֲנָק Num. 13:22
2 אֶת־שֵׁשַׁי וְאֶת־אֲחִימָן וְאֶת־תַּלְמָי Josh. 15:14
3 אֶת־שֵׁשַׁי וְאֶת־אֲחִימַן וְאֶת־תַּלְמָי Jud. 1:10

שִׁשִּׁים ש״מ – שש עשרות, 60, לזכר ולנקבה: 1־59

– שִׁשִּׁים אִישׁ 47, 49, 50; שׁ׳ אֶלֶף 8, 40, 41, 43־45, 59;
שִׁשִּׁים אַמָּה 12, 15; שׁ׳ בָּנוֹת 58; שׁ׳ גִּבֹּרִים 16;
שִׁשִּׁים זְכָרִים 23, 52; שׁ׳ יוֹם 39; שׁ׳ כּוֹר 48;
שִׁשִּׁים מְלָכוֹת 17; שׁ׳ עִיר 9, 10, 29; שׁ׳ עָרִים 11;
שִׁשִּׁים שָׁנָה 1, 3, 4, 28, 33־38
– אֵילִים שִׁשִּׁים 5; אַמּוֹת שִׁשִּׁים 31; כְּבָשִׂים שׁ׳ 7;
עַתּוּדִים שִׁשִּׁים 6; פִּילַגְשִׁים שִׁשִּׁים 32
– שִׁשִּׁים וּשְׁנַיִם 18־20; שִׁשִּׁים וְחָמֵשׁ 14; שׁ׳ וָשֵׁשׁ
2, 13, 57; שִׁשִּׁים וְשִׁשָּׁה 21; שִׁשִּׁים וְשִׁבְעָה 24־26;
שִׁשִּׁים וּשְׁמוֹנָה 27, 30;
– אֶחָד וְשִׁשִּׁים 45,46; שְׁנַיִם וְשׁ׳ 40,41; שְׁתַּיִם וְשׁ׳ 34,
35; אַרְבָּעָה וְשִׁשִּׁים 43, 44; חָמֵשׁ וְשִׁשִּׁים 36, 37;
חֲמִשָּׁה וְשִׁשִּׁים 42; תֵּשַׁע וְשׁ׳ 38; מֵאָה וְשִׁשִּׁים 52

שִׁשִּׁים 1 וְיִצְחָק בֶּן־שִׁשִּׁים שָׁנָה Gen. 25:26
2 כָּל־נֶפֶשׁ שִׁשִּׁים וָשֵׁשׁ Gen. 46:26
3/4 (מִ)בֶּן־שִׁשִּׁים שָׁנָה Lev. 27:3, 7
5/6 אֵילִם שִׁשִּׁים עַתֻּדִים שִׁשִּׁים Num. 7:88
7 כְּבָשִׂים בְּנֵי־שָׁנָה שִׁשִּׁים Num. 7:88
8 שִׁשִּׁים אֶלֶף וַחֲמֵשׁ מֵאוֹת Num. 26:27
9 שִׁשִּׁים עִיר כָּל־חֶבֶל אַרְגֹּב Deut. 3:4
10 וַיְהִי גְבוּלָם...שִׁשִּׁים עִיר Josh. 13:30
11 שִׁשִּׁים עָרִים גְּדֹלוֹת IK. 4:13
12 שִׁשִּׁים־אַמָּה אָרְכּוֹ IK. 6:2
13 שִׁשִּׁים וָשֵׁשׁ IK. 10:14
14 וּבְעוֹד שִׁשִּׁים וְחָמֵשׁ שָׁנָה Is. 7:8
15 וַיַּעַשׂ אֶת־אֵילִים שִׁשִּׁים אַמָּה Ezek. 40:14
16 שִׁשִּׁים גִּבֹּרִים סָבִיב לָהּ S.ofS. 3:7
17 שִׁשִּׁים הֵמָּה מְלָכוֹת S.ofS. 6:8
18 וְשָׁבֻעִים שִׁשִּׁים וּשְׁנַיִם Dan. 9:25
19/20 שִׁשִּׁים וּשְׁנַיִם Dan. 9:26 • ICh. 26:8
21 שֵׁשׁ מֵאוֹת שִׁשִּׁים וְשִׁשָּׁה Ez. 2:13

שִׁשִּׁים (המשך) 22 אַלְפַּיִם שְׁלֹשׁ־מֵאוֹת שִׁשִּׁים Ez. 2:64
23 וְעִמָּהֶם שִׁשִּׁים הַזְּכָרִים Ez. 8:13
24 שֵׁשׁ מֵאוֹת שִׁשִּׁים וְשִׁבְעָה Neh. 7:18
25/6 שִׁשִּׁים וְשִׁבְעָה Neh. 7:19, 71
27 אַרְבַּע מֵאוֹת שִׁשִּׁים וּשְׁמֹנָה Neh. 11:6
28 וְהוּא בֶּן־שִׁשִּׁים שָׁנָה ICh. 2:21
29 וַיִּקַּח...שִׁשִּׁים עִיר ICh. 2:23
30 וַאֲחֵיהֶם שִׁשִּׁים וּשְׁמוֹנָה ICh. 16:38
31 הָאֹרֶךְ...אַמּוֹת שִׁשִּׁים IICh. 3:3
32 וּפִילַגְשִׁים שִׁשִּׁים IICh. 11:21
וְשִׁשִּׁים 33 חָמֵשׁ שָׁנִים וְשִׁשִּׁים שָׁנָה Gen. 5:15
34/5 שְׁתַּיִם וְשִׁשִּׁים שָׁנָה Gen. 5:18, 20
36/7 חָמֵשׁ וְשִׁשִּׁים שָׁנָה Gen. 5:21, 23
38 תֵּשַׁע וְשִׁשִּׁים שָׁנָה Gen. 5:27
39 וְשִׁשִּׁים יוֹם וְשֵׁשֶׁת יָמִים Lev. 12:5
40/1 שְׁנַיִם וְשִׁשִּׁים אֶלֶף Num. 1:39; 2:26
42 חֲמִשָּׁה וְשִׁשִּׁים וּשְׁלֹשׁ מֵאוֹת Num. 3:50
43/4 אַרְבָּעָה וְשִׁשִּׁים אֶלֶף Num. 26:25, 43
45 וַחֲמֹרִים אֶחָד וְשִׁשִּׁים אָלֶף Num. 31:34
46 וּמִכְסָם לַיְיָ אֶחָד וְשִׁשִּׁים Num. 31:39
47 שְׁלֹשׁ־מֵאוֹת וְשִׁשִּׁים אִישׁ IISh. 2:31
48 וְשִׁשִּׁים כֹּר קָמַח IK. 5:2
49 וְשִׁשִּׁים אִישׁ מֵעַם הָאָרֶץ IIK. 25:19
50 וְשִׁשִּׁים אִישׁ מֵעַם הָאָרֶץ Jer. 52:25
51 שְׁבַע מֵאוֹת וְשִׁשִּׁים Ez. 2:9
52 וְעִמּוֹ מֵאָה וְשִׁשִּׁים הַזְּכָרִים Ez. 8:10
53 שְׁבַע מֵאוֹת וְשִׁשִּׁים Neh. 7:14
54 אַלְפַּיִם שְׁלֹשׁ־מֵאוֹת וְשִׁשִּׁים Neh. 7:66
55/6 וּשְׁבַע(־)מֵאוֹת וְשִׁשִּׁים ICh. 5:18; 9:13
57 שֵׁשׁ מֵאוֹת וְשִׁשִּׁים וָשֵׁשׁ IICh. 9:13
58 וַיּוֹלֶד...וְשִׁשִּׁים בָּנוֹת IICh. 11:21
וּבְשִׁשִּׁים 59 וּבְשִׁשִּׁים אֶלֶף פָּרָשִׁים IICh. 12:3

שִׁשִּׁית נ׳ חלק אחד משׁשה: 1־3
שִׁשִּׁית הָאֵיפָה 2, 3; שִׁשִּׁית הַהִין 1
שִׁשִּׁית 1 וּמַיִם...תִשְׁתֶּה שִׁשִּׁית הַהִין Ezek. 4:11
2/3 שִׁשִּׁית הָאֵיפָה Ezek. 45:13; 46:14

שֵׁשַׁךְ ש״פ – כנוי לארץ בבל(?): 1, 2
שֵׁשַׁךְ 1 וּמֶלֶךְ שֵׁשַׁךְ יִשְׁתֶּה אַחֲרֵיהֶם Jer. 25:26
2 אֵיךְ נִלְכְּדָה שֵׁשַׁךְ Jer. 51:41

שֵׁשָׁן שפ״ז – איש משבט יהודה: 1־5
בְּנֵי שֵׁשָׁן 2
שֵׁשָׁן 1 וּבְנֵי יִשְׁעִי שֵׁשָׁן ICh. 2:31
2 וּבְנֵי שֵׁשָׁן אַחְלָי ICh. 2:31
3 וַיִּתֵּן שֵׁשָׁן אֶת־בִּתּוֹ לְיַרְחָע ICh. 2:35
לְשֵׁשָׁן 4 וְלֹא־הָיָה לְשֵׁשָׁן בָּנִים כִּי אִם־בָּנוֹת ICh. 2:34
וּלְשֵׁשָׁן 5 וּלְשֵׁשָׁן עֶבֶד מִצְרִי וּשְׁמוֹ יַרְחָע ICh. 2:34

שָׁשָׁק שפ״ז – איש מבנימין: 1, 2
בְּנֵי שָׁשָׁק 2
שָׁשָׁק 1 וְאַחְיוֹ שָׁשָׁק וִירֵמוֹת ICh. 8:14
2 וְיִפְדְיָה וּפְנוּאֵל° בְּנֵי שָׁשָׁק ICh. 8:25

שָׁשַׁר ז׳ צבע אדום משובח: 1, 2
בַּשָּׁשַׁר 1 וְסָפוּן בָּאָרֶז וּמָשׁוֹחַ בַּשָּׁשַׁר Jer. 22:14
2 צַלְמֵי כַשְׂדִּים° חֲקֻקִים בַּשָּׁשַׁר Ezek. 23:14

שָׁת ז׳ יסוד, בסיס: 1, 2
הַשָּׁתוֹת 1 כִּי־הַשָּׁתוֹת יֵהָרֵסוּן Ps. 11:3
שָׁתוֹתֶיהָ 2 (?)וְהָיוּ שָׁתֹתֶיהָ מְדֻכָּאִים Is. 19:10

שֹׁת (איוב מא 17) – עין שְׂאֵת1 (5)

שֵׁת1 ז׳ אחורי הגוף, עכוז: 1, 2
חֲשׂוּפֵי שֵׁת 1
שֵׁת 1 וַחֲשׂוּפַי שֵׁת עֶרְוַת מִצְרָיִם Is. 20:4
שְׁתוֹתֵיהֶם 2 וַיִּכְרֹת...מַדְוֵיהֶם בַּחֵצִי עַד־שְׁתוֹתֵיהֶ׳ IISh. 10:4

שֵׁת2**, שִׁת** ש״מ ארמית שֵׁשׁ: 1, 2
שִׁת 1 פְּתָיֵהּ אַמִּין שִׁת Dan. 3:1
שֵׁת 2 שְׁנַת־שֵׁת לְמַלְכוּת דָּרְיָוֶשׁ Ez. 6:15

שֵׁת3 שפ״ז – בן אדם וחוָה: 1־8
יְמֵי שֵׁת 6
שֵׁת 1 וַתִּקְרָא אֶת־שְׁמוֹ שֵׁת Gen. 4:25
2 וַיִּקְרָא אֶת־שְׁמוֹ שֵׁת Gen. 5:3
3 וַיִּהְיוּ יְמֵי־אָדָם אַחֲרֵי הוֹלִידוֹ אֶת־שֵׁת Gen. 5:4
4 וַיְחִי־שֵׁת...וַיּוֹלֶד אֶת־אֱנוֹשׁ Gen. 5:6
5 וַיְחִי־שֵׁת אַחֲרֵי הוֹלִידוֹ אֶת־אֱנוֹשׁ Gen. 5:7
6 וַיִּהְיוּ כָּל־יְמֵי־שֵׁת Gen. 5:8
7 אָדָם שֵׁת אֱנוֹשׁ ICh. 1:1
וּלְשֵׁת 8 וּלְשֵׁת גַּם־הוּא יֻלַּד־בֵּן Gen. 4:26

שתה : שָׁתָה, נִשְׁתָּה; שְׁתִי, שְׁתִיָּה, מִשְׁתֶּה; אר׳ שְׁתָה

שָׁתָה פָּ׳ א) בלע נוזלים: רוב המקראות 1־216
ב) [בהשאלה] קבל, ספג: 59, 88, 90, 138, 139
ג) [נפ׳ נִשְׁתָּה] נבלע בפה: 217

– אָכַל וְשָׁתָה 1, 2, 7, 8, 10, 36, 37, 40־45, 52, 53, 63,
64, 66, 68־70, 91, 93־96, 98, 104־106, 114, 123, 124,
140־143, 146־150, 152, 168, 169, 185־187, 189־195, 197,
207, 208, 216
– שׁוֹתֵי יַיִן 101; שׁוֹתֵי מַיִם 99, 100; שׁוֹתֵי שֵׁכָר 102

שָׁתָה 1 אַחֲרֵי אָכְלָה בְשִׁלֹה וְאַחֲרֵי שָׁתֹה ISh. 1:9
2 עָרֹךְ הַשֻּׁלְחָן...אָכוֹל שָׁתֹה Is. 21:5
3 לֹא תִנָּקֶה כִּי שָׁתֹה תִּשְׁתֶּה Jer. 49:12
שָׁתוֹ 4 כֹּה אָמַר יְיָ צְבָאוֹת שָׁתוֹ תִּשְׁתּוּ Jer. 25:28
5 אֲשֶׁר־אֵין מִשְׁפָּטָם...שָׁתוֹ יִשְׁתּוּ Jer. 49:12
6 שָׁתוֹ וְאֵין־לְשָׁכְרָה Hag. 1:6
וְשָׁתוֹ 7 וַיֵּשֶׁב הָעָם לֶאֱכֹל וְשָׁתוֹ Ex. 32:6
8 אָכוֹל וְשָׁתוֹ כִּי מָחָר נָמוּת Is. 22:13
שְׁתוֹ 9 אַל לַמְלָכִים שְׁתוֹ־יָיִן Prov. 31:4
וְשָׁתוֹת 10 אָכֹל בָּשָׂר וְשָׁתוֹת יָיִן Is. 22:13
שְׁתוֹת 11/2 לְבִלְתִּי שְׁתוֹת־יָיִן Jer. 35:8, 14
לִשְׁתּוֹת 13 עַד אִם־כִּלּוּ לִשְׁתֹּת Gen. 24:19
14 כַּאֲשֶׁר כִּלּוּ הַגְּמַלִּים לִשְׁתּוֹת Gen. 24:22
15 אֲשֶׁר תָּבֹאןָ הַצֹּאן לִשְׁתּוֹת Gen. 30:38
16 וַיֵּחַמְנָה בְּבֹאָן לִשְׁתּוֹת Gen. 30:38
17 וְנִלְאוּ...לִשְׁתּוֹת מַיִם מִן־הַיְאֹר Ex. 7:18
18 וְלֹא־יָכְלוּ...לִשְׁתּוֹת מַיִם מִן־הַיְאֹר Ex. 7:21
19 וַיַּחְפְּרוּ...סְבִיבֹת הַיְאֹר מַיִם לִשְׁתּוֹת Ex. 7:24
20 כִּי לֹא יָכְלוּ לִשְׁתֹּת מִמֵּימֵי הַיְאֹר Ex. 7:24
21 וְלֹא יָכְלוּ לִשְׁתֹּת מַיִם מִמָּרָה Ex. 15:23
22 וְאֵין מַיִם לִשְׁתֹּת הָעָם Ex. 17:1
23 וּמַיִם אַיִן לִשְׁתּוֹת Num. 20:5
24 וְלֹא־הָיָה שָׁם מַיִם לָעָם לִשְׁתּוֹת Num. 33:14
25 אֲשֶׁר־יִכְרַע עַל־בִּרְכָּיו לִשְׁתּוֹת Jud. 7:5
26 כָּרְעוּ עַל־בִּרְכֵיהֶם לִשְׁתּוֹת מָיִם Jud. 7:6
27 וְהַיַּיִן לִשְׁתּוֹת הַיָּעֵף בַּמִּדְבָּר IISh. 16:2
28 הוֹי גִּבּוֹרִים לִשְׁתּוֹת יָיִן Is. 5:22
29 וְעַתָּה מַה־לָּךְ...לִשְׁתּוֹת מֵי שִׁחוֹר Jer. 2:18
30 וּמַה־לָּךְ...לִשְׁתּוֹת מֵי נָהָר Jer. 2:18
31 לָקַחַת־הַכּוֹס מִיָּדְךָ לִשְׁתּוֹת Jer. 25:28
32 אֵין מִשְׁפָּטָם לִשְׁתּוֹת הַכּוֹס Jer. 49:12

לִשְׁתּוֹת (המשך)
33 וְנָעוּ...לִשְׁתּוֹת מַיִם וְלֹא יִשְׂבָּעוּ Am. 4:8
34 וְהַמֶּלֶךְ וְהָמָן יָשְׁבוּ לִשְׁתּוֹת Es. 3:15
35 וַיָּבֹא...לִשְׁתּוֹת עִם־אֶסְתֵּר Es. 7:1
וְלִשְׁתּוֹת 36 אֲבוֹא אֶל־בֵּיתִי לֶאֱכֹל וְלִשְׁתּוֹת IISh. 11:11
37 וַיַּעֲלֶה אַחְאָב לֶאֱכֹל וְלִשְׁתּוֹת IK. 18:42
38 וְלִשְׁתּוֹת אֶת־מֵימֵי רַגְלֵיהֶם° IIK. 18:27
39 וְלִשְׁתּוֹת אֶת־מֵימֵי רַגְלֵיהֶם° Is. 36:12
40 לָשֶׁבֶת אוֹתָם לֶאֱכֹל וְלִשְׁתּוֹת Jer. 16:8
41-44 לֶאֱכֹל וְלִשְׁתּוֹת Job 1:4 • Eccl. 8:15 • Ruth 3:3 • Neh. 8:12
45 לֶאֱכוֹל וְלִשְׁתּוֹת וְלִרְאוֹת טוֹבָה Eccl. 5:17
שְׁתוֹתוֹ 46 אַחֲרֵי אָכְלוֹ לֶחֶם וְאַחֲרֵי שְׁתוֹתוֹ IK. 13:23
לִשְׁתּוֹתָהּ 47 לֹא־תוֹסִיפִי לִשְׁתּוֹתָהּ עוֹד Is. 51:22
לִשְׁתּוֹתָם 48/9 וְלֹא אָבָה לִשְׁתּוֹתָם IISh. 23:16, 17
50 וְלֹא־אָבָה דָוִיד לִשְׁתּוֹתָם ICh. 11:18
51 וְלֹא אָבָה לִשְׁתּוֹתָם ICh. 11:19
שָׁתִיתִי 52/3 לֶחֶם לֹא אָכַלְתִּי וּמַיִם לֹא שָׁתִיתִי Deut. 9:9, 18
54 וְיַיִן וְשֵׁכָר לֹא שָׁתִיתִי ISh. 1:15
55 שָׁתִיתִי יֵינִי עִם־חֲלָבִי S.ofS. 5:1
וְשָׁתִיתִי 56 וּמַיִם בַּכֶּסֶף תִּתֶּן־לִי וְשָׁתִיתִי Deut. 2:28
57 אֲנִי קַרְתִּי וְשָׁתִיתִי מַיִם זָרִים IIK. 19:24
58 אֲנִי קַרְתִּי וְשָׁתִיתִי מָיִם Is. 37:25
שָׁתִית 59 שָׁתִית מִיַּד יְיָ אֶת־כּוֹס חֲמָתוֹ Is. 51:17
60 אֶת־קֻבַּעַת כּוֹס הַתַּרְעֵלָה שָׁתִית Is. 51:17
וְשָׁתִית 61 וְשָׁתִית אוֹתָהּ וּמָצִית Ezek. 23:34
62 וְשָׁתִית מֵאֲשֶׁר יִשְׁאֲבוּן הַנְּעָרִים Ruth 2:9
שָׁתָה 63 לֶחֶם לֹא אָכַל וּמַיִם לֹא שָׁתָה Ex. 34:28
64 לֹא־אָכַל לֶחֶם וְלֹא־שָׁתָה מַיִם ISh. 30:12
65 לֹא־שָׁתָה מַיִם וַיִּעָף Is. 44:12
66 לֶחֶם לֹא־אָכַל וּמַיִם לֹא־שָׁתָה Ez. 10:6
וְשָׁתָה 67 וְיָצְאוּ מִמֶּנּוּ מַיִם וְשָׁתָה הָעָם Ex. 17:6
68 אָבִיךָ הֲלוֹא אָכַל וְשָׁתָה Jer. 22:15
69 אֵין־טוֹב בָּאָדָם שֶׁיֹּאכַל וְשָׁתָה Eccl. 2:24
70 וְגַם כָּל־הָאָדָם שֶׁיֹּאכַל וְשָׁתָה Eccl. 3:13
שָׁתִינוּ 71 מֵימֵינוּ בְּכֶסֶף שָׁתִינוּ Lam. 5:4
שְׁתִיתֶם 72 וְיַיִן וְשֵׁכָר לֹא שְׁתִיתֶם Deut. 29:5
73 כַּאֲשֶׁר שְׁתִיתֶם עַל־הַר קָדְשִׁי Ob. 16
וּשְׁתִיתֶם 74 וְגַם־מַיִם תִּכְרוּ...בַּכֶּסֶף וּשְׁתִיתֶם Deut. 2:6
75 וּשְׁתִיתֶם אַתֶּם וּמִקְנֵיכֶם IIK. 3:17
76 וַאֲכַלְתֶּם בָּשָׂר וּשְׁתִיתֶם דָּם Ezek. 39:17
77 וּשְׁתִיתֶם דָּם לְשִׁכָּרוֹן Ezek. 39:19
שָׁתוּ 78 וְלֹא שָׁתוּ עַד־הַיּוֹם הַזֶּה Jer. 35:14
79 כּוֹס־זָהָב...מִיֵּינָהּ שָׁתוּ גוֹיִם Jer. 51:7
וְשָׁתוּ 80 וְשָׁתוּ וְהִתְגֹּעֲשׁוּ וְהִתְהֹלָלוּ Jer. 25:16
81 וְנָטְעוּ כְרָמִים וְשָׁתוּ אֶת־יֵינָם Am. 9:14
82 וְשָׁתוּ וְלָעוּ וְהָיוּ כְּלוֹא הָיוּ Ob. 16
83 וְשָׁתוּ הָמוּ כְּמוֹ־יָיִן Zech. 9:15
שֹׁתֶה 84 וְהוּא בְתִרְצָה שֹׁתֶה שִׁכּוֹר IK. 16:9
85 וְהוּא שֹׁתֶה הוּא וְהַמְּלָכִים IK. 20:12
86 וּבֶן־הֲדַד שֹׁתֶה שִׁכּוֹר IK. 20:16
87 כַּאֲשֶׁר יַחֲלֹם הַצָּמֵא וְהִנֵּה שֹׁתֶה Is. 29:8
88 מְקַצֶּה רַגְלַיִם חָמָס שֹׁתֶה Prov. 26:6
89 אִישׁ־שֹׁתֶה כַמַּיִם עַוְלָה Job 15:16
שֹׁתָה 90 אֲשֶׁר חֲמָתָם שֹׁתָה רוּחִי Job 6:4
וְשֹׁתִים 91 אֹכְלִים וְשֹׁתִים וְחֹגְגִים ISh. 30:16
92 וְהִנָּם אֹכְלִים וְשֹׁתִים לְפָנָיו IK. 1:25
93 אֹכְלִים וְשֹׁתִים וּשְׂמֵחִים IK. 4:20
94/5 אֹכְלִים וְשֹׁתִים יַיִן Job 1:13, 18
96 אֹכְלִים וְשׁוֹתִים ICh. 12:39
הַשֹּׁתִים 97 הַשֹּׁתִים בְּמִזְרְקֵי יַיִן Am. 6:6
98 אַתֶּם הָאֹכְלִים וְאַתֶּם הַשֹּׁתִים Zech. 7:6

שׁוֹתֵי־ 99/100 כָּל־שֹׁתֵי מָיִם Ezek. 31:14, 16
101 וְהֵילִילוּ כָּל־שֹׁתֵי יָיִן Joel 1:5
102 וּנְגִינוֹת שׁוֹתֵי שֵׁכָר Ps. 69:13
לְשֹׁתָיו 103 יֵמַר שֵׁכָר לְשֹׁתָיו Is. 24:9
אֶשְׁתֶּה 104 אֶת־אֲשֶׁר אֹכַל וְאֶת־אֲשֶׁר אֶשְׁתֶּה IISh. 19:36
105 וְלֹא־אֹכַל לֶחֶם וְלֹא אֶשְׁתֶּה־מָּיִם IK. 13:8
106 וְלֹא־אֹכַל לֶחֶם וְלֹא־אֶשְׁתֶּה...מַיִם IK. 13:16
107 הַאוֹכַל...וְדַם עַתּוּדִים אֶשְׁתֶּה Ps. 50:13
108 הֲדַם הָאֲנָשִׁים הָאֵלֶּה אֶשְׁתֶּה ICh. 11:19
וְאֶשְׁתֶּה 109 הַטִּי־נָא כַדֵּךְ וְאֶשְׁתֶּה Gen. 24:14
110 קְחִי־נָא לִי מְעַט־מַיִם בַּכְּלִי וְאֶשְׁתֶּה IK. 17:10
וָאֵשְׁתְּ 111 וָאֵשְׁתְּ וְגַם הַגְּמַלִּים הִשְׁקָתָה Gen. 24:46
תִשְׁתֶּה 112 וְיַיִן לֹא־תִשְׁתֶּה וְלֹא תֶאֱגֹר Deut. 28:39
113 וְדַם־עֵנָב תִּשְׁתֶּה־חָמֶר Deut. 32:14
114 לֹא־תֹאכַל לֶחֶם וְלֹא תִשְׁתֶּה־מָּיִם IK. 13:9
115 וְלֹא־תִשְׁתֶּה שָׁם מַיִם IK. 13:17
116 וְהָיָה מֵהַנַּחַל תִּשְׁתֶּה IK. 17:4
117 לֹא תִנָּקֶה כִּי שָׁתֹה תִּשְׁתֶּה Jer. 49:12
118 וּמַיִם בִּמְשׂוּרָה תִשְׁתֶּה שִׁשִּׁית הַהִין Ezek. 4:11
119 מֵעֵת עַד־עֵת תִּשְׁתֶּה Ezek. 4:11
120 וּמֵימֶיךָ בְּרָגְזָה וּבִדְאָגָה תִּשְׁתֶּה Ezek. 12:18
121 וְתִירוֹשׁ וְלֹא תִשְׁתֶּה־יָּיִן Mic. 6:15
תֵּשְׁתְּ 122 יַיִן וְשֵׁכָר אַל־תֵּשְׁתְּ Lev. 10:9
123 אַל־תֹּאכַל לֶחֶם וְאַל־תֵּשְׁתְּ מָיִם IK. 13:22
וַתֵּשְׁתְּ 124 וַתָּשָׁב וַתֹּאכַל לֶחֶם וַתֵּשְׁתְּ מַיִם IK. 13:22
תִּשְׁתִּי 125 וְאַל־תִּשְׁתִּי יַיִן וְשֵׁכָר Jud. 13:4
126 וְעַתָּה אַל־תִּשְׁתִּי יַיִן וְשֵׁכָר Jud. 13:7
127 כּוֹס אֲחוֹתֵךְ תִּשְׁתִּי Ezek. 23:32
יִשְׁתֶּה 128 הֲלוֹא זֶה אֲשֶׁר יִשְׁתֶּה אֲדֹנִי בּוֹ Gen. 44:5
129 חֹמֶץ יַיִן וְחֹמֶץ שֵׁכָר לֹא יִשְׁתֶּה Num. 6:3
130 וְכָל־מִשְׁרַת עֲנָבִים לֹא יִשְׁתֶּה Num. 6:3
131 וְאַחַר יִשְׁתֶּה הַנָּזִיר יָיִן Num. 6:20
132 וְדַם־חֲלָלִים יִשְׁתֶּה Num. 23:24
133 וּמִן־הַנַּחַל יִשְׁתֶּה IK. 17:6
134 וּמֶלֶךְ שֵׁשַׁךְ יִשְׁתֶּה אַחֲרֵיהֶם Jer. 25:26
135 מִנַּחַל בַּדֶּרֶךְ יִשְׁתֶּה Ps. 110:7
136 פֶּן־יִשְׁתֶּה וְיִשְׁכַּח מְחֻקָּק Prov. 31:5
137 יִשְׁתֶּה וְיִשְׁכַּח רִישׁוֹ Prov. 31:7
138 וּמֵחֲמַת שַׁדַּי יִשְׁתֶּה Job 21:20
139 יִשְׁתֶּה־לַּעַג כַּמָּיִם Job 34:7
וַיִּשְׁתֶּה 140 וַיָּקָם וַיֹּאכַל וַיִּשְׁתֶּה IK. 19:8
וְיֵשְׁתְּ 141 וְיֹאכַל לֶחֶם וְיֵשְׁתְּ מָיִם IK. 13:18
וַיֵּשְׁתְּ 142 וַיֵּשְׁתְּ מִן־הַיַּיִן וַיִּשְׁכָּר Gen. 9:21
143 וַיֹּאכַל וַיֵּשְׁתְּ וַיָּקָם וַיֵּלַךְ Gen. 25:34
144 וַיָּבֵא לוֹ יַיִן וַיֵּשְׁתְּ Gen. 27:25
145 וַיֵּצְאוּ מִמֶּנּוּ מַיִם וַיֵּשְׁתְּ Jud. 15:19
146 וַיֹּאכַל לְפָנָיו וַיֵּשְׁתְּ וַיְשַׁכְּרֵהוּ IISh. 11:13
147 וַיֹּאכַל לֶחֶם בְּבֵיתוֹ וַיֵּשְׁתְּ מָיִם IK. 13:19
148 וַיֹּאכַל וַיֵּשְׁתְּ וַיָּשָׁב וַיִּשְׁכָּב IK. 19:6
149 וַיָּבֹא וַיֹּאכַל וַיֵּשְׁתְּ IIK. 9:34
150 וַיֹּאכַל בֹּעַז וַיֵּשְׁתְּ וַיִּיטַב לִבּוֹ Ruth 3:7
תִּשְׁתֶּה ג׳ 151 לִמְטַר הַשָּׁמַיִם תִּשְׁתֶּה־מָּיִם Deut. 11:11
152 מִפִּתּוֹ תֹאכַל וּמִכֹּסוֹ תִשְׁתֶּה IISh. 12:3
תֵּשְׁתְּ 153 וְיַיִן וְשֵׁכָר אַל־תֵּשְׁתְּ Jud. 13:14
וַתֵּשְׁתְּ 154 וַתֵּשְׁתְּ הָעֵדָה וּבְעִירָם Num. 20:11
נִשְׁתֶּה 155 וַיִּלֹּנוּ...לֵאמֹר מַה־נִּשְׁתֶּה Ex. 15:24
156 וְלֹא נִשְׁתֶּה מֵי בְאֵר Num. 20:17
157 וְאִם־מֵימֶיךָ נִשְׁתֶּה אֲנִי וּמִקְנַי Num. 20:19
158 לֹא נִשְׁתֶּה מֵי בְאֵר Num. 21:22
159 וַיֹּאמְרוּ לֹא־נִשְׁתֶּה־יָּיִן Jer. 35:6
וְנִשְׁתֶּה 160 תְּנוּ־לָנוּ מַיִם וְנִשְׁתֶּה Ex. 17:2
161 הָאֹמְרֹת לַאֲדֹנֵיהֶם הָבִיאָה וְנִשְׁתֶּה Am. 4:1

162 וְיִתְּנוּ־לָנוּ...וּמַיִם וְנִשְׁתֶּה Dan. 1:12
תִּשְׁתּוּ 163 כֹּה אָמַר יְיָ צְבָאוֹת שָׁתוֹ תִשְׁתּוּ Jer. 25:28
164 לֹא תִשְׁתּוּ־יַיִן אַתֶּם וּבְנֵיכֶם Jer. 35:6
165 וּמִשְׁקַע־מַיִם תִּשְׁתּוּ Ezek. 34:18
166 וְדַם־נְשִׂיאֵי הָאָרֶץ תִּשְׁתּוּ Ezek. 39:18
167 וְלֹא תִשְׁתּוּ אֶת־יֵינָם Am. 5:11
168 וְכִי תֹאכְלוּ וְכִי תִשְׁתּוּ Zech. 7:6
169 וְאַל־תֹּאכְלוּ וְאַל־תִּשְׁתּוּ Es. 4:16
יִשְׁתּוּ 170 יִשְׁתּוּ יֵין נְסִיכָם Deut. 32:38
171 בַּשִּׁיר לֹא יִשְׁתּוּ־יָיִן Is. 24:9
172 וְאִם־יִשְׁתּוּ בְנֵי־נֵכָר תִּירוֹשֵׁךְ Is. 62:8
173 הִנֵּה עֲבָדַי יִשְׁתּוּ וְאַתֶּם תִּצְמָאוּ Is. 65:13
174 אֲשֶׁר־אֵין מִשְׁפָּטָם...שָׁתוֹ יִשְׁתּוּ Jer. 49:12
175 וּמַיִם בִּמְשׂוּרָה וּבְשִׁמָּמוֹן יִשְׁתּוּ Ezek. 4:16
176 וּמֵימֵיהֶם בְּשִׁמָּמוֹן יִשְׁתּוּ Ezek. 12:19
177 וְהֵמָּה יִשְׁתּוּ חֲלָבֵךְ Ezek. 25:4
178 וְיַיִן לֹא־יִשְׁתּוּ כָּל־כֹּהֵן Ezek. 44:21
179 וְיֵין עֲנוּשִׁים יִשְׁתּוּ Am. 2:8
180 יִשְׁתּוּ כָל־הַגּוֹיִם תָּמִיד Ob. 16
181 אַל־יִרְעוּ וּמַיִם אַל־יִשְׁתּוּ Jon. 3:7
182 וְלֹא יִשְׁתּוּ אֶת־יֵינָם Zech. 1:13
183 שְׁמָרֶיהָ יִמְצוּ יִשְׁתּוּ Ps. 75:9
184 וְיֵין חֲמָסִים יִשְׁתּוּ Prov. 4:17
וְיִשְׁתּוּ 185 שִׂים לֶחֶם וָמַיִם...וְיֹאכְלוּ וְיִשְׁתּוּ IIK. 6:22
וַיִּשְׁתּוּ 186/7 וַיֹּאכְלוּ וַיִּשְׁתּוּ Gen. 24:54; 26:30
188 וַיִּשְׁתּוּ וַיִּשְׁכְּרוּ עִמּוֹ Gen. 43:34
189 וַיֶּחֱזוּ אֶת־הָאֱלֹהִים וַיֹּאכְלוּ וַיִּשְׁתּוּ Ex. 24:11
190-192 וַיֹּאכְלוּ וַיִּשְׁתּוּ Jud. 9:27; 19:4, 21
193 וַיֹּאכְלוּ שְׁנֵיהֶם יַחְדָּו וַיִּשְׁתּוּ Jud. 19:6
194/5 וַיֹּאכְלוּ וַיִּשְׁתּוּ IIK. 6:23; 7:8
196 וְהַיַּלְדָּה מָכְרוּ בַיַּיִן וַיִּשְׁתּוּ Joel 4:3
197 וַיֹּאכְלוּ וַיִּשְׁתּוּ לִפְנֵי יְיָ ICh. 29:22
יִשְׁתָּיוּן 198 וְנֹזְלֵיהֶם בַּל־יִשְׁתָּיוּן Ps. 78:44
יִשְׁתֻּהוּ 199 וּמְקַבְּצָיו יִשְׁתֻּהוּ בְּחַצְרוֹת קָדְשִׁי Is. 62:9
תִּשְׁתֶּינָה 200 וּמִרְפַּשׂ רַגְלֵיהֶם תִּשְׁתֶּינָה Ezek. 34:19
שְׁתֵה 201/2 שְׁתֵה וְגַם־גְּמַלֶּיךָ אַשְׁקֶה Gen. 24:14, 46
203 וַתֹּאמֶר שְׁתֵה אֲדֹנִי Gen. 24:18
204 שְׁתֵה וְגַם לִגְמַלֶּיךָ אֶשְׁאָב Gen. 24:44
205 שְׁתֵה גַם־אַתָּה וְהֵעָרֵל Hab. 2:16
206 שְׁתֵה־מַיִם מִבּוֹרֶךָ Prov. 5:15
וּשְׁתֵה 207 עֲלֵה אֱכֹל וּשְׁתֵה IK. 18:41
208 אֱכוֹל וּשְׁתֵה יֹאמַר לָךְ Prov. 23:7
209 וּשְׁתֵה בְלֶב־טוֹב יֵינֶךָ Eccl. 9:7
שְׁתוּ 210 שְׁתוּ וְשִׁכְרוּ וּקְיוּ וְנִפְלוּ Jer. 25:27
211 וָאֹמַר אֲלֵיהֶם שְׁתוּ־יָיִן Jer. 35:5
212 שְׁתוּ וְשִׁכְרוּ דּוֹדִים S.ofS. 5:1
וּשְׁתוּ 213 וּשְׁתוּ אִישׁ מֵי־בֹרוֹ IIK. 18:31
214 וּשְׁתוּ אִישׁ מֵי־בוֹרוֹ Is. 36:16
215 לַחֲמוּ בְלַחֲמִי וּשְׁתוּ בְּיַיִן מָסָכְתִּי Prov. 9:5
216 אִכְלוּ מַשְׁמַנִּים וּשְׁתוּ מַמְתַקִּים Neh. 8:10
יִשָּׁתֶה 217 וְכָל־מַשְׁקֶה אֲשֶׁר יִשָּׁתֶה Lev. 11:34

שְׁתָה פ׳ ארמית, כמו בעברית: שָׁתָה: 1-5
אִשְׁתִּיו 1 אִשְׁתִּיו חַמְרָא וְשַׁבַּחוּ לֵאלָהֵי דַהֲבָא Dan. 5:4
וְאִשְׁתִּיו 2 וְאִשְׁתִּיו בְּהוֹן מַלְכָּא וְרַבְרְבָנוֹהִי Dan. 5:3
שָׁתֵה 3 וְלָקֳבֵל אַלְפָּא חַמְרָא שָׁתֵה Dan. 5:1
שָׁתַיִן 4 וְאַנְתְּ°...חַמְרָא שָׁתַיִן בְּהוֹן Dan. 5:23
וְיִשְׁתּוֹן 5 וְיִשְׁתּוֹן בְּהוֹן מַלְכָּא וְרַבְרְבָנוֹהִי Dan. 5:2

שָׁתוּ (Is. 22:7) – עין (שית) (20-23)

שָׁתוּ (Jer. 35:14) – עין שָׁתָה (78)

שַׁתּוּ (Ps. 49:15) – עין (שית) (24, 25)

שָׁתוּם* ת׳ גלוי, פָּתוּחַ: 2,1

שְׁתוּם הָעָיִן 2,1

שְׁתוּם־ 1/2 וּנְאֻם הַגֶּבֶר שְׁתֻם הָעָיִן Num. 24:3, 15

שְׁתִי¹ ז׳ חוטי היסוד באריגה, להבדיל מן ״עֵרֶב״: 1־9

הַשְּׁתִי 1 אוֹ אֶת־הַשְּׁתִי אוֹ אֶת־הָעֵרֶב Lev. 13:52

2 אוֹ מִן־הַשְּׁתִי אוֹ מִן־הָעֵרֶב Lev. 13:56

3/4 אוֹ(־)הַשְּׁתִי אוֹ(־)הָעֵרֶב Lev. 13:58, 59

בִּשְׁתִי 5 אוֹ בִשְׁתִי אוֹ בְעֵרֶב לַפִּשְׁתִּים Lev. 13:48

בַּשְּׁתִי 6־9 אוֹ(־)בַשְּׁתִי אוֹ(־)בָעֵרֶב Lev. 13:49, 51, 53, 57

שְׁתִי² ז׳ שְׁתִיָּה

בַּשְּׁתִי 1 בָּעֵת יֹאכֵלוּ בִּגְבוּרָה וְלֹא בַשְּׁתִי Eccl. 10:17

שְׁתִיָּה נ׳ בליעת משקה

וְהַשְּׁתִיָּה 1 וְהַשְּׁתִיָּה כַדָּת אֵין אֹנֵס Es. 1:8

שְׁתִיל* ז׳ נֶטַע • שְׁתִילֵי זֵיתִים 1

כִּשְׁתִילֵי־ 1 בָּנֶיךָ כִּשְׁתִלֵי זֵיתִים Ps. 128:3

שְׁתַּיִם ש־מ – המספר 2 לנקבה: 1־252

– שְׁתַּיִם שָׁלֹשׁ 36; אַחַת...שְׁתַּיִם 44

– שְׁתַּיִם אַמּוֹת 30־32, 35; שְׁתַּיִם דֻּבִּים 23; שְׁ׳ דְּלָתוֹת 63,62; שְׁ׳ מַעֲרָכוֹת 7; שְׁ׳ נָשִׁים 37,29,9; שְׁ׳ עָרִים 36; שְׁתַּיִם רָעוֹת 25; שְׁתַּיִם שָׁנִים 50, 60, 70

– שְׁתַּיִם וּשְׁלֹשִׁים 5; שְׁתַּיִם וְשִׁשִּׁים 1, 2; שְׁתַּיִם וּשְׁמוֹנִים 3, 4;

– גֻּלּוֹת שְׁתַּיִם 45,43; כּוֹתָרוֹת שְׁ׳ 45,43; לֶחֶם...שְׁתַּיִם 6; נָשִׁים שְׁתַּיִם 46; עָרִים שְׁתַּיִם 8, 41, 42; שְׂבָכוֹת שְׁתַּיִם 11, 12; שְׁנַת שְׁתַּיִם 13־22

– פַּעַם וּשְׁתָּיִם 71; עֶשְׂרִים וּשְׁתַּיִם 48, 49, 51־55; שְׁלֹשִׁים וּשְׁתַּיִם 56, 65־68; אַרְבָּעִים וּשְׁתַּיִם 47, 69; חֲמִשִּׁים וּשְׁתַּיִם 57־59

– שְׁתֵּים עֶשְׂרֵה 77־110; שְׁתֵּי עֶשְׂרֵה 177, 233־235

– שְׁתֵּי אֲבָנִים 129־131; שְׁתֵּי אָזְנָיו 179, 190; שְׁתֵּי אֵלֶּה 191; שְׁ׳ אֲמָהוֹת 119; שְׁתֵּי אֲרָצוֹת 193; שְׁ׳ בָנוֹת 112־118, 182, 204, 205, 215, 230; שְׁתֵּי גֻלּוֹת 187, 188, 202, 203; שְׁ׳ דְלָתוֹת 221, 222, 228; שְׁתֵּי חֲלִיפוֹת 224, 225; שְׁתֵּי חֲצוֹצְרוֹת 172; שְׁ׳ חֲצֵרוֹת 231, 232, 236; שְׁתֵּי טַבָּעוֹת 133־140, 142, 206־209, 211־213; שְׁתֵּי יָדוֹת 126, 153, 226, 238־241; שְׁתֵּי יָדָיו 170, 173, 174; שְׁתֵּי כוֹתָרוֹת 223; שְׁתֵּי כַלּוֹת 229, 246; שְׁתֵּי כְלָיוֹת 149, 150, 156־162; שְׁתֵּי כַפּוֹת 216; שְׁתֵּי כְתֵפוֹת 128, 147, 148; שְׁתֵּי כְתֵפַיִם 132; שְׁתֵּי כְרָעַיִם 194; שְׁתֵּי לְבִיבוֹת 186; שְׁתֵּי לֶחֶם 181; שְׁתֵּי מְזוּזוֹת 123־125, 237; שְׁתֵּי מַמְלָכוֹת 244; שְׁתֵּי מִשְׁבְּצוֹת 144, 146, 154; שְׁ׳ מִשְׁפָּחוֹת 192; שְׁתֵּי נָשִׁים 111, 120, 176, 178, 183, 184, 201, 219, 220; שְׁתֵּי סְעִפִּים 189; שְׁתֵּי עֲבוֹתוֹת 141, 143, 145, 155; שְׁ׳ עֲגָלוֹת 171; שְׁ׳ עוֹנוֹת 245; שְׁתֵּי עֵינָיו 248; שְׁתֵּי פָרוֹת 180, 217; שְׁתֵּי פְרָסוֹת 175; שְׁתֵּי צֹאן 227; שְׁתֵּי צְלָעוֹת 127, 151, 152; שְׁ׳ צִפֳּרִים 169,168; שְׁ׳ קַרְנַיִם 195; שְׁ׳ רִבּוֹא 198; שְׁתֵּי רִבּוֹת 197; שְׁתֵּי רַגְלָיו 185; שְׁתֵּי שְׂבָכוֹת 243, 247; שְׁ׳ שִׁבֳּלִים 195; שְׁתֵּי שְׁפָחוֹת 121, 122; שְׁתֵּי שָׁנִים 218; שְׁתֵּי שַׁרְשָׁרוֹת 210; שְׁתֵּי תוֹדוֹת 199, 200; שְׁתֵּי תוֹרִים 163־167, 214, 242

שְׁתַּיִם 1/2 שְׁתַּיִם וְשִׁשִּׁים שָׁנָה Gen. 5:18, 20

3 שְׁתַּיִם וּשְׁמוֹנִים שָׁנָה Gen. 5:26

4 שְׁתַּיִם וּשְׁמֹנִים שָׁנָה Gen. 5:28

שְׁתַּיִם (המשך)

5 שְׁתַּיִם וּשְׁלֹשִׁים שָׁנָה Gen. 11:20

6 לֶחֶם תְּנוּפָה שְׁתַּיִם Lev. 23:17

7 וְשַׂמְתָּ אוֹתָם שְׁתַּיִם מַעֲרָכוֹת Lev. 24:6

8 עָרִים שְׁתַּיִם וְחַצְרֵיהֶן Josh. 15:60

9 אָז תָּבֹאנָה שְׁתַּיִם נָשִׁים IK. 3:16

10 זוּלָתִי שְׁתַּיִם־אֲנַחְנוּ בַּבָּיִת IK. 3:18

11/2 וְהַשְּׂבָכוֹת שְׁתַּיִם IK. 7:41 • IICh. 4:12

13 בִּשְׁנַת שְׁתַּיִם לְאָסָא IK. 15:25

14־22 (וּבִ)בִשְׁנַת שְׁתַּיִם לְ־ IIK. 1:17; 14:1; 15:32

Hag. 1:1, 15; 2:10 • Zech. 1:1, 7 • Dan. 2:1

23 וַתֵּצֶאנָה שְׁתַּיִם דֻּבִּים מִן־הַיַּעַר IIK. 2:24

24 שְׁתַּיִם הֵנָּה קֹרְאֹתַיִךְ Is. 51:19

25 כִּי־שְׁתַּיִם רָעוֹת עָשָׂה עַמִּי Jer. 2:13

26 לְאִישׁ שְׁתַּיִם חֹבְרוֹת אִישׁ Ezek. 1:11

27 לְאִישׁ שְׁתַּיִם מְכַסּוֹת לָהֵנָּה Ezek. 1:23

28 וּלְאִישׁ שְׁתַּיִם מְכַסּוֹת לָהֵנָּה Ezek. 1:23

29 שְׁתַּיִם נָשִׁים בְּנוֹת אֵם־אַחַת Ezek. 23:2

30 וְאֵילָו שְׁתַּיִם אַמּוֹת Ezek. 40:9

31 וַיָּמָד אֵיל־הַפֶּתַח שְׁתַּיִם אַמּוֹת Ezek. 41:3

32 וְאָרְכּוֹ שְׁתַּיִם־אַמּוֹת Ezek. 41:22

33 שְׁתַּיִם מוּסַבּוֹת דְּלָתוֹת Ezek. 41:24

34 שְׁתַּיִם לְדֶלֶת אֶחָת Ezek. 41:24

35 וּמֵחֵיק הָאָרֶץ...שְׁתַּיִם אַמּוֹת Ezek. 43:14

36 וְנָעוּ שְׁתַּיִם שָׁלֹשׁ עָרִים Am. 4:8

37 וְהִנֵּה שְׁתַּיִם נָשִׁים יוֹצְאוֹת Zech. 5:9

38 שְׁתַּיִם־זוּ שָׁמָעְתִּי Ps. 62:12

39 שְׁתַּיִם שָׁאַלְתִּי מֵאִתָּךְ Prov. 30:7

40 אַךְ־שְׁתַּיִם אַל־תַּעַשׂ עִמָּדִי Job 13:20

שְׁתָּיִם 41/2 עָרִים שְׁתָּיִם Josh. 21:25, 27

43 וְגֻלֹּת הַכֹּתָרֹת...שְׁתָּיִם IK. 7:41

44 לֹא־אַחַת וְלֹא שְׁתָּיִם IIK. 6:10

45 וְהַגֻּלּוֹת וְהַכֹּתָרוֹת...שְׁתָּיִם IICh. 4:12

46 וַיִּשָּׂא־לוֹ יְהוֹיָדָע נָשִׁים שְׁתָּיִם IICh. 24:3

וּשְׁתַּיִם 47 אַרְבָּעִים וּשְׁתַּיִם עִיר Num. 35:6

48 עָרִים עֶשְׂרִים וּשְׁתַּיִם וְחַצְרֵיהֶן Josh. 19:30

49 וַיִּשְׁפֹּט...עֶשְׂרִים וּשְׁתַּיִם שָׁנָה Jud. 10:3

50 וּשְׁתַּיִם שָׁנִים מָלָךְ IISh. 2:10

51־55 עֶשְׂרִים וּשְׁתַּיִם שָׁנָה IK. 14:20; 16:29

IIK. 8:26; 21:19 • IICh. 33:21

56 בֶּן־שְׁלֹשִׁים וּשְׁתַּיִם שָׁנָה IIK. 8:17

57/8 וַחֲמִשִּׁים וּשְׁתַּיִם שָׁנָה מָלַךְ IIK. 15:2 • IICh. 26:3

59 בִּשְׁנַת חֲמִשִּׁים וּשְׁתַּיִם שָׁנָה IIK. 15:27

60 וּשְׁתַּיִם שָׁנִים מָלַךְ בִּירוּשָׁלָם IIK. 21:19

61 וּשְׁתַּיִם מְכַסּוֹת אֵת גְּוִיֹּתֵיהֶנָה Ezek. 1:11

62 וּשְׁתַּיִם דְּלָתוֹת לַהֵיכָל וְלַקֹּדֶשׁ Ezek. 41:23

63 וּשְׁתַּיִם דְּלָתוֹת לַדְּלָתוֹת Ezek. 41:24

64 וּשְׁתַּיִם וְלֹא אוֹסִיף Job 40:5

65־68 שְׁלֹשִׁים וּשְׁתַּ׳ Neh. 5:14; 13:6 • IICh. 21:5, 20

69 בֶּן־אַרְבָּעִים וּשְׁתַּיִם שָׁנָה IICh. 22:2

70 וּשְׁתַּיִם שָׁנִים מָלַךְ בִּירוּשָׁלָם IICh. 33:21

וּשְׁתָּיִם 71 וַיָּלִינוּ...פַּעַם וּשְׁתָּיִם Neh. 13:20

בִּשְׁתַּיִם 72 בִּשְׁתַּיִם תִּתְחַתֵּן בִּי ISh. 18:21

73 בִּשְׁתַּיִם יְכַסֶּה פָנָיו Is. 6:2

וּבִשְׁתַּיִם 74 וּבִשְׁתַּיִם יְכַסֶּה רַגְלָיו Is. 6:2

75 וּבִשְׁתַּיִם יְעוֹפֵף Is. 6:2

76 וּבִשְׁתַּיִם לֹא יְשׁוּרֶנָּה Job 33:14

שְׁתֵּים־ 77־83 שְׁתֵּים עֶשְׂרֵה שָׁנָה Gen. 5:8; 14:4

IK. 16:23 • IIK. 3:1; 8:25; 21:1 • IICh. 33:1

84/5 שְׁתֵּים עֶשְׂרֵה עֵינֹת Ex. 15:27 • Num. 33:9

86/7 וְהָאֲבָנִים...שְׁתֵּים עֶשְׂרֵה Ex. 28:21; 39:14

88 שְׁתֵּים עֶשְׂרֵה חַלּוֹת Lev. 24:5

89 קַעֲרֹת כֶּסֶף שְׁתֵּים עֶשְׂרֵה Num. 7:84

שְׁתֵּים־ (המשך)

90/1 כַּפּוֹת זָהָב שְׁתֵּים(־)עֶשְׂרֵה Num. 7:84, 86

92־94 שְׁתֵּים־עֶשְׂרֵה (הָ)אֲבָנִים Josh. 4:3, 20

IK. 18:31

95־99 עָרִים שְׁתֵּים(־)עֶשְׂרֵה Josh. 18:24

19:15; 21:7, 38 • ICh. 6:48

100 וְחוּט שְׁתֵּים־עֶשְׂרֵה אַמָּה IK. 7:15

101 בִּשְׁנַת שְׁתֵּים עֶשְׂרֵה לְאָחָז IIK. 17:1

102 וְחוּט שְׁתֵּים־עֶשְׂרֵה אַמָּה Jer. 52:21

103 וְהָאֲרִאֵיל שְׁתֵּים עֶשְׂרֵה אֹרֶךְ Ezek. 43:16

104 בִּשְׁנַת שְׁתֵּים עֶשְׂרֵה לַמֶּ׳ אֲחַשְׁוֵרוֹשׁ Es. 3:7

105 לִהְיוֹת פֶּחָם...שָׁנִים שְׁתֵּים עֶשְׂרֵה Neh. 5:14

וּשְׁתֵּים־ 106 וַיִּבֶן...וּשְׁתֵּים עֶשְׂרֵה מַצֵּבָה Ex. 24:4

107 וּשְׁתֵּים עֶשְׂרֵה אֲבָנִים הֵקִים Josh. 4:9

בִּשְׁתֵּים־ 108 בִּשְׁתֵּים עֶשְׂרֵה רֹחַב Ezek. 43:16

וּבִשְׁתֵּים־ 109 וּבִשְׁתֵּים עֶשְׂרֵה שָׁנָה הֵחֵל לְטַהֵר IICh. 34:3

מִשְּׁתֵּים־ 110 הַרְבֵּה מִשְׁתֵּים־עֶשְׂרֵה רִבּוֹ אָדָם Jon. 4:11

שְׁתֵּי־ 111 וַיִּקַּח־לוֹ לֶמֶךְ שְׁתֵּי נָשִׁים Gen. 4:19

112 הִנֵּה־נָא לִי שְׁתֵּי בָנוֹת Gen. 19:8

113־118 שְׁתֵּי בָנוֹת (בְּנוֹתֶיךָ וכו׳) Gen. 19:15

19:16, 36; 29:16 • ISh. 14:49 • Prov. 30:15

119 וַיָּבֹא...וּבְאֹהֶל שְׁתֵּי הָאֲמָהֹת Gen. 31:33

120 וַיִּקַּח אֶת־שְׁתֵּי נָשָׁיו Gen. 32:22

121 וְאֶת־שְׁתֵּי שִׁפְחֹתָיו Gen. 32:22

122 וַיַּחַץ...וְעַל שְׁתֵּי הַשְּׁפָחוֹת Gen. 33:1

123 וְנָתְנוּ עַל־שְׁתֵּי הַמְּזוּזֹת Ex. 12:7

124/5 שְׁתֵּי הַמְּזוּזֹת Ex. 12:22, 23

126 שְׁתֵּי יָדוֹת לַקֶּרֶשׁ הָאֶחָד Ex. 26:17

127 עַל־שְׁתֵּי צַלְעֹת הַמִּזְבֵּחַ Ex. 27:7

128 שְׁתֵּי כְתֵפֹת חֹבְרֹת יִהְיֶה־לּוֹ Ex. 28:7

129 אֶת־שְׁתֵּי אַבְנֵי־שֹׁהַם Ex. 28:9

130 תְּפַתַּח אֶת־שְׁתֵּי הָאֲבָנִים Ex. 28:11

131 וְשַׂמְתָּ אֶת־שְׁתֵּי הָאֲבָנִים Ex. 28:12

132 וְנָשָׂא...עַל־שְׁתֵּי כְתֵפָיו לְזִכָּרֹן Ex. 28:12

133־137 שְׁתֵּי טַבְּעֹת זָהָב Ex. 28:23, 26, 27; 39:19, 20

138־140 שְׁתֵּי הַטַּבָּעוֹת Ex. 28:23; 39:16, 17

141/2 שְׁתֵּי עֲבֹתֹת הַזָּהָב עַל־שְׁתֵּי הַטַּבָּעֹת

Ex. 28:24

143־146 שְׁתֵּי הָעֲבֹתֹת...עַל־שְׁתֵּי הַמִּשְׁבְּצוֹת

Ex. 28:25; 39:18

147/8 עַל־שְׁתֵּי כִתְפוֹת הָאֵפוֹד Ex. 28:27; 39:20

149/50 וְאֵת־שְׁתֵּי הַכְּלָיֹת Ex. 29:13, 22

151/2 עַל־שְׁתֵּי צַלְעֹתָיו Ex. 30:4; 37:27

153 שְׁתֵּי יָדֹת לַקֶּרֶשׁ הָאֶחָד Ex. 36:22

154 וַיַּעֲשׂוּ שְׁתֵּי מִשְׁבְּצֹת זָהָב Ex. 39:16

155 שְׁתֵּי הָעֲבֹתֹת הַזָּהָב Ex. 39:17

156־162 שְׁתֵּי הַכְּלָיֹת Lev. 3:4, 10, 15; 4:9; 7:4; 8:16, 25

163־167 שְׁתֵּי(־)תֹרִים Lev. 5:7

12:8; 15:14, 29 • Num. 6:10

168 שְׁתֵּי־צִפֳּרִים חַיּוֹת טְהֹרוֹת Lev. 14:4

169 וְלָקַח...שְׁתֵּי צִפֳּרִים Lev. 14:49

170 וְסָמַךְ אַהֲרֹן אֶת־שְׁתֵּי יָדָו Lev. 16:21

171 אֵת־שְׁתֵּי הָעֲגָלוֹת Num. 7:7

172 עֲשֵׂה לְךָ שְׁתֵּי חֲצוֹצְרֹת כֶּסֶף Num. 10:2

173 לוּחֹת הַבְּרִית עַל שְׁתֵּי יָדָי Deut. 9:15

174 וָאַשְׁלִכֵם מֵעַל שְׁתֵּי יָדָי Deut. 9:17

175 וְשֹׁסַעַת שֶׁסַע שְׁתֵּי פְרָסוֹת Deut. 14:6

176 כִּי תִהְיֶיןָ לְאִישׁ שְׁתֵּי נָשִׁים Deut. 21:15

177 וַיִּשְׂאוּ שְׁתֵּי־עֶשְׂרֵה אֲבָנִים Josh. 4:8

178 וְלוֹ שְׁתֵּי נָשִׁים ISh. 1:2

179 תְּצִלֶּינָה שְׁתֵּי אָזְנָיו Sh. 3:11

180 וַיִּקְחוּ שְׁתֵּי פָרוֹת עָלוֹת ISh. 6:10

181 וְנָתְנוּ לְךָ שְׁתֵּי־לֶחֶם ISh. 10:4

שְׁתֵּי־ (המשך)

182 וְשֵׁם שְׁתֵּי בְנֹתָיו ISh.14:49

183 וְאֶת־שְׁתֵּי נָשָׁיו הִצִּיל דָּוִד ISh.30:18

184 וַיַּעַל שָׁם דָּוִד וְגַם שְׁתֵּי נָשָׁיו IISh.2:2

185 וְהוּא פִּסֵּחַ שְׁתֵּי רַגְלָיו IISh.9:13

186 וַתְּלַבֵּב לְעֵינַי שְׁתֵּי לְבִבוֹת IISh.13:6

187/8 לְכַסּוֹת אֶת־שְׁתֵּי גֻּלּוֹת הַכֹּתָרֹת IK.7:41,42

189 פֹּסְחִים עַל־שְׁתֵּי הַסְּעִפִּים IK.18:21

190 תִּצַּלְנָה שְׁתֵּי אָזְנָיו IIK.21:12

191 וְתָבֹאנָה לָּךְ שְׁתֵּי־אֵלֶּה Is.47:9

192 שְׁתֵּי הַמִּשְׁפָּחוֹת אֲשֶׁר בָּחַר Jer.33:24

193 וְאֶת־שְׁתֵּי הָאֲרָצוֹת Ezek.35:10

194 שְׁתֵּי כְרָעַיִם אוֹ בְדַל־אֹזֶן Am.3:12

195 מַה־שְׁתֵּי שִׁבֲּלֵי הַזֵּיתִים Zech.4:12

196 וַיְשַׁבֵּר אֶת־שְׁתֵּי קְרָנָיו Dan.8:7

197 זָהָב דַּרְכְּמוֹנִים שְׁתֵּי רִבּוֹת Neh.7:71

198 זָהָב דַּרְכְּמֹנִים שְׁתֵּי רִבּוֹא Neh.7:72

199 וָאַעֲמִידָה שְׁתֵּי תוֹדֹת גְּדוֹלֹת Neh.12:31

200 וַתַּעֲמֹדְנָה שְׁתֵּי הַתּוֹדֹת... Neh.12:40

201 וּלְאַשְׁחוּר הָיוּ שְׁתֵּי נָשִׁים ICh.4:5

202/3 שְׁתֵּי גֻּלּוֹת הַכֹּתָרוֹת IICh.4:12,13

וּשְׁתֵּי־

204 וַיֵּשֶׁב בָּהָר וּשְׁתֵּי בְנֹתָיו עִמּוֹ Gen.19:30

205 וַיֵּשֶׁב בַּמְּעָרָה הוּא וּשְׁתֵּי בְנֹתָיו Gen.19:30

206-209 וּשְׁתֵּי טַבָּעֹת עַל־צַלְעוֹ Ex.25:12[2]; 37:3[2]

210 וּשְׁתֵּי שַׁרְשְׁרֹת זָהָב טָהוֹר Ex.28:14

211-213 וּשְׁתֵּי טַבְּעֹת זָהָב Ex.30:4; 37:27; 39:16

214 וּשְׁתֵּי תֹרִים Lev.14:22

215 שְׁלֹשָׁה־בָנִים וּשְׁתֵּי בָנוֹת ISh.2:21

216 וּשְׁתֵּי כַּפּוֹת יָדָיו כְּרֻתוֹת ISh.5:4

217 וּשְׁתֵּי פָרוֹת עָלוֹת ISh.6:7

218 וּשְׁתֵּי שָׁנִים מָלַךְ עַל־יִשְׂרָאֵל ISh.13:1

219 דָּוִד וּשְׁתֵּי נָשָׁיו ISh.27:3

220 וּשְׁתֵּי נְשֵׁי־דָוִד נִשְׁבּוּ ISh.30:5

221 וּשְׁתֵּי דַּלְתוֹת עֲצֵי־שֶׁמֶן IK.6:32

222 וּשְׁתֵּי דְלָתוֹת עֲצֵי בְרוֹשִׁים IK.6:34

223 וּשְׁתֵּי כֹתָרֹת עָשָׂה IK.7:16

224/5 וּשְׁתֵּי חֲלִפוֹת בְּגָדִים IIK.5:22,23

וּשְׁתֵּי־ (המשך)

226 וּשְׁתֵּי הַיָּדוֹת בָּכֶם IIK.11:7

227 עֶגְלַת בָּקָר וּשְׁתֵּי־צֹאן Is.7:21

228 וּשְׁתֵּי דְלָתוֹת לָאַחֶרֶת Ezek.41:24

229 וַתֵּצֵא...וּשְׁתֵּי כַלֹּתֶיהָ עִמָּהּ Ruth 1:7

בִּשְׁתֵּי־

230 עֲבַדְתִּיךָ...בִּשְׁתֵּי בְנֹתֶיךָ Gen.31:41

231/2 בִּשְׁתֵּי חַצְרוֹת בֵּית־יְיָ IIK.21:5; 23:12

233-235 בִּשְׁתֵּי עֶשְׂרֵה שָׁנָה Ezek.32:1,17; 33:21

236 בִּשְׁתֵּי חַצְרוֹת בֵּית־יְיָ IICh.33:5

וּבִשְׁתֵּי־

237 וַיֶּאֱחֹז...וּבִשְׁתֵּי הַמְּזֻזוֹת Jud.16:3

לִשְׁתֵּי־

238-241 לִשְׁתֵּי יְדֹתָיו Ex.26:19[2]; 36:24[2]

242 וְאִם־לֹא תַשִּׂיג יָדוֹ לִשְׁתֵּי תֹרִים Lev.5:11

243 וְאֶת־הָרִמֹּנִים...לִשְׁתֵּי הַשְּׂבָכוֹת IK.7:42

244 וְלֹא יֵחָצוּ עוֹד לִשְׁתֵּי מַמְלָכוֹת Ezek.37:22

245 בְּאָסְרָם לִשְׁתֵּי עוֹנֹתָם· Hosh.10:10

246 וַתֹּאמֶר נָעֳמִי לִשְׁתֵּי כַלֹּתֶיהָ Ruth 1:8

247 וְאֶת־הָרִמּוֹנִים...לִשְׁתֵּי הַשְּׂבָכוֹת IICh.4:13

מִשְּׁתֵי־

248 וְאִנָּקְמָה נְקַם־אַחַת מִשְּׁתֵי עֵינָי Jud.16:28

שְׁתֵּיהֶם

249 וַתֵּלַכְנָה שְׁתֵּיהֶם עַד־בֹּאָנָה בֵּית לֶ׳ Ruth 1:19

250 אֲשֶׁר בָּנוּ שְׁתֵּיהֶם אֶת־בֵּית יִשְׂרָאֵל Ruth 4:11

שְׁתֵּיהֶן

251 וַתִּהְיֶיןָ, גַּם־שְׁתֵּיהֶן לוֹ לְנָשִׁים ISh.25:43

לִשְׁתֵּיהֶן

252 דֶּרֶךְ אֶחָד לִשְׁתֵּיהֶן Ezek.23:13

שִׁתִּין

ש־מ ארמית שש עשרות, ששים: 1-4

אַמִּין שִׁתִּין 1, 2, 4; שְׁנִין שִׁתִּין 3

שִׁתִּין

1/2 רוּמֵהּ אַמִּין שִׁתִּין Dan.3:1 • Ez.6:3

3 כְּבַר שְׁנִין שִׁתִּין וְתַרְתֵּין Dan.6:1

4 פְּתָיֵהּ אַמִּין שִׁתִּין Ez.6:3

שתל : שָׁתַל, שָׁתוּל; שָׁתִיל

שָׁתַל

פ׳ נטע: 1-10

וְשָׁתַלְתִּי

1 וְשָׁתַלְתִּי אָנִי עַל הַר־גָּבֹהַּ Ezek.17:22

שָׁתוּל

2 וְהָיָה כְּעֵץ שָׁתוּל עַל־מַיִם Jer.17:8

3 וְהָיָה כְּעֵץ שָׁתוּל עַל־פַּלְגֵי מָיִם Ps.1:3

שְׁתוּלָה

4 אֶל־מַיִם רַבִּים הִיא שְׁתוּלָה Ezek.17:8

5 וְהִנֵּה שְׁתוּלָה הֲתִצְלָח Ezek.17:10

שְׁתוּלָה (המשך)

6 אִמְּךָ כַגֶּפֶן בְּדָמְךָ עַל־מַיִם שְׁתוּלָה Ezek.19:10

7 וְעַתָּה שְׁתוּלָה בַמִּדְבָּר Ezek.19:13

8 כַּאֲשֶׁר־רָאִיתִי לְצוֹר שְׁתוּלָה בְנָוֶה Hosh.9:13

שְׁתוּלִים

9 שְׁתוּלִים בְּבֵית יְיָ Ps.92:14

אֶשְׁתֳּלֶנּוּ

10 בְּהַר מְרוֹם יִשְׂרָאֵל אֶשְׁתֳּלֶנּוּ Ezek.17:23

(שתן) הִשְׁתִּין

הפ׳ הטיל מי־רגלים: 1-6

מַשְׁתִּין בְּקִיר 1-6

מַשְׁתִּין

1 אִם־אַשְׁאִיר...מַשְׁתִּין בְּקִיר ISh.25:22

2 כִּי אִם־נוֹתַר לְנָבָל...מַשְׁתִּין בְּקִיר ISh.25:34

3 וְהִכְרַתִּי לְיָרָבְעָם מַשְׁתִּין בְּקִיר IK.14:10

4 לֹא־הִשְׁאִיר לוֹ מַשְׁתִּין בְּקִיר IK.16:11

5 וְהִכְרַתִּי לְאַחְאָב מַשְׁתִּין בְּקִיר IK.21:21

6 וְהִכְרַתִּי לְאַחְאָב מַשְׁתִּין בְּקִיר IIK.9:8

שָׁתַע

פ׳ יָרא, פָּחַד

תִּשְׁתָּע

1 אַל־תִּשְׁתָּע כִּי־אֲנִי אֱלֹהֶיךָ Is.41:10

שָׁתַק

פ׳ החריש, נרגע: 1-4

יִשְׁתֹּק

1 וּבְאֵין נִרְגָּן יִשְׁתֹּק מָדוֹן Prov.26:20

וְיִשְׁתֹּק

2 וְיִשְׁתֹּק הַיָּם מֵעָלֵינוּ Jon.1:11

3 וְיִשְׁתֹּק הַיָּם מֵעֲלֵיכֶם Jon.1:12

יִשְׁתֹּקוּ

4 וַיִּשְׂמְחוּ כִי־יִשְׁתֹּקוּ Ps.107:30

שֵׁתָר

שפ־ז – אחד משבעת שרי אחשורוש

שֵׁתָר

1 וְהַקָּרֹב אֵלָיו כַּרְשְׁנָא שֵׁתָר אַדְמָתָא Es.1:14

(שתר) נִשְׁתַּר

נפ׳ נסתר(?), נפרץ, נבקע(?)

וַיִּשָּׁתְרוּ

1 וַיִּשָּׁתְרוּ לָהֶם טְחֹרִים· ISh.5:9

שְׁתַר בּוֹזְנַי

שפ־ז – אחד משרי פרס בימי עזרא: 1-4

שְׁתַר בּוֹזְנַי

1/2 תַּתְּנַי...שְׁתַר בּוֹזְנַי וּכְנָוָתְהוֹן Ez.6:6,13

וּשְׁתַר בּוֹזְנַי

3 תַּתְּנַי...וּשְׁתַר בּוֹזְנַי וּכְנָוָתְהוֹן Ez.5:3

4 תַּתְּנַי...וּשְׁתַר בּוֹזְנַי וּכְנָוָתֵהּ Ez.5:6

שָׁתַת (?)

(Ps.49:15; 73:9) – עין (שית)

ת׳ זעירא

פַּרְשַׁנְדָּתָא Es. 9:7

מסורה מסורה מסורה מסורה
מסורה מסורה מסורה מסורה
מסורה מסורה מסורה מסורה
מסורה מסורה
מסורה ת מסורה
מסורה מסורה
מסורה מסורה
מסורה מסורה
מסורה מסורה
מסורה מסורה מסורה מסורה
מסורה מסורה מסורה מסורה
מסורה מסורה מסורה מסורה

תוי״ן בתורה 17 949

ת׳ רבתי

תָּמִים Deut. 18:13
וַתִּכְתֹּב Es. 9:29

תָּא
ז׳ מדור, חֶדֶר: 1-13

תָּא הָרָצִים 4, 5; גַּג הַתָּא 1

הַתָּא 1 וַיָּמָד...מִגַּג הַתָּא לְגַגּוֹ Ezek. 40:13
וְהַתָּא 2 וְהַתָּא קָנֶה אֶחָד אֹרֶךְ Ezek. 40:7
3 וְהַתָּא שֵׁשׁ־אַמּוֹת מִפּוֹ Ezek. 40:12
תָּא־ 4 וֶהֱשִׁיבוּם אֶל־תָּא הָרָצִים IK. 14:28
5 וֶהֱשִׁבוּם אֶל־תָּא הָרָצִים IICh. 12:11
הַתָּאִים 6 וּבֵין הַתָּאִים חָמֵשׁ אַמּוֹת Ezek. 40:7
7 וְחַלּוֹנוֹת אֲטֻמוֹת אֶל־הַתָּאִים Ezek. 40:16
וְתָאֵי־ 8 וְתָאֵי הַשַּׁעַר...שְׁלֹשָׁה מִפֹּה... Ezek. 40:10
תָּאָיו 9 תָּאָו אֵלָו וְאֵלַמָּו Ezek. 40:36
וְתָאָיו 10 וְתָאָו שְׁלוֹשָׁה מִפּוֹ Ezek. 40:21
11/2 וְתָאָו וְאֵלָו וְאֵלַמָּו Ezek. 40:29, 33
הַתָּאוֹת 13 וּגְבוּל לִפְנֵי הַתָּאוֹת אַמָּה אֶחָת Ezek. 40:12

תאב
: א) תָּאַב; תַּאֲבָה ב) תֵּאַב

תָּאַב[1]
פָּ׳ אִוָּה, השתוקק: 1, 2 • קרובים: ראה אִוָּה

תָּאַבְתִּי 1 הִנֵּה תָּאַבְתִּי לְפִקֻּדֶיךָ Ps. 119:40
2 תָּאַבְתִּי לִישׁוּעָתְךָ יְיָ Ps. 119:174

תֵּאַב[2]
פִּ׳ תִּעֵב

מְתָאֵב 1 מְתָאֵב אָנֹכִי אֶת־גְּאוֹן יַעֲקֹב Am. 6:8

תַּאֲבָה
נ׳ חֵשֶׁק

לְתַאֲבָה 1 גָּרְסָה נַפְשִׁי לְתַאֲבָה אֶל־מִשְׁפָּטֶיךָ Ps. 119:20

תאה
: תֵּאָה, הִתְאַוָּה; תַּאֲוָה[2]

תֵּאָה
פִּ׳ התוה, צִיֵּן: 1, 2

תְּתָאוּ 1 מִן־הַיָּם הַגָּדֹל תְּתָאוּ לָכֶם הֹר הָהָר Num. 34:7
2 מֵהֹר הָהָר תְּתָאוּ לְבֹא חֲמָת Num. 34:8

תְּאוֹ
ז׳ בהמה ממשפחת הבָּקר, מן הבהמות הטהורות: 2,1

וּתְאוֹ 1 וְאַקּוֹ וְדִישֹׁן וּתְאוֹ וָזָמֶר Deut. 14:5
כְּתוֹא 2 שָׁכְבוּ...כְּתוֹא מִכְמָר Is. 51:20

תַּאֲוָה[1]
נ׳ תשוקה, חֵשֶׁק: 1-20 • קרובים: ראה אַוָּה

– תַּאֲוָה בָאָה 4; תַּאֲוָה נִהְיָה 5; מַאֲכַל תַּאֲוָה 7
– תַּאֲוַת אָדָם 15; תַּ׳ לֵב 12; תַּאֲוַת נֶפֶשׁ 9, 10; תַּאֲוַת עֲנָוִים 11; תַּ׳ עָצֵל 16; תַּ׳ צַדִּיקִים 14, 17; תַּאֲוַת רְשָׁעִים 13

תַּאֲוָה 1 וְכִי תַאֲוָה־הוּא לָעֵינַיִם Gen. 3:6
2 וְהָאסַפְסֻף...הִתְאַוּוּ תַּאֲוָה Num. 11:4
3 וַיִּתְאַוּוּ תַאֲוָה בַּמִּדְבָּר Ps. 106:14
4 וְעֵץ חַיִּים תַּאֲוָה בָאָה Prov. 13:12
5 תַּאֲוָה נִהְיָה תֶּעֱרַב לְנָפֶשׁ Prov. 13:19
6 כָּל־הַיּוֹם הִתְאַוָּה תַאֲוָה Prov. 21:26
7 וְנַפְשׁוֹ מַאֲכַל תַּאֲוָה Job 33:20
לְתַאֲוָה 8 לְתַאֲוָה יְבַקֵּשׁ נִפְרָד Prov. 18:1
תַּאֲוַת־ 9 לְשִׁמְךָ וּלְזִכְרְךָ תַּאֲוַת־נָפֶשׁ Is. 26:8
10 הִלֵּל רָשָׁע עַל־תַּאֲוַת נַפְשׁוֹ Ps. 10:3
11 תַּאֲוַת עֲנָוִים שָׁמַעְתָּ יְיָ Ps. 10:17
12 תַּאֲוַת לִבּוֹ נָתַתָּה לּוֹ Ps. 21:3

תַּאֲוַת־ (המשך) 13 תַּאֲוַת רְשָׁעִים תֹּאבֵד Ps. 112:10
14 תַּאֲוַת צַדִּיקִים אַךְ־טוֹב Prov. 11:23
15 תַּאֲוַת אָדָם חַסְדּוֹ Prov. 19:22
16 תַּאֲוַת עָצֵל תְּמִיתֶנּוּ Prov. 21:25
וְתַאֲוַת־ 17 וְתַאֲוַת צַדִּיקִים יִתֵּן Prov. 10:24
תַּאֲוָתִי 18 אֲדֹנָי נֶגְדְּךָ כָל־תַּאֲוָתִי Ps. 38:10
וְתַאֲוָתָם 19 וְתַאֲוָתָם יָבִא לָהֶם Ps. 78:29
מִתַּאֲוָתָם 20 לֹא־זָרוּ מִתַּאֲוָתָם Ps. 78:30

תַּאֲוָה*[2]
נ׳ קצה, גבול

תַּאֲוַת־ 1 עַד־תַּאֲוַת גִּבְעֹת עוֹלָם Gen. 49:26

תְּאוֹמִים
ז״ר – שני וְלָדוֹת בלֵדה אחת: 1-4

תְּאוֹמֵי צְבִיָּה 3; תָּאֳמֵי צְבִיָּה 4

תְּאוֹמִים 1 וְהִנֵּה תְאוֹמִים בְּבִטְנָהּ Gen. 38:27
(תוֹמִים) 2 וְהִנֵּה תוֹמִם בְּבִטְנָהּ Gen. 25:24
תְּאוֹמֵי־ 3 כִּשְׁנֵי עֳפָרִים תְּאוֹמֵי צְבִיָּה S.ofS. 4:5
תָּאֳמֵי־ 4 כִּשְׁנֵי עֳפָרִים תָּאֳמֵי צְבִיָּה S.ofS. 7:4

תְּאוּנִים
ז״ר [סתום] מעשה אָוֶן(?)

תְּאוּנִים 1 תְּאֻנִים הֶלְאָת וְלֹא־תֵצֵא...חֶלְאָתָהּ Ezek. 24:12

תַּאֲלָה*
נ׳ קללה

תַּאֲלָתְךָ 1 תִּתֵּן לָהֶם מְגִנַּת־לֵב תַּאֲלָתְךָ לָהֶם Lam. 3:65

תאם
: תָּאַם, הִתְאִים; תְּאוֹמִים

תָּאַם
פָּ׳ א) דָּמָה בצורתו או במצבו: 1, 2
ב) [הפ׳ הִתְאִים] יָלַד תאומים: 3, 4

תוֹאֲמִים 1 וְיִהְיוּ תֹאֲמִם מִלְּמַטָּה Ex. 26:24
2 וְהָיוּ תוֹאֲמִם מִלְּמַטָּה Ex. 36:29
מַתְאִימוֹת 3/4 שֶׁכֻּלָּם מַתְאִימוֹת וְשַׁכֻּלָה אֵין בָּהֶם S.ofS. 4:2; 6:6

תְּאֹם
– עין תְּאוֹמִים

תַּאֲמִינוּ
(Is. 30:21) – עין (ימן) הֵימִין (4)

תַּאֲנָה*
נ׳ תשוקה מינית

תַּאֲנָתָהּ 1 תַּאֲנָתָהּ מִי יְשִׁיבֶנָּה Jer. 2:24

תְּאֵנָה
נ׳ עץ פרי ממשפחת התותיים, משבעת המינים שנשתַּבחה בהם ארץ־ישראל: 1-39

קרובים: ראה פְּרִי

– תְּאֵנָה וָגֶפֶן 2, 4, 6, 7, 10, 11, 15-23
– עֲלֵה תְאֵנָה 1; נוֹצֵר תְּאֵנָה 5
– תְּאֵנִים טוֹבוֹת 28, 34, 35; תְּאֵנִים רָעוֹת 29, 37; תְּאֵנִים שׁוֹעָרִים 36; תְּאֵנֵי הַבַּכּוּרוֹת 38

תְּאֵנָה 1 וַיִּתְפְּרוּ עֲלֵה תְאֵנָה Gen. 3:7
2 תְּאֵנָה וָגֶפֶן נָתְנוּ חֵילָם Joel 2:22
3 כִּי־תְאֵנָה לֹא־תִפְרָח Hab. 3:17
4 אֶל־תַּחַת גֶּפֶן וְאֶל־תַּחַת תְּאֵנָה Zech. 3:10
5 נֹצֵר תְּאֵנָה יֹאכַל פִּרְיָהּ Prov. 27:18
וּתְאֵנָה 6 מְקוֹם זֶרַע וּתְאֵנָה וְגֶפֶן וְרִמּוֹן Num. 20:5
7 וְגֶפֶן וּתְאֵנָה וְרִמּוֹן Deut. 8:8
הַתְּאֵנָה 8 וַתֹּאמֶר לָהֶם הַתְּאֵנָה Jud. 9:11
9 הַתְּאֵנָה חָנְטָה פַגֶּיהָ S.ofS. 2:13
וְהַתְּאֵנָה 10 הַגֶּפֶן הוֹבִישָׁה וְהַתְּאֵנָה אֻמְלָלָה Joel 1:12
11 וְעַד־הַגֶּפֶן וְהַתְּאֵנָה וְהָרִמּוֹן Hag. 2:19
בִּתְאֵנָה 12 כְּבִכּוּרָה בִתְאֵנָה בְּרֵאשִׁיתָהּ Hosh. 9:10
בַּתְּאֵנָה 13 וְאֵין תְּאֵנִים בַּתְּאֵנָה Jer. 8:13
לַתְּאֵנָה 14 וַיֹּאמְרוּ הָעֵצִים לַתְּאֵנָה Jud. 9:10
מִתְּאֵנָה 15 כִּנְבֹל עָלֶה מִגֶּפֶן וּכְנֹבֶלֶת מִתְּאֵנָה Is. 34:4
וּתְאֵנָתִי 16 שָׂם גַּפְנִי לְשַׁמָּה וּתְאֵנָתִי לִקְצָפָה Joel 1:7
וּתְאֵנָתֶךָ 17 יֹאכַל גַּפְנְךָ וּתְאֵנָתֶךָ Jer. 5:17
תְּאֵנָתוֹ 18 אִישׁ תַּחַת גַּפְנוֹ וְתַחַת תְּאֵנָתוֹ IK. 5:5
19 וְאִכְלוּ אִישׁ־גַּפְנוֹ וְאִישׁ תְּאֵנָתוֹ IIK. 18:31
20 וְאִכְלוּ אִישׁ־גַּפְנוֹ וְאִישׁ תְּאֵנָתוֹ Is. 36:16
21 וְיָשְׁבוּ אִישׁ תַּחַת גַּפְנוֹ וְתַחַת תְּאֵנָתוֹ Mic. 4:4
וּתְאֵנָתָהּ 22 וַהֲשִׁמֹּתִי גַּפְנָהּ וּתְאֵנָתָהּ Hosh. 2:14
וּתְאֵנָתָם 23 וַיַּךְ גַּפְנָם וּתְאֵנָתָם Ps. 105:33
תְּאֵנִים 24 קְחוּ דְּבֶלֶת תְּאֵנִים IIK. 20:7
25 יִשְׂאוּ דְּבֶלֶת תְּאֵנִים Is. 38:21
26 וְאֵין תְּאֵנִים בַּתְּאֵנָה Jer. 8:13
27 וְהִנֵּה שְׁנֵי דּוּדָאֵי תְאֵנִים מוּעָדִים Jer. 24:1
28 הַדּוּד אֶחָד תְּאֵנִים טֹבוֹת מְאֹד Jer. 24:2
29 וְהַדּוּד אֶחָד תְּאֵנִים רָעוֹת מְאֹד Jer. 24:2
30 מָה־אַתָּה רֹאֶה...וָאֹמַר תְּאֵנִים Jer. 24:3
31 כָּל־מִבְצָרַיִךְ תְּאֵנִים עִם־בִּכּוּרִים Nah. 3:12
וּתְאֵנִים 32 וְאַף־יַיִן עֲנָבִים וּתְאֵנִים Neh. 13:15
הַתְּאֵנִים 33 וּמִן־הָרִמֹּנִים וּמִן־הַתְּאֵנִים Num. 13:23
34 הַתְּאֵנִים הַטֹּבוֹת טֹבוֹת מְאֹד Jer. 24:3
כַּתְּאֵנִים 35 כַּתְּאֵנִים הַטֹּבוֹת הָאֵלֶּה Jer. 24:5
36 וּנְתַתִּי אוֹתָם כַּתְּאֵנִים הַשֹּׁעָרִים Jer. 29:17
וְכַתְּאֵנִים 37 וְכַתְּאֵנִים הָרָעוֹת...לֹא־תֵאָכַלְנָה Jer. 24:8
כִּתְאֵנֵי־ 38 טֹבוֹת מְאֹד כִּתְאֵנֵי הַבַּכֻּרוֹת Jer. 24:2
וּתְאֵנֵיכֶם 39 וְכַרְמֵיכֶם וּתְאֵנֵיכֶם וְזֵיתֵיכֶם Am. 4:9

תֹּאֲנָה
נ׳ – עין תּוֹאֲנָה

תַּאֲנִיָּה
נ׳ יגוֹן, יללה: 1, 2 • קרובים: ראה אֵבֶל

תַּאֲנִיָּה 1 וְהָיְתָה תַאֲנִיָּה וַאֲנִיָּה Is. 29:2
2 וַיֶּרֶב בְּבַת־יְהוּדָה תַּאֲנִיָּה וַאֲנִיָּה Lam. 2:5

תְּאֻנִים
ז״ר – עין תְּאוּנִים

תַּאֲנַת שִׁלֹה
ש״פ – עיר בגבול הצפוני־מזרחי של נחלת אפרים

תַּאֲנַת שִׁילֹה 1 וְנָסַב הַגְּבוּל מִזְרָחָה תַּאֲנַת שִׁלֹה Josh. 16:6

תֹּאסְפוּן
(Ex. 5:7) – עין יָסַף (190)

תאר
: תָּאַר, תֵּאַר, תֹּאַר; תֹּאַר ז׳

תָּאַר
פָּ׳ א) הקיף: 1-5
ב) [פִּ׳ תֵּאַר] הקיף בקו, סרטט: 7,6
ג) [פֻּ׳ תֹּאַר] סוּרטט: 8

וְתָאַר 1 וְתָאַר הַגְּבוּל בַּעֲלָה Josh. 15:9
2 וְתָאַר הַגְּבוּל מֵרֹאשׁ הָהָר Josh. 15:9
3 וְתָאַר הַגְּבוּל שִׁכְּרוֹנָה Josh. 15:11
4 וְתָאַר הַגְּבוּל וְנָסַב לִפְאַת־יָם Josh. 18:14

5 וְתָאַר מִצָּפוֹן וְיָצָא עֵין שֶׁמֶשׁ Josh. 18:17
יְתָאֲרֵהוּ 6 נָטָה קָו יְתָאֲרֵהוּ בַשֶּׂרֶד Is. 44:13
(יְתָאֲרֵהוּ) 7 יַעֲשֵׂהוּ בַּמַּקְצֻעוֹת וּבַמְּחוּגָה יְתָאֲרֵהוּ Is. 44:13
הַמְּתֹאָר 8 וְיָצָא רִמּוֹן הַמְּתֹאָר הַנֵּעָה Josh. 19:13

תֹּאַר
ז׳ דמות, צורה: 1–15

– אִישׁ תֹּאַר 6; טוֹב תֹּאַר 8; יְפֵה תֹאַר 2; יְפַת תֹּאַר 1, 3, 5, 7, 11; פְּרִי תֹאַר 10; רָעוֹת תֹּאַר 4
– תֹּאַר בְּנֵי הַמֶּלֶךְ 12

תֹּאַר 1 יְפַת־תֹּאַר וִיפַת מַרְאֶה Gen. 29:17
2 יְפֵה־תֹאַר וִיפֵה מַרְאֶה Gen. 39:6
3 בְּרִיאוֹת בָּשָׂר וִיפֹת תֹּאַר Gen. 41:18
4 דַּלּוֹת וְרָעוֹת תֹּאַר מְאֹד Gen. 41:19
5 וְרָאִיתָ...אֵשֶׁת יְפַת־תֹּאַר Deut. 21:11
6 וּנְבוֹן דָּבָר וְאִישׁ תֹּאַר ISh. 16:18
7 טוֹבַת־שֶׂכֶל וִיפַת תֹּאַר ISh. 25:3
8 וְגַם־הוּא טוֹב־תֹּאַר מְאֹד IK. 1:6
9 לֹא־תֹאַר לוֹ וְלֹא הָדָר Is. 53:2
10 זַיִת רַעֲנָן יְפֵה פְרִי־תֹאַר Jer. 11:16
11 יְפַת־תֹּאַר וְטוֹבַת מַרְאֶה Es. 2:7
כְּתֹאַר־ 12 כְּתֹאַר בְּנֵי הַמֶּלֶךְ Jud. 8:18
תָּאֳרוֹ 13 וַיֹּאמֶר לָהּ מַה־תָּאֳרוֹ ISh. 28:14
וְתֹאֲרוֹ 14 מִשְׁחַת...מַרְאֵהוּ וְתֹאֲרוֹ מִבְּנֵי אָדָם Is. 52:14
תָּאֳרָם 15 חָשַׁךְ מִשְּׁחוֹר תָּאֳרָם Lam. 4:8

תַּאְרֵעַ
ש״פ־ז – מבני מיכה בן יהונתן בן שאול, נקרא גם תַּחְרֵעַ

וְתַאְרֵעַ 1 פִּיתוֹן וָמֶלֶךְ וְתַאְרֵעַ וְאָחָז ICh. 8:35

תְּאַשּׁוּר
ז׳ אחד ממיני העצים ששמשו לבניה: 1, 2
[עין גם בַּת־אֲשֻׁרִים באות ב׳]
קרובים: ראה אַלּוֹן

וּתְאַשּׁוּר 1/2 בְּרוֹשׁ תִּדְהָר וּתְאַשּׁוּר Is. 41:19; 60:13

תֵּבָא
(Prov. 1:10) – עין אָבָה (46)

תֵּבָה
נ׳ א) מבנה גדול בתבנית ארגז גדול בן שלוש קומות שבנה נח: 1–22, 24–27
ב) ארגז: 23, 28

– אֹרֶךְ הַתֵּבָה 2; חַלּוֹן הַתֵּ׳ 14; יוֹצְאֵי הַתֵּבָה 21; מִכְסֵה הַתֵּבָה 18; פֶּתַח הַתֵּבָה 3
– תֵּבַת גֹּמֶא 28; תֵּבַת עֲצֵי גֹפֶר 27

הַתֵּבָה 1 קִנִּים תַּעֲשֶׂה אֶת־הַתֵּבָה Gen. 6:14
2 שְׁלֹשׁ מֵאוֹת אַמָּה אֹרֶךְ הַתֵּבָה Gen. 6:15
3 וּפֶתַח הַתֵּבָה בְּצִדָּהּ תָּשִׂים Gen. 6:16
4 וּבָאתָ אֶל־הַתֵּבָה אַתָּה וּבָנֶיךָ Gen. 6:18
5 שְׁנַיִם מִכֹּל תָּבִיא אֶל־הַתֵּבָה Gen. 6:19
6 בֹּא־אַתָּה וְכָל־בֵּיתְךָ אֶל־הַתֵּבָה Gen. 7:1
7 וַיָּבֹא נֹחַ וּבָנָיו...אֶל־הַתֵּבָה Gen. 7:7
8 שְׁנַיִם שְׁנַיִם בָּאוּ אֶל־נֹחַ אֶל־הַתֵּבָה Gen. 7:9
9 בָּא נֹחַ...אֶל־הַתֵּבָה Gen. 7:13
10 וַיָּבֹאוּ אֶל־נֹחַ אֶל־הַתֵּבָה Gen. 7:15
11 וַיִּרְבּוּ הַמַּיִם וַיִּשְׂאוּ אֶת־הַתֵּבָה Gen. 7:17
12 וַתֵּלֶךְ הַתֵּבָה עַל־פְּנֵי הַמָּיִם Gen. 7:18
13 וַתָּנַח הַתֵּבָה...עַל הָרֵי אֲרָרָט Gen. 8:4
14 וַיִּפְתַּח נֹחַ אֶת־חַלּוֹן הַתֵּבָה Gen. 8:6
15 וַתָּשָׁב אֵלָיו אֶל־הַתֵּבָה Gen. 8:9
16 וַיָּבֵא אֹתָהּ אֵלָיו אֶל־הַתֵּבָה Gen. 8:9
17 וַיֹּסֶף שַׁלַּח אֶת־הַיּוֹנָה מִן־הַתֵּבָה Gen. 8:10
18 וַיָּסַר נֹחַ אֶת־מִכְסֵה הַתֵּבָה Gen. 8:13
19 צֵא מִן־הַתֵּבָה Gen. 8:16
20 כָּל־הַחַיָּה...יָצְאוּ מִן־הַתֵּבָה Gen. 8:19
21 מִכֹּל יֹצְאֵי הַתֵּבָה לְכֹל חַיַּת הָאָ׳ Gen. 9:10
22 וַיִּהְיוּ בְנֵי־נֹחַ הַיֹּצְאִים מִן־הַתֵּבָה Gen. 9:18
23 וַתֵּרֶא אֶת־הַתֵּבָה בְּתוֹךְ הַסּוּף Ex. 2:5
בַּתֵּבָה 24 וַיִּשָּׁאֶר אַךְ־נֹחַ וַאֲשֶׁר אִתּוֹ בַּתֵּבָה Gen. 7:23
25 וְאֵת כָּל־הַחַיָּה...אֲשֶׁר אִתּוֹ בַּתֵּבָה Gen. 8:1
לַתֵּבָה 26 צֹהַר תַּעֲשֶׂה לַתֵּבָה Gen. 6:16
תֵּבַת־ 27 עֲשֵׂה לְךָ תֵּבַת עֲצֵי־גֹפֶר Gen. 6:14
28 וַתִּקַּח־לוֹ תֵּבַת גֹּמֶא Ex. 2:3

תְּבוּאָה
נ׳ א) פרי האדמה, יבול: 1–7, 10–17, 19–31, 33–40
ב) [בהשאלה] פרי עבודה, תוצרת: 8, 9, 18, 32, 41
קרובים: בָּר / דָּגָן / יְבוּל / עֲבוּר / פְּרִי / קָמָה / שֶׁבֶר² / תְּנוּבָה

– מַעְשַׂר תְּבוּאָה 19, 20; פְּרִי תְבוּאָה 1; רֵאשִׁית תְּבוּאָה 24
– תְּבוּאַת הָאֲדָמָה 7; תְּבוּאַת הָאָרֶץ 5, 16; תְּ׳ גֹּרֶן 13; תְּ׳ דָּגָן 15; תְּ׳ זֶרַע 6; תְּ׳ יֶקֶב 14; תְּ׳ כֶּרֶם 11; תְּ׳ רָשָׁע 8, 12; תְּ׳ שָׂדֶה 10; תְּבוּאַת שְׂפָתָיו 9
– תְּבוּאוֹת שָׂדֶה 39; תְּבוּאֹת שֶׁמֶשׁ 38; מִסְפַּר תְּבוּאוֹת 35; רֹב־(רַב) תְּ׳ 36, 37; שְׁנֵי תְבוּאוֹת 34

תְּבוּאָה 1 וַיִּזְרְעוּ...וַיַּעֲשׂוּ פְּרִי תְבוּאָה Ps. 107:37
2 וּמִי־אֹהֵב בֶּהָמוֹן לֹא תְבוּאָה Eccl. 5:9
הַתְּבוּאָה 3 וְעָשָׂת אֶת־הַתְּבוּאָה לִשְׁלֹשׁ הַשָּׁנִים Lev. 25:21
4 וַאֲכַלְתֶּם מִן־הַתְּבוּאָה יָשָׁן Lev. 25:22
תְּבוּאַת־ 5 בְּאָסְפְּכֶם אֶת־תְּבוּאַת הָאָרֶץ Lev. 23:39
6 עַשֵּׂר תְּעַשֵּׂר אֵת כָּל־תְּבוּאַת זַרְעֶךָ Deut. 14:22
7 וְלֶחֶם תְּבוּאַת הָאֲדָמָה Is. 30:23
8 תְּבוּאַת רָשָׁע לְחַטָּאת Prov. 10:16
9 תְּבוּאַת שְׂפָתָיו יִשְׂבָּע Prov. 18:20
10 רֵאשִׁית דָּגָן...וְכֹל תְּבוּאַת שָׂדֶה IICh. 31:5
וּתְבוּאַת־ 11 הַזֶּרַע אֲשֶׁר תִּזְרָע וּתְבוּאַת הַכָּרֶם Deut. 22:9
וּבִתְבוּאַת־ 12 וּבִתְבוּאַת רָשָׁע נֶעְכָּרֶת Prov. 15:6
כִּתְבוּאַת־ 13 וְנֶחְשַׁב לַלְוִיִּם כִּתְבוּאַת גֹּרֶן Num. 18:30
וְכִתְבוּאַת־ 14 וְנֶחְשַׁב...וְכִתְבוּאַת יָקֶב Nsm. 18:30
לִתְבוּאַת־ 15 וּמִסְכְּנוֹת לִתְבוּאַת דָּגָן IICh. 32:28
מִתְּבוּאַת־ 16 וַיֹּאכְלוּ מִתְּבוּאַת אֶרֶץ כְּנַעַן Josh. 5:12
תְּבוּאָתִי 17 וּבְכָל־תְּבוּאָתִי תְשָׁרֵשׁ Job 31:12
וּתְבוּאָתִי 18 וּתְבוּאָתִי מִכֶּסֶף נִבְחָר Prov. 8:19
תְּבוּאָתְךָ 19/20 אֶת־כָּל־מַעְשַׂר תְּבוּאָתְךָ Deut. 14:28; 26:12
21 בְּכֹל־תְּבוּאָתְךָ וּבְכֹל מַעֲשֵׂה יָדֶיךָ Deut. 16:15
22 כַּבֵּד...וּמֵרֵאשִׁית כָּל־תְּבוּאָתֶךָ Prov. 3:9
תְּבוּאָתוֹ 23 לְהוֹסִיף לָכֶם תְּבוּאָתוֹ Lev. 19:25
תְּבוּאָתֹה 24 קֹדֶשׁ יִשְׂרָאֵל לַיְיָ רֵאשִׁית תְּבוּאָתֹה Jer. 2:3
25 וְהָיְתָה תְבוּאָתֹה לְלֶחֶם לְעֹבְדֵי... Ezek. 48:18
תְּבוּאָתָהּ 26/7 וְאָסַפְתָּ אֶת־תְּבוּאָתָהּ Ex. 23:10 • Lev. 25:3
28 תִּהְיֶה כָל־תְּבוּאָתָהּ לֶאֱכֹל Lev. 25:7
29 מִן־הַשָּׂדֶה תֹּאכְלוּ אֶת־תְּבוּאָתָהּ Lev. 25:12
30 עַד־בּוֹא תְּבוּאָתָהּ תֹּאכְלוּ יָשָׁן Lev. 25:22
31 קְצִיר יְאוֹר תְּבוּאָתָהּ Is. 23:3
32 כִּי טוֹב...וּמֵחָרוּץ תְּבוּאָתָהּ Prov. 3:14
וּתְבוּאָתָהּ 33 וּתְבוּאָתָהּ מַרְבָּה לַמְּלָכִים Neh. 9:37
תְּבוּאוֹת 34 בְּמִסְפַּר שְׁנֵי־תְבוּאֹת יִמְכָּר־לָךְ Lev. 25:15
35 מִסְפַּר תְּבוּאֹת הוּא מֹכֵר לָךְ Lev. 25:16
36 וְרָב־תְּבוּאוֹת בְּכֹחַ שׁוֹר Prov. 14:4
37 מֵרֹב תְּבוּאוֹת בְּלֹא מִשְׁפָּט Prov. 16:8
תְּבוּאֹת־ 38 וּמִמֶּגֶד תְּבוּאֹת שָׁמֶשׁ Deut. 33:14
39 וְאֵת כָּל־תְּבוּאֹת הַשָּׂדֶה IIK. 8:6
בַּתְּבוּאֹת 40 וְהָיָה בַּתְּבוּאֹת וּנְתַתֶּם חֲמִישִׁית Gen. 47:24
מִתְּבוּאֹתֵיכֶם 41 וּבֹשׁוּ מִתְּבוּאֹתֵיכֶם מֵחֲרוֹן אַף־יְיָ Jer. 12:13

תָּבוֹן*
(הושע יג 2) – עין תְּבוּנָה (36)

תְּבוּנָה
נ׳ בינה, שֵׂכֶל: 1–42 • קרובים: ראה חָכְמָה

– דַּעַת וּתְבוּנָה 2, 17; 25, 21; חָכְמָה וּתְבוּנָה 12, 14, 20, 21, 25, 26, 30; עֵצָה וּתְבוּנָה 19
– אִישׁ תְּבוּנָה 6, 8, 9, 11; רַב תְּ׳ 7; שׁוֹמֵר תְּבוּנָה 10
– אִישׁ תְּבוּנוֹת 39; דֶּרֶךְ תְּ׳ 37; חֲסַר תְּבוּנוֹת 40
– תְּבוּנוֹת כַּפָּיו 41

תְּבוּנָה 1 וְאֵין בָּהֶם תְּבוּנָה Deut. 32:28
2 וְלֹא דַעַת וְלֹא־תְבוּנָה לֵאמֹר Is. 44:19
3 אֵין תְּבוּנָה בּוֹ Ob. 7
4 מְזִמָּה תִּשְׁמֹר עָלֶיךָ תְּבוּנָה תִנְצְרֶכָּה Prov. 2:11
5 אַשְׁרֵי...וְאָדָם יָפִיק תְּבוּנָה Prov. 3:13
6 וְחָכְמָה לְאִישׁ תְּבוּנָה Prov. 10:23
7 אֶרֶךְ אַפַּיִם רַב־תְּבוּנָה Prov. 14:29
8 וְאִישׁ תְּבוּנָה יְיַשֶּׁר־לָכֶת Prov. 15:21
9 יְקַר־רוּחַ אִישׁ תְּבוּנָה Prov. 17:27
10 שֹׁמֵר תְּבוּנָה לִמְצֹא־טוֹב Prov. 19:8
11 וְאִישׁ תְּבוּנָה יִדְלֶנָּה Prov. 20:5
12 אֵין חָכְמָה וְאֵין תְּבוּנָה וְאֵין עֵצָה Prov. 21:30
13 וְאֹרֶךְ יָמִים תְּבוּנָה Job 12:12
וּתְבוּנָה 14 אֲשֶׁר נָתַן יְיָ חָכְמָה וּתְבוּנָה בָּהֵמָּה Ex. 36:1
15 וַיִּתֵּן...וּתְבוּנָה הַרְבֵּה מְאֹד IK. 5:9
16 וְהַאֲבַדְתִּי...וּתְבוּנָה מֵהַר עֵשָׂו Ob. 8
17 מִפִּיו דַּעַת וּתְבוּנָה Prov. 2:6
18 וּתְבוּנָה תִּתֵּן קוֹלָהּ Prov. 8:1
19 לוֹ עֵצָה וּתְבוּנָה Job 12:13
הַתְּבוּנָה 20 וַיִּמָּלֵא אֶת־הַחָכְמָה וְאֶת־הַתְּבוּנָה IK. 7:14
בִּתְבוּנָה 21 בְּחָכְמָה בִּתְבוּנָה וּבְדַעַת Ex. 35:31
22 לְעֹשֵׂה הַשָּׁמַיִם בִּתְבוּנָה Ps. 136:5
23 כּוֹנֵן שָׁמַיִם בִּתְבוּנָה Prov. 3:19
24 לֹא־יַחְפֹּץ כְּסִיל בִּתְבוּנָה Prov. 18:2
וּבִתְבוּנָה 25 בְּחָכְמָה וּבִתְבוּנָה וּבְדַעַת Ex. 31:3
26 בְּחָכְמָה יִבָּנֶה בָּיִת וּבִתְבוּנָה יִתְכּוֹנָן Prov. 24:3
לַתְּבוּנָה 27 תַּטֶּה לִבְּךָ לַתְּבוּנָה Prov. 2:2
28 כִּי אִם...לַתְּבוּנָה תִּתֵּן קוֹלֶךָ Prov. 2:3
לִתְבוּנָתִי 29 לִתְבוּנָתִי הַט־אָזְנֶךָ Prov. 5:1
וּבִתְבוּנָתְךָ 30 בְּחָכְמָתְךָ וּבִתְבוּנָתְךָ עָשִׂיתָ...חָיִל Ezek. 28:4
וּבִתְבוּנָתוֹ 31/2 וּבִתְבוּנָתוֹ נָטָה שָׁמָיִם Jer. 10:12; 51:15
33 וּבִתְבוּנָתוֹ (כת׳ ובתובנתו) מָחַץ רָהַב Job 26:12
לִתְבוּנָתוֹ 34 אֵין חֵקֶר לִתְבוּנָתוֹ Is. 40:28
35 לִתְבוּנָתוֹ אֵין מִסְפָּר Ps. 147:5
כִּתְבוּנָם 36 וַיַּעֲשׂוּ לָהֶם...כִּתְבוּנָם עֲצַבִּים Hosh. 13:2
תְּבוּנוֹת 37 וְדֶרֶךְ תְּבוּנוֹת יוֹדִיעֶנּוּ Is. 40:14
38 וְהָגוּת לִבִּי תְבוּנוֹת Ps. 49:4
39 וְאִישׁ תְּבוּנוֹת יַחֲרִישׁ Prov. 11:12
40 נָגִיד חֲסַר תְּבוּנוֹת Prov. 28:16
וּבִתְבוּנוֹת־ 41 וּבִתְבוּנוֹת כַּפָּיו יַנְחֵם Ps. 78:72
תְּבוּנוֹתֵיכֶם 42 אָזִין עַד־תְּבוּנוֹתֵיכֶם Job 32:11

תְּבוּסָה*
נ׳ מפלה • תְּבוּסַת אֲחַזְיָהוּ 1

תְּבוּסַת־ 1 וּמֵאֱלֹהִים הָיְתָה תְּבוּסַת אֲחַזְיָהוּ IICh. 22:7

תָּבוֹר
ש־פ א) הר בגבול נחלות נפתלי, יששכר וזבולון: 1–5, 7–9
ב) עיר לויים בנחלת זבולון: 6
[עין עוד אַזְנוֹת תָּבוֹר, אֵלוֹן תָּבוֹר, כִּסְלֹת תָּבֹר]

תָּבוֹר 1 לֵךְ וּמָשַׁכְתָּ בְּהַר תָּבוֹר Jud. 4:6
2 כִּי עָלָה בָרָק...הַר־תָּבוֹר Jud. 4:12
3 וַיֵּרֶד בָּרָק מֵהַר תָּבוֹר Jud. 4:14
4 וְרֶשֶׁת פְּרוּשָׂה עַל־תָּבוֹר Hosh. 5:1
5 תָּבוֹר וְחֶרְמוֹן בְּשִׁמְךָ יְרַנֵּנוּ Ps. 89:13

6 אֶת־תָּבוֹר וְאֶת־מִגְרָשֶׁיהָ ICh.6:62
בְּתָבוֹר 7 וּפָגַע הַגְּבוּל בְּתָבוֹר Josh.19:22
8 הָאֲנָשִׁים אֲשֶׁר הֲרַגְתֶּם בְּתָבוֹר Jud.8:18
כְּתָבוֹר 9 כְּתָבוֹר בֶּהָרִים וּכְכַרְמֶל בַּיָּם Jer.46:18

תְּבִיר* ת' ארמית: שבור, רצוץ
תְּבִירָה 1 וּמִנַּהּ תֶּהֱוֵא תְבִירָה Dan.2:42

תֵּבֵל נ' הארץ ואשר עליה: 1-36
קרובים: ראה אֲדָמָה
– תֵּבֵל וּמְלוֹאָהּ 20, 22; תֵּבֵל וְצֶאֱצָאֶיהָ 11
– יוֹשְׁבֵי תֵבֵל 6, 8, 9, 19, 31; מוֹסְדוֹת תֵּבֵל 2, 15; עַפְרוֹת תֵּבֵל 28; פְּנֵי תֵ' 5, 10, 30; קְצֵה תֵבֵל 16
תֵּבֵל 1 וַיָּשֶׁת עֲלֵיהֶם תֵּבֵל ISh.2:8
2 יִגָּלוּ מֹסְדוֹת תֵּבֵל IISh.22:16
3 וּפָקַדְתִּי עַל־תֵּבֵל רָעָה Is.13:11
4 שָׂם תֵּבֵל כַּמִּדְבָּר וְעָרָיו הָרָס Is.14:17
5 וּמָלְאוּ פְנֵי־תֵבֵל עָרִים Is.14:21
6 כָּל־יֹשְׁבֵי תֵבֵל וְשֹׁכְנֵי אָרֶץ Is.18:3
7 אֻמְלְלָה נָבְלָה תֵּבֵל Is.24:4
8 צֶדֶק לָמְדוּ יֹשְׁבֵי תֵבֵל Is.26:9
9 וּבַל־יִפְּלוּ יֹשְׁבֵי תֵבֵל Is.26:18
10 וּמָלְאוּ פְנֵי־תֵבֵל תְּנוּבָה Is.27:6
11 הָאָרֶץ וּמְלֹאָהּ תֵּבֵל וְכָל־צֶאֱצָאֶיהָ Is.34:1
12/3 מֵכִין תֵּבֵל בְּחָכְמָתוֹ Jer.10:12; 51:15
14 וְהוּא יִשְׁפֹּט־תֵּבֵל בְּצֶדֶק Ps.9:9
15 וַיִּגָּלוּ מוֹסְדוֹת תֵּבֵל Ps.18:16
16 וּבִקְצֵה תֵבֵל מִלֵּיהֶם Ps.19:5
17/8 תֵּבֵל וְיֹשְׁבֵי בָהּ Ps.24:1; 98:7
19 מִמֶּנּוּ יָגוּרוּ כָּל־יֹשְׁבֵי תֵבֵל Ps.33:8
20 כִּי־לִי תֵּבֵל וּמְלֹאָהּ Ps.50:12
21 הֵאִירוּ בְרָקִים תֵּבֵל Ps.77:19
22 תֵּבֵל וּמְלֹאָהּ אַתָּה יְסַדְתָּם Ps.89:12
23/4 אַף־תִּכּוֹן תֵּבֵל בַּל־תִּמּוֹט Ps.93:1; 96:10
25/6 יִשְׁפֹּט־תֵּבֵל בְּצֶדֶק Ps.96:13; 98:9
27 הֵאִירוּ בְרָקָיו תֵּבֵל Ps.97:4
28 וְרֹאשׁ עַפְרוֹת תֵּבֵל Prov.8:26
29 וּמִי שָׂם תֵּבֵל כֻּלָּהּ Job34:13
30 אֲשֶׁר יְצַוֵּם עַל־פְּנֵי תֵבֵל אָרְצָה Job37:12
31 מַלְכֵי־אֶרֶץ כֹּל יֹשְׁבֵי תֵבֵל Lam.4:12
32 אַף־תִּכּוֹן תֵּבֵל בַּל־תִּמּוֹט ICh.16:30
וְתֵבֵל 33 וְתֵבֵל וְכָל־יוֹשְׁבֵי בָהּ Nah.1:5
34 וַתְּחוֹלֵל אֶרֶץ וְתֵבֵל Ps.90:2
בְּתֵבֵל 35 מְשַׂחֶקֶת בְּתֵבֵל אַרְצוֹ Prov.8:31
וּמִתֵּבֵל 36 יֶהְדְּפֻהוּ...וּמִתֵּבֵל יְנִדֻּהוּ Job18:18

תֶּבֶל ז' זמה, תועבה: 1, 2
תֶּבֶל 1 לֹא־תַעֲמֹד לִפְנֵי בְהֵמָה לְרִבְעָהּ תֶּבֶל הוּא Lev.18:23
2 תֶּבֶל עָשׂוּ דְּמֵיהֶם בָּם Lev.20:12

תֻּבַל – עין תּוּבַל

תְּבַלֻּל ז' מום בעין – בלילת הלובן בקרנית
תְּבַלֻּל 1 אוֹ תְבַלֻּל בְּעֵינוֹ Lev.21:20

תַּבְלִית* נ' (סתום) כליון? תֶּבֶל?
תַּבְלִיתָם 1 וְכָלָה זַעַם וְאַפִּי עַל־תַּבְלִיתָם Is.10:25

תֶּבֶן ז' קש מעוך בדישה או קצוץ: 1-17
קרובים: גִּבְעֹל / חָצִיר / חֲשַׁשׁ / מוֹץ / עֵשֶׂב / קָנֶה / קַשׁ / שִׁבֹּלֶת
תֶּבֶן 1 גַּם־תֶּבֶן גַּם־מִסְפּוֹא רַב עִמָּנוּ Gen.24:25
2 וַיִּתֵּן תֶּבֶן וּמִסְפּוֹא לַגְּמַלִּים Gen.24:32
3 לֹא תֹאסִפוּן לָתֵת תֶּבֶן לָעָם Ex.5:7
תֶּבֶן (המשך) 4 הֵם יֵלְכוּ וְקֹשְׁשׁוּ לָהֶם תֶּבֶן Ex.5:7
5 אֵינֶנִּי נֹתֵן לָכֶם תֶּבֶן Ex.5:10
6 קְחוּ לָכֶם תֶּבֶן מֵאֲשֶׁר תִּמְצָאוּ Ex.5:11
7 תֶּבֶן אֵין נִתָּן לַעֲבָדֶיךָ Ex.5:16
8 וְגַם־תֶּבֶן גַּם־מִסְפּוֹא יֵשׁ Jud.19:19
9/10 וְאַרְיֵה כַּבָּקָר יֹאכַל־תֶּבֶן Is.11:7; 65:25
וְתֶבֶן 11 וְתֶבֶן לֹא־יִנָּתֵן לָכֶם Ex.5:18
הַתֶּבֶן 12 כַּאֲשֶׁר בִּהְיוֹת הַתֶּבֶן Ex.5:13
וְהַתֶּבֶן 13 וְהַשְּׂעֹרִים וְהַתֶּבֶן לַסּוּסִים וְלָרֶכֶשׁ IK.5:8
כְּתֶבֶן 14 יִהְיוּ כְּתֶבֶן לִפְנֵי־רוּחַ Job21:18
לַתֶּבֶן 15 וַיָּפֶץ...לְקֹשֵׁשׁ קַשׁ לַתֶּבֶן Ex.5:12
16 מַה־לַתֶּבֶן אֶת־הַבָּר Jer.23:28
לְתֶבֶן 17 יַחְשֹׁב לְתֶבֶן בַּרְזֶל Job41:19

תִּבְנִי שם־ז – בן־גינת, שנסה למלוך על ישראל אחרי זמרי: 1-3
תִּבְנִי 1 חֲצִי הָעָם הָיָה אַחֲרֵי תִבְנִי בֶן־גִּינַת IK.16:21
2 וַיֶּחֱזַק הָעָם...אֲשֶׁר אַחֲרֵי תִּבְנִי IK.16:22
3 וַיָּמָת תִּבְנִי וַיִּמְלֹךְ עָמְרִי IK.16:22

תַּבְנִית נ' מבנה דבר, צורה: 1-20
– מְלֶאכֶת הַתַּבְנִית 1
– תַּבְנִית אוּלָם 14; תַּ' אִישׁ 17; תַּ' בְּהֵמָה 5, 11; תַּ' דָּגָה 8; תַּ' הֵיכָל 13; תַּ' זָכָר 4; תַּ' יָד 10,12; תַּ' כֹּל 15; תַּ' כֵּלִים 3; תַּ' מִזְבֵּחַ 9; תַּ' מֶרְכָּבָה 18; תַּבְנִית הַמִּשְׁכָּן 2; תַּ' נְקֵבָה 4; תַּ' צִפּוֹר 6; תַּבְנִית רוֹמֵשׂ 7; תַּ' רֶמֶשׂ 11; תַּבְנִית שׁוֹר 16
הַתַּבְנִית 1 כֹּל מַלְאֲכוֹת הַתַּבְנִית ICh.28:19
תַּבְנִית־ 2 אֵת תַּבְנִית הַמִּשְׁכָּן Ex.25:9
3 וְאֵת תַּבְנִית כָּל־כֵּלָיו Ex.25:9
4 תַּבְנִית זָכָר אוֹ נְקֵבָה Deut.4:16
5 תַּבְנִית כָּל־בְּהֵמָה אֲשֶׁר בָּאָרֶץ Deut.4:17
6 תַּבְנִית כָּל־צִפּוֹר כָּנָף Deut.4:17
7 תַּבְנִית כָּל־רֹמֵשׂ בָּאֲדָמָה Deut.4:18
8 תַּבְנִית כָּל־דָּגָה אֲשֶׁר־בַּמַּיִם Deut.4:18
9 רְאוּ אֶת־תַּבְנִית מִזְבַּח יְיָ Josh.22:28
10 וַיִּשְׁלַח תַּבְנִית יָד וַיִּקָּחֵנִי Ezek.8:3
11 וְהִנֵּה כָל־תַּבְנִית רֶמֶשׂ וּבְהֵמָה Ezek.8:10
12 תַּבְנִית יַד־אָדָם תַּחַת כַּנְפֵיהֶם Ezek.10:8
13 מְחֻטָּבוֹת תַּבְנִית הֵיכָל Ps.144:12
14 אֶת־תַּבְנִית הָאוּלָם וְאֶת־בָּתָּיו ICh.28:11
וְתַבְנִית־ 15 וְתַבְנִית כֹּל אֲשֶׁר הָיָה בָרוּחַ עִמּוֹ ICh.28:12
בְּתַבְנִית־ 16 וַיָּמִירוּ...בְּתַבְנִית שׁוֹר אֹכֵל עֵשֶׂב Ps.106:20
כְּתַבְנִית־ 17 וַיַּעֲשֵׂהוּ כְּתַבְנִית אִישׁ Is.44:13
וּלְתַבְנִית־ 18 וּלְתַבְנִית הַמֶּרְכָּבָה ICh.28:18
תַּבְנִיתוֹ 19 וְאֶת־תַּבְנִיתוֹ לְכָל־מַעֲשֵׂהוּ IIK.16:10
בְּתַבְנִיתָם 20 וּרְאֵה וַעֲשֵׂה בְּתַבְנִיתָם Ex.25:40

תַּבְעֵרָה ש־פ – תחנה במסעי בני ישראל Num.1:2
תַּבְעֵרָה 1 וַיִּקְרָא שֵׁם־הַמָּקוֹם הַהוּא תַּבְעֵרָה Num.11:3
וּבְתַבְעֵרָה 2 וּבְתַבְעֵרָה וּבְמַסָּה...מַקְצִפִים הֱיִיתֶם Deut.9:22

תֵּבֵץ ש־פ – עיר בקרבת שְׁכֶם: 1-3
תֵּבֵץ 1 וַיֵּלֶךְ אֲבִימֶלֶךְ אֶל־תֵּבֵץ Jud.9:50
בְּתֵבֵץ 2 וַיִּחַן בְּתֵבֵץ וַיִּלְכְּדָהּ Jud.9:50
3 מִי־הִכָּה...וַיָּמָת בְּתֵבֵץ IISh.11:21

תְּבַר פ' ארמית – עין תְּבִיר

תִּגְלַת פִּלְאֶסֶר (פִּלֶסֶר) שם־ז – מלך אשור: 1-3
[נקרא גם תִּלְּגַת פִּלְנְאֶסֶר]
תִּגְלַת פִּלְאֶסֶר 1 בִּימֵי פֶקַח...בָּא תִּגְלַת פִּלְאֶסֶר IIK.15:29
2 לִקְרַאת תִּגְלַת פִּלְאֶסֶר מֶלֶךְ־אַשּׁוּר IIK.16:10
תִּגְלַת פְּלֶסֶר 3 אֶל־תִּגְלַת פְּלֶסֶר מֶלֶךְ־אַשּׁוּר IIK.16:7

תַּגְמוּל* ז' גמול, שכר
תַּגְמוּלוֹהִי 1 מָה־אָשִׁיב לַייָ כָּל־תַּגְמוּלוֹהִי עָלָי Ps.116:12

תִּגְרָה נ' זעם, כעס • תִּגְרַת יָד 1
מִתִּגְרַת־ 1 מִתִּגְרַת יָדְךָ אֲנִי כָלִיתִי Ps.39:11

תִּדְהָר ז' ממיני העצים שנזכרו במקרא: 1, 2
קרובים: ראה אַלּוֹן
תִּדְהָר 1/2 בְּרוֹשׁ תִּדְהָר וּתְאַשּׁוּר יַחְדָּו Is.41:19; 60:13

תְּדִירָא נ' ארמית: תמידות: 1, 2
בִּתְדִירָא 1/2 דִּי אַנְתְּ פָּלַח־לֵהּ בִּתְדִירָא Dan.6:17,21

תַּדְמֹר ש־פ – עיר בין נהר פרת לדמשק
[ואולי היא תָּמָר, דרומית לים המלח]: 1, 2
תַּדְמֹר 1 וְאֶת־תַּדְמֹר (כ׳ תמר) בַּמִּדְבָּר בָּאָרֶץ IK.9:18
2 וַיִּבֶן אֶת־תַּדְמֹר בַּמִּדְבָּר IICh.8:4

תִּדְעָל שם־ז – מלך גּוֹיִם, מבעלי ברית אַמְרָפֶל בימי אברהם: 1, 2
וְתִדְעָל 1/2 וְתִדְעָל מֶלֶךְ גּוֹיִם Gen.14:1,9

תֹּהוּ ז' א) שממה, ריקנות: 1, 6, 9, 10, 14, 15, 18
ב) הֶבֶל, אַיִן: 2-5, 8, 11-13, 16, 17, 19, 20
ג) תה־ם לשוא, לחנם: 7
קרובים: אָוֶן / אַיִן / אֶפֶס / אֶפַע / הֶבֶל / רִיק / שָׁוְא
תֹּהוּ וָבֹהוּ 1, 9; תֹּהוּ וָהֶבֶל 20; אֶפֶס וָתֹהוּ 11; קַו־תֹהוּ 4; קִרְיַת־תֹּהוּ 3; רוּחַ וָתֹהוּ 12
תֹּהוּ 1 וְהָאָרֶץ הָיְתָה תֹהוּ וָבֹהוּ Gen.1:2
2 לֹא־יוֹעִילוּ...כִּי־תֹהוּ הֵמָּה ISh.12:21
3 נִשְׁבְּרָה קִרְיַת־תֹּהוּ Is.24:10
4 קַו־תֹהוּ וְאַבְנֵי־בֹהוּ Is.34:11
5 יֹצְרֵי־פֶסֶל כֻּלָּם תֹּהוּ Is.44:9
6 לֹא־תֹהוּ בְרָאָהּ לָשֶׁבֶת יְצָרָהּ Is.45:18
7 לֹא אָמַרְתִּי...תֹּהוּ בַקְּשׁוּנִי Is.45:19
8 בָּטוֹחַ עַל־תֹּהוּ וְדַבֶּר־שָׁוְא Is.59:4
9 רָאִיתִי...וְהִנֵּה־תֹהוּ וָבֹהוּ Jer.4:23
10 נֹטֶה צָפוֹן עַל־תֹּהוּ Job26:7
וָתֹהוּ 11 מֵאֶפֶס וָתֹהוּ נֶחְשְׁבוּ־לוֹ Is.40:17
12 רוּחַ וָתֹהוּ נִסְכֵּיהֶם Is.41:29
הַתֹּהוּ 13 כִּי אַחֲרֵי הַתֹּהוּ אֲשֶׁר לֹא־יוֹעִילוּ ISh.12:21
בְּתֹהוּ 14 וַיַּתְעֵם בְּתֹהוּ לֹא־דָרֶךְ Ps.107:40
15 וַיַּתְעֵם בְּתֹהוּ לֹא־דָרֶךְ Job12:24
בַּתֹּהוּ 16 וַיַּטּוּ בַתֹּהוּ צַדִּיק Is.29:21
17 יַעֲלוּ בַתֹּהוּ וְיֹאבֵדוּ Job6:18
וּבְתֹהוּ 18 וּבְתֹהוּ יְלֵל יְשִׁמֹן Deut.32:10
כַּתֹּהוּ 19 שֹׁפְטֵי אֶרֶץ כַּתֹּהוּ עָשָׂה Is.40:23
לְתֹהוּ 20 לְתֹהוּ וְהֶבֶל כֹּחִי כִלֵּיתִי Is.49:4

תְּהוֹם זו־נ [ז' – 22,12,9,7,5,4,2; נ' – 26,23,18,14,13,11,10]
א) מי בראשית בבריאת העולם: 1, 15, 16
ב) מצולה, המים שבמעמקי האדמה: 2-14, 17-36
– תְּהוֹם רַבָּה 2, 9, 12
– בִּרְכוֹת תְּהוֹם 4; חֵקֶר תְּהוֹם 19; מֵי תְהוֹם 5; מַעְיְנוֹת תְּ' 2, 3; עֵינוֹת תְּ' 17; פְּנֵי תְהוֹם 1, 16, 20
– תְּהוֹמוֹת הָאָרֶץ 36; תְּהוֹמוֹת רַבָּה 35
תְּהוֹם 1 וְחֹשֶׁךְ עַל־פְּנֵי תְהוֹם Gen.1:2
2 נִבְקְעוּ כָּל־מַעְיְנוֹת תְּהוֹם רַבָּה Gen.7:11
3 וַיִּסָּכְרוּ מַעְיְנֹת תְּהוֹם Gen.8:2
4 בִּרְכֹת תְּהוֹם רֹבֶצֶת תָּחַת Gen.49:25
5 הַמַּחֲרֶבֶת יָם מֵי תְּהוֹם רַבָּה Is.51:10
6 בְּהַעֲלוֹת עָלַיִךְ אֶת־תְּהוֹם Ezek.26:19
7 מַיִם גִּדְּלוּהוּ תְּהוֹם רֹמְמָתְהוּ Ezek.31:4
8 כִּסֵּתִי עָלָיו אֶת־תְּהוֹם Ezek.31:15
9 וַתֹּאכַל אֶת־תְּהוֹם רַבָּה Am.7:4

תְּהוֹם (המשך) 10 אֲפָפוּנִי מַיִם...תְּהוֹם יְסֹבְבֵנִי Jon. 2:6
11 נָתַן תְּהוֹם קוֹלוֹ Hab. 3:10
12 מִשְׁפָּטֶיךָ תְּהוֹם רַבָּה Ps. 36:7
13/4 תְּהוֹם אֶל־תְּהוֹם קוֹרֵא Ps. 42:8
15 תְּהוֹם כַּלְּבוּשׁ כִּסִּיתוֹ Ps. 104:6
16 בְּחֻקוֹ חוּג עַל־פְּנֵי תְהוֹם Prov. 8:27
17 בַּעֲזוֹז עִינוֹת תְּהוֹם Prov. 8:28
18 תְּהוֹם אָמַר לֹא בִי־הִיא Job 28:14
19 וּבְחֵקֶר תְּהוֹם הִתְהַלָּכְתָּ Job 38:16
20 וּפְנֵי תְהוֹם יִתְלַכָּדוּ Job 38:30
21 יַחְשֹׁב תְּהוֹם לְשֵׂיבָה Job 41:24
וּמִתְּהוֹם 22 וּמִתְּהוֹם רֹבֶצֶת תָּחַת Deut. 33:13
תְּהוֹמוֹת 23 תְּהֹמֹת יְכַסְיֻמוּ Ex. 15:5
24 קָפְאוּ תְהֹמֹת בְּלֶב־יָם Ex. 15:8
25 נֹתֵן בְּאוֹצָרוֹת תְּהוֹמוֹת Ps. 33:7
26 אַף יִרְגְּזוּ תְהֹמוֹת Ps. 77:17
27 יַעֲלוּ שָׁמַיִם יֵרְדוּ תְהוֹמוֹת Ps. 107:26
28 בַּיַּמִּים וְכָל־תְּהֹמוֹת Ps. 135:6
29 הַלְלוּ...תַּנִּינִים וְכָל־תְּהֹמוֹת Ps. 148:7
30 בְּדַעְתּוֹ תְּהוֹמוֹת נִבְקָעוּ Prov. 3:20
31 בְּאֵין־תְּהֹמוֹת חוֹלָלְתִּי Prov. 8:24
וּתְהוֹמוֹת 32 אֶרֶץ נַחֲלֵי מָיִם עֲיָנֹת וּתְהֹמֹת Deut. 8:7
בַּתְּהוֹמוֹת 33 מוֹלִיכָם בַּתְּהֹמוֹת כַּסּוּס בַּמִּדְבָּר Is. 63:13
34 וַיּוֹלִיכֵם בַּתְּהֹמוֹת כַּמִּדְבָּר Ps. 106:9
כִּתְהוֹמוֹת־ 35 וַיַּשְׁקְ כִּתְהֹמוֹת רַבָּה Ps. 78:15
וּמִתְּהוֹמוֹת־ 36 וּמִתְּהוֹמוֹת הָאָרֶץ תָּשׁוּב תַּעֲלֵנִי Ps. 71:20

תָּהֵל (Job. 41:10) – עין הֵלֵל¹ (149)

תָּהֳלָה ג׳ דֹּפִי, גנאי

תָּהֳלָה 1 וּבְמַלְאָכָיו יָשִׂים תָּהֳלָה Job 4:18

תְּהִלָּה ג׳ כבוד, הַלֵּל: 1-57

קרובים: הִלּוּלִים / הַלֵּל / יְקָר / כָּבוֹד / מַהֲלָל / תּוֹדָה

– תְּהִלָּה וָשֵׁם 16, 18; תְּהִלָּה וְתִפְאֶרֶת 17, 19
– בְּרָכָה וּתְהִלָּה 13; צְדָקָה וּתְ׳ 12; רִנָּה וּתְהִלָּה 14; שֵׁם וּתְהִלָּה 19, 20
– אֱלֹהֵי תְהִלָּה 29; דּוּמִיָּה תְ׳ 6; מַעֲטֵה תְהִלָּה 2; עִיר תְּהִלָּה 21; קוֹל תְּהִלָּה 44; שִׁיר תְּהִלָּה 11
– תְּהִלַּת הָאָרֶץ 23; תְּהִלַּת יְיָ 24; תְּהִלַּת מוֹאָב 22
– תְּהִלּוֹת יְיָ 53,55,56; תְ׳ יִשְׂרָאֵל 54; נוֹרָא תְהִלֹּת 52

תְּהִלָּה 1 וְקָרָאת...וּשְׁעָרַיִךְ תְּהִלָּה Is. 60:18
2 מַעֲטֵה תְהִלָּה תַּחַת רוּחַ כֵּהָה Is. 61:3
3 יָשִׂים אֶת־יְרוּשָׁלַםִ תְּהִלָּה בָּאָרֶץ Is. 62:7
4 לַיְשָׁרִים נָאוָה תְהִלָּה Ps. 33:1
5 שִׁיר חָדָשׁ תְּהִלָּה לֵאלֹהֵינוּ Ps. 40:4
6 לְךָ דֻמִיָּה תְהִלָּה אֱלֹהִים בְּצִיּוֹן Ps. 65:2
7 תַּבַּעְנָה שְׂפָתַי תְּהִלָּה Ps. 119:171
8 תְּהִלָּה לְדָוִד Ps. 145:1
9 כִּי־נָעִים נָאוָה תְהִלָּה Ps. 147:1
10 תְּהִלָּה לְכָל־חֲסִידָיו Ps. 148:14
11 וְשִׁיר־תְּהִלָּה וְהוֹדוֹת לֵאלֹהִים Neh. 12:46
וּתְהִלָּה 12 אֲדֹנָי יֱהוִה יַצְמִיחַ צְדָקָה וּתְהִלָּה Is. 61:11
13 וּמְרוֹמַם עַל־כָּל־בְּרָכָה וּתְהִלָּה Neh. 9:5
14 וּבְעֵת הֵחֵלּוּ בְרִנָּה וּתְהִלָּה IICh. 20:22
בִּתְהִלָּה 15 בֹּאוּ...חֲצֵרֹתָיו בִּתְהִלָּה Ps. 100:4
לִתְהִלָּה 16 לִתְהִלָּה וּלְשֵׁם וּלְתִפְאָרֶת Deut. 26:19
17 לְשֵׁם שָׂשׂוֹן לִתְהִלָּה וּלְתִפְאֶרֶת Jer. 33:9
18 וְשַׂמְתִּים לִתְהִלָּה וּלְשֵׁם Zep. 3:19
וְלִתְהִלָּה 19 וּלְשֵׁם וְלִתְהִלָּה וּלְתִפְאָרֶת Jer. 13:11
20 לְשֵׁם וְלִתְהִלָּה בְּכֹל עַמֵּי הָאָרֶץ Zep. 3:20
(תְּהִלַּת) 21 אֵיךְ לֹא־עֻזְּבָה עִיר תְּהִלַּת (כת׳ תהלה) Jer. 49:25

תְּהִלַּת־ 22 אֵין עוֹד תְּהִלַּת מוֹאָב Jer. 48:2
23 וַתִּתָּפֵשׂ תְּהִלַּת כָּל־הָאָרֶץ Jer. 51:41
24 תְּהִלַּת יְיָ יְדַבֶּר פִּי Ps. 145:21
תְּהִלָּתִי 25 עַם־זוּ...תְּהִלָּתִי יְסַפֵּרוּ Is. 43:21
26 רְפָאֵנִי...כִּי תְהִלָּתִי אָתָּה Jer. 17:14
27 מֵאִתְּךָ תְּהִלָּתִי בְּקָהָל רָב Ps. 22:26
28 בְּךָ תְהִלָּתִי תָמִיד Ps. 71:6
29 אֱלֹהֵי תְהִלָּתִי אַל־תֶּחֱרַשׁ Ps. 109:1
וּתְהִלָּתִי 30 וּכְבוֹדִי...וּתְהִלָּתִי לַפְּסִילִים Is. 42:8
31 לְמַעַן שְׁמִי...וּתְהִלָּתִי אֶחֱטָם־לָךְ Is. 48:9
תְּהִלָּתְךָ 32 הוּא תְהִלָּתְךָ וְהוּא אֱלֹהֶיךָ Deut. 10:21
33 כְּשִׁמְךָ אֱלֹהִים כֵּן תְּהִלָּתְךָ Ps. 48:11
תְּהִלָּתֶךָ 34 וּלְשׁוֹנִי תֶּהְגֶּה צִדְקֶךָ...תְּהִלָּתֶךָ Ps. 35:28
35 וּפִי יַגִּיד תְּהִלָּתֶךָ Ps. 51:17
36 יִמָּלֵא פִי תְּהִלָּתֶךָ Ps. 71:8
37 וְהוֹסַפְתִּי עַל־כָּל־תְּהִלָּתֶךָ Ps. 71:14
38 לְדוֹר וָדֹר נְסַפֵּר תְּהִלָּתֶךָ Ps. 79:13
בִּתְהִלָּתֶךָ 39 לְהוֹדוֹת...לְהִשְׁתַּבֵּחַ בִּתְהִלָּתֶךָ Ps. 106:47
40 לְהֹדוֹת...לְהִשְׁתַּבֵּחַ בִּתְהִלָּתֶךָ ICh. 16:35
תְּהִלָּתוֹ 41 תְּהִלָּתוֹ מִקְצֵה הָאָרֶץ Is. 42:10
42 תָּמִיד תְּהִלָּתוֹ בְּפִי Ps. 34:2
43 שִׂימוּ כָבוֹד תְּהִלָּתוֹ Ps. 66:2
44 וְהַשְׁמִיעוּ קוֹל תְּהִלָּתוֹ Ps. 66:8
45 מִי...יַשְׁמִיעַ כָּל־תְּהִלָּתוֹ Ps. 106:2
46 וַיַּאֲמִינוּ בִדְבָרָיו יָשִׁירוּ תְּהִלָּתוֹ Ps. 106:12
47 תְּהִלָּתוֹ עֹמֶדֶת לָעַד Ps. 111:10
48 שִׁירוּ...תְּהִלָּתוֹ בִּקְהַל חֲסִידִים Ps. 149:1
וּתְהִלָּתוֹ 49 וּתְהִלָּתוֹ בָּאִיִּים יַגִּידוּ Is. 42:12
50 וּתְהִלָּתוֹ מָלְאָה הָאָרֶץ Hab. 3:3
51 לְסַפֵּר...וּתְהִלָּתוֹ בִּירוּשָׁלָםִ Ps. 102:22
תְּהִלּוֹת 52 נוֹרָא תְהִלֹּת עֹשֵׂה פֶלֶא Ex. 15:11
תְּהִלּוֹת־ 53 חַסְדֵי יְיָ אַזְכִּיר תְּהִלֹּת יְיָ Is. 63:7
54 וְאַתָּה קָדוֹשׁ יוֹשֵׁב תְּהִלּוֹת יִשְׂרָאֵל Ps. 22:4
55 לְדוֹר אַחֲרוֹן מְסַפְּרִים תְּהִלּוֹת יְיָ Ps. 78:4
וּתְהִלּוֹת־ 56 וּתְהִלֹּת יְיָ יְבַשֵּׂרוּ Is. 60:6
תְּהִלָּתֶיךָ 57 לְמַעַן אֲסַפְּרָה כָּל־תְּהִלָּתֶיךָ Ps. 9:15

תַּהֲלוּכָה* נ׳ מִצְעָד חגיגי

וְתַהֲלוּכוֹת 1 וְתַהֲלֻכֹת לַיָּמִין מֵעַל לַחוֹמָה Neh. 12:31

תַּהְפּוּכָה* נ׳ עקשות, דרך הפכפכה: 1-10

– תַּהְפּוּכוֹת רָע 10
– אִישׁ תַּהְפּוּכוֹת 7; דּוֹר תַּהְפּוּכוֹת 1; לְשׁוֹן תַּהְפּוּכוֹת 5; פִּי תַהְפּוּכוֹת 4
– דַּבֵּר תַּהְפּוּכוֹת 2, 9; חָשַׁב תַּהְפּוּכוֹת 8

תַּהְפּוּכוֹת 1 כִּי דוֹר תַּהְפֻּכֹת הֵמָּה Deut. 32:20
2 לְהַצִּילְךָ...מֵאִישׁ מְדַבֵּר תַּהְפֻּכוֹת Prov. 2:12
3 תַּהְפֻּכוֹת בְּלִבּוֹ חֹרֵשׁ רָע Prov. 6:14
4 גֵּאָה...וּפִי תַהְפֻּכוֹת שָׂנֵאתִי Prov. 8:13
5 וּלְשׁוֹן תַּהְפֻּכוֹת תִּכָּרֵת Prov. 10:31
6 וּפִי רְשָׁעִים תַּהְפֻּכוֹת Prov. 10:32
7 אִישׁ תַּהְפֻּכוֹת יְשַׁלַּח מָדוֹן Prov. 16:28
8 עֹצֶה עֵינָיו לַחְשֹׁב תַּהְפֻּכוֹת Prov. 16:30
9 וְלִבְּךָ יְדַבֵּר תַּהְפֻּכוֹת Prov. 23:33
בְּתַהְפּוּכוֹת 10 יָגִילוּ בְּתַהְפֻּכוֹת רָע Prov. 2:14

תָּו ז׳ אות, ציון: 1-3

תָּו 1 וְהִתְוִיתָ תָּו עַל־מִצְחוֹת הָאֲנָשִׁים Ezek. 9:4
הַתָּו 2 וְעַל־כָּל־אִישׁ אֲשֶׁר־עָלָיו הַתָּו Ezek. 9:6
תָּוִי 3 הֶן־תָּוִי שַׁדַּי יַעֲנֵנִי Job 31:35

תּוֹא (Is. 51:20) – עין תְּאוֹ (2)

תְּאוֹמִים – עין תָּאֹם

תֹּאֲנָה נ׳ סבה, אמתלה

תֹּאֲנָה 1 כִּי־תֹאֲנָה הוּא־מְבַקֵּשׁ מִפְּלִשְׁתִּים Jud. 14:4

תוב פ׳ ארמית א) שָׁב: 1-3

ב) [הַפ׳ הֲתִיב] השיב: 4-8

יְתוּב 1 וּמַנְדְּעִי עֲלַי יְתוּב Dan. 4:31
2 בֵּהּ־זִמְנָא מַנְדְּעִי יְתוּב עֲלַי Dan. 4:33
3 הַדְרִי וְזִיוִי יְתוּב עֲלַי Dan. 4:33
הֲתִיב 4 הֲתִיב עֵטָא וּטְעֵם לְאַרְיוֹךְ Dan. 2:14
הֲתִיבוּנָא 5 וּכְנֵמָא פִתְגָמָא הֲתִיבוּנָא לְמֵמַר Ez. 5:11
לַהֲתָבוּתָךְ 6 עַל־דְּנָה פִּתְגָם לַהֲתָבוּתָךְ Dan. 3:16
יְתִיבוּן 7 וֶאֱדַיִן יְתִיבוּן נִשְׁתְּוָנָא עַל־דְּנָה Ez. 5:5
יַהֲתִיבוּן 8 וְאַף מָאנֵי...יַהֲתִיבוּן וִיהָךְ לְהֵיכְלָא Ez. 6:5

תּוּבַל שם־ז – א) בן יֶפֶת: 4, 8

ב) על שמו עם או שבט: 1-3, 5-7

תּוּבַל 1 פּוּל וְלוּד...תּוּבַל וְיָוָן Is. 66:19
2 יָוָן תּוּבַל וָמֶשֶׁךְ הֵמָּה רֹכְלָיִךְ Ezek. 27:13
3 שָׁם מֶשֶׁךְ תֻּבַל וְכָל־הֲמוֹנָהּ Ezek. 32:26
וְתוּבָל 4 בְּנֵי יֶפֶת...וּמָדַי וְיָוָן וְתֻבָל Gen. 10:2
5-7 נְשִׂיא רֹאשׁ מֶשֶׁךְ וְתֻבָל Ezek. 38:2, 3; 39:1
8 בְּנֵי יֶפֶת...וּמָדַי וְיָוָן וְתֻבָל ICh. 1:5

תּוּבַל קַיִן שם־ז – בן לֶמֶךְ מאשתו צִלָּה: 1, 2

תּוּבַל קַיִן 1 וְצִלָּה גַם־הִוא יָלְדָה אֶת־תּוּבַל קַיִן Gen. 4:22
2 וַאֲחוֹת תּוּבַל־קַיִן נַעֲמָה Gen. 4:22

תּוּגָה נ׳ עֶצֶב: 1-4 • קרובים: ראה אֵבֶל

תּוּגַת אֵם 4

תּוּגָה 1 וְאַחֲרִיתָהּ שִׂמְחָה תוּגָה Prov. 14:13
לְתוּגָה 2 יֹלֵד כְּסִיל לְתוּגָה לוֹ Prov. 17:21
מִתּוּגָה 3 דָּלְפָה נַפְשִׁי מִתּוּגָה Ps. 119:28
תּוּגַת־ 4 וּבֵן כְּסִיל תּוּגַת אִמּוֹ Prov. 10:1

תּוֹגַרְמָה שם־ז א) בן גֹּמֶר בן יפת: 3, 4

ב) על שמו עם או שבט שישב מצפון לא״י: 1, 2

תּוֹגַרְמָה 1 מִבֵּית תּוֹגַרְמָה סוּסִים וּפָרָשִׁים Ezek. 27:14
2 גֹּמֶר וְכָל־אֲגַפֶּיהָ בֵּית תּוֹגַרְמָה Ezek. 38:6
וְתוֹגַרְמָה 3 וּבְנֵי גֹּמֶר אַשְׁכְּנַז וְרִיפַת וְתֹגַרְמָה Gen. 10:3
4 וּבְנֵי גֹּמֶר אַשְׁכְּנַז וְדִיפַת וְתוֹגַרְמָה ICh. 1:6

תּוֹדָה נ׳ א) הודיה, שבח וברכה: 4, 6, 9, 10, 16, 20-24, 32

ב) קרבן לאות הכרת טובה לאלהים: 1, 2, 5, 7, 8, 11-14, 17, 18, 25-27, 29, 30

ג) מקהלת הלל: 19, 28, 31

ד) וִדּוּי: 3, 15

– זֶבַח תּוֹדָה 2, 14, 18, 25, 26; זִבְחֵי תוֹדָה 13, 17; מְבִיאֵי תוֹדָה 5, 7; קוֹל תּוֹדָה 9, 10
– תּוֹדַת שְׁלָמִים 25, 26; זְבָחִים וְתוֹדוֹת 29, 30
– נָתַן תּוֹדָה 15; מִזְמוֹר לְתוֹדָה 24

תּוֹדָה 1 אִם עַל־תּוֹדָה יַקְרִיבֶנּוּ Lev. 7:12
2 וְכִי־תִזְבְּחוּ זֶבַח־תּוֹדָה לַייָ Lev. 22:29
3 שִׂים־נָא כָבוֹד לַייָ...וְתֶן־לוֹ תוֹדָה Josh. 7:19
4 תּוֹדָה וְקוֹל זִמְרָה Is. 51:3
5 וּמְבִאֵי תוֹדָה בֵּית יְיָ Jer. 17:26
6 תּוֹדָה וְקוֹל מְשַׂחֲקִים Jer. 30:19
7 מְבִאִים תּוֹדָה בֵּית יְיָ Jer. 33:11
8 וְקַטֵּר מֵחָמֵץ תּוֹדָה Am. 4:5
9 בְּקוֹל תּוֹדָה אֶזְבְּחָה־לָּךְ Jon. 2:10
10 לַשְׁמִעַ בְּקוֹל תּוֹדָה Ps. 26:7
11 זְבַח לֵאלֹהִים תּוֹדָה Ps. 50:14
12 זֹבֵחַ תּוֹדָה יְכַבְּדָנְנִי Ps. 50:23
13 וְיִזְבְּחוּ זִבְחֵי תוֹדָה Ps. 107:22
14 לְךָ־אֶזְבַּח זֶבַח תּוֹדָה Ps. 116:17
15 תְּנוּ תוֹדָה לַייָ Ez. 10:11

וְתוֹדָה 16 בְּקוֹל־רִנָּה וְתוֹדָה הָמוֹן חוֹגֵג Ps. 42:5
17 זִבְחֵי שְׁלָמִים וְתוֹדָה IICh. 33:16
הַתּוֹדָה 18 וְהִקְרִיב עַל־זֶבַח הַתּוֹדָה Lev. 7:12
וְהַתּוֹדָה 19 וְהַתּוֹדָה הַשֵּׁנִית הַהוֹלֶכֶת לְמוֹאל Neh. 12:38
בְּתוֹדָה 20 אֲהַלְלָה...וַאֲגַדְּלֶנּוּ בְתוֹדָה Ps. 69:31
21 נְקַדְּמָה פָנָיו בְּתוֹדָה Ps. 95:2
22 בֹּאוּ שְׁעָרָיו בְּתוֹדָה Ps. 100:4
23 עֱנוּ לַיְיָ בְּתוֹדָה Ps. 147:7
לְתוֹדָה 24 מִזְמוֹר לְתוֹדָה Ps. 100:1
תּוֹדַת־ 25 יַקְרִיב...עַל־זֶבַח תּוֹדַת שְׁלָמָיו Lev. 7:13
26 וּבְשַׂר זֶבַח תּוֹדַת שְׁלָמָיו Lev. 7:15
תּוֹדֹת 27 אֲשַׁלֵּם תּוֹדֹת לָךְ Ps. 56:13
28 וָאַעֲמִידָה שְׁתֵּי תוֹדֹת גְּדוֹלֹת Neh. 12:31
וְתוֹדוֹת 29 וְהָבִיאוּ זְבָחִים וְתוֹדוֹת לְבֵית יְיָ IICh. 29:31
30 וַיָּבִיאוּ הַקָּהָל זְבָחִים וְתוֹדוֹת IICh. 29:31
הַתּוֹדוֹת 31 וַתַּעֲמֹדְנָה שְׁתֵּי הַתּוֹדֹת בְּבֵית הָאֱלֹ' Neh. 12:40
וּבְתוֹדוֹת 32 חֲנֻכָּה וְשִׂמְחָה וּבְתוֹדוֹת וּבְשִׁיר Neh. 12:27

תוה
: תָּוָה, הִתְוָה; תָּו

תָּוָה
פ' א) סמן תו: 1
ב) [הפ' הִתְוָה] סמן תָּו: 2
ג) [כנ"ל] בִּקֵּשׁ אוֹת: 3

וַיְתָו 1 וַיְתָו עַל־דַּלְתוֹת הַשַּׁעַר ISh. 21:14
וְהִתְוִיתָ 2 וְהִתְוִיתָ תָּו עַל־מִצְחוֹת הָאֲנָשִׁים Ezek. 9:4
הִתְווּ 3 וּקְדוֹשׁ יִשְׂרָאֵל הִתְווּ Ps. 78:41

תְּוַהּ
פ' ארמית: תָּמַהּ, השתאה

תְּוַהּ 1 מַלְכָּא תְּוַהּ וְקָם בְּהִתְבְּהָלָה Dan. 3:24

תּוֹחַ
שם־ז – בן צוף בן אלקנה אבי שמואל הנביא

תּוֹחַ 1 בֶּן־אֶלְקָנָה...בֶּן־אֱלִיאֵל בֶּן־תּוֹחַ ICh. 6:19

תֹּחוּ
שם־ז – הוא תּוֹחַ

תֹּחוּ 1 אֶלְקָנָה...בֶּן־אֱלִיהוּא בֶּן־תֹּחוּ ISh. 1:1

תּוֹחֶלֶת
נ' תִּקְוָה: 1-6

תּוֹחֶלֶת אוֹנִים 3; תּ' מְמֻשָּׁכָה 1; תּ' צַדִּיקִים 2

תּוֹחֶלֶת 1 תּוֹחֶלֶת מְמֻשָּׁכָה מַחֲלָה־לֵב Prov. 13:12
תּוֹחֶלֶת־ 2 תּוֹחֶלֶת צַדִּיקִים שִׂמְחָה Prov. 10:28
וְתוֹחֶלֶת־ 3 וְתוֹחֶלֶת אוֹנִים אָבָדָה Prov. 11:7
תּוֹחַלְתִּי 4 תּוֹחַלְתִּי לְךָ הִיא Ps. 39:8
וְתוֹחַלְתִּי 5 אָבַד נִצְחִי וְתוֹחַלְתִּי מֵיְיָ Lam. 3:18
תֹּחַלְתּוֹ 6 הֵן־תֹּחַלְתּוֹ נִכְזָבָה Job 41:1

תָּוֶךְ, תּוֹךְ־
ז' א) אמצע: רוב המקראות 1-418
ב) [תּוֹךְ־] פְּנִים, קֶרֶב: 8-33, 283, 302-304, 372
ג) [בְּתוֹךְ־] באמצע, בקרב, בין־: 34-225, 282, 286-301, 305-344, 351-370, 373-414, 418
ד) [מִתּוֹךְ־] מקרב, מבין־: 226-281, 284, 285, 345-350, 371, 415-417

הַתָּוֶךְ 1 וַיִּלְפֹּת...אֶת־שְׁנֵי עַמּוּדֵי הַתָּוֶךְ Jud. 16:29
2 וַיָּבֹאוּ...וַיֵּשְׁבוּ בְּשַׁעַר הַתָּוֶךְ Jer. 39:3
בַּתָּוֶךְ 3 וַיְבַתֵּר אֹתָם בַּתָּוֶךְ Gen. 15:10
4 וּמַדֹּתֶם...וְהָעִיר בַּתָּוֶךְ Num. 35:5
5 וַיִּהְיוּ לְיִשְׂרָאֵל בַּתָּוֶךְ Josh. 8:22
6 וַיָּשֶׂם...בֵּין־שְׁנֵי הַזְּנָבוֹת בַּתָּוֶךְ Jud. 15:4
7 אֶל־הַגַּנּוֹת אַחַר אַחַת° בַּתָּוֶךְ Is. 66:17
תּוֹךְ־ 8 וַיָּבֹאוּ אַחֲרֵיהֶם...אֶל־תּוֹךְ הַיָּם Ex. 14:23
9 וַיָּרָץ אֶל־תּוֹךְ הַקָּהָל Num. 17:12
10 וְהִשְׁלִיךְ אֶל־תּוֹךְ שְׂרֵפַת הַפָּרָה Num. 19:6
11 וְעַד־נַחַל אַרְנֹן תּוֹךְ הַנַּחַל וּגְבֻל Deut. 3:16
12 תִּקְבֹּץ אֶל־תּוֹךְ רְחֹבָהּ Deut. 13:17
13 וַהֲבֵאתָהּ אֶל־תּוֹךְ בֵּיתֶךָ Deut. 21:12
14 וַאֲסַפְתּוֹ אֶל־תּוֹךְ בֵּיתֶךָ Deut. 22:2

תּוֹךְ־ (המשך)
15 לֹא יָבֹא אֶל־תּוֹךְ הַמַּחֲנֶה Deut. 23:11
16 וּכְבֹא הַשֶּׁמֶשׁ יָבֹא אֶל־תּוֹךְ הַמַּחֲנֶה Deut. 23:12
17 עִבְרוּ...אֶל־תּוֹךְ הַיַּרְדֵּן Josh. 4:5
18 וַיַּטֵּהוּ יוֹאָב אֶל־תּוֹךְ הַשַּׁעַר IISh. 3:27
19 וְהֵנָּה בָּאוּ עַד־תּוֹךְ הַבַּיִת IISh. 4:6
20 וְכַנְפֵיהֶם אֶל־תּוֹךְ הַבַּיִת IK. 6:27
21 קִדַּשׁ הַמֶּלֶךְ אֶת־תּוֹךְ הֶחָצֵר IK. 8:64
22 וְאָסַפְתִּי אוֹתָם אֶל־תּוֹךְ הָעִיר Jer. 21:4
23 וַיְהִי כְּבוֹאָם אֶל־תּוֹךְ הָעִיר Jer. 41:7
24 וַיִּשְׁחָטֵם...אֶל־תּוֹךְ הַבּוֹר Jer. 41:7
25 וְהִשְׁלַכְתּוֹ אֶל־תּוֹךְ פְּרָת Jer. 51:63
26 וְהִשְׁלַכְתָּ אוֹתָם אֶל־תּוֹךְ הָאֵשׁ Ezek. 5:4
27 וַיַּעַל כְּבוֹד יְיָ מֵעַל תּוֹךְ הָעִיר Ezek. 11:23
28 הִנְנִי קֹבֵץ אֶתְכֶם אֶל־תּוֹךְ יְרוּשָׁ' Ezek. 22:19
29 קְבֻצַת כֶּסֶף...אֶל־תּוֹךְ כּוּר Ezek. 22:20
30 וַיַּשְׁלֵךְ אֹתָהּ אֶל־תּוֹךְ הָאֵיפָה Zech. 5:8
31 נִוָּעֵד...אֶל־תּוֹךְ הַהֵיכָל Neh. 6:10
32 וַיְקַדֵּשׁ שְׁלֹמֹה אֶת־תּוֹךְ הֶחָצֵר IICh. 7:7
וְתוֹךְ־ 33 עַל־שְׂפַת־נַחַל אַרְנוֹן וְתוֹךְ הַנַּחַל Josh. 12:2
בְּתוֹךְ־ 34 יְהִי רָקִיעַ בְּתוֹךְ הַמָּיִם Gen. 1:6
35 וַיַּצְמַח...וְעֵץ הַחַיִּים בְּתוֹךְ הַגָּן Gen. 2:9
36 וּמִפְּרִי הָעֵץ אֲשֶׁר בְּתוֹךְ־הַגָּן Gen. 3:3
37 וַיִּתְחַבֵּא...בְּתוֹךְ עֵץ הַגָּן Gen. 3:8
38 וַיִּשְׁכָּר וַיִּתְגַּל בְּתוֹךְ אָהֳלֹה Gen. 9:21
39/40 חֲמִשִּׁים צַדִּיקִם בְּתוֹךְ הָעִיר Gen. 18:24, 26
41 וְעֶפְרוֹן יֹשֵׁב בְּתוֹךְ בְּנֵי־חֵת Gen. 23:10
42 מְאַלְּמִים אֲלֻמִּים בְּתוֹךְ הַשָּׂדֶה Gen. 37:7
43 וַיִּשָּׂא אֶת־רֹאשׁ שַׂר הַמַּשְׁקִים... בְּתוֹךְ עֲבָדָיו Gen. 40:20
44 וַיָּבֹאוּ בְּ־י' לִשְׁבֹּר בְּתוֹךְ הַבָּאִים Gen. 42:5
45 וַתֵּרֶא אֶת־הַתֵּבָה בְּתוֹךְ הַסּוּף Ex. 2:5
46 וְאֵשׁ מִתְלַקַּחַת בְּתוֹךְ הַבָּרָד Ex. 9:24
47 אֲנִי יוֹצֵא בְּתוֹךְ מִצְרָיִם Ex. 11:4
48 וְיָבֹאוּ בְ־י' בְּתוֹךְ הַיָּם בַּיַּבָּשָׁה Ex. 14:16
49-56 בְּתוֹךְ הַיָּם Ex. 14:22, 27, 29; 15:19
Num. 33:8 • Ezek. 26:5; 27:32 • Neh. 9:11
57 וַיָּבֹא מֹשֶׁה בְּתוֹךְ הֶעָנָן Ex. 24:18
58 וְהַבְּרִיחַ הַתִּיכֹן בְּתוֹךְ הַקְּרָשִׁים Ex. 26:28
59 וְשָׁכַנְתִּי בְּתוֹךְ בְּנֵי יִשְׂרָאֵל Ex. 29:45
60 לִבְרֹחַ בְּתוֹךְ הַקְּרָשִׁים Ex. 36:33
61 לַעֲשׂוֹת בְּתוֹךְ הַתְּכֵלֶת... Ex. 39:3
62 וַיִּתְּנוּ אֶת־הַפַּעֲמֹנִים בְּתוֹךְ הָרִמֹּנִים Ex. 39:25
63 עַל־שׁוּלֵי הַמְּעִיל...בְּתוֹךְ הָרִמֹּנִים Ex. 39:25
64 הַשֹּׁכֵן אִתָּם בְּתוֹךְ טֻמְאֹתָם Lev. 16:16
65 וְנִקְדַּשְׁתִּי בְּתוֹךְ בְּנֵי יִשְׂרָאֵל Lev. 22:32
66-79 בְּתוֹךְ בְּנֵי יִשְׂרָאֵל Lev. 24:10; 25:33
Num. 1:49; 2:33; 9:7; 18:20; 26:2²; 35:34 • Deut. 32:51² • IK. 6:13 • Ezek. 43:7; 44:9
80 וְנָסַע...מַחֲנֵה הַלְוִיִּם בְּתוֹךְ הַמַּחֲנֹת Num. 2:17
81 לְאָלָה וְלִשְׁבֻעָה בְּתוֹךְ עַמֵּךְ Num. 5:21
82 וּמַטֵּה אַהֲרֹן בְּתוֹךְ מַטּוֹתָם Num. 17:21
83 בְּתוֹךְ בְּנֵי יִשְׂר' לֹא יִנְחֲלוּ נַחֲלָה Num. 18:24
84 וְהוּא לֹא־הָיָה בְּתוֹךְ הָעֵדָה Num. 27:3
85 תְּנָה...אֲחֻזָּה בְּתוֹךְ אֲחֵי אָבִינוּ Num. 27:4
86 אֲחֻזַּת נַחֲלָה בְּתוֹךְ אֲחֵי אֲבִיהֶם Num. 27:7
87 אֲשֶׁר עָשָׂה בְּתוֹךְ מִצְרָיִם Deut. 11:3
88 שָׁלוֹשׁ עָרִים תַּבְדִּיל...בְּתוֹךְ אַרְצְךָ Deut. 19:2
89 וַיַּעַמְדוּ...בְּתוֹךְ הַיַּרְדֵּן הָכֵן Josh. 3:17
90/1 בְּתוֹךְ הַיַּרְדֵּן Josh. 4:9, 10
92 טְמוּנִים בָּאָרֶץ בְּתוֹךְ הָאָהֳלִי Josh. 7:21
93 וַיָּלֶן יְהוֹשֻׁעַ...בְּתוֹךְ הָעָם Josh. 8:9
94 וַיֵּלֶךְ יְהוֹשֻׁעַ...בְּתוֹךְ הָעֵמֶק Josh. 8:13

בְּתוֹךְ־ (המשך)
95/6 וְהָעִיר אֲשֶׁר בְּתוֹךְ־הַנַּחַל Josh. 13:9, 16
97/8 בְּתוֹךְ (נַחֲלַת) בְּנֵי־יְהוּדָה Josh. 15:13; 19:1
99 בְּתוֹךְ נַחֲלַת בְּנֵי־מְנַשֶּׁה Josh. 16:9
100 לָתֶת־לָנוּ נַחֲלָה בְּתוֹךְ אַחֵינוּ Josh. 17:4
101 וַיִּתֵּן לָהֶם...נַחֲלָה בְּתוֹךְ אֲחֵי אֲבִיהֶן Josh. 17:4
102 נָחֲלוּ נַחֲלָה בְּתוֹךְ בָּנָיו Josh. 17:6
103 עָרִים...בְּתוֹךְ עָרֵי מְנַשֶּׁה Josh. 17:9
104 וַיִּנְחֲלוּ בְנֵי־שִׁמְעוֹן בְּתוֹךְ נַחֲלָתָם Josh. 19:9
105 כֹּל עָרֵי הַלְוִיִּם בְּתוֹךְ אֲחֻזַּת בְּ־י' Josh. 21:39
106 וְלַפִּדִים בְּתוֹךְ הַכַּדִּים Jud. 7:16
107 וּמִגְדַּל־עֹז הָיָה בְתוֹךְ־הָעִיר Jud. 9:51
108/9 פְּלִיטֵי אֶפְרַיִם אַתֶּם גִּלְעָד
בְּתוֹךְ אֶפְרַיִם בְּתוֹךְ מְנַשֶּׁה Jud. 12:4
110 בְּתוֹךְ־שִׁבְטֵי יִשְׂרָאֵל בְּנַחֲלָה Jud. 18:1
111 הֵמָּה בָּאִים בְּתוֹךְ הָעִיר ISh. 9:14
112 וַיִּגַּשׁ שָׁאוּל אֶת־שְׁמוּאֵל בְּתוֹךְ הַשָּׁעַר ISh. 9:18
113 וַיִּתְיַצֵּב בְּתוֹךְ הָעָם ISh. 10:23
114 וַיָּבֹאוּ בְתוֹךְ־הַמַּחֲנֶה ISh. 11:11
115 וַיִּתְנַבֵּא בְתוֹךְ־הַבַּיִת ISh. 18:10
116 יְקַלְּעֶנָּה בְּתוֹךְ כַּף הַקָּלַע ISh. 25:29
117 אֵיךְ נָפְלוּ גִבֹּרִים בְּתוֹךְ הַמִּלְחָמָה IISh. 1:25
118 וַיַּצִּגוּ אֹתוֹ...בְּתוֹךְ הָאֹהֶל IISh. 6:17
119 וַאֲרוֹן הָאֱלֹהִים יֹשֵׁב בְּתוֹךְ הַיְרִיעָ' IISh. 7:2
120 מִתְגֹּלֵל בַּדָּם בְּתוֹךְ הַמְסִלָּה IISh. 20:12
121 וַיִּתְיַצֵּב בְּתוֹךְ־הַחֶלְקָה IISh. 23:12
122 וְהִכָּה אֶת־הָאֲרִי בְּתוֹךְ הַבֹּאר IISh. 23:20
123 הָעִיר אֲשֶׁר בְּתוֹךְ־הַנַּחַל IISh. 24:5
124 וְעַבְדְּךָ בְּתוֹךְ עַמְּךָ אֲשֶׁר בָּחָרְתָּ IK. 3:8
125 וַתָּקָם בְּתוֹךְ הַלַּיְלָה וַתִּקַּח IK. 3:20
126 וּדְבִיר בְּתוֹךְ־הַבַּיִת מִפְּנִימָה IK. 6:19
127 וַיִּתֵּן...בְּתוֹךְ הַבַּיִת הַפְּנִימִי IK. 6:27
128 וַתִּגְמְלֵהוּ תַחְפְּנֵס בְּתוֹךְ בֵּית פַּרְעֹה IK. 11:20
129 וַיְהִי גְנֻבַת...בְּתוֹךְ בְּנֵי פַרְעֹה IK. 11:20
130 בְּתוֹךְ עַמִּי אָנֹכִי יֹשָׁבֶת IIK. 4:13
131 וַיִּרְאוּ וְהִנֵּה בְּתוֹךְ שֹׁמְרוֹן IIK. 6:20
132 כִּי אִם־אָכְלוּ מַצּוֹת בְּתוֹךְ אֲחֵיהֶם IIK. 23:9
133 שִׁיתִי כַלַּיִל צִלֵּךְ בְּתוֹךְ צָהֳרָיִם Is. 16:3
134 מִזְבֵּחַ לַיְיָ בְּתוֹךְ אֶרֶץ מִצְרָיִם Is. 19:19
135 בְּקֶרֶב הָאָרֶץ בְּתוֹךְ הָעַמִּים Is. 24:13
136 וְצֶאֱצָאֵיהֶם בְּתוֹךְ הָעַמִּים Is. 61:9
137 שִׁבְתְּךָ בְּתוֹךְ מִרְמָה Jer. 9:5
138 וְנִבְנוּ בְּתוֹךְ עַמִּי Jer. 12:16
139 יוֹשֵׁב בְּתוֹךְ־הָעָם הַזֶּה Jer. 29:32
140-146 בְּתוֹךְ־הָעָם (עַמּוֹ, עַמִּי וכו') Jer. 37:4
37:12; 39:14; 40:5, 6 • Ezek. 18:18; 39:7
147 בְּתוֹךְ כָּל־גָּלוּת יְרוּשָׁלַםִ Jer. 40:1
148 וְלֹא הֱמִיתָם בְּתוֹךְ אֲחֵיהֶם Jer. 41:8
149 הַנִּמְצְאִים בְּתוֹךְ הָעִיר Jer. 52:25
150 וַאֲנִי בְתוֹךְ־הַגּוֹלָה Ezek. 1:1
151/2 יִהְיֶה הָאוֹפַן בְּתוֹךְ הָאוֹפָן Ezek. 1:16; 10:10
153 בֹּא הִסָּגֵר בְּתוֹךְ בֵּיתֶךָ Ezek. 3:24
154 בָּאוּר תַּבְעִיר בְּתוֹךְ הָעִיר Ezek. 5:2
155 יְרוּשָׁלַםִ בְּתוֹךְ הַגּוֹיִם שַׂמְתִּיהָ Ezek. 5:5
156 בִּהְיוֹת חַלְלֵיהֶם בְּתוֹךְ גִּלּוּלֵיהֶם Ezek. 6:13
157/8 עֲבֹר בְּתוֹךְ הָעִיר בְּתוֹךְ יְרוּשָׁלָםִ Ezek. 9:4
159 בְּתוֹךְ בֵּית־הַמֶּרִי אַתָּה יֹשֵׁב Ezek. 12:2
160 כָּל־חֲזוֹן שָׁוְא...בְּתוֹךְ בֵּית יִשְׂרָאֵל Ezek. 12:24
161 אִתּוֹ בְתוֹךְ־בָּבֶל יָמוּת Ezek. 17:16
162 בְּתוֹךְ כְּפִרִים רִבְּתָה גוּרֶיהָ Ezek. 19:2
163 וַיִּתְהַלֵּךְ בְּתוֹךְ־אֲרָיוֹת Ezek. 19:6
164 לְכַלּוֹת...בְּתוֹךְ אֶרֶץ מִצְרָיִם Ezek. 20:8
165 דָּמֵךְ יִהְיֶה בְּתוֹךְ הָאָרֶץ Ezek. 21:37

בְּתוֹךְ- (המשך)

166 נְחֹשֶׁת וּבְדִיל...בְּתוֹךְ כּוּר Ezek. 22:18
167 כְּהִתּוּךְ כֶּסֶף בְּתוֹךְ כּוּר Ezek. 22:22
168 וְהִנֵּה־כֹה עָשׂוּ בְּתוֹךְ בֵּיתִי Ezek. 23:39
169 וַאֲבָנַיִךְ...בְּתוֹךְ מַיִם יָשִׂימוּ Ezek. 26:12
170 בְּתוֹךְ אַבְנֵי־אֵשׁ הִתְהַלָּכְתָּ Ezek. 28:14
171 הַתַּנִּים...הָרֹבֵץ בְּתוֹךְ יְאֹרָיו Ezek. 29:3
172 וְנָתַתִּי..שְׁמָמָה בְּתוֹךְ אֲרָצוֹת נְשַׁמּוֹת Ezek. 29:12
173 וְעָרֶיהָ בְּתוֹךְ עָרִים מָחֳרָבוֹת Ezek. 29:12
174 וְנָשַׁמּוּ בְּתוֹךְ אֲרָצוֹת נְשַׁמּוֹת Ezek. 30:7
175 וְעָרָיו בְּתוֹךְ־עָרִים נַחֲרָבוֹת Ezek. 30:7
176 בְּתוֹךְ בְּנֵי אָדָם אֶל-יוֹרְדֵי בוֹר Ezek. 31:14
177 וּזְרֹעוֹ יָשְׁבוּ בְצִלּוֹ בְּתוֹךְ גּוֹיִם Ezek. 31:17
178 בְּתוֹךְ עֲרֵלִים תִּשְׁכַּב Ezek. 31:18
179 בְּתוֹךְ חַלְלֵי־חֶרֶב יִפֹּלוּ Ezek. 32:20
180 בְּתוֹךְ חֲלָלִים נָתְנוּ מִשְׁכָּב לָהּ Ezek. 32:25
181 בְּתוֹךְ חֲלָלִים נִתָּן Ezek. 32:25
182 וְאַתָּה בְּתוֹךְ עֲרֵלִים תִּשָּׁבַר Ezek. 32:28
183 וְהָשְׁכַּב בְּתוֹךְ עֲרֵלִים Ezek. 32:32
184 בְּיוֹם-הֱיוֹתוֹ בְתוֹךְ-צֹאנוֹ נִפְרָשׁוֹת Ezek. 34:12
185 וַיְנִיחֵנִי בְּתוֹךְ הַבִּקְעָה Ezek. 37:1
186 בְנַחֲלָה בְּתוֹךְ שִׁבְטֵי יִשְׂרָאֵל Ezek. 47:22
187 וּמֵאֲחֻזַּת הָעִיר בְּתוֹךְ אֲשֶׁר לַנָּשִׂיא יִהְיֶה Ezek. 48:22
188 כְּעֵדֶר בְּתוֹךְ הַדָּבְרוֹ Mic. 2:12
189 וּכְבָשָׂר בְּתוֹךְ קַלָּחַת Mic. 3:3
190 שֹׁכְנִי לְבָדָד יַעַר בְּתוֹךְ כַּרְמֶל Mic. 7:14
191 וּבָאָה...וְלָנָה בְּתוֹךְ בֵּיתוֹ Zech. 5:4
192 יוֹשֶׁבֶת בְּתוֹךְ הָאֵיפָה Zech. 5:7
193 וְשָׁכַנְתִּי בְּתוֹךְ יְרוּשָׁלִָם Zech. 8:3
194 וְשָׁכְנוּ בְּתוֹךְ יְרוּשָׁלִָם Zech. 8:8
195 נָמֵס בְּתוֹךְ מֵעָי Ps. 22:15
196 בְּתוֹךְ קָהָל אֲהַלְלֶךָּ Ps. 22:23
197 וְתוֹרָתְךָ בְּתוֹךְ מֵעָי Ps. 40:9
198 צִדְקָתְךָ לֹא־כִסִּיתִי בְּתוֹךְ לִבִּי Ps. 40:11
199 נַפְשִׁי בְּתוֹךְ לְבָאִם אֶשְׁכְּבָה Ps. 57:5
200 בְּתוֹךְ עֲלָמוֹת תּוֹפֵפוֹת Ps. 68:26
201 שָׁמְרֵם בְּתוֹךְ לְבָבֶךָ Prov. 4:21
202 הָיִיתִי בְכָל־רָע בְּתוֹךְ קָהָל וְעֵדָה Prov. 5:14
203 אֲהַלֵּךְ בְּתוֹךְ נְתִיבוֹת מִשְׁפָּט Prov. 8:20
204 בְּתוֹךְ רְחֹבוֹת אֵרָצֵחַ Prov. 22:13
205 בַּמַּכְתֵּשׁ בְּתוֹךְ הָרִיפוֹת בַּעֱלִי Prov. 27:22
206 וְהוּא יֹשֵׁב בְּתוֹךְ־הָאֵפֶר Job 2:8
207 וְיִמְנָעֶנָּה בְּתוֹךְ חִכּוֹ Job 20:13
208 וַיִּתֵּן...נַחֲלָה בְּתוֹךְ אֲחֵיהֶם Job 42:15
209 וַיֵּצֵא בְּתוֹךְ הָעִיר וַיִּזְעַק Es. 4:1
210 אִישׁ וְנַעֲרוֹ יָלִינוּ בְּתוֹךְ יְרוּשָׁלִָם Neh. 4:16
211 וַיִּתְיַצְּבוּ בְתוֹךְ־הַחֶלְקָה I Ch. 11:14
212 וְהִכָּה אֶת־הָאֲרִי בְּתוֹךְ הַבּוֹר I Ch. 11:22
213 וַיַּצִּיגוּ אֹתוֹ בְּתוֹךְ הָאֹהֶל I Ch. 16:1
214 וַיִּתְּנֵהוּ בְּתוֹךְ הָעֲזָרָה II Ch. 6:13
215 הָיְתָה עָלָיו רוּחַ יְיָ בְּתוֹךְ הַקָּהָל II Ch. 20:14
216 וַיָּבֹאוּ בְּתוֹךְ־שַׁעַר הָעֶלְיוֹן II Ch. 23:20
217 הַשּׁוֹטֵף בְּתוֹךְ־הָאָרֶץ II Ch. 32:4

וּבְתוֹךְ-

218-220 לַעֲשׂוֹת...וּבְתוֹךְ הָאַרְגָּמָן
וּבְתוֹךְ תּוֹלַעַת הַשָּׁנִי וּבְתוֹךְ הַשֵּׁשׁ Ex. 39:3
221 וּבְתוֹךְ בְּ"יִ לֹא יִנְחֲלוּ נַחֲלָה Num. 18:23
222 וּבְתוֹךְ עַם-טְמֵא שְׂפָתַיִם אָנֹכִי יֹשֵׁב Is. 6:5
223 אֶפְתַּח...וּבְתוֹךְ בְּקָעוֹת מַעְיָנוֹת Is. 41:18
224 וּבְתוֹךְ רַבִּים אֲהַלְלֶנּוּ Ps. 109:30
225 וּבְתוֹךְ אַחִים יַחֲלֹק נַחֲלָה Prov. 17:2

מִתּוֹךְ-

226 וַיְשַׁלַּח אֶת-לוֹט מִתּוֹךְ הַהֲפֵכָה Gen. 19:29
227 וַיֵּרָא...בְּלַבַּת־אֵשׁ מִתּוֹךְ הַסְּנֶה Ex. 3:2

מִתּוֹךְ- (המשך)

228 וַיִּקְרָא אֵלָיו אֱלֹהִים מִתּוֹךְ הַסְּנֶה Ex. 3:4
229 קוּמוּ צְּאוּ מִתּוֹךְ עַמִּי Ex. 12:31
230 וַיִּקְרָא אֶל־מֹשֶׁה...מִתּוֹךְ הֶעָנָן Ex. 24:16
231 וְאַתָּה הַקְרֵב...מִתּוֹךְ בְּנֵי יִשְׂרָאֵל Ex. 28:1
232 לֹא יָמִישׁ מִתּוֹךְ הָאֹהֶל Ex. 33:11
233 לָקַחְתִּי אֶת-הַלְוִיִּם מִתּוֹךְ בְּנֵי יִשְׂ׳ Num. 3:12
234 נָשֹׂא אֶת־רֹאשׁ בְּנֵי קְהָת מִתּוֹךְ בְּנֵי לֵוִי Num. 4:2
235 אַל־תַּכְרִיתוּ...מִתּוֹךְ הַלְוִיִּם Num. 4:18
236 קַח אֶת־הַלְוִיִּם מִתּוֹךְ בְּנֵי יִשְׂרָ׳ Num. 8:6
237-240 מִתּוֹךְ בְּנֵי יִשְׂרָאֵל Num. 8:14, 16, 19; 18:6
241 הִבָּדְלוּ מִתּוֹךְ הָעֵדָה Num. 16:21
242 וַיֹּאבְדוּ מִתּוֹךְ הַקָּהָל Num. 16:33
243 הֵרֹמּוּ מִתּוֹךְ הָעֵדָה הַזֹּאת Num. 17:10
244 וְנִכְרְתָה...מִתּוֹךְ הַקָּהָל Num. 19:20
245 וַיָּקָם מִתּוֹךְ הָעֵדָה Num. 25:7
246 לָמָּה יִגָּרַע...מִתּוֹךְ מִשְׁפַּחְתּוֹ Num. 27:4
247 וַיְדַבֵּר יְיָ אֲלֵיכֶם מִתּוֹךְ הָאֵשׁ Deut. 4:12
248-257 מִתּוֹךְ־הָאֵשׁ Deut. 4:15, 33, 36
5:4, 19, 21, 23; 9:10; 10:4 • Ezek. 1:4
258 כְּשָׁמְעֲכֶם אֶת־הַקּוֹל מִתּוֹךְ הַחֹשֶׁךְ Deut. 5:20
259 שְׂאוּ־לָכֶם מִזֶּה מִתּוֹךְ הַיַּרְדֵּן Josh. 4:3
260/1 מִתּוֹךְ הַיַּרְדֵּן Josh. 4:8, 18
262 וַיִּקָּחוּם מִתּוֹךְ הָאֹהֶל Josh. 7:23
263 לְכוּ סֻרוּ רְדוּ מִתּוֹךְ עֲמָלֵקִי I Sh. 15:6
264 וַיָּסַר קֵינִי מִתּוֹךְ עֲמָלֵק I Sh. 15:6
265 הוֹצֵאתָ...מִתּוֹךְ כּוּר הַבַּרְזֶל I K. 8:51
266 אֲשֶׁר הֲרִמֹתִיךָ מִתּוֹךְ הָעָם I K. 14:7
267 וַהֲקֵמֹתוֹ מִתּוֹךְ אֶחָיו II K. 9:2
268 וַתִּגְנֹב אֹתוֹ מִתּוֹךְ בְּנֵי־הַמֶּלֶךְ II K. 11:2
269 וְהָעוֹלֶה מִתּוֹךְ הַפַּחַת Is. 24:18
270 לְהַכְרִית לָכֶם...מִתּוֹךְ יְהוּדָה Jer. 44:7
271 נֻדוּ מִתּוֹךְ בָּבֶל Jer. 50:8
272 נֻסוּ מִתּוֹךְ בָּבֶל Jer. 51:6
273 וְהִכְרַתִּיו מִתּוֹךְ עַמִּי Ezek. 14:8
274 וְהִשְׁמַדְתִּיו מִתּוֹךְ עַמִּי Ezek. 14:9
275 וָאַבֶּדְךָ...מִתּוֹךְ אַבְנֵי־אֵשׁ Ezek. 28:16
276 וְהַעֲלִיתִיךָ מִתּוֹךְ יְאֹרֶיךָ Ezek. 29:4
277 יְדַבְּרוּ־לוֹ...מִתּוֹךְ שְׁאוֹל Ezek. 32:21
278 וְאֹכְלִים...וַעֲגָלִים מִתּוֹךְ מַרְבֵּק Am. 6:4
279 שְׁתֵה...וְנוֹזְלִים מִתּוֹךְ בְּאֵרֶךָ Prov. 5:15
280 לֹא יַעַבְרוּ מִתּוֹךְ הַיְּהוּדִים Es. 9:28
281 וַתִּגְנֹב אֹתוֹ מִתּוֹךְ בְּנֵי־הַמֶּלֶךְ II Ch. 22:11

בְּתוֹכִי

282 בְּתוֹכִי יִשְׁתּוֹמֵם לִבִּי Ps. 143:4

תּוֹכְךָ

283 בְּרֹב רְכֻלָּתְךָ מָלוּ תוֹכְךָ חָמָס Ezek. 28:16

מִתּוֹכְךָ

284 אִם־תָּסִיר מִתּוֹכְךָ מוֹטָה Is. 58:9
285 וָאוֹצִא־אֵשׁ מִתּוֹכְךָ Ezek. 28:18

בְּתוֹכֵךְ

286 וְעָשִׂיתִי בְתוֹכֵךְ מִשְׁפָּטִים Ezek. 5:8
287 אָבוֹת יֹאכְלוּ בָנִים בְּתוֹכֵךְ Ezek. 5:10
288 וּבָרָעָב יִכְלוּ בְתוֹכֵךְ Ezek. 5:12
289/90 וְתוֹעֲבוֹתַיִךְ בְּתוֹכֵךְ תִּהְיֶיןָ Ezek. 7:4, 9
291 לַגֵּר עָשׂוּ בַעֹשֶׁק בְּתוֹכֵךְ Ezek. 22:7
292 זִמָּה עָשׂוּ בְתוֹכֵךְ Ezek. 22:9
293 וְעַל־דָּמֵךְ אֲשֶׁר הָיוּ בְּתוֹכֵךְ Ezek. 22:13
294 בֵּהָרֵג הֶרֶג בְּתוֹכֵךְ Ezek. 26:15
295 וּבְכָל־קְהָלֵךְ אֲשֶׁר בְּתוֹכֵךְ Ezek. 27:27
296 וְכָל־קְהָלֵךְ בְּתוֹכֵךְ נָפָלוּ Ezek. 27:34
297 וְנִכְבַּדְתִּי בְּתוֹכֵךְ Ezek. 28:22
298/9 וְשָׁכַנְתִּי בְתוֹכֵךְ Zech. 2:14, 15

בְּתוֹכֵכִי

300 בְּחַצְרוֹת בֵּית יְיָ בְּתוֹכֵכִי יְרוּשָׁ׳ Ps. 116:19
301 אוֹתֹת וּמֹפְתִים בְּתוֹכֵכִי מִצְרָיִם Ps. 135:9

תּוֹכוֹ

302 אֲשֶׁר־יִפֹּל מֵהֶם אֶל־תּוֹכוֹ Lev. 11:33
303 תּוֹכוֹ רָצוּף אַהֲבָה S. of S. 3:10

וְתוֹכוֹ

304 קְצוֹתָיו אָכְלָה הָאֵשׁ וְתוֹכוֹ נָחָר Ezek. 15:4

בְּתוֹכוֹ

305 וְהָיָה פִי־רֹאשׁוֹ בְּתוֹכוֹ Ex. 28:32
306 וּפִי־הַמְּעִיל בְּתוֹכוֹ כְּפִי תַחְרָא Ex. 39:23
307 כֹּל אֲשֶׁר בְּתוֹכוֹ יִטְמָא Lev. 11:33
308 מַשְׁחִיתִים אוֹתוֹ בְּתוֹכוֹ Jud. 20:42
309 וַיִּבֶן מִגְדָּל בְּתוֹכוֹ Is. 5:2
310 וְהָיָה הַמִּקְדָּשׁ בְּתוֹכוֹ Ezek. 48:8
311 וְהָיָה מִקְדַּשׁ־יְיָ בְּתוֹכוֹ Ezek. 48:10
312 וְהֶעֱבִיר יִשְׂרָאֵל בְּתוֹכוֹ Ps. 136:14

בְּתוֹכֹה

313 וְהָיְתָה הָעִיר בְּתוֹכֹה Ezek. 48:15
314 וּמִקְדַּשׁ הַבַּיִת בְּתוֹכֹה Ezek. 48:21

בְּתוֹכָהּ

315 אֹכֶל שְׂדֵה-הָעִיר...נָתַן בְּתוֹכָהּ Gen. 41:48
316 וְכָל־הָעָם אֲשֶׁר־רָאִינוּ בְתוֹכָהּ Num. 13:32
317 אֲשֶׁר אֲנִי שֹׁכֵן בְּתוֹכָהּ Num. 35:34
318 וְנַמְלִיךְ מֶלֶךְ בְּתוֹכָהּ Is. 7:6
319 וְאֶל־כָּל־הָעֶרֶב אֲשֶׁר בְּתוֹכָהּ Jer. 50:37
320 וְכָל־חֲלָלֶיהָ יִפְּלוּ בְתוֹכָהּ Jer. 51:47
321 עַל כָּל-הַתּוֹעֵבוֹת הַנַּעֲשׂוֹת בְּתוֹכָהּ Ezek. 9:4
322 חַלְלֵיכֶם אֲשֶׁר שַׂמְתֶּם בְּתוֹכָהּ Ezek. 11:7
323 וְאַתֶּם תִּהְיוּ בְּתוֹכָהּ לְבָשָׂר Ezek. 11:11
324 וְנָפְלָה וּכְלִיתֶם בְּתוֹכָהּ Ezek. 13:14
325 וְהָיוּ שְׁלֹשֶׁת הָאֲנָשִׁים...בְּתוֹכָהּ Ezek. 14:14
326 שְׁלֹשֶׁת הָאֲנָשִׁים הָאֵלֶּה בְּתוֹכָהּ Ezek. 14:16
327 וּשְׁלֹשֶׁת הָאֲנָשִׁים הָאֵלֶּה בְּתוֹכָהּ Ezek. 14:18
328 וְנֹחַ דָּנִאֵל וְאִיּוֹב בְּתוֹכָהּ Ezek. 14:20
329 עִיר שֹׁפֶכֶת דָּם בְּתוֹכָהּ Ezek. 22:3
330 וְכִנַּסְתִּי...וְנִתַּכְתֶּם בְּתוֹכָהּ Ezek. 22:21
331 כְּהִתּוּךְ כֶּסֶף...כֵּן תֻּתְּכוּ בְתוֹכָהּ Ezek. 22:22
332 קֶשֶׁר נְבִיאֶיהָ בְּתוֹכָהּ Ezek. 22:25
333 אַלְמְנוֹתֶיהָ הִרְבּוּ בְתוֹכָהּ Ezek. 22:25
334 גַּם־בָּשְׁלוּ עֲצָמֶיהָ בְּתוֹכָהּ Ezek. 24:5
335 כִּי דָמָהּ בְּתוֹכָהּ הָיָה Ezek. 24:7
336 וְנִתְּכָה בְתוֹכָהּ טֻמְאָתָהּ Ezek. 24:11
337 וְנִפְלַל חָלָל בְּתוֹכָהּ Ezek. 28:23
338 וּרְאוּ מְהוּמֹת רַבּוֹת בְּתוֹכָהּ Am. 3:9
339 וְרָבְצוּ בְתוֹכָהּ עֲדָרִים Zep. 2:14
340 מֵרֹב אָדָם וּבְהֵמָה בְּתוֹכָהּ Zech. 2:8
341 וּלְכָבוֹד אֶהְיֶה בְתוֹכָהּ Zech. 2:9
342 כָּרוּ לְפָנַי שִׁיחָה נָפְלוּ בְתוֹכָהּ Ps. 57:7
343 עַל־עֲרָבִים בְּתוֹכָהּ תָּלִינוּ... Ps. 137:2
344 וְהָעָם מְעַט בְּתוֹכָהּ Neh. 7:4

מִתּוֹכָהּ

345 סוּרוּ סוּרוּ...צְאוּ מִתּוֹכָהּ Is. 52:11
346 צְאוּ מִתּוֹכָהּ עַמִּי Jer. 51:45
347 וְאֶתְכֶם הוֹצִיא מִתּוֹכָהּ Ezek. 11:7
348 וְהוֹצֵאתִי אֶתְכֶם מִתּוֹכָהּ Ezek. 11:9

וּמִתּוֹכָהּ

349 וּמִתּוֹכָהּ כְּעֵין הַחַשְׁמַל Ezek. 1:4
350 וּמִתּוֹכָהּ דְּמוּת אַרְבַּע חַיּוֹת Ezek. 1:5

בְּתוֹכֵנוּ

351 נְשִׂיא אֱלֹהִים אַתָּה בְּתוֹכֵנוּ Gen. 23:6
352 עִבְרוּ לָכֶם...וְהֵאָחֲזוּ בְּתוֹכֵנוּ Josh. 22:19
353 הַיּוֹם יָדַעְנוּ כִּי־בְתוֹכֵנוּ יְיָ Josh. 22:31
354 גּוֹרָלְךָ תַּפִּיל בְּתוֹכֵנוּ Prov. 1:14

בְּתוֹכְכֶם

355 יִתְּנֶנָּה לִּי בְּתוֹכְכֶם לַאֲחֻזַּת-קָבֶר Gen. 23:9
356 אֶת-אֱלֹהֵי הַנֵּכָר אֲשֶׁר בְּתֹכְכֶם Gen. 35:2
357 וְלַגֵּר הַגָּר בְּתוֹכְכֶם Ex. 12:49
358-360 וְהַגֵּר הַגָּר בְּתוֹכְכֶ׳ Lev. 16:29; 17:12; 18:26
361 וְלֹא־תִהְיֶה זִמָּה בְּתוֹכְכֶם Lev. 20:14
362 וְנָתַתִּי מִשְׁכָּנִי בְּתוֹכְכֶם Lev. 26:11
363 וְהִתְהַלַּכְתִּי בְּתוֹכְכֶם Lev. 26:12
364 וְשִׁלַּחְתִּי דֶבֶר בְּתוֹכְכֶם Lev. 26:25
365 גֵּר אוֹ אֲשֶׁר־בְּתוֹכְכֶם לְדֹרֹתֵיכֶם Num. 15:14
366 וְנֹאחֲזוּ בְתֹכְכֶם בְּאֶרֶץ כְּנָעַן Num. 32:30

בְּתוֹכְכֶם 367 וְנָפַל חָלָל בְּתוֹכְכֶם Ezek. 6:7
368 וּלְהַגֵּרִים הַגָּרִים בְּתוֹכְכֶם Ezek. 47:22
369 אֲשֶׁר־הוֹלִדוּ בָנִים בְּתוֹכְכֶם Ezek. 47:22
370 וְרוּחִי עֹמֶדֶת בְּתוֹכְכֶם Hag. 2:5
מִתּוֹכְכֶם 371 הָסִירוּ אֶת־אֱלֹהֵי הַנֵּכָר מִתּוֹכְכֶם ISh. 7:3
תּוֹכָם 372 עַד אֲשֶׁר־נָבוֹא אֶל־תּוֹכָם וַהֲרַגְנוּם Neh. 4:5
בְּתוֹכָם 373 וְעָשׂוּ לִי מִקְדָּשׁ וְשָׁכַנְתִּי בְּתוֹכָם Ex. 25:8
374 וּפַעֲמֹנֵי זָהָב בְּתוֹכָם Ex. 28:33
375 הוֹצֵאתִי אֹתָם...לְשָׁכְנִי בְתוֹכָם Ex. 29:46
376 בְּטַמְּאָם אֶת־מִשְׁכָּנִי אֲשֶׁר בְּתוֹכָם Lev. 15:31
377 וּמִן־הַגֵּר אֲשֶׁר־יָגוּר בְּתוֹכָם Lev. 17:8
378/9 וּמִן־הַגֵּר הַגָּר בְּתוֹכָם Lev. 17:10, 13
380 וְהַלְוִיִּם...לֹא הָתְפָּקְדוּ בְּתוֹכָם Num. 1:47
381 אֲשֶׁר אֲנִי שֹׁכֵן בְּתוֹכָם Num. 5:3
382 וַיָּבוֹא גַם־הַשָּׂטָן בְּתֹכָם Job 2:1
413-383 בְּתוֹכָם Num. 15:26, 29; 18:20; 19:10
25:11; 35:15 • Josh. 14:3; 19:49; 20:9 • ISh. 10:10
• Ezek. 2:5; 3:15, 25; 8:11; 9:2; 11:1; 12:10, 12;
20:9; 22:26; 29:21; 33:33; 34:24; 36:23; 37:26, 28;
43:9; 46:10 • Job 1:6; 15:19 • ICh. 21:6
וּבְתוֹכָם 414 כֻּלָּם קְדֹשִׁים וּבְתוֹכָם יְיָ Num. 16:3
מִתּוֹכָם 415 וְהוֹצֵאתִי אֶת־בְּנֵי־יִשְׂרָאֵל מִתּוֹכָם Ex. 7:5
416 וְאֶת־בֵּית יְהוּדָה אֶתּוֹשׁ מִתּוֹכָם Jer. 12:14
417 וַיּוֹצֵא יִשְׂרָאֵל מִתּוֹכָם Ps. 136:11
בְּתוֹכְהֶנָה 418 וּשְׁבוּת׳ שְׁבִיתַיִךְ בְּתוֹכְהֶנָה Ezek. 16:53

תּוּךְ
ד׳ – עין תֹּךְ

תּוֹכֵחָה
נ׳ עונש: 1-4 • יום(...)תוכחה 1-3

תּוֹכֵחָה 1 אֶפְרַיִם לְשַׁמָּה תִהְיֶה בְּיוֹם תּוֹכֵחָה Hosh. 5:9
וְתוֹכֵחָה 2 יוֹם־צָרָה וְתוֹכֵחָה וּנְאָצָה IIK. 19:3
3 יוֹם־צָרָה וְתוֹכֵחָה וּנְאָצָה Is. 37:3
תּוֹכֵחוֹת 4 לַעֲשׂוֹת...תּוֹכֵחוֹת בַּלְאֻמִּים Ps. 149:7

תּוֹכַחַת
נ׳ דברי מוסר, נזיפה: 1-24

– תּוֹכַחַת חַיִּים 10; תּוֹכַחַת מְגֻלָּה 7
– עוֹזֵב תּוֹכַחַת 1; שׁוֹמֵעַ ת׳ 6; שֹׁמֵר ת׳ 3, 4;
שׂוֹנֵא תוֹכַחַת 2, 5
– אִישׁ תּוֹכָחוֹת 19; תּוֹכְחוֹת חֵמָה 24,23; ת׳ מוּסָר 22

תּוֹכַחַת 1 וְעֹזֵב תּוֹכַחַת מַתְעֶה Prov. 10:17
2 וְשׂוֹנֵא תוֹכַחַת בָּעַר Prov. 12:1
3 וְשׁוֹמֵר תּוֹכַחַת יְכֻבָּד Prov. 13:18
4 וְשֹׁמֵר תּוֹכַחַת יַעְרִם Prov. 15:5
5 שׂוֹנֵא תוֹכַחַת יָמוּת Prov. 15:10
6 וְשׁוֹמֵעַ תּוֹכַחַת קוֹנֶה לֵּב Prov. 15:32
7 טוֹבָה תּוֹכַחַת מְגֻלָּה Prov. 27:5
וְתוֹכַחַת 8 וְתוֹכַחַת נָאֵץ לִבִּי Prov. 5:12
9 שֵׁבֶט וְתוֹכַחַת יִתֵּן חָכְמָה Prov. 29:15
תּוֹכַחַת־ 10 אֹזֶן שֹׁמַעַת תּוֹכַחַת חַיִּים Prov. 15:31
תּוֹכַחְתִּי 11 וּמָה אָשִׁיב עַל־תּוֹכַחְתִּי Hab. 2:1
12 נָאֲצוּ כָּל־תּוֹכַחְתִּי Prov. 1:30
13 שִׁמְעוּ־נָא תוֹכַחְתִּי Job 13:6
וְתוֹכַחְתִּי 14 וָאֱהִי נָגוּעַ...וְתוֹכַחְתִּי לַבְּקָרִים Ps. 73:14
15 וְתוֹכַחְתִּי לֹא אֲבִיתֶם Prov. 1:25
לְתוֹכַחְתִּי 16 תָּשׁוּבוּ לְתוֹכַחְתִּי Prov. 1:23
בְּתוֹכַחְתּוֹ 17 וְאַל־תָּקֹץ בְּתוֹכַחְתּוֹ Prov. 3:11
תּוֹכָחוֹת 18 וְאֵין בְּפִיו תּוֹכָחוֹת Ps. 38:15
19 אִישׁ תּוֹכָחוֹת מַקְשֶׁה־עֹרֶף Prov. 29:1
20 וּפִי אֲמַלֵּא תוֹכָחוֹת Job 23:4
בְּתוֹכָחוֹת 21 בְּתוֹכָחוֹת עַל־עָוֹן יִסַּרְתָּ אִישׁ Ps. 39:12
תּוֹכְחוֹת־ 22 וְדֶרֶךְ חַיִּים תּוֹכְחוֹת מוּסָר Prov. 6:23
בְּתוֹכְחוֹת־ 23 נְקָמוֹת גְּדֹלוֹת בְּתוֹכְחוֹת חֵמָה Ezek. 25:17
וּבְתֹכְחוֹת־ 24 בְּאַף וּבְחֵמָה וּבְתֹכְחוֹת חֵמָה Ezek. 5:15

תּוּכִּיִּים
ז־ר – עין תֻּכִּי

תּוֹלָד
עיר בנחלת שמעון, היא אֶלְתּוֹלַד (עין באות א׳)

וּבְתוֹלָד 1 וַיֵּשְׁבוּ...וּבְעֶצֶם וּבְתוֹלָד ICh. 4:29

תּוֹלְדוֹת*
נ־ר א) וְלָדוֹת, צאצאים, סדר הנולדים: 2-39
ב) [בהשאלה] פרשת ההתפתחות: 1

תּוֹלְדוֹת אָדָם 2; ת׳ אַהֲרֹן 12; ת׳ הָאָרֶץ 1;
ת׳ בְּנֵי נֹחַ 4; ת׳ יַעֲקֹב 11; ת׳ יִצְחָק 8;
ת׳ יִשְׁמָעֵאל 7; ת׳ מֹשֶׁה 12; ת׳ נֹחַ 3; ת׳ עֵשָׂו 10,9;
ת׳ פֶּרֶץ 13; ת׳ שֵׁם 5; ת׳ הַשָּׁמַיִם 1; ת׳ תֶּרַח 6;
לְתוֹלְדוֹתָם 29-39

תּוֹלְדוֹת־ 1 אֵלֶּה תוֹלְדוֹת הַשָּׁמַיִם וְהָאָרֶץ Gen. 2:4
2 זֶה סֵפֶר תּוֹלְדֹת אָדָם Gen. 5:1
3 אֵלֶּה תּוֹלְדֹת נֹחַ Gen. 6:9
4 וְאֵלֶּה תּוֹלְדֹת בְּנֵי־נֹחַ Gen. 10:1
5 אֵלֶּה תּוֹלְדֹת שֵׁם Gen. 11:10
6 וְאֵלֶּה תּוֹלְדֹת תֶּרַח Gen. 11:27
7 וְאֵלֶּה תֹּלְדֹת יִשְׁמָעֵאל Gen. 25:12
8 וְאֵלֶּה תּוֹלְדֹת יִצְחָק Gen. 25:19
9/10 וְאֵלֶּה תֹּלְדוֹת עֵשָׂו Gen. 36:1, 9
11 אֵלֶּה תֹּלְדוֹת יַעֲקֹב Gen. 37:2
12 וְאֵלֶּה תּוֹלְדֹת אַהֲרֹן וּמֹשֶׁה Num. 3:1
13 וְאֵלֶּה תּוֹלְדוֹת פָּרֶץ Ruth 4:18
לְתוֹלְדוֹתָיו 14 לַחֶבְרוֹנִי...לְתֹלְדֹתָיו לְאָבוֹת ICh. 26:31
תּוֹלְדֹתָם 15-26 תּוֹלְדֹתָם לְמִשְׁפְּחֹתָם Num. 1:20
1:22, 24, 26, 28, 30, 32, 34, 36, 38, 40, 42
27 אֵלֶּה תֹּלְדוֹתָם ICh. 1:29
כְּתוֹלְדוֹתָם 28 וְאֶת־שְׁמוֹת הַשִּׁשָּׁה...כְּתוֹלְדֹתָם Ex. 28:10
לְתוֹלְדוֹתָם 29 מִשְׁפְּחֹת...לְתוֹלְדֹתָם בְּגוֹיֵהֶם Gen. 10:32
30 בִּשְׁמֹתָם לְתוֹלְדֹתָם Gen. 25:13
31 וְאֵלֶּה שְׁמוֹת בְּנֵי־לֵוִי לְתֹלְדֹתָם Ex. 6:16
32 אֵלֶּה מִשְׁפְּחֹת הַלֵּוִי לְתֹלְדֹתָם Ex. 6:19
33 בְּהִתְיַחֵשׂ לְתֹלְדוֹתָם ICh. 5:7
34 גִּבּוֹרֵי חַיִל לְתֹלְדוֹתָם ICh. 7:2
35 לְתוֹלְדוֹתָם לְבֵית אֲבוֹתָם ICh. 7:4
36 וְהִתְיַחְשָׂם לְתֹלְדוֹתָם ICh. 7:9
37 אֵלֶּה רָאשֵׁי אָבוֹת לְתֹלְדוֹתָם ICh. 8:28
38 וַאֲחֵיהֶם לְתֹלְדֹתָם ICh. 9:9
39 רָאשֵׁי הָאָבוֹת לַלְוִיִּם לְתֹלְדוֹתָם ICh. 9:34

תּוֹלָל*
ז׳ שולל, בוזז

וְתוֹלָלֵינוּ 1 שְׁאֵלוּנוּ שׁוֹבֵינוּ...וְתוֹלָלֵינוּ שִׂמְחָה Ps. 137:3

תּוֹלָע¹
ז׳ אריג צבוע בצבע של תּוֹלַעַת שָׁנִי: 1, 2

תּוֹלָע 1 הָאֱמֻנִים עֲלֵי תוֹלָע Lam. 4:5
כַּתּוֹלָע 2 אִם־יַאְדִּימוּ כַתּוֹלָע כַּצֶּמֶר יִהְיוּ Is. 1:18

תּוֹלָע²
שם־ז א) בכור יששכר בן יעקב: 1, 2, 4-6
ב) השופט הששי בישראל: 3

תּוֹלָע 1 וּבְנֵי יִשָּׂשכָר תּוֹלָע וּפֻוָּה Gen. 46:13
2 תּוֹלָע מִשְׁפַּחַת הַתּוֹלָעִי Gen. 26:23
3 תּוֹלָע בֶּן־פּוּאָה בֶּן־דּוֹדוֹ Jud. 10:1
4 וְלִבְנֵי יִשָּׂשכָר תּוֹלָע וּפוּאָה ICh. 7:1
5 וּבְנֵי תוֹלָע עֻזִּי וּרְפָיָה ICh. 7:2
לְתוֹלָע 6 רָאשִׁים לְבֵית־אֲבוֹתָם לְתוֹלָע ICh. 7:2

תּוֹלֵעָה
נ׳ תּוֹלַעַת: 1, 2

תּוֹלֵעָה 1 תַּחְתֶּיךָ יֻצַּע רִמָּה וּמְכַסֶּיךָ תּוֹלֵעָה Is. 14:11
2 אַף כִּי־אֱנוֹשׁ רִמָּה וּבֶן־אָדָם תּוֹלֵעָה Job 25:6

תּוֹלָעִי
ת׳ המתיחס על בית תּוֹלָע²(א)

הַתּוֹלָעִי 1 תּוֹלָע מִשְׁפַּחַת הַתּוֹלָעִי Num. 26:23

תּוֹלַעַת
נ׳ א) בעל־חיים שגופו חסר גפים, רִמָּה, או
זחל של פרפר או עש וכד׳: 3, 9, 38, 39
ב) [בהשאלה] כנוי לאדם דל ומסכן: 4, 15
ג) [תּוֹלַעַת שָׁנִי] כנימה שהפיקו ממנה
צבע אדום, וכן כנוי לצבע ולאריג
הצבוע בצבע האדום: 10-14, 16-37
ד) [שְׁנִי תּוֹלַעַת] צבע המופק
מן הכנימה הנ״ל: 1, 2, 5-8

תּוֹלַעַת יַעֲקֹב 15; תּוֹלַעַת שָׁנִי 10-14, 16-37;
שְׁנִי תוֹלַעַת 1, 2, 5-8

תּוֹלַעַת 1/2 וּשְׁנִי תוֹלַעַת וְאֵזֹב Lev. 14:4, 49
3 וַיְמַן הָאֱלֹהִים תּוֹלַעַת...וַתַּךְ... Jon. 4:7
4 וְאָנֹכִי תוֹלַעַת וְלֹא־אִישׁ Ps. 22:7
תּוֹלָעַת 5 עֵץ אֶרֶז וְאֵזוֹב וּשְׁנִי תוֹלָעַת Num. 19:6
הַתּוֹלַעַת 6 וְאֶת־שְׁנִי הַתּוֹלַעַת וְאֶת־הָאֵזֹב Lev. 14:6
7 וְאֶת־הָאֵזֹב וְאֵת שְׁנִי הַתּוֹלַעַת Lev. 14:51
הַתּוֹלָעַת 8 וּבָאֵזֹב וּבִשְׁנִי הַתּוֹלָעַת Lev. 14:52
9 כִּי תֹאכְלֶנּוּ הַתֹּלָעַת Deut. 28:39
תּוֹלַעַת־ 10-12 תּוֹלַעַת הַשָּׁנִי Ex. 28:5; 35:25; 39:3
13 תּוֹלַעַת שָׁנִי וְשֵׁשׁ מָשְׁזָר Ex. 28:6
14 וּפָרְשׂוּ עֲלֵיהֶם בֶּגֶד תּוֹלַעַת שָׁנִי Num. 4:8
15 אַל־תִּירְאִי תּוֹלַעַת יַעֲקֹב מְתֵי יִשְׂ׳ Is. 41:14
וְתוֹלַעַת־ 16-33 וְתוֹלַעַת שָׁנִי Ex. 25:4; 26:31, 36; 27:16; 28:8,
15, 33; 35:6, 23; 36:8, 35, 37; 38:18; 39:2, 5, 8, 24, 29
34 תְּכֵלֶת וְאַרְגָּמָן וְתֹלַעַת שָׁנִי Ex. 26:1
35 וּמִן־הַתְּכֵלֶת...וְתוֹלַעַת הַשָּׁנִי Ex. 39:1
בְּתוֹלַעַת־ 36 וְרֹקֵם...בְּתוֹלַעַת הַשָּׁנִי וּבַשֵּׁשׁ Ex. 35:35
וּבְתוֹלַעַת־ 37 וְרֹקֵם...וּבְתוֹלַעַת הַשָּׁנִי וּבַשֵּׁשׁ Ex. 38:23
תּוֹלַעְתָּם 38 כִּי תוֹלַעְתָּם לֹא תָמוּת Is. 66:24
תּוֹלָעִים 39 וַיָּרֻם תּוֹלָעִים וַיִּבְאַשׁ Ex. 16:20

תּוֹמִיךְ
(Ps. 16:5) – עין תָּמַךְ (8)

תּוֹמִם
(Gen. 25:24) – עין תְּאוֹמִים (2)

תּוֹעֵבָה
נ׳ שקוץ, פגול, דבר מאוס: 1-117

קרובים: גֹּעַל / זָרָא / מָאוֹס / פִּגּוּל / שְׁאָט / שִׁקּוּץ / שֶׁקֶץ

– דְּבַר תּוֹעֵבָה 21; קְטֹרֶת תּוֹעֵבָה 7
– תּוֹעֲבַת בְּנֵי עַמּוֹן 46; ת׳ יְיָ 27-45; ת׳ כְּסִילִים
51; ת׳ מְלָכִים 48; ת׳ מִצְרַיִם 24-26; ת׳ נַפְשׁוֹ 47;
ת׳ צַדִּיקִים 49; ת׳ רָשָׁע 53; תּוֹעֲבַת שְׂפָתַיִם 50
– תּוֹעֵבוֹת גְּדֹלוֹת 54-57; תּוֹעֲבוֹת רָעוֹת 68
– גִּלּוּלֵי תוֹעֵבוֹת 86; חֻקּוֹת ת׳ 63; עַמֵּי ת׳ 73;
צַלְמֵי תוֹעֲבוֹת 106; שֶׁבַע תּוֹעֵבוֹת 59
– תּוֹעֲבוֹת אֲבוֹתָיו 77; ת׳ הַגּוֹיִם 78-84; ת׳ רָעוֹת 76

תּוֹעֵבָה 1 כִּי־תוֹעֵבָה הִוא לְמִצְרָיִם Gen. 43:32
2 וְאֶת־זָכָר לֹא תִשְׁכַּב...תּוֹעֵבָה הִוא Lev. 18:22
3 תּוֹעֵבָה עָשׂוּ שְׁנֵיהֶם Lev. 20:13
4 וְלֹא־תָבִיא תוֹעֵבָה אֶל־בֵּיתֶךָ Deut. 7:26
5 לֹא תֹאכַל כָּל־תּוֹעֵבָה Deut. 14:3
6 כִּי־תוֹעֵבָה הִוא לִפְנֵי יְיָ Deut. 24:4
7 קְטֹרֶת תּוֹעֵבָה הִיא לִי Is. 1:13
8 תּוֹעֵבָה יִבְחַר בָּכֶם Is. 41:24
9/10 כִּי־תוֹעֵבָה עָשׂוּ Jer. 6:15; 8:12
11 וַתַּעֲשֶׂינָה תוֹעֵבָה לְפָנָי Ezek. 16:50
12 וְאֶל־הַגִּלּוּלִים נָשָׂא עֵינָיו תּוֹ׳ עָשָׂה Ezek. 18:12
13 וְאִישׁ אֶת־אֵשֶׁת רֵעֵהוּ עָשָׂה תּוֹעֵבָה Ezek. 22:11
14 עֲמַדְתֶּם עַל־חַרְבְּכֶם עֲשִׂיתֶן תּוֹעֵבָה Ezek. 33:26
15 זֶבַח רְשָׁעִים תּוֹעֵבָה Prov. 21:27
16 גַּם־תְּפִלָּתוֹ תּוֹעֵבָה Prov. 28:9
וְתוֹעֵבָה 17 וְתוֹעֵבָה נֶעֶשְׂתָה בְיִשְׂרָאֵל Mal. 2:11
הַתּוֹעֵבָה 18 נֶעֶשְׂתָה הַתּוֹעֵבָה הַזֹּאת בְּקִרְבֶּךָ Deut. 13:15
19 נֶעֶשְׂתָה הַתּוֹעֵבָה...בְּיִשְׂרָאֵל Deut. 17:4

20 לַעֲשׂוֹת הַתּוֹעֵבָה הַזֹּאת Jer. 32:35
21 אֶת דְּבַר־הַתֹּעֵבָה הַזֹּאת Jer. 44:4
לְתוֹעֵבָה 22 וְיִתְרוֹ לְתוֹעֵבָה אֶעֱשֶׂה Is. 44:19
23 וְנַחֲלָתִי שַׂמְתֶּם לְתוֹעֵבָה Jer. 2:7
תּוֹעֲבַת־ 24 כִּי־תוֹעֲבַת מִצְרַ׳ כָּל־רֹעֵה צֹאן Gen. 46:34
25 כִּי תוֹעֲבַת מִצְרַ׳ נִזְבַּח לַיְיָ אֱלֹהֵינוּ Ex. 8:22
26 הֵן נִזְבַּח אֶת־תּוֹעֲבַת מִצְ׳ לְעֵינֵיהֶם Ex. 8:22
27/8 כִּי תוֹעֲבַת יְיָ אֱלֹהֶיךָ הוּא Deut. 7:25; 17:1
29 כָּל־תּוֹעֲבַת יְיָ אֲשֶׁר שָׂנֵא... Deut. 12:31
30-45 תּוֹעֲבַת יְיָ Deut. 18:12
22:5; 23:19; 25:16; 27:15 • Prov. 3:32; 11:1, 20; 12:22; 15:8, 9, 26; 16:5; 17:15; 20:10, 23
46 וּלְמִלְכֹּם תּוֹעֲבַת בְּנֵי־עַמּוֹן IIK. 23:13
47 וְשֶׁבַע תּוֹעֲבַת (כת׳ תועבות) נַפְשׁוֹ Prov. 6:16
48 תּוֹעֲבַת מְלָכִים עֲשׂוֹת רֶשַׁע Prov. 16:12
49 תּוֹעֲבַת צַדִּיקִים אִישׁ עָוֶל Prov. 29:27
וְתוֹעֲבַת־ 50 וְתוֹעֲבַת שְׂפָתַי רֶשַׁע Prov. 8:7
51 וְתוֹעֲבַת כְּסִילִים סוּר מֵרָע Prov. 13:19
52 וְתוֹעֲבַת לְאָדָם לֵץ Prov. 24:9
53 וְתוֹעֲבַת רָשָׁע יְשַׁר־דָּרֶךְ Prov. 29:27
תּוֹעֵבוֹת 54-56 תּוֹעֵבוֹת גְּדֹלוֹת Ezek. 8:6², 13
57 תּוֹעֵבוֹת גְּדֹלוֹת מֵאֵלֶּה Ezek. 8:15
58 שַׁתַּנִי תוֹעֵבוֹת לָמוֹ Ps. 88:9
59 כִּי שֶׁבַע תּוֹעֵבוֹת בְּלִבּוֹ Prov. 26:25
הַתּוֹעֵבוֹת 60 וְלֹא תַעֲשׂוּ מִכֹּל הַתּוֹעֵבֹת הָאֵלֶּה Lev. 18:26
61 אֶת־כָּל־הַתּוֹעֵבֹת הָאֵל עָשׂוּ Lev. 18:27
62 אֲשֶׁר יַעֲשֶׂה מִכֹּל הַתּוֹעֵבוֹת הָאֵלֶּה Lev. 18:29
63 לְבִלְתִּי עֲשׂוֹת מֵחֻקּוֹת הַתּוֹעֵבֹת Lev. 18:30
64 וּבִגְלַל הַתּוֹעֵבֹת הָאֵלֶּה... Deut. 18:12
65 יַעַן אֲשֶׁר עָשָׂה...הַתֹּעֵבוֹת הָאֵלֶּה IIK. 21:11
66 אֵת כָּל־הַתּוֹעֵבֹת הָאֵלֶּה Jer. 7:10
67 מִפְּנֵי הַתּוֹעֵבֹת אֲשֶׁר עֲשִׂיתֶם Jer. 44:22
68 בֹּא וּרְאֵה אֶת־הַתּוֹעֵבוֹת הָרָעוֹת Ezek. 8:9
69 אֶת־הַתּוֹעֵבוֹת אֲשֶׁר עָשׂוּ־פֹה Ezek. 8:17
70 הַתּוֹעֵבוֹת הַנַּעֲשׂוֹת בְּתוֹכָהּ Ezek. 9:4
71 אֵת כָּל־הַתּוֹעֵבוֹת הָאֵלֶּה עָשָׂה Ezek. 18:13
72 כְּכֹל הַתּוֹעֵבוֹת אֲשֶׁר־עָשָׂה Ezek. 18:24
73 וּלְהִתְחַתֵּן בְּעַמֵּי הַתֹּעֵבוֹת הָאֵלֶּה Ez. 9:14
74 וַיָּסַר...אֶת־כָּל־הַתּוֹעֵבוֹת IICh. 34:33
בְּתוֹעֵבוֹת 75 יַקְנִאֻהוּ בְּזָרִים בְּתוֹעֵבֹת יַכְעִיסֻהוּ Deut. 32:16
תּוֹעֲבוֹת־ 76 כָּל־תּוֹעֲבוֹת רָעוֹת בֵּית יִשְׂרָאֵל Ezek. 6:11
77 אֶת־תּוֹעֲבֹת אֲבוֹתָם הוֹדִיעֵם Ezek. 20:4
78 ...כְּכֹל תֹּעֲבוֹת הַגּוֹיִם IICh. 36:14
הַתּוֹעֲבוֹת־ 79 עָשׂוּ כְּכֹל הַתּוֹעֲבֹת הַגּוֹיִם IK. 14:24
כְּתוֹעֲבוֹת־ 80 לַעֲשׂוֹת כְּתוֹעֲבֹת הַגּוֹיִם הָהֵם Deut. 18:9
81 הֶעֱבִיר בָּאֵשׁ כְּתֹעֲבוֹת הַגּוֹיִם IIK. 16:3
82 וַיַּעַשׂ הָרַע...כְּתוֹעֲבֹת הַגּוֹיִם IIK. 21:2
83 וַיַּבְעֵר...בָּאֵשׁ כְּתֹעֲבוֹת הַגּוֹיִם IICh. 28:3
84 וַיַּעַשׂ הָרַע...כְּתוֹעֲבוֹת הַגּוֹיִם IICh. 33:2
תּוֹעֲבוֹתַיִךְ 85 וְאֵת כָּל־תּוֹעֲבֹתַיִךְ וְתַזְנֻתַיִךְ Ezek. 16:22
86 וְעַל כָּל־גִּלּוּלֵי תוֹעֲבוֹתַיִךְ Ezek. 16:36
87 וַתַּרְבִּי אֶת־תּוֹעֲבוֹתַיִךְ מֵהֵנָּה Ezek. 16:51
88 וַתְּצַדְּקִי...בְּכָל־תּוֹעֲבֹתַיִךְ Ezek. 16:51
89 אֶת־זִמָּתֵךְ וְאֶת־תּוֹעֲבוֹתַיִךְ Ezek. 16:58
תּוֹעֲבֹתָיִךְ 90 יַעַן כָּל־תּוֹעֲבֹתָיִךְ Ezek. 5:9
91 בְּכָל־שִׁקּוּצַיִךְ וּבְכָל־תּוֹעֲבֹתָיִךְ Ezek. 5:11
92/3 וְנָתַתִּי עָלַיִךְ אֵת כָּל־תּוֹעֲבֹתָיִךְ Ezek. 7:3, 8
94 וְלֹא עָשִׂית...עַל כָּל־תּוֹעֲבֹתָיִךְ Ezek. 16:43
וְתוֹעֲבוֹתַיִךְ 95/6 וְתוֹעֲבוֹתַיִךְ בְּתוֹכֵךְ תִּהְיֶיןָ Ezek. 7:4, 9
וְתוֹעֲבֹתָיו 97 וְתֹעֲבֹתָיו אֲשֶׁר־עָשָׂה וְהַנִּמְצָא עָלָיו IICh. 36:8
תּוֹעֲבוֹתֶיהָ 98 וְהֵסִירוּ...וְאֶת־כָּל־תּוֹעֲבוֹתֶיהָ Ezek. 11:18
99 הוֹדַע אֶת־יְרוּשָׁ׳ אֶת־תּוֹעֲבֹתֶיהָ Ezek. 16 2
100 וְהוֹדַעְתָּהּ אֵת כָּל־תּוֹעֲבוֹתֶיהָ Ezek. 22:2
תּוֹעֲבוֹתֵיכֶם 101 וּמֵעַל כָּל־תּוֹעֲבֹתֵיכֶם הָשִׁיבוּ Ezek. 14:6
102 עַל עֲוֹנֹתֵיכֶם וְעַל תּוֹעֲבוֹתֵיכֶם Ezek. 36:31
103 רַב־לָכֶם מִכָּל־תּוֹעֲבוֹתֵיכֶם Ezek. 44:6
104 וַיָּפֵרוּ...בְּרִיתִי אֶל כָּל־תּוֹעֲבוֹתֵיכֶם Ezek. 44:7
תּוֹעֲבֹתָם 105 כְּכֹל תּוֹעֲבֹתָם אֲשֶׁר עָשׂוּ לֵאלֹהֵיהֶ׳ Deut. 20:18
106 וְצַלְמֵי תוֹעֲבֹתָם שִׁקּוּצֵיהֶם עָשׂוּ Ezek. 7:20
107 עַל כָּל־תּוֹעֲבֹתָם אֲשֶׁר עָשׂוּ Ezek. 33:29
תּוֹעֲבוֹתֵיהֶם 108 אֲשֶׁר עָשׂוּ לְכֹל תּוֹעֲבֹתֵיהֶם Ezek. 6:9
109 יְסַפְּרוּ אֶת־כָּל־תּוֹעֲבוֹתֵיהֶם Ezek. 12:16
וְתוֹעֲבוֹתָם 110 כְּלִמָּתָם וְתוֹעֲבוֹתָם אֲשֶׁר עָשׂוּ Ezek. 44:13
וְתוֹעֲבוֹתֵיהֶם 111 וְתוֹעֲבוֹתֵיהֶם מָלְאוּ...נַחֲלָתִי Jer. 16:18
112 וְאֶל...שִׁקּוּצֵיהֶם וְתוֹעֲבוֹתֵיהֶם לִבָּם הֹלֵךְ Ezek. 11:21
בְּתוֹעֲבוֹתָם 113 וְטִמְּאוּ...בְּתוֹעֲבוֹתָם אֲשֶׁר עָשׂוּ Ezek. 43:8
בְּתוֹעֲבֹתֵיהֶם 114 בְּתוֹעֲבֹתֵיהֶם אֲשֶׁר מִלְאוּהָ Ez. 9:11
כְּתוֹעֲבֹתֵיהֶם 115 לֹא־נִבְדְּלוּ...כְּתֹעֲבֹתֵיהֶם Ez. 9:1
תּוֹעֲבוֹתֵיהֶן 116 וְהַגֵּד לָהֶן אֵת תּוֹעֲבוֹתֵיהֶן Ezek. 23:36
וּכְתוֹעֲבוֹתֵיהֶן 117 וּכְתוֹעֲבוֹתֵיהֶן עָשִׂית° Ezek. 16:47

תּוֹעָה
נ׳ דופי, גנאי: 1, 2
דְּבַר תּוֹעָה 1; עָשָׂה תּוֹעָה 2
תּוֹעָה 1 לַעֲשׂוֹת חֹנֶף וּלְדַבֵּר אֶל־יְיָ תּוֹעָה Is. 32:6
2 לְהִלָּחֵם...וְלַעֲשׂוֹת לוֹ תּוֹעָה Neh. 4:2

תּוֹעָפוֹת
נ״ר – רום, התנשאות: 1-4
כֶּסֶף תּוֹעָפוֹת 1; תּוֹעֲפוֹת הָרִים 2; תּ׳ רְאֵם 4,3
תּוֹעָפוֹת 1 וְכֶסֶף תּוֹעָפוֹת לָךְ Job 22:25
וְתוֹעֲפוֹת־ 2 וְתוֹעֲפוֹת הָרִים לוֹ Ps. 95:4
כְּתוֹעֲפוֹת־ 3/4 כְּתוֹעֲפֹת רְאֵם לוֹ Num. 23:22; 24:8

תּוּפִין*
ז׳ מאפה תנור
תּוּפִינֵי־ 1 תֻּפִינֵי מִנְחַת פִּתִּים Lev. 6:14

תּוֹצָאָה*
נ׳ א) מוצא, מקור: 1, 7
ב) קצה: 2-6, 8-23
תּוֹצְאוֹת הַגְּבוּל 2-5; תּ׳ חַיִּים 7; תּוֹצְאוֹת הָעִיר 6
תּוֹצָאוֹת 1 וְלֵיהוִה אֲדֹנָי לַמָּוֶת תּוֹצָאוֹת Ps. 68:21
תּוֹצְאוֹת־ 2 וְהָיוּ תּוֹצְאֹת הַגְּבֻל צְדָדָה Num. 34:8
3 וְהָיוּ תֹּצְאוֹת הַגְּבוּל יָמָּה Josh. 15:4
4 וְהָיוּ תֹּצְאוֹת הַגְּבוּל יָמָּה Josh. 15:11
5 וְהָיוּ תֹּצְאוֹת גְּבוּלָם הַיַּרְדֵּן Josh. 19:22
6 וְאֵלֶּה תּוֹצְאֹת הָעִיר Ezek. 48:30
7 כִּי־מִמֶּנּוּ תּוֹצְאוֹת חַיִּים Prov. 4:23
תּוֹצְאֹתָיו 8 וְהָיוּ תּוֹצְאֹתָיו מִנֶּגֶב לְקָדֵשׁ בַּרְנֵעַ Num. 34:4
9 וְהָיוּ תוֹצְאֹתָיו הַיָּמָּה Num. 34:5
10 וְהָיוּ תֹצְאֹתָיו חֲצַר עֵינָן Num. 34:9
11 וְהָיוּ תוֹצְאֹתָיו יָם הַמֶּלַח Num. 34:12
12-22 וְהָיוּ...תוֹצְאֹתָ(י)ו Josh. 15:7
16:3, 8; 17:9, 18; 18:12, 14, 19; 19:14, 29, 33
תּוֹצְאוֹתָם 23 וּבְכָל־מִגְרְשֵׁי שָׁרוֹן עַל־תּוֹצְאוֹתָם ICh. 5:16

תור
: תָּר, הֵתִיר; יָתוּר, תּוֹרִי(?)

(תור) תָּר
פ׳ א) סִיֵּר, עבר והתבונן: 1-8, 11, 12, 14-18, 20, 21
ב) חקר, דרש: 9, 10, 13, 19
ג) [הפ׳ הֵתִיר] תָּר: 22, 23
לָתוּר 1 נֹסֵעַ...לָתוּר לָהֶם מְנוּחָה Num. 10:33
2/3 שָׁלַח מֹשֶׁה לָתוּר אֶת־הָאָרֶץ Num. 13:16; 14:36
4 וַיִּשְׁלַח...לָתוּר אֶת־אֶרֶץ כְּנָעַן Num. 13:17
5/6 הָאָרֶץ אֲשֶׁר עָבַרְנוּ בָהּ לָתוּר אֹתָהּ Num. 13:32; 14:7
7 הַהֹלְכִים לָתוּר אֶת־הָאָרֶץ Num. 14:38
8 לָתוּר לָכֶם מָקוֹם לַחֲנֹתְכֶם Deut. 1:33
וְלָתוּר 9 לִדְרוֹשׁ וְלָתוּר בַּחָכְמָה Eccl. 1:13
10 לָדַעַת וְלָתוּר וּבַקֵּשׁ חָכְמָה Eccl. 7:25
מִתּוּר 11 וַיָּשֻׁבוּ מִתּוּר הָאָרֶץ Num. 13:25
תַּרְתִּי 12 אֶל־אֶרֶץ אֲשֶׁר־תַּרְתִּי לָהֶם Ezek. 20:6
13 תַּרְתִּי בְלִבִּי לִמְשׁוֹךְ בַּיַּיִן אֶת־בְּשָׂרִי Eccl. 2:3
תַּרְתֶּם 14 אֲשֶׁר־תַּרְתֶּם אֶת־הָאָרֶץ Num. 14:34
תָּרוּ 15 דִּבַּת הָאָרֶץ אֲשֶׁר תָּרוּ אֹתָהּ Num. 13:32
הַתָּרִים 16 מִן־הַתָּרִים אֶת־הָאָרֶץ Num. 14:6
17 לְבַד מֵאַנְשֵׁי הַתָּ׳ וּמִסְחַר הָרֹכְלִים IK. 10:15
18 לְבַד מֵאַנְשֵׁי הַתָּרִים וְהַסֹּחֲרִים IICh. 9:14
תָּתוּרוּ 19 וְלֹא תָתוּרוּ אַחֲרֵי לְבַבְכֶם Num. 15:39
וְיָתֻרוּ 20 וְיָתֻרוּ אֶת־אֶרֶץ כְּנַעַן Num. 13:2
וַיָּתֻרוּ 21 וַיַּעֲלוּ וַיָּתֻרוּ אֶת־הָאָרֶץ Num. 13:21
יָתֵר (?) 22 יָתֵר מֵרֵעֵהוּ צַדִּיק Prov. 12:26
וַיָּתִירוּ 23 וַיָּתִירוּ בֵית־יוֹסֵף בְּבֵית־אֵל Jud. 1:23

תּוֹר¹
ז׳ א) סדר, מחזור: 1, 2
ב) טור, שורה, מחרוזת: 4, 5
ג) תּוֹאַר?: 3 [עין גם תּוֹרָה 111]
תּוֹר הָאָדָם 3; תּוֹר אֶסְתֵּר 2; תּוֹר נַעֲרָה 1; תּוֹרֵי זָהָב 5
תּוֹר־ 1 וּבְהַגִּיעַ תֹּר נַעֲרָה וְנַעֲרָה לָבוֹא... Es. 2:12
2 וּבְהַגִּיעַ תֹּר־אֶסְתֵּר...לָבוֹא... Es. 2:15
כְּתוֹר־ 3 וּרְאִיתַנִי כְּתוֹר הָאָדָם הַמַּעֲלָה ICh. 17:17
בַּתּוֹרִים 4 נָאווּ לְחָיַיִךְ בַּתֹּרִים צַוָּארֵךְ בַּחֲרוּזִים S.ofS. 1:10
תּוֹרֵי־ 5 תּוֹרֵי זָהָב נַעֲשֶׂה־לָּךְ S.ofS. 1:11

תּוֹר²
ז׳ אחד מסוגי היונים: 1-14
נֶפֶשׁ הַתּוֹר 5; קוֹל הַתּוֹר 4
תּוֹר 1 וּבֶן־יוֹנָה אוֹ־תֹר לְחַטָּאת Lev. 12:6
וְתוֹר 2 עֶגְלָה מְשֻׁלֶּשֶׁת...וְתֹר וְגוֹזָל Gen. 15:9
3 וְתֹר וְסִיס וְעָגוּר Jer. 8:7
הַתּוֹר 4 וְקוֹל הַתּוֹר נִשְׁמַע בְּאַרְצֵנוּ S.ofS. 2:12
תּוֹרֶךָ 5 אַל־תִּתֵּן לְחַיַּת נֶפֶשׁ תּוֹרֶךָ Ps. 74:19
תּוֹרִים 6-9 שְׁתֵּי תֹרִים אוֹ(־)שְׁנֵי בְנֵי(־)יוֹנָה
Lev. 5:7; 12:8; 15:14, 29
10 וְאִם־לֹא תַשִּׂיג יָדוֹ לִשְׁתֵּי תֹרִים Lev. 5:11
11 וּשְׁתֵּי תֹרִים אוֹ שְׁנֵי בְּנֵי יוֹנָה Lev. 14:22
12 שְׁתֵּי תֹרִים אוֹ שְׁנֵי בְּנֵי יוֹנָה Num. 6:10
הַתּוֹרִים 13/4 מִן־הַתֹּרִים אוֹ מִן־בְּנֵי הַיּוֹנָה Lev. 1:14; 14:30

תּוֹר*³
ז׳ ארמית שור: 1-7
תּוֹרִין 1 וּבְנֵי תוֹרִין וְדִכְרִין וְאִמְּרִין Ez. 6:9
2 וְהַקְרִבוּ...תּוֹרִין מְאָה Ez. 6:17
3 תּוֹרִין דִּכְרִין אִמְּרִין Ez. 7:17
כְּתוֹרִין 4 וְעִשְׂבָּא כְתוֹרִין לָךְ יְטַעֲמוּן Dan. 4:22
5 עִשְׂבָּא כְתוֹרִין לָךְ יְטַעֲמוּן Dan. 4:29
6 וְעִשְׂבָּא כְתוֹרִין יֵאכֻל Dan. 4:30
7 עִשְׂבָּא כְתוֹרִין יְטַעֲמוּנֵּהּ Dan. 5:21

תּוֹרָה
נ׳ א) חוק ומשפט, הוראות להתנהגות, למוסר וכד׳: 1-4, 20, 23-34, 72, 91-106, 111, 121, 122, 129-131, 139, 165, 166, 209-220
ב) ספר החוקים והמצוות שנתן משה לישראל מפי ה׳: 5-19, 21, 22, 35-71, 73-90, 107-110, 112-120, 123-128, 132-138, 140-164, 167-208
קרובים: ראה חק
– תּוֹרָה אוֹר 27; תּוֹרָה אַחַת 1-4; זֹאת הַתּוֹרָה 29, 30, 34, 37
– אֹהֲבֵי הַתּוֹרָה 187; דִּבְרֵי הַתּוֹרָה 40-53; חֻקַּת הַתּ׳ 32, 33; מְנָאוֹת הַתּ׳ 72; מִשְׁנֵה הַתּ׳ 39, 108; נוֹצֵר תּ׳ 17; סֵפֶר הַתּוֹרָה 54-56, 59, 61, 62, 66, 67, 71, 76, 107, 109, 110, 112, 132-134, 136, 137; עוֹזְבֵי הַתּוֹרָה 15, 182; רֹבֵּי הַתּוֹרָה 162; שׁוֹמְרֵי הַתּוֹרָה 16, 19; תּוֹפְשֵׂי הַתּוֹרָה 68

– תּוֹרַת הָאָדָם 111; תּוֹרַת אֱלֹהִים 110, 114, 123, 127, 133, 135, 153, 154; תּוֹרַת אִמּוֹ 129, 130; ת׳ אֱמֶת 124; ת׳ הָאָשָׁם 94; ת׳ הַבְּהֵמָה 96; ת׳ הַבַּיִת 121, 122; ת׳ הַזָּב 102; ת׳ זֶבַח 95; תּוֹרַת הַחַטָּאת 93; תּוֹרַת חָכָם 131; ת׳ חֶסֶד 139; ת׳ הַיֹּלֶדֶת 97; תּוֹרַת יְיָ 90, 115-120, 126, 134, 136-138, 141-147; ת׳ הַמִּנְחָה 92; ת׳ הַמְּצֹרָע 99; תּוֹרַת מֹשֶׁה 107-109, 112, 113, 125, 132, 140, 148-152, 155; ת׳ הַנֶּגַע 98; ת׳ הַנָּזִיר 104, 105; ת׳ נִזְרוֹ 106; ת׳ הָעֹלָה 91; ת׳ הָעוֹף 96; תּוֹרַת פִּיו 128; תּוֹרַת הַצָּרַעַת 101; תּוֹרַת קְנָאוֹת 103

תּוֹרָה 1 תּוֹרָה אַחַת יִהְיֶה לָאֶזְרָח וְלַגֵּר Ex.12:49
2 כַּחַטָּאת כָּאָשָׁם תּוֹרָה אַחַת לָהֶם Lev.7:7
3 תּוֹרָה אַחַת וּמִשְׁפָּט אֶחָד Num.15:16
4 תּוֹרָה אַחַת יִהְיֶה לָכֶם Num.15:29
5 תּוֹרָה צִוָּה־לָנוּ מֹשֶׁה Deut.33:4
6/7 כִּי מִצִּיּוֹן תֵּצֵא תוֹרָה Is.2:3 • Mic.4:2
8 צוֹר תְּעוּדָה חֲתוֹם תּוֹרָה בְּלִמֻּדָי Is.8:16
9 יַגְדִּיל תּוֹרָה וְיַאְדִּיר s.42:21
10 כִּי תוֹרָה מֵאִתִּי תֵצֵא Is.51:4
11 לֹא־תֹאבַד תּוֹרָה מִכֹּהֵן Jer.18:18
12 עַל־כֵּן תָּפוּג תּוֹרָה Hab.1:4
13 חִלְּלוּ־קֹדֶשׁ חָמְסוּ תּוֹרָה Zep.3:4
14 שְׁאַל־נָא אֶת־הַכֹּהֲנִים תּוֹרָה Hag.2:11
15 עֹזְבֵי תוֹרָה יְהַלְלוּ רָשָׁע Prov.28:4
16 וְשֹׁמְרֵי תוֹרָה יִתְגָּרוּ בָם Prov.28:4
17 נוֹצֵר תּוֹרָה בֵּן מֵבִין Prov.28:7
18 מֵסִיר אָזְנוֹ מִשְּׁמֹעַ תּוֹרָה Prov.28:9
19 וְשֹׁמֵר תּוֹרָה אַשְׁרֵהוּ Prov.29:18
20 קַח־נָא מִפִּיו תּוֹרָה Job 22:22
21 אֵין תּוֹרָה גַּם־נְבִיאֶיהָ לֹא־מָצְאוּ חָזוֹן Lam.2:9
22 וּלְלֹא כֹּהֵן מוֹרֶה וּלְלֹא תוֹרָה IICh.15:3
23 בֵּין־דָּם לְדָם בֵּין־תּוֹרָה לְמִצְוָה IICh.19:10
וְתוֹרָה 24 וְתוֹרָה תֹּאבַד מִכֹּהֵן Ezek.7:26
25 וְתוֹרָה יְבַקְשׁוּ מִפִּיהוּ Mal.2:7
26 וַיָּקֶם עֵדוּת בְּיַעֲקֹב וְתוֹרָה שָׂם בְּיִשְׂ׳ Ps.78:5
27 כִּי נֵר מִצְוָה וְתוֹרָה אוֹר Prov.6:23
28 וְחֻקִּים וְתוֹרָה צִוִּיתָ לָהֶם Neh.9:14
הַתּוֹרָה 29 זֹאת הַתּוֹרָה לָעֹלָה לַמִּנְחָה... Lev.7:37
30 זֹאת הַתּוֹרָה לְכָל־נֶגַע הַצָּרַעַת Lev.14:54
31 וְעָשָׂה...אֵת כָּל־הַתּוֹרָה הַזֹּאת Num.5:30
32/3 זֹאת חֻקַּת הַתּוֹרָה Num.19:2; 31:21
34 זֹאת הַתּוֹרָה אָדָם כִּי־יָמוּת בְּאֹהֶל Num.19:14
35 הוֹאִיל מֹשֶׁה בֵּאֵר אֶת־הַתּוֹרָה הַזֹּאת Deut.1:5
36 כְּכֹל הַתּוֹרָה הַזֹּאת Deut.4:8
37 וְזֹאת הַתּוֹרָה אֲשֶׁר־שָׂם מֹשֶׁה Deut.4:44
38 עַל־פִּי הַתּוֹרָה אֲשֶׁר יוֹרוּךָ Deut.17:11
39 וְכָתַב לוֹ אֶת־מִשְׁנֵה הַתּוֹרָה הַזֹּאת Deut.17:18
40 לִשְׁמֹר אֶת־כָּל־דִּבְרֵי הַתּ׳ הַזֹּאת Deut.17:19
41-53 דִּבְרֵי הַתּוֹרָה Deut.27:3,8,26; 28:58
29:28; 31:12,24; 32:46 • Josh.8:34 • IIK.23:24 •
Neh.8:9,13 • IICh.34:19
54 לֹא כָתוּב בְּסֵפֶר הַתּוֹרָה הַזֹּאת Deut.28:61
55/6 הַכְּתוּבָה בְּסֵפֶר הַתּוֹרָה הַזֶּה Deut.29:20;30:10
57 וַיִּכְתֹּב מֹשֶׁה אֶת־הַתּוֹרָה הַזֹּאת Deut.31:9
58 תִּקְרָא אֶת־הַתּוֹרָה הַזֹּאת Deut.31:11
59 לָקֹחַ אֵת סֵפֶר הַתּוֹרָה הַזֶּה Deut.31:26
60 כְּכָל־הַתּוֹרָה אֲשֶׁר צִוְּךָ מֹשֶׁה עַבְדִּי Josh.1:7
61 לֹא־יָמוּשׁ סֵפֶר הַתּוֹרָה הַזֶּה מִפִּיךָ Josh.1:8
62 כְּכָל־הַכָּתוּב בְּסֵפֶר הַתּוֹרָה Josh.8:34
63 לַעֲשׂוֹת אֶת־הַמִּצְוָה וְאֶת־הַתּוֹרָה Josh.22:5
64 כְּכָל־הַתּוֹרָה אֲשֶׁר צִוִּיתִי IIK.17:13

הַתּוֹרָה (המשך) 65 וּלְכָל־הַתּוֹרָה אֲשֶׁר־צִוָּה אֹתָם IIK.21:8
66 סֵפֶר הַתּוֹרָה מָצָאתִי בְּבֵית יְיָ IIK.22:8
67 כִּשְׁמֹעַ הַמֶּ׳ אֶת־דִּבְרֵי סֵפֶר הַתּוֹרָה IIK.22:11
68 וְתֹפְשֵׂי הַתּוֹרָה לֹא יְדָעוּנִי Jer.2:8
69 מִשְּׁמוֹעַ אֶת־הַתּוֹרָה וְאֶת־הַדְּבָרִים Zech.7:12
70 וַיָּבִיא עֶזְרָא הַכֹּהֵן אֶת־הַתּוֹרָה Neh.8:2
71 וְאָזְנֵי כָל־הָעָם אֶל־סֵפֶר הַתּוֹרָה Neh.8:3
72 לִכְנוֹס...מְנָאוֹת הַתּוֹרָה לַכֹּהֲנִים Neh.12:44
73 וַיְהִי כְּשָׁמְעָם אֶת־הַתּוֹרָה Neh.13:3
74 וְלַעֲשׂוֹת הַתּוֹרָה וְהַמִּצְוָה IICh.14:3
75 לְכָל־הַתּוֹרָה וְהַחֻקִּים וְהַמִּשְׁפָּטִים IICh.33:8
76 סֵפֶר הַתּוֹרָה מָצָאתִי בְּבֵית יְיָ IICh.34:15
וְהַתּוֹרָה 77 וְהַתּוֹרָה וְהַמִּצְוָה אֲשֶׁר כָּתַבְתִּי Ex.24:12
78 וְהַתּוֹרָה וְהַמִּצְוָה אֲשֶׁר כָּתַב לָכֶם IIK.17:37
בַּתּוֹרָה 79 הִכְשַׁלְתֶּם רַבִּים בַּתּוֹרָה Mal.2:8
80 וְנֹשְׂאִים פָּנִים בַּתּוֹרָה Mal.2:9
81 וַיִּמְצְאוּ כָּתוּב בַּתּוֹרָה Neh.8:14
82/3 כַּכָּתוּב בַּתּוֹרָה Neh.10:35,37
84 כִּי כַכָּתוּב בַּתּוֹרָה בְּסֵפֶר מֹשֶׁה... IICh.25:4
וּבַתּוֹרָה 85 בַּעֲבוֹדַת בֵּית־הָאֱלֹ׳ וּבַתּוֹרָה IICh.31:21
וְכַתּוֹרָה 86 וְכַתּוֹרָה וְכַמִּצְוָה אֲשֶׁר צִוָּה יְיָ IIK.17:34
87 וְכַתּוֹרָה יֵעָשֶׂה Ez.10:3
לְתוֹרָה 88 לְתוֹרָה וְלִתְעוּדָה Is.8:20
לַתּוֹרָה 89 מְבִינִים אֶת־הָעָם לַתּוֹרָה Neh.8:7
תּוֹרַת־ 90 לְמַעַן תִּהְיֶה תּוֹרַת יְיָ בְּפִיךָ Ex.13:9
91 זֹאת תּוֹרַת הָעֹלָה Lev.6:2
92 וְזֹאת תּוֹרַת הַמִּנְחָה Lev.6:7
93 זֹאת תּוֹרַת הַחַטָּאת Lev.6:18
94 וְזֹאת תּוֹרַת הָאָשָׁם Lev.7:1
95 וְזֹאת תּוֹרַת זֶבַח הַשְּׁלָמִים Lev.7:11
96 זֹאת תּוֹרַת הַבְּהֵמָה וְהָעוֹף Lev.11:46
97 זֹאת תּוֹרַת הַיֹּלֶדֶת Lev.12:7
98 זֹאת תּוֹרַת נֶגַע־צָרַעַת Lev.13:59
99 זֹאת תִּהְיֶה תּוֹרַת הַמְּצֹרָע Lev.14:2
100 זֹאת תּוֹרַת אֲשֶׁר־בּוֹ נֶגַע צָרָעַת Lev.14:32
101 זֹאת תּוֹרַת הַצָּרָעַת Lev.14:57
102 זֹאת תּוֹרַת הַזָּב Lev.15:32
103 זֹאת תּוֹרַת הַקְּנָאֹת Num.5:29
104 וְזֹאת תּוֹרַת הַנָּזִיר Num.6:13
105 זֹאת תּוֹרַת הַנָּזִיר אֲשֶׁר יִדֹּר קָרְבָּנוֹ לַיְיָ Num.6:21
106 כֵּן יַעֲשֶׂה עַל תּוֹרַת נִזְרוֹ Num.6:21
107 כַּכָּתוּב בְּסֵפֶר תּוֹרַת מֹשֶׁה Josh.8:31
108 וַיִּכְתָּב־שָׁם...אֵת מִשְׁנֵה תּוֹרַת מֹשֶׁה Josh.8:32
109 אֵת כָּל־הַכָּתוּב בְּסֵפֶר תּוֹרַת מֹשֶׁה Josh.23:6
110 וַיִּכְתֹּב...בְּסֵפֶר תּוֹרַת אֱלֹהִים Josh.24:26
111 וְזֹאת תּוֹרַת הָאָדָם אֲדֹנָי יֱהֹוִה IISh.7:19
112 כַּכָּתוּב בְּסֵפֶר תּוֹרַת־מֹשֶׁה IIK.14:6
113 אֲשֶׁר־שָׁב אֶל־יְיָ...כְּכֹל תּוֹרַת מֹשֶׁה IIK.23:25
114 הַאֲזִינוּ תּוֹרַת אֱלֹהֵינוּ עַם עֲמֹרָה Is.1:10
115 כִּי מָאֲסוּ אֵת תּוֹרַת יְיָ צְבָאוֹת Is.5:24
116-120 תּוֹרַת יְיָ Is.30:9 • Am.2:4
Ez.7:10 • ICh.22:12(11) • IICh.12:1
121 זֹאת תּוֹרַת הַבָּיִת Ezek.43:12
122 הִנֵּה־זֹאת תּוֹרַת הַבָּיִת Ezek.43:12
123 וַתִּשְׁכַּח תּוֹרַת אֱלֹהֶיךָ Hosh.4:6
124 תּוֹרַת אֱמֶת הָיְתָה בְּפִיהוּ Mal.2:6
125 זִכְרוּ תּוֹרַת מֹשֶׁה עַבְדִּי Mal.3:22
126 תּוֹרַת יְיָ תְּמִימָה מְשִׁיבַת נָפֶשׁ Ps.19:8
127 תּוֹרַת אֱלֹהָיו בְּלִבּוֹ Ps.37:31
128 טוֹב־לִי תוֹרַת־פִּיךָ מֵאַלְפֵי זָהָב וָכָסֶף Ps.119:72

תּוֹרַת־ (המשך) 129/30 וְאַל־תִּטֹּשׁ תּוֹרַת אִמֶּךָ Prov.1:8; 6:20
131 תּוֹרַת חָכָם מְקוֹר חַיִּים Prov.13:14
132 לְהָבִיא אֶת־סֵפֶר תּוֹרַת מֹשֶׁה Neh.8:1
133 וַיִּקְרָא בְסֵפֶר תּוֹרַת הָאֱלֹהִים Neh.8:18
134 וַיִּקְרְאוּ בְּסֵפֶר תּוֹרַת יְיָ אֱלֹהֵיהֶם Neh.9:3
135 וְכָל־הַנִּבְדָּל...אֶל־תּוֹ׳ הָאֱלֹהִים Neh.10:29
136 וְעִמָּהֶם סֵפֶר תּוֹרַת יְיָ IICh.17:9
137 אֶת־סֵפֶר תּוֹרַת־יְיָ בְּיַד־מֹשֶׁה IICh.34:14
וְתוֹרַת־ 138 חֲכָמִים אֲנַחְנוּ וְתוֹרַת יְיָ אִתָּנוּ Jer.8:8
139 וְתוֹרַת־חֶסֶד עַל־לְשׁוֹנָהּ Prov.31:26
בְּתוֹרַת־ 140 לִשְׁמֹר...כַּכָּתוּב בְּתוֹרַת מֹשֶׁה IK.2:3
141 לָלֶכֶת בְּתוֹרַת יְיָ אֱלֹהֵי־יִשְׂרָאֵל IIK.10:31
142 כִּי אִם־בְּתוֹרַת יְיָ חֶפְצוֹ Ps.1:2
143-147 בְּתוֹרַת יְיָ Ps.119:1
ICh.16:40 • IICh.31:3,4; 35:26
148 בְּתוֹרַת מֹשֶׁה עֶבֶד־הָאֱלֹהִים Dan.9:11
149-152 בְּתוֹרַת מֹשֶׁה Dan.9:13
Ez.3:2; 7:6 • IICh.23:18
153 וַיִּקְרְאוּ בַסֵּפֶר בְּתוֹרַת הָאֱלֹהִים Neh.8:8
154 לָלֶכֶת בְּתוֹרַת הָאֱלֹהִים Neh.10:30
כְּתוֹרַת־ 155 כְּתוֹרַת מֹשֶׁה אִישׁ־הָאֱלֹהִים IICh.30:16
תּוֹרָתִי 156 יֹדְעֵי צֶדֶק עַם תּוֹרָתִי בְלִבָּם Is.51:7
157 עַל־עָזְבָם אֶת־תּוֹרָתִי Jer.9:12
158 וְאֶת־תּוֹרָתִי לֹא שָׁמָרוּ Jer.16:11
159 נָתַתִּי אֶת־תּוֹרָתִי בְּקִרְבָּם Jer.31:33(32)
160 חָמְסוּ תוֹרָתִי וַיְחַלְּלוּ קָדָשַׁי Ezek.22:26
161 עָבְרוּ בְרִיתִי וְעַל־תּוֹרָתִי פָּשָׁעוּ Hosh.8:1
162 אֶכְתָּב־לוֹ רֻבֵּי תּוֹרָתִי Hosh.8:12
163 הַאֲזִינָה עַמִּי תּוֹרָתִי Ps.78:1
164 אִם־יַעַזְבוּ בָנָיו תּוֹרָתִי Ps.89:31
165 בְּנִי תּוֹרָתִי אַל־תִּשְׁכָּח Prov.3:1
166 תּוֹרָתִי אַל־תַּעֲזֹבוּ Prov.4:2
וְתוֹרָתִי 167 ...וְתוֹרָתִי וַיִּמְאֲסוּ־בָהּ Jer.6:19
168 שְׁמֹר...וְתוֹרָתִי כְּאִישׁוֹן עֵינֶיךָ Prov.7:2
בְּתוֹרָתִי 169 לְמַעַן אֲנַסֶּנּוּ הֲיֵלֵךְ בְּתוֹרָתִי אִם־לֹא Ex.16:4
170 לָלֶכֶת בְּתוֹרָתִי אֲשֶׁר נָתַתִּי לִפְנֵיכֶם Jer.26:4
171 וְלֹא־הָלְכוּ בְתוֹרָתִי וּבְחֻקֹּתַי Jer.44:10
172 לָלֶכֶת בְּתוֹרָתִי כַּאֲשֶׁר הָלַכְתָּ לְפָנָי IICh.6:16
תּוֹרָתְךָ 173 וְאֶשְׁמְרָה תוֹרָתְךָ תָמִיד Ps.119:44
174 תּוֹרָתְךָ לֹא שָׁכָחְתִּי Ps.119:61
175 אֲנִי תּוֹרָתְךָ שִׁעֲשָׁעְתִּי Ps.119:70
176 כִּי־תוֹרָתְךָ שַׁעֲשֻׁעָי Ps.119:77
177 לוּלֵי תוֹרָתְךָ שַׁעֲשֻׁעָי Ps.119:92
178 כִּי־תוֹרָתְךָ לֹא שָׁכָחְתִּי Ps.119:153
179 שֶׁקֶר שָׂנֵאתִי...תּוֹרָתְךָ אָהָבְתִּי Ps.119:163
180 וַיַּשְׁלִכוּ אֶת־תּוֹרָתְךָ אַחֲרֵי גַוָּם Neh.9:26
תּוֹרָתֶךָ 181 הֲבִינֵנִי וְאֶצְּרָה תוֹרָתֶךָ Ps.119:34
182 מֵרְשָׁעִים עֹזְבֵי תּוֹרָתֶךָ Ps.119:53
183 זָכַרְתִּי...וָאֶשְׁמְרָה תּוֹרָתֶךָ Ps.119:55
184 מָה־אָהַבְתִּי תוֹרָתֶךָ Ps.119:97
185 עֵת לַעֲשׂוֹת לַיְיָ הֵפֵרוּ תּוֹרָתֶךָ Ps.119:126
186 עַל לֹא־שָׁמְרוּ תוֹרָתֶךָ Ps.119:136
187 שָׁלוֹם רָב לְאֹהֲבֵי תוֹרָתֶךָ Ps.119:165
188 וְכָל־יִשְׂרָאֵל עָבְרוּ אֶת־תּוֹרָתֶךָ Dan.9:11
189 לַהֲשִׁיבָם אֶל־תּוֹרָתֶךָ Neh.9:29
190 לֹא עָשׂוּ תּוֹרָתֶךָ Neh.9:34
וְתוֹרָתְךָ 191 יוֹרוּ...וְתוֹרָתְךָ לְיִשְׂרָאֵל Deut.33:10
192 וְתוֹרָתְךָ בְּתוֹךְ מֵעָי Ps.40:9
193 וְתוֹרָתְךָ חָנֵּנִי Ps.119:29
194 וְתוֹרָתְךָ לֹא שָׁכָחְתִּי Ps.119:109
195 סֵעֲפִים שָׂנֵאתִי וְתוֹרָתְךָ אָהָבְתִּי Ps.119:113
196 צִדְקָתְךָ...וְתוֹרָתְךָ אֱמֶת Ps.119:142

197 וְתוֹרָתְךָ שַׁעֲשֻׁעָי Ps.119:174
וּבְתוֹרָתְךָ 198 וּבְתוֹרָתְךָ (כ׳ ובתרותך) לֹא-הָלָכוּ Jer.32:23
כְּתוֹרָתֶךָ 199 כָּרוּ-לִי...אֲשֶׁר לֹא כְתוֹרָתֶךָ Ps.119:85
מִתּוֹרָתְךָ 200 מִתּוֹרָתְךָ לֹא נָטִיתִי Ps.119:51
201 קָרְבוּ רֹדְפֵי זִמָּה מִתּוֹרָתְךָ רָחָקוּ Ps.119:150
מִתּוֹרָתֶךָ 202 וְאַבִּיטָה נִפְלָאוֹת מִתּוֹרָתֶךָ Ps.119:18
וּמִתּוֹרָתְךָ 203 אַשְׁרֵי הַגֶּבֶר...וּמִתּוֹרָתְךָ תְלַמְּדֶנּוּ Ps.94:12
בְּתוֹרָתוֹ 204 וְלֹא שָׁמְעוּ בְּתוֹרָתוֹ Is.42:24
וּבְתוֹרָתוֹ 205 וּבְתֹרָתוֹ וּבְחֻקֹּתָיו...לֹא הֲלַכְתֶּם Jer.44:23
206 וּבְתוֹרָתוֹ יֶהְגֶּה יוֹמָם וָלָיְלָה Ps.1:2
207 וּבְתוֹרָתוֹ מֵאֲנוּ לָלֶכֶת Ps.78:10
וּלְתוֹרָתוֹ 208 וּלְתוֹרָתוֹ אִיִּים יְיַחֵלוּ Is.42:4
תּוֹרֹת 209 כִּי-עָבְרוּ תוֹרֹת חָלְפוּ חֹק Is.24:5
וְתוֹרוֹת- 210 מִשְׁפָּטִים יְשָׁרִים וְתוֹרוֹת אֱמֶת Neh.9:13
הַתּוֹרֹת 211 אֶת-הַחֻקִּים וְאֶת-הַתּוֹרֹת Ex.18:20
וְהַתּוֹרֹת 212 הַחֻקִּים וְהַמִּשְׁפָּטִים וְהַתּוֹרֹת Lev.26:46
תּוֹרֹתַי 213 וְאֶת-תּוֹרֹתַי וְאֶת-חֻקֹּתַי Ezek.44:24
וְתוֹרֹתָי 214 מִצְוֹתַי חֻקּוֹתַי וְתוֹרֹתָי Gen.26:5
215 לִשְׁמֹר מִצְוֹתַי וְתוֹרֹתָי Ex.16:28
תּוֹרֹתָיו 216 אֶת-חֻקֵּי הָאֱלֹהִים וְאֶת-תּוֹרֹתָיו Ex.18:16
217 וְכָל-צוּרֹתָו וְכָל-תּוֹרֹתָו Ezek.43:11
218 לְכָל-חֻקּוֹת בֵּית-יְיָ וּלְכָל-תּוֹרֹתָו Ezek.44:5
וְתוֹרֹתָיו 219 יִשְׁמְרוּ חֻקָּיו וְתוֹרֹתָיו יִנְצֹרוּ Ps.105:45
בְּתוֹרֹתָיו 220 לָלֶכֶת בְּתוֹרֹתָיו אֲשֶׁר-נָתַן לְפָנֵינוּ Dan.9:10

תּוֹרֶק
ז׳ סוג מעולה של שֶׁמֶן (?) – עין (ריק) (19)

תּוֹשָׁב
ז׳ א) יושב ישיבת קבע במקום: 12, 14
ב) מי שהתיישב במקום, ועדיין אינו אזרח בה: 1, 2, 4–10, 13
ג) [בהשאלה] כנוי לאדם שהוא בן-חלוף בארץ החיים: 3, 11
גֵּר (וְ)תוֹשָׁב 2–8,6,11; תּוֹשַׁב כֹּהֵן 9; תּוֹשָׁבֵי גִלְעָד 14
תּוֹשָׁב 1 תּוֹשָׁב וְשָׂכִיר לֹא-יֹאכַל בּוֹ Ex.12:45
2 וְנִמְכַּר לְגֵר תּוֹשָׁב עִמָּךְ Lev.25:47
3 גֵר אָנֹכִי...תּוֹשָׁב כְּכָל-אֲבוֹתָי Ps.39:13
וְתוֹשָׁב 4 גֵּר-וְתוֹשָׁב אָנֹכִי עִמָּכֶם Gen.23:4
5 גֵּר וְתוֹשָׁב וָחַי עִמָּךְ Lev.25:35
6 וְכִי תַשִּׂיג יַד גֵּר וְתוֹשָׁב עִמָּךְ Lev.25:47
כְּתוֹשָׁב 7 כְּשָׂכִיר כְּתוֹשָׁב יִהְיֶה עִמָּךְ Lev.25:40
וְלַתּוֹשָׁב 8 לִבְנֵי י׳ וְלַגֵּר וְלַתּוֹשָׁב בְּתוֹכָם Num.35:15
תּוֹשַׁב- 9 תּוֹשַׁב כֹּהֵן וְשָׂכִיר לֹא-יֹאכַל קֹדֶשׁ Lev.22:10
וּלְתוֹשָׁבְךָ 10 וְלִשְׂכִירְךָ וּלְתוֹשָׁבְךָ הַגָּרִים עִמָּךְ Lev.25:6
וְתוֹשָׁבִים 11 כִּי-גֵרִים וְתוֹשָׁבִים אַתֶּם עִמָּדִי Lev.25:23
12 וְתוֹשָׁבִים כְּכָל-אֲבֹתֵינוּ ICh.29:15
הַתּוֹשָׁבִים 13 מִבְּנֵי הַתּוֹשָׁבִים הַגָּרִים עִמָּכֶם Lev.25:45
מִתֹּשָׁבֵי- 14 אֵלִיָּהוּ הַתִּשְׁבִּי מִתֹּשָׁבֵי גִלְעָד IK.17:1

תּוֹשָׁב
(Is.44:26) – עין יָשַׁב (815)

תּוּשִׁיָּה
נ׳ עצה, חכמה: 1–12 • קרובים: ראה חָכְמָה
תּוּשִׁיָּה וּמְזִמָּה 3; עֹז וְתוּשִׁיָּה 10; עֵצָה וְתוּשִׁיָּה 8,(1)
תּוּשִׁיָּה 1 הִפְלִא עֵצָה הִגְדִּיל תּוּשִׁיָּה Is.28:29
2 יִצְפֹּן° לַיְשָׁרִים תּוּשִׁיָּה Prov.2:7
3 נְצֹר תֻּשִׁיָּה וּמְזִמָּה Prov.3:21
4 בְּכָל-תּוּשִׁיָּה יִתְגַּלָּע Prov.18:1
5 וְלֹא-תַעֲשֶׂינָה יְדֵיהֶם תּוּשִׁיָּה Job5:12
6 וּתְמֹגְגֵנִי תֻּשִׁיָּה (כ׳ תשוה) Job30:22
וְתוּשִׁיָּה 7 וְתוּשִׁיָּה יִרְאֶה שְׁמֶךָ Mic.6:9
8 לִי-עֵצָה וְתוּשִׁיָּה Prov.8:14
9 וְתֻשִׁיָּה נִדְּחָה מִמֶּנִּי Job6:13
10 עִמּוֹ עֹז וְתוּשִׁיָּה Job12:16
11 וְתוּשִׁיָּה לָרֹב הוֹדָעְתָּ Job26:3
לְתוּשִׁיָּה 12 כִּי-כִפְלַיִם לְתוּשִׁיָּה Job11:6

תּוֹתָח
ז׳ כלי מפץ(?)
תּוֹתָח 1 כְּקַשׁ נֶחְשְׁבוּ תוֹתָח Job41:21

(תזז) הֵתַז
הפ׳ כרת, קצץ
הֵתַז 1 וְאֶת-הַנְּטִישׁוֹת הֵסִיר הֵתַז Is.18:5

תֵּזְלִי
(Jer.2:36) – עין זָלַל (7)

תַּזְנוּת
נ׳ מעשה זנות, זמה: 1–20
תַּזְנוּתֵךְ 1 וַתַּרְבִּי אֶת-תַּזְנוּתֵךְ Ezek.16:26
2 וַתַּרְבִּי אֶת-תַּזְנוּתֵךְ Ezek.16:29
תַּזְנוּתָם 3 וַיִּשְׁפְּכוּ תַזְנוּתָם עָלֶיהָ Ezek.23:8
בְּתַזְנוּתָם 4 וַיְטַמְּאוּ אוֹתָהּ בְּתַזְנוּתָם Ezek.23:17
תַּזְנוּתַיִךְ 5 וַתִּשְׁפְּכִי אֶת-תַּזְנוּתַיִךְ עַל-כָּל-עוֹבֵר Ezek.16:15
תַּזְנוּתָיִךְ 6 וַתַּרְבִּי אֶת-תַּזְנוּתָיִךְ (כ׳ תזנותך) Ezek.16:25
7 שְׂאִי זִמָּתֵךְ וְאֶת-תַּזְנוּתָיִךְ Ezek.23:35
וְתַזְנוּתָיִךְ 8 וְאֵת כָּל-תּוֹעֲבֹתַיִךְ וְתַזְנֻתַיִךְ Ezek.16:22
וְתַזְנוּתָיִךְ 9 וְנִגְלָה...וְזִמָּתֵךְ וְתַזְנוּתָיִךְ Ezek.23:29
בְּתַזְנוּתַיִךְ 10 הֶפֶךְ מִן-הַנָּשִׁים בְּתַזְנוּתַיִךְ Ezek.16:34
11 בְּתַזְנוּתַיִךְ עַל-מְאַהֲבָיִךְ Ezek.16:36
בְּתַזְנוּתָיִךְ 12 וַתִּשְׁחֲדִי אוֹתָם...בְּתַזְנוּתָיִךְ Ezek.16:33
מִתַּזְנוּתָיִךְ 13 הַמְעַט מִתַּזְנוּתָיִךְ (כ׳ מתזנותך) Ezek.16:20
תַּזְנוּתֶיהָ 14 וַתִּתֵּן תַּזְנוּתֶיהָ עֲלֵיהֶם Ezek.23:7
15 וְאֶת-תַּזְנוּתֶיהָ מִמִּצְרַיִם לֹא עָזָבָה Ezek.23:8
16 וְאֶת-תַּזְנוּתֶיהָ מִזְּנוּנֵי אֲחוֹתָהּ Ezek.23:11
17 וַתּוֹסֶף אֶל-תַּזְנוּתֶיהָ Ezek.23:14
18 וַתְּגַל תַּזְנוּתֶיהָ וַתְּגַל אֶת-עֶרְוָתָהּ Ezek.23:18
19 וַתַּרְבֶּה אֶת-תַּזְנוּתֶיהָ Ezek.23:19
20 עַתָּה° יִזְנוּ° תַזְנוּתֶהָ וָהִיא Ezek.23:43

(וְ)תַאַזְרֵנִי
(IISh.22:40) – עין אָזַר (13)

תַּחְבֻּלָה*
נ׳ תכסיס, עצה, מזמה: 1–6
תַּחְבֻּלוֹת 1 וְנָבוֹן תַּחְבֻּלוֹת יִקְנֶה Prov.1:5
2 בְּאֵין תַּחְבֻּלוֹת יִפָּל-עָם Prov.11:14
תַּחְבֻּלוֹת- 3 תַּחְבֻּלוֹת רְשָׁעִים מִרְמָה Prov.12:5
בְּתַחְבֻּלוֹת 4 כִּי בְתַחְבֻּלוֹת תַּעֲשֶׂה-לְּךָ מִלְחָמָה Prov.24:6
וּבְתַחְבֻּלוֹת 5 וּבְתַחְבֻּלוֹת עֲשֵׂה מִלְחָמָה Prov.20:18
בְּתַחְבּוּלֹתָיו 6 מִתְהַפֵּךְ בְּתַחְבּוּלֹתָו לְפָעֳלָם Job37:12

תֵּחַד
(Gen.49:6) – עין יָחַד (1, 2)

תְּחוֹת
מ״י ארמית: תחת 1–5 [תְּחוֹתוֹהִי, תְּחֹתוֹהִי = תחתיו]
תְּחוֹת 1 יֵאבַדוּ מֵאַרְעָא וּמִן-תְּחוֹת שְׁמַיָּא אֵלֶּה Jer.10:11
2 דִּי מַלְכְוָת תְּחוֹת כָּל-שְׁמַיָּא Dan.7:27
תְּחֹתוֹהִי 3 תְּחֹתוֹהִי תַּטְלֵל חֵיוַת בָּרָא Dan.4:9
4 תְּחֹתוֹהִי תְּדוּר חֵיוַת בָּרָא Dan.4:18
תַּחְתּוֹהִי 5 תְּנֻד חֵיוְתָא מִן-תַּחְתּוֹהִי Dan.4:11

תַּחְכְּמֹנִי
שפ״ז – מגבורי דוד
[דה״א יא11: יָשָׁבְעָם בֶּן-חַכְמוֹנִי]
תַּחְכְּמֹנִי 1 יֹשֵׁב בַּשֶּׁבֶת תַּחְכְּמֹנִי IISh.23:8

(וְ)תָחֵל
(Ps.97:4) – עין (חיל) (15)

(וְ)תָחֵל
(Jud.13:25) – עין חלל² (45)

תְּחִלָּה
נ׳ א) ראשית, פתיחה: 1, 13–15
ב) [בַּתְּחִלָּה] בראשונה, לפני כן: 2–11
ג) [כְּבַתְּחִלָּה] כמו לפני כן: 12
ד) [תְּחִלַּת-] בראשית: 16–21
ה) [מִתְּחִלַּת-] מראשית: 22
הַתְּחִלָּה 1 רֹאשׁ הַתְּחִלָּה יְהוֹדֶה לַתְּפִלָּה Neh.11:17
בַּתְּחִלָּה 2 אֲשֶׁר-הָיָה שָׁם אָהֳלֹה בַּתְּחִלָּה Gen.13:3
3 וּמַרְאֵיהֶן רַע כַּאֲשֶׁר בַּתְּחִלָּה Gen.41:21
4 עַל-דְּבַר הַכֶּסֶף הַשָּׁב...בַּתְּחִלָּה Gen.43:18
5 יָרֹד יָרַדְנוּ בַּתְּחִלָּה לִשְׁבָּר-אֹכֶל Gen.43:20
בַּתְּחִלָּה (המשך) 6 מִי-יַעֲלֶה...אֶל-הַכְּנַעֲנִי בַּתְּחִלָּה Jud.1:1
7 מִי יַעֲלֶה-לָּנוּ בַתְּחִלָּה לַמִּלְחָמָה Jud.20:18
8 וַיֹּאמֶר יְיָ יְהוּדָה בַתְּחִלָּה Jud.20:18
9 וְהָיָה כִּנְפֹל בָּהֶם בַּתְּחִלָּה IISh.17:9
10 אַחֲרֵי הַנִּרְאָה אֵלַי בַּתְּחִלָּה Dan.8:1
11 אֲשֶׁר רָאִיתִי בֶחָזוֹן בַּתְּחִלָּה Dan.9:21
כְּבַתְּחִלָּה 12 וְאָשִׁיבָה...וְיֹעֲצַיִךְ כְּבַתְּחִלָּה Is.1:26
תְּחִלַּת- 13 תְּחִלַּת דִּבֶּר-יְיָ בְּהוֹשֵׁעַ Hosh.1:2
14 תְּחִלַּת חָכְמָה יִרְאַת יְיָ Prov.9:10
15 תְּחִלַּת דִּבְרֵי-פִיהוּ סִכְלוּת Eccl.10:13
בִּתְחִלַּת- 16 בִּתְחִלַּת (כ׳ תחלת) קְצִיר שְׂעֹרִים IISh.21:9
17 וַיְהִי בִּתְחִלַּת שִׁבְתָּם שָׁם IIK.17:25
18 וְהִנֵּה יוֹצֵר גֹּבַי בִּתְחִלַּת עֲלוֹת הַלָּקֶשׁ Am.7:1
19 וְהֵמָּה בָּאוּ...בִּתְחִלַּת קְצִיר שְׂעֹרִים Ruth1:22
20 בִּתְחִלַּת תַּחֲנוּנֶיךָ יָצָא דָבָר Dan.9:23
21 וּבְמַלְכוּת אֲחַשְׁוֵרוֹשׁ בִּתְחִלַּת מַלְכוּתוֹ Ez.4:6
מִתְּחִלַּת- 22 מִתְּחִלַּת קָצִיר עַד נִתַּךְ-מַיִם IISh.21:10

תַּחֲלוּאִים
ז״ר – מחלות: 1–5
תַּחֲלוּאִים רָעִים 2; מְמוֹתֵי תַחֲלֻאִים 1; תַּחֲלוּאֵי רָעָב 3
תַּחֲלֻאִים 1 מְמוֹתֵי תַחֲלֻאִים יָמֻתוּ Jer.16:4
בְּתַחֲלֻאִים 2 וַיָּמָת בְּתַחֲלֻאִים רָעִים IICh.21:19
תַּחֲלוּאֵי- 3 וְהִנֵּה תַּחֲלוּאֵי רָעָב Jer.14:18
תַּחֲלוּאָיְכִי 4 הָרֹפֵא לְכָל-תַּחֲלוּאָיְכִי Ps.103:3
תַּחֲלוּאֶיהָ 5 וְאֶת-תַּחֲלֻאֶיהָ אֲשֶׁר-חִלָּה יְיָ בָּהּ Deut.29:21

תַּחְמָס
ז׳ עוף טורף: 1, 2
הַתַּחְמָס 1 וְאֶת-הַתַּחְמָס וְאֶת-הַשָּׁחַף Lev.11:16
2 וְאֶת-הַתַּחְמָס וְאֶת-הַשָּׁחַף Deut.14:15

תַּחַן
שפ״ז – מצאצאי אפרים: 1, 2
וְתַחַן 1 וְרֶשֶׁף וְתֶלַח בְּנוֹ וְתַחַן בְּנוֹ ICh.7:25
לְתַחַן 2 לְתַחַן מִשְׁפַּחַת הַתַּחֲנִי Num.26:35

תְּחִנָּה¹
נ׳ א) תפלה, בקשת רחמים: 2, 4–25
ב) חנינה, רחמים: 1, 3
קרובים: ראה תְּפִלָּה
– תְּפִלָּה וּתְחִנָּה 2, 4, 5, 16, 17, 21, 22, 24, 25; תְּחִנַּת עַבְדּוֹ 6, 7; תְּחִנַּת הָעָם 8
– בָּאָה תְחִנָּתוֹ לִפְנֵי- 12; נָפְלָה תְחִנָּתוֹ לִפְנֵי- 9, 19, 23
– הִפִּיל תְּחִנָּתוֹ 10, 13, 20; שָׁמַע תְּחִנָּתוֹ 11, 18
תְּחִנָּה 1 לְבִלְתִּי הֱיוֹת-לָהֶם תְּחִנָּה Josh.11:20
2 כָּל-תְּפִלָּה כָל-תְּחִנָּה IK.8:38
3 הָיְתָה תְחִנָּה מֵאֵת יְיָ אֱלֹהֵינוּ Ez.9:8
4 כָּל-תְּפִלָּה כָל-תְּחִנָּה IICh.6:29
וְהַתְּחִנָּה 5 אֵת כָּל-הַתְּפִלָּה וְהַתְּחִנָּה הַזֹּאת IK.8:54
תְּחִנַּת- 6 וְשָׁמַעְתָּ אֶל-תְּחִנַּת עַבְדְּךָ IK.8:30
7 לִהְיוֹת עֵינֶיךָ פְתֻחוֹת אֶל-תְּחִנַּת עַבְדְּךָ IK.8:52
8 וְאֶל-תְּחִנַּת עַמְּךָ יִשְׂרָאֵל IK.8:52
תְּחִנָּתִי 9 תִּפָּל-נָא תְחִנָּתִי לְפָנֶיךָ Jer.37:20
10 מַפִּיל-אֲנִי תְחִנָּתִי לִפְנֵי הַמֶּלֶךְ Jer.38:26
11 שָׁמַע יְיָ תְּחִנָּתִי Ps.6:10
12 תָּבוֹא תְחִנָּתִי לְפָנֶיךָ Ps.119:170
13 וּמַפִּיל תְּחִנָּתִי לִפְנֵי יְיָ אֱלֹהַי Dan.9:20
מִתְּחִנָּתִי 14 וְאַל-תִּתְעַלַּם מִתְּחִנָּתִי Ps.55:2
תְּחִנָּתְךָ 15 וְאֶת-תְּחִנָּתְךָ אֲשֶׁר הִתְחַנַּנְתָּה לְפָנַי IK.9:3
תְּחִנָּתוֹ 16 אֶל-תְּפִלַּת עַבְדְּךָ וְאֶל-תְּחִנָּתוֹ IK.8:28
17 אֶל-תְּפִלַּת עַבְדְּךָ וְאֶל-תְּחִנָּתוֹ IICh.6:19
18 וַיֵּעָתֶר לוֹ וַיִּשְׁמַע תְּחִנָּתוֹ IICh.33:13
תְּחִנָּתֵנוּ 19 תִּפָּל-נָא תְחִנָּתֵנוּ לְפָנֶיךָ Jer.42:2
תְּחִנַּתְכֶם 20 לְהַפִּיל תְּחִנַּתְכֶם לְפָנָיו Jer.42:9

תְּחִנָּתָם 21/2 אֶת־תְּפִלָּתָם וְאֶת־תְּחִנָּתָם IK.8:45,49
23 אוּלַי תִּפֹּל תְּחִנָּתָם לִפְנֵי יְיָ Jer.36:7
24 אֶת־תְּפִלָּתָם וְאֶת־תְּחִנֹּתָם IICh.6:35
תְּחִנֹּתֵיהֶם 25 אֶת־תְּפִלָּתָם וְאֶת־תְּחִנֹּתֵיהֶם IICh.6:39

תְּחִנָּה[2] שפ״ז – בן אשתון למטה יהודה

תְּחִנָּה 1 וְאֶת־תְּחִנָּה אֲבִי עִיר־נָחָשׁ ICh.4:12

תַּחֲנוּנִים ז״ר א) בקשה, תחִנה: 1, 2, 4, 6־18
ב) רחמים, חנינה: 3, 5

קרובים: ראה תְּפִלָּה

– בְּכִי תַחֲנוּנִים 6; קוֹל תַּחֲנוּנִים 8, 9, 11, 13, 14;
קוֹל תַּחֲנוּנוֹת 18
– תַּחֲנוּנֵי בְּנֵי יִשְׂרָאֵל 6; תַּחֲנוּנֵי עַבְדּוֹ 7
– דִּבֵּר תַּחֲנוּנִים 1; הִפִּיל תַּ׳ 17; הִרְבָּה תַּחֲנוּנִים 2

תַּחֲנוּנִים 1 תַּחֲנוּנִים יְדַבֶּר־רָשׁ Prov.18:23
2 הֲיַרְבֶּה אֵלֶיךָ תַּחֲנוּנִים Job 40:27
וְתַחֲנוּנִים 3 וְשָׁפַכְתִּי...רוּחַ חֵן וְתַחֲנוּנִים Zech.12:10
4 לְבַקֵּשׁ תְּפִלָּה וְתַחֲנוּנִים Dan.9:3
וּבְתַחֲנוּנִים 5 בִּבְכִי יָבֹאוּ וּבְתַחֲנוּנִים אוֹבִילֵם Jer.31:9(8)
תַּחֲנוּנֵי־ 6 בְּכִי תַחֲנוּנֵי בְּנֵי יִשְׂרָאֵל Jer.3:21
7 וְשָׁמַעְתָּ אֶל־תַּחֲנוּנֵי עַבְדְּךָ IICh.6:21
תַּחֲנוּנַי 8 שְׁמַע קוֹל תַּחֲנוּנַי בְּשַׁוְּעִי אֵלֶיךָ Ps.28:2
9 שָׁמַעְתָּ קוֹל תַּחֲנוּנַי בְּשַׁוְּעִי אֵלֶיךָ Ps.31:23
10 הַאֲזִינָה אֶל־תַּחֲנוּנַי Ps.143:1
תַּחֲנוּנָי 11 כִּי־שָׁמַע קוֹל תַּחֲנוּנָי Ps.28:6
12 כִּי־יִשְׁמַע יְיָ אֶת־קוֹלִי תַּחֲנוּנָי Ps.116:1
13 קַשֻּׁבוֹת לְקוֹל תַּחֲנוּנָי Ps.130:2
14 הַאֲזִינָה יְיָ קוֹל תַּחֲנוּנָי Ps.140:7
תַּחֲנוּנֶיךָ 15 בִּתְחִלַּת תַּחֲנוּנֶיךָ יָצָא דָבָר Dan.9:23
תַּחֲנוּנָיו 16 אֶל־תְּפִלַּת עַבְדְּךָ וְאֶל־תַּחֲנוּנָיו Dan.9:17
תַּחֲנוּנֵינוּ 17 אֲנַחְנוּ מַפִּילִים תַּחֲנוּנֵינוּ לְפָנֶיךָ Dan.9:18
תַּחֲנוּנוֹתָי 18 וְהַקְשִׁיבָה בְּקוֹל תַּחֲנוּנוֹתָי Ps.86:6

תַּחֲנוֹת* נ׳ חניָה

תַּחֲנֹתִי 1 אֶל־מְקוֹם פְּלֹנִי אַלְמֹנִי תַּחֲנֹתִי IIK.6:8

תַּחֲנִי ת׳ המתיחס על בית תַּחַן

הַתַּחֲנִי 1 לְתַחַן מִשְׁפַּחַת הַתַּחֲנִי Num.26:35

תַּחְפַּנְחֵס, תְּחַפְנְחֵס ש״פ–עיר במצרים התחתונה: 1־7

תַּחְפַּנְחֵס 1 וַיָּבֹאוּ עַד־תַּחְפַּנְחֵס Jer.43:7
וְתַחְפַּנְחֵס 2 גַּם־בְּנֵי־נֹף וְתַחְפַּנְחֵס (כת׳ ותחפנס)
יִרְעוּךְ קָדְקֹד Jer.2:16
בְּתַחְפַּנְחֵס 3 וַיְהִי דְבַר־יְיָ אֶל־יִרְמְיָהוּ בְּתַחְפַּנְחֵס Jer.43:8
4 בְּפֶתַח בֵּית־פַּרְעֹה בְּתַחְפַּנְחֵס Jer.43:9
וּבְתַחְפַּנְחֵס 5 הַיֹּשְׁבִים בְּמִגְדֹּל וּבְתַחְפַּנְחֵס וּבְנֹף Jer.44:1
6 וְהַשְׁמִיעוּ בְנֹף וּבְתַחְפַּנְחֵס Jer.46:14
וּבִתְחַפְנְחֵס 7 וּבִתְחַפְנְחֵס חָשַׂךְ הַיּוֹם Ezek.30:18

תַּחְפְּנֵיס שפ״נ – מלכת מצרים, חותנת המלך שלמה: 1־3
אֲחוֹת תַּחְפְּנֵיס 1, 2

תַּחְפְּנֵיס 1 אֲחוֹת תַּחְפְּנֵיס הַגְּבִירָה IK.11:19
2 וַתֵּלֶד לוֹ אֲחוֹת תַּחְפְּנֵיס אֵת גְּנֻבַת בְּנוֹ IK.11:20
3 וַתִּגְמְלֵהוּ תַּחְפְּנֵס IK.11:20

תַּחְרָא נ׳ מגן, שריון(?): 1, 2 • פִּי תַחְרָא 1, 2

תַּחְרָא 1 כְּפִי תַחְרָא יִהְיֶה־לּוֹ Ex.28:32
2 וּפִי־הַמְּעִיל בְּתוֹכוֹ כְּפִי תַחְרָא Ex.39:23

תִּחֲרָה פ׳ – עין חָרָה (88, 93)

תַּחְרֵעַ שפ״ז – מבני מיכה בן יהונתן בן שאול

וְתַחְרֵעַ 1 פִּיתֹן וָמֶלֶךְ וְתַחְרֵעַ ICh.9:41

תַּחַשׁ[1] ז׳ חיָה שעורה שמש כסוי למשכן ולשמושים אחרים: 1־14
מִכְסֵה תַחַשׁ 8; עוֹר תַּחַשׁ 1־6, 9־14

תַּחַשׁ 1/2 כְּסוּי עוֹר תַּחַשׁ Num.4:6, 14
תָּחַשׁ 3־5 בְּמִכְסֵה עוֹר תָּחַשׁ Num.4:8, 11, 12
6 אֶל־מִכְסֵה עוֹר תָּחַשׁ Num.4:10
7 וָאַלְבִּשֵׁךְ רִקְמָה וָאֶנְעֲלֵךְ תָּחַשׁ Ezek.16:10
הַתַּחַשׁ 8 וּמִכְסֵה הַתַּחַשׁ אֲשֶׁר־עָלָיו Num.4:25
תְּחָשִׁים 9־11 וְעֹרֹת תְּחָשִׁים Ex.25:5; 35:7, 23
12/3 וּמִכְסֵה עֹרֹת תְּחָשִׁים מִלְמָעְלָה Ex.26:14; 36:19
הַתְּחָשִׁים 14 וְאֶת־מִכְסֵה עֹרֹת הַתְּחָשִׁים Ex.39:34

תַּחַשׁ[2] שפ״ז – בן נחור מפילגשו רְאוּמָה

תַּחַשׁ 1 וַתֵּלֶד...וְאֶת־תַּחַשׁ וְאֶת־מַעֲכָה Gen.22:24

תַּחַת[1] מ״י א) למטה מן־, הפך מן ״עַל״: 1־162, 263־280, 295־352, 355־362, 368־386, 466־482, 484־488, 490־497, 501
ב) בִּמְקוֹם־, תמורת: 163־247, 281־290, 292־294, 353, 354, 363־367, 387־465, 483, 489, 498־500, 502־506
ג) [תַּחַת אֲשֶׁר] יען, מפני שֶׁ־: 248־260
ד) [תַּחַת כִּי] יען, מפני שֶׁ־: 261, 291
ה) [תַּחַת מֶה] יען מה: 262

תַּחַת (א) 1 אֲשֶׁר־תַּחַת כָּל־הַשָּׁמָיִם Gen.7:19
2 שׁוּבִי...וְהִתְעַנִּי תַּחַת יָדֶיהָ Gen.16:9
3 וְהִשָּׁעֲנוּ תַּחַת הָעֵץ Gen.18:4
4 וְהוּא עֹמֵד עֲלֵיהֶם תַּחַת הָעֵץ Gen.18:8
5 וַתַּשְׁלֵךְ...תַּחַת אַחַד הַשִּׂיחִם Gen.21:15
6/7 שִׂים־נָא יָדְךָ תַּחַת יְרֵכִי Gen.24:2; 47:29
8 וַיָּשֶׂם...תַּחַת יֶרֶךְ אַבְרָהָם Gen.24:9
9 וַיִּטְמֹן אֹתָם יַעֲקֹב תַּחַת הָאֵלָה Gen.35:4
10 וַתִּקָּבֵר...תַּחַת הָאַלּוֹן Gen.35:8
11 וְיִצְבְּרוּ־בָר תַּחַת יַד־פַּרְעֹה Gen.41:35
12 וְכִי־יַכֶּה...וּמֵת תַּחַת יָדוֹ Ex.21:20
13 חֲמוֹר שֹׂנַאֲךָ רֹבֵץ תַּחַת מַשָּׂאוֹ Ex.23:5
14 וַיִּבֶן מִזְבֵּחַ תַּחַת הָהָר Ex.24:4
15 וְהָיָה שִׁבְעַת יָמִים תַּחַת אִמּוֹ Lev.22:27
16 כֹּל אֲשֶׁר־יַעֲבֹר תַּחַת הַשָּׁבֶט Lev.27:32
17 וְאִם־לֹא שָׂטִית טֻמְאָה תַּחַת אִישֵׁךְ Num.5:19
18 וַתִּרְבַּץ תַּחַת בִּלְעָם Num.22:27
19 עַל־פְּנֵי הָעַמִּים תַּחַת כָּל־הַשָּׁמָיִם Deut.2:25
20/1 תַּחַת אַשְׁדֹּת הַפִּסְגָּה Deut.3:17; 4:49
22 וַתִּקְרְבוּן וַתַּעַמְדוּן תַּחַת הָהָר Deut.4:11
23 לְכֹל הָעַמִּים תַּחַת כָּל־הַשָּׁמָיִם Deut.4:19
24 תַּחַת מַצַּב רַגְלֵי הַכֹּהֲנִים Josh.4:9
25 וְהַחִוִּי תַּחַת חֶרְמוֹן Josh.11:3
26 וַתִּכָּנַע מוֹאָב...תַּחַת יַד יִשְׂרָאֵל Jud.3:30
27 וְעַתָּה מַה־יֵּשׁ תַּחַת־יָדְךָ ISh.21:4
28 אֵין־לֶחֶם חֹל אֶל־תַּחַת יָדִי ISh.21:5
29 וְאִין יֶשׁ־פֹּה תַחַת־יָדְךָ חֲנִית ISh.21:9
30 וַעֲרָפֶל תַּחַת רַגְלָיו IISh.22:10
31 וַיִּפְּלוּ תַּחַת רַגְלָי IISh.22:39
32/3 אִישׁ תַּחַת גַּפְנוֹ וְתַחַת תְּאֵנָתוֹ IK.5:5 • Mic.4:4
34 עַד תֵּת־יְיָ אֹתָם תַּחַת כַּפּוֹת רַגְלָיו IK.5:17
35 וַיֹּשֶׁב בְּעָרֵי שֹׁמְרוֹן תַּחַת בְּנֵי יִשְׂרָאֵל IIK.17:24
36 וְהַמַּכְשֵׁלָה הַזֹּאת תַּחַת יָדֶךָ Is.3:6
37 וְהָאָרֶץ חָנְפָה תַּחַת יֹשְׁבֶיהָ Is.24:5
38 תַּבְנִית יַד־אָדָם תַּחַת כַּנְפֵיהֶם Ezek.10:8
39 אֲשֶׁר רָאִיתִי תַּחַת אֱלֹהֵי־יִשְׂרָאֵל Ezek.10:20
40 וְהַעֲבַרְתִּי אֶתְכֶם תַּחַת הַשָּׁבֶט Ezek.20:37
41 וַיִּתְּנוּ אֶת־חַרְבוֹתָם תַּחַת רָאשֵׁיהֶם Ezek.32:27

תַּחַת (א) (המשך) 42 עָבְשׁוּ פְרֻדוֹת תַּחַת מֶגְרְפֹתֵיהֶם Joel 1:17
43/4 אֶל־תַּחַת גֶּפֶן וְאֶל־תַּחַת תְּאֵנָה Zech.3:10
45 יִהְיוּ אֵפֶר תַּחַת כַּפּוֹת רַגְלֵיכֶם Mal.3:21
46 כֹּל שַׁתָּה תַחַת־רַגְלָיו Ps.8:7
47 תַּחַת לְשׁוֹנוֹ עָמָל וָאָוֶן Ps.10:7
48 וַעֲרָפֶל תַּחַת רַגְלָיו Ps.18:10
49 יִפְּלוּ תַּחַת רַגְלָי Ps.18:39
50 יַדְבֵּר...וּלְאֻמִּים תַּחַת רַגְלֵינוּ Ps.47:4
51 וְרוֹמַם תַּחַת לְשׁוֹנִי Ps.66:17
52 וַיִּכָּנְעוּ תַּחַת יָדָם Ps.106:42
53 חֲמַת עַכְשׁוּב תַּחַת שְׂפָתֵימוֹ Ps.140:4
54 יַכְחִידֶנָּה תַּחַת לְשׁוֹנוֹ Job 20:12
55 תַּחַת כָּל־הַשָּׁמַיִם יִרְאֶה Job 28:24
56 תַּחַת חָרוּל יְסֻפָּחוּ Job 30:7
57 תַּחַת שֹׁאָה הִתְגַּלְגָּלוּ Job 30:14
58 תַּחַת־רְשָׁעִים סְפָקָם Job 34:26
59 תַּחַת־כָּל־הַשָּׁמַיִם יִשְׁרֵהוּ Job 37:3
60 תַּחַת־צֶאֱלִים יִשְׁכָּב Job 40:21
61 תַּחַת כָּל־הַשָּׁמַיִם לִי־הוּא Job 41:3
62 שְׂמֹאלוֹ תַּחַת לְרֹאשִׁי S.ofS.2:6
63 דְּבַשׁ וְחָלָב תַּחַת לְשׁוֹנֵךְ S.ofS.4:11
64 אֲשֶׁר־בָּאת לַחֲסוֹת תַּחַת־כְּנָפָיו Ruth 2:12
65 לְדַכֵּא תַּחַת רַגְלָיו Lam.3:34
66־94 תַּחַת הַשָּׁמֶשׁ(־שֶׁ־) Eccl.1:3,9,14
2:11, 17, 18, 19, 20, 22; 3:16; 4:1, 3, 7, 15; 5:12, 17; 6:1,
12; 8:9, 15², 17; 9:3, 6, 9², 11, 13; 10:5
95 כָּל־אֲשֶׁר נַעֲשָׂה תַּחַת הַשָּׁמָיִם Eccl.1:13
96 אֲשֶׁר יַעֲשׂוּ תַּחַת הַשָּׁמַיִם Eccl.2:3
97 וְעֵת לְכָל־חֵפֶץ תַּחַת הַשָּׁמָיִם Eccl.3:1
98 נָתְנוּ יָד תַּחַת שְׁלֹמֹה הַמֶּלֶךְ ICh.29:24
99 וּדְמוּת בְּקָרִים תַּחַת לוֹ IICh.4:3
100־162 תַּחַת (א) Ex.25:35³; 26:19³, 21², 25², 33
27:5; 32:19; 36:24³; 26², 30; 37:213; 38:4 • Lev.
14:42 • Num.5:20, 29; 6:18 • Josh.11:17; 12:3;
13:5; 24:26 • Jud.1:7; 4:5; 6:11, 19 • ISh.14:2;
22:6; 31:13 • IISh.18:9 • IK.7:44; 8:6; 13:14;
19:4, 5 • Is.10:4; 57:5² • Jer.3:6, 13; 38:11, 12;
52:20 • Ezek.10:2, 21 • Hosh.4:13 • S.ofS.8:3, 5 •
Eccl.7:6 • Dan.9:12 • ICh.10:12; 17:1 • IICh.5:7

תַּחַת (ב) 163 זֶרַע אַחֵר תַּחַת הֶבֶל Gen.4:25
164 וַיַּעֲלֵהוּ לְעֹלָה תַּחַת בְּנוֹ Gen.22:13
165 יִשְׁכַּב עִמָּךְ...תַּחַת דּוּדָאֵי בְנֵךְ Gen.30:15
166 שִׁלַּמְתֶּם רָעָה תַּחַת טוֹבָה Gen.44:4
167 יֵשֶׁב־נָא עַבְדְּךָ תַּחַת הַנַּעַר Gen.44:33
168 וְנָתַתָּה נֶפֶשׁ תַּחַת נָפֶשׁ Ex.21:23
169/70 עַיִן תַּחַת עַיִן שֵׁן תַּחַת שֵׁן Ex.21:24
171/2 יָד תַּחַת יָד רֶגֶל תַּחַת רָגֶל Ex.21:24
173/4 כְּוִיָּה תַּחַת כְּוִיָּה פֶּצַע תַּחַת פָּצַע Ex.21:25
175 חַבּוּרָה תַּחַת חַבּוּרָה Ex.21:25
176 לַחָפְשִׁי יְשַׁלְּחֶנּוּ תַּחַת עֵינוֹ Ex.21:26
177 לַחָפְשִׁי יְשַׁלְּחֶנּוּ תַּחַת שִׁנּוֹ Ex.21:27
178 שַׁלֵּם יְשַׁלֵּם שׁוֹר תַּחַת הַשּׁוֹר Ex.21:36
179 חֲמִשָּׁה בָקָר יְשַׁלֵּם תַּחַת הַשּׁוֹר Ex.21:37
180 וְאַרְבַּע־צֹאן תַּחַת הַשֶּׂה Ex.21:37
181 לְכַהֵן תַּחַת אָבִיו Lev.16:32
182 נֶפֶשׁ תַּחַת נָפֶשׁ Lev.24:18
183/4 שֶׁבֶר תַּחַת שֶׁבֶר עַיִן תַּחַת עַיִן Lev.24:20
185 שֵׁן תַּחַת שֵׁן Lev.24:20
186 תַּחַת כָּל־בְּכוֹר פֶּטֶר רֶחֶם Num.3:12
187 תַּחַת כָּל־בְּכֹר בִּבְנֵי יִשְׂרָאֵל Num.3:41
188 תַּחַת כָּל־בְּכוֹר בְּבֶהֱמַת בְּ״יִ Num.3:41
189/90 תַּחַת כָּל־בְּכוֹר בִּבְ״יִ Num.3:45; 8:18

תַּחַת (ב) (המשך) 191 וְאֶת־בֶּהֱמַת הַלְוִיִּם תַּחַת בְּהֶמְתָּם Num. 3:45
192 תַּחַת פִּטְרַת כָּל־רֶחֶם Num. 8:16
193 וְהִנֵּה קַמְתֶּם תַּחַת אֲבֹתֵיכֶם Num. 32:14
194 יְשַׁלֶּמְךָ טוֹבָה תַּחַת הַיּוֹם הַזֶּה ISh. 24:19
195 וַיָּשֶׁב־לִי רָעָה תַּחַת טוֹבָה ISh. 25:21
196 וְהֵשִׁיב יְיָ לִי טוֹבָה תַּחַת קִלְלָתוֹ IISh. 16:12
197 וְאֶת־עֲמָשָׂא שָׂם...תַּחַת יוֹאָב IISh. 17:25
198/9 וְהָיְתָה נַפְשְׁךָ תַּחַת נַפְשׁוֹ IK. 20:39,42
200 וְעַמְּךָ תַּחַת עַמּוֹ IK. 20:42
201 נַפְשׁוֹ תַּחַת נַפְשׁוֹ IIK. 10:24
202 כִּי־תַחַת יֹפִי Is. 3:24
203 וְאֶתֵּן...וּלְאֻמִּים תַּחַת נַפְשֶׁךָ Is. 43:4
204 תַּחַת הֱיוֹתֵךְ עֲזוּבָה וּשְׂנוּאָה Is. 60:15
205 לָתֵת לָהֶם פְּאֵר תַּחַת אֵפֶר Is. 61:3
206 שֶׁמֶן שָׂשׂוֹן תַּחַת אֵבֶל Is. 61:3
207 מַעֲטֵה תְהִלָּה תַּחַת רוּחַ כֵּהָה Is. 61:3
208 תַּחַת בָּשְׁתְּכֶם מִשְׁנֶה Is. 61:7
209 הַיְשֻׁלַּם תַּחַת־טוֹבָה רָעָה Jer. 18:20
210 יְשַׁלְּמוּנִי רָעָה תַּחַת טוֹבָה Ps. 35:12
211 וּמְשַׁלְּמֵי רָעָה תַּחַת טוֹבָה Ps. 38:21
212 יִשְׂטְנוּנִי תַּחַת רָדְפִי־טוֹב Ps. 38:21
213 תַּחַת אֲבֹתֶיךָ יִהְיוּ בָנֶיךָ Ps. 45:17
214 תַּחַת־אַהֲבָתִי יִשְׂטְנוּנִי Ps. 109:4
215 וַיָּשִׂימוּ עָלַי רָעָה תַּחַת טוֹבָה Ps. 109:5
216 וְשִׂנְאָה תַּחַת אַהֲבָתִי Ps. 109:5
217 מֵשִׁיב רָעָה תַּחַת טוֹבָה Prov. 17:13
218 תַּחַת שָׁלוֹשׁ רָגְזָה אֶרֶץ Prov. 30:21
219 תַּחַת עֶבֶד כִּי יִמְלוֹךְ Prov. 30:22
220 תַּחַת שְׂנוּאָה כִּי תִבָּעֵל Prov. 30:23
221 לוּ יֵשׁ נַפְשְׁכֶם תַּחַת נַפְשִׁי Job 16:4
222־247 תַּחַת (ב) ISh. 2:20 • IISh. 19:15 • IK. 2:35
3:7; 5:15; 8:20 • IIK. 14:21; 23:30, 34 • Is. 3:24;
55:13; 60:17 • Jer. 22:11; 29:26; 37:1 • Ezek. 4:15;
16:32 • Hab. 3:7 • Zep. 2:10 • Job 31:40 • Es. 2:4, 17
• ICh. 29:23 • IICh. 6:10; 26:1; 36:1

תַּחַת אֲשֶׁר 248 תַּחַת אֲשֶׁר קִנֵּא לֵאלֹהָיו Num. 25:13
249 תַּחַת אֲשֶׁר עִנִּיתָהּ Deut. 21:14
250 וְלוֹ־תִהְיֶה לְאִשָּׁה תַּחַת אֲשֶׁר עִנָּהּ Deut. 22:29
251 תַּחַת אֲשֶׁר לֹא־עָבַדְתָּ... Deut. 28:47
252 תַּחַת אֲשֶׁר הֱיִיתֶם כְּכוֹכְבֵי הַשָּׁמַ׳ Deut. 28:62
253 תַּחַת אֲשֶׁר יָקְרָה נַפְשִׁי בְּעֵינֶיךָ ISh. 26:21
254 תַּחַת אֲשֶׁר עֲזָבוּנִי IIK. 22:17
255 תַּחַת אֲשֶׁר הֶעֱרָה לַמָּוֶת נַפְשׁוֹ Is. 53:12
256 תַּחַת אֲשֶׁר־לֹא־שָׁמְעוּ Jer. 29:19
257 תַּחַת אֲשֶׁר חָטְאוּ לַיְיָ Jer. 50:7
258 תַּחַת אֲשֶׁר הָיְתָה שְׁמָמָה Ezek. 36:34
259 תַּחַת אֲשֶׁר לֹא־הָלַכְתָּ IICh. 21:12
260 תַּחַת אֲשֶׁר עֲזָבוּנִי IICh. 34:25
תַּחַת כִּי 261 תַּחַת כִּי־שָׂנְאוּ דָעַת Prov. 1:29
תַּחַת מֶה 262 תַּחַת מֶה עָשָׂה יְיָ אֱלֹהֵינוּ לָנוּ... Jer. 5:19
תָּחַת (א) 263 בִּרְכֹת תְּהוֹם רֹבֶצֶת תָּחַת Gen. 49:25
264 וּמִתְּהוֹם רֹבֶצֶת תָּחַת Deut. 33:13
וְתַחַת (א) 265 וְתַחַת רַגְלָיו...לִבְנַת הַסַּפִּיר Ex. 24:10
266 וְתַחַת כָּל־עֵץ רַעֲנָן Deut. 12:2
267/8 אִישׁ תַּחַת גַּפְנוֹ וְתַחַת תְּאֵנָתוֹ IK. 5:5
Mic. 4:4
269־274 וְתַחַת כָּל־עֵץ רַעֲנָן IK. 14:23 • IIK. 16:4
17:10 • Jer. 2:20 • Ezek. 6:13 • IICh. 28:4
275 וְתַחַת הֲרוּגִים יִפֹּלוּ Is. 10:4
276 וְתַחַת כְּבֹדוֹ יֵקַד יְקֹד כִּיקוֹד אֵשׁ Is. 10:16
277 וְתַחַת הָרָקִיעַ כַּנְפֵיהֶם יְשָׁרוֹת Ezek. 1:23
278 וְתַחַת כָּל־אֵלָה עֲבֻתָּה Ezek. 6:13

279 וְתַחַת פֹּארֹתָיו יָלְדוּ Ezek. 31:6
280 וְתַחַת־כְּנָפָיו תֶּחְסֶה Ps. 91:4
וְתַחַת (ב) 281 וְתַחַת חֲגוֹרָה נִקְפָּה Is. 3:24
282 וְתַחַת מַעֲשֶׂה מִקְשֶׁה קָרְחָה Is. 3:24
283 וְתַחַת פְּתִיגִיל מַחֲגֹרֶת שָׂק Is. 3:24
284 וְתַחַת (כת׳ תחת) הַסִּרְפַּד יַעֲלֶה הֲדַס Is. 55:13
285 וְתַחַת הַבַּרְזֶל אָבִיא כֶסֶף Is. 60:17
286 וְתַחַת הָעֵצִים נְחֹשֶׁת Is. 60:17
287 וְתַחַת הָאֲבָנִים בַּרְזֶל Is. 60:17
288 וְתַחַת יְשָׁרִים בּוֹגֵד Prov. 21:18
289 וְתַחַת אַרְבַּע לֹא־תוּכַל שְׂאֵת Prov. 30:21
290 וְתַחַת־שְׂעֹרָה בָאְשָׁה Job 31:40
וְתַחַת כִּי 291 וְתַחַת כִּי אָהַב אֶת־אֲבֹתֶיךָ Deut. 4:37
הֲתַחַת (ב) 292 הֲתַחַת אֱלֹהִים אָנֹכִי Gen. 30:2
293 כִּי הֲתַחַת אֱלֹהִים אָנִי Gen. 50:19
294 הֲתַחַת זֹאת לֹא יוּמַת שִׁמְעִי IISh. 19:22
מִתַּחַת (א) 295 יִקָּווּ הַמַּיִם מִתַּחַת הַשָּׁמַיִם Gen. 1:9
296 לְשַׁחֵת כָּל־בָּשָׂר...מִתַּחַת הַשָּׁמָיִם Gen. 6:17
297 וְהוֹצֵאתִי...מִתַּחַת סִבְלֹת מִצְרַיִם Ex. 6:6
298 הַמּוֹצִיא...מִתַּחַת סִבְלוֹת מִצְרָיִם Ex. 6:7
299 אֶמְחֶה...מִתַּחַת הַשָּׁמָיִם Ex. 17:14
300 אֲשֶׁר הִצִּיל...מִתַּחַת יַד־מִצְרָיִם Ex. 18:10
301־305 מִתַּחַת הַשָּׁמַיִם (־מָ) Deut. 7:24
9:14; 25:19; 29:19 • IIK. 14:27
306 וּמַחֲנֵה מִדְיָן הָיָה לוֹ מִתַּחַת בָּעֵמֶק Jud. 7:8
307 פָּשַׁע אֱדוֹם מִתַּחַת יַד־יְהוּדָה IIK. 8:20
308 וַיִּפְשַׁע אֱדוֹם מִתַּחַת יַד־יְהוּדָה IIK. 8:22
309 וַיֵּצְאוּ מִתַּחַת יַד־אֲרָם IIK. 13:5
310 הַמַּעֲלֶה אֹתָם...מִתַּחַת יַד פַּרְעֹה IIK. 17:7
311 שְׁאוֹל מִתַּחַת רָגְזָה לְךָ Is. 14:9
312 וְהַבִּיטוּ אֶל־הָאָרֶץ מִתַּחַת Is. 51:6
313 וִידֵי׳ אָדָם מִתַּחַת כַּנְפֵיהֶם Ezek. 1:8
314 וּמְבַשְּׁלוֹת עָשׂוּי מִתַּחַת הַטִּירוֹת Ezek. 46:23
315 מַיִם יֹצְאִים מִתַּחַת מִפְתַּן הַבַּיִת Ezek. 47:1
316 וְהַמַּיִם יֹרְדִים מִתַּחַת Ezek. 47:1
317 וַיִּזְנוּ מִתַּחַת אֱלֹהֵיהֶם Hosh. 4:12
318 מִתַּחַת שָׁרָשָׁיו יִבָשׁוּ Job 18:16
319 מִתַּחַת מַיִם וְשֹׁכְנֵיהֶם Job 26:5
320 וְתַשְׁמִידֵם מִתַּחַת שְׁמֵי יְיָ Lam. 3:66
321 פָּשַׁע אֱדוֹם מִתַּחַת יַד־יְהוּדָה IICh. 21:8
322 וַיִּפְשַׁע אֱדוֹם מִתַּחַת יַד־יְהוּדָה IICh. 21:10
323 אָז תִּפְשַׁע לִבְנָה...מִתַּחַת יָדוֹ IICh. 21:10
מִתַּחַת לְ־ (א) 324 הַמַּיִם אֲשֶׁר מִתַּחַת לָרָקִיעַ Gen. 1:7
325 וַתִּקָּבֵר מִתַּחַת לְבֵית־אֵל Gen. 35:8
326 וַאֲשֶׁר בַּמַּיִם מִתַּחַת לָאָרֶץ Ex. 20:4
327/8 מִתַּחַת לְזֵרוֹ Ex. 30:4; 37:27
329 אֲשֶׁר־בַּמַּיִם מִתַּחַת לָאָרֶץ Deut. 4:18
330 וַאֲשֶׁר בַּמַּיִם מִתַּחַת לָאָרֶץ Deut. 5:8
331 וַיַּחְגֹּר אוֹתָהּ מִתַּחַת לְמַדָּיו Jud. 3:16
332 עַד־מִתַּחַת לְבֵית כָּר ISh. 7:11
333 וְכָל־בֵּית שְׁאָן...מִתַּחַת לְיִזְרְעֶאל IK. 4:12
334 וּפְקָעִים מִתַּחַת לִשְׂפָתוֹ IK. 7:24
335 מִתַּחַת לַכִּיֹּר הַכְּתֵפֹת יְצֻקוֹת IK. 7:30
336 שִׂים נָא...מִתַּחַת לַחֲבָלִים Jer. 38:12
מִתָּחַת (א) 337/8 וַאֲשֶׁר בָּאָרֶץ מִתָּחַת Ex. 20:4 • Deut. 5:8
339־341 בַּשָּׁמַיִם מִמַּעַל וְעַל־הָאָרֶץ מִתָּחַת
Deut. 4:39 • Josh. 2:11 • IK. 8:23
342 וָאַשְׁמִיד פִּרְיוֹ מִמַּעַל וְשָׁרָשָׁיו מִתָּחַת Am. 2:9
וּמִתַּחַת (א) 343 וּמִתַּחַת זְרֹעֹת עוֹלָם Deut. 33:27
344 וּמִתַּחַת לָאֲרָיוֹת וְלַבָּקָר IK. 7:29
345 וּמִתַּחַת (כת׳ מתחתה) הַלְּשָׁכוֹת׳ Ezek. 42:9
לְמִתַּחַת (א) 346 הָאוֹפַנִּים לְמִתַּחַת לַמִּסְגְּרוֹת IK. 7:32

תַּחְתָּי (א) 347 וַתִּזֶן אָהֳלָה תַּחְתָּי Ezek. 23:5
348 תַּרְחִיב צַעֲדִי תַחְתָּי Ps. 18:37
349 תַּכְרִיעַ קָמַי תַּחְתָּי Ps. 18:40
350 וַיַּדְבֵּר עַמִּים תַּחְתָּי Ps. 18:48
351 הָרוֹדֵד עַמִּי תַחְתָּי Ps. 144:2
352 וְאֵין־מָקוֹם לַבְּהֵמָה לַעֲבֹר תַּחְתָּי Neh. 2:14
תַּחְתָּי (ב) 353 וְהוּא יֵשֵׁב עַל־כִּסְאִי תַּחְתָּי IK. 1:30
354 וְהוּא יִמְלֹךְ תַּחְתָּי IK. 1:35
וְתַחְתַּי (א) 355 יָבוֹא רָקָב בַּעֲצָמַי וְתַחְתַּי אֶרְגָּז Hab. 3:16
תַּחְתֵּנִי (א) 356 תַּרְחִיב צַעֲדִי תַּחְתֵּנִי IISh. 22:37
357 תַּכְרִיעַ קָמַי תַּחְתֵּנִי IISh. 22:40
358 וּמֹרִיד עַמִּים תַּחְתֵּנִי IISh. 22:48
תַּחְתֶּיךָ (א) 359 וְהָאָרֶץ אֲשֶׁר־תַּחְתֶּיךָ בַּרְזֶל Deut. 28:23
360 תַּחְתֶּיךָ יֻצַּע רִמָּה Is. 14:11
361 לַחְמְךָ יָשִׂימוּ מָזוֹר תַּחְתֶּיךָ Ob. 7
362 עַמִּים תַּחְתֶּיךָ יִפְּלוּ Ps. 45:6
תַּחְתֶּיךָ (ב) 363 מִי־יִתֵּן מוּתִי אֲנִי תַחְתֶּיךָ IISh. 19:1
364 בִּנְךָ אֲשֶׁר אֶתֵּן תַּחְתֶּיךָ IK. 5:19
365 וְאֶת־אֱלִישָׁע...תִּמְשַׁח לְנָבִיא תַּחְתֶּיךָ IK. 19:16
366 נָתַתִּי...כּוּשׁ וּסְבָא תַּחְתֶּיךָ Is. 43:3
367 וְאֶתֵּן אָדָם תַּחְתֶּיךָ Is. 43:4
מִתַּחְתֶּיךָ (א) 368 לָמָּה יִקַּח מִשְׁכָּבְךָ מִתַּחְתֶּיךָ Prov. 22:27
תַּחְתָּיו (א) 369 שְׁבוּ אִישׁ תַּחְתָּיו Ex. 16:29
370 וַיִּקְחוּ־אֶבֶן וַיָּשִׂימוּ תַחְתָּיו Ex. 17:12
371 וַיַּעַמְדוּ אִישׁ תַּחְתָּיו Jud. 7:21
372 וַיִּפָּל־שָׁם וַיָּמָת תַּחְתָּו IISh. 2:23
373 וַיִּשְׁלַח אַבְנֵר...אֶל־דָּוִד תַּחְתָּו IISh. 3:12
374 וּנְטַעְתִּיו וְשָׁכַן תַּחְתָּיו IISh. 7:10
375 וְהַפֶּרֶד אֲשֶׁר־תַּחְתָּיו עָבָר IISh. 18:9
376 וַיִּקְחוּ אִישׁ בִּגְדוֹ וַיָּשִׂימוּ תַחְתָּיו IIK. 9:13
377 וְנָדוֹשׁ מוֹאָב תַּחְתָּיו Is. 25:10
378 יִסְבְּלֻהוּ וְיַנִּיחֻהוּ תַחְתָּיו וְיַעֲמֹד Is. 46:7
379 וַיָּמָת תַּחְתָּיו מִפְּנֵי הָרָעָב Jer. 38:9
380 וְשָׁרָשָׁיו תַּחְתָּיו יִהְיוּ Ezek. 17:6
381 וְשָׁכְנוּ תַחְתָּיו כֹּל צִפּוֹר Ezek. 17:23
382 וְנָמַסּוּ הֶהָרִים תַּחְתָּיו Mic. 1:4
383 תַּחְתָּו שָׁחֲחוּ עֹזְרֵי רָהַב Job 9:13
384 תַּחְתָּיו חַדּוּדֵי חָרֶשׂ Job 41:22
385 וּנְטַעְתִּיהוּ וְשָׁכַן תַּחְתָּיו ICh. 17:9
386 וְאֶת־הַבָּקָר שְׁנֵים־עָשָׂר תַּחְתָּיו IICh. 4:15
תַּחְתָּיו (ב) 387־393 וַיִּמְלֹךְ תַּחְתָּיו Gen. 36:33
36:34, 35, 36, 37, 38, 39
394 יִלְבָּשָׁם הַכֹּהֵן תַּחְתָּיו מִבָּנָיו Ex. 29:30
395 וְהַכֹּהֵן הַמָּשִׁיחַ תַּחְתָּיו מִבָּנָיו Lev. 6:15
396 בְּכֹל אֲשֶׁר יִהְיֶה תַחְתָּיו Lev. 15:10
397 וַיְכַהֵן אֶלְעָזָר בְּנוֹ תַּחְתָּיו Deut. 10:6
398 וַיִּמְלֹךְ חָנוּן בְּנוֹ תַּחְתָּיו IISh. 10:1
399 בֵּית־שָׁאוּל אֲשֶׁר מָלַכְתָּ תַּחְתָּו IISh. 16:8
400 אֶתְּנָה־לְּךָ כֶרֶם תַּחְתָּיו IK. 21:6
401 וַיָּבֹא רָשָׁע תַּחְתָּיו Prov. 11:8
402־465 תַּחְתָּיו (ב) IK. 2:35; 11:43; 14:20, 31
15:8, 24, 28; 16:6, 10, 28; 21:2; 22:40, 51 • IIK.
1:17; 3:27; 8:15, 24; 10:35; 12:22; 13:9, 24; 14:16,
29; 15:7, 10, 14, 22; 15:25, 30, 38; 16:20; 19:37;
20:21; 21:18, 24, 26; 24:6, 17 • Is. 37:38 •
Eccl. 4:15 • ICh. 1:44, 45, 46, 47, 48; 1:49, 50;
19:1; 29:28 • IICh. 1:8; 9:31; 12:16; 13:23; 17:1;
21:1; 22:1; 24:27; 26:23; 27:9; 28:27; 32:33; 33:20,
25; 36:8
מִתַּחְתָּיו (א) 466 וְלֹא־קָמוּ אִישׁ מִתַּחְתָּיו Ex. 10:23
וּמִתַּחְתָּיו (א) 467 צֶמַח שְׁמוֹ וּמִתַּחְתָּיו יִצְמָח Zech. 6:12
תַּחְתֶּיהָ (א) 468/9 וְאִם־תַּחְתֶּיהָ תַּעֲמֹד הַבַּהֶרֶת Lev. 13:23, 28
470 וְנָפְלָה חוֹמַת הָעִיר תַּחְתֶּיהָ Josh. 6:5
471 וַתִּפֹּל הַחוֹמָה תַּחְתֶּיהָ Josh. 6:20

תַּחְתֶּיהָ(א) (המשך) 472 טְמֻנִים בָּאָרֶץ...וְהַכֶּסֶף תַּחְתֶּיהָ Josh. 7:21
473 טְמוּנָה בְּאָהֳלוֹ וְהַכֶּסֶף תַּחְתֶּיהָ Josh. 7:22
474 הַבָּקָר הַנְּחֹשֶׁת אֲשֶׁר תַּחְתֶּיהָ IIK. 16:17
475 וְגַם דּוּר הָעֲצָמִים תַּחְתֶּיהָ Ezek. 24:5
476 וַיֵּשֶׁב תַּחְתֶּיהָ בַּצֵּל Jon. 4:5
477 וְיָשְׁבָה...עוֹד תַּחְתֶּיהָ בִּירוּשָׁלִָם Zech. 12:6
478 וְרָאֲמָה וְיָשְׁבָה תַּחְתֶּיהָ Zech. 14:10
479 רַחַב לֹא־מוּצָק תַּחְתֶּיהָ Job 36:16
480 וַתַּעֲלֶנָה חָזוּת אַרְבַּע תַּחְתֶּיהָ Dan. 8:8
481 וַתַּעֲמֹדְנָה אַרְבַּע תַּחְתֶּיהָ Dan. 8:22
תַּחְתֶּיהָ(ב) 482 אֲחוֹתָהּ...תְּהִי־נָא לְךָ תַּחְתֶּיהָ Jud. 15:2
483 לֹא־יֻתַּן סְגוֹר תַּחְתֶּיהָ Job 28:15
וְתַחְתֶּיהָ(א) 484 וְתַחְתֶּיהָ נֶהְפַּךְ כְּמוֹ־אֵשׁ Job 28:5
תַּחְתֶּנָּה(א) 485 וַיִּקַּח...וַיִּסְגֹּר בָּשָׂר תַּחְתֶּנָּה Gen. 2:21
תַּחְתֵּינוּ(א) 486 וְעָמַדְנוּ תַחְתֵּינוּ וְלֹא נַעֲלֶה אֲלֵיהֶם ISh. 14:9
487 יַדְבֵּר עַמִּים תַּחְתֵּינוּ Ps. 47:4
תַּחְתֵּיכֶם(א) 488 הִנֵּה אָנֹכִי מֵעִיק תַּחְתֵּיכֶם Am. 2:13
תַּחְתֵּיכֶם(ב) 489 נַפְשֵׁנוּ תַחְתֵּיכֶם לָמוּת Josh. 2:14
תַּחְתָּם(א) 490־493 וַיֵּשְׁבוּ תַּחְתָּם Deut. 2:12, 21, 22, 23
494 וַיֵּשְׁבוּ תַחְתָּם בַּמַּחֲנֶה Josh. 5:8
495 וְלֹא־נִבְקַע עָנָן תַּחְתָּם Job 26:8
496 לַעֲלוֹת עַמִּים תַּחְתָּם Job 36:20
497 וַהֲדֹךְ רְשָׁעִים תַּחְתָּם Job 40:12
תַּחְתָּם(ב) 498 וְאֶת־בְּנֵיהֶם הֵקִים תַּחְתָּם Josh. 5:7
499 וַיַּעַשׂ...תַּחְתָּם מָגִנֵּי נְחֹשֶׁת IK. 14:27
500 וַיַּעֲמֵד אֲחֵרִים תַּחְתָּם Job 34:24
תַּחְתֵּיהֶם(א) 501 וַתִּבָּקַע הָאֲדָמָה אֲשֶׁר תַּחְתֵּיהֶם Num. 16:31
תַּחְתֵּיהֶם(ב) 502 וְשִׂים פַּחוֹת תַּחְתֵּיהֶם IK. 20:24
503 וַיַּחֲרִימֻם...וַיֵּשְׁבוּ תַּחְתֵּיהֶם ICh. 4:41
504 וַיֵּשְׁבוּ תַחְתֵּיהֶם עַד־הַגֹּלָה ICh. 5:22
505 וַיַּעַשׂ...תַּחְתֵּיהֶם מָגִנֵּי נְחֹשֶׁת IICh. 12:10
תַּחְתֵּיהֶן(ב) 506 וְעָשִׂיתָ תַחְתֵּיהֶן מֹטוֹת בַּרְזֶל Jer. 28:13

תַּחַת[2]

שפ״ז א) איש משבט לוי: 1

ב) איש ונכדו משבט אפרים: 2־4

תַּחַת 1 תַּחַת בְּנוֹ אוּרִיאֵל בְּנוֹ ICh. 6:9
2 בֶּן־תַּחַת בֶּן־אַסִּיר ICh. 6:22
וְתַחַת 3 וּבְנֵי אֶפְרַיִם שׁוּתָלַח...וְתַחַת בְּנוֹ ICh. 7:20
4 וְאֶלְעָדָה בְנוֹ וְתַחַת בְּנוֹ ICh. 7:20

תַּחַת*[3]

תחנה במסעי ישראל במדבר: 1, 2

בְּתָחַת 1 וַיִּסְעוּ מִמַּקְהֵלֹת וַיַּחֲנוּ בְּתָחַת Num. 33:26
מִתָּחַת 2 וַיִּסְעוּ מִתָּחַת וַיַּחֲנוּ בְּתָרַח Num. 33:27

תֵּחַת

(Jer. 1:17 and more) – עין חָתַת (18)

תֵּחַת

(Prov. 17:10) -- עין נָחַת (2)

תַּחְתּוֹהִי

ארמית – עין תְּחוֹת

תַּחְתּוֹן

ת׳ הנמצא למטה, שהוא מתחת: 1־13

– בֵּית חוֹרוֹן תַּחְתּוֹן 1־5

– בְּרֵכָה תַּחְתּוֹנָה 7; יָצִיעַ תַּ׳ 6; עֲזָרָה תַּ׳ 11;
רִצְפָּה תַּחְתּוֹנָה 8; הַשַּׁעַר הַתַּחְתּוֹנָה (?) 9

תַּחְתּוֹן 1 עַד־גְּבוּל בֵּית־חֹרוֹן תַּחְתּוֹן Josh. 16:3
2 אֲשֶׁר מִנֶּגֶב לְבֵית־חֹרוֹן תַּחְתּוֹן Josh. 18:13
3 וְאֶת־בֵּית־חֹרֹן תַּחְתּוֹן IK. 9:17
הַתַּחְתּוֹן 4 וַתִּבֶן אֶת־בֵּית־חוֹרוֹן הַתַּחְתּוֹן ICh. 7:24
5 וְאֶת־בֵּית חוֹרוֹן הַתַּחְתּוֹן IICh. 8:5
הַתַּחְתּוֹנָה 6 הַיָּצִיעַ° הַתַּחְתֹּנָה חָמֵשׁ בָּאַמָּה IK. 6:6
7 אֶת־מֵי הַבְּרֵכָה הַתַּחְתּוֹנָה Is. 22:9
8 הָרִצְפָּה הַתַּחְתּוֹנָה Ezek. 40:18
9 מִלִּפְנֵי הַשַּׁעַר הַתַּחְתּוֹנָה Ezek. 40:19
10 וְכֵן הַתַּחְתּוֹנָה יַעֲלֶה עַל־הָעֶלְיוֹנָה Ezek. 41:7
11 עַד־הָעֲזָרָה הַתַּחְתּוֹנָה Ezek. 43:14
מֵהַתַּחְתּוֹנוֹת 12 מֵהַתַּחְתֹּנוֹת וּמֵהַתִּיכוֹנוֹת בִּנְיָן Ezek. 42:5
13 מֵהַתַּחְתֹּנוֹת וּמֵהַתִּיכֹנוֹת מֵהָאָרֶץ Ezek. 42:6

תַּחְתִּי*

ת׳ תחתון, שהוא מִתַּחַת: 1־9

אֶרֶץ תַּחְתִּית 4־6; גֻּלֹּת תַּחְתִּית 3; פֶּלַח
תַּחְתִּית 7; שְׁאוֹל תַּחְתִּית 2; שְׁאוֹל תַּחְתִּיָּה 1;
גֻּלֹּת תַּחְתִּיּוֹת 9

תַּחְתִּיָּה 1 וְהִצַּלְתָּ נַפְשִׁי מִשְּׁאוֹל תַּחְתִּיָּה Ps. 86:13
תַּחְתִּית 2 וַתִּיקַד עַד־שְׁאוֹל תַּחְתִּית Deut. 32:22
3 אֵת גֻּלֹּת עִלִּית וְאֵת גֻּלֹּת תַּחְתִּית Jud. 1:15
4 נִתְּנוּ לַמָּוֶת אֶל־אֶרֶץ תַּחְתִּית Ezek. 31:14
5 וַיִּנָּחֲמוּ בְּאֶרֶץ תַּחְתִּית Ezek. 31:16
6 וְהוּרַדְתָּ...אֶל־אֶרֶץ תַּחְתִּית Ezek. 31:18
7 וְיָצוּק כְּפֶלַח תַּחְתִּית Job 41:16
תַּחְתִּיִּם 8 תַּחְתִּיִּם שְׁנִיִּם וּשְׁלִשִׁים תַּעֲשֶׂהָ Gen. 6:16
תַּחְתִּיּוֹת 9 אֵת גֻּלֹּת עִלִּיּוֹת וְאֵת גֻּלֹּת תַּחְתִּיּוֹת Josh. 15:19

תַּחְתִּים חָדְשִׁי

ש״פ – חֶבֶל ארץ בעבר הירדן המזרחי

תַּחְתִּים חָדְשִׁי 1 וַיָּבֹאוּ...וְאֶל־אֶרֶץ תַּחְתִּים חָדְשִׁי IISh. 24:6

תַּחְתִּית

נ׳ קרקעית, החלק התחתון: 1־10

תַּחְתִּית הָהָר 1; תַּחְתִּיּוֹת אֶרֶץ 7־9;
אֶרֶץ תַּחְתִּיּוֹת 2־4; בּוֹר תַּחְתִּיּוֹת 5, 6

בְּתַחְתִּית־ 1 וַיִּתְיַצְּבוּ בְּתַחְתִּית הָהָר Ex. 19:17
תַּחְתִּיּוֹת 2 וְהוֹשַׁבְתִּיךְ בְּאֶרֶץ תַּחְתִּיּוֹת Ezek. 26:20
3 אֶל־אֶרֶץ תַּחְתִּיּוֹת אֶת־יוֹרְדֵי בוֹר Ezek. 32:18
4 יָרְדוּ עֲרֵלִים אֶל־אֶרֶץ תַּחְתִּיּוֹת Ezek. 32:24
5 שַׁתַּנִי בְּבוֹר תַּחְתִּיּוֹת Ps. 88:7
6 קָרָאתִי שִׁמְךָ יְיָ מִבּוֹר תַּחְתִּיּוֹת Lam. 3:55
תַּחְתִּיּוֹת־ 7 הָרִיעוּ תַּחְתִּיּוֹת אָרֶץ Is. 44:23
בְּתַחְתִּיּוֹת־ 8 יָבֹאוּ בְּתַחְתִּיּוֹת הָאָרֶץ Ps. 63:10
9 רֻקַּמְתִּי בְּתַחְתִּיּוֹת אָרֶץ Ps. 139:15
מִתַּחְתִּיּוֹת 10 וָאַעֲמִיד מִתַּחְתִּיּוֹת לַמָּקוֹם Neh. 4:7

תִּטֹּף

(Job 29:22) – עין נָטַף (6)

תִּטֹּר

(Lev. 19:18) – עין נָטַר (7)

תִּטֹּשׁ

(Prov. 1:8) – עין נָטַשׁ (16, 17)

תִּיכוֹן

ת׳ הנמצא בתוך, אמצעי: 1־12

הַבְּרִיחַ הַתִּיכוֹן 1, 2; חָצֵר הַתִּיכוֹן 3;
אַשְׁמֹרֶת תִּיכוֹנָה 4; חָצֵר תִּ׳ 8; צֵלָע תִּיכוֹנָה 5

הַתִּיכוֹן 1 וְהַבְּרִיחַ הַתִּיכֹן בְּתוֹךְ הַקְּרָשִׁים Ex. 26:28
2 וַיַּעַשׂ אֶת־הַבְּרִיחַ הַתִּיכֹן Ex. 36:33
3 חָצֵר הַתִּיכוֹן אֲשֶׁר אֶל־גְּבוּל חַוְרָן Ezek. 47:16
הַתִּיכוֹנָה 4 רֹאשׁ הָאַשְׁמֹרֶת הַתִּיכוֹנָה Jud. 7:19
5 פֶּתַח הַצֵּלָע הַתִּיכֹנָה IK. 6:8
6 וּבְלוּלִּים יַעֲלוּ עַל־הַתִּיכֹנָה IK. 6:8
7 וּמִן־הַתִּיכֹנָה אֶל־הַשְּׁלִשִׁים IK. 6:8
8 לֹא יָצָא חָצֵר (כת׳ העיר) הַתִּיכֹנָה IIK. 20:4
וְהַתִּיכוֹנָה 9 וְהַתִּיכֹנָה שֵׁשׁ בָּאַמָּה רָחְבָּהּ IK. 6:6
לַתִּיכוֹנָה 10 יַעֲלֶה עַל־הָעֶלְיוֹנָה לַתִּיכוֹנָה Ezek. 41:7
וּמֵהַתִּיכוֹנוֹת 11 מֵהַתַּחְתֹּנוֹת וּמֵהַתִּיכוֹנוֹת בִּנְיָן Ezek. 42:5
12 מֵהַתַּחְתֹּנוֹת וּמֵהַתִּיכֹנוֹת מֵהָאָרֶץ Ezek. 42:6

תִּילוֹן

שפ״ז – איש ממשפחת כָּלֵב בן יפונה

וְתִילוֹן 1 וּבְנֵי שִׁימוֹן אַמְנוֹן...וְתִילוֹן (כ׳ ותולון) ICh. 4:20

תֵּימָא

שפ״ז א) מבני ישמעאל בן אברהם: 2, 4

ב) על שמו השבט שהתישב בצפון
מדבר ערב וכן ארץ מושבו: 1, 3, 5

אָרְחוֹת תֵּימָא 3; אֶרֶץ תֵּימָא 1

תֵּימָא 1 יֹשְׁבֵי אֶרֶץ תֵּימָא Is. 21:14
2 אֶת־דְּדָן וְאֶת־תֵּימָא וְאֶת־בּוּז Jer. 25:23
3 הִבִּיטוּ אָרְחוֹת תֵּמָא Job 6:19
וְתֵימָא 4 חֲדַד וְתֵימָא יְטוּר...וָקֵדְמָה Gen. 25:15
5 מַשָּׂא חֲדַד וְתֵימָא ICh. 1:30

תִּימֹרָה

נ׳ גלוף בתבנית עָלים או עמודים של תמר: 1־19

כְּרוּבִים וְתִימוֹרוֹת 4־8;
כְּרוּבִים וְתִימֹרִים 15, 16, 18

וְתִימוֹרָה 1 וְתִמֹרָה בֵּין־כְּרוּב לִכְרוּב Ezek. 41:18
הַתִּימוֹרָה 2 וּפְנֵי אָדָם אֶל־הַתִּמֹרָה מִפּוֹ Ezek. 41:19
3 וּפְנֵי־כְפִיר אֶל־הַתִּמֹרָה מִפּוֹ Ezek. 41:19
וְתִימוֹרוֹת 4/5 כְּרוּבִים וְתִמֹרֹת וּפְטוּרֵי צִצִּים IK. 6:29, 32
6 כְּרוּבִים וְתִמֹרוֹת וּפְטֻרֵי צִצִּים IK. 6:35
7 כְּרוּבִים אֲרָיוֹת וְתִמֹרֹת IK. 7:36
הַתִּימוֹרוֹת 8 עַל־הַכְּרוּבִים וְעַל־הַתִּמֹרוֹת IK. 6:32
תִּימֹרִים 9 וְחַלּוֹנוֹת...וְאֶל־אַיִל תִּמֹרִים Ezek. 40:16
10 וַיַּעַל עָלָיו תִּמֹרִים וְשַׁרְשְׁרֹת IICh. 3:5
וְתִימוֹרִים 11 וְתִמֹרִים לוֹ...אֶל־אֵילָו Ezek. 40:26
12־14 וְתִמֹרִים אֶל־אֵילָו Ezek. 40:31, 34, 37
15 וְעָשׂוּי כְּרוּבִים וְתִמֹרִים Ezek. 41:18
16 וַעֲשׂוּיָה...כְּרוּבִים וְתִמֹרִים Ezek. 41:25
17 וְתִמֹרִים מִפּוֹ וּמִפּוֹ Ezek. 41:26
וְהַתִּימוֹרִים 18 הַכְּרוּבִים וְהַתִּמֹרִים עֲשׂוּיִם Ezek. 41:20
וְתִימוֹרָיו 19 וְחַלּוֹנָו וְאֵילַמָּו וְתִמֹרָו Ezek. 40:22

תֵּימָן[1]

שפ״ז מבני אליפז בן עֵשָׂו: 1־5 • אַלּוּף תֵּימָן 2, 3, 5

תֵּימָן 1 וַיִּהְיוּ בְּנֵי אֱלִיפָז תֵּימָן אוֹמָר Gen. 36:11
2 אַלּוּף תֵּימָן אַלּוּף אוֹמָר Gen. 36:15
3 אַלּוּף קְנַז אַלּוּף תֵּימָן Gen. 36:42
4 בְּנֵי אֱלִיפָז תֵּימָן וְאוֹמָר ICh. 1:36
5 אַלּוּף קְנַז אַלּוּף תֵּימָן ICh. 1:53

תֵּימָן[2]

ש״פ – עיר ומחוז בארץ אדום,
שתושביה התיחסו על בני תֵּימָן: 1־5

תֵּימָן 1 אֲשֶׁר חָשַׁב אֶל־יֹשְׁבֵי תֵימָן Jer. 49:20
2 וְחַתּוּ גִבּוֹרֶיךָ תֵּימָן Ob. 9
בְּתֵימָן 3 הַאֵין עוֹד חָכְמָה בְּתֵימָן Jer. 49:7
4 וְשִׁלַּחְתִּי אֵשׁ בְּתֵימָן Am. 1:12
מִתֵּימָן 5 וּנְתַתִּיהָ חָרְבָּה מִתֵּימָן Ezek. 25:13

תֵּימָן[3]

ז׳ דרום: 1־24

אֶרֶץ הַתֵּימָן 6; חַדְרֵי תֵימָן 4; סַעֲרוֹת תֵּימָן 2;
קְצֵה תֵימָן 1

תֵּימָן 1 נֶגְבָּה מִקְצֵה תֵימָן Josh. 15:1
2 וְהָלַךְ בְּסַעֲרוֹת תֵּימָן Zech. 9:14
3 וַיְנַהֵג בְּעֻזּוֹ תֵימָן Ps. 78:26
4 עֹשֶׂה־עָשׁ...וְחַדְרֵי תֵמָן Job 9:9
5 עוּרִי צָפוֹן וּבוֹאִי תֵימָן S.ofS. 4:16
הַתֵּימָן 6 יָצְאוּ אֶל־אֶרֶץ הַתֵּימָן Zech. 6:6
לְתֵימָן 7 יִפְרֹשׂ כְּנָפָו לְתֵימָן Job 39:26
וּלְתֵימָן 8 אֹמַר לַצָּפוֹן תֵּנִי וּלְתֵימָן אַל־תִּכְלָאִי Is. 43:6
מִתֵּימָן 9 מִתֵּימָן כָּל־אֶרֶץ הַכְּנַעֲנִי Josh. 13:4
10 אֱלוֹהַ מִתֵּימָן יָבוֹא Hab. 3:3
וּמִתֵּימָן 11 וּמִתֵּימָן תַּחַת אַשְׁדּוֹת הַפִּסְגָּה Josh. 12:3
תֵּימָנָה 12 לִפְאַת נֶגְבָּה תֵימָנָה Ex. 26:18
13 עַל צֶלַע הַמִּשְׁכָּן תֵּימָנָה Ex. 26:35
14־16 לִפְאַת נֶגֶב(־)תֵּימָנָה Ex. 27:9; 36:23; 38:9
17 דֶּגֶל מַחֲנֵה רְאוּבֵן תֵּימָנָה לְצִבְאֹתָם Num. 2:10
18 עַל יֶרֶךְ הַמִּשְׁכָּן תֵּימָנָה Num. 3:29
19 וְנָסְעוּ הַמַּחֲנוֹת הַחֹנִים תֵּימָנָה Num. 10:6
20 שִׂים פָּנֶיךָ דֶּרֶךְ תֵּימָנָה Ezek. 21:2
21 וּפְאַת נֶגֶב תֵּימָנָה Ezek. 47:19
22 וְאֵת פְּאַת־תֵּימָנָה נֶגְבָּה Ezek. 47:19
23 וְעַל גְּבוּל גָּד אֶל־פְּאַת נֶגֶב תֵּימָנָה Ezek. 48:28
וְתֵימָנָה 24 יָמָּה וְצָפֹנָה וְתֵימָנָה וּמִזְרָחָה Deut. 3:27

תֵּימָנִי
ת׳ מתושבי תֵּימָן: 1-8

הַתֵּימָנִי 1 חֻשָׁם מֵאֶרֶץ הַתֵּימָנִי Gen. 36:34
2-6 אֱלִיפַז הַתֵּימָנִי Job 2:11; 4:1; 15:1; 42:7,9
7 וַיַּעַן אֱלִיפַז הַתֵּמָנִי וַיֹּאמַר Job 22:1
8 חוּשָׁם מֵאֶרֶץ הַתֵּימָנִי ICh. 1:45

תֵּימְנִי
שפ״ז – בן אַשְׁחוּר למטה יהודה

תֵּימְנִי 1 וַתֵּלֶד לוֹ...וְאֶת־חֵפֶר וְאֶת־תֵּימְנִי ICh. 4:6

תִּימָרָה*
נ׳ עמוד: 1, 2 • תִּימְרוֹת עָשָׁן 1, 2

וְתִימְרוֹת־ 1 דָּם וָאֵשׁ וְתִימְרוֹת עָשָׁן Joel 3:3
כְּתִימְרוֹת־ 2 מִי זֹאת עֹלָה...כְּתִימְרוֹת עָשָׁן S.ofS. 3:6

תִּיצִי
ת׳ המתיחס על איש או על מקום בשם תִּיץ

הַתִּיצִי 1 יְדִיעֲאֵל...וְיוֹחָא אָחִיו הַתִּיצִי ICh. 11:45

תִּירוֹשׁ
ז׳ עסיס ענבים, יין חדש בטרם תסס: 1-38

קרובים: חֶמֶר / יַיִן / מֶזֶג / מִמְסָךְ / מֶסֶךְ / נֶסֶךְ / סֹבֶא / עָסִיס / שֵׁכָר

– תִּירוֹשׁ וְיִצְהָר 2, 4-8, 20, 22-29, 32-36; דָּגָן וְתִירוֹשׁ 2, 4, 8-13, 15, 20, 22-29, 32-36, 38
– אֶרֶץ תִּירוֹשׁ 11-13; חֵלֶב תִּ׳ 1; מַעֲשַׂר תִּ׳ 26,29,32; רֵאשִׁית תִּ׳ 8, 33; תְּבוּאַת תִּ׳ 20; תְּרוּמַת תִּ׳ 25

תִּירוֹשׁ 1 וְכֹל־חֵלֶב תִּירוֹשׁ וְדָגָן Num. 18:12
2 דְּגָן תִּירוֹשׁ וְיִצְהָר Deut. 28:51
3 אָבַל תִּירוֹשׁ אֻמְלְלָה־גָפֶן Is. 24:7
4 עַל־דָּגָן וְעַל־תִּירֹשׁ וְעַל־יִצְהָר Jer. 31:12(11)
5 הוֹבִישׁ תִּירוֹשׁ אֻמְלַל יִצְהָר Joel 1:10
6 וְהֵשִׁיקוּ הַיְקָבִים תִּירוֹשׁ וְיִצְהָר Joel 2:24
7 וּפְרִי כָל־עֵץ תִּירוֹשׁ וְיִצְהָר Neh. 10:38
8 רֵאשִׁית דָּגָן תִּירוֹשׁ וְיִצְהָר וּדְבַשׁ IICh. 31:5
וְתִירֹשׁ 9 וְרֹב דָּגָן וְתִירֹשׁ Gen. 27:28
10 וְדָגָן וְתִירֹשׁ סְמַכְתִּיו Gen. 27:37
11 וַיִּשְׁכֹּן...אֶל־אֶרֶץ דָּגָן וְתִירוֹשׁ Deut. 33:28
12/3 אֶרֶץ דָּגָן וְתִירוֹשׁ IIK. 18:32 • Is. 36:17
14 זְנוּת וְיַיִן וְתִירוֹשׁ יִקַּח־לֵב Hosh. 4:11
15 עַל־דָּגָן וְתִירוֹשׁ יִתְגּוֹרָרוּ Hosh. 7:14
16 וְתִירוֹשׁ יְכַחֶשׁ בָּהּ Hosh. 9:2
17 תִדְרֹךְ...וְתִירוֹשׁ וְלֹא תִשְׁתֶּה־יָּיִן Mic. 6:15
18 וְתִירוֹשׁ יְנוֹבֵב בְּתֻלוֹת Zech. 9:17
19 וְתִירוֹשׁ יְקָבֶיךָ יִפְרֹצוּ Prov. 3:10
20 לִתְבוּאַת דָּגָן וְתִירוֹשׁ וְיִצְהָר IICh. 32:28
הַתִּירוֹשׁ 21 כַּאֲשֶׁר יִמָּצֵא הַתִּירוֹשׁ בָּאֶשְׁכּוֹל Is. 65:8
22 אֶת־הַדָּגָן וְאֶת־הַתִּירוֹשׁ וְאֶת־הַיִּצְהָר Hosh. 2:24
23 וְעַל־הַדָּגָן וְעַל־הַתִּירוֹשׁ וְעַל־הַיִּצְ׳ Hag. 1:11
24 וְהַדָּגָן הַתִּירוֹשׁ וְהַיִּצְהָר Neh. 5:11
25 תְּרוּמַת הַדָּגָן הַתִּירוֹשׁ וְהַיִּצְהָר Neh. 10:40
26 וּמַעְשַׂר הַדָּגָן הַתִּירוֹשׁ וְהַיִּצְהָר Neh. 13:5
וְהַתִּירוֹשׁ 27 הַדָּגָן וְהַתִּירוֹשׁ וְהַיִּצְהָר Hosh. 2:10
28 אֶת־הַדָּגָן וְהַתִּירוֹשׁ וְהַיִּצְהָר Joel 2:19
29 מַעְשַׂר הַדָּגָן וְהַתִּירוֹשׁ וְהַיִּצְהָר Neh. 13:12
תִּירוֹשִׁי 30 הֶחֳדַלְתִּי אֶת־תִּירוֹשִׁי Jud. 9:13
וְתִירוֹשִׁי 31 וְלָקַחְתִּי...וְתִירוֹשִׁי בְּמוֹעֲדוֹ Hosh. 2:11
תִּירֹשְׁךָ 32 מַעְשַׂר דְּגָנְךָ תִּירֹשְׁךָ וְיִצְהָרֶךָ Deut. 14:23
33 רֵאשִׁית דְּגָנְךָ תִּירֹשְׁךָ וְיִצְהָרֶךָ Deut. 18:4
וְתִירֹשְׁךָ 34/5 דְּגָנְךָ וְתִירֹשְׁךָ וְיִצְהָרֶךָ Deut. 7:13; 12:17
36 וְאָסַפְתָּ דְגָנֶךָ וְתִירֹשְׁךָ וְיִצְהָרֶךָ Deut. 11:14
תִּירוֹשֵׁךְ 37 וְאִם־יִשְׁתּוּ בְנֵי־נֵכָר תִּירוֹשֵׁךְ Is. 62:8
וְתִירוֹשָׁם 38 מֵעֵת דְּגָנָם וְתִירוֹשָׁם רָבּוּ Ps. 4:8

תִּירְיָא
שפ״ז – איש ממשפחת כָּלֵב

תִּירְיָא 1 וּבְנֵי יְהַלֶּלְאֵל...תִּירְיָא וַאֲשַׂרְאֵל ICh. 4:16

תִּירָס
שפ״ז – מבני יפת בן נח: 1, 2

וְתִירָס 1 בְּנֵי יֶפֶת גֹּמֶר...וּמֶשֶׁךְ וְתִירָס Gen. 10:2
2 בְּנֵי יֶפֶת גֹּמֶר...וּמֶשֶׁךְ וְתִירָס ICh. 1:5

תַּיִשׁ
ז׳ הזכר בעזים: 1-4 • קרובים: ראה צֹאן

תַּיִשׁ 1 זַרְזִיר מָתְנַיִם אוֹ־תָיִשׁ Prov. 30:31
וּתְיָשִׁים 2 עִזִּים מָאתַיִם וּתְיָשִׁים עֶשְׂרִים Gen. 32:14
3 וּתְיָשִׁים שִׁבְעַת אֲלָפִים IICh. 17:11
הַתְּיָשִׁים 4 אֶת־הַתְּיָשִׁים הָעֲקֻדִּים Gen. 30:35

תֹּךְ, תּוֹךְ
ז׳ עושק, מרמה: 1-3

תֹּךְ 1 וְלֹא־יָמִישׁ מֵרְחֹבָהּ תֹּךְ וּמִרְמָה Ps. 55:12
וָתֹךְ 2 אָלָה פִּיהוּ מָלֵא וּמִרְמוֹת וָתֹךְ Ps. 10:7
מִתּוֹךְ 3 מִתּוֹךְ וּמֵחָמָס יִגְאַל נַפְשָׁם Ps. 72:14

תָּכָה*
פ׳ דָּכָא(?) הִכָּה(?)

תֻּכּוּ 1 וְהֵם תֻּכּוּ לְרַגְלֶךָ Deut. 33:3

תְּכוֹ
(Is. 1:5) – עין נָכָה (503)

תְּכוּנָה
נ׳ א) דברים שהוכנו, אוצר: 1
ב) תכנית, מבנה: 2, 3

לַתְּכוּנָה 1 וְאֵין קֵצֶה לַתְּכוּנָה Nah. 2:10
תְּכוּנָתוֹ 2 אָבוֹא עַד־תְּכוּנָתוֹ Job 23:3
וּתְכוּנָתוֹ 3 צוּרַת הַבַּיִת וּתְכוּנָתוֹ Ezek. 43:11

תֻּכִּי*
ז׳ אחד ממיני העופות שהביא שלמה ממרחקים – טַוָּס? תרנגול?: 1, 2

וְתֻכִּיִּים 1 שֶׁנְהַבִּים וְקֹפִים וְתֻכִּיִּים IK. 10:22
2 שֶׁנְהַבִּים וְקוֹפִים וְתוּכִּיִּים IICh. 9:21

תכך
: תֹּךְ, תְּכָכִים

תְּכָכִים
ז״ר – תֹּךְ, מזימות, חמס

תְּכָכִים 1 רָשׁ וְאִישׁ תְּכָכִים נִפְגָּשׁוּ Prov. 29:13

תִּכְלָה
נ׳ שעור, מדה

תִּכְלָה 1 לְכָל־תִּכְלָה רָאִיתִי קֵץ Ps. 119:96

תַּכְלִית
נ׳ א) קצה, סוף, גבול: 1, 3-5
ב) מדה קיצונית: 2

תַּכְלִית אוֹר 4; תַּכְלִית הַבַּיִת 5; תַּכְלִית שַׁדַּי 3; תַּכְלִית שִׂנְאָה 2

תַּכְלִית 1 וּלְכָל־תַּכְלִית הוּא חוֹקֵר Job 28:3
תַּכְלִית־ 2 תַּכְלִית שִׂנְאָה שְׂנֵאתִים Ps. 139:22
3 אִם עַד־תַּכְלִית שַׁדַּי תִּמְצָא Job 11:7
4 עַד־תַּכְלִית אוֹר עִם־חֹשֶׁךְ Job 26:10
5 מִפֶּתַח...וְעַד־תַּכְלִית בֵּית אֶלְיָשִׁב Neh. 3:21

תְּכֵלֶת
נ׳ צבע כחול־בהיר(?), וכן האריג הצבוע בצבע זה: 1-49

– תְּכֵלֶת וְאַרְגָּמָן 3-20, 36-40, 43-45, 47-49
– בֶּגֶד תְּכֵלֶת 29-32; גְּלוֹמֵי תְּכֵלֶת 34; לוּלְאֹת תְּכֵלֶת 1, 2; כְּלִיל תְּ׳ 26-28; פְּתִיל תְּכֵלֶת 21-25

תְּכֵלֶת 1/2 לֻלְאֹת תְּכֵלֶת Ex. 26:4; 36:11
3-20 תְּכֵלֶת וְאַרְגָּמָן Ex. 26:31,36 27:16; 28:6, 8, 15, 33; 35:23; 36:35, 37; 38:18; 39:2, 5, 8, 24 • Jer. 10:9 • Ezek. 27:7 • IICh. 3:14
21-25 (בִּ)פְתִיל תְּכֵלֶת Ex. 28:28, 37 39:21, 31 • Num. 15:38
26/7 כְּלִיל תְּכֵלֶת Ex. 28:31; 39:22
28 בֶּגֶד־כְּלִיל תְּכֵלֶת Num. 4:6
29-32 בֶּגֶד תְּכֵלֶת Num. 4:7, 9, 11, 12
33 לְבֻשֵׁי תְכֵלֶת פַּחוֹת וּסְגָנִים Ezek. 23:6
34 בִּגְלוֹמֵי תְּכֵלֶת וְרִקְמָה Ezek. 27:24
35 בִּלְבוּשׁ מַלְכוּת תְּכֵלֶת וָחוּר Es. 8:15
וּתְכֵלֶת 36-40 וּתְכֵלֶת וְאַרְגָּמָן Ex. 25:4 26:1; 35:6; 36:8; 39:29
41 חוּר כַּרְפַּס וּתְכֵלֶת Es. 1:6
42 וּבָאַרְגְּוָן וְכַרְמִיל וּתְכֵלֶת IICh. 2:6
הַתְּכֵלֶת 43 וְאֶת־הַתְּכֵלֶת וְאֶת־הָאַרְגָּמָן Ex. 28:5
44 אֶת־הַתְּכֵלֶת וְאֶת־הָאַרְגָּמָן Ex. 35:25
45 וּמִן־הַתְּכֵלֶת וְהָאַרְגָּמָן Ex. 39:1
46 לַעֲשׂוֹת בְּתוֹךְ הַתְּכֵלֶת Ex. 39:3
בַּתְּכֵלֶת 47/8 וְרֹקֵם בַּתְּכֵלֶת וּבָאַרְגָּמָן Ex. 35:35; 38:23
49 לַעֲשׂוֹת...בָּאַרְגְּוָן בַּתְּכֵלֶת IICh. 2:13

תכן
: תָּכַן, נִתְכַּן, תִּכֵּן, תֻּכַּן; תֹּכֶן, תָּכְנִית, מַתְכֹּנֶת

תָּכַן
פ׳ א) בחן, מדד: 1-3
ב) [נפ׳ נִתְכַּן] נערך, נמדד: 4-13
ג) [פִּ׳ תִּכֵּן] קבע במדה: 14-17
ד) [פֻּ׳ תֻּכַּן] נמדד, חֻשַּׁב: 18

תּוֹכֵן 1 הֲלֹא־תֹכֵן לִבּוֹת הוּא־יָבִין Prov. 24:12
וְתֹכֵן 2 וְתֹכֵן רוּחוֹת יְיָ Prov. 16:2
3 וְתֹכֵן לִבּוֹת יְיָ Prov. 21:2
נִתְכְּנוּ 4 אֵל דֵּעוֹת יְיָ וְלוֹ נִתְכְּנוּ עֲלִלוֹת ISh. 2:3
יִתָּכֵן 5-8 לֹא יִתָּכֵן דֶּרֶךְ אֲדֹנָי Ezek. 18:25, 29; 33:17, 20
9 הַדַּרְכִּי לֹא יִתָּכֵן Ezek. 18:25
10 הֲלֹא דַרְכֵיכֶם לֹא יִתָּכֵן Ezek. 18:29
11 וְהֵמָּה דַּרְכָּם לֹא־יִתָּכֵן Ezek. 33:17
יִתָּכְנוּ 12 הַדְּרָכַי לֹא יִתָּכְנוּ בֵּית יִשְׂרָאֵל Ezek. 18:29
יִתָּכֵנוּ 13 הֲלֹא דַרְכֵיכֶם לֹא יִתָּכֵנוּ Ezek. 18:25
תִכַּנְתִּי 14 אָנֹכִי תִכַּנְתִּי עַמּוּדֶיהָ Ps. 75:4
תִּכֵּן 15 וְשָׁמַיִם בַּזֶּרֶת תִּכֵּן Is. 40:12
16 מִי־תִכֵּן אֶת־רוּחַ יְיָ Is. 40:13
17 וּמַיִם תִּכֵּן בְּמִדָּה Job 28:25
הַמְתֻכָּן 18 וְנָתְנוּ אֶת־הַכֶּסֶף הַמְתֻכָּן IIK. 12:12

תֹּכֶן¹
ז׳ מדה, כמות: 1, 2

תֹּכֶן אֶחָד 1; תֹּכֶן לְבֵנִים 2

תֹּכֶן 1 הָאֵיפָה וְהַבַּת תֹּכֶן אֶחָד יִהְיֶה Ezek. 45:11
וְתֹכֶן־ 2 וְתֹכֶן לְבֵנִים תִּתֵּנוּ Ex. 5:18

תֹּכֶן²
ש״פ – מקום בנחלת שמעון

וְתֹכֶן 1 עֵיטָם וָעַיִן רִמּוֹן וְתֹכֶן וְעָשָׁן ICh. 4:32

תָּכְנִית
נ׳ שעור, מדה: 1, 2

תָּכְנִית 1 אַתָּה חוֹתֵם תָּכְנִית מָלֵא חָכְמָה Ezek. 28:12
2 וּמָדְדוּ אֶת־תָּכְנִית Ezek. 43:10

תָּכֹסּוּ
(Ex. 12:4) – עין (כסס)

תַּכְרִיךְ
נ׳ עטיפה, מעטפת

וְתַכְרִיךְ־ 1 וְתַכְרִיךְ בּוּץ וְאַרְגָּמָן Es. 8:15

תֵּל
ז׳ גבעה שנוצרה על־ידי הערמות חרבות ישובים עתיקים: 1-5

תֵּל עוֹלָם 1, 2; תֵּל שְׁמָמָה 3

תֵּל־ 1 וְהָיְתָה תֵּל עוֹלָם Deut. 13:17
2 וַיְשִׂימֶהָ תֵּל־עוֹלָם שְׁמָמָה Josh. 8:28
לְתֵל־ 3 וְהָיְתָה לְתֵל שְׁמָמָה Jer. 49:2
תִּלָּהּ 4 וְנִבְנְתָה עִיר עַל־תִּלָּהּ Jer. 30:18
תִּלָּם 5 כָּל־הֶעָרִים הָעֹמְדוֹת עַל־תִּלָּם Josh. 11:13

תֵּל־אָבִיב
ש״פ – מקום על נהר כְּבָר בבבל

תֵּל אָבִיב 1 וָאָבוֹא אֶל־הַגּוֹלָה תֵּל אָבִיב Ezek. 3:15

תֵּל חַרְשָׁא
ש״פ – מקום בארץ בבל: 1, 2

תֵּל חַרְשָׁא 1 מִתֵּל מֶלַח תֵּל חַרְשָׁא Ez. 2:59
2 מִתֵּל מֶלַח תֵּל חַרְשָׁא Neh. 7:61

תֵּל מֶלַח
ש״פ – מקום בארץ בבל: 1, 2

מִתֵּל מֶלַח 1 וְאֵלֶּה הָעֹלִים מִתֵּל מֶלַח Ez. 2:59
2 וְאֵלֶּה הָעוֹלִים מִתֵּל מֶלַח Neh. 7:61

(וְ)תֶּלֶא (איוב ד5) – עין לָאָה (2)

תְּלָאָה נ׳ א) צרה, עמל וטורח: 1-4
ב) [מַתְּלָאָה] כנ״ל: 5

וּתְלָאָה 1 בָּנָה עָלַי וַיַּקַּף רֹאשׁ וּתְלָאָה Lam.3:5
הַתְּלָאָה 2 אֵת כָּל־הַתְּלָאָה אֲשֶׁר מְצָאָתַם Ex.18:8
3 אֵת כָּל־הַתְּלָאָה אֲשֶׁר מְצָאָתְנוּ Num.20:14
4 אֵת כָּל־הַתְּלָאָה אֲשֶׁר־מְצָאָתְנוּ Neh.9:32
מַתְּלָאָה 5 וַאֲמַרְתֶּם הִנֵּה מַתְּלָאָה Mal.1:13

תַּלְאוּבוֹת נ״ר – להט, חום
תַּלְאוּבוֹת 1 יְדַעְתִּיךָ בַּמִּדְבָּר בְּאֶרֶץ תַּלְאֻבוֹת Hosh.13:5

תְּלָאוּם, תְּלוּאִים – עין תָּלָה (13, 18, 19)

תְּלַאשָּׂר ש״פ – חבל ארץ באשור
בִּתְלַאשָּׂר 1 וְרֶצֶף וּבְנֵי־עֶדֶן אֲשֶׁר בִּתְלַאשָּׂר IIK.19:12

תַּלְבֹּשֶׁת נ׳ לבוש, מערכת בגדים
תִּלְבֹּשֶׁת 1 וַיִּלְבַּשׁ בִּגְדֵי נָקָם תִּלְבֹּשֶׁת Is.59:17

תְּלַג ז׳ ארמית: שֶׁלֶג
כִּתְלַג 1 לְבוּשֵׁהּ כִּתְלַג חִוָּר Dan.7:9

תִּלְגַת פִּלְנְאֶסֶר שפ״ז – הוא תגלת פלאסר: 1-3
תִּלְגַת פִּל׳ 1 תִּלְגַת פִּלְנְאֶסֶר מֶלֶךְ אַשּׁוּר ICh.5:6
2 תִּלְגַת פִּלְנֶסֶר מֶלֶךְ אַשּׁוּר ICh.5:26
3 וַיָּבֹא...תִּלְּגַת פִּלְנְאֶסֶר מֶלֶךְ אַשּׁוּר IICh.28:20

תלה : תָּלָה, תָּלוּי, (תָּלוּא), נִתְלָה, תֻּלָּה; תְּלִי

תָּלָה פ׳ א) חבר דבר בחבל אל משהו למעלה בלא בסיס תחתיו: 1, 8, 11, 14
ב) הוקיע, המית בתליה: 2-7, 9, 10, 12, 13, 21-26
ג) [פָּעוּל: תָּלוּי] מוקע, קשור אל עץ תליה: 15-17, 20
ד) [כנ״ל, בהשאלה] נתון במצב רופף: 18, 19
ה) [נפ׳ נִתְלָה] הוקע: 27, 28
ו) [פ׳ תֻּלָּה] תלה: 29, 30

לִתְלוֹת 1 יָחֵד לִתְלוֹת עָלָיו כָּל־כֶּלִי Ezek.15:3
2 לִתְלוֹת אֶת־מָרְדֳּכַי עַל־הָעֵץ Es.6:4
וְתָלִיתָ 3 וְתָלִיתָ אֹתוֹ עַל־עֵץ Deut.21:22
תָּלָה 4 וְאֵת שַׂר הָאֹפִים תָּלָה Gen.40:22
5 אֹתִי הֵשִׁיב עַל־כַּנִּי וְאֹתוֹ תָלָה Gen.41:13
6 וְאֶת־מֶלֶךְ הָעַי תָּלָה עַל־הָעֵץ Josh.8:29
וְתָלָה 7 וְתָלָה אוֹתְךָ עַל־עֵץ Gen.40:19
תָּלִינוּ 8 עַל־עֲרָבִים...תָּלִינוּ כִּנֹּרוֹתֵינוּ Ps.137:2
תָּלוּ 9 וְאֹתוֹ תָּלוּ עַל־הָעֵץ Es.8:7
10 וְאֵת עֲשֶׂרֶת בְּנֵי־הָמָן תָּלוּ Es.9:14
וְתָלוּ 11 וְתָלוּ עָלָיו כֹּל כְּבוֹד בֵּית־אָבִיו Is.22:24
12 וְתָלוּ אֹתוֹ וְאֶת־בָּנָיו עַל־הָעֵץ Es.9:25
תְּלָאוּם 13 תְּלָאוּם (כת׳ תלום) שָׁמָּה° פְּלִשְׁתִּים IISh.21:12
תֹּלֶה 14 תֹּלֶה אֶרֶץ עַל־בְּלִימָה Job26:7
תָּלוּי 15 כִּי־קִלְלַת אֱלֹהִים תָּלוּי Deut.21:23
16 רָאִיתִי אֶת־אַבְשָׁלֹם תָּלוּי בָּאֵלָה IISh.18:10
17 אֶלֶף הַמָּגֵן תָּלוּי עָלָיו S.ofS.4:4
תְּלֻאִים 18 וְהָיוּ חַיֶּיךָ תְּלֻאִים לְךָ מִנֶּגֶד Deut.28:66
19 וְעַמִּי תְלוּאִים לִמְשׁוּבָתִי Hosh.11:7
תְּלוּיִים 20 וַיִּהְיוּ תְּלוּיִם עַל־הָעֵצִים Josh.10:26
וַיִּתְלֵם 21 וַיִּתְלֵם עַל חֲמִשָּׁה עֵצִים Josh.10:26
יִתְלוּ 22 יִתְלוּ עַל־הָעֵץ Es.9:13
וְיִתְלוּ 23 וְיִתְלוּ אֶת־מָרְדֳּכַי עָלָיו Es.5:14
וַיִּתְלוּ 24 וַיִּתְלוּ עַל־הַבְּרֵכָה בְּחֶבְרוֹן IISh.4:12
25 וַיִּתְלוּ אֶת־הָמָן עַל־הָעֵץ Es.7:10
תְּלֻהוּ 26 וַיֹּאמֶר הַמֶּלֶךְ תְּלֻהוּ עָלָיו Es.7:9
נִתְלוּ 27 שָׂרִים בְּיָדָם נִתְלוּ Lam.5:12
וַיִּתָּלוּ 28 וַיִּתָּלוּ שְׁנֵיהֶם עַל־עֵץ Es.2:23
תִּלּוּ 29 מָגֵן וְכוֹבַע תִּלּוּ־בָךְ Ezek.27:10
30 שִׁלְטֵיהֶם תִּלּוּ עַל־חוֹמוֹתַיִךְ Ezek.27:11

תָּלוּל ת׳ זקוף
וְתָלוּל 1 עַל הַר־גָּבֹהַּ וְתָלוּל Ezek.17:22

תְּלוּנָה נ׳ – עין תְּלֻנָּה

תֶּלַח שפ״ז – מאבות יהושע בן נון
וְתֶלַח 1 וְרֶפַח בְּנוֹ וְרֶשֶׁף וְתֶלַח בְּנוֹ וְתַחַן בְּנוֹ ICh.7:25

תְּלִי ז׳ תִּיק לחצים • קרוב: אַשְׁפָּה (א)
תֶּלְיְךָ 1 שָׂא־נָא כֵלֶיךָ תֶּלְיְךָ וְקַשְׁתֶּךָ Gen.27:3

תַּלִּינוּ (שמות טז 7) – עין (לון, לין)² (12)

תְּלִיתָאָה ת״נ ארמית: שלישית
תְּלִיתָאָה 1 וּמַלְכוּ תְלִיתָאָה (כת׳ תליתיא) אָחֳרִי Dan.2:39

תלל : הֵתֵל, הוּתַל; תָּלוּל, תֵּל, תַּלְתַּלִּים

(תלל) הֵתֵל הפ׳ א) לעג, התעל: 1-8
ב) [הפ׳ הוּתַל] היה לצחוק, נלעג: 9
קרובים: הֵתֵל / לָעַג / צָעַק
הֵתֵל בּ־ 2-8

הָתֵל 1 רַק אַל־יֹסֵף פַּרְעֹה הָתֵל Ex.8:25
כְּהָתֵל 2 אִם־כְּהָתֵל בֶּאֱנוֹשׁ תְּהָתֵלּוּ בוֹ Job 13:9
הֵתַלְתָּ 3/4 הֵתַלְתָּ בִּי וַתְּדַבֵּר אֵלַי כְּזָבִים Jud.16:10,13
5 זֶה שָׁלֹשׁ פְּעָמִים הֵתַלְתָּ בִּי Jud.16:15
הֵתֶל 6 וַאֲבִיכֶן הֵתֶל בִּי Gen.31:7
תְּהָתֵלּוּ 7 אִם־כְּהָתֵל בֶּאֱנוֹשׁ תְּהָתֵלּוּ בוֹ Job 13:9
יְהָתֵלּוּ 8 וְאִישׁ בְּרֵעֵהוּ יְהָתֵלּוּ Jer.9:4
הוּתַל 9 רֹעֶה אֵפֶר לֵב הוּתַל הִטָּהוּ Is.44:20

תֶּלֶם ז׳ חריץ שהמחרשה עושה באדמה: 1-5
קרובים: מַעֲנֶה / מַעֲנִית
תַּלְמֵי שָׂדָי 2, 3

בְּתֶלֶם־ 1 הֲתִקְשָׁר־רֵים בְּתֶלֶם עֲבֹתוֹ Job39:10
תַּלְמֵי־ 2 וּפָרַח כָּרֹאשׁ מִשְׁפָּט עַל תַּלְמֵי שָׂדָי Hosh.10:4
3 כְּגַלִּים עַל תַּלְמֵי שָׂדָי Hosh.12:12
תְּלָמֶיהָ 4 תְּלָמֶיהָ רַוֵּה נַחֵת גְּדוּדֶהָ Ps.65:11
5 וְיַחַד תְּלָמֶיהָ יִבְכָּיוּן Job31:38

תַּלְמַי שפ״ז א) מילידי הענק: 1, 5, 6
ב) מלך גשור: 2-4

תַּלְמַי 1 וְאֶת־אֲחִימַן וְאֶת־תַּלְמַי יְלִידֵי הָעֲנָק Josh.15:14
2 בֶּן־מַעֲכָה בַת־תַּלְמַי מֶלֶךְ גְּשׁוּר IISh.3:3
3 אֶל־תַּלְמַי בֶּן־עַמִּיהוּד° מֶלֶךְ גְּשׁוּר IISh.13:37
4 בֶּן־מַעֲכָה בַּת־תַּלְמַי מֶלֶךְ גְּשׁוּר ICh.3:2
תַּלְמָי 5 וְאֶת־אֲחִימַן וְאֶת־תַּלְמָי Jud.1:10
וְתַלְמַי 6 אֲחִימַן שֵׁשַׁי וְתַלְמַי יְלִידֵי הָעֲנָק Num.13:22

תַּלְמִיד ז׳ חניך
תַּלְמִיד 1 כְּקָטֹן כַּגָּדוֹל מֵבִין עִם־תַּלְמִיד ICh.25:8

תְּלֻנָּה נ׳ טענה, התלוננות: 1-8
תְּלֻנּוֹת בְּנֵי יִשְׂרָאֵל 1-3

תְּלֻנּוֹת 1 שָׁמַעְתִּי אֶת־תְּלוּנֹּת בְּנֵי יִשְׂרָאֵל Ex.16:12
2 אֶת־תְּלֻנּוֹת בְּ״י...שָׁמָעְתִּי Num.14:27
3 וַהֲשִׁכֹּתִי מֵעָלַי אֶת־תְּלֻנּוֹת בְּ״י Num.17:20
תְּלֻנֹּתֵיכֶם 4 בְּשָׁמְעוֹ אֶת־תְּלֻנֹּתֵיכֶם עַל־יְיָ Ex.16:7
5 בִּשְׁמֹעַ יְיָ אֶת־תְּלֻנֹּתֵיכֶם Ex.16:8
6 לֹא־עָלֵינוּ תְלֻנֹּתֵיכֶם כִּי עַל־יְיָ Ex.16:8
7 כִּי שָׁמַע אֶת תְּלֻנֹּתֵיכֶם Ex.16:9
תְּלוּנֹּתָם 8 וּתְכַל תְּלוּנֹּתָם מֵעָלַי Num.17:25

תלע : מְתֻלָּע; תּוֹלָע, תּוֹלֵעָה, מְתֻלַּעְה

תֻּלַּע פ׳ האדים
מְתֻלָּעִים 1 אַנְשֵׁי־חַיִל מְתֻלָּעִים Nah.2:4

תַּלְפִּיּוֹת תפארת, הדר(?)
לְתַלְפִּיּוֹת 1 כְּמִגְדַּל דָּוִיד צַוָּארֵךְ בָּנוּי לְתַלְפִּיּוֹת S.ofS.4:4

תְּלַשָּׂר ש״פ – חבל ארץ באשור, הוא תְּלַאשָּׂר
בִּתְלַשָּׂר 1 וְרֶצֶף וּבְנֵי־עֶדֶן אֲשֶׁר בִּתְלַשָּׂר Is.37:12

תְּלָת ש״מ ארמית שלושה, שלוש: 1-11
תְּלָת 1 וּנְפַלָה° מִן־קֳדָמַהּ° תְּלָת Dan.7:20
וּתְלָת 2 וּתְלָת עִלְעִין בְּפֻמַּהּ בֵּין שִׁנַּהּ° Dan.7:5
3 וּתְלָת מִן־קַרְנַיָּא קַדְמָיָתָא Dan.7:8
תְּלָתָה 4 הֲלָא גֻבְרִין תְּלָתָה רְמֵינָא Dan.3:24
5 וְעֵלָּא מִנְּהוֹן סָרְכִין תְּלָתָה Dan.6:3
6/7 וְזִמְנִין תְּלָתָה בְיוֹמָא Dan.6:11,14
8 נִדְבָּכִין דִּי־אֶבֶן גְּלָל תְּלָתָא Ez.6:4
9 עַד יוֹם תְּלָתָה לִירַח אֲדָר Ez.6:15
וּתְלָתָה 10 וּתְלָתָה מַלְכִין יְהַשְׁפִּל Dan.7:24
תְּלָתֵּהוֹן 11 וְגֻבְרַיָּא אִלֵּךְ תְּלָתֵּהוֹן Dan.3:23

תַּלְתָּא, תַּלְתִּי ת׳ ארמית שלישי: 1-3
תַּלְתָּא 1 דִּי־לֶהֱוֵא שַׁלִּיט תַּלְתָּא בְּמַלְכוּתָא Dan.5:29
וְתַלְתָּא 2 וְתַלְתָּא בְמַלְכוּתָא תִּשְׁלַט Dan.5:16
וְתַלְתִּי 3 וְתַלְתִּי בְמַלְכוּתָא יִשְׁלַט Dan.5:7

תְּלָתִין ש״מ ארמית שלושים: 1, 2
תְּלָתִין 1/2 עַד־יוֹמִין תְּלָתִין Dan.6:8,13

תַּלְתַּלִּים ז״ר – שערות מסולסלות(?)
תַּלְתַּלִּים 1 רֹאשׁוֹ כֶּתֶם פָּז קְוֻצּוֹתָיו תַּלְתַּלִּים S.ofS.5:11

תָּם ת״ז א) תמים, יָשָׁר, שלם: 1-11
ב) [תַּמָּה] כנוי חבה לאהובה: 12, 13
ג) [תָּמִים] תואמים: 14, 15
קרובים: ראה חָסִיד
תָּם וְיָשָׁר (2), 5-7; יוֹנָתִי תַמָּתִי 12, 13

תָּם 1 וְיַעֲקֹב אִישׁ תָּם יֹשֵׁב אֹהָלִים Gen.25:27
2 שְׁמָר־תָּם וּרְאֵה יָשָׁר Ps.37:37
3 לִירוֹת בַּמִּסְתָּרִים תָּם Ps.64:5
4 אַנְשֵׁי דָמִים יִשְׂנְאוּ־תָם Prov.29:10
5 תָּם וְיָשָׁר וִירֵא אֱלֹהִים Job1:1
6/7 אִישׁ תָּם וְיָשָׁר Job1:8; 2:3
8 הֶן־אֵל לֹא יִמְאַס־תָּם Job8:20
9 תָּם־אָנִי וַיַּעְקְשֵׁנִי Job 9:20
10 תָּם־אָנִי לֹא־אֵדַע נַפְשִׁי Job9:21
11 תָּם וְרָשָׁע הוּא מְכַלֶּה Job9:22
תַּמָּתִי 12/3 יוֹנָתִי תַמָּתִי S.ofS.5:2; 6:9
תַּמִּים 14 וְיַחְדָּו יִהְיוּ תַמִּים עַל־רֹאשׁוֹ Ex.26:24
15 וְיַחְדָּו יִהְיוּ תַמִּים אֶל־רֹאשׁוֹ Ex.36:29

תֹּם ז׳ א) יושר, תמימות: 1-21, 23
ב) שלמות: 22
קרובים: ראה יֹשֶׁר
תָּם־דֶּרֶךְ 5; תֹּם דְּרָכִים 6; תֹּם לֵבָב 7; תָּם־לֵבָב 8-11

תֹּם 1 מָגֵן לְהֹלְכֵי תֹם Prov.2:7
2 תֹּם־וָיֹשֶׁר יִצְּרוּנִי Ps.25:21
בַּתֹּם 3 הוֹלֵךְ בַּתֹּם יֵלֶךְ בֶּטַח Prov.10:9
לַתֹּם 4 מָעוֹז לַתֹּם דֶּרֶךְ יְיָ Prov.10:29
תָּם־ 5 צְדָקָה תִּצֹּר תָּם־דָּרֶךְ Prov.13:6
וְתֹם־ 6 תִּקְוָתְךָ וְתֹם דְּרָכֶיךָ Job4:6
כְּתֹם־ 7 וַיִּרְעֵם כְּתֹם לְבָבוֹ Ps.78:72

בְּתָם־ 8 בְּתָם־לְבָבִי וּבְנִקְיֹן כַּפַּי Gen. 20:5
9 כִּי בְתָם־לְבָבְךָ עָשִׂיתָ זֹּאת Gen. 20:6
10 כַּאֲשֶׁר הָלַךְ...בְּתָם־לֵבָב וּבְיֹשֶׁר IK. 9:4
11 אֶתְהַלֵּךְ בְּתָם־לְבָבִי Ps. 101:2
בְּתֻמִּי 12 אֲנִי בְּתֻמִּי הָלַכְתִּי Ps. 26:1
13 וַאֲנִי בְּתֻמִּי אֵלֵךְ פְּדֵנִי וְחָנֵּנִי Ps. 26:11
14 וַאֲנִי בְּתֻמִּי תָּמַכְתָּ בִּי Ps. 41:13
וּכְתֻמִּי 15 שָׁפְטֵנִי יְיָ כְּצִדְקִי וּכְתֻמִּי עָלָי Ps. 7:9
תֻּמּוֹ 16 זֶה יָמוּת בְּעֶצֶם תֻּמּוֹ Job 21:23
בְּתֻמּוֹ 17/8 טוֹב רָשׁ הוֹלֵךְ בְּתֻמּוֹ Prov. 19:1; 28:6
19 מִתְהַלֵּךְ בְּתֻמּוֹ צַדִּיק Prov. 20:7
לְתֻמּוֹ 20 וְאִישׁ מָשַׁךְ בַּקֶּשֶׁת לְתֻמּוֹ IK. 22:34
21 וְאִישׁ מָשַׁךְ בַּקֶּשֶׁת לְתֻמּוֹ IICh. 18:33
כְּתֻמָּם 22 שְׁכוֹל וְאַלְמֹן כְּתֻמָּם בָּאוּ עָלַיִךְ Is. 47:9
לְתֻמָּם 23 קְרֻאִים וְהֹלְכִים לְתֻמָּם IISh. 15:11

תֻּמָּה
נ׳ תֹּם: 1־5 • קרובים: ראה יֹשֶׁר
תֻּמַּת יְשָׁרִים 1

תֻּמַּת־ 1 תֻּמַּת יְשָׁרִים תַּנְחֵם Prov. 11:3
תֻּמָּתִי 2 לֹא־אָסִיר תֻּמָּתִי מִמֶּנִּי Job 27:5
3 וְיֵדַע אֱלוֹהַּ תֻּמָּתִי Job 31:6
בְּתֻמָּתֶךָ 4 עֹדְךָ מַחֲזִיק בְּתֻמָּתֶךָ Job 2:9
בְּתֻמָּתוֹ 5 וְעֹדֶנּוּ מַחֲזִיק בְּתֻמָּתוֹ Job 2:3

תמה
: תָּמַהּ, הִתַּמַּהּ; תִּמָּהוֹן; אר׳ תְּמַהּ

תָּמַהּ
פ׳ א) השתומם: 1־8
ב) [הת׳ הִתַּמַּהּ] השתומם: 9
קרובים: הִשְׁתּוֹמֵם (שמם) / הִתְפַּלֵּא (פלא)

תָּמָהוּ 1 הֵמָּה רָאוּ כֵּן תָּמָהוּ Ps. 48:6
תִּתְמַהּ 2 אַל־תִּתְמַהּ עַל־הַחֵפֶץ Eccl. 5:7
יִתְמָהוּ 3 אִישׁ אֶל־רֵעֵהוּ יִתְמָהוּ Is. 13:8
4 וְנָשַׁמּוּ הַכֹּהֲנִים וְהַנְּבִאִים יִתְמָהוּ Jer. 4:9
וְיִתְמְהוּ 5 יְרוֹפָפוּ וְיִתְמְהוּ מִגַּעֲרָתוֹ Job 26:11
וַיִּתְמְהוּ 6 וַיִּתְמְהוּ הָאֲנָשִׁים אִישׁ אֶל־רֵעֵהוּ Gen. 43:33
תְּמָהוּ 7 רְאוּ בַגּוֹיִם...וְהִתַּמְּהוּ תְּמָהוּ Hab. 1:5
וּתְמָהוּ 8 הִתְמַהְמְהוּ וּתְמָהוּ... Is. 29:9
וְהִתַּמְּהוּ 9 רְאוּ בַגּוֹיִם ..וְהִתַּמְּהוּ תְּמָהוּ Hab. 1:5

תְּמַהּ*
ז׳ ארמית דבר פלא, תמהון: 1־3

וְתִמְהִין 1 וְעָבֵד אָתִין וְתִמְהִין בִּשְׁמַיָּא וּבְאַרְעָא Dan. 6:28
וְתִמְהַיָּא 2 אָתַיָּא וְתִמְהַיָּא דִּי עֲבַד עִמִּי אֱלָהָא Dan. 3:32
וְתִמְהוֹהִי 3 וְתִמְהוֹהִי כְּמָה תַקִּיפִין Dan. 3:33

תַּמָּה
תה״פ ארמית שָׁם: 1־4

תַּמָּה 1 בְּבֵית גִּנְזַיָּא...תַּמָּה דִּי בְּבָבֶל Ez. 5:17
2 דִּי גִנְזַיָּא מְהַחֲתִין תַּמָּה בְּבָבֶל Ez. 6:1
3 רַחִיקִין הֲווֹ מִן־תַּמָּה Ez. 6:6
4 וֵאלָהָא דִּי שַׁכִּן שְׁמֵהּ תַּמָּה Ez. 6:12

תִּמָּהוֹן
ז׳ מבוכה, בלבול: 1, 2 • תִּמְהוֹן לֵבָב 2

בַּתִּמָּהוֹן 1 אַכֶּה כָל־סוּס בַּתִּמָּהוֹן Zech. 12:4
וּבְתִמְהוֹן 2 יַכְּכָה יְיָ...וּבְתִמְהוֹן לֵבָב Deut. 28:28

תַּמּוּז
ז׳ שם החודש הרביעי מניסן (כשם אליל כנעני?)

הַתַּמּוּז 1 הַנָּשִׁים יֹשְׁבוֹת מְבַכּוֹת אֶת־הַתַּמּוּז יחזקאל ח14

תְּמוֹל
תה״פ – אתמול, ביום שעבר (גם בהשאלה): 1־23
תְּמוֹל שִׁלְשׁוֹם 1, 7; כִּתְמוֹל שִׁלְשׁוֹם 9־15;
מִתְּמוֹל שִׁלְשׁוֹם 17־23

תְּמוֹל 1 אֲשֶׁר הֵם עֹשִׂים תְּמוֹל שִׁלְשֹׁם Ex. 5:8
2 גַּם־תְּמוֹל גַּם־הַיּוֹם Ex. 5:14
3 גַּם־תְּמוֹל גַּם־הַיּוֹם ISh. 20:27
4 גַּם־תְּמוֹל גַּם־שִׁלְשֹׁם IISh. 3:17
5 תְּמוֹל בּוֹאֶךָ וְהַיּוֹם אֲנִיעֲךָ°... IISh. 15:20
6 תְּמוֹל אֲנַחְנוּ וְלֹא נֵדָע Job 8:9
7 אֲשֶׁר לֹא־יָדַעַתְּ תְּמוֹל שִׁלְשׁוֹם Ruth 2:11
8 גַּם־תְּמוֹל גַּם־שִׁלְשׁוֹם ICh. 11:2
כִּתְמוֹל 9 אֵינֶנּוּ עִמּוֹ כִּתְמוֹל שִׁלְשׁוֹם Gen. 31:2
10 כִּי־אֵינֶנּוּ אֵלַי כִּתְמֹל שִׁלְשֹׁם Gen. 31:5
11 לֹא תֹאסִפוּן...כִּתְמוֹל שִׁלְשֹׁם Ex. 5:7
12 לִלְבֹּן כִּתְמוֹל שִׁלְשֹׁם Ex. 5:14
13 וַיָּשֻׁבוּ...וַיֵּלְכוּ כִתְמוֹל־שִׁלְשׁוֹם Josh. 4:18
14 כִּתְמוֹל שִׁלְשֹׁם בְּצֵאתִי ISh. 21:6
15 וַיֵּשְׁבוּ בְנֵי־יִשְׂרָאֵל...כִּתְמוֹל שִׁלְשׁוֹם IIK. 13:5
מִתְּמוֹל 16 גַּם מִתְּמוֹל גַּם מִשִּׁלְשֹׁם Ex. 4:10
17 שׁוֹר נַגָּח הוּא מִתְּמֹל שִׁלְשֹׁם Ex. 21:29
18 שׁוֹר נַגָּח הוּא מִתְּמוֹל שִׁלְשֹׁם Ex. 21:36
19/20 לֹא־שֹׂנֵא לוֹ מִתְּמֹל שִׁלְשֹׁם Deut. 4:42; 19:4
21 לֹא־שֹׂנֵא הוּא לוֹ מִתְּמוֹל שִׁלְשׁוֹם Deut. 19:6
22 לֹא עֲבַרְתֶּם בַּדֶּרֶךְ מִתְּמוֹל שִׁלְשׁוֹם Josh. 3:4
23 וְלֹא־שֹׂנֵא הוּא לוֹ מִתְּמוֹל שִׁלְשׁוֹם Josh. 20:5

תְּמוּנָה
נ׳ דמות, צורה: 1־10
תְּמוּנַת יְיָ 9; תְּמוּנַת כֹּל 7, 8; תְּמוּנַת סָמֶל 6

תְּמוּנָה 1 לֹא־תַעֲשֶׂה לְךָ פֶסֶל וְכָל־תְּמוּנָה Ex. 20:4
2 כִּי לֹא רְאִיתֶם כָּל־תְּמוּנָה Deut. 4:15
3 לֹא־תַעֲשֶׂה לְךָ פֶסֶל כָּל־תְּמוּנָה Deut. 5:8
4 תְּמוּנָה לְנֶגֶד עֵינָי Job 4:16
וּתְמוּנָה 5 וּתְמוּנָה אֵינְכֶם רֹאִים זוּלָתִי קוֹל Deut. 4:12
תְּמוּנַת־ 6 וַעֲשִׂיתֶם לָכֶם פֶּסֶל תְּמוּנַת כָּל־סָמֶל Deut. 4:16
7/8 פֶּסֶל תְּמוּנַת כֹּל Deut. 4:23, 25
וּתְמֻנַת־ 9 וּתְמֻנַת יְיָ יַבִּיט Num. 12:8
תְּמוּנָתֶךָ 10 אֶשְׂבְּעָה בְהָקִיץ תְּמוּנָתֶךָ Ps. 17:15

תְּמוּרָה
נ׳ הלוף, חליפין: 1־6

הַתְּמוּרָה 1 עַל־הַגְּאוּלָּה וְעַל־הַתְּמוּרָה Ruth 4:7
תְּמוּרָתוֹ 2 כִּי־שָׁוְא תִּהְיֶה תְמוּרָתוֹ Job 15:31
3 כְּחֵיל תְּמוּרָתוֹ וְלֹא יַעֲלֹס Job 20:18
וּתְמוּרָתוֹ 4/5 הוּא וּתְמוּרָתוֹ יִהְיֶה־קֹּדֶשׁ Lev. 27:10, 33
וּתְמוּרָתָהּ 6 לֹא־יַעַרְכֶנָּה...וּתְמוּרָתָהּ כְּלִי־פָז Job 28:17

תְּמוּתָה
נ׳ מָוֶת: 1, 2 • בְּנֵי תְמוּתָה 1, 2

תְּמוּתָה 1 כְּגֹדֶל זְרוֹעֲךָ הוֹתֵר בְּנֵי תְמוּתָה Ps. 79:11
2 לְפַתֵּחַ בְּנֵי תְמוּתָה Ps. 102:21

תֶּמַח*
שפ״ז – מן הנתינים בעולי הגולה: 1, 2

תָמַח 1 בְּנֵי־סִיסְרָא בְנֵי־תָמַח Ez. 2:53
2 בְּנֵי־סִיסְרָא בְנֵי־תָמַח Neh. 7:55

תָּמִיד
א) תה״פ 1, 3־6, 12, 13, 16, 17, 20־25, 30־40, 43־80
ב) ז׳ קביעות, זמן נצח: 2, 7־11, 14, 15, 18, 19, 26־29, 41, 42, 81־98
ג) כנוי מקוצר של עולת התמיד: 99־103
קרובים: נֶצַח / עַד² / עוֹלָם

אַנְשֵׁי תָ׳ 27; אֲרוּחַת תָ׳ 19, 26; אֵשׁ תָּמִיד 9; חֲצוֹצְרוֹת תָ׳ 42; לֶחֶם תָ׳ 18, 81; מִנְחָה תָּמִיד 10; מִנְחַת תָ׳ 82; נֵר תָ׳ 2, 11; עוֹלָה תָ׳ 14; עוֹלַת תָּמִיד 7, 15, 29, 41, 83־98; קְטֹרֶת תָּמִיד 8

תָּמִיד 1 לֶחֶם פָּנִים לְפָנַי תָּמִיד Ex. 25:30
2 לְהַעֲלֹת נֵר תָּמִיד Ex. 27:20
3 לְזִכָּרֹן לִפְנֵי־יְיָ תָּמִיד Ex. 28:29
4 וְנָשָׂא...עַל־לִבּוֹ לִפְנֵי יְיָ תָּמִיד Ex. 28:30
5 וְהָיָה עַל־מִצְחוֹ תָּמִיד Ex. 28:38
6 כְּבָשִׂים...שְׁנַיִם לַיּוֹם תָּמִיד Ex. 29:38
7 עֹלַת תָּמִיד לְדֹרֹתֵיכֶם Ex. 29:42
8 קְטֹרֶת תָּמִיד לִפְנֵי יְיָ לְדֹרֹתֵיכֶם Ex. 30:8
9 אֵשׁ תָּמִיד תּוּקַד עַל־הַמִּזְבֵּחַ Lev. 6:6
10 עֲשִׂירִת הָאֵפָה סֹלֶת מִנְחָה תָּמִיד Lev. 6:13
11 לְהַעֲלֹת נֵר תָּמִיד Lev. 24:2

תָּמִיד (המשך)
12/3 יַעֲרֹךְ...לִפְנֵי יְיָ תָּמִיד Lev. 24:3, 4
14 שְׁנַיִם לַיּוֹם עֹלָה תָמִיד Num. 28:3
15 עֹלַת תָּמִיד...לְרֵיחַ נִיחֹחַ Num. 28:6
16 תָּמִיד עֵינֵי יְיָ אֱלֹהֶיךָ בָּהּ Deut. 11:12
17 תֹּאכַל לֶחֶם עַל־שֻׁלְחָנִי תָּמִיד IISh. 9:7
18 וְאָכַל לֶחֶם תָּמִיד לְפָנָיו IIK. 25:29
19 וַאֲרֻחָתוֹ אֲרֻחַת תָּמִיד IIK. 25:30
20 אָנֹכִי עֹמֵד תָּמִיד יוֹמָם Is. 21:8
21 חוֹמֹתַיִךְ נֶגְדִּי תָּמִיד Is. 49:16
22 וַתְּפַחֵד תָּמִיד כָּל־הַיּוֹם Is. 51:13
23 וְנָחֲךָ יְיָ תָּמִיד Is. 58:11
24 וּפִתְּחוּ שְׁעָרַיִךְ תָּמִיד Is. 60:11
25 תָּמִיד לֹא יֶחֱשׁוּ Is. 62:6
26 וַאֲרֻחָתוֹ אֲרֻחַת תָּמִיד Jer. 52:34
27 וְאַנְשֵׁי תָמִיד יַבְדִּילוּ Ezek. 39:14
28 מִנְחָה לַיְיָ חֻקּוֹת עוֹלָם תָּמִיד Ezek. 46:14
29 יַעֲשׂוּ° אֶת־הַכֶּבֶשׂ...עוֹלַת תָּמִיד Ezek. 46:15
30 וְקַוֵּה אֶל־אֱלֹהֶיךָ תָּמִיד Hosh. 12:7
31 שִׁוִּיתִי יְיָ לְנֶגְדִּי תָמִיד Ps. 16:8
32 וּמַכְאוֹבִי נֶגְדִּי תָמִיד Ps. 38:18
33 חַסְדְּךָ וַאֲמִתְּךָ תָּמִיד יִצְּרוּנִי Ps. 40:12
34 יֹאמְרוּ תָמִיד יִגְדַּל יְיָ Ps. 40:17
35 וְעוֹלֹתֶיךָ לְנֶגְדִּי תָמִיד Ps. 50:8
36 וְחַטָּאתִי נֶגְדִּי תָמִיד Ps. 51:5
37 בַּקְּשׁוּ פָנָיו תָּמִיד Ps. 105:4
38 נַפְשִׁי בְכַפִּי תָמִיד Ps. 119:109
39 וְטוֹב־לֵב מִשְׁתֶּה תָמִיד Prov. 15:15
40 אַשְׁרֵי אָדָם מְפַחֵד תָּמִיד Prov. 28:14
41 וְאַחֲרֵי־כֵן עֹלַת תָּמִיד וְלֶחֳדָשִׁים Ez. 3:5
42 הַכֹּהֲנִים בַּחֲצֹצְרוֹת תָּמִיד ICh. 16:6
43 בַּקְּשׁוּ פָנָיו תָּמִיד ICh. 16:11
44 מַעֲלִים עֹלוֹת בְּבֵית־יְיָ תָּמִיד IICh. 24:14
45־78 תָּמִיד Lev. 24:8 • Num. 9:16
IISh. 9:10, 13 • IK. 10:8 • IIK. 4:9 • Is. 65:3 • Jer. 6:7; 52:33 • Ezek. 38:8 • Ob. 16 • Nah. 3:19 • Ps. 25:15; 34:2; 35:27; 69:24; 70:5; 71:3, 6, 14; 72:15; 73:23; 74:23; 109:15, 19; 119:44, 117 • Prov. 5:19; 6:21 • ICh. 16:37, 40; 23:31 • IICh. 2:3; 9:7
וְתָמִיד 79 וְתָמִיד כָּל־הַיּוֹם שְׁמִי מִנֹּאָץ Is. 52:5
80 וְתָמִיד לַהֲרֹג גּוֹיִם לֹא יַחְמוֹל Hab. 1:17
הַתָּמִיד 81 וְלֶחֶם הַתָּמִיד עָלָיו יִהְיֶה Num. 4:7
82 וּקְטֹרֶת הַסַּמִּים וּמִנְחַת הַתָּמִיד Num. 4:16; 3
83 עַל־עֹלַת הַתָּמִיד וְנִסְכָּהּ Num. 28:10
84־98 (וְ/לְ/וּלְ)עֹ(וֹ)לַת הַתָּמִיד Num. 28:15
28:23, 24, 31; 29:6, 11, 16, 19, 22, 25, 28, 31, 34, 38
Neh. 10:34
99 וּמִמֶּנּוּ הוּרַם° הַתָּמִיד Dan. 8:11
100 וְצָבָא תִּנָּתֵן עַל־הַתָּמִיד Dan. 8:12
101 עַד־מָתַי הֶחָזוֹן הַתָּמִיד Dan. 8:13
102 וְהֵסִירוּ הַתָּמִיד Dan. 11:31
103 וּמֵעֵת הוּסַר הַתָּמִיד Dan. 12:11

תָּמִים
ת׳ א) שָׁלֵם, שאינו חסר: 22, 56, 91
ב) שאין בו מום: 3־19, 29, 31־34, 52־55, 57, 58, 60־84
ג) תם, ישר: 1, 2, 20, 23־28, 35־43, 45, 85־90
ד) מושלם: 21, 30, 46, 47, 59
ה) נאמנות, יושר: 44, 48־51
קרובים: ראה חָסִיד

– אַיִל תָּמִים 12־14, 19, 32, 33, 60, 61, 80, 81, 84; גִּבּוֹר תָ׳ 25; גֶּבֶר תָ׳ 38; דֹּבֵר תָ׳ 35; דֶּרֶךְ תָ׳ 40, 41; הוֹלֵךְ תָ׳ 36, 44; זָכָר תָ׳ 4־7, 11; יוֹם תָ׳ 22; כֶּבֶשׂ תָ׳ 17, 18, 33, 34, 62־76, 79, 82, 84; לֵב תָ׳ 42; עֵגֶל תָּמִים

61, 62; פֹּעַל תָּ׳ 21; פַּר תָּ׳ 8-10, 80, 83; צַדִּיק תָּ׳ 1, 45; צִדְקַת תָּמִים 43; שֶׂה תָ׳ 3; שָׂעִיר תָּמִים 31
– תְּמִים דֵּעוֹת 46; תְּמִים דֵּעִים 47
– אַלְיָה תְמִימָה 52; כַּבְשָׂה תְ׳ 55, 57; נְקֵבָה תְ׳ 54; פָּרָה תְמִימָה 58; שָׁנָה תְ׳ 56; שְׂעִירָה תְמִימָה 53; תּוֹרָה תְמִימָה 59
– יְמֵי תְמִימִים 85; תְּמִימֵי דֶרֶךְ 89, 90
– שַׁבָּתוֹת תְּמִימוֹת 91

תָּמִים 1 אִישׁ צַדִּיק תָּמִים הָיָה בְּדֹרֹתָיו Gen. 6:9
2 הִתְהַלֵּךְ לְפָנַי וֶהְיֵה תָמִים Gen. 17:1
3 שֶׂה תָמִים זָכָר בֶּן־שָׁנָה Ex. 12:5
4/5 זָכָר תָּמִים יַקְרִיבֶנּוּ Lev. 1:3, 10
6 אִם־זָכָר אִם־נְקֵבָה תָּמִים יַקְרִיבֶנּוּ Lev. 3:1
7 זָכָר אוֹ נְקֵבָה תָּמִים יַקְרִיבֶנּוּ Lev. 3:6
8-10 פַּר בֶּן־בָּקָר תָּמִים Lev. 4:3
Ezek. 43:23; 45:18
11 שְׂעִיר עִזִּים זָכָר תָּמִים Lev. 4:23
12-14 אַיִל תָּמִים מִן־הַצֹּאן Lev. 5:15, 18, 25
15 תָּמִים זָכָר בַּבָּקָר בַּכְּשָׂבִים Lev. 22:19
16 תָּמִים יִהְיֶה לְרָצוֹן Lev. 22:21
17 כֶּבֶשׂ תָּמִים בֶּן־שְׁנָתוֹ Lev. 23:12
18 כֶּבֶשׂ בֶּן־שְׁנָתוֹ תָמִים אֶחָד לְעֹלָה Num. 6:14
19 וְאַיִל־אֶחָד תָּמִים לִשְׁלָמִים Num. 6:14
20 תָּמִים תִּהְיֶה עִם יְיָ אֱלֹהֶיךָ Deut. 18:13
21 הַצּוּר תָּמִים פָּעֳלוֹ Deut. 32:4
22 וְלֹא־אָץ לָבוֹא כְּיוֹם תָּמִים Josh. 10:13
23 אֱלֹהֵי יִשְׂרָאֵל הָבָה תָמִים ISh. 14:41
24 וָאֶהְיֶה תָמִים לוֹ IISh. 22:24
25 עִם־גִּבּוֹר תָּמִים תִּתַּמָּם IISh. 22:26
26/7 הָאֵל תָּמִים דַּרְכּוֹ IISh. 22:31 • Ps. 18:31
28 וַיַּתֵּר תָּמִים דַּרְכִּי° IISh. 22:33
29 בִּהְיוֹתוֹ תָמִים לֹא יֵעָשֶׂה לִמְלָאכָה Ezek. 15:5
30 תָּמִים אַתָּה בִּדְרָכֶיךָ Ezek. 28:15
31 שְׂעִיר־עִזִּים תָּמִים לְחַטָּאת Ezek. 43:22
32 וְאַיִל מִן־הַצֹּאן תָּמִים Ezek. 43:23
33 שִׁשָּׁה כְבָשִׂים תְּמִימִם וְאַיִל תָּמִים Ezek. 46:4
34 וְכֶבֶשׂ בֶּן־שְׁנָתוֹ תָּמִים Ezek. 46:13
35 וְדֹבֵר תָּמִים יְתָעֵבוּ Am. 5:10
36 הוֹלֵךְ תָּמִים וּפֹעֵל צֶדֶק Ps. 15:2
37 וָאֱהִי תָמִים עִמּוֹ Ps. 18:24
38 עִם־גְּבַר תָּמִים תִּתַּמָּם Ps. 18:26
39 וַיִּתֵּן תָּמִים דַּרְכִּי Ps. 18:33
40 אַשְׂכִּילָה בְּדֶרֶךְ תָּמִים Ps. 101:2
41 הֹלֵךְ בְּדֶרֶךְ תָּמִים הוּא יְשָׁרְתֵנִי Ps. 101:6
42 יְהִי־לִבִּי תָמִים בְּחֻקֶּיךָ Ps. 119:80
43 צִדְקַת תָּמִים תְּיַשֵּׁר דַּרְכּוֹ Prov. 11:5
44 הוֹלֵךְ תָּמִים יִוָּשֵׁעַ Prov. 28:18
45 שְׂחוֹק צַדִּיק תָּמִים Job 12:4
תְּמִים־ 46 תְּמִים דֵּעוֹת עִמָּךְ Job 36:4
47 מִפְלְאוֹת תְּמִים דֵּעִים Job 37:16
בְּתָמִים 48 וְעִבְדוּ אֹתוֹ בְּתָמִים וּבֶאֱמֶת Josh. 24:14
49 לֹא יִמְנַע־טוֹב לַהֹלְכִים בְּתָמִים Ps. 84:12
וּבְתָמִים 50/1 (וְ)אִם־בֶּאֱמֶת וּבְתָמִים עֲשִׂיתֶם Jud. 9:16, 19
תְּמִימָה 52 וְהִקְרִיב...חֶלְבּוֹ הָאַלְיָה תְמִימָה Lev. 3:9
53 שְׂעִירַת עִזִּים תְּמִימָה Lev. 4:28
54 נְקֵבָה תְמִימָה יְבִיאֶנָּה Lev. 4:32
55 וְכַבְשָׂה אַחַת...תְּמִימָה Lev. 14:10
56 עַד־מְלֹאת לוֹ שָׁנָה תְמִימָה Lev. 25:30
57 וְכַבְשָׂה אַחַת...תְּמִימָה Num. 6:14
58 וְיִקְחוּ אֵלֶיךָ פָרָה אֲדֻמָּה תְּמִימָה אֲשֶׁר אֵין־בָּהּ מוּם Num. 19:2
59 תּוֹרַת יְיָ תְּמִימָה Ps. 19:8

תְּמִימִים 60 וְאֵילִם שְׁנַיִם תְּמִימִם Ex. 29:1
61 עֵגֶל...וְאַיִל לְעֹלָה תְּמִימִם Lev. 9:2
62 וְעֵגֶל וָכֶבֶשׂ בְּנֵי־שָׁנָה תְּמִימִם Lev. 9:3
63 שְׁנֵי־כְבָשִׂים תְּמִימִם Lev. 14:10
64 שִׁבְעַת כְּבָשִׂים תְּמִימִם Lev. 23:18
65-76 כְּבָשִׂים בְּנֵי(־)שָׁנָה...תְּמִימִם Num. 28:3
28:9, 11, 19; 29:2, 17, 20, 23, 26, 29, 32, 36
77/8 תְּמִימִם יִהְיוּ(־)לָכֶם Num. 28:31; 29:8
79 כְּבָשִׂים...תְּמִימִם יִהְיוּ Num. 29:13
80 וּפַר...וְאַיִל...תְּמִימִים יַעֲשׂוּ Ezek. 43:25
81 וְשִׁבְעַת אֵילִים תְּמִימִם לַיּוֹם Ezek. 45:23
82 שִׁשָּׁה כְבָשִׂים תְּמִימִם Ezek. 46:4
83 פַּר בֶּן־בָּקָר תְּמִימִם Ezek. 46:6
84 כְּבָשִׂים וָאַיִל תְּמִימִם יִהְיוּ Ezek. 46:6
85 יוֹדֵעַ יְיָ יְמֵי תְמִימִם Ps. 37:18
וּתְמִימִים 86 נִבְלָעֵם...וּתְמִימִים כְּיוֹרְדֵי בוֹר Prov. 1:12
87 וּתְמִימִים יִוָּתְרוּ בָהּ Prov. 2:21
88 וּתְמִימִים יִנְחֲלוּ־טוֹב Prov. 28:10
תְּמִימֵי־ 89 אַשְׁרֵי תְמִימֵי־דָרֶךְ Ps. 119:1
90 וּרְצוֹנוֹ תְּמִימֵי דָרֶךְ Prov. 11:20
תְּמִימוֹת 91 שֶׁבַע שַׁבָּתוֹת תְּמִימֹת תִּהְיֶינָה Lev. 23:15

תַּמִּים
(Ex. 26:24) – עין תָּם

תֻּמִּים
ז״ר [רק בצרוף עם ״אורים״] כנוי לגורלות הקודש שהיו בחושן הכהן הגדול: 1-5

וְתֻמִּים 1 עַד עֲמֹד הַכֹּהֵן לְאוּרִים וְתֻמִּים Neh. 7:65
הַתֻּמִּים 2 אֶת־הָאוּרִים וְאֶת־הַתֻּמִּים Ex. 28:30
3 אֶת־הָאוּרִים וְאֶת־הַתֻּמִּים Lev. 8:8
וּלְתֻמִּים 4 עַד עֲמֹד כֹּהֵן לְאוּרִים וּלְתֻמִּים Ez. 2:63
תֻּמֶּיךָ 5 תֻּמֶּיךָ וְאוּרֶיךָ לְאִישׁ חֲסִידֶךָ Deut. 33:8

תמך
: תָּמַךְ, נִתְמַךְ

תָּמַךְ
פָּ׳ א) סָמַךְ, אחז: 1, 2, 7, 9-11, 13-17, 19, 20
ב) [בהשאלה] סָעַד, עָזַר: 3-6, 8, 12, 18
ג) [נפ׳ נִתְמַךְ] נאחז: 21
תָּמַךְ בְּ־ 2, 4-6, 12, 18; תָּמַךְ (אֶת־) 1, 3, 7-11, 13-17, 19, 20

תָּמֹךְ 1 תָּמֹךְ אֲשֻׁרַי בְּמַעְגְּלוֹתֶיךָ Ps. 17:5
מִתְּמֹךְ 2 נֹעֵר כַּפָּיו מִתְּמֹךְ בַּשֹּׁחַד Is. 33:15
תְּמַכְתִּיךָ 3 תְּמַכְתִּיךָ בִּימִין צִדְקִי Is. 41:10
תָּמַכְתָּ 4 וַאֲנִי בְּתֻמִּי תָּמַכְתָּ בִּי Ps. 41:13
תָּמְכָה 5 בִּי תָּמְכָה יְמִינֶךָ Ps. 63:9
תָּמְכוּ 6 וְאַהֲרֹן וְחוּר תָּמְכוּ בְיָדָיו Ex. 17:12
7 וְכַפֶּיהָ תָּמְכוּ פָלֶךְ Prov. 31:19
תּוֹמִיךְ 8 אַתָּה תּוֹמִיךְ גּוֹרָלִי Ps. 16:5
וְתוֹמֵךְ 9 וְהִכְרַתִּי...וְתוֹמֵךְ שֵׁבֶט מִבֵּית עֶדֶן Am. 1:5
10 וְהִכְרַתִּי...וְתוֹמֵךְ שֵׁבֶט מֵאַשְׁקְלוֹן Am. 1:8
וְתֹמְכֶיהָ 11 עֵץ־חַיִּים...וְתֹמְכֶיהָ מְאֻשָּׁר Prov. 3:18
אֶתְמָךְ־ 12 הֵן עַבְדִּי אֶתְמָךְ־בּוֹ Is. 42:1
יִתְמֹךְ 13 וּשְׁפַל־רוּחַ יִתְמֹךְ כָּבוֹד Prov. 29:23
יִתְמָךְ־ 14 יִתְמָךְ־דְּבָרַי לִבֶּךָ Prov. 4:4
וַיִּתְמֹךְ 15 וַיִּתְמֹךְ יַד־אָבִיו לְהָסִיר אֹתָהּ Gen. 48:17
תִּתְמֹךְ 16 אֵשֶׁת־חֵן תִּתְמֹךְ כָּבוֹד Prov. 11:16
יִתְמְכוּ 17 וְעָרִיצִים יִתְמְכוּ־עֹשֶׁר Prov. 11:16
18 עַד־בּוֹר יָנוּס אַל־יִתְמְכוּ־בוֹ Prov. 28:17
יִתְמֹכוּ 19 שְׁאוֹל צְעָדֶיהָ יִתְמֹכוּ Prov. 5:5
20 דִּין וּמִשְׁפָּט יִתְמֹכוּ Job 36:17
יִתָּמֵךְ 21 וּבְחַבְלֵי חַטָּאתוֹ יִתָּמֵךְ Prov. 5:22

תמם
: תַּם, נָתַם, הֵתֵם, הִתַּמֵּם; תָּם, תֹּם, תָּמִים, מְתֹם

תָּמַם, תַּם
פָּ׳ א) נגמר, הושלם: 1, 5-10, 12, 16, 17, 22, 30-32, 36, 46-48
ב) כָּלָה, אבד, אָזַל: 2-4, 11, 13-15, 18-21, 23-29, 33-35, 37, 39-45
ג) [נפ׳ נָתַם?] היה תם וישר: 49
ד) [נפ׳ נִתַּם] אבד, כָּלָה: 38, 50-54
ה) [הפ׳ הֵתֵם, הִתֵּם] השלים, גמר: 57, 59, 61, 62
ו) [כנ״ל] כִּלָּה, השמיד: 55, 56, 58
ז) [כנ״ל] עשה לתמים: 60
ח) [הת׳ הִתַּמֵּם] נהג בתֹם: 63, 64

תֹּם 1 עַד־תֹּם שְׁנַת מִמְכָּרוֹ Lev. 25:29
2 עַד־תֹּם פִּגְרֵיכֶם בַּמִּדְבָּר Num. 14:33
3/4 עַד־תֹּם כָּל־הַדּוֹר Num. 32:13 • Deut. 2:14
5 עַד־תֹּם כָּל־הַדָּבָר Josh. 4:10
6 עַד־תֹּם כָּל־הַגּוֹי Josh. 5:6
7 עַד־תֹּם כָּל־הָעָם לַעֲבוֹר IISh. 15:24
8 צִפָּה זָהָב עַד־תֹּם כָּל־הַבָּיִת IK. 6:22
9 עַד־תֹּם עַשְׁתֵּי־עֶשְׂרֵה שָׁנָה Jer. 1:3
10 עַד־תֹּם כָּל־הַמְּגִלָּה Jer. 36:23
11 עַד־תֹּם כָּל־הַלֶּחֶם Jer. 37:21
כְּתָם־ 12 כְּתָם־פֶּרַח וּבֹסֶר גֹּמֵל יִהְיֶה נִצָּה Is. 18:5
תֻּמִּי 13 עַד־תֻּמִּי אֹתָם בְּיָדוֹ Jer. 27:8
תֻּמּוֹ 14 כַּאֲשֶׁר יְבַעֵר הַגָּלָל עַד־תֻּמּוֹ IK. 14:10
תֻּמָּם 15 לְהֻמָּם מִקֶּרֶב הַמַּחֲנֶה עַד תֻּמָּם Deut. 2:15
16 לִכְתֹּב אֶת־דִּבְרֵי הַתּוֹרָה...עַד תֻּמָּם Deut. 31:24
17 דִּבְרֵי הַשִּׁירָה הַזֹּאת עַד תֻּמָּם Deut. 31:30
18 וַיִּפְּלוּ כֻלָּם לְפִי־חֶרֶב עַד־תֻּמָּם Josh. 8:24
19 כְּכַלּוֹת...לְהַכֹּתָם...עַד־תֻּמָּם Josh. 10:20
20 עַד־תֻּמָּם מֵעַל הָאֲדָמָה Jer. 24:10
תַּם 21 כִּי אִם־תַּם הַכֶּסֶף...אֶל־אֲדֹנִי Gen. 47:18
22 כַּאֲשֶׁר־תַּם כָּל־הָעָם לַעֲבוֹר Josh. 4:11
23 מֵאֵשׁ תַּם (כת׳ מאשתם) עֹפָרֶת Jer. 6:29
24 תַּם־עֲוֹנֵךְ בַּת־צִיּוֹן Lam. 4:22
וְתַם 25 וְתַם לָרִיק כֹּחֲכֶם Lev. 26:20
תַּמְנוּ 26 הַאִם תַּמְנוּ לִגְוֹעַ Num. 17:28
תַּמְנוּ 27 וּבַחֶרֶב וּבָרָעָב תַּמְנוּ Jer. 44:18
תַּמּוּ 28 וַיְהִי כַאֲשֶׁר־תַּמּוּ...לָמוּת... Deut. 2:16
29 וַיַּעַמְדוּ הַמַּיִם...תַּמּוּ נִכְרָתוּ Josh. 3:16
30 עַד אֲשֶׁר־תַּמּוּ כָּל־הַגּוֹי לַעֲבוֹר Josh. 3:17
31 כַּאֲשֶׁר־תַּמּוּ כָל־הַגּוֹי לַעֲבוֹר Josh. 4:1
32 כַּאֲשֶׁר־תַּמּוּ כָל־הַגּוֹי לְהִמּוֹל Josh. 5:8
33 תַּמּוּ רֹמֵס מִן־הָאָרֶץ Is. 16:4
34 הָאוֹיֵב תַּמּוּ חֳרָבוֹת לָנֶצַח Ps. 9:7
35 סָפוּ תַמּוּ מִן־בַּלָּהוֹת Ps. 73:19
36 תַּמּוּ דִּבְרֵי אִיּוֹב Job 31:40
תָּמּוּ 37 כְּכָל־הֲמוֹן יִשְׂרָאֵל אֲשֶׁר־תָּמּוּ IIK. 7:13
וְתַמּוּ 38 וְתַמּוּ כֹל בְּאֶרֶץ מִצְרַיִם יִפֹּלוּ Jer. 44:12
39 וְתַמּוּ כָל־אִישׁ יְהוּדָה Jer. 44:27
הֲתַמּוּ 40 וַיֹּאמֶר שְׁמוּאֵל...הֲתַמּוּ הַנְּעָרִים ISh. 16:11
(תַּמְנוּ) 41 יַחְפְּשׂוּ־עוֹלֹת תַּמְנוּ חֵפֶשׂ מְחֻפָּשׂ Ps. 64:7
(תָּמְנוּ) 42 חַסְדֵי יְיָ כִּי לֹא־תָמְנוּ Lam. 3:22
יִתֹּם 43 לֹא־יִבּוֹל עָלֵהוּ וְלֹא־יִתֹּם Ezek. 47:12
וַיִּתֹּם 44 וַיִּתֹּם הַכֶּסֶף מֵאֶרֶץ מִצְרַיִם Gen. 47:15
תִּתֹּם 45 תִּתֹּם חֶלְאָתָהּ Ezek. 24:11
וַתִּתֹּם 46 וַתִּתֹּם הַשָּׁנָה הַהִוא Gen. 47:18
47 וַתִּתֹּם מְלֶאכֶת הָעַמּוּדִים IK. 7:22
וַיִּתְּמוּ 48 וַיִּתְּמוּ יְמֵי בְכִי אֵבֶל מֹשֶׁה Deut. 34:8
(אֵיתָם) 49 אָז אֵיתָם וְנִקֵּיתִי מִפֶּשַׁע רָב Ps. 19:14
יִתַּמּוּ 50 בַּמִּדְבָּר הַזֶּה יִתַּמּוּ וְשָׁם יָמֻתוּ Num. 14:35
51 בַּחֶרֶב...יִתַּמּוּ הַנְּבִאִים הָהֵמָּה Jer. 14:15
52 בַּחֶרֶב בָּרָעָב יִתַּמּוּ Jer. 44:12
53 יִתַּמּוּ חַטָּאִים מִן־הָאָרֶץ Ps. 104:35
יִתָּמּוּ 54 וּשְׁנוֹתֶיךָ לֹא יִתָּמּוּ Ps. 102:28

55 כְּהָתֵם וּבְאַחֲרִית מַלְכוּתָם כְּהָתֵם הַפֹּשְׁעִים Dan. 8:23
56 וּלְהָתֵם לְכַלֵּא הַפֶּשַׁע וּלְהָתֵם חַטָּאת° Dan. 9:24
57 כַּהֲתִמְךָ כַּהֲתִמְךָ שׁוֹדֵד תּוּשַּׁד Is. 33:1
58 וַהֲתִמֹּתִי וַהֲתִמֹּתִי טֻמְאָתֵךְ מִמֵּךְ Ezek. 22:15
59 הֵתַמּוּ שָׁאוֹל יְשָׁאֲלוּ בְּאָבֵל וְכֵן הֵתַמּוּ IISh. 20:18
60 תַתֵּם וְאִם־בֶּצַע כִּי־תַתֵּם דְּרָכֶיךָ Job 22:3
61 וְיַתֵּם וְיַתֵּם אֶת־הַכֶּסֶף IIK. 22:4
62 הָתֵם הַדְלֵק הָאֵשׁ הָתֵם הַבָּשָׂר Ezek. 24:10
63 תִּתַּמָּם עִם־גִּבּוֹר תָּמִים תִּתַּמָּם IISh. 22:26
64 עִם־גְּבַר תָּמִים תִּתַּמָּם Ps. 18:26

תִּמְנָה, תִּמְנָתָה
ש״פ א) מקום בנחלת דן: 1, 7–12
ב) ישוב בהר יהודה: 2–6

1 תִּמְנָה וְיָרַד בֵּית־שֶׁמֶשׁ וְעָבַר תִּמְנָה Josh. 15:10
2 וַיִּלְכְּדוּ...וְאֶת־תִּמְנָה וּבְנוֹתֶיהָ IICh. 28:18
3 וְתִמְנָה הַקַּיִן גִּבְעָה וְתִמְנָה Josh. 15:57
4 תִּמְנָתָה וַיַּעַל עַל־גֹּזְזֵי צֹאנוֹ...תִּמְנָתָה Gen. 38:12
5 חָמִיךְ עֹלֶה תִמְנָתָה לָגֹז צֹאנוֹ Gen. 38:13
6 בְּפֶתַח עֵינַיִם...עַל־דֶּרֶךְ תִּמְנָתָה Gen. 38:14
7 וַיֵּרֶד שִׁמְשׁוֹן תִּמְנָתָה Jud. 14:1
8 וַיֵּרֶד שִׁמְשׁוֹן וְאָבִיו וְאִמּוֹ תִּמְנָתָה Jud. 14:5
9 וַיָּבֹאוּ עַד־כַּרְמֵי תִמְנָתָה Jud. 14:5
10 וְתִמְנָתָה וְאֵילוֹן וְתִמְנָתָה וְעֶקְרוֹן Josh. 19:43
11 בְּתִמְנָתָה וַיַּרְא אִשָּׁה בְּתִמְנָתָה Jud. 14:1
12 אִשָּׁה רָאִיתִי בְּתִמְנָתָה Jud. 14:2

תָּמֹנוּ
(Num. 17:28) – עין תמם (26)

תִּמְנִי
ת׳ תושב תִּמְנָה (א)

הַתִּמְנִי שִׁמְשׁוֹן חֲתַן הַתִּמְנִי Jud. 15:6

תִּמְנָע
שפ״ז – מאלופי אדום: 1–3

1 תִּמְנָע אַלּוּף תִּמְנָע אַלּוּף עַלְוָה Gen. 36:40
2 אַלּוּף תִּמְנָע אַלּוּף עַלְיָה° ICh. 1:51
3 וְתִמְנָע בְּנֵי אֱלִיפָז...קְנַז וְתִמְנָע וַעֲמָלֵק ICh. 1:36

תִּמְנָע
שפ״נ – פילגש אליפז בן עשו: 1–3

1/2 תִּמְנָע וַאֲחוֹת לוֹטָן תִּמְנָע Gen. 36:22 • ICh. 1:39
3 וְתִמְנַע וְתִמְנַע הָיְתָה פִילֶגֶשׁ לֶאֱלִיפַז Gen. 36:12

תִּמְנַת חֶרֶס
ש״פ – עיר בנחלת אפרים

בְּתִמְנַת־חֶרֶס 1 בְּתִמְנַת־חֶרֶס בְּהַר אֶפְרָיִם Jud. 2:9

תִּמְנַת סֶרַח
ש״פ – היא תִּמְנַת חֶרֶס: 1, 2

תִּמְנַת־סֶרַח 1 אֶת־תִּמְנַת־סֶרַח בְּהַר אֶפְרָיִם Josh. 19:50
בְּתִמְנַת־סֶרַח 2 בְּתִמְנַת־סֶרַח...בְּהַר־אֶפְרָיִם Josh. 24:30

תֶּמֶס
ז׳ המסות

1 תֶּמֶס כְּמוֹ שַׁבְּלוּל תֶּמֶס יַהֲלֹךְ Ps. 58:9

(וַ)תֶּמֶס
(Ps. 39:12) – עין (מסה) (3)

תָּמֵק
(Zech. 14:12) – עין (מקק) (6)

תָּמָר¹
ז׳ עץ פרי ממשפחת הדקלים: 1–12
קרובים: ראה פְּרִי
כַּפּוֹת תְּמָרִים 6; עִיר הַתְּמָרִים 9–12; עֲלֵי תְמָרִים 8

1 תָּמָר רִמּוֹן גַּם־תָּמָר וְתַפּוּחַ...יָבֵשׁוּ Joel 1:12
2 בְתָמָר אֶעֱלֶה בְתָמָר אֹחֲזָה בְּסַנְסִנָּיו S.ofS. 7:9
3 כַּתָּמָר צַדִּיק כַּתָּמָר יִפְרָח Ps. 92:13
4 לְתָמָר זֹאת קוֹמָתֵךְ דָּמְתָה לְתָמָר S.ofS. 7:8
5 תְּמָרִים וְשָׁם...עֵינֹת מַיִם וְשִׁבְעִים תְּמָרִים Ex. 15:27
6 פְּרִי עֵץ הָדָר כַּפֹּת תְּמָרִים Lev. 23:40
7 עֵינֹת מַיִם וְשִׁבְעִים תְּמָרִים Num. 33:9
8 וַעֲלֵי הֲדַס וַעֲלֵי תְמָרִים Neh. 8:15
9 הַתְּמָרִים בִּקְעַת יְרֵחוֹ עִיר הַתְּמָרִים Deut. 34:3
10 וּבְנֵי קֵינִי...עָלוּ מֵעִיר הַתְּמָרִים Jud. 1:16
11 וַיִּירְשׁוּ אֶת־עִיר הַתְּמָרִים Jud. 3:13
12 וַיְבִיאוּם יְרֵחוֹ עִיר־הַתְּמָרִים IICh. 28:15

תָּמָר²
שפ״נ א) אשת ער בכור יהודה: 1–3, 18, 19, 21, 22
ב) אחות אבשלום בן דוד: 4–16, 20
ג) בת אבשלום: 17

1 תָּמָר אִשָּׁה לְעֵר בְּכוֹרוֹ וּשְׁמָהּ תָּמָר Gen. 38:6
2 וַתֵּלֶךְ תָּמָר וַתֵּשֶׁב בֵּית אָבִיהָ Gen. 38:11
3 זָנְתָה תָּמָר כַּלָּתֶךָ Gen. 38:24
4 וּלְאַבְשָׁלוֹם...אָחוֹת יָפָה וּשְׁמָהּ תָּמָר IISh. 13:1
5 לְהִתְחַלּוֹת בַּעֲבוּר תָּמָר אֲחֹתוֹ IISh. 13:2
6 אֶת־תָּמָר...אֲנִי אֹהֵב IISh. 13:4
7 תָּבֹא נָא תָמָר אֲחוֹתִי וְתַבְרֵנִי IISh. 13:5
8 תָּבוֹא־נָא תָּמָר אֲחֹתִי וּתְלַבֵּב IISh. 13:6
9 וַיִּשְׁלַח דָּוִד אֶל־תָּמָר הַבַּיְתָה IISh. 13:7
10 וַתֵּלֶךְ תָּמָר בֵּית אַמְנוֹן אָחִיהָ IISh. 13:8
11 וַיֹּאמֶר אַמְנוֹן אֶל־תָּמָר IISh. 13:10
12 וַתִּקַּח תָּמָר אֶת־הַלְּבִבוֹת IISh. 13:10
13 וַתִּקַּח תָּמָר אֵפֶר עַל־רֹאשָׁהּ IISh. 13:19
14 וַתֵּשֶׁב תָּמָר וְשֹׁמֵמָה IISh. 13:20
15 אֲשֶׁר עִנָּה אֵת תָּמָר אֲחֹתוֹ IISh. 13:22
16 מִיּוֹם עַנֹּתוֹ אֵת תָּמָר אֲחֹתוֹ IISh. 13:32
17 וּבַת אַחַת וּשְׁמָהּ תָּמָר IISh. 14:27
18 אֲשֶׁר־יָלְדָה תָמָר לִיהוּדָה Ruth 4:12
19 וְתָמָר וְתָמָר כַּלָּתוֹ יָלְדָה לּוֹ ICh. 2:4
20 כֹּל בְּנֵי דָוִיד...וְתָמָר אֲחוֹתָם ICh. 3:9
21 לְתָמָר וַיֹּאמֶר יְהוּדָה לְתָמָר כַּלָּתוֹ Gen. 38:11
22 וַיֻּגַּד לְתָמָר לֵאמֹר Gen. 38:13

תָּמָר³
ש״פ – עיר בגבול הדרומי של ארץ־ישראל: 1, 2

1 מִתָּמָר מִתָּמָר עַד־מֵי מְרִיבוֹת קָדֵשׁ Ezek. 47:19
2 מִתָּמָר מֵי מְרִיבַת קָדֵשׁ Ezek. 48:28

תֹּמֶר
ז׳ עץ התָּמָר: 1, 2
תֹּמֶר דְּבוֹרָה 1; תֹּמֶר מִקְשָׁה 2

1 תֹּמֶר־ וְהִיא יוֹשֶׁבֶת תַּחַת־תֹּמֶר דְּבוֹרָה Jud. 4:5
2 כְּתֹמֶר־ כְּתֹמֶר מִקְשָׁה הֵמָּה Jer. 10:5

תִּמֹרָה
– עין תִּימוֹרָה

תִּמְרוּ
(IISh. 19:14) – עין אָמַר (4795)

תַּמְרוּק
ז׳ תערובת בשמים: 1–4

תַּמְרוּק 1 חַבֻּרוֹת פֶּצַע תַּמְ׳ (כת׳ תמריק) בְּרָע Prov. 20:30
וּבְתַמְרוּקֵי־ 2 בַּבְּשָׂמִים וּבְתַמְרוּקֵי הַנָּשִׁים Es. 2:12
תַּמְרוּקֶיהָ 3 וַיְבַהֵל אֶת־תַּמְרוּקֶיהָ Es. 2:9
תַּמְרוּקֵיהֶן 4 וְיִקְבְּצוּ אֶת־כָּל־נַעֲרָה... וְנָתוֹן תַּמְרוּקֵיהֶן Es. 2:3

תַּמְרוּרִים¹
ז״ר – עמוד ציון

תַּמְרוּרִים 1 הַצִּיבִי לָךְ צִיֻּנִים שִׂמִי לָךְ תַּמְרוּרִים Jer. 31:20(21)

תַּמְרוּרִים²
ז״ר – מרירות: 1–3
בְּכִי תַמְרוּרִים 2; מִסְפַּד תַּמְרוּרִים 1

תַּמְרוּרִים 1 אֵבֶל יָחִיד...מִסְפַּד תַּמְרוּרִים Jer. 6:26
2 נְהִי בְּכִי תַמְרוּרִים Jer. 31:14(15)
3 הִכְעִיס אֶפְרַיִם תַּמְרוּרִים Hosh. 12:15

תַּן*
ז׳ חיה טורפת ממשפחת הכלבים: 1–8, 10–13 (נ׳ – 9, 14)
מְעוֹן תַּנִּים 4–7; מְקוֹם תַּנִּים 8; נְוֵה תַנִּים 1, 2; תַּנּוֹת מִדְבָּר 14

1 תַּנִּים וְהָיְתָה נְוֵה תַנִּים Is. 34:13
2 בִּנְוֵה תַנִּים רִבְצָהּ Is. 35:7
3 חַיַּת הַשָּׂדֶה תַּנִּים וּבְנוֹת יַעֲנָה Is. 43:20
4/5 לְגַלִּים מְעוֹן(־)תַּנִּים Jer. 9:10; 51:37
6 שְׁמָמָה מְעוֹן תַּנִּים Jer. 10:22
7 לִמְעוֹן תַּנִּים שְׁמָמָה עַד־עוֹלָם Jer. 49:33
8 כִּי דִכִּיתָנוּ בִּמְקוֹם תַּנִּים Ps. 44:20
9 גַּם־תַּנִּים (כת׳ תנין) חָלְצוּ שַׁד Lam. 4:3
10 וְתַנִּים וְתַנִּים בְּהֵיכְלֵי עֹנֶג Is. 13:22
11 כַּתַּנִּים שָׁאֲפוּ רוּחַ כַּתַּנִּים Jer. 14:6
12 אֶעֱשֶׂה מִסְפֵּד כַּתַּנִּים Mic. 1:8
13 לְתַנִּים אָח הָיִיתִי לְתַנִּים Job 30:29
14 לְתַנּוֹת וְאֶת־נַחֲלָתוֹ לְתַנּוֹת מִדְבָּר Mal. 1:3

תנה
: תָּנָה, תִּנָּה, הִתְנָה

תָּנָה
פ׳ א) כרת ברית(?): 1
ב) [פ׳ תִּנָּה] השמיע קולו, דבר: 2, 3
ג) [הפ׳ הִתְנָה] עסק ב־, כרת ברית(?): 4

1 יִתְנוּ גַּם כִּי־יִתְנוּ בַגּוֹיִם עַתָּה אֲקַבְּצֵם Hosh. 8:10
2 לְתַנּוֹת תֵּלַכְנָה...לְתַנּוֹת לְבַת־יִפְתָּח Jud. 11:40
3 יְתַנּוּ שָׁם יְתַנּוּ צִדְקוֹת יְיָ Jud. 5:11
4 הִתְנוּ אֶפְרַיִם הִתְנוּ אֲהָבִים Hosh. 8:9

תַּנָּה*
נ׳ – עין תַּן (9, 14)

תְּנוּאָה*
נ׳ א) תוכחה, התנגדות: 1
ב) תואנה(?): 2

1 תְּנוּאָתִי וִידַעְתֶּם אֶת־תְּנוּאָתִי Num. 14:34
2 תְּנוּאוֹת הֵן תְּנוּאוֹת עָלַי יִמְצָא Job 33:10

תְּנוּבָה
נ׳ פרי, יבול: 1–5
תְּנוּבַת הַשָּׂדֶה 2; תְּנוּבוֹת שָׂדַי 4, 5

1 תְּנוּבָה וּמָלְאוּ פְנֵי־תֵבֵל תְּנוּבָה Is. 27:6
2 וּתְנוּבַת־ אֶת־פְּרִי הָעֵץ וּתְנוּבַת הַשָּׂדֶה Ezek. 36:30
3 תְּנוּבָתִי אֶת־מָתְקִי וְאֶת־תְּנוּבָתִי הַטּוֹבָה Jud. 9:11
4 תְּנוּבֹת־ וַיֹּאכַל תְּנוּבֹת שָׂדָי Deut. 32:13
5 מִתְּנוּבֹת־ שֶׁהֵם יָזוּבוּ מְדֻקָּרִים מִתְּנוּבֹת שָׂדָי Lam. 4:9

תְּנוּךְ*
ז׳ הסחוס הקשה באפרכסת האוזן: 1–8
תְּנוּךְ אֹזֶן 1–8

1 תְּנוּךְ־ וְנָתַתָּה עַל־תְּנוּךְ אֹזֶן אַהֲרֹן Ex. 29:20
2 וְעַל־תְּנוּךְ אֹזֶן בָּנָיו הַיְמָנִית Ex. 29:20
3 וַיִּתֵּן עַל־תְּנוּךְ אֹזֶן־אַהֲרֹן Lev. 8:23
4 וַיִּתֵּן...עַל־תְּנוּךְ אָזְנָם הַיְמָנִית Lev. 8:24
5–8 עַל־תְּנוּךְ אֹזֶן הַמִּטַּהֵר Lev. 14:14, 17, 25, 28

תְּנוּמָה
נ׳ שֵׁנָה: 1–5

1 תְּנוּמָה אִם־אֶתֵּן שְׁנָת לְעֵינָי לְעַפְעַפַּי תְּנוּמָה Ps. 132:4
2 וּתְנוּמָה שֵׁנָה לְעֵינֶיךָ וּתְנוּמָה לְעַפְעַפֶּיךָ Prov. 6:4
3/4 תְּנוּמוֹת מְעַט שֵׁנוֹת מְעַט תְּנוּמוֹת Prov. 6:10; 24:33
5 בִּתְנוּמוֹת בִּתְנוּמוֹת עֲלֵי מִשְׁכָּב Job 33:15

תְּנוּפָה
נ׳ הֲרָמָה, טלטול: 1–30
– זְהַב תְּנוּפָה 20; חֲזֵה הַתְּנוּפָה 18, 19, 22–25; לֶחֶם תְּנוּפָה 14; מִלְחֲמוֹת תְּנוּפָה 17; נְחֹשֶׁת תְּנוּפָה 21; עֹמֶר הַתְּנוּפָה 26
– תְּנוּפַת זָהָב 28; תְּ׳־יָד 29; תְּנוּפוֹת בְּנֵי יִשְׂרָאֵל 30

1/2 תְּנוּפָה וְהֵנַפְתָּ...תְּנוּפָה לִפְנֵי יְיָ Ex. 29:24, 26
3–13 תְּנוּפָה לִפְנֵי יְיָ Lev. 7:30; 8:27, 29; 9:21; 10:15; 14:12, 24; 23:20 • Num. 6:20; 8:11, 21
14 תָּבִיאוּ לֶחֶם תְּנוּפָה שְׁתַּיִם Lev. 23:17
15 וְהֵנַפְתָּ אֹתָם תְּנוּפָה לַיְיָ Num. 8:13
16 וְהֵנַפְתָּ אֹתָם תְּנוּפָה Num. 8:15
17 וּבְמִלְחֲמוֹת תְּנוּפָה נִלְחַם־בָּם° Is. 30:32
18/9 הַתְּנוּפָה אֶת חֲזֵה הַתְּנוּפָה וְאֵת שׁוֹק הַתְּרוּמָה Ex. 29:27 • Lev. 7:34
20 וַיְהִי זְהַב הַתְּנוּפָה... Ex. 38:24
21 וּנְחֹשֶׁת הַתְּנוּפָה שִׁבְעִים כִּכָּר Ex. 38:29
22–25 (וַ/כַּ)חֲזֵה הַתְּנוּפָה Lev. 10:14, 15; Num. 6:20; 18:18
26 מִיּוֹם הֲבִיאֲכֶם אֶת־עֹמֶר הַתְּנוּפָה Lev. 23:15

לִתְנוּפָה 27 כֶּבֶשׂ אֶחָד אָשָׁם לִתְנוּפָה Lev. 14:21
תְּנוּפַת־ 28 אֲשֶׁר הֵנִיף תְּנוּפַת זָהָב לַיְיָ Ex. 35:22
29 מִפְּנֵי תְּנוּפַת יַד־יְיָ צְבָאוֹת Is. 19:16
תְּנוּפוֹת־ 30 תְּרוּמַת מַתָּנָם לְכָל־תְּנוּפֹת בְּ״יִ Num. 18:11

תַּנּוּר
זו״נ [נ׳–3] מתקן לְחִמּוּם באש לַאפיה ולבשול: 1-15
תַּנּוּר אֵשׁ 12; תַּנּוּר בֹּעֵרָה 3; תַּנּוּר עָשָׁן 11; מַאֲפֵה תַנּוּר 1; מִגְדַּל הַתַּנּוּרִים 13, 14

תַּנּוּר 1 קָרְבַּן מִנְחָה מַאֲפֵה תַנּוּר Lev. 2:4
2 תַּנּוּר וְכִירַיִם יֻתָּץ Lev. 11:35
3 כְּמוֹ תַנּוּר בֹּעֵרָה מֵאֹפֶה Hosh. 7:4
וְתַנּוּר 4 אוּר לוֹ בְּצִיּוֹן וְתַנּוּר לוֹ בִּירוּשָׁלִָם Is. 31:9
בְּתַנּוּר 5 וְאָפוּ...לַחְמְכֶם בְּתַנּוּר אֶחָד Lev. 26:26
בַּתַּנּוּר 6 וְכָל־מִנְחָה אֲשֶׁר תֵּאָפֶה בַּתַּנּוּר Lev. 7:9
כְּתַנּוּר 7 עוֹרֵנוּ כְּתַנּוּר נִכְמָרוּ Lam. 5:10
כַּתַּנּוּר 8 כִּי־קֵרְבוּ כַתַּנּוּר לִבָּם בְּאָרְבָּם Hosh. 7:6
9 כֻּלָּם יֵחַמּוּ כַּתַּנּוּר Hosh. 7:7
10 כִּי הִנֵּה הַיּוֹם בָּא בֹּעֵר כַּתַּנּוּר Mal. 3:19
תַּנּוּר־ 11 וְהִנֵּה תַנּוּר עָשָׁן וְלַפִּיד אֵשׁ Gen. 15:17
כְּתַנּוּר־ 12 תְּשִׁיתֵמוֹ כְּתַנּוּר אֵשׁ Ps. 21:10
הַתַּנּוּרִים 13 וְאֵת מִגְדַּל הַתַּנּוּרִים Neh. 3:11
14 מֵעַל לְמִגְדַּל הַתַּנּוּרִים Neh. 12:38
וּבְתַנּוּרֶיךָ 15 וְעָלוּ...וּבְתַנּוּרֶיךָ וּבְמִשְׁאֲרוֹתֶיךָ Ex. 7:28

(וַ)תָּנַח
(Gen. 8:4) – עין (נוח) נָח (30)

(וַ)תַּנַּח
(Gen. 39:16) – עין (נוח) נָח (118)

תַּנְחוּמִים
ז״ר – דברי נחמה: 1-5
כּוֹס תַּנְחוּמִים 1; שֹׁד תַּנְחוּמִים 3; תַּנְחוּמוֹת אֵל 4

תַּנְחוּמִים 1 כּוֹס תַּנְחוּמִים עַל־אָבִיו Jer. 16:7
תַּנְחוּמֶיךָ 2 תַּנְחוּמֶיךָ יְשַׁעַשְׁעוּ נַפְשִׁי Ps. 94:19
תַּנְחוּמֶיהָ 3 תִּינְקוּ וּשְׂבַעְתֶּם מִשֹּׁד תַּנְחֻמֶיהָ Is. 66:11
תַּנְחוּמוֹת־ 4 הַמְעַט מִמְּךָ תַּנְחוּמוֹת אֵל Job 15:11
תַּנְחוּמוֹתֵיכֶם 5 וּתְהִי־זֹאת תַּנְחוּמֹתֵיכֶם Job 21:2

תַּנְחֻמֶת
שפ״ז – אבי שְׂרָיָה: 1, 2

תַּנְחֻמֶת 1 וּשְׂרָיָה בֶן־תַּנְחֻמֶת הַנְּטֹפָתִי IIK. 25:23
2 וּשְׂרָיָה בֶן־תַּנְחֻמֶת Jer. 40:8

תַּנִּים
(Ezek. 29:3; 32:2) – הוּא תַּנִּין (5, 9)

תַּנִּין
ז׳ א) זוחל טורף גדול השוכן בעקר בשפכי נהרות: 3-6, 9-11
ב) שם כולל לחיות־ים גדולות: 1, 2, 12, 13
ג) יצור דומה לנחש: 7, 8, 14
חֲמַת תַּנִּינִם 10; רָאשֵׁי תַנִּינִים 11

תַּנִּין 1 הַמַּחֲצֶבֶת רַהַב מְחוֹלֶלֶת תַּנִּין Is. 51:9
2 הֲיָם־אָנִי אִם־תַּנִּין Job 7:12
וְתַנִּין 3 תִּרְמֹס כְּפִיר וְתַנִּין Ps. 91:13
הַתַּנִּין 4 וְהָרַג אֶת־הַתַּנִּין אֲשֶׁר בַּיָּם Is. 27:1
הַתַּנִּים 5 הַתַּנִּים הַגָּדוֹל הָרֹבֵץ בְּתוֹךְ יְאֹרָיו Ezek. 29:3
כַּתַּנִּין 6 אֲכָלָנִי°...בְּלָעַנִי° כַּתַּנִּין Jer. 51:34
לְתַנִּין 7 קַח אֶת־מַטְּךָ וְהַשְׁלֵךְ...יְהִי לְתַנִּין Ex. 7:9
8 וַיַּשְׁלֵךְ אַהֲרֹן...וַיְהִי לְתַנִּין Ex. 7:10
כַּתַּנִּים 9 וְאַתָּה כַּתַּנִּים בַּיַּמִּים Ezek. 32:2
תַּנִּינִם 10 חֲמַת תַּנִּינִם יֵינָם Deut. 32:33
11 שִׁבַּרְתָּ רָאשֵׁי תַנִּינִים עַל־הַמָּיִם Ps. 74:13
12 הַלְלוּ...תַּנִּינִים וְכָל־תְּהֹמוֹת Ps. 148:7
הַתַּנִּינִם 13 וַיִּבְרָא אֱל׳ אֶת־הַתַּנִּינִם הַגְּדֹלִים Gen. 1:21
לְתַנִּינִם 14 וַיַּשְׁלִיכוּ אִישׁ מַטֵּהוּ וַיִּהְיוּ לְתַנִּינִם Ex. 7:12

תִּנְיָן*
ת׳ ארמית: שֵׁנִי; תִּנְיָנָה = שְׁנִיָּה

תִּנְיָנָה 1 וַאֲרוּ חֵיוָה אָחֳרִי תִנְיָנָה Dan. 7:5

תִּנְיָנוּת
תה״פ ארמית: שֵׁנִית

תִּנְיָנוּת 1 עֲנוֹ תִנְיָנוּת וְאָמְרִין Dan. 2:7

תִּנְשֶׁמֶת
נ׳ עוף מדורסי־לילה: 1-3

הַתִּנְשֶׁמֶת 1 וְאֶת־הַתִּנְשֶׁמֶת וְאֶת־הַקָּאָת Lev. 11:18
וְהַתִּנְשָׁמֶת 2 וְהַחֹמֶט וְהַתִּנְשָׁמֶת Lev. 11:30
3 וְאֶת־הַיַּנְשׁוּף וְהַתִּנְשָׁמֶת Deut. 14:16

תֹּסֵף
(Ps. 104:29) – עין אָסַף (50)

תעב
: תִּעֵב, נִתְעַב, הִתְעִיב; תּוֹעֵבָה

(תעב) נִתְעַב
נפ׳ א) נמאס: 1-3
ב) [פִּ׳ תִּעֵב] מאס, שִׁקֵּץ: 4-6, 8-13, 15-18
ג) [כנ״ל] זִהם, לכלך: 7, 14
ד) [הפ׳ הִתְעִיב] נהג בשחיתות: 19-22
קרובים: ראה מָאַס

נִתְעַב 1 כִּי־נִתְעַב דְּבַר־הַמֶּלֶךְ אֶת־יוֹאָב ICh. 21:6
נִתְעָב 2 הָשְׁלַכְתָּ מִקִּבְרְךָ כְּנֵצֶר נִתְעָב Is. 14:19
3 אַף כִּי־נִתְעָב וְנֶאֱלָח Job 15:16
וְתַעֵב 4 שַׁקֵּץ תְּשַׁקְּצֶנּוּ וְתַעֵב תְּתַעֲבֶנּוּ Deut. 7:26
תִּעֲבוּנִי 5 תִּעֲבוּנִי כָּל־מְתֵי סוֹדִי Job 19:19
6 תִּעֲבוּנִי רָחֲקוּ מֶנִּי Job 30:10
וְתִעֲבוּנִי 7 בַּשַּׁחַת תִּטְבְּלֵנִי וְתִעֲבוּנִי שַׂלְמוֹתָי Job 9:31
לִמְתָעֵב 8 לִבְזֹה־נֶפֶשׁ לִמְתָעֵב גּוֹי Is. 49:7
הַמְתַעֲבִים 9 הַמְתַעֲבִים מִשְׁפָּט Mic. 3:9
וָאֲתַעֵבָה 10 שֶׁקֶר שָׂנֵאתִי וָאֲתַעֵבָה Ps. 119:163
תְתַעֵב 11 לֹא־תְתַעֵב אֲדֹמִי כִּי אָחִיךָ הוּא Deut. 23:8
12 לֹא־תְתַעֵב מִצְרִי Deut. 23:8
תְּתַעֲבֶנּוּ 13 שַׁקֵּץ תְּשַׁקְּצֶנּוּ וְתַעֵב תְּתַעֲבֶנּוּ Deut. 7:26
וַתְּתַעֲבִי 14 וַתְּתַעֲבִי אֶת־יָפְיֵךְ Ezek. 16:25
יְתָעֵב 15 אִישׁ־דָּמִים וּמִרְמָה יְתָעֵב יְיָ Ps. 5:7
וַיְתָעֵב 16 וַיְתָעֵב אֶת־נַחֲלָתוֹ Ps. 106:40
תְּתַעֵב 17 כָּל־אֹכֶל תְּתַעֵב נַפְשָׁם Ps. 107:18
יְתָעֵבוּ 18 וְדֹבֵר תָּמִים יְתָעֵבוּ Am. 5:10
הִתְעַבְתְּ 19 בְּחַטֹּאתַיִךְ אֲשֶׁר־הִתְעַבְתְּ מֵהֵן Ezek. 16:52
הִתְעִיבוּ 20 הִשְׁחִיתוּ הִתְעִיבוּ עֲלִילָה Ps. 14:1
וְהִתְעִיבוּ 21 הִשְׁחִיתוּ וְהִתְעִיבוּ עָוֶל Ps. 53:2
וַיַּתְעֵב 22 וַיַּתְעֵב מְאֹד לָלֶכֶת אַחֲרֵי הַגִּלֻּלִים IK. 21:26

תְּעֻגָּה
(Ezek. 4:12) – עין (עוג) עָג

(וַ)תַּעַד
(Hosh. 2:15) – עין עָדָה² (7)

(וַ)תָּעַד
(Neh. 9:29) – עין (עוד)1 (29)

תעה
: תָּעָה, נִתְעָה, הִתְעָה; תּוֹעָה; ש״פ תֹּעוּ, תֹּעִי

תָּעָה
פָּ׳ א) אבד דרך: 5, 7, 8, 11, 16-18, 22, 23, 27
ב) [בהשאלה] סָטה, נטה מדרך המוסר: 1-4, 12-15, 19-21, 24-26
ג) נבוך, התבלבל: 6, 9, 10
ד) [נפ׳ נִתְעָה] התנודד, סטה: 28, 29
ה) [הפ׳ הִתְעָה] הִטה מן הדרך הישרה: 30-50
תָּעָה לְבָבוֹ 6; תֹּעֵי לֵבָב 21; תֹּעֵי רוּחַ 20

בִּתְעוֹת 1 אֲשֶׁר רָחֲקוּ מֵעָלַי בִּתְעוֹת יִשְׂרָאֵל Ezek. 44:10
2 בִּתְעוֹת בְּנֵי־יִשְׂרָאֵל מֵעָלַי Ezek. 44:15
3 לֹא־תָעוּ בִּתְעוֹת בְּנֵי יִשְׂרָאֵל Ezek. 48:11
תָּעִיתִי 4 וּמִפִּקּוּדֶיךָ לֹא תָעִיתִי Ps. 119:110
5 תָּעִיתִי כְּשֶׂה אֹבֵד Ps. 119:176
תָּעָה 6 תָּעָה לְבָבִי פַּלָּצוּת בִּעֲתָתְנִי Is. 21:4
תָּעִינוּ 7 כֻּלָּנוּ כַּצֹּאן תָּעִינוּ Is. 53:6
תָּעוּ 8 שְׂרוּקֶּיהָ...תָּעוּ מִדְבָּר Is. 16:8
9 בַּיַּיִן שָׁגוּ וּבַשֵּׁכָר תָּעוּ Is. 28:7
10 נִבְלְעוּ מִן־הַיַּיִן תָּעוּ מִן־הַשֵּׁכָר Is. 28:7
11 אִישׁ לְעֶבְרוֹ תָּעוּ Is. 47:15
תָּעוּ (המשך) 12 אֲשֶׁר תָּעוּ מֵעָלַי אַחֲרֵי גִּלּוּלֵיהֶם Ezek. 44:10
13 אֲשֶׁר לֹא־תָעוּ בִּתְעוֹת בְּנֵי יִשְׂרָ׳ Ezek. 48:11
14 כַּאֲשֶׁר תָּעוּ הַלְוִיִּם Ezek. 48:11
15 תָּעוּ מִבֶּטֶן דֹּבְרֵי כָזָב Ps. 58:4
16 תָּעוּ בַמִּדְבָּר בִּישִׁימוֹן דָּרֶךְ Ps. 107:4
תֹּעֶה 17 וְהִנֵּה תֹעֶה בַּשָּׂדֶה Gen. 37:15
18 שׁוֹר אֹיִבְךָ אוֹ חֲמֹרוֹ תֹּעֶה Ex. 23:4
19 אָדָם תּוֹעֶה מִדֶּרֶךְ הַשְׂכֵּל Prov. 21:16
תֹּעֵי־ 20 וְיָדְעוּ תֹעֵי־רוּחַ בִּינָה Is. 29:24
21 עַם תֹּעֵי לֵבָב הֵם Ps. 95:10
תֵּתַע 22 אַל־תֵּתַע בִּנְתִיבוֹתֶיהָ Prov. 7:25
וַתֵּתַע 23 וַתֵּלֶךְ וַתֵּתַע בְּמִדְבַּר בְּאֵר שָׁבַע Gen. 21:14
יִתְעוּ 24 הֹלֵךְ דֶּרֶךְ וֶאֱוִילִים לֹא יִתְעוּ Is. 35:8
25 לְמַעַן לֹא־יִתְעוּ עוֹד...מֵאַחֲרַי Ezek. 14:11
26 הֲלוֹא־יִתְעוּ חֹרְשֵׁי רָע Prov. 14:22
27 כִּי־יְלָדָו...יִתְעוּ לִבְלִי־אֹכֶל Job 38:41
כְּהִתָּעוֹת 28 כְּהִתָּעוֹת שִׁכּוֹר בְּקִיאוֹ Is. 19:14
נִתְעָה 29 אַל־יַאֲמֵן בַּשָּׁו° נִתְעָה Job 15:31
הִתְעָה 30 כִּי רוּחַ זְנוּנִים הִתְעָה Hosh. 4:12
הִתְעֵיתֶם 31 כִּי הִתְעֵיתֶם (כת׳ התעתים) בְּנַפְשׁוֹתֵיכֶם Jer. 42:20
הִתְעוּ 32 כַּאֲשֶׁר הִתְעוּ אֹתִי אֱל׳ מִבֵּית אָבִי Gen. 20:13
33 נוֹאֲלוּ...הִתְעוּ אֶת־מִצְרַיִם Is. 19:13
וְהִתְעוּ 34 וְהִתְעוּ אֶת־מִצְרַיִם בְּכָל־מַעֲשֵׂהוּ Is. 19:14
הִתְעוּם 35 צֹאן אֹבְדוֹת הָיוּ° עַמִּי רֹעֵיהֶם הִתְעוּם Jer. 50:6
מַתְעֶה 36 וְרֶסֶן מַתְעֶה עַל לְחָיֵי עַמִּים Is. 30:28
37 וְעֹזֵב תּוֹכַחַת מַתְעֶה Prov. 10:17
מַתְעִים 38 עַמִּי מְאַשְּׁרֶיךָ מַתְעִים Is. 3:12
39 וַיִּהְיוּ מְאַשְּׁרֵי הָעָם־הַזֶּה מַתְעִים Is. 9:15
הַמַּתְעִים 40 עַל־הַנְּבִיאִים הַמַּתְעִים אֶת־עַמִּי Mic. 3:5
תַּתְעֵנוּ 41 לָמָּה תַתְעֵנוּ יְיָ מִדְּרָכֶיךָ Is. 63:17
וַיֶּתַע 42 וַיֶּתַע מְנַשֶּׁה אֶת־יְהוּדָה IICh. 33:9
וַיַּתְעֵם 43 וַיַּתְעֵם מְנַשֶּׁה לַעֲשׂוֹת אֶת־הָרָע IIK. 21:9
44/5 וַיַּתְעֵם בְּתֹהוּ לֹא־דָרֶךְ Ps. 107:40 • Job 12:24
46 יְמַשְׁשׁוּ־חֹשֶׁךְ...וַיַּתְעֵם כַּשִּׁכּוֹר Job 12:25
תַּתְעֵם 47 וְדֶרֶךְ רְשָׁעִים תַּתְעֵם Prov. 12:26
וַיַּתְעוּ 48 וַיַּתְעוּ אֶת־עַמִּי אֶת־יִשְׂרָאֵל Jer. 23:13
49 וַיַּתְעוּ אֶת־עַמִּי בְּשִׁקְרֵיהֶם Jer. 23:32
וַיַּתְעוּם 50 וַיַּתְעוּם כִּזְבֵיהֶם Am. 2:4

תֹּעוּ
שפ״ז – מלך חמת, הוּא תֹּעִי: 1, 2

תֹּעוּ 1 וַיִּשְׁמַע תֹּעוּ מֶלֶךְ חֲמָת ICh. 18:9
2 אִישׁ מִלְחֲמוֹת תֹּעוּ הָיָה הֲדַדְעָזֶר ICh. 18:10

תְּעוּדָה
נ׳ עדוּת, תורה: 1-3

תְּעוּדָה 1 צוֹר תְּעוּדָה חֲתוֹם תּוֹרָה בְּלִמֻּדָי Is. 8:16
הַתְּעוּדָה 2 וְזֹאת הַתְּעוּדָה בְּיִשְׂרָאֵל Ruth 4:7
וְלִתְעוּדָה 3 לְתוֹרָה וְלִתְעוּדָה Is. 8:20

(וַ)תַּעַט
(ISh. 15:19) – עין (עיט)

תֹּעִי
ש״פ – מלך חֲמָת, הוּא תֹּעוּ: 1-3

תֹּעִי 1 וַיִּשְׁמַע תֹּעִי מֶלֶךְ חֲמָת IISh. 8:9
2 וַיִּשְׁלַח תֹּעִי אֶת־יוֹרָם־בְּנוֹ IISh. 8:10
3 אִישׁ מִלְחֲמוֹת תֹּעִי הָיָה IISh. 8:10

תְּעָלָה¹
נ׳ חפירה להעברת מים: 1-9
קְצֵה תְעָלָה 6; תְּעָלַת הַבְּרֵכָה 6-8

תְּעָלָה 1 וַיַּעַשׂ תְּעָלָה...סָבִיב לַמִּזְבֵּחַ IK. 18:32
2 מִי־פִלַּג לַשֶּׁטֶף תְּעָלָה Job 38:25
הַתְּעָלָה 3 וְגַם אֶת־הַתְּעָלָה מִלֵּא־מָיִם IK. 18:35
4 אֶת־הַבְּרֵכָה וְאֶת־הַתְּעָלָה IIK. 20:20
בַּתְּעָלָה 5 וְאֶת־הַמַּיִם אֲשֶׁר־בַּתְּעָלָה לִחֵכָה IK. 18:38
תְּעָלַת־ 6 אֶל־קְצֵה תְּעָלַת הַבְּרֵכָה הָעֶלְיוֹנָה Is. 7:3

בִּתְעָלַת־ 7 וַיַּעַמְדוּ בִּתְעָלַת הַבְּרֵכָה הָעֶלְיוֹנָה IIK.18:17
8 וַיַּעֲמֹד בִּתְעָלַת הַבְּרֵכָה הָעֶלְיוֹנָה Is.36:2
תְּעָלֹתֶיהָ 9 וְאֶת־תְּעָלֹתֶיהָ שִׁלְחָה אֶל כָּל־עֲצֵי הַשָּׂדֶה Ezek.31:4

תְּעָלָה² נ' רפואה, תועלת: 1, 2
תְּעָלָה 1 רְפֻאוֹת תְּעָלָה אֵין לָךְ Jer.30:13
2 לַשָּׁוְא הִרְבֵּית° רְפֻאוֹת תְּעָלָה אֵין לָךְ Jer.46:11

תַּעֲלוּל* ז' א) עולל, פרחח: 1
ב) מעלל, משובה: 2
וְתַעֲלוּלִים 1 וְתַעֲלוּלִים יִמְשְׁלוּ־בָם Is.3:4
בְּתַעֲלֻלֵיהֶם 2 גַּם־אֲנִי אֶבְחַר בְּתַעֲלֻלֵיהֶם Is.66:4

תַּעֲלוּמָה נ' דבר סתר: 1-3
תַּעֲלֻמוֹת חָכְמָה 3; תַּעֲלֻמוֹת לֵב 2
וְתַעֲלֻמָה 1 וְתַעֲלֻמָהּ יֹצִא אוֹר Job28:11
תַּעֲלֻמוֹת־ 2 כִּי־הוּא יֹדֵעַ תַּעֲלֻמוֹת לֵב Ps.44:22
3 וְיַגֶּד־לְךָ תַּעֲלֻמוֹת חָכְמָה Job11:6

תַּעֲנוּג ז' עונג, נעימות: 1-5
בֵּית תַּעֲנוּגִים 4; בְּנֵי תַּעֲנוּגִים 3; תַּעֲנוּגוֹת בְּנֵי הָאָדָם 5
תַּעֲנוּג 1 לֹא־נָאוֶה לִכְסִיל תַּעֲנוּג Prov.19:10
בַּתַּעֲנוּגִים 2 וּמַה־נָּעַמְתְּ אַהֲבָה בַּתַּעֲנוּגִים S.ofS.7:7
תַּעֲנוּגָיִךְ 3 קָרְחִי וָגֹזִּי עַל־בְּנֵי תַּעֲנוּגָיִךְ Mic.1:16
תַּעֲנֻגֶיהָ 4 נְשֵׁי עַמִּי תְּגָרְשׁוּן מִבֵּית תַּעֲנֻגֶיהָ Mic.2:9
וְתַעֲנוּגֹת־ 5 וְתַעֲנוּגֹת בְּנֵי הָאָדָם Eccl.2:8

תַּעֲנִית* נ' צום
מִתַּעֲנִיתִי 1 וּבְמִנְחַת הָעֶרֶב קַמְתִּי מִתַּעֲנִיתִי Ez.9:5

תַּעְנָךְ ש"פ – עיר בנחלת מנשה: 1-7
יֹשְׁבֵי תַעְנָךְ 2; מֶלֶךְ תַּעְנָךְ 1
תַּעְנָךְ 1 מֶלֶךְ תַּעְנָךְ אֶחָד Josh.12:21
2 וְיֹשְׁבֵי תַעְנָךְ וּבְנֹתֶיהָ Josh.17:11
3 אֶת־תַּעְנַךְ וְאֶת־מִגְרָשֶׁהָ Josh.21:25
4 וְאֶת־תַּעְנַךְ וְאֶת־בְּנֹתֶיהָ Jud.1:27
5 בַּעֲנָא בֶּן־אֲחִילוּד תַּעְנַךְ וּמְגִדּוֹ IK.4:12
6 תַּעְנַךְ וּבְנֹתֶיהָ מְגִדּוֹ וּבְנוֹתֶיהָ ICh.7:29
בְּתַעְנַךְ 7 בְּתַעְנַךְ עַל־מֵי מְגִדּוֹ Jud.5:19

תְּעֻפָה (Job 11:17) – עין (עוף) עָף²

תַּעֲצֻמוֹת נ"ר – חוזק, עצמה
וְתַעֲצֻמוֹת 1 הוּא נֹתֵן עֹז וְתַעֲצֻמוֹת לָעָם Ps.68:36

תַּעַר¹ ז' [נ'–3?] א) סכין לגלוח: 1-5
ב) סכין לחדוד מכשירי כתיבה: 6
תַּעַר הַגַּלָּבִים 5; תַּעַר הַסֹּפֵר 6; תַּעַר מְלֻטָּשׁ 4; תַּעַר הַשְּׂכִירָה 3
תַּעַר 1 תַּעַר לֹא־יַעֲבֹר עַל־רֹאשׁוֹ Num.6:5
2 וְהֶעֱבִירוּ תַעַר עַל־כָּל־בְּשָׂרָם Num.8:7
בְּתַעַר 3 יְגַלַּח אֲדֹנָי בְּתַעַר הַשְּׂכִירָה Is.7:20
כְּתַעַר 4 כְּתַעַר מְלֻטָּשׁ עֹשֵׂה רְמִיָּה Ps.52:4
תַּעַר־ 5 חֶרֶב חַדָּה תַּעַר הַגַּלָּבִים Ezek.5:1
בְּתַעַר־ 6 יִקְרָעֶהָ בְּתַעַר הַסֹּפֵר Jer.36:23

תַּעַר*² ז' נדן החרב: 1-7
תַּעְרֵךְ 1 הוֹי חֶרֶב לַיְיָ...הֵאָסְפִי אֶל־תַּעְרֵךְ Jer.47:6
תַּעְרָהּ 2 הָשַׁב אֶל־תַּעְרָהּ Ezek.21:35
בְּתַעְרָהּ 3 חֶרֶב מְצֻמֶּדֶת עַל־מָתְנָיו בְּתַעְרָהּ IISh.20:8
מִתַּעְרָהּ 4 וַיִּקַּח אֶת־חַרְבּוֹ וַיִּשְׁלְפָהּ מִתַּעְרָהּ ISh.17:51
5 וְהוֹצֵאתִי חַרְבִּי מִתַּעְרָהּ Ezek.21:8
6 לָכֵן תֵּצֵא חַרְבִּי מִתַּעְרָהּ Ezek.21:9
7 אֲנִי יְיָ הוֹצֵאתִי חַרְבִּי מִתַּעְרָהּ Ezek.21:10

תַּעֲרוּבוֹת נ"ר – ערבון: 1, 2 • בְּנֵי תַעֲרֻבוֹת 1, 2
הַתַּעֲרֻבוֹת 1 וְלָקַח...וְאֵת בְּנֵי הַתַּעֲרֻבוֹת IIK.14:14
2 וְכָל־הַזָּהָב...וְאֵת בְּנֵי הַתַּעֲרֻבוֹת IICh.25:24

תַּעְתּוּעִים ז"ר – הטעיה, תהפוכות: 1, 2
מַעֲשֵׂה תַּעְתֻּעִים 1, 2
תַּעְתֻּעִים 1/2 הֶבֶל הֵמָּה מַעֲשֵׂה תַּעְתֻּעִים Jer.10:15; 51:18

תעתע : תִּעְתַּע, הִתַּעְתַּע; תַּעְתּוּעִים

תִּעְתַּע פ' א) רמה, הונה: 1
ב) [הת' הִתַּעְתַּע] התקלס, בזה: 2
כִּמְתַעְתֵּעַ 1 וְהָיִיתִי בְעֵינָיו כִּמְתַעְתֵּעַ Gen.27:12
וּמִתַּעְתְּעִים 2 מַלְעִבִים...וּמִתַּעְתְּעִים בִּנְבִאָיו IICh.36:16

תֹּף ז' כלי הקשה לנגינה: 1-17 • קרובים: ראה כִּנּוֹר
– תֹּף וְחָלִיל 1, 3; תֹּף וְכִנּוֹר 3, 5, 6, 8, 13-15; תֹּף וּמָחוֹל 7, 10, 11
– מְלֶאכֶת תֻּפִּים 16; מְשׂוֹשׂ תֻּפִּים 9
תֹּף 1 כִּנּוֹר וָנֶבֶל תֹּף וְחָלִיל Is.5:12
2 שְׂאוּ־זִמְרָה וּתְנוּ־תֹף Ps.81:3
וְתֹף 3 וְלִפְנֵיהֶם נֵבֶל וְתֹף וְחָלִיל וְכִנּוֹר ISh.10:5
הַתֹּף 4 וַתִּקַּח...אֶת־הַתֹּף בְּיָדָהּ Ex.15:20
בְּתֹף 5 בְּשִׂמְחָה וּבְשִׁרִים בְּתֹף וּבְכִנּוֹר Gen.31:27
6 בְּתֹף וְכִנּוֹר יְזַמְּרוּ־לוֹ Ps.149:3
7 הַלְלוּהוּ בְתֹף וּמָחוֹל Ps.150:4
כְּתֹף 8 יִשְׂאוּ כְּתֹף וְכִנּוֹר Job21:12
תֻּפִּים 9 שָׁבַת מְשׂוֹשׂ תֻּפִּים Is.24:8
בְּתֻפִּים 10 וַתֵּצֶאןָ...בְּתֻפִּים וּבִמְחֹלֹת Ex.15:20
11 יֹצֵאת לִקְרָאתוֹ בְּתֻפִּים וּבִמְחֹלוֹת Jud.11:34
12 בְּתֻפִּים בְּשִׂמְחָה וּבְשָׁלִשִׁים ISh.18:6
13 וְהָיָה כָּל מַעֲבַר...בְּתֻפִּים וּבְכִנֹּרוֹת Is.30:32
וּבְתֻפִּים 14 וּבְכִנֹּרוֹת וּבִנְבָלִים וּבְתֻפִּים IISh.6:5
15 וּבְכִנֹּרוֹת וּבִנְבָלִים וּבְתֻפִּים ICh.13:8
תֻּפֶּיךָ 16 מְלֶאכֶת תֻּפֶּיךָ וּנְקָבֶיךָ בָּךְ Ezek.28:13
תֻפַּיִךְ 17 עוֹד תַּעְדִּי תֻפַּיִךְ Jer.31:3(4)

תִּפְאָרָה נ' הוד והדר: 1, 2 • קרובים: ראה יֹפִי
מַקֵּל תִּפְאָרָה 2; צְפִירַת תִּפְאָרָה 1
תִּפְאָרָה 1 לַעֲטֶרֶת צְבִי וְלִצְפִירַת תִּפְאָרָה Is.28:5
2 מַטֵּה־עֹז מַקֵּל תִּפְאָרָה Jer.48:17

תִּפְאֶרֶת נ' תפארה, הוד והדר: 1-48 • קרובים: ראה יֹפִי
– תִּפְאֶרֶת אָדָם 28; תִּפ' בַּחוּרִים 23; תִּפ' בֵּית דָּוִד 21; תִּפ' בָּנִים 27; תִּפ' גָּאוֹן 20; תִּפ' גְּדֻלָּה 25; תִּפ' יוֹשֵׁב יְרוּשָׁלַיִם 26; תִּפ' יִשְׂרָאֵל 24; תִּפ' עֹז 22; תִּפ' עֲכָסִים 18; תִּפ' רוּם עֵינָיו 19
– בִּגְדֵי תִפְאַרְתֵּךְ 35; בֵּית תִּפ' 30; זְרוֹעַ תִּפ' 43; יְקָר תִּפ' 25; כְּלֵי תִּפ' 37-39; מְשׂוֹשׂ תִּפ' 49; עֲטֶרֶת תִּפ' 1-5, 47; צֹאן תִּפ' 36; צְבִי תִּפ' 41,42; שֵׁם תִּפְאֶרֶת 8, 33
תִּפְאֶרֶת 1 וְהָיִית עֲטֶרֶת תִּפְאֶרֶת בְּיַד־יְיָ Is.62:3
2 וַעֲטֶרֶת תִּפְאֶרֶת בְּרֹאשֵׁךְ Ezek.16:12
3 וַעֲטֶרֶת תִּפְאֶרֶת עַל־רָאשֵׁיהֶן Ezek.23:42
4 עֲטֶרֶת תִּפְאֶרֶת תְּמַגְּנֶךָּ Prov.4:9
5 עֲטֶרֶת תִּפְאֶרֶת שֵׂיבָה Prov.16:31
וְתִפְאֶרֶת 6 עֹז וְתִפְאֶרֶת בְּמִקְדָּשׁוֹ Ps.96:6
וְהַתִּפְאֶרֶת 7 וְהַתִּפְאֶרֶת וְהַנֵּצַח וְהַהוֹד ICh.29:11
תִּפְאָרֶת 8 לַעֲשׂוֹת לְךָ שֵׁם תִּפְאָרֶת Is.63:14
9 בַּעֲלֹץ צַדִּיקִים רַבָּה תִפְאָרֶת Prov.28:12
לְתִפְאָרֶת 10 וַיְצַף אֶת־הַבַּיִת אֶבֶן... לְתִפְאָרֶת IICh.3:6
וּלְתִפְאֶרֶת 11 לִצְבִי וּלְכָבוֹד...לְגָאוֹן וּלְתִפְאָרֶת Is.4:2
12 לְשֵׁם שָׂשׂוֹן לִתְהִלָּה וּלְתִפְאֶרֶת Jer.33:9
13 לְשֵׁם וּלְתִפְאֶרֶת לְכָל־הָאֲרָצוֹת ICh.22:4(5)
וּלְתִפְאָרֶת 14/5 לְכָבוֹד וּלְתִפְאָרֶת Ex.28:2,40
16 לִתְהִלָּה וּלְשֵׁם וּלְתִפְאָרֶת Deut.26:19
17 וּלְשֵׁם וְלִתְהִלָּה וּלְתִפְאָרֶת Jer.13:11
תִּפְאֶרֶת־ 18 אֵת תִּפְאֶרֶת הָעֲכָסִים וְהַשְּׁבִיסִים Is.3:18
19 וְעַל־תִּפְאֶרֶת רוּם עֵינָיו Is.10:12
20 צְבִי מַמְלָכוֹת תִּפְאֶרֶת גְּאוֹן כַּשְׂדִּים Is.13:19
21 לֹא־תִגְדַּל תִּפְאֶרֶת בֵּית־דָּוִיד Zech.12:7
22 כִּי־תִפְאֶרֶת עֻזָּמוֹ אָתָּה Ps.89:18
23 תִּפְאֶרֶת בַּחוּרִים כֹּחָם Prov.20:29
24 הִשְׁלִיךְ מִשָּׁמַיִם אֶרֶץ תִּפְאֶרֶת יִשְׂרָ' Lam.2:1
25 וְאֶת־יְקָר תִּפְאֶרֶת גְּדוּלָּתוֹ Es.1:4
וְתִפְאֶרֶת־ 26 וְתִפְאֶרֶת יֹשֵׁב יְרוּשָׁלִָם Zech.12:7
27 וְתִפְאֶרֶת בָּנִים אֲבוֹתָם Prov.17:6
כְּתִפְאֶרֶת־ 28 כְּתַבְנִית אִישׁ כְּתִפְאֶרֶת אָדָם Is.44:13
תִּפְאַרְתִּי 29 וְנָתַתִּי...לְיִשְׂרָאֵל תִּפְאַרְתִּי Is.46:13
30 וּבֵית תִּפְאַרְתִּי אֲפָאֵר Is.60:7
תִּפְאַרְתְּךָ 31 לֹא תִהְיֶה תִּפְאַרְתְּךָ עַל־הַדֶּרֶךְ Jud.4:9
תִּפְאַרְתֶּךָ 32 יִמָּלֵא פִי...כָּל־הַיּוֹם תִּפְאַרְתֶּךָ Ps.71:8
33 וּמְהַלְלִים לְשֵׁם תִּפְאַרְתֶּךָ ICh.29:13
וְתִפְאַרְתֶּךָ 34 מִזְּבֻל קָדְשְׁךָ וְתִפְאַרְתֶּךָ Is.63:15
תִּפְאַרְתֵּךְ 35 לִבְשִׁי בִּגְדֵי תִפְאַרְתֵּךְ יְרוּשָׁלַםִ Is.52:1
36 אַיֵּה הָעֵדֶר...צֹאן תִּפְאַרְתֵּךְ Jer.13:20
37 וַתִּקְחִי כְּלֵי תִפְאַרְתֵּךְ מִזְּהָבִי Ezek.16:17
38/9 וְלָקְחוּ כְּלֵי תִפְאַרְתֵּךְ Ezek.16:39; 23:26
לְתִפְאַרְתֵּךְ 40 יְיָ לְאוֹר...וֵאלֹהַיִךְ לְתִפְאַרְתֵּךְ Is.60:19
תִּפְאַרְתּוֹ 41 וְצִיץ נֹבֵל צְבִי תִפְאַרְתּוֹ Is.28:1
42 צִיצַת נֹבֵל צְבִי תִפְאַרְתּוֹ Is.28:4
43 מוֹלִיךְ לִימִין מֹשֶׁה זְרוֹעַ תִּפְאַרְתּוֹ Is.63:12
וְתִפְאַרְתּוֹ 44 לַשְּׁבִי עֻזּוֹ וְתִפְאַרְתּוֹ בְיַד־צָר Ps.78:61
45 וְתִפְאַרְתּוֹ עֲבֹר עַל־פָּשַׁע Prov.19:11
וְתִפְאַרְתֵּנוּ 46 בֵּית קָדְשֵׁנוּ וְתִפְאַרְתֵּנוּ Is.64:10
תִּפְאַרְתְּכֶם 47 מַרְאֲשׁוֹתֵיכֶם עֲטֶרֶת תִּפְאַרְתְּכֶם Jer.13:18
תִּפְאַרְתָּם 48 מִכּוּשׁ מַבָּטָם וּמִן־מִצְרַיִם תִּפְאַרְתָּם Is.20:5
49 אֶת־מְעוּזָּם מְשׂוֹשׂ תִּפְאַרְתָּם Ezek.24:25

(ו)תְּפֹהוּ (ISh.28:14) – עין אָפָה (6)

תַּפּוּחַ¹ ז' עץ ופריו ממשפחת הורדינים: 1-6
קרובים: ראה פְּרִי • תַּפּוּחֵי זָהָב 6
וְתַפּוּחַ 1 רִמּוֹן גַּם־תָּמָר וְתַפּוּחַ...יָבֵשׁוּ Joel 1:12
הַתַּפּוּחַ 2 תַּחַת הַתַּפּוּחַ עוֹרַרְתִּיךָ S.ofS.8:5
כְּתַפּוּחַ 3 כְּתַפּוּחַ בַּעֲצֵי הַיַּעַר S.ofS.2:3
בַּתַּפּוּחִים 4 סַמְּכוּנִי בָּאֲשִׁישׁוֹת רַפְּדוּנִי בַּתַּפּוּחִים S.ofS.2:5
כַּתַּפּוּחִים 5 וְרֵיחַ אַפֵּךְ כַּתַּפּוּחִים S.ofS.7:9
תַּפּוּחֵי־ 6 תַּפּוּחֵי זָהָב בְּמַשְׂכִּיּוֹת כָּסֶף Prov.25:11

תַּפּוּחַ² ש"פ – ישוב בשפלת יהודה: 1-5
תַּפּוּחַ 1 מֶלֶךְ תַּפּוּחַ אֶחָד Josh.12:17
2 וְעֵין גַּנִּים תַּפּוּחַ וְהָעֵינָם Josh.15:34
3 לִמְנַשֶּׁה הָיְתָה אֶרֶץ תַּפּוּחַ Josh.17:8
וְתַפּוּחַ 4 וְתַפּוּחַ אֶל־גְּבוּל מְנַשֶּׁה לִבְנֵי אֶפְרָיִם Josh.17:8
מִתַּפּוּחַ 5 מִתַּפּוּחַ יֵלֵךְ הַגְּבוּל יָמָּה Josh.16:8

תַּפּוּחַ³ שפ"ז – בן חברון מבית כָּלֵב
וְתַפּוּחַ 1 וּבְנֵי חֶבְרוֹן קֹרַח וְתַפֻּחַ וְרֶקֶם ICh.2:43

(ו)תְפוֹצוֹתִיכֶם (Jer. 25:34) – עין (פוץ) פָּץ (36)

תפל : תָּפֵל, תִּפְלָה; ש"פ תֹּפֶל

תָּפֵל ת' א) נטול טעם: 6, 7
ב) שחסר בו העקר: 1-5
טָח תָּפֵל 1-5; חָזָה תָּפֵל 7
תָּפֵל 1 וְהִנָּם טָחִים אֹתוֹ תָּפֵל Ezek.13:10
2 אֱמֹר אֶל־טָחֵי תָפֵל וְיִפֹּל Ezek.13:11

תָּפֵל (המשך)

3 אֶת־הַקִּיר אֲשֶׁר־טַחְתֶּם תָּפֵל Ezek.13:14
4 בַּקִּיר וּבַטָּחִים אֹתוֹ תָּפֵל Ezek.13:15
5 וּנְבִיאֶיהָ טָחוּ לָהֶם תָּפֵל Ezek.22:28
6 הֲיֵאָכֵל תָּפֵל מִבְּלִי־מֶלַח Job6:6
וְתָפֵל 7 נְבִיאַיִךְ חָזוּ לָךְ שָׁוְא וְתָפֵל Lam.2:14

תֹּפֶל ש־פ – מקום בצפון אדום

תֹּפֶל 1 מוֹל סוּף בֵּין־פָּארָן וּבֵין־תֹּפֶל Deut.1:1

תִּפְלָה נ׳ דופי, עול: 1-3

תִּפְלָה 1 וּבִנְבִיאֵי שֹׁמְרוֹן רָאִיתִי תִפְלָה Jer.23:13
2 וְלֹא־נָתַן תִּפְלָה לֵאלֹהִים Job1:22
3 וֶאֱלוֹהַּ לֹא־יָשִׂים תִּפְלָה Job24:12

תְּפִלָּה נ׳ בקשה מאלהים, תחנה: 1-77

קרובים: בַּקָּשָׁה / רִנָּה / שְׁאֵלָה / תְּחִנָּה / תַּחֲנוּן

– תְּפִלָּה וּתְחִנָּה 1, 17, 23, 28, 34, 43, 63, 71, 72, 74, 75; תְּפִלָּה וְתַחֲנוּנִים 16, 30, 58; רִנָּה וּתְפִלָּה 18, 19, 21, 24, 44, 48
– אֲנִי תְפִלָּה 13, 51; בֵּית תְּ׳ 5, 40; קוֹל תְּ׳ 49; שׁוֹמֵעַ תְּפִלָּה 10
– תְּפִלַּת יְשָׁרִים 35; תְּ׳ הַמָּקוֹם 38, 39; תְּ׳ עַבְדּוֹ 28, 30-34; תְּפִלַּת עַמּוֹ 37; תְּפִלַּת הָעַרְעָר 29; תְּפִלַּת צַדִּיקִים 36; תְּפִלּוֹת דָּוִד בֶּן־יִשָׁי 77
– בָּזָה תְּפִלָּה 73; בִּקֵּשׁ תְּ׳ 16; הֶאֱזִין תְּ׳ 47, 53; הֵסִיר תְּפִלָּה 50; הִקְשִׁיב תְּ׳ 48; הִרְבָּה תְ׳ 3; הִתְפַּלֵּל תְּ׳ 22, 25; לָקַח תְּ׳ 43; נָשָׂא תְ׳ 2, 4, 18, 19; שָׁמַע תְּ׳ 22, 25, 36, 42, 45, 46, 52, 56, 58, 63-66; שָׂתַם תְּפִלָּתוֹ 59
– בָּאָה תְּפִלָּתוֹ 41, 54, 76; נְכוֹנָה תְפִלָּתוֹ 57; שָׁבָה תְפִלָּתוֹ 60

תְּפִלָּה 1 כָּל־תְּפִלָּה כָל־תְּחִנָּה IK.8:38
2 וְנָשָׂאתָ תְפִלָּה בְּעַד הַשְּׁאֵרִית IIK.19:4
3 גַּם כִּי־תַרְבּוּ תְפִלָּה אֵינֶנִּי שֹׁמֵעַ Is.1:15
4 וְנָשָׂאתָ תְפִלָּה בְּעַד הַשְּׁאֵרִית Is.37:4
5 בֵּית־תְּפִלָּה יִקָּרֵא לְכָל־הָעַמִּים Is.56:7
6 תְּפִלָּה לַחֲבַקּוּק הַנָּבִיא עַל שִׁגְיֹנוֹת Hab.3:1
7/8 תְּפִלָּה לְדָוִד Ps.17:1; 86:1
9 תְּפִלָּה לְאֵל חַיָּי Ps.42:9
10 שֹׁמֵעַ תְּפִלָּה עָדֶיךָ כָּל־בָּשָׂר יָבֹאוּ Ps.65:3
11 תְּפִלָּה לְמֹשֶׁה אִישׁ־הָאֱלֹהִים Ps.90:1
12 תְּפִלָּה לְעָנִי כִי־יַעֲטֹף Ps.102:1
13 תַּחַת־אַהֲבָתִי יִשְׂטְנוּנִי וַאֲנִי תְפִלָּה Ps.109:4
14 בִּהְיוֹתוֹ בַמְּעָרָה תְפִלָּה Ps.142:1
15 סַכּוֹתָה בֶעָנָן לָךְ מֵעֲבוֹר תְּפִלָּה Lam.3:44
16 לְבַקֵּשׁ תְּפִלָּה וְתַחֲנוּנִים Dan.9:3
17 כָּל־תְּפִלָּה כָל־תְּחִנָּה IICh.6:29
וּתְפִלָּה 18/9 וְאַל־תִּשָּׂא בַעֲדָם רִנָּה וּתְפִלָּה Jer.7:16; 11:14
הַתְּפִלָּה 20 לְהִתְפַּלֵּל אֵלֶיךָ אֶת־הַתְּפִלָּה הַזֹּאת IISh.7:27
21 לִשְׁמֹעַ אֶל־הָרִנָּה וְאֶל־הַתְּפִלָּה IK.8:28
22 לִשְׁמֹעַ אֶל־הַתְּפִלָּה אֲשֶׁר יִתְפַּלֵּל IK.8:29
23 אֵת כָּל־הַתְּפִלָּה וְהַתְּחִנָּה הַזֹּאת IK.8:54
24 לִשְׁמֹעַ אֶל־הָרִנָּה וְאֶל־הַתְּפִלָּה IICh.6:19
25 לִשְׁמוֹעַ אֶל־הַתְּפִלָּה אֲשֶׁר יִתְפַּלֵּל IICh.6:20
בַּתְּפִלָּה 26 וְעוֹד אֲנִי מְדַבֵּר בַּתְּפִלָּה Dan.9:21
לַתְּפִלָּה 27 רֹאשׁ הַתְּחִלָּה יְהוֹדֶה לַתְּפִלָּה Neh.11:17
תְּפִלַּת־ 28 וּפָנִיתָ אֶל־תְּפִלַּת עַבְדְּךָ וְאֶל־תְּחִנָּתוֹ IK.8:28
29 פָּנָה אֶל־תְּפִלַּת הָעַרְעָר Ps.102:18
30 אֶל־תְּפִלַּת עַבְדְּךָ וְאֶל־תַּחֲנוּנָיו Dan.9:17
31 לִשְׁמֹעַ אֶל־תְּפִלַּת עַבְדְּךָ Neh.1:6
32 תְּהִי־נָא אָזְנְךָ־קַשֶּׁבֶת
אֶל־תְּפִלַּת עַבְדְּךָ Neh.1:11
33 וְאֶל־תְּפִלַּת עֲבָדֶיךָ Neh.1:11
34 וּפָנִיתָ אֶל־תְּפִלַּת עַבְדְּךָ וְאֶל־תְּחִנָּתוֹ IICh.6:19
וּתְפִלַּת־ 35 וּתְפִלַּת יְשָׁרִים רְצוֹנוֹ Prov.15:8
36 וּתְפִלַּת צַדִּיקִים יִשְׁמָע Prov.15:29
בִּתְפִלַּת־ 37 עַד־מָתַי עָשַׁנְתָּ בִּתְפִלַּת עַמֶּךָ Ps.80:5
לִתְפִלַּת 38 וְאָזְנֶיךָ קַשֻּׁבוֹת לִתְ׳ הַמָּקוֹם הַזֶּה IICh.6:40
39 וְאָזְנַי קַשֻּׁבוֹת לִתְפִלַּת הַמָּקוֹם הַזֶּה IICh.7:15
תְּפִלָּתִי 40 וְשִׂמַּחְתִּים בְּבֵית תְּפִלָּתִי Is.56:7
41 וַתָּבוֹא אֵלֶיךָ תְּפִלָּתִי אֶל־הֵיכַל קָדְשֶׁךָ Jon.2:8
42 חָנֵּנִי וּשְׁמַע תְּפִלָּתִי Ps.4:2
43 שָׁמַע יְיָ תְּחִנָּתִי יְיָ תְּפִלָּתִי יִקָּח Ps.6:10
44 הַקְשִׁיבָה רִנָּתִי הַאֲזִינָה תְפִלָּתִי Ps.17:1
45 שִׁמְעָה תְפִלָּתִי יְיָ וְשַׁוְעָתִי הַאֲזִינָה Ps.39:13
46 שְׁמַע תְּפִלָּתִי הַאֲזִינָה לְאִמְרֵי־פִי Ps.54:4
47 הַאֲזִינָה אֱלֹהִים תְּפִלָּתִי Ps.55:2
48 שִׁמְעָה אֱל׳ רִנָּתִי הַקְשִׁיבָה תְּפִלָּתִי Ps.61:2
49 שָׁמַע אֱל׳ הִקְשִׁיב בְּקוֹל תְּפִלָּתִי Ps.66:19
50 לֹא־הֵסִיר תְּפִלָּתִי וְחַסְדּוֹ מֵאִתִּי Ps.66:20
51 וַאֲנִי תְפִלָּתִי־לְךָ יְיָ Ps.69:14
52 יְיָ אֱלֹהִים צְבָאוֹת שִׁמְעָה תְפִלָּתִי Ps.84:9
53 הַאֲזִינָה יְיָ תְּפִלָּתִי Ps.86:6
54 תָּבוֹא לְפָנֶיךָ תְּפִלָּתִי Ps.88:3
55 וּבַבֹּקֶר תְּפִלָּתִי תְקַדְּמֶךָּ Ps.88:14
56 יְיָ שִׁמְעָה תְפִלָּתִי Ps.102:2
57 תִּכּוֹן תְּפִלָּתִי קְטֹרֶת לְפָנֶיךָ Ps.141:2
58 שְׁמַע תְּפִלָּתִי הַאֲזִינָה אֶל־תַּחֲנוּנַי Ps.143:1
59 גַּם כִּי אֶזְעַק וַאֲשַׁוֵּעַ שָׂתַם תְּפִלָּתִי Lam.3:8
וּתְפִלָּתִי 60 וּתְפִלָּתִי עַל־חֵיקִי תָשׁוּב Ps.35:13
61 כִּי־עוֹד וּתְפִלָּתִי בְּרָעוֹתֵיהֶם Ps.141:5
62 עַל לֹא־חָמָס בְּכַפָּי וּתְפִלָּתִי זַכָּה Job16:17
תְּפִלָּתְךָ 63 שָׁמַעְתִּי אֶת־תְּפִלָּתְךָ וְאֶת־תְּחִנָּתְךָ IK.9:3
תְּפִלָּתֶךָ 64/5 שָׁמַעְתִּי אֶת־תְּפִלָּתֶךָ IIK.20:5 • Is.38:5
66 שָׁמַעְתִּי אֶת־תְּפִלָּתֶךָ IICh.7:12
תְּפִלָּתוֹ 67 גַּם־תְּפִלָּתוֹ תּוֹעֵבָה Prov.28:9
וּתְפִלָּתוֹ 68 וּתְפִלָּתוֹ תִּהְיֶה לַחֲטָאָה Ps.109:7
69 דִּבְרֵי מְנַשֶּׁה וּתְפִלָּתוֹ אֶל־אֱלֹהָיו IICh.33:18
70 וּתְפִלָּתוֹ וְהֵעָתֶר־לוֹ IICh.33:19
תְּפִלָּתָם 71/2 אֶת־תְּפִלָּתָם וְאֶת־תְּחִנָּתָם IK.8:45,49
73 וְלֹא־בָזָה אֶת־תְּפִלָּתָם Ps.102:18
74 אֶת־תְּפִלָּתָם וְאֶת־תְּחִנָּתָם IICh.6:35
75 אֶת־תְּפִלָּתָם וְאֶת־תְּחִנֹּתֵיהֶם IICh.6:39
76 וַתָּבוֹא תְפִלָּתָם לִמְעוֹן קָדְשׁוֹ IICh.30:27
תְּפִלּוֹת־ 77 כָּלּוּ תְפִלּוֹת דָּוִד בֶּן־יִשָׁי Ps.72:20

תִּפְלֶצֶת* נ׳ פחד, מורא

תִּפְלַצְתְּךָ 1 תִּפְלַצְתְּךָ הִשִּׁיא אֹתָךְ זְדוֹן לִבֶּךָ Jer.49:16

תִּפְסַח ש־פ – עיר גבול בקצה צפון־מזרח של ממלכת שלמה: 1, 2

תִּפְסַח 1 אָז יַכֶּה־מְנַחֵם אֶת־תִּפְסַח IIK.15:16
מִתִּפְסַח 2 כִּי־הוּא רֹדֶה...מִתִּפְסַח וְעַד־עַזָּה IK.5:4

תפף : תָּפַף, תּוֹפֵף; תֹּף

תָּפַף פ׳ א) הכה בתוף: 1

ב) [פ׳ תּוֹפֵף] הלם, דפק: 2

תּוֹפֵפוֹת 1 שָׁרִים...בְּתוֹךְ עֲלָמוֹת תּוֹפֵפוֹת Ps.68:26
מְתֹפְפוֹת 2 מְתֹפְפֹת עַל־לִבְבֵהֶן Nah.2:8

תפר : תָּפַר, תִּפֵּר

תָּפַר פ׳ א) חבר בחוטים: 1-3

ב) [פ׳ תִּפֵּר] כנ״ל: 4

לִתְפּוֹר 1 עֵת לִקְרוֹעַ וְעֵת לִתְפּוֹר Eccl.3:7
תָּפַרְתִּי 2 שַׂק תָּפַרְתִּי עֲלֵי גִלְדִּי Job16:15
וַיִּתְפְּרוּ 3 וַיִּתְפְּרוּ עֲלֵה תְאֵנָה וַיַּעֲשׂוּ...חֲגֹרֹת Gen.3:7
לִמְתַפְּרוֹת 4 הוֹי לִמְתַפְּרוֹת כְּסָתוֹת Ezek.13:18

תפשׂ : תָּפַשׂ, תָּפוּשׂ, נִתְפַּשׂ, תִּפֵּשׂ

תָּפַשׂ פ׳ א) אחז בחוזקה (גם בהשאלה): 1-4, 7, 9, 13, 16-19, 21-29, 31-33, 37, 40

ב) לכד, תפס: 5, 6, 8, 10-12, 14, 15, 20, 30, 34-36, 38, 39, 41-49
ג) [נפ׳ נִתְפַּשׂ] נלכד, נתפס: 50-64
ד) [פ׳ תִּפֵּשׂ] תפס, לכד: 65

– תָּפַשׂ בְּלִבּוֹ 2; תָּפַשׂ שֵׁם 9
– תּוֹפֵשׂ כִּנּוֹר 17; תּ׳ מַגָּל 18; תּ׳ קֶשֶׁת 19; תּוֹפְשֵׂי חֲרָבוֹת 25; תּ׳ מָגֵן 22; תּ׳ מִלְחָמָה 21; תּוֹפְשֵׂי מָשׁוֹט 24; תּוֹפְשֵׂי קֶשֶׁת 23; תּוֹפְשֵׂי הַתּוֹרָה 26
– תָּפַשׂ (אֶת־) 2, 5, 6-15, 17-27, 30, 32, 34-49
תָּפַשׂ בְּ־ 4, 7, 16, 28, 29, 31, 33

תָּפֹשׂ 1 כִּי תָּפֹשׂ תִּתָּפֵשׂ וּבְיָדוֹ תִּנָּתֵן Jer.34:3
תְּפֹשׂ 2 לְמַעַן תְּפֹשׂ אֶת־בֵּית־יִשְׂרָאֵל בְּלִבָּם Ezek.14:5
לִתְפֹּשׂ 3 וַיִּתֵּן אֹתָהּ לְמָרְטָה לִתְפֹּשׂ בַּכָּף Ezek.21:16
4 לְחָבְשָׁהּ לְחָזְקָהּ לִתְפֹּשׂ בֶּחָרֶב Ezek.30:21
לְתָפְשָׂהּ 5 לְהִלָּחֵם עָלֶיהָ לְתָפְשָׂהּ Deut.20:19
כְּתָפְשְׂכֶם 6 וְהָיָה כְּתָפְשְׂכֶם אֶת־הָעִיר Josh.8:8
בְּתָפְשָׂם 7 בְּתָפְשָׂם בְּךָ בַכַּף° תֵּרוֹץ Ezek.29:7
לְתָפְשָׂם 8 עֹטְרִים אֶל־דָּוִד וְאֶל־אֲנָשָׁיו לְתָפְשָׂם ISh.23:26
וְתָפַשְׂתִּי 9 וְנִגְנַבְתִּי וְתָפַשְׂתִּי שֵׁם אֱלֹהָי Prov.30:9
תָּפַשׂ 10 וְאֵת אֲמַצְיָהוּ...תָּפַשׂ יְהוֹאָשׁ IIK.14:13
11 וְאֵת אֲמַצְיָהוּ...תָּפַשׂ יוֹאָשׁ IICh.25:23
וְתָפַשׂ 12 וְתָפַשׂ אֶת־הַסֶּלַע בַּמִּלְחָמָה IIK.14:7
וּתְפָשָׂהּ 13 כִּי־יִמְצָא...וּתְפָשָׂהּ וְשָׁכַב עִמָּהּ Deut.22:28
תְּפַשְׂתֶּם 14 וּשְׁבוּ בְּעָרֵיכֶם אֲשֶׁר־תְּפַשְׂתֶּם Jer.40:10
תָּפְשׂוּ 15 וְאֶת־מֶלֶךְ הָעַי תָּפְשׂוּ חָי Josh.8:23
וְתָפְשׂוּ 16 וְתָפְשׂוּ בוֹ אָבִיו וְאִמּוֹ Deut.21:19
תֹּפֵשׂ 17 אֲבִי כָּל־תֹּפֵשׂ כִּנּוֹר וְעוּגָב Gen.4:21
וְתֹפֵשׂ 18 וְתֹפֵשׂ מַגָּל בְּעֵת קָצִיר Jer.50:16
19 וְתֹפֵשׂ הַקֶּשֶׁת לֹא יַעֲמֹד Am.2:15
תֹּפְשִׂי 20 תֹּפְשִׂי מְרוֹם גִּבְעָה Jer.49:16
תֹּפְשֵׂי־ 21 וְחָצִיתָ...בֵּין תֹּפְשֵׂי הַמִּלְחָמָה Num.31:27
22 כּוּשׁ וּפוּט תֹּפְשֵׂי מָגֵן Jer.46:9
23 וְלוּדִים תֹּפְשֵׂי דֹּרְכֵי קָשֶׁת Jer.46:9
24 וְיָרְדוּ...כֹּל תֹּפְשֵׂי מָשׁוֹט Ezek.27:29
25 תֹּפְשֵׂי חֲרָבוֹת כֻּלָּם Ezek.38:4
וְתֹפְשֵׂי־ 26 וְתֹפְשֵׂי הַתּוֹרָה לֹא יְדָעוּנִי Jer.2:8
תָּפוּשׂ 27 הִנֵּה־הוּא תָּפוּשׂ זָהָב וָכֶסֶף Hab.2:19
וָאֶתְפֹּשׂ 28 וָאֶתְפֹּשׂ בִּשְׁנֵי הַלֻּחֹת וָאַשְׁלִכֵם Deut.9:17
יִתְפֹּשׂ 29 כִּי־יִתְפֹּשׂ אִישׁ בְּאָחִיו בֵּית אָבִיו Is.3:6
וַיִּתְפֹּשׂ 30 וַיִּתְפֹּשׂ אֶת־אֲגַג מֶלֶךְ־עֲמָלֵק חָי ISh.15:8
31 וַיִּתְפֹּשׂ אֲחִיָּה בַּשַּׂלְמָה הַחֲדָשָׁה IK.11:30
32 וַיִּתְפֹּשׂ אֶת־יִרְמְיָהוּ הַנָּבִיא Jer.37:13
33 וַיִּתְפֹּשׂ יִרְאִיָּיה בְּיִרְמְיָהוּ וַיְבִאֵהוּ Jer.37:14
וַיִּתְפְּשֶׂהָ 34 וַיַּעַל...אֶל־דַּמֶּשֶׂק וַיִּתְפְּשֶׂהָ IIK.16:9
וַיִּתְפְּשֵׂם 35/6 עָלָה...עַל כָּל־עָרֵי יְהוּדָה...וַיִּתְפְּשֵׂם
IIK.18:13 • Is.36:1
וַתִּתְפְּשֵׂהוּ 37 וַתִּתְפְּשֵׂהוּ בְּבִגְדוֹ לֵאמֹר Gen.39:12
וְנִתְפְּשֵׂם 38 כִּי יֵצְאוּ מִן־הָעִיר וְנִתְפְּשֵׂם חַיִּים IIK.7:12
וַיִּתְפְּשׂוּ 39 וַיִּתְפְּשׂוּ אֶת־הַמֶּלֶךְ IIK.25:6
40 וַיִּתְפְּשׂוּ אֹתוֹ הַכֹּהֲנִים Jer.26:8
41 וַיִּתְפְּשׂוּ אֶת־הַמֶּלֶךְ וַיַּעֲלוּ אֹתוֹ Jer.52:9
וַיִּתְפְּשׂוּם 42 תִּפְשׂוּ אֶת־נְבִיאֵי הַבַּעַל...וַיִּתְפְּשׂוּם IK.18:40
43 תִּפְשׂוּם חַיִּים וַיִּתְפְּשׂוּם חַיִּים IIK.10:14
תִּפְשׂוּ 44 תִּפְשׂוּ אֶת־נְבִיאֵי הַבַּעַל IIK.18:40
תִּפְשֻׂהוּ 45 וַיִּשְׁלַח...אֶת־יָדוֹ...לֵאמֹר תִּפְשֻׂהוּ IK.13:4
וְתִפְשׂוּהוּ 46 רִדְפוּ וְתִפְשׂוּהוּ כִּי־אֵין מַצִּיל Ps.71:11
תִּפְשׂוּם 47/8 תִּפְשׂוּם חַיִּים...חַיִּים תִּפְשׂוּם IK.20:18
49 וַיֹּאמֶר תִּפְשׂוּם חַיִּים IIK.10:14

לְהִתָּפֵשׂ 50 וְהוּא־מַזְכִּיר עָוֹן לְהִתָּפֵשׂ Ezek.21:28
נִתְפַּשְׂתְּ 51 נִמְצֵאת וְגַם־נִתְפַּשְׂתְּ Jer.50:24
נִתְפָּשׂ 52/3 בְּשַׁחְתָּם נִתְפָּשׂ Ezek.19:4,8
וְנִתְפַּשׂ 54/5 וְנִתְפַּשׂ בִּמְצוּדָתִי Ezek.12:13; 17:20
נִתְפְּשָׂה 56 מִקּוֹל נִתְפְּשָׂה בָבֶל נִרְעֲשָׁה הָאָרֶץ Jer.50:46
נִתְפָּשָׂה 57 וְהִוא לֹא נִתְפָּשָׂה Num.5:13
58 נִלְכְּדָה הַקְּרִיּוֹת וְהַמְּצָדוֹת נִתְפָּשָׂה Jer.48:41
נִתְפָּשׂוּ 59 וְהַמַּעְבָּרוֹת נִתְפָּשׂוּ Jer.51:32
תִּתָּפֵשׂ 60 כִּי תָפֹשׂ תִּתָּפֵשׂ וּבְיָדוֹ תִּנָּתֵן Jer.34:3
61 בְּיַד מֶלֶךְ־בָּבֶל תִּתָּפֵשׂ Jer.38:23
וַתִּתָּפֵשׂ 62 אֵיךְ נִלְכְּדָה שֵׁשַׁךְ וַתִּתָּפֵשׂ Jer.51:41
תִּתָּפֵשׂוּ 63 יַעַן הַזְכַּרְכֶם בַּכַּף תִּתָּפֵשׂוּ Ezek.21:29
יִתָּפְשׂוּ 64 יִתָּפְשׂוּ בִּמְזִמּוֹת זוּ חָשָׁבוּ Ps.10:2
תְּתַפֵּשׂ 65 שְׂמָמִית בְּיָדַיִם תְּתַפֵּשׂ Prov.30:28

תֹּפֶת ז׳ מוֹקֵד, שְׂרֵפָה; כִּנּוּי לְמָקוֹם בְּגֵיא בֶן־הִנֹּם שֶׁהֶעֱבִירוּ שָׁם יְלָדִים בָּאֵשׁ לַמֹּלֶךְ: 1-10
הַתֹּפֶת 1 וְטִמֵּא אֶת־הַתֹּפֶת IIK.23:10
2 וּבָנוּ בָּמוֹת הַתֹּפֶת Jer.7:31
3/4 הַתֹּפֶת וְגֵיא בֶן־הִנֹּם Jer.7:32; 19:6
5 כִּמְקוֹם הַתֹּפֶת הַטְּמֵאִים Jer.19:13
מֵהַתֹּפֶת 6 וַיָּבֹא יִרְמְיָהוּ מֵהַתֹּפֶת Jer.19:14
וְתֹפֶת 7 וְתֹפֶת לְפָנִים אֶהְיֶה Job 17:6
בְּתֹפֶת 8 וְקָבְרוּ בְתֹפֶת מֵאֵין מָקוֹם Jer.7:32
וּבְתֹפֶת 9 וּבְתֹפֶת יִקְבְּרוּ מֵאֵין מָקוֹם לִקְבּוֹר Jer.19:11
כְּתֹפֶת 10 וְלָתֵת אֶת־הָעִיר הַזֹּאת כְּתֹפֶת Jer.19:12

תָּפְתֶּה ז׳ תּוֹפֶת, מוֹקֵד
תָּפְתֶּה 1 כִּי־עָרוּךְ מֵאֶתְמוּל תָּפְתֶּה Is.30:33

תִּפְתַּי* ז׳ ארמית שׁוֹפֵט, דַּיָּן: 1, 2
תִּפְתָּיֵא 1/2 גְּדָבְרַיָּא דְּתָבְרַיָּא תִּפְתָּיֵא Dan.3:2,3

תְּצַוֶּנָּה (Jer.4:7) – עין נָצָה (2)
תְּצִלֶּינָה (ISh.3:11) **תְּצַלֶּנָה** (IIK.21:12) – עין צלל2 (2-4)
תָּצַר (Deut.2:9) – עין (צור) צָרֵ4 (2)
תֵּצְרִי (Is.49:17) – עין צָרַר2 (7)
תִּקֳּבֶנּוּ (Num.23:25) – עין קָבַב (8)

תָּקְהַת שפ״ז – אֲבִי בַעְלָהּ שֶׁל חֻלְדָּה הַנְּבִיאָה, הוּא תִּקְוָה3
תָּקְהַת 1 אֵשֶׁת שַׁלֻּם בֶּן־תָּקְהַת (כת׳ תוקהת) דה״ב לד22

תִּקְוָה1 נ׳ תּוֹחֶלֶת, צִפִּיָּה לְדָבָר: 1-32
קרובים: מִבְטָח / מִקְוֶה2 / צִפִּיָּה / שֶׂבֶר / תּוֹחֶלֶת
– אֲסִירֵי תִּקְוָה 14; אֶפֶס תִּקְוָה 8; פֶּתַח תִּקְוָה 2
– תִּקְוַת אֱנוֹשׁ 20; ת׳ חָנֵף 17, 19; ת׳ עֲנָוִים 15; תִּקְוַת רְשָׁעִים 16, 18
– אָבְדָה תִּקְוָה 3, 15, 18, 19, 30, 31; הֶאֱבִיד ת׳ 20; נוֹחֲלָה ת׳ 30; נִכְרְתָה ת׳ 28, 29; נָתַן תִּקְוָה 13
תִּקְוָה 1 וְיֵשׁ־תִּקְוָה לְאַחֲרִיתֵךְ Jer.31:16(17)
2 וְאֶת־עֵמֶק עָכוֹר לְפֶתַח תִּקְוָה Hosh.2:17
3 בְּמוֹת אָדָם רָשָׁע תֹּאבַד תִּקְוָה Prov.11:7
4 יַסֵּר בִּנְךָ כִּי־יֵשׁ תִּקְוָה Prov.19:18
5/6 תִּקְוָה לִכְסִיל מִמֶּנּוּ Prov.26:12; 29:20
7 וַתְּהִי לַדַּל תִּקְוָה Job 5:16
8 וַיִּכְלוּ בְּאֶפֶס תִּקְוָה Job 7:6
9 וּבָטַחְתָּ כִּי־יֵשׁ תִּקְוָה Job 11:18
10 כִּי יֵשׁ לָעֵץ תִּקְוָה Job 14:7
11 כִּי אָמַרְתִּי יֶשׁ־לִי תִקְוָה Ruth 1:12
12 אוּלַי יֵשׁ תִּקְוָה Lam.3:29
וְתִקְוָה 13 לָתֵת לָכֶם אַחֲרִית וְתִקְוָה Jer.29:11
הַתִּקְוָה 14 שׁוּבוּ לְבִצָּרוֹן אֲסִירֵי הַתִּקְוָה Zech.9:12
תִּקְוַת־ 15 תִּקְוַת עֲנִיִּים תֹּאבַד לָעַד Ps.9:19
16 תִּקְוַת רְשָׁעִים עֶבְרָה Prov.11:23
17 כִּי מַה־תִּקְוַת חָנֵף כִּי יִבְצָע Job 27:8
וְתִקְוַת־ 18 וְתִקְוַת רְשָׁעִים תֹּאבֵד Prov.10:28
19 וְתִקְוַת חָנֵף תֹּאבֵד Job 8:13
20 וְתִקְוַת אֱנוֹשׁ הֶאֱבַדְתָּ Job 14:19
תִּקְוָתִי 21 כִּי־מִמֶּנּוּ תִּקְוָתִי Ps.62:6
22 כִּי־אַתָּה תִקְוָתִי אֲדֹנָי יֱהֹוִה Ps.71:5
23 וְאַיֵּה אֵפוֹ תִקְוָתִי Job 17:15
24 וַיַּסַּע כָּעֵץ תִּקְוָתִי Job 19:10
וְתִקְוָתִי 25 מִי־יִתֵּן...וְתִקְוָתִי יִתֵּן אֱלוֹהַּ Job 6:8
26 וְתִקְוָתִי מִי יְשׁוּרֶנָּה Job 17:15
תִּקְוָתְךָ 27 תִּקְוָתְךָ וְתֹם דְּרָכֶיךָ Job 4:6
וְתִקְוָתְךָ 28/9 וְתִקְוָתְךָ לֹא תִכָּרֵת Prov.23:18; 24:14
תִּקְוָתָהּ 30 נוֹחֲלָה אָבְדָה תִּקְוָתָהּ Ezek.19:5
וְתִקְוָתֵנוּ 31 וְאָבְדָה תִקְוָתֵנוּ נִגְזַרְנוּ לָנוּ Ezek.37:11
וְתִקְוָתָם 32 וְתִקְוָתָם מַפַּח־נָפֶשׁ Job 11:20

תִּקְוָה2 נ׳ קַו, חוּט: 1, 2 • קרובים: ראה חוט
תִּקְוַת חוּט 1; תִּקְוַת שָׁנִי 2
תִּקְוַת־ 1 אֶת־תִּקְוַת חוּט הַשָּׁנִי הַזֶּה תִּקְשְׁרִי Josh.2:18
2 וַתִּקְשֹׁר אֶת־תִּקְוַת הַשָּׁנִי בַּחַלּוֹן Josh.2:21

תִּקְוָה3 שפ״ז א) אֲבִי בַעַל חֻלְדָּה, הוּא תָּקְהַת: 1
ב) אִישׁ מֵעוֹלֵי הַגּוֹלָה: 2
תִּקְוָה 1 אֵשֶׁת שַׁלֻּם בֶּן־תִּקְוָה IIK.22:14
2 יוֹנָתָן...וְיַחְזְיָה בֶן־תִּקְוָה Ez.10:15

תְּקוּמָה נ׳ מַעֲמָד
תְּקוּמָה 1 וְלֹא־תִהְיֶה לָכֶם תְּקוּמָה Lev.26:37

תְּקוֹמֵם* ז׳ מִתְקוֹמֵם, מוֹרֵד [עין קום]
וּבִתְקוֹמְמֶיךָ 1 וּבִתְקוֹמְמֶיךָ אֶתְקוֹטָט Ps.139:21

תְּקוֹעַ ש״פ – עִיר בְּנַחֲלַת יְהוּדָה, בְּמִדְבַּר יְהוּדָה: 1-7
אֲבִי תְקוֹעַ 1, 2; מִדְבַּר תְּקוֹעַ 4
תְּקוֹעַ 1 וַתֵּלֶד לוֹ אֶת־אַשְׁחוּר אֲבִי תְקוֹעַ ICh.2:24
2 וּלְאַשְׁחוּר אֲבִי תְקוֹעַ הָיוּ שְׁתֵּי נָשִׁים ICh.4:5
3 וַיִּבֶן...וְאֶת־עֵיטָם וְאֶת־תְּקוֹעַ IICh.11:6
4 וַיֵּצְאוּ לְמִדְבַּר תְּקוֹעַ IICh.20:20
תְּקוֹעָה 5 וַיִּשְׁלַח יוֹאָב תְּקוֹעָה IISh.14:2
וּבִתְקוֹעַ 6 וּבִתְקוֹעַ תִּקְעוּ שׁוֹפָר Jer.6:1
מִתְּקוֹעַ 7 אֲשֶׁר־הָיָה בַנֹּקְדִים מִתְּקוֹעַ Am.1:1

תָּקוֹעַ ז׳ שׁוֹפָר
בַּתָּקוֹעַ 1 תָּקְעוּ בַתָּקוֹעַ וְהָכִין הַכֹּל Ezek.7:14

תְּקוֹעִי ת׳ מִתּוֹשְׁבֵי תְּקוֹעַ: 1-7
הַתְּקוֹעִי 1 עִירָא בֶן־עִקֵּשׁ הַתְּקוֹעִי IISh.23:26
2/3 עִירָא בֶּן־עִקֵּשׁ הַתְּקוֹעִי ICh.11:28; 27:9
הַתְּקֹעִית 4 וַתֹּאמֶר הָאִשָּׁה הַתְּקֹעִית אֶל־הַמֶּלֶךְ IISh.14:4
5 וַתֹּאמֶר הָאִשָּׁה הַתְּקוֹעִית אֶל־הַמֶּלֶךְ IISh.14:9
הַתְּקוֹעִים 6 וְעַל־יָדָם הֶחֱזִיקוּ הַתְּקוֹעִים Neh.3:5
7 אַחֲרָיו הֶחֱזִיקוּ הַתְּקֹעִים Neh.3:27

תְּקוּפָה* נ׳ א) הַקָּפָה: 3
ב) מַחְזוֹר הַזְּמַן, קֵץ: 1, 2, 4
תְּקוּפַת הַשָּׁנָה 1, 2; תְּקוּפוֹת הַיָּמִים 4
תְּקוּפַת־ 1 וְחַג הָאָסִיף תְּקוּפַת הַשָּׁנָה Ex.34:22
לִתְקוּפַת־ 2 וַיְהִי לִתְקוּפַת הַשָּׁנָה IICh.24:23
וּתְקוּפָתוֹ 3 וּתְקוּפָתוֹ עַל־קְצוֹתָם Ps.19:7
לִתְקֻפוֹת־ 4 וַיְהִי לִתְקֻפוֹת הַיָּמִים ISh.1:20

תַּקִּיף1 ת׳ אַמִּיץ, חָזָק
שֶׁתַּקִּיף 1 לָדִין עִם שֶׁתַּקִּיף (כת׳ שהתקיף) מִמֶּנּוּ Eccl.6:10

תַּקִּיף*2 ת׳ ארמית חָזָק, קָשֶׁה: 1-5
מַלְכוּ תַקִּיפָה 1; מַלְכִין תַּקִּיפִין 5
תַּקִּיפָה 1 וּמַלְכוּ...תֶּהֱוֵא תַקִּיפָה כְּפַרְזְלָא Dan.2:40
2 מִן־קְצָת מַלְכוּתָא תֶּהֱוֵה תַקִּיפָה Dan.2:42
וְתַקִּיפָא 3 דְּחִילָה וְאֵימְתָנִי וְתַקִּיפָא יַתִּירָה Dan.7:7
תַּקִּיפִין 4 וְתִמְהוֹהִי כְּמָה תַקִּיפִין Dan.3:33
5 וּמַלְכִין תַּקִּיפִין הֲווֹ עַל־יְרוּשְׁלֶם Ez.4:20

תְּקֵל1 ז׳ ארמית שֶׁקֶל: 1, 2
תְּקֵל 1 מְנֵא מְנֵא תְּקֵל וּפַרְסִין Dan.5:25
2 תְּקֵל תְּקִילְתָּא בְמֹאזַנְיָא Dan.5:27

תְּקֵל2 פ׳ ארמית: שָׁקַל, נִשְׁקַל
תְּקִילְתָּא 1 תְּקֵל תְּקִילְתָּא בְמֹאזַנְיָא Dan.5:27

תקן : תָּקַן, תִּקֵּן; אר׳ הָתְקַן

תָּקַן1 פ׳ א) חָזַר לְמַצָּבוֹ הָרָגִיל: 1
ב) [פ׳ תִּקֵּן] יָשַׁר אֶת הַמְּעֻוָּת: 2
ג) הִתְקִין, עָרַךְ: 3
לִתְקֹן 1 מְעֻוָּת לֹא־יוּכַל לִתְקֹן Eccl.1:15
לְתַקֵּן 2 מִי יוּכַל לְתַקֵּן אֵת אֲשֶׁר עִוְּתוֹ Eccl.7:13
תִּקֵּן 3 וְאִזֵּן וְחִקֵּר תִּקֵּן מְשָׁלִים הַרְבֵּה Eccl.12:9

(תקן)2 הָתְקַן הפ׳ ארמית: נָכוֹן, הִתְכּוֹנֵן
הָתְקְנַת 1 וְעַל־מַלְכוּתִי הָתְקְנַת Dan.4:33

תקע : א) תָּקַע1, תָּקוֹעַ, נִתְקַע
ב) תָּקַע2, נִתְקַע; תָּקוֹעַ, תְּקִיעָה, תֵּקַע; ש״פ תְּקוֹעַ

תָּקַע1 פ׳ א) תָּחַב, נָעַץ (וּבְהַשְׁאָלָה) קָבַע: 1, 3-6, 8, 12-17
ב) [תָּקַע כַּף] מָחָא כַף: 7, 18
ג) [כּנ״ל, בְּהַשְׁאָלָה] הָיָה עָרֵב: 2, 9-11
ד) [נפ׳ נִתְקַע] הִתְעָרֵב: 19
וּתְקַעְתִּיו 1 וּתְקַעְתִּיו יָתֵד בְּמָקוֹם נֶאֱמָן Is.22:23
תָּקַעְתָּ 2 אִם־עָרַבְתָּ לְרֵעֶךָ תָּקַעְתָּ לַזָּר כַּפֶּיךָ Prov.6:1
תָּקַע 3 וְיַעֲקֹב תָּקַע אֶת־אָהֳלוֹ בָּהָר Gen.31:25
4 תָּקַע אֶת־אֶחָיו בְּהַר הַגִּלְעָד Gen.31:25
תָּקְעוּ 5 וְאֶת־גְּוִיָּתוֹ תָּקְעוּ בְּחוֹמַת בֵּית שָׁן ISh.31:10
6 תָּקְעוּ עָלֶיהָ אֹהָלִים סָבִיב Jer.6:3
7 כֹּל שֹׁמְעֵי שִׁמְעֲךָ תָּקְעוּ כַף עָלֶיךָ Nah.3:19
8 וְאֶת־גֻּלְגָּלְתּוֹ תָקְעוּ בֵּית דָּגוֹן ICh.10:10
תּוֹקֵעַ 9 אָדָם חֲסַר־לֵב תּוֹקֵעַ כָּף Prov.17:18
תּוֹקְעִים 10 וְשֹׂנֵא תֹקְעִים בּוֹטֵחַ Prov.11:15
בְתֹקְעֵי־ 11 אַל־תְּהִי בְתֹקְעֵי־כָף Prov.22:26
הַתְּקוּעָה 12 הַיָּתֵד הַתְּקוּעָה בְּמָקוֹם נֶאֱמָן Is.22:25
וַיִּתְקָעֵהוּ 13 וַיִּשָּׂא אֶת־הָאַרְבֶּה וַיִּתְקָעֵהוּ יָמָּה סּוּף Ex.10:19
וַיִּתְקָעֶהָ 14 וַיִּקַּח אֶת־הַחֶרֶב...וַיִּתְקָעֶהָ בְּבִטְנוֹ Jud.3:21
וַיִּתְקָעֵם 15 וַיִּתְקָעֵם בְּלֵב אַבְשָׁלוֹם IISh.18:14
וַתִּתְקַע 16 וַתִּתְקַע אֶת־הַיָּתֵד בְּרַקָּתוֹ Jud.4:21
17 וַתִּתְקַע בַּיָּתֵד וַתֹּאמֶר אֵלָיו Jud.16:14
תִּקְעוּ 18 כָּל־הָעַמִּים תִּקְעוּ־כָף Ps.47:2
יִתָּקֵעַ 19 מִי־הוּא לְיָדִי יִתָּקֵעַ Job 17:3

תָּקַע2 פ׳ א) הִשְׁמִיעַ קוֹל שׁוֹפָר: 1-47
ב) [נפ׳ נִתְקַע] הוּשְׁמַע קוֹל תְּקִיעָה: 48, 49
וְתָקוֹעַ 1/2 הָלוֹךְ וְתָקוֹעַ בַּשּׁוֹפָרוֹת Josh.6:9,13
וְכִתְקֹעַ 3 וְכִתְקֹעַ שׁוֹפָר תִּשְׁמָעוּ Is.18:3
לִתְקוֹעַ 4 וּבְיַד־יְמִינָם הַשּׁוֹפָרוֹת לִתְקוֹעַ Jud.7:20
וְתָקַעְתִּי 5 וְתָקַעְתִּי בַּשּׁוֹפָר Jud.7:18
תָּקַע 6 וְשָׁאוּל תָּקַע בַּשּׁוֹפָר...לֵאמֹר ISh.13:3
7 וְלֹא־תָקַע בַּשּׁוֹפָר Ezek.33:6
וְתָקַע 8 וְתָקַע בַּשּׁוֹפָר וְהִזְהִיר אֶת־הָעָם Ezek.33:3
וּתְקַעְתֶּם 9 וּתְקַעְתֶּם תְּרוּעָה וְנָסְעוּ הַמַּחֲנוֹת Num.10:5

ותקעתם (המשך) 10 ותקעתם תרועה שנית Num. 10:6
11 ותקעתם בחצצרת על עלתיכם Num. 10:10
12 ותקעתם בשופרות גם־אתם Jud. 7:18
13 ותקעתם בשופר ואמרתם IK. 1:34
תקעו 14 תקעו הכהנים בשופרות Josh. 6:16
15 תקעו בתקוע והכין הכל Ezek. 7:14
ותקעו 16 ותקעו בהן ונועדו אליך Num. 10:3
17 עברו ותקעו בשופרות Josh. 6:8
18 הלכים הלוך ותקעו בשופרות Josh. 6:13
ותוקע 19 שמח ותוקע בחצצרות IIK. 11:14
20 שמח ותוקע בחצצרות IICh. 23:13
והתוקע 21 והתוקע בשופר אצלי Neh. 4:12
תוקעי־ 22 הכהנים תקעי (כת' תקעו) השופרות Josh. 6:9
יתקע 23 ואדני יהוה בשופר יתקע Zech. 9:14
ויתקע 24 ויתקע בשופר בהר אפרים Jud. 3:27
25 ויתקע בשופר ויזעק אביעזר Jud. 6:34
26 ויתקע יואב בשופר ויעמדו IISh. 2:28
27 ויתקע יואב בשופר וישב העם IISh. 18:16
28 ויתקע בשופר ויאמר... IISh. 20:1
29 ויתקע בשפר ויפצו מעל־העיר IISh. 20:22
תתקעו 30 תתקעו ולא תריעו Num. 10:7
יתקעו 31 תרועה יתקעו למסעיהם Num. 10:6
32 ובני אהרן...יתקעו בחצצרות Num. 10:8
33 והכהנים יתקעו בשופרות Josh. 6:4
יתקעו 34 ואם־באחת יתקעו ונועדו אליך Num. 10:4
ויתקעו 35 וירע העם ויתקעו בשופרות Josh. 6:20
36 ויתקעו בשופרות ונפוץ הכדים Jud. 7:19
37 ויתקעו שלשת הראשים Jud. 7:20
38 ויתקעו שלש־מאות השופרות Jud. 7:22
39/40 ויתקעו בשופר ויאמרו IK. 1:39 • IIK. 9:13
תקעו 41 תקעו (כת' ותקעו) שופר בארץ Jer. 4:5
42 ובתקוע תקעו שופר Jer. 6:1
43 תקעו שופר בגוים Jer. 51:27
44 תקעו שופר בגבעה Hosh. 5:8
45/6 תקעו שופר בציון Joel 2:1, 15
47 תקעו בחדש שופר Ps. 81:4
יתקע 48 ביום ההוא יתקע בשופר גדול Is. 27:13
49 אם־יתקע שופר בעיר ועם לא יחרדו Am. 3:6

תֵּקַע ז' תקיעה

בתקע־ 1 הללוהו בתקע שופר Ps. 150:3

(ו)תֵּקַע (Gen. 32:25) – עין יקע (2)

תקף: תָּקַף; תֹּקֶף, תַּקִּיף; אר׳ תְּקֵף, תְּקָף, תָּקְפָּא

תָּקַף פ' א) אחז בחוזקה: 1 ב) השתער: 2, 3

תתקפהו־ 1 תתקפהו לנצח ויהלך Job 14:20
יתקפו 2 ואם־יתקפו האחד השנים יעמדו נגדו Eccl. 4:12
תתקפהו ג' 3 תתקפהו כמלך עתיד לכידור Job 15:24

תֹּקֶף ז' חוזק, עוצם: 1-3

תקף 1 ותכתב...את־כל־תקף Es. 9:29
בתקף 2 לבוא בתקף כל־מלכותו Dan. 11:17
תקפו 3 וכל־מעשה תקפו וגבורתו Es. 10:2

תְּקֵף פ' ארמית א) תקף, התגבר: 1-4 ב) [פ' תַּקֵּף] חזק: 5

ותקפת 1 אנת־הוא מלכא די רבית ותקפת Dan. 4:19
ותקף 2 רבה אילנא ותקף Dan. 4:8
3 אילנא...די רבה ותקף Dan. 4:17
תקפת 4 ורוחה תקפת להזדה Dan. 5:20
ולתקפה 5 לקימה קים...ולתקפה אסר Dan. 6:8

תְּקָף ז' ארמית: תוקף

בתקף 1 בתקף חסני וליקר הדרי Dan. 4:27

תָּקְפָּא ז' ארמית: תוקף

ותקפא 1 מלכותא חסנא ותקפא ויקרא Dan. 2:37

תַּרְאֲלָה ש-פ – עיר בנחלת בנימין

ותראלה 1 ורקם ויִרפאל ותראלה Josh. 18:27

תַּרְבּוּת נ' מרבית, רבוי

תרבות 1 תרבות אנשים חטאים Num. 32:14

תַּרְבִּית נ' רווחים מהלוואות כסף או משוה כסף: 1–6

ותרבית 1 אל־תקח מאתו נשך ותרבית Lev. 25:36
2 בנשך לא־יתן ותרבית לא יקח Ezek. 18:8
3 ותרבית לקח Ezek. 18:13
4 ותרבית לא לקח Ezek. 18:17
5 נשך ותרבית לקחת Ezek. 22:12
ובתרבית 6 מרבה הונו בנשך ובתרבית Prov. 28:8

תִּרְגַּלְתִּי (Hosh. 11:3) – עין רגל (26)

תִּרְגֵּם פ' העתק

ומתרגם 1 כתוב ארמית ומתרגם ארמית Ez. 4:7

תַּרְדֵּמָה נ' שנה עמוקה: 1-7

קריבים: נומה / שנה / שנת / תנומה

רוח תרדמה 2; נפלה תרדמה 4-7; תרדמת יי 7; הפיל תרדמה 1, 3

תרדמה 1 ויפל יי אל' תרדמה על־האדם Gen. 2:21
2 כי־נסך עליכם יי רוח תרדמה Is. 29:10
3 עצלה תפיל תרדמה Prov. 19:15
4/5 בנפל תרדמה על־אנשים Job 4:13; 33:15
ותרדמה 6 ותרדמה נפלה על־אברם Gen. 15:12
תרדמת־ 7 כי תרדמת יי נפלה עליהם ISh. 26:12

תִּרְהָקָה שם-י – מלך כוש: 1, 2

תרהקה 1 וישמע אל־תרהקה מלך־כוש לאמר IIK. 19:9
2 וישמע על־תרהקה מלך־כוש Is. 37:9

תְּרוּמָה נ' א) מנחה שהורמה מן היבול או מן הרכוש לקדשי ה': 1-11, 13-68, 71-76 ב) מתנה: 12, 69, 70

– תרומה ומעשר 31, 72
– זהב התרומה 23; מכס תרומה 45; שוק התרומה 17, 19-22
– תרומת הארץ 65; תרומת בית אלהים 55; ת' הגרן 61; ת' דגן 56; ת' יד 46, 57, 58; ת' יי 32-42, 45; ת' הכהנים 59; ת' כל 47; ת' כסף 43; ת' מתן 44; תרומת נחשת 43; ת' הקדש 48-54, 62-64; תרומת הקדשים 60
– תרומות הקדשים 71; איש תרומות 70; ראשית תרומות 74; משמרת ת' 73; שדי תרומות 69
– הרים תרומה 8, 9, 11, 13, 26, 27, 43

תרומה 1 דבר אל־בני יש' ויקחו־לי תרומה Ex. 25:2
2 והיה לאהרן...כי תרומה הוא Ex. 29:28
3 מחצית השקל תרומה ליי Ex. 30:13
4 קחו מאתכם תרומה ליי Ex. 35:5
5 והקריב...מכל־קרבן תרומה ליי Lev. 7:14
6 ואת שוק הימין תתנו תרומה לכהן Lev. 7:32
7 וכל־תרומה לכל־קדשי בני־יש' Num. 5:9
8 באכלכם...תרימו תרומה ליי Num. 15:19
9 ראשית ערסתכם חלה תרימו תרומה Num. 15:20
תרומה (המשך) 10 מראשית ערסתיכם תתנו ליי תרומה Num. 15:21
11 אשר ירימו ליי תרומה Num. 18:24
12 המסכן תרומה עץ לא־ירקב יבחר Is. 40:20
13 תרימו תרומה ליי קדש מן־הא' Ezek. 45:1
14 חמשה ועשרים אלף תרומה Ezek. 48:21
ותרומה 15 ותרומה יהיה מאת בני־ישראל Ex. 29:28
התרומה 16 וזאת התרומה אשר תקחו מאתם Ex. 25:3
17 ואת שוק התרומה Ex. 29:27
18 ויקחו...את כל־התרומה Ex. 36:3
19-22 שוק התרומה Lev. 7:34; 10:14, 15 Num. 6:20
23 ויהי כל־זהב התרומה Num. 31:52
24 זאת התרומה אשר תרימו Ezek. 45:13
25 כל העם הארץ יהיו אל־התרומה Ezek. 45:16
26 תהיה התרומה אשר־תרימו Ezek. 48:8
27 התרומה אשר תרימו ליי Ezek. 48:9
28 כל־התרומה חמשה ועשרים אלף Ezek. 48:20
29 מהחל התרומה לביא בית־יי IICh. 31:10
30 ויביאו את־התרומה...באמונה IICh. 31:12
והתרומה 31 במה קבענוך המעשר והתרומה Mal. 3:8
תרומת־ 32 כל העבר...יתן תרומת יי Ex. 30:14
33 לתת את־תרומת יי Ex. 30:15
34-42 תרומת יי Ex. 35:5, 21, 24 Num. 18:26, 28², 29; 31:29 • IICh. 31:14
43 כל־מרים תרומת כסף ונחשת Ex. 35:24
44 וזה־לך תרומת מתנם Num. 18:11
45 ויתן משה את־מכס תרומת יי Num. 31:41
46 והבאתם...ואת תרומת ידכם Deut. 12:6
47 תרומת כל מכל תרומתיכם Ezek. 44:30
48-50 לעמת תרומת הקדש Ezek. 45:6; 48:18²
51-54 תרומת הקדש Ezek. 45:7; 48:10, 20, 21
55 את־הכסף...תרומת בית־אלהינו Ez. 8:25
56 יביאו ב״י...את־תרומת הדגן Neh. 10:40
ותרומת־ 57 מעשרתיכם ותרמת ידכם Deut. 12:11
58 ונדבתיך ותרומת ידך Deut. 12:17
59 מצות הלוים...ותרומת הכהנים Neh. 13:5
בתרומת־ 60 הוא בתרומת הקדשים לא תאכל Lev. 22:12
כתרומת־ 61 כתרומת גרן כן תרימו אתה Num. 15:20
לתרומת־ 62 מלאכה לתרומת הקדש Ex. 36:6
63/4 לתרומת(־)הקדש ולאחזת העיר Ezek. 45:7; 48:21
מתרומת־ 65 תרומיה מתרומת הארץ Ezek. 48:12
תרומתי 66 מאת כל־איש...תקחו את־תרומתי Ex. 25:2
תרומתכם 67 ונחשב לכם תרומתכם... Num. 18:27
תרומתם 68 מזבחי שלמיהם תרומתם ליי Ex. 29:28
תרומות 69 אל־טל...עליכם ושדי תרומת IISh. 1:21
70 ואיש תרומות יהרסנה Prov. 29:4
תרומות־ 71 תרומת הקדשים...נתתי לך Num. 18:19
לתרומות 72 לתרומות לראשית ולמעשרות Neh. 12:44
תרומתי 73 נתתי לך את־משמרת תרומתי Num. 18:8
ותרומתינו 74 ראשית עריסתנו ותרומתינו Neh. 10:38
תרומתיכם 75 ושם אדרוש את־תרומתיכם Ezek. 20:40
76 וכל־תרומת כל מכל תרומתיכם Ezek. 44:30

תְּרוּמִיָּה נ' תרומה נבחרת

תרומיה 1 והיתה להם תרומיה מתרומת הארץ Ezek. 48:12

תְּרוּעָה נ׳ א) צהלת המון, קולות קריאה חזקים: 7–10, 14–16, 20, 21, 24, 25, 29–36
ב) קול חצוצרה או שופר: 1–6, 11–13, 17–19, 22, 23, 26–28
– תְּרוּעָה גְּדוֹלָה 7–10, 15, 21
– זִבְחֵי תְרוּעָה 11; זִכְרוֹן תְּ׳ 1; חֲצוֹצְרוֹת תְּ׳ 19, 22; יוֹדְעֵי תְ׳ 12; יוֹם תְּ׳ 6; צִלְצְלֵי תְרוּעָה 13; קוֹל תְּרוּעָה 20, 21; שׁוֹפַר תְּרוּעָה 2
– תְּרוּעַת מִלְחָמָה 33, 34; תְּרוּעַת מֶלֶךְ 36; תְּרוּעַת שִׂמְחָה 35
– הֵרִיעַ תְּרוּעָה 15; הִשְׁמִיעַ תְּ׳ 34; תָּקַע תְּרוּעָה 3–5

תְּרוּעָה 1 זִכְרוֹן תְּרוּעָה מִקְרָא־קֹדֶשׁ Lev. 23:24
2 וְהַעֲבַרְתָּ שׁוֹפַר תְּרוּעָה Lev. 25:9
3 וּתְקַעְתֶּם תְּרוּעָה וְנָסְעוּ הַמַּחֲנוֹת Num. 10:5
4 וּתְקַעְתֶּם תְּרוּעָה שֵׁנִית וְנָסְעוּ הַמַּחֲנוֹת Num. 10:6
5 תְּרוּעָה יִתְקְעוּ לְמַסְעֵיהֶם Num. 10:6
6 יוֹם תְּרוּעָה יִהְיֶה לָכֶם Num. 29:1
7 יָרִיעוּ כָל־הָעָם תְּרוּעָה גְדוֹלָה Josh. 6:5
8–10 תְּרוּעָה גְדוֹלָה Josh. 6:20 • ISh. 4:5 • Ez. 3:13
11 וְאֶזְבְּחָה בְאָהֳלוֹ זִבְחֵי תְרוּעָה Ps. 27:6
12 אַשְׁרֵי הָעָם יוֹדְעֵי תְרוּעָה Ps. 89:16
13 הַלְלוּהוּ בְּצִלְצְלֵי תְרוּעָה Ps. 150:5
14 עַד־יְמַלֵּה...וּשְׂפָתֶיךָ תְרוּעָה Job 8:21
15 הֵרִיעוּ תְרוּעָה גְדוֹלָה בְּהַלֵּל לַיְיָ Ez. 3:11
וּתְרוּעָה 16 וְזְעָקָה בַּבֹּקֶר וּתְרוּעָה בְּעֵת צָהֳרָיִם Jer. 20:16
17 יוֹם שׁוֹפָר וּתְרוּעָה Zep. 1:16
18 רַעַם שָׂרִים וּתְרוּעָה Job 39:25
הַתְּרוּעָה 19 וַחֲצֹצְרוֹת הַתְּרוּעָה בְּיָדוֹ Num. 31:6
20 וַיִּשְׁמְעוּ פְלִשְׁתִּים אֶת־קוֹל הַתְּרוּעָה ISh. 4:6
21 מֶה קוֹל הַתְּרוּעָה הַגְּדוֹלָה הַזֹּאת ISh. 4:6
22 וַחֲצֹצְרוֹת הַתְּרוּעָה לְהָרִיעַ עֲלֵיכֶם IICh. 13:12
בִּתְרוּעָה 23 מַעֲלִים...בִּתְרוּעָה וּבְקוֹל שׁוֹפָר IISh. 6:15
24 לְהָרִים קוֹל בִּתְרוּעָה Ezek. 21:27
25 בִּתְרוּעָה בְּיוֹם מִלְחָמָה Am. 1:14
26 וּמֵת בְּשָׁאוֹן...בִּתְרוּעָה בְּקוֹל שׁוֹפָר Am. 2:2
27 הֵיטִיבוּ נַגֵּן בִּתְרוּעָה Ps. 33:3
28 עָלָה אֱלֹ׳ בִּתְרוּעָה יְיָ בְּקוֹל שׁוֹפָר Ps. 47:6
29 וַיַּרְא פָּנָיו בִּתְרוּעָה Job 33:26
30 בִּתְרוּעָה בְשִׂמְחָה לְהָרִים קוֹל Ez. 3:12
31 מַעֲלִים...בִּתְרוּעָה וּבְקוֹל שׁוֹפָר ICh. 15:28
וּבִתְרוּעָה 32 וַיִּשָּׁבְעוּ לַיְיָ בְּקוֹל גָּדוֹל וּבִתְרוּעָה IICh. 15:14
תְּרוּעַת־ 33 קוֹל שׁוֹפָר...תְּרוּעַת מִלְחָמָה Jer. 4:19
34 וְהִשְׁמַעְתִּי...תְּרוּעַת מִלְחָמָה Jer. 49:2
35 וְאֵין הָעָם מַכִּירִים קוֹל תְּרוּעַת הַשִּׂמְחָה Ez. 3:13
וּתְרוּעַת־ 36 יְיָ אֱלֹהָיו עִמּוֹ וּתְרוּעַת מֶלֶךְ בּוֹ Num. 23:21

תְּרוּפָה נ׳ רפואה • קרובים: ראה מַרְפֵּא
לִתְרוּפָה 1 וְהָיָה פִרְיוֹ לְמַאֲכָל וְעָלֵהוּ לִתְרוּפָה Ezek. 47:12

תִּרְזָה נ׳ מעצי הסרק
תִּרְזָה 1 וַיִּקַּח תִּרְזָה וְאַלּוֹן...בַּעֲצֵי־יָעַר Is. 44:14

תֶּרַח[1] שפ״ז – אבי אברהם: 1–11
יְמֵי תֶרַח 7; תּוֹלְדֹת תֶּרַח 3
תֶּרַח 1 וַיְחִי נָחוֹר אַחֲרֵי הוֹלִידוֹ אֶת־תֶּרַח Gen. 11:25
2 וַיְחִי־תֶרַח...וַיּוֹלֶד אֶת־אַבְרָם Gen. 11:26
3 וְאֵלֶּה תּוֹלְדֹת תֶּרַח Gen. 11:27
4 תֶּרַח הוֹלִיד אֶת־אַבְרָם Gen. 11:27
5 וַיָּמָת הָרָן עַל־פְּנֵי תֶּרַח אָבִיו Gen. 11:28

תֶּרַח (המשך) 6 וַיִּקַּח תֶּרַח אֶת־אַבְרָם בְּנוֹ Gen. 11:31
7 וַיִּהְיוּ יְמֵי־תֶרַח חָמֵשׁ שָׁנִים וּמָאתַיִם שָׁנָה Gen. 11:32
8 וַיָּמָת תֶּרַח בְּחָרָן Gen. 11:32
9 תֶּרַח אֲבִי אַבְרָהָם וַאֲבִי נָחוֹר Josh. 24:2
תָּרַח 10 וַיְחִי נָחוֹר...וַיּוֹלֶד אֶת־תָּרַח Gen. 11:24
11 שְׂרוּג נָחוֹר תָּרַח ICh. 1:26

תֶּרַח*[2] ש״פ – מתחנות בני ישראל במסעיהם במדבר סיני: 1, 2
בְּתָרַח 1 וַיִּסְעוּ מִתַּחַת וַיַּחֲנוּ בְּתָרַח Num. 33:27
מִתָּרַח 2 וַיִּסְעוּ מִתָּרַח וַיַּחֲנוּ בְּמִתְקָה Num. 33:28

תִּרְחֲנָה שפ״ז – בן כָּלֵב למטה יהודה
תִּרְחֲנָה 1 יָלַד שֶׁבֶר וְאֶת־תִּרְחֲנָה ICh. 2:48

תְּרֵין* ש״מ ארמית שנים: 1, 2 [תְּרֵי עֲשַׂר = שנים עשר]
תְּרֵי־ 1 לִקְצָת יַרְחִין תְּרֵי־עֲשַׂר Dan. 4:26
2 וּצְפִירֵי עִזִּין...תְּרֵי־עֲשַׂר Ez. 6:17

תָּרְמָה נ׳ תרמית, ערמה [ואולי שם מקום?]
בְּתָרְמָה 1 וַיִּשְׁלַח...אֶל־אֲבִימֶלֶךְ בְּתָרְמָה Jud. 9:31

תַּרְמִית נ׳ מרמה: 1–5
קרובים: אָוֶן / כָּזָב / מִרְמָה / עָוֶל / עָרְמָה / שָׁוְא / שֶׁקֶר
תַּרְמִית לֵב 3, 4; לְשׁוֹן תַּרְמִית 1
תַּרְמִית 1 וְלֹא־יִמָּצֵא בְּפִיהֶם לְשׁוֹן תַּרְמִית Zep. 3:13
בַּתַּרְמִית 2 הֶחֱזִיקוּ בַּתַּרְמִית מֵאֲנוּ לָשׁוּב Jer. 8:5
תַּרְמִית־ 3 וּנְבִיאֵי תַּרְמִת לִבָּם Jer. 23:26
וְתַרְמִית־ 4 חֲזוֹן שֶׁקֶר וְקֶסֶם וֶאֱלִיל° וְתַרְמִית (כת׳ ותרמות) לִבָּם Jer. 14:14
תַּרְמִיתָם 5 כִּי־שֶׁקֶר תַּרְמִיתָם Ps. 119:118

תֹּרֶן ז׳ א) מוט לחבור המפרש בספינה: 1, 3
ב) מוט גבוה, נס: 2
כֵּן הַתֹּרֶן 3
תֹּרֶן 1 אֶרֶז...לַעֲשׂוֹת תֹּרֶן עָלָיִךְ Ezek. 27:5
כַּתֹּרֶן 2 כַּתֹּרֶן עַל־רֹאשׁ הָהָר Is. 30:17
תָּרְנָם 3 בַּל־יְחַזְּקוּ כֵן־תָּרְנָם Is. 33:23

תְּרַע ז׳ ארמית שער: 1, 2
בִּתְרַע־ 1 וְדָנִיֵּאל בִּתְרַע מַלְכָּא Dan. 2:49
לִתְרַע־ 2 קְרֵב...לִתְרַע אַתּוּן נוּרָא יָקִדְתָּא Dan. 3:26

תָּרָע* ז׳ ארמית: שוער [תָּרָעַיָּא = השוערים]
תָּרָעַיָּא 1 זַמָּרַיָּא תָּרָעַיָּא נְתִינַיָּא... Ez. 7:24

תַּרְעֵלָה נ׳ רעל, סם מות: 1–3
יֵין תַּרְעֵלָה 1; כּוֹס תַּרְעֵלָה 2, 3
תַּרְעֵלָה 1 הִשְׁקִיתָנוּ יַיִן תַּרְעֵלָה Ps. 60:5
הַתַּרְעֵלָה 2 אֶת־קֻבַּעַת כּוֹס הַתַּרְעֵלָה שָׁתִית Is. 51:17
3 לָקַחְתִּי מִיָּדֵךְ אֶת־כּוֹס הַתַּרְעֵלָה Is. 51:22

תִּרְעָתִי* ת׳ תושב המקום תִּרְעָה
תִּרְעָתִים 1 יֹשְׁבֵי° יַעְבֵּץ תִּרְעָתִים שִׁמְעָתִים... ICh. 2:55

תְּרָפִים ז״ר – אלילי־בית בימי המקרא: 1–15
קרובים: אֱלִיל / בַּעַל / בֹּשֶׁת / גִּלּוּלִים / מַסֵּכָה / עֲצַבִּים / עַשְׁתֹּרֶת / פֶּסֶל / צֶלֶם / שִׁקּוּץ
אֵפוֹד וּתְרָפִים 1, 2, 4; אָוֶן וּתְרָפִים 3
וּתְרָפִים 1 וַיַּעַשׂ אֵפוֹד וּתְרָפִים Jud. 17:5
2 אֵפוֹד וּתְרָפִים וּפֶסֶל וּמַסֵּכָה Jud. 18:14
3 וְאָוֶן וּתְרָפִים הַפְצַר ISh. 15:23
4 וְאֵין אֵפוֹד וּתְרָפִים Hosh. 3:4
הַתְּרָפִים 5 וַתִּגְנֹב רָחֵל אֶת־הַתְּרָפִים Gen. 31:19
6 וְרָחֵל לָקְחָה אֶת־הַתְּרָפִים Gen. 31:34
7 וַיְחַפֵּשׂ וְלֹא מָצָא אֶת־הַתְּרָפִים Gen. 31:35
8/9 וְאֶת־הַתְּרָפִים וְאֶת־הַמַּסֵּכָה Jud. 18:17, 18
10 וְאֶת־הַתְּרָפִים וְאֶת־הַפָּסֶל Jud. 18:20
11 וַתִּקַּח מִיכַל אֶת־הַתְּרָפִים ISh. 19:13
12 וְהִנֵּה הַתְּרָפִים אֶל־הַמִּטָּה ISh. 19:16
13 וְאֶת־הַתְּרָפִים וְאֶת־הַגִּלֻּלִים IIK. 23:24
14 כִּי הַתְּרָפִים דִּבְּרוּ־אָוֶן Zech. 10:2
בַּתְּרָפִים 15 שָׁאַל בַּתְּרָפִים רָאָה בַּכָּבֵד Ezek. 21:26

(וַ)תֶּרֶץ (Jud. 9:53) – עין רָצַץ (19)

(וַ)תֶּרֶץ (Ps. 50:18) – עין רָצָה (30)

תִּרְצָה[1] שפ״נ – מבנות צְלָפְחָד בן חֵפֶר: 1–4
תִּרְצָה 1 מַחְלָה תִרְצָה וְחָגְלָה Num. 36:11
וְתִרְצָה 2 חָגְלָה מִלְכָּה וְתִרְצָה Num. 26:33
3 וְחָגְלָה וּמִלְכָּה וְתִרְצָה Num. 27:1
4 חָגְלָה מִלְכָּה וְתִרְצָה Josh. 17:3

תִּרְצָה[2] ש״פ – עיר בנחלת מנשה: 1–14
תִּרְצָה 1 מֶלֶךְ תִּרְצָה אֶחָד Josh. 12:24
2 וַיַּעֲלֶה עָמְרִי...וַיָּצֻרוּ עַל־תִּרְצָה IK. 16:17
תִּרְצָתָה 3 וַתָּקָם...וַתֵּלֶךְ וַתָּבֹא תִרְצָתָה IK. 14:17
בְּתִרְצָה 4 וַיֶּחְדַּל מִבְּנוֹת...וַיֵּשֶׁב בְּתִרְצָה IK. 15:21
5 מָלַךְ בַּעְשָׁא...בְּתִרְצָה IK. 15:33
6 וַיִּשְׁכַּב בַּעְשָׁא...וַיִּקָּבֵר בְּתִרְצָה IK. 16:6
7 מָלַךְ אֵלָה...בְּתִרְצָה IK. 16:8
8 וְהוּא בְתִרְצָה שֹׁתֶה שִׁכּוֹר IK. 16:9
9 אֲשֶׁר עַל־הַבַּיִת בְּתִרְצָה IK. 16:9
10 מָלַךְ זִמְרִי...בְּתִרְצָה IK. 16:15
11 בְּתִרְצָה מָלַךְ שֵׁשׁ־שָׁנִים IK. 16:23
כְּתִרְצָה 12 יָפָה...כְּתִרְצָה נָאוָה כִּירוּשָׁלָםִ S.ofS. 6:4
מִתִּרְצָה 13 וַיַּעַל מְנַחֵם בֶּן־גָּדִי מִתִּרְצָה IIK. 15:14
14 אֶת־תִּפְסַח...וְאֶת־גְּבוּלֶיהָ מִתִּרְצָה IIK. 15:16

תֶּרֶשׁ שפ״ז – מסריסי המלך אחשורוש: 1, 2
וָתֶרֶשׁ 1 בִּגְתָן וָתֶרֶשׁ שְׁנֵי־סָרִיסֵי הַמֶּלֶךְ Es. 2:21
2 בִּגְתָנָא וָתֶרֶשׁ שְׁנֵי סָרִיסֵי הַמֶּלֶךְ Es. 6:2

תַּרְשִׁישׁ[1] ז׳ אבן יקרה, מן האבנים שהיו בחושן הכהן הגדול: 1–7
אֶבֶן תַּרְשִׁישׁ 4
תַּרְשִׁישׁ 1/2 תַּרְשִׁישׁ (וְ)שֹׁהַם וְיָשְׁפֶה Ex. 28:20; 39:13
3 מַרְאֵה הָאוֹפַנִּים...כְּעֵין תַּרְשִׁישׁ Ezek. 1:16
4 וּמַרְאֵה הָאוֹפַנִּים כְּעֵין אֶבֶן תַּרְשִׁישׁ Ezek. 10:9
5 תַּרְשִׁישׁ שֹׁהַם וְיָשְׁפֵה Ezek. 28:13
בַּתַּרְשִׁישׁ 6 יָדָיו גְּלִילֵי זָהָב מְמֻלָּאִים בַּתַּרְשִׁישׁ S.ofS. 5:14
כְתַרְשִׁישׁ 7 וּגְוִיָּתוֹ כְתַרְשִׁישׁ וּפָנָיו כְּמַרְאֵה בָרָק Dan. 10:6

תַּרְשִׁישׁ[2] שפ״ז א) מבני בִלְהָן לשבט בנימין: 3
ב) מבני יָוָן, מצאצאי יֶפֶת: 2
ג) משרי המלך אחשורוש: 1
תַּרְשִׁישׁ 1 כַּרְשְׁנָא שֵׁתָר אַדְמָתָא תַרְשִׁישׁ Es. 1:14
וְתַרְשִׁישׁ 2 וּבְנֵי יָוָן אֱלִישָׁה וְתַרְשִׁישׁ Gen. 10:4
3 וּבְנֵי בִלְהָן...וְתַרְשִׁישׁ וַאֲחִישָׁחַר ICh. 7:10

תַּרְשִׁישׁ[3] ש״פ – שם עיר־מסחר (נמל) באיי הים (באזור יוון או ספרד?): 1–24
אֳנִי תַרְשִׁישׁ 1, 2; אֳנִיּוֹת תַּרְשִׁישׁ 3–6, 8, 11, 17; בַּת תַּ׳ 7; מַלְכֵי תַרְשִׁישׁ 15; סֹחֲרֵי תַּרְשִׁישׁ 12

תַּרְשִׁישׁ 1 כִּי אֳנִי תַרְשִׁישׁ לַמֶּלֶךְ בַּיָּם IK.10:22
2 תָּבוֹא אֳנִי תַרְשִׁישׁ IK.10:22
3 יְהוֹשָׁפָט עָשָׂה° אֳנִיּוֹת תַּרְשִׁישׁ IK.22:49
4 וְעַל כָּל־אֳנִיּוֹת תַּרְשִׁישׁ Is.2:16
5/6 הֵילִילוּ אֳנִיּוֹת תַּרְשִׁישׁ Is.23:1,14
7 בַּת־תַּרְשִׁישׁ אֵין מֵזַח עוֹד Is.23:10
8 וָאֳנִיּוֹת תַּרְשִׁישׁ בָּרִאשֹׁנָה Is.60:9
9 תַּרְשִׁישׁ פּוּל וְלוּד Is.66:19
10 תַּרְשִׁישׁ סֹחַרְתֵּךְ מֵרֹב כָּל־הוֹן Ezek.27:12
11 אֳנִיּוֹת תַּרְשִׁישׁ שָׁרוֹתַיִךְ מַעֲרָבֵךְ Ezek.27:25
12 שְׁבָא וּדְדָן וְסֹחֲרֵי תַרְשִׁישׁ Ezek.38:13
13 וַיִּמְצָא אָנִיָּה בָּאָה תַרְשִׁישׁ Jon.1:3
14 בְּרוּחַ קָדִים תְּשַׁבֵּר אֳנִיּוֹת תַּרְשִׁישׁ Ps.48:8
15 מַלְכֵי תַרְשִׁישׁ וְאִיִּים מִנְחָה יָשִׁיבוּ Ps.72:10
16 כִּי־אֳנִיּוֹת לַמֶּלֶךְ הֹלְכוֹת תַּרְשִׁישׁ IICh.9:21
17 תָּבוֹאנָה אֳנִיּוֹת תַּרְשִׁישׁ IICh.9:21
18 לַעֲשׂוֹת אֳנִיּוֹת לָלֶכֶת תַּרְשִׁישׁ IICh.20:36
19 וְלֹא עָצְרוּ לָלֶכֶת אֶל־תַּרְשִׁישׁ IICh.20:37
תַּרְשִׁישָׁה 20 עִבְרוּ תַּרְשִׁישָׁה הֵילִילוּ יֹשְׁבֵי אִי Is.23:6
21 וַיָּקָם יוֹנָה לִבְרֹחַ תַּרְשִׁישָׁה מִלִּפְנֵי יְיָ Jon.1:3
22 לָבוֹא עִמָּהֶם תַּרְשִׁישָׁה מִלִּפְנֵי יְיָ Jon.1:3
23 עַל־כֵּן קִדַּמְתִּי לִבְרֹחַ תַּרְשִׁישָׁה Jon.4:2
מִתַּרְשִׁישׁ 24 כֶּסֶף מְרֻקָּע מִתַּרְשִׁישׁ יוּבָא Jer.10:9

תַּרְשִׁישָׁה שפ״ז – הוּא תַּרְשִׁישׁ2(ב)

וְתַרְשִׁישָׁה 1 וּבְנֵי יָוָן אֱלִישָׁה וְתַרְשִׁישָׁה ICh.1:7

תִּרְשָׁתָא ת׳ תּוֹאר כבוד במלכות פרס, פֶּחָה: 1-5

הַתִּרְשָׁתָא 1/2 וַיֹּאמֶר הַתִּרְשָׁתָא לָהֶם Ez.2:63 • Neh.7:65
3 הַתִּרְשָׁתָא נָתַן לָאוֹצָר זָהָב... Neh.7:69
4 וַיֹּאמֶר נְחֶמְיָה הוּא הַתִּרְשָׁתָא Neh.8:9
5 נְחֶמְיָה הַתִּרְשָׁתָא בֶּן־חֲכַלְיָה Neh.10:2

תַּרְתֵּין ש״מ ארמית שְׁתַּיִם: 1, 2

תַּרְתֵּין 1 עַד שְׁנַת תַּרְתֵּין לְמַלְכוּת דָּרְיָוֶשׁ Ez.4:24
וְתַרְתֵּין 2 כְּבַר שְׁנִין שִׁתִּין וְתַרְתֵּין Dan.6:1

תַּרְתָּן ת׳ כנוי לשׂר־צבא, מפקד: 1, 2

תַּרְתָּן 1 וַיִּשְׁלַח מֶלֶךְ־אַשּׁוּר אֶת־תַּרְתָּן IIK.18:17
2 בִּשְׁנַת בֹּא תַרְתָּן אַשְׁדּוֹדָה Is.20:1

תַּרְתָּק שפ״ז – מאלילי הגויים

תַּרְתָּק 1 וְהָעַוִּים עָשׂוּ נִבְחַז וְאֶת־תַּרְתָּק IIK.17:31

תִּשְׁבִּי ת׳ מן העיר תִּשְׁבֶּה(?)

כנוי שנתיחד לאֵלִיָּהוּ הנביא: 1-6

הַתִּשְׁבִּי 1 אֵלִיָּהוּ הַתִּשְׁבִּי מִתֹּשָׁבֵי גִלְעָד IK.17:1
2/3 דְּבַר־יְיָ אֶל־אֵלִיָּהוּ הַתִּשְׁבִּי IK.21:17,28
4 וּמַלְאַךְ יְיָ דִּבֶּר אֶל־אֵלִיָּה הַתִּשְׁבִּי IIK.1:3
5 וַיֹּאמַר אֵלִיָּה הַתִּשְׁבִּי IIK.1:8
6 בְּיַד־עַבְדּוֹ אֵלִיָּהוּ הַתִּשְׁבִּי IIK.9:36

תַּשְׁבֵּץ ז׳ רקמת אריג קלועה, מעשׂה משבצות

כְּתֹנֶת תַּשְׁבֵּץ 1

תַּשְׁבֵּץ 1 וּמְעִיל וּכְתֹנֶת תַּשְׁבֵּץ Ex.28:4

תְּשׁוּאָה* נ׳ רַעַשׁ, שאוֹן: 1-4

תְּשׁוּאוֹת חֵן 2; תְּ׳ נוֹגֵשׂ 4; תְּשׁוּאוֹת סֻכָּתוֹ 3

תְּשֻׁאוֹת 1 תְּשֻׁאוֹת מְלֵאָה עִיר הוֹמִיָּה Is.22:2
תְּשֻׁאוֹת־ 2 תְּשֻׁאוֹת חֵן חֵן לָהּ Zech.4:7
3 מִפְרְשֵׂי־עָב תְּשֻׁאוֹת סֻכָּתוֹ Job36:29
4 תְּשֻׁאוֹת נוֹגֵשׂ לֹא יִשְׁמָע Job39:7

תְּשׁוּבָה* נ׳ א) מחזור, תקופה: 1-5

ב) שיבה, חזרה: 6

ג) מענֶה: 7, 8

תְּשׁוּבַת הַשָּׁנָה 1-5

תְּשׁוּבַת־ 1 וַיְהִי לְעֵת תְּשׁוּבַת הַשָּׁנָה ICh.20:1
לִתְשׁוּבַת־ 2 וַיְהִי לִתְשׁוּבַת הַשָּׁנָה IISh.11:1
3 לִתְשׁוּבַת הַשָּׁנָה מֶלֶךְ אֲרָם עֹלֶה עָלֶיךָ IK.20:22
4 וַיְהִי לִתְשׁוּבַת הַשָּׁנָה IK.20:26
וְלִתְשׁוּבַת־ 5 וְלִתְשׁוּבַת הַשָּׁנָה שָׁלַח הַמֶּלֶךְ IICh.36:10
וּתְשֻׁבָתוֹ 6 וּתְשֻׁבָתוֹ הָרָמָתָה כִּי־שָׁם בֵּיתוֹ ISh.7:17
תְּשׁוּבוֹת 7 עַל־תְּשֻׁבֹת בְּאַנְשֵׁי־אָוֶן Job34:36
וּתְשׁוּבוֹתֵיכֶם 8 וּתְשׁוּבֹתֵיכֶם נִשְׁאַר־מָעַל Job21:34

תְּשׂוּמֶת* נ׳ שִׂימה, נתינה

בִּתְשׂוּמֶת־ 1 בְּפִקָּדוֹן אוֹ־בִתְשׂוּמֶת יָד אוֹ בְגָזֵל Lev.5:21

תְּשׁוּעָה נ׳ ישועה, הצלה: 1-34 • קרובים: ראה יְשׁוּעָה

– תְּשׁוּעָה גְדוֹלָה 3-5, 12, 16
– אֱלֹהֵי תְשׁוּעָה 28; חֵץ תְּשׁוּעָה 7, 8
– תְּשׁוּעַת אָדָם 23, 24; תְּ׳ יְיָ 26; תְּשׁוּעַת יִשְׂרָאֵל 22; תְּשׁוּעַת עוֹלָמִים 21; תְּשׁוּעַת צַדִּיקִים 25

תְּשׁוּעָה 1 מָחָר תִּהְיֶה־לָכֶם תְּשׁוּעָה ISh.11:9
2 כִּי הַיּוֹם עָשָׂה־יְיָ תְּשׁוּעָה בְּיִשְׂרָאֵל ISh.11:13
3 וַיַּעַשׂ יְיָ תְּשׁוּעָה גְדוֹלָה לְכָל־יִשְׂרָאֵל ISh.19:5
4/5 וַיַּעַשׂ יְיָ תְּשׁוּעָה גְדוֹלָה IISh.23:10,12
6 כִּי־בוֹ נָתַן־יְיָ תְּשׁוּעָה לַאֲרָם IIK.5:1
7 וַיּוֹר וַיֹּאמֶר חֵץ־תְּשׁוּעָה לַיְיָ IIK.13:17
8 וְחֵץ־תְּשׁוּעָה בַּאֲרָם IIK.13:17
9 וְנָתַתִּי בְצִיּוֹן תְּשׁוּעָה Is.46:13
10 הַנּוֹתֵן תְּשׁוּעָה לַמְּלָכִים Ps.144:10
11 בְּבֶן־אָדָם שֶׁאֵין לוֹ תְשׁוּעָה Ps.146:3
12 וַיּוֹשַׁע יְיָ תְּשׁוּעָה גְדוֹלָה ICh.11:14
13 כֹּהֲנֶיךָ יְיָ אֱלֹהִים יִלְבְּשׁוּ תְשׁוּעָה IICh.6:41
וּתְשׁוּעָה 14/5 וּתְשׁוּעָה בְּרֹב יוֹעֵץ Prov.11:14; 24:6
הַתְּשׁוּעָה 16 אֶת־הַתְּשׁוּעָה הַגְּדֹלָה הַזֹּאת Jud.15:18
17 וַתְּהִי הַתְּשֻׁעָה...לְאֵבֶל IISh.19:3
18 סוּס מוּכָן...וְלַיְיָ הַתְּשׁוּעָה Prov.21:31
לִתְשׁוּעָה 19 שֶׁקֶר הַסּוּס לִתְשׁוּעָה Ps.33:17
20 וְהָיִיתָ לִּי לִתְשׁוּעָה ICh.19:12
תְּשׁוּעַת־ 21 יִשְׂרָאֵל נוֹשַׁע בַּייָ תְּשׁוּעַת עוֹלָמִים Is.45:17
22 אָכֵן בַּייָ אֱלֹהֵינוּ תְּשׁוּעַת יִשְׂרָאֵל Jer.3:23
23/4 וְשָׁוְא תְּשׁוּעַת אָדָם Ps.60:13; 108:13
וּתְשׁוּעַת־ 25 וּתְשׁוּעַת צַדִּיקִים מֵיְיָ Ps.37:39
לִתְשׁוּעַת־ 26 טוֹב וְיָחִיל וְדוּמָם לִתְשׁוּעַת יְיָ Lam.3:26
תְּשׁוּעָתִי 27 חוּשָׁה לְעֶזְרָתִי אֲדֹנָי תְּשׁוּעָתִי Ps.38:23
28 הַצִּילֵנִי...אֱלֹהֵי תְּשׁוּעָתִי Ps.51:16
וּתְשׁוּעָתִי 29 וּתְשׁוּעָתִי לֹא תְאַחֵר Is.46:13
תְּשׁוּעָתְךָ 30 חֲסָדֶךָ יְיָ תְּשׁוּעָתְךָ כְּאִמְרָתֶךָ Ps.119:41
תְּשׁוּעָתֶךָ 31 יֹאמְרוּ תָמִיד...אֹהֲבֵי תְּשׁוּעָתֶךָ Ps.40:17
32 פִּי יְסַפֵּר...כָּל־הַיּוֹם תְּשׁוּעָתֶךָ Ps.71:15
וּתְשׁוּעָתְךָ 33 אֱמוּנָתְךָ וּתְשׁוּעָתְךָ אָמָרְתִּי Ps.40:11
לִתְשׁוּעָתְךָ 34 כָּלְתָה לִתְשׁוּעָתְךָ נַפְשִׁי Ps.119:81

תְּשׁוּקָה* נ׳ תַּאוה, חֵשק: 1-3 • קרובים: ראה חֵשֶׁק

תְּשׁוּקָתֵךְ 1 וְאֶל־אִישֵׁךְ תְּשׁוּקָתֵךְ וְהוּא יִמְשָׁל־בָּךְ Gen.3:16
תְּשׁוּקָתוֹ 2 וְאֵלֶיךָ תְּשׁוּקָתוֹ וְאַתָּה תִּמְשָׁל־בּוֹ Gen.4:7
3 אֲנִי לְדוֹדִי וְעָלַי תְּשׁוּקָתוֹ S.ofS.7:11

תְּשׁוּרָה נ׳ מַתָּנה • קרובים: ראה מַתָּנָה

וּתְשׁוּרָה 1 וּתְשׁוּרָה אֵין־לְהָבִיא לְאִישׁ הָאֱלֹהִים ISh.9:7

תֶּשִׁי (Deut.32:18) – עין נָשָׁה (3)

תֻּשִׁיָּה נ׳ – עין תּוּשִׁיָּה

תְּשִׁיעִי ת׳ הבא אחרי השמיני – לפני העשׂירי: 1-17

חֹדֶשׁ תְּשִׁיעִי 2-6; יוֹם תְּשִׁיעִי 1; שָׁנָה תְּשִׁיעִית 12-17

הַתְּשִׁיעִי 1 בַּיּוֹם הַתְּשִׁיעִי נָשִׂיא לִבְנֵי בִנְיָמִן Num.7:60
2 בַּשָּׁנָה הַחֲמִשִׁית...בַּחֹדֶשׁ הַתְּשִׁעִי Jer.36:9
3-5 (בַּ/לַ)חֹדֶשׁ הַתְּשִׁיעִי Jer.36:22 Ez.10:9 • ICh.27:12
6 בְּאַרְבָּעָה לַחֹדֶשׁ הַתְּשִׁעִי בְּכִסְלֵו Zech.7:1
7 יוֹחָנָן הַשְּׁמִינִי אֶלְזָבָד הַתְּשִׁיעִי ICh.12:13(12)
8 לְיֵשׁוּעַ הַתְּשִׁעִי לִשְׁכַנְיָהוּ הָעֲשִׂרִי ICh.24:11
9 הַתְּשִׁיעִי מַתַּנְיָהוּ ICh.25:16
לַתְּשִׁיעִי 10 בְּעֶשְׂרִים וְאַרְבָּעָה לַתְּשִׁיעִי Hag.2:10
11 מִיּוֹם עֶשְׂרִים וְאַרְבָּעָה לַתְּשִׁיעִי Hag.2:18
הַתְּשִׁיעִית 12 עַד הַשָּׁנָה הַתְּשִׁיעִת Lev.25:22
13 בִּשְׁנַת הַתְּשִׁיעִית לְהוֹשֵׁעַ IIK.17:6
14 וַיְהִי בִשְׁנַת הַתְּשִׁיעִית לְמָלְכוֹ IIK.25:1
15 בַּשָּׁנָה הַתְּשִׁעִית לְצִדְקִיָּהוּ Jer.39:1
16 וַיְהִי בַשָּׁנָה הַתְּשִׁעִית לְמָלְכוֹ Jer.52:4
17 בַּשָּׁנָה הַתְּשִׁיעִית בַּחֹדֶשׁ הָעֲשִׂירִי Ezek.24:1

תֵּשָׁם (Gen.47:19) – עין יָשַׁם (2)

(וְ)תִשֶּׁנָה (Jer.9:17) – עין נָשָׂא (534)

תֵּשַׁע ש״מ – המספר 9 לנקבה: 1-41

– תֵּשַׁע אַמּוֹת 6; תֵּשַׁע יָדוֹת 13; תֵּשַׁע שָׁנִים 2,10,12; עָרִים תֵּשַׁע 7-9; שְׁנַת תֵּשַׁע 11
– תֵּשַׁע וְאַרְבָּעִים 5; תֵּשַׁע וְעֶשְׂרִים 3, 4; תֵּשַׁע וְשִׁשִּׁים 1
– עֶשְׂרִים וָתֵשַׁע 15-19; שְׁלֹשִׁים וָתֵשַׁע 20-22; תִּשְׁעִים וָתֵשַׁע 14
– תְּשַׁע עֶשְׂרֵה 25,26,29,30; תְּ׳ מֵאוֹת 23,24,27,28,31-41

תֵּשַׁע 1 תֵּשַׁע וְשִׁשִּׁים שָׁנָה Gen.5:27
2 תֵּשַׁע שָׁנִים וּמָאתַיִם שָׁנָה Gen.11:19
3 תֵּשַׁע וְעֶשְׂרִים שָׁנָה Gen.11:24
4 תֵּשַׁע וְעֶשְׂרִים כִּכָּר Ex.38:24
5 וְהָיוּ לְךָ...תֵּשַׁע וְאַרְבָּעִים שָׁנָה Lev.25:8
6 עֶרֶשׂ בַּרְזֶל...תֵּשַׁע אַמּוֹת אָרְכָּהּ... Deut.3:11
7/8 עָרִים תֵּשַׁע וְחַצְרֵיהֶן Josh.15:44,54
9 עָרִים תֵּשַׁע מֵאֵת שְׁנֵי הַשְּׁבָטִים Josh.21:16
10 מָלַךְ...עַל־יִשְׂרָאֵל תֵּשַׁע שָׁנִים IIK.17:1
11 הִיא שְׁנַת־תֵּשַׁע לְהוֹשֵׁעַ IIK.18:10
וְתֵשַׁע 12 בֶּן־תִּשְׁעִים שָׁנָה וְתֵשַׁע שָׁנִים Gen.17:1
13 וְתֵשַׁע הַיָּדוֹת בֶּעָרִים Neh.11:1
וָתֵשַׁע 14 בֶּן־תִּשְׁעִים וָתֵשַׁע שָׁנָה Gen.17:24
15 כָּל־עָרִים עֶשְׂרִים וָתֵשַׁע... Josh.15:32
16-19 וְעֶשְׂרִים וָתֵשַׁע שָׁנָה מָלַךְ בִּירוּשָׁלָם IIK.14:2; 18:2 • IICh.25:1; 29:1
20/1 בִּשְׁנַת שְׁלֹשִׁים וָתֵשַׁע שָׁנָה IIK.15:13,17
22 בִּשְׁנַת שְׁלוֹשִׁים וָתֵשַׁע לְמַלְכוּתוֹ IICh.16:12
תְּשַׁע־ 23/4 תְּשַׁע מֵאוֹת שָׁנָה Gen.5:5; 9:29
25 תְּשַׁע־עֶשְׂרֵה שָׁנָה וּמְאַת שָׁנָה Gen.11:25
26 עָרִים תְּשַׁע־עֶשְׂרֵה וְחַצְרֵיהֶן Josh.19:38
27/8 תְּשַׁע מֵאוֹת רֶכֶב(־)בַּרְזֶל Jud.4:3,13
29/30 תְּשַׁע־עֶשְׂרֵה שָׁנָה IIK.25:8 • Jer.52:12
31 תְּשַׁע מֵאוֹת וְאַרְבָּעִים וַחֲמִשָּׁה Ez.2:8
32 תְּשַׁע מֵאוֹת שִׁבְעִים וּשְׁלֹשָׁה Ez.2:36
33 תְּשַׁע מֵאוֹת וּשְׁלֹשִׁים Neh.7:38
34 תְּשַׁע מֵאוֹת שִׁבְעִים וּשְׁלֹשָׁה Neh.7:39
35 תְּשַׁע מֵאוֹת עֶשְׂרִים וּשְׁמֹנָה Neh.11:8
36 תְּשַׁע מֵאוֹת וַחֲמִשִּׁים וְשִׁשָּׁה ICh.9:9
וּתְשַׁע־ 37-41 וּתְשַׁע מֵאוֹת שָׁנָה Gen.5:8,11,14,20,27

תִּשְׁעָה ש״מ – המספר 9 לזָכר: 1־17
– תִּשְׁעָה חֳדָשִׁים 5; פָּרִים תִּשְׁעָה 3
– תִּשְׁעָה עָשָׂר 4, 8, 14; תִּשְׁעָה וְעֶשְׂרִים 6; תִּשְׁעָה וַחֲמִשִּׁים 2,1; שְׁלֹשִׁים וְתִשְׁעָה 9
– בְּתִשְׁעָה לַחֹדֶשׁ 10־13
– תִּשְׁעַת הַמַּטּוֹת 15, 17; תִּשְׁעַת הַשְּׁבָטִים 16

תִּשְׁעָה 1/2 תִּשְׁעָה וַחֲמִשִּׁים אָלֶף — Num. 1:23; 2:13
3 פָּרִים תִּשְׁעָה אֵילִם שְׁנָיִם — Num. 29:26
4 וַיִּפָּקְדוּ...תִּשְׁעָה־עָשָׂר אִישׁ — IISh. 2:30
5 מִקְצֵה תִשְׁעָה חֳדָשִׁים וְעֶשְׂרִים יוֹם — IISh. 24:8
6 מַחֲלָפִים תִּשְׁעָה וְעֶשְׂרִים — Ez. 1:9
7 וֶאֱלִישָׁמָע וְאֶלְיָדָע וֶאֱלִיפֶלֶט תִּשְׁעָה — ICh. 3:8
8 לִפְתַחְיָה תִּשְׁעָה עָשָׂר — ICh. 24:16
וְתִשְׁעָה 9 הַכֹּל מֵאָה שְׁלֹשִׁים וְתִשְׁעָה — Ez. 2:42
בְּתִשְׁעָה 10/1 בְּתִשְׁעָה לַחֹדֶשׁ — Lev. 23:32 • IIK. 25:3
12/3 בַּחֹדֶשׁ הָרְבִיעִי בְּתִשְׁעָה לַחֹדֶשׁ — Jer. 39:2; 52:6
לְתִשְׁעָה 14 לְתִשְׁעָה עָשָׂר לְמַלּוֹתִי... — ICh. 25:26
לְתִשְׁעַת־ 15 לָתֵת לְתִשְׁעַת הַמַּטּוֹת וַחֲצִי הַמַּטֶּה — Num. 34:13
16 לְתִשְׁעַת הַשְּׁבָטִים וַחֲצִי הַשֵּׁבֶט — Josh. 13:7
17 לְתִשְׁעַת הַמַּטּוֹת וַחֲצִי הַמַּטֶּה — Josh. 14:2

תִּשְׁעִים ש״מ – 90, תשע עשׂרות לזו״נ: 1־20
– תִּשְׁעִים אַמָּה 7; תִּשְׁעִים יוֹם 17, 18; תִּשְׁעִים שָׁנָה 1־3, 15, 16
– תִּשְׁעִים וּשְׁנַיִם 10, 11; תִּ׳ וַחֲמִשָּׁה 9, 14; תִּ׳ וְשִׁשָּׁה 6, 12; תִּשְׁעִים וּשְׁמוֹנָה 8, 13; תִּשְׁעִים וָתֵשַׁע 4
– חָמֵשׁ וְתִשְׁעִים 15,16; מָאתַיִם וְתִ׳ 19; שְׁלֹשׁ־מֵאוֹת וְתִשְׁעִים 17, 18; שֵׁשׁ־מֵאוֹת וְתִשְׁעִים 20

תִּשְׁעִים 1 וַיְחִי אֱנוֹשׁ תִּשְׁעִים שָׁנָה וַיּוֹלֶד — Gen. 5:9
2 בֶּן־תִּשְׁעִים שָׁנָה וְתֵשַׁע שָׁנִים — Gen. 17:1
3 הֲבַת־תִּשְׁעִים שָׁנָה תֵּלֵד — Gen. 17:17
4 בֶּן־תִּשְׁעִים וָתֵשַׁע שָׁנָה — Gen. 17:24
5 בֶּן־תִּשְׁעִים וּשְׁמֹנֶה שָׁנָה — ISh. 4:15
6 וַיִּהְיוּ הָרִמֹּנִים תִּשְׁעִים וְשִׁשָּׁה רוּחָה — Jer. 52:23
7 וְאָרְכּוֹ תִּשְׁעִים אַמָּה — Ezek. 41:12
8 בְּנֵי־אָטֵר...תִּשְׁעִים וּשְׁמֹנָה — Ez. 2:16
9 בְּנֵי גִבָּר תִּשְׁעִים וַחֲמִשָּׁה — Ez. 2:20
10/1 שְׁלֹשׁ מֵאוֹת תִּשְׁעִים וּשְׁנָיִם — Ez. 2.58 • Neh. 7:60
12 אֵילִים תִּשְׁעִים וְשִׁשָּׁה — Ez. 8:35
13 בְּנֵי־אָטֵר...תִּשְׁעִים וּשְׁמֹנָה — Neh. 7:21
14 בְּנֵי גִבְעוֹן תִּשְׁעִים וַחֲמִשָּׁה — Neh. 7:25
וְתִשְׁעִים 15/6 חָמֵשׁ וְתִשְׁעִים שָׁנָה — Gen. 5:17,30
17/8 שְׁלֹשׁ־מֵאוֹת וְתִשְׁעִים יוֹם — Ezek. 4:5,9
19 יָמִים אֶלֶף מָאתַיִם וְתִשְׁעִים — Dan. 12:11
20 וַאֲחֵיהֶם שֵׁשׁ־מֵאוֹת וְתִשְׁעִים — ICh. 9:6

תִּשְׁתּוֹחָח (Ps. 42:7) – עין שחח (23)

תִּשְׁתָּע (Is. 41:10) – עין שתע

תֵּת, תִּתִּי, לָתֵת וכ׳ – עין נָתַן

תִּתָּבָר (IISh. 22:27) – עין בָּרַר (14)

תַּתְּנַי שפ״ז – פחה למלך דריָוֶשׁ
תַּתְּנַי 1־4 תַּתְּנַי פַּחַת עֲבַר־נַהֲרָה — Ez. 5:3,6; 6:6, 13

(וַ)תֵּתַע (Gen. 21:14) – עין תעה (23)

תִּתַּפָּל (IISh. 22:27) – עין (פָּתַל) (5)

(וַ)תֵּתַצַּב (Ex. 2:4) – עין (יצב) נִצַּב (70)

תִּתְרַע (Prov. 22:24) – עין רָעָה (95)

(וַ)תִּתַּשׁ (Ezek. 19:12) – עין נָתַשׁ (21)

בירח שבט תשל״ג הוחל בסדור הקונקורדנציה בדפוס. — מקץ שבע שנים, בירח שבט תש״ם, שלמה המלאכה

ת ו ש ל ב ״ ע